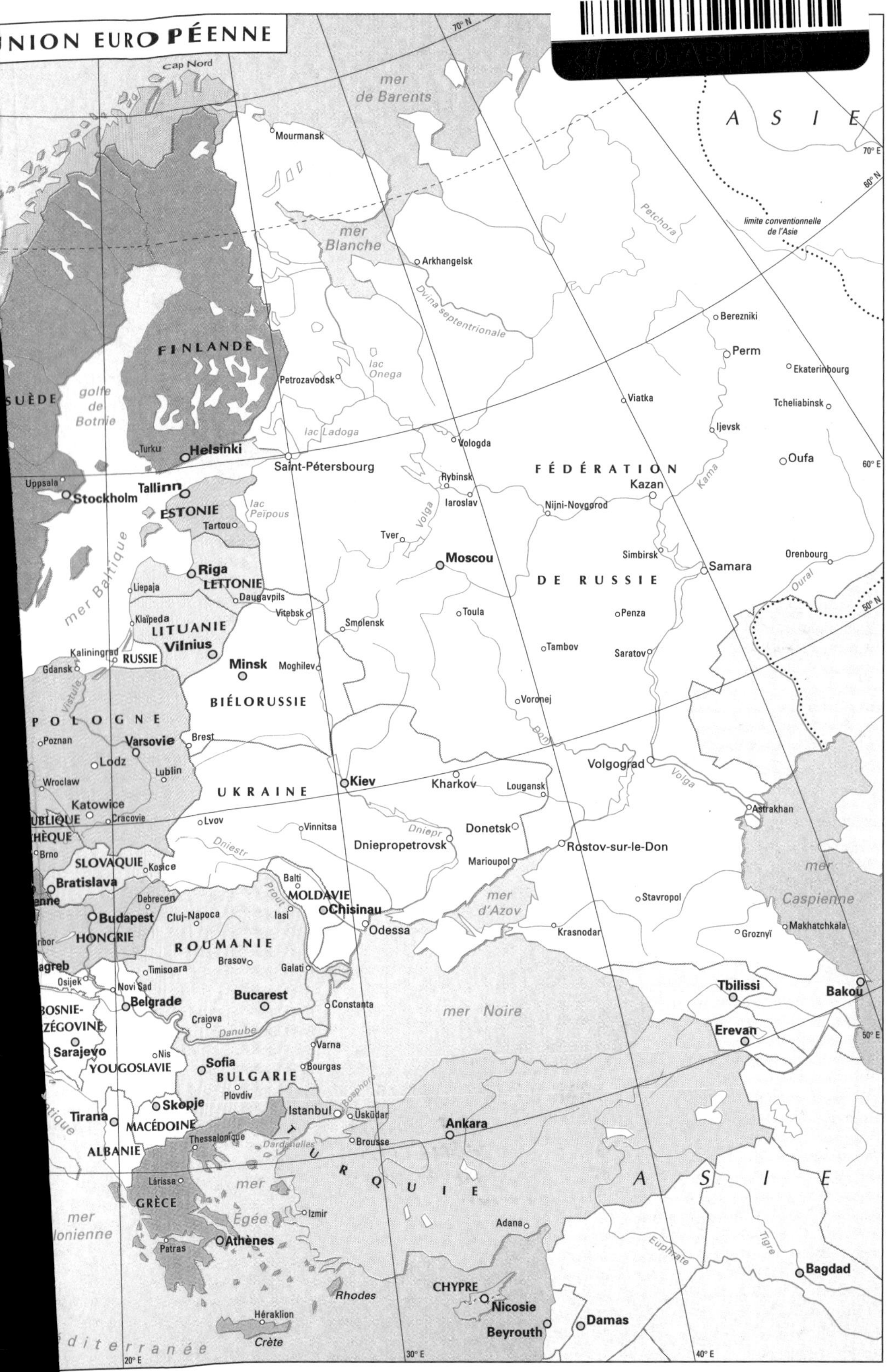

UNION EUROPÉENNE
cap Nord
mer de Barents
ASIE
Mourmansk
mer Blanche
Arkhangelsk
Petchora
limite conventionnelle de l'Asie
Dvina septentrionale
Bereznikí
Perm
Ekaterinbourg
FINLANDE
Petrozavodsk
lac Onega
Viatka
Tcheliabinsk
SUÈDE
golfe de Botnie
lac Ladoga
Vologda
Ijevsk
Oufa
Turku
Helsinki
Saint-Pétersbourg
FÉDÉRATION
Kama
Uppsala
Tallinn
Rybinsk
Kazan
Stockholm
ESTONIE
lac Peïpous
Iaroslav
Nijni-Novgorod
Tartou
Volga
Tver
mer Baltique
Moscou
Simbirsk
Orenbourg
Riga
Samara
Liepaja
LETTONIE
DE RUSSIE
Oural
Daugavpils
Vitebsk
Klaïpeda
Smolensk
Toula
Penza
LITUANIE
Kaliningrad
Vilnius
RUSSIE
Tambov
Saratov
Gdansk
Minsk
Moghilev
Vistule
BIÉLORUSSIE
Voronej
POLOGNE
Don
Poznan
Varsovie
Brest
Lodz
Lublin
Volgograd
Wroclaw
Kiev
Kharkov
Lougansk
UKRAINE
Katowice
Astrakhan
Cracovie
Lvov
Vinnitsa
Dniepr
Donetsk
Brno
Dniestr
Dniepropetrovsk
Rostov-sur-le-Don
SLOVAQUIE
Kosice
Marioupol
Balti
Bratislava
MOLDAVIE
mer Caspienne
Prout
Debrecen
mer d'Azov
Stavropol
Chisinau
Budapest
Cluj-Napoca
Iasi
Odessa
Makhatchkala
HONGRIE
Krasnodar
Groznyï
ROUMANIE
Brasov
Timisoara
Galati
Osijek
Tbilissi
Novi Sad
Bakou
Belgrade
Bucarest
Constanta
mer Noire
Craiova
Erevan
Danube
Sarajevo
Varna
Nis
Sofia
YOUGOSLAVIE
Bourgas
BULGARIE
Plovdiv
Bosphore
Skopje
Istanbul
Üsküdar
Tirana
MACÉDOINE
Ankara
Thessalonique
Brousse
ALBANIE
Dardanelles
TURQUIE
ASIE
Lárissa
mer Égée
GRÈCE
Izmir
mer Ionienne
Adana
Athènes
Euphrate
Tigre
Patras
Bagdad
Rhodes
CHYPRE
Nicosie
Héraklion
Damas
Beyrouth
Crète
méditerranée
20° E
30° E
40° E
50° E
60° E
70° E
50° N
60° N
70° N

Dictionnaire HACHETTE

ENCYCLOPÉDIQUE ILLUSTRÉ

ISBN 2.01.28.0495.0

Cartographie Hachette

Dictionnaire HACHETTE

ENCYCLOPÉDIQUE ILLUSTRÉ

Le Dictionnaire Hachette Encyclopédique
est édité sous la responsabilité d'Emmanuel Fouquet

ONT COLLABORÉ À CET OUVRAGE :

Rédacteur en chef : Jean-Pierre Mével

Conseillers : Hubert Lucot, Maurice Meuleau
Nicolas Balbo, Jacques Berthelot, Lidia Bettini, Fabienne Beurel, Françoise Bonnefoy, Alcinou Da Costa, Gilbert Delanoue, Alain Dieckhoff, Philippe Doray, Jean-Yves Dournon, Bertrand Guillot, Émir Harbi, Pierre Kohler, Jean Larivière, Thierry Leroux, Florence Maruejol, Jean-Louis Mathieu, Jean-Christophe Olivo, Jacques Paul, Bernard Perdereau, André Rousseau, Jean-Pierre Sarmant, Eddy Schapira, Alain Surrans, Hélène Volfovsky

Rédacteurs-réviseurs : Élisabeth Bonvarlet, Hervé Dubourjal, Charles Fantin, Guy Fournier, Catherine Gouëset, Joëlle Guyon-Vernier, Sylvie Hudelot, Mustapha Ourrad, Claude Pfeffer, Esther Poisson, Jean-Louis Rançon, Régine Sabre, Christine Zadounaïsky

Documentation : Daniel Bernard, Pascale Gallou, Véronique Gilles de La Londe, Catherine Nardin, Anne Rivaille

Conception graphique : Floréal Cuadrado

Couverture : Pennel

Iconographie : Bridgett Noizeux
Maquette : Jean-Charles Canonne
Dessins : Éric Alibert, Gaëtan du Chatenet, Jean Chevalier, Bernard Duhem, Dominique Petter, Étienne Van den Driessche (faune et flore) ; Raoul Cuadrado (anatomie et divers)
Illustrations scientifiques et techniques : Fractale

Cartographie : Pascal Thomas

Responsables informatiques : Jean-Marc Destabeaux et Lionel Barth

Direction technique : Bernard Peronnet
Pour la fabrication : Bernard Degril, Catherine Bellanger

Réalisation : MCP

NOTE DE L'ÉDITEUR

Les liens et l'enrichissement mutuel du mot et de l'image sont une des traditions de notre culture. Ce dictionnaire a été conçu pour offrir, au-delà de l'attrait visuel, le complément le plus riche possible à la description des mots.

La note des pages suivantes (Dictionnaire : mode d'emploi) explique la structure du texte. Précisons ici les grandes lignes directrices du choix de l'iconographie qui mêle, au gré de l'alphabet, les images les plus inattendues des domaines les plus divers.

Pour ce qui concerne les **beaux-arts**, tout grand créateur est illustré par une œuvre exprimant, dans la mesure du possible, les caractéristiques de sa création et de ses techniques, avec une place particulière pour les autoportraits quand ils sont parmi les œuvres majeures de l'artiste.

Les **personnages** de l'histoire et de l'actualité (politique, scientifique, artistique...) sont fréquemment représentés, fût-ce sous format réduit, pour constituer une vaste galerie de portraits des grands acteurs de tous les temps.

Mœurs et traditions d'autrefois, **monuments et techniques de construction** caractéristiques des grands mouvements de la culture sont montrés sous forme de photographies, de dessins explicatifs, voire de reconstitutions. De plus, des cartes historiques donnent au lecteur le moyen d'une connaissance précise et synthétique des moments importants de l'histoire humaine.

Les cartes de **géographie**, réalisées dans de grands formats afin d'obtenir la meilleure lisibilité, représentent les continents, les États du monde et les départements français. Relief, grandes voies de communication, hiérarchie de la population et du statut administratif des villes sont précisés, tous les sites du patrimoine mondial reconnus par l'Unesco inventoriés. Les capitales d'État figurent en lettres majuscules et leur position est renforcée par un demi-cerné rouge. D'autre part, comme pour les autres villes, les variations typographiques reflètent la hiérarchie urbaine (population). De plus, pour les 100 départements français, autoroutes, voies ferrées et lignes de TGV, canaux, ports, aéroports importants sont indiqués, ainsi que les technopoles, les stations thermales, les centrales nucléaires, les sites remarquables, etc. Pour permettre leur localisation immédiate, pays et départements sont tous visuellement situés dans leur contexte régional. De nombreuses photographies complètent le panorama géographique (paysages naturels, industriels et urbains).

Une place particulièrement importante a été faite aux **sciences.**
Le large échantillonnage de la **flore** et de la **faune** offert est spécialement axé sur les espèces dont le rôle est important dans les systèmes naturels et sur celles qui sont familières à notre culture et correspondent à la vision actuelle de la nature, sans être pour autant toujours bien connues. Nous avons fait appel à des dessinateurs naturalistes qui ont vu vivre les animaux et ont pu ainsi les représenter dans leur cadre coutumier et dans leur attitude la plus caractéristique. Si nous avons ici, comme pour l'**anatomie humaine** détaillée, préféré le dessin artistique à la photographie, c'est qu'il reste le moyen le plus clair et le plus efficace de mettre en valeur les aspects importants des organismes et organes représentés. De même, les schémas précis et attrayants constituent la présentation la plus didactique en matière de **biologie** ou lorsqu'il s'agit de décrire un fonctionnement. Mais ces moyens traditionnels sont aujourd'hui heureusement complétés par les images des **techniques scientifiques de pointe.** C'est ainsi que nous avons rendu visuels les grands phénomènes de la physique, notamment en simulant par ordinateur interactions, champs électriques et magnétiques, etc. À la lumière des connaissances les plus récentes, nous avons détaillé la constitution de l'Univers, du système solaire, de la Terre, de la matière et du vivant.

En ce qui concerne les **techniques,** nous avons privilégié l'illustration de celles qui interviennent le plus dans notre vie actuelle : production d'énergie, télécommunications, informatique, etc.

Aussi, cet ouvrage, par son texte (mots de la langue et noms propres) et ses quelque 3 000 images, constitue la somme la plus complète possible en un seul volume de nos connaissances sur le passé et le présent de notre monde.

catégorie grammaticale

mot d'entrée

nuance de sens

principales divisions de sens

importante division de sens

citation littéraire

très importante division de sens

exemple

valeur n. f. **A. I. 1.** Ce par quoi une personne est digne d'estime, ensemble des qualités qui la recommandent. (V. mérite.) *Avoir conscience de sa valeur. C'est un homme de grande valeur.* **2.** Vx Vaillance, bravoure (spécial., au combat). *« La valeur n'attend pas le nombre des années »* (Corneille). ▷ *Valeur militaire (croix de la) :* décoration française créée en 1956 pour récompenser, initialement, les actions de bravoure dans les opérations de maintien de l'ordre en Algérie. **II. 1.** Ce en quoi une chose est digne d'intérêt. *Les souvenirs attachés à cet objet font pour moi sa valeur.* ▷ Importance, intérêt accordés subjectivement à une chose. *La valeur que j'accorde à votre appui, à votre opinion.* **2.** Caractère de ce qui est reconnu digne d'intérêt, d'estime, de ce qui a de la qualité. *L'éminente valeur de cette œuvre.* **3.** Qualité de ce qui a une certaine utilité, une certaine efficacité. *Comme il ignore cette affaire, ses conseils sont sans valeur.* **4.** Caractère de ce qui est recevable, de ce qui peut faire autorité (du point de vue d'une règle, d'un ensemble de principes). *Les conditions qui fondent la valeur d'une théorie scientifique.* **B. I. 1.** Caractère mesurable d'un objet, en tant qu'il est susceptible d'être échangé, désiré, vendu, etc. (V. prix.) *Faire estimer la valeur d'un objet d'art.* — *De valeur :* dont la valeur est élevée. *Des timbres de valeur.* ▷ *Mettre en valeur un bien,*

la plus importante des divisions de sens

faible nuance de sens

variante orthographique

mot d'entrée avec flexion grammaticale

locution ou expression figée

niveau de langue

val, vals ou **vaux** n. m. **1.** Vx ou poét. (sauf dans les noms de lieux). Vallée. *Le Val-de-Marne, Val de Loire.*

indices d'entrée distinguant des homographes

numéro renvoyant au tableau des conjugaisons

1. tester v. tr. **[1]** **1.** Faire subir un test à (qqn). *Tester un candidat.* **2.** Soumettre à des essais. *Tester un nouveau matériel.*

2. tester v. intr. **[1]** Faire son testament. *Mort sans avoir testé.*

l'astérisque renvoie au mot cité

phonétique (V. alphabet p. XV)

triple adj. **1.** Qui comporte trois éléments. *Faire un triple nœud. Triple menton. Triple croche** . ▷CHIM *Liaison triple :* ensemble

accent [aksɑ̃ n. m. **I. 1.** Accroissement de l'intensité d'un son, de la parole. *En français, c'est en général la dernière syllabe du mot qui porte l'accent.*

accélération n. f. **1.** Cour. Augmentation de vitesse. *L'accélération du train a été sensible dès la sortie de la gare.* **2.** Augmentation de la rapidité d'une action. *L'accélération des travaux.* **3.** MECA Quotient d'une variation de vitesse par l'intervalle de temps correspondant.
ENCYCL **Méca.** — Quand un mobile se déplace sur une droite, l'accélération est positive si la vitesse augmente, néga-

niveau de langue

vocabulaire de spécialité

développement encyclopédique

thème du développement

Thaïlande (royaume de) *(Prathet Thai* ou *Muang Thai),* État du S.-E. asiatique, entre la Birmanie, le Laos et le Cambodge ; 514 000 km^2, 55 600 000 hab., croissance démographique : 2 % par an. Cap. *Bangkok.* Nature de l'État : monarchie constitutionnelle. Langue off. : thaï (ou siamois). Monnaie : baht. Pop. : Thaïs (80 %), nombreuses minorités (Chinois, Malais, Khmers, Karens, Méos...). Relig. : bouddhisme.
Géogr. phys. et hum. — La plaine centrale, drainée par la Ménam et ouverte

nom dans la langue du pays

élément mis en évidence (ici, la capitale du pays)

pour les pays, titre de partie d'exposé

ESPAGNE

Alphonse XII (Madrid, 1857 — id., 1885), roi d'Espagne (1874-1885). — **Alphonse XIII** (Madrid, 1886 — Rome, 1941), fils posthume du préc., roi d'Es-

regroupement des souverains par pays

souverains d'une même dynastie regroupés en un seul article

Broglie, famille française (depuis 1650), d'origine piémontaise (*Broglia* ou *Broglio*). — **Victor-Maurice,** comte de Broglie (?, 1646 — chât. de Buhy, Val-d'Oise, 1727), maréchal de France (1724). — **François Marie II,** duc de

membres d'une même famille regroupés en un seul article

Les caractéristiques du texte de l'ouvrage sont les suivantes :

Ordre des mots

- Mots de la langue française et noms propres apparaissent ensemble dans l'ordre alphabétique, afin de faciliter la consultation et d'éclairer immédiatement le sens : la définition du mot *stendhalien* vient juste après *Stendhal*; la biographie de *Bouddha* précède *bouddhisme.*
- Tous les mots commençant par « saint » sont présentés dans l'ordre strictement alphabétique. Les mots commençant par « sainte », également classés par ordre alphabétique, se trouvent après le dernier mot commençant par « saint » *(Sainte-Adresse* après *Saint-Yrieix-la-Perche).*
- Les personnages historiques portant le même prénom sont classés dans l'ordre suivant : les saints, les papes, les souverains de l'Antiquité, les empereurs du Saint Empire romain germanique, les souverains (selon l'ordre alphabétique des pays).

Les personnages portant le même nom sont classés dans l'ordre chronologique de leur date de naissance.

Les personnages portant le même nom et appartenant à la même famille sont présentés dans le même article.

- Lorsqu'un personnage et un lieu portent le même nom, le nom de lieu précède le nom de personne.

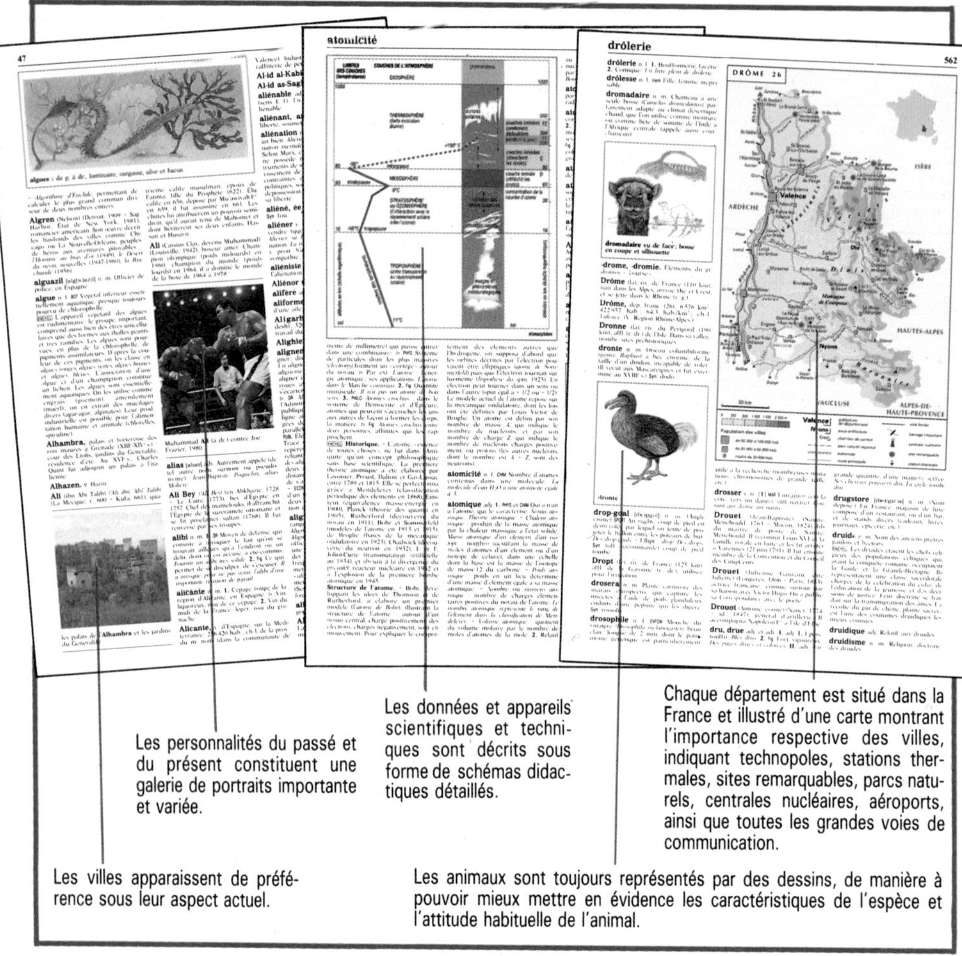

Les personnalités du passé et du présent constituent une galerie de portraits importante et variée.
Les données et appareils scientifiques et techniques sont décrits sous forme de schémas didactiques détaillés.
Chaque département est situé dans la France et illustré d'une carte montrant l'importance respective des villes, indiquant technopoles, stations thermales, sites remarquables, parcs naturels, centrales nucléaires, aéroports, ainsi que toutes les grandes voies de communication.
Les villes apparaissent de préférence sous leur aspect actuel.
Les animaux sont toujours représentés par des dessins, de manière à pouvoir mieux mettre en évidence les caractéristiques de l'espèce et l'attitude habituelle de l'animal.

Contenu des articles

• Pour chaque mot de la langue, l'article comporte : catégorie grammaticale (avec renvoi au tableau des conjugaisons pour les verbes) et, lorsque cela est nécessaire, pluriel irrégulier et variantes orthographiques. Des parenthèses pour une catégorie grammaticale indiquent qu'elle est rare. Pour les mots dont la prononciation est particulière, la phonétique est indiquée.

• Les différents sens du mot sont classés selon leur date d'apparition dans la langue, ou selon la fréquence de leur usage. Ce classement s'ordonne en groupements d'importance décroissante : d'abord les lettres majuscules en caractères gras [**A, B, C...**], puis les chiffres romains [**I, II, III...**], les chiffres arabes [**1, 2, 3...**], enfin les triangles éclairés (▷), pour terminer avec les tirets (—) qui indiquent de très fines nuances. Les vocabulaires de spécialité (ex. : PHYS : physique ; ECON : économie...) sont notés, tout comme les niveaux de langue (ex. : litt. : littéraire).

• De nombreux exemples illustrent et précisent l'emploi des mots.

• Des développements encyclopédiques (plusieurs centaines), précédés de la marque ENCYCL, donnent, au-delà de la stricte définition, des compléments d'information sur des objets du savoir : philosophie, histoire, art, physique, chimie, sciences naturelles, médecine, biologie...

Pages annexes

• Elles se trouvent à la fin de l'ouvrage et ont pour but de compléter l'aspect pratique et actuel du dictionnaire.

Illustration

• Pour éviter d'illustrer deux fois le même thème, certains articles comportent un renvoi (ainsi, à la fin de l'article **capillaire** se trouve la mention ► illustr. **fougère**).

• Certaines illustrations étant regroupées en planches, des renvois permettent de s'y référer à partir des mots concernés (ex. : l'article **caniche** comporte la mention ► pl. **chiens**).

ABRÉVIATIONS

abb. . . . . **abbaye**
abbat. . . . . **abbatial(e)**
abrév. . . . . **abréviation**
absol. . . . . **absolument**
abusiv. . . . . **abusivement**
acad. . . . . **académie**
Acad. fr. . . . . **Académie française**
Acad. des sc. . . . . **Académie des sciences**
accus. . . . . **accusatif, ive**
acoust. . . . . **acoustique**
adj. . . . . **adjectif, ive, adjectival, adjectivement**
adject. . . . . **adjectivement**
admin. . . . . **administration, administratif, administrativement**
adv. . . . . **adverbe, adverbial(e), adverbialement**
aéron. . . . . **aéronautique**
affl. . . . . **affluent**
a. fr. . . . . **ancien français**
afr. . . . . **africain(e)**
aggl. . . . . **agglomération**
aggl. urb. . . . **agglomération urbaine**
agric. . . . . **agriculture, agricole**
agroalim. . . . . **agro-alimentaire**
alch. . . . . **alchimie**
alg. . . . . **algèbre**
alim. . . . . **alimentaire, alimentation**
all. . . . . **allemand(e)**
allus. . . . . **allusion**
Alpes-Hte-Prov. . . . . **Alpes-de-Haute-Provence**
Alpes-Mar. . . . . **Alpes-Maritimes**
alphab. . . . . **alphabétique, alphabétiquement**
alt. . . . . **altitude**
altér. . . . . **altération**
amér. . . . . **américain(e)**
anal. . . . . **analogie, analogue**
anat. . . . . **anatomie, anatomique**
anc. **ancien, ienne, anciennement**
angl. . . . . **anglais(e)**
anthrop. . . . . **anthropologie, anthopologique**
antiphr. . . . . **antiphrase**
Antiq. . . . . **Antiquité**
antiq. égyp. . . . **antiquité égyptienne**
antiq. gr. . . . . **antiquité grecque**
antiq. rom. . . . . **antiquité romaine**
apr. . . . . **après**
apr. J.-C. . . . . **après Jésus-Christ**
apic . . . . . **apiculture**
appos. . . . . **apposition**
ar. . . . . **arabe**
arbor. . . . . **arboriculture**
arch. . . . . **archaïque**
archéol. . . . . **archéologie, archéologique**
archi. . . . . **architecture**
arg. . . . . **argot, argotique**
arith. . . . . **arithmétique**
armur. . . . . **armurerie**
arpent. . . . . **arpentage**
arr. . . . . **arrondissement**
art culin. . . . . **art culinaire**
artill. . . . . **artillerie**
Arts déc. . . . . **Arts décoratifs**
asiat. . . . . **asiatique**
Atlant. . . . . **Atlantique**
atom. . . . . **atomique**
attract. . . . . **attraction, attractif, ive**
auj. . . . . **aujourd'hui**
auto. . . . . **automobile**
auton. . . . . **autonome**
autref. . . . . **autrefois**
autrich. . . . . **autrichien, ienne**
auxil. . . . . **auxiliaire**
av. . . . . **avant**
av. J.-C. . . . . **avant Jésus-Christ**
avic. . . . . **aviculture**
avr. . . . . **avril**
bactér. . . . . **bactériologie**
baln. . . . . **balnéaire**
baron. . . . . **baronnie**
B.-du-Rh. . . . . **Bouches-du-Rhône**
bibl. . . . . **bibliographie, bibliographique**
bijout. . . . . **bijouterie**
biochim. . . . . **biochimie**
biogr. . . . **biographie, biographique**
biol. . . . . **biologie, biologique**
bioméd. . . . . **biomédical**
blas. . . . . **blason**
bot. . . . . **botanique**
bouch. . . . . **boucherie**
brit. . . . . **britannique**
Bx-A. . . . . **Beaux-Arts**
c.-à-d. . . . . **c'est-à-dire**
cal. . . . . **calorie**
calligr. . . . . **calligraphie**
cant. . . . . **canton**
cap. . . . . **capitale**
card. . . . . **cardinal(e)**
carr. . . . . **carrière**
carross. . . . . **carrosserie**
cath. . . . . **cathédrale**
cathol. . . . . **catholique**
celt. . . . . **celtique**
centr. . . . . **central(e)**
céram. . . . . **céramique**
cert. . . . . **certain(e), certainement**
cf. . . . . **confer, se reporter à**
chancel. . . . **chancelier, chancellerie**
chap. . . . . **chapelle**
Char.-Mar. . . . . **Charente-Maritime**
chât. . . . . **château**
ch. de f. . . . . **chemin de fer**
ch.-l. . . . . **chef-lieu**
ch.-l. de cant. . . . **chef-lieu de canton**
chim. . . . . **chimie, chimique**
chin. . . . . **chinois(e)**
chr. . . . . **chirurgie, chirurgical(e)**
chorégr. . . . . **chorégraphie, chorégraphique**
chron. **chronologie, chronologique**
Cie . . . . . **compagnie**
ciné . . . . . **cinéma**
circonsc. . . . . **circonscription**
class. . . . . **classique**
clim. . . . . **climatique**
climat. . . . . **climatologie**
coeff. . . . . **coefficient**
col. . . . . **colonne**
coll. . . . . **collection**
collab. . . . . **collaboration, collaborateur, trice**
collect. . . . . **collectif, ive**
collectiv. . . . . **collectivement**
com. . . . . **commune, communal(e)**
comm. . . **commerce, commercial(e)**
comp. . . . . **comparaison**
comp(l). . . . . **complément, complétif, ive**
compta. . . . . **comptabilité**
conchyl. . . . . **conchyliologie**
confl. . . . . **confluent, confluence**
conj. . . **conjonction, conjonctif, ive**
conjug. . . . . **conjugaison**
const. . . . . **constant(e)**
constit. . . . . **constitutionnel(le) constitutionnellement**
constr. . . . . **construction**
contemp. . . . . **contemporain(e)**
contract. . . . . **contraction**
conurb. . . . . **conurbation**
coord. . . . . **coordination**
cordon. . . . . **cordonnerie**
corr. . . . . **correct(e)**
corrél. . . . . **corrélatif, ive**
corrupt. . . . . **corruption**
cosmol. . . . . **cosmologie, cosmologique**
cost. . . . . **costume**
Côtes-du-N. . . . . **Côtes-du-Nord**
cour . . . . . **courant(e), couramment**
cout. . . . . **couture**
crois. . . . . **croisement**
cryptogr. . . . . **cryptographie**
ctr. . . . . **contraire**
cuis. . . . . **cuisine**
cult. . . . . **culture, culturel(le)**
d.d.p. . . . . **différence de potentiel**
déb. . . . . **début**
déc. . . . . **décembre**
déf. . . . . **défini(e)**
défect. . . . . **défectif, ive**
déform. . . . . **déformation**
dém. . . . . **démonstratif, ive, démocratie, démocratique**
dénigr. . . . . **dénigrement**
dep. . . . . **depuis**
dép. . . . . **département**
dér. . . . . **dérivé(e)**
dét. . . . . **déterminatif, ive**
dial. . . . . **dialecte, dialectal(e)**
didact. . . . . **didactique**
dimin. . . . . **diminutif, ive**
diplom. . . . . **diplomatie, diplomatique**
dir. . . . . **direct(e)**
distill. . . . . **distillerie**
distr. . . . . **district**
div. . . . . **divers(e), diversité**
dj. . . . . **donjon**
dout. . . . . **douteux, euse**
dr. . . . . **droit(e), droit, docteur**
dr. admin. . . . . **droit administratif**
dr. anc. . . . . **droit ancien**
dr. civ. . . . . **droit civil**
dr. coutum. . . . . **droit coutumier**
dr. ecclés. . . . . **droit ecclésiastique**
dr. féodal . . . . . **droit féodal**
dr. forest. . . . . **droit forestier**
dr. marit. . . . . **droit maritime**
dr. romain . . . . . **droit romain**
dyn. . . . . **dynastie**
E. . . . . **est**
ébénist. . . . . **ébénisterie**
éc. . . . . **école**
ecclés. . . . . **ecclésiastique**
écol. . . . . **écologie, écologique**
écon. . . . . **économie, économique**
écon. dom. . . **économie domestique**
éd. . . . . **édition, éditeur**
égl. . . . . **église**
égypt. . . . . **égyptien, ienne**
élect. . . . . **élection**
électr. . . . . **électricité, électrique**
électroacoust. . . . . **électroacoustique**
électrochim. . . . . **électrochimie, électrochimique**
électroméca(n) . . . . **électromécanique**
électrométall. . . . . **électrométallurgie**
électron. . . . . **électronique**
ellipt. . . . **elliptique, elliptiquement**
embryol. . . . . **embryologie**
empl. . . . . **emploi, employé(e)**
empr. . . . . **emprunt**
encycl. . . . . **encyclopédie, encyclopédique**
enseig. . . . . **enseignement**
env. . . . . **environ**
environn. . . . . **environnement**
épigr. . . . . **épigraphie**
équat. . . . . **équatorial(e)**
équit. . . . . **équitation**
erpét. . . . . **erpétologie**
escr. . . . . **escrime**
esp. . . . . **espagnol(e), espace**
estim. . . . . **estimation**
etc. . . . . **et cætera**
ethn. . . . **ethnographie, ethnologie**
étym. . . . **étymologie, étymologique**
étymol. . . . . **étymologiquement**
É.-U. . . . . **États-Unis**
euph. . . **euphémisme, euphémique**
Eure-et-L. . . . . **Eure-et-Loir**
ex. . . . . **exemple**
exag. . . . . **exagération**
exclam. . . . . **exclamation exclamatif, ive**
export . . . . . **exportation**
expr. . . . . **expressif, ive, expression**
ext. . . . . **extérieur(e)**

ext., extens. .... **extensif, ive, extension**
f. .... **féminin(e)**
F (sans point) .... **franc français**
fabr. .... **fabrique, fabrication**
fac. .... **facultatif, ive**
fam. .... **famille, familier, ière**
fauc. .... **fauconnerie**
fbg .... **faubourg**
féd. .... **fédération, fédéral(e), fédératif, ive**
fém. .... **féminin(e)**
f.é.m. .... **force électromotrice**
féod. .... **féodalité, féodal(e)**
ferrug. .... **ferrugineux, euse**
fév. .... **février**
fig. .. **figure, figuratif, ive, figuré(e)**
filat. .... **filature**
fin. .... **finances, financier, ière**
finn. .... **finnois(e)**
fisc. .... **fiscalité, fiscal(e)**
fl. .... **fleuve**
flam. .... **flamand(e)**
flamb. .... **flamboyant(e)**
fluv. .... **fluvial(e)**
forest. .... **forestier, ière**
fortif. .... **fortification, fortifié(e)**
fr., franç. .... **français(e)**
fréquent. .... **fréquentatif, ive**
frq. .... **francique**
funér. .... **funéraire**
fut. .... **futur**
g. .... **gauche**
g^{al} .... **général**
gaul. .... **gaulois(e)**
G.-B. .... **Grande-Bretagne**
gd, gde .... **grand, grande**
généal. .. **généalogie, généalogique**
génét. .... **génétique**
géod. .... **géodésie, géodésique**
géogr. .. **géographie, géographique**
géol. .... **géologie, géologique**
géom. .... **géométrie, géométrique**
géomorphol. .... **géomorphologie**
géoph. .... **géophysique**
germ. .... **germanique**
gest. .... **gestion**
gl. .... **général**
goth. .... **gothique**
gouv. .... **gouvernement, gouvernemental(e), gouvernorat**
gr. .... **grec, grecque**
gram. .. **grammaire, grammatical(e)**
grav. .... **gravure**
gymn. .... **gymnastique**
gynécol. .... **gynécologie, gynécologique**
h (sans point) .... **heure**
ha .... **hectare**
hab. .... **habitant**
hébr. .... **hébreu**
héral. .... **héraldique**
hist. .... **histoire, historique**
histol. .... **histologie**
holl. .... **hollandais(e)**
hom. ..... **homonyme, homonymie**
horl. .... **horlogerie**
hortic. .... **horticulture**
ht, hts .... **haut, hauts**
hte, htes .... **haute, hautes**
Ht-Rhin .... **Haut-Rhin**
Hte-Gar. .... **Haute-Garonne**
Hte-L. .... **Haute-Loire**
Hte-Marne .... **Haute-Marne**
Hte-Sa. .... **Haute-Saône**
Hte-Savoie .... **Haute-Savoie**
Hte-Vienne .... **Haute-Vienne**
Htes-Pyr. .... **Hautes-Pyrénées**
Hts-de-Seine .... **Hauts-de-Seine**
hum. .... **humain(e)**
hydraul. .... **hydraulique**
hydroél. .... **hydroélectricité, hydroélectrique**
hydrogr. .... **hydrographie, hydrographique**
hyg. .... **hygiène**
hyper. .... **hyperbole**
ibid. .... **ibidem**
ichtyol. .... **ichtyologie**

iconogr. .... **iconographie, iconographique**
id. .... **idem**
Ille-et-Vil. .... **Ille-et-Vilaine**
imp. .... **impérial(e)**
imparf. .... **imparfait**
impér. .... **impératif, ive**
impers. .... **impersonnel(le)**
import. .. **important(e), importance, importation**
impr. ..... **impropre, improprement**
imprim. .... **imprimerie**
incert. .... **incertain(e)**
incon. .... **inconnu(e)**
incorr. .... **incorrection, incorrect(e)**
ind. .... **indirect(e)**
indéf. .... **indéfini(e)**
indép. .... **indépendant(e), indépendance**
indic. .... **indicatif**
indir. .... **indirect(e)**
industr. .... **industrie, industriel(le), industrialisation**
inf. .... **infinitif, ive**
infér. .... **inférieur(e)**
infl. .... **influence, inflexion**
inform. .... **informatique**
inj., injur. .... **injurieux, ieuse**
instr. .. **instrument, instrumental(e)**
int. .... **interne, intérieur(e)**
intel. .... **intellectuel(le)**
interj. .... **interjection, interjectif, ive**
intern. .... **international(e)**
interrog. .... **interrogation, interrogatif, ive**
intr. .... **intransitif, ive**
inus. .... **inusité(e)**
inv. .... **invariable**
iron. .... **ironie, ironique, ironiquement**
irr. .... **irrégulier, ière**
ital. .... **italien, ienne**
janv. .... **janvier**
jap. .... **japonais(e)**
jard. .... **jardinage**
J.-C. .... **Jésus-Christ**
joaill. .... **joaillerie**
juil. .... **juillet**
jurid. .... **juridique**
jurispr. .... **jurisprudence**
l. .... **lettre**
l (sans point) .... **litre**
lat. .... **latin(e)**
latit. .... **latitude**
L.-Atl. .... **Loire-Atlantique**
législ. ..... **législation, législatif, ive**
libr. .... **librairie**
ling. .... **linguistique**
litt. .... **littéraire**
littér. .... **littérature**
littéral. .... **littéralement**
liturg. .... **liturgie, liturgique**
loc. .... **locution**
local. .... **localité**
log. .... **logique, logarithme**
Loir-et-Ch. .... **Loir-et-Cher**
long. .... **longueur**
longit. .... **longitude**
Lot-et-Gar. .... **Lot-et-Garonne**
m. .... **masculin, mot, même, mort**
m (sans point) .... **mètre**
M (sans point) .... **million**
mach. .... **machine**
magnét. .. **magnétisme, magnétique**
Maine-et-L. .... **Maine-et-Loire**
man. .... **manège**
manuf. .... **manufacture, manufacturé(e)**
mar. .... **marine**
marit. .... **maritime**
masc. .... **masculin**
mat. .... **matériel, matériau**
math. .... **mathématiques**
mauv. part. ...... **mauvaise part (en)**
max. .... **maximum**
méca(n) .... **mécanique**
méd. .... **médecine, médical(e)**
médiév. .... **médiéval(e)**

Médit. .... **Méditerranée**
médit. ...... **méditerranéen, éenne**
méd. lég. .... **médecine légale**
méd. vét. ..... **médecine vétérinaire**
mégalit. .... **mégalithique**
mention. .... **mentionné(e)**
mérid. .... **méridional(e)**
mét. .... **métier**
métall. . **métallurgie, métallurgique, métallique**
métaph. . **métaphore, métaphorique**
météo. .... **météorologie, météorologique**
méton. .... **métonymie**
métr. .... **métrique**
métrol. .... **métrologie**
métropol. .... **métropolitain(e)**
Meurthe-et-M. .. **Meurthe-et-Moselle**
Mgr .... **Monseigneur**
microb. .... **microbiologie**
mil. .... **milieu**
milit. .... **militaire**
mill. .... **millénaire**
minér. ... **minéral(e), minéralogique**
mobil. .... **mobilier**
mod. .... **moderne**
mon. .... **monument**
monn. .... **monnaie**
morphol. .... **morphologie, morphologique**
moy. .... **moyen, yenne**
mus. .... **musique**
music. .... **musical(e)**
musulm. .... **musulman(e)**
myth. .... **mythologie, mythologique**
N. .... **nord**
n. .... **nom**
nat. .... **national(e), nationalité**
navig. .... **navigation**
N. B. .... **nota bene**
N.-D. .... **Notre-Dame**
N.-E. .... **nord-est**
néerl. .... **néerlandais(e)**
nég. .... **négatif, ive, négation, négativement**
néol. .... **néologisme**
n. f. .... **nom féminin**
n. f. pl. .... **nom féminin pluriel**
n. m. .... **nom masculin**
n. m. pl. ...... **nom masculin pluriel**
nombr. .... **nombreux, euse**
nomi. .... **nominal(e)**
N.-O. .... **nord-ouest**
norm. .... **normand(e)**
norv. .... **norvégien, ienne**
notam. .... **notamment**
nouv. .... **nouveau, nouvelle**
Nouv.-Zél. .... **Nouvelle-Zélande**
nov. .... **novembre**
n. pr. .... **nom propre**
nucl. .... **nucléaire**
num. .... **numéral numismatique**
O. .... **ouest**
obs. .... **observation**
obstétr. .... **obstétrique**
occid. .... **occidental(e)**
occult. .... **occultisme**
océanogr. .... **océanographie, océanographique**
oct. .... **octobre**
œnol. .... **œnologie**
off. ...... **officiel(le), officiellement**
onomat. .... **onomatopée**
oppos. .... **opposition**
opt. .... **optique**
ord. .... **ordinal(e)**
ordin. .... **ordinaire**
orfèvr. .... **orfèvrerie**
orient. .... **oriental(e)**
orig. .... **origine**
ornith. .... **ornithologie**
orthogr. .... **orthographe, orthographique**
orthop. .. **orthopédie, orthopédique**
ouv. .... **ouvrage**
P. Nobel .... **prix Nobel**
paléogr. .... **paléographie**
paléont. .... **paléontologie**

papet. .... **papeterie**
paron. .... **paronyme**
part. .... **participe**
partic. ... **particule, particulier, ière, particulièrement**
Pas-de-Cal. .... **Pas-de-Calais**
pass. .... **passif, ive**
pathol. ... **pathologie, pathologique**
pâtiss. .... **pâtisserie**
pdt .... **président**
p.-ê. .... **peut-être**
pédag. .... **pédagogie, pédagogique**
pédol. .... **pédologie**
peint. .... **peinture**
péj., péjor. .... **péjoratif, ive**
pers. ...... **personne, personnel(le)**
P. et Ch. ...... **Ponts et Chaussées**
pétrog. .... **pétrographie**
pétrochim. .... **pétrochimie, pétrochimique**
pharm. .... **pharmacie, pharmaceutique**
philo. .. **philosophie, philosophique**
philol. .... **philologie**
phon. .... **phonétique, phonétiquement**
photo. .... **photographie, photographique**
phys. .... **physique**
physiol. .... **physiologie, physiologique**
phys. nucl. ...... **physique nucléaire**
pisc. .... **pisciculture**
pl. .... **pluriel, planche**
plaisant. .... **plaisanterie**
plur. .... **pluriel**
plus. .... **plusieurs**
poét. .... **poétique**
polit. .... **politique**
pop. .... **populaire, population**
portug. .... **portugais(e)**
poss. .... **possessif, ive**
possess. .... **possession**
post. .... **postérieur(e)**
posth. .... **posthume**
pp. .... **participe passé**
ppr. .... **participe présent**
prat. .... **pratique**
préc., précéd. .... **précédent(e), précédemment**
préf. .... **préfecture, préfixe**
préhist. .... **préhistoire, préhistorique**
prem. .... **premier, ière, premièrement**
prép. ... **prépositif, ive, préposition**
prés. .... **présent, président, présidence**
princ. . **principal(e), principalement**
priv. .... **privatif**
probabl. ... **probable, probablement**
procéd. .... **procédure**
prod. .... **produit, production**
pron. ...... **pronom, pronominal(e)**
prononc. .... **prononciation, prononcer**
propos. .... **proposition**
propr. .... **propre, proprement**
prosod. .... **prosodie**
protohist. .... **protohistoire, protohistorique**
prov. ...... **proverbe, proverbial(e), province, provenance**
provenç. .... **provençal(e)**
psychan. .... **psychanalyse, psychanalyste**
psychiat. .... **psychiatrie, psychiatrique, psychiatre**
psycho. .... **psychologie, psychologique, psychologue**
Puy-de-D. .... **Puy-de-Dôme**
Pyr. .... **Pyrénées**
Pyr.-Atl. ..... **Pyrénées-Atlantiques**
Pyr.-Orient. .... **Pyrénées-Orientales**
pyrot. . **pyrotechnie, pyrotechnique**
qqch .... **quelque chose**
qqn .... **quelqu'un**
rac. .... **racine**
rad. .... **radical**
radiodif. .... **radiodiffusion**
radioélectr. .... **radioélectrique, radioélectricité**
radioph. .... **radiophonie, radiophonique**
radiotél. .... **radiotélévision**
raff. .... **raffinerie, raffinage**
R.D.A. .... **République démocratique allemande**
R.D.P. .. **République démocratique et populaire**
r. dr. .... **rive droite**
récipr. .... **réciproque**
réfl. .... **réfléchi**
Rég. .... **Région (l'une des 22 Régions françaises)**
rég. .... **région, régional(e)**
rel. .... **reliure**
relat. .... **relatif, ive**
relig. ...... **religion, religieux, ieuse**
rem. .... **remarque**
Renaiss. .... **Renaissance**
Rép. .... **république**
rép. auton. ... **république autonome**
rép. dém. . **république démocratique**
rép. féd. .... **république fédérale, république fédérée**
rép. pop. ...... **république populaire**
R.F.A. .... **République fédérale d'Allemagne**
r. g. .... **rive gauche**
Rhén. .... **Rhénanie**
Rhén.-du-N.-Westphalie .... **Rhénanie-du-Nord-Westphalie**
rhét. .... **rhétorique**
riv. .... **rivière**
rom. .... **romain(e)**
roy .... **royaume**
R.-U. .... **Royaume-Uni**
S. .... **sud**
s. .... **singulier, siècle**
s.-affl. .... **sous-affluent**
sanit. .... **sanitaire**
sanscr. .... **sanscrit**
Saône-et-L. .... **Saône-et-Loire**
sc. .... **science**
scand. .... **scandinave**
scientif. .... **scientifique**
sc. nat. .... **sciences naturelles**
scol. .... **scolaire**
scolast. .... **scolastique**
s. comp(l). .... **sans complément (sans le complément attendu)**
sculpt. .... **sculpture**
S. E. .... **Son Excellence**
S.-E. .... **sud-est**
Seine-et-M. .... **Seine-et-Marne**
Seine-Mar. .... **Seine-Maritime**
Seine-St-Denis ... **Seine-Saint-Denis**
s.-ent. .... **sous-entendu**
sept. .... **septembre**
septent. .... **septentrional(e)**
séric. .... **séricículture**
serv. .... **service**
sidér. .... **sidérurgie, sidérurgique**
signif. .... **signifiant**
simpl. .... **simplement**
sing. .... **singulier**
S.-O. .... **sud-ouest**
soc. .... **socialiste**
sociol. .... **sociologie, sociologique**
sov., soviét. .... **soviétique**
spécial. .... **spécialement**
s.-préf. .... **sous-préfecture**
S.S. .... **Sa Sainteté**
st, ste .... **saint, sainte**
stat. .... **station**
statist. .... **statistique**
sté .... **société**
subj. .... **subjonctif, subjonctivité**
subst. ...... **substantif, substantivé**
suff. .... **suffixe**
suiv. .... **suivant(e)**
sup. .... **supérieur(e)**
superf. .... **superficie**
superl. .... **superlatif**
syll. .... **syllabe**
sylvic. .... **sylviculture**
symb. .... **symbole**
syn. .... **synonyme**
synopt. .... **synoptique**
synt. .... **syntaxe, syntaxique**
t. .... **terme**
t (sant point) .... **tonne**
tabl. .... **tableau**
tann. .... **tannerie**
Tarn-et-Gar. .... **Tarn-et-Garonne**
tech. ...... **technique, technologie, technologique**
teint. .... **teinturerie**
télécomm. ..... **télécommunications**
télégr. ..... **télégramme, télégraphe**
téléph. .... **téléphone**
térat. .... **tératologie**
term. .... **terminaison**
territ. .... **territoire**
text. .... **textile**
théât. .... **théâtre**
théol. ...... **théologie, théologique**
thérap. .... **thérapeutique**
therm. ...... **thermal(e), thermique**
topogr. .... **topographie, topographique**
tourist. .... **touristique**
tr. .... **transitif**
trad. .... **traduit(e), traduction**
tram. .... **tramway**
trans. .... **transitif, ive**
transp. .... **transports**
trav. publ. .... **travaux publics**
trigo. .... **trigonométrie**
triv. .... **trivial**
typo. .. **typographie, typographique**
univ. .... **université**
urb. .... **urbain(e)**
urban. .... **urbanisme**
U.R.S.S. .... **Union des républiques socialistes soviétiques**
us. .... **usité, usuel(le)**
v. .... **verbe, vers, ville**
V. .... **voir, voyez**
var. .... **variante**
V.-de-Marne .... **Val-de-Marne**
V.-d'Oise .... **Val-d'Oise**
v. imp. .... **verbe impersonnel**
v. intr. .... **verbe intransitif**
v. pron. .... **verbe pronominal**
v. tr. .... **verbe transitif**
vén. .... **vénerie**
verb. .... **verbal, ale**
verr. .... **verrerie**
versif. .... **versification**
vest. .... **vestiges**
vétér. .... **vétérinaire**
virol. .... **virologie**
vitic. .... **viticulture**
vol. .... **volume**
vulg. .... **vulgaire, vulgairement**
vx .... **vieux**
wil. .... **wilaya**
Z. .... **numéro atomique**
zool. .... **zoologie, zoologique**
zootech. .... **zootechnie**

INDICATIONS DE VOCABULAIRE DE SPÉCIALITÉS

ACOUST ..... **Acoustique**
ADMIN ..... **Administration**
AERON ..... **Aéronautique**
AGRIC ..... **Agriculture**
ALG ..... **Algèbre**
ALPIN ..... **Alpinisme**
AMEUB ..... **Ameublement**
ANAT ..... **Anatomie**
ANTHROP ..... **Anthropologie**
ANTIQ ..... **Antiquité**
ANTIQ GR ..... **Antiquité grecque**
ANTIQ ROM ..... **Antiquité romaine**
APIC ..... **Apiculture**
ARBOR ..... **Arboriculture**
ARCHEOL ..... **Archéologie**
ARCHI ..... **Architecture**
ARCHI ANTIQ ..... **Architecture antique**
ARITH ..... **Arithmétique**
ART ..... **Art**
ARTILL ..... **Artillerie**
ARTS GRAPH ..... **Arts graphiques**
ASTRO ..... **Astronomie**
ASTROL ..... **Astrologie**
AUDIOV ..... **Audiovisuel**
AUTO ..... **Automobile**
AVIAT ..... **Aviation**
BIOCHIM ..... **Biochimie**
BIOL ..... **Biologie**
BLAS ..... **Blason**
BOT ..... **Botanique**
Bx-A ..... **Beaux-Arts**
CHASSE ..... **Chasse**
CH de F ..... **Chemin de fer**
CHIM ..... **Chimie**
CHIR ..... **Chirurgie**
CHOREGR ..... **Chorégraphie**
CINE ..... **Cinéma**
COMM ..... **Commerce**
COMPTA ..... **Comptabilité**
CONJUG ..... **Conjugaison**
CONSTR ..... **Construction**
COUT ..... **Couture**
CUIS ..... **Cuisine**
CYCLISME ..... **Cyclisme**
DR ..... **Droit**
DR ADMIN ..... **Droit administratif**
DR ANC ..... **Droit ancien**
DR CANON ..... **Droit canon**
DR COMM ..... **Droit commercial**
DR FEOD ..... **Droit féodal**
DR INTERN ..... **Droit international**
DR MARIT ..... **Droit maritime**
DR PUBL ..... **Droit public**
DR ROM ..... **Droit romain**
ECOL ..... **Écologie**
ECON ..... **Économie**
EDITION ..... **Édition**
ELECTR ..... **Électricité**
ELECTROACOUST ..... **Électroacoustique**
ELECTROCHIM ..... **Électrochimie**
ELECTRON ..... **Électronique**
ELEV ..... **Élevage**
EMBRYOL ..... **Embryologie**
ENTOM ..... **Entomologie**
EQUIT ..... **Équitation**
ESP ..... **Espace**
ETHNOL ..... **Ethnologie**
FAUC ..... **Fauconnerie**
FEOD ..... **Féodalité**
FIN ..... **Finance**
FISC ..... **Fiscalité**
FORTIF ..... **Fortification**
GENET ..... **Génétique**
GEOGR ..... **Géographie**
GEOL ..... **Géologie**
GEOM ..... **Géométrie**
GEOMORPH ..... **Géomorphologie**
GEOPH ..... **Géophysique**
GEST ..... **Gestion**
GOLF ..... **Golf**
GRAM ..... **Grammaire**
GRAM GR ..... **Grammaire grecque**
GYM ..... **Gymnastique**
HERALD ..... **Héraldique**
HIPPO ..... **Hippologie**
HIST ..... **Histoire**
HISTOL ..... **Histologie**
HORL ..... **Horlogerie**
HORTIC ..... **Horticulture**
HYDROL ..... **Hydrologie**
ICHTYOL ..... **Ichtyologie**
IMPRIM ..... **Imprimerie**
INDUSTR ..... **Industrie**
INFORM ..... **Informatique**
JEU ..... **Jeu**
LEGISL ..... **Législation**
LING ..... **Linguistique**
LITTER ..... **Littérature**
LITURG ..... **Liturgie**
LITURG CATHOL ..... **Liturgie catholique**
LOG ..... **Logique**
MAR ..... **Marine**
MAR ANC ..... **Marine ancienne**
MATH ..... **Mathématique**
MECA ..... **Mécanique**
MED ..... **Médecine**
MED BIOL ..... **Médecine biologique**
MED VET ..... **Médecine vétérinaire**
METALL ..... **Métallurgie**
METEO ..... **Météorologie**
METR ANC ..... **Métrique ancienne**
METROL ..... **Métrologie**
MICROB ..... **Microbiologie**
MILIT ..... **Militaire**
MINER ..... **Minéralogie**
MINES ..... **Mines**
MUS ..... **Musique**
MYTH ..... **Mythologie**
OBSTETR ..... **Obstétrique**
OCEANOGR ..... **Océanographie**
OPT ..... **Optique**
ORNITH ..... **Ornithologie**
PALEONT ..... **Paléontologie**
PECHE ..... **Pêche**
PEDAG ..... **Pédagogie**
PEDOL ..... **Pédologie**
PEINT ..... **Peinture**
PETROCHIM ..... **Pétrochimie**
PETROG ..... **Pétrographie**
PHARM ..... **Pharmacie**
PHILO ..... **Philosophie**
PHILO ANC ..... **Philosophie ancienne**
PHON ..... **Phonétique**
PHOTO ..... **Photographie**
PHYS ..... **Physique**
PHYSIOL ..... **Physiologie**
PHYS NUCL ..... **Physique nucléaire**
POET ..... **Poétique**
POLIT ..... **Politique**
PREHIST ..... **Préhistoire**
PRESSE ..... **Presse**
PROTOHIST ..... **Protohistoire**
PSYCHAN ..... **Psychanalyse**
PSYCHIAT ..... **Psychiatrie**
PSYCHO ..... **Psychologie**
PSYCHOPATHOL ..... **Psychopathologie**
PUB ..... **Publicité**
RADIOELECTR ..... **Radioélectricité**
RELIG ..... **Religion**
RELIG CATHOL ..... **Religion catholique**
RHET ..... **Rhétorique**
SC NAT ..... **Sciences naturelles**
SCULP ..... **Sculpture**
SOCIOL ..... **Sociologie**
SPECT ..... **Spectacle**
SPORT ..... **Sport**
STATIS ..... **Statistique**
SYLVIC ..... **Sylviculture**
TECH ..... **Technique**
TELECOM ..... **Télécommunications**
TENNIS ..... **Tennis**
TEXT ..... **Textile**
THEAT ..... **Théâtre**
THEOL ..... **Théologie**
TOPOGR ..... **Topographie**
TRANSP ..... **Transport**
TRAV PUBL ..... **Travaux publics**
TRIGO ..... **Trigonométrie**
TURF ..... **Turf**
TYPO ..... **Typographie**
URBAN ..... **Urbanisme**
VEN ..... **Vénerie**
VERSIF ..... **Versification**
VETER ..... **Vétérinaire**
VITIC ..... **Viticulture**
ZOOL ..... **Zoologie**

MARQUES D'USAGE

Anc. .... **ancien**	Très fam. .... **très familier**	Pop. .... **populaire**
Ant. .... **antonyme**	Fig. .... **figuré**	Raciste .... **raciste**
Arg. .... **argot**	Inj. .... **Injurieux**	Rare .... **rare**
Cour. .... **courant, couramment**	Iron. .... **Ironique**	Rég. .... **régional**
Dial. .... **dialectal**	Litt. .... **littéraire**	Syn. .... **synonyme**
Didac. .... **didactique**	Mod. .... **moderne**	Vieilli .... **vieilli**
Enfantin .... **enfantin**	Péjor. .... **péjoratif**	Vulg. .... **vulgaire, vulgairement**
Fam. .... **familier, familièrement**	Plaisant .... **plaisant**	Vx .... **vieux**
	Poét. .... **poétique**	

La marque d'usage qualifie les caractéristiques d'emploi du mot. Elle peut être liée au lieu (régional, dialectal), au temps (vieux, vieilli, ancien), aux faits de société (populaire, familier, etc.). Voici la signification retenue dans ce dictionnaire pour chacune des marques.

RÉGIONAL : forme comprise et employée dans une région spécifique, elle peut être utilisée par la bourgeoisie urbaine.

DIALECTAL : forme comprise et employée à l'intérieur d'un dialecte ou d'un patois, elle n'est généralement pas utilisée par la bourgeoisie et par les habitants des villes.

VIEUX : forme qui n'est plus clairement comprise et jamais spontanément produite dans la communication, sauf dans une intention d'archaïsme (effet de style) ou dans un emploi dialectal ; renvoie souvent à l'usage classique (auteurs).

VIEILLI : forme encore compréhensible et/ou pouvant être produite par certains locuteurs généralement « âgés » ; mot qui est en train de sortir de l'usage.

ANCIEN, ANCIENNEMENT : forme ni vieille ni vieillie qui désigne une réalité disparue.

POPULAIRE : forme comprise et employée par les couches sociales les moins aisées, peu utilisée par la bourgeoisie cultivée, sauf effet de style. Cependant, le plus souvent, ces formes ne sont plus des marques d'appartenance sociale mais des choix de discours en fonction de situations de communication.

VULGAIRE : forme renvoyant à une réalité frappée de tabou (sexuel ou scatologique) qu'il est considéré comme grossier d'employer en public, quelle que soit la classe sociale.

FAMILIER : forme et sens employés dans une communication libre, sans contrainte hiérarchique, pouvant aller jusqu'à un registre franchement grossier (TRÈS FAM.).

ARGOTIQUE : forme particulière à un groupe social, à une profession, et au milieu (monde de la pègre). Elle est généralament inconnue de la majorité des locuteurs, mais un passage de l'argot à la langue familière s'opère souvent, ce qui crée des usages qualifiables d'ARG. ou FAM.

PÉJORATIF : forme méprisante ; certains emplois péjoratifs sont également injurieux.

INJURIEUX : forme dont le contenu sémantique implique un désir de blesser, d'insulter ; plus fort que péjoratif.

RACISTE : forme injurieuse et péjorative à connotation raciste.

IRONIQUE : antiphrase.

DIDACTIQUE : forme employée dans des situations de communication impliquant la transmission d'un savoir ; langue savante.

ENFANTIN : forme surtout employée par les enfants ou par les adultes pour parler aux enfants.

LITTÉRAIRE : forme employée par des écrivains dans un registre élevé, ainsi que dans la critique littéraire.

POÉTIQUE : usage littéraire ; en poésie classique et post-classique, la hiérarchie des genres entraîne des spécialisations lexicales.

RARE : forme très peu attestée.

COURANT, MODERNE : marques utilisées afin d'écarter un doute, ou pour indiquer une opposition avec un emploi spécial ou vieux.

PRINCIPAUX SIGNES DIACRITIQUES

á	hongrois [a] et tchèque [a *long*]	ň	tchèque et slovaque [ɲ]
ä	allemand [e] finnois et suédois [ɛ], slovaque [*entre* a *et* ɛ]	ó	polonais [u], hongrois et tchèque [o *long*]
ă	roumain [ø]	ö	allemand, finnois, hongrois, norvégien, suédois et turc [ø]
ã	portugais [*proche de* õ]	ő	hongrois [ø *long*]
å	danois, norvégien et suédois [o]	ø	danois et norvégien [ø]
ą	polonais [õ]	õ	portugais [õ]
ć	polonais, serbo-croate [t *mouillé*]	ř	tchèque [rʒ]
č	serbo-croate, tchèque et slovaque [tʃ]	ś	polonais [ʃ *mouillé*]
ç	albanais et turc [tʃ]	š	serbo-croate, tchèque et slovaque [ʃ]
ď	tchèque et slovaque [d *mouillé*]	ş	roumain et turc [ʃ]
đ	serbo-croate [d *mouillé*]	ť	tchèque et slovaque [t *mouillé*]
ë	albanais [ø]	ţ	roumain [ts]
ě	tchèque [jɛ]	ü	allemand, hongrois et turc [y]
ę	polonais [ɛ̃]	ú	hongrois, tchèque et slovaque [u *long*]
ğ	turc [*allonge la voyelle précédente*]	ű	hongrois [y *long*]
ı	turc [*entre* i *et* e]	ý	tchèque et slovaque [i *long*]
í	hongrois [i *long*]	ź	polonais [ʒ *mouillé*]
î	roumain [*entre* i *et* y]	ż	polonais [ʒ]
ł	polonais [l *dur*, w]	ž	serbo-croate, tchèque et slovaque [ʒ]
ń	polonais [ɲ]	¯	*sur une voyelle, indique une voyelle longue*
ñ	espagnol [ɲ]		

ALPHABET PHONÉTIQUE INTERNATIONAL

CONSONNES

b	de bal	[bal]
d	de dent	[dɑ̃]
f	de foire	[fwaʀ]
g	de gomme	[gɔm]
h	holà !	[hɔla]
	hourrah ! (valeur expressive)	[huʀa]
k	de clé	[kle]
l	de lien	[ljɛ̃]
m	de mer	[mɛʀ]
n	de nage	[naʒ]
ɲ	de gnon	[ɲɔ̃]
ŋ	de dancing	[dɑ̃siŋ]
p	de porte	[pɔʀt]
ʀ	de rire	[ʀiʀ]
s	de sang	[sɑ̃]
ʃ	de chien	[ʃjɛ̃]
t	de train	[tʀɛ̃]
v	de voile	[vwal]
x	de jota (esp.)	[xɔta]
	de khamsin (ar.)	[xamsin]
	de buch (all.)	[bux]
z	de zèbre	[zɛbʀ]
ʒ	de jeune	[ʒœn]

VOYELLES

a	de patte	[pat]
ɑ	de pâte	[pɑt]
ɑ̃	de clan	[klɑ̃]
e	de dé	[de]
ɛ	de belle	[bɛl]
ɛ̃	de lin	[lɛ̃]
ə	de demain	[dəmɛ̃]
i	de gris	[gʀi]
o	de gros	[gʀo]
ɔ	de corps	[kɔʀ]
ɔ̃	de long	[lɔ̃]
œ	de leur	[lœʀ]
œ̃	de brun	[brœ̃]
ø	de deux	[dø]
u	de fou	[fu]
y	de pur	[pyʀ]

SEMI-VOYELLES (OU SEMI-CONSONNES)

j	de fille	[fij]
ɥ	de huit	[ɥit]
w	de oui	[wi]

CLASSIFICATION DES CONSONNES

	sourde	sonore	nasale
bilabiale	p	b	m
labiodentale	f	v	
dentale	t	d	n
alvéolaire	s	z	
prépalatale	ʃ	ʒ	
palatale			ɲ
vélaire	k	g	ŋ
uvulaire		ʀ	
latérale			l

'	note l'absence de liaison ex. un haricot [œ̃'ariko]

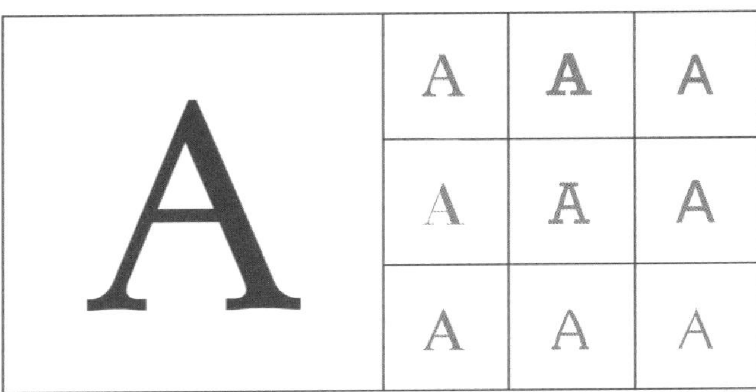

a [a, ɑ] n. m. **1.** Première lettre (a, A) et première voyelle de l'alphabet notant les sons [a] ou a antérieur (ex. *passage*), [ɑ] ou a postérieur (ex. *pas, hâler*), [ɑ̃] ou a nasal (ex. *blanc*). *Un e dans l'a* : æ. ▷ Loc. fig. *Prouver par A plus B*, de manière irréfutable. – *De A à Z* : du début à la fin. **2.** PHYS A : symbole de l'ampère. – a : symbole de atto-.

Å PHYS Symbole de l'angström.

à prép. (au, aux : *à le* se contracte en *au* devant les noms masc. commençant par une consonne et *à les* en *aux* devant les noms de l'un et l'autre genre). **A.** La préposition *à* sert à introduire le complément d'un verbe ou d'un nom exprimant : **I.** Le lieu. **1.** La direction, la destination. *Je vais à la ville. Un voyage à Madrid.* **2.** La position, sans idée de mouvement. *Il vit à La Rochelle. Des vacances à la montagne.* **3.** La localisation corporelle. *Avoir mal à un œil. Une reprise au coude.* **4.** Le chemin parcouru, la distance, l'intervalle *(de...à). Aller de Strasbourg à Brest. La distance de Paris à Versailles.* **II.** Le temps. **1.** Le moment. *Il sort à midi. Départ au petit matin.* ▷ La simultanéité. *Il s'est levé à mon arrivée.* **2.** L'éloignement dans le futur. *Remettre au lendemain ce qu'on peut faire le jour même. Renvoi à huitaine.* **3.** L'intervalle *(de...à). Jeûner du lever au coucher du soleil. La semaine du 2 au 8 janvier.* **III.** L'attribution. **1.** Le destinataire. *Donner à une bonne œuvre. Lettre ouverte au président de la République.* **2.** L'appartenance (seulement avec le verbe *être* ou un pron. pers. comp. de nom). *La voiture est à mon père. Un vieil ami à nous.* [N. B. La construction du comp. de nom avec *à (la maison à Jeanne)* est fautive.] **IV.** La manière. **1.** La façon, le mode. *Marcher à grands pas. Achat au comptant.* **2.** L'instrument, le moyen. *Écrire à la machine. Rixe au couteau. Montre à quartz.* **V.** Le rapport distributif. *S'abonner à l'année. La vente au numéro.* **VI.** Le nombre. **1.** Le prix. *Ils soldent leurs cravates à trente francs. Une babiole à cinq francs.* **2.** L'évaluation. *Cela prendra de cinq à sept jours. Une foule de cent à cent vingt mille personnes.* **B.** La préposition *à* sert à introduire : **1.** L'objet indirect d'un verbe. L'objet peut être : – Un nom. *J'aspire à la tranquillité. Il échappe aux poursuites.* – Un infinitif. *Songer à prendre sa retraite. Consentir à parler.* **2.** Le complément d'un nom issu d'un v. tr. indir. *Le renoncement aux plaisirs.* **3.** Le complément de certains adjectifs. *Conforme à la loi. Prompt à agir.*

1. a-, an-. Préfixe tiré du grec, dit « a privatif », exprimant le manque, la privation, la suppression (ex. *amoral* : sans morale).

2. a-. Préfixe, du lat. *ad*, marquant la direction vers, le but.

Aa, fl. de France (80 km) qui baigne Saint-Omer et se jette dans la mer du Nord.

Aalst. V. Alost.

Aalto (Alvar) (Kuortane, 1898 – Helsinki, 1976), architecte, urbaniste et designer finlandais.

Aalto : palais Finlandia à Helsinki (1971)

Aar, princ. riv. de Suisse (295 km), affl. du Rhin (r. g.); naît dans le *massif de l'Aar* (Alpes bernoises).

Aarau, v. de Suisse, sur l'Aar; 16 400 hab.; ch.-l. du canton d'Argovie.

Aargau. V. Argovie.

Aarhus. V. Århus.

Aaron, personnage biblique; frère de Moïse et premier grand prêtre d'Israël.

ab absurdo loc. lat. Par l'absurde. *Démonstration ab absurdo.*

abaca n. m. Fibre textile (chanvre de Manille) tirée d'un bananier; ce bananier.

Abadan, v. et port d'Iran dans une île du Chatt al-Arab, sur le golfe Persique; 300 000 hab. Raff. de pétrole.

Abadie (Paul) (Paris, 1812 – Chatou, 1884), architecte français : Sacré-Cœur de Montmartre, à Paris (1876).

Abailard. V. Abélard.

abaissable adj. Qui peut être abaissé.

abaissant, ante adj. Qui abaisse (sens I, 4).

abaisse n. f. Pâte amincie au rouleau à pâtisserie.

abaisse-langue n. m. inv. Palette servant à abaisser la langue pour examiner la gorge.

abaissement n. m. **1.** Action d'abaisser, de s'abaisser; son résultat. ▷ ASTRO *Abaissement de l'horizon* : angle de l'horizon théorique d'un lieu avec l'horizon réel. **2.** Diminution (d'une grandeur, d'une quantité). *Abaissement de la température.*

abaisser v. [1] **I.** v. tr. **1.** Faire descendre (qqch) à un niveau inférieur. *Abaisser un store.* – *Abaisser ses regards.* ▷ MATH *Abaisser un chiffre*, le reporter à la droite du reste du dividende, dans une division. – *Abaisser une perpendiculaire* : tracer une perpendiculaire à une droite, à un plan. **2.** Diminuer la hauteur de (qqch). *Abaisser un mur.* ▷ CUIS *Abaisser une pâte*, l'amincir au rouleau. **3.** Diminuer (une grandeur, une quantité). *Abaisser les prix.* Syn. réduire. ▷ MATH *Abaisser le degré d'une équation*, ramener sa résolution à celle d'une équation de degré moindre. **4.** *Abaisser qqn*, l'avilir, l'humilier. *La misère abaisse l'homme.* Syn. dégrader. **II.** v. pron. **1.** (Choses) Descendre à un niveau inférieur. *La plage s'abaisse en pente douce.* **2.** Diminuer (grandeurs, quantités). *Le taux de mortalité s'est abaissé.* **3.** (Personnes) S'humilier. *S'abaisser devant le Très-Haut.* ▷ Se diminuer moralement. *S'abaisser à des compromissions.*

abaisseur n. m. (et adj. m.) ANAT Muscle dont la fonction est d'abaisser la ou les parties qu'il fait mouvoir. ▷ adj. m. ELECTR *Transformateur abaisseur*, dans lequel la tension de sortie est inférieure à la tension d'entrée.

abajoue n. f. Extension de la joue chez certains mammifères (singes, hamsters), qui leur sert de réserve à aliments.

Abakan, v. de Russie, en Sibérie, au confl. de l'Abakan (512 km) et de l'Ienisseï; 147 000 hab.; ch.-l. de la rég. auton. de Khakassie. Minerai de fer.

abandon n. m. **1.** Fait, action d'abandonner. ▷ SPORT Action d'abandonner, dans une compétition, une épreuve. *Abandon du tenant du titre à la cinquième reprise.* ▷ DR *Abandon du domicile conjugal* : fait, pour l'un des époux, de quitter le domicile légal du couple. **2.** État de la chose, de l'être abandonné. *Mourir dans l'abandon.* ▷ Loc. adv. *À l'abandon* : dans un état d'abandon, de délaissement. *La maison était à l'abandon.* **3.** Fait, action de s'abandonner (sens II, 3); son résultat. *Elle m'a raconté sa vie dans un moment d'abandon.*

abandonnataire n. DR Personne qui bénéficie d'un abandon de biens.

abandonnateur, trice n. DR Personne qui abandonne ses biens.

abandonné, ée adj. Qui a été l'objet d'un abandon. *Un enfant abandonné.* ▷ Subst. *Secourons les abandonnés. Un pauvre abandonné.*

abandonner v. [1] **I.** v. tr. **1.** Renoncer à (qqch). *Abandonner un projet. Abandonner son emploi.* ▷ SPORT (S. comp.) Renoncer à poursuivre une compétition, une épreuve. *De nombreux coureurs ont abandonné au cours de cette étape.* **2.** Laisser (qqch) à (qqn); mettre (qqch) à la disposition de (qqn). *Il abandonne sa part d'héritage à son frère.* **3.** Ne pas conserver, délaisser (qqch). *Abandonner sa voiture sur la voie publique.* **4.** Quitter (un lieu). *J'abandonne la capitale pour m'établir dans une petite ville.* ▷ *Ses forces l'abandonnent,* viennent à lui manquer. **5.** Se séparer volontairement de (qqn envers qui on a des obligations, avec qui on est lié). *Abandonner sa famille.* **II.** v. pron. **1.** Se livrer à (une émotion, un sentiment). *S'abandonner à la douleur.* ▷ (S. comp.) Détendre son corps, son esprit. *Vous êtes crispé, laissez-vous aller, abandonnez-vous!* **2.** S'en remettre à (qqch). *S'abandonner au hasard, à la fortune.* **3.** (S. comp.) Se confier. *Dans l'intimité, il s'abandonne volontiers.*

abandonnique [abɑ̃dɔnik] adj. PSYCHIAT Qui souffre d'une profonde angoisse de se voir abandonné par ses proches.

abaque n. m. **1.** MATH Graphique qui donne, par simple lecture, la valeur approchée d'une fonction pour divers valeurs et paramètres. *Abaque pour le calcul des marées.* **2.** Boulier compteur. **3.** ARCHI Tablette couronnant le chapiteau d'une colonne.

abasourdir [abazuʀdiʀ; abasuʀdiʀ] v. tr. [3] **1.** Rendre sourd; étourdir par un grand bruit. *Cessez donc ce vacarme qui nous abasourdit!* **2.** Fig. Frapper de stupeur. *Voilà une nouvelle qui m'abasourdit.*

abasourdissant, ante [abazuʀdisɑ̃; abasuʀdisɑ̃, ɑ̃t] adj. Qui abasourdit.

abâtardir 1. v. tr. [3] Faire dégénérer. *Le climat a abâtardi cette plante.* – Fig. *La servitude abâtardit le courage.* **2.** v. pron. Dégénérer. *Race qui s'abâtardit.*

abâtardissement n. m. Litt. Dégénérescence, altération.

Abate. V. Abbate.

abatis n. m. (Canada) Syn. de *abattis.*

abat-jour n. m. inv. **1.** ARCHI Baie disposée pour diriger la lumière dans une direction déterminée. **2.** Réflecteur qui rabat la lumière.

abats n. m. pl. Sous-produits comestibles (viscères essentiellement) des volailles ou des animaux de boucherie (les abats ne font pas partie de la carcasse). *Abats de poulet.*

abat-son(s) n. m. inv. Ensemble de lames obliques placées dans les fenêtres d'un clocher pour renvoyer au sol le son des cloches.

abattage n. m. **1.** Action de faire tomber (ce qui est dressé). *Abattage des arbres.* ▷ *Abattage du minerai,* action de le détacher du front de taille. **2.** Mise à mort (d'un animal de boucherie). **3.** Action de mettre à terre, de coucher. *Abattage d'un cheval,* pour le soigner. *Abattage en carène d'un navire,* pour nettoyer ou réparer ses œuvres vives. **4.** Fig. *Avoir de l'abattage,* du brio, de la vivacité.

abattant n. m. Partie d'un meuble (d'un siège notam.) qui se lève ou s'abaisse.

abattée n. f. **1.** MAR Changement de cap d'un voilier qui s'écarte du lit du vent. **2.** AVIAT Piqué brusque à la suite d'une perte de vitesse.

abattement n. m. **1.** Affaiblissement des forces physiques ou morales. *Il était plongé dans un profond abattement.* Syn. accablement. Ant. alacrité, vigueur. **2.** FISC Partie des revenus imposables exonérée d'impôt.

abattis [abati] n. m. **1.** Vx Action d'abattre; ce qui est abattu. **2.** (Canada) Terrain déboisé où demeurent des souches. Syn. abatis. **3.** (Plur.) Abats de volaille. ▷ Fig., arg. Membres. *Tu veux te battre? Numérote tes abattis!*

abattoir n. m. Établissement où se fait l'abattage des animaux de boucherie.

abattre v. [61] **I.** v. tr. **1.** Mettre à bas, faire tomber (ce qui est dressé). *Abattre un mur.* ▷ *Abattre de la besogne :* faire beaucoup de travail en peu de temps. ▷ *Abattre son jeu :* étaler d'un seul coup toutes ses cartes; fig. montrer clairement ses intentions. **2.** Tuer (un animal). *Abattre un bœuf.* ▷ *Abattre qqn,* le tuer avec une arme à feu. **3.** Déprimer, affaiblir (qqn). *Cette maladie l'a abattu.* ▷ Prov. *Petite pluie abat grand vent :* un événement apparemment sans importance met souvent fin à une situation de crise. **II.** v. pron. **1.** Tomber brutalement. *Le chêne déraciné s'est abattu sur le sol. L'appareil s'est abattu peu après le décollage.* – Fig. *Le malheur s'est abattu sur lui.* **2.** Se laisser tomber en volant (sur). *Le vautour s'abat sur sa proie.* **3.** (Personnes) Se laisser tomber. *Il s'abattit sur le divan et n'en bougea plus jusqu'au dîner.*

abattu, ue adj. **1.** Qui a été abattu (V. abattre, sens I, 1 et 2). **2.** Déprimé, affaibli.

Abbadides, dynastie arabe formée par trois souverains du nom de Abbad (*'Abbād*) qui régnèrent à Séville au XIe s.

Abbado (Claudio) (Milan, 1933), chef d'orchestre italien successivement directeur de la Scala de Milan et de l'Opéra de Vienne. Il dirige depuis 1989 l'orchestre philharmonique de Berlin.

Abbas (*Abbās*) (566 – 652), oncle et disciple de Mahomet; éponyme de la dynastie des Abbassides.

Abbas Ier le Grand (?, 1571 – Māzandarān, 1629), chah de Perse (1587-1629), de la dynastie des Séfévides. Il agrandit ses États aux dépens des Ottomans, des Tatars et des Portugais.

Abbas (Farhat) (*Farḥāt 'Abbās*) (Taher, 1899 – Alger, 1985), homme politique algérien. Fondateur (1948) d'un parti (Union populaire algérienne) qui réclamait une république autonome fédérée à la France, auteur du Manifeste du peuple algérien (1943), il fut président du gouvernement provisoire de la Rép. algérienne (1958-1961) et, après l'indépendance, président de l'Assemblée constituante (1962-1963).

Abbas Hilmi Ier (*'Abbās Ḥilmī*) (Djedda, 1813 – près du Caire, 1854), vice-roi d'Égypte. Il succéda à son oncle Ibrahim en 1848, freina les réformes et soutint les Turcs lors de la guerre de Crimée.

Abbas Hilmi II (*'Abbās Ḥilmī*) (Alexandrie, 1874 – Genève, 1944), khédive d'Égypte (1892-1914). Il chercha à soustraire son pays à l'influence des Brit., qui le déposèrent à la faveur de la guerre.

abbasside adj. Relatif aux Abbassides.

Abbassides, dynastie de trente-sept califes arabes, descendants de Abbas (*'Abbās*), oncle de Mahomet; ils se substituèrent aux Omeyyades en 750 et firent de Bagdad leur capitale et le centre d'une civilisation brillante. Ils furent chassés par les Mongols (prise de Bagdad en 1258).

Abbate ou **Abate** (Nicolo dell') (Modène, 1509 – Fontainebleau, 1571), peintre italien. Il travailla avec Primatice à la décoration du palais de Fontainebleau (fresques). Parmi ses toiles, *Moïse sauvé des eaux, l'Enlèvement de Proserpine* (Louvre).

abbatial, ale, aux [abasjal, o] adj. et n. f. De l'abbaye; de l'abbé ou de l'abbesse. *Palais abbatial. Dignité abbatiale.* ▷ n. f. Église d'une abbaye. *Abbatiale du XIIIe s.*

abbaye [abei] n. f. Communauté d'hommes ou de femmes placée sous l'autorité d'un abbé ou d'une abbesse; ensemble des bâtiments de cette communauté. *Faire une retraite dans une abbaye. Abbaye cistercienne.*

Abbaye (prison de l'), anc. prison abbatiale de Saint-Germain-des-Prés; théâtre des massacres de septembre 1792. Démolie en 1854.

Abbe (Ernst) (Eisenach, 1840 – Iéna, 1905), physicien allemand connu par ses travaux d'optique et les perfectionnements qu'il a apportés au condenseur du microscope.

abbé n. m. **1.** Supérieur d'une abbaye. **2.** RELIG CATHOL Titre donné en France à un prêtre séculier. *L'abbé X, curé de Saint-Antoine.*

abbesse n. f. Supérieure d'une abbaye, d'un monastère de femmes.

Abbeville, ch.-l. d'arr. de la Somme et anc. cap. du comté de Ponthieu, sur la Somme; 24 588 hab. Industr. notam. text. et alim. – Égl. St-Gilles (XVe s.) et St-Vulfram (XVe-XVIe s.), de style flamboyant. Musée archéologique.

abbevillien, enne n. m. et adj. PREHIST Faciès ancien du paléolithique infér., caractérisé par des silex irrégulièrement taillés sur les deux faces (bifaces). Syn. chelléen.

Abbiya. V. Abia.

Abbott (sir John Joseph Caldwell) (Saint-André-d'Argenteuil, Québec, 1821 – Montréal, 1893), homme politique canadien. Député, il siégea à Québec et à Ottawa entre 1860 et 1874; sénateur en 1874, il est élu maire de Montréal (1874-1877). Premier sénateur et premier Canadien de naissance à occuper le poste de Premier ministre (1891-1892).

abc n. m. inv. Principes élémentaires. *Il ignore l'abc du métier.*

abcès [apsɛ] n. m. Collection de pus dans une cavité formée aux dépens des tissus environnants. *Abcès chaud,* accompagné d'une inflammation aiguë. *Abcès froid,* qui se forme lentement, sans réaction inflammatoire (par ex., abcès tuberculeux). *Abcès de fixation :* abcès provoqué en vue de localiser une infection générale ; fig. point où on laisse se cristalliser un phénomène mauvais pour éviter son extension. ▷ Fig. *Crever* ou *vider l'abcès :* mettre au grand jour, faire éclater une situation de crise.

Abd al-Aziz ibn-il-Hassan *('Abd al-'Azīz ibn al-Ḥasan)* (Marrakech, 1878 ou 1881 – Tanger, 1943), sultan du Maroc (1894-1908), détrôné par son frère Moulay Hafiz.

Abd al-Aziz ibn Saoud. V. Séoud.

Abdallah ou **Abdullah** *('Abd Allāh ibn 'Abd al-Muṭṭalib ibn Hāšim)* (La Mecque, v. 545 – Médine, v. 570), père de Mahomet.

Abd Allah Ier *('Abd Allāh)* (La Mecque, 1882 – Jérusalem, 1951), roi de Jordanie. Émir de Transjordanie (1921), il fut nommé roi avec l'appui des Brit. en 1946. Il mourut assassiné. – **Abd Allah II** (Amman, 1962), petit-fils du préc. ; roi de Jordanie depuis 1999. Il a succédé à son père, Hussein Ier.

Abd Allah ibn Yasin *('Abd Allāh ibn Yāsīn)*, fondateur de la dynastie des Almoravides.

Abd al-Malik *('Abd al-Malik)* (?, v. 646 – ?, 705), cinquième calife omeyyade de Damas (685-705). Il conquit La Mecque, l'Irak et l'Afrique du Nord jusqu'à Carthage.

Abd al-Mumin *('Abd al-Mu'min)* (?, v. 1100 – Salé, 1163), premier calife de la dynastie des Almohades. Il détrôna les Almoravides au Maroc.

Abd al-Rahman *('Abd ar-Raḥmān)*, émir arabe d'Espagne vaincu et tué en 732 près de Poitiers par Charles Martel.

Abd al-Rahman *('Abd ar-Raḥmān)*, nom de trois émirs omeyyades de Cordoue. – **Abd al-Rahman III** (891 – 961), calife de 912 à sa mort, contribua au renom de la ville.

Abd al-Rahman *('Abd ar-Raḥmān)* (?, v. 1785 – Meknès, 1859), sultan du Maroc (1822-1859). Allié d'Abd el-Kader, il fut vaincu par Bugeaud à la bataille de l'Isly (1844).

Abd al-Wahhab. V. Wahhabites.

Abd el-Kader *('Abd al-Qādir)* (près de Mascara, v. 1808 – Damas, 1883), émir d'Algérie. Il mena la guerre sainte contre les Français, qui reconnurent son autorité sur les deux tiers de l'Algérie (traités de 1834 et 1837), mais il reprit la lutte en 1839. La perte de sa smala, enlevée en 1843 par le duc d'Aumale, fut décisive : réfugié au Maroc, où il fut bientôt jugé indésirable, Abd el-Kader dut se rendre (1847). Interné à Amboise jusqu'en 1852, il se retira en 1855 à Damas, où il se consacra à la méditation.

Abd el-Krim *('Abd al-Karīm)* (Adjir, 1882 – Le Caire, 1963), chef nationaliste marocain. De 1919 à 1926, date de sa reddition à la France, il mena la guerre sainte contre Espagnols et Français (guerres du Rif). Déporté à la Réunion, il s'échappa lors de son transfert en France (1947) à l'escale du Caire, où il demeura, militant pour l'indépendance de l'Afrique du Nord.

Abdère, v. grecque de l'anc. Thrace, sur la mer Égée ; patrie des philosophes Démocrite, Anaxarque, Protagoras.

Abdias ou **Obadya,** le quatrième des douze petits prophètes juifs.

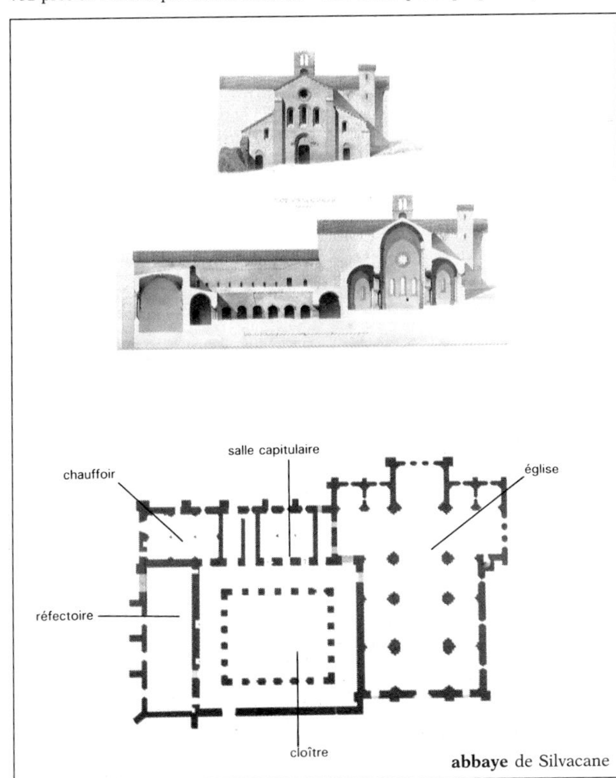

abbaye de Silvacane

Abd el-Kader

Niels H. **Abel**

abdication n. f. **1.** Action d'abdiquer le pouvoir souverain. *L'abdication de Charles Quint.* **2.** Abandon, renoncement.

abdiquer v. tr. [1] **1.** Abandonner (le pouvoir souverain). *Abdiquer la royauté.* ▷ (S. comp.) *Napoléon fut contraint d'abdiquer.* **2.** Renoncer à. *Abdiquer tous ses droits.* ▷ (S. comp.) *Jamais je n'abdiquerai,* je ne renoncerai.

abdomen [abdɔmɛn] n. m. **1.** Partie inférieure du tronc, limitée en haut par le diaphragme, en bas par le petit bassin, et qui contient la majeure partie de l'appareil digestif, le foie, la rate et une partie de l'appareil génito-urinaire. Syn. ventre. **2.** Segment postérieur du corps des arthropodes. ► pl. homme

abdominal, ale, aux adj. De l'abdomen. ▷ n. m. pl. *Les abdominaux :* les muscles abdominaux.

Abdu (Muhammad) *(Muḥammad 'Abduh)* (Mahallab al-Nasr, 1849 – Alexandrie, 1905), écrivain égyptien. Mufti d'Égypte, grand réformateur, il proposa une interprétation moderne de l'islam.

abducteur adj. (et n. m.) ANAT Qualifie les muscles qui effectuent le mouvement d'abduction. ▷ n. m. *L'abducteur du pouce.*

abduction n. f. Mouvement par lequel un membre ou un segment de membre s'écarte du plan de symétrie du corps. Ant. adduction.

Abdūlaziz (?, 1830 – Istanbul, 1876), sultan ottoman (1861-1876). Ses réformes mécontentèrent Jeunes-Turcs et Vieux-Turcs. Il fut trouvé mort cinq jours après son abdication.

Abdulcassis *('Abd al-Qāsim)* (Cordoue, ? – ?, 1013), auteur d'un important traité de médecine et de chirurgie.

Abdūlhamid Ier (1725 – 1789), sultan ottoman (1774-1789). La politique russe d'expansion en Méditerranée le contraignit à livrer des guerres où il fut vaincu (traité de Kaïnardji, 1774). – **Abdūlhamid II** (Istanbul, 1842 – id., 1918), sultan de 1876 à 1909. Son règne consacra le démembrement de l'Empire ottoman et l'échec des réformes demandées par les Jeunes-Turcs. Il fut surnommé « le Sultan rouge ».

Abdullah *('Abd Allāh ibn 'Abd al-Muṭṭalib).* V. Abdallah.

Abdülmecid (Istanbul, 1823 – id., 1861), sultan ottoman (1839-1861) qui s'allia aux Français et aux Brit. contre les Russes (guerre de Crimée, notam.).

Abdul Rahman (Teng-Ku) (Alor Setar, 1903 – Kuala Lumpur, 1990), homme d'État malais, fils du sultan de Kedah, promoteur des diverses féd. de Malaisie, dont il fut Premier ministre de 1957 à sa démission (sept. 1970).

Abdul Razak (Pekan, État de Pahang, 1922 – Londres, 1976), homme politique de Malaisie, successeur d'Abdul Rahman (sept. 1970).

abécédaire n. m. Vieilli Livre dans lequel les enfants apprennent les rudiments de la lecture.

Abéché *(Abbechah)*, v. du Tchad; 85 000 hab.; ch.-l. de la préf. d'Ouaddaï. Centre agric. et comm. (viande); artisanat.

abeille n. f. **1.** Insecte hyménoptère aculéate vivant en société et produisant le miel. ▷ *Nid d'abeilles* : V. nid. ▷ *Abeille menuisière* ou *abeille charpentière* : autres noms du *xylocope*. **2.** Emblème héraldique figurant une abeille. *L'abeille symbolise le travail.*

Abe Kōbō (Tōkyō, 1924 - id., 1993), écrivain japonais : *les Murs* (1951), *la Femme des sables* (1962), *l'Homme-boîte* (1973). Il a aussi écrit des pièces de théâtre (*les Amis*, 1967).

Abel, personnage biblique. Second fils d'Adam et d'Ève, assassiné par son frère Caïn (jaloux de voir Dieu préférer le sacrifice d'Abel au sien).

Abel (Karl Friedrich) (Cöthen, 1723 - Londres, 1787), compositeur allemand, instrumentiste renommé (clavecin, viole de gambe), élève de J.-S. Bach et associé de J.-Chr. Bach.

Abel (Niels Henrik) (île de Finnøy, 1802 - Arendal, 1829), mathématicien norvégien. Travaux sur les équations algébriques, les fonctions elliptiques, les intégrales. ► illustr. page 3

Abélard ou **Abailard** (Pierre) (Le Pallet, 1079 - près de Chalon-sur-Saône, 1142), philosophe et théologien français. L'histoire de sa passion pour Héloïse, nièce du chanoine Fulbert, et son émasculation par des gens à la solde de Fulbert l'ont rendu célèbre. Il enseigna à Paris la théologie et la logique; ses doctrines furent condamnées par les conciles de Soissons (1121) et de Sens (1140). Il tenta d'introduire dans la scolastique la dialectique aristotélicienne et participa à la «querelle des universaux».

abélien, enne adj. MATH *Fonctions abéliennes*, introduites en analyse par N. H. Abel. - *Ensemble abélien*, qui est muni d'une loi de composition interne commutative.

Abellio (Georges Soulès, dit Raymond) (Toulouse, 1907), homme politique et écrivain français. Il fit une exégèse ésotérique des Livres saints et analysa la bourgeoisie d'avant 1940 dans des essais et des romans : *Heureux les pacifiques* (1947), *les Yeux d'Ézéchiel sont ouverts* (1952).

Abénaquis, peuple autochtone d'Amérique du N. qui occupait, avant l'arrivée des Européens, le nord-est des É.-U. (Nouvelle-Angleterre actuelle). Ce groupe nomade, fort d'env. 28 000 individus v. 1600, fut décimé par les maladies transmises par les Européens. Dans la seconde moitié du XVIIe s., certains des survivants s'établirent au Québec. Plus d'un millier y vivent encore, installés notam. dans la rég. de la Mauricie-Bois-Francs.

Abencérages (en ar. *Banū Sarrāj*), famille maure du royaume de Grenade (XV^e^s.), dont les rivalités à demi légendaires avec les Zégris ont inspiré à Chateaubriand *les Aventures du dernier Abencérage* (1826).

Abeokouta, v. du Nigeria, sur l'Ogun; cap. de l'État d'Ogun; 400 000 hab. Industr. alim., bois, caoutchouc.

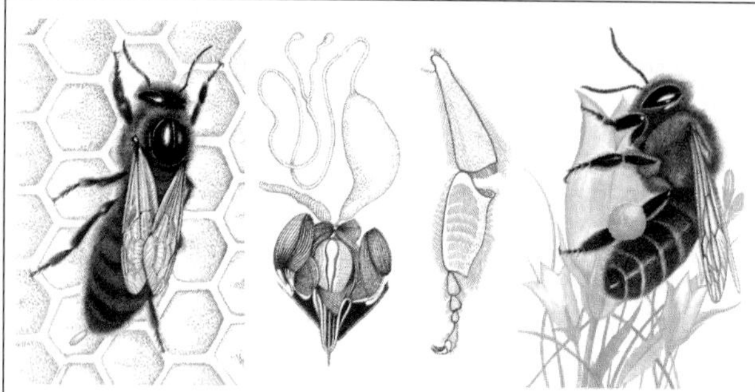

abeille : de g. à dr., reine en train de pondre, appareil venimeux, patte postérieure avec sa corbeille à pollen et ouvrière butinant

aber [abɛʀ] n. m. Rég. Petite ria en entonnoir ouverte sur le large, en Bretagne.

Abercrombie (Lascelles) (Ashton-upon-Mersey, 1881 - Londres, 1938), écrivain anglais. Auteur de poésies néo-romantiques (*Emblèmes de l'amour*, 1912), de drames (*Deborah*, 1912) et d'essais (*Thomas Hardy*, 1912; *Théories de l'art*, 1922) de facture victorienne.

Abercromby (sir Ralph) (Menstry, comté de Clackmannan, 1734 - Aboukir, 1801), général anglais, vainqueur des Français à Aboukir, où il trouva la mort.

Aberdeen, v. et port d'Écosse, sur la mer du Nord; 216 000 hab.; ch.-l. de la région de Grampian. Chantiers navals. Recherche pétrolière off shore. - Université fondée en 1494.

Aberdeen (George Hamilton Gordon, comte d') (Édimbourg, 1784 - Londres, 1860), homme politique britannique. Premier ministre en 1852, il dut démissionner au début de la guerre de Crimée (1855).

aberdeen-angus [abɛʀdinãgys] n. inv. Bovin dépourvu de cornes, d'une race originaire d'Écosse, appréciée pour la production de viande. Syn. angus.

aberrance n. f. STATIS Écart important par rapport à une valeur moyenne.

aberrant, ante adj. **1.** Qui s'écarte du type habituel, normal. ▷ BIOL Qui présente une (des) variation(s) par rapport à l'espèce. **2.** Contraire à la raison, au bon sens.

aberration n. f. **1.** ASTRO et PHYS Déformation provoquée par des paramètres secondaires. - *Aberration de la lumière* : phénomène, dû au mouvement de la Terre, qui se traduit, lors de l'observation d'un astre, par un écart par rapport à sa direction réelle. - *Aberration diurne*, due à la rotation de la Terre sur elle-même.- *Aberration annuelle*, due à la rotation de la Terre autour du Soleil. **2.** MED Anomalie d'ordre anatomique, physiologique ou psychique. *Aberration du goût.* ▷ *Aberration chromosomique* : anomalie relative à la constitution ou au nombre des chromosomes, qui peut être à l'origine de diverses maladies telles que la *trisomie 21* (mongolisme). **3.** Écart de l'imagination, erreur de jugement. *Il a commis cette faute dans un moment d'aberration.* ▷ Idée, façon d'agir contraire à la raison, au bon sens.

Aber-Wrach ou **Aber-Vrac'h** (l'), fl. côtier (34 km) et estuaire (aber) au N. du Finistère (pays de Léon).

abêtir v. [3] **1.** v. tr. Rendre bête, stupide. *Vous abêtissez cet enfant, en le faisant trop travailler.* ▷ (S. comp.) *Activité monotone qui abêtit.* **2.** v. pron. *Elle s'abêtit, à lire ces illustrés ineptes!*

abêtissant, ante adj. Qui abêtit.

abêtissement n. m. Action d'abêtir; son résultat; état d'une personne abêtie.

abhorrer v. tr. [1] Litt. Avoir en horreur. *Abhorrer le mensonge.* Syn. abominer, exécrer, haïr. Ant. adorer.

Abia, Abbiya ou **Abiam,** deuxième roi de Juda (914-911 av. J.-C.).

Abidjan, port de la Côte-d'Ivoire, sur la lagune Ébrié, reliée au golfe de Guinée par le canal de Vridi (3 km); ch.-l. du dép. du m. nom; 2 500 000 hab. D'Abidjan part une voie ferrée qui dessert le Burkina Faso. - Université importante. - Centrales therm.; raff. de pétrole; traitement du cacao et du café. Aéroport international. - Capitale du pays jusqu'en 1983, Abidjan est le siège du Conseil de l'Entente.

Abilene, v. des É.-U. (Texas); 106 600 hab. Pétrole.

abîme n. m. **1.** GEOMORPH Gouffre très profond. Syn. aven. ▷ Par métaphore. *Un abîme sépare ces deux personnes*, elles diffèrent tellement qu'il n'y a entre elles aucun point commun, aucune entente possible. **2.** Fig. *Un abîme de...* : une quantité considérable de... *Un abîme de désespoir.* **3.** Fig. Ruine, grand malheur. *Être au bord de l'abîme. Courir à l'abîme.* **4.** BX-A, LITTER *Composition en abîme*, ou, plus souv., *en abyme*, qui, dans une œuvre, inclut un élément particulier renvoyant à la totalité de l'œuvre. *La composition en abyme du miroir central, dans le tableau de Jan Van Eyck, «les Époux Arnolfini».*

abîmer v. [1] **I.** v. tr. **1.** Vx Précipiter dans un abîme. **2.** Endommager (qqch). *Abîmer ses affaires. Ses chaussures sont tout abîmées.* **II.** v. pron. **1.** Litt. S'engloutir. *Le navire s'abîma dans les flots.* ▷ Fig. *S'abîmer dans ses pensées*, s'y absorber complètement. **2.** Se gâter, se détériorer. *Ces fruits se sont abîmés à la chaleur.*

ab intestat [abɛ̃tɛsta] loc. adv. (lat.) DR En l'absence de testament.

abiotique adj. BIOL Impropre à la vie. *Milieu abiotique.*

Abitibi, lac du Canada (915 km²), entre le Québec et l'Ontario.- Nom d'un comté du Québec.

Abitibi-Témiscamingue, rég. admin. du Québec, située la plus à l'ouest, à la frontière de l'Ontario; 152 000 hab. Région forestière, agric. et minière (or, cuivre) qui ne fut colonisée qu'au déb. du XXe s. Villes princ. : Rouyn-Noranda, Val-d'Or, Amos et La Sarre.

abject, ecte adj. Qui suscite le mépris, la répulsion. *Créature abjecte. Mensonge abject.* Syn. ignoble, immonde.

abjection n. f. **1.** Caractère abject. *L'abjection de sa conduite m'a révolté.* **2.** État de dégradation, d'abaissement méprisable. *L'abjection dans laquelle il est tombé.*

abjuration n. f. Acte par lequel on abjure.

abjurer v. tr. [1] **1.** Renier publiquement par un acte solennel (une religion). *Abjurer le protestantisme.* ▷ (S. comp.) *Henri IV abjura à Saint-Denis.* **2.** Renoncer à (une opinion, une pratique). *Il a abjuré toute fierté.*

Abkhazie, rép. auton. de Géorgie, sur la mer Noire; 8 665 km^2; 533 800 hab.; cap. *Soukhoumi.* Pop. [91] : Abkhazes, 20 %; Géorgiens, 45 %; Russes, 15 %. Thé, vergers, vins. – Anc. Colchide, la région est colonisée par les Grecs, les Romains, et, en 1864, passe de la Turquie à la Russie. En 1989, puis en 1992, la minorité musulmane (Abkhazes) tente de se libérer de la tutelle de la Géorgie (dont elle dépend dep. 1920) et réclame son rattachement à la Russie. Après un an de conflit, grâce aux soutiens actif de volontaires du Caucase et tacite de l'armée russe, les séparatistes prennent le contrôle du territoire en sept. 1993 et chassent tous les Géorgiens. En juin 1994, la Russie envoie des troupes pour s'interposer entre les belligérants.

1. ablatif n. m. LING Sixième cas de la déclinaison latine exprimant le point de départ, l'origine, la séparation, l'éloignement.

2. ablatif, ive adj. ESP *Matériau ablatif :* matériau de revêtement destiné à protéger les structures d'un engin lorsque celui-ci effectue sa rentrée dans l'atmosphère terrestre.

ablation n. f. Retranchement, suppression. **1.** CHIR Résection d'un membre, d'un organe, d'un tissu, d'une tumeur. *L'ablation de l'estomac est une gastrectomie.* **2.** ESP Destruction d'un matériau, accompagnée d'une forte absorption de chaleur. **3.** GEOMORPH Perte de matériaux d'un relief soumis à l'érosion (mécanique ou chimique).

-able. Suffixe, du lat. *-abilis,* « qui peut être » (ex. *faisable, mangeable*) ou « enclin à être » (ex. *secourable*). (V. aussi *-ible.*)

able n. m. Poisson d'eau douce voisin de l'ablette, de taille plus petite, dont le nom désignait autrefois l'ensemble des petits poissons blancs d'eau douce.

ablégat [ablega] n. m. Délégué du pape chargé d'une mission.

ablette n. f. Petit poisson (fam. cyprinidés) à la nageoire anale allongée, aux écailles argentées, vivant dans les eaux douces d'Europe.

ablution n. f. **1.** Toilette purificatrice rituelle, prescrite par de nombreuses religions. **2.** (Plur.) Vin et eau versés sur les doigts du prêtre après la communion. **3.** Litt. ou vieilli *Faire ses ablutions :* se laver.

abnégation n. f. Renoncement, sacrifice volontaire de soi. *Son abnégation est admirable.* Syn. dévouement.

Abner, général de Saül, puis de David, assassiné par Joab.

Åbo. V. Turku.

aboi n. m. **1.** Vx Aboiement. **2.** VEN Loc. *Aux abois. Bête aux abois,* cernée par les chiens qui aboient. – Fig. *Personne aux abois,* dans une situation désespérée.

aboiement [abwamɑ̃] n. m. **1.** Cri du chien. **2.** Fig., péjor. Invectives importunes. *Les aboiements de la critique.*

abolir v. tr. [3] **1.** Vx Supprimer. « *Jupiter résolut d'abolir cette engeance* » (La Fontaine). ▷ Mod. Réduire à néant. *Abolir les distances.* **2.** DR Faire cesser la validité de (un usage, une loi). *Alexandre II a aboli le servage en Russie.*

abolition n. f. Action d'abolir; son résultat. *Abolition de l'esclavage.*

abolitionnisme n. m. Doctrine prônant l'abolition de l'esclavage ou de la peine de mort.

abolitionniste n. et adj. Partisan de l'abolitionnisme.

Abomey, v. du Bénin; 50 150 hab.; ch.-l. de la prov. de *Zou.* – Anc. cap. d'un royaume du m. nom (XVIIe-XXe s.).

abominable adj. **1.** Qui inspire l'abomination, l'horreur. *Un meurtre abominable.* **2.** *Par ext.* Très désagréable. *De la pluie, du brouillard, bref, un temps abominable.*

abominablement adv. De manière abominable.

abomination n. f. **1.** Litt. Caractère de ce qui inspire l'horreur, le dégoût. *L'abomination de ce forfait a révolté l'opinion.* **2.** Vieilli Ce qui inspire l'horreur, le dégoût. *C'est une véritable abomination!* – *L'abomination de la désolation :* dans la Bible, le comble du sacrilège, la plus impie des profanations.

abominer v. tr. [1] Litt. Avoir en abomination, en horreur. *J'abomine l'hypocrisie.* Syn. abhorrer, détester, exécrer.

abondamment adv. D'une manière plus que suffisante. *Les faits l'ont abondamment démontré.*

abondance n. f. **1.** Grande quantité. *Une abondance de marchandises à l'étalage.* – (Prov.) *Abondance de biens ne nuit pas.* ▷ *En abondance :* en grande quantité, à foison. **2.** Profusion de biens matériels; richesse. *Vivre dans l'abondance. Société d'abondance. Finie la disette, voilà l'abondance!* ▷ *Corne d'abondance,* débordant de fruits et de fleurs, symbole de la richesse. ▷ *Parler d'abondance,* en improvisant avec brio.

Abondance, ch.-l. de cant. de la Hte-Savoie (arr. de Thonon-les-Bains); 1 353 hab. Lieu d'origine d'une race bovine. – Anc. abbatiale, XIIIe s., avec fresques du XVe s.

abondant, ante adj. Qui abonde, qui est en grande quantité. *Nourriture abondante.*

abondement n. m. DR Somme versée en complément par une entreprise à ses salariés ou par un organisme à une entreprise.

abonder v. [1] **I.** v. intr. **1.** Être, exister en très grande quantité. *Les fruits abondent cet été.* Syn. foisonner. **2.** *Abonder en, de :* avoir, produire en très grande quantité. *Une région qui abonde en gibier.* Syn. regorger. **3.** *Abonder dans le sens de qqn,* soutenir la même opinion que lui et la justifier par des arguments supplémentaires. **II.** v. tr. Rendre abondant, alimenter. *Ces fonds ont été abondés par des legs divers.*

abonné, ée adj. Qui bénéficie d'un abonnement. ▷ Subst. *Nos abonnés sont priés de régler par chèque.*

abonnement n. m. Convention qu'un client passe avec un fournisseur pour bénéficier d'un service régulier (*spécial.* la livraison d'un quotidien, d'un périodique). *Abonnement téléphonique. Carte d'abonnement S.N.C.F. Résilier son abonnement à une publication.*

abonner v. tr. [1] Prendre un abonnement pour (qqn). *Abonner ses enfants à un journal.* ▷ v. pron. *Il s'est abonné à cette revue.*

abonnir v. tr. [3] Rare Rendre bon. *Les caves fraîches abonnissent le vin.* ▷ v. pron. Devenir meilleur.

abord [abɔʀ] n. m. **1.** Vx Action d'aborder (un rivage), d'arriver dans (un lieu). ▷ Mod. *Lieu d'un abord facile,* auquel on accède facilement. **2.** n. m. pl. Alentours. *La forêt se trouve aux abords de la ville.* **3.** Vieilli Action d'aborder, de rencontrer (une personne). ▷ Mod. *Personne d'un abord facile,* qui fait bon accueil, avenante. ▷ Loc. adv. *Dès l'abord :* dès la rencontre (d'une personne). *Dès l'abord, il me fit bonne impression.* **4.** Loc. adv. *D'abord, tout d'abord :* avant toute chose, en premier lieu. *Les femmes et les enfants d'abord. Tout d'abord agissez, vous parlerez ensuite.* **5.** Loc. adv. *Au premier abord, de prime abord :* à première vue. *De prime abord, la chose paraît facile.* **6.** MAR *En abord :* à bord d'un navire, sur le côté. *Chaloupe arrimée en abord.*

abordable adj. **1.** Où l'on peut aborder, accessible. **2.** (Personnes) Que l'on peut aborder, avenant. **3.** *Prix abordable,* raisonnable.

abordage n. m. **1.** Action d'aborder. **2.** Action de prendre d'assaut un navire. *À l'abordage!* **3.** Collision accidentelle de deux navires.

aborder v. [1] **I.** v. tr. **1.** Accoster (un navire) pour lui donner l'assaut. *Corsaire qui aborde un navire.* **2.** Heurter (un navire) accidentellement. *Le paquebot a abordé un chalutier dans la brume.* ▷ v. pron. *Navires qui se sont abordés.* **3.** Arriver à (un endroit par où l'on va passer). *Aborder un virage.* **4.** *Aborder qqn,* s'approcher de lui pour lui parler. Syn. accoster. **5.** *Aborder un sujet,* commencer à en parler. **II.** v. intr. Prendre terre, toucher le rivage (navires, embarcations). *Le vent nous empêche d'aborder.*

aborigène adj. et n. Né dans le pays qu'il habite. Syn. indigène, autochtone. ▷ n. m. pl. Premiers habitants d'une contrée (par oppos. à ceux qui sont venus s'y établir). *Les aborigènes d'Australie :* V. encycl. *Les Inuit, les Amérindiens sont des aborigènes.* ▷ adj. *Cultures aborigènes.*

ENCYCL Les aborigènes d'Australie, (250 000 individus env.) ont une origine encore mal définie. Jusqu'à une époque récente, ils vivaient presque uniquement de la chasse, de la pêche et de la cueillette. Ils ont aujourd'hui des droits sur leurs terres ancestrales où se trouvent des mines de turquoise dont ils entendent percevoir des revenus. Ils ont obtenu le droit de vote en 1967.

abortif, ive adj. **1.** Qui fait avorter. ▷ n. m. *Un abortif :* un produit qui provoque l'avortement. **2.** Qui n'atteint pas le terme normal de son évolution. *Forme abortive.*

abouchement n. m. Action d'aboucher; son résultat.

aboucher v. [1] **I.** v. tr. **1.** Vieilli Mettre en relation (des personnes). **2.** Appliquer (un tube à un autre) par l'extrémité. **II.** v. pron. **1.** Entrer en relation avec (qqn), en général pour affaires. *Il s'est abouché avec un grossiste.* **2.** S'appliquer par une extrémité à (tubes). *La descente d'eau s'abouche au collecteur.*

Abou Dhabi. V. Abu Dhabi.

Aboukir, village d'Égypte, sur une presqu'île. – La flotte française de l'amiral Brueys y fut anéantie par Nelson (1798); sur terre, Bonaparte y écrasa les Turcs (1799). Les Brit. reprirent Aboukir en 1801.

abouler v. tr. [1] Arg. Donner, remettre. *Aboule le fric vite fait!*

aboulie n. f. Absence, diminution de la volonté.

aboulique adj. (et n.) Atteint d'aboulie.

Abou Nouwas *(Abū Nuwās)* (al-Ahwāz, v. 762 – Bagdad, v. 813), poète abbasside. Ses *Khamriyyat,* poèmes lyriques à l'éloge du vin *(kham)* et des plaisirs, ont révolutionné la littér. arabe.

Abou Simbel. V. Abu Simbel.

about [abu] n. m. Extrémité par laquelle une pièce d'assemblage se joint à une autre.

About (Edmond) (Dieuze, 1828 – Paris, 1885), écrivain et journaliste français; auteur de romans satiriques et rocambolesques, imprégnés des conventions de son temps : *le Roi des montagnes* (1857), *l'Homme à l'oreille cassée* (1861), etc. Acad. fr. (1884).

abouter v. tr. [1] Rare Joindre par le bout.

abouti, ie adj. Qui a été mené à bien, réussi. *Une œuvre aboutie.*

aboutir v. [3] **I.** v. tr. indir. **1.** Arriver en bout de parcours (à un lieu). *Ce chemin aboutit à la maison.* **2.** Fig. *Raisonnement qui aboutit à une absurdité.* **II.** v. intr. Arriver à bonne fin, réussir. *Ses démarches ont abouti.*

aboutissants n. m. pl. *Connaître les tenants et les aboutissants d'une affaire,* la connaître dans toutes ses implications, dans le détail.

aboutissement n. m. Résultat, fin. *L'aboutissement des efforts de quelqu'un.*

aboyer v. intr. [23] **1.** Crier (en parlant du chien). **2.** Fig. Invectiver (personnes). *Homme qui aboie plus qu'il ne mord,* qui crie beaucoup, mais ne peut guère nuire.

aboyeur, euse n. **1.** Chien qui aboie. ▷ CHASSE Chien qui prévient, en aboyant, de la présence du gibier sans l'attaquer. **2.** Fig., péjor. Personne qui crie beaucoup. **3.** Personne dont le métier exige qu'elle parle en criant (par ex. : personne qui annonce les invités dans une réception, assistant de commissaire-priseur).

abracadabra n. m. Mot qui passait pour être doté d'un pouvoir magique (apportant guérison, bienfaits, etc.).

abracadabrant, ante adj. Invraisemblable. *Histoires abracadabrantes.*

Abragam (Anatole) (Griva, Lettonie, 1914), physicien français d'origine russe. Spécialiste du magnétisme du noyau atomique, il a contribué, en 1951, à donner l'interprétation de la structure hyperfine des raies spectrales.

Abraham (plaines d'), plateau à l'O. de Québec. – Le 13 sept. 1759, les Anglais vainquirent les Français de Montcalm, qui trouva la mort.

Abraham ou **Abram** (XIXe s. av. J.-C.), personnage biblique; premier patriarche des Hébreux et «père des croyants» juifs, chrétiens et musulmans. Selon la Genèse, Dieu le conduit d'Ur, en Chaldée, jusqu'au pays de Canaan et lui promet un fils, Isaac, de sa femme Sara, jusque là stérile. Sara ayant engendré Isaac, Dieu réclame à Abraham le sacrifice de ce fils, mais se contente, au moment de l'holocauste, d'un geste d'obéissance et de foi. Son autre fils, Ismaël, était né d'une esclave, Agar, répudiée à la naissance d'Isaac.

Abraham (Karl) (Brême, 1877 – Berlin, 1925), psychanalyste allemand. Il a divulgué le freudisme en Allemagne. Ses œuvres complètes (2 vol.) ont paru en France (1965-1966).

Abrahams (Peter) (Johannesburg, 1919), écrivain sud-africain d'expression anglaise; métis, il évoque dans ses œuvres autobiographiques *(Je ne suis pas un homme libre)* et romanesques *(Une couronne pour Udomo,* 1956) les malaises des sociétés africaines et antillaises.

Abrantès (Laure Saint-Martin Permon, duchesse d') (Montpellier, 1784 – Paris, 1838), femme du général Junot, duc d'Abrantès. Auteur de *Mémoires* (1831-1835) sur l'Empire et la Restauration.

abraser v. tr. [1] TECH User par abrasion.

abrasif, ive adj. Qui use par frottement. ▷ n. m. Corps abrasif.

abrasion n. f. **1.** TECH Usure par frottement. **2.** GEOL Érosion par l'eau ou par la glace.

abréaction n. f. PSYCHAN Extériorisation émotionnelle par laquelle un sujet se libère de l'affect resté lié à un traumatisme.

abréagir v. intr. [3] PSYCHAN Se décharger d'un affect par abréaction.

abrégé n. m. **1.** Discours, écrit réduit à l'essentiel. *L'abrégé d'un récit.* ▷ Petit ouvrage exposant succinctement une science, une technique. Syn. mémento. **2.** Loc. adv. *En abrégé :* en peu de mots, sommairement. *Noter en abrégé.* **3.** Litt. Représentation sous une forme réduite. *Un jardin anglais, abrégé de la nature.*

abrégement ou **abrègement** n. m. Action d'abréger. *L'abrégement d'un délai.*

abréger v. tr. [15] Rendre plus court (en durée, en substance). *Abréger une attente fastidieuse. Abréger un article trop long.* Syn. écourter, résumer. Ant. allonger.

abreuver v. [1] **I.** v. tr. **1.** Faire boire (un animal ou, fam., une personne). *Abreuver son cheval. Abreuver qqn de vin.* **2.** Fig. Imbiber. *Arroser une plante en abreuvant la terre.* – CONSTR *Abreuver un mur,* le mouiller abondamment pour obtenir une meilleure adhérence de l'enduit. **3.** Fig. *Abreuver qqn d'injures,* l'accabler d'injures. **II.** v. pron. **1.** Boire. *Vaches qui s'abreuvent au ruisseau.* **2.** Fig. Jouir à satiété, profiter pleinement de. *Un fin lettré qui s'est abreuvé des bons auteurs.*

abreuvoir n. m. Lieu conçu pour faire boire les animaux; auge destinée à cet usage. *Mener le bétail à l'abreuvoir.*

abréviatif, ive adj. Qu'on utilise pour abréger. *Formule abréviative.*

abréviation n. f. **1.** Retranchement de lettres dans un mot, de mots dans une phrase, pour gagner en rapidité, en espace. *Abréviation de «ce qu'il fallait démontrer» en C.Q.F.D.* **2.** Mot, groupe de mots abrégés. *Aucune abréviation ne doit figurer dans un acte juridique.*

abri n. m. **1.** Lieu de protection, de refuge contre les intempéries ou le danger. *Un abri contre la pluie. Abri antiatomique.* ▷ Loc. adv. *À l'abri :* à un endroit où l'on est protégé. *Se mettre à l'abri.* ▷ Loc. prép. *À l'abri de :* protégé contre; à couvert au moyen de. *La maison est à l'abri du vent. À l'abri du feuillage.* **2.** FISC *Abri fiscal :* secteur (type d'entreprises, secteur économique, etc.) où l'investissement financier est encouragé par des avantages accordés par les pouvoirs publics (ex. : abattement d'impôt).

abribus n. m. (Nom déposé.) Édicule servant d'abri et comportant des panneaux publicitaires, à l'emplacement d'un arrêt d'autobus. Syn. (off. recommandé) aubette.

abricot [abʀiko] n. m. Fruit de l'abricotier, d'une saveur délicate et parfumée, de couleur jaune rosé.

abricotier n. m. Arbre fruitier à fleurs roses originaire d'Arménie ou de Chine (fam. rosacées).

abricotier : fleur, feuille, fruit

abri-sous-roche n. m. Cavité naturelle à la base d'une falaise. *Les abris-sous-roche ont souvent servi de gîte aux hommes préhistoriques.*

abrité, ée adj. Qui est à l'abri des intempéries.

abriter v. [1] **I.** v. tr. **1.** Mettre à l'abri, protéger par un abri. *Abriter de sa main la flamme d'une allumette. Garage qui abrite une voiture.* **2.** Servir d'habitation à. *Cette maison abrite de nombreux locataires.* **II.** v. pron. Se mettre à l'abri (des intempéries, du danger). *S'abriter sous un arbre.* ▷ Fig. *S'abriter derrière la loi :* éluder une obligation morale, une responsabilité, en mettant à profit des dispositions légales favorables. – *S'abriter derrière qqn,* se retrancher derrière sa responsabilité.

abrogatif, ive adj. DR Qui a le pouvoir d'abroger.

abrogation n. f. DR Action d'abroger.

abrogatoire adj. DR Qui a pour but d'abroger.

abrogeable adj. Didac. Qui peut être abrogé.

abroger v. tr. [13] DR Rendre légalement nul. *Abroger une loi, des décrets, des ordonnances.* Ant. promulguer.

abrupt, upte adj. **1.** Coupé à pic. *Falaises abruptes.* Syn. escarpé. ▷ n. m. *Escalade d'un abrupt.* **2.** Fig. Rude, direct. *Manières abruptes, style abrupt.*

abruptement adv. D'une façon abrupte.

abruti, ie adj. et n. **1.** Devenu stupide, intellectuellement diminué. *Être* *abruti de fatigue.* **2.** Subst. Fam. Personne privée d'intelligence. *Un parfait abruti. Va donc, abruti !*

abrutir v. tr. [3] Rendre stupide, hébété. *Abrutir d'un flot de paroles.* Syn. abêtir, abasourdir. – (S. comp.) *L'alcool abrutit.* ▷ v. pron. *S'abrutir de travail.*

abrutissant, ante adj. Qui abrutit. *Un bruit abrutissant.*

abrutissement n. m. Action d'abrutir ; son résultat.

Abruzzes, massif calcaire de l'Apennin central (Italie) ; culmine au Gran Sasso d'Italia (2 912 m).

Abruzzes, région admin. d'Italie et de l'U.E., sur la mer Adriatique, formée des prov. de l'Aquila, Chieti, Pescara et Teramo ; 10 794 km^2 ; 1 263 000 hab. ; cap. *L'Aquila.* Agric. de montagne en recul, pétrole, gaz, hydroélectricité. Développement industr. et touristique depuis 1960.

1. A.B.S. n. m. CHIM (Sigle de *acrylonitrile, butadiène* et *styrène.*) Dérivé du polystyrène combinant trois composants de base : acrylonitrile, butadiène, styrène.

2. A.B.S. n. m. AUTO (Sigle de l'all. *Antiblockiersystem.*) Système antiblocage.

Absalon (Xe s. av. J.-C.), personnage biblique, fils de David, qui se révolta contre son père. Arrêté dans sa fuite par sa longue chevelure qui le retint suspendu aux branches d'un arbre, il fut tué par Joab, neveu de David.

abscisse n. f. MATH Nombre qui permet de définir la position d'un point. (On la représente par le symbole x.) *Dans le cas d'un espace vectoriel à deux ou trois dimensions, l'abscisse est la première des deux ou trois coordonnées cartésiennes.* – *Abscisse curviligne* : mesure algébrique de l'arc qui relie l'origine d'une courbe à un point courant de cette courbe.

abscons, onse [apskɔ̃, ɔ̃s] adj. Péjor. Obscur, difficile à comprendre. *Un auteur à la pensée absconse.* Syn. hermétique. Ant. clair, évident.

absence n. f. **1.** Défaut de présence, fait de ne pas être en un lieu donné. *Nous avons regretté votre absence à cette séance de travail.* **2.** DR Situation d'une personne dont la disparition prolongée a rendu l'existence incertaine. *L'absence n'entraîne pas dissolution du mariage.* **3.** Fait d'être éloigné (d'une autre personne). *L'absence de sa femme lui pèse.* ▷ (S. comp.) *L'absence diminue les passions.* **4.** Inexistence, manque. *Absence de goût.* **5.** *Une absence* : une défaillance de la mémoire, de l'attention. **6.** Loc. prép. *En l'absence de* : à défaut de. *Cette décision a été prise en l'absence de l'intéressé. En l'absence de preuve.*

absent, ente adj. et n. **1.** Qui n'est pas (dans un lieu). *Je serai absent de chez moi jusqu'à lundi.* – *Absent à* (+ comp. de temps). *Absent à l'heure du dîner.* – (S. comp.) *Je voulais le voir, mais il était absent.* ▷ Subst. *Les absents ont toujours tort.* (Prov.) **2.** Qui manque. *L'inspiration est totalement absente de cette œuvre.* **3.** Distrait. *Vous lui parlez, il est absent, il n'écoute pas.*

absentéisme n. m. Fait d'être souvent absent (de son lieu de travail, d'études). *Taux d'absentéisme.* ▷ Tendance à être souvent absent sans motif valable.

absenter (s') v. pron. [1] S'éloigner momentanément. *Je m'absenterai de Paris quelques jours.* ▷ (S. comp.) *Je m'absente un instant.*

absidal ou **absidial, iale, iaux** adj. De l'abside. *Chapelle absidale.*

abside n. f. Extrémité d'une église, arrondie ou polygonale, derrière le chœur.

absidiole n. f. Chacune des petites chapelles attenantes à l'abside.

absinthe n. f. **1.** Plante à l'odeur forte, à la saveur amère et aromatique (fam. composées). **2.** Liqueur extraite de cette plante. *La fabrication et la vente de l'absinthe sont interdites en France.*

absolu, ue adj. et n. m. **1.** Qui est sans limite. – *Pouvoir absolu* : pouvoir politique que rien ne borne. ▷ DR Opposable à tous. Ant. relatif. **2.** Total ; entier. *Impossibilité absolue.* ▷ CHIM Exempt de tout mélange. *Alcool absolu.* **3.** Fig. Intransigeant. *Un caractère absolu.* **4.** Considéré en soi, indépendamment de toute référence à autre chose (par oppos. à *relatif*). *La vérité absolue existe-t-elle ?* ▷ GRAM *Emploi absolu d'un verbe transitif* : V. absolument. *Superlatif* absolu.* ▷ MATH *Valeur absolue d'un nombre réel,* sa valeur indépendamment de son signe algébrique. (Ex. : *a* est la valeur absolue de *+a* ou de *–a.*) ▷ PHYS *Zéro absolu* : origine de l'échelle thermodynamique des températures exprimées en kelvins, soit 0 K (qui correspond à – 273,15 °C). (V. froid.) ▷ n. m. Ce qui existe en dehors de toute relation. *L'absolu a été longtemps considéré comme l'objet ultime de toute philosophie.*

absoluité n. f. Rare Caractère absolu.

absolument adv. De manière absolue. **1.** Sans limite, sans contrôle. *Il dispose absolument de tout dans la maison.* **2.** Totalement, entièrement. *Je suis absolument décidé.* **3.** Sans faute, de toute nécessité. *Je dois absolument partir.* **4.** Fam. Oui. *Viendras-tu demain ? Absolument.* **5.** GRAM *Verbe transitif employé absolument,* sans complément d'objet (par ex., *aimer* dans *le temps d'aimer*).

absolution n. f. **1.** RELIG CATHOL Pardon accordé au nom de Dieu par le confesseur au pécheur repentant. *L'absolution est une des deux parties essentielles du sacrement de pénitence.* **2.** Pardon accordé à qui a commis une faute. *Il a eu l'absolution de l'opinion publique.* **3.** DR *Acte d'absolution,* qui constate que le fait pour lequel l'accusé est jugé coupable ne justifie pas une sanction pénale.

absolutisme n. m. Exercice sans contrôle du pouvoir politique ; doctrine des partisans d'un tel pouvoir.

absolutiste adj. et n. **1.** adj. Qui concerne l'absolutisme. **2.** n. Partisan de l'absolutisme.

absolutoire adj. DR Qui porte absolution. *Jugement absolutoire.*

absorbant, ante adj. (et n. m.) **1.** Qui absorbe. *Les poils absorbants des racines puisent les aliments dans le sol.* ▷ n. m. Corps qui a la propriété d'absorber. **2.** Fig. Qui occupe entièrement l'attention. *Tâche absorbante.*

absorber v. tr. [1] **1.** Laisser pénétrer et retenir (un fluide, un rayonnement, de l'énergie). *Tissu qui absorbe l'eau. Les plantes vertes absorbent le gaz carbonique de l'atmosphère. Le noir absorbe la lumière.* **2.** Ingérer (qqch). *Il absorbe une énorme quantité de nourriture.* ▷ Fig. *Société qui en absorbe une autre,* qui l'annexe en devenant détentrice de la majeure partie de son capital. **3.** Fig. Consommer entièrement. *Ces travaux ont absorbé tous les crédits.* **4.** Fig. Captiver, accaparer. *Ses multiples activités absorbent toute son attention.* ▷ v. pron. *Il s'absorbe dans l'étude.*

absorbeur n. m. Dispositif servant à absorber un gaz, un rayonnement, etc.

absorptiométrie n. f. Technique d'analyse radiologique fondée sur l'absorption d'un rayonnement.

absorption n. f. **1.** Action d'absorber. *L'absorption des eaux de ruissellement par le calcaire.* ▷ PHYS *Coefficient d'absorption* : quotient de l'énergie absorbée par l'énergie reçue. **2.** Action d'ingérer. *Une absorption massive de médicaments.* **3.** Fig. *Absorption d'une petite entreprise par un trust financier.*

absoudre v. tr. [75] **1.** RELIG CATHOL Accorder la rémission des péchés à. *Prêtre qui absout un pénitent.* **2.** Accorder son pardon à (qqn). **3.** DR Décharger un coupable de l'accusation, en vertu d'un acte d'absolution.

absous, oute [apsu, ut] adj. Qui a reçu l'absolution ; pardonné.

absoute n. f. RELIG CATHOL Anc. Dernière prière du prêtre (accompagnée d'encensements et d'aspersions) de la liturgie des funérailles à l'église, au cours de laquelle on recommande le défunt à Dieu. *L'absoute a pris le nom de « dernier adieu » depuis Vatican II.*

abstème adj. (et n.) Qui ne boit pas de vin, qui a horreur du vin. *Les prêtres abstèmes, ne participant pas au calice, ne peuvent exercer leur sacerdoce.*

abstenir (s') v. pron. [36] **1.** Se garder de (faire qqch). *S'abstenir de toute critique.* **2.** (S. comp.) Ne pas agir. – Prov. *Dans le doute, abstiens-toi.* – *Spécial.* Ne pas prendre part à un scrutin. *Je m'abstiendrai lors des prochaines élections.* **3.** Se priver volontairement de (qqch). *S'abstenir de cigarettes.*

abstention n. f. Action de s'abstenir. – *Spécial.* Fait de ne pas participer à un scrutin. *Bulletins blancs, bulletins nuls et abstentions.*

abstentionnisme n. m. Attitude de ceux qui ne prennent pas part à un scrutin, ou refusent d'y participer.

abstentionniste adj. et n. Partisan de l'abstentionnisme.

abstinence n. f. Fait de se priver de certains aliments, de certaines activités, pour des motifs religieux ou médicaux. – *Par euph.* Continence sexuelle.

abstinent, ente adj. Qui pratique l'abstinence.

abstract [abstʀakt] n. m. (Anglicisme) Résumé d'article ou d'ouvrage scientifique ou technique. Syn. (off. recommandé) résumé.

abstraction n. f. **1.** Opération par laquelle l'esprit isole dans un objet une qualité particulière pour la considérer à part. **2.** Idée abstraite. *Raisonner sur des abstractions.* **3.** *Faire abstraction de* : ne pas tenir compte de. **4.** Bx-A *Abstraction lyrique* : courant pictural abstrait qui s'est développé dans la jeune génération de l'école de Paris (Hartung, Riopelle, Bram Van Velde), de 1947 à la fin des années 50.

Abstraction-Création, association artistique fondée à Paris en 1931, qui a réuni jusqu'à 400 artistes abstraits de toutes tendances, comme Arp, Herbin, Kupka, Gleizes. Le groupe s'est dissous en 1936.

abstraire v. [58] **I.** v. tr. Isoler par abstraction (qqch). **II.** v. pron. **1.** Isoler son esprit en se plongeant dans la réflexion, la méditation. **2.** Faire abstraction de (qqch). *S'abstraire du monde extérieur.*

abstrait, aite adj. et n. m. **I.** adj. **1.** Considéré par abstraction (sens 1). *Notion abstraite.* **2.** Qui s'applique à des relations, et non à des objets du monde. *La logique est une science abstraite.* **3.** *Art abstrait* ou *non figuratif*, qui ne cherche pas à représenter le réel (V. encycl.). **II.** n. m. **1.** Ce qui est abstrait (par oppos. au *concret*). **2.** *L'abstrait* : l'art abstrait. – *Un abstrait* : un peintre, un sculpteur abstrait.

ENCYCL **Beaux-Arts.** – L'art abstrait, qui s'affranchit des règles de l'imitation de la réalité selon les lois du perspectivisme traditionnel, est né au début du XXe s. Il s'est développé suivant deux grandes tendances, l'une émotionnelle, souvent « tachiste » ou gestuelle, expression limite entre le conscient et l'inconscient de l'artiste (Hartung, Pollock, De Kooning), l'autre géométrique, recherche plus ou moins « froide » de la forme et de la couleur en termes de rapports mathématiques (Mondrian, Malevitch, Vasarely, Bill).

abstraitement adv. De manière abstraite.

abstrus, use [apstʀy, yz] adj. Péjor. Difficile à comprendre. Syn. abscons, hermétique, obscur. Ant. clair, facile.

absurde adj. et n. m. **1.** adj. Qui est contre le sens commun, la logique. *Une conduite absurde.* ▷ n. m. Absurdité. *Tomber dans l'absurde.* **2.** n. m. *Démonstration par l'absurde*, qui établit la vérité d'une proposition en montrant que son contraire ne peut être vrai. **3.** n. m. PHILO Pour les auteurs existentialistes non chrétiens (Sartre, Camus, etc.), notion qui fait référence à l'abîme infranchissable qui existe entre l'homme et le monde, entre les aspirations de l'être humain et l'incapacité du monde à les satisfaire.

absurdité n. f. **1.** Caractère de ce qui est absurde. **2.** Conduite, propos absurde. *Commettre une absurdité. Il a débité mille absurdités.*

Abu al-Abbas Abd Allah *(Abū l-'Abbās 'Abd Allāh)*, dit le Sanguinaire (m. à al-Anbār, 754), premier calife abbasside (750-754); il mit fin à la dynastie des Omeyyades.

Abū al-Feizi (Āgra, 1547 – ?, 1595), poète indien de langue persane, traducteur du *Mahābhārata* et auteur d'un diwan de 18 000 vers.

Abu Bakr *(Abū Bekr)* (La Mecque, 573 – Médine, 634), beau-père et successeur de Mahomet. Il inaugura en 632 le règne des quatre premiers califes arabes, amorça la conquête islamique et réduisit la dissidence de la *ridda* (révolte de tribus incomplètement islamisées).

Abu Dhabi ou **Abou Dhabi** *(Abū Ẓabī)*, un des Émirats arabes unis, sur le golfe Persique; 73 548 km^{2}; 928 360 hab. (forte expansion récente); v. princ. et cap. de la féd. *Abu Dhabi* : env. 500 000 hab. Import. gisements de pétrole. Forte croissance écon., revenu par habitant élevé.

Abu Hanifa *(Abū Ḥanīfa)* (Kūfa, v. 696 – Bagdad, 767), commentateur du Coran, promulgateur du rite hanéfite.

Abuja, cap. féd. du Nigeria; env. 120 000 hab.; ch.-l. du territoire fédéral (7 315 km^{2}, 280 000 hab.).

abus [aby] n. m. **1.** Action d'abuser (de); mauvais usage, usage excessif. *L'abus des somnifères est dangereux.* – *Spécial.* (S. comp.) Mauvais usage d'un privilège, d'un droit; injustice. *Nous ne tolérerons plus désormais aucun abus.* ▷ Fam. *Il y a de l'abus* : la mesure est comble, cela n'est plus admissible. **2.** DR *Abus d'autorité*, commis par un fonctionnaire qui outrepasse ses pouvoirs. – *Abus de droit*, commis par le titulaire d'un droit. – *Abus de confiance*, commis par quiconque profite, à des fins délictueuses, de la confiance accordée par un tiers. – *Abus de biens sociaux* : fait (pour un dirigeant de société ou pour un actionnaire) d'utiliser pour son compte personnel les biens ou les profits de la société.

abuser v. [1] **I.** v. tr. ind. **1.** Faire un usage excessif (de qqch). *Il ne faut pas abuser des bonnes choses.* **2.** *Abuser de qqn*, lui faire subir des violences sexuelles. **II.** v. tr. Litt. Tromper (qqn). *Il fut facile d'abuser ce naïf.* – (Passif) *J'ai été abusé par une ressemblance.* ▷ v. pron. *Si je ne m'abuse* : si je ne me trompe pas.

abusif, ive adj. Qui constitue un abus.

Abu Simbel ou **Abou Simbel** *(Abū Sunbul)*, site archéol. d'Égypte, sur la r. g. du Nil. – Les deux temples creusés sous Ramsès II (v. 1250 av. J.-C.) dans la falaise qui domine le fleuve ont été découpés et remontés (1963-1968) pour éviter leur submersion sous les eaux du barrage d'Assouan.

Abu Simbel : temple de Ramsès II

abusivement adv. D'une manière abusive.

abutilon n. m. Arbuste ornemental (fam. malvacées) à fleurs en clochettes jaunes ou rouges.

Abwehr (mot all., « défense »), service de renseignements de l'état-major allemand de 1925 à 1944.

Abydos (auj. *Madfounah*), anc. ville sainte d'Égypte (culte d'Osiris), à 70 km au N.-O. de Thèbes. Outre les temples de Séthi Ier et de Ramsès II, on y a découvert les *tables d'Abydos*, qui mentionnent deux séries de noms de pharaons allant jusqu'à la XVIIIe dynastie.

abyme. V. abîme (sens 4).

Abymes (Les), ch.-l. de cant. de la Guadeloupe (arr. de Pointe-à-Pitre); 62 809 hab. Culture de la canne à sucre.

abyssal, ale, aux adj. **1.** Des abysses; de la nature de l'abysse. **2.** Fig., fam. Très profond, gigantesque. *Une bêtise abyssale.*

abysse n. m. Fosse océanique.

abyssin n. m. Chat de race à la robe fauve. ▶ pl. chats

Abyssinie, anc. nom de la rég. correspondant auj. à l'Éthiopie.

abyssinien, enne ou **abyssin, ine** adj. et n. De l'Abyssinie.

Ac CHIM Symbole de l'actinium.

acacia : gousse, fleur, feuille

acabit [akabi] n. m. Péjor. Loc. *De cet acabit, du même acabit* : de ce genre, du même genre.

acacia n. m. **1.** BOT Nom scientif. des mimosas. **2.** Cour. Robinier faux acacia (fam. papilionacées) à fleurs blanches odorantes, bois dur et rameaux épineux, originaire d'Amérique du Nord.

académicien, enne n. **1.** HIST Disciple de l'école de Platon. **2.** Membre d'une académie, spécial., de l'Académie française.

académie n. f. **1.** Société réunissant des savants, des artistes, des hommes de lettres. ▷ *L'Académie* : l'Académie française. **2.** École où l'on s'exerce à la pratique d'un art. *Académie de peinture, de musique.* **3.** Circonscription universitaire. *L'académie de Paris.* **4.** Dessin, peinture, exécuté d'après le modèle nu et qui n'entre pas dans une composition.

ENCYCL On donne le nom d'*Académie* à l'école philosophique fondée par Platon (fin du IVe s. av. J.-C.), à Athènes, dans les jardins d'Akadêmos. Speusippe, premier successeur de Platon, modifia la doctrine : le Bien s'est transformé en un terme coïncidant avec les êtres développés. Sous l'influence de Xénocrate, l'école identifia la théorie platonicienne des idées et la théorie pythagoricienne des nombres. Ces transformations sont caractéristiques de l'*Ancienne Académie.* Rompant avec ces doctrines, Arcésilas élabora, de 268 à 241, une théorie du « vraisemblable » marquée par le « scepticisme probabiliste » et mise en système par Carnéade. Elle prit alors le nom de *Nouvelle Académie.* – **Académie française.** Société de gens de lettres érigée en académie par Richelieu en 1635, pour conserver et perfectionner la langue française. Elle se compose de 40 membres, les « Quarante », les « Immortels », choisis (à vie) par cooptation. Le secrétaire perpétuel est nommé à vie. L'Académie s'occupe en particulier de la rédaction et de la mise à jour d'un dictionnaire. Elle a publié une grammaire; 1re éd., 1932. Elle distribue de nombreux prix de fondation. – **Académie des inscriptions et belles-lettres.** Fondée par Colbert en 1663, elle se compose de 40 membres titulaires. Ses travaux portent sur les langues anciennes et modernes, l'archéologie, l'histoire, l'épigraphie et la numismatique. – **Académie des sciences.** Fondée par Colbert en 1666 *(Académie royale des sciences)*, elle a pour objet le progrès des sciences naturelles, physiques, mathématiques et astronomiques. – **Académie des sciences morales et politiques.** Créée par la Convention nationale le 3 brumaire an IV, supprimée par Napoléon Ier et rétablie en 1832, elle est divisée en six sections : philosophie; morale et sociologie; droit public et jurisprudence; économie politique, statistique et finances; histoire et géographie; section générale. – **Académie des beaux-arts.** Fondée en 1816, elle est issue de la fusion des anciennes Académies royales de peinture, de sculpture et d'architecture créées par Louis XIV et abolies par la Révolution. – **Académie d'agriculture.** Elle tient son titre d'un décret du 23 février 1915, mais fut fondée sous le nom de Société royale d'agriculture en 1761. Elle s'occupe des questions relatives à la législation et à l'économie rurales. – **Académie de médecine.** Elle fut fondée en 1820 pour répondre aux demandes du gouvernement sur tout ce qui a trait à l'hygiène publique. – **Académie Goncourt.** Exécution testamentaire de E. de Goncourt, elle fut créée en 1896; dix écrivains appointés décernent chaque année le *prix Goncourt* à un ouvrage récemment paru (le plus souvent un roman). Il existe en outre des bourses *Goncourt* : récit historique, nouvelle, biographie, poésie. – **Académie de musique.** Ce terme désigne aujourd'hui l'Opéra de Paris (qui n'est pas organisé en académie).

académique adj. **1.** HIST De l'Académie athénienne. **2.** D'une académie, *spécial.*, de l'Académie française. **3.** D'une académie (au sens 3). *Inspection académique.* **4.** Conventionnel et compassé (en parlant d'une œuvre d'art).

académiquement adv. De manière académique (au sens 4).

académisme n. m. Attachement rigoureux aux traditions et aux règles académiques (sens 4). *Peinture d'un académisme froid.*

acadianisme n. m. Mot, locution ou tournure propre au français d'Acadie.

Acadie, région orientale du Canada. En 1524, l'explorateur Verrazano emploie le terme «Arcadie» pour désigner une région du littoral atlantique dont il apprécie la beauté. Au XVIIe s., «Acadie» désigne la première colonie française d'Amérique située dans la région des provinces Maritimes. Les Acadiens, originaires de la province française du Poitou, s'installent le long de la baie Française (Fundy). Ils y pratiquent l'agriculture en gagnant sur la mer les terres basses de la région grâce à un ingénieux système de digues. Leur existence est troublée par les attaques des colonies américaines. L'Acadie devient colonie anglaise en 1713. Appelée alors Nouvelle-Écosse, elle conserve son caractère français et catholique jusqu'à l'arrivée d'un fort contingent de colons anglais à Halifax en 1749. Les autorités anglaises n'acceptent pas le refus des Acadiens de prêter un serment d'allégeance sans réserve à la couronne britannique et décident de les expulser en trois vagues successives de 1755 à 1762. Déportations et migrations dispersent les Acadiens dans les colonies américaines, au Québec, en France et en Angleterre. Ceux qui reviennent trouvent leurs terres occupées par des colons américains. Les exilés sont forcés de s'établir le long des côtes de l'Atlantique. La division de la Nouvelle-Écosse en trois unités administratives (Nouvelle-Écosse, Nouveau-Brunswick et Île-du-Prince-Édouard) rend plus difficile la reconstruction sociale amorcée par les Acadiens, minoritaires. Au cours des vingt dernières années du XIXe s., un mouvement nationaliste élabore des plans d'action et choisit les symboles nationaux : un drapeau (le tricolore français avec une étoile jaune dans la partie bleue), une fête nationale (l'Assomption, célébrée le 15 août) et un hymne national (l'Ave Maris Stella). Émergeant lentement d'un contexte de pauvreté et d'isolement régional, les communautés acadiennes des trois provinces Maritimes vivent des évolutions différentes qui s'expliquent, en grande partie, par leur poids démographique respectif : au recensement de 1981, les Acadiens du Nouveau-Brunswick représentent plus de 30 % de la population, à l'Île-du-Prince-Édouard et en Nouvelle-Écosse 6 %. Durant les années 1980, plus de 210 000 Acadiens du Nouveau-Brunswick qui utilisent le français résistent à l'assimilation. Un système d'éducation francophone de l'élémentaire à l'universitaire y est financé par le gouvernement; les deux autres provinces entretiennent des écoles francophones. L'Église a son clergé et sa hiérarchie acadienne. En 1987, deux quotidiens, plusieurs hebdomadaires, la radio et la télévision de Radio-Canada et quelques stations de radio privées fournissent informations et divertissements en français. Au Nouveau-Brunswick, la loi de 1981 garantit un statut égal aux deux communautés linguistiques. Les Acadiens sont présents à tous les niveaux des secteurs économiques et politiques. Sur le plan culturel, pendant longtemps, le folklore fut leur seul moyen d'expression. Aujourd'hui, interprètes, compositeurs, chorales, musiciens, peintres, auteurs d'ouvrages scientifiques et littéraires sont de plus en plus connus.

acadien, enne adj. et n. **1.** adj. De l'Acadie. ▷ Subst. *Un(e) Acadien(ne).* **2.** n. m. *L'acadien* : le parler francophone d'Acadie.

acagnarder (s') v. pron. [1] Vx Mener une vie paresseuse; s'accoutumer à l'oisiveté.

acajou n. m. **1.** Bois dur, de teinte brun rougeâtre, utilisé en ébénisterie pour sa texture finement striée et le poli qu'il est susceptible d'acquérir. *Salle à manger en acajou.* – Arbre d'Afrique et d'Amérique tropicales qui donne ce bois. **2.** *Acajou à noix* ou *à pommes* ou *pommier d'acajou* : anacardier. *Noix d'acajou* ou *de cajou.*

acalculie n. f. MED Dans certaines aphasies, perte, d'origine pathologique, de la capacité de calculer et de manier les chiffres.

acalèphes n. m. pl. ZOOL Classe de cnidaires comprenant la plupart des méduses communes dans les mers d'Europe. – Sing. *Un acalèphe.*

acalorique adj. Didac. Qui n'apporte pas de calories. – Qui ne produit pas de calories.

acanthacées n. f. pl. BOT Famille dont le type est l'acanthe. – Sing. *Une acanthacée.*

acanthaires n. m. pl. ZOOL Classe de protozoaires actinopodes, marins et planctoniques. – Sing. *Un acanthaire.*

acanthe n. f. **1.** Plante gamopétale méditerranéenne ornementale à feuilles longues et découpées, à fleurs hermaphrodites en épis. **2.** *Feuille d'acanthe* : ornement d'architecture imité de cette plante.

acanthocyte n. m. MED Globule rouge du sang apparaissant, à l'examen microscopique, comme hérissé d'épines.

acanthoptérygien n. m. et adj. m. ICHTYOL Poisson téléostéen dont les nageoires comportent des rayons épineux. *Les acanthoptérygiens constituent un ordre.*

a cappella loc. adv. (ital.) MUS *Chanter a cappella*, sans accompagnement instrumental.

Acapulco de Juárez, v. et port du Mexique, sur le Pacifique; 592 180 hab. Stat. baln. célèbre.

acariâtre adj. De caractère aigre et querelleur. *Une femme acariâtre.* Syn. acrimonieux, bougon, grincheux, hargneux. Ant. doux, paisible, sociable.

Acarie (Barbe Avrillot, Mme). V. Marie de l'Incarnation.

acariens n. m. pl. ZOOL Ordre de petits arachnides, à huit pattes (tiques, aoûtats, etc.). *Certains acariens sont responsables d'allergies à la poussière.* – Sing. *Un acarien.*

acatalepsie n. f. PHILO Impossibilité d'atteindre la certitude, selon la doctrine philosophique des sceptiques grecs.

acaule adj. BOT Sans tige apparente. *Le pissenlit est acaule.*

accablant, ante adj. Qui accable. *Chaleur accablante.* – *Charges accablantes contre un prévenu*, qui font peser sur lui une très forte présomption de culpabilité.

accablement n. m. **1.** Vx Action d'accabler. **2.** État d'une personne accablée. *Son accablement faisait peine à voir.*

accabler v. tr. [1] **1.** Faire supporter par (qqn) une chose fatigante, pénible. *La chaleur nous accablait.* – *Accabler de* : surcharger de. *Accabler le peuple d'impôts.* – Pp. adj. *Depuis cet échec, il paraît accablé.* **2.** *Accabler une personne de mépris, d'injures*, lui faire sentir le mépris que l'on a pour elle, lui adresser des injures nombreuses et humiliantes. ▷ Iron. *Accabler qqn de louanges* : lasser qqn par des louanges excessives.

accalmie n. f. **1.** Calme momentané dans une tempête, un orage, une averse. *Profiter d'une accalmie pour sortir.* Syn. éclaircie, embellie. **2.** *Par anal.* Moment de calme qui suit l'agitation, l'activité. *Accalmie dans une bataille.* Syn. répit.

accaparement n. m. Action d'accaparer ; son résultat.

accaparer v. tr. [1] **1.** ECON Acquérir ou conserver en grande quantité (une marchandise) pour faire monter son prix. *Les négociants qui accaparaient le blé faisaient monter le prix du pain.* – *Accaparer un marché*, en détenir le monopole. **2.** Prendre, conserver pour son usage exclusif. *Accaparer les bons morceaux. Accaparer l'attention.* – *Acca*

acanthe : de g. à dr., inflorescence, feuille, fleur

parer qqn, l'occuper, le retenir exclusivement.

accapareur, euse n. Personne qui accapare.

accastillage n. m. Partie du gréement d'un voilier nécessaire à la manœuvre des voiles, des cordages, des chaînes. *Les poulies, les taquets, les manilles font partie de l'accastillage.*

accastiller v. tr. [1] Munir (un voilier) de son accastillage.

accéder v. tr. ind. [14] **1.** Pouvoir entrer dans, parvenir à. *On accède à la cuisine par un couloir.* – Fig. *Accéder à de hautes responsabilités.* **2.** *Accéder aux désirs, aux vœux de qqn*, leur donner une suite favorable.

accelerando [akseleʀɑ̃do] adv. (ital.) MUS En pressant progressivement le tempo.

accélérateur, trice adj. et n. m. **I.** adj. Qui accélère, qui donne une vitesse plus grande. *Force accélératrice.* **II.** n. m. **1.** Cour. Pédale qui commande l'admission du mélange combustible dans un moteur d'automobile. *Appuyer sur l'accélérateur.* **2.** CHIM Substance qui rend plus rapide une réaction. ▷ CONSTR *Accélérateur de prise*, qui rend plus rapide la prise du béton. **3.** PHYS NUCL *Accélérateur de particules :* appareil qui permet de communiquer à des particules électriquement chargées une grande énergie cinétique et de les diriger sur une cible (matière solide, liquide ou gazeuse) pour en briser les noyaux atomiques, soit en vue d'étudier leur structure, soit en vue de créer d'autres particules.
ENCYCL **Phys. nucl.** – On accélère les particules soit par un champ électrique seul, soit par un champ électrique associé à un champ magnétique. Dans le premier cas, l'accélérateur est linéaire, sa longueur pouvant atteindre plusieurs kilomètres. Dans le deuxième cas, le champ magnétique provoque la courbure de la trajectoire de la particule, qui devient soit spiralée *(cyclotron* ou *synchrocyclotron)*, soit circulaire *(bêtatron, synchrotron à électrons* ou *à protons)*. V. collisionneur.

accélération n. f. **1.** Cour. Augmentation de vitesse. *L'accélération du train a été sensible dès la sortie de la gare.* **2.** Augmentation de la rapidité d'une action. *L'accélération des travaux.* **3.** MECA Quotient d'une variation de vitesse par l'intervalle de temps correspondant.
ENCYCL **Méca.** – Quand un mobile se déplace sur une droite, l'accélération est positive si la vitesse augmente, négative si elle diminue. *L'accélération totale* est la différence $v - v^0$ des vitesses aux temps t et t^0. *L'accélération moyenne* est le quotient $(v - v^0) / (t - t^0)$. *L'accélération instantanée* au temps t est la limite de ce quotient quand $t - t^0$ tend vers zéro. C'est donc la *dérivée* de la vitesse et par conséquent la *dérivée seconde* de l'abscisse par rapport au temps. *L'accélération de la pesanteur* est la valeur, en un lieu déterminé, de l'accélération que subit un corps abandonné à lui-même dans le vide sous l'effet de son poids. Cette valeur est de 9,81 m/s² à Paris, 9,78 m/s² à l'équateur, 9,83 m/s² aux pôles.

accéléré, ée [akseleʀe] adj. et n. m. Qui a subi une accélération. ▷ n. m. CINE Procédé de prise de vues consistant à tourner à une vitesse inférieure à 24 images par seconde, cadence standard du défilement des images utilisée pour la projection, et permettant de faire paraître les mouvements plus rapides qu'ils ne le sont dans la réalité.

accélérer v. [14] **I.** v. tr. **1.** Augmenter la rapidité de. *Accélérer la marche.* **2.** Fig. Faire évoluer plus rapidement. *Accélérer la décision d'une affaire.* Syn. hâter. **II.** v. pron. Augmenter de vitesse. *Mouvement qui s'accélère.* **III.** v. intr. Agir sur l'accélérateur d'une automobile pour augmenter sa vitesse, la vitesse de rotation de son moteur. *Accélérer pour dépasser un camion. Accélérer à l'arrêt, pour faire chauffer le moteur.*

accéléromètre n. m. Appareil servant à mesurer l'accélération.

accent [aksɑ̃] n. m. **I. 1.** Accroissement de l'intensité d'un son, de la parole. *En français, c'est en général la dernière syllabe du mot qui porte l'accent.* ▷ MUS Accroissement de l'intensité sonore sur un temps de la mesure; signe qui note cet accroissement. **2.** Signe graphique qui précise la valeur d'une lettre. – En français, signe graphique placé au-dessus d'une voyelle pour en indiquer la prononciation (*é (accent aigu)* : [e]; *è (accent grave), ê (accent circonflexe)* : [ɛ]); ¨ *(tréma)* : ex. *mosaïque* [mɔzaik], ou pour distinguer un mot d'un homonyme (par ex. : *du* et *dû*). **II. 1.** Modification expressive de la voix. *Parler avec l'accent de la passion.* ▷ Au plur., litt. *« Liberté, liberté chérie... que la victoire accoure à tes mâles accents! » (La Marseillaise).* **2.** Fig. *Mettre l'accent sur :* souligner l'importance de. *Mettre l'accent sur un aspect d'un problème.* **III.** Prononciation particulière d'une langue. *L'accent du Midi. Parler l'anglais avec l'accent d'Oxford.*

accenteur n. m. ORNITH Oiseau passériforme, au bec fin et au plumage terne.

accentuation n. f. **1.** Manière, fait d'accentuer (dans la parole ou l'écriture). **2.** Fait d'accentuer, de s'accentuer (sens II). *L'accentuation de la tendance inflationniste serait dangereuse pour l'économie.*

accentué, ée adj. **1.** Qui porte un accent (aux sens I, 1 et 2). *Syllabe accentuée. Lettre accentuée.* **2.** Fig. Marqué. *Des rides accentuées.*

accentuer v. tr. [1] **I. 1.** Vieilli Accroître l'intensité de la voix en prononçant (un son, un groupe de sons). *Il accentue trop les rimes en disant ces vers.* **2.** Mettre un accent sur (une lettre). ▷ (S. comp.) *Vous ponctuez mal et vous n'accentuez pas.* **II.** Rendre plus perceptible; renforcer. *Sa haute taille accentuait sa maigreur. Cet incident ne peut qu'accentuer leur désaccord.* ▷ v. pron. Augmenter. *Infirmité qui s'accentue avec l'âge.*

acceptabilité n. f. Caractère de ce qui est acceptable. ▷ Pour la grammaire générative, caractère des phrases que les locuteurs tiennent pour normales (par ex. : *« Y en a, dans le métro, faut qu'y poussent »).*

acceptable adj. Qui peut être accepté, admissible. *Une offre acceptable.*

acceptant, ante adj. et n. DR Se dit d'une personne dont le consentement valide un contrat.

acceptation n. f. **1.** Fait d'accepter. *L'acceptation de la mort.* Ant. refus. **2.** DR Consentement formel notifié. *Acceptation d'une traite.* Ant. protestation.

accepter v. [1] **I.** v. tr. **1.** Prendre, recevoir volontairement ce qui est proposé. *Accepter un cadeau. Accepter une invitation.* ▷ (S. comp.) *Acceptez-vous ?* Ant. refuser. **2.** DR *Accepter une traite*, s'engager à la payer à l'échéance. **3.** Supporter. *Accepter son sort avec résignation.* Syn. endurer. **4.** Tenir pour fondé. *Accepter une théorie.* **5.** *Accepter qqn*, l'admettre comme l'un des siens. *Ses beaux-parents l'ont accepté.* **II.** v. tr. ind. **1.** (+ inf.) Consentir à. *J'accepte de parler, mais il faut m'écouter.* **2.** (+ subj.) Admettre que. *Il acceptera sans doute que vous l'accompagniez.*

accepteur n. m. **1.** DR Celui qui accepte une traite. **2.** CHIM Atome susceptible de recevoir un électron supplémentaire. **3.** PHYS NUCL Structure chimique (atome, ion, molécule) susceptible de fixer un ou plusieurs électrons.

acception n. f. **1.** Vx Acceptation. ▷ DR, mod. *Sans acception de personne :* sans préférence envers qqn. **2.** Sens d'un mot. *Ce mot a plusieurs acceptions.*

accès [aksɛ] n. m. **1.** Voie pour se rendre dans, passage vers (un lieu).

LEP (Large Electron-Positron Collider) Grand Collisionneur Electrons-Positons (50 GeV Faisceau, 27 km de circonférence)

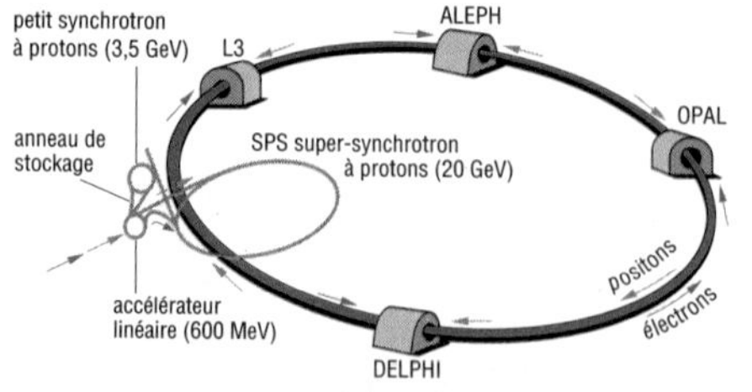

les paquets d'électrons et de positons sont pré-accélérés par une série d'accélérateurs plus petits, puis injectés dans l'anneau de stockage; 4 paquets d'électrons et quatre paquets de positons circulent en sens opposés dans l'anneau;ils entrent en collision dans les 4 détecteurs géants : ALEPH, DELPHI, L3 et OPAL

accélérateur de particules

Accès d'une autoroute. Accès interdit. **2.** Possibilité d'accéder, de parvenir à. *Village d'un accès difficile.* ▷ Fig. *L'accès à une profession*, la possibilité de l'exercer. *L'agrégation donne accès au professorat.* ▷ INFORM *Accès direct* : procédé qui donne la possibilité d'atteindre directement l'emplacement d'une information dans une mémoire (par oppos. à *accès séquentiel*). **3.** Manifestation d'un phénomène pathologique ou émotionnel. *Accès de fièvre, de délire. Il a de brusques accès de fureur.* Syn. crise.

accessibilité n. f. Caractère de ce qui est accessible. – Possibilité d'accéder.

accessible adj. **1.** (Lieux) Que l'on peut atteindre. *Une crique accessible seulement par mer.* ▷ Fig. (Choses) Que l'on peut comprendre. *Livre accessible au profane.* ▷ Fig. *Un article accessible à toutes les bourses, d'un prix accessible*, que tout le monde peut acheter, bon marché. **2.** (Personnes) Que l'on peut approcher, rencontrer. *Il n'est accessible que sur rendez-vous.* **3.** Qui se laisse toucher par (un sentiment, une émotion). *Être accessible à la compassion.*

accession n. f. Action de s'approcher de, d'accéder à. *Accession au trône.*

accessit [aksesit] n. m. Distinction attribuée à un élève qui, sans avoir obtenu un prix, s'en est approché. *Il a reçu un accessit de géographie. Des accessits.*

accessoire adj. et n. m. **I.** adj. Subordonné à ce qui est essentiel. *Idée, clause accessoire. N'avoir qu'un intérêt accessoire.* Syn. annexe, secondaire, subsidiaire. – *Revenus accessoires*, qui ne résultent pas de l'activité principale. ▷ n. m. *Examinons d'abord le principal, l'accessoire ensuite.* **II.** n. m. **1.** Pièce qui ne fait pas partie intégrante d'un ensemble mécanique. *Des accessoires d'automobile.* **2.** Petit objet conçu pour un usage précis, déterminé, dans l'exercice d'une activité particulière ou d'une profession. *Outils et accessoires chirurgicaux.* **3.** Objet, élément mobile du décor, du costume, dans un spectacle. *Mise en scène nécessitant de nombreux accessoires.* **4.** Élément ajouté à la tenue vestimentaire (gants, sac, ceinture, etc.).

accessoirement adv. D'une manière accessoire.

accessoiriser v. [1] **1.** v. tr. Assortir des accessoires à (une tenue vestimentaire). **2.** v. pron. (récipr.) (En parlant d'éléments vestimentaires.) S'associer, se compléter harmonieusement.

accessoiriste n. m. Celui qui, au théâtre, au cinéma, à la télévision, s'occupe des accessoires (sens II, 3).

Acciaiuoli, riche famille florentine, originaire de Brescia (XIIIe s. – XVe s.). – **Niccolo** (Montegufoni, 1310 – Naples, 1365) acquit des fiefs en Grèce. – **Ranieri** (m. en 1394), duc d'Athènes en 1394, conquit le S. de la Grèce.

accident [aksidɑ̃] n. m. **I. 1.** Vx Événement qui survient par hasard, de manière imprévue. *Un heureux accident.* **2.** Mod. Simple péripétie, épisode sans réelle importance. *Son échec au baccalauréat n'était qu'un accident de parcours.* **3.** PHILO Ce qui n'est pas inhérent à l'être, à la substance. *L'essence et l'accident.* **4.** MUS Signe d'altération (dièse, bémol, bécarre) placé devant une note dans le courant d'un morceau. **5.** *Accident de terrain* : dénivellation. **II.** Événement imprévu aux conséquences fâcheuses. **1.** Événement imprévu, survenant brusquement, qui entraîne des dommages matériels ou corporels. *Accident de voiture, d'avion. Accident du travail.* **2.** MED Affection qui survient brutalement. *Être victime d'un accident cardiaque, vasculaire, cérébral.*

accidenté, ée adj. et n. **1.** Qui présente des creux et des bosses, inégal. *Terrain accidenté.* **2.** Qui a subi un accident (sens II, 1). *Voiture accidentée.* ▷ Subst. *Une accidentée. Un accidenté du travail.*

accidentel, elle adj. Fortuit, qui arrive par accident. *Mort accidentelle.*

accidentellement adv. De manière accidentelle ; fortuitement.

accidenter v. tr. [1] Rendre inégal. *Des dépôts sédimentaires ont accidenté la région.*

accidentologie n. f. Étude scientifique des accidents.

accises n. f. pl. Impôt indirect sur les alcools, le tabac, les carburants.

acclamation n. f. Cri collectif en faveur de quelqu'un. *Acclamations à la fin d'un spectacle, d'un concert.* – *Motion votée par acclamation*, adoptée sans scrutin, dans l'enthousiasme collectif.

acclamer v. tr. [1] Saluer par des acclamations. *Acclamer un orateur.* Ant. conspuer, huer.

acclimatation n. f. Action d'acclimater ou de s'acclimater. Syn. accommodation. ▷ *Jardin d'acclimatation* : parc zoologique où se trouvent des animaux exotiques.

acclimatement n. m. SC NAT Résultat de l'acclimatation ; état d'un sujet qui s'est acclimaté.

acclimater v. [1] **I.** v. tr. Habituer (une plante ou un animal) à des conditions de climat, d'environnement, différentes de celles de son milieu d'origine. *Acclimater un arbre tropical en France.* **II.** v. pron. **1.** S'adapter à un climat, un milieu différent (plantes, animaux). ▷ Fig. S'accoutumer à de nouvelles conditions d'existence (personnes). *Immigré qui s'acclimate à sa patrie d'adoption.* **2.** Fig. *Mot nouveau qui s'acclimate*, qui entre dans l'usage.

accointance n. f. (Surtout plur., souvent péjor.) Fréquentation, relations familières. *Avoir des accointances avec des individus peu recommandables.*

accolade n. f. **1.** HIST Au cours de la cérémonie de l'adoubement, action de passer le bras autour du cou du bachelier* pour l'armer chevalier. **2.** Action de mettre les bras autour du cou ou sur les épaules de qqn pour l'accueillir ou l'honorer. *Une accolade fraternelle. Accolade solennelle, lors d'une remise de décoration.* **3.** Signe typographique ({ ou }) utilisé pour réunir plusieurs lignes ou plusieurs colonnes. **4.** ARCHI Arc surbaissé en forme d'accolade (sens 3). **5.** MATH Signe utilisé pour encadrer une expression algébrique ou les éléments d'un ensemble.

accolement n. m. Action d'accoler ; résultat de cette action.

accoler v. tr. [1] **1.** Réunir côte à côte, joindre étroitement. *Accoler les lentilles d'un instrument d'optique.* ▷ v. pron. S'attacher à. *Le lierre s'accole au mur.* **2.** Unir par une accolade (sens 3). *Accoler les portées d'une partition.*

accommodant, ante adj. D'humeur facile ; complaisant.

accommodat n. m. BIOL Ensemble des variations phénotypiques (donc non transmissibles) dues à la vie dans un milieu inhabituel, présenté par un animal, une plante.

accommodation n. f. **1.** Action d'accommoder ou de s'accommoder. **2.** *Accommodation de l'œil* : variation de la courbure du cristallin qui permet la vision nette à des distances différentes.

accommodement n. m. Arrangement, accord à l'amiable. *Il refuse tout accommodement.*

accommoder v. [1] **I.** v. tr. **1.** Préparer (des aliments). *Accommoder une pièce de gibier. Accommoder un gigot à l'ail.* **2.** *Accommoder à* : adapter à. *Accommoder un discours au goût du public. Accommoder sa vie aux circonstances.* **II.** v. pron. *S'accommoder de* : se faire à, s'habituer à.

accompagnateur, trice n. **1.** MUS Musicien, musicienne qui assure l'accompagnement instrumental. **2.** Personne qui accompagne, guide ou dirige un groupe.

accompagnement n. m. **1.** Action d'accompagner. **2.** Ce qui accompagne. *Le vin rouge est un accompagnement pour le fromage.* **3.** MUS Soutien de la mélodie d'une voix ou d'un instrument par l'harmonie exécutée sur un instrument secondaire. – Partition écrite pour ce soutien.

accompagner v. tr. [1] **1.** Aller de compagnie avec (qqn). *Il l'accompagne à la gare.* – Pp. adj. *Des enfants non accompagnés.* **2.** Joindre, ajouter (qqch) à (qqch). *Il accompagna ces paroles d'un sourire.* ▷ v. pron. Advenir en même temps que. *Les migraines s'accompagnent souvent de nausées.* **3.** MUS Soutenir le chant, un instrument, par un accompagnement (sens 2). *Accompagner un chanteur à la guitare.* ▷ v. pron. *S'accompagner au piano.*

accompli, ie adj. **1.** Qui est parfait en son genre. *Une maîtresse de maison accomplie.* **2.** Entièrement achevé. *C'est une affaire accomplie.* ▷ *Fait accompli*, sur lequel il n'y a plus à revenir. *Mettre qqn devant le fait accompli.* **3.** Révolu. *Il a dix-huit ans accomplis.*

accomplir v. [3] **I.** v. tr. Réaliser entièrement. **1.** Mener à son terme. *Accomplir son temps de service.* Syn. effectuer. **2.** Exécuter (ce qui était prévu). *Accomplir un projet.* **3.** S'acquitter de. *Accomplir sa tâche, ses obligations.* **II.** v. pron. Se réaliser. *Leurs vœux se sont accomplis.*

accomplissement n. m. Fait d'accomplir, de s'accomplir ; son résultat. *L'accomplissement des obligations militaires. L'accomplissement de ses rêves.*

accon ou **acon** n. m. MAR Bateau à fond plat servant au chargement et au déchargement des navires. Syn. allège.

accord n. m. **I. 1.** Entente entre des personnes. *Leur accord est fondé sur leur communauté de goûts et d'aspirations.* – *Vivre en bon accord avec qqn.* **2.** Convention. *Passer un accord avec un fournisseur. Signer un accord commercial.* **II. 1.** Concordance (de choses, d'idées entre elles). *L'accord des couleurs témoigne du goût de la décoratrice.* – *Mettre ses actes en accord avec ses convictions*, en conformité avec elles. ▷ *Être d'accord, tomber d'accord* : être du même avis. ▷ *D'un commun accord* : selon une décision prise en commun. *D'un commun accord, nous avons renoncé à ce projet.* **2.** Assentiment, approbation. *Donner son accord. Il faut l'accord préalable de l'administration.* – *Cette décision a été prise en accord avec l'intéressé*, avec son assentiment. ▷ Ellipt. *D'accord !* (pour manifester son assentiment, son approbation à ce qui vient d'être dit). *Vous nous accompagnez ? D'accord !* – Fam. *Pas d'accord !* **III. 1.** MUS Combinaison d'au moins trois notes jouées simultanément. *Plaquer quelques accords au piano. Accord parfait. Accord dissonant.* **2.** MUS Réglage d'un instrument de musique à un ton donné. *Faire l'accord d'une mandoline à l'aide d'un diapason.* **3.** PHYS Réglage de deux mouvements vibratoires sur la même fréquence. *Chercher l'accord d'un récepteur sur la fréquence d'un émetteur.* **4.** GRAM Concordance entre les marques de genre, de nombre ou de personne de deux ou plusieurs mots liés syntaxiquement. *L'accord du participe passé.*

accordailles n. f. pl. Vx Fiançailles.

accord-cadre n. m. Accord servant de modèle à des accords entre partenaires sociaux.

accordéon n. m. Instrument de musique portatif à soufflet et à anches métalliques, muni de touches. ▷ Par comparaison. *En accordéon* : qui forme de nombreux plis. *Pantalon en accordéon.*

accordéoniste n. Personne qui joue de l'accordéon.

accorder v. [1] **A.** v. tr. **I.** Établir une entente entre (des personnes). *Il est parvenu à les accorder en obtenant de chacun des concessions.* **II. 1.** Faire concorder (une idée, une chose) avec (une autre). *Comment accorder le goût de la liberté avec les contraintes de la vie sociale ?* **2.** Octroyer, concéder. *Accorder une autorisation. Accorder son pardon à quelqu'un. Je vous accorde que vous avez raison sur ce point.* **III. 1.** MUS Régler un instrument de musique à un ton donné, le faire sonner juste. *Accorder un piano.* ▷ Fig. *Accordons nos violons, nos flûtes* : mettons-nous d'accord. **2.** GRAM Faire correspondre les marques de genre, de nombre ou de personne de deux ou plusieurs mots liés syntaxiquement. *Accorder le verbe avec son sujet.* **B.** v. pron. **I.** S'entendre. *Louis et Jean s'accordent bien.* ▷ *S'accorder à, pour (faire qqch),* s'entendre pour. *Tout le monde s'accorde à le reconnaître. Ils s'accordent pour le blâmer.* **II. 1.** *S'accorder avec* : être assorti à. *Ces chaises anciennes s'accordent bien avec cette table moderne.* – (Absol.) *Ces couleurs s'accordent parfaitement.* **2.** S'octroyer. *S'accorder un moment de répit.* **III.** GRAM Prendre les marques du genre et du nombre du nom. *L'adjectif s'accorde en genre et en nombre avec le nom.*

accordeur n. m. Personne dont le métier est d'accorder certains instruments de musique. *Accordeur de pianos.*

accordoir n. m. Clef carrée pour régler les cordes de certains instruments de musique (pianos, clavecins, etc.).

accort, orte [akɔʀ, ɔʀt] adj. Litt. Avenant, gracieux. (Se dit surtout d'une femme.) *Une serveuse accorte.*

accostage n. m. Action d'accoster. ▷ ESP Opération d'approche et de mise en contact de deux engins spatiaux.

accoster v. tr. [1] **1.** Aborder (qqn) pour lui parler. *Un inconnu m'a accosté dans la rue.* **2.** MAR Se ranger le long de (un quai, un autre bateau). *Navire qui accoste une jetée. La vedette du pilote accoste le cargo.* ▷ (S. comp.) *Le paquebot a accosté,* s'est rangé à quai.

accotement n. m. Espace aménagé, sur le côté d'une route, entre la chaussée et le fossé. *Ranger sa voiture sur l'accotement.*

accoter v. tr. [1] Faire prendre appui à (qqch) contre. *Accoter une échelle contre un mur, à un mur.* ▷ v. pron. S'appuyer contre (qqch). *S'accoter à la cheminée.*

accotoir n. m. Ce qui sert à s'accoter ; *spécial.,* partie d'un siège qui sert à accoter la nuque, la tête.

accouchée n. f. Femme qui vient d'accoucher.

accouchement n. m. **1.** Action de mettre au monde un enfant. *Elle a eu des contractions longtemps avant son accouchement.* **2.** Assistance à une femme qui met un enfant au monde. *Cette sage-femme a une longue expérience des accouchements.* – *Accouchement sans douleur,* ou *dirigé,* ou *psychoprophylactique,* au cours duquel les douleurs du travail sont réduites, grâce à une préparation physique et psychologique de la mère au cours de la grossesse.

accoucher v. [1] **I.** v. tr. indir. **1.** Mettre au monde. *Accoucher d'un fils, d'une fille.* ▷ (S. comp.) *Elle accouchera bientôt.* **2.** Fig., plaisant Produire avec effort (un travail intellectuel). *Accoucher d'un projet.* **3.** Fam. Parler. *Alors, tu accouches ?* : Parleras-tu enfin ? **II.** v. tr. Aider (une femme) à mettre un enfant au monde. *C'est le médecin qui l'a accouchée.*

accoucheur, euse n. Médecin spécialiste des accouchements.

accouder (s') v. pron. [1] S'appuyer sur un coude ou les deux. *S'accouder au balcon.* ▷ Pp. adj. *Être accoudé sur une table.*

accoudoir n. m. Appui pour s'accouder. *L'accoudoir d'un prie-Dieu.*

accouplé, ée adj. **1.** Formant une paire ou un couple. **2.** MECA Réuni par un accouplement (à).

accouplement n. m. **1.** Action, fait d'accoupler. **2.** Acte sexuel entre le mâle et la femelle d'une espèce animale. **3.** TECH Dispositif destiné à rendre solidaires deux pièces, deux machines. *Accouplement rigide, semi-élastique, hydraulique. Accouplement à la Cardan* : V. cardan.

accoupler v. [1] **I.** v. tr. **1.** Réunir par couple (des animaux). – Spécial. *Accoupler des animaux* : faire s'unir sexuellement le mâle et la femelle. *Accoupler une jument anglaise à un étalon arabe.* **2.** Réunir par paire (des animaux). *Accoupler des bœufs.* **3.** Fig. Réunir (deux mots, deux choses très différentes). *Accoupler des couleurs qui jurent ensemble.* **4.** TECH Rendre solidaire une pièce, une machine d'une autre. **II.** v. pron. S'unir sexuellement (en parlant d'animaux).

accourcir v. intr. [3] Litt. Devenir plus court. *Les jours accourcissent.*

accourir v. intr. [26] Venir en courant, en hâte. *Les brancardiers ont accouru et emporté le blessé. Je suis accouru, et me voilà.*

accoutrement n. m. Habillement étrange ou grotesque.

accoutrer v. tr. [1] Péjor. Habiller (qqn) de façon étrange ou grotesque. *Accoutrer un enfant de vieilles nippes.* ▷ v. pron. *Il s'accoutre de vêtements voyants.* Syn. affubler.

accoutumance n. f. **1.** Fait de s'accoutumer, de s'habituer. **2.** MED Phénomène métabolique se traduisant par la nécessité d'augmenter les doses absorbées d'une substance pharmacologique ou d'une drogue pour en obtenir l'effet habituel.

accoutumé, ée adj. Ordinaire, habituel. *Se promener à l'heure accoutumée.* ▷ Loc. adv. *Comme à l'accoutumée* : comme d'habitude. *Il a bu comme à l'accoutumée.*

accoutumer v. [1] **1.** v. tr. Faire prendre une habitude à (qqn, un animal). *Accoutumer un chien à la propreté.* ▷ *Être accoutumé à* : avoir l'habitude de. *Il est accoutumé à se lever tôt.* **2.** v. pron. S'habituer à. *S'accoutumer au froid.*

accouvage n. m. ELEV Technique qui consiste à faire éclore des œufs en couveuse artificielle.

Accra, cap. et port du Ghana, sur le golfe de Guinée ; 859 640 hab. (1 420 066 hab. pour le Grand Accra). Son essor rapide est lié à l'export. du cacao, du manganèse, de l'or. – Université. Évêché.

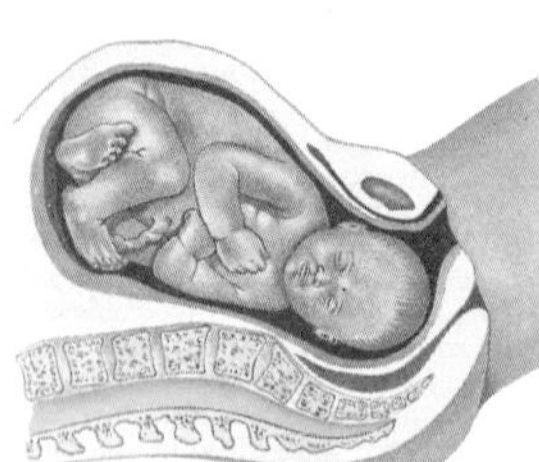
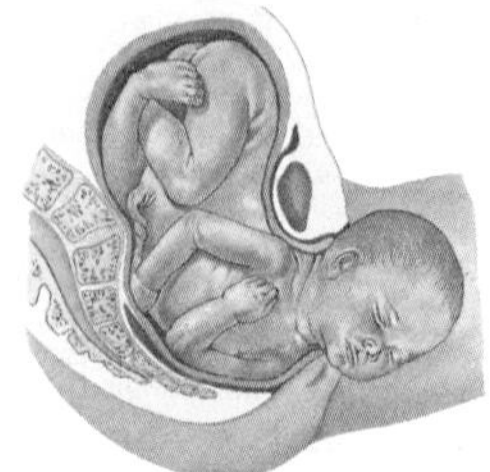
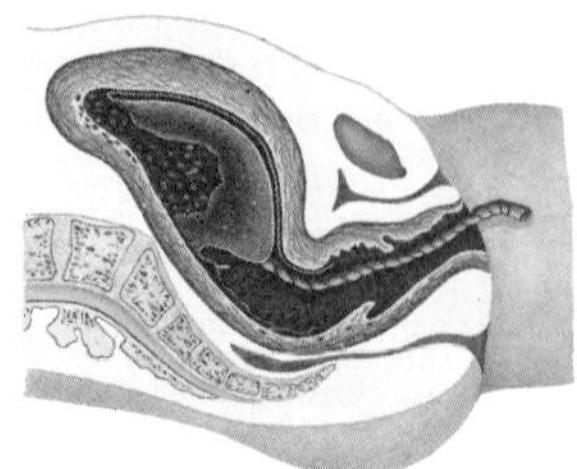

accouchement : de g. à dr., présentation par la tête, phase d'expulsion et délivrance (le placenta se décolle)

accréditation n. f. Action d'accréditer (qqn).

accréditer v. tr. [1] **1.** Faire reconnaître officiellement la qualité (de qqn). *Accréditer un ambassadeur auprès d'un chef d'État étranger.* ▷ *Être accrédité auprès d'une banque,* y avoir un crédit. **2.** *Accréditer une rumeur,* la rendre plausible. ▷ v. pron. Devenir plausible, se répandre.

accréditeur, euse n. Personne qui accrédite, en donnant sa garantie au bénéfice de quelqu'un.

accréditif, ive adj. et n. m. **1.** adj. Qui accrédite (en parlant de choses). **2.** n. m. Document qui permet au client d'une banque de bénéficier d'un crédit dans une autre banque; ce crédit lui-même.

accrescent, ente adj. BOT Se dit des parties de la fleur qui s'accroissent durant la maturation du fruit.

accrétion n. f. Didac. Processus d'augmentation de masse par agglomération d'éléments. – GEOL *Accrétion océanique* : formation de croûte océanique par le volcanisme de l'axe des dorsales.

accro adj. et n. Fam. **1.** Dépendant d'une drogue. **2.** Passionné par qqch. *Les accros de la planche à voile.*

accroc [akʀo] n. m. **1.** Déchirure faite en s'accrochant. *Elle a un accroc à son manteau.* **2.** Fig. Difficulté imprévue. *Tout s'est déroulé sans accroc.*

accrochage n. m. **1.** Action d'accrocher. *L'accrochage d'un wagon.* **2.** Accident matériel sans gravité entre deux véhicules. **3.** MILIT Engagement de courte durée. **4.** ELECTRON Perturbation dans une amplification. **5.** Fam. Querelle.

accroche n. f. *Accroche publicitaire* : message principal sur lequel porte une publicité.

accroche-cœur n. m. Boucle de cheveux en forme de crochet plaquée sur la tempe.

accroche-plat n. m. inv. Support servant à accrocher une assiette ou un plat décoratif au mur.

accrocher v. [1] **I.** v. tr. **1.** Suspendre à un crochet. *Accrocher un miroir au mur.* **2.** Retenir au moyen d'un objet crochu. *Il a accroché ma veste avec son hameçon.* **3.** Heurter (un véhicule avec un autre). *Accrocher l'aile d'une voiture.* **4.** MILIT Obliger au combat (des ennemis). *Accrocher une patrouille.* **5.** Fig. Aborder et retenir (qqn). *Une fois qu'il vous a accroché, il ne vous lâche plus.* **II.** v. pron. **1.** Être retenu ou suspendu par un crochet. *Ce fusil s'accroche au-dessus de la cheminée.* **2.** Se cramponner. *Monter à un arbre en s'accrochant aux branches.* ▷ Fig., fam. *S'accrocher à quelqu'un,* l'importuner en le retenant avec insistance. – *S'accrocher avec qqn,* se quereller avec lui. ▷ Faire preuve de ténacité. *Il s'accroche pour réussir.*

accrocheur, euse adj. **1.** Qui retient l'attention. **2.** Tenace, obstiné. *Un représentant accrocheur.*

accroire v. tr. (Usité seulement à l'inf.) **1.** Rare *Faire accroire* : faire croire (ce qui n'est pas). *Il voudrait faire accroire qu'il est riche.* **2.** *En faire accroire à qqn,* l'abuser, le tromper. *N'essaie pas de m'en faire accroire!*

accroissement n. m. **1.** Fait d'augmenter. *L'accroissement des connaissances.* **2.** Action de croître, de pousser. *L'accroissement d'une tige.* Syn. croissance, développement. **3.** MATH Différence entre deux valeurs successives d'une variable.

accroître v. tr. [72] Augmenter, rendre plus grand. *Accroître sa fortune, sa production.* Syn. agrandir, développer. Ant. réduire, amoindrir. – Pp. *Avec sa promotion, il a une responsabilité accrue.* ▷ v. pron. Aller en augmentant. *Sa détresse s'est accrue.* Syn. grandir.

accroupir (s') v. pron. [3] S'asseoir sur sa croupe (animaux); s'asseoir sur ses talons, sans que les genoux touchent le sol (personnes).

accroupissement n. m. Action de s'accroupir; position d'une personne accroupie.

accru n. m. BOT Rejeton d'une racine.

accrue n. f. **1.** Augmentation de la surface d'un terrain par un dépôt d'alluvions. **2.** Augmentation naturelle de la surface d'une forêt.

accueil [akœj] n. m. **1.** Façon de recevoir qqn. *Un accueil glacial, enthousiaste.* **2.** *Centre d'accueil,* qui prend en charge à l'arrivée des touristes, des migrants, etc.

accueillant, ante adj. Qui fait bon accueil. *Un homme chaleureux et accueillant. Une maison accueillante.*

accueillir v. tr. [27] **1.** Recevoir qqn (d'une certaine manière). *Accueillir un ami à bras ouverts. Il nous a fort mal accueillis.* ▷ Fig. *Accueillir une nouvelle avec étonnement,* manifester de l'étonnement en l'apprenant. **2.** Donner l'hospitalité à. *J'ai dans cette ville un ami qui peut nous accueillir.*

acculer v. tr. [1] Pousser dans un endroit où il est impossible de reculer. *Acculer l'ennemi à la mer.* ▷ Fig. Contraindre à. *Crise politique qui accule un ministre à la démission.*

acculturation n. f. ETHNOL Ensemble des phénomènes résultant du contact direct et continu entre des groupes d'individus de cultures différentes et entraînant des changements dans les types culturels de l'un ou l'autre de ces groupes ou des deux.

accumulateur n. m. Générateur électrochimique qui accumule l'énergie électrique et la restitue sous forme de courant. *Recharger un accumulateur, une batterie d'accumulateurs.* (Abrév. fam. : accus). ► illustr. pile électrique

accumulation n. f. **1.** Action d'accumuler; son résultat. *Une accumulation d'erreurs de gestion les a conduits à la faillite.* ▷ *Chauffage par accumulation,* qui restitue au moment voulu la chaleur emmagasinée auparavant. **2.** GEOL Entassement de matériaux détritiques en milieu continental.

accumuler v. tr. [1] Mettre ensemble en grande quantité, en grand nombre. *Accumuler des provisions pour l'hiver.* Syn. amasser, entasser. Ant. disperser. ▷ v. pron. Concourir à former un grand nombre, une grande quantité avec d'autres choses de même nature. *Dossiers qui s'accumulent. De gros nuages s'accumulaient dans le ciel.*

Accurse (*Francesco Accursio,* dit en fr. François) (Bagnolo, v. 1185 – Bologne, v. 1263). Jurisconsulte italien, il interpréta le droit romain.

accus [aky] n. m. pl. Fam. Abrév. de *accumulateurs.*

accusateur, trice adj. Qui fait peser un soupçon, qui tend à prouver une responsabilité. *Une lettre accusatrice.* ▷ Subst. Personne qui accuse en justice.

accusatif n. m. LING Cas de déclinaison qui sert à exprimer principalement l'objet direct.

accusation n. f. **I.** Imputation (d'un défaut, d'un vice). *Accusation d'inconduite.* **II.** DR **1.** Action en justice, plainte par laquelle on porte devant la justice pénale la connaissance d'une infraction pour en obtenir la répression. **2.** *L'accusation* : le ministère public près un tribunal criminel. **3.** *Acte d'accusation,* dressé par le procureur, et exposant les infractions imputées à la personne traduite devant la cour d'assises. **4.** *Chef* d'accusation.*

accusatoire adj. Qui a rapport à une accusation ou la motive.

accusé, ée n. **1.** Cour. Personne à qui l'on impute une infraction aux lois. **2.** DR Personne qui fait l'objet d'un arrêt de renvoi devant la cour d'assises, rendu par la chambre* d'accusation. **3.** *Accusé de réception* : document signé par le destinataire d'une lettre, d'un colis pour en attester la livraison.

accuser v. tr. [1] **1.** Présenter comme coupable (qqn). *On m'accuse sans preuve.* – *Accuser qqn de qqch,* l'en tenir pour coupable. *Tu m'accuses de négligence.* ▷ v. pron. S'avouer coupable. *Il s'accuse des pires méfaits.* **2.** Dénoncer (qqn) à la justice. *Accuser quelqu'un d'un meurtre.* **3.** Faire ressortir, accentuer. *L'âge a accusé leurs différences.* **4.** Révéler par ses apparences. *Cet homme accuse son âge.* ▷ Manifester une réaction à (une douleur, une émotion). *Boxeur qui accuse un coup.*

ace [ɛs] n. m. Au tennis, service imparable.

-acée, -acées. Élément de suffixation, du suff. lat. *-aceus,* « appartenant à, de la nature de », servant en botanique à marquer l'appartenance à une famille ou à désigner une famille.

acéphale adj. Didac. Qui est sans tête. *Les moules sont des mollusques acéphales.*

acéracées n. f. pl. BOT Famille de plantes dicotylédones dialypétales comprenant les érables et les sycomores. – Sing. *Une acéracée.*

acerbe adj. **1.** Litt., rare D'un goût âpre, acide. **2.** Fig. Caustique, blessant. *Son ton acerbe l'irrita.* Syn. acrimonieux, mordant, sarcastique.

acéré, ée adj. **1.** Tranchant ou pointu. *Un couteau acéré.* **2.** Fig., litt. Blessant, caustique. *Décrire quelqu'un d'une plume acérée.*

acérer v. tr. [14] Rendre pointu ou tranchant. *Acérer une hache.*

acériculteur, trice n. (Canada) TECH Personne qui pratique l'acériculture.

acériculture n. f. (Canada) TECH Exploitation d'une érablière en vue de la production des produits de l'érable (sirop, sucre, tire).

acescence n. f. Didac. État d'un liquide acescent. *L'acescence des boissons fermentées est due à la transformation partielle de l'alcool en acide acétique par des bactéries.*

acescent, ente adj. Didac. Qui devient ou est devenu aigre (en parlant d'un liquide).

acét(o)-. Préfixe, du lat. *acetum,* « vinaigre ».

acétabulaire n. f. BOT Algue verte unicellulaire de grande taille, ayant la forme d'une ombrelle, utilisée dans les études cytologiques.

acétal n. m. CHIM Composé organique résultant de la combinaison d'une molécule d'aldéhyde, ou de cétone, et de deux molécules d'alcool, dont le type est l'acétal ordinaire, de formule CH_3-CH (OC_2 H_5)$_2$.

acétaldéhyde n. m. CHIM Aldéhyde éthylique, de formule CH_3-CHO, utilisé comme intermédiaire industriel dans la préparation des dérivés acétiques. Syn. éthanal.

acétate n. m. CHIM Sel ou ester de l'acide acétique. *Les acétates de vinyle et de cellulose servent de point de départ à la fabrication de nombreuses matières plastiques.*

acétification n. f. CHIM Transformation de l'alcool éthylique en acide acétique.

acétifier v. tr. [2] Provoquer l'acétification de.

acétique adj. **1.** Qui a la nature, la saveur du vinaigre. **2.** CHIM *Acide acétique* : composé organique à fonction acide, de formule CH_3-COOH, qui résulte de l'oxydation de l'alcool éthylique en présence de bactéries *Acetobacter* ou *Mycoderma aceti* (préparation du vinaigre).

acétobacter [asetobaktɛʀ] n. m. inv. MICROB Bactérie responsable de la fermentation acétique.

acétone n. f. CHIM Liquide incolore (CH_3-CO-CH_3), très volatil, d'odeur éthérée, le représentant le plus simple de la famille des cétones. *L'acétone est un excellent solvant organique.*

acétonémie n. f. MED Présence d'acétone et de corps cétoniques dans le sang.

acétonurie n. f. MED Présence d'acétone dans les urines.

acétylcellulose n. f. CHIM Composé solide résultant de l'estérification des fonctions alcooliques de la cellulose par l'acide acétique et ses dérivés (les propriétés plastiques de l'acétylcellulose la font utiliser pour obtenir des vernis, rayonnes, etc.). Syn. acétocellulose.

acétylcholine [asetilkɔlin] n. f. PHYSIOL Médiateur chimique (ester acétique de la choline) transmettant l'influx nerveux au niveau des synapses neuromusculaires et des synapses parasympathiques du système végétatif.

acétylcoenzyme A [asetilkoɑ̃zima] n. f. BIOL Forme activée de l'acide acétique qui constitue le point de départ de plusieurs processus métaboliques (biosynthèse des acides gras, formation des corps cétoniques, etc.).

acétyle n. m. CHIM Radical de formule CH_3-CO-, dérivant de l'acide acétique par perte du groupement OH.

acétylène n. m. CHIM Hydrocarbure de formule C_2H_2 ou $H-C \equiv C-H$.

ENCYCL L'acétylène est le premier terme de la série des alcynes*. Dans les conditions normales, c'est un gaz incolore, un peu plus léger que l'air, peu soluble dans l'eau, mais très soluble dans l'acétone. Il se solidifie à − 85 °C sous la pression atmosphérique, sans passer par l'état liquide. Sa combustion dégage une grande quantité de chaleur, ce qui a conduit à l'utiliser dans le chalumeau oxyacétylénique, pour le découpage ou la soudure des métaux, même sous l'eau (la température de sa flamme dépasse 3 000 °C). L'acétylène est un des points de départ de la synthèse de nombreuses substances utilisées dans l'industrie : *solvants chlorés, matières plastiques vinyliques, caoutchoucs et fibres synthétiques* (*Nylon, Orlon, Crylor, Rhovyl*, etc.).

acétylénique adj. *Hydrocarbures acétyléniques* ou *alcynes**, qui dérivent de l'acétylène.

acétylsalicylique adj. CHIM *Acide acétylsalicylique*. V. aspirine.

Achab (?, 874 – Ramoth, en Galaad, 853 av. J.-C.), roi d'Israël ; époux de Jézabel.

Achaïe, rég. de l'anc. Grèce, au N. du Péloponnèse ; auj. *nome d'Achaïe* (3 209 km²; 297 300 hab.; ch.-l. *Patras*). (V. Morée.)

achaine. V. akène.

achalandage n. m. DR Clientèle.

achalandé, ée adj. **1.** Vx Qui a une nombreuse clientèle. **2.** Mod. (Emploi critiqué.) Qui offre un grand choix de marchandises. *Une épicerie bien achalandée.*

achalander v. tr. [1] **1.** Vx Amener une clientèle à. *Les vitrines de Noël achalandaient les magasins de jouets.* **2.** Mod. Approvisionner en marchandises.

achalant, ante adj. (Canada) Fam. **1.** Qui cause du désagrément, du souci. **2.** Qui ennuie, dérange (par sa présence, ses propos). ▷ Subst. *Un(e) achalant(e).*

achaler v. tr. [1] (Canada) Fam **1.** Contrarier, incommoder (qqn), être source d'ennuis. *Ça l'achale d'avoir à répondre au téléphone.* **2.** Déranger, importuner (qqn). *Achaler qqn avec ses histoires. Arrête de m'achaler!*

achanti ou **ashanti** [aʃɑ̃ti] adj. Des Achantis.

Achanti ou **Ashanti,** rég. admin. du Ghana ; 24 390 km²; 2 089 680 hab. ; ch.-l. *Kumasi.*

Achanti(s) ou **Ashanti(s),** peuple noir de l'E. du Ghana, qui forma un import. royaume (XVIIIe-XXe s.) ayant pour cap. *Kumasi.*

Achard (Marcel-Augustin Ferréol, dit Marcel) (Sainte-Foy-lès-Lyon, 1899 – Paris, 1974), auteur français de comédies légères : *Jean de la Lune* (1929), *Auprès de ma blonde* (1946), *Patate* (1956). Acad. fr. (1959).

achards [aʃaʀ] n. m. pl. Condiment fait de légumes et de fruits macérés dans du vinaigre.

acharné, ée adj. **1.** Qui manifeste de l'acharnement. *Un plaideur acharné.* **2.** Plein d'acharnement. *Une dispute acharnée.*

acharnement n. m. **1.** Ardeur opiniâtre pour combattre. *Se défendre avec acharnement.* ▷ MED *Acharnement thérapeutique* : fait de maintenir en vie par des moyens techniques sophistiqués un agonisant dont l'état est irréversible. **2.** Ardeur vive et longtemps soutenue. *Il travaille avec acharnement.*

acharner (s') v. pron. [1] **1.** Continuer à exercer des violences (sur un être animé). *Le lion s'acharne sur sa proie. Ils se sont acharnés sur lui et l'ont laissé pour mort.* ▷ *S'acharner sur (qqch)* : s'obstiner avec brutalité sur. *Il s'acharne sur ce vieux piano, mais il n'en tire que des fausses notes.* **2.** S'attacher avec opiniâtreté, avec excès à. *Il s'acharne au travail. Il s'acharne à passer ce concours très difficile.* ▷ (S. comp.) *Plus il perd au jeu, plus il s'acharne.* Syn. s'obstiner.

achat n. m. **1.** Action d'acheter. *Faire ses achats dans les grands magasins. Un achat à crédit.* **2.** Ce qui est acheté. *Ranger ses achats.* Syn. acquisition, emplette. **3.** ECON *Pouvoir d'achat* : ce que représentent les revenus individuels d'une catégorie ou d'une classe sociale à un moment déterminé en potentiel d'acquisition de biens ou de services.

achatine n. f. Gastéropode d'Asie, utilisé comme ersatz de l'escargot.

Achaz (?, 736 – ?, 716 av. J.-C.), roi impie du royaume de Juda. Malgré Isaïe, il rechercha l'alliance du roi d'Assyrie Téglath-Phalasar III, auquel il dut s'inféoder.

ache n. f. Nom cour. de diverses ombellifères. *L'ache odorante* : le céleri.

Achebe (Chinua) (Ogidi, 1930), écrivain nigérian de langue anglaise. Ses romans ont décrit l'impact de la colonisation européenne sur les sociétés afr. traditionnelles : *le Malaise* (1960), *la Flèche de Dieu* (1964), *les Termitières de la savane* (1990).

achéen, enne [akeɛ̃, ɛn] adj. et n. De l'Achaïe.

Achéenne (ligue), fédération qui comprenait 12 cités du nord du Péloponnèse aux Ve-IVe s. av. J.-C. Reconstituée en 281 av. J.-C., puissante à partir de 251, elle conquit Athènes en 229. Elle ne put résister aux Romains (défaite de Leucopetra*, 146 av. J.-C.), qui soumirent la Grèce.

Achéens, peuple indo-européen qui envahit la Grèce v. 1600 av. J.-C. et s'installa en Argolide, dans le Péloponnèse. Ils s'étendirent jusqu'en Crète et en Asie Mineure, mais succombèrent à l'invasion dorienne (XIIe s. av. J.-C.). (V. Doriens.)

achéménide [akemenid] adj. Des Achéménides.

Achéménides, dynastie perse issue d'un personnage légendaire : Achéménès, et fondatrice d'un immense empire sur lequel elle maintint sa domination de 550 à 330 av. J.-C. Les Achéménides ont laissé les témoignages d'un art hautement développé (palais de Suse et de Persépolis).

jeune prince de la dynastie des **Achéménides**, lapis-lazuli ; musée d'Archéologie, Téhéran

acheminement n. m. Action d'acheminer. *Retard dans l'acheminement postal.*

acheminer v. tr. [1] Faire avancer, diriger (vers un lieu, un but). *Acheminer une armée vers le front. Acheminer du courrier.* ▷ v. pron. *S'acheminer vers un lieu*, s'y diriger.

achène. V. akène.

Achères, com. des Yvelines (arr. de Saint-Germain-en-Laye) ; 15 064 hab. Cult. maraîchères ; import. station d'épuration des eaux de la Seine; centre ferroviaire.

Achernar, étoile bleue de l'Éridan (magnitude visuelle apparente 0,5).

Achéron, fleuve des Enfers, dans la mythologie grecque. L'âme des morts le franchissait sur la barque de Charon.

achetable adj. **1.** Qui peut être acquis à prix d'argent. **2.** Qui peut se laisser corrompre pour de l'argent.

acheter v. tr. [**18**] **1.** Acquérir à prix d'argent. *Acheter du pain, des livres.* Ant. vendre. ▷ Fig. Obtenir (qqch) au prix d'efforts, de sacrifices. *Acheter chèrement une victoire.* **2.** *Acheter qqn,* s'assurer de sa complicité, le corrompre à prix d'argent. *Acheter un témoin compromettant.*

achètes [akɛt] n. m. pl. ZOOL Classe de vers annélides au corps dépourvu de soies dont le type est la sangsue. Syn. hirudinées. – Sing. *Un achète.*

acheteur, euse n. **1.** Personne qui achète, client. **2.** Employé(e) chargé(e) des achats pour le compte d'une entreprise commerciale. *Les grands magasins ont des acheteurs spécialisés.*

acheuléen, enne [aʃøleɛ̃, ɛn] n. m. (et adj.) PREHIST Ensemble des phases du paléolithique inférieur, caractérisé par l'apparition de la taille au percuteur tendre. ▷ adj. Qui se rapporte à cette période.

achevé, ée adj. **1.** Terminé. **2.** Accompli, parfait dans son genre. *Un modèle achevé de toutes les vertus.*

achèvement n. m. Action d'achever; son résultat. *L'achèvement des travaux est retardé.* Ant. commencement.

achever v. tr. [**16**] **1.** Mener à bonne fin, terminer (ce qui est commencé). *Achever son travail.* ▷ *Achever de* (+ inf.) : finir de. ▷ v. pron. *L'année s'achève dans la joie.* **2.** *Achever (un être animé),* le tuer alors qu'il est affaibli ou blessé, lui donner le coup de grâce. *Achever une bête blessée.* ▷ Fig. Ôter tout courage à (qqn). *Ce coup du sort l'a achevé.*

Achgabat (anc. *Achkhabad*), cap. du Turkménistan; 420 000 hab. Industr. alim. Studios de cinéma. Université.

achigan n. m. (Canada) Poisson d'eau douce du nord de l'Amérique (genre *Micropterus*), comestible, de la même famille que le crapet*, mais de forme allongée. *Achigan à grande bouche (Micropterus salmoides),* connu en France notam. sous les noms de *perche truitée, perche noire. Achigan à petite bouche (Micropterus dolomieu).*

Achille, héros grec, fils de Thétis et roi des Myrmidons; personnage princ. de l'*Iliade.* Lors du siège de Troie, il tua Hector pour venger la mort de son ami Patrocle, mais fut lui-même mortellement blessé par Pâris, qui l'atteignit d'une flèche au talon, seul endroit vulnérable de son corps.

achiral, ale, aux adj. Se dit d'une molécule non douée de chiralité.

Achkhabad. V. Achgabat.

achondrite n. f. GEOL Météorite dont la constitution rappelle celle des roches lunaires.

achondroplasie [akɔ̃dʀɔplazi] n. f. MED Maladie héréditaire et congénitale caractérisée par un défaut de croissance des membres en longueur.

achondroplasique adj. De l'achondroplasie. ▷ Subst. Personne atteinte de cette maladie.

achoppement n. m. *Pierre d'achoppement :* difficulté, obstacle.

achopper v. intr. [**1**] **1.** Vx Heurter du pied un obstacle, trébucher. **2.** Fig. Être arrêté par une difficulté. *Achopper sur un mot difficile à prononcer.*

Achoura, fête musulmane de l'expiation, particulièrement importante dans l'islam chiite.

achromatine n. f. HISTOL Portion du noyau de la cellule vivante qui ne fixe pas les colorants.

achromatique [akʀɔmatik] adj. **1.** OPT Qualifie un système optique dont on a corrigé les aberrations chromatiques. **2.** BIOL Se dit d'une substance cellulaire qui ne prend pas les colorants.

achromatisme n. m. OPT Propriété d'un système optique achromatique.

achromatopsie [akʀɔmatɔpsi] n. f. MED Trouble de la vision qui consiste à ne pas voir les couleurs.

aciculaire ou **aciculé, ée** adj. SC NAT Qui est en forme d'aiguille.

acide adj. et n. m. **I.** adj. **1.** De saveur aigre, piquante. *Ces oranges sont acides.* ▷ Fig. *Propos acides,* désagréables ou blessants. **2.** CHIM Qui a les propriétés des acides. **3.** GEOL *Roche acide,* à forte teneur en silice. **II.** n. m. **1.** Composé hydrogéné de saveur piquante, qui fait virer au rouge la teinture de tournesol, réagit sur les bases et attaque les métaux (V. encycl.). **2.** Arg. L.S.D. (acide lysergique diéthylamide).

ENCYCL **Chim.** – Les propriétés que possèdent tous les acides proviennent de leur capacité de fournir un (ou plusieurs) proton H^+ (noyau de l'atome d'hydrogène) à une base qui l'accepte. L'acidité d'une solution aqueuse, qui dépend de sa concentration en ions H^+, est mesurée par son pH* (potentiel hydrogène). Un litre d'eau pure contient 10^{-7} mole d'ions H^+ et 10^{-7} mole d'ions OH^-. Son pH est égal à 7 et permet de définir la neutralité du point de vue acide/base. Une solution dont le pH est inf. à 7 est dite acide; une solution basique aura un pH sup. à 7. Les solutions acides agissent sur les solutions basiques en donnant un sel, de l'eau et un dégagement de chaleur.

acidifiable adj. CHIM Qui peut être converti en acide.

acidifiant, ante adj. et n. m. Qui a la propriété d'acidifier.

acidifier v. tr. [**2**] Transformer en acide, rendre acide.

acidimétrie n. f. Mesure du titre d'une solution acide.

acidité n. f. **1.** Saveur acide. **2.** Nature de ce qui est acide.

acidocétose n. f. MED Acidose avec présence de corps cétoniques, complication du diabète sucré.

acidophile adj. HISTOL Se dit des constituants cellulaires qui fixent les colorants acides.

acidose n. f. MED Diminution de l'alcalinité du plasma, entraînant une rupture de l'équilibre acido-basique.

acidulé, ée adj. Acide au goût, aigrelet. *Bonbons acidulés.*

aciduler v. tr. [**1**] Rendre légèrement acide.

acier n. m. **1.** Alliage de fer et de carbone contenant moins de 2 % de carbone (V. encycl.). ▷ Fig. *Jarrets, muscles d'acier,* souples et forts. *Regard d'acier,* dur, pénétrant. **2.** Litt. Arme blanche. *« Un homicide acier »* (Racine).

ENCYCL **Métall.** – Pour l'industrie, les aciers sont les plus importants des alliages fer-carbone. On réserve le nom d'acier aux alliages fer-carbone auxquels on a ajouté en petite quantité certains éléments (métalliques, comme le manganèse et le molybdène, ou non, comme le silicium et l'azote) destinés à modifier leurs propriétés mécaniques, magnétiques ou chimiques (résistance à la corrosion). Lorsque le pourcentage de ces éléments d'addition devient important, on parle alors d'*aciers alliés* (ex. : les *aciers inoxydables*). Suivant leur teneur en carbone (0,35 à 2 %), les aciers possèdent des propriétés différentes; ils forment une gamme allant des aciers doux aux aciers extra-durs, cette gamme des aciers ordinaires étant complétée par celle des aciers dits *spéciaux* contenant des métaux ou des non-métaux supplémentaires.

► illustr. page **16**

Acier (pacte d'), conclu à Berlin, le 22 mai 1939, entre l'Italie et l'Allemagne contre les démocraties.

aciérer v. tr. [**14**] **1.** Vx Transformer en acier (du fer). **2.** Recouvrir d'une couche d'acier.

aciérie n. f. Usine qui produit de l'acier.

acineux, euse adj. ANAT *Glande acineuse,* dont les éléments, en cul-de-sac, sont groupés autour d'un canal comme les grains d'une grappe.

acinus, plur. **acini** n. m. ANAT Élément d'une glande acineuse.

Acireale, v. et port d'Italie (Sicile); 47 890 hab. – Stat. therm. Ensemble architectural baroque.

Acis, berger sicilien aimé de la nymphe Galatée, écrasé avec elle sous un rocher par le cyclope Polyphème.

aclinique adj. GEOPH Se dit d'un lieu où l'inclinaison du champ magnétique terrestre est nulle.

acmé n. m. **1.** MED Période d'une maladie où les symptômes sont les plus aigus. **2.** Litt. Point de plus haut développement. *L'acmé d'une civilisation.*

acné n. f. Affection de la peau due à un dysfonctionnement des glandes sébacées ou pilo-sébacées, et se traduisant par une éruption de petites pustules sur le visage et la partie supérieure du thorax. *Acné inflammatoire* ou *boutonneuse* (folliculite), *acné juvénile.*

acnéique adj. Qui concerne l'acné.

acœlomate [aselɔmat] n. m. ZOOL Animal dépourvu de cœlome. Ant. cœlomate.

Açoka ou **Asoka** (v. 273 – v. 237 av. J.-C.), empereur de la dynastie Maurya qui, le premier, réalisa l'unité de l'Inde. Converti au bouddhisme, il l'étendit dans tout son empire, qui se disloqua après lui.

acolytat [akɔlita] n. m. RELIG CATHOL Le plus élevé des quatre ordres mineurs (auj. nommés ministères).

acolyte n. m. **1.** RELIG CATHOL Clerc exerçant le ministère de l'acolytat (il assiste le prêtre à l'autel). **2.** Péjor. Compère, complice. *Je n'aime pas beaucoup le voir rôder par ici avec son acolyte.*

acompte [akɔ̃t] n. m. Paiement partiel à valoir sur le montant d'une somme due. *Acompte provisionnel.*

acon. V. accon.

Aconcagua, volcan éteint des Andes, en Argentine ; un des plus hauts sommets d'Amérique (6 959 m).

l'**Aconcagua**

aconit [akɔnit] n. m. Plante vénéneuse (fam. renonculacées) à fleurs bleues chez l'aconit napel, jaunes chez l'aconit tue-loup.

aconitine n.f. BIOCHIM Alcaloïde très toxique extrait des tubercules d'aconit napel, aux propriétés thérapeutiques.

a contrario loc. adv. *Raisonnement a contrario,* qui, partant d'une opposition dans les hypothèses, conclut à une opposition dans les conséquences.

acoquiner (s') v. pron. [**1**] Péjor. Se lier (avec qqn).

acore n. f. Plante aquatique (fam. aracées) appelée aussi roseau aromatique.

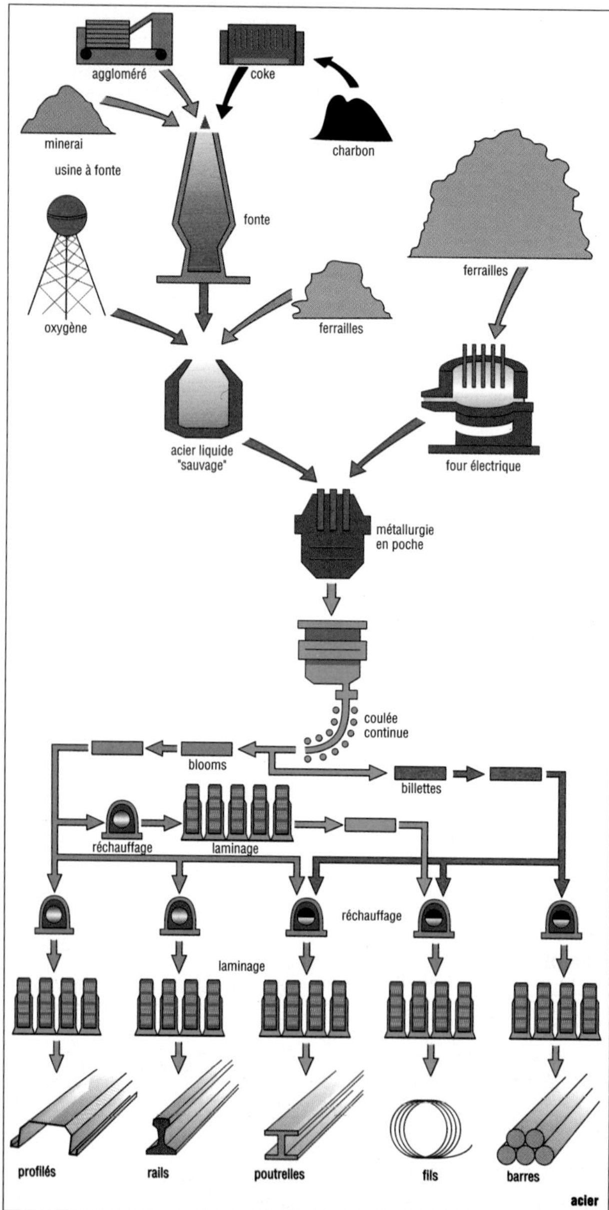

aggloméré
coke
minerai
charbon
usine à fonte
fonte
ferrailles
oxygène
ferrailles
acier liquide "sauvage"
four électrique
métallurgie en poche
coulée continue
blooms
billettes
réchauffage
laminage
réchauffage
laminage
profilés
rails
poutrelles
fils
barres
acier

Açores (les), archipel portug. de l'Atlantique N., formé de neuf îles ; 2 247 km^2 ; 253 500 hab. ; v. princ. *Ponta Delgada,* dans l'île de São Miguel. Tourisme très import. (climat océanique chaud). – Les îles furent occupées au XVe s. par les Portugais. ▷ METEO *Anticyclone des Açores :* région de hautes pressions régissant la trajectoire des perturbations atlant. sur l'Europe occid.

à-côté n. m. **1.** Ce qui est secondaire, par rapport à l'essentiel. *Ceci n'est qu'un à-côté du problème.* **2.** Gain d'appoint.

acotylédone ou **acotylédoné, ée** adj. BOT Se dit d'une graine à embryon peu différencié.

à-coup n. m. Secousse, discontinuité dans un mouvement. *Il y a eu des à-coups au départ du train.* ▷ *Par à-coups :* sans régularité. *Travailler par à-coups.*

acouphène n. m. MED Sensation auditive (bourdonnement, sifflement, etc.) qui n'est pas provoquée par une excitation extérieure de l'oreille.

acoustique adj. et n. f. **I.** adj. **1.** De l'ouïe. *Nerf acoustique.* **2.** Qui sert à produire, à modifier ou à transmettre les sons ; relatif au son, à sa propagation. *Phénomène acoustique. Cornet acoustique,* autrefois utilisé pour la correction auditive. **II.** n. f. **1.** Branche de la physique qui étudie les vibrations sonores, leur production, leur propagation, leurs effets. **2.** Capacité d'un lieu à laisser entendre les vibrations sonores qu'on y émet avec toutes leurs composantes et dans toute leur intensité. *L'acoustique des théâtres grecs.*

A.C.P. (pays), ensemble des États d'Afrique, des Caraïbes et du Pacifique signataires des accords de coopération économique conclus avec l'U.E., dans le cadre des conventions de Lomé.

acqua-toffana [akwatɔfana] n. f. Poison à base d'arsenic utilisé en Italie aux XVIe et XVIIe s.

Acquaviva, famille napolitaine dont un des membres, **Claudio Acquaviva** (Atri 1543 – Rome 1615), général des jésuites, fit dresser la *Ratio atque institutio studiorum* (1599) qui règle l'organisation des collèges de la Compagnie.

acquéreur [akeʀœʀ] n. m. Personne qui acquiert (un bien).

acquérir v. [**35**] **I.** v. tr. **1.** Devenir possesseur de. *Acquérir une terre.* **2.** Arriver à avoir. *J'ai acquis la certitude qu'il ment.* **3.** *Acquérir (qqch) à :* faire gagner, procurer à. **II.** v. pron. **1.** (Sens passif.) Être gagné, obtenu. *La fortune s'acquiert parfois par des bassesses.* **2.** (Réfl. indir.) Obtenir pour soi. *Il s'est acquis une réputation de grande probité.*

acquêt [akɛ] n. m. DR Bien acquis pendant le mariage et tombant dans la communauté (par oppos. à *biens propres*). *Le régime de la communauté d'acquêts s'applique aux époux mariés sans contrat.*

acquiescement [akjɛsmɑ̃] n. m. **1.** Approbation, consentement. **2.** DR Consentement exprès ou tacite donné à l'exécution d'un jugement.

acquiescer [akjese] v. tr. ind. [**12**] **1.** Donner son consentement. *Acquiescer à une demande, une requête.* **2.** DR *Acquiescer à une sentence,* renoncer à en appeler.

acquis, ise adj. et n. m. **I.** adj. **1.** Dont on est devenu possesseur. – (Prov.) *Bien mal acquis ne profite jamais.* **2.** *Acquis à (qqn) :* obtenu par. *Vous pouvez considérer que mon soutien vous est acquis.* ▷ Fig. *Je vous suis tout acquis,* tout dévoué. **3.** MED, BIOL Qui n'est ni congénital ni héréditaire. *Maladies acquises. Les caractères acquis sont intransmissibles.* **II.** n. m. Connaissances acquises. *Votre acquis vous permettra de trouver facilement du travail.*

acquisitif, ive adj. Didac. Qui permet d'acquérir; qui équivaut à une acquisition.

acquisition n. f. **1.** Action d'acquérir. *L'acquisition d'une maison.* **2.** Chose acquise. *Montre-moi ta nouvelle acquisition.*

acquit [aki] n. m. Quittance, décharge. *L'acquit doit être signé, daté et motivé en toutes lettres.* - *Pour acquit :* V. acquitter (sens 2). ▷ *Par acquit de conscience :* pour rendre quitte sa conscience, pour ne pas avoir de doute ou de regret. *Je suis sûr qu'il n'y a pas d'erreur, mais par acquit de conscience, je vais vérifier à nouveau.*

acquit-à-caution n. m. Bulletin permettant de faire circuler des marchandises avant d'avoir acquitté les droits de douane ou les impôts auxquels elles sont soumises. *Des acquits-à-caution.*

acquitté, ée adj. Qui a été acquitté (V. acquitter, sens I, 1, 2, 4).

acquittement n. m. **1.** Action d'acquitter, de s'acquitter. **2.** DR Renvoi d'un accusé déclaré non coupable par un tribunal.

acquitter v. [1] **I.** v. tr. **1.** Payer (ce qui est dû). *Acquitter des droits de douane.* **2.** COMPTA *Acquitter une facture, un mémoire,* etc., y inscrire les mots «pour acquit», suivis de la signature, en reconnaissance du paiement. **3.** *Acquitter qqn,* le rendre quitte, le libérer d'une dette ou d'un engagement. *Il ne pouvait pas payer, je l'ai acquitté.* **4.** DR *Acquitter un accusé,* le déclarer non coupable. *La cour d'assises l'a acquitté.* **II.** v. pron. **1.** Se libérer (d'une obligation pécuniaire). *Je me suis acquitté de mes dettes.* **2.** Fig. Exécuter (ce à quoi on est tenu). *Je dois m'acquitter d'une promesse que je lui ai faite. S'acquitter d'une tâche.*

acra n. m. Beignet de morue.

acre n. f. Ancienne mesure de superficie agraire qui valait environ 50 ares.

âcre adj. Piquant et irritant au goût, à l'odorat. *L'odeur âcre prend à la gorge.* ▷ Fig., litt. Amer et blessant, moralement douloureux. *L'âcre souvenir des échecs passés.*

Acre, État de l'O. du Brésil, aux frontières du Pérou et de la Bolivie; 152 589 km²; 385 000 hab.; cap. *Rio Branco.* Grosse prod. de caoutchouc. - La Bolivie céda ce territoire en 1903.

Acre ou **Akko,** v. et port de pêche d'Israël, près du mont Carmel; 36 400 hab. - Phénicienne, grecque, puis arabe, la v. fut prise par les croisés au XIIe s. (Saint-Jean-d'Acre, cap. des possessions chrétiennes en Terre sainte), reprise par les Sarrasins en 1291 et puissamment restaurée par le pacha Djazzār, qui repoussa Bonaparte en 1799.

âcreté n. f. Caractère de ce qui est âcre.

acridiens n. m. pl. ENTOM Famille d'insectes orthoptères appelés communément criquets. - Sing. *Un acridien.*

acrimonie n. f. Mécontentement, amertume qui s'exprime par des paroles blessantes. *Parler avec acrimonie.*

acrimonieux, euse adj. Litt. Qui manifeste de l'acrimonie. *Propos acrimonieux.*

acro-. Préfixe, du grec *akros,* «élevé, extrême».

acrobate n. **1.** Artiste qui exécute des exercices de gymnastique, des tours de force et d'adresse. *Les acrobates d'un cirque.* **2.** n. m. ZOOL Petit marsupial grimpeur et planeur d'Australie.

acrobatie [akʀɔbasi] n. f. Exercice qu'exécute un acrobate; technique de l'acrobate. *Numéro d'acrobatie.* - *Acrobatie aérienne :* exercice de virtuosité exécuté en avion, évolution difficile ou périlleuse (tonneau, vrille, chandelle, looping, etc.).

acrobatique adj. De la nature de l'acrobatie. *Saut acrobatique.*

acrocéphalie n. f. MED Malformation crânienne, due à la soudure précoce de certaines sutures, entraînant une déformation en hauteur et un aplatissement latéral de la tête.

acrocyanose n. f. MED Cyanose des extrémités.

acroléine n. f. CHIM Aldéhyde de formule CH_2 = CH-CHO se formant en petites quantités dans la pyrolyse des corps gras.

acromégalie n. f. MED Hypertrophie des extrémités et de la face, affection d'origine hypophysaire frappant l'adulte.

acromion n. m. ANAT Apophyse de l'omoplate s'articulant avec l'extrémité externe de la clavicule.

acronyme n. m. Sigle que l'on prononce comme un mot ordinaire, sans l'épeler. *Unesco* [ynɛsko] *est un acronyme.*

acropole n. f. Partie la plus élevée des cités grecques de l'Antiquité, comportant une citadelle et des lieux de culte. *Les acropoles étaient souvent couvertes de nombreux monuments.*

Acropole d'Athènes (l'), colline qui domine Athènes. Fortifiée dès la préhistoire, elle fut ruinée par les Perses (480 av. J.-C.). Renonçant à toute fonction milit., elle reçut, au cours de la 2e moitié du Ve s. av. J.-C., deux temples : le Parthénon* et l'Érechthéion*, et une entrée majestueuse, les Propylées.

acrosome n. m. BIOL Organite sécrété par l'appareil de Golgi, situé à la partie antérieure du spermatozoïde.

acrostiche n. m. Petit poème où les lettres initiales de chaque vers, prises dans l'ordre des vers eux-mêmes, composent le nom d'une personne, une devise, une sentence.

acrotère n. m. ARCHI **1.** Piédestal placé au sommet ou aux extrémités d'un fronton pour recevoir une statue, un ornement; cet ornement. **2.** Couronnement placé à la périphérie d'une toiture-terrasse.

Acrux, étoile bleue de la Croix du Sud (magnitude visuelle apparente 0,9).

acrylique adj. (et n. m.) **1.** CHIM Qualifie l'*acide acrylique* de formule CH_2 = CH - COOH, composé synthétique obtenu par oxydation de l'acroléine*. - *Résine acrylique,* obtenue par polymé

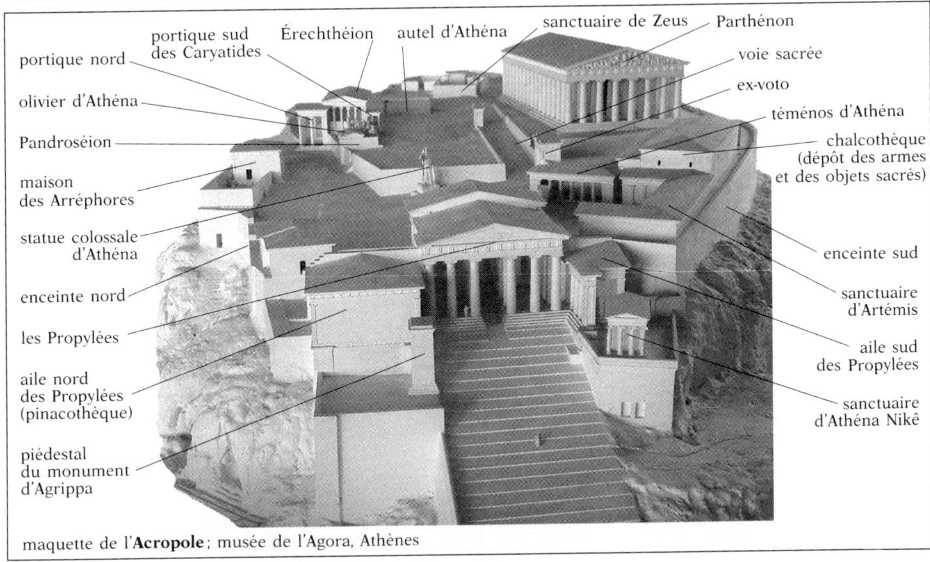

maquette de l'**Acropole**; musée de l'Agora, Athènes

risation de l'acrylonitrile et servant à la préparation de fibres textiles, de caoutchoucs, de peintures. **2.** Fibre textile préparée avec de la résine acrylique. *Un vêtement en fibre acrylique* ou, n. m. *en acrylique.*

acrylonitrile n. m. Nitrile acrylique $CH_2 = CH - C \equiv N$.

actant [aktɑ̃] n. m. LING **1.** Agent. **2.** Protagoniste de l'action, dans l'analyse structurale du récit.

Acta sanctorum (Actes des saints), recueil contenant la vie de tous les saints. Commencé au XVIIe s. par le jésuite néerlandais H. Rosweyde, continué par le père belge J. Bolland et ses disciples, les bollandistes.

1. acte n. m. **I. 1.** Ce qui est fait par une personne. *On connaît l'homme à ses actes. Acte volontaire, instinctif.* ▷ *Acte médical* : consultation, visite, intervention, pratiquée par un médecin ou une personne appartenant à une profession médicale. ▷ *Faire acte de...* : agir avec..., faire preuve de... *Faire acte d'autorité, de bonne volonté.* ▷ *Faire acte de présence* : se montrer dans un lieu où l'on a l'obligation d'être présent sans réellement participer aux activités qui s'y tiennent; n'être présent que le temps nécessaire pour y être vu. **2.** DR Manifestation de volonté ayant des conséquences juridiques. *Acte unilatéral,* exprimant la manifestation d'une seule volonté (donation, testament). *Acte bilatéral,* exprimant un accord des volontés (convention, contrat). – *Acte unique européen* : V. Communauté économique européenne. ▷ Loc. *Faire acte de* : agir de telle manière. *Faire acte de tolérance.* – *Passer à l'acte* : réaliser un désir, une pulsion longtemps contenus. **II.** Pièce écrite qui constate, enregistre. **1.** DR Pièce écrite qui constate légalement un fait. *Acte d'état civil,* qui constate une naissance, un décès, un mariage. *Acte d'authenticité,* dressé par un officier public dans les formes prescrites par la loi. *Acte sous seing privé,* passé entre les parties sans le concours d'un officier public. *Acte d'accusation,* dressé par le procureur et formant la base de l'accusation devant la cour d'assises. ▷ *Prendre acte* : faire constater un fait juridiquement, dans les formes légales. – Cour. Prendre bonne note de. ▷ *Dont acte* : le présent acte constate légalement le fait (formule finale d'un acte juridique). – Cour. Il est pris bonne note de ce qui précède. **2.** Recueil des comptes rendus des séances d'une assemblée. *Les actes des conciles. Actes d'un congrès.*

2. acte n. m. Chacune des divisions principales d'une pièce de théâtre. *Tragédie en cinq actes.* ▷ *Fig.* Étape, moment (d'une action à péripéties) considéré d'un point de vue dramatique.

Actéon (en gr. *Aktaiôn*), dans la mythologie grecque, jeune chasseur de Thèbes métamorphosé en cerf par Artémis (qu'il avait surprise nue au bain), puis dévoré par ses chiens.

acter v. tr. [1] Faire passer dans les faits, valider. *Voter pour acter les décisions prises.*

Actes des Apôtres, livre du Nouveau Testament, rédigé en grec. Attribué à saint Luc, il retrace les débuts du christianisme à Jérusalem, à Antioche, en Grèce, jusqu'à la captivité, à Rome, de saint Paul.

Acte unique européen, traité signé en 1985 par les États de la C.E.E., fixant les modalités d'un marché intérieur qui a pris effet le 1er janvier 1993.

acteur, trice n. **1.** Comédien, personne qui joue un rôle dans une pièce de théâtre, un film. **2.** Fig. Personne qui prend une part active à un événement. *Il a été l'un des principaux acteurs dans cette négociation.*

A.C.T.H. n. f. PHYSIOL (Sigle de l'angl. *Adreno-Cortico-Trophic-Hormone.*) Hormone sécrétée par l'antéhypophyse, contrôlant les sécrétions hormonales de la cortico-surrénale.

actif, ive adj. (et n.) **I.** Qui agit, qui a la propriété d'agir. *L'esprit est actif, la matière est passive. Principe actif d'une substance.* ▷ CHIM Se dit de certains adsorbants, de certains catalyseurs auxquels une préparation particulière confère la propriété de réagir très vivement. *Charbon actif.* **II. 1.** Qui aime agir; vif dans l'action, diligent. *Un ouvrier actif.* Syn. dynamique, travailleur. **2.** Anc. *Citoyen actif,* qui jouit du droit de vote. **III. 1.** ADMIN *Service actif,* qui compte pour la retraite. **2.** DR *Dettes actives* : sommes dont on est créditeur (par oppos. aux *dettes passives* : sommes dont on est débiteur). ▷ n. m. Ensemble des biens constituant un patrimoine. *L'actif d'une société.* – COMPTA *Actif du bilan* (d'une entreprise), indique l'emploi des fonds : terrains, immeubles, stocks, sommes dues par les clients, sommes en banque ou en caisse. V. passif. – Fig. *Cette bonne action sera portée à son actif,* jouera en sa faveur. **3.** GRAM *Verbe à la voix active,* dont le sujet est l'agent de l'action. **4.** PEDAG *Méthodes actives,* qui requièrent une initiative effective de l'élève dans son propre apprentissage, et suscitent son intérêt par l'exercice d'activités formatrices diversifiées. **5.** n. f. *L'armée d'active* ou *l'active,* comprenant les militaires effectuant un service actif, sous les drapeaux. *Officier d'active* (par oppos. à *de réserve).*

acting out [aktiŋaut] n. m. inv. PSYCHAN Durant la cure, manifestation de l'inconscient par un passage à l'acte.

actinide n. m. CHIM Chacun des éléments qui suit l'actinium (de numéro atomique Z = 89) dans la classification périodique des éléments.

actinies n. f. pl. ZOOL Ordre de cnidaires hexacoralliaires, nommés cour. *anémones de mer,* polypes qui vivent isolés, fixés sur les rochers. – Sing. *Une actinie.*

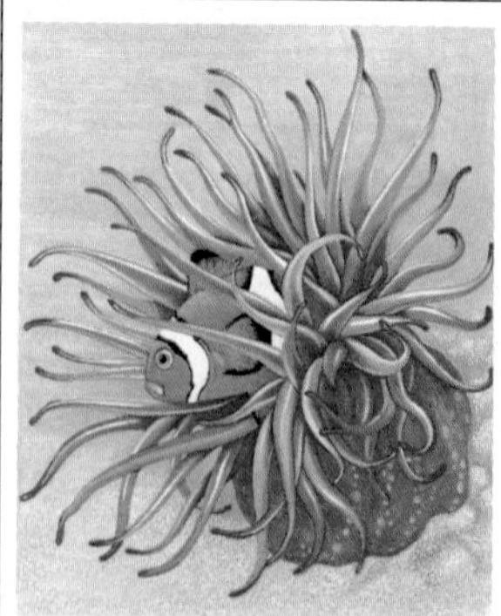

actinie abritant dans ses tentacules un poisson-clown

actinique adj. Qualifie un rayonnement qui exerce une action chimique sur certains corps.

actinium [aktinjɔm] n. m. CHIM Élément radioactif (Ac), de numéro atomique Z = 89, et de masse atomique 227. – Métal (Ac) dont les propriétés sont proches de celles du lanthane.

actino-. Préfixe, du grec *aktis, aktinos,* «rayon», impliquant l'idée de radiation ou de forme rayonnante.

actinologie n. f. Science des propriétés biologiques ou curatives des radiations.

actinométrie n. f. PHYS Mesure de l'énergie transportée par un rayonnement. *Actinométrie solaire.*

actinomorphe adj. BOT Se dit d'une fleur dont les pièces florales sont rayonnées. Ant. zygomorphe.

actinopodes n. m. pl. ZOOL Sous-embranchement de protozoaires émettant de fins pseudopodes rayonnants. – Sing. *Un actinopode.*

actinoptérygiens n. m. pl. ICHTYOL Sous-classe d'ostéichthyens, poissons dont les nageoires sont soutenues par quelques vrais rayons bien ossifiés. – Sing. *Un actinoptérygien.*

1. action n. f. **I. 1.** Ce que fait une personne qui réalise une volonté, une pulsion. *La moindre de ses actions est tendue vers le but qu'il s'est fixé. Action irréfléchie.* ▷ *Action d'éclat* : acte de courage, de dévouement, qui distingue particulièrement son auteur. **2.** Fait d'agir (par oppos. à la pensée, à la parole). *La réflexion doit précéder l'action. L'action et la connaissance.* **3.** Affrontement, lutte. *L'action s'engage. L'action a été chaude.* ▷ MILIT Petit engagement de troupes. **II. 1.** Opération, fait dû à un agent quelconque et qui occasionne une transformation, produit un effet donné. *C'est par l'action de l'entendement que se forme notre jugement. L'action chimique d'un acide.* ▷ *Mettre en action* : faire opérer, mettre en œuvre. *Mettre une pompe en action.* ▷ CHIM *Loi d'action de masse,* qui rend compte quantitativement du déplacement de l'équilibre dans une réaction chimique réversible. **2.** MECA Ce qu'exerce une force agissant sur un corps. *Si un corps A, en contact avec un corps B, exerce une action sur le corps B, inversement B exerce sur A une force égale et opposée, appelée réaction.* **III. 1.** DR Poursuite en justice. *Intenter une action judiciaire. Action publique* : action du ministère public en matière de crime ou de délit. *Action civile* : action d'un particulier pour obtenir la reconnaissance d'un droit ou la réparation d'un préjudice subi. **2.** Déroulement des événements qui forment la trame d'une fiction. *L'action d'un roman, d'une pièce de théâtre.* Syn. intrigue. ▷ *Roman, film d'action,* dont l'intérêt tient plus au déroulement des événements racontés qu'à l'étude psychologique des personnages.

2. action n. f. Titre négociable émis par une société, qui confère à son détenteur la propriété d'une fraction du capital de ladite société. ▷ *Action d'apport,* donnée en contrepartie d'un apport en nature (terrain, etc.).

Action catholique, ensemble de mouvements laïcs qui contribuent à l'apostolat de l'Église cathol.; la J.O.C. (fondée en 1924) est le plus ancien d'entre eux. Leur mission a été définie par Pie XI (1930) et par le concile Vatican II (1962-1965).

Action directe, groupe d'extrême gauche français, auteur d'attentats dans les années 1979-1987.

Action française (l'), mouvement polit. nationaliste et monarchiste, créé en 1899 et dominé de 1900 à 1944 par Ch. Maurras, fondateur, avec L. Daudet et J. Bainville, d'un quotidien du m. nom (1908-1944). Ce mouvement fut condamné (1926) puis déclaré hérétique (1928) par l'Église ; condamnation levée (1939) par Pie XII ; il est interdit par les autorités fr. depuis 1944.

actionnaire n. Personne qui possède des actions émises par une société. *Les actionnaires d'une compagnie financière.*

actionnarial, ale, aux adj. De l'actionnariat.

actionnariat n. m. Ensemble des actionnaires. ▷ *Actionnariat ouvrier :* participation des ouvriers aux bénéfices de leur entreprise, à sa gestion.

actionner v. tr. [1] **1.** DR Poursuivre en justice. **2.** Mettre en mouvement, faire fonctionner (une machine, un mécanisme). *C'est la vapeur qui actionne cette turbine. Pour mettre la machine en marche, il faut actionner cette manette.*

actionneur n. m. TECH Dispositif de commande d'un mouvement, dans un automatisme.

Action painting, expression américaine qui désigne un mouvement d'art abstrait apparu à New York vers 1945, sous l'influence des procédés automatiques surréalistes, et dont les principaux représentants sont Kline, De Kooning et surtout Pollock.

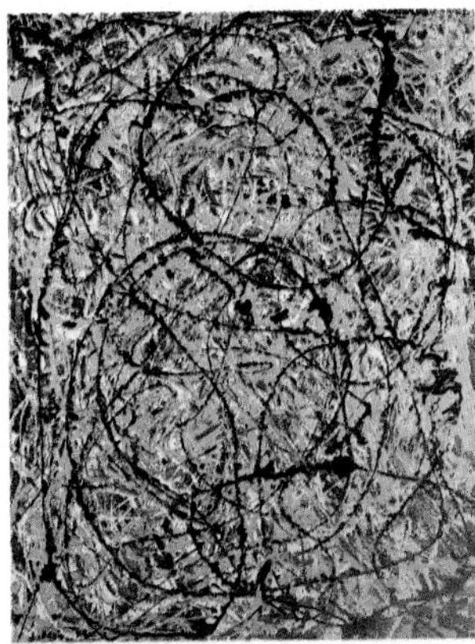

Action painting : *Sentiers ondulés,* Jackson Pollock, 1947 ; galerie d'Art moderne, Rome

Actium, v. anc. et promontoire de la Grèce, à l'entrée du golfe d'Ambracie. Victoire navale d'Octavien sur Antoine et Cléopâtre (31 av. J.-C.).

activation n. f. **1.** Action d'activer un processus, accélération. **2.** PHYS NUCL Action de communiquer à une substance des propriétés radioactives.

activement adv. De manière active.

activer v. tr. [1] **1.** Augmenter l'activité, rendre plus rapide. *Activer des travaux.* – (S. comp.) *Activez ! :* hâtez-vous ! ▷ CHIM *Activer une réaction,* l'accélérer par l'adjonction d'un corps étranger ou par un apport d'énergie (lumière, chaleur, etc.). **2.** INFORM Mettre en action en cliquant. *Activer une fonction, un menu.* **3.** Rendre plus vif, plus intense. *Activer un feu.* **4.** v. pron. S'affairer. *Le cuisinier s'active devant ses fourneaux.*

activisme n. m. Doctrine qui prône le recours à l'action violente pour faire triompher une idée politique.

activiste n. Partisan de l'activisme. ▷ adj. *Une politique activiste.*

activité n. f. **1.** Puissance, faculté d'agir. *L'activité d'un remède.* ▷ ASTRO *Activité solaire :* ensemble des phénomènes liés aux perturbations du champ magnétique solaire. ▷ PHYS *Activité optique :* propriété d'un corps transparent de faire tourner le plan de polarisation d'un faisceau lumineux polarisé de façon rectiligne. V. isomérie. **2.** Vivacité, diligence dans l'action. *Déployer une grande activité.* **3.** Ensemble d'actions et d'opérations humaines visant un but déterminé. *L'activité industrielle d'une région.* ▷ (Plur.) Occupations. *Ses multiples activités ne lui laissent aucun loisir.* **4.** Exercice d'une fonction, d'un emploi. *Temps d'activité à un poste, dans un grade. Militaire en activité.*

Actors' Studio, école d'art dramatique fondée à New York en 1947. Son but est de former l'acteur pour qu'il devienne un créateur à part entière. En sont sortis notam. Marlon Brando, Paul Newman, Marilyn Monroe.

actuaire n. Spécialiste chargé de la partie mathématique des opérations financières ou d'assurances (statistiques, tarifs, etc.).

actualisation n. f. **1.** Action d'actualiser (sens 1) ; son résultat. *Actualisation des connaissances.* ▷ ECON Opération qui consiste à calculer quelle valeur représente aujourd'hui un capital qui ne sera disponible que dans plusieurs années ; ce calcul s'effectue en fonction d'un *taux d'actualisation* que l'on détermine en tenant compte notam. de la dépréciation monétaire et du taux d'intérêt. **2.** PHILO Passage de la virtualité à la réalité.

actualiser v. tr. [1] **1.** Donner un caractère actuel à. *Actualiser un ouvrage de référence.* **2.** PHILO Passer de la virtualité à la réalité.

actualité n. f. **1.** Nature de ce qui est actuel, de ce qui concerne les hommes d'aujourd'hui. *L'actualité d'un problème. Sujet d'une actualité brûlante.* **2.** Ensemble des événements qui se déroulent au moment où l'on parle ou qui se sont déroulés dans un passé très proche. *Revue qui présente l'actualité hebdomadaire.* ▷ (Plur.) Informations sur les événements récents. *Écouter les actualités à la radio.* **3.** PHILO Nature de ce qui est actuel, en acte.

actuariat n. m. Domaine d'exercice d'un actuaire.

actuariel, elle adj. Relatif au calcul des opérations financières ou d'assurance. – *Taux actuariel :* taux de rendement d'un capital dont les intérêts et le remboursement sont versés de façon échelonnée dans le temps. – Calculé par un actuaire. *Calculs actuariels.*

actuel, elle adj. **1.** Qui existe dans le présent, au moment où l'on parle. *Cette question n'est pas résolue dans l'état actuel de la recherche, à l'heure actuelle.* ▷ Qui concerne les contemporains, les hommes d'aujourd'hui. *Ce roman, écrit il y a cinquante ans, reste très actuel.* Ant. démodé, désuet. **2.** PHILO Qui est en acte. *Volonté actuelle* (par oppos. à *volonté potentielle*). Ant. virtuel. ▷ THEOL *Péché actuel,* constitué par un acte personnel (par oppos. à *péché originel*).

actuellement adv. **1.** À l'heure actuelle, au moment présent. **2.** PHILO En acte, réellement.

acuité n. f. **1.** Qualité de ce qui est aigu. *L'acuité d'un son. L'acuité d'une douleur.* **2.** Pouvoir de discrimination (d'un organe des sens). *Acuité visuelle, auditive.* **3.** Grande perspicacité. *Acuité d'esprit.*

aculéates n. m. pl. ENTOM Sous-ordre d'hyménoptères dont l'extrémité postérieure de l'abdomen est munie d'un aiguillon (abeilles, guêpes, fourmis). – Sing. *Un aculéate.*

acuminé, ée adj. BOT Qui se termine en pointe effilée.

acupressing n. m. MED Méthode thérapeutique qui, dérivée de l'acupuncture, remplace les aiguilles traditionnelles par une pression contrôlée exercée par les doigts du manipulateur.

acupuncteur ou **acuponcteur, trice** [akypɔ̃ktœʀ, tʀis] n. Médecin qui pratique l'acupuncture.

acupuncture ou **acuponcture** [akypɔ̃ktyʀ] n. f. Procédé médical employé par les Chinois depuis la plus haute Antiquité, et qui, selon leur conception du yin et du yang, consiste traditionnellement à piquer, avec des aiguilles de métal et à une profondeur rigoureusement déterminée pour chaque cas, certains points de la surface du corps répartis le long de méridiens.

ENCYCL L'acupuncture se fonde sur le fait que, par une action non encore élucidée, certains points cutanés deviennent douloureux aussitôt qu'il y a trouble d'une fonction ou d'un organe rapproché ou non de ce point ; aussi tente-t-on d'agir, par l'excitation de ce point, sur l'organe qui est en relation avec lui.

acutangle adj. GEOM *Triangle acutangle,* dont les trois angles sont aigus.

Açvin, nom des dieux jumeaux védiques qui, dans le zodiaque indien, correspondent aux Gémeaux.

acyclique adj. **1.** CHIM *Composé acyclique,* dont la formule développée est une chaîne ouverte. **2.** BOT *Fleur acyclique,* dont les pièces sont insérées en spirale. **3.** ELECTR *Génératrice acyclique* ou *unipolaire,* dans laquelle l'induction demeure constante en grandeur et en direction par rapport aux conducteurs induits.

acyle n. m. CHIM Radical monovalent R-CO-.

adage n. m. Sentence, maxime populaire. *Un vieil adage.*

adagio [adadʒjo] adv. (ital.) MUS Lentement (placé au début d'une partition, indique que le morceau doit être joué dans un tempo lent). ▷ n. m. Morceau joué dans ce tempo. *Un adagio de Bach. Des adagios.*

Adalbéron (en basse Lorraine, v. 920 – Reims, 989), archevêque de Reims (969 à 988) ; principal artisan de l'élection d'Hugues Capet, qu'il sacra roi (987).

Adalgise (m. en 788), prince lombard. Fils du roi Didier, il fut vaincu par Charlemagne, son beau-frère, vers 774.

Adam (pic d'), montagne sacrée de Ceylan ; 2 241 m. – Pèlerinage bouddhique.

Adam, nom attribué par la Bible au premier homme, issu, selon elle, de la matière et animé par Dieu. Il fut chassé avec Ève, sa compagne, du Paradis terrestre pour avoir osé manger le fruit de l'arbre de la science du bien et du mal. Père de Caïn, d'Abel, de Seth et de plus. autres enfants.

Adam de la Halle ou **Adam le Bossu** (Arras, v. 1240 – Naples [?], v. 1285), trouvère français. Auteur du *Jeu de la feuillée*, et du *Jeu de Robin et Marion*.

Adam (dit le Roi). V. Adenet.

Adam (Lambert Sigisbert) (Nancy, 1700 – Paris, 1759), sculpteur et ornemaniste français d'inspiration baroque (*Neptune et Amphitrite*, à Versailles, 1740).

Adam (Robert) (Kirkcaldy, Écosse, 1728 – Londres, 1792), architecte et décorateur écossais. Il travailla avec ses trois frères et donna son nom à un style ornemental néo-classique, théorisé dans son traité *Works of Architecture* (1778).

Adam (Adolphe Charles) (Paris, 1803 – id., 1856), compositeur français; auteur d'ouvrages lyriques (*le Postillon de Longjumeau*, 1836), de musiques de ballet (*Giselle*, 1841) et du célèbre noël *Minuit chrétien*.

Adam (Juliette). V. Lamber (Juliette).

adamantin, ine adj. **1.** Litt Qui a la dureté et l'éclat du diamant. Syn. diamantin. **2.** BIOL *Cellules adamantines*, qui sécrètent l'émail des dents.

Adamaoua, plateau granitique d'Afrique occidentale (Cameroun et Nigeria). – Nom d'une prov. du Cameroun (62 800 km^2, 336 150 hab.); ch.-l. *N'Gaoundéré* (47 500 hab.).

Adamello, massif montagneux des Alpes ital. (Trentin); nombreux glaciers.

Adami (Valerio) (Bologne, 1935), peintre figuratif italien. Sa peinture, au trait soutenu et aux couleurs fortes en grands aplats, est d'expression symboliste. *L'Alpiniste* (1973), décors de la loggia du Théâtre du Châtelet (1989).

adamites n. m. pl. HIST Membres d'une secte gnostique du IIe s., qui, voulant imiter Adam au Paradis terrestre, refusaient tout vêtement.

Adamov (Arthur Adamian, dit) (Kislovodsk, Caucase, 1908 – Paris, 1970), dramaturge français d'origine russo-arménienne. Auteur de pièces qu'on peut rattacher au théâtre de l'absurde (*l'Invasion*, 1950; *la Parodie*, 1952; *le Ping-Pong*, 1955), il s'est ensuite consacré à un théâtre politique inspiré de Brecht : *Paolo Paoli* (1958), *le Printemps 71* (1961), etc.

Adams (Samuel) (Boston, 1722 – id., 1803), homme politique américain, l'un des artisans de l'indépendance des États-Unis.

Adams (John) (Baintree, auj. Quincy, 1735 – id., 1826), deuxième président des É.-U. (1797-1801). – **John Quincy** (Baintree, 1767 – Washington, 1848), fils du préc., sixième président (1825-1829), lutta contre l'esclavage.

Adams (John Couch) (Lidcot, 1819 – Londres, 1892), astronome anglais. Il calcula, en même temps que Le Verrier, la position de Neptune.

Adams (Henry Brooks) (Boston, 1838 – Washington, 1918), écrivain américain. Historien et mémorialiste, critique, moraliste et sociologue, il est surtout un philosophe de l'histoire : *Démocratie* (1880), *le Mont Saint-Michel et Chartres* (1904), *l'Éducation de Henry Adams* (1907).

Adams (Ansel) (San Francisco, 1902 – Monterey, 1984), photographe américain, spécialiste du paysage.

Adan. V. Aden.

Adana, v. du S. de la Turquie; 1 047 300 hab.; ch.-l. de l'il du m. nom. Industrie text. Centre comm. – Université.

adaptabilité n. f. Qualité de ce qui peut être adapté, de ce qui peut s'adapter. *L'adaptabilité d'un matériel.*

adaptable adj. Qui peut être adapté, s'adapter.

adaptateur, trice n. **1.** Personne qui adapte une œuvre littéraire. **2.** n. m. TECH Organe qui permet à un appareil de fonctionner dans des conditions particulières d'utilisation. *Adaptateur d'une calculatrice permettant d'utiliser le courant du secteur.*

adaptatif, ive adj. **1.** Rare Qui peut être adapté. **2.** Qui réalise une adaptation. *Les mécanismes adaptatifs d'un animal.*

adaptation n. f. **1.** Action d'adapter ou de s'adapter. **2.** Modification du style, du contenu d'une œuvre littéraire; transposition à la scène ou à l'écran. *Adaptation d'un roman pour le cinéma. Adaptation théâtrale d'un récit d'aventures.*

adapter v. [1] **I.** v. tr. **1.** Rendre (une chose) solidaire (d'une autre), appliquer en ajustant. *Adapter un manche à un outil.* **2.** Harmoniser, rendre conforme à. *Adapter sa conduite aux circonstances.* **3.** Procéder à l'adaptation de (une œuvre littéraire). *Réalisateur qui adapte une pièce de théâtre pour la télévision.* **4.** Rendre (un dispositif, des mesures, etc.) apte à assurer ses fonctions dans des conditions particulières ou nouvelles. *Adapter un programme d'équipement à une région déterminée.* **II.** v. pron. **1.** (Êtres vivants.) S'acclimater, s'habituer. *Animal exotique qui s'adapte au climat des régions tempérées. Nouvelles habitudes auxquelles il faut s'adapter.* **2.** Pouvoir être appliqué à, rendu solidaire de. *Objectifs qui s'adaptent au boîtier d'un appareil photo.*

Adda, riv. de l'Italie du N. (313 km), affl. du Pô (r. g.); naît dans le massif de la Bernina (Alpes); traverse le lac de Côme. Centrales hydroélectriques.

Addams (Jane) (Cedarville, Illinois, 1860 – Chicago, 1935), sociologue américaine, féministe et pacifiste. P. Nobel de la paix 1931.

addax n. m. ZOOL Antilope du Sahara, aux longues cornes spiralées, qui aurait été domestiquée par les Égyptiens.

addendum, plur. **addenda** [adɛ̃dɔm, adɛ̃da] n. m. Addition à la fin d'un ouvrage.

addictif, ive adj. (Anglicisme) Qui concerne l'addiction. *Un comportement addictif.*

addiction n. f. (Anglicisme) Assuétude.

Addis-Abeba ou **Addis-Ababa,** cap. de l'Éthiopie, située à 2 500 m d'alt.; 2 200 186 hab. Industr. alim., text. La v. est reliée au port de Djibouti par voie ferrée. – Fondée en 1887 par Ménélik II, elle devint le siège de l'O.U.A. en 1963.

Addison (Joseph) (Milston, Wiltshire, 1672 – Londres, 1719), écrivain et homme politique anglais; fondateur, en 1711, avec Richard Steele, de l'influent journal *The Spectator;* auteur de la tragédie *Caton* (1713).

Addison (Thomas) (Long Berton, 1793 – Brighton, 1860), médecin anglais. ▷ MED La *maladie d'Addison* (faiblesse généralisée, hypotension artérielle, pigmentation partic.) est due à une destruction progressive des corticosurrénales; elle est traitée par l'administration, à vie, d'hormones surrénales.

additif, ive adj. et n. m. **I.** adj. Qui s'additionne, s'ajoute. *Feuillets additifs joints à un rapport.* **II.** n. m. Ce qui est additionné, ajouté. **1.** Texte ajouté à un autre. *Ce décret comporte un additif.* **2.** Substance ajoutée à une autre pour en modifier les propriétés. *Additif mélangé à l'essence pour la rendre moins détonante.*

addition n. f. **1.** MATH Opération, notée +, par laquelle on ajoute des quantités arithmétiques ou algébriques les unes aux autres, et dont le résultat est une somme. ▷ Loi de composition interne, associative et commutative, définie sur un ensemble E (qui est un groupe) et notée par le signe +. **2.** Total des sommes dues, au restaurant, au café; feuillet sur lequel est mentionné ce total. *Garçon, l'addition, s'il vous plaît!* **3.** Fait, action d'ajouter (une chose) à (une autre); son résultat. *L'addition d'une clause à un contrat.* **4.** CHIM Réaction au cours de laquelle une molécule se fixe sur une molécule organique présentant une liaison insaturée.

additionnel, elle adj. Qui est, qui doit être additionné, ajouté. *Les pièces additionnelles d'un dossier.*

additionner v. tr. [1] **1.** Effectuer une addition. **2.** Ajouter en mêlant. *Il additionne toujours son vin d'un peu d'eau.* – Pp. *Eau additionnée de miel.*

additionneur n. m. INFORM Ensemble des circuits capables, dans un ordinateur, d'effectuer des additions en mode binaire et des opérations d'algèbre de Boole.

additivé, ée adj. *Carburant additivé*, contenant un additif* destiné à éviter l'encrassement des injecteurs et des carburateurs.

adducteur adj. (et n. m.) **1.** ANAT Qualifie les muscles qui effectuent un mouvement d'adduction. Ant. abducteur. ▷ n. m. *L'adducteur du pouce.* **2.** Qui amène des eaux dérivées. *Canal adducteur.* ▷ n. m. *Un adducteur.*

adduction n. f. **1.** ANAT Mouvement qui rapproche du plan de symétrie du corps un membre ou un segment de membre. Ant. abduction. **2.** Action de conduire des eaux d'un point à un autre.

-ade. Suffixe servant à former des substantifs fém., indiquant un ensemble (ex. *colonnade*), ou une action (ex. *embrassade, bastonnade*), ou un produit (ex. *citronnade*), parfois avec valeur péjorative.

Adélaïde, v. d'Australie, cap. de l'État d'Australie-Méridionale, sur la baie Saint Vincent; 1 081 000 hab. pour l'aggl. Centre comm.; raff. de pétrole; port à *Port Adélaïde.*

Adélaïde (sainte) (château d'Orb, v. 931 – Seltz, 999), impératrice allemande. Elle épousa l'empereur Otton Ier en 951, après la mort de son premier mari, Lothaire II.

Adélie (terre), région française de l'Antarctique, à 2 500 km de la Tasmanie; 388 500 km^2. C'est un vaste

terre **Adélie** : capture d'un manchot

bouclier de roches anc. recouvertes de glace. – Cette terre, découverte par Dumont d'Urville en 1840, française depuis 1924, abrite des observatoires scientif. dont l'intérêt est planétaire.

adén(o)-. Préfixe, du grec *adên*, « glande ».

Aden ou **Adan** *('Adan)*, port de la rép. du Yémen, sur le *golfe d'Aden* (mer Rouge); 420 000 hab. Raff. de pétrole; port de comm. import. – Anc. cap. du Yémen du Sud de 1970 à 1990. – Colonie britannique en 1937, le *protectorat d'Aden* est entré dans la fédération de l'Arabie du Sud, avant d'obtenir son indépendance sous le nom de Rép. dém. et pop. du Yémen (1967).

Adenauer (Konrad) (Cologne, 1876 – Rhöndorf, 1967), homme politique allemand. Membre fondateur du parti chrétien-démocrate, il fut chancelier de la R.F.A. de 1949 à 1963. Il poursuivit une polit. de développement économique et rétablit son pays dans sa souveraineté (accords de Londres et de Paris, oct. 1954). Partisan de l'Europe des Six et de la réconciliation avec la France, il signa le traité de Paris (1963).

Adenet ou **Adam,** dit le Roi (XIIIe s.), trouvère français originaire du Brabant : *Berthe au grand pied; les Enfances Ogier.*

adénine n. f. BIOCHIM Une des quatre bases puriques fondamentales constituant des acides nucléiques (A.D.N. et A.R.N.) et un des constituants des adénosines.

adénite n. f. MED Inflammation des ganglions lymphatiques.

adénocarcinome n. m. MED Formation maligne se développant à partir de tissus glandulaires ou en prenant l'aspect.

adénoïde adj. MED Du tissu ganglionnaire, relatif au tissu ganglionnaire. ▷ *Végétations adénoïdes :* hypertrophie du tissu constituant l'amygdale pharyngée.

adénome n. m. MED Tumeur développée aux dépens d'une glande.

adénopathie n. f. MED Toute affection des ganglions lymphatiques.

adénosine n. f. BIOCHIM Nucléoside constitué par une molécule d'un pentose (ribose ou désoxyribose) et une molécule d'adénine.

adénosine-phosphate n. f. BIOCHIM Nucléotide formé de l'union d'une molécule d'adénosine et d'une ou plusieurs molécules d'acide phosphorique. *Adénosine-monophosphate* (A.M.P.), *diphosphate* (A.D.P.), *triphosphate* (A.T.P.) (cette dernière porte une liaison riche en énergie). *Des adénosines-phosphates.*

adénovirus [adenoviʀys] n. m. Virus à acide désoxyribonucléique et à symétrie cubique, ayant des affinités pour les tissus lymphoïdes.

adepte n. **1.** Rare Personne initiée aux secrets d'une doctrine ésotérique. **2.** Personne qui pratique une religion, adhère à une doctrine philosophique. *Les adeptes du bouddhisme.* ▷ Personne qui pratique (une activité quelconque). *Les adeptes de la bicyclette.*

adéquat, ate [adekwa(t), at] adj. Bien adapté à son usage, à son emploi. *Pour faire ce travail, choisissez les outils adéquats.*

adéquatement [adekwatmɑ̃] adv. De façon adéquate.

adéquation n. f. Fait d'être adéquat, conforme à. *Adéquation du fond et de la forme, du mot à l'idée.*

Ader (Clément) (Muret, 1841 – Toulouse, 1925), ingénieur français. Il construisit une machine volante propulsée, qu'il baptisa « avion », avec laquelle il réussit le premier vol d'un plus lourd que l'air de l'histoire (1890); il perfectionna le microphone et le téléphone (1899).

Clément **Ader**

A.D.H. V. vasopressine.

Adherbal (IIIe s. av. J.-C.), général carthaginois. Il vainquit les Romains sur mer à Drepanum (Sicile), en 249 av. J.-C. (première guerre punique).

Adherbal, roi de Numidie (118-112 av. J.-C.), vaincu, détrôné et tué par son cousin Jugurtha.

adhérence n. f. **1.** Fait, pour une chose, d'adhérer à une autre. *Cette colle permet une bonne adhérence des surfaces.* **2.** MED Réunion de deux surfaces anatomiques normalement séparées. *Les adhérences succèdent le plus souvent à des lésions inflammatoires des membranes séreuses.* **3.** MECA Force de frottement qui s'oppose au glissement. *Cette automobile dispose d'une bonne adhérence sur route.*

adhérent, ente adj. et n. **1.** adj. (Choses) Qui adhère. ▷ BOT *Ovaire adhérent* ou *ovaire infère :* ovaire soudé par ses côtés aux enveloppes florales. **2.** n. Personne qui adhère à une organisation. *Cette société sportive compte de nombreux adhérents.*

adhérer v. tr. indir. [14] **1.** (Choses) Tenir fortement (à qqch), être joint étroitement (à la surface de qqch). *L'écorce de cet arbre adhère fortement au bois.* **2.** Fig. Approuver (une idée). *Je suis loin d'adhérer à vos thèses.* **3.** *Adhérer à une organisation,* en être membre, le devenir.

adhésif, ive adj. (Choses) Qui adhère. *Bande adhésive.* ▷ n. m. Tissu, papier collant.

adhésion n. f. **1.** Consentement, approbation. *Il a donné son adhésion au projet.* Ant. refus. **2.** Action d'adhérer à une organisation. **3.** PHYS Force maintenant joints l'un à l'autre deux corps en contact par leurs surfaces, et faisant intervenir des phénomènes d'attraction intermoléculaire.

adhésivité n. f. Caractère de ce qui est adhésif.

ad hoc [adɔk] loc. adj. (lat.) Qui convient à un usage déterminé, à une situation précise. *Servez-vous, pour cette manipulation, du dispositif ad hoc.*

ad hominem [adɔminɛm] loc. adj. (lat.) *Argument ad hominem,* dirigé contre la personne même de l'adversaire.

adiabatique adj. et n. f. PHYS *Transformation adiabatique,* ne s'accompagnant d'aucun échange de chaleur avec le milieu extérieur. ▷ *Courbe adiabatique* ou, n. f., *une adiabatique,* représentant les variations de la pression en fonction du volume au cours d'une transformation adiabatique.

adiante n. m. Fougère ornementale (fam. polypodiacées) appelée aussi *cheveu-de-Vénus.*

adieu interj. et n. m. **1.** interj. Terme de politesse par lequel on prend congé de qqn qu'on ne doit pas revoir de longtemps, ou qu'on ne doit jamais revoir. *Adieu, les amis!* (Se dit aussi à l'occasion d'une espérance déçue, d'une affaire manquée, de la perte de qqch. *Adieu, tous nos beaux projets!*) **2.** n. m. Séparation d'avec quelqu'un. *Un adieu déchirant.* ▷ *Faire ses adieux :* prendre congé de qqn qu'on ne doit pas revoir.

à Dieu va(t) ! [adjøva(t)] loc. interj. À la grâce de Dieu !

Adige, fl. de l'Italie du N. (410 km); naît dans les Alpes du Tyrol et se jette dans l'Adriatique.

Adige (Haut-). V. Trentin-Haut-Adige.

adipeux, euse adj. **1.** ANAT Qui est de nature graisseuse, qui contient de la graisse. *Tissu adipeux.* **2.** Cour. Gras, obèse. *Un homme adipeux.*

adipogène adj. PHYSIOL Qui favorise la production de graisses ou de tissus graisseux dans l'organisme.

adipose n. f. MED Accumulation pathologique, localisée ou non, de graisses dans les tissus. Syn. obésité.

adiposité n. f. Accumulation localisée de graisses dans le tissu cellulaire.

adjacent, ente adj. **1.** Situé auprès de, contigu. *Les rues adjacentes.* **2.** *Angles adjacents,* qui ont le même sommet, un côté commun, et sont situés de part et d'autre de ce côté commun.

Adjani (Isabelle) (Paris, 1955), actrice française. Après des débuts à la Comédie-Française (*Ondine,* 1973), elle se consacre au cinéma où son jeu fougueux et passionné fait d'elle une star populaire : *l'Histoire d'Adèle H.* (1975), *Possession* (1981), *l'Été meurtrier* (1983), *Camille Claudel* (1988), *la Reine Margot* (1994), *Diabolique* (1996).

Adjarie, rép. auton. de Géorgie, sur la mer Noire; 3 000 km^2; 390 000 hab.; cap. *Batoumi.*

adjectif, ive n. m. et adj. GRAM **1.** n. m. Mot variable qui peut être adjoint à un substantif, qu'il qualifie ou détermine. *Adjectif qualificatif épithète, attribut. Adjectifs déterminatifs* (démonstratif, possessif, numéral, indéfini, relatif, interrogatif ou exclamatif). **2.** adj. Qui a valeur d'adjectif, est employé comme adjectif. *Forme adjective.*

adjectival, ale, aux adj. Relatif à l'adjectif; de la nature d'un adjectif. *Usage adjectival.*

adjectivement adv. Avec la valeur d'un adjectif.

adjectiver v. tr. [1] Donner la fonction d'adjectif à. *Adjectiver un participe passé.*

Adjer. V. Ajjer.

adjoindre v. tr. [56] **1.** Associer (une personne) à une autre comme auxiliaire. *On a dû lui adjoindre quelqu'un pour finir le travail.* ▷ v. pron. *Il s'est adjoint un collaborateur.* **2.** Ajouter (une chose) à une autre.

adjoint, ointe adj. et n. **1.** Associé comme auxiliaire. *La secrétaire adjointe est très compétente.* ▷ Subst. Personne adjointe à une autre, chargée de l'assister. *Adjoint au maire.* **2.** MATH Qualifie un être mathématique construit à partir d'un autre. *Soit M une matrice : on appelle matrice adjointe de M la matrice conjuguée de la transposée de M.*

adjonction n. f. **1.** Action d'adjoindre. *L'adjonction d'un carburateur supplémentaire a permis d'améliorer le rendement du moteur.* **2.** Ce qui est adjoint. *Adjonctions dans la nouvelle édition d'un ouvrage.*

adjudant n. m. Sous-officier de grade intermédiaire entre celui de sergent-chef ou de maréchal des logis-chef et celui d'adjudant-chef.

adjudant-chef n. m. Militaire du grade le plus élevé, après le major, dans la hiérarchie des sous-officiers. *Des adjudants-chefs.*

adjudicataire n. et adj. DR Personne en faveur de qui a été prononcée une adjudication. ▷ adj. *Une entreprise adjudicataire.*

adjudicateur, trice n. DR Personne (physique ou morale) qui met en adjudication.

adjudication n. f. **1.** Attribution par autorité de justice d'un bien vendu aux enchères. *Adjudication volontaire, judiciaire.* **2.** *Adjudication administrative,* ayant pour objet le marché de fournitures ou de travaux dont les prix doivent être payés par des collectivités ou des établissements publics. *Adjudication d'une construction à une entreprise.*

adjuger v. tr. [13] **1.** Attribuer par adjudication. *Maître Untel, commissaire-priseur, adjuge une pendule ancienne à un amateur. Adjugé, vendu!* **2.** Attribuer (qqch) à (qqn). ▷ v. pron. S'attribuer. *Il s'est adjugé les meilleurs morceaux.*

adjuration n. f. Action d'adjurer; prière pressante, supplication. *Je suis bien décidé, et toutes vos adjurations sont inutiles.*

adjurer v. tr. [1] Prier (qqn) instamment, conjurer (qqn) de (faire qqch). *Je vous adjure de dire la vérité, de ne pas partir.* Syn. supplier.

adjuvant, ante n. m. et adj. **1.** MED Médicament qui renforce l'action du médicament principal. *Un adjuvant doit être ajouté à un antigène pour qu'il entraîne une réaction immunitaire de l'organisme.* **2.** TECH, CHIM Corps qui facilite une réaction, une imprégnation (teinture, impression). ▷ CONSTR Produit qui améliore les caractéristiques du béton. **3.** Ce qui renforce l'action de quelque chose. ▷ adj. *Une substance adjuvante.*

Adler (Victor) (Prague, 1852 – Vienne, 1918), homme politique autrichien; l'un des fondateurs du parti social-démocrate et dirigeant de la IIe Internationale.

Adler (Alfred) (Vienne, 1870 – Aberdeen, 1937), médecin et psychanalyste autrichien. Disciple de Freud, il se sépara de lui en 1911, insistant sur le sentiment d'infériorité du névrosé face à la société dans laquelle la cure doit le réintégrer; il enseigna à New York à partir de 1929. Principales œuvres : *le Tempérament nerveux* (1912), *la Connaissance de l'homme* (1927), *le Sens de la vie* (1930).

ad libitum [adlibitɔm] loc. adv. (lat.) À volonté, au gré de chacun. ▷ MUS Au choix de l'interprète (abrégé *ad lib.*).

Admète, l'un des Argonautes; roi de Phères en Thessalie, époux d'Alceste.

admettre v. tr. [60] **I.** *Admettre quelqu'un.* **1.** Recevoir après agrément. *Admettre quelqu'un dans une société.* **2.** *Admettre quelqu'un à,* lui permettre de, l'autoriser à. *Admettre quelqu'un à se justifier.* **II.** *Admettre quelque chose.* **1.** Accepter pour valable, pour vrai. *J'ai admis ses raisons, cette hypothèse.* **2.** Prendre en considération, donner une suite favorable à (ce qui est demandé). *Admettre une requête.* **3.** Comporter, souffrir. *Cette règle admet des exceptions.* **4.** Permettre, tenir pour acceptable. *Je n'admets pas qu'on se comporte de cette façon.* **5.** Laisser entrer dans (un lieu, une enceinte close).

administrateur, trice n. Personne chargée d'administrer des biens. *Administrateur de société* : membre du conseil d'administration d'une société anonyme, nommé par l'assemblée générale pour une durée prévue par les statuts. *Administrateur judiciaire,* nommé par autorité de justice dans le cadre du redressement judiciaire d'une société.

administratif, ive adj. et n. **1.** De l'administration, relatif à l'administration. **2.** n. Personne occupant une fonction dans une administration.

administration n. f. **1.** Gestion. *Administration des biens d'un mineur.* ▷ *Conseil d'administration,* qui gère une société anonyme. **2.** Direction des affaires publiques ou privées. ▷ *L'administration publique* ou *l'Administration* : la direction des affaires publiques. – *École nationale d'administration.* V. É.N.A. **3.** Autorité chargée d'une partie de la direction des affaires publiques. *Administration centrale, départementale, municipale.* ▷ Corps d'employés d'un service public. *L'administration des Finances.* ▷ Siège d'un service public. *Je vais à l'administration des Douanes.* **4.** Action d'administrer (sens II). *Administration des sacrements, de preuves.*

administrativement adv. Suivant les règlements administratifs.

administré, ée adj. et n. **1.** n. Citoyen, citoyenne dépendant d'une administration particulière. *Le maire sera regretté de ses administrés. Mes chers administrés...* **2.** adj. FIN Se dit d'un taux d'intérêt fixé par l'Administration (livret A des Caisses d'épargne, par ex.).

administrer v. tr. [1] **I. 1.** Gérer. *Administrer des biens.* **2.** Diriger au moyen d'une administration. *Administrer un pays.* **II.** Donner, faire prendre (par qqn). **1.** *Administrer des preuves,* les produire en justice. **2.** *Administrer un médicament à un malade,* le lui faire absorber. **3.** *Administrer les sacrements,* les conférer. – *Administrer un malade,* lui donner le sacrement des malades (autref. extrême-onction). **4.** *Administrer une correction à qqn,* le battre, le maltraiter physiquement.

admirable adj. Qui mérite, suscite l'admiration. *Un spectacle admirable.* ▷ Iron. Étonnant. *Une audace admirable.*

admirablement adv. D'une manière admirable, merveilleusement.

admirateur, trice n. Personne qui admire (une autre personne). *Bouquet envoyé à une actrice par un admirateur.*

admiratif, ive adj. Qui exprime l'admiration. *Exclamation admirative.*

admiration n. f. Sentiment que fait éprouver ce qui est beau, ce qui est grand. *Cette œuvre fait l'admiration de tous. Être en admiration devant le paysage.* Ant. mépris, dédain.

admirativement adv. D'une manière admirative.

admirer v. tr. [1] Considérer avec approbation, enthousiasme. *Admirer une belle action. J'admire l'art avec lequel le peintre a su rendre l'expression de ce visage.* ▷ Iron. *J'admire ton inconscience.*

admis, ise adj. **I. 1.** Reçu (dans une société, un groupe) après agrément. *Personne admise dans un cercle très fermé.* ▷ Reçu à un concours, un examen. *Élève admis à Polytechnique.* **2.** Reçu, autorisé à entrer (dans un lieu). *Personne ne sera admis dans la salle après le début du spectacle.* **3.** *Admis à :* autorisé à. *Être admis à faire valoir ses droits à la retraite.* **II. 1.** Accepté, reconnu pour valable, pour vrai. *C'est l'opinion communément admise.* **2.** Permis par l'usage; autorisé. *Un tel comportement ne saurait être admis ici.* **3.** Qui a pénétré dans une enceinte close. *Les gaz admis dans le cylindre sont comprimés au retour du piston.*

admissibilité n. f. **1.** Caractère de ce qui peut être admis, reçu pour valable, pour vrai. **2.** Situation d'un candidat admissible. *Admissibilité à l'agrégation.*

admissible adj. **1.** Qu'on peut admettre. **2.** Reçu à la première partie éliminatoire d'un examen ou d'un concours et admis à subir les épreuves complémentaires.

admission n. f. **1.** Fait d'admettre, d'être admis. ▷ *Admission en franchise*.* ▷ FIN *Admission à la cote* : inscription d'une valeur négociable sur le marché des agents de change. **2.** Fait d'être reçu définitivement à un examen ou à un concours. **3.** TECH Entrée des gaz dans le cylindre d'un moteur à explosion (premier temps d'un cycle).

admittance n. f. ELECTR Quotient (exprimé en siemens) de l'intensité efficace du courant qui parcourt un dipôle par la tension efficace aux bornes de celui-ci. Ant. impédance.

admonestation n. f. Litt. Réprimande, vive semonce.

admonester v. tr. [1] Litt. Faire une remontrance à, réprimander. *Je l'ai vivement admonesté.* Syn. blâmer.

A.D.N. n. m. BIOCHIM Sigle de *acide désoxyribonucléique.* (V. nucléique.)

adné, ée adj. BOT *Organe adné,* très étroitement collé ou soudé à un autre organe.

ado n. Fam. Adolescent, ente.

adobe n. m. Brique crue séchée au soleil.

Ado Ekiti, v. du Nigeria (État d'Oyo), à l'E. d'Oshogdo; 325 000 hab.

adolescence n. f. Âge compris entre la puberté et l'âge adulte.

adolescent, ente n. et adj. **1.** n. Jeune garçon, jeune fille dans l'adolescence. **2.** adj. De l'adolescence. *La sexualité adolescente.*

Adolphe de Nassau (?, 1248 ou 1255 – ?, 1298), empereur germanique

(1292-1298). Il fut défait et tué par Albert de Habsbourg.

Adolphe-Frédéric (Gottorp, 1710 – Stockholm, 1771), roi de Suède (1751-1771). Il ne put mettre fin aux factions des Bonnets et des Chapeaux (V. Suède).

Adonaï (mot hébr. : «mon seigneur»), un des noms bibliques de Dieu.

adonis [adɔnis] n. 1. n. m. Jeune homme particulièrement beau. 2. n. m. ENTOM Papillon diurne dont le mâle est bleu vif. 3. n. f. BOT Petite plante herbacée (fam. renonculacées) aux fleurs jaunes ou rouges.

Adonis, astéroïde découvert en 1936, dont le diamètre ne dépasse pas 3 km. Du fait de son orbite très excentrique, il est susceptible de s'approcher très près de la Terre (3 000 000 de km).

Adonis, jeune chasseur de Byblos (Phénicie), aimé d'Aphrodite pour sa beauté; célébré comme une divinité dans les fêtes appelées *Adonies*.

adonner (s') v. pron. [1] Se livrer (à une activité, une pratique). *S'adonner à l'étude, au jeu.*

adoptable adj. Qui peut être adopté.

adoptant, ante adj. et n. Se dit d'une personne qui adopte un enfant.

adopté, ée adj. et n. Se dit d'une personne qui a été l'objet d'une adoption.

adopter v. tr. [1] 1. Prendre pour fils ou pour fille, dans les formes prescrites par la loi. *Adopter un enfant.* ▷ Choisir avec prédilection. *Il m'adopta pour ami.* 2. Choisir, admettre (une idée). *J'ai adopté cette opinion.* 3. Donner son approbation à une proposition (en parlant d'une assemblée délibérante). *L'Assemblée a adopté ce projet de loi.*

adoptif, ive adj. 1. Qui a été adopté. *Fils adoptif.* 2. Qui a adopté. *Mère adoptive.*

adoption n. f. 1. Action de prendre légalement pour fils ou pour fille. *Enfant par adoption. Adoption plénière,* qui assimile l'adopté à un enfant légitime. *Adoption simple,* qui attribue l'autorité parentale à la personne qui adopte, mais laisse les liens de l'adopté avec sa famille d'origine subsister à titre subsidiaire (obligations alimentaires et droits héréditaires). ▷ *Patrie d'adoption* : pays qu'un étranger résident reconnaît pour sien. 2. Action d'adopter (sens 3), de donner son approbation. *Adoption d'un projet de loi.*

adorable adj. Qui plaît extrêmement par sa beauté, sa grâce. *Une femme adorable.* Syn. délicieux, exquis, charmant.

adorablement adv. D'une manière adorable, charmante.

adorateur, trice n. 1. Personne qui adore, rend un culte à (une divinité). *Les adorateurs d'idoles des religions animistes.* 2. Personne éprise avec passion. *Cette femme a de nombreux adorateurs.*

adoration n. f. 1. Culte rendu à une divinité. – THEOL Glorification de la souveraineté de Dieu par le culte de latrie. 2. Passion, attachement extrême. *L'adoration d'une mère pour ses enfants. Il est en adoration devant elle.*

adorer v. tr. [1] 1. Rendre un culte à (une divinité). *«Oui, je viens dans son temple adorer l'Éternel»* (Racine). 2. Aimer avec passion (qqn). *Il adore ses petits-enfants.* ▷ Aimer beaucoup (qqch). *Adorer la musique.*

Adorno (Theodor Wiesengrund) (Francfort-sur-le-Main, 1903 – Viège, 1969), philosophe, sociologue et musicologue allemand. Fondateur avec Max Horkheimer de l'école de Francfort (1923), théoricien de la «pensée négative» (*Negative Dialektik,* 1966), sa réflexion recouvre philosophie, marxisme, sociologie et esthétique (*Philosophie de la musique nouvelle,* 1949).

ados [ado] n. m. AGRIC Terre qu'on élève en talus le long d'un mur bien exposé, pour y obtenir des primeurs.

adossement n. m. État de ce qui est adossé.

adosser v. tr. [1] Faire prendre appui à, avec le dos, la face postérieure. *Adosser une maison contre un rocher.* ▷ v. pron. S'appuyer avec le dos contre, s'appuyer contre. *S'adosser à un mur. Appentis qui s'adosse à une maison.* – Pp. adj. *Être bien adossé.*

Adoua, v. d'Éthiopie et anc. cap. du Tigré; 13 820 hab. – Victoire de Ménélik II sur les Italiens (1896).

adoubement n. m. HIST Cérémonie au cours de laquelle, au Moyen Âge, un bachelier* était armé chevalier et recevait son équipement et ses armes.

adoubement : *Histoire du Saint-Graal,* miniature du XIVe s.; B.N.

adouber v. tr. [1] 1. HIST Au Moyen Âge, armer chevalier un bachelier*. 2. Aux échecs, aux dames, jouer une pièce à l'essai.

adoucir v. [3] I. v. tr. 1. Rendre plus doux (ce qui est acide, amer, salé, piquant, âcre). *Le sucre adoucira ces fruits. Ce savon adoucit la peau. Adoucir sa voix.* 2. TECH Procéder à l'adoucissage ou à l'adoucissement de. *Adoucir une glace à l'émeri. Adoucir des couleurs. Adoucir une eau trop calcaire.* 3. Fig. Atténuer, tempérer. *Adoucir une expression. Adoucir un mal, un ennui.* II. v. pron. Devenir plus doux. *Le temps s'adoucit. Son humeur s'adoucit.*

adoucissage n. m. 1. Polissage d'une surface (pierre, métal, verre). 2. Atténuation de la vivacité des teintes (peintures, teintures).

adoucissant, ante adj. (et n. m.) 1. Qui adoucit la peau, calme les irritations. *Pommade adoucissante.* 2. Qui assouplit le linge. *Un produit adoucissant.* ▷ n. m. *Un adoucissant.*

adoucissement n. m. 1. Action d'adoucir; fait de s'adoucir; état d'une chose adoucie. *L'adoucissement de la température.* 2. Fig. Atténuation, soulagement. *Adoucissement d'une peine.* 3. TECH Réduction de la teneur en sels de calcium d'une eau, afin de la rendre propre à son utilisation (à sa consommation, par ex.).

adoucisseur n. m. Appareil pour adoucir l'eau.

Adoula (Cyrille) (Kinshasa, 1921 – Lausanne, 1978), homme politique de la Rép. dém. du Congo. Il fut l'un des fondateurs du Mouvement national congolais (1958) et Premier ministre de 1961 à 1964.

Adour, fl. français des Pyrénées occid. (335 km); naît près du Tourmalet et se jette dans l'Atlantique; estuaire dangereux (barre).

A.D.P. n. f. BIOCHIM Sigle de *adénosine-diphosphate.*

ad patres [adpatʀɛs] loc. adv. *Envoyer ad patres* : tuer.

adragant [adʀagɑ̃] n. m., **adragante** ou **adraganthe** [adʀagɑ̃t] n. f. Matière gommeuse produite par plusieurs astragales.

Adrar, plateau désertique du N. de la Mauritanie, aux confins du Sahara occid. Oasis; v. princ. *Atar.*

Adrar, oasis saharienne d'Algérie (Touat); ch.-l. de la wilaya du m. nom; 28 500 hab. Culture intensive de tomates.

Adrar des Ifoghas ou **Iforas,** massif montagneux du Mali.

Adraste, roi d'Argos; un des sept chefs ligués contre Étéocle, roi de Thèbes.

adrénaline n. f. BIOCHIM Hormone du groupe des catécholamines sécrétée par la médullosurrénale.

ENCYCL Son action permet à l'organisme de s'adapter à des agressions extérieures. Elle accélère le rythme cardiaque, contracte les vaisseaux, augmente la tension artérielle, provoque la libération de sucre par le foie, contracte les musculatures intestinale et bronchique. L'adrénaline est également le plus parfait des sympathicomimétiques et le médiateur chimique des synapses du système sympathique.

adrénergique adj. BIOCHIM Propre à la libération d'adrénaline; qui agit grâce à l'adrénaline. ▷ adj. et n. m. Syn. de *sympathomimétique.*

adrénolytique adj. et n. m. Syn. de *sympatholytique.*

adressage n. m. INFORM Action d'adresser une mémoire; ensemble des moyens utilisés *(modes d'adressage)* pour accéder à des informations contenues dans une mémoire.

1. adresse n. f. 1. Habileté dans les gestes. *Jongler avec adresse.* Syn. dextérité. Ant. gaucherie, maladresse. 2. Habileté à obtenir un résultat. *Traiter une affaire avec adresse.*

2. adresse n. f. 1. Indication du nom et du domicile d'une personne. *Inscrire une adresse sur une enveloppe.* 2. Lieu du domicile. *Je n'habite plus à cette adresse.* 3. *À l'adresse de* : destiné à, à l'intention de. *Cette allusion était évidemment à mon adresse.* 4. Didac. Dans un classement, mot ou formule sous lesquels se trouve une information. 5. INFORM Numéro d'ordre dans une mémoire, permettant d'identifier une information ou une donnée, et d'y accéder.

adresser v. [1] I. v. tr. 1. Dire, exprimer (qqch à l'intention de qqn). *Adresser des remerciements à quelqu'un. Je ne lui adresse plus la parole.* 2. Envoyer vers (qqn), faire parvenir (à qqn). *Vous pouvez lui adresser cette lettre chez ses parents.* 3. Envoyer (une personne à une autre). *C'est l'ami qui m'a adressé son fils.* **4.** INFORM Fournir (à une mémoire) une adresse de mot afin d'accéder au contenu de ce mot (donnée, information). **II.** v. pron. **1.** Parler (à qqn). *Il s'adressa au peuple. À qui pensez-vous vous adresser?* ▷ Être destiné à. *C'est à moi que cette question s'adresse?* **2.** Aller trouver, avoir recours à. *Les bureaux sont fermés, il faudrait vous adresser au gardien.*

adret [adʀɛ] n. m. Rég. Versant d'une montagne exposé au soleil, opposé à l'*ubac*.

Adrets (François de Beaumont, baron des) (château de la Frette, Dauphiné, 1513 - id., 1587), homme de guerre français. Catholique passé à la Réforme (1562), il combattit les catholiques dans le Midi, puis, revenu au catholicisme, les protestants à partir de 1567. Il s'illustra par ses cruautés.

Adria, v. d'Italie (rég. de Vénétie); 21 700 hab. - Anc. port, elle est auj. à 20 km de la mer Adriatique, qui lui doit son nom.

Adriatique (mer), mer formée par la Méditerranée entre les péninsules italienne et balkanique; 835 km de long entre Otrante et Trieste; 180 km de largeur moyenne; 131 500 km^2. La côte ital. est régulière; la côte balkanique présente de nombreuses îles rocheuses.

Adrien, nom de six papes, dont : - **Adrien Ier** (772-795); - **Adrien II** (867-872); - **Adrien IV** (Nicolas Breakspear) (1154-1159), le seul pape anglais; - **Adrien VI** (Adriaan Floriszoon) (1522-1523), dernier pape non italien avant Jean-Paul II.

Adrien. V. Hadrien.

adroit, oite adj. **1.** Qui a de l'adresse. *Être adroit de ses mains. Un adroit financier.* **2.** Qui est fait avec adresse, habileté. *Un compliment adroit.* Syn. habile, ingénieux. Ant. gauche, maladroit.

adroitement adv. Avec adresse, habileté.

Adrumète. V. Hadrumète.

adsorber v. tr. [1] PHYS, CHIM Fixer par adsorption.

adsorption n. f. PHYS, CHIM Fixation d'ions libres, d'atomes ou de molécules à la surface d'une substance. Ant. désorption.

Adula, massif des Alpes suisses (3 398 m au Rheinwaldhorn).

adulation n. f. **1.** Vx Flatterie basse et intéressée. **2.** Louange enthousiaste ou excessive.

aduler v. tr. [1] **1.** Vx Flatter bassement, louer excessivement et avec fausseté. **2.** Multiplier les éloges, les louanges, à l'adresse de (qqn). *Vedette adulée du public,* pour laquelle le public multiplie les témoignages d'enthousiasme, d'adoration.

adulte adj. et n. **1.** adj. Arrivé au terme de sa croissance. *Bête adulte. Plante adulte. L'âge adulte,* qui succède à l'adolescence. **2.** n. Personne arrivée au terme de sa croissance.

1. adultère adj. (et n.) Qui a, qui a eu des rapports sexuels avec quelqu'un d'autre que son conjoint.

2. adultère n. m. Fait, pour une personne mariée, d'avoir des rapports sexuels avec quelqu'un d'autre que son conjoint.

adultérin, ine adj. Né d'un adultère. *Fille adultérine.* - Qui se rapporte à l'adultère. *Relations adultérines.*

advenir v. intr. défectif (n'est utilisé qu'à l'infinitif et à la 3e pers. du sing.) [36] Arriver, se produire. *Il advint que...* - (Prov.) *Fais ce que dois, advienne que pourra* : fais ton devoir sans t'inquiéter des conséquences.

adventice adj. **1.** PHILO *Idées adventices,* qui viennent des sens, par opposition aux *idées innées.* **2.** AGRIC Qui pousse sans avoir été semé. *Plantes adventices* : mauvaises herbes. **3.** Fig. Annexe, subsidiaire. *Une idée adventice se greffa sur le projet initial.*

adventif, ive adj. **1.** BOT Se dit des racines et des bourgeons qui croissent hors de leur place normale de développement. *Racines adventives du lierre.* **2.** GEOL *Cônes adventifs,* qui se forment sur les pentes du cône initial d'un volcan.

adventiste n. et adj. Membre d'un mouvement chrétien, d'origine américaine, qui, s'appuyant sur une interprétation des prophètes et de l'Apocalypse, attend comme imminente une seconde venue du Christ sur Terre pour un règne de mille ans. ▷ adj. *Doctrine adventiste.*

adverbe n. m. GRAM Mot invariable qu'on joint à un verbe, à un adjectif, à un autre adverbe, à une phrase pour en compléter ou en modifier le sens (par ex. : il lit *couramment;* une maison *trop* petite). *Adverbe de manière, de lieu, de temps, de quantité, d'affirmation, de négation, de doute.*

adverbial, ale, aux adj. GRAM Qui remplit le rôle d'un adverbe. *Locution adverbiale.*

adverbialement adv. GRAM Avec une valeur d'adverbe. *Les adjectifs employés adverbialement sont invariables.*

adversaire n. Personne à laquelle on est opposé, contre qui on lutte. *Battre, vaincre un adversaire.* Syn. antagoniste. Ant. auxiliaire, allié.

adversatif, ive adj. GRAM Qui marque l'opposition. *Adverbe adversatif. Conjonction adversative.*

adverse adj. Contraire, opposé. *Fortune adverse.* ▷ DR *La partie adverse* : l'adversaire, dans un procès.

adversité n. f. Sort contraire; situation de celui qui le subit. *Lutter contre l'adversité. Garder sa dignité dans l'adversité.* Syn. infortune, misère.

ad vitam æternam [advitametɛʀnam] loc. adv. (Lat., «pour la vie éternelle».) Fam. Pour toujours, indéfiniment. *Je suppose que tu ne t'installes pas dans ce trou perdu ad vitam æternam?*

aède n. m. Dans la Grèce antique, poète qui chantait ses propres œuvres, psalmodiées au son de la lyre.

A.-É.F. Sigle de *Afrique*-Équatoriale française.*

Ægates, Égates ou **Égades,** nom d'un groupe d'îles à l'O. de la Sicile. - Victoire navale des Romains sur les Carthaginois (241 av. J.-C.), qui mit fin à la première guerre punique.

Ægos-Potamos ou **Aigos-Potamos** (auj. *Indjelimen*), rivière de Thrace à l'embouchure de laquelle le Spartiate Lysandre défit la flotte athénienne (405 av. J.-C.) lors de la guerre du Péloponnèse*.

A.E.L.É. Sigle de *Association européenne de libre-échange.* (V. Europe.)

æpyornis ou **épyornis** [epjɔʀnis] n. m. ZOOL Ratite géant, ayant l'aspect d'une énorme et massive autruche, qui habita Madagascar du pléistocène au Moyen Âge.

aér(o)-. Préfixe, tiré du grec *aêr,* «air», et indiquant un rapport soit avec l'air et l'atmosphère, soit avec la navigation aérienne.

aérateur n. m. Appareil qui sert à renouveler l'air d'un local.

aération n. f. Action d'aérer; son résultat.

aéré, ée adj. Où l'air circule librement. *Local bien aéré.*

aérer v. [14] **1.** v. tr. Renouveler l'air de, donner accès à l'air dans (un local clos). *Aérer une chambre.* ▷ Mettre à l'air. *Aérer un matelas.* **2.** Fig. Rendre moins dense. *Page dont on aère la présentation,* qu'on rend plus lisible en espaçant les lignes. **3.** v. pron. Respirer, prendre l'air. *Je vais faire un tour pour m'aérer un peu.*

aérien, enne adj. et n. m. **I.** adj. **1.** De l'air; qui appartient à l'air, à l'atmosphère. *Couches aériennes. Phénomènes aériens.* ▷ Fig. Léger comme l'air, vaporeux. *Créature, grâce aérienne.* **2.** Dont l'air est le milieu vital. *Animaux aériens.* ▷ BOT *Racines aériennes,* qui se développent et vivent hors du sol. **3.** Relatif au transport par air, à l'aviation; qui utilise l'avion. *Lignes aériennes. Navigation aérienne. Attaque aérienne.* **4.** Suspendu au-dessus du sol. *Câble aérien.* **II.** n. m. ELECTR Conducteur suspendu. *Un aérien.* - Antenne d'un appareil de radio, de télévision, d'un radar.

aérifère adj. BIOL Qui conduit l'air nécessaire à la respiration des êtres vivants. *Lacunes aérifères.*

aérium [aeʀjɔm] n. m. Établissement de cure d'air et de repos pour les convalescents ou les sujets fragiles.

aéro-. V. aér(o).

aérobic n. m. Gymnastique visant à améliorer la respiration et l'oxygénation des tissus, qui se pratique sur une musique à rythme très soutenu.

aérobie adj. **1.** adj. Didac. Qui nécessite de l'oxygène, a besoin d'oxygène. *Sport aérobie. Moteur aérobie. Bactéries aérobies.* Ant. anaérobie. **2.** n. f. MED Apport d'oxygène lors d'une activité physique.

aérobiose n. f. BIOL Ensemble des conditions de vie en air libre.

aéro-club ou **aéroclub** n. m. Club dont les membres pratiquent en amateur les activités aéronautiques (pilotage, vol à voile, parachutisme, aéromodélisme). *Des aéro-clubs.*

aérocolie n. f. MED Accumulation de gaz dans le côlon.

aérocondenseur n. m. TECH Appareil destiné à refroidir un gaz ou un liquide par convection naturelle ou forcée.

aérodrome n. m. Terrain aménagé pour le décollage et l'atterrissage des avions, et pourvu des installations nécessaires à leur maintenance.

aérodynamique n. f. et adj. **I.** n. f. **1.** Science des phénomènes physiques liés au déplacement des corps solides dans l'atmosphère. **2.** Forme aérodynamique d'un véhicule. **II.** adj. **1.** Relatif à cette science. **2.** Se dit des engins carénés de façon à opposer à l'air une résistance minimale. *Carrosserie aérodynamique.*

aérodynamisme n. m. Caractère de ce qui est aérodynamique.

aérofrein n. m. Dispositif de freinage d'un avion, d'une automobile de course, utilisant la résistance que l'air oppose à l'avancement.

aérogare n. f. **1.** Ensemble des installations d'un aéroport destinées aux voyageurs et au fret. **2.** Gare assurant la desserte d'un aéroport.

aérogastrie n. f. MED Trouble dû à l'accumulation d'air dans l'estomac.

aéroglisseur n. m. Véhicule terrestre ou marin dont la sustentation est assurée par un coussin d'air.

aérogramme n. m. Feuille de papier à lettres aux bordures préencollées, pour former une enveloppe, vendue affranchie et prête à l'expédition par avion.

aérographe n. m. TECH Pistolet pulvérisateur à air comprimé employé pour appliquer des couleurs liquides (dans le domaine des arts plastiques, notam.).

aérolithe n. f. Météorite pierreuse.

aérologie n. f. Didac. Étude des caractéristiques physiques et chimiques de la troposphère et de la stratosphère.

aéromodélisme n. m. Technique de la construction et de l'utilisation des modèles réduits d'avions.

aéronaute n. Personne embarquée à bord d'un aérostat.

aéronautique adj. Relatif à la navigation aérienne. ▷ n. f. Science de la navigation aérienne; technique de la construction des aéronefs.

aéronaval, ale, als adj. Qui relève à la fois de l'aviation et de la marine. *Puissance aéronavale.* ▷ n. f. *L'Aéronavale :* en France, l'ensemble des forces aériennes dépendant de la Marine nationale.

aéronef n. m. Tout appareil capable d'évoluer dans les airs par ses propres moyens (avions, hélicoptères, aérostats).

aéronomie n. f. Didac. Science, étude de la haute atmosphère.

aérophagie n. f. MED Déglutition excessive d'air, pouvant provoquer la dilatation de l'œsophage ou de l'estomac.

aéroplane n. m. Vieilli Avion.

aéroport n. m. **1.** Ensemble d'installations (pistes, tour de commande, aérogare, gare de fret, zone industrielle) aménagées pour le trafic aérien. **2.** Organisme chargé de la gestion et du contrôle des installations de l'aviation civile dans une région.

aéroporté, ée adj. MILIT Qualifie les troupes transportées par voie aérienne et parachutées sur l'objectif. *Division aéroportée.* (V. aérotransporté.)

aéroportuaire adj. Qui se rapporte à un aéroport.

aéropostal, ale, aux adj. Relatif à la poste aérienne.

aérosol n. m. Dispersion dans un gaz de particules microscopiques. ▷ Système permettant la diffusion ou la vaporisation de ces particules.

aérospatial, ale, aux adj. et n. f. Qui relève à la fois de l'aéronautique et de l'astronautique. *Techniques aérospatiales.* – n. f. *L'aérospatiale.*

aérostat [aeʀosta] n. m. Tout appareil dont la sustentation dans l'air est assurée par l'emploi d'un gaz plus léger que l'air. *Les ballons, les dirigeables sont des aérostats.*

aérostation n. f. Conception et manœuvre des aérostats.

aérostatique adj. et n. f. **1.** adj. Qui concerne l'aérostation. **2.** n. f. Science qui traite de l'équilibre des fluides élastiques.

aérotrain n. m. (Nom déposé.) Véhicule à sustentation par coussin d'air, utilisant une voie spéciale, et capable d'atteindre de grandes vitesses.

aérotransporté, ée adj. MILIT Se dit de troupes transportées par voie aérienne et déposées au sol par atterrissage de l'appareil (V. aéroporté).

æschne [aɛskn; ɛʃn] n. f. ENTOM Libellule européenne de grande taille, à l'abdomen coloré, commune près des étangs. ► illustr. **libellule**

Aetius (prov. de Mésie, v. 390 – ?, 454), général romain. Véritable maître de l'Empire à partir de 433, il contribua à la défaite d'Attila à la bataille des champs Catalauniques, en 451. Valentinien III le fit assassiner.

Afar(s) ou **Danakil,** groupe ethnique vivant entre la mer Rouge (Djibouti) et le massif septent. abyssin. Pasteurs nomades, de plus en plus sédentarisés, ils parlent une langue couchitique (l'afar).

Afars et des Issas (territoire français des). V. Djibouti.

affabilité n. f. Qualité d'une personne affable. Syn. aménité, courtoisie.

affable adj. Qui accueille les autres avec amabilité, douceur. *Manières affables,* courtoises. Syn. aimable, sociable. Ant. froid, hautain.

affabulation n. f. **1.** Trame d'une œuvre de fiction. **2.** Mensonge, travestissement de la vérité.

affabuler v. intr. [1] Se livrer à des affabulations, à des mensonges.

affacturage n. m. Gestion des créances d'une entreprise, effectuée par une société spécialisée. Syn. off. recommandé de *factoring.*

affadir v. tr. [3] Rendre fade, insipide. *Affadir une sauce. Affadir des couleurs.* ▷ v. pron. Fig. *Son style s'est affadi.*

affadissement n. m. Fait de devenir fade, insipide.

affaibli, ie adj. Dont la force, l'intensité a été diminuée.

affaiblir v. tr. [3] Diminuer la force physique ou l'énergie morale de, rendre faible. *La maladie l'a affaibli.* Syn. débiliter, diminuer. Ant. fortifier. ▷ v. pron. Devenir faible. *Ma vue s'affaiblit.* – Fig. *Le sens de ce mot s'est affaibli avec le temps,* a perdu de sa force d'expression.

affaiblissant, ante adj. Qui affaiblit. *Régime affaiblissant.*

affaiblissement n. m. Diminution de la force, de la puissance, de l'intensité. *L'affaiblissement de la monarchie. L'affaiblissement de la mémoire.* ▷ PHYS Diminution de l'amplitude d'une onde.

affaire n. f. **I. 1.** Ce qui concerne l'intérêt personnel de qqn. *C'est mon affaire :* cela ne concerne que moi. *J'en fais mon affaire :* je m'en charge. *Cela ferait bien mon affaire :* cela me conviendrait. ▷ (Plur.) Objets personnels, vêtements. *Il ne retrouve jamais ses affaires.* **2.** Ensemble de circonstances où des intérêts divers sont en jeu, s'opposent, s'affrontent. *Voilà une affaire à laquelle il vaut mieux ne pas être mêlé.* **3.** Ensemble de difficultés avec lesquelles une personne est aux prises; tracas, ennui. *Il s'est attiré une vilaine affaire.* – Fam. *Ce n'est pas une affaire! :* cela n'est pas bien grave, cela ne tire pas à conséquence. *N'en fais pas une affaire! :* ne prends pas cela trop à cœur, n'y attache pas d'importance. ▷ *Tirer qqn d'affaire,* lui épargner une difficulté, le sauver d'un danger. **4.** Ensemble de faits dont la justice a à connaître. *Plaider une affaire. Affaire criminelle.* ▷ Ensemble de faits délictueux ou criminels sur lesquels la police est chargée d'enquêter. **5.** Conflit. ▷ Conflit international, militaire ou diplomatique. *L'affaire de Suez.* ▷ Combat, engagement de troupes. *L'affaire fut chaude.* **II. 1.** *Affaire de...,* qui concerne... *Affaire d'honneur,* où l'honneur est en jeu (*spécial., par euph. :* duel). – *Affaire de cœur :* intrigue galante, amourette. ▷ *C'est une affaire de goût :* cela dépend du goût de chacun. – *C'est une affaire d'habitude :* il ne s'agit que de s'exercer, de s'accoutumer. **2.** *Avoir affaire à quelqu'un,* lui parler, traiter ou négocier avec lui. *J'ai eu affaire au directeur lui-même.* ▷ *Vous aurez affaire à moi!* (avertissement menaçant). **III.** Entreprise industrielle ou commerciale. *Le patron d'une affaire. L'affaire a été reprise par une société étrangère.* **IV. 1.** Transaction, marché. *Voilà une affaire conclue! Il a fait une affaire, une bonne affaire,* une transaction avantageuse. ▷ (Plur.) Opérations financières, commerciales; spéculations. *Cette maison fait beaucoup d'affaires. Chiffre d'affaires. Homme d'affaires. Les affaires sont les affaires :* quand il s'agit d'intérêt, les autres considérations n'ont pas à intervenir. **2.** (Plur.) Intérêts pécuniaires d'une personne. *Il est au courant de mes affaires. Mettre de l'ordre dans ses affaires.* **V.** (Plur.) Tout ce qui concerne l'administration et le gouvernement des choses publiques. *Les affaires de l'État. Affaires maritimes.*

affairé, ée adj. Qui a beaucoup à faire, qui s'empresse.

affairement n. m. Fait d'être affairé.

affairer (s') v. pron. [1] S'empresser, se montrer actif dans l'exécution d'une tâche.

affairisme n. m. Péjor. Préoccupation exclusive de faire des affaires, de gagner de l'argent.

affairiste n. Péjor. Homme d'affaires sans scrupules, préoccupé surtout par la recherche du profit.

affaissement n. m. Fait de s'affaisser; état de ce qui est affaissé. *L'affaissement de la chaussée.* – Fig. Accablement. *L'affaissement de son moral fait peine à voir.* ▷ GEOMORPH Mouvement d'abaissement du sol, dû aux forces tectoniques.

affaisser v. [1] **I.** v. tr. Rare Faire plier sous un poids, abaisser le niveau de. *Cette lourde armoire a affaissé le plancher.* **II.** v. pron. **1.** Plier, baisser de niveau sous l'effet d'un poids, d'une pression. *Le mur de soutènement s'est affaissé sous la poussée des terres.* **2.** Tomber lourdement, sans forces (êtres animés). *Il a eu une faiblesse et il s'est affaissé tout d'un coup.*

affalement n. m. Action de s'affaler. – État d'une personne affalée.

affaler v. [1] **1.** v. tr. MAR Laisser tomber, faire descendre rapidement. *À affaler la grand-voile!* **2.** v. pron. Se laisser tomber. *S'affaler sur son lit.* – Pp. adj. *Elle reste affalée toute la journée.*

affamé, ée adj. **1.** Qui a une très grande faim. *Loup affamé.* ▷ Subst. *Nourrir les affamés.* **2.** Fig. *Affamé de :* avide de. *Être affamé de gloire, d'argent.*

affamer v. tr. [1] Causer la faim en privant de nourriture. *Affamer la population d'une ville investie.*

affameur, euse n. Personne qui affame autrui. *Affameur du peuple.*

affect [afɛkt] n. m. PSYCHO État affectif. ▷ PSYCHAN État affectif considéré en tant qu'un des deux registres de la pulsion, l'autre étant la représentation.

1. affectation n. f. **1.** Imitation, faux-semblant. *Affectation de vertu.* **2.** Manque de naturel, de simplicité. *Il parle avec affectation.* Syn. afféterie.

2. affectation n. f. **1.** Destination (d'une chose) à un usage. *Affectation d'une somme à telle dépense.* **2.** Désignation à un poste, une fonction. *L'affectation d'un militaire.*

1. affecté, ée adj. **1.** Feint, imité. *Humilité affectée.* Ant. sincère. **2.** Qui manque de naturel, de simplicité. *Manières affectées.*

2. affecté, ée adj. Qui a reçu une affectation. *Officier récemment affecté.*

3. affecté, ée adj. **1.** Ému, affligé. *Il semble très affecté.* **2.** MATH Doté de (un coefficient, un exposant, etc.). *10^{-4} est un nombre affecté d'un exposant négatif.*

1. affecter v. tr. [1] **1.** Feindre. *Affecter la modestie. Il affecta de prendre pour argent comptant tous ces mensonges.* **2.** Prendre (une forme, une apparence). *Les cristaux de sel marin affectent la forme cubique.*

2. affecter v. tr. [1] **1.** Destiner (qqch) à un usage. *Affecter un véhicule au transport des denrées.* **2.** Donner une affectation à (qqn). *On a affecté ce fonctionnaire à Roubaix.*

3. affecter v. tr. [1] **1.** Mettre dans une certaine disposition; influer, agir sur (l'esprit, les sens). *Ces sons affectent désagréablement l'oreille.* **2.** Causer une impression pénible, de la peine. *Ce deuil m'affecte douloureusement.* ▷ v. pron. S'affliger, souffrir moralement de. *Ce malade s'affecte beaucoup de son état.* **3.** MATH Munir de, adjoindre à, afin d'obtenir une variation. *Affecter un nombre d'un coefficient, d'un exposant.*

affectif, ive adj. PSYCHO Relatif au plaisir, à la douleur, aux émotions. *Plaisir, douleur, émotions, sentiments sont des états affectifs.*

affection n. f. **1.** Sentiment d'attachement pour les êtres que l'on aime. *Affection paternelle.* Syn. inclination, tendresse. Ant. antipathie, aversion, haine. **2.** Vieilli État affectif. *Les affections de l'âme.* **3.** MED État morbide, maladie. *Affection cutanée.*

affectionné, ée adj. Dévoué, attaché par l'affection.

affectionner v. tr. [1] **1.** Avoir de l'affection pour. *Il affectionne particulièrement sa fille cadette.* Syn. aimer, chérir. Ant. détester. **2.** Avoir un goût marqué pour. *J'affectionne particulièrement cet endroit.*

affectivité n. f. Ensemble des phénomènes affectifs.

affectueusement adv. D'une manière affectueuse.

affectueux, euse adj. Qui manifeste de l'affection.

1. afférent, ente adj. **1.** DR Qui revient à chacun dans un partage. *Part afférente.* **2.** Vieilli Qui se rapporte à. *Rémunération afférente à un emploi.*

2. afférent, ente adj. ANAT Se dit d'un vaisseau sanguin, lymphatique, d'un nerf, etc., qui arrive à un organe. Ant. efférent.

affermage n. m. Location à ferme ou à bail.

affermer v. tr. [1] Donner ou prendre à ferme ou à bail. *Affermer une terre. Cultivateur qui afferme un domaine.* Syn. louer.

affermir v. tr. [3] **1.** Rendre ferme, stable, solide. *Affermir une muraille. L'exercice affermit les muscles.* **2.** Rendre plus fort, plus assuré. *Affermir sa voix. Affermir son pouvoir.* Ant. affaiblir, ébranler. ▷ v. pron. Devenir plus ferme.

affermissement n. m. Action d'affermir, de consolider; son résultat.

afféterie [afetʀi] ou **affèterie** n. f. Litt. Recherche prétentieuse, affectation dans le comportement, le style.

affichage n. m. **1.** Action d'afficher (au sens 1); résultat de cette action. *Le Code électoral limite l'affichage électoral à des panneaux d'affichage spéciaux.* **2.** TECH Présentation de données, de résultats, sur un écran de visualisation.

affiche n. f. Feuille imprimée, comportant un texte ou une représentation graphique, ou les deux, placardée et destinée à informer le public. *Affiche publicitaire. Affiche officielle collée à un emplacement réservé.*

afficher v. tr. [1] **1.** Publier, annoncer au moyen d'affiches; apposer une affiche. *Afficher un avis officiel.* **2.** Fig. Montrer ostensiblement, faire étalage de. *Il affiche un air satisfait.* ▷ v. pron. Péjor. Se montrer avec ostentation (*spécial.* en faisant étalage de sa vie privée). *Elle s'affiche avec son dernier amant.* **3.** TECH Visualiser par affichage (sens 2).

affichette n. f. Affiche de format réduit.

afficheur n. m. **1.** Personne qui pose des affiches. **2.** Entreprise qui assure la pose et la conservation d'affiches sur des emplacements réservés.

affichiste n. Artiste qui compose des affiches illustrées; concepteur d'affiches.

affidavit [afidavit] n. m. DR Certificat par lequel un porteur étranger de titres émis dans un pays obtient l'exonération des taxes qui frappent les autochtones.

affidé, ée adj. et n. m. **1.** adj. Vx En qui l'on a confiance. *Il se confia à une personne affidée.* **2.** n. m. Péjor. Espion, agent à tout faire.

affilage n. m. Action d'affiler un outil.

affilée (d') loc. adv. À la suite, sans discontinuer. *Dormir dix heures d'affilée.*

affiler v. tr. [1] Donner du fil à, aiguiser. *Affiler un rasoir.* ▷ Fig. *Avoir la langue bien affilée* : être médisant ou caustique.

affiliation n. f. Action d'affilier ou de s'affilier; fait d'être affilié.

affilié, ée n. Membre d'une organisation.

affilier v. tr. [2] **1.** Faire entrer (une organisation) dans un groupement qui en réunit plusieurs autres de même nature sous son autorité. *Affilier un club sportif à une fédération.* **2.** v. pron. Adhérer à (une organisation). *S'affilier à un parti.*

affin, ine adj. Didac. Qui présente des affinités. ▷ BIOL *Formes affines*, présentant des similitudes suggérant une parenté. ▷ MATH *Géométrie affine*, qui étudie les transformations par affinité.

affinage n. m. Action de rendre plus fin, de débarrasser des impuretés. *Affinage de la fonte.*

affinement n. m. Fait de s'affiner.

affiner v. tr. [1] **1.** Purifier, enlever les éléments étrangers mêlés à (une substance). *Affiner de l'or.* **2.** *Affiner des fromages*, leur faire achever leur maturation. **3.** Fig. Rendre plus fin, plus subtil. *Affiner le goût.* ▷ v. pron. Devenir plus fin, plus délié. *L'esprit s'affine par la conversation.*

affinité n. f. **1.** Vx Parenté par alliance. **2.** Attirance, sympathie due à une conformité de caractères, de goûts. *Il y avait entre eux une grande affinité.* Ant. antipathie. ▷ Analogie, accord entre des choses; rapport d'harmonie. *Décoration qui tient compte des affinités entre les formes et les couleurs.* **3.** CHIM Tendance qu'ont les corps de nature différente à réagir les uns sur les autres. *L'affinité chimique est mesurée par la diminution d'énergie libre du système entre l'état initial des réactants et leur état final.* **4.** GEOM *Transformation par affinité* : transformation plane qui fait correspondre à un point de coordonnées (x, y) un point (x, ky) où k est un nombre réel constant.

affiquet [afikɛ] n. m. Petit bijou, parure qu'on fixe à une robe, à la coiffure.

affirmatif, ive adj. **1.** Qui exprime l'affirmation. *Geste affirmatif.* **2.** (Personnes) Qui affirme. *C'est un homme trop sûr de lui et trop affirmatif.* **3.** *Proposition affirmative*, qui n'exprime ni une négation ni une interrogation. ▷ n. f. *Répondre par l'affirmative* : répondre «oui» à une proposition. *La majorité fut pour l'affirmative.*

affirmation n. f. **1.** Action d'affirmer. *Ton affirmation est bien catégorique!* **2.** Chose affirmée. *Il ne contrôle pas toujours ses affirmations.* **3.** Fait de se manifester nettement, avec autorité. *L'affirmation de ses possibilités. L'affirmation de soi.*

affirmativement adv. D'une manière affirmative.

affirmer **1.** v. tr. [1] Soutenir qu'une chose est vraie. *Vous pouvez me croire, je vous l'affirme.* **2.** Poser qu'une chose est. *Affirmer Dieu.* **3.** Manifester nettement. *Affirmer son autorité.* **4.** v. pron. Se manifester avec force. *Ses progrès s'affirment tous les jours.* **5.** Rendre plus consistant, plus net. *Affirmer une esquisse.*

affixe n. m. GRAM Élément de composition qui s'ajoute au commencement (préfixe), dans le corps (infixe) ou à la fin (suffixe) d'un mot pour en modifier le sens.

affleurement n. m. **1.** TECH Action d'affleurer, de mettre au même niveau. **2.** État de ce qui affleure (sens 2). ▷ GEOMORPH Partie d'une couche géologique qui apparaît en surface.

affleurer v. [1] **I.** v. tr. **1.** TECH Mettre au même niveau (deux pièces contiguës). *Affleurer une trappe au niveau d'un plancher.* **2.** (Choses) Arriver au niveau de. *L'eau affleure le quai.* **II.** v. intr. Être au niveau de la surface de l'eau, du sol. *Rochers qui affleurent à marée basse. Veine de minerai qui affleure.*

afflictif, ive adj. DR Qui concerne le corps et la vie intime (par oppos. à l'honneur, la réputation). *Peines afflictives et infamantes* : détention criminelle, réclusion criminelle.

affliction n. f. Litt. Peine morale, douleur profonde. *Deuil qui plonge une famille dans l'affliction.* Syn. chagrin, tristesse, désolation.

affligé, ée adj. **1.** Qui ressent de l'affliction. **2.** Qui est éprouvé par un malheur. *Pays affligé par la peste.* – Plaisant *Il est affligé de six enfants.*

affligeant, ante adj. **1.** Qui cause de l'affliction. *Une nouvelle affligeante.* **2.** Désolant (par sa médiocrité). *Un roman d'une pauvreté d'invention affligeante.*

affliger v. tr. [13] **1.** Causer de l'affliction à. *Cette nouvelle l'a affligé.* ▷ v. pron. Ressentir de l'affliction. **2.** Litt. Faire endurer de grandes souffrances à. *Une grave épidémie afflige actuellement ce pays.*

affluence n. f. **1.** Rassemblement d'un grand nombre de personnes arrivant en même temps dans un lieu. *Les heures d'affluence.* **2.** Abondance. *L'affluence des denrées fait baisser les prix.* Ant. disette, rareté.

affluent n. m. Cours d'eau qui se jette dans un autre. *La Marne est un affluent de la Seine.*

affluer v. intr. [1] **1.** Couler en abondance vers (en parlant du sang). *Sous l'effet de l'émotion, le sang lui afflua au visage.* **2.** Arriver en abondance, en nombre. *Les clients affluent.*

afflux [afly] n. m. **1.** Fait d'affluer (sens 1). *Afflux sanguin.* **2.** Arrivée d'un grand nombre de personnes. *L'afflux des vacanciers au début du mois d'août.*

affolant, ante adj. **1.** Qui affole, provoque une émotion violente. *Nouvelle affolante.* **2.** Qui trouble par les sens, émeut. *Un parfum affolant.* **3.** Fam. Angoissant, alarmant. *C'est affolant, ce que vous nous racontez là.*

affolement n. m. **1.** Action de s'affoler; état d'une personne affolée. *Allons, pas d'affolement!* Syn. panique. **2.** État de l'aiguille affolée d'une boussole.

affoler v. tr. [1] **1.** Rendre comme fou, égarer. *Cette nouvelle nous a affolés, nous ne savions plus que faire.* – Pp. adj. *Ils ont couru, affolés.* ▷ v. pron. Se troubler profondément, perdre la tête. *Ne vous affolez pas!* **2.** Faire subir à (une aiguille de compas) des variations brusques et irrégulières.

affouillement n. m. Enlèvement localisé de matériau meuble par un courant ou un remous de l'eau.

affourager v. tr. [13] Approvisionner le bétail en fourrage.

affranchi, ie adj. et n. **1.** Libéré de la servitude, de l'esclavage. ▷ Subst. Dans l'Antiquité, esclave affranchi. *Plaute était un affranchi.* **2.** Qui s'est libéré de traditions, de préjugés, de façons de penser intellectuellement contraignantes. *C'est une personne tout à fait affranchie et sans l'ombre d'une idée préconçue.* ▷ Subst. Personne qui vit en marge des lois, de la morale sociale. *Celui-là, c'est un dur, un affranchi.* **3.** (Choses) Dont le port est payé. *Une lettre mal affranchie.*

affranchir v. tr. [3] **I. 1.** Rendre libre (une personne), indépendant (un pays). *Affranchir un esclave.* ▷ v. pron. Se rendre libre, indépendant. *S'affranchir de la tyrannie.* **2.** Délivrer, libérer (d'une gêne, d'une contrainte). *Sa cordialité m'avait affranchi de toute timidité.* ▷ v. pron. *Affranchissez-vous des préjugés de votre milieu.* **3.** Arg. Renseigner, mettre au courant. **II.** *Affranchir un envoi postal,* en payer le port.

affranchissement n. m. **1.** Action d'affranchir, de rendre libre. *L'affranchissement d'un peuple.* Syn. émancipation. **2.** Paiement du port d'un objet confié à la poste.

Affre (Denis Auguste) (Saint-Rome-de-Tarn, 1793 – Paris, 1848), archevêque de Paris en 1840; tué lors de l'insurrection parisienne de juin 1848, alors qu'il prêchait l'apaisement.

affres n. f. pl. Litt. *Les affres de la mort :* les souffrances de l'agonie. ▷ *Les affres de...,* l'angoisse, les souffrances morales causées par... *Les affres du doute.*

affrètement n. m. Action d'affréter un véhicule.

affréter v. tr. [14] Louer (un véhicule : car, avion, navire, etc.) pour un certain temps ou pour un voyage déterminé.

affréteur n. m. Celui qui affrète un véhicule.

affreusement adv. D'une manière affreuse.

affreux, euse adj. **1.** Qui suscite la répulsion, l'effroi. *C'était un spectacle affreux, qui m'a bouleversé. Un affreux visage grimaçant.* **2.** Désagréable, pénible. *De la pluie, du brouillard, bref, un temps affreux.*

affriander v. tr. [1] Vx Allécher.

affriolant, ante adj. Qui séduit, excite le désir. *Des dessous affriolants.*

affrioler v. tr. [1] Attirer, séduire.

affriquée adj. f. et n. f. PHON Se dit d'une consonne composite dont la prononciation commence par une occlusive et se prolonge par la fricative qui a le même point d'articulation. ▷ n. f. *[ts] et [dz] sont des affriquées.*

affront n. m. Avanie, insulte publique. *Subir un affront humiliant.*

affrontement n. m. **1.** Action d'affronter ou de s'affronter. **2.** CHIR *L'affrontement des lèvres d'une plaie,* leur réunion.

affronter 1. v. tr. [1] Aller avec courage au-devant de (un ennemi, un danger). *Soldat qui affronte le feu pour la première fois.* **2.** v. pron. (récipr.) Combattre l'un contre l'autre. *Les deux armées s'affrontaient.* **3.** CHIR *Affronter les lèvres d'une plaie,* les réunir.

affubler v. tr. [1] Habiller avec un vêtement bizarre ou ridicule. *On l'affubla d'un vieux manteau.* Syn. accoutrer. – Pp. Fig. *Être affublé d'un nom ridicule.* ▷ v. pron. *S'affubler de nippes multicolores.*

affût [afy] n. m. **1.** ARTILL Bâti qui sert à supporter et à mouvoir une pièce d'artillerie. **2.** Guet derrière un couvert pour tirer le gibier au passage. *Un bon endroit pour l'affût. Tirer un lièvre à l'affût.* ▷ Fig. *Être à l'affût de :* épier, attendre pour saisir l'occasion. *Être à l'affût d'une bonne affaire.*

affûtage n. m. Action d'affûter, d'aiguiser (un outil); son résultat.

affuté, ée adj. Fig., fam. Se dit d'un sportif bien entraîné, d'un acteur ou d'un musicien parfaitement préparé.

affûter v. tr. [1] **1.** Aiguiser (un outil), le rendre tranchant. *Affûter un ciseau à bois.* **2.** Fig. Rendre plus précis, plus efficace. *La chaîne de télévision affûte sa grille de programmes.*

affûteur, euse n. **1.** Spécialiste de l'affûtage des outils. **2.** n. f. Machine servant à l'affûtage d'outils.

affûtiaux [afytjo] n. m. pl. **1.** Fam. Petits objets sans valeur dont on se pare. Syn. bagatelle. **2.** Pop. Instruments nécessaires pour faire qqch. *Préparez vos affûtiaux.*

afghan, ane adj. et n. De l'Afghānistān. *Manteau afghan.* ▷ *Lévrier afghan,* longiligne, au poil long et souple. ▷ Subst. *Un(e) Afghan(e).*

afghani, n. m. Unité monétaire de l'Afghānistān.

Afghānistān (État islamique d'), État d'Asie centrale, entre l'Iran, la Russie, la Chine et le Pākistān; 647 500 km^2; 22 100 000 hab.; cap. *Kaboul.* Nature de l'État : rép. islamique. Pop. : Pachtouns, Tadjiks, etc. Langues off. : dari et pachtou. Monnaie : afghani. Relig. : islam sunnite et chiite.
Géogr. phys., hum. et écon. – Pays montagneux dont la chaîne centrale, l'Hindou Kouch, est coupée de profondes vallées : Amou-Daria, Helmand, Kaboul. La steppe domine, adaptée à un climat continental sec, froid en hiver, chaud et aride en été. Terre d'invasion, carrefour ethnique, l'Afghā-

nistān compte 1 500 000 nomades; malgré une mortalité élevée, la croissance démographique dépasse 2,5 % par an. La guerre (1978-1988) a fait plus d'un million de morts et 5 millions d'Afghans se sont exilés (3 millions au Pākistān, 2 en Iran). L'agric. emploie 60 % des actifs : céréales, cultures irriguées des vallées (maïs, riz, coton), élevage extensif (karakuls). La culture du pavot s'est développée au détriment des surfaces agricoles. La prod. artisanale de tapis est réputée (Herāt, Kaboul, Kandahar). Le gaz naturel, exporté vers l'U.R.S.S. jusqu'en 1991, puis vers les rép. d'Asie, est la première ressource commerciale. Ruiné par la guerre, l'Afghānistān fait partie des pays les moins avancés.

Hist. – Par sa situation, ce pays a toujours été exposé aux invasions. Intégré à l'Empire perse (VIe-IVe s. av. J.-C.), conquis par Alexandre, l'Afghānistān a fait partie du royaume de Bactriane où s'épanouit une civilisation gréco-bouddhique. Islamisé à partir du VIIIe s., le pays est ravagé par les invasions mongoles des XIIIe s. (Gengis khān) et XIVe s. (Tamerlan). Ahmed Chāh Durrāni fonde le premier royaume afghan (1747). Au XIXe s., les Afghans luttent contre les Brit. et acquièrent leur indépendance en 1921. Un coup d'État (1973) met fin à la monarchie et instaure la république. En avril 1978 s'installe un régime prosoviétique; en sept. 1979 le président Taraki est renversé et tué par son Premier ministre Hafezollah Amin. L'U.R.S.S. intervient militairement : la guerre va alors durer de 1979 à 1989. L'armée d'occupation, incapable d'asseoir son contrôle, va se heurter à la résistance des *moudjahidin*. Le régime communiste afghan, sous les directions successives de Babrak Karmal et de Mohammed Najibullah, réussit à survivre après le retrait des troupes du pays, face à une résistance divisée. En 1992, une coalition de *moudjahidin*, dirigés par le commandant Massoud, renverse Najibullah et institue une république islamique avec Burhanuddin Rabbani à la présidence. Les différentes factions s'engagent alors dans une violente lutte pour le pouvoir. Rabbani et Massoud, à la tête des unités tadjikes, se battent contre les *taliban* (étudiants islamiques partisans de l'islam le plus rigoureux), qui s'emparent de Kaboul en septembre 1996 et contrôlent la quasi-totalité du pays au printemps 1997.

aficionado [afisjɔnado] n. m. **1.** Amateur de courses de taureaux. **2.** *Par ext.* Amateur fervent d'un sport particulier. *Les aficionados de la boxe.*

afin 1. *Afin de* (+ inf.). Loc. prép. marquant l'intention, le but. *On écrème le lait afin de faire le beurre.* **2.** *Afin que* (+ subj.). Loc. conj. marquant l'intention, le but.

aflatoxine n. f. BIOL Toxine produite par des champignons proliférant sur des graines conservées en atmosphère chaude et humide.

AFNOR, acronyme pour *Association française de normalisation.* Association (créée en 1928) qui coordonne l'ensemble des activités tendant au développement de la normalisation, en servant d'intermédiaire entre les groupements scientifiques, professionnels, et les pouvoirs publics.

afocal, ale, aux adj. OPT Dont les foyers sont situés à l'infini.

a fortiori [afɔʀsjɔʀi] loc. adv. (lat.) À plus forte raison.

africain, aine adj. (et n.). De l'Afrique, spécial., de l'Afrique noire. ▷ Subst. *Un(e) Africain(e).*

africanisation n. f. Fait d'africaniser, d'être africanisé.

africaniser v. tr. [1] Remplacer (les structures économiques, politiques, les cadres, etc.) en utilisant des moyens proprement africains, un personnel africain.– Pp. adj. *Un secteur totalement africanisé.*

africanisme n. m. Tournure, terme propres au français parlé en Afrique.

africaniste n. Spécialiste des cultures, des langues africaines.

African National Congress (A.N.C.) («Congrès national africain»), organisation politique sud-africaine, créée en 1912 pour faire entendre les droits des Noirs. Sous l'impulsion de Nelson Mandela, l'abandon de la non-violence et le début de la lutte armée entraînèrent son interdiction (1960-1991). L'A.N.C. joue un rôle déterminant dans l'instauration de la démocratie en Afrique du Sud (1994).

afrikaans [afʀikans] n. m. (et adj. inv.) Langue d'origine néerlandaise parlée en Afrique du Sud. ▷ adj. inv. *Une expression afrikaans.*

Afrikakorps, troupes all. commandées par Rommel, qui combattirent en Libye, en Égypte et en Tunisie de 1941 à 1943.

afrikaner [afʀikanɛʀ] adj. et n. Relatif aux habitants de l'Afrique du Sud d'origine néerlandaise (parlant l'afrikaans). ▷ Subst. *Un(e) Afrikaner.*

Afrique, une des cinq parties du monde; 29 630 000 km^2; 720 millions d'hab.; relié à l'Asie par l'isthme de Suez, et séparé de l'Europe par le détroit de Gibraltar, il s'étend entre le 37e degré de latit. nord et le 35e degré de latit. sud.

Géogr. phys. – Continent massif au littoral peu découpé, l'Afrique est constituée d'un socle précambrien aplani ouvert de vastes cuvettes : Niger, Tchad, Zaïre, Kalahari. Les principales montagnes se trouvent au nord (chaînes alpines du Maghreb), en Afrique australe et sur la bordure orientale. Cette région est un rift, gigantesque fossé tectonique jalonné de volcans (Kilimandjaro, point culminant à 5 895 m) et de lacs (Malawi, Tanganyika). Le dispositif des milieux se calque sur la répartition des pluies. Située en zone chaude, l'Afrique voit la succession des domaines méditerranéen (au Maghreb et en Afrique du Sud), désertique (au Sahara et au Kalahari), steppique et de savane (autour du golfe de Guinée et du bassin du Zaïre) et de forêt dense dans les régions équatoriales toujours chaudes et humides. L'Est, aux conditions plus complexes, échappe à une catégorisation aussi systématique. De grands fleuves, Nil, Zaïre (Congo), Niger, Zambèze, prennent naissance en Afrique humide.

Géogr. hum. et écon. – La population est faible, en raison des conditions naturelles et de la traite des esclaves qui a touché jusqu'au XIXe s. les peuples noirs, majoritaires sur ce continent. L'accroissement démographique est pourtant considérable : la pop. a presque triplé en 30 ans. L'agriculture, à laquelle se consacrent encore 60 % de la population du continent, a hérité du fait colonial la priorité accordée aux cultures d'exportation (arachide, cacao, café, coton), bénéficiant de techniques agronomiques modernes, aux cultures vivrières s'appliquent toujours les techniques ancestrales, la plupart des gouvernements n'ayant su, ou pu, développer l'irrigation ni réaliser de réforme agraire. Les sécheresses répétées et la volonté des États de mieux contrôler les éleveurs amènent une partie des pasteurs transhumants et des nomades à se sédentariser. Les produits de la pêche représentent moins de 5 % des prises mondiales. L'industrialisation demeure peu avancée et les voies de communication sont souvent insuffisantes. Au cours des années 80 et 90, une régression économique a presque partout entraîné une baisse du niveau de vie. Or la richesse potentielle de l'Afrique repose sur l'extraction des ressources minières ou sur l'agro-alimentaire. L'Afrique continue de subir les effets déstructurants du «pacte colonial» : les colonies devaient fournir les métropoles en matières premières brutes, leur acheter des produits manufacturés et ne pas développer d'industries concurrentes. L'industrie constitue 20 % du produit intérieur brut (P.I.B.) des États du Maghreb et de l'Égypte, 45 % de celui de l'Afrique du Sud, mais seulement 7,9 % du P.I.B. au Mali et 4,1 % au Niger. Le tourisme se développe surtout en Égypte, en Tunisie, au Kenya et en Tanzanie.

Hist. – La préhistoire africaine est très riche; l'Afrique méridionale et orientale a livré les formes humaines fossiles les plus anciennes. Du peuplement originel de l'Afrique centrale, orientale et australe subsistent les groupes *boschiman* et *négrille* (Pygmées). Peut-être originaires de la cuvette saharienne, les Noirs les ont remplacés en formant les sous-groupes *soudanais, bantou, congolais* et *nilotique.* L'Égypte et le reste de l'Afrique du Nord eurent un peuplement différent où, dès le néolithique, l'élément blanc joua un rôle majeur : proto-Berbères, proto-Égyptiens. Avec la conquête arabe (VIIe s. apr. J.-C.), l'islamisation est devenue un élément moteur dans l'histoire de nombreuses contrées d'Afrique noire entre le XIe et le XVe s. Elle se poursuit auj., rencontrant toutefois une certaine résistance de la part des peuples animistes qui habitent les régions forestières de l'Afrique occid. et équatoriale. La recherche des Indes fit découvrir les côtes africaines aux Européens (XVe s.). Du XVIe au XVIIIe s. s'ouvrirent sur les zones côtières de nombreux comptoirs qui servirent au trafic des esclaves transportés vers l'Amérique, tandis que l'Afrique orientale et centrale demeurait exploitée par les trafiquants d'esclaves musulmans. Dans l'arrière-pays se maintinrent ou se constituèrent des royaumes noirs (Songhaï, Monomotapa, Bénin, Darfour, Kordofan). À partir de 1850, l'Afrique devint le champ des rivalités européennes qui suivirent l'exploration systématique du continent. L'emprise européenne ne résista pas au second conflit mondial, et les colonies acquirent leur indépendance, par voie diplomatique ou insurrectionnelle. Deux évolutions fondamentales ont touché l'Afrique subsaharienne ces dernières décennies. La première consiste en une démocratisation politique et une libéralisation économique conjointes, conséquences de l'effondrement de l'empire soviétique aussi bien que de la crise budgétaire interne de la plupart des États africains. La seconde provient d'une réaction progressive contre un certain laxisme dans la pratique religieuse et les manifestations extérieures de la foi dans les pays à population musulmane, qui a produit un retour de tension avec les diverses formes locales d'un christianisme lui-même agité.

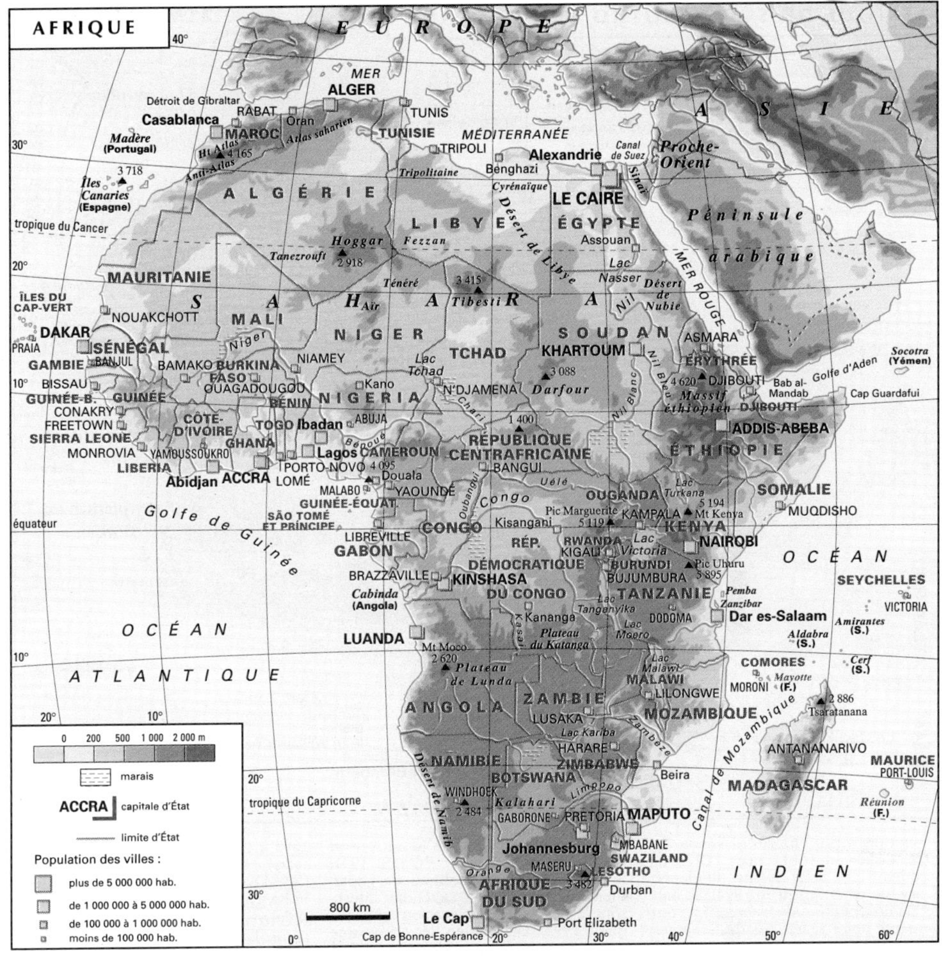

Afrique du Sud (république d') *(Republic of South Africa),* État fédéral d'Afrique australe, situé à l'extrémité du continent, bordé par l'océan Atlantique et l'océan Indien; 1 221 037 km^2; 43 500 000 hab. (Sud-Africains); cap. administrative *Pretoria;* cap. législative *Le Cap.* Langues off. : afrikaans, anglais, ainsi qu'une dizaine de langues africaines (zoulou, notam.). Monnaie : rand. Relig. : protestantisme majoritaire.

Géogr. phys. et hum. – Socle précambrien remanié qui présente trois types de reliefs : un vaste plateau intérieur déprimé en cuvette au centre et qui se redresse sur la périphérie en un puissant bourrelet montagneux (Drakensberg, 3 657 m) frangé d'une étroite plaine côtière. La transition entre le climat méditerranéen de la province du Cap et le climat tropical du Nord se double d'une opposition de façade : climat d'alizé humide de la côte est, climat aride de l'Ouest et du littoral atlantique. La population est composée de Noirs (76,1 %), de Blancs (12,8 %), de Métis (8,5 %) et d'Asiatiques (2,6 %). La communauté noire comprend presque exclusivement des Bantous : Zoulous (env. 22 % de la pop. sud-africaine), Sotho (env. 20 %), Xhosa (18 %), Tswana (7 %), Tsonga (3,5 %), Swazi (3 %), etc.

Écon. – Pays le plus développé d'Afrique, possédant de bonnes infrastructures et des ports modernes, l'Afrique du Sud est d'abord une grande puissance minière. Elle approvisionne l'Europe, les États-Unis et le Japon en or, chrome (premier producteur mondial), manganèse, charbon, platine, uranium, antimoine, titane, diamants. Une industrie diversifiée s'est développée : Transvaal (Pretoria-Witwatersrand), Kwazulu-Natal (Durban) et les métropoles du S. (Le Cap et Port Elizabeth). À l'élevage important, aux céréales et à la vigne s'ajoute une prod. croissante de fruits et légumes exportés sur les marchés d'hiver de l'hémisphère Nord. Cependant, les conséquences économiques et sociales de l'apartheid, notamment la trop faible qualification des Noirs (50 % d'analphabètes), conjuguées aux effets des sanctions économiques internationales de 1985 à 1992, ont provoqué une crise durable : le chômage frappe le tiers de la pop. active, il est près de cinq fois supérieur dans la pop. noire que dans la pop. blanche. Mais la croissance est revenue.

Hist. – Au XVe s., le pays était probablement occupé par des Bantous, des Hottentots et des Boschimans. La colonisation européenne commença effectivement au XVIIe s. avec les Néerlandais de la Compagnie des Indes orient., qui s'installèrent dans la rég. du Cap; les protestants français émigrèrent après 1685. En 1814 (traité de Paris), les Brit. obtinrent la rég. du Cap et s'installèrent, provoquant alors le départ des Boers, mécontents de l'administration brit., vers le N.-E. (entre 1837 et 1850, V. Trek [le Grand]). Des États indépendants se constituèrent (Natal, Transvaal, Orange) que revendiqua la G.-B. Après un échec (guerre de 1877-1881), la guerre dite des Boers (1899-1902) fit disparaître ces États. En 1910, l'Union sud-africaine naquit de la fédération des États du Cap, du Natal, d'Orange et du Transvaal. Cette Union se transforma, en 1961, en rép. d'Afrique du Sud et quitta le Commonwealth afin de poursuivre librement sa politique d'apartheid (inaugurée en 1911, instituée en 1948), considérée comme nécessaire par les Blancs : le développement industriel de l'après-guerre a changé la répartition géogr. de la population noire, appelée dans les villes pour les besoins de main-d'œuvre. La politique d'apartheid, qui prive les Noirs de toute représentation politique et sociale équitable, comporte la création de rég. autonomes bantoues *(bantoustans),* théoriquement appelées à l'indépendance (Transkei dès 1976, puis

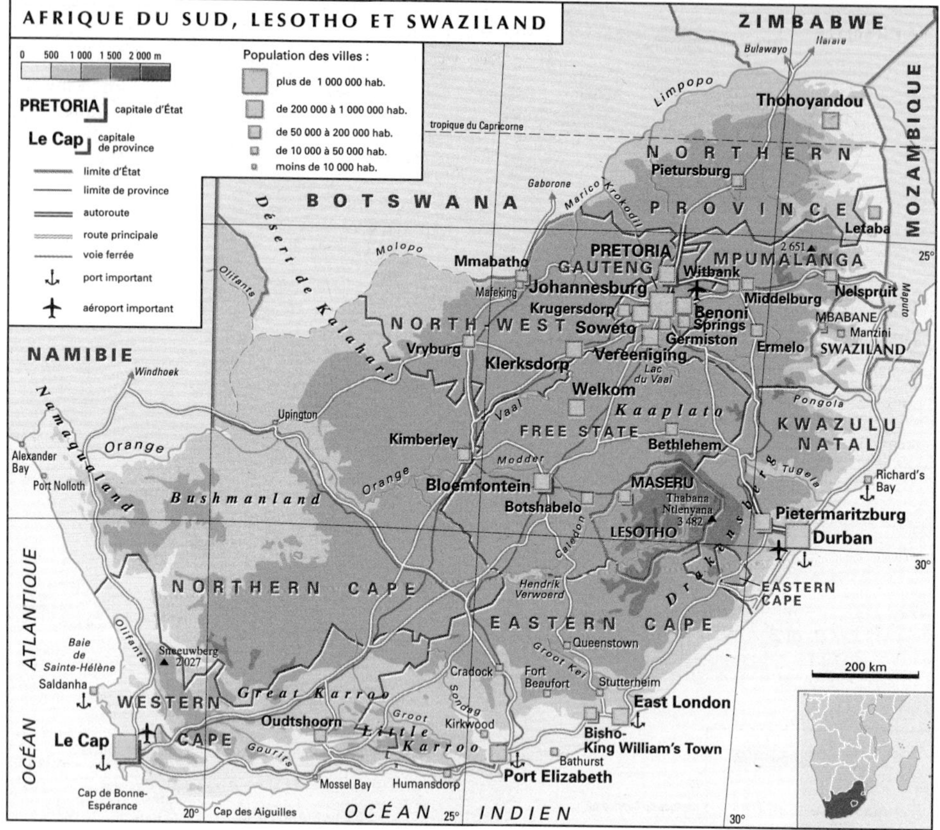

Bophuthatswana en 1977, Venda en 1979, Ciskei en 1981), mais l'ONU ne reconnaît pas cette forme d'indépendance qui prive (jusqu'en 1994) ses hab. de la citoyenneté sud-africaine. La communauté noire réagit par des émeutes, durement réprimées (notam. en 1960, et à Soweto en juil. 1976). En 1978, P. W. Botha, ministre de la Défense, succède à J. Vorster, Premier ministre dep. 1966. Il fait approuver par référendum (1983) une nouvelle constitution donnant certains droits aux Indiens et aux métis, supprime le poste de Premier ministre et devient prés. de la République. P. Botha prend l'offensive contre les gouvernements des pays d'Afrique australe opposés à l'apartheid. Il fait expulser du Lesotho, du Swaziland et du Mozambique les militants de l'A.N.C.* En Angola et au Mozambique, l'Afrique du Sud soutient les guérillas opposées aux gouvernements marxistes. Cependant l'armée sud-africaine est contrainte de quitter l'Angola*, en 1988, parallèlement au retrait des troupes cubaines. La diplomatie sud-africaine, soumise aux pressions internationales, devra également consentir à l'indépendance de la Namibie*, annexée dep. 1949. Après la création du Front démocratique uni (U.D.F.) en 1983, l'opposition à l'apartheid s'étend aux Églises et à la majorité des Noirs (les syndicats notam.), ainsi qu'à une forte minorité blanche. En 1989, P. Botha s'efface devant F. De Klerk, qui atténue l'apartheid puis légalise les mouvements d'opposition (dont le parti communiste, interdit dep. 1950, et l'A.N.C., interdit dep. 1961) et fait libérer des prisonniers politiques (dont Nelson Mandela* en fév. 1990). En juin 1991, le gouv. annonce l'abolition de l'apartheid. La plupart des sanctions intern. sont levées. La C.É.E. lève son embargo (janv. 1992). Ouverte en déc. 1991, une convention pour une Afrique du Sud démocratique (CODESA), constituée des princ. forces politiques du pays, est chargée de préparer la transition vers un régime non racial; lors d'un référendum (mars 1992), les Blancs approuvent la politique de réformes engagée par F. De Klerk. Un des graves problèmes que connaît le pays à partir de 1990 est la violence (plus de 9 000 morts en trois ans) qui, dans les townships, oppose les partisans de l'A.N.C. à ceux du mouvement conservateur noir Inkatha que dirige Mangosuthu Buthelezi (parti zoulou). Les négociations aboutissent à l'adoption d'une Constitution intérimaire (nov. 1993) et aux premières élections multiraciales d'une Assemblée constituante (avril 1994) qui sont remportées par l'A.N.C. Le 9 mai, Nelson Mandela devient le premier président noir du pays. Progressivement, la nouvelle Afrique du Sud s'est dirigée vers la normalisation et l'institutionnalisation du régime (promulgation de la Constitution de 1996).

Afrique-Équatoriale française (A.-É.F.), gouvernement général qui, de 1910 à 1958, groupa en fédération quatre territ. français : Tchad, Oubangui-Chari, Moyen-Congo, Gabon; cap. *Brazzaville.*

Afrique-Occidentale française (A.-O.F.), gouvernement général qui, de 1895 à 1958, groupa en fédération huit territ. français : Sénégal, Guinée, Côte-d'Ivoire, Dahomey, Soudan, Haute-Volta, Niger, Mauritanie; cap. *Dakar.*

Afrique-Orientale allemande *(Deutsche Ostafrika)*, colonie all. de 1891 à 1919, correspondant au Tanganyika, au Ruanda et à l'Urundi. En 1919, elle fut répartie entre la G.-B. et la Belgique.

Afrique-Orientale britannique *(British East Africa)*, nom donné aux anc. possessions brit. d'Afrique orient. : Kenya, Ouganda, Tanganyika et Zanzibar.

Afrique-Orientale italienne, nom donné aux anc. territ. ital. de l'Érythrée, de l'Éthiopie, de la Somalie (1936). L'Italie les perdit pendant la Seconde Guerre mondiale.

Afrique-Orientale portugaise, nom donné aux anc. possessions portugaises constituant l'actuel Mozambique.

afro-. Préfixe désignant une origine, une appartenance africaine.

afro adj. inv. *Coiffure afro* : coupe de cheveux crépus ou frisés, en forme de boule volumineuse.

afro-américain, aine adj. et n. Noir américain. ▷ Subst. *Des Afro-Américains.*

afro-asiatique adj. De l'Afrique et de l'Asie; qui concerne à la fois l'Afrique et l'Asie du point de vue politique. *Les États afro-asiatiques.*

Aftalion (Albert) (Rusçuk, auj. Rusc, Bulgarie, 1874 - Chambéry, 1956), économiste français d'origine bulgare, spécialiste des échanges et de la monnaie.

after-shave [aftəʀʃɛv] n. m. inv. (Anglicisme) Syn. de *après-rasage.*

Afton, rég. des É.-U. (Iowa). ▷ GEOL *Interglaciaire d'Afton* (appelé parfois *Aftonien*) : première période interglaciaire de l'Amérique du Nord.

Afyon ou **Afyonkarahisar,** v. de Turquie, au S.-O. d'Ankara; ch.-l. de l'il du m. nom; 88 340 hab. Opium.

Ag CHIM Symbole de l'argent.

aga. V. agha.

agaçant, ante adj. Qui agace, irrite. *Un petit bruit agaçant.*

agacement n. m. Énervement, irritation.

agacer v. tr. [12] **1.** Énerver et impatienter. *Tu nous agaces, avec tes hésitations!* ▷ Taquiner en provoquant. *Il agace son chien pour le faire aboyer.* **2.** Produire une sensation d'irritation sur. *Une saveur acide qui agace les dents.*

agaceries n. f. pl. Vieilli, plaisant Manières coquettes et provocantes d'une femme qui cherche à séduire.

Agadir, v. et port du Sud marocain, sur l'Atlantique; 110 480 hab.; ch.-l. de la prov. du m. nom. – En 1960, un tremblement de terre détruisit la ville, qui, reconstruite, est devenue un important centre touristique. – *Incident d'Agadir,* constitué par l'envoi, le 1er juil. 1911, par le gouvernement all. d'une canonnière devant cette ville pour protester contre l'entrée des troupes françaises à Fès et à Meknès; la négociation aboutit à la cession d'une partie du Congo français aux All., en échange de leur non-intervention au Maroc.

Aga Khan. V. Agha Khan.

agalactie ou **agalaxie** n. f. MED Absence de lactation après l'accouchement.

Agam (Yaacov Gipstein, dit Yaacov) (Rishon le Zion, 1928), artiste israélien. Il est, notam. avec V. Vasarely et J.R. Soto, l'un des principaux représentants de l'art cinétique.

agame adj. et n. m. **1.** BIOL *Reproduction agame,* qui s'effectue sans fécondation. **2.** n. m. ZOOL Reptile saurien ressemblant à l'iguane.

Agamemnon, fils d'Atrée, roi légendaire d'Argos et de Mycènes, chef des Grecs devant Troie. Il sacrifia sa fille Iphigénie* pour obtenir des vents favorables à la flotte grecque bloquée à Aulis. Sa femme, Clytemnestre, et l'amant de celle-ci, Égisthe, l'assassinèrent à son retour à Argos.

agamète n. f. BIOL Cellule reproductrice asexuée.

agamidés n. m. pl. ZOOL Importante famille de sauriens des régions chaudes de l'Ancien Monde, comprenant le dragon volant, l'uromastix, etc. – Sing. *Un agamidé.*

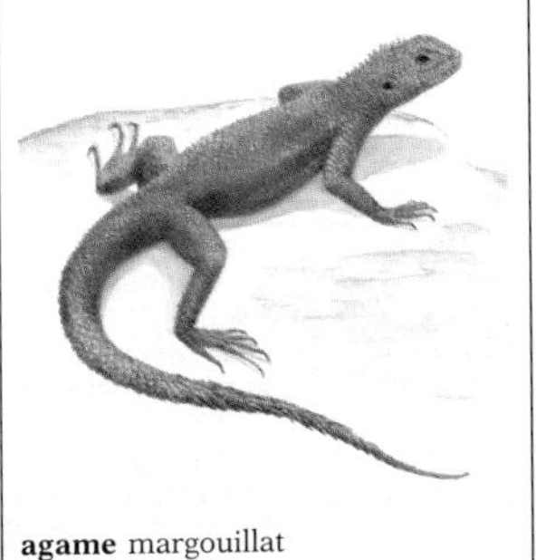
agame margouillat

agamie n. f. BIOL Reproduction sans fécondation (reproduction asexuée; parthénogenèse).

agammaglobulinémie n. f. MED Diminution marquée ou absence de gammaglobulines dans le plasma sanguin, qui expose aux infections.

Aga Muhammad (1742 – 1797), fondateur de la dynastie des Qādjārs, qui régna en Perse jusqu'en 1925.

agape n. f. **1.** HIST Repas en commun des premiers chrétiens. **2.** n. f. pl. Mod. Banquet entre amis. Syn. festin.

Agapet, nom de deux papes. – **Agapet Ier** (saint) (535-536); – **Agapet II** (946-955).

Agar, esclave d'Abraham, mère d'Ismaël.

agar-agar n. m. CHIM Substance extraite de certaines algues, qui forme avec l'eau une gelée utilisée en bactériologie comme milieu de culture et dans l'industrie comme produit d'encollage. *Des agars-agars.* Syn. gélose.

agaric n. m. Autre nom du champignon* de couche. – *Agaric champêtre :* autre nom du rosé-des-prés.
▸ pl. **champignons**

agaricacées n. f. pl. Famille de champignons basidiomycètes, comestibles ou vénéneux. – Sing. *Une agaricacée.*

Agassiz (Louis) (Motier, cant. de Fribourg, 1807 – Cambridge, É.-U., 1873), naturaliste suisse. Ses études sur les poissons fossiles et la glaciologie sont fondamentales.

masque funéraire en or dit d'**Agamemnon**, Mycènes

agate n. f. **1.** Minéral formé de silice déposée en couches concentriques diversement colorées, utilisé dans l'industrie à cause de sa dureté. (Le poli qu'on peut lui donner l'a fait rechercher dès l'Antiquité pour la fabrication de bijoux. Diverses variétés : cornaline, calcédoine, jaspe, etc.). **2.** Bille faite d'agate, ou de verre imitant l'agate.

Agathocle (Thermae, Sicile, v. 361 – Syracuse, 289 av. J.-C.), tyran de Syracuse. Il lutta contre les Carthaginois.

agave n. m. BOT Plante grasse (diverses espèces du genre *Agave,* fam. amaryllidacées), originaire du Mexique, à haute hampe florale. (Les feuilles, épaisses et charnues, bordées d'épines, produisent une fibre textile, le *sisal;* la sève fermentée fournit une boisson alcoolisée, le *pulque.*)

Agde, ch.-l. de cant. de l'Hérault (arr. de Béziers); 17 784 hab. (*Agathois*). Industr. liée à la vitic. Tourisme au *cap d'Agde.* – Colonie phocéenne, puis romaine, la v. fut un port import. avant son ensablement. – Égl. St-Étienne, anc. cath. romane fortifiée (XIIe s.).

âge n. m. **I. 1.** Période écoulée depuis la naissance. *Quel âge a-t-il? Nous sommes du même âge, nous avons le même âge. Il est mort à l'âge de 80 ans. Un âge avancé :* un grand âge. *Un homme d'un certain âge,* qui n'est plus jeune. – Période écoulée depuis le début de l'existence d'un être vivant. *L'âge d'un animal, d'un arbre.* ▷ *Être d'âge à, en âge de :* être à l'âge convenable pour. *Être d'âge à se marier. Il est en âge de partir pour le service militaire.* ▷ *L'âge de raison :* l'âge auquel un enfant est considéré comme capable de discerner le bien du mal (traditionnellement fixé à sept ans). ▷ DR *Âge légal,* fixé par la loi pour l'exercice de certains droits civils ou politiques. ▷ PSYCHO *Âge mental :* niveau d'aptitude mentale (mesuré par des tests) d'un individu, comparé au niveau d'aptitude mentale de l'ensemble des individus d'un âge civil donné (notion introduite par Binet et Simon). ▷ SOCIOL, STATIS *Classe d'âge :* ensemble d'individus nés la même année dans une population donnée. **2.** *Par ext.* Période écoulée depuis le moment où une chose a commencé d'exister. *L'âge de la Terre. Détermination de l'âge d'une roche par la mesure de sa radioactivité.* ▷ OCEANOGR *Âge de la marée :* retard entre la date de conjonction astronomique (marée de vives eaux) et celle de la forte marée correspondante. **3.** Les années écoulées, considérées dans leur durée par rapport à la vie d'un homme. *Votre myopie s'atténuera avec l'âge.* **4.** (Dans quelques expressions.) Étendue de la vie humaine. *La fleur de l'âge :* la période de la vie où un être humain est en pleine possession de ses moyens physiques et intellectuels, la jeunesse de l'adulte. *Le retour d'âge :* la ménopause. ▷ (S. comp.) *L'âge :* la vieillesse. – *Un homme d'âge,* âgé, vieux. **5.** Période de la vie d'un être humain. *Bas âge, jeune âge, âge mûr. Un homme entre deux âges,* ni jeune ni vieux. *L'âge ingrat :* la puberté. *L'âge critique :* la ménopause, l'andropause. *Le troisième âge :* l'âge de la retraite, la vieillesse. ▷ (Canada) *L'âge d'or :* l'âge de la retraite, la vieillesse. – Ensemble des personnes ayant atteint cette période. *Organiser des loisirs pour l'âge d'or.* – *Club de l'âge d'or. Fédération de l'âge d'or du Québec.* – Ellipt. *Être membre de l'âge d'or.* **II.** Grande période de l'histoire. *L'âge de la féodalité, de la monarchie.* – *Spécial.,* chacune des grandes périodes de l'ère quaternaire, caractérisées par l'état d'avancement de l'industrie humaine. *Âge de pierre* (préhistoire) : *âge de la pierre*

agave

taillée, de la pierre polie. Âge des métaux (protohistoire) *: âge du cuivre, du bronze, du fer.* ▷ Plur. *Une superstition venue du fond des âges,* très ancienne. ▷ Pour les Anciens, chacune des périodes des temps primitifs, au cours desquelles les hommes seraient devenus de moins en moins bons et vertueux. *Âge d'or, d'argent, d'airain, de fer.* – *Âge d'or :* époque de prospérité, période particulièrement favorable. ▷ *D'âge en âge :* de siècle en siècle, de génération en génération.

âgé, ée adj. **1.** (Personnes) Vieux. *Une femme âgée. Il est plus âgé que moi.* **2.** *Âgé de... :* qui a l'âge de... *Un homme âgé de trente ans.*

Agee (James) (Knoxville, 1909 – New York, 1955), écrivain américain. Ses poèmes en vers (*Permettez-moi de voyager,* 1934) et ses pièces en prose poétique (*Et glorifions maintenant les hommes célèbres,* 1941) chantent le Sud. Auteur également de romans psychologiques (*la Garde du matin,* 1951) et de scénarios de films *(African Queen).*

Agen, ch.-l. du dép. de Lot-et-Garonne, sur la Garonne; 32 223 hab. MIN; conserveries. Prod. pharm. – Évêché. Cath. St-Caprais (XIIe et XIIIe s.); musées (préhist., antiq., Goya).

Agenais ou **Agenois,** région d'Agen. Anc. pays de France réuni définitivement à la Couronne en 1472.

agence n. f. **1.** Établissement commercial qui propose un ensemble de services déterminés, ou se charge d'effectuer pour le compte de ses clients certaines opérations ou certaines démarches, moyennant le versement d'une commission. *Agence de voyages. Agence immobilière.* – *Agence de presse,* qui centralise les nouvelles, les dépêches, et les transmet à ses abonnés, à la presse. ▷ Succursale d'une société de crédit. *Le siège et les agences d'une banque. Directeur d'agence.* **2.** Nom de certains organismes publics. *Agence financière de bassin,* chargée notam. de prélever des redevances auprès des industries polluantes et de lutter contre la pollution des eaux d'un bassin fluvial. *Agence nationale pour l'emploi.*

agencement n. m. Action d'agencer; son résultat (disposition, arrangement). *L'agencement d'une cuisine. L'agencement des parties d'un spectacle.*

Agence nationale pour l'emploi (A.N.P.E.), établissement public créé en 1967 pour aider les demandeurs d'emploi sur le plan de la formation et de la recherche de travail.

agencer v. tr. [**12**] Disposer, arranger (les éléments d'un tout) d'une manière cohérente, régulière. *Agencer les péripéties d'une intrigue romanesque. Appartement bien agencé.* ▷ v. pron. *Parties d'une composition picturale qui s'agencent harmonieusement.*

agenda [aʒɛ̃da] n. m. Registre, carnet sur lequel on note, jour par jour, les choses que l'on se propose de faire. *Notez l'heure de notre rendez-vous sur votre agenda. Des agendas.*

agénésie n. f. MED **1.** Arrêt partiel du développement d'un organe ou d'un membre pendant la vie intra-utérine, entraînant ultérieurement une atrophie. **2.** Impossibilité d'engendrer par impuissance sexuelle, stérilité, etc.

agenouillement n. m. Action, fait de s'agenouiller.

agenouiller (s') v. pron. [**1**] **1.** Se mettre à genoux. *S'agenouiller sur un prie-Dieu. S'agenouiller pour réparer un tapis.* **2.** Fig. S'humilier, s'abaisser. *C'est par intérêt qu'il s'agenouille devant lui.*

agent n. m. **I. 1.** Celui qui agit. ▷ GRAM Personne ou chose qui, dans la réalité extralinguistique, effectue l'action ou est dans l'état exprimé par le verbe. *Dans « les feuilles tombent en automne » et « cet enfant s'ennuie », « feuilles » et « enfant » sont agents; ils sont aussi sujets grammaticaux du verbe.* – *Complément d'agent :* complément d'un verbe à la voix passive, désignant la personne ou la chose effectuant l'action. *Dans « la pomme est mangée par Jean », « Jean » est complément d'agent.* **2.** Ce qui accomplit une action, produit un effet déterminé. *Dégradation d'un édifice par les agents atmosphériques,* par le vent, la pluie, le gel, etc. *Agent physique, chimique, mécanique, thérapeutique.* – TECH *Agent mouillant :* produit qui permet à un liquide de mieux recouvrir ou imprégner une surface. ▷ ECON *Agents économiques :* individus ou organismes constituant, du point de vue des mouvements économiques, des centres de décision et d'action élémentaires (entreprises non financières, ménages, administrations, institutions financières). **II. 1.** Personne chargée d'agir pour le compte d'une autre, ou pour le compte d'une administration ou d'une société dont elle représente les intérêts. *Agent diplomatique. Agent d'affaires. Agent d'assurances.* ▷ *Agent secret,* appartenant à un service de renseignements, espion. ▷ *Agent de change :* officier ministériel qui détient le monopole des négociations des effets publics, des obligations et des actions de sociétés susceptibles d'être cotées, dont il constate officiellement les cours. ▷ *Agent de liaison :* militaire chargé d'assurer la liaison entre le commandant d'unité et ses unités subordonnées ou entre deux unités. **2.** Employé d'une société, d'une administration. *Vous recevrez sous peu la visite d'un de nos agents. Agent de conception, d'exécution.* – *Agent du service général :* préposé au service des passagers, sur un paquebot. – (Canada) *Agent de bord :* personne affectée au service des passagers d'un avion. ▷ Spécial. *Agent de police* ou, s. comp., agent. – (Canada) *Agent de la paix.*

ageratum ou **agérate** n. m. Composacée ornementale à fleurs bleu cendré, souvent utilisée en bordure dans les jardins. Syn. célestine.

Agésilas II (?, v. 444 – Cyrène, v. 360 av. J.-C.), roi de Sparte de 398 à sa mort. Vainqueur des Perses en Asie Mineure, des Thébains et des Athéniens coalisés à Coronée (394). Battu à Mantinée (362) par Épaminondas.

Aggée ou **Haggaï,** un des douze petits prophètes juifs.

aggiornamento [adʒjɔrnamɛnto] n. m. **1.** Rénovation permanente de l'Église face aux besoins du monde actuel (programme lancé par le pape Jean XXIII). **2.** Adaptation à l'évolution du monde, au progrès.

agglomérat [aglɔmeʀa] n. m. GEOL Agrégat naturel de minéraux.

agglomération n. f. **1.** Didac. Action d'agglomérer, fait de s'agglomérer. **2.** Ensemble d'habitations constituant un village, un bourg, une ville. *La vitesse est limitée dans les agglomérations.* ▷ Ensemble urbain. *L'agglomération lyonnaise :* Lyon et sa banlieue.

aggloméré n. m. **1.** Combustible formé de poussières de charbon réunies par un liant (brai, par ex.). **2.** CONSTR Matériau obtenu par mélange de matières inertes que réunit un liant. *Parpaings en aggloméré.* ▷ Bois reconstitué, fait de copeaux agrégés sous pression au moyen d'une colle. *Panneau d'aggloméré. Meuble en aggloméré.*

agglomérer v. tr. [**14**] Rare Faire une masse dense, compacte, de divers éléments. *Le vent agglomère les grains de sable.* ▷ v. pron. Se rassembler en une masse compacte. *Neige qui s'agglomère en congère.* Syn. agglutiner, agréger. Ant. désagréger.

agglutinable adj. Didac. Qui peut être agglutiné ou s'agglutiner.

agglutinant, ante adj. Propre à agglutiner, à coller ensemble. *Substance agglutinante.* ▷ LING *Langues agglutinantes :* langues synthétiques exprimant des rapports grammaticaux par l'accumulation après le radical d'affixes distincts.

agglutination n. f. Action d'agglutiner; fait de s'agglutiner. ▷ BIOL *Réaction d'agglutination :* réaction antigène-anticorps dans laquelle les anticorps complets normaux provoquent l'agglutination des cellules (bactéries, globules rouges, etc.) présentant les antigènes correspondants sur leur surface.

agglutiner v. tr. [**1**] Coller ensemble, assembler de manière à former une masse compacte. Syn. agglomérer, agréger. Ant. désagréger. ▷ v. pron. Fig. *La foule s'agglutinait devant l'entrée du stade.*

agglutinine n. f. BIOL Anticorps responsable de la réaction d'agglutination.

agglutinogène n. m. BIOL Antigène porté par certaines cellules qui peuvent ainsi être agglutinées en présence de l'agglutinine correspondante.

aggravant, ante adj. Qui rend plus grave. *Circonstances* aggravantes.*

aggravation n. f. **1.** Action d'aggraver; son résultat. **2.** Fait de s'aggraver. *Aggravation rapide d'une maladie.*

aggraver 1. v. tr. [**1**] Rendre plus grave, plus pénible, plus douloureux. *Ses mensonges aggravent sa faute. La grêle a aggravé les dégâts que la sécheresse avait causés à la récolte.* Syn. augmenter, renforcer. Ant. diminuer, atténuer. **2.** v. pron. Devenir plus grave, empirer. *Le mal s'aggrave de jour en jour.*

agha ou **aga** n. m. **1.** Officier supérieur de la cour des anciens sultans turcs. **2.** En Algérie av. 1962, chef supérieur au caïd.

Agha Khan ou **Aga Khan,** imam des ismaéliens* d'une obédience (nizarite) répandue en Inde et au Pākistān; l'Agha Khan IV (Genève, 1936) est leur actuel imam.

Aghlabides (800-909), dynastie musulmane vassale des Abbassides; fondée par Ibrahim ibn al-Aghlab, elle régna sur l'Ifriqiyya (Tunisie et Est algérien) avec pour cap. *Kairouan.* Elle fut détrônée par les Fatimides.

agile adj. Dont les mouvements sont rapides, aisés. *Une démarche souple et agile.* ▷ Fig. *Un esprit agile.*

agilement adv. Avec agilité.

agilité n. f. Légèreté, facilité à se mouvoir. *L'agilité des doigts d'un pianiste.*– Fig. *Agilité d'esprit.*

agio n. m. Ensemble des taux de retenue (intérêt, commission, change) sur un escompte. *Facturer des agios.*

a giorno [adʒjɔʀno] loc. adv. et adj. (ital.) Comme à la lumière du jour. *Salle éclairée a giorno.* (On trouve aussi *à giorno.*)

agiotage n. m. FIN Spéculation frauduleuse sur les fonds publics, les changes, les valeurs mobilières.

agioter v. intr. [1] FIN Pratiquer l'agiotage.

agioteur, euse n. FIN Personne qui pratique l'agiotage.

agir v. [3] **I.** v. intr. **1.** Faire qqch, accomplir une action. *Assez parlé, il faut agir.* **2.** Se conduire, se comporter d'une certaine façon. *Agir en sage. Il a bien agi envers moi.* **3.** Exercer une action, opérer un effet. *Il faut laisser agir le médicament. Le bruit agit sur le système nerveux.* **4.** *Agir auprès d'une personne,* intervenir, faire des démarches auprès d'elle pour obtenir qqch. *Il agit auprès du ministre pour les intérêts de son département.* **5.** DR Exercer une action en justice. *Agir au criminel, au civil.* **II.** v. pron. impers. **1.** *Il s'agit de :* il est question de. *De quoi s'agit-il ? :* de quoi est-il question ? *C'est de vous qu'il s'agit.* **2.** *Il s'agit de* (+ inf.) : il faut, il importe de. *Il s'agit non seulement de trouver la bonne méthode, mais encore de l'appliquer. Il s'agit de savoir ce que vous voulez !* **3.** *S'agissant de :* puisqu'il s'agit de.

Agis, nom de quatre rois de Sparte, dont le dernier, **Agis IV,** roi de 244 à 241 av. J.-C., tenta vainement de reformer un corps de citoyens par une redistribution des biens.

âgisme n. m. Attitude de discrimination s'exerçant envers les personnes âgées.

agissant, ante adj. Qui agit avec efficacité, actif. *Un remède agissant.*

agissements n. m. pl. Façons d'agir, procédés condamnables. *Surveiller les agissements d'un suspect.*

agitateur, trice n. **1.** Personne qui suscite ou entretient des troubles politiques ou sociaux. **2.** n. m. Instrument servant à remuer des mélanges liquides.

agitation n. f. **1.** État de ce qui est parcouru de mouvements irréguliers. *L'agitation de la mer.* **2.** État d'une personne que des émotions diverses bouleversent. *Calmer l'agitation d'un anxieux.* **3.** État de mécontentement politique ou social, qui se traduit par des revendications, des troubles. *Projet de loi qui suscite une certaine agitation.*

agitato [aʒitato] adv. MUS De manière vive.

agité, ée adj. et n. **1.** adj. En proie à l'agitation. *Mer agitée. Une existence agitée.* **2.** Subst. Personne très nerveuse, qui s'agite beaucoup. – MED Malade mental en proie à une agitation incessante. *Être interné au pavillon des agités.*

agiter v. tr. [1] **1.** Remuer, secouer par des mouvements irréguliers. *Les vagues agitent le bateau.* **2.** Fig. Causer du trouble à. *Les passions qui nous agitent.* **3.** Fig. *Agiter des idées,* les examiner, en débattre. **4.** v. pron. Remuer, aller et venir. *Un malade ne doit pas s'agiter.* ▷ Fam., péjor. S'affairer sans résultat. *Il s'agite beaucoup, mais il n'est pas très efficace.*

agit-prop [aʒitpʀɔp] n. f. (Abrév. de *agitation-propagande.*) Activité militante pratiquée par certains groupes révolutionnaires.

aglobulie n. f. MED Diminution du nombre des globules rouges du sang.

aglyphe adj. ZOOL Se dit des serpents non venimeux à dents lisses.

Agnadel, com. d'Italie (Lombardie) où Louis XII battit les Vénitiens (1509).

Agnan. V. Aignan.

agnat [agna] n. m. DR Parent par les mâles. Ant. cognat.

agnathes [agnat] n. m. pl. ZOOL Classe des vertébrés les plus primitifs, dépourvus de mâchoires, comme la lamproie, et classés jadis parmi les poissons. – Sing. *Un agnathe.*

agnation [agnasjɔ̃] n. f. DR Parenté par les mâles.

agneau n. m. **1.** Petit de la brebis. *Agneau de lait :* agneau nourri de lait, à la chair blanche et tendre. ▷ *Doux comme un agneau,* se dit d'une personne calme et paisible. **2.** HIST, RELIG *Agneau pascal :* agneau que les juifs mangeaient à la pâque. – RELIG CATHOL *L'Agneau mystique, l'Agneau de Dieu :* le Christ, comme victime immaculée. **3.** Viande d'agneau. *Gigot d'agneau.* **4.** Fourrure d'agneau. *Une veste d'agneau.*

Agnel (col d'), situé dans les Alpes françaises (Htes-Alpes), à la frontière de l'Italie ; alt. 2 700 m. Il eut une importance stratégique.

agnelage n. m. Mise bas, chez la brebis. – Époque de l'année où traditionnellement la brebis met bas.

agnelée n. f. Portée de la brebis.

agneler v. intr. [19] Mettre bas, en parlant de la brebis.

agnelet n. m. Petit agneau.

agnelin n. m. Peau d'agneau mégissée à laquelle on conserve la laine.

agnelle n. f. Agneau femelle.

Agnelli, famille d'industriels et d'hommes d'affaires italiens. – **Giovanni** (Villar Perosa, 1866 – Turin, 1945), fondateur en 1899 de la Fiat, entreprise de constr. automobile turinoise.

Agnès de France (1171-1220), princesse capétienne. Elle épousa les empereurs byzantins Alexis II (1180) et Andronic Ier (1183), assassin du premier, puis Théodore Branas (1204), noble byzantin.

Agnès de Méran (m. à Poissy, 1201), reine de France, troisième épouse de Philippe Auguste (1196), répudiée après que le pape Innocent III eut obligé le roi à reprendre sa seconde épouse Ingeborg (1200).

Agnès Sorel (?, v. 1422 – Anneville, Normandie, 1450), favorite du roi Charles VII, sur qui elle eut une grande influence ; surnommée *la Dame de Beauté,* car le roi lui avait donné la seigneurie de Beauté-sur-Marne.

agni adj. (inv. en genre). Des Agnis. *Effigie agni.*

Agni, dieu du Feu dans la myth. védique.

Agni(s), peuple noir de la Côte-d'Ivoire et du Ghana (env. 500 000 individus).

Agnon (Samuel Joseph Tchatchkes, dit) (Buczacz, Galicie autrichienne, 1888 – Gedera, près de Rehovot, 1970), écrivain israélien de langues yiddish et hébraïque ; chantre du sionisme et du hassidisme : *le Trousseau de la fiancée, Contes de Jérusalem.* P. Nobel 1966.

agnosie [agnɔzi] n. f. MED Trouble de la reconnaissance des objets dû à une perturbation des fonctions cérébrales supérieures. *Agnosie auditive, visuelle, tactile.*

agnosticisme [agnɔstisism] n. m. Doctrine ou attitude tenant a priori pour vaine toute métaphysique et déclarant que l'absolu est inconnaissable pour l'esprit humain.

agnostique adj. et n. **1.** adj. Qui concerne l'agnosticisme. **2.** n. Personne qui professe l'agnosticisme.

agnus Dei [agnysdei] n. m. inv. (lat.) **1.** Médaillon en cire bénite, représentant un agneau. **2.** Prière de la messe en lat. débutant par les mots *Agnus Dei* (« agneau de Dieu »).

-agogie, -agogue Suffixe, du gr. *agôgos,* « qui conduit ».

agonie n. f. **1.** Période de transition entre la vie et la mort, caractérisée par un ralentissement circulatoire et une altération de la conscience. **2.** Fig. Déclin final. *L'agonie de la royauté en 1792.*

agonir v. tr. [3] Rare *Agonir qqn d'injures,* l'accabler d'injures. ▷ Absol. *Se faire agonir.*

agonisant, ante adj. (et n.) Qui est à l'agonie. *Prière pour les agonisants.*

agoniser v. intr. [1] **1.** Être à l'agonie. *Le blessé agonise.* **2.** Fig. Décliner, toucher à sa fin. *La révolte agonise.*

agoniste adj. et n. m. **1.** ANAT Se dit d'un muscle qui exerce l'action principale dans un mouvement donné. Ant. antagoniste. **2.** PHARM Se dit d'une substance qui renforce les effets d'une autre substance.

agora n. f. Place publique et marché des anciennes villes grecques. *À Athènes, l'Agora était le centre de la vie publique et politique.*

agoraphobe adj. (et n.) MED Qui souffre d'agoraphobie.

agoraphobie n. f. MED Crainte pathologique des espaces ouverts, des places publiques. Ant. claustrophobie.

Agoult (Marie de Flavigny, comtesse d') (Francfort-sur-le-Main, 1805 – Paris, 1876), femme de lettres française. Auteur, sous le nom de Daniel Stern, d'ouvrages historiques et philosophiques : *Lettres républicaines* (1848), *Histoire de la révolution de 1848* (1851-1853). De sa liaison avec Liszt, elle eut trois enfants (Blandine, Daniel et Cosima qui épousa Wagner).

Agout, riv. de France (180 km), affl. du Tarn (r. g.) ; naît dans les monts de l'Espinouse.

agouti n. m. Rongeur nocturne de la taille d'un lièvre et haut sur pattes, répandu du Mexique à l'Argentine.

agouti

Āgra, v. du N. de l'Inde (Uttar Pradesh), sur la Yamunā ; 980 000 hab. Centre industr. ; nœud ferroviaire. – Cap. de l'anc. Empire moghol. – Tādj Mahall (mausolée du XVIIe s.).
► illustr. page 34

agrafage n. m. Action d'agrafer.

agrafe n. f. **1.** Petit crochet qu'on passe dans un anneau pour fermer un vêtement. *Attacher les agrafes d'un blouson.* **2.** Petit fil de métal recourbé permettant de réunir des papiers ou

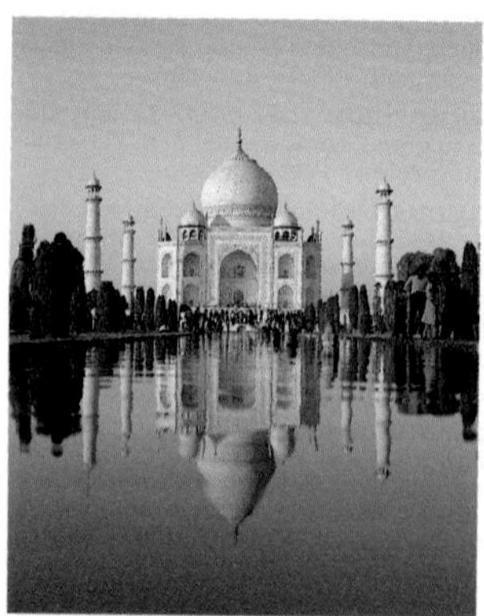

Āgra : le Tādj Mahall, XVIIe s.

d'autres objets. *Des agrafes de bureau.* **3.** CHIR Petite lame de métal servant à joindre les bords d'une plaie. **4.** CONSTR Accessoire, en forme de crampon ou de pince à ressort, servant à réunir des éléments de construction. **5.** ARCHI Ornement, placé à la tête d'un arc, unissant plusieurs parties architecturales.

agrafer v. tr. [1] **1.** Fixer à l'aide d'agrafes. *Elle agrafe son chemisier. Agrafer des documents.* **2.** Fam. Arrêter, retenir (qqn). *Les flics l'ont agrafé pour excès de vitesse.*

agrafeuse n. f. Machine à poser des agrafes (sens 2).

agraire adj. **1.** Des champs, des terres. *Mesure agraire.* **2.** Qui concerne le sol, les intérêts de ceux qui le cultivent ou qui le possèdent. *Parti agraire.* ▷ *Lois agraires*, organisant la distribution des terres dans un sens égalitaire.

agrammatical, ale, aux adj. LING Qualifie un énoncé ne répondant pas aux critères grammaticaux.

agrandir v. [3] **I.** v. tr. **1.** Rendre plus grand. *Agrandir une maison.* ▷ *Agrandir une photographie*, en tirer une épreuve plus grande que le négatif original. ▷ Faire paraître plus grand. *Mettre des glaces dans une pièce pour l'agrandir.* **2.** Fig. Élever, ennoblir. *La générosité agrandit celui qui l'exerce.* **II.** v. pron. Devenir plus grand. *Ce supermarché s'est encore agrandi.* ▷ Fam. *Ils attendent un enfant et voudraient s'agrandir*, trouver un logement plus spacieux.

agrandissement n. m. **1.** Action d'agrandir. *L'agrandissement d'une villa.* **2.** PHOTO Opération qui permet d'obtenir une épreuve plus grande que le négatif original. – L'épreuve ainsi obtenue. **3.** Fig. Augmentation de l'importance.

agrandisseur n. m. Appareil qui permet d'agrandir des photographies.

agranulocytose n. f. MED Diminution importante des leucocytes granuleux du sang.

agraphie n. f. MED Impossibilité de s'exprimer par l'écriture.

agrarien, enne n. et adj. **1.** n. HIST Défenseur des lois agraires, du partage du sol entre les cultivateurs. **2.** adj. Se dit des partis politiques qui défendent les propriétaires fonciers. *Le parti agrarien allemand disparut avec la guerre de 1914-1918.*

agréable adj. et n. m. **1.** Qui agrée, qui plaît (à qqn). *Vous serait-il agréable que nous dînions ensemble ?* **2.** Plaisant pour les sens. *Physionomie agréable. Une agréable demeure.* ▷ (Personnes) Sympathique, avenant. *Un homme fort agréable.* **3.** Subst. *Joindre l'utile à l'agréable.*

agréablement adv. De manière agréable. *Le prix modique de cet objet m'a agréablement surpris.*

agréé, ée adj. Reconnu conforme à certains règlements. *Traitement agréé par la Sécurité sociale.* ▷ n. m. Homme de loi qui représente les parties au tribunal de commerce, appartenant auj. à la m. profession qu'avoués et avocats.

agréer **1.** v. tr. [11] *Agréer qqch*, l'accepter. *Agréer une demande.* ▷ *Veuillez agréer mes hommages, mes excuses* (formule de politesse). ▷ *Fournisseur agréé de la Cour d'Angleterre* : commerçant autorisé à se réclamer du patronage de la Cour. **2.** v. tr. indir. Être au gré, à la convenance de. *Cela ne m'agrée pas du tout.*

agrégat [agʀega] n. m. **1.** Assemblage de diverses parties qui forment masse. *Un agrégat de gneiss.* **2.** PHYS Amas de matière constitué de quelques dizaines à quelques centaines d'atomes et ayant des dimensions de l'ordre du nanomètre. **3.** STATIS Terme qui désigne les grandeurs caractéristiques de la comptabilité nationale : production intérieure brute, consommation, etc. **4.** Plur. TRAV PUBL Ensemble des éléments inertes, tels que sables et gravillons, qui entrent dans la fabrication du béton.

agrégatif, ive n. Étudiant qui prépare l'agrégation.

agrégation n. f. **1.** Réunion de parties homogènes qui forment un tout. ▷ TRAV PUBL Matériau, à base de sable ou de débris de pierres, utilisé comme revêtement routier. **2.** Concours assurant le recrutement de professeurs de lycée et d'université (médecine, droit, pharmacie, etc.). *Se présenter à l'agrégation de lettres modernes.*

agrégé, ée n. Personne reçue à l'agrégation. *Une agrégée d'espagnol.*

agréger v. tr. [15] **1.** Réunir (des solides). – Pp. adj. *Le granit est formé de cristaux agrégés.* **2.** Fig. Admettre, incorporer (dans un groupe, une société).

agrément n. m. **1.** Approbation, consentement qui vient d'une autorité. *Soumettre un projet à l'agrément d'un directeur.* – FISC *Agrément fiscal* : allégement fiscal accordé à une entreprise. – DR Validation d'un accord par un tiers. *L'agrément d'une convention collective par le ministre du Travail.* **2.** Qualité qui rend agréable (qqn, qqch). *Une physionomie pleine d'agrément.* **3.** Plaisir. – Vieilli *Arts d'agrément* : arts pratiqués en amateur, pour le plaisir. – *Voyage d'agrément*, de détente, par oppos. à *voyage d'affaires.* – *Jardin d'agrément*, par oppos. à *jardin potager.* – Pop. *Se donner de l'agrément* : prendre du plaisir. **4.** MUS Trait, ornement d'une phrase musicale.

agrémenter v. tr. [1] Enjoliver, ajouter des ornements; donner de l'agrément à. *Agrémenter un exposé de citations. Agrémenter une soirée.* ▷ Pp. Iron. *Une lettre agrémentée de fautes d'orthographe.*

agrès [agʀɛ] n. m. pl. **1.** MAR Gréement. **2.** Appareils de gymnastique (trapèze, barre fixe, anneaux, etc.).

agresser v. tr. [1] **1.** Attaquer de façon brutale, physiquement ou moralement. **2.** (Sujet nom de chose.) Être nuisible pour. *Le soleil agresse la peau.*

agresseur n. m. **1.** Celui qui attaque le premier. – DR INTERN État qui en attaque un autre. **2.** Personne qui attaque brusquement quelqu'un. *Identifier son agresseur.*

agressif, ive adj. **1.** Qui a le caractère d'une agression. *Des paroles agressives.* ▷ Provocant. *Elle arbore un maquillage agressif.* **2.** Qui recherche le conflit, l'affrontement, la lutte. *Un État belliqueux et agressif.* **3.** PSYCHO Qui traduit l'agressivité. **4.** CHIM Corrosif.

agression n. f. **1.** Attaque brusque. ▷ DR INTERN Attaque militaire d'un État par un autre. *L'agression japonaise de Pearl Harbor a entraîné les États-Unis dans la guerre.* – *Pacte de non-agression* : renoncement par des États au recours à la force dans leurs rapports. **2.** Attaque brusque et violente contre une personne. *Passant victime d'une agression dans la rue.* **3.** PSYCHO Tout acte de caractère hostile envers autrui, réel, simulé dans le jeu ou imaginé. **4.** Mod. Atteinte à l'intégrité physique ou psychique des personnes, par des agents nuisibles. *Le bruit dans les villes constitue une agression permanente.*

agressivement adv. D'une façon agressive.

agressivité n. f. **1.** Caractère agressif. *Il devrait modérer l'agressivité de ses paroles.* **2.** PSYCHO Activité d'un sujet tournée vers l'extérieur et dans laquelle il s'affirme. – PSYCHAN Mode de relation avec l'extérieur dans lequel une volonté de destruction anime inconsciemment le sujet qui compense ainsi une frustration. (Freud a vu dans l'agressivité un instinct de destruction qui, allié à la libido, constitue le sadisme.)

agreste adj. Litt. Champêtre, rustique. *Des plantes agrestes.*

Agricola (Cnaeus Julius) (Forum Julii, auj. Fréjus, 40 – ?, 93), général romain. De 77 à 84, il soumit et gouverna la Grande-Bretagne. Son gendre, Tacite, écrivit sa biographie.

Agricola (Martin Sore, dit Martin) (Schwiebus, 1486 – Magdebourg, 1556), compositeur et théoricien all., fidèle aux principes de Josquin Des Prés.

agricole adj. **1.** Qui s'adonne à l'agriculture. *Une population agricole. Un ouvrier agricole.* **2.** Qui concerne l'agriculture. *Matériel, travaux agricoles. Coopérative agricole.*

agriculteur, trice n. Personne dont le métier est de cultiver la terre, de pratiquer l'élevage.

agriculture n. f. Travail de la terre, exploitation du milieu naturel permettant la production des végétaux et des animaux nécessaires à l'homme.

agriffer (s') v. pron. [1] (En parlant d'un animal.) S'accrocher avec les griffes. *La panthère s'agriffe à l'arbre.*

Agrigente (en ital. *Agrigento; Girgenti* av. 1927), v. d'Italie (Sicile); 55 350 hab.; ch.-l. de la prov. du m. nom. Industr. alim., chimiques. – Édifiée sur l'anc. cité dorienne d'Akragas. Célèbres ruines des temples de Junon, Jupiter, Hercule, etc.

Agrippa (Marcus Vipsanius) (63 – 12 av. J.-C.), général romain. Il joua un rôle décisif dans les batailles de Nauloque (36) et d'Actium (31), et fut jusqu'à sa mort le fidèle bras droit d'Octave (V. Auguste), dont il épousa la fille.

Agrippa d'Aubigné. V. Aubigné.

agrippement n. m. Action d'agripper, de s'agripper.

agripper v. tr. [1] Saisir avec force en s'accrochant. *Il m'a agrippé par les revers de ma veste.* ▷ v. pron. S'accrocher avec force.

Agrippine l'Aînée (?, v. 14 av. J.-C. – île de Pandateria, 33 apr. J.-C.), fille d'Agrippa et de Julie, petite-fille d'Auguste, épouse de Germanicus et mère de Caligula. – **Agrippine la Jeune** (?, 16 – ?, 59), fille de la précéd. ; elle épousa Domitius Ahenobarbus (dont elle eut Néron), puis l'empereur Claude. Son fils, devenu empereur, la fit assassiner.

agro-. Préfixe, du gr. *agros*, « champ ».

agro-alimentaire ou **agroalimentaire** adj. et n. m. Se dit de l'ensemble des activités de transformation des produits de l'agriculture destinés à l'alimentation. *Des industries agro-alimentaires.*

agrochimie n. f. Chimie appliquée à l'agriculture.

agrochimiste n. Spécialiste d'agrochimie.

agroenvironnemental, ale, aux adj. Qui concerne l'agriculture et l'environnement.

agroforesterie n. f. Technique qui combine l'agriculture et l'exploitation forestière.

agro-industrie n. f. Ensemble des industries dont l'agriculture est le fournisseur ou le client.

agrologie n. f. Science qui a pour objet la connaissance des sols en vue de leur exploitation agricole.

agronome n. Spécialiste de l'agronomie. *Ingénieur agronome*, diplômé d'une école supérieure d'agronomie.

agronomie n. f. Ensemble des connaissances théoriques et pratiques relatives à l'agriculture.

agronomique adj. Relatif à l'agronomie. *Institut national agronomique.*

agropastoral, ale, aux adj. Didac. Qui pratique à la fois l'agriculture et l'élevage.

agrotourisme ou **agritourisme** n. m. Tourisme en milieu rural.

agrume n. m. Nom des citrons, oranges, mandarines, clémentines, pamplemousses.

aguardiente [agwaʀdjɛnte] n. f. Eau-de-vie, en Espagne, au Portugal et en Amérique latine.

Aguascalientes, v. du Mexique, au N.-O. de l'État du m. nom ; cap. de l'État du m. nom ; 862 350 hab. Métallurgie.

aguerrir v. tr. [3] **1.** Accoutumer aux épreuves de la guerre. *Aguerrir de nouvelles recrues.* **2.** Accoutumer à des choses pénibles, endurcir. *Les épreuves l'ont aguerri.* ▷ v. pron. *Il s'est aguerri. S'aguerrir à la douleur.*

Aguesseau (Henri François d') (Limoges, 1668 – Paris, 1751), magistrat français, chancelier de 1717 à 1750 (avec des interruptions dues à la disgrâce) ; célèbre pour son gallicanisme et son érudition.

Agrigente : ruines du temple de Junon, Ve s. av. J.-C.

Agrippine l'Aînée, marbre, Ier s. ap. J.-C. ; musée du Louvre

aguets (aux) [ozagɛ] loc. adv. *Être aux aguets :* guetter, être attentif.

agueusie n. f. MED Perte du goût.

aguichant, ante ou **aguicheur, euse** adj. Qui aguiche.

aguicher v. tr. [1] Exciter par des agaceries, des manières provocantes.

Aguinaldo (Emilio) (près de Cavite, 1869 – Manille, 1964), nationaliste philippin. Il déclencha la révolte contre les Espagnols (1896), puis contre les É.-U., lorsqu'ils eurent acheté les îles aux Espagnols vaincus.

ah ! [ɑ] interj. et n. m. inv. **I.** interj. **1.** Exprime une vive émotion morale ou physique. *Ah ! quel bonheur ! Ah ! que je souffre !* **2.** Renforce une négation, une affirmation. *Ah ! ça, non ! Ah ! je te l'avais bien dit !* **3.** Redoublée, exprime la raillerie, l'ironie. *Ah ! ah ! je vous y prends.* **II.** n. m. inv. *Pousser des oh ! et des ah ! de surprise.*

Ah Symbole de l'ampère-heure.

Ahaggar. V. Hoggar.

ahaner [aane] v. intr. [1] Litt. Respirer bruyamment pendant un effort physique pénible.

Ahasvérus, personnage légendaire popularisé à partir du XVIIe s. sous l'aspect du Juif errant.

Ahern (Bertie) (Dublin, 1925), homme politique irlandais. Président du Fianna Fáil ; il devient Premier ministre en juin 1997.

Ahidjo (Ahmadou) (Garoua, 1924 – Dakar, 1989), homme d'État camerounais ; prés. de la Rép. de 1960 à 1982.

Ahmadou *(Aḥmadou)* (m. en 1898), souverain du Soudan occid. Il fut vaincu par Archinard en 1890.

Ahmed Ier (Manisa, 1590 – Istanbul, 1617), sultan ottoman (1603-1617). – **Ahmed III** (1673 – Istanbul, 1736), sultan de 1703 à 1730. Les janissaires le déposèrent.

Ahmedābād, v. de l'Inde, anc. cap. du Gujerāt ; 3 688 000 hab. Industr. du coton et de la soie.

Ahmet Vefik (Istanbul, 1819 – Roumeli Hisar, 1891), homme politique, historien, traducteur et lexicographe turc.

Ahmôsis, roi d'Égypte ; il fonda la XVIIIe dynastie (1580-1542 av. J.-C.).

Ahriman, divinité mazdéenne, principe du Mal. Il s'oppose à Ahura Mazdâ.

Ahtisaari (Martti) (*Viipuri*, auj. Vyborg, 1937), homme politique finlandais ; président de la Rép. depuis 1994.

Ahura Mazdâ, Ormuzd ou **Ormazd,** divinité suprême dans la religion mazdéenne des anciens Perses (v. VIIIe s. av. J.-C.). Principe du Bien, il s'oppose à Ahriman.

ahuri, ie [ayʀi] adj. Frappé de stupeur, hébété. *Brutalement réveillé, il était tout ahuri.* ▷ Subst. Fam. *Qui est-ce qui m'a fichu un ahuri pareil ?*

ahurir v. tr. [3] Étourdir, rendre stupéfait. *Ahurir un enfant à force de questions.*

ahurissant, ante adj. Qui ahurit. *Une nouvelle ahurissante.*

ahurissement n. m. État d'une personne ahurie.

Ahvenanmaa (en suédois *Åland*), archipel finlandais de la mer Baltique, à l'entrée du golfe de Botnie : 6 554 îles et îlots ; 1 527 km^2 ; 25 200 hab.

Ahwāz, v. du S. de l'Iran ; 471 000 hab. ; ch.-l. de la prov. du Khūziztān. Centre comm. (pétrole).

aï n. m. ZOOL Autre nom du *paresseux*.

Aicard (Jean François Victor) (Toulon, 1848 – Paris, 1921), écrivain français : *le Roi de Camargue* (1890), *Maurin des Maures* (1908). Acad. franç.

Aicha ou **Aichah** *('Ā'iša)* (La Mecque, v. 614 – Médine, v. 678), fille d'Abu Bakr et femme préférée de Mahomet. S'opposa à la nomination d'Ali ibn Abi Talib comme calife (656).

aiche. V. esche.

Aichinger (Ilse) (Vienne, 1921), femme de lettres autrichienne. Déclarant être entrée en littérature à cause de l'*Anschluss* et de la guerre, elle médite sur le sens du destin et de la souffrance humaine dans les genres les plus divers : *le Grand Espoir* (1948), *Discours sous la potence* (1952), *Ma langue et moi* (1978).

aide n. **A.** n. f. **I. 1.** Action d'aider, d'unir ses efforts à ceux d'une autre personne. *Son aide m'a été précieuse pour finir ce travail. Je ne pourrai pas porter cette caisse tout seul, j'ai besoin de votre aide.* – *À l'aide !* : au secours ! ▷ Loc. prép. *À l'aide de :* grâce à, au moyen de. *Arracher un clou à l'aide de tenailles.* **2.** Secours ou subside accordé aux personnes démunies. *Aide sociale. Aide judiciaire,* (Canada) *aide juridique,* destinée à faciliter l'accès à la justice aux personnes dont les ressources sont insuffisantes pour faire face aux frais d'un procès. ▷ ECON *Aide au développement :* transfert de ressources (prêts, investissements, dons) entre deux pays. **II.** Plur. **1.** EQUIT Moyens employés par le cavalier pour agir sur son cheval. *Aides naturelles* (assiette, jambes, rênes) ; *aides artificielles* (cravache, éperons, mors, etc.). **2.** *Aides à la navigation :* moyens optiques, radioélectriques, etc., destinés à faciliter la navigation des navires et des aéronefs. **3.** HIST *Aides royales :* impôts perçus sous l'Ancien Régime par les rois de France. **B.** n. Personne qui en aide une autre dans une fonction, un travail, et lui est subordonnée. *S'adjoindre un aide pour accomplir une tâche délicate. Aide ménagère :* personne envoyée par un bureau d'aide sociale pour subvenir à l'entretien à domicile de personnes âgées. – *Aide de camp :*

officier attaché à un chef militaire. ▷ (En composition.) *Un aide-maçon. Des aides-mécaniciens. Des aides-comptables.*

Aïd el-Kebir *(al-'īd al-Kabīr)* (arabe, « la grande fête »), une des trois grandes cérémonies de l'année musulmane, célébrée en commémoration du sacrifice d'Abraham, appelée aussi « fête du Mouton », parce que chaque famille sacrifie habituellement un mouton ce jour-là.

Aïd el-Seghir *(al-'īd aṣ-Ṣagīr)* (arabe, « la petite fête »), fête musulmane qui marque la fin du jeûne du ramadan.

aide-mémoire n. m. inv. Résumé des éléments essentiels sur un sujet déterminé.

aider v. [1] **I.** v. tr. dir. Faciliter les actions, les entreprises d'une personne, la soulager dans ses difficultés ; assister (qqn). *Ses amis l'aideront à réaliser ce projet. Ta présence m'a beaucoup aidé.* **II.** v. tr. indir. **1.** Vx ou rég. (Canada) (Compl. de pers.) *Aider à quelqu'un :* l'aider. *J'irai lui aider à finir son travail.* **2.** (Compl. de chose.) *Aider à quelque chose. Un séjour à la montagne aidera à son rétablissement.* **III.** v. pron. **1.** *S'aider de :* se servir de, utiliser. *Marcher en s'aidant d'une canne.* **2.** (Récipr.) Se soutenir, s'apporter un mutuel appui. *Aidez-vous les uns les autres.*

aide-soignant, ante n. Personne qui donne des soins aux malades sous la responsabilité d'un infirmier ou d'une infirmière. *Des aides-soignants.*

aïe ! [aj] interj. Exclamation de douleur, de désagrément. *Aïe ! aïe ! que je souffre ! Aïe ! je crois que je vais avoir des ennuis.*

A.I.É.A. Sigle de *Agence internationale de l'énergie atomique.*

aïeul, aïeule [ajœl] n. **1.** (plur. *aïeuls, aïeules*) Grand-père, grand-mère. *L'aïeul somnolait au soleil.* **2.** Litt. (plur. *aïeux* [ajø]) Ancêtre. *Nos aïeux ont fait les croisades.* – Loc. fam. *Mes aïeux ! :* exclamation exprimant la surprise, l'admiration, etc.

aigle n. **I.** n. m. **1.** Oiseau rapace de l'ordre des falconiformes (genre *Aquila*, qui comprend plusieurs espèces), généralement de grande envergure (2,50 m pour l'aigle royal), au bec et aux pattes robustes. *L'aigle a des pattes armées de griffes très puissantes, les serres. L'aigle glatit. Aire d'un aigle,* son nid. ▷ *Avoir un œil d'aigle,* une vue perçante. ▷ *Un nez en bec d'aigle,* crochu. **2.** Fig. *Ce n'est pas un aigle :* ce n'est pas une personne très intelligente, d'une grande valeur. **3.** Pupitre d'église en forme d'aigle aux ailes déployées. **4.** IMPRIM *Grand aigle :* très grand format de papier (75 × 106 cm). **II.** n. f. **1.** Femelle de l'aigle. **2.** Emblème héraldique figurant un aigle. *L'aigle impériale.* ▷ Enseigne militaire en forme d'aigle. *Les aigles romaines.* **3.**

aigle royal chassant un lièvre

ASTRO *L'Aigle :* constellation boréale dont l'étoile principale est Altaïr.

Aigle (L'), ch.-l. de cant. de l'Orne, sur la Risle (arr. de Mortagne-au-Perche) ; 9 799 hab. Constr. métall. Industr. bioméd. – Égl. St-Jean, XIIe-XVe s. ; chât. XVIIe s. (par Hardouin-Mansart) ; musée de la Bataille de Normandie.

aiglefin. V. églefin.

aiglon, onne n. Petit de l'aigle. ▷ *L'Aiglon :* surnom du fils de Napoléon Ier (fils de l'Aigle).

Aignan ou **Agnan** (saint) (Vienne, Dauphiné, 358 – ?, 453), évêque d'Orléans (391) ; il organisa la résistance de la ville contre Attila, en 451.

Aigos-Potamos. V. Ægos-Potamos.

Aigoual (ou mont Aigoual), massif de la bordure S.-E. du Massif central (Cévennes), culminant à 1 567 m ; imp. forêt domaniale intégrée au parc des Cévennes.

aigre adj. **1.** Qui a une acidité désagréable au goût. *Fruit aigre.* – *Vin aigre,* qui s'est corrompu, acidifié. **2.** Perçant, criard (en parlant d'un son). *La sonorité aigre du fifre.* **3.** Froid et vif. *Une bise aigre.* **4.** Fig. Revêche, acrimonieux. *Un caractère aigre. Parler d'un ton aigre.* Syn. acerbe. ▷ n. m. *Conversation qui tourne à l'aigre,* qui s'envenime.

aigre-doux, -douce adj. **1.** Dont la saveur est à la fois douce et aigre. *Fruits aigres-doux.* **2.** Fig. Dont l'aigreur, l'acrimonie perce sous une apparente douceur. *Des paroles aigres-douces.*

1. aigrefin n. m. Péjor. Individu sans scrupule, escroc, chevalier d'industrie.

2. aigrefin. V. églefin.

aigrelet, ette adj. Légèrement aigre. *La saveur aigrelette des myrtilles.*

aigrement adv. Avec aigreur, acrimonie. *Exposer aigrement ses griefs.*

aigrette n. f. **I.** Héron blanc (genre *Egretta*) dont la tête est pourvue de longues plumes. **II. 1.** Faisceau de plumes qui couronne la tête de certains oiseaux. *Aigrette d'un paon.* – Ornement qui rappelle l'aigrette des oiseaux, par sa forme ou par la matière dont il est fait. *Aigrette d'une coiffure militaire. Aigrette de diamants, de perles.* **2.** BOT Touffe de soies fines qui couronnent certaines graines et certains fruits. **3.** PHYS Effet lumineux prenant naissance à l'extrémité d'un conducteur porté à un potentiel élevé.

aigretté, ée adj. **1.** ZOOL Qui porte une aigrette. *Un oiseau aigretté.* **2.** BOT Qui est pourvu d'une aigrette. *Une semence aigrettée.*

aigreur n. f. **1.** Caractère de ce qui est aigre. *Aigreur d'un vin.* ▷ Fig. *Répondre avec aigreur.* **2.** *Aigreurs d'estomac :* régurgitations acides après les repas.

aigri, ie adj. Se dit d'une personne que les épreuves de la vie ont rendue amère et irritable. *Il est tellement aigri qu'il a perdu le sens de l'humour.*

aigrir v. [3] **I.** v. tr. **1.** Rendre aigre. *La chaleur aigrit le lait.* ▷ v. pron. *Ce vin s'aigrit.* **2.** Fig. Rendre aigre, amer (qqn). *Tant d'échecs l'ont aigri.* ▷ v. pron. *Son caractère s'aigrit de jour en jour.* **II.** v. intr. Devenir aigre, tourner à l'aigre. *Mon vin a aigri.*

aigrissement n. m. Fait d'aigrir, de s'aigrir.

aigu, uë [egy] adj. **1.** Terminé en pointe ou en tranchant. *Des crocs aigus. Un fer aigu.* ▷ *Angle aigu,* inférieur à 90 degrés. **2.** D'une fréquence élevée, haut dans l'échelle tonale. *Une voix aiguë.* Ant. grave. ▷ *Accent aigu.* V. accent. ▷ n. m. *L'aigu :* le registre aigu. *Aller du grave à l'aigu.* **3.** Vif, intense. *Une douleur aiguë.* ▷ MED *Maladie aiguë,* survenant brusquement et évoluant rapidement (par oppos. à *chronique*). **4.** Pénétrant, subtil. *Une intelligence aiguë.*

aigue-marine n. f. MINER Béryl bleu-vert. *Des aigues-marines.*

Aigues-Mortes, ch.-l. de cant. du Gard (arr. de Nîmes) ; 5 033 hab. Prod. de sel. Tourisme. – Saint Louis (qui s'y embarqua pour l'Égypte et pour Tunis) fit relier la ville à la mer par un chenal, qui s'envasa aux XVe-XVIe s. Le port déclina. – Tour de Constance, à l'angle N.-O. de l'enceinte fortifiée (XIIIe s.).

aiguière n. f. Anc. Vase à eau doté d'une anse et d'un bec.

aiguillage [egɥijaʒ] n. m. **1.** CH de F Appareil reliant deux ou plusieurs voies de chemin de fer et permettant à un convoi de passer de l'une à l'autre. – Manœuvre de cet appareil. *Faux aiguillage,* engageant un train sur une voie qu'il ne devrait pas suivre. **2.** Fig. Orientation d'une personne dans une direction. *Vous vous êtes trompé de porte ; il y a eu une erreur d'aiguillage.*

aiguille [egɥij] n. f. **I. 1.** Tige de métal petite et mince, pointue à un bout et percée à l'autre d'un chas où l'on passe le fil dont on se sert pour coudre. *Enfiler une aiguille.* ▷ Loc. fig. *De fil en aiguille :* en passant d'un propos à un autre ; une chose en entraînant une autre. ▷ Loc. fig. *Chercher une aiguille dans une botte de foin :* chercher une chose difficile à trouver au milieu de beaucoup d'autres. **2.** Tige longue et mince. *Aiguille à tricoter.* **3.** Fine tige métallique creuse, terminée en pointe, utilisée pour les injections et les ponctions. *Aiguille de seringue pour injections hypodermiques.* – *Aiguille d'acupuncture,* ne comportant pas de canal. **4.** Fine tige qui se déplace devant le cadran d'un appareil de mesure et qui sert d'index. *Aiguilles d'une montre. Aiguille d'un baromètre. Aiguille aimantée d'une boussole.* **II. 1.** Sommet très aigu d'un massif montagneux. *L'aiguille du Dru, à l'est du mont Blanc.* **2.** Partie d'un monument se terminant en pointe très aiguë. *L'aiguille d'une église gothique,* sa flèche. **3.** CONSTR Tige boulonnée reliant deux éléments de charpente. **4.** TRAV PUBL Pièce travaillant à la traction et servant à la suspension des tabliers de pont. Syn. suspente. **5.** CH de F Les deux éléments de rails, taillés en biseau et mobiles, d'un aiguillage ; chacun de ces éléments. **6.** TECH *Roulement à aiguilles :* roulement constitué de cylindres de faible diamètre. **7.** Feuille étroite et pointue d'un conifère. *Aiguilles de sapin.* **8.** *Aiguille de mer :* orphie.

aiguillée n. f. Longueur de fil sur laquelle une aiguille est enfilée.

aiguiller [egɥije] v. tr. [1] **1.** Diriger (un train) sur une voie par la manœuvre de l'aiguillage. **2.** Fig. Orienter (qqn) dans une direction, vers un but. *Il a aiguillé son fils vers les études scientifiques.*

Aiguilles (cap des), pointe la plus méridionale de l'Afrique, à l'E. du cap de Bonne-Espérance.

Aiguilles-Rouges, massif des Alpes franç., au N. du massif du Mont-Blanc ; 2 960 m.

aiguillette [egɥijɛt] n. f. **1.** Anc. Cordon ferré aux deux bouts servant à fermer un vêtement. *Les hauts-de-chausses se fermaient par une braguette et une aiguillette.* ▷ Loc. fig. *Nouer l'aiguillette* : rendre impuissant par maléfice. **2.** Ornement militaire au bout duquel sont suspendus des ferrets. *Aiguillettes d'un officier d'état-major.* **3.** Tranche mince et longue de la poitrine de certaines volailles. *Couper des aiguillettes de canard.* **4.** Partie du romsteck. **5.** Orphie, en Bretagne.

aiguilleur n. m. CH de F Employé chargé de manœuvrer les aiguillages. – *Aiguilleur du ciel* : spécialiste du contrôle de la navigation aérienne.

aiguillon n. m. **1.** Long bâton terminé par une pointe de fer utilisé pour piquer les bœufs. ▷ Fig. Ce qui stimule, incite à l'action. *L'appât du gain est un aiguillon.* **2.** Dard de certains insectes hyménoptères (guêpes, abeilles, etc.), dits *aculéates.* **3.** BOT Épine.

Aiguillon (anse ou baie de l'), baie de la côte atlantique (région du Marais poitevin) en face de l'île de Ré, à demi fermée par la *pointe de l'Aiguillon.*

Aiguillon (Marie-Madeleine de Vignerot, duchesse d') (Glénay, 1604 – Paris, 1675), nièce de Richelieu. Elle aida dans son œuvre saint Vincent de Paul.

Aiguillon (Emmanuel Armand de Vignerot, duc d') (Paris, 1720 – id., 1788), homme politique français. Gouverneur de Bretagne (1756), il entra en conflit avec le parlement. Ministre des Affaires étrangères puis de la Guerre, il participa au triumvirat antiparlementaire avec Maupeou et Terray.

aiguillonner v. tr. [1] **1.** Piquer (un bœuf) avec l'aiguillon. **2.** Fig. Stimuler. *Aiguillonner un enfant pour le faire travailler.*

aiguisage n. m. Action d'aiguiser (un outil, un instrument). Syn. aiguisement.

aiguisé, ée adj. Qui a été aiguisé (V. aiguiser, sens 1 à 3).

aiguisement n. m. **1.** Syn. de *aiguisage.* ▷ État de ce qui est aiguisé. **2.** Fig. *L'aiguisement des sens.*

aiguiser v. tr. [1] **1.** Rendre tranchant, pointu. *Aiguiser le fil d'un rasoir.* **2.** Fig. Rendre plus vif. *Aiguiser l'appétit.* **3.** Fig. Rendre plus aigu, plus fin (l'esprit). *Lectures qui aiguisent l'intelligence.*

aiguisoir n. m. Outil à aiguiser.

aïkido [ajkido] n. m. Art martial japonais, sport de combat à mains nues utilisant principalement les clés aux articulations.

ail [aj], plur. **ails** ou **aulx** n. m. Plante vivace monocotylédone (fam. liliacées) dont les bulbes, à l'odeur forte et au goût âcre, sont employés comme condiment. *Sauce à l'ail.*

ailante n. m. Arbre d'ornement (fam. simarubacées), aux feuilles composées pennées, originaire de Chine. Syn. cour. : faux vernis du Japon.

aile n. f. **I. 1.** Partie du corps de certains animaux, qui leur sert à voler. *Oiseau qui étend, déploie ses ailes. Battre de l'aile. S'envoler à tire-d'aile.* (Chez les oiseaux, il s'agit du membre antérieur entier; chez les chauves-souris, de l'extrémité de ce membre, la main; chez les insectes, l'aile est un organe spécifique du groupe.) ▷ Fig. *La peur donne des ailes,* fait courir très vite. – *Ne battre plus que d'une aile* : avoir beaucoup perdu de sa vigueur. – *Avoir du plomb dans l'aile* : avoir sa santé, sa situation très compromise. – *Rogner les ailes à quelqu'un,* lui ôter de son pouvoir. – *Voler de ses propres ailes* : agir sans le secours d'autrui, être autonome. – *Être sous l'aile de quelqu'un,* sous sa protection. ▷ Fig. *Les ailes du temps, de la victoire.* **2.** Morceau d'une volaille, d'un gibier à plume, constitué par la chair du membre antérieur. *Une aile de perdrix.* **II. 1.** Plan de sustentation d'un avion. **2.** *Ailes d'un moulin à vent* : châssis entoilés qui, en tournant sous l'action du vent, font mouvoir la meule. **3.** *Aile libre* : autre nom du deltaplane, engin utilisé pour le vol libre. **III.** Chacune des deux parties latérales de certaines choses. **1.** ARCHI Partie latérale d'un édifice. *Les ailes d'un château.* ▷ *Mur en aile* : mur de soutènement en retour. **2.** Chacune des parties latérales de la ligne formée par une troupe rangée en bataille. ▷ Au football, au rugby, etc., partie extrême, sur les côtés du terrain, de la ligne d'attaque. Fig. Partie d'un groupe, d'une formation politique. *L'aile gauche d'un syndicat.* **3.** AUTO Élément de carrosserie recouvrant une roue. **4.** *Aile du nez* : chacune des parties latérales inférieures du nez. **5.** BOT Chacun des deux pétales latéraux de la corolle des papilionacées. **6.** TECH Partie d'un profilé métallique, perpendiculaire à l'âme.

ailes : de haut en bas et de g. à dr., pigeon, exocet, chauve-souris, col-vert, lézard volant, coléoptère et papillon

ailé, ée adj. Pourvu d'ailes. *Mammifère ailé.* ▷ BOT Se dit des organes d'une plante pourvus d'une membrane analogue à une aile. *Graine ailée.*

aileron n. m. **1.** Extrémité de l'aile d'un oiseau. ▷ Nageoire (d'un requin). **2.** AVIAT Volet mobile, à incidence variable, situé sur le bord de fuite de l'aile. **3.** Élément aérodynamique d'une voiture. **4.** MAR Quille latérale ou prolongement de la quille servant de plan de dérive, sur certains petits bateaux. **5.** ANAT Nom donné à certains replis et expansions ligamentaires ou aponévrotiques. *Aileron du sacrum, du pharynx.*

ailette n. f. **1.** Lame métallique adaptée à un projectile d'artillerie pour augmenter la précision du tir. **2.** Saillie adaptée à un radiateur, un cylindre de moteur, pour augmenter la surface radiante. **3.** Petite branche proéminente de certains mécanismes. *Les ailettes des broches de filature. Écrou à ailettes,* que l'on peut serrer à la main, appelé aussi « écrou papillon ».

Ailette (l') ou **Lette** (la), riv. de France (63 km), affl. de l'Oise (r. g.). – Sur ses rives, combats de 1915 à 1918.

Ailey (Alvin) (Rogers, Texas, 1931 – New York, 1989), danseur et chorégraphe américain, fondateur de l'*Alvin Ailey Dance Theater* qui, à l'origine, groupait uniquement des artistes noirs; ses chorégraphies plongent leurs racines dans la culture négro-américaine (jazz, negro spirituals).

ailier n. m. Au football, au rugby, etc., avant dont la place est à l'aile de l'équipe.

aillade [ajad] n. f. Rég. **1.** Sauce à l'ail. **2.** Croûton, ou tranche de pain grillée, frotté d'ail et arrosé d'huile d'olive.

Aillaud (Émile) (Mexico, 1902 – Paris, 1988), architecte français. Il a dessiné les plans de plusieurs grands ensembles de logements sociaux, notam. dans la banlieue parisienne (Bobigny, Pantin) et à Forbach. Ses réalisations évitent la monotonie grâce à des façades onduleuses et à l'utilisation de couleurs et de motifs décoratifs. – **Gilles** (Paris, 1928), fils du préc.; peintre français. Il a longtemps traité le thème des animaux en cage, prétexte à de subtils cadrages et symbole de l'aliénation sociale.

-aille. Élément donnant une valeur péjorative et collective aux substantifs (ex. *marmaille, valetaille*).

-ailler. Suffixe verbal, péjoratif et fréquentatif (ex. *discutailler, écrivailler*).

ailler v. tr. [1] Garnir, frotter d'ail. *Ailler un gigot.*

ailleurs [ajœʀ] adv. **1.** En un autre lieu. *Ne le cherchez pas ailleurs. Vous ne trouverez pas ailleurs une telle qualité.* – *Nous avons dit ailleurs...,* dans un autre ouvrage, dans un autre passage. – *Son mécontentement vient d'ailleurs,* tient à une autre cause. ▷ Fig. *Être ailleurs* : rêver, penser à autre chose. **2.** *D'ailleurs* : d'un autre endroit. *Un inconnu venu d'ailleurs.* **3.** Loc. adv. *D'ailleurs* : de plus, en outre (avec une nuance nouvelle ou une restriction). *Je n'ai pas envie de vous voir, d'ailleurs je n'ai pas le temps.* **4.** Loc. adv. *Par ailleurs* : d'un autre côté, d'autre part. *Il est séduisant mais par ailleurs bien sot.*

ailloli. V. aïoli.

aimable adj. Affable, courtois. *Vous êtes bien aimable de m'aider. Un mot aimable.* ▷ Subst. *Faire l'aimable :* s'efforcer de plaire. Syn. charmant, sociable.

aimablement adv. D'une manière aimable.

1. aimant n. m. Corps attirant le fer ou l'acier. ▷ MINER *Aimant naturel :* magnétite.

2. aimant, ante adj. Enclin à la tendresse. *Une nature aimante.*

aimantation n. f. Action d'aimanter ; état de ce qui est aimanté.

aimanter v. tr. [1] Communiquer des propriétés magnétiques à.

aimer v. [1] **I.** v. tr. **1.** Éprouver de l'affection, de l'attachement, de l'amitié pour (qqn). *Aimer ses amis, sa famille.* **2.** Éprouver de l'amour, de la passion pour (qqn). *Il aime passionnément sa maîtresse.* ▷ (Par euph.) Faire l'amour à (qqn). ▷ (S. comp.) *Le temps d'aimer.* **3.** Avoir un penchant, du goût pour (qqch). *Aimer les voyages, le luxe, la chasse.* – Fig. *La violette aime l'ombre,* trouve à l'ombre des conditions favorables à sa croissance. **4.** (+ inf.) Prendre plaisir à. *Il aime travailler.* (Litt. *Il aime à travailler.*) ▷ (+ subj.) Trouver bon, avoir pour agréable. *J'aime que vous veniez me voir souvent.* **5.** *Aimer mieux, aimer autant :* préférer. *Il aime mieux la pipe que le cigare. J'aime autant qu'il ne voie pas ce gâchis.* **II.** v. pron. **1.** (Réfl.) Être content de soi. **2.** (Récipr.) Éprouver un mutuel attachement, amoureux ou amical.

Aimeri de Narbonne. V. Aymeri.

Ain, rivière de France (205 km), affluent du Rhône (r. dr.) ; naît dans le Jura, au sud du plateau de Nozeroy.

Ain, dép. franç. (01) ; 5 756 km² ; 471 019 hab. ; 81,8 hab./km² ; ch.-l. *Bourg-en-Bresse.* V. Rhône-Alpes (Rég.).

aine n. f. Partie du corps comprise entre le bas-ventre et le haut de la cuisse. *Le pli de l'aine.*

aîné, ée adj. et n. **1.** adj. Né le premier (parmi les enfants d'une famille). *C'est mon fils aîné.* ▷ Subst. *C'est l'aîné de mes enfants,* le plus âgé. **2.** n. Frère, sœur aînée. ▷ Personne plus âgée qu'une autre. *Il est mon aîné de cinq ans.* ▷ Personne du troisième âge, retraité. Syn. ancien.

aînesse n. f. DR ANC *Droit d'aînesse :* droit de primogéniture, privilégiant l'aîné des enfants mâles dans une succession.

Aïn-Hanech *('Ayn Haneš),* site préhist. d'Algérie, proche de Sétif (vestiges de la faune villafranchienne).

Aïnous ou **Aïnos,** minorité ethnique (env. 25 000 individus) des îles Sakhaline et Kouriles (Russie), Hokkaidō (Japon) ; derniers survivants des populations paléosibériennes.

A.I.N.S. n. m. Abrév. de *anti-inflammatoire non stéroïdien,* famille de médicaments anti-inflammatoires mais non dérivés de la cortisone, et dont fait partie l'aspirine.

ainsi adv. **1.** De cette façon. *Il a raison d'agir ainsi. Il commença ainsi son discours.* ▷ *Ainsi soit-il :* expression d'un souhait, à la fin d'une prière. ▷ *Pour ainsi dire :* formule atténuant la phrase qu'elle accompagne. *Elle lui a pour ainsi dire interdit de partir.* ▷ *Ainsi donc :* par conséquent. *Ainsi donc, vous leur donnez tort.* **2.** De même, de la même façon. *Comme un coup de tonnerre, ainsi a éclaté la nouvelle.* ▷ *Ainsi que.* Comme. *Ainsi que vous me l'avez demandé, je vous écris dès mon arrivée.* – Et, de même que. *Ces comprimés sont à prendre le matin, ainsi qu'à midi.*

aïoli ou **ailloli** [ajɔli] n. m. **1.** Mayonnaise à l'ail pilé. **2.** Plat de morue et de légumes servi avec l'aïoli.

1. air n. m. **1.** Mélange gazeux qui constitue l'atmosphère terrestre et que de nombreux êtres vivants respirent. *Aspirer une bouffée d'air pur. Ouvrir la porte et la fenêtre pour faire un courant d'air.* ▷ Fig. *Vivre de l'air du temps,* sans ressources. **2.** Ce fluide quand il est en mouvement. *Quand toutes les fenêtres sont ouvertes, cela fait de l'air.* ▷ *À l'air libre, en plein air, au grand air :* à l'extérieur, en un lieu où l'air circule. – Fig. *Être libre comme l'air :* pouvoir agir sans contrainte. ▷ *Être dans l'air :* être en préparation. *Être dans l'air du temps :* être à la mode, commencer à se répandre, à se diffuser. **3.** Espace que ce fluide emplit autour de la Terre. *Une fumée monte dans l'air.* – Plur. Litt. *La montgolfière s'éleva dans les airs.* ▷ Fig., fam. *Jouer la fille de l'air :* fuir. ▷ *En l'air :* vers le haut. *Regarder, tirer en l'air.* – Fig. Sans fondement. *Des menaces, des paroles, des promesses en l'air.* – *Parler en l'air,* sans réfléchir. – *Une tête en l'air :* une personne distraite. – Sens dessus dessous. *Les enfants ont mis toute la chambre en l'air.* – Loin. *Envoyer, ficher, flanquer quelque chose en l'air,* s'en débarrasser. – Arg., très fam. *S'envoyer en l'air :* prendre du plaisir sexuellement. **4.** *L'Air :* l'aviation, l'aéronautique. *Ministère de l'Air.* – *Hôtesse de l'air. Mal de l'air :* mal des transports qu'on éprouve en avion. **5.** Fig. Ambiance, atmosphère. *Quitter sa famille pour changer d'air. Il y a de la bagarre, de l'électricité, de l'orage dans l'air :* l'atmosphère est tendue. **6.** *Air comprimé,* produit par des compresseurs sous une pression généralement inférieure à 10 bars (1 million de pascals). – *Air liquide :* air à l'état liquide, de couleur bleue, de la densité de l'eau, qui bout vers – 190 °C.

ENCYCL *L'air atmosphérique* contient (en volume) 78 % d'azote, 21 % d'oxygène, 0,9 % d'argon et 0,03 % d'anhydride carbonique, ainsi que d'autres gaz en quantités plus faibles (néon, hélium, krypton, hydrogène et xénon) ou à l'état de traces (ozone et radon). Il contient également, mais en quantités très variables suivant les lieux, de la vapeur d'eau, de l'ammoniac, du dioxyde de soufre, des gaz polluants, des poussières et des microorganismes. L'air est peu soluble dans l'eau (30 cm³ par litre à 0 °C). Sa masse volumique, à 0 °C et sous la pression atmosphérique, est égale à 1,3 gramme par litre. L'air est un comburant, car il contient de l'oxygène (fourni en partie par les plantes vertes au cours de l'assimilation chlorophyllienne). Il est indispensable à la respiration des êtres vivants aérobies.

2. air n. m. **1.** Apparence qu'une personne a en général. *Avoir grand air, un drôle d'air, l'air comme il faut.* – *Un air de famille :* une ressemblance due à des liens de parenté. – *Il a un faux air d'empereur romain,* une vague ressemblance avec un empereur romain. ▷ Plur. *Prendre de grands airs :* affecter des manières de grand seigneur. – *Prendre des airs de :* singer. *Prendre des airs entendus,* une attitude de complicité. – Plaisant *Prendre des airs penchés,* une atti-

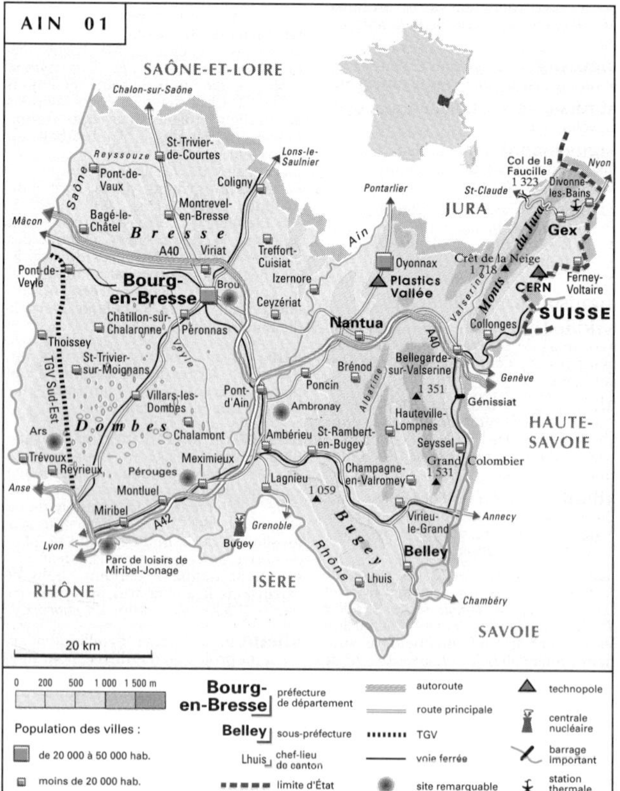

tude rêveuse, la tête penchée. **2.** Loc. *Avoir l'air :* sembler, paraître. *Ils ont l'air contents. Elle a l'air heureuse. Il a l'air d'être au courant.* (N.B. Si le sujet est un nom de chose, l'attribut s'accorde avec le sujet : *cette statue a l'air ancienne.* Si le sujet est un nom de personne, l'attribut s'accorde soit avec le sujet, soit avec « air ». *Grand-mère a l'air heureux* ou *heureuse.*) **3.** *N'avoir l'air de rien :* paraître sans importance, sans valeur, sans difficulté (mais à tort). *Elle n'a l'air de rien mais, pendant la guerre, elle a été héroïque.*

3. air n. m. **1.** Suite de sons musicaux formant une mélodie. *Je me souviens des paroles de cette chanson, mais j'ai oublié l'air. Les airs célèbres des opéras de Verdi.* ▷ (Plur.) Chansons. *Cet ethnologue recueille des airs traditionnels auprès des paysans.* **2.** Mélodie jouée par un instrument seul. *Un air de flûte.*

Aïr, massif montagneux du Sahara mérid., situé au Niger, culminant à 1 944 m. Gisement d'uranium, mines d'étain et de tungstène.

airain n. m. **1.** Vx Bronze, alliage à base de cuivre. *Statue d'airain.* **2.** Fig. *D'airain :* dur, impitoyable. *Un cœur d'airain.*

air-air adj. inv. Qualifie un missile lancé à partir d'un aéronef en direction d'un autre aéronef.

airbag n. m. (Anglicisme) Nom déposé, syn. (off. recommandé) de coussin* gonflable.

Airbus Industrie, consortium aéronautique européen créé en 1970, qui regroupe des constructeurs français, allemand, britannique et espagnol. ▶ illustr. **avion**

aire n. f. **I.** Surface plane. **1.** Terrain plat où l'on bat le grain. **2.** Nid, établi sur une surface plane, de certains grands oiseaux de proie. *L'aire de l'aigle, du vautour.* **3.** GEOL *Aires continentales :* plates-formes de grande étendue d'un continent, où se sont déposées, de façon régulière, des couches sédimentaires. **4.** *Aire d'atterrissage :* surface destinée aux manœuvres des avions. ▷ ESP *Aire de lancement :* plate-forme comprenant une rampe, un mât ombilical ou une tour de montage, où sont réunis les équipements qui assurent le support de l'engin spatial et son alimentation par les installations au sol. (Le terme *pas de tir* est proscrit par l'Acad. française.) **II. 1.** GEOM Superficie d'une figure géométrique. *Aire d'un carré.* **2.** MAR *Aire de vent :* la trente-deuxième partie de l'horizon, sur la rose des vents. Syn. rhumb. **III. 1.** Étendue géographique où vivent certaines espèces animales ou végétales, où l'on constate certains phénomènes. *Aire de répartition du blé.* – *Aire culturelle,* propre à un certain type de culture. – *Aire linguistique,* où l'on trouve un ensemble de faits linguistiques. **2.** PHYSIOL Zone déterminée du corps ayant une importance fonctionnelle particulière. *Aire cutanée, striée.* **3.** BOT *Aire germinative :* portion du germe où se développe l'embryon.

Aire, riv. de Lorraine (120 km), affl. de l'Aisne (r. g.); naît dans le plateau du Barrois.

airedale [ɛʀdal] n. m. Chien terrier de grande taille, à poil dur serré et plat, originaire de la vallée de l'Aire (Yorkshire).

airelle n. f. Arbrisseau portant des baies comestibles rouges ou d'un noir bleuté; ces baies.

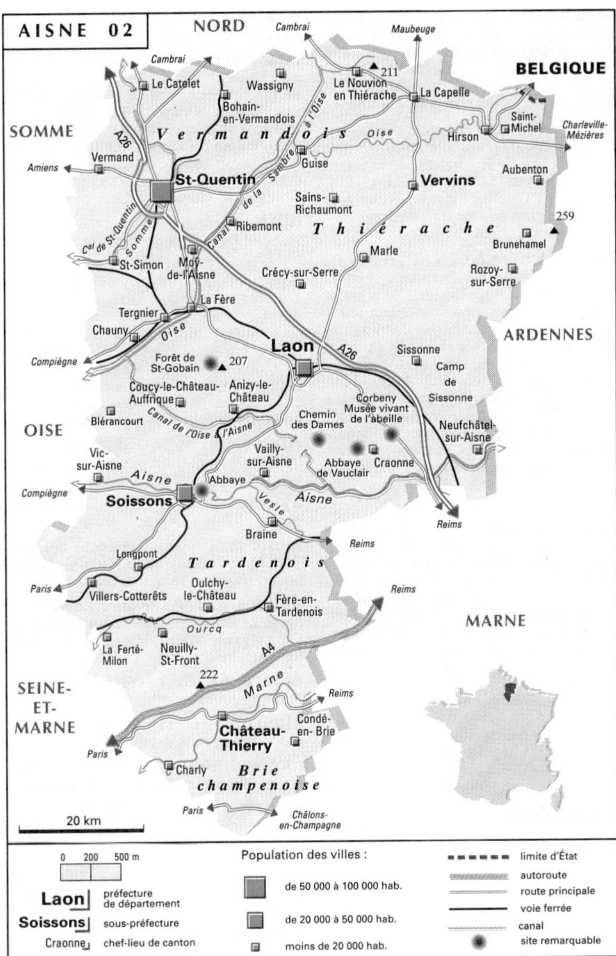

Aire-sur-l'Adour, ch.-l. de cant. des Landes; 7 193 hab. – Cath. Saint-Jean (XIVe s., remaniée).

Air France, compagnie de navigation aérienne, fondée en 1933 par la réunion de sociétés privées et nationalisée en 1945.

Airy (sir George Biddell) (Alnwick, 1801 – Londres, 1892), astronome anglais, auteur de la première théorie complète de l'arc-en-ciel.

A.I.S., sigle de *Armée islamique du salut,* branche militaire du F.I.S.

aisance n. f. **1.** État de fortune qui permet une vie agréable. *Les habitants de ce quartier vivent dans l'aisance.* **2.** Facilité, grâce naturelle, liberté de corps ou d'esprit dans la manière d'être. *Agir, parler, s'exprimer avec aisance. Elle manie avec aisance plusieurs langues étrangères.* **3.** Plur. Vx Liberté de jouissance, d'après certains droits. *Le droit d'aisances d'un puits.* – Mod. *Lieux d'aisances :* cabinets.

aise n. f. et adj. **I.** n. f. **1.** État d'une personne qui n'est pas gênée. *Être à l'aise dans un vêtement. Se sentir à l'aise, à son aise.* **2.** Plur. *Aimer ses aises :* apprécier son confort personnel. – *Prendre ses aises :* s'installer sans se soucier d'autrui. **3.** Fig. *Mettre quelqu'un à l'aise, à son aise (mal à l'aise, mal à son aise) :* procurer à qqn une impression de bien-être (de gêne). *Cette réflexion désagréable l'a mis mal à son aise.* – *En prendre à son aise avec... :* ne pas se soucier de... – *Parler à son aise de qqch,* en parler de manière détachée, sans être personnellement mis en cause. *Vous parlez à votre aise de la conduite automobile, vous n'avez pas de voiture.* ▷ *À votre aise ! :* comme il vous plaira ! **4.** Litt. Joie, contentement. *Pousser un soupir d'aise.* **II.** adj. Litt. Content, joyeux. *Je suis bien aise de vous voir.*

aisé, ée adj. **1.** Facile, qui se fait sans peine. *Un travail aisé.* **2.** Fig. Qui a de l'aisance, du naturel. *Un style aisé.* **3.** Qui vit dans l'aisance. *Des bourgeois aisés.*

aisément adv. Facilement. *Il surmonta aisément cette épreuve.*

Aisne, riv. de France (270 km), affl. de l'Oise (r. g.); naît dans l'Argonne. Canalisée sur 117 km, elle est reliée au canal des Ardennes.

Aisne, dép. franç. (02); 7 378 km²; 537 259 hab.; 72,8 hab./km²; ch.-l. *Laon.* V. Picardie (Rég.).

Aisne (batailles de l'), nom de quatre batailles livrées près de la riv. pendant la guerre de 1914-1918 (Chemin des Dames en 1917).

aisselle n. f. **1.** Région située au-dessous de la jonction du bras avec le tronc, pourvue de poils chez l'adulte et riche en glandes sudoripares. **2.** BOT Région de la tige située immédiatement au-dessus de l'insertion d'une feuille.

Aix (île d'), île de l'Atlantique, à 6 km de la côte française, commune (*Île-d'Aix;* arr. de Rochefort) de la Char.-Mar.; 200 hab. Stat. baln. – En 1815, Napoléon Ier, réfugié dans l'île, se rendit aux Anglais à bord du *Bellerophon.* – Musée napoléonien.

Aix-en-Provence, ch.-l. d'arr. des B.-du-Rh.; 126 854 hab. Industr. électron., alim., confiserie (calissons); la v., aux importantes fonctions intellectuelles (université) et artistiques (festival de musique), tend à s'intégrer à la zone urbaine de Marseille. – Fondée par les Romains en 123 av. J.-C. – Archevêché d'Aix et d'Arles. Cath. St-Sauveur (rebâtie de 1285 à 1350; triptyque du *Buisson ardent* par Nicolas Froment). Bibliothèque Méjanes; musée Granet (Rubens, Rembrandt, Ingres, Géricault, Cézanne, etc.); nombreuses maisons anciennes.

Aix-la-Chapelle (en all. *Aachen*), v. d'Allemagne (Rhén.-du-N.-Westphalie), près des frontières belge et néerl.; 239 170 hab. Centre comm. et intel. Stat. therm. Cette anc. cité romaine *(Aquæ Grani)* fut la résidence préférée de Charlemagne et le lieu de couronnement des empereurs germaniques. Deux traités y furent signés : celui de 1668 termina la guerre de Dévolution; celui de 1748, la guerre de la Succession d'Autriche. En 1818, les puissances de la Sainte-Alliance y tinrent un congrès. – Chapelle palatine carolingienne (796-814) à partir de laquelle fut édifiée une cath. gothique (XIIIe-XVe s.).

Aix-les-Bains, ch.-l. de cant. de la Savoie (arr. de Chambéry), sur la rive E. du lac du Bourget; 24 826 hab. Stat. therm. Ingénierie; mat. électr. – Ruines romaines.

aixois, oise adj. et n. D'Aix-en-Provence. – Subst. *Les Aixois.*

ajaccien, enne [aʒakjɛ̃; ajaksjɛ̃, ɛn] adj. et n. D'Ajaccio. – Subst. *Les Ajacciens.*

Ajaccio : le port de pêche

Ajaccio, ch.-l. de la Corse en tant que Rég., ch.-l. du dép. de la Corse-du-Sud, sur la côte O. de l'île, au fond du *golfe d'Ajaccio;* 59 318 hab. Aéroport (Campo dell'Oro). Port de comm., tourisme; constr. aéron.; industr. pharm. – Évêché. Maison natale de Napoléon. Musée (legs du cardinal Fesch).

Ajantā, site archéol. de l'Inde, au N.-O. du Dekkan, près d'Hyderābād. Ensemble de sanctuaires bouddhiques creusés dans les parois d'une falaise, décorés de sculptures et de peintures murales (IIe s. av. J.-C.-VIIe s. apr. J.-C.) qui illustrent la vie du Bouddha.

Ajar (Émile), pseudonyme de Romain Gary pour certains romans.

Ajax, nom de deux héros grecs de la guerre de Troie. L'un, fils d'Oïlée, roi de Locride, fut puni de son impiété par Poséidon, qui suscita son engloutissement dans la mer. L'autre, fils de Télamon, roi de Salamine, devint fou parce qu'on avait donné à Ulysse les armes d'Achille mort; il massacra le bétail des Grecs et se suicida.

ajiste adj. et n. Qui concerne le mouvement des Auberges de la Jeunesse (A.J.); qui en fait partie.

Ajjer ou **Adjer,** confédération de Touareg vivant dans la région du *tassili des Ajjer,* vaste plateau du Sahara algérien au N.-E. du Hoggar. Explorés par Henri Lhote (1903-1991) à partir de 1956, les abris-sous-roche du tassili ont livré des centaines de peintures polychromes et de gravures rupestres du néolithique (env. 3500 av. J.-C.).

Ajmer, ville du N.-O. de l'Inde (Rājasthān); 402 000 hab. Centre comm. – Pèlerinage (mosquée célèbre).

ajointer v. tr. [1] TECH Joindre bout à bout.

ajonc [aʒɔ̃] n. m. Arbrisseau épineux (fam. papilionacées), à fleurs jaunes, poussant en terrain sec, non calcaire.

ajour n. m. **1.** Petite ouverture par où passe le jour. *Les ajours d'un clocher.* **2.** Espace vide dans une broderie, une dentelle.

ajouré, ée adj. **1.** Percé de jours. **2.** Orné de jours.

ajourer v. tr. [1] Percer, orner de jours. *Ajourer un drap.*

ajournement n. m. Action d'ajourner, de retarder. *Ajournement des débats.*

ajourner v. tr. [1] **1.** Renvoyer à une date ultérieure. *Ajourner un procès.* – Pp. adj. *Une rencontre ajournée.* **2.** *Ajourner un étudiant, un conscrit,* les obliger à se représenter à l'examen, au conseil de révision. – Pp. adj. *Les candidats ajournés préparent la prochaine session.*

ajout [aʒu] n. m. Élément ajouté à un ensemble. *Les ajouts architecturaux.*

ajouté, ée adj. et n. m. Qui a été ajouté.

ajouter v. [1] **I.** v. tr. **1.** Mettre en plus. *Ajouter quelques fleurs à un bouquet.* **2.** Dire en plus. *Il sortit sans ajouter un mot.* **3.** Loc. litt. *Ajouter foi à* : croire. *Ne pas ajouter foi à certaines rumeurs.* **II.** v. tr. indir. Augmenter (qqch). *En parler ne ferait qu'ajouter au malaise.* **III.** v. pron. Se joindre, s'additionner. *À cela s'ajoute le fait que c'est très loin.*

ajustable adj. Qui peut être ajusté.

ajustage n. m. Action d'ajuster. ▷ TECH Assemblage de pièces effectué avec précision.

fresque d'**Ajantā** (détail)

fresque du tassili des **Ajjer** : mère allaitant, v. 3500 av. J.-C.

ajusté, ée adj. Qui a été ajusté.

ajustement n. m. **1.** Action d'ajuster; fait d'être ajusté. **2.** Fig. Adaptation. *L'ajustement des horaires.*

ajuster v. tr. [1] **1.** Réaliser l'adaptation exacte d'une chose à une autre, joindre à. *Ajuster une porte dans son huisserie. Ajuster un piston à un cylindre.* ▷ v. pron. S'adapter; aller avec. **2.** Rendre juste, mettre à une dimension donnée. *Ajuster la longueur d'un vêtement.* **3.** Viser. *Tireur qui ajuste la cible.* ▷ Fig. *Ajuster son coup* : préparer, combiner les choses au mieux. **4.** Vieilli Mettre en accord, en harmonie. *Ajuster la théorie à la pratique.* **5.** Vx Arranger avec soin, mettre en ordre. *Elle ajusta les plis de son châle.*

ajusteur n. m. Ouvrier spécialisé dans les travaux d'ajustage.

Akaba ou **Aqaba** (golfe d'), golfe de la mer Rouge, séparant le Sinaï de l'Arabie Saoudite.

Akaba ou **Aqaba,** port de Jordanie, au N. du golfe, en face du port israélien d'Elath; 10 000 hab.

Akademgorodok, v. de Russie (Sibérie), près de Novossibirsk. Cité scientifique édifiée en 1959 et consacrée à la recherche; 35 000 hab.

Akakia (m. v. 1551), nom (grec) du médecin de François Ier (Martin Sans-Malice). – *Diatribe du Dr Akakia, médecin du pape,* pamphlet de Voltaire contre Maupertuis.

Akbar (Mohammed) (Umarkot, 1542 – Āgra, 1605), empereur moghol de l'Inde, descendant de Tamerlan. Conquérant (Bengale, 1576), législateur, protecteur des arts et des lettres.

akène ou **achaine** [akɛn] n. m. BOT Fruit sec indéhiscent à une seule graine. *Le gland est un akène.*

Akerman (Chantal) (Bruxelles, 1950), cinéaste belge. Elle va jusqu'au bout du cinéma-vérité dans *Jeanne Dielman, 23, quai du Commerce, 1080 Bruxelles* (1975), puis scrute le sentiment amoureux : *Toute une nuit* (1983), *Nuit et Jour* (1991).

Akhenaton ou **Akhnaton.** V. Aménophis IV.

Akhisar, v. de Turquie (Anatolie occidentale); 68 400 hab. Fabrication de tapis. – Une des sept Églises de l'Apocalypse.

Akhmatova (Anna Andreïevna Gorenko, dite) (Odessa, 1889 – Domodedovo, près de Moscou, 1966), poétesse russe, adepte de l'« acméisme », qui réclame plus de clarté, d'équilibre et d'harmonie que le symbolisme : *Soir* (1912), *Requiem* (1963).

Akhtal (Al-) *(al-'Aḫṭal)* (?, v. 640 - ?, v. 710), poète arabe, d'origine chrétienne, attaché à la cour des Omeyyades de Damas. Ses diatribes contre Djarīr sont célèbres.

Akihito (Tokyo, 1933), 125e empereur du Japon. Il inaugure l'ère *Heisi* (« Accomplissement de la paix ») en 1989.

Akinari Ueda (Ōsaka, 1734 - Kyōto, 1809), écrivain japonais : *Contes de pluie et de lune* (1776).

akinésie n. f. MED Impossibilité, distincte de la paralysie, d'effectuer certains mouvements.

Akita, v. du Japon (Honshū); 305 000 hab.; ch.-l. du ken du m. nom. Raff. de pétrole; tissage de la soie.

Akkad (pays d'), rég. de Mésopotamie qui devint le centre d'un vaste royaume sémitique fondé par Sargon l'Ancien (IIIe millénaire av. J.-C.), englobant le pays de Sumer et la Babylonie. Ébranlé par les révoltes de Babylone, il s'effondra lors de l'invasion des Goutis.

akkadien, enne adj. Du pays d'Akkad. ▷ Subst. *Un(e) Akkadien(ne).* ▷ n. m. Langue sémitique (considérée comme la plus ancienne).

Akko. V. Acre.

Ak Metchet, (anc. *Kyzyl-Orda*), v. du Kazakhstan, sur le Syr-Daria; 183 000 hab. Industries alimentaires.

Akmola. V. Astana.

Akosombo, barrage du Ghana, sur la Volta; sa retenue forme un des plus grands lacs artificiels (lac Volta).

Akron, v. des É.-U. (Ohio), au S. du lac Érié; 240 000 hab. Centre très import. de l'industr. du caoutchouc.

Aksoum. V. Axoum.

Aktioubinsk, v. du Kazakhstan; ch.-l. de la prov. du m. nom; 280 000 hab. Industr. métall., chimique.

Akureyri, un des princ. ports d'Islande, au N. de l'île; 15 000 hab. Industrie textile.

Akutagawa Ryūnosuke (Tōkyō, 1892 - id., 1927), écrivain japonais; auteur de nouvelles et de contes fantastiques dans lesquels transparaît l'obsession de la folie : *Rashōmon* (« la Porte de l'enfer », 1915), *Haguruma* (« l'Engrenage », 1927), etc. Il se suicida.

akvavit. V. aquavit.

al Symbole d'*année de lumière.*

Al CHIM Symbole de l'aluminium.

Alabama, État du S.-E. des É.-U., sur le golfe du Mexique; 133 915 km²; 4 274 000 hab., dont un tiers de Noirs; cap. *Montgomery.* L'État doit son nom au fleuve (507 km) qui le parcourt. Autref., maïs et coton; auj., minerai de fer, charbon, pétrole.

Alaca Höyük, site archéol. d'Anatolie, à 200 km env. à l'E. d'Ankara. Vestiges des civilisations hatti et hittite.

Alacoque. V. Marguerite-Marie Alacoque.

alacrité n. f. Litt. Enjouement, gaieté.

Aladin (en ar. *'Alā 'ad-Dīn*), dit le Vieux de la montagne, chef de la secte chiite des Assassins (Haschischins) ou Ismaéliens, au XIIIe s.

Alagnon, riv. de France, affl. de l'Allier (r. g.); 80 km; naît au Plomb du Cantal; arrose Murat.

Alagoas, État du N.-E. du Brésil; 27 933 km²; 2 690 000 hab.; ch.-l. *Maceió.* Rég. agric. : canne à sucre, coton.

Alain (Émile Chartier, dit) (Mortagne-au-Perche, 1868 - Le Vésinet, 1951), universitaire et philosophe français. Radical-socialiste, parti du kantisme, il a développé un humanisme cartésien qui, dans le domaine de l'esthétique, privilégie le rôle de la raison au détriment de l'affectivité : *Système des beaux-arts* (1920); nombreux *Propos* dont *Propos sur le bonheur* (1928).

Alain-Fournier (Henri Alban Fournier, dit) (La Chapelle-d'Angillon, 1886 - Les Éparges, 1914), romancier français, mort au front, auteur du *Grand Meaulnes* (1913), roman autobiographique et fiction poétique.

Akihito

Alain-Fournier

Alains, peuple nomade originaire de Scythie, soumis et dispersé par les Huns au IVe s.

alaire adj. Didac. Qui se rapporte aux ailes (d'oiseaux, d'avions).

alaise ou **alèse** n. f. **1.** Toile, souvent imperméable, qui protège le matelas, notam. dans le lit d'un malade, d'un enfant. **2.** Planche ajoutée à un panneau pour lui donner la dimension voulue.

Al-Akhdaria. V. Lakhdaria.

Alamans, confédération de peuples germaniques installés sur la r. dr. du Rhin au IIIe s. Battus et soumis par Clovis à Tolbiac (496).

alambic [alɑ̃bik] n. m. Appareil de distillation composé d'une chaudière à laquelle est relié un tube à plusieurs coudes.

alambiqué, ée adj. Complexe, confus, maniéré. *Style alambiqué.*

Alamein (Al-) *(al-'Alamayn),* village d'Égypte sur la Méditerranée, à 100 km à l'O. d'Alexandrie. - Victoire des troupes brit. de Montgomery sur l'armée de Rommel après une gigantesque bataille de chars (23 oct.-3 nov. 1942).

Åland. V. Ahvenanmaa.

alanguir v. tr. [**3**] Abattre, affaiblir, rendre languissant. *La maladie l'a alangui.* ▷ v. pron. Perdre de son énergie, être dans un état de langueur. *S'alanguir au soleil.* ▷ Pp. adj. *Être alangui par la chaleur.*

alanguissement n. m. État d'une personne alanguie.

alanine n. f. BIOCHIM Acide aminé aliphatique présent dans toutes les protéines.

Alaouites, dynastie marocaine qui règne sur le Maroc depuis 1660.

Alaouites ou **Alawites,** membres d'une secte chiite fondée par Ibn Nusayr au IXe s. Ils jouent un rôle important en Syrie.

Alarcón y Ariza (Pedro Antonio de) (Guadix, 1833 - Valdemoro, 1891), journaliste et écrivain espagnol. Romancier (*le Scandale,* 1815; *l'Enfant à la boule,* 1880), sa nouvelle picaresque *le Tricorne* (1874) a été popularisée par le ballet-pantomime de M. de Falla pour les Ballets russes de Diaghilev.

Alaric Ier (delta du Danube, v. 370 - Cosenza, 410), roi des Wisigoths. Il envahit la Thrace, la Grèce, par deux fois l'Italie, prenant et saccageant Rome (410). — **Alaric II,** roi des Wisigoths (484-507), tué par Clovis à Vouillé.

alarmant, ante adj. De nature à alarmer. *Des rumeurs alarmantes circulaient dans les couloirs.*

alarme n. f. **1.** Signal, cri pour appeler aux armes, annoncer un danger. *Il hurla pour donner l'alarme.* ▷ *Signal d'alarme* : dispositif installé dans un train pour demander l'arrêt en cas de danger. **2.** Dispositif destiné à prévenir d'un danger, à signaler une agression. **3.** Frayeur subite, devant quelque chose d'alarmant. *Ce n'était qu'une fausse alarme, la fièvre est tombée.*

alarmer 1. v. tr. [**1**] Inquiéter par l'annonce d'un danger. *Cette découverte l'alarma sérieusement.* **2.** v. pron. S'effrayer. *Une mère s'alarme vite.*

alarmisme n. m. Tendance à être alarmiste.

alarmiste adj. et n. Qui répand des bruits alarmants. ▷ n. m. *Des alarmistes qui jouent aux oiseaux de mauvaise augure.*

Alaska, État des É.-U., situé à l'extrémité N.-O. du continent amér.; 1 530 693 km²; 634 000 hab. (en expansion constante); cap. *Juneau;* v. princ. *Anchorage.* Cette grande presqu'île comprend au N. la chaîne de Brooks (2 816 m), au centre la vallée du Yukon, au S. la chaîne de l'Alaska (6 887 m au mont McKinley). La population vit sur la côte S., où le climat est plus doux. Les ressources minières sont import. : or, argent, cuivre, houille; les gisements de pétrole et de gaz, considérables, ne sont exploités de façon accrue (et très onéreuse) que depuis 1968 (en 1989, une marée noire a eu de graves conséquences écologiques); la pêche, la chasse et le tourisme constituent les activités essentielles. L'État a une importance stratégique : bases milit. - En 1867, les É.-U. achetèrent aux Russes l'Alaska, qui devint le quarante-neuvième État en 1958.

alaterne n. m. Nom d'une espèce de nerprun.

Alaungpaya ou **Alompra** (m. en 1760), roi de Birmanie (1752-1760). Héros national, il mena une polit. de conquête. Il fonda Rangoon.

Álava, prov. basque de l'Espagne; 3 047 km²; 277 700 hab.; ch.-l. *Vitoria.*

Albacete, v. d'Espagne (Castille-la Manche); 130 500 hab.; ch.-l. de prov. Marché agricole. Coutellerie.

albacore n. m. Autre nom du *germon.*

Albain (mont), montagne de l'Italie (Latium), 949 m.

Alba-Iulia, v. de Roumanie (Transylvanie); 75 000 hab.; ch.-l. de district. Industr. alim. - Cath. goth. (XIIIe s.).

albanais, aise adj. et n. **1.** adj. De l'Albanie. ▷ Subst. *Un(e) Albanais(e).* **2.** n. m. Langue indo-européenne parlée en Albanie.

Albani, famille romaine de laquelle sont issus le pape Clément XI et le cardinal Alessandro Albani (1692-1779), collectionneur d'antiquités.

Albanie (*Republika e Shqipërisa*), État situé au S.-O. de la péninsule balkanique; 28 748 km²; 3 500 000 hab.; cap. *Tirana.* Nature de l'État : régime parlementaire. Langue off. : albanais. Monnaie : lek. Pop. : Albanais (90 %), Grecs (9 %). Relig. : islam, christianisme (orthodoxe et catholique), athéisme officiel.

Géogr. phys., hum. et écon. – Trois unités de relief se succèdent d'E. en O. : des massifs montagneux au climat continental, alimentant de nombreux cours d'eau et qui furent longtemps des refuges de peuplement, des collines argileuses fertiles et une plaine côtière au climat méditerranéen qui groupent aujourd'hui l'essentiel de la population. Collectivisée à partir de 1945, l'économie est largement agraire (65 % des ruraux, 55 % des actifs dans l'agriculture) et fut caractérisée jusqu'en 1990 par l'autarcie et l'immobilisme. La situation économique, qui s'était améliorée en 1994, est à nouveau dégradée depuis 1996.

Hist. – L'Albanie, qui fit partie de la province romaine d'Illyrie, a connu la domination byzantine puis celle de la Serbie avant d'être conquise par les Ottomans au XVe s. Même islamisée, l'Albanie s'est révoltée inlassablement contre les Turcs dont elle s'est affranchie en 1912, mais elle ne fut vraiment indépendante qu'en 1919. Président de la Rép. en 1925, Ahmed Zogu devint roi en 1928 sous le nom de Zog Ier. L'Italie envahit et conquit l'Albanie en avril 1939. Enver Hodja, communiste, organisateur de la résistance pendant la guerre, a conservé le pouvoir jusqu'à sa mort (1985). Pays « stalinien » (env. 100 000 victimes), l'Albanie a rompu ses relations avec l'U.R.S.S. en 1961, puis avec la Chine postmaoïste en 1978. E. Hodja a été remplacé à la tête du P.C. par Ramiz Alia. Sous la pression de la crise écon. et sociale, une évolution est amorcée. Après les élections de mars 1991 (remportées par le Parti du travail, communiste, rebaptisé socialiste en mai), un gouv. de coalition est formé en juin. En 1992, Sali Berisha, chef de l'opposition victorieuse, devient président en avril. La réforme de la Constitution, proposée par référendum en novembre 1994, a été un échec, la population protestant contre la misère. En janvier 1997, la faillite de sociétés d'investissements qui avaient capté l'épargne populaire déclenche des émeutes. Le chaos gagnant peu à peu tout le pays, les élections législatives anticipées sont remportées par le parti socialiste en juillet. Rexhep Mejdani est devenu président de la République.

ALBANIE

Monténégro, YOUGOSLAVIE, Serbie, MACÉDOINE, GRÈCE, ADRIATIQUE, MER IONIENNE, Canal d'Otrante

TIRANA, Shkodra, Kukës, Lezhë, Rëshen, Laç, Burrel, Peshkopi, Krujë, Shijak, Durrës, Elbasan, Kavajë, Librazhd, Cërrik, Gramsh, Lushnjë, Qyteti Stalin, Fier, Pogradec, Berat, Korçë, Vlorë, Çorovodë, Tepelenë, Ersekë, Përmet, Delvinë, Gjirokastër, Sarandë, Bajram Curr, Pukë, Titograd, Prizren, Bitola, Ioánina, Lac de Shkodra, Lac d'Ohrid, Lac de Prespa, Mont Jezercë 2 694, Alpet, Mont Korab 2 751, Mont Çuka Partizane 2 416, 2 485, Drin, Drin Noir, Korab, Jablanica, Krrab, Shkumbin, Vjosë, Griba, 40°

0 500 1 000 1 500 2 000 m — 25 km

TIRANA capitale d'État — Durrës capitale de région

Population des villes : plus de 200 000 hab. — de 50 000 à 100 000 hab. — de 10 000 à 50 000 hab. — de 5 000 à 10 000 hab. — autre ville

limite d'État — limite de région — route principale — voie ferrée — aéroport important — port important

Albany, v. des É.-U., sur l'Hudson, cap. de l'État de New York; 101 080 hab. (aggl. urb. 842 900 hab.). Constr. électriques; industrie chimique.

Albarracín, v. d'Espagne (Aragon), au pied de la *sierra de Albarracín;* 1 130 hab. – Elle fut la cap. d'un royaume arabe.

albâtre n. m. **1.** Variété de gypse d'un blanc immaculé, utilisée pour sculpter de petits objets. ▷ Fig. *D'albâtre* : d'une blancheur éclatante. *Des épaules d'albâtre.* **2.** *Albâtre calcaire* : variété de calcite, veinée et colorée.

albatros [albatʀos] n. m. Grand oiseau (ordre des procellariiformes), habitant les mers australes et le Pacifique Nord, muni d'un bec robuste et de très longues ailes. *L'albatros hurleur a la plus grande envergure connue chez les oiseaux (3,60 m).*

Albert Ier **Albert II**
rois des Belges

Albe (Fernando Álvarez de Tolède, duc d') (Piedrahita, 1508 – Lisbonne, 1582), général et homme politique espagnol. Gouverneur des Pays-Bas (1567-1573), il réprima impitoyablement la révolte des « gueux », puis soumit le Portugal soulevé contre l'Espagne (1582).

albédo n. m. PHYS et ASTRO Grandeur qui caractérise la proportion d'énergie lumineuse renvoyée par un corps éclairé.

Albee (Edward) (Washington, 1928), dramaturge américain dont l'œuvre est proche du théâtre de l'absurde : *Zoo Story* (1959), *Qui a peur de Virginia Woolf?* (1962), *Seascape* (1975).

Albe la Longue, anc. v. du Latium, rivale de Rome, enjeu du combat des Horaces et des Curiaces, détruite par Tullus Hostilius en 665 av. J.-C.

Albéniz (Isaac) (Camprodón, 1860 – Cambo-les-Bains, 1909), pianiste et compositeur espagnol : *Pepita Jiménez* (comédie lyrique, 1896), *Rapsodie espagnole* (pour piano et orchestre, 1898), *Iberia* (pièces pour piano, 1905-1908).

Albères (monts), montagnes des Pyrénées orient., entre le col du Perthus et la Méditerranée.

alberge n. f. Rare Variété d'abricot ou de pêche dont la chair blanche adhère au noyau.

Alberon. V. Oberon.

Albers (Josef) (Bottrop, Westphalie, 1888 – New Haven, 1976), peintre américain d'origine allemande. Professeur au Bauhaus (1925-1933), il émigra aux É.-U., où il s'affirma comme le maître de l'abstraction géométrique rectiligne.

Albert (canal), canal belge (129 km) qui relie l'Escaut à la Meuse entre Anvers et Liège.

Albert (lac). V. Mobutu (lac).

Albert le Grand (saint) (Lauingen, v. 1193 – Cologne, 1280), dominicain. Docteur de l'Église, il professa à Paris et à Cologne, commentant les œuvres d'Aristote de manière à les faire admettre dans l'enseignement scolastique. Maître de saint Thomas d'Aquin.

AUTRICHE

Albert Ier de Habsbourg (?, v. 1248 – Brugg, Argovie, 1308), duc d'Autriche (1282-1308) et empereur germanique (1298-1308). Il supplanta Adolphe de Nassau. – **Albert II** ou **Albert V de Habsbourg** (?, 1397 – Neszmély, Hongrie, 1439), duc d'Autriche (1404-1439) et empereur germanique sous le nom d'Albert II en 1438. Il lutta contre les Turcs.

Albert le Pieux (Wiener Neustadt, 1559 – Bruxelles, 1621), archiduc d'Autriche. Cardinal-archevêque de Tolède (1584), vice-roi du Portugal (1583-1596), il fut libéré de ses vœux et épousa la fille de Philippe II (1599); il gouverna les Pays-Bas.

Albert (Vienne, 1817 – Arco, 1895), archiduc et général autrichien; vainqueur des Italiens à Custozza (1866).

BELGIQUE

Albert Ier (Bruxelles, 1875 – Marche-les-Dames, 1934), roi des Belges (1909-1934). Ses positions courageuses pendant la guerre de 1914-1918 lui valurent le surnom de *Roi-Chevalier.* Il se tua en escaladant des rochers. – **Albert II** (Bruxelles, 1934), petit-fils du préc.; roi des Belges dep. 1993. Il épousa en 1959 Paola Ruffo di Calabria.

GRANDE-BRETAGNE

Albert (Thuringe, 1819 – Windsor, 1861), prince de Saxe-Cobourg-Gotha et prince consort de Grande-Bretagne en 1857. Il avait épousé en 1840 la reine Victoria.

MONACO

Albert Ier (Honoré Charles Grimaldi, prince de Monaco sous le nom d') (Paris, 1848 – id., 1922), savant et océanographe.

PRUSSE

Albert Ier de Ballenstädt (Ballenstädt, Prusse, v. 1100 - Stendal, 1170), premier margrave de Brandebourg (1134-1170). Surnommé *Albert l'Ours* à cause de son intrépidité.

Albert de Brandebourg (Ansbach, 1490 - Tapiau, 1568), premier duc de Prusse (1525-1568). Il embrassa le luthéranisme, sécularisa les terres de l'ordre Teutonique, dont il était le grand maître, pour en faire un duché vassal de la Pologne (1525).

◊ ◊ ◊

Alberta, prov. de l'O. du Canada qui fait partie de la Prairie; 661 388 km²; 2 545 550 hab., dont 60 000 francophones; cap. *Edmonton.* Import. céréaliculture. Pétrole, gaz naturel.

Albert-Birot (Pierre) (Chalonnes-sur-Loire, 1876 - Paris, 1967), poète français dada. Son œuvre a joué un rôle important dans la naissance de la poésie moderne. Théâtre : *Larountala* (1919), etc. Poésie : *Ma morte* (1931), *Grabinoulor* (1933), épopée en prose.

Alberti (Leon Battista) (Gênes, 1404 - Rome, 1472), peintre, sculpteur et architecte italien, animé par l'idéal du savoir universel. Auteur de traités : *Della pittura* (1436), *De re ædificatoria* (1485). Il conçut la façade du palais Rucellai (Florence) et le temple des Malatesta (Rimini).

Alberti (Rafael) (Puerto de Santa María, 1902), poète et peintre espagnol. Proche de la tradition populaire, puis surréaliste, il rallia le parti communiste en 1930 : *Sur les anges* (1928), *Pleine mer* (1944), *Heure maritime* (1956), *Mépris et Merveille* (1974).

Albertina, anc. palais archiducal de Vienne (Autriche) qui abrite une collection publique de dessins (env. un million) formée à partir de la collection laissée par le duc Albert de Saxe-Teschen en 1822.

Albertville, ch.-l. d'arr. de la Savoie, sur l'*Arly*; 18 121 hab. Industrie métall. - J.O. d'hiver 1992.

Albi, ch.-l. du dép. du Tarn, sur le Tarn; 48 707 hab. Verreries. Industr. alim.; textiles artificiels. - Archevêché. Cath. gothique en brique (XIIIe-XVe s.); musée Toulouse-Lautrec dans l'anc. palais archiépiscopal.

albigeois, oise [albiʒwa, waz] n. et adj. **1.** De la ville d'Albi. - Subst. *Un(e) Albigeois(e).* **2.** HIST *Les albigeois* : les membres d'une secte chrétienne fondée au XIIe s., en France occitane (région d'Albi et de Toulouse, Languedoc).

ENCYCL Les albigeois ou cathares niaient la divinité du Christ et rejetaient la hiérarchie ecclésiastique (alors corrompue). Cette secte, qui professait le manichéisme, était dirigée par les *purs* (d'où le nom, d'orig. gr., de cathares), car les purs pouvaient accéder au dieu du Bien, notam. en renonçant à la chair, laquelle promet au Mal. Après l'assassinat de Pierre de Castelnau*, un légat pontifical, en 1208, le pape Innocent III décréta en 1209 la croisade contre les albigeois. Dirigée par Simon de Montfort, puis par son fils Amaury (1218), elle se termina par le bûcher de Montségur (1244).

Albigeois, région d'Aquitaine. Anc. pays de France faisant partie du Languedoc, réuni à la Couronne en partie en 1271, en partie en 1519.

albinisme n. m. MED Absence héréditaire de pigmentation, partielle (poils, iris) ou totale (tous les téguments).

Albinoni (Tomaso) (Venise, 1671 - id., 1751), compositeur italien : opéras (*Pimpinone,* 1708), sonates, concertos pour cordes (op. 5, 1707), pour hautbois. Le célèbre *Adagio* qui lui fut attribué est un pastiche composé dans les années 1950 à partir de quelques notes qu'Albinoni avait écrites pour le violon.

albinos adj. et n. Atteint d'albinisme. *Lapin albinos.* ▷ Subst. Sujet atteint d'albinisme.

Albion, nom ayant servi aux Anciens pour désigner l'Angleterre, par allusion à la blancheur (lat. *albus,* « blanc ») de ses falaises.

Albion (plateau d'), plateau calcaire de la France (Préalpes du S.), à l'E. du mont Ventoux. Base militaire (missiles).

Albizzi, famille florentine rivale des Médicis et des Alberti (XIVe-XVe s.).

Alboïn (m. en 572), roi des Lombards (561-572). Il fonda un État ayant pour cap. Pavie.

Ålborg, v. et port de comm. du Danemark, sur le Limfjord; 155 660 hab.; ch.-l. de comté. Industr. alim., text.; chantiers navals. - Musée d'art moderne.

Albornoz (Gil Álvarez Carrillo de) (Cuenca, v. 1310 - Viterbe, 1367), prélat espagnol. Archevêque de Tolède et légat d'Innocent VI, il replaça Rome et les provinces pontificales sous l'autorité papale (1360).

Albrechtsberger (Johann Georg) (Klosterneuburg, 1736 - Vienne, 1809), compositeur autrichien, auteur d'ouvrages sur l'harmonie. Maître de Beethoven.

Albret, pays de Gascogne, érigé en duché au XVIe s. et réuni à la Couronne par Henri IV (1607). - *Maison d'Albret* : famille princière du S.-O. de la France; Henri IV était le fils de Jeanne d'Albret.

Albufera, lagune côtière d'Espagne, au S. de Valence. - Suchet, qui y vainquit les Brit. (1812), fut fait duc d'Albufera.

albugo n. m. MED Tache blanche de la cornée.

album [albɔm] n. m. **1.** Cahier, recueil personnel destiné à recevoir des cartes postales, des photos, des timbres, des collections diverses. *Ranger des timbres dans un album.* **2.** Livre de grand format abondamment illustré. **3.** Disque.

albumen [albymɛn] n. m. **1.** BOT Tissu nourricier typique des angiospermes, servant à l'élaboration de la graine. **2.** Blanc de l'œuf.

albumine n. f. BIOCHIM Protéine simple, contenue dans le sérum, soluble dans l'eau.

albuminé, ée adj. BOT *Graine albuminée* : graine dont la maturation est terminée avant la disparition totale de l'albumen.

albuminémie n. f. MED Concentration sérique en albumine.

albumineux, euse adj. BIOCHIM Qui contient de l'albumine.

albuminoïde adj. BIOCHIM De même nature que l'albumine.

albuminurie n. f. MED Présence d'albumine dans l'urine. Syn. protéinurie.

Albuquerque, v. des É.-U. (Nouv.-Mexique), sur le rio Grande; 384 700 hab. Centre de recherche atomique.

Albuquerque (Alfonso de) (près de Lisbonne, 1453 - Goa, 1515), navigateur portugais. Il assit la puissance portug. aux Indes, dont il devint vice-roi en 1508.

alcade n. m. Anc. Juge, en Espagne. ▷ Mod. Maire, en Espagne.

Alcalá de Henares, v. d'Espagne (communauté de Madrid); 142 860 hab. - Univ. créée par le cardinal Cisneros en 1498. Nombr. égl. et couvents.

Alcalá Zamora (Niceto) (Priego, 1877 - Buenos Aires, 1949), homme polit. espagnol. Chef du comité révolutionnaire (1931), il exigea le départ d'Alphonse XIII. Président de la Rép. (1931-1936), il fut démis et s'exila.

alcali n. m. **1.** Cour. Ammoniaque. **2.** CHIM Nom générique donné aux oxydes et hydroxydes des métaux alcalins. ▷ *Alcalis caustiques* : potasse, soude.

alcalin, ine adj. CHIM *Corps alcalins,* qui possèdent des propriétés basiques. ▷ *Métaux alcalins* : famille de 6 métaux (lithium, sodium, potassium, rubidium, césium et francium) caractérisés par leur tendance à s'ioniser, qui sont groupés dans la première colonne de la classification périodique des éléments.

alcaliniser v. tr. [1] Rendre alcalin.

alcalinité n. f. CHIM Caractère alcalin d'une substance.

alcalino-terreux, euse adj. CHIM *Métaux alcalino-terreux* : famille de 4 métaux groupés dans la deuxième colonne de la classification périodique des éléments (calcium, strontium, baryum et radium), auxquels on ajoute quelquefois les deux premiers éléments de la colonne (béryllium et magnésium).

alcaloïde n. m. BIOCHIM Nom générique de diverses substances organiques d'origine végétale (ex. : caféine, nicotine, mescaline) comportant une ou plusieurs fonctions amine, à caractère nettement basique. *Les alcaloïdes, très utilisés en pharmacologie, sont souvent extrêmement toxiques à l'état pur.*

alcalose n. f. MED Exagération pathologique de l'alcalinité du sang.

Alcamène (Ve s. av. J.-C.), sculpteur grec, élève de Phidias.

alcane n. m. CHIM Nom générique des hydrocarbures saturés de formule C_nH_{2n+2} (ex. : méthane, éthane, propane, butane, etc.). Syn. paraffine.

Alcántara, v. d'Espagne (Estrémadure), sur le Tage; 2 290 hab. - Pont romain. - *Ordre d'Alcántara* : ordre religieux et militaire fondé en 1156 pour combattre les Maures.

alcarazas n. m. Vase de terre poreuse dans lequel l'eau se rafraîchit par évaporation.

Alcatraz, île des É.-U., dans la baie de San Francisco. - Anc. prison fédérale.

alcazar n. m. **1.** Palais fortifié de l'époque des rois maures, en Espagne. *Alcazars de Tolède, Cordoue, Ségovie, Séville.* **2.** Nom donné à certains établissements publics (cafés, salles de spectacle) décorés dans le style mauresque.
► illustr. page 44

Alcée (Mytilène, Lesbos, VIIe s. av. J.-C.), poète grec inspirateur d'Horace.

l'**alcazar** de Ségovie, XIV-XVe s.

alcène n. m. CHIM Nom générique des hydrocarbures possédant une double liaison entre deux atomes de carbone, de formule C_nH_{2n} (ex. : éthylène, propène, butène). Syn. oléfine.

Alceste, femme d'Admète, roi de Phères en Thessalie. Ayant accepté de mourir pour sauver la vie de son époux, elle fut délivrée des Enfers par Héraclès.

Alceste, principal personnage du *Misanthrope* de Molière (1666). Type de l'homme peu sociable, franc et bourru, qui se refuse aux concessions liées à la vie en société.

alchimie n. f. Science occulte du Moyen Âge qui, en se fondant sur un symbolisme minéral et planétaire issu d'une tradition ésotérique, cherchait à établir des correspondances entre le monde matériel et le monde spirituel, et à découvrir la pierre philosophale*.

alchimique adj. De l'alchimie ; relatif à l'alchimie.

alchimiste n. m. Celui qui s'occupe d'alchimie.

Alcibiade (Athènes, v. 450 - Melissa, v. 404 av. J.-C.), général et homme politique athénien, pupille de Périclès et élève de Socrate. À la tête du parti démocratique, il entraîna les Athéniens dans l'expédition désastreuse de Sicile (415). Inculpé de sacrilège, il s'exila à Sparte ; puis, après une rentrée triomphale à Athènes (407), il dut s'exiler de nouveau, en Phrygie, où il fut assassiné.

alcidés n. m. pl. ORNITH Famille d'oiseaux marins et plongeurs (pingouins, guillemots, macareux), aux ailes développées, aux pattes situées très en arrière du corps et au plumage généralement noir et blanc. - Sing. *Un alcidé.*

Alcinoos, personnage de *l'Odyssée.* Roi des Phéaciens, père de Nausicaa, il donna l'hospitalité à Ulysse naufragé.

Alcman (Sardes, Lydie, VIIe s. av. J.-C.), poète lyrique grec ; un des créateurs de la poésie chorale.

Alcmène, femme d'Amphitryon, aimée de Zeus, dont elle eut Héraclès.

Alcméonides, puissante famille athénienne ; Clisthène, Périclès et Alcibiade en sont issus.

Alcobaça, v. du Portugal (Estrémadure) ; 5 250 hab. - Abbaye cistercienne (XIIIe-XVIIIe) ; panthéon royal : tombeaux de Pierre Ier et d'Inès de Castro (la « Reine morte »).

Alcoforado (Mariana) (Beja, 1640 - id., 1723), religieuse portugaise. Elle fut longtemps considérée comme l'auteur des *Lettres portugaises* adressées au comte de Chamilly et qui seraient l'œuvre de Guilleragues.

alcool [alkɔl] n. m. **1.** *Alcool* ou *alcool éthylique :* liquide incolore, volatil et de saveur brûlante, produit par la distillation de jus sucrés fermentés (de betterave, de raisin, de céréales, etc.). *Désinfecter, frictionner à l'alcool.* Syn. éthanol. **2.** Boisson spiritueuse à fort titre en éthanol obtenue par la distillation de produits de fermentation. *Servir les alcools. Alcool de poire, de prune. Alcools blancs :* eaux-de-vie, incolores, de fruits à noyau. **3.** *L'alcool :* toute boisson alcoolisée. *Il ne boit jamais d'alcool.* ▷ Loc. *Ne pas tenir l'alcool :* ne pas supporter de boire de l'alcool. **4.** *Alcool à brûler :* alcool additionné de méthanol, donc extrêmement toxique, utilisé comme combustible ou produit nettoyant. - *Alcool dénaturé :* alcool, rendu impropre à la consommation par l'ajout de produits toxiques, dont l'usage est réservé à l'industrie. **5.** CHIM Nom générique des composés organiques possédant un ou plusieurs groupements hydroxyles de formule OH.

alcoolat [alkɔla] n. m. PHARM Préparation obtenue par distillation de l'alcool sur des substances aromatiques (eau de Cologne, par ex.).

alcoolémie n. f. Taux d'alcool dans le sang.

alcoolier n. m. Industriel fabriquant des boissons alcooliques.

alcoolification n. f. CHIM Transformation en alcool par fermentation.

alcoolique adj. et n. **1.** Qui est à base d'alcool. *Liqueur, teinture alcoolique.* ▷ *Fermentation alcoolique :* transformation en alcool sous l'influence d'un ferment. **2.** Qui a rapport à l'alcoolisme. *Cirrhose alcoolique.* ▷ Qui est atteint d'alcoolisme. *Un vieillard alcoolique.* - Subst. Personne atteinte d'alcoolisme.

alcoolisation n. f. **1.** Transformation en alcool. **2.** Addition d'alcool à un liquide. **3.** Intoxication progressive par absorption d'alcool.

alcooliser v. [1] **1.** v. tr. Mêler de l'alcool à d'autres liquides. - Pp. adj. *Une boisson alcoolisée,* qui contient de l'alcool. **2.** v. pron. Consommer trop d'alcool ; devenir alcoolique. *Il s'alcoolise à la bière.*

alcoolisme n. m. Toxicomanie à l'alcool. *Alcoolisme chronique. Alcoolisme aigu,* dû à l'absorption, en peu de temps, d'une importante quantité d'alcool et qui se manifeste par une certaine euphorie avec levée des contraintes, anomalies du comportement et de la coordination, et, dans les cas graves, stupeur puis coma.

alcoologie n. f. MED Discipline médicosociale ayant pour objet l'alcoolisme.

alcoomètre ou **alcoolomètre** n. m. Aréomètre mesurant la teneur des liquides en alcool.

alcoométrie ou **alcoolométrie** n. f. Mesure de la teneur en alcool des vins, des liquides alcoolisés.

alcootest ou **alcotest** n. m. (Nom déposé.) Test servant au dépistage de l'alcool dans l'air expiré ; appareil utilisé pour ce test.

alcôve n. f. Renfoncement pratiqué dans une chambre pour y placer un lit. ▷ *Les secrets de l'alcôve,* de la vie intime d'un couple.

alcoyl ou **alcoyle** [alkɔil] n. m. CHIM Syn. de *alkyle.*

alcyne n. m. CHIM Nom générique des hydrocarbures (dits autref. *acétyléniques*) possédant une triple liaison entre deux atomes de carbone, de formule C_nH_{2n-2}.

alcyon n. m. **1.** MYTH Oiseau de mer fabuleux dont la rencontre passait chez les Anciens pour un heureux présage. **2.** ZOOL Octocoralliaire commun dans les mers d'Europe, où il forme des colonies de polypes allongés.

aldactone n. f. MED Substance antagoniste de l'aldostérone.

Aldeadávila de la Ribera, local. d'Espagne (prov. de Salamanque). Barrage hydroélectrique sur le Douro.

Aldébaran, étoile géante rouge du Taureau (magnitude visuelle 0,9).

aldéhyde n. m. CHIM Nom générique des composés organiques possédant le groupement fonctionnel -CHO.

al dente [aldɛnte] loc. adv. (Ital., « à la dent ».) Se dit d'un aliment cuit tenu légèrement croquant (pâtes, légumes).

Aldington (Richard) (Portsmouth, 1892 - Sury-en-Vaux, Cher, 1962), poète et écrivain anglais. Il contribua à rendre célèbre le mouvement « imagiste » en poésie. Son roman *Mort d'un héros* (1929) est une évocation vigoureuse des horreurs de la guerre.

Al-Djīb. V. Gabaon.

Aldobrandini, famille florentine dont un membre, Hippolyte, fils du juriste Sylvestre (1499-1558), devint pape sous le nom de Clément VIII en 1592.

aldol n. m. CHIM Nom générique des composés organiques possédant à la fois une fonction aldéhyde et une fonction alcool.

aldostérone n. f. BIOCHIM Hormone, sécrétée par les corticosurrénales, réglant les mouvements du sodium et du potassium au niveau rénal.

Aldrich (Robert) (Cranston, Rhode Island, 1918 - Los Angeles, 1983), cinéaste américain. L'un des plus brillants réalisateurs hollywoodiens des années 50, il réalisa des westerns (*Vera Cruz,* 1954), des films noirs (*En quatrième vitesse,* 1955), des films de guerre (*Attaque,* 1956 ; *les Douze Salopards,* 1967), un film sur Hollywood (*le Grand Couteau,* 1955).

ale [ɛl] n. f. Bière anglaise fabriquée avec du malt peu torréfié.

aléa n. m. Risque, tournure hasardeuse que peuvent prendre les événements. *Affaire pleine d'aléas.*

aléatoire adj. **1.** Dont la réussite est conditionnée par le hasard, la chance. *Un placement aléatoire.* Syn. hasardeux, incertain. **2.** MATH Qui dépend du hasard, soumis aux lois des probabilités. *Variable, fonction aléatoire,* dont la valeur est aléatoire. Syn. stochastique. ▷ MUS *Musique aléatoire,* dont la conception ou l'exécution relève partiellement de la liberté laissée à l'interprète.

aléatoirement adv. De façon aléatoire.

Alechinsky (Pierre) (Bruxelles, 1927), peintre, graveur et poète belge. Son art procède de l'automatisme gestuel. Il a écrit *Idéotraces* et *Roue libre.* (V. Cobra.)

Alecsandri (Vasile) (Bacău, 1821 - Mirceşti, 1890), écrivain et homme politique roumain. Son recueil *Ballades et Chants populaires* (1866 et 1875) est le premier de ce type en Roumanie.

Alegría (Ciro) (Sartimbamba, 1909 - Lima, 1967), écrivain et homme politique péruvien. Son œuvre est une évocation romanesque de la vie des Indiens du Pérou (*le Serpent d'or,* 1935).

Aleijadinho (Antonio Francisco Lisbõa, dit l') (Ouro Prêto, v. 1738 - id., 1814), sculpteur et architecte brésilien, illustre représentant de l'art baroque latino-américain (statues des douze prophètes, terrasse de l'égl. du Bom Jesus de Matozinhos à Congonhas).

Aleixandre y Merlo (Vicente) (Séville, 1898 - Madrid, 1984), poète espagnol. Princ. œuvres : *la Destruction ou l'Amour* (1935), *l'Ombre du Paradis* (1944). P. Nobel 1977.

Alemán (Mateo) (Séville, 1547 - Mexique, 1614), écrivain espagnol : *Guzmán de Alfarache*, roman picaresque rendu célèbre par l'imitation qu'en fit Lesage (1732).

alémanique adj. Qualifie la Suisse de langue allemande. ▷ n. m. Haut allemand parlé notam. en Suisse alémanique.

Alembert (Jean Le Rond d') (Paris, 1717 - id., 1783), philosophe, écrivain et mathématicien français. Brillant causeur, il fréquenta le salon de Mme du Deffand, puis celui de Julie de Lespinasse. Auteur d'ouvrages scientifiques, il a découvert le principe qui porte son nom (*Traité de dynamique*, 1743) et la théorie mathématique de la précession (*Recherche sur la précession des équinoxes*, 1749). Collaborateur de l'*Encyclopédie*, il rédigea le *Discours préliminaire* (1751), l'article *Genève* (attaqué par J.-J. Rousseau), celui sur le *Beau* et plus. articles de mathématiques. Acad. fr. (1754).

Jean Le Rond d'**Alembert**

Alexandre Ier de Russie

ALÉNA, acronyme pour *Accord de libre-échange nord-américain* (NAFTA), signé en août 1992 entre le Canada, les États-Unis et le Mexique ; la suppression des barrières douanières et la liberté des investissements entre les trois pays furent effectives le 1er janv. 1994.

Alencar (José Martiniano de) (Mecejana, Ceará, 1829 - Rio de Janeiro, 1877), écrivain et homme politique brésilien : *O guarani*, roman (1857).

Alençon, ch.-l. du dép. de l'Orne, sur la Sarthe ; 31 139 hab. Électroménager. Dentelles dites *au point d'Alençon* ; école dentellière. - Musée. - Cap. du comté puis duché d'Alençon (XIIIe s.), rattaché à la Couronne en 1549.

alêne n. f. Poinçon d'acier utilisé pour percer le cuir.

alénois [alenwa] adj. m. *Cresson alénois* : V. cresson.

Alentejo, région du Portugal, au S. du Tage ; 26 930 km², 565 000 hab. ; cap. *Evora.*

alentour adv. Tout autour, dans les environs. *Rôder alentour. Les chemins d'alentour,* des environs.

alentours n. m. pl. **1.** Lieux environnants. *Les alentours de la ville.* **2.** Fig. Ce qui se rapporte à qqch. *Les alentours d'un procès.*

Aléoutiennes (îles), longue chaîne d'îles volcaniques, dans le S. de la mer de Béring, reliant la presqu'île de l'Alaska au Kamtchatka ; env. 15 000 hab. (Aléoutes). Possessions des É.-U. depuis 1867.

Alep, v. de Syrie ; 1 191 150 hab. ; ch.-l. de la prov. du m. nom. Centre comm. import. - Cap. de l'État d'Alep de 1920 à 1924. - Citadelle (XIIe s.), mosquées anc. (Jami Zakariyah, XIe s.).

aleph [alɛf] n. m. Première lettre (א) de l'alphabet hébreu, utilisée en mathématique pour noter la puissance des ensembles infinis.

Aléria, com. de la Haute-Corse (arr. de Corte) ; 2 038 hab. Industr. du plastique. - Site archéol. (vest. phéniciens, romains).

alérion n. m. HERALD Figure stylisée d'aigle sans bec ni pattes.

1. alerte adj. Vif, agile. *Un vieillard encore alerte.*

2. alerte n. f. **1.** Signal qui avertit d'un danger imminent et appelle à la vigilance. *Donner, sonner l'alerte.* - *État d'alerte* : état d'une troupe prête à intervenir à tout moment. **2.** Menace soudaine d'un danger. *À la première alerte, nous nous enfuyons.*

alerter v. tr. [1] Avertir d'un danger. *Alerter les pompiers.* - *Par ext.* Attirer (sur une difficulté, un problème grave) l'attention de. *Alerter l'opinion.*

Alès (*Alais* av. 1926), ch.-l. d'arr. du Gard, sur le *gardon d'Alès* ; 42 296 hab. Le bassin houiller d'Alès est en déclin ; industr. métall., chim., text. ; matériel électr. - Grand centre protestant du XVIe s., où fut signée la *paix d'Alais*, ou Édit de grâce, qui mettait fin à la dernière guerre de Religion (1629).

alésage n. m. TECH Usinage de la paroi intérieure d'une pièce de révolution (cylindre, par ex.), destiné à lui donner ses dimensions définitives. ▷ AUTO Diamètre d'un cylindre de moteur.

alèse. V. alaise.

aléser v. tr. [14] Opérer l'alésage de.

Alésia, citadelle gauloise. Dernier retranchement de Vercingétorix devant César et lieu de sa reddition en 52 av. J.-C. On la situe aujourd'hui près d'Alise-Sainte-Reine (Côte-d'Or). - Fouilles importantes.

Alessi (Galeazzo) (Pérouse, v. 1512 - id., 1572), architecte italien, disciple présumé de Michel-Ange. Principal artisan de la Renaissance génoise (églises, villas, palais).

Aletsch, le plus grand glacier d'Europe, au S. de la Jungfrau, dans les Alpes suisses ; 25 km de long ; 167 km².

alévi n. et adj. Membre d'une communauté confessionnelle de Turquie issue du chiisme. (Estimés entre 15 et 20 millions, les alévis ou *kizilbachs* se sont implantés en Anatolie aux XIIIe-XIVe s. Le caractère initiatique de leur théologie, l'introduction de thèmes étrangers à l'islam, leur acceptation de la laïcité créent des tensions avec les sunnites.)

alevin [alvɛ̃] n. m. **1.** Jeune poisson destiné à peupler les étangs et les rivières. **2.** ICHTYOL Poisson non adulte.

alevinage n. m. Peuplement des eaux en alevins.

aleviner v. tr. [1] Peupler avec des alevins.

Alexander (Franz) (Budapest, 1891 - New York, 1964), psychanalyste américain d'origine all. Pionnier de la psychan. aux É.-U., il mit au point une méthode de « psychothérapie analytique brève » et développa une recherche en médecine psychosomatique.

Alexander of Tunis (Harold George, comte) (Londres, 1891 - id., 1969), maréchal brit. qui s'illustra en Tunisie et dans toute la Méditerranée pendant la Seconde Guerre mondiale ; ministre de la Défense de 1952 à 1954.

Alexandra Feodorovna (Darmstadt, 1872 - Ekaterinbourg, 1918), impératrice de Russie. Née Alix de Hesse, épouse (1894) du tsar Nicolas II, elle subit l'influence de Raspoutine. Elle fut assassinée, avec son mari et ses enfants, par les bolcheviks.

Alexandre, nom de huit papes dont : - **Alexandre Ier** (saint), pape de 105 à 115 ; martyr. - **Alexandre III** (Rolando Bandinelli) (Sienne, ? - Civita Castellana, 1181), pape de 1159 à 1181, adversaire de Frédéric Barberousse. - **Alexandre VI** (Rodrigo Borgia) (Játiva, 1431 - Rome, 1503), pape de 1492 à 1503, célèbre par ses intrigues, son népotisme, sa vie privée scandaleuse. Vanezza Catanei lui donna César et Lucrèce Borgia. Il statua sur les nouvelles possessions (Amérique notam.) de l'Espagne et du Portugal. Il excommunia Savonarole, dressé contre la papauté. - **Alexandre VII** (Fabio Chigi) (Sienne, 1599 - Rome, 1667), pape de 1655 à 1667, qui entérina la condamnation du jansénisme prononcée par Innocent X et mit *les Provinciales* de Pascal à l'Index (1657).

ANTIQUITÉ

Alexandre, nom de cinq rois de Macédoine, dont le plus important est **Alexandre III** (V. Alexandre le Grand). Son fils posthume, **Alexandre IV,** a régné de 323 à 310 av. J.-C.

Alexandre le Grand (Pella, 356 - Babylone, 323 av. J.-C.), roi de Macédoine, fils de Philippe II et d'Olympias. Ambitieux, cultivé (éduqué par Aristote), il est roi à vingt ans (336) et maître de la Grèce un an plus tard, après avoir réduit Thèbes et Athènes. Reprenant les projets de son père, il prépare avec ses généraux une expédition contre les Perses. D'abord vainqueur de Darius III sur les bords du Granique (334), puis à Issos (333), il entre en Syrie, soumet la Phénicie (siège et prise de Tyr en 332) et conquiert quasi pacifiquement l'Égypte, où il fonde Alexandrie (332-331). À la faveur d'une nouvelle campagne contre Darius, dont il écrase la puissante armée près d'Arbèles (331), au-delà du Tigre, il s'enfonce au cœur de l'Empire perse, occupant Babylone, Suse, Persépolis, qu'il aurait incendiée. Après la disparition de Darius, assassiné par l'un de ses satrapes, Alexandre s'empare entre autres de la Bactriane et de la Sogdiane (329), créant de nombreuses villes-comptoirs appelées *Alexandrie*. Ayant franchi l'Indus et vaincu le roi indien Pôros (326), il doit, devant le mécontentement de son armée épuisée, regagner Suse, où il prend pour seconde épouse Statira, fille de Darius III (324). Il meurt de maladie l'année suivante, à Babylone. Après lui, son empire, auquel il avait su donner une forte impulsion économique et culturelle, disloqué, s'effondra : l'époque hellénistique était née.

▶ illustr. page **46**

Alexandre, nom de deux rois de Syrie. - **Alexandre Ier Balas** régna de 150 à 145 av. J.-C. - **Alexandre II Zabinas** fut roi de 126 à 122 av. J.-C.

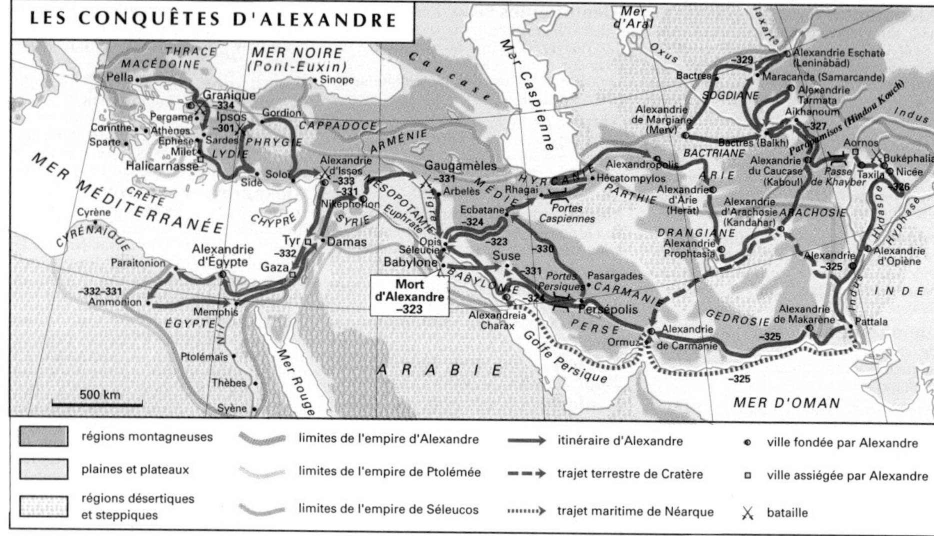

Alexandre le Grand, réplique antique d'une sculpture de Lysippe ; musée du Louvre

GRÈCE

Alexandre Iᵉʳ (Tatoi, 1893 - Athènes, 1920), roi de Grèce (1917-1920) après l'abdication de son père Constantin Iᵉʳ. Il fit entrer la Grèce dans la guerre aux côtés des Alliés.

POLOGNE

Alexandre Iᵉʳ Jagellon (1461-1506), grand-duc de Lituanie en 1492, roi de Pologne en 1501.

RUSSIE

Alexandre Nevski (1220 - Gorodets, 1263), grand-duc de Novgorod, puis grand-prince de Vladimir. Il battit les Suédois (1240) sur les bords de la Neva (d'où son nom), puis les chevaliers Porte-Glaive à la bataille des Glaces (1242) ; il fut canonisé par l'Église orthodoxe en 1547. Son nom a été donné à deux ordres, russe (1722) et soviétique (1942).

Alexandre Iᵉʳ (Saint-Pétersbourg, 1777 - Taganrog, 1825 [?]), empereur de Russie (1801-1825). Vaincu par Napoléon Iᵉʳ à Austerlitz, à Eylau et à Friedland, il signa la paix de Tilsit (1807), mais les hostilités reprirent en 1812 (campagne de Russie). Son caractère mystique le conduisit à créer la Sainte-Alliance, et marqua sa fin : il disparut en 1825, sans que sa mort soit attestée. – **Alexandre II** (Moscou, 1818 - Saint-Pétersbourg, 1881), empereur de 1855 à 1881. Il signa le traité de Paris qui terminait la guerre de Crimée (1856), affranchit les serfs (1861) et entra en lutte contre l'Empire ottoman (1876-1878). Il fut victime d'un attentat nihiliste. – **Alexandre III** (Saint-Pétersbourg, 1845 - Livadia, 1894), empereur de 1881 à 1894, tenant de l'absolutisme. Il se rapprocha de la France (accord défensif de 1892).

SERBIE ET YOUGOSLAVIE

Alexandre Iᵉʳ Obrenović (Belgrade, 1876 - id., 1903), roi de Serbie (1889-1903), assassiné par des officiers serbes.

Alexandre Iᵉʳ Karadjordjević (Cetinje, 1888 - Marseille, 1934), roi de Yougoslavie (1921-1934). Il s'aliéna les nationaux autres que les Serbes et fut assassiné à Marseille, en même temps que Barthou, par des terroristes croates.

◊ ◊ ◊

Alexandre Jannée, grand prêtre des Juifs et leur roi de 103 à 76 av. J.-C.

Alexandre Sévère. V. Sévère Alexandre.

Alexandrette. V. Iskenderun.

Alexandrie (en ital. *Alessandria*), v. d'Italie (Piémont), sur le Tanaro ; 100 520 hab. ; ch.-l. de la prov. du m. nom. Industr. chimiques, chaussures.

Alexandrie (école d'), l'ensemble des savants réunis par les Ptolémées à Alexandrie, puis, à partir du début du IIIᵉ s., les philosophes néo-platoniciens, d'abord regroupés, selon la tradition, autour d'Ammonios Saccas. Les Alexandrins Plotin (v. 205-270), Porphyre (v. 234 - v. 305), Jamblique (v. 250 - v. 330), Proclus (412-485) tentèrent de concilier le platonisme et les doctrines religieuses orientales. L'école disparut au VIᵉ siècle.

Alexandrie, v. et port princ. d'Égypte, à l'O. du delta du Nil ; 3 500 000 hab. ; ch.-l. du gouv. du m. nom. Grand centre comm. Constr. navales, industr. chimiques et textiles. – Fondée en 332-331 av. J.-C. par Alexandre le Grand, la ville a été, sous les premiers Ptolémées, le plus brillant centre de l'hellénisme et du comm. méditerranéen, possédant deux ports (signalés par un phare connu comme l'une des Sept Merveilles du monde et dont les vestiges ont été mis au jour en 1995), de nombreux temples, un musée et une bibliothèque riche d'env. 700 000 vol., qui brûla lors de la révolte de la ville contre César (48-47 av. J.-C., *guerre d'Alexandrie*). Elle fut occupée par les Perses (616), les Arabes (642), les Turcs (1517), prise par Bonaparte (1798), bombardée et occupée par les Anglais (1882) et menacée par Rommel (1942).

1. alexandrin, ine adj. **1.** De la ville d'Alexandrie. **2.** Qui appartient à l'école d'Alexandrie. **3.** Relatif à la littérature hellénistique qui s'épanouit à Alexandrie.

ENCYCL La littérature grecque alexandrine fut princ. représentée par les historiens Diodore de Sicile, Denys d'Halicarnasse, Plutarque, Appien ; les géographes Strabon, Pausanias, Ptolémée ; les poètes Théocrite, Callimaque (hymne et épigramme), Apollonios de Rhodes (épopée) et Hérondas (mime).

2. alexandrin adj. m. Se dit d'un vers de 12 syllabes. *Un vers alexandrin.* ▷ n. m. *Un alexandrin.*

alexandrinisme n. m. Doctrine de l'école d'Alexandrie.

alexandrite n. f. Variété de chrysobéryl qui passe du vert foncé à la lumière solaire au rouge à la lumière artificielle.

alexie n. f. MED Perte de la faculté de lire. Syn. cécité verbale.

Alexis (saint) (Moscou, 1293 - id., 1378), métropolite de Moscou. Il assuma la régence de Moscovie de 1359 à 1362. L'Église orthodoxe l'a canonisé.

Alexis Iᵉʳ Comnène (Constantinople, 1048 - id., 1118), empereur d'Orient en 1081, releva l'Empire. – **Alexis II Comnène** (Constantinople, 1167 - id., 1183), empereur en 1182, périt étranglé. – **Alexis III Ange** (m. en 1210), empereur de 1195 à 1203, fut renversé par son gendre Théodore Iᵉʳ. – **Alexis IV Ange** (v. 1182 - Constantinople, 1204), empereur en 1203, soutint les croisés.

Alexis Mikhaïlovitch (1629 - 1676), tsar de Russie (1645-1676). Il agrandit considérablement l'État moscovite; père de Pierre le Grand.

Alexis Petrovitch (Moscou, 1690 - id. en prison, 1718), prince russe, fils de Pierre le Grand, hostile aux réformes de son père, qui le fit torturer à mort.

alezan, ane [alzɑ̃, an] adj. De couleur fauve, en parlant de la robe d'un cheval, d'un mulet. ▷ n. m. *Un alezan :* un cheval de robe alezane.

alfa n. m. Plante herbacée (fam. graminées), cultivée en Afrique du Nord, dont on fait de la pâte à papier.

Alfieri (Vittorio) (Asti, 1749 - Florence, 1803), écrivain italien : à côté de traités politiques (*De la tyrannie*, 1777), de poèmes, il est l'auteur de tragédies (*Saül*, 1782; *Myrrha*, 1787). Il fit de lui-même un portrait très vivant dans *Vie* (1790-1803).

Alföld, grande plaine de Hongrie, entre le Danube et la Roumanie.

Alfortville, ch.-l. de cant. du Val-de-Marne, dans la banlieue de Paris; 36 240 hab. Import. centrale gazière.

Alfred le Grand (saint) (Wantage, Berkshire, v. 849 - ?, 899), roi des Anglo-Saxons (878-899), qui reconquit l'Angleterre sur les Scandinaves (prise de Londres, 886). Il fut également poète : *Chronique anglo-saxonne, les Consolations de la philosophie* (v. 897), *Histoire universelle du roi Alfred.*

Alfrink (Bernhard) (Nijkerk, 1900 - Utrecht, 1987), prélat néerlandais. Il a joué un rôle important au concile Vatican II.

Alfvén (Hannes) (Norrköping, 1908 - Stockholm, 1995), physicien suédois, prix Nobel de physique (1970) pour ses recherches sur les plasmas. Il est également connu pour ses théories sur les taches solaires. ▷ PHYS *Ondes d'Alfvén :* ondes de très basses fréquences qui se propagent dans un plasma en présence d'un champ magnétique.

algarade n. f. Querelle, brusque altercation (avec qqn). *Avoir une algarade avec un collègue.*

Algarde (Alessandro Algardi, dit l') (Bologne, 1595 - Rome, 1654), sculpteur italien baroque, proche du Bernin.

Algarotti (Francesco) (Venise, 1712 - Pise, 1764), écrivain et érudit italien, ami de Voltaire.

Algarve, région du Portugal méridional; 4 960 km², 350 000 hab., cap. *Faro.*

Algazel. V. Ghazali.

algazelle n. f. Nom d'une variété d'oryx.

algèbre n. f. Partie des mathématiques qui traite des propriétés des quantités et de leurs relations au moyen de chiffres, lettres et symboles, dans le but de généraliser les problèmes. *Un traité d'algèbre.*

ENCYCL L'algèbre traitait à l'origine uniquement de la résolution des équations algébriques (*algèbre scolaire*). Apparue au XIXe s., et de plus en plus abstraite dans son évolution, l'*algèbre moderne* a pour objet l'étude des *structures d'ensembles* (nombres, vecteurs, matrices, tenseurs, etc.) et des opérations (addition, multiplication, etc.) pouvant relier les éléments qui leur appartiennent. Les premières études ont porté sur les *structures de groupe*, découvertes au XVIIIe s. par Cauchy, Gauss, Galois. D'importants travaux leur ont été consacrés depuis, non seulement en mathématique, mais également en physique (classification des particules élémentaires notamment), en chimie (théorie de la molécule), en linguistique, en psychologie. Les *anneaux* et les *corps*, qui constituent la prolongation de la notion de groupe, font intervenir d'autres ensembles et opérations. Ils ont été introduits au XIXe s. L'*algèbre linéaire*, introduite au XVIIe s. par les travaux de Fermat et de Descartes, a trouvé de très nombreuses applications dans toutes les branches des mathématiques et de la physique. Ainsi, beaucoup de problèmes n'ont pu être résolus que par leur linéarisation, c'est-à-dire après la suppression des termes en puissance de degré supérieur à 1. Les notions fondamentales de l'algèbre linéaire sont les *espaces vectoriels* (ex. : l'ensemble des vecteurs dans le plan), les *structures d'algèbre*, puis, comme généralisation de structures connues à des espaces de dimensions supérieures, le *calcul matriciel* et les *déterminants*. Enfin, à partir de la notion d'*espaces duals*, les *formes multilinéaires* et les *tenseurs* ont été étudiés à la fin du XIXe s. De nouvelles branches, plus élaborées, sont nées depuis : *algèbres non commutatives, algèbre topologique*, rejoignant d'autres domaines des mathématiques, par ex., la géométrie, la topologie et l'analyse.

algébrique adj. Qui appartient à l'algèbre. *Calcul algébrique.* ▷ *Structure algébrique :* ensemble muni de lois de composition internes et externes.

algeco n. m. (nom déposé) Petit bungalow démontable, servant en partic. à abriter les ouvriers qui travaillent sur les chantiers.

Alger *(El-Djezaïr)*, cap. de l'Algérie, port import. sur la Méditerranée; ch.-l. de la wilaya du m. nom; 2 200 000 hab. (agglomération, près de 4 millions). Industries alim., chim., constr. mécan. - Grande Mosquée (XIe-XIVe s.). Maisons mauresques, la Casbah. Musée du Bardo. - Colonie punique, puis romaine *(Icosium)*, Alger fut rebâtie au Xe s. par les Berbères, sous le nom *d'el-Djezaïr.* Au XVIe s., les frères Barberousse en firent la capitale des corsaires barbaresques. Les Français prirent la ville en 1830. Les Amér. y débarquèrent en 1942; le Comité français de libération nationale y fut créé en 1943 et se transforma en 1944 en Gouvernement provisoire de la Rép. fr. De 1954 à 1962, elle fut le théâtre de violences entre l'armée française et le F.L.N. (bataille d'Alger, 1957), et des putschs des partisans de l'Algérie française (13 mai 1958, avril 1961). Depuis 1992, la ville est le théâtre d'attentats dus à des extrémistes se réclamant de l'islamisme.

algérianisme n. m. Mouvement littéraire animé, au lendemain de la Première Guerre mondiale, par des écrivains français d'Algérie pour créer entre les communautés une convergence culturelle et spirituelle.

Alger : le port

Algérie (République algérienne démocratique et populaire), État d'Afrique du Nord, baigné au N. par la Méditerranée, situé entre le Maroc, à l'O., et la Tunisie, à l'E.; 2 381 741 km²; 28 400 000 hab.; cap. *Alger.* Nature de l'État : régime présidentiel. Langue off. : arabe (mais 25 % de la pop. parle le berbère et a du mal à faire reconnaître son identité culturelle). Monnaie : dinar. Relig. (d'État) : islam.

Géogr. phys. et hum. - Trois domaines naturels se succèdent du N. au S. Les montagnes méditerranéennes de l'Atlas* tellien (2 308 m au Djurdjura) alimentent de rares cours d'eau; elles sont jalonnées de bassins et bordées de plaines côtières qui comptent aujourd'hui les plus fortes concentrations humaines du pays. Plus au S., les hautes plaines semi-arides, ponctuées de dépressions, les chotts, ont une végétation steppique et un peuplement clairsemé. L'Atlas* saharien et les Aurès séparent les hautes plaines du Sahara, qui couvre en Algérie 2 000 000 de km² et où le peuplement se concentre dans les oasis. Le climat méditerranéen touche les zones côtières et devient aride à partir des hautes plaines. Les cours d'eau sont de peu d'importance et souv. intermittents. La pop. se concentre dans le N.; la pop. urbaine est passée de 30 % à 50 % dep. l'indépendance.

Écon. - L'écon. algérienne connaît de grandes difficultés, aggravées par une démographie galopante (croissance de 2,7 % par an, malgré une baisse récente de la fécondité) et qui traduisent l'échec des politiques de développement conduites dep. l'indépendance. L'agric., sacrifiée par les régimes successifs, désorganisée par la collectivisation de 1971 et la reprivatisation (dep. 1990), se caractérise par les rendements très faibles des prod. vivrières (blé, orge, élevage) et le recul des cultures d'export. (vigne, agrumes). La majorité des besoins alim. doit être couverte par des importations. Le choix de développer les industries lourdes s'est révélé néfaste : la production sidérurgique et chim. (Oran, Skikda, Annaba) ne correspond pas aux besoins intérieurs et s'exporte mal. Les revenus tirés de l'exportation du gaz et du pétrole sahariens (98 % des recettes commerciales) ont longtemps permis d'atténuer les effets de la crise mais la baisse du cours des hydrocarbures a accru l'endettement du pays et révélé l'ampleur de la crise sociale : chômage, qui touche 25 % des actifs, et pénuries chroniques. Les réformes de 1990 ont tenté d'engager l'écon. sur la voie du libéralisme, mais l'extension du terrorisme islamiste après l'annulation des élections (janv. 1992) accélère la dégradation de l'économie.

Hist. - Carthage, puis Rome après 202 av. J.-C., se sont contentées d'une suzeraineté sur les princes numides. En 42 apr. J.-C., le territoire algérien fut annexé et constitué en province de Maurétanie Césarienne. Les Vandales s'y établirent de 430 à 534, jusqu'à l'arrivée des Byzantins. Les Arabes devinrent maîtres du pays après 720 et l'Algérie passa à l'islam. Jusqu'au XVIe s., la rivalité des Arabes et des Berbères, les divisions des Berbères eux-mêmes mirent le pays dans une situation d'instabilité politique permanente. Seul le royaume de Tlemcen demeura prospère du XIIIe au XVIe s. Au XVIe s., l'Algérie devint une dépendance de

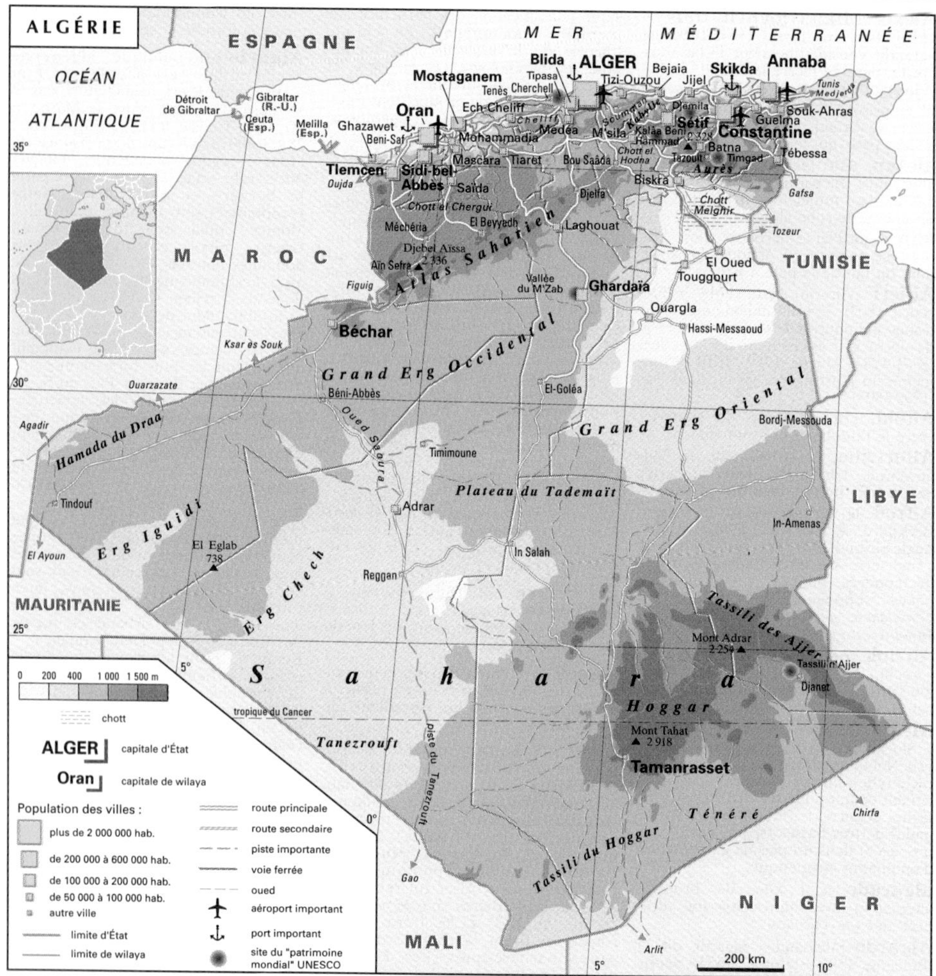

l'Empire ottoman, grâce aux corsaires turcs appelés pour lutter contre les Espagnols. Le pouvoir administratif fut confié à un dey (1671) et Alger devint une base d'action des pirates turcs en Méditerranée. Après la prise d'Alger (5 juillet 1830), la France conquit progressivement l'Algérie par des campagnes qui durèrent jusqu'en 1857. Abd el-Kader fut le héros de la résistance aux Français (1839-1847); son adversaire, le général Bugeaud, créa l'armée d'Afrique. Le régime appliqué à l'Algérie apparaît comme une suite d'oscillations et de compromis entre la colonisation, l'assimilation et l'autonomie locale (voulue par Napoléon III). Durant le deuxième conflit mondial de 1939-1945, le pays participa à l'effort de guerre; Alger devint en 1944 le siège du Gouv. provisoire de la Rép. franç. L'impossibilité, pour les mouvements d'émancipation nés dans les années 30, d'obtenir l'égalité politique entre Français et musulmans rendit inévitable un nouveau soulèvement. Un Front de libération nationale (F.L.N.) se forma en 1954 et décida l'insurrection générale du 1er nov. 1954. Une guerre commença, marquée par des heurts violents entre communautés et par l'intransigeance des colons européens, qui provoquèrent la chute de la IVe Rép., puis menacèrent la Ve Rép. (action de l'Organisation de l'armée secrète : O.A.S.). Le 18 mars 1962, sous la présidence du général de Gaulle, des accords visant à un cessez-le-feu furent signés à Évian. La France, par référendum, approuva la proposition d'indépendance algérienne; la rép. fut proclamée le 5 juillet 1962, avec pour conséquence le départ massif des Européens. La Constitution de 1963 fit de l'Algérie une rép. de type présidentiel. Ben Bella*, président de la Rép. en 1963, fut renversé en 1965 par le colonel Boumediene. La Charte de 1976 confirma l'Algérie comme État socialiste et islamique. À la mort de Boumediene (1978), le F.L.N. désigna Chadli Benjedid comme son successeur. Il fit adopter, en 1986, une nouvelle charte. En oct. 1988, une révolte populaire l'obligea à remanier les structures de l'État. En fév. 1989, une nouvelle Constitution consacra le «multipartisme». La victoire du Front islamique du salut (F.I.S.) aux municipales de juin 1990 exprima le désenchantement de la population envers le F.L.N. Après des affrontements violents entre les forces de police et les extrémistes du F.I.S., en 1991, les principaux dirigeants islamistes furent emprisonnés. En déc. 1991, le premier tour des élections législatives étant remporté par le F.I.S., l'armée contraint Chadli à démissionner (janv.), annule les résultats des élections et confie le pouvoir à un Haut Comité d'État, présidé par M. Boudiaf. Celui-ci dissout le F.I.S. (mars 1992) et procède à une forte répression contre les islamistes, qui répliquent par le terrorisme. L'assassinat, en juin, de M. Boudiaf a accentué l'instabilité. En janv. 1994, le général Liamine Zeroual a été placé à la tête de l'État. En nov. 1995, Zeroual a remporté l'élection présidentielle à une très large majorité. Les élections législatives de juin 1997 ont été remportées par le parti créé pour l'occasion par le président Zeroual. L'opposition a reconnu la régularité du scrutin. Depuis juil. 1997, attentats et massacres incessants ont été perpétrés par les islamistes du G.I.A. Liamine Zeroual démissionne brusquement en sept. 1998, fixant un nouveau scrutin présidentiel avant la fin avril 1999.

algérien, enne adj. et n. De l'Algérie.

algérois, oise adj. et n. D'Alger. ▷ *L'Algérois*, la région d'Alger.

Algésiras, v. et port d'Espagne (Andalousie), sur le détroit de Gibraltar; 96 880 hab. Raff. de pétrole. – La *conférence d'Algésiras* (1906), qui réunit treize pays, concéda des droits de police à la France et à l'Espagne dans les ports marocains.

algide adj. MED Qui fait éprouver une sensation de froid intense. *La fièvre algide du paludisme.*

-algie, algo-. Éléments, du grec *algos*, « douleur ».

algie n. f. MED Douleur.

alginate n. m. Sel de l'acide alginique, qui sert de base à diverses préparations utilisées notam. dans la dentisterie et l'industrie des colles.

alginique adj. *Acide alginique*, dont le sel se trouve dans certaines algues.

algique adj. Didac. De la douleur, qui a trait à la douleur.

algo-. V. -algie.

algodystrophie n. f. MED Syndrome associant le plus souvent douleur et gonflement diffus de la peau et des doigts avec rougeur et chaleur de la peau.

algologie n. m. BOT Étude scientifique des algues.

algonkien, enne adj. et n. m. GEOL Se dit de l'étage le plus récent du précambrien.

algonkin, ine ou **algonquin, ine** adj. et n. **1.** Relatif aux Algonkins. **2.** n. m. LING *L'algonkin* : la famille des langues parlées par les Algonkins.

Algonquins ou **Algonkins,** peuple autochtone d'Amérique du N. d'abord installé sur la côte est avant de migrer plus à l'ouest. Alliés des Français dès le début de la colonisation, ils sont directement impliqués dans les conflits entre Européens. Les 5 900 Algonquins du Québec se sont établis dans les rég. de l'Outaouais (Maniwaki) et de l'Atibiti-Témiscamingue.

algorithme n. m. MATH Méthode de résolution d'un problème utilisant un nombre fini d'applications d'une règle. – *Algorithme d'Euclide*, permettant de calculer le plus grand commun diviseur de deux nombres entiers.

Algren (Nelson) (Detroit, 1909 – Sag Harbor, État de New York, 1981), romancier américain. Son œuvre décrit les bas-fonds des villes comme Chicago ou La Nouvelle-Orléans, peuplés de héros aux aventures pitoyables : *l'Homme au bras d'or* (1949), *le Désert du néon*, nouvelles (1947-1960), *la Rue chaude* (1956).

alguazil [alg(w)azil] n. m. Vx Officier de police, en Espagne.

algue n. f. BOT Végétal inférieur essentiellement aquatique, presque toujours pourvu de chlorophylle. – *Algue tueuse* : algue marine (*Caulerpa taxifolia*) toxique pour la faune et dont la prolifération, extrêmement rapide, se fait au détriment de la flore environnante (notam. de la posidonie). *L'algue tueuse a été introduite accidentellement en Méditerranée.*

ENCYCL L'appareil végétatif des algues est rudimentaire ; le groupe, important, comprend aussi bien des êtres unicellulaires que des formes aux thalles géants et très ramifiés. Les algues sont pourvues, en plus de la chlorophylle, de pigments assimilateurs. D'après la couleur de ces pigments, on les classe en *algues rouges*, *algues vertes*, *algues brunes* et *algues bleues*. L'association d'une algue et d'un champignon constitue un lichen. Les algues sont essentiellement aquatiques. On les utilise comme engrais (goémon), amendement (maërl) ; on en extrait des mucilages divers (agar-agar, alginates). Leur prod. industrielle est possible pour l'alimentation humaine et animale (chlorelles, spiruline).

algues : de g. à dr., laminaire, sargasse, ulve et fucus

Alhambra, palais et forteresse des rois maures à Grenade (XIIIe-XIVe s.) : cour des Lions, jardins du Generalife, résidence d'été. Au XVIe s., Charles Quint lui adjoignit un palais à l'italienne.

les palais de l'**Alhambra** et les jardins du Generalife

Alhazen. V. Hazin.

Ali (ibn Abi Talib) (*'Ali ibn Abī Ṭālib*) (La Mecque, v. 600 – Kufa, 661), quatrième calife musulman, époux de Fatima, fille du Prophète (622). Élu calife en 656, déposé par Mu'awiyah Ier en 659, il fut assassiné en 661. Les chiites lui attribuèrent un pouvoir semi-divin, qu'il aurait tenu de Mahomet et dont héritèrent ses deux enfants, Hassan et Husayn.

Ali (Cassius Clay, devenu Muhammad) (Louisville, 1942), boxeur amér. Champion olympique (poids mi-lourds) en 1960, champion du monde (poids lourds) en 1964, il a dominé le monde de la boxe de 1964 à 1978.

alias [aljas] adv. Autrement appelé (de tel autre nom, surnom ou pseudonyme). *Jean-Baptiste Poquelin, alias Molière.*

Ali Baba, héros d'un conte des *Mille et Une Nuits*. Il découvre le trésor des 40 voleurs caché dans une caverne en prononçant la formule magique (« Sésame, ouvre-toi ») qui en permet l'accès.

Ali Bey (*'Ali Bē*) (en Abkhazie, 1728 – Le Caire, 1773), bey d'Égypte en 1757. Chef des mamelouks, il affranchit l'Égypte de la suzeraineté ottomane et se fit proclamer sultan (1768). Il fut renversé par ses troupes.

alibi n. m. **1.** DR Moyen de défense, qui consiste à invoquer le fait qu'on se trouvait ailleurs qu'à l'endroit où un délit, dont on est accusé, a été commis. *Fournir un alibi très solide.* **2.** Fig. Ce qui permet de se disculper, de s'excuser. *Il a invoqué, pour ne pas venir, l'alibi d'une importante réunion de travail.*

alicante n. m. **1.** Cépage rouge de la région d'Alicante, en Espagne. ▷ Vin, liquoreux, issu de ce cépage. **2.** *Alicante Bouschet* : cépage teinturier rouge utilisé dans le Midi de la France.

Alicante, v. d'Espagne, sur la Méditerranée ; 267 480 hab. ; ch.-l. de la prov. du m. nom (dans la communauté de Valence). Industr. chimique et textile ; raffinerie de pétrole.

alien [aljɛn] n. (Anglicisme) Être venu d'ailleurs, extra-terrestre.

aliénabilité n. f. DR Caractère d'un bien aliénable.

aliénable adj. Qui peut être aliéné (sens I, 1). *Un bien aliénable.* Ant. inaliénable.

aliénant, ante adj. Qui prive de liberté, soumet à des contraintes.

aliénataire n. DR Personne qui bénéficie de l'aliénation d'un bien.

aliénateur, trice n. DR Personne qui aliène un bien.

aliénation n. f. **1.** DR Action de céder un bien. *Aliénation d'un usufruit.* **2.** *Aliénation mentale* : démence. Syn. folie. **3.** PHILO Selon Marx, condition de l'homme qui ne possède ni le produit ni les ins-

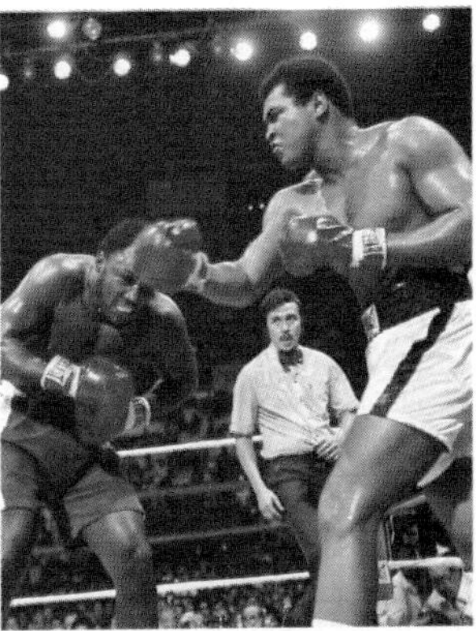

Muhammad **Ali** (à dr.) contre Joe Frazier, 1980

truments de son travail. – *Par ext.* Asservissement de l'être humain, dû à des contraintes extérieures (économiques, politiques, sociales), et qui conduit à la dépossession de soi, de ses facultés, de sa liberté.

aliéné, ée adj. et n. Malade mental. Syn. fou.

aliéner v. [14] **I.** v. tr. **1.** DR Céder ou vendre (qqch). *Aliéner une terre.* – Fig. *Aliéner sa liberté.* **2.** PHILO Engendrer l'aliénation. *La misère qui aliène l'homme.* **II.** v. pron. *S'aliéner quelqu'un,* perdre sa sympathie, son affection.

aliéniste n. Médecin spécialiste de l'aliénation mentale.

Aliénor d'Aquitaine, (Nieul-sur-l'Autise, 1122 – Fontevrault, 1204), héritière du duché d'Aquitaine. Elle épousa le roi de France Louis VII (1137), qui la répudia (1152); elle épousa alors le futur roi d'Angleterre Henri Plantagenêt, lui apportant en dot la Guyenne, la Gascogne et le Poitou.

gisant d'**Aliénor d'Aquitaine,** tombeau des Plantagenêts, pierre peinte XIIIe s.; abbaye de Fontevrault

alifère adj. ZOOL Qui porte des ailes.

aliforme adj. Didac. Qui a la forme d'une aile. *Membranes aliformes.*

Alîgarh, v. du N. de l'Inde (Uttar Pradesh); 480 000 hab. Industr. chimique; travail du coton.

Alighieri. V. Dante.

alignement n. m. **1.** Action d'aligner; disposition sur une ligne droite. *Un alignement de chaises.* ▷ MILIT *À droite, alignement :* commandement pour faire aligner des troupes. ▷ AUTO Réglage des roues avant destiné à éviter qu'elles s'écartent lorsque le véhicule roule. ▷ DR *Alignement général,* fixation par l'Administration des limites des voies publiques par rapport aux riverains; ligne ainsi fixée. ▷ (Plur.) ARCHEOL Rangées de menhirs implantés en lignes parallèles. *Alignements de Carnac.* ▷ TRAV PUBL Élément routier en ligne droite. **2.** Tracé en ligne effectué au moyen de repères, de jalons; droite imaginaire reliant deux, plusieurs repères. *Prendre des alignements.* ▷ MAR Droite passant par deux amers séparés par une certaine distance. *Suivre un alignement.* ▷ Fig. Fait de s'aligner. *Alignement d'une politique.* – ECON *Alignement monétaire :* fixation d'un nouveau cours des changes entre deux ou plusieurs monnaies en fonction de leur pouvoir d'achat.

aligner v. [1] **I.** v. tr. **1.** Disposer, ranger sur une même ligne droite. *Aligner les poteaux d'une clôture.* **2.** Fig. *Aligner une monnaie,* en déterminer officiellement la valeur par rapport à une monnaie étrangère. **3.** TELECOM Accorder (plusieurs circuits) sur une même fréquence. **II.** v. pron. **1.** (Sens réfl.) Se mettre sur la même ligne. *Les élèves s'alignent dans la cour.* ▷ Fig. Se conformer à la ligne politique d'un parti. **2.** (Sens passif.) *Des arbres s'alignaient le long de l'allée.*

aligoté n. m. Cépage blanc de Bourgogne. – (En appos.) *Bourgogne aligoté.*

Aligre (Étienne d') (Chartres, 1550 – La Rivière, près de Chartres, 1635), magistrat français que Richelieu fit garde des Sceaux en 1624, puis chancelier, et qu'il disgracia en 1626.

Ali Khān (Liaqat) (Pendjab, 1895 – Rawalpindi, 1951), Premier ministre pakistanais de 1947 à son assassinat.

aliment n. m. **1.** Toute substance qui sert à la nutrition des êtres vivants. *Consommer des aliments. Faire cuire des aliments.* ▷ DR *Les aliments :* les frais de subsistance et d'entretien d'une personne dans le besoin. **2.** Fig. Ce qui entretient, nourrit. *Des griefs, aliments d'une querelle.*

alimentaire adj. **1.** Qui est propre à servir d'aliment. *Denrées alimentaires.* ▷ Relatif à l'alimentation. *Régime alimentaire. Chaîne* alimentaire.* **2.** DR *Pension alimentaire,* servie à une personne pour assurer sa subsistance. **3.** Péjor. *Travail, besogne alimentaire,* dont l'unique intérêt est d'assurer une rémunération.

alimentation n. f. **1.** Action, manière de fournir ou de prendre de la nourriture. *Surveiller son alimentation. Commerce d'alimentation,* de denrées comestibles. **2.** Approvisionnement. *L'alimentation en eau d'une ville. L'alimentation d'un marché.* ▷ TECH Approvisionnement des machines en fluides (eau, carburant, etc.) ou en énergie nécessaire à leur fonctionnement. *Il y a une panne d'alimentation.* – ELECTRON *Alimentation stabilisée :* dispositif utilisé pour fournir une tension ou une intensité constante.

alimenter v. tr. [1] **1.** Nourrir, fournir les aliments nécessaires à. *Alimenter un enfant, un malade.* ▷ v. pron. *Il s'alimente tout seul depuis qu'il va mieux.* **2.** *Par ext.* Approvisionner. *Alimenter une ville en eau.* ▷ Fig. Donner matière à. *Incidents qui alimentent une discorde.*

alinéa n. m. Commencement en retrait de la première ligne d'un texte, d'un paragraphe. ▷ Passage d'un texte compris entre deux de ces lignes en retrait. *Cet alinéa est fort long.*

alios n. m. PEDOL Grès à ciment organique et minéral de couleur brun rougeâtre, apparaissant en profondeur, dans les sols sableux, du fait de la précipitation et de la cristallisation entre les grains de sable des colloïdes organiques et minéraux.

aliotique adj. PEDOL Qui a rapport à l'alios; qui est composé d'alios. *Terrain aliotique.*

Ali Pacha de Tebelen (Tebelen, v. 1744 – près de Ioánnina, 1822), pacha de Ioánnina. Il s'empara de l'Albanie et du N. de la Grèce (1809-1810), mais les forces ottomanes l'acculèrent dans Ioánnina (1820-1822) et le tuèrent.

Ali Pacha (Mehmet Emin) (Istanbul, 1815 – Bebek, 1871), homme politique turc. Il signa, au Congrès de Paris (1856), le traité de paix mettant fin à la guerre de Crimée. Ministre réformateur, il pratiqua une politique d'apaisement envers les chrétiens et rétablit la suzeraineté ottomane sur l'Égypte (1869).

aliphatique adj. CHIM Se dit des corps gras à chaîne ouverte.

aliquante adj. f. MATH *Partie aliquante d'un nombre :* partie qui n'est pas contenue un nombre exact de fois dans un nombre. Ant. aliquote.

aliquote [alikwɔt] adj. f. MATH *Partie aliquote d'un nombre,* contenue un nombre entier de fois dans ce nombre.

Aliscamps (les). V. Alyscamps.

Alise-Sainte-Reine. V. Alésia.

alisier n. m. Arbre (fam. rosacées), à feuilles non divisées, à fleurs blanches, dont l'*alise* est le fruit.

alisier : rameau fleuri, fruit, feuille en automne

Alisjahbana (Sutan Takdir) (Natal, Sumatra, 1908 – Djakarta, 1994), écrivain et philosophe indonésien; auteur d'une grammaire de l'indonésien moderne. Son œuvre poétique (*Nuages dispersés,* 1935) et romanesque (*Toutes voiles déployées,* 1936; *la Grotte d'azur, une histoire d'amour idéal,* 1970) a fortement contribué au développement d'une littér. nationale en Indonésie.

alismatacées n. f. pl. BOT Famille de plantes monocotylédones aquatiques, comprenant le plantain d'eau, la sagittaire, etc. – Sing. *Une alismatacée.*

alitement n. m. Fait, pour un malade, de rester au lit.

aliter v. tr. [1] Faire garder le lit à. ▷ v. pron. Se mettre au lit (s'agissant d'un malade).

alizarine n. f. CHIM Matière colorante rouge.

alizé adj. et n. m. *Vent alizé* ou *alizé :* vent régulier soufflant toute l'année dans la zone intertropicale (du N.-E. au S.-O. dans l'hémisphère N., du S.-E. au N.-O. dans l'hémisphère S.), dû à la quasi-permanence des anticyclones sur les régions subtropicales et de basses pressions sur les régions équatoriales (en altitude, le champ de pression se renverse : *contre-alizé*).

Alkan (Charles Valentin Morhange, dit) (Paris, 1813 – id., 1888), pianiste et compositeur français; auteur d'une centaine de pièces pour piano.

alkékenge [alkekɑ̃ʒ] n. f. BOT Plante ornementale (fam. solanacées) aux baies rouges enfermées dans une enveloppe rouge orangé, évoquant une lanterne vénitienne. Syn. amour-en-cage.

Al-Khalīl. V. Hébron.

Alkmaar, v. des Pays-Bas (Hollande-Septentrionale); 88 090 hab. Import. marché de fromages. Constr. navales, mécaniques. - Mon. gothiques.

alkylation n. f. CHIM Introduction d'un radical alkyle dans une molécule organique.

alkyle adj. CHIM Qualifie les radicaux acycliques obtenus par enlèvement d'un atome d'hydrogène à une molécule d'hydrocarbure. Syn. alcoyl.

all(o)-. Préfixe, du gr. *allos*, « autre ».

Allah *(Allāh)*, nom (« le Dieu ») le plus souvent donné à Dieu par les Arabes d'avant l'islam et, ensuite, par tous les musulmans.

Allahābad, v. sainte de l'Inde (Uttar Pradesh), au confl. du Gange et de la Yamunā; 806 000 hab. Industr. chim.

Allais (Alphonse) (Honfleur, 1855 - Paris, 1905), humoriste français : *À se tordre* (1891), *Vive la vie* (1892), etc.

Allais (Maurice) (Paris, 1911), économiste français, connu pour ses travaux sur la théorie des marchés et l'utilisation efficace des ressources. Prix Nobel d'économie 1988.

Allais (Émile) (Megève, 1912), skieur fr. plusieurs fois champion du monde; inventeur d'une méthode de ski.

allaitement n. m. Action d'allaiter; alimentation en lait du nourrisson jusqu'à son sevrage. *Allaitement maternel*, au sein. *Allaitement mixte*, au sein et au biberon.

allaiter v. tr. [1] Nourrir de lait, de son lait (un nouveau-né, un petit); élever au sein. *Elle a allaité son enfant plus de six mois.*

Allal al-Fasi *('Allāl al-Fāsī)* (Fès, 1906 - Bucarest, 1974), homme politique marocain. Il fonda le parti de l'Istiqlal et anima la résistance au protectorat français.

allant, ante n. m. et adj. **1.** n. m. Vivacité dans l'action, entrain. *Avoir de l'allant.* **2.** adj. Qui aime à se déplacer, actif. *Elle est encore très allante pour son âge.*

allantoïde n. f. EMBRYOL Organe fœtal qui ne subsiste que pendant les deux premiers mois de la gestation chez les primates, mais qui, chez les sauropsidés, constitue l'appareil respiratoire de l'embryon.

Allauch, ch.-l. de cant. des Bouches-du-Rhône (arr. de Marseille); 16 125 hab. Prod. pharm. Bauxite.

alléchant, ante adj. Qui allèche, séduit. *Proposition alléchante.*

allécher v. tr. [14] Attirer par quelque appât qui met les sens en éveil, par l'espérance de quelque plaisir. Syn. appâter. ▷ Fig. Séduire.

allée n. f. **1.** Action d'aller (seulement dans la loc. *allées et venues*). **2.** Chemin de parc, de forêt, de jardin. *Allée cavalière.* ▷ Dans une ville, avenue plantée d'arbres. **3.** Couloir, passage. **4.** ARCHEOL *Allée couverte* : monument mégalithique formé de dolmens disposés en couloir.

allégation n. f. **1.** DR ou litt. Citation d'une autorité. **2.** Ce que l'on affirme. *Justifiez vos allégations.*

allège n. f. **1.** MAR Chaland à fond plat servant au chargement et au déchargement des navires. **2.** ARCHI Mur d'appui d'une fenêtre.

allégé, ée adj. Qui contient peu ou pas de matières grasses ou de sucre par rapport au produit habituel. *Beurre allégé. Confiture allégée.*

allégeance [al(l)eʒɑ̃s] n. f. **1.** HIST Fidélité de l'homme lige envers son suzerain. *Serment d'allégeance.* **2.** Fig. *Faire allégeance à...* : se soumettre à...

allégement ou **allègement** n. m. Action d'alléger; diminution d'une charge, d'un poids. *Allégement des charges publiques. Allégement fiscal.* ▷ SPORT Réduction du poids d'un skieur sur ses skis par flexion ou extension du corps.

alléger v. tr. [15] **1.** Rendre plus léger, diminuer le poids de. *Alléger un fardeau.* Ant. alourdir. **2.** Rendre moins pénible. *Alléger une douleur.* ▷ *Alléger les impôts*, les diminuer.

Alleghany, riv. des É.-U. (523 km); s'unit, à Pittsburgh, à la Monongahela pour former l'Ohio.

Alleghany (monts), rebord du plateau appalachien, qui s'étend de la Pennsylvanie à la Virginie-Occidentale.

allégorie n. f. LITTER Description, récit, qui, pour exprimer une idée générale ou abstraite, recourt à une suite de métaphores. *L'allégorie de la caverne, dans « la République » de Platon.*

allégorique adj. Qui tient de l'allégorie, qui appartient à l'allégorie. *Personnage allégorique.*

allégoriquement adv. D'une manière allégorique, dans un sens allégorique.

allègre adj. Vif, plein d'entrain.

allégrement ou **allègrement** adv. De manière allègre.

allégresse [al(l)egʀɛs] n. f. Joie très vive qui se manifeste avec vivacité. *Cris d'allégresse.*

Allégret (Marc) (Bâle, 1900 - Paris, 1973), cinéaste français : *Voyage au Congo* (documentaire, voyage avec Gide, 1927), *Lac aux dames* (1934), *Gribouille* (1937), *Entrée des artistes* (1938), *le Bal du comte d'Orgel* (1968). — **Yves** (Paris, 1907 - id., 1987), frère du préc., cinéaste français, spécialiste du film noir : *Dédé d'Anvers* (1948), *Une si jolie petite plage* (1949), *Manèges* (1950).

allegretto ou **allégretto** [al(l)egʀɛt(t)o] adv. MUS D'un mouvement un peu moins vif qu'allegro. ▷ n. m. Morceau joué dans ce tempo.

Allegri (Antonio). V. Corrège (le).

Allegri (Gregorio) (Rome, 1582 - id., 1652), compositeur italien; auteur de musique religieuse : *Miserere* (1621).

allegro ou **allégro** [al(l)egʀo] adv. MUS D'un mouvement vif et rapide. ▷ n. m. Morceau joué dans ce tempo.

alléguer [al(l)ege] v. tr. [14] **1.** Citer une autorité (pour se défendre, se justifier). *« Jean Lapin allégua la coutume et l'usage »* (La Fontaine). **2.** Mettre en avant comme justification, comme excuse. *Alléguer de bonnes raisons.* Syn. prétexter, se prévaloir (de).

allèle n. m. GENET Chacune des diverses formes d'un même gène. V. encycl. gène.

allélomorphe adj. BIOL Qui se présente sous diverses formes.

alléluia [al(l)eluja] n. m. Mot exprimant l'allégresse des fidèles, ajouté par l'Église à des prières ou à des psaumes. - *Spécial.* Verset précédé et suivi par ce mot, chanté avant l'évangile.

Allemagne (république fédérale d'), pays d'Europe centrale bordé au N. par la mer du Nord, la Baltique et le Danemark, à l'E. par la Pologne, la Rép. tchèque, au S. par l'Autriche, la Suisse et la France, à l'O. par le Luxembourg, la Belgique et les Pays-Bas. L'Allemagne est constituée de 16 États fédérés *(Länder)*, dont trois sont des villes-États : Berlin, Brême et Hambourg. 356 758 km²; 81 700 000 hab.; cap. *Berlin*. Nature de l'État : rép. fédérale. Langue off. : allemand. Monnaie : Deutsche Mark. Relig. : protestantisme et catholicisme.

Géogr. phys. - Trois grandes régions naturelles se partagent le pays du N. au S. L'*Allemagne du N.* fait partie de la grande plaine d'Europe septentrionale, aux terroirs variés, drainée par l'Ems, la Weser et l'Elbe. Son climat est à tendance océanique alors que, partout ailleurs, règne un climat de type continental. Au centre, l'*Allemagne moyenne*, hercynienne, est une succession de vieux massifs (Massif schisteux rhénan, Harz, Thuringe), coupée de vallées (Moselle, Rhin, Main) et de bassins. L'*Allemagne subalpine et alpine* s'étend du Danube aux sommets où s'accrochent les frontières suisse et autrichienne. Elle est constituée des Préalpes (2 968 m au Zugspitze) et de leur piémont, ordonnés autour du Danube et de ses affluents de rive droite (Isar, Inn). Le peuplement, très dense sur tout le territoire, se concentre dans les bas pays, les grandes vallées et les bassins miniers.

Écon. - Après les ravages provoqués par la guerre de 1939-1945, qui entraîna des pertes humaines considérables, la **R.F.A.** opéra un redressement rapide (« miracle allemand ») qui la plaça au rang de première puissance écon. européenne. L'agric., surtout localisée dans les bassins du Centre (pomme de terre, céréales, betterave à sucre), ne pouvait suffire aux besoins d'une pop. très urbanisée (80 %). L'expansion industrielle all., née au XIXᵉ s. avec l'utilisation de ses énormes gisements de houille et de ses mines de fer, n'est plus dominée par le poids de la sidérurgie. La chimie, l'automobile et l'électromécanique sont auj. les atouts essentiels de cette industrie (40 % de la pop. active). Les industr. alim. (brasseries) restent importantes. L'expansion écon., due à une organisation et une gestion exemplaires, fut favorisée par l'excellence et la densité des voies de communication. La R.F.A. n'a pas échappé à la crise qui a suivi les deux chocs pétroliers (1973 et 1979). La disparition du plein emploi a été la plus grave conséquence du marasme des secteurs traditionnels de l'industrie : aciéries (Thyssen, Krupp), chantiers navals, machines-outils et textile. Les industries de pointe (électronique, inform.), la chimie (BASF, Hoechst) et l'auto. (Volkswagen) ont cependant permis de maintenir une forte croissance. Entre 1970 et 1989, le P.N.B. a été multiplié par trois. En 1989, la R.F.A. est devenue le premier exportateur mondial (réalisant 70 % de ses ventes en Europe) et le deuxième créancier. Elle a réussi à intégrer 8 millions de réfugiés venus des territoires annexés par l'U.R.S.S. et la Pologne, puis 3 à 4 millions d'Allemands de l'Est. L'économie de l'Allemagne réunifiée peine à supporter le retard de la **R.D.A.**, où l'agriculture (blé, seigle, pomme de terre, betterave à sucre, cultures maraîchères, élevage porcin), qui occupait 10 % de la population active, a besoin de renouveler son équipement mécanique et de modifier ses méthodes culturales (il fallait trois Allemands de l'Est pour un de l'Ouest à production agricole comparable). L'industrie, qui se développa grâce au lignite, seule ressource minérale abondante (bassin de Leipzig, Halle, Lusace), était dominée par la sidérurgie et la chimie. Elle subit, depuis 1996, une désocialisation brutale (faillites, chômage) et ne représente que 14 % de la production, contre 26 % en Allemagne occidentale.

Hist. – Rome a fixé ses frontières sur le Rhin et le Danube. La dernière vague d'invasions germaniques (406) fit s'écrouler l'Empire qui fit place à des royaumes « barbares ». La plupart des pays germaniques se fondirent dans l'État franc, puis carolingien, et se christianisèrent. Le partage de l'empire de Charlemagne entraîna la constitution d'un royaume de Germanie (843), de la Meuse à l'Oder. Les ducs de Saxe s'emparèrent de la Couronne. Otton Ier, se faisant couronner à Rome en 962, fonda le Saint Empire romain germanique. Le principe de l'élection impériale, la politique ambitieuse des souverains engagés dans un interminable conflit avec la papauté provoquèrent l'émiettement de l'Allemagne en principautés féodales. Rodolphe Ier de Habsbourg (1273-1291) annonçait une nouvelle dynastie qui garda la couronne impériale de 1440 à 1806. Un événement capital fut la Réforme protestante (XVIe s.), qui souleva les princes et les paysans contre Charles Quint et brisa l'unité politique encore embryonnaire du pays. Au XVIIe s., la lutte des États du N., protestants, contre les États du S., catholiques, suscita la guerre de Trente Ans qui ruina et acheva de morceler l'Allemagne (traité de Westphalie, 1648). En 1701, l'Électeur de Brandebourg prit le titre de « roi en Prusse ». L'ascension de cette maison se poursuivit avec Frédéric II (1740-1786). Bonaparte ramena, en 1803, le nombre des États de 350 à 39 et obtint que François II déclarât éteinte sa fonction d'empereur germanique (1806). Les traités de Vienne (1815) créèrent une Confédération germanique de 39 États sous la présidence de l'Autriche. Une lutte pour la prééminence en Allemagne opposa l'Autriche et la Prusse; vainqueurs des Autrichiens à Sadowa (1866), et des Français en 1871, les Prussiens imposèrent l'unité aux princes locaux, et la Prusse proclama l'Empire allemand, dont la puissance écon. et démographique ne cessa de croître, mais qui subit un grave échec au cours de la Première Guerre* mondiale; l'empereur Guillaume II abdiqua (9 nov. 1918) et la république fut proclamée. Le traité de Versailles (28 juin 1919) démembra l'Allemagne et lui enleva ses colonies. De 1919 à 1923, la république de Weimar fut troublée par des soulèvements communistes et des coups de force de droite, et l'inflation ruina les classes moyennes. Après un brillant redressement économique et diplomatique, la rép. de Weimar fut victime de la crise économique de 1929, la misère, la lutte à mort entre les forces nationalistes et socialistes se soldèrent par le triomphe du national-socialisme (nazisme) : le président Hindenburg nomma Hitler chancelier le 30 janv. 1933. Celui-ci instaura un régime de terreur fondé notam. sur le racisme (persécution des Juifs, des Tsiganes). Pour effacer le traité de Versailles, il imposa une politique extérieure brutale : réoccupation de la Rhénanie (1936), annexion de l'Autriche (Anschluss, mars 1938) et d'une partie de la Tchécoslovaquie (affaire des Sudètes) après les accords de Munich (sept. 1938), annexion de la Bohême (mars 1939); enfin, le 1er septembre 1939, invasion de la Pologne, ce qui déclencha la Seconde Guerre* mondiale (1939-1945). L'Allemagne, vaincue, capitula le 8 mai 1945; divisée en quatre zones d'occupation (amér., franç., brit., soviét.), elle perdit ses territoires à l'est de l'Elbe et sortit du conflit politiquement et économiquement anéantie. En 1949, elle fut partagée en deux États. **La R.F.A. :** république fédérale fondée le 23 mai 1949 (248 580 km^2), dont la capitale était Bonn, comprenant dix Länder plus Berlin-Ouest. Les chrétiens-démocrates, seuls au pouvoir de 1949 à 1966 (C. Adenauer, puis L. Erhard) ou dans un gouv. de coalition (K. G. Kiesinger, 1966-1969, H. Kohl depuis 1982), ont dû compter avec le puissant parti social-démocrate (les chanceliers W. Brandt, 1969-1974, puis H. Schmidt, 1974-1982). Membre de l'OTAN depuis 1955, de la C.E.E. depuis 1957, la R.F.A. se rapprocha de l'Allemagne socialiste en 1972 (traité de reconnaissance mutuelle). **La R.D.A. :** démocratie populaire fondée le 23 mai 1949 (108 178 km^2) dont la capitale était Berlin-Est. Par le traité de 1955, la R.D.A. arriva à se dégager de l'admin. militaire soviétique. Elle conserva des liens étroits avec les pays de l'E. (adhésion au pacte de Varsovie, 1955; traité d'amitié avec l'U.R.S.S., 1964). La construction du mur de Berlin, en 1961, arrêta les départs massifs vers la R.F.A., qui vidaient la R.D.A. de ses personnels qualifiés. Membre de l'ONU et du Comecon, elle fut la deuxième puissance socialiste, derrière l'U.R.S.S. Egon Krenz, dernier dirigeant du parti socialiste unifié, succéda en 1989 à Erich Honecker (1976-1989), à W. Stoph (1973-1976), à W. Ulbricht (1960-1973) et à W. Pieck (1949 - 1960). **La réunification.** – En 1989, l'exode massif d'Allemands de l'Est vers l'autre Allemagne, à travers les territoires hongrois et tchèque, et des manifestations sans précédent à Leipzig et à Berlin-Est provoquèrent un bouleversement majeur qui mit fin au partage politique de l'Allemagne et de l'Europe issu de la Seconde Guerre mondiale. Après la destitution des dirigeants communistes, l'ouverture des frontières et la destruction du mur de Berlin*, des élections libres (mars 1990) portèrent au pouvoir un gouvernement de coalition, dominé par les chrétiens-démocrates. En liaison étroite avec le chancelier ouest-allemand H. Kohl, ce gouvernement brûla les étapes de la réunification allemande, officielle dès le 3 oct. 1990. Les anc. Alliés décidèrent de rendre sa souveraineté à l'Allemagne réunifiée mais de garantir l'intangibilité de la frontière Oder-Neisse*; le traité germano-polonais de juin 1991 sanctionna officiellement l'abandon à la Pologne d'un quart du territoire du Reich allemand d'avant-guerre. Ayant retrouvé une véritable souveraineté, l'Allemagne aspire à obtenir un siège permanent au Conseil de sécurité des Nations unies : une modification de la Constitution a autorisé la participation de soldats allemands aux opérations de l'ONU (1994). L'euphorie de l'unification a d'abord cédé la place aux difficultés économiques (chômage massif et restructuration industrielle à l'Est). Mais l'année 1994 a vu un regain de compétitivité industrielle et la conclusion de nombreux accords syndicats-patronat. En mai 1994 Roman Herzog est élu président de la République. Après 16 ans au pouvoir, H. Kohl est battu aux élections d'octobre 1998 par les sociaux-démocrates dont le leader Gerhard Schröder accède à la chancellerie.

allemand, ande adj. et n. **1.** adj. De l'Allemagne. ▷ Subst. *Un(e) Allemand(e).* **2.** n. m. *L'allemand :* la langue indo-européenne du groupe germanique occidental, parlée en Allemagne, en Autriche, en Belgique, en Suisse, au Liechtenstein et au Luxembourg. **3.** n. f. Air à quatre temps; danse sur cet air.

Allemane (Jean) (Sauveterre, Hte-Garonne, 1843 – Herblay, Val-d'Oise, 1935), socialiste franç. Condamné après la Commune, il fut amnistié et créa en 1890 un groupe révolutionnaire dit *allemaniste.*

Woody **Allen**

Salvador **Allende**

Allen (Allen Stewart Konigsberg, dit Woody) (New York, 1935), acteur, cinéaste et écrivain américain. À travers ses films, il est devenu le représentant le plus célèbre de l'humour juif new-yorkais : *Prends l'oseille et tire-toi* (1969), *Annie Hall* (1977), *Manhattan* (1979), *Comédie érotique d'une nuit d'été* (1982), *la Rose pourpre du Caire* (1985). Il a également écrit *Pour en finir une bonne fois pour toutes avec la culture* et *Dieu, Shakespeare et moi* (trad. fr. 1979).

Allenby (sir Edmund) (Brackenhurst, Nottinghamshire, 1861 – id., 1936), maréchal brit. qui, durant la guerre de 1914-1918, combattit en France, puis en Palestine. Il écrasa les Turcs à Megiddo (1918).

Allende (Salvador) (Valparaíso, 1908 – Santiago, 1973), président de la république du Chili (1970-1973). Socialiste, il fut élu grâce au soutien des communistes, et appliqua le programme de l'Union populaire. Il mourut, les armes à la main, lors de la prise du palais présidentiel par une junte militaire.

allène n. m. CHIM Hydrocarbure de formule C_3H_4. Syn. propadiène.

1. aller v. [9] **I.** v. intr. **1.** (Êtres animés.) Se mouvoir (dans une direction). *Aller et venir :* se mouvoir dans une direction, puis en sens inverse. *Aller à grands pas :* marcher vite. ▷ Avec un complément, une préposition, un adverbe indiquant les modalités de l'action, la manière, le moyen. *Je vais à pied, en train, par mer. Le cheval va au trot. Aller à fond de train,* très vite. *J'allais seul, avec des amis.* ▷ Avec un compl. de destination, de direction. *Nous allons de Rome à Paris. Aller à la campagne, au théâtre. Elle ira chez le coiffeur. J'y vais. On y va? Où va-t-on? Il est allé dans le midi de la France. Tu vas jusqu'à la voiture. Aller de ville en ville, de port en port. Aller devant, derrière, à côté de quelqu'un. J'irai jusqu'à lui, s'il ne vient pas à moi.* – Fig. *Cet enfant ira loin,* réussira. – *Vous allez trop loin! :* vous exagérez. – Loc. fam. *Allez au diable! :* je ne veux plus entendre parler de vous! – Fig. *Allons au plus pressé,* à ce qui importe avant tout. *Aller au fond des choses :* examiner une question avec soin. ▷ (Sujet nom de chose.) *La voiture va vite. L'eau va jusqu'aux genoux,* monte jusqu'aux genoux. – Fig. *Sa gentillesse m'est allée droit au cœur,* m'a touché. **2.** Fig. *Y aller :* faire une chose (d'une certaine manière). *Il y va fort :* il exagère. *Il n'y va pas de main morte :* il agit sans mesure. *J'y suis allé carrément. Je n'y suis pas allé par quatre chemins :* j'ai agi sans détour. *Elle y allait de sa petite larme :* elle pleurait. ▷ JEU *J'y vais de 100 francs :* je mise 100 francs. – Par ext. *Y aller de ses économies :* risquer ses économies. **3.** À l'impératif, pour renforcer une affirmation, marquer la surprise, l'indignation, etc. *« Va, je ne te hais point »* (Corneille). *Allez, les gars, courage! Allons, laisse-moi tranquille!* **4.** Indiquant un état, un fonctionnement. – (État de santé.) *Aller bien. Aller mal. Comment allez-vous? Ça va mieux?* – (État de

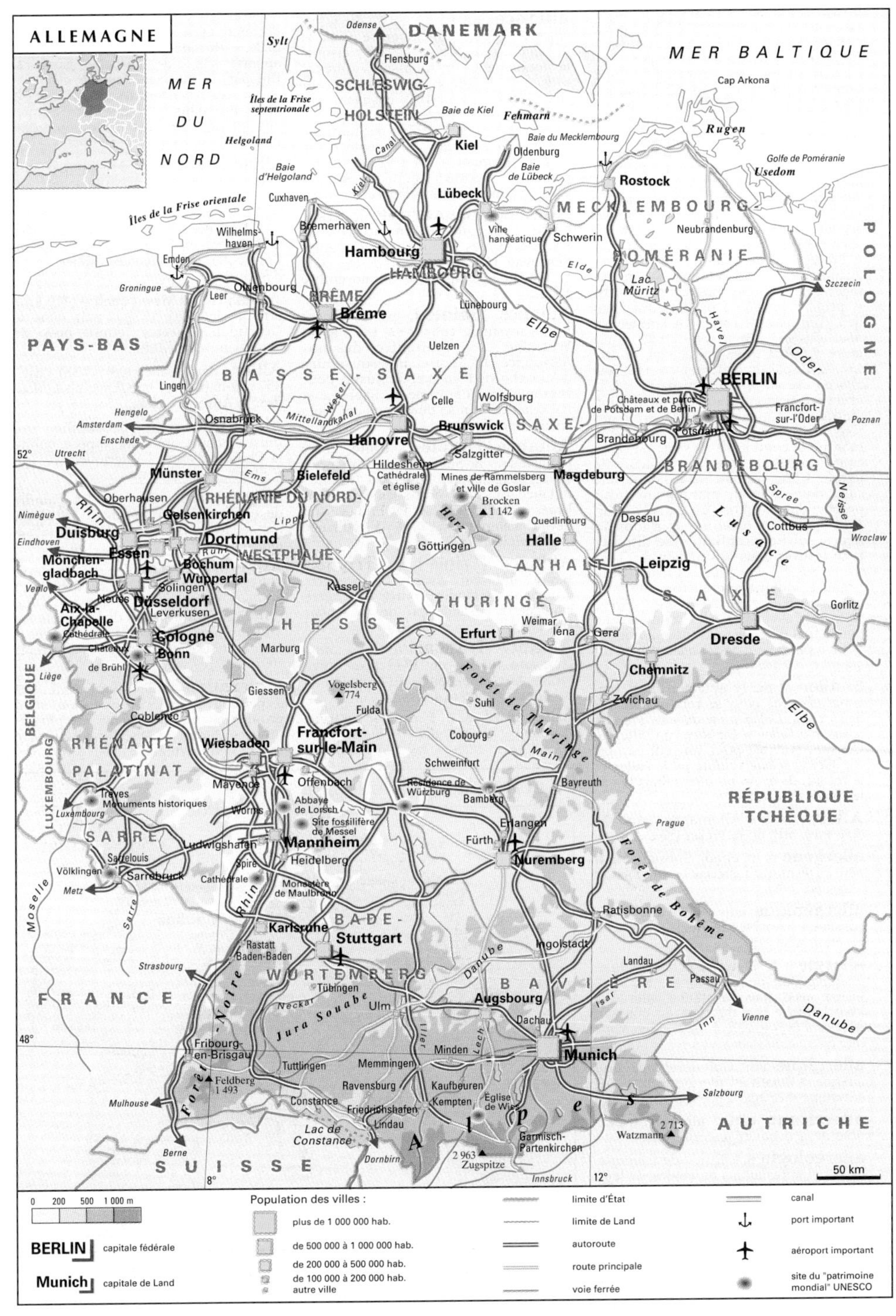
ALLEMAGNE
DANEMARK
MER BALTIQUE
MER DU NORD
POLOGNE
PAYS-BAS
BELGIQUE
LUXEMBOURG
FRANCE
SUISSE
AUTRICHE
RÉPUBLIQUE TCHÈQUE
SCHLESWIG-HOLSTEIN
MECKLEMBOURG-POMÉRANIE
HAMBOURG
BRÊME
BASSE-SAXE
SAXE-ANHALT
BRANDEBOURG
RHÉNANIE DU NORD-WESTPHALIE
HESSE
THURINGE
SAXE
RHÉNANIE-PALATINAT
SARRE
BADE-WURTEMBERG
BAVIÈRE
BERLIN
Hambourg
Munich
Cologne
Francfort-sur-le-Main
Stuttgart
Dresde
Leipzig
Hanovre
Nuremberg
Düsseldorf
Essen
Dortmund
Brême
Kiel
Lübeck
Rostock
Schwerin
Magdeburg
Potsdam
Erfurt
Wiesbaden
Mayence
Sarrebruck
Mannheim
Karlsruhe
Augsbourg
Halle
Chemnitz
Bonn
Duisburg
Bochum
Wuppertal
Münster
Bielefeld
Brunswick
Kassel
Fribourg-en-Brisgau
Mer du Nord
Forêt de Thuringe
Forêt de Bohême
Forêt-Noire
Jura Souabe
Harz
Alpes
Rhin
Elbe
Danube
Main
Oder
Zugspitze 2 963
Feldberg 1 493
Brocken 1 142
Watzmann 2 713
Lac de Constance
8°
12°
52°
48°
50 km
0 200 500 1 000 m
BERLIN capitale fédérale
Munich capitale de Land
Population des villes :
plus de 1 000 000 hab.
de 500 000 à 1 000 000 hab.
de 200 000 à 500 000 hab.
de 100 000 à 200 000 hab.
autre ville
limite d'État
limite de Land
autoroute
route principale
voie ferrée
canal
port important
aéroport important
site du "patrimoine mondial" UNESCO

choses.) *Tout va parfaitement. Le commerce va mal.* ▷ Loc. *Cela va tout seul,* ne présente pas de difficulté. *Cela va de soi :* c'est évident. ▷ *Il y va de* (impers.). *Il y va de votre vie :* votre vie est en jeu. ▷ *En aller de. Il en va de même pour lui :* c'est le même cas pour lui. ▷ Fonctionner. *Cette montre va bien,* marque l'heure exacte. **5.** S'adapter à, être en harmonie avec (qqn, qqch). *Cette robe vous allait bien. Le jaune et le violet ne vont pas ensemble.* **6.** Suivi d'un gérondif ou d'un participe présent marquant la continuité ou la progression de l'action. *La tristesse ira en s'atténuant. Le mal va croissant.* **7.** *Laisser aller.* – Ne pas retenir. *Il n'y a qu'à laisser les choses aller.* – Abandonner. *Laisser tout aller.* ▷ v. pron. *Se laisser aller à la douleur,* s'y abandonner. – (S. comp.) Se décourager. *Il ne faut pas vous laisser aller.* **II.** v. pron. *S'en aller :* partir, quitter un lieu. *S'en aller de Paris.* – À l'impératif. *Allez-vous-en !* – Fig. *Il s'en est allé :* il est mort. *Le mal vient vite et s'en va lentement,* disparaît lentement. – Fam. *Tout s'en est allé en fumée,* a disparu. – À la première personne, suivi d'un infinitif, marque le futur proche. *Je m'en vais vous dire.* – Suivi d'un participe présent, marque la continuité. *Ils s'en vont chantant le long des routes.* **III.** Auxiliaire de temps. **1.** Au présent ou à l'imparfait, suivi d'un infinitif, marque un futur proche, dans le passé ou dans l'avenir. *Il va mourir. On allait rire.* **2.** À tous les temps, suivi d'un infinitif : se disposer à, se trouver dans la situation de. *Vous n'iriez pas lui dire cela.* – En tournure négative, indique quelquefois une mise en garde. *N'allez pas croire que... N'allez pas penser que...* ▷ Fam. *Aller pour,* marque une action que l'on se dispose à faire et qui n'a pas lieu. *Georges allait pour sortir quand il se ravisa.*

2. aller n. m. **1.** Action d'aller ; parcours effectué pour se rendre dans un lieu précis. *L'aller a été difficile. Prendre le métro à l'aller.* ▷ *Un aller :* un billet de transport valable pour un seul voyage. *Un aller et retour,* valable pour l'aller et le retour. **2.** Fig. *Au pis aller :* dans le cas le plus défavorable.

Aller, riv. d'Allemagne du N. (256 km), affl. de la Weser (rive droite).

allergène n. m. et adj. Substance qui peut déterminer l'allergie. – adj. *Produit allergène.*

allergénique adj. MED Se dit d'une substance capable de déclencher une réaction allergique.

allergie n. f. MED Réaction anormale et inadaptée lors de la rencontre de l'organisme avec une substance allergène avec laquelle il a déjà été en contact. *Allergie à la poussière.* ▷ Fig. *Il a développé une allergie au piano.*

allergique adj. Qui développe une allergie. ▷ Relatif à l'allergie. ▷ Fig. *Je suis allergique à ce type d'homme.*

allergisant, ante adj. MED Susceptible de provoquer une allergie.

allergologie n. f. Étude de l'allergie, de ses manifestations morbides, de leur traitement.

allergologue n. Médecin spécialiste de l'allergologie.

alleu. V. franc-alleu.

Allia (auj. *Fosso di Marcigliana*), riv. de l'anc. Italie, affl. du Tibre (r. g.). – Victoire des Gaulois sur les Romains (390 av. J.-C.).

alliage n. m. METALL Corps obtenu par combinaison d'éléments d'apport (métalliques ou non) à un métal de base, et qui présente les caractéristiques de l'état métallique.

alliance n. f. **1.** RELIG *Ancienne alliance :* pacte conclu entre Dieu et Abraham, puis Moïse, et qui constitue le fondement du judaïsme. *L'Arche* d'alliance.* **2.** Union par laquelle plusieurs pays ou partis s'engagent par un traité. *Alliance atlantique.* ▷ Accord. *Alliance d'intérêts.* **3.** Union par mariage. ▷ *Par alliance :* lien de parenté établi consécutivement à un mariage. ▷ Anneau nuptial porté à l'annulaire. **4.** Association, combinaison. *Alliance de mots.*

Alliance (Quadruple-), traité entre la France, l'Angleterre, les Provinces-Unies et l'Autriche, contre l'Espagne (1718). – Nom donné à la Sainte-Alliance après le 20 novembre 1815.

Alliance (Sainte-), pacte d'inspiration mystique conclu en 1815, après Waterloo, sur l'initiative du tsar Alexandre Ier, entre les souverains d'Autriche, de Prusse et de Russie, pour réprimer les mouvements libéraux et nationalistes qui se développaient alors en Europe.

Alliance (Triple-), traité entre l'Angleterre, la Suède et les Provinces-Unies, dirigé contre Louis XIV (1668). – Alliance de 1717 entre les Provinces-Unies, l'Angleterre et la France, qui devait s'élargir en 1718. V. Alliance (Quadruple-).

Alliance (Triple-) ou **Triplice,** pacte défensif entre l'Allemagne, l'Autriche et l'Italie, contre une agression de la France ou de la Russie (1882).

Alliance française, association française fondée en 1883 pour développer la connaissance de la langue et de la culture françaises.

allié, ée adj. et n. **1.** Uni par un traité d'alliance. *Peuples alliés.* ▷ Subst. *Un(e) allié(e). Les Alliés :* les pays qui ont *contracté une alliance pour lutter contre un autre pays ; spécial.* les pays opposés à l'Allemagne au cours de la Première et de la Seconde Guerre mondiale. – *Par anal.* Celui qui secourt, qui apporte son aide. *Un allié fidèle.* **2.** Uni par un mariage. *Familles alliées.* ▷ Subst. *Les parents et les alliés.* **3.** METALL *Acier allié,* dans la composition duquel entrent des éléments d'addition (*acier inoxydable,* par ex.).

allier v. [2] **I.** v. tr. **1.** Unir par une alliance. *L'attrait du pouvoir a allié ces deux partis longtemps opposés.* **2.** Combiner des métaux. *Allier l'or avec l'argent.* – Fig. Unir des éléments différents. *Allier la clémence à la justice.* **II.** v. pron. Contracter une alliance. *S'allier contre des ennemis.*

Allier, riv. du Massif central (410 km), affl. de la Loire (r. g.) ; naît dans le Gévaudan (Lozère) ; confl. près de Nevers, au *Bec-d'Allier.*

Allier, dép. franç. (03) ; 7 381 km² ; 357 710 hab. ; 48,4 hab./km² ; ch.-l. *Moulins.* V. Auvergne (Rég.).

alligator n. m. Crocodilien au museau court dont une espèce habite la Chine et l'autre l'Amérique.
▶ illustr. **crocodiliens**

alligatoridés n. m. pl. ZOOL Famille de crocodiliens comprenant les alligators et les caïmans. – Sing. *Un alligatoridé.*

Allio (René) (Marseille, 1924 – Paris, 1995), metteur en scène de théâtre et cinéaste français. Ses films sont une réflexion sur les pièges de la société : *la Vieille Dame indigne* (1965), *Pierre et Paul* (1968), *Rude journée pour la reine* (1973).

allitération [al(l)iteʀasjɔ̃] n. f. RHET Répétition d'une consonne ou d'un groupe de consonnes dans une phrase, un vers. Par ex. : « *Aboli bibelot d'inanité sonore* » (Mallarmé).

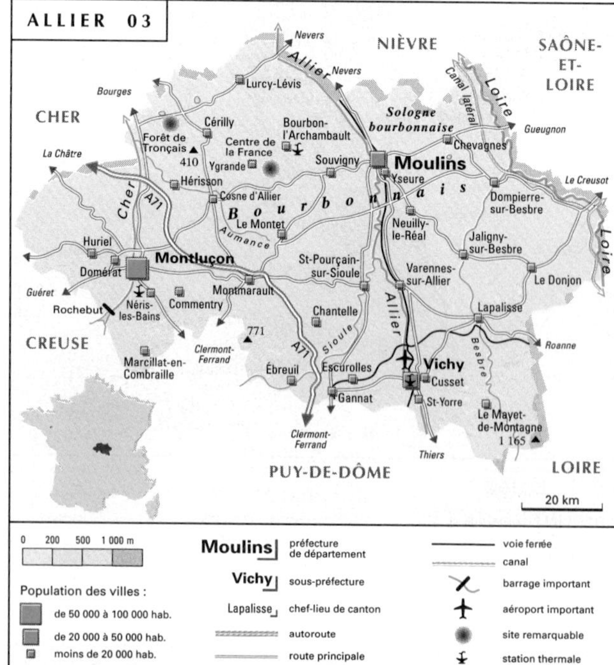

allo-. V. all(o)-.

allô ! interj. Mot servant d'appel dans une communication téléphonique.

Allobroges, peuple celte de la Gaule qui habitait le Dauphiné et la Savoie.

allocataire n. Personne qui bénéficie d'une allocation prévue par la loi.

allocation n. f. **1.** Action d'allouer. *Allocation d'un prêt.* **2.** Somme allouée par un organisme. ▷ *Allocations familiales* : sommes versées au chef de famille par des caisses alimentées par les cotisations des employeurs et des travailleurs indépendants, destinées à l'éducation des enfants. – *Allocations de chômage* : prestations compensatoires, de montant variable, versées, sous réserve de certaines conditions, à des personnes dépourvues d'emploi. **3.** INFORM *Allocation dynamique* : attribution à un programme en cours d'exécution des zones de mémoire qui serviront à l'exécuter.

allocs n. f. pl. Fam Allocations familiales.

allocutaire n. LING Celui, celle à qui s'adresse un énoncé.

allocution n. f. Bref discours.

allogamie n. f. BIOL Mode de reproduction où la fécondation a lieu entre deux gamètes provenant d'individus différents ou entre deux fleurs de la même plante.

allogène adj. **1.** ANTHROP Se dit de populations mêlées à la population du pays. **2.** GEOL Se dit des éléments de roches qui ne se sont pas formés dans la roche où ils se trouvent.

allogreffe n. f. Syn. de *homogreffe*.

allonge n. f. **1.** Pièce servant à allonger qqch. *Mettre une allonge à une table.* Syn. rallonge. **2.** SPORT Longueur des bras chez un boxeur. **3.** MILIT Portée d'un avion, d'un missile.

allongé, ée adj. Dont la longueur l'emporte sur les autres dimensions. *Un visage de forme allongée.*

allongement n. m. **1.** Action d'allonger; résultat de cette action. *Allongement d'une rue. Allongement d'une robe.* Ant. raccourcissement. **2.** AVIAT Rapport du carré de l'envergure d'une aile à sa surface.

allonger v. [13] **I.** v. tr. **1.** Augmenter la longueur de. *Allonger un texte. Allonger une promenade par des détours.* ▷ CUIS *Allonger une sauce,* la rendre plus liquide. **2.** Faire paraître plus long. *Cette robe allonge ta silhouette.* **3.** Étendre, déployer (un membre). *Allonger le bras.* – *Allonger le pas* : se presser. ▷ Par ext., fam. *Allonger un coup à quelqu'un,* le frapper. – *Allonger une somme,* la donner. **II.** v. intr. Devenir plus long. «*Puis c'était le mois de mars, les jours allongeaient*» (Hugo). **III.** v. pron. **1.** (Sens passif.) Devenir plus long. *La séance s'allonge interminablement.* – Fig. *Sa mine s'allonge,* marque le dépit. **2.** (Sens réfl.) S'étendre. *S'allonger dans l'herbe.*

Allonnes, ch.-l. de canton de la Sarthe (arr. du Mans); 15 623 hab.

allopathe n. Médecin qui soigne par l'allopathie.

allopathie n. f. MED Médecine classique, qui emploie des médicaments tendant à contrarier les symptômes et les phénomènes morbides (par oppos. à *homéopathie*).

allopathique adj. Qui concerne l'allopathie.

allophone n. et adj. **1.** n. Au Canada, immigré récent, de langue maternelle autre que l'anglais ou le français. **2.** adj. *La population allophone.*

allophtalmie n. f. MED Anomalie de la coloration de l'iris d'un même œil ou différence de coloration des deux yeux chez un même individu (yeux vairons).

allosome n. m. BIOL Chacun des deux chromosomes liés à la différenciation sexuelle et représentés par X ou Y (X et Y chez le mâle, X et X chez la femelle). Ant. autosome.

allotir v. tr. [3] DR Répartir (un bien) en lots (partage, vente).

allotropie n. f. CHIM Existence de plusieurs états sous lesquels peut se présenter un corps (ex. le carbone, qui peut se trouver à l'état de graphite ou de diamant [*allotropie cristalline*]).

allotropique adj. De l'allotropie.

allouer v. tr. [1] Attribuer, accorder (de l'argent, du temps). *Allouer un salaire à quelqu'un. Trois jours lui sont alloués pour terminer son travail.*

allumage n. m. **1.** TECH Inflammation du mélange combustible dans les moteurs à explosion. *Un système d'allumage défectueux. Retard à l'allumage.* ▷ *Par ext.* Système produisant cette inflammation. **2.** Action d'allumer, fait de s'allumer. *L'allumage de ce four est délicat.*

allumé, ée adj. et n. Fam. **1.** Qui est un peu fou. **2.** Passionné par qqch. *Des allumés de la photo.*

allume-cigares n. m. inv. Dans une voiture, dispositif électrique servant à allumer les cigares, les cigarettes.

allume-gaz n. m. inv. Petit appareil servant à allumer le gaz d'une cuisinière.

allumer v. tr. [1] **1.** Mettre le feu. *Allumer un cigare. Allumer un incendie.* – Par ext. *Allumer un radiateur, un four électrique.* ▷ Fig. Faire naître. *Allumer la colère de quelqu'un. Allumer qqn,* provoquer son désir. **2.** Enflammer afin d'éclairer. *Allumer une bougie.* ▷ Par ext. *Allumer une lampe électrique, allumer l'électricité.* – (S. comp.) Faire de la lumière. *Allumer dans le salon.* ▷ v. pron. Devenir lumineux. *Les vitrines s'allumèrent.* – Fig. *Son regard s'alluma,* devint brillant. **3.** Fig., fam. Prendre pour cible, contrer, critiquer. *Allumer un joueur de l'équipe adverse.*

allumette n. f. **1.** Bâtonnet combustible dont une extrémité est enduite d'un corps inflammable par frottement, et qui sert à mettre le feu. **2.** Gâteau feuilleté de forme allongée.

allumeur n. m. **1.** *Allumeur de réverbères* : personne chargée, autrefois, d'allumer et d'éteindre les appareils d'éclairage public au gaz. **2.** Dispositif destiné à mettre le feu à une charge explosive. **3.** Système d'allumage d'un moteur à explosion, qui comprend la bobine, le distributeur, le rupteur, les bougies et les câbles de liaison.

allumeuse n. f. Fam. Femme qui aime provoquer le désir, qui aguiche.

allure n. f. **1.** Vitesse. *Marcher à vive allure.* **2.** Aspect, apparence. *Un individu aux allures louches. La discussion prit l'allure d'une querelle.* ▷ *Avoir de l'allure,* de la prestance, de l'élégance. **3.** MAR Orientation d'un navire à voiles par rapport à la direction du vent. *Les allures portantes*.*

alluré, ée adj. Qui a de l'élégance, de l'allure.

allusif, ive adj. Qui tient d'une allusion; qui renvoie à une allusion. *Une plaisanterie allusive.*

allusion n. f. Évocation non explicite d'une personne ou d'une chose. *Une allusion perfide. Tu as fait allusion à un aspect de sa vie que personne ne connaît.*

allusivement adv. De façon allusive.

alluvial, ale, aux adj. Produit par des alluvions.

alluvion n. f. **1.** (Plur.) Dépôts de matériaux détritiques charriés par les eaux. ▷ GEOL Terrains meubles déposés à la surface des continents par divers agents. *Alluvions glaciaires. Alluvions fluviales.* **2.** DR Accroissement de terrain résultant de l'alluvionnement. *Une alluvion profite au propriétaire riverain.*

alluvionnaire adj. Qui tient de l'alluvion. *Terres alluvionnaires.*

alluvionnement n. m. Formation d'alluvions.

alluvionner v. intr. [1] Déposer des alluvions.

Alma, riv. du S. de la Crimée. – Victoire des Français et des Brit. sur les Russes (1854).

Alma-Ata. V. Almaty.

Almadén, v. d'Espagne (Castille-la Manche); 9 720 hab. Mines de mercure.

Almageste (l'), traité d'astronomie de Ptolémée (140 apr. J.-C.). Ce nom («le plus grand») lui a été donné par les Arabes à partir du gr. *megistos.*

Almagro (Diego de) (Almagro, prov. de Tolède, 1475 – Cuzco, 1538), conquistador espagnol, compagnon, au Pérou, de Pizarro, qui le fit étrangler. – **Diego** (Panamá, 1518 – Cuzco, 1542), fils du préc., tua Pizarro; Vaca de Castro, successeur de Pizarro, le fit décapiter.

alma mater [almamatɛʀ] n. f. (Lat., «mère nourricière».) Plaisant *L'alma mater* : l'Université.

almanach [almana(k)] n. m. Calendrier, souvent illustré, contenant des renseignements de tous ordres : astronomiques, religieux, historiques, pratiques, etc.

Almansa, ville d'Espagne (prov. d'Albacete); 20 380 hab. – La victoire de Berwick sur les Anglais assura à Philippe V le trône d'Espagne (1707).

Almaty (*Viernyï* de 1854 à 1921; *Alma-Ata* de 1921 à 1993), v. du Kazakhstan, au N. du lac Issyk-Koul; 1 280 000 hab. Centre ferroviaire, industr. – Cathédrale orthodoxe du XVIIIe s. Université.

almée n. f. Litt. Danseuse orientale.

Almeida (Francisco de) (Lisbonne, v. 1450 – près du cap de Bonne-Espérance, 1510), conquistador portugais et premier vice-roi des Indes en 1505.

Almeida Garrett (João Baptista da Silva Leitão de) (Porto, 1799 – Lisbonne, 1854), poète (*Camões,* 1825) et dramaturge romantique portugais : *Un auto de Gil Vicente* (1838).

Almelo, v. des Pays-Bas (Overijssel); 62 130 hab. Industrie textile.

Almería, v. et port du S. de l'Espagne (Andalousie), sur la Méditerranée; 161 560 hab.; ch.-l. de la prov. du m. nom. Commerce des fruits. Métallurgie. – Forteresse mauresque (VIIIe-Xe s.).

Almodóvar (Pedro) (Ciudad Real, 1950), cinéaste espagnol. Chef de file de la *movida* (nouvelle vague artistique madrilène des années 80), il a signé des films insolents : *Matador* (1986); *Femmes au bord de la crise de nerfs* (1987); *Attache-moi* (1990); *Talons aiguilles* (1991), *la Fleur de mon secret* (1995).

Almohades, dynastie musulmane berbère, fondée par Mohammed ibn Tumart, qui détrôna les Almoravides; elle régna (1147-1269) sur leurs territoires, qu'elle agrandit et qui devinrent des provinces indépendantes après son règne.

Almonte (Juan Nepomuceno) (Valladolid, 1804 – Paris, 1869), général mexicain. Partisan de Maximilien, il combattit avec le corps expéditionnaire français au Mexique.

Almoravides, dynastie musulmane berbère, fondée par Abd Allah ibn Yasin, qui régna sur le Maroc et sur une partie de l'Algérie et de l'Espagne de 1055 à 1147. (V. Almohades.)

Almquist (Carl Jonas Love) (Stockholm, 1793 – Brême, 1866), écrivain suédois. Son œuvre, regroupée sous le titre *le Livre de l'églantine* (1832-1835), révèle des inspirations romantique, mystique, fantastique, réaliste.

aloès n. m. **1.** Plante des pays chauds, à feuilles charnues (fam. liliacées). **2.** Suc résineux amer, tiré de l'aloès, purgatif énergique.

alogique adj. Didac. Étranger à la logique.

aloi n. m. **1.** Titre légal des matières d'or et d'argent. **2.** Loc. fig. *De bon aloi, de mauvais aloi* : de bonne qualité, de mauvaise qualité. *Plaisanterie de mauvais aloi.*

Alompra. V. Alaungpaya.

Along (baie d') *(Vinh Ha Long)*, baie du golfe du Tonkin (N. du Viêt-nam), au N.-E. de Haiphong.

baie d'**Along**

alopécie n. f. MED Chute partielle ou totale des cheveux ou des poils.

alors adv. **1.** Dans ce temps-là, à ce moment-là. *Nous étions heureux alors. Nous pourrons alors réaliser nos projets.* ▷ *Jusqu'alors* : jusqu'à ce moment-là. *Jusqu'alors, il avait été prudent.* ▷ *D'alors* : de cette époque-là. *C'étaient les mœurs d'alors.* **2.** Dans ce cas-là. *S'il venait à mourir, alors elle hériterait.* – Fam. Ponctue une exclamation de joie, d'indignation, de surprise. *Chic alors! Non mais alors? Ça alors!* **3.** Loc. conj. *Alors que.* Marque le temps et l'opposition. *Il partit alors que le jour se levait. Vous jouez alors qu'il faudrait travailler.*

alose n. f. ICHTYOL Poisson marin (ordre des clupéiformes), de grande taille (jusqu'à 80 cm), à chair fine, qui, au printemps, remonte les fleuves de France pour frayer.

Alost (en néerl. *Aalst*), v. de Belgique (Flandre-Orientale), sur la Dendre; 78 940 hab. Comm. du houblon; industrie textile. – Collégiale Saint-Martin (goth. flamboyant); maison des juges-échevins (XIIIe-XVe s.).

alouate n. m. ZOOL Autre nom du *hurleur.*

alouette n. f. Oiseau passériforme (genre *Alauda*), au bec robuste, au plumage terne, habitant les champs et les steppes. *L'alouette des champs, qui chante en s'élevant dans le ciel, est la plus commune en Europe.* ▷ Loc. prov. *Il attend que les alouettes lui tombent toutes rôties dans le bec* : il voudrait avoir les choses sans peine.

alourdir v. tr. [3] **1.** Rendre plus lourd. **2.** Fig. *L'âge alourdit sa démarche*, la rend moins souple. *Cette expression alourdit la phrase*, la rend peu élégante. Syn. embarrasser. ▷ v. pron. Devenir lourd, plus lourd. – Fig. *Le silence s'alourdit.*

alourdissement n. m. État de ce qui devient lourd.

Aloxe-Corton, com. de la Côte-d'Or (arr. de Beaune); 187 hab. Vin de Bourgogne, dit *corton.*

aloyau [alwajo] n. m. Quartier de bœuf situé le long des reins et comprenant notam. le filet.

alpaga n. m. ZOOL Lama domestique (plutôt nommé *alpaca*, fam. des camélidés) dont on exploite la laine. ▷ Étoffe de laine faite avec la laine de l'alpaga.

alpage n. m. **1.** Pâturage de haute montagne. **2.** Temps passé par les troupeaux dans ces pâturages.

Alpe-d'Huez (l'), station de sports d'hiver (com. d'Huez, Isère), dans l'Oisans.

alpenstock [alpɛ̃stɔk] n. m. Vieilli Bâton ferré utilisé autref. pour les excursions en montagne.

Alpes, princ. chaîne de montagnes d'Europe, formant un arc de cercle orienté S.-N., de près de 1 500 km de long et d'env. 200 km dans sa largeur maximale, s'étendant de la Médit. à Vienne (Autriche); 4 808 m au mont Blanc. En raison des divisions polit., on distingue : les Alpes françaises, suisses, italiennes, allemandes, autrichiennes et slovènes. – Un plissement tertiaire soulève une chaîne hercynienne arasée, recouverte en partie de sédiments déposés par les mers du secondaire. Cela, joint aux différentes étapes du plissement, explique la distinction entre Alpes occid. (terrains secondaires, nappes de charriage, massifs cristallins) et Alpes orient. (terrains secondaires soulevés en fortes nappes de charriage). Cinq sortes de relief apparaissent, d'E. en O. : les Préalpes calcaires, au-dessous de 3 000 m; les Alpes du N., dépassant 4 000 m et couvertes de glaciers nés au quaternaire; les vallées longitudinales, entre les Préalpes et les Alpes du N., et entre les Préalpes et les massifs centraux; les massifs centraux, les plus élevés; une zone plissée sédimentaire. Le climat, froid dans l'ensemble, varie suivant l'alt. Les pluies abondantes font des Alpes un véritable château d'eau (Rhin, Rhône, Pô). L'exposition joue un grand rôle : l'adret, versant ensoleillé, s'oppose à l'ubac, moins peuplé. – Lieu de passage entre l'Europe du N. et du S., les Alpes, coupées par des cluses, ont un peuplement anc. et relativement dense, malgré leur alt. Depuis le XIXe s., les nouvelles techniques agric., l'hydroél., les voies ferrées, les tunnels routiers (Mont-Blanc) ont bouleversé la vie des vallées alpines : à la polyculture s'est substitué un élevage intensif, bovin au N., ovin au S.; l'artisanat est supplanté par l'électrochim. et l'électrométall.; les stations de sports d'hiver se multiplient. Toutefois, les Alpes autrich., ital. et slovènes ont une écon. plus traditionnelle.

Alpes (Hautes-), dép. franç. (05); 5 520 km^2; 113 300 hab.; 20,5 hab./km^2; ch.-l. *Gap.* V. Provence-Alpes-Côte d'Azur (Rég.).

Alpes australiennes, partie mérid. de la Cordillère australienne.

Alpes-de-Haute-Provence, dép. franç. (04); 6 944 km^2; 130 883 hab.; 18,8 hab./km^2; ch.-l. *Digne.* V. Provence-Alpes-Côte d'Azur (Rég.).

Alpes dolomitiques. V. Dolomites.

Alpes-Maritimes, dép. franç. (06); 4 294 km^2; 971 829 hab.; 226,3 hab./km^2; ch.-l. *Nice.* V. Provence-Alpes-Côte d'Azur (Rég.). ► carte page **58**

Alpes néo-zélandaises, chaîne de montagnes de Nouvelle-Zélande, dans l'île du Sud (3 770 m au mont Cook).

alpestre adj. Des Alpes, propre aux Alpes. *Paysages alpestres.* ▷ BOT *Plantes alpestres*, qui vivent autour de 1 000 m d'altitude.

alpha n. m. **1.** Première lettre (Α, α) de l'alphabet grec. ▷ *L'alpha et l'oméga* : le commencement et la fin. **2.** MED *Rythme alpha* : rythme normal de base de l'électro-encéphalogramme d'un adulte éveillé, au repos, les yeux fermés. **3.** PHYS *Particules alpha* (symbole α) : noyaux d'hélium émis lors de certaines réactions nucléaires. Syn. hélion. *Rayonnement alpha*, constitué de particules alpha.

alphabet [alfabɛ] n. m. **1.** Ensemble des lettres servant à transcrire les sons d'une langue. *L'alphabet latin est issu de l'alphabet grec. Alphabet cyrillique*.* – *Réciter l'alphabet* : énumérer les lettres dans leur ordre traditionnel. ▷ *Alphabet phonétique*, au moyen duquel on peut transcrire les sons de la plupart des langues. ▷ TELECOM *Alphabet morse*.* **2.** Livre de lecture élémentaire. Syn. abécédaire, syllabaire. ► tabl. page **59**

alphabétique adj. Établi selon l'ordre de l'alphabet. *Index alphabétique.*

alphabétiquement adv. Dans l'ordre alphabétique.

alphabétisation n. f. Enseignement de l'écriture et de la lecture à des personnes analphabètes.

alphabétisé, ée adj. et n. Qui a appris à lire et à écrire à l'âge adulte.

alphabétiser v. tr. [1] Enseigner l'écriture et la lecture.

alphabloquant, ante adj. et n. m. MED Se dit des médicaments qui bloquent les récepteurs adrénergiques.

alphanumérique adj. INFORM Qui comprend ou qui utilise des lettres et des chiffres. *Clavier alphanumérique.*

Alphée, fl. du Péloponnèse arrosant les nomes d'Arcadie et d'Élide. Il fut divinisé par les anciens Grecs.

ARAGON

Alphonse Ier le Batailleur (v. 1073 – 1134), roi d'Aragon et de Navarre (1104-1134), combattit les Maures. – **Alphonse II le Chaste** (1152 – Perpignan, 1196), roi d'Aragon (1164-1196),

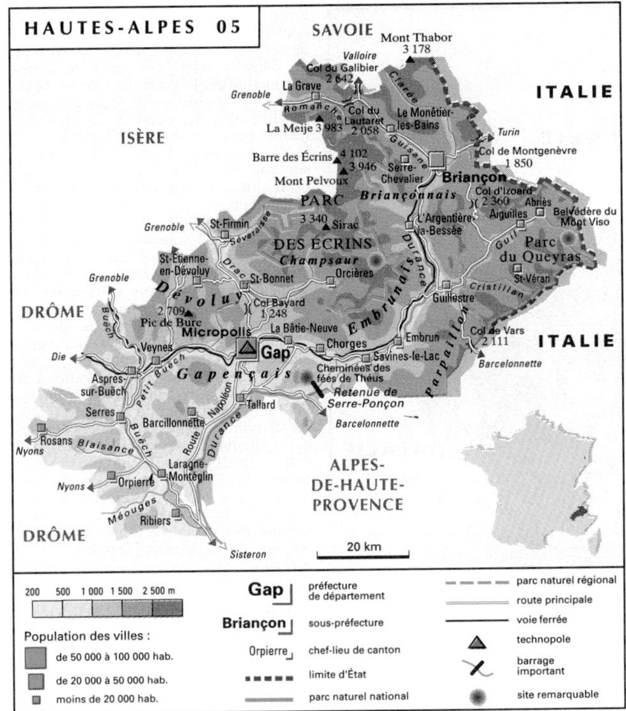

comte de Provence (1166-1196). – **Alphonse III le Bienfaisant** (1264 - Barcelone, 1291), roi d'Aragon et de Sicile (1283-1291). – **Alphonse IV le Débonnaire** (1299 - Barcelone, 1336), roi d'Aragon (1327-1336). – **Alphonse V le Magnanime** (1396 - Naples, 1458), roi d'Aragon (1416-1458), et de Sicile à partir de 1442.

—— ASTURIES, CASTILLE ET LÉON ——

Alphonse Ier le Catholique (693 - 757), roi des Asturies (739-757), chassa les Maures d'une partie de la Galice et du Léon. – **Alphonse II le Chaste** (Cangas, v. 759 - Oviedo, 842), roi des Asturies (783, puis 791-835). – **Alphonse III le Grand** (v. 838 - Zamora, 912), roi des Asturies (866-910), conquit le Léon. – **Alphonse IV le Moine** (m. en 932), roi des Asturies et de Léon (924-927). – **Alphonse V** (994 - Viseu, 1027), roi de Léon (999-1027). – **Alphonse VI** (v. 1042-1109), roi de Léon (1065-1109) et roi de Castille (1072-1109), enleva Tolède aux Maures (1085). – **Alphonse VII l'Empereur** (1105 - Fresneda, 1157), roi de Castille et de Léon (1126-1157), prit le titre d'empereur des Espagnes. – **Alphonse VIII le Noble** (1155 - Ávila, 1214), roi de Castille (1158-1214), battit les Maures à Las Navas de Tolosa (1212). – **Alphonse IX** (1166 - Villanueva de Sarria, 1230), roi de Léon (1188-1230). – **Alphonse X le Sage** (Tolède, 1221 - Séville, 1284), roi de Castille et de Léon (1252-1284), empereur germanique (1257-1272), fit dresser les tables astronomiques dites *tables Alphonsines*, établir le premier essai d'histoire de l'Espagne et composa lui-même 420 cantiques à la Vierge. – **Alphonse XI le Justicier** (1311 - 1350), roi de Castille et de Léon (1312-1350), père de Pierre le Cruel et d'Henri II le Magnifique.

Alphonse XII (Madrid, 1857 - id., 1885), roi d'Espagne (1874-1885). – **Alphonse XIII** (Madrid, 1886 - Rome, 1941), fils posthume du préc., roi d'Espagne (1886-1931); il fut contraint de s'exiler.

—— PORTUGAL ——

Alphonse Ier Henriques (Guimarães, v. 1110 - Coïmbre, 1185), roi du Portugal de 1139 à 1185, fonda le royaume de Portugal. – **Alphonse II le Gros** (Coïmbre, v. 1185 - 1223), roi de 1211 à 1223. – **Alphonse III le Boulonnais** (Coïmbre, 1210 - Lisbonne, 1279), roi de 1248 à 1279. – **Alphonse IV le Brave** (Lisbonne, 1290 - id., 1357), roi de 1325 à 1357. – **Alphonse V l'Africain** (Sintra, 1432 - id., 1481), roi de 1438 à 1481, lutta contre les Maures au Maroc. – **Alphonse VI** (Lisbonne, 1643 - Sintra, 1683), roi en 1656, déposé en 1668.

◊ ◊ ◊

Alphonse de France (?, 1220 - Savone [?], 1271), prince capétien, comte de Poitiers et, à partir de 1249, comte de Toulouse sous le nom d'Alphonse II; frère de Saint Louis.

Alpilles, chaînon des Alpes de Provence, entre la Durance, le Rhône et la Crau.

alpin, ine adj. **1.** Des Alpes. ▷ *Plissement alpin* : plissement de l'écorce terrestre qui a formé les Alpes (ainsi que l'*Apennin*, les *Pyrénées*, les *Carpates*, etc.). ▷ *Chasseurs alpins* : soldats des formations opérant en montagne. ▷ SPORT *Ski alpin* : ski de descente. **2.** *Par ext.* Des hautes montagnes (du même type que les Alpes). *Un relief alpin.* ▷ BOT

Plantes alpines, qui vivent en haute montagne (plus haut que les plantes alpestres).

alpinisme n. m. Pratique sportive des ascensions en montagne.

alpiniste n. Personne qui pratique l'alpinisme.

Alpujarras ou **Alpuxarras,** rég. montagneuse espagnole, au S. de la sierra Nevada. – Les Maures s'y réfugièrent après la prise de Grenade (1492) et se révoltèrent (1568-1571) contre Philippe II.

Alquié (Ferdinand) (Carcassonne, 1906 – Montpellier, 1985), philosophe français, auteur d'ouvrages de philo. générale et spécialiste de Descartes : *Leçons de philosophie* (1931-1951), *Descartes* (1956).

Alsace, région historique de France. Sans grands vestiges préhistoriques, sans unité, l'Alsace entre à proprement parler dans l'Histoire quand les Alamans s'emparent de la rég. tout entière, dans la seconde moitié du IVe s. Mais ils sont vaincus à Tolbiac (496) par les Francs Ripuaires, et Clovis impose sa domination. Séparée en deux comtés par l'admin. carolingienne (Sundgau, Nordgau), la région, au traité de Verdun (843), revint à la Lotharingie, puis à la Germanie (870). Dès le XIIe s., elle connut une grande prospérité écon., mais l'unité polit. resta faible, en raison des ambitions seigneuriales. Dix villes marchandes (hors Strasbourg) formèrent à partir du XIVe s. le puissant groupement de la Décapole. Aux XVe et XVIe s., l'Alsace fut un centre de la Renaissance et de la Réforme. À l'issue de la guerre de Trente Ans, qui la dévasta, elle fut réunie à la France par le traité de Münster (1648), sauf Strasbourg, annexé en 1681. Par le traité de Francfort (1871), elle devint, avec une partie de la Lorraine, un Reichsland all. (terre d'Empire). De 1919 à 1940, l'Alsace fut française, puis annexée de fait par l'Allemagne nazie de 1940 à 1945; théâtre de violents combats, elle fut libérée par de Lattre de Tassigny et Leclerc.

Alsace, Région admin. française et région de l'U.E., formée des dép. du Bas-Rhin et du Haut-Rhin; 8 310 km^2; 1 648 849 hab.; cap. *Strasbourg*.

Géogr. phys. et hum. – À l'E., le grand fossé du Rhin et de l'Ill, au climat semi-continental, groupe l'essentiel de la population et des villes (75 % de citadins). Il s'étend sur 200 km, des collines du Sundgau au S. à la plaine du Palatinat au N., et comprend une vallée inondable (le Ried), de fertiles terrasses et les collines sous-vosgiennes. À l'O. s'élèvent les Vosges, humides et forestières (1 424 m au ballon de Guebwiller), peuplées dans les vallées.

Écon. – Traversée par le principal couloir de circulation de la C.E., que desservent la voie navigable du Rhin et un dense réseau ferroviaire, autoroutier et routier, l'Alsace dispose de nombreux atouts européens. Assez prospère et diversifiée, en dépit de la crise du textile qui a gravement affecté les vallées vosgiennes, l'économie s'appuie sur une agriculture soignée : vignoble, polyculture de la plaine, élevage laitier et sylviculture des Vosges. L'industrie, dont les deux principaux pôles sont Strasbourg et Mulhouse, dispose d'une hydroélectricité abondante (barrages du Rhin et centrale nucléaire de Fessenheim), de gisements de potasse et offre une gamme variée de productions : chimie, raffinage, méca., électrométallurgie, construction auto., agroalim.; les industries de pointe sont en forte croissance. Ces atouts, ajoutés à la position, au cadre agréable et au potentiel touristique, valent à la région d'attirer de nombreux investissements étrangers, allemands et japonais en particulier. Strasbourg affirme sa vocation européenne : siège de la Commission centrale du Rhin et du Conseil de l'Europe, elle accueille la Cour européenne des droits de l'homme et les sessions du Parlement européen.

Alsace (ballon d'), sommet des Vosges (1 250 m), au nord de Belfort.

Alsace (grand canal d'), canal latéral au Rhin, du N. de Bâle à Strasbourg. Il alimente huit centrales hydroél. : Vogelgrun, Ottmarsheim, Fessenheim, Kembs, Marckolsheim, Rhinau, Gerstheim et Strasbourg.

Alsace-Lorraine, nom donné de 1871 à 1918 aux rég. de l'Est cédées par la France à l'Allemagne, qui en fit un Reichsland.

alsacien, enne adj. De l'Alsace. *Maison alsacienne.* ▷ Subst. *Les Alsaciens* : les habitants de l'Alsace. ▷ n. m. *L'alsacien* : l'ensemble des dialectes germaniques parlés en Alsace.

Altaï (en chinois *Altayshan*), chaîne de montagnes de l'Asie centrale (4 506 m au mont Bieloukha), formant en partie la frontière entre la Russie et la Mongolie, puis la Chine. – *Territoire de l'Altaï* (Russie), au nord-est du Kazakhstan; 169 100 km^2; 2 760 000 hab.; ch.-l. *Barnaoul*. – *République de l'Altaï* (Russie), limitrophe du Kazakhstan et de la Mongolie; 92 600 km^2; 200 000 hab.; cap. *Gorno-Altaïsk*.

altaïque adj. LING *Langues altaïques* : V. turco-mongol.

Altaïr, étoile bleue de la constellation de l'Aigle (magnitude visuelle apparente 0,89).

Altamira, grottes préhistoriques d'Espagne (prov. de Santander); célèbres peintures du magdalénien (13000 et 12000 av. J.-C. env.).

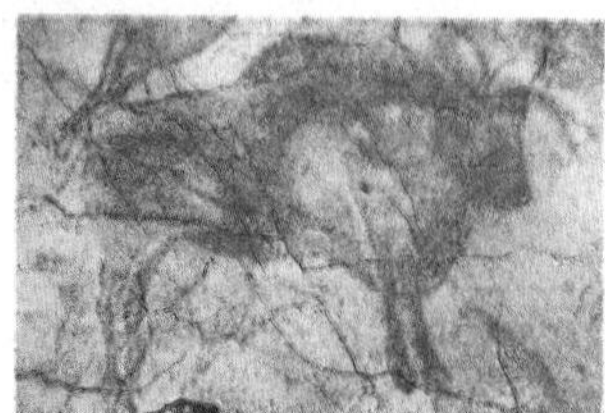

grottes d'**Altamira :** bison, peinture polychrome, détail du plafond

ALPHABETS NON LATINS

HÉBREU

caractère [forme finale entre crochets]	nom de la lettre	translittération usuelle
א	*alef*	ʼ
בּ ב	*bet*	b, v
ג	*guimel*	g
ד	*dalet*	d
ה	*hé*	h
ו	*vav*	v
ז	*zayin*	z
ח	*ḥet*	ḥ
ט	*tet*	t
י	*yod*	y
כּ כ [ךּ ך]	*kaf, khaf*	k, kh
ל	*lamed*	l
מ [ם]	*mem*	m
נ [ן]	*noun*	n
ס	*samekh*	s
ע	*ayin*	ʻ
פּ פ [ףּ ף]	*pé, fé*	p, f
צ [ץ]	*tsadé*	ts
ק	*qof*	q
ר	*rech*	r
שׁ שׂ	*chin, sin*	ch, s
ת	*tav*	t

CYRILLIQUE

majuscule	minuscule	nom de la lettre	translittération usuelle	majuscule	minuscule	nom de la lettre	translittération usuelle
А	а	*a*	a	Р	р	*èr*	r
Б	б	*bé*	b	С	с	*ès*	s
В	в	*vé*	v	Т	т	*té*	t
Г	г	*gué*	g	У	у	*ou*	ou
Д	д	*dé*	d	Ф	ф	*èf*	f
Е	е	*ié*	é, ié	Х	х	*kha*	kh
Ё	ё	*io*	io	Ц	ц	*tsé*	ts
Ж	ж	*jé*	j	Ч	ч	*tché*	tch
З	з	*zé*	z	Ш	ш	*cha*	ch
И	и	*i*	i long	Щ	щ	*chtcha*	chtch
Й	й	*ï*	i bref	Ъ	ъ		[*signe dur*]
К	к	*ka*	k	Ы	ы	*y*	i dur
Л	л	*èl*	l	Э	э	*è*	è
М	м	*èm*	m	Ь	ь		[*signe mou*]
Н	н	*èn*	n	Ю	ю	*iou*	iou
О	о	*o*	o	Я	я	*ia*	ia
П	п	*pé*	p				

ARABE

caractère	nom de la lettre	translittération usuelle	valeur approximative
ء	*hamza*	ʼ	attaque vocalique
ا	*ālif*	ā	a long
ب	*bāʼ*	b	b
ت	*tāʼ*	t	t
ث	*ṯāʼ*	ṯ	th angl. (*thin*)
ج	*ǧīm*	ǧ	j ou dj
ح	*ḥāʼ*	ḥ	h laryngal
خ	*ḫāʼ*	ḫ	ch all., j esp.
د	*dāl*	d	d
ذ	*ḏāl*	ḏ	th angl. (*this*)
ر	*rā*	r	r roulé
ز	*zāy*	z	z
س	*sin*	s	s
ش	*šin*	š	ch
ص	*ṣād*	ṣ	s emphatique
ض	*ḍād*	ḍ	d emphatique
ط	*ṭāʼ*	ṭ	t emphatique
ظ	*ẓāʼ*	ẓ	z emphatique
ع	*ʻayn*	ʻ	laryngale
غ	*ġayn*	ġ	r grasseyé
ف	*fāʼ*	f	f
ق	*qāf*	q	k laryngal
ك	*kāf*	k	k
ل	*lām*	l	l
م	*mīm*	m	m
ن	*nūn*	n	n
ه	*hā*	h	h expiré
و	*wāw*	u, w	ou long
ي	*yāʼ*	i, y	i long

GREC

majuscule	minuscule	nom de la lettre	translittération usuelle
Α	α	*alpha*	a
Β	β	*bêta*	b
Γ	γ	*gamma*	g
Δ	δ	*delta*	d
Ε	ε	*epsilon*	e
Ζ	ζ	*zêta*	z
Η	η	*êta*	ê
Θ	θ	*thêta*	th
Ι	ι	*iota*	i
Κ	κ	*kappa*	k
Λ	λ	*lambda*	l
Μ	μ	*mu*	m
Ν	ν	*nu*	n
Ξ	ξ	*ksi*	x
Ο	ο	*omicron*	o
Π	π	*pi*	p
Ρ	ρ	*rhô*	r *ou* rh
Σ	σ ς	*sigma*	s
Τ	τ	*tau*	t
Υ	υ	*upsilon*	u *ou* y
Φ	φ	*phi*	ph *ou* f
Χ	χ	*khi*	kh *ou* ch
Ψ	ψ	*psi*	ps
Ω	ω	*oméga*	o

Altdorf, v. de Suisse, dans la vallée de la Reuss; 8 200 hab.; ch.-l. du cant. d'Uri. Industr. chim. et des dér. du caoutchouc.

Altdorfer (Albrecht) (Altdorf, v. 1480 – Ratisbonne, 1538), peintre et graveur allemand. Il accorda une large place au paysage, minutieusement peint.

Altenbourg, v. d'Allemagne (distr. de Leipzig); 55 830 hab. Industries mécanique et textile.

altérabilité n. f. Caractère altérable.

altérable adj. Qui peut être altéré.

altérant, ante adj. **1.** Qui modifie l'état, la composition d'un corps. **2.** Qui cause la soif.

altération n. f. **1.** Modification dans l'état d'une chose (dans quelques emplois). – GEOL *Altération des roches :* modification due à des phénomènes physiques, chimiques ou biologiques. – MUS Signe qui modifie le son de la note devant laquelle il est placé. **2.** Modification qui dénature. *Ce texte a subi de graves altérations.* **3.** DR Falsification. *Altération de signatures, d'actes, de monnaies.*

altercation n. f. Dispute, échange de propos violents entre des personnes. Syn. querelle.

altéré, ée adj. Assoiffé. – Fig. *Être altéré de pouvoir :* être avide de pouvoir.

alter ego [altɛʀego] n. m. inv. (Lat., « autre moi-même ».) Personne de confiance; ami inséparable.

altérer v. tr. [14] **1.** Provoquer la modification, le changement de. *Altérer une substance par un traitement chimique. Altérer une note, un accord.* Syn. transformer. **2.** Modifier en mal. *Cette épreuve a altéré sa santé.* – Fig. *Ses malheurs altéraient son jugement. Une voix altérée par la peur.* ▷ v. pron. *Le vin s'altère à l'air.* – Fig. *Sa confiance s'est altérée.* **3.** Dénaturer, falsifier. *Altérer la vérité :* mentir. – Spécial. *Altérer les monnaies,* en changer la valeur légale. **4.** Exciter la soif de. Ant. désaltérer.

altérité n. f. PHILO Caractère de ce qui est autre. *« Faire de l'autre un alter ego... c'est neutraliser son altérité absolue » (J. Derrida).*

alternance n. f. Action d'alterner; état de ce qui est alterné. *Alternance des formes, des couleurs.* ▷ POLIT Succession au pouvoir de tendances politiques opposées. ▷ ELECTR Demi-période d'un courant alternatif. ▷ AGRIC *Alternance des cultures,* leur rotation sur un même champ. ▷ BOT *Alternance des feuilles* ou *des fleurs,* leur disposition régulière à des hauteurs différentes de part et d'autre de la tige. ▷ LING *Alternance vocalique :* modification du vocalisme d'une racine ou d'un radical (par ex., en latin : présent *capio,* parfait *cepi*). ▷ PÉDAG *Formation en alternance :* qui fait alterner des périodes d'enseignement théorique et des périodes pratiques en entreprise.

alternant, ante adj. Qui alterne.

alternat n. m. Didac. Succession régulière.

alternateur n. m. ELECTR Générateur de courants alternatifs.

alternatif, ive adj. **1.** Qualifie des choses, des phénomènes qui se succèdent tour à tour. *Des périodes alternatives de chaleur et de froid.* ▷ ELECTR *Courant alternatif :* courant périodique dont l'intensité reprend au bout d'une demi-période la même valeur, changée de signe. **2.** Qui propose un choix ou qui résulte d'un choix. *Proposer un tracé alternatif à une voie ferrée.* **3.** Qui propose une solution à ceux qui refusent la société moderne dans ses aspects uniformisants et productivistes. *La presse alternative.*

alternative n. f. **1.** (Plur.) Succession d'états qui se répètent. *Passer par des alternatives de richesse et de pauvreté.* **2.** Situation dans laquelle on ne peut choisir qu'entre deux solutions possibles. *Il se trouve devant une cruelle alternative.* ▷ LOG Système de deux propositions dont une seule est vraie. **3.** (Emploi critiqué) Solution de remplacement. *La voiture électrique constitue une alternative d'avenir.* **4.** Cérémonie d'investiture solennelle d'un torero.

alternativement adv. Tour à tour.

alterne adj. BOT *Feuilles alternes,* insérées sur une tige, à raison d'une seule par nœud. ▷ GEOM *Angles alternes-internes :* angles formés par une sécante et deux droites, et situés l'un d'un côté, l'autre de l'autre côté de la sécante, en dedans des deux droites.

alterné, ée adj. Qui alterne. *Chants alternés.* ▷ MATH *Série alternée,* dont les termes consécutifs sont de signes contraires.

alterner v. [1] **1.** v. intr. Se succéder à tour de rôle. *Les platanes alternent avec les marronniers le long de la route.* **2.** v. tr. Faire se succéder régulièrement. *Alterner les cultures.*

altesse n. f. **1.** Titre des princes et des princesses. *Son Altesse le prince de...* **2.** Personne qui porte ce titre.

Althusser (Louis) (Birmandreis, Algérie, 1918 – Le-Mesnil-Saint-Denis, Yvelines, 1990), philosophe français. Théoricien du marxisme, considéré notam. sous l'angle épistémologique : *Lire le Capital* (1965, collectif); *Pour Marx* (1965); *Lénine et la philosophie* (1969); *Éléments d'autocritique* (1974). Récit : *L'avenir dure longtemps* (posth., 1992).

altier, ère adj. Qui a ou qui marque de l'orgueil, de la fierté. *Démarche altière. Caractère altier.*

altimètre n. m. PHYS Appareil mesurant les altitudes.

Altiplano, haut plateau endoréïque et steppique *(puna)* des Andes centrales (Bolivie, S.-E. du Pérou).

altiport n. m. AVIAT Aérodrome aménagé en montagne.

altiste n. Musicien, musicienne qui joue de l'alto.

altitude n. f. Élévation verticale d'un lieu par rapport au niveau de la mer. *Cette montagne a trois mille mètres d'altitude.* – *Spécial.* Grande élévation verticale. *Il ne supporte pas l'altitude. Traiter une maladie par l'altitude,* par un séjour en montagne. *Cure d'altitude.* ▷ *La fusée prend de l'altitude,* s'élève dans les airs.

Altkirch, ch.-l. d'arr. du Haut-Rhin, sur l'Ill; 5 869 hab. Industrie textile.

Altman (Robert) (Kansas City, Missouri, 1925), cinéaste américain. Révélé en Europe par *M.A.S.H.* (1970).

Altmark, rég. d'Allemagne (partie N. de la Saxe-Anhalt). – Berceau de la monarchie prussienne.

alto [alto] n. m. MUS **I.** Nom donné autref. à la plus grave des voix de femme et à la plus aiguë des voix d'homme. (On dit aujourd'hui *haute-contre* pour les hommes et *contralto* pour les femmes.) **II.** Nom de plusieurs instruments de musique. **1.** Instrument à cordes frottées, un peu plus grand que le violon et s'accordant une quinte au-dessous. **2.** Instrument à vent à embouchure et à pistons, de la famille des saxhorns, intermédiaire entre le bugle et le baryton. **3.** *Saxophone alto* ou *alto :* instrument à vent de la famille des saxophones, en mi bémol, intermédiaire entre le ténor et le soprano. ▶ pl. instruments de **musique**

altocumulus [altokymylys] n. m. METEO Nuage dont l'altitude moyenne est 3 000 m, blanc ou gris, formant des bancs ou des nappes d'aspect pommelé.

altocumulus

altostratus [altostʀatys] n. m. METEO Nuage dont l'altitude moyenne est 3 500 m, formant une couche grisâtre, parfois légèrement bleutée, d'aspect uniforme ou strié.

altruisme n. m. Propension à aimer et à aider son prochain. Ant. égoïsme. ▷ PHILO *« Doctrine [...] qui pose au point de départ l'intérêt de nos semblables comme but de la conduite morale »* (Lalande).

altruiste adj. et n. Qui est inspiré par l'altruisme. *Sentiments altruistes.* ▷ Subst. *Un altruiste.* Ant. égoïste.

altuglas [altyglas] n. m. (Nom déposé.) Matière synthétique translucide parfois colorée, très résistante. *Une table en altuglas.*

Altunshan ou **Altyn-tagh,** chaîne montagneuse séparant le Tibet du Xinjiang; culmine à 7 300 m.

aluminate n. m. CHIM Nom générique des sels où l'alumine joue le rôle d'anhydride d'acide.

alumine n. f. CHIM et MINER Oxyde d'aluminium, Al_2O_3.

aluminium n. m. Élément métallique de numéro atomique Z = 13, de masse atomique 26,98 et de symbole Al, l'élément terrestre le plus abondant. – Métal (Al) de densité 2,7, qui fond à 660 °C et bout à 2 467 °C. (Il entre dans la composition d'alliages légers, est utilisé notam. dans la fabrication d'emballages, de matériel de cuisine, de câbles électriques.)

alun [alœ̃] n. m. CHIM Nom générique des sels isomorphes, de formule générale M_2SO_4. $M'_2(SO_4)_3$. $24H_2O$, dans laquelle M est un métal alcalin ou l'ammonium NH_4, et M' un métal trivalent (Fe, Al, Cr, Mn, Co, Rh). *On utilise les aluns en tannerie, en photographie, en teinture et en médecine.*

alunir v. intr. [3] Prendre contact avec le sol de la Lune. (Mot d'emploi critiqué.)

Alvarado (Pedro de) (Badajoz, 1485 – Guadalajara, Mexique, 1541), conquistador espagnol. Il aida Cortés à s'emparer du Mexique et conquit le Guatemala.

Alvarez (Alfred) (Londres, 1929), écrivain anglais. Poète, critique et romancier d'un humanisme tourmenté, il étudie le suicide : *le Dieu sauvage* (1972).

Alvaro (Corrado) (San Luca, Calabre, 1895 - Rome, 1956), journaliste, poète, essayiste, dramaturge et polémiste politique italien : *Gens d'Aspromonte* (1930), témoignage sur les mœurs de notre temps.

Alvear (Carlos María de) (Santo Ángel, Uruguay, 1788 - Washington, 1852), général argentin, un des chefs des guerres d'indépendance argentine.

alvéolaire adj. **1.** ANAT Des alvéoles. *Gaz alvéolaire,* contenu dans les alvéoles pulmonaires, intermédiaire entre l'air et le sang. **2.** PHON Se dit d'un son articulé au niveau des alvéoles des dents d'en haut. [z] *est une fricative alvéolaire.*

alvéole n. m. (Fém. dans l'usage courant.) **1.** Petite cellule de cire construite par les abeilles pour y élever les larves et y déposer miel et pollen. **2.** GEOL Cavité dans une roche homogène. **3.** ANAT *Alvéole dentaire :* cavité des maxillaires où se logent les racines des dents. ▷ *Alvéole pulmonaire :* cavité située à l'extrémité d'une bronchiole, au niveau de laquelle s'effectuent les échanges gazeux avec le sang. **4.** ELECTR Pièce conductrice recevant une broche de contact.

alvéolé, ée adj. Qui est creusé d'alvéoles.

alvéolite n. f. MED Inflammation des alvéoles (pulmonaires ou dentaires).

Alyscamps ou **Aliscamps** (les), voie bordée de tombeaux gallo-romains, aux portes d'Arles.

alyte n. m. ZOOL Crapaud (genre *Alytes*), commun en Europe, dit *crapaud accoucheur,* parce que le mâle porte, enroulé autour de ses membres postérieurs, le chapelet d'œufs pondus par la femelle, jusqu'à leur éclosion.

Alzheimer (Aloïs) (Marktbreit, auj. All., 1864 - Breslau, 1917), psychiatre allemand. ▷ MED La *maladie d'Alzheimer* est une atrophie cérébrale progressive entraînant une démence avec, notam., une aphasie.

a. m. Abrév. (anglaise) de la loc. latine *ante meridiem,* « avant midi ».

Am CHIM Symbole de l'américium.

amabilité n. f. Caractère d'une personne aimable; manifestation de ce caractère. *On vante son amabilité.*

Amade (Albert d') (Toulouse, 1856 - Fronsac, 1941), général français qui commanda le corps expéditionnaire français aux Dardanelles (1915).

Amadei ou **Amadeo** (Giovanni Antonio) (Milan ou Pavie, v. 1447 - Milan, 1522), sculpteur et architecte italien, maître d'œuvre de la chartreuse de Pavie de 1490 à 1498.

Amadis de Gaule, roman de chevalerie espagnol du déb. du XIVe s. : Amadis réunit toutes les vertus du chevalier héroïque fidèle à sa dame, Oriane, mais celle-ci le repousse; il se retire désespéré (d'où son surnom de *Beau Ténébreux*) dans l'ermitage de la Roche Pauvre (épisode parodié dans *Don Quichotte*). Le texte original fut remanié et publié en 1508 par Ordóñez de Montalvo. Ce roman eut un succès extraordinaire dans toute l'Europe de l'Ouest.

Amado (Jorge) (Pirangi, 1912), romancier brésilien qui décrit la misère du peuple : *Cacao* (1933), *Terre violente* (1942), *les Bergers de la nuit* (1964), *Dona Flor et ses deux maris* (1966), *Tiéta d'Agreste* (1977).

amadou n. m. Combustible spongieux qu'on tire de l'amadouvier.

amadouer v. tr. [1] Apaiser (une personne), employer avec elle des manières douces et adroites, pour en obtenir quelque chose.

amadouvier n. m. BOT Champignon (fam. polyporacées) parasite du chêne et du hêtre, non comestible.

amaigrir v. tr. [3] **1.** Rendre maigre. *L'excès de travail l'a amaigri.* - Pp. *Un homme amaigri par la maladie.* **2.** CONSTR Diminuer l'épaisseur de (une pièce de bois, de fer, etc.).

amaigrissant, ante adj. Qui fait maigrir. *Régime amaigrissant.*

amaigrissement n. m. Fait de maigrir, d'être plus maigre.

Amal, mouvement politico-militaire de la communauté chiite du Liban, constitué en 1975.

Amalaric (?, 501 - Barcelone, 531), roi des Wisigoths de 507 à 531. Il épousa la fille de Clovis, Clotilde, à qui il voulut imposer la foi arienne.

Amalasonte (?, 498 - Bolsena, 535), fille de Théodoric le Grand, roi des Ostrogoths. Elle gouverna à partir de 526, pendant la minorité de son fils Athalaric (m. en 534), puis elle partagea le pouvoir avec son époux, Théodat, qui la fit étrangler.

Amalécites, peuple sémite nomade du Néguev, contre qui luttèrent Moïse, puis Saül et David.

Amalfi, v. et port d'Italie (Campanie), sur le golfe de Salerne; 6 050 hab. - Archevêché. Ville très import. aux XIe et XIIe siècles.

amalgame n. m. **1.** CHIM Alliage du mercure avec un autre métal. - *Absol.* Mélange métallique (souvent mercure et argent) servant à l'obturation des dents. **2.** Fig. Mélange d'éléments qui ne s'accordent pas nécessairement. **3.** MILIT Fusion dans un même corps (d'unités d'orig. différentes). **4.** POLIT Procédé consistant à assimiler injustement un adversaire à un groupe pour le déconsidérer.

amalgamer v. tr. [1] CHIM Faire un amalgame. ▷ Fig. Mélanger, rapprocher ce qui ne va guère ensemble. ▷ v. pron. *Le mercure s'amalgame facilement avec l'étain.* - Fig. *Des idées disparates s'amalgament dans son esprit.*

Amalric (Arnauld) (m. en 1225), abbé de Cîteaux. Il prêcha la croisade contre les albigeois (1204).

Amalthée, dans la myth. grecque, chèvre qui allaita Zeus et dont une corne, brisée par le dieu enfant, devint la *corne d'abondance.*

aman [aman] n. m. Chez les musulmans, fait d'accorder la vie sauve à un ennemi vaincu, un rebelle.

amandaie n. f. Plantation d'amandiers.

amande n. f. **1.** Fruit de l'amandier. *Amande douce,* agréable au goût. *Amande amère,* contenant de l'acide cyanhydrique. - Loc. *En amande :* allongé en forme d'amande. *Des yeux en amande.* ▷ *Par ext.* Toute graine contenue dans un noyau. ▷ *Amande lissée, glacée, soufflée, pralinée :* dragée faite avec une amande. *Pâte d'amande(s).* **2.** BX-A *Amande mystique :* auréole en forme d'amande autour des images de la Vierge ou du Christ (mandorle).

amandier n. m. Arbre fruitier (fam. rosacées), dont les fleurs, blanc rosé, apparaissent avant les feuilles, et dont le fruit est l'amande. *L'amandier est originaire d'Asie occidentale.*

amandier : fleur, amande et feuille

amandine n. f. Tartelette aux amandes.

amanite n. f. BOT Champignon basidiomycète comprenant de nombr. espèces, caractérisées par des lamelles rayonnantes sous le chapeau, un anneau à mi-hauteur du pied et une volve enserrant la base du pied; certaines espèces sont comestibles (oronge), d'autres vénéneuses (*amanite tue-mouche* ou fausse oronge, *amanite panthère*), d'autres mortelles (*amanite phalloïde*). ▸ pl. **champignons**

amant, ante n. **1.** n. Vx Celui, celle qui éprouve pour une personne de l'autre sexe un amour partagé. **2.** n. m. Homme qui a des relations sexuelles avec une femme qui n'est pas son épouse. ▷ (Plur.) Deux personnes entretenant une relation sexuelle et affective.

Amapá, État de l'extrémité septentrionale du Brésil; 140 276 km^2; 290 000 hab.; cap. *Macapá.* Mines de fer, manganèse.

Amarah (Al-) *(al-'Umāra),* v. d'Irak, sur le cours infér. du Tigre; 120 000 hab.; ch.-l. du gouvernorat de Maysan. Commerce agricole.

amarantacées n. f. pl. BOT Famille de dicotylédones dont le type est l'amarante. - Sing. *Une amarantacée.*

amarante n. et adj. inv. **1.** n. f. Plante annuelle ornementale dont une espèce est cultivée pour ses fleurs pourpres, une autre pour son feuillage coloré. ▷ adj. inv. De la couleur rouge de ces fleurs. *Étoffes amarante.* **2.** n. m. Arbre de la Guyane (acajou de Cayenne) dont le bois, violet, est utilisé en ébénisterie. **3.** n. f. TECH Colorant de produits alimentaires.

Amarapura, v. de Birmanie, sur l'Irrawaddy; 10 000 hab. Cap. du XVIIIe s. à 1856. - Ville sainte; temples.

Amarāvatī, v. du S.-E. de l'Inde (Āndhra Pradesh); 450 000 hab. Cap. du royaume des Āndhra. - Stupa monumental (Ier s. av. J.-C.-IIIe s. apr. J.-C.).

amareyeur n. m. Ouvrier chargé de l'entretien des parcs à huîtres.

amaril, ile adj. MED Qui a rapport à la fièvre jaune. *Virus amaril.*

Amarillo, v. des É.-U. (Texas); 157 600 hab. Fonderies; raffinerie de pétrole.

Amarnah (Tell al-) *(Tall-al-'Amārna)* (anc. *Akhenaton*), site archéol. égyptien à 300 km env. au S. du Caire, où furent découvertes les archives d'Aménophis IV Akhenaton. A donné son nom à l'art *amarnien.* (V. Aménophis IV.)

amarrage n. m. Action d'amarrer; état de ce qui est amarré. *Amarrage d'engins spatiaux.*

amarre n. f. Cordage pour attacher un objet quelconque sur un navire. ▷ Cordage servant à retenir un navire.

amarrer v. tr. [1] **1.** Attacher, fixer avec une amarre. *Amarrer un navire dans le port.* **2.** Assujettir un objet avec un cordage quelconque. *Amarrer des colis.*

amaryllidacées n. f. pl. Famille de monocotylédones dont l'amaryllis est le type (perce-neige, jonquille, etc.). – Sing. *Une amaryllidacée.*

amaryllis [amaʀilis] n. f. BOT Genre de plantes monocotylédones, bulbeuses et vivaces, dont une espèce, très répandue, a de grandes fleurs diversement colorées.

amas [ama] n. m. **1.** Masse formée par une quantité de choses semblables ou diverses. *Amas de sable, de victuailles.* **2.** GEOL Dépôt de matières enveloppées, en totalité ou en partie, par des matières d'un genre différent. **3.** ASTRO *Amas d'étoiles* : groupement plus ou moins serré d'étoiles physiquement liées, de même âge et de même origine. *Amas galactiques,* situés au voisinage du plan de la Galaxie et contenant surtout des étoiles jeunes. *Amas globulaires,* de forme sphérique et contenant surtout des étoiles de très grande densité.

amasser v. [1] **1.** v. tr. Faire un amas, une masse; réunir en grande quantité. *Amasser des matériaux, de l'argent.* Ant. disperser, éparpiller. ▷ (S. comp.) Thésauriser. *Il ne cesse d'amasser.* **2.** v. pron. S'entasser, s'accumuler. *Le courrier s'amasse sur son bureau.*

Amaterasu, divinité solaire de la religion shintoïste.

amateur n. m. **1.** Personne qui aime, qui a du goût pour (qqch). *Un amateur d'opéra.* **2.** Personne qui pratique un art, une science, un sport sans en faire sa profession. – (En appos.) *Photographe amateur.* **3.** Péjor. Personne qui ne fait pas sérieusement son travail. *Travailler en amateur.*

amateurisme n. m. **1.** SPORT Statut de l'amateur (qui ne reçoit ni rétribution ni prix en espèces, à la différence des professionnels). **2.** Péjor. Caractère d'une personne qui effectue une tâche avec négligence, sans le soin qui caractérise le travail du professionnel.

Amathonte, anc. v. de Chypre où était célébré le culte d'Aphrodite et d'Adonis.

Amati, famille de luthiers italiens de Crémone. – **Niccolo** (Crémone, 1596 – id., 1684) fut notam. le maître de Guarnerius et de Stradivarius.

Amaury Ier (?, 1135 – Jérusalem, 1174), roi de Jérusalem (1163-1174), lutta contre Saladin. – **Amaury II** de Lusignan (v. 1144 – Acre, 1205), fut roi de Chypre (1194-1205), et de Jérusalem (1197-1205).

Amazonas, vaste État du N.-O. du Brésil; 1 564 445 km²; 2 090 000 hab.; cap. *Manaus.* La forêt dense le couvre en grande partie.

Amazonas, État du Venezuela méridional; 175 750 km²; 70 800 hab.; cap. *Puerto Ayacucho.*

1. amazone n. f. **1.** Cavalière. *Une amazone passa au trot.* ▷ *Monter en amazone,* les deux jambes du même côté de la selle. **2.** Longue jupe très ample portée par une femme pour monter en amazone. **3.** Fam. Prostituée qui racole en voiture.

amazone à front rouge

2. amazone n. m. ou f. Perroquet vert (fam. psittacidés) d'Amérique du S. – (En appos.) *Un perroquet amazone.*

Amazone, fl. d'Amérique du S. (6 280 km); naît dans les Andes du Pérou, traverse l'État brésilien d'Amazonas et se jette dans l'Atlant. par un vaste estuaire. Son débit énorme (entre 70 000 et 212 000 m³/s) en fait le plus puissant fl. du monde. Navigable jusqu'à Manaus.

Amazones, dans la myth. gr., peuple composé exclusivement de femmes guerrières qui vivaient au bord de la mer Noire; elles affrontèrent plus. fois les héros grecs. Selon la légende, elles se brûlaient le sein droit (d'où leur nom gr. de «sans sein»), pour mieux tirer à l'arc, et tuaient les enfants mâles. On pense auj. que les guerriers scythes (mâles mais chevelus) inspirèrent ce mythe. V. Antiope.

Amazonie, vaste plaine de l'Amérique du Sud (4 500 000 km²) drainée par l'Amazone et ses affl. Limitée par le plateau des Guyanes, le plateau brésilien et la chaîne des Andes, elle est située sous l'équateur; son climat chaud et humide en fait le domaine de la forêt dense, hostile à la vie humaine. Toutefois, après le rush sur le caoutchouc (1886-1912), les recherches (après 1966) ont révélé les fabuleuses richesses du sous-sol, que le Brésil entend exploiter systématiquement; la construction de la Transamazonienne (5 000 km), le déboisement (de l'ordre de 10% actuellement), la disparition des Amérindiens (V. Yanomanis), conséquence de la spéculation foncière, soulèvent des inquiétudes.

amazonien, enne adj. De l'Amazonie. *La forêt amazonienne.*

ambages n. f. pl. *Parler sans ambages,* sans détour, franchement.

Ambartsoumian (Viktor Amazaspovitch) (Tiflis, auj. Tbilissi, 1908 – Biourakan, 1996), astrophysicien géorgien; il s'est particulièrement intéressé à la formation des étoiles et à la découverte des associations stellaires.

ambassade n. f. **1.** Mission, députation envoyée pour représenter un souverain, un pays. *Envoyé en ambassade.* **2.** Mission diplomatique permanente auprès d'un gouvernement étranger. – Personnel attaché à cette mission. *Il appartient à l'ambassade.* ▷ Fonction d'un ambassadeur. *On lui a confié l'ambassade de Londres.* ▷ Résidence, bureaux d'un ambassadeur. *Aller à l'ambassade.* **3.** Démarche faite par un tiers. *Il a envoyé son cousin en ambassade auprès de son père.*

ambassadeur, drice n. **I.** n. m. Personne ayant le caractère et le titre de représentant d'un État auprès d'un autre État. *Les ambassadeurs jouissent en tant qu'agents diplomatiques de certaines prérogatives.* **II.** n. f. **1.** Femme ayant qualité d'ambassadeur. **2.** Femme d'un ambassadeur. **III.** n. m. ou f. Personne chargée d'une mission.

Ambato, v. de l'Équateur, au S. de Quito, à 2 600 m d'alt.; 114 490 hab. ; ch.-l. de prov.

Amberg, v. d'Allemagne (Bavière), sur la Vils; 43 350 hab. – Défaite de Jourdan par l'archiduc Charles (1796).

Ambérieu-en-Bugey, ch.-l. de canton de l'Ain (arr. de Belley); 11 666 hab. Centre ferroviaire; industr. alimentaire.

Ambert, ch.-l. d'arr. du Puy-de-Dôme, sur la Dore; 7 779 hab. Papeteries; fromages (fourme).

Ambès, com. de la Gironde (arr. de Bordeaux), sur la Dordogne; 2 578 hab. Prod. chim. – *Bec d'Ambès* ou *d'Ambez,* pointe de terre au confl. de la Garonne et de la Dordogne.

ambi-. Préfixe, du lat. *ambo,* «les deux, des deux côtés».

ambiance n. f. **1.** Milieu physique dans lequel se trouvent des êtres vivants. *Ambiance sonore.* **2.** Milieu intellectuel et moral où sont placés des individus. ▷ Fam. *Il y avait beaucoup d'ambiance,* beaucoup de gaieté, d'entrain. – *Lumière d'ambiance, musique d'ambiance,* douces et diffuses.

ambiant, ante adj. Qui entoure, qui environne. *La température ambiante.*

ambidextre adj. Qui se sert des deux mains avec une égale facilité.

ambigu, uë [ɑ̃bigy] adj. **1.** Dont la pluralité de sens ne permet pas une interprétation sans équivoque. *Réponse ambiguë.* **2.** Qui participe de qualités différentes. *Caractère ambigu.*

ambiguïté [ɑ̃bigɥite] n. f. Caractère de ce qui est ambigu. Ant. clarté, netteté, précision.

ambigument adv. De façon ambiguë.

Ambiorix, roi des Éburons en Gaule Belgique. Il prit la tête d'une révolte contre César, qui le battit (54 av. J.-C.).

ambitieusement adv. D'une manière ambitieuse.

ambitieux, euse adj. **1.** Qui a de l'ambition. *C'est un homme très ambitieux.* ▷ Subst. *C'est un ambitieux.* **2.** Qui dénote de l'ambition. *Un projet ambitieux.*

ambition n. f. **1.** Désir d'atteindre la gloire, le pouvoir, la réussite sociale. *Un homme dévoré par l'ambition.* **2.** Aspiration, volonté marquée. *L'ambition de se rendre utile.*

ambitionner v. tr. [1] Briguer, poursuivre par ambition. *Il ambitionnait de monter en grade.*

ambivalence n. f. **1.** PSYCHO Existence simultanée de deux sentiments opposés à propos de la même représentation mentale. **2.** Caractère de ce qui présente une dualité de valeurs, de sens, d'aspects.

ambivalent, ente adj. Doué d'ambivalence.

amble n. m. Allure, naturelle ou acquise, de certains quadrupèdes qui se meuvent en déplaçant simultanément les deux membres d'un même côté. *L'ours va l'amble.*

ambly-. Élément, du gr. *amblus*, « émoussé, obtus ».

amblyope adj. et n. Qui est atteint d'amblyopie.

amblyopie n. f. MED Faiblesse de la vue.

amblystome n. m. ZOOL Amphibien urodèle du Mexique, ressemblant aux salamandres communes et dont la larve est l'axolotl.

Amboine, ch.-l. de la prov. des Moluques (Indonésie), sur l'île du m. n.; 285 000 hab. – Principal centre colonial néerlandais en Insulinde (XVIIe s.).

Amboise, ch.-l. de cant. d'Indre-et-Loire (arr. de Tours), sur la Loire; 11 541 hab. *(Amboisiens)*. Centre agric. et tourist. Industr. métall., du bois. – Chât. mi-parti goth. et mi-parti Renaiss.; égl. XIIIe s. – *Conjuration d'Amboise*, complot fomenté (1560), en vain, par Condé et les protestants pour s'emparer de François II et le soustraire à l'influence des Guise. – *L'édit d'Amboise* (1563) garantit aux protestants le libre exercice de leur culte.

ambon n. m. ARCHI Tribune élevée dans le chœur, ou à la séparation de la nef et du chœur, dans certaines églises anciennes.

Ambracie, v. de l'anc. Épire (Grèce), sur le *golfe d'Ambracie* (auj. d'*Arta*). (V. Actium.)

ambre n. m. Nom donné à diverses substances aromatiques ou résineuses. **1.** *Ambre jaune :* résine fossile de conifères du tertiaire, utilisée en bijouterie. **2.** *Ambre gris :* concrétion qui se forme dans l'appareil digestif du cachalot, utilisée en parfumerie. **3.** *Ambre blanc :* V. spermaceti.

ambré, ée adj. **1.** Qui a le parfum de l'ambre gris. **2.** Qui a la couleur de l'ambre jaune.

Ambroise (saint) (Trèves, 339 – Milan, 397), évêque de Milan, Père et docteur de l'Église. Il contribua à la conversion de saint Augustin, qu'il baptisa en 387.

ambroisie n. f. **1.** Dans la myth. grecque, nourriture des dieux de l'Olympe, qui rendait immortel. **2.** BOT Plante aromatique, composée aux fleurs jaunâtres, utilisée en infusion. – *Par ext.* Parfum tiré de cette plante.

Ambrosienne (bibliothèque), bibliothèque fondée à Milan en 1602 par le cardinal Frédéric Borromée.

ambulacre n. m. ZOOL Fin tube situé sur la face inférieure du corps des échinodermes et qui, terminé par une ventouse, sert à leur locomotion.

ambulance n. f. **1.** Anc. Installation sommaire mobile de premiers soins aux blessés des champs de bataille. *Ambulance de campagne.* **2.** Véhicule affecté au transport des malades, des blessés.

ambulancier, ère n. (et adj.) Personne qui conduit une ambulance. ▷ adj. *Service ambulancier.*

ambulant, ante adj. (et n. m.) Qui se déplace, va de lieu en lieu. *Marchand, hôpital ambulant.* ▷ n. m. *Un ambulant :* un marchand ambulant. ▷ *Bureau ambulant :* wagon aménagé en bureau postal pour le tri, le transport des lettres et leur distribution par sacs postaux aux différentes stations.

ambulatoire adj. **1.** ZOOL Se dit des organes propres à la locomotion, particulièrement chez les animaux dépourvus de pattes véritables. **2.** MED *Traitement ambulatoire,* qui peut être pratiqué sans hospitalisation.

âme n. f. **I. 1.** Dans une doctrine spiritualiste, principe spirituel, agent essentiel de la vie, qui, uni au corps, constitue l'être vivant. *Rendre l'âme :* mourir. ▷ Par anal. *L'âme d'une nation, d'un peuple.* ▷ *Par ext.* Être vivant. *Un bourg de 900 âmes.* – *Ne pas rencontrer âme qui vive :* ne rencontrer personne. **2.** Dans une doctrine spiritualiste, principe immortel subsistant après la mort. *Prier pour l'âme de quelqu'un.* **3.** Principe des facultés morales, sentimentales, intellectuelles; siège de la pensée et des passions. *En mon âme et conscience. Avoir l'âme sensible. Chanter avec âme,* avec émotion et chaleur. **II.** Élément essentiel d'une chose, d'un instrument. *L'âme d'un soufflet,* la soupape de cuir pour l'entrée de l'air. *L'âme d'un violon,* le petit cylindre de bois placé entre le fond et la table, qu'il soutient. *L'âme d'un canon, d'un fusil,* la partie intérieure du tube. *L'âme d'un câble, d'une poutre,* sa partie centrale. **III. 1.** *L'âme d'un complot,* son instigateur. **2.** *L'âme damnée de quelqu'un :* celui qui incite quelqu'un à faire le mal, son alter ego dans le mal.

Amédée, nom de plusieurs comtes et ducs de Savoie. Le plus célèbre, **Amédée VIII** (Chambéry, 1383 – Ripaille, 1451), comte puis duc de Savoie, de 1391 à 1440, fut le dernier antipape : Félix V (1439-1449).

Amédée de Savoie (Turin, 1845 – id., 1890), duc d'Aoste, second fils du roi d'Italie Victor-Emmanuel II, roi d'Espagne de 1870 à 1873.

améliorable adj. Qui peut être amélioré.

améliorant, ante adj. Qui améliore. ▷ AGRIC *Plantes améliorantes,* qui, cultivées sur un sol dégradé ou appauvri, lui rendent sa fertilité (les papilionacées : trèfle, luzerne, haricot, enrichissent le sol en azote utilisable par d'autres végétaux).

amélioration n. f. Action d'améliorer; fait de s'améliorer.

améliorer v. tr. [1] Rendre meilleur, perfectionner. *Améliorer le rendement d'un sol par des engrais. Améliorer un texte avant sa publication.* ▷ v. pron. Devenir meilleur. *Le temps s'améliore.* Ant. empirer.

amen [amɛn] interj. Mot hébreu (« ainsi soit-il ») qui termine la plupart des prières juives et chrétiennes. ▷ Fam. *Dire amen à tout :* approuver tout, consentir à tout.

aménageable adj. Qui peut être aménagé. *Un entresol aménageable.*

aménagement n. m. Action d'aménager; résultat de cette action. **1.** Organisation en vue d'améliorer les conditions d'utilisation. *Aménagement d'une école. Aménagement d'un terrain vague en jardin public.* ▷ *Aménagement d'une forêt,* réglementation de son exploitation. ▷ *Aménagement du territoire :* mise en valeur du territoire national. **2.** Assouplissement apporté dans l'application d'un règlement. *Aménagements fiscaux.*

aménager v. tr. [13] **1.** Préparer, organiser en vue d'une utilisation précise. *Aménager un appartement,* le rendre habitable. *Aménager une pièce en auditorium.* **2.** SYLVIC Réglementer la coupe, l'exploitation d'une forêt.

aménageur, euse n. Personne qui s'occupe d'aménagement du territoire ou d'aménagement urbain.

aménagiste n. Spécialiste d'aménagement forestier.

amendable adj. Améliorable, perfectible. *Un sol amendable.*

amende n. f. Peine pécuniaire imposée en cas d'infraction à une loi, à un règlement. *Payer une amende. Amende fiscale.* ▷ Pénalité imposée, dans un jeu. ▷ *Faire amende honorable :* présenter des excuses, reconnaître ses torts.

amendement n. m. **1.** AGRIC Amélioration des caractères physiques d'un sol cultivé à l'aide de substances calcaires ou humiques notam.; cette substance elle-même. **2.** LEGISL Action d'amender (une proposition de texte légal); modification apportée (à une proposition de texte légal) par les membres d'une assemblée législative.

amender v. tr. [1] **1.** AGRIC Améliorer. *Amender une terre avec de la craie.* **2.** LEGISL Apporter des modifications à un texte légal. **3.** v. pron. Se corriger. *Pécheur qui s'est amendé.*

amène adj. Litt. Agréable, courtois, aimable. *Un caractère amène.*

amenée n. f. TECH Action d'amener. *Canal d'amenée.*

Amenemhat, nom de quatre pharaons de la XIIe dynastie (XXe – XVIIIe s. av. J.-C.).

amener v. tr. [16] **I. 1.** Mener, conduire (qqn) quelque part ou auprès d'une personne. *Amenez-le-moi.* – Loc. fig., fam. *Quel bon vent vous amène ?* ▷ Fig. *Amener quelqu'un à une opinion,* la lui faire adopter. **2.** Entraîner avec soi. *Un malheur en amène un autre.* **3.** Faire venir avec préparation préalable. *Amener une conclusion.* **4.** JEU Faire tel ou tel point d'un coup de dés. *Amener deux as et un six.* **5.** v. pron. Fam. Venir. *Alors, tu t'amènes ?* **II.** MAR Tirer à soi. *Amener les rames.* ▷ Faire descendre. *Amener une voile.* – *Amener le pavillon,* pour marquer la reddition.

aménité n. f. Litt. Amabilité, charme, affabilité. *Aménité du caractère.* ▷ Par antiphr. (Plur.) *Échanger des aménités,* d'aigres propos.

Aménophis, nom de quatre pharaons de la XVIIIe dynastie. – **Aménophis Ier** (règne : v. 1558-v. 1530 av. J.-C.). – **Aménophis II** (règne : v. 1450-1425). – **Aménophis III** (règne : v. 1408 - v. 1372). – **Aménophis IV Akhenaton** ou **Akhnaton** (règne : v. 1372-1354), époux de Néfertiti. Il instaura en Égypte, contre les prêtres d'Ammon, une religion monothéiste fondée sur le culte d'Aton, divinité solaire. Pour donner plus de poids à cette réforme, il transporta sa capitale de Thèbes à Akhetaton (auj. *Tell al-Amarnah*), libérant l'art égyptien de son cadre rigide traditionnel (art *amarnien*). En revanche, il laissa les Hittites lui ravir la Syrie et la Palestine. ► illustr. page 64

aménorrhée [amenɔʀe] n. f. MED Absence anormale des règles, dont les causes peuvent être fort diverses (endocriniennes, psychologiques ou secondaires à une maladie générale).

Aménophis IV Akhenaton, XVIIIe dyn.; sculpture du site de Karnak, musée de Louxor

amentifère adj. BOT Qui porte des inflorescences en chatons.

amenuisement n. m. Action d'amenuiser; fait de s'amenuiser.

amenuiser v. [1] **1.** v. tr. Rendre plus menu, amincir. **2.** v. pron. Devenir plus menu, moins nombreux, moins fort.

1. amer, ère [amɛʀ] adj. et n. m. **1.** adj. Qui a une saveur âpre, désagréable. *L'aloès est amer.* ▷ Fig. Pénible, douloureux. *Chagrin amer.* **2.** adj. Dur, mordant. *Critique amère.* **3.** n. m. Liqueur apéritive à base de plantes amères.

2. amer [amɛʀ] n. m. MAR Tout point des côtes très visible (clocher, balise, etc.), porté sur une carte, servant de repère pour la navigation.

amérasien, enne adj. et n. Se dit d'un métis d'Américain et d'Asiatique.

amèrement adv. Avec amertume.

américain, aine adj. et n. **1.** adj. De l'Amérique. *Continent américain.* **2.** adj. Des États-Unis (d'Amérique). *Parler l'anglais avec l'accent américain.* ▷ Subst. *Un(e) Américain(e)* : un(e) habitant(e) de l'Amérique; *spécial.*, un(e) citoyen(ne) des États-Unis. – *L'américain* : l'anglais parlé aux États-Unis.

américanisation n. f. Action d'américaniser; fait de s'américaniser.

américaniser v. tr. [1] Donner un caractère américain à. ▷ v. pron. Prendre le mode de vie américain.

américanisme n. m. Ensemble des traits de civilisation propres aux États-Unis. ▷ Tournure de phrase de langue anglaise spéciale aux Américains.

America's Cup, coupe remise en 1851 par la reine Victoria au voilier américain *America* qui avait remporté une course autour de l'île de Wight. Depuis, le New York Yacht Club organise tous les 4 ans une épreuve de voile récompensée par cette coupe.

américium n. m. CHIM Élément radioactif artificiel appartenant à la famille des actinides, de numéro atomique Z = 95, de masse atomique 243 (symbole Am).

Améric Vespuce. V. Vespucci.

amérindianisme n. m. Mot emprunté à une langue amérindienne. *Le français québécois actuel comporte peu d'amérindianismes (ex. atoca, ouananiche), mais un très grand nombre de noms d'origine amérindienne se sont maintenus dans la toponymie (ex. Canada, Québec, Saguenay, Tadoussac).*

amérindien, enne adj. et n. m. **1.** adj. Des Amérindiens. *Spécialiste des langues amérindiennes. Mot d'origine amérindienne.* **2.** n. m. Toute langue parlée par les autochtones d'Amérique.

Amérindiens, groupes ethniques indigènes d'Amérique. Au cours de l'histoire, de nombreux mots ont été en usage pour identifier les Indiens d'Amérique, les plus fréquents étant : Indiens, Sauvages, Peaux-Rouges et Amérindiens. Sauvage et Peau-Rouge, très courants jusqu'au début du XXe s., ont été écartés en raison de leur connotation péjorative liée à l'idée de barbarie et de primitivisme. Comme «Indien» suscitait un rapprochement avec les habitants de l'Inde, tributaire de l'erreur des premiers découvreurs qui ont confondu l'Amérique et les Indes, les spécialistes ont opté pour le terme «Amérindien», plus précis. «Indien» est conservé, pour sa référence historique, dans les textes qui relatent les faits anciens. Au Canada, le terme «Amérindien» n'est employé qu'au sens plus restreint d'«autochtone».

Amérique, une des cinq parties du monde (42 millions de km^2; 774 millions d'hab.). Elle s'étire sur plus de 15 000 km, de l'océan Arctique (71° 2' de latit. N.) aux mers australes (57° 5' de latit. S.). Elle est baignée à l'O. par le Pacifique, à l'E. par l'Atlantique. On distingue deux grandes masses (*Amérique du Nord* et *Amérique du Sud*) reliées par un isthme (*Amérique centrale*).

Géogr. phys. et hum. – À l'O. du continent se dresse une puissante cordillère volcanique : Rocheuses au N. qui culminent à 6 187 m au mont McKinley, Andes au S. qui culminent à 6 959 m à l'Aconcagua. À l'E. s'étendent des plateaux cristallins aplanis et de vieux massifs : bouclier canadien, Appalaches, massif des Guyanes, bouclier brésilien, plateau de Patagonie. Entre les deux, on trouve de vastes plaines et bassins drainés par de grands fleuves surtout tributaires de l'Atlantique : Mississippi, Amazone, Paraná. La variété des milieux est liée à la considérable extension du continent en latitude : froid du Grand Nord arctique et de la Terre de Feu, climat tempéré du Canada méridional, des États-Unis et du sud de l'Amérique latine, tropical du Sud-Est brésilien au Mexique. À cette zonation s'ajoutent des oppositions de façades : les influences atlantiques pénètrent largement dans le continent alors que les chaînes de l'O. limitent celles du Pacifique à un étroit liseré côtier. Les populations amérindiennes d'origine ont été décimées ou submergées par les immigrants européens qui ont aussi introduit, comme esclaves, des Noirs africains. L'origine de la colonisation permet de distinguer une Amérique anglo-saxonne au Canada et aux États-Unis (Britanniques dominants et autres minorités d'Europe du N., dont les Français) d'une Amérique latine où Espagnols, Portugais et secondairement Italiens furent majoritaires. La population actuelle est largement urbanisée. Jusqu'aux années 50, le peuplement était équilibré entre le N. et le S. du continent. Aujourd'hui, l'Amérique latine l'emporte largement, du fait d'une croissance démographique plus forte (plus de 60 % des habitants).

Écon. – La partie anglo-saxonne du continent, en partic. les É.-U., a une puissante écon. diversifiée, alors que l'écon. de la partie latine présente les caractères habituels des pays sous-développés : prédominance de l'agriculture, mais faiblesse des techniques agric.; infrastructure industr. souvent limitée aux activités extractives, sauf pour les pays qui ont connu une industrialisation rapide (Brésil, Mexique); manque de voies de communication. Cet état de fait tient à la différence des colonisations (développement autonome dans le N., annexes de la métropole dans le S.) et à l'absence de réformes agraires après l'indép. des colonies esp. et portug. (immenses domaines consacrés aux cult. du café, de la canne à sucre, du coton, et à l'élevage extensif). L'Amérique latine, malgré une volonté d'émancipation, est sous la dépendance écon. des É.-U., dont l'emprise reste très forte, bien qu'ils commencent à être concurrencés par l'Europe et le Japon.

Hist. – Jusqu'au XVe s., l'histoire de l'Amérique est celle des multiples civilisations précolombiennes. Christophe Colomb, qui débarqua dans les Bahamas en 1492, ouvrit le continent aux Européens. Les conquêtes des Espagnols – H. Cortés (Mexique), P. de Alvarado (Guatemala), Fr. Pizarro (Pérou), P. de Valdivia (Chili) – donnèrent à l'Espagne son empire en Amérique centrale et dans les Andes. Le traité de Tordesillas assura le partage de l'Amérique latine, en 1494, entre les Portug. (Brésil) et les Esp. L'exploitation minière (or, argent) fut très tôt développée. Le N. du continent, colonisé plus tardivement (XVIe et XVIIe s.) et par paliers, devint le domaine des Anglais et, pour une moindre part, des Français, qui perdirent le Canada en 1763. L'accession à l'indép. des colonies anglaises (É.-U.) en 1783 encouragea les révoltes en Amérique latine. San Martin libéra les rég. andines (1816-1821), Iturbide le Mexique (1821), Sucre et Bolívar les autres colonies esp. (1819-1825). Le Brésil se déclara indépendant en 1822. En 1825, à l'exception du Canada, dominion brit. jusqu'en 1931, tous les États actuels étaient libres. Au lieu d'acquérir, comme le N. du continent, une unité polit., les pays latins se morcelèrent et s'opposèrent, aux dépens de l'expansion écon. En 1948, à Bogotá, fut créée une organisation panaméricaine (O.É.A.), où l'influence des É.-U. est grande, qui a pour but le maintien du *statu quo* polit. De la fin du XIXe s. à nos jours, les É.-U. sont intervenus politiquement et militairement à plusieurs reprises (Guatemala,1954; rép. Dominicaine, 1965; Salvador, 1981; Panamá, 1990). Ils n'ont pu empêcher la victoire de F. Castro à Cuba (1959).

Amérique latine, partie sud du continent américain où l'on parle espagnol ou portugais : Argentine, Bolivie, Brésil, Chili, Colombie, Costa Rica, Cuba, Équateur, Salvador, Guatemala, Haïti, Honduras, Mexique, Nicaragua, rép. Dominicaine, Panamá, Paraguay, Pérou, Uruguay, Venezuela.

amerloque n. Fam. et péjor. Américain des États-Unis.

amerrir v. intr. [3] Se poser sur un plan d'eau. *Hydravion qui amerrit.*

amerrissage n. m. Action d'amerrir.

Amers (lacs), lacs marécageux traversés par le canal de Suez.

Amersfoort, v. des Pays-Bas (Utrecht), sur l'*Eem*; 102 000 hab. Constr. navales, métallurgie.

amertume n. f. **1.** Goût amer. *L'amertume de la gentiane.* **2.** Fig. Sentiment de rancœur, ressentiment consécutif à un échec, à une désillusion. *Il remarqua avec amertume qu'on ne l'avait pas remercié.*

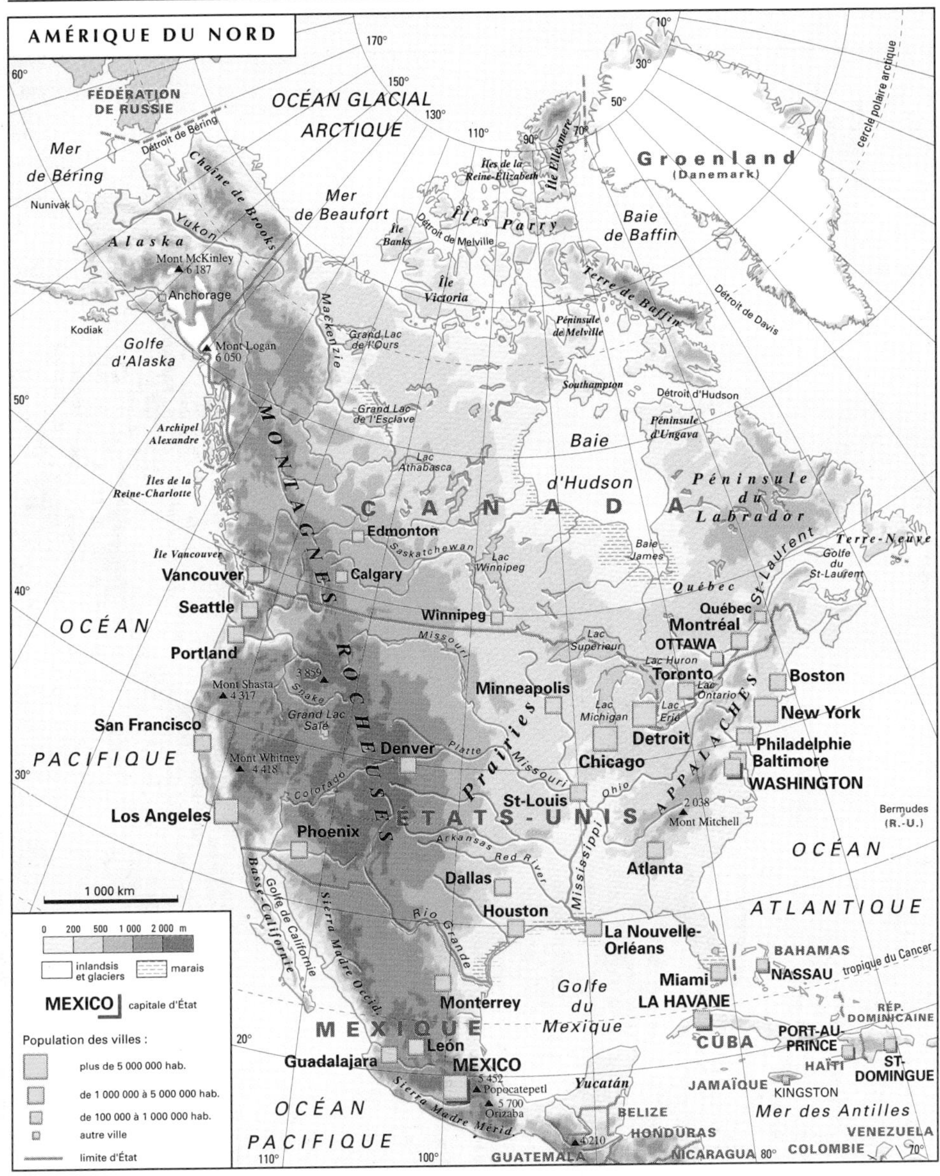

améthyste [ametist] "n. f. MINER Variété violette de quartz hyalin, utilisée en joaillerie.

amétrope adj. Atteint d'amétropie.

amétropie n. f. MED Trouble de la réfraction dû à une mauvaise mise au point de l'image sur la rétine. V. hypermétropie, myopie et astigmatisme.

ameublement n. m. Ensemble du mobilier d'une pièce, d'une maison. *Un ameublement ultramoderne.*

ameublir v. tr. [3] **1.** AGRIC Rendre (une terre) plus meuble, plus légère. **2.** DR Faire entrer un immeuble dans la communauté légale des époux.

ameublissement n. m. **1.** AGRIC Action d'ameublir (une terre). **2.** DR *Clause d'ameublissement d'un contrat de mariage,* faisant entrer dans la communauté une partie ou la totalité des immeubles présents ou futurs des époux.

ameuter v. [1] **I.** v. tr. **1.** CHASSE *Ameuter des chiens,* les regrouper en meute. **2.** Provoquer un attroupement de personnes, en les appelant ou en suscitant leur curiosité. *Ses appels au secours ont ameuté les voisins.* **3.** Inciter (une foule) à la lutte, au soulèvement. *Ameuter le peuple contre un tyran.* ▷ Alerter. *Ameuter l'opinion.*

Amhara(s), peuple d'Éthiopie (Choa, région des hauts plateaux), dont l'hégémonie politique, économique et culturelle contribua à l'unification du pays. Chrétiens, ils parlent l'*amharique.*

amharique n. m. Langue sémitique parlée sur le plateau éthiopien; langue officielle de l'Éthiopie.

Amherst (Jeffrey, baron) (Sevenoaks, Kent, 1717 - id., 1797), maréchal brit.; chef de l'armée (1758-1760) qui vainquit les Français au Canada pendant la guerre de Sept Ans.

ami, ie n. et adj. **I.** n. **1.** Personne à laquelle on est lié par une affection réciproque. *Un ami d'enfance. Je me suis fait un ami de ce garçon.* Syn. camarade, compagnon. ▷ Par euph. *Mon ami(e) :* mon amant, ma maîtresse. *Petit ami, petite amie :* ami(e) de cœur, amant, maîtresse. ▷ Vieilli, fam. *Mon ami, l'ami,* pour s'adresser à quelqu'un d'un rang qu'on considère comme inférieur. *Dites-moi, mon ami... Eh! l'ami! venez un peu ici!* **2.** Personne bien disposée, animée de bonnes intentions. *Venir en ami. C'est un ami qui vous parle.* Ant. ennemi. **II.** adj. **1.** D'un ami. *Une maison amie.* ▷ *Un regard ami,* amical, bienveillant. **2.** Allié.

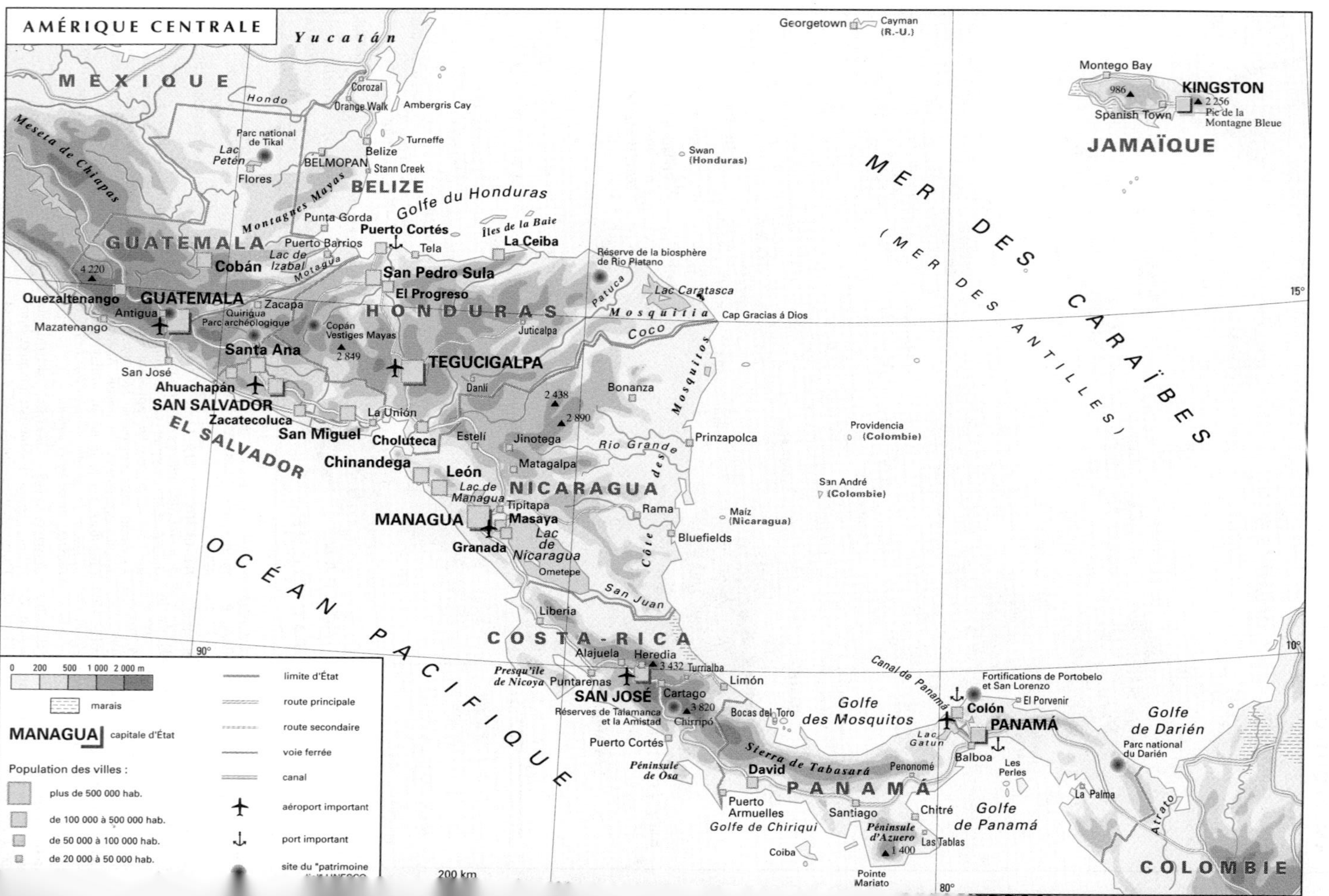
AMÉRIQUE CENTRALE
MEXIQUE
Yucatán
Hondo
Meseta de Chiapas
4 220
GUATEMALA
Quezaltenango
GUATEMALA
Antigua
Mazatenango
San José
Cobán
Lac Petén
Flores
Parc national de Tikal
Zacapa
Quirigua
Parc archéologique
Montagnes Mayas
Lac de Izabal
Motagua
Puerto Barrios
Punta Gorda
BELIZE
BELMOPAN
Belize
Stann Creek
Corozal
Orange Walk
Ambergris Cay
Turneffe
Golfe du Honduras
Puerto Cortés
Tela
Îles de la Baie
La Ceiba
San Pedro Sula
El Progreso
HONDURAS
Copán
Vestiges Mayas
2 849
Santa Ana
Ahuachapán
SAN SALVADOR
Zacatecoluca
San Miguel
EL SALVADOR
TEGUCIGALPA
Juticalpa
Danlí
La Unión
Choluteca
Chinandega
Estelí
León
Jinotega
Matagalpa
2 438
2 890
Lac de Managua
MANAGUA
Tipitapa
Masaya
Granada
Lac de Nicaragua
Ometepe
NICARAGUA
Réserve de la biosphère de Rio Platano
Patuca
Lac Caratasca
Mosquitia
Cap Gracias á Dios
Coco
Mosquitos
Bonanza
Rio Grande
Prinzapolca
Côte des Mosquitos
Rama
Bluefields
San Juan
Liberia
COSTA-RICA
Alajuela
Heredia
3 432
Turrialba
Presqu'île de Nicoya
Puntarenas
SAN JOSÉ
Cartago
3 820
Chirripó
Réserves de Talamanca et la Amistad
Limón
Puerto Cortés
Péninsule de Osa
Bocas del Toro
Golfe des Mosquitos
Sierra de Tabasará
David
PANAMÁ
Puerto Armuelles
Golfe de Chiriqui
Coiba
Santiago
Péninsule d'Azuero
1 400
Las Tablas
Pointe Mariato
Chitré
Penonomé
Canal de Panamá
Lac Gatun
Colón
Fortifications de Portobelo et San Lorenzo
El Porvenir
PANAMÁ
Balboa
Les Perles
Golfe de Panamá
Golfe de Darién
Parc national du Darién
La Palma
Atrato
COLOMBIE
OCÉAN PACIFIQUE
MER DES CARAÏBES
(MER DES ANTILLES)
Georgetown
Cayman (R.-U.)
Swan (Honduras)
Providencia (Colombie)
San André (Colombie)
Maíz (Nicaragua)
Montego Bay
986
Spanish Town
KINGSTON
2 256
Pic de la Montagne Bleue
JAMAÏQUE
15°
10°
90°
80°
200 km
0 200 500 1 000 2 000 m
marais
MANAGUA capitale d'État
Population des villes :
plus de 500 000 hab.
de 100 000 à 500 000 hab.
de 50 000 à 100 000 hab.
de 20 000 à 50 000 hab.
limite d'État
route principale
route secondaire
voie ferrée
canal
aéroport important
port important
site du "patrimoine

AMÉRIQUE DU SUD
MER DES CARAÏBES
OCÉAN ATLANTIQUE
OCÉAN PACIFIQUE
OCÉAN ATLANTIQUE
VENEZUELA
COLOMBIE
PANAMÁ
ÉQUATEUR
PÉROU
BOLIVIE
BRÉSIL
PARAGUAY
URUGUAY
CHILI
ARGENTINE
GUYANA
SURINAM
Guyane (Fr.)
CARACAS
BOGOTÁ
QUITO
LIMA
LA PAZ
BRASÍLIA
ASUNCIÓN
SANTIAGO
BUENOS AIRES
MONTEVIDEO
GEORGETOWN
PARAMARIBO
PORT OF SPAIN
TRINITÉ-ET-TOBAGO
Cayenne
Maracaibo
Medellín
Cali
Guayaquil
Iquitos
Manaus
Belém
Fortaleza
Recife
Salvador
Belo Horizonte
Rio de Janeiro
São Paulo
Curitiba
Pôrto Alegre
Martinique (Fr.)
STE-LUCIE
ST-VINCENT
Grenadines
GRENADE
BARBADE
Aruba
(P.-B.) Curaçao
Bonaire
Sa. Nevada de Sta Marta 5 800
Canal de Panamá
Golfe de Darién
Golfe de Panamá
Llanos
Orénoque
Mont Roraima 2 810
Massif des Guyanes
Branco
Rio Negro
Putumayo
Japurá
Amazone
Marajó
Tocantins
Xingu
Tapajós
Madeira
Javari
Juruá
Purus
Marañon
Ucayali
Amazonie
Chimborazo 6 272
Huascarán 6 768
Cordillère des Andes
Lac Titicaca
Ancohuma 7 014
Plateau de Bolivie
Guaporé
Plateau du Mato Grosso
Pantanal
Araguaia
Parnaíba
São Francisco
Cap São Roque
Plateau de Borborema
Plateau du Brésil
Serra da Mantiqueira
Pico de Bandeira 2 890
Chaco
Paraguay
Paraná
Pilcomayo
Bermejo
Gran Chaco
Salado
Uruguay
Désert d'Atacama
7 084 Ojos del Salado
Grandes Salines
Aconcagua 6 959
Col de la Cumbre
Pampa
Rio de la Plata
Colorado
Negro
Patagonie
San Félix
San Ambrosio
(Chili)
Îles Juan Fernández (Chili)
Chiloé
Archipel de los Chonos
Golfe de San Jorge
Wellington
Détroit de Magellan
Terre de feu
Cap Horn
Passage de Drake
Falkland (R.-U.)
Géorgie du Sud (R.-U.)
équateur
tropique du Capricorne
10°
0°
20°
30°
40°
50°
90°
80°
70°
60°
50°
40°
30°
1 000 km
0
200
500
1 000
2 000 m
marais
LIMA capitale d'État
Population des villes :
plus de 5 000 000 hab.
de 1 000 000 à 5 000 000 hab.
de 100 000 à 1 000 000 hab.
moins de 100 000 hab.
limite d'État

Des pays amis. ▷ De son propre camp. *Des troupes amies.* Ant. ennemi.

Ami du peuple (l'), l'un des journaux les plus célèbres de la Révolution française; rédigé par Marat et publié de 1789 à 1793.

amiable adj. **1.** Qui se fait de gré à gré. *Vente amiable. Procédure amiable,* sans instruction judiciaire. ▷ Loc. adv. *À l'amiable :* par voie de conciliation. **2.** MATH *Nombres amiables,* dont chacun est égal à la somme des parties aliquotes de l'autre (par ex. 284 et 220).

amiante n. m. CHIM Silicate de calcium et de magnésium résistant au feu et aux acides, qui se présente sous forme de filaments peu adhérents entre eux.

amianté, ée adj. TECH Se dit d'un revêtement qui contient de l'amiante.

amibe n. f. Protozoaire rhizopode d'eau douce et d'eau de mer qui se déplace en émettant des pseudopodes. *Parmi les six espèces d'amibes qui parasitent l'homme, une seule est pathogène.*

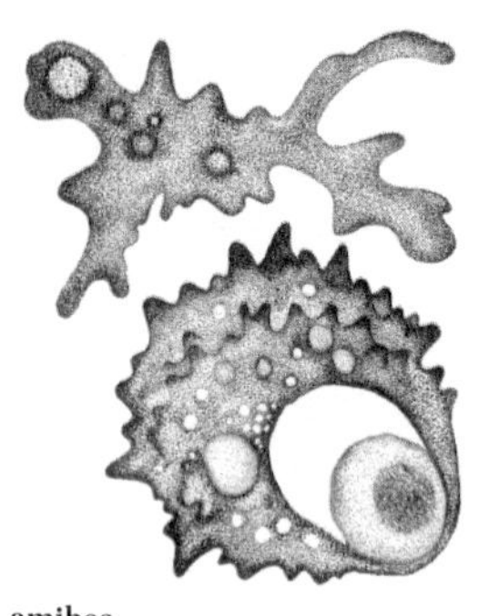

amibes

amibiase n. f. MED Parasitose du gros intestin, qui peut provoquer une diarrhée et des lésions hépatiques.

amibien, enne adj. **1.** Dû aux amibes. *Dysenterie amibienne.* **2.** Qui est spécifique des amibes.

amical, ale, aux adj. Qui est inspiré par l'amitié. Ant. hostile, malveillant.

amicale n. f. Association professionnelle ou privée, regroupant des personnes ayant une même activité. *Une amicale de pêcheurs à la ligne.*

amicalement adv. D'une manière amicale. *Bavarder amicalement.*

amide n. m. CHIM Composé organique dérivant de l'ammoniac ou des amines par substitution d'un ou plusieurs radicaux R–CO– à un ou plusieurs atomes d'hydrogène.

amidon n. m. Substance de réserve végétale, de nature glucidique, dont les granules broyés avec de l'eau chaude fournissent un empois.

amidonnage n. m. Action d'amidonner.

amidonner v. tr. [1] Empeser à l'amidon.

amiénois, oise adj. et n. D'Amiens.

Amiénois, partie de l'anc. province de Picardie réunie à la Couronne en 1185.

Amiens, ch.-l. du dép. de la Somme et de la Rég. Picardie, sur la Somme; 136 234 hab. (env. 156 000 hab. dans l'aggl.). Centre agric., industr. (pneumatiques, text., pharm., etc.). – Évêché. Université. La cath. d'Amiens, chef-d'œuvre goth. du XIIIe s., est la plus vaste égl. de France; statuaire remarquable (Beau Dieu). Musée. – La *paix d'Amiens* (1802), entre la France et la G.-B., mit fin à la deuxième coalition. – Le *congrès d'Amiens* (1906) et sa *Charte* ont consacré l'essor du syndicalisme franç. (C.G.T.) et son orientation révolutionnaire.

Amilcar Barca. V. Hamilcar.

Amilly, ch.-l. de cant. du Loiret (arr. de Montargis); 11 742 hab.

amincir v. tr. [3] **1.** Rendre plus mince. *Amincir une tôle.* ▷ v. pron. Devenir plus mince. Ant. épaissir. **2.** Faire paraître plus mince. *Cette robe l'amincit.*

amincissant, ante adj. Qui est destiné à faire maigrir. *Crème amincissante.* – Qui fait paraître plus mince. *Jupe, couleur amincissante.*

amincissement n. m. **1.** Action d'amincir; son résultat. **2.** Fait de s'amincir.

Amin Dada (Idi) (Koboko, 1925), homme politique ougandais. Général en chef (1966), il renversa le président Obote (janv. 1971). Il se comporta bientôt en dictateur sanguinaire et fut renversé à son tour (avril 1979).

amine n. f. CHIM Nom générique des composés organiques possédant le groupement R–CO–N (R'R"), R' et R" pouvant être l'atome d'hydrogène H.

aminé, ée adj. BIOCHIM *Acides aminés :* acides organiques possédant une ou plusieurs fonctions amine, et dont 20 sont indispensables à la vie.

a minima loc. adv. (lat.) DR *Appel a minima,* interjeté par le ministère public quand il estime trop faible la peine appliquée.

aminoacide n. m. Syn. de *acide aminé.*

aminosides n. m. pl. BIOCHIM Famille d'antibiotiques qui ont pour effet d'enrayer la croissance bactérienne en agissant sur la synthèse protéique au niveau des ribosomes. – Sing. *Un aminoside.*

amiral, aux n. m. Officier général de la marine militaire. ▷ adj. m. *Bâtiment amiral,* sur lequel se trouve l'amiral, le chef d'escadre.

amirale n. f. Femme d'un amiral.

amirauté n. f. **1.** État et office d'amiral; résidence, services et bureaux de l'amiral. **2.** Corps des amiraux, formant l'état-major de la marine militaire. – *Premier lord de l'Amirauté :* ministre britannique de la Marine.

Amirauté (îles de l'), archipel de la Mélanésie, au N.-E. de la Nouvelle-Guinée, dépendance de la Papouasie-Nouvelle-Guinée; 28 000 hab. – Occupé par les Japonais de 1942 à 1944.

Amis (Kingsley) (Londres, 1922 – *id.,* 1995), écrivain anglais. Représentant du groupe des « Jeunes hommes en colère », il évolue ensuite vers une critique plus humoristique que violente des conventions sociales : *Jim la Chance* (1954), *Un Anglais bien en chair* (1963), *l'Homme vert* (1969).

amish adj. et n. Se dit d'un groupe mennonite américain (Pennsylvanie), remarquable par son refus de la civilisation actuelle.

amitié n. f. **1.** Affection mutuelle liant deux personnes. *Une solide amitié les unit.* ▷ *Amitié particulière :* relation de caractère homosexuel. **2.** Témoignage d'affection bienveillante. *Faites-nous l'amitié d'accepter ce présent. Je lui transmettrai vos amitiés.* Ant. antipathie, inimitié.

Amiens : la cathédrale

amitose n. f. BIOL Division cellulaire sans mitose.

A.M.M. n. f. Sigle de *autorisation de mise sur le marché,* certificat administratif indispensable pour la commercialisation de tout nouveau médicament.

Amman *('Ammān),* cap. de la Jordanie; 972 000 hab. Centre comm.; raffinerie de pétrole.

Ammien Marcellin (Antioche, v. 330 – ?, v. 400), historien latin. Continuateur de Tacite, il fournit notam. une information sur les peuples barbares.

Ammon ou **Amon,** dieu principal de Thèbes, que les Égyptiens identifièrent avec Rê et les Grecs avec Zeus.

Ammon, fils de Loth, frère de Moab; ancêtre éponyme des Ammonites.

1. ammoniac n. m. Gaz de formule NH_3, incolore et d'odeur suffocante, extrêmement soluble dans l'eau.

2. ammoniac, aque adj. *Sel ammoniac :* chlorure d'ammonium.

ammoniacal, ale, aux adj. Qui est constitué par l'ammoniac, qui en contient. *Urine ammoniacale.*

ammoniaque n. f. Solution aqueuse de l'ammoniac.

ammonite n. f. PALEONT Mollusque céphalopode tétrabranchial fossile, à coquille spiralée, dont les multiples espèces, fort abondantes pendant le secondaire, avaient des formes et des tailles (jusqu'à 0,50 m) très diverses.

Ammonites, peuple sémite issu d'Ammon (Bible). Installés sur la r. dr. du Jourdain à partir du XIVe s. av. J.-C., ils entrèrent en guerre avec les Hébreux, qui les soumirent à la fin du VIIIe s. av. J.-C.

ammonium [amɔnjɔm] n. m. CHIM Radical de formule NH_4, que ses propriétés font classer parmi les métaux alcalins. – *Ion ammonium :* ion monovalent $[NH_4^+]$.

amnésie n. f. Diminution ou perte totale de la mémoire.

affiche d'**Amnesty International**

amnésique adj. (et n.) Qui est frappé d'amnésie.

Amnesty International, association internationale (secrétariat général à Londres) fondée en mai 1961 pour lutter contre la répression politique dans le monde. P. Nobel de la paix 1977.

amniocentèse [amnjosɛ̃tɛz] n. f. MED Prélèvement, aux fins d'analyse, de liquide amniotique, réalisé par ponction transabdominale.

amnios [amnjos] n. m. BIOL Annexe embryonnaire la plus interne chez les vertébrés supérieurs qui constitue une poche emplie de liquide dans lequel baigne le fœtus (appelée *poche des eaux* chez les mammifères).

amnioscopie n. f. MED Observation par le col utérin du liquide amniotique à travers la membrane placentaire.

amniote [amnjɔt] n. m. ZOOL Vertébré dont les annexes embryonnaires comportent un amnios (reptiles, oiseaux, mammifères).

amniotique adj. Qui appartient à l'amnios. *Le liquide amniotique protège et hydrate le fœtus.*

amnistiable adj. Qui peut être amnistié.

amnistie n. f. Acte du pouvoir législatif qui annule des condamnations et leurs conséquences pénales. *Un délit couvert par l'amnistie. Amnistie fiscale, douanière.*

amnistier v. tr. [2] Accorder une amnistie à. ▷ Pp. adj. *Elle est amnistiée.*

Amnon (v. 1000 av. J.-C.), fils aîné du roi David, tué par son frère Absalon.

amocher v. tr. [1] Fam. Abîmer, défigurer, blesser. *Il s'est fait amocher dans une bagarre.* ▷ v. pron. *Il s'est rudement amoché !*

amoindrir 1. v. tr. [3] Diminuer, rendre moindre. *La fatigue amoindrissait ses capacités.* Syn. réduire, restreindre. Ant. accroître, agrandir. 2. v. pron. Diminuer, devenir moindre. *Ses revenus se sont considérablement amoindris.*

amoindrissement n. m. Diminution, affaiblissement.

amok n. m. Didac. Crise de folie homicide dont sont parfois frappés certains opiomanes malais.

amollir v. tr. [3] 1. Rendre mou. *La chaleur amollit la cire.* 2. Fig. Rendre plus faible, enlever de la force. *De nombreuses pressions amollirent ses résolutions.* Syn. affaiblir, alanguir. Ant. affermir, endurcir. ▷ v. pron. *Son ardeur s'amollissait.*

amollissant, ante adj. Qui amollit.

amollissement n. m. Action d'amollir; état de ce qui est amolli.

Amon. V. Ammon.

Amon, roi de Juda (642-640 av. J.-C.), fils de Manassé.

amonceler 1. v. tr. [19] Entasser, mettre en monceau. *Ils amoncellent des piles de livres.* ▷ Fig. Réunir, accumuler. *Amonceler des preuves.* 2. v. pron. *De lourds nuages s'amoncelaient à l'horizon.*

amoncellement n. m. Entassement, accumulation (de qqch).

Amon-Rê. V. Rê.

amont n. m. (et adj. inv.) 1. Partie d'un cours d'eau comprise entre sa source et un point donné. Ant. aval. ▷ Loc. prép. *En amont de :* du côté d'où vient le courant (par rapport à un point donné). *En amont du pont.* 2. *Vent d'amont,* venant de l'intérieur des terres. 3. adj. inv. SPORT *Ski amont,* celui qui se trouve vers le haut de la piste.

amoral, ale, aux adj. Qui ignore les principes de la morale. Ant. moral.

amoralisme n. m. Attitude d'une personne amorale. Ant. moralisme.

amoralité n. f. Caractère de ce qui est étranger à la notion de moralité. Ant. moralité.

amorçage n. m. Action d'amorcer. ▷ ELECTR Phénomène transitoire précédant l'établissement du régime permanent dans une génératrice dont le courant est fourni par l'induit. ▷ ELECTRON *Amorçage d'un arc :* processus d'établissement d'un arc ou d'une étincelle. ▷ TECH *Amorçage d'une tuyère :* établissement d'un régime sonique ou supersonique dans une tuyère.

amorce n. f. 1. Appât jeté dans l'eau ou disposé autour d'un piège pour attirer le poisson, le gibier. 2. Capsule à poudre fulminante servant à mettre à feu une charge de poudre, d'explosif. – Pastille de fulminate collée entre deux papiers, servant de jeu pour les enfants. *Pistolet à amorces.* 3. *Par ext.* Ébauche (d'un ouvrage). *L'amorce d'une rue.*

amorcer v. tr. [12] 1. PECHE Garnir d'une amorce. *Amorcer un hameçon.* ▷ Attirer en jetant une amorce. *Amorcer les poissons.* Syn. appâter. 2. Munir d'une amorce (une charge de poudre, d'explosif). 3. *Amorcer une pompe,* y verser ou y amener du liquide pour déclencher son fonctionnement normal. 4. *Par ext.* Ébaucher (un ouvrage). *Amorcer une allée.* ▷ Fig. *Amorcer une affaire,* la mettre en train.

amoroso adv. MUS Avec une expression tendre (indication figurant sur une partition).

amorphe adj. 1. Qualifie une personne sans caractère, sans énergie. *C'est un être amorphe,* sans volonté. Syn. inconsistant, mou. Ant. énergique. 2. CHIM Qui n'a pas le caractère cristallin.

Amorrites ou **Amorrhéens,** peuple sémitique nomadisant dans le pays d'Amourrou (Hte-Syrie); établi en Mésopotamie v. 1830 av. J.-C., il s'organisa en un puissant royaume dont Babylone fut la capitale, et Hammourabi le chef le plus prestigieux.

amorti n. m. SPORT 1. Au tennis, au tennis de table, action de frapper la balle de façon qu'elle ne rebondisse que faiblement et presque verticalement. 2. Au football, fait d'arrêter le ballon en accompagnant du pied ou du genou son mouvement sur sa trajectoire.

amortir v. tr. [3] 1. Diminuer la force, l'intensité de. *Amortir un choc, un bruit.* ▷ Fig. *Une longue vie commune a amorti leur passion.* Syn. affaiblir. ▷ v. pron. *Bruits qui s'amortissent dans le lointain.* 2. FIN Échelonner une dépense sur une certaine durée. *Amortir une dette,* en rembourser progressivement le montant jusqu'à son extinction. ▷ Cour. Récupérer une somme consacrée à l'achat d'un bien par son utilisation. *Amortir une automobile.*

amortissable adj. Qui peut être amorti (sens 2).

amortissement n. m. 1. Atténuation, réduction de l'intensité. *Amortissement d'un choc.* ▷ PHYS Réduction progressive de l'amplitude d'un mouvement oscillatoire, d'une onde. 2. FIN Action d'amortir (sens 2). *Amortissement d'un emprunt. Amortissement linéaire,* dans lequel la somme à amortir est répartie également sur plusieurs années. *Amortissement dégressif,* dans lequel une part plus importante de la somme à amortir est affectée sur les premières années. ▷ *Caisse d'amortissement,* destinée à l'extinction graduelle de la dette publique. ▷ FISC Déduction comptable compensant la perte subie du fait de l'immobilisation ou de la dépréciation de certains éléments d'un actif. 3. ARCHI Ornement placé au faîte d'un édifice.

amortisseur n. m. Dispositif permettant de réduire l'amplitude des oscillations engendrées lors d'un choc brutal. *Les amortisseurs d'une automobile.*

Amos (VIIIe s. av. J.-C.), un des douze petits prophètes juifs. Ses prophéties composent neuf chapitres de la Bible.

Amou-Daria (anc. *Oxus*), fl. d'Asie soviétique (2 600 km); naît dans le Pamir et se jette dans la mer d'Aral. Il sert de frontière entre l'Afghānistān et le Tadjikistan, l'Afghānistān et l'Ouzbékistan, l'Afghānistān et le Turkménistan, puis entre l'Ouzbékistan et le Turkménistan.

amour n. m. I. 1. Sentiment d'affection passionnée, attirance affective et sexuelle d'un être humain pour un autre du sexe opposé (du même sexe, en cas d'homosexualité). *Elle lui a inspiré un grand amour. Aimer d'amour. Filer le parfait amour :* s'aimer dans une entente parfaite. – *Faire l'amour (avec qqn),* avoir des rapports sexuels. ▷ n. f. pl. Litt. *De folles amours.* Syn. passion, tendresse, attachement. 2. La personne aimée. *Mon amour.* – *Vous êtes un amour :* vous êtes très aimable, charmant(e). 3. Représentation allégorique du dieu Amour. *Des amours joliment sculptés.* ▷ *Amour-en-cage :* Syn. de alkékenge. II. Vif sentiment d'affection que ressentent les uns pour les autres les membres d'une même famille. *Amour maternel, filial, fraternel.* III. 1. Sentiment de profond attachement (à un idéal moral, philosophique, religieux) impliquant don de soi et renoncement à l'intérêt individuel au profit d'une valeur ressentie comme supérieure. *L'amour du prochain, de la patrie.* ▷ *Amour de Dieu :* piété, ferveur. – *Pour l'amour de Dieu :* formule de supplication. 2. Goût, enthousiasme pour une chose, une activité. *L'amour de la musique.* – *Faire un travail avec amour,* avec grand plaisir et en y mettant tout son soin. Ant. aversion, dégoût.

Amour ou **Heilongjiang,** fl. d'Extrême-Orient (4 354 km), formé par la réunion de l'*Argoun* et de la *Chilka*; sert de frontière entre la Russie et la Chine du N.-E.; se jette dans la mer d'Okhotsk.

Amour (djebel), massif de l'Atlas saharien, en Algérie méridionale.

Amour, dieu identifié avec l'Éros grec, amant de Psyché*, et avec le Cupidon latin.

amouracher (s') v. pron. [1] Péjor. S'éprendre soudainement (de qqn). *Il s'est amouraché d'une petite pimbêche.*

1. amourette n. f. Aventure sentimentale sans conséquence.

2. amourette n. f. **1.** Rég. Graminée à épillets mobiles. **2.** *Bois d'amourette* : bois d'un arbre du genre *Mimosa* (fam. papilionacées), employé en ébénisterie.

3. amourettes n. f. pl. CUIS Moelle épinière des animaux de boucherie.

amoureusement adv. D'une façon amoureuse; avec amour.

amoureux, euse adj. (et n.) **1.** Propre à l'amour, qui dénote de l'amour. *Sentiments, regards amoureux.* **2.** Qui éprouve de l'amour. *Ne la taquine pas, elle est amoureuse.* **3.** n. Celui, celle qui éprouve de l'amour. *C'est son amoureux.*

amour-propre n. m. Sentiment très vif qu'une personne a de sa propre valeur, dont elle veut garantir l'image aux yeux d'autrui. *Il a trop d'amour-propre pour faire cette bassesse. Des amours-propres.*

amovibilité n. f. DR Caractère de ce qui est amovible.

amovible adj. **1.** DR Qui peut être déplacé, muté. *Certains fonctionnaires sont amovibles.* Ant. inamovible. **2.** Qui peut être démonté, enlevé. *Pièce amovible d'un mécanisme.* Ant. fixe, inamovible.

Amoy. V. Xiamen.

A.M.P. n. m. BIOCHIM (Sigle de *adénosine monophosphate.*) Molécule dont le potentiel énergétique est utilisable au cours des réactions métaboliques cellulaires.

A.M.P.c. n. m. BIOCHIM (Sigle de *adénosine monophosphate cyclique.*) Molécule présente dans la membrane cellulaire qui, servant de médiateur intracellulaire, joue le rôle de second messager hormonal. *A.M.P. cyclique* : V. hormone.

ampélidacées n. f. pl. BOT Famille de dicotylédones dialypétales, dont la vigne est le type, comprenant surtout des arbustes grimpant à l'aide de vrilles. – Sing. *Une ampélidacée.*

ampélopsis [ɑ̃pelɔpsis] n. m. BOT Syn. de *vigne vierge.*

ampère n. m. ELECTR Unité d'intensité des courants électriques (symbole A).

Ampère (André Marie) (Lyon, 1775 – Marseille, 1836), physicien et mathématicien français. Particulièrement précoce (il composa à treize ans un traité sur les sections coniques), il fut inspecteur général de l'Université, membre de l'Institut, professeur au Collège de France. Il étudia l'action des courants électriques sur les aimants et l'action mutuelle des courants, créant ainsi l'électrodynamique et ouvrant la voie à de nombreuses inventions.

ampère-heure n. m. Quantité d'électricité transportée en 1 heure par un courant de 1 ampère (symbole Ah). *Des ampères-heures.*

ampèremètre n. m. Appareil de mesure de l'intensité d'un courant.

amphétamine n. f. MED Excitant du système nerveux central, classé parmi les toxiques, qui accroît les capacités physiques et psychiques de l'individu, mais entraîne accoutumance, assuétude et dépendance. *Les amphétamines sont souvent employées dans le dopage.*

amphi-. Préfixe, du gr. *amphi,* « autour de, des deux côtés ».

amphibie adj. (et n.) **1.** Qui vit dans l'air et dans l'eau. *Les phoques sont amphibies.* ▷ Subst. *Un amphibie.* **2.** Qui peut se déplacer sur terre et dans l'eau. *Véhicule amphibie.*

amphibiens n. m. pl. ZOOL Classe de vertébrés tétrapodes poïkilothermes, à peau nue, généralement ovipares, comprenant trois ordres : les anoures (grenouilles, crapauds), les urodèles (tritons, salamandres) et les apodes (cécilie). Syn. anc. batraciens. – Sing. *Un amphibien.*

amphibole n. f. MINER Minéral composé de silicates de fer, calcium et magnésium, généralement de couleur sombre, entrant en partie dans la constitution des roches éruptives et métamorphiques.

amphibologie n. f. GRAM Construction vicieuse qui donne un double sens à une phrase (par ex. : *j'ai volé une pomme à ma sœur qui n'est pas bonne*); équivoque.

amphibologique adj. GRAM À double sens, ambigu.

amphigouri n. m. RHET Discours, écrit confus et obscur.

amphigourique adj. RHET Confus, embrouillé. *Style amphigourique.*

amphion n. m. CHIM Ion possédant une charge positive et une charge négative.

Amphion, fils de Zeus et d'Antiope, époux de Niobé. Il bâtit les murailles de Thèbes en faisant s'entasser d'elles-mêmes les pierres au son d'une lyre d'or.

amphioxus [ɑ̃fjɔksys] n. m. ZOOL Invertébré marin céphalocordé *(Branchiostoma lanceolatum),* dont le squelette, interne, dorsal, est réduit à la corde et l'œil à une tache oculaire, insensible à la lumière.

amphipodes n. m. pl. ZOOL Ordre de petits crustacés d'eau douce et d'eau de mer, comprenant les puces de mer, les gammares, etc. – Sing. *Un amphipode.*

Amphipolis, anc. v. de Macédoine; colonie d'Athènes enlevée par Philippe II de Macédoine aux Grecs en 357 av. J.-C. Auj. *Neokhóri.*

amphiprion n. m. ICHTYOL Poisson téléostéen à rayures oranges et blanches, qui vit dans les récifs de l'Asie du S.-E. Syn. poisson-clown.

A. M. **Ampère**

H. C. **Andersen**

amphisbéniens n. m. pl. ZOOL Ordre de reptiles apodes des régions tropicales, auj. détachés des sauriens, semblables à de gros vers de terre. – Sing. *Un amphisbénien.*

Amphissa (en gr. mod. *Amfissa*; anc. *Sálona*), v. de Grèce; 7 160 hab.; ch.-l. du nome de Phocide. – Rasée par les Macédoniens v. 338 av. J.-C., puis reconstruite, elle prit le nom de Sálona au temps des croisés.

amphithéâtre n. m. **1.** ANTIQ ROM Vaste édifice à gradins, de forme ronde ou elliptique, destiné principalement aux combats de gladiateurs et aux jeux publics. *Amphithéâtre de Pompéi.* ▷ *Terrain en amphithéâtre,* aux pentes incurvées et s'élevant graduellement. *Alger est bâtie en amphithéâtre.* **2.** *Par anal.* Salle de cours, garnie de gradins. (Abrév. fam. : amphi). **3.** GEOL *Amphithéâtre morainique* : bassin limité par la moraine frontale d'un glacier qui s'est retiré.

amphithéâtre romain (30 000 places), El Djem, Tunisie

Amphitrite, déesse des Mers, épouse de Poséidon et mère de Triton.

amphitryon n. m. Plaisant Maître d'une maison où l'on dîne, celui qui donne à dîner.

Amphitryon, roi de Tirynthe, fils d'Alcée. Uni à Alcmène sans être autorisé à consommer le mariage, il sera trompé par Zeus qui séduisit celle-ci en prenant ses traits.

amphore n. f. ANTIQ Vase ovoïde en terre cuite, à deux anses. *Les amphores contenaient des grains ou des liquides destinés à être transportés.*

amphotère adj. CHIM Qui possède à la fois des propriétés acides et basiques.

ampicilline n. f. PHARM Antibiotique à très large spectre.

ample adj. **1.** Vaste, large. *Un vêtement ample.* Ant. ajusté, étriqué, étroit. **2.** Important, abondant. *J'ai fait pendant mon voyage une ample provision de souvenirs.* ▷ Loc. *Jusqu'à plus ample informé* : avant d'avoir recueilli plus d'informations.

amplement adv. D'une manière ample, abondamment. *Il a été amplement renseigné.*

ampleur n. f. **1.** Caractère de ce qui est ample (sens 1). *Cette manche a trop d'ampleur.* **2.** Importance, étendue. *On mesure l'ampleur de la crise.*

ampli n. m. Abrév. fam. de *amplificateur.*

ampliatif, ive adj. DR Qui complète un acte précédent.

ampliation n. f. DR Copie authentique de l'original d'un acte notarié ou administratif. ▷ *Pour ampliation* : formule placée en bas des actes ampliatifs.

amplificateur n. m. ELECTRON Appareil qui amplifie un signal dont l'amplitude est trop faible pour qu'on puisse l'utiliser directement. (Abrév. fam. : ampli).

amplification n. f. 1. ELECTRON Action d'amplifier un signal. 2. LITTER Développement d'un sujet en littérature. – Péjor. Développement verbeux, exagération.

amplifier 1. v. tr. [2] Augmenter la quantité, le volume, l'étendue, l'importance de. *Amplifier le courant, le son. Amplifier les échanges commerciaux.* Ant. abréger, diminuer, réduire, restreindre. 2. v. pron. Devenir plus important. *Le recul des valeurs à la Bourse s'amplifie.*

amplitude n. f. 1. Vx Grandeur, étendue considérable. 2. Écart entre deux valeurs extrêmes de la température. *L'amplitude entre le jour et la nuit est considérable au Sahara.* 3. *Amplitude d'un mouvement oscillatoire,* son élongation maximale. 4. ASTRO Arc de l'horizon compris entre le point où un astre se lève ou se couche et les directions de l'est et de l'ouest. 5. GEOPH Syn. cour. de *magnitude.*

ampli-tuner n. m. Élément d'une chaîne haute-fidélité regroupant un amplificateur et un tuner. *Des amplis-tuners.*

ampoule n. f. 1. Petit tube de verre, terminé en pointe et soudé, contenant un médicament liquide; son contenu. *Verser (le contenu d')une ampoule dans un verre d'eau.* ▷ HIST *La Sainte Ampoule* : vase contenant l'huile consacrée, qui servait à l'onction des rois de France (de Clovis à Charles X). 2. *Ampoule électrique* : enveloppe de verre enfermant le filament des lampes à incandescence et généralement remplie d'un gaz inerte pour éviter la destruction du filament par oxydation. 3. MED Petit gonflement de l'épiderme, rempli de sérosité, consécutif à un frottement ou à une brûlure. *Il s'est fait des ampoules aux pieds.* Syn. phlyctène.

ampoulé, ée adj. Emphatique, pompeux. *Tenir un discours ampoulé.* Ant. naturel, simple.

amputation n. f. 1. CHIR Ablation d'un membre, d'un segment de membre ou de certains organes. *Amputation d'une jambe, d'un sein.* 2. Fig. *Amputation d'un texte.*

amphore ionienne peinte; B.N.

amputé, ée adj. et n. Se dit d'une personne qui a subi l'ablation d'un membre ou d'un segment de membre. ▷ Subst. *Un amputé du bras droit.*

amputer v. tr. [1] 1. Pratiquer l'amputation de. *Amputer un membre.* 2. Fig. *Amputer un texte,* en retrancher un ou plusieurs passages. *Amputer des crédits.*

Amr (ibn il-As) (*'Amr ibn al-'Āṣ*) (La Mecque, v. 580 – Fusṭāṭ, v. 663-664), de la tribu des Qurayshites, compagnon de Mahomet, converti à l'islam vers 629. Chargé par le calife Abu Bakr de la direction d'une des armées qui entreprirent les conquêtes, il s'empara de l'Égypte et la gouverna jusqu'à sa mort.

Amri ou **Omri,** roi d'Israël (v. 884-874 av. J.-C.). Son fils Achab lui succéda.

Amritsar, v. de l'Inde (Pendjab); 709 000 hab. Centre comm. et artisanal (laine, coton). – Cité sainte des sikhs : Temple d'or, élevé du XVIe au XVIIIe s.

Amsterdam, cap. et très import. port de comm. des Pays-Bas (dont la cap. admin. est *La Haye*), v. sillonnée de canaux, à l'embouchure de l'*Amstel*; 691 740 hab.; centre industr., tourist. et d'affaires, taille de diamants; raff. de pétrole. – Célèbres musées, le Rijksmuseum (Rembrandt, notam.) et le Stedelijkmuseum (Van Gogh). – Dès le XVe s., elle fut le princ. centre comm. de la Hollande. En 1568, elle fit partie des Provinces-Unies. Au XVIIe s., sa prospérité s'accrut par la création de la Compagnie des Indes orientales et de la Banque d'Amsterdam.

Amsterdam

amuïr (s') [amɥir] v. pron. [3] PHON Devenir muet, ne plus se prononcer.

amuïssement [amɥismɑ̃] n. m. PHON Fait de s'amuïr. *L'élision est l'amuïssement d'une des voyelles finales, a, e, i, devant une initiale vocalique.*

amulette n. f. Petit objet que l'on porte sur soi et auquel on attribue un pouvoir magique de protection.

Amundsen (Roald) (Hvitsten, près d'Oslo, 1872 – dans l'Arctique, 1928), explorateur norvégien, le premier à avoir atteint le pôle Sud (14 déc. 1911). Il disparut en portant secours à Nobile.

amure n. f. MAR ANC Cordage maintenant au vent le coin inférieur d'une voile. ▷ *Point d'amure* : anc. coin de la voile portant l'amure; mod. coin inférieur avant d'une voile triangulaire. ▷ *Courir bâbord, tribord amures,* en recevant le vent par bâbord, par tribord.

amusant, ante adj. Qui amuse, divertit.

amuse-gueule ou **amuse-bouche** n. m. inv. Fam. Petit hors-d'œuvre servi avec l'apéritif.

amusement n. m. Ce qui amuse. *Les cartes sont pour lui un amusement.* Syn. distraction, récréation.

amuser v. [1] I. v. tr. 1. Distraire, divertir. *Ses plaisanteries m'ont bien amusé.* Syn. égayer. Ant. ennuyer. 2. Tromper au moyen d'habiles diversions. *Il amuse l'auditoire pour gagner du temps.* II. v. pron. Se distraire, se divertir, jouer. *Les enfants s'amusent.* – *S'amuser de quelqu'un,* se moquer de lui. ▷ *Ne vous amusez pas à...* : ne vous avisez pas de...

amusette n. f. Distraction sans portée, à laquelle on n'attache pas d'importance.

amuseur, euse n. Personne qui amuse.

Amy (Gilbert) (Paris, 1936), compositeur et chef d'orchestre français. Élève de D. Milhaud et d'O. Messiaen, puis de P. Boulez, il a composé des œuvres de musique sérielle d'abord austères : *Diaphonies* (1961); puis plus libres : *D'un espace déployé* (1972-1973), *Adagio et stretto* (1979), *Une saison en enfer* (1980).

amygdale [amidal] n. f. Formation lymphoïde située dans la gorge (les plus importantes sont les deux amygdales palatines, de part et d'autre du voile du palais, dans les fosses amygdaliennes).

amygdalectomie [amidalɛktɔmi] n. f. CHIR Ablation des amygdales.

amygdalite [amidalit] n. f. MED Inflammation des amygdales.

amyl(o)-. Élément, du lat. d'orig. gr. *amylum,* «amidon», entrant dans la composition de plusieurs mots.

amylacé, ée adj. CHIM Qui contient de l'amidon.

amylase n. f. BIOCHIM Enzyme d'origine salivaire et pancréatique, qui scinde l'amidon et le glycogène en dextrines et maltose, au cours de la digestion intestinale.

amyle n. m. CHIM Radical monovalent C_5H_{11}, caractéristique d'un groupe de composés (*composés amyliques*).

amylobacter n. m. BIOL Bacille anaérobie qui transforme la cellulose, les sucres en acide butyrique.

amylose n. 1. n. m. BIOCHIM Polyoside constituant de l'amidon, formé de 250 à 300 monomères (*glucose*). 2. n. f. MED Maladie grave caractérisée par l'infiltration dans les différents tissus d'une glycoprotéine mal connue.

Amyntas, nom de plusieurs rois de Macédoine, dont **Amyntas III** (v. 389 – v. 369 av. J.-C.), père de Philippe II.

Amyot (Jacques) (Melun, 1513 – Auxerre, 1593), humaniste français, évêque d'Auxerre (1570). Ses traductions d'Héliodore, de Longus, de Plutarque (*Vies parallèles,* 1559; *Œuvres morales,* 1572) ont contribué à la formation de la langue classique.

amyotrophie n. f. MED Atrophie musculaire.

an-. V. a- 2.

an n. m. Période correspondant à la durée d'une révolution de la Terre autour du Soleil; année. *Il y a trois ans... Il a cinquante ans.* – Loc. *Bon an, mal an* : compensation faite des bonnes et des mauvaises années. – Plur. Poét. *Le poids des ans.* ▷ Période allant du 1er janvier au 31 décembre, dans le calendrier grégorien. *L'an prochain, l'an dernier. Le jour de l'an* : le 1er janvier. –

Indiquant une date. *L'an 1280 après J.-C. L'an 923 de l'hégire. L'an II de la république.*

ana-. Préfixe, du gr. *ana,* «de bas en haut», marquant une idée de mouvement en arrière, de répétition.

ana n. m. inv. LITT Recueil de pensées, d'anecdotes, de bons mots.

anabaptisme [anabatism] n. m. Doctrine des anabaptistes, issue de la Réforme (XVIe s.).

anabaptiste [anabatist] n. et adj. Adepte d'un mouvement protestant qui dénie toute valeur au baptême des enfants et réserve ce sacrement aux adultes.

Anabar, fl. de Russie; 936 km[2]. Né sur les plateaux de Sibérie centrale *(bouclier d'Anabar),* il aboutit dans la mer des Laptev.

anableps [anablɛps] n. m. Poisson de la mangrove respirant hors de l'eau.

anabolisant, ante adj. et n. m. Qui favorise l'anabolisme. ▷ n. m. Stéroïde de synthèse qui entraîne une augmentation de l'anabolisme protidique. *Sportif dopé aux anabolisants.*

anabolisme n. m. BIOL Ensemble des réactions de synthèse s'effectuant dans un organisme vivant.

anacarde n. m. BOT Autre nom de la noix de cajou*.

anacardier n. m. Arbrisseau tropical (fam. térébinthacées) dont une espèce est cultivée pour l'amande de son fruit, la noix de cajou.

anacardier : feuille, pomme et noix de cajou

anachorète [anakɔʀɛt] n. m. Ascète qui vit seul, retiré du monde. ANT. cénobite (qui vit en communauté).

anachronique [anakʀɔnik] adj. **1.** Entaché d'anachronisme (sens 1). **2.** Suranné, désuet.

anachronisme n. m. **1.** Faute contre la chronologie; attribution à une époque d'usages, de notions, de pratiques qu'elle n'a pas connus. **2.** Usage suranné, désuet. ▷ Caractère de ce qui est anachronique.

Anaclet (Pietro Pierleoni), antipape de 1130 à 1138, opposé à Innocent II.

anacoluthe n. f. RHET Rupture dans la construction d'une phrase. *« Vous, ministre de paix [...], Le sang, à votre gré, coule trop lentement » (Racine).*

anaconda n. m. ZOOL Serpent des marais et des fleuves d'Amérique tropicale (fam. boïdés, n. scientif. *eunecte*), qui peut atteindre dix mètres.

Anacréon (Téos, Ionie, v. 570 av. J.-C.), poète lyrique grec. Il célébra les plaisirs de la vie dans des odes bachiques, dont il reste des fragments. Les poèmes dits *Anacreonteia,* édités par H. Estienne en 1554, probablement apocryphes, sont à l'origine de la poésie *anacréontique.*

anacroisés n. m. pl. (Nom déposé) Mots croisés dont les mots sont présentés dans l'ordre alphabétique de leurs lettres.

anadipsie n. f. MED Syn. de *polydipsie.*

Anadyr, fl. de Russie (Sibérie extrême-orientale) (1 145 km); naît dans les monts du m. nom et se jette dans la mer de Béring, par le *golfe d'Anadyr.*

anaérobie adj. BIOL Qui ne peut vivre au contact de l'air. *Processus anaérobies,* qui se déroulent en l'absence d'oxygène. ANT. aérobie.

anaérobiose n. f. BIOL Conditions nécessaires au développement des organismes anaérobies. ANT. aérobiose.

anaglyphe n. m. **1.** ANTIQ Ouvrage sculpté ou ciselé en relief. **2.** PHOTO Procédé stéréoscopique donnant une impression de relief.

Anagni, v. d'Italie (Latium); 18 470 hab. – Le pape Boniface VIII y fut arrêté par Nogaret, envoyé de Philippe IV le Bel, et par Sciarra Colonna (1303); les hab. d'Anagni le libérèrent.

anagrammatique adj. De l'anagramme.

anagramme n. f. Mot obtenu par transposition des lettres d'un autre mot (ex. : *chien, niche, chine*). *Alcofribas Nasier, pseudonyme de François Rabelais, est une anagramme.*

Anaheim, v. des É.-U. (Californie); 266 400 hab. – Parc de Disneyland.

Anáhuac, l'un des noms du Mexique avant la conquête espagnole. – Auj. plateau des environs de Mexico.

anal, ale, aux adj. De l'anus, relatif à l'anus. *Le sphincter anal.* ▷ PSYCHAN *Stade anal :* V. sadique-anal.

analgésie n. f. MED Abolition de la sensibilité douloureuse.

analgésique adj. (et n. m.) Qui diminue ou supprime la douleur.

analité n. f. PSYCHAN Organisation psychique liée au stade sadique-anal.

anallergique adj. MED Qui ne provoque pas d'allergie.

analogie n. f. **1.** Rapport de ressemblance établi par l'intelligence ou l'imagination entre deux ou plusieurs objets. *L'analogie entre l'homme et le singe. Une analogie frappante.* ▷ *Raisonner par analogie,* en se fondant sur des rapports de similitude entre deux ou plusieurs objets. ANT. dissemblance, contraste. **2.** LING *Principe d'analogie,* en vertu duquel certaines formes subissent l'influence d'autres que l'esprit leur associe (ex. : *« vous disez »* – barbarisme –, pour *« vous dites »,* sur le modèle de *« vous lisez »*). **3.** MATH Proportionnalité.

analogique adj. **1.** Fondé sur l'analogie. *Dictionnaire analogique.* **2.** INFORM Qui est représenté par la variation continue d'une certaine grandeur (par oppos. à *numérique*). **3.** *Signal analogique :* signal pouvant prendre une infinité continue de valeurs. *Le son d'un instrument de musique constitue un signal analogique.*

analogiquement adv. Par analogie.

analogue adj. (et n. m.) Qui présente une analogie. SYN. ressemblant, similaire. ANT. contraire, opposé. ▷ n. m. Être ou objet analogue à un autre. SYN. équivalent, homologue.

analphabète adj. (et n.) Qui ne sait ni lire ni écrire. SYN. illettré.

analphabétisme n. m. État de l'analphabète.

analysable adj. Qui peut être analysé.

analysant, ante n. PSYCHAN Personne qui est en analyse.

analyse n. f. Décomposition d'un tout en ses parties. ANT. synthèse. **1.** Opération par laquelle l'esprit, pour parvenir à la connaissance d'un objet, le décompose en ses éléments (regroupés ensuite dans l'opération de *synthèse*). ▷ Étude détaillée de nos sentiments, des mobiles profonds de nos actes. *Roman d'analyse.* ▷ Loc. *En dernière analyse :* une fois l'analyse faite, dans le fond. **2.** CHIM Détermination de la composition d'une substance. – MED Examen biologique permettant d'établir ou de préciser un diagnostic. *Analyse de sang.* ▷ ELECTRON Lecture et interprétation d'informations. – *Analyse d'une image de télévision,* décomposition de cette image en lignes et points. ▷ PHYS *Analyse spectrale :* détermination de la structure d'un composé à partir de son spectre d'émission ou d'absorption. **3.** Étude des idées essentielles constitutives d'une œuvre artistique ou littéraire. *Analyse d'une pièce de théâtre.* **4.** GRAM Décomposition d'une phrase en propositions *(analyse logique),* d'une proposition en mots *(analyse grammaticale),* dont on établit la nature et la fonction. **5.** MATH Partie des mathématiques comprenant le calcul infinitésimal, ainsi que ses applications. – *Analyse harmonique :* décomposition d'une fonction harmonique en fonctions sinusoïdales. – *Analyse vectorielle* ou *tensorielle :* théorie des transformations infinitésimales des vecteurs ou des tenseurs. – *Analyse combinatoire,* qui fait appel aux notions de combinaisons, d'arrangements et de permutations. **6.** Traitement psychanalytique. **7.** INFORM Ensemble des opérations qui interviennent avant la programmation. – *Analyse fonctionnelle :* description des données du problème à traiter, des algorithmes de calcul et de l'organisation générale du traitement. – *Analyse organique :* description détaillée des programmes et des traitements.

analyser v. tr. [1] Procéder à l'analyse de. *Analyser une substance. Analyser ses sentiments. Analyser une œuvre.* ▷ Pp. adj. Qui a été l'objet d'une analyse.

analyseur n. m. Appareil permettant de faire une analyse (air, eau, etc.). – PHYS Système optique permettant de définir l'état de polarisation d'un faisceau lumineux. – ELECTRON *Analyseur d'images :* tube électronique qui transforme une image en signaux électriques.

analyste n. **1.** Spécialiste de l'analyse (chimique, mathématique, financière). **2.** INFORM Personne chargée des opérations de diagnostic (recherche de l'utilité de l'emploi de l'ordinateur) et d'analyse. **3.** Personne versée dans l'analyse psychologique. **4.** Psychanalyste.

analyste-programmeur n. m. INFORM Spécialiste de l'analyse et de la programmation. *Des analystes-programmeurs.*

analytique adj. et n. f. **1.** adj. Qui contient une analyse, procède par analyse. *Table analytique des matières.* ANT. synthétique. ▷ MATH Qui relève du domaine de l'analyse. *Géométrie analytique,* appliquant le calcul algébrique à la géométrie. *Fonction analytique.* ▷ *Langues analytiques,* qui utilisent peu de formes liées et expriment les rapports syntaxiques par des mots distincts (par oppos. aux *langues synthétiques*). ▷ *Technique* ou *traitement analytique*, qui utilise la psychanalyse. **2.** n. f. PHILO Chez Aristote, logique du certain; chez Kant, critique de l'entendement.

analytiquement adv. Didac. Par voie d'analyse.

anamnèse n. f. **1.** LITURG Prière de la messe qui suit l'élévation et qui rappelle la passion, la résurrection et l'ascension du Christ. **2.** MED Renseignements fournis par le malade et son entourage sur l'histoire de sa maladie. ▷ Par ext. Litt. Évocation du passé.

anamniote [anamnjɔt] n. m. ZOOL Vertébré dont les annexes embryonnaires ne comportent pas d'amnios (cyclostomes, poissons et amphibiens).

anamorphose n. f. PHYS Image d'un objet déformée par certains dispositifs optiques (miroirs cylindriques, par ex.). ▷ PEINT Représentation volontairement déformée d'un sujet, dont le véritable aspect ne peut être découvert par le spectateur que sous un angle déterminé par rapport au plan du tableau. ▷ CINE Procédé optique consistant à rendre, à la projection, des proportions normales à l'image comprimée à la prise de vues (utilisé dans le cinémascope, par ex.). ▷ MATH Transformation géométrique des figures où les coordonnées sont multipliées par deux constantes différentes.

ananas [anana] n. m. **1.** Plante originaire de l'Amérique tropicale (fam. broméliacées). **2.** Fruit, comestible, de cette plante. *Tranches d'ananas.*

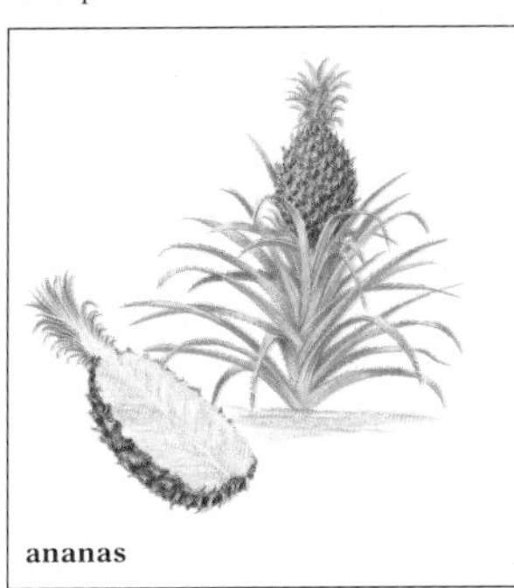
ananas

anapeste n. m. METR ANC Pied d'un vers grec ou latin composé de deux syllabes brèves et d'une longue.

anaphase n. f. BIOL Troisième étape de la mitose, au cours de laquelle les chromatides se séparent et se dirigent vers les pôles de la cellule.

anaphore n. f. RHET Répétition d'un mot ou d'un groupe de mots au début de plusieurs phrases successives, pour insister sur une idée, produire un effet de symétrie.

anaphorique adj. et n. m. RHET Qui concerne l'anaphore; qui comporte une anaphore. ▷ n. m. Mot qui renvoie à un mot apparu dans une phrase antérieure.

anaphylactique adj. Dû à l'anaphylaxie. *Choc anaphylactique.*

anaphylaxie n. f. MED Réaction souvent violente d'un organisme à une substance à laquelle il a déjà été sensibilisé lors d'un contact antérieur.

anaplasie n. f. MED Perte anormale de certains caractères cellulaires, sans retour à l'état de cellule primitive.

anamorphose *au Rubens*, école italienne, XVIIe s.; musée des Beaux-Arts, Rouen

anarchie n. f. **1.** État de désordre et de confusion qu'entraîne la faiblesse de l'autorité politique. *Pays où règne l'anarchie.* **2.** *Par ext.* Désordre, confusion. *Entreprise en pleine anarchie.* **3.** Anarchisme.
ENCYCL L'anarchie, en tant que doctrine, date du XIXe s. Les anarchistes sont les ennemis radicaux de toute hiérarchie, de tout État; passée l'époque de l'attentat terroriste (nihilistes russes), ils prônent la spontanéité des masses (Russie de 1917, guerre d'Espagne, voire Mai 1968) et seule une partie d'entre eux (militants de l'anarcho-syndicalisme, né à la fin du XIXe s.) se déclara favorable à l'action syndicale.

anarchique adj. **1.** Marqué par le désordre, la confusion. *Gestion anarchique d'une affaire. – Prolifération anarchique des cellules.* **2.** De l'anarchisme; relatif à l'anarchisme.

anarchiquement adv. D'une façon anarchique.

anarchisant, ante adj. Qui a des tendances anarchistes.

anarchisme n. m. Doctrine politique qui prône la suppression de l'État.

anarchiste adj. et n. De l'anarchisme, de ses partisans. *Un complot anarchiste.* ▷ Subst. *Un anarchiste.* (Abrév. fam. : anar).

anarcho-syndicalisme [anaʀkosɛ̃dikalism] n. m. Mouvement qui introduisit dans le syndicalisme la conception anarchiste de l'antiétatisme.

Anastase, nom de deux empereurs d'Orient. – **Anastase Ier** (Dyrrachium, auj. Durrës, Albanie, v. 430 – Constantinople [?], 518), empereur (491-518) par son mariage avec l'impératrice Ariane, veuve de l'empereur Zénon. – **Anastase II** (Artémios), empereur de 713 à 715.

anastomose n. f. ANAT Communication naturelle ou pratiquée chirurgicalement entre deux conduits de même nature et, par ext., entre deux nerfs.

anastomoser v. tr. [1] CHIR Créer une anastomose. ▷ v. pron. ANAT Se joindre, se réunir. – BOT Se réunir en réseau (en parlant de nervures).

anastrophe n. f. GRAM Renversement de l'ordre habituel des mots dans la phrase. *« D'amour mourir me font, belle marquise, vos beaux yeux »* (Molière).

anathème n. m. **1.** RELIG CATHOL Sentence d'excommunication. ▷ *Par ext.* Réprobation, blâme solennel. *Jeter l'anathème sur ses adversaires.* **2.** Personne qui est l'objet d'un anathème, d'une sentence d'excommunication.

anatidés n. m. pl. ORNITH Famille d'oiseaux ansériformes comprenant les cygnes, les oies et les canards. – Sing. *Un anatidé.*

anatife n. m. ZOOL Crustacé marin à carapace bivalve (fam. cirripèdes), qui se fixe souvent aux bois flottants grâce à un pédoncule.

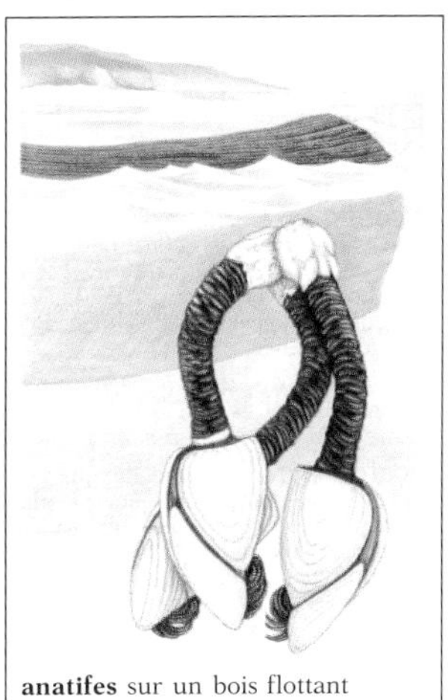
anatifes sur un bois flottant

anatocisme n. m. FIN Opération consistant à réunir les intérêts au capital pour former un nouveau capital portant intérêt.

Anatolie (du gr. *anatolê*, « lever du soleil »), nom donné par les Byzantins à l'Asie Mineure; auj. Turquie d'Asie.

anatolien, enne adj. et n. De l'Anatolie. ▷ Subst. *Un(e) Anatolien(ne).*

anatomie n. f. **1.** Science qui étudie, en partic. par la dissection, la structure et les rapports dans l'espace des différents organes et tissus chez les êtres organisés. ▷ *Anatomie pathologique :* étude des lésions provoquées par les maladies et les traumatismes dans les tissus et les viscères, par analyses microscopiques, histologique et cellulaire. ▷ *Pièce d'anatomie :* corps, partie d'un corps disséqué ou sa reproduction en plâtre, matière plastique, etc. **2.** Structure générale d'un organisme, disposition des organes les uns par rapport aux autres. *La complexité de l'anatomie du corps humain.* – Par anal. *Anatomie d'une automobile.* ▷ Fam. Aspect extérieur du corps. *Exhiber une piètre anatomie.* ▶ pl. homme

anatomique adj. Qui relève de l'anatomie. *Une planche anatomique.*

anatomiquement adv. Sur le plan anatomique. *Deux organismes anatomiquement comparables.*

anatomiste n. Didac. Spécialiste de l'anatomie.

anatomopathologie n. f. Étude des lésions provoquées par les maladies.

anatoxine n. f. BIOL Toxine ayant perdu son pouvoir pathogène grâce à un traitement adéquat, mais gardant ses propriétés immunisantes. *Anatoxine diphtérique de Ramon.*

Anaxagore (Clazomènes, auj. Urla, Turquie, v. 500 – Lampsaque, auj. Lapseki, Turquie, v. 428 av. J.-C.), philosophe et mathématicien grec. Il eut pour disciples Archélaos, Périclès et peut-être Socrate, pour qui Anaxagore fit, le premier, de l'intelligence le principe ordonnateur de toutes choses.

Anaximandre (Milet, v. 610 – id., v. 547 av. J.-C.), philosophe grec de l'école ionienne. Il fut l'un des premiers à placer à l'origine de l'Univers un principe qu'il appela l'*infini*.

Anaximène (Milet, v. 550 – ?, v. 480 av. J.-C.), philosophe grec de l'école ionienne. Dans sa cosmogonie, l'air est le principe de toutes choses.

A.N.C. Sigle de *African* National Congress*.

Ancenis, ch.-l. d'arr. de la Loire-Atlant., sur la Loire; 7 061 hab. Mat. agric.; I.A.A. – Le *traité d'Ancenis* (1468), entre Louis XI et François II, duc de Bretagne, prépara l'union de la Bretagne à la France.

ancestral, ale, aux adj. Qui appartient aux ancêtres; transmis par les ancêtres. *En vertu d'un droit ancestral...*

ancêtre n. **1.** Personne de qui l'on descend, ascendant (en général plus éloigné que les grands-parents). ▷ *Les ancêtres* : ceux de qui l'on descend, l'ensemble des ascendants. *Marcher sur la trace de ses ancêtres.* **2.** (Plur.) Ensemble des hommes qui vécurent avant nous. **3.** Initiateur lointain. *Théophraste Renaudot peut être considéré comme l'ancêtre des journalistes.*

Anchan. V. Anshan.

anche n. f. MUS Languette placée dans le bec de certains instruments à vent (clarinette, saxophone, tuyau d'orgue, etc.) et qui, par vibration, produit les sons. *Anche simple. Anche double.*

Anchise, prince troyen amant d'Aphrodite, dont il eut un fils, Énée.

anchois n. m. Poisson téléostéen (ordre des clupéiformes), de petite taille (15 à 20 cm) et dont la gueule est fendue au-delà des yeux. *Beurre d'anchois* : filets d'anchois pilés avec du beurre.

Anchorage, v. princ. d'Alaska (É.-U.), sur le golfe du m. nom; 226 300 hab., en expansion. Port de pêche et de comm. Aéroport important.

ancien, enne adj. et n. m. **I.** adj. **1.** Qui existe depuis longtemps. *Coutume ancienne.* **2.** Qui a de l'ancienneté dans un emploi, une fonction, un grade. *Il est plus ancien que vous dans la profession.* **3.** (Devant un substantif.) Qui a cessé d'être (ce qu'indique le substantif). *Un ancien juge.* **4.** Qui n'existe plus depuis longtemps. *Les anciens Grecs.* **II.** n. m. **1.** Prédécesseur dans un métier, un service, une école, un régiment, etc. *Demander l'avis d'un ancien. Les anciens de Saint-Cyr.* **2.** (Le plus souvent au plur.) Personne âgée. *Les anciens du village.* **3.** (Plur.) Peuples de l'antiquité. – (Avec une majuscule.) Auteur, personnage de l'Antiquité.

anciennement adv. Dans les temps anciens, autrefois.

ancienneté n. f. **1.** Caractère de ce qui est ancien (sens 1). **2.** Temps passé dans l'exercice d'une fonction, d'un grade. *Avancement à l'ancienneté,* selon l'ordre d'ancienneté des postulants.

Anciens et Modernes (querelle des), querelle littéraire déclenchée en France par Ch. Perrault*, qui, à partir de 1687, affirma la supériorité des Modernes sur les auteurs antiques; Fontenelle le rejoignit. La Fontaine, Racine, La Bruyère prirent le parti opposé, sous la direction de Boileau.

Ancien Testament, nom donné par les chrétiens aux livres de la Bible hébraïque qu'ils jugent inspirés par Dieu; les Évangiles, les Actes des Apôtres, les Épîtres et l'Apocalypse constituent le Nouveau Testament.

ancillaire adj. Litt. De la servante. *Amours ancillaires,* entre le maître et la servante.

ancolie n. f. Plante ornementale (fam. renonculacées) aux fleurs diversement colorées, dont les pétales se terminent en éperon.

Ancône, port d'Italie, sur la mer Adriatique; 105 580 hab.; ch.-l. de la prov. des Marches. Constr. navales; raff. de pétrole. – Archevêché. Cath. romano-byzantine San Ciriaco (XIe-XIIIe s.); arc de Trajan. – La v. fut prise par Napoléon en 1805 et rendue au pape en 1815.

ancrage n. m. **1.** MAR Vx Mouillage. **2.** TECH Fixation, attache à un point fixe. *Point d'ancrage d'un câble.*

ancre n. f. **1.** Instrument de métal qui, jeté au fond de l'eau à l'aide d'un câble ou d'une chaîne, s'y accroche et sert à retenir le navire. *Navire à l'ancre.* ▷ Fig. et fam. *Lever l'ancre* : partir (cf. mettre les voiles). **2.** HORL Pièce servant à régler l'échappement. **3.** CONSTR Pièce métallique reliant deux éléments de construction pour éviter qu'ils ne s'écartent l'un de l'autre.

Ancre (maréchal d'). V. Concini.

ancrer v. tr. [1] **1.** Vx Immobiliser (un navire) au moyen de l'ancre. **2.** Fig.

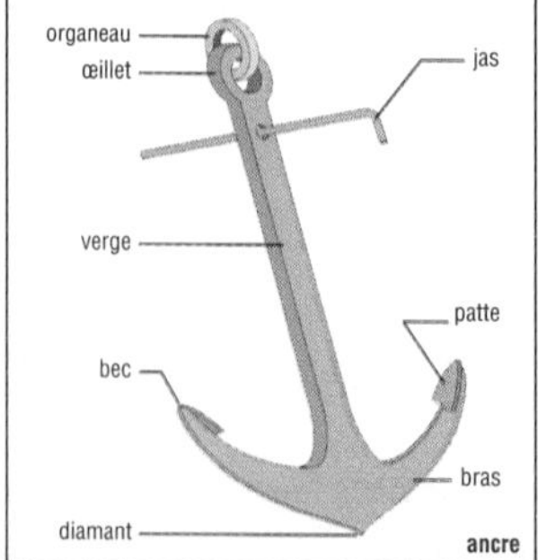

ancre

Ancrer une idée dans l'esprit de quelqu'un, l'y fixer. ▷ v. pron. *Cette conviction s'est ancrée en lui.* **3.** TECH Fixer au moyen d'un dispositif d'ancrage. *Ancrer un hauban, un tirant.*

Ancus Martius, quatrième roi légendaire de Rome (v. 640 – v. 616 av. J.-C.). Il étendit le territoire romain jusqu'à la mer et créa le port d'Ostie.

Ancyre. V. Ankara.

andalou, ouse adj. et n. De l'Andalousie. ▷ Subst. *Un(e) Andalou(se).*

Andalousie, communauté autonome de l'extrême S. de l'Espagne et région de la C.E., formée des provinces d'Almería, Cadix, Cordoue, Grenade, Huelva, Jaén, Málaga, Séville; 87 268 km² ; 7 100 060 hab. Cap. : *Séville.* – Le relief comprend, au N., la sierra Morena; au centre, la dépression où coule le Guadalquivir; au S., la cordillère Bétique, coupée par des bassins fertiles. – La rég. vit surtout de l'agric. Les villes localisées dans les dépressions (Cordoue, Séville, Linares, Grenade) ou dans les petites plaines côtières (Málaga, Almería) sont peu industrialisées (constr. navales à Cadix). La sierra Morena est riche en pyrite, en plomb, en étain. Le tourisme constitue une ressource import. Émigration intense. – Du VIIIe au XIIIe s., les Maures firent de cette rég. le centre d'une civilisation raffinée.

Andaman et **Nicobar** (îles), terr. de l'Union indienne dans le golfe du Bengale, au S. de la Birmanie, formé par les archipels d'Adaman (6 648 km²) et de Nicobar* : 8 293 km²; 277 980 hab.; ch.-l. *Port Blair* (50 000 hab.).

andante [ɑ̃dɑ̃t(e)] adv. MUS D'un mouvement modéré. ▷ n. m. Morceau joué dans ce mouvement.

andantino [ɑ̃dɑ̃tino] adv. MUS D'un mouvement moins modéré que celui de l'andante. ▷ n. m. Morceau joué dans ce mouvement.

Andécaves ou **Andes,** peuple de l'ancienne Gaule qui occupait l'Anjou actuel.

Andelys (Les), ch.-l. d'arr. de l'Eure, sur la Seine; 8 580 hab. Verreries. – Ruines du Château-Gaillard, construit en 1197 par Richard Cœur de Lion, roi d'Angleterre et duc de Normandie, pour barrer la route à Philippe II Auguste. Sa prise par ce dernier (1204) entraîna la conquête de la Normandie.

Anderlecht, v. de Belgique, dans la banlieue O. de Bruxelles; 94 760 hab. Industr. text., alim.; cuir. – Maison d'Érasme.

Anders (Wladyslaw) (Blonie, 1892 – Londres, 1970), général commandant en chef des armées polonaises reconstituées en U.R.S.S. en 1942, qu'il ramena à Londres en 1946 après qu'elles se furent illustrées en Italie (1943-1945).

Andersch (Alfred) (Munich, 1914 – Berzona, 1980), écrivain suisse d'origine all. Membre des Jeunesses communistes allemandes, il fut interné à Dachau (1933). Pendant la guerre, il déserta. Son œuvre évoque des personnages solitaires qui refusent toute compromission : *Zanzibar* (1957), *la Rouge* (1960), *Efraïm* (1967).

Andersen (Hans Christian) (Odense, 1805 – Copenhague, 1875), écrivain danois. Il écrivit des romans : *l'Improvisateur* (1835), *Rien qu'un violoneux* (1837); des pièces de théâtre : *la Nouvelle Chambre de l'accouchée* (1840); ses *Contes* (1835-1872), inspirés de légendes populaires, le rendirent célèbre dans le monde entier. ► illustr. page 70

Anderson (Sherwood) (Camden, Ohio, 1876 – Colón, Panamá, 1941), écrivain américain; ses romans et nouvelles (*Winesburg-en-Ohio*, 1919) influencèrent Faulkner et Hemingway.

Anderson (Carl David) (New York, 1905 – San Marino, Californie, 1991), physicien américain. Étudiant les rayonnements (cosmiques, notam.), il découvrit (1932) le positon. Prix Nobel 1936.

Anderson (Robert) (New York, 1917), écrivain américain. Le thème de ses pièces de théâtre sont la solitude et l'homosexualité : *Thé et sympathie* (1953).

Anderson (Lindsay) (Bangalore, 1923 – Saint-Saud-Lacoussière, Dordogne, 1994), cinéaste britannique. Il lança, avec Tony Richardson et Karel Reisz, le mouvement «free cinema» qui rejette les conventions du cinéma anglais des années 50. Il a tourné *le Prix d'un homme* (1963), *If* (1968, palme d'or à Cannes), *le Meilleur des mondes possibles* (1973), *Britannia Hospital* (1982).

Anderson (Philip) (Indianapolis, Indiana, 1923), physicien américain. Il a travaillé sur la structure des systèmes magnétique et désordonné ainsi que sur la superfluidité et sur les matériaux supraconducteurs. P. Nobel 1977.

Andes (cordillère des), puissante chaîne de montagnes d'Amérique du Sud, bordant toute la côte Pacifique; 8 000 km de long; 7 084 m à l'Ojos del Salado. – Cette chaîne, de formation complexe, est caractérisée par un volcanisme actif et par la présence de hauts plateaux où se localise la population. Les ressources minières sont très importantes, mais difficilement exploitables en raison du manque de voies de communication. Conscients d'appartenir à un même ensemble, les pays andins (Chili, Colombie, Pérou, Venezuela, Bolivie, Équateur) ont constitué le Groupe andin (1966), rendu officiel en 1969 (accord de Carthagène, ou «Pacte andin»). Le Chili a quitté le Groupe andin en 1977.

Andes : lac Titicaca, Bolivie

Andes. V. Andécaves.

andésite n. f. Roche volcanique noire.

Āndhra, dynastie indienne bouddhiste qui régna sur le S.-E. de l'Inde du Ier s. av. J.-C. au IIIe s. apr. J.-C.

Āndhra Pradesh, État du S.-E. de l'Inde; 275 068 km²; 66 600 000 hab.; cap. *Hyderābād.* Rég. agric. (coton, riz, tabac, 2/5 de la production nationale). – Royaume dravidien des Āndhra.

Andijan, v. d'Ouzbékistan, dans le Fergana; 300 000 hab. Constr. mécan.

andin, ine adj. Des Andes.

Andjar ou Anjar, site archéologique du Liban dans la plaine de la Beqaa.

andorran, ane adj. et n. D'Andorre. – Subst. *Un(e) Andorran(e).*

Andorre (principauté d') *(Valls d'Andorra)*, pays situé sur le versant S. des Pyrénées orient.; 468 km²; 64 000 hab.; cap. *Andorre-la-Vieille* (17 000 hab.) (Andorrans). Langue off. : catalan. Monnaies off. : le franc et la peseta. Tourisme import. – Au XIIIe s., le pays devint vassal des comtes de Foix et des évêques d'Urgel (Espagne); auj. le président de la Rép. française est coprince d'Andorre avec l'évêque d'Urgel. En mars 1993, un référendum consacre la souveraineté polit. et écon. de la principauté.

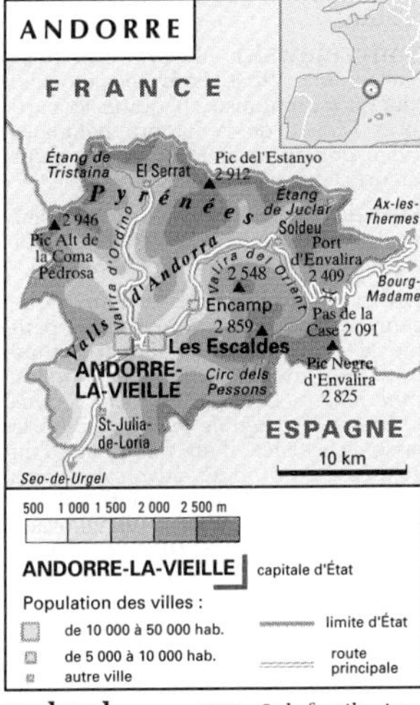

andosol n. m. PÉDOL Sol fertile issu de cendres volcaniques et riche en matières organiques.

andouille n. f. **1.** Charcuterie cuite, consommée froide, constituée d'un boyau de porc farci de tripes et de chair du même animal. *L'andouille de Vire est réputée.* **2.** Fam. Individu niais, maladroit. *Quelle andouille!*

andouiller n. m. Ramification des bois des cervidés (cerf, daim, chevreuil, etc.). *Les andouillers permettent de déterminer l'âge de l'animal.*

andouillette n. f. Petite andouille que l'on consomme grillée, chaude.

Andrade (Olegario) (Concepción, prov. d'Entre Ríos, 1841 – Buenos Aires, 1882), poète romantique argentin : *Prométhée* (1877), *l'Atlantide* (1881).

Andrade (Mario Paul de Morais, dit Mario de) (São Paulo, 1893 – id., 1945), écrivain brésilien (*Macounaïma*, 1928) rénovateur de la littérature brésilienne.

Andrássy (Gyula, comte) (Kassa, 1823 – Volosca, 1890), homme polit. hongrois. D'abord opposé aux Habsbourg, il fut, après le compromis de 1867, prés. du Conseil hongrois (1867-1871), puis ministre des Affaires étrangères de l'Autriche-Hongrie (1871-1879). À ce titre, il négocia de l'Empire avec l'Allemagne.

André (saint), un des douze apôtres, frère de saint Pierre, supplicié sur une croix en forme de X (croix de Saint-André).

André II (1175 – 1235), roi de Hongrie (1205-1235), il participa à la 5e croisade; il accorda la Bulle d'or hongroise (1222), qui garantit un certain pouvoir à la noblesse.

André (Louis) (Nuits-Saint-Georges, 1838 – Dijon, 1913), général français. Ministre de la Guerre de 1900 à 1904, il voulut apaiser les esprits après l'Affaire Dreyfus, mais démissionna à la suite de l'affaire des Fiches*.

André (Alfred Bessette, dit frère) (Saint-Grégoire-d'Iberville, Québec, 1845 – Montréal, 1937), religieux thaumaturge québécois qui, en 1904 avec l'aide de ses bienfaiteurs, a construit l'oratoire Saint-Joseph, au sommet du mont Royal (Montréal), devenu lieu de nombreux pèlerinages. Il fut nommé bienheureux en 1982.

Andrea da Firenze (Andrea di Bonaiuto, dit) (actif de 1343 à 1377), peintre italien influencé par Giotto et l'art siennois : fresques de Santa Maria Novella (Florence).

Andrea del Castagno (Andrea di Bartolo di Bargilla, dit) (Corella, v. 1423 – Florence, 1457), peintre italien; fresques de style sévère (monastère de Sant'Apollonia, Florence).

Andrea del Sarto (Andrea Angeli ou Andrea d'Agnolo di Francesco, dit) (Florence, 1486 – id., 1530), peintre italien de la Renaissance; il annonce le maniérisme.

Andreas-Salomé (Élisabeth Salomé, Mme Friedrich Carl Andreas, dite Lou) (Saint-Pétersbourg, 1861 – Göttingen, 1937), écrivain allemand d'origine russe, amie de Rilke et de Nietzsche; Freud la nomma «le poète de la psychanalyse» (*Ma vie*, éd. posth.).

Andreïev (Leonid Nikolaïevitch) (Orel, 1871 – Mustamäggi, 1919), écrivain russe. À ses nouvelles réalistes (*le Rire rouge*, 1902; *les Sept Pendus*, 1908), s'opposent ses pièces de théâtre (*la Pensée*, 1902; *Anathème*, 1910), abstraites et symbolistes.

Andreotti (Giulio) (Rome, 1919), homme politique italien. Membre influent de la démocratie-chrétienne, il fut plusieurs fois président du Conseil (1972-1973, 1976-1979 et 1989-1992).

Andrésy, ch.-l. de cant. des Yvelines (arr. de Saint-Germain-en-Laye); 12 613 hab. – Industrie plastique – Égl. (XIIIe - XVIe s. ; remarquables verrières).

Andrews (Thomas) (Belfast, 1813 – id., 1885), physicien irlandais. Spécialiste de thermodynamique, il découvrit le *point de température critique* (1869).

Andria, v. d'Italie (Pouilles); 87 190 hab. Vins; huileries. – Cath. (crypte du Xe s.).

Andrić (Ivo) (Dolać, près de Travnik, Bosnie, 1892 – Belgrade, 1975), écrivain yougoslave, d'expression serbe. Rédigés avec une grande exactitude historique, ses récits ont tous pour cadre la Bosnie : *le Pont sur la Drina* (1945), *Chronique de Travnik* (1945). P. Nobel 1961.

Andrieu (Jean-François d') ou **Dandrieu** (Paris, 1682 – id., 1738), compositeur français d'orgue et de clavecin.

andrinople n. f. Étoffe de coton rouge.

Andrinople, v. de Turquie. (V. Edirne.) – Traité russo-turc de 1829, reconnaissant l'indépendance de la Grèce.

andro-. Élément, du gr. *anêr, andros*, «homme, mâle».

androcéphale adj. Qui a une tête humaine. *Les taureaux androcéphales de la sculpture assyrienne.*

Androclès (Ier s.), esclave romain qui, livré aux fauves dans l'arène, fut épargné par un lion qu'il avait jadis soigné (épisode rapporté par Aulu Gelle dans *Nuits attiques*, IIe s.).

androgène adj. et n. m. BIOL Qui provoque l'apparition de caractères secondaires sexuels mâles. ▷ n. m. Hormone androgène.
ENCYCL Les hormones androgènes sont des hormones stéroïdes sécrétées par les testicules et, pour les deux sexes, par les corticosurrénales. Les principaux androgènes sont la testostérone, la déhydroépiandrostérone (D.H.E.A.) et l'androstènedione. Leur sécrétion est sous la dépendance de l'A.C.T.H.

androgenèse n. f. **1.** BIOCHIM Formation des androgènes. **2.** BIOL Reproduction à partir des seuls chromosomes du père.

androgyne adj. (et n.) Qui tient des deux sexes; hermaphrodite. ▷ BOT Syn. de *monoïque*.

androgynie n. f. MED Pseudo-hermaphrodisme partiel chez l'homme.

androïde n. m. Automate à figure humaine.

andrologie n. f. MED Étude de l'anatomie, de la physiologie et de la pathologie de l'appareil génital masculin.

andrologue n. m. Médecin spécialiste d'andrologie.

Andromaque, dans la myth. gr., épouse d'Hector et mère d'Astyanax, tous deux tués lors de la chute de Troie : elle est donnée comme esclave à Pyrrhus*, dont elle a un enfant (Molosse), mais qui épouse Hermione. Celle-ci, à qui Pyrrhus ne donne pas d'enfant, se montre jalouse d'Andromaque et s'enfuit avec Oreste. ▷ LITTER Tragédie d'Euripide (v. 426 av. J.-C.), de Racine (1667).

Andromède, galaxie spirale, la plus importante des galaxies proches de la nôtre.

Andromède, dans la myth. gr., fille du roi d'Éthiopie Céphée. Livrée à un monstre marin sur ordre de Poséidon, elle fut délivrée par Persée, qui l'épousa.

Andronic Ier Comnène (v. 1120 - Constantinople, 1185), empereur byzantin (1183-1185), fit étrangler Alexis II pour régner et fut mis à mort par Isaac II Ange. – **Andronic II Paléologue** (Nicée, 1258 - Constantinople, 1332), empereur de 1282 à 1328. – **Andronic III Paléologue** (Constantinople, 1295 - id., 1341), empereur de 1328 à 1341, petit-fils du préc., qu'il détrôna. – **Andronic IV Paléologue** (v. 1348 - 1385), empereur de 1376 à 1379, détrôna son père Jean V.

andropause n. f. MED Chez l'homme, ensemble des manifestations organiques et psychiques survenant entre 50 et 70 ans, notam. une diminution des activités génitales.

Andropov (Iouri Vladimirovitch) (Nagoutskoïe, près de Stavropol, Russie, 1914 - Moscou, 1984), homme politique soviétique. À la tête du K.G.B. de 1967 à 1982, il était pratiquement inconnu de l'Occident lorsqu'il succéda à Leonid Brejnev (nov. 1982) en tant que secrétaire général du P.C.U.S. Élu président du présidium du Soviet suprême (chef de l'État) en juin 1983, il mourut moins d'un an après son investiture.

androstérone n. f. BIOCHIM Hormone sexuelle, dérivée de la testostérone, présente dans l'urine et qui joue un rôle au cours du développement de la puberté chez l'homme.

Androuet Du Cerceau, famille d'architectes français. – **Jacques Ier** (Paris, v. 1510 - Annecy, v. 1585), construisit le château de Charleval (détruit) et publia des recueils de gravures. – **Baptiste** (v. 1544 - 1590), fils aîné du préc., poursuivit la construction du Louvre à la suite de Lescot et commença celle du Pont-Neuf. – **Jacques II** (v. 1550 - 1614), frère de Baptiste, termina la grande galerie du Louvre. – **Jean Ier** (1585 - 1649), fils de Baptiste, édifia l'hôtel de Sully et l'escalier en fer à cheval du château de Fontainebleau.

Andrzejewski (Jerzy) (Varsovie, 1909 - id., 1983), écrivain polonais; militant communiste, il quitte le parti après l'échec de l'« octobre polonais » (1956) dont il avait été l'un des inspirateurs. *Cendre et diamant* (1947).

Andújar, v. d'Espagne (Andalousie), sur le Guadalquivir; 35 480 hab. Traitement de l'uranium. - Pont romain.

âne n. m. **1.** Mammifère domestique (genre *Asinus*, fam. équidés), plus petit que le cheval, dont la tête très puissante est munie de longues oreilles. *L'âne brait.* ▷ Loc. fig. *Être têtu comme un âne.* ▷ *Le coup de pied de l'âne* : la basse vengeance d'un faible ou d'un lâche à l'égard d'un adversaire jadis puissant mais affaibli et sans défense. **2.** Fig. Homme sot, borné et ignorant. *C'est un âne bâté.* - *Pont aux ânes* : difficulté facilement surmontable, qui n'arrête que les ignorants.

anéantir v. [**3**] **I.** v. tr. **1.** Réduire à néant (qqch), faire disparaître. *La grêle a anéanti la récolte.* **2.** Fig. Plonger (qqn) dans un état d'abattement. *Cet échec inattendu l'a anéanti.* Syn. accabler. Ant. créer, fortifier. **II.** v. pron. Disparaître. *Au fil des jours s'est anéanti mon espoir de le revoir.*

anéantissement n. m. **1.** Fait d'entrer dans le néant. Syn. destruction, mort, extinction. **2.** Fig. Abattement profond. Syn. accablement, prostration.

anecdote [anɛgdɔt] n. f. Bref récit d'un fait curieux, parfois historique, révélateur d'un détail significatif.

anecdotique adj. **1.** Qui s'attache à l'anecdote. **2.** Qui contient des anecdotes. *Histoire anecdotique.*

anémiant, ante adj. Qui cause une anémie.

anémie n. f. **1.** MED Diminution du nombre des globules rouges ou de la concentration sanguine en hémoglobine se traduisant par une accélération du rythme cardiaque, un essoufflement, une sensation de fatigue générale. *Anémie de Biermer* : V. Biermer. **2.** Fig. Affaiblissement. *L'anémie de l'économie.*

anémier v. tr. [**2**] Rendre anémique. ▷ v. pron. Devenir anémique. - Pp. adj. *Un malade anémié.*

anémique adj. et n. **1.** adj. Qui est atteint d'anémie. - Subst. *Un anémique.* **2.** Fig. Faible, sans vigueur. *Vin anémique*, sans goût.

anémo-. Élément, du gr. *anemos*, « vent ».

anémomètre n. m. Appareil servant à mesurer la vitesse du vent ou d'un écoulement d'air.

anémone n. f. **1.** Plante herbacée (fam. renonculacées) dont plusieurs espèces sont cultivées pour leurs fleurs de couleurs vives. **2.** *Anémone de mer* : actinie.

anémone cultivée

anémophile adj. BOT *Plante anémophile*, dont le pollen est disséminé par le vent.

anergie n. f. MED Disparition de la faculté de réaction contre un antigène à l'égard duquel l'organisme était immunisé.

anergisant, ante adj. Qui entraîne une anergie.

ânerie n. f. Acte ou propos stupide. *Il ne fait, il ne dit que des âneries.* Syn. bêtise, bourde, sottise.

anéroïde adj. PHYS *Baromètre anéroïde*, dont l'organe sensible est constitué d'une capsule vide qui se déforme sous l'effet de la pression atmosphérique.

ânesse n. f. Femelle de l'âne.

ânesse et son ânon

anesthésiant, ante adj. et n. m. Syn. de *anesthésique*.

anesthésie [anɛstezi] n. f. MED Disparition plus ou moins complète de la sensibilité superficielle ou profonde.
ENCYCL En chirurgie, plusieurs méthodes anesthésiques peuvent être employées selon le type d'intervention et l'état du sujet. L'*anesthésie générale* atteint l'organisme entier, avec perte de conscience (narcose). Elle est le plus souvent obtenue par l'administration d'un produit anesthésique (par inhalation, injection intraveineuse ou voie rectale). L'*anesthésie locale, régionale* ou *loco-régionale* ne touche qu'un territoire limité, sans perte de conscience. Les substances anesthésiques sont mises en contact soit avec des terminaisons nerveuses, soit des plexus nerveux (par badigeonnage, instillation, tamponnement, pulvérisation, infiltra-

tion, injection intraveineuse), soit des racines rachidiennes (par injection médullaire) dans l'*anesthésie loco-régionale*, la *rachianesthésie* et l'*anesthésie péridurale* (notam. utilisées en obstétrique). Il faut citer aussi, bien plus rarement employées et applicables à l'anesthésie générale, régionale ou locale : l'électroanesthésie, l'hypnose et l'acupuncture (courante en Chine).

anesthésier v. tr. [**2**] Rendre momentanément insensible à la douleur au moyen d'un anesthésique. Syn. endormir, insensibiliser.

anesthésiologie n. f. MED Branche de la science médicale comprenant l'anesthésie et la réanimation.

anesthésique adj. (et n. m.) Qui détermine l'anesthésie. Syn. anesthésiant. Ant. excitant.

anesthésiste n. Médecin spécialiste qui dirige l'anesthésie au cours d'une intervention chirurgicale. – *Infirmier, infirmière anesthésiste*, spécialisé dans l'anesthésie.

Anet, ch.-l. de cant. d'Eure-et-Loir (arr. de Dreux); 2 813 hab. – Château bâti par Philibert Delorme pour Diane de Poitiers; l'aile gauche, la chapelle (bas-reliefs de Jean Goujon) et le portail d'entrée subsistent.

aneth n. m. BOT Ombellifère aromatique communément appelée fenouil.

Aneto (pic d') ou **Néthou,** point culminant (3 404 m) des Pyrénées, en Espagne, dans le massif de la Maladetta.

anévrisme n. m. MED **1.** Dilatation localisée d'une artère. *Anévrisme de l'aorte. Rupture d'anévrisme* : éclatement de la poche d'un anévrisme, qui entraîne presque toujours la mort. *Anévrisme artério-veineux* : communication permanente d'une artère et d'une veine. **2.** *Par ext.* Dilatation d'une paroi du cœur.

anfractuosité n. f. (Surtout au plur.) Litt. ou didac. Cavité sinueuse et profonde. *Les anfractuosités de la montagne, d'une côte.*

Angara, riv. de Sibérie (1 826 km), affl. de l'Ienisseï (r. dr.); émissaire du lac Baïkal; après Bratsk, prend le nom de Toungouska supérieure. Import. centrales hydroélectriques.

Angarsk, v. de Russie, sur l'Angara; 256 000 hab. Raffinerie de pétrole.

ange n. m. **1.** Créature spirituelle, servant d'intermédiaire entre les hommes et Dieu (généralement représentée dans l'art religieux sous la forme d'une créature ailée portant une auréole). *Les hiérarchies* des anges.* – *Ange gardien*, qui protège chaque être humain (relig. cathol.); *par ext.* personne qui agit en tant que protecteur, bienfaiteur d'une autre; plaisant garde du corps veillant à la protection des personnalités. ▷ *Être le bon ange, le mauvais ange de quelqu'un*, avoir sur lui une bonne, une mauvaise influence. ▷ *Être aux anges*, ravi de joie. ▷ *Rire aux anges* : rire seul et sans raison. ▷ *Une patience d'ange* : une très grande patience. ▷ Loc. fam. Vieilli *Faiseuse d'anges* : avorteuse. **2.** Fig. Personne dotée de toutes les qualités. *C'est un ange. – Cette femme est un ange de bonté, de vertu.* ▷ *Vous êtes un ange* : vous êtes très gentil. **3.** ICHTYOL *Ange de mer* ou *ange* : poisson chondrichthyen intermédiaire entre la raie et le requin.

angéite n. f. MED Inflammation d'un vaisseau.

Fra **Angelico** : *Déposition* (v. 1430-1445); monastère San Marco, Florence

Angèle Merici (sainte) (Desenzano, 1474 – Brescia, 1540), religieuse italienne qui fonda l'ordre des Ursulines.

Angelico (Guido ou Guidolino di Pietro, en relig. Fra Giovanni da Fiesole, dit il Beato et Fra) (Vicchio, v. 1400 – Rome, 1455), dominicain et peintre italien de l'école de Florence. Ses œuvres savantes et naïves témoignent de sa ferveur mystique : fresques du couvent de San Marco (Florence), *le Couronnement de la Vierge* (Louvre).

1. angélique adj. **1.** Qui est propre à l'ange. ▷ *Salutation angélique* : l'Ave Maria. **2.** Fig. Digne d'un ange, aussi parfait qu'un ange. *Douceur angélique.* Syn. séraphique.

2. angélique n. f. Plante ombellifère odoriférante dont les racines ont des propriétés stimulantes et dont on emploie la tige en confiserie. ▷ Tige confite de cette plante.

Angélique (Mère). V. Arnauld.

angélisme n. m. Attitude d'une personne qui se pose en pur esprit, délivré des contingences matérielles.

angelot [ɑ̃ʒlo] n. m. Petit ange (dans l'iconographie religieuse).

angélus [ɑ̃ʒelys] n. m. Prière en l'honneur de la Vierge, récitée le matin, à midi et le soir, et qui commence par le mot latin *angelus*. ▷ Son de cloche annonçant cette prière. *Sonner l'angélus.*

Angennes (Julie d'). V. Montausier.

Angers, ch.-l. du dép. du Maine-et-Loire, sur la Maine; 146 163 hab. Marché (MIN). Ardoisières (Trélazé); industr. électr. et électron. Presse. Centre univ. – Évêché. Anc. cap. de l'Anjou; chât. du roi René (XIIIe et XVe s.) abritant le musée de la Tapisserie *(Apocalypse)*.

Angers : le château du roi René et la cathédrale Saint-Maurice

angevin, ine adj. et n. De l'Anjou ou de la ville d'Angers. – Subst. *Les Angevins.*

Angevins. V. Anjou (maison d').

angi(o)-. Élément, du gr. *aggeion*, « capsule, vaisseau ».

angiectasie n. f. MED Dilatation permanente d'un vaisseau.

Angilbert ou **Engilbert** (?, v. 740 – Saint-Riquier, 814), abbé laïc de Saint-Riquier, duc de Ponthieu, gendre de Charlemagne.

angine n. f. MED Inflammation aiguë du pharynx et des amygdales provoquant souvent une gêne à la déglutition et présentant un aspect variable selon la cause (angine érythémateuse, herpétique, diphtérique, de Vincent). ▷ *Angine de poitrine* : syndrome douloureux, de siège thoracique, provoqué par l'effort et témoignant d'une insuffisance coronarienne. Syn. angor.

angiocardiographie n. f. MED Radiographie, après injection d'un produit de contraste, du cœur, des gros vaisseaux qui y sont abouchés et des vaisseaux pulmonaires.

angiographie n. f. MED Radiographie des vaisseaux après injection d'une substance opaque aux rayons X.

angiologie ou (vieilli) **angéiologie** n. f. Didac. Étude des vaisseaux du corps.

angiologue n. Spécialiste d'angiologie.

angiome n. m. MED Malformation vasculaire consistant en une agglomération circonscrite des vaisseaux sanguins (hémangiome) ou lymphatiques (lymphangiome).

angiopathie n. f. MED Affection des vaisseaux.

angioplastie n. f. CHIR Modification correctrice et réparatrice du calibre des vaisseaux (essentiellement les artères).

angiosperme adj. et n. f. BOT **1.** adj. *Plante angiosperme*, dont les ovules sont protégés par un ovaire complètement clos qui, à maturité, donnera le fruit contenant la graine. **2.** n. f. pl. Sous-embranchement des spermatophytes, comprenant les plantes angiospermes, qui se divise en monocotylédones et dicotylédones, et forme, avec les gymnospermes, les phanérogames, constituant ainsi l'ensemble des plantes les plus évoluées. – Sing. *Une angiosperme.*

angiotensine n. f. PHYSIOL Polypeptide circulant, hypertenseur et vasoconstricteur.

temple d'**Angkor** Vat, XIIe s.

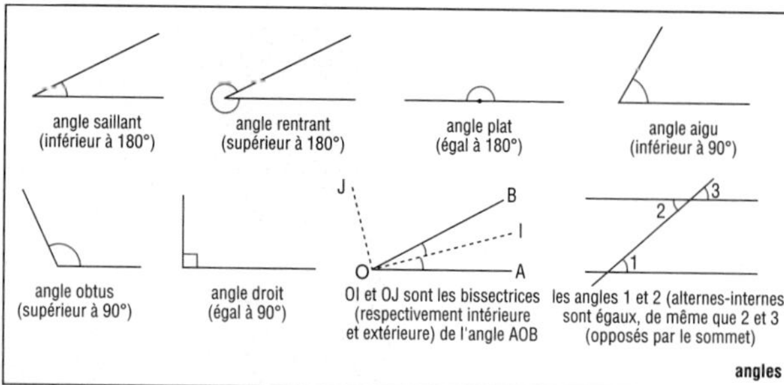

angles

Angkor, site archéologique du Cambodge occidental, anc. cap. de l'Empire khmer fondée au IXe s. par le roi Yaçovarman, abandonnée et reconstruite à plusieurs reprises. La cité actuelle, *Angkor Thom,* dont l'état de dégradation est inquiétant, comprend plusieurs « temples-montagnes », centres des cités antérieures, dont le temple du Bayon (déb. XIIIe s.). Le temple d'Angkor Vat, situé au S. de la ville, dont il ne fait pas partie, fut édifié par Sūryavarman II (deuxième quart du XIIe s.) pour servir de mausolée ; par la succession harmonieuse de ses niveaux, la majesté de ses cinq tours, la richesse et la variété de son décor, il représente le sommet de l'art khmer.

anglais, aise adj. et n. **I.** adj. **1.** De l'Angleterre, des habitants de ce pays. *La campagne anglaise. L'humour anglais.* ▷ *Clé anglaise :* clé de mécanicien à mâchoires mobiles. **2.** (Canada) De langue anglaise. *Les quartiers anglais de Montréal. Un cégep anglais.* ▷ Du Canada anglais. *Les provinces anglaises.* **3.** Loc. adv. *À l'anglaise :* à la manière anglaise. CUIS *Légumes à l'anglaise,* cuits à la vapeur. – *Filer à l'anglaise,* sans être vu et sans prendre congé. **II.** n. **1.** Habitant ou personne originaire d'Angleterre. *Un(e) Anglais(e).* **2.** (Canada) Habitant du Canada d'expression anglaise. Syn. Canadien anglais. **3.** n. m. Langue indo-européenne du groupe germanique parlée en Grande-Bretagne, aux États-Unis, dans le Commonwealth. **4.** n. f. *L'anglaise :* l'écriture cursive dont les lettres sont penchées à droite. **5.** n. f. pl. Longues boucles de cheveux en spirale.

angle n. m. **1.** Saillie ou renfoncement que forment deux surfaces ou deux lignes qui se coupent. *L'angle d'un mur.* ▷ Fig. *Arrondir les angles :* minimiser les différends entre des personnes, en usant de diplomatie. **2.** GEOM Figure formée par deux demi-droites de même origine, mesurée en degrés, en grades ou en radians. *Angles adjacents :* angles qui ont le même sommet et un côté commun. *Angle plat,* dont les côtés sont portés par une même droite. *Angle droit,* dont les côtés sont perpendiculaires. *Angle aigu,* dont la mesure est comprise entre 0° et 90°. *Angle obtus,* dont la mesure est comprise entre 90° et 180°. *Angles complémentaires,* dont la somme des mesures est égale à 90°. *Angles supplémentaires,* dont la somme des mesures est égale à 180°. *Angles alternes-internes,* formés par deux droites parallèles coupées par une troisième, situés de part et d'autre de cette troisième droite et à l'intérieur de l'angle formé par les deux premières ; *angles alternes-externes,* situés de part et d'autre de cette troisième droite en dehors des deux parallèles. *Angle solide :* portion d'espace située dans un cône. *Angle dièdre :* figure formée par deux demi-plans qui se coupent. *Angle trièdre :* figure formée par trois plans qui ont un point commun. – Fig. *Voir les choses sous un certain angle, sous l'angle de...,* d'un certain point de vue, du point de vue de... ▷ ASTRO *Angle horaire d'un astre :* angle formé par le méridien du lieu d'observation et le méridien origine passant par le zénith de ce lieu. ▷ AVIAT *Angle d'attaque :* angle formé par le plan de la voilure et la direction de l'écoulement de l'air. ▷ MECA *Angle de frottement :* angle formé par la normale à la surface de contact et la force de réaction de contact entre deux solides, lorsque la vitesse relative de ces solides cesse d'être nulle. ▷ OPT *Angle d'incidence, de réflexion, de réfraction :* angle formé par le rayon incident, réfléchi, réfracté, avec la normale à la surface. – *Angle limite :* angle de réfraction pour un angle d'incidence égal à 90°, lorsque la lumière passe dans un milieu d'indice supérieur. ▷ ANTHROP *Angle facial,* formé par la droite joignant la partie moyenne du front à la base du nez et la droite passant par la conque de l'oreille et la base du nez.

Anglebert (Jean-Henri d') (Paris, 1628 – id., 1691), compositeur français : pièces de clavecin.

Angles, peuple du N. de la Germanie qui envahit la G.-B. au VIe s. et qui a donné son nom à l'Angleterre.

Anglesey, île de G.-B., située en mer d'Irlande, au N. du pays de Galles ; 715 km^2 ; 60 000 hab. ; ch.-l. *Llangefni.*

Anglet, ch.-l. de cant. des Pyr.-Atlant. (arr. de Bayonne) ; 33 956 hab. Constr. aéronautiques. Stat. balnéaire.

Angleterre (en angl. *England*), partie centrale et méridionale de la G.-B., limitée au N. par l'Écosse et à l'O. par le pays de Galles. La plus étendue et la plus riche des régions du Royaume-Uni ; 131 760 km^2 ; 46 170 000 hab. ; cap. *Londres.* (V. Royaume-Uni de Grande-Bretagne et d'Irlande du Nord.)

Angleterre (bataille d'), ensemble des combats aériens que se livrèrent, au-dessus de l'Angleterre, à partir du 13 août 1940, la G.-B. et l'Allemagne, qui voulait envahir celle-là. En oct., Hitler dut renoncer à ce dessein.

anglican, ane [ɑ̃glikɑ̃, an] adj. et n. Qui a rapport à l'anglicanisme. *Rite anglican.* ▷ Subst. Personne qui appartient à l'Église anglicane.

ENCYCL L'Église anglicane (Église d'État) fut instituée après la rupture d'Henri VIII avec le pape Clément VII, qui refusa d'annuler son mariage avec Catherine d'Aragon. Elle fut marquée par une liturgie préparée dans une ligne calviniste par Cranmer (*Prayer Book,* 1549), un énoncé dogmatique dit des 39 articles (élaboré sous Élisabeth Ire, officiel en 1571), un sursaut de piétisme provoqué par Wesley (XVIIIe s.), une nouvelle orientation au XIXe s. (Pusey, Newman), que l'histoire a enregistrée sous le nom de « mouvement d'Oxford ». L'évolution de l'Église anglicane vers un rapprochement avec Rome est concrétisée, après quatre siècles d'existence, par la nomination (1961) d'un délégué au Secrétariat pour l'unité et la création d'une commission pour les relations avec les catholiques (1964), devenue une commission mixte permanente (1970).

anglicanisme n. m. Ensemble des rites et des institutions propres à l'Église anglicane. (V. encycl. anglican.)

anglicisation n. f. LING Processus par lequel la langue anglaise a tendance à s'imposer comme langue hégémonique. *La législation linguistique du Québec vise à enrayer son anglicisation.*

angliciser v. tr. [1] Donner un aspect anglais à. ▷ v. pron. Prendre un aspect anglais.

anglicisme n. m. **1.** Façon de parler, locution propre à la langue anglaise. **2.** Mot emprunté à l'anglais.

angliciste n. Spécialiste de la civilisation et de la langue anglaises.

anglo-. Préfixe, du rad. de *anglais.*

anglo-américain, aine adj. et n. m. **1.** adj. Relatif à la Grande-Bretagne et aux États-Unis. **2.** n. m. *L'anglo-américain :* l'anglais parlé aux États-Unis.

anglomane n. Litt. Personne qu'une admiration excessive pour l'Angleterre conduit à imiter sans discernement les mœurs, les habitudes de ce pays.

anglomanie n. f. Litt. Manie des anglomanes.

anglo-normand adj. et n. **1.** Qui a des caractéristiques anglaises et normandes. – Loc. *Cheval anglo-normand,* issu du croisement des races anglaise et normande. **2.** Subst. *Les Anglo-Normands :* les habitants des îles Anglo-Normandes. **3.** n. m. Dialecte de langue d'oïl parlé anciennement des deux côtés de la Manche.

Anglo-Normandes (îles) (en angl. *Channel Islands*), archipel brit. de la Manche, à l'O. du Cotentin, dépendant directement de la Couronne britannique. Jersey, Guernesey, Aurigny, Sercq sont les princ. îles habitées (les îles Chausey sont franç.) ; 195 km^2 ; 135 700 hab. ; langue : anglais, le dialecte normand disparaît. Tourisme important.

anglophile adj. (et n.) Qui aime les Anglais.

anglophilie n. f. Sentiment d'amitié, de sympathie à l'égard des Anglais.

anglophobe adj. (et n.) Qui déteste les Anglais.

anglophobie n. f. Sentiment d'aversion pour les Anglais, pour tout ce qui est anglais.

anglophone adj. (et n.) Dont l'anglais est la langue ; qui parle anglais.

anglo-saxon, onne adj. et n. **1.** adj. Relatif aux peuples de civilisation britannique. **2.** n. Individu faisant partie des peuples de langue anglaise. *Un(e) Anglo-Saxon(ne).* **3.** n. m. pl. HIST Peuple composé de trois groupes germaniques : les Angles, les Jutes et les Saxons, qui envahirent la Grande-Bretagne aux Ve et VIe s.

Angmagssalik, local. princ. de la côte orient. du Groenland ; 2 800 hab.

angoissant, ante adj. Qui cause de l'angoisse.

angoisse n. f. Cour. Sentiment d'appréhension, de profonde inquiétude. Syn. anxiété. ▷ MED Sentiment d'anxiété, qui s'accompagne de symptômes physiques (tachycardie, gêne respiratoire, transpiration, etc.) et qui est souvent déclenché par des états ou des situations similaires chez le même individu (solitude, foule, émotion, etc.). ▷ PHILO Inquiétude métaphysique, pour les existentialistes.

angoissé, ée adj. et n. **1.** adj. Qui ressent de l'angoisse. **2.** adj. et n. Se dit d'une personne sujette à l'angoisse.

angoisser v. tr. [1] Causer de l'angoisse à. ▷ v. intr. ou v. pron. Éprouver de l'angoisse. *S'angoisser d'un danger.*

Angola (rép. populaire d'), État du S.-O. de l'Afrique ; 1 246 700 km^2 ; 11 500 000 hab., croissance démographique : 2,7 % par an ; cap. *Luanda.* Nature de l'État : rép. populaire. Langue off. : portug. Monnaie : kwanza. Ethnies : Bantous, Boschimans. Relig. : christianisme, animisme.
Géogr. et écon. – Un plateau cristallin élevé (2 620 m au Moco) domine la plaine côtière de l'O., qui se prolonge au S. par le désert du Namib. Le Centre-Ouest humide est le château d'eau du pays et la région la plus peuplée, avec le littoral nord. La population est rurale à plus de 70 %. La guerre civile et la collectivisation ont ruiné l'économie : recul des cultures commerciales (café, coton, canne à sucre, cacao), mise en valeur médiocre d'un sous-sol pourtant riche. Pétrole et diamant assurent 95 % des recettes d'exportation. La découverte de nouveaux gisements pétroliers en 1997 devrait améliorer la situation économique du pays.
Hist. – Les Portug. s'installèrent dès 1484, mais ne conquirent l'intérieur du pays qu'au XIXe s. C'est ainsi que le royaume de N'Dongo, dont le roi porte le titre de N'Gola (qui est à l'origine du nom du pays) fut important au XVIe s. La traite des Noirs fut intense jusqu'en 1836. Nommée Afrique-Occidentale portugaise, puis territ. portug. en 1951, enfin province d'outre-mer portug. en 1955, l'Angola connut, à partir de 1961, divers mouvements de libération polit. jusqu'à l'indépendance (nov. 1975). Peu après la fin du salazarisme (1974), le M.P.L.A. (Mouvement populaire de libération de l'Angola), soutenu par l'U.R.S.S. et le corps expéditionnaire cubain, l'emporta sur les autres formations nationalistes. L'UNITA (Union nationale pour l'indépendance totale de l'Angola), soutenue par l'Afrique du Sud, continua de s'opposer au pouvoir central. En 1979, Jose E. Dos Santos succéda à A. Neto à la tête de l'État. En 1988, un accord (Angola et Cuba, Afrique du Sud) décréta le départ des Cubains et le retrait des troupes sud-africaines. En mai 1991, l'ONU obtint le cessez-le-feu. Refusant d'admettre sa défaite face au président sortant lors des premières élections libres de sept. 1992, l'UNITA déclencha les hostilités et prit en quelques mois le contrôle de la moitié du territoire. Malgré la signature de l'accord de Lusaka (Gambie) en nov. 1994, la tension M.P.L.A.-UNITA ne s'est pas dissipée, mais l'Angola a affirmé sa nouvelle présence politique en soutenant en 1997 L.D. Kabila (Rép. dém. du Congo) et D. Sassou Nguesso (Congo).

angolais, aise adj. et n. De l'Angola. ▷ Subst. *Un(e) Angolais(e).*

angor n. m. MED Syn. de *angine de poitrine.*

angora adj. inv. et n. m. **1.** Se dit de variétés de chats, de lapins, de chèvres remarquables par la longueur de leurs poils. *Une chèvre angora.* **2.** *Laine angora,* faite de poils de chèvre ou de lapin angora. ▷ n. m. *Tricot en angora.*

Angoulême, ch.-l. du dép. de la Charente, sur la Charente ; 46 194 hab. (env. 102 900 hab. dans l'aggl.). Papeteries ; imprimeries ; constr. électr. et méca. ; poudrerie. – Évêché. Cath. St-Pierre (prem. moitié du XIIe s., restaurée par Abadie au XIXe s.). Festival annuel de la bande dessinée.

Angoulême (Louis Antoine de Bourbon, duc d') (Versailles, 1775 – Göritz, Autriche, auj. Gorizia, Italie, 1844), dernier dauphin de France, fils aîné de Charles X. Il commanda l'expédition d'Espagne (1823) et renonça au trône en 1830. – **Marie-Thérèse de Bourbon** (Versailles, 1778 – Frohsdorf, 1851), épouse du préc., fille de Louis XVI, soutint les ultraroyalistes sous la monarchie de Juillet.

Angoumois ou **comté d'Angoulême,** anc. rég. de France dont la cap. était Angoulême, réunie à la Couronne en 1308 et définitivement, en 1515.

angoumoisin, ine adj. et n. D'Angoulême. – Subst. *Un(e) Angoumoisin(e).*

angström [ɑ̃gstrœm] n. m. PHYS Unité non légale de longueur, valant un dix-millionième de millimètre (symbole Å).

Ångström (Anders Jonas) (Lödgö, 1814 – Uppsala, 1874), physicien suédois, auteur de travaux sur le spectre solaire.

Anguier, nom de deux frères, sculpteurs français. – **François** (Eu, 1604 – Paris, 1669) réalisa le tombeau de F. de Thou, premier président du parlement de Paris. – **Michel** (Eu, 1614 – Paris, 1686) collabora à la décoration du chât. de Vaux-le-Vicomte et du Louvre.

anguiforme adj. Qui a la forme d'un serpent.

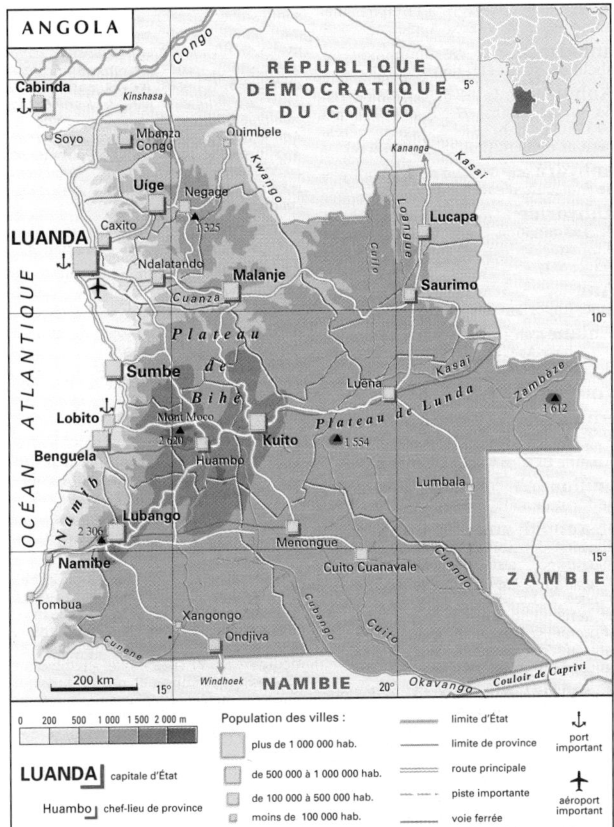

Anguilla, île des Petites Antilles, État associé au Commonwealth, 91 km², 7 000 hab. (Anguillais); cap. *La Vallée.*

anguille n. f. **1.** Poisson téléostéen d'eau douce (mais se reproduisant, pour les anguilles des bassins atlantiques, en mer des Sargasses), de forme très effilée, à peau visqueuse très glissante. ▷ Loc. fig. *Il y a anguille sous roche,* qqch qui se prépare et qu'on nous cache. **2.** *Anguille de mer :* congre.

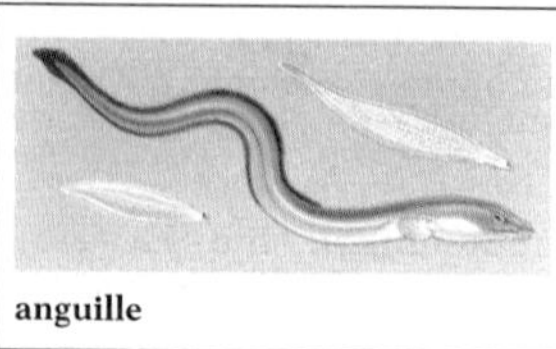

anguille

angulaire adj. Qui forme un ou plusieurs angles. *Forme angulaire.* ▷ *Pierre angulaire,* qui est à l'angle d'un édifice; fig. fondement, base. *La pierre angulaire d'un raisonnement.* ▷ ASTRO *Distance angulaire de deux étoiles :* angle formé par les rayons lumineux parvenant à l'observateur. ▷ PHYS *Vitesse* angulaire.*

anguleux, euse adj. Qui présente des angles vifs. *Un visage anguleux.* – Fig. Peu abordable, rude. *Esprit anguleux.*

angus n. Syn. de *aberdeen-angus.*

angusture ou **angustura** n. f. BOT, PHARM Écorce fébrifuge d'un arbuste (fam. rutacées) d'Amérique du Sud.

Anhalt, anc. duché souverain allemand, en Saxe, intégré à l'Empire allemand en 1918. V. Saxe-Anhalt.

anhidrose n. f. MED Diminution ou abolition de la sécrétion sudorale.

Anhui, prov. de l'E. de la Chine, à l'O. de Shanghai; ch.-l. *Hefei*; 139 900 km²; 59 550 000 hab. Riche région céréalière et minière (houille, fer, cuivre).

anhydre adj. CHIM Qui ne contient pas de molécule d'eau.

anhydride n. m. CHIM Oxyde résultant de l'élimination d'une molécule d'eau d'un oxacide, par ex. l'anhydride sulfurique, SO_3.

Ani, anc. v. d'Arménie, auj. en Turquie. Important site archéologique.

Aniane, ch.-l. de cant. de l'Hérault; 1 768 hab. Anc. abbaye fondée par saint Benoît d'Aniane.

anicroche n. f. Petite difficulté.

Anie (pic d'), principal sommet (2 504 m) des Pyrénées-Atlantiques.

ânier, ère n. Conducteur d'ânes.

aniline n. f. CHIM Amine aromatique, de formule $C_6H_5 - NH_2$.

1. animal, aux n. m. **1.** Être vivant, doué de sensibilité et de mouvement (par oppos. aux végétaux). *Les végétaux sont autotrophes, les animaux hétérotrophes.* **2.** Être vivant privé du langage, de la faculté de raisonner (par oppos. à l'homme). *L'ignorance rabaisse l'homme au rang des animaux.* **3.** Fig. Personne stupide ou grossière. *Quel animal!*

2. animal, ale, aux adj. **1.** Propre à l'animal. *Règne animal. Fonctions animales. Chaleur animale :* chaleur produite par les animaux à sang chaud dits *homéothermes.* **2.** Propre aux animaux (par opposition à humain). *L'instinct animal.* **3.** Fig. Propre à ce qui chez l'homme relève du physique, de l'instinct. *Désir, plaisir animal.*

animalcule n. m. Vx Animal microscopique.

animalerie n. f. Local annexe d'un laboratoire où l'on garde les animaux réservés aux expériences.

animalier, ère n. m. et adj. Peintre ou sculpteur d'animaux. – (En appos.) *Un peintre animalier.* ▷ adj. *La peinture animalière.*

animalité n. f. Ensemble des caractères, des facultés propres à l'animal.

animateur, trice n. Personne qui anime. *C'est l'animateur du groupe.* – Personne responsable des activités d'un centre culturel. – Personne qui présente un spectacle, une émission de radio ou de télévision, etc. *Un animateur sportif.* – CINE Technicien spécialiste des dessins animés.

animation n. f. **1.** Caractère de ce qui vit, bouge; activité. *L'animation de la rue.* **2.** CINE Procédé permettant d'obtenir des images animées à partir de dessins ou de photographies. *Cinéma d'animation.*

animé, ée adj. **1.** Qui est vivant. *Un être animé.* ▷ *Par ext.* Où il y a de la vie, du mouvement. *Un quartier animé.* ▷ Fig. Vif et enflammé. *Un débat animé.* **2.** Dirigé, guidé par. *Un garçon animé d'un grand courage.*

animer v. tr. [1] **1.** Communiquer la vie, rendre vivant. *L'âme anime le corps.* ▷ Donner l'apparence de la vie à (une œuvre d'art). *Animer une toile en quelques coups de pinceau.* ▷ Donner de l'animation à. *Les oiseaux animent la forêt.* – Fig. *Il anima le débat.* **2.** (Personnes) Encourager, exciter. *César animait ses soldats par son exemple.* Syn. stimuler. ▷ Être l'élément moteur de (une organisation, une entreprise). *Animer un parti.* **3.** (Choses) Aviver, enflammer. *L'exercice anime le teint.* ▷ *L'amour (la passion) l'anime,* l'inspire, le guide. – *Animé de la meilleure volonté du monde.* **4.** v. pron. Se mettre à vivre, à bouger. *La maison et ses habitants s'animaient vers 8 heures.* ▷ Fig. *Il s'animait fort en discutant.*

animisme n. m. Croyance attribuant aux choses une âme, une conscience.

animiste adj. et n. Qui relève de l'animisme. *Religions animistes.* – Subst. Adepte de l'animisme. *Un animiste.*

animosité n. f. **1.** Volonté de nuire à qqn, inspirée par le ressentiment, l'antipathie. *Il garde de l'animosité contre elle.* Ant. bienveillance, cordialité. **2.** Violence dans une discussion. *Débat marqué par l'animosité.*

Animuccia (Giovanni) (Florence, v. 1500 – Rome, 1571), compositeur italien. Ses *Madrigali spirituali* sont considérés comme les premiers oratorios.

anion n. m. CHIM Ion possédant une ou plusieurs charges électriques négatives. Ant. cation.

anis [ani] n. m. **1.** Plante (fam. ombellifères) dont les différentes espèces (anis vrai, anis vert, bocage, carvi, cumin, anis des Vosges) sont cultivées pour leurs propriétés aromatiques et médicinales. **2.** *Anis étoilé :* fruit d'un arbrisseau de Chine et du Tonkin, qui contient une essence aromatique servant à la fabrication de l'anisette et qui a des propriétés médicinales. Syn. badiane.

aniser v. tr. [1] Parfumer à l'anis. – Pp. adj. *Apéritif anisé.*

anisette n. f. Liqueur ou apéritif à l'anis.

aniso-. Élément, du gr. *an-,* privatif, et *isos,* « égal ».

anisogamie n. f. BIOL Mode de reproduction sexuée caractérisée par l'existence de deux gamètes aux caractéristiques morphologiques différentes.

anisomère adj. Formé de parties inégales.

anisométropie n. f. MED Inégalité de l'acuité visuelle des deux yeux.

anisotrope adj. PHYS Dont les propriétés varient selon la direction considérée. Ant. isotrope.

Anjou, anc. prov. et rég. de l'O. de la France, qui correspond au Maine-et-Loire et, en partie, à l'Indre-et-Loire, à la Mayenne et à la Sarthe; v. princ. *Angers.* – Son relief la rattache, à l'E., au Bassin parisien (Anjou blanc, où se situe le Val d'Anjou), à l'O. au Massif armoricain (Anjou noir). Cultures dans les nombr. vallées : maraîchères, fruitières, et surtout viticoles, réputées. D'import. ardoisières se trouvent à Trélazé. – La rég. appartint au XIIe s. aux Plantagenêts, mais Philippe Auguste la conquit (1203). Elle fut donnée à deux reprises en apanage et érigée en duché en 1360, avant d'être réunie définitivement à la Couronne en 1481.

Anjou (maison d'), nom de trois dynasties françaises. La première, qui fut fondée en 878, régna sur l'Angleterre (les Plantagenêts en sont issus) et sur Jérusalem (1131); la deuxième conquit le royaume de Naples en 1266, régna sur la Hongrie, la Pologne et l'empire latin de Constantinople; la troisième régna sur l'Anjou, le Maine et la Provence jusqu'en 1481.

Anjouan (auj. *Ndzouani*), île de l'archipel des Comores; 424 km²; 230 000 hab. L'île a proclamé en août 1997 son indépendance, confirmée par référendum en oct., et repoussé une attaque des troupes comoriennes.

Ankara (anc. *Ancyre* ou *Angora*), cap. de la Turquie (depuis 1924), dans l'Anatolie centrale; 2 800 000 hab. Constr. méca.; industr. textile. – Musée des civilisations anatoliennes.

Ankara : mausolée d'Atatürk

ankylose n. f. Impossibilité mécanique de mobiliser normalement une articulation naturellement mobile.

ankyloser v. tr. [1] Déterminer l'ankylose. ▷ v. pron. Être frappé d'ankylose. *Ses doigts s'ankylosent.* ▷ Pp. adj. *Je me suis réveillé ankylosé.* – *Par ext.* Perdre de sa capacité à se mouvoir, par manque d'activité.

ankylostome n. m. ZOOL Petit nématode (1 cm), parasite intestinal de l'homme, dont la larve vit dans le sol.

Annaba (anc. *Bône*), ville et port d'Algérie; 310 000 hab.; ch.-l. de la wil. du m. nom. Complexe sidérurgique d'*Al Hadjar.*

Anna Ivanovna (Moscou, 1693 - Saint-Pétersbourg, 1740), impératrice de Russie (1730-1740), nièce de Pierre le Grand.

annal, ale, aux adj. Vieilli DR *Possession annale,* valable un an seulement.

annales n. f. pl. **1.** Ouvrage, récit qui rapporte les événements année par année. *Annales militaires. Annales littéraires.* **2.** Titre de revues ou fascicules périodiques consacrés aux domaines littéraire ou scientifique. **3.** Histoire. *Son nom restera dans les annales.*

annaliste n. m. Didac. Auteur d'annales.

Annam, région historique désignant la partie centrale du Viet-nam entre le Tonkin et la Cochinchine (v. princ. Huê, Da Nang). - Le nom d'Annam a été utilisé par les Occidentaux pour désigner l'empire de Nguyên Anh, devenu empereur en 1802 sous le nom de Gia* Long, après avoir réussi à unifier le pays, qu'il appela Viet-nam. Elle est devenue protectorat français en 1883, et a été incluse en 1887 dans l'Union indochinoise.

annamite adj. (et n.) De l'Annam; qui habite l'Annam, en est originaire.

Annan (Kofi) (Kumasi, 1938), homme politique ghanéen, secrétaire général de l'ONU depuis 1997.

Annapolis, v. des États-Unis, capitale de l'État du Maryland; 33 180 hab.

Annapūrnā, sommet de l'Himalaya (8 078 m). Vaincu en 1950 par la mission franç. dirigée par Maurice Herzog.

Anne (sainte), épouse de saint Joachim et mère de la Vierge Marie.

Anne d'Autriche (Valladolid, 1601 - Paris, 1666), reine de France. Fille de Philippe III d'Espagne, elle épousa Louis XIII (1615). Guidée par Mazarin, qu'elle épousa probabl., elle exerça la régence (1643-1661) pendant la minorité de son fils Louis XIV.

Anne d'Autriche — **Anne de Bretagne**

Anne Boleyn (?, v. 1507 - Londres, 1536), reine d'Angleterre. Deuxième épouse d'Henri VIII (1533), elle fut condamnée à mort pour adultère, et décapitée. Mère d'Élisabeth Ire.

Anne de Bretagne (Nantes, 1477 - Blois, 1514), reine de France. Duchesse de Bretagne à la mort de son père François II (1488), elle épousa Charles VIII (1491), puis Louis XII (1499), préparant ainsi la réunion du duché à la Couronne.

Anne de Clèves (?, 1515 - Chelsea, 1557), reine d'Angleterre, quatrième épouse d'Henri VIII, répudiée immédiatement (1540) après son mariage.

Anne de France ou **Anne de Beaujeu** (?, 1460 - Chantelle, 1522), fille aînée de Louis XI, épouse de Pierre de Beaujeu, avec qui elle exerça la régence (1483-1491) pendant la minorité de son frère Charles VIII. Elle poursuivit l'œuvre de Louis XI.

Anne de Gonzague. V. Gonzague.

Anne Stuart (Londres, 1665 - id., 1714), reine d'Angleterre et d'Irlande (1702-1714). Fille de Jacques II, elle signa en 1707 l'Acte d'union dans le Royaume-Uni des États d'Angleterre et d'Écosse. Elle désigna pour lui succéder l'Électeur de Hanovre.

anneau n. m. **1.** Cercle de matière dure qui sert à attacher, à suspendre, à retenir. *Les anneaux d'un rideau.* ▷ Cercle de métal, généralement précieux, qu'on porte au doigt. *Anneau nuptial :* alliance. ▷ (Plur.) Agrès de gymnastique composés de deux anneaux de métal suspendus chacun à une corde. *Exercice aux anneaux.* **2.** Ce qui affecte une forme circulaire. *Les anneaux du serpent.* ▷ BOT Bague membraneuse, reste du voile partiel, autour du pied de certains champignons. ▷ ASTRO *Anneaux de Saturne :* couronnes concentriques constituées de blocs de glace qui ceinturent la planète Saturne. ▷ GEOM *Anneau sphérique :* volume engendré par un segment circulaire tournant autour d'un diamètre. ▷ OPT *Anneaux de Newton :* franges lumineuses obtenues en éclairant la lame d'air comprise entre une plaque de verre parfaitement plane et la surface sphérique d'une lentille en contact avec la plaque. ▷ PHYS NUCL *Anneaux de stockage :* réservoirs de particules animées de grandes vitesses, en forme d'anneaux, et permettant de produire des collisions entre particules. **3.** ALG Ensemble muni de deux lois de composition interne : une loi de groupe commutatif (ou abélien), et une loi associative et distributive par rapport à la première.

annecien, enne adj. et n. D'Annecy. - Subst. *Un(e) Annecien(ne).*

Annecy, ch.-l. du dép. de la Hte-Savoie, sur le *lac d'Annecy;* 51 143 hab. Centre tourist.; constr. méca. et électr. I.A.A. - Évêché. Palais de l'Isle (XVe s.); château de Menthon (XVIe s.).

Annecy-le-Vieux, ch.-l. de cant. de la Hte-Savoie (arr. d'Annecy); 17 969 hab. Fromageries. Ingénierie.

année n. f. **1.** ASTRO Durée d'une révolution de la Terre autour du Soleil. - *Année sidérale :* durée de la révolution sidérale de la Terre par rapport aux étoiles fixes (365,2564 jours). - *Année anomalistique :* durée entre deux passages successifs au périhélie. - *Année tropique :* durée entre deux passages successifs au point vernal (365,2422 jours, du fait de la précession). - *Année de lumière :* v. *année-lumière.* **2.** Cour. Période de douze mois comptant 365 ou 366 jours (*année bissextile*), commençant le 1er janvier et finissant le 31 décembre. *Année civile. Souhaits de bonne année,* qu'il est d'usage d'adresser au début de chaque année. ▷ Chacune de ces périodes, envisagées dans leurs successions chronologiques et datées. *L'année 1950.* **3.** Période de douze mois, à compter du jour de la naissance d'une personne. *Il entre dans sa quatrième année.* **4.** Période consacrée à certaines activités, d'une durée inférieure à douze mois. *L'année scolaire, universitaire :* temps compris entre le début des cours et les grandes vacances. *Année judiciaire :* période pendant laquelle siègent les tribunaux.

année-lumière n. f. **1.** Unité de longueur (symb. al) égale à la distance parcourue par la lumière en un an (env. 9 461 milliards de km). *Une année-lumière est égale à 0,307 parsec et à 63 240 unités astronomiques.* (On dit aussi *année de lumière.*) **2.** Fig., fam. Distance considérable. *Des années-lumière.*

annelé, ée adj. **1.** BIOL Composé d'anneaux distincts. *Vers annelés* (annélides). *Vaisseaux annelés du bois.* **2.** ARCHI *Colonne annelée,* décorée d'anneaux.

annelet n. m. **1.** Petit anneau. **2.** ARCHI Petit filet ornant les chapiteaux doriques.

annélides n. m. pl. ZOOL Embranchement d'invertébrés cœlomates divisé en trois classes : polychètes (vers marins), oligochètes (lombrics), hirudinées ou achètes (sangsues). *Les annélides, ou vers annelés, sont formés d'une succession d'anneaux (métamères), tous semblables, à l'exception de la tête et de la queue.* - Sing. *Un annélide.*

Annemasse, ch.-l. de cant. de la Hte-Savoie (arr. de Saint-Julien-en-Genevois), à la frontière suisse; 27 927 hab. Horlogerie; industries métall. et textile.

Annenski (Innokenti Fedorovitch) (Omsk, 1856 - Saint-Pétersbourg, 1909), écrivain russe. Ses poèmes symboliques traduisent l'angoisse de la mort *(Chants à voix basse,* 1904, *le Coffret de cyprès,* 1910). Auteur également de tragédies mythologiques : *Ménippe philosophe,* 1901.

1. annexe adj. Qui est uni à la chose principale, qui en dépend. *Les documents annexes d'un rapport.*

2. annexe n. f. **1.** Ce qui est adjoint à la chose principale ou qui en est une partie complémentaire, accessoire. *Les annexes d'un dossier. L'annexe d'un groupe scolaire.* **2.** ANAT *Annexes de l'œil :* paupières, cils. - *Annexes de l'utérus :* trompes, ovaires. ▷ BIOL *Annexes embryonnaires :* allantoïde, amnios, chorion et placenta; sac vitellin des poissons.

annexer v. tr. [1] **1.** Joindre, rattacher (une chose secondaire) à la chose principale. *Annexer une procuration à un acte.* **2.** Réunir à son territoire, rendre dépendant (un État) d'un autre. *La France a annexé le comté de Nice en 1860.* ▷ v. pron. Fam. S'approprier. *Il s'est annexé les bons morceaux.*

annexion n. f. Action d'annexer. *L'annexion de la Savoie.*

annexionnisme n. m. Théorie des annexionnistes.

annexionniste adj. et n. Qui est partisan du rattachement par annexion des petits États aux grands États voisins.

Annibal. V. Hannibal.

annihilation [aniilasjɔ̃] n. f. **1.** Action d'annihiler; son résultat. Syn. anéantissement. **2.** PHYS NUCL Transformation de la masse d'une particule en énergie par désintégration totale.

annihiler [aniile] v. tr. [1] **1.** Réduire à rien (qqch), rendre nul. *Annihiler un droit. Annihiler les efforts de qqn.* ▷ v. pron. Se réduire à rien. **2.** Réduire à néant la volonté de (qqn). *Le chagrin l'annihile.* Syn. anéantir.

anniversaire adj. et n. m. Qui rappelle le souvenir d'un événement antérieur arrivé à pareille date. *Cérémonie anniversaire de la proclamation de la République.* ▷ n. m. Jour anniversaire. *Célébrer l'anniversaire d'une victoire. C'est mon anniversaire,* l'anniversaire de ma naissance.

Annobón. V. Pagalu.

Annonay, ch.-l. de cant. de l'Ardèche (arr. de Tournon-sur-Rhône); 19 155 hab. (*Annonéens*). Papeteries; mégisseries; carrosseries d'automobiles.

annonce n. f. **1.** Avis par lequel on informe le public. *L'annonce d'une* *vente. Annonce publicitaire, radiophonique. Faire passer une annonce dans un journal,* pour offrir ou demander un emploi, louer ou vendre un appartement, etc. *Les petites annonces.* – *Effet d'annonce* : retentissement dans l'opinion publique de l'annonce d'une décision politique. – DR *Annonces judiciaires, légales,* dont l'insertion dans les journaux est prescrite par la loi. ▷ JEU Déclaration par chaque joueur du contrat qu'il s'engage à remplir, des atouts ou des combinaisons qu'il possède. *Le jeu des annonces est très important au bridge.* **2.** Ce qui annonce qqch. *Le retour des hirondelles est l'annonce du printemps.*

annoncer v. [12] **I.** v. tr. **1.** Faire savoir, donner connaissance de (qqch). *Annoncer une victoire, une fête.* ▷ Publier, porter à la connaissance du public. *Les journaux annoncent la nouvelle.* ▷ *Annoncer qqn* : dire le nom d'un visiteur qui désire être reçu. *Il s'est fait annoncer par la secrétaire.* **2.** Faire connaître par avance, prédire. *Les astronomes ont annoncé le retour de cette comète.* **3.** (Choses) Être l'indice de, présager. *Des traits qui annoncent la détresse. Nuages qui annoncent un orage.* ▷ Signaler. *La cloche annonce la fin des cours.* **II.** v. pron. **1.** Se manifester par des signes précurseurs. *Son génie s'annonça de bonne heure.* **2.** Se présenter favorablement ou défavorablement. *L'affaire s'annonce avantageuse, délicate.*

annonceur, euse n. **1.** Syn. de *speaker, speakerine.* **2.** n. m. Personne, entreprise qui fait passer des annonces publicitaires.

annonciateur, trice adj. **1.** Qui annonce, qui présage. *Des signes annonciateurs d'une tempête.*

annonciation n. f. **I.** (Avec une majuscule.) **1.** Annonce faite à la Vierge Marie par l'ange Gabriel pour lui apprendre qu'elle serait mère de Jésus-Christ. – BX-A Représentation de cette scène. **2.** Fête commémorant cette annonce (25 mars). **II.** *Par ext.* Signe prémonitoire. – Révélation concernant la survenue (d'une ère nouvelle). ► illustr. le **Greco**

annoncier, ère n. Personne qui, dans un journal ou une entreprise de publicité, est chargée de la rédaction et de la mise en pages des annonces.

annotation n. f. Remarque explicative ou critique accompagnant un texte. *Les annotations figurent en dernière page.*

annoter v. tr. [1] Ajouter à un texte des notes critiques. *Annoter un texte en marge,* y inscrire des remarques personnelles. *Exemplaire annoté de la main de l'auteur.*

annuaire n. m. Recueil annuel donnant divers renseignements. *Annuaire du téléphone. Annuaire des avocats.*

annualisation n. f. Action d'annualiser. *L'annualisation du temps de travail.*

annualiser v. tr. [1] **1.** Faire qu'une chose, un événement se produise tous les ans. **2.** Établir (qqch) en prenant l'année comme référence. *Annualiser des statistiques.*

annualité n. f. Didac. Caractère de ce qui est annuel, qui vaut pour un an. *Annualité de l'impôt.*

annuel, elle adj. **1.** Qui dure un an seulement. *Contrat annuel.* – AGRIC *Plantes annuelles,* qui ne vivent qu'une année (par oppos. à *plantes vivaces*). **2.** Qui revient tous les ans. *Fête annuelle. Redevances annuelles,* perçues chaque année.

annuellement adv. Par an, chaque année.

annuité n. f. **1.** Somme que l'on paie chaque année en vue d'amortir un emprunt en un temps déterminé. **2.** Équivalence d'une année de service, dans le calcul des pensions.

annulabilité n. f. DR Caractère d'un acte qui comporte un vice susceptible d'entraîner son annulation.

1. annulaire adj. En forme d'anneau. ▷ ASTRO *Éclipse annulaire du Soleil,* ne laissant apparaître que la couronne solaire qui se profile en anneau autour de la Lune. ▷ ANAT *Protubérance annulaire,* située à la face inférieure de l'encéphale.

2. annulaire n. m. Quatrième doigt de la main, celui qui porte l'anneau du mariage.

annulatif, ive adj. DR Qui annule. *Arrêt annulatif.*

annulation n. f. Action d'annuler, de supprimer. *L'annulation d'un contrat, d'un mariage.* Syn. abrogation, invalidation. Ant. validation, confirmation.

annuler v. [1] **I.** v. tr. **1.** DR Rendre nul (qqch), frapper de nullité. *Annuler un verdict, une élection.* Ant. valider. **2.** Cour. Supprimer, rendre de valeur nulle. *Annuler une réception, une commande.* Ant. confirmer, maintenir. **II.** v. pron. (récipr.) Devenir nul, se neutraliser en s'opposant. *En physique, des forces égales et opposées s'annulent.*

Annunzio (Gabriele D'). V. D'Annunzio.

anoblir v. tr. [3] **1.** Faire noble, conférer un titre de noblesse à. *Le roi l'anoblit.* ▷ Pp. adj. *Il se retira une fois anobli.* **2.** Fig. Ennoblir.

anoblissement n. m. Action d'anoblir. *Lettres d'anoblissement,* par lesquelles le roi conférait la noblesse.

anode n. f. PHYS Électrode reliée au pôle positif d'un générateur électrique lors d'une électrolyse, et siège d'une réaction d'oxydation.

anodin, ine adj. **1.** MED Vx Qui calme la douleur. *Potion anodine.* **2.** Sans gravité, sans importance, inoffensif. *Une grippe anodine. Des propos anodins.* Syn. bénin. **3.** (Personnes) Insignifiant, sans intérêt. *Je trouve ce garçon tout à fait anodin.*

anodique adj. PHYS Qui se produit à l'anode. *Oxydation anodique.* ▷ TECH *Protection anodique* : protection contre la corrosion des métaux au moyen d'un film superficiel qui, électropositif, joue le rôle d'anode.

anodisation n. f. TECH Procédé de protection des pièces en aluminium par oxydation anodique.

anodonte adj. et n. m. **1.** adj. Didac. Qui n'a pas de dents. **2.** n. m. ZOOL Mollusque lamellibranche d'eau douce, commun en France.

anomal, ale, aux adj. Didac. Qui présente une anomalie. *Fleurs anomales,* dont la constitution est différente de celle de la fleur habituelle. ▷ GRAM *Forme, construction anomale,* qui, sans être incorrecte, présente des divergences par rapport à un type ou à une règle.

anomalie n. f. **1.** Cour. Bizarrerie, particularité qui rend une chose différente de ce qu'elle devrait être normalement ; écart par rapport à une règle. *Relever des anomalies dans un compte.* **2.** GRAM Caractère d'une forme, d'une construction anomale. **3.** ASTRO *Anomalie vraie* : angle formé par le grand axe de l'ellipse que décrit une planète autour du Soleil et la droite menée de la planète au Soleil. *Anomalie excentrique* : angle formé par le grand axe et la droite qui joint le centre du cercle circonscrit à l'ellipse et le point du cercle situé sur le prolongement de la droite passant par la planète et perpendiculaire au grand axe. **4.** BIOL Écart par rapport au type normal. *Anomalie du crâne.*

anomalistique adj. ASTRO *Année anomalistique* : V. année. – *Révolution anomalistique* : mouvement d'une planète entre deux passages successifs au périhélie.

anomie n. f. SOCIOL Absence ou désintégration des normes sociales.

ânon n. m. Petit de l'âne.

anonacées n. f. pl. BOT Famille de dicotylédones comprenant des arbres et des arbustes tropicaux. – Sing. *Une anonacée.*

anone n. f. Arbre tropical (fam. anonacées) fournissant des fruits comestibles parfumés ; son fruit (le corossol, la pomme-cannelle, le cœur-de-bœuf, selon l'espèce). ► pl. **fruits exotiques**

ânonnement n. m. Action d'ânonner.

ânonner v. intr. [1] Parler, réciter avec peine, en balbutiant, en hésitant. ▷ v. tr. *Enfant qui ânonne la table de multiplication.*

anonymat [anɔnima] n. m. Caractère de ce qui est anonyme. *L'anonymat d'un don. Il est resté dans l'anonymat.*

anonyme adj. et n. **1.** Se dit d'une personne dont on ignore le nom, ou d'une œuvre sans nom d'auteur. *Écrivain anonyme. Ouvrage anonyme.* – Subst. *Le don d'un anonyme.* – *Lettre anonyme,* que son auteur n'a pas voulu signer. – DR *Société anonyme* : société commerciale par actions dans laquelle la responsabilité des associés est limitée au montant de l'apport. **2.** Fig. Sans personnalité, froid. *Le décor anonyme d'une salle d'attente.*

anonymement adv. D'une manière anonyme.

anophèle n. m. ENTOM Moustique (ordre des diptères) dont la femelle transmet le paludisme.

anoploures n. m. pl. ENTOM Ordre d'insectes comprenant les poux des mammifères. – Sing. *Un anoploure.*

anorak n. m. Veste de sport imperméable à capuchon.

anorchidie [anɔʀkidi] ou **anorchie** [anɔʀki] n. f. MED Absence congénitale de l'un ou des deux testicules.

anorexie n. f. MED Absence d'appétit, perte de l'appétit. ▷ *Anorexie mentale* : syndrome d'origine psychologique qui se voit en particulier chez le nourrisson et la jeune fille, caractérisé par le refus de s'alimenter.

anorexigène adj. et n. m. MED Qui coupe l'appétit. *Médicament anorexigène.*

anorexique adj. et n. Qui souffre d'anorexie.

anormal, ale, aux adj. Qui semble contraire aux règles, aux usages habituels ou à la raison. *Un froid anormal pour la saison. Il est anormal de payer si cher pour cette bagatelle.* Syn. particulier, exceptionnel, singulier, insolite. Ant. normal, naturel, régulier. – *Enfant anormal,* qui présente des anomalies psychiques ou physiques.

anormalement adv. D'une manière anormale.

anormalité n. f. Caractère anormal.

anosmie n. f. MED Perte totale ou partielle de l'odorat.

Anou, dieu du Ciel dans la myth. sumérienne.

Anouilh (Jean) (Bordeaux, 1910 – Lausanne, 1987), dramaturge français; auteur prolifique de pièces «noires» : *le Voyageur sans bagages* (1937), *Antigone* (1944); «roses» : *le Bal des voleurs* (1938), *le Rendez-Vous de Senlis* (1941); «brillantes» : *l'Invitation au château* (1947); «grinçantes» : *Pauvre Bitos* (1956). ► illustr. page **89**

anoure adj. et n. ZOOL **1.** adj. Dépourvu de queue. **2.** n. m. pl. Ordre d'amphibiens dépourvus de queue au stade adulte (crapauds, grenouilles).

anovulation n. f. MED Absence d'ovulation.

anovulatoire adj. De l'anovulation. *Cycle anovulatoire.*

anoxémie n. f. MED Diminution de la quantité d'oxygène dans le sang.

anoxie n. f. MED Diminution de la quantité d'oxygène dans les tissus, conséquence de l'anoxémie.

A.N.P.E. Sigle de *Agence* nationale pour l'emploi.*

Anquetil (Jacques) (Mont-Saint-Aignan, 1934 – Rouen, 1987), coureur cycliste français. Il a remporté cinq fois le Tour de France (1957, 1961, 1962, 1963 et 1964).

Jacques **Anquetil** (Tour de France 1962)

Ans, comm. de Belgique (prov. de Liège); 27 554 hab.

Ansariyya ou **Ansarieh** (djebel), chaîne de montagnes de Syrie, séparant le littoral du fossé du Ghab; 1 583 m.

Anschaire ou **Oscar** (saint) (près de Corbie, 801 – Brême, 865), bénédictin français, il évangélisa la Scandinavie.

Anschluss, intégration écon. et, surtout, polit. (mars 1938) de l'Autriche au IIIe Reich allemand (*Anschluss* signifie «rattachement»). V. Autriche.

anse n. f. **1.** Partie saillante et souvent recourbée par laquelle on saisit certains objets. *L'anse d'un panier, d'une tasse.* – Loc. fig. *Faire danser l'anse du panier :* en parlant des employés de maison, majorer le prix des achats au détriment des employeurs. ▷ Partie en forme d'arc. **2.** GEOGR Petite baie. **3.** ARCHI *Arc en anse de panier :* courbe semi-elliptique formée de trois arcs se raccordant, en usage surtout dans l'art de la Renaissance. **4.** ANAT Courbure que décrit un vaisseau, un rameau nerveux, un organe. *Anse vasculaire.*

ansé, ée adj. *Croix ansée,* surmontée d'une anse (symbole de vie éternelle chez les anciens Égyptiens).

Anselme (saint) (Aoste, 1033 – Canterbury, 1109), théologien; abbé de l'abbaye du Bec (Normandie), puis archevêque de Canterbury; il chercha à interpréter rationnellement la foi chrétienne : *Monologium, Proslogium, Cur Deus homo.*

Anselme (Pierre Guibours, dit le Père) (Paris, 1625 – id., 1694), historien français, augustin déchaussé, généalogiste de la Maison de France.

ansériformes n. m. pl. ICHTYOL Ordre d'oiseaux palmipèdes dont le bec est garni intérieurement de lamelles cornées (oies, cygnes, canards, flamants). – Sing. *Un ansériforme.*

Ansermet (Ernest) (Vevey, 1883 – Genève, 1963), chef d'orchestre suisse; il dirigea souvent des œuvres de musiciens contemporains qu'il contribua à révéler.

Anshan, ville du nord-est de la Chine (Liaoning), en Mandchourie; 1 400 000 hab. Grand complexe sidérurgique.

ant-. V. anti-.

antagonique adj. Qui est en lutte, en opposition. *Forces antagoniques.*

antagonisme n. m. Opposition de deux forces; rivalité hostile. *L'antagonisme entre deux peuples.*

antagoniste adj. et n. **1.** Opposé, hostile. *Factions antagonistes.* ▷ Subst. *Après s'être insultés, les deux antagonistes en vinrent aux coups.* **2.** Se dit de muscles dont les actions sont opposées. **3.** PHARM Se dit d'une substance qui annule les effets d'une autre substance. **4.** MECA *Couple antagoniste,* dont les forces s'exercent en sens contraire du couple produisant le mouvement.

Antaimoure, population du S.-E. de Madagascar.

Antalcidas ou **Antalkidas** (m. v. 368 av. J.-C.), général spartiate. Pour donner à Sparte l'hégémonie sur la Grèce, il négocia la cession de la plupart des cités grecques d'Asie Mineure au Perse Artaxerxès II Mnémon.

antalgique adj. et n. m. MED Se dit d'un produit qui atténue la douleur.

Antalya (anc. *Adalia*), v. et port de la Turquie, sur la Médit. *(golfe d'Antalya),* au pied du Taurus occid.; 400 000 hab.; ch.-l. de l'il du m. nom. Pêche. Tourisme. – Nombr. vestiges romains et musulmans.

antan (d') loc. adj. Litt. D'autrefois.

Antananarivo (anc. *Tananarive*), cap. de Madagascar, sur le plateau de l'Imerina; 1 300 000 hab.; ch.-l. de prov. Centre admin., culturel et comm. Industr. alim. et textile. Dans la partie haute de la ville, anciennes demeures royales malgaches, palais Mahitsielafanjaca (1796) et Manampisóa (1866) et de la Reine (1839).

Antar ou **Antara** (Ibn Shaddad al-Absi) *('Antara ibn Šaddād al-'Absī)* (fin VIe s. – déb. VIIe s.), poète et guerrier arabe de la période antéislamique. Esclave, il parvint par son héroïsme légendaire à devenir un homme libre. Ses exploits guerriers et sa passion pour sa bien-aimée Ablah ont inspiré *le Roman d'Antar* dont une partie serait son œuvre.

antarctique adj. Relatif au pôle Sud et aux régions polaires australes.

Antarctique ou **Antarctide,** un des continents; env. 14 000 000 de km^2. Il se localise à l'intérieur du cercle polaire austral (66° 33′ de latit. S.). Entouré par l'océan Antarctique, il est formé de montagnes et de bassins recouverts d'un inlandsis dont la glace a une épaisseur moyenne de 2 200 m mais peut dépasser 4 000 m et culmine au mont Vinson (5 140 m). Des vents violents accentuent la rigueur du climat; la moyenne annuelle est de −50°. Flore et faune sont rares. – Le continent fut atteint au XVIIIe s.; en 1911, le Norvégien Amundsen parvint au pôle. Plusieurs pays (dont les É.-U., qui veulent l'internationalisation de tout le continent) y possèdent des terres ou y ont installé des stations scientifiques. En 1959, les États concernés (Australie, France, G.-B., Norvège, Nouvelle-Zélande, Argentine, Chili, U.R.S.S., É.-U., Afrique du Sud, Belgique, Japon) signèrent un traité destiné à promouvoir une commune recherche scientif. en Antarctique. Un nouveau traité, étendu à une quarantaine de pays en 1988, modifie les termes et la finalité du contrôle international; dep. 1991, il interdit pendant 50 ans toute exploitation des ressources minières du continent et privilégie la protection de l'environnement.
► carte page **84**

Antarctique, Glacial ou **Austral** (océan), océan qui entoure le continent antarctique, au S. des océans Atlant., Indien et Pacifique. Fosses de plus de 5 000 m.

Antarès, système de deux étoiles du Scorpion associant une supergéante rouge et une étoile bleue (magnitude apparente visuelle du système variant entre 0,9 et 1,8).

anté-. Élément, du latin *ante,* «avant», marquant l'antériorité (ex. *antédiluvien,* etc.).

antébois ou **antibois** n. m. TECH Baguette de bois fixée sur le plancher pour empêcher les meubles de heurter le mur.

antécambrien, enne adj. et n. m. GEOL Syn. de *précambrien.*

antécédence n. f. **1.** Rare État de ce qui est antécédent. **2.** ASTRO Marche apparemment rétrograde (d'E. en O.) des planètes. **3.** Phénomène par lequel un élément géologique se maintient malgré d'importantes phases tectoniques ultérieures.

antécédent, ente adj. et n. m. **I.** adj. Rare Qui précède dans le temps. Syn. antérieur. Ant. postérieur. **II.** n. m. **1.** Chacun des actes, des faits du passé d'une personne, en rapport avec son

Antananarivo : la ville haute

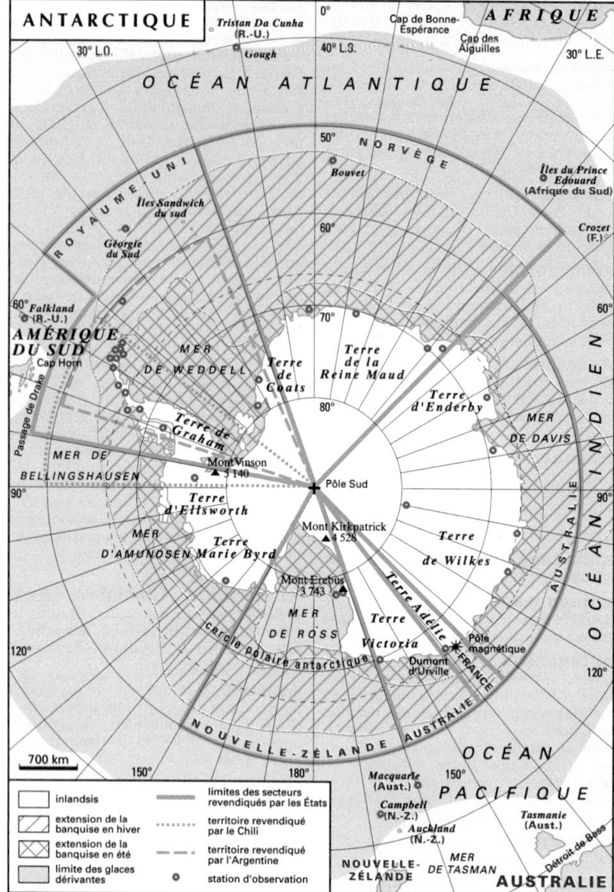

existence actuelle. *Avoir de bons, de fâcheux antécédents.* **2.** MATH et LOG Premier terme d'un rapport par opposition au second terme, appelé *conséquent.* **3.** TECH En ordonnancement : tâche qui précède une autre tâche. *Méthode des antécédents.* **4.** GRAM *Antécédent d'un pronom, d'un relatif* : mot qui précède et que remplace ce pronom, ce relatif. **5.** MED Phénomène morbide qui a précédé une maladie et peut contribuer à l'expliquer.

antéchrist [ɑ̃tekʀist] n. m. THEOL (Avec une majuscule.) Faux messie qui, d'après l'Évangile et l'Apocalypse, paraîtra avant la fin du monde pour prêcher contre le Christ. – *Par ext.* Adversaire du Christ et de sa doctrine.

antédiluvien, enne adj. Antérieur au Déluge. *Animaux antédiluviens.* ▷ Fig., souvent iron. Très ancien, démodé. *Un tacot antédiluvien.*

Antée, géant fils de Gaia, déesse de la Terre, et de Poséidon. Comme il retrouvait ses forces dès qu'il touchait le sol, Héraklès le souleva de terre et l'étouffa.

antéfixe n. f. ARCHI Sculpture ornementale, le plus souvent de terre cuite, décorant le bord d'un toit.

antéhypophyse n. f. PHYSIOL Lobe antérieur de l'hypophyse, qui sécrète des hormones contrôlant les glandes endocrines périphériques (thyroïde, corticosurrénales, glandes génitales).

antéislamique adj. Antérieur à l'islam (fondé en 622).

anténatal, ale, aux adj. MED Qui précède la naissance (en fin de grossesse). *Examen anténatal.*

antennates n. m. pl. ZOOL Sous-embranchement d'arthropodes comprenant les crustacés, les myriapodes et les insectes, qui tous possèdent des antennes. – Sing. *Un antennate.*

antenne n. f. **1.** MAR Longue vergue oblique soutenant une voile triangulaire. **2.** ZOOL Appendice sensoriel mobile, situé sur la tête de la plupart des arthropodes (antennates). – Fig. *Avoir des antennes :* avoir de l'intuition, du flair. **3.** RADIOELECTR Organe capable de transformer un signal radioélectrique en ondes électromagnétiques et inversement. – Fig. *Passer sur (à) l'antenne,* dans une émission de radio ou de télévision. **4.** MILIT *Antenne chirurgicale :* poste chirurgical mobile avancé.

antennes satellites dans une station de radio

Antenne 2. V. France 2.

Anténor (VIe s. av. J.-C.), sculpteur grec; auteur d'une korê découverte près du Parthénon (musée de l'Acropole d'Athènes).

antépénultième adj. Didac. Qui précède la pénultième, l'avant-dernière syllabe. – n. f. *L'antépénultième :* la syllabe antépénultième.

antéposer v. tr. [1] LING Placer devant. – Pp. adj. *Dans «un grand homme», «grand» est un adj. antéposé.*

antérieur, eure adj. **1.** Qui précède dans le temps. *Les événements antérieurs.* Ant. ultérieur. – GRAM *Passé antérieur, futur antérieur,* exprimant l'antériorité d'une action par rapport à une autre. **2.** Situé en avant. *La partie antérieure d'une maison, du corps.* Ant. postérieur. – PHON *Voyelles antérieures :* voyelles dont le point d'articulation se situe dans la partie avant de la cavité buccale, dites aussi palatales (ex. [a, ɛ, e, i]).

antérieurement adv. Précédemment, avant.

antériorité n. f. Caractère de ce qui est antérieur. *Antériorité d'un fait.* Ant. postériorité.

antéropostérieur, eure adj. Qui est orienté d'avant en arrière.

anth(o)-, -anthe. Élément, du gr. *anthos,* «fleur».

anthélie n. f. ASTRO Tache lumineuse qui apparaît à l'opposé du Soleil et à la même hauteur que lui, dans certaines conditions météorologiques, du fait de cristaux de glace en suspension dans l'air.

Anthémios de Tralles (Tralles, Lydie, ? – Constantinople, v. 534), architecte et mathématicien byzantin. Il dressa les plans et dirigea les travaux de reconstruction de la basilique Ste-Sophie de Constantinople, achevée par Isidore de Milet en 537.

anthère n. f. BOT Terminaison renflée de l'étamine, qui contient le pollen.

anthèse n. f. BOT Ensemble des phénomènes qui accompagnent l'épanouissement des fleurs. Syn. floraison.

anthologie n. f. Recueil de pièces choisies d'œuvres littéraires ou musicales. *Anthologie de la poésie romantique.*

anthozoaires n. m. pl. ZOOL Superclasse de cnidaires comprenant les octocoralliaires (corail des bijoutiers) et les hexacoralliaires (actinies, madrépoaires). – Sing. *Un anthozoaire.*

anthracite n. m. Charbon à combustion lente, qui brûle sans flamme en dégageant une vive chaleur. ▷ adj. inv. Gris foncé. *Un costume anthracite.*

anthrax [ɑ̃tʀaks] n. m. MED Affection constituée par la réunion de plusieurs furoncles contigus.

-anthrope, -anthropie, -anthropique, anthropo-. Éléments, du gr. *anthrôpos,* «homme».

anthropique adj. Didac. Fait par l'homme, dû à l'homme. *Une dégradation anthropique.*

anthropocentrique adj. Didac. Relatif à l'anthropocentrisme. *Philosophie anthropocentrique.*

anthropocentrisme n. m. Didac. Doctrine, attitude, qui fait de l'homme le centre et la fin de tout.

anthropogenèse ou **anthropogénie** n. f. Didac. Étude de l'origine et de l'évolution de l'homme.

anthropoïde adj. et n. m. **1.** adj. Qui ressemble à l'homme, en parlant d'un animal. *Singe anthropoïde.* **2.** n. m. pl. ZOOL Sous-ordre de primates comprenant les singes et les hominidés. - Sing. *Un anthropoïde.*

anthropologie n. f. **1.** *Anthropologie physique* : étude de l'espèce humaine des points de vue anatomique, physiologique, biologique, génétique et phylogénétique. **2.** *Anthropologie sociale, culturelle* : étude des cultures des différentes collectivités humaines (institutions, structures familiales, croyances, technologies).

anthropologique adj. Qui relève de l'anthropologie.

anthropologue n. m. Spécialiste de l'anthropologie.

anthropométrie n. f. Ensemble des procédés de mensuration des diverses parties du corps humain. - *Anthropométrie judiciaire,* appliquée à l'identification des délinquants.

anthropométrique adj. Relatif à l'anthropométrie. *Fiche anthropométrique,* établie au moyen de l'anthropométrie.

anthropomorphe adj. Didac. Qui a la forme, l'apparence humaine. ▷ ZOOL Se dit des grands singes de la famille des pongidés, les animaux les plus proches de l'homme.

anthropomorphique adj. Didac. Caractérisé par l'anthropomorphisme.

anthropomorphisme n. m. Didac. Représentation de Dieu sous l'apparence humaine. - *Par ext.* Tendance à attribuer aux êtres et aux choses des manières d'être et d'agir, des pensées humaines.

anthroponymie n. f. Didac. Étude de l'origine des noms de personnes.

anthropophage adj. et n. Se dit d'une personne qui mange de la chair humaine. *Peuplade anthropophage.*

anthropophagie n. f. Fait de manger de la chair humaine. (V. cannibalisme.)

anthropopithèque n. m. Animal hypothétique dont on faisait autrefois un intermédiaire entre le singe et l'homme.

anthropozoïque adj. Didac. Qualifie l'ère quaternaire durant laquelle l'homme est apparu.

anti-. Élément, du gr., «contre», indiquant une idée d'hostilité (ex. *anticatholique, anticommuniste, antimonarchique, antiprotectionniste*), de protection (ex. *antiallergique, anticellulitique, antimicrobien, antisudoral*) ou d'opposition (ex. *antimatière, antipsychiatrie, antithéâtral*).

antiacide adj. et n. m. PHARM Se dit d'un médicament qui neutralise l'acidité gastrique.

antiadhésif, ive adj. et n. m. Qui empêche l'adhérence. *Un revêtement antiadhésif.* - n. m. *Récipient de cuisson recouvert d'un antiadhésif.*

antiaérien, enne adj. MILIT Qui combat les attaques aériennes, protège de leurs effets. *Défense antiaérienne. Abri antiaérien.*

antialcoolique [ɑ̃tialkɔlik] adj. Qui lutte contre l'alcoolisme. *Ligue antialcoolique.*

antiallergique, adj. Qui inhibe les réactions allergiques.

antiamaril, ile adj. Qui agit contre la fièvre jaune.

antiapartheid [ɑ̃tiapaʀtɛd] adj. inv. Qui est contre l'apartheid.

antiarches [ɑ̃tiaʀʃ] n. m. pl. PALEONT Ordre de poissons placodermes d'eau douce du primaire, cuirassés et possédant des appendices pectoraux articulés. - Sing. *Un antiarche.*

antiasthénique, adj. et n. m. MED Qui permet de corriger un état de fatigue. *Un médicament antiasthénique.* ▷ n. m. *Un antiasthénique.*

Anti-Atlas, massif du S.-O. du Maroc. (V. Atlas.)

antiatomique adj. Qui s'oppose aux rayonnements nucléaires. *Abri antiatomique.*

antibactérien, enne adj. et n. m. Qui détruit les bactéries.

Antibes, port et ch.-l. de cant. des Alpes-Mar. (arr. de Grasse); 70 688 hab. *(Antibois).* Stat. baln. Cult. fruitières et florales; parfumerie; boissons. - Fondé par les Grecs *(Antipolis).* Chât. Grimaldi (musée d'art contemporain).

antibiogramme n. m. MICROBIOL. Résultat d'un test de sensibilité d'un germe à divers antibiotiques en vue de sélectionner le plus efficace contre ce germe.

antibiothérapie n. f. MED Traitement par les antibiotiques.

antibiotique n. m. (et adj.) MED Substance qui détruit les bactéries ou s'oppose à leur multiplication.
ENCYCL La pénicilline a été découverte par Fleming en 1929 et produite industriellement en 1941. Des centaines d'antibiotiques différents sont fabriqués à partir de micro-organismes ou par synthèse. Certains ont un champ d'action antibactérien particulier.

antiblocage adj. Se dit d'un système de régulation du freinage destiné à éviter qu'une roue ne se bloque.

antibrouillage adj. TECH Se dit des dispositifs destinés à réduire le brouillage d'une émission.

antibrouillard adj. inv. et n. m. Se dit des dispositifs optiques favorisant l'efficacité d'un faisceau lumineux dans le brouillard. *Des projecteurs antibrouillard.* ▷ n. m. *Des antibrouillards* : des phares antibrouillard.

antibruit adj. inv. Qui empêche la propagation du bruit.

anticalcaire adj. Qui élimine le calcaire.

anticancéreux, euse adj. Qui est destiné à combattre le cancer. *Médicament anticancéreux. Prévention anticancéreuse.* ▷ Qui assure la lutte contre le cancer. *Un centre anticancéreux.*

antichambre n. f. **1.** Pièce qui précède une chambre ou un appartement. **2.** Pièce qui sert de salle d'attente. ▷ Loc. (en général péjor.) *Faire antichambre* : attendre avant d'être reçu. *Courir les antichambres* : aller chez plusieurs personnes influentes en solliciteur.

antichar adj. inv. en genre (et n. m.) MILIT Se dit d'un engin ou d'un dispositif qui sert à la lutte contre les chars de combat. *Mines antichars.*

antichoc adj. inv. Qui protège contre les chocs. *Casque antichoc.* ▷ Qui résiste aux chocs. *Montre antichoc.*

antichrèse [ɑ̃tikʀɛz] n. f. DR Contrat par lequel un débiteur remet à son créancier, qui en percevra les revenus, un immeuble en garantie de sa dette.

anticipation n. f. **1.** Action d'anticiper, de faire par avance. *Régler son loyer par anticipation,* avant l'échéance. **2.** DR Empiétement sur les droits, les biens d'autrui. *Attaquer en justice contre une anticipation.* **3.** *Roman, récit d'anticipation,* qui décrit un futur imaginaire. **4.** MUS Accord comprenant une ou plusieurs notes de l'accord qui suit. **5.** RHET Figure par laquelle on réfute d'avance une objection possible.

anticipé, ée adj. Fait à l'avance, avant la date fixée. *Paiement anticipé,* fait avant échéance. *Son arrivée anticipée a complètement modifié mes plans. Des remerciements anticipés.* Ant. retardé.

anticiper v. [1] **1.** v. tr. Faire par avance. *Anticiper un paiement,* le régler avant l'échéance. **2.** v. tr. indir. ou intr. *Anticiper sur l'avenir* : considérer un événement futur comme s'il s'était produit. ▷ (S. comp.) *N'anticipons pas* : procédons par ordre, en respectant la succession logique des choses; commençons par le commencement.

anticlérical, ale, aux adj. (et n.) Qui s'oppose au clergé, à son influence sociale, politique.

anticléricalisme n. m. Attitude politique anticléricale.

anticlinal, ale, aux adj. et n. m. GEOL *Un pli anticlinal* ou, n. m., *un anticlinal* : un pli dont la convexité est tournée vers le haut. Ant. synclinal.

anticoagulant, ante adj. et n. m. MED Qui s'oppose à la coagulation du sang, partic. dans le traitement des thromboses. *L'héparine est un anticoagulant physiologique.*

anticolonialisme n. m. Opposition, hostilité au colonialisme.

anticolonialiste adj. Hostile au colonialisme. ▷ Subst. *Une anticolonialiste convaincue.*

anticommunisme n. m. Opposition, hostilité au communisme.

anticommuniste adj. et n. Hostile au communisme.

anticonceptionnel, elle adj. Qui prévient la conception, évite la grossesse. *Pilules anticonceptionnelles.* Syn. contraceptif.

anticoncurrentiel, elle adj. Qui s'oppose au libre jeu de la concurrence.

anticonformisme n. m. Opposition au conformisme.

anticonformiste adj. Opposé au conformisme. ▷ Subst. *En matière d'art, c'est un anticonformiste.*

anticonjoncturel, elle adj. Qui vise à modifier une conjoncture économique défavorable.

anticonstitutionnel, elle adj. Contraire à la Constitution.

anticonstitutionnellement adv. D'une manière anticonstitutionnelle.

anticonvulsivant, ante adj. et n. m. MED Se dit d'un produit qui agit contre les convulsions.

anticorps [ɑ̃tikɔʀ] n. m. MED Protéine sérique, appelée aussi *immunoglobuline* (abrév. : Ig), synthétisée par les cellules

lymphoïdes en réponse à une substance étrangère appelée *antigène*.
ENCYCL Chaque anticorps est spécifique de l'antigène correspondant, auquel il peut s'adapter pour favoriser son éviction hors de l'organisme. Il existe 5 groupes d'anticorps : Ig G, Ig M, Ig A, Ig E, Ig D. Les principaux sont les Ig G, qui sont les gammaglobulines. On distingue les anticorps dits *naturels* (agglutinines des groupes sanguins A, B, O) et les anticorps *immuns*, les plus fréquents, qui apparaissent après un contact avec l'antigène (infection, vaccin). Les *anticorps monoclonaux*, qui sont obtenus par clonage et sont dirigés contre un seul déterminant antigénique, ont de multiples applications potentielles médicales.

Anticosti (île d'), île du Canada (Québec), dans le golfe du Saint-Laurent; 8 400 km^2; 260 hab. Pêcheries.

anticyclique adj. Qui s'oppose aux effets défavorables des cycles économiques.

anticyclonal, ale, aux ou **anticyclonique** adj. D'un anticyclone.

anticyclone n. m. METEO Centre de hautes pressions atmosphériques (par oppos. à *dépression*).
▸ illustr. **météorologie**

antidater v. tr. [1] Indiquer (sur un document) une date antérieure à la date réelle. Ant. postdater.

antidémarrage adj. et n. m. Se dit d'un type d'antivol empêchant le démarrage du véhicule.

antidémocratique adj. Qui est opposé à la démocratie.

antidépresseur adj. et n. m. MED Se dit d'un produit capable d'améliorer l'état dépressif d'un sujet.

antidérapant, ante adj. TECH Qui réduit les risques de dérapage. *Semelles antidérapantes. Pneu antidérapant.*

antidétonant, ante adj. et n. m. Se dit d'un additif permettant d'augmenter la compression dans le cylindre d'un moteur à explosion.

antidiabétique adj. et n. m. Qui agit contre le diabète.

antidiphtérique adj. Qui combat, prévient la diphtérie.

antidiscriminatoire adj. Qui s'oppose à toute discrimination.

antidiurétique adj. et n. m. MED Qui diminue l'élimination urinaire.

antidopage ou **antidoping** adj. Qui s'oppose au dopage.

antidote n. m. **1.** MED Substance qui s'oppose aux effets d'un poison ou d'un médicament. **2.** Fig. Ce qui atténue une peine, une souffrance morale. *La lecture est un excellent antidote contre l'ennui.*

antiéconomique adj. Contraire aux lois de l'économie.

antiémétique adj. et n. m. MED Qui prévient ou arrête le vomissement.

antienne [ɑ̃tjɛn] n. f. **1.** LITURG Verset que l'officiant chante avant un psaume ou un cantique et que l'on répète ensuite tout entier. **2.** Fig., litt. Discours répétitif et lassant, rengaine.

antiesclavagiste adj. et n. Qui est opposé à l'esclavage.

antiétatisme n. m. POLIT Système opposé à l'étatisme.

antifasciste [ɑ̃tifaʃist] adj. et n. Qui s'oppose au fascisme.

Antifer (cap d'), promontoire au S.-O. d'Étretat (Seine-Mar.); alt. 110 m. Avant-port pétrolier du Havre.

antifongique ou **antifungique** adj. et n. m. MED Qui agit contre les champignons. ▹ n. m. Médicament traitant les mycoses. Syn. antimycosique.

antifriction n. m. (et adj.) inv. TECH Alliage à base d'antimoine, utilisé pour réduire le frottement de pièces qui tournent.

anti-g adj. inv. Qui permet de supporter des accélérations plusieurs fois égales à celle de la pesanteur. *Une combinaison anti-g.*

antigang adj. inv. Qui lutte contre les gangs.

antigel n. m. (et adj. inv.) Produit qui empêche ou qui retarde la congélation.

antigène n. m. BIOL et MED Substance étrangère (microbes, toxines, nombr. matières organiques) capable d'induire, lors de son introduction dans un organisme animal, la formation d'anticorps spécifiques. (V. anticorps.)

antigénémie n. f. MED Présence d'un antigène dans le sang.

antigénique adj. BIOL et MED Qui a trait à un antigène ou à sa fonction.

antigivrant, ante ou **antigivre** adj. Qui empêche de givrer.

antiglisse adj. inv. Qui évite de glisser. *Revêtement antiglisse.*

Antigone, dans la myth. gr., fille de Jocaste et d'Œdipe; elle fut condamnée par Créon à être enterrée vivante pour avoir donné une sépulture à son frère Polynice, tué devant Thèbes, sa patrie, qu'il voulait prendre. Son fiancé, Hémon, fils de Créon, se poignarda.

Antigonos, roi des Juifs (40 à 37 av. J.-C.), dernier des Maccabées, tué par ordre de Marc Antoine.

Antigonos Monophthalmos (« le Borgne ») (v. 384 - Ipsos, 301 av. J.-C.), l'un des généraux d'Alexandre le Grand. Après la mort de ce dernier, il prit le titre de roi d'Asie (307) mais fut vaincu et tué par d'autres généraux d'Alexandre à Ipsos. – **Antigonos I**er **Gonatas** (Gonnoi, Thessalie, v. 320 - 239 av. J.-C.), petit-fils du préc., roi de Macédoine de 276 à 239. – **Antigonos II Dôsôn** (263 - 221 av. J.-C.), roi de Macédoine de 229 à 221.

antigouvernemental, ale, aux adj. Opposé au gouvernement.

antigrippal, ale, aux adj. Qui protège de la grippe.

Antigua et Barbuda, État membre du Commonwealth formé de trois îles des Petites Antilles : Antigua (280 km^2), Barbuda et Redonda (442 km^2); 80 000 hab.; cap. *Saint John's*. Sucre, fruits. Industr. méca. Tourisme. ▸ carte **Antilles**

antiguais, aise adj. et n. D'Antigua et Barbuda. – Subst. *Un(e) Antiguais(e).*

antihéros n. m. Héros d'une fiction ne présentant pas les caractéristiques du héros conventionnel.

antiherpétique adj. et n. m. MED Qui combat l'herpès. *Un antiherpétique.*

antihistaminique n. m. et adj. BIOL et MED Substance naturelle ou synthétique se comportant comme un antagoniste de l'*histamine* et ayant une action calmante. ▹ adj. *Médicament à action antihistaminique.*

antihormonal, ale, aux adj. et n. m. Se dit d'une substance qui bloque la production des hormones sexuelles. – n. m. *Les antihormonaux sont utilisés comme médicament anticancéreux.*

antihypertenseur n. m. PHARM Médicament qui agit contre l'hypertension (bêtabloquant, diurétique, vasodilatateur, inhibiteur calcique).

anti-inflammatoire adj. et n. m. MED Qui combat l'inflammation.

anti-inflationniste adj. Qui permet de lutter contre l'inflation.

Antikomintern (pacte), conclu en 1936 entre l'Allemagne hitlérienne et le Japon, renforcé par l'adhésion de l'Italie en 1937 et dirigé contre l'Internationale communiste *(Komintern)*.

Anti-Liban, chaîne de montagnes de Syrie, parallèle au Liban, à laquelle se rattache le massif de l'Hermon.

antillais, aise adj. Qui est relatif aux Antilles. ▹ Subst. *Un(e) Antillais(e).*

Antilles, archipel d'Amérique centrale, en forme d'arc, isolant de l'océan Atlantique la mer des Antilles. Il se divise en *Bahamas, Grandes Antilles* (Cuba, Haïti, rép. Dominicaine, Porto Rico, Jamaïque) et *Petites Antilles*, lesquelles se composent des îles du Vent et des îles Sous-le-Vent; 236 500 km^2; env. 36 000 000 d'hab. – L'archipel, montagneux et d'orig. volcanique, jouit d'un climat tropical atténué par les influences océaniques. La population comprend des Blancs, mais surtout des Noirs et des métis, dont le niveau de vie est bas; le taux de natalité est élevé. La cult. de la canne à sucre et la production de rhum sont les activités princ. avec les autres cult. d'exportation : tabac, café, bananes. L'industr. est peu développée. – Découvertes par Christophe Colomb, colonisées par les Européens, les îles devinrent un centre de la traite des Noirs (XVIIIe s.). La plupart d'entre elles ont acquis leur indépendance; quelques-unes dépendent de la France (la Guadeloupe et ses dépendances, la Martinique et une partie de l'île Saint-Martin), de la G.-B. (Anguilla, les îles Caïmans, Turks et Caicos, Bermudes, îles Vierges britanniques et Montserrat), des Pays-Bas (V. Antilles néerlandaises) et des États-Unis (Porto Rico et les îles Vierges américaines).

Antilles (mer des) ou **Caraïbes** (mer des), mer de l'Atlant. comprise entre l'Amérique centrale, la Colombie, le Venezuela et les Antilles.

Antilles françaises, les îles de la Guadeloupe et de la Martinique.

Antilles néerlandaises, ensemble des possessions néerlandaises dans l'archipel des Petites Antilles, comprenant des îles Sous-le-Vent situées au large du Venezuela (Curaçao et Bonaire) et des îles du Vent situées au N. de la Guadeloupe (Saba, Saint-Eustache et une partie de Saint-Martin); 993 km^2; 238 000 hab.; ch.-l. *Willemstad* (Curaçao).

antilope n. f. Mammifère ruminant bovidé aux allures vives, des déserts ou des steppes d'Afrique (nombr. espèces).

antimatière n. f. PHYS NUCL Ensemble d'antiparticules.

antimigraineux n. m. PHARM Médicament qui agit contre la migraine.

antimilitarisme n. m. Opinion, doctrine de ceux qui sont hostiles à l'esprit ou aux institutions militaires.

antimilitariste adj. et n. Qui fait preuve d'antimilitarisme.

antimissile adj. inv. Qui neutralise les missiles ennemis.

antimite adj. et n. m. Qui éloigne et détruit les mites. ▷ n. m. *Un antimite.*

antimitotique adj. et n. m. MED Se dit de tout médicament qui entrave la prolifération des cellules tumorales malignes en bloquant la mitose. – n. m. *Un antimitotique.*

antimoine n. m. CHIM Élément de numéro atomique Z = 51 et de masse atomique M = 121,75 (symbole Sb). – Corps simple (Sb) de densité 6,7, qui fond à 630,7 °C et bout à 1 950 °C.

antimonide n. m. MINER Se dit d'un minéral renfermant de l'antimoine.

antimycosique adj. et n. m. MED Syn. de *antifongique.*

Antin (Louis Antoine de Pardaillan de Gondrin, duc d') (Paris, 1665 – id., 1736), fils de la marquise de Montespan, surintendant des Bâtiments du roi.

antinauséeux, euse adj. et n. m. Se dit d'une substance active contre les nausées. – n. m. *Prescrire des antinauséeux lors d'une chimiothérapie.*

antineutron n. m. PHYS NUCL Antiparticule du neutron, de même masse que celui-ci et de spin opposé.

antinévralgique adj. et n. m. Qui est destiné à remédier aux névralgies.

antinomie n. f. **1.** Contradiction entre deux systèmes, deux concepts. Syn. contradiction, opposition. **2.** DR Contradiction entre deux lois ou deux principes juridiques dans leur application pratique. **3.** PHILO Chez Kant, contradiction inévitable, résultant des lois mêmes de la raison pure, entre deux propositions pouvant être chacune rationnellement démontrée.

antinomique adj. Qui présente une antinomie.

Antinoüs ou **Antinoos,** jeune Grec célèbre par sa beauté; esclave, puis favori de l'empereur Hadrien.

antinoyau n. m. PHYS NUCL Noyau atomique constitué d'antiparticules*.

antinucléaire adj. et n. Qui protège de l'énergie nucléaire. ▷ Hostile à l'utilisation de l'énergie nucléaire.

Antioche (pertuis d'), détroit entre l'île d'Oléron et l'île de Ré.

Antioche (auj. *Hatay*), v. de Turquie, sur l'Oronte; 125 000 hab.; ch.-l. d'il. Stat. estivale; centre comm. – Fondée par Séleucos Ier Nikatôr vers 300 av. J.-C., elle devint la cap. des Séleucides et la plus import. cité de l'Orient hellénistique. Annexée à l'Empire romain en 64 av. J.-C., elle s'imposa ensuite comme l'un des principaux centres de la chrétienté. Les Perses sassanides s'en emparèrent en 540. Principauté franque de 1098 à 1268.

Antioche (école d') (IIIe au Ve s.), école rivale de celle d'Alexandrie, représentée notam. par Lucien d'Antioche, Diodore de Tarse, saint Jean Chrysostome. Elle traita surtout de problèmes théologiques.

Antiochos, nom de quatre rois de Commagène (Ier s. av. J.-C. – Ier s. apr. J.-C.).

Antiochos, nom de treize rois séleucides de Syrie. – **Antiochos III Mégas** (le Grand) (242 – 187 av. J.-C.), roi en 223, fut battu par les Romains aux Thermopyles (191) et à Magnésie du Sipyle (189). – **Antiochos IV Épiphane** (v. 215 – 164 av. J.-C.), fut l'ennemi des Juifs. – **Antiochos XIII,** roi en 69, fut détrôné par Pompée (64 av. J.-C.).

Antiope, dans la myth. gr., nom de deux personnages. – La reine des Amazones, fille d'Arès; Thésée l'enleva et l'épousa. – La fille de Nyctée, roi de Thèbes; alors qu'elle dormait, Zeus, adoptant la forme d'un satyre, lui fit des jumeaux.

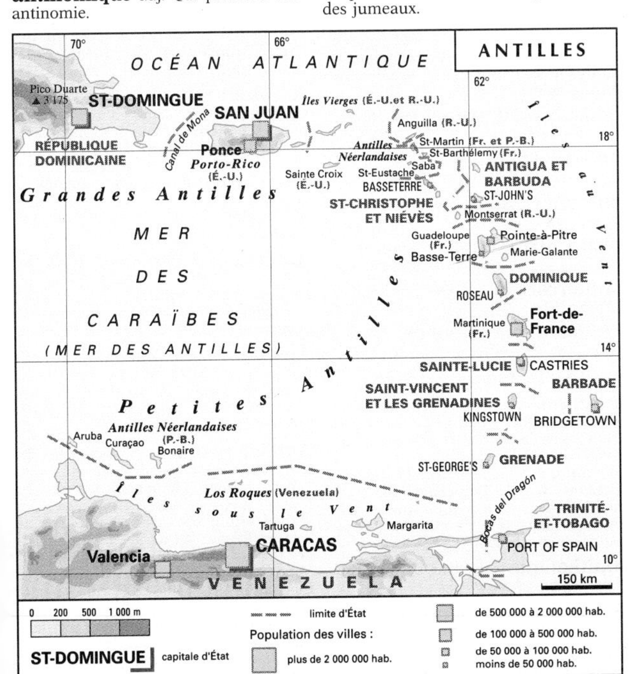

Antiope, acronyme pour *acquisition numérique et télévisualisation d'images organisées en pages d'écriture,* système de téléinformatique qui permet de diffuser des informations numérisées par un canal de télévision.

antioxydant adj. et n. m. Se dit d'une substance qui combat l'oxydation.

antipaludéen, enne ou **antipaludique** adj. et n. m. Se dit d'un produit contre le paludisme.

antipape n. m. Usurpateur de la papauté au préjudice d'un pape légitime élu de façon canonique.

antiparallèle adj. GEOM *Droites antiparallèles :* droites qui, sans être parallèles, forment avec deux autres droites des angles égaux.

antiparasite adj. et n. m. TECH Qualifie les dispositifs destinés à réduire la production de parasites notam. dans les récepteurs radio.

antiparasiter v. tr. [1] Pourvoir d'un dispositif antiparasite.

antiparlementaire adj. et n. Favorable à l'antiparlementarisme. *Un mouvement antiparlementaire.*

antiparlementarisme n. m. Opposition au régime parlementaire.

antiparticule n. f. PHYS NUCL Particule dont la masse est la même que celle de la particule qui lui est homologue, mais dont la charge électrique est de signe contraire. *Le positon est l'antiparticule de l'électron. La rencontre d'une particule et de son antiparticule donne naissance à une dématérialisation produisant un rayonnement électromagnétique.*

antipathie n. f. Sentiment d'aversion à l'égard de qqn. *Son arrogance suscite l'antipathie.* Ant. sympathie.

antipathique adj. Qui suscite l'antipathie. *Un individu prétentieux et grossier, extrêmement antipathique.* Syn. déplaisant, désagréable. Ant. sympathique.

Antipatros ou **Antipater** (v. 397 – 319 av. J.-C.), général macédonien. Il gouverna la Macédoine pendant l'expédition d'Alexandre le Grand en Asie et, à la mort de ce dernier, vainquit la révolte des Athéniens et de leurs alliés (322 av. J.-C.).

antipelliculaire adj. Qui agit contre la formation des pellicules.

antipersonnel adj. inv. MILIT Se dit d'une arme visant le personnel ennemi.

antiperspirant n. m. Produit qui régule la transpiration.

antiphrase n. f. RHET Figure de style qui consiste à employer un mot, une phrase, dans un sens contraire à sa véritable signification. *C'est par antiphrase que les Grecs donnaient aux Furies le nom d'Euménides* («Bienveillantes»).

antipodal, ale, aux adj. GEOGR Se dit d'un lieu situé à l'antipode d'un autre, de deux lieux situés aux antipodes.

antipode n. m. **1.** GEOGR Lieu de la Terre diamétralement opposé à un autre. *L'Uruguay, antipode de la Corée. Point situé à l'antipode, aux antipodes d'un autre.* ▷ Par exag. *Voyager aux antipodes,* dans un pays lointain. **2.** Fig. *À l'antipode de :* à l'opposé de.

antipodiste n. Acrobate qui exécute avec un partenaire un numéro d'équilibre sur les mains, les pieds.

antipoison adj. et n. m. Qui agit contre le poison. *Centre antipoison.*

antipollution adj. inv. Propre à combattre la pollution.

antiprotéase n. f. BIOCHIM Molécule qui inhibe l'action des enzymes nécessaires à la fabrication de virus.

antiprotectionniste adj. et n. ECON Opposé au protectionnisme. – Subst. Partisan de l'antiprotectionnisme.

antiproton n. m. PHYS NUCL Antiparticule du proton, de même masse, mais de charge négative, stable dans le vide, mais d'une durée de vie brève dans la matière. V. antimatière.

antipsychiatrie n. f. Mouvement de libéralisation du traitement psychiatrique mené de 1962 à 1966 par D. Cooper et R.D. Laing.

antipsychotique adj. et n. m. Se dit d'un médicament utilisé pour combattre les psychoses.

antipyrétique adj. (et n. m.) MED Syn. de *fébrifuge*.

antiquaille n. f. Fam., péjor. Objet ancien de peu de valeur. Syn. vieillerie.

antiquaire n. Personne qui vend des objets anciens.

antiquark [ɑ̃tikwaʀk] n. m. PHYS NUCL Antiparticule d'un quark*.

antique adj. et n. **1.** Très ancien. *Une antique demeure.* ▷ Vieux et démodé. *Un costume antique.* **2.** Qui date de l'Antiquité. *Une statuette antique.* ▷ n. m. Ensemble des œuvres d'art qui nous viennent des Anciens. *S'inspirer de l'antique.* ▷ n. f. Vx, litt. Objet d'art de l'Antiquité. *Une curieuse antique.*

antiquité n. f. **1.** Grande ancienneté (d'une chose). *Maison vénérable par son antiquité.* **2.** Époque très reculée. *Usage qui remonte à la plus haute antiquité.* **3.** *L'Antiquité* : l'époque reculée de l'histoire correspondant aux plus anciennes civilisations, spécial. aux civilisations grecque et romaine. *Les philosophes de l'Antiquité.* **4.** (Plur.) Monuments des civilisations de l'Antiquité. *Les antiquités de Rome. Les antiquités précolombiennes.* **5.** (Plur.) Objets d'art anciens. *Magasin d'antiquités.* ▷ Plaisant Vieille chose démodée. *Sa voiture est une véritable antiquité.*

antirabique adj. MED Qui combat la rage. *Vaccin antirabique.*

antiracisme n. m. Opposition au racisme.

antiraciste adj. et n. Qui s'oppose au racisme.

antireflet adj. Qui évite la formation des reflets.

antiréglementaire adj. Qui est contraire au règlement.

antiretour adj. inv. TECH Qualifie un dispositif qui interdit la circulation d'un fluide en sens contraire du sens normal. *Clapet antiretour.*

antirétroviral, ale, aux adj. et n. m. PHARM Se dit d'une substance qui s'oppose à l'action des rétrovirus.

antirides adj. inv. et n. m. inv. Qui prévient la formation des rides.

antirouille adj. inv. et n. m. Qui préserve de la rouille ou qui l'enlève.

antiroulis [ɑ̃tiʀuli] adj. TECH Qui diminue ou supprime le roulis sur un bateau, un véhicule terrestre, un avion.

antiscorbutique adj. MED Qui prévient ou guérit le scorbut.

antiséborréique adj. Qui combat l'excès de sécrétion séborréique.

antisèche n. f. Fam. Document qu'un élève prépare à l'avance pour l'utiliser en fraude lors d'un examen.

antisécrétoire adj. et n. m. PHARM Se dit d'une substance qui s'oppose aux sécrétions gastriques.

antiségrégationniste adj. Qui est opposé à la ségrégation raciale.

antisémite n. et adj. Hostile aux juifs. ▷ adj. *Doctrine, attitude antisémite.*

antisémitisme n. m. Racisme à l'égard des juifs.

antisens adj. et n. m. PHARM Se dit d'un médicament qui agit en bloquant l'action des gènes indésirables.

antisepsie n. f. MED Ensemble des méthodes de destruction des bactéries.

antiseptique adj. et n. m. Qui détruit les bactéries et empêche leur prolifération.

antisionisme n. m. Opposition, hostilité à l'existence de l'État d'Israël.

antisioniste adj. et n. Partisan de l'antisionisme. ▷ Subst. *Un antisioniste.*

antisismique adj. Qui résiste aux séismes.

antisocial, ale, aux adj. **1.** Contraire aux lois de la société, à l'ordre social. **2.** Qui va à l'encontre des besoins, des intérêts des travailleurs.

antisolaire adj. Qui protège des radiations solaires.

antispasmodique adj. et n. m. MED Qui combat les spasmes.

antisportif, ive adj. Contraire à l'esprit sportif.

antistatique adj. et n. m. Qui réduit, annule l'électricité statique.

Antisthène (Athènes, v. 444 – ?, 365 av. J.-C.), philosophe grec, disciple de Socrate. Il fonda l'école cynique.

antistress adj. Qui s'oppose au stress.

antistrophe n. f. METR ANC Seconde strophe des stances lyriques grecques, de même structure que la première et lui répondant.

antisubversif, ive adj. Qui combat la subversion.

antisudoral, ale adj. et n. m. MED Qui combat la transpiration excessive.

antitabac adj. inv. Qui est contre l'usage du tabac.

Anti-Taurus, massif de Turquie, au N.-E. du Taurus; 3014 m au Berit Dag.

antiterroriste adj. Qui lutte contre le terrorisme.

antitétanique adj. MED Qui prévient le tétanos. *Sérum, vaccin antitétanique.*

antithermique adj. Fébrifuge.

antithèse n. f. **1.** Rapprochement de deux termes opposés (souvent abstraits), afin de les mettre en valeur l'un par l'autre. **2.** Chose, idée opposée à une autre. *L'anarchie est l'antithèse de la dictature.* **3.** PHILO Deuxième temps du raisonnement dialectique, opposé à la thèse et dépassé avec elle dans l'opération de synthèse.

antithétique adj. Qui forme antithèse. *Arguments antithétiques.*

antitout adj. et n. Fam. Qui fait de l'opposition systématique.

antitoxine n. f. MED Anticorps qui neutralise les toxines sécrétées par certaines bactéries. *Antitoxine diphtérique, tétanique.*

antitoxique adj. et n. m. PHARM Qui agit contre les toxines.

antitrust [ɑ̃titʀœst] adj. inv. Opposé à la naissance ou au développement des trusts. *Lois antitrust.*

antituberculeux, euse adj. MED Propre à dépister, à combattre la tuberculose.

antitumoral, ale, aux adj. et n. m. MED Syn. de *anticancéreux.*

antitussif, ive adj. et n. m. MED Se dit des médicaments qui calment ou suppriment la toux. ▷ n. m. *Un antitussif.*

antiulcéreux, euse adj. et n. m. Se dit d'un produit qui combat les ulcères gastriques.

Antium, v. et port de l'Italie anc. (auj. *Anzio*). – Asile de Coriolan exilé.

antivariolique adj. Qui agit contre la variole.

antivénérien, enne adj. MED Propre à dépister, à combattre les maladies vénériennes.

antivenimeux, euse adj. Qui prévient, combat les effets d'un venin. *Sérum antivenimeux.*

antiviral, ale, aux adj. et n. m. MED Se dit d'une substance utilisée pour lutter contre la pénétration ou le développement de virus dans l'organisme.

antivitamine n. f. BIOCHIM Substance naturelle ou synthétique qui entre en compétition dans l'organisme avec une vitamine, en contrariant son action sans en posséder les effets. *L'antivitamine K est un médicament anticoagulant.*

antivol n. m. et adj. inv. Dispositif de sécurité destiné à empêcher le vol. *Un antivol pour bicyclette.* – adj. inv. *Des installations antivol.*

Antofagasta, port du N. du Chili; 204580 hab.; ch.-l. de la rég. du m. nom. Exportation de nitrates, de cuivre; fonderies.

Antoine (saint) (Qeman, Haute-Égypte, 251 – Qolzum, 356), anachorète de la Thébaïde, l'un des fondateurs de la vie monastique en Orient. Pendant son séjour dans le désert, il fut soumis à des visions et à des tentations, épisodes devenus légendaires et qui ont inspiré Flaubert et de nombreux peintres.

Antoine de Padoue (saint) (près de Lisbonne, 1195 – Arcella, près de Padoue, 1231), franciscain portugais. Il évangélisa les Maures, prêcha en France et en Italie. Docteur de l'Église.

Antoine Marie Zaccaria (saint) (Crémone, v. 1502 – id., 1539), religieux italien. Il fonda en 1530 la congrégation des *clercs réguliers de Saint-Paul,* appelés aussi *barnabites.*

Antoine (Marcus Antonius, en franç. Marc) (v. 83 – Alexandrie, 30 av. J.-C.), général romain. Lieutenant de César, il forma après la mort de celui-ci le second triumvirat avec Octave (Octavien) et Lépide (43 av. J.-C.). Vainqueur de Brutus et Cassius à Philippes, il obtint l'Orient en partage. Il s'éprit de Cléopâtre VII, reine d'Égypte, négligeant les intérêts de Rome et son épouse, Octavie, sœur d'Octave; ce dernier le vainquit à Actium (31 av. J.-C.); assiégé dans Alexandrie, il s'y donna la mort.

Jean **Anouilh** Marc **Antoine**

Antoine (Jacques Denis) (Paris, 1733 - id., 1801), architecte français; auteur du grand escalier du palais de Justice, et de l'hôtel des Monnaies de Paris.

Antoine (André) (Limoges, 1858 - Le Pouliguen, 1943), acteur, metteur en scène, fondateur du Théâtre-Libre* (1887) et cinéaste.

Antoine de Bourbon. V. Bourbon (maison de).

Antonello da Messina (Antonio di Salvatore, dit) (Messine, v. 1430 - id., 1479), peintre italien. Propagateur en Italie du procédé flamand de la peinture à l'huile, il exécuta de nombr. portraits et des compositions à sujets religieux. *Le Condottiere* (Louvre).

Antonescu (Ion) (Piteşti, 1882 - Jilava, 1946), maréchal roumain; dictateur de 1940 à 1944. Il fit entrer son pays dans la guerre aux côtés de l'Axe et fut exécuté après jugement.

Antonin (saint) (Florence, 1389 - id., 1459), dominicain, archevêque de Florence (1445); auteur d'une *Somme de théologie morale.*

Antonin le Pieux (Titus Aurelius Fulvius Antoninus Pius) (Lanuvium, auj. Lanuvio, 86 - Lorium, près de Rome, 161), fils adoptif d'Hadrien, empereur romain de 138 à 161.

Antonins (les), nom donné aux sept empereurs romains qui se succédèrent de 96 à 192 : Nerva, Trajan, Hadrien, Antonin le Pieux, Marc Aurèle (associé à Lucius Verus) et Commode.

Antonioni (Michelangelo) (Ferrare, 1912), cinéaste italien. Il a réalisé *le Cri* (1957), *l'Avventura* (1959), *le Désert rouge* (1964), *Identification d'une femme* (1982), etc., sur le thème de la difficulté d'être et de communiquer.

Antonmarchi (François) (Morsiglia, 1780 - Cuba, 1838), médecin, à Sainte-Hélène, de Napoléon Ier, dont il moula le masque mortuaire.

M. **Antonioni :** *la Nuit*, 1961, avec J. Moreau et M. Mastroianni

antonomase n. f. RHET Emploi d'un nom commun ou d'une périphrase à la place d'un nom propre ou inversement : *le père de la tragédie française* pour *Corneille; un Néron* pour *un tyran cruel.*

Antony, ch.-l. d'arr. des Hts-de-Seine, dans la banlieue S. de Paris; 57916 hab. - Bureautique. Résidence universitaire.

antonyme n. m. Mot dont le sens est opposé à celui d'un autre (*grand* et *petit; haut* et *bas*). Ant. synonyme.

antonymie n. f. Propriété des antonymes. Ant. synonymie.

antre n. m. **1.** Cavité naturelle, souterraine, servant de repaire à un animal, spécial. à un fauve. ▷ Plaisant Habitation d'une personne un peu sauvage, qui s'entoure de mystère. *Il n'aime pas qu'on vienne le déranger dans son antre.* **2.** ANAT Cavité naturelle de certains organes du corps humain. *Antre pylorique, mastoïdien.*

Antsirabé, v. de Madagascar, sur l'Imérina; 78940 hab. Station thermale.

Antsiranana (anc. *Diégo-Suarez*), port de Madagascar, à l'extrémité N. de l'île, sur la baie du m. nom; 100000 hab.; ch.-l. de la province du m. nom. Base navale.

Anubis, dieu égyptien des Morts, représenté avec un corps d'homme et une tête de chacal.

représentation d'**Anubis**, tombeau d'Horemheb (XIVe s. av. J.-C.); Vallée des Rois, Égypte

Anuradhapura, v. du Sri Lanka; ch.-l. de la prov. Centre-Nord; 37000 hab. Fondée au Ve s. av. J.-C., elle fut la cap. de Ceylan. Vestiges de temples bouddhiques.

anurie n. f. MED Absence d'urine dans la vessie, due à l'arrêt de la sécrétion rénale ou (très rarement) à un obstacle situé entre les reins et la vessie.

anus [anys] n. m. Extrémité distale du tube digestif par où sortent les excréments, constituée, chez les mammifères, par deux sphincters qui en assurent la fermeture. - MED *Anus artificiel*, établi chirurgicalement et débouchant sur la paroi abdominale.

Anvers (prov. d'), prov. du N. de la Belgique; 2861 km²; 1582790 hab.; ch.-l. *Anvers*. Elle s'étend sur la plaine sableuse de Campine. Vouée à l'élevage et aux cult. maraîchères à l'O., autour d'Anvers, elle est industrialisée à l'E. (bassin houiller), où se situe la centrale nucléaire de Mol.

Anvers (en néerl. *Antwerpen*), v. et port de Belgique, sur l'Escaut, à 88 km de la mer du Nord; 185900 hab. (aggl. urb. 486580 hab.); ch.-l. de la prov. du m. nom. Le port, relié par canaux à Liège (canal Albert) et au Rhin, est le 3e port européen, en perte de vitesse à cause de la concurrence de Rotterdam. Centre industr. important : sidérurgie, pétroléochimie, constr. navales, montage auto.; taille des diamants. - Cath. Notre-Dame (goth.), la plus grande de Belgique. Nombr. musées; maison de Rubens. Parc zoologique.

Anvers : le vieux port

anxiété n. f. Grande inquiétude. Syn. angoisse. Ant. calme, tranquillité.

anxieusement adv. De manière anxieuse.

anxieux, euse adj. **1.** Qui exprime l'anxiété. *Elle lui lança un regard anxieux.* **2.** Qui s'accompagne d'anxiété. *Une attente anxieuse.* **3.** Qui éprouve de l'anxiété. *L'incertitude la rend anxieuse.* **4.** Par ext. *Être anxieux de* : désirer fortement. *Je suis anxieuse de revoir le lieu où je suis née.*

anxiogène adj. Didac. Qui provoque l'anxiété, l'angoisse.

anxiolytique adj. et n. m. MED Se dit des substances destinées à combattre l'anxiété.

Anzengruber (Ludwig) (Vienne, 1839 - id., 1889), écrivain autrichien, auteur de drames, de farces et de romans populaires : *le Curé de Kirchfeld* (1871), *la Souillure* (1876).

Anzin, com. du Nord (arr. de Valenciennes), sur l'Escaut; 14172 hab. Houillères, en récession. Électromécanique.

Anzio (anc. *Antium*), port d'Italie (Latium), sur la mer Tyrrhénienne; 27090 hab. Industr. alim. Stat. baln. - Les Alliés y débarquèrent en 1944.

A.O.C. n. f. Abrév. de *appellation* d'origine contrôlée.*

A.-O.F. Sigle de *Afrique-Occidentale française**.

Aomori, v. et port du Japon, au N. de l'île de Honshū; 294050 hab.; ch.-l. de ken. Port de pêche important.

A.O.P. n. f. Abrév. de *appellation* d'origine protégée.*

aoriste n. m. GRAM Temps de la conjugaison grecque indiquant un passé indéterminé.

aorte n. f. Artère principale de l'organisme par laquelle le sang chargé d'oxygène, expulsé du ventricule gauche, gagne les artères viscérales et celles des membres, par des collatérales et des branches de division. (Son trajet, chez l'homme, passe par le thorax en décrivant une crosse et descend dans la partie postérieure et médiane de l'abdomen; elle se divise en deux artères iliaques au niveau du petit bassin.)

aortique adj. MED De l'aorte. *Rétrécissement aortique.*

Aoste, v. d'Italie, sur la Doire Baltée; 37 680 hab.; ch.-l. de la rég. auton. du Val* d'Aoste. Élevage. Centre sidérurgique et touristique. – Mon. romains.

Aouad (Toufic Youssef) (Bhersaf, 1911 – Beyrouth, 1989), écrivain libanais : *les Moulins de Beyrouth* (1973).

Aoudh ou **Oudh,** contrée du N. de l'Inde (Uttar Pradesh), successivement incorporée dans les royaumes indo-grecs, l'empire des Kushāna, puis des Gupta; possession brit. à partir de 1856.

Aoulié-Ata (anc. *Djamboul*), v. du Kazakhstan; 303 000 hab. Industr. chim., textiles.

août [u(t)] n. m. Huitième mois de l'année, comprenant trente et un jours. *La mi-août, le 15 août.* – HIST *Nuit du 4 août 1789* : nuit au cours de laquelle l'Assemblée constituante abolit les derniers privilèges féodaux. *Journée du 10 août 1792* : insurrection du peuple de Paris qui eut pour résultats la constitution de la Commune et la chute de la royauté.

aoûtat [auta] n. m. Acarien, qui se multiplie surtout en été et dont la piqûre provoque des démangeaisons douloureuses.

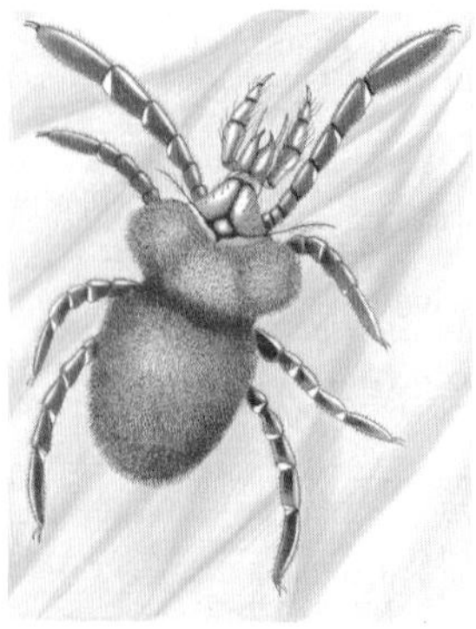

aoûtat

aoûtement [(a)utmɑ̃] n. m. **1.** ARBOR Lignification des rameaux à la fin de l'été. **2.** Maturation des fruits par la chaleur.

aoûtien, enne n. Fam. Personne qui prend ses vacances au mois d'août.

Aozou (bande d'), extrémité septentrionale tchadienne, occupée par la Libye de 1972 à 1994.

apache adj. Relatif aux Apaches. *Coutumes apaches.*

Apaches, Indiens de l'Amérique du Nord. Autrefois chasseurs et nomades, ils vivent auj. dans des réserves du S.-O. des É.-U. (princ. au Nouveau-Mexique).

apagogie n. f. RHET Démonstration par l'absurde.

apaisant, ante adj. Qui calme. *Lecture apaisante.*

apaisement n. m. **1.** Retour à la quiétude, à la paix. *L'apaisement d'une colère.* **2.** Plur. *Donner des apaisements à qqn,* le tranquilliser par des promesses, des assurances.

apaiser v. tr. [1] **1.** Ramener (qqn) au calme. *Apaiser une foule.* ▷ v. pron. *Avec le temps il s'apaise.* Syn. s'adoucir, se calmer. Ant. s'exciter. **2.** Rendre (qqch) moins violent, moins agité. *Apaiser une rancœur. Boisson qui apaise la soif.* ▷ v. pron. *La mer s'apaise.* Ant. (se) déchaîner.

apanage n. m. **1.** HIST Portion du domaine royal attribuée par le roi à ses fils puînés et à leur descendance mâle. **2.** Fig. Ce qui est le propre de qqn ou de qqch. *La raison est l'apanage de l'homme.* Syn. privilège.

à part. V. part 2.

aparté n. m. **1.** Ce qu'un acteur dit à part soi et qui est censé n'être entendu que par les spectateurs. **2.** Bref entretien particulier dans une réunion. *Cessez vos apartés et mêlez-vous à la conversation.* ▷ Loc. adv. *En aparté* : en tête à tête, en confidence.

apartheid [apaʀtɛd] n. m. Ségrégation raciale institutionnalisée, qui fut pratiquée systématiquement en Afrique du Sud jusqu'en 1991.

apathie n. f. **1.** PHILO Chez les stoïciens, indifférence du sage à tout mobile sensible. **2.** Insensibilité, caractère d'une personne indifférente à l'émotion ou aux désirs. *On ne peut le tirer de son apathie.* Syn. indolence, inertie, mollesse.

apathique adj. (et n.) Sans énergie, insensible à tout. Syn. indolent, mou.

apatride n. (et adj.) Personne sans patrie. ▷ DR Personne sans nationalité.

Apchéron (presqu'île d'), en Azerbaïdjan, s'avançant dans la mer Caspienne. Elle est formée par le Caucase. Gisements de pétrole (Bakou).

APEC, acronyme pour *Asia Pacific economic cooperation.* V. Coopération économique Asie-Pacifique.

Apeldoorn, ville résidentielle des Pays-Bas (Gueldre); 146 340 hab. Papeteries, chimie, constr. méca., textile.

Apelle (IVe s. av. J.-C.), célèbre portraitiste grec de la cour d'Alexandre le Grand. Aucune de ses œuvres ne nous est parvenue.

Apennin (l') ou **Apennins** (les), chaîne de montagnes qui s'étend du N. au S. de l'Italie, sur 1 300 km env.; 2 914 m au Gran Sasso (Abruzzes).

aperception n. f. PHILO, PSYCHO Perception claire, par oppos. à perception inconsciente.

apercevoir v. [5] **I.** v. tr. **1.** Discerner, distinguer. *J'aperçois une barque à l'horizon.* – Voir (qqn, qqch qui apparaît brièvement). *Je l'ai aperçu hier.* **2.** Fig. Saisir par la pensée. *J'aperçois ses raisons. Apercevoir ce qu'il y a de juste dans une affirmation.* **II.** v. pron. **1.** Fig. Remarquer, prendre conscience de. *Il s'est aperçu du piège qu'on lui tendait.* **2.** (Réfl.) Voir sa propre image. *S'apercevoir dans un miroir.* – (Récipr.) Se voir mutuellement. *Ils s'aperçoivent, se reconnaissent, se serrent la main.* – (Pass.) Se remarquer, pouvoir être vu. *Imperfection qui ne s'aperçoit que de près.*

aperçu n. m. **1.** Coup d'œil rapide; première vue sur une question, un objet. *Nous n'avons eu qu'un aperçu du pays.* **2.** Exposé sommaire. *Il nous a donné un aperçu de l'affaire.*

Aperghis (Georges) (Athènes, 1945), compositeur grec installé en France, initiateur du genre dit «théâtre musical» : *Pandæmonium* (1973); *Récitations* (1982).

apériodique adj. PHYS *Appareil apériodique,* tendant sans oscillation vers sa position d'équilibre.

apériteur n. m. DR En cas d'assurance multiple, celui des assureurs qui a qualité pour représenter le groupe.

manifestation contre l'**apartheid**, en Afrique du Sud en mai 1990

apéritif, ive adj. et n. m. **1.** adj. Qui ouvre l'appétit. *Médicament apéritif.* **2.** n. m. Boisson, alcoolisée ou non, qui se sert avant les repas. *Prendre l'apéritif.* (Abrév. fam. : apéro).

aperture n. f. PHON Ouverture du canal buccal pendant l'émission phonique.

apesanteur n. f. ESP Absence de pesanteur. *État d'apesanteur,* dans lequel les effets de la pesanteur ne se font pas sentir. V. impesanteur et microgravité.

apétale adj. BOT Qui n'a pas de pétales. ▷ n. f. Plante dicotylédone dépourvue de corolle (chêne, gui, oseille, etc.).

à-peu-près n. m. inv. Chose vague, imprécise, incomplète.

apeurer v. tr. [1] Effaroucher, effrayer.

apex n. m. **1.** ANAT Extrémité d'un organe. *L'apex du cœur,* sa pointe. **2.** ASTRO Point de l'espace vers lequel le système solaire semble se diriger.

aphaniptères n. m. pl. ENTOM Syn. de *siphonaptères.*

aphasie n. f. MED Altération du langage consécutive à une lésion cérébrale, sans atteinte fonctionnelle de la langue ni du pharynx. *Aphasie motrice* : perte de la parole. *Aphasie sensorielle* : perte de la compréhension du langage.

aphasique adj. (et n.) MED Atteint d'aphasie.

aphélie n. m. ASTRO Point de l'orbite d'une planète ou d'une comète le plus éloigné du Soleil. Ant. périhélie.

aphérèse n. f. LING Chute d'un son, d'une syllabe au début d'un mot (ex. : *bus* pour *autobus*). V. apocope.

aphone adj. **1.** Qui n'a pas de son. **2.** Qui n'a pas ou n'a plus de voix.

aphorisme n. m. Proposition concise résumant un point essentiel d'une théorie, d'une morale. *Les aphorismes d'Hippocrate.* Syn. apophtegme, sentence.

aphrodisiaque adj. et n. m. Qui stimule les désirs sexuels. – n. m. *Certaines hormones sont des aphrodisiaques.*

Aphrodite, déesse de l'Amour et de la Beauté dans la myth. gr. (Vénus dans la myth. lat.). Elle déchaîne les passions des humains (ainsi que son fils Éros).

aphte [aft] n. m. MED Petite ulcération de la muqueuse buccale, linguale ou pharyngienne.

aphteux, euse adj. MED Accompagné d'aphtes. *Stomatite aphteuse* : maladie éruptive contagieuse. ▷ *Fièvre aphteuse* : maladie éruptive d'origine virale, très contagieuse, qui atteint surtout les bovins et les porcs, transmissible au mouton et au chien, parfois à l'homme.

aphylle adj. BOT Se dit d'une tige dépourvue de feuilles.

api-. Préfixe, du lat. *apis*, « abeille ».

api (d') loc. *Pomme d'api* : petite pomme ferme et sucrée, dont une face est rouge vif.

Apia, cap. et port des Samoa, sur l'île Upolu ; 36 000 hab.

à-pic n. m. Pente abrupte. *Des à-pics.*

apical, ale, aux adj. **1.** ANAT Relatif à l'apex d'un organe. **2.** PHON Se dit d'un son prononcé avec la pointe de la langue appuyée contre les dents, les alvéoles ou la voûte du palais (ex. : [t, d]).

apicole adj. Qui a rapport à l'apiculture.

apiculteur n. m. Éleveur d'abeilles.

apiculture n. f. Art d'élever les abeilles en vue de récolter les produits de la ruche : le miel et la cire.

Apis, dieu égyptien, adoré sous la forme d'un taureau ; incarnation successive du dieu Ptah et d'Osiris (*Osiris-Apis*, dieu des Morts).

apitoiement [apitwamɑ̃] n. m. Fait de s'apitoyer.

apitoyer v. tr. [**23**] Toucher de pitié. *Le récit de tous ses malheurs m'a apitoyé.* Syn. émouvoir, attendrir. ▷ v. pron. Éprouver de la pitié. *Il ne mérite pas qu'on s'apitoie sur son sort.*

APL n. m. INFORM (Sigle de l'angl. *a programming language.*) Langage de programmation utilisé dans les applications conversationnelles à caractère scientifique.

aplacophores n. m. pl. ZOOL Classe de mollusques primitifs marins, qui vivent dans la vase, dont la tête n'est pas bien dégagée du corps et dont le manteau, développé, sécrète des spicules calcaires. – Sing. *Un aplacophore.*

aplanir v. tr. [**3**] **1.** Rendre plan, uni. *Aplanir un terrain.* Syn. niveler, égaliser. **2.** Fig. *Aplanir les difficultés, les obstacles,* diminuer leur importance, les faire disparaître.

***Aphrodite** accroupie*, marbre, Ier s. av. J.-C., école d'Alexandrie ; musée de Rhodes

aplanissement n. m. Action d'aplanir ; son résultat.

aplasie n. f. MED Arrêt du développement d'un tissu ou d'un organe après la naissance. *Aplasie médullaire,* de la moelle osseuse.

aplasique adj. MED Relatif à l'aplasie.

aplat [apla] n. m. **1.** TECH Surface sans aucun dégradé ni blanc pur. **2.** BX-A Teinte plate, unie et soutenue sur toute sa surface.

aplatir v. [**3**] **I.** v. tr. **1.** Rendre plat. *Aplatir les coutures d'une robe. Le forgeron aplatit un morceau de fer sur l'enclume.* ▷ Pp. *De la pâte à tarte aplatie au rouleau.* **2.** SPORT Au rugby, poser le ballon dans l'en-but adverse. **II.** v. pron. **1.** Plaquer son corps (contre qqch). *Ils s'aplatissent contre le mur pour se cacher.* ▷ Fig. Agir servilement. *S'aplatir devant son chef.* **2.** Fam. Tomber brutalement. *Il s'est aplati par terre.*

représentation d'**Apis**, stèle du serapeum de Memphis, v. Xe s. av. J.-C. ; musée du Louvre

aplatissage n. m. **1.** TECH Action d'aplatir pour obtenir une plaque. **2.** AGRIC Action d'aplatir (le grain).

aplatissement n. m. Action d'aplatir ; état de ce qui est aplati. *L'aplatissement de la Terre aux pôles.*

aplomb [aplɔ̃] n. m. **1.** Direction verticale indiquée par le fil à plomb. *Prendre les aplombs d'un édifice.* – *Par ext.* Position d'équilibre du corps. *Il a pu, en s'appuyant sur moi, reprendre son aplomb.* **2.** n. m. pl. *Aplombs du cheval* : positions des membres de l'animal par rapport au sol. **3.** Fig. Grande assurance. ▷ Péjor. Audace excessive, effronterie. *Il ne manque pas d'aplomb, celui-là !* Syn. fam. culot, toupet. **4.** Loc. adv. *D'aplomb* : exactement vertical. *Ce mur n'est pas d'aplomb.* – Fig. En bonne santé. *Je ne me sens pas d'aplomb.*

apnée n. f. MED Arrêt des mouvements respiratoires. – *Plongée sous-marine en apnée,* sans bouteille à air comprimé.

apnéiste n. Plongeur en apnée.

apo-. Préf., du gr. *apo,* « au loin ».

apocalypse n. f. **1.** Texte des religions juive et chrétienne prophétisant la fin du monde. ▷ Spécial. *L'Apocalypse* : le dernier livre du Nouveau Testament, écrit v. 95 et traditionnellement attribué à saint Jean l'Évangéliste, qui décrit les sept visions de l'apôtre sur la fin du monde et annonce la victoire du Christ et de l'Église. **2.** Fin du monde. ▷ *Par ext.* Destruction brutale et importante.

apocalyptique adj. **1.** Relatif à une apocalypse, spécial. à l'Apocalypse. **2.** Qui a le caractère terrifiant de l'Apocalypse de saint Jean, qui fait penser à la fin du monde. *Une vision apocalyptique.* ▷ *Style apocalyptique,* allégorique, obscur.

a poco loc. adv. MUS Insensiblement.

apocope n. f. LING Chute d'un ou de plusieurs sons, d'une ou de plusieurs syllabes à la fin d'un mot (ex. : *auto* pour *automobile*). V. aphérèse.

apocryphe adj. **1.** Dont l'authenticité n'est pas établie, dont l'origine est douteuse. *Des peintures apocryphes.* **2.** Se dit des textes bibliques non canoniques. ▷ Subst. *Un apocryphe.*

apocynacées n. f. pl. BOT Famille de dicotylédones gamopétales, dont certains genres fournissent du latex, d'autres des produits officinaux (strophantus, pervenche). – Sing. *Une apocynacée.*

apode adj. et n. m. **I.** adj. **1.** Didac. Dépourvu de pied. *Vase apode,* sans pied. **2.** ZOOL Dépourvu de nageoires paires. **II.** n. m. pl. **1.** ZOOL Ordre d'amphibiens dépourvus de pattes. – Sing. *La cécilie est un apode.* **2.** ICHTYOL Sous-ordre de téléostéens. – Sing. *L'anguille est un apode.*

apodictique adj. PHILO Incontestable ; nécessaire (par oppos. à *problématique*).

apodiformes n. m. pl. ORNITH Ordre d'oiseaux de petite taille, très bons voiliers, qui comprend les martinets (genre *Apus*) et les colibris. – Sing. *Un apodiforme.*

apogamie n. f. BIOL Mode de reproduction non sexuée, dans lequel le développement se fait à partir d'une seule cellule végétative.

apogée n. m. **1.** ASTRO Point où la Lune, ou un corps céleste artificiel, se trouve à sa plus grande distance de la Terre. Ant. périgée. **2.** Fig. Point le plus élevé où l'on puisse parvenir. *Il est à l'apogée de sa gloire.* Syn. comble, faîte, sommet.

apolitique adj. Qui se situe en dehors de la lutte politique. *Association apolitique.*

apolitisme n. m. Attitude, caractère apolitique.

Apollinaire. V. Sidoine Apollinaire.

*polyptyque de l'**Apocalypse** : la Femme montée sur la Bête,* Jacobello Alberegno, XIVe s. ; galerie de l'Académie, Venise

Apollinaire Cory **Aquino**

Apollinaire (Wilhelm Apollinaris de Kostrowitzky, dit Guillaume) (Rome, 1880 - Paris, 1918), poète français d'origine italienne et polonaise. Initiateur de l'« esprit nouveau », il est l'auteur de poésies (*Alcools*, 1913 ; *Calligrammes*, 1918), de récits (*le Poète assassiné*), de chroniques (*le Flâneur des deux rives*), d'un « drame surréaliste » (*les Mamelles de Tirésias*), etc., œuvres dans lesquelles un très fécond parti pris de modernisme est associé à un lyrisme ingénu d'une tonalité plus traditionnelle. Il fut aussi l'un des animateurs et le théoricien du mouvement cubiste (*les Peintres cubistes*, 1913).

apollinien, enne adj. Caractérisé par l'ordre, la mesure (par oppos. à *dionysiaque*), chez Nietzsche.

Apollo, astéroïde (découvert en 1932 par l'astronome allemand Reinmuth) à l'orbite très excentrique ; type de la catégorie d'astéroïdes baptisés « objets Apollo » et appartenant au groupe des E.G.A. (*Earth Grazing Asteroids*), ainsi nommés parce que leur orbite passe tout près de la Terre.

Apollo (programme), programme spatial qui permit aux Américains de débarquer le premier homme sur la Lune.

ENCYCL Le programme Apollo a fait suite au programme Gemini (1964-1966) et s'est déroulé de 1968 à 1972. Le vaisseau Apollo (18,6 t) lancé par une fusée Saturn V, comprenait trois éléments : le module de commandement, le module de service et le module lunaire (L.M.). Le premier atterrissage sur la Lune, réussi par la mission Apollo XI, eut lieu le 21 juillet 1969. La durée totale du séjour des astronautes américains sur la Lune s'est élevée à 300 heures, dont 80 ont été consacrées aux sorties. Le vol Apollo-Soyouz (juillet 1975) a permis l'amarrage sur orbite terrestre du vaisseau amér. Apollo et du vaisseau soviét. Soyouz. ▶ illustr. **lune**

Apollodore de Damas, dit le *Damascène* (Damas, v. 60 - ?, 129), architecte grec (monuments du forum de Trajan à Rome).

apollon n. m. **1.** Fam. Homme harmonieux dans ses proportions, très beau. **2.** ENTOM Lépidoptère diurne des montagnes d'Europe et d'Asie.

Apollon ou **Phébus,** dieu grec du Jour, personnification du Soleil, symbole de la lumière civilisatrice ; fils de Zeus et de Léto, il possédait, selon les Grecs, divers pouvoirs, mais il est avant tout la divinité tutélaire des arts et des lettres.

Apollonia, anc. v. de l'Illyrie, auj. *Poiani* (Albanie), fondée en 588 av. J.-C. ; foyer intellectuel gréco-romain.

Apollonios de Rhodes (Alexandrie, v. 295 - ?, v. 230 av. J.-C.), poète épique et grammairien grec. Il fut l'élève puis le rival de Callimaque. On lui doit *les Argonautiques*.

Apollonios de Perga (Perga, v. 262 - ?, v. 180 av. J.-C.), géomètre grec de l'école d'Alexandrie (*Traité des sections coniques*).

Apollonios de Tyane (Tyane, ? - Éphèse, 97 apr. J.-C.), philosophe néopythagoricien d'Asie Mineure. Sa vie nous est connue par une biographie romancée, due à Philostrate l'Athénien (IIIe s. apr. J.-C.).

apologétique adj. et n. f. **1.** adj. Didac. Qui contient une apologie. ▷ Qui fait l'apologie de la religion. **2.** n. f. THEOL Partie de la théologie qui a pour objet de défendre le christianisme.

apologie n. f. **1.** Paroles ou écrits destinés à justifier ou à défendre qqn ou qqch. *L'Apologie de Socrate*, œuvre de Platon. *Faire l'apologie d'une idée.* **2.** Éloge que l'on fait de qqn ou de qqch. *Il a fait dans son discours l'apologie de la vertu.* Syn. panégyrique, dithyrambe. Ant. critique.

apologiste n. Didac. Personne qui fait l'apologie de qqn ou de qqch. ▷ *Spécial.* Défenseur des dogmes de la religion chrétienne.

apologue n. m. Petit récit allégorique exposant une vérité morale.

apomixie n. f. BOT Reproduction sans fécondation chez certains végétaux.

aponévrose n. f. ANAT Membrane fibreuse qui enveloppe les muscles en les séparant les uns des autres.

apophonie n. f. GRAM Modification du vocalisme d'une racine ou d'un radical dans une conjugaison, une déclinaison (par ex. : il *fait*, futur *fera*).

apophtegme [apɔftɛgm] n. m. Didac. Maxime mémorable d'un personnage éminent. *Les apophtegmes des rois et capitaines célèbres*, de Plutarque.

apophysaire adj. ANAT Relatif aux apophyses.

apophyse n. f. ANAT Partie saillante des os qui permet leur articulation ou la fixation des muscles. *Apophyse articulaire, musculaire.*

apoplectique adj. (et n.) Relatif à l'apoplexie. ▷ (Personnes) Prédisposé à l'apoplexie.

apoplexie n. f. MED Perte brusque de la connaissance et de la mobilité volontaire, due le plus souvent à une hémorragie cérébrale.

apoptose n. f. BIOL Destruction physiologique des cellules, normale ou pathologique.

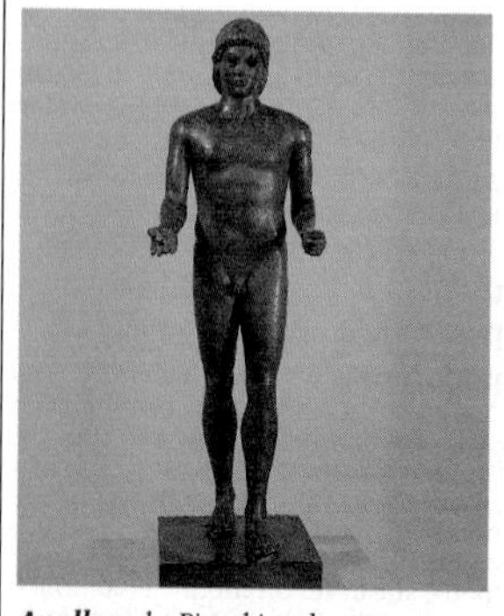

***Apollon** de Piombino*, bronze, Ve s. av. J.-C. ; musée du Louvre

aporie n. f. LOG Difficulté logique sans issue.

apostasie n. f. **1.** THEOL Abandon public d'une religion au profit d'une autre. ▷ *Abusiv.* Renonciation d'un religieux à ses vœux. **2.** Fig. Reniement.

apostasier v. intr. [**2**] Faire acte d'apostasie.

apostat [apɔsta] n. m. Celui qui a apostasié. *Julien l'Apostat.*

a posteriori [apɔsteʀjɔʀi] loc. adv. (lat.) LOG En remontant des effets aux causes, des données de l'expérience aux lois. *Raisonner a posteriori.* - Cour. *Prendre une décision a posteriori*, compte tenu d'une expérience, d'un résultat. ▷ adj. inv. *Notions a posteriori*, tirées de l'expérience. Ant. a priori.

apostille n. f. Didac. Annotation ou recommandation en marge d'un écrit.

apostolat [apɔstɔla] n. m. **1.** Ministère d'un apôtre. **2.** Propagation de la foi. - Fig. Zèle à propager une doctrine, une cause. *Vie de combat et d'apostolat d'un militant.* Syn. prosélytisme. **3.** Tâche, travail exigeant abnégation et générosité. *La médecine est un apostolat.*

apostolique adj. **1.** Qui vient des apôtres. *La Sainte Église catholique, apostolique et romaine.* **2.** Propre à l'apostolat. *Zèle apostolique.* **3.** Qui émane du Saint-Siège, relève de lui. *Lettres apostoliques. Nonce apostolique.*

apostoliquement adv. D'une manière apostolique.

1. apostrophe n. f. **1.** RHET Figure de rhétorique par laquelle on s'adresse directement aux personnes ou aux choses personnifiées. *« Ô cendres d'un époux ! ô Troyens ! ô mon père ! »* (Racine). **2.** GRAM *Mot mis en apostrophe*, au moyen duquel on s'adresse directement à une personne ou à une chose personnifiée (par ex. : « poète » dans *« Poète, prends ton luth »* de Musset). **3.** Trait mortifiant lancé à qqn. *Essuyer une apostrophe.*

2. apostrophe n. f. Signe (') qui marque l'élision d'une voyelle. *S'il le faut, j'irai.*

apostropher v. tr. [**1**] Interpeller (qqn) brutalement et sans égards. ▷ v. pron. *S'apostropher sans ménagement.*

apothécie n. f. BOT Carpophore très évasé de certains champignons ascomycètes (pézizes, notam.).

apothème n. m. GEOM Perpendiculaire abaissée du centre d'un polygone régulier sur un de ses côtés. - Perpendiculaire abaissée du sommet d'une pyramide régulière sur l'un des côtés de la base.

apothéose n. f. **1.** ANTIQ ROM Déification des empereurs romains après leur mort. **2.** Honneurs extraordinaires rendus à qqn, triomphe. ▷ Fig. *Finir en apothéose*, triomphalement.

apothicaire n. m. Vx Pharmacien. ▷ Péjor. *Comptes d'apothicaire*, très compliqués (ou fortement majorés).

apôtre n. m. **1.** Chacun des douze disciples de Jésus-Christ, qu'il choisit pour prêcher l'Évangile (Pierre et André son frère, Jacques le Majeur et son frère Jean l'Évangéliste, Philippe, Barthélemy, Matthieu, Thomas, Jacques le Mineur, Simon, Jude, encore appelé Thaddée, et Judas, remplacé par Mathias après sa mort ; aux douze, on associe d'ordinaire Paul, l'Apôtre des gentils). **2.** Ardent propagateur (d'une idée, d'une doctrine, etc.). *Se faire l'apôtre d'une cause.* **3.** Péjor. *Faire le bon apôtre* : contrefaire l'homme de bien.

Appalaches, massif hercynien de l'E. des É.-U., entre le Saint-Laurent et l'Alabama, s'étendant sur 2 000 km; 2 037 m au mont Mitchell. La chaîne, qui s'élargit au S., est coupée de longues dépressions. – Importants gisements houillers.

appalachien, enne adj. *Relief appalachien,* issu de l'aplanissement d'une structure plissée et soumis, à la suite d'un soulèvement, à l'érosion qui dégage des crêtes de roches dures (par ex., le Condroz dans l'Ardenne belge).

apparaître v. intr. [73] **1.** Devenir visible, se montrer brusquement. *Une voile apparaît à l'horizon.* – *Spécial.* Se manifester par une apparition. *Hamlet vit apparaître le spectre de son père.* **2.** Fig. Se montrer, se découvrir. *Votre hypocrisie apparaît au grand jour.* Syn. se révéler, surgir. **3.** (Avec attribut.) Sembler. *L'obscurité lui apparaissait terrifiante.* ▷ *Apparaître comme :* se présenter à l'esprit sous un certain aspect. *Cet homme m'apparaît comme un misérable.* **4.** *Il apparaît que :* il résulte de ces faits que, il est clair que.

apparat [apaʀa] n. m. **1.** Majesté pompeuse, faste solennel. *Tenue d'apparat.* ▷ *En grand apparat :* en grande pompe. **2.** *Apparat critique :* ensemble des notes et des variantes figurant dans l'édition critique d'un texte.

apparatchik [apaʀatʃik] n. m. POLIT Membre de l'appareil du parti communiste soviétique. – *Par ext.* Membre de l'appareil d'un parti, d'un organisme syndical.

apparaux n. m. pl. **1.** MAR Appareils nécessaires à l'équipement et aux manœuvres d'un navire. **2.** GYM Appareils de culture physique.

appareil n. m. **1.** Ensemble de pièces, d'organes mécaniques destinés à un usage particulier. *Appareil photographique. Comment marche cet appareil?* Syn. machine, instrument. ▷ Téléphone. *Qui est à l'appareil?* ▷ Avion. *L'appareil va décoller.* ▷ Instrument de contention qui maintient un membre cassé, une partie du corps déformée. *Appareil plâtré.* **2.** Ensemble d'éléments qui participent à une même fonction. *Appareil d'État :* ensemble des organes administratifs d'un État. *L'appareil d'un parti,* l'ensemble de ses cadres administratifs. **3.** ARCHI Disposition des pierres dans un ouvrage de maçonnerie. *Édifice en grand (en petit) appareil.* ▷ TRAV PUBL *Appareil d'appui :* organe sur lequel s'appuie le tablier d'un pont et qui lui permet de se dilater. **4.** ANAT Ensemble d'organes qui remplissent une fonction dans le corps. *Appareil respiratoire, digestif.* **5.** Vx, litt. Apparence de certains êtres ou de certaines choses; apprêt. *En pompeux appareil.* ▷ Mod. *Être dans son plus simple appareil :* être nu.

1. appareillage n. m. MAR Action d'appareiller; ensemble des manœuvres faites au moment de quitter le port, le mouillage.

2. appareillage n. m. TECH Ensemble d'appareils, de dispositifs. *Appareillage électrique.*

appareillement n. m. Action d'appareiller des animaux domestiques, en vue d'un travail ou de la reproduction.

1. appareiller v. [1] **I.** v. tr. **1.** MAR Vx *Appareiller un navire,* le préparer pour la navigation. **2.** MED Mettre en place un appareil. *Appareiller un sourd.* **3.** TECH *Appareiller des pierres,* les tailler en vue de leur pose. **II.** v. intr. MAR Quitter le mouillage. *La flotte a appareillé.*

2. appareiller v. tr. [1] **1.** Mettre ensemble, réunir des choses pareilles, assortir. *Appareiller des assiettes.* **2.** Accoupler (des animaux) pour la reproduction.

apparemment [apaʀamɑ̃] adv. Selon les apparences, vraisemblablement. Ant. effectivement.

apparence n. f. **1.** Aspect extérieur d'une chose ou d'une personne; façon dont elle se présente à notre vue. *L'immeuble a belle apparence.* Syn. air, aspect, mine, tournure. **2.** Ce qu'une chose semble être, par oppos. à ce qu'elle est réellement. *Cette table n'a qu'une apparence de solidité. Il ne faut pas se fier aux apparences.* Syn. façade, dehors. ▷ Loc. adv. *En apparence :* extérieurement, d'après ce que l'on voit. **3.** PHILO Phénomène (par oppos. à *noumène*).

apparent, ente adj. **1.** Qui est bien visible, qui apparaît clairement. *Un détail apparent.* **2.** Qui n'est pas tel qu'il paraît être. *La grandeur apparente du Soleil.* ▷ ASTRO *Hauteur apparente d'un astre :* angle que fait avec l'horizon le rayon visuel aboutissant à cet astre. – *Diamètre apparent d'un astre :* angle que font les rayons visuels aboutissant aux extrémités du diamètre de cet astre. – *Mouvement apparent :* mouvement que paraît avoir un corps lorsque l'observateur est lui-même en mouvement. *Mouvement apparent du Soleil.* ▷ PHYS *Poids apparent d'un corps dans un fluide :* différence entre le poids réel et la poussée d'Archimède.

apparenté, ée adj. Lié par le mariage. ▷ Lié par une communauté d'idées.

apparentement n. m. **1.** Fait de s'apparenter. **2.** POLIT Alliance électorale qui permet que les voix d'une liste soient reportées sur l'autre, dans certains systèmes de représentation proportionnelle.

apparenter (s') v. pron. [1] **1.** S'allier par un mariage. ▷ Fig. S'unir par communauté d'idées, d'intérêts. *Ces deux groupes politiques se sont apparentés.* **2.** Fig. (Choses) Avoir des points communs, une ressemblance avec. *Le style de cet auteur s'apparente à celui de Proust.*

appariement [apaʀimɑ̃] n. m. **1.** Vx Action d'apparier. **2.** BIOL Rapprochement des chromosomes homologues au cours de la méiose.

apparier v. tr. [2] **1.** Vx Assortir par paire. *Apparier des gants.* **2.** Accoupler un mâle et une femelle. *Apparier des pigeons.* ▷ v. pron. *Certaines espèces s'apparient plus facilement que d'autres.*

appariteur n. m. Huissier. – *Spécial.* Huissier d'une faculté.

apparition n. f. **1.** Action d'apparaître. *Ne faire qu'une apparition :* ne rester qu'un instant. **2.** Manifestation visible d'un être surnaturel. *Apparitions de la Vierge à Lourdes.*

apparoir v. intr. (v. défectif, ne s'emploie plus qu'à la 3ᵉ pers. de l'indic. prés., rarement à l'inf.) DR *Il appert de :* il résulte de. *Il appert de cet acte...* – *Il appert que :* il est évident que.

appartement n. m. Ensemble de pièces faisant partie d'un immeuble collectif, constituant une habitation indépendante. *Appartement en location.*

appartenance n. f. Fait d'appartenir. *Appartenance à la classe ouvrière.* ▷ MATH *Relation d'appartenance :* relation qui exprime que certains éléments appartiennent à un ensemble donné (symbole ∈).

appartenir v. tr. indir. [36] **1.** Être la propriété de qqn en vertu d'un droit, d'une autorité. *Cette maison-là m'appartient. Je suis libre et n'appartiens à personne.* ▷ v. pron. Ne dépendre que de soi-même. *Depuis qu'elle a des enfants, elle ne s'appartient plus.* **2.** Être propre à. *La gaieté appartient à l'enfance.* ▷ (Impers.) *Il ne m'appartient pas de choisir.* **3.** Faire partie de (un corps, un groupe). *Appartenir à une administration.*

appas [apɑ] n. m. pl. **1.** Ce qui séduit, charme. *Les appas de la gloire.* **2.** Vieilli ou litt. Formes épanouies du corps féminin qui éveillent le désir.

appassionato adv. MUS Avec passion.

appât [apɑ] n. m. **1.** Pâture employée pour attirer les animaux qu'on veut prendre. *Mettre l'appât à un piège.* Syn. amorce. **2.** *Par métaph.* Ce qui attire, exerce une attraction sur qqn. *L'appât du gain.*

appâter v. tr. [1] Attirer avec un appât. – Fig. Attirer (qqn) par des propositions alléchantes. *Il l'a appâté en lui promettant une très belle situation.*

appauvrir **1.** v. tr. [3] Rendre pauvre. *Sa prodigalité l'a appauvri.* – Fig. *Appauvrir un terrain,* en diminuer la fertilité. **2.** v. pron. Perdre de sa richesse, de sa valeur.

appauvrissement n. m. Action d'appauvrir; fait de s'appauvrir. *L'appauvrissement d'une région, d'une terre. L'appauvrissement d'un groupe social. Appauvrissement intellectuel.*

appeau n. m. **1.** Instrument imitant le cri d'un oiseau. **2.** Oiseau ou simulacre que l'on emploie pour appeler, attirer des oiseaux de même espèce.

appel n. m. **1.** Action d'appeler par la voix, par un geste. *J'ai entendu votre appel.* **2.** Action d'appeler nommément quelqu'un pour s'assurer de sa présence. *Répondre à l'appel. Faire l'appel des écoliers.* **3.** Action d'appeler au moyen d'un signal des hommes à s'assembler. *Battre, sonner l'appel.* **4.** Action de convoquer des militaires. *Appel des réservistes, du contingent.* **5.** *Appel à :* invitation, incitation à. *Appel à la révolte. Appel à l'épargne publique.* ▷ COMM *Produit d'appel,* destiné à attirer la clientèle par son prix avantageux. **6.** Action de réclamer, d'invoquer. ▷ FIN *Appel de fonds :* demande de nouveaux fonds aux actionnaires, aux copropriétaires, etc. ▷ ADMIN *Appel d'offres :* procédure administrative mettant en concurrence divers fournisseurs avant conclusion d'un marché public. ▷ DR Voie de recours ordinaire par laquelle une partie qui n'a pas obtenu satisfaction devant le juge au premier degré soumet le jugement à une juridiction au second degré, pour en obtenir la réformation. *Faire appel d'un jugement. Cour d'appel.* **7.** TECH *Appel d'air :* courant d'air qui facilite la combustion d'un foyer. **8.** SPORT *Prendre son appel :* prendre son élan en appuyant sur le sol le pied qui va assurer la projection du corps.

Appel (Karel) (Amsterdam, 1921), peintre néerlandais. Sa peinture, à mi-chemin entre l'informel et la figuration, souligne la prééminence du geste et d'une couleur crue traitée en pleine pâte épaisse. Il fut membre du groupe Cobra*.

appelant, ante adj. et n. **1.** adj. DR Qui fait appel d'un jugement. ▷ Subst. *L'appelant, l'appelante.* **2.** n. m. Oiseau servant d'appeau.

appelé, ée adj. et n. **I.** adj. **1.** Nommé. *Simon appelé ensuite Pierre par Jésus.* **2.** *Appelé à* : dans l'obligation de, destiné à. *Il sera appelé à vendre sa maison. Il est appelé à une brillante carrière.* **II.** n. m. **1.** *Un appelé* : un jeune homme convoqué pour faire son service militaire. **2.** *Un poste où il y a beaucoup d'appelés et peu d'élus*, très convoité mais difficilement accessible.

appeler v. [19] **I.** v. tr. **1.** Se servir de la voix pour faire venir (une personne, un animal). *Appeler quelqu'un. Appeler son chien. Appeler au secours.* **2.** Inviter (qqn) à venir, le demander. *Appeler le médecin, les pompiers.* – *Appeler qqn sous les drapeaux*, l'incorporer dans l'armée. *Appeler qqn à une fonction, à un poste*, le désigner pour qu'il occupe cette fonction, ce poste. Syn. convoquer, mander, prier. **3.** Téléphoner à. *Je vous appellerai demain.* **4.** (Choses) Rendre nécessaire, exiger. *Le crime appelle la sévérité des lois.* Syn. nécessiter, impliquer, entraîner. **5.** Nommer, donner un nom à. *J'appellerai mon fils Jean. Ceux qu'on appelait les Justes. Appeler les choses par leur nom*, les nommer sans détour, sans circonlocutions. **6.** INFORM Donner à un ordinateur une instruction permettant d'installer (un programme ou un fichier) en mémoire centrale, à partir d'une disquette ou d'un disque dur. *Appeler le fichier ventes.* **II.** v. tr. indir. DR *Appeler d'un jugement* : déférer un jugement à la censure d'une juridiction supérieure. ▷ *J'en appelle à votre générosité*, je l'invoque. **III.** v. pron. **1.** *Des voix s'appelaient dans la nuit.* **2.** Avoir pour nom. *Comment t'appelles-tu ?*

appellatif, ive adj. et n. m. LING Se dit d'un type de mots pouvant servir à interpeller l'interlocuteur. *Madame, citoyen sont des appellatifs.*

appellation [apɛl(l)asjɔ̃] n. f. Action, façon d'appeler une chose. *Appellation injurieuse.* ▷ COMM *Appellation d'origine contrôlée (A.O.C.)*, garantissant l'origine de vins et de produits agroalimentaires. *Appellation d'origine protégée (A.O.P.)*, garantissant la qualité et l'origine d'un produit à l'échelle de l'Union européenne.

appendice n. m. **1.** Partie qui est le prolongement d'une autre. Syn. extrémité. ▷ ANAT *Appendice caudal* : queue. *Appendice vermiculaire* ou *appendice* : diverticule de la portion terminale du cæcum. **2.** Supplément à un ouvrage, comportant des pièces justificatives, des notes, etc.

appendicectomie n. f. CHIR Ablation de l'appendice vermiculaire.

appendicite n. f. MED Inflammation aiguë ou chronique de l'appendice. *Crise d'appendicite.*

appendiculaire adj. et n. **1.** adj. Qui constitue un appendice, qui s'y rapporte. *Prolongement appendiculaire.* **2.** n. m. pl. ZOOL Classe de tuniciers pélagiques ayant un très long appendice caudal. – Sing. *Un appendiculaire.*

appentis [apɑ̃ti] n. m. ARCHI **1.** Toit d'un seul versant, appuyé contre un mur du côté supérieur et supporté par des piliers. **2.** Petite construction s'appuyant contre un bâtiment.

appenzell n. m. Variété de gruyère suisse, au goût fruité.

Appenzell, v. du N.-E. de la Suisse ; 4 900 hab. ; ch.-l. du demi-cant. des Rhodes-Intérieures (relig. protestante), qui forme avec le demi-cant. des Rhodes-Extérieures (relig. cathol.) le cant. d'Appenzell, enclavé dans celui de Saint-Gall ; cette division date de 1597. En 1989, le vote et l'éligibilité des femmes furent admis dans le demi-canton des Rhodes-Extérieures.

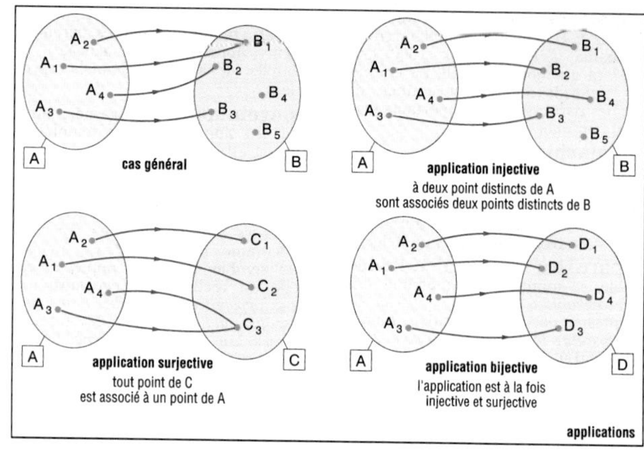
A
B
cas général
application injective
à deux point distincts de A
sont associés deux points distincts de B
C
application surjective
tout point de C
est associé à un point de A
D
application bijective
l'application est à la fois
injective et surjective
applications

appert (il). V. apparoir.

Appert (Nicolas) (Châlons-sur-Marne, 1749 – Massy, 1841), industriel français ; inventeur de l'appertisation.

appertisation n. f. TECH Procédé de conservation des aliments consistant en une stérilisation par la chaleur dans un récipient clos.

appertisé, ée adj. Qui a subi l'appertisation.

appesantir v. [3] **I.** v. tr. **1.** Rare Rendre plus pesant. **2.** Rendre moins léger, moins actif. *L'âge appesantit sa démarche, son esprit.* Syn. alourdir. Ant. alléger. **II.** v. pron. *S'appesantir sur un sujet*, s'y attarder.

appesantissement n. m. État d'une personne rendue moins vive.

appétence n. f. Litt. Inclination qui pousse quelqu'un à satisfaire un désir, un besoin. Ant. inappétence.

appétissant, ante adj. **1.** Qui excite l'appétit. *Gâteau appétissant.* **2.** Fig., fam. Qui éveille le désir, séduit. *Femme appétissante.*

appétit n. m. **1.** Besoin, plaisir de manger. *Manger de bon appétit. Avoir un gros appétit.* – (Prov.) *L'appétit vient en mangeant* : plus on a de biens, plus on en désire. ▷ Inclination qui a pour objet la satisfaction d'un besoin organique. *Appétit sexuel.* Syn. besoin, désir. **2.** *Par ext.* Désir impérieux de qqch. *Appétit d'honneurs.*

Appien (IIe s. apr. J.-C.), historien grec d'Alexandrie ; auteur d'une *Histoire romaine.*

Appienne (voie) (en lat. *via Appia*) ; route amorcée en 312 av. J.-C. par le censeur Appius Claudius et qui, terminée par Auguste, allait de Rome à Brindisi par Capoue ; elle était bordée de nombreux monuments funéraires.

applaudimètre n. m. Appareil censé mesurer le succès d'un spectacle à l'intensité des applaudissements.

applaudir v. [3] **1.** v. intr. Battre des mains en signe d'approbation. ▷ v. tr. *Applaudir une pièce, un acteur.* **2.** v. tr. indir. *Applaudir à* : approuver avec enthousiasme et sans réserve. *Applaudir à une proposition.* **3.** v. pron. (réfl.) Se féliciter de. *Il s'applaudit de la décision qu'il a prise.*

applaudissement n. m. (Le plus souv. au plur.) Battement répété des mains l'une contre l'autre en signe d'enthousiasme. *Une tempête d'applaudissements.*

Appleton (sir Edward Victor) (Bradford, 1892 – Édimbourg, 1965), physicien anglais. Ses travaux sur l'ionosphère lui ont valu le prix Nobel en 1947.

applicable adj. Qui doit ou qui peut être appliqué. *La loi est applicable à tous.*

applicateur n. m. Instrument qui permet d'appliquer un produit sur une surface. ▷ adj. *Bouchon applicateur.*

applicatif, ive adj. INFORM Qui concerne une application informatique. *Un module applicatif.*

application n. f. **1.** Action d'appliquer une chose sur une autre. *L'application d'un papier sur un mur. Applications de dentelle sur un fond.* **2.** Fig. Emploi de qqch à une destination particulière. *Application d'une somme d'argent à une dépense.* **3.** Mise en pratique. *Application d'un principe. Mettre une théorie en application.* **4.** Attention soutenue à l'étude. *Mettre toute son application à faire un travail.* Syn. attention, zèle. **5.** MATH Correspondance qui, à chaque élément d'un ensemble, associe un élément, et un seul, d'un autre ensemble. *Une application bijective est une bijection.* Syn. fonction. **6.** INFORM Programme conçu en vue d'une utilisation précise (jeu, calcul, gestion, etc.).

applique n. f. Pièce, accessoire que l'on ajoute à un objet, généralement pour l'orner. *Des appliques de dentelles.* ▷ *Applique (murale)* : appareil d'éclairage qui se fixe au mur.

appliqué, ée adj. **1.** Qui est studieux, attentif. *Élève appliqué.* **2.** *Sciences appliquées*, qui recherchent les applications techniques possibles des découvertes scientifiques.

appliquer v. [1] **I.** v. tr. **1.** Mettre une chose au contact d'une autre, de façon qu'elle la recouvre, y adhère ou y laisse son empreinte. *Appliquer une compresse sur une plaie. Appliquer des couleurs sur une toile. Appliquer un cachet sur la cire.* **2.** Fig. Faire servir une chose à tel usage. *Appliquer son esprit à une chose*, y apporter une extrême attention. **3.** Réaliser, mettre en pratique. *Appliquer une théorie, un conseil.* – DR *Appliquer une loi*, la faire exécuter. **II.** v. pron. **1.** Se placer, se poser sur. *Une crème qui s'applique sur le visage.* **2.** Fig. S'adapter (à), être applicable. *La règle* *s'applique à tous.* **3.** Mettre tout son soin à faire qqch. *Il écrit en s'appliquant.*

appoggiature [apo(d)ʒjatyʀ] n. f. MUS Note d'agrément qui précède et sert à attaquer une des notes réelles de la mélodie ou de l'accord.

appoint n. m. **1.** Complément exact en menue monnaie d'une somme que l'on doit. *Faire l'appoint.* ▷ COMM Toute somme qui fait le solde d'un compte. **2.** Fig. Ce qui s'ajoute à une chose pour la compléter. *Salaire d'appoint,* qui s'ajoute à un salaire principal. – *Par ext.* Secours, appui. *Votre recommandation a été un appoint important.*

appointements n. m. pl. Rétribution (plus particulièrement d'un employé) attachée à un emploi, à un travail régulier.

1. appointer v. tr. [1] Rétribuer. *Appointer un contremaître.*

2. appointer v. tr. [1] **1.** Tailler en pointe. **2.** Réunir, à l'aide de pointes, deux pièces de cuir, d'étoffe.

Appomatox, village des É.-U. (Virginie) où eut lieu en 1865 la capitulation du général Lee, qui mit fin à la guerre de Sécession.

appontage n. m. MILIT Action d'apponter.

appontement n. m. Construction flottante ou sur pilotis qui permet l'accostage des bateaux.

apponter v. intr. [1] MILIT Se poser sur la plate-forme d'un porte-aéronefs (en parlant d'un avion, d'un hélicoptère).

Apponyi (Albert, comte) (Vienne, 1846 – Genève, 1933), homme politique hongrois. Chef du parti national, il représenta la Hongrie à la Conférence de la paix (1919-1920), puis à la Société des Nations.

apport n. m. **1.** Action d'apporter. *Apport d'engrais à un sol.* **2.** DR Biens apportés dans la communauté par les époux, par un associé dans une société commerciale. **3.** Fig. Contribution, appui. *L'apport de la science à la technique.*

apporter v. tr. [1] **I. 1.** Porter (qqch) à (qqn), là où il est. *Apportez-moi ce livre.* ▷ Porter soi-même en venant dans un lieu. *Apporter ses outils.* **2.** Fournir pour sa part. *Apporter des capitaux.* **II.** Fig. **1.** *Apporter de bonnes, de mauvaises nouvelles à qqn,* les lui apprendre, l'en informer. **2.** Donner, procurer. *Apporter des conseils. Apporter la consolation.* **3.** Employer, mettre. *Apporter tous ses soins à une affaire,* s'y employer avec application. **4.** (Choses) Causer, produire. *L'électricité a apporté de grands changements.*

apposer v. tr. [1] **1.** Appliquer, mettre (qqch) sur. *Apposer un avis sur un panneau d'affichage. Apposer sa signature :* signer. ▷ DR *Apposer les scellés, le scellé :* appliquer un sceau sur une chose pour en interdire l'usage. **2.** DR *Apposer une condition, une clause, à un contrat,* l'insérer dans le contrat.

apposition n. f. **1.** Action d'apposer. *Apposition d'une affiche.* **2.** GRAM Mot ou groupe de mots qui, placé à côté d'un nom ou d'un pronom, lui donne une qualification sans l'intermédiaire d'un verbe (ex. *Paris, capitale de la France. Lié par ses serments, il ne pouvait obéir*).

appréciable adj. **1.** Qui peut être apprécié, dont on peut donner une estimation. *Un préjudice appréciable.* – Par ext. *Revenus appréciables,* importants. **2.** Digne d'estime. *Qualité appréciable.*

appréciatif, ive adj. DR Qui marque l'appréciation (sens 1). *État appréciatif des biens.* Syn. estimatif.

appréciation n. f. **1.** Estimation, évaluation. *Appréciation d'un immeuble.* **2.** Cas que l'on fait d'une chose. *La juste appréciation d'un fait.*

apprécier v. [2] **I.** v. tr. **1.** Estimer, évaluer le prix d'une chose, en fixer la valeur. *Le juge a apprécié le montant de l'indemnité.* **2.** Évaluer approximativement une grandeur. *Apprécier une distance.* **3.** Priser, avoir de l'estime pour. *Apprécier qqn.* **II.** v. pron. (récipr.) S'aimer, faire cas l'un de l'autre. *Ils s'apprécient beaucoup.* Syn. estimer.

appréhender v. tr. [1] **1.** Prendre, arrêter. *Appréhender un criminel.* **2.** Litt. Saisir par l'esprit. **3.** Craindre par avance, redouter. *J'appréhende sa colère.*

appréhension n. f. **1.** Crainte, anxiété vague. *Avoir des appréhensions.* Syn. inquiétude. **2.** Vx ou litt. Action de saisir par l'esprit. ▷ PHILO Mod. Opération intellectuelle simple et immédiate qui s'applique à un objet.

apprenant, ante n. Personne qui apprend.

apprendre v. tr. [52] **I. 1.** Acquérir des connaissances sur, étudier. *Apprendre l'histoire.* ▷ (S. comp.) S'instruire. *La volonté d'apprendre.* **2.** Se mettre dans la mémoire. *Apprendre une leçon. Apprendre par cœur.* **3.** *Apprendre à* (+ inf.) : acquérir les connaissances nécessaires pour. *Apprendre à lire.* **4.** Être informé de. *J'apprends votre arrivée.* **II.** Donner à (qqn) la connaissance de (qqch). **1.** Enseigner, instruire. *Apprendre la grammaire à un élève.* **2.** *Apprendre à qqn à* (+ inf.). *J'apprends à conduire à ma femme.* **3.** Annoncer, faire savoir. *Il vous a appris une bonne nouvelle.*

apprenti, ie n. **1.** Personne qui apprend un métier. *Apprentie d'une couturière. Apprenti maçon.* **2.** Personne qui est malhabile (comme quelqu'un qui apprend un métier). *Ce livre est l'œuvre d'un apprenti.* **3.** *Apprenti sorcier* (par allus. à une ballade de Goethe) : celui qui provoque des événements graves dont il n'est plus le maître.

apprentissage n. m. **1.** Acquisition d'une formation professionnelle. *Apprentissage en usine.* ▷ DR *Contrat d'apprentissage,* par lequel un employeur s'engage notam. à donner une formation professionnelle spécifique à un apprenti. **2.** *Par anal.* Première expérience. *L'apprentissage de la vie.*

apprêt [apʀɛ] n. m. **1.** Plur. Vieilli Préparatifs. *Les apprêts d'un festin.* **2.** TECH Manière de préparer les étoffes, les peaux pour leur donner l'aspect marchand; la préparation elle-même. *Donner un apprêt à un tissu. Passer une couche d'apprêt sur un mur.* – *Papier d'apprêt :* papier qu'on applique sur un support avant de poser le revêtement définitif. – Matière utilisée à cet effet (colle, gomme, enduit). ▷ CONSTR Matériau dont on enduit un support avant de le peindre, pour obtenir un aspect mieux fini. **3.** Fig. Recherche, affectation du style, des manières. *Un style naturel et sans apprêt.*

apprêtage n. m. TECH Action de donner un apprêt, particulièrement aux étoffes.

apprêté, ée adj. Qui est peu naturel, maniéré. *Une coiffure trop apprêtée. Un style apprêté.* Syn. affecté.

apprêter v. [1] **I.** v. tr. **1.** Préparer, mettre en état. *Apprêter ses valises. Apprêter un mets,* l'accommoder. **2.** TECH Donner l'apprêt. *Apprêter un cuir, une étoffe.* **II.** v. pron. (réfl.) **1.** Se préparer à. *S'apprêter à partir.* **2.** *Absol.* Se parer, revêtir une toilette. *Cendrillon s'apprêtait pour le bal.*

apprivoisable adj. Qui peut être apprivoisé.

apprivoisement n. m. Action d'apprivoiser; son résultat.

apprivoiser v. [1] **I.** v. tr. **1.** Rendre (un animal) moins farouche, plus familier. *Apprivoiser un ours.* **2.** Fig. Rendre (qqn) plus sociable, plus doux. *Apprivoiser un enfant timide.* **II.** v. pron. Devenir moins farouche (animaux), plus sociable (personnes).

approbateur, trice adj. (et n.) Qui marque l'approbation. *Murmure approbateur.*

approbatif, ive adj. Qui exprime l'approbation.

approbation n. f. **1.** Agrément, consentement que l'on donne. *Donner son approbation. Cette mesure a reçu l'approbation de l'administration.* **2.** Jugement favorable, marque d'estime. *Mériter l'approbation générale.*

approchable adj. (Le plus souvent dans une phrase à valeur négative.) Dont on peut s'approcher. *Il est difficilement approchable.*

approchant, ante adj. Qui se rapproche, qui est comparable. *N'avez-vous rien d'approchant ?*

approche n. f. **1.** Action de s'approcher; mouvement par lequel on se dirige vers qqn, qqch. *À notre approche, il prit la fuite.* ▷ AVIAT Dernière phase d'un vol avant l'atterrissage. **2.** (Plur.) Ce qui est à proximité d'un lieu; les parages. *Les approches d'une ville, d'une côte.* **3.** Arrivée, venue de qqch. *L'approche du soir. À l'approche de la vieillesse.*

approché, ée adj. Approximatif. ▷ MATH *Valeur approchée :* valeur calculée, proche de la valeur réelle.

approcher v. [1] **I.** v. tr. dir. **1.** Mettre près, avancer (qqch) auprès (de qqn ou qqch). *Approcher une table du mur. Approcher une chaise.* **2.** Venir près (de qqn). *Ne m'approchez pas !* ▷ Fig. Avoir libre accès auprès (de qqn). *Approcher des ministres.* **II.** v. tr. indir. **1.** Venir près (de), s'avancer auprès (de qqn, qqch). *Nous approchons de Dijon.* ▷ (S. comp.) *Approchez, mes enfants !* **2.** Fig. Être près (de). *Approcher du but, de la perfection. L'hiver approche.* **III.** v. pron. S'avancer, se mettre auprès (de). *La voiture s'approcha de nous.* – Fig. *Le jour s'approche.* Syn. avancer, venir.

approfondi, ie adj. Minutieux. *L'examen approfondi de la question révéla des omissions.*

approfondir v. tr. [3] **1.** Rendre plus profond, creuser plus avant. *Approfondir un trou.* ▷ v. pron. *La faille s'approfondit.* **2.** Fig. Pénétrer plus avant dans la connaissance de (qqch). *Approfondir la grammaire.*

approfondissement n. m. Action d'approfondir; fait de devenir plus profond. *L'approfondissement d'une crevasse.* ▷ Fig. *Approfondissement d'un sujet.*

appropriation n. f. **1.** Action d'approprier, de rendre propre à une utilisation. *L'appropriation d'une terre à la culture de la vigne.* **2.** Action de s'attribuer qqch, d'en devenir propriétaire. *L'appropriation d'une maison.*

approprié, ée adj. Qui convient. *Je ne trouve pas les mots appropriés.* Syn. adéquat, convenable. Ant. impropre, inadéquat.

approprier v. [2] **I.** v. tr. Rare Rendre propre à une destination. *Approprier les lois aux mœurs.* **II.** v. pron. **1.** Vieilli Se conformer à. *Un air qui s'approprie aux circonstances.* **2.** S'emparer de, s'attribuer. *S'approprier les biens, les idées d'autrui.*

approuvable adj. Qui peut être approuvé.

approuver v. tr. [1] **1.** Donner son consentement à (qqch). *Approuver un mariage. Le conseil des ministres a approuvé un accord international.* – Pp. adj. *Lu et approuvé.* **2.** Juger louable, digne d'estime. *J'approuve sa décision.* Syn. agréer.

approvisionnement n. m. **1.** Action d'approvisionner. *L'approvisionnement d'une ville en eau.* **2.** Ensemble des fournitures, des provisions réunies. *Un approvisionnement de blé.*

approvisionner **1.** v. tr. [1] Fournir selon les besoins. – *Spécial.* Fournir en provisions alimentaires. *Approvisionner un magasin d'alimentation.* ▷ *Approvisionner un compte bancaire,* le nantir d'une provision, y verser de l'argent. Syn. pourvoir. **2.** v. pron. Se fournir en provisions. *Je m'approvisionne au marché.*

approvisionneur, euse n. Rare Celui, celle qui approvisionne.

approximatif, ive adj. **1.** Déterminé, fixé par approximation. *Chiffre approximatif.* **2.** Peu rigoureux, qui manque de précision. *Caractère approximatif d'un raisonnement.*

approximation n. f. Estimation, évaluation peu rigoureuse. *Dites-moi par approximation ce que vaut ceci. En première approximation.* Ant. exactitude, précision. ▷ MATH *Calcul par approximations successives :* méthode consistant à partir d'une première valeur approchée pour en calculer une seconde plus exacte et ainsi de suite.

approximativement adv. D'une manière approximative.

appui n. m. **1.** Ce qui sert de soutien, de support. **2.** Soutien, support qui empêche de tomber. *Mettre des appuis à un mur. Appui d'une fenêtre, barre d'appui :* partie sur laquelle on peut s'accouder. **3.** *Par anal.* Assistance matérielle, aide. *Comptez sur mon appui.* ▷ MILIT *Appui aérien :* ensemble des aides apportées par l'aviation aux forces de surface. **3.** Loc. prép. *À l'appui de :* pour appuyer (une déclaration, une affirmation). *Donner des arguments à l'appui d'une thèse.*

appui-nuque ou **appuie-nuque** n. m. Partie supérieure d'un siège où peut reposer la nuque. *Des appuis-nuque* ou *des appuie-nuque.*

appui-tête ou **appuie-tête** n. m. **1.** Dispositif réglable qui sert à maintenir la tête. *Siège muni d'un appui-tête.* **2.** Pièce d'étoffe brodée qui sert de protection à un fauteuil à l'endroit où l'on pose sa tête. *Des appuis-tête* ou *des appuie-tête.*

appuyé, ée adj. Qui insiste. *Regard appuyé. Plaisanterie appuyée,* lourde, sans discrétion.

appuyer v. [22] **I.** v. tr. **1.** Soutenir (qqch) par un appui. *Appuyer une muraille par des piliers. Appuyer une échelle contre un mur, à un mur.* **2.** Fig. *Appuyer sur, par, de... :* fonder, rendre plus solide par... *Il appuie son raisonnement sur des preuves. Il appuie son sentiment par de bonnes raisons.* **3.** Aider, soutenir (qqn, qqch). *Appuyer une demande.* **II.** v. tr. indir. **1.** Exercer une pression sur. *Appuyer sur l'accélérateur.* **2.** *Appuyer sur une phrase, sur une syllabe,* l'accentuer fortement de manière à la mettre en valeur. **3.** Fig. Insister avec force sur. *Appuyer sur un argument.* Loc. prov. *Glissez, mortels, n'appuyez pas.* **4.** *Appuyer sur la droite, sur la gauche :* se porter sur la droite, sur la gauche. **III.** v. pron. *S'appuyer sur.* **1.** Se servir comme d'un appui de, s'aider de. *S'appuyer sur une canne.* **2.** Fig. Se servir de qqn, de qqch comme d'un soutien. *Sur qui voulez-vous qu'il s'appuie ? Je m'appuie sur des réalités. S'appuyer sur une argumentation,* se fonder sur elle.

âpre adj. **1.** Qui produit une sensation désagréable par sa rudesse. *Un froid âpre. Une voix âpre.* ▷ Spécial. *Le goût âpre d'un fruit,* qui râpe la gorge. **2.** Fig. Rude, violent, dur. *Une discussion âpre.* – *Âpre au gain :* avide.

âprement adv. Avec âpreté, violemment. *La bataille se poursuivait âprement.*

après [apʀɛ] prép. et adv. **I.** Prép. marquant : **1.** La postériorité dans le temps. *Après le coucher du soleil. Ils sont partis les uns après les autres. Ceux qui viendront après nous.* – *Après quoi :* ensuite, après cela. *Écoute ton frère, après quoi tu parleras.* ▷ Loc. adv. *Après coup*.* ▷ Loc. adv. *Après tout :* tout bien considéré. *Après tout, fais ce que tu veux.* ▷ Loc. conj. *Après que* (+ indic.). *Après qu'il a parlé, tout le monde se tait.* (N.B. L'emploi du subjonctif est critiqué.) ▷ *Après* (+ inf. passé.). *Après avoir bien ri.* **2.** La postériorité dans l'espace. *La chambre est après l'entrée. Traîner après soi :* avoir derrière soi, à sa traîne. *Elle traîne après elle une foule d'adorateurs.* **3.** Une succession dans un rang, dans un ordre. *Le premier après le roi. Le seul maître à bord après Dieu. Après vous :* formule de politesse. **4.** L'aspiration, la tendance vers ou contre qqn, qqch. – Loc. *Courir après une chose,* la rechercher avec ardeur. *Courir après la fortune.* Loc. pop. *Être après qqn,* le suivre constamment, le harceler. *Il est sans arrêt après son fils. Crier après qqn,* le réprimander. – Loc. vieillies. *Soupirer après qqch,* le désirer vivement. *Languir après qqch,* l'attendre impatiemment. *Attendre après qqch,* en avoir besoin. *Je n'attends pas après cette somme.* **5.** Loc. prép. *D'après :* selon, suivant. *Un portrait d'après nature. D'après les anciens auteurs.* **II.** Adv. marquant : **1.** Un rapport de temps. *Trois ans après. Bien après.* – *Après ?* (pour interroger). *Après, qu'arriva-t-il ?* **2.** Un rapport d'espace, de rang, d'ordre. *Il le plaça en premier et me mit immédiatement après.* Ant. avant.

après-demain adv. Dans deux jours, ou le second jour après aujourd'hui. *Nous avons rendez-vous après-demain.*

après-guerre n. m. ou f. Période qui suit une guerre. *Des après-guerres.*

après-midi n. m. ou f. inv. Période de temps comprise entre midi et le soir. (Emploi critiqué au fém.)

après-rasage adj. inv. et n. m. Se dit d'un produit cosmétique (lotion, crème) destiné à adoucir la peau après le rasage. ▷ n. m. *Des après-rasages.*

après-shampooing [apʀɛʃɑ̃pwɛ̃] n. m. Produit cosmétique appliqué sur les cheveux après lavage pour les traiter ou les embellir.

après-ski n. m. inv. Chaussure de repos à tige montante, que l'on met aux sports d'hiver quand on ne skie pas.

après-vente adj. inv. *Service après-vente :* ensemble des services et prestations assurés à un client après l'achat d'une machine ou d'un appareil (dépannage, entretien, etc.).

âpreté n. f. **1.** Caractère de ce qui est âpre. **2.** Fig. Brutalité, violence. *Discuter avec âpreté.*

Apriès, nom grec d'Hâibria, pharaon de 588 à 568 av. J.-C., fils et successeur de Psammétik II.

a priori [apʀijɔʀi] loc. adv. et n. m. inv. (lat.) **1.** LOG, PHILO D'après des principes antérieurs à l'expérience. *Connaître a priori.* ▷ Loc. adj. *Un raisonnement a priori.* ▷ n. m. inv. *Vous avez des a priori.* **2.** Cour. À première vue. *A priori je ne peux rien décider.*

apriorisme n. m. Didac. Méthode de raisonnement a priori. ▷ Litt. Caractère de ce qui est un a priori.

à-propos [apʀɔpo] n. m. inv. V. propos (sens 2).

A.P.S. n. m. (Anglicisme) Abrèv. de *Advanced Photo Système,* nouveau standard de pellicule photographique destiné à remplacer le 24 × 36.

apsara n. f. Nymphe des eaux de la myth. hindoue, servante d'Indra, représentée en musicienne ou en danseuse.

apside n. f. ASTRO Chacun des deux points situés aux extrémités du grand axe de l'orbite d'une planète. *Apside supérieure* ou *aphélie :* le point le plus éloigné du Soleil. *Apside inférieure* ou *périhélie :* le point le plus proche du Soleil. *Ligne des apsides,* qui joint ces deux points.

Apt, ch.-l. d'arr. du Vaucluse, dans le *bassin d'Apt;* 11 702 hab. (*Aptois*). Ville résidentielle depuis la création d'une base d'engins spatiaux sur le plateau d'Albion. Industr. alim. – Égl. Ste-Anne, anc. cath. romane (XIIe s.)

apte adj. Propre à, qui réunit les conditions requises pour. *Apte à un emploi,* à remplir un emploi. – *Être déclaré apte au service,* dans un état physique et mental satisfaisant pour effectuer son service militaire.

aptère adj. **1.** ZOOL Dépourvu d'ailes. **2.** ARCHI *Temple aptère,* sans colonnades sur les faces latérales. **3.** SCULP *La Victoire aptère :* statue du temple athénien de la Victoire, exceptionnellement sans ailes (pour qu'elle ne s'envole pas d'Athènes).

aptérygotes n. m. pl. ENTOM Sous-classe d'insectes (ex. : les collemboles, les thysanoures) tous dépourvus d'ailes. – Sing. *Un aptérygote.*

aptéryx n. m. Syn. de *kiwi* (sens 1).

aptitude n. f. **1.** Don naturel. *Des aptitudes pour le dessin.* **2.** Faculté, compétence acquise. *Certificat d'aptitude professionnelle* (C.A.P.) : diplôme sanctionnant un cours de formation spécialisée. *Un C.A.P. de menuisier, d'électricien.* **3.** DR Capacité légale. *Aptitude à succéder.*

Apulée (Lucius Apuleius) (Madaure, en Numidie, auj. ruines près de Mdawruch, en Algérie, v. 125 – Carthage, v. 180), écrivain latin, auteur de *l'Âne d'or.* Accusé de sorcellerie, il assura sa défense dans *l'Apologie.*

Apulie, rég. de l'ancienne Italie. (V. Pouilles.)

apurement n. m. Vérification définitive d'un compte.

apurer v. tr. [1] Vérifier (un compte), s'assurer qu'il est en règle.

Aqaba. V. Akaba.

aqua-. Préfixe, du lat., « eau ».

aquacole [akwakɔl] ou **aquicole** [akɥikɔl] adj. Qui concerne l'aquaculture.

aquaculture [akwakyltyʀ] ou **aquiculture** [akɥikyltyʀ] n. f. Ensemble des techniques d'élevage des êtres vivants aquatiques (animaux et végétaux).

aquafortiste [akwafɔʀtist] n. Artiste qui grave à l'eau-forte.

aquamanile [akwamanil] n. m. HIST Bassin, fontaine ou aiguière servant à se laver les mains, en usage jusqu'au Moyen Âge.

aquaplanage n. m. Phénomène réduisant l'adhérence des roues d'un véhicule lorsque celui-ci roule à grande vitesse sur un sol mouillé. Syn. (off. déconseillé) aquaplaning.

aquaplane n. m. Équipement sportif consistant en une planche grâce à laquelle on glisse sur l'eau, reliée à un canot à moteur par des cordes. – Sport pratiqué avec cet équipement.

aquaplaning n. m. Syn. (off. déconseillé) de *aquaplanage*.

aquarelle n. f. Peinture exécutée avec des couleurs délayées dans l'eau, sur une feuille de papier dont le grain demeure visible par transparence.

aquarellé, ée adj. Rehaussé à l'aquarelle. *Une gravure aquarellée.*

aquarelliste n. Peintre d'aquarelles.

aquariophilie n. f. Élevage de poissons d'ornement en aquarium.

aquarium [akwaʀjɔm] n. m. Bassin ou bocal à parois transparentes où l'on élève des animaux et des plantes aquatiques. *Des aquariums.* – Muséum abritant des animaux aquatiques vivants.

aquatinte n. f. Didac. Gravure à l'eau-forte imitant le lavis, l'aquarelle.

aquatintiste [akwatɛ̃tist] n. Didac. Artiste qui grave à l'aquatinte.

aquatique adj. Qui vit dans l'eau ou au bord de l'eau. *Plantes aquatiques.*

aquavit ou **akvavit** [akwavit] n. f. Eau-de-vie des pays scandinaves.

aqueduc n. m. Canal destiné à conduire l'eau d'un lieu à un autre. *Aqueduc souterrain.* ▷ *Pont aqueduc* ou *aqueduc*, portant une conduite d'eau.

aqueux, euse adj. **1.** Qui ressemble à de l'eau, qui est de la nature de l'eau. ▷ CHIM *Solution aqueuse*, dont le solvant est l'eau. **2.** Qui contient de l'eau.

à quia loc. adv. Vieilli *Mettre quelqu'un à quia*, le réduire à ne plus savoir que répondre.

aquiculture. V. aquaculture.

aquifère [akɥifɛʀ] adj. Didac. Qui porte, contient de l'eau. *Couche aquifère.*

Aquila (L'), v. d'Italie; 63 470 hab.; ch.-l. de la prov. du m. nom et de la rég. admin. des Abruzzes. – Archevêché. Centre agric. et industriel.

Aquilée, port d'Italie (Vénétie) sur l'Adriatique; 3 280 hab. – Port import. dans l'Antiquité, la v. fut détruite par Attila (452); basilique romane datant du XIIe s.

aquilin adj. m. Courbé en bec d'aigle.

aquilon n. m. Poét. Vent du nord, froid et violent.

Aquin (Louis-Claude d') ou **Daquin** (Paris, 1694 – id., 1772), organiste français (pièces pour clavecin, œuvres vocales, noëls pour orgue).

Aquino (Corazón, dite Cory) (Tarlac, Luçon, 1933), femme politique philippine, veuve de Benigno Aquino. Son élection à la présidence de la République mit fin au régime de Ferdinand Marcos. Son mandat (1986-1992) fut troublé par de nombreux coups d'État militaires. Elle lutta contre les communistes et les indépendantistes musulmans. – **Aquino** (Benigno) (Concepción, 1932 – Manille, 1983), homme polit. philippin. Réfugié aux États-Unis, il fut assassiné à son retour.
► illustr. page **92**

aquitain, aine adj. De l'Aquitaine.

Aquitain (bassin) ou **Aquitaine** (bassin de l'), vaste dépression sédimentaire, comprise entre le Massif armoricain et le Massif central, les Pyrénées et l'océan Atlantique. – Le bassin présente une certaine unité : il est presque entièrement drainé par la Garonne, et jouit partout du m. climat océanique. Du point de vue géologique, il n'offre pas la m. régularité : les couches sédimentaires se succèdent sans ordonnance partic. On y trouve des terrains secondaires (jurassiques, sur les causses du Quercy et de l'Aunis; crétacés, dans le Périgord et la Saintonge); des sols tertiaires, offrant souv. un paysage de collines; des terrains quaternaires (alluvions des fonds de vallées, côte sableuse des Landes, cailloutis glaciaires du Lannemezan). On y pratique la polyculture. L'industr. s'est surtout développée autour de Toulouse et de Bordeaux.

Aquitaine, région historique. Ancienne province romaine (en extension après la conquête de César), le « Pays des eaux » passa aux Wisigoths (Ve s.), que Clovis vainquit à Vouillé (507), intégrant le territoire au royaume franc. Au VIIIe s., l'Aquitaine comprenait la Saintonge, le Limousin, le Poitou, le Berry, l'Auvergne, la Marche. Royaume vassal de l'Empire carolingien, elle devint, à la fin du IXe s., un duché qui passa aux rois d'Angleterre quand Éléonore d'Aquitaine épousa (1152), en secondes noces, Henri Plantagenêt, futur Henri II d'Angleterre (1154). Connue alors sous le nom de *Guyenne*, elle fut disputée entre la France et l'Angleterre jusqu'en 1453, date de la bataille de Castillon, remportée par Charles VII, qui annexa définitivement à la Couronne ce duché ravagé par des guerres continuelles.

Aquitaine, Région admin. française et région de la C.E., formée des dép. de la Gironde, de la Dordogne, du Lot-et-Gar., des Landes et des Pyr.-Atl.; 41 407 km^2; 2 858 293 hab.; Cap. *Bordeaux.*

Géogr. phys. et hum. – Bordée au S. par les Pyrénées (2 885 m au pic du Midi d'Ossau) et les collines de l'Adour, limitée au N.-E. par les plateaux calcaires du Périgord, l'Aquitaine s'ouvre sur l'Atlantique par l'axe de la Garonne et la vaste étendue sableuse des Landes, que borde une côte à dunes de 250 km. Le climat donne à la région son unité, avec des étés méditerranéens et des hivers à caractère océanique. Population et villes se concentrent dans les grandes vallées. L'installation d'Italiens, d'Espagnols et de rapatriés d'Algérie a partiellement compensé un exode important jusqu'aux années 60. Aujourd'hui, la croissance démographique dépasse la moyenne nationale, du fait d'un solde migratoire positif.

Écon. – L'Aquitaine a connu un renouveau écon. qui lui permet de se classer honorablement dans la hiérarchie des régions européennes. L'agriculture (4e rang français pour la valeur de la production) garde pour fleuron le vignoble de grands crus du Bordelais, auquel s'ajoutent ceux de Bergerac, et du Béarn. La polyculture s'est orientée vers le maïs, les fruits et légumes, l'élevage de qualité, productions que valorise une importante industrie agroalimentaire. Les industries du bois traitent le pin des Landes (premier massif forestier d'Europe). Les ressources minérales, pétrole des Landes, gaz de Lacq, lignite d'Arjuzanx, sont en voie d'épuisement mais ont permis le développement d'activités de transformation. De grands établissements industriels se sont implantés dans la région de Bordeaux et sur l'axe Pau-Bayonne : chimie, aéronautique et aérospatiale, constructions méca., auto. Aujourd'hui se développent des activités de pointe : électronique, nouveaux matériaux, biotechnologies. L'Aquitaine bénéficie, en outre, d'un tourisme florissant grâce à son patrimoine naturel et culturel de premier plan et à des aménagements balnéaires importants. Longtemps enclavée, la Région est auj. bien desservie par autoroute et TGV, ce qui permet à Bordeaux d'affirmer sa vocation de grande métropole portuaire (7e port français). L'entrée de l'Espagne et du Portugal dans la C.É.E. a donné à l'Aquitaine une place de choix dans le grand marché européen.

Ar CHIM Symbole de l'argon.

ara n. m. Grand perroquet d'Amérique du Sud (fam. des psittacidés), remarquable par ses couleurs vives et sa longue queue.

ara macao

arabe adj. et n. **1.** adj. D'Arabie; des peuples du pourtour méditerranéen, qui parlent l'arabe. *L'écriture arabe. L'art arabe.* – *Les pays arabes*, de civilisation arabe (par la langue, la religion; V. aussi islam). – Subst. Habitant, personne originaire d'un pays arabe. *Un(e) Arabe.* ▷ *Chiffres arabes* (par oppos. à *chiffres romains*) : chiffres de la numération usuelle (rapportés de l'Inde par les Arabes). ▷ *Cheval arabe* : cheval de petite taille, résistant et sobre, originaire de l'Arabie. **2.** n. m. Langue sémitique du groupe méridional. *L'arabe littéral*, ou *classique* : langue du Coran et de la littérature médiévale. *Arabe dialectal* : langue différente selon les régions (Maghreb, Syrie, Égypte). *Arabe moderne* : langue de communication unique pour la presse, la radio, la télévision, la littérature, la diplomatie, depuis le XIXe s.

ENCYCL Le lien linguistique unit fortement le peuple arabe (env. 185 millions d'individus), formé de populations anthropologiquement différentes, qui occupent une vaste zone, de l'Irak au Maroc, englobant quelques minorités musulmanes non arabophones telles que Kurdes et Berbères. L'origine des Arabes reste obscure. À partir du

XIIIe s. av. J.-C., ils furent mêlés à l'histoire des pays du Croissant fertile. Au IIe millénaire, des éléments restés nomades auraient effectué une importante migration vers l'intérieur de la péninsule Arabique, où, au cours des siècles, se formèrent deux royaumes : sabéen au sud, nabatéen au nord. Farouchement particulariste, même dans le domaine religieux, chaque groupe avait ses dieux et ses pierres sacrées (bétyles); cependant, bien avant Muhammad (Mahomet), émergeait la notion d'un dieu supérieur créateur : Allah. Muhammad commença la prédication de l'islam vers 610; il dut émigrer à Yathrib en 622 (début de l'hégire). La ville prit alors le nom de «ville du Prophète» (Madina el Nabi : Médine) et devint la capitale de l'État théocratique que Muhammad organisa en rassemblant les tribus, qui se rallièrent toutes après la prise de La Mecque en 630. Dès lors, l'unification de la péninsule Arabique était presque réalisée. Le calife Abu Bakr (632-634), successeur du Prophète, la compléta par les conquêtes de l'Oman, de Bahreïn, du Yémen et de l'Hadramaout; puis commença, hors d'Arabie, la conquête poursuivie par les califes Umar (634-644) et Uthman (644-656) et par la dynastie des Umayyades (Omeyyades). L'expansion, arrêtée devant Constantinople en 717, avait en quelques décennies porté les limites du monde musulman de l'Indus à l'Espagne, annexant tour à tour la Syrie, la Mésopotamie, la Perse, l'Égypte, l'Afrique du Nord, l'Espagne, l'Arménie, le Caucase, le Sind. Ce «miracle arabe» réalisa un brassage des civilisations et des cultures, véhicula vers l'Occident les connaissances scientifiques et techniques de l'Orient, donna un essor considérable aux échanges commerciaux et suscita la création de grandes villes nouvelles. Aux Umayyades succédèrent les Abbassides (750), qui transférèrent de Damas à Bagdad le siège du califat (762). C'est l'apogée de la civilisation d'expression arabe, synthèse de tous les apports culturels des peuples conquis. Mais, peu à peu, l'Empire arabe se désagrégea (relâchement des liens avec l'administration centrale de Bagdad et fondation de petits royaumes indépendants). Les pays arabes qui conservèrent en commun la langue et la religion entrèrent sous la domination politique des Turcs, Seldjoukides (XIe-XIVe s.) puis Ottomans jusqu'au XXe s. Le contact avec les pays européens engendra la Mahda (Renaissance) : réveil culturel, prise de conscience de l'unité du monde arabe. L'immense richesse apportée par le pétrole, longtemps exploité au profit de compagnies étrangères, a opéré une transformation profonde des pays qui en ont bénéficié, notam. l'Arabie Saoudite, les émirats du Golfe et la Libye. Les autres pays, en proie à une démographie galopante, souffrent du sous-développement.

arabe (Ligue), organisme constitué le 22 mars 1945, sur la base de la solidarité des pays arabes, par l'Égypte, la Syrie, le Liban, l'Irak, la Transjordanie (auj. *Jordanie*), l'Arabie Saoudite et le Yémen, auxquels se sont joints la Libye (1953), le Soudan (1956), la Tunisie et le Maroc (1958), l'Algérie (1962). Auj., outre les États préc., en font partie : le Koweït, Bahreïn, Oman, le Qatar, les Émirats arabes unis, la Mauritanie, la Somalie, l'O.L.P., Djibouti, les Comores.

arabe unie (Rép.). V. République arabe unie et Égypte.

arabesque n. f. **1.** Ornement formé de combinaisons capricieuses de fleurs, de fruits, de lignes, etc. **2.** Ligne sinueuse, irrégulière. **3.** CHORÉGR Figure de danse classique dans laquelle le corps, incliné en avant, porte sur une seule jambe.

arabica n. m. **1.** Caféier originaire d'Arabie, le plus cultivé dans le monde. **2.** Graine de ce caféier.

Arabie, péninsule, à l'extrémité S.-O. de l'Asie, située entre la mer Rouge, la mer d'Oman et le golfe Persique; 3 000 000 km²; env. 23 000 000 d'hab. – Les conquêtes romaine (IIe s.) et perse (VIe s.) de certaines parties de la péninsule ne lui donnèrent pas l'unité de civilisation que lui apporta l'islam à partir du VIIe s. Auj. les États arabiques sont : l'Arabie Saoudite, la rép. du Yémen, Oman, le Qatar, le Koweït, Bahreïn, les Émirats arabes unis. L'exploitation du pétrole constitue auj. la principale ressource écon. de la péninsule, qui abrite par ailleurs les principaux lieux saints de l'islam.

Arabie du Sud (fédération de l'), formée par les Brit. de 1959 à 1963 à partir du territ. d'Aden et des sultanats voisins. Elle est devenue, en 1967, la rép. dém. et pop. du Yémen (Yémen du Sud), avant de faire partie de la rép. du Yémen (1990).

Arabie Saoudite, royaume recouvrant les 2/3 de la péninsule d'Arabie; env. 2 150 000 km²; 19,4 millions d'hab.; cap. *Riyad;* v. saintes : La Mecque, Médine. Nature de l'État : monarchie. Langue off. : arabe. Monnaie : riyal. Religion : islam (sunnite, petite minorité chiite).
Géogr. phys. et hum. – Le relief, plateau en pente douce vers le golfe Persique, domine la mer Rouge d'un bourrelet montagneux vigoureux. Le désert est omniprésent, mais les transformations liées à l'économie pétrolière font reculer le nomadisme et l'urbanisation progresse (81 % de la pop.).
Écon. – L'Arabie Saoudite est le premier producteur mondial de pétrole (427 Mt en 1995) et dispose de grandes potentialités (plus de 25 % des réserves mondiales). La deuxième richesse minière est le gaz naturel (40,3 Mdm³ en 1995). Les secteurs pétrolier et minier représentent 30 % du P.I.B. Durant la décennie 1980, la crise économique mondiale et la baisse du prix du pétrole ont provoqué une forte diminution des revenus pétroliers du royaume. Après deux années d'une cure d'austérité exceptionnelle, 1996 marque le début du redressement de l'économie saoudienne.
Hist. – La formation de l'État est due à Abd al-Aziz ibn Saoud qui groupa sous son autorité les rég. conquises sur les Turcs et donna son nom au pays (1932). Son fils, Sa'ūd, lui succéda (1953-1964) : il se heurta à son frère Fayṣal, prooccidental (accord avec les É.-U.) et conservateur, qui prit le pouvoir en 1964. Assassiné en 1975, ce dernier fut remplacé par son demi-frère Khalid, puis, en 1982, par Fahd. Durant la guerre du Golfe* (1991), la force multinationale fut déployée à partir du royaume. L'Arabie Saoudite est aujourd'hui confrontée à d'importantes difficultés internes : problème de légitimité politique de la famille royale, demande de participation politique de la part des élites et contestation religieuse et sociale. ► carte **Arabie**

Arabi Pacha. V. Urabi Pacha.

arabique adj. **1.** D'Arabie, qui vient d'Arabie. *Le désert arabique.* **2.** *Gomme arabique.* V. gomme.

arabisant, ante n. et adj. **1.** n. Spécialiste de la langue et de la civilisation arabes. **2.** adj. Qui arabise. *Politique arabisante.*

arabisation n. f. Fait d'arabiser, de s'arabiser, et, spécial., de restituer le caractère national arabe, dans les pays naguère colonisés. *L'arabisation de l'enseignement dans les pays du Maghreb.*

arabiser v. tr. [1] Rendre arabe; faire adopter la langue, les mœurs des Arabes. ▷ v. pron. Devenir arabe.

arabisme n. m. **1.** Nationalisme arabe. **2.** Tournure propre à la langue arabe.

arable adj. Qui peut être retourné par la charrue; cultivable. *Terre arable.*

arabophone adj. et n. Qui parle l'arabe.

Aracajú, port du Brésil, cap. de l'État de Sergipe; 361 540 hab. Exportation du coton et du sucre.

aracées n. f. pl. BOT Famille de monocotylédones herbacées ou ligneuses, croissant principalement dans les régions tropicales (arum, philodendron, etc.). – Sing. *Une aracée.*

arachide n. f. Plante annuelle des pays chauds, originaire du Brésil (fam. papilionacées), cultivée pour ses graines (cacahuètes) dont on extrait une huile. *Huile d'arachide.*

arachide : plant avec fruits, pédoncule floral, gousse

arachnéen, enne [aʀakneɛ̃, ɛn] adj. Litt. Dont la légèreté ou la transparence rappelle la toile d'araignée. *Dentelle arachnéenne.*

arachnides n. m. pl. ZOOL Classe d'arthropodes (araignées, scorpions, etc.) possédant un céphalothorax*, quatre paires de pattes et une paire de chélicères. – Sing. *Un arachnide.*

arachnoïde [aʀaknɔid] n. f. ANAT Membrane intermédiaire entre la pie-mère et la dure-mère, les trois formant les méninges.

Arad, v. de Roumanie, près de la Hongrie, sur le Mureș (r. dr.); 182 980 hab.; ch.-l. du district du m. n.

Arafat (Yasir ou Yasser) *(Yāsir 'Arafāt)* (Jérusalem, 1929), homme politique palestinien, chef du mouvement palestinien Fath (1968), président (depuis 1969) de l'Organisation pour la libé-

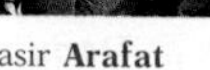

Yasir **Arafat** François **Arago**

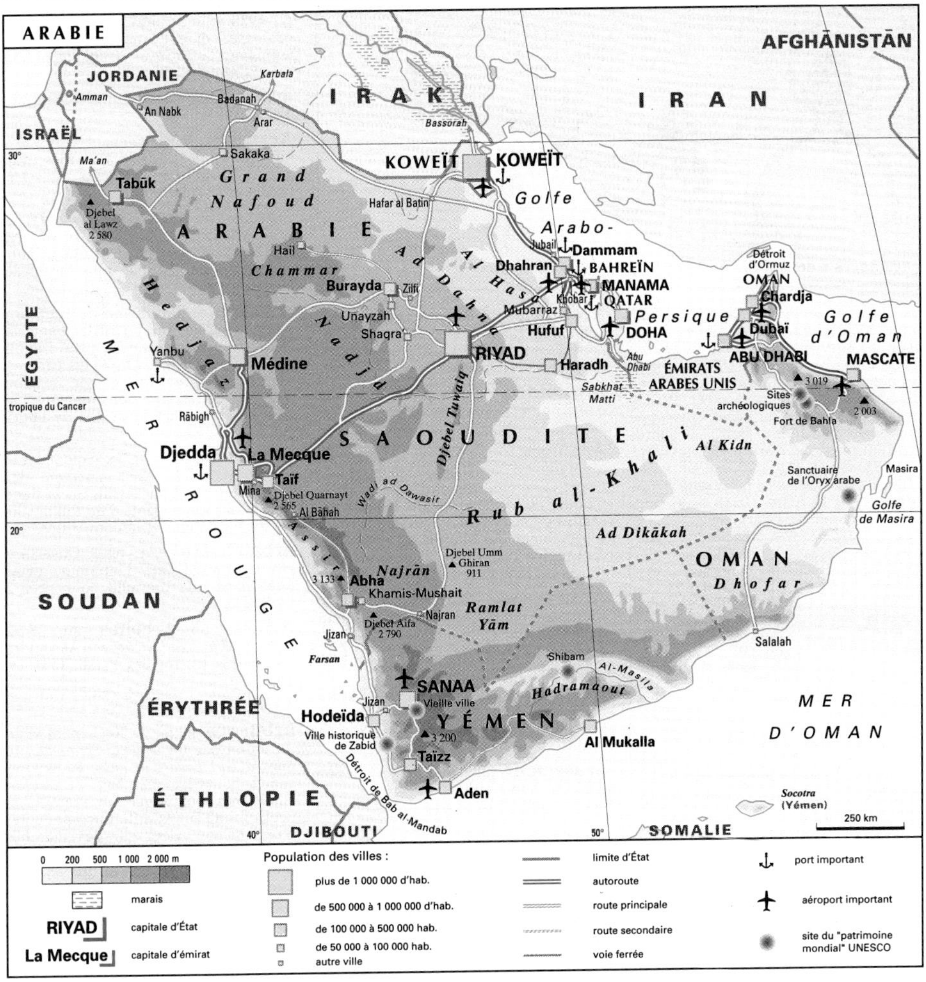

ARABIE

JORDANIE
Karbala
Amman
An Nabk
Badanah
Arar
IRAK
Bassorah
IRAN
AFGHĀNISTĀN
ISRAËL
Ma'an
Sakaka
Tabūk
Grand Nafoud
KOWEÏT
KOWEÏT
Golfe Arabo-Persique
Hafar al Batin
Djebel al Lawz 2 580
ARABIE SAOUDITE
Hail
Chammar
Ad Dahna
Al Hasa
Jubail
Dammam
Dhahran
BAHREÏN
MANAMA
Khobar
QATAR
DOHA
Mubarraz
Hufuf
Détroit d'Ormuz
OMAN
Chardja
Dubaï
Golfe d'Oman
ABU DHABI
MASCATE
Burayda
Zilfi
Unayzah
Shaqra
Nadjd
Hedjaz
ÉGYPTE
Yanbu
Médine
RIYAD
Haradh
Abu Dhabi
ÉMIRATS ARABES UNIS
Sabkhat Matti
3 019
Sites archéologiques
2 003
Fort de Bahla
tropique du Cancer
Rābigh
Djebel Tuwaiq
Djedda
La Mecque
Al Kidn
Rub al-Khali
Taïf
Mina
Djebel Quarnayt 2 565
Al Bāhah
Wadi ad Dawasir
Sanctuaire de l'Oryx arabe
Masira
Golfe de Masira
MER ROUGE
Ad Dikākah
Asir
Djebel Umm Ghiran 911
OMAN
Dhofar
3 133 Abha
Najrān
Khamis-Mushait
SOUDAN
Ramlat Yām
Najran
Djebel Aifa 2 790
Jizan
Salalah
Farsan
Shibam
Al-Masila
Hadramaout
SANAA
Vieille ville
MER D'OMAN
ÉRYTHRÉE
Jizan
Hodeïda
YÉMEN
Ville historique de Zabid
3 200
Al Mukalla
Taïzz
Aden
Détroit de Bab al-Mandab
Socotra (Yémen)
ÉTHIOPIE
DJIBOUTI
SOMALIE
250 km
30°
20°
40°
50°

0 200 500 1 000 2 000 m
marais
RIYAD capitale d'État
La Mecque capitale d'émirat
Population des villes :
plus de 1 000 000 d'hab.
de 500 000 à 1 000 000 d'hab.
de 100 000 à 500 000 hab.
de 50 000 à 100 000 hab.
autre ville
limite d'État
autoroute
route principale
route secondaire
voie ferrée
port important
aéroport important
site du "patrimoine mondial" UNESCO

ration de la Palestine (O.L.P.). Un des principaux protagonistes de l'accord israélo-palestinien (accord d'Oslo) en 1993, il est élu prés. de Conseil de l'autonomie palestinienne (1996). P. Nobel de la paix 1994 avec S. Peres et Y. Rabin.

Arago (François) (Estagel, Roussillon, 1786 – Paris, 1853), physicien et astronome français. Il étudia la polarisation, les interférences lumineuses, l'électromagnétisme, etc. Républicain, il fut ministre de la Guerre et de la Marine en 1848. Acad. des sc. (1809).

Aragon, communauté autonome du N.-O. de l'Espagne et région de la C.E., formée des provinces de Huesca, Teruel, Saragosse. 47 669 km²; 1 201 340 hab.; cap. *Saragosse*. Le N. du pays est occupé par les Pyrénées (3 404 m au pic d'Aneto). Au centre s'étend la vallée de l'Èbre, que domine le N. de la chaîne Ibérique. Le climat est continental. Les rivières des deux massifs fournissent une hydroél. abondante. L'agric. constitue un bon apport dans la vallée de l'Èbre : céréales, fourrages, oliviers, vignes. Le N. du pays est consacré à l'élevage ovin; la chaîne Ibérique renferme du fer, du soufre, du lignite (Teruel). Ces différentes ressources ont permis l'industrialisation de Saragosse. – Au XIe s., l'Aragon devint un petit royaume indép. qui, résistant aux Almohades, puis aux Almoravides, s'agrandit de la vallée de l'Èbre, de la Catalogne, de la rég. de Valence, des Baléares, du versant français des Pyrénées, de la Sicile (1282), de la Sardaigne (1325). Le mariage de Ferdinand d'Aragon avec Isabelle de Castille (1469) prépara la réunion des royaumes d'Aragon et de Castille.

Aragon (Jeanne d') (Naples, v. 1500 – ?, 1577), princesse de la famille royale d'Aragon, épouse d'Ascanio Colonna. Sa beauté inspira poètes et artistes (Raphaël notam.).

Aragon (Louis) (Paris, 1897 – id, 1982), écrivain français. D'abord dadaïste, puis surréaliste : *le Paysan de Paris* (1926), *Traité du style* (1928), il vint ensuite à une écriture plus traditionnelle. Romans : *les Cloches de Bâle* (1934), *les Beaux Quartiers* (1936), *la Semaine sainte* (1958), *Blanche ou l'Oubli* (1967), etc. Poète (*le Crève-Cœur*, 1941), il a notam. célébré son amour pour Elsa Triolet, sa compagne : *le Fou d'Elsa* (1963). Il adhéra au parti communiste en 1927, s'engagea dans la Résistance et dirigea *les Lettres françaises* de 1953 à leur disparition (1972).

Louis **Aragon**

aragonais, aise adj. et n. **1.** De l'Aragon. – Subst. *Un(e) Aragonais(e).* **2.** Danse esp., originaire de l'Aragon. Syn. jota.

Ara'ich (Al-) *(Al-'Arā'ich)* ou **Arayich (Al-)** *(Al-'Arāyich).* V. Larache.

araignée n. f. **1.** Arthropode qui tisse, au moyen de filières abdominales, des toiles, pièges à insectes. *Les araignées constituent l'ordre des aranéides, aux nombreuses espèces; elles appartiennent à la classe des arachnides.* ▷ Fig., fam. *Avoir une araignée au plafond* : avoir l'esprit tant soit peu dérangé, être un peu fou. ▷ TECH *Pattes d'araignée* : rainures en forme de croix ménagées à la surface des coussinets d'arbre de moteurs pour favoriser le graissage des

araignées : de g. à dr., épeire, saltique, lycose et thomise

parties frottantes. **2.** Crochet métallique à plusieurs pointes aiguës. *Repêcher un seau dans un puits au moyen d'une araignée.* **3.** Appareil qui retient les détritus à la partie supérieure d'une descente d'eaux pluviales. **4.** Muscle obturateur interne du bœuf, enveloppé par une membrane dont les fibres figurent une toile d'araignée. *Un bifteck dans l'araignée.* **5.** *Araignée de mer :* crabe (genre *Maia*) à la carapace épineuse, dont les pattes longues et fines rappellent celles de l'araignée.

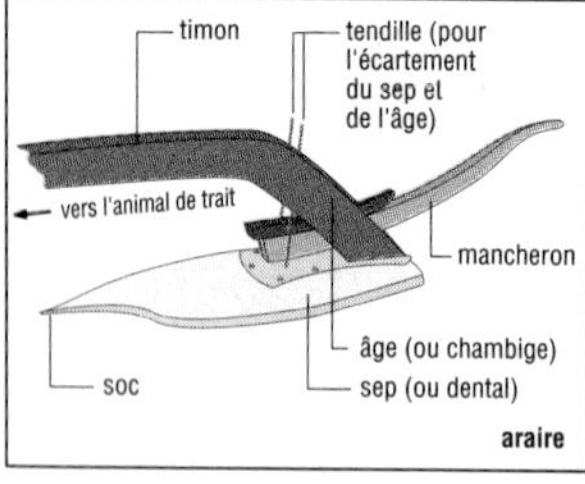

araire

araire n. m. Charrue simple dépourvue d'avant-train.

Araks. V. Araxe.

Aral (mer ou lac d'), mer intérieure bordée par l'Ouzbékistan et le Kazakhstan, à l'E. de la mer Caspienne, alimentée par le Syr-Daria et l'Amou-Daria. Sa superficie, 35 000 km² (autrefois 64 000 km²), diminue et sa salinité augmente dramatiquement à cause des alluvions et surtout des ponctions excessives dues à l'irrigation.

araldite n. f. (Nom déposé.) Matière plastique, résine époxy utilisée comme isolant et comme colle.

aralia n. m. Plante ornementale originaire du Japon, aux grandes feuilles vertes palmées.

araméen, enne adj. Relatif aux Araméens. ▷ n. m. *L'araméen :* la langue araméenne.

Araméens, anc. tribus (issues, selon la légende, d'Aram, fils de Sem) sémitiques nomades de la Mésopotamie du Nord, qui, au XIIIe s. av. J.-C., formèrent en Syrie et au Liban de petits États, ennemis des Hébreux. Les Araméens furent asservis par l'Assyrie au VIIIe s. av. J.-C. Leur dissémination assura la diffusion de leur langue qui fut celle des Palestiniens au temps du Christ et resta celle du commerce au Proche-Orient (jusqu'à la conquête arabe).

aramide n. m. CHIM Polyamide aromatique dont les fibres, à la très grande résistance mécanique, sont employées dans l'aérospatiale.

Aran (val d'), vallée espagnole des Pyrénées centrales, où la Garonne apparaît après un cours souterrain.

Aranda (Pedro Pablo Abarca y Bolea, comte d') (Huesca, 1719 - Épila, 1798), homme politique espagnol qui expulsa les jésuites d'Espagne.

aranéides n. m. pl. ZOOL Ordre d'arachnides comprenant toutes les araignées. - Sing. *Un aranéide.*

Aranjuez, v. d'Espagne (prov. de Madrid), sur le Tage; 35 620 hab. - Palais royal bâti sous Philippe II (1561), modifié au XVIIIe s. Jardins et fontaines célèbres.- *Insurrection d'Aranjuez* (1808), soulèvement qui aboutit à l'abdication de Charles IV en faveur de son fils et provoqua l'intervention française.

Arany (János) (Nagyszalonta, 1817 - Budapest, 1882), poète hongrois auteur d'une trilogie épique : *Toldi* (1847), *le Soir de Toldi* (1854), *l'Amour de Toldi* (1879).

Ararat (mont), volcan éteint d'Arménie, le plus haut sommet de la Turquie orientale (5 165 m); l'arche de Noé s'y serait immobilisée.

arasement [arazmɑ̃] n. m. Action d'araser; son résultat.

mer d'**Aral**

araser v. tr. [1] **1.** CONSTR Mettre de niveau un mur, un terrain. **2.** TECH Mettre une pièce d'assemblage à ses dimensions en enlevant au ras du tracé le bois superflu. *Araser un tenon.* **3.** GEOL Aplanir (un relief) par usure.

aratoire adj. Qui concerne le labourage, l'agriculture. *Instruments aratoires.*

Araucanie, anc. nom de la partie méridionale du Chili, entre les Andes et le Pacifique.

Araucans, Amérindiens auj. regroupés dans des réserves situées entre le fleuve Bío-Bío et le canal de Chacao. (Autref. nomades, ils ne furent soumis qu'au XIXe s.)

araucaria n. m. BOT Conifère subtropical, remarquable par sa haute taille, son port caractéristique, les dimensions de ses cônes, et dont certaines espèces ornementales sont cultivées en France (Bretagne, Provence).

Aravalli (monts), chaîne montagneuse du N.-O. de l'Inde; culmine à 1 722 m.

Aravis (chaîne des), chaîne calcaire des Alpes, dans le massif des Bornes, culminant à 2 752 m; franchie par le *col des Aravis* (1 498 m).

arawak adj. inv. en genre. Relatif aux Arawaks.

Arawaks, Amérindiens chassés des Antilles par les Indiens Caraïbes; auj. princ. établis dans le delta de l'Orénoque et le bassin de l'Amazone.

Araxe ou **Araks,** riv. d'Asie (994 km), affl. de la Koura (r. dr.) en Azerbaïdjan; née en Turquie orient., elle sépare la Turquie, puis l'Iran, de la Géorgie.

arbalète n. f. **1.** Arme de trait, arc puissant monté sur un fût et bandé à l'aide d'un mécanisme (moufle, cric ou levier). *Tir à l'arbalète.* **2.** MAR Instrument, remplacé aujourd'hui par le sextant, dont on se servait pour mesurer la hauteur d'un astre au-dessus de l'horizon.

arbalétrier n. m. **1.** Anc. Soldat armé de l'arbalète. **2.** CONSTR Chacune des deux poutres inclinées suivant la ligne de la plus grande pente d'un toit et soutenant les pannes et la couverture.

arbalétrière n. f. FORTIF Ouverture étroite, évasée vers l'intérieur, pratiquée dans une muraille pour tirer à l'arbalète.

Arbèles ou **Arbelles** (auj. *Erbil,* Irak), v. d'Assyrie; victoire d'Alexandre sur Darios III, roi des Perses (331 av. J.-C.).

Arbil. V. Erbil.

arbitrage n. m. **1.** Règlement d'un différend par un arbitre. *Soumettre un litige à l'arbitrage d'un tiers.* **2.** FIN Opération boursière de vente et d'achat simultanés, qui permet de réaliser un profit fondé sur la différence des cotes d'une même valeur sur des marchés différents, ou de valeurs différentes mais comparables, sur un même marché. **3.** SPORT Action d'arbitrer; façon d'arbitrer. *Un arbitrage contesté.*

arbitragiste n. m. FIN Boursier spécialiste de l'arbitrage.

arbitraire adj. **1.** Qui est laissé à la libre volonté de chacun, qui ne relève d'aucune règle. *Choix arbitraire.* **2.** Qui dépend uniquement de la volonté, du caprice d'un homme; despotique. *Pou-*

araucaria

voir arbitraire. ▷ n. m. Autorité que ne borne aucune règle. *L'arbitraire royal.* **3.** MATH *Quantité, fonction arbitraire,* dont on choisit, sans règle précise, la valeur numérique, la forme ou la nature.

arbitrairement adv. D'une façon arbitraire.

arbitral, ale, aux adj. DR Rendu par un (des) arbitre(s). *Jugement arbitral.* ▷ Composé d'arbitres. *Tribunal arbitral.*

arbitralement adv. DR Par arbitre(s).

1. arbitre n. m. **1.** Personne choisie d'un commun accord par les parties intéressées pour régler le différend qui les oppose. *Prendre pour arbitre...* ▷ DR *Tiers arbitre :* arbitre désigné en cas de désaccord entre les deux premiers. ▷ *Être l'arbitre des élégances :* avoir le goût particulièrement sûr en matière d'habillement, de mode. **2.** Maître souverain. *Vous êtes l'arbitre de mon sort.* **3.** SPORT Personne qui veille à la régularité d'une compétition sportive. *Arbitre d'un match de rugby, de tennis.*

2. arbitre n. m. Vx Volonté. ▷ Mod. *Libre* arbitre.*

arbitrer v. tr. [1] **1.** Régler en qualité d'arbitre. *Arbitrer un conflit du travail. Arbitrer un combat de boxe.* **2.** FIN *Arbitrer des valeurs,* procéder à leur arbitrage en Bourse.

Arbogast (v. 340 - 394), chef franc. Il aurait fait étrangler l'empereur Valentinien II, son pupille, pour introniser le rhéteur gaulois Eugène. Vaincu par Théodose à Aquilée, il se donna la mort.

Arbois, ch.-l. de cant. du Jura (arr. de Lons-le-Saunier), sur la Cuisance; 4 118 hab. Vins les plus renommés du vignoble du Jura.

arboré, ée adj. Portant des arbres. *Savanes arborées.*

arborer v. tr. [1] **1.** Vx Élever, planter droit (comme un arbre). *Arborer un mât.* ▷ Mod. *Arborer un drapeau (un pavillon, un étendard,* etc.), le hisser, le faire voir. **2.** Porter sur soi de manière ostentatoire. *Arborer une décoration, une toilette.* ▷ Fig. *Arborer certaines idées,* s'en déclarer fièrement partisan.

arborescence n. f. État de ce qui est arborescent. ▷ MATH Arbre dont un des sommets est relié à tous les autres par un seul chemin. ▷ INFORM Structure (de données, de programmes, etc.) en forme d'arbre (sens 5).

arborescent, ente adj. Dont la forme ou le port rappelle un arbre. *Fougères arborescentes. Structure arborescente.*

arboretum [aʀbɔʀetɔm] n. m. Plantation expérimentale de nombreuses espèces d'arbres sur un terrain restreint, constituant une collection vivante.

arboricole adj. **1.** Qui vit dans les arbres. *L'écureuil, rongeur arboricole.* **2.** Qui a trait à l'arboriculture. *Travaux arboricoles.*

arboriculteur, trice n. Spécialiste de la culture des arbres.

arboriculture n. f. Culture des arbres. *Arboriculture fruitière.*

arborisation n. f. PHYS et MINER Cristallisation offrant l'apparence d'un arbre ou d'une plante ramifiée. *Arborisation du givre sur les vitres.*

arbouse n. f. Fruit de l'arbousier, comestible. *Confiture d'arbouses.*

arbousier n. m. Genre d'arbres à feuillage décoratif (fam. éricacées), à fruits rouges, qui pousse dans le Midi, en Europe méridionale, en Afrique du Nord et en Asie.

arbousier : feuille, fleur et fruit

arbovirus [aʀboviʀys] n. m. BIOL Virus transmis aux vertébrés par des arthropodes.

arbre n. m. **1.** Végétal ligneux de grande taille (6 ou 7 m au minimum), dont la tige (*tronc*), simple à la base, ne se ramifie qu'à partir d'une certaine hauteur. *Arbre à feuillage persistant,* portant des feuilles tout au long de l'année. *Arbre à feuilles caduques,* dont toutes les feuilles tombent à l'automne. - *Arbre de Judée :* arbre (*Cercis siliquastrum,* fam. césalpiniacées) des régions méditerranéennes, aux belles fleurs roses. ▷ *Arbre de Noël :* sapin garni de jouets et de bougies, au moment de Noël. - *Arbres de la liberté,* qui furent plantés en France pendant les périodes révolutionnaires comme symboles de la liberté renaissante. ▷ (Prov.) *Entre l'arbre et l'écorce il ne faut point mettre le doigt :* il ne faut pas s'immiscer en tiers dans un différend si l'on peut craindre pour soi-même des conséquences fâcheuses. **2.** TECH Axe entraîné par un moteur et transmettant le mouvement de rotation à un organe, à une machine. *Arbre de transmission.* **3.** CHIM Anc. *Arbre de Diane, de Jupiter, de Saturne :* cristallisation arborescente de l'argent, de l'étain, du plomb. **4.** *Arbre généalogique :* figure en forme d'arbre dont les rameaux partant d'une souche commune représentent la filiation des membres d'une famille. **5.** MATH Graphe orienté, sans cycle et convexe. ► pl. page 103

Arbre de Jessé, arbre généalogique de Jésus-Christ, souvent représenté dans l'iconographie religieuse.

arbrisseau n. m. Petit arbre (moins de 6 ou 7 m) au tronc ramifié dès la base (V. arbuste).

arbuste n. m. Arbre ou arbrisseau de très petite taille (moins de 2,5 à 3 m). *La bruyère, les ajoncs sont des arbustes.* (N.B. *Arbuste* et *arbrisseau* sont employés l'un pour l'autre dans la langue usuelle.)

arbustif, ive adj. Didac. Qui se rapporte aux arbustes. *Savane arbustive,* constituée d'arbustes.

arc n. m. **1.** Arme constituée d'une pièce longue et mince en matière élastique, courbée par une corde assujettie à ses deux extrémités et servant à lancer des flèches. *Bander un arc avant de décocher une flèche. Le tir à l'arc, sport olympique.* ▷ Loc. fig. *Avoir plusieurs cordes à son arc :* disposer de plusieurs moyens pour parvenir à un but; avoir des talents variés. **2.** Objet naturel ou façonné dont l'aspect évoque cette arme. ▷ ANAT Forme courbe que présentent certains organes, certains tissus. *Arc pleural.* ▷ ARCHI Courbure que présente une voûte. - *Arc de triomphe :* portique monumental consacrant le souvenir d'un personnage ou d'un événement glorieux. ▷ PHYS *Arc électrique :* étincelle jaillissant dans un gaz, entre deux électrodes entre lesquelles est appliquée une certaine différence de potentiel, lorsqu'on les sépare lentement après les avoir mises en contact. **3.** GEOM Portion de courbe. *La corde d'un arc est la droite qui joint ses deux extrémités.* ▷ ASTRO *Arc diurne* (ou *nocturne*) : portion de cercle qu'un astre parcourt au-dessus (ou au-dessous) de l'horizon. ▷ MAR *Arc de grand cercle :* le plus court chemin sur la sphère terrestre d'un point à un autre. Syn. orthodromie. ▷ TRIGO *Arc cosinus, arc sinus, arc tangente :* fonctions inverses, respectivement des fonctions cosinus, sinus et tangente. (Ex. : si sin θ = X, alors arc sin X vaut θ ou π - θ.)

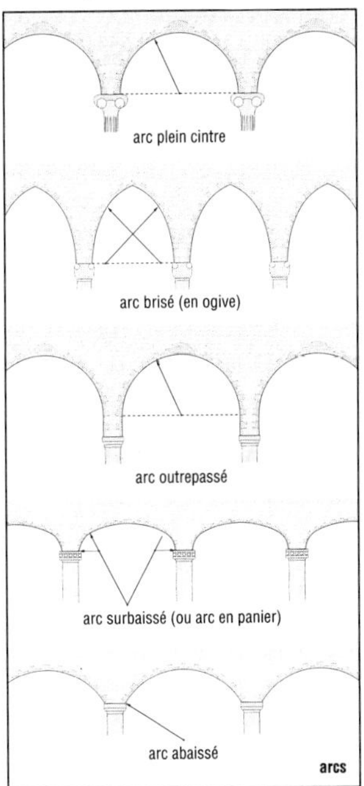

arcs

Arc (l'), riv. des Alpes franç. (150 km), affl. de l'Isère (r. g.); forme la vallée de la Maurienne. Nombreuses centrales hydroélectriques.

Arc (Jeanne d'). V. Jeanne d'Arc.

Arcachon, ch.-l. de cant. de la Gironde (arr. de Bordeaux), sur la *baie d'Arcachon;* 12 164 hab. Stat. baln. et climatique. Ostréiculture, conserveries.

arcade n. f. **1.** ARCHI Ouverture en forme d'arc dans sa partie supérieure. *Percer une arcade dans un mur. Les arcades du Palais-Royal.* ▷ Par anal. *Des arcades de verdure.* **2.** ANAT Partie du corps en forme d'arc. *Arcade sourcilière. Arcade dentaire.*

Arcadie, contrée montagneuse de l'anc. Grèce, dans le Péloponnèse, célèbre pour le bonheur paisible qui y régnait. – Auj. *nome d'Arcadie* : 4 419 km²; 103 800 hab.; ch.-l. *Tripolis*.

Arcadius (v. 377 – 408), fils aîné de Théodose Ier; empereur d'Orient de 395 à 408.

Arcand (Denys) (Deschambault, Québec, 1941), cinéaste canadien : *le Déclin de l'empire américain* (1986), *Jésus de Montréal* (1989).

arcane n. m. **1.** Opération mystérieuse des alchimistes. **2.** (Plur.) Secret, mystère. *Les arcanes de l'histoire, de la politique.*

arcature n. f. ARCHI Série de petites arcades, ouvertes ou aveugles, servant à consolider ou à décorer.

arc-boutant [aʀkbutɑ̃] n. m. ARCHI Maçonnerie en forme d'arc qui sert de soutien extérieur à un mur ou à une voûte. *Des arcs-boutants.*

arc-bouter v. tr. [1] **1.** Soutenir, consolider au moyen d'un arc-boutant. *Arc-bouter une voûte.* **2.** v. pron. S'appuyer solidement (sur qqch, par ex. sur le sol) pour exercer un effort. *Les pêcheurs s'arc-boutèrent pour tirer le filet.*

arc de triomphe de l'Étoile, monument de Paris au centre de la place Charles-de-Gaulle (anc. place de l'Étoile) et dans l'axe des Champs-Élysées. Construit entre 1806 et 1836, il abrite, dep. 1920, la tombe du Soldat inconnu de la guerre 1914-1918.

arceau n. m. **1.** ARCHI Courbure d'une voûte. – *Par ext.* Toute ouverture en arc. **2.** Objet en forme d'arc. *Les arceaux du jeu de croquet.* ▷ MED Arc métallique servant à maintenir le drap à distance d'une partie du corps afin d'éviter tout frottement.

arc-en-ciel n. m. Arc lumineux coloré qui se forme dans le ciel, par réfraction, sur un écran de gouttes de pluie, situé à l'opposé du soleil. *Les sept couleurs de l'arc-en-ciel sont le violet, l'indigo, le bleu, le vert, le jaune, l'orangé, le rouge, en allant de l'intérieur vers l'extérieur. Des arcs-en-ciel.*

Arc-et-Senans, com. du Doubs (arr. de Besançon); 1 291 hab. – Salines royales construites par Ledoux de 1775 à 1779.

archaïque [aʀkaik] adj. **1.** Ancien. *Expressions, techniques archaïques*, qui ne sont plus en usage. ▷ Suranné, démodé. *Des goûts archaïques.* Ant. moderne. **2.** BX-A Antérieur à l'âge classique. *Statues archaïques des îles grecques.* **3.** ETHNOL *Sociétés archaïques*, non industrielles. Syn. primitif.

archaïsant, ante adj. Qui fait usage d'archaïsmes. *Auteur archaïsant.*

archaïsme n. m. **1.** Mot, expression sortis de l'usage contemporain. Ant. néologisme. **2.** Caractère de ce qui est archaïque. ▷ Imitation des auteurs ou des artistes anciens.

archange [aʀkɑ̃ʒ] n. m. Ange qui occupe une place prééminente dans la hiérarchie angélique. *Les archanges Gabriel, Michel et Raphaël.* – THEOL *Archanges* : deuxième chœur de la troisième hiérarchie* des anges.

1. arche n. f. ARCHI Voûte en arc soutenant le tablier d'un pont.

2. arche n. f. HIST, RELIG **1.** *Arche de Noé* : selon la Bible, vaisseau construit par Noé sur l'ordre de Yahvé pour sauver du Déluge sa famille et les diverses espèces animales. **2.** *Arche d'alliance, arche sainte* : coffre de bois imputrescible dans lequel les Hébreux conservaient les Tables de la Loi.

Arche (la Grande), monument situé sur le Parvis de la Défense, conçu par l'architecte danois J. O. von Spreckelsen (1929-1987); immense cube évidé, entièrement revêtu de verre et de marbre blanc.

Arche de Noé, selon la Genèse, vaste bateau que Noé construisit, pendant 100 ans, en prévision du Déluge, pour sauver sa famille et 7 couples d'animaux purs, ainsi qu'un couple d'animaux impurs. L'arche se serait immobilisée sur le mont Ararat*.

archéen, enne [aʀkeɛ̃, ɛn] adj. et n. m. GEOL Antérieur au cambrien. ▷ n. m. *Dépourvu de fossiles, l'archéen comprend les plus anciennes roches connues (4,5 milliards d'années).*

archégone [aʀkegɔn] n. m. BOT Organe produisant un gamète femelle, l'oosphère, chez les bryophytes et les cryptogames vasculaires.

Archélaos (m. en 399 av. J.-C.), roi de Macédoine de 413 à 399 av. J.-C. Protecteur des arts et des lettres, il donna asile à Euripide exilé.

Archélaos, ethnarque de Judée de 4 av. J.-C. à 6 apr. J.-C. Fils d'Hérode le Grand, révoqué puis exilé en Gaule par Auguste.

archéo-. Préfixe, du gr. *arkhaio-*, de l'adj. *arkhaios*, « ancien ».

archéologie n. f. Science qui étudie les vestiges matériels des civilisations du passé pour en reconstituer l'environnement, les techniques, l'économie et la société.

archéologique adj. Qui a rapport à l'archéologie.

archéologue n. Spécialiste d'archéologie.

archéométrie [aʀkeometʀi] n. f. ARCHEOL Branche de l'archéologie qui utilise des méthodes de mesure : datation, analyse physique et chimique, traitements de données, etc.

archéoptéryx [aʀkeɔpteʀiks] n. m. PALEONT Animal du jurassique qui allie des caractéristiques des oiseaux (notam. plumes) et des reptiles (mâchoire dentée), seul représentant de la sous-classe des archéornithes.

archéoptéryx

archéornithes [aʀkeɔʀnit] n. m. pl. PALEONT Sous-classe d'oiseaux fossiles, aux caractères reptiliens, comprenant l'archéoptéryx. – Sing. *Un archéornithe.*

archer n. m. **1.** HIST Soldat qui utilisait un arc comme arme de combat. ▷ Sous l'Ancien Régime, policier des villes. ▷ *Franc-archer* : soldat appartenant à la première troupe régulière d'infanterie créée en France en 1448, appelé *franc* parce que non astreint aux impôts. **2.** Mod. Tireur à l'arc. ▷ ICHTYOL *Archer* ou *archer-cracheur* : poisson perciforme, lançant avec sa bouche des gouttes d'eau qui frappent les insectes et les font tomber à l'eau.

archère. V. archière.

archerie [aʀʃəʀi] n. f. **1.** Art du tir à l'arc. **2.** SPORT Équipement du tireur à l'arc.

archet [aʀʃɛ] n. m. **1.** Baguette flexible (autref. en forme d'arc), entre les extrémités de laquelle sont tendus des crins, et qui sert à mettre en vibration les cordes de certains instruments de musique (instruments à cordes frottées : violon, violoncelle, rebec, etc.). *Tenir son archet bien droit.* – *Avoir un bon coup d'archet* : jouer avec une grande dextérité. **2.** TECH Arc dont on se sert dans certains métiers pour imprimer à une pièce, à l'axe d'un tour, un mouvement de rotation. **3.** ZOOL Appareil sonore des sauterelles.

archétype [aʀketip] n. m. **1.** Didac. Type primitif ou idéal; modèle sur lequel on fait un ouvrage. ▷ En philol., manuscrit d'où dérivent d'autres textes. **2.** PHILO Selon Platon, modèle idéal, intelligible et éternel de toute chose sensible, laquelle n'en est que le reflet. **3.** PSYCHAN Chez Jung, chacun des grands thèmes de l'inconscient collectif.

archevêché n. m. **1.** Archidiocèse. **2.** Ville où réside un archevêque; sa demeure.

archevêque n. m. Prélat placé à la tête d'une circonscription ecclésiastique comprenant plusieurs diocèses. *De nos jours, le titre d'archevêque n'entraîne plus d'autorité réelle.*

archi-. Élément, du grec *arkhi*, servant : **1.** À marquer la supériorité hiérarchique : *archicamérier, archichambellan, archichapelain, architrésorier*, etc. **2.** De superlatif familier : *archimillionnaire, archiconnu, archifacile*, etc.

Archidamos, nom de cinq rois de Sparte (VIIe-IIIe s. av. J.-C.) de la dynastie des Eurypontides (ou Proclides). Le règne d'**Archidamos II** (469-426 av. J.-C.) fut marqué par le début de la guerre du Péloponnèse.

archidiacre n. m. RELIG CATHOL Dignitaire ecclésiastique ayant pouvoir de visiter les curés d'un diocèse.

archidiocésain, aine adj. Qui dépend d'un archevêché.

archidiocèse n. m. Circonscription ecclésiastique placée sous la responsabilité d'un archevêque.

archiduc, archiduchesse n. Titre porté par les princes et princesses de la maison impériale d'Autriche.

-archie, -arque. Éléments, du gr. *arkhein*, « commander ».

archiépiscopal, ale, aux [aʀʃiepiskɔpal, o] adj. Qui appartient à l'archevêque; relatif à sa fonction. *Palais archiépiscopal.*

archiépiscopat n. m. Dignité, fonction d'archevêque.

archière ou **archère** n. f. FORTIF Étroite ouverture verticale dans une muraille, par laquelle on tirait à l'arc.

Archiloque (Paros, v. 712 – ?, v. 664 av. J.-C.), poète lyrique grec (élégies, poèmes satiriques); il aurait inventé le vers ïambique.

archimandrite n. m. **1.** Anc. Supérieur d'un monastère orthodoxe. **2.** Mod. Titre honorifique de certains dignitaires des Églises chrétiennes d'Orient.

Archimède (Syracuse, 287 – id., 212 av. J.-C.), le plus célèbre savant de

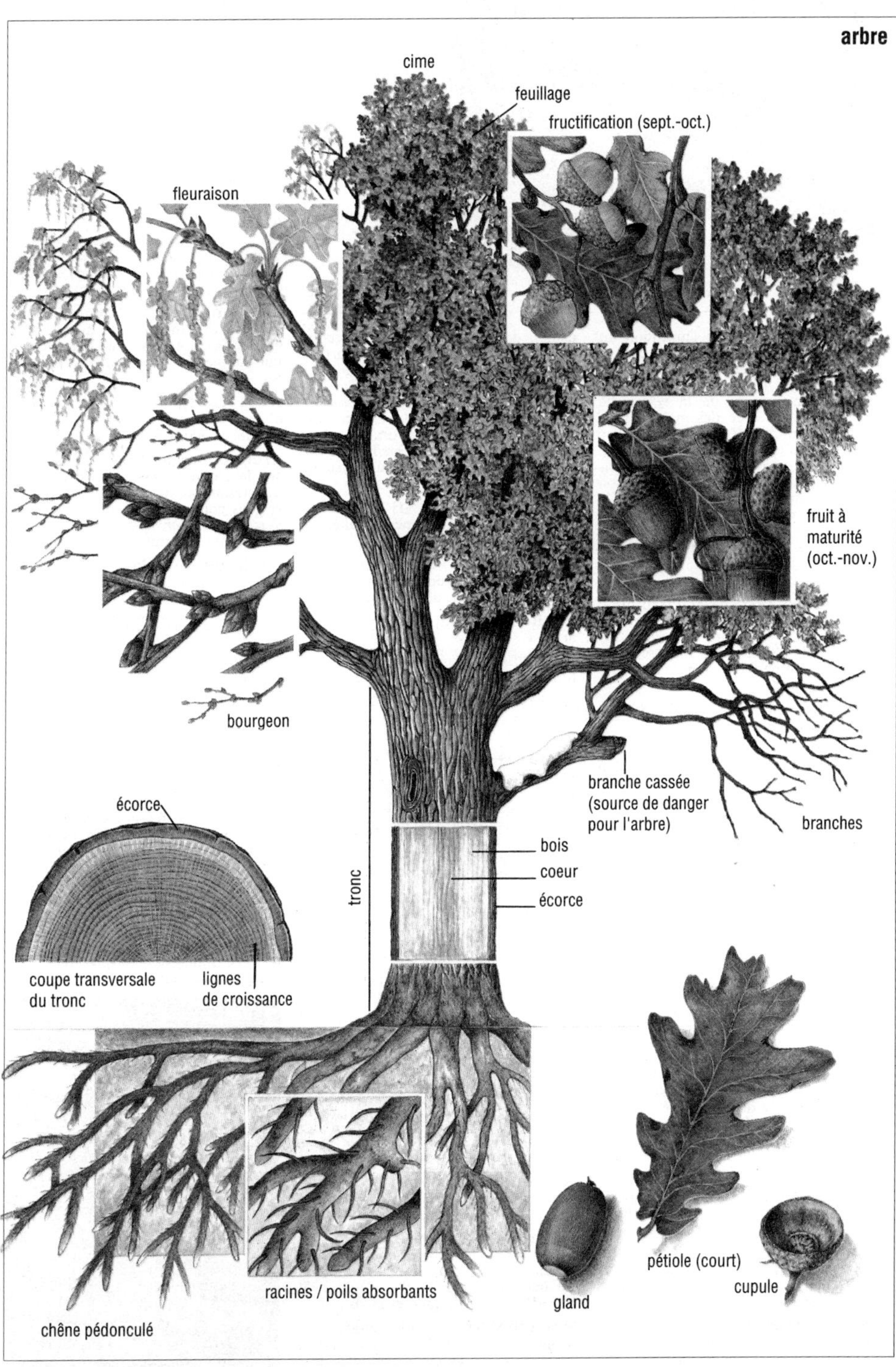
arbre
cime
feuillage
fructification (sept.-oct.)
fleuraison
fruit à
maturité
(oct.-nov.)
bourgeon
branche cassée
(source de danger
pour l'arbre)
branches
écorce
bois
coeur
écorce
tronc
coupe transversale
du tronc
lignes
de croissance
racines / poils absorbants
gland
pétiole (court)
cupule
chêne pédonculé

Archimède éprouvant la notion de poids volumique, gravure ; *De architectura,* Vitruve, coll. privée

l'Antiquité. On lui doit l'invention du levier (« Donnez-moi un point d'appui et je soulèverai le monde »), de la vis sans fin (dite *vis d'Archimède*), des roues dentées, mais aussi de la recherche opérationnelle ; avec des machines de son invention, il tint trois ans en échec le consul Marcellus, qui assiégeait sa ville. Fondateur de la mécanique statique, il a notam. déterminé (dans son bain, dit-on, d'où il s'élança dans la rue en criant *Eurêka !* : « J'ai trouvé ! ») la poussée qu'un fluide environnant imprime à un solide *(principe d'Archimède).*

Archinard (Louis) (Le Havre, 1850 - Villiers-le-Bel, 1932), général français. Il vainquit Ahmadou (1890) et Samory Touré (1891) et assura la domination franç. sur le Soudan (1893). Il relata la conquête de ce territ. dans son livre *le Soudan français.*

archipel n. m. Groupe d'îles. *L'archipel des Baléares.*

Archipenko (Alexander) (Kiev, 1887 - New York, 1964), sculpteur américain d'orig. ukrainienne. Influencé par le cubisme, il agença des formes concaves et convexes dans ses « sculpto-peintures » polychromes (constructions dites *Médrano,* 1914) et réalisa des « archipeintures », mises en mouvement par un moteur.

archiprêtre n. m. Anc. Prêtre investi par l'évêque d'un droit de surveillance sur les autres prêtres. ▷ Mod. Titre honorifique, conférant au curé qui en est investi une certaine prééminence.

architecte n. Personne possédant un diplôme délivré ou validé par l'État, agréée par l'ordre des architectes, et apte à dresser les plans d'un édifice, à établir le devis de sa construction et à en diriger les travaux. - *Architecte industriel :* personne physique ou morale chargée de la conception, de la réalisation et de la mise en service d'une usine, d'un produit complexe, etc. ▷ Fig. *L'Architecte de l'Univers, le Grand Architecte :* Dieu.

architectonique adj. Qui a rapport aux procédés techniques de l'architecture. ▷ n. f. Ensemble des règles de la construction.

architectural, ale, aux adj. Qui se rapporte à l'architecture. *Décoration architecturale.*

architecture n. f. **1.** Art de construire des édifices selon des proportions et des règles déterminées par leur caractère et leur destination. *Architecture religieuse, civile et militaire* (ouvrages de défense). *Architecture industrielle :* art de la construction des usines, des matériels industriels complexes, etc. *Architecture navale :* art de construire les vaisseaux. **2.** Disposition, ordonnance, style d'un bâtiment. *Un beau morceau d'architecture. Architecture baroque.* **3.** Fig. Structure, principe d'organisation (d'une œuvre, d'un ensemble de formes). *L'architecture du visage.* **4.** Organisation d'un système informatique.

architecturer v. tr. [1] Donner une structure, une ordonnance régulière à. *Il a architecturé son discours.*

architrave n. f. ARCHI Partie inférieure de l'entablement reposant directement sur les chapiteaux des colonnes.

archivable adj. Qui peut être archivé.

archivage n. m. Action d'archiver (un document).

archiver v. tr. [1] Classer dans les archives (une pièce, un écrit, un document). *Archiver des manuscrits.*

archives n. f. pl. **1.** Documents anciens concernant une famille, un groupe de personnes, une société, un lieu, un édifice, un État. **2.** Fondation, lieu qui conserve ces documents. *Les Archives nationales, créées par la Révolution, siègent depuis 1808 dans l'ancien hôtel de Soubise à Paris.*

Archives nationales, institution créée le 25 juin 1794 pour conserver les archives de l'Ancien Régime et celles des gouv. révolutionnaires. Dep. 1808, elles occupent l'hôtel de Soubise (Paris 3e). Grossies par l'activité des ministères (bien que les ministères des Affaires étrangères et de la Défense nationale aient leurs propres archives), elles dépendent auj. du ministère de la Culture.

archiviste n. Personne qui est chargée de la conservation des archives. ▷ *Archiviste-paléographe :* V. paléographe.

archivolte n. f. ARCHI Bandeau mouluré qui décore le cintre d'un arc.

archonte [aʀkɔ̃t] n. m. ANTIQ GR Magistrat principal des cités grecques, notam. d'Athènes, chargé de gouverner.

Archytas de Tarente (Tarente, v. 430 -?, v. 360 av. J.-C.), philosophe pythagoricien, chef politique, auteur de traités de mathématiques et d'astronomie. Il aurait inventé la poulie et la vis.

Arcimboldo ou **Arcimboldi** (Giuseppe) (Milan, v. 1527 - Prague, 1593), peintre italien ; auteur de portraits fantastiques dans lesquels la structure du visage et du buste se dégage d'un assemblage d'objets *(le Bibliothécaire),* de végétaux *(l'Été),* d'animaux, etc.

Arcis-sur-Aube, commune de l'Aube (arr. de Troyes) ; 2 954 hab. - Napoléon Ier y fut mis en difficulté par les Autrichiens (20 mars 1814).

Arcoat ou **Argoat,** mot celtique (« pays des bois ») désignant, en Bretagne, l'intérieur des terres, par oppos. à l'*Armor* (« pays de la mer »).

Arcole, bourg d'Italie (prov. de Vérone), sur l'Alpone ; 4 430 hab. - Célèbre par la victoire de Bonaparte qui enleva le pont aux Autrichiens le 15 novembre 1796.

arçon n. m. **1.** Pièce arquée constituant l'armature d'une selle. *Arçon de devant :* pommeau. *Arçon de derrière,* partie postérieure et relevée. **2.** SPORT *Cheval* d'arçons* ou *cheval-arçons.*

arc-rampant n. m. **1.** ARCHI Arc reposant sur des supports de hauteur inégale. **2.** CONSTR Arc métallique soutenant une rampe. *Les arcs-rampants de l'escalier.*

Arcs (Les), complexe de sports d'hiver de Savoie, composé de trois stations (1 600, 1 800 et 2 000 m d'alt.).

arctique [aʀ(k)tik] adj. Qui est situé, sur le globe terrestre, du côté de la constellation de l'Ourse, dans les régions polaires du Nord. *Pôle arctique. Cercle polaire arctique.* Syn. boréal. Ant. antarctique, austral.

Arctique ou **Glacial Arctique** (océan), ensemble des mers limitées par les côtes septent. de l'Asie, de l'Europe, de l'Amérique, et par le cercle polaire arctique (66° 33′ de latit. N.). L'océan est recouvert en grande partie par la banquise.

Arctique, vaste région, à l'intérieur du cercle polaire (66° 33′ de latit. N.), formée par les franges septent. de l'Amérique, de l'Europe et de l'Asie (N. de l'Alaska et du Canada, îles du N. du Canada, N. du Groenland et de la Norvège, Spitzberg, N. de la Sibérie, archipels François-Joseph, de la Nouvelle-Zemble, de la Terre du Nord, de la Nouvelle-Sibérie). - Le climat est froid (- 28 °C en hiver au Groenland), les vents violents. La végétation est pauvre (bouleaux, lichens), ainsi que la faune. Les groupes humains (Lapons, Samoyèdes, Esquimaux) se sédentarisent. L'importance stratégique (communications par air) et écon. (ressources minières considérables) des

Arcimboldo : *Vertumnus,* 1590 ; Skoklosters Slott, Suède

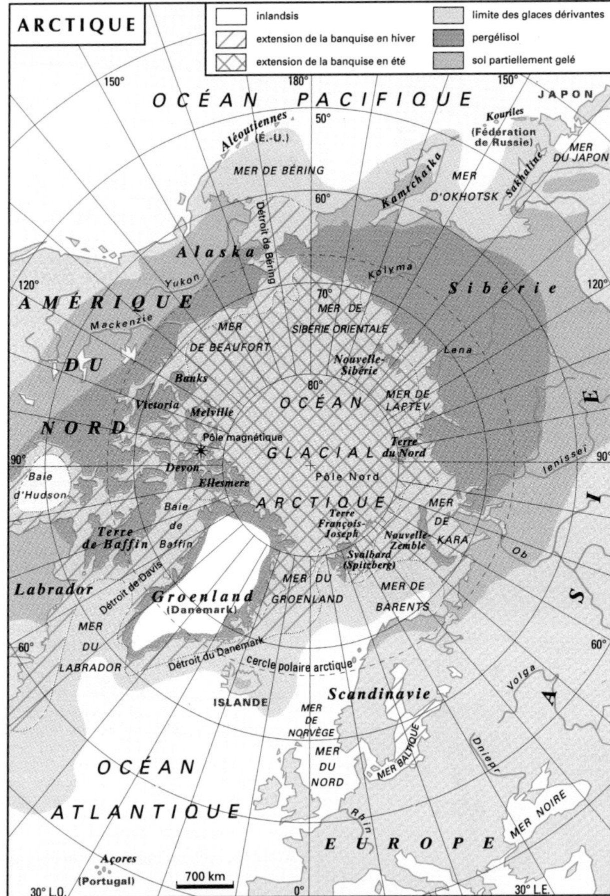

rég. arctiques en fait une des zones névralgiques du globe. – Certaines terres (Barents, Davis, Hudson) furent explorées au XVIe s. En 1728, Béring découvrit le détroit qui porte son nom; Amundsen le franchit en 1906. L'Américain Peary atteignit en 1909 le pôle Nord (que son compatriote Cook prétendit avoir atteint en 1908).

Arcturus, étoile géante rouge de la constellation du Bouvier (magnitude visuelle apparente 0,1), animée d'un mouvement propre très rapide (2,3 secondes d'arc par an).

Arcueil, ch.-l. de canton du Val-de-Marne (arr. de L'Haÿ-les-Roses), dans la banlieue sud de Paris; 20 420 hab. Industr. atomique, électr., bioméd. – Aqueduc (XVIIe et XIXe s.). – *L'école d'Arcueil* groupa vers 1920, autour d'Erik Satie, quatre musiciens : Henri Cliquet-Pleyel, Roger Désormière, Maxime Jacob et Henri Sauguet.

arcure n. f. ARBOR Courbure des rameaux ou des branches qui provoque des accumulations de sève et favorise la fructification.

Arcy-sur-Cure, commune de l'Yonne (arr. d'Auxerre); 511 hab. – Grottes du paléolithique (gravures magdaléniennes, notamment).

-ard, -arde. Suffixe d'adj. et de noms, à valeur péjor. ou vulgaire (ex. *vantard, trouillard*), ou à valeur neutre (ex. *campagnard*).

Ardabil, v. d'Iran (Azerbaïdjan-Oriental), près de la mer Caspienne; 315 000 hab.

Ardachêr ou **Ardachir Ier,** roi de Perse (v. 226-v. 240), fondateur de la dynastie des Sassanides.

Ardèche, riv. de France (120 km), affl. du Rhône (r. dr.). Elle naît dans les Cévennes à 1 467 m d'altitude.

Ardèche, dép. franç. (07); 5 523 km^2; 277 581 hab.; 50,2 hab./km^2; ch.-l. *Privas.* V. Rhône-Alpes (Rég.). ► carte page **106**

ardéchois, oise adj. et n. De l'Ardèche. ▷ Subst. *Un(e) Ardéchois(e).*

ardéiformes n. m. pl. ORNITH Syn. de *ciconiiformes.* – Sing. *Un ardéiforme.*

ardemment [aʀdamɑ̃] adv. Avec ardeur. *Aimer, désirer ardemment.*

Arden (John) (Barnsley, Yorkshire, 1930), architecte et dramaturge anglais. Il réalise une synthèse de l'analyse sociale, de la fantaisie symboliste et du réalisme : *Vous vivrez comme des porcs* (1958), *la Danse du sergent Musgrave* (1959), *Soldat, soldat* (1967).

ardennais, aise adj. Des Ardennes. *Cheval de race ardennaise.* ▷ Subst. *Un(e) Ardennais(e).*

Ardenne (l') ou **Ardennes** (les), massif hercynien qui s'étend sur 10 000 km^2 au N. de la France, en Belgique et au Luxembourg. C'est une pénéplaine boisée, creusée de profondes vallées (Meuse, Chiers) où se sont installées des villes industr. (Sedan, Mézières, Charleville, Fumay, Givet, Dinant). Exploitation de carrières et de forêts. – En mai 1940, les blindés de von Kleist y percèrent le front français. En déc. 1944, une contre-offensive de von Rundstedt y fut stoppée par la IIIe armée américaine.

Ardennes, dép. franç. (08); 5 229 km^2; 296 357 hab.; 56,6 hab./km^2; ch.-l. *Charleville-Mézières.* V. Champagne-Ardenne (Rég.). ► carte page **107**

ardent, ente adj. **1.** Qui est en feu, qui brûle. *Une fournaise ardente.* – Par anal. *Blond ardent,* qui tire sur le roux. ▷ *Chapelle ardente :* pièce éclairée par des cierges, où l'on expose le corps d'un défunt. ▷ *Chambre ardente :* cour de justice tendue de noir et éclairée par des flambeaux, où comparaissaient, sous l'Ancien Régime, les accusés passibles de la peine du feu (hérétiques, empoisonneurs, etc.). **2.** Dont la chaleur est très vive. *Un soleil ardent.* **3.** Qui cause une sensation de brûlure. *Une soif ardente.* ▷ n. m. *Mal des ardents :* maladie qui sévissait au Moyen Âge et s'accompagnait d'intenses sensations de brûlure (ce fut vraisemblablement dans la plupart des cas l'ergotisme). **4.** Fig. Plein d'ardeur, enthousiaste, fougueux. *Un tempérament ardent.* Ant. froid, indolent. **5.** Fig. Vif, violent (sentiments). *Un amour ardent.*

ardeur n. f. **1.** Chaleur vive. *Les ardeurs de la canicule.* **2.** Fig. Vivacité, entrain. *Travailler avec ardeur.* Ant. indolence, inertie.

ardillon n. m. Pointe de métal servant à arrêter dans la boucle la courroie qu'on y passe.

ardoise n. f. **1.** Schiste à grain fin, habituellement gris foncé, qui se clive en minces plaques régulières utilisées pour les toitures. **2.** Tablette (autref. d'ardoise, auj. le plus souvent de carton ou de matière plastique) sur laquelle on écrit ou dessine. *Une ardoise d'écolier. Un crayon d'ardoise.* ▷ Fam. Total des sommes dues pour des marchandises achetées à crédit (autref. noté sur une ardoise). *Il a une ardoise dans tous les bistrots du quartier.*

ardoisé, ée adj. **1.** Couleur d'ardoise. **2.** Recouvert d'ardoise ou d'un matériau contenant de l'ardoise ou l'imitant.

ardoisier, ère adj. De la nature de l'ardoise. *Un sol ardoisier.* ▷ n. m. Personne qui travaille à l'exploitation de l'ardoise.

ardoisière n. f. Carrière d'ardoise.

ardu, ue adj. **1.** Difficile à résoudre, à mener à bien. *Questions ardues. Entreprise ardue.* Ant. aisé, facile. **2.** Rare Escarpé, d'un accès difficile. *Un sentier ardu.* Ant. accessible.

are n. m. Unité de surface pour les mesures de terrains, valant 100 m^2 (symbole a).

arec n. m. *Arec* ou *noix d'arec :* fruit d'un aréquier d'Asie, dont on tire une des sortes de cachous.

Arecibo, v. de Porto Rico; 95 000 hab. Site d'un radiotélescope.

aréique adj. GEOGR Se dit d'une région privée d'écoulement régulier des eaux (ex. : les dunes du Sahara).

areligieux, euse adj. Qui n'a pas de religion.

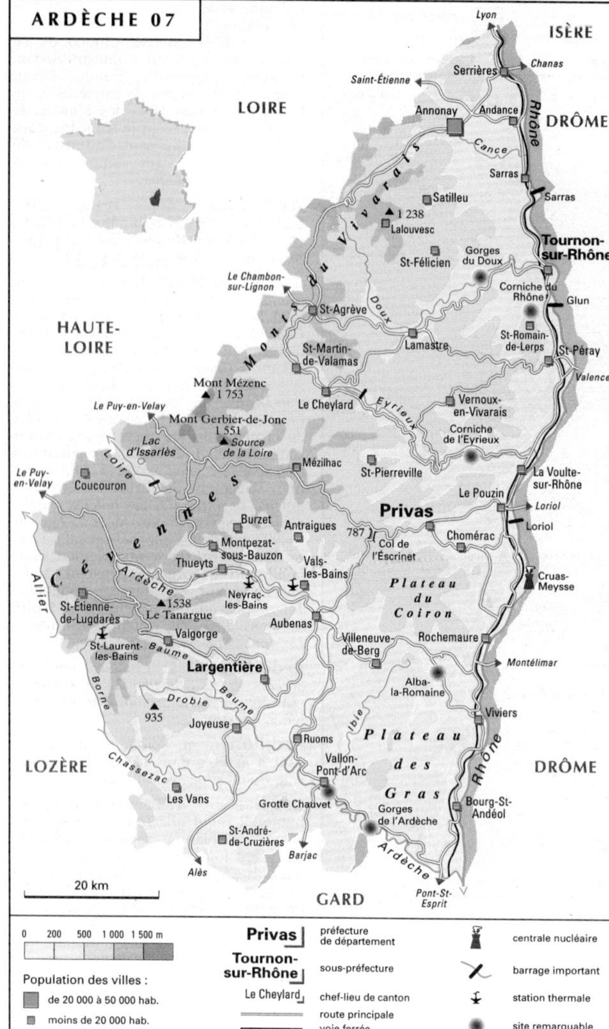

aréna n. m. (Canada) Vaste édifice à gradins occupé au centre par une patinoire, principalement destiné à la pratique du hockey.

Arenberg (d'), illustre famille de Flandre. – **Auguste,** comte de La Marck (Bruxelles, 1753 - id., 1833), fut l'exécuteur testamentaire de Mirabeau.

Arendt (Hannah) (Hanovre, 1906 - New York, 1975), philosophe et sociologue américaine d'origine all. Elle a été l'une des premières à établir une analogie entre régime nazi et régime stalinien en s'appuyant sur des caractères constitutifs communs (parti unique, terreur policière, camps de concentration) : *les Origines du totalitarisme* (1951).

arène n. f. **1.** Partie sablée d'un amphithéâtre où avaient lieu les combats de gladiateurs. ▷ Fig. *Entrer, descendre dans l'arène :* s'engager dans un combat (politique, idéologique, notam.). **2.** (Plur.) Amphithéâtre romain. *Les arènes de Lutèce.* ▷ Amphithéâtre où se déroulent des courses de taureaux. **3.** GEOL Sable grossier dû à la décomposition de roches cristallines.

arénicole adj. et n. f. ZOOL **1.** adj. Qui vit dans le sable. **2.** n. f. Annélide polychète (genre *Arenicola*) vivant dans le sable des plages marines, qui sert d'appât aux pêcheurs.

aréolaire adj. **1.** ANAT De l'aréole du sein. **2.** MATH *Vitesse aréolaire* : dérivée par rapport au temps de l'aire engendrée par le rayon vecteur d'un point mobile sur sa trajectoire. **3.** GEOMORPH *Érosion aréolaire,* qui s'exerce en surface, en aplanissant les reliefs.

aréole n. f. **1.** ANAT Cercle coloré qui entoure le mamelon du sein. **2.** MED Zone rougeâtre qui entoure les points enflammés de vaccine, les piqûres d'insectes, etc. **3.** MED Petite cavité.

aréomètre n. m. PHYS Instrument qui permet de déterminer, par simple lecture, la densité d'un liquide par rapport à l'eau.

aréopage n. m. **1.** ANTIQ GR *L'Aréopage :* le tribunal athénien qui siégeait sur la colline consacrée au dieu Arès et qui était chargé de réprimer l'impiété, de punir les vols et les crimes. **2.** *Par ext.* Assemblée de savants, de personnes compétentes.

aréquier n. m. Palmier dont une espèce antillaise a des bourgeons comestibles *(chou-palmiste).*

Arequipa, v. du S. du Pérou; 545 170 hab.; ch.-l. du dép. du m. nom. Marché de la laine, tissage du coton, tanneries. – Fondée par Pizarro en 1536.

Arès, dieu grec de la Guerre, fils de Zeus et de Héra (Mars pour les Romains).

Aret (pic d'), sommet des Htes-Pyr., au S. de la vallée d'Aure; 2 940 m.

arête n. f. **1.** Os long et mince propre aux poissons. **2.** Fig. Ligne formée par la rencontre de deux plans. *L'arête du nez.* ▷ GEOGR Ligne qui sépare les deux versants d'une chaîne de montagnes. *Les alpinistes avancent lentement le long de l'arête.* ▷ ARCHI Angle saillant que forment deux plans. *Arête d'un toit.* – *Voûte d'arête,* formée par l'intersection de deux voûtes en plein cintre, dont les poussées s'exercent sur quatre points d'appui. ▷ GEOM Ligne d'intersection de deux plans, de deux surfaces. *Les six arêtes d'un tétraèdre.*

Arétin (Pietro Aretino, dit l') (Arezzo, 1492 - Venise, 1556), écrivain italien. Il est l'auteur de poèmes satiriques (*les Pasquinades,* 1520), de comédies (*la Courtisane,* 1534; *l'Hypocrite,* 1542), d'une excellente tragédie (*Horace,* 1546), mais l'essentiel de son œuvre consiste en pamphlets cyniques et anarchistes qui l'ont fait surnommer «le fléau des princes». Les *Ragionamenti* (1534) sont un roman de mœurs, licencieux et humoristique; dans *le Dialogue des cartes parlantes* (1543), il passe en revue tous les travers des hommes.

Arezzo, ville d'Italie (Toscane), sur l'Arno; 91 540 hab.; ch.-l. de la prov. du m. nom. Constr. ferroviaires. – Égl. San Francesco (fresques célèbres de Piero della Francesca); palais de la Fraternité des laïques (XIVe-XVe s.); maison de Pétrarque.

Argelès-Gazost, ch.-l. d'arr. des Htes-Pyr., sur le gave d'Azun; 3 419 hab. Station thermale.

Argelès-sur-Mer, ch.-l. de cant. des Pyr.-Orientales (arr. de Céret); 7 217 hab. Vin doux. Station balnéaire.

Argenlieu (Georges Thierry d') (Brest, 1889 - Carmel du Relecq-Kerhuon, 1964), religieux carme déchaux (en relig., R.P. Louis de la Trinité), amiral français. Compagnon du général de Gaulle dès 1940, il fut haut-commissaire en Indochine (1945-1947).

Argenson (de Voyer d'), famille française originaire de Touraine. – **Marc René,** marquis d'Argenson (Venise, 1652 - Paris, 1721), garde des Sceaux de 1718 à 1720. Acad. franç. (1718). – **René Louis,** marquis d'Argenson (Paris, 1694 - id., 1757), secrétaire d'État aux Affaires étrangères (1744-1747), auteur de *Mémoires.* – **Marc Pierre,** comte d'Argenson (Paris, 1696 - id., 1764), secrétaire d'État à la Guerre (1743-1757). *L'Encyclopédie* lui fut dédiée.

argent n. m. **1.** Élément métallique de numéro atomique Z = 47, de masse atomique 107,87 (symbole Ag). – Métal (Ag) blanc, brillant, peu altérable donc

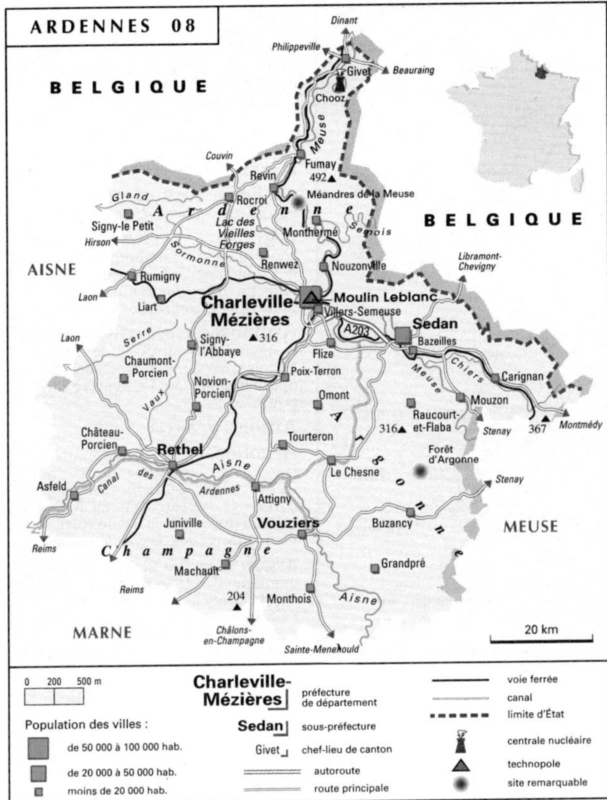

précieux, de densité 10,5, qui fond à 962 °C et bout à 2 212 °C. *L'argent est utilisé en photographie (halogénures), en chirurgie dentaire, en thérapeutique (argent colloïdal), en électricité, en miroiterie, etc. Mine d'argent. Vaisselle d'argent.* **2.** Monnaie faite avec ce métal. ▷ *Par ext.* Toute espèce de numéraire : billets de banque, pièces. *Gagner beaucoup d'argent. Dépenser son argent.* ▷ Loc. *Payer argent comptant,* au moment de l'achat. – Fig. *Prendre ce qu'on raconte pour argent comptant,* le croire trop facilement. – *En avoir pour son argent :* être bien servi pour la dépense faite, être bien récompensé de sa peine. – *Jeter l'argent par les fenêtres :* dépenser sans compter, exagérément. ▷ Prov. *Plaie d'argent n'est pas mortelle :* les difficultés pécuniaires finissent par s'arranger. – *Le temps, c'est de l'argent,* traduction du proverbe anglais *Time is money.* – *L'argent n'a pas d'odeur :* peu importe la provenance de l'argent. **3.** HERALD Un des deux métaux employés, représenté en gravure par le blanc uni.

argentan n. m. TECH Alliage de cuivre, de nickel et de zinc, employé en orfèvrerie à cause de sa blancheur et en électricité pour sa résistance élevée.

Argentan, ch.-l. d'arr. de l'Orne, sur l'Orne, dans la *plaine d'Argentan ;* 17 157 hab. Industr. métall. et méca.

argenté, ée adj. **1.** Recouvert d'argent. *Métal argenté.* **2.** Fig. Qui ressemble à de l'argent, qui a la couleur de l'argent. *Les rayons argentés de la Lune. Gris argenté.* **3.** Fam. *Être argenté :* avoir de l'argent, être riche.

argenter v. tr. [1] Couvrir d'une couche d'argent. ▷ Fig., poét. Donner l'éclat de l'argent.

argenterie n. f. Vaisselle, ustensiles d'argent ou de métal argenté. *Une pièce d'argenterie finement ciselée.*

Argenteuil, ch.-l. d'arr. du V.-d'Oise, dans la banlieue N. de Paris, sur la Seine ; 94 162 hab. Cult. maraîchères (asperges) ; industr. diverses (métall., chim., etc.). – Ancienne abbaye (VIIe s.) qui accueillit Héloïse au XIIe s.

argentier n. m. **1.** HIST Surintendant des Finances royales. *Jacques Cœur était argentier du roi Charles VII.* ▷ Mod., plaisant *Le grand argentier :* le ministre des Finances. **2.** Meuble contenant l'argenterie.

Argentière (col de l'). V. Larche (col de).

Argentière, station de sports d'hiver (1 253 m), dans le dép. de la Haute-Savoie (com. de Chamonix-Mont-Blanc).

argentifère adj. MINER Qui contient de l'argent. *Minerai argentifère.*

1. argentin, ine adj. Qui a le même son clair que l'argent. *Une voix argentine.*

2. argentin, ine adj. De l'Argentine. ▷ Subst. *Un(e) Argentin(e).*

Argentine (rép.) *(República Argentina),* État fédéral d'Amérique du Sud, bordé par l'Atlant., s'étirant sur 3 700 km de la frontière bolivienne au cap Horn ; 2 766 889 km² ; env. 31 900 000 d'hab. ; cap. *Buenos Aires.* Nature de l'État : rép. fédérale. Langue off. : espagnol. Monnaie : peso. Relig. : catholicisme.

Géogr. phys. et hum. – Adossée à la puissante barrière des Andes, l'Argentine est formée de plateaux et de plaines qui s'abaissent vers l'Atlantique et voit se succéder des milieux subtropicaux au N. (Gran Chaco), tempérés au centre et froids à tendance aride au S. (Patagonie). Les bons pays : bassin du Paraná, Río de la Plata et Pampa ont un climat tempéré, une agriculture prospère et concentrent l'essentiel du peuplement. Ailleurs, l'occupation est discontinue et les faibles densités dominent. La population, citadine à plus de 80 %, compte 85 % de descendants d'Européens (Espagnols et Italiens surtout).

Écon. – L'agriculture est très diversifiée : les céréales (blé, maïs, sorgho), les oléagineux (soja, tournesol, arachide) sont les principales productions de la Pampa, tandis que les cultures tropicales se développent près des rivières andines (canne à sucre, coton, maté, tabac, fruits et légumes) et que plus au sud s'étendent vignobles et vergers. L'élevage bovin est prépondérant dans la Pampa, tandis que les ovins dominent en Patagonie pour la laine. L'agroalimentaire est un secteur industriel important. L'Argentine bénéficie d'abondantes ressources hydroélectriques (Yaciretá sur le Paraná, Piedra del Aguila sur le río Limay) et d'hydrocarbures. La production de pétrole assure l'autosuffisance et les réserves, surtout en Patagonie, sont actuellement évaluées à 304 Mt. La production de gaz naturel atteint 25,4 Mdm³ en 1995 et les réserves sont estimées à 526 Mdm³ en 1996. Les principaux partenaires de l'Argentine sont l'Union européenne, le Brésil et les États-Unis.

Hist. – Un petit nombre de tribus indiennes peuplait l'Argentine antérieurement à l'arrivée des Espagnols. En 1516, l'Esp. Díaz de Solís découvrit le Río de la Plata. Buenos Aires, fondée en 1536, fut détruite par les Indiens et reconstruite en 1580 : son territ. releva de la vice-royauté du Pérou jusqu'en 1776, date de création de la vice-royauté du Río de la Plata. L'occupation de l'Espagne par les Français favorisa une révolte qui éclata en 1810. Grâce à San Martín, le territ. argentin fut libéré (1816). Le XIXe s. fut marqué par les guerres civiles entre les partisans du centralisme politique, libre-échangistes, s'appuyant sur Buenos Aires, et les éleveurs *(gauchos),* protectionnistes et fédéralistes. Le dictateur Rosas (1829-1852) fonda un régime fédéral qui aboutit à la Constitution de 1853. La répression contre les rebelles *gauchos,* sous les présidents Mitre et Sarmiento (1862-1874), consacra la victoire de la capitale. Une très importante immigration (du milieu du XIXe s. à 1930) permit au pays de se développer (présidence radicale d'Irigoyen en 1916), mais la crise écon. mondiale ouvrit une ère de coups d'État militaires (1930). J. D. Perón, s'appuyant sur le prolétariat urbain, instaura, avec sa femme Eva, une dictature nationaliste et populaire (1946-1955). Il fut renversé par l'armée, qui garda le pouvoir (sauf de 1958 à 1966, sous Frondizi et Illia), mais il revint en 1973. À sa mort (1974), sa troisième épouse, Isabelita (vice-présidente), lui succéda. La dégradation du climat social (guérillas, assassinats polit.) amena à nouveau l'armée au pouvoir : en 1976, une junte conduite par le g^al Videla instaura une sanglante dictature. À partir de 1981, les généraux Viola et Galtieri se succédèrent à la tête du pays. En 1982, après l'échec de la campagne des Malouines (Falkland*), un régime démocratique fut rétabli. Des élections (oct. 1983) ont ramené des civils au pouvoir. Raúl Alfonsín, prés. de la République de 1983 à 1989, ne parvint pas à maîtriser la crise écon. et resta sous l'étroite surveillance de l'armée (plus. tentatives de coups d'État). En mai 1989, le candidat péroniste Carlos Menem remporta l'élection présidentielle; il est réélu en 1995. Dans un souci de réconciliation nationale, il amnistia les militaires putschistes et les responsables de la guerre des Malouines. Il mit aussi en place une politique d'inspiration néolibérale aux résultats économiques appréciables durant cinq années consécutives, mais néanmoins contestés en raison de l'appauvrissement de larges pans de la population et du creusement des inégalités sociales.

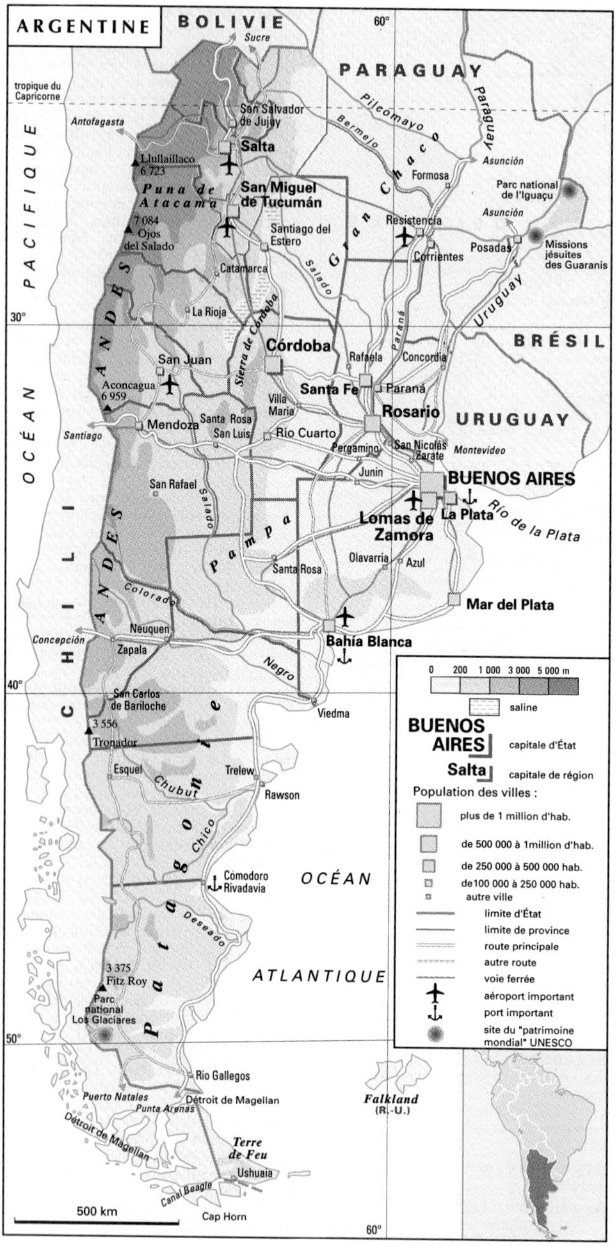

argenture n. f. **1.** Couche d'argent appliquée sur un objet. *L'argenture des glaces.* **2.** Action d'argenter. **3.** Art de l'argenteur.

Arghezi (Ion N. Theodorescu, dit Tudor) (Bucarest, 1880 - id., 1967), poète roumain. Il allie l'interrogation métaphysique à l'évocation, en langage cru, de la réalité quotidienne : *Mots assortis* (1927), *Fleurs de moisissure* (1931).

argile n. f. **1.** Roche terreuse, appelée également glaise, donnant une pâte plastique imperméable lorsqu'elle est imprégnée d'eau et qui, façonnée et cuite, donne des poteries, des tuiles, etc. ▷ FIG. *Un colosse aux pieds d'argile,* dont la puissance, mal établie, est illusoire. **2.** MINER Groupe de silicates d'alumine hydratée. **3.** PETROG Roche contenant plus de 50 % d'argiles.

argileux, euse adj. Formé d'argile, ou qui en contient. *Un terrain argileux.*

arginine n. f. BIOCHIM Acide aminé, constituant de nombreuses protéines, qui, combiné à l'acide phosphorique, joue un rôle important dans les phénomènes de contractions musculaires.

Arginuses, groupe d'îles turques de la mer Égée, au S.-E. de Lesbos. - Victoire navale des Athéniens sur les Spartiates (406 av. J.-C., guerre du Péloponnèse).

Argoat. V. Arcoat.

Argolide, rég. de Grèce, au N.-E. du Péloponnèse. - Nome du m. nom : 2 214 km²; 97 250 hab.; ch.-l. *Nauplie.* - L'Argolide fut, du XVIe au XIIe s. av. J.-C., le foyer de la civilisation mycénienne (Mycènes, Argos, Tirynthe).

argon n. m. CHIM Élément de numéro atomique Z = 18 et de masse atomique 39,94 (symbole Ar). - Gaz rare (Ar) de l'air, incolore et inodore, qui se liquéfie à −185,7 °C et se solidifie à −189,2 °C. (Il est employé comme atmosphère inerte en soudure et dans les ampoules électriques.)

argonaute n. m. ZOOL Mollusque céphalopode octopode, dont la femelle fabrique une nacelle calcaire pour abriter sa ponte.

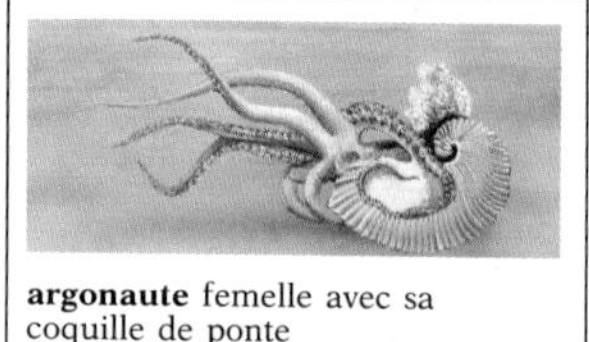

argonaute femelle avec sa coquille de ponte

Argonautes (les), dans la myth. gr., navigateurs (Héraclès, Orphée, Castor, Pollux, etc.) qui, commandés par Jason*, atteignirent sur l'*Argo* la Colchide, où ils conquirent la Toison d'or.

Argonne, rég. de collines boisées, d'accès difficile, entre les riv. Aisne et Aire. - Victoire de Dumouriez à Valmy (20 sept. 1792). En 1914 et en 1918, la rég. connut des combats violents.

Argos, v. de Grèce (Péloponnèse); 20 700 hab. - Anc. cap. de l'Argolide, Argos fut la rivale souvent malheureuse de Sparte. Pyrrhos II fut tué alors qu'il l'assiégeait (272 av. J.-C.).

Argos. V. Argus.

argot [aʀgo] n. m. Langage particulier à un groupe social ou professionnel. *L'argot des corps de métier, des écoles, des sportifs.* ▷ *Spécial.* Langage des malfaiteurs, du milieu. ▷ *Par ext.* et *abusiv.* Langage familier.

argotique adj. Qui appartient à l'argot. *La verve argotique d'un conteur populaire.*

argotisme n. m. LING Mot, expression appartenant à l'argot.

argotologie n. f. Didac. Étude des argots.

Argoun, riv. d'Asie orientale, séparant la Chine et la Russie, l'une des branches mères de l'Amour ; 1 530 km.

argousier. V. hippophaé.

argousin n. m. ANC. Bas officier des galères. ▷ PÉJOR., VIEILLI Agent de police.

Argovie (en all. *Aargau*), cant. du N. de la Suisse, traversé par l'Aar ; 1 404 km^2 ; 525 000 hab. ; ch.-l. *Aarau*.

arguer [aʀgɥe] v. [1] **1.** v. tr. dir. LITT. Tirer un argument, une conclusion (de qqch). *Que voulez-vous arguer de ce fait ?* ▷ DR *Arguer un acte de faux*, soutenir qu'il est faux. **2.** v. tr. indir. *Arguer de quelque chose :* prétexter qqch, en tirer un argument. *Il arguait de sa situation de famille pour obtenir un passe-droit.* (N.B. Le *u* du radical se prononce dans toute la conjugaison : *il arguë* ou *il argue* [aʀgy].)

argument n. m. **1.** Raisonnement tendant à établir une preuve, à fonder une opinion. *Quel argument apportez-vous à l'appui de votre thèse ?* ▷ *Tirer argument de :* utiliser comme preuve, comme raison, prétexter (qqch). *Il tire argument de sa fatigue pour ne pas participer aux tâches ménagères.* **2.** Résumé succinct du sujet d'un ouvrage littéraire, dramatique. *L'argument d'une pièce de théâtre.* **3.** MATH Variable dont la valeur permet de définir celle d'une fonction (x est l'argument de la fonction sin x, par ex.). – *Argument d'un nombre complexe :* angle formé par l'axe réel et le vecteur qui représente ce nombre complexe. ▷ INFORM Syn. de *paramètre* (dans une fonction ou une procédure d'appel de sous-programme).

argumentaire n. m. **1.** Ensemble d'arguments à l'appui d'une opinion. **2.** Liste des arguments de vente.

argumentatif, ive adj. Qui vise à l'argumentation. *Un récit argumentatif.*

argumentation n. f. **1.** Fait, art d'argumenter. **2.** Ensemble des arguments tendant à la même conclusion. *Une argumentation très serrée.*

argumenter v. [1] **1.** v. intr. Faire usage d'arguments. *Argumenter contre un adversaire.* – *Argumenter de quelque chose,* en tirer des conséquences. **2.** v. tr. Justifier qqch par des arguments. *Argumenter une démonstration.*

argus [aʀgys] n. m. **I. 1.** Publication qui fournit des renseignements spécialisés. *L'argus de l'automobile. Voiture d'occasion cotée à l'argus.* **2.** *Argus de la presse :* agence, créée en 1879, qui adresse à ses abonnés les coupures de journaux les concernant. **II.** ZOOL **1.** Faisan des forêts du Sud-Est asiatique, dont le mâle possède, sur les ailes, de splendides ocelles. **2.** Syn. de *lycène*.

Argus ou **Argos,** prince d'Argos, qui avait cent yeux, dont cinquante demeuraient toujours ouverts.

argutie [aʀgysi] n. f. (Généralement plur.) PÉJOR. Raisonnement subtil et vainement minutieux.

Argyll (Archibald Campbell, comte d') (v. 1607 – Édimbourg, 1661), seigneur écossais, chef du parti presbytérien. Il laissa exécuter Charles Ier, puis dut se soumettre à Cromwell. Décapité lors de la Restauration.

arhat n. Dans le bouddhisme, disciple parvenu à une vision intérieure.

Århus, port du Danemark (Jutland), sur la *baie d'Århus* ; 264 130 hab. ; ch.-l. du comté du m. nom. Industr. alim., méca., chimiques. Université.

1. aria n. f. **1.** Air, mélodie, accompagné par quelques instruments ou un seul. **2.** Dans un opéra, partie chantée par un soliste.

2. aria n. m. FAM., VIEILLI Souci, tracas.

Ariane, dans la myth. gr., fille de Minos et de Pasiphaé, sœur de Phèdre ; elle donna à Thésée, dont elle était éprise, le fil qui lui permit de sortir du Labyrinthe après avoir tué le Minotaure. Elle s'enfuit avec Thésée, qui l'abandonna sur l'île déserte de Naxos (où selon certaines traditions Dionysos, Bacchus en lat., vint la consoler).

Ariane, fusée construite en France par l'Agence spatiale européenne. Elle est commercialisée par Arianespace, société privée regroupant des actionnaires de onze pays européens. Le premier lancement a été effectué le 24 déc. 1979, depuis le centre spatial de Kourou, en Guyane française. À chaque vol, la fusée (non récupérée) met en orbite un ou plusieurs satellites comm. (de télécomm., d'observation météorologique, etc.). ► illustr. **lanceur**

arianisme n. m. Hérésie chrétienne d'Arius qui, niant l'unité et l'identité de substance du Fils avec le Père, ne reconnaissait que partiellement la nature divine de Jésus-Christ, infirmant ainsi le dogme de la Trinité.

Arias Sánchez (Oscar) (Heredia, 1941), homme politique du Costa Rica, prés. de la République de 1986 à 1990. Prix Nobel de la paix 1987.

Arica, v. et port du Chili, près de la frontière du Pérou ; 158 420 hab. Exportation de nitrates et d'argent ; constr. auto. Oléoduc.

Arich (Al-) (*al-'Arīš*), port d'Égypte, au N. du Sinaï ; ch.-l. de gouvernorat. 4 000 hab. – En 1800, les Français y signèrent le traité qui les obligeait à évacuer l'Égypte.

aride adj. **1.** Sec. *Climat aride. Zone aride.* ▷ Stérile, sans végétation. *Une colline, un plateau aride.* ANT. fertile, fécond. **2.** FIG. Dépourvu de tendresse, de sensibilité. *Un cœur aride.* **3.** FIG. Privé d'attrait, difficile. *Une matière, une lecture aride.*

aridité n. f. **1.** Sécheresse. *Aridité du sol.* **2.** FIG. Insensibilité. **3.** FIG. Manque d'attrait, difficulté. *Être rebuté par l'aridité d'un sujet.*

Ariège, riv. de France (170 km), affl. de la Garonne (r. dr.) ; naît dans les Pyr.-Orient., arrose Foix et Pamiers.

Ariège, dép. franç. (09) ; 4 890 km^2 ; 136 455 hab. ; 27,9 hab./km^2 ; ch.-l. *Foix.* V. Midi-Pyrénées (Rég.).

ariégeois, oise adj. et n. De l'Ariège.

arien, enne n. et adj. **1.** Disciple d'Arius. **2.** D'Arius. *Hérésie arienne.*

Ariès (Philippe) (Blois, 1914 – Toulouse, 1984), historien français spécialisé dans l'histoire des mentalités : *l'Enfant et la vie familiale sous l'Ancien Régime* (1960), *Images de l'homme devant la mort* (1983).

ariette n. f. MUS Petite mélodie, air de style léger, aimable ou tendre.

Arimathie, anc. v. de Judée (auj. *Rantis,* en Israël) ; patrie de Joseph, à qui Pilate permit d'ensevelir Jésus-Christ.

arion n. m. ZOOL Mollusque gastéropode pulmoné très commun en France.

arioso n. m. MUS Air de chant, intermédiaire entre l'aria et le récitatif.

Arioste (Ludovico Ariosto, dit l') (Reggio d'Émilie, 1474 – Ferrare, 1533), poète italien de la Renaissance. Auteur de *Poésies lyriques latines* (1493-1503), de comédies (*I Suppositi,* 1509 ; *la Lena,* 1528), de *Satires* (1517-1525), il a laissé un chef-d'œuvre : *Orlando furioso (Roland furieux*, 1516-1532), sorte de parodie héroï-comique de l'épopée chevaleresque. ► illustr. **Dante Alighieri**

Arioviste, chef germain des Suèves. Il envahit la Gaule, d'où il fut rejeté par César en 58 av. J.-C.

Aristagoras (m. en Thrace en 497 av. J.-C.), tyran de Milet. Il souleva l'Ionie contre Darios Ier, révolte à l'orig. de la première guerre médique.

Aristarque de Samos (Samos, 310 - ?, 230 av. J.-C.), astronome grec. Il aurait eu, le premier, l'intuition du mouvement de la Terre sur elle-même et autour du Soleil; il aurait, aussi, calculé les distances Terre-Lune et Terre-Soleil.

Aristide (v. 540 - v. 467 av. J.-C.), homme polit. athénien, surnommé *le Juste*. Il fut l'un des dix stratèges athéniens qui remportèrent la victoire à Marathon en 490 av. J.-C. Combattu par Thémistocle, son rival, il fut frappé d'ostracisme (482 av. J.-C.); rappelé d'exil, il combattit à Salamine (480 av. J.-C.) et à Platées (479 av. J.-C.), puis collabora à l'organisation de la Confédération de Délos.

Aristide (Jean-Bertrand) (Port-Salut, 1953), homme polit. haïtien. Premier prés. de la Rép. élu démocratiquement (1990), renversé par un putsch milit. (1991), il est rétabli dans ses fonctions en 1994, par les États-Unis, jusqu'à la fin de son mandat (février 1996).

Aristippe de Cyrène (Cyrène, IVe s. av. J.-C.), philosophe grec, disciple de Socrate. Il fonda l'école cyrénaïque*.

Aristobule, nom de deux rois Asmonéens de Judée (v. 104 av. J.-C. et 67 à 63 av. J.-C.).

aristocrate n. (et adj.) **1.** Membre de l'aristocratie. **2.** Syn. de *aristocratique* (sens 2).

aristocratie [aʀistɔkʀasi] n. f. **1.** Forme de gouvernement dans laquelle le pouvoir souverain, en général héréditaire, est détenu par un petit nombre de personnes. ▷ Classe qui détient le pouvoir dans un tel système politique. Syn. noblesse. **2.** Ensemble de ceux qui constituent l'élite dans un domaine quelconque. *L'aristocratie du sport.*

aristocratique adj. **1.** De l'aristocratie; digne d'un aristocrate. **2.** Gouverné par l'aristocratie.

aristoloche n. f. BOT Plante grimpante, apétale, dont le calice est en forme de cornet.

Aristophane (Athènes, v. 445 - ?, v. 380 av. J.-C.), poète comique grec, le plus grand de l'Antiquité. Plusieurs de ses pièces (il en aurait écrit quarante-quatre, mais onze seulement nous sont parvenues) sont de violentes satires politiques : *les Acharniens* (425), *les Guêpes* (422), *la Paix* (421). Il s'en prit au tout-puissant Cléon, le démagogue athénien (*les Cavaliers*, 424), à Socrate (*les Nuées*, 423), à Euripide (*les Grenouilles*, 405), aux utopies politiques (*l'Assemblée des femmes*, 392; *Ploutos*, 388).

Aristote (Stagire, Macédoine, 384 - Chalcis, 322 av. J.-C.), philosophe grec. Fils du médecin Nicomaque, disciple de Platon, précepteur d'Alexandre le Grand, puis fondateur du Lycée, ou école péripatéticienne. Ses écrits couvrent tout le savoir de l'époque, comme en témoignent les principaux titres de ses œuvres : la *Logique (Organon)*, la *Physique* (laquelle comprend des traités de sciences naturelles, de météorologie, d'astronomie, etc.), la *Métaphysique*, l'*Éthique à Nicomaque*, la *Politique*, la *Rhétorique*, la *Poétique*, la *Constitution d'Athènes*. Les méthodes d'observation et de classification rigoureuses qu'il établit exercèrent une influence décisive sur la culture de l'Occident, grâce d'abord aux philosophes arabes Avicenne et Averroès, puis à Thomas d'Aquin, qui tenta de concilier la Révélation chrétienne et l'aristotélisme, lequel devint alors un dogme qui entrava les progrès de la connaissance.

aristotélicien, enne adj. et n. PHILO Relatif à Aristote, à sa doctrine.

aristotélisme n. m. PHILO Doctrine, système d'Aristote.

arithmétique n. f. et adj. **I.** n. f. Partie des mathématiques consacrée à l'étude des nombres entiers et des nombres rationnels. *L'arithmétique fait auj. partie de l'algèbre.* (V. algèbre et nombre.) **II.** adj. **1.** Qui repose sur les nombres. **2.** Qui concerne l'arithmétique et ses règles.

arithmétiquement adv. Selon l'arithmétique.

arithmomancie n. f. Didac. Divination par les nombres.

Arius (Libye, v. 256 - Constantinople, 336), prêtre hérésiarque, fondateur de l'arianisme.

Arizona, État du S.-O. des É.-U., à la frontière du Mexique; 295 023 km^2; 3 665 000 hab.; cap. *Phoenix*. - Le plateau du Colorado (Grand Canyon) occupe le N. du pays; à une rég. montagneuse, au centre, succède une plaine désertique. Le climat est aride. - L'irrigation (barrages Roosevelt et Coolidge) permet les cult. (coton, céréales) et l'élevage. Le sous-sol est très riche en cuivre, zinc et plomb. - L'Arizona passa du Mexique aux É.-U. en 1848. Territ. fédéral en 1863, il devint en 1912 le quarante-huitième État de l'Union.

Arkansas, État du centre-sud des É.-U.; 137 539 km^2; 2 351 000 hab.; cap. *Little Rock*. - Drainé par l'*Arkansas* (2 333 km), affl. du bas Mississippi, l'État est surtout un pays de plaine. - Les cult. prennent de l'importance (soja, coton, fruits). L'industr. est forte en raison des richesses minérales : bauxite, pétrole, gaz naturel. - Cédé aux É.-U. par la France en 1803, territ. fédéral en 1819, l'Arkansas devint État de l'Union en 1836.

Arkhangelsk, port de Russie, sur la mer Blanche; 408 000 hab.; ch.-l. de la prov. du m. nom. Constr. navales, industrie du bois.

Arland (Marcel) (Varennes-sur-Amance, 1899 - Saint-Sauveur-sur-École, 1986), écrivain français; auteur de romans (*l'Ordre*, prix Goncourt 1929), d'essais, de souvenirs (*Ce fut ainsi*, 1979). Acad. fr. (1968).

Arlberg, col des Alpes autrichiennes à 1 802 m d'alt. Le *tunnel de l'Arlberg* (10 239 m), ouvert en 1884, permet les relations ferroviaires entre la Suisse et l'Autriche (Vorarlberg).

arlequin, ine n. **1.** n. m. (Avec une majuscule.) Personnage bouffon de la comédie italienne *(commedia dell'arte)* au costume fait de pièces rapportées multicolores, au masque noir et au sabre de bois. - *Habit d'arlequin*, confectionné avec des pièces disparates. - *Manteau d'arlequin* : panneau encadrant la scène d'un théâtre, figurant un rideau relevé, ou fait de draperies. ▷ Fig. Homme peu fiable. **2.** n. Personne qui porte un habit d'arlequin.

arlequinade n. f. **1.** Bouffonnerie d'Arlequin. **2.** Pièce de théâtre où figure le personnage d'Arlequin.

Arles, ch.-l. d'arr. des B.-du-Rh., sur le Rhône; 52 593 hab. Com. la plus grande de France (758 km^2). Centre agric. (comm. du riz), audiovisuel, papet.; tourisme. - Arènes (déb. IIe s.), théâtre antique (Ier s., en grande partie ruiné), tombeaux des Alyscamps (V. ce nom). Cloître (XIIIe-XIVe s.) et égl. St-Trophime (XIe, XIIe, XVe s.), chef-d'œuvre de l'art roman provençal. Musées.

arlésien, enne adj. et n. D'Arles. - Subst. *Un(e) Arlésien(ne).*

Arletty (Léonie Bathiat, dite) (Courbevoie, 1898 - Paris, 1992), comédienne française. Campant des personnages gouailleurs et pleins d'esprit de repartie, elle a été l'interprète de nombreux films de M. Carné : *Hôtel du Nord* (1938), *les Visiteurs du soir* (1942), *les Enfants du paradis* (1945).

Arletty

Louis **Armstrong**

Arlington, v. des É.-U. (Virginie), séparée de Washington par le Potomac; 170 900 hab. - *Cimetière national*, contenant les corps de glorieux soldats, ainsi que la dépouille de J. F. Kennedy.

Arlon, v. de Belgique, sur la Semois; 22 280 hab.; ch.-l. de la prov. de Luxembourg. Tourisme. - Victoires de Jourdan sur les Autrich. (en 1793 et en 1794).

armada n. f. **1.** Flotte importante. **2.** Fam. Grande quantité.

Armada (l'Invincible), flotte de cent trente navires lancée par Philippe II d'Espagne contre l'Angleterre, en 1588, pour détrôner Élisabeth Ire. La tempête et les attaques angl. transformèrent cette expédition en désastre.

Armagh, v. d'Irlande du N. (Ulster), 13 000 hab., métropole religieuse de l'île.

armagnac n. m. Eau-de-vie de raisin fabriquée en Armagnac.

Armagnac, anc. comté de France, réuni définitivement à la Couronne en 1607, correspondant en grande partie au dép. du Gers.

Armagnacs (parti des), faction qui s'opposa en une guerre civile, durant la guerre de Cent Ans, sous Charles VI et Charles VII, à la faction des Bourguignons, laquelle soutenait les Angl. Elle dut son nom à un de ses chefs, Bernard VII d'Armagnac. Le traité d'Arras (1435) mit fin aux luttes.

Arman (Armand Fernandez, dit) (Nice, 1928), artiste français, naturalisé américain; il utilise, pour ses «accumulations», les objets les plus divers comme matériau pictural.

Armançon, riv. de France, affl. de l'Yonne (r. dr.); 174 km; arrose Semur-en-Auxois et Tonnerre; le canal de Bourgogne suit parfois son cours.

Armand (Louis) (Cruseilles, 1905 – Villers-sur-Mer, 1971), ingénieur français (S.N.C.F.), président de l'Euratom (1957-1959). Acad. fr. (1963).

armateur n. m. Celui qui équipe et exploite un navire pour le commerce ou pour la pêche.

armature n. f. **1.** CONSTR Ensemble d'éléments destinés à accroître la rigidité d'une pièce, d'un ouvrage ou d'un matériau. – *Spécial.* Ensemble des éléments incorporés au béton armé pour accroître sa résistance à la traction et à la flexion. **2.** Fig. Ce qui constitue l'élément essentiel, le soutien. *L'armature d'une société, d'une politique.* **3.** ELECTR Pièce conductrice d'un électroaimant ou d'un condensateur. **4.** MUS Ensemble des altérations (dièses et bémols) placées à la clef et indiquant la tonalité du morceau. Syn. armure.

Armavir, v. de Russie, au pied du Caucase; 180 000 hab. Industr. alimentaire; centre ferroviaire.

arme n. f. **I. 1.** Instrument qui sert à attaquer ou à se défendre. *Arme offensive, défensive. Arme blanche** (par oppos. à *arme à feu*). ▷ Loc. fig., fam. *Passer l'arme à gauche* : mourir. – *Salle d'armes* : salle d'escrime. *Maître d'armes,* qui enseigne l'escrime. ▷ Fig. Ce qui sert à combattre un adversaire. *La calomnie est une arme redoutable.* **2.** Chacune des grandes divisions de l'armée correspondant à une activité spécialisée. *L'arme blindée.* **II.** Plur. **1.** *La carrière des armes* : le métier militaire. *Être sous les armes* : être soldat. ▷ *Un fait d'armes* : un exploit guerrier. ▷ *Déposer les armes* : cesser le combat. ▷ *Prise d'armes* : parade militaire. ▷ *Passer quelqu'un par les armes,* le fusiller. ▷ Fig. *Faire ses premières armes* : faire ses débuts. **2.** Armoiries.

armé, ée adj. et n. m. **1.** adj. Muni d'une arme. *Un homme armé. Être armé d'un bâton. Vol à main armée.* **2.** adj. Pourvu d'une armature. *Verre armé. Béton armé.* **3.** n. m. Position d'une arme prête à tirer.

armée n. f. **1.** Ensemble des forces militaires d'un État. *L'armée française.* **2.** Grande unité réunissant plusieurs corps. *La troisième armée.* ▷ *Corps d'armée* : partie d'une armée comprenant plusieurs divisions avec des troupes de toutes armes, commandées par un général de corps d'armée. **3.** Fig. Grand nombre. *Une armée de laquais.*

Armée du Salut, association protestante internationale d'origine méthodiste fondée à Londres, en 1864, par William Booth. Organisée sur le modèle militaire (uniforme, grades, etc.), elle prêche l'Évangile dans les rues et secourt les indigents.

armement n. m. **1.** Action d'armer. *L'armement des recrues.* **2.** Ensemble des armes. *L'armement d'un char.* **3.** Action de pourvoir un navire de tout ce qui est nécessaire à son utilisation (équipage et matériel). ▷ *Port d'armement* : port où est armé un navire. ▷ *L'armement* : le corps des armateurs. **4.** ELECTR Ensemble des éléments qui supportent les conducteurs d'une ligne aérienne.

Armenia, v. de Colombie, à l'O. de Bogotá; 230 000 hab.; ch.-l. du dép. de Quindio. Culture du café.

Arménie, rég. montagneuse d'Asie occid., partagée entre la Turquie, qui en possède la plus grande partie, l'Iran et la Géorgie. L'Arménie est une zone sismique (le tremblement de terre de 1988 a fait 25 000 morts). – Satrapie de la Perse achéménide (549-331 av. J.-C.), l'Arménie accède à l'indépendance après la défaite des Séleucides à Magnésie (189 av. J.-C.), elle devient un empire qui s'étend de la Transcaucasie à la Palestine, mais tombe sous la coupe de Rome en 75 av. J.-C. Elle est le premier État à adopter officiellement le christianisme (301). Conquise par les Arabes au VIIe s., par les Mongols en 1236, elle est partagée entre les empires ottoman et perse en 1555. En 1827, l'Arménie orientale (Arménie actuelle) passe sous domination russe et en mai 1918, une république indépendante est proclamée. Tandis que l'Arménie occidentale, qui demeure turque, est vidée des Arméniens après leur déportation et le génocide (1915-1921), perpétré par les Jeunes-Turcs. Le traité de Sèvres (1920), jamais appliqué, prévoyait la création d'un État arménien indép.

Arménie (*Hayastan,* en arménien), État du Caucase (république fédérée de l'U.R.S.S. jusqu'en 1991); 29 800 km²; 3 766 000 hab.; cap. *Erevan.* Langue off. : arménien. Monnaie : dram. Pop. : Arméniens (95 %), Kurdes (1,7 %), Russes (1,3 %), Azéris (0,2 %). Relig. : chrétiens monophysites (95 %).
Écon. – Son essor économique récent est spectaculaire grâce à l'aménagement hydroél. du lac Sevan, qui permet l'irrigation : vignes, coton, tabac. Le sous-sol est riche : cuivre, plomb, bauxite, manganèse, marbre. Industries de transformation; tourisme.
Hist. – L'Arménie est intégrée à l'U.R.S.S. dans le cadre de la fédération de Transcaucasie, puis à la dissolution de cette dernière, en 1936, devient république fédérée. Après la proclamation d'indépendance le 21 sept. 1991, Levon Ter-Petrossian a assuré la présidence jusqu'en 1998. Malgré un cessez-le-feu signé en 1994 à propos du Haut-Karabakh* (enclave à 80 % arménienne en Azerbaïdjan, qu'elle revendique), le conflit, engagé depuis 1988, n'est pas réglé. L'Arménie fait partie de la C.E.I., de l'O.S.C.E., de la Zone de coopération écon. de la mer Noire.
▶ carte **(ex-) U.R.S.S.**

arménien, enne adj. et n. **1.** De l'Arménie. ▷ Subst. *Un(e) Arménien(ne).* **2.** *L'arménien* : la langue indo-européenne parlée dans la rég. du Caucase.

Armentières, ch.-l. de cant. du Nord (arr. de Lille), sur la Lys; 26 240 hab. Industr. text.; boissons; imprimerie.

armer v. [1] **I.** v. tr. **1.** Pourvoir d'armes. *Armer des volontaires. Armer une nation. Armer un hélicoptère.* **2.** Garnir d'une armature. *Armer du béton.* **3.** Mettre en état de fonctionnement (certains mécanismes). *Armer un fusil, un appareil photo.* **4.** Équiper (un navire) de tout ce qui lui est nécessaire pour naviguer. **5.** Fig. *Armer qqn contre qqch,* lui donner des moyens de défense contre qqch. ▷ *Armer qqn de qqch,* l'en munir. *Ses études l'ont armé d'un solide bagage.* **II.** v. pron. **1.** Se munir d'armes. *S'armer jusqu'aux dents.* **2.** Fig. Se munir. *Armez-vous de patience.*

armillaire [aʀmi(l)lɛʀ] n. f. BOT Champignon basidiomycète comestible jeune, toxique ensuite, couleur de miel.

arminianisme n. m. RELIG Doctrine de Jacobus Arminius*.

arminien n. m. RELIG Adepte de Jacobus Arminius. Syn. remontrant.

Arminius ou **Hermann,** chef des Germains Chérusques; il vainquit les légions de Varus (9 apr. J.-C.) mais fut battu par Germanicus en 16 apr. J.-C.

Arminius (Hermann Armenszoon, dit Jacobus) (Oudewater, 1560 – Leyde, 1609), théologien protestant hollandais, adversaire de la doctrine calviniste de la double prédestination.

armistice n. m. Suspension des hostilités après accord entre les belligérants.

armoire n. f. **1.** Meuble haut destiné au rangement, fermé par une ou plusieurs portes. *Armoire à linge.* ▷ TECH *Armoire électrique* : meuble métallique contenant des appareillages électriques et dont la façade est équipée d'organes de commande et de contrôle. **2.** Fig., fam. *Armoire à glace* : personne de forte carrure.

armoiries n. f. pl. Emblèmes qui distinguent une famille, une collectivité. *Les armoiries d'une ville.*

armoise n. f. Plante aromatique de la famille des composées, aux nombreuses espèces (absinthe, estragon, etc.).

Armor ou **Arvor,** nom celtique des côtes de Bretagne (« pays de la mer »), par oppos. à l'*Arcoat* (« pays des bois »).

armorial, ale, aux adj. Relatif aux armoiries. ▷ n. m. Recueil d'armoiries. *L'armorial général de France.*

armoricain, aine adj. (et n.) De l'Armorique, dans l'O. de la France. *Grès armoricain.* ▷ Subst. *Un(e) Armoricain(e).*

armoricain (Massif), région de l'O. de la France (Bretagne, Basse-Normandie, Pays de la Loire). C'est une pénéplaine rajeunie à l'ère tertiaire, de faible alt. (384 m aux monts d'Arrée, 417 m au mont des Avaloirs et au signal d'Écouves).

armorier v. tr. [2] Orner d'armoiries (qqch).

Armorique, nom d'un ancien territoire composé, pour une grande part, de la Bretagne.

Armstrong (Louis) (La Nouvelle-Orléans, 1900 – New York, 1971), trompettiste et chanteur de jazz américain; il fit beaucoup évoluer le style Nouvelle-Orléans.

Armstrong (Neil) (Wapakoneta, Ohio, 1930), cosmonaute américain, le premier homme qui posa le pied sur la Lune (20 juil. 1969), suivi, quelques minutes après, d'Edwin Aldrin (Glen Ridge, New Jersey, 1930).

armure n. f. **1.** Anc. Ensemble de plaques métalliques que revêtait l'homme d'armes pour se protéger. ▷ *Par anal.* Défenses naturelles de quelques animaux. **2.** Fig. Ce qui protège. *Le mépris est une armure.* **3.** TECH Mode d'entrecroisement de la chaîne et de la trame d'un tissu. **4.** MUS Syn. de *armature.* ▶ illustr. page **112**

Neil **Armstrong** (à g.), Edwin Aldrin et Michael Collins, en juillet 1969

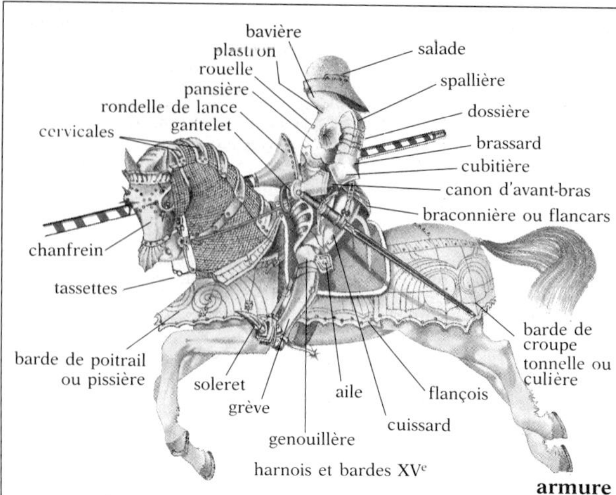

armurerie [aʀmyʀʀi] n. f. **1.** Fabrication et entretien des armes. **2.** Boutique, atelier d'un armurier.

armurier n. m. Celui qui fabrique, entretient ou vend des armes.

A.R.N. n. m. BIOCHIM Sigle de *acide ribonucléique.* V. nucléique.

arnaque n. f. Fam. Escroquerie.

arnaquer v. tr. [1] Fam. **1.** Escroquer, duper. **2.** Arrêter, prendre.

arnaqueur, euse n. Fam. Personne qui arnaque.

Arnaud de Brescia (Brescia, v. 1090 - Rome, 1155), moine italien. Disciple d'Abélard, il tenta de ramener Rome, qu'il souleva (1145), à la simplicité du christianisme primitif, mais fut excommunié (1148) et périt comme hérétique.

Arnauld, nom d'une famille célèbre dans l'histoire du jansénisme français au XVIIe s. – **Antoine Arnauld** (Paris, 1560 - id., 1619), membre du parlement de Paris, restaura l'abbaye de Port-Royal; il eut vingt enfants, notam. : – **Jacqueline Marie Angélique Arnauld** (Paris, 1591 - id., 1661), en religion Mère Angélique de Sainte-Madeleine, abbesse de Port-Royal, où elle introduisit le jansénisme sous la direction de l'abbé de Saint-Cyran. – **Antoine Arnauld,** dit le Grand Arnauld (Paris, 1612 - Bruxelles, 1694), théologien et polémiste, le plus illustre des défenseurs du jansénisme contre les jésuites, auteur (avec Lancelot) de la *Grammaire générale et raisonnée* (1660) et (avec Nicole) de la *Logique de Port-Royal* (1662).

Arne (Thomas) (Londres, 1710 - id., 1778), compositeur anglais; auteur d'opéras et du chant patriotique *Rule Britannia.*

Arnhem, ville des Pays-Bas, sur le Rhin; 132 000 hab.; ch.-l. de la prov. de Gueldre. Industr. text.; constr. navales; recherche nucléaire. Musée d'art moderne (Kröller Muller). – La *bataille d'Arnhem* (17-27 sept. 1944), opération que commandait Montgomery, fut un échec pour les Alliés.

arnica n. f. BOT Genre de composées comprenant des espèces ornementales et médicinales (*teinture d'arnica* ou *arnica,* employée comme vulnéraire).

Arnim (Ludwig Joachim, dit Achim von) (Berlin, 1781 - Wiepersdorf, 1831), écrivain allemand. Il mêla de façon originale le romantique au fantastique. Auteur de romans (*les Gardiens de la couronne,* 1817), de nouvelles (*Isabelle d'Égypte,* 1812), de drames (*Halle et Jérusalem,* 1811) et surtout du *Cor merveilleux de l'enfant* (1806-1808), recueil de poésies lyriques populaires réunies avec Clemens Brentano. – **Bettina** V. Brentano (Élisabeth).

Arno, fl. du centre de l'Italie (241 km); naît au mont Falterona (Apennin), traverse Arezzo, Florence et Pise, et se jette dans la Méditerranée au N. de Livourne.

Arnold de Winkelried (m. à Sempach, 1386), paysan suisse du cant. d'Unterwald; la bataille de Sempach contre les Autrichiens, au cours de laquelle il mourut, aurait été gagnée grâce à son sacrifice.

Arnold (Matthew) (Laleham, Middlesex, 1822 - Liverpool, 1888), écrivain anglais. Il publia des poèmes (*Empédocle sur l'Etna et autres poèmes,* 1852) et des ouvrages de critique sociale et littéraire : *Essais critiques* (1858), *Culture et anarchie* (1869). Il contribua beaucoup à l'introduction de la littérature française en Angleterre.

Arnolfo di Cambio (Colle di Val d'Elsa, v. 1240 - Florence, 1302), architecte et sculpteur florentin. On lui attribue le Palazzo Vecchio de Florence.

Arnothy (Christine) (Budapest, 1930), femme de lettres française d'origine hongroise. Ses romans font la satire des institutions et disent l'impossible quête du bonheur et de la justice : *J'ai quinze ans et je ne veux pas mourir* (1952), *l'Ami de la famille* (1984).

Arnoul ou **Arnulf de Carinthie** (v. 850 - Ratisbonne, 899), roi carolingien de Germanie (887-899), empereur d'Occident (896-899).

Arnouville-lès-Gonesse, com. du Val-d'Oise (arr. de Montmorency); 12 378 hab. – Château du XVIIIe s.

arobase ou **arobas** n. m. Signe @ du clavier du micro-ordinateur, utilisé dans les adresses électroniques et dans la correspondance commerciale. Syn. a commercial.

arolle n. m. Autre nom du cembro.

aromate n. m. Substance odoriférante d'origine végétale.

aromathérapie n. f. Thérapie utilisant des essences végétales.

aromaticien, enne n. Didac. Spécialiste des arômes artificiels et des additifs (en pharmacie et agroalimentaire).

aromatique adj. **1.** Qui dégage un parfum agréable. *Des herbes aromatiques.* **2.** CHIM *Série aromatique* : composés cycliques formés à partir du benzène (dont le noyau est figuré par un φ) et de ses dérivés.

aromatisant, ante adj. et n. m. Qui sert à aromatiser. ▷ n. m. Produit aromatisant utilisé dans l'alimentation.

aromatisation n. f. **1.** Action d'aromatiser (un aliment). **2.** CHIM Transformation en composé aromatique (d'un composé organique).

aromatiser v. tr. [1] Parfumer avec une substance aromatique.

arôme ou **arome** n. m. Odeur agréable qui se dégage de certaines substances. *L'arôme d'un café, d'un vin.*

Aron (Robert) (Le Vésinet, 1898 - Paris, 1975), historien français, notam. du gouv. de Vichy et de la Libération. Acad. fr. (1974).

Aron (Raymond) (Paris, 1905 - id, 1983), philosophe et sociologue français. Libéral, il s'attacha à critiquer l'interprétation marxiste de l'histoire. Princ. œuvres : *la Sociologie allemande contemporaine* (1936), *l'Opium des intellectuels* (1955), *Démocratie et totalitarisme* (1965), *Trois essais sur l'âge industriel* (1966), *Penser la guerre, Clausewitz* (1976).

aronde n. f. Vx Hirondelle. ▷ TECH *Assemblage à* (ou *en*) *queue d'aronde* : en forme de queue d'hirondelle.

Arouet, nom de famille de Voltaire.

aroumain n. m. Parler roumain en usage au sud de la Yougoslavie, au nord de la Grèce et dans certaines régions d'Albanie.

Arp (Jean ou Hans) (Strasbourg, 1886 - Locarno, 1966), sculpteur, peintre et poète (*Jours effeuillés,* 1966) français qui participa aux mouvements dadaïste et surréaliste. Ses sculptures, non figuratives, sont un jeu de formes simples, denses et arrondies.

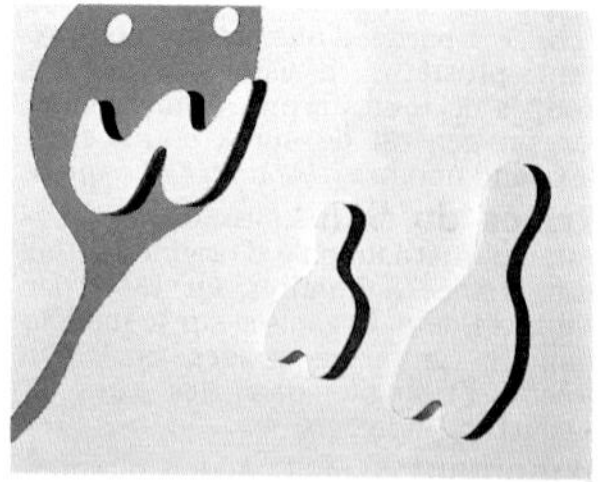

Jean **Arp** : *Tête, moustache, bouteille,* 1929, bois peint avec éléments de reliefs; MNAM

Árpád (m. en 907), prince hongrois, ancêtre de la dynastie des Árpád (ou Arpadiens) qui régna jusqu'en 1301.

Arpajon, ch.-l. de cant. de l'Essonne (arr. de Palaiseau), sur l'Orge; 8 785 hab. Cult. maraîchères (haricot). – Halles du XVIIe s.

arpège n. m. MUS Exécution successive de toutes les notes d'un accord.

arpent n. m. Ancienne mesure agraire, dont la valeur variait entre 20 et 50 ares.

arpentage n. m. Évaluation de la superficie d'un terrain. ▷ *Documents d'arpentage* : documents qui définissent les limites d'une parcelle.

arpenter v. tr. [1] **1.** Mesurer la superficie (d'un terrain). **2.** Parcourir à grands pas. *Arpenter les couloirs.*

arpenteur n. m. Spécialiste du relèvement des terrains et du calcul des surfaces. ▷ *Chaîne d'arpenteur* (ou *d'arpentage*) : chaîne de mesure d'une longueur de dix mètres.

arpenteuse adj. et n. f. ENTOM *Chenille arpenteuse* : chenille de certaines phalènes qui, pour se déplacer, replie son corps en forme de U inversé, donnant ainsi l'impression de mesurer le chemin parcouru. ▷ n. f. *Une arpenteuse.*

arpète ou **arpette** n. Pop., vieilli Jeune apprenti(e). ▷ n. f. *Spécial.* Apprentie couturière.

arpion n. m. (Le plus souvent au plur.) Arg. Pied.

-arque. V. -archie.

arqué, ée adj. Courbé en arc. *Avoir les jambes arquées.*

arquebuse n. f. Anc. Arme à feu portative (XVe-XVIe s.), dont la mise à feu se faisait au moyen d'une mèche ou d'une roue dentée raclant une pierre à fusil.

arquebusier n. m. Anc. Soldat armé d'une arquebuse.

arquer v. [1] **I.** v. tr. Courber en arc. *Arquer une tige de fer.* **II.** v. intr. **1.** Devenir courbe. *Poutre qui arque.* **2.** Pop. Marcher. **III.** v. pron. Se courber en arc.

Arques, com. du Pas-de-Cal. (cant. de Saint-Omer-sud); 9 245 hab. Cristallerie, verrerie; céramique, électroménager. – Chât. du XVIIe s.

Arques-la-Bataille, com. de la Seine-Marit. (arr. de Dieppe), sur *l'Arques* (fl. de 6 km dont l'estuaire forme le port de Dieppe); 2 569 hab. – Victoire d'Henri IV sur le duc de Mayenne (1589).

Arrabal (Fernando) (Melilla, Maroc, 1932), écrivain et cinéaste espagnol d'expression française. Il est le créateur du théâtre « panique » qui allie dérision, violence et onirisme : *le Grand Cérémonial* (1965), *Viva la muerte* (1971).

arrachage n. m. AGRIC Action d'arracher une plante, une racine.

arraché n. m. SPORT Mouvement par lequel on porte un haltère du sol au-dessus de la tête, à bout de bras et en un seul temps. ▷ Loc. adv. Fig. *À l'arraché* : au prix d'un violent effort, d'un grand acharnement.

arrache-clou n. m. Instrument pour arracher les clous. *Des arrache-clous.*

arrachement n. m. **1.** Rare Action d'arracher. ▷ Fig. Douleur morale intense due à une séparation, à un sacrifice. **2.** ARCHI Ensemble de pierres en saillie, destinées à servir de liaison avec un second mur.

arrache-pied (d') loc. adv. Avec acharnement.

arracher v. [1] **I.** v. tr. **1.** Déraciner (une plante). *Arracher des mauvaises herbes.* **2.** Détacher avec effort. *Arracher une dent.* **3.** Ôter de force à une personne, à une bête, ce qu'elle retient. *Arracher qqch des mains de qqn. Arracher qqch à qqn.* – Fig. Soustraire. *Arracher qqn à la misère, à la mort.* **4.** Obtenir difficilement. *Je lui ai arraché la promesse qu'il viendrait me voir.* **II.** v. pron. **1.** *S'arracher à, s'arracher de* : se séparer à regret, se détacher avec effort de. *S'arracher à une passion. S'arracher du lit.* **2.** *S'arracher qqch* : se disputer qqch. ▷ Fig. *S'arracher qqn,* se disputer sa compagnie. – Fam. *On se l'arrache.* ▷ Loc. fig. *S'arracher les cheveux* : être désespéré, ne plus savoir comment agir. – Loc. fig., fam. *S'arracher les yeux,* se dit de deux personnes qui se disputent violemment.

arrache-racine(s) n. m. Instrument pour arracher racines et tubercules. *Des arrache-racines.*

arracheur, euse n. **1.** Personne qui arrache. – Loc. prov. *Mentir comme un arracheur de dents* : mentir effrontément. **2.** n. f. Machine qui arrache les plantes, les tubercules (pommes de terre, betteraves, arachides).

arrachis [aʀaʃi] n. m. TECH **1.** Arrachage des arbres. **2.** Plant arraché dont les racines sont à nu.

arrachoir n. m. AGRIC Outil qui sert à arracher.

arraisonnement n. m. Action d'arraisonner.

arraisonner v. tr. [1] *Arraisonner un navire,* l'arrêter en mer et contrôler son équipage et sa cargaison, etc.

arrangeable adj. Qui peut être arrangé, réglé à l'amiable.

arrangeant, ante adj. Disposé à la conciliation.

arrangement n. m. **1.** Action d'arranger; état de ce qui est arrangé. *L'arrangement d'une salle, d'une coiffure.* **2.** MUS Adaptation d'une œuvre à d'autres instruments que ceux pour lesquels elle a été écrite. **3.** Conciliation, convention amiable. *Affaire terminée par un arrangement.* **4.** PHYS Disposition des atomes dans un réseau cristallin. **5.** MATH *Arrangement de n éléments pris p à p* : tout assemblage de p de ces éléments dans un ordre de succession déterminé.

arranger v. [13] **I.** v. tr. **1.** Placer dans l'ordre qui convient. *Arranger des bibelots.* **2.** Régler à l'amiable. *Arranger une affaire.* **3.** Convenir à. *Cela m'arrange.* **4.** Remettre en état. ▷ *Par antiphrase.* Abîmer. – Fam. *Il s'est fait arranger.* **II.** v. pron. **1.** Être remis en état, aller mieux. *Tout finit par s'arranger.* **2.** S'accorder à l'amiable. **3.** Vx ou rég. S'installer commodément. *S'arranger dans un fauteuil pour dormir.* **4.** *S'arranger pour* : faire en sorte de. *Arrange-toi pour venir.* **5.** *S'arranger de qqch,* s'en accommoder.

arrangeur, euse n. Personne qui adapte une œuvre musicale.

Arras, ch.-l. du dép. du Pas-de-Calais, sur la Scarpe; 42 715 hab. (*Arrageois*). Industr. électr., text. et alim. – Anc. cap. des Atrébates, possession des comtes de Flandre jusqu'au XIIe s., cap. de l'Artois, la v. fut au Moyen Âge un centre très renommé de la tapisserie. Elle appartint définitivement à la France en 1659. En raison de son import. stratégique, elle eut à subir les opérations militaires des deux guerres mondiales. Trois traités y furent signés : en 1414, entre Charles VI et Jean sans Peur; en 1435, entre Charles VII et Philippe le Bon; en 1482, entre Louis XI et Maximilien d'Autriche. – Remparts romains. Évêché. Cath. (XVIIIe s.), anc. abbatiale transformée en musée des Bx-A. Hôtel de ville (XVIe s.) avec beffroi (reconstruit).

Arrau (Claudio) (Chillan, Chili, 1903 – Mürzzuschlag, Autriche, 1991), pianiste chilien, célèbre pour ses interprétations des œuvres du répertoire romantique, partic. celles de Beethoven.

Arrée (monts d'), chaîne de collines granitiques, au nord de la Bretagne; 384 m au signal de Toussaines (point culminant de la Bretagne). – Centrale nucléaire à Brennilis.

arrérages n. m. pl. Termes échus d'une rente, d'une pension.

arrestation n. f. **1.** Action de se saisir d'une personne pour l'emprisonner ou la garder à vue. **2.** État d'une personne arrêtée. Ant. élargissement, libération.

arrêt [aʀɛ] n. m. **1.** Action d'arrêter; fait de s'arrêter. *Ne pas ouvrir la portière avant l'arrêt complet du train.* ▷ CHASSE *Chien d'arrêt,* dressé à s'arrêter devant le gibier. **2.** Pièce qui sert à arrêter, à bloquer. *Arrêt de porte.* **3.** Endroit où s'arrête un véhicule de transports en commun. *Un arrêt d'autobus.* **4.** (Canada) Signal routier ordonnant l'arrêt absolu à un croisement. Syn. stop. **5.** Décision d'une juridiction supérieure. *Arrêt d'une cour d'appel, du Conseil d'État.* **6.** Action d'arrêter (qqn). *Mandat d'arrêt* : ordre d'arrestation. ▷ *Maison d'arrêt* : prison. **7.** (Plur.) Sanction (défense de sortir ou de s'éloigner d'un lieu fixé pendant une période déterminée) prise contre un officier ou un sous-officier. *Mettre qqn aux arrêts.*

1. arrêté n. m. Décision écrite d'une autorité administrative. *Un arrêté préfectoral.* ▷ FIN *Arrêté de compte* : règlement d'un compte.

2. arrêté, ée adj. **1.** Décidé, définitif. *C'est une chose arrêtée.* **2.** Qu'on ne peut fléchir. *Une volonté bien arrêtée.*

arrêter v. [1] **I.** v. tr. **1.** Empêcher d'avancer. *Arrêter un passant, une voiture.* **2.** Empêcher d'agir. *Le moindre obstacle l'arrête.* **3.** Interrompre (un processus). *Arrêter une hémorragie.* **4.** Appréhender (qqn). *Arrêter un bandit.* **5.** Déterminer par choix. *Arrêter une date.* **6.** Fig. Tenir fixé. *Arrêter sa pensée, ses regards sur.* **II.** v. intr. **1.** Cesser d'avancer. *Chauffeur, arrêtez !* **2.** Cesser d'agir ou de parler. *Il n'arrête jamais.* **III.** v. pron. **1.** Cesser d'aller ou d'agir. *Le train s'arrête à Lyon. S'arrêter de peindre.* **2.** Cesser de fonctionner. *La pendule s'est arrêtée.* **3.** *S'arrêter à* : fixer son attention sur. *S'arrêter à l'essentiel.*

arrêtoir n. m. TECH Saillie, cliquet qui bloque le mouvement d'un mécanisme.

Arrhenius (Svante) (Wijk, 1859 – Stockholm, 1927), chimiste et physicien suédois. Il a notam. étudié les électrolytes (solutions ioniques) et donné (1887) une définition des acides* (donneurs de proton H^+) et des bases (donneurs d'ions hydroxyde OH^-). P. Nobel de chimie 1903.

arrhes [aʀ] n. f. pl. Somme donnée comme gage ou dédit de l'exécution d'un marché, d'un contrat (l'acheteur peut se dédire en abandonnant les arrhes, le vendeur le peut également, mais doit rembourser le double des arrhes).

Arrien (Flavius Arrianus) (Nicomédie, Bithynie, auj. Izmit, Turquie, v. 105 – id., v. 180), historien et philosophe grec; auteur de *l'Expédition d'Alexandre* et rédacteur des *Entretiens* et du *Manuel* d'Épictète, son maître.

arriération n. f. PSYCHO *Arriération mentale* : faiblesse intellectuelle par rapport à la normalité pour l'âge, évaluée par le quotient intellectuel (Q.I.).

1. arrière adv. **I.** Derrière, du côté opposé à devant ; à l'opposé de la direction dans laquelle on va, vers laquelle on se tourne. **1.** MAR *Naviguer vent arrière,* en recevant le vent de l'arrière. **2.** *Faire marche arrière, machine arrière :* faire reculer (un véhicule), inverser l'ordre de marche d'un moteur ; fig. revenir sur ses paroles, sur une décision. **3.** *Arrière !* (employé seul, comme exclamation) : Reculez ! *Arrière, laissez passer ! Arrière, les médisants !* **II.** Loc. adv. *En arrière.* **1.** Dans une direction opposée à celle qui est devant soi. *Faire un pas en arrière.* ▷ Loc. exclam. *En arrière !* (V. I, 3.) **2.** Derrière. *Ne restez pas en arrière !* **III.** Loc. prép. *En arrière de.* Derrière et à une certaine distance de. *Rester en arrière de la ligne de bataille.*

2. arrière n. m. (et adj. inv.) **1.** Partie postérieure d'une chose. *L'arrière d'une voiture, d'un navire.* Ant. avant. **2.** MILIT Territoire, population d'un pays en guerre, qui se trouve en arrière du front. *Blessé évacué sur l'arrière. Le moral de l'arrière.* ▷ Plur. *Les arrières d'une troupe, d'une colonne, d'une formation.* **3.** SPORT Joueur placé à l'arrière d'une équipe pour défendre les approches du but. **4.** adj. inv. Qui est à l'arrière. *Les roues arrière, la lunette arrière d'une voiture.*

1. arriéré n. m. **1.** Dette ou partie d'une dette non payée à la date échue. *Régler un arriéré.* ▷ *Spécial.* Rentes, dettes dont l'État retarde le paiement. **2.** Ce qui reste en retard. *Un arriéré de travail.*

2. arriéré, ée adj. **1.** Qui reste dû. *Une dette arriérée.* **2.** Péjor. Qui appartient à un passé révolu. *Des idées arriérées.* **3.** Retardé dans son développement mental. *Un enfant arriéré.* ▷ Subst. *Un arriéré mental.*

arrière-ban n. m. HIST Sous le régime féodal, levée de l'ensemble des combattants. – Cet ensemble de combattants. *Le ban et l'arrière-ban :* V. ban 1. *Des arrière-bans.*

arrière-bouche n. f. ANAT Pharynx. *Des arrière-bouches.*

arrière-boutique n. f. Pièce située à l'arrière d'une boutique. *Des arrière-boutiques.*

arrière-cour n. f. Cour située à l'arrière d'un bâtiment ou d'une cour principale. *Des arrière-cours.*

arrière-cuisine n. f. Pièce, petit local situé derrière une cuisine. *Des arrière-cuisines.*

arrière-garde n. f. Partie d'une armée en mouvement chargée de protéger les arrières de celle-ci. *Des arrière-gardes.* ▷ Fig. *D'arrière-garde :* dépassé (dans le domaine intellectuel, politique, etc.).

arrière-gorge n. f. Partie supérieure du pharynx, limitée en avant par le voile du palais. *Des arrière-gorges.*

arrière-goût n. m. Goût que laisse dans la bouche l'absorption de certains aliments, de certaines boissons. *Un arrière-goût de framboise.* ▷ Fig. Impression laissée par un événement. *Un arrière-goût de tristesse. Des arrière-goûts.*

arrière-grand-oncle n. m., **arrière-grand-tante** n. f. Frère, sœur de l'un des arrière-grands-parents. *Des arrière-grands-oncles, des arrière-grand-tantes.*

arrière-grand-parent n. m. (Le plus souvent au plur.) Arrière-grand-père et arrière-grand-mère. *Des arrière-grands-parents.*

arrière-grand-père n. m., **arrière-grand-mère** n. f. Père, mère du grand-père ou de la grand-mère. *Des arrière-grands-pères, des arrière-grand-mères.*

arrière-main n. f. **1.** Vx Revers de la main. **2.** Partie postérieure du cheval. *Des arrière-mains.*

arrière-pays n. m. inv. Partie d'un pays située en retrait de la zone côtière.

arrière-pensée n. f. Pensée, intention dissimulée, et différente de celle qu'on exprime. *Des arrière-pensées.*

arrière-petit-enfant n. m., **arrière-petit-fils** n. m., **arrière-petite-fille** n. f. Enfant, fils ou fille d'un petit-fils ou d'une petite-fille. *Des arrière-petits-enfants, des arrière-petits-fils, des arrière-petites-filles.*

arrière-petit-neveu n. m., **arrière-petite-nièce** n. f. Fils, fille d'un petit-neveu ou d'une petite-nièce. *Des arrière-petits-neveux, des arrière-petites-nièces.*

arrière-plan n. m. **1.** Plan d'une perspective le plus éloigné du spectateur. *Des arrière-plans.* **2.** Fig. *Rester à l'arrière-plan,* à l'écart, dans une position peu en vue.

arriérer 1. v. tr. **[14]** Vx Retarder (un paiement). **2.** v. pron. Ne pas payer aux échéances.

arrière-saison n. f. **1.** Automne, fin de l'automne. *« De l'arrière-saison le rayon jaune et doux » (Baudelaire).* **2.** Mois qui précèdent la moisson ou les vendanges. *Des arrière-saisons.*

arrière-salle n. f. Salle qui est derrière une autre. *L'arrière-salle d'un restaurant. Des arrière-salles.*

arrière-train n. m. **1.** Arrière du tronc et membres postérieurs d'un animal (par oppos. à *avant-train*). ▷ Fam. Fesses d'une personne. **2.** Partie postérieure d'un véhicule à quatre roues. *Des arrière-trains.*

arrimage n. m. Action d'arrimer ; son résultat.

arrimer v. tr. **[1] 1.** Répartir et fixer (un chargement) dans la cale d'un navire, d'un avion, à l'intérieur d'un véhicule spatial, etc. **2.** *Par ext.* Assujettir (une charge). *Arrimer des bagages sur le toit d'une voiture.*

arrivage n. m. Arrivée de marchandises sur le lieu où elles seront vendues. ▷ Ces marchandises elles-mêmes. *Un arrivage de bananes, d'huîtres.*

arrivant, ante n. Celui, celle qui vient d'arriver. *Les premiers arrivants.*

arrivé, ée adj. Qui a réussi socialement. *Un artiste arrivé.*

arrivée n. f. **1.** Action d'arriver. *Annoncer son arrivée.* **2.** Lieu où l'on arrive. *Je t'attendrai à l'arrivée.* **3.** Moment où arrive qqch ou qqn. *Attendre l'arrivée du courrier.* **4.** TECH Endroit par où un fluide débouche d'une canalisation. *Arrivée d'eau.*

arriver v. intr. **[1] I. 1.** Vx Aborder, toucher terre. ▷ Mod. *Arriver à bon port :* parvenir heureusement au terme de son voyage. **2.** Parvenir en un lieu, au lieu prévu. *Arriver à Lyon. Arriver à cinq heures.* ▷ Fig. *Arriver à ses fins :* obtenir ce qu'on voulait, réussir ce qu'on avait projeté. **3.** *Arriver sur :* se diriger rapidement vers, s'approcher de. *L'orage arrive sur nous.* **4.** Fig. (S. comp.) S'élever socialement, réussir dans sa carrière, son métier. *Voilà un jeune homme qui veut arriver. Il est enfin arrivé !* **5.** Fig. *En arriver à :* en venir à (faire qqch). *Il en est arrivé à m'injurier.* **II.** Survenir, se produire. *Accidents qui arrivent en haute montagne. Dites-moi comment c'est arrivé.* ▷ Loc. impers. *Quoi qu'il arrive :* de toute façon, quels que soient les événements. ▷ *Il arrive que...* (marquant une éventualité). *Il arrive parfois qu'un menteur dise la vérité.* ▷ *Il arrive à (qqn) de* (+ inf.). *Il arrive à tout le monde de se tromper.*

arrivisme n. m. Attitude, ligne de conduite de l'arriviste.

arriviste n. (et adj.) Personne qui vise à la réussite sociale ou politique, sans scrupules sur le choix des moyens. *Un jeune arriviste.*

arroche n. f. BOT Genre (fam. chénopodiacées) de plantes herbacées très communes, dont on peut consommer les feuilles, comme celles des épinards.

arrogance n. f. Orgueil, morgue ; manières hautaines et méprisantes. *Parler avec arrogance.* Ant. affabilité, humilité, modestie.

arrogant, ante adj. **1.** Qui montre de l'arrogance. *Personnage arrogant.* **2.** Qui marque de l'arrogance. *Une attitude arrogante.*

arroger (s') v. pron. **[13]** S'attribuer illégitimement (un droit, un pouvoir). *Ils se sont arrogé des privilèges exorbitants. Les fonctions qu'il s'est arrogées.*

arroi n. m. Vx Équipage, appareil. – *En bon, en mauvais arroi :* en ordre, en désordre.

Arromanches-les-Bains, com. du Calvados (arr. de Bayeux), sur la Manche ; 411 hab. Stat. baln. – Le 6 juin 1944, les Alliés y débarquèrent et construisirent un port de guerre artificiel en quelques jours. – Musée du Débarquement.

arrondi, ie adj. et n. m. **1.** adj. De forme ronde. *Des contours arrondis.* **2.** adj. PHON *Voyelles arrondies,* qui se prononcent en avançant et en arrondissant les lèvres (ex. [u]). **3.** n. m. Partie arrondie (de quelque chose).

arrondir v. **[3] I.** v. tr. **1.** Doter d'une forme ronde. *Arrondir une boucle. Sculpteur qui arrondit les épaules d'une statue.* ▷ Fig. *Arrondir les angles :* atténuer en usant de diplomatie les différends entre personnes. **2.** Fig. *Arrondir son bien, sa fortune,* l'augmenter. *Arrondir une somme, un poids,* en supprimer les fractions pour faire une somme ronde, un poids rond. **3.** MAR *Arrondir un cap,* passer au large en le contournant. **II.** v. pron. **1.** Prendre une forme ronde, pleine. *Son visage s'est arrondi.* **2.** Devenir plus considérable (biens, argent). *Fortune qui s'arrondit à la suite d'un héritage.*

arrondissage n. m. TECH Opération qui consiste à arrondir. *Arrondissage d'une lime.*

arrondissement n. m. **I.** Vx Action d'arrondir ; son résultat. – Mod. *Arrondissement au franc inférieur,* en supprimant les centimes. **II.** Circonscription territoriale soumise à certaines autorités civiles ou militaires. **1.** *Spécial.* En France, division territoriale administrative, sans personnalité morale, placée sous l'autorité d'un sous-préfet. ▷ *Scrutin d'arrondissement,* dans lequel on élit un seul député par arrondissement. **2.** *Arrondissement maritime :* subdivision d'une préfecture maritime. **3.** Subdivision administrative de certaines grandes villes. *Les vingt arrondissements de Paris.*

arrosable adj. Qui peut être arrosé. *Terres arrosables.*

arrosage n. m. Action d'arroser, de fournir de l'eau. *Un tuyau d'arrosage.*

arrosé, ée adj. **1.** Qui a reçu la pluie, un arrosage. **2.** Irrigué. **3.** Accompagné de boissons alcoolisées. *Repas bien arrosé. Café arrosé,* mêlé d'alcool. **4.** Fam. Qui a été soudoyé.

arrosement n. m. **1.** Action de répandre de l'eau (sur qqn, qqch). **2.** Action d'irriguer. *L'arrosement d'une région par un fleuve.*

arroser v. tr. [1] **1.** Humecter (en répandant de l'eau ou un autre liquide). *Arroser son jardin.* ▷ Fam. *Se faire arroser :* recevoir une pluie violente. ▷ Vieilli *Arroser de ses larmes :* mouiller de ses larmes. **2.** Faire circuler de l'eau dans, irriguer. *De nombreux canaux arrosent cette prairie.* – Couler à travers, baigner. *La Loire arrose la Touraine.* **3.** Fam. Célébrer en buvant. *Arroser sa promotion.* **4.** Fig. Distribuer des pots-de-vin pour obtenir une faveur.

arroseur, euse n. **1.** Celui, celle qui arrose. **2.** n. m. Appareil utilisé pour l'arrosage. **3.** n. f. Véhicule qui sert au nettoyage des voies publiques. *Arroseuse municipale.*

arrosoir n. m. Récipient muni d'une anse, d'un bec et d'une extrémité amovible, criblée de trous (appelée *pomme d'arrosoir*), qui sert à arroser.

Arrow (Kenneth Joseph) (New York, 1921), économiste américain. Auteur d'une théorie du bien-être collectif (*les Limites de l'organisation,* 1971). P. Nobel de sc. écon., 1972.

arrow-root [aʀoʀut] n. m. Fécule très légère extraite du rhizome de diverses plantes (genres *Maranta* et *Canna*). *Des arrow-roots.*

arroyo n. m. Canal naturel ou artificiel reliant des cours d'eau (en Amérique tropicale, en Extrême-Orient).

Arroyo (Eduardo) (Madrid, 1937), peintre espagnol de l'école de la nouvelle figuration. Son œuvre avant tout politique manie humour et dérision. *Guernica* (1970), *Portraits* (1974).

Ars (curé d'). V. Jean-Marie Vianney (saint).

Arsace, fondateur (v. 255 av. J.-C.) de l'Empire des Parthes, sur lequel régnèrent les *Arsacides* jusqu'en 224 (?) apr. J.-C.

arsenal, aux n. m. **1.** *Arsenal maritime :* lieu où se fabriquent, se conservent ou se réparent les navires de guerre. **2.** Dépôt d'armes et de munitions. *Un arsenal d'artillerie.* **3.** Vx Fabrique d'armes. **4.** Grande quantité d'armes, et, par ext., d'objets usuels compliqués. *L'arsenal d'un bricoleur.* ▷ Fig. *L'arsenal des lois.*

Arsenal (bibliothèque de l'), bibliothèque de Paris située dans ce qui fut l'habitation (du XVIe s. à la Révolution) du grand maître de l'Artillerie, construite sous Henri IV. Ouverte au public en 1797; auj. env. 1 500 000 volumes.

arséniate n. m. CHIM Autre nom de l'anhydride arsénieux As_2O_3.

arsenic n. m. **1.** Cour. Anhydride arsénieux, poison violent, appelé aussi *mort-aux-rats.* **2.** CHIM Élément de la famille des métalloïdes, de numéro atomique Z = 33, de masse atomique M = 74,92 (symbole As).

arsenical, ale, aux adj. Qui contient de l'arsenic.

arsénieux, euse adj. CHIM Qualifie l'anhydride As_2O_3 et l'acide qui en est dérivé.

arsin adj. m. SYLVIC *Bois arsin,* que le feu a endommagé.

Arsinoé, nom de quatre princesses égyptiennes de la famille des Ptolémées.

Arsonval (Arsène d') (La Borie, 1851 – id., 1940), médecin et physicien français. Il étudia diverses utilisations du courant électrique (à haute fréquence, notam.). V. darsonvalisation.

arsouille n. Pop. Voyou, mauvais sujet (s'emploie au m. ou au f. pour désigner un homme). *Une petite arsouille.* ▷ adj. *Un air, un genre arsouille,* crapuleux.

Ars-sur-Formans, com. de l'Ain (arr. de Bourg-en-Bresse); 864 hab. – Tombe du curé d'Ars. (V. Jean-Marie Vianney [saint].)

art [aʀ] n. m. **I. 1.** Activité humaine qui aboutit à la création d'œuvres. *Les chefs-d'œuvre de l'art.* – *Spécial.* (excluant la création littéraire). Cette activité en tant qu'elle s'exerce dans le domaine de la création plastique ou musicale. V. beaux-arts. *Histoire de l'art. Œuvre d'art.* – Plur. *Les arts et les lettres.* ▷ *D'art :* artistique. *Cinéma d'art et d'essai.* **2.** Chacun des domaines dans lesquels les facultés créatrices de l'homme peuvent exprimer un idéal esthétique. *Cultiver tous les arts. L'art pictural. L'art dramatique :* le théâtre. *Le septième art :* le cinéma. *Les arts de l'espace* (dessin, gravure, sculpture, architecture), opposés aux *arts temporels* (mime, poésie, musique, cinéma). *L'art sacré,* religieux. **3.** Ensemble d'œuvres caractéristiques d'une époque, d'une contrée, d'un style. *L'art antique. L'art nègre. L'art baroque.* **II. 1.** Ensemble de connaissances, de techniques nécessaires pour maîtriser une pratique donnée. *L'art du trait. L'art militaire, médical. La critique est aisée et l'art est difficile. Le grand art, l'art sacré, l'art hermétique :* l'alchimie. – *Travailler dans les règles de l'art,* en se conformant aux principes qui régissent l'activité exercée; le mieux possible. *Un homme de l'art,* hautement qualifié dans l'art, l'activité qu'il pratique; désigne partic. un médecin. **2.** Plur. Anc. *Les arts libéraux,* qui privilégient l'activité de l'esprit (par oppos. aux *arts mécaniques,* qui font appel au travail manuel ou au travail des machines). *Les sept arts libéraux des universités médiévales* (la grammaire, la logique, la rhétorique, qui formaient le cours d'études appelé *trivium;* l'arithmétique, la géométrie, la musique et l'astronomie, qui composaient le *quadrivium*). ▷ Mod. *Arts industriels,* dans lesquels les modes de production industriels interviennent au plus haut point. *Arts ménagers,* qui se rapportent à l'entretien d'une maison. *Arts appliqués. Arts décoratifs. Conservatoire* national des arts et métiers.* **3.** Ce qui est l'œuvre de l'homme (par opposition aux créations de la nature). *L'art gâte parfois la nature.* ▷ Artifice. *Il y a dans sa grâce plus d'art que de naturel.* **4.** Adresse, talent. *L'art de plaire. L'art de mentir.*
ENCYCL **Art nouveau.** Mouvement d'art décoratif (v. 1860-v. 1910) caractérisé par des lignes sinueuses, des courbes et des formes organiques, qui apparut avec les théories de W. Morris. On l'appelle *modern style* dans les pays anglo-saxons, *Jugendstil* dans le monde germanique, *Secession* à Vienne, *stile liberty* en Italie et *modernismo* en Espagne. En France, on parle aussi de *style nouille* ou *style métro.* Parmi ses principaux représentants : Ph. Webb, R. Mackintosh, H. Van de Velde, A. Gaudí, S. White, L. Comfort Tiffany, H. Guimard, Auguste et Antonin Daum, E. Gallé, R. Lalique, L. Majorelle, E. Vallin. – **Art déco.** Style qui s'illustra dans les années 1920-1930, notam. avec S. Delaunay, P. Colin, E. Ruhlmann, R. Lalique, Erté. – **Art brut.** Notion mise en avant par J. Dubuffet (1945) pour qualifier la production artistique de personnes « indemnes de culture », qui remet en cause le professionnalisme comme véhicule d'une culture « asphyxiante ».

Arta. V. Ambracie.

Artaban, nom de cinq Arsacides. (V. Arsace.)

Artagnan (Charles de Batz, dit de Montesquiou, comte d') (?, v. 1611 – Maastricht, 1673), gentilhomme gascon qui prit le nom de sa mère, Françoise de Montesquiou; capitaine des mousquetaires, chargé par Louis XIV d'arrêter Fouquet (1661); tué au siège de Maastricht. – Héros du roman *les Trois Mousquetaires* d'A. Dumas père.

Artaud (Antonin) (Marseille, 1896 – Ivry-sur-Seine, 1948), écrivain, comédien et homme de théâtre français. Souffrant de névralgies que seul calmait l'opium, il mena une existence tourmentée. Surréaliste de 1924 à 1926, il fut Marat dans le *Napoléon* d'Abel Gance (1927) et le moine Massieu dans *la Passion de Jeanne d'Arc* de Dreyer (1928), puis voulut faire triompher sur scène le « théâtre de la cruauté ». Interné dans des hôpitaux psychiatriques à partir de 1937 (notam. à Rodez, 1943-1945 : *Lettres de Rodez,* publ. 1946), il fut accueilli dans une maison de santé d'Ivry-sur-Seine. Le 13 janv. 1947, il donna sur la scène du Vieux-Colombier une conférence célèbre. Œuvres princ. : *Correspondance avec Jacques Rivière* (1923-1924; éd. 1927), *l'Ombilic des limbes* (1925), *le Pèse-Nerfs* (1925), *les Tarahumaras* (1938-1948; éd. 1955), *le Théâtre et son double* (1938), *Artaud le Mômo* (1947), *Van Gogh, le suicidé de la société* (1947).

Antonin **Artaud**

Artaxerxès, nom de trois rois de Perse. – **Artaxerxès Ier Makrocheir** (« Longue-Main »), roi de 465 à 424 av. J.-C. – **Artaxerxès II Mnémon** (« Qui a de la mémoire »), roi de 404 à 358. – **Artaxerxès III Ochos** (« le Bâtard »), roi de 358 à 338 av. J.-C.

Arte, chaîne de télévision culturelle franco-allemande à vocation européenne, créée en 1992.

artefact ou **artéfact** [aʀtefakt] n. m. Didac. Phénomène ou structure artificiels dont l'apparition est liée à la méthode utilisée lors d'une expérience, biologique notamment.

artémia n. f. ZOOL Genre de petits crustacés branchiopodes des eaux saumâtres, présentant un polymorphisme en rapport avec la salinité du milieu aquatique et dont l'élevage, très simple à partir des œufs, permet l'utilisation comme aliment vivant pour un aquarium.

Artémis, divinité grecque, fille de Zeus et de Léto, et sœur jumelle d'Apollon; déesse de la Chasse assimilée à Diane par les Romains.

Artémise, nom de deux reines d'Halicarnasse. – **Artémise II** (IVe s. av. J.-C.) fit élever à Mausole, son frère-époux, un célèbre tombeau, connu comme le Mausolée.

Artémision, cap au N. de l'île d'Eubée, où la flotte de Xerxès Ier affronta les Grecs, sans parvenir à les vaincre, en 480 av. J.-C.

artère n. f. **1.** ANAT Vaisseau sanguin conduisant le sang du cœur vers les différents organes et tissus. **2.** Fig. Grande voie de circulation. *Les artères d'une ville.*

artéri(o)-. Élément, du lat. *arteria,* « artère ».

artériel, elle adj. Qui appartient aux artères; relatif aux artères. *Sang artériel :* sang rouge, oxygéné.

artériographie n. f. MED Radiographie des artères après injection d'un produit de contraste.
▶ pl. **imagerie médicale**

artériole n. f. ANAT Petite artère.

artériopathie n. f. MED Nom générique des maladies artérielles.

artériosclérose n. f. MED Nom générique des divers types de sclérose des artères.

artério-veineux, euse adj. MED Qui concerne une artère et une veine ou les systèmes artériel et veineux.

artérite n. f. MED Épaississement de la paroi artérielle, d'origine inflammatoire ou dégénérative.

artésien, enne adj. **1.** D'Artois. **2.** *Puits artésien,* duquel l'eau jaillit sous l'effet de la pression de la nappe souterraine.

Artevelde (Jacob Van) (Gand, v. 1290 – id., 1345), riche drapier et échevin de Gand. Chef de la commune révoltée contre le comte de Flandre (1337), il s'allia à Édouard III d'Angleterre et périt dans une émeute. – **Filips** (Gand, 1340 – Rozebeke, 1382), fils du préc., chef des bourgeois de Gand, Bruges et Ypres, révoltés contre Louis de Mâle comte de Flandre (1379), fut tué à la bataille de Rozebeke.

Arthaud (Florence) (Boulogne-Billancourt, 1957), navigatrice française, première femme victorieuse dans une course transocéanique (*Route du rhum,* 1990).

arthr(o)-. Élément, du gr. *arthron,* « articulation ».

arthralgie n. f. MED Douleur articulaire.

arthrite n. f. MED Inflammation aiguë ou chronique des articulations, d'origine bactérienne ou rhumatismale.

arthritique adj. Relatif à l'arthrite; qui souffre d'arthrite. ▷ Subst. Malade atteint d'arthrite.

arthritisme n. m. MED Disposition de l'organisme à l'arthrite.

arthrodèse n. f. CHIR Intervention destinée à bloquer une articulation.

arthrographie n. f. MED Examen radiologique d'une articulation après injection d'un produit opaque aux rayons X.

arthropathie n. f. MED Se dit de toute affection articulaire.

arthroplastie n. f. CHIR Intervention au niveau d'une articulation.

arthropodes n. m. pl. ZOOL Embranchement de métazoaires invertébrés cœlomates, dont le tégument rigide implique une croissance par mues et une structure articulée. *Les arthropodes représentent 80 % des espèces animales connues.* – Sing. *Un arthropode.*

arthroscopie n. f. MED Endoscopie de l'intérieur d'une articulation.

arthrose n. f. MED Affection chronique dégénérative des articulations, avec déformation et impotence, sans altération de l'état général, survenant habituellement après cinquante ans.

Arthur ou **Artus,** roi celte, semi-légendaire, du S. de l'Écosse (fin V^e^-déb. VIe s.), qui, entouré des chevaliers de la Table ronde, est le héros des romans en vers regroupés sous le nom de *roman breton* (XIIe-XIIIe s.).

Arthur Ier (Nantes, 1187 – Rouen, 1203), comte de Bretagne, fils posthume de Geoffroi II d'Anjou. Prétendant à la couronne d'Angleterre à la mort de son oncle Richard Cœur de Lion (1199), il fut probablement assassiné par Jean sans Terre, frère de Richard. – **Arthur II** (?, 1262 – près de La Roche-Bernard, 1312), duc de Bretagne (1305-1312). – **Arthur III** (près de Vannes, 1393 – Nantes, 1458), comte de Richemont, connétable de France en 1424, duc de Bretagne (1457-1458); il fut un des compagnons de Jeanne d'Arc.

Arthur (Chester Alan) (Fairfield, Vermont, 1830 – New York, 1886), président républicain des É.-U. (1881-1885), après l'assassinat de Garfield.

artichaut [aʀtiʃo] n. m. **1.** BOT Légume (fam. composées) dont la tige florale porte un gros capitule, la base des bractées *(feuilles d'artichaut)* et le réceptacle *(fond d'artichaut),* charnus, constituant la partie comestible. ▷ Capitule comestible de cette plante. *Artichaut à la vinaigrette.* **2.** Pièce de ferronnerie hérissée de pointes, qui garnit une clôture pour empêcher de l'escalader.

artichaut et sa fleur

article n. m. **I. 1.** Chaque partie d'une loi, d'une convention, etc., qui établit une disposition, une stipulation. *Article du Code pénal.* ▷ *Article de foi :* point de dogme religieux. **2.** *Par ext.* Partie distincte d'un compte, d'un mémoire, d'une facture, d'un inventaire. *Porter une somme à l'article des recettes, des dépenses.* **3.** Chacun des textes, distincts par leur auteur, leur titre ou leur sujet, qui composent un journal, une publication, un dictionnaire. *Un article de presse.* **4.** Chacun des sujets distincts sur lesquels porte un écrit. – *Par ext.* Question, sujet. *Il est très strict sur l'article de l'honneur.* ▷ *À l'article de la mort :* au dernier moment de la vie. ▷ INFORM Élément d'information contenu dans un fichier. **II.** Marchandise vendue dans un magasin. *Article de luxe.* ▷ *Faire l'article :* vanter un produit. – *Par ext.* Faire valoir les avantages de quelque chose. **III.** GRAM Mot lié à un substantif qu'il détermine et dont il indique le genre et le nombre. *« Le » est un article défini.* **IV. 1.** ZOOL Toute pièce simple et mobile située entre deux articulations (ex. : phalange d'un doigt; élément d'un appendice d'arthropode). **2.** BOT Partie comprise entre deux discontinuités de structures nettes, entre deux nœuds. *Article de tige.*

articulaire adj. Des articulations; relatif aux articulations (sens I, 1). *Rhumatisme articulaire.*

articulation n. f. **I. 1.** Mode de jonction de pièces osseuses, mobiles ou non, entre elles. *L'articulation du fémur avec le bassin.* ▷ Ensemble des éléments de jonction des os. **2.** Assemblage de deux pièces permettant leur mouvement relatif. **II. 1.** PHON Mouvement des organes de la parole pour l'émission des sons. *Articulation orale, nasale, dentale, vélaire.* ▷ Manière de prononcer les sons d'une langue. *Une articulation nette.* **2.** DR *Articulation de faits :* énumération de faits, article par article.
▶ anat. illustr. **os**

articulatoire adj. PHON Qui se rapporte à l'articulation.

articulé, ée adj. **1.** Qui s'articule (sens II, 2). *Les membres articulés des crustacés.* **2.** Prononcé distinctement. *Phrase bien articulée.*

articuler v. [1] **I.** v. tr. **1.** Joindre (une pièce mécanique à une autre) par un dispositif qui permet le mouvement. *Articuler une bielle sur un piston.* **2.** Prononcer distinctement. *Articulez si vous voulez qu'on vous comprenne!* **3.** DR Énoncer article par article. **II.** v. pron. **1.** PHON Se prononcer. *Le R grasseyé s'articule avec la luette.* **2.** ANAT Être joint par une articulation. *La main s'articule sur l'avant-bras.* ▷ Fig. *Son récit s'articule bien.*

artifice n. m. **1.** Technique élaborée. *Artifice de style.* **2.** Litt. Moyen peu naturel. *Les artifices d'une coquette.* **3.** *Pièce d'artifice :* combinaison de corps très inflammables dont la combustion donne des flammes colorées. ▷ *Feu d'artifice :* spectacle obtenu par l'agencement et la mise en œuvre de pièces d'artifice et autres dispositifs pyrotechniques (fusées, feux, etc.). ▷ Fig. *C'est un feu d'artifice,* se dit d'un discours, d'une œuvre écrite ou jouée, où les traits d'esprit se succèdent de façon continue.

artificiel, elle adj. **1.** Qui est le produit de l'activité humaine (par oppos. à *naturel*). *Des fleurs artificielles. Une jambe artificielle.* **2.** Fig. Qui manque de simplicité. *Style artificiel.* **3.** TECH Qualifie des matières obtenues à partir de produits qui existent dans la nature (par oppos. à *synthétique*). *Textile artificiel.*

artificiellement adv. Par un moyen artificiel.

artificier n. m. Celui qui confectionne des pièces d'artifice ou les met en œuvre.

artificieusement adv. Litt. D'une manière artificieuse, trompeuse.

artificieux, euse adj. Qui est empreint d'artifice, de ruse. *Une conduite artificieuse.*

Artigas (José) (Montevideo, 1764 - Asunción, 1850), général uruguayen. Il battit les Esp. en 1811 et forma le premier gouv. uruguayen en 1815. Vaincu en 1820 par les Argentins et les Brésiliens, il se réfugia au Paraguay.

artillerie n. f. **1.** MILIT Matériel de guerre comprenant les bouches à feu, leurs munitions et les engins servant à leur transport. *Artillerie lourde. Artillerie anti-aérienne.* **2.** Ensemble du personnel servant ces armes.

artilleur n. m. Militaire servant dans l'artillerie.

artimon n. m. MAR *Mât d'artimon* ou *artimon :* le plus petit des mâts, situé à l'arrière d'un navire ayant deux mâts ou plus. *Voile d'artimon.*

Artin (Emil) (Vienne, 1898 - Hambourg, 1962), mathématicien allemand. Il est, avec Emmy Noether, l'un des fondateurs de l'algèbre moderne.

artiodactyles n. m. pl. ZOOL Ordre de mammifères ongulés dont chaque membre se termine par un nombre pair de doigts (suidés, ruminants, etc.). - Sing. *Un artiodactyle.*

artisan, ane n. (Le fém. est peu usité.) Personne qui exerce pour son propre compte un art mécanique ou un métier manuel. ▷ Fig. Auteur, cause de qqch. *Il est l'artisan de sa fortune.* - (Prov.) *À l'œuvre, on connaît l'artisan.*

artisanal, ale, aux adj. Qui a rapport à l'artisan, à l'artisanat.

artisanalement adv. De manière artisanale.

artisanat n. m. **1.** Profession d'artisan. **2.** Ensemble des artisans. **3.** Technique de l'artisan. **4.** Production artisanale.

artiste n. **1.** Personne qui pratique un art, créateur dans le domaine des arts. ▷ Par ext. *Artiste capillaire, culinaire.* **2.** Interprète d'œuvres musicales, théâtrales, cinématographiques, etc. **3.** Souvent péjor. *C'est un artiste,* un bohème, un fantaisiste.

artistement adv. Avec goût, habileté. *Artistement aménagé.*

artistique adj. **1.** Relatif aux arts. *Activités artistiques.* **2.** Fait, présenté avec art. *Une décoration artistique.*

artistiquement adv. D'une manière artistique.

Art moderne (musée national d') (M.N.A.M.), musée créé en 1937 et installé au Centre Georges-Pompidou, il réunit l'art du XXe s., du fauvisme à nos jours.

artocarpus [aʀtɔkaʀpys] ou **artocarpe** n. m. BOT Genre d'arbres (fam. moracées) dont une espèce tropicale, l'arbre à pain, donne un fruit comestible volumineux, très riche en amidon.

Artois, anc. prov. de France, qui correspond auj. au dép. du Pas-de-Calais, excepté le Boulonnais; cap. *Arras.* - Constitué d'un plateau au S., de collines au N., en partie limoneux, l'Artois est un pays de cult. (céréales, betteraves sucrières, plantes fourragères) et d'élevage (bovins). L'industr. s'est développée au N.-E., sur le bassin houiller. - Anc. pays des Celtes Atrébates, rattaché à la Flandre en 863, l'Artois s'en détacha au XIIe s. et forma un comté au XIIIe s. Très disputé en raison de sa position géogr., il appartint à des princes capétiens, aux maisons de Bourgogne et d'Autriche, avant d'être reconquis en 1640 par Louis XIII et définitivement reconnu à la France par la paix des Pyrénées (1659). De nombreux combats s'y déroulèrent en 1914-1915.

Artois (Robert Ier, comte d'). V. Robert Ier le Vaillant.

Artois (Charles-Philippe, comte d'). V. Charles X, roi de France.

artothèque n. f. Organisme qui prête des œuvres d'art.

arts et métiers. V. conservatoire 2.

Artus. V. Arthur.

Aruba, île des Petites Antilles, face aux côtes du Venezuela, dans les Antilles néerl., autonome dep. 1986; 193 km²; 73 300 hab.; cap. *Oranjestad.* Raff. de pétrole. Tourisme.

arum [aʀɔm] n. m. Plante herbacée (fam. aracées) aux feuilles lancéolées, aux fleurs en épi entourées d'une bractée blanche en cornet, la spathe.

arum

Arunachal Pradesh, État du N.-E. de l'Inde, créé en 1986; 83 743 km²; 858 390 hab.; cap. *Itanagar.*

Arundel (marbres d'), célèbres tables chronologiques, gravées sur marbre. Découverte en 1624 dans l'île de Paros, cette *Chronique de Paros* (de la fondation d'Athènes à 354 av. J.-C.) fut apportée en Angleterre par le comte d'Arundel.

aruspice ou **haruspice** n. m. ANTIQ ROM Devin qui interprétait la volonté des dieux par certains signes, en partic. d'après l'examen des entrailles des animaux immolés.

Arve, riv. torrentielle des Alpes de Hte-Savoie (100 km), affl. du Rhône (r. g.); traverse Chamonix; confl. près de Genève. Centr. hydroélectrique.

Arvernes, peuple de la Gaule qui occupait l'Auvergne actuelle. La défaite de leur chef Vercingétorix à Alésia mit fin à leur indépendance.

Arvor. V. Armor.

aryen, enne adj. Des Aryens; relatif aux Aryens. (Dans les théories racistes, on trouve ce mot employé pour définir un type d'homme de «pure race»; cette notion est totalement dépourvue de fondement scientif.)

Aryens, peuples de langue et d'origine indo-européennes qui s'établirent en Iran et au N. de l'Inde entre 2000 et 1000 av. J.-C.

aryle adj. CHIM Qualifie les radicaux qui dérivent d'un hydrocarbure aromatique par perte d'un atome d'hydrogène (ex. : radical phényle - C_6H_5).

arythmie n. f. MED Irrégularité du rythme cardiaque ou respiratoire. *Arythmie par fibrillation auriculaire.*

Arzew ou **Arziw,** port d'Algérie, sur le *golfe d'Arzew;* 41 020 hab. Terminus d'un gazoduc venant de Hassi-R'Mel et d'un oléoduc venant de Hassi-Messaoud. Usine de liquéfaction de gaz.

As Symbole de l'arsenic.

as [ɑs] n. m. **1.** JEU Un point seul, marqué sur une des faces d'un dé à jouer, sur une carte ou sur une moitié de domino. *As de pique. As de cœur.* ▷ Au tiercé et au loto, le numéro un. ▷ Loc. fam. *Être fichu comme l'as de pique :* être très négligé dans sa tenue. - *Être plein aux as :* avoir beaucoup d'argent. **2.** Fam. Personne qui excelle dans un domaine, une activité. *C'est un as! Un as du volant.* **3.** ANTIQ Unité monétaire chez les Romains.

Asa, roi de Juda de 908 à 867 av. J.-C.; il entreprit une réforme religieuse et élimina les idolâtres.

Asad. V. Assad.

Asahikawa, v. du Japon, dans l'île de Hokkaidō; 363 630 hab. Industr. du bois, méca. et chimique.

Asam (Cosmas Damian) (Benediktbeuern, 1686 - Weltenburg, 1739), architecte et fresquiste baroque allemand. — **Egid Quirin** (Tegernsee, 1692 - Mannheim, 1750), frère du préc., architecte, sculpteur et stucateur. Les deux frères élevèrent et décorèrent ensemble l'église St-Jean-Népomucène à Munich.

Asansol, v. de l'Inde (Bengale-Occidental), sur la Damodar; 780 000 hab. Centre houiller et sidérurgique.

Asarhaddon ou **Assarhaddon,** roi d'Assyrie de 680 à 669 av. J.-C. Il soumit l'Égypte en 671. Son fils Assurbanipal lui succéda.

Asbestos, v. du Canada (Québec); 6 480 hab. Importante mine d'amiante.

asbestose n. f. MED Maladie due à l'accumulation de poussières d'amiante dans les poumons.

Ascagne ou **Iule,** fils d'Énée et de Créüse, fondateur légendaire d'Albe la Longue, ancêtre prétendu de la *gens Julia,* donc de Jules César.

Ascalon ou **Ashkelon,** anc. cité et port de Palestine, entre Jaffa et Gaza (auj. dans l'État d'Israël). Théâtre de combats pendant les croisades, elle fut anéantie par Saladin.

Ascanienne (maison), dynastie allemande divisée en deux branches, qui régna sur le Brandebourg de 1134 à 1319, sur la Saxe jusqu'en 1423, sur le Lauenburg jusqu'en 1689 et sur l'Anhalt jusqu'en 1918.

ascaris [askaʀis] n. m. ZOOL Nématode parasite de l'intestin grêle des mammifères, dont une espèce, *Ascaris lombricoïdes,* infeste l'homme.

ascendance n. f. **1.** Ensemble des ancêtres directs d'un individu, d'une lignée. *Ascendance paternelle, maternelle.* Ant. descendance. **2.** ASTRO Marche ascendante d'un astre à l'horizon. **3.** Courant aérien vertical, dirigé de bas en haut, dans l'atmosphère.

1. ascendant n. m. **1.** ASTROL Point de l'écliptique qui se lève à l'horizon au moment de la naissance de quelqu'un. *Avoir la planète Mars à l'ascendant.* **2.** n. m. (Surtout au plur.) Parent dont on descend. **3.** Fig. Influence dominante, autorité exercée sur la volonté de quelqu'un. *Avoir de l'ascendant sur quelqu'un.*

2. ascendant, ante adj. Qui va en montant. *Mouvement ascendant.* ▷ ASTRO Qui s'élève au-dessus de l'horizon. ▷ DR *Ligne ascendante* : série des parents dont on descend directement. ▷ MATH *Progression ascendante,* qui va en augmentant numériquement. ▷ MUS *Gamme ascendante,* qui va du grave à l'aigu. Ant. descendant.

ascenseur n. m. Appareil à déplacement vertical, servant au transport des personnes.

ascension n. f. **I.** Action de s'élever. **1.** Action de gravir une montagne. *L'ascension de l'Everest.* **2.** Action de s'élever dans les airs au moyen d'un aérostat. *Les audacieuses ascensions de Pilâtre de Rozier.* ▷ Fig. Élévation vers la réussite sociale. *Une ascension semée d'embûches.* **II.** ASTRO *Ascension droite d'un astre* : une des deux coordonnées équatoriales d'un astre, l'angle entre le cercle horaire qui passe par le point vernal et celui qui passe par l'astre considéré. **III. 1.** THEOL *L'Ascension* : l'élévation miraculeuse du Christ ressuscité, quittant la Terre et montant au ciel. **2.** Jour où l'Église célèbre ce mystère.

Ascension (île de l'), île brit. de l'Atlant. Sud, dépendant de Sainte-Hélène; 88 km^2; 1 500 hab. env.; ch.-l. *Georgetown.* – Découverte en 1501, le jour de l'Ascension.

ascensionnel, elle adj. Qui tend à monter, à faire monter. *Mouvement ascensionnel.*

ascèse n. f. Ensemble d'exercices de mortification visant à une libération spirituelle. ▷ *Par ext.* Façon de vivre, de penser, de créer, qui conduit à l'exclusion de toute compromission, de tout excès, de tout artifice.

ascète n. **1.** Personne qui se consacre aux exercices de piété, à la méditation et aux mortifications. **2.** Personne qui mène une vie particulièrement austère. *Vivre en ascète.*

ascétique adj. **1.** Qui a rapport à la vie, aux conceptions des ascètes. *Une spiritualité ascétique.* **2.** Austère. *Une vie ascétique et monotone de vieux garçon.*

ascétisme n. m. Vie, état, doctrine des ascètes. *L'ascétisme chrétien.*

Aschaffenburg, v. et port fluvial d'Allemagne (Bavière), sur le Main; 59 650 hab. Princ. centre de confection masculine. – Château XVIIe-XIXe s.

ascidie n. f. **1.** BOT Appendice creux terminant les feuilles de certaines plantes carnivores. **2.** ZOOL Animal marin (sous-embranchement des tuniciers) dont le corps, en forme d'outre, est recouvert d'une tunique cellulosique. (V. cordés.)

ASCII n. m. inv. INFORM (Acronyme pour *American Standard Code for Information Interchange.*) Code standardisé de représentation des caractères alphanumériques.

ascite n. f. MED Épanchement de sérosité dans la cavité péritonéale.

Asclépiade (Prusa, Bithynie, auj. Brousse, Turquie, v. 124 – ?, 40 av. J.-C.), médecin grec. Établi à Rome, il fonda une école renommée, l'école méthodique, adversaire des doctrines d'Hippocrate.

Asclépios, dieu grec de la Médecine, nommé Esculape par les Romains. Son princ. sanctuaire était à Épidaure.

Ascoli Piceno, v. d'Italie (Marches), sur le Tronto; 54 190 hab.; ch.-l. de la prov. du m. nom. Filature de la soie.

ascomycètes [askɔmisɛt] n. m. pl. BOT Vaste embranchement de champignons, caractérisés par des spores formées à l'intérieur d'asques, et comprenant les morilles, les pézizes, les truffes, les levures, certaines moisissures. – Sing. *Un ascomycète.*

ascorbique adj. BIOCHIM *Acide ascorbique* : vitamine C, antiscorbutique et stimulant général.

Ascot, localité de G.-B. (Berkshire), près de Londres; 12 500 hab. Hippodrome.

Asdrubal. V. Hasdrubal.

-ase. Élément, tiré de *diastase,* désignant certaines enzymes.

ase n. f. Syn. de *diastase.*

ASEAN, acronyme pour *Association of South East Asian Nations,* « Association* des nations de l'Asie du Sud-Est ».

aselle n. m. ZOOL Petit crustacé isopode (genre *Asellus*), très fréquent dans les eaux douces.

asémantique adj. LING Se dit d'un énoncé qui n'a pas de sens (mais qui peut néanmoins être grammatical).

asepsie [asɛpsi] n. f. MED **1.** Absence de tout germe microbien. **2.** Destruction des micro-organismes par stérilisation. ▷ Ensemble des procédés utilisés dans ce but.

aseptique adj. Exempt de tout microbe.

aseptisation n. f. MED Action de rendre aseptique.

aseptiser [asɛptize] v. tr. [1] MED Rendre aseptique. – Pp. adj. *Un champ opératoire aseptisé.*

Aser, huitième fils de Jacob, chef de l'une des douze tribus d'Israël.

Ases, divinités des mythologies germanique et scandinave.

ascidie rouge

asexué, ée adj. Privé de sexe. – BIOL *Reproduction asexuée* (ou *végétative*) : V. encycl. reproduction.

Ashanti(s). V. Achanti(s).

Ashbery (John) (Rochester, 1927), écrivain américain. Poète de l'école de New York et critique d'art, il rapporte son œuvre à la peinture et à la musique et évoque d'une manière originale la ville et la campagne : *Turandot* (1953), *Fragment, clepsydre, poèmes français* (1969-1975).

Ashdod, port de l'État d'Israël, sur la Médit., au S. de Tel-Aviv; 65 740 hab. – Site de l'anc. *Asdod,* ville du pays des Philistins.

Ashikaga, famille de shōguns japonais du XIVe au XVIe s. Elle fut fondée par A. Takauji en 1338.

Ashkelon. V. Ascalon.

ashkénaze, plur. **azes** ou **azim** [aʃkenaz, azim] n. et adj. Membre d'une communauté juive d'Europe centrale ou septentrionale. – adj. *La tradition ashkénaze.*

ashram [aʃʀam] n. m. En Inde, lieu où vit une communauté groupée autour d'un maître spirituel.

Ashtart ou **Astarté,** déesse phénicienne de la Fécondité. (V. Ishtar.)

Ashton (William Mallandaine, sir Frederick) (Guayaquil, 1908 – Eye, Suffolk, 1988), danseur et chorégraphe britannique, rénovateur du ballet classique.

asiago, n. m. Fromage italien à pâte dure, au lait de vache.

asiate n. et adj. Péjor. Personne originaire d'Asie.

asiatique adj. De l'Asie. *Les civilisations asiatiques.* ▷ Subst. *Un(e) Asiatique.*

Asie, continent qui forme avec l'Europe la plus grande des cinq parties du monde (l'Eurasie) : le plus vaste (44 000 000 km^2) et le plus peuplé (3,45 milliards d'hab.). Situé en grande partie dans l'hémisphère N., il s'étend sur 160° de longit. Séparé de l'Amérique par le détroit de Béring, de l'Afrique par la mer Rouge, de l'Europe, qui le prolonge (Eurasie), par les monts de l'Oural, il comprend les archipels malais, de l'Indonésie, des Philippines, du Japon. L'Asie est bordée au N. par l'océan Arctique, à l'E. et au S.-E. par le Pacifique, au S. par l'océan Indien, où l'étroite mer de Timor la sépare du continent australien.

Géogr. phys. et hum. – Masse continentale imposante, découpée au S. en vastes péninsules (Arabie, Inde, Indochine) et que barrent au N. les puissantes chaînes de haute Asie : Himalaya (Everest, 8 880 m, point culminant) et ses annexes (Elbourz, Zagros, Caucase, Tianshan, Altaï, Saïan). Jalonnées de plateaux et de bassins intérieurs (Anatolie, Plateau iranien, Tibet, Dzoungarie, Tarim), ces chaînes font place au N. aux bas pays de la dépression des mers d'Aral et Caspienne et de la plaine de Sibérie occidentale, et aux plateaux massifs de Sibérie centrale. L'E. appartient à la ceinture de feu volcanique du Pacifique : chaînes d'Extrême-Orient et arcs insulaires du Japon, des Philippines et d'Indonésie. L'éventail de climats et de végétations est large, de la toundra arctique au N. aux forêts tropicales de l'Asie des moussons, en passant par le milieu continental (taïga sibérienne), steppique (Kazakhstan) et désertique (Gobi). Les montagnes alimentent de grands fleuves : Ob-Irtych,

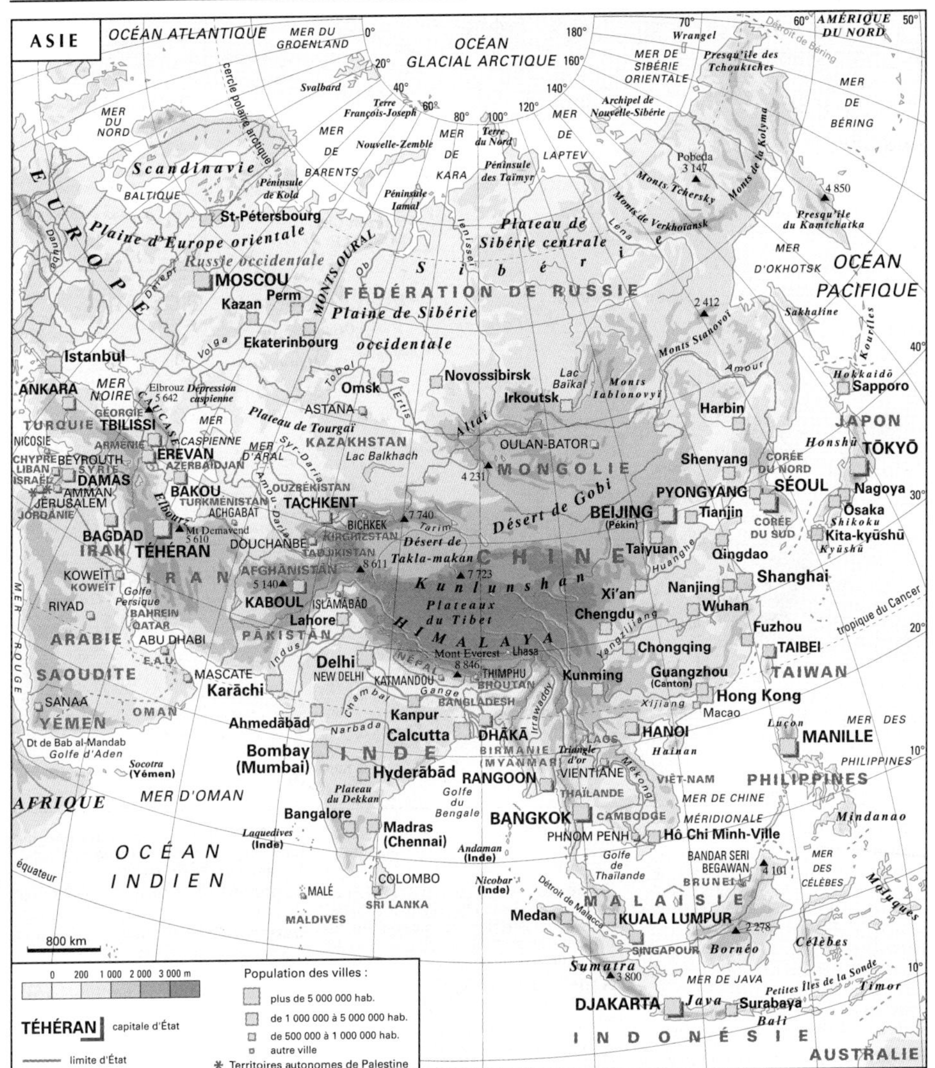

Ienisseï, Léna, Amour, Huanghe, Yangzijiang, Mékong, Gange, Indus, etc. En Asie des moussons, où l'humidité permet la culture du riz, les basses plaines alluviales et les deltas des cours d'eau portent les plus fortes concentrations humaines de la planète (près de 90 % de la population du continent); ailleurs, l'occupation est discontinue et les densités moyennes sont faibles. Compte tenu de sa variété et de son extension, l'Asie présente une mosaïque ethnique, culturelle et religieuse exceptionnelle.
Écon. – L'agric., sauf au Japon, demeure la princ. activité : blé, riz, soja sont les principales cultures vivrières; thé et caoutchouc naturel fournissent des exportations. Le sous-sol contient d'immenses richesses, bien exploitées au Proche-Orient, dans l'ex-U.R.S.S., en Chine et au Japon : tungstène, étain, manganèse, houille, pétrole dépassent tous 50% de la prod. mondiale, de même que le ciment et l'acier pour les productions industrielles. Mais la croissance démographique «galopante» (1,6 milliard d'Asiatiques en 1958, 2,9 auj.) est un facteur négatif, plus encore que les structures sociales archaïques qui régissent toujours les rapports sociaux dans de nombr. pays, particulièrement là où le niveau de vie est le plus bas (Bangladesh, par ex.). Toutefois, des régions entières de la Chine, de l'Inde et du Proche-Orient sont entrées ou entrent dans le monde moderne; plusieurs pays d'Asie du Sud-Est, et plus encore le Japon, concurrencent durement l'industrie européenne et américaine.

Asie Centrale, partie de l'Asie (anc. Turkestan) qui, entre la mer Caspienne et la Mongolie, comprend le Kazakhstan, le Kirghizstan, l'Ouzbékistan, le Tadjikistan, le Turkménistan, ainsi que le Xinjiang (Chine).

Asie du Sud-Est, partie de l'Asie des moussons composée des pays suivants : Viêt-nam, Laos, Cambodge, Thaïlande, Birmanie, Malaisie, Singapour, Indonésie, Malaisie orientale, Brunei et Philippines. ► carte page **120**

Asie Mineure, nom donné par les spécialistes de l'Antiquité au territ. de l'actuelle Turquie d'Asie.

asilaire adj. Relatif à l'asile.

asile n. m. **1.** Lieu inviolable où l'on est à l'abri des poursuites de la justice, des persécutions, des dangers. *Les églises furent longtemps des asiles.* ▷ *Droit d'asile* : immunité accordée aux ressortissants de pays étrangers, poursuivis dans leur pays pour crimes ou délits politiques, qui évitent ainsi l'extradition. **2.** *Par ext.* Demeure, habitation. *Être sans asile.* **3.** Vieilli Établissement où l'on recueillait les indigents, les vieillards. ▷ *Asile d'aliénés* ou *asile* : hôpital psychiatrique (ne s'emploie plus en psychiatrie).

Asimov (Isaac) (Petrovitchi, Russie, 1920 – New York, 1992), biochimiste américain d'origine russe, auteur de romans de science-fiction : la trilogie *Fondation* (1951-1953); *les Dieux eux-mêmes* (1972).

asine adj. f. *Espèce, race asine* : espèce, race du genre âne.

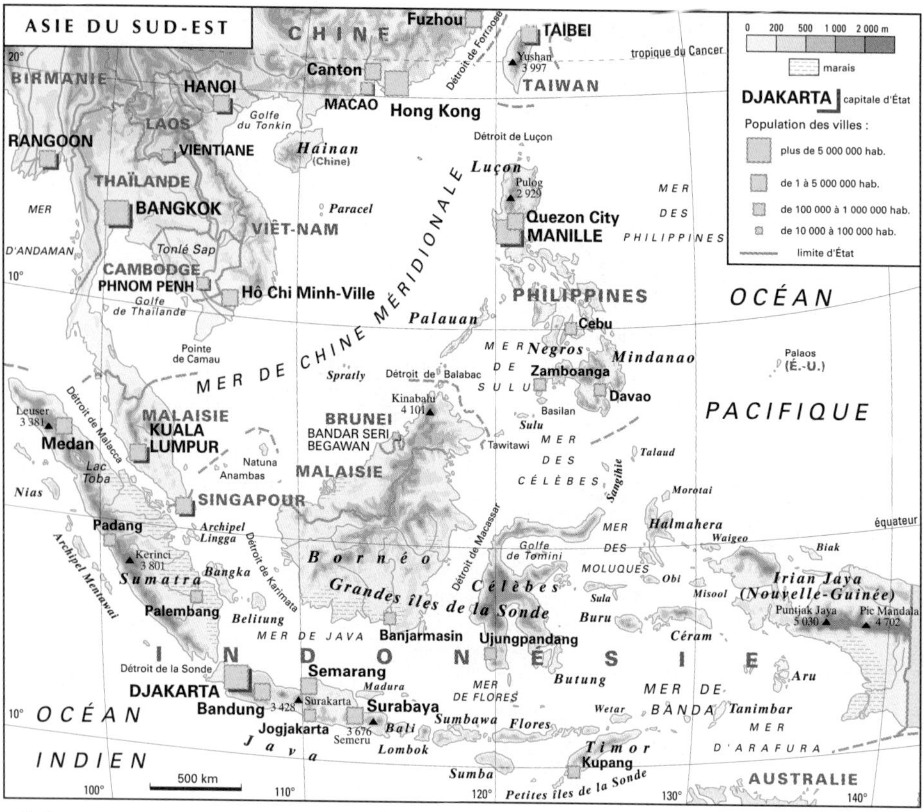

ASIE DU SUD-EST

0 200 500 1 000 2 000 m
marais
DJAKARTA capitale d'État
Population des villes :
plus de 5 000 000 hab.
de 1 à 5 000 000 hab.
de 100 000 à 1 000 000 hab.
de 10 000 à 100 000 hab.
limite d'État

asinien, enne adj. ZOOL Propre à l'âne.

Asir *('Asīr)*, prov. du S.-O. de l'Arabie Saoudite ; 80 000 km²; 682 000 hab. ; ch.-l. *Abha* (30 000 hab.). Rég. agricole : café, coton, blé.

Asmara, cap. de l'Érythrée ; 284 750 hab. Industries textile, alimentaire. – Aéroport.

Asmodée, personnage biblique (livre de Tobie), démon de l'amour impur.

Asmonéens, dynastie sacerdotale et royale de Judée, qui prit le pouvoir après le soulèvement des Maccabées (134-37 av. J.-C.).

Asnam (El-) *(al-'Aṣnām)*. V. Cheliff (Ech-).

Asnières-sur-Seine, ch.-l. de cant. des Hts-de-Seine (arr. de Nanterre), sur la Seine ; 72 250 hab. Industr. aéron., alim. ; emballage. Facultés.

asocial, ale, aux adj. (et n.) Qui n'est pas adapté à la vie en société.

Asoka. V. Açoka.

asparagine n. f. BIOCHIM Amide de l'acide aspartique présent, à de fortes concentrations, dans les pousses d'asperges.

asparagus [aspaʀagys] n. m. BOT Variété d'asperge (fam. liliacées) dont le feuillage ornemental est utilisé dans la confection de bouquets.

aspartam [aspaʀtam] n. m. Édulcorant de synthèse résultant de la combinaison de deux acides aminés (acide aspartique et phénylalanine).

aspartique adj. BIOCHIM *Acide aspartique* : acide aminé présent dans toutes les protéines.

Aspasie (Vᵉ s. av. J.-C.), femme grecque célèbre ; elle vécut à Athènes auprès de Périclès. Sa maison fut un brillant foyer intellectuel que Socrate fréquenta.

Aspe (vallée d'), vallée des Pyr.-Atl., formée par le *gave d'Aspe,* conduisant au col du Somport.

aspect [aspɛ] n. m. **1.** Vx ou litt. Vue d'une personne, d'une chose. *Il tremble à l'aspect de son maître.* **2.** Manière dont une personne ou une chose s'offre à la vue. *Maison à l'aspect accueillant.* **3.** Point de vue sous lequel on peut considérer un objet, une affaire. *Examiner une chose sous tous ses aspects.* **4.** LING Façon d'envisager l'action exprimée par le verbe dans son déroulement temporel. *Aspect imperfectif, perfectif. Aspect itératif, inchoatif.* **5.** ASTROL Situations respectives des astres par rapport à leur influence sur la destinée des hommes.

asperge n. f. **1.** Plante potagère (fam. liliacées), aux pousses comestibles. **2.** Fig., fam. Personne grande et très mince. *C'est une asperge !*

asperger v. tr. [13] Arroser légèrement en surface. *Asperger du linge pour le repasser.*

aspergillus [aspɛʀʒilys] n. m. BOT Genre de champignons ascomycètes, moisissure qui se développe sur les substances en décomposition (confitures, sirop, etc.) et qui peut être toxique.

aspérité n. f. **1.** Vx Rudesse, rugosité. *L'aspérité du sol.* – Fig. *L'aspérité du caractère.* **2.** Petite saillie qui rend une surface inégale, rude. *L'alpiniste prit pied sur une aspérité du rocher.*

asperme adj. BOT Qui ne produit pas de graines.

aspermie n. f. BOT Absence de graines. – MED Absence de sperme.

aspersion n. f. Action d'asperger. ▷ LITURG Cérémonie de purification par l'eau bénite.

aspersoir n. m. LITURG Goupillon servant à asperger d'eau bénite.

asphaltage n. m. Action d'asphalter.

asphalte n. m. PETROG Roche sédimentaire, calcaire, poreuse, imprégnée naturellement de bitume. ▷ TRAV PUBL

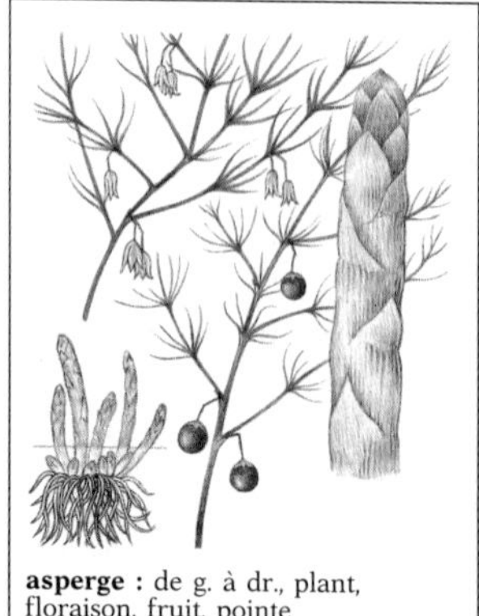

asperge : de g. à dr., plant, floraison, fruit, pointe

Revêtement pour les chaussées préparé avec cette roche, pulvérisée et mélangée à chaud à du bitume.

asphalter v. tr. [1] Étendre de l'asphalte sur.

asphaltique adj. Qui contient de l'asphalte.

asphodèle n. m. Plante herbacée (fam. liliacées) à fleurs blanches.

asphyxiant, ante adj. Qui asphyxie. *Des gaz asphyxiants.* ▷ Fig. Se dit d'une atmosphère moralement étouffante.

asphyxie n. f. **1.** Défaut d'oxygénation du sang et arrêt consécutif des battements du cœur, pouvant entraîner la mort. **2.** Fig. Oppression, contrainte. *L'asphyxie de l'opinion publique par les médias.* **3.** Fig. Diminution, arrêt de l'activité économique. *L'asphyxie d'une région.*

asphyxier v. tr. [2] Déterminer l'asphyxie de (être vivant). ▷ v. pron. Mourir volontairement ou accidentellement par asphyxie. ▷ Pp. adj. *Il est mort asphyxié.*

1. aspic n. m. Vipère brun-rouge *(Vipera aspis)*, au venin très toxique, fréquente dans le sud de la France. ▷ Par métaph. *Langue d'aspic :* personne médisante.

2. aspic n. m. Nom courant de la lavande spic*.

3. aspic n. m. Plat froid de viande, de poisson moulé dans une gelée. *Aspic de poulet.*

aspidistra n. m. Genre de plantes (fam. liliacées) dont une espèce, originaire du Japon, aux larges feuilles vert sombre, est utilisée comme plante d'appartement.

aspirant, ante adj. et n. **I.** adj. Qui aspire. *Une pompe aspirante.* **II.** n. **1.** Personne qui aspire à obtenir une place, un titre, un poste. *Un aspirant au doctorat.* **2.** n. m. Grade attribué aux élèves officiers avant leur promotion au grade de sous-lieutenant. ▷ Élève officier de marine.

aspirateur n. m. **1.** Appareil aspirant qui sert à dépoussiérer. *Passer l'aspirateur. Aspirateur traîneau,* dont le corps, monté sur roulettes, est traîné derrière le manche aspirant. **2.** CHIR Instrument destiné à pratiquer l'aspiration de liquides, de gaz.

aspiration n. f. **1.** Action d'aspirer. *Aspiration des buées.* **2.** PHON Mouvement expiratoire guttural. **3.** Fig. Élan, mouvement de l'âme vers un idéal. *L'aspiration vers un monde meilleur.*

aspiratoire adj. Qui aspire. *Mouvement aspiratoire.*

aspirer v. [1] **I.** v. tr. dir. **1.** Attirer un fluide. *Aspirer l'air, l'eau.* – Pp. adj. *Le volume d'air aspiré.* ▷ (S. comp.) Attirer l'air dans ses poumons. *Aspirer lentement.* **2.** PHON Prononcer en expulsant de l'air au fond du gosier. *Aspirer une consonne.* ▷ Pp. adj. *H aspiré :* signe (la lettre h) qui interdit la liaison. **II.** v. tr. indir. Fig. Désirer fortement, ambitionner. *Aspirer aux honneurs, au repos.*

aspirine n. f. (Nom déposé.) Acide acétylsalicylique, utilisé comme analgésique, pour lutter contre la fièvre, comme anti-inflammatoire, etc.

Aspromonte, massif d'Italie (Calabre); 1 956 m au Montalto. Garibaldi y fut vaincu et fait prisonnier par les Piémontais (1862).

asque n. m. BOT Cellule reproductrice, caractéristique des champignons ascomycètes, à l'intérieur de laquelle se forment en général huit spores qui sont le résultat d'une méiose.

Asquith (Herbert Henry) (Morley, Yorkshire, 1852 – Londres, 1928), 1er comte d'Oxford et Asquith, Premier ministre brit. (1908-1916), chef du parti libéral. Il fit adopter le Home Rule (1914). – **Anthony** (Londres, 1902 – id., 1968), fils du préc., cinéaste britannique. Il excella dans le documentaire et le cinéma-théâtre : *Pygmalion* (1938), *le Chemin des étoiles* (1945), *Il importe d'être constant* (1951).

Assad ou **Asad** (Hafiz al-) (Lattaquié, 1928), homme politique syrien appartenant à la secte chiite des Alaouites (V. Ansariyyah). Général en chef en 1966, il est responsable, en nov. 1970, du coup d'État qui le porte au pouvoir. Il devient alors secrétaire général du parti Baas et est élu président de la République en 1971 puis réélu en 1978, 1985 et 1991.

assagir v. tr. [3] Rendre sage. *Cette expérience l'a assagi.* ▷ v. pron. Devenir sage. *S'assagir avec l'âge.*

assagissement n. m. Action de rendre ou de devenir sage.

assai [asaj] adv. MUS Très (terme augmentatif précisant le mouvement). *Presto assai.*

assaillant, ante adj. Qui assaille. *Les troupes assaillantes.* ▷ Subst. (Sens collectif.) *Repousser les assaillants,* ou *l'assaillant.*

assaillir v. tr. [28] **1.** Attaquer vivement à l'improviste. *Assaillir un camp militaire. Être assailli par les moustiques.* **2.** Fig. *Assaillir qqn de questions,* le harceler de questions.

assainir v. tr. [3] Rendre sain ou plus sain, plus pur. *Assainir une maison.* – Fig. *Assainir les finances publiques.*

assainissement n. m. Action d'assainir; résultat de cette action. *L'assainissement d'une ville.* ▷ TRAV PUBL *Réseau d'assainissement :* ensemble de collecteurs assurant l'évacuation des eaux usées et des eaux pluviales.

assainisseur n. m. Appareil ou produit qui combat les odeurs désagréables. *Un assainisseur d'air.*

assaisonnement n. m. **1.** Action et manière d'assaisonner. *Un assaisonnement léger.* **2.** Ce qui sert à relever le goût. *Utiliser des assaisonnements variés.*

assaisonner v. tr. [1] Accommoder des aliments avec des ingrédients propres à en relever le goût. *Assaisonner une salade.* ▷ Fig. Rendre plus vif, plus agréable. *Assaisonner ses écrits de traits d'esprit.*

Assam, État de l'Inde, de part et d'autre du Brahmapoutre; 78 523 km^2; 22 294 560 hab.; cap. *Dispur.* Région très humide; thé, riz, jute. Pétrole. – La Chine revendique la partie nord de l'Assam où se développe une guérilla séparatiste.

Assarhaddon. V. Asarhaddon.

Assas (Louis, chevalier d') (Le Vigan, 1733 – Westphalie, 1760), officier au régiment d'Auvergne; tué à l'ennemi lors d'une reconnaissance, en donnant l'alarme.

assassin, ine n. m. et adj. **1.** n. m. Celui qui attente à la vie d'autrui avec préméditation. *Tomber sous les coups d'un assassin.* ▷ *Par ext.* Celui qui provoque la mort de qqn par négligence ou incompétence. **2.** adj. Fig. Qui blesse; qui provoque. *Une pique assassine.*

assassinat n. m. Homicide volontaire commis avec circonstances aggravantes (préméditation, guet-apens). *Commettre un assassinat.*

assassiner v. tr. [1] Tuer avec préméditation.

Assassins ou **Haschischins** («fumeurs de haschisch»), musulmans ismaéliens disciples de Hassan ibn as-Sabbah. Ils fondèrent une dynastie (XIIe s.), anéantie en 1256 par les Mongols.

assaut [aso] n. m. **1.** Attaque pour emporter de force une position. *Monter à l'assaut. Repousser un assaut.* ▷ Fig. *Les assauts de la tempête.* **2.** SPORT Combat opposant deux escrimeurs. *Un assaut d'armes.* ▷ Fig. *Faire assaut d'esprit :* rivaliser sur le plan intellectuel.

-asse. Suffixe donnant une valeur péjorative (ex. *mollasse, dégueulasse*).

Assebroek (en fr. *Assebrouck*), v. de Belgique (Flandre-Occid.), sur le canal de Bruges à Gand; 15 000 hab. Industrie textile.

assèchement n. m. Action d'assécher; résultat de cette action.

assécher v. tr. [14] Mettre à sec. *Assécher un marais.* ▷ v. intr. MAR *Ce rocher assèche à marée basse.* ▷ v. pron. *Une rivière qui s'assèche.*

ASSEDIC, acronyme pour *Association pour l'emploi dans l'industrie et le commerce.* Organisme paritaire patronat-syndicats, créé par une convention collective (déc. 1958), qui assure aux travailleurs sans emploi en France une indemnisation complémentaire de l'aide publique.

assemblage n. m. **1.** Action d'assembler. *L'assemblage des pièces d'un moteur.* **2.** Réunion de choses diverses qui forment un tout. *Un curieux assemblage de couleurs.* ▷ BX-A Œuvre d'art contemporain composée de matériaux, d'objets divers mis ensemble. **3.** TECH Dispositif, procédé destiné à relier entre elles plusieurs pièces. *Assemblage à tenon et mortaise.* **4.** Mélange dans la cuve de différents vins d'un même cru.

assemblée n. f. **1.** Réunion de plusieurs personnes en un même lieu. *Une grande, une nombreuse assemblée.* **2.** Corps délibérant. *Convoquer, dissoudre, présider une assemblée. Assemblée générale. Assemblée nationale.* ▷ Par anal. *Assemblée d'actionnaires, de créanciers.*

ENCYCL **Hist.** – **Assemblée nationale constituante** ou **Constituante.** Nom que prirent les états généraux le 9 juil. 1789. La Constituante siégea jusqu'au 30 sept. 1791. Elle abolit la féodalité, proclama la souveraineté nat., la séparation des pouvoirs, l'égalité des citoyens devant la loi, organisa la France en dép., vota la Constitution civile du clergé. – **Assemblée législative.** Elle succéda à la Constituante et siégea du 1er oct. 1791 au 21 sept. 1792. Elle vota la suspension du roi. – **Assemblée constituante.** Élue au suffrage universel après la révolution de fév. 1848, elle siégea du 4 mai 1848 au 27 mai 1849. – **Assemblée législative.** Élue au suffrage universel le 13 mai 1849, elle succéda à la précédente le 28 mai, et fut dissoute par le coup d'État de Louis Napoléon Bonaparte, le 2 déc. 1851. – **Assemblée nationale.** Élue le 8 fév. 1871 après l'armistice qui suivit la guerre franco-all., elle prit position contre la Commune, ratifia le traité de Francfort et contraignit Thiers à démissionner (1873). Après une vaine tentative de restauration monarchique, elle se prononça pour le régime rép. et se déclara dissoute le 31 déc. 1875. – **Assemblées constituantes.** Deux assemblées de ce nom furent élues au suffrage universel après la Libération. La première siégea du 6 nov. 1945 au 26 avril 1946; le référendum du 5 mai 1946 repoussa son projet de Constitution. La seconde siégea du 11 juin au 5 oct. 1946. – **Assemblée nationale.** La Chambre des députés fut désignée sous ce nom par les Constitutions de 1946 et 1958.

assembler I. v. tr. [1] **1.** Mettre ensemble, réunir. *Assembler des mots pour en faire une phrase.* **2.** Réunir par convocation. *Assembler le conseil.* **3.** Joindre des pièces pour en former un tout. *Assembler les pièces d'une machine, les feuillets d'un volume.* **II.** v. pron. Se réunir. *Les Chambres se sont assemblées.* ▷ (Prov.) *Qui se ressemble s'assemble.*

assembleur, euse n. **1.** Personne qui assemble. **2.** n. f. Machine qui assemble les feuilles imprimées. **3.** n. m. INFORM Programme qui permet de traduire un langage symbolique en langage machine en supprimant la phase de compilation.

Assen, v. des Pays-Bas; 48 710 hab.; ch.-l. de la Drenthe. Métallurgie.

assener [16] ou **asséner** [14] v. tr. Porter, donner (un coup violent). *Assener un coup de matraque.*

assentiment n. m. Adhésion, consentement (donné à une proposition, à un acte). *Donner son assentiment à un mariage.* Syn. approbation. Ant. refus.

asseoir [aswaʀ] I. v. tr. [41] **1.** Mettre (qqn) en appui sur ses fesses. *Asseoir un enfant sur ses genoux.* **2.** Établir solidement. *Asseoir une maison sur ses fondations.* ▷ Fig. *Asseoir un raisonnement sur des bases solides.* **II.** v. pron. *S'asseoir à une table, sur une chaise, à califourchon.*

assermenté, ée adj. Qui a prêté serment. *Expert, traducteur assermenté. Témoin assermenté.* ▷ HIST *Prêtres assermentés,* qui avaient prêté serment à la Constitution civile du clergé en 1790 (par oppos. à *prêtres insermentés*).

assertif, ive adj. DR Qui a le caractère de l'assertion. *Un jugement assertif.*

assertion n. f. Proposition que l'on avance comme vraie. *Des assertions mensongères.*

assertorique adj. PHILO *Jugement assertorique :* chez Kant, jugement vrai mais non nécessaire (ex. : la Terre est sphérique).

asservir I. v. tr. [3] **1.** Rendre esclave, assujettir, réduire à la servitude. *Asservir une nation.* Ant. libérer, délivrer, affranchir. **2.** Soumettre (qqn). *Asservir qqn à ses caprices.* **3.** TECH Réaliser un asservissement. **II.** v. pron. Se soumettre. *S'asservir à la règle.*

asservissant, ante adj. Qui asservit. *Un travail asservissant.*

asservissement n. m. **1.** Action d'asservir. **2.** État de ce qui est asservi. *Tenir un peuple dans l'asservissement.* ▷ Fig. *Asservissement aux usages, à la mode.* **3.** TECH Réaction de la part d'un organe ou d'un système sur les circuits de commande, assurant une régulation; dispositif utilisant une telle réaction.

assesseur n. m. DR Magistrat adjoint à un juge principal pour l'aider dans ses fonctions ou le suppléer en son absence. ▷ *Par ext.* Personne qui en seconde une autre dans ses fonctions.

assez [ase] adv. **1.** (Avec un verbe ou un nom.) Autant qu'il faut. *Dormir assez. Assez de courage. Assez de sel.* **2.** Avec un adj. ou un adv., sert à restreindre la signification du mot qui le suit. *Elle est assez jolie. Courir assez vite.* ▷ *Assez peu :* pas beaucoup. ▷ *C'est assez, c'en est assez, assez !,* pour faire taire un contradicteur, arrêter un importun. Fam. *En avoir assez :* ne plus pouvoir supporter (qqn, qqch).

assidu, ue adj. **1.** Qui se trouve constamment auprès de quelqu'un ou dans quelque lieu. *Être assidu auprès d'un malade.* ▷ *Visites assidues,* fréquentes. **2.** Ponctuel, exact. *Un élève assidu.* **3.** Qui s'applique avec persévérance. *Assidu au travail.* **4.** Constant. *Des soins assidus.*

assiduité n. f. Présence régulière là où l'on doit s'acquitter de ses obligations. *Assiduité d'un bon élève.* ▷ Plur. Péjor. Empressement auprès d'une femme. *Repousser des assiduités.*

assidûment adv. De manière assidue, régulière. *Travailler assidûment.*

assiégé, ée adj. et n. Qui subit un siège.

assiégeant, ante adj. et n. Qui assiège.

assiéger v. tr. [15] **1.** MILIT Mettre le siège devant (une place, une forteresse). ▷ Par anal. *La foule assiège les guichets.* **2.** Fig. Poursuivre, obséder. *Les ennuis m'assiègent.*

assiette n. f. **I. 1.** Pièce de vaisselle servant à contenir les aliments. ▷ *Assiette anglaise :* plat composé de viandes froides (et parfois de charcuteries). ▷ *Pique-assiette :* parasite. **2.** Contenu d'une assiette. *Manger une assiette de soupe.* V. assiettée. **II. 1.** Vx Situation d'équilibre d'un corps. *L'assiette d'une pierre.* ▷ Mod. Adhérence des fesses et des cuisses du cavalier au corps de son cheval, lui permettant d'en sentir les réactions. **2.** Vx Situation d'une ville, d'une construction. *L'assiette d'un camp.* ▷ Mod. *L'assiette d'une route,* la surface nécessaire à sa construction. **3.** FIN *L'assiette de l'impôt,* sa répartition, sa base de calcul. **4.** Fig., vx État de l'humeur, état d'esprit. ▷ Mod. Loc. fig. *Ne pas être dans son assiette :* se sentir mal.

assiettée n. f. Contenu d'une assiette.

assignat [asiɲa] n. m. Papier-monnaie émis en 1789 et garanti par la vente des biens nationaux, supprimé en 1797.

assignation n. f. **1.** Action d'affecter un fonds au paiement d'une dette, d'une rente. **2.** DR Acte par lequel une personne est sommée à comparaître en justice à un jour déterminé. ▷ *Assignation à résidence :* obligation pour qqn de résider dans un lieu déterminé.

assigner v. tr. [1] **1.** Attribuer (qqch) à qqn. *Assigner une mission à une personne de confiance.* **2.** Fixer, déterminer. *Assigner une date de livraison.* **3.** Affecter un fonds ou une recette déterminée au paiement d'une dette, d'une rente, etc. **4.** DR Sommer par exploit judiciaire à comparaître devant un tribunal statuant en matière civile, à un jour déterminé.

assimilable adj. Qui peut être assimilé.

assimilateur, trice adj. BIOL, PHYSIOL Qui assimile, qui permet l'assimilation. *La chlorophylle est un pigment assimilateur.*

assimilation n. f. **1.** Fait de considérer deux ou plusieurs choses comme semblables. *L'assimilation d'un artisan à un artiste.* ▷ Équivalence de certaines catégories de fonctionnaires. **2.** BIOL Action d'assimiler. ▷ *Assimilation chlorophyllienne :* fonction spéciale des végétaux renfermant de la chlorophylle, qui consiste à absorber le gaz carbonique de l'air en présence de lumière, et à l'incorporer dans des molécules glucidiques (amidon) avec un rejet d'oxygène. Syn. photosynthèse. ▷ *Par ext.* Fait de se pénétrer des choses étudiées. *L'assimilation d'une langue étrangère.* **3.** Processus par lequel des étrangers adoptent progressivement la culture d'un pays d'accueil. **4.** PHON Phénomène par lequel un phonème adopte un ou plusieurs traits distinctifs du phonème avec lequel il est en contact. *Assimilation progressive, régressive, à distance.*

assimilé, ée adj. (et n.) Rendu semblable; considéré comme semblable. ▷ Subst. Militaire ou membre d'un service civil dont la situation est assimilée à celle des membres des unités de combat. – Cour. Personne qui remplit la même fonction qu'une autre sans en avoir le titre.

assimiler v. [1] **I.** v. tr. **1.** Présenter, considérer comme semblable. *Assimiler un cas à un autre.* **2.** BIOL En parlant d'un organisme vivant, prendre des molécules simples, organiques ou minérales, dans le milieu où il vit (N.B. : ne pas confondre avec *digérer* et *métaboliser*). *Assimiler du glucose.* ▷ Fig. *Assimiler une théorie,* la comprendre pleinement. **3.** Incorporer (des étrangers) dans une nation. *Assimiler les immigrés.* **II.** v. pron. **1.** Se considérer comme semblable (à qqn). **2.** PHYSIOL (Impropre, employé pour *se métaboliser.*) S'intégrer aux structures cellulaires d'un organisme. *Les graisses animales s'assimilent plus difficilement que les graisses végétales.* **3.** Devenir semblable aux membres d'un groupe social, d'une nation. *Les immigrants cherchent à s'assimiler dans leur nouveau pays.*

Assiniboine, riv. du Canada (960 km), affl. de la rivière Rouge (r. g.); conflue à Winnipeg.

Assiniboins, Sioux de l'O. du Canada (groupe linguistique des Dakotas), vivant auj. dans des réserves, au Canada (Alberta) et aux États-Unis (Montana).

Assiout ou **Asyut,** v. de Moyenne-Égypte, sur le Nil; 257 000 hab.; ch.-l. du gouvernorat du m. nom. Grand barrage sur le Nil.

assis, ise [asi, iz] adj. **1.** Qui est sur son séant. *J'ai voyagé assis sur un strapontin.* ▷ *Magistrature assise :* ensemble des juges ou des conseillers exerçant leurs fonctions assis (par oppos. à *magistrature debout,* ou *parquet,* qui reste debout pour parler). ▷ *Place assise,* où l'on peut s'asseoir. **2.** Fig. Solidement établi. *Une réputation bien assise.*

assise n. f. CONSTR Rang de pierres, de briques qu'on pose horizontalement pour construire un mur. ▷ Fig. Base, fondement. *Les assises d'un raisonnement.*

Assise, v. d'Italie (Ombrie), dans la prov. de Pérouse; 24 440 hab. – Centre religieux (berceau des frères mineurs); basilique St-François, aux deux églises superposées (1228-1253), que décorèrent à fresque Cimabue, Giotto *(Vie de saint François),* P. Lorenzetti.

assises n. f. pl. Session que tiennent les *cours d'assises,* habilitées à juger les infractions qualifiées crimes. V. encycl. cour. ▷ *Par ext.* Réunion d'un groupement, d'une association, etc. *Tenir ses assises une fois par an.*

assistanat n. m. **1.** Fonction d'assistant, princ. dans l'enseignement supérieur, dans les métiers du cinéma. **2.** Fait d'être assisté, pris en charge.

assistance n. f. **1.** Assemblée, auditoire. *Une nombreuse assistance.* **2.** Aide apportée à qqn. *Demander, porter assistance à un ami.* ▷ TECH Dispositif capable d'amplifier un effort manuel et de le transmettre à un mécanisme. **3.** DR Fait d'être secondé par un magistrat, un officier public. *Se prévaloir du droit d'assistance.* **4.** Nom donné à différentes administrations qui prennent en charge, qui aident certaines catégories d'individus. *Assistance publique,* autref. chargée de venir en aide aux nécessiteux, notam. aux orphelins. *Assistance publique de Paris,* chargée de la gestion des établissements hospitaliers composant le Centre hospitalier régional de Paris. *Assistance médicale.* **5.** *Société d'assistance :* société qui assure à ses clients en déplacement loin de leur domicile certains services comme le dépannage, les soins médicaux, le rapatriement, etc.

assistant, ante n. **1.** Personne présente en un lieu. *Les assistants applaudirent l'orateur.* **2.** Celui ou celle qui seconde qqn. *L'assistant d'un médecin. Le premier assistant du metteur en scène. Les assistants d'un professeur de faculté.* ▷ *Assistant(e) social(e) :* personne ayant reçu une formation sociale et médicale, et dont le rôle est d'apporter une aide aux individus et aux familles dans le cadre des lois sociales. ▷ *Assistante maternelle :* nourrice. **3.** n. m. *Assistant personnel :* appareil qui cumule des fonctions bureautiques (ordinateur, agenda) et des fonctions de télécommunications (fax, messagerie).

assisté, ée adj. Qui bénéficie de l'assistance (publique, médicale, judiciaire). *Une personne assistée.* – Subst. *Un(e) assisté(e).* ▷ TECH Muni d'un dispositif d'assistance. *Direction assistée. – Conception* assistée par ordinateur.*

assister 1. v. tr. indir. [1] Être présent. *Assister à un mariage, à une inauguration.* **2.** v. tr. Aider, seconder qqn. *Un avocat assistait le prévenu. Dieu vous assiste !* ▷ Aider (qqn) par sa présence dans ses derniers moments. *Assister un mourant.* ▷ TECH Équiper d'un dispositif d'assistance.

associatif, ive adj. et n. **1.** Qui a rapport avec une (des) association(s). *La vie associative.* **2.** Se dit d'une organisation à but non lucratif, défendant des intérêts divers. **3.** MATH *Loi associative :* loi de composition interne k telle que, quels que soient les éléments a, b et c d'un ensemble E, (akb)kc = ak(bkc). *L'addition des nombres entiers positifs est associative* [ex : (5 + 7) + 2 = 5 + (7 + 2)]. **4.** n. Membre d'une organisation associative.

association n. f. **I.** Union de personnes dans un intérêt commun. *Une association à trois. Association à but non lucratif.* **II. 1.** Action d'associer des choses; son résultat. *Une association de couleurs inattendue. Association d'idées.* **2.** ASTRO Groupe diffus d'étoiles très jeunes ou en formation au sein de la matière interstellaire.

Association des nations de l'Asie du Sud-Est (ASEAN), organisation régionale, créée en 1967 par la déclaration de Bangkok, qui regroupe 9 pays d'Asie du Sud-Est : Indonésie, Malaisie, Philippines, Singapour, Thaïlande (1967), Brunei (1984), Viêt-nam (1995), Birmanie et Laos (1997). Elle a pour objectif de promouvoir le développement économique, social et culturel par le renforcement politique.

associationnisme n. m. PHILO Doctrine selon laquelle tous les phénomènes psychologiques résultent d'associations d'idées automatiques.

associé, ée n. Personne qui fait partie d'une société. ▷ (En appos.) *Membre associé :* membre d'une académie qui participe aux travaux sans être titulaire.

associer v. [2] **I.** v. tr. **1.** Unir, joindre (des choses). **2.** Réunir (des personnes) dans une entreprise commune (politique, économique, sociale, intellectuelle). ▷ *Associer qqn à une entreprise, à une activité, à un profit,* l'y faire participer. – Fig. *Associer qqn à sa gloire, à son succès.* **II.** v. pron. **1.** S'adjoindre. *S'associer de bons collaborateurs.* **2.** S'unir avec qqn. *S'associer pour une entreprise commune.* ▷ Prendre part à (qqch), partager. *S'associer aux projets, au malheur de qqn.* **3.** (Choses) Aller ensemble. *Ces couleurs s'associent parfaitement.*

assoiffé, ée adj. Qui a soif. ▷ Fig. Avide. *Être assoiffé d'honneurs.*

assoiffer v. tr. [1] Donner soif à. *La chaleur nous a assoiffés.*

assolement n. m. AGRIC Alternance des cultures sur un terrain donné. (Les différentes plantes ne tirant pas les mêmes aliments du sol, celui-ci peut alors récupérer ses qualités originelles entre deux passages d'une même plante, ce qui permet l'obtention d'un rendement maximal.)

assoler v. tr. [1] AGRIC Faire un assolement.

assombrir I. v. tr. [3] **1.** Rendre sombre. *Ces couleurs assombrissent l'appartement.* Ant. éclairer. **2.** Attrister. *Les soucis ont assombri son caractère.* **II.** v. pron. **1.** Devenir sombre. *L'horizon s'est assombri.* **2.** Devenir triste. *Son visage s'assombrit.*

assombrissement n. m. Fait d'assombrir ou de s'assombrir. *L'assombrissement du ciel.*

assommant, ante adj. Fam. Accablant, ennuyeux. *Un travail assommant.*

assommer v. tr. [1] **1.** Tuer en donnant un coup sur la tête. *Assommer un bœuf avec un merlin.* **2.** Faire perdre connaissance par des coups sur la tête. ▷ v. pron. *S'assommer contre un mur.* **3.** *Par métaph.* Accabler. *La chaleur m'assomme.* **4.** Ennuyer. *Vous m'assommez avec vos récriminations.*

assommoir n. m. **1.** Instrument servant à assommer, à tuer des animaux. **2.** Vx Cabaret où l'on sert de l'alcool. *L'Assommoir,* roman d'Émile Zola.

assomption n. f. RELIG CATHOL (Avec une majuscule.) **I. 1.** Montée au ciel de l'âme et du corps de la Vierge Marie. **2.** Jour où est fêté ce miracle (15 août). **II.** BX-A Œuvre d'art figurant cette scène. *Une assomption du baroque espagnol.*

Assomption. V. Asunción.

assomptionniste n. m. Religieux appartenant à la congrégation des *Pères augustins de l'Assomption,* fondée en 1850 à Nîmes, consacrée notam. à l'information des catholiques par l'intermédiaire de la presse.

assonance n. f. Répétition d'un son voyelle dans la syllabe tonique de mots qui se succèdent.

assonancé, ée adj. Didac. Qui présente une assonance. *Des vers assonancés.*

assonant, ante adj. Qui forme une assonance. *Plage et sable sont assonants.*

assorti, ie adj. **1.** Adapté, en harmonie avec. *Une cravate et une pochette assorties. Un couple bien assorti.* **2.** Pourvu de marchandises. *Une épicerie bien assortie.* **3.** (Plur.) Variés. *Hors-d'œuvre assortis.*

assortiment n. m. **1.** Harmonie de plusieurs choses unies en un tout. *Assortiment de couleurs.* **2.** Assemblage de choses allant ensemble. *Un assortiment de bonbons.* ▷ COMM Collection de marchandises de même sorte, mais de qualité et de prix différents. *Un assortiment de dentelles.*

assortir I. v. tr. [3] **1.** Mettre ensemble des choses, des personnes qui conviennent les unes avec les autres. *Assortir des couleurs. Assortir une cravate à une chemise.* **2.** Vieilli Garnir du nécessaire. *Assortir un magasin.* **II.** v. pron. Aller ensemble. *Des meubles qui s'assortissent.*

Assouan (anc. *Syène*), v. de Haute-Égypte, sur le Nil; 192 000 hab.; ch.-l. du gouvernorat du m. nom. – Grand barrage construit de 1960 à 1971 *(Sadd al-Ali),* créant une vaste retenue d'eau *(lac Nasser).*

Assouan : felouques sur le lac Nasser

assoupi, ie adj. Endormi à demi. ▷ Fig. Atténué, apaisé.

assoupir 1. v. tr. [3] Provoquer l'engourdissement qui précède le sommeil. *Les vapeurs du vin l'assoupissent.* ▷ Fig. Calmer, apaiser, atténuer. *Assoupir la douleur.* **2.** v. pron. Commencer à s'endormir. *S'assoupir dans un fauteuil.* ▷ Fig. Se calmer, s'affaiblir.

assoupissement n. m. Fait de s'assoupir; état de demi-sommeil.

assouplir v. tr. [3] Rendre souple, flexible. *Assouplir le cuir, un ressort.* ▷ v. pron. Devenir souple. *Étoffe qui s'assouplit à l'usage.* – Fig. *Son caractère s'est assoupli,* est devenu plus accommodant, plus sociable.

assouplissement n. m. **1.** Action d'assouplir; fait de s'assouplir. *Mouvements d'assouplissement.* **2.** Correctif apporté à ce qui est trop strict. *L'assouplissement d'une règle.*

assouplisseur n. m. Produit introduit dans la lessive, ou ajouté à l'eau de rinçage, destiné à rendre le linge plus doux.

Assour. V. Assur.

Assourbanipal. V. Assurbanipal.

assourdir I. v. tr. [3] **1.** Causer une surdité passagère (à qqn). *Le bruit du canon l'avait assourdi.* – Pp. adj. *Un bruit assourdi.* **2.** Rendre moins sonore. *Moquette qui assourdit les pas. Cloison étudiée pour assourdir une pièce.* **3.** Fig. Diminuer la force, atténuer l'éclat (d'une couleur). *Assourdir un rouge en y mêlant du vert.* **II.** v. pron. PHON Perdre son caractère sonore, en parlant d'une consonne. *En français, le [b] s'assourdit* *devant une consonne sourde* (par ex. dans *absolu*, prononcé [apsɔly]).

assourdissant, ante adj. Qui assourdit.

assourdissement n. m. **1.** Action d'assourdir ; état d'une personne assourdie. **2.** PHON Perte par une consonne du trait de sonorité.

assouvir v. tr. [3] **1.** Rassasier. *Assouvir sa faim.* **2.** Fig. Satisfaire. *Assouvir ses désirs, sa passion.* ▷ v. pron. *Haine qui s'assouvit dans la vengeance.*

assouvissement n. m. **1.** Action d'assouvir. **2.** État de ce qui est assouvi, de celui qui est assouvi.

Assuérus, personnage biblique, roi de Perse, probablement Xerxès Ier, qui aurait épousé Esther.

assuétude n. f. MED **1.** Tolérance de l'organisme à une drogue qui y est introduite de façon habituelle. **2.** Dépendance psychique et physique d'un toxicomane vis-à-vis de son toxique. Syn. addiction.

assujetti, ie adj. Soumis. ▷ Subst. Personne que la loi soumet au paiement d'un impôt ou d'une taxe, ou à l'affiliation à un organisme.

assujettir **I.** v. tr. [3] **1.** Asservir, ranger sous sa domination. *Assujettir un peuple.* ▷ Ôter toute liberté à. *Cette tâche l'assujettit entièrement.* **2.** *Assujettir à* : soumettre à. *Il l'assujettit à ses caprices. Assujettir des contribuables à un impôt.* **3.** Fixer solidement, immobiliser (qqch). *Assujettir un chargement sur un camion.* **II.** v. pron. S'astreindre, se soumettre. *S'assujettir à une règle.*

assujettissant, ante adj. Astreignant, qui exige de l'assiduité. *Métier assujettissant.*

assujettissement n. m. **1.** Action d'assujettir ; état de ce qui est assujetti, asservissement. *L'assujettissement d'un pays.* **2.** État de contrainte habituelle, dépendance. *Assujettissement aux usages. Assujettissement à l'impôt.*

assumer v. tr. [1] Prendre sur soi la charge de. *Assumer une fonction, une responsabilité. Assumer sa condition,* l'envisager lucidement et supporter avec résolution les obligations qui en résultent. ▷ v. pron. Assumer sa condition (psychique, sociale, morale, etc.).

Assur ou **Assour** (auj. *Qalat Chergat*, en Irak), v. anc. et cap. primitive de l'Assyrie, sur le Tigre (IIIe millénaire av. J.-C.). – Vaste champ de ruines où l'on a trouvé inscriptions, vases, etc.

Assur, nom du Dieu suprême des Assyriens.

assurable adj. Susceptible d'être couvert par une assurance. *Risque assurable.*

assurage n. m. ALPIN Action d'assurer. – Ensemble des techniques qui permettent d'assurer.

assurance n. f. **1.** Litt. Sérénité. *Partez en toute assurance.* **2.** Mod. Comportement confiant et ferme. *Perdre son assurance* : se décontenancer. **3.** Gage ou garanties qui rassurent. *Exiger des assurances.* ▷ (Formule épistolaire.) *Agréez l'assurance de ma considération.* **4.** Contrat passé entre une personne et une société (compagnie d'assurances) qui la garantit contre des risques éventuels. *Contracter une assurance.* ▷ (Plur.) La compagnie qui assure. *Se renseigner auprès des assurances.* ▷ *Assurances sociales* : ensemble des assurances, le plus souvent obligatoires, qui garantissent les travailleurs contre divers risques (accidents du travail, maladie, invalidité, décès).

assurance-crédit n. f. Assurance qui garantit un créancier contre le risque d'insolvabilité de son débiteur. *Des assurances-crédits.*

assurance-vie n. f. Contrat d'assurance qui garantit, en cas de décès, le versement d'un capital ou d'une rente au conjoint, à un ayant droit ou à un tiers, ou, en cas de non-décès, à l'assuré à une date préalablement fixée. *Des assurances-vie.*

Assurbanipal ou **Assourbanipal,** roi d'Assyrie (669-631 av. J.-C.). Il conquit l'Égypte, la Chaldée, l'Élam. Assimilé à Sardanapale par les auteurs grecs.

Assurbanipal sur son char, bas-relief du palais d'Assurbanipal, VIIe s. av. J.-C. ; musée du Louvre

assuré, ée adj. **1.** Hardi, sans crainte. *Un air assuré.* **2.** Certain, inévitable, infaillible. *Succès assuré.* **3.** Garanti par un contrat d'assurance. ▷ Subst. Personne qui est garantie par un contrat d'assurance. – Personne qui verse des cotisations à un organisme d'assurances. *Un assuré social.*

assurément adv. Certainement, sûrement.

assurer v. [1] **I.** v. tr. **1.** Donner pour certain. *Je vous assure que...* ▷ Garantir, autoriser à croire. *Son effort nous assure de sa réussite.* **2.** Protéger par un dispositif de sûreté. *Assurer ses frontières.* ▷ Rendre sûr, garantir. *Ce traité assure la paix.* **3.** Rendre stable, ou, fig., résolu. *Assurer un mur. Assurer sa contenance.* ▷ ALPIN Donner une position, une prise sûre à. *Assurer son pied, sa main.* – Garantir la sécurité de. *Assurer un camarade de cordée.* **4.** Garantir le fonctionnement, la réalisation de. *Les ailes assurent la sustentation. L'interne assure la garde.* **5.** Garantir un droit. *Assurer une hypothèque.* ▷ Garantir ou faire garantir d'un risque par contrat. *Assurer un véhicule.* ▷ *Assurer une personne,* la garantir contre tel ou tel risque. **II.** v. pron. **1.** Vérifier, contrôler. *Assurez-vous que la porte est fermée. Assure-toi de sa bonne volonté.* **2.** Affermir sa position. *S'assurer en selle.* **3.** *S'assurer contre* : prendre des mesures de défense contre. ▷ Contracter une assurance couvrant tel ou tel risque. *S'assurer contre l'incendie.* **4.** *S'assurer de qqn,* utiliser les moyens nécessaires pour le contraindre à agir, à obtempérer, partic., l'emprisonner. ▷ *S'assurer de qqch,* utiliser les moyens nécessaires pour s'en rendre maître. **III.** v. intr. Fam. S'assumer avec brio. *Elle n'a plus vingt ans, mais elle assure.*

assureur n. m. Personne qui garantit contre un risque par contrat.

Assy, localité de la com. de Passy (Hte-Savoie, arr. de Bonneville) ; 1 134 hab. – Égl. N.-D.-de-Toute-Grâce (1950, Novarina architecte ; décorée par F. Léger, J. Lurçat, G. Richier, M. Chagall, P. Bonnard, H. Matisse).

Assyrie, empire mésopotamien qui s'illustra du XVIIIe au VIIe s. av. J.-C.
ENCYCL D'abord soumis à la domination de Sumer, puis d'Akkad, les Assyriens font leur apparition dans l'histoire au cours de la première moitié du IIIe millénaire av. J.-C. (fondation d'Assur). Ils constituèrent au XVIIIe s. av. J.-C. un premier empire (royaume de Shamshi-Adad Ier), dont l'essor fut brisé par Babylone (conquête de Hammourabi). La puissance assyrienne se manifesta de nouveau au XIIe s. av. J.-C. avec Téglath-Phalasar Ier (roi de 1112 à 1074 av. J.-C.), vainqueur des Araméens, puis, grâce à son organisation militaire, s'imposa pleinement sous le règne de Téglath-Phalasar III (746-727 av. J.-C.), qui annexa la Syrie et exerça son contrôle sur Babylone. Sous la dynastie des Sargonides, fondée par Sargon II (722-705 av. J.-C.), l'Assyrie connut une prospérité sans précédent ; elle s'étendit sur toute l'Asie occidentale, de la Perse à la Méditerranée, et jusqu'à Thèbes et en Égypte, soumise par Assurbanipal (669-631 av. J.-C.). Ses grandes villes furent Assur, Ninive, Nimroud et Dour-Sharroukîn (auj. *Khursabad*, v. d'Irak), nouvelle cap. des Sargonides. Mais l'immensité de cet empire le rendit vulnérable : il s'écroula définitivement en 614-612 av. J.-C. (chute de Ninive), incapable de résister aux armées coalisées des Mèdes et des Babyloniens.
BX-A. – L'art assyrien se distingue par ses énormes monuments en brique (ruines mal conservées des palais, des temples, des hautes ziggourats polychromes), sa sculpture massive (bas-reliefs d'albâtre figurant de grandes scènes de chasse), ses décors de brique émaillée et sa gravure en intaille des gemmes. Il glorifie la guerre et la chasse.

assyrien, enne adj. et n. De l'Assyrie, de sa civilisation.

assyriologie n. f. Étude de la civilisation assyrienne.

assyriologue n. Spécialiste en assyriologie.

astaciculture n. f. Élevage des écrevisses.

Astaire (Frederick E. Austerlitz, dit Fred) (Omaha, Nebraska, 1899 – Los Angeles, 1987), acteur américain. Célèbre à l'écran pour ses numéros de claquettes et ses évolutions chorégraphiques avec Ginger Rogers, il a joué dans d'innombrables comédies musicales américaines : *Top Hat* (1935), *Swing Time* (1936), *Ziegfeld Follies* (1946), *Tous en scène* (1953).

Astana (*Tselinograd* de 1961 à 1993, puis *Akmola* de 1993 à 1998), cap. du Kazakhstan ; 300 000 hab.

Astarté. V. Ashtart.

astate n. m. CHIM Élément radioactif appartenant à la famille des halogènes, de numéro atomique Z = 85, de masse atomique 210 (symbole At).

aster [astɛʀ] n. m. **1.** BOT Genre de composées ornementales, à petites fleurs en forme d'étoiles. **2.** BIOL Figure constituée par un centrosome et des filaments rayonnants. *Les asters appa-*

Cyd Charisse et Fred **Astaire** dans *Tous en scène,* 1953

raissent lors des divisions cellulaires, sauf chez les végétaux chlorophylliens.

astéracées n. f. pl. BOT Famille d'angiospermes (plus de 20 000 espèces) qui comprend notam. le tournesol et la laitue. - Sing. *Une astéracée.*

astérides n. m. pl. ZOOL Sous-classe d'échinodermes dont le corps est soit pentagonal, soit en forme d'étoile à cinq branches. - Sing. *Un astéride.*

astérie n. f. ZOOL Échinoderme appartenant à la sous-classe des astérides; étoile de mer.

astérisque n. m. Signe typographique (*) indiquant le plus souvent un renvoi ou annonçant une note.

Astérix et **Obélix,** guerriers gaulois, personnages d'une bande dessinée créée par Goscinny* (scénario) et Uderzo* (graphisme).

astéroïde n. m. ASTRO Petite planète. *La plupart des astéroïdes circulent autour du Soleil sur des orbites situées entre celles de Mars et de Jupiter.* (Leur nombre est supérieur à 30 000 et leur masse totale est inférieure au 1/1000 de celle de la Terre. Le plus gros, Cérès, a un diamètre de 1 000 km.)

asthénie n. f. MED Fatigue générale.

asthénique adj. et n. Atteint d'asthénie.

asthénosphère n. f. GEOPH Couche interne du globe située, en dessous de la lithosphère, jusqu'au manteau. (C'est sur ce magma analogue à un liquide visqueux, que se déplacent les plaques rigides.)

astérie s'attaquant à des huîtres

asthmatique [asmatik] adj. et n. Qui est sujet à l'asthme.

asthme [asm] n. m. Maladie caractérisée par des crises de dyspnée paroxystique, avec blocage de la respiration en inspiration et hypersécrétion bronchique. (Son origine peut être allergique - pollen -, psychologique, infectieuse ou cardiaque.)

asthmologie n. f. Partie de la médecine qui étudie l'asthme.

Asti, ville d'Italie (Piémont), sur le Tanaro; 76 950 hab.; ch.-l. de la prov. du m. nom, qui produit l'*asti,* vin blanc renommé (*asti spumante,* « mousseux »). - Cath. goth. (1309-1354).

asticot [astiko] n. m. **1.** Larve de la mouche dorée *(Lucilia cæsar),* servant d'appât pour la pêche. **2.** Fam., péjor. Bonhomme. *Un drôle d'asticot.*

asticoter v. tr. [1] Fam. Tracasser.

astigmate adj. et n. Atteint d'astigmatisme.

astigmatisme n. m. **1.** MED Défaut de courbure des milieux réfringents de l'œil, rendant impossible la convergence en un seul point des rayons passant par un même point. **2.** OPT Défaut d'un instrument d'optique qui ne donne pas d'un point une image ponctuelle.

Astérix

astiquage n. m. Action d'astiquer.

astiquer v. tr. [1] Frotter pour faire reluire.

Aston (Francis William) (Harborne, 1877 - Londres, 1945), physicien anglais. Il a construit un spectrographe de masse, avec lequel il a découvert les isotopes de la plupart des corps simples. P. Nobel de chimie 1922.

astragale n. m. **1.** BOT Genre de papilionacées, dont certaines espèces produisent la gomme adragante. **2.** ANAT Os du tarse articulé en haut avec les os de la jambe, en bas avec le calcanéum et le scaphoïde. **3.** ARCHI Moulure qui sépare le fût d'une colonne de son chapiteau.

astrakan n. m. Peau d'agneau (karakul) nouveau-né à laine frisée, fort recherchée comme fourrure.

Astrakhan, v. et port de pêche de Russie, dans le delta de la Volga, sur la mer Caspienne; 519 000 hab.; ch.-l. de la prov. du m. nom. Raff. de pétrole, constr. navales, industr. alim. (caviar), tanneries (karakul).

astral, ale, aux adj. Relatif aux astres. *Signes astraux.* ▷ *Corps astral :* en occultisme, principe intermédiaire entre l'âme et le corps.

astre n. m. **1.** Corps céleste. *Le mouvement des astres.* ▷ Poét. *L'astre du jour, de la nuit :* le Soleil, la Lune. - *Beau comme un astre :* très beau. **2.** (Plur.) Corps célestes, considérés par rapport à leur influence sur les hommes et leur destinée. *Consulter les astres.* ▷ Sing. Fig. Destin. *Être né sous un astre favorable.*

astreignant, ante [astʀɛɲɑ̃, ɑ̃t] adj. Qui astreint; qui constitue une contrainte. *Travail astreignant.*

astreindre 1. v. tr. **[55]** Obliger, soumettre, assujettir. *Astreindre à des travaux pénibles.* **2.** v. pron. *S'astreindre à :* s'imposer (qqch) comme discipline. *Elle s'astreignait à une gymnastique quotidienne.*

astreinte n. f. **1.** DR Moyen de contraindre un débiteur récalcitrant, qui consiste à lui faire payer une certaine somme par jour de retard dans l'exécution de son obligation. **2.** Contrainte. **3.** Dans certaines professions (hôpitaux, gendarmerie), obligation d'être disponible à certaines heures pour les cas d'urgence.

Astrid Bernadotte (Stockholm, 1905 - Küssnacht, Suisse, 1935), princesse suédoise, reine des Belges, épouse de Léopold III; morte dans un accident d'automobile.

astringence n. f. Caractère astringent. *L'astringence du jus de citron.*

astringent, ente adj. et n. m. Qui resserre les tissus vivants. *Lotion astringente.* - n. m. *Utiliser un astringent.*

astro-. Élément, du gr. *astron,* « astre ».

astrolabe n. m. Anc. Instrument astronomique qui servait à déterminer la hauteur apparente des astres et à calculer les latitudes. *L'astrolabe fut inventé par Hipparque.* - Mod. Instrument qui permet de déterminer la latitude d'un lieu en observant le passage apparent des étoiles sous une hauteur et à une heure données. *Astrolabe à prisme.*

astrologie n. f. Étude de l'influence, réelle ou supposée, des astres sur le comportement de l'homme et des groupes sociaux, ainsi que sur leur destinée. (L'astrologie est pratiquée depuis la plus haute antiquité et a servi d'élément moteur au développement de l'astronomie, avec laquelle elle s'est longtemps confondue.)

► illustr. **zodiaque**

astrologique adj. Qui se réfère à l'astrologie. *Prédictions astrologiques.*

astrologue n. Personne qui pratique l'astrologie.

astrométrie n. f. Didac. Branche de l'astronomie qui étudie la position des astres telle qu'elle est déterminée par des mesures d'angles.

astronaute n. Spationaute.

astronautique n. f. Ensemble des sciences et des techniques qui permettent à des engins propulsés de sortir de l'atmosphère terrestre.

astronef n. m. Vieilli Appareil, piloté par l'homme, capable de se déplacer hors de l'atmosphère terrestre et plus généralement hors du champ de gravitation de la Terre. Syn. mod. Engin, véhicule spatial.

astronome n. Personne qui pratique l'astronomie.

astronomie n. f. Étude scientifique des astres, de la structure de l'Univers. ENCYCL **Évolution historique.** – L'astronomie a pris son véritable essor en tant que science en Grèce avec Aristote (IVe s. av. J.-C.), Hipparque (IIe s. av. J.-C.) et Ptolémée (140 apr. J.-C.), et reste confinée jusqu'à la fin du XVIIe s. à l'étude du système solaire, complétée par les travaux de Copernic, Tycho Brahe, Kepler et surtout Newton, qui parvint en 1687 à établir la loi de l'attraction universelle. Le XVIIe siècle a aussi procuré à l'astronomie les instruments de son développement ultérieur, notam. la lunette astronomique (avec Galilée en 1609) et le télescope (avec Newton en 1671). Dès le XVIIIe s., l'astronomie contribue largement à l'évolution de la pensée scientifique. Les plus brillants mathématiciens participent à l'essor de l'astrométrie et au développement de la mécanique céleste. Parallèlement, grâce à la mise au point de télescopes de plus en plus grands, le champ d'investigation s'étend au domaine stellaire. Dans la première partie du XIXe s., les progrès de la physique permettent de déchiffrer les informations transmises par la lumière. Le développement de l'analyse spectrale marque le début de l'astrophysique : les astronomes ne se contentent plus de mesurer la position des astres, ils tentent d'en expliquer la nature. L'astronomie moderne est née, elle s'appuie d'une part sur les nouveaux acquis de la physique (mécanique quantique, physique des particules, relativité) et sur les innovations techniques (détection des ondes radioélectriques, science de l'espace, détecteurs électroniques). En moins de 70 ans, les limites de l'Univers observable – que l'on sait maintenant composé d'un nombre immense de galaxies – ont été reculées à l'extrême. Un mouvement d'expansion de l'Univers a aussi été mis en évidence, qui accrédite l'hypothèse d'une «explosion» originelle, le big bang.
Astronomie fondamentale. – Astrométrie et mécanique céleste composent cette branche la plus traditionnelle de l'astronomie. Il appartient à l'astrométrie d'établir les catalogues d'étoiles, en particulier le *catalogue fondamental* donnant la position d'un certain nombre d'étoiles de référence. Grâce aux moyens spatiaux, l'astrométrie connaît de nos jours un nouvel essor. La mise en service (1989) du satellite européen Hipparcos permet de mesurer les parallaxes des étoiles avec une précision jamais atteinte et donc de déterminer directement la distance d'un très grand nombre d'étoiles. La mécanique céleste, qui jadis décrivait uniquement le mouvement des planètes autour du Soleil, s'attache auj. à calculer avec une précision extrême les trajectoires des sondes spatiales. Les méthodes de la mécanique céleste sont aussi appliquées aux systèmes stellaires les plus divers (étoiles doubles, galaxies, amas de galaxies). V. aussi astrophysique, cosmologie et planétologie.

astronomique adj. **1.** De l'astronomie. **2.** Fig. Exagéré, démesuré. *Des sommes astronomiques.*

astrophysicien, enne n. Personne qui pratique l'astrophysique.

astrophysique n. f. Partie de l'astronomie qui étudie la nature physique des astres.
ENCYCL D'abord limitée à l'étude du rayonnement visible, l'astrophysique a étendu son champ d'application à l'ensemble du spectre électromagnétique. C'est ainsi qu'on a vu naître la radioastronomie, c'est-à-dire l'étude des ondes radioélectriques émises par les astres. On lui doit la découverte des quasars, des pulsars et du rayonnement cosmique à 2,7 kelvins. Puis les techniques spatiales ont permis d'étudier tous les rayonnements inobservables à partir du sol terrestre en raison de l'écran que constitue l'atmosphère. On distingue l'astronomie infrarouge (qui concerne les astres les plus froids : planètes, naines brunes, nuages interstellaires), l'astronomie U.V. (étoiles chaudes), l'astronomie X et l'astronomie gamma (astres où se produisent les plus grands transferts d'énergie : étoiles effondrées, trous noirs). L'astrophysique tente aussi d'exploiter d'autres messagers qu'envoient les astres : rayons cosmiques (protons et noyaux accélérés à des vitesses proches de la vitesse de la lumière), neutrinos émis au cœur des étoiles au cours des réactions de fusion nucléaire, ondes gravitationnelles engendrées lors de l'effondrement d'une étoile.

astuce n. f. **1.** Vieilli Ruse pour tromper. *Les astuces du diable.* **2.** Esprit d'ingéniosité. *Il a montré beaucoup d'astuce.* **3.** Procédé ingénieux. *Multiplier les astuces pour atteindre son but.* **4.** Trait d'esprit, jeu de mots. *Faire des astuces.*

astucieusement adv. Avec astuce.

astucieux, euse adj. **1.** D'une finesse rusée. *Diplomate astucieux.* **2.** Plein d'ingéniosité. *Bricoleur astucieux.* **3.** Qui dénote de l'astuce. *Physionomie éveillée et astucieuse.*

Asturias (Miguel Ángel) (Ciudad de Guatemala, 1899 – Madrid, 1974), poète et romancier guatémaltèque. Il évoqua les civilisations précolombiennes et dénonça avec force les dictatures d'Amérique centrale : *Légendes du Guatemala* (1930), *Monsieur le Président* (1946), *le Pape vert* (1959), *les Yeux des enterrés* (1960). P. Nobel 1967.

Asturies, communauté autonome du N.-O. de l'Espagne et région de la C.E., 10 565 km^2; 1 128 370 hab.; cap. *Oviedo.* – La rég., montagneuse, a un climat océanique qui favorise l'élevage; la pêche est très active. Les richesses naturelles sont import. : houille (2/3 de la production nat.), fer, houille blanche. Avilés, Gijón, Mieres, La Felguera sont des centres industriels (sidérurgie, verrerie, céramique) et miniers. – Rome conquit le pays (v. 22 av. J.-C.) dont s'emparèrent les tribus germaniques en 411. Les Arabes s'y installèrent dès 711, mais du royaume fondé dans les montagnes (v. 717) par Pélage partit la «Reconquista». Ce royaume s'agrandit de la Galice et du Léon et eut pour cap. Léon (v. 914). Le titre de *prince des Asturies* est donné depuis 1388 à l'héritier du trône d'Espagne.

Astyage, dernier roi des Mèdes (de 584 à 550 av. J.-C.).

Astyanax, dans la myth. gr., fils d'Hector et d'Andromaque.

Asunción (en franç. *Assomption*), cap. du Paraguay, sur le Paraguay; 477 100 hab. Port fluvial import.; industr. alim., text. – Ville fondée en 1536.

Asuras, divinités de la myth. hindoue, souvent considérées comme démoniaques.

asymétrie n. f. Absence de symétrie.

asymétrique adj. Qui manque de symétrie.

asymptomatique adj. MED Qui ne présente pas de signes cliniques.

asymptote n. f. MATH Droite, courbe dont la distance à une courbe tend vers zéro quand cette droite ou cette courbe s'éloigne vers l'infini. ▷ adj. *Droite asymptote à une courbe. Courbe asymptote à une parabole.*

asymptotique adj. MATH De l'asymptote. *Courbe asymptotique.*

asynchrone adj. Didac. Qui n'est pas synchrone. ▷ ELECTR *Moteur asynchrone :* moteur à courant alternatif dont le rotor tourne à une vitesse inférieure à celle du champ magnétique qui l'entraîne (par oppos. à *moteur synchrone,* tournant à la même vitesse).

asyndète n. f. GRAM Suppression des mots de liaison entre les termes d'une même phrase ou de plusieurs phrases (conjonctions de coordination, adverbes), qui donne au discours plus de vigueur.

Asyut. V. Assiout.

At CHIM Symbole de l'astate.

Atacama, région désertique du N. du Chili, en bordure du Pacifique. Faible agric., mais import. gisements d'or, de cuivre, de pétrole, de sel. La rég. est desservie par le Transandin. – Prov. du Chili du m. nom : 78 268 km^2; 195 220 hab.; ch.-l. *Copiapó.* – L'Atacama bolivien, cédé en 1884 au Chili, forme auj. la prov. d'Antofagasta.

Atahualpa (?, 1500 – Cajamarca, 1533), dernier empereur inca (1525-1533). Il fut étranglé sur l'ordre de Pizarro.

Atalante, héroïne grecque célèbre pour sa rapidité à la course; elle épousa Hippomène, qui parvint à la vaincre.

ataraxie n.f. PHILO Tranquillité de l'âme, fondée notam. sur la connaissance raisonnée de la «limite d'accroissement des plaisirs» (chez Démocrite). ▷ Quiétude de l'esprit que «rien ne peut troubler», absence de douleur morale (dans les philosophies épicurienne et stoïcienne).

Atatürk. V. Kemal (Mustafa).

atavique adj. Qui a trait à l'atavisme.

atavisme n. m. **1.** BIOL Réapparition, chez un descendant, d'un caractère des ascendants, qui peut avoir été latent pendant plusieurs générations. **2.** Cour. Ensemble des caractères héréditaires.

ataxie n. f. MED Incoordination des mouvements avec conservation de la force musculaire, due à une atteinte du système nerveux central.

-ate. Suffixe employé en chimie, pour former des substantifs (ex. *carbonate*).

atèle n. m. Singe d'Amérique du Sud (genre *Ateles,* sous-ordre des platyrhiniens), aux membres très longs, aux mains sans pouce, à la queue préhensile, appelé également *singe-araignée.*

atelier n. m. **1.** Local où travaille une personne exerçant une activité manuelle. *Atelier de menuisier, d'orfèvre. L'atelier d'un bricoleur.* **2.** Subdivision d'une usine, d'une fabrique, où s'exécute un type déterminé de travail. *Atelier de montage. Atelier de tréfilage.* **3.** Local où travaillent un ou plusieurs artistes plasticiens. *L'atelier d'un sculp-*

teur. – *Par ext.* Ensemble des élèves travaillant sous la conduite d'un maître. **4.** Compagnie de francs-maçons réunis sous le même vocable; lieu où ils s'assemblent. **5.** HIST *Ateliers de charité* : ateliers qui, sous l'Ancien Régime, procuraient du travail aux mendiants valides.

atellane n. f. ANTIQ ROM (Souvent au plur.) Comédie bouffonne, outrancière, qui préfigure la comédie italienne.

atémi n. m. SPORT Dans les arts martiaux japonais, coup porté sur un point vital.

a tempera [atɑ̃pera] loc. adj. et adv. (ital.) PEINT Se dit d'une couleur délavée dans de l'eau mêlée à un agglutinant (jaune d'œuf, gomme, etc.), et de la technique d'utilisation de cette peinture.

a tempo loc. adv. MUS Signe indiquant qu'on doit reprendre le mouvement initial.

atemporel, elle adj. Didac. Qui n'a pas de rapport avec le temps.

atermoiement [atɛrmwamɑ̃] n. m. (Le plus souvent au plur.) Action d'atermoyer, d'hésiter et de remettre à plus tard. *Décision prise après bien des atermoiements.*

atermoyer v. intr. [**23**] Chercher des délais, remettre à plus tard une décision. *Nous ne pouvons plus atermoyer, prenons une décision.*

Atget (Eugène) (Libourne, 1857 – Paris, 1927), photographe français. Son souci permanent de décrypter le vieux Paris (rues, parcs, monuments anc., petits commerces) révèle les traces d'un passé qui allait progressivement disparaître.

Ath (en néerl. *Aat*), v. de Belgique (Hainaut), sur la Dendre; 24 040 hab.; ch.-l. d'arr. Industries alim., text.; meubles.

Athabasca ou **Athabaska,** riv. (1 200 km) du Canada occid.; naît dans les Rocheuses et se jette dans le *lac Athabaska.* Import. gisements de sable bitumineux.

Athalie, fille d'Achab et de Jézabel, reine de Juda de 841 env. à 835 av. J.-C.; épouse de Joram. Pour assurer son pouvoir, elle extermina toute la race de David, mais son petit-fils Joas, ayant échappé au massacre, fut mis sur le trône par le grand prêtre Joad, et la fit périr.

atèle

Athanagild, roi des Wisigoths d'Espagne (v. 554-567), père de Galswinthe et de Brunehaut.

Athanase (saint) (Alexandrie, 295 – id., 373), docteur de l'Église, patriarche d'Alexandrie en 328. Il fut le principal adversaire de l'arianisme.

Athaulf, roi des Wisigoths (410-415). Il succéda à Alaric Ier.

athée adj. et n. Qui ne croit pas en Dieu, qui en nie l'existence.

athéisme n. m. Opinion ou doctrine de l'athée.

Athéna, déesse grecque de la Sagesse, des Sciences et des Arts, assimilée par les Romains à Minerve. Sortie tout armée du cerveau de Zeus, elle est aussi une déesse guerrière. Athènes porte son nom.

Athéna, bronze (détail), IVe s. av. J.-C.; Musée archéologique, Le Pirée

Athênagoras (Tsaraplana, auj. Vassilikón, Grèce, 1886 – Istanbul, 1972), prélat grec orthodoxe. Évêque de Corfou (1923), il fut élu patriarche œcuménique de Constantinople en 1948. Artisan, avec le pape Paul VI, de la réconciliation des Églises orthodoxe et catholique romaine.

athénée n. m. Lycée de garçons, en Belgique.

Athénée (Naucratis, Égypte, IIe-IIIe s. apr. J.-C.), grammairien et rhéteur grec. Auteur du *Banquet des sophistes.*

Athènes (en gr. mod. *Athina*), cap. de la Grèce et du nome d'Attique; 748 110 hab. (aggl. urb. 3 027 330 hab.). Centre politique, administratif, elle rassemble, avec sa région, les trois quarts du potentiel industriel du pays. Université. Archevêché. Tourisme très important. – Acropole, avec les restes du Parthénon, de l'Érechthéion et des Propylées. Nombreux musées, dont le Musée national d'archéologie.

Hist. – Gouvernée d'abord par les Eupatrides, Athènes connut tour à tour les réformes législatives de Dracon (v. 621 av. J.-C.), celles de Solon (594 av. J.-C.), la tyrannie relativement modérée de Pisistrate (561 à 528 av. J.-C.), puis les institutions démocratiques de Clisthène, qu'une assemblée du peuple *(ecclesia)* porta au pouvoir en 508 av. J.-C. Ses victoires (Marathon, Salamine) dans les guerres médiques, la formation de la Ligue maritime de Délos (477 av. J.-C.), qu'elle domine, inaugurent l'empire maritime d'Athènes et favorisent le rayonnement intellectuel et artistique de la cité. C'est le grand Ve siècle, le «siècle de Périclès», de Phidias, d'Ictinos et de Callicratès (architectes du Parthénon), d'Eschyle, de Sophocle, d'Euripide, d'Aristophane, de Socrate. Avec la guerre du Péloponnèse (431-404 av. J.-C.), Athènes finit par perdre sa suprématie politique au profit de Sparte, qui lui impose le régime oligarchique des Trente Tyrans. Pourtant, au IVe s., la culture athénienne continue de briller avec Thucydide, Xénophon, Platon, Aristote, Démosthène, Praxitèle, etc. L'écrasement des Spartiates par les Thébains (362 av. J.-C.) redonne à Athènes une liberté qu'elle perd de nouveau lors de sa défaite devant Philippe de Macédoine (Chéronée, 338 av. J.-C.). À la domination macédonienne succède la domination romaine (86 av. J.-C.), puis la civilisation athénienne, un temps menacée par les Barbares, s'ouvre, par l'influence byzantine, au christianisme triomphant. La ville perd de son importance sous les dominations byzantine, puis turque (1456-1822). Elle devient cap. de la Grèce indépendante en 1834.

Athènes : le quartier de la Plaka au pied de l'Acropole

athénien, enne adj. D'Athènes. ▷ Subst. *Un(e) Athénien(ne).*

athermique adj. PHYS *Transformation athermique*, qui s'effectue sans échange de chaleur.

athéromateux, euse adj. MED Constitué par l'athérome. ▷ Subst. Qui souffre d'athérome.

athérome n. m. MED Lésion de la tunique interne des artères, constituée par des dépôts lipidiques (cholestérol).

athérosclérose n. f. MED Sclérose artérielle secondaire à l'athérome.

Athis-Mons, ch.-l. de cant. de l'Essonne (arr. de Palaiseau), au S. d'Orly; 29 695 hab. Industries alim. et métall.

athlète n. **1.** ANTIQ Celui qui concourait dans les jeux gymniques solennels de la Grèce et de Rome. **2.** Personne qui s'adonne à l'athlétisme. *Entraînement d'un athlète. Les athlètes françaises.* ▷ Par ext. *Un athlète* : un homme fort, bien bâti.

athlétique adj. **1.** Relatif à l'athlétisme. *Sports athlétiques.* **2.** Propre à l'athlète. *Force athlétique.*

athlétisme n. m. Ensemble des exercices physiques qui forment aujourd'hui l'un des sports individuels de compétition officiellement reconnus (lancers, courses, sauts). *Les épreuves d'athlétisme des jeux Olympiques.*

▶ illustr. page **128**

Athos (mont), montagne de la Grèce (2 033 m), située en Macédoine, à l'extrême pointe de la presqu'île la plus orientale de Chalcidique. Le territoire du mont Athos, qui bénéficie d'un sta-

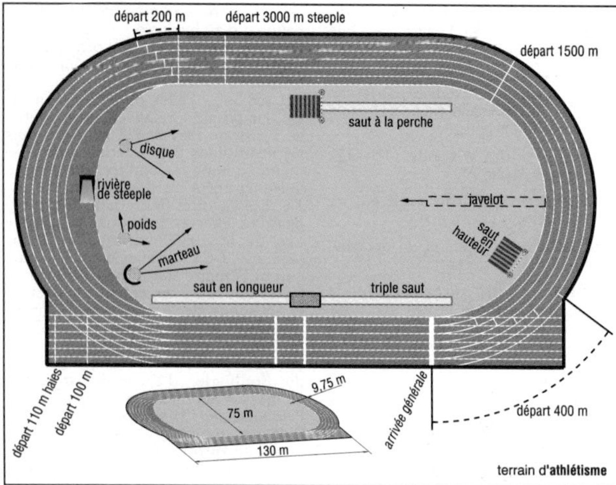

terrain d'**athlétisme**

mont **Athos** : le monastère de Xéropotamos, v. Xe s.

tut spécial d'autonomie administrative depuis 1926, abrite vingt monastères, fondés depuis le Xe s., qui constituent, encore auj., avec leurs 1 700 moines env., le plus grand centre religieux de l'Église orthodoxe. L'accès en est interdit aux femmes et aux enfants.

Atlan (Jean-Michel) (Constantine, 1913 - Paris, 1960), peintre français. Inspiré par les arts primitifs et la tradition ésotérique de la Cabale, il a peint des formes semi-abstraites soulignées par d'amples cernes noirs.

Atlanta, v. des É.-U., cap. de la Georgie; 394 000 hab. (aggl. urb. 2 380 000 hab.). Industr. text., métall. - Centre des confédérés pendant la guerre de Sécession, la ville fut prise et incendiée par Sherman (1864).

atlante n. m. ARCHI Statue qui soutient un entablement, figurant un homme robuste chargé d'un fardeau (à la manière d'Atlas portant le ciel sur ses épaules).

Atlantic City, v. des É.-U. (New Jersey), sur l'Atlantique; 37 980 hab. (aggl. urb. 290 400 hab.). Station balnéaire.

Atlantide, île fabuleuse que les Anciens, partic. les Grecs, situaient à l'O. des colonnes d'Hercule (détroit de Gibraltar), dans l'océan Atlantique, où elle se serait engloutie.

atlantique adj. **1.** De l'océan Atlantique; relatif à l'océan Atlantique. *Littoral atlantique.* ▷ *Les provinces atlantiques :* au Canada, Terre-Neuve et les Provinces maritimes* (Nouveau-Brunswick, Nouvelle-Écosse et île du-Prince-Édouard). **2.** Relatif au pacte Atlantique (entre les pays de l'OTAN*). *Politique, alliance atlantique.*

Atlantique (océan), deuxième océan après le Pacifique, par la superf. (env. 106 000 000 de km²). Il s'étend entre l'Europe et l'Afrique à l'E., et les Amériques à l'O. Il est bordé au N. par l'océan Arctique, au S. par l'océan Antarctique, et comprend de grandes cuvettes (9 219 m dans la fosse de Porto Rico) séparées par une chaîne de montagnes, la dorsale médio-atlantique, dont les émergences forment des îles : Açores, Sainte-Hélène, Asunción. L'existence de courants froids (Canaries, Labrador, Groenland) et de courants chauds (Brésil, Guinée et, surtout, Gulf Stream) influe sur les climats côtiers.

Atlantique (mur de l'), imposante série de fortifications édifiées par les Allemands entre 1941 et 1944 sur les côtes françaises de l'Atlantique pour empêcher le débarquement des Alliés.

atlantisme n. m. Opinion, doctrine des partisans du pacte Atlantique *(atlantistes).*

1. atlas n. m. ANAT Première vertèbre cervicale, qui supporte la tête.

2. atlas n. m. Recueil de cartes géographiques ou astronomiques. ▷ *Par ext.* Recueil de planches, de tableaux. *Atlas botanique.*

Atlas, système montagneux de l'Afrique du Nord, s'étendant du S.-O. du Maroc au N.-E. de la Tunisie. La chaîne la plus import., le *Haut Atlas,* se trouve au Maroc (4 165 m au djebel Toubkal); elle est flanquée au N. du *Moyen Atlas,* au S. de l'*Anti-Atlas.* L'Algérie comprend au N. l'*Atlas tellien,* séparé de l'*Atlas saharien* par des hauts plateaux. Ces chaînes convergent en Tunisie vers le cap Bon.

Atlas, géant, fils du Titan Japet et de Clyméné. Zeus, pour le punir d'avoir participé à la guerre des Géants contre les dieux, le condamna à supporter sur ses épaules le poids de la voûte céleste.

atm PHYS Symbole de l'atmosphère normale (unité de pression).

atmosphère n. f. **1.** Enveloppe gazeuse qui entoure le globe terrestre. ▷ Enveloppe gazeuse qui entoure une planète. *L'atmosphère de Mars, de Vénus.* - *Atmosphère stellaire :* zone qui entoure la surface d'une étoile et que traversent les rayonnements d'origine thermonucléaire émis par celle-ci. (La densité des atmosphères stellaires est de l'ordre de 10^{-7} g/cm³; températures comprises

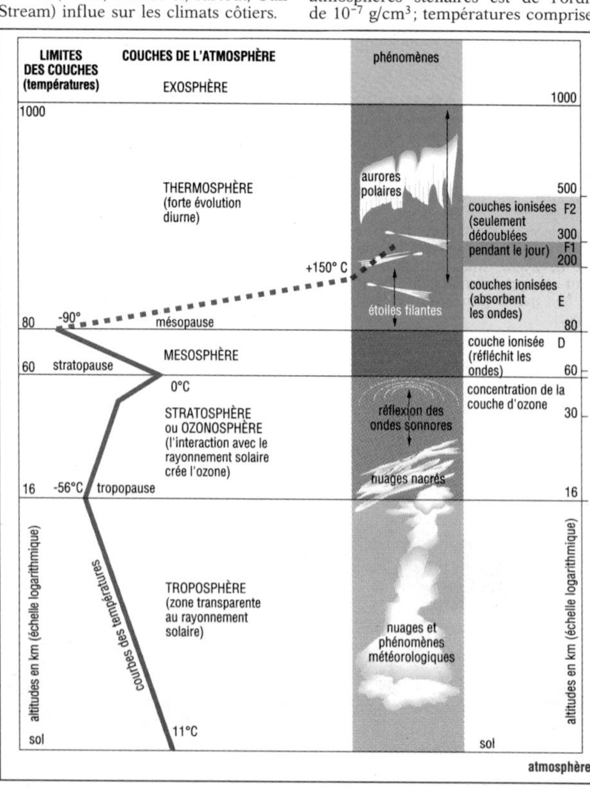

atmosphère

entre 3 000 et 70 000 K.) **2.** Air que l'on respire. *L'atmosphère parfumée de la roseraie.* **3.** Fig. Milieu, ambiance morale et intellectuelle. *Une atmosphère de corruption et d'intrigues.* **4.** CHIM Couche de fluide libre qui entoure un corps isolé. *Atmosphère oxydante, réductrice.* **5.** METROL *Atmosphère normale :* unité de pression atmosphérique correspondant à 1 atm = 1,013.10^5 pascals.

ENCYCL **Géophys. et météo.** – L'atmosphère est constituée par un mélange de gaz et de particules solides d'origines terrestre et cosmique. On admet qu'au-delà de 1 000 km d'altitude, du fait de la raréfaction des molécules d'air, l'atmosphère ne donne plus lieu à des phénomènes observables : c'est l'*exosphère*. La classification des couches de l'atmosphère repose sur la répartition verticale des températures. La *troposphère*, comprise entre le sol et une altitude de 7 km (– 50 °C) aux pôles et 16 km (– 56 °C) à l'équateur, représente 90 % de la masse de l'atmosphère ; elle contient 100 % de la vapeur d'eau atmosphérique ; elle est le siège de phénomènes météorologiques (V. météorologie et nuage). La *stratosphère* (ou *ozonosphère*), où la température moyenne est de 0 °C, s'étend jusqu'à une cinquantaine de kilomètres d'altitude ; on y rencontre des vents violents pouvant atteindre 350 km/h ; le rayonnement solaire y transforme une partie de l'oxygène (O_2) en ozone (O_3). Dans la *mésosphère*, qui s'étend jusqu'à 80 km d'altitude, la température décroît jusqu'à atteindre – 90 °C. Dans la *thermosphère*, la température a une grande variation diurne, mais croît toujours à mesure qu'on s'élève (plusieurs centaines de degrés au-dessus de 200 km). Dans la mésosphère et la thermosphère, des couches ionisées, réunies sous le nom de *ionosphère*, jouent un rôle électromagnétique important (aurores polaires, absorption ou réflexion des ondes radioélectriques, etc.).

atmosphérique adj. **1.** De l'atmosphère ; qui se rapporte à l'atmosphère. *Pression atmosphérique.* **2.** *Moteur atmosphérique :* moteur qui fonctionne à la pression ambiante, sans surpression ni alimentation forcée.

A.T.N.C. n. m. Abrév. de *agent transmissible non conventionnel*, autre nom du prion.

atoll n. m. Île corallienne en forme d'anneau, entourant une lagune.

atoll des îles Maldives

modèle de l'atome proposé en 1913 par Niels Bohr

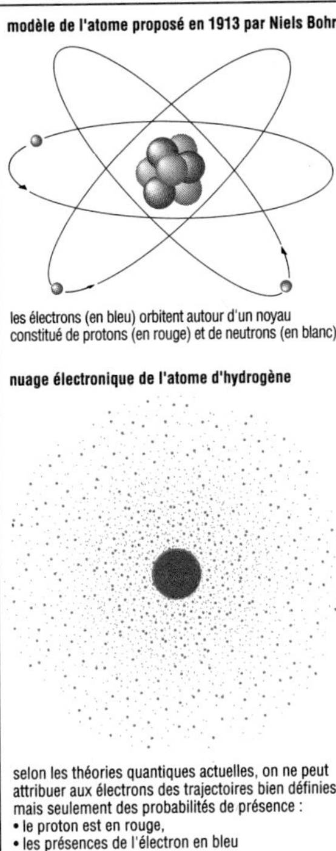

les électrons (en bleu) orbitent autour d'un noyau constitué de protons (en rouge) et de neutrons (en blanc)

nuage électronique de l'atome d'hydrogène

selon les théories quantiques actuelles, on ne peut attribuer aux électrons des trajectoires bien définies mais seulement des probabilités de présence :
• le proton est en rouge,
• les présences de l'électron en bleu

atome

atome n. m. **1.** CHIM Plus petite quantité d'un corps simple (de 0,1 à 1 millionième de millimètre) qui puisse entrer dans une combinaison. ▷ PHYS Système de particules dont les plus massives (*électrons*) forment un « cortège » autour du noyau. ▷ Par ext. *L'atome :* l'énergie atomique ; ses applications. *L'atome dans le Marché commun.* **2.** Fig. Quantité minuscule. *Il n'a pas un atome de bon sens.* **3.** PHILO *Atomes crochus :* dans le système de Démocrite et d'Épicure, atomes qui peuvent s'accrocher les uns aux autres de façon à former les corps, la matière. ▷ Fig. *Atomes crochus entre deux personnes*, affinités qui les rapprochent.

ENCYCL **Historique.** – L'atome, « essence de toutes choses », ne fut dans l'Antiquité qu'un concept philosophique sans base scientifique. La première théorie atomique a été élaborée par Lavoisier, Proust, Dalton et Gay-Lussac entre 1789 et 1815. Elle se perfectionna grâce à Mendeleïev (classification périodique des éléments en 1868), Einstein (équivalence masse-énergie en 1900), Planck (théorie des quanta en 1905), Rutherford (découverte du noyau en 1911), Bohr et Sommerfeld (modèles de l'atome en 1913 et 1915), de Broglie (bases de la mécanique ondulatoire en 1923), Chadwick (découverte du neutron en 1932), I. et F. Joliot-Curie (transmutation artificielle en 1934), et aboutit à la divergence du premier réacteur nucléaire en 1942 et à l'explosion de la première bombe atomique en 1945.
Structure de l'atome. – Bohr, développant les idées de Thomson et de Rutherford, a élaboré un premier modèle (l'*atome de Bohr*), illustrant la structure de l'atome : autour d'un *noyau* central, chargé positivement, des *électrons*, chargés négativement, sont en mouvement. Pour expliquer le comportement des éléments autres que l'hydrogène, on supposa d'abord que les orbites décrites par l'électron pouvaient être elliptiques (*atome de Sommerfeld*) puis que l'électron tournait sur lui-même (*hypothèse du spin*, 1925). Un électron peut tourner dans un sens ou dans l'autre (spin égal à + 1/2 ou – 1/2). Le modèle actuel de l'atome repose sur la mécanique ondulatoire, dont les lois ont été définies par Louis Victor de Broglie. Un atome est défini par son nombre de masse *A*, qui indique le nombre de nucléons, et par son nombre de charge *Z*, qui indique le nombre de nucléons chargés positivement, ou *protons* (les autres nucléons, dont le nombre est *A* – *Z*, sont des neutrons).

atomicité n. f. CHIM Nombre d'atomes d'une molécule. *La molécule d'eau H_2O a une atomicité égale à 3.*

atomique adj. **1.** PHYS et CHIM Qui a trait à l'atome, qui le caractérise. *Noyau atomique. Théorie atomique.* – *Chaleur atomique :* produit de la masse atomique par la chaleur massique à l'état solide. *Masse atomique d'un élément, d'un isotope :* nombre mesurant la masse de moles d'atomes d'un élément ou d'un isotope de celui-ci, dans une échelle dont la base est la masse de l'isotope de masse 12 du carbone. – *Poids atomique :* poids, en un lieu déterminé, d'une masse d'élément égale à sa masse atomique. – *Nombre* ou *numéro atomique :* nombre de charges élémentaires positives du noyau de l'atome. *Le nombre atomique représente le rang de l'élément dans la classification de Mendeleïev.* – *Volume atomique :* quotient du volume molaire par le nombre de moles d'atomes de la mole. **2.** Relatif au noyau de l'atome, aux réactions nucléaires. *Énergie atomique*, produite par la fission du noyau de l'atome. *Bombe atomique.*

atomisation n. f. Didac. Action d'atomiser, fait d'être atomisé.

atomisé, ée adj. **1.** Réduit en fines particules. **2.** Qui a subi les effets des radiations atomiques.

atomiser v. tr. [1] **1.** Réduire un corps en particules extrêmement fines. **2.** (Surtout au passif.) Détruire au moyen d'armes atomiques. *Hiroshima et ses habitants furent atomisés en 1945.* **3.** Fig. Morceler à l'extrême, détruire la cohésion de. *La vie moderne atomise les groupes sociaux traditionnels.*

atomiseur n. m. Appareil qui permet de pulvériser très finement un liquide.

atomisme n. m. PHILO Doctrine philosophique des Anciens (Leucippe, Démocrite, Épicure, Lucrèce) selon laquelle la matière est constituée d'atomes juxtaposés indivisibles.

atomiste n. (et adj.) **1.** Partisan de l'atomisme. **2.** Spécialiste de la physique atomique.

Aton, dieu solaire égyptien auquel Aménophis IV Akhenaton (v. 1372-1354 av. J.-C.) voua un culte qui préfigurait peut-être le monothéisme.

atonal, ale, als adj. MUS Qui n'obéit pas aux règles du système tonal de l'harmonie classique. *Les musiques dodécaphonique et sérielle sont atonales.*

atonalité n. f. Caractère de l'écriture musicale atonale.

atone adj. **1.** MED Qui manque de tonicité. *Muscle atone.* **2.** Sans expression, sans vie (en parlant du regard). *Des* *yeux atones.* **3.** LING Dépourvu d'accent tonique. *Syllabe, voyelle atone.*

atonie n. f. **1.** MED Faiblesse des tissus d'un organe. *Atonie musculaire.* **2.** Fig. Inertie morale ou intellectuelle.

atonique adj. MED Relatif à l'atonie.

atour n. m. **1.** Vx Ornement, parure. – Anc. *Dame d'atour* : dame qui présidait à la toilette d'une reine ou d'une princesse. **2.** Plur. Plaisant Éléments de la parure féminine (vêtements, linge, bijoux). *Revêtir ses plus beaux atours.*

atout n. m. **1.** Dans les jeux de cartes, couleur qui l'emporte sur les autres au cours d'une partie; carte de cette couleur. *Ne pas avoir d'atout. Jouer un atout.* **2.** Fig. *Avoir, mettre tous les atouts dans son jeu* : réunir tous les moyens de succès.

atoxique adj. MED Qui n'est pas toxique.

A.T.P. n. f. BIOCHIM Sigle de *adénosine-triphosphate.* V. adénosine-phosphate.

A.T.P.ase n. f. BIOCHIM (Sigle de *adénosine-triphosphatase.*) Enzyme qui scinde l'adénosine-triphosphate (A.T.P.) en adénosine-diphosphate (A.D.P.) avec libération d'une grande quantité d'énergie utilisable par la cellule.

atrabilaire adj. et n. Vieilli Atteint de mélancolie. ▷ Litt. Coléreux.

-âtre. Suffixe exprimant un caractère approchant (ex. *brunâtre, jaunâtre*) ou une nuance péjorative (ex. *saumâtre, marâtre*).

âtre n. m. Foyer d'une cheminée. ▷ *Par ext.* La cheminée elle-même.

Atrébates, peuple de la Gaule Belgique dont la capitale était *Nemetacum* (auj. Arras).

Atrée, roi de Mycènes, fils de Pélops et d'Hippodamie, célèbre dans la myth. grecque par la haine qu'il éprouvait à l'égard de son frère Thyeste.

atrésie n. f. MED Occlusion partielle ou totale d'un conduit, d'une ouverture anatomique naturelle.

Atrides, nom des descendants d'Atrée, notam. Agamemnon et Ménélas, héros de la guerre de Troie.

atrium [atʀijɔm] n. m. ANTIQ Pièce centrale de la maison romaine, dont le toit ouvert permettait de recueillir l'eau de pluie.

atrium de la maison de Neptune et Amphitrite à Herculanum

atroce adj. **1.** D'une cruauté horrible. *Vengeance atroce.* **2.** Insupportable. *Une douleur atroce.* ▷ Extrêmement désagréable, pénible. *Un hiver atroce. Elle est d'une atroce prétention.* **3.** Fam. Très laid. *Un visage atroce.*

atrocement adv. D'une manière atroce. *Il a atrocement souffert.*

atrocité n. f. **1.** Caractère de ce qui est atroce. *Crime d'une atrocité révoltante.* **2.** Action atroce. *Commettre des atrocités.* **3.** Propos calomnieux. *On raconte sur lui des atrocités.*

atrophie n. f. MED Diminution du volume ou du poids d'un tissu, d'un organe. *Atrophie d'un muscle.* – Fig. Affaiblissement d'une faculté, d'un sentiment, etc. *Une atrophie intellectuelle.*

atrophier 1. v. tr. [2] Diminuer ou faire disparaître par l'atrophie. *La suppression de l'influx nerveux atrophie les membres.* – Fig. Empêcher de se développer, intellectuellement ou moralement. *Une existence difficile a atrophié le talent de cet artiste.* ▷ Pp. adj. *Une aile atrophiée. Un sens moral atrophié.* **2.** v. pron. Diminuer, disparaître par atrophie. *Les ailes des oiseaux qui ne volent plus s'atrophient.* – Fig. Cesser de se développer. *Intelligence qui s'atrophie.*

atropine n. f. BIOCHIM Alcaloïde, extrait de la belladone, de la jusquiame et du datura, aux propriétés vagolytiques, utilisé surtout comme antispasmodique et dilatateur de la pupille.

Atropos, l'une des trois Moires, celle qui coupait le fil de la vie.

attabler (s') v. pron. [1] S'asseoir à table. *Les convives, les joueurs s'attablèrent.*

attachant, ante adj. Qui inspire un intérêt mêlé de bienveillance. *Enfant d'un caractère très attachant.*

attache n. f. **1.** Ce qui sert à attacher. *Attache métallique.* – Loc. fig. *Être, tenir à l'attache* : être, tenir dans une étroite dépendance. **2.** MAR *Port d'attache d'un navire,* celui où il a été inscrit sur les documents de douane établissant sa nationalité. **3.** ANAT Endroit où s'insère un muscle, un ligament. ▷ (Plur.) Poignets et chevilles. *Avoir des attaches fines.*

attaché, ée adj. et n. **1.** adj. Qui a été attaché, qui s'est attaché (V. attacher, sens I, II et III). **2.** Fonctionnaire diplomatique ou ministériel. *Attaché d'ambassade. Attaché de cabinet,* auprès d'un ministère. *Attaché militaire, attaché naval* : officier spécialisé délégué par son gouvernement auprès d'un gouvernement étranger. *Attaché commercial* : attaché d'ambassade, ou fonctionnaire spécialisé dans les questions économiques. – Cour. Personne appartenant à un service. *Attaché de direction. Attachée de presse.*

attaché-case [ataʃekɛz] n. m. Mallette plate qui sert de porte-documents. *Des attachés-cases.*

attachement n. m. **1.** Sentiment d'affection durable. *Être incapable d'un attachement quelconque.* **2.** Grande application. *Attachement à l'étude.* **3.** GEST Relevé quotidien des travaux effectués par une entreprise, spécial. une entreprise de travaux publics.

attacher v. [1] **I.** v. tr. **1.** Joindre, fixer (à une chose) à l'aide d'un lien. *Attacher un chien à sa niche avec une chaîne.* **2.** Joindre, tenir serré. *Attachez vos ceintures!* – Fig. Lier (qqn) par devoir, sentiment, intérêt. *Une vieille amitié nous attache à lui.* **3.** *Attacher du prix, de l'importance à une chose,* y tenir, la considérer comme précieuse, importante. **4.** *Attacher ses regards sur* : regarder fixement. **II.** v. intr. Fam. Rester collé au fond d'un récipient (aliments). *La viande a attaché.* **III.** v. pron. **1.** Se fixer par un lien. **2.** S'accrocher de manière à adhérer. *Le lierre s'attache aux arbres.* **3.** S'appliquer à, s'intéresser fortement à. *S'attacher à ses devoirs. Historien qui s'attache à ressusciter le passé.* **4.** Suivre avec obstination. *Les Furies s'attachaient aux pas des criminels.* **5.** Se consacrer à; se dévouer à. *S'attacher au sort d'un homme politique.* **6.** Éprouver une affection durable pour (qqn, qqch). *Elle s'est attachée à lui. Étranger qui s'attache à Paris.*

Attale, nom de trois rois de Pergame (Asie Mineure). – **Attale Ier Sôter** (roi de 241 à 197 av. J.-C.), allié des Romains contre Philippe V de Macédoine. – **Attale II Philadelphe** (roi de 159 à 138 av. J.-C.), adversaire de Prousias II roi de Bithynie. – **Attale III Philométôr** (roi de 138 à 133 av. J.-C.) légua son royaume aux Romains.

attaquable adj. Qui peut être attaqué. ▷ DR *Testament attaquable en justice.*

attaquant, ante n. **1.** Personne qui engage une attaque. ▷ *Spécial.* Joueur de la ligne d'attaque dans certains sports d'équipe. Ant. défenseur. **2.** n. m. ECON Syn. (off. recommandé) de *raider.*

attaque n. f. **1.** Action d'attaquer. *Une vigoureuse attaque.* **2.** Acte de violence agressive. *Attaque nocturne.* **3.** SPORT *Ligne d'attaque,* et, par ext., *attaque* (au football, au rugby, etc.), ensemble des joueurs qui attaquent. **4.** Fig. Critique âpre. *Les attaques d'un journal satirique contre un homme politique.* **5.** Retour d'une affection périodique, accès. *Attaque de goutte, d'épilepsie.* – Absol. *Il a eu une attaque* (d'apoplexie). **6.** Loc. adv. fam. *Être d'attaque* : être en forme. **7.** MUS Manière de commencer l'exécution d'un développement musical joué ou chanté, ou d'émettre une note sur un instrument.

attaquer v. [1] **I.** v. tr. **1.** Agir avec violence contre (autrui), engager le combat contre. *Attaquer une place forte. Attaquer une passante.* ▷ (S. comp.). Prendre l'offensive. *Demain, à l'aube, nous attaquerons.* **2.** *Par ext.* Critiquer âprement. *L'opposition attaque le gouvernement.* ▷ Tâcher de renverser, de détruire. *Attaquer un préjugé.* **3.** Ronger, détériorer. *Les termites attaquent le bois.* **4.** Commencer d'exécuter. *L'orchestre attaqua une valse.* – Loc. *Écrivain, orateur qui attaque son sujet,* qui commence à le traiter. – Fig., fam. Entamer un plat. *Attaquer une dinde farcie.* **5.** Affecter. *Maladie qui attaque surtout les enfants.* **6.** DR Intenter une action judiciaire contre. *Attaquer qqn en justice.* **7.** CHIM Donner naissance à une réaction, partic. en parlant de l'action d'un liquide ou d'un gaz sur un solide. *Acide qui attaque le cuivre.* **II.** v. pron. **1.** Engager une attaque contre. *S'attaquer à plus fort que soi.* ▷ Fig. *Acteur qui s'attaque à un rôle difficile,* qui entreprend de le jouer. – Fig., fam. *S'attaquer aux hors-d'œuvre,* les entamer. **2.** Détériorer. *Le phylloxéra s'attaque à la vigne. Maladie qui s'attaque au bétail.*

attardé, ée adj. **1.** Qui est en retard. *Un passant attardé,* qui tarde à rentrer chez lui. **2.** Spécial. *Enfant attardé,* en retard, par rapport aux enfants de son âge, dans son évolution physiologique ou intellectuelle.

attarder (s') v. pr. [1] Se mettre en retard. *Elle s'attarda devant les vitrines des magasins.*

atteindre I. v. tr. [55] **1.** Toucher de loin avec un projectile. *Atteindre une cible.* ▷ (En parlant du projectile lui-même.) *Flèche qui atteint la cible. Une balle l'atteignit au front.* **2.** Parvenir à. *Atteindre une ville. Atteindre sa majorité.*

Atteindre un prix, une hauteur. **3.** Porter atteinte à, léser. *Ses calomnies ne sauraient m'atteindre.* **II.** v. tr. indir. *Atteindre à :* parvenir avec effort à. *Atteindre au sublime.*

atteint, einte adj. Attaqué, affligé. *Atteint de folie, d'une maladie grave.*

atteinte n. f. **1.** Vx Coup dont on est atteint. **2.** Effet nuisible, dommage, préjudice. *Vigne exposée aux atteintes de la gelée. Les atteintes de la médisance. Les premières atteintes d'une maladie,* ses premiers effets, ses premières manifestations. ▷ *Porter atteinte à qqn,* lui nuire. ▷ Loc. *Hors d'atteinte :* impossible à atteindre. *Les fugitifs sont maintenant hors d'atteinte.*

attelage n. m. **1.** Action d'atteler; manière d'atteler. **2.** Ensemble d'animaux attelés. **3.** TECH Dispositif servant à accrocher les wagons de chemin de fer. **4.** ESP Amarrage d'un engin spatial à un autre destiné à le propulser; dispositif qui sert à cette opération.

atteler 1. v. tr. [**19**] Attacher (des animaux de trait) à une charrue, à une voiture. – Par ext. *Atteler un wagon, une remorque,* l'attacher au véhicule qui doit le (la) traîner. **2.** v. pron. Fig. *S'atteler à un travail :* entreprendre un travail long, s'y appliquer avec ardeur et persévérance.

attelle n. f. **1.** Pièce du collier d'un cheval à laquelle les traits sont attachés. **2.** Lame rigide qui sert à maintenir immobile un membre fracturé.

attenant, ante adj. Contigu, qui touche à. *Son jardin est attenant au mien.* Syn. adjacent.

attendre v. [**6**] **I.** v. tr. **1.** Rester en place pour la venue de qqn ou de qqch. *Attendre un ami. Attendre l'autobus. J'attends qu'il vienne.* – *J'attends de vos nouvelles,* j'espère en avoir bientôt. ▷ Loc. *Vous ne perdez rien pour attendre :* vous aurez quand même le châtiment que vous méritez. **2.** Différer d'agir jusqu'à un terme fixé. *Nous attendons le beau temps pour partir.* **3.** Être prêt, préparé. *Ma voiture m'attend à la porte. Un excellent repas nous attend.* **4.** Être prévu ou prévisible; menacer. *De graves ennuis vous attendent si vous persistez dans votre attitude.* **5.** v. tr. indir. Fam. *Attendre après qqch,* en avoir besoin. *Je n'attends pas après cette somme.* **II.** v. pron. Compter sur, se tenir assuré de. *Je m'attends à le voir d'un moment à l'autre. Je m'attends qu'il vienne* (ou : *à ce qu'il vienne*). ▷ *On peut s'attendre à ce que... :* il est fort possible que... ▷ Loc. *S'attendre à tout :* estimer que tout, même le pire, peut arriver. **III.** Loc. adv. *En attendant :* jusqu'à ce qu'arrive ce qu'on attend. ▷ Loc. conj. *En attendant que :* jusqu'à ce que.

attendrir I. v. tr. [**3**] **1.** Rendre tendre. *Attendrir un bifteck.* **2.** Émouvoir, exciter la sensibilité de. *Ses larmes m'ont attendri.* **II.** v. pron. Être ému, ressentir de la pitié. *Il s'est attendri sur le sort de ces malheureux.*

attendrissant, ante adj. Qui émeut, éveille l'attendrissement. *Une attendrissante héroïne de mélodrame.*

attendrissement n. m. Action de s'attendrir; état d'une personne attendrie. *Il la regarde avec attendrissement.*

attendrisseur n. m. Appareil utilisé en boucherie pour attendrir la viande.

attendu, ue adj. et n. m. **1.** adj. Espéré, escompté. *Le triomphe tant attendu.* **2.** Loc. prép. inv. *Attendu les événements, les circonstances :* étant donné les événements, les circonstances. ▷ Loc. conj. DR *Attendu que :* vu que. *Attendu que l'accusé déclare...* **3.** n. m. DR *Les attendus d'un jugement :* les alinéas exposant ses motifs (qui commencent tous par : *attendu que*).

attenir v. intr. [**36**] *Attenir à :* se trouver à côté de (en parlant de choses).

attentat n. m. **1.** Entreprise criminelle contre une personne ou contre ses biens, contre une institution. *Préparer, déjouer un attentat. Attentat à la bombe. Attentat contre les libertés publiques.* **2.** DR *Attentat à la pudeur :* acte contraire à la pudeur commis en public.

attentatoire adj. Litt. (Choses) Qui porte atteinte à. *Mesure attentatoire à la liberté de la presse.*

attente n. f. **1.** Fait d'attendre. *L'attente d'une naissance.* **2.** Temps pendant lequel on attend. *L'attente prolongée engendre l'impatience. Une heure d'attente.* ▷ *Salle d'attente, salon d'attente :* pièce où l'on attend (dans une gare, chez un médecin, etc.). **3.** Espérance, prévision. *Cet événement comble notre attente. Il a déçu, trompé notre attente. Répondre à l'attente de qqn.* **4.** *File d'attente :* file formée par des gens qui attendent (à l'entrée d'un commerce, d'un spectacle, etc.). Syn. cour. Queue. **5.** BX-A *Table d'attente :* surface où rien n'est encore peint, sculpté ou gravé. **6.** ARCHI *Pierres d'attente :* pierres en saillie destinées à former une liaison avec une construction ultérieure.

attenter v. intr. [**1**] Commettre un attentat sur. *Attenter à la vie de qqn, à la sûreté de l'État.*

attentif, ive adj. **1.** Qui a de l'attention, qui montre de l'attention. *Un écolier attentif. Être attentif à :* être en éveil, en alerte. *Oreille attentive au moindre bruit.* **2.** Vieilli Qui veille soigneusement à. *Être attentif à plaire.*

attention n. f. **1.** Tension de l'esprit qui s'applique à quelque objet. *Réveiller, fixer, concentrer l'attention.* ▷ *Faire attention à :* prendre garde à. *Faire attention aux virages. Fais attention à ce que tu écris.* – *Faire attention que* (+ subj.) : Faire en sorte que. *Faites attention que cet enfant ne vous entende.* – *Faire attention que* (+ ind.) : ne pas perdre de vue. *Faites attention que le chemin est semé d'embûches.* – Interj. *Attention! Faites attention!* ▷ *Attention à... :* prenez garde à... *Attention à la peinture!* **2.** Marque de prévenance. *Une attention délicate.* – (Plur.) Égards, ménagements. *Il est plein d'attentions pour sa grand-mère.*

attentionné, ée adj. Qui est plein d'attentions (au sens 2), de prévenances. *Enfant attentionné pour ses parents.*

attentisme n. m. Politique d'attente, de temporisation.

attentiste adj. et n. Qui pratique l'attentisme.

attentivement adv. Avec attention. *Regarder attentivement l'horizon.* Ant. distraitement.

atténuant, ante adj. Propre à atténuer. ▷ DR *Circonstances* atténuantes.* – Cour. Par ext. *Il joue mal dans le film, mais il a des circonstances atténuantes!*

atténuateur n. m. TECH Dispositif permettant de régler l'intensité d'un courant électrique, d'atténuer un phénomène physique.

atténuation n. f. **1.** Diminution de la force, de la gravité. *Atténuation d'une douleur.* **2.** DR *Atténuation d'une peine,* par application des circonstances atténuantes. **3.** ELECTR Diminution d'une grandeur (puissance, tension, intensité). ▷ TELECOM Rapport entre l'intensité (ou la tension) à l'arrivée d'une ligne et l'intensité (ou la tension) au départ, mesurées en bels.

atténuer v. tr. [**1**] Rendre moins fort, moins grave. *Atténuer le bruit. Atténuer une souffrance. Atténuer la gravité d'un délit.* ▷ v. pron. *Spasmes nerveux qui s'atténuent.*

atterrant, ante adj. Accablant, consternant. *Une nouvelle atterrante.*

atterrer v. tr. [**1**] Accabler, abattre, consterner. *Cette défaite nous a atterrés.* ▷ Pp. adj. *Ils ont des mines atterrées.*

atterrir v. intr. [**3**] **1.** MAR Reconnaître la terre en arrivant du large. **2.** Se poser sur le sol. *Avion qui atterrit. Atterrir sur la Lune.* – Fam. Tomber brutalement. *Le cavalier désarçonné atterrit dans un fossé.*

atterrissage n. m. Action d'atterrir. *Terrain d'atterrissage. Faire un atterrissage forcé. Train d'atterrissage d'un avion.*

attestation n. f. **1.** Acte d'attester. **2.** Certificat, témoignage par écrit confirmant la vérité, l'authenticité d'une chose. *Attestation du médecin, du maire.*

attester v. tr. [**1**] **1.** Affirmer, certifier la vérité d'une chose. *Il a attesté que cela s'était passé ainsi.* Syn. affirmer. Ant. nier, dénier. ▷ Pp. adj. *Des faits attestés.* **2.** Servir de preuve à. *Des efforts qui attestent la bonne volonté.* **3.** Prendre à témoin. *J'en atteste le ciel.*

atticisme n. m. **1.** Litt. Délicatesse de langage, finesse de goût propres aux anciens Athéniens. – *Par ext.* Élégance et pureté du style. **2.** LING Forme propre au dialecte attique de la langue grecque ancienne.

Atticus (Titus Pomponius) (Rome, 109 – ?, 32 av. J.-C.), chevalier romain, surtout connu par les lettres *(Ad Atticum)* que lui écrivit Cicéron.

attiédir 1. v. tr. [**3**] Rendre tiède (ce qui est chaud ou froid). *La brise attiédit l'atmosphère.* – Fig. Affaiblir (un sentiment). *Le temps a attiédi leur amour.* **2.** v. pron. Devenir tiède; devenir plus faible.

attiédissement n. m. Action d'attiédir; fait de s'attiédir.

attifer v. tr. [**1**] Fam. Orner, parer (qqn) d'une façon excessive ou bizarre. *Qui vous a ainsi attifée ?* ▷ v. pron. *S'attifer à la mode d'autrefois.*

attiger v. intr. [**13**] Pop. Exagérer.

Attigny, ch.-l. de cant. des Ardennes (arr. de Vouziers), sur l'Aisne; 1 221 hab. – Résidence des rois francs. Louis le Pieux y fit pénitence publique (822).

Attikameks, peuple autochtone d'Amérique du N. Ce groupe, qui comptait 600 individus v. 1600, fut presque entièrement décimé par les maladies et les affrontements avec les Iroquois. Auj., plus de 3 000 vivent au Québec, au N. de la Mauricie-Bois-Francs et de Lanaudière; alliés aux Montagnais dans le Conseil attikamek-montagnais (CAM), ils se sont engagés dans des négociations avec les gouvernements féd. et prov. pour la reconnaissance de leurs droits.

Attila (v. 395 – 453), chef unique des Huns en 445. Il envahit et ravagea les empires d'Orient et d'Occident. Ayant évité Lutèce, préparée à la résistance par sainte Geneviève, il fut arrêté par Aetius, Théodoric Ier et Mérovée coalisés, qui le vainquirent aux champs Catalauniques, près de Troyes (451). En 452, il dévasta l'Italie du N., puis se retira en Pannonie (auj. Hongrie) contre le paiement d'un tribut négocié avec le pape Léon Ier.

attique adj. et n. m. **I.** adj. **1.** Qui provient d'Athènes ou de l'ancienne Attique. *Vase attique à figures noires.* **2.** Propre aux anciens Athéniens. *Dialecte attique.* – Par ext. *La finesse et l'élégance attiques.* ▷ Loc. *Sel attique* : plaisanterie délicate. **II.** n. m. ARCHI Partie supérieure d'un édifice, qui dissimule le toit.

Attique, péninsule de la Grèce, située entre le golfe d'Égine et la mer Égée; région grecque et de la C.E.; 3 808 km^2; 3 522 760 hab.; cap. *Athènes.* La région correspond au grand Athènes et à la préfecture du Pirée, 1er port du pays. Elle groupe 35 % des hab. et 50 % du potentiel écon. national.

attirail, ails n. m. **1.** Vx Ensemble des objets nécessaires à une activité donnée. *Attirail de guerre.* **2.** Mod., fam. Équipement compliqué. *Attirail d'un pêcheur à la ligne.* – Bagage encombrant ou inutile. *Un attirail hétéroclite.*

attirance n. f. Force qui attire moralement, affectivement. *L'attirance du plaisir. Éprouver de l'attirance pour la montagne.* Syn. attrait. Ant. répulsion.

attirant, ante adj. Qui exerce un attrait, une séduction. *Physionomie attirante. Un spectacle attirant.*

attirer v. [1] **I.** v. tr. **1.** Faire venir à soi. *L'aimant attire le fer.* **2.** Inciter à venir. *Le miel attire les mouches.* **3.** Provoquer (l'intérêt, l'attention). *Jeune femme qui attire les regards, les hommages.* ▷ Éveiller un sentiment (de sympathie, d'amour) chez qqn. *J'avoue qu'elle m'attire.* **II.** v. pron. **1.** (Récipr.) *Les molécules s'attirent.* **2.** Encourir, être l'objet de. *Par sa conduite, il s'est attiré nos reproches.*

Attis ou **Atys,** divinité phrygienne, jeune berger aimé de Cybèle; son culte fut apporté d'Orient en Occident avec celui de Cybèle.

attisement n. m. Action d'attiser. *Attisement du feu.* – Fig. *Attisement des convoitises.*

attiser v. tr. [1] Aviver (le feu). ▷ Fig. Exciter, aviver (un sentiment). *Attiser la discorde, la jalousie.*

attitré, ée adj. Chargé nommément, par un titre, d'une fonction ou d'un office. *Représentant attitré d'une puissance étrangère.* – Cour. *Marchand attitré,* chez qui l'on se fournit habituellement.

attitude n. f. **1.** Manière de tenir son corps. *Prendre diverses attitudes. Une attitude penchée, cambrée, raide, décidée. L'attitude de la soumission, du commandement.* ▷ CHOREGR Figure d'équilibre sur une seule jambe, l'autre se repliant en arrière. **2.** Conduite que l'on adopte en des circonstances déterminées. *Attitude hostile à l'égard d'un projet. Pays qui règle son attitude sur celle d'une grande puissance.*

attitudinal, ale, aux adj. PSYCHO Relatif à l'attitude de qqn.

Attlee (Clement, comte) (Londres, 1883 – id., 1967), homme politique brit. Leader travailliste, Premier ministre de 1945 à 1951, il procéda à des nationalisations et à l'émancipation d'une grande partie de l'Empire.

atto-. PHYS Élément (symbole a) qui, placé devant le nom d'une unité, indique que celle-ci est divisée par un milliard de milliards (10^{18}).

attorney [atɔʀnɛ] n. m. **1.** En Grande-Bretagne, auxiliaire de justice qui remplit pour le compte d'un client les fonctions de mandataire, d'avoué. – Aux États-Unis, auxiliaire de justice cumulant les fonctions d'avoué, d'avocat et de notaire. **2.** *Attorney général* : en Grande-Bretagne, officier de la Couronne chargé des poursuites criminelles au nom de celle-ci. – Aux États-Unis, fonction correspondant à celle de ministre de la Justice.

attouchement n. m. Action de toucher avec la main. *Les rois de France passaient pour guérir les écrouelles par attouchement.*

attracteur n. m. MATH Partie de l'espace (courbe ou surface) représentatif du comportement d'un système dynamique vers laquelle tend la trajectoire du point qui caractérise l'évolution de ce système. – *Attracteur étrange* : objet fractal* caractérisé par une dimension non entière.

attractif, ive adj. **1.** Qui a la propriété d'attirer. **2.** Qui exerce une attraction, une séduction.

attraction n. f. **1.** Action d'attirer; effet produit par ce qui attire. *L'attraction du fer par l'aimant.* ▷ PHYS *Attraction électrostatique* : force d'attraction entre charges électriques de signes contraires. – *Attraction magnétique* : force d'attraction entre les pôles d'aimants de noms contraires; force exercée par un aimant sur certains objets. – *Attraction terrestre* : force d'attraction exercée par la Terre, et qui se manifeste par la pesanteur. – *Attraction universelle* : V. gravitation. **2.** Attirance. *Ressentir l'attraction de l'inconnu.* **3.** Élément d'un spectacle, d'une exposition, spécialement destiné à attirer le public. *Les attractions d'un music-hall.* – Par ext. *Un parc d'attractions,* où sont présentées des attractions. ▷ Fam. Objet de curiosité. *Il est l'attraction de la soirée.*

attrait [atʀɛ] n. m. **1.** Ce qui attire. *L'attrait de la gloire. Un projet qui manque d'attrait.* ▷ (Plur.) Charmes d'une femme. *Coquette qui déploie tous ses attraits.* **2.** *Éprouver de l'attrait, se sentir de l'attrait pour...* : éprouver un certain goût, une inclination pour...

attrape n. f. **1.** Vx Piège pour les petits oiseaux, le menu gibier. **2.** Tromperie, tour plaisant. ▷ (Plur.) Objets destinés à mystifier. *Marchand de farces et attrapes.*

attrape-mouches n. m. inv. **1.** Nom usuel de plusieurs plantes qui retiennent, emprisonnent les petits insectes qui se posent sur leurs fleurs ou leurs feuilles, et les digèrent. **2.** Piège à mouches.

attrape-nigaud n. m. Ruse grossière. *Ce ne sont que des attrape-nigauds.*

attraper v. [1] **I.** v. tr. **1.** Prendre à une trappe, à un piège. *Attraper un oiseau avec de la glu.* **2.** Atteindre et saisir. *Attraper un papillon.* **3.** Surprendre. *Je l'ai attrapé à me voler.* **4.** Duper. *C'est un filou qui m'a attrapé.* ▷ Fam. *Être attrapé* : éprouver un mécompte, une déception. **5.** Mystifier, faire une attrape, par plaisanterie. *Je t'ai bien attrapé!* **6.** Obtenir par hasard. *J'ai attrapé le meilleur lot.* **7.** Fam. Recevoir de manière imprévue. *Attraper des coups. Attraper un rhume.* **8.** Fig., fam. Saisir et reproduire avec exactitude; maîtriser (un savoir-faire). *Attraper la manière d'un peintre. Il a bien attrapé le tour de main.* **9.** Fam. Réprimander vivement. *Son père l'a attrapé. Se faire attraper par son patron.* **II.** v. pron. **1.** Vieilli S'accrocher, se prendre à. *S'attraper à un clou, dans l'embrasure d'une porte.* **2.** (Récipr.) Fam. Se disputer gravement. *Ils se sont attrapés et sont restés brouillés.*

attrayant, ante adj. Qui exerce de l'attrait. *Un programme attrayant.*

attribuable adj. Qui peut être attribué (à).

attribuer v. [1] **I.** v. tr. **1.** Conférer, concéder. *Attribuer une place à quelqu'un.* **2.** Supposer (des qualités bonnes ou mauvaises) chez qqn. *On lui attribue du courage.* **3.** Considérer comme cause ou comme auteur de qqch. *Attribuer un incendie à la malveillance. Ce tableau fut longtemps attribué à Raphaël.* **II.** v. pron. *Spécial.* S'adjuger, revendiquer (sans y avoir droit). *Il s'attribue tout le mérite de cet ouvrage collectif.*

attribut [atʀiby] n. m. **1.** Caractère particulier d'un être, d'une chose. *« La faculté de voler est un attribut essentiel de l'oiseau » (Buffon).* ▷ PHILO Caractère essentiel d'une substance. **2.** LOG Ce qu'on affirme ou ce qu'on nie du sujet dans une proposition. Syn. prédicat. **3.** GRAM Mot exprimant une qualité, une manière d'être, attribuée à un nom (sujet ou complément d'objet direct) par l'intermédiaire d'un verbe attributif* comme *être, sembler, paraître, trouver, nommer,* etc. **4.** Emblème, signe distinctif d'une fonction, d'un personnage allégorique. *Le sceptre et la couronne sont les attributs de la royauté. L'arc et les flèches, attributs de l'Amour.*

attributaire n. DR Personne qui a bénéficié d'une attribution.

attributif, ive adj. **1.** DR Qui attribue. *Arrêt attributif.* **2.** LOG Qui indique un attribut. ▷ GRAM *Verbe attributif,* qui relie l'attribut au mot auquel il se rapporte.

attribution n. f. **1.** Action d'attribuer. *Attribution de crédits.* **2.** (Plur.) Droits et devoirs attachés à certaines charges. ▷ *Spécial.* Limites de compétence. *Les attributions d'un ministre, d'un tribunal. Entrer dans les attributions de...* : être du ressort, de la compétence de... **3.** GRAM *Complément d'attribution* : autre dénomination du complément d'objet indirect ou second (ex. : Donner un livre à l'enfant).

attristant, ante adj. Qui attriste, qui déçoit.

attrister 1. v. tr. [1] Rendre triste, affliger. *Cette nouvelle m'attriste.* **2.** v. pron. Devenir triste. *S'attrister de qqch.*

attrition [atʀisjɔ̃] n. f. **1.** MED Écorchure par frottement; violente contusion. **2.** RELIG Regret d'avoir offensé Dieu, causé par la crainte du châtiment. *L'attrition est une contrition imparfaite.* **3.** ECON Usure, amenuisement progressif. *Taux d'attrition de la vente d'une encyclopédie par fascicules* : taux de baisse des ventes d'un numéro à l'autre.

attroupement n. m. **1.** Action de s'attrouper, de se rassembler. **2.** Groupe de personnes attroupées. *Disperser un attroupement.*

attrouper v. tr. [1] Assembler en troupe tumultueuse. *L'accident attroupa plus de cent personnes.* ▷ v. pron. *Les enfants s'attroupèrent.*

-ature. Suffixe, du lat. *atura,* servant à former des substantifs sur la base d'un autre substantif. (Ex. *magistrature, musculature.*)

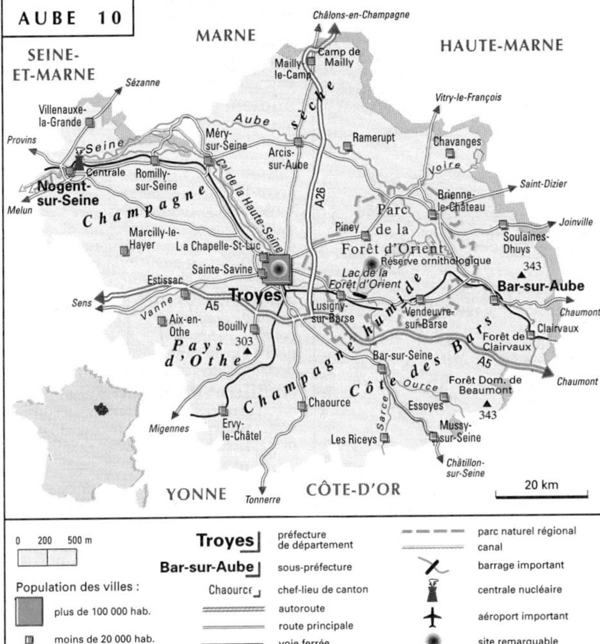

Atwood (George) (Londres, 1746 – id., 1807), physicien anglais; inventeur de la *machine d'Atwood*, qui permet de mesurer le déplacement vertical des masses, de vérifier la loi fondamentale de la dynamique.

atypique adj. Différent du type courant, normal.

atypisme n. m. Didac. Caractère atypique. *L'atypisme d'une démarche intellectuelle.*

Atyraou (anc. *Gouriev*), v. et port du Kazakhstan, sur la Caspienne, à l'embouchure de l'Oural; 145 000 hab. Centre d'une zone pétrolière. Pêcheries.

Atys. V. Attis.

au, aux article défini contracté. *Au* ne s'emploie que devant les noms masculins commençant par une consonne ou un *h* aspiré. *Au roi, au hameau.* – Le plur. *aux* s'emploie devant tous les noms masculins ou féminins. *Aux hommes, aux femmes, aux enfants.*

Au CHIM Symbole de l'or.

aubade n. f. Concert donné à l'aube sous les fenêtres de qqn pour l'honorer.

Aubagne, ch.-l. de cant. des Bouches-du-Rhône; 41 187 hab. La v. devient une annexe résidentielle et industrielle (text., alim., etc.) de Marseille.

aubaine n. f. **1.** DR ANC Droit en vertu duquel les biens formant la succession d'un étranger mort en France devenaient la propriété du seigneur ou du roi. **2.** Avantage inespéré.

Aubanel (Théodore) (Avignon, 1829 – id., 1886), poète et éditeur français de langue provençale, qui participa à la création du félibrige (1854), avec F. Mistral notamment.

1. aube n. f. **1.** Premières lueurs de l'aurore; moment où le ciel blanchit à l'est. *À l'aube, dès l'aube.* **2.** Fig. Débuts, naissance. *L'aube de l'humanité.*

2. aube n. f. LITURG Ample tunique de toile blanche.

3. aube n. f. Palette solidaire d'une roue, qui reçoit la pression d'un fluide ou qui exerce une pression sur celui-ci. *Turbine à aubes. Roue à aubes.*

Aube, riv. de France (248 km), affl. de la Seine (r. dr.); naît sur le plateau de Langres.

Aube, dép. franç. (10); 6 002 km^2; 289 207 hab.; 48,2 hab./km^2; ch.-l. *Troyes.* V. Champagne-Ardenne (Rég.).

Aubenas, ch.-l. de cant. de l'Ardèche (arr. de Privas), sur un plateau dominant l'Ardèche; 12 379 hab. (*Albenassiens*). Industries textile et alimentaire.

aubépine n. f. Arbrisseau épineux (fam. rosacées), à fleurs blanches, donnant des fruits rouges.

Auber (Daniel François Esprit) (Caen, 1782 – Paris, 1871), compositeur français d'opéras et d'opéras-comiques : *Fra Diavolo* (1830), *Manon Lescaut* (1856).

auberge n. f. **1.** Vieilli Hôtel de campagne, simple et sans luxe. ▷ Loc. fam. *On n'est pas sorti de l'auberge* : les difficultés promettent d'être considérables. – Loc. fig. *Auberge espagnole* : lieu où l'on trouve ce qu'on y apporte. **2.** Mod. Restaurant dont le décor évoque une auberge (sens 1).

Aubergenville, ch.-l. de cant. des Yvelines (arr. de Mantes-la-Jolie); 11 809 hab. – Constr. automobile (Renault).

Auberges de la Jeunesse, centres d'accueil pour la jeunesse créés en Allemagne en 1909 puis en France (1929) et dirigés par une fédération internationale dep. 1945.

aubergine n. f. et adj. inv. Plante potagère (fam. solanacées), originaire de l'Inde. – Fruit comestible de cette plante, de forme oblongue ou ronde, de couleur violette ou blanche. ▷ adj. inv. Couleur violet-cramoisi.

aubergiste n. Vieilli Personne qui tient une auberge.

Aubert (Jean) (m. à Paris en 1741), architecte et ornemaniste français : Grandes Écuries de Chantilly (1719-1735), hôtel Peyrenc de Moras, à Paris, devenu hôtel Biron (auj. musée Rodin), où il travailla avec J. Gabriel.

Aubervilliers, ch.-l. de cant. de la Seine-St-Denis (arr. de Bobigny), sur le canal Saint-Denis, dans la banlieue N. de Paris; 67 836 hab. Industr. métallurgique, chimique; peintures.

aubette n. f. Rég. Petite construction légère sur la voie publique, servant d'abri (kiosque à journaux, arrêt d'autocar, etc.).

aubier n. m. Partie ligneuse du tronc et des branches d'un arbre, tendre et blanchâtre, qui se trouve entre le cœur du bois et l'écorce, correspondant aux couches les plus récemment formées.

Aubignac (François Hédelin, abbé d') (Paris, 1604 – Nemours, 1676), critique français auquel on doit la règle des trois unités (*Pratique du théâtre,* 1657).

Aubigné (Théodore Agrippa d') (Pons, Charente-Mar., 1552 – Genève, 1630), écrivain français. Calviniste dévoué à Henri IV, il dut s'exiler à la mort du roi. Auteur d'un poème satirique et lyrique, *les Tragiques* (1616) et d'une *Histoire universelle* (1620).

Aubisque (col d'), col (1 704 m) des Pyr.-Atl., reliant le val d'Ossau au val d'Azun.

aubois, oise adj. et n. De l'Aube.

Aubrac (monts d'), plateau du S. du Massif central, en Auvergne mérid.; 1 471 m au signal de Mailhebiau.

Aubrais (Les), écart de la com. de Fleury-les-Aubrais, à 3 km d'Orléans. Centre ferroviaire important.

aubrietia [obRijesja] ou **aubriète** n. f. BOT Genre de crucifères gazonnantes à fleurs roses ou violettes, très souvent cultivées pour l'ornement (bordures).

Aubriot (Hugues) (m. v. 1391), prévôt de Paris de 1364 à 1381; il fit construire la Bastille, le Petit Châtelet, le pont Saint-Michel, le pont au Change.

auburn [obœRn] adj. inv. Brun-roux (en parlant des cheveux).

Aubusson, ch.-l. d'arr. de la Creuse, sur la Creuse; 5 546 hab. Mat. électr. – École nationale des arts décoratifs, fondée en 1884. Ateliers de tapisserie (XVIe s.), transformés en manufacture royale par Colbert (1665); ils connaissent auj. un renouveau.

Auch, ch.-l. du dép. du Gers, sur le Gers; 24 728 hab. Industr. alim., cycles. – Archevêché. Cathédrale XVe-XVIIe s.

Auchel, ch.-l. de canton du Pas-de-Calais (arr. de Béthune); 11 872 hab. Houillère en déclin. Industr. textile.

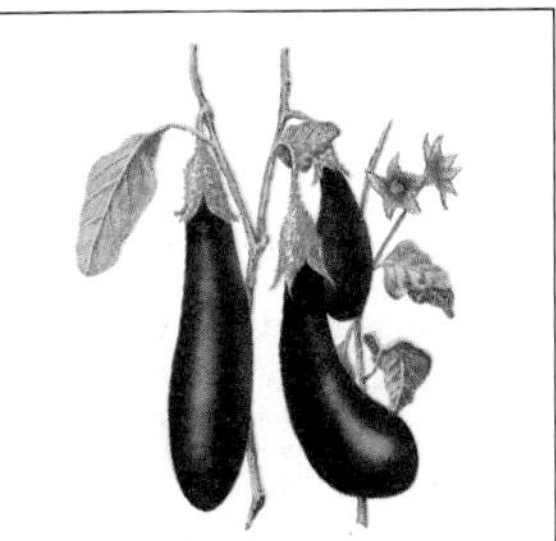
aubergine : feuille, fruit, fleur

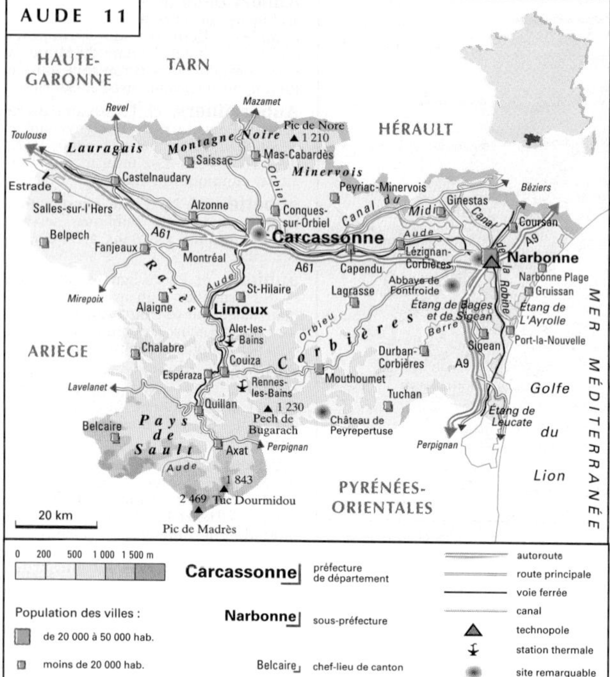

Auckland, princ. port de la Nouvelle-Zélande (île du Nord); ch.-l. de district; 850 000 hab. Industr. métall., text., alimentaire; constructions navales.

aucun, une pron. et adj. **I.** pron. **1.** (Accompagné de *ne*.) Nul, pas un seul, personne. *J'ai écrit à plusieurs, aucun ne m'a répondu. Parmi tous ces livres, aucun n'est encore relié.* ▷ Litt. ou Vx *D'aucuns* : quelques-uns, certains. *D'aucuns le blâmeront de ce choix.* **2.** *Aucun de, aucune de* : quelqu'un, quelqu'une, certain(e), un(e) quelconque (parmi d'autres). *Il saura faire ce travail mieux qu'aucun de nous. De toutes mes amies, aucune m'a-t-elle secourue ?* **II.** adj. **1.** Litt. Quelque. *Je doute qu'aucun homme le fasse.* **2.** (Accompagné de *ne* ou de *sans*.) Nul, nulle, pas un, pas une. *Il n'a aucun défaut. Sans aucune hésitation.* (N.B. *Aucun*, adj., s'emploie toujours au sing. sauf devant un nom qui n'est utilisé qu'au plur., ou dont le plur. n'a pas le même sens que le sing. *Aucuns frais. Aucunes représailles.*)

aucunement adv. (Employé avec *ne*.) Nullement, en aucune façon. *Je ne lui en veux aucunement.*

audace n. f. **1.** Tendance à oser des actions hardies, en dépit des dangers ou des obstacles. ▷ Innovation qui brave les habitudes. *Les audaces de versification de Victor Hugo par rapport aux règles classiques. Les audaces de la mode.* **2.** Péjor. Impudence. *Il a eu l'audace de prétendre... Vous avez une certaine audace, mon ami !*

audacieusement adv. Avec audace.

audacieux, euse adj. et n. **1.** Qui a de l'audace. *Un homme audacieux.* ▷ Subst. *La fortune sourit aux audacieux.* **2.** Qui dénote de l'audace. *Projet audacieux.*

Aude, fl. de France (223 km); naît dans le massif du Carlitte (Pyr.-Orient.), arrose Carcassonne, se jette dans la Méditerranée au N.-E. de Narbonne.

Aude, dép. franç. (11); 6 232 km²; 298 712 hab.; 47,9 hab./km²; ch.-l. *Carcassonne*. V. Languedoc-Roussillon (Rég.).

au-deçà loc. adv. De ce côté-ci (par oppos. à *au-delà*).

au-dedans, au-dehors. V. dedans, dehors.

au-delà loc. adv. Plus loin. ▷ n. m. inv. *L'au-delà* : l'autre monde, après la mort.

Auden (Wystan Hugh) (York, 1907 – Vienne, 1973), écrivain américain d'origine anglaise. D'abord marxiste puis existentialiste, il est l'auteur de poèmes pleins de virtuosité, de truculence et de profondeur : *la Danse de mort* (1933), *l'Âge de l'angoisse* (1948), *Grands poèmes* (1968). Il a également publié des essais sur les poètes anglo-saxons.

Audenarde (en néerl. *Oudenaarde*), com. de Belgique (Flandre-Orientale), sur l'Escaut; ch.-l. d'arr.; 27 320 hab. Industr. textiles. – Égl. Ste-Walburge, des XIIIe et XVe s. – Victoire du Prince Eugène et de Marlborough sur le duc de Vendôme (1708).

au-dessus, au-devant. V. dessus, devant.

Audiard (Michel) (Paris, 1920 – Dourdan, 1985), scénariste, dialoguiste et réalisateur français. Spécialiste du mot d'auteur, il collabora avec Hunebelle, Delannoy, Lautner, etc., avant de réaliser ses propres films : *Faut pas prendre les enfants du bon Dieu pour des canards sauvages* (1968).

Audiberti (Jacques) (Antibes, 1899 – Paris, 1965), écrivain français, auteur « baroque » d'une grande verve : poète (*Race des hommes*, 1937; *Toujours*, 1944), romancier (*Abraxas*, 1938; *Les tombeaux ferment mal*, 1963) et dramaturge (*Quoat-Quoat*, 1946; *Le mal court*, 1947; *l'Effet Glapion*, 1959).

audibilité n. f. Caractère audible.

audible adj. Susceptible d'être entendu. Ant. inaudible.

audience n. f. **1.** Vieilli ou litt. Écoute attentive prêtée à qqn qui parle. **2.** Mod. Intérêt que suscite auprès d'un public une œuvre, une pensée, etc. *Avoir l'audience des intellectuels.* **3.** Entretien accordé par un personnage de haut rang à des visiteurs. *Demander audience à un ministre.* **4.** Ceux qui écoutent; auditoire. *Audience passionnée par un conférencier.* **5.** Séance de tribunal. *Une audience publique, à huis clos, solennelle.*

Audierne (baie d'), baie très ouverte du Finistère, entre la pointe du Raz et celle de Penmarch. – *Audierne* : port de pêche sur le Goyen, près de la baie (arr. de Quimper); 2 829 hab.

Audiffret-Pasquier (Gaston, duc d') (Paris, 1823 – id., 1905), homme polit. français, un des chefs du parti orléaniste. Acad. fr. (1878).

audimat [odimat] n. m. (Nom déposé d'un audimètre.) Mesure de l'audience des émissions de télévision.

audimètre n. m. AUDIOV Appareil placé sur un récepteur qui renseigne sur l'audience auprès d'un échantillon de téléspectateurs.

audimétrie n. f. AUDIOV Mesure des taux d'audience.

audi-mutité n. f. MED Mutité congénitale chez un sujet entendant.

Audincourt, ch.-l. de cant. du Doubs (arr. de Montbéliard), sur le Doubs; 16 537 hab. Métall., constr. méca. – Égl. moderne : vitraux de Léger, Le Moal, Bazaine.

audio-. Élément, du lat. *audire*, « entendre ».

audio adj. inv. Qui concerne l'enregistrement et la reproduction du son (par oppos. à *vidéo*).

audioconférence n. f. Téléconférence ne transmettant que les paroles.

audiofréquence n. f. PHYS Fréquence audible (comprise entre 20 et 20 000 Hz env.). Syn. basse fréquence, fréquence acoustique.

audiogramme n. m. **1.** Disque ou cassette audio (par oppos. à *vidéogramme*). **2.** Courbe des valeurs des seuils d'audition en fonction de la fréquence du son.

audiologie n. f. Science de l'audition.

audiomètre n. m. Appareil qui sert à mesurer l'acuité auditive et à établir les audiogrammes.

audiométrie n. f. MED et ACOUST Étude de l'acuité auditive.

audionumérique adj. et n. m. TECH Se dit des techniques de production et de reproduction du son faisant appel à l'informatique pour le numériser. *Disque audionumérique.* ▷ n. m. Ensemble de ces techniques.

audio-oral, ale, aux adj. Didac. Qui concerne l'écoute et la parole (par oppos. à *audiovisuel*). *Une méthode d'enseignement audio-orale.*

audiophone n. m. Petit appareil acoustique servant à amplifier le son, utilisé par les malentendants.

audioprothésiste n. Praticien qui délivre les prothèses auditives.

audiotypiste n. Dactylo qui travaille avec une machine à dicter et des écouteurs.

audiovisuel, elle adj. et n. m. **1.** adj. Qualifie l'ensemble des techniques de communication qui font appel à la sensibilité visuelle et auditive. **2.** n. m. Ensemble de ces techniques. – *Institut national de l'audiovisuel* : V. INA.

Audisio (Gabriel) (Marseille, 1900 – Issy-les-Moulineaux, 1978), écrivain français. Il a consacré presque toute son œuvre à la Méditerranée (*Hommes au soleil*, 1923; *Ulysse ou l'intelligence*, 1995).

audit [odit] n. m. **1.** Opération destinée à contrôler, au niveau des diverses instances de conception et d'exécution d'une entreprise, la bonne gestion et la sauvegarde du patrimoine financier et l'application correcte des décisions prises. **2.** Syn. de *auditeur*.

auditer v. tr. [1] Soumettre à un audit.

auditeur, trice n. **1.** Personne qui écoute. *Opérer un sondage auprès des auditeurs d'une station radiophonique.* **2.** *Auditeur libre* : étudiant qui assiste à des cours sans l'obligation d'être soumis à l'examen. **3.** Nom de divers fonctionnaires. *L'auditeur à la Cour des comptes est au-dessous du référendaire, l'auditeur au Conseil d'État, au-dessous du maître des requêtes.* **4.** Personne qui travaille dans un cabinet d'audit, personne chargée d'une procédure d'audit. Syn. audit.

auditif, ive adj. Propre à l'ouïe, à ses organes. *Conduit auditif, nerf auditif.*

audition n. f. **1.** Perception des sons par l'oreille. ▷ *Seuil d'audition* : intensité minimale d'un son, à fréquence donnée, produisant une sensation auditive. **2.** Écoute. *Une audition radiophonique.* ▷ DR *Audition des témoins.* **3.** Essai que passe un artiste en vue d'un engagement.

auditionner v. [1] **1.** v. intr. Présenter un échantillon de son répertoire (artistes). **2.** v. tr. *Auditionner un artiste*, assister à une présentation de son numéro pour l'engager.

auditoire n. m. Ensemble des auditeurs. Syn. audience, public.

auditorat n. m. Ensemble des auditeurs d'une émission de radio ou de télévision.

auditorium [oditɔʀjɔm] n. m. Salle équipée pour l'écoute, l'enregistrement, la reproduction d'œuvres sonores.

Audovère (m. v. 580), première femme de Chilpéric Ier, qui la fit étrangler.

Audubon (John James) (Les Cayes, Saint-Domingue, 1785 – New York, 1851), naturaliste et peintre amér., d'orig. fr. Il peignit, avec exactitude, les oiseaux de l'Amérique du Nord dans leur environnement.

Audumla, vache sacrée qui, dans la myth. scandinave, allaita le géant Ymer.

Auer (Karl, baron von Welsbach) (Vienne, 1858 – Welsbach, 1929), chimiste autrichien, inventeur du manchon de lampe à gaz qui porte son nom *(bec Auer)*.

Auerstedt, bourg de Saxe où Davout battit les Prussiens le 14 oct. 1806, alors que Napoléon gagnait, le même jour, la bataille d'Iéna.

Aufklärung (mot all., littéral. : *montée des lumières*), courant d'idées qui, au XVIIIe s., en Allemagne (en France on parle de « philosophie des Lumières »), se fonda sur la raison et sur l'expérience des faits (en bannissant les dogmes religieux, monarchiques, etc.) pour « éclairer » les hommes. Princ. représentants : le poète et romancier Wieland, les philosophes Wolff et Mendelssohn, Lichtenberg, auteur d'aphorismes célèbres, et surtout Lessing, pour qui le progrès de l'humanité dépend du pouvoir qu'a l'esprit humain de s'émanciper de toute tutelle.

auge n. f. **1.** Bassin de pierre, de bois ou de métal servant à donner à boire ou à manger aux animaux. **2.** Récipient utilisé par les maçons pour délayer le plâtre. **3.** GEOGR *Auge glaciaire* : vallée, d'origine glaciaire, à fond large et aux parois raides.

Auge, rég. du bocage normand, entre la vallée de la Touques et celle de la Dives (dite *vallée d'Auge*). Import. élevage bovin; produits laitiers : camembert, livarot, pont-l'évêque; cidre.

Auger (Pierre Victor) (Paris, 1899 – id., 1993), physicien français. Il a découvert et interprété aussitôt, en 1925, l'effet qui porte aujourd'hui son nom. ▷ PHYS *Effet Auger*, émission, sous l'action d'un rayonnement incident (photons X), d'électrons dont la vitesse est indépendante de ce rayonnement. L'effet Auger permet d'obtenir des états fortement ionisés de la matière; il est utilisé comme méthode spectrographique d'étude des surfaces.

Augereau (Pierre François Charles) (Paris, 1757 – La Houssaye, 1816), général français. Après Castiglione et Arcole (1796), il participa au coup d'État du 18 fructidor (4 sept. 1797), devint maréchal et duc de Castiglione en 1804, s'illustra à Iéna, à Eylau, en Espagne. Louis XVIII le fit pair de France (1814).

augeron, onne adj. et n. Du pays d'Auge. ▷ Subst. *Un(e) Augeron(ne).*

Augias, roi d'Élide, l'un des Argonautes. Héraclès nettoya ses écuries en y faisant passer le fleuve Alphée.

Augier (Émile) (Valence, 1820 – Croissy-sur-Seine, 1889), auteur dramatique français; porte-parole de la morale bourgeoise : *le Gendre de M. Poirier* (1854). Acad. fr. (1857).

augment [ɔgmɑ̃] n. m. LING Adjonction de l'élément *e-* au commencement d'une forme verbale, à certains temps du passé, dans les langues indo-européennes, telles que le grec et le sanscrit.

augmentable adj. Susceptible d'augmentation.

augmentatif, ive adj. LING Se dit d'une forme grammaticale, préfixe ou suffixe, renforçant le sens d'un mot (ex. : *super* dans *superchampion*). ▷ n. m. *Un augmentatif.*

augmentation n. f. **1.** Action, fait d'augmenter. *Augmentation de volume, de poids, de durée.* **2.** Majoration d'appointements. *Obtenir une augmentation.*

augmenté, ée adj. **1.** Qui a subi une augmentation. *Un taux d'intérêt augmenté de 3 %.* **2.** MUS *Intervalle augmenté*, qui comporte un demi-ton chromatique de plus que l'intervalle juste ou majeur correspondant.

augmenter v. [1] **I.** v. tr. **1.** Rendre plus grand, plus considérable. *Augmenter le son, la longueur, les prix, la surface, les intérêts.* **2.** Majorer les appointements de. *Augmenter les ouvriers, les fonctionnaires.* **II.** v. pron. Rare S'accroître. **III.** v. intr. (Choses) Devenir plus grand, croître en quantité, en prix, etc. *La vie ne cesse d'augmenter. Augmenter de volume.*

Augsbourg, v. d'Allemagne (Bavière), sur le Lech; 245 960 hab. Constr. méca., industr. chim. et text. – Colonie romaine, puis ville impériale. – Cath. XIe-XVe s.; hôtel de ville XVIIe s. – La *Confession d'Augsbourg*, profession de foi luthérienne rédigée par Melanchthon, fut présentée à la diète impériale d'Augsbourg convoquée par Charles Quint (1530). – La *ligue d'Augsbourg*, formée de 1686 à 1697 par l'Angleterre, l'Espagne, les principautés all., les Provinces-Unies, la Suède, lutta contre la polit. d'annexion de Louis XIV, qui vainquit la coalition (1697 : traités de Ryswick).

augure n. m. **I. 1.** ANTIQ ROM Devin qui tirait présage de manifestations de la nature (orages, comportement des oiseaux, etc.) et de signes observés lors des sacrifices. **2.** Personne qui se livre à des conjectures, prétend prédire l'avenir. **II. 1.** ANTIQ ROM Présage tiré par les augures. **2.** Ce qui semble présager l'avenir. *J'en accepte l'augure.* ▷ Loc. *Oiseau de bon, de mauvais augure* : personne qui annonce, par sa présence ou ses propos, de bonnes, de mauvaises nouvelles.

augurer v. tr. [1] Tirer de l'observation de certains signes des conjectures sur l'avenir. *Je n'augure rien de bon de tout cela.*

Augusta, v. des É.-U. (Georgie), sur la Savannah; 44 600 hab. (aggl. urb. 368 300 hab.). Industrie chimique.

Augusta, cap. du Maine (É.-U.); 21 300 hab.

1. auguste adj. et n. m. **1.** adj. Vénérable et solennel. *Une auguste assemblée.* **2.** n. m. HIST Titre porté par les empereurs romains. *Le premier auguste fut Octave.*

2. auguste n. m. Type de clown au maquillage bariolé. *L'auguste et le clown blanc.*

Auguste (Caius Julius Caesar Octavianus Augustus) (Rome, 63 av. J.-C. – Nola, 14 apr. J.-C.), empereur romain. Petit-neveu et fils adoptif de César, connu d'abord sous le nom d'Octave, puis sous celui d'Octavien. À la mort de César, il forma, avec Antoine et Lépide, le second triumvirat, puis prit la tête de tout l'Empire romain après la déposition de Lépide et sa propre victoire sur Antoine à Actium (31 av. J.-C.). En 28 av. J.-C., il avait été élevé à la dignité militaire d'*imperator*, à laquelle le sénat joignit plus tard (27 av. J.-C.) le titre nouveau d'*augustus* (vénérable) : il avait désormais tous les pouvoirs. À l'extérieur, n'étant pas parvenu à se maintenir en Germanie (massacre des légions de Varus en 9 apr. J.-C.), il ramena au

Auguste, camée de la Croix de Lothar, de Otto II, XIe s.; trésor de la cath. d'Aix-la-Chapelle

Rhin la limite N.-E. de l'Empire, qu'il réussit à étendre au N. des Alpes et des Balkans, en annexant les régions correspondant auj. à la Bavière, à l'Autriche et à la Bulgarie. À l'intérieur, il réorganisa la société, les finances, le gouvernement. Rome lui doit de nombreux monuments. Virgile, Horace, Ovide, Tite-Live illustrèrent son règne *(siècle d'Auguste)*. Son beau-fils Tibère, qu'il avait adopté, lui succéda.

Auguste Ier (Freiberg, 1526 – Dresde, 1586), électeur de Saxe (1553-1586), calviniste puis luthérien. – **Auguste II** (Dresde, 1670 – Varsovie, 1733), électeur de Saxe en 1694, roi de Pologne (1697-1704, puis 1710-1733), fut détrôné par le roi Charles XII de Suède au profit de Stanislas Leczinsky, et rétabli après la bataille de Poltava. – **Auguste III** (Dresde, 1696 – id., 1763), roi de Pologne (1733 – 1763), fils du préc.; sa fille Marie-Josèphe de Saxe, belle-fille de Louis XV, fut la mère de Louis XVI, Louis XVIII, Charles X.

augustin, ine n. Religieux, religieuse qui suit la règle dite de saint Augustin.

Augustin (saint) (Tagaste, auj. Souk-Ahras, 354 – Hippone, auj. Annaba, 430), évêque africain, docteur et Père de l'Église. Fils d'un païen et d'une chrétienne (sainte Monique), il enseigna la rhétorique à Carthage, Rome et Milan, où, sous l'influence de saint Ambroise, qui l'amena à l'étude de Plotin, il se convertit au christianisme en 386. De retour en Afrique (388), ordonné prêtre (391), il devint évêque d'Hippone (395). C'est à ce poste qu'il lutta contre les hérétiques (manichéens, donatistes, pélagiens) et élabora l'essentiel de son œuvre : *Confessions* (391-400), récit de sa conversion; *De la Trinité* (399-422); *la Cité de Dieu* (413-424), synthèse de sa théologie; *Rétractations* (426-427), etc. Il a vu, dans la connaissance, une participation à la connaissance divine, et a fait des idées platoniciennes les idées mêmes de la sagesse de Dieu. « Docteur de la grâce », pour lui Dieu ne fait que couronner ses dons quand il couronne nos mérites. Son influence a été considérable (Luther, Calvin, Jansénius, Descartes, Malebranche).

Augustin de Canterbury (saint) (m. v. 604), moine romain qui, à l'initiative du pape Grégoire le Grand, entreprit l'évangélisation de l'Angleterre (vers 596). Il fut le premier évêque de Canterbury.

augustinien, enne adj. **1.** Relatif à saint Augustin, à sa pensée. **2.** Qui adopte les thèses de saint Augustin sur la grâce.

augustinisme n. m. Didac. Doctrine de saint Augustin.

Augustinus (l'), traité théologique de Jansénius (1640, posth.), interprétation de la pensée de saint Augustin sur le problème de la grâce. Condamné par Urbain VIII, l'ouvrage alimenta la querelle janséniste.

aujourd'hui adv. et n. m. **1.** Au jour où l'on est. *Il arrive aujourd'hui.* **2.** Au temps où nous sommes, à notre époque. ▷ n. m. L'époque actuelle. *Le monde d'aujourd'hui.*

Aulerques, peuple de Gaule, établi le long de la Loire et entre la Loire et la Seine (région du Mans et d'Évreux).

Aulis (auj. *Vathy*), port de l'anc. Béotie, où, selon *l'Iliade*, les Grecs s'embarquèrent pour Troie. Iphigénie y fut sacrifiée.

aulnaie ou **aunaie** n. f. SYLVIC Lieu planté d'aulnes.

Aulnay, com. de la Char.-Mar. (arr. de Saint-Jean-d'Angély); 1 470 hab. – Égl. St-Pierre (déb. XIIe s.), chef-d'œuvre du roman saintongeais.

Aulnay-sous-Bois, ch.-l. de cant. de la Seine-St-Denis (arr. du Raincy), dans la banlieue N.-E. de Paris; 82 537 hab. Métallurgie; prod. pharm.; meubles.

aulne ou **aune** [on] n. m. Arbre des terrains humides (fam. bétulacées). *Aulne glutineux* : espèce recherchée pour la légèreté et l'imputrescibilité de son bois.

aulne glutineux : feuilles avec chatons mâles et femelles

Aulne, fl. de Bretagne (140 km); naît dans les Côtes-d'Armor, se jette dans la rade de Brest.

Aulu-Gelle (Aulus Gellius) (Rome, v. 130 – id., v. 180), érudit latin; auteur des *Nuits attiques*, recueil de « notes » qui fournissent de nombr. renseignements sur l'histoire, l'art et les sciences antiques.

aulx [o] n. m. pl. Plur. vieilli de *ail.*

Aumale (Charles de Lorraine, duc d') (?, 1555 – Bruxelles, 1631), un des chefs de la Ligue. Il défendit Paris contre Henri IV; il mourut en exil.

Aumale (Henri Eugène Philippe d'Orléans, duc d') (Paris, 1822 – Zucco, Sicile, 1897), général et historien franç., quatrième fils de Louis-Philippe. Il enleva la smala d'Abd el-Kader (1843), s'exila après 1848 en G.-B., revint en France en 1871, fut exilé à nouveau en 1886, puis autorisé à revenir en France en 1889. Il légua son domaine de Chantilly et ses coll. à l'Institut. Acad. fr. (1871).

aumône n. f. **1.** Ce qu'on donne aux pauvres par charité. *Vivre d'aumônes. Faire, demander l'aumône.* Syn. obole. **2.** Fig. Faveur parcimonieuse. *L'aumône d'un sourire.*

aumônerie n. f. **1.** Charge d'aumônier. **2.** Service administratif qui regroupe les aumôniers. *L'aumônerie des prisons.* **3.** Logement d'un aumônier.

aumônier n. m. **1.** Anc. Ecclésiastique attaché au service d'un grand personnage. *L'aumônier du château.* Syn. chapelain. **2.** Mod. Ecclésiastique qui exerce son ministère auprès d'une collectivité donnée. *Aumônier d'un lycée. Aumônier protestant, israélite.*

aumônière n. f. Anc. Petite bourse qu'on attachait, autref., à la ceinture.

1. aune n. f. Ancienne mesure de longueur valant 1,188 m. ▷ Loc. fig. *Mesurer les autres à son aune,* les juger d'après soi-même.

2. aune. V. aulne.

Aung San Suu Kyi (Rangoon, 1945), femme politique birmane. Après une carrière à l'étranger, elle fonde dans son pays en 1988 la Ligue nationale pour la démocratie, qui remporte largement les élections (1990). Le pouvoir militaire l'a détenue en résidence surveillée à Rangoon de 1989 à 1995. P. Nobel de la paix 1991.

Aunis, anc. prov. de France, correspondant en partie aux dép. de la Char.-Mar. et des Deux-Sèvres; cap. *La Rochelle.* – Incluse dans l'Aquitaine, elle fut réunie à la Couronne en 1271 et retourna à l'Angleterre de 1360 à 1373, date de son acquisition définitive par la France.

auparavant adv. Avant, antérieurement. *Il l'avait rencontré peu auparavant. Un mois auparavant.*

auprès adv. Litt. Dans le voisinage, non loin. *La mer est proche, il habite auprès.*

auprès de loc. prép. **1.** Dans la proximité de. *Être assis auprès de qqn ou de qqch.* **2.** Fig. Par comparaison avec. *Auprès de votre complaisance, la sienne est peu de chose.* **3.** Aux yeux de, de l'avis de. *Il passe pour érudit auprès des ignorants.*

auquel. Pron. relat. V. lequel.

aura n. f. **1.** MED Sensation vague, précédant une crise d'épilepsie. **2.** Corps immatériel qui, selon les occultistes, entourerait certaines substances. **3.** Fig. Influence mystérieuse qui semble émaner d'une personne. *Une aura de sensibilité.*

Aurangābād, ville de l'Inde (Mahārāshtra); env. 284 610 hab. – Grottes décorées de scènes bouddhiques de l'époque des Guptas et postérieure (Ve, VIe et VIIe s. apr. J.-C.).

Aurangzeb (?, 1618 – Aurangābād, 1707), dernier grand empereur moghol de l'Inde (1658-1707). Il fut un musulman fanatique et agrandit l'Empire, dont le déclin commença après lui.

Auray, ch.-l. de cant. du Morbihan (arr. de Lorient); 10 589 hab. (*Alréens*). Petit port. Tourisme. Industr. alim. – Victoire de Jean de Montfort sur Charles de Blois, qui y fut tué, tandis que Du Guesclin était fait prisonnier (1364).

Aure (vallée d'), vallée des Htes-Pyr., drainée par la Neste d'Aure, qui conflue avec la Garonne à Montréjeau.

Aurélien (Lucius Domitius Aurelianus) (Sirmium, auj. Sremska Mitrovica, Serbie, v. 212 – Cénophrurion, Thrace, 275), empereur romain de 270 à 275. Il vainquit les Goths, les Alamans et Zénobie, reine de Palmyre. Restaurateur de l'unité romaine, réformateur du culte (divinisé de son vivant), il fit entourer Rome d'une haute muraille *(mur d'Aurélien).*

Aurélienne (voie) (en lat. *via Aurelia*), route qui, sous l'Empire romain, partant de Rome allait à Civitavecchia, Pise, Gênes et finissait à Arles.

Aurelle de Paladines (Louis Jean-Baptiste d') (Le Malzieu, 1804 – Versailles, 1877), général français. Il battit les Bavarois à Coulmiers (1870), dégageant ainsi Orléans.

Aurenche (Jean) (Pierrelatte, 1903 – Bandol, 1992), scénariste français. Sa collab. avec le dialoguiste Pierre Bost (1901 – 1975) donna naissance à de nombr. classiques du cinéma fr. : *le Diable au corps* (1947); *Jeux interdits* (1952); *le Rouge et le Noir* (1954).

auréole n. f. **1.** Couronne lumineuse dont les peintres entourent symboliquement la tête du Christ, de la Vierge et des saints. **2.** Fig. Prestige, gloire. *Parer qqn d'une auréole.* **3.** Couronne apparaissant autour de certains corps célestes; halo. **4.** Trace circulaire laissée par une tache qu'on a nettoyée.

auréoler v. tr. [**1**] Parer d'une auréole. ▷ Fig. Glorifier.

auréomycine n. f. BIOL et MED Antibiotique du groupe des tétracyclines.

Aurès (les), massif montagneux de l'Atlas saharien; 2 328 m au djebel Chelia; habité par des populations berbères. Il fut le centre d'âpres combats pendant la guerre d'Algérie.

Auric (Georges) (Lodève, 1899 – Paris, 1983), compositeur français; cofondateur du groupe des Six (1918). Il est l'auteur de musiques de ballets (*les Fâcheux,* 1924; *Phèdre,* 1950) et de musiques de films (*Moulin Rouge,* 1952; *Lola Montès,* 1954).

auriculaire adj. et n. m. **1.** adj. Qui se rapporte à une oreille. – ANAT Qui se rapporte à une oreillette du cœur. *Fibrillation auriculaire.* ▷ *Témoin auriculaire,* qui rapporte ce qu'il a entendu. **2.** n. m. Le plus petit doigt de la main (qu'on peut introduire dans le conduit de l'oreille).

auricule n. f. ANAT Appendice surmontant chacune des oreillettes du cœur.

auriculothérapie n. f. Méthode thérapeutique reposant sur l'idée que le pavillon de l'oreille constitue une image du fœtus et qu'en stimulant ses différents points par des aiguilles on agit sur les parties du corps qu'ils représentent.

auriculo-ventriculaire adj. ANAT Appartenant à la fois à l'oreillette et au ventricule du cœur. *Orifice et sillon auriculo-ventriculaires.*

aurifère adj. MINER Qui contient de l'or. *Terrains, cours d'eau aurifères.*

aurige n. m. ANTIQ Conducteur de char. – *L'aurige de Delphes* (478 av. J.-C.), célèbre statue en bronze (musée de Delphes).

aurignacien, enne [ɔʀiɲasjɛ̃, ɛn] n. m. et adj. PREHIST Faciès culturel de la première moitié du paléolithique supérieur, caractérisé par une industrie lithique composée de lames à retouches écailleuses, de burins, de lamelles finement retouchées et d'un bel outillage osseux. ▷ adj. *La culture aurignacienne marque les débuts de l'art figuratif.*

*l'***aurige** *de Delphes,* bronze, 478 av. J.-C.

Aurigny (en angl. *Alderney*), la plus septent. des îles Anglo-Normandes, à 17 km du cap de la Hague; 8 km^2; 1 850 hab.; ch.-l. *Sainte-Anne.* Tourisme.

Aurillac, ch.-l. du dép. du Cantal, sur la Jordanne, dans le *bassin d'Aurillac;* 32 654 hab. Marché de bestiaux; fabriques de parapluies; meubles.

Auriol (Vincent) (Revel, 1884 – Paris, 1966), homme politique français. Socialiste, il fut le premier président de la IVe République (1947-1954).

aurique adj. MAR *Voile aurique :* voile de forme trapézoïdale enverguée sur une corne.

Aurobindo (Sri) (Calcutta, 1872 – Pondichéry, 1950), philosophe indien; l'un des plus grands maîtres spirituels de l'Inde contemp. : *la Vie divine, la Synthèse des yogas,* etc.

aurochs [ɔʀɔk] n. m. Bovidé noir de grande taille (2 m au garrot) qui vécut en Europe, à l'état sauvage, jusqu'au Moyen Âge et qu'on a pu reconstituer récemment par croisements.

auroral, ale, aux adj. Didac. ou litt. Qui appartient à l'aurore.

aurore n. f. **1.** Crépuscule du matin, lumière rosée qui précède le lever du soleil. **2.** Fig. Origine, début. *L'aurore de la vie.* **3.** *Aurore polaire (boréale ou australe) :* phénomène lumineux observable dans les régions polaires, provoqué par un flot d'électrons solaires atteignant la haute atmosphère.

Aurore (l'), journal républicain-socialiste (1897-1914) qui eut G. Clemenceau pour rédacteur politique. Ce quotidien, en publiant (1898) le manifeste de Zola *J'accuse,* déclencha l'Affaire Dreyfus. En 1944, un quotidien conservateur reprit ce titre; en 1984, il fusionna avec *le Figaro.*

Auroux (lois), nom de quatre lois, votées en 1982, qui édictent les droits nouveaux des travailleurs et établies à partir du rapport de Jean Auroux, ministre du Travail du gouvernement Mauroy (1981-1983).

Auschwitz (en polonais *Oświęcim*), v. de Pologne; 28 000 hab. – Les nazis y implantèrent un grand camp d'extermination, sur 45 km^2, où périrent env. 1 million de Juifs et de Polonais entre 1940 et 1945.

auscultation n. f. Action d'ausculter.

ausculter v. tr. [**1**] Écouter, directement ou à l'aide d'un stéthoscope, les bruits qui se produisent dans certaines parties internes du corps, en vue d'un diagnostic. *Ausculter un malade.*

Ausone (*Decimus Magnus Ausonius*) (Burdigala, auj. Bordeaux, v. 310 – id., v. 394), poète et grammairien latin; célèbre par l'une de ses *Idylles* : le poème de *la Moselle.*

auspice n. m. **1.** (Surtout plur.) ANTIQ ROM Signe où l'augure* voyait un présage. **2.** Fig. *Sous d'heureux, de funestes auspices :* dans des circonstances qui présagent le succès ou l'échec. – *Sous les auspices de qqn,* sous sa protection, son patronage.

aussi adv. et conj. **I.** adv. **1.** Également, de même. *Son père le gâte, sa mère aussi.* (On emploie *non plus* lorsque l'idée est négative. *Son père ne le gâte pas, sa mère non plus.*) **2.** Devant un adj. ou un adv. dans une comparaison, exprime l'égalité. *Cette moto est aussi rapide qu'une voiture. Ma nièce est aussi belle que gracieuse.* **II.** conj. (En tête de proposition.) C'est pourquoi, en conséquence. *Il travaille, aussi réussit-il.* ▷ Loc. conj. *Aussi bien :* après tout, d'ailleurs. *Je ne lui écris plus, aussi bien nous sommes fâchés.* ▷ *Aussi bien que :* de même que.

aussitôt adv. Dans le même moment. *Il est entré et aussitôt il s'est dirigé vers moi.* ▷ Loc. conj. *Aussitôt que :* dès que.

Austen (Jane) (Steventon, Hampshire, 1775 – Winchester, 1817), écrivain anglais; auteur de romans de mœurs : *Orgueil et Préjugé* (1813), *Emma* (1815), *Persuasion* (posth., 1818).

Auster (Paul) (Newark, New Jersey, 1947), écrivain amér. Dès *l'Invention de la solitude* (1982), ses romans explorent, parfois sous la forme policière (*la Chambre dérobée,* 1986), les thèmes du néant et de la dépossession (*Léviathan,* 1992).

austère adj. **1.** (Personnes) Qui présente dans son attitude ou son caractère un penchant pour la gravité, la sévérité morale, la rigueur puritaine. *Un moraliste austère.* Ant. dissolu, hédoniste, libertin. **2.** (Choses) Dénué d'agréments ou de fantaisie. *Un intérieur austère.* Syn. rude, sévère. Ant. gai.

austérité n. f. **1.** Caractère de ce qui est austère. ▷ ECON *Politique d'austérité,* destinée à faire baisser les prix par une diminution de la demande. **2.** (Plur.) Mortifications du corps et de l'esprit.

Austerlitz (en tchèque *Slavkov*), bourg de Moravie où Napoléon Ier battit les Autrichiens et les Russes le 2 déc. 1805 *(bataille des Trois Empereurs),* alors que le temps était splendide («soleil d'Austerlitz»). Ce fut la fin de la troisième coalition, suivie du traité de Presbourg (26 déc. 1805).

Austin, cap. du Texas (É.-U.), sur le Colorado; 465 600 hab. Centre industriel et culturel.

Austin (John Langshaw) (Lancaster, 1911 – Oxford, 1960), philosophe et logicien anglais, théoricien de la communication. Il a proposé des analyses minutieuses de certains faits de langage et établi, en particulier, une typologie des énoncés performatifs. La plus grande part de son œuvre a été publiée après sa mort : *How to do Things with Words* (1962; trad. fr. : *Quand dire, c'est faire*).

austral, ale, als ou **aux** adj. Qui se trouve dans l'hémisphère Sud. *Terres australes,* voisines du pôle Sud. Ant. boréal. ► carte du **ciel**

Austral (océan). V. Antarctique (océan).

australasiatique adj. Qui concerne à la fois l'Asie et l'Australie. *Le développement du commerce australasiatique.*

Australes et Antarctiques françaises (terres), territoire franç. comprenant les îles Crozet, les îles Kerguelen, la terre Adélie, l'île de la Nouvelle-Amsterdam et l'île de Saint-Paul.

Australie *(Commonwealth of Australia),* État fédéral d'Océanie, membre du Commonwealth, formant lui-même un Commonwealth (continent australien, Tasmanie, territ. extérieurs), situé dans l'hémisphère Sud, entre l'océan Indien

à l'O. et l'océan Pacifique à l'E.; 7 682 300 km²; 18 millions d'hab.; cap. *Canberra*. Nature de l'État : rép. fédérale. Langue off. : angl. Monnaie : dollar australien. Relig. : protestants (37 %), catholiques (26 %).
Géogr. phys. et hum. – Continent massif, l'Australie est formée, à l'O., d'un vaste plateau; au centre, de plaines; et, à l'E., d'une chaîne montagneuse, la Cordillère australienne : 2 230 m au mont Kosciusko. Le climat tropical sec domine : importance des déserts (Gibson, Victoria) et du « bush », formation semi-aride buissonnante. Le peuplement se concentre dans les bordures S.-E. et E. au climat océanique et tropical et autour de Perth et d'Adélaïde, au climat méditerranéen. Les Blancs d'origine européenne constituent 95 % de la population (1 % pour les autochtones aborigènes, qui ont été décimés), l'immigration asiatique est en progression. Le taux d'urbanisation approche 90 %.
Écon. – Traditionnellement vouée à l'agriculture, qui a permis son essor, l'économie repose aussi sur l'activité minière. Les productions végétales concernent les céréales (blé, orge, riz), la canne à sucre et le coton. Les productions animales sont représentées par l'élevage ovin (1er cheptel du monde), constitué par des moutons mérinos élevés pour leur laine (1er producteur), et l'élevage bovin. L'activité minière procure 50 % des exportations de marchandises et les productions sont très diversifiées : bauxite et diamants (1er producteur mondial), zinc (2e producteur mondial), fer (3e producteur mondial), charbon, uranium. L'industrie se spécialise dans la fourniture de produits agricoles, de produits miniers et de machines et matériels de transport aux pays du Sud-Est asiatique en très forte expansion. Cette position privilégiée autorise la croissance économique et la baisse du chômage.
Hist. – Découvert par les Holl., le continent fut colonisé par les Angl. après le voyage de Cook (1770). De 1787 à 1840, la Nouvelle-Galles du Sud, première colonie, servit à la déportation des condamnés au bagne *(convicts)*. Organisé par les gouverneurs Macquarie et Brisbane, le pays, prospère grâce à l'essor de l'élevage du mouton et à la découverte de l'or (1851), se constitua (1901) en une fédération de six États autonomes (plus le Territoire fédéral de Canberra) auxquels s'ajoutèrent le S.-E. (1906-1975) et le N.-E. (1921-1975) de la Nouvelle-Guinée, et le Territ. antarctique australien, administrés par Canberra. Le pays participa de façon notable aux deux guerres mondiales et servit de base arrière aux Alliés pour la reconquête du Pacifique (1943). Les travaillistes ont conservé le pouvoir avec Bob Hawke (1983-1992) et Paul Keating (1992-1996), jusqu'à la victoire du libéral John Howard en 1996.

Australie-Méridionale, État de l'Australie; 984 000 km²; 1 473 000 hab.; cap. *Adélaïde*. Vaste région désertique (plaine du Nullarbor) bordée à l'E. par les monts Flinders et au N.-O. par les monts Musgrave.

australien, enne adj. et n. De l'Australie. ▷ Subst. *Un(e) Australien(ne).*

Australie-Occidentale, État de l'Australie; 2 525 500 km²; 1 724 000 hab.; cap. *Perth*. Vaste pénéplaine aride (Grand Désert de Sable, de Victoria, désert de Gibson).

australopithèque n. m. PALEONT Hominidé fossile découvert en Afrique australe et orientale. (Ses restes connus les plus anciens remontent à 3,5, voire à 5 millions d'années.)

Austrasie, royaume orient. de la Gaule mérovingienne (s'oppose à la Neustrie), berceau de la dynastie carolingienne; cap. *Metz*.

austro-. Élément, du lat. *Austria*, « Autriche », signifiant « autrichien ».

austro-hongrois, oise adj. et n. Relatif à l'empire d'Autriche-Hongrie (1867 – 1918). ▷ Subst. *Les Austro-Hongrois.*

austronésien, enne adj. LING *Langues austronésiennes* : famille de langues parlées aux Philippines, à Taïwan, au Viêt-nam, en Indonésie, en Nouvelle-Calédonie, en Nouvelle-Guinée et à Madagascar.

austro-prussienne (guerre), fomentée en 1866 par la Prusse (Bismarck), à laquelle s'allia l'Italie, contre l'Autriche, alliée aux princ. États all. Provoquée, celle-ci déclencha les hostilités le 14 juin. L'envahissant le 28 juin, l'armée prussienne, commandée par Moltke, remporta le 3 juil. la victoire décisive de Sadowa. Dès lors, la Prusse domina l'Allemagne; l'Italie, malgré ses défaites, se libéra de l'Autriche et obtint la Vénétie.

autan n.m. Vent de secteur Sud-Est, dans le midi de la France.

autant adv. **I.** *Autant... que.* Marque l'égalité entre deux quantités. **1.** (Avec les quantités dénombrables.) Le même nombre de. *Autant de femmes que d'hommes.* **2.** (Avec les termes abstraits ou les quantités non dénombrables.) La même quantité de. *Autant à boire qu'à manger.* **3.** Marquant l'égalité entre deux idées exprimées par un verbe ou un adjectif. *Il travaille autant qu'il s'amuse. Bizarre autant qu'étrange!* **4.** Loc. *Autant que possible* : dans la mesure du possible. **II. 1.** La même quantité, le même degré, la même intensité. *J'en voudrais deux fois autant.* **2.** Ce dont on parle, pris individuellement. *Tous ses serments sont autant de mensonges.* ▷ Loc. prov. *Autant en emporte le vent* : ce sont choses sans lendemain. **3.** *Autant..., autant.* Pour comparer les degrés et les opposer à la fois. *Autant il peut être gai, autant il est parfois mélancolique.* **III.** Dans des loc. adv. ou conj. exprimant la proportionnalité. ▷ *D'autant* : à proportion. *Remboursez la moitié, vous serez libéré d'autant.* ▷ *D'autant plus* : à plus forte raison. ▷ *Pour autant* : malgré cela. *Il a voyagé, mais il n'a rien appris pour autant.* ▷ *D'autant (plus, moins) que* : avec cette raison (en plus ou en moins) que. *Il est malade et ne viendra pas, d'autant (plus) qu'il n'en avait pas envie.* ▷ *(Pour) autant que* : dans la mesure où (avec indic. ou subj.). *(Pour) autant qu'il m'en souvient*, ou *souvienne...*

Autant-Lara (Claude) (Luzarches, Val-d'Oise, 1901), cinéaste français. Sous l'Occupation, il s'affirma comme l'un des grands metteurs en scène nationaux : *le Mariage de Chiffon* (1942), *Douce* (1943); puis il réalisa notam. *le Diable au corps* (1946), *Occupe-toi d'Amélie* (1949), *l'Auberge rouge* (1951), *le Rouge et le Noir* (1954) et *la Traversée de Paris* (1956). En 1989, élu député européen puis démissionnaire, ses positions antisémites ont fait scandale.

autarcie n. f. Système économique d'un État, d'une région qui peut suffire à tous ses besoins et vit seulement de ses propres ressources.

autarcique adj. Relatif à l'autarcie.

autel n. m. **1.** ANTIQ Table destinée aux sacrifices. **2.** Dans les rites chrétiens, table consacrée sur laquelle se célèbre la messe. ▷ Fig. (Avec une majusc.) Symbole de la religion en général. *Le Trône et l'Autel* : le pouvoir temporel et le pouvoir spirituel.

Autels (Guillaume Des). V. Des Autels.

Auteuil, ancien village de la banlieue ouest parisienne, d'abord dépendant de l'abbaye de Sainte-Geneviève, rattaché à Paris en 1860.

auteur n. m. **1.** Celui qui est la cause première de qqch. *Les auteurs de mes jours* : mes parents. *L'auteur de l'Univers* : Dieu. **2.** DR Celui de qui on tient un droit ou une propriété. *Appeler ses auteurs en garantie.* **3.** Personne qui a fait un ouvrage de littérature, de science ou d'art. ▷ Personne qui a pour métier d'écrire, de composer. *La Société des auteurs. Une femme auteur.* – *Un auteur-compositeur.*

authenticité n. f. Qualité de ce qui est authentique.

authentification n. f. Action d'authentifier.

authentifier v. tr. [2] Certifier authentique, conforme, certain. (On dit aussi, dans un registre strictement juridique, *authentiquer.*)

authentique adj. **1.** DR *Acte authentique*, dressé dans les formes exigées par la loi et qui fait preuve jusqu'à inscription en faux. **2.** Se dit d'une œuvre qui émane effectivement de l'auteur auquel on l'attribue. *Un authentique Vermeer.* Ant. faux. **3.** Dont la vérité ou l'exactitude ne peut être contestée. *La version authentique des faits.* Ant. imaginaire, fantaisiste. **4.** Qui émane de la nature profonde d'une personne. *Des émotions, des sentiments authentiques.* Ant. conventionnel, affecté, artificiel.

authentiquement adv. De manière authentique.

authentiquer. V. authentifier.

Authie, fl. côtier du N. de la France (100 km); naît dans les collines de l'Artois, se jette dans la Manche.

autisme n. m. PSYCHIAT Repliement pathologique sur soi-même, accompagné de perte de contact avec la réalité extérieure. V. schizophrénie.

autiste adj. et n. Relatif à l'autisme; atteint d'autisme. *L'enfant autiste ne parle pas.*

autistique adj. Qui est relatif à l'autisme. *Activité autistique.*

auto-. Élément, du gr. *autos*, « soi-même ».

auto n. f. Abréviation de *automobile*. *Des autos.*

auto-accusation n. f. PSYCHIAT Trouble psychique consistant à s'accuser, le plus souvent à tort, d'actes ou d'intentions répréhensibles.

auto-adhésif, ive adj. Syn. de *autocollant*. *Des vignettes auto-adhésives.*

auto-allumage n. m. Inflammation du carburant en l'absence d'étincelle à la bougie, dans les moteurs à explosion. *Des auto-allumages.*

auto-analyse n. f. PSYCHAN Observation de soi-même qui repose sur certaines méthodes psychanalytiques.

auto-anticorps n. m. inv. Anticorps produit par un organisme contre un ou plusieurs de ses constituants, agissant contre eux comme contre des antigènes.

autoberge n. f. Voie routière aménagée sur une berge.

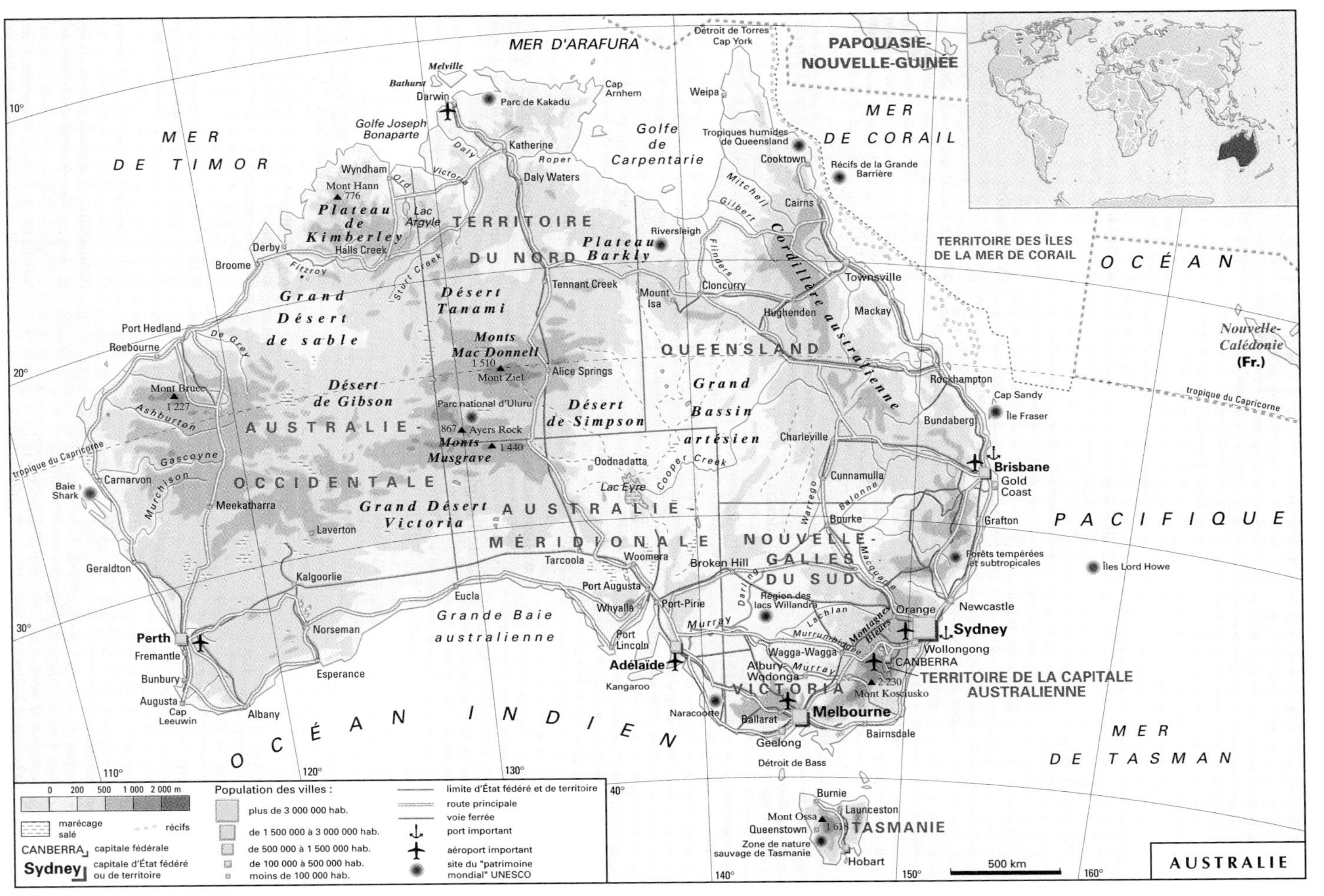
AUSTRALIE
MER D'ARAFURA
Détroit de Torres
Cap York
PAPOUASIE-NOUVELLE-GUINÉE
MER DE CORAIL
MER DE TIMOR
Melville
Bathurst
Darwin
Parc de Kakadu
Cap Arnhem
Weipa
Golfe de Carpentarie
Tropiques humides de Queensland
Cooktown
Récifs de la Grande Barrière
Golfe Joseph Bonaparte
Katherine
Roper
Daly
Victoria
Daly Waters
Wyndham
Ord
Mont Hann
776
Plateau de Kimberley
Lac Argyle
TERRITOIRE DU NORD
Mitchell
Gilbert
Cairns
Cordillère australienne
Riversleigh
Plateau Barkly
Derby
Halls Creek
Broome
Fitzroy
Sturt Creek
Flinders
TERRITOIRE DES ÎLES DE LA MER DE CORAIL
OCÉAN PACIFIQUE
Tennant Creek
Mount Isa
Cloncurry
Townsville
Hughenden
Mackay
Grand Désert de sable
Désert Tanami
Port Hedland
Roebourne
De Grey
Monts Mac Donnell
1 510
Mont Ziel
Alice Springs
QUEENSLAND
Nouvelle-Calédonie (Fr.)
Mont Bruce
1 227
Ashburton
Désert de Gibson
Parc national d'Uluru
867
Ayers Rock
Monts Musgrave
1 440
Désert de Simpson
Grand Bassin artésien
Rockhampton
Cap Sandy
tropique du Capricorne
Île Fraser
Bundaberg
AUSTRALIE-OCCIDENTALE
Gascoyne
Oodnadatta
Cooper Creek
Charleville
Brisbane
Gold Coast
Baie Shark
Carnarvon
Murchison
Lac Eyre
Cunnamulla
Balonne
Warrego
Meekatharra
Grand Désert Victoria
AUSTRALIE-MÉRIDIONALE
Bourke
Grafton
Laverton
NOUVELLE-GALLES DU SUD
Macquarie
Forêts tempérées et subtropicales
Îles Lord Howe
Geraldton
Tarcoola
Woomera
Broken Hill
Kalgoorlie
Port Augusta
Eucla
Darling
Région des lacs Willandra
Lachlan
Whyalla
Port-Pirie
Orange
Newcastle
Grande Baie australienne
Murray
Montagnes Bleues
Sydney
Perth
Norseman
Port Lincoln
Murrumbidgee
Fremantle
Wagga-Wagga
Wollongong
CANBERRA
Bunbury
Esperance
Adélaïde
Albury-Wodonga
TERRITOIRE DE LA CAPITALE AUSTRALIENNE
Kangaroo
2 230
Mont Kosciusko
Augusta
Cap Leeuwin
Albany
VICTORIA
Naracoorte
Ballarat
Melbourne
OCÉAN INDIEN
Bairnsdale
MER DE TASMAN
Geelong
Détroit de Bass
10°
20°
30°
40°
110°
120°
130°
140°
150°
160°
0
200
500
1 000
2 000 m
marécage salé
récifs
CANBERRA capitale fédérale
Sydney capitale d'État fédéré ou de territoire
Population des villes :
plus de 3 000 000 hab.
de 1 500 000 à 3 000 000 hab.
de 500 000 à 1 500 000 hab.
de 100 000 à 500 000 hab.
moins de 100 000 hab.
limite d'État fédéré et de territoire
route principale
voie ferrée
port important
aéroport important
site du "patrimoine mondial" UNESCO
Burnie
Launceston
Mont Ossa
1 618
Queenstown
TASMANIE
Zone de nature sauvage de Tasmanie
Hobart
500 km

autobiographie n. f. Biographie d'une personne écrite par elle-même.

autobiographique adj. Qui a les caractères de l'autobiographie.

autobronzant, ante adj. et n. m. Se dit d'un produit cosmétique qui provoque une pigmentation de la peau, produisant un bronzage sans soleil.

autobus [otobys] n. m. Véhicule automobile destiné aux transports en commun urbains.

autocar n. m. Véhicule automobile destiné au transport collectif interurbain ou de tourisme.

autocaravane n. f. Véhicule automobile habitable aménagé pour le camping. Syn. (off. déconseillé) camping-car.

autocariste n. Entrepreneur de transports en autocar.

autocassable adj. *Ampoule autocassable*, dont les extrémités se cassent par simple pression.

autocélébration n. f. Célébration de soi-même, de ses actions.

autocensure n. f. Censure préventive exercée sur soi-même, et en particulier par un auteur sur ses œuvres.

autocensurer (s') v. pron. [1] Pratiquer l'autocensure.

autocentré, ée adj. ECON Centré principalement sur la production et les besoins intérieurs.

autochenille n. f. Véhicule tout terrain muni de chenilles.

autochrome adj. PHOTO *Procédé autochrome*, qui reproduit les couleurs par synthèse des trois couleurs fondamentales.

autochtone [otokton] adj. et n. **1.** Se dit des populations originaires des pays qu'elles habitent. Syn. aborigène, indigène. ▷ Subst. *Les autochtones, au Canada, se répartissent en Amérindiens et en Inuit.* **2.** GEOL Se dit de formations géologiques qui n'ont pas subi de transport. *Gisement autochtone.*

autoclave n. m. TECH Récipient fermé hermétiquement à l'intérieur duquel est maintenue une forte pression, pour cuire, stériliser des substances diverses (aliments, milieux de culture, pâte à papier).

autocollant, ante adj. et n. m. Qui peut être collé par simple pression. *Enveloppe autocollante.* ▷ n. m. Vignette autocollante. Syn. auto-adhésif.

autoconsommation n. f. Consommation des produits par leur producteur.

autocontrôle n. m. **1.** Contrôle exercé sur soi-même. **2.** Contrôle exercé par une société sur son propre capital par l'intermédiaire de filiales.

autocopiant, ante adj. TECH *Papier autocopiant*, qui reproduit un tracé par pression.

autocopie n. f. TECH Procédé de reproduction utilisant du papier autocopiant. – Copie ainsi obtenue.

autocorrection n. f. Didac. **1.** Correction de ses propres erreurs. *Il a répété correctement sa phrase par un réflexe d'autocorrection.* **2.** Dans un test de connaissances, système qui permet au sujet d'apprécier la justesse de ses réponses.

autocouchette(s) ou **autos-couchettes** adj. inv. *Train autocouchette*, qui transporte des voyageurs en couchette ainsi que leur voiture.

autocrate n. m. **1.** Souverain dont le pouvoir n'est limité par aucun contrôle. **2.** HIST Titre officiel des tsars à partir de Pierre le Grand. **3.** *Par anal.* Personne autoritaire, tyrannique.

autocratie [otokʀasi] n. f. Système politique dans lequel le monarque possède une autorité absolue.

autocratique adj. Qui a les caractères de l'autocratie.

autocritique n. f. Critique de soi-même, de ses comportements, de son attitude politique.

autocuiseur n. m. Autoclave de ménage pour la cuisson rapide des aliments.

autodafé n. m. **1.** Cérémonie au cours de laquelle le pouvoir séculier faisait exécuter les jugements prononcés par l'Inquisition. – Supplice du feu. **2.** Destruction par le feu. *Faire un autodafé de ses papiers de famille.*

autodéfense n. f. **1.** Défense assurée par ses propres moyens par un individu, une collectivité, etc. **2.** PHYSIOL Réaction spontanée d'un organisme contre un agent pathogène.

autodérision n. f. Dérision tournée vers soi-même. *Pratiquer l'autodérision.*

autodestructeur, trice adj. Qui se détruit soi-même.

autodestruction n. f. Destruction physique ou morale de soi-même.

autodétermination n. f. Fait, pour un peuple, de déterminer par lui-même, librement, son statut international, politique et administratif.

autodictée n. f. Exercice d'apprentissage de l'orthographe consistant à écrire un texte appris par cœur.

autodidacte adj. et n. Qui s'est instruit seul, sans maître.

autodirecteur, trice adj. MILIT Capable de se diriger sans intervention extérieure. *Torpille autodirectrice.*

autodiscipline n. f. Maintien de la discipline sans intervention extérieure.

autodrome n. m. Vieilli Piste spécialement aménagée pour les courses ou les essais d'automobiles.

auto-école n. f. Entreprise qui dispense des cours de conduite automobile en vue de l'obtention du permis de conduire. *Des auto-écoles.*

autoédition n. f. Édition d'une œuvre par son auteur.

auto-épuration n. f. Didac. Propriété des eaux d'éliminer elles-mêmes une partie de leurs bactéries pathogènes.

auto-érotisme n. m. Érotisme qui trouve son origine dans le sujet lui-même, sans partenaire.

autofécondation n. f. BIOL Union de deux gamètes, mâle et femelle, produits par le même individu.

autofinancement n. m. GEST Financement des investissements d'une entreprise par prélèvement sur ses propres ressources.

autofinancer (s') v. pron. [12] Pratiquer l'autofinancement.

autofocus [otofɔkys] adj. et n. m. PHOTO Se dit d'un système de mise au point automatique (équipant un appareil photographique, une caméra, etc.). *Un appareil autofocus* ou, n. m., *un autofocus*, un appareil de photographie équipé d'un tel système.

autogame adj. BIOL Qui se produit par autogamie.

autogamie n. f. **1.** BIOL Mode de reproduction dans lequel la fécondation s'effectue à partir de deux gamètes formés dans la même cellule. **2.** BOT Mode de reproduction s'effectuant, dans une fleur hermaphrodite, par fécondation de ses ovules par son propre pollen. Syn. autopollinisation.

autogène adj. TECH *Soudure autogène* : soudure de pièces métalliques de même nature sans apport d'un métal étranger.

autogéré, ée adj. Où est pratiquée l'autogestion. *Entreprise autogérée.*

autogestion n. f. Gestion d'une entreprise par les travailleurs eux-mêmes.

autogestionnaire adj. Relatif à l'autogestion; favorable à l'autogestion. *Socialisme autogestionnaire.*

autogire n. m. AERON Aéronef dont la sustentation est assurée par une voilure tournante et la propulsion par une hélice à axe horizontal.

autographe adj. et n. m. Écrit de la propre main de l'auteur. *Testament autographe.* ▷ n. m. *Un autographe.*

autographie n. f. TECH Procédé de report pour l'impression lithographique. – Épreuve obtenue par ce procédé.

autogreffe n. f. CHIR Restauration d'une partie mutilée au moyen d'un greffon prélevé sur le sujet lui-même. Syn. autoplastie.

autoguidage n. m. TECH Système qui permet à un engin de se diriger automatiquement.

autoguidé, ée adj. Dirigé par autoguidage. *Missile autoguidé.*

auto-immun, une [otoimœ̃, yn] adj. MED *Maladie auto-immune*, due à une auto-immunisation. *Des processus auto-immuns.*

auto-immunisation ou **auto-immunité** n. f. MED Production par l'organisme d'auto-anticorps réagissant sur un ou plusieurs de ses propres constituants (auto-antigènes). *Des auto-immunisations. Des auto-immunités.*

auto-immunité n. f. MED Caractère des individus chez lesquels se sont formés des auto-anticorps. *Des auto-immunités.*

auto-induction n. f. ELECTR Création d'une force électromotrice dans un circuit, par variation de son flux propre. *Des auto-inductions.* Syn. (off. déconseillé) self-induction.

auto-intoxication n. f. MED Intoxication générale due à une mauvaise élimination des toxines produites par l'organisme.

autolimitation n. f. Limitation volontaire de sa consommation.

autologue adj. MED Se dit d'une greffe pratiquée avec un greffon prélevé sur le sujet lui-même.

autolyse n. f. BIOL Destruction d'un tissu par ses propres enzymes. *Lors de la métamorphose, la queue du têtard se détache à la suite d'une autolyse.*

automate n. m. **1.** Appareil présentant l'aspect d'un être animé et capable d'en imiter les gestes. ▷ Fig. Personne dénuée d'initiative, de réflexion. **2.** TECH Appareil équipé de dispositifs qui permettent l'exécution de certaines tâches sans intervention humaine.

automaticité n. f. Didac. Caractère de ce qui se fait automatiquement ou sans l'intervention de la volonté. *L'automaticité d'un mécanisme. L'automaticité des réflexes.*

automation n. f. Automatisation (*automation* est d'emploi critiqué).

automatique adj. et n. m. **I.** adj. **1.** Qualifie les mouvements du corps humain exécutés sans l'intervention de la volonté, de la conscience. **2.** Qualifie un dispositif qui exécute de lui-même certaines opérations définies à l'avance. *Distributeur automatique de café.* ▷ Fig. Qui s'accomplit lorsque certaines conditions sont remplies. *Une mise à la retraite automatique.* **II.** n. m. **1.** Pistolet automatique. **2.** Système de liaison téléphonique automatique. *Dans les liaisons internationales, l'automatique est maintenant la règle.*

automatiquement adv. De façon automatique.

automatisation n. f. Ensemble des procédés automatiques visant à réduire ou supprimer l'intervention humaine dans les processus de production industrielle et de traitement de l'information. *L'automatisation d'une raffinerie de pétrole.*

automatiser v. tr. [1] Rendre automatique le fonctionnement de. *Automatiser la gestion des stocks.* – Pp. adj. *Une chaîne de production automatisée.*

automatisme n. m. **1.** PHYSIOL Accomplissement des mouvements sans participation de la volonté. *L'automatisme cardiaque.* **2.** Fig. Comportement qui échappe à la volonté ou à la conscience réfléchie. *Fumer est devenu chez lui un automatisme.* **3.** TECH Dispositif dont le fonctionnement ne nécessite pas l'intervention de l'homme.

Automatistes, groupe de peintres québécois (Fernand Leduc, Marcel Barbeau, Marcelle Ferron, Madeleine Arbour, Jean-Paul Riopelle, etc.) qui se constitua autour de Paul-Émile Borduas au déb. des années 40. Adeptes d'une peinture spontanée et libre de toute contrainte, ils signèrent le *Refus global* (1948), contestation des valeurs traditionnelles de la société québécoise.

automédication n. f. MED Pratique consistant à prendre des médicaments sans avis médical et, donc, sans ordonnance.

automédon n. m. Poét. Cocher.

automitrailleuse n. f. MILIT Véhicule automobile blindé puissamment armé (canon, mitrailleuse).

automnal, ale, aux adj. D'automne, qui appartient à l'automne.

automne n. m. Saison qui succède à l'été et précède l'hiver, entre l'équinoxe (21, 22 ou 23 septembre) et le solstice (21 ou 22 décembre). ▷ Fig. *L'automne de la vie* : l'âge qui précède la vieillesse.

automobile n. f. et adj. Véhicule à moteur assurant le transport terrestre d'un nombre limité de personnes. ▷ adj. De l'automobile. *Industrie automobile.* (Abrév. : auto).

automobilisme n. m. Sport pratiqué avec des automobiles.

automobiliste n. Personne qui conduit une automobile.

automoteur, trice adj. et n. **1.** adj. Qualifie un véhicule équipé d'un moteur qui lui permet de se déplacer. **2.** n. m. Péniche à moteur. **3.** CH de F n. f. Voiture propulsée par un moteur.

automutilation n. f. **1.** MED Mutilation sur soi-même, volontaire ou résultant d'un trouble mental. **2.** ZOOL Amputation réflexe de certains animaux pour échapper à un danger ou lors d'une phase de régénération. Syn. autotomie.

autonettoyant, ante adj. Qui se nettoie automatiquement, sans intervention manuelle. *Four autonettoyant.*

autonome adj. **1.** Se dit d'une collectivité ou d'un territoire qui, à l'intérieur d'une structure plus vaste, s'administre librement. *Une filiale autonome. Des régions autonomes.* ▷ *Syndicat autonome,* qui n'est pas affilié à une centrale syndicale. **2.** Qui fonde son comportement sur des règles choisies librement. ▷ Qui fait preuve d'indépendance, qui se passe de l'aide d'autrui. *Un adolescent autonome.*

autonomie n. f. **1.** Indépendance dont jouissent les pays autonomes. **2.** Liberté, indépendance morale ou intellectuelle. **3.** Distance que peut parcourir (ou temps pendant lequel peut fonctionner) sans ravitaillement un véhicule terrestre, maritime, aérien ou spatial.

autonomisme n. m. Doctrine, mouvement politique des autonomistes.

autonomiste n. et adj. Partisan de l'autonomie d'un pays, d'une province. ▷ adj. *Revendications autonomistes.*

autophagie n. f. BIOL Survie d'un être vivant sous-alimenté aux dépens de sa propre substance.

autoplastie n. f. Syn. de *autogreffe.*

autopollinisation n. f. BOT Pollinisation d'une fleur par son propre pollen.

autopompe n. f. Véhicule automobile sur lequel est montée une pompe actionnée par le moteur du véhicule.

autoportrait n. m. Portrait d'un artiste exécuté par lui-même.

autoproclamer (s') v. pron. [1] Déclarer de sa propre autorité que l'on accède à (un poste, une fonction, un rang).

autopropulsé, ée adj. TECH Qui possède son propre système de propulsion.

autopropulsion n. f. TECH Propulsion d'un mobile par un dispositif automatique monté à son bord.

autopsie n. f. **1.** Dissection d'un cadavre et inspection de ses différents organes en vue d'un examen scientifique ou médico-légal. **2.** Fig. Examen attentif.

autopsier v. tr. [2] Faire l'autopsie de.

autopunition n. f. PSYCHO Conduite morbide d'un sujet qui combat un sentiment de culpabilité en s'infligeant une punition réelle ou symbolique.

autoradio n. f. ou m. Poste de radio spécialement conçu pour être installé dans une automobile.

autorail n. m. CH de F Automotrice à moteur Diesel.

autoréglage n. m. TECH Propriété d'un système capable de rétablir son fonctionnement normal sans intervention extérieure en cas de perturbation.

autorégulation n. f. Syn. de *autoréglage* (pour des systèmes autres que technologiques). *Autorégulation d'un processus métabolique.*

autoreverse n. m. Dispositif qui permet d'écouter sans interruption les deux pistes d'une cassette.

autorisation n. f. **1.** Action d'autoriser; permission. **2.** Permis délivré par une autorité. ▷ *Autorisation de crédit* : ouverture d'un crédit (par une banque).

autorisé, ée adj. **1.** (Personnes) Pourvu d'une autorisation. **2.** (Choses) Permis. **3.** Qui fait autorité. *Un jugement autorisé. Les milieux autorisés.*

autoriser v. [1] **I.** v. tr. **1.** Accorder à (qqn) la permission (de faire qqch). *Sa mère ne l'a pas autorisé à sortir. Son médecin lui autorise quelques sucreries.* **2.** Permettre. *J'ai autorisé cette démarche.* – *Par ext.* Fournir un motif, un prétexte (pour faire quelque chose). *Ce précédent semble nous autoriser à...* **II.** v. pron. **1.** S'accorder (qqch). *Il s'est autorisé un répit.* **2.** Prendre (qqch) comme référence, comme justification, pour... *Il s'autorise de votre exemple pour agir ainsi.*

autoritaire adj. **1.** Qui veut toujours imposer son autorité. Syn. tyrannique, abusif. **2.** Fondé sur l'autorité. *Un régime autoritaire.*

autoritairement adv. De façon autoritaire.

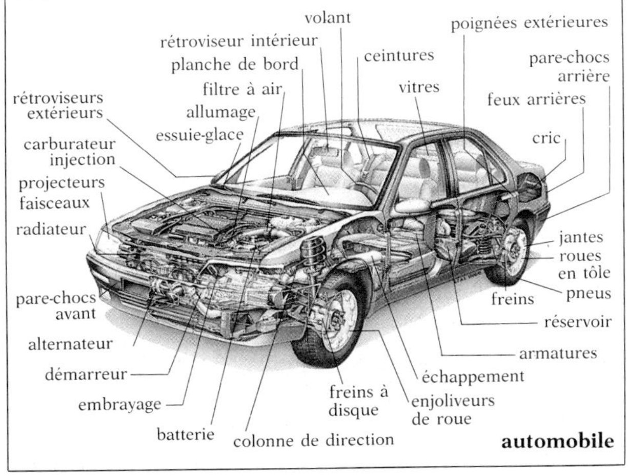

automobile

autoritarisme n. m. **1.** Caractère arbitraire, autoritaire, du pouvoir (politique, administratif, etc.). **2.** Tendance (de qqn) à abuser de son autorité.

autorité n. f. **1.** Pouvoir de commander, d'obliger à quelque chose. *L'autorité des lois.* ▷ *Autorité de justice* : pouvoir des juges. ▷ Loc. *D'autorité, de sa propre autorité* : sans y être autorisé régulièrement, en vertu du seul pouvoir qu'on s'attribue. **2.** Gouvernement, administration publique chargés de faire respecter la loi. *Force restera à l'autorité.* ▷ (Plur.) *Les autorités* : les personnes qui exercent l'autorité. **3.** Crédit, influence, ascendant. *Il a une grande autorité sur ses élèves.* **4.** *Faire autorité* : faire loi, servir de règle en la matière.

autoroute n. f. **1.** Voie routière comportant deux chaussées à sens unique sans carrefour à niveau, conçue pour la circulation rapide et à grand débit. **2.** *Autoroute de l'information* : vaste réseau télématique transmettant l'information sous toutes ses formes (données, sons, images). Syn. inforoute.

autoroutier, ère adj. Relatif aux autoroutes; des autoroutes.

autosatisfaction n. f. Satisfaction de soi-même, contentement de sa propre façon de penser, d'agir.

autoscopie n. f. **1.** PSYCHOPATHOL Représentation hallucinatoire de sa propre image ou de l'intérieur de son propre corps. **2.** Procédé pédagogique consistant à réaliser un film d'une personne lui permettant d'étudier son propre comportement.

autosome [otozom] n. m. BIOL Chromosome ne jouant aucun rôle dans la détermination du sexe. Ant. allosome ou hétérochromosome.

auto-stop ou **autostop** n. m. sing. Pratique consistant à arrêter un véhicule (au moyen d'un signe) pour être transporté gratuitement. *Faire de l'auto-stop.* Syn. fam. stop.

auto-stoppeur ou **autostoppeur, euse** n. Personne qui pratique l'auto-stop. *Des auto-stoppeuses.*

autosubsistance n. f. ECON Fait de couvrir ses besoins par sa propre production.

autosuffisance n. f. Autonomie de ressources ou de moyens qui dispense d'une aide extérieure.

autosuffisant, ante adj. Qualifie une personne ou un pays se suffisant à lui-même, sans aide extérieure.

autosuggestion [otosygʒɛstjɔ̃] n. f. Suggestion* exercée sur soi-même.

autotensiomètre n. m. Appareil permettant de prendre soi-même sa tension artérielle.

autotomie n. f. ZOOL Automutilation.

autotour n. m. Circuit touristique comprenant la location d'une voiture et la réservation de chambres d'hôtel.

autotracté, ée adj. Se dit d'un engin qui comporte son propre système de traction.

autotransfusion n. f. MED Transfusion sur un individu de son propre sang prélevé précédemment dans ce but et conservé.

autotrophe adj. BIOL Capable d'assimiler tel ou tel élément sous une forme minérale. *Les végétaux sont autotrophes et les animaux hétérotrophes.*

1. autour adv. **I.** Dans l'espace environnant. *Un jardin avec des murs autour. Jeter ses regards tout autour.* Syn. alentour. **II.** Loc. prép. *Autour de.* **1.** Dans l'espace qui fait le tour de. *La Terre tourne autour du Soleil.* **2.** Aux environs de, dans l'entourage de. *Autour de l'église. Autour du professeur.* **3.** (Suivi d'une quantité, d'une date.) Environ. *Avoir autour de quarante ans.*

2. autour n. m. ORNITH Oiseau de proie diurne (ordre des falconiformes), dont une seule espèce, l'*autour des palombes (Accipiter gentilis)*, vit en Europe.

autovaccin [otovaksɛ̃] n. m. MED Vaccin obtenu après culture du germe prélevé sur le sujet atteint.

autre adj., pron. indéf. et n. m. **I.** adj. **1.** (Avec l'article indéfini.) Différent, dissemblable. *Montrez-moi un autre modèle.* ▷ *Un autre jour* : plus tard. **2.** (Avec l'article indéfini.) Second par la ressemblance, la conformité. *Un autre moi-même. C'est un autre César.* **3.** (Avec l'article défini.) Opposé, dans un groupe de deux. *L'autre rive. L'autre monde.* ▷ *L'autre jour* : l'un de ces derniers jours. **4.** (Sans article.) *Autre chose. Vous prendrez autre chose? Passons à autre chose.* **5.** Loc. adv. *Autre part* : ailleurs, dans un autre lieu. ▷ *D'autre part* : d'un autre côté, en outre. (Souvent en corrélation avec *d'une part.*) **6.** Fam. *Nous autres, vous autres* : de notre (votre) côté, quant à nous (à vous). **II.** pron. indéf. **1.** (Renvoyant au substantif qui précède.) *J'ai vu un film, mon frère un autre.* **2.** (Avec *personne* sous-entendu, au singulier ou au pluriel.) *D'autres pardonneraient, pas moi.* ▷ *À d'autres!* : je ne crois pas ces sornettes. **3.** (Avec *choses* sous-entendu.) *J'en ai vu d'autres* : j'ai vu des choses plus extraordinaires, plus pénibles. *Il n'en fait jamais d'autres* : il commet toujours les mêmes sottises. ▷ *Entre autres* : notamment. **4.** (En relation avec *l'un* et, au plur., *les uns.*) Pour désigner deux individus, deux groupes opposés. *L'un dit blanc, l'autre dit noir.* ▷ *Ni l'un ni l'autre* : aucun des deux. ▷ *Les uns les autres* : réciproquement. *Ils s'épaulaient les uns les autres.* ▷ Loc. fig. *L'un dans l'autre* : en compensant une chose avec une autre. **III.** n. m. PHILO Toute conscience, par oppos. au sujet. *L'histoire de la personnalité est déterminée par son rapport à l'autre.*

autrefois adv. Dans un temps plus ou moins lointain; jadis.

autrement adv. **1.** D'une autre façon. *Tiens-toi autrement!* **2.** Sans quoi, sinon. *Reposez-vous, autrement vous serez malade.* **3.** À un plus haut degré. *J'ai à traiter une affaire autrement importante.*

Autriche *(Republik Österreich)*, État fédéral d'Europe centrale, limité par l'Allemagne, la Suisse, le Liechtenstein, la Hongrie, l'Italie et la Slovénie; 83 853 km²; 8 100 000 hab.; cap. *Vienne.* Nature de l'État : rép. fédérale. Langue off. : allemand. Monnaie : schilling. Religion : catholicisme.
Géogr. phys. et hum. – Les Alpes orientales, humides, boisées et herbagères, couvrent les trois quarts du pays (point culminant, le Grossglockner à 3 797 m). Les grandes vallées et bassins encaissés dans les montagnes, les plaines et collines de l'Autriche danubienne (au N.) et du Burgenland (au S.-E.), au climat continental plus sec et ensoleillé, concentrent l'essentiel du peuplement et des activités.
Écon. – L'Autriche offre l'exemple d'un État montagnard qui a su développer une écon. dynamique et diversifiée. L'agric. ajoute, aux productions végétales des plaines du N. et de l'E., l'élevage laitier et la sylviculture des régions alpines. Le tissu industriel varié s'appuie sur un excellent réseau de communications et une hydroélectricité abondante (la dépendance énergétique est cependant de 60 %). Le tourisme montagnard et culturel a un poids économique aussi important que celui de l'agriculture. L'Autriche occupe une position de choix face à l'Europe orientale, où se développe l'économie de marché.
Hist. – Rome fit du pays trois prov. que, plus tard, les Barbares saccagèrent. En 796, Charlemagne constitua le territoire en marche de l'Est *(Ostwark)* après sa victoire sur les Avares. En 976, la marche fut attribuée à la famille de Babenberg, laquelle s'éteignit en 1246. Ses possessions (Autriche, Styrie, Carinthie) revinrent au roi de Bohême, Ottokar II, puis à Rodolphe de Habsbourg, empereur en 1273. Les Habsbourg affermirent leur pouvoir sur l'Autriche; empereurs du Saint Empire de 1438 à 1806, ils furent également rois de Bohême et de Hongrie (1526-1918). Par mariage, ils agrandirent leurs États et se trouvèrent à la tête d'immenses territ. enserrant la France des Pays-Bas à l'Espagne. Charles Quint donna ses possessions autrich. en 1522 à son frère Ferdinand, qui reçut, en 1526, la Bohême et la Hongrie, et, en 1558, le titre d'empereur. La maison d'Autriche devint une puissance européenne qui lutta contre l'Empire ottoman (Vienne fut assiégée par les Turcs, pour la dernière fois en 1683), s'opposa à la Réforme et fut l'adversaire de la France pendant trois siècles. Les guerres napoléoniennes contraignirent François II à renoncer au titre d'empereur romain germanique (1806). Ses États avaient pris, dès 1804, le nom d'empire d'Autriche. Les territ. enlevés par Napoléon furent rétrocédés au Congrès de Vienne (1814-1815), qui vit l'affirmation de la puissance autrich., constituée, en plus de l'Autriche, par la Bohême, la Hongrie, la Galicie, le N. de l'Italie, la Croatie, la Slavonie, l'empereur portant le titre de président de la Confédération germanique. Après 1848, l'Empire dut combattre les mouvements libéraux et nationaux : perte de la Lombardie (1859); la défaite de Sadowa (1866) contre la Prusse marqua la fin de la présence autrich. en Allemagne et en Italie. Les négociations avec la Hongrie aboutirent à la monarchie dualiste (1867) qui groupa deux États, la Cisleithanie (empire d'Autriche) et la Transleithanie (royaume de Hongrie), sous un seul souverain : François-Joseph (1848-1916). Les luttes des nationalités et sa politique expansionniste conduisirent la monarchie à sa perte. En 1908, elle annexa la Bosnie et l'Herzégovine. Dans une situation troublée, l'attentat de Sarajevo (28 juin 1914) l'amena à déclarer la guerre à la Serbie, ce qui déclencha la Première Guerre mondiale (1914-1918), à l'issue de laquelle Charles Ier (1916-1918) dut abdiquer, et l'Empire fut disloqué. L'Autriche redevenait un petit État : la république fut proclamée le 12 nov. 1918. Déchirée par des luttes sociales et politiques aiguës (écrasement des socialistes par la force en 1927), l'Autriche, menacée par l'Allemagne nazie (assassinat du chancelier Dollfuss en juill. 1934), fut annexée (*Anschluss*, mars 1938) pour devenir une province du Reich. Occupée par les quatre puissances alliées jusqu'en 1955, elle devint alors un pays neutre gouverné durant vingt ans par une coalition de populistes

(catholiques) et de socialistes. Ces derniers, au pouvoir de 1971 à 1983, s'efforcèrent de faire de l'Autriche un modèle d'équité sociale. Ayant perdu la majorité absolue à l'Assemblée, ils formèrent un gouv. de coalition avec les libéraux en 1983. La présidence de Kurt Waldheim (1986-1992) suscita de vives controverses à cause de son rôle comme officier de la Wehrmacht pendant la guerre. Franz Vranitzky, chancelier fédéral depuis 1986, a donné sa démission en janv. 1997 ; il a été remplacé par Viktor Klima. L'Autriche fait partie de l'Union européenne (1995).

Autriche (Basse-), Land de la république d'Autriche ; 19 174 km^2 ; 1 512 000 hab. ; cap. *Sankt Pölten.*

Autriche (Haute-), Land de la rép. d'Autriche ; 11 980 km^2 ; 1 385 000 hab. ; cap. *Linz.*

Autriche-Hongrie, nom donné de 1867 à 1918 à la double monarchie comprenant l'empire d'Autriche (Autriche, Bohême, Moravie, Galicie, Bucovine, Slovénie, Dalmatie, Trentin, Gorizia) et le royaume de Hongrie (Hongrie, Slovaquie, Transylvanie, Banat, Croatie, Slavonie), la Bosnie-Herzégovine, annexée en 1908, étant possession commune. De part et d'autre de la Leitha*, deux royaumes indépendants restaient unis par un lien personnel : couronné roi à Budapest, l'empereur d'Autriche détenait le pouvoir exécutif en Hongrie. La défaite de 1918 aboutit au démembrement de l'Autriche-Hongrie (traités de Saint-Germain-en-Laye, 1919, et de Trianon, 1920). Des États indép. se formèrent : Autriche, Hongrie, Tchécoslovaquie. La Pologne, la Roumanie, l'Italie s'agrandirent. Les territ. croates, slovènes et serbes furent réunis à la Serbie et au Monténégro pour former un État qui prit, de 1929 à 1992, le nom de Yougoslavie.

autrichien, enne adj. et n. D'Autriche. ▷ Subst. *Un(e) Autrichien(ne).*

autruche n. f. Ratite struthioniforme *(Struthio camelus),* le plus grand des oiseaux actuels (2,50 m de haut), incapable de voler mais très bon coureur (40 km/h) qui vit en bandes dans les savanes africaines et qu'on élève pour ses magnifiques plumes noires ou blanches (confection de parures).

autrui pron. indéf. inv. Les autres, le prochain. *Le bien d'autrui.*

Autun, ch.-l. d'arr. de la Saône-et-Loire, sur l'Arroux ; 19 422 hab. Industr. text. ; meubles. Pneumatiques (à *Blanzy*). – Évêché. Cath. romane St-Lazare (XIIe et XVe s.) ; célèbre tympan du portail princ. : Jugement dernier, signé Gislebert. Musées.

Autunois, rég. boisée du Massif central, autour d'Autun.

auvent n. m. Petit toit incliné au-dessus d'une porte.

auvergnat, ate adj. et n. **1.** adj. D'Auvergne. ▷ Subst. *Un(e) Auvergnat(e).* **2.** n. m. *L'auvergnat* : le parler de l'Auvergne.

Auvergne, anc. prov. franç. correspondant aux dép. du Cantal, du Puy-de-Dôme, à une partie de l'Allier, de l'Aveyron et de la Haute-Loire. – Peuplée dès le paléolithique, la rég. doit son nom aux Arvernes, qui s'y installèrent v. le IIe s. av. J.-C. Elle fut un des centres de la résistance gauloise aux conquêtes rom., avec Bituit et Vercingétorix (échec de J. César à Gergovie). Elle fut conquise par Clovis en 507, fit partie du duché d'Aquitaine et devint un comté en 979. En 1155, elle fut divisée en Dauphiné d'Auvergne (réuni à la Couronne en 1693) et en comté d'Auvergne, lui-même partagé en 1241 en Terre d'Auvergne (duché en 1360, réuni à la Couronne en 1531 par confiscation des biens du duc de Bourbon, coupable de trahison) et comté d'Auvergne, rattaché à la Couronne en 1610. Le comté épiscopal de Clermont retourna au domaine royal en 1557.

autruche

Auvergne, Région admin. française et de l'U.E., formée des dép. de l'Allier, du Cantal, de la Haute-Loire et du Puy-de-Dôme ; 25 988 km^2 ; 1 358 609 hab. ; cap. *Clermont-Ferrand.*

Géogr. phys. et hum. – Plus de 60 % du territoire auvergnat, situé au cœur du Massif central, se trouve en zone montagneuse (1 885 m au puy de Sancy). Humides et rudes en hiver, auj. faiblement peuplés, les hauts plateaux, souvent surmontés de massifs volcaniques (chaîne des Puys, mont Dore, Cantal, Velay) et les blocs cristallins soulevés (Margeride, Livradois, Forez), sont couverts de forêts et de pâturages. Ils s'opposent aux plaines, vallées et bassins, bons pays plus secs et plus fertiles, qui concentrent la majorité des hab. et des villes (limagnes de l'Allier, bassin du Puy et d'Aurillac). Château d'eau naturel, la région alimente les bassins de la Loire et de la Garonne. Terre d'émigration depuis le XIXe s., l'Auvergne connaît encore une légère décroissance de sa pop., exception faite du département du Puy-de-Dôme.

Écon. – L'agriculture reste importante (plus de 10 % des actifs) ; dominée par l'élevage laitier et la production de fromages, elle s'appuie aussi sur la polyculture céréalière des plaines (spécialisation de la Limagne de Clermont dans les semences) ; les ressources en bois ont permis le développement d'industries de transformation, alors que les eaux minérales donnent lieu à d'importantes activités en aval (Vichy, Volvic). La fabrication de pneus et les équipements auto. arrivent en tête des branches industrielles devant la métallurgie, l'agroalimentaire, la pharmacie ; la coutellerie de Thiers assure 70 % de la prod. nationale. L'Auvergne dispose enfin d'un riche potentiel touristique, lié à la qualité de ses sites et à son patrimoine culturel. La région souffre cependant d'importantes disparités, la basse Auvergne, au N. (et surtout le pôle de Clermont-Ferrand), concentrant la plupart des activités dynamiques. Elle sort pourtant progressivement de son enclavement : autoroute Clermont-Lyon et autoroute Paris-Clermont-Saint-Flour (en cours de prolongement jusqu'à Montpellier) ; autoroute

Bordeaux-Clermont-Lyon (prévue pour la fin de la décennie 90) et devrait ainsi valoriser sa position, au cœur du grand marché européen.

Auvers-sur-Oise, ch.-l. de cant. du Val-d'Oise (arr. de Pontoise); 6 156 hab. – De nombreux artistes y séjournèrent, notam. Corot, Daubigny, Cézanne, Pissarro; Van Gogh, soigné par le docteur Gachet, s'y donna la mort.

Auxerre, ch.-l. du dép. de l'Yonne, sur l'Yonne; 40 597 hab. Comm. des vins; constr. méca. et métall. Presse. – Cath. St-Étienne XIIe-XVIe s. Abbat. St-Germain (clocher XIIe s.).

Auxerrois, rég. de plateaux calcaires en basse Bourgogne, autour d'Auxerre.

auxèse [oksɛz] ou **auxésis** [oksezis] n. f. BOT Augmentation de taille des cellules d'un végétal, entraînant l'accroissement de celui-ci. Ant. mérèse.

auxiliaire adj. et n. **1.** Qui aide. *Machine auxiliaire.* – Subst. *Un auxiliaire précieux.* ▷ *Fonctionnaire auxiliaire,* ou, subst., *un(e) auxiliaire :* personne recrutée provisoirement par l'administration. Ant. titulaire. ▷ *Auxiliaires de justice :* personnes (avocat, secrétaire, greffier, huissier, etc.) qui contribuent au fonctionnement de la justice. ▷ *Auxiliaires médicaux :* soignants non médecins. **2.** GRAM *Verbes auxiliaires* ou, n. m., *auxiliaires (être* et *avoir),* qui servent à former les temps composés des verbes.

auxiliariat [oksiljaʀja] n. m. Fonction d'auxiliaire de l'Administration.

auxine n. f. BOT **1.** Acide β-indolylacétique (A.I.A.). **2.** n. f. pl. Groupe d'hormones végétales, dont l'auxine est le type, et qui ont des effets très variés sur les plantes, le principal étant l'*auxèse.*

Auxois, rég. de basse Bourgogne (Côte-d'Or), autour de Semur.

auxquels, auxquelles pron. relat. V. lequel.

avachir v. [3] **1.** v. tr. Amollir ou déformer. – Pp. adj. *Des chaussures avachies.* ▷ (S. comp.) Rendre incapable d'effort. – Pp. adj. *Il est avachi par l'oisiveté.* **2.** v. pron. (Choses) Se déformer. *Vêtement qui s'avachit.* ▷ (Personnes) Se laisser aller. *S'avachir sur un lit.*

avachissement n. m. État d'une chose ou d'une personne avachie.

1. aval, als n. m. DR Engagement pris par un tiers de payer un effet de commerce au cas où le débiteur principal serait défaillant. *Bon pour aval.* ▷ Fig. Caution. *Donner son aval à un projet.*

2. aval n. m. sing. et adj. inv. **1.** Côté vers lequel coule un cours d'eau. **2.** Côté situé vers le bas d'une pente. ▷ adj. inv. SPORT *Ski aval,* celui qui est situé vers le bas de la pente. Ant. amont. **3.** Loc. prép. *En aval de :* au-delà de, en descendant le courant.

avalanche n. f. **1.** Glissement d'une masse considérable de neige mêlée de terre, de pierres, etc., le long des pentes d'une montagne. ▷ *Couloir* d'avalanche.* **2.** Fig. Grande quantité de. *Une avalanche d'injures.*

avaler v. tr. [1] **1.** Faire descendre par le gosier dans le tube digestif. *Avaler un bouillon, un œuf.* ▷ Loc. fig. *Avaler des couleuvres*.* **2.** Fig. Lire avidement. *Avaler un roman policier.* **3.** Fig. Croire naïvement. *Comment a-t-il pu avaler de pareilles sornettes ?*

avaleur n. m. (En loc.) *Avaleur de sabres :* bateleur dont le numéro consiste à s'introduire une lame dans le gosier.

avaliser v. tr. [1] FIN Donner son aval à. *Avaliser un effet.* ▷ Fig. Cautionner.

Avallon, ch.-l. d'arr. de l'Yonne, sur le Cousin; 8 948 hab. Pneumatiques. – Collégiale St-Lazare (XIe-XIIe s.).

avaloir n. m. **1.** TRAV PUBL Orifice le long d'un trottoir servant à l'évacuation des eaux pluviales vers le réseau d'assainissement. **2.** Élément tronconique d'une cheminée, par où s'échappent les gaz et fumées de combustion.

à-valoir n. m. inv. Règlement partiel d'une somme.

Avaloirs (mont ou signal des), sommet (417 m) situé dans la Mayenne; c'est, avec celui de la forêt d'Écouves, un des points culminants du Massif armoricain.

Avalokiteçvara, bodhisattva vénéré comme figure de la compassion.

Avalon, presqu'île de l'est de Terre-Neuve (Canada), où se situe le ch.-l. de l'île, *Saint John's.*

Avalos (Fernando Francisco de) (Naples, 1490 – Milan, 1525), général espagnol; il servit Charles Quint et contribua à la défaite franç. de Pavie. – **Alfonso** (Ischia, 1502 – Milan, 1546), (en franç. *Du Guast*), neveu du préc., battu par les Franç. à Cérisoles (1544).

avance n. f. **1.** Progression. *Il faut freiner l'avance de ces troupes.* **2.** Espace parcouru avant qqn. *Le premier avait deux longueurs d'avance.* **3.** Temps gagné (sur qqn, qqch). *Avoir deux jours d'avance.* Ant. retard. ▷ TECH *Avance à l'allumage :* dispositif permettant de régler l'instant de l'allumage, dans un moteur à explosion. ▷ Loc. adv. *À l'avance, d'avance, par avance :* de façon anticipée, avant le moment fixé. *Se réjouir d'avance.* ▷ Loc. adv. *En avance :* avant le moment prévu. **4.** Somme d'argent donnée ou reçue à titre d'acompte. *Solliciter une avance sur son salaire.* ▷ FIN *Avance en compte courant :* crédit ou découvert accordé sur un compte bancaire courant. ▷ (Plur.) Somme investie dans un capital. *Récupérer ses avances.* **5.** (Toujours au plur.) Premières démarches, premières offres pour nouer ou renouer les relations. *Répondre aux avances de qqn.*

avancé, ée adj. **1.** Qui se situe en avant. *Sentinelle avancée,* fort avant vers l'ennemi. **2.** Précoce. *Le blé est très avancé cette année.* ▷ *Des idées avancées,* qui devancent les opinions courantes; d'avant-garde. **3.** Arrivé à un certain degré de perfection. *Une civilisation avancée.* **4.** Dont une grande partie est écoulée, ou qui touche à son terme. *Âge avancé :* grand âge. *Après-midi bien avancé. Son manuscrit est très avancé.* **5.** Proche de la décomposition. *Viande avancée.*

avancée n. f. **1.** Ce qui est en avant, qui fait saillie. **2.** MINES Extrémité d'une galerie en cours de creusement. **3.** PECHE Partie terminale de la ligne.

avancement n. m. **1.** Progrès, développement. *L'avancement des sciences.* Syn. progression, évolution. **2.** Promotion. *Avancement au choix, à l'ancienneté.* **3.** DR *Avancement d'hoirie :* don fait par anticipation à un héritier.

avancer v. [12] **I.** v. intr. **1.** Aller en avant. *Il recule au lieu d'avancer.* **2.** VEN Trotter, en parlant d'un cerf. **3.** Faire des progrès vers un terme. *Ce travail avance lentement.* ▷ Fig. *Avancer en âge, en sagesse.* **4.** Obtenir de l'avancement (au sens 2). **5.** Indiquer une heure plus avancée que l'heure réelle (montres). Ant. retarder. **6.** Faire saillie, dépasser de l'alignement. **II.** v. tr. **1.** Porter en avant. *Avancer un fauteuil.* **2.** Faire progresser. *Avance ton travail pour demain.* **3.** Payer par anticipation. *Il se fit avancer mille francs sur sa facture.* **4.** Prêter. *Avance-moi le prix du repas, je te rembourserai.* **5.** Faire advenir plus tôt que prévu. *La chaleur avance la végétation.* ▷ *Avancer une montre,* la mettre en avance sur l'heure réelle ou la remettre à l'heure quand elle retarde. **6.** Mettre en avant. *Ce journaliste n'avance rien qui ne soit dûment prouvé.* **III.** v. pron. **1.** (Personnes) Se porter en avant. **2.** (Choses) Faire saillie. **3.** (Temps) S'écouler. *L'après-midi s'avance et nous sommes loin de conclure.* **4.** Fig. S'engager trop avant dans ses propos ou ses démarches. *Vous vous avanceriez jusqu'à dire que...* ▷ (S. comp.) *Je crois que je me suis avancé.*

avanie [avani] n. f. Vexation, affront public. *Essuyer des avanies.*

1. avant adv. et prép. **I.** adv. **1.** Marque l'antériorité. *Lisez avant, vous répondrez ensuite.* **2.** Marque une priorité dans la succession spatiale. *Avant, il y a un carrefour et après, une église.* **3.** Marque un éloignement du point de départ, un progrès. *N'allez pas trop avant dans le bois. Pénétrer fort avant dans la connaissance.* **4.** Loc. adv. *En avant :* devant soi. ▷ Fig. *Mettre en avant (qqch),* l'alléguer. – *Mettre en avant (qqn),* se retrancher derrière son autorité. – *Se mettre en avant :* se faire valoir. **5.** Loc. prép. *En avant de :* devant. **II.** prép. **1.** Marque l'antériorité. *Avant l'orage, il faisait très chaud.* **2.** Marque la priorité, l'ordre dans une succession spatiale. *La boulangerie est juste avant le feu rouge.* **3.** Marque la hiérarchie, la préférence. *À l'atout, le valet est avant le neuf. Mettre Napoléon avant César.* **4.** Loc. prép. *Avant de* (avec l'infinitif) : antérieurement au fait de. (Litt. *Avant que de.*) **5.** Loc. conj. *Avant que* (avec le subjonctif). *Ne descendez pas avant que le train (ne) se soit complètement arrêté.*

2. avant n. m. et adj. inv. **I.** n. m. **1.** Partie antérieure d'un véhicule, d'un navire, etc. *La montée se fait par l'avant.* **2.** MILIT Front des combats. *Les soldats de l'avant.* **3.** SPORT Joueur placé devant tous les autres. **II.** adj. inv. Placé à l'avant. *La portière avant droite.* **III.** Loc. *Aller de l'avant :* progresser vivement; fig., s'engager résolument dans une affaire.

avantage n. m. **1.** Ce dont on peut tirer parti pour un profit, un succès; supériorité. *Quel avantage a-t-il sur moi ?* – *Avoir, prendre l'avantage :* gagner, prendre le dessus. **2.** JEU Au tennis, point marqué par un joueur lorsque la marque est à quarante partout. **3.** Profit. *Tirer avantage d'une situation.* ▷ *Avoir avantage à :* gagner à. ▷ *Avantages en nature :* élément du revenu d'un salarié qu'il ne reçoit pas sous forme d'argent (logement, voiture de fonction, etc.).

avantager v. tr. [13] Favoriser.

avantageusement adv. De manière avantageuse ou honorable.

avantageux, euse adj. **1.** Qui procure des avantages. *Prix avantageux.* **2.** Flatteur. *Avoir une opinion avantageuse de qqn.* **3.** Vain, présomptueux. *Prendre un air avantageux.*

avant-bassin n. m. Partie d'un port en avant du bassin. *Des avant-bassins.*

avant-bras n. m. inv. Segment du membre supérieur compris entre le coude et le poignet.

avant-centre n. m. SPORT Au football, hand-ball, etc. : joueur qui occupe la partie centrale de la ligne des avants. *Des avant(s)-centres.*

avant-corps n. m. inv. ARCHI Corps de bâtiment en saillie sur la façade.

avant-coureur adj. Précurseur. *Les signes avant-coureurs de la maladie.*

avant-dernier, ère adj. et n. Qui est situé avant le dernier. *L'avant-dernière page.* ▷ Subst. *L'avant-dernier au classement général. Des avant-derniers.*

avant-garde n. f. **1.** MILIT Ensemble des éléments de reconnaissance et de protection qu'une troupe détache en avant d'elle. *Des avant-gardes.* **2.** Fig. *À l'avant-garde de :* au premier rang de, à la pointe de. – *D'avant-garde :* qui est ou prétend être à la tête des innovations, du progrès, dans telle ou telle discipline littéraire, artistique. *Une pièce d'avant-garde.*

avant-gardisme n. m. Didac. Fait d'être de l'avant-garde. ▷ BX-A Mouvement composé par de multiples courants issus du dadaïsme.

avant-gardiste adj. et n. De l'avant-garde, à l'avant-garde. ▷ BX-A De l'avant-gardisme. ▷ Subst. *Des avant-gardistes.*

avant-goût n. m. Impression, sensation qu'on a par avance. *Des avant-goûts des plaisirs à venir.*

avant-guerre n. m. ou f. Période qui a précédé la guerre et, spécial., l'une des deux guerres mondiales. *Une mode d'avant-guerre. Des avant-guerres.*

avant-hier adv. Dans le jour qui a précédé la veille.

avant-métré n. m. CONSTR Devis estimatif sommaire d'un ouvrage. *Des avant-métrés.*

avant-midi n. m. ou f. inv. (Canada, Belgique) Matin, matinée. *Au cours, au milieu de l'avant-midi. Onze heures de l'avant-midi. Passer l'avant-midi au téléphone.*

avant-port n. m. Partie d'un port ouverte sur la mer. *Des avant-ports.*

avant-poste n. m. MILIT Poste avancé. *Des avant-postes.*

avant-première n. f. Spectacle donné à l'intention des critiques avant la première représentation publique. *Des avant-premières.*

avant-projet n. m. Étude préliminaire d'un projet. *Des avant-projets.*

avant-propos n. m. inv. Préface écrite par l'auteur.

avant-scène n. f. **1.** Partie de la scène comprise entre le rideau et la rampe. **2.** Loge placée sur chaque côté de la scène. *Des avant-scènes.*

avant-toit n. m. ARCHI Portion de toit en saillie. *Des avant-toits.*

avant-train n. m. Jambes de devant et poitrail d'un quadrupède. *Des avant-trains.* Ant. arrière-train.

avant-veille n. f. Jour qui précède la veille. *Des avant-veilles.*

avare adj. et n. **1.** Qui a la passion de l'argent et l'accumule sans vouloir l'utiliser. Ant. prodigue, dépensier. ▷ Subst. *Un avare.* **2.** Fig. *Être avare de son temps.*

Avares ou **Avars,** peuple de race mongolique, parent des Huns, qui envahit l'Europe jusqu'en Autriche et en Italie à partir du VIe s. et fut arrêté par Charlemagne (791-799).

avarice n. f. Amour excessif de l'argent pour lui-même.

avaricieux, euse adj. D'une parcimonie mesquine. ▷ Subst. (Langue classique.) *« La peste soit de l'avarice et des avaricieux » (Molière).*

avarie n. f. **1.** Dommage causé à un navire ou à sa cargaison. **2.** Fig., litt. Dommage, détérioration subie par un objet.

avarié, ée adj. **1.** Qui a éprouvé une avarie. *Navire, fret avarié.* **2.** Détérioré, gâté. *Viande avariée.*

avarier v. tr. [2] Endommager, abîmer. *La pluie a avarié les récoltes.*

avatar n. m. **1.** Incarnation de Vishnu, ou d'un autre dieu, dans le brahmanisme. **2.** Fig. Transformation, métamorphose. **3.** (au plur.) *Abusiv.* Tracas, malheur. **4.** INFORM Représentation d'un être humain en deux ou trois dimensions.

à vau-l'eau loc. adv. **1.** Vx Au fil de l'eau. **2.** Mod. À l'abandon, à la ruine. *Affaire qui va à vau-l'eau.*

Ave ou **Ave Maria** n. m. inv. Prière à la Vierge commençant par *Ave,* dite *salutation angélique* parce que ce sont les paroles de l'archange Gabriel venu annoncer à Marie qu'elle serait la mère du Christ.

avec prép. et adv. **A.** prép. **I. 1.** En compagnie de. *Il voyage avec un ami.* **2.** À l'égard de. *Comment se comporte-t-il avec ses enfants ?* **3.** Contre. *Se battre avec qqn.* **4.** S'agissant de. *Avec lui, il n'y a rien à faire.* **5.** Conformément à. *Penser avec Descartes que les animaux sont des machines.* ▷ Selon, aux yeux de. *Avec vous, il n'y a que le plaisir qui compte.* **6.** Pour marquer une relation entre individus. *Être ami, d'accord, en opposition, dans les pires termes,* etc., *avec qqn.* **7.** Loc. prép. *D'avec.* Pour marquer l'idée de séparation. *Divorcer d'avec...* **II. 1.** À l'aide de, grâce à. *Manger avec une fourchette.* **2.** En même temps que. *Un vent violent s'est levé avec le soleil.* **3.** En plus de. *Et avec cela, que désirez-vous ?* **4.** En ayant pris, emporté. *Il sort avec un parapluie.* **5.** Pour exprimer une relation circonstancielle. *Parler avec élégance* (manière). *Boire son whisky avec de l'eau,* à l'eau. **B.** adv. Fam. Avec cela. *Il a acheté un crayon, il dessine avec.*

aveline n. f. Fruit de l'avelinier, grosse noisette allongée à cupule violacée.

Aveline (Eugène Avtsine, dit Claude) (Paris, 1901 – id., 1992), écrivain français ; auteur de romans (*la Vie de Philippe Denis,* trilogie, 1930-1955), de romans policiers (*la Double Mort de Frédéric Belot,* 1932), de récits pour enfants (*l'Arbre Tic-Tac,* 1951), de poèmes (*Portrait de l'oiseau-qui-n'existe-pas,* 1961). Il fut, en 1940, l'un des fondateurs du réseau Résistance.

avelinier n. m. Variété de noisetier dont le fruit est l'aveline.

Avellino, v. d'Italie (Campanie) ; 56 120 hab. ; ch.-l. de la prov. du m. nom. Centre agricole.

Ave Maria. V. Ave.

aven [avɛn] n. m. Gouffre naturel creusé par les eaux d'infiltration dans les régions calcaires.

1. avenant, ante adj. Qui a bon air, affable. *Visage avenant. Manières avenantes.*

2. avenant n. m. DR Addition, modification à un contrat en cours. *Avenant à un marché.*

avenant (à l') loc. adv. À proportion, en conformité. ▷ Loc. prép. *À l'avenant de :* en conformité avec.

avènement n. m. **1.** THEOL Venue (du Messie). **2.** Accession à la souveraineté. *L'avènement de Louis II.* **3.** Fig. Fait d'arriver. *L'avènement d'une ère nouvelle.*

1. avenir v. intr. défect. Vx Usité seulement au part. passé, dans l'expression *nul(le) et non avenu(e) :* considéré(e) comme inexistant(e), sans valeur.

2. avenir n. m. **1.** Temps à venir, événements futurs. *Prévoir l'avenir.* ▷ Loc. adv. *À l'avenir :* désormais. **2.** Situation de qqn dans le futur. *Assurer, compromettre l'avenir de ses enfants.* ▷ Loc. adj. *D'avenir :* dont on peut espérer la réussite. *Un sportif d'avenir.* **3.** Postérité. *Écrire pour l'avenir.*

Avent [avɑ̃] n. m. Temps consacré par les Églises chrétiennes à se préparer à la fête de Noël (*avènement* de Jésus), comprenant les quatre dimanches qui précèdent celle-ci.

Aventin (mont), une des sept collines de Rome, où se retira la plèbe révoltée contre les patriciens en 494 av. J.-C.

aventure n. f. **1.** Événement imprévu, extraordinaire. *Chercher l'aventure. Une aventure surprenante.* **2.** Intrigue amoureuse. *Avoir eu de nombreuses aventures.* **3.** Entreprise risquée. *Il y a un siècle, c'était une aventure de traverser l'Afrique.* **4.** Loc. adv. *D'aventure, par aventure :* par hasard.

aventuré, ée adj. Risqué, hasardeux. *Des accusations aventurées.*

aventurer v. [1] **1.** v. tr. Risquer, hasarder. *Aventurer sa fortune.* ▷ Pp. adj. Risqué, hasardeux. *Accusations aventurées.* **2.** v. pron. Se risquer. *S'aventurer en pays inconnu.*

aventureusement adv. De façon aventureuse, risquée.

aventureux, euse adj. **1.** (Personnes) Qui aime le risque. *Esprit aventureux.* **2.** (Choses) Qui comporte des risques. *Projet aventureux.* **3.** Plein d'aventures. *Vie aventureuse.*

aventurier, ère n. **1.** Personne qui cherche les aventures. *De courageux aventuriers.* **2.** Personne qui vit d'intrigues. **3.** n. m. Au Moyen Âge, soldat volontaire, mercenaire.

aventurine n. f. **1.** Vx Pierre artificielle (« pierre d'aventure ») constituée par du verre mêlé de limaille de cuivre. **2.** Mod. Variété de quartz brun rougeâtre dans la masse duquel sont disséminées des paillettes de mica.

aventurisme n. m. Tendance à prendre des mesures aventureuses.

aventuriste adj. et n. Qui relève de l'aventurisme.

avenu. V. avenir 1.

avenue n. f. **1.** Vx Chemin d'accès à un lieu. *Boucher les avenues.* ▷ Fig., mod. *Les avenues du pouvoir.* **2.** Voie, rue large. *L'avenue des Champs-Élysées.*

Avenzoar (*Abū Marwān ibn Zahr,* connu sous le nom d') (Peñaflor, près de Séville, 1073 – Séville, 1162), philosophe et médecin arabe, maître et ami d'Averroès.

avéré, ée adj. Reconnu pour certain. *C'est un fait avéré.*

avérer v. [14] **1.** v. tr. Vx Établir, prouver comme vrai. **2.** v. pron. Se révéler. *Il s'avère que :* il apparaît que. ▷ (Suivi d'un adj.) Se manifester comme. *Cette manœuvre s'est avérée utile.* ▷ Abusiv. *La nouvelle s'est avérée fausse.*

Averescu (Alexandru) (Ismaïl, 1859 – Bucarest, 1938), maréchal et homme polit. roumain, chef du gouvernement en 1920-1921 et en 1926.

Averroès (*'Abū-l-Walīd Muhammad ibn Ruchd*, connu sous le nom d') (Cordoue, 1126 - Marrakech, 1198), philosophe et médecin arabe; commentateur d'Aristote. Sa doctrine, *l'averroïsme*, caractérisée par la théorie de l'éternité de la matière et celle de « l'intellect actif », intermédiaire entre Dieu et les hommes, fut condamnée par l'Université de Paris, par l'Église en 1240, par le Ve concile de Latran en 1513 (Léon X) et par l'orthodoxie musulmane.

avers [avɛʀ] n. m. Face d'une pièce, d'une médaille, opposée au revers.

averse n. f. Pluie soudaine et abondante de courte durée. ▷ Fig. Grande quantité de. *Une averse d'insultes.*

aversion n. f. Violente antipathie, répugnance. *Avoir de l'aversion pour* ou *contre qqch* ou *qqn. Prendre qqn en aversion.* Ant. goût, penchant.

averti, ie adj. **1.** Informé, sur ses gardes. *Tenez-vous pour averti.* **2.** Expérimenté, compétent. *Un critique averti.*

avertir v. tr. [3] Appeler l'attention de (qqn) sur. *Je l'avais pourtant averti du danger.*

avertissement n. m. **1.** Appel à l'attention. *Un sage avertissement.* Syn. recommandation. **2.** Note placée en tête d'un ouvrage, en général écrite par l'éditeur, pour prévenir, mettre en garde le lecteur. **3.** Remontrance avant la sanction. Syn. observation. **4.** FISC Invitation à payer envoyée par le contrôleur des Contributions.

avertisseur, euse n. m. et adj. **1.** n. m. Dispositif sonore qui avertit. *Avertisseur d'incendie, de voiture.* **2.** adj. Qui avertit. *Signal avertisseur.*

Avery (Fred, dit Tex) (Taylor, Texas, 1908 - Burbank, Californie, 1980), réalisateur américain de dessins animés. Il a créé Betty Boop, et à l'opposé de toute mièvrerie, un monde d'animaux « fous » : Porky Pig le porcelet, Daffy Duck le canard, Bugs Bunny le lièvre, Droopy le chien, etc.

Avesnes-sur-Helpe, ch.-l. d'arr. du Nord, sur l'Helpe; 5 612 hab. Textile.

Avesta, ensemble des livres sacrés des anc. Perses, qui, postérieurs aux *Gatha*, réformèrent les principes du zoroastrisme. V. Zoroastre.

aveu [avø] n. m. **1.** DR FEOD Déclaration constatant l'engagement du vassal envers son seigneur. ▷ *Homme sans aveu* : vagabond sans feu ni lieu. **2.** Litt. Consentement, approbation. *Il ne fait rien sans mon aveu.* **3.** Action de reconnaître qu'on a fait ou dit quelque chose. *L'aveu d'une erreur, d'un crime.* Ant. dénégation. **4.** DR Déclaration reconnaissant un fait ou un droit allégué par la partie adverse. *Aveu judiciaire*, fait en justice. *Aveu extrajudiciaire*, fait hors de la présence du juge. ▷ Loc. prép. *De l'aveu de* : selon le témoignage de, au dire de. *De l'aveu de tous, c'est un homme intelligent.*

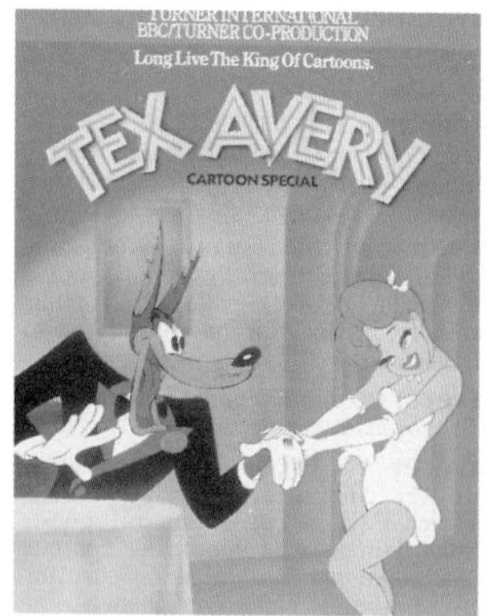

affiche d'un dessin animé de Tex **Avery**

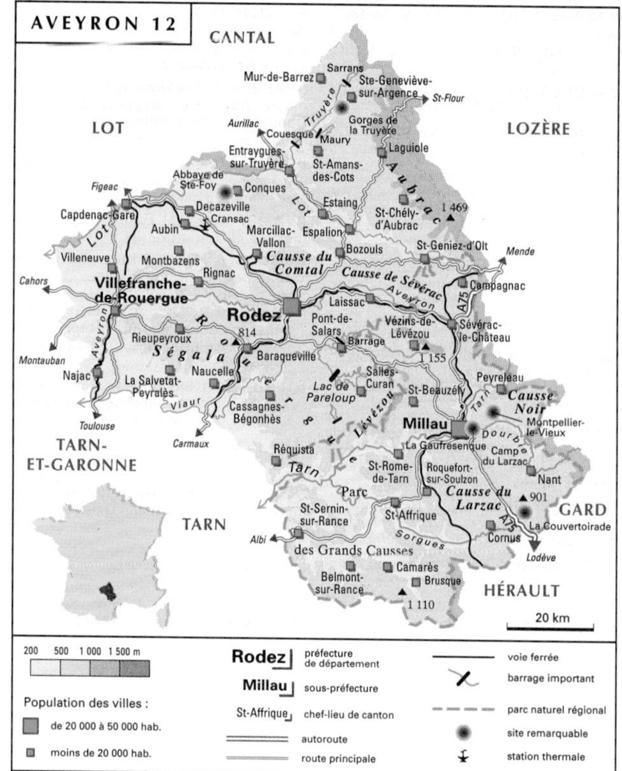

aveuglant, ante adj. Éblouissant. ▷ Fig. Qu'on ne peut nier. *Vérité aveuglante.* Syn. flagrant.

aveugle adj. et n. **1.** Privé du sens de la vue. *Devenir aveugle.* ▷ Subst. *Un aveugle. Une aveugle-née* : une aveugle de naissance. Syn. non-voyant. **2.** Fig. Manquant de clairvoyance et de discernement. *La passion le rend aveugle.* **3.** Qui ne souffre pas l'examen ou la discussion (sentiments). *Une foi, une obéissance, une soumission aveugle.* **4.** Loc. adv. *En aveugle* : sans réflexion. *Juger en aveugle.* - *Essai en aveugle*, sans que le sujet d'un test ait connaissance de certaines informations. *Essai en double aveugle*, le sujet et l'expérimentateur ignorant certaines informations. - JEU *Jouer en aveugle* : aux échecs, jouer sans voir l'échiquier. **5.** ARCHI *Fenêtre aveugle* : fausse fenêtre ou fenêtre obturée, qui ne laisse pas passer le jour. *Pièce aveugle*, sans fenêtre.

aveuglement n. m. **1.** Vx Cécité. **2.** Fig. Manque de discernement.

aveuglément adv. Sans réflexion, sans examen. *Croire, obéir aveuglément.*

aveugler v. [1] **I.** v. tr. **1.** Rendre aveugle. **2.** Gêner momentanément la vue. *L'éclat du soleil m'aveugle.* Syn. éblouir. **3.** Fig. Priver de la faculté de discernement. *La vanité l'aveugle.* Syn. égarer. **II.** v. pron. Se faire illusion, se cacher volontairement la vérité. *S'aveugler sur ses défauts.*

aveuglette (à l') [alavøglɛt] loc. adv. **1.** Sans voir. **2.** Fig. Au hasard.

aveulir v. tr. [3] Litt. Rendre veule. - Pp. adj. *Il est sorti aveuli de cette longue expérience.*

aveulissement n. m. Litt. Action d'aveulir; fait d'être aveuli.

Aveyron, riv. de France (250 km), affl. du Tarn (r. dr.); naît dans le causse de Séverac, arrose Rodez et Villefranche-de-Rouergue, se jette dans le Tarn en aval de Montauban.

Aveyron, dép. franç. (12); 8 735 km^2; 270 141 hab.; 30,9 hab./km^2; ch.-l. *Rodez.* V. Midi-Pyrénées (Rég.).

aveyronnais, aise adj. et n. De l'Aveyron. ▷ Subst. *Un(e) Aveyronnais(e).*

aviaire adj. Didac. Des oiseaux, relatif aux oiseaux, à la volaille. *Peste aviaire.*

aviateur, trice n. Pilote ou membre de l'équipage d'un avion.

aviation n. f. **1.** Locomotion dans l'atmosphère à l'aide d'appareils plus lourds que l'air. **2.** Ensemble des moyens permettant la navigation aérienne. ▷ *Par ext.* Tout ce qui se rapporte aux avions, à leur utilisation et au personnel qui les met en œuvre.

Avicébron (Salomon ibn Gabirol ou Gebirol, connu sous le nom d') (Málaga, v. 1020 - Valence, v. 1058), philosophe et poète juif néo-platonicien, auteur du traité *Fons vitae* («Source de vie»), commentaire mystique de la Loi de Moïse.

Avicenne (*Ibn Sīnā*, connu sous le nom d') (Afchana, près de Boukhara, 980 - Hamadhan, 1037), philosophe et médecin arabe, auteur d'un *Canon de la médecine* et d'une encyclopédie philosophique (*Kitāb al-Chifa*, «le Livre de la guérison»). C'est grâce à son œuvre et à celle d'Averroès que les scolastiques connurent Aristote et la pensée grecque.

avicole adj. Didac. **1.** Se dit des parasites des oiseaux. **2.** Qui concerne l'aviculture.

aviculaire adj. Didac. Qui concerne les oiseaux.

aviculteur, trice n. Personne qui élève des oiseaux et de la volaille.

aviculture n. f. Élevage des oiseaux et de la volaille.

avide adj. **1.** Qui désire ardemment se procurer qqch. *Avide de gloire, de richesse.* ▷ Cupide. *Un héritier avide.* **2.** CHIM Qui se combine facilement avec (un autre corps).

avidement adv. De manière avide.

avidité n. f. **1.** Désir immodéré, cupidité. **2.** CHIM Caractère d'un produit avide.

Avignon, ch.-l. du dép. du Vaucluse, sur le Rhône; 89 440 hab. (env. 181 100 hab. dans l'aggl.). Centre comm. MIN; industr. alim., chim.; usine hydroélectrique; tourisme import. (festival de théâtre). - Siège de la papauté de 1309 à 1378; sept papes s'y succédèrent; acheté en 1348 par Clément VI à la comtesse de Provence; réuni à la France avec le comtat Venaissin, en 1791. - Pont St-Bénézet, appelé «pont d'Avignon», bâti de 1177 à 1185, restauré au XIIIe s., rompu depuis le XVIIe s.; archevêché; cath. romane

Avignon : pont Saint-Bénézet, Petit Palais, cath. Notre-Dame-des-Doms, palais des Papes

N.-D.-des-Doms. Égl. St-Didier (XIVe s.). Palais des Papes (XIVe s.); musées, dont musée Calvet. Festival de théâtre. - L'école médiévale de peinture dite *d'Avignon* regroupe Nicolas Froment, Simone Martini, Matteo di Giovanetti et Enguerrand Charonton, ou Quarton; à ce dernier on attribue la célèbre *Pietà de Villeneuve-lès-Avignon* (Louvre).

avignonnais, aise adj. et n. D'Avignon. ▷ Subst. *Un(e) Avignonnais(e).*

Ávila, v. d'Espagne (Castille et León), à 1 121 m d'alt.; 40 170 hab.; ch.-l. de la prov. du m. nom. Industr. méca. - Enceinte fortifiée (XIIe s.); cath. en partie romane, en partie goth. (XIIe-XIIIe s.); églises romanes. - Patrie de sainte Thérèse.

Avilés, port d'Espagne (Asturies); 88 000 hab. Grand centre sidérurgique.

avilir v. [3] **I.** v. tr. **1.** Litt. Déprécier, abaisser la valeur de. *Avilir une monnaie.* **2.** Rendre méprisable. *Avilir son nom.* Syn. déconsidérer. **II.** v. pron. Se déprécier, se dégrader. *Marchandises qui s'avilissent. S'avilir par des bassesses.*

avilissant, ante adj. Qui avilit. Syn. dégradant.

avilissement n. m. **1.** Dépréciation (d'une monnaie). **2.** Action d'avilir; état de ce qui est avili.

aviné, ée adj. Ivre. ▷ Qui dénote l'ivresse. *Démarche avinée.*

aviner v. tr. [1] Imbiber de vin (un récipient neuf). *Aviner des futailles.*

avion n. m. Aéronef plus lourd que l'air, équipé d'une voilure fixe et d'un ou de plusieurs moteurs qui lui permettent de voler.

Avion, ch.-l. de cant. du Pas-de-Calais (arr. d'Arras); 18 595 hab.

avion-cargo n. m. Avion aménagé pour le transport des marchandises. *Des avions-cargos.*

avion-citerne n. m. Avion rempli de carburant destiné à ravitailler d'autres avions en vol. *Des avions-citernes.*

avion-école n. m. Avion utilisé pour la formation des pilotes.

avionique n. f. AVIAT Ensemble des équipements et des systèmes de guidage, de pilotage et de navigation qui fonctionnent avec un matériel informatique ou électronique. ▷ Technique de conception et de réalisation de ces équipements.

avionneur n. m. Constructeur de cellules d'avions.

avion-radar n. m. Avion équipé d'un système de radars. *Des avions-radars.*

avion-suicide n. m. Syn. de *kamikaze. Des avions-suicides.*

avion-taxi n. m. Petit avion pouvant transporter des voyageurs à la demande. *Des avions-taxis.*

avipelviens n. m. pl. PALEONT Ordre de reptiles dinosauriens typiquement herbivores, à bec corné, dont le bassin avait une structure semblable à celui

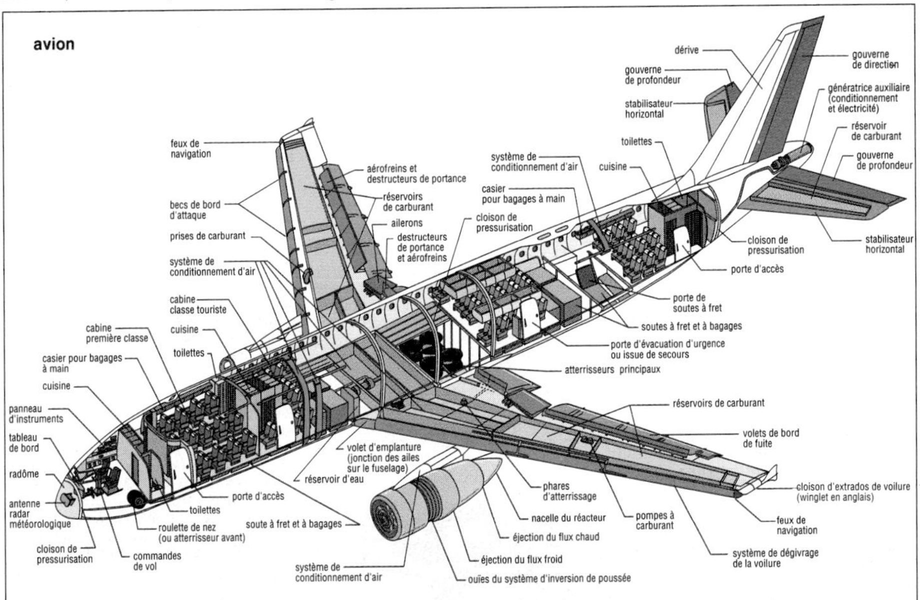

avion

dérive
gouverne de direction
gouverne de profondeur
stabilisateur horizontal
génératrice auxiliaire (conditionnement et électricité)
réservoir de carburant
toilettes
cuisine
gouverne de profondeur
feux de navigation
système de conditionnement d'air
aérofreins et destructeurs de portance
casier pour bagages à main
réservoirs de carburant
becs de bord d'attaque
cloison de pressurisation
ailerons
prises de carburant
destructeurs de portance et aérofreins
cloison de pressurisation
stabilisateur horizontal
système de conditionnement d'air
porte d'accès
cabine classe touriste
porte de soutes à fret
cabine première classe
cuisine
soutes à fret et à bagages
toilettes
porte d'évacuation d'urgence ou issue de secours
casier pour bagages à main
atterrisseurs principaux
cuisine
réservoirs de carburant
panneau d'instruments
tableau de bord
volets de bord de fuite
volet d'emplanture (jonction des ailes sur le fuselage)
radôme
réservoir d'eau
cloison d'extrados de voilure (winglet en anglais)
phares d'atterrissage
antenne radar météorologique
porte d'accès
toilettes
nacelle du réacteur
pompes à carburant
feux de navigation
roulette de nez (ou atterrisseur avant)
soute à fret et à bagages
éjection du flux chaud
système de dégivrage de la voilure
cloison de pressurisation
commandes de vol
éjection du flux froid
système de conditionnement d'air
ouïes du système d'inversion de poussée

caractéristiques générales :
l'Airbus A 300-600R est un avion moyen-long-courrier, équipé de réacteurs double flux

poussée au décollage	2 x 27 t	masse maximale au décollage	170,5 t
longueur	53,85 m	rayon d'action	8 050 km
envergure	44,84 m	équipe de conduite	2 pilotes
altitude de croisière	12 000 m (soit 39 000 pieds)	passagers	de 267 à 345 suivant la version
vitesse de croisière	880 km/h		

des oiseaux, et qui vécurent du trias au crétacé. – Sing. *Un avipelvien.*

aviron n. m. **1.** MAR Rame. ▷ Cour. Rame à long manche utilisée pour les embarcations légères. **2.** Sport du canotage. *Une équipe d'aviron.*

avis [avi] n. m. **1.** Opinion. *Donner un, son avis.* Syn. point de vue. ▷ *Être d'avis de* (+ inf.), *que* (+ subj.). **2.** Conseil. *Un avis charitable, paternel, amical.* **3.** Annonce d'un événement, d'un fait qu'on porte à la connaissance de qqn, du public. *Avis de passage. Avis de décès. Avis d'imposition.* **4.** FISC *Avis au tiers détenteur* : notification par laquelle le Trésor public bloque à son profit les fonds déposés dans une banque par le contribuable. **5.** *Avis au lecteur* : avertissement (sens 2).

avisé, ée adj. Prudent, qui agit avec à-propos. *Un conseiller avisé.*

1. aviser v. tr. [1] Informer par un avis. *On m'a avisé que...* Syn. avertir.

2. aviser v. [1] **1.** v. tr. Vx Tourner sa vue vers, apercevoir. *Aviser un ami dans la foule.* **2.** v. tr. ind. Réfléchir, faire attention. *Aviser à la situation.* ▷ (S. comp.) Prendre une décision. *Il est temps d'aviser.* **3.** v. pron. *S'aviser de* : se rendre compte brusquement de, avoir soudainement l'idée de. *S'aviser de l'arrivée de qqn. S'aviser d'un stratagème.* ▷ (+ inf.) Être assez audacieux pour. *Si jamais vous vous avisez de me tromper...*

aviso n. m. MAR Bâtiment de guerre rapide utilisé autref. pour assurer des liaisons et auj. pour escorter d'autres navires ou pour lutter contre les sous-marins.

avitaminose n. f. MED Affection provoquée par la carence en une ou plusieurs vitamines.

avivé, ée adj. Qui a été avivé (V. aviver, sens 1 à 4).

aviver v. tr. [1] **1.** Rendre plus vif. *Aviver le feu.* Syn. attiser. **2.** Donner de l'éclat à. *Aviver une couleur, le teint.* Syn. rehausser. Ant. ternir. ▷ TECH *Aviver le marbre, les métaux,* les rendre brillants. **3.** Fig. Exciter, irriter. *Aviver une querelle, une jalousie.* **4.** CHIR *Aviver une plaie,* en mettre les parties saines à vif.

avocaillon n. m. Péjor., fam. Avocat sans talent ou sans clientèle.

1. avocat, ate n. **1.** Personne qui fait profession de défendre des causes en justice et de conseil juridique. *L'ordre des avocats. Consulter un avocat. Avocat-conseil* : avocat dont le rôle se limite au conseil juridique. *L'avocat-conseil d'une entreprise.* ▷ *Avocat général* : magistrat du parquet, représentant du ministère public. *Avocat commis d'office,* désigné. **2.** RELIG *Avocat du diable* : celui qui, dans un procès en canonisation, est chargé de soulever les objections; cour., fig. personne qui soulève, pour mieux faire le tour de la question, et afin de mieux y répondre, des objections systématiques. **3.** Personne qui prend fait et cause pour une personne, une idée. *Se faire l'avocat d'une cause perdue.*

2. avocat n. m. Fruit de l'avocatier, piriforme, à la peau verte, dont la pulpe comestible, onctueuse à maturité, est très riche en vitamines.

avocatier n. m. Lauracée originaire d'Amérique du Sud, cultivée dans tous les pays chauds.

avocette n. f. Oiseau échassier (ordre des charadriiformes) à long bec recourbé vers le haut et plumage noir et blanc. *L'avocette européenne* (Recurvirostra avocetta) *habite les marais côtiers.* ► illustr. **becs**

avodiré n. m. Arbre d'Afrique (*Turræanthus africana*). – Bois de cet arbre, brun clair, moiré, utilisé en ébénisterie.

Avogadro (Amedeo di Quaregna e Ceretto, comte) (Turin, 1776 – id., 1856), chimiste italien qui énonça en 1811 la loi de la constitution moléculaire des gaz. ▷ PHYS et CHIM *Nombre d'Avogadro* : nombre d'entités élémentaires (atomes, électrons, ions, etc.) égal à $6{,}022098 \cdot 10^{23}$ mol^{-1} contenues dans une mole.

avoine n. f. Graminacée à panicule dont une espèce est cultivée comme céréale pour la nourriture des chevaux (picotin d'avoine) et des volailles. – *Folle avoine* : graminée sauvage, nuisible aux cultures. ► illustr. **céréales**

Avoine, com. d'Indre-et-Loire (arr. de Chinon); 1 676 hab. Centr. électronucléaire, dite aussi « de Chinon ».

1. avoir v. tr. [8] **I. 1.** Posséder. *Avoir une voiture, la télévision.* ▷ Entrer en possession de, obtenir. *Il a eu le téléphone. Elle a eu un emploi de comptable.* ▷ Fam. *Avoir les moyens, avoir de quoi* : être riche. ▷ Bénéficier de. *J'espère que vous avez du beau temps.* **2.** Être dans une relation de parenté avec. *Il a une femme et deux enfants.* **3.** Pour exprimer un rapport entre personnes. *Avoir beaucoup d'amis. Avoir du monde à déjeuner.* **4.** Posséder sexuellement. ▷ Fig., fam. Duper, l'emporter sur. *Tu nous as bien eus. Courage, on les aura!* **5.** Toucher, attraper. *Avoir son train au vol.* Ant. manquer. **II. 1.** (Sans article.) Éprouver une sensation de. *Avoir chaud, faim, froid, sommeil.* **2.** (Avec article partitif.) Ressentir. *Avoir de la peine, du souci.* **3.** (Avec objet direct.) Porter sur soi. *Avoir ses papiers.* ▷ Être âgé de. *Avoir quarante ans.* **4.** (Avec objet direct et attribut.) Pour caractériser une particularité. *Il a les yeux bleus, la parole embarrassée.* **5.** *Avoir qqch* : ne pas se trouver bien (personnes); mal fonctionner (choses). *Elle n'est pas encore arrivée, elle a peut-être quelque chose.* **6.** Manifester, faire, prononcer. *Avoir un sourire de connivence. Avoir un beau geste. Avoir un mot malheureux.* **III.** (Tournures et expressions particulières.) **1.** *Avoir beau* (+ inf.) *Elle a beau se farder, elle paraît son âge* : elle se farde en vain... **2.** *En avoir à, après* (fam.), *contre (qqn),* lui manifester de l'hostilité. **3.** (Tournures impersonnelles.) *Il y a* : il existe. ▷ *Il y a cinq minutes* : cela fait cinq minutes. ▷ *Il n'y a qu'à* : il suffit de. ▷ *Qu'est-ce qu'il y a?* : qu'est-ce qui se passe? ▷ *Il n'y en a que pour lui* : il est le seul objet d'attention. **IV.** (Auxiliaire) **1.** *Avoir à,* exprimant l'obligation. *N'oublie pas ce que tu as à faire. J'ai à travailler.* ▷ *N'avoir qu'à* : avoir simplement à. *Il n'avait qu'à avouer, il était pardonné!* – (Avec nuance d'ordre.) *Tu n'as qu'à partir.* **2.** Auxiliaire des formes composées actives de tous les verbes transitifs et de la plupart des verbes intransitifs. *J'ai écrit, j'ai eu, j'ai été.*

avocat : feuille et fruit ouvert

2. avoir n. m. **1.** Biens, possession. *Un petit avoir.* **2.** FIN Somme due à une personne, susceptible d'être déduite du montant de la prochaine demande de paiement qui lui sera adressée. *Avoir fiscal* : syn. de *crédit* d'impôt.*

avoisinant, ante adj. Voisin, proche.

avoisiner v. tr. [1] **1.** Être à proximité de. **2.** Fig. Ressembler à.

Avon, com. de Seine-et-Marne (arr. de Fontainebleau), près de Fontainebleau; 14 168 hab. Industr. du verre. – Égl. en partie romane (XIIe s.) à porche en bois (XVIIIe s.) ; Monaldeschi, amant de Christine de Suède, assassiné à Fontainebleau en 1657, y est enterré.

Avon, comté du S.-O. de l'Angleterre; 1 346 km^2; 942 000 hab.; ch.-l. *Bristol.*

Avord, commune du Cher (arr. de Bourges); 3 021 hab. Camp militaire.

Avoriaz, station de sports d'hiver de la com. de Morzine (Haute-Savoie). – Festival du film français.

avorté, ée adj. Qui a avorté, échoué. *Tentative avortée.*

avortement n. m. **1.** MED, VETER Expulsion du produit de la conception avant qu'il soit viable. **2.** Cour. Interruption provoquée de la grossesse (V. encycl.). **3.** BOT Non-développement d'un organe. **4.** Fig. Insuccès. Ant. aboutissement.

ENCYCL Depuis 1974, l'avortement médical (par aspiration ou curetage) est pratiqué légalement en France pendant les trois premiers mois de la grossesse (interruption volontaire de grossesse : I.V.G.). Un avortement thérapeutique, justifié par une maladie fœtale grave ou par une affection maternelle rendant la grossesse dangereuse, peut être décidé à toutes les dates de la grossesse par un conseil de médecins.

avorter v. intr. [1] **1.** Expulser le produit de la conception avant qu'il soit viable. **2.** BOT Ne pas parvenir à sa pleine maturité (fruits, fleurs). **3.** Fig. Ne pas aboutir, ne pas avoir le succès prévu (plans, entreprises). *Révolution qui avorte.* Syn. échouer.

avorteur, euse n. Péjor. Personne qui provoque l'interruption de grossesse illégalement.

avorton n. m. **1.** Vx Prématuré. **2.** Cour., péjor. Individu difforme et chétif.

avouable adj. Qu'on peut avouer sans en avoir honte. *Motifs avouables.*

avoué n. m. Officier ministériel (autref., *procureur*). (Maintenus *près les cours d'appel* par la loi du 31 décembre 1971, les *avoués près les tribunaux de grande instance* ont vu leur profession fusionnée avec la profession d'avocat.)

avouer v. tr. [1] **1.** Vieilli ou litt. Reconnaître pour sien. *Avouer un ouvrage. Avouer pour fils.* **2.** Vieilli Approuver, ratifier. *Principes que la morale peut avouer.* Ant. désavouer. **3.** Cour. Confesser, reconnaître. *Avouer ses erreurs.* ▷ (S. comp.) Faire des aveux. *Le prévenu a avoué.* **4.** v. pron. *S'avouer* (+ adj.) : se reconnaître (coupable, fautif, etc.).

Avranches, ch.-l. d'arr. de la Manche, près de l'estuaire de la Sée; 9 523 hab. (*Avranchins*). Mat. agric. – Les Amér. y enfoncèrent les défenses allemandes le 31 juillet 1944.

avril n. m. Quatrième mois de l'année, comprenant trente jours. ▷ Poét. Printemps. *Voici renaître l'avril.* ▷ *Poisson d'avril* : plaisanterie, farce faite traditionnellement le 1er avril.

avunculaire [avɔ̃kylɛʀ] adj. Rare Qui se rapporte à l'oncle ou à la tante.

avunculat n. m. ETHNOL Régime de certaines sociétés matrilinéaires dans lesquelles l'oncle maternel est prédominant par rapport au père.

Avvakoum (Grigorovo, v. 1620 - Poustozersk, 1682), archiprêtre et écrivain russe. Il a créé le mouvement des «vieux croyants» (*raskolniki*) : *Vie* (1672-1673). Mort sur le bûcher.

awacs [awaks] n. m. inv. (Acronyme pour l'amér. *Airborne Warning and Control System,* «système d'alerte et de contrôle aéroporté».) Système de surveillance électronique installé à bord d'avions spéciaux; avion ainsi équipé.

Awami (ligue), parti nationaliste bengali fondé en 1949 au Pākistān oriental par Abdul Hamid Khān Bhashani (1883 ou 1889 - 1976), H.S. Suhrawardi et Mujibur Rahman. A.H.K. Bhashani, proche des communistes, quitta la ligue en 1957. La ligue a été dirigée de 1966 à 1975 par Mujibur Rahman, «père de la Nation» du Bangladesh.

axe n. m. **1.** Droite autour de laquelle un corps tourne. *Axe du monde,* qui relie les deux pôles de la Terre. ▷ MINER *Axe d'ordre n d'un cristal* : axe tel que les arêtes du cristal se recouvrent après une rotation de 2 π/n. **2.** TECH Pièce cylindrique autour de laquelle tourne un corps. *Axe d'une roue.* **3.** MATH Droite qui sert de référence. *Axe des abscisses.* ▷ *Axe de symétrie* : droite telle qu'à tout point d'une figure correspond son symétrique. **4.** Ligne centrale. *L'axe d'une rue.* - Voie de communication. *Les grands axes routiers.* **5.** BOT Toute partie d'un végétal qui supporte des organes appendiculaires (tige, rameau, etc.). ▷ ANAT *Axe cérébrospinal* : ensemble formé par le cerveau et la moelle épinière. Syn. névraxe. **6.** Ligne directrice (d'un projet, d'un plan). *Les grands axes de la réforme foncière.*

Axe (l'), alliance formée en 1936 par l'Allemagne et l'Italie *(Axe Rome-Berlin),* étendue au Japon, à la Roumanie, à la Bulgarie et à la Hongrie, durant la Seconde Guerre mondiale.

axel n. m. SPORT En patinage artistique, saut accompagné d'un tour et demi sur soi-même.

axénique adj. BIOL Se dit d'un être vivant élevé en laboratoire en dehors de tout contact microbien et de tout germe.

axer v. tr. [1] **1.** Diriger selon un axe. **2.** Fig. Orienter selon telle direction. *Axer sa vie sur un idéal.*

axial, ale, aux adj. Qui se rapporte à un axe. - *Éclairage axial,* au moyen de lampadaires suspendus dans l'axe d'une voie publique.

axillaire [aksilɛʀ] adj. **1.** ANAT Qui se rapporte à l'aisselle. *Creux axillaire.* **2.** BOT *Bourgeon axillaire,* né à l'aisselle d'une feuille.

axiologie n. f. PHILO Théorie des valeurs morales (le bon, le bien, etc.), recherche sur leur nature et la hiérarchie à établir entre elles.

axiomatique adj. et n. f. Didac. **1.** Qui tient de l'axiome. *Vérité axiomatique.* **2.** Qui raisonne sur des symboles, indépendamment de leur contenu. *Logique axiomatique.* Syn. formel. ▷ n. f. Branche de la logique qui recherche et organise en système l'ensemble des axiomes d'une science.

axiomatisation n. f. Formulation d'un ensemble d'axiomes formant un système cohérent susceptible de constituer la base d'une théorie.

axiome n. m. Proposition générale reçue et acceptée comme vraie sans démonstration. *Tout système d'axiomes cohérents possède un modèle.* (En philosophie, le *postulat* se distingue de l'*axiome,* le premier pouvant être mis en doute alors que le second doit être accepté comme vrai.) ▷ *Par ext.* Principe posé a priori. *L'axiome selon lequel il n'y a plus de saison.*

axis n. m. ANAT Deuxième vertèbre cervicale.

Ax-les-Thermes, ch.-l. de cant. de l'Ariège (arr. de Foix), sur l'Ariège; 1 536 hab. Stat. therm. (rhumatismes); sports d'hiver sur le plateau du Saquet.

axolotl [aksɔlɔtl] n. m. ZOOL Larve de l'amblystome ayant la faculté d'acquérir la maturité sexuelle et de se reproduire sans passer par le stade adulte. ▸ illustr. **branchie**

axone n. m. ANAT Prolongement cylindrique et allongé du neurone qui conduit l'influx nerveux vers une synapse. Syn. cylindraxe.

Axoum ou **Aksoum,** v. d'Éthiopie (prov. du Tigré); 17 750 hab. - Cap. de l'anc. roy. d'Axoum, prospère probablement du Ier au Xe s. apr. J.-C. - Stèles monolithiques, obélisques.

Ayacucho, v. du Pérou, au S.-E. de Lima; 68 540 hab; ch.-l. de la prov. du m. nom. Mines de plomb et d'argent. - En 1824, la victoire du général Sucre sur les Espagnols assura l'indép. de l'Amérique du Sud.

ayant cause n. Personne à laquelle les droits d'une autre personne ont été transmis. *Les ayants cause.*

ayant droit n. Personne qui a droit, ou qui est intéressée à qqch. *Les ayants droit aux allocations familiales.*

ayatollah [ajatɔla] n. m. **1.** Dignitaire musulman chiite. **2.** Fig., fam. Personnage tout-puissant exerçant une autorité tyrannique et rétrograde.

Aydin (anc. *Tralles*), v. de Turquie, au S.-E. d'Izmir; 90 950 hab; ch.-l. de l'il du m. nom. Centre commercial important.

aye-aye n. m. ZOOL Lémurien malgache en voie de disparition (*Daubentonia madagascariensis*), de la taille d'un chat, au pelage argenté, ayant une queue touffue et des doigts très minces.

Ayers Rock, montagne sacrée (867 m) des aborigènes, qui la nomment *Uluru,* au centre (désertique) de l'Australie.

Aylesbury, v. de G.-B.; 48 160 hab.; ch.-l. du comté de Buckinghamshire. Centre agric.

aymará n. m. Langue parlée en Bolivie et au Pérou (près de 3 millions de locuteurs).

Aymarás, Indiens du Pérou et de Bolivie, fondateurs d'une prestigieuse civilisation (v. de Tiahuanaco, près du lac Titicaca); ils subirent la conquête inca, puis espagnole (XVIe s.). Évalués auj. à 1 million d'individus, ils vivent en petites communautés agraires.

Aymé (Marcel) (Joigny, 1902 - Paris, 1967), écrivain français; auteur de nombreux romans (*la Jument verte,* 1941; *Travelingue,* 1941; *Uranus* 1948) et de nouvelles pleins de verve (*le Passe-Muraille,* 1943), de pièces de théâtre (*la Tête des autres,* 1952), de récits et de contes (*Contes du chat perché,* 1934-1958).

Aymeri ou **Aimeri de Narbonne,** poème (4 708 vers) du déb. du XIIIe s. attribué à Bertrand de Bar-sur-Aube.

Aymon (les Quatre Fils), personnages légendaires de la chanson de geste *Renaud de Montauban* (XIIe s.). Ils guerroient, montés sur le cheval Bayard, contre Charlemagne.

Ayr, port d'Écosse, sur le canal du Nord; 49 520 hab; rég. de Strathclyde.

Ayuthia, v. de Thaïlande, au N. de Bangkok; 60 510 hab. - Ruines de l'anc. cap. des Thaïs, où se trouve une colossale statue en bronze du Bouddha.

Ayyubides, dynastie musulmane fondée par Salah ad-Din ibn Yusuf ibn Ayyūb (Saladin) en 1171 et qui gouverna l'Égypte, la Syrie et le Yémen; elle remplaça les Fatimides et fut renversée à son tour par les Mamelouks, en 1250 (Égypte) et en 1260 (Syrie).

azalée n. f. Arbuste ornemental (fam. éricacées) cultivé pour ses fleurs colorées.

azalée du genre rhododendron

Azaña y Díaz (Manuel) (Alcalá de Henares, 1880 - Montauban, 1940), homme polit. espagnol, président du Conseil (1931-1933; fév. 1936), puis de la Rép. (mai 1936-oct. 1939); il se réfugia en France.

Azarias ou **Ozias,** roi de Juda de 781 à 740 av. J.-C. Son fils Joathan lui succéda.

Azay-le-Rideau, ch.-l. de cant. d'Indre-et-Loire (arr. de Chinon), sur l'Indre; 3 116 hab. - Chât. bâti de 1518 à 1529, l'une des plus belles créations de la première Renaissance.

Azeglio (Massimo Taparelli, marquis d') (Turin, 1798 - id., 1866), écrivain italien. Il popularisa l'idée de l'unité italienne dans *les Derniers Événements de Romagne* (1846).

azéotrope n. m. (et adj.) CHIM Mélange de liquides caractérisé, comme un corps pur, par une température d'ébullition constante sous une pression donnée. ▷ adj. *Un mélange azéotrope.*

Azerbaïdjan (*Azarbaijchan Respublikasy*), État du Caucase (république de l'U.R.S.S. jusqu'en 1991), s'ouvrant à l'E. sur la mer Caspienne; 86 600 km²; 7 535 000 hab.; cap. *Bakou.* Monnaie : manat; Pop. : Azéris (83 %), Russes (4,7 %), Arméniens (3,6 %), Lesghiens (2,4 %). Langue off. : azeri. Relig. : islam chiite.

Géogr. et écon. - Des bassins drainés par la Koura occupent le centre et le S.

du pays. À l'O. et au N. s'étendent les chaînes du Grand et du Petit Caucase. Le climat est aride. L'irrigation permet le développement des cult. (coton, tabac, céréales) et de l'élevage. Une industrie diversifiée s'est constituée à partir des ressources du sous-sol (import. gisements de pétrole, fer, cuivre, alunite).
Hist. – Cette anc. province de l'empire perse fut cédée à la Russie en 1828. Elle devint rép. socialiste soviétique en 1920. En 1988, les Arméniens habitant le Haut-Karabakh* réclament leur rattachement à l'Arménie. L'indépendance de l'éphémère rép. d'Azerbaïdjan (1918-1920) a été restaurée en 1991. La crise consécutive aux revers militaires au Haut-Karabakh entraîne la démission (mars 1992) de l'ex-dirigeant communiste Ayaz Moutalibov. De même, son successeur, le nationaliste Aboulfaz Elchibey (élu prés. en juin), est renversé et l'ex-communiste Gueïdar Aliev est élu prés. (oct. 1993). La nouvelle Constitution, approuvée par référendum en 1995, renforce les prérogatives présidentielles. L'Azerbaïdjan est membre de la C.E.I., de l'O.S.C.E., et de la Zone de coopération économique de la mer Noire. ► carte **(ex-) U.R.S.S.**

azerbaïdjanais, aise ou **azéri, ie** adj. et n. D'Azerbaïdjan. – Subst. *Un(e) Azerbaïdjanais(e).*

Azerbaïdjan-Occidental, prov. du N.-O. de l'Iran ; 35 391 km²; 1 900 000 hab. ; ch.-l. *Ourmia.*

Azerbaïdjan-Oriental, prov. du N.-O. de l'Iran ; 73 683 km²; 4 100 000 hab. ; ch.-l. *Tabrīz.*

Azéris ou **Azeri,** peuple d'Azerbaïdjan et des provinces frontalières iraniennes, de religion islamique (chiite) et de langue turque.

Azhar (Al-) *(al-Azhar),* célèbre mosquée et université du Caire, édifiée par les Fātimides en 970 (reconstruite au XIVe s.), l'un des plus importants centres théologiques de l'islam.

azilien, enne adj. et n. m. PREHIST Se dit d'un ensemble industriel de l'épipaléolithique, postérieur au magdalénien final dont il dérive.

azimut [azimyt] n. m. ASTRO Angle compris entre le plan vertical passant par l'axe de visée et le plan vertical de référence (plan du méridien de l'observateur). *Azimut d'un astre.* ▷ MILIT *Défense tous azimuts,* efficace dans toutes les directions.

azimutal, ale , aux adj. ASTRO Qui représente ou mesure des azimuts.

azimuté, ée adj. Pop. Fou, déboussolé.

Azincourt, com. du Pas-de-Calais (arr. d'Arras); 253 hab. – Henri V d'Angleterre y vainquit l'armée royale française le 25 oct. 1415.

Aznar (José María) (Madrid, 1953), homme politique espagnol. Président du Parti populaire (1990), il est nommé Premier ministre en 1996.

Aznavour (Shandour Varenagh Aznavourian, dit Charles) (Paris, 1924), chanteur, auteur-compositeur et comédien français, d'origine arménienne.

azoospermie [azɔɔspɛʀmi] n. f. MED Absence de spermatozoïdes dans le sperme.

Azorín (José Martínez Ruiz, dit) (Monóvar, prov. d'Alicante, 1874 – Madrid, 1967), écrivain espagnol : *Sur la route de Don Quichotte* (1903), *le Licencié de verre* (1915).

azote n. m. Élément de numéro atomique Z = 7, de masse atomique 14,0067 (symbole N). *L'azote est un des principaux éléments constitutifs de la matière vivante.* – Gaz (N_2 : *diazote*), incolore et inodore, peu réactif et peu soluble dans l'eau, qui bout à −196 °C et se solidifie à −210 °C. *L'azote constitue 78 % environ du volume de l'atmosphère terrestre.*
ENCYCL **Biochim.** – *Cycle de l'azote.* Les végétaux supérieurs absorbent les nitrates du sol et incorporent l'azote dans des composés organiques (acides nucléiques, protéines). Les animaux consomment ces végétaux et incorporent ainsi à leur tour l'azote. À la mort de ces derniers, les microorganismes responsables de la putréfaction de leurs cadavres libèrent les produits ammoniacaux qui vont être transformés en nitrates réutilisables par les végétaux supérieurs. ► pl. **cycles naturels**

azoté, ée adj. Qui contient de l'azote. *Composés azotés.*

azotémie n. f. MED Taux des produits d'excrétion azotés (urée, urates) dans le sang.

azotobacter [azɔtobaktɛʀ] n. m. MICROB Genre d'azotobactériale, aérobie et fixatrice de l'azote atmosphérique.

azotobactériales n. f. pl. MICROB Classe de mycobactéries, fixant dans certaines conditions l'azote atmosphérique.

azoturie n. f. MED Élimination, parfois excessive, des composés azotés (urates, urée) par l'urine.

Azov (mer d'), petite mer au N.-E. de la Crimée, s'ouvrant sur la mer Noire par le détroit de Kertch. Port principal : *Rostov-sur-le-Don.*

Azraël, messager d'Allāh et ange de la Mort dans la théologie islamique.

A.Z.T. n. m. ou f. MED (Sigle de *azidothymidine.*) Produit ayant une action contre les virus, utilisé dans le traitement du sida.

aztèque [astɛk] adj. Relatif aux Aztèques, à leur civilisation dans l'anc. Mexique.

Aztèques, peuple amérindien qui formait à l'origine une tribu appartenant à un groupe d'Indiens des zones septent. du Mexique précolombien : les Chichimèques. Ils s'installèrent vers 1325 en territoire toltèque, dans la région du lac Texcoco, où ils fondèrent Tenochtitlán (cité bâtie sur l'eau et site actuel de Mexico), avant de s'imposer par la force, en 200 ans, à tous les peuples d'Amérique centrale. Leur civilisation reposait sur une culture en partie héritée des Toltèques (architecture, motifs de la sculpture), une organisation politico-économique très évoluée et une religion polythéiste complexe impliquant des sacrifices humains. Mais l'Empire aztèque n'assura jamais son homogénéité, et Cortés, qui parvint à rallier les Indiens sous domination aztèque, le renversa facilement. Il fit mettre à mort le roi Cuauhtémoc, en 1525.

Azuela (Mariano) (Lagos de Moreno, 1873 – Mexico, 1952), médecin et écrivain mexicain. Ses romans naturalistes décrivent le peuple de son pays et la révolution : *Ceux d'en bas* (1916), *le Malheur* (1923).

azulejo [azuleʀo] n. m. Carreau de faïence émaillée, d'abord bleu, d'origine arabo-persane, employé en Espagne et au Portugal.

azur n. m. **1.** Ancien nom du lapis-lazuli ou *pierre d'azur.* **2.** TECH Verre coloré en bleu par une poudre d'oxyde de cobalt. **3.** Litt. Couleur bleu clair limpide. ▷ Poét. Ciel. *Contempler l'azur.* ▷ *La Côte d'Azur :* la côte méditerranéenne entre Toulon et Menton. **4.** HERALD Couleur bleue, représentée en gravure par des hachures horizontales.

azurage n. m. TECH **1.** Passage du linge blanc, au cours du rinçage, dans une solution bleue, pour accentuer l'effet de blancheur. **2.** Opération destinée à masquer la teinte grisâtre d'une pâte à papier.

azuré, ée adj. **1.** Litt. De la couleur de l'azur. **2.** TECH Qui a subi l'azurage.

azuréen, enne adj. **1.** Litt. De la couleur de l'Azur. **2.** De la Côte d'Azur.

azurer v. tr. **[1]** **1.** Litt. Rendre de couleur azur. **2.** TECH Pratiquer l'azurage du linge.

azygos [azigos] adj. inv. et n. f. ANAT *Une veine azygos* ou, n. f., *une azygos :* chacune des deux veines asymétriques qui font communiquer entre elles les veines caves supérieure et inférieure.

azyme adj. (et n. m.) Sans levain. *Pain azyme :* pain que mangent les juifs à l'époque de la pâque ; pain dont on fait les hosties. ▷ n. m. Pain sans levain. – *La fête des azymes* ou *les Azymes :* la pâque juive.

art **aztèque :** vase en terre cuite polychrome ; Templo Mayor, Mexico

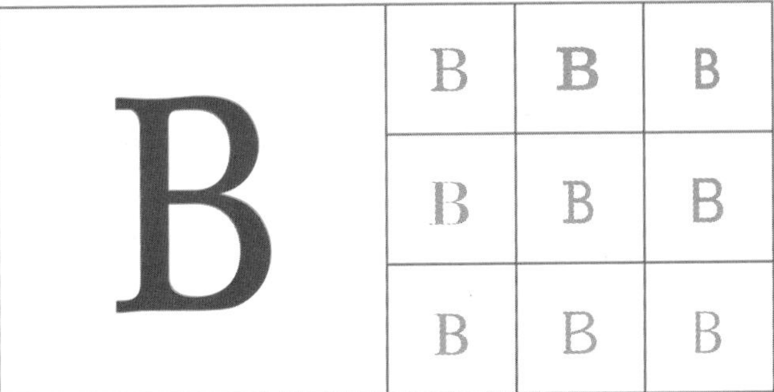

b [be] n. m. **1.** Deuxième lettre (b, B) et première consonne de l'alphabet, notant l'occlusive bilabiale sonore [b]. ▷ Loc. fig. *Le b.a.-ba :* les rudiments, les connaissances élémentaires. **2.** CHIM B : symbole du bore. ▷ PHYS b : symbole du barn. B : symbole du bel.

Ba CHIM Symbole du baryum.

B.A. n. f. Abrév. de *bonne action.*

Baader (Andreas) (Munich, 1943 – Stammheim, 1977), organisateur et chef de file du mouvement terroriste «Fraction armée rouge» *(Rote Armee Fraktion),* créé en 1968, plus connu sous le nom de «Bande à Baader».

Baal, nom employé dans les langues sémitiques occidentales pour désigner les divinités locales de la Fertilité du sol et de l'Orage. Dans la Bible, il incarne les faux dieux.

Baalbek ou **Balbek,** v. du Liban située dans la plaine de la Beqaa; 18 000 hab. Temples de Jupiter et de Bacchus. – D'orig. phénicienne, puis grecque sous le nom d'Héliopolis, la cité fut colonisée par les Romains sous Auguste et connut son apogée au IIe s.

Baas ou **Ba'th,** parti politique nationaliste panarabe fondé en 1952 par fusion du parti de la Renaissance arabe de Michel Aflak et Salah Eddine al-Bitar et du parti socialiste arabe d'Akram Hourani. Le Baas est au pouvoir en Syrie (depuis 1963) et en Irak (depuis 1968).

baasiste [baasist] adj. et n. Partisan du Baas.

Baalbek : péristyle du temple de Jupiter

Bāb (Sayyid Alī Muhammad, dit le) (Chirāz, 1819 – Tabrīz, 1850), chef religieux persan fondateur du babisme; il se proclama «Bāb» en 1844, c'est-à-dire «porte de la Vérité».

1. baba adj. inv. Fam. Stupéfait. *J'en suis resté baba.*

2. baba n. m. Gâteau spongieux préparé avec une pâte levée qu'on imbibe de sirop et de rhum.

baba cool [babakul] ou **baba** n. Nom donné à ceux qui, après le déclin du mouvement hippie dans les années 1970, en perpétuent le style et les idéaux. *Des babas cool.* – adj. (inv. en genre) *Une mentalité baba cool.*

Bab al-Mandab *(Bāb al-Mandab),* la «porte des Pleurs», détroit qui unit la mer Rouge au golfe d'Aden.

Babbage (Charles) (Teignmouth, 1792 – Londres, 1871), mathématicien anglais; il a construit une machine à calculer qui peut être considérée comme l'ancêtre des ordinateurs.

Babel, nom hébreu de Babylone. – *Tour de Babel :* dans la Bible, tour que les descendants de Noé prétendaient élever pour atteindre le ciel; Dieu fit échec à l'entreprise en introduisant la diversité des langues; *par ext.* lieu où règne la confusion.

Babel (Isaac Emmanouilovitch) (Odessa, 1894 – ?, 1941), écrivain soviétique. Il décrit dans un style naturaliste son enfance dans le milieu juif d'Odessa et son expérience dans l'armée : *Cavalerie rouge* (1926), *Contes d'Odessa* (1928), *Maria* (1935). Staline le fit exécuter.

Bāber ou **Bābur** (Zāhir al-Dīn Muhammad) (?, 1483 – Āgra, 1530), arrière-petit-fils de Tamerlan, fondateur de l'Empire moghol de l'Inde. Il fit d'Āgra sa capitale.

Babeuf (François Noël, dit Gracchus) (Saint-Quentin, 1760 – Vendôme, 1797), révolutionnaire français, fondateur du babouvisme. Chef de la «conjuration des Égaux» (1796), dirigée contre le Directoire, il fut dénoncé et exécuté.

babeurre n. m. Liquide séreux, aigrelet, qui reste après qu'on a battu la crème pour obtenir le beurre.

babiche n. f. (Canada) Lanière de peau traitée à la manière amérindienne et servant notam. à la confection de raquettes à neige et de fonds de siège.

babil [babil] n. m. Abondance de paroles futiles, bavardage continuel. *Le babil des enfants.* Syn. caquet. – Par anal. *Le babil de la pie.*

babillage [babijaʒ] n. m. **1.** Action de babiller. **2.** PSYCHO Émission par l'enfant de sons plus ou moins articulés avant la période d'acquisition du langage.

babillard, arde adj. et n. **1.** adj. Qui babille sans cesse; bavard. *Il est trop babillard pour garder un secret.* ▷ n. f. Arg. Lettre, missive. **2.** n. m. (Canada) Tableau d'affichage. *Afficher une offre d'emploi au babillard.*

babiller v. intr. [**1**] Bavarder beaucoup, futilement.

babines n. f. pl. Lèvres pendantes de certains animaux. *Singe qui remue les babines.* ▷ Loc. fam. (Personnes) *Se lécher, se pourlécher les babines :* se passer la langue sur les lèvres en signe de gourmandise satisfaite. – Loc. fig., fam. *S'en lécher les babines :* se réjouir à la pensée d'une chose agréable.

Babinski (Joseph) (Paris, 1857 – id., 1932), neurologue français d'origine polonaise. On lui doit d'importants travaux de pathologie nerveuse. ▷ MED *Signe de Babinski :* altération du réflexe cutané plantaire liée à une atteinte de la transmission de l'influx moteur dans son trajet cérébrospinal.

babiole n. f. **1.** Petit objet sans grande valeur. **2.** Fig. Fait sans importance, bagatelle.

babiroussa n. m. Mammifère suidé à poils rares (genre *Babirussa*), de la taille d'un sanglier, vivant aux Célèbes. (Les canines du mâle forment quatre défenses recourbées qui peuvent atteindre 40 cm.)

babisme n. m. Doctrine du Bāb, issue de l'islam chiite. *Le babisme fut supplanté par le bahāïsme.*

Babits (Mihály) (Szekszárd, 1883 – Budapest, 1941), écrivain hongrois. Directeur de la revue *Nyugat* à partir de 1930, il occupa une place importante dans la vie littéraire hongroise. On lui doit notam. des poèmes (*Récitatif,* 1916; *le Livre de Jonas,* 1938), des romans (le *Fils de Virgil Timár,* 1921) et une *Histoire de la littérature européenne,* (1934).

bâbord n. m. MAR Côté situé à gauche de l'axe longitudinal du navire lorsqu'on regarde vers l'avant (par oppos. à *tribord*).

Babors (chaîne des), partie de l'Atlas du Tell, culminant à 2 004 m d'altitude.

babouin de Guinée

babouche n. f. Chaussure en cuir sans quartier ni talon, en usage dans les pays islamiques. - Pantoufle, de même forme, en cuir ou en tissu.

babouin n. m. Singe cercopithécidé africain (diverses espèces du genre *Papio* : babouin vrai, hamadryas, mandrill, etc.). V. cynocéphale.

babouvisme n. m. Doctrine de Gracchus Babeuf, de ses partisans *(babouvistes)*, aspirant à un système proche du communisme.

Bābur. V. Bāber.

baby [bɛbi] adj. inv. Plus petit que la quantité ou la dose habituelle. *Un whisky baby* ou, n. m., *un baby.*

baby-boom [bɛbibum; babibum] n. m. (Anglicisme) Explosion démographique de l'après-guerre (1945-1963). ▷ *Par ext.* Augmentation importante du taux de natalité. *Les baby-booms.*

baby-foot [babifut] n. m. inv. Jeu qui se pratique sur une table représentant un terrain de football et où se trouvent des figurines en forme de joueurs fixées sur des tringles que l'on actionne au moyen de manettes pour déplacer une petite balle. ▷ Cette table elle-même.

Babylone, anc. v. de Mésopotamie, sur l'Euphrate, à 160 km au S.-E. de Bagdad. Cette ville existait dès le XXIIIe s. av. J.-C., au temps de la splendeur d'Akkad. Elle passa ensuite sous la domination des Amorrites (XIXe s. av. J.-C.) pour devenir la cap. de leur sixième roi, Hammourabi. Razziée par les Hittites au XVIe s. av. J.-C., elle fut dominée par les Kassites jusqu'au XIIe s. av. J.-C., puis par les Élamites, avant de devenir assyrienne (VIIIe-VIIe s. av. J.-C.). La liberté lui fut rendue par Nabopolassar, qui fonda l'Empire néo-babylonien (626 av. J.-C.). Sous le règne de son fils Nabuchodonosor II, la ville atteignit le faîte de sa puissance : elle comprenait alors une double enceinte fortifiée jalonnée de tours, la célèbre porte d'Ishtar, des palais pourvus de toits en terrasses (les fameux *Jardins suspendus*), la colossale ziggourat Étemenanki, des temples richement décorés dédiés au dieu Mardouk. Devenue prov. perse sous Cyrus II (539 av. J.-C.), elle vit sa décadence s'accentuer sous Darius Ier et Xerxès Ier. Alexandre le Grand l'annexa en 331 av. J.-C. et y mourut. En 300 av. J.-C., Séleucos Ier la délaissa au profit de Séleucie. Dès le Ier s. av. J.-C., le géographe grec Strabon trouva le site désert.

babylonien, enne adj. et n. De Babylone. ▷ n. m. Langue anc. dérivant de l'akkadien.

baby-sitter [bebisitœʀ] n. Personne rémunérée pour garder un bébé, un jeune enfant, à la demande des parents. *Des baby-sitters.*

baby-sitting [bebisitiŋ] n. m. Activité d'un(e) baby-sitter. *Des baby-sittings.*

1. bac n. m. **1.** Bateau à fond plat servant à faire traverser un bras d'eau ou un lac à des personnes, des véhicules. ▷ AVIAT *Bac aérien :* avion qui transporte des automobiles et leurs passagers sur de courtes distances. **2.** Récipient destiné à des usages variés. *Bac à glace d'un réfrigérateur. Bac à douche.*

2. bac n. m. Fam. Abrév. de *baccalauréat.*

Bacall (Betty Joan Perske, dite Lauren) (New York, 1924), actrice américaine; le couple qu'elle a formé avec Humphrey Bogart est resté légendaire, à la ville comme à l'écran (*le Port de l'angoisse,* 1944; *le Grand Sommeil,* 1946; *Key Largo,* 1948).

bacantes. V. bacchantes.

Bacău, v. de Roumanie (Moldavie); 169 500 hab.; ch.-l. du district. du m. nom. Industr. du bois, alimentaire.

baccalauréat n. m. **1.** Premier grade universitaire, qui donne le titre de bachelier. - Examen qui donne ce grade, à la fin des études du second degré. *Il a obtenu le baccalauréat.* (Abrév. fam. : bac, bachot). **2.** (Canada) Dans le système universitaire nord-américain, grade correspondant à la licence française. *Le baccalauréat précède la maîtrise.*

baccara n. m. Jeu de hasard qui se joue avec un ou plusieurs jeux de 52 cartes, entre un banquier et des joueurs *(pontes).*

baccarat n. m. Cristal de la manufacture de Baccarat.

Baccarat, ch.-l. de cant. de Meurthe-et-Moselle (arr. de Lunéville), sur la Meurthe; 5 049 hab. Constr. métall. Cristallerie réputée, fondée au XVIIIe s.

Babylone : porte d'Ishtar

bacchanale [bakanal] n. f. **1.** Plur. ANTIQ ROM Fêtes religieuses dédiées à Bacchus. **2.** Tableau ou bas-relief représentant ces fêtes. **3.** Fig., vx Désordre, débauche tapageuse.

bacchante [bakɑ̃t] n. f. **1.** ANTIQ ROM Femme participant au culte de Bacchus. **2.** Fig., vieilli Femme de conduite désordonnée et sans pudeur.

bacchantes ou **bacantes** [bakɑ̃t] n. f. pl. Fam. Moustaches. *Il a de belles bacchantes.*

Bacchelli (Riccardo) (Bologne, 1891 - Monza, 1985), écrivain italien. Membre du groupe *la Ronda,* il adopta la technique vériste avant un retour au classicisme : *le Moulin sur le Pô* (1938-1941).

Bacchus, dieu du Vin chez les Romains. V. Dionysos.

Baccio della Porta. V. Bartolomeo.

J.-S. **Bach**

Joséphine **Baker**

Bach, nom d'une dynastie de musiciens allemands, dont la lignée remonte à Hans Bach (v. 1520). – **Johann Sebastian** (en fr. *Jean-Sébastien*) (Eisenach, 1685 - Leipzig, 1750), organiste virtuose, claveciniste, violoniste et professeur de musique à la Thomasschule de Leipzig (1723). Il aborda, en tant que compositeur, toutes les formes musicales, à l'exception de l'opéra : *Clavecin* (ou mieux *Clavier*) *bien tempéré* (1722-1744), six *Concertos brandebourgeois* (1721), *Passion selon saint Jean* (1722), *Passion selon saint Matthieu* (1729), *Messe en* si *mineur* (1732-1737-1749), *Oratorio de Noël* (1734), *l'Art de la fugue* (resté inachevé, 17 fugues et 4 canons). Leur caractère essentiellement polyphonique et l'omniprésence du choral luthérien ont permis à Bach d'accomplir le plus important travail de synthèse de l'histoire de la musique. Il eut vingt enfants; neuf moururent en bas âge, et quatre devinrent des musiciens célèbres. – **Wilhelm Friedemann** (Weimar, 1710 - Berlin, 1784), compositeur, claveciniste et organiste; il contribua avec Carl Philipp Emanuel à donner leurs formes modernes à la sonate et au concerto. – **Carl Philipp Emanuel** (Weimar, 1714 - Hambourg, 1788), compositeur, claveciniste virtuose, est considéré comme le père de la technique pianistique moderne et le précurseur de la musique romantique; son œuvre comprend près de 700 pièces. – **Johann Christoph Friedrich** (Leipzig, 1732 - Bückeburg, 1795) est l'auteur, en collaboration avec le poète Johann Gottfried Herder, d'une série d'oratorios et de cantates. – **Johann Christian** (en fr. *Jean-Chrétien*) (Leipzig, 1735 - Londres, 1782) s'orienta vers le théâtre (1760), composant de nombreux opéras à la manière italienne et anglaise, 44 symphonies, 37 concertos et de la musique de chambre.

Bach (Alexander, baron von) (Loosdorf, 1813 - Schönberg, 1893), homme politique autrichien, ministre de l'Intérieur de 1849 à 1859. Il donna son nom au système répressif mis en place au lendemain de la révolution de 1848.

bâchage [bɑʃaʒ] n. m. Action de bâcher.

Bachaumont (Louis Petit de) (Paris, 1690 - id., 1771), écrivain français; auteur des *Mémoires secrets pour servir à l'histoire de la république des lettres,* document précieux sur la société du XVIIIe s.

Bachchar ibn Burd *(Baššār ibn Burd)* (Bassorah, 693 ou 714 - id., 783), poète arabe d'origine persane. Orateur et épistolier acerbe et redouté, il est surtout le promoteur du renouveau de la poésie arabe (amour, sensualité) au début de la période abbasside.

bâche n. f. **1.** Forte toile, souvent rendue imperméable et imputrescible, destinée à mettre des voitures, des chargements, des récoltes, etc., à l'abri des intempéries. 2. HORTIC Châssis vitré utilisé pour protéger des plantes. 3. TECH Réservoir d'eau alimentant une chaudière.

Bachelard (Gaston) (Bar-sur-Aube, 1884 - Paris, 1962), philosophe français. Travaillant sur l'épistémologie (*le Nouvel Esprit scientifique*, 1934; *le Rationalisme appliqué*, 1949, etc.), il a également entrepris une « psychanalyse existentielle » de la matière : *Psychanalyse du feu* (1938), *l'Eau et les Rêves* (1942), *la Poétique de l'espace* (1957).

bachelier, ère n. 1. HIST Au Moyen Âge, jeune homme aspirant à devenir chevalier. 2. Titre d'une personne qui a passé avec succès le baccalauréat.

Bachelier (Nicolas) (Toulouse [?], v. 1487 - id., 1556), architecte et sculpteur français. Il introduisit l'art de la Renaissance italienne à Toulouse.

bâcher v. tr. [1] Couvrir d'une bâche.

bachi-bouzouk [baʃibuzuk] n. m. HIST Soldat irrégulier enrôlé autref. en Turquie, en temps de guerre, comme volontaire. *Des bachi-bouzouks.*

bachique adj. Litt. Qui a rapport à Bacchus ou au vin. *Fête bachique. Chanson bachique* : chanson à boire.

Bachkortostan ou **Bachkirie,** rép. de Russie, dans le S. de l'Oural; 143 600 km²; 4 010 000 hab.; cap. *Oufa.* Import. gisements de pétrole (Second-Bakou). - Les *Bachkirs,* d'origine mongole, furent soumis par Ivan le Terrible.

Bachmann (Ingeborg) (Klagenfurt, 1926 - Rome, 1973), écrivain autrichien. Ses poèmes, pièces et récits, écrits sous l'influence de Heidegger, sont marqués par le désir d'unir nostalgie et réalité, sensibilité et intellect : *le Délai* (1953), *la Trentième Année* (1961), *Malina* (1971).

1. bachot [baʃo] n. m. Petit bac.

2. bachot [baʃo] n. m. Fam. Baccalauréat. *Il a raté son bachot.*

bachotage n. m. Fam. Action de bachoter.

bachoter v. intr. [1] Fam. Préparer le baccalauréat, un examen quelconque, par un travail intensif faisant appel surtout à la mémoire.

bacillaire [basilɛʀ] adj. Qui se rapporte aux bacilles. *Infection bacillaire.* ▷ Subst. Malade atteint de tuberculose (porteur de bacilles de Koch).

bacille n. m. Bactérie en forme de bâtonnet. *Bacille de Koch* : V. Koch.

bacilliforme [basilifɔʀm] adj. En forme de bacille.

bacillose n. f. MED Toute maladie causée par des bacilles.

Bacilly (Bénigne de) (Normandie, 1625 - Paris, 1690), compositeur français, auteur de chansons dites *airs de cour* et d'un traité de chant (1668).

backgammon [bakgamɔn] n. m. Nom angl. du trictrac.

background [bakgʀawnd] n. m. (Anglicisme) Arrière-plan, contexte (d'une action, d'un événement, d'une situation). ▷ Expérience, ensemble de connaissances constituant une référence. *Son background a décidé le recruteur.*

bâclage n. m. Action de bâcler.

bâcle n. f. Traverse assurant la fermeture d'une porte, d'une fenêtre.

bâcler v. tr. [1] Fam. Faire (un travail) à la hâte et sans application.

Bacolod, v. et port des Philippines, dans l'île de Negros (les Visayas); 370 000 hab. Pêche.

bacon [bekɔn] n. m. Lard fumé.

Bacon (Roger) (Ilchester, Somerset, 1214 - Oxford, 1294), moine franciscain; théologien et savant anglais, surnommé *le Docteur admirable,* précurseur de la science expérimentale. Son œuvre (*Opus majus, Opus minus, Opus tertium*) est une critique violente des méthodes philosophiques du temps et notam. du syllogisme.

Bacon (Francis, baron Verulam) (Londres, 1561 - id., 1626), homme politique, savant et philosophe anglais; chancelier d'Angleterre sous Jacques Ier. Adversaire de la scolastique et partisan de la méthode expérimentale dans *Instauratio magna,* il établit une théorie de l'induction dans *Novum Organum* (1620) et une nouvelle classification des sciences; ses *Essais de politique et de morale* ont paru en angl. et en trad. latine (1597, 1612 et 1624).

Bacon (Francis) (Dublin, 1909 - Madrid, 1992), peintre brit. Difformes et flous, ses hommes nus, ses juges, ses papes « hurleurs », etc., sont autant d'hallucinations isolées dans l'espace.

Francis **Bacon** : *Portrait de George Dyer dans un miroir,* 1968; coll. Thyssen-Bornemisza, Lugano

bactéricide adj. Qui tue les bactéries.

bactérie n. f. Être vivant unicellulaire, procaryote (sans noyau individualisé), dépourvu de chlorophylle.

ENCYCL Les bactéries sont de très petite taille (de l'ordre du micron) et munies d'une paroi externe, rigide, de nature glucidique. Elles possèdent un seul chromosome, de structure circulaire, qui se trouve plus ou moins replié sur lui-même dans le cytoplasme, sans aucune membrane autour : les bactéries sont des procaryotes. L'envahissement d'un milieu favorable se fait par division très rapide des individus, ce qui correspond à une reproduction asexuée (végétative). Les bactéries pratiquent tous les types de nutrition : - *autotrophie* : bactéries possédant un pigment (la bactérioviridine) qui leur permet d'effectuer une sorte de photosynthèse; - *saprophytisme :* bactéries de la putréfaction; - *parasitisme* : bactéries pathogènes qui agissent sur l'hôte soit directement, soit par la sécrétion de toxines, soit de ces deux façons à la fois. Les bactéries ont de nouveaux champs d'utilisation en biotechnologie (notam. fermentation bactérienne et manipulations génétiques).

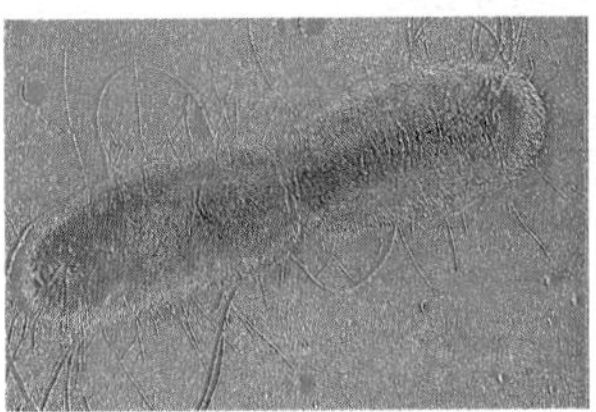

bactérie : colibacille en fin de division

bactérien, enne adj. Qui se rapporte aux bactéries; provoqué par une bactérie. *Infection bactérienne.*

bactériologie n. f. Partie de la microbiologie qui étudie les bactéries et les infections bactériennes.

bactériologique adj. Qui se rapporte à la bactériologie. ▷ *Arme bactériologique,* qui utilise des bactéries infectieuses.

bactériologiste n. Biologiste qui pratique la bactériologie.

bactériophage n. m. MICROB Virus parasite de certaines bactéries. (On dit mieux *phage.*)

bactériostatique adj. (et n. m.) Qui bloque la multiplication bactérienne. *Antibiotique bactériostatique.* - n. m. *Un bactériostatique.*

Bactriane, anc. contrée de l'Asie centrale, au N. de l'Iran et de l'Afghānistān actuels; cap. *Bactres* (auj. *Balkh,* en Afghānistān).

Hist. - Satrapie de l'Empire perse (VIe-IVe s. av. J.-C.), la Bactriane fut soumise par Alexandre le Grand (329-327), intégrée à l'Empire séleucide, et devint un royaume indépendant (fondé par Diodote v. 250), dont la civilisation gréco-bouddhique brilla sous Démétrios Ier (188-175). Elle fut ensuite asservie par les Kouchans (Ier-IIIe s. apr. J.-C.), les Huns Hephthalites (IVe s.) et les Turcs, avant d'être islamisée (VIIe s.).

Badajoz, v. d'Espagne (Estrémadure), sur le Guadiana; 130 000 hab.; ch.-l. de la prov. du m. nom. Text., céramique. - Cité rom., cap. d'un royaume musulman (XIe s.); elle fut conquise en 1228 par les rois de Léon.

Badakhchan (Haut-), prov. du Tadjikistan, dans le Pamir; 180 000 hab. Cap. *Khorog.*

Badalona, v. et port d'Espagne (Catalogne), sur la Médit.; 227 740 hab. Fonderies; industr. chimique et textile.

Bada Shanren ou **Pa-ta Chan-jen** (Zhu Da, dit) (1625-1705), peintre individualiste chinois de l'époque Qing.

badaud, aude n. et adj. (Rare au fém.) Personne flâneuse dont la curiosité est éveillée par le moindre spectacle de la rue. ▷ adj. *Une allure badaude.*

Bade (en all. *Baden*), rég. d'Allemagne, comprenant le versant occid. de la Forêt-Noire, une partie de la plaine rhénane (de Bâle à Mannheim) et du bassin de Souabe et Franconie. - Grand-duché de 1806 à 1918, puis État (cap. *Karlsruhe*) d'Allemagne, uni en 1951 au Wurtemberg dans le Land de Bade-Wurtemberg.

Baden-Baden, v. d'Allemagne (Bade-Wurtemberg); 51 500 hab. Station thermale.

Baden-Powell (Robert Stephenson Smith, 1er baron) (Londres, 1857 - Nyeri, Kenya, 1941), général brit., fondateur du scoutisme (1908).

baderne n. f. Fam. *Baderne, vieille baderne* : homme (partic., militaire) âgé et tatillon, aux idées rétrogrades.

Bade-Wurtemberg, Land d'Allemagne, formé en 1951 par la réunion du pays de Bade et des Länder de Wurtemberg-Bade et de Wurtemberg-Hohenzollern; 35 750 km²; 10 275 000 hab.; cap. *Stuttgart.* Le fossé rhénan et la Forêt-Noire occupent l'O. et le centre; le bassin de Souabe et Franconie et le Jura souabe s'étendent à l'E. et au S.-E. Avec son agriculture intensive, sa puissante industrie (auto., électronique surtout), la qualité de son cadre de vie et son potentiel touristique, cette région est l'une des plus attractives du pays.

badge [badʒ] n. m. **1.** Insigne scout. **2.** Insigne voyant porté sur un vêtement à des fins publicitaires ou pour indiquer son appartenance à un groupe. ▷ TECH Dosimètre porté par le personnel d'une installation nucléaire. ▷ Document d'identité magnétique ou perforé.

badger v. intr. [**13**] Introduire un badge dans une machine à des fins d'identification.

badgeuse n. f. Machine servant à vérifier des badges d'identité.

Bad Godesberg, v. d'Allemagne (Rhénanie-Westphalie); auj. réunie à Bonn. Stat. therm. - En 1938, entrevue Chamberlain-Hitler pour le règlement de l'affaire des Sudètes.

badiane n. f. BOT Plante dicotylédone, arbuste (fam. magnoliacées) dont le fruit, l'*anis étoilé,* est aromatique.

badigeon [badiʒɔ̃] n. m. **1.** Peinture grossière dont on enduit les murs ou les plafonds. **2.** MED Liquide médicamenteux (désinfectant, analgésique, etc.) dont on enduit une partie malade.

badigeonnage n. m. Action de badigeonner; son résultat.

badigeonner v. tr. [**1**] **1.** Peindre avec un badigeon. **2.** MED Enduire d'un liquide médicamenteux. *Badigeonner une écorchure de mercurochrome.*

badin, ine adj. Enjoué, plaisant. *La conversation prend un tour badin.*

badinage n. m. Litt. Action de badiner; discours de qqn qui badine. *Un badinage amoureux.*

badine n. f. Baguette mince et souple.

badiner v. intr. [**1**] Plaisanter, parler de manière enjouée et légère. *Il ne badine pas avec...* : il prend au sérieux, attache de l'importance à...

badinerie n. f. Litt. Ce qu'on dit, ce qu'on fait en badinant.

Badinguet, sobriquet donné à Napoléon III, évoquant son évasion du fort de Ham sous les vêtements du maçon Badinguet (1846).

Badinter (Robert) (Paris, 1928), avocat et homme politique français. Garde des Sceaux de 1981 à 1986, il fit voter plusieurs lois libéralisant la législation pénale : abolition de la peine de mort, de la loi dite «anticasseurs», etc. Il fut président du Conseil constitutionnel de 1986 à 1995.

Badius (Josse Bade, dit Jocodus) (Asse, près de Bruxelles, 1462 - Paris, vers 1537), imprimeur installé à Paris v. 1500. On lui doit des éditions d'Érasme.

bad-lands [badlɑ̃ds] n. f. pl. GEOGR Région argileuse entaillée par l'érosion linéaire en ravins étroits et profonds que séparent des crêtes. (Forme fréquente sur les versants à pente forte, dans les zones de climat subdésertique ou méditerranéen, aux pluies rares et violentes.)

badminton [badmintɔn] n. m. Jeu apparenté au tennis, qui se joue avec un volant que l'on envoie par-dessus un filet à l'aide de raquettes.

Badoglio (Pietro) (Grazzano Monferrato, 1871 - id., 1956), maréchal italien. Gouverneur de Libye (1928-1933), vice-roi d'Éthiopie (1938), il devint chef du gouv. après la chute de Mussolini (1943) et rangea l'Italie aux côtés des Alliés.

Badr (bataille de), victoire de Mahomet (624) sur les Qouraychites.

Baduila. V. Totila.

Baedeker (Karl) (Essen, 1801 - Coblence, 1859), libraire allemand, éditeur de guides pour touristes.

Baekeland (Leo Hendrik) (près de Gand, 1863 - New York, 1944), chimiste américain d'origine belge, découvreur, en 1909, de la bakélite.

baffe n. f. Fam. Gifle.

Baffin (terre de), la plus vaste (env. 470 000 km²) et la plus orient. des îles de l'archipel Arctique canadien, séparée du Groenland par la *mer* ou *baie de Baffin.*

Baffin (William) (Londres, 1584 - Ormuz, 1622), navigateur anglais. Il découvrit en 1616 la terre qui porte auj. son nom.

baffle n. m. (Anglicisme) **1.** AUDIOV Écran acoustique rigide sur lequel sont fixés un ou plusieurs haut-parleurs. **2.** Abusiv. Cour. Enceinte acoustique.

bafouer v. tr. [**1**] Traiter avec mépris, d'une manière outrageante; ridiculiser. Syn. outrager.

bafouillage n. m. Action de bafouiller; propos confus, incohérents. *Un bafouillage incompréhensible.*

bafouille n. f. Fam. Lettre. *Envoyer une longue bafouille.*

bafouiller v. intr. [**1**] S'exprimer d'une manière embarrassée et incohérente. ▷ v. tr. *Bafouiller des excuses.*

bâfrer v. intr. [**1**] Fam., péjor. Manger avec avidité et avec excès.

bâfreur, euse n. Pop. Personne goulue, gloutonne.

baga [baga] adj. Des Bagas.

Baga(s), groupe ethnique vivant sur la plaine côtière de Guinée.

bagad, plur. **bagadou** n. m. Formation musicale traditionnelle bretonne.

bagage n. m. **1.** (Plur.) Objets que l'on transporte avec soi en déplacement. *Avoir beaucoup de bagages. L'enregistrement des bagages.* ▷ *Partir, quitter un endroit avec armes et bagages,* en emportant tout ce qui peut être emporté. ▷ (Sing.) Ensemble des objets que l'on emporte en déplacement. *Tout son bagage tenait dans une seule valise.* ▷ Loc. fam. *Plier bagage* : partir. **2.** Fig. Ensemble des connaissances acquises. *Il a un sérieux bagage scientifique.*

bagagiste n. m. **1.** Préposé aux bagages dans un hôtel, une gare, un aéroport, etc. **2.** Industriel du bagage.

bagarre n. f. Rixe. *Une bagarre de rue.* ▷ Par ext. Fig., fam. Conflit. *Une bagarre politique.*

bagarrer v. [**1**] **1.** v. pron. Fam. Se battre. *Gamins qui se bagarrent.* **2.** v. intr. Fam., vieilli Lutter. *Il a bagarré dur pour avoir son poste.*

bagarreur, euse adj. (et n.) Fam. Qui aime se bagarrer.

bagasse n. f. Résidu végétal (tige de canne à sucre, de l'indigo, marc de raisin ou d'olive, etc.) dont on extrait divers produits.

bagatelle n. f. **1.** Objet de peu de prix, sans utilité. *Offrir une bagatelle.* Syn. babiole, bricole. ▷ *Acheter un objet pour une bagatelle,* pour une somme d'argent très peu élevée. - (Par antiphrase.) *Cela m'a coûté la bagatelle de trois mille francs.* **2.** Fig. Chose futile et sans importance. *S'occuper à des bagatelles. Se disputer pour une bagatelle.* **3.** Fam. *La bagatelle* : l'amour, le plaisir physique. *Ne songer qu'à la bagatelle.*

Bagatelle, château situé en bordure du bois de Boulogne. François Joseph Bélanger le construisit en 64 jours pour le comte d'Artois en 1779.

Bagaudes, bandes de paysans gaulois révoltés et de brigands qui s'organisèrent pour lutter contre la domination romaine et les propriétaires de grands domaines. Combattus par Dioclétien, puis par Maximien (v. 280), ils subsistèrent jusqu'au Ve siècle.

Bagdad ou **Baghdad** *(Bagdād),* cap. de l'Irak, sur le Tigre; aggl. urb. 4 648 610 hab. Centre comm. et industr. : raff. de pétrole, industr. text., chim., artisanat. - La ville, dont le calife abbasside Al-Mansur fit sa cap. en 762, connut une splendeur dont il ne reste que divers bâtiments tardifs (XIIe-XIVe s.). Dans sa maison de la Sagesse, Harun ar-Rachid réunit à la fin du VIIIe s. les plus grands savants et esprits de l'époque, arabes et non arabes. - *Pacte de Bagdad* : pacte politico-militaire conclu en 1955, à la suite de la conférence de Bagdad, groupant l'Irak, la Turquie, le Pākistān, puis l'Iran (oct. 1955); après le retrait de l'Irak (1959), le pacte de Bagdad a fait place au CENTO (Central Treaty Organization), qui a été dissous en 1979.

bagel [bɛgəl] n. m. Petit pain en forme d'anneau, à la mie très ferme.

bagnard n. m. Forçat.

Bagdad

bagne n. m. Lieu où étaient détenus les condamnés aux travaux forcés. *Le bagne de Cayenne.* ▷ Fig. Endroit où l'on est maltraité, tenu en servitude.

Bagnères-de-Bigorre, ch.-l. d'arr. des Htes-Pyr., sur l'Adour; 9 093 hab. Mat. électr. Station thermale.

Bagnères-de-Luchon, ch.-l. de cant. de la Hte-Gar. (arr. de Saint-Gaudens); 3 219 hab. Stat. therm.; sports d'hiver à *Superbagnères.*

Bagneux, ch.-l. de cant. des Hauts-de-Seine (arr. d'Antony), dans la banlieue S. de Paris; 39 453 hab. (*Balnéolais*). Industr. électron.; ingénierie; édition. – Cimetière parisien.

bagnole n. f. Fam. Automobile.

Bagnoles-de-l'Orne, commune de l'Orne (arr. d'Alençon); 881 hab. Stat. thermale.

Bagnolet, ch.-l. de cant. de la Seine-St-Denis (arr. Bobigny), dans la banlieue E. de Paris; 32 739 hab. (*Bagnolaisiens*). Industr. chimiques.

Bagnols-sur-Cèze, ch.-l. de cant. du Gard (arr. de Nîmes); 18 179 hab. Centre agric. Électrométall.

bagou ou **bagout** [bagu] n. m. Fam. Grande facilité à se servir de la parole pour amuser, faire illusion, duper. *Il a un bagout de camelot.*

Bagration (Piotr Ivanovitch, prince) (Kizliar, Caucase, 1765 – Sima, 1812), général russe, mortellement blessé à la bataille de la Moskova.

Bagritski (Eduard Gueorguievitch Dzioubine, dit) (Odessa, 1895 - Moscou, 1930), poète soviétique. Adhérent du constructivisme, il évolue d'une vision romantique à une vision réaliste de la révolution : *Vainqueurs* (1932), *la Dernière Nuit* (1933).

baguage [bagaʒ] n. m. 1. ZOOL Action de baguer (la patte d'un oiseau, d'un chiroptère; un poisson, etc.), pour pouvoir l'identifier, notam. après une migration. 2. ARBOR Incision annulaire faite dans l'écorce pour arrêter la sève.

bague n. f. 1. Anneau, généralement orné d'une pierre, que l'on porte au doigt. *Une bague de fiançailles.* ▷ *Par anal.* Anneau que l'on met à la patte de certains animaux pour les reconnaître. 2. Objet ayant la forme d'un anneau. ▷ ARCHI Moulure de colonne en forme d'anneau. ▷ ELECTR Anneau conducteur en laiton ou en bronze fixé sur l'arbre d'une machine. ▷ TECH Pièce creuse à paroi cylindrique. ▷ AUDIOV Anneau qui sert à fixer un objectif ou un filtre sur un appareil photo, une caméra.

baguenauder v. intr. [1] Fam. Flâner. *Baguenauder sur les quais.* ▷ v. pron. Se balader.

baguenaudier n. m. BOT Arbrisseau (fam. papilionacées) à fleurs jaunes en grappes et à feuillage ornemental.

1. baguer v. tr. [1] 1. Garnir d'une bague, de bagues. 2. ARBOR Faire un baguage à.

2. baguer v. tr. [1] COUT Faufiler (deux épaisseurs de tissu, les plis d'un vêtement plissé).

baguette n. f. 1. Bâton mince et flexible. – Fig. *Mener (qqn) à la baguette,* d'une manière impérieuse et brutale. ▷ *Baguettes de tambour* : petits bâtons avec lesquels on bat du tambour. ▷ *Baguette de chef d'orchestre,* pour diriger les musiciens. ▷ *Baguette magique :* attribut des magiciens et des fées, utilisé pour les enchantements. ▷ Chacun des deux bâtonnets utilisés en Extrême-Orient pour prendre des aliments. *Des baguettes chinoises.* 2. Pain de 250 g, de forme allongée. 3. ARCHI Petite moulure ronde, unie ou ornée. 4. TECH Moulure de menuiserie. ▷ *Baguette électrique,* pour protéger et dissimuler des fils électriques. ▷ *Baguette de soudure :* tige utilisée comme métal d'apport pour le soudage.

baguier n. m. 1. Écrin, coffret où l'on range des bagues, des bijoux. 2. Jeu d'anneaux utilisés par les bijoutiers pour mesurer le diamètre d'un doigt.

bah ! [ba] interj. Marque l'indifférence, le dédain, l'insouciance. *Bah! on verra bien.*

Bahā Allāh (Mīrzā Hussein 'Alī, dit) (Téhéran, 1817 – Acre, 1892), fondateur du bahāisme.

bahaï adj. et n. Relatif au bahaïsme. ▷ Adepte du bahaïsme.

bahāisme ou **bahaïsme** n. m. Religion, fondée par Bahā Allāh, dérivée du *babisme,* qui prêche l'amour entre les peuples, au-delà de leurs croyances et de leurs races, en vue d'une paix universelle (nombreux adeptes dans le monde entier).

Bahamas (anc. *Lucayes*), archipel de l'Atlant., au S.-E. de la Floride, formé de 700 îles ou îlots, dont une trentaine sont habités; 13 864 km²; 280 000 hab. *(Bahamiens);* cap. *Nassau,* dans l'île de *New Providence.* Tourisme très import. – Colonie angl. en 1783, l'archipel est indép. depuis 1973.
► carte **Amérique du Nord**

bahamien, enne adj. et n. Des Bahamas. ▷ Subst. *Un(e) Bahamien(ne).*

Bahia, État du N.-E. du Brésil; 561 026 km²; 12 650 000 hab. ; cap. *Salvador.* Coton, cacao. Import. gisements de pétrole; pétrochimie.

Bahía Blanca, port d'Argentine (prov. de Buenos Aires), près de la baie du m. nom; 280 000 hab. Raff. de pétrole et pétrochimie; agroalimentaire.

Bahr al-Abiad *(al-Baḥr al-Abyaḍ) (Nil Blanc)* et **Bahr al-Azrak** *(al-Baḥr al-Azraq) (Nil Bleu),* riv. dont la réunion, à Khartoum, forme le Nil.

Bahr al-Ghazal *(Baḥr al-Ġazāl)* et **Bahr al-Djebel** *(Baḥr al-Ğabal),* rivières du Soudan dont la réunion forme le Bahr al-Abiad.

Bahreïn *(al-Baḥrayn),* archipel et émirat du golfe Persique, relié à l'Arabie Saoudite par un pont de 30 km; 678 km²; 590 000 hab. (*Bahreïnis*); cap. *Manama,* dans l'île de Bahreïn. Monnaie : dinar. Relig. : islam (90 %). Gaz et pétrole sont les deux richesses du pays qui est une grande place financière du Golfe (zone franche). Industries pétrochimiques et de l'aluminium. – Gouverné à partir de 1783 par la dynastie Khalifah, l'émirat devint protectorat britannique en 1820; il est indépendant depuis 1971. ► carte **Arabie**

bahreïni, ie adj. et n. De Bahreïn.

baht n. m. Unité monétaire de la Thaïlande.

bahut [bay] n. m. 1. Meuble massif servant au rangement. 2. Arg. et fam. Taxi, camion. 3. Arg. (des écoles) Lycée, collège, école. *Il s'est fait virer du bahut.*

bai, baie [bɛ] adj. Rouge-brun, en parlant de la robe d'un cheval (à la queue et à la crinière noires). *Une jument baie.*

Baia Mare, v. du N.-O. de la Roumanie; 131 260 hab.; ch.-l. de la rég. de Maramureş. Centre minier (or, argent, plomb, zinc). Industr. métallurgique.

1. baie [bɛ] n. f. BOT Fruit indéhiscent, très charnu, à graines ou à pépins.

2. baie [bɛ] n. f. 1. Partie rentrante d'une côte occupée par la mer. *La baie d'Audierne.* 2. Golfe. *La baie d'Hudson.*

3. baie [bɛ] n. f. 1. Large ouverture pratiquée dans un mur, servant de porte ou de fenêtre. *Une baie donnant sur la mer.* 2. ELECTRON Châssis métallique qui reçoit des appareillages.

Baie-Comeau, v. et port du Canada (Québec), sur l'estuaire du Saint-Laurent (r. g.); 27 000 hab.

Baie-Mahault, ch.-l. de cant. de la Guadeloupe (arr. de Basse-Terre), sur la *baie Mahault;* 16 000 hab. Brasserie; sucrerie. Prod. pétrolière.

Baïf (Lazare de) (près de La Flèche, 1496 – Paris, 1547), diplomate et humaniste français, conseiller de François Ier. – **Jean Antoine de** (Venise, 1532 – Paris, 1589), fils naturel du préc., l'un des sept poètes de la Pléiade *(Amours, Jeux, Passe-temps).*

baignade n. f. Action de prendre un bain dans la mer, une rivière, un lac, pour le plaisir. *Rivière interdite à la baignade.* ▷ *Par ext.* Lieu où l'on prend ce bain.

baigner v. [1] I. v. tr. 1. Mettre dans l'eau, dans un liquide. *Baigner ses pieds.* ▷ Faire prendre un bain à, laver. *Baigner un enfant.* 2. Fig. Toucher (mer, fleuves). *La Manche baigne le Cotentin.* 3. *Par ext.* Mouiller, arroser. *Les pleurs baignaient son visage.* II. v. intr. 1. Être entièrement plongé dans un liquide. *Cornichons qui baignent dans le vinaigre.* – Par exag. *Baigner dans son sang.* ▷ Loc. fam. *Ça baigne (dans l'huile)* : tout va pour le mieux. 2. Fig. Être entouré, imprégné. *La rue baignait dans la lumière du petit jour.* III. v. pron. Prendre un bain. *Se baigner dans la mer, dans une baignoire.*

baigneur, euse n. Personne qui se baigne. *La plage est envahie par les baigneurs.* ▷ n. f. (Avec majuscule.) BX-A Représentation picturale d'une personne qui se baigne. *«Les Grandes Baigneuses» de Cézanne.* ▷ n. m. Jouet figurant un bébé.

baignoire n. f. 1. Grande cuve servant à prendre des bains. *Faire déborder la baignoire. Baignoire encastrée.* 2. *Par ext.* Loge de théâtre, au rez-de-chaussée. 3. MAR Partie supérieure du kiosque d'un sous-marin.

Baïkal, lac profond (1 620 m) de Sibérie orient.; 31 500 km²; longueur 636 km, largeur moyenne 48 km. Ses eaux s'évacuent par le fleuve Angara.

Baïkonour (cosmodrome de), au Kazakhstan. Base spatiale utilisée par les Russes.

bail, plur. **baux** [baj, bo] n. m. 1. DR Contrat par lequel une personne, propriétaire d'un bien, meuble ou immeuble, en cède la jouissance à une autre personne, moyennant un prix convenu, et pour une durée déterminée. *Extinction, reconduction d'un bail. Bail commercial. Bail à loyer* : louage d'une maison ou de meubles. *Bail à ferme* : louage d'une terre. *Bail à cheptel* : louage d'animaux. *Bail emphytéotique,* portant sur un immeuble et d'une durée de 18 à 99 ans. 2. Fig., fam. *Un bail* : un long espace de temps. *Ça fait un bail qu'il est parti.*

Bailén ou **Baylén,** v. d'Espagne (Andalousie); 15 830 hab. – Capitulation du général français Dupont de l'Étang, encerclé avec 18 000 hommes par les Espagnols (1808).

Baillairgé ou **Baillargé,** famille de sculpteurs et architectes canadiens d'origine française (XVIIIe et XIXe s.).

baille n. f. **1.** MAR Baquet. ▷ Fig. Mauvaise embarcation. **2.** Arg. *La baille* : la mer; l'eau. *Tomber à la baille.* **3.** Arg. (des écoles) *La Baille* : l'École navale.

bâillement n. m. Action de bâiller; état de ce qui est entrouvert. *Un bâillement intempestif.*

bailler v. tr. [1] Vx Donner. ▷ Loc. mod. *Vous me la baillez belle* : vous voulez m'en faire accroire.

bâiller v. intr. [1] **1.** Faire, en ouvrant largement la bouche, une inspiration profonde suivie d'une expiration prolongée. *Bâiller de fatigue, d'ennui.* **2.** Fig. Être entrouvert, mal joint. *Porte qui bâille.*

Bailleul, ch.-l. de cant. du Nord (arr. de Dunkerque); 13 933 hab. I.A.A.

bailleur, bailleresse n. **1.** DR Personne qui cède (un bien) à bail (par oppos. à *preneur*). **2.** COMM *Bailleur de fonds* : celui qui fournit les capitaux à une entreprise.

bailli [baji] n. m. **1.** HIST En France, au Moyen Âge, officier remplissant des fonctions judiciaires, militaires et financières au nom du roi. **2.** Titre donné à certains magistrats, en Italie, en Suisse et dans des régions d'Allemagne.

bailliage [bajaʒ] n. m. HIST **1.** Partie du territoire soumise à l'autorité du bailli. **2.** Tribunal qui rendait la justice au nom du bailli. ▷ *Par ext.* Lieu où siégeait ce tribunal.

bâillon n. m. Morceau d'étoffe qu'on met dans ou devant la bouche de qqn pour l'empêcher de crier. ▷ Fig. Entrave à l'expression de la pensée, des sentiments. *Mettre un bâillon à la presse.*

bâillonnement n. m. **1.** Action de bâillonner. **2.** État de celui, de ce qui est bâillonné.

bâillonner v. tr. [1] Mettre un bâillon à (qqn). ▷ Fig. Forcer au silence. *Bâillonner les journaux.*

Baillot (Pierre) (Passy, 1771 – Paris, 1842), violoniste et compositeur français.

Bailly, famille de peintres, graveurs et savants franç. – **Jacques I**[er] (Graçay, 1629 – Paris, 1679), peintre miniaturiste, aquafortiste. – **Nicolas** (Paris, 1659 – id., 1736), fils du préc., auteur du premier catalogue des collections royales de tableaux. – **Jacques II** (Paris, 1700 – id., 1768), fils et successeur du préc., auteur du catalogue des tableaux du Luxembourg. – **Jean Sylvain** (Paris, 1736 – id., 1793), fils du préc., écrivain, astronome, député, président du tiers état, puis de l'Assemblée nationale. Maire de Paris (15 juil. 1789), il fait tirer sur les sans-culottes le 17 juil. 1791 et démissionne en nov. de la même année. Condamné à mort et exécuté (11 nov. 1793).

Bailly (François Anatole) (Orléans, 1833 – id., 1911), philologue et helléniste français; auteur d'un *Dictionnaire grec-français* (1894).

Bailyn (Bernard) (Hartford, 1922), historien américain. Il a étudié les influences sociales et culturelles européennes qui se sont exercées en Amérique à l'époque coloniale et révolutionnaire (*The Ideological Origins of the American Revolution*, 1967).

bain n. m. **I. 1.** Immersion plus ou moins prolongée du corps ou d'une partie du corps dans l'eau, dans un liquide. *Prendre un bain de mer. Un bain de pieds, de siège.* – *Bain moussant*, additionné d'un produit nettoyant spécial qui produit de la mousse; *par méton.* ce produit lui-même. – *Bain bouillonnant*, dans lequel circule de l'eau pulsée. – Par anal. *Bain de sable, de boue, de cendres.* ▷ Par anal. *Bain de soleil* : exposition à l'action des rayons du soleil, pour faire hâler la peau. ▷ *Bain de foule* : contact direct d'une personnalité avec le public. ▷ Loc. fig., fam. *Être dans le bain* : être impliqué, mêlé à une affaire. – *Se mettre dans le bain* : aborder délibérément une tâche nouvelle et s'y accoutumer. **2.** Eau, liquide dans lequel on se baigne. *Préparer un bain. Un bain de lait.* **3.** Baignoire. *Remplir le bain.* **4.** (Plur.) Établissement public où l'on peut prendre des bains. *Bains maures.* ▷ Station thermale. *Les bains d'Aix-les-Bains.* **II. 1.** TECH Solution, liquide dans lequel on plonge un objet. *Bains révélateurs, fixateurs des photographes. Bain d'électrolyse pour la métallisation d'une pièce.* **2.** *Bain de bouche* : solution antiseptique avec laquelle on se nettoie la bouche.

bain-marie n. m. Eau bouillante dans laquelle on plonge un récipient contenant des substances à faire chauffer lentement, sans contact direct avec le feu. *Réchauffer une sauce au bain-marie.* ▷ *Par ext.* Récipient contenant ce bain. *Des bains-marie.*

Bainville (Jacques) (Vincennes, 1879 – Paris, 1936), historien français : *Histoire de France* (1924), *Napoléon* (1931); conservateur et nationaliste, il fut un des collaborateurs de Ch. Maurras à l'Action française. Acad. fr. (1935).

baïonnette [bajɔnɛt] n. f. **1.** Arme métallique pointue qui s'adapte au canon d'un fusil. **2.** TECH *Joint à baïonnette*, dont le mode de fixation rappelle celui de la baïonnette. – (En appos.) *Douille baïonnette.*

Baird (John Logie) (Helensburgh, Écosse, 1888 – Bexhill, Angleterre, 1946), ingénieur et physicien écossais. Il fut l'un des inventeurs de la télévision, dont il fit une première démonstration en 1926. Il expérimenta également la télévision en couleurs (1928) et en relief (1946).

baisable adj. Vulg. Qui peut provoquer le désir sexuel.

baise n. f. Vulg. Action de baiser.

Baïse (la), riv. de France (190 km), affl. de la Garonne (r. g.); formée par la *Grande* et la *Petite Baïse*, nées sur le plateau de Lannemezan.

baise-en-ville n. m. Vulg., vieilli Petit sac contenant des affaires pour passer la nuit hors de chez soi. ▷ *Par ext.* Petit sac à main d'homme.

baisemain n. m. **1.** HIST Hommage que le vassal rendait à son suzerain en lui baisant la main. **2.** Geste de politesse consistant, pour un homme, à saluer une dame en lui baisant la main.

baisement n. m. RELIG Action de baiser (qqch) en signe d'humilité et de vénération.

1. baiser v. tr. [1] **1.** Poser les lèvres sur. *Baiser le sol.* – *Par ext.* Poser les lèvres sur la joue, sur les lèvres de qqn. Syn. embrasser. **2.** Vulg. Avoir des relations sexuelles (avec). ▷ Fig. *Baiser quelqu'un*, le tromper. Syn. posséder.

2. baiser n. m. Action de baiser (sens 1). *Dérober un baiser. Échanger des baisers.* – *Baiser de paix*, qui scelle une réconciliation. – *Baiser de Judas* : baiser d'un traître.

baisse n. f. **1.** Abaissement du niveau. *La rivière est en baisse.* ▷ Diminution. *Baisse de la température.* **2.** Diminution du prix, de la valeur. *Les fruits sont en baisse. Grande baisse sur les fromages.* – *Spécial.* Recul du prix des valeurs en Bourse. *Jouer à la baisse.*

baissé, ée adj. Qui a été abaissé, descendu. *Rideaux baissés. Il marchait les yeux baissés*, dirigés vers le bas.

baisser v. [1] **I.** v. tr. **1.** Mettre plus bas, diminuer la hauteur de; faire aller plus bas. *Baisser un store.* ▷ *Baisser les yeux* : regarder vers le bas. ▷ *Baisser le ton* (d'un morceau de musique) : diminuer la hauteur des sons. – *Baisser la radio*, en diminuer le son. ▷ Fig. *Baisser le ton* : parler avec moins d'assurance, d'insolence. *Baisser le nez* : être confus. *Baisser les bras* : s'avouer vaincu. **2.** MAR *Baisser pavillon* : amener son pavillon pour montrer qu'on se rend à l'ennemi ou pour saluer un autre navire. – Fig. Capituler, s'avouer vaincu. **II.** v. intr. **1.** Aller en diminuant de hauteur. *La mer baisse.* **2.** Aller en diminuant d'intensité. *La lumière baisse. Sa vue baisse*, est de moins en moins bonne. ▷ Fig. Perdre ses forces. *Ce vieillard baisse de jour en jour.* **3.** Diminuer de prix, de valeur. *Les légumes baissent.* **III.** v. pron. Se courber. *Se baisser pour passer sous une voûte.*

baissier n. m. Spéculateur qui joue à la baisse en Bourse.

Bajazet Ier (en turc *Bāyazīd*) (?, 1347 – Akşehir, 1403), sultan ottoman de 1389 à 1402. Il conquit une partie des Balkans et de l'Anatolie, et battit les chrétiens à Nicopolis (1396). Tamerlan le captura en 1402. – **Bajazet II** (?, v. 1447 – près de Demotika, 1512), sultan ottoman de 1481 à 1512.

Ba Jin ou **Pa Kin** (prov. du Sichuan, 1905), romancier chinois. Il a décrit divers aspects de la vie sociale en Chine dans les années qui précédèrent la révolution; auteur notam. d'une trilogie (*Famille*, 1931; *Printemps*, 1938; *Automne*, 1940) et de *Nuit glacée* (1978).

Bajocasses, Gaulois installés dans la rég. d'Augustodurum (auj. *Bayeux*).

bajoue n. f. Joue, chez les animaux. ▷ Fam. Joue pendante, chez l'homme.

bakchich [bakʃiʃ] n. m. Fam. Pourboire; pot-de-vin.

bakélé [bakele] adj. (inv. en genre) De l'ethnie des Bakélés.

Bakélé(s) ou **Bakalai,** groupe ethnique du Gabon (rives de l'Ogooué).

bakélite n. f. (Nom déposé.) Matière plastique obtenue par traitement du formol par le phénol.

Bakema (Jacob Berend) (Groningue, 1914 – Rotterdam, 1981), architecte et urbaniste néerlandais. Il a contribué à relancer les principes formels et philosophiques du groupe De Stijl, marqués par le fonctionnalisme. Une volonté de clarté et une grande sobriété de lignes caractérisent ses réalisations : secteur piétonnier de Lijnbaan (Rotterdam, 1952-1954), Centre civique de Saint Louis (Missouri, 1955), Hôpital psychiatrique de Middelharnis (1974).

Baker (sir Samuel White) (Londres, 1821 – Sandford Orleigh, Devon, 1893), explorateur britannique de l'Afrique centrale. Il découvrit (1864) le lac Albert, auj. *Mobutu.*

Baker (Joséphine) (Saint Louis, 1906 - Paris, 1975), artiste de music-hall américaine, naturalisée franç. Animatrice de revues et chanteuse, elle fit l'essentiel de sa carrière en France (« la Revue nègre », 1925). Connue aussi pour ses activités antiracistes et philanthropiques.
► illustr. page **152**

Bākhtarān. V. Kermānchāh.

Baki (Mahmud Abdül, dit) (Istanbul, 1526 - id., 1600), poète turc, auteur d'un célèbre *Diwan,* recueil d'odes, de poèmes lyriques et d'oraisons funèbres.

Bakin (Takizawa Kai, dit Kyokutei) (Edo, 1767 - id., 1848), romancier japonais, auteur de la monumentale *Histoire des huit chiens de Satomi* (1814-1841).

baklava n. m. Gâteau feuilleté très sucré, au miel et aux amandes.

Bakongo(s), groupe ethnique établi dans la région de Brazzaville et l'enclave de Cabinda.

Bakota(s), groupe ethnique de la rép. du Gabon, établi entre l'Ogooué et le Congo. Art tribal : effigies funéraires (bois, cuivre et laiton).

Bakou, cap. et port de la république d'Azerbaïdjan, sur la mer Caspienne, dans la presqu'île d'Apchéron ; 1 758 000 hab. Grand centre pétrolier : raff., pétrochim., gaz naturel. Industr. métallurgique, textile.

Bakou (Second-), rég. pétrolifère située entre l'Oural et la Volga.

Bakouba(s), groupe ethnique de la Rép. dém. du Congo. Art de cour (statues en bois représentant des souverains, XVIIIe et XIXe s.), artisanat d'art.

Bakounine (Mikhaïl Alexandrovitch) (près de Tver, 1814 - Berne, 1876), révolutionnaire russe. Membre de la Ire Internationale, il s'opposa à Karl Marx. Ses idées exercèrent une grande influence sur le mouvement anarchiste : *De la coopération* (1869), *la Commune de Paris et la notion d'État* (1871), *l'État et l'Anarchie* (1873).

Bakst (Lev Samoïlevitch Rosenberg, dit Léon) (Saint-Pétersbourg, 1866 - Paris, 1924), peintre et décorateur russe. Il travailla pour les Ballets russes de S. Diaghilev (1909-1921).

bal, plur. **bals** n. m. **1.** Réunion consacrée à la danse. *Donner un bal. Ouvrir le bal :* être le premier, la première à danser. *Bal masqué*. Bal costumé*.* **2.** Local où se donnent des bals publics. *Bal musette :* bal populaire.

balade n. f. Fam. Promenade, flânerie ; excursion. *Faire une belle balade.*

balader 1. v. tr. [1] Fam. Promener. *Balader sa famille.* **2.** v. pron. *J'ai envie de me balader.*

baladeur, euse n. et adj. **I. 1.** n. Fam. Personne qui se balade, qui aime se balader. - adj. *Il a l'âme baladeuse.* **2.** n. m. Appareil comprenant un lecteur de cassettes (associé ou non à un tuner) et relié à un casque d'écoute, et que l'on porte sur soi. Syn. (off. déconseillé) walkman. **3.** n. f. Lampe électrique munie d'un long fil souple qui permet de la déplacer. **II.** adj. AUTO *Train baladeur :* organe d'une boîte de vitesses qui permet d'obtenir plusieurs rapports par déplacement des pignons.

baladin n. m. Vx **1.** Danseur de théâtre. **2.** Comédien ambulant.

baladisque n. m. Baladeur à compacts-disques.

baladiyat [baladija] n. m. Division administrative en Libye.

balafon n. m. Instrument à percussion de l'Afrique occidentale, proche du xylophone.

balafre n. f. Longue entaille faite au visage ; cicatrice qu'elle laisse.

balafré, ée adj. et n. Se dit d'une personne marquée d'une balafre.

balafrer v. tr. [1] Blesser en faisant une balafre.

Balaguer (Víctor) (Barcelone, 1824 - Madrid, 1901), écrivain et homme politique catalan ; auteur d'une *Histoire de Catalogne* (1863).

Balaguer (Joaquim) (Navarette, 1907), homme politique dominicain ; conseiller du dictateur Trujillo, auquel il succède de 1960 à 1962. Il a été président de la République de 1966 à 1974, puis de 1986 à 1996.

balai n. m. **1.** Ustensile de ménage destiné au nettoyage du sol, composé d'une brosse ou d'un faisceau de tiges (végétales ou de matière plastique) et d'un manche. *Balai de crin. - Balai mécanique,* comportant des brosses rotatives en forme de rouleaux et un réservoir à poussière. ▷ *Balais d'essuie-glaces,* en caoutchouc. ▷ *Manche à balai :* bâton par lequel on tient le balai ; AVIAT levier de commande d'un avion ; fig., fam. personne maigre. ▷ Fam. *Du balai ! :* dégagez ! Faites place ! ▷ Fam. *Con comme un balai :* complètement con. ▷ (En appos.) *Manœuvre balai :* balayeur ; manœuvre le plus mal payé. ▷ Fig. *Voiture balai :* véhicule qui recueille les coureurs cyclistes qui ont abandonné. - Dernier train (métro), dernière voiture (autobus) de la journée. **2.** ELECTR Organe qui, par frottement, transmet ou recueille le courant électrique sur la partie tournante d'une machine. **3.** CHASSE Extrémité de la queue des chiens ou des oiseaux de fauconnerie. **4.** Fam. Année d'âge. *Avoir soixante balais.*

balai-brosse n. m. Brosse dure à frotter le sol montée sur un manche à balai. *Des balais-brosses.*

balaise. V. balèze.

Balaïtous ou **Batleïtouse** (mont), pic des Hautes-Pyrénées (3 144 m), à la frontière espagnole.

Balakirev (Mili Alexeïevitch) (Nijni-Novgorod, 1837 - Saint-Pétersbourg, 1910), compositeur russe. Fondateur du « groupe des Cinq », auteur de *Tamara* (poème symphonique) et d'*Islamey* (fantaisie pour piano).

Balaklava, port d'Ukraine, sur la mer Noire, en Crimée.- Le 25 oct. 1854, la brigade de cavalerie angl. de lord Cardigan y repoussa les Russes par une charge demeurée célèbre.

balalaïka [balalaika] n. f. Petit luth à caisse triangulaire, à trois cordes, employé dans la musique russe.

balance n. f. **1.** Instrument qui sert à peser. *Une balance juste. Balance de précision. Balance romaine*, de Roberval*, électronique.* ▷ AERON *Balance aérodynamique :* dispositif pour mesurer les efforts auxquels est soumise une maquette dans une soufflerie. **2.** Équilibre. *La balance des forces, des pouvoirs.* ▷ Loc. fig. *Mettre en balance :* comparer. *Rester en balance,* dans l'indécision. *Faire entrer en balance,* en ligne de compte. *Faire pencher la balance du côté de... :* faire prévaloir... *Jeter dans la balance :* apporter (un élément nouveau) pour obtenir un résultat. **3.** ASTRO *La Balance :* constellation zodiacale de l'hémisphère austral. ▷ ASTROL Signe du zodiaque* (24 sept.-23 oct.). - Ellipt. *Il est balance.* **4.** ECON *Balance des comptes :* confrontation comptable des échanges commerciaux d'un pays avec l'étranger. *Balance du commerce extérieur :* comparaison entre les importations et les exportations globales d'un pays. *Balance des paiements :* bilan des transactions économiques entre un pays et l'étranger. - FISC *Balance des disponibilités :* comparaison entre les revenus d'un contribuable et ses dépenses, à fin de vérification de déclaration. **5.** Filet rond et creux qui sert à pêcher les petits crustacés. **6.** Arg. Délateur, mouchard.

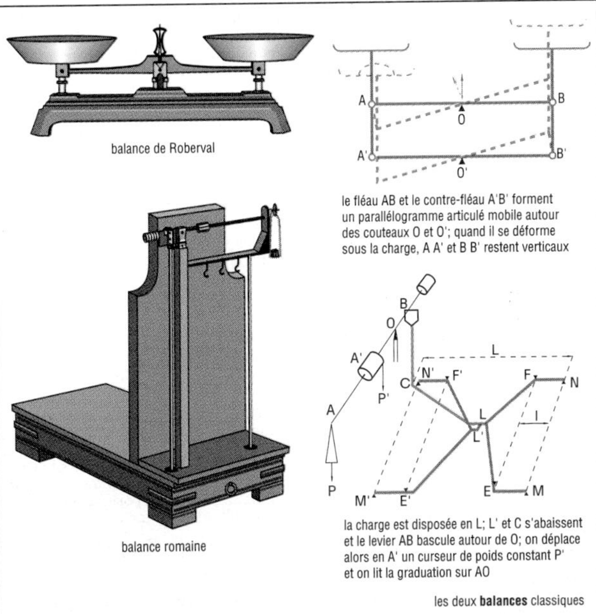
balance de Roberval
A
B
O
A'
B'
O'
le fléau AB et le contre-fléau A'B' forment un parallélogramme articulé mobile autour des couteaux O et O'; quand il se déforme sous la charge, A A' et B B' restent verticaux
balance romaine
B
O
A'
P'
A
P
L
C
N'
F'
F
N
L'
l
M'
E'
E
M
la charge est disposée en L; L' et C s'abaissent et le levier AB bascule autour de O; on déplace alors en A' un curseur de poids constant P' et on lit la graduation sur AO
les deux **balances** classiques

balancé, ée adj. Fam. (Personnes) *Bien balancé :* bien bâti.

balancelle n. f. **1.** Banc de jardin sur lequel on peut se balancer. **2.** MAR Embarcation pointue aux deux extrémités, à un seul mât.

balancement n. m. **1.** Mouvement d'oscillation d'un corps qui s'incline alternativement d'un côté et de l'autre de son centre d'équilibre. **2.** Fig. Disposition équilibrée des parties (d'une période, d'un tableau, etc.).

balancer v. [12] **I.** v. tr. **1.** Mouvoir, agiter par balancement. *Balancer les bras.* **2.** Fig. Faire un examen comparatif de. *Balancer le pour et le contre.* ▷ Spécial. *Balancer un compte :* réaliser l'équilibre entre débits et crédits. **3.** Compenser. *Son gain balance ses pertes.* ▷ ARCHI *Balancer un escalier :* réaliser un bon équilibre entre le nombre de marches, leur hauteur, leur largeur et leur position. **4.** Fam. Lancer (qqch). **5.** Par ext., fam. Jeter (qqch); renvoyer (qqn). ▷ Arg. Dénoncer (qqn). **II.** v. intr. Être en suspens, hésiter. *Balancer entre l'espoir et la crainte.* **III.** v. pron. **1.** S'incliner alternativement d'un côté et de l'autre. *Fleurs qui se balancent au gré du vent.* – Fig., litt. S'équilibrer, se compenser. *Ici, le bien et le mal se balancent.* **2.** Utiliser une balançoire. **3.** Fam. *S'en balancer :* s'en moquer.

Balanchine (Gueorgui Melitonovitch Balanchivadze, dit George) (Saint-Pétersbourg, 1904 – New York, 1983), danseur et chorégraphe russe, naturalisé américain. Il créa de nombreux ballets, d'abord pour les Ballets russes *(Apollon Musagète, le Fils prodigue),* puis, à partir de 1935, à New York *(Orpheus).*

balancier n. m. **1.** Pièce oscillante qui sert à régler le mouvement d'une horloge ou d'une montre. **2.** Longue perche utilisée par les funambules pour se maintenir en équilibre. **3.** Flotteur placé sur le côté d'une embarcation pour en assurer la stabilité. *Pirogue à balancier.* **4.** Machine utilisée autref. pour la frappe des monnaies et des médailles. **5.** ENTOM Organe propre aux diptères, qui sert à diriger et à régulariser leur vol.

balancine n. f. MAR Cordage qui soutient l'extrémité d'un espar et lui donne son inclinaison. *Balancine de tangon, de bôme.*

balançoire n. f. Longue pièce (de bois, de métal, etc.) posée en équilibre sur un point d'appui et sur laquelle se balancent deux personnes, placées aux deux bouts. ▷ Siège suspendu au bout de deux cordes et sur lequel on se balance. *Pousser une balançoire.* Syn. escarpolette.

balane n. f. ZOOL Crustacé cirripède très commun *(Balanus)* qui vit fixé sur un support dur (rochers, navires, moules, etc.), dans une carapace pyramidale qu'il sécrète, composée de plusieurs plaques mobiles.

balanoglosse n. m. ZOOL Ver des plages, unique représentant de la classe des entéropneustes.

Balard (Antoine Jérôme) (Montpellier, 1802 – Paris, 1876), chimiste français qui découvrit le brome (1826).

Balaruc-les-Bains, com. de l'Hérault (arr. de Montpellier), sur l'étang de Thau; 5 031 hab. Stat. therm.

Balaton, lac de l'O. de la Hongrie; 596 km². Eaux riches en soude. Nombreuses stations balnéaires.

balayage [balɛjaʒ] n. m. **1.** Action de balayer. **2.** ELECTRON Déplacement du faisceau électronique sur la surface d'un écran de télévision. ▷ INFORM Exploration des informations se trouvant sur un support. **3.** En coiffure, décoloration de fines mèches réparties dans toute la chevelure.

balayer v. tr. [21] **1.** Nettoyer avec un balai; enlever avec un balai. *Balayer une chambre. Balayer la poussière.* ▷ Fig. *Le vent a balayé les nuages,* a chassé les nuages. – *Balayer une objection,* l'écarter. ▷ Fig., fam. *Balayer devant sa porte :* régler ses propres affaires avant de critiquer autrui. **2.** Par anal. *Faisceau lumineux d'un projecteur qui balaie le ciel nocturne.*

balayette n. f. Petit balai.

balayeur, euse adj. et n. **1.** adj. Qui balaie. – n. m. *Spécial.* Ouvrier chargé de balayer la voie publique. **2.** n. f. Véhicule automobile destiné au nettoiement de la voie publique.

balayures n. f. pl. Ce qu'on enlève avec un balai.

Balbastre (Claude) (Dijon, 1727 – Paris, 1799), compositeur, organiste et claveciniste français, titulaire des orgues de Notre-Dame de Paris (1760); célèbre pour ses improvisations, il a laissé un recueil de *Noëls* pour clavier.

Balbek. V. Baalbek.

Balbo (Cesare, comte de Vinadio) (Turin, 1789 – id., 1853), homme politique et historien italien : *Espérances italiennes* (1844), *Résumé de l'histoire de l'Italie* (1846). Partisan du roi Charles-Albert, il fut l'un des initiateurs du Risorgimento.

Balbo (Italo) (Ferrare, 1896 – près de Tobrouk, 1940), maréchal de l'Air italien, un des fondateurs du régime fasciste; tué par erreur, au cours d'un raid, par la D.C.A. italienne.

Balboa (Vasco Núñez de) (Jerez, 1475 – Acla, Panamá, 1517), navigateur espagnol. Il découvrit en 1513 l'océan Pacifique en franchissant l'isthme de Darién, en Amérique centrale.

Balbuena (Bernardo de) (Valdepeñas, 1568 - Porto Rico, 1627), prélat et poète espagnol, auteur de *Bernard ou la Victoire de Roncevaux,* poème épique en 40 000 vers fondé sur la légende d'un héros espagnol, Bernardo del Carpio.

balbutiant, ante adj. Qui balbutie. *Voix balbutiante.*

balbutiement [balbysimɑ̃] n. m. Action de balbutier; paroles balbutiées. *Les premiers balbutiements d'un enfant.* ▷ (Surtout au plur.) Fig. Commencements incertains. *Les balbutiements de l'Europe.*

balbutier [balbysje] v. [2] **1.** v. intr. Articuler des mots avec difficulté ou avec hésitation, bredouiller. **2.** v. tr. *Balbutier des excuses.*

balbuzard n. m. ZOOL Oiseau de proie diurne (*Pandion haliaetus,* falconiforme, balbuzard fluviatile), piscivore, d'environ 160 cm d'envergure.

balcon n. m. **1.** Terrasse entourée d'une balustrade, suspendue en encorbellement sur la façade d'un édifice, et accessible par une ou plusieurs baies. ▷ Balustrade d'un balcon. *Être accoudé au balcon.* **2.** Galerie (à l'origine circulaire) d'une salle de spectacle.

balconnet n. m. Soutien-gorge à armature laissant le dessus de la poitrine découvert.

balconnière n. f. Jardinière de balcon.

baldaquin n. m. **1.** Ouvrage de tapisserie posé ou suspendu au-dessus d'un trône, d'un lit, etc. **2.** Ouvrage d'architecture qui, soutenu par des colonnes, surmonte l'autel dans une église. *Le baldaquin de Saint-Pierre de Rome.*

Balder ou **Baldr,** divinité de la myth. scandinave, fils d'Odin et de Frigg; dieu de la Lumière et de la Joie.

Baldini (Antonio) (Rome, 1889 - id., 1962), romancier italien néo-classique mais à la technique vériste, membre du groupe *la Ronda.* Ses romans sont pleins d'humour : *la Vieille du bal Bullier* (1934), *Michelaccio* (1941).

Baldovinetti (Alessio) (Florence, v. 1425 – id., 1499), peintre italien. Fresquiste (*Nativité,* 1460-1462, cloître de la Santissima Annunziata, Florence) et mosaïste (baptistère de Florence).

Baldung Grien (Hans Baldung, dit) (Gmünd, v. 1484 – Strasbourg, 1545), peintre et graveur allemand; élève de Dürer. Sa vision du monde est fantastique, érotique et macabre : *la Beauté et la Mort* (Vienne), *Deux sorcières* (Francfort).

Baldwin (Stanley, 1er comte) (Bewdley, Worcestershire, 1867 – Stourport, 1947), homme polit. britannique. Leader des conservateurs dans une période de crise, il prôna le protectionnisme et fut Premier ministre en 1923, de 1924 à 1929 et de 1935 à 1937.

Baldwin (James) (New York, 1924 – Saint-Paul-de-Vence, 1987), écrivain américain. Porte-parole, dans les années 1960, du Mouvement pour les droits civiques, il restitue, dans ses romans (*les Élus du Seigneur,* 1957) et ses essais (*la Prochaine Fois, le feu,* 1963; *Meurtres à Atlanta,* 1985), la quête d'identité et de dignité des Noirs américains.

Bâle (en all. *Basel*), v. de Suisse, sur le Rhin; 175 420 hab.; ch.-l. du demi-cant. de Bâle-Ville. Port fluvial, import. centre ferroviaire, v. d'affaires. Industr. chim., métall., alim., horlogère. – Musée des beaux-arts. Aéroport de Mulhouse-Bâle à Mulhouse. Université. – *Le concile de Bâle* (1431-1449) affirma la supériorité du concile sur le pape. – *Traités de Bâle,* signés en 1795 par la France avec la Prusse (5 avril) et avec l'Espagne (22 juil.).

Baléares, archipel de la Médit. au large de Valence, communauté autonome de l'Espagne depuis 1983 et région de la C.E., comprenant cinq îles princ. (Majorque, Minorque, Ibiza, Formentera et Cabrera); 5 014 km²; 767 900 hab.; cap. *Palma de Majorque.* Ressource princ. : tourisme. – L'archipel, conquis en 1229 sur les Normands par Jacques Ier d'Aragon, forma un royaume indép. (1276-1343), puis revint à l'Aragon.

Bâle-Campagne, demi-canton du N.-O. de la Suisse, séparé de Bâle-Ville en 1833; 428 km²; 225 800 hab.; ch.-l. *Liestal.*

baleine n. f. **I. 1.** Mammifère marin mysticète (genres *Balæna, Eubalæna* et *Neabalæna*) comptant parmi les plus gros animaux (14 à 24 m de longueur et jusqu'à 150 tonnes). (Les baleines sont auj. très rares, les derniers représentants se trouvent dans les mers polaires, où l'on tente de les protéger d'une chasse incontrôlée.) **2.** Nom donné à des cétacés mysticètes proches des baleines (mégaptères, balénoptères). *Blanc de baleine :* partie solide de

baleine et le squelette de son crâne

l'huile que l'on extrait notam. des sinus du cachalot et qui entre dans la fabrication de certains cosmétiques. ▷ Loc. fam. *Rire comme une baleine,* en ouvrant toute grande la bouche. **II.** Fragment flexible et résistant d'un fanon de baleine, employé autref. à divers usages. *Baleine de corset.* ▷ *Par ext.* Tige flexible (en métal ou de matière plastique) utilisée pour tendre du tissu. *Baleines de parapluie.*

baleiné, ée adj. Garni de baleines (sens II). *Corset baleiné.*

baleineau n. m. Petit de la baleine.

baleinier, ère [balɛnje, ɛʀ] adj. Relatif aux baleines, à leur chasse. ▷ n. m. Navire équipé et armé spécialement pour la chasse à la baleine.

baleinière n. f. **1.** Petit canot à bord de tous les bâtiments de commerce et de guerre. **2.** Embarcation légère et pointue aux deux bouts, pour la pêche à la baleine.

baleinoptère ou **balénoptère** n. m. ZOOL Mammifère cétacé mysticète voisin des baleines, dont il se distingue par son aileron dorsal, ses fanons plus courts et les sillons longitudinaux de sa gorge. Syn. rorqual. *Le balénoptère bleu atteint 33 mètres et peut peser 120 tonnes.*

Bâle-Ville, demi-canton du N.-O. de la Suisse ; 37 km^2 ; 194 300 hab. ; ch.-l. *Bâle.*

balèze ou **balaise** [balɛz] adj. et n. Fam. **1.** Qui a une carrure imposante. – Subst. *Un balèze, ce type !* **2.** Fig. Très instruit dans un domaine particulier. – Subst. *C'est un(e) balèze en chimie.*

Balfour (Arthur James, 1er comte) (Whittingehame, Écosse, 1848 – Woking, Surrey, 1930), homme politique brit. Chef des conservateurs, Premier ministre (1902-1906), ministre des Affaires étrangères (1917-1919), il est l'auteur de la *déclaration Balfour* (1917), contenant la promesse d'un foyer national juif en Palestine.

Bali, île d'Indonésie, séparée de Java par le *détroit de Bali* ; 5 561 km^2 ; 2 649 000 hab. ; cap. *Denpasar.* Rizières en terrasses. Tourisme. – Dès le VIIIe s., l'influence de l'Inde à Bali est notable. Au XVIe s., l'île devint le centre de la culture indo-javanaise dont témoignent, encore auj., la musique, les danses et le théâtre de marionnettes.

Balikesir, v. de Turquie, au S.-O. de Brousse ; 149 990 hab. ; ch.-l. de l'il du m. n. Cimenterie. Industrie textile.

Balikpapan, v. d'Indonésie (prov. de Kalimantan) ; 280 680 hab. Raff. de pétrole.

Balilla (Giovanni Battista Perasso, dit) (Gênes, 1729 – 1781), patriote génois qui donna le signal de la révolte contre les Autrichiens en 1746. Son nom fut donné en 1926 à une organisation paramilitaire fasciste et à ses plus jeunes membres (huit à quatorze ans).

Balint (Michael) (Budapest, 1896 – Londres, 1970), psychiatre et psychanalyste britannique d'origine hongroise, à l'origine d'une méthode *(groupe Balint)* consistant à réunir régulièrement des psychothérapeutes pour leur permettre d'étudier en groupe leur comportement vis-à-vis de leurs malades.

balisage n. m. Action de baliser ; ensemble des signaux et des marques qui servent à faciliter la navigation maritime ou aérienne.

1. balise n. f. **1.** Marque très apparente destinée à faciliter la navigation maritime ou aérienne. *Balise signalant un obstacle, une épave.* ▷ Appareil émettant des signaux optiques ou radioélectriques pour guider les navires ou les avions. **2.** Signal qui matérialise le tracé d'une route.

2. balise n. f. Fruit du balisier, dont la graine fournit un colorant pourpre.

baliser v. [1] **1.** v. tr. Munir de balises, marquer par des balises. *Baliser un terrain d'atterrissage.* **2.** v. intr. Fam. Avoir peur.

balisier n. m. Monocotylédone originaire d'Amérique tropicale, à larges feuilles ornementales et à belles fleurs complexes jaunes ou rouges. Syn. canna.

rizières au sud de **Bali**

1. baliste n. f. HIST Machine de guerre utilisée dans l'Antiquité et jusqu'au Moyen Âge, qui servait à lancer des boulets de pierre.

2. baliste n. m. Poisson téléostéen des massifs coralliens des mers chaudes.

balistique adj. et n. f. **1.** adj. Relatif au mouvement des projectiles. *Théorie, expériences balistiques.* ▷ AVIAT *Vol balistique d'un avion* : phase du vol au cours de laquelle les effets de la pesanteur sont annulés. ▷ *Engin, missile balistique,* fonctionnant sous l'effet de la gravitation seule. **2.** n. f. Science du mouvement des corps lancés dans l'espace, en partic. des projectiles lancés par les armes à feu. *Balistique externe,* qui étudie la trajectoire des projectiles. *Balistique interne,* qui étudie le mouvement des projectiles à l'intérieur de l'arme. ▶ illustr. **tir**

baliveau n. m. SYLVIC Jeune arbre réservé, lors de la coupe d'un taillis.

baliverne n. f. (Surtout au plur.) Propos frivole ; sornette. *Raconter des balivernes.*

Balkan (mont), chaîne montagneuse de Bulgarie (2 376 m au pic Botev), s'étendant d'E. en O. sur 550 km.

balkanique adj. Relatif aux Balkans.

balkanisation n. f. **1.** Fractionnement arbitraire d'un pays en unités autonomes. **2.** Fig. Éclatement d'une institution, d'un organisme, nuisant à son efficacité.

Balkans (péninsule des) ou **péninsule balkanique,** la plus orient. des trois grandes péninsules médit. de l'Europe, qui englobe l'ex-Yougoslavie, l'Albanie, la Bulgarie, la Grèce et la Turquie d'Europe. C'est une rég. de montagnes (chaînes Dinariques, de l'Albanie, du Pinde à l'O. et au centre, du Péloponnèse au S., mont Balkan et massif de Rhodope au N.-O., arc insulaire de la mer Égée) que séparent des bassins d'effondrement (Sofia, Thrace) et quelques plaines fluviales (Morava, Vardar, Maritza) ; des riv. torrentielles caractérisent l'hydrographie. Les côtes relèvent d'un climat médit., l'intérieur d'un climat continental. L'écon. est en voie de développement : prédominance de l'agric., industr. extractives. Région de forte émigration vers l'Europe occidentale, la péninsule connaît aussi le développement rapide du tourisme. –

balisier

Pont entre l'Europe et l'Asie, sur la route des invasions, la péninsule a des populations très diverses, mais à dominante slave. Son histoire se confond avec celle de la Grèce, de Rome et de Byzance jusqu'à la conquête des Turcs (XIVe-XVe s.), dont la domination fut rejetée au XIXe s., au prix de plusieurs guerres (V. Orient [question d']). La première des *guerres balkaniques* (1912-1913) opposa la Serbie, la Bulgarie, la Grèce, le Monténégro à la Turquie, et se conclut par le traité de Londres; la seconde (1913) vit la victoire sur la Bulgarie de la Serbie et de la Grèce, aidées par la Roumanie et la Turquie, et aboutit au traité de Bucarest. De ces guerres résulte le morcellement des possessions ottomanes d'Europe en États indépendants. L'effondrement de l'U.R.S.S. (1991) et la dislocation de la Yougoslavie (1991) ont exacerbé les nationalismes (guerres de Croatie et de Bosnie).

Balkhach, lac de l'E. du Kazakhstan; 17 300 km². Import. gisements de cuivre sur la rive nord.

Balla (Giacomo) (Turin, 1871 - Rome, 1958), peintre futuriste italien. Il voulut représenter le mouvement dans ses œuvres par l'analyse de ses phases successives : *Chien en laisse* (1912).

Giacomo **Balla :** *Vitesse d'une automobile-lumière,* 1912; musée d'Art moderne, Stockholm

ballade n. f. **1.** Au Moyen Âge, chanson qui accompagnait certaines danses. **2.** Poème français de forme fixe, composé de trois strophes, terminées par un refrain, et clos par une strophe plus courte (envoi). *Les ballades de Villon.* ▷ Poème de forme libre, comportant souvent un refrain, sur un sujet familier ou fantastique. *Goethe et Thomas Moore ont écrit des ballades.* **3.** MUS Une des principales formes de la polyphonie franco-allemande des XIVe et XVe s. ▷ Pièce vocale ou instrumentale de forme libre, typique de la musique romantique. *Les ballades de Chopin.*

Balladur (Édouard) (Smyrne, 1929), homme politique français (R.P.R.). Conseiller d'État de 1984 à 1988. Ministre de l'Économie (1986-1988), il met en œuvre les privatisations. Il a été Premier ministre de la deuxième cohabitation (1993-1995).

ballant, ante adj. et n. m. **I.** adj. Qui se balance. *Les bras ballants, il avançait.* **II.** n. m. **1.** Mouvement de balancement. *Ballant d'un véhicule mal chargé.* **2.** Partie ballante d'un cordage. *Ballant d'une drisse.*

ballast n. m. **1.** MAR Anc. Lest de gravier assurant la stabilité d'une embarcation. - Mod. Réservoir de plongée. *Les ballasts d'un sous-marin.* **2.** Lit de pierres sur lequel reposent les traverses d'un chemin de fer.

1. balle n. f. **1.** Petite sphère de matière élastique qui sert dans certains jeux. *Balle de tennis.* ▷ Loc. fig. *Saisir la balle au bond :* profiter d'une occasion favorable au bon moment. - *Renvoyer la balle :* répliquer avec vivacité. - *Se renvoyer la balle :* s'accuser réciproquement de quelque chose. - *La balle est dans votre camp :* c'est à vous de parler ou d'agir. ▷ Fig. *Enfant de la balle :* personne élevée dans le métier de ses parents et qui en connaît toutes les finesses (se dit surtout des artistes de théâtre et de cirque). **2.** Projectile métallique des armes à feu portatives. *Balle de fusil, de mitrailleuse. Balle explosive,* qui éclate à l'impact. *Balle traçante,* dont le sillage est rendu visible par une composition chimique.

2. balle n. f. **1.** Gros paquet de marchandises, souvent enveloppé et lié de cordes. *Une balle de coton.* **2.** Fig., fam., vieilli Figure, physionomie. **3.** Fam. (Toujours au plur.) Francs. *T'as pas cent balles?*

3. balle n. f. Ensemble des enveloppes des grains des graminées, séparées de ces derniers au battage.

ballerine n. f. **1.** Danseuse de profession qui fait partie d'un ballet. **2.** Chaussure légère de femme, sans talon.

Balleroy, ch.-l. de cant. du Calvados (arr. de Bayeux); 662 hab. - Célèbre château construit par F. Mansart de 1626 à 1636, pur spécimen du style Louis XIII.

ballet n. m. **1.** Danse exécutée par plusieurs personnes, qui comporte le plus souvent une part de pantomime, avec un accompagnement de musique et quelquefois de texte parlé. ▷ Musique qui accompagne cette danse. *Les ballets de Lulli, de Stravinski.* ▷ Troupe de danseurs et de danseuses. *Les Ballets* russes de Diaghilev.* **2.** Fig. Mouvements incessants, notam. d'allées et venues, lors d'une négociation. *Ballet diplomatique.*

balletomane n. Amateur de ballets.

Ballets russes, célèbre compagnie de ballets, à vocation cosmopolite, que Diaghilev* fonda en 1909 à Saint-Pétersbourg.

Ballin (Claude) (Paris, 1615 - id., 1678), orfèvre français; auteur des plus belles pièces d'argenterie du château de Versailles (fondues sur ordre de Louis XIV en 1689). – **Claude II** (1661 - 1754), neveu du préc., orfèvre (couronne du sacre de Louis XV).

1. ballon n. m. **1.** Grosse balle gonflée d'air dont on se sert pour jouer, pour pratiquer certains sports. *Ballon de football, de basket.* - *Ballon de rugby,* de forme ovale. **2.** Vessie gonflée d'un gaz plus léger que l'air, qui sert de jouet aux enfants. **3.** Aéronef constitué par une enveloppe contenant un gaz plus léger que l'air. *Ballon aérostatique.* - *Ballon captif,* qui reste relié au sol par un câble. - *Ballon-sonde,* équipé d'appareils de mesure pour explorer la haute atmosphère. **4.** CHIM Vase de verre sphérique utilisé dans les laboratoires. **5.** *Verre ballon* ou, ellipt., *ballon :* verre à boire de forme hémisphérique. *Un ballon de beaujolais.* **6.** *Ballon d'oxygène :* vessie, bouteille d'oxygène que l'on donne à respirer à un malade, à un blessé.

2. ballon n. m. Montagne au sommet arrondi, dans les Vosges. *Ballon de Guebwiller.*

ballonné, ée adj. Gonflé, distendu. *Ventre ballonné.*

ballonnement n. m. Gonflement de l'abdomen produit par l'accumulation des gaz intestinaux. *Avoir des ballonnements.*

ballonner v. tr. [1] **1.** Gonfler comme un ballon. *Le vent ballonnait leur manteau.* **2.** Produire le ballonnement.

ballonnet n. m. Petit ballon.

ballot [balo] n. m. **1.** Petite balle, petit paquet de marchandises. **2.** Fig., fam. Niais, lourdaud.

ballotine ou **ballottine** n. f. Petite pièce de viande désossée, roulée et farcie, ficelée pour la cuisson. *Ballotine de volaille.*

ballottage n. m. **1.** Action de ballotter; son résultat. *Ballottage du chargement d'un camion.* **2.** POLIT Dans un système électoral majoritaire, situation d'un candidat arrivé en tête d'un scrutin, mais qui n'a pas obtenu le nombre de voix nécessaire pour être élu au premier tour. *Candidat en ballottage. Scrutin de ballottage :* nouveau tour de scrutin rendu nécessaire par cette situation.

ballottement n. m. Mouvement d'un corps qui ballotte.

ballotter v. [1] **1.** v. intr. Aller d'un côté et de l'autre comme une balle qu'on se renvoie; éprouver des secousses. *La barque ballotte dans les vagues.* **2.** v. tr. Agiter en secouant de côté et d'autre. *Les secousses du train ballottent les voyageurs.*

ballottine. V. ballotine.

Ballot y Farriols (Buenaventura Carles) (Barcelone, 1798 - id., 1862), économiste et écrivain espagnol d'expression catalane. Son *Ode à la patrie* (1833) est le symbole de la renaissance littéraire de la Catalogne.

ball-trap [baltʀap] n. m. Appareil à ressort lançant des disques d'argile sur lesquels on s'exerce au tir aux oiseaux; tir effectué avec cet appareil. *Des ball-traps.*

Ballu (Théodore) (Paris, 1817 - id., 1885), architecte français : notam. égl. de la Trinité (1861-1867), Hôtel de Ville de Paris (1873, en collab. avec Deperthes).

balluchon ou **baluchon** n. m. Fam. Petit paquet.

Balmat (Jacques) (Chamonix, 1762 - vallée de Sixt, 1834), guide français qui, le premier, atteignit le sommet du mont Blanc (1786).

Balme (col de), col de Haute-Savoie (2 202 m), reliant la vallée de l'Arve à celle du Rhône suisse.

Balmer (Johann Jakob) (Lausen, 1825 - Bâle, 1898), physicien suisse. Spécialiste de spectroscopie des gaz, il donna la *formule,* dite *de Balmer,* du spectre de l'hydrogène.

balnéaire adj. Qui concerne les bains de mer. *Saison, station balnéaire.*

balnéothérapie n. f. Cure médicale par les bains.

balouba ou **baluba** [baluba] adj. (inv. en genre) De l'ethnie des Baloubas.

Balouba(s) ou **Baluba(s),** groupe ethnique du S. du Congo dém. (prov. du Kasaï et du Shaba). Au nombre de 500 000 env., ils vivent de la chasse et de la culture. Leur art est très expressif (statuettes, masques, tabourets, etc.).

1. balourd n. m. MECA Défaut d'équilibrage d'une pièce tournant autour d'un axe.

2. balourd, ourde n. et adj. **1.** n. Personne sans finesse, sans délicatesse. **2.** adj. *Un air balourd.*

balourdise n. f. **1.** Chose faite ou dite niaisement, sans finesse. **2.** Caractère d'un balourd.

Baloutchistan. V. Béloutchistan.

balsa n. m. Arbre d'Amérique tropicale (fam. bombacacées); bois de cet arbre, très peu dense mais résistant, utilisé comme isolant phonique dans la réalisation de maquettes et en construction navale.

balsamier n. m. Arbuste épineux des régions chaudes de l'Eurasie, dont de nombreuses espèces donnent des baumes (*Commiphora opobalsamum* le baume de La Mecque, base du saint chrême; *Commiphora molmol* la myrrhe).

balsamine n. f. Plante dicotylédone, à la tige translucide, aux fleurs zygomorphes brillamment colorées, dont les fruits, à maturité, éclatent et projettent leurs graines dès qu'on les touche.

balsamique adj. **1.** Qui contient un baume. *Médicament balsamique.* ▷ n. m. *Un balsamique.* **2.** Qui a la propriété, la vertu d'un baume. *Essence balsamique.*

Balsamo. V. Cagliostro.

Baltard (Victor) (Paris, 1805 - id., 1874), architecte français. Il fut l'un des premiers à utiliser les ossatures métalliques : anciennes Halles centrales de Paris (1854), église Saint-Augustin (Paris, 1860-1868).

balte adj. et n. De la mer Baltique. - *Pays baltes* : les trois pays qui bordent la Baltique orient. (Estonie, Lettonie, Lituanie). ▷ Subst. *Les Baltes.*

balthazar n. m. Bouteille de vin ou de champagne d'une contenance de seize bouteilles normales, soit 12 litres.

Balthus : *la Chambre,* 1952-1954; coll. part.

Balthazar, l'un des Rois mages venus d'Orient pour adorer Jésus à sa naissance.

Balthazar (VIe s. av. J.-C.), régent de Babylone, fils de Nabonide. Il fut tué lors de la prise de Babylone par Cyrus (539 av. J.-C.).

Balthus (Balthasar Klossowski de Rola, dit) (Paris, 1908), peintre français. Ses paysages et ses scènes intimistes se distinguent notam. par la rigueur de la construction et l'érotisme trouble de sa représentation des fillettes. *La Rue* (1933), *les Trois Sœurs* (1964).

Baltimore, v. des É.-U. (Maryland), au fond de la baie de Chesapeake; 736 000 hab. (aggl. urb. 2 244 700 hab.). Grand port comm. Constr. navales; industr. métallurgique, chimique et textile.

Baltique (mer), mer intérieure de l'Atlant., bordant la Suède, la Finlande, l'Estonie, la Lettonie, la Lituanie, la Pologne, l'Allemagne, le Danemark. Elle communique avec la mer du N. par les détroits de l'Øresund, du Grand-Belt et du Petit-Belt, et forme entre la Suède et la Finlande le golfe de Botnie. Le trafic maritime y est intense.

Baltrusaïtis (Jurgis) (Lituanie, 1903 - Paris, 1988), historien d'art français d'origine lituanienne. Spécialiste de l'art roman, il étudia particulièrement la mythologie et l'imaginaire : *Art sumérien, art roman* (1934), *le Moyen Âge fantastique* (1955), *les Perspectives dépravées : aberrations, anamorphoses, la quête d'Isis* (1982-1985).

Baluba(s). V. Balouba(s).

baluchon. V. balluchon.

Balue (Jean) (Angles-sur-l'Anglin, v. 1421 - Ripatransone, près d'Ancône, 1491), prélat français. Aumônier de Louis XI, il fut emprisonné de 1469 à 1480 pour avoir négocié en secret avec Charles le Téméraire.

balustrade n. f. ARCHI Mur plein ou ajouré qui se termine à hauteur d'appui. *Les balustrades ont été inventées à la Renaissance.* ▷ *Par ext.* Clôture ajourée et à hauteur d'appui.

balustre n. m. **1.** Petit pilier renflé. **2.** TECH Compas pour tracer des cercles de très petit diamètre.

Balzac (Jean-Louis Guez, seigneur de) (Angoulême, v. 1595 - id., 1654), essayiste français; l'un des créateurs de la prose classique : *Lettres* (10 recueils édités entre 1624 et 1654), *le Prince* (1631), *le Socrate chrétien* (1652), *Aristippe* (posth., 1658).

Balzac (Honoré de) (Tours, 1799 - Paris, 1850), écrivain français. D'abord clerc de notaire, puis d'avoué, il commence par écrire des romans d'aventures. Après des tentatives malheureuses dans le domaine de l'édition et de l'imprimerie, il revient à la littérature : *le Dernier Chouan* (1829, prem. éd. des *Chouans*), *la Physiologie du mariage* (1830), *la Peau de chagrin* (1831) ont du succès. Désormais, sa vie est consacrée à un énorme travail dont sont issus près de 100 ouvrages : la quasi-totalité forme un ensemble qu'il a appelé, en 1841, *la Comédie humaine* (dont certains personnages réapparaissent dans des dizaines de romans) et qu'il a découpé en *Scènes de la vie privée (Gobseck, la Femme de trente ans), de province (Eugénie Grandet, le Lys dans la vallée, Illusions perdues), parisienne (le Père Goriot, César Birotteau, Splendeurs et misères des courtisanes, la Cousine Bette, le Cousin Pons, Histoire des Treize), politique (Un épisode sous la Terreur), militaire (les Chouans), de campagne (le Médecin de campagne),* en *Études philosophiques (Louis Lambert, Séraphita)* et *analytiques (Petites Misères de la vie conjugale).* Il a également écrit les *Contes drolatiques,* une abondante correspondance (*Lettres à l'Étrangère,* adressées à la comtesse polonaise Hanska, qu'il épousa en 1850 peu de mois avant de mourir) et quelques pièces de théâtre (*Vautrin, la Marâtre,* etc.). Maître du roman dit réaliste, doué d'une imagination et d'un sens de l'observation étonnants, visionnaire puissant, il a peint la passion, l'énergie, la prise du pouvoir (par le monde de l'argent, notam.), bref toute la société française de la prem. moitié du XIXe s.

balzacien, enne adj. et n. LITTER **1.** adj. Relatif à Balzac, à son œuvre. ▷ *Personnage balzacien,* qui ressemble à

Honoré de **Balzac**

Jules **Barbey d'Aurevilly**

un personnage de Balzac. **2.** n. Spécialiste de l'œuvre de Balzac.

balzan adj. m. Se dit d'un cheval noir ou bai qui a des balzanes.

balzane n. f. Tache blanche circulaire au-dessus du sabot et au-dessous du genou d'un cheval.

Bamako, cap. du Mali, sur le Niger; 419 240 hab. (aggl. urb. 646 000 hab.). Reliée à Kayes et à Dakar par voie ferrée. Centre commercial; industr. alimentaire.

bambara [bɑ̃baʀa] adj. (inv. en genre) et n. m. **1.** adj. De l'ethnie des Bambaras. *Le sommet d'une coiffe bambara figurant une antilope stylisée.* **2.** n. m. Langue des Bambaras, du groupe mandé, une des langues d'Afrique noire les plus parlées.

Bambara(s), groupe ethnique d'Afrique occid. appartenant au groupe des Mandingues, vivant princ. au Mali (1 500 000 individus env.).

Bamberg, v. d'Allemagne (Bavière), sur la Regnitz; 69 590 hab. Industr. text., alim. – Cath. goth. (XIIIe s.) aux célèbres statues en pierre.

bambin, ine n. Fam. (le fém. est rare) Petit enfant.

bambochade n. f. Tableau représentant une scène populaire ou grotesque.

bamboche n. f. Fam., vieilli Débauche, grosse gaieté; bringue. *Faire bamboche.*

Bamboche ou **Bamboccio.** V. Van Laar (Pieter).

bambocher v. intr. [1] Fam., vieilli Faire bamboche.

bambocheur, euse n. Fam., vieilli Personne qui aime bambocher.

bambou

bambou n. m. **1.** Graminée arborescente de grande taille (jusqu'à 40 m) des forêts tropicales, dont quelques espèces ont été acclimatées en Europe méridionale, et qui sert à faire des clôtures, des meubles légers, etc. *Les pousses de bambou et ses graines sont comestibles.* **2.** Canne, bâton fait avec cet arbuste. **3.** Loc. fig., fam. *Coup de bambou* : grande fatigue soudaine, défaillance. – Note excessive à régler (dans un hôtel, par ex.).

bamboula n. f. Fam., vieilli *Faire la bamboula* : faire la fête, la noce.

Bambuck (Roger) (Pointe-à-Pitre, 1945), athlète français. Coureur du 100 m et du 200 m, champion d'Europe du 200 m en 1966, et recordman d'Europe du 200 m en 1967. Secrétaire d'État à la Jeunesse et aux Sports de 1988 à 1991.

bamiléké [bamileke] adj. (inv. en genre) De l'ethnie des Bamilékés.

Bamiléké(s), groupe ethnique du S.-O. du Cameroun (650 000 individus env.).

Bāmiyān, v. d'Afghānistān; 40 000 hab.; ch.-l. de la prov. du m. nom. – Centre comm. import. du Ier au VIIe s., sur la route caravanière reliant l'Inde à la Chine. – À proximité se trouvent deux immenses statues rupestres du Bouddha et des centaines de cellules monastiques à décor indo-iranien.

bamum ou **bamoum** [bamum] adj. (inv. en genre) De l'ethnie des Bamums.

Bamum(s) ou **Bamoum(s),** groupe ethnique du Cameroun. Ils sont agriculteurs. Leur statuaire en ronde bosse (bois) est proche de celle des Bamilékés. Masques et statuettes perlés.

1. ban n. m. **1.** HIST Dans le droit féodal, proclamation solennelle émanant d'une autorité. – *Spécial.* Mandement par lequel un seigneur convoquait ses vassaux, généralement pour aller à la guerre. – *Par ext.* Ensemble des vassaux. ⊳ Loc. fam. *Convoquer le ban et l'arrière-ban* : convoquer tout le monde. **2.** HIST Règlement seigneurial établissant des monopoles au profit du seigneur. *Ban de vendange, ban de moisson,* qui permettait au suzerain de vendre sa récolte avant ses vassaux. *Four à ban.* V. banal. **3.** *Battre le ban* : battre le tambour avant une proclamation, une annonce. – *Ouvrir et fermer le ban* : faire entendre une sonnerie de clairon, de trompette ou une batterie de tambour avant et après une cérémonie militaire. ⊳ Applaudissements rythmés. **4.** *Bans de mariage* : publication à la mairie, à l'église d'une promesse de mariage. *Afficher les bans.* **5.** DR anc. Exil, bannissement. ⊳ Loc. *Condamné en rupture de ban,* qui quitte le lieu qui lui avait été assigné pour résidence après l'expiration de sa peine. – Fig. *Être en rupture de ban* : avoir changé de métier, d'occupation. – Fig. *Mettre qqn au ban de la société,* le condamner au mépris public.

2. ban n. m. HIST Chez les anciens Slaves du Sud, haut dignitaire, gouverneur d'une province.

banal, ale, aux ou **als** adj. et n. m. **1.** (Plur. en *-aux.*) HIST Dont l'usage était imposé aux vassaux d'un seigneur moyennant une redevance. *Four banal. Des moulins banaux.* **2.** (Plur. en *-als.*) Commun, sans originalité. *Un incident assez banal. Des idées banales, des préjugés banals.* ⊳ n. m. *Le banal manque souvent d'intérêt.*

banalement adv. D'une manière banale, sans originalité.

banalisation n. f. **1.** Action de banaliser. **2.** CH de F Aménagement d'une voie ferrée (et notam. de sa signalisation) qui permet de faire circuler les trains indifféremment dans les deux sens sur cette voie.

art des **Bamilékés :** sculpture en terre recouverte d'un assemblage de perles enfilées

banalisé, ée adj. Qui a été soumis à une banalisation. ⊳ *Véhicule banalisé* : voiture de police qui ne possède aucune marque distinctive.

banaliser v. tr. [1] Rendre banal, dépouiller de son originalité ou de son caractère exceptionnel. *Un uniforme banalise les silhouettes.*

banalité n. f. **1.** DR FEOD Obligation faite aux vassaux d'utiliser le moulin, le four banal moyennant redevance. **2.** Caractère de ce qui est banal, commun. *Paysage d'une grande banalité.* **3.** Propos, idée banals. *Il m'a dit une ou deux banalités.*

banane n. f. **1.** Fruit comestible du bananier, à pulpe riche en amidon se transformant en sucres au cours de la maturation. **2.** Mèche de cheveux en rouleau avançant au-dessus du front. **3.** Sacoche oblongue portée à la ceinture.

bananeraie n. f. Lieu planté de bananiers.

bananier, ière n. m. et adj. **I.** n. m. **1.** Monocotylédone géante (fam. musacées) à très grandes feuilles, originaire d'Asie, cultivée dans toutes les régions chaudes pour ses fruits (bananes) groupés en énormes grappes (régimes). *Une espèce de bananiers fournit l'abaca. Les espèces de bananiers ornementales ne fructifient pas.* **2.** Navire équipé pour le transport des bananes. **II.** adj. Qui concerne les bananes. *Port bananier.* ⊳ Fig. *République bananière,* où, à l'image de certaines républiques latino-américaines, les lobbies économiques font et défont les régimes politiques.

bananier : feuille, fleur et régime de bananes

Banat, rég. du S.-E. de l'Europe, colonisée au XVIIIe s. par l'Autriche. Le Banat fut partagé en 1920 (traité de Trianon) entre la Hongrie, la Roumanie et la Yougoslavie.

banc [bɑ̃] n. m. **1.** Long siège sur lequel plusieurs personnes peuvent prendre place côte à côte. *Les bancs de l'école. S'asseoir sur un banc dans un square.* ⊳ MAR *Banc de nage,* sur lequel se placent les rameurs d'une embarcation. ⊳ (Canada) Tabouret. *Le banc du piano.* **2.** Couche naturelle, consistante, plus ou moins régulière et horizontale, de matières minérales superposées. *Banc de sable, de calcaire, de grès.* ⊳ Plateau sous-marin. *Le banc de Terre-Neuve.* ⊳ Par anal. *Banc de glace.* ⊳ (Canada) *Banc de neige* : amoncellement de neige dû au vent ou à un travail de déneigement. *Rester pris dans un banc de neige avec son automobile.* **3.** Amas régulier. *Banc de brouillard.* **4.** Masse de poissons qui se déplacent ensemble. *Banc de harengs.* – Par anal. *Banc d'huîtres.* **5.** TECH *Banc d'essai* : appareillage qui permet de procéder aux essais d'un matériel; fig. ce par quoi on évalue les capacités de quelqu'un. **6.** TECH Établi. *Banc de tourneur.*

bancable ou **banquable** adj. Se dit d'un effet de commerce remplissant les conditions nécessaires pour être escompté par la Banque de France.

bancaire adj. Qui se rapporte à la banque. *Opérations bancaires.*

bancal, ale, als adj. Dont les jambes sont d'inégale longueur, boiteux. ▷ Fig. *Meuble bancal.* – *Phrase bancale,* mal équilibrée, peu correcte.

bancarisation n. f. FIN Action, fait de bancariser.

bancariser v. tr. [1] FIN Étendre l'utilisation de l'institution bancaire.

bancassurance n. f. Opération d'assurance pratiquée par une banque.

banche n. f. **1.** GEOL Banc de marne très argileuse. **2.** CONSTR Coffrage amovible, qui permet de couler du béton sur une certaine hauteur.

banco n. m. *Faire banco :* tenir seul l'enjeu contre la banque, au baccara.

bancroche adj. (et n.) Vx, fam. Bancal.

Bancroft (George) (Worcester, Massachusetts, 1800 – Washington, 1891), historien (*Histoire des États-Unis,* 1834-1876) et homme politique américain; partisan de l'abolition de l'esclavage.

banc-titre n. m. AUDIOV Tout ce qui est filmé, image par image, au moyen d'une caméra fixe : générique, sous-titres, etc. *Des bancs-titres.*

Banda, archipel indonésien des Moluques, baigné par la *mer de Banda* (7 360 m de profondeur maximale).

Banda (Hastings Kamuzu) (Kasungu, 1906 – Johannesburg, 1997), homme politique du Malawi. Négociateur de l'indépendance du Nyassaland (*Malawi,* à partir de 1964), il en devint Premier ministre (1964) et Président (1966-1994).

bandage n. m. **1.** Application d'un lien, d'une bande ou de tout autre appareil servant à maintenir un pansement ou une partie du corps lésée. **2.** Cet appareil lui-même. *Épingler un bandage.* – *Spécial.* Appareil servant à contenir les hernies ou les ptôses d'organes. **3.** Bande de métal, de caoutchouc entourant la jante d'une roue, pour la tenir en place et la protéger.

bandagiste n. Personne qui fabrique ou qui vend des bandages, notam. des bandages herniaires.

bandana n. m. Petit carré de coton imprimé, servant de foulard.

Bandar (anc. *Masulipatam*), port de l'Inde (Āndhra Pradesh); 138 530 hab.

Bandaranaike (Sirimavo) (Ratnapura, 1916), femme politique sri-lankaise. Elle succéda à son mari, Salomon (assassiné en 1959), comme Premier ministre de 1960 à 1965. Elle revint au pouvoir de 1970 à 1977 pour entreprendre une rénovation sociale. Sa fille, Chandrika Kumaratunga, présidente de la République, l'a nommée à la tête du gouvernement en 1994.

Bandar Seri Begawan (anc. *Brunei*), capitale du sultanat de Brunei, sur la côte N.-O. de Bornéo; 55 070 hab.

1. bande n. f. **1.** Morceau d'étoffe, de papier, de cuir, etc., beaucoup plus long que large. *Bande de velours. Bande à pansements.* – *Bande, ruban de Möbius*.* ▷ *Bande de terre :* isthme étroit. *Le Grand-Bé est relié à Saint-Malo par une bande de terre.* **2.** Chacun des quatre côtés intérieurs d'un billard. *Faire un point par la bande.* ▷ Loc. fig. *Par la bande :* indirectement. ▷ (Canada) Clôture à hauteur d'appui qui entoure une patinoire; chacune des sections composant cette clôture. *Poser, enlever les bandes de la patinoire.* **3.** Partie allongée et bien délimitée d'une chose. *Bandes d'une chaussée,* signalées par une ligne peinte. – *Par ext.* Rayures d'un tissu. *Étoffe à larges bandes.* ▷ HERALD Pièce posée diagonalement de l'angle dextre du chef à l'angle senestre de la pointe de l'écu. **4.** PHYS *Spectre de bandes :* spectre optique formé d'un ensemble de bandes lumineuses. – *Bandes d'absorption :* bandes sombres dans certaines régions d'un spectre, dues à l'absorption de certaines radiations par un gaz ou un liquide. **5.** AUDIOV *Bande sonore* ou *bande-son :* partie d'un film cinématographique réservée à l'enregistrement optique du son. ▷ *Bande magnétique :* ruban en matière plastique qui sert de support à des informations ou à l'enregistrement des sons. ▷ *Bande vidéo :* bande magnétique servant à enregistrer des images et éventuellement des sons. **6.** TELECOM *Bande (de fréquences) :* intervalle des fréquences comprises entre deux valeurs limites. – *Bande passante :* intervalle de fréquences à l'intérieur duquel l'amplification d'un signal est acceptable. *Bande publique :* syn. (off. recommandé) de *citizen band.* **7.** *Bande dessinée :* suite d'images dessinées racontant une histoire. (Abrév. : B.D. ou bédé.)

2. bande n. f. **1.** Groupe de personnes combattant sous les ordres d'un chef. *Bande de rebelles.* ▷ Groupe, compagnie. *Une bande de jeunes gens.* ▷ Loc. *Faire bande à part :* rester à l'écart d'un groupe. **2.** Communauté d'Amérindiens vivant sur un territoire déterminé.

3. bande n. f. MAR Inclinaison permanente d'un navire autour de son axe longitudinal. *Donner de la bande.*

bandé, ée adj. **1.** Recouvert d'un bandeau. *Avoir les yeux bandés.* **2.** Protégé par une bande, un bandage. *Front bandé d'un blessé.* **3.** HERALD Qui est couvert de bandes en nombre pair.

bande-annonce n. f. AUDIOV Sélection d'extraits d'un film pour la publicité. *Des bandes-annonces.*

bandeau n. m. **1.** Bande qui couvre les yeux, ou le front. – Loc. fig. *Avoir un bandeau sur les yeux :* ne pas voir ce qu'on devrait voir. ▷ *Par anal.* Coiffure qui applique les cheveux de chaque côté du front. **2.** ARCHI Ornement en saillie qui marque les différents étages d'un édifice. – Moulure unie.

bandelette n. f. **1.** Bande très longue et très mince. *Momie enveloppée de bandelettes.* **2.** ARCHI Moulure étroite et plate.

Bandello (Matteo) (Castelnuovo, 1485 - Bassens, près de Bordeaux, 1561), diplomate, nouvelliste et poète italien. Prêtre et soldat, il écrivit plus de 200 poèmes (*Canzoniere,* 1544) et 214 nouvelles, de 1510 à 1560, dont *Roméo et Juliette* et le *Piège d'amour.*

bander v. [1] **I.** v. tr. **1.** Serrer au moyen d'une bande. *Bander une plaie.* – Recouvrir d'un bandeau. *Bander les yeux de qqn.* **2.** Tendre avec effort. *Bander un arc, un ressort.* – Par ext. *Athlète qui bande ses muscles.* – Fig. *Bander sa volonté, ses forces.* **II.** v. intr. Vulg. Être en érection.

banderille [bɑ̃dʀij] n. f. Petite lance, ornée de rubans, que les toreros plantent sur le garrot du taureau pour l'exciter, pendant la corrida.

banderillero [bɑ̃deʀijeʀo] n. m. Torero qui pose les banderilles.

banderole n. f. Étendard long et mince; longue bande d'étoffe qui sert à décorer. *Édifice public orné de banderoles tricolores.* ▷ Mod. Grande bande de tissu qui porte une inscription. *Les banderoles des manifestants.*

Bandiagara, localité du Mali (5 000 hab.) qui donne son nom au plateau limité par des falaises auxquelles sont accrochés les villages dogons.

Bandinelli (Baccio) (Florence, 1488 – id., 1560), sculpteur italien : *Hercule tuant Cacus* (place de la Seigneurie à Florence).

bandit n. m. **1.** Vieilli Malfaiteur dangereux; hors-la-loi. *Mandrin, Cartouche, célèbres bandits.* Syn. brigand. **2.** *Par ext.,* péjor. Homme sans scrupules. **3.** Fam. *Bandit manchot :* jeu de hasard autorisé dans certains casinos.

banditisme n. m. Mœurs, activités des bandits. – *Grand banditisme :* ensemble des actions criminelles les plus répréhensibles.

Bandjermasin, v. d'Indonésie (île de Bornéo); 381 290 hab.; ch.-l. de la prov. de Kalimantan mérid. Port pétrolier.

Bandol, com. du Var (arr. de Toulon); 7 462 hab. Station balnéaire.

bandonéon n. m. Petit accordéon de forme hexagonale.

bandothèque n. f. INFORM Pièce où sont archivées les bandes magnétiques; ensemble de ces bandes.

bandoulière n. f. Bande de cuir ou d'étoffe pour soutenir une arme ou un sac, qui passe sur une épaule et retombe sur la partie opposée du corps. ▷ Loc. *En bandoulière. Porter une sacoche en bandoulière.*

Bandung ou **Bandoeng,** ville d'Indonésie; 2 250 000 hab.; ch.-l. de la prov. de Java occidentale. Industr. alim., text. Caoutchouc. – La conférence afro-asiatique qui s'y tint (avril 1955) rassembla pour la première fois vingt-neuf pays du tiers monde et condamna le colonialisme.

Banff, ville du Canada (Alberta), dans les Rocheuses; 5 680 hab. – Parc national.

bang [bɑ̃g] n. m. Bruit violent provoqué par un avion lorsqu'il franchit le mur du son.

Bangalore, v. de l'Inde, cap. de l'État de Karnātaka; 4 600 000 hab. Industr. chim., aéron. Centre de recherches scientifiques.

Bangka ou **Banka,** île d'Indonésie, séparée de Sumatra par le *détroit de Bangka;* environ 520 000 hab. Étain.

Bangkok (en thaï *Krung Thép*), port et cap. de la Thaïlande, sur le Ménam; 8 500 000 hab. Cité royale fondée en 1772, quadrillée de canaux. Centre admin., culturel (universités) et comm.; siège de plusieurs organismes internationaux; escale du tourisme international (premier aéroport d'Asie du S.-E.). Industr. alim., text., chim. – Palais royal (XVIIIe s.); nombr. temples bouddhiques (XIXe s.). ▶ illustr. page **164**

Bangkok : Wat Phra Keo, temple du « bouddha d'Émeraude », XVIIIe-XXe s.

Bangladesh, État d'Asie, au N.-E. du subcontinent indien ; 143 948 km^2 ; env. 120 093 000 hab. ; cap. *Dhākā.* Nature de l'État : rép. de type présidentiel. Langue off. dep. 1988 : bengali. Monnaie : taka (BDT). Relig. : islam (83 %), hindouisme (10,5 %). Le Bangladesh (« pays du Bengale ») formait, jusqu'à sa sécession, en 1971, le Pākistān oriental.

Géogr. phys. et hum. – Le pays est une vaste plaine submersible qui correspond à la moitié orientale du delta du Gange et du Brahmapoutre, limitée à l'E. par les reliefs plus accidentés des chaînes prébirmanes. Le Bangladesh connaît un climat de mousson chaud, abondamment arrosé de mai à octobre, avec des précipitations annuelles moyennes de l'ordre de 2 000 mm. La plaine deltaïque est fréquemment ravagée par les cyclones, et les crues annuelles, qui accompagnent la migration vers l'E. des bras du delta, ont parfois une gravité exceptionnelle (1974, 1987, 1988, 1991). Ces conditions naturelles rendent indispensables de grands travaux. La population, rurale à plus de 75 %, enregistre une croissance démographique de 2,3 % par an. Les sols alluviaux fertiles sont propices à la riziculture, qui a fourni une récolte de 28 millions de t en 1994 (4e rang mondial). Les cultures d'exportation sont le jute (796 000 t en 1994) et le thé (50 000 t en 1994). Pour les ressources du sous-sol, le gaz naturel est de bonne qualité et atteint une production de 7 milliards de m^3. L'industrie est l'avenir du pays, avec le textile, qui totalise 38 % de la valeur ajoutée du secteur industriel, suivie de l'agroalimentaire, qui en réalise 23 %. Un part importante des dépenses nécessitées par le développement est financée par les devises des travailleurs expatriés, principalement au Moyen-Orient. Le Bangladesh fait partie des pays les moins avancés. Chittagong et Dhākā sont les principaux centres économiques.

Hist. – Partie intégrante du Pākistān jusqu'en 1971, le Bangladesh a proclamé le 26 mars 1971 son indépendance, devenue effective le 16 déc. à la suite de la guerre indo-pakistanaise et grâce au soutien de l'Union indienne. Le régime réformiste de Mujibur Rahman, héros de l'indépendance, Premier ministre, puis président de la Rép., miné par l'autoritarisme, le népotisme et la corruption, fut renversé le 15 août 1975 par un coup d'État militaire et M. Rahman fut exécuté. Le g^{al} Ziaur Rahman, son successeur, mit fin à la monoculture du jute ; il fut renversé et tué par des militaires rebelles. Le g^{al} Mohammed Ershad prit le pouvoir lors d'un nouveau coup d'État en 1982, mais dut céder sous la pression d'un vaste mouvement populaire en décembre 1990. Victorieux en 1991 aux premières élections libres du pays, le Parti national (B.N.P.), dirigé par la bégum Khaleda Zia, a rencontré des difficultés majeures. Les élections de 1996 ont accordé une majorité relative à la ligue Awami, dont le leader, Hassina Wajed, fille du « père de la Nation », Mujibur Rahman, est devenue Premier ministre.

bangladeshi [bɑ̃gladeʃi] adj. (inv. en genre) ou **bangladais, aise** adj. Du Bangladesh. ▷ Subst. *Un(e) Bangladais(e)* ou *un(e) Bangladeshi.*

Bangouélo ou **Bangweulu,** lac marécageux de Zambie, au S. du lac Tanganyika ; env. 5 000 km^2.

Bangui, cap. de la Rép. centrafricaine, sur le bas Oubangui ; 473 820 hab. Centre commercial, industries textiles et alimentaires.

banian n. m. **1.** Membre d'une secte brahmanique qui comptait de nombreux commerçants. **2.** BOT *Arbre* ou *figuier des banians* : figuier de l'Inde (fam. moracées) dont les nombreuses racines aériennes et pendantes rejoignent le sol et forment de nouveaux troncs.

banian

Bani Sadr (Abol Hassan) (Hamadhan, 1933), homme politique iranien. Élu président de la République islamique en 1980, il fut accusé de trahison et destitué la même année.

Banja Luka, v. de Bosnie-Herzégovine; 123 940 hab. Lignite, métall. – Mosquée (XVIe s.); forteresse turque.

banjo [bɑ̃dʒo] n. m. Instrument à cordes pincées (de cinq à neuf cordes) ayant pour table une peau tendue.

banjoïste [bɑ̃dʒɔist] n. Instrumentiste qui joue du banjo.

Banjul (anc. *Bathurst*), cap. de la Gambie, sur l'Atlant.; 49 180 hab. (aggl. urb. 109 990 hab.). Port de commerce.

Banka. V. Bangka.

Banks (îles de), groupe d'îles du N. de Vanuatu.

Banks (île ou terre de), île du Canada (territ. du N.-O.), en Arctique occidental.

Banks (sir Joseph) (Londres, 1743 – Isleworth, 1820), explorateur et naturaliste anglais, compagnon de Cook dans son premier voyage.

banlieue n. f. Ensemble des agglomérations autour d'une grande ville.

banlieusard, arde n. Habitant de la banlieue d'une grande ville; *spécial.*, de la banlieue de Paris.

banne n. f. **1.** Grande malle d'osier. **2.** Auvent en toile, qui protège des intempéries la devanture d'une boutique.

banneret [banʀɛ] n. m. HIST Seigneur qui arborait une bannière.

banneton n. m. Petit panier d'osier sans anse, garni de toile, où l'on fait lever la pâte à pain.

banni, ie adj. et n. Exilé ou expulsé de sa patrie; exilé, proscrit. ▷ Subst. Personne bannie. *Le rappel des bannis.*

bannière n. f. **1.** HIST Enseigne ou drapeau autour duquel se groupaient les vassaux rassemblés par le ban. **2.** Étendard d'une confrérie, d'une société. *La bannière d'un orphéon.* ▷ Loc. fig. *Se ranger sous une bannière* : se rallier à un parti, combattre dans ses rangs. ▷ Loc. fig., fam. *C'est la croix et la bannière* : c'est une entreprise compliquée, laborieuse, difficile. ▷ Loc. pop., vieilli *En bannière* : en chemise.

bannir v. tr. [3] **1.** Condamner (qqn) à quitter son pays ou son lieu de résidence. *Sous la Restauration, les anciens régicides furent bannis.* **2.** Fig. Chasser, exclure. *Bannissez toute crainte.*

bannissement n. m. Peine qui consiste à être banni.

Bannockburn, v. de G.-B. (Écosse); 4 000 hab. – Robert Bruce y vainquit les Anglais, consacrant l'indépendance écossaise (24 juin 1314).

banon n. m. Petit fromage des Alpes du Sud, enveloppé dans une feuille de châtaignier.

banquable. V. bancable.

banque n. f. **1.** Entreprise qui se consacre au commerce de l'argent et des titres (effets de commerce, titres de Bourse, épargne, réinvestissements). *Banque d'affaires. Banque privée. Banque contrôlée par l'État.* – *Banque centrale,* qui, dans un pays, assure l'émission de la monnaie (billets* de banque) et contrôle le volume de la monnaie et du crédit. V. Banque de France. ▷ Établissement où fonctionne une telle entreprise. *Compte en banque. Coffres-forts d'une banque.* **2.** *La banque* : l'ensemble des banques. **3.** Somme que l'un des joueurs tient devant lui pour payer les gagnants, à certains jeux de hasard. *Faire sauter la banque* : gagner tout l'argent mis en jeu. **4.** (Canada) Tirelire. *Vider sa banque pour s'acheter qqch.* **5.** Par anal. *Banque du sang, banque d'organes* : établissements médicaux qui recueillent et conservent du sang, certains organes, pour les transfusions ou les greffes. ▷ INFORM *Banque de données* : ensemble d'informations réunies dans des fichiers.

Banque de France, banque centrale de France, seule habilitée à émettre les billets de banque sur le territoire français, à fixer le taux de l'escompte et à effectuer certaines opérations pour le compte du Trésor public. Créée en 1800, nationalisée en 1945, elle est dirigée auj. par un Conseil de la politique monétaire, comprenant un gouverneur, deux sous-gouverneurs et six autres membres, choisis par le Conseil des ministres.

Banque mondiale, institution financière internationale, dépendant de l'ONU, créée en 1946, qui accorde des prêts pour des projets de développement aux pays les plus défavorisés.

banquer v. intr. [1] Fam. Payer.

banqueroute n. f. **1.** État du failli jugé coupable d'imprudence ou de fraude. **2.** *Banqueroute d'État* : action d'un gouvernement qui cesse de payer tout ou partie des arrérages des rentes à ses créanciers.

banquet [bɑ̃kɛ] n. m. Festin, repas solennel, avec de nombreux convives.

banqueter [bɑ̃kte] v. intr. [20] **1.** Participer à un banquet. **2.** Fam. Faire bonne chère.

banquette n. f. **1.** Banc rembourré. ▷ *Banquette arrière d'une automobile.* **2.** AGRIC Replat artificiel étroit établi horizontalement ou en pente douce, pour lutter contre l'érosion du sol. ▷ Remblai de terre servant de parapet le long d'un ravin. ▷ Gradin pratiqué au flanc d'un talus. ▷ *Banquette de tir* : dans une fortification, marche permettant d'accéder à un emplacement de tir. **3.** ARCHI Banc de pierre dans une embrasure. **4.** Petit chemin de circulation le long d'une route, d'une voie ferrée, d'un canal.

banquier, ère n. **1.** Personne qui fait le commerce de la banque. *De puissants banquiers se sont entremis dans cette affaire.* **2.** Personne qui tient la banque, dans certains jeux de hasard.

banquise n. f. Très vaste amas de glaces permanentes, formé par la congélation des eaux marines au large des côtes polaires, et dont se détachent parfois des blocs flottants (packs).

Banská Bystrica, v. de Slovaquie; 79 520 hab.; ch.-l. de la Slovaquie-Centrale. Centre métallurgique.

Banting (sir Frederick Grant) (Alliston, Ontario, 1891 – Musgrave Harbor, Terre-Neuve, 1941), médecin canadien. Il découvrit l'insuline, avec J.J. Macleod. P. Nobel de médecine 1923.

banquise, près de l'île de Disko, au Groenland

bantou, oue adj. et n. m. **1.** Relatif aux Bantous. **2.** n. m. LING Famille de langues parlées par les Bantous.

Bantous, ensemble des populations de l'Afrique sud-équat. constitué de nombreuses ethnies.

bantoustan ou **bantustan** [bɑ̃tustɑ̃] n. m. En république d'Afrique du Sud, sous le régime de l'apartheid, tout territoire, « indépendant » ou non, attribué, sur une base ethnolinguistique, à l'un des peuples noirs de l'État, dont les hab. ne possédaient pas, jusqu'en 1994, la citoyenneté sud-africaine.

Banville (Théodore de) (Moulins, 1823 – Paris, 1891), poète français, précurseur des parnassiens : *Odes funambulesques* (1857), *Gringoire* (comédie, 1866), *Petit Traité de poésie française* (1872).

banyuls [banjuls] n. m. Vin doux naturel du Roussillon.

Banyuls-sur-Mer, com. des Pyr.-Orient. (arr. de Céret); 4 680 hab. Port de pêche. Vins liquoreux réputés. Centre de recherches océanographiques. Station balnéaire.

baobab [baɔbab] n. m. Arbre (fam. bombacacées) au tronc énorme (jusqu'à 10 m de diamètre), des régions tropicales d'Afrique et d'Australie.

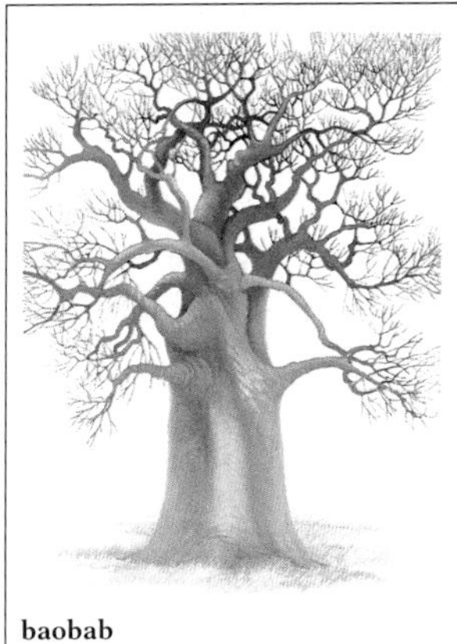

baobab

Bao-Daï (Huê, 1913 – Paris, 1997), empereur d'Annam (1925) sous protectorat français. En 1945, il proclame (11 mars) l'indépendance du Viêt-nam, puis, à la demande du Viêt-minh, abdique (25 août). Il se retire à Hong Kong en 1946, reprend son titre impérial en 1948 et forme en 1949 le gouvernement d'un État associé à la France. En 1954, sous la pression des États-Unis, il nomme chef du gouvernement Ngô Dinh Diêm, qui fait abolir la monarchie par référendum (1955).

Baoding, v. de Chine (Hebei), au S.-O. de Pékin; 341 240 hab. Import. centre agricole. École militaire.

Baotou, v. de Chine (Mongolie-Intérieure), sur le Huanghe; 1 075 920 hab. (aggl. urb. 1 592 940 hab.). Sidérurgie.

baoulé [baule] adj. (inv. en genre) Du peuple des Baoulés. *L'art baoulé.*

Baoulé(s), population de la Côte-d'Ivoire (env. un million d'individus) appartenant au groupe ling. akan. Agriculteurs, ils migrent auj. vers les villes. L'art baoulé est représenté par des statuettes et masques (bois) à patine noire, des bijoux (or), des poids miniatures (figurines) pour peser l'or.

Bapaume, ch.-l. de canton du Pas-de-Calais (arr. d'Arras); 3 922 hab. – Faidherbe y vainquit les Prussiens (1871). Industr. métall. et mécan.

baptême [batɛm] n. m. **1.** Sacrement chrétien, le premier des sept sacrements de l'Église catholique. *Le baptême se confère par immersion complète dans l'eau ou par simple ablution sur le front. Bénédictions, prières du baptême. Acte de baptême* : extrait du registre paroissial certifiant qu'une personne a été baptisée. ▷ Loc. *Nom de baptême* : prénom conféré lors du baptême. **2.** Par anal. *Baptême d'une cloche, d'un navire*, cérémonie qui consiste à les bénir en leur donnant un nom. **3.** Fig. Initiation. *Baptême du feu* : débuts d'un militaire au combat. *Baptême de l'air* : premier voyage en avion.

baptiser [batize] v. tr. [1] **1.** Conférer le baptême à. – Pp. adj. *Un enfant baptisé*, qui a reçu le baptême. **2.** Fig. Donner un nom, un sobriquet à. **3.** Fig., fam. *Baptiser son vin*, le couper d'eau.

baptismal, ale, aux adj. Relatif au baptême. *Fonts baptismaux* : cuve ou vase contenant l'eau consacrée destinée à la célébration du baptême.

baptisme n. m. Doctrine religieuse selon laquelle le baptême doit être administré aux adultes (et non aux enfants), par immersion complète.

baptistaire [batistɛʀ] adj. Relatif au baptême. *Registre baptistaire.*

baptiste adj. et n. Qui a rapport au baptisme. – n. Membre d'un mouvement religieux protestant répandu surtout aux États-Unis, qui adopte les thèses du baptisme.

baptistère [batistɛʀ] n. m. **1.** Édifice religieux spécial. destiné, autref., à l'administration du baptême. *Les portes de bronze du baptistère de Florence furent sculptées par Ghiberti.* **2.** *Par ext.* Chapelle d'une église où se trouvent les fonts baptismaux.

baquet n. m. Petit cuvier, généralement en bois.

1. bar n. m. **1.** Débit de boissons où le client consomme au comptoir. **2.** Le comptoir lui-même. *Commander un demi au bar.* **3.** Petit meuble contenant des bouteilles de boisson.

2. bar n. m. PHYS Unité de pression égale à 10^5 pascals. *La pression atmosphérique normale vaut très sensiblement 1 bar.*

3. bar n. m. Poisson perciforme marin *(Labrax lupus)* de l'Atlantique et de la Méditerranée, carnivore très vorace, à la chair estimée. Syn. loup.

Bar (comté, puis duché de) ou **Barrois,** rég. de France située dans les dép. de la Meuse et de la Hte-Marne, érigée en comté v. 959. En 1301, une partie releva du roi de France *(Barrois mouvant)* et fut réunie en 1480 au *Barrois non mouvant* (duché en 1354) par René II de Lorraine. Il fut rattaché à la couronne en 1766, en même temps que la Lorraine. Cap. *Bar-le-Duc.*

Bar (Confédération de), union formée en 1768 par les patriotes polonais qui luttèrent en vain contre la Russie (premier partage de la Pologne, 1772).

Bara (Joseph) (Palaiseau, 1779 – près de Cholet, 1793), enfant français. Tambour dans l'armée républicaine, il périt héroïquement dans une embuscade vendéenne.

Barabbas ou **Barrabas,** agitateur politique. Condamné à mort, il fut gracié par Pilate, à la place de Jésus, sous la pression de la foule (Évangiles).

Bārābudur ou **Borobudur,** monument bouddhique composé d'un ensemble de stupa, élevé dans l'île de Java, près de Jogjakarta, vers le milieu du IXe s., chef-d'œuvre de l'art indo-javanais.

Baracaldo, v. d'Espagne (Biscaye), dans la banlieue de Bilbao; 117 420 hab. Grand centre minier (fer) et métallurgique; chantiers navals.

baragouin [baʀagwɛ̃] n. m. Langage incompréhensible. ▷ *Par ext.* Langue étrangère que l'on ne comprend pas.

baragouiner [baʀagwine] v. [1] Fam. **1.** v. tr. Parler une langue incorrectement. *Il baragouine l'espagnol.* **2.** v. intr. Péjor. Parler une langue inintelligible.

baraka [baʀaka] n. f. Fam. Chance qui semble due à une protection surnaturelle. *Avoir la baraka.*

baraque n. f. Construction légère et temporaire. *Baraque d'un chasseur de canards. Les baraques de la foire.* – *Par ext.* Fam. Maison mal bâtie, mal agencée ou mal tenue. *Je n'ai trouvé à louer qu'une vieille baraque. Il n'y a pas une assiette propre dans cette baraque !*

baraqué, ée adj. Fam. Robuste (en parlant d'une personne). *Un gaillard bien baraqué.*

baraquement n. m. Ensemble de baraques, servant notam. de logement provisoire à des soldats ou à des travailleurs.

1. baraquer v. intr. [1] Rare S'établir dans des baraques.

2. baraquer v. intr. [1] S'accroupir, en parlant du dromadaire, du chameau.

baratin n. m. Fam. Discours, flot de paroles pour enjôler ou abuser; paroles sans portée réelle. *Tout ça, c'est du baratin !*

baratiner v. [1] Fam. **1.** v. intr. Parler beaucoup, tenir des propos sans intérêt. **2.** v. tr. Essayer de séduire par un baratin. *Baratiner une fille.*

baratineur, euse adj. (et n.) Fam. Qui baratine, qui aime baratiner.

barattage n. m. Action de baratter.

baratte n. f. Récipient clos dans lequel on bat la crème pour en extraire le beurre; machine à baratter.

baratter v. tr. [1] Agiter (de la crème) dans une baratte pour en faire du beurre.

barbacane n. f. **1.** Anc. Ouvrage de fortification avancé, protégeant une porte ou un pont, et percé de meurtrières. **2.** Meurtrière étroite. **3.** ARCHI Ouverture pratiquée dans un mur de soutènement pour faciliter l'écoulement des eaux.

Barbade (la), île des Petites Antilles; 431 km^2; 270 000 hab.; cap. *Bridgetown.* Sucre, rhum. Tourisme. – Colonie brit. en 1627, État faisant partie du Commonwealth depuis 1966.
▸ carte **Antilles**

barbadien, enne adj. et n. De la Barbade. ▷ Subst. *Un(e) Barbadien(ne).*

barbant, ante adj. Fam. Ennuyeux, fastidieux.

barbaque n. f. Fam. Viande de qualité inférieure, ou très dure.

barbare adj. et n. **1.** ANTIQ Étranger, chez les Grecs et les Romains. **2.** *Par ext.* Qui n'est pas civilisé. *Une peuplade barbare.* ▷ Mod. Cruel, féroce. *Une foule barbare voulut assister à l'exécution.* **3.** (Choses) Grossier, qui choque le goût. *Quelle musique barbare !*

Barbares (les), nom donné aux peuples d'origine slave, germanique ou asiatique qui envahirent l'Empire romain aux IVe et Ve siècles. – De tout temps, Grecs et Romains ont été confrontés aux Barbares mais, parmi les assauts que le monde antique eut à subir de la part de ceux-ci, les plus graves furent les grandes invasions des IVe et Ve s., qui entraînèrent la chute de l'Empire romain d'Occident. La poussée des Huns, peuple nomade venu d'Asie centrale, provoqua chez les Goths, à la fin du IVe s., une véritable fuite vers l'Empire romain qui apparut comme un refuge avant de devenir une proie. En 376, autorisés à pénétrer dans l'Empire, une partie des Goths, les Wisigoths, se ruèrent vers Constantinople et la mer. En 378, ils écrasèrent l'armée romaine à Andrinople. Après quelques années de répit, ils repartirent vers l'ouest et, sous la conduite d'Alaric, s'emparèrent de Rome en 410. Vandales et Suèves passèrent le Rhin en 406 sans rencontrer de résistance et ravagèrent la Gaule puis l'Espagne, où les Wisigoths les rejoignirent. À leur suite d'autres peuples se précipitèrent dans l'Empire. L'invasion des Huns (pourtant battus en 452 aux champs Catalauniques) et la chute de l'Empire romain d'Occident mirent un terme à cette phase tumultueuse des invasions barbares. Au VIe s. on assista à une pénétration plus lente, plus méthodique. À l'image de la progression des Francs, une véritable entreprise de peuplement se poursuivit. Par la suite, des mouvements plus restreints eurent lieu : Lombards en Italie au VIe s., Bavarois au VIIe s. Puis le mouvement des peuples barbares s'apaisa avant de reprendre au IXe s. avec les invasions normandes. Après la chute de l'Empire romain et l'implantation des Barbares, on vit se dessiner un monde gothique, lombard et mérovingien qui prit le relais de l'Espagne, de l'Italie romaine et de la Gaule.

barbaresque adj. Relatif à la Barbarie; de Barbarie. *Pirates barbaresques.* ▷ Subst. Habitant de la Barbarie.

barbarie n. f. **1.** État d'un peuple qui n'est pas civilisé. *Les ténèbres de la barbarie.* **2.** Cruauté, inhumanité. *Exercer sa barbarie sur les vaincus.* ▷ Vieilli Acte barbare.

Barbarie, nom donné jusqu'au début du XIXe s., en raison de leurs populations berbères, aux régions d'Afrique du Nord situées à l'O. de l'Égypte.

barbarisme n. m. Emploi d'un mot inventé ou déformé, ou d'un mot détourné de son sens normal, qui constitue une faute. (Ex. *confusionné* pour *confus, colidor* pour *corridor, recouvrir la vue* pour *recouvrer la vue.*)

Barbaroux (Charles Jean-Marie) (Marseille, 1767 – Bordeaux, 1794), conventionnel rallié aux Girondins. Il fut guillotiné.

1. barbe n. f. **1.** (Chez l'homme.) Poils du menton et des joues. *Porter la barbe. Barbe en pointe, en collier.* ▷ Loc. fig. *Rire dans sa barbe* : rire, se moquer sans le laisser paraître. – *Parler dans sa barbe*, sans se faire entendre, de façon inintelligible. – *Faire qqch à la barbe de qqn*, en sa présence et sans qu'il s'en aperçoive. ▷ Fig., fam. *Une vieille barbe* : un

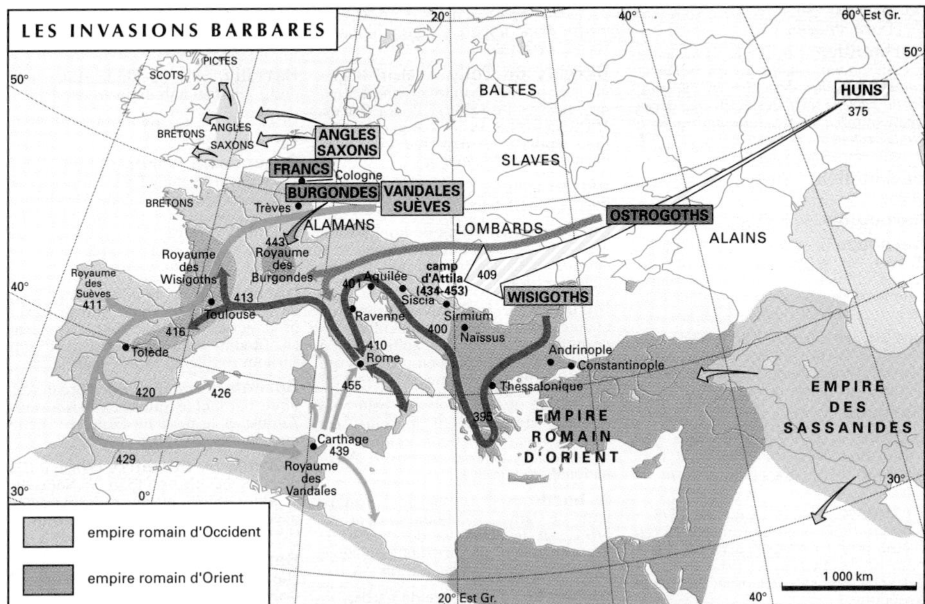

homme âgé, aux idées désuètes. ▷ Fam. *La barbe! Quelle barbe!* : exclamations marquant l'ennui, l'impatience. ▷ *Barbe à papa* : confiserie faite de sucre chaud étiré en filaments enroulés autour d'un bâtonnet. *Des barbes à papa.* **2.** *Par anal.* Touffe de poils sous le menton de certains animaux. *Barbe d'un bouc.* **3.** (Presque toujours au plur.) Acicules qui terminent les glumes de certaines graminées. *Les barbes d'un épi de blé.* ▷ Filaments ramifiés à angles droits, que portent les tuyaux des plumes d'oiseaux. ▷ Plur. TECH Bavures ou aspérités d'une pièce brute.

2. barbe n. m. Cheval originaire des pays d'Afrique du Nord. ▷ adj. *Une jument barbe.*

Barbe (sainte) (m. en Nicomédie, v. 235), vierge et martyre. Selon la tradition, après l'avoir décapitée, son père aurait été foudroyé. Patronne des artilleurs, des mineurs et des pompiers. Son nom a été retiré (1970) du calendrier romain.

barbeau n. m. **1.** Poisson téléostéen d'eau douce (*Barbus barbus*, fam. cyprinidés) pouvant atteindre 90 cm de long, qui ressemble à une carpe, mais possède quatre barbillons à la mâchoire supérieure. **2.** Arg. Souteneur.

barbecue [baʀbəkju] n. m. Appareil comportant un foyer à charbon de bois surmonté d'une grille, et utilisé pour la cuisson en plein air.

barbe-de-capucin n. f. **1.** Chicorée sauvage comestible, blanchie en cave. **2.** Lichen fruticuleux fréquent en montagne et ressemblant à une barbe accrochée à une branche. *Des barbes-de-capucin.*

barbelé, ée adj. Garni de pointes ou de dents. *Flèche barbelée.* – *Fil de fer barbelé* : fil de fer garni de pointes, employé pour les clôtures. ▷ n. m. (le plus souvent au plur.) Fils de fer barbelés. *Entourer un pâturage de barbelés.*

barber v. tr. [1] Pop. Ennuyer. *Ce travail me barbe.* ▷ v. pron. *On s'est barbés en vous attendant.*

Barber (Samuel) (West Chester, Pennsylvanie, 1910 – New York, 1981), compositeur américain; auteur d'ouvrages lyriques (*Anthony and Cleopatra*, 1966) et de partitions pour orchestre (*Adagio* pour cordes, 1937).

Barberini, famille rom., originaire de la rég. de Florence. – **Maffeo Barberini** fut pape sous le nom d'Urbain VIII (1623-1644).

Barberousse. V. Frédéric Ier Barberousse.

Barberousse, nom donné par les Européens à deux frères : **'Arūdj** (1473 – 1518) et, surtout, **Khayr al-Dīn** (?, 1475 – Constantinople, 1546), pirates turcs qui régnèrent successivement sur Alger et sa région avec l'accord du sultan ottoman Selim. Khayr al-Dīn dota Alger d'un port et s'allia aux Français contre Charles Quint (1543).

Barbès (Armand) (Pointe-à-Pitre, 1809 – La Haye, 1870), homme politique franç. Condamné à la prison à vie après l'insurrection du 12 mai 1839, libéré en 1848, il fut député d'extrême gauche. Il tenta, le 15 mai 1848, de former un gouv. insurrectionnel. Emprisonné, puis gracié en 1854, il s'exila.

barbet [baʀbɛ] n. m. Chien d'arrêt, griffon à poils longs (55 à 60 cm au garrot). – adj. *Un chien barbet.* ▷ Fig., fam. *Crotté comme un barbet* : couvert de boue, sali par les intempéries.

Barbey d'Aurevilly (Jules) (Saint-Sauveur-le-Vicomte, 1808 – Paris, 1889), auteur français de romans (*Une vieille maîtresse*, 1851; *le Chevalier Des Touches*, 1864), de nouvelles (*les Diaboliques*, 1874), d'études littéraires (*Œuvres et Hommes du XIXe siècle*, publié de 1860 à 1909). Aristocrate, catholique traditionaliste, polémiste virulent, il fut aussi un dandy fasciné par l'étrange et le satanique.
▶ illustr. page **161**

Barbezieux (Louis François Marie Le Tellier, marquis de) (Paris, 1668 – Versailles, 1701), fils de Louvois, secrétaire d'État à la Guerre en 1691.

barbiche n. f. Petite barbe qu'on laisse pousser à la pointe du menton.

barbier n. m. **1.** Anc. Celui dont la profession était de tailler ou de raser la barbe. **2.** Nom cour. du *Lepadogaster* et de l'*Anthias*, poissons communs dans la Méditerranée.

1. barbillon n. m. **1.** Filament tactile de la bouche de certains poissons. **2.** (Plur.) Replis membraneux sous la langue du cheval et du bœuf.

2. barbillon n. m. ICHTYOL Petit barbeau.

barbiturique n. m. (et adj.) Médicament utilisé comme hypnotique, sédatif, anesthésique, anticonvulsif, dérivé de l'*acide barbiturique* (ex. : penthotal, véronal, gardénal).

Barbizon, com. de Seine-et-Marne (arr. de Melun); 1 273 hab. – *École de Barbizon* : nom donné à un groupe d'artistes (Th. Rousseau, Corot, Millet, Dupré, Daubigny, Harpignies, Diaz, Troyon) précurseurs de l'impressionnisme, qui, liés par le désir de peindre sur le motif, séjournèrent ou demeurèrent à Barbizon entre 1830 et 1860.

barbon n. m. Vx ou plaisant Vieillard désagréable ou ennuyeux.

barbotage n. m. **1.** Fait de barboter dans l'eau. **2.** CHIM Passage d'un gaz, d'une vapeur dans un liquide.

barboter v. [1] **I.** v. intr. **1.** Remuer l'eau en nageant. *Les canards barbotent dans la mare.* **2.** CHIM *Faire barboter un gaz* : faire passer un gaz à travers un liquide. **II.** v. tr. Fam. Voler. *On m'a barboté ma montre.*

barboteuse n. f. Vêtement pour enfants, d'une seule pièce, fermé entre les jambes et laissant celles-ci nues.

barbotine n. f. Pâte fluide utilisée en céramique, pour confectionner par coulage des pièces ou des motifs décoratifs de porcelaine tendre.

barbouillage ou **barbouillis** n. m. **1.** Écriture peu lisible. **2.** Enduit de couleur fait rapidement à la brosse. **3.**

Fam. Mauvaise peinture. *Un barbouillage de peintre amateur.*

barbouiller v. tr. [1] **1.** Salir, tacher grossièrement. *Enfant qui barbouille ses cahiers de taches d'encre.* – Fam. *Barbouiller du papier :* faire des écritures; écrire beaucoup. ▷ Loc. fig., fam. *Barbouiller le cœur, l'estomac :* donner des nausées. **2.** Peindre grossièrement.

barbouilleur, euse n. Peintre sans talent.

barbouillis. V. barbouillage.

barbouze n. et adj. **1.** n. f. Pop. Barbe. **2.** n. f. ou m. Péjor., fam. Agent plus ou moins officiel d'un service de renseignements (police, documentation extérieure). – adj. *La centrale barbouze.*

barbu, ue adj. Qui a de la barbe, qui porte la barbe. *Jeune homme barbu. Menton barbu, joues barbues.* ▷ n. m. Homme qui porte la barbe.

Barbuda. V. Antigua.

barbue n. f. Poisson de mer plat voisin du turbot (*Rhombus lævis*, fam. pleuronectidés), qui atteint 80 cm de long.

Barbusse (Henri) (Asnières, 1873 – Moscou, 1935), écrivain français. *Le Feu* (1916, prix Goncourt) dénonce l'horreur de la guerre de 1914-1918. Ses derniers ouvrages célèbrent la Russie soviétique.

barcarolle n. f. **1.** Chanson cadencée des gondoliers de Venise. **2.** Chant ou air sur un rythme à trois temps. *Les barcarolles de Mendelssohn, de Chopin.*

barcasse n. f. Grosse barque à fond plat, d'origine méditerranéenne, servant surtout au transbordement des passagers et des marchandises.

Barcelone, v. d'Espagne, port import. sur la Médit.; 1 707 280 hab.; cap. de la communauté auton. de Catalogne; ch.-l. de la prov. du m. n. Grand centre industr. : text., métall., constr. auto. – Nombr. musées et monuments, notam. la cath. goth. Ste-Eulalie (XIVe-XIXe s.), l'égl. Santa Maria del Mar (XIVe s.) et l'égl. de la Sagrada Familia, de Gaudí (1884, inachevée). Jeux Olympiques de 1992. – De juillet 1936 au 25 janv. 1939, la v. fut un centre de la résistance républicaine aux troupes franquistes.

barcelonnette. V. bercelonnette.

Barcelonnette, ch.-l. d'arr. des Alpes-de-Hte-Provence, sur l'Ubaye; 3 631 hab. Sports d'hiver. – Au XIXe s., centre d'une import. émigration locale vers le Mexique.

Barcelone : la colonne Christophe Colomb et le téléphérique

Barclay de Tolly (Mikhaïl Bogdanovitch, prince) (Luhde-Grosshoff, Livonie, 1761 – Insterburg, Prusse-Orient., 1818), maréchal russe d'orig. écossaise. Bon stratège, il participa aux campagnes contre Napoléon.

bard [baʀ] n. m. Civière pour le transport des matériaux.

barda n. m. Arg. (des militaires) Équipement individuel du soldat en déplacement. ▷ *Par ext.*, fam. Bagage encombrant. *Déposez donc votre barda.*

bardane n. f. Composée très fréquente sur les terrains incultes, les décombres, etc., dont le capitule rose a des bractées terminées en crochets qui s'accrochent aux vêtements.

1. barde n. m. **1.** Poète celte qui célébrait les héros en musique. *Les bardes formaient en Gaule et en Irlande de véritables confréries.* **2.** *Par ext.* Poète national, épique et lyrique.

2. barde n. f. **1.** Ancienne armure faite de lames métalliques, dont on protégeait les chevaux de guerre. **2.** Tranche mince de lard dont on enveloppe certaines viandes à rôtir.

bardé, ée adj. Entouré de bardes, en parlant d'une viande. *Des cailles bardées.*

1. bardeau n. m. Planchette mince et courte utilisée pour le revêtement des façades et des toits. ▷ Latte de bois posée sur des solives, pour recevoir un carrelage.

2. bardeau. V. bardot.

Bardeen (John) (Madison, 1908 – Boston, 1991), physicien américain. P. Nobel en 1956 (travaux sur les semi-conducteurs) et 1972 avec L. N. Cooper et J. R. Schrieffer (sur la supraconductivité).

Bardem (Juan Antonio) (Madrid, 1922), cinéaste espagnol, qui se fit connaître par des chroniques amères de la société franquiste : *Mort d'un cycliste* (1955), *Grand-Rue* (1956).

1. barder v. tr. [1] Charger et transporter (des matériaux) sur un bard.

2. barder v. tr. [1] **1.** Revêtir d'une barde (2, sens 1), d'une armure. *Le chevalier et sa monture étaient bardés de fer.* ▷ Fig. *Il est bardé de décorations.* – *Être bardé de préjugés.* **2.** Entourer de bardes (2, sens 2). *Barder une volaille.*

3. barder v. impers. [1] Fam. Tourner mal, se gâter, devenir violent. *Ça va barder, ça barde.*

Bardiya. V. Smerdis.

Bardo (Le), v. de Tunisie, dans la banlieue de Tunis; 65 660 hab. – Anc. palais des beys de Tunis, où fut signé le *traité du Bardo* (1881) établissant le protectorat franç. sur le pays. – Musée archéologique.

bardot ou **bardeau** [baʀdo] n. m. Hybride issu d'un cheval et d'une ânesse.

Bardot (Brigitte) (Paris, 1934), comédienne française. Sa personnalité, mélange de sensualité innocente et de provocation, plus que ses rôles (dans *Et Dieu créa la femme*, 1956; *le Mépris*, 1963), a marqué les années 1950-1960.

barefoot [bɛʀfut] n. m. (Anglicisme) SPORT Discipline semblable au ski nautique, mais pratiquée sans skis.

Barèges, com. des Htes-Pyr. (arr. d'Argelès-Gazost); 260 hab. Station therm. et de sports d'hiver.

Bareilly, ville de l'Inde (Uttar Pradesh); 583 000 hab. Industr. textile.

barème n. m. Répertoire de données chiffrées.

Barenboïm (Daniel) (Buenos Aires, 1942), pianiste et chef d'orchestre israélien, directeur musical de l'Orchestre de Paris de 1975 à 1989. Il mène une double carrière internationale de soliste et de chef symphonique et lyrique.

Barentin, com. de la Seine-Mar. (arr. de Rouen); 13 105 hab. Industr. text.; prod. agric. – Nombr. statues en plein air (Rodin, Bourdelle, etc.), d'où son surnom : « ville du musée dans la rue ».

Barents (mer de), mer de l'océan Arctique, bordant le Spitzberg, la Nouvelle-Zemble et le nord de l'Europe. Pêche importante.

Barents ou **Barentzs** (Willem) (île de Terschelling, v. 1550 – Nouvelle-Zemble, 1597), marin et explorateur néerl., découvrit la Nouvelle-Zemble (1594) et le Spitzberg (1596).

Barère de Vieuzac (Bertrand) (Tarbes, 1755 – id., 1841), conventionnel français, membre du Comité de salut public, un des organisateurs de la Terreur. Il abandonna Robespierre le 9 Thermidor.

Baretti (Giuseppe) (Turin, 1719 - Londres, 1789), historien et critique italien, traducteur de Corneille; *Discours sur Shakespeare et Monsieur de Voltaire* (1777) écrit en français.

Barfleur (pointe de), cap du Cotentin (N.-E.). Phare de *Gatteville.* – En 1066, Guillaume le Conquérant partit du port de Barfleur, très import. à l'époque. (V. aussi La Hougue*.)

1. barge ou **berge** n. f. ORNITH Oiseau charadriiforme des marais (genre *Limosa*), de la taille d'une bécasse, aux pattes et au bec très longs. ▸ illustr. bec

2. barge n. f. MAR Embarcation à fond plat et à faible tirant d'eau. *Barge de débarquement.* – *Barge océanique*, utilisée pour le transport de marchandises ou de matériel en haute mer. *Barge de forage.*

Bargello (le), monument florentin des XIIIe et XIVe s.; palais du podestat, puis du *bargello* (chef de la police); musée nat. de sculpture depuis 1865.

barguigner v. intr. [1] Vieilli *Sans barguigner :* sans hésiter.

Bari (anc. *Barium*), port d'Italie, sur l'Adriatique; 368 900 hab.; ch.-l. des Pouilles. Raff. de pétrole. Centr. therm. Industr. alim., chim., text. – Archevêché. Université. – Basilique St-Nicolas (XIe et XIIe s.).

barigoule n. f. *Artichauts à la barigoule*, farcis de lard et de jambon hachés, puis braisés.

baril [baʀil] n. m. **1.** Petit tonneau de bois. *Un baril de poudre, d'anchois.* **2.** Unité de mesure du pétrole (1 baril = 0,159 m^3).

barillet [baʀijɛ] n. m. **1.** Vieilli Petit baril. **2.** ANAT Cavité derrière le tambour de l'oreille. **3.** Dispositif mécanique de forme cylindrique. *Barillet d'un revolver*, où sont logées les balles.

bariolage n. m. Assemblage disparate de différentes couleurs.

bariolé, ée adj. Se dit d'objets dont les couleurs sont variées, vives et mal assorties. *Robe bariolée.*

barioler v. tr. [1] Couvrir de diverses couleurs bizarrement assorties.

Barjavel (René) (Nyons, 1911 - Paris, 1985), journaliste et écrivain français. Ses romans de science-fiction développent une thèse antiscientifique et antitechnologique : *Ravages* (1943), *Jour de feu* (1957), *la Nuit des temps* (1968), *la Peau de César* (1985).

barjo ou **barjot** [barʒo] adj. et n. Fam. Cinglé, toqué.

Barker (George Granville) (Loughton, Essex, 1913 - Itteringham, 1991), poète anglais. Ses thèmes sont la passion amoureuse et les événements politiques : *Dialogues* (1976), *Anno Domini* (1983).

barkhane [barkan] n. f. Dune en forme de croissant, d'une dizaine de mètres de haut, qui progresse rapidement sur le substrat rocheux.

Barkla (Charles Glover) (Widnes, Lancashire, 1877 - Édimbourg, 1944), physicien anglais. Il réalisa d'import. travaux sur les rayons X. P. Nobel 1917.

Bar-Kokheba (Simon Ben Koseva, dit) (m. à Béthar, 135 apr. J.-C.), héros national juif, chef de la révolte contre Hadrien (132-135); après quelques succès (prise de Jérusalem), il fut acculé dans la forteresse de Béthar, où il périt avec ses compagnons.

Barlach (Ernst) (Wedel, 1870 - Rostock, 1938), sculpteur, graveur et dramaturge allemand; l'une des figures les plus représentatives de l'expressionnisme allemand.

Bar-le-Duc, ch.-l. du dép. de la Meuse, sur l'Ornain; 18 577 hab. (*Barrisiens* ou *Barrois*). Sidérurgie; industr. méca., text. - Égl. St-Étienne (autref. St-Pierre, XIVe-XVe s.), qui renferme la célèbre statue funéraire, dite *le Transi*, due au sculpteur Ligier Richier.

Barletta, port d'Italie (Pouilles), sur l'Adriatique; 83 720 hab. Industr. chim. Stat. baln. - *Colosse de Barletta* : statue en bronze (5 m) d'un empereur du IVe s. (p.-ê. Valentinien Ier) ou du Ve s.

barlong, longue adj. Qui est plus long d'un côté que de l'autre.

Barlow (Joel) (Redding, Connecticut, 1754 - Żarnowiec, près de Cracovie, 1812), diplomate et poète (*la Colombiade*) américain. La Convention le fit citoyen français.

Barlow (Peter) (Norwich, 1776 - Woolwich, 1862), physicien et mathématicien anglais. La *roue de Barlow*, réalisée en 1828, fut considérée comme le premier moteur électrique.

barmaid [barmɛd] n. f. Serveuse d'un bar. *Des barmaids.*

barman, plur. **barmen** [barman, barmɛn] n. m. Serveur d'un bar.

bar-mitsva [barmitsva] n. f. inv. Dans le judaïsme, célébration de la majorité religieuse des garçons (treize ans).

barn [barn] n. m. PHYS NUCL Unité de mesure (symbole b) de la section efficace d'un noyau atomique.

Barnabé (saint) (Ier s.), disciple de saint Paul; il évangélisa avec lui la Syrie et la Grèce. Il mourut lapidé.

barnabite n. m. Membre d'une congrégation religieuse fondée en 1530, à Milan, par Antoine Marie Zaccaria, et installée en 1538 dans l'égl. St-Barnabé.

Barnaoul, ville de Russie (Sibérie méridionale), sur l'Ob; 606 000 hab.; ch.-l. de territ. Industr. métallurgiques, textiles, mécaniques.

Barnard (Christian) (Beaufort West, Le Cap, 1922), médecin et chirurgien sud-africain. Il réalisa en 1967, au Cap, la première greffe du cœur humain.

Barnave (Antoine) (Grenoble, 1761 - Paris, 1793), homme politique français. Brillant orateur de l'Assemblée nationale constituante, défenseur d'une monarchie constitutionnelle, il fut guillotiné sous la Terreur.

Barnsley, v. d'Angleterre, au S. de Leeds; 217 300 hab.; ch.-l. du comté de South Yorkshire. Centre sidérurgique.

barnum [barnɔm] n. m. Petit kiosque ne diffusant que la presse du soir.

Barnum (Phineas Taylor) (Bethel, Connecticut, 1810 - Bridgeport, Connecticut, 1891), entrepreneur de spectacles américain qui dirigea, à partir de 1871, un célèbre cirque.

baro-. Élément, du gr. *baros*, « pesanteur », impliquant une idée de gravité ou de pression atmosphérique.

Baroccio ou **Barocci** (Federico Fiori, dit), dit le Baroche en franç. (Urbino, v. 1528 - id., 1612), peintre italien. Son œuvre (*la Cène; la Circoncision*, Louvre), influencée par le Corrège, annonce le baroque.

barocentrique adj. GEOM *Courbe barocentrique*, formée par les intersections, sur un plan méridien, des verticales contenues dans ce plan.

Baroda. V. Vadodara.

barographe n. m. PHYS Baromètre enregistreur.

Baroja (Pío) (Saint-Sébastien, 1872 - Madrid, 1956), romancier réaliste espagnol, observateur pessimiste de la vie populaire : *la Lutte pour la vie* (1904), *Mémoires d'un homme d'action* (1913-1935, 20 vol.).

baromètre n. m. **1.** Appareil servant à mesurer la pression atmosphérique. *Baromètre à mercure*, qui équilibre la pression atmosphérique par le poids d'une colonne de mercure dont on mesure la hauteur. *Baromètre anéroïde*, comportant un dispositif élastique qui se déforme selon les variations de la pression. **2.** Fig. Ce qui sert à mesurer, à estimer. *Les sondages d'opinion sont le baromètre de l'opinion publique.*

barométrie n. f. Didac. Partie de la physique qui concerne la mesure de la pression atmosphérique.

barométrique adj. Relatif au baromètre ou aux variations de la pression atmosphérique.

1. baron n. m. **1.** FEOD Grand seigneur du royaume. **2.** Titre nobiliaire immédiatement inférieur à celui de vicomte. **3.** Fig. Personnage important dans le monde de la politique, de la finance, etc. *Les barons de la grande industrie.*

2. baron n. m. *Baron d'agneau* : pièce d'agneau (ou de mouton) comportant la selle et les deux gigots.

Baron (Michel Boyron, dit) (Paris, 1653 - id., 1729), acteur (notam. chez Molière) et auteur comique français : *l'Homme à bonnes fortunes* (1686).

baronne n. f. Femme noble possédant une baronnie; épouse d'un baron.

baronnet n. m. Titre de noblesse honorifique, propre à l'Angleterre, institué par Jacques Ier en 1611.

baronnie n. f. FEOD Terre seigneuriale donnant à qui la possède le titre de baron; ce titre lui-même.

Baronnies (les), massif calcaire des Préalpes du S., dans la Drôme; 1 759 m au Laup Duffre.

baroque adj. et n. m. **1.** *Perle baroque* : perle de forme irrégulière. ▷ D'une irrégularité qui étonne, qui choque. *Une idée baroque*, bizarre, excentrique. **2.** BX-A Se dit d'un style exubérant (XVIIe s.-première moitié du XVIIIe s.). *Une église baroque.* - n. m. *Le baroque* : ce style. ▷ *Par ext.* Qui présente, à d'autres époques, en art et en littérature, les mêmes caractères que le baroque.

baroqueux, euse n. Spécialiste de la musique et de la danse baroques.

baroquisant, ante adj. Marqué par le baroque.

baroquisme n. m. **1.** Caractère propre au style baroque. **2.** Caractère d'une œuvre de style baroque.

barorécepteur n. m. MED Organe sensible à des variations de pression.

barotraumatisme n. m. MED Ensemble de troubles graves provoqués (partic. chez un plongeur sous-marin) par une variation trop forte et trop rapide de la pression.

baroud [barud] n. m. Arg. (des militaires) Bataille, bagarre, échauffourée. *Baroud d'honneur*, avant de déposer les armes.

baroudeur, euse n. Personne qui aime le baroud, aventurier (ère), risque-tout.

barouf n. m. Fam. Grand bruit, tapage. *Tu en fais un barouf!*

barque n. f. Petit bateau non ponté. ▷ Loc. fig. *Conduire, mener sa barque* : conduire, de telle ou telle manière, une entreprise. *Il a bien mené sa barque.*

barquette n. f. **1.** Tartelette en forme de barque. *Barquette aux cerises.* **2.** Petit récipient utilisé pour le conditionnement de fruits ou d'aliments délicats. *Une barquette de fraises.*

Barquisimeto, v. du Venezuela; 640 800 hab.; cap. d'État (*Lara*) (19 800 km²; 1 096 200 hab.). Centre agric. : café, cacao.

Barr (corpuscule de). BIOL Chromatine très colorée, accolée à la membrane cellulaire, témoignant de la présence de deux chromosomes X. Sa recherche est un test qui permet la détermination du sexe.

Barrabas. V. Barabbas.

barracuda n. m. Poisson perciforme marin (*Sphyræna barracuda*), atteignant 2 m, rapide et très vorace (il peut attaquer l'homme).

barrage n. m. **1.** Ce qui barre (une voie); action de barrer (une voie). *Barrage d'une route à l'aide de chevaux de frise.* ▷ *Barrage de police* : dispositif policier (cordon d'agents, automobiles) empêchant de passer. ▷ TECH *Vanne de barrage* : organe de coupure sur une canalisation de gaz. **2.** Ouvrage disposé en travers d'un cours d'eau pour créer une retenue ou exhausser le niveau amont. **3.** MILIT *Tir de barrage* : tir d'artillerie destiné à interdire un accès. **4.** GEOL *Lac de barrage* : lac résultant de la présence d'un obstacle (moraine, éboulis, etc.) qui empêche l'écoulement des eaux. 5. SPORT *Match de barrage :* épreuve servant à départager plusieurs concurrents ou plusieurs équipes qui cherchent à accéder à la compétition ou à la catégorie supérieure.

barragiste n. SPORT Concurrent ou équipe qui doit disputer un match de barrage.

Barranquilla, princ. port de Colombie, à l'embouchure du Magdalena; 896 650 hab.; ch.-l. de dép. Centre industriel.

Barraqué (Jean) (Paris, 1928 - id., 1973), compositeur français. Musicien sériel, il entreprit, sur le modèle du roman *la Mort de Virgile*, de Hermann Broch, une œuvre inachevée développant sa conception des «séries proliférantes» à l'infini (*Chant après chant*, 1966; *le Temps restitué*, 1968).

Barras (Paul, vicomte de) (Fox-Amphoux, Provence, 1755 - Chaillot, 1829), homme politique français. Conventionnel, il œuvra à la chute de Robespierre. Membre influent du Directoire, il dut démissionner après le 18 Brumaire.

Barraud (Henry) (Bordeaux, 1900 - Saint-Maurice, Val-de-Marne, 1997), compositeur français : *la Farce de maître Pathelin* (1938), *Numance* (1950), *Tête d'or* (1979), drames lyriques.

Barrault (Jean-Louis) (Le Vésinet, 1910 - Paris, 1994), acteur français de cinéma (*les Enfants du paradis*, 1944) et de théâtre, l'un des plus importants directeurs et metteurs en scène du théâtre contemporain. Il a notam. monté des pièces de Claudel, et interprété Beckett, Genet, Ionesco, Duras.

barre n. f. 1. Pièce longue et rigide, de bois, de métal, etc. *Barre de fer. Barre d'appui.* ▷ Loc. fig., fam. *Avoir un coup de barre :* se sentir brusquement fatigué. *C'est le coup de barre :* c'est très coûteux. ▷ TECH *Barre d'attelage :* dispositif qui relie deux véhicules. - *Barre à mine :* barre métallique qui sert de levier ou d'outil de perforation. ▷ SPORT *Barre fixe* (en hauteur), *barres parallèles* (à hauteur d'homme) : agrès de gymnastique. ▷ Lingot. *La barre d'or fin est cotée en Bourse.* - Fig., fam. *C'est de l'or en barre :* c'est une bonne affaire. 2. Traverse horizontale fixant la hauteur que le sauteur doit franchir. ▷ Fig. Niveau, limite, seuil. *Candidat qui n'atteint pas la barre des 5 %.* 3. Trait de plume ou de crayon pour biffer ou souligner quelque chose. 4. MAR Levier fixé à la mèche du gouvernail et permettant de l'orienter. - *Par ext.* Système permettant d'orienter le gouvernail. *Barre mécanique, électrique, commande de barre. Barre franche,* qui agit directement sur le gouvernail (par oppos. à *barre à roue*). ▷ Fig. *Être à la barre, tenir la barre :* diriger une entreprise, gouverner. 5. GEOGR Accumulation d'alluvions fluviales en forme d'arête sur le fond marin, parallèlement à la côte, au large de vastes estuaires, là où le courant fluvial est annulé par la mer. 6. Zone de hautes vagues qui viennent se briser en avant de certaines côtes. *Pirogue qui franchit la barre.* 7. Ligne de crête due à la persistance d'une couche géologique verticale dure dans une structure sédimentaire plissée qui a été érodée. 8. MUS *Barre de mesure :* signe de notation musicale qui divise la partition en mesures. 9. HERALD Pièce disposée diagonalement de l'angle senestre du chef à l'angle dextre de la pointe de l'écu. 10. Emplacement réservé dans les salles d'audience judiciaire aux dépositions des témoins, parfois aux plaidoiries, et qui est généralement marqué par une barre. *Témoin appelé à la barre.* 11. Espace entre les dents labiales (incisives et canines) et les dents jugales (prémolaires et molaires) de la mâchoire inférieure des ruminants, solipèdes, lagomorphes, etc. 12. Immeuble d'habitation construit en longueur (par oppos. à *tour*). 13. INFORM *Barre d'outils :* ensemble des possibilités les plus usuelles offertes par un logiciel, présentées en haut de l'écran du micro-ordinateur.

Barre (Raymond) (Saint-Denis, la Réunion, 1924), économiste et homme politique français. Vice-président de la Commission des C.É.E. (1966-1973), il fut le promoteur du système monétaire européen. Premier ministre et ministre de l'Économie et des Finances de 1976 à 1981, il mit en œuvre une politique d'austérité. Il a été élu maire de Lyon en 1995.

barré, ée adj. 1. *Rue, voie barrée,* où la circulation est interdite. 2. *Dent barrée :* dent dont la configuration des racines rend l'extraction difficile.

Barré (Martin) (Nantes, 1924 - Paris, 1993), peintre français. Avec un extrême dépouillement, il inscrit des signes graphiques et des formes abstraites sur un fond blanc uni. Il travaille par séries dont les œuvres renvoient de l'une à l'autre.

barreau n. m. 1. Barre de bois, de fer qui sert d'assemblage, de clôture, etc. *Les barreaux d'une chaise, d'une grille.* 2. Emplacement garni de bancs, réservé aux avocats dans les salles d'audience judiciaire, et clôturé autrefois par un barreau amovible. - Fig. Profession d'avocat. *Se destiner au barreau.* ▷ Corps, ordre des avocats d'un lieu déterminé. *Le barreau de Paris.*

Barreiro, v. du Portugal, sur le Tage, en face de Lisbonne; 55 000 hab.

barrement n. m. Action de barrer un chèque; résultat de cette action.

barrer v. [1] I. v. tr. 1. Clore au moyen d'une barre. *Barrer une porte.* ▷ *Par ext.* (Canada) Fermer par un mécanisme quelconque (verrou, cadenas, chaîne), *spécial.* fermer à clef. *Barrer la porte derrière soi.* - v. pron. *Coffre, valise qui se barre.* 2. Obstruer, interrompre par un obstacle. *Barrer une route.* 3. Tirer un trait de plume sur, rayer. *Barrer un mot.* 4. MAR Tenir la barre de (un bateau de plaisance). II. v. pron. Fam. S'en aller, se sauver. *Barrons-nous !*

Barrès (Maurice) (Charmes, 1862 - Paris, 1923), écrivain et homme politique français. Après avoir exalté le «culte du moi» (*Sous l'œil des Barbares*, 1888), il célébra les valeurs morales nationalistes : *les Déracinés* (1897), *Colette Baudoche* (1909), *la Colline inspirée* (1913). Son journal, *Mes cahiers* (14 vol.), parut après sa mort. Acad. fr. (1906).

1. barrette n. f. Bonnet carré des ecclésiastiques. ▷ Bonnet rouge des cardinaux.

2. barrette n. f. 1. Petite barre. 2. Petite barre formant un bijou, une broche. *Barrette de diamants.* - *Par ext.* Ruban d'étoffe monté sur une petite barre, insigne d'une décoration. 3. Petite pince pour tenir les cheveux.

barreur, euse n. Personne qui tient la barre à bord d'un voilier, d'un navire de plaisance.

barricade n. f. Retranchement élevé hâtivement avec des moyens de fortune pour barrer un passage, une rue et se mettre à couvert, notam. pendant une insurrection. *Les barricades parisiennes* (de 1830, de 1848, de 1871, de 1944, de mai 1968). ▷ Fig. *Ne pas être du même côté de la barricade :* avoir des opinions ou des intérêts opposés.

barricader v. [1] I. v. tr. 1. Obstruer (une voie de communication) par des barricades. 2. Fermer solidement. *Barricader un portail.* II. v. pron. S'enfermer.

Barricades (journées des), nom donné à plus. soulèvements du peuple parisien. 1. Contre la venue, interdite par Henri III, du duc de Guise (12 mai 1588). 2. Pour manifester contre la reine Anne d'Autriche qui avait fait emprisonner le conseiller Broussel. La Fronde* débutait. 3. Durant la Libération de Paris, à partir du 19 août 1944, des Parisiens élevèrent des barricades contre l'occupant. 4. Dans la nuit du 6 au 7 mai* 1968, des étudiants parisiens achevèrent une manifestation violente en se retranchant dans la zone Panthéon-Contrescarpe-Gay-Lussac.

Barrie (sir James Matthew) (Kirriemuir, Écosse, 1860 - Londres, 1937), romancier et auteur dramatique écossais : *l'Admirable Crichton* (1903), *Peter Pan* (1904).

barrière n. f. 1. Assemblage de pièces de bois ou de métal formant une clôture. *Barrière d'un champ.* - *Spécial.* Clôture mobile au croisement d'une voie ferrée et d'une route. *Barrière automatique.* 2. Vx Porte, avec ou sans barrière, à l'entrée d'une ville, d'un palais. *Barrière de l'octroi.* ▷ TRANSP *Barrière de péage :* installation destinée à percevoir les péages sur une autoroute. ▷ *Barrière de dégel :* interdiction faite aux véhicules lourds d'emprunter certaines routes pendant la période du dégel. 3. Obstacle naturel important. *La barrière des Pyrénées entre la France et l'Espagne.* ▷ Fig. *Les barrières douanières s'opposent au libre-échange.* 4. ESP *Barrière thermique :* limite à partir de laquelle l'échauffement dû au frottement de l'atmosphère détruit les structures d'un engin. V. ablation (sens 2).

Barrière (Grande), chaîne corallienne bordant la côte N.-E. de l'Australie, sur 2 400 km environ.

la **Grande Barrière**

barrique n. f. Tonneau contenant 200 à 250 litres; son contenu.

barrir v. intr. [3] Crier, en parlant de l'éléphant, du rhinocéros.

barrissement ou **barrit** [baʀi] n. m. Cri de l'éléphant, du rhinocéros.

Barrois. V. Bar (comté de).

barrot [baʀo] n. m. MAR Poutre transversale supportant les ponts d'un navire.

Barrot (Odilon) (Villefort, Lozère, 1791 - Bougival, 1873), avocat et homme politique français; chef de l'opposition réformiste, dite gauche dynastique, sous la monarchie de Juillet, et organisateur de la *Campagne des banquets* (1847) qui contribua à la chute de la royauté.

Barrow (Isaac) (Londres, 1630 - id., 1677), philologue, mathématicien et théologien anglais; maître de Newton.

Barrow-in-Furness, port de G.-B. (Cumbria), sur la mer d'Irlande; 71 900 hab. Métall., constr. navales. - Abb. bénédictine du XIIe s.

Barry (Jeanne Bécu, comtesse du) (Vaucouleurs, 1743 - Paris, 1793), favorite de Louis XV, guillotinée sous la Terreur.

Barry (sir Charles) (Londres, 1795 - id., 1860), architecte anglais, auteur de nombr. bâtiments de style antique, italianisant ou néo-gothique (nouveau palais de Westminster, 1839-1888, en collab. avec A. W. Pugin).

Bar-sur-Aube, ch.-l. d'arr. de l'Aube; 6 967 hab. Industr. du bois. - Égl. St-Pierre (fin XIIe s.), St-Maclou (XIIe-XIVe s.).

Bart (Jean) (Dunkerque, 1650 - id., 1702), corsaire français. Il s'illustra dans la guerre de course contre les Angl. et les Holl., fut anobli (1694) et nommé chef d'escadre (1697) par Louis XIV.

Bartas (Guillaume de Salluste, seigneur du) (Montfort, près d'Auch, 1544 - Condom, 1590), poète protestant français; *la Semaine ou la Création du monde* (1578-1584) est inspirée de la Bible.

bartavelle n. f. Perdrix *(Alectoris græca)* du Jura et des Alpes, très voisine de la perdrix rouge. ► illustr. **perdrix**

Barth (Heinrich) (Hambourg, 1821 - Berlin, 1865), géographe allemand; explorateur de l'Afrique centrale (1850-1855).

Barth (Karl) (Bâle, 1886 - id., 1968), théologien protestant suisse. Son enseignement est marqué par un retour radical à l'Écriture : *Parole de Dieu et parole humaine* (1928), *Dogmatique* (20 vol., 1930-1967).

Barthélemy (saint), l'un des douze apôtres.

Barthélemy (abbé Jean-Jacques) (Cassis, 1716 - Paris, 1795), écrivain français. *Le Voyage du jeune Anacharsis en Grèce au IVe siècle de l'ère vulgaire* (1788) constitue une somme érudite sur la Grèce antique. Acad. fr. (1789).

Barthélemy (François, marquis de) (Aubagne, 1747 - Paris, 1830), homme politique français. Négociateur des traités de Bâle (1795), il fut membre du Directoire (1797).

Barthélemy (René) (Nangis, 1889 - Antibes, 1954), physicien français qui mit au point, en France, la télévision (1935).

Barthélemy-Saint-Hilaire (Jules) (Paris, 1805 - id., 1895), érudit et homme politique français. Il traduisit Aristote.

Barthes (Roland) (Cherbourg, 1915 - Paris, 1980), critique français. Théoricien d'une lecture structurale des textes (*le Degré zéro de l'écriture*, 1953; *Critique et Vérité*, 1966; *Sur Racine*, 1963; *S/Z*, 1970; *Sade, Fourier, Loyola*, 1971) et d'une sémiologie du social (*Mythologies*, 1957; *Système de la mode*, 1967; *l'Empire des signes*, 1970). Autres œuvres; *Barthes par Roland Barthes* (1975); *Fragments d'un discours amoureux* (1977); *la Chambre claire* (1980).

Bartholdi (Frédéric Auguste) (Colmar, 1834 - Paris, 1904), sculpteur français : *le Lion de Belfort* (1880), *la Liberté éclairant le monde* (armature métallique d'Eiffel, 1886, New York).

Barthou (Louis) (Oloron-Sainte-Marie, 1862 - Marseille, 1934), homme politique français. Il chercha à resserrer les alliances avec les pays d'Europe centrale, et fut assassiné en même temps que le roi Alexandre Ier de Yougoslavie. Acad. fr. (1918).

Bartók (Béla) (Nagyszentmiklós, auj. en Roumanie, 1881 - New York, 1945), compositeur hongrois. Son art procède de Bach, Liszt, Debussy, tout autant que du folklore national, dans des œuvres de synthèse riches et complexes, à l'instrumentation éclatante : *le Mandarin merveilleux* (1919), *Musique pour cordes, percussion et célesta* (1936), *Concerto pour orchestre* (1943).

Bartolomeo ou **Bartolommeo** (Baccio della Porta, dit Fra) (Florence, 1472 - id., 1517), peintre italien. Disciple de Savonarole, puis dominicain, il manifesta une religiosité sévère : *le Mariage mystique de sainte Catherine de Sienne* (Louvre).

Baruch (VIIe s. av. J.-C.), scribe hébreu qui aurait en partie rédigé les prophéties de son maître Jérémie; son *Livre de Baruch* succède aux *Lamentations*.

bary-. Élément, du gr. *barus*, «lourd».

barycentre n. m. MATH Point G d'un espace affine tel que, si n points M_i sont affectés de coefficients a_i dont la somme n'est pas nulle, $\sum_n^i a_i \overrightarrow{GM_i} = \vec{0}$.

Barychnikov (Mikhaïl Nikolaïevitch) (Riga, 1948), danseur et chorégraphe américain d'orig. soviétique. Doué d'une technique remarquable et d'un grand sens dramatique, il a évolué dans un vaste répertoire allant de Balanchine à Robbins.

Barye (Antoine Louis) (Paris, 1795 - id., 1875), sculpteur et aquarelliste français, le plus grand sculpteur animalier (lions, notam.) de l'école romantique.

baryon n. m. PHYS NUCL Particule subissant l'interaction* forte (hadron) et constituée de trois quarks. *La famille des baryons comprend les nucléons (proton et neutron) et les hypérons.* V. encycl. particule.

barysphère n. f. GEOL Syn. de *nifé*.

baryte n. f. CHIM Sulfate de baryum ($Ba[OH]_2$), utilisé en radiologie pour opacifier le tube digestif.

baryté, ée adj. Qui contient ou utilise de la baryte.

baryton n. m. **1.** GRAM GR Accent grave remplaçant l'accent aigu sur la dernière syllabe d'un mot; mot qui porte cet accent. **2.** MUS Voix intermédiaire entre le ténor et la basse. - *Par ext.* Chanteur qui a cette voix.

Roland **Barthes**

Béla **Bartók**

baryum [baʀjɔm] n. m. CHIM Élément alcalino-terreux, de numéro atomique Z = 56 et de masse atomique M = 137,34 (symbole Ba). - Métal (Ba) blanc et mou, de densité 3,74, qui fond à 714 °C et bout à 1 640 °C.

Bārzānī (Mustafā al-) (Bārzān, 1903 - Rochester, É.-U., 1979), chef du parti qui, au Kurdistān irakien, réclame l'autonomie politique des Kurdes. Il dirigea la lutte armée, notam. de 1961 à 1963 et d'avril 1974 à mai 1975.

barzoï [barzɔj] n. m. Lévrier russe à poil long.

1. bas, basse [bɑ, bɑs] adj. **I.** Qui a peu de hauteur ou d'élévation. **1.** Qui est au-dessous d'une hauteur moyenne ou normale. *Porte basse.* - Qui est au-dessous d'un degré pris comme terme d'une comparaison. *À cette heure-ci, la mer est basse.* - Spécial. *Ciel bas*, par ext., *temps bas*, couvert, avec des nuages peu élevés. *Le baromètre, le thermomètre est bas.* ▷ (En parlant de l'âge.) *En bas âge* : très jeune. **2.** (Par comparaison avec une autre partie d'un même ensemble.) *Les basses branches d'un arbre. Parties basses d'un édifice.* - (Dans l'espace géographique.) *La ville basse* (par oppos. à *la ville haute*), *le bas pays.* - (Avec un nom propre.) *Les basses Alpes* : la partie de la chaîne des Alpes où les sommets sont comparativement moins élevés. - Par ext. *La basse Seine* : la partie de la Seine la plus voisine de son embouchure. ▷ *Ce bas monde* : ce monde où nous vivons (par oppos. au *ciel* chrétien). **3.** (En parlant de la voix ou du chant.) Grave (par oppos. à *haut*, à *aigu*). *Ce morceau est trop bas pour ma voix. À voix basse* : sans élever la voix. *Messe basse* : messe non chantée. Loc. fam. *Faire des messes basses* : chuchoter. **4.** Loc. *Avoir la vue basse* : ne distinguer les objets que de fort près. ▷ *Marcher la tête basse*, la tête inclinée vers l'avant. - Fig. *Avoir la tête basse* : être honteux. ▷ *Faire main basse sur* : dérober, piller. **5.** Dont la valeur matérielle est moindre. *Le change est bas*, au-dessous du cours ordinaire. *Pratiquer des prix bas*, des prix modiques. **II.** D'un niveau inférieur, avec ou sans idée de comparaison sociale ou morale. **1.** D'un rang considéré comme inférieur dans la hiérarchie sociale. *Le bas peuple. Les basses classes de la société.* - *Le bas clergé.* **2.** Inférieur, subalterne. *De basses fonctions. Besognes de basse police.* **3.** Vil, moralement méprisable. *Un individu bas. Une basse jalousie.* **4.** Trivial. *Cette expression est basse.* **5.** Qui appartient à une époque relativement récente. *Le bas latin, le bas allemand, le Bas-Empire.* **III.** (Pris comme adv.) **1.** Dans la partie basse, inférieure. *Le coup est parti de plus bas.* - Loc. *Chapeau bas* : en ayant enlevé son chapeau; fig. en marquant du respect. *Mettre bas les armes, la veste* : déposer les armes; enlever sa veste. ▷ *Mettre bas* : en parlant des animaux, mettre des petits au monde. ▷ Loc. *Plus bas* : plus loin en descendant. *Il habite trois maisons plus bas.* - Ci-dessous, ci-après. *Voyez dix lignes plus bas.* ▷ *Être très bas*, près de mourir. **2.** *Bas, plus bas, tout bas* : en baissant la voix; à mi-voix. **3.** Loc. *À bas. Jeter, mettre à bas* : renverser, détruire. ▷ Suivi d'un nom, marque le mépris et la révolte. *À bas la tyrannie!* **4.** Loc. adv. *En bas* : dans le lieu qui est en dessous. *Il habite en bas. Regardez en bas.* **5.** Loc. prép. *À bas de, en bas de, au bas de* (avec ou sans mouvement) : au pied de. *Être jeté à bas de son lit. Il habite en bas de la colline*, dans la partie inférieure. *La rivière coule au bas de notre jardin.* **6.** Loc. adv. *Ici-bas* : V. ici. *Là-bas* : V. là.

2. bas [bɑ] n. m. **1.** Partie inférieure. *Le bas de la montagne. Le bas de la page. Le bas de son visage est ridé.* – Loc. fig. *Il y a des hauts et des bas; avoir des hauts et des bas,* de bons et de moins bons moments. **2.** MUS Grave.

3. bas [bɑ] n. m. **1.** Vêtement très ajusté, tricoté ou tissé, qui sert à couvrir le pied et la jambe. *Une paire de bas. Des bas de soie, des bas nylon.* – Loc. fig. *Bas de laine :* économies d'un petit épargnant. **2.** (Canada) Chaussette. *Des bas en laine, en coton.*

basal, ale, aux adj. De base. *Métabolisme basal :* quantité d'énergie (exprimée couramment en calories) utilisée par un organisme au repos.

basalte n. m. Roche volcanique basique, de couleur noire, composée essentiellement de plagioclase, de pyroxène et d'olivine.

basaltique adj. Formé de basalte.

basane n. f. **1.** Cuir très souple obtenu à partir d'une peau de mouton tannée, employé en sellerie, en maroquinerie, en reliure. **2.** (Plur.) Bandes de cuir souple protégeant l'entrejambe d'une culotte de cheval contre l'usure due au frottement de la selle.

basané, ée adj. De couleur brune. – *Par ext.* Hâlé, bruni. *Teint basané.*

basaner v. tr. [1] Donner la couleur de la basane à (qqch).

bas-bleu n. m. Péjor., vieilli Femme pédante. *Des bas-bleus.*

Baschi ou **Basci** (Matteo di) (m. en 1552), religieux italien, fondateur en 1528 de l'ordre des Capucins.

bas-côté n. m. **1.** ARCHI Galerie ou nef latérale d'une église. **2.** Accotement d'une route entre la chaussée et le fossé. *Des bas-côtés.*

basculant, ante adj. Qui peut basculer. *Benne basculante.*

bascule n. f. **1.** Pièce de bois ou de métal, qui peut osciller librement autour de son axe. ▷ Balançoire faite d'une seule pièce en équilibre. ▷ Fig. *Jeu de bascule :* équilibre instable entre deux éléments contraires. **2.** Machine à peser les lourdes charges. **3.** ARCHI Porte-à-faux d'escaliers ou de balcons formant saillie. **4.** ELECTRON Circuit qui peut occuper deux états différents.

basculer v. [1] **I.** v. intr. **1.** Imprimer un mouvement de bascule à. *Faire basculer une poutre.* **2.** Décrire un mouvement de bascule, tomber. *Le camion a basculé dans le ravin.* **II.** v. tr. Imprimer un mouvement de bascule à. *Basculer un fardeau.*

basculeur n. m. Appareil servant à faire basculer.

bas-de-casse n. m. inv. TYPO Partie inférieure de la casse d'imprimerie, où sont les caractères des lettres minuscules; ces lettres elles-mêmes.

base n. f. **1.** Partie inférieure d'un corps, sur laquelle il repose. *La base d'une colonne.* ▷ Fig. Ensemble des militants d'un parti politique, d'un syndicat (par oppos. aux dirigeants). **2.** Principal ingrédient d'un mélange. *Un produit à base de chlore.* **3.** Fig. Principe, donnée fondamentale. *Les bases d'un système.* ▷ *Base d'imposition :* éléments sur lesquels repose le calcul d'un impôt. ▷ Loc. *De base :* fondamental, de référence. *Éléments de base. Produit de base.* **4.** ANAT Extrémité la plus large d'un organe. *La base du cœur* (d'où partent les vaisseaux sanguins). **5.** BIOCHIM Chacun des quatre constituants des nucléotides (adénine, cytosine, guanine et thymine) qui se succèdent le long de la molécule d'ADN. **6.** CHIM Substance capable de fixer les protons (ions H^+) contenus dans les acides, au moyen de doublets d'électrons, et de favoriser ainsi la libération de ces protons. *Quand une base contient le radical OH (soude NaOH, potasse KOH, la réaction acide + base fournit un sel et de l'eau.* **7.** ELECTRON *Base d'un transistor :* couche qui sépare l'émetteur et le collecteur. **8.** GEOM Face particulière de certains volumes. *Base d'un prisme.* ▷ Côté particulier de certaines figures. *Base d'un triangle isocèle.* **9.** INFORM *Base de temps :* générateur de signaux réglant le cycle de fonctionnement d'un calculateur. *Base de données :* ensemble de fichiers contenant des informations à traiter. **10.** MATH *Base de numération :* nombre de chiffres ou de symboles utilisés dans un système de numération. *Système à base 2,* ou *binaire. Base d'un système de logarithmes :* nombre tel que si $y = \log_a x$ (logarithme à base *a* de x) on a $x = a^y$. (La base des logarithmes *décimaux* est égale à 10, celle des logarithmes *népériens* à *e,* soit 2,71828...) **11.** MILIT Zone où sont rassemblés les équipements et les services nécessaires à une action offensive ou défensive. ▷ ESP *Base de lancement :* installations nécessaires à la préparation, au lancement, au contrôle en vol et au guidage d'engins spatiaux. ▷ SPORT *Base nautique.*

base-ball ou **baseball** [bɛzbol] n. m. Jeu de balle opposant deux équipes de neuf joueurs, qui consiste à frapper, à l'aide d'une batte, une balle dure lancée par un joueur de l'équipe adverse et à parcourir un circuit jalonné de quatre buts afin de marquer un point.

Basedow (Karl von) (Dessau, 1799 – Merseburg, 1854), médecin allemand. ▷ MED *Maladie de Basedow :* hyperfonctionnement thyroïdien avec goitre et exophtalmie.

Bas-Empire, dernière phase de l'histoire de l'Empire romain, à partir du IIIe s.

baser I. v. tr. [1] **1.** Prendre ou donner pour base. *Baser sa conduite sur l'exemple d'un grand homme.* **2.** MILIT Établir une unité dans une base militaire. *Escadrille basée à l'arrière du front.* **II.** v. pron. S'appuyer, se fonder. *Je me base sur cette probabilité.* – (Emploi critiqué.) *Baser sur, se baser sur.*

bas-fond n. m. **1.** Terrain plus bas que ceux qui l'entourent. *Les bas-fonds sont souvent marécageux.* **2.** Endroit peu profond dans un cours d'eau, un lac, une mer. Syn. haut-fond. **3.** Fig. (Toujours au plur.) Couches les plus misérables et les plus dépravées d'une société, d'une population.

Bashō (Matsuo Munefusa, dit) (Ueno, 1644 – Ōsaka, 1694), poète, peintre et moine bouddhiste japonais. Rénovateur du haïku, il le porta à sa perfection (*Recueil de sept opuscules de l'école de Bashō,* anthologie parue en 1774).

basic n. m. INFORM Langage de programmation.

basicité n. f. CHIM Caractère basique.

baside n. f. BOT Cellule sporifère, en forme de massue, caractéristique des basidiomycètes.

basidiomycètes n. m. pl. BOT Classe très importante (env. 1 500 espèces) de champignons caractérisés par la possession de basides, comprenant tous les champignons classiques (amanites, bolets, psalliotes, clavaires, etc.), mais également un grand nombre de formes parasites (rouille du blé, charbon du maïs, etc.). – Sing. *Un basidiomycète.*

Basie (William Bill, dit Count) (Red Bank, New Jersey, 1904 – Hollywood, 1984), pianiste, compositeur et chef d'orchestre américain de jazz. Il fut l'un des maîtres du « swing ».

Basildon, v. d'Angleterre (comté d'Essex), à l'E. de Londres; 157 500 hab. – Elle a été créée en 1949 pour décongestionner Londres; sa pop. ne cesse de croître.

Basile le Grand (saint) (Césarée de Cappadoce, 329 – id., 379), Père et docteur de l'Église, évêque de Césarée (370). Il combattit l'arianisme et fonda l'une des premières communautés monastiques. Pénétrée de platonisme, sa pensée continue à marquer l'Église orthodoxe grecque.

Basile Ier le Macédonien (Andrinople, v. 812 – ?, 886), empereur byzantin (867-886), fondateur de la dynastie macédonienne, instigateur des Basiliques*. – **Basile II le Bulgaroctone** (« tueur de Bulgares »)(957 – 1025), empereur byzantin de 963 à 1025, vainqueur des Bulgares. Sous son règne, l'Empire atteignit son apogée.

basileus [bazilœs] n. m. HIST Titre du roi de Perse, jusqu'à la conquête arabe, puis de l'empereur byzantin.

1. basilic n. m. **1.** ZOOL Saurien arboricole d'Amérique tropicale à crête dorsale très développée. **2.** MYTH Serpent fabuleux des bestiaires antiques et médiévaux, auquel on attribuait le pouvoir de tuer par son seul regard.

2. basilic n. m. Plante aromatique (fam. labiacées), employée comme condiment.

basilical, ale, aux adj. ARCHI Propre à une basilique, au plan des basiliques.

Basilicate, région admin. d'Italie mérid. et région de la C.E., formée des provinces de Potenza et de Matera; 9 992 km²; 660 220 hab.; cap. *Potenza.* Les politiques d'aménagement du S. italien et les aides communautaires ont permis un développement notable de cette région traditionnellement pauvre.

basilique n. f. **1.** ANTIQ Édifice rectangulaire aux vastes proportions, souvent terminé par un hémicycle à l'une de ses extrémités, qui servait de tribunal, de bourse de commerce, de lieu de négoce et de promenade. *La basilique de Maxence, au pied du Palatin, à Rome.* **2.** Église chrétienne des premiers siècles, construite d'abord sur le plan des basiliques (sens 1). *Les basiliques de Ravenne, chefs-d'œuvre de l'art byzantin.* **3.** Grande église métropolitaine ou archiépiscopale. *La basilique Saint-Pierre de Rome.* – *Par ext.* Titre concédé par le pape à certaines grandes églises. *La basilique du Sacré-Cœur à Paris.*

Basiliques (les), recueil des lois de l'Empire byzantin, en 60 livres, entrepris sous Basile Ier et publié en 887 par son fils Léon VI.

1. basique adj. **1.** CHIM Qui possède les caractères de la fonction base, qui peut fixer des ions H^+ en solution. *Sel basique, oxyde basique.* **2.** GEOL *Roche basique :* roche éruptive contenant peu de silice.

2. basique adj. et n. m. **1.** Fondamental, élémentaire, de base. *Français basique.* **2.** Réduit au minimum, rudimentaire. *Équipement basique.* **3.** n. m. Vêtement présent dans toute garde-robe.

bas-jointé, ée adj. *Cheval bas-jointé,* dont le paturon est très incliné vers l'horizontale.

basket [baskɛt] n. f. Chaussure de basket et, par ext., chaussure de sport à lacet, montante et antidérapante.

basket-ball [baskɛtbol] ou **basket** [baskɛt] n. m. Jeu de ballon opposant deux équipes de cinq joueurs et consistant à faire pénétrer le plus souvent possible le ballon dans le panier de l'équipe adverse. *Des basket-balls.*

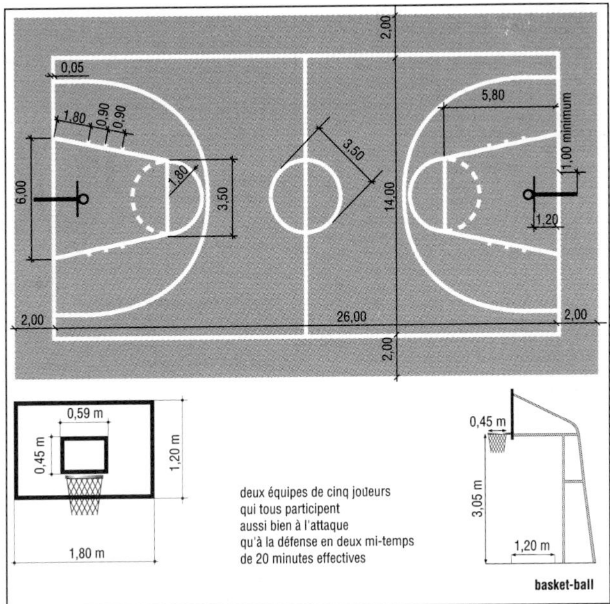

basket-ball

basketteur, euse n. Joueur de basket.

basmati n. m. Variété de riz à grains longs, cultivé dans le nord de l'Inde et au Pākistān. – (En appos.) *Riz basmati.*

basoche [bazɔʃ] n. f. **1.** HIST Association des clercs du parlement, dans les grandes villes de la France médiévale, qui conserva certains privilèges de juridiction jusqu'en 1789. *Les clercs de la basoche.* **2.** Vieilli, fam., péjor. Ensemble des gens de justice et de loi.

basophile adj. BIOCHIM Qui a de l'affinité pour les colorants basiques. *Cellule basophile.*

basophilie n. f. BIOCHIM Affinité pour les colorants basiques.

basquais, aise adj. (rare au masc.) et n. f. **1.** Du Pays basque. ▷ n. f. Habitante, femme originaire du Pays basque. **2.** Loc. CUIS *À la basquaise :* cuit avec du jambon de Bayonne, du piment doux et des tomates. *Poulet à la basquaise* ou, ellipt., *poulet basquaise.*

1. basque n. f. (le plus souvent au plur.) Pan de vêtement qui part de la taille. *Habit, redingote à longues basques.* – Loc. fig., fam. *Être pendu aux basques de qqn,* ne pas le quitter; l'importuner.

2. basque adj. et n. Du Pays basque. *Les coutumes basques.* – Subst. Habitant, personne originaire du Pays basque. *Un(e) Basque.* ▷ n. m. *Le basque :* la langue non indo-européenne, d'origine très controversée, que parlent les Basques.

basque (Pays), rég. des Pyrénées occid. qui occupe, en France, une partie des Pyr.-Atl. Le *Pays basque espagnol,* 7 261 km², 2 191 100 hab., cap. *Vitoria,* communauté autonome depuis 1979, est une région de la C.E., comprenant les provinces de Guipúzcoa, d'Álava, de Biscaye et une partie de la Navarre, berceau du peuple basque. La rég., très montagneuse, a une agric. assez développée (élevage, polyculture dans les vallées) et une industr. forte grâce aux ressources du sous-sol (plomb, zinc, fer) traitées à Eibar, Tolosa, Irún. Les ports (pêche, comm., industr.) sont import. : Bayonne, Saint-Jean-de-Luz, Bilbao. Le tourisme se joint à ces activités. – Le pays perdit son unité v. le XIe s. Les frontières actuelles furent fixées en 1659, par le traité des Pyrénées. En 1936, les prov. basques esp. formèrent un État auton. (Euzkadi), supprimé lorsque les franquistes occupèrent le pays. Le sentiment séparatiste demeura vivace; fondé en 1959, l'E.T.A. (*Euzkadi ta Askatasuna :* « le Pays basque et sa liberté ») a mené après 1968 des actions violentes, fortement réprimées (procès de Burgos, en décembre 1970). Après la mort de Franco, un statut d'autonomie limitée a été accordé (1979), mais la fraction militaire de l'E.T.A. poursuit son action terroriste. Une organisation terroriste (Iparretarak) est apparue en France v. 1980. Depuis 1986, la France a extradé vers l'Espagne un nombre important de réfugiés basques espagnols.

Basra. V. Bassorah.

bas-relief n. m. Sculpture faisant peu saillie par rapport au bloc qui lui sert de support. *Les bas-reliefs du Parthénon sont dus à Phidias.* ▷ *Sculpture en bas relief.*

Bas-Rhin. V. Rhin (Bas-).

Bass (détroit de), détroit qui sépare l'Australie de la Tasmanie (200 km de large).

Bassæ (en gr. *Bassai*), site archéologique grec (Arcadie), où se trouvent les vestiges d'un temple dorique construit en 420-417 av. J.-C. par Ictinos et dédié à Apollon Epikourios.

Bas-Saint-Laurent, rég. admin. du Québec située entre la Chaudière-Appalaches et la Gaspésie-Îles-de-la-Madeleine; 216 050 hab. V. princ. : Rimouski.

Bassani (Giovanni Battista) (Padoue, v. 1657 – Bergame, 1716), compositeur et organiste italien, important surtout par ses oratorios et cantates.

Bassani (Giorgio) (Bologne, 1916), poète, essayiste et romancier italien influencé par Joyce, Proust et Thomas Mann. Ses romans analysent des cas d'inadaptation sociale : *le Jardin des Finzi-Contini* (1968).

Bassano (famille da Ponte, dite), famille de peintres italiens. – **Jacopo** (Bassano, v. 1510 – id., 1592) inaugura un style réaliste fondé sur des effets luministes *(Adoration des bergers).* – **Francesco** (Bassano, 1549 – Venise, 1592) et **Leandro** (Bassano, 1557 – Venise, 1622), ses fils, reprirent ses thèmes pastoraux et développèrent sa manière.

Bassano del Grappa, v. d'Italie (Vénétie), sur la Brenta; 38 260 hab. Artisanat. – Victoire de Bonaparte sur les Autrichiens (1796).

1. basse n. f. MUS **1.** Partie la plus grave d'un morceau. – *Voix de basse :* voix apte à chanter les parties basses. ▷ Chanteur capable de chanter ces parties. *Chaliapine fut une célèbre basse.* ▷ Instrument de musique (à vent ou à cordes) servant à exécuter la basse. ▷ *Basse continue :* basse notée indépendamment du chant, qui servait, dans la musique ancienne, de support aux accords des différentes voix, et qui donna naissance à la *basse chiffrée,* ancêtre de la notation musicale moderne. **2.** (Toujours au plur.) Grosses cordes de certains instruments.

2. basse n. f. MAR Fond rocheux suffisamment profond pour ne jamais découvrir, mais où la mer brise aux grandes marées.

Basse-Autriche. V. Autriche.

basse-cour n. f. Cour, loges et petits bâtiments d'une exploitation rurale, où l'on élève la volaille et les lapins. *La basse-cour de la ferme. Des basses-cours.* ▷ Ensemble de ces animaux.

basse-fosse n. f. Cachot souterrain des anciens châteaux forts. ▷ *Cul-de-basse-fosse*. Des basses-fosses.*

Bassein, v. de Birmanie (Irrawaddy); 144 090 hab. Teck; riz.

bassement adv. D'une manière basse, vile. *Il a agi bassement.*

Basse-Normandie. V. Normandie (Basse-).

bassesse n. f. **1.** Vx Condition sociale humble ou obscure. *Reprocher à qqn la bassesse de sa naissance.* **2.** Dégradation morale, absence de fierté. *Bassesse de sentiments.* **3.** Action vile.

basset n. m. Chien aux pattes très courtes, le plus souvent torses.

Basse-Terre, ch.-l. du dép. de la Guadeloupe, sur la côte occidentale de l'île de Basse-Terre; 842 km²; 14 107 hab. Centre administratif et commercial. – Évêché de Basse-Terre et de Pointe-à-Pitre.

Bassigny, rég. de la haute Meuse, qui se prolonge dans les dép. de la Hte-Marne et des Vosges, consacrée à l'élevage. – Elle relevait, au Moyen Âge, des comtes de Champagne.

bassin n. m. **1.** Grand plat creux, généralement rond ou ovale. *Bassin de bronze, de porcelaine.* **2.** Pièce d'eau aménagée, de grandes dimensions. *Les bassins du parc de Versailles.* ▷ *Petit bassin* (d'une piscine) : partie de la piscine où les nageurs ont pied, où les enfants peuvent se baigner, par oppos. au *grand bassin.* **3.** MAR Plan d'eau d'un port, bordé de quais. *Bassin ouvert.* Syn. darse.– *Bassin de radoub* : cale sèche. **4.** GEOGR et GEOL Territoire dont les eaux de ruissellement vont se concentrer dans une mer ou un océan *(bassin maritime),* dans un fleuve *(bassin fluvial)* ou dans un lac *(bassin lacustre). Le bassin de la Loire.* – *Bassin fermé,* dont les eaux de ruissellement sont privées d'écoulement vers la mer. – *Bassin sédimentaire :* région en cuvette d'un socle où la sédimentation s'est effectuée en couches continues et relativement régulières, ce qui les fait affleurer en auréoles concentriques, les plus récentes au centre, les plus anciennes à la périphérie. *Le Bassin parisien.* – *Bassin d'effondrement :* zone affaissée d'un socle, plus ou moins fermée, limitée par des failles. Syn. limagne, fossé d'effondrement. – *Bassin minier :* région dont le sous-sol contient un gisement de minerais de grande étendue exploité par de nombreuses mines. *Bassin minier lorrain* (fer). *Bassin houiller.* **5.** ANAT Structure osseuse en forme de ceinture, qui constitue la base du tronc, et où s'attachent les membres inférieurs, chez les mammifères supérieurs et chez l'homme. *Fracture du bassin. Petit bassin :* partie inférieure du bassin, étroite, au niveau de laquelle se trouvent le rectum et les organes génito-urinaires.

bassine n. f. Grande cuvette servant à divers usages domestiques. *Bassine à confitures.* ▷ Contenu d'une bassine. *Une bassine d'eau.*

bassiner v. tr. [1] **1.** Anc. Chauffer avec une bassinoire. *Bassiner un lit.* **2.** Humecter, arroser légèrement. ▷ v. pron. *Se bassiner les yeux.* **3.** Fam. Lasser, ennuyer.

bassinet n. m. **1.** Vx Petite bassine, petit bassin (sens 1). ▷ Loc. fam. *Cracher au bassinet :* contribuer à quelque dépense, en général à contrecœur. **2.** HIST Calotte de fer que l'on plaçait sous le casque, au Moyen Âge. – Casque du XIVe s., arrondi, à visière mobile. ▷ Capsule d'une arme à feu à pierre, où l'on mettait l'amorce. **3.** ANAT Cavité située dans le hile rénal où se collectent les urines, qui viennent des calices et seront évacuées par les uretères.

bassinoire n. f. Anc. Bassin de métal muni d'un manche et d'un couvercle percé de trous, où l'on mettait des braises et que l'on passait dans un lit pour le chauffer.

Bassin rouge, rég. de la Chine centrale (Sichuan), traversée par le Yangzijiang. Elle doit son nom aux grès rouges qui la recouvrent. Puissamment mise en valeur, elle a une population très dense.

bassiste n. m. Musicien qui joue de la basse (c.-à-d., dans un orchestre classique, du violoncelle), de la contrebasse (dans un orchestre de danse, de jazz).

Bassompierre (François de) (Haroué, Lorraine, 1579 - Provins, 1646), maréchal et diplomate français, emprisonné par Richelieu à la Bastille (1631-1643) en raison de ses liens avec Gaston d'Orléans. Il écrivit un *Journal de ma vie,* publié en 1665.

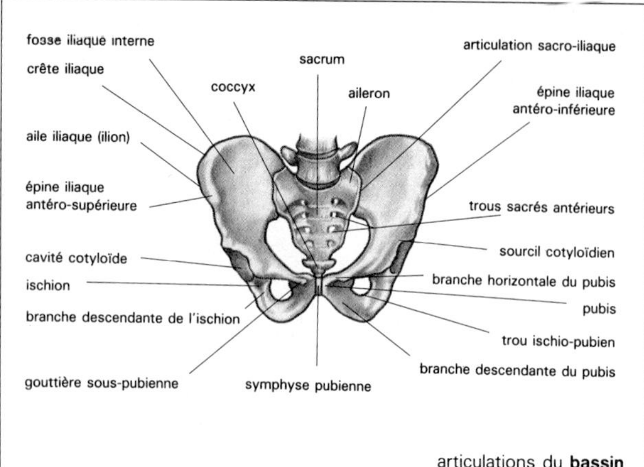

articulations du **bassin**

basson n. m. MUS Instrument à vent, en bois et à anche double, la basse de la famille des bois. ▷ Syn. de *bassoniste.*

bassoniste n. Musicien joueur de basson. ► pl. instruments de **musique**

Bassorah ou **Basra,** princ. port d'Irak, sur le Chatt al-Arab; ch.-l. du gouvernorat du m. nom.; env. 600 000 hab. Palmeraie, industr. text.; raff. de pétrole. – La v. a été très endommagée par la guerre du Golfe.

Bassov (Nicolaï Guennadievitch) (Ousman, 1922), physicien russe. Ses travaux sont à l'origine de la mise au point d'un oscillateur moléculaire à ammoniac (1956). P. Nobel 1964.

basta ! (fam.) ou **baste !** (vx, litt.) interj. Marque l'irritation ou la lassitude. *Basta ! Laisse tomber. Baste ! Je me moque de ses menaces.*

Bastia, ch.-l. du dép. de la Hte-Corse, au N.-O. de l'île; 38 728 hab. Port de comm. Aéroport *(Poretta).* – Mat. agric., manuf. de tabac; centre tourist. – Citadelle (XVe s.), égl. St-Jean-Baptiste (XVIIe-XVIIIe s.).

Bastiat (Frédéric) (Bayonne, 1801 - Rome, 1850), économiste français. Adversaire du protectionnisme et du socialisme de Proudhon, il incarna le libéralisme. Auteur des *Harmonies économiques* (1848-1850).

bastide n. f. **1.** Au Moyen Âge, ouvrage de fortification. ▷ Ville fortifiée de fondation seigneuriale, royale ou abbatiale. **2.** Mod. En Provence, petite maison de campagne.

Bastié (Maryse) (Limoges, 1898 - Lyon, 1952), aviatrice française aux nombreux records internationaux (distance et durée). Elle traversa en solitaire l'Atlantique Sud (1936).

bastille n. f. Au Moyen Âge, ouvrage de fortification détaché en avant d'une enceinte ou faisant corps avec elle. – *Par ext.* Château fort. ▷ *La Bastille :* le château qui se trouvait à l'emplacement de l'actuelle place de la Bastille, à Paris, qui fut commencé par Charles V pour défendre la ville, devint prison d'État sous Richelieu, fut pris d'assaut par le peuple (14 juillet 1789) et détruit l'année suivante. ▷ *Par métaph.* Symbole du pouvoir arbitraire.

bastingage n. m. MAR **1.** Anc. Caisson destiné à recevoir les hamacs de l'équipage, surmontant le plat-bord et les gaillards des navires de guerre, et servant à la protection contre le feu de l'ennemi. **2.** Mod. Garde-corps.

bastion n. m. MILIT Ouvrage fortifié formant saillie. – Fig. *Ce pays est le bastion de l'intolérance.*

Bastogne, ville de Belgique (Luxembourg); 11 390 hab. Industr. alim. (jambons d'Ardenne). – En déc. 1944, les Américains y résistèrent à l'encerclement all. (contre-offensive des Ardennes).

baston n. m. ou f. Arg. Bagarre.

bastonnade n. f. Coups de bâton. *La bastonnade joue un grand rôle dans certaines farces de Molière.*

bastringue n. m. **1.** Vieilli, fam. Bal de guinguette; orchestre bruyant. **2.** Fam. Tapage, vacarme. **3.** Fam. Chose quelconque. Syn. machin, truc. *Qu'est-ce que c'est que ce bastringue ?*

Basutoland. V. Lesotho.

bas-ventre n. m. Partie inférieure du ventre. *Des bas-ventres.*

bât [bɑ] n. m. Harnachement des bêtes de somme pour le transport des fardeaux. *Un bât de mulet.* ▷ Fig. *C'est là que le bât le blesse :* c'est là son point sensible, sa cause de préoccupation ou d'irritation.

Bat'a (Tomáš) (Zlín, auj. Gottwaldov, 1876 - Otrokovice, 1932), industriel

la **Bastille** lors des combats de 1789 et le plan du château

tchèque. Fondateur d'une manufacture de chaussures à Zlín, puis de multiples sociétés Bat'a dans le monde, il appliqua à ses usines des méthodes de gestion participative.

bataclan n. m. Fam. Attirail embarrassant. ▷ *Et tout le bataclan* : et cætera; et tout le reste.

bataille n. f. **1.** Combat général entre deux armées, deux flottes, deux forces aériennes. *Engager la bataille. La bataille de Marengo.* – *Troupes en bataille*, déployées pour le combat. – *Champ de bataille* : lieu où se déroule un combat. – *Cheval de bataille* : anc. cheval propre à bien servir un jour de combat; fig., mod. idée favorite, sur laquelle quelqu'un revient sans cesse. – *Ordre de bataille* : liste et implantation des unités constituant une armée qui livre bataille. ▷ Loc. *En bataille* : en désordre. *Cheveux en bataille.* **2.** Combat violent. *Bataille de chats.* – Fig. *Bataille d'idées. Bataille politique.* **3.** Jeu de cartes très simple qui se joue à deux.

Bataille (Nicolas) (fin XIVe s.), tapissier français : *l'Apocalypse* (Angers), pour le duc d'Anjou.

Bataille (Georges) (Billom, Puy-de-Dôme, 1897 – Orléans, 1962), écrivain français. L'idée de dépassement des interdits par leur propre transgression et la notion socio-économique de «dépense» sont au centre de son œuvre, où le langage joue comme «expérience des limites» : *Histoire de l'œil* (1928), *Madame Edwarda* (1937), *la Somme athéologique* (*l'Expérience intérieure*, 1943; *le Coupable*, 1944) et son complément, *Sur Nietzsche* (1945), *la Part maudite* (1949), *l'Érotisme* (1957), *le Bleu du ciel* (1957).

batailler v. intr. [1] **1.** Vx Livrer bataille, guerroyer. **2.** Mod. Discuter avec chaleur, avec âpreté. *Il a fallu batailler pour arracher cette concession.* **3.** Fam. Mener une lutte incessante. *J'ai bataillé pour faire fortune.*

batailleur, euse adj. **1.** Qui aime à se battre. *Enfant batailleur.* **2.** Qui aime la discussion, la lutte. *Tempérament batailleur.*

bataillon n. m. **1.** Vx ou litt. Troupe de combattants. **2.** Subdivision d'un régiment d'infanterie, groupant plusieurs compagnies. *Un bataillon de chasseurs. Bataillons d'Afrique* : V. bat' d'Af. ▷ Loc. fig., fam. *Inconnu au bataillon* : complètement inconnu. **3.** Fig., fam. Troupe nombreuse et peu disciplinée.

Batalha, ville du Portugal (Estrémadure); 7 000 hab. – Monastère dominicain (XIVe-XVIe s.), œuvre maîtresse de l'archi. goth. au Portugal.

bâtard, arde [batar, ard] adj. et n. **I.** adj. **1.** *Enfant bâtard*, qui est né hors du mariage. *Une fille bâtarde.* ▷ Subst. *Louis XIV légitima plusieurs de ses bâtards.* **2.** En parlant des végétaux et des animaux, qui n'est pas d'une variété, d'une race pure. *Olivier bâtard. Lévrier bâtard.* ▷ Fig. Qui est le résultat d'un mélange de genre. *Architecture d'un style bâtard.* **3.** Qui tient le milieu entre deux autres choses. ▷ CONSTR *Porte bâtarde*, intermédiaire entre une petite porte et une porte cochère. – *Ciment bâtard*, dont le liant comprend du ciment et de la chaux. ▷ Péjor. *Cette affaire s'est terminée par une solution bâtarde.* **II.** n. **1.** n. m. *Un bâtard* : un pain court. **2.** n. f. *Bâtarde* (ou *écriture bâtarde*) : écriture intermédiaire entre l'anglaise et la ronde.

bâtardise n. f. État de celui qui est bâtard. *La bâtardise est signalée sur les anciennes armoiries par une brisure particulière.*

batave adj. et n. **1.** Relatif aux Bataves. ▷ Vx ou plaisant *Habitant des Pays-Bas.* **2.** HIST *République batave* : nom des Pays-Bas sous domination française, entre 1795 et 1806.

Bataves, ancien peuple germanique établi à l'embouchure du Rhin.

batavia n. f. BOT Variété de laitue.

Batavia. V. Djakarta.

bat' d'Af n. m. Arg. (des militaires) Abrév. pour *bataillons d'Afrique*, anciens bataillons disciplinaires formés de jeunes délinquants.

bateau n. m. **1.** Nom générique des engins conçus pour naviguer. *Bateau à voile, à moteur.* – *Bateau de sauvetage*, destiné à secourir les naufragés ou les nageurs en difficulté. – *Bateau pneumatique*, constitué de flotteurs gonflés. ▷ Loc. fig. *Être du même bateau*, de la même coterie, du même bord. ▷ Fam. *Mener quelqu'un en bateau*, lui en faire accroire. – *Un bateau* : une plaisanterie, une supercherie. *Il lui a monté un bateau.* **2.** MAR Embarcation de faible tonnage (par oppos. à *navire*). **3.** DR Engin de rivière (par oppos. à *navire*, engin de mer). **4.** Abaissement de la bordure d'un trottoir devant une porte cochère. *Le stationnement est interdit le long d'un bateau.*

bateau-citerne n. m. Bateau aménagé pour le transport des liquides. *Des bateaux-citernes.*

bateau-feu n. m. Bateau fixe ou ponton portant un phare pour signaler un haut-fond dangereux. *Des bateaux-feux.*

bateau-lavoir n. m. Anc. Ponton installé au bord d'un cours d'eau pour laver le linge. *Des bateaux-lavoirs.*

Bateau-Lavoir (le), ancien immeuble de Montmartre où vécurent, au début du XXe siècle, des écrivains et des artistes encore inconnus (Picasso, Juan Gris, Max Jacob, notam.). Détruit par un incendie en 1970, après avoir été classé monument historique.

bateau-mouche n. m. Bateau de promenade sur la Seine. *Des bateaux-mouches.*

bateau-pilote n. m. Bateau qui assure un service de pilotage pour les navires. *Des bateaux-pilotes.*

bateau-pompe n. m. Bateau pourvu de pompes à incendie. *Des bateaux-pompes.*

batée n. f. Récipient pour le lavage des sables aurifères.

batéké [bateke] adj. (inv. en genre) De l'ethnie des Batékés.

Batéké(s), groupe ethnique du Congo et de la Rép. dém. du Congo, dont l'art est représenté par des statuettes anthropomorphes à «paquets magiques»; masques plats en forme de disque et à décor polychrome.

bateler v. tr. [19] Charger et transporter par bateau.

bateleur, euse n. Vieilli Personne qui, en plein air, amuse le public par des tours d'adresse, de passe-passe, mêlés de pitreries.

batelier, ère n. Personne dont le métier est de conduire les bateaux sur les cours d'eau. Syn. marinier.

batellerie n. f. Ensemble des bateaux assurant les transports sur les cours d'eau, ou sur un cours d'eau déterminé; industrie relative à ces transports. *La batellerie du Rhône.*

bâter v. tr. [1] Munir d'un bât (une bête de somme). *Bâter un mulet.* – Pp. adj. Fig. *Âne bâté* : homme très ignorant.

Bateson (Gregory) (Cambridge, G.-B., 1904 – San Francisco, 1980), anthropologue américain. Il appliqua les concepts de la théorie de la communication dans le domaine de la psychiatrie, proposant notam. une explication des causes de la schizophrénie.

bat-flanc [baflɑ̃] n. m. inv. **1.** Planche de séparation entre deux chevaux dans une écurie. **2.** Lit de planches, dans une prison, dans une caserne, etc.

Ba'th. V. Baas.

Bath, v. d'Angleterre, sur l'*Avon*; 79 900 hab. Centre cult. (festival de musique).

Báthory ou **Báthori,** anc. famille princière hongroise. – **Élisabeth** (v. 1560-1614), célèbre pour ses actes de cruauté. – **Étienne Ier Báthory.** (V. ce nom.)

Bathurst. V. Banjul.

bathy-. Élément, du gr. *bathus*, «profond».

bathyal, ale, aux [batjal, o] adj. OCEANOGR Se dit des fonds océaniques compris entre 300 et 3 000 m de profondeur, et correspondant à peu près au talus continental.

bathymètre n. m. OCEANOGR Gravimètre utilisé pour mesurer les profondeurs marines.

bathymétrie n. f. OCEANOGR Mesure, par échosondage, des profondeurs marines.

bathyscaphe [batiskaf] n. m. Appareil autonome pour l'exploration des grandes profondeurs marines.

bathysphère n. f. Sphère d'acier suspendue à un câble porteur, destinée à l'exploration des grandes profondeurs marines.

1. bâti, ie adj. **1.** Constitué, construit de telle ou telle manière. *Une maison mal bâtie.* ▷ Sur quoi on a édifié un bâtiment. *Terrain bâti.* **2.** Fig. (Personnes) *Être bien (mal) bâti* : être robuste (contrefait).

2. bâti n. m. **1.** Cadre d'une porte ou d'une croisée. *Bâti dormant*, fixe. **2.** Ensemble de montants et de traverses destiné à supporter ou à fixer une machine. **3.** Assemblage provisoire des pièces d'un vêtement avant couture. *Le bâti d'une robe.*

batifolage n. m. Fam. Action de batifoler, de folâtrer.

batifoler v. intr. [1] Fam. Jouer à la manière des enfants, en manifestant de la joie ou en s'amusant à des futilités. *Batifoler dans l'herbe.*

Batignolles (les), ancien hameau de la paroisse de Clichy, érigé en commune en 1830, incorporé à Paris en 1860 (XVIIe arr.).

batik n. m. Procédé de décoration consistant à masquer certaines zones d'un tissu avec de la cire pour empêcher leur imprégnation par la teinture. ▷ Tissu obtenu par ce procédé.

bâtiment n. m. **1.** Construction; spécial., construction destinée à l'habitation. *Corps de bâtiment. Peintre en bâtiment.* **2.** Ensemble des corps de métiers qui concourent à la construction. ▷ Fam. *Être du bâtiment* : être de la partie; s'y connaître. ▷ (Prov.) *Quand le* *bâtiment va, tout va :* l'activité dans la construction est un indice de prospérité générale. **3.** Bateau ou navire de dimensions assez importantes. *Bâtiment de ligne :* cuirassé ou croiseur de bataille.

bâtir **I.** v. tr. [3] **1.** Construire, édifier. *Bâtir une maison.* ▷ Loc. fig. *Bâtir en l'air* ou *sur le sable.* – *Être bâti à chaux et à sable.* V. sable. **2.** Faire construire. *Les pharaons qui ont bâti les pyramides.* **3.** Fig. Établir, fonder. *Bâtir sa fortune sur d'audacieuses spéculations.* **4.** Assembler à grands points les parties d'un vêtement. *Bâtir un chemisier.* **II.** v. pron. Être construit. *Cette maison s'est bâtie rapidement.*

bâtissable adj. Sur lequel on peut bâtir.

bâtisse n. f. Grand bâtiment sans caractère ou prétentieux.

bâtisseur, euse n. **1.** Personne qui fait construire de nombreux bâtiments. *Louis XIV fut un grand bâtisseur.* ▷ Personne qui participe à la construction de qqch. **2.** Fig. *Lyautey, bâtisseur d'empires.*

Batista y Zaldívar (Fulgencio) (Banes, 1901 – Marbella, Espagne, 1973), militaire et homme politique cubain. Président de la République (1940-1944), il revint au pouvoir par un coup d'État en 1952 et exerça une dictature impitoyable; il fut renversé par Fidel Castro (1959).

batiste n. f. Toile de lin d'un tissu très fin et serré.

Batleïtouse. V. Balaïtous.

Batna, ville d'Algérie, au nord de l'Aurès; 190 000 hab.; ch.-l. de la wil. du m. nom. Centre commercial.

bâton n. m. **1.** Morceau de bois long et mince, souvent fait d'une branche d'arbre. *Bâton noueux. Coups de bâton.* – Fig. *Bâton de vieillesse :* personne qui assiste une personne âgée. ▷ (Canada) *Bâton de base-ball :* batte de base-ball. ▷ *Bâton de commandement :* bâton porté en signe d'autorité, par certains chefs militaires ou civils, à diverses époques de l'histoire. – *Bâton de maréchal :* insigne de la dignité de maréchal de France. ▷ Loc. fig. *Mettre des bâtons dans les roues :* créer des difficultés. **2.** Objet en forme de bâtonnet. *Un bâton de colle.* ▷ Loc. *Parler à bâtons rompus,* sans suite, avec des interruptions ou en changeant fréquemment de sujet. **3.** Trait, barre que fait un enfant qui apprend à écrire, à compter. **4.** ENTOM *Bâton du diable :* nom cour. d'un phasme.

bâtonnat n. m. Fonction d'un bâtonnier de l'ordre des avocats; durée de sa fonction.

bâtonner v. tr. [1] Frapper à coups de bâton.

bâtonnet n. m. **1.** Petit bâton; petit objet en forme de bâton. **2.** ANAT Cellules nerveuses photoréceptrices de la rétine, responsables de la vision en lumière faible (vision *scotopique*) et de la vision en noir et blanc.

bâtonnier n. m. Chef et représentant de l'ordre des avocats, dans le ressort de chaque barreau. *Le bâtonnier est élu annuellement par ses confrères et préside le conseil de l'ordre.*

Baton Rouge, v. des É.-U., cap. de la Louisiane, sur le bas Mississippi; 220 000 hab. (aggl. urb. 550 000 hab.). Import. raff. de pétrole, industrie chimique.

Batoumi, v. de Géorgie, cap. de la République d'Adjarie; 138 000 hab. Ce port sur la mer Noire est proche de la frontière turque. Chemin de fer (le Transcaucasien) et oléoduc le relient à Bakou, sur la mer Caspienne. Raffineries de pétrole. Ancien comptoir grec. Longtemps disputée entre les Géorgiens et les Turcs, qui la gardèrent finalement au XVIIIe s., la ville passa à la Russie en 1878.

batraciens n. m. pl. ZOOL Anc. nom des amphibiens.

battage n. m. Action de battre. *Battage des tapis.* – *Battage des céréales,* pour séparer le grain des épis. – *Battage de l'or :* martelage des lames d'or pour les réduire en feuilles très minces. – *Battage de pieux :* enfoncement de pieux dans un terrain peu résistant, par ex. pour servir de fondation à une construction. ▷ Fig. et fam. *Faire du battage :* faire une publicité tapageuse et excessive.

Battambang, v. du Cambodge, à l'O. du Tonlé Sap; 60 000 hab.; ch.-l. de la prov. du m. nom.

Battani (al-) (en lat. *Albatenius* ou *Albategnus*) (Harran [auj. Turquie], 858 – Qsr al-Driss, près de Samarra, Irak, 929), mathématicien et astronome arabe. Il améliora, grâce à la trigonométrie, les méthodes géométriques de Ptolémée et obtint des mesures précises de nombreux paramètres relatifs à l'orbite terrestre (saisons, équinoxes, inclinaison de l'écliptique). Il a laissé un traité d'astronomie, le *Zidj.*

1. battant, ante adj. Qui bat. *Pluie battante,* abondante et violente. *Porte battante,* qui se referme d'elle-même. ▷ Fig. *Faire une chose tambour battant,* avec célérité et autorité.

2. battant n. m. **1.** Marteau intérieur d'une cloche. **2.** Vantail d'une porte ou d'une fenêtre. *Ouvrir une porte à deux battants.* **3.** MAR Dimension horizontale d'un pavillon, qui bat au vent (par oppos. à *guindant,* dimension verticale).

3. battant, ante n. Sportif particulièrement combatif. ▷ Personne énergique, qui aime à combattre. *Cet homme politique est un battant.*

batte n. f. **1.** TECH Action de battre l'or ou l'argent pour le réduire en feuilles très minces. **2.** Maillet de bois plat, à long manche. **3.** Sabre de bois de certains personnages de comédie (Arlequin notam.). **4.** SPORT Bâton à bout renflé qui sert à renvoyer la balle au base-ball, au cricket.

battement n. m. **I. 1.** Choc, bruit que produit ce qui bat; mouvement de ce qui bat. *Battement de mains, d'ailes.* – *Les battements du cœur,* ses pulsations. **2.** PHYS Oscillation d'amplitude due à l'interférence de deux ondes de fréquences voisines. *Le phénomène de battement est utilisé en radio pour obtenir la moyenne fréquence.* **3.** Intervalle de temps, délai. *Laissons une heure de battement entre les séances.* **II.** CONSTR **1.** Pièce contre laquelle s'applique le battant d'une porte. **2.** Pièce d'arrêt pour les persiennes.

Battenberg (Alexandre de) (Vérone, 1857 – Graz, 1893), premier prince de Bulgarie (1879-1887). Il abdiqua en raison de l'hostilité russe à sa politique.

batterie n. f. **1.** Réunion de bouches à feu. *Une batterie de 105.* ▷ Subdivision d'un groupe d'artillerie; matériel composant l'armement de cette unité. *Une batterie comporte, en général, 4 à 8 pièces et le personnel nécessaire à leur service.* ▷ MAR Emplacement des canons sur un vaisseau de guerre. ▷ Loc. *Mettre en batterie :* disposer pour le tir (une pièce d'artillerie). – Fig. *Changer ses batteries :* modifier ses projets. **2.** *Batterie de cuisine :* ensemble des ustensiles qui servent à la cuisine. **3.** ELECTR Ensemble de piles, d'accumulateurs, de condensateurs associés en série ou en parallèle. *Batterie (d'accumulateurs) d'une voiture.* ▷ Fig. *Recharger ses batteries :* reprendre des forces. **4.** Ensemble de machines semblables. *Une batterie de téléscripteurs.* **5.** AGRIC *Élevage en batterie :* élevage industriel. **6.** MUS Nom collectif des instruments de percussion dans l'orchestre. ▷ Formule rythmique, ponctuant la vie militaire, exécutée sur le tambour. ▷ Figure musicale formée d'accords brisés ou arpégés, répétée pendant plusieurs temps ou plusieurs mesures.

batteur n. m. **1.** Celui qui effectue le battage des céréales. **2.** Celui qui bat les métaux. *Batteur d'or.* **3.** Musicien qui joue de la batterie dans un orchestre de jazz, de danse. **4.** Instrument pour battre les œufs, la crème, etc. **5.** Dans une batteuse, pièce cylindrique tournant à très grande vitesse, garnie de battes qui frappent les épis pour en détacher les grains.

batteuse n. f. **1.** Machine transformant les métaux en feuilles par martelage. **2.** Machine servant à séparer les grains de la balle et de la paille.

Batthyány (Lajos) (Presbourg, 1806 – Pest, 1849), homme polit. hongrois. Nationaliste, président du Conseil en 1848, il fut fusillé après l'échec de la révolution hongroise.

battle-dress [batəldʀɛs] n. m. inv. (Anglicisme) MILIT Tenue de combat à veste courte.

battoir n. m. Instrument qui sert à battre (le linge). – Fig., fam. Main grosse et large.

battre v. [61] **A.** v. tr. **I. 1.** Donner des coups à, frapper (un être vivant). *Battre un homme à terre. Battre qqn avec un bâton, une matraque.* **2.** Vaincre, avoir le dessus sur (qqn, un groupe). *Il a battu tous les candidats. Notre équipe de rugby a battu celle de la ville voisine.* ▷ Par ext. *Battre un record.* **II. 1.** Donner des coups sur (qqch) avec un instrument. *Battre un tapis, des tentures avec une tapette pour en faire sortir la poussière. Battre l'or, l'argent,* pour le réduire en feuilles très minces. – *Battre monnaie :* fabriquer des pièces de monnaie. ▷ *Battre le fer sur l'enclume.* – Loc. fig. et prov. *Il faut battre le fer quand il est chaud :* il faut profiter sans attendre de l'occasion qui se présente. **2.** Remuer, mêler en frappant à petits coups. *Battre des œufs :* mêler le blanc et le jaune. *Battre des œufs en neige*.* ▷ Par ext. *Battre les cartes,* les mélanger avant de jouer. **3.** *Battre les buissons,* les fouiller avec un bâton pour faire sortir le gibier. ▷ Par ext. *Battre le pays, la contrée, la campagne,* les parcourir pour faire des recherches. *Battre la région pour retrouver un criminel.* – Fig. *Battre la campagne :* laisser son esprit, son imagination errer, rêver. **4.** *Battre le tambour :* jouer du tambour. ▷ *Battre la retraite, le rappel :* jouer l'air de la retraite, du rappel sur le tambour. – Fig. *Battre le rappel :* appeler, rassembler des personnes. **5.** Loc. *Battre la semelle :* frapper le sol avec chaque pied alternativement (pour se réchauffer). – *Battre le pavé :* le fouler en marchant; fig. errer. **6.** (Choses) Heurter, frapper contre. *La mer bat les rochers. La pluie bat les carreaux. Le vent lui bat le visage.* **7.** MAR *Battre pavillon français, grec,* etc. : arborer au mât de pavillon le pavillon français, grec, etc. **III.** v. pron. **1.** Se porter des coups, lutter. *Deux enfants qui se battent.* **2.** Combattre, entrer en conflit, en lutte avec un adversaire. *Nos troupes se battent depuis plusieurs mois. Se battre pour obtenir une augmentation de salaire.* **B.** v. intr. et v. tr. indir. **1.** Être agité de mouvements répétés. *Le cœur bat. La porte bat dans le vent.* **2.** *Battre contre :* frapper. *Les volets battent contre le mur.* **3.** Agiter (une partie du corps) de façon répétée. *Battre des mains. Battre des paupières.* – Fig. *Battre de l'aile :* aller mal, être instable. *Une affaire commerciale qui bat de l'aile.* **4.** *Le tambour bat :* on bat le tambour. **C.** Loc. fig. **1.** *Battre froid à qqn,* être froid, inamical avec lui. **2.** (Choses) *Battre son plein :* se trouver à son plus haut degré. *Les festivités battent leur plein.*

battu, ue adj. **1.** Défait, vaincu. *Armée, équipe battue.* **2.** Qui a reçu des coups. *Un chien battu.* ▷ Fig. *Avoir les yeux battus,* cernés, qui marquent la fatigue. *Une mine battue :* un air fatigué. **3.** Foulé, tassé. *Terre battue. Sentiers, chemins battus,* très fréquentés. – Fig. *Suivre les sentiers battus :* agir comme tout le monde, sans originalité. **4.** (Choses) Exposé aux coups de. *Falaise battue par les vents.* **5.** CHOREGR *Pas, jeté battu,* accompagné de battements des jambes.

battue n. f. Action de battre le terrain pour en faire sortir le gibier et le rabattre vers les chasseurs. ▷ *Par ext.* Action de battre le terrain pour rechercher un malfaiteur, un animal égaré, une personne disparue, etc.

batture n. f. (Canada) Portion du littoral découverte à marée basse. *Un bateau échoué sur la batture.*

Bātū khān (v. 1204-1255), petit-fils de Gengis khān. Khān de la Horde d'Or (1241-1245), il conquit la Russie, l'Ukraine et la Pologne.

Baty (Gaston) (Pélussin, Loire, 1885 – id., 1952), directeur de théâtre et metteur en scène français. Ses mises en scène furent marquées par la suprématie du décor et des éclairages.

Batz (île de), île de la Manche et com. du Finistère (*Île-de-Batz;* arr. de Morlaix), en face de Roscoff; 752 hab. Stat. balnéaire.

Bauchant (André) (Château-Renault, 1873 – Montoire, 1958), peintre français; l'un des grands représentants de l'art naïf.

baud [bo] n. m. TELECOM Unité de vitesse de modulation en télégraphie et en téléinformatique.

Baudelaire (Charles) (Paris, 1821 – id., 1867), poète français. D'une nature complexe, partagé entre «l'horreur et l'extase de la vie», entre le péché et la pureté, il est proche des romantiques; parnassien par son goût de la forme, il annonce le symbolisme par la puissance suggestive de ses vers. La publication, en 1857, des *Fleurs du mal* (son unique recueil de vers) fit scandale et lui valut des poursuites judiciaires. Dans un style prodigieusement vivant, il a écrit des chroniques littéraires et artistiques (*Curiosités esthétiques, l'Art romantique,* posth., 1868), des poèmes en prose (*le Spleen de Paris,* posth., 1869), des journaux intimes (*Fusées,* 1851; *Mon cœur mis à nu,* 1862-1864). Ses traductions d'Edgar Allan Poe sont des chefs-d'œuvre du genre.

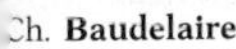

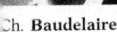

Ch. Baudelaire — Baudouin Ier

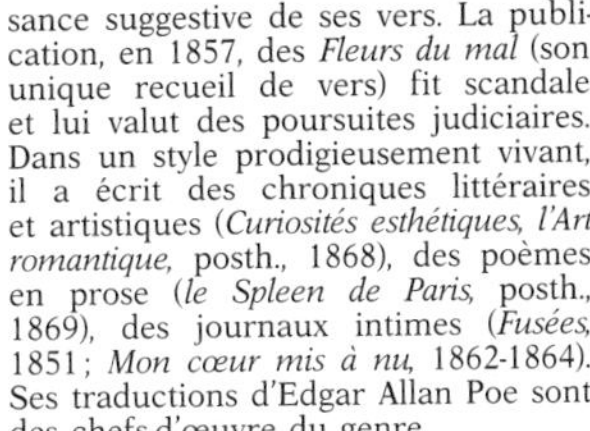

Baudelocque (Jean-Louis) (Heilly, Picardie, 1746 – Paris, 1810), obstétricien français; auteur de nombreux ouvrages sur l'accouchement. Un hôpital parisien porte son nom.

baudet n. m. Fam. Âne. – Loc. *Être chargé comme un baudet,* très chargé. – *Spécial.* Âne étalon.

Baudin (Alphonse) (Nantua, 1811 – Paris, 1851), homme politique français. Député à l'Assemblée législative de 1849, il tenta de s'opposer, avec les ouvriers parisiens, au coup d'État du 2 Décembre et fut tué sur une barricade.

Baudot (Anatole de) (Sarrebourg, 1834 – Paris, 1915), architecte français. Élève de Viollet-le-Duc, il employa, l'un des premiers, le ciment armé (église St-Jean-l'Évangéliste de Montmartre, 1894-1904).

Baudot (Émile) (Magneux, Haute-Marne, 1845 – Sceaux, 1903), ingénieur français; inventeur du premier appareil télégraphique imprimant (1874).

Baudouin, nom de deux empereurs latins d'Orient. – **Baudouin Ier** (Valenciennes, 1171 – en Orient, v. 1206), empereur de 1204 à 1205, fut l'un des chefs de la 4e croisade. – **Baudouin II** (1217-1273), empereur de 1240 à 1261.

Baudouin, nom de neuf comtes de Flandre, de six comtes de Hainaut, de cinq rois de Jérusalem. – **Baudouin IV,** dit le Roi lépreux (1160-1185), roi de Jérusalem de 1174 à 1185, vainquit par deux fois Saladin.

Baudouin Ier (Bruxelles, 1930 – Motril, Espagne, 1993), roi des Belges. Il avait accédé au trône après l'abdication de son père, en 1951. Son frère, Albert II, lui a succédé.

Baudouin de Courtenay (Jan Ignacy) (Radzymin, 1845 – Varsovie, 1929), linguiste polonais. Le premier, il proposa une distinction entre phonétique acoustique et articulatoire et phonétique fonctionnelle, ouvrant la voie à la phonologie.

Baudricourt (Robert de), capitaine de Vaucouleurs. Il fit escorter Jeanne d'Arc quand elle alla trouver Charles VII à Chinon (1429).

baudrier n. m. **1.** Bande de cuir ou d'étoffe qui se porte en écharpe et qui soutient une arme, un tambour. **2.** Harnais d'alpiniste ou de spéléologue.

Baudrillard (Jean) (Reims, 1929), sociologue et philosophe français. Selon lui, la production est irrationnelle, de même que la provocation du désir chez le consommateur : *le Système des objets* (1968), *Pour une critique de l'économie politique du signe* (1972), *l'Échange symbolique et la Mort* (1976), *De la séduction* (1980).

baudroie n. f. Poisson téléostéen marin qui attire les petits poissons en agitant devant son énorme gueule un lambeau membraneux de sa nageoire dorsale. (Nom usuel : *lotte de mer.*)

baudroie exhibant son leurre

baudruche n. f. **1.** Membrane très mince faite avec les intestins du bœuf ou du mouton. ▷ Anc. Ballon de cette membrane. **2.** Fig. Homme sans caractère, sans volonté.

bauge n. f. **1.** Lieu fangeux où gîte le sanglier. Syn. souille. ▷ Fig. Habitation sale et mal tenue. **2.** Mortier de terre grasse mêlée de paille. Syn. torchis.

Bauges (les), massif des Préalpes, en Savoie, entre les cluses d'Annecy et de Chambéry; culmine à 1 704 m. Réserve naturelle. Élevage.

Bauhaus (*Staatliches Bauhaus,* «maison d'État du bâtiment»), centre d'enseignement esthétique et tech. fondé en 1919 à Weimar par l'architecte Walter Gropius. Ses princ. réalisations relèvent des arts décoratifs et sont à l'origine du développement du *design.* La section d'architecture (ouverte seulement en 1927) joua un rôle déterminant (théories rationalistes et fonctionnalistes). Le Bauhaus, transféré à Dessau (1925) puis à Berlin (1932), fut fermé par les nazis en 1933. La plupart de ses anciens membres, (Moholy-Nagy, Mies van der Rohe et Gropius, notam.), se réfugièrent en Suisse et, surtout, aux États-Unis.

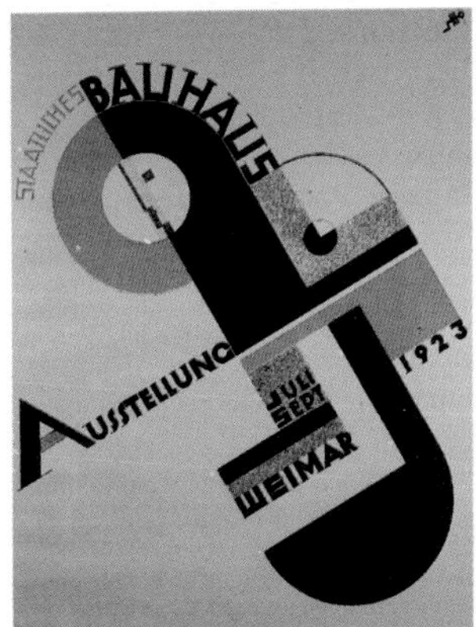

affiche pour une exposition du **Bauhaus,** par J. Schmidt

Baule-Escoublac (La), ch.-l. de cant. de la L.-Atl. (arr. de Saint-Nazaire), à l'O. de Saint-Nazaire; 15 018 hab. Grande station balnéaire. Quincaillerie.

Baulieu (Etienne-Emile) (Strasbourg, 1926) médecin et endocrinologue français. Il a mis au point la pilule abortive RU 486 et une hormone stéroïde (la DHEAS).

baume [bom] n. m. **1.** Substance résineuse et odorante qui coule de certains végétaux. ▷ *Baume du Canada :* résine extraite d'une espèce de sapin *(sapin baumier)*, abondant au Canada, de même indice de réfraction que le verre et utilisée pour coller des pièces d'optique (prismes, lentilles, etc.). **2.** Anc. Médicament aromatique à usage externe (frictions ou onctions). ▷ Fig. Apaisement, consolation. *Cette heureuse nouvelle est un baume pour son chagrin.*

Baumé (Antoine) (Senlis, 1728 - Paris, 1804), pharmacien et chimiste français; auteur de nombreux ouvrages de chimie. Il a mis au point un aréomètre *(aréomètre Baumé)*.

Baur (Harry) (Paris, 1880 - id., 1943), acteur de théâtre et de cinéma français. Après une carrière au théâtre (création du personnage de César dans *Fanny*), il imposa au cinéma un personnage haut en couleur, truculent et matois à la fois, qui assura sa popularité. Il tourna notam. avec J. Duvivier (*Poil de carotte*, 1932), R. Bernard (*les Misérables*, 1934) et M. Tourneur (*Volpone*, 1940). ▶ illustr. **Tourneur**

Bausch (Pina) (Solingen, 1940), chorégraphe allemande, issue du mouvement expressionniste; les créations du Tanztheater de Wuppertal, qu'elle a fondé en 1974, ont profondément marqué la danse contemporaine : *le Sacre du printemps* (1975), *Kontakthof* (1978).

Pina **Bausch** : *Palermo, Palermo*, 1991

Bautzen, v. d'Allemagne (Dresde), sur la Sprée; 49 340 hab. Métall., text. - Victoire de Napoléon sur les Russes et les Prussiens (1813).

baux. V. bail.

Baux-de-Provence (Les), com. des B.-du-Rh. (arr. d'Arles); 458 hab. - Aggl. classée monument hist. : nombr. demeures de la Renaiss.; église romane St-Vincent; manoir de la tour de Brau (XIVe s.); ruines du chât. féodal (donjon du XIIIe s.).

bauxite n. f. Minerai renfermant surtout de l'alumine hydratée, plus ou moins mêlée d'oxydes de fer et de silicium, dont on extrait l'aluminium. *Le premier gisement de bauxite a été découvert aux Baux-de-Provence.*

bavard, arde adj. et n. **1.** Qui parle beaucoup, qui aime parler. ▷ Subst. *Un bavard impénitent.* **2.** Qui commet des indiscrétions.

bavardage n. m. **1.** Action de bavarder. **2.** Propos vains, indiscrets ou médisants.

bavarder v. intr. [1] **1.** Parler avec excès. **2.** Parler familièrement avec qqn, causer. **3.** Divulguer ce qu'on devrait taire.

1. bavarois, oise adj. et n. De Bavière. ▷ Subst. Habitant ou personne originaire de la Bavière. *Un(e) Bavarois(e).*

2. bavarois n. m. ou **bavaroise** n. f. Entremets froid à base de crème anglaise et de gélatine, diversement parfumé, désigné autrefois sous le nom de *fromage bavarois.*

bavasser v. intr. [1] Fam. Bavarder, partic. en calomniant autrui.

bave n. f. **1.** Salive visqueuse qui s'échappe de la bouche d'une personne, ou de la gueule d'un animal. **2.** Sécrétion gluante de certains mollusques. *Bave d'escargot.*

baver v. intr. [1] **1.** Laisser couler de la bave. **2.** Fig., fam. *Baver de* : être saisi d'un sentiment violent. *Baver d'envie, d'admiration.* **3.** Arg. Parler. - Fig., vieilli *Baver sur qqn*, le salir de calomnies. **4.** Fig., fam. *En baver* : passer par de rudes épreuves. *Il en a bavé pour réussir.* **5.** Faire des bavures.

bavette n. f. **1.** Partie supérieure d'un tablier. **2.** En boucherie, morceau situé au-dessous de l'aloyau. **3.** Loc. fam. *Tailler une bavette* : bavarder.

baveux, euse adj. **1.** Qui bave. ▷ Fig. *Omelette baveuse*, peu cuite et molle. **2.** Qui présente des bavures.

Bavière (en all. *Bayern*), Land du S.-E. de l'Allemagne; 70 547 km²; 11 800 000 hab.; cap. *Munich*. Limitée au S. par les Préalpes calcaires qui retombent sur le plateau bavarois découpé par les affl. du Danube, et au N.-E. par des massifs anciens, la Bavière est traversée d'O. en E. par le Danube, au N. duquel s'étend une partie du bassin de Souabe-Franconie, drainé par le Main. Le climat semi-continental et les milieux variés permettent une agriculture diversifiée, alors que le patrimoine naturel et culturel assure un tourisme actif. Puissante région industrielle, (auto., matériel électrique, text., agroalim., industries de pointe), la Bavière montre un important dynamisme économique et Munich est l'une des métropoles les plus attractives de la C.É.E. - Occupée par les Celtes, puis par les Rom., la rég. subit les invasions barbares; elle fit partie (788) de l'État carolingien. Royaume, devenu en 911 un duché, qui appartint aux guelfes de 1070 à 1180, la Bavière passa aux Wittelsbach (1180-1918). Maximilien IV reçut le titre de roi de Bavière (1806) en raison de son alliance avec Napoléon et agrandit son État, qui entra en 1871 dans l'Empire allemand malgré les désirs d'indépendance de Louis II, dont les constructions ont marqué le pays. Après 1919, la Bavière vit naître et se développer le nazisme. Elle fut occupée en 1945 par les Américains.

bavoir n. m. Pièce de tissu munie d'une attache, destinée à protéger des salissures la poitrine des bébés.

bavolet n. m. Anc. **1.** Coiffure de paysanne. **2.** Étoffe ornant par-derrière une coiffure de femme.

bavure n. f. **1.** Trace des joints du moule sur un objet moulé. **2.** Trace d'encre ou de couleur débordant d'un trait peu net. ▷ Fig. Imperfection d'un travail. *Un travail sans bavures*, irréprochable. - Par euph. *Cette opération de police a comporté des bavures*, des actes (notam. de violence), des faits qui débordent le cadre du droit et de l'éthique.

bayadère [bajadɛʀ] n. f. Danseuse indienne. ▷ (En appos.) *Étoffe bayadère*, à raies multicolores.

Bayard (col), col (1 246 m) des Alpes du Dauphiné, entre les vallées du Drac et de la Durance.

Bayard (Pierre Terrail, seigneur de) (château de Bayard, près de Grenoble, 1476 - près de Romagnano, Milanais, 1524), gentilhomme français. Il s'illustra dans les guerres menées par Charles VIII, Louis XII et François Ier, et fut surnommé *le Chevalier sans peur et sans reproche*; mortellement blessé lors de la retraite de l'armée du Milanais.

Bayard (Hippolyte) (Breteuil, 1801 - Nemours, 1887), photographe français qui réalisa, en 1839, les premiers positifs directs sur papier.

Bāyazīd. V. Bajazet.

bayer v. intr. [21] Loc. *Bayer aux corneilles* : regarder en l'air niaisement. (Ne pas confondre avec bâiller.)

Bayeux, ch.-l. d'arr. du Calvados, sur l'*Aure*; 15 106 hab. (*Bayeusains*). Industr. alim.; mat. électr.; activité bancaire. - Évêché de Bayeux et de Lisieux. Cath. goth. (en majeure partie du XIIIe s.). La bibliothèque abrite la broderie attribuée à la reine Mathilde, dite *tapisserie de Bayeux*, exécutée sur une bande de toile bise (70,34 m de long) et représentant la conquête de l'Angleterre par les Normands. - Anc. cap. du Bessin. Première v. de France libérée par les Alliés (8 juin 1944).

Bayle (Pierre) (Le Carla, Ariège, 1647 - Rotterdam, 1706), philosophe français, auteur des *Pensées sur la comète* (1694) et d'un *Dictionnaire historique et critique* (1695-1697). D'une grande érudition, sceptique, tolérant, il influença la pensée philosophique du XVIIIe s., en partic. les encyclopédistes.

Baylén. V. Bailén.

Bayon (le), célèbre temple khmer (fin XIIe-début XIIIe s.) du site d'Angkor.

bayonnais, aise adj. et n. De Bayonne. - Subst. *Un(e) Bayonnais(e).*

Bayonne, ch.-l. d'arr. des Pyr.-Atl., sur l'Adour, à 6 km de l'Atlant.; 41 846 hab. (env. 164 400 hab. dans l'aggl.). Port exportant le soufre de Lacq. Industr. électron., chim.; mat. de constr. - Évê-

tapisserie de **Bayeux** (détail) : l'armée anglaise lors de la bataille de Hastings commandée par le roi Harold II, XIe s.; centre Guillaume-le-Conquérant, Bayeux

ché. Cath. Ste-Marie (XIIIe-XIVe s.). Remparts de Vauban. Musées. – Lors de l'*entrevue de Bayonne* (1808), Charles IV d'Espagne abdiqua en faveur de Napoléon Ier.

bayou [baju] n. m. Partie de méandre recoupée et occupée par un lac, ou bras mort d'un delta, en Louisiane.

Bayreuth, v. d'All. (Bavière), sur le Main; 72 330 hab. Porcelaines. – Louis II de Bavière y fit construire un théâtre (1876) spécialement conçu pour la représentation des œuvres de Wagner; festival annuel.

Bazaine (François Achille) (Versailles, 1811 – Madrid, 1888), maréchal de France (1864). Il dirigea l'expédition du Mexique et commanda l'armée de Lorraine (1870). Bloqué dans Metz avec 180 000 hommes, il capitula (27 oct.); sa condamnation à mort, en 1873, fut commuée en détention; il s'évada et se réfugia à Madrid (1874).

Bazaine (Jean) (Paris, 1904), peintre français, coloriste vigoureux qui s'est particulièrement illustré dans la composition monumentale : mosaïques (palais de l'Unesco et Maison de la radio) et vitraux (églises d'Assy, 1950, et Saint-Séverin à Paris). Il est l'auteur de *Notes sur la peinture d'aujourd'hui*, 1948.

bazar n. m. **1.** Marché public, en Orient. **2.** Magasin où l'on vend toutes sortes d'objets. **3.** Fig., fam. Lieu où tout est en désordre. ▷ Objets en désordre.

Bazard (Armand ou Saint-Amand) (Paris, 1791 – Courtry, 1832), fondateur de la Charbonnerie en France, un des propagateurs influents du saint-simonisme.

bazarder v. tr. [1] Fam. Se défaire à bas prix de. *Bazarder ses vieux livres.*

Bazille (Frédéric) (Montpellier, 1841 – Beaune-la-Rolande, 1870), peintre français pré-impressionniste (*la Robe rose*, 1864).

Bazin (René) (Angers, 1853 – Paris, 1932), romancier français, catholique traditionaliste : *la Terre qui meurt* (1899), *les Oberlé* (1901), etc. Acad. fr. (1903).

Bazin (Jean-Pierre Hervé-Bazin, dit Hervé) (Angers, 1911 – *id.*, 1996), romancier français, petit-neveu du préc. : *Vipère au poing* (1948), *la Mort du petit cheval* (1950), *Qui j'ose aimer* (1956), *le Matrimoine* (1967).

bazooka [bazuka] n. m. MILIT Lance-roquettes antichar portatif.

B.B.C. Sigle de *British Broadcasting Corporation.* Service officiel de radiodiffusion et télévision britannique.

B.C.B.G. adj. Fam. Abrév. de *bon chic* bon genre.*

B.C.E. (sigle de *Banque centrale européenne*), institution qui a en charge, depuis le 1er janvier 1999, de gérer la politique monétaire de la zone euro.

B.C.G. n. m. (Nom déposé.) Sigle de (vaccin) *bilié de Calmette et Guérin.* Vaccin antituberculeux.

B.D. ou **bédé** n. f. Abrév. fam. de *bande* dessinée.*

Be CHIM Symbole du béryllium.

Beachy Head, promontoire de la côte S. de G.-B. (Sussex), près de l'île de Wight. – Tourville y remporta une victoire navale sur les Anglo-Holl. (bataille de Bévéziers, 1690).

beagle [bigl] n. m. Chien basset à jambes droites. ► pl. **chiens**

béance n. f. Vx ou litt. État de ce qui est béant.

béant, ante adj. Largement ouvert.

Beardsley (Aubrey Vincent) (Brighton, 1872 – Menton, 1898), peintre, dessinateur, illustrateur et affichiste anglais. Son inspiration érotique (*Salomé* d'O. Wilde) s'exprime en lignes sinueuses.

Béarn, anc. prov. franç., auj. partie du dép. des Pyr.-Atl. La vicomté de Béarn, créée v. 820, rattachée à l'Aquitaine, passa aux maisons de Foix (1290), d'Albret (1484) et de Bourbon (1548); réunie à la couronne en 1620. Elle eut pour cap. *Pau* (1464).

béarnais, aise adj. et n. Du Béarn. ▷ n. f. *Béarnaise* ou *sauce béarnaise* : sauce relevée à base de vinaigre, d'herbes aromatiques, de beurre et d'œufs, pour accompagner la viande et le poisson.

béat, ate adj. **1.** Bienheureux, tranquille. *Mener une vie béate.* **2.** Satisfait de soi-même et un peu niais. **3.** Qui exprime la béatitude. *Une mine béate.*

béatement adv. De façon béate.

béatification n. f. RELIG CATHOL Acte du pape mettant au rang des bienheureux une personne décédée, à qui peut être rendu un culte public provisoire.

béatifier v. tr. [2] RELIG CATHOL Mettre au rang des bienheureux.

béatifique adj. Qui donne la félicité céleste. *Vision béatifique* : vision de Dieu dont jouissent, au ciel, les élus.

béatitude n. f. **1.** État de plénitude heureuse, de grand bonheur. **2.** Bonheur parfait de l'élu au ciel. **3.** *Les Béatitudes* : les huit sentences du Christ, commençant par le mot *beati* (« bienheureux »), qui ouvrent le Sermon sur la Montagne et détaillent les voies d'accès au royaume des cieux.

Beatles (Les), groupe anglais de musique pop, fondé en 1962 à Liverpool et dissous en 1970 à Londres. Il comprenait *George Harrison* (Liverpool, 1943), guitare solo, *John Lennon* (Liverpool, 1940 – New York, 1980), guitare d'accompagnement, *Paul McCartney* (Liverpool, 1942), guitare basse, et *Ringo Starr*, pseudonyme de Richard Starkey (Liverpool, 1940), batterie.

Les **Beatles**

beatnik [bitnik] n. et adj. **1.** n. Aux États-Unis, adepte de la *beat generation* (mouvement littéraire et phénomène social qui naquit au début des années 1950 et qui s'affirmait en prenant le contre-pied du mode de vie américain traditionnel). **2.** n. Vieilli Jeune homme, jeune fille affirmant son opposition à la morale sociale et aux valeurs traditionnelles par son mode de vie, son comportement, son habillement. **3.** adj. *La génération beatnik.*

Beaton (sir Cecil) (Londres, 1904 – Salisbury, 1980), photographe et décorateur britannique. Portraitiste mondain, il réalisa de nombreux décors pour le cinéma et pour des ballets.

Béatrice Portinari (Florence, v. 1265 – id., v. 1290), jeune Florentine immortalisée par Dante dans *la Divine Comédie.*

Beatrix Ire (chât. de Soestdijk, 1938), reine des Pays-Bas, fille aînée de Juliana Ire, à qui elle succéda le 30 avril 1980.

Beatty (David, 1er comte) (Dublin, 1871 – Londres, 1936), amiral brit. Il s'illustra à la bataille du Jutland (1916) et commanda la flotte anglaise de la mer du Nord (1916-1918).

Beatty (Henry Warren Beatty, dit Warren) (Richmond, Virginie, 1937), acteur et cinéaste américain. Jeune premier au charme romantique, révélé par *la Fièvre dans le sang* (1961), il remporte un Oscar pour *Bonnie and Clyde* (1967). Ensuite, il réalise *Reds* (1981), biographie de John Reed, et *Dick Tracy* (1990).

1. beau ou **bel, belle** adj. (La forme *bel* s'emploie devant les noms masculins singuliers commençant par une voyelle ou un h muet. *Un bel enfant, un bel homme.*) **I.** Qui suscite un plaisir esthétique, qui plaît par l'harmonie de ses formes, de ses couleurs, de ses sons. *Une belle maison.* Ant. laid. – Loc. fam. *Se faire beau* : s'habiller avec soin. ▷ Loc. Vieilli *Le beau sexe* : le sexe féminin. **II.** Qui suscite l'admiration. **1.** Qui plaît, qui satisfait intellectuellement. *Une belle œuvre, un beau talent.* **2.** Qui mérite l'estime. *Un beau geste. Une belle conduite.* **3.** Distingué, raffiné. *De belles manières.* ▷ Fam. *Le beau monde* : la haute société. – *Le beau linge* : les gens élégants. ▷ Iron. *Un beau parleur*.* ▷ *Un beau joueur*, qui sait perdre avec bonne grâce. **4.** Clair, ensoleillé (temps). *Le beau temps. À la belle saison.* ▷ Loc. *Il fait beau.* ▷ Subst. *Le temps est au beau.* ▷ Fig. *Un beau jour, un beau matin* : un jour, un matin. **5.** Qui est satisfaisant, réussi. *Un beau travail. Un beau match. Faire un beau coup* : réussir un coup adroit. ▷ *Avoir la partie belle* : disposer de tous les éléments favorables. **6.** *Par ext.* Qui est grand, important, considérable. *Une belle fortune.* ▷ Loc. *Au beau milieu* : juste au milieu. ▷ *Il y a beau temps que* : il y a longtemps que. **7.** Par antiphrase. *Une belle entorse. De belles promesses*, auxquelles on ne doit pas se fier. – (Augmentatif) *Un bel égoïste. Une belle fripouille.* ▷ Loc. *En faire de belles* : faire de grosses sottises. ▷ Fig., fam. *Cela te fera une belle jambe* : cela te sera bien inutile. ▷ *L'échapper* belle.* **8.** Loc. verb. *Avoir beau* (+ inf.). *Il a beau dire, il a beau faire* : quoi qu'il dise, quoi qu'il fasse. ▷ *Il ferait beau voir* : il serait étrange de voir. ▷ *Porter beau* : avoir belle apparence. **9.** Loc. adv. *Bel et bien* : réellement, incontestablement. *Il a bel et bien échoué.* ▷ *De plus belle* : encore plus, plus que jamais.

2. beau, belle n. **I.** n. m. Ce qui est beau, ce qui suscite un plaisir esthétique, un sentiment d'admiration. *Le beau et le bien. Avoir l'amour du beau.* **II. 1.** n. m. *Un vieux beau* : un homme âgé qui cherche à séduire. **2.** Loc. *Faire le beau* : parader; mod., en parlant d'un animal, se tenir en équilibre sur ses pattes de derrière. **3.** n. f. *Une belle* : une belle femme. *Il courtise les belles.* ▷ *Jouer, faire la belle*, la partie décisive quand deux adversaires ont gagné chacun une manche. **III.** n. f. Arg. *(Se) faire la belle* : s'évader.

Beaubourg (plateau). V. Pompidou (Centre national d'art et de culture Georges-).

Beaucaire, ch.-l. de cant. du Gard (arr. de Nîmes); 13 600 hab. Aménagement hydroél. sur le Rhône. Cimenterie. Industr. du verre. – Chât. XIIIe-XIVe s. – Foires import. au Moyen Âge.

Beauce, rég. limoneuse du Bassin parisien, au S.-O. de Paris, s'étendant de Châteaudun à Chartres et à Étampes. Domaine de la grande cult. mécanisée : céréales, betterave. Élevage. – La partie située au S.-O., au S. du Loir, s'appelle *Petite Beauce.*

Beauce, région du Canada (Québec), dans la rég. admin. de Chaudière-Appalaches, qui doit son nom à la rég. franç. d'où vinrent les colons.

beauceron, onne adj. et n. De la Beauce.

beaucoup adv. **1.** *Beaucoup de* (+ subst.) : une grande quantité, un grand nombre de. *Il a beaucoup d'argent.* **2.** (Emploi nominal.) Un grand nombre (de personnes, de choses). *Beaucoup l'ont cru. Je lui dois beaucoup.* **3.** (Avec un verbe, un adverbe.) *Il a beaucoup bu. Il est beaucoup trop fatigué.* ▷ (Avec un comparatif.) *Il va beaucoup mieux. Il est beaucoup plus doué que moi.* **4.** Loc. adv. *De beaucoup* : nettement. *De beaucoup préférable.*

Beau de Rochas (Alphonse) (Digne, 1815 – id., 1893), ingénieur français, inventeur d'un cycle thermodynamique qui est à la base du fonctionnement du moteur à quatre temps.

beauf n. m. Fam. **1.** Beau-frère. **2.** Péjor. Type du Français petit-bourgeois, intolérant et borné.

beau-fils n. m. **1.** Fils que la personne que l'on a épousée a eu d'un précédent lit. **2.** Gendre. *Des beaux-fils.*

beaufort n. m. Fromage de Savoie, sans trous, voisin du comté.

Beaufort, ch.-l. de cant. de la Savoie (arr. d'Albertville), sur le *Doron*, dans le *massif de Beaufort*; 2 009 hab. Centr. hydroél. À proximité, barrage de Roselend.

Beaufort (François de Bourbon-Vendôme, duc de) (Paris, 1616 – Candie, auj. Héraklion, 1669), petit-fils d'Henri IV, un des chefs de la Fronde des princes. Surnommé le *roi des Halles.*

Beaufort (sir Francis) (Nevar, 1774 – ?, 1857), amiral anglais, auteur d'une échelle météorologique (1806), qui associe à la vitesse du vent un état de la mer, coté de 0 (calme) à 12 (ouragan).

beau-frère n. m. **1.** Frère du mari pour la femme, de la femme pour le mari. **2.** Mari d'une sœur ou d'une belle-sœur. *Des beaux-frères.*

Beaugency, ch.-l. de cant. du Loiret (arr. d'Orléans); 7 102 hab. (*Balgenciens*). – Tour de César, donjon du XIe s.; chât. (XVe s.); hôtel de ville (XVIe s.).

Beauharnais (Alexandre, vicomte de) (Fort-Royal, Martinique, 1760 – Paris, 1794), général franç., premier époux de la future impératrice Joséphine, périt sur l'échafaud. – **Eugène** (Paris, 1781 – Munich, 1824), dit le prince Eugène, fils du préc. et de Joséphine, devint vice-roi d'Italie (1805-1814) et participa aux guerres de l'Empire. – **Hortense,** sœur du préc. (V. Hortense de Beauharnais.)

[Bea]ujolais n. m. Vin du Beaujolais.

Beaujolais, rég. de la bordure orient. du Massif central, entre la Loire et la Saône; anc. cap. *Beaujeu* (Rhône, arr. de Villefranche-sur-Saône). Aux *monts du Beaujolais* (1 012 m au mont Saint-Rigaud), rég. vouée à l'élevage et à la polyculture, succède la *côte,* pays de vignobles réputés (beaujolais).

Beaujon (Nicolas) (Bordeaux, 1718 – Paris, 1786), financier franç. Il fonda en 1784, à Paris, un hospice (auj. *hôpital Beaujon*).

Beaulieu-sur-Mer, com. des Alpes-Maritimes (arr. de Nice), sur la Côte d'Azur; 4 023 hab. Station balnéaire.

Beaumarchais (Pierre Augustin Caron de) (Paris, 1732 – id., 1799), écrivain français. Successivement horloger, professeur de musique, financier, politicien, agent d'affaires, il a raconté ses démêlés judiciaires, notam. dans d'étonnants *Mémoires* (1773-1774). Au théâtre, *le Barbier de Séville* (1775) et *le Mariage de Figaro* (1784), satires sociales et politiques que complète *la Mère coupable* (1792), ont consacré son génie dramatique.

Beaumont, port des É.-U. (Texas); 114 300 hab. (aggl. urb. 391 900 hab.). Raff. de pétrole, pétrochimie.

Beaumont (Francis) (Grace-Dieu, Leicestershire, 1584 – Londres, 1616), dramaturge anglais qui écrivit de nombreuses pièces avec J. Fletcher : *Philaster* (1608) et *la Belle Dédaigneuse* (1616).

Beaumont (Christophe de) (La Roque, Dordogne, 1703 – Paris, 1781), archevêque de Paris, adversaire des jansénistes et des philosophes. Rousseau répondit par une *Lettre à M. de Beaumont* devenue célèbre à son mandement contre l'*Émile.*

Beaumont (Élie de). V. Élie de Beaumont.

Beaune, ch.-l. d'arr. de la Côte-d'Or; 22 171 hab. Industr. liée à la vitic. (vins de Bourgogne renommés), cartonnage; vente annuelle des vins des Hospices. – Hôtel-Dieu (goth. flamand) construit par le chancelier N. Rolin de 1443 à 1451 (polyptyque du *Jugement dernier,* par Van der Weyden; apothicairerie [pharmacie] du XVIIIe s.).

Beaune-la-Rolande, ch.-l. de cant. du Loiret (arr. de Pithiviers); 2 034 hab. – Les Prussiens y vainquirent les Français (nov. 1870).

Beauneveu (André) (Valenciennes, v. 1330 – Bourges, v. 1410), sculpteur et miniaturiste franç. Auteur de nombreux gisants *(Philippe VI, Charles V),* il entra au service du duc de Berry v. 1368 : *Psautier de Jean de Berry.*

Beaune : Hôtel-Dieu, cour intérieure, XVe s.

beau-parent n. m. **1.** (Plur.) Les deux parents du conjoint (pour l'autre conjoint). **2.** (Sing.) Dans une famille recomposée, celui ou celle qui s'est remarié au père ou à la mère de l'enfant. *Des beaux-parents.*

beau-père n. m. **1.** Père du mari pour la femme, de la femme pour le mari. **2.** Second mari de la mère pour les enfants d'un premier lit. *Des beaux-pères.*

beaupré n. m. MAR Mât incliné ou horizontal, à l'avant d'un navire.

Beausoleil, ch.-l. de cant. des Alpes-Mar. (arr. de Nice), sur la Côte d'Azur; 12 357 hab. Tourisme.

beauté n. f. **1.** Qualité de ce qui suscite un sentiment d'admiration, un plaisir esthétique. *La beauté d'un visage, d'une fleur. Le culte de la beauté.* ▷ Loc. *De toute beauté* : très beau. – *En beauté* : avec noblesse, avec grande allure. *Finir en beauté.* **2.** Qualité d'une personne qui est belle. *La beauté d'un enfant. Il a une beauté naturelle.* – *Produits de beauté* : produits destinés à embellir le visage et la peau. ▷ Loc. *La beauté du diable* : l'éclat de la jeunesse. ▷ Absol. *Une beauté* : une femme très belle. ▷ Fam. *Se (re)faire une beauté* : se faire beau (belle), spécial. en se maquillant. ▷ *Être en beauté* : être plus beau (belle) qu'à l'accoutumée. **3.** (Plur.) Éléments de la beauté, parties belles d'une chose. *Les beautés de cette œuvre en font oublier les défauts.* **4.** PHYS NUCL Nombre quantique caractéristique du cinquième quark*.

Beauté (château de), anc. résidence royale construite par Charles V, entre Nogent-sur-Marne et Vincennes, et donnée par Charles VII à Agnès Sorel (dite alors Dame de Beauté). Démoli en 1622.

Beautemps-Beaupré (Charles François) (La Neuville-au-Pont, 1766 – Paris, 1854), ingénieur français; auteur de cartes hydrographiques.

Beauvais, ch.-l. du dép. de l'Oise, sur le Thérain; 56 278 hab. Industr. méca., chim. Cartonnage. Centr. therm. – La Manufacture nationale de tapisserie, fondée en 1664 par Colbert, a été transférée en 1936 à Paris (Gobelins). – Évêché. Cath. St-Pierre, goth. de transition (XIIIe-XIVe s.); égl. St-Étienne (XIIe et XVIe s., restaurée). Musée.

Beauvaisis, pays du Bassin parisien, aux confins de l'Île-de-France et de la Picardie; cap. *Beauvais.*

Beauvoir (Simone de) (Paris, 1908 – id., 1986), écrivain français. Ses romans (*l'Invitée,* 1943; *les Mandarins,* 1954), mais surtout ses récits autobiographiques (*Mémoires d'une jeune fille rangée,* 1958; *la Force de l'âge,* 1960; *la Force des choses,* 1963), témoignages d'une aventure intellectuelle et politique partagée avec J.-P. Sartre, et son essai *le Deuxième Sexe* (1949), sur la condition féminine, l'imposèrent comme une figure des lettres françaises de l'après-guerre. Ses *Lettres à Sartre* ont été publiées en 1990. ▶ illustr. **Sartre**

beaux-arts [bozaʀ] n. m. pl. **1.** Ensemble des arts plastiques : peinture, sculpture, architecture, gravure, etc. **2.** Ensemble des arts en général. **3.** *École nationale supérieure des beaux-arts,* où l'on enseigne les arts plastiques.

bébé n. m. **1.** Enfant en bas âge, nourrisson. ▷ Fig. Personne d'un caractèr[e] infantile. *C'est un vrai bébé.* **2.** (En composition avec un nom d'animal.) Très jeune animal. *Des bébés-phoques* ou *des bébés phoques.*

bébé-éprouvette n. m. Enfant issu d'une fécondation in vitro (formation de l'œuf dans un récipient de laboratoire avant l'implantation dans l'utérus de la femme). *Des bébés-éprouvette(s).*

Bebel (August) (Cologne, 1840 - Passugg, Suisse, 1913), homme politique allemand. Un des fondateurs du parti social-démocrate all., il fut aussi l'un des dirigeants de la IIe Internationale.

bébête adj. Fam. Niais.

be-bop [bibɔp] ou **bop** [bɔp] n. m. **1.** Style de jazz né au début des années 1940. **2.** Danse sur un rythme rapide. *Des be-bops.*

bec n. m. **1.** Partie cornée et saillante, composée de deux mandibules, qui tient lieu de bouche aux oiseaux. *Un long bec, un bec crochu.* **2.** Loc. fig. *Avoir bec et ongles* : être pourvu de moyens de défense. - Fam. *Se prendre de bec, avoir une prise de bec (avec qqn)* : se quereller. - *Donner un coup de bec* : lancer un trait piquant. - Fam. *Rester le bec dans l'eau* : être laissé dans l'incertitude par des promesses trompeuses. - *Clouer, clore le bec à qqn,* le réduire au silence par des arguments péremptoires. - Fam. *Fermer son bec* : se taire. - *Fin bec* : gourmet. **3.** (Canada) Fam. Baiser, bisou. **4.** (Par analogie de forme.) ARCHI Masse de pierre formant saillie aux extrémités des piles d'un pont. - GEOGR Pointe de terre au confluent de deux rivières ou à l'embouchure d'un fleuve. - MUS Embouchure de certains instruments à anche. *Bec d'une clarinette, d'un saxophone.* **5.** Partie pointue ou saillante de certains objets, de certains outils. *Le bec d'une plume. Les becs d'un pied à coulisse.* **6.** Anc. *Bec de gaz* : appareil d'éclairage public qui fonctionnait au gaz. ▷ CHIM *Bec Bunsen* : brûleur à gaz utilisé dans les laboratoires.

bécane n. f. **1.** Fam. Bicyclette. **2.** Arg. (de diverses professions) Appareil, machine, en général.

bécarre n. m. Signe de notation musicale (♮) que l'on place devant une note haussée ou baissée d'un demi-ton par un dièse ou un bémol à la clé, pour la rétablir dans son ton naturel. ▷ adj. *Ré bécarre.*

bécasse n. f. **1.** Oiseau charadriiforme (genre *Scolopax*) migrateur qui passe l'été en Europe, à plumage brun-roux, haut sur pattes (30 cm env.), dont le très long bec lui sert à sonder la vase. ▷ Par anal. *Bécasse de mer* : nom vulg. du *Centriscus,* poisson à long rostre. **2.** Fig., fam. Femme peu intelligente.

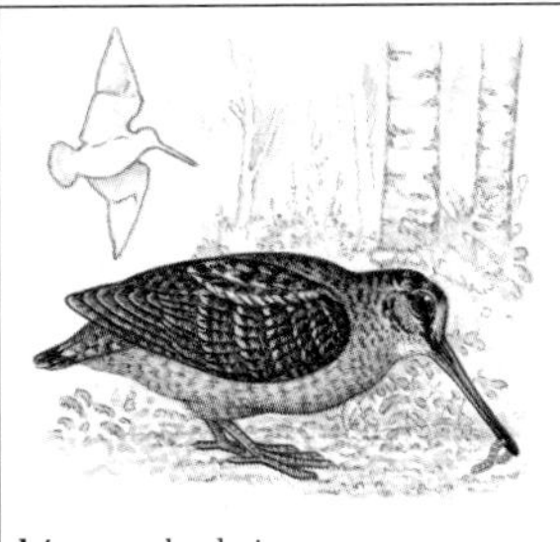

bécasse des bois

bécasseau n. m. **1.** Nom de divers oiseaux migrateurs charadriiformes de genres variés (*Calidris, Tryngilis, Micropalama,* etc.), généralement de la taille d'une alouette. **2.** Petit de la bécasse.

bécassine n. f. **1.** Oiseau migrateur charadriiforme des marais (genre *Gallinago*) au très long bec. **2.** Fig. Jeune fille sotte et naïve (en référence au personnage de Bécassine dessiné en 1905 par Pinchon, petite Bretonne un peu niaise et sympathique.

Beccafumi (Domenico, dit aussi Domenico di Pace) (Valdibiena, près de Sienne, v. 1486 - Sienne, 1551), peintre et sculpteur italien ; l'un des premiers représentants du maniérisme (*le Christ aux limbes,* pinacothèque de Sienne).

Beccaria (Cesare Bonesana, marquis de) (Milan, 1738 - id., 1794), juriste italien. Son traité *Des délits et des peines* (1764) contribua à la réforme et à l'adoucissement du droit pénal en Europe.

bec-croisé n. m. Oiseau passériforme (genre *Loxia*) dont les mandibules se croisent, de la taille d'un gros moineau, abondant dans les forêts de conifères. *Des becs-croisés.*

bec-de-cane n. m. Serrure sans fermeture par clé, ne comportant qu'un pêne demi-tour. ▷ Poignée recourbée d'une telle serrure. *Des becs-de-cane.*

bec-de-corbin n. m. **1.** TECH Outil recourbé pour faire des rainures. **2.** Petite pince pour travailler les métaux. *Des becs-de-corbin.*

bec-de-lièvre n. m. Malformation congénitale de la face se présentant le plus souvent comme une fissure verticale de la lèvre supérieure, rappelant celle du lièvre. *Des becs-de-lièvre.*

bec-de-perroquet n. m. MED Excroissance osseuse en forme de crochet apparaissant au niveau des vertèbres dans certains rhumatismes chroniques. *Des becs-de-perroquet.*

becfigue n. m. Nom cour. de divers petits oiseaux passériformes et migrateurs (pipits, gobe-mouches, etc.).

bec-fin n. m. Nom cour. de divers oiseaux passériformes au bec très effilé (fauvettes, rouges-gorges, etc.). *Des becs-fins.*

bêchage n. m. Action de bêcher, de cultiver à la bêche.

béchamel n. f. CUIS Sauce blanche faite de beurre, de farine et de lait.

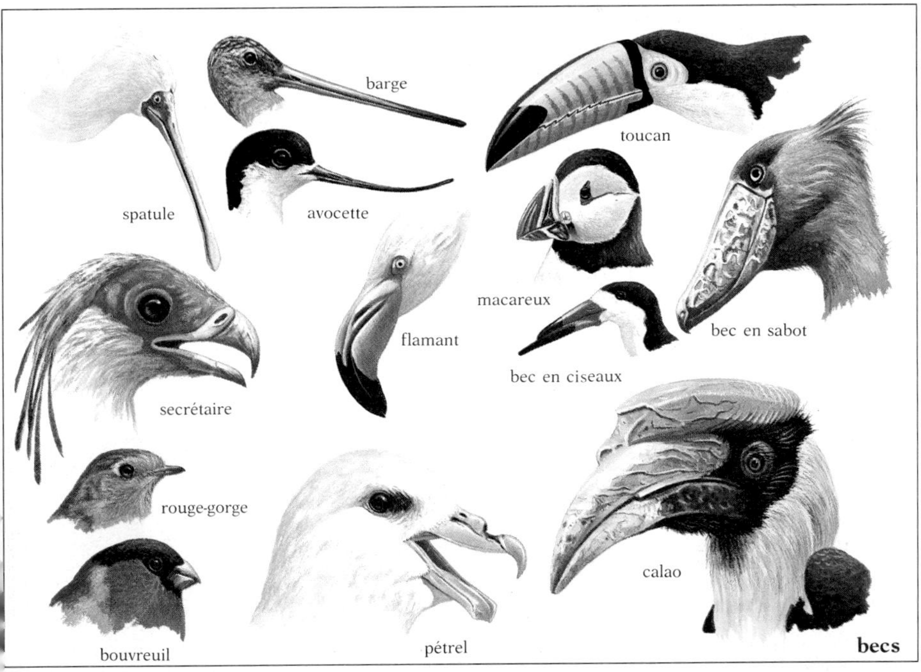

becs

Béchar (anc. *Colomb-Béchar*), v. d'Algérie, au N.-O. du Sahara; 108 380 hab; ch.-l. de la wilaya du m. nom. Centre commercial.

bêche n. f. **1.** Outil de jardinage constitué d'un fer plat, large et tranchant et d'un manche. **2.** ARTILL *Bêche de crosse :* appendice de l'affût d'un canon, servant à l'ancrer dans le sol.

Bec-Hellouin (Le), com. de l'Eure (arr. de Bernay); 439 hab. – Abb. bénédictine fondée au début du XIe s.; école renommée au Moyen Âge.

1. bêcher v. tr. [1] Couper et retourner (la terre) avec une bêche.

2. bêcher v. [1] Vieilli, fam. **1.** v. tr. Dire du mal de (qqn). **2.** v. intr. Fam. Avoir à l'égard d'autrui une attitude distante et hautaine. *Celle-là, qu'est-ce qu'elle bêche !*

Becher (Johann Joachim) (Spire, 1635 – Londres, 1682), alchimiste allemand. Il découvrit l'éthylène (1669).

Bechet (Sidney) (La Nouvelle-Orléans, 1897 – Garches, 1959), clarinettiste, saxophoniste (soprano) et chef d'orchestre de jazz américain. Il popularisa en France le style Nouvelle-Orléans.

Sydney **Bechet**

Samuel **Beckett**

bêcheur, euse n. **1.** Vieilli, fam. Personne qui bêche, qui est médisante. **2.** Fam. Personne hautaine et prétentieuse.

Beck (Béatrix) (Villars-sur-Ollon, Suisse, 1914), écrivain français. Ses romans se caractérisent par une grande rigueur de style et un réalisme insolite : *Barny* (1948), *Léon Morin, prêtre* (1952), *l'Enfant chat* (1984).

Becker (Jacques) (Paris, 1906 – id., 1960), cinéaste français. Après *Goupi Mains rouges* (1943), il peignit la société de l'après-guerre, monde ouvrier (*Antoine et Antoinette*, 1947) ou bohème bourgeoise (*Rendez-vous de juillet*, 1949; *Édouard et Caroline*, 1951), celui des gangsters (*Touchez pas au grisbi*, 1954), et signa deux chefs-d'œuvre : *Casque d'or* (1952) et *le Trou* (1960).

Becket (Thomas). V. Thomas Becket (saint).

Beckett (Samuel) (Dublin, 1906 – Paris, 1989), écrivain et dramaturge irlandais d'expression anglaise et française. Peuplée de « clochards mythiques » (L. Janvier) aux prises avec un univers en désagrégation, son œuvre traduit une sorte de catastrophe existentielle. Romans : *Murphy* (1947), *Molloy* (1951), *Malone meurt* (1951), *l'Innommable* (1953), *l'Image* (1988). Théâtre : *En attendant Godot* (1952), *Fin de partie* (1957), *Oh! les beaux jours* (1963). P. Nobel 1969.

Beckmann (Max) (Leipzig, 1884 – New York, 1950), peintre expressionniste allemand (*la Nuit*, 1919).

bécot [beko] n. m. Fam. Petit baiser; baiser.

bécoter v. tr. [1] Fam. Donner des bécots. ▷ v. pron. Échanger des bécots.

Becque (Henry François) (Paris, 1837 – id., 1899), auteur dramatique français. Il fut l'un des fondateurs du théâtre naturaliste et s'illustra également dans la comédie de boulevard (*les Corbeaux*, 1882; *la Parisienne*, 1885).

becquée ou **béquée** [beke] n. f. Quantité de nourriture qu'un oiseau peut prendre avec son bec pour nourrir ses petits. *Donner la becquée.*

Bécquer (Gustavo Adolfo) (Séville, 1836 – Madrid, 1870), poète espagnol d'inspiration romantique (*Rimes*, 1860).

becquerel n. m. Unité d'activité radioactive du système international (SI) qui correspond à une désintégration par seconde (symbole Bq).

Becquerel (Antoine) (Châtillon-Coligny, 1788 – Paris, 1878), physicien français; pionnier de la piézoélectricité et de l'électrochimie. – **Edmond** (Paris, 1820 – id., 1891), fils du préc., étudia le spectre ultraviolet solaire, les gaz à haute température, etc. – **Henri** (Paris, 1852 – Le Croisic, 1908), fils du préc., étudia la phosphorescence et découvrit ainsi la radioactivité de l'uranium. P. Nobel de physique 1903.

becquet [bɛkɛ] ou **béquet** n. m. **1.** Petit bec. **2.** TYPO Feuillet additif ou rectificatif collé sur une épreuve. **3.** THEAT Dans une œuvre dramatique, fragment de scène ajouté par l'auteur ou transformé au cours des répétitions. **4.** Élément de carrosserie placé à l'avant ou à l'arrière d'une automobile, et destiné à améliorer l'aérodynamisme.

becqueter ou **béqueter** v. [20] **1.** v. tr. Piquer à coups de bec. *Les oiseaux ont becqueté ces fruits.* Syn. picorer. **2.** v. intr. Pop. Manger. *On va bien becqueter.*

bedaine n. f. Fam. Panse, gros ventre.

bédane n. m. TECH Ciseau taillé en biseau, utilisé dans différents métiers. *Bédane de menuisier, de tourneur.*

Bedaux (Charles) (Paris, 1888 – Miami, 1944), ingénieur français. Ouvrier, il minuta son rendement et mit au point un système de mesure du travail (*point-minute* ou *bedaux*).

Beddoes (Thomas Lowell) (Clifton, 1803 - Bâle, 1849), poète anglais. Son œuvre dénote un penchant pour le macabre et le surnaturel : *Livre des plaisanteries de la mort* (v. 1825-1830).

Bède (saint), dit le Vénérable (près de Wearmouth, 673 – Jarrow, 735), bénédictin et historien anglo-saxon. Auteur d'une *Histoire ecclésiastique des Angles* (731); l'un des plus grands érudits du VIIIe s. Il fut proclamé docteur de l'Église en 1899.

bédé. V. B.D.

bedeau n. m. Laïc employé au service d'une église.

bédégar n. m. BOT Galle chevelue des églantiers et des rosiers produite par la larve d'un hyménoptère. ▶ illustr. galle

bédéphile n. Amateur éclairé de bandes dessinées.

Bedford, v. de G.-B.; 74 000 hab; ch.-l. du comté de Bedfordshire. Constr. mécaniques.

Bedford (Jean de Lancastre, duc de) (?, 1389 – Rouen, 1435), régent d'Angleterre. Troisième fils d'Henri IV, il devint, à la mort de son frère Henri V, régent et tuteur d'Henri VI son neveu (1422). Marié à une princesse bourguignonne, il brigua en vain le trône de France. Le traité d'Arras (1435) mit fin à son habile administration.

Bedfordshire comté du S.-E. de l'Angleterre; 1 235 km²; 514 200 hab.; ch.-l. *Bedford.*

Bédier (Joseph) (Paris, 1864 – Le Grand-Serre, Drôme, 1938), médiéviste français (*les Légendes épiques*, 1908-1913). Acad. fr. (1920).

Bednorz (Johannes Georg) (Neuenkirchen, 1950), physicien allemand dont les travaux (menés à Zurich) sur les supraconducteurs à haute température ont ouvert de larges perspectives d'applications techniques. P. Nobel de physique 1987 avec K. A. Müller.

bedon n. m. Fam. Ventre rebondi.

bedonnant, ante adj. Fam. Qui bedonne.

bedonner v. intr. [1] Fam. Prendre du ventre.

bédouin, ine adj. Relatif aux Bédouins. *Un campement bédouin.*

Bédouins, population nomade originaire de l'Arabie et vivant dans les rég. désertiques du Moyen-Orient et d'Afrique du N. Leur organisation sociale est fondée sur le système patrilinéaire, exception faite des Touareg*, et les princ. divisions politiques sont la tribu et la bande. Éleveurs de bétail, ils vivent dans des campements. Une partie d'entre eux est en voie de sédentarisation.

Bédriac (en lat. *Betriacum*), v. de l'anc. Gaule cisalpine, à l'E. de Crémone. Deux batailles s'y livrèrent en 69 : Vitellius, victorieux d'Othon, fut, un peu plus tard, défait par Vespasien.

bée adj. f. (Seulement dans la loc.) *Bouche bée :* bouche ouverte, béante (d'étonnement, d'admiration, etc.).

Beecham (sir Thomas) (Liverpool, 1879 – Londres, 1961), chef d'orchestre anglais; il fonda le Royal Philharmonic Orchestra en 1946.

Beecher-Stowe (Harriet Elizabeth Beecher, Mrs. Stowe, dite Mrs.) (Litchfield, Connecticut, 1811 – Hartford, Connecticut, 1896), romancière américaine. *La Case de l'oncle Tom* (1852), roman sur les souffrances des esclaves noirs, eut un énorme retentissement.

béer [bee] v. intr. [11] **1.** Litt. Être grand ouvert. **2.** Litt. Avoir la bouche grande ouverte. *Il en béait de surprise.*

Beernaert (Auguste) (Ostende, 1829 – Lucerne, 1912), homme politique belge. Président du Conseil de 1884 à 1894. P. Nobel de la paix 1909.

Beersheba ou **Beer-Shev'a,** v. d'Israël, au bord du Néguev; 115 000 hab.; ch.-l. de distr. Centre commercial.

Beethoven (Ludwig van) (Bonn, 1770 – Vienne, 1827), compositeur allemand. Son œuvre s'est développée à partir des formes classiques (influence de Mozart), pour laisser de plus en plus de liberté à l'invention, ses dernières

Henri **Becquerel**

L. van **Beethoven**

compositions annonçant le romantisme musical all. La nouveauté de ses rythmes et de ses constructions s'est exprimée à travers trois grands genres : la symphonie, la sonate et le quatuor. Il a laissé un très grand nombre d'œuvres ; parmi elles : 2 messes, l'opéra *Fidelio*, 9 symphonies, 5 concertos pour piano, un pour violon, un triple concerto (violon, violoncelle et piano), des sonates pour piano (32), pour violon (10) et pour violoncelle (5), 8 trios avec piano, 5 à cordes, 17 quatuors à cordes, 2 quintettes, un septuor et de nombreux Lieder. Son existence, tourmentée par de multiples difficultés matérielles et morales, fut assombrie par la surdité à partir de l'année 1800.

beffroi n. m. **1.** Tour mobile en bois dont on se servait au Moyen Âge pour s'emparer des places fortes. **2.** Tour de guet élevée dans l'enceinte d'une ville. – *Par ext.* Tour, clocher d'une église.

bégaiement [begɛmɑ̃] n. m. **1.** Trouble de la parole, d'origine psychomotrice, se manifestant par l'impossibilité de prononcer une syllabe ou une voyelle sans la répéter, et par un débit ralenti des mots. *L'émotion entraîne parfois le bégaiement.* **2.** *Par ext.* Élocution maladroite et difficile.

bégayant, ante adj. Qui bégaie.

bégayer v. intr. [**21**] Parler avec une élocution difficile et en répétant certaines syllabes. ▷ v. tr. *Bégayer des excuses*, les exprimer maladroitement en bredouillant.

Begin (Menahem) (Brest-Litovsk, Biélorussie, 1913 – Tel-Aviv, 1992), homme politique israélien. Dirigeant de la droite sioniste, hostile à toute conciliation avec les Arabes, il fit partie des gouvernements de coalition (L. Eshkol et G. Meir) de 1967 à 1970. Premier ministre de 1977 à 1983, il conclut la paix avec l'Égypte (1979) et lança Israël dans la guerre du Liban en 1982. P. Nobel de la paix 1978 (avec A. el-Sadate).

Bègles, ch.-l. de cant. de la Gironde (arr. de Bordeaux), dans la banlieue S. de Bordeaux ; 22 735 hab. Industr. chimiques, mécaniques.

bégonia n. m. Plante dicotylédone originaire d'Amérique tropicale dont diverses espèces sont cultivées pour leurs fleurs blanches ou de couleurs vives ou pour leurs feuillages panachés.

bègue adj. et n. Qui bégaie.

béguètement n. m. Cri de la chèvre.

bégueter [begete ; begəte] v. intr. [**18**] Crier, en parlant de la chèvre.

bégueule n. f. et adj. Femme prude qui s'effarouche au moindre propos un peu libre. ▷ adj. *Elle est assez bégueule. Un critique bégueule.*

béguin n. m. **1.** Coiffe de femme rappelant celle des béguines. – *Par ext.* Bonnet pour les enfants. **2.** Fig. et fam. Passion passagère. *Il a le béguin pour elle.* ▷ Personne qui en est l'objet. *C'est ton béguin.*

béguinage n. m. Communauté de béguines.

béguine n. f. Aux Pays-Bas et en Belgique, religieuse vivant en communauté sans prononcer de vœux perpétuels.

bégum [begɔm] n. f. Titre honorifique donné aux princesses indiennes.

Behaim (Martin) (Nuremberg, 1459 – Lisbonne, 1507), navigateur allemand au service du Portugal, auteur d'un globe terrestre (1492).

Behan (Brendan) (Dublin, 1923 – id., 1964), journaliste et dramaturge irlandais. Membre de l'IRA, il passa onze années en prison. Dans ses pièces, il attaque l'appareil social et politique et critique la responsabilité collective : *le Client du matin* (1945), *Un peuple partisan* (1958), *Confessions d'un rebelle irlandais* (posth.).

Béhanzin (?, v. 1844 – Alger, 1906), dernier roi du Dahomey (1889-1894). Vaincu par les Français, fait prisonnier, il fut déporté à la Martinique, puis à Alger.

béhaviorisme ou **behaviourisme** n. m. PSYCHO Doctrine, élaborée à partir de 1913 aux É.-U. par J. B. Watson, qui propose de substituer une psychologie du comportement à une psychologie introspective qui cherchait à décrire et à expliquer les « états de conscience ».

Béhistoun, site du Kurdistān iranien où se trouve un bas-relief dont les inscriptions ont servi de base au déchiffrement de l'écriture cunéiforme.

Behren-lès-Forbach, commune de la Moselle (arr. de Forbach) ; 10 326 hab.

Behrens (Peter) (Hambourg, 1868 – Berlin, 1940), architecte allemand. Promoteur du fonctionnalisme (usine de turbines pour la firme A.E.G., Berlin, 1908-1909), il fut un pionnier du design industriel.

Behring. V. Béring.

Behring (Emil von) (Hansdorf, 1854 – Marburg, 1917), médecin allemand. Il découvrit l'antitoxine de la diphtérie. P. Nobel 1901.

Beida (El-) *(al-Bayḍā')*, ville de Libye, en Cyrénaïque ; ch.-l. de la prov. du m. nom ; 80 000 hab. Centre commercial.

Beiderbecke (Leon Bismarck, dit Bix) (Davenport, Iowa, 1903 – New York, 1931), cornettiste de jazz américain ; l'un des plus grands jazzmen blancs de son époque.

beige adj. Brun très clair. ▷ n. m. *Un beige clair.*

1. beigne n. f. Fam. Gifle. *Donner une beigne.*

2. beigne n. m. (Canada) Pâtisserie en forme d'anneau, faite de pâte sucrée cuite à grande friture. *Beigne à l'érable, au chocolat.*

beignet n. m. Pâte frite, seule ou enveloppant un petit morceau de fruit, de viande, etc. *Beignet de pomme. Beignet de langoustine.*

Beijing. V. Pékin.

Beira, anc. prov. du Portugal central, entre le Douro et le Tage.

Beira, port du Mozambique, sur l'océan Indien ; ch.-l. de prov. ; 300 000 hab. Centre ferroviaire, comm. et industr ; oléoduc vers le Zimbabwe.

Béja *(Bāǧa)*, v. de Tunisie, à l'O. de Tunis ; 47 000 hab. ; ch.-l. du gouvernorat du m. n. Sucrerie ; céréales. – Enceinte byzantine.

Bejaia (anc. *Bougie*), v. d'Algérie (Sétif), sur le *golfe de Bejaia* ; ch.-l. de la wilaya du m. n. ; 120 100 hab. Port pétrolier. Raffinerie.

Béjart, famille de comédiens de la troupe de Molière. – **Madeleine** (Paris, 1618 – id., 1672) jouait surtout les rôles de soubrette. – **Armande** (?, v. 1642 – Paris, 1700), sœur cadette (ou fille) de Madeleine, épousa Molière en 1662.

Maurice **Béjart** lors des répétitions du ballet *les Maîtres de l'Europe*

Béjart (Maurice Berger, dit) (Marseille, 1927), danseur, chorégraphe et metteur en scène français ; l'un des rénovateurs du ballet contemporain. Directeur du Ballet du XXe siècle (1960-1987), puis du Béjart Ballet Lausanne : *le Sacre du printemps* (1960), *Messe pour le temps présent* (1967), *Messe pour le temps futur* (1983).

béjaune n. m. **1.** FAUC Oiseau jeune et non dressé. **2.** Fig., vx Jeune homme naïf.

béké n. Syn. de *créole* (à la Martinique ou en Guadeloupe).

Békéscsaba, ville du S.-E. de la Hongrie ; 71 000 hab. ; ch.-l. de comitat.

1. bel. V. beau 1.

2. bel n. m. PHYS Unité sans dimension (symbole B) utilisée pour exprimer la comparaison de deux grandeurs, en général deux puissances, le nombre de bels étant égal au *logarithme décimal* de leur rapport. (On utilise surtout le décibel [dB], dixième partie du bel.) *Si les grandeurs sont des tensions ou des courants électriques, le nombre de bels est égal au double du logarithme du rapport.*

Béla, nom de quatre rois de Hongrie (dynastie des Árpád), qui régnèrent du XIe au XIIIe s.

bélandre n. f. Bateau à fond plat, qui navigue dans les rades, sur les rivières et les canaux.

Bélanger (François Joseph) (Paris, 1745 – id., 1818), architecte français (chât. de Bagatelle, 1779).

bêlant, ante adj. **1.** Qui bêle. **2.** Fig., fam. Plaintif, geignard. *Une ritournelle bêlante.*

Belarus. V. Biélorussie.

Belau. V. Palau.

bel canto [bɛlkɑ̃to] n. m. (loc. ital.) Technique du chant dans la tradition lyrique italienne (pureté du son, virtuosité).

Belém (anc. *Pará*), cap. de l'État de Pará (Brésil) ; 1 575 000 hab. Grand port sur l'Amazone. Université.

Belém, fbg de Lisbonne (Portugal). – Monastère hiéronymite de style manuélin (XVIe s.).

bêlement n. m. Cri des animaux de race ovine et caprine. ▷ Fig., péjor. *Les bêlements d'un chanteur.*

bélemnite n. f. PALEONT Mollusque céphalopode fossile du secondaire, à la coquille fuselée, avec un rostre en cigare.

bêler v. intr. [**1**] Faire entendre un bêlement. *Brebis qui bêle.* ▷ Fig., fam. Chanter ou s'exprimer sur un ton mal assuré ou plaintif.

belette n. f. Petit carnivore (fam. mustélidés) brun sur le dessus, avec le ventre blanc, et dont le pelage, dans les pays froids, devient blanc en hiver.
▸ illustr. page **184**

belette

Belfast, cap. et port princ. de l'Irlande du Nord; 325 000 hab.; ch.-l. de comté. Constr. navales. Industr. text., aéronautique. – Depuis 1969, une guerre civile latente oppose les « loyalistes » (protestants, 70 % de la pop.) et les « républicains » (catholiques, 30 %).

Belfort, ch.-l. du Territ. de Belfort, sur la *Savoureuse*; 51 913 hab. (*Belfortains*). Constr. méca., électron.; prod. pharm. – Évêché de Belfort-Montbéliard. – Située au cœur d'une région de passage vers le N. et le centre de l'Europe, entre les Vosges et le Jura (*trouée de Belfort* ou *porte de Bourgogne*), la ville soutint plusieurs sièges, notamment celui de 1870, que commémore le *Lion de Belfort*, statue colossale, par Bartholdi (1875-1880). – Porte de Brisach par Vauban.

Belfort (Territoire de), dép. franç. (90); 610 km^2; 134 097 hab.; 219,8 hab./km^2; ch.-l. *Belfort*. V. Franche-Comté (Rég.). – Le territ., formé en 1871 avec la partie du Ht-Rhin restée fr., a reçu en 1922 le statut de département.

Belgaum, v. de l'Inde (Karnātaka, anc. *royaume de Mysore*); 326 000 hab. Textiles; métallurgie.

belge adj. et n. De Belgique.

belgicisme [bɛlʒisism] n. m. Tournure propre aux Belges de langue française. *Fourcher*, « *jouir d'un temps libre* », *est un belgicisme.*

Belgiojoso (Cristina Trivulzio, princesse de) (Milan, 1808 – id., 1871), femme de lettres italienne. Son patriotisme anti-autrichien l'obligea à se réfugier en France après 1831. *Essai sur la formation du dogme catholique* (1842), *Asie Mineure et Syrie* (1850), *Histoire de la maison de Savoie* (1860).

Belgique (royaume de) (en flam. *Koninkrijk België*), État fédéral de l'Europe occid., sur la mer du Nord, entre les Pays-Bas, l'Allemagne, le Luxembourg et la France; 30 515 km^2; 10 200 000 hab.; cap. *Bruxelles*. Nature de l'État : monarchie parlementaire. Langues off. : néerlandais, français, allemand. Monnaie : franc (BEF). Relig. : cathol. (80 %).

Géogr. phys. et hum. – Le relief, modéré, s'élève progressivement du N.-O. au S.-E. Aux plaines argilo-sableuses de Flandre et de Campine succèdent les bas plateaux limoneux du Hainaut, du Brabant et de la Hesbaye, séparés par le sillon de Sambre et Meuse des hauteurs du Condroz et de l'Ardenne (694 m au Signal de Botrange). Le milieu océanique, plus rude au S.-E., favorise une abondante hydrographie, organisée sur la Meuse et l'Escaut. La densité moyenne est élevée (324 hab. au km^2); la population, citadine à près de 90 %, se partage entre Wallons francophones (33 % de la population), au S. d'une ligne Courtrai-Bruxelles-Maastricht, et Flamands de langue néerlandaise.

Écon. – Hautement développée, l'écon. belge repose surtout sur le tertiaire : commerce et services représentent près de 70 % du P.I.B. et emploient 71 % des actifs. L'agriculture, très intensive (3 % de la main-d'œuvre), est orientée vers l'élevage bovin et porcin; céréales, plantes sarclées, fourrages et productions horticoles occupent les bons terroirs. Les rég. houillères et sidérurgiques du sillon de Sambre et Meuse sont en crise : l'activité charbonnière s'est effondrée et plus de 60 % de l'énergie produite proviennent désormais du nucléaire. Métallurgie, mécanique, chimie, textile, agroalimentaire sont les branches fortes de l'industrie. La Belgique est l'un des premiers exportateurs mondiaux par hab.; elle dispose du réseau de communications le plus dense du monde (Anvers est le 2e port européen) et accueille de grandes institutions communautaires. Le pays est particulièrement bien placé dans le grand marché européen, d'autant que le bilan économique récent est positif.

Bx-A. – L'art en Belgique, d'abord sous l'influence du néo-classicisme français, connaît une véritable originalité à la fin du XIXe siècle, avec d'une part les symbolistes (Delville, Khnopff, Spilliaert...) et d'autre part l'expressionniste James Ensor. Bruxelles devient aussi un foyer de l'art nouveau grâce notamment à l'architecte Victor Horta. Au XXe siècle, signalons l'importance du surréalisme, avec Magritte et Delvaux, et du mouvement Cobra et de son représentant belge, Alechinsky.

Hist. – Le pays, peuplé par des Celtes et des Germains, fut conquis par César (57-51 av. J.-C.) et englobé dans la Gaule Belgique, qu'envahirent les Francs aux Ve et VIe s. Scindé lors du traité de Verdun (843) en deux parties (la rég. à l'E. de l'Escaut relevant de la Lotharingie, puis de la Germanie, l'O. relevant de la France), le pays se morcela en de nombr. seigneuries, dont le duché de Brabant, les comtés de Hainaut et de Flandre. Au XIVe s. et au XVe s., les ducs de Bourgogne regroupèrent tous ces territ. qui formèrent, avec la Hollande, les Pays-Bas bourguignons, riches par leur comm. et leur artisanat. Ceux-ci passèrent, en 1477, par le mariage de Marie de Bourgogne avec Maximilien d'Autriche, sous la domination des Habsbourg. Les prov. du N., calvinistes, acquirent leur indép. après de dures luttes (1579 : Provinces-Unies), alors que le S., cathol., demeura aux Habsbourg d'Espagne jusqu'en 1714 (traité de Rastatt) pour être ensuite placé sous l'égide des Habsbourg d'Autriche. La polit. centralisatrice de Joseph II provoqua une révolte; la proclamation des États belgiques unis (janv. 1790) entraîna l'intervention de l'Autriche puis de la France, qui finalement annexa le pays en 1795, imposant son admin. unificatrice. La réunion, en 1815, des prov. belges aux Pays-Bas, peu viable en raison des différences linguistiques et relig., se défit en 1830. Léopold de Saxe-Cobourg fut le premier roi de la monarchie constitutionnelle créée en 1831. Léopold II (1865-1909) légua en 1908 le Congo, sa propriété personnelle, à la Belgique, qui connut dans la seconde moitié du XIXe s. un essor écon. remarquable. Cathol. et libéraux alternèrent au pouvoir jusqu'en 1914. Malgré sa neutralité, proclamée en 1831, le royaume fut occupé par les All. en 1914-1918 et de 1940 à 1944. À Albert Ier (1909-1934) avait succédé son fils Léopold III, qui, en 1951, abdiqua en faveur de son fils, Baudouin Ier. À la mort de ce dernier (juil. 1993), son frère, Albert II, monta sur le trône. La polit. du pays, conduite par les sociaux-chrétiens et les socialistes, en alternance ou en collaboration, est tributaire, depuis la fin des conflits entre enseignements officiel et privé (pacte scolaire de 1958), des difficultés écon. qui ont suivi la perte du Congo (1960) et de l'antagonisme entre Flamands et Wallons. En janv. 1989, un statut fédéral consacrait l'existence des communautés linguistiques et de trois régions autonomes : Flandres, Wallonie et Bruxelles. Le social-chrétien Jean-Luc Dehaene qui a succédé en mars 1992 à Wilfried Martens (Premier ministre de 1979 à 1991) est à l'origine de la réforme constitutionnelle (fév. 1993) qui a transformé le pays en État fédéral aux pouvoirs décentralisés. La Belgique s'est intégrée dans le Benelux (1948), la C.E.C.A. (1951), l'Union européenne (1957). Bruxelles est le siège du Conseil des ministres de l'U.E. et de l'O.T.A.N.

► tableau, page 186

Belgorod ou **Bielgorod,** v. de Russie, ch.-l. de région du m. nom, sur le Donets, au N. de Kharkov; 320 000 hab. Métallurgie.

Belgrade (en serbe *Beograd*), cap. de la rép. de Serbie et cap. de la rép. fédérale de Yougoslavie, au confl. du Danube et de la Save; 1 500 000 hab. Port fluv. import. Centre comm. Nombreuses industries : métall., text., alim., chim. – Après 1945, une ville nouvelle (*Novi Beograd*) fut construite sur la r. g. de la Save.

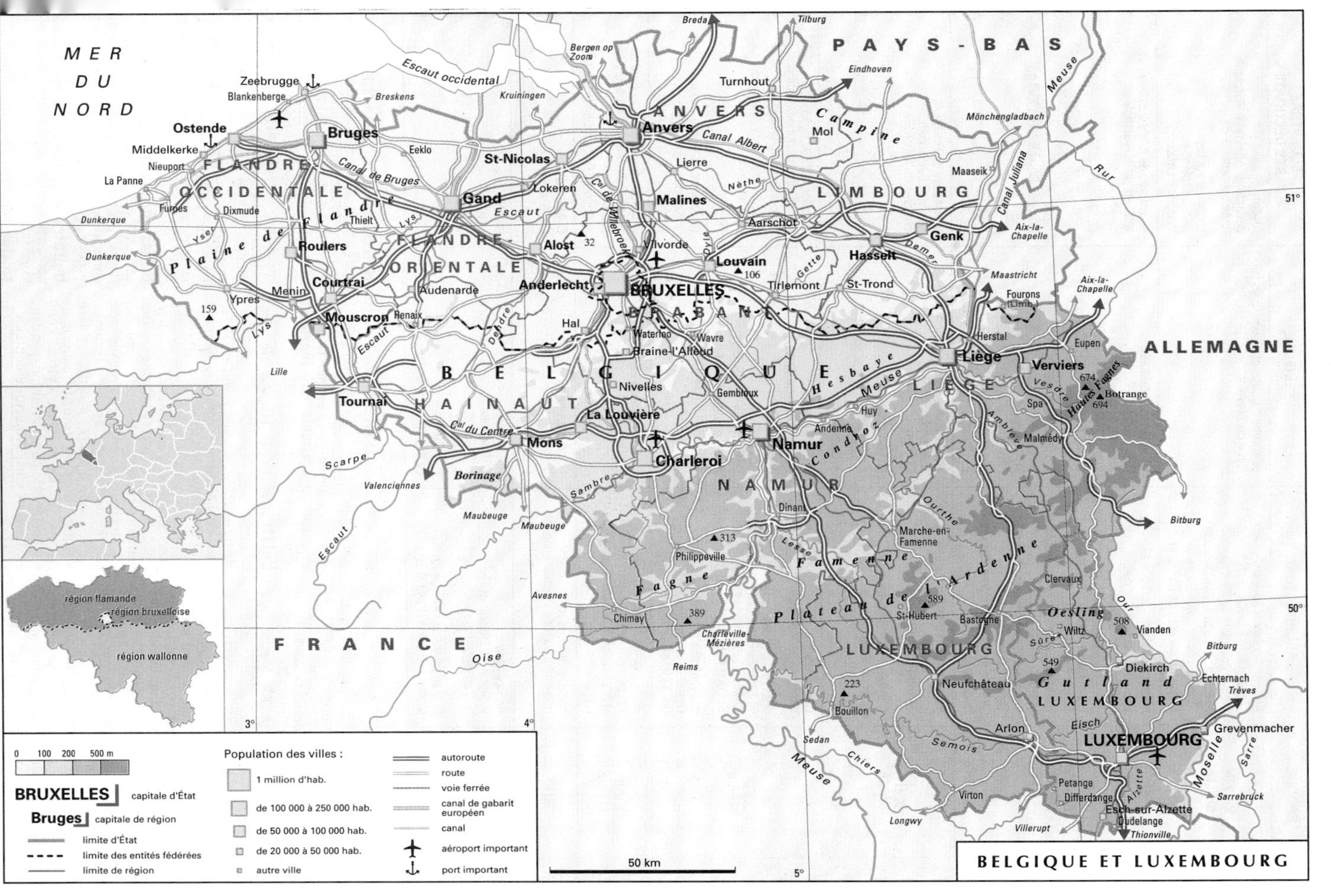

BELGIQUE ET LUXEMBOURG
MER DU NORD
PAYS-BAS
ALLEMAGNE
FRANCE
BELGIQUE
FLANDRE OCCIDENTALE
FLANDRE ORIENTALE
ANVERS
LIMBOURG
BRABANT
HAINAUT
NAMUR
LIÈGE
LUXEMBOURG
Ostende
Bruges
Gand
Anvers
BRUXELLES
Louvain
Liège
Namur
Charleroi
Mons
Tournai
Courtrai
Mouscron
Hasselt
Genk
Malines
St-Nicolas
Alost
Anderlecht
Roulers
Verviers
La Louvière
LUXEMBOURG
Zeebrugge
Blankenberge
Middelkerke
Nieuport
La Panne
Furnes
Dixmude
Ypres
Menin
Thielt
Eeklo
Lokeren
Audenarde
Renaix
Hal
Waterloo
Braine-l'Alleud
Nivelles
Wavre
Gembloux
Vilvorde
Lierre
Aarschot
Tirlemont
St-Trond
Turnhout
Mol
Maaseik
Herstal
Fourons (Limb.)
Eupen
Spa
Malmédy
Huy
Andenne
Dinant
Philippeville
Chimay
Marche-en-Famenne
St-Hubert
Bastogne
Neufchâteau
Bouillon
Arlon
Virton
Clervaux
Wiltz
Vianden
Diekirch
Echternach
Grevenmacher
Petange
Differdange
Esch-sur-Alzette
Dudelange
Breda
Tilburg
Eindhoven
Bergen op Zoom
Breskens
Kruiningen
Mönchengladbach
Maastricht
Aix-la-Chapelle
Bitburg
Trèves
Sarrebruck
Thionville
Villerupt
Longwy
Sedan
Reims
Charleville-Mézières
Avesnes
Maubeuge
Valenciennes
Lille
Dunkerque
Escaut occidental
Escaut
Canal de Bruges
Canal Albert
Canal Juliana
Cal de Willebroek
Cal du Centre
Lys
Yser
Dendre
Dyle
Nèthe
Gette
Demer
Meuse
Rur
Sambre
Scarpe
Oise
Ourthe
Amblève
Vesdre
Lesse
Semois
Chiers
Sûre
Our
Eisch
Alzette
Moselle
Sarre
Campine
Plaine de Flandre
Hesbaye
Condroz
Famenne
Fagne
Plateau de l'Ardenne
Hautes Fagnes
Botrange
Oesling
Gutland
Borinage
159
32
106
674
694
313
389
589
508
549
223
51°
50°
3°
4°
5°
50 km
région flamande
région bruxelloise
région wallonne
0
100
200
500 m
BRUXELLES capitale d'État
Bruges capitale de région
limite d'État
limite des entités fédérées
limite de région
Population des villes :
1 million d'hab.
de 100 000 à 250 000 hab.
de 50 000 à 100 000 hab.
de 20 000 à 50 000 hab.
autre ville
autoroute
route
voie ferrée
canal de gabarit européen
canal
aéroport important
port important

ART DE LA BELGIQUE

ÉPOQUE	ARCHITECTURE	PEINTURE	SCULPTURE ET ARTS DÉCORATIFS
Xe-XIIe siècle	égl. carolingienne St-Jean-l'Évangéliste à Liège Liège : collégiale St-Barthélemy Nivelles : collégiale Ste-Gertrude Tournai : cath. Notre-Dame Château des comtes de Gand	peintures murales et enluminures : Bible de Stavelot	Ateliers mosans : dinanderie, orfèvrerie liturgique, fonts baptismaux de métal sculpture sur bois : *sedes sapientiæ* Vierges en majesté
XIIIe-XVe siècle	chœur de la cath. de Tournai Bruxelles : collégiales des Sts-Michel-et-Gudule *gothique brabançon :* Notre-Dame de Hal (XIVe s.), St-Pierre de Louvain halles aux draps d'Ypres, Bruges et Louvain hôtels de ville de Bruges, Bruxelles, Louvain et Audernarde beffrois de Bruges, Ypres, Bruxelles béguinages	Broederlam, Malouel *primitifs flamands :* J. Van Eyck Maître de Flémalle (R. Campin) *Écoles de Bruxelles :* R. Van der Weyden, Th. Bouts, H. Van der Goes *École de Bruges :* P. Christus, H. Memling, G. David	sculptures de jubés flamboyants, retables de bois sculptés, stalles C. Sluter *tapisserie :* Tournai, Bruxelles (fin XVe s.)
XVIe siècle	palais des Princes-Évêques de Liège Grand-Place d'Anvers Cornelis Floris de Vriendt : hôtel de ville d'Anvers	*Renaissance flamande :* J. Bosch, Q. Matsys, J. Patinir, B. Van Orley, P. Bruegel le Vieux, J. Mone, J. Dubroeucq	tapisseries de Bruxelles : *David et Bethsabée, chasses de Maximilien*
XVIIe siècle	Coebergher : basilique de Montaigu églises baroques : St-Charles-Borromée d'Anvers, St-Michel de Louvain, St-Loup de Namur maisons des corporations de la Grand-Place de Bruxelles (fin XVIIe et XVIIIe)	P. P. Rubens Paul et Corneille de Vos J. Jordaens A. Van Dyck David Teniers le Jeune P. Bruegel (dit Br. d'Enfer) J. Bruegel (dit Br. de Velours)	*art décoratif des églises :* stalles, chaires, jubés, statues tapisseries d'Audenarde F. et J. Duquesnoy (baroque italianisant) *sculpture :* L. Faydherbe, J. Delcour (statues de la Vierge à Liège) famille des Verbruggen : confessionnaux et chaires
XVIIIe siècle	*archi. néo-classique :* Place royale et palais de la Nation de Ch. de Lorraine, à Bruxelles	P. J. Verhaegen	J. Bergé : fontaine de la place du Grand-Sablon à Bruxelles, chaires rococo apogée de l'industr. de la dentelle
XIXe siècle	*archi. éclectique :* néo-gothique, néo-Renaissance, etc.	H. de Braekeleer J. Ensor F. Rops	C. Meunier Ch. Fraikin
XXe siècle	*Art nouveau :* V. Horta, P. Hankar et H. Van de Velde H. Van de Velde : musée Kröller-Müller à Otterloo (Pays-Bas)	Rik Wouters C. Permeke L. Spilliaert A. Delvaux R. Magritte Cobra : P. Alechinsky	Rik Wouters P. Bury V. Servranckx

Bélial, un des noms donnés à l'esprit du mal dans l'Ancien Testament.

bélier n. m. **1.** Mouton non castré. **2.** ASTRO *Le Bélier* : constellation zodiacale de l'hémisphère boréal. ▷ ASTROL Signe du zodiaque* (21 mars-20 avril). – Ellipt. *Il est bélier.* **3.** HIST. Machine de guerre constituée d'une poutre de bois armée à une extrémité d'une masse métallique figurant la tête d'un bélier. *Le bélier servait à attaquer les murailles.* **4.** *Coup de bélier* : choc produit sur les parois d'une conduite par la dissipation de l'énergie cinétique d'un liquide dont l'écoulement est brusquement interrompu. ▷ *Bélier hydraulique* : appareil élévateur d'eau qui utilise le phénomène du coup de bélier.

Belin (Édouard) (Vesoul, 1876 – Territet, Suisse, 1963), inventeur français de la phototélégraphie (bélinographe*).

bélinographe n. m. Appareil qui permet la transmission par fil d'images, de photographies *(bélinogrammes).*

Bélisaire (Illyrie, v. 500 – Constantinople, 565), général byzantin. Sa loyauté sauva Justinien lors de la sédition Nika (532). Il reconquit l'Afrique sur les Vandales (533-534), puis entama la reconquête de l'Italie sur les Ostrogoths (535-540). Ses moyens insuffisants ne lui permirent pas d'arrêter la nouv. offensive des Goths, qui reprirent Rome (546-548).

bélître n. m. Vx Homme de rien, coquin.

Belize (*Honduras brit.* jusqu'en 1973), État de l'Amérique centrale, membre du Commonwealth, bordé par l'Atlant.; 22 965 km²; 220 000 hab.; cap. *Belmopan.* Langue off. : angl. Monnaie : dollar. Relig. : cathol., protestantisme. – Des hauteurs couvertes de forêts dominent les terres côtières, marécageuses. L'agric. est la princ. activité : agrumes, maïs, canne à sucre; à cette dernière s'ajoute l'exploitation forestière. – Occupé par les Angl. au XVIIe s., colonie en 1862, le pays devint indépendant en 1981. ► carte **Amérique centrale**

Belize, port du Belize, cap. jusqu'en 1970; ch.-l. du district du m. nom; 49 000 hab. Centre commercial.

bélizieux, euse ou **bélizais, aise** adj. et n. De Belize. ▷ Subst. *Un Bélizieux, une Bélizieuse,* ou *un(e) Bélizais(e).*

Bell (Alexander Graham) (Édimbourg, 1847 – près de Baddeck, Nouvelle-Écosse, 1922), ingénieur américain d'origine brit. Il émigra au Canada, puis aux É.-U., avant de revenir au Canada, où il mourut. Ses travaux d'acoustique médicale (oreille artificielle pour sourds) l'amenèrent à inventer le téléphone (1876). ► illustr. page **189**

Bellac, ch.-l. d'arr. de la Hte-Vienne; 5 281 hab. Tanneries. – Égl. à deux nefs, l'une romane (XIIe s.), l'autre gothique (XIVe s.).

belladone n. f. Plante annuelle (fam. solanacées) à grande tige rougeâtre, à fleurs pourpres, à baies noires, qui contient divers alcaloïdes extrêmement toxiques.

bellâtre n. m. Homme d'une beauté conventionnelle, dépourvue d'expression; fat.

Bellay (Guillaume du) (Glatigny, Sarthe, 1491 – Saint-Symphorien-de-Lay, Rhône, 1543), général et diplomate français au service de François Ier, auteur de *Mémoires.* – **Jean** (Souday, 1492 – Rome, 1560), frère du préc., évêque de Paris; cardinal, humaniste, il fut protecteur de Rabelais. – **Joachim** (Liré, 1522 - Paris, 1560), cousin des préc., l'un des poètes du groupe de la Pléiade, dont il écrivit le manifeste (*Défense et illustration de la langue française*, 1549). Ses sonnets, souvent mélancoliques, sont d'une langue délicate : *l'Olive* (1549), *les Regrets* (1558), *les Antiquités de Rome* (1558).

belle. V. beau 1 et 2.

Belleau (Rémy) (Nogent-le-Rotrou, 1528 - Paris, 1577), poète français, membre de la Pléiade, auteur de *la Bergerie* (1565). Ronsard l'appelait « poète de la nature ».

Bellechose (Henri) (Brabant, v. 1380 - Dijon, v. 1440), peintre et enlumineur brabançon, de style gothique franco-flamand. On lui attribue le *Retable de saint Denis* (v. 1416, Louvre).

belle-dame n. f. **1.** Nom cour. de la belladone et de l'arroche. **2.** Grand papillon cosmopolite migrateur. (V. vanesse.) *Des belles-dames.*

belle-de-jour n. f. Liseron dont la fleur se ferme au coucher du soleil. *Des belles-de-jour.*

belle-de-nuit n. f. **1.** Nom cour. d'une plante ornementale, dont les fleurs ne s'ouvrent que le soir. **2.** Fig. Prostituée. *Des belles-de-nuit.*

belle-doche n. f. Pop. Belle-mère. *Des belles-doches.*

Belledonne (massif de), chaîne des Alpes (Isère), à l'E. du Grésivaudan; 2 981 m.

belle-famille n. f. Famille du conjoint. *Des belles-familles.*

belle-fille n. f. **1.** Fille née d'un premier mariage de la personne que l'on a épousée. **2.** Bru, femme d'un fils. *Des belles-filles.*

Bellegambe (Jean) (Douai, v. 1470 - id., 1534), peintre flamand, auteur de nombreux retables dans le style de Matsys : *la Trinité* (v. 1509-1514), *l'Annonciation* (v. 1518, musée de l'Ermitage).

Bellegarde-sur-Valserine, ch.-l. de cant. de l'Ain (arr. de Nantua), au confl. du Rhône et de la *Valserine*; 11 696 hab. Électrométall.; industr. du plastique et du caoutchouc. Barrage hydroél. de Génissiat.

Belle-Île, île de l'Atlant. (Morbihan), à 12 km au S.-O. de Quiberon, formant un canton; 90 km²; 4 489 hab.; ch.-l. de cant. *Le Palais.* Tourisme.

belladone

Gentile **Bellini :** *le Miracle de la Croix-Sainte*, 1496-1497; musée de l'Académie, Venise

Belle-Isle (détroit de), bras de mer entre Terre-Neuve et le Labrador.

bellement adv. Vx ou litt. De belle manière. ▷ Doucement, avec modération.

belle-mère n. f. **1.** Mère du mari pour la femme, de la femme pour le mari. **2.** Seconde épouse du père, pour les enfants du premier lit. *Des belles-mères.*

Bellérophon, héros myth. corinthien, fils de Poséidon ou de Glaucos. Chevauchant Pégase, il triompha de la Chimère et accomplit une foule d'exploits avant d'épouser la fille du roi de Lycie, auquel il succéda.

belles-lettres n. f. pl. Vieilli Ensemble constitué par la grammaire, l'éloquence, la poésie, l'histoire, la littérature. *Académie des inscriptions et belles-lettres.*

belle-sœur n. f. **1.** Sœur du mari pour la femme, de la femme pour le mari. **2.** Épouse d'un frère ou d'un beau-frère. *Des belles-sœurs.*

Belleville, anc. com. de la Seine, annexée à Paris en 1860 (XIXe et XXe arr.). - *Programme (républicain) de Belleville,* édicté par Gambetta en mai 1869 et dont l'essentiel fut repris par le parti radical.

Belleville-sur-Loire, com. du Cher (arr. de Bourges); 448 hab. - Centrale nucléaire.

Belley, ch.-l. d'arr. de l'Ain; 8 169 hab. Industr. du cuir, constr. méca. - Anc. cap. du Bugey. - Évêché. Cath. avec chœur et transept du XVe s.; palais épiscopal construit par Soufflot (1779).

bellicisme [bel(l)isism] n. m. Amour de la guerre; théorie, tendance des bellicistes. Ant. pacifisme.

belliciste n. et adj. Partisan de la guerre, qui prône la guerre. ▷ adj. *Théories bellicistes.* Ant. pacifiste.

bellifontain, aine adj. et n. De Fontainebleau. - Subst. *Un(e) Bellifontain(e).*

belligérance n. f. Situation d'un pays, d'un peuple en état de guerre.

belligérant, ante adj. et n. Se dit d'un État qui est en guerre. *Puissances belligérantes.* ▷ Subst. *Les belligérants :* les États en guerre. ▷ DR Se dit d'un combattant régulier dans une armée en guerre.

Bellini, famille de peintres vénitiens du XVe s. – **Iacopo** (Venise, v. 1400 - id., v. 1470) fut l'élève de Gentile da Fabriano; son style est encore proche du goth. tardif. – **Gentile** (Venise, v. 1429 - id., 1507), fils aîné du préc., portraitiste et peintre officiel de la République. – **Giovanni,** dit Giambellino (Venise, v. 1430 - id., 1516), frère du préc., s'attacha plus partic. à l'effet tonal et à l'unité chromatique (*Transfiguration*, 1480-1485); l'influence de son atelier s'est exercée sur tout l'art vénitien du Quattrocento.

Bellini (Vincenzo) (Catane, 1801 - Puteaux, 1835), compositeur italien d'opéras : *la Somnambule* (1831), *Norma* (1831), *les Puritains* (1835).

Bellinzona, v. de Suisse; ch.-l. de cant. du Tessin; 17 600 hab. - Mon. médiévaux.

belliqueux, euse adj. **1.** Qui aime faire la guerre. *Nation belliqueuse.* Ant. pacifique. **2.** Qui aime engager des polémiques, agressif. *Tempérament belliqueux.* Ant. paisible.

Bellmer (Hans) (Katowice, 1902 - Paris, 1975), peintre et illustrateur français d'origine allemande, dont les œuvres, surréalistes et fantastiques, traduisent des obsessions érotiques.

Bello (Andrés) (Caracas, 1781 - Santiago, 1865), juriste, philosophe, poète et grammairien vénézuélien, collaborateur de Bolívar. Fondateur de l'Université du Chili (1842).

Belloc (George Hilaire Peter) (La Celle-Saint-Cloud, 1870 - Guildford, Surrey, 1953), écrivain anglais. Auteur satirique, plein de fantaisie et d'érudition, il écrivit des poèmes (*Vers et sonnets,* 1895), des romans (*Emmanuel Burden,* 1904), des livres pour enfants (*le Livre des bêtes pour enfants méchants,* 1896), des études historiques (*Danton,* 1899;

Richelieu, 1929), et des essais politiques (*l'État servile*, 1912 ; *l'Europe et la Foi*, 1920).

Bellone, déesse de la Guerre chez les Romains.

Bellonte (Maurice) (Méru, 1896 – Paris, 1984), aviateur français. Il réussit, avec D. Costes*, le premier vol Paris-New York sans escale (1930).

Bellotto (Bernardo). V. Canaletto.

Bellovaques, peuple de la Gaule Belgique ; il a donné son nom à la ville de Beauvais.

Bellow (Saul) (Lachine, Québec, 1915), romancier américain. Ses œuvres parlent du déracinement de l'homme dans les villes contemporaines : *l'Homme de Buridan* (1944), *la Victime* (1947), *les Aventures d'Augie March* (1953), *le Faiseur de pluie* (1959), *le Don de Humboldt* (1975), *La journée s'est-elle bien passée ?* (1985). P. Nobel 1976.

belluaire n. m. ANTIQ ROM Gladiateur qui combattait des bêtes féroces. Syn. bestiaire.

Belluno, v. d'Italie (Vénétie), sur la Piave ; 36 500 hab. ; ch.-l. de la prov. du m. nom. Sports d'hiver. – Victoire de Masséna sur les Autrichiens (1797).

Belmondo (Jean-Paul) (Neuilly-sur-Seine, 1933), acteur et producteur de cinéma français. Jeune premier de la Nouvelle Vague* (*À bout de souffle*, 1959, et *Pierrot le Fou*, 1965, de J.-L. Godard), il se spécialisa, après 1970, dans les films d'action à grand spectacle (*l'As des as*, 1982 ; *le Solitaire*, 1987 ; *Itinéraire d'un enfant gâté*, 1988). ► illustr. **Godard**

Belmopan, cap. du Belize ; 2 910 hab.

Belo Horizonte, v. du Brésil, cap. de l'État de Minas Gerais ; 2 122 070 hab. Grand centre sidérurgique et métallurgique. Text. Université.

belon [bəlɔ̃] n. f. Huître à coquille plate et ronde.

Belon (Pierre) (Cérans-Foulletourte, Sarthe, 1517 – Paris, 1564), naturaliste et médecin français ; un des fondateurs en France des sciences naturelles et de l'anatomie comparée.

belote n. f. Jeu de cartes qui se joue à 2, 3 ou 4 joueurs avec 32 cartes. *Faire une belote.* ▷ *Belote et rebelote* : réunion dans une même main de la dame et du roi d'atout, à ce jeu.

Béloutchistan ou **Baloutchistan,** rég. montagneuse s'étendant sur l'Iran sud-oriental et le Pākistān sud-occidental, peuplée par les Baloutches, ethnie de tradition pastorale nomade. – *La province du Béloutchistan*, prov. du Pākistān ; 347 188 km² ; près de 5 millions d'hab. ; ch.-l. *Quetta*.

Belphégor (« le Seigneur du mont Phégor »), divinité moabite à laquelle on rendait un culte licencieux. Mentionné dans la Bible sous le nom Baal-Péor (*Livre des Nombres*, XXV), il suscite la colère de l'Éternel.

Belsunce de Castelmoron (Henri François-Xavier de) (La Force, Périgord, 1670 – Marseille, 1755), évêque de Marseille. Il se dévoua héroïquement pendant la peste de 1720-1721.

Belt (Grand- et **Petit-),** noms de deux détroits, le premier entre les îles danoises de Sjælland et de Fionie, le second entre l'île de Fionie et le Jylland. Ils font communiquer la mer du Nord et la Baltique par le Kattégat et le Skagerrak.

Beltrami (Eugenio) (Crémone, 1835 – Rome, 1900), mathématicien italien (travaux de géométrie, géodésie, mécanique, physique mathématique, etc.).

béluga [beluga] ou **bélouga** n. m. ZOOL Cétacé odontocète sans nageoire dorsale (*Delphinapterus leucas*) des mers arctiques, appelé aussi *baleine blanche*.

belvédère n. m. **1.** ARCHI Petit pavillon construit sur une éminence, au sommet d'un édifice, d'où l'on peut contempler le paysage. **2.** *Par ext.* Éminence, lieu dégagé d'où la vue s'étend au loin.

Belvédère (le), pavillon de la Cité du Vatican bâti à la fin du XVe s., sous Innocent VIII, et agrandi sous Jules II par Bramante. Il renferme des chefs-d'œuvre de la sculpture antique : *Laocoon*, *Apollon* et *Torse* dits « du Belvédère », etc.

Belzébuth ou **Belzébul,** nom biblique (Nouveau Testament) du dieu philistin Baal Zebub (le « dieu des mouches »). Il désigne le diable.

Bembo (Pietro) (Venise, 1470 – Rome, 1547), cardinal et humaniste italien (poésies à la manière de Pétrarque et dialogues sur l'amour : *Asolani*, 1505). Ses *Proses sur la langue vulgaire* prônent l'usage du toscan.

bémol n. m. **1.** Signe d'altération musicale (♭) que l'on place devant une note qui doit être baissée d'un demi-ton. **2.** Fig., fam. Fait d'atténuer la violence de sa pensée ou de ses paroles. *Mettre un bémol à ses critiques.*

bémoliser v. tr. [1] MUS Marquer une note d'un bémol ou armer la clé d'un ou plusieurs bémols.

Ben Ali (Zein al-Abidin) (*Zayn al-ʿĀbidīn ibn ʿAlī*) (Monastir, 1936), homme politique tunisien. Ministre de l'Intérieur et Premier ministre, en oct. 1987 il devient constitutionnellement le successeur du président Bourguiba, qu'il dépose en nov. pour « incapacité ». Élu prés. de la République en avr. 1989.

Bénarès (auj. *Vārānasi*), v. sainte (pour les hindouistes) de l'Inde (Uttar Pradesh), sur le Gange ; 708 650 hab. Artisanat. Aéroport. Universités. – Nombreux temples.

pèlerins hindouistes au bord du Gange à **Bénarès**

Benavente y Martinez (Jacinto) (Madrid, 1866 – id., 1954), dramaturge espagnol (pièces fantastiques et symboliques, comédies, drames) : *Gens connus* (1896), *Les affaires sont les affaires* (1907). P. Nobel 1922.

Ben Barka (al-Mahdi) (Rabat, 1920 – disparu à Paris en 1965), homme politique marocain, secrétaire général de l'U.N.F.P. (Union nationale des forces populaires). Exilé, condamné à mort par contumace, il fut enlevé en oct. 1965, à Paris, par des agents des services secrets marocains et leurs complices français, et très certainement assassiné.

Ben Bella (Ahmed) (*Aḥmad bin Balla*) (Marnia, près de Tlemcen, 1916), homme politique algérien. L'un des chefs de la révolution algérienne, il fut emprisonné en France de 1956 à 1962. Libéré, il s'opposa à Ben Khedda (sept. 1962) et devint président du Conseil puis président de la Rép. algérienne (sept. 1963). En juin 1965, H. Boumediene le renversa et l'emprisonna. Après sa libération en oct. 1980, il prit la tête de l'opposition en exil jusqu'à son retour au pays en 1990.

Benda (Julien) (Paris, 1867 – Fontenay-aux-Roses, 1956), écrivain français, défenseur du rationalisme contre l'intuitionnisme de Bergson, et surtout de la démocratie contre le totalitarisme. *La Trahison des clercs* (1927) est un pamphlet contre les intellectuels.

Bender ou **Bendery,** v. de Moldavie, sur le Dniestr ; 61 000 hab. Text. – Siège contre les Turcs, soutenu par Charles XII de Suède (1713). Ville roumaine (*Tighina*) de 1919 à 1945.

Benedetti Michelangeli (Arturo) (Brescia, 1920 – Lugano, 1995), pianiste italien de renommée internationale.

Benedetto da Maiano (Maiano, 1442 – Florence, 1497), architecte et sculpteur italien ; auteur du palais Strozzi (Florence).

bénédicité n. m. Prière dite avant le repas, qui commence par le mot lat. *benedicite*.

bénédictin, ine n. Religieux, religieuse de l'ordre de saint Benoît de Nursie. – Fig. *Travail de bénédictin* : travail long, exigeant une application minutieuse. ▷ adj. Relatif à l'ordre bénédictin. *La règle bénédictine.*

bénédiction n. f. **1.** Action de bénir. *Bénédiction nuptiale* : cérémonie religieuse du mariage. *Bénédiction urbi et orbi* (« *à la ville et au monde* ») : bénédiction solennelle du pape à toute la chrétienté en certaines occasions. **2.** Grâce et faveur du ciel. *Dieu l'a comblé de ses bénédictions.* ▷ Fig. *C'est une bénédiction*, un événement heureux.

bénéfice n. m. **I. 1.** Avantage, privilège, faveur. *Gracié au bénéfice du doute.* **2.** Au Moyen Âge, concession de terre faite à un vassal par son seigneur. **3.** *Bénéfice ecclésiastique* : concession de biens-fonds ou de revenus attachée aux fonctions, aux dignités ecclésiastiques. *Les bénéfices ecclésiastiques furent abolis le 2 novembre 1789.* Syn. prébende. ▷ *Par ext.* Lieu où étaient l'église et le bien du bénéfice. **4.** DR Droit accordé par la loi. ▷ *Bénéfice de division* : droit accordé aux cautions d'une même dette d'exiger que le créancier divise son action et la réduise contre chaque caution à la part de sa dette. ▷ *Bénéfice d'inventaire* : mode d'acceptation d'une succession permettant à l'héritier de n'être tenu des dettes héréditaires que sur les biens de la succession. – Fig. *Sous bénéfice d'inventaire* : provisoirement, sous toutes réserves. **II.** Différence entre le prix de vente et le prix de revient. *Bénéfice brut*, calculé sans déduction des charges. *Bénéfice net*, charges déduites. *Bénéfices industriels et commerciaux. Bénéfices non commerciaux.* Syn. gain, profit. Ant. déficit, perte.

bénéficiaire n. et adj. **1.** Personne qui tire un avantage de qqch. ▷ *Tiers bénéficiaire* ou *bénéficiaire* : personne à l'ordre de qui est établi un chèque, un billet à ordre, une traite. ▷ DR *Héritier bénéficiaire*, qui n'a accepté une succession que sous bénéfice d'inventaire. **2.** Qui a rapport au bénéfice, qui produit un bénéfice. *Une opération bénéficiaire.*

1. bénéficier n. m. HIST Celui qui avait un bénéfice ecclésiastique. ▷ adj. *Abbé bénéficier.*

2. bénéficier v. tr. ind. [**2**] Tirer un avantage, un profit (d'une chose). Syn. profiter. *Il a bénéficié de la situation de son père.*

bénéfique adj. Dont l'action, l'influence est favorable. *Un pouvoir bénéfique.*

Benelux, union douanière formée en 1944 (effective en 1948) entre la Belgique, les Pays-Bas *(Nederland)* et le Luxembourg, renforcée en 1958 par une union écon. (effective en 1960).

Beneš (Edvard) (Kožlany, Bohême du Sud, 1884 - Sezimovo-Ústi, 1948), homme politique tchécoslovaque, ministre des Affaires étrangères (1918-1935), puis président de la Rép. de 1935 à 1938 et de 1945 à 1948. Il se démit (fév. 1948) face aux exigences des communistes, et mourut quelques mois après.

benêt [bənɛ] n. et adj. m. Niais, sot. *Un grand benêt.*

Bénévent (en ital. *Benevento*), v. d'Italie (Campanie); 61 440 hab.; ch.-l. de la prov. du m. nom. Raff. de soufre; industr. alim. - Archevêché. - Arc de triomphe de Trajan (115 apr. J.-C.); égl. Ste-Sophie (VIIIe s.); théât. romain; mon. médiévaux. - Pyrrhos II y fut vaincu par les Romains en 275 av. J.-C.

bénévolat n. m. Tâche accomplie, service rendu à titre bénévole.

bénévole adj. et n. Qui fait qqch sans y être obligé et gratuitement. *Une infirmière bénévole.* ▷ Subst. *Un(e) bénévole.* - (Choses) Qui est fait sans obligation, à titre gratuit. *Un service bénévole.*

bénévolement adv. D'une manière bénévole.

Bénezet (saint) (XIIe s.), berger qui aurait construit, sur ordre céleste, le pont d'Avignon.

Bengale, région, située au N.-E. du subcontinent indien, qui correspond au vaste delta engendré par le Gange et le Brahmapoutre, et aux collines sous-himalayennes. Le climat (forte humidité) et la langue bengali, prééminente, renforcent l'unité géographique de cette région, pourtant partagée entre deux États. En 1947, lors de la partition de l'Empire britannique des Indes, le Bengale-Oriental, peuplé de musulmans, a constitué le Pākistān oriental, devenu en 1971 le Bangladesh, tandis que la partie occid., autour de Calcutta, à majorité hindouiste, restait à l'Inde. Avec 150 000 000 d'hab. et des densités de 500 à 1 000 hab./km², le Bengale est l'une des rég. les plus peuplées d'Asie. Son économie est fondée sur la double culture du riz et du jute.

Bengale (golfe du), partie N.-E. de l'océan Indien, comprise entre l'Inde, le Bangladesh et la Birmanie.

bengali adj. et n. (inv. en genre) **1.** Du Bengale. - Subst. *Un(e) Bengali.* ▷ n. m. Langue du Bengale, du Bangladesh. **2.** n. m. ORNITH Passériforme (divers genres) au plumage coloré, originaire d'Asie ou d'Afrique tropicale.

A. G. **Bell**

Ben Gourion

Benghazi *(Bingāzi)* (anc. *Bérénice*), port de Libye (Cyrénaïque); 450 000 hab. (2e ville du pays); ch.-l. de la prov. du m. nom. Industr. alim. - Violents combats entre les forces de l'Axe et les Brit. (1941-1942).

Ben Gourion (David Grün, dit) (Płońsk, Pologne, 1886 - Tel-Aviv, 1973), homme politique israélien. Il a participé à la création de l'État d'Israël (proclamé en 1948). Chef du gouv. de 1948 à 1953 et de 1955 à 1963.

Benguela, port d'Angola, sur l'Atlantique; 42 000 hab.; ch.-l. de la prov. du m. nom. - *Courant du Benguela* : courant marin froid venu du S., qui longe l'Angola, le Congo et le Gabon.

béni, ie adj. Qui a reçu une bénédiction. *Les fidèles ont été bénis.* ▷ Qui semble bénéficier d'une protection divine. *Une journée bénie.*

bénignement adv. Rare D'une façon bénigne.

bénignité n. f. Caractère de ce qui est bénin. Ant. malignité.

Beni Mellal *(Banī Mallāl)*, v. du Maroc; 95 000 hab.; ch.-l. de la prov. du m. nom. Centre comm. important.

bénin, igne adj. **1.** Vx Doux, bienveillant. *Un naturel bénin.* Ant. méchant. **2.** Qui est sans gravité. *Accident bénin.* ▷ MED *Tumeur bénigne*, qui ne donne pas de métastases.

Bénin ou **Benin,** anc. royaume d'Afrique occid., à l'O. du delta du Niger. Son histoire est connue à partir du XIIIe s.; son apogée se situe au XVIIe s. En 1897, les Anglais imposèrent leur protectorat aux *obas*, les souverains traditionnels. - L'art du Bénin est un art de cour essentiellement représenté par des ivoires (salières, cuillers, trompes, masques) et des bronzes à la cire perdue : statues et portraits royaux en ronde bosse, plaques ornementales.

Bénin (république populaire du) (rép. du *Dahomey* de 1960 à 1975), État d'Afrique occid., sur le golfe du Bénin. 112 622 km²; 5 400 000 hab. (en 1957, 1 713 000 hab.); cap. *Porto-Novo*. Nature de l'État : rép. populaire (parti unique). Langue off. : français. Monnaie : franc C.F.A. Ethnies princ. : Fons, Adjas, Baribas, Yoroubas. Relig. : animisme (65 %), cathol. (15 %), islam (10 %), protestantisme (6 %).
Géogr. phys. et hum. - Étiré entre les bassins du Niger et de la Volta, le Bénin est un pays au relief monotone. Au S. s'étendent des plaines fertiles et forestières, à population très dense, bordées d'un littoral sableux à lagunes. Au centre et au N., des plateaux jalonnés de hauteurs (massif de l'Atakora) connaissent un climat tropical plus sec : c'est le domaine de la savane au peuplement plus clairsemé. La population, rurale à 60 %, enregistre une forte croissance (3 % par an).
Écon. - Les cultures vivrières (igname, manioc, maïs) et commerciales (coton, café, cacao, palmier à huile) restent la base de l'activité. Le pays exporte un peu de pétrole. 1990 marque la fin du système marxiste-léniniste, qui laisse une économie en ruine ne survivant que par la contrebande et l'aide de la France. Le Bénin appartient aux pays les moins avancés.
Hist. - Dès le XVIe s., le littoral du royaume du Dahomey devint le lieu privilégié de la traite des Noirs. La France, dont les comptoirs étaient tombés au début du XVIIIe s., reconquit le pays après une lutte contre Béhanzin, roi d'Abomey, célèbre par sa troupe d'Amazones, en 1894. En 1899, le pays entra dans l'A.-O.F. Indépendant en 1960 (sous le nom de rép. du Dahomey jusqu'en 1975), membre du Conseil de l'Entente, il connut une succession de coups d'État militaires dont celui de 1972, qui porta au pouvoir le commandant Mathieu Kérékou, lequel choisit la voie socialiste marxiste-léniniste et instaura un régime d'assemblée à parti unique. En 1975, le pays fut rebaptisé Bénin. Face à la contestation, M. Kérékou a dû accepter la démocratisation (1991) et a été remplacé à la présidence par Nicéphore Soglo. En mars 1996, Mathieu Kérékou est élu président de la République. ► carte page **190**

Bénin (golfe du), partie du golfe de Guinée, à l'O. du delta du Niger.

Benin City, v. du Nigeria, cap. de l'État de *Bendel* et de l'anc. royaume du Bénin; 136 000 hab.

béninois, oise adj. Du Bénin. ▷ Subst. *Un(e) Béninois(e).*

béni-oui-oui [beniwiwi] n. m. inv. Fam. Approbateur empressé de toute initiative d'un pouvoir établi.

bénir v. tr. [**3**] **1.** Répandre sa grâce, sa bénédiction sur (en parlant de Dieu). **2.** Appeler la protection, la bénédiction divine sur. *Le prêtre a béni les fidèles.* **3.** Consacrer au culte divin. *Bénir une chapelle.* **4.** Louer, rendre grâce avec reconnaissance à. *Les malheureux bénissent sa mémoire.* ▷ *Par ext.* Se féliciter, se réjouir de. *Je bénis cette occasion de vous rencontrer.*

Beni-Souef *(Banī Suwayf)*, v. de la Haute-Égypte, sur le Nil; 146 000 hab.; ch.-l. de la prov. du m. nom. - Temple d'Osiris et nécropole.

bénit, ite adj. Qui a reçu une bénédiction liturgique. *Pain bénit, eau bénite.*

bénitier n. m. **1.** Bassin ou vase destiné à contenir de l'eau bénite. ▷ Fig., fam. *Se démener comme un diable dans un bénitier* : faire tous ses efforts pour sortir d'une situation difficile. ▷ Fig., fam. *Grenouille de bénitier* : bigote. **2.** Tridacne *(Tridacna gigas)* dont l'énorme coquille côtelée (1 m de diamètre) a souvent servi de bénitier.

benjamin, ine n. Le plus jeune enfant d'une famille; le plus jeune membre d'un groupe.

Benjamin, personnage biblique; douzième et dernier fils de Jacob et de Rachel, à l'origine de l'une des douze tribus d'Israël.

Benjamin (Walter) (Berlin, 1892 - Port-Bou, 1940), philosophe, critique et essayiste allemand d'origine juive; l'un des princ. théoriciens de l'école de Francfort : *les Affinités électives de Goethe* (1924-1925). Son ouvrage *l'Œuvre d'art à l'époque de sa reproduction mécanisée* (1936) est l'un des principaux sur l'esthétique moderne. Partisan du matérialisme historique, il écri-

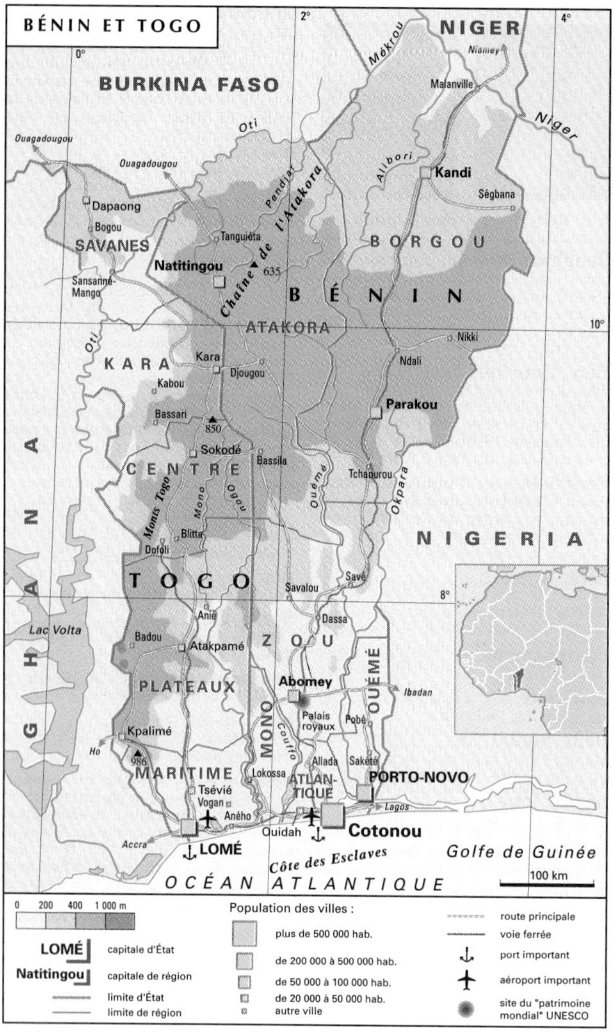

BÉNIN ET TOGO

0 200 400 1 000 m

LOMÉ capitale d'État
Natitingou capitale de région
limite d'État
limite de région

Population des villes :
plus de 500 000 hab.
de 200 000 à 500 000 hab.
de 50 000 à 100 000 hab.
de 20 000 à 50 000 hab.
autre ville

route principale
voie ferrée
port important
aéroport important
site du "patrimoine mondial" UNESCO

vit également : *Mythe et Violence* (posth., 1955), *Poésie et Révolution* (posth., 1961). Il se suicida pour échapper aux nazis.

Ben Jelloun (Tahar) (Fès, 1944), écrivain marocain de langue française. Ses essais et ses romans (*Moha le fou, Moha le sage*, 1978 ; *la Nuit sacrée*, prix Goncourt 1987) expriment le déracinement des émigrés. *La Remontée des cendres* (poème, 1991) rend hommage aux morts oubliés de la guerre du Golfe.

benjoin [bɛ̃ʒwɛ̃] n. m. Résine de différents arbres d'Asie tropicale, utilisée en parfumerie et en pharmacie.

Ben Jonson. V. Jonson (Benjamin).

Ben Khedda (Youssef) (*Yūsuf ibn Ḥadda*) (Berrouaghia, 1920), homme politique algérien, président du G.P.R.A. (Gouv. provisoire de la Rép. algérienne) lors des accords d'Évian et de l'indépendance de l'Algérie.

Benn (Gottfried) (Mansfeld, Prusse, 1886 - Berlin, 1956), poète expressionniste allemand : *Morgue* (1912), *Double Vie* (1950) où il raconte sa brève adhésion au national-socialisme ; *Apreslude* (1955).

benne n. f. **1.** Caisson pour la manutention des matériaux en vrac ; son contenu. *Des bennes de bauxite.* ▷ *Benne preneuse :* benne à mâchoires, qui s'ouvre pour prendre les matériaux. **2.** Cabine d'ascenseur ou de téléphérique.

Bennett (Enoch Arnold) (Hanley, Staffordshire, 1867 - Londres, 1931), journaliste et écrivain anglais. Il écrivit des pièces légères et brillantes, des romans et des nouvelles régionalistes : *Contes des cinq villes* (1905), *la Famille Clayhanger* (1925).

Bennett (Richard Bedford) (Hopewell, Nouveau-Brunswick, 1870 - Micklehan, Surrey, 1947), homme politique canadien ; chef du parti conservateur, Premier ministre de 1930 à 1935.

Ben Nevis, point culminant (1 340 m) de la G.-B., dans la chaîne des Grampians, en Écosse.

Bennigsen (Levin Leontievitch) (Brunswick, 1745 - Banteln, Hanovre, 1826), général russe. Il participa à la conjuration contre Paul Ier (1801) et se distingua à Eylau (1807) et à Leipzig (1813).

l'abbé Giovanni offre le codex à saint **Benoît**, enluminure, Xe s. ; abbaye du mont Cassin

Bénodet, com. du Finistère (arr. de Quimper), sur l'Atlant., à l'embouchure de l'Odet ; 2 450 hab. Station balnéaire.

benoît, oîte adj. Qui a une mine doucereuse.

Benoît de Nursie (saint) (Nursie, Pérouse, v. 480 - Mont-Cassin, v. 547), fondateur de l'ordre bénédictin dont il établit la règle au Mont-Cassin.

Benoît d'Aniane (saint) (v. 750 - 821), bénédictin ; il fonda l'abbaye d'Aniane (Hérault) et codifia la règle de son ordre à l'usage de tous les monastères d'Occident (817).

Benoît, nom de treize papes et de quatre antipapes, dont : – **Benoît II** (saint), pape de 684 à 685. – **Benoît XIII** (Pedro Martínez de Luna) (Illueca, v. 1320 - Peñíscola, 1423), antipape de 1394 à 1423. – **Benoît XIV** (Prospero Lambertini) (Bologne, 1675 - Rome, 1758), pape de 1740 à 1758.

Benoît de Sainte-Maure ou **de Sainte-More** (XIIe s.), chroniqueur anglo-normand ; il poursuivit la rédaction en vers de la *Chronique des ducs de Normandie*, commencée par Wace, et écrivit le *Roman de Troie*.

Benoit (Pierre) (Albi, 1886 - Ciboure, 1962), écrivain français ; auteur de romans d'aventures : *Kœnigsmark* (1918), *l'Atlantide* (1919), etc. Acad. fr. (1931).

benoîte n. f. Plante herbacée (fam. rosacées) à fleurs jaunes et fruits groupés terminés par un crochet, dont la tige et la racine ont des propriétés toniques et astringentes.

benoîtement adv. D'une manière benoîte.

Bénoué (la), riv. d'Afrique occid. (1 400 km), affl. du Niger (r. g.). Née au Cameroun, elle s'écoule principalement au Nigeria ; elle est navigable en aval de Garoua (Cameroun) en période de crue.

Benserade (Isaac de) (Paris, v. 1613 - Gentilly, 1691), poète français : tragédies (*Cléopâtre*, 1635), livrets de ballets (*la Naissance de Vénus*, 1665) ; le sonnet de *Job* (1648) l'opposa à Voiture (sonnet d'*Uranie*). Acad. fr. (1674).

Bentham (Jeremy) (Londres, 1748 - id., 1832), philosophe et jurisconsulte anglais. Sa morale utilitariste (recherche du bonheur individuel ou

« arithmétique des plaisirs ») caractérise le libéralisme du XIXe s.

benthique adj. Du benthos.

benthos [bɛ̃tos] n. m. BIOL Ensemble des organismes vivant sur les fonds marins ou d'eau douce (par oppos. à *necton* et *plancton*).

Benveniste (Émile) (Alep, 1902 - Paris, 1976), linguiste français. Spécialiste des langues indo-européennes, héritier du courant comparatiste. *Vocabulaire des institutions indo-européennes* (1969), *Problèmes de linguistique générale* (1974).

Benvenuto Cellini. V. Cellini.

Benxi, v. de la Chine du N.-E. (prov. de Liaoning); 773 730 hab. (aggl. urb. 1 412 120 hab.). Houille, sidérurgie.

Benz (Carl) (Karlsruhe, 1844 - Ladenburg, Bade-Wurtemberg, 1929), ingénieur allemand qui fit breveter en 1886 un tricycle muni d'un moteur à 4 temps.

benzène [bɛ̃zɛn] n. m. CHIM Liquide incolore, mobile, réfringent, à l'odeur caractéristique (dangereux à respirer). ENCYCL Le benzène est un solvant organique, non polaire, insoluble dans l'eau, inflammable. C'est un hydrocarbure cyclique de formule brute C_6H_6. Sa densité est de 0,88. Il bout à 80,1 °C et se solidifie à 5,5 °C.

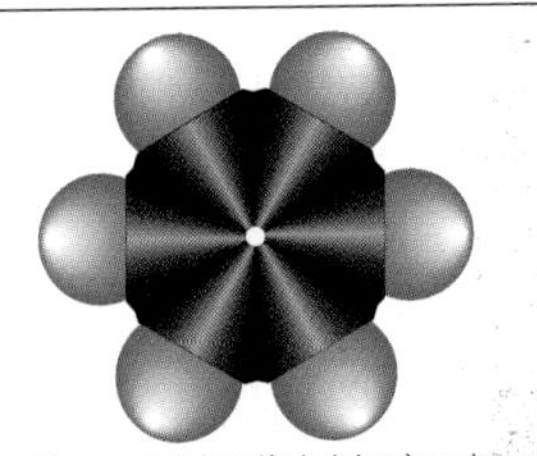

modèle compact de la molécule de benzène ; chacun des 6 atomes d'hydrogène (en bleu) est lié par une liaison de covalence à un atome de carbone (en noir)

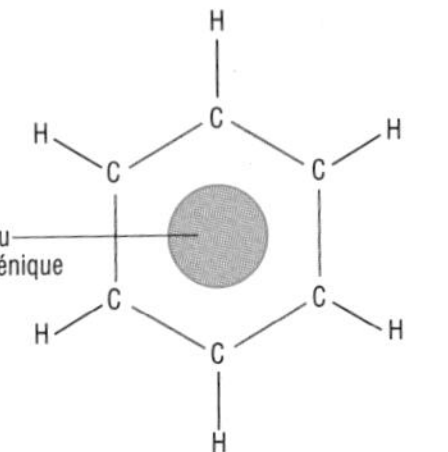

formule développée du benzène ; chacun des 6 atomes de carbone possède un électron célibataire : ces 6 électrons, délocalisés, forment un nuage d'électrons, dit « noyau benzénique » (en vert), caractéristique de la série aromatique

benzène

benzénique [bɛ̃zenik] adj. Du benzène, de la nature du benzène. ▷ Chimiquement apparenté au benzène.

benzine n. f. Mélange d'hydrocarbures provenant de la rectification du benzol.

benzodiazépine [bɛ̃zodjazepin] n. f. PHARM Composé cyclique comprenant des éléments autres que le carbone, notam. deux atomes d'azote. *Les benzodiazépines sont employées comme tranquillisants.*

benzoïque [bɛ̃zɔik] adj. CHIM *Acide benzoïque :* acide aromatique dont certains esters sont utilisés en parfumerie.

benzol [bɛ̃zɔl] n. m. CHIM Carburant composé de benzène, de toluène et de xylène.

benzyle [bɛ̃zil] n. m. CHIM Radical toluène $C_6H_5-CH_2-$.

Béotie, région de la Grèce anc., au N. de l'Attique, qui avait Thèbes* pour cap. - Auj., *nome de Béotie ;* 3 211 km² ; 120 000 hab. ; ch.-l. *Lévadhia.*

béotien, enne [beɔsjɛ̃, ɛn] adj. et n. **1.** De la Béotie. **2.** Lourd d'esprit, ignorant (les Béotiens passaient pour tels parmi les anciens Grecs). ▷ La *Ligue béotienne,* confédération de cités, fut l'alliée des Perses contre Athènes au moment de la seconde guerre médique (480 av. J.-C.).

Beowulf, poème anglo-saxon du VIIe s., dont il reste un manuscrit du Xe s. Il raconte, en 3 182 vers, les exploits d'un guerrier scandinave, en mêlant thèmes chrétiens et païens.

B.E.P. Sigle de *brevet d'études professionnelles.*

B.E.P.C. Sigle de *brevet d'études du premier cycle.*

Beqaa, haute plaine du Liban, entre le Mont Liban et l'Anti-Liban.

béquée. V. becquée.

béquet. V. becquet.

béqueter. V. becqueter.

béquille [bekij] n. f. **1.** Instrument orthopédique aidant à la marche, composé d'une ou deux tiges surmontées d'un coussinet qui sert d'appui sous l'aisselle. ▷ Canne anglaise. ▷ Fig. Appui, soutien. **2.** Poignée de serrure. **3.** Pièce destinée à soutenir, à étayer. *Béquille de queue d'avion, de navire en carénage.*

béquiller v. tr. [**1**] Étayer à l'aide de béquilles. *Béquiller un navire.*

ber [bɛʀ] n. m. MAR Charpente en forme de berceau qui sert à soutenir un bateau hors de l'eau. Syn. berceau.

Bérain, famille de dessinateurs et de graveurs ornemanistes du XVIIe s. – **Jean Ier,** dit Jean le Vieux (Saint-Mihiel, 1639 - Paris, 1711), dessina les décors et les costumes des fêtes de Louis XIV, des meubles, des pièces d'orfèvrerie, des cartons de tapisserie.

Béranger (Pierre Jean de) (Paris, 1780 - id., 1857), poète et chansonnier français dont les chansons sentimentales et patriotiques (*le Roi d'Yvetot, le Vieux Drapeau, le Vieux Sergent,* etc.) touchèrent un immense public.

Bérard (Christian) (Paris, 1902 - id., 1949), peintre, connu surtout pour les décors et maquettes de costumes qu'il fit pour de nombreux ballets et pièces de théâtre (*la Folle de Chaillot,* 1945 ; *Don Juan,* 1947, etc.).

Berbera, port de Somalie, sur le golfe d'Aden ; 90 000 hab.

berbère adj. et n. **1.** adj. Relatif aux Berbères. **2.** n. m. Langue chamito-sémitique parlée par les Berbères.

Berbères, habitants de l'Afrique du Nord depuis la préhistoire, qui parlent différents dialectes berbères. Ils sont actuellement répartis au Maroc (plaine du Sous, Anti-Atlas, Haut Atlas, Moyen Atlas, Rif), en Algérie (Kabylie, Mzab, Aurès, Sahara), au S. de la Tunisie et en Libye. Certaines populations adoptèrent le judaïsme, d'autres le christianisme, mais, après la conquête arabe (fin du VIIe s.), la plupart d'entre elles se convertirent à l'islam.

berbéridacées n. f. pl. BOT Famille de dicotylédones dialypétales des régions tempérées, comprenant l'épine-vinette et le mahonia. - Sing. *Une berbéridacée.*

berbérisme n. m. Mouvement d'affirmation de l'identité berbère.

berbérophone adj. et n. Qui parle le berbère.

Berberova (Nina Nikolaïevna) (Saint-Pétersbourg, 1901 - Philadelphie, 1993), écrivain américain d'orig. russe. Témoin des grands soubresauts de notre temps, notam. des tourments de l'émigration, dans ses romans (*l'Accompagnatrice,* 1934 ; *le Roseau révolté,* 1958 ; *le Mal noir,* 1959), et dans son autobiographie (*C'est moi qui souligne,* 1969).

bercail [bɛʀkaj] n. m. sing. **1.** Rare Bergerie. **2.** Fig. *Ramener une brebis au bercail :* ramener un hérétique au sein de l'Église ; ramener qqn à sa famille, à une meilleure conduite. ▷ *Rentrer au bercail :* rentrer chez soi.

berçante n. f. (Canada) *Chaise berçante* ou *berçante :* fauteuil ou chaise à bascule. Syn. berceuse.

berceau n. m. **1.** Petit lit de bébé que l'on peut généralement faire se balancer. ▷ Fig. *Dès le berceau :* dès la plus tendre enfance. ▷ Fig. Lieu où une personne est née, où une chose a commencé. *Florence a été le berceau de la peinture moderne.* **2.** (Par anal. de forme.) ARTILL Partie cintrée d'un affût de canon. - HORTIC Charmille taillée en voûte ou treillage en voûte couvert de plantes grimpantes. *Berceau de verdure.* - MAR Syn. de *ber.* - ARCHI *Voûte en berceau,* en plein cintre.

voûte en **berceau :** église de Saint-Savin, XIIe s.

bercelonnette ou **barcelonnette** n. f. Berceau suspendu et mobile.

bercement n. m. Action de bercer.

bercer v. tr. [**12**] **1.** Balancer (un enfant) dans son berceau. ▷ *Par ext.* Balancer (un enfant) en le portant dans les bras. - *Par anal.* Balancer mollement. *La mer berce les navires.* **2.** Fig. Apaiser, calmer, endormir. *Bercer sa douleur.* **3.** Fig. Tromper, amuser par de fausses espérances. *Bercer qqn de vaines promesses.* Syn. leurrer. ▷ v. pron. Se leurrer, s'amuser d'illusions. *Il se berce d'idées chimériques.*

berceur, euse adj. Rare Qui berce. *Une voix berceuse.*

berceuse n. f. **1.** Chanson destinée à endormir les enfants. ▷ *Par ext.* Pièce de musique d'un genre doux. *La berceuse de Jocelyn.* **2.** Siège dans lequel on peut se balancer.

Berchet (Giovanni) (Milan, 1783 - Turin, 1851), poète italien; l'un des initiateurs du mouvement romantique italien : *Lettre mi-sérieuse de Chrysostome à son filleul* (1816).

Berchtesgaden, v. d'Allemagne (Bavière), dans les Alpes bavaroises; 8 050 hab. - Sur un des sommets entourant la v., Hitler fit édifier sa résidence favorite («Nid d'aigle»), prise par la division Leclerc en 1945.

Berck, v. du Pas-de-Calais (arr. de Montreuil-sur-Mer), sur la Manche; 14 730 hab. - *Berck-Plage,* stat. clim. et médicale.

Bercy, com. occupée dès le chasséen, annexée à Paris en 1860 (XIIe arr.), sur la Seine (r. dr.). Anc. grands entrepôts à vin. Import. opération d'urbanisme dans les années 80 : palais omnisports, nouveau ministère des Finances, etc.

BERD, acronyme pour *Banque européenne pour la reconstruction et le développement.* Institution bancaire créée en 1990, chargée de favoriser, dans les pays de l'Est de l'Europe, la transition vers des économies de marché ouvertes.

Berdiaeff ou **Berdiaev** (Nicolas) (Kiev, 1874 - Clamart, 1948), philosophe et essayiste russe. Marxiste devenu chrétien, il vécut en France à partir de 1925, professant un existentialisme théiste : *Cinq méditations sur l'existence* (1936), *Esprit et Réalité* (1943).

Bérégovoy (Pierre) (Déville-lès-Rouen, 1925 - Nevers, 1993), homme polit. socialiste français. Il occupa plus. postes ministériels à partir de 1981. Ministre de l'Économie et des Finances (1984-1986 et 1988-1992), Premier ministre (avr. 1992-mars 1993).

Bérenger Ier (m. à Vérone, 924), roi d'Italie de 888 à 924, petit-fils de Louis le Pieux, empereur d'Occident en 915; il périt assassiné. – **Bérenger II** (m. à Bamberg, 966), neveu du préc.; roi d'Italie (950-961), il fut détrôné par Otton Ier le Grand.

Bérenger de Tours (Tours, v. 1000 - id., 1088), théologien, archidiacre d'Angers; condamné par divers conciles pour avoir rejeté le dogme de la transsubstantiation.

Bérénice. V. Benghazi.

Bérénice, nom de plusieurs princesses égyptiennes de la famille des Ptolémées (IVe et IIIe s. av. J.-C.).

Bérénice (v. 28 - 79), princesse juive, fille d'Hérode Agrippa Ier, roi de Judée. L'empereur Titus, n'osant affronter la réprobation des Romains, renonça à l'épouser.

Berenson (Bernard) (près de Vilnious, Lituanie, 1865 - Florence, 1959), collectionneur et écrivain d'art américain. Il étudia surtout la peinture italienne de la Renaissance.

béret n. m. Coiffure en étoffe, ronde et plate. *Béret basque.*

Berezina (la), riv. de Biélorussie (587 km), affl. du Dniepr (r. dr.). Franchie dans des conditions désastreuses par l'armée française, lors de la retraite de Russie (nov. 1812), grâce à l'héroïsme des pontonniers du général Éblé.

Berezniki, v. de Russie, dans l'Oural; 195 000 hab. Gisements de potasse, industr. chim.

Berg, anc. duché d'Allemagne, sur la r. dr. du Rhin; cap. *Düsseldorf.* - Prov. prussienne en 1815.

Berg (Alban) (Vienne, 1885 - id., 1935), compositeur autrichien. Ayant rejeté la tonalité vers 1909-1910 *(Quatuor à cordes opus 3),* il écrivit un opéra (*Wozzeck,* 1925) et le *Kammerkonzert* (1923-1925). Un autre opéra, *Lulu* (1928-1935, qui demeura inachevé), ainsi que son célèbre concerto pour violon, *À la mémoire d'un ange* (1935), témoignent d'un emploi magistral de la technique dodécaphonique.

Berg (Paul) (New York, 1926), biochimiste amér. Ses travaux sur les acides nucléiques, et notam. sur l'A.D.N., lui valurent le prix Nobel en 1980.

bergamasque n. f. Danse et air de danse du XVIIIe s., empruntés aux paysans de la province de Bergame.

Bergame, v. d'Italie (Lombardie); 120 510 hab.; ch.-l. de la prov. du m. nom. Industr. text. Métall. - Égl. Santa Maria Maggiore (XIIe-XIVe s.); chapelle Colleoni (fresques de Tiepolo).

bergamote n. f. **1.** Variété de poire fondante. **2.** Variété d'agrume dont on tire une essence utilisée en parfumerie et en confiserie.

bergamotier n. m. Arbre fruitier de la famille de l'oranger (*Citrus bergamia*), qui produit la bergamote.

1. berge n. f. Bord d'un cours d'eau. *Nous avons marché sur la berge.*

2. berge n. f. Arg. An, année. *Il a dans les cinquante berges.*

3. berge. V. barge.

Bergen, grand port de Norvège, sur l'Atlant.; 187 380 hab.; ch.-l. de comté. Pêche. Import. gisement de pétrole à l'ouest de la ville. Constr. navales; industr. métall. et alim.; import. mouvement de voyageurs. - Université.

Bergen-Belsen, camp d'extermination nazi, établi en 1943 près de Celle (Hanovre).

Bergen op Zoom, v. des Pays-Bas (Brabant-Septentrional), sur l'Escaut; 46 610 hab. - La v. fut prise par les Français en 1747 et en 1795.

berger, ère n. **1.** Personne qui garde les moutons. Syn., litt. Pâtre. ▷ Loc. *Réponse du berger à la bergère :* réplique qui, du tac au tac, met fin à une discussion. - *L'heure du berger :* l'heure favorable aux amants. - *L'étoile du berger :* la planète Vénus. **2.** Fig. Chef, guide. *Les bons, les mauvais bergers.* **3.** n. m. Chien de berger. *Un berger allemand, de Brie.* ▶ pl. **chiens**

Bergerac, ch.-l. d'arr. de la Dordogne, sur la Dordogne; 27 886 hab. (*Bergeracois*). Industr. alim.; vin, truffes, foie gras. Manufacture de tabac. Poudrerie. - Musée du tabac. Maison dite château d'Henri IV (XVIe et XVIIe s.).

bergère n. f. Fauteuil large et profond, aux accotoirs capitonnés, garni d'un épais coussin.

bergerie n. f. **1.** Lieu où l'on parque les moutons. ▷ Fig. *Enfermer le loup dans la bergerie :* introduire un élément dangereux dans un endroit où l'on a précisément lieu de craindre sa présence. **2.** LITTER Petit poème pastoral (XVIIe s.).

Bergeron (André) (Suarce, Territ. de Belfort, 1922), syndicaliste dès 1936; secrétaire général de la C.G.T.-F.O. de 1963 à 1989.

bergeronnette n. f. Oiseau passériforme (genre *Motacilla*) à silhouette svelte, dont la longue queue s'agite sans arrêt. (Trois espèces à plumage gris ou jaune sont fréquentes en Europe, généralement au bord de l'eau.) Syn. hochequeue, lavandière.

bergeronnette grise

Bergius (Friedrich) (Goldschmieden, 1884 - Buenos Aires, 1949), chimiste allemand; auteur de travaux sur les hydrocarbures. P. Nobel 1931.

Bergman (Torbern) (Katrineberg, 1735 - Medevi, 1784), mathématicien, naturaliste, astronome et chimiste suédois; il a isolé le nickel et le tungstène.

Bergman (Ingrid) (Stockholm, 1915 - Londres, 1982), comédienne suédoise. Découverte à Hollywood, elle fit une grande carrière internationale : *Casablanca* (1942), *les Enchaînés* (1946), *Jeanne d'Arc* (1948), *Stromboli* (1949), *Sonate d'automne* (1978).
▶ illustr. **Rossellini**

Bergman (Ingmar) (Uppsala, 1918), cinéaste et metteur en scène de théâtre suédois. Il tente d'illustrer le tragique et l'aspect métaphysique de la destinée humaine : *Jeux d'été* (1950), *le Septième Sceau* (1957), *les Fraises sauvages* (1957), *le Silence* (1963), *Cris et Chuchotements* (1972), *Scènes de la vie conjugale* (1973), *la Flûte enchantée* (1975), *Sonate d'automne* (1978), *Fanny et Alexandre* (1982), *Après la répétition* (1984).

Ingmar **Bergman :** *la Flûte enchantée,* 1975

Bergslag (le), rég. industr. et minière de la Suède centrale.

Bergson (Henri) (Paris, 1859 - id., 1941), philosophe spiritualiste français, adversaire du néo-kantisme, du positivisme scientiste et du matérialisme. Il s'est livré à une analyse critique de la connaissance à l'aide des concepts de durée, de mémoire, d'élan vital et surtout d'intuition : *Essai sur les données immédiates de la conscience* (1889), *Matière et Mémoire* (1896), *le Rire, essai sur la signification du comique* (1900), *l'Évolution créatrice* (1907), *l'Énergie spirituelle* (1919), *Durée et Simultanéité* (1922), *les Deux Sources de la morale et de la religion* (1932), *la Pensée et le Mouvant* (1934). Acad. fr. (1914). P. Nobel de littérature 1927.

Bergues, ch.-l. de cant. du Nord; 4 282 hab. - Enceinte fortifiée

(XVIIe s.); l'anc. mont-de-piété (1630) abrite un musée (peintures flamandes).

Beria (Lavrenti Pavlovitch) (Merkheouli, Géorgie, 1899 – Moscou, 1953), homme politique soviétique. Chef de la police secrète, ministre de l'Intérieur (1942-1946), maréchal en 1945, il fut l'un des trois dirigeants de l'U.R.S.S. après la mort de Staline (mars 1953); il fut arrêté et exécuté en décembre de la même année.

béribéri n. m. Affection due à une avitaminose (B1), fréquente surtout en Extrême-Orient.

Béring ou **Behring** (mer de), mer du Pacifique, au N. des îles Aléoutiennes, entre le Kamtchatka et l'Alaska; profondeur moyenne : 1 440 m. – En 1990, l'U.R.S.S. a ratifié une convention russo-américaine datant de 1867, qui fixe la frontière maritime commune le long de l'Alaska et place sous contrôle nord-américain la plus grande partie de cette mer.

Béring ou **Behring** (détroit de), détroit reliant l'Arctique au Pacifique entre l'Asie et l'Amérique. Il fut découvert entre 1725 et 1728 par Vitus Béring (Horsens, Jylland, 1681 – île d'Avatcha, auj. île Béring, 1741), navigateur danois au service du tsar.

Berio (Luciano) (Oneglia, 1925), compositeur italien. Formé aux techniques traditionnelles et sérielles, il s'est orienté vers la musique électronique, qu'il mêle à la voix et aux instruments de l'orchestre classique : *Sinfonia, Laborintus II, la Vera Storia* (opéra, 1982).

berk ou **beurk** interj. Exprime le dégoût.

Berkeley, v. des É.-U. (Californie); 102 700 hab. – Université réputée.

Berkeley (George) (près de Kilkenny, Irlande, 1685 – Oxford, 1753), évêque anglican, théologien et philosophe irlandais. Nominaliste hostile à l'idée de matière, il ramène la réalité du monde corporel à la perception que nous en avons («l'Être, c'est l'être perçu»), les objets perçus nous étant *donnés* par Dieu et constituant en fait le discours cohérent qu'impose à l'esprit humain la volonté divine : *Traité sur les principes de la connaissance humaine* (1710), *Dialogues entre Hylas et Philonoüs* (1713), *Alciphron* (1732).

berkélium [bɛʀkeljɔm] n. m. CHIM Élément radioactif artificiel appartenant à la famille des actinides*, de numéro atomique Z = 97, de masse atomique 247 (symbole Bk).

Berkshire, comté de G.-B., à l'O. de Londres; 1 256 km^2; 716 500 hab.; ch.-l. *Reading.*

Berl (Emmanuel) (Le Vésinet, 1892 – Paris, 1976), journaliste et écrivain franç. Il dénonce le traditionalisme de la bourgeoisie qui lui interdit toute évolution. Auteur de : *Mort de la pensée bourgeoise* (1929), *Mort de la morale bourgeoise* (1930), *Histoire de l'Europe* (1946-1947).

Berlage (Hendrik Petrus) (Amsterdam, 1856 – La Haye, 1934), architecte néerlandais, adepte du fonctionnalisme. On lui doit la Bourse d'Amsterdam (1897-1903).

Berlin, capitale de l'Allemagne, sur la Sprée, Land d'Allemagne et région de la C.E.; 884 km^2; 3 400 000 hab. Avant la chute du Mur en 1989 et la réunification allemande de 1990, la ville était divisée en deux ensembles : *Berlin-Ouest,* Land de R.F.A., isolé en R.D.A. (480 km^2; 2 000 000 d'hab.) et *Berlin-Est,* cap. de la R.D.A. (404 km^2; 1 200 000 hab.). En juin 1991, après un débat intense dans le pays, le Parlement allemand a décidé de transférer le siège du gouvernement de Bonn à Berlin. Important centre industriel et tertiaire, foyer universitaire et culturel, la ville est l'objet de réaménagements urbains de grande ampleur et d'un renforcement massif de ses infrastructures et équipements, destinés à lui redonner son rang de grande métropole européenne. – Le chât. de Charlottenburg, édifice baroque du XVIIIe s., seul château des Hohenzollern qui subsiste, abrite un musée (peinture, arts décoratifs, objets d'Extrême-Orient, dép. d'égyptologie). La cathédrale Ste-Edwige (XVIIIe s.), l'égl. Ste-Marie, l'opéra et les quelques mon. anc. qui ont échappé aux destructions de la Seconde Guerre mondiale se trouvent dans le quartier du Linden-Forum. La Museumsinsel (l'île des musées) groupe l'Atlas Museum, la Nationalgalerie (peintures des XIXe et XXe s.) et le Pergamon Museum (sculptures et objets antiques). Les musées de Dahlem contiennent de célèbres collections (peinture, sculpture, estampes, etc.). Après 1945, se développe une nouvelle architecture : Philharmonie; Nouvelle Galerie nationale (Mies van der Rohe, 1968). Universités. Nombreux théâtres, dont celui du Berliner Ensemble (fondé par Bertolt Brecht). **Hist.** – Fondée vers 1230, la v. devint cap. du Brandebourg (1486), de la Prusse (1701), de l'Allemagne (1871-1945). Son essor date du XVIIIe s. Après sa chute face à l'Armée rouge (mai 1945), elle fut divisée en quatre secteurs d'occupation, jusqu'en 1949. Berlin-Est correspond au secteur sov., Berlin-Ouest aux secteurs amér., brit. et français. Un pont aérien fonctionna en 1948-1949 pour ravitailler Berlin-Ouest soumis à un blocus par les Sov. En 1961, la R.D.A. édifia le mur de Berlin pour arrêter l'émigration de ses ressortissants. Le mur de Berlin, symbole de la guerre froide, est détruit à partir de nov. 1989, permettant la libre circulation dans une ville réunifiée et redevenue capitale en 1991. Les troupes étrangères se sont retirées de la ville (1994). – *Congrès de Berlin* (1878), sur la question d'Orient. – *Conférence de Berlin* (1884-1885), qui fixa les modalités du partage de l'Afrique entre les grandes puissances.

Berlin (Israel Baline, dit Irving) (Temoun, Sibérie, 1888 – New York, 1989), compositeur américain d'orig. russe. Influencé par le jazz, il fut l'un des principaux mélodistes de Broadway et de Hollywood (musiques de films, dont *White Christmas,* 1942). Il composa *God Bless America* en 1939.

berline n. f. **1.** Anc. Voiture hippomobile à quatre roues, recouverte d'une capote, et garnie de glaces. **2.** Mod. Automobile à quatre portes. **3.** Wagonnet assurant le transport des minerais.

manifestation devant le mur de **Berlin,** 1989

Berliner Ensemble, compagnie théâtrale fondée par Bertolt Brecht et Helene Weigel en 1949 à Berlin-Est. Ses représentations (*Mère Courage,* 1954) furent des modèles de la conception du théâtre pour Brecht.

berlingot [bɛʀlɛ̃go] n. m. Bonbon de sucre en forme de tétraèdre.

Berlinguer (Enrico) (Sassari, 1922 – Padoue, 1984), secrétaire général du parti communiste italien de 1972 à sa mort. Partisan de la collaboration avec la démocratie chrétienne pour réaliser les réformes de structure indispensables à l'Italie d'aujourd'hui.

berlinois, oise adj. De Berlin. ▷ Subst. *Un(e) Berlinois(e).*

Berlioz (Hector) (La Côte-Saint-André, Isère, 1803 – Paris, 1869), compositeur français. Son œuvre romantique multiple et foisonnante, d'une richesse instrumentale exceptionnelle, a marqué l'orchestration moderne. Opéras : *Benvenuto Cellini* (1838); *la Damnation de Faust* (1828-1846); *les Troyens* (1855-1858), représenté pour la première fois intégralement en 1890 à Karlsruhe (prem. partie, «la Prise de Troie», montée à Paris en 1899; seconde partie, «les Troyens à Carthage», montée en 1863 à Paris). Musique religieuse : *Requiem* (1837), *l'Enfance du Christ* (1854), *Te Deum* (1855). Musique symphonique : *Symphonie fantastique* (1830), *le Roi Lear* (ouverture, 1831), *Harold en Italie* (1834), *Roméo et Juliette* (1839), *Symphonie funèbre et triomphale* (1840), *Carnaval romain* (ouverture, 1844).

Henri **Bergson**

Hector **Berlioz**

berlue n. f. Fam. *Avoir la berlue :* voir quelque chose qui n'existe pas. – Fig. Être la proie d'une illusion.

Berlusconi (Silvio) (Milan, 1936), hommes d'affaires et homme polit. italien. Il a fondé le mouvement Forza Italia, pour former avec la Ligue du Nord et l'Alliance nationale, une coalition qui a remporté les élections législ. (1994). Il fut président du Conseil d'avril à déc. 1994.

berme n. f. **1.** Chemin entre le pied d'un rempart et le fossé. **2.** Chemin entre une levée de terre et le bord d'un canal ou d'un fossé.

Bermejo (río), riv. du Chaco argentin, affluent (r. dr.) du Paraná; 1 500 km.

bermuda n. m. Short dont les jambes descendent jusqu'au genou.

Bermudes, archipel brit. de l'Atlantique, au N.-E. des Antilles, jouissant depuis 1968 d'une autonomie interne; 53 km^2; 58 000 hab.; cap. *Hamilton,* dans l'île de Main Island. Tourisme.

bernacle ou **bernache** n. f. ZOOL **1.** Oie sauvage des régions nordiques. **2.** Nom cour. de l'anatife.

Bernadette Soubirous (sainte) (Lourdes, 1844 – Nevers, 1879), paysanne française. Elle eut plusieurs visions de la Vierge dans une grotte de Lourdes, devenue un lieu de pèlerinage célèbre. Canonisée par Pie XI en 1933.

Bernadotte (Charles Jean-Baptiste) (Pau, 1763 – Stockholm, 1844), maréchal de France, roi de Suède de 1818 à 1844 sous le nom de Charles XIV ou Charles-Jean. Il se distingua dans les guerres de la Révolution et de l'Empire. En 1810, il fut pressenti par la diète de Stockholm pour devenir l'héritier du trône de Suède, pays alors en pleine crise dynastique. Ayant accepté, il engagea en 1812 sa nouvelle patrie contre Napoléon. Son règne fut libéral. Les souverains actuels sont de sa descendance.

Bernanos (Georges) (Paris, 1888 – Neuilly-sur-Seine, 1948), écrivain catholique français, auteur de romans (*Sous le soleil de Satan*, 1926; *la Joie*, 1929; *le Journal d'un curé de campagne*, 1936; *Monsieur Ouine*, 1946) et de pamphlets (*les Grands Cimetières sous la lune*; 1938, *Lettre aux Anglais*, 1942). *Dialogues des carmélites* (posth., 1949) est un scénario de film qui fut adapté pour le théâtre en 1952.

Bernard de Menthon (saint) (Menthon, près d'Annecy, v. 923 – id., v. 1009), archidiacre d'Aoste, fondateur des hospices du Grand-Saint-Bernard et du Petit-Saint-Bernard.

Bernard de Clairvaux (saint) (Fontaine, près de Dijon, 1090 – Clairvaux, 1153), moine de Cîteaux, fondateur de l'abbaye de Clairvaux, docteur de l'Église. Conseiller des princes et des papes, il obtint la condamnation d'Abélard au concile de Sens (1140), prêcha à Vézelay et à Spire la 2e croisade (1146-1147), fonda de nombr. monastères et écrivit des traités de théologie, notam. *De diligendo Deo* (1126).

Bernard (?, 797 – Aix-la-Chapelle, 818), petit-fils de Charlemagne; roi d'Italie de 813 à 817, il se révolta contre Louis Ier le Pieux, qui le fit aveugler; il mourut des suites de ce supplice.

Bernard (Samuel) (Sancerre, 1651 – Paris, 1739), financier français qui renfloua le trésor royal sous Louis XIV et Louis XV.

Bernard (Claude) (Saint-Julien, Rhône, 1813 – Paris, 1878), médecin français. On lui doit de nombreuses découvertes dans le domaine de la physiologie générale (fonction glycogénique du foie, rôle des nerfs vasomoteurs, du pancréas, rôle régulateur du milieu interne) et surtout la définition de la méthode expérimentale (*Introduction à l'étude de la médecine expérimentale*, 1865) : à l'observation objective succède une hypothèse inventive scrupuleusement soumise à l'expérimentation. Professeur à la Sorbonne (1834), puis au Collège de France (1855). Acad. des sc. (1854). Acad. fr. (1868). ▸ illustr. page **207**

Bernard (Paul, dit Tristan) (Besançon, 1866 – Paris, 1947), écrivain français, auteur de comédies : *L'anglais tel qu'on le parle* (1899), *Triplepatte* (1905), *Monsieur Godomar* (1907), etc. – **Jean-Jacques** (Enghien-les-Bains, 1888 – Paris, 1972), fils du préc., dramaturge français. Dans ses pièces intimistes, il utilise l'allusion, le silence : *l'Invitation au voyage* (1924).

Bernard (Émile) (Lille, 1868 – Paris, 1941), peintre français. Ami de Gauguin, il élabora avec lui, à Pont-Aven (1888), le « synthétisme », duquel devait naître l'esthétique symboliste.

Bernard (Jean) (Paris, 1907), médecin hématologiste et écrivain français : *Grandeur et tentations de la médecine* (1973), *C'est de l'homme qu'il s'agit* (1988). Acad. fr. (1975).

Bernard de Saxe-Weimar. V. Saxe-Weimar.

Bernard de Ventadour (XIIe s.), troubadour limousin : *Chansons* pour la cour d'Éléonore d'Aquitaine.

bernardin, ine n. Religieux, religieuse cisterciens qui obéissent à une règle issue de la réforme de saint Bernard de Clairvaux.

Bernardin de Sienne (saint) (Massa Marittima, près de Sienne, 1380 – Aquila, 1444), franciscain et écrivain mystique italien, auteur d'apologues et de sermons.

Bernardin de Saint-Pierre (Jacques Henri) (Le Havre, 1737 – Éragny-sur-Oise, 1814), écrivain français, grand voyageur, disciple de Rousseau, précurseur du romantisme : *Voyage à l'île de France* (1773), *Études de la nature* (1784), *Paul et Virginie* (1787; idylle ayant pour cadre l'île de France, auj. île Maurice).

bernard-l'ermite ou **bernard-l'hermite** n. m. inv. Nom cour. du pagure.

Bernay, ch.-l. d'arr. de l'Eure; 11 048 hab. Industr. du plastique. – Égl. Ste-Croix et N.-D.-de-la-Couture (XVe s.). Anc. égl. abbat. (XIe s.). – Le *trésor de Bernay* (Bibliothèque nationale) est un ensemble de pièces d'orfèvrerie (vaisselle d'argent) de l'époque hellénistique, découvert à Berthouville, près de Bernay, en 1830.

Bernburg, v. d'Allemagne (district de Halle), sur la Saale; 41 230 hab. Mines de potasse et de lignite.

1. berne n. f. Vx Brimade consistant à faire sauter quelqu'un en l'air et à le rattraper sur une couverture tenue par plusieurs personnes.

2. berne n. f. *Mettre les drapeaux en berne* : descendre à mi-mât les drapeaux des édifices publics, ou les attacher pour qu'ils ne flottent pas, en signe de deuil. ▷ Fig. fam. *En berne* : en mauvais état, en détresse. *Avoir le moral en berne.*

Berne, cap. de la Suisse, sur l'Aar; 139 590 hab. Centre industr. (méca., alim., text.), culturel et tourist. Cath. goth. (XVe-XVIe s.); hôtel de ville (XVe s.); tour de l'Horloge; musée des Bx-A.; fondation Paul-Klee. – La v. passa à la Réforme en 1528 et devint cap. fédérale en 1848. – *Canton de Berne* : 6 049 km²; 925 500 hab.; ch.-l. *Berne*. Deuxième cant. par la superficie, après celui des Grisons; le Jura francophone s'en est détaché en 1974.

berner v. tr. [1] **1.** Vx Faire subir la berne. V. berne 1. **2.** Fig. Tromper et ridiculiser. *Ce faussaire a berné les marchands de tableaux.*

Bernhard (Thomas) (Heerlen, Pays-Bas, 1931 – Gmunden, Autriche, 1989), écrivain autrichien. Obsédé par le sentiment d'être importun, dérangeant, inutile, voire d'être un paria, pour lui l'existence humaine est en conflit permanent avec les menaces de l'absolu comme avec les petites intrigues du prochain. Il fut poète (*Sur terre et en enfer*, 1957), romancier (*Gel*, 1963; *les Maîtres anciens*, 1988), dramaturge (*le Faiseur de théâtre*, 1985).

Bernhardt (Rosine Bernard, dite Sarah) (Paris, 1844 – id., 1923), actrice et directrice de théâtre française. Princ. rôles dans *Phèdre*, *la Dame aux camélias*, *l'Aiglon*. Elle joua également à l'écran.

Sarah **Bernhardt** dans *l'Aiglon* d'Edmond Rostand

Berni (Francesco) (Lamporecchio, 1497 - Florence, 1535), poète italien. Burlesque et comique, il sait apporter avec verve l'invention poétique la plus raffinée aux sujets les plus vulgaires : *Sonnets*. On a donné à son style le nom de « bernesque ».

Bernier (Nicolas) (Mantes-la-Jolie, 1664 – Paris, 1734), compositeur français; successeur de M. A. Charpentier à la Sainte-Chapelle, il a composé de nombreux motets dans le style versaillais.

Bernier (Étienne) (Daon, Anjou, 1762 – Paris, 1806), prélat français, chouan rallié à Bonaparte, l'un des négociateurs du Concordat, évêque d'Orléans (1802).

Bernin (Giovanni Lorenzo Bernini, dit le Bernin ou le Cavalier Bernin) (Naples, 1598 – Rome, 1680), peintre, sculpteur et architecte italien; maître du baroque monumental. Il travailla beaucoup à Rome : fontaines des places Barberini et Navona, anges du pont St-Ange, égl. St-André du Quirinal, double colonnade de la place St-Pierre, baldaquin à colonnes torses du maître-autel (1624) de la basilique St-Pierre; sculptures en marbre (*l'Extase de sainte Thérèse* dans l'égl. Santa Maria della Vittoria).

Bernina (la), massif des Alpes suisses (Grisons); 4 052 m. – Le *col de la Bernina* (2 330 m) relie l'Engadine (Suisse) à la Valteline (Italie).

le **Bernin** : *l'Extase de sainte Thérèse* (1644-1646); Santa Maria della Victoria, Rome

1. bernique ou **bernicle** n. f. Nom cour. de la patelle.

2. bernique interj. Fam., vieilli Marque un espoir déçu. *J'espérais le trouver, mais bernique !*

Bernis (François Joachim de Pierre de) (Saint-Marcel-en-Vivarais, 1715 - Rome, 1794), prélat français protégé par Mme de Pompadour, poète badin (*Épître à mes dieux pénates,* 1736), il fut ambassadeur à Venise, puis secrétaire d'État aux Affaires étrangères (1757-1758), cardinal (1758) et archevêque d'Albi (1764), ambassadeur à Rome (1768). Acad. fr. (1744).

bernois, oise adj. et n. De la ville de Berne.▷ Subst. *Un(e) Bernois(e).*

Bernoulli, famille de savants, originaire d'Anvers, qui s'exila à Bâle à la fin du XVIe s. – **Jacques Ier** (Bâle, 1654 - id., 1705) poursuivit les travaux d'analyse mathématique de Leibniz (calculs différentiel et intégral), ainsi que son frère **Jean Ier** (Bâle, 1667 - id., 1748), avec qui il se brouilla, et ses neveux **Nicolas Ier** (Bâle, 1687 - id., 1759), **Nicolas II** (Groningue, 1695 - Saint-Pétersbourg, 1726) et **Daniel** (Groningue, 1700 - Bâle, 1782). Daniel étendit son domaine à la physique et fonda l'hydrodynamique. – **Jean II** (Bâle, 1710 - id., 1790), fils de Jean Ier, fut professeur à Bâle. – **Jean III** (Bâle, 1744 - Berlin, 1807), fils du préc., fut philosophe et astronome. – **Jacques II** (Bâle, 1759 - Saint-Pétersbourg, 1789), frère du préc., succéda à Daniel à l'Acad. de Saint-Pétersbourg.

Bernstein (Henry) (Paris, 1876 - id., 1953), auteur dramatique français (pièces de boulevard) : *le Bercail* (1905), *la Rafale* (1905), *Elvire* (1940).

Bernstein (Leonard) (Lawrence, Massachusetts, 1918 - New York, 1990), compositeur et chef d'orchestre américain. Directeur de l'orchestre philharmonique de New York à partir de 1958, compositeur éclectique, il est l'auteur de la musique de la comédie musicale *West Side Story* (1957).

Béroul, trouvère anglo-normand du XIIe s., auteur du *Roman de Tristan,* long poème en vers octosyllabiques, à ne pas confondre avec la version courtoise* de la légende, par Thomas.

Berre-l'Étang, ch.-l. de cant. des B.-du-Rh. (arr. d'Aix-en-Provence); 12 723 hab. Chaudronnerie. – *L'étang de Berre* est relié à la Médit. par l'étang de Caronte. Dans cette zone a été implanté un des plus grands complexes pétroliers de France : raff. (La Mède, Lavéra, Berre, Fos), pétrochim. (V. Fos et Lavéra.)

Berri (Claude) (Paris, 1934), producteur et cinéaste français, auteur de chroniques drôles et émouvantes de la vie quotidienne : *le Vieil Homme et l'Enfant* (1966), *Tchao Pantin* (1983), *Jean de Florette* (1985), *Manon des sources* (1986).

berrichon, onne adj. et n. Du Berry. ▷ *Un(e) Berrichon(ne).*

Berruguete (Pedro) (Paredes de Nava, v. 1450 - Madrid, v. 1504), peintre espagnol, influencé par les écoles flamande et vénitienne; auteur de portraits et de retables. – **Alonso** (Paredes de Nava, v. 1490 - Tolède, 1561), fils du préc., peintre et sculpteur; marqué par la Renaissance italienne, il illustre le style pathétique, propre au baroque ibérique : retable de l'égl. San Benito (Valladolid).

Berry, anc. prov. de France, au S. du Bassin parisien, qui couvre en grande partie les dép. du Cher et de l'Indre, ainsi que quelques parcelles de la Creuse et du Loiret; cap. *Bourges.* Au centre s'étend la Champagne berrichonne (cult., élevage), au N.-E. le Sancerrois (vignobles), au S.-O. la Brenne, rég. argileuse et pauvre. – Le pays gaulois des Bituriges Cubi fut joint à l'Aquitaine romaine (52 av. J.-C.). La rég. fut érigée en duché (1360) et connut une époque brillante sous Jean de Berry. Elle revint à la Couronne en 1434.

Berry (Jean de France, duc de) (Vincennes, 1340 - Paris, 1416), prince capétien, fils du roi Jean le Bon; il partagea le pouvoir avec ses frères pendant la minorité puis la folie de son neveu Charles VI. Mécène, il fit exécuter les *Très Riches Heures du duc de Berry,* très beau manuscrit enluminé.

les ducs de **Berry** et de Bourgogne accueillent à Paris, en 1386, leur neveu Louis II, roi de Sicile, enluminure des *Chroniques* de Froissart, XVe s.; B.N.

Berry (Charles de France, duc de) (?, 1686 - Marly, 1714), petit-fils de Louis XIV. Il épousa la fille aînée de Philippe II, duc d'Orléans.

Berry (Charles Ferdinand de Bourbon, duc de) (Versailles, 1778 - Paris, 1820), second fils de Charles X; il mourut assassiné par Louvel. – **Marie-Caroline de Bourbon-Sicile,** duchesse de Berry (Palerme, 1798 - Brünnsee, Autriche, 1870), épouse du préc., tenta, en 1832, de soulever la Vendée contre Louis-Philippe, au profit de son fils, le comte de Chambord. Arrêtée, elle accoucha en prison d'une fille née d'un prétendu mariage secret avec le comte Lucchesi-Palli; ce scandale la déconsidéra.

Berry (Jules Paufichet, dit Jules) (Poitiers, 1883 - Paris, 1951), acteur français, formé au théâtre, qui excella au cinéma dans des rôles volubiles de crapules parfois démoniaques (*le Crime de M. Lange,* 1939; *Le jour se lève,* 1939; *les Visiteurs du soir,* 1942).

Berryer (Pierre Antoine) (Paris, 1790 - Angerville-la-Rivière, Loiret, 1868), avocat français. Célèbre orateur, il fut un des chefs du parti légitimiste. Acad. fr. (1852).

Berryman (John) (Mettlester, Oklahoma, 1914 - Minneapolis, 1972), écrivain américain. Il mêle l'absurde, l'ironie et l'angoisse dans ses poèmes (*les Dépossédés,* 1948), ses nouvelles (*le Juif imaginaire,* 1945) et ses essais (*Stephen Crane,* 1950).

bersaglier n. m. Soldat de l'infanterie légère, dans l'armée italienne. *Les bersagliers* (ou *bersaglieri*).

Bert (Paul) (Auxerre, 1833 - Hanoi, 1886), physiologiste et homme politique français. Député, puis ministre de l'Instruction publique (1881-1882), il contribua à réformer l'enseignement. Il fut gouverneur général de l'Annam et du Tonkin (1886).

Bertha, nom donné, pendant la Première Guerre mondiale, à un mortier de 420 mm («la grosse Bertha») puis à des pièces à très longue portée dont les Allemands se servirent pour bombarder Paris en 1918.

berthe n. f. **1.** Large col d'une blouse, d'une robe, formant pèlerine. **2.** Récipient métallique à anses utilisé pour transporter le lait.

Berthe ou **Bertrade** (m. à Choisy-au-Bac, 783), dite Berthe au grand pied, épouse de Pépin le Bref, mère de Charlemagne et de Carloman.

Berthelot (Marcellin) (Paris, 1827 - id., 1907), chimiste français. Autodidacte, expérimentateur, il réalisa de nombreuses synthèses organiques à partir d'éléments minéraux et fonda la thermochimie. Ministre de l'Instruction publique (1886-1887) puis des Affaires étrangères (1895-1896), secrétaire perpétuel de l'Acad. des sciences (1889), élu à l'Acad. fr. (1901), il repose au Panthéon avec sa femme. La liste de ses ouvrages est impressionnante. – **Daniel** (Paris, 1865 - id., 1927), fils du préc., pharmacien; il réalisa la synthèse des glucides. – **Philippe** (Sèvres, 1866 - Paris, 1934), frère du préc.; diplomate, il lia sa carrière à celles de Briand et de Clemenceau.

Berthier (Louis Alexandre) (Versailles, 1753 - Bamberg, Bavière, 1815), maréchal français, major général de la Grande Armée (1805-1814); prince de Neuchâtel (1806), prince de Wagram (1809). Il se rallia à Louis XVIII en 1814.

Berthollet (comte Claude) (Talloires, Haute-Savoie, 1748 - Arcueil, 1822), chimiste français, auteur de travaux sur le chlore (découverte de l'eau de Javel et des chlorates). ▷ CHIM Les *règles de Berthollet* définissent les conditions de précipitation des sels.

Bertillon (Adolphe) (Paris, 1821 - Neuilly, 1883), médecin français, auteur d'études statistiques sur la démographie et l'anthropologie. – **Jacques** (Paris, 1851 - Valmondois, Val-d'Oise, 1922), son fils, poursuivit ses travaux. – **Alphonse** (Paris, 1853 - id., 1914), frère du préc., criminologue, créa le bertillonnage*.

bertillonnage n. m. Méthode d'identification des criminels fondée sur des mesures anthropométriques.

Bertin (Jean) (Druyes, Yonne, 1917 - Neuilly-sur-Seine, 1975), ingénieur français, inventeur de l'aérotrain. (V. coussin* d'air).

Bertolucci (Bernardo) (Parme, 1940), cinéaste italien. Il poursuit, au travers de films lyriques (*Prima della Rivoluzione,* 1964; *le Dernier Tango à Paris,* 1972) ou épiques (*1900,* 1974-1975; *le Dernier Empereur,* 1987), une quête d'identité, entre vérité et mensonge.

Berton (Jean-Baptiste Breton, dit) (Euilly, Ardennes, 1769 - Poitiers, 1822), général français. Membre de la Charbonnerie sous la Restauration, il tenta de soulever la garnison de Saumur. Il fut exécuté.

Bertran de Born (?, v. 1140 - abb. de Dalon, Dordogne, v. 1215), troubadour périgourdin; auteur de *sirventès* (poèmes satiriques et moraux).

Bertrand (Henri Gratien, comte) (Châteauroux, 1773 - id., 1844), général français. Il suivit Napoléon à l'île d'Elbe et à Sainte-Hélène.

Bertrand (Louis, dit Aloysius) (Ceva, Piémont, 1807 - Paris, 1841), poète français. Ses poèmes en prose (*Gaspard de la nuit, fantaisies à la manière de Rembrandt et de Callot*, posth., 1842) préfigurent la poésie moderne, de Baudelaire aux surréalistes.

Bertrand (Joseph) (Paris, 1822 - id., 1900), mathématicien français; membre (1856) puis secrétaire perpétuel (1874) de l'Acad. des sciences. - **Marcel** (Paris, 1847 - id., 1907), fils du préc.; géologue, il étudia notam. l'orogenèse dans le S.-E. de la France.

Bertrand (Gabriel) (Paris, 1867 - id., 1962), biochimiste français; il étudia les enzymes.

Bérulle (Pierre de) (chât. de Sérilly, près de Troyes, 1575 - Paris, 1629), cardinal français, fondateur de la congrégation de l'Oratoire (1611), introducteur, avec Mme Acarie, de l'ordre des Carmélites en France.

Berwick (James Stuart, duc de Fitz-James et de) (Moulins, 1670 - Philippsburg, 1734), fils naturel de Jacques II d'Angleterre. Maréchal de France (1706), il combattit les camisards, remporta sur les Angl. la victoire d'Almansa en Espagne (1707).

béryl [beʀil] n. m. Pierre précieuse de couleur variable : bleu ciel (aigue-marine), verte (émeraude), jaune (héliodore), rose ou incolore (silicate d'aluminium et de béryllium).

béryllium [beʀiljɔm] n. m. CHIM Élément métallique de numéro atomique Z=4, de masse atomique 9,012 (symbole Be). - Métal (Be), utilisé dans des alliages et dans l'industr. nucléaire.

Berzé-la-Ville, com. de Saône-et-Loire (arr. de Mâcon); 516 hab. - Chapelle clunisienne (fresques XIIe s.).

Berzelius (Jöns Jacob, baron) (près de Linköping, 1779 - Stockholm, 1848), chimiste suédois. Il a inventé la notation chimique moderne, élaboré les notions d'allotropie, d'isomérie et de polymérie, formulé les lois de l'électrochimie et isolé de nombreux éléments.

bes-. V. bi-.

Bès, génie mythologique égyptien du Plaisir et des Arts, nain difforme qui protège les femmes en couches et les nouveau-nés.

besace n. f. Sac à deux poches, avec une ouverture au milieu.

Besançon, ch.-l. de la Rég. Franche-Comté, et du dép. du Doubs, sur le Doubs; 119 194 hab. (*Bisontins*); env. 122 600 hab. dans l'aggl. Industr. métall., text. et chim. Premier centre horloger franç. - Université; cour d'appel; archevêché. - Cath. St-Jean (romane et goth.). Citadelle de Vauban. Palais Granvelle et hôtel de ville (édifices du XVIe s.). Préfecture dans l'anc. hôtel des Intendants (XVIIIe s.). Théâtre de Ledoux (1778), restauré après un incendie en 1958. Musées. - Cap. des Séquanes, conquise par Condé sur les Espagnols (1674), elle fut définitivement rattachée à la France en 1678 (paix de Nimègue).

besant [bəzɑ̃] n. m. **1.** Monnaie d'or ou d'argent qui fut d'abord frappée à Byzance. **2.** HERALD Pièce ronde de métal (or ou argent) posée sur couleur. **3.** ARCHI Ornement en forme de pièce de monnaie sculpté sur un bandeau.

Bescherelle (Louis Nicolas) (Paris, 1802 - id., 1884), grammairien français, auteur, avec son frère **Henri** (Paris, 1804 - id., 1852), d'un *Dictionnaire national* (1843).

bésef ou **bézef** [bezɛf] adv. Pop. Surtout dans l'expression *pas bésef* : pas beaucoup.

besicles ou **bésicles** n. f. pl. **1.** Vx Lunettes rondes. **2.** Plaisant Lunettes.

bésigue n. m. Jeu de cartes qui se joue à deux, trois ou quatre joueurs, avec deux, trois ou quatre jeux de trente-deux cartes.

Beskides (monts), massif de Pologne et de Slovaquie, au N. des Carpates.

Beskra. V. Biskra.

besogne n. f. **1.** Ouvrage à faire, travail à effectuer. *Une dure besogne.* - *Abattre de la besogne* : travailler efficacement et beaucoup. - *Aller vite en besogne* : travailler avec rapidité; fig. être expéditif. **2.** Ouvrage fait, travail effectué. *Faire de la belle, de la bonne besogne.*

besogner v. intr. [1] Faire un travail rebutant.

besogneux, euse adj. et n. **1.** Qui vit dans la gêne. **2.** Qui fait un travail rebutant et peu rétribué.

besoin n. m. **1.** Sensation qui porte les êtres vivants à certains actes qui leur sont ou leur paraissent nécessaires. *Manger, boire, dormir sont des besoins organiques. Il ne prend pas de vacances cette année, il n'en sent pas le besoin.* ▷ (Plur.) Ce qui est indispensable à l'existence quotidienne. *Subvenir aux besoins de sa famille.* ▷ Fam. *Faire ses (petits) besoins, ses besoins naturels* : uriner, déféquer. **2.** Loc. verbale. *Avoir besoin de qqch, de qqn* : ressentir comme nécessaire qqch, la présence de qqn. *Elle est fatiguée, elle a besoin de repos. Cet enfant a besoin de sa mère.* - *Avoir besoin de* (+ inf.) : ressentir la nécessité de. *Elle a besoin de partir, de prendre des vacances.* - *Avoir besoin que* (+ subj.). *Ils ont besoin qu'on les aide.* - (Impers.) Litt. *Être besoin. Est-il besoin que...?* : faut-il que...? *Si besoin est* : si c'est nécessaire. **3.** Loc. adv. *Au besoin* : en cas de nécessité. *Écrivez-moi vite, et au besoin n'hésitez pas à téléphoner.* **4.** Dénuement, manque du nécessaire. *Être dans le besoin. Être réduit par le besoin à mendier sa nourriture.* **5.** ECON (Surtout plur.) État de privation susceptible de donner lieu à une activité de production et d'échange. ▷ Manque de ressources. *Besoin de trésorerie, de fonds de roulement.*

Bessarabie, rég. de Moldavie et d'Ukraine, au N.-O. de la mer Noire, entre le Prout et le Dniestr. - Russe en 1878, roumaine de 1920 à 1940 et de 1941 à 1944, la Bessarabie a été reconnue partie intégrante de l'U.R.S.S. au traité de Paris de 1947. Ce traité a été dénoncé par la Roumanie en 1991.

Besançon et un méandre du Doubs

Bessarion (Jean) (Trébizonde, v. 1400 - Ravenne, 1472), théologien et humaniste byzantin. Il tenta de réconcilier les Églises grecque et romaine aux conciles de Ferrare et de Florence (1439). Défenseur de la philosophie antique en Occident, notam. du platonisme.

Besse-et-Saint-Anastaise (anc. *Besse-en-Chandesse*), ch.-l. de canton du Puy-de-Dôme (arr. d'Issoire); 1 879 hab. Stat. de sports d'hiver à *Superbesse*. - Égl. St-André, avec nef romane (XIIe s.); beffroi (XVe s.).

Bessel (Friedrich) (Minden, 1784 - Königsberg, 1846), astronome allemand, fondateur de l'observatoire de Königsberg, où il effectua la première mesure d'une distance stellaire (1838).

Bessemer (sir Henry) (Charlton, 1813 - Londres, 1898), ingénieur anglais inventeur du convertisseur portant son nom, qui transforme la fonte en acier.

Bessières (Jean-Baptiste) (Prayssac, Lot, 1768 - Rippach, Saxe, 1813), maréchal de France (1804), duc d'Istrie (1809), commandant de la cavalerie impériale.

Bessin (le), petit pays de Normandie, autour de Bayeux. Élevage bovin; beurre et camembert réputés.

Bessines-sur-Gartempe, com. de la Haute-Vienne (arr. de Bellac); 3 023 hab. Traitement du minerai d'uranium. - Chât. de Monime (XVe s.).

1. bestiaire n. m. ANTIQ ROM Celui qui combattait dans le cirque contre les bêtes féroces.

2. bestiaire n. m. **1.** Traité didactique du Moyen Âge décrivant des animaux réels ou légendaires. ▷ *Par ext.* Ensemble des représentations d'animaux (d'une culture, d'une époque, d'un pays, etc.). *Le bestiaire roman. Le bestiaire du blason.* **2.** Mod. Recueil, traité sur les animaux, généralement illustré.

bestial, ale, aux adj. Qui tient de la bête, qui fait descendre l'être humain au niveau de la bête. *Physionomie, fureur bestiale.*

bestialement adv. D'une manière bestiale.

bestialité n. f. **1.** État de quelqu'un qui a les instincts grossiers de la bête. **2.** Rapports sexuels entre un être humain et un animal.

bestiaux n. m. pl. Ensemble des troupeaux d'une exploitation agricole.

bestiole n. f. Petite bête, et, spécial., insecte.

best-of [bɛstɔf] n. m. (Anglicisme) Syn. de *compilation*.

best-seller [bɛstsɛlœʀ] n. m. (Anglicisme) Livre à succès, qui a une grosse vente. *Les best-sellers de l'été.*

1. bêta n. m. et adj. inv. **1.** Deuxième lettre (Β; β, initial; ϐ) de l'alphabet grec. **2.** adj. PHYS NUCL *Rayons bêta* : rayonnement constitué d'électrons émis par les corps radioactifs. **3.** adj. PHYSIOL *Onde bêta, rythme bêta*, observés sur l'électroencéphalogramme normal d'un adulte au repos, les yeux fermés.

2. bêta, asse n. et adj. **1.** n. Fam. Personne sotte, niaise. *Un gros bêta.* **2.** adj. Niais. *Air bêta.*

bêtabloquant, ante adj. et n. m. MED Se dit d'un médicament qui bloque les récepteurs bêta du système sympathique. – n. m. *Les bêtabloquants réduisent la tension artérielle et ralentissent le rythme cardiaque.*

bétail n. m. Ensemble des animaux de pâture, dans une exploitation agricole.

bétaillère n. f. Camion utilisé pour transporter le bétail.

Betancourt (Rómulo) (Guatire, Miranda, 1904 – New York, 1981), homme politique vénézuélien ; président de la Rép. de 1959 à 1964.

bêtatron n. m. PHYS NUCL Accélérateur d'électrons non linéaire.

bête n. f. et adj. **I.** n. f. **1.** Tout être animé, à l'exception de l'être humain. *Bête à cornes. Bête de somme,* employée pour porter des charges. *Bête à bon Dieu* : coccinelle. *Bêtes puantes* : renards, blaireaux, putois, etc. *Bêtes féroces* : carnassiers, comme le lion, le tigre, etc. ▷ Au plur. *Les bêtes* : le bétail. *Mener les bêtes aux champs.* **2.** Loc. *Reprendre du poil de la bête* : réagir avec succès, recouvrer quelque chose (santé, moral, situation, etc.) qui était compromis. – (Prov.) *Morte la bête, mort le venin* : un ennemi mort cesse d'être dangereux. – *C'est sa bête noire,* se dit de qqn, qqch qui inspire de l'aversion. – *Chercher la petite bête* : faire preuve d'une minutie tatillonne dans la recherche d'une erreur commise par quelqu'un. – *Regarder quelqu'un comme une bête curieuse,* avec une curiosité déplaisante. – Fam. ou plaisant *Bête à concours* : étudiant possédant les qualités indispensables pour passer brillamment les concours. – Fam. *Comme une bête* : énormément. *Il a travaillé comme une bête pour y arriver.* **II.** n. f. **1.** Être humain qui se livre à ses instincts. *Une bête immonde.* **2.** Personne dépourvue de bon sens, d'esprit, d'intelligence. *Une vieille bête.* – *Une bonne bête* : une personne gentille mais plutôt niaise. **III.** adj. Stupide, sot. *Être bête à manger du foin. Bête et méchant. Raconter des histoires bêtes.* – *Pas si bête* : pas assez sot (pour faire ou croire quelque chose). – *C'est bête, j'ai oublié de noter son numéro de téléphone.*

bétel n. m. **1.** Plante grimpante de l'Inde (fam. pipéracées). **2.** Masticatoire stimulant utilisé dans les rég. tropicales, préparé avec des feuilles de bétel et de tabac, de la noix d'arec et de la chaux, qui stimule les glandes salivaires et ralentit la transpiration.

Bételgeuse, étoile supergéante rouge d'Orion (magnitude visuelle apparente 0,8).

bêtement adv. D'une manière stupide. *Se conduire bêtement.* ▷ *Tout bêtement* : tout simplement.

Béthanie (auj. *El-Azariyeh*), v. de Palestine, à 2 km de Jérusalem, où habitaient Marthe, Marie et Lazare.

Bethe (Hans Albrecht) (Strasbourg, 1906), physicien et astronome américain d'origine all. P. Nobel 1967. – *Le cycle de Bethe,* ou *cycle du carbone,* est un ensemble de réactions thermonucléaires au sein des étoiles (notam. le Soleil) : la fusion de noyaux d'hydrogène en noyaux d'hélium se fait par l'intermédiaire du carbone, avec émission de positons.

Béthencourt (Jean de) (Grainville-la-Teinturière, pays de Caux, v. 1360 – ?, 1425), navigateur normand. Il fonda une colonie européenne (1404) aux Canaries.

Bethléem (en ar. *Bayt Laḥm*), v. de Cisjordanie, auj. v. autonome sous responsabilité palestinienne ; 25 000 hab. – Lieu où naquit le Christ. – Basilique à cinq nefs construite sous Constantin (IVe s.), remaniée par Justinien (VIe s.) et les croisés (XIIe s.).

Bethlehem, ville des É.-U. (Pennsylvanie) ; 71 400 hab. Centre sidér. import.

Bethlen (Gabriel ou Gábor) (Illye, 1580 – Alba-Iulia, 1629), prince de Transylvanie en 1613 (ce pays connut son apogée sous son règne) et roi de Hongrie de 1620 à 1621.

Bethmann-Hollweg (Theobald von) (Hohenfinow, Brandebourg, 1856 – id., 1921), homme politique allemand ; chancelier de l'Empire de 1909 à 1917.

Bethsabée, épouse d'Urie, enlevée par le roi David qui fit périr son mari, l'épousa et eut d'elle quatre fils, dont Salomon.

Béthune, ch.-l. d'arr. du Pas-de-Calais ; 25 261 hab. (env. 261 500 hab. dans l'aggl.). Centre comm. ; industr. alim. et méca. Pneumatiques. – Beffroi XIVe s. (restauré).

bêtifiant, ante adj. Qui bêtifie.

bêtifier v. intr. [2] Dire, faire des bêtises, des niaiseries.

Bétique, anc. prov. romaine d'Espagne (Andalousie actuelle), arrosée par le *Bétis* (auj. le Guadalquivir). – La *cordillère Bétique* s'étend au S.-E. de l'Espagne, de Gibraltar au cap de la Nao ; 3 478 m au Mulhacén, dans la sierra Nevada.

1. bêtise n. f. **1.** Défaut d'intelligence, de jugement ; sottise, stupidité. *Il est d'une rare bêtise.* **2.** Action ou propos bête. *Il fait, dit des bêtises.* ▷ Action, propos, chose sans importance, insignifiants. *Se fâcher pour une bêtise,* pour un motif futile. **3.** Action imprudente ou dangereuse. *Surveillez-le, il risque de faire une bêtise.*

2. bêtise n. f. *Bêtise de Cambrai,* ou, absol., *bêtise* : berlingot à la menthe.

bêtisier n. m. Recueil de bêtises, de bévues. Syn. sottisier.

Betjeman (John) (Londres, 1906 – Trebetherick, Cornouailles, 1984), poète anglais. Il dépeint avec humour la vie quotidienne et la nostalgie du temps passé : *la Rose perpétuelle* (1937), *À l'appel des cloches* (1960).

bétoine n. f. Plante (fam. labiacées), à fleurs mauves et ayant une rosette de feuilles bien développées à la base.

béton n. m. **1.** Matériau obtenu par malaxage d'un mélange de gravier et de sable (agrégats) avec un liant hydraulique (généralement du ciment), en présence d'eau. *Barrage, jetée en béton.* – *Béton armé,* coulé autour d'armatures en acier qui augmentent sa résistance à la traction et au cisaillement. – *Béton précontraint,* dont les armatures sont mises en tension pour permettre au béton de travailler uniquement à la compression. ▷ Fig., fam. *C'est du béton, en béton* ou *béton* : c'est très solide, très sûr, infaillible. *Une analyse en béton.* **2.** SPORT *Faire jouer le béton* : V. bétonner.

bétonnage n. m. Action de bétonner.

bétonner v. [1] **1.** v. tr. Construire, recouvrir ou renforcer avec du béton. *Bétonner une route.* – Pp. adj. *Abri bétonné.* **2.** Fig., fam. Parachever méticuleusement. *Bétonner un dossier.* **3.** v. intr. SPORT Au football, grouper les joueurs d'une équipe devant ses buts, à la façon d'un mur, pour parer à toute action adverse. ▷ Fig., fam. Faire de l'obstruction systématique.

bétonnière ou **bétonneuse** n. f. CONSTR Machine servant à préparer le béton.

Betsiléo, partie du plateau central de Madagascar, au S.-E. de l'île, où vivent les *Betsiléos,* groupe ethnique import. Rég. très riche : riz, élevage, mines.

bette ou **blette** n. f. Variété de betterave dont le pétiole et la nervure médiane des feuilles sont consommés sous le nom de *côtes de bette.*

Bettelheim (Bruno) (Vienne, 1903 – Silver Spring, Washington, 1990), psychanalyste américain d'orig. autrich. Ses méthodes thérapeutiques, mises au point notam. à Chicago (*la Forteresse vide,* 1967), ont permis d'améliorer le traitement et le pronostic de l'autisme infantile.

Bettelheim (Charles Oscar) (Paris, 1913), économiste français. Les travaux de ce spécialiste de la planification socialiste portent sur la théorie économique marxiste (*Calcul économique et formes de propriété,* 1970) comme sur l'observation critique et l'histoire des démocraties populaires (*les Luttes de classe en U.R.S.S.,* 1974-1982).

betterave n. f. Plante bisannuelle dicotylédone apétale (fam. chénopodiacées) cultivée pour sa racine pivotante charnue de forte taille. *Betterave sucrière,* dont la racine est très riche en saccharose (15 à 20 %). *Betterave fourragère,* dont la racine sert d'aliment pour le bétail. ▷ Cour. Betterave rouge, variété potagère. ► illustr. **sucre**

betteravier, ère adj. Qui a rapport à la betterave. *Culture betteravière.* ▷ n. m. Celui qui cultive la betterave.

Betti (Ugo) (Camerino, Marches, 1892 – Rome, 1953), auteur dramatique italien. Représentant du renouveau du vérisme, il utilisa le naturalisme à la manière de Brecht : *la Patronne* (1926), *l'Île aux chèvres* (1950).

Bettignies (Louise de) (Saint-Amand-les-Eaux, 1880 – Cologne, 1918), agent de renseignements des Alliés dans le N. de la France occupé par les Allemands. Arrêtée en 1915, elle mourut en prison.

bétulacées n. f. pl. BOT Famille d'arbres ou d'arbustes à fleurs en chatons et à feuilles caduques (aulnes, noisetiers, charmes, etc.), dont le bouleau est le type. – Sing. *Une bétulacée.*

Betwada V. Vijayavada.

bétyle [betil] n. m. Pierre sacrée adorée en Syrie et en Phénicie, et dont le culte passa chez les Romains.

Beudant (François) (Paris, 1787 – id., 1850), minéralogiste français ; l'un de ceux qui découvrirent l'isomorphisme.

beuglant n. m. Pop. Café-concert populaire, vers 1900.

beuglante n. f. Fam. Chanson chantée d'une voix assourdissante, discordante. ▷ *Pousser une beuglante* : faire des remontrances bruyantes à qqn.

beuglement n. m. **1.** Cri des animaux qui beuglent. *Le beuglement des vaches.* **2.** *Par anal.* Son intense et prolongé qui assourdit.

beugler v. [1] **I.** v. intr. **1.** Mugir, en parlant des bovins. **2.** *Par anal.,* fam. Crier, chanter très fort. ▷ Faire entendre un son puissant et désagréable. *Haut-parleur qui beugle.* **II.** v. tr. Hurler. *Beugler une chanson.*

beur [bœʀ] n. et adj. Maghrébin vivant en France, appartenant à la deuxième génération de l'immigration; homme ou femme (en général enfant, adolescent ou jeune adulte) d'origine maghrébine et de nationalité française.

beurette n. f. Fam. Jeune fille beur.

beurk. V. berk.

beurre n. m. **1.** Substance alimentaire onctueuse obtenue par barattage de la crème du lait, mélange complexe de divers glycérides (notam. ceux des acides butyrique, oléique, palmitique et stéarique). *Beurre frais. Une demi-livre de beurre salé.* ▷ *Beurre blanc* : sauce faite d'une réduction dans du beurre de vinaigre et d'échalote. ▷ *Beurre noir,* fondu jusqu'à noircir dans la poêle. – Loc. fig., fam. *Œil au beurre noir,* noirci par un coup. ▷ Loc. fig., fam. *Faire son beurre* : s'enrichir. – *Mettre du beurre dans les épinards* : améliorer sa situation matérielle. – *Le beurre et l'argent du beurre* : deux avantages incompatibles. *On ne peut pas avoir le beurre et l'argent du beurre.* – *Assiette au beurre* : source de profits. ▷ Loc. adj. *Beurre frais* : couleur jaune clair. *Des gants beurre frais.* ▷ (Canada) Loc. fam. *Passer dans le beurre* : passer à côté (en frappant, en donnant un coup). **2.** Substance grasse extraite de divers végétaux. *Beurre de cacao.* ▷ (Canada) *Beurre d'érable.*

beurré n. m. Poire à chair fondante.

beurrer v. tr. [1] **1.** Recouvrir de beurre. *Beurrer des tartines, des toasts.* **2.** v. pron. Fam. S'enivrer. – Pp. *Être beurré* : être ivre.

beurrier n. m. Récipient destiné à conserver ou à servir le beurre.

beuverie n. f. Réunion où l'on boit avec excès.

Beuvron (le), riv. de Sologne (125 km), affl. de la Loire (r. g.).

Beuys (Josef) (Clèves, 1921 - Düsseldorf, 1986), peintre et sculpteur allemand. Dans une œuvre qui se veut le symbole de l'« antiforme », il utilisa des matériaux non traditionnels (graisse, feutre, etc.). *La Chaise de graisse* (1964).

Bevan (Aneurin) (Tredegar, Monmouthshire, 1897 – Asheridge Farm, Chesham, 1960), homme politique britannique; leader de l'aile gauche du parti travailliste.

bévatron n. m. PHYS Accélérateur qui permet de communiquer à des protons une très grande énergie.

Beveland, anc. îles des Pays-Bas, à l'embouchure de l'Escaut, rattachées au continent en 1960.

Beveren, comm. de Belgique (Flandre-Orientale), dans les polders du pays de Waas; 42 627 hab. Égl. XVe s.

Beveridge (lord William Henry) (Rangpur, Bengale, 1879 – Oxford, 1963), économiste britannique, député libéral. – Le *plan Beveridge* (1942) a révolutionné la sécurité sociale en Grande-Bretagne.

Beverley, ville d'Angleterre; 120 000 hab.; ch.-l. du comté de Humberside. Collégiale (XIIIe-XVe s.).

Beverly Hills, fbg N.-E. de Los Angeles (Californie); quartier résidentiel habité par de nombreuses personnalités des arts et du cinéma.

Bévéziers. V. Beachy Head.

Bevin (Ernest) (Winsford, 1881 – Londres, 1951), syndicaliste et homme politique anglais; ministre travailliste des Affaires étrangères (1945-1951).

bévue n. f. Erreur grossière, commise par ignorance, inadvertance ou faute de jugement.

bey [bɛ] n. m. Titre porté par de hauts dignitaires dans l'Empire ottoman ou par des souverains vassaux du sultan. – *Les beys de Tunis* : dynastie d'orig. ottomane qui régna sur la Tunisie de 1705 à 1957.

Beyle (Henri). V. Stendhal.

beylical, ale, aux [belikal, o] adj. Qui a rapport à un bey, à son autorité. *Le palais beylical.*

beylisme [belism] n. m. Litt. Attitude qui évoque celle des héros de Stendhal, énergiques et passionnés.

Beyrouth, cap. du Liban et port sur la Méditerranée; 1 500 000 hab. Centre culturel import. Universités. – La ville a été ravagée par les affrontements intercommunautaires opposant les chrétiens aux musulmans, et qui séparèrent par une ligne de démarcation l'Est (chrétien) de l'Ouest (palestino-musulman) durant la guerre civile (1975-1990).

Beyrouth

Bèze (Théodore de) (Vézelay, 1519 – Genève, 1605), écrivain et théologien protestant, disciple de Calvin, dont il fut le successeur à l'Académie protestante de Genève : *Histoire ecclésiastique des Églises réformées du royaume de France* (1580); *Vie de Calvin; Abraham sacrifiant* (drame sacré, 1550).

bézef. V. bésef.

Béziers, ch.-l. d'arr. de l'Hérault, sur l'Orb et le canal du Midi; 72 362 hab. (*Biterrois*). Grand marché des vins et alcools du Languedoc. Industr. div. (mat. pétrolier, chim., etc.). – Égl. St-Nazaire, anc. cath. du XIIe s., reconstruite à la fin du XIIIe s. et au XIVe s. – La v. fut dévastée (1209) pendant la guerre des Albigeois et rattachée à la couronne en 1229.

Bezons, ch.-l. de cant. du Val-d'Oise (arr. d'Argenteuil), sur la Seine; 25 792 hab. Industr. chimiques, métallurgiques. Pneumatiques.

Bézout (Étienne) (Nemours, 1730 – Les Basses-Loges, près de Fontainebleau, 1783), mathématicien français : *Théorie générale des équations algébriques* (1779).

B.F. ELECTR Sigle de *basse fréquence**.

Bhadgaun ou **Bhatgaon,** v. du Népal, à l'E. de Katmandou; 85 000 hab. Centre religieux.

Bhāgalpur, v. de l'Inde (Bihār), sur le Gange; 280 000 hab. Textiles (soie).

Bhagavad-Gītā (« le Chant du Bienheureux »), poème sanskrit anonyme (écrit entre le IIIe s. av. J.-C. et le IIIe s. apr. J.-C.), inséré dans le *Mahābhārata.* Il exalte le dieu Vishnu (dans son avatar de Krishna) et le fait dialoguer avec le héros Arjuna.

Bhāgavata-Purāna, texte sanskrit (VIe, X^e ou XIIe s. apr. J.-C.), l'un des Purāna, en douze livres, dont le dixième raconte les amours de Krishna.

Bhartrihari (VIIe s.), poète et grammairien indien de langue sanskrite. On lui attribue trois célèbres poèmes de cent vers : *De l'amour, De l'éthique, Du renoncement.*

Bhashani (Maulana Abdul Hamid Khan) (Tangari, Inde, auj. au Bangladesh, 1883 ou 1889 – Dacca, auj. Dhākā, 1976), homme politique bengali, l'un des fondateurs de la ligue Awami* et l'un des promoteurs de l'indépendance du Pakistan oriental (auj. Bangladesh).

Bhatgaon. V. Bhadgaun.

Bhatpara, v. de l'Inde (Bengale-Occidental); 305 000 hab. Textiles.

Bhavnagar, port de l'Inde (Gujerāt), sur le golfe de Cambay; 420 000 hab.

Bhopāl, v. de l'Inde, cap. du Madhya Pradesh; 1 604 000 hab. Import. marché agric. Constr. électr. – En déc. 1984, des fuites de gaz toxique d'une usine de pesticides ont provoqué la mort de 6 495 personnes.

Bhoutan ou **Bhutān** (*Druk-Yul*), État d'Asie, sur le versant S. de l'Himalaya; 47 000 km²; 1 680 000 hab.; cap. *Thimphu.* Nature de l'État : monarchie. Langue : tibétain. Monnaie : roupie. Relig. : bouddhisme et hindouisme. – La population (Bhotias 50 %, Népalais-Gurung 35 %, Sharchops 15 %) se concentre dans les vallées, cultivant riz, maïs, fruits (climat très humide). – Protectorat brit. de 1910 à 1949, le pays a été sous la tutelle de l'Inde jusqu'à son indépendance en 1971. ► carte **Inde**

bhoutanais, aise adj. et n. Du Bhoutan. ▷ Subst. *Un(e) Bhoutanais(e).*

Bhubaneswar, ville de l'Inde, cap. de l'État d'Orissa; 420 000 hab.

Bhumibol Adulyadej (Cambridge, Massachusetts, 1927), roi de Thaïlande depuis 1950, sous le nom de Rama IX.

Bhutto (Zulfikar Ali) (Larkana, 1928 – Rawalpindi, 1979), homme politique pakistanais. Président de la Rép. (1971-1973), puis Premier ministre (1973-1977), il fut renversé, jugé (1978) et exécuté. – **Benazir** (Larkana, 1953), fille du préc.; Premier ministre de 1988 à 1990, limogée par l'armée, elle revient au pouvoir de 1993 à 1996.

Bi CHIM Symbole du bismuth.

bi-, bis-, bes-. Éléments, du lat. *bis,* signifiant deux fois, double. (Ex. : *bicolore* : de deux couleurs; *biscuit* : deux fois cuit; *besace* : sac à double poche.)

Biafra (rép. du), nom pris par la partie S.-E. du Nigeria, en sécession de 1967 à 1970. Le Biafra, rég. minière très riche, peuplée surtout d'Ibos, fut réduit après une dure guerre (blocus, famine). Il est auj. divisé en trois États fédérés.

biafrais, aise adj. et n. Du Biafra. ▷ Subst. *Un(e) Biafrais(e).*

biais [bjɛ] n. m. **1.** Ligne oblique. ▷ COUT Diagonale, par rapport aux fils du tissu. *Tailler dans le biais.* **2.** Fig. Moyen détourné et ingénieux. *Chercher un biais pour engager la conversation.* **3.** Loc. adv. *De biais, en biais* : de côté. *Jeter des regards en biais.* – Fig. *Prendre quelqu'un de biais,* en biaisant.

biaiser v. intr. [1] **1.** Être, aller de biais. **2.** Fig. User de détours. *Soyez franc, ne biaisez pas.* **3.** v. tr. Fausser intentionnellement. – Pp. adj. *Des résultats biaisés.*

Białystok, v. de Pologne orient.; 275 000 hab.; ch.-l. de la voïévodie du

m. nom. Industr. text., chim., mécanique. Centre culturel.

Biarritz, ch.-l. de cant. des Pyr.-Atl. (arr. de Bayonne), sur l'Atlant.; 28 887 hab. (*Biarrots*). Aéroport. Grande stat. baln. et therm. (lancée par Napoléon III).

biarrot, ote adj. et n. De Biarritz. – Subst. *Les Biarrots.*

biathlon n. m. SPORT Épreuve olympique combinant le ski de fond et le tir.

biaural ou **binaural, ale, aux** adj. Qui concerne l'audition par les deux oreilles.

Bibans (chaîne des), dans l'Atlas tellien (Algérie); 1 735 m. Comprend le défilé des Portes de fer.

bibelot [biblo] n. m. Petit objet de décoration.

Biber ou **von Bibern** (Heinrich Ignaz Franz) (Wartenberg, Bohême, 1644 – Salzbourg, 1704), violoniste et compositeur autrichien : opéras, mus. d'égl., sonates pour violon.

biberon n. m. Petite bouteille graduée, munie d'une tétine, avec laquelle on fait boire un nouveau-né.

biberonner v. intr. [1] Fam. Boire beaucoup d'alcool et souvent.

1. bibi n. m. Fam., vieilli Petit chapeau de femme.

2. bibi pron. Pop. Moi. *Et l'addition, c'est pour qui ? C'est pour bibi !*

bibine n. f. Fam. Mauvaise boisson. ▷ Bière.

bibite ou **bébite** n. f. (Canada) Fam. Insecte; petite bête.

bible n. f. **1.** RELIG (Avec une majuscule.) Ensemble des textes reconnus d'inspiration divine par les juifs et les chrétiens. À la Bible juive qu'ils considèrent comme l'Ancien Testament, les chrétiens ont ajouté le Nouveau Testament. Nous connaissons la Bible selon trois versions : hébraïque, grecque (traduction des *Septante*, Alexandrie, IIIe s. av. J.-C.) et latine (*Vulgate**). – Livre, volume contenant ces textes. ▷ (En appos.) *Papier bible*, très mince et opaque, comme celui des bibles. **2.** Manifeste, ouvrage fondamental d'une doctrine. **3.** *Par ext.* Ouvrage que l'on consulte souvent. *Ce livre, c'est ma bible.*

biblio-. Élément, du gr. *biblion*, « livre ».

bibliobus n. m. inv. Véhicule servant de bibliothèque publique itinérante.

bibliographe n. Spécialiste de bibliographie.

bibliographie n. f. **1.** Science du livre, de l'édition. **2.** Liste des écrits se rapportant à un sujet. *Établir une bibliographie proustienne.*

bibliographique adj. Qui a rapport à la bibliographie.

bibliologie n. f. Ensemble des disciplines et des activités concernant le livre et la lecture.

bibliophile n. Personne qui aime les livres précieux et rares.

bibliophilie n. f. Amour des livres, science du bibliophile.

bibliothécaire n. Personne préposée à la garde d'une bibliothèque.

bibliothéconomie n. f. Didac. Organisation et gestion de bibliothèque; discipline qui s'y consacre.

bibliothèque n. f. **1.** Meuble ou assemblage de planches, de tablettes, permettant de ranger des livres. *Chercher un livre sur les rayons d'une bibliothèque.* **2.** Salle ou édifice où sont conservés des livres, mis à la disposition du public. *Bibliothèque municipale.* **3.** Collection de livres. *Se constituer une bibliothèque.*

Bibliothèque nationale de France (B.N.F.), établissement public issu de la fusion de la *Bibliothèque nationale* (B.N.) et de la *Bibliothèque de France* (B.D.F.) en 1994. Anc. bibliothèque royale dont l'origine remonte à Charles V, la B.N., sise rue de Richelieu, à Paris, conserve les départements spécialisés (manuscrits, estampes, médailles, cartes et plans, etc.). La B.D.F., située quai François-Mauriac, a pour mission l'organisation des collections en quatre départements thématiques et le nouveau département audiovisuel, l'animation d'un réseau international, l'informatisation, la conservation, les catalogues et la gestion du dépôt légal. ▷ HIST. La bibliothèque de François Ier fut transférée de Fontainebleau à Paris par Charles IX et s'accrut sous les règnes suivants. Pendant la Régence, Colbert l'installa rue de Richelieu, dans une partie du palais Mazarin (hôtel de Nevers). Elle occupa la totalité du palais, qu'on agrandit sans cesse (notam. travaux de Labrouste, 1854-1875). En 1926, la *Réunion des bibliothèques nationales* lui adjoignit celles de l'Arsenal et de l'Opéra.

biblique adj. Qui appartient, qui est propre à la Bible.

Bibracte, v. de la Gaule indépendante, oppidum et cap. des Éduens, située sur le mont Beuvray (Nièvre). Après la conquête romaine, elle fut abandonnée pour Autun.

bicamérisme ou **bicaméralisme** n. m. POLIT Système fondé sur un Parlement composé de deux Chambres. (Par ex. : Chambre des députés et Sénat, en France; Chambre des lords et Chambre des communes, en G.-B.)

bicarbonate n. m. CHIM Sel qui contient un atome d'hydrogène acide ($-HCO_3$). *Bicarbonate de soude*.*

bicarbonaté, ée adj. Qui contient du bicarbonate.

bicarburation n. f. TECH Carburation dans un système permettant l'emploi alternatif de deux carburants.

bicentenaire adj. et n. m. Âgé de deux cents ans. *Un arbre bicentenaire.* ▷ n. m. Deuxième centenaire. *Le bicentenaire de la Révolution française.*

bicéphale adj. À deux têtes. *Aigle bicéphale :* aigle à deux têtes qui figure dans certaines armoiries. – (Abstrait) *Pouvoir bicéphale.*

biceps [bisɛps] n. m. Nom de deux muscles fléchisseurs dont l'extrémité supérieure est divisée en deux portions : *biceps brachial*, du bras; *biceps crural*, de la cuisse.

Bichat (Marie François Xavier) (Thoirette, Jura, 1771 – Paris, 1802), médecin français, fondateur de l'anatomie générale et, à un moindre titre, de l'histologie et de l'embryologie modernes. – Un hôpital parisien porte son nom.

biche n. f. **1.** Femelle du cerf. – *Par ext.* Femelle d'autres cervidés. ▷ *Table à pieds de biche.* V. pied-de-biche. **2.** *Ventre de biche :* couleur d'un blanc roussâtre. **3.** Fig., fam. Terme d'affection adressée à une jeune fille, à une femme. *Ma biche.*

bicher v. intr. [1] Fam., vieilli Être heureux, satisfait. *Ça biche :* ça va bien.

Bichkek (*Frounzé* de 1925 à 1991), cap. du Kirghizstan; 646 000 hab. Industr. méca., text. et alim.

bichon, onne n. **1.** n. m. Petit chien à poil long, issu du croisement d'un barbet et d'un épagneul. **2.** Fam. Terme d'affection. *Mon bichon !*

bichonner v. [1] **I.** v. tr. **1.** Parer avec soin, avec coquetterie. **2.** Fig. Traiter avec de grands soins. *Elle le bichonne, son petit mari !* **II.** v. pron. Se parer avec coquetterie. *Il a beau se bichonner, il ne sera jamais élégant.*

bichromate n. m. CHIM Sel de l'acide chromique.

bichromie [bikʀomi] n. f. TECH Impression en deux couleurs.

Bickford (William) (Bickington, 1774 – Camborne, 1834), ingénieur des mines anglais; inventeur du *cordeau Bickford*, mèche fusante contenant de la poudre noire pour mettre à feu un explosif à distance.

bicolore adj. Qui présente deux couleurs. *Une étoffe bicolore.*

biconcave adj. Qui présente deux faces concaves opposées. *Lunettes à verres biconcaves.*

biconvexe adj. Qui présente deux faces convexes opposées. *Lentille biconvexe.*

bicoque n. f. Fam., péjor. Petite maison peu solide, inconfortable. *Retaper une vieille bicoque.*

bicorne adj. et n. **1.** adj. Qui a deux cornes. **2.** n. m. Chapeau à deux pointes. *Bicorne de polytechnicien.*

bicorps adj. et n. m. AUTO Se dit d'un véhicule dont le profil présente un décrochement à la base du pare-brise mais non à l'arrière.

bicot n. m. Pop. et raciste Arabe d'Afrique du Nord.

bicross n. m. inv. (Nom déposé.) **1.** Bicyclette tous terrains à pneus épais, sans garde-boue. **2.** Sport pratiqué avec cette bicyclette.

biculturalisme n. m. Coexistence dans un même pays de deux cultures nationales (Belgique, Canada, etc.).

biculturel, elle adj. Qui possède deux cultures.

bicuspide adj. **1.** BOT Qui présente deux pointes. **2.** ANAT *Valvule bicuspide*, formée de deux valves.

bicycle n. m. Anc. Vélocipède à deux roues de taille différente.

bicyclette n. f. Cycle à deux roues d'égal diamètre, dont la roue avant est directrice et dont la roue arrière est mise en mouvement par un pédalier. *Aller, monter, rouler à bicyclette.*
▶ illustr. page **200**

bidasse n. m. Pop. Soldat.

Bidassoa (la), fl. des Pyr.-Atl. (61 km); se jette dans le golfe de Gascogne; sert de frontière entre la France et l'Espagne, sur 12 km. – Dans l'île des Faisans, située au début de son estuaire, fut signée la paix des Pyrénées (1659).

Bidault (Georges) (Moulins, 1899 – Cambo-les-Bains, 1983), homme polit. français; président du Conseil national de la Résistance, fondateur du M.R.P. Il fut plusieurs fois ministre des Affaires étrangères et président du Conseil sous la IVe Rép. Dès 1958, il s'opposa violemment à la politique algérienne du général de Gaulle.

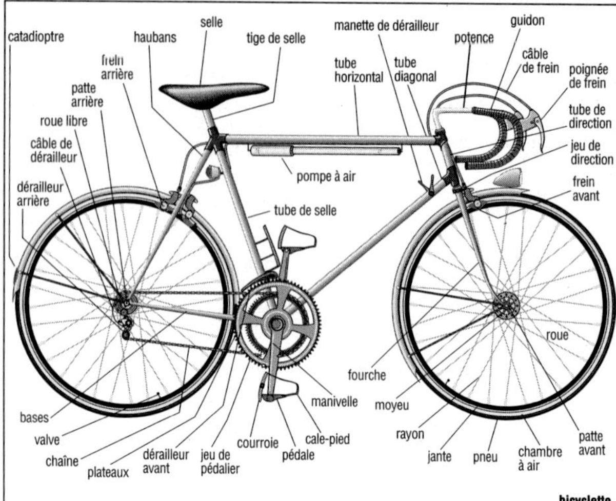

bicyclette

bide n. m. **1.** Fam. Ventre. *Avoir du bide.* **2.** Arg. Manque de succès, échec. *Avec son tour de chant, elle a fait un bide.*

bidet n. m. **1.** Petit cheval de selle trapu et résistant. ▷ *Par ext.* (Souvent péjor.) Cheval. **2.** Cuvette sur pied, appareil sanitaire, de forme oblongue, utilisé pour la toilette intime.

bidimensionnel, elle adj. Qui a deux dimensions principales.

bidirectionnel, elle adj. Qui fonctionne dans deux directions.

bidoche n. f. **1.** Fam., péjor. Viande. **2.** Très fam. Chair humaine.

bidon n. m. et adj. **1.** Récipient métallique portatif destiné à contenir un liquide. *Bidon d'huile.* **2.** Fam. Ventre. *Il a pris du bidon.* **3.** Fam. *Du bidon* : quelque chose de faux. *Sa réussite, c'est du bidon.* ▷ adj. inv. *Une histoire bidon.*

bidonnant, ante adj. Fam. Très drôle. *Une histoire bidonnante.*

bidonner v. tr. [1] **1.** Fam. Falsifier, truquer. Bidonner un reportage, un sondage. **2.** v. pron. Fam. Rire, bien s'amuser. *Qu'est-ce qu'ils ont pu se bidonner !*

bidonville n. m. Agglomération d'habitations précaires, construites en matériaux de récupération, en partic. de vieux bidons, et qui se trouvent à la périphérie de certaines villes.

bidouillage n. m. Fam. Action de bidouiller; travail bidouillé, bricolage.

bidouiller v. tr. [1] Fam. Bricoler. *Bidouiller son baladeur.*

Bidpay. V. Pilpay.

bidule n. m. Fam. Chose, objet quelconque, machin, truc.

Biedermeier (style), style d'ameublement confortable et cossu (meubles en bois clair, simples ou chantournés, draperies, bibelots) contemporain, en Allemagne (1814-1848), du style Louis-Philippe; il tire son nom d'un personnage mythique, équivalent allemand de Joseph Prudhomme.

bief [bjɛf] n. m. **1.** Canal conduisant l'eau sur la roue d'un moulin. **2.** Espace entre deux écluses sur une rivière ou sur un canal de navigation.

Bielefeld, v. d'Allemagne (Rhén.-du-N.-Westphalie); 315 096 hab. Centre industr. : mécanique, textile, chimique.

Bielgorod. V. Belgorod.

Bielinski ou **Belinski** (Vissarion Grigorievitch) (Sveaborg, auj. Suomenlinna, 1811 - Saint-Pétersbourg, 1848), fondateur de la critique littéraire en Russie (*Aperçu de la littérature russe*, 1847).

Biella, v. d'Italie (Piémont); 53 570 hab. Grand centre lainier.

bielle n. f. MECA Pièce de certains mécanismes destinée à transmettre un mouvement, à transformer un mouvement rectiligne alternatif en un mouvement circulaire ou inversement. - *Couler une bielle* : faire fondre accidentellement une partie de la tête de bielle d'un moteur à explosion.

biélorusse adj. et n. **1.** adj. De Biélorussie. ▷ Subst. *Un(e) Biélorusse.* **2.** n. m. *Le biélorusse* : la langue parlée en Biélorussie.

Biélorussie (*Respublika Belarus*), État d'Europe qui fut, jusqu'en 1991, l'une des rép. fédérées de l'U.R.S.S., à la frontière de la Pologne; 207 600 km²; 10 367 000 hab.; cap. *Minsk*. Nature de l'État : régime présidentiel. Langue off. : biélorusse. Monnaie : rouble (BYB). Pop. : Biélorusses (78 %), Russes (13 %), Polonais (4 %). Relig. : orthodoxie, minorité catholique.
Géogr. et écon. - C'est une vaste plaine, dont le tiers est couvert par des forêts, où les lacs et marais (marais du Pripet) sont nombreux. L'agric. est essentielle : élevage bovin et porcin, cult. du lin, de la pomme de terre, de la betterave à sucre, du tabac, qui forment la base des industr. relativement importantes et diversifiées, avec les ressources forestières. Prod. importante d'engrais potassiques.
Hist. - La Pologne et la Russie se disputèrent le pays dès le XVIe s. La frontière actuelle a été fixée en 1945, au bénéfice de l'U.R.S.S. Les Biélorusses sont marqués par la culture polonaise et le catholicisme. En juil. 1990, la Biélorussie a proclamé sa souveraineté et, en 1991, son indépendance. Élu à la tête de l'État en 1994, Alexandre Loukachenko signe, en avril 1996, un traité d'union avec la Russie et a fait adopter, en nov., par référendum une Constitution lui accordant un renforcement des pouvoirs présidentiels. La Biélorussie fait partie de la C.E.I.
▶ carte (ex-) **U.R.S.S.**

Bielsko-Biała, v. de Pologne, en Haute-Silésie; 174 820 hab.; ch.-l. de la voïévodie du m. nom. Text., métallurgie.

Biely ou **Bielyï** (Boris Nicolaïevitch Bougaïev, dit Andreï) (Moscou, 1880 - id., 1934), poète russe; promoteur du symbolisme (*les Arabesques*, 1911) et auteur de romans (*Pétersbourg*, 1913).

1. bien adv., interj. et adj. inv. **I.** adv. de manière. **1.** De manière satisfaisante. *Je dors bien. Un enfant bien élevé.* **2.** De manière raisonnable, juste, honnête. *Il a fort bien agi.* **3.** De manière plaisante, agréable. *Un compliment bien tourné.* **4.** De manière habile. *Savoir bien parler est un art. Bien joué !* **II.** adv. d'intensité. **1.** *Bien de, bien des* : beaucoup de. *Il a manqué bien des occasions.* - Par antiphr. *Je vous souhaite bien du plaisir.* **2.** (Devant un adjectif, un participe passé, un adverbe.) Très, tout à fait. *Tu es bien beau ce matin. Elle est bien reposée. Il y en a bien trop.* **3.** (Devant un verbe.) Beaucoup. *J'espère bien vous revoir.* **4.** (Avec une quantité.) Au moins. *Il y a bien deux ans que je ne l'ai pas rencontré. Cela fait bien un kilo.* **5.** (Avec un conditionnel.) Volontiers. *Je vous dirais bien de rester.* **III.** interj. **1.** *Bien ! Très bien !* : marques d'approbation. **2.** *Eh bien ?* : marque d'interrogation. *Eh bien, qu'en penses-tu ?* ▷ *Eh bien, soit !* : marque d'acquiescement. ▷ *Eh bien !* : marque de surprise, d'indignation. *Eh bien ! je ne l'aurais pas cru !* **IV.** adj. inv. **1.** (Attribut) Bon, satisfaisant, agréable. *Tout est bien qui finit bien. Cette comédienne est vraiment bien en Bérénice.* **2.** En bonne santé, à l'aise. *Se sentir bien.* **3.** Convenable, d'un point de vue moral. *Ce n'est pas bien de mentir.* **4.** Beau. *Ils sont tous les deux bien physiquement.* **5.** (Épithète) Qui est plein de qualités. *C'est un garçon bien, on peut compter sur lui.* **6.** Convenable, d'un point de vue social. *Ce sont des gens bien.* **V.** Loc. **1.** *Bien plus* : en outre, et plus encore. *Il lui a pardonné, bien plus il est devenu son ami.* **2.** *Aussi bien* : d'ailleurs. *Qu'il parte, aussi bien nous ne l'en empêcherons pas.* **VI.** Loc. conj. *Bien que* : marque la concession, la restriction portant sur un fait réel. *Bien que d'aspect chétif, il a de la résistance. Il veut sortir bien qu'il pleuve.*

2. bien n. m. **I. 1.** Ce qui est bon, avantageux, profitable. *Buvez un peu, cela vous fera du bien. Travailler pour le bien public*, l'intérêt général. *Le bien le plus précieux, c'est la santé. Dire du bien de qqch, de qqn*, en parler en termes élogieux. *Mener à bien (qqch)* : réussir (dans une entreprise). **2.** Ce que l'on possède (en argent, en propriétés). *Il a un petit bien près de Rouen*, un terrain, une maison. *Hériter des biens paternels.* - (Prov.) *Bien mal acquis ne profite jamais.* **3.** DR *Biens corporels* : choses qui ont une existence matérielle, comme les objets, les animaux, la terre. - *Biens incorporels* : choses qui représentent une valeur pécuniaire, comme le nom commercial, les droits de créance. ▷ ECON (Surtout plur.) Chose pouvant faire l'objet d'un droit et représentant une valeur économique. *Biens de consommation, d'équipement, de production.* **II.** Ce qui est conforme au devoir moral, ce qui est juste, honnête, louable. *Reconnaître le bien du mal. Rendre le bien pour le mal.* - *Homme de bien*, vertueux et charitable. ▷ Loc. adv. *En tout bien tout honneur* : sans arrière-pensée, sans mauvaise intention.

bien-aimé, ée adj. et n. **1.** adj. Qui est tendrement aimé, particulièrement chéri. **2.** n. Litt. Personne dont on est amoureux. *Être avec sa bien-aimée. Des bien-aimés.*

bien-dire n. m. sing. Litt. Manière de parler élégante et distinguée.

biénergie n. f. Didac. Association de deux énergies pouvant fonctionner en alternance dans une même chaudière.

bien-être n. m. sing. **1.** État agréable du corps et de l'esprit. *Éprouver une sensation de bien-être total.* **2.** Situation matérielle qui rend l'existence aisée et agréable. *Il jouit d'un bien-être suffisant.* **3.** (Canada) *Bien-être social :* nom donné à l'organisme public qui apporte une aide économique directe aux personnes dans le besoin. – Fam. *Être, vivre sur le bien-être :* vivre des prestations de l'aide sociale.

bienfaisance n. f. **1.** Inclination à faire du bien aux autres. *Sa bienfaisance est inépuisable.* **2.** Action de faire du bien aux autres; le bien que l'on fait dans un intérêt social. *Établissement, société de bienfaisance.*

bienfaisant, ante [bjɛ̃fəzɑ̃, ɑ̃t] adj. **1.** (Personnes) Qui fait du bien aux autres. **2.** (Choses) Qui fait du bien, qui a une influence salutaire. *Un remède bienfaisant.*

bienfait [bjɛ̃fɛ] n. m. **1.** Vieilli Bien que l'on fait à quelqu'un, service rendu. *Accorder ses bienfaits.* – (Prov.) *Un bienfait n'est jamais perdu.* **2.** Mod. Avantage, utilité. *Les bienfaits de la science.* **3.** Résultat bienfaisant. *Vous constaterez les bienfaits de ce médicament.*

bienfaiteur, trice n. Personne qui fait du bien. *Une généreuse bienfaitrice. Un bienfaiteur de l'humanité.*

bien-fondé n. m. **1.** DR Conformité d'une demande, d'un acte, à la justice et au droit. *Le bien-fondé d'une requête. Des bien-fondés.* **2.** *Par ext.* Conformité à la raison. *Le bien-fondé d'une opinion.*

bien-fonds n. m. DR Bien immeuble. (V. bien 2, sens I, 3.) *Des bien-fonds* ou *des biens-fonds.*

bienheureux, euse adj. et n. **1.** Très heureux. *Une vie bienheureuse.* **2.** THEOL Qui jouit de la béatitude céleste. *Âmes bienheureuses.* ▷ Subst. Dans l'Église catholique, personne qui a été béatifiée. *Le bienheureux Jacques de Voragine.*

Biên Hoa, v. du Viêt-nam méridional (proche de Hô Chi Minh-Ville), ch.-l. de la prov. du m. nom; 37 800 hab. Base militaire américaine (1966).

bien-jugé n. m. DR Décision judiciaire conforme au droit.

biennal, ale, aux adj. et n. **I.** adj. **1.** Qui dure deux ans. *Charge biennale.* **2.** Qui a lieu tous les deux ans. *Foire biennale.* **II.** n. f. Manifestation artistique, culturelle, etc. qui a lieu tous les deux ans.

Bienne (en all. *Biel*), v. de Suisse (cant. de Berne), à l'extrémité N. du *lac de Bienne* qui est relié au lac de Neuchâtel par la Thièle; 62 700 hab. Horlogerie, industr. métall. et mécanique.

bien-pensant, ante adj. et n. Attaché(e) à des valeurs traditionnelles, spécial., en matière de religion. ▷ Subst. *La Grande Peur des bien-pensants (essai de Georges Bernanos).*

Bien public (ligue du), constituée par la plus grande partie de la noblesse française qui se dressa (notam. sous l'impulsion de Charles le Téméraire) contre Louis XI, lequel avait augmenté les impôts en 1463-1464.

bienséance n. f. Conduite publique en conformité avec les usages. *Cela choque la bienséance.*

bienséant, ante adj. Conforme à la bienséance.

bientôt adv. **1.** Dans peu de temps. *Ils reviendront bientôt.* **2.** Loc. adv. *À bientôt :* formule utilisée pour prendre congé de quelqu'un que l'on compte revoir peu après. **3.** Rapidement. *Ce fut bientôt fait.*

bienveillance n. f. Disposition favorable à l'égard de quelqu'un. *Montrer, témoigner de la bienveillance à, envers quelqu'un.*

bienveillant, ante adj. Qui a, qui marque une disposition favorable à l'égard de qqn (en général ressenti comme inférieur par l'âge, le rang social). *Un écrivain célèbre, resté bienveillant envers ses cadets.*

bienvenu, ue adj. et n. **1.** adj. (Choses) Qui arrive à propos. *Une explication bienvenue.* ▷ (Personnes) Qui est accueilli avec plaisir. *Il est bienvenu partout.* **2.** n. Chose, personne qui est accueillie avec plaisir. *Soyez les bienvenues, mesdemoiselles. Cette proposition est la bienvenue.*

bienvenue n. f. Heureuse arrivée. *Nous vous souhaitons la bienvenue. Bienvenue chez nous ! :* formule d'accueil.

Bienvenüe (Fulgence) (Uzel, près de Saint-Brieuc, 1852 – Paris, 1936), ingénieur français (Ponts et Chaussées), ingénieur en chef de la Ville de Paris (1891), créateur du métropolitain.

1. bière n. f. Boisson alcoolisée produite par la fermentation du malt dans de l'eau. *Les bières sont parfumées par des fleurs de houblon* (bière blonde), *du caramel* (bière brune), *des piments* (bière âcre). *Une chope de bière, une canette de bière.* – *Bière à la pression,* tirée directement du tonneau grâce à la pression des gaz qu'elle dégage. ▷ Fig., fam. *C'est de la petite bière,* une affaire sans importance.

2. bière n. f. Cercueil. *La mise en bière a lieu au domicile du défunt.*

biergol [biɛʀgɔl] n. m. ESP Propergol constitué de deux ergols. Syn. diergol.

Biermer (maladie de), MED Anémie caractérisée par la présence de mégaloblastes, décrite par le médecin allemand Anton Biermer (1827-1892), due à une carence en vitamine B_{12} par défaut de sécrétion d'un facteur gastrique; auj. traitée avec succès par la vitamine B_{12}.

Bièvre (la), riv. d'Île-de-France (40 km), affl. de la Seine, dans laquelle elle se jette à Paris (r. g.). Son cours, autref. bordé de nombreuses tanneries, a été partiellement recouvert. Jadis, les castors y étaient abondants.

biface n. m. Outil du paléolithique inférieur, obtenu à partir d'un galet de pierre dure, plus ou moins grossièrement taillé sur les deux faces.

biffage n. m. Action de biffer.

biffer v. tr. [**1**] Rayer, barrer ce qui est écrit. *Il a biffé cette clause.*

biffin n. m. **1.** Pop. Chiffonnier. **2.** Arg. (des militaires) Soldat d'infanterie (qui porte un sac semblable à celui d'un chiffonnier).

biffure n. f. Action de biffer. ▷ Trait par lequel on biffe.

bifide adj. SC NAT Se dit d'un organe fendu longitudinalement. *La langue bifide des serpents.*

bifidus [bifidys] n. m. inv. Bactérie présente dans la flore intestinale et favorisant le transit. *Le bifidus entre dans la préparation de certains laits fermentés.*

bifilaire adj. Didac. Constitué par deux fils. *Suspension bifilaire.*

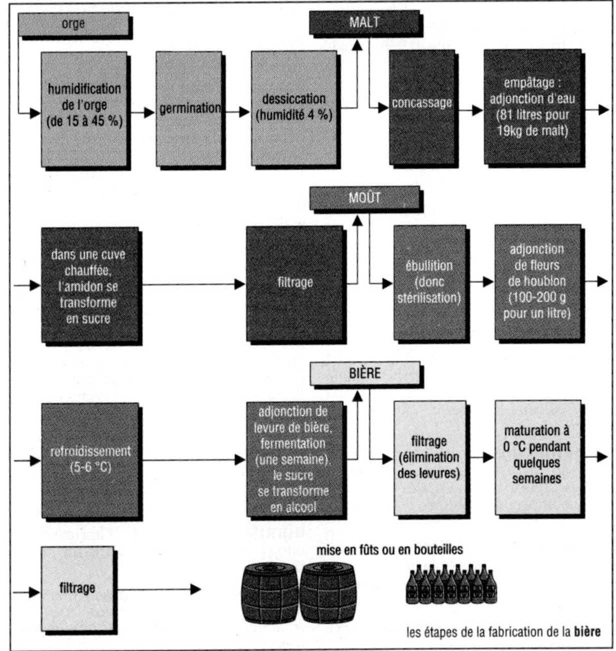

les étapes de la fabrication de la **bière**

bifocal, ale, aux adj. OPT Se dit d'un verre, d'une lentille à double foyer.

bifteck [biftɛk] n. m. Tranche de bœuf grillée, à griller. ▷ Fig., fam. *Gagner son bifteck* : gagner de quoi vivre. – *Défendre son bifteck* : défendre ses intérêts. (On écrit parfois, à l'anglaise, *beefsteak*.)

bifurcation n. f. **1.** Endroit où une chose se divise en deux parties, de directions différentes. *La bifurcation d'une tige, d'un chemin, d'une voie ferrée.* **2.** Fig. Possibilité de choix.

bifurquer v. intr. [1] **1.** Se diviser en deux, comme une fourche. *Ici, le chemin bifurque.* **2.** Changer de direction à un croisement. *Bifurquer à droite.* **3.** Fig. Prendre une direction différente. *Le colonel a bifurqué dans l'industrie.*

bigame adj. et n. Qui est marié à deux personnes à la fois.

bigamie n. f. État d'une personne qui, déjà mariée, a contracté un second mariage sans que le premier ait été annulé.

bigarade n. f. Orange amère.

bigaradier n. m. Oranger produisant des bigarades.

bigarré, ée adj. **1.** Qui a des couleurs, des dessins variés. *Une étoffe bigarrée.* **2.** Fig. Disparate. *Une foule bigarrée.*

bigarreau n. m. Cerise rouge et blanche à chair ferme et sucrée.

bigarrer v. tr. [1] **1.** Assembler des couleurs qui tranchent. **2.** Fig. Produire un ensemble disparate.

bigarrure n. f. **1.** Assemblage de couleurs, de dessins variés. **2.** Fig. Assemblage de choses, de gens disparates.

big band [bigbɑ̃d] n. m. (Anglicisme) Grand orchestre de jazz.

big-bang [bigbɑ̃g] n. m. **1.** ASTRO *Théorie du big-bang*, émise en 1927 par l'astronome belge Georges Lemaître et développée en 1948 par l'Américain Gamow, selon laquelle l'Univers se serait formé, il y a env. 15 milliards d'années, à la suite d'un événement originel (le big-bang) qui aurait provoqué l'émission de protons, de neutrons, d'électrons et de photons à une température très élevée. **2.** Fig. Bouleversement considérable d'une situation, d'une institution. *Le big-bang de la Bourse de Londres. Des big-bangs.*

bigle adj. et n. Vieilli Atteint de strabisme.

bigler v. [1] **1.** v. intr. Fam. Loucher. **2.** v. tr. Fam. Regarder avec convoitise ou avec étonnement.

bigleux, euse adj. et n. **1.** Fam. Qui louche. **2.** Fam. Qui ne voit pas bien.

bignone [biɲɔn] ou **bignonia** [biɲɔnja] n. m. BOT Liane ornementale (fam. bignoniacées) à grosses fleurs orangées en trompette, cultivée en Europe.

bignoniacées [biɲɔnjase] n. f. pl. BOT Fam. de dicotylédones gamopétales à grosses fleurs ornementales en trompette, comprenant notam. le *catalpa*. – Sing. *Une bignoniacée.*

bigophone n. m. **1.** Vx Mirliton affectant la forme de divers instruments de musique. **2.** Fam. Téléphone. *Un coup de bigophone.*

bigorne n. f. Petite enclume d'orfèvre à deux pointes.

bigorneau n. m. Petit mollusque comestible à coquille en spirale. V. littorine.

bigorner v. tr. [1] **1.** Forger sur la bigorne. **2.** Pop. Endommager. ▷ v. pron. (récipr.) Se battre.

Bigorre (la), anc. comté de France (Htes-Pyr.); cap. *Tarbes*. Réuni à la couronne en 1607.

1. bigot, ote n. (et adj.) Péjor. Personne qui fait preuve d'une dévotion étroite et pointilleuse. *Des racontars de vieilles bigotes.*

2. bigot n. m. TECH Pioche à deux dents.

bigoterie n. f. ou **bigotisme** n. m. Péjor. Dévotion étroite et pointilleuse.

bigouden, ène n. et adj. De la région de Pont-l'Abbé (Finistère). ▷ adj. *Une coiffe bigoudène*, en forme de tuyau, en dentelle empesée.

bigoudi n. m. Rouleau, cylindre utilisé pour friser les cheveux. *Une femme qui se met des bigoudis.*

bigre! interj. Fam. Atténuation de *bougre*, pour marquer l'étonnement.

bigrement adv. Fam. Atténuation de *bougrement*, extrêmement.

bigue n. f. TECH, MAR Appareil de levage pour charges importantes, constitué par un bâti dont l'extrémité supérieure porte une poulie ou un palan. *Bigue flottante.*

biguine [bigin] n. f. Danse d'origine antillaise.

Bihār, État du N.-E. de l'Inde, à cheval sur la plaine du Gange et le plateau du Dekkan; 173 900 km²; 86 338 850 hab.; cap. *Patnā*. Mines de charbon.

bihebdomadaire adj. Qui a lieu, qui paraît deux fois par semaine.

Bihzād (Kamāl al-Dīn) (Harāt, v. 1460 – Khorāsān, v. 1507), le plus célèbre miniaturiste persan.

Biisk ou **Bisk,** ville de Russie, en Sibérie méridionale; 226 000 hab. Industries alimentaires.

bijectif, ive adj. MATH *Application bijective*, dans laquelle tout élément de l'ensemble d'arrivée est l'image d'au moins un élément de l'ensemble de départ (application surjective) et dans laquelle deux éléments distincts de l'ensemble de départ ont deux images distinctes dans l'ensemble d'arrivée (application injective).
▶ illustr. **application**

bijection n. f. MATH Application bijective.

bijou, oux n. m. **1.** Petit objet de parure, façonné généralement en métal noble, et associant souvent des pierres précieuses ou semi-précieuses brutes ou travaillées. *Un bijou en argent, en or, en strass. Offrir des bijoux à une femme.* **2.** Fig. Chose très jolie, fabriquée avec grand soin. *Cette voiture de sport, c'est un vrai bijou!*

bijouterie n. f. **1.** Fabrication, commerce des bijoux. ▷ Les bijoux, en tant qu'objets d'industrie, de commerce. **2.** Magasin où l'on vend des bijoux.

bijoutier, ère n. **1.** Fabricant de bijoux. **2.** Personne qui tient un magasin de bijoux.

bikini n. m. (Nom déposé.) Costume de bain pour femme, composé d'un slip et d'un soutien-gorge de dimensions très réduites.

Bikini, atoll du Pacifique, au N.-O. des îles Marshall. – Théâtre d'expériences nucléaires américaines (1946-1958).

bilabiale adj. f. (et n. f.) PHON Se dit d'une consonne dont l'articulation met en jeu le mouvement des deux lèvres (ex. : [p], [b]).

bilabié, ée adj. BOT Se dit d'une corolle gamopétale divisée en deux lèvres.

bilame n. f. TECH Interrupteur utilisé notam. dans les thermostats, constitué par deux lames de coefficients de dilatation différents et qui fonctionne sous l'effet des variations de température.

bilan n. m. **1.** FIN Document qui précise le solde de tous les comptes d'une entreprise à une date donnée. (V. actif et passif.) – *Dépôt de bilan* : déclaration, au tribunal de commerce, de cessation de paiements. *Passif* d'un bilan.* **2.** PHYS *Bilan thermique* : calcul des différentes puissances calorifiques fournies et reçues par une machine ou par une installation. – *Bilan énergétique d'une réaction nucléaire* : décompte des énergies mises en jeu, compte tenu des pertes de masse. **3.** *Bilan de santé* : ensemble d'examens permettant d'apprécier l'état de santé (d'une personne). **4.** *Bilan social* : document qui rend compte des conditions de salaire et de travail dans une entreprise. **5.** Fig. *Faire le bilan de qqch*, en tirer les enseignements qui s'imposent, en évaluer les résultats.

bilatéral, ale, aux adj. **1.** Qui a deux côtés. **2.** Qui a ou qui se rapporte à deux côtés symétriques. *Stationnement bilatéral*, autorisé sur les deux côtés d'une voie. **3.** DR Qui lie deux parties. *Un traité bilatéral. Une aide bilatérale.*

bilatéralement adv. De manière bilatérale.

Bilbao, port d'Espagne, sur l'estuaire du Nervión; 383 790 hab.; ch.-l. de la prov. basque de Biscaye. Import. sidérurgie. Métall., constr. navale, industr. chim. – Musée Guggenheim consacré à l'art contemporain et réalisé par l'architecte américain Frank Gehry en 1997. – La ville, centre de la résistance républicaine en Pays basque, fut prise en juin 1937 par les franquistes.

bilboquet [bilbɔkɛ] n. m. Jouet formé d'une boule percée d'un trou et reliée par une ficelle à un manche à bout pointu qu'il faut faire pénétrer dans le trou de la boule lancée en l'air.

bile n. f. **1.** Liquide sécrété par le foie, contenant des sels et des pigments, stocké par la vésicule biliaire et excrété par le canal cholédoque dans le duodénum pendant la digestion. **2.** Fig. *S'échauffer la bile* : se mettre en colère. – *Décharger sa bile sur quelqu'un*, lui faire supporter sa mauvaise humeur. **3.** Fig., fam. *Se faire de la bile* : s'inquiéter.

biler (se) v. pron. [1] Fam. S'inquiéter.

bileux, euse adj. Fam. Qui s'inquiète facilement, de tempérament anxieux.

bilharzie n. f. Ver plathelminthe trématode (genre *Schistosoma*, autref. *Bilharzia*) vivant en parasite dans les vaisseaux de divers organes (reins, vessie, foie, rate, etc.) qu'il lèse, provoquant des hémorragies.

bilharziose n. f. MED Maladie parasitaire provoquée par des bilharzies.

biliaire adj. Qui a rapport à la bile. *Calculs biliaires.* ▷ Qui produit ou conduit la bile. *Vésicule biliaire.*

bilieux, euse [biljø, øz] adj. **1.** Qui a rapport à la bile, qui résulte de l'abondance de bile. *Maladies bilieuses.* **2.** Fig. Coléreux. **3.** Fig. D'un tempérament inquiet, anxieux.

biligenèse n. f. PHYSIOL Synthèse des sels et des pigments biliaires.

bilingue adj. **1.** Écrit en deux langues différentes. *Un dictionnaire bilingue.* **2.** Qui connaît, parle deux langues. *Une secrétaire bilingue.* ▷ *Par méton.* Où l'on parle deux langues.

bilinguisme [bilɛ̃gwism] n. m. Qualité d'une personne, d'une population qui parle deux langues.

bilirubine n. f. BIOCHIM Pigment biliaire acide, jaune rougeâtre, provenant de la dégradation de l'hémoglobine des hématies.

bill n. m. Proposition de loi soumise au vote du Parlement anglais.

Bill (Max) (Winterthur, 1908 – Berlin, 1994), architecte, peintre et sculpteur suisse, maître de l'abstraction géométrique dans la ligne constructiviste.

billard n. m. **1.** Jeu qui se joue avec des billes d'ivoire ou de plastique, que l'on frappe avec une queue, sur une table couverte d'un tapis de drap vert. *Une boule de billard. Faire une partie de billard.* ▷ Loc. fig., fam. *C'est du billard :* c'est très facile. **2.** Table rectangulaire, recouverte d'un tapis de drap vert, sur laquelle on joue au billard. ▷ Fam. Table d'opération. *Passer sur le billard :* subir une opération chirurgicale. **3.** Salle où l'on joue au billard. **4.** *Billard américain, chinois, japonais, russe :* jeux où l'on cherche à placer des boules dans des cases ou des trous. **5.** *Billard électrique :* syn. de *flipper.*

Billaud-Varenne (Jean Nicolas) (La Rochelle, 1756 – Port-au-Prince, 1819), conventionnel français, partisan des mesures d'exception et de la Terreur. Il contribua à la chute de Robespierre. Déporté en Guyane (1795-1816).

1. bille n. f. **1.** Boule pour jouer au billard. **2.** Petite boule de pierre, de verre, d'acier, d'argile, avec laquelle jouent les enfants. *Les jeux de billes remontent à l'Antiquité.* ▷ Loc. fig. *Bille en tête :* avec audace. **3.** (au plur.) Fam. Participation à une affaire. *Reprendre ses billes.* **4.** TECH *Roulement à billes :* organe de roulement muni de sphères métalliques qui réduisent le frottement d'un axe tournant. **5.** *Crayon, stylo à bille,* dont le bout est constitué d'une petite bille de métal en contact avec de l'encre. **6.** Fam. Tête, figure. *Une drôle de bille. Une bille de clown,* comique.

2. bille n. f. Pièce de bois de toute la grosseur du tronc, destinée à être équarrie et débitée. *Une bille de chêne.*

Billère, com. des Pyr.-Atl. (banlieue de Pau); 12 766 hab. Papeterie.

billet [bijɛ] n. m. **1.** Lettre très courte. – *Billet doux, galant :* lettre d'amour. – Lettre d'avis d'une naissance, d'un mariage, d'un décès. *Billet de faire-part.* **2.** Engagement écrit de payer une somme d'argent. *Négocier un billet.* – *Billet à ordre :* effet de commerce par lequel on s'engage à payer une somme d'argent à une personne ou à son ordre. **3.** *Billet de banque :* papier-monnaie. *Une liasse de billets de cent francs. Un billet froissé.* – Fam. *Billet vert :* dollar. **4.** Petit papier imprimé servant de carte d'entrée ou de parcours. *Un billet de théâtre. Billet de faveur,* gratuit. *Billet de train, d'avion. Billet ouvert :* billet d'avion non daté. *Le contrôleur poinçonne les billets.* – *Billet de loterie :* bulletin portant un numéro permettant de participer au tirage d'une loterie. **5.** *Billet de logement,* qui autorise la réquisition d'un logis pour un militaire. **6.** Papier servant d'attestation. *Billet de santé :* certificat de conformité au règlement sanitaire, établi au nom d'un individu. ▷ Fig., fam. *Je vous donne, fiche mon billet que... :* je vous garantis que...

Billetdoux (François) (Paris, 1927 – id., 1991), écrivain français. Surtout auteur dramatique, il tente, avec une extrême liberté de langage, de démontrer l'absurdité de l'homme et du monde : *Va donc chez Törpe* (1961), *Il faut passer par les nuages* (1964), *la Nostalgie, camarade* (1974).

billétique n. f. Informatique appliquée à la billetterie.

billette n. f. **1.** Bois de chauffage scié et fendu. **2.** TECH Petite barre d'acier laminé. **3.** ARCHI Ornement fait de sections de tore disposées en série. *Les billettes de l'architecture romane.*

billetterie n. f. **1.** Lieu où l'on vend ou distribue des billets. **2.** Conception, émission et délivrance des billets de transport. **3.** Distributeur de billets de banque auquel donne accès une carte magnétique individuelle.

billettiste n. Employé d'une agence qui vend des billets de voyage ou de spectacle.

billevesée [bilvəze; bijvəze] n. f. Chose, propos frivole.

billion [biljɔ̃] n. m. **1.** Vx Milliard. **2.** Mod. Un million de millions, soit mille milliards.

billon n. m. **1.** AGRIC Talus formé le long d'un sillon par la charrue. **2.** Ancien nom de certains alliages de cuivre. *Monnaie de billon.*

billot n. m. **1.** Bloc de bois posé verticalement et qui présente une surface plane à sa partie supérieure. **2.** Pièce de bois sur laquelle le condamné à la décapitation posait la tête.

biloculaire adj. ANAT Se dit d'une cavité naturelle divisée en deux.

bimane adj. (et n.) Didac. Qui a deux mains. *L'homme est un animal bimane.*

bimbeloterie n. f. **1.** Fabrication, commerce de bibelots. **2.** Ensemble de bibelots. *Acheter de la bimbeloterie.*

bimensuel, elle adj. et n. m. Qui a lieu, qui paraît deux fois par mois. – *Une publication bimensuelle.*

bimestre n. m. Durée de deux mois.

bimestriel, elle adj. et n. m. Qui a lieu, qui paraît tous les deux mois.

bimétallique adj. **1.** ECON Qui a rapport au bimétallisme. **2.** Composé de deux métaux.

bimétallisme n. m. ECON Système monétaire à double étalon, or et argent.

bimillénaire adj. et n. m. **1.** adj. Qui a deux mille ans. **2.** n. m. Deux millième anniversaire.

bimoteur adj. (et n. m.) *Avion bimoteur,* muni de deux moteurs.

binage n. m. AGRIC Action de biner.

binaire adj. **1.** CHIM Composé de deux éléments. *L'eau (H_2O) est un composé binaire.* **2.** MATH *Numération binaire :* numération à base deux, utilisant uniquement les chiffres 0 et 1. (Sert notam. en informatique; les deux états 1 et 0 correspondent au passage ou à l'absence de passage du courant électrique.) **3.** MUS *Rythme binaire,* à deux temps.

binational, ale, aux adj. et n. Qui possède la binationalité.

binationalité n. f. Double nationalité.

binaural. V. biaural.

Binche, com. de Belgique (Hainaut); 34 200 hab. – Célèbre carnaval. – Fortif. (XIIe s.); collégiale St-Ursmer (XIIe s.); hôtel de ville (XVe-XVIe s.); musée intern. du Carnaval.

Binchois (Gilles) (Mons, v. 1400 – Soignies, Hainaut, 1460), compositeur franco-flamand (chansons et œuvres religieuses).

biner v. [1] **1.** v. tr. AGRIC Ameublir et désherber (la terre), avec une binette. Syn. sarcler. **2.** v. intr. LITURG Célébrer deux messes le même jour.

Binet (Alfred) (Nice, 1857 – Paris, 1911), médecin français, collab. de Charcot; l'un des fondateurs de la psychologie physiologique. ▷ PSYCHO Le *test de Binet-Simon* fut le premier test d'intelligence (1905).

binette n. f. **1.** Petite pioche à manche court et fer large et plat. **2.** Fam. Visage.

bineuse n. f. Machine agricole servant à effectuer les binages.

bingo [biŋgo] n. m. (Canada) Jeu de hasard, sorte de loto.

biniou n. m. **1.** Cornemuse bretonne. **2.** Arg. Instrument à vent.

binoclard, arde adj. et n. Fam. Qui porte des lunettes.

binocle n. m. **1.** Anc. Lorgnon qui s'adapte sur le nez. **2.** (Plur.) Plaisant Lunettes. *Il a perdu ses binocles.*

binoculaire adj. et n. f. **1.** Relatif aux deux yeux. **2.** OPT Muni de deux oculaires. *Microscope binoculaire.* **3.** n. f. MILIT Jumelle d'observation.

binôme n. m. **1.** MATH Expression algébrique composée de la somme ou de la différence de deux monômes (ex. : $b^2 - 4ac$). – *Binôme de Newton :* formule donnant la $n^{ième}$ puissance d'un binôme (ex. : $(x + a)^3 = x^3 + 3ax^2 + 3a^2x + a^3$). **2.** BIOL Ensemble des deux noms latins, de genre et d'espèce, servant à désigner les espèces dans la nomenclature scientifique (ex. : *Felis domesticus :* chat domestique). **3.** Ensemble de deux éléments. *Travailler en binôme avec un associé.*

binomial, ale, aux adj. MATH *Loi binomiale :* loi de probabilité se référant au binôme* de Newton.

bintje [bintʃ] n. f. Variété de pomme de terre à chair peu ferme.

bio-. Élément, du gr. *bios,* « vie ».

bio adj. inv. Fam. Biologique, naturel, sans pesticide ni engrais chimique. *Du pain bio.*

bioactif, ive adj. BIOL Qui est doué d'une activité biologique. *Molécules bioactives sécrétées par certaines cellules.*

biocapteur n. m. Capteur employé pour des phénomènes biologiques.

biocarburant n. m. Carburant de substitution d'origine végétale.

biocatalyseur n. m. BIOCHIM Composé chimique synthétisé par un être vivant et utilisé par lui pour catalyser une réaction de son métabolisme. *Les enzymes sont des biocatalyseurs.*

biocénose ou **biocœnose** [bjosenoz] n. f. BIOL Ensemble d'êtres vivants en équilibre biologique (les effectifs de chaque espèce restant constants dans le temps).

biochimie n. f. Science qui étudie la structure chimique des êtres vivants et les phénomènes chimiques qui accompagnent les manifestations de la vie.

biochimique adj. De la biochimie.

biochimiste n. Spécialiste de la biochimie.

bioclimat n. m. Didac. Ensemble des éléments du climat (d'une région) qui ont un effet sur la flore et la faune.

bioclimatologie n. f. BIOL Science qui étudie les effets des climats sur les êtres vivants.

Bioco ou **Bioko** (anc. *Fernando Poo* ou *Pó*), île volcanique de la Guinée équatoriale, près de la côte africaine, au fond du golfe de Guinée ; 2 017 km^2 ; env. 100 000 hab. ; ch.-l. *Malabo*. – Elle fut découverte par les Portugais en 1470. Elle porta, de 1973 à 1979, le nom de Macias Nguema.

biodégradable adj. Qui peut subir une biodégradation. *Détergent biodégradable.*

biodégradation n. f. CHIM Processus selon lequel des composés chimiques sont détruits par des organismes vivants (micro-organismes, par ex.).

biodétecteur n. m. Appareil servant à mesurer la teneur de milieux biologiques en éléments chimiques donnés.

biodiversité n. f. Didac. Diversité des espèces animales et végétales. – Ensemble des richesses biologiques.

biodynamie n. f. Technique de culture de la vigne fondée sur le respect des processus naturels.

bioélectricité n. f. Ensemble des phénomènes cellulaires mettant en jeu des différences de potentiel électrique entre deux milieux aux concentrations ioniques différentes.

bioélectrique adj. Relatif à la bioélectricité. *La mort est la cessation des fonctions bioélectriques du cerveau.*

bioélectronique n. f. et adj. Science qui associe l'électronique et la biologie. ▷ adj. *Des processeurs bioélectroniques.*

bioélément n. m. BIOCHIM Élément chimique constitutif de la matière vivante.

bioénergétique adj. et n. BIOL **1.** adj. Dont les êtres vivants tirent de l'énergie. *Les sucres sont bioénergétiques.* **2.** n. f. Partie de la biochimie qui étudie les transformations que les êtres vivants font subir aux différentes formes d'énergie (lumière, chaleur, etc.).

bioénergie n. f. Didac. **1.** Énergie tirée de la biomasse. **2.** Énergie produite par les tissus vivants. ▷ PSYCHOL Ensemble de l'énergie somatique et mentale sur lequel s'appuient certaines méthodes à visée thérapeutique (ex. le cri primal*).

bio-éthanol n. m. TECH Éthanol obtenu à partir de produits agricoles.

bioéthique n. f. Ensemble des préceptes moraux qui doivent présider aux pratiques médicales et biologiques concernant l'être humain.

biogenèse n. f. BIOL Théorie selon laquelle tout être vivant vient d'un autre être qui lui a donné naissance.

biogéochimie n. f. Chimie de la biosphère.

biogéographie n. f. Étude de la répartition des êtres vivants à la surface du globe, en fonction du climat, de l'altitude, des sols, etc. *La bioclimatologie, la chorologie, font partie de la biogéographie.*

biographe n. Auteur d'une biographie, de biographies. *André Maurois s'est fait le biographe de Shelley et de Proust.*

biographie n. f. Histoire de la vie d'un individu.

biographique adj. Qui a trait à la biographie. *Des renseignements biographiques.*

Bioko. V. Bioco.

bio-industrie n. f. Industrie utilisant des processus de production biologiques.

bio-industriel, elle adj. Qui a rapport à la bio-industrie.

biologie n. f. Science de la vie, des êtres vivants. *Biologie moléculaire* : étude des phénomènes biologiques à l'échelle de la molécule.

ENCYCL La biologie traite de toutes les manifestations de l'état vivant, depuis la réaction biochimique jusqu'à la vie en société. Chaque aspect de la vie a été pris en charge par une branche particulière de la biologie : biochimie, cytologie, histologie, physiologie, etc., qui ont leurs buts, leurs méthodes et leurs techniques propres. Sous le vocable de biologie (générale) on ne traite que des phénomènes vitaux fondamentaux (constitution chimique de la cellule, des structures et de la physiologie cellulaires, grandes fonctions : nutrition, métabolisme, croissance, reproduction, photosynthèse, etc.).

biologique adj. **1.** Relatif à la biologie. **2.** Propre à l'état vivant. *La reproduction est une fonction biologique.*

biologiste n. **1.** Spécialiste de l'étude de la vie, des êtres vivants. **2.** Professionnel qui met en œuvre les méthodes et les techniques de la biologie au service de la médecine.

bioluminescence n. f. BIOL Luminescence de certains êtres vivants due à des organes spécialisés (utilisant notam. la dégradation d'une substance spécifique par une enzyme).

biomasse n. f. BIOL Masse de l'ensemble des organismes vivant dans un biotope délimité.

biomatériau n. m. MED Matériau de synthèse (téflon notam.) ou naturel (ex. corail) non rejeté par l'organisme humain. *La chirurgie plastique utilise de plus en plus de biomatériaux.*

biome n. m. BIOL Ensemble écologique présentant une grande uniformité sur une vaste surface. *Le biome à graminées d'Amérique du Nord.*

biomécanique n. f. Mécanique du vivant. *Ingénieur en biomécanique.*

biomédical, ale, aux adj. Qui concerne la biologie et la médecine. – *Génie biomédical* : art de construire des appareils au service de la biologie et de la médecine.

biométéorologie n. f. Étude de l'influence des saisons, des climats, de l'altitude, etc., sur les êtres vivants (l'homme, notam.).

biométrie n. f. BIOL Partie de la biologie qui étudie les phénomènes de la vie par les méthodes statistiques.

biomoléculaire adj. BIOL Relatif aux molécules de la substance vivante.

bionique n. f. BIOL Science qui étudie les phénomènes et les mécanismes biologiques en vue de leurs applications industrielles. (Ainsi, l'hélicoptère a été inspiré par le vol de certains insectes, le sonar par le système d'ultrasons dont dispose la chauve-souris, etc.)

biophysicien, enne n. Spécialiste de la biophysique.

biophysique n. f. BIOL Science biologique qui applique les méthodes et les techniques de la physique à l'étude des êtres vivants.

biopsie [bjɔpsi] n. f. MED Prélèvement d'un fragment de tissu sur un être vivant, aux fins d'examen histologique.

biorythme n. m. Selon certaines théories, variation périodique régulière du niveau d'énergie et de performance d'un individu sur les plans physique, psychique, intellectuel. ▷ Rythme biologique (d'un individu), déterminé par les variations de son propre organisme et celles de son environnement.

biosciences n. f. plur. Ensemble des sciences concernant la vie.

biosphère n. f. Partie de l'écorce terrestre et de l'atmosphère où il existe une vie organique.

biostasie n. f. GEOL Période au cours de laquelle une région donnée, à la suite de phénomènes biologiques tels que l'établissement d'une forêt, de cultures denses, etc., échappe à l'érosion et accumule une épaisse couche de matériaux superficiels dus à une altération chimique des roches sous-jacentes. *La biostasie caractérise les régions géologiquement stables (socles brésilien, canadien, etc.)* Ant. rhexistasie.

biosynthèse n. f. BIOCHIM Synthèse de composés organiques par un organisme vivant. *La protéosynthèse est la biosynthèse des protéines.*

Biot, com. des Alpes-Mar. (arr. de Grasse) ; 5 584 hab. – Vx village provenç. Église (XIIe et XVIe s.) ; poteries, verrerie ; musée Fernand-Léger.

Biot (Jean-Baptiste) (Paris, 1774 – id., 1862), physicien français. Mathématicien, astronome, il découvrit la polarisation rotatoire de la lumière, réalisa des travaux d'optique, de météorologie, d'électromagnétisme. Acad. fr. (1856).

biotechnologie n. f. Ensemble des procédés et techniques utilisant des processus biologiques à des fins industrielles : en agriculture (cultures sans sol, amélioration génétique et adaptation des espèces, aquaculture, etc.), dans l'industrie alimentaire et pharmaceutique (fermentations, conservation, génie génétique, bionique, diététique).

biotechnologique adj. Qui se rapporte à la biotechnologie. – Obtenu par la biotechnologie.

biotique adj. BIOL **1.** Qui a pour origine un être vivant. **2.** Qui permet le développement d'êtres vivants. *Un milieu biotique.*

biotope n. m. BIOL Aire géographique où les facteurs écologiques gardent des valeurs à peu près constantes, qui permettent le développement de telle ou telle espèce.

biotraitement n. m. TECH Traitement des effluents par un lit bactérien ou des boues activées.

biotype n. m. BIOL Ensemble de caractères permettant une classification des êtres humains. ▷ Groupe d'individus possédant les mêmes caractéristiques morphologiques, physiologiques ou psychologiques.

biotypologie n. f. ANTHROP Étude des types morphologiques humains.

bioxyde [bjɔksid] n. m. CHIM Oxyde qui renferme deux fois plus d'oxygène que l'oxyde le moins oxygéné du même corps.

bip n. m. **1.** Signal sonore, bref et répété, émis par certains appareils. Syn. bip-bip. **2.** Appareil émettant ce type de signal.

biparti, ie ou **bipartite** adj. **1.** Divisé en deux parties. **2.** Composé par l'union de deux partis politiques. *Un gouvernement bipartite.*

bipartisme n. m. Régime politique où deux partis gouvernent, ensemble ou tour à tour.

bipartition n. m. Division en deux parties.

bip-bip n. m. Syn. de bip. *Des bips-bips.*

bipède adj. et n. m. **1.** adj. Qui marche sur deux pieds. *Un animal bipède.* – n. m. *L'être humain est un bipède.* **2.** n. m. Deux des jambes d'un cheval. *Bipède antérieur, postérieur, latéral, diagonal.*

bipédie n. f. Fait d'être bipède.

1. bipenne ou **bipenné, ée** adj. **1.** ZOOL Qui a deux ailes. **2.** BOT Se dit d'une feuille composée pennée dont les folioles sont elles-mêmes divisées.

2. bipenne n. f. ARCHEOL Hache de pierre polie à deux tranchants.

biper v. tr. [1] Appeler qqn au moyen d'un bip, d'un pager.

biphasé, ée adj. et n. m. ELECTR Se dit d'un système de courants résultant de la superposition de deux courants monophasés, déphasés d'un quart de période.

biplace adj. et n. m. À deux places. *Un avion biplace.*

biplan n. m. (et adj.) Avion aux ailes formées de deux plans superposés.

bipolaire adj. **1.** PHYS Qui a deux pôles. **2.** MATH *Système de coordonnées bipolaires,* dans lequel la position d'un point dans un plan est définie par ses distances à deux points fixes. **3.** BIOL Se dit d'une cellule qui possède une structure dissymétrique donnant deux zones dont les rôles physiologiques sont différents. *Neurone bipolaire,* qui a son axone et une dendrite.

bipolarisation n. f. POLIT Tendance des courants politiques à se rassembler en deux blocs opposés.

bipolarité n. f. Didac. Caractère bipolaire d'un corps, d'une cellule.

bippeur n. m. TECH Appareil émettant à intervalles rapprochés et réguliers des signaux sonores de faible intensité.

bique n. f. **1.** Fam. Chèvre. *Un manteau en peau de bique.* **2.** Fam., péjor. *Une vieille bique* : une vieille femme désagréable.

biquet, ette n. Fam. **1.** n. m. Petit de la chèvre. **2.** n. f. Jeune chèvre. **3.** Terme d'affection. *Mon biquet.*

biquotidien, enne adj. Qui a lieu, qui se fait deux fois par jour.

Birague (René de) (Milan, v. 1507 – Paris, 1583), prélat et homme politique milanais au service de la France, cardinal après son veuvage; un des instigateurs de la Saint-Barthélemy.

birbe n. m. Vieilli, péjor. *Un vieux birbe* : un vieil homme ennuyeux.

biréacteur adj. (et n. m.) AVIAT Qui comporte deux réacteurs.

biréfringence n. f. PHYS Propriété des substances biréfringentes.

biréfringent, ente adj. PHYS Se dit d'un cristal qui produit une double réfraction.

birème n. f. ANTIQ Galère à deux rangs de rames ou de rameurs.

Birgitte. V. Brigitte.

Bir Hakeim, local. de Libye où les forces françaises dirigées par Kœnig résistèrent victorieusement aux troupes allemandes de Rommel (27 mai-11 juin 1942).

biribi n. m. Arg. (des militaires) Anciens bataillons disciplinaires en Afrique. *Être envoyé à Biribi.*

Birkenau (en pol. *Brzezinka*), local. de Pologne, proche d'Auschwitz; un des plus grands camps d'extermination nazis.

Birkenhead, v. et port de G.-B. (Merseyside), sur l'estuaire de la Mersey, en face de Liverpool; 124 000 hab. Constr. navales. Import. centre meunier.

birman, ane [biʀmɑ̃, an] adj. et n. **1.** De Birmanie. – Subst. *Un(e) Birman(e).* **2.** n. m. Langue du groupe tibéto-birman parlée en Birmanie.

Birmanie (en birman, *Myanmar*), le plus occidental des États de l'Asie du S.-E., entre l'Inde et le Bangladesh à l'O., la Chine au N., le Laos et la Thaïlande à l'E.; 678 033 km^2; 44 800 000 hab., croissance démographique : 2 % par an; cap. *Rangoon.* Nature de l'État : structure fédérale, parti unique. Langue off. : birman. Monnaie : kyat. Pop. : Birmans (75 %), import. minorités ethniques. Religions : bouddhisme (85 %), christianisme (10 %) et islam (4 %).

Géogr. phys. et hum. – Le cœur du pays est la dépression centrale, densément peuplée (Birmans d'origine mongolo-tibétaine); elle est drainée par l'Irrawady, navigable sur 1 600 km, qui se termine par un puissant delta. Le plateau Shan, à l'E., et le pourtour montagneux du pays sont des régions périphériques, forestières, difficiles à péné-

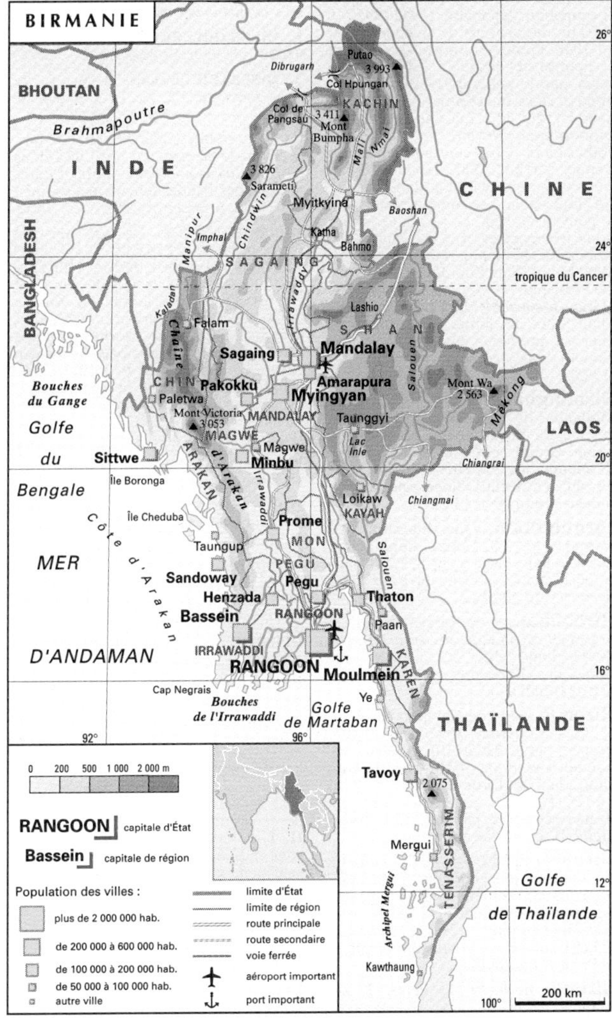

trer, où vivent de nombreuses minorités souvent en rébellion : Karens, Shans, Kachins, Shins, Môns. Le climat tropical de mousson se dégrade au N. et en altitude. La population est rurale à 75 %.
Écon. – On trouve tous les types de cultures, d'abord celle du riz, suivie de loin par celle du sésame, auxquelles s'ajoutent l'exploitation du teck. La culture du pavot, dans le Triangle d'or, donne lieu à un important trafic de l'héroïne (2 500 t en 1994). Le sous-sol est riche : gaz naturel, mines de rubis, de jade et de saphirs. Malgré une aide internationale quasiment interrompue, le pays connaît une forte croissance économique, qui a pour origine l'assistance de la Chine et des investissements massifs de Singapour, notamment dans le tourisme. La Birmanie fait partie des pays relativement pauvres.
Hist. – De multiples petits royaumes (Pyu, Môn, Pagan) se disputèrent au cours des siècles la plaine centrale et la prééminence politique. Les Brit., au cours de trois guerres, conquirent le pays, qu'ils annexèrent à l'empire des Indes (1886). Ils en firent une colonie séparée en 1937, reconquise après l'occupation japonaise (1942-1945). U Nu, l'un des artisans de l'indépendance en 1948, Premier ministre (bouddhiste et neutraliste) jusqu'en 1962, fut renversé par le général Ne Win. Celui-ci imposa alors un régime de socialisme national, qui entraîna une catastrophe économique. Devant la montée de l'opposition, il fut contraint de démissionner en juil. 1988, et une période d'émeutes s'ensuivit, dont la répression fut implacable. Les militaires reprirent le pouvoir en sept. Le résultat des élections, remportées par la Ligue nationale pour la démocratie, fondée par Mme Aung* San Suu Kyi, n'ayant pas été respecté (1990), le général Saw Maung a succédé, en 1992, au général Than Shwe. La junte, qui semble relâcher sa pression, poursuit des négociations avec les minorités ethniques (1995).

Birmingham, v. de G.-B., ch.-l. des Midlands de l'Ouest; 934 900 hab.; 2e ville du Royaume-Uni par sa population. Grand centre industr., qui s'est développé dès le XVIIIe s. (bassin houiller, auj. en déclin). Sidérurgie, métall.; industr. chim. et textiles.

Birmingham, v. des États-Unis (Alabama), au S. des Appalaches; 265 900 hab. (aggl. urb. 895 200 hab.). Import. centre industr., près de mines de fer et de charbon.

Birobidjan, v. de Russie, au N.-E. de la Chine, sur la ligne du Transsibérien; 80 000 hab.; ch.-l. de la prov. autonome des Juifs, dite aussi *Birobidjan* (210 000 hab.).

Biron (Armand de Gontaut, baron de) (?, 1524 – Épernay, 1592), maréchal de France, servit Henri III et Henri IV, auquel il se rallia. – **Charles de Gontaut,** duc de Biron (?, 1562 – Paris, 1602), fils du préc., maréchal de France, conspira par deux fois contre Henri IV et fut décapité.

Biron (Armand Louis de Gontaut, duc de Lauzun, puis duc de) (Paris, 1747 – id., 1793), lieutenant général (1792). Après son ralliement au parti orléaniste, il commanda (1793) les armées de l'Ouest contre les Vendéens; arrêté en 1793, il fut guillotiné.

biroute n. f. Arg. **1.** Pénis. **2.** AVIAT Manche* à air.

Biruni (Abu-r-Rayhan Al-) *(Abū r-Rayḥān al-Bīrūnī)* (Kāth, Khūrezm, 973 – Ghaznī, Afghānistān, 1048), savant arabe, d'origine iranienne; esprit universel et écrivain prolifique, tour à tour géographe, historien, mathématicien et astronome. Il correspondit avec Avicenne.

bis-. V. bi-.

1. bis, bise [bi, biz] adj. Gris tirant sur le brun. *Du pain bis. Une toile bise.*

2. bis [bis] adv. et n. m. **1.** Une seconde fois. (S'emploie pour obtenir que l'on répète ou que l'on recommence ce que l'on vient de dire, de faire, de chanter ou de jouer.) *Le public ravi criait « bis ! ».* ▷ n. m. *Un bis. La cantatrice a donné en bis un air d'*Aïda. **2.** Indique que le même numéro est répété. *Habiter le 9 bis, rue Saint-Jacques.*

bisaïeul, eule [bizajœl] n. Litt. Arrière-grand-père, arrière-grand-mère.

bisannuel, elle [bizanɥɛl] adj. **1.** Qui a lieu tous les deux ans. *Une foire bisannuelle.* **2.** Se dit d'une plante dont le cycle évolutif dure deux ans.

bisbille [bizbij] n. f. Fam. Petite querelle pour des motifs futiles. *Ils sont en bisbille depuis longtemps.*

1. biscaïen, enne ou **biscayen, enne** adj. et n. De Biscaye.

2. biscaïen [biskajɛ̃] n. m. **1.** Anc. Gros mousquet. **2.** Anc. Petit boulet de fonte.

Biscarrosse, com. des Landes (arr. de Mont-de-Marsan), au nord de l'étang de Biscarrosse; 9 847 hab. Centre d'essais des Landes (engins balistiques). Stat. baln. à *Biscarrosse-Plage.*

Biscaye (en esp. *Vizcaya*), une des prov. basques d'Espagne; 2 217 km²; 1 184 040 hab.; ch.-l. *Bilbao.* Mines de fer. – Rattachée à la Castille en 1379, elle garda jusqu'à la fin du XIXe s. (après les guerres carlistes) le bénéfice des *fueros,* coutumes écrites garantissant les libertés municipales et provinciales. La Biscaye fut majoritairement républicaine pendant la guerre civile espagnole (bombardement de Guernica).

Bischheim, ch.-l. de cant. du Bas-Rhin (arr. de Strasbourg-Campagne); 16 346 hab. Confiseries; textile.

Bischwiller, ch.-l. de cant. du Bas-Rhin (arr. de Haguenau); 11 092 hab. Confection.

biscornu, ue adj. **1.** Qui a une forme irrégulière. *Une maison biscornue.* **2.** Fig., fam. Surprenant, extravagant. *Quelle idée biscornue !*

biscotte n. f. Tranche de pain de mie recuite au four. *Beurrer une biscotte.*

biscuit n. m. **I. 1.** Pain en forme de galette, qui peut se conserver longtemps. *Biscuit de soldat.* ▷ Loc. fig., fam. *S'embarquer sans biscuit* : partir en voyage sans provisions, et, *par ext.,* entreprendre une affaire avec imprévoyance. **2.** Gâteau sec. *Une boîte de petits biscuits.* **3.** Pâtisserie à pâte légère, de consistance molle. *Biscuit de Savoie.* **II. 1.** Porcelaine qui a subi deux cuissons et qu'on laisse dans son blanc mat, sans peinture. *Une figurine en biscuit.* **2.** Ouvrage fait de cette porcelaine. *Un biscuit de Saxe.*

biscuiter v. tr. [1] TECH Chauffer (une pièce de poterie) au four pour la durcir en biscuit.

biscuiterie n. f. Fabrique de biscuits, de gâteaux.

biscuitier n. m. Industriel de la biscuiterie.

1. bise n. f. Vent de nord à nord-est, sec et froid.

2. bise n. f. Fam. Baiser. *Faire la bise* : donner un baiser.

biseau n. m. **1.** Bord, extrémité, coupé en biais, en oblique. *Une glace taillée en biseau.* **2.** Outil à tranchant en biseau. **3.** MUS Bec de l'embouchure de certains instruments. – Partie terminale d'un tuyau d'orgue.

biseautage n. m. Action de tailler en biseau.

biseauter v. tr. [1] Tailler en biseau. *Biseauter des cartes,* leur faire une marque en biais, pour pouvoir les reconnaître et tricher. – Pp. adj. *Une glace biseautée.*

biset n. m. ORNITH Pigeon sauvage *(Columba livia),* dit *pigeon de roche,* au plumage gris ardoise avec un croupion blanc et des pattes rouges, souche de nombreuses races domestiques et du pigeon des villes.

bisexualité n. f. **1.** Comportement des personnes bisexuelles. **2.** BIOL État des organismes bisexués. **3.** PSYCHAN Caractère bisexuel des tendances psychiques, constitutionnel chez l'être humain.

bisexué, ée adj. BIOL Qui possède des organes sexuels mâles et femelles. *Fleur bisexuée.*

bisexuel, elle adj. **1.** Qui concerne les deux sexes chez l'être humain. **2.** Qui est à la fois hétérosexuel et homosexuel.

Bishop (Elizabeth) (Worcester, Massachusetts, 1911 – ?, 1979), poète et nouvelliste américain : *Géographie III* (1976); *Une folie ordinaire* (posth., 1984).

Bisk. V. Biisk.

Biskra, Biskrah ou **Beskra,** v. d'Algérie, au S. du massif des Aurès, dans une grande oasis; ch.-l. de la wilaya du m. nom; 128 920 hab. Comm. des dattes. Tourisme.

Bismarck (archipel), îles de la Mélanésie (Océanie), rattachées à la Papouasie-Nouvelle-Guinée; 400 000 hab.; v. princ. *Rabaul* (île de la Nouvelle-Bretagne). – Colonie allemande de 1885 à 1914, sous tutelle australienne de 1921 à 1975. – L'une des plus importantes zones d'expansion artistique de la Mélanésie. *Nouvelle-Bretagne* : grands masques en écorce confectionnés chez les Sulkas et les Bainings. *Nouvelle-Irlande* : « malanggans » (mâts de bois polychromes taillés en ronde bosse), masques et « uli » (petites figurines ou grandes effigies).

Bismarck, v. des États-Unis, cap. de l'État du Dakota du Nord; 49 200 hab.

Bismarck (Otto, prince von) (Schönhausen, près de Potsdam, 1815 – Friedrichsruh, 1898), homme politique prussien, un des fondateurs de l'unité allemande. Président du Conseil en 1863, il voulut assurer à la Prusse le premier rang en Allemagne : il lui donna des moyens de lutte (finances, armée), annexa les duchés danois (1864) et, grâce à la victoire de Sadowa (1866), élimina l'Autriche de la Confédération germanique, dont les États septent. formèrent la Confédération de l'Allemagne du Nord, sous autorité prussienne. Il chercha alors la guerre avec la France qui limitait ses ambitions; la défaite française (1870-1871) permit d'achever l'unité all. Chancelier de l'Empire proclamé à Versailles en

Claude **Bernard** **Bismarck**

1871, il lutta pour forger un État homogène, en réduisant les particularismes culturels (Kulturkampf) et locaux (assimilation des minorités). Il fit voter d'import. mesures sociales en réponse à l'agitation socialiste, instaura un protectionnisme écon. et fit acquérir à l'Empire ses premières colonies. Par son jeu diplomatique, mené contre la France, il domina les relations européennes, nouant en 1872 l'Entente des trois empereurs (d'Allemagne, d'Autriche, de Russie) et en 1884 la Triple-Alliance, avec l'Autriche et l'Italie. En 1890, le nouvel empereur (1888), Guillaume II, le contraignit à démissionner.

bismuth [bismyt] n. m. Élément de numéro atomique Z = 83 et de masse atomique 208,98 (symbole Bi). – Corps simple (Bi), de densité 9,8, qui fond à 271 °C et bout vers 1 560 °C. (Il sert à fabriquer des alliages très fusibles; certains de ses composés permettent de soigner les infections intestinales.)

bison n. m. Grand bovidé sauvage (1,80 m au garrot), bossu, à collier laineux. (Deux espèces autref. très fréquentes, *Bison americanus*, en Amérique du Nord, et *Bison bonasus*, en Europe centrale, sont réduites à quelques centaines de représentants, confinés dans des parcs.)

bison d'Amérique

bisontin, ine adj. et n. De Besançon. ▷ Subst. *Un(e) Bisontin(e).*

bisou n. m. Fam. (langage enfantin) Baiser.

bisque n. f. Potage fait d'un coulis de crustacés ou de volaille. *Une bisque d'écrevisses.*

bisquer v. intr. [1] Fam. Éprouver du dépit. *Faire bisquer quelqu'un.*

bissac n. m. Vx Besace.

Bissau, cap. et port de la Guinée-Bissau; 110 000 hab. Centre comm. : arachide, huile de palme.

bissauguinéen, enne adj. et n. De Guinée-Bissau. ▷ Subst. *Un(e) Bissauguinéen(ne).*

bissecteur, trice adj. et n. f. GEOM **1.** adj. Qui partage en deux parties égales. **2.** n. f. Demi-droite qui partage un angle en deux parties égales.

bissection n. f. GEOM Division géométrique en deux parties égales.

bissel n. m. TECH Essieu porteur d'une locomotive, pouvant pivoter autour d'un axe vertical.

bisser v. tr. [1] Solliciter (un artiste) par des applaudissements, des acclamations, pour qu'il rejoue un morceau de musique, redonne une tirade, etc. *Bisser une cantatrice à l'issue de son récital.* ▷ *Bisser un morceau,* le jouer une deuxième fois.

bissexte n. m. Didac. Jour ajouté au mois de février quand l'année est bissextile.

bissextile [bisɛkstil] adj. f. Se dit de l'année de 366 jours, qui revient tous les quatre ans (février a alors 29 jours), sauf les années séculaires si celles-ci ne sont pas multiples de 400.

Bissière (Roger) (Villeréal, Lot, 1888 – Marminiac, Lot-et-Garonne, 1964), peintre français; auteur de compositions non figuratives « paysagées » (vitraux, notamment).

bistorte n. f. BOT Renouée (fam. polygonacées) à rhizome replié en S.

bistouri n. m. Instrument de chirurgie composé d'une lame tranchante fixe ou mobile sur un manche. – *Bistouri électrique,* utilisant, pour sectionner les tissus et coaguler le sang des hémorragies, la chaleur produite par un courant de haute fréquence.

bistournage n. m. Procédé de castration des animaux domestiques par torsion des cordons testiculaires.

bistourner v. tr. [1] **1.** Tourner, courber un objet dans un sens contraire au sens naturel pour le déformer. **2.** Tourner les cordons qui aboutissent aux testicules d'un animal, pour le castrer.

bistre n. et adj. **1.** n. m. Couleur intermédiaire entre le brun et le jaune rouille. **2.** adj. inv. *Teinte bistre.*

bistrer v. tr. [1] Donner la couleur bistre à.

bistro(t) n. m. Fam. Café, petit bar. ▷ *Style bistro(t)* : se dit de mobilier, de vaisselle rappelant ceux des bistrots du début du XXe siècle.

bistrotier, ère n. Fam. Personne qui tient un bistrot.

bisulfate [bisylfat] n. m. CHIM Sulfate acide dérivant de l'acide sulfurique et renfermant un atome d'hydrogène acide.

bisulfite n. m. CHIM Sulfite acide dérivant de l'acide sulfureux et renfermant un atome d'hydrogène acide.

bisulfure n. m. CHIM Sulfure acide dérivant de l'acide sulfhydrique SH_2.

bit [bit] n. m. INFORM Unité de la numération binaire (0 ou 1).

B.I.T. (Sigle de *Bureau international du travail.*) Organisme dont le siège est à Genève, qui organise et tente de normaliser les conditions de travail dans les différents États représentés.

Bitche, ch.-l. de cant. de la Moselle (arr. de Sarreguemines); 7 338 hab. – Petite place forte connue pour sa résistance aux Autrichiens et aux Prussiens (1793), et aux Prussiens (1870-1871).

bitension adj. inv. *Appareil électrique bitension,* qui peut fonctionner sous deux tensions différentes.

biterrois, oise adj. et n. De Béziers. ▷ Subst. *Un(e) Biterrois(e).*

Bithynie, anc. roy. du N.-O. de l'Asie Mineure, légué aux Romains par son souverain Nicomède III (75 av. J.-C.). Villes princ. : *Nicée, Nicomédie.*

Bitola ou **Bitolj,** v. de Macédoine (ex-Yougoslavie), à la frontière grecque; 81 000 hab. – De 1916 à 1918, des combats opposèrent Français et Bulgares près de la v., alors nommée *Monastir.*

Biton. V. Cléobis.

bitoniau n. m. Fam. Mot désignant un petit objet, partic. une petite pièce mécanique qu'on ne peut ou ne veut nommer.

1. bitte n. f. MAR **1.** Pièce fixée sur le pont d'un navire qui sert à tourner les aussières. **2.** Borne d'amarrage placée sur un quai.

2. bi(t)te n. f. Vulg. Pénis.

bitter [bitɛʀ] n. m. Boisson alcoolisée ou non, au goût amer, fabriquée avec du genièvre.

bi(t)ture n. f. **1.** MAR Partie du câblot ou de la chaîne d'une ancre, disposée à plat sur le pont pour filer librement quand on mouille. **2.** Fig., pop. *Prendre une biture* : s'enivrer.

bi(t)turer (se) v. pron. [1] Pop. S'enivrer.

bitumage n. m. Action de bitumer.

bitume n. m. **1.** GEOL Roche sédimentaire noirâtre ou brunâtre plus ou moins visqueuse, imprégnant des roches poreuses (roches magasins) et qui, mélangée à du calcaire concassé, fournit l'asphalte artificiel. **2.** PETROCHIM Résidu de distillation sous vide du fuel-oil, ayant la même utilisation que le bitume naturel. **3.** Fam. *Le bitume* : le sol des rues.

bitumer v. tr. [1] Revêtir de bitume. *Bitumer un trottoir.*

bitumineux, euse adj. TECH Qui contient du bitume ou un produit analogue. – *Schistes bitumineux* : roches sédimentaires dont on tire une huile aux caractéristiques voisines de celles du pétrole. – *Sables bitumineux* : sables qui contiennent du bitume.

biture. V. bitture.

Bituriges, peuple de la Gaule indépendante. Un groupe occupait l'Aquitaine actuelle (cap. Burdigala, auj. *Bordeaux*) et l'autre le Berry (cap. Avaricum, devenue Bituriges; auj. *Bourges*).

biunivoque adj. MATH *Correspondance biunivoque,* telle qu'à un élément d'un premier ensemble correspond un seul élément d'un second ensemble et réciproquement.

bivalence n. f. CHIM Propriété d'un corps possédant la valence 2. *La bivalence de l'oxygène dans H_2O.*

bivalent, ente adj. **1.** Qui a deux rôles, deux fonctions. **2.** CHIM Qui a la valence 2.

bivalve adj. et n. m. ZOOL Qui a une coquille constituée de deux parties mobiles jointes par une charnière. ▷ n. m. pl. Classe de mollusques ayant une telle coquille (ex. : huître, moule).

bivitellin, ine [bivitelɛ̃, in] adj. BIOL *Jumeaux bivitellins,* provenant de la fécondation de deux ovules différents (« faux jumeaux »).

bivouac [bivwak] n. m. Campement temporaire en plein air (militaires, alpinistes, etc.).

bivouaquer v. intr. [1] Camper en plein air. *Les grimpeurs bivouaquaient près du glacier.*

biwa [biwa] n. f. Luth japonais à caisse de résonance piriforme, à manche très court, monté de quatre cordes.

Biya (Paul) (Mvomékoa, 1933), homme d'État camerounais, prend le pouvoir en 1982, est élu président de la Rép. en 1984, réélu en 1988 et 1992.

bizarre adj. (et n. m.) **1.** adj. Étrange, singulier et surprenant. *Un accoutrement bizarre.* ▷ n. m. Ce qui est étrange. *Avoir un goût marqué pour le bizarre.* **2.** Fantasque, capricieux. *«Son caractère tellement bizarre, sa folie» (Marguerite Duras).*

bizarrement adv. D'une façon bizarre.

bizarrerie n. f. **1.** Caractère de ce qui est bizarre. *La bizarrerie des modes.* **2.** Caractère d'une personne qui se montre changeante, fantasque, extravagante. **3.** Action, chose bizarre. *Les bizarreries de l'orthographe.*

bizarroïde adj. Fam. Insolite, étrange.

Bizerte, port de Tunisie, au débouché du *lac de Bizerte,* relié à la Médit. par un canal; 94 510 hab.; ch.-l. du gouvernorat du m. nom. Raff. de pétrole. – Base navale, française de 1882 (date de sa création) à 1963.

Bizet (Georges) (Paris, 1838 – Bougival, 1875), compositeur français. Charme mélodique, brio de l'instrumentation, «élégance française» caractérisent la *Symphonie en* ut (1855), *les Pêcheurs de perles* (opéra, 1863), *la Jolie Fille de Perth* (opéra,1866), *l'Arlésienne* (1872) et, surtout, *Carmen* (opéra-comique, 1875). Pour le piano : *Jeux d'enfants* (suite, 1871).

Georges **Bizet**

Tony **Blair**

bizut(h) [bizy] n. m. **1.** Arg. (des écoles) Élève de première année dans une classe préparatoire aux grandes écoles. **2.** *Par ext.* Élève, soldat nouvellement arrivé.

bizutage n. m. Arg. (des écoles) Ensemble des brimades initiatiques qui marquent traditionnellement l'entrée des nouveaux élèves en classe préparatoire d'une grande école.

bizuter v. tr. [1] Arg. (des écoles) Faire subir les brimades traditionnelles à (un, des bizuts).

Björnson (Björnstjerne) (Kvikne, 1832 – Paris, 1910), écrivain norvégien. Ses contes, romans, poèmes et drames magnifient son peuple : *Une faillite* (1875), *Au-delà des forces humaines I* et *II* (1883 et 1895). P. Nobel 1903.

Bk CHIM Symbole du berkélium.

B.K. MED Abréviation de *bacille de Koch*.*

blabla n. m. Fam. Verbiage, bavardage vide de sens.

black [blak] n. et adj. Fam. *Un(e) Black :* une personne de race noire. ▷ adj. *Une musique black.*

black-bass [blakbas] n. m. inv. Poisson téléostéen (*Micropterus salmoïdes*), carnivore très vorace atteignant 35 cm, originaire d'Amérique du Nord, appelé aussi *perche truitée.*

blackboulage [blakbulaʒ] n. m. Action de blackbouler.

blackbouler [blakbule] v. tr. [1] Faire échouer lors d'une élection.

Blackburn, v. de G.-B. (Lancashire); 132 800 hab. Centre textile important.

Blackett (Patrick Maynard Stuart) (Londres, 1897 – id., 1974), physicien anglais. Il réalisa d'importants travaux sur les rayonnements (cosmiques, notam.). P. Nobel 1948.

black-jack [blakdʒak] n. m. Jeu de cartes américain.

black-out [blakaut] n. m. inv. (Anglicisme) **1.** Suppression de toute lumière extérieure, pour éviter qu'un objectif soit repéré par l'ennemi. **2.** Fig. *Faire le black-out sur :* garder le secret à propos de.

Black Panthers («panthères noires»), groupe fondé en 1966 par des Noirs américains revendiquant le «pouvoir noir» *(black power).*

Blackpool, port de G.-B. (Lancashire) sur la mer d'Irlande; 144 500 hab. Stat. balnéaire importante.

black-rot [blakʀɔt] n. m. AGRIC Maladie de la vigne due à un champignon pyrénomycète. *Des black-rots.*

blafard, arde adj. D'une couleur pâle, terne. *Teint blafard. Les lueurs blafardes de l'aube.*

Blagnac, com. de la Hte-Gar., arr. et aggl. de Toulouse; 17 249 hab. Aéroport. Constr. aéron. Électronique. – Égl. (XIVe-XVe s.).

Blagovechtchensk, v. de Russie, dans l'Extrême-Orient, à la frontière chinoise; 250 000 hab.; ch.-l. de prov. Métallurgie.

1. blague n. f. Petit sac, pochette pour le tabac.

2. blague n. f. **1.** Fig., fam. Histoire inventée pour mystifier quelqu'un. *Raconter des blagues.* – Fam. *Sans blague!* Interjection employée à l'annonce d'une chose qui paraît incroyable. **2.** Fam. Plaisanterie, farce. *Une sale blague.* **3.** Fam. Bêtise. *Faire des blagues.*

blaguer v. [1] **1.** v. intr. Fam. Dire des blagues, des plaisanteries, des mensonges. *Non mais tu blagues?* **2.** v. tr. Fam. Se moquer de (qqn) sans méchanceté. *Garçon de café qui blague ses clients.*

blagueur, euse adj. et n. Fam. Qui dit des blagues, qui aime blaguer. *Il est très blagueur.*

blair n. m. Pop. Nez.

Blair (Tony) (Edimbourg, 1953), homme politique britannique. Chef du parti travailliste depuis 1995, il est devenu Premier ministre en mai 1997.

blaireau n. m. **1.** Mammifère carnivore (fam. mustélidés) plantigrade, à la fourrure épaisse, gris-brun sur le dos, noire sur le ventre. **2.** Pinceau fabriqué avec le poil de cet animal. **3.** Pinceau fourni, pour se savonner la barbe avant de se raser. **4.** Fam. Individu peu recommandable, très antipathique.

blairer v. tr. [1] Fam. (Surtout dans les phrases négatives.) Supporter. *Il ne peut pas me blairer.*

Blais (Marie-Claire) (Québec, 1939), romancière, poète et dramaturge canadienne : *Une saison dans la vie d'Emmanuelle* (1964); *le Sourd dans la ville* (1979); *l'Ange de la solitude* (1989).

William **Blake** : *Newton,* 1795; Tate Gallery, Londres

Blake (Robert) (Bridgwater, Somerset, 1599 – Plymouth, 1657), amiral anglais. Il servit sous Cromwell.

Blake (William) (Londres, 1757 – id., 1827), poète et graveur anglais; visionnaire, romantique et présymboliste : *Chants d'innocence* (1789), *Milton* (1804).

blâmable adj. Qui mérite d'être blâmé, répréhensible. *Action blâmable.*

blâme n. m. **1.** Jugement défavorable. *Encourir le blâme des honnêtes gens.* Ant. approbation, louange. **2.** Réprimande officielle faisant partie de la gamme des sanctions scolaires, administratives, etc. *Un blâme du conseil de discipline.*

blâmer v. tr. [1] **1.** Désapprouver. *Blâmer l'attitude de qqn. «Sans la liberté de blâmer, il n'est point d'éloge flatteur»* (Beaumarchais). **2.** Réprimander; infliger un blâme officiel.

1. blanc, blanche adj. **1.** Qui est de la couleur commune à la neige, à la craie, au lait, etc. *Le lis et la marguerite sont des fleurs blanches. Drapeau blanc,* qui indique la capitulation, lors d'un combat, ou le désir de parlementer. **2.** D'une couleur pâle qui se rapproche du blanc. *La race blanche. Au XVIIe s., les femmes élégantes devaient avoir la peau très blanche. Un vieillard à cheveux blancs. Être blanc,* pâle. *Il est blanc comme un linge.* **3.** De couleur claire (par oppos. à d'autres choses de même espèce mais de couleur foncée). *Du vin blanc et du vin rouge. Du boudin blanc. Viande blanche :* chair de la volaille, du veau, du lapin, etc. ▷ *Armes blanches,* telles que sabre, baïonnette, etc. (par oppos. aux *armes à feu*). **4.** Vierge, non écrit. *Papier blanc. Remettre une copie blanche. Bulletin blanc,* lors d'une élection. ▷ Loc. fig. *Donner carte blanche :* laisser toute initiative, donner pleins pouvoirs. **5.** Fig. Innocent. *Sortir d'une accusation blanc comme neige.* **6.** *Nuit blanche,* passée sans dormir. – *Voix blanche,* sans timbre. – *Vers blancs :* en poésie, vers non rimés. – *Mariage blanc,* non consommé.

2. blanc, blanche n. **I.** n. m. **1.** Couleur blanche. *Un blanc mat. Un*

blaireau d'Eurasie

blanc cassé, avec des nuances d'une autre couleur. – *Être en blanc,* habillé de vêtements blancs. *En Asie, le blanc est signe de deuil. Les marins américains sont vêtus de blanc.* **2.** Couleur ou matière blanche employée pour blanchir une surface. *Blanc de titane.* **3.** Espace vierge, sans inscriptions, dans une page manuscrite ou imprimée. *Les actes de l'état civil ne doivent comporter aucun blanc. Laisser un blanc.* **4.** Partie blanche de certaines choses. *Un blanc de poulet,* morceau de chair blanche. *Blanc d'œuf,* par oppos. à la partie jaune. *Le blanc de l'œil :* la cornée. *(Se) regarder dans le blanc des yeux,* bien en face. **5.** Linge de maison. *Une exposition de blanc.* **6.** Maladie des plantes causée par des champignons microscopiques qui répandent une poudre blanche. *Blanc du chêne, du rosier.* **7.** CHIM *Blanc d'alumine :* variété d'alumine hydratée. *Blanc d'argent :* carbonate de plomb. ▷ *Blanc de baleine**. **8.** Loc. *À blanc :* jusqu'à amener la couleur blanche. *Métal chauffé à blanc.* – Fig. *Chauffer à blanc (qqn),* exciter son intérêt, sa passion, son impatience. – *Saigner à blanc :* vider de son sang; fig. dépouiller. – *De but en blanc :* directement. – *Tirer à blanc,* avec une cartouche sans balle. **II.** n. *Un Blanc, une Blanche :* un homme, une femme de race blanche.

Blanc (cap), cap de Mauritanie, près de Nouadhibou.

Blanc (cap), cap de Tunisie, au N. de Bizerte.

Blanc (mont), point culminant de l'Europe (4 808 m), dans les Alpes françaises, en Hte-Savoie. Le sommet fut atteint pour la première fois en 1786, par le guide J. Balmat et le docteur Paccard. – **Massif du Mont-Blanc,** massif cristallin traversé par un tunnel routier (11,6 km) reliant la vallée de Chamonix au val d'Aoste.

e mont **Blanc**

3lanc (Le), ch.-l. d'arr. de l'Indre; '802 hab. Vest. gallo-rom.; chât. partie .IIe s.; égl. XIIe-XVe s.

3lanc (Louis) (Madrid, 1811 – Cannes, 882), journaliste et révolutionnaire ocialiste français. Doctrinaire dans *listoire de dix ans* (1841), *le Droit au ravail* (1848), il entra dans le Gouver:ement provisoire (fév. 1848) et proosa la création d'ateliers, qui, devenus *teliers* nationaux,* furent un échec. :xilé à Londres (juin 1848-1870), il fut lu à l'Assemblée nationale mais ne ejoignit pas la Commune.

lanc-bec n. m. Péjor. Jeune homme ıns expérience. *Des blancs-becs.*

3lanchard (Jean-Pierre) (Les ndelys, 1753 – Paris, 1809), aéronaute ançais. Il effectua la première traersée de la Manche en ballon (1785) : expérimenta le parachute avec des nimaux. – **Sophie** (Madeleine Sophie rmand, dite) (près de La Rochelle, 778 – Paris, 1819), épouse du préc. Après avoir accompagné son mari dans ses ascensions, elle périt dans l'explosion d'un ballon.

Blanchard (Raoul) (Orléans, 1877 – Paris, 1965), géographe français. Spécialiste des Alpes et du Canada (où, depuis 1970, le point culminant des Laurentides porte son nom), il publia, en 1911, la première monographie de géographie urbaine *(Grenoble).*

Blanchart (raz), passage au N.-O. du Cotentin, entre le cap de la Hague et l'île d'Aurigny; courants de marée violents et dangereux.

blanchâtre adj. D'une couleur tirant sur le blanc.

blanche n. f. MUS Figure de note dont la valeur en temps est égale à la moitié de celle de la ronde. *Une blanche vaut deux noires.*

Blanche (mer), mer formée par une partie de la mer de Barents, dans l'océan Arctique, au N. de la Russie. Pêche.

Blanche de Bourgogne (?, v. 1296 – abbaye de Maubuisson, 1326), épouse de Charles, comte de la Marche, futur roi de France (Charles IV le Bel); répudiée en 1322.

Blanche de Castille (Palencia, Vieille-Castille, 1188 – Maubuisson, 1252), reine de France, épouse de Louis VIII. Nommée régente à la mort du roi, elle exerça le pouvoir avec autorité pendant la minorité de son fils Louis IX (1226-1234) et lors de la VIIe croisade (1248-1252).

blancheur n. f. **1.** Couleur blanche; qualité de ce qui est blanc. *La blancheur de la neige.* ▷ TECH Critère d'appréciation du papier évalué en pourcentage du blanc absolu. **2.** Fig. Candeur, innocence. *La blancheur d'une âme pure.*

blanchiment n. m. **1.** Action de blanchir. *Blanchiment d'un mur.* **2.** TECH Action de décolorer pour faire devenir blanc. *Blanchiment de la pâte à papier.* **3.** Fig. Action de dissimuler, par un jeu comptable, la provenance (d'argent gagné de façon illicite).

blanchir v. [3] **I.** v. tr. **1.** Rendre blanc. *Blanchir de la laine.* – *Blanchir des fruits, des légumes,* leur donner une première cuisson dans l'eau avant de les apprêter. **2.** Couvrir d'une couleur blanche. *La gelée blanchit les prés. Blanchir un mur.* **3.** Rendre propre. *Blanchir le linge.* ▷ Par ext. Vx *Blanchir qqn :* laver son linge. – Pp. adj. *Un domestique nourri, logé et blanchi.* **4.** Fig. Disculper. *Blanchir un accusé.* **5.** Fig. *Blanchir de l'argent,* par blanchiment*. **II.** v. intr. **1.** Devenir blanc. *Blanchir de colère. Ses cheveux ont blanchi.* **2.** Fig. *Blanchir sous le harnais :* passer sa vie dans un emploi jusqu'à un âge avancé. **III.** v. pron. **1.** Être blanchi. *Un tissu qui se blanchit facilement.* **2.** Se salir avec du blanc. **3.** Fig. Se disculper. *Se blanchir d'une accusation calomnieuse.*

blanchissage n. m. **1.** Action de blanchir le linge, de le rendre propre; résultat de cette action. *Le blanchissage d'un bleu de travail.* **2.** TECH Raffinage du sucre.

blanchissant, ante adj. **1.** Litt. Qui devient blanc. **2.** Qui fait devenir blanc. *Une lessive qui contient des agents blanchissants.*

blanchissement n. m. Action, fait de blanchir.

blanchisserie n. f. **1.** Lieu où l'on blanchit le tissu, la cire, etc. **2.** Entreprise commerciale pour le lavage du linge. *Une blanchisserie-teinturerie.*

blanchisseur, euse n. Celui, celle qui blanchit le linge.

blanchon n. m. (Canada) Petit du phoque du Groenland. Syn. bébé phoque. *S'opposer à la chasse au blanchon.*

Blanchot (Maurice) (Quain, Saône-et-Loire, 1907), écrivain français. Son œuvre s'attache aux contradictions et impasses de l'être, du langage, de la communication, de la création littéraire. Romans et récits : *Thomas l'obscur* (1941, puis 1950), *l'Attente, l'Oubli* (1962); essais : *la Part du feu* (1949), *l'Espace littéraire* (1955), *le Livre à venir* (1959), *l'Entretien infini* (1969), *le Pas au-delà* (1973).

blanc-manger n. m. CUIS Gelée faite avec du lait, du sucre, des amandes et de la gélatine. *Des blancs-mangers.*

Blanc-Mesnil (Le), ch.-l. de cant. de la Seine-St-Denis (arr. du Raincy), au N.-E. de Paris; 47 093 hab. Constr. électr., électron. Électroménager.

Blanc-Nez (cap), cap du Pas-de-Calais constitué par des falaises crayeuses.

Blanche de Castille, détail d'une enluminure du XIVe s.; B.N.

blanc-seing [blɑ̃sɛ̃] n. m. Papier vierge signé, que peut remplir à sa convenance la personne à qui il est remis. *Des blancs-seings.*

Blandine (sainte) (m. à Lyon, 177), esclave devenue chrétienne, martyrisée avec les autres membres de la jeune Église lyonnaise. Le récit de son martyre, transmis par Eusèbe de Césarée, est historique. Sainte patronne de Lyon.

Blanquefort, ch.-l. de cant. de la Gironde (arr. de Bordeaux); 13 697 hab. Viticulture, négoce du vin, chimie. – Château (fin XIIIe-XVe s.).

1. blanquette n. f. Cépage blanc. Syn. clairette. ▷ Vin blanc mousseux issu de ce cépage. *La blanquette de Limoux.*

2. blanquette n. f. Ragoût de viande blanche à la sauce blanche. *Blanquette de veau.*

Blanqui (Louis Auguste) (Puget-Théniers, 1805 – Paris, 1881), homme politique et théoricien socialiste français. Il définit l'action révolutionnaire comme la préparation d'un coup d'État permettant d'instaurer une dictature ouvrière. Il fut plusieurs fois emprisonné.

Blantyre, v. du Malawi, ch.-l. de la rég. du Sud; 400 000 hab. Centre industr. et commercial.

Blasco Ibañez (Vicente) (Valence, 1867 - Menton, 1928), romancier espagnol, réaliste, populiste et régionaliste, avant de prendre un ton plus social et politique : *Arènes sanglantes* (1908), *les Argonautes* (1914-1915), *les Quatre Cavaliers de l'Apocalypse* (1916). Nombre de ses romans furent adaptés au cinéma.

blase ou **blaze** n. m. **1.** Fam. Nom propre. **2.** Arg. Nez.

blasé, ée adj. Dégoûté de tout, rendu indifférent, insensible, par l'expérience ou la satiété. *Des snobs blasés.*

blaser **I.** v. tr. [1] **1.** Émousser les sens. *L'abus de l'alcool lui a blasé le goût.* **2.** Fig. Rendre incapable d'émotions, de sentiments. *Les excès l'ont blasé.* **II.** v. pron. Devenir blasé.

Blasis (Carlo) (Naples, 1795 - Cernobbio, près de Côme, 1878), danseur et chorégraphe italien : *Manuel complet de la danse* (1830).

blason n. m. **1.** Ensemble des pièces qui constituent un écu héraldique. *Le blason d'une ville.* **2.** Science des armoiries, héraldique.

blasphémateur, trice n. Personne qui blasphème.

blasphématoire adj. Qui contient un blasphème. *Des propos blasphématoires.*

blasphème n. m. **1.** Parole qui outrage la divinité, qui insulte la religion. *Blasphème contre le Saint-Esprit.* **2.** *Par ext.* Paroles injurieuses.

blasphémer v. [14] **1.** v. tr. Outrager par des blasphèmes. *Blasphémer le nom de Dieu.* **2.** v. intr. Proférer des blasphèmes. - *Par ext.* Proférer des injures, des imprécations.

-blaste, blasto-. Éléments, du gr. *blastos,* « germe ».

blastoderme n. m. BIOL Membrane de l'œuf des mammifères, constituée de deux feuillets et qui donne naissance à l'embryon.

blastogenèse n. f. ZOOL Formation de la blastula à partir de l'œuf.

blastome n. m. MED Tumeur maligne ayant pour origine des cellules souches *(blastes)* et atteignant le plus souvent le système nerveux central (astroblastome, glioblastome, médulloblastome, etc.).

blastomère n. m. BIOL **1.** Cellule provenant de la segmentation de l'œuf lors de la formation de la blastula. **2.** Chacune des premières cellules des embryons végétaux.

blastomycètes n. m. pl. BOT Groupe de champignons microscopiques se reproduisant par bourgeonnement (les levures, le muguet, etc.). - Sing. *Un blastomycète.*

blastula n. f. BIOL Sphère constituée par les blastomères accolés, au stade final de la segmentation de l'œuf.

blatérer v. intr. [14] Crier, en parlant du chameau.

blatte n. f. Nom de plusieurs espèces d'insectes nocturnes au corps ovale légèrement aplati, vivant dans les cuisines et les lieux où se trouvent des détritus.

Blaue Reiter (Der) *(le Cavalier bleu),* groupe d'artistes constitué à Munich en 1910-1911, sans orientation définie. W. Kandinsky, leur chef de file, Fr. Marc et A. Macke réussirent, chacun à sa manière, une synthèse très personnelle des innovations formelles du fauvisme et du cubisme.

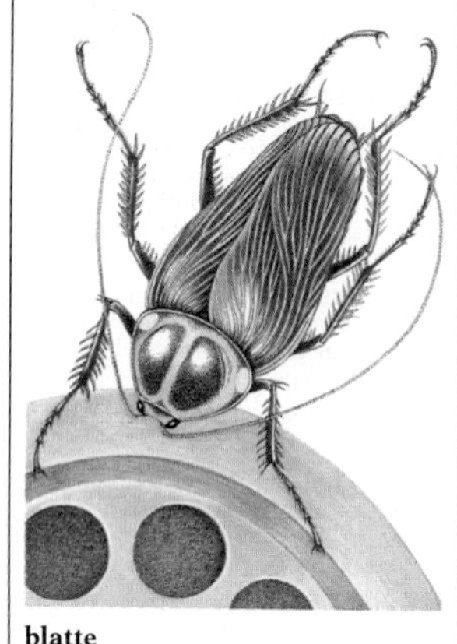
blatte

Blavet (le), fl. de Bretagne (140 km); naît dans les Côtes-d'Armor; se jette dans l'Atlant., formant avec le Scorff la rade de Lorient.

Blavet (Michel) (Besançon, 1700 - Paris, 1768), flûtiste et compositeur français : sonates pour flûte et opéras bouffes (*le Jaloux corrigé,* 1752).

Blaye, ch.-l. d'arr. de la Gironde, sur la Gironde; 4 413 hab. Vins réputés. - Citadelle de Vauban.

blaze. V. blase.

blazer n. m. Veste légère, autref. de couleurs vives, auj. bleue ou noire. *Un collégien en blazer.*

blé n. m. **1.** Plante graminée à épi cylindrique compact, dont le grain fournit une farine panifiable. *Blé tendre, blé dur.* ▷ Loc. fig. *Manger son blé en herbe :* V. herbe. **2.** Le grain lui-même. **3.** *Blé noir :* sarrasin. **4.** Arg. Argent. **5.** (Canada) *Blé d'Inde :* maïs. *Épluchette* de blé d'Inde. Manger un épi de blé d'Inde, un blé d'Inde.*

bled [blɛd] n. m. **1.** Pays, région, en Afrique du Nord. **2.** Fam., péjor. Pays perdu, campagne déserte, village isolé. *Passer ses vacances dans un bled perdu.*

Der Blaue Reiter : *la Joueuse de luth,* August Macke, 1910; MNAM

blême adj. **1.** Pâle, livide, en parlant du visage. *Il est blême de fatigue.* Ant. frais, vermeil, coloré. **2.** Terne, blafard. *Une lueur blême.*

blêmir v. intr. [3] Devenir blême. *Blêmir de colère.*

blêmissement n. m. Litt. Fait de devenir blême.

blende n. f. MINER Minerai sulfuré de zinc (en partic. le sulfure de zinc, ZnS).

blennorragie [blenɔʀaʒi] n. f. MED Maladie vénérienne due au gonocoque, caractérisée par une inflammation des organes génitaux et un écoulement purulent.

blennorragique adj. MED Qui se rapporte à la blennorragie; atteint de blennorragie.

blépharite n. f. MED Inflammation du bord libre des paupières.

Blériot (Louis) (Cambrai, 1872 - Paris, 1936), aviateur et constructeur d'avions français. Il réalisa la première traversée de la Manche à bord d'un monoplan (1909).

blèsement n. m. Fait de bléser.

bléser v. intr. [16] Didac. Parler avec un défaut de prononciation qui fait substituer les consonnes sifflantes aux consonnes chuintantes (*seval* pour *cheval, zerbe* pour *gerbe*).

blésité n. f. Rare Défaut de prononciation de quelqu'un qui blèse.

blésois, oise adj. et n. De Blois. ▷ Subst. *Un(e) Blésois(e).*

blessant, ante adj. Qui blesse, qui offense. *Des propos blessants.*

blé

blessé, ée adj. et n. **1.** adj. Qui a reçu une blessure. *Un soldat blessé.* ▷ Fig. *Blessé dans son honneur.* **2.** n. Personne blessée. *Un blessé léger. Soigner les blessés.*

blesser v. tr. [1] **1.** Donner un coup qui fait une plaie, une fracture ou une contusion. *Blesser d'un coup d'épée, de bâton, de revolver.* ▷ Provoquer une blessure. *Ce collier blesse le cheval.* - *Par ext.* Gêner jusqu'à causer une douleur. *Ses chaussures neuves la blessent.* **2.** Causer une impression désagréable (à la vue, à l'ouïe). *Une fausse note qui blesse l'oreille.* **3.** Fig. Choquer, froisser, outrager. *Son orgueil en fut blessé.* - *Blesser quelqu'un au cœur, à vif,* douloureusement. **4.** Litt. Enfreindre. *Blesser les convenances, la pudeur, la vraisemblance, le bon goût.* **5.** Causer un tort, un préjudice à. *Blesser l'honneur de quelqu'un.* **6.** v. pron. *Se blesser avec un couteau.* - Fig. *Elle se blesse pour un rien.*

blessure n. f. **1.** Lésion comportant une plaie. *Une blessure superficielle. Sa blessure s'est refermée.* **2.** Fig. Atteinte morale. *Une blessure d'amour-propre. Rouvrir une blessure :* raviver un chagrin.

blet, blette [blɛ, blɛt] adj. Se dit des fruits trop mûrs, dont la chair est ramollie et tachée. *Des poires blettes.*

Louis **Blériot** arrive à Douvres le 25 juillet 1909; *le Petit Journal*

blette. V. bette.

blettir v. intr. [3] Devenir blet.

blettissement n. m. Fait de devenir blet.

1. bleu, bleue adj. **1.** Qui est couleur d'azur. *Des yeux bleus. Un ciel bleu,* sans nuages. *Des chemises bleu ciel.* ▷ Fam. *Col-bleu* : marin. ▷ Fig. *Sang bleu,* noble. ▷ *Cordon-bleu* : fine cuisinière. ▷ CUIS *Un steak bleu,* à peine cuit. ▷ *Zone bleue,* à stationnement réglementé. ▷ *Carte* bleue.* **2.** D'une teinte livide. *Avoir les mains bleues de froid.* ▷ *Maladie bleue* : cardiopathie cyanogène, état pathologique dû à des malformations du cœur et des gros vaisseaux, avec une coloration bleue des téguments. *Enfant bleu,* atteint de cette maladie.

2. bleu n. m. (et f.) **1.** Couleur bleue. *Le bleu du ciel.* ▷ Fig., fam. *N'y voir que du bleu* : ne s'apercevoir de rien, n'y rien comprendre. *Passer au bleu* : escamoter. ▷ n. f. Loc. *La grande bleue* : la mer, spécial. la Méditerranée. **2.** Matière colorante bleue. *Bleu de cobalt, d'outremer, de Prusse.* **3.** Fam. Recrue nouvellement incorporée. *Par ici les bleus!* **4.** Meurtrissure ayant déterminé un épanchement sanguin sous-cutané. *Se faire un bleu à la cuisse.* **5.** Fam., péjor. *Gros bleu* : vin rouge de mauvaise qualité. **6.** CUIS *Cuire une truite au bleu,* la cuire en la jetant vivante dans de l'eau bouillante. **7.** Fromage à moisissure bleue. *Bleu de Bresse.* **8.** *Bleu de méthylène* : antiseptique de couleur bleue. **9.** Vêtement de travail, en grosse toile bleue. *Bleu de mécanicien.*

Bleu (fleuve). V. Yangzijiang.

bleuâtre adj. Qui tire sur le bleu.

bleuet [bløɛ] ou **bluet** [blyɛ] n. m. **1.** Centaurée bleue, plante naguère très courante dans les blés, avant l'utilisation des désherbants. **2.** (Canada) Petit arbrisseau (genre *Vaccinium,* fam. éricacées) apparenté à la myrtille, qui produit des baies bleues ou noirâtres comestibles. *Un pied, une talle* de bleuets.* ▷ Fruit de cet arbrisseau. *Une tarte aux bleuets. Du vin de bleuets.*

bleuetière n. f. (Canada) Terrain aménagé pour l'exploitation des bleuets. *Les bleuetières de la région du Lac-Saint-Jean.*

bleuir **1.** v. tr. [3] Faire devenir bleu. *Le colorant bleuit l'eau.* **2.** v. intr. Devenir bleu.

bleuissement [bløismɑ̃] n. m. **1.** Passage d'une couleur au bleu. **2.** Action de bleuir (au sens 1).

Bleuler (Eugen) (Zollikon, près de Zurich, 1857 – id., 1939), psychiatre suisse; il fonda le concept de schizophrénie (1911).

Bleus (les), les soldats républicains (habillés en bleu), par oppos. aux Blancs (royalistes arborant le drapeau blanc), pendant les guerres de Vendée.

bleusaille [bløzaj] n. f. Arg. (des militaires) Conscrit. *La bleusaille* : l'ensemble des jeunes recrues.

Bleus et les Verts (les), les deux grandes factions dans l'Empire byzantin : les premiers représentaient l'aristocratie, les seconds, le parti populaire. Leur conflit culmina aux VIe et VIIe siècles.

bleuté, ée adj. Qui a une teinte tirant sur le bleu.

bliaud ou **bliaut** [blijo] n. m. Anc. Blouse ample portée au Moyen Âge par les hommes et les femmes.

Blida (auj. *El-Boulaïda*), v. d'Algérie, ch.-l. de la wil. du m. nom, au pied de l'Atlas de Blida; 132 270 hab. Centre agricole.

Blier (Bernard) (Buenos Aires, 1916 – Paris, 1989), comédien français. Des talents variés lui permirent de jouer dans plus de cent films : *Dédée d'Anvers* (1947), *Quai des Orfèvres* (1947), *les Misérables* (1957), *Mon oncle Benjamin* (1969), *Buffet froid* (1979). – **Bertrand** (Paris, 1939), fils du préc., cinéaste français. Il est l'auteur de films insolents à l'humour cynique : *les Valseuses* (1972), *Tenue de soirée* (1986), *Trop belle pour toi* (1989), *Merci la vie* (1991).

Blin (Roger) (Neuilly-sur-Seine, 1907 – Paris, 1984), acteur et metteur en scène de théâtre français. Élève et ami d'Antonin Artaud, il révéla, notam., les œuvres de Beckett (*En attendant Godot,* 1953), Adamov et Genet (*les Nègres,* 1959; *les Paravents,* 1965). Il créa, dans des décors dépouillés, un langage gestuel et un langage verbal et vocalique allant du grognement à la phrase hurlée.

blindage n. m. **1.** Action de blinder (sens 1); ouvrage qui sert à consolider les parois d'une tranchée, d'un tunnel. **2.** Revêtement métallique qui protège un navire, un véhicule, une porte. **3.** ELECTR Gaine métallique qui empêche un circuit, un câble, de subir l'action de champs électriques et magnétiques, ou de rayonner. **4.** PHYS NUCL Écran qui assure une protection contre les rayonnements.

bleuet

blindé, ée adj. et n. m. **I.** adj. **1.** Qui est blindé. *Train blindé.* **2.** MILIT Équipé de véhicules blindés. *Division blindée. Arme blindée.* **3.** Fig., fam. Endurci. **4.** Pop. Ivre. **II.** n. m. MILIT Véhicule muni d'un blindage (automitrailleuse, char de combat). ▷ *Les blindés* : unités utilisant ces véhicules.

blinder v. tr. [1] **1.** CONSTR Consolider les parois d'une tranchée, d'un tunnel, par un coffrage, afin de réduire les risques d'éboulement. **2.** Protéger la coque d'un navire, les structures d'un véhicule, le panneau d'une porte, etc., à l'aide d'un revêtement métallique de forte épaisseur. **3.** Fig., fam. Endurcir. *Après ce coup-là, il est blindé.* ▷ v. pron. *Se blinder contre le chagrin.*

Blind River, v. du Canada (Ontario), près du lac Huron; 3 350 hab. Import. gisements d'uranium.

blini [blini] n. m. Mets russe, crêpe salée épaisse, de petit diamètre.

blister [blistɛʀ] n. m. Emballage de carton recouvert de plastique transparent pour articles de petit format (crochets, douilles, ampoules électriques, etc.) adaptable à un présentoir.

Blitz (le), nom donné aux raids aériens menés par les Allemands contre les villes et les points stratégiques de l'Angleterre pendant la Seconde Guerre mondiale.

Blixen (Karen Dinesen, baronne) (Rungsted, 1885 – id., 1962), romancière danoise. Conteuse à l'imagination fertile, le pastiche lui permet d'exercer son ironie et son scepticisme : *Sept Contes gothiques* (1934, en angl., signés Isak Dinesen), *le Dîner de Babette* (1958); *la Ferme africaine* (1937) est inspiré de son séjour au Kenya.

blizzard n. m. GEOGR Vent du grand Nord, très rapide (200 à 250 km/h), très froid, chargé de neige.

bloc n. m. **I. 1.** Masse, gros morceau d'une matière pesante et dure à l'état brut. *Des blocs de pierre.* **2.** Fam. Prison. **3.** Carnet de feuilles de papier détachables. **4.** Fig. Assemblage d'éléments homogènes. *Faire bloc* : s'unir fortement. **5.** SPORT *Bloc de départ* : syn. (off. recommandé) de *starting-block.* **6.** Ensemble de bâtiments, d'équipements. *Bloc d'immeubles. Bloc technique. Bloc opératoire,* pour les opérations chirurgicales. **7.** Loc. adv. *En bloc* : en gros, en totalité. *Il a refusé en bloc mes propositions.* **II.** Loc. adv. *À bloc.* **1.** MAR *Hisser un pavillon à bloc,* de façon qu'il soit contre la poulie de la drisse qui le supporte. ▷ De façon à bloquer, à fond. *Serrer un frein à bloc.* **2.** Fig., fam. (comme augmentatif). *Être gonflé* à bloc.*

blocage n. m. **1.** Action de bloquer. *Le blocage des freins.* **2.** Fig. ECON Mesure prise pour assurer une stabilisation des prix. *Blocage des prix, des salaires.* **3.** ESP Protection d'une structure soumise à un échauffement aérodynamique, par injection d'hélium ou d'hydrogène dans la couche limite. **4.** CONSTR Débris de pierres, de briques pour remplir les vides entre deux murs. ▷ TRAV PUBL Fondation de chaussée en menus moellons compactés au cylindre.

blocaux n. m. pl. GEOL *Argile à blocaux,* contenant des blocs plus ou moins gros, le plus souvent d'origine glaciaire (blocs arrondis et striés).

bloc-cuisine n. m. Ensemble d'éléments d'équipement de cuisine assortis et adaptables les uns aux autres. *Des blocs-cuisines.*

bloc-cylindres n. m. AUTO Ensemble des cylindres d'un moteur. *Des blocs-cylindres.*

Bloc des gauches, groupement constitué en juin 1899 par des radicaux et des socialistes, et dirigé par Waldeck-Rousseau, contre les antidreyfusards. Il remporta les élections de 1902, mais les socialistes quittèrent le gouv. en 1904. – Ce nom fut également donné au Cartel* des gauches (1924-1926).

bloc-évier n. m. Élément de cuisine comportant, en un bloc préfabriqué, cuve(s) et paillasse(s). *Des blocs-éviers.*

Bloch (Oscar) (Le Thillot, Vosges, 1877 – Paris, 1937), linguiste français; auteur, en collaboration avec W. von Wartburg, d'un *Dictionnaire étymologique de la langue française* (1932).

Bloch (Ernst) (Ludwigshafen, Allemagne, 1885 – Tübingen, 1977), philosophe allemand. Le thème majeur de l'œuvre, foisonnante, de ce marxiste «libre» est la fonction sociale de l'utopie, moteur du devenir historique des sociétés (*le Principe espérance,* 1954-1959).

Bloch (Marc) (Lyon, 1886 – près de Trévoux, 1944), historien français. Il a profondément influencé l'historiographie française du XXe s. comme fondateur en 1929, avec L. Febvre, de la revue *Annales d'histoire économique et sociale;* comme auteur d'ouvrages fondamentaux sur la société médiévale : *Caractères originaux de l'histoire rurale française* (1931, rééd. 1988); *la Société féodale* (1939-1940); comme précurseur enfin d'une anthropologie politique : *les Rois thaumaturges* (1924). Résistant, il fut fusillé par les nazis. ► illustr. page 208

blockhaus [blɔkos] n. m. Réduit fortifié.

bloc-moteur n. m. AUTO Ensemble comportant le moteur, l'embrayage et la boîte de vitesses. *Des blocs-moteurs.*

Bloc national, coalition de partis du centre et de la droite, largement majoritaire dans la Chambre bleu horizon, qui exerça le pouvoir de 1919 à 1924 jusqu'à la victoire du Cartel des gauches.

bloc-notes n. m. Carnet de feuilles de papier détachables, pour prendre des notes. *Des blocs-notes.*

blocus n. m. Investissement d'une place forte, d'un port, d'un pays. ▷ *Blocus économique* : mesures visant à l'isolement d'un pays sur le plan économique.

Blocus continental, ensemble des mesures prises par Napoléon Ier en 1806 et 1807 pour ruiner économiquement la G.-B. en interdisant aux navires brit. tous les ports du continent. L'application de ces mesures eut d'import. conséquences écon. pour les États d'Europe et obligea Napoléon à de nouvelles conquêtes destinées à assurer l'efficacité du système, maintenu jusqu'en 1811.

Bloembergen (Nicolaas) (Dordrecht, 1920), physicien américain d'origine néerlandaise. Professeur à Harvard; ses recherches portent notamment sur la résonance magnétique nucléaire et la résonance ferromagnétique. P. Nobel 1981.

Bloemfontein, v. d'Afrique du Sud, cap. de l'État libre d'Orange; 232 980 hab. Raff. de pétrole.

château de **Blois :** aile François-Ier vue de la cour intérieure

Blois, ch.-l. du dép. de Loir-et-Cher, sur la Loire; 51 549 hab. (*Blésois*). Chocolaterie, industr. chim., méca.; mat. électr. – Château (XIIIe et XIVe s., remanié aux XVe, XVIe et XVIIe s.) avec façade int. (dite façade François-Ier) à escalier à jour; évêché; cath. St-Louis (XVIIe s.); hôtel de ville (XVIIIe s.). – Au XVIe s. la v. est résidence royale. Les états généraux y siégèrent en 1576 et 1588. Ceux de 1588 furent marqués par l'assassinat du duc de Guise.

Blok (Alexandre Alexandrovitch) (Saint-Pétersbourg, 1880 – id., 1921), poète russe, symboliste (*Vers à la belle dame,* 1904) et chantre de la révolution (*les Douze,* 1918).

blond, blonde adj. et n. **1.** adj. Qui est d'une couleur proche du jaune, entre le doré et le châtain clair. *Des cheveux blonds. Une moustache blonde.* **2.** n. Personne dont les cheveux sont blonds. *Un beau blond.* ▷ n. f. (Canada) Fam. Petite amie, concubine, épouse. **3.** n. m. Couleur blonde. *Un blond vénitien,* lumineux, tirant sur le roux. **4.** adj. *Par anal.* De couleur jaune pâle. *Du tabac blond. De la bière blonde.*

blondasse adj. Péjor. D'un blond fade.

Blondel (François) (Ribemont, 1618 – Paris, 1686), architecte français. Auteur d'un *Cours d'architecture* (1675-1683), il construisit la porte St-Denis à Paris (1672).

Blondel (Jacques François) (Rouen, 1705 – Paris, 1774), architecte français; auteur d'un *Cours d'architecture civile* (1771-1777) et des plans d'aménagement des villes de Metz, dont il construisit l'hôtel de ville, et de Strasbourg.

Blondel (Maurice) (Dijon, 1861 – Aix-en-Provence, 1949), philosophe français. Pour ce penseur catholique, la foi véritable est indissociable de l'action effective : *l'Action* (1893), *l'Être et les êtres* (1934), *la Pensée* (1935).

Blondel (Marc) (Courbevoie, 1938), syndicaliste français. Secrétaire général de Force ouvrière depuis 1989.

Blondel de Nesle (XIIe s.), trouvère picard; la légende en a fait l'ami et le confident de Richard Cœur de Lion.

blondeur n. f. Le fait d'être blond.

Blondin (Antoine) (Paris, 1922 – id., 1991), écrivain français. Appartenant à la génération des «hussards», il promène un regard amusé et tendre sur les événements (*l'Europe buissonnière,* 1949) et les personnages (*Un singe en hiver,* 1959) de sa vie. Ses chroniques du Tour de France cycliste révèlent un maître du calembour.

blondinet, ette n. Enfant blond.

blondir v. intr. [3] Devenir blond. *Ses cheveux blondissent en été.* – CUIS *Faire blondir des oignons.*

blongios [blɔ̃ʒjɔs] n. m. ORNITH Petit héron qui vit dans les roseaux.

bloom [blum] n. m. METALL Lingot d'acier de section rectangulaire.

bloomer [blumœʀ] n. m. Culotte courte et bouffante serrée en haut des cuisses.

Bloomfield (Leonard) (Chicago, 1887 – Newhaven, 1949), linguiste américain; chef de file de l'école distributionnelle : *Introduction à l'étude du langage* (1914), *le Langage* (1933).

bloquant adj. m. et n. m. BIOL Se dit de toute molécule synthétique présentant une analogie structurale avec des récepteurs* de la membrane cellulaire mais ne déclenchant pas l'activité pharmacologique prévisible. ▷ n. m. *La réaction entre le bloquant et le récepteur inhibe la fonction correspondante.*

bloquer v. tr. [1] **1.** Mettre en bloc. *Il a bloqué ses jours de congé pour partir en vacances.* **2.** Fermer par un blocus. *Bloquer un port.* **3.** Empêcher de bouger. *Bloquer un écrou.* **4.** SPORT *Bloquer le ballon,* l'arrêter net. – *Bloquer un coup,* en boxe, empêcher qu'il atteigne le point visé. **5.** Fig. Empêcher, interdire (une augmentation). *Bloquer les salaires.* – Empêcher le fonctionnement de. *Bloquer un compte en banque.* **6.** *Par ext.* Obstruer. *La route est bloquée par la neige.*

blottir (se) v. pron. [3] Se ramasser sur soi-même. *Se blottir dans son lit.*

blousant, ante adj. Qui blouse (vêtements). *Ce chemisier n'est pas assez blousant.*

blouse n. f. **1.** Vêtement de travail fait de grosse toile. *Blouse de droguiste, d'écolier.* **2.** Corsage de femme en tissu léger. *Une blouse froncée à la taille.*

1. blouser v. intr. [1] Avoir une ampleur donnée par des fronces retenues par une ceinture. *Faire blouser un chemisier.*

2. blouser v. tr. [1] **1.** Au billard, envoyer la bille de son adversaire dans une blouse, un trou. **2.** Fig., fam. *Blouser quelqu'un,* le tromper.

blouson n. m. Veste courte qui blouse. *Un blouson de cuir.*

Blow (John) (Dans le Nottinghamshire, 1649 – Londres, 1708), compositeur anglais. Il fut organiste de l'abbaye de Westminster (1668), puis maître de musique de la chapelle royale où il eut pour élève Purcell. *Vénus et Adonis* (v. 1682), *Begin the Song* (1684).

Bloy (Léon) (Périgueux, 1846 – Bourg-la-Reine, 1917), romancier et polémiste catholique français. Ses ouvrages (*le Désespéré,* 1886; *la Femme pauvre,* 1897; *l'Invendable,* 1909; *Journal,* 1892-1917) témoignent de sa vie misérable et de sa quête de l'absolu.

Blücher (Gebhard Leberecht, prince Blücher von Wahlstatt) (Rostock, 174[illegible] – Krieblowitz, Silésie, 1819), maréchal prussien. Il se distingua à Leipzig

L'arrivée de ses troupes à Waterloo décida de la défaite française.

blue-jean(s) [bludʒin(s)] n. m. Pantalon sport de grosse toile, généralement de couleur bleue, porté indifféremment par les deux sexes. (Abrév. : jean(s)). *Des blue-jeans.*

Blue Mountains, massif de la Cordillère australienne, à l'O. de Sidney. Tourisme.

blues [bluz] n. m. **1.** Chant populaire des Noirs américains, d'inspiration souvent mélancolique. **2.** MUS Séquence harmonique de douze mesures, organisée autour des accords de tonique, de dominante et de sous-dominante, qui sert de canevas à des improvisations, dans le jazz.

bluet. V. bleuet.

bluff [blœf] n. m. **1.** Dans une partie de cartes, attitude destinée à tromper l'adversaire. **2.** *Par ext.* Parole, action dont le but est de faire illusion, d'en imposer à quelqu'un. – Loc. *Au bluff* : à l'esbroufe.

bluffer [blœfe] v. [1] **1.** v. tr. Fam. *Bluffer quelqu'un,* le tromper. **2.** v. intr. Se vanter, faire du bluff.

bluffeur, euse n. et adj. Personne qui bluffe.

Blum (Léon) (Paris, 1872 – Jouy-en-Josas, 1950), homme politique et écrivain français. Chef du parti socialiste S.F.I.O. après le congrès de Tours (1920), il présida deux gouv. du Front populaire (1936-1937 et 1938) responsables d'importantes mesures sociales. Les Allemands le déportèrent en 1943. D'oct. 1946 à janv. 1947, il fut président du Conseil au sein d'un gouv. socialiste homogène.

.éon **Blum** Niels **Bohr**

3lumenbach (Johann Friedrich) Gotha, 1752 – Göttingen, 1840), anthro-›ologue allemand. Il classa les hommes n cinq races : blanche, jaune, noire, ouge et malaise.

›lutage n. m. Action de bluter.

›luter v. tr. [1] Séparer la farine du on par tamisage.

›lutoir n. m. Tamis à bluter.

›oa n. m. **I. 1.** Grand serpent non enimeux d'Amérique du S. (L'espèce *oa constrictor* atteint 6 m et tue ses roies en les étouffant dans ses nneaux.) **2.** Nom donné à de nomreux autres boïdés. **II.** Parure de lumes ou de fourrure que les femmes ortent autour du cou.

›oabdil (n. déformé de *Abū 'Abdalh*) (m. au Maroc apr. 1492), dernier i maure de Grenade, sous le nom de uhammad XI (1482-1483, puis 486-1492), chassé d'Espagne par Fernand et Isabelle en 1492.

›oadicée ou **Boudicca** (m. en 61 r. J.-C.), reine des Icéniens (Grande-etagne actuelle) qui entra en lutte ›ntre les Romains; vaincue par eux, e s'empoisonna.

Boas (Franz) (Minden, Westphalie, 1858 – New York, 1942), ethnologue américain d'origine all. Spécialiste des Eskimos et des Kwakiutls (Colombie britannique), il est l'un des fondateurs de l'anthropologie américaine.

boat people [botpipœl] n. inv. Réfugié qui quitte avec un groupe son pays sur un bateau de fortune, spécial. dans le Sud-Est asiatique.

Boa Vista, v. du Brésil, cap. du territoire de Roraima; 66 000 hab.

bob n. m. Coiffure de tissu souple, en forme de cloche, dont le bord peut être relevé.

Bobadilla (Francisco de) (m. en 1502), gouverneur espagnol des Indes occid. Il succéda à Ch. Colomb, accusé de ménager les indigènes (1499). Il mourut en mer.

bobard n. m. Fam. Histoire fantaisiste; propos mensonger; nouvelle inventée. *Raconter des bobards.*

bobèche n. f. Disque de verre ou de métal adapté sur un chandelier pour recevoir les gouttes de bougie fondue.

Bobèche (Mandelard, dit) (Paris, 1791 – ?, apr. 1840), pitre de théâtre, célèbre sous l'Empire et la Restauration.

Bobet (Louis, dit Louison) (Saint-Méen-le-Grand, 1925 – Biarritz, 1983), coureur cycliste français. Routier complet, il remporta à trois reprises le Tour de France (1953 à 1955) et fut champion du monde sur route (1954).

bobeur, euse n. SPORT Pratiquant du bobsleigh.

Bobigny, ch.-l. du dép. de la Seine-St-Denis, dans la banlieue N.-E. de Paris; 44 881 hab. (*Balbyniens*). Centre admin. Papeterie, peintures, etc.

bobinage n. m. **1.** Action d'enrouler sur une bobine (un fil, un ruban, etc.). **2.** ELECTR Ensemble des fils enroulés, dans une machine, un transformateur.

bobine n. f. **1.** Cylindre à rebords qui sert à enrouler du fil, des pellicules photographiques, etc. **2.** ELECTR Enroulement de fil conducteur. ▷ AUTO Appareil qui produit le courant alimentant les bougies. **3.** Fam., fig. Tête, figure; expression du visage. *Faire une drôle de bobine.*

bobineau ou **bobinot** [bɔbino] n. m. **1.** TECH Bobine où s'enroule le fil dans un métier à filer. **2.** IMPRIM Reste d'une bobine de papier inutilisé à la fin d'une opération sur rotative. **3.** AUDIOV Petite longueur de bande magnétique enroulée sur un noyau. **4.** Petite bobine.

bobiner v. tr. [1] Mettre en bobine.

bobinette n. f. Anc. Pièce de bois qui servait à fermer une porte.

boa étouffant un rongeur

bobineur, euse n. Personne qui a pour fonction de mettre en bobines.

bobineuse n. f. ou **bobinoir** n. m. TECH Machine pour bobiner (du fil, du câble, etc.).

1. bobo n. m. **1.** Dans le langage des enfants, mal physique. *Avoir bobo.* **2.** Mal bénin. *Ce n'est qu'un bobo.*

2. bobo adj. (inv. en genre) Des Bobos.

Bobo(s), ensemble de populations africaines voltaïques pratiquant l'agric., la chasse et la pêche. L'art des Bobos est essentiellement représenté par des masques polychromes « à lame » (surmontés d'une palette de bois de 1 à 5 m).

Bobo-Dioulasso, v. du Burkina Faso; 231 160 hab.; ch.-l. de prov. Centre agric. La v. est reliée par voie ferrée à Ouagadougou et à Abidjan.

bobonne n. f. Fam., péjor. Épouse. (Souvent employé comme un nom propre.) *Il est venu avec bobonne ?*

Bobrouïsk, v. de Biélorussie, sur la Berezina; 223 000 hab. Industr. alim. et du bois.

bobsleigh [bɔbslɛg] n. m. SPORT Traîneau articulé à plusieurs places, qui peut glisser très vite sur des pistes de glace. (Abrév. : bob).

bobtail [bɔbtɛl] n. m. Chien de berger à poil long et à robe gris et blanc.

bocage n. m. **1.** Vx ou litt. Petit bois ombreux. **2.** Pays de prairies et de cultures coupées de haies vives et de bois. *Le bocage de Vendée. Le Bocage normand.*

bocager, ère adj. Du bocage; qui appartient au bocage.

bocal, aux n. m. Récipient en verre ou en grès à large goulot. *Des bocaux à cornichons.*

Boccace (Giovanni Boccaccio, dit en franç.) (Florence ou Certaldo, 1313 – Certaldo, 1375), écrivain italien; il a donné ses lettres de noblesse à la prose italienne dans un recueil de cent nouvelles, groupées en dix journées de récit : le *Décaméron* (publié v. 1348-1353), tableau des mœurs (souvent licencieuses) de son époque. Prolifique, il a laissé des poèmes épiques allégoriques et de nombreux ouvrages en latin : *De claris mulieribus* (« Des femmes de renom », v. 1360). ▶ illustr. **Dante Alighieri**

Boccador (Domenico Bernarbei, dit Domenico da Cortona ou le) (Cortone, ? – Paris, v. 1549), architecte italien. On lui doit les premiers plans du chât. de Chambord et les plans de l'ancien hôtel de ville de Paris (1533).

Boccherini (Luigi) (Lucques, 1743 – Madrid, 1805), compositeur et violoncelliste italien. Il aborda tous les genres musicaux : musique de chambre, symphonies, concertos, etc.

Bocchoris ou **Bokénranef** (Égypte, VIIIe s. av. J.-C.), pharaon égyptien, fondateur de la XXIVe dynastie.

Bocchus (IIe s. av. J.-C.), roi de Maurétanie, beau-père de Jugurtha, avec qui il combattit les Romains et qu'il livra ensuite à Sylla (105 av. J.-C.).

Boccioni (Umberto) (Reggio di Calabria, 1882 – Sorte, près de Vérone, 1916), peintre et sculpteur futuriste italien.

boche n. m. et adj. Fam., péjor., vieilli Allemand.

Bochimans. V. Boschimans.

Bochum, v. d'Allemagne (Rhén.-du-N.-Westphalie); 381 220 hab. Houille, sidérurgie, constr. méca., industr. chim. – Université.

bock n. m. **1.** Verre à bière, d'un quart de litre environ. *Boire un bock.* **2.** *Bock à injections* : récipient muni d'un tube terminé par une canule, utilisé pour les lavements.

Böcklin (Arnold) (Bâle, 1827 – Fiesole, 1901), peintre symboliste suisse (*l'Île des morts*, 1880).

Bode (Johann Elert) (Hambourg, 1747 – Berlin, 1826), astronome allemand. Il a repris la relation découverte par le mathématicien allemand Wolf en 1741 et confirmée par J.D. Titius en 1772, appelée auj. *loi de Bode-Titius* : la distance d'une planète au Soleil peut approximativement se calculer par la formule $d = 0,4 + (0,3.2^{n-1})$, d étant exprimée en unités astronomiques et n étant le rang de la planète (0 pour Mercure, la plus proche du Soleil, et 9 pour Pluton); la relation est exacte jusqu'à $n = 7$ (Uranus).

Bodel (Jean). V. Jean Bodel.

Bodhgayā, local. de l'Inde (Bihār). Haut lieu de pèlerinage bouddhiste : Çākyamuni médita au pied de l'*arbre de l'éveil* pendant sept semaines et y devint Bouddha. L'empereur Açoka (IIIe s. av. J.-C.) fit élever sur le site un stupa, auj. disparu; temple de la *Mahābodhi* (fin IIe s.), plusieurs fois restauré.

bodhi n. f. Dans le bouddhisme, éveil obtenu par la méditation, et qui fait accéder au rang de bouddha.

bodhisattva [bɔdisatva] n. m. inv. Dans le bouddhisme, être (humain ou divin), avancé dans la perfection, qui n'a pas encore atteint l'état de bouddha et veille sur les hommes.

Bodin (Jean) (Angers, 1530 – Laon, 1596), philosophe et magistrat français. Son traité *les Six Livres de la République* (1576) fait l'apologie de la monarchie absolue, affirmant, contre Machiavel, l'importance de la justice.

Bodléienne (bibliothèque), bibliothèque fondée à Oxford en 1602 par Sir Thomas Bodley (1545 – 1613) à partir d'un fonds anc., fortement enrichi.

Bodmer (Johann Jakob) (Greifensee, 1698 – Zurich, 1783), écrivain suisse. Auteur d'un *Traité critique du merveilleux dans la poésie* (1740), il publia une partie des *Nibelungen* (1757).

Bodoni (Giambattista) (Saluces, 1740 – Parme, 1813), imprimeur italien. Ses éditions des classiques grecs et latins sont célèbres.

body n. m. (Anglicisme) Syn. de *justaucorps*.

body-building [bɔdibɥildiŋ] n. m. (Anglicisme) Syn. de *culturisme*.

Boèce (Anicius Manlius Torquatus Severinus Boetius) (Rome, v. 480 – près de Pavie, v. 524), philosophe et homme politique latin. Ministre de Théodoric, accusé de complot, il fut jeté en prison, où il écrivit *De la consolation de la philosophie*. Il mourut sous la torture.

Bœgner (Marc) (Épinal, 1881 – Paris, 1970), pasteur français; président du Conseil œcuménique des Églises (1948-1954). Acad. fr. (1962).

Boehm (Theobald) (Munich, 1794 – id., 1881), flûtiste bavarois; inventeur d'un système simplifiant le doigté de la flûte et de la clarinette.

Boehme ou **Böhme** (Jakob) (Altseidenberg, près de Görlitz, 1575 – Görlitz, 1624), philosophe mystique allemand. Il soutient que tout provient de Dieu, les contraires notam. : *l'Aurore à son lever* (1612), *Mysterium Magnum* (1623).

Boëly (Alexandre Pierre François) (Versailles, 1785 – Paris, 1858), compositeur français. Il composa pour le piano et l'orgue, en s'inspirant de J.-S. Bach.

boer [bɔɛʀ] adj. (inv. en genre) Des Boers.

Boerhaave (Herman) (Voorhout, près de Leyde, 1668 – Leyde, 1738), philosophe, médecin et naturaliste néerlandais. Il établit une classification des phanérogames.

Boers (mot néerl. : «paysans»), nom donné aux colons (néerl. en majorité, et protestants français émigrés après la révocation de l'édit de Nantes) qui s'installèrent après 1652 dans la rég. du Cap. Fuyant l'occupation brit., ils chassèrent de leurs terres les habitants noirs et fondèrent les États d'Orange et du Transvaal (1836-1852). Leur refus de l'hégémonie brit. provoqua la *guerre des Boers* (1899-1902). En 1910, les colonies boers jointes aux colonies brit. du Cap et du Natal formèrent l'Union sud-africaine. L'esprit «boer» imprègne toujours la vie de l'Afrique du Sud.

boët(t)e ou **boitte** n. f. PECHE Appât.

Boétie (Étienne de La). V. La Boétie.

bœuf charolais (derrière, vache de Holstein)

bœuf, bœufs [bœf, bø] n. m. (et adj. inv.) **1.** Mammifère ruminant de grande taille (fam. bovidés), dont le taureau et la vache domestiques constituent l'espèce *Bos primigenius taurus*. (*Bos primigenius* était l'aurochs. Au genre *Bos* appartiennent notamment les yacks.) **2.** Taureau castré. – *Le bœuf gras*, promené en pompe par les bouchers en période de carnaval, dans certaines régions. ▷ Fig. *Avoir un bœuf sur la langue* : se taire obstinément. **3.** Chair de cet animal. *Un filet de bœuf.* **4.** Arg. (des musiciens) Syn. de *jam-session*. **5.** adj. inv. Fam. Énorme, considérable. *Un effet, un toupet bœuf.*

bof! interj. Exprime le mépris, l'indifférence.

Boffrand (Germain) (Nantes, 1667 – Paris, 1754), architecte et décorateur français. Élève de J. Hardouin-Mansart, il intégra le style rocaille à l'architecture classique, en partic. au château de Lunéville (1702-1706) et à Paris : hôtels d'Amelot de Gournay (1695), de Torcy (1714), de Soubise (1735-1740).

Bofill (Ricardo) (Barcelone, 1939), architecte espagnol dont les constructions importantes, consacrées à l'habitat collectif, font référence au passé monumental de l'Europe méditerranéenne (Antiquité romaine et époque baroque notam.) : ensemble *Antigone* (Montpellier).

Ricardo **Bofill** : le quartier *Antigone* à Montpellier

Bogart (Humphrey De Forest) (New York, 1899 – Hollywood, 1957), acteur de cinéma américain. Interprétant des rôles de gangster, de détective et d'aventurier, il devint un mythe du cinéma : *le Faucon maltais* (1942), *Casablanca* (1942), *le Port de l'angoisse* (1944), *le Grand Sommeil* (1946), *African Queen* (1952).

Bogazkale ou **Bogazköy,** site archéol. de Turquie, près d'Ankara : ruines de Hattousa, cap. de l'Empire hittite.

bogey [bɔgɛ] n. m. SPORT Au golf, nombre de coups que réalise un joueur de bon niveau sur un parcours.

boghei, boguet [bɔgɛ] ou **buggy** [bygi] n. m. Anc. Petit cabriolet découvert.

bogie ou **boggie** [bɔʒi] n. m. CH de F Chariot à plusieurs essieux permettant à un wagon, une voiture ou une locomotive de s'articuler.

bogomile [bɔgɔmil] n. (et adj.) Membre d'une secte néo-manichéenne apparue en Bulgarie au Xe s., dont la doctrine se répandit jusqu'au Languedoc au XIIe s. – adj. *La nécropole bogomile de Radimlje, en Bosnie-Herzégovine.*

Bogomoletz ou **Bogomolets** (Alexandre Alexandrovitch) (Kiev, 1881 – id., 1946), biologiste soviétique. Le sérum qu'il a mis au point à partir de tissus humains injectés à un cheval consolide les tissus et pourrait combattre la sénescence.

Bogor (anc. *Buitenzorg*), v. d'Indonésie (île de Java); 247 410 hab. Jardin botanique.

Bogotá, cap. de la Colombie, dans les Andes, à 2 600 m d'alt.; aggl. urb 3 974 810 hab. Grand centre financier industr., culturel. – La v., fondée en 1538 par les Espagnols, sur le site de Bacatá, foyer des Indiens Chibchas, fu la cap. de l'*audiencia* puis de la vice royauté de Nouvelle-Grenade (1549-1819). – Université, musée de l'or

1. bogue n. f. Enveloppe épineuse d la châtaigne.

2. bogue [bɔg] ou **bug** [bœg] n. m. INFORM Erreur de programmation s

Bogotá

manifestant par des anomalies de fonctionnement.

boguet. V. boghei.

Bohai (anc. *Petchili*), vaste golfe de la mer Jaune, au N. de la péninsule du Shandong, dans lequel se jette le Huanghe.

bohème [bɔɛm] n. et adj. **1.** n. m. Fig. Personne qui a une vie vagabonde, au jour le jour. *Un artiste, un bohème. Une vie de bohème.* – adj. *Mener une existence bohème.* **2.** n. f. (collectif) Ensemble des gens qui mènent une vie irrégulière et désordonnée. *La bohème des cafés.*

Bohême (en tchèque *Čechy*), partie occid. de la Rép. tchèque, où se trouve la cap., *Prague.* Elle forme un quadrilatère bordé par des massifs hercyniens rajeunis. Au N.-O., le lignite des monts Métallifères est à l'origine d'une import. industr. diversifiée. Le plateau intérieur est drainé, au N.-E., par l'Elbe (riche plaine du Polabí : céréales, betterave à sucre, élevage). À l'O., le bassin de Plzeň est très industrialisé. Le climat est continental. – La Bohême, peuplée par les Slaves tchèques évangélisés au IXe s., forma un duché, électorat d'Empire en 1114, puis un royaume héréditaire (1198). Aux Přemyslides (Xe s.-1306) succédèrent les Luxembourg, qui s'éteignirent en 1437. La réforme religieuse de Jan Hus (XVe s.) entraîna une grave crise polit. Avec l'élection comme roi de Ferdinand Ier, frère de Charles Quint, les Habsbourg d'Autriche devinrent rois de Bohême de 1526 à 1918. Ils luttèrent contre le protestantisme et germanisèrent le pays, qui perdit toute autonomie (XVIe-XVIIe s.) mais garda un puissant esprit nationaliste. Le traité de Saint-Germain-en-Laye (1919) engloba la Bohême dans le nouvel État tchécoslovaque.

bohémien, enne n. et adj. Membre de tribus vagabondes qu'on croyait originaires de la Bohême. *Une troupe de bohémiens.*

Bohémond Ier (?, v. 1050 – Canossa, 1111), un des chefs de la 1re croisade. Il fonda la principauté d'Antioche, dont il s'était emparé en 1098. La dynastie des Bohémond s'éteignit en 1287.

Böhm (Karl) (Graz, 1894 – Salzbourg, 1981), chef d'orchestre autrichien. Élève de B. Walter et ami de R. Strauss, il dirigea les orchestres des opéras de Vienne, de Salzbourg et de Bayreuth. Il fut un éminent interprète de Mozart.

Böhme (Jakob). V. Boehme.

Bohr (Niels) (Copenhague, 1885 – id., 1962), physicien danois; il appliqua la théorie quantique à l'atome, dont il conçut un modèle planétaire. P. Nobel 1922. – **Aage** (Copenhague, 1922), physicien danois, fils du préc.; il reçut le P. Nobel en 1975 pour ses travaux sur le noyau de l'atome. ► illustr. page 213

Boiardo (Matteo Maria) (Scandiano, v. 1441 – Reggio nell'Emilia, 1494), poète italien : *Roland amoureux* (1476 à 1492), vaste épopée chevaleresque.

boïdés n. m. pl. ZOOL Famille de reptiles à laquelle appartiennent les boas, pythons et autres grands serpents constricteurs. – Sing. *Un boïdé.*

Boieldieu (François Adrien) (Rouen, 1775 – Jarcy, Seine-et-Oise, 1834), compositeur français. Il est l'un des premiers maîtres de l'opéra-comique français : *le Calife de Bagdad* (1800), *la Dame blanche* (1825).

Boïens ou **Boïes,** peuple celtique qui, entre le Ve et le Ier s. av. J.-C., essaima des territ. de l'actuelle Bohême, à laquelle ils donnèrent leur nom, jusqu'en Italie du N. et en Gaule (Bourbonnais, Gascogne).

bois de cervidés : à g., de haut en bas, élan, renne; au centre, cerf élaphe; à dr., de haut en bas, chevreuil et daim

Boileau (Nicolas, dit Boileau-Despréaux) (Paris, 1636 – id., 1711), écrivain français. Ses *Satires* (1660-1667, 1694, 1701 et 1711), ses *Épîtres* (1669 à 1695) et surtout son *Art poétique* (1674) font de lui le grand théoricien de l'art classique au XVIIe s. V. aussi Lutrin (le). Les *Réflexions sur Longin* (1694 et 1710), en prose, prennent, contre Perrault, le parti des Anciens. Il fut l'ami de Racine et de Molière, et historiographe du roi (1677). Acad. fr. (1684).

1. boire v. tr. [**70**] **1.** Avaler (un liquide). *Buvez pendant que c'est chaud!* ▷ Loc. fam. *Boire un coup, un verre. Boire comme un trou, comme une éponge,* excessivement. ▷ *Boire à la santé de quelqu'un,* exprimer des vœux pour sa santé au moment de boire. **2.** Loc. fig. *Il y a là à boire et à manger,* du bon et du mauvais. *Ce n'est pas la mer* à boire. Boire un bouillon.* Quand le vin est tiré, il faut le boire* : il faut terminer ce que l'on a commencé. *Qui a bu, boira* : on retombe toujours dans ses mauvaises habitudes. *Boire les paroles de quelqu'un,* l'écouter avec avidité. *Boire du petit lait* : écouter avec plaisir (des flatteries). Fam. *Boire la tasse* : avaler de l'eau (en nageant, en tombant à l'eau). *Avoir toute honte bue* : n'avoir plus honte de rien. **3.** (S. comp.) Boire de l'alcool avec excès. *Il a l'habitude de boire.* **4.** Absorber, s'imprégner de. *La terre boit l'eau.* – (S. comp.) *Ce papier boit,* absorbe l'encre.

2. boire n. m. *Le boire et le manger* : ce que l'on boit et mange. – *En perdre le boire et le manger* : être entièrement absorbé par une occupation, un chagrin, une passion. *Après boire* : après avoir trop bu d'alcool. *Des propos tenus après boire.*

bois n. m. **I.** Espace couvert d'arbres. *Un bois de chênes. La lisière du bois.* ▷ *Homme des bois* : individu fruste. *Être volé comme dans un bois. Je ne voudrais pas le rencontrer le soir au coin d'un bois,* se dit à propos de quelqu'un dont l'allure est inquiétante. ▷ (Canada) Fam. *Il n'est pas sorti du bois* : il est dans une situation difficile, embarrassante, qui risque de se prolonger, de s'envenimer. **II. 1.** Substance solide et fibreuse qui compose les racines, la tige et les branches des arbres. *Ramasser du bois mort. Un stère de bois. Faire un feu de bois. Du bois de charpente.* – (Canada) *Bois franc* (ou *bois dur*) : bois des arbres à feuilles caduques et à texture serrée, comme l'érable, le bouleau, le chêne. *Bois mou* : bois tendre des résineux et de certains arbres à feuilles caduques comme le peuplier et le tremble. – (Canada) *En bois rond* : construit avec des pièces de bois non équarries. *Cabane en bois rond.* – (Canada) *Bois debout,* sur pied. *Une terre en bois debout.* **2.** Loc. *Faire feu de tout bois* : utiliser toutes les opportunités. *Il est du bois dont on fait les flûtes* : il accepte tout. *Il saura de quel bois je me chauffe,* comment je vais réagir (c'est-à-dire violemment). *Touchons du bois,* formule pour conjurer le sort. *On n'est pas de bois* : on n'est pas insensible aux charmes de l'autre sexe. **3.** Objet en bois. *Bois d'une raquette de tennis.* **4.** MUS *Les bois* : les instruments à vent en bois. **5.** (Plur.) Os pairs ramifiés du front des cervidés mâles, qui tombent et repoussent chaque année. **6.** Arg. (des sportifs) *Les bois* : les poteaux du but, au football. *Jouer dans les bois* : être gardien de but.

boisage n. m. Action de boiser (sens 1 et 2). – Ouvrage ainsi réalisé.

Boischaut, rég. du S. du Berry, dans les dép. de l'Indre et du Cher. Élevage.

Bois-Colombes, ch.-l. de cant. des Hauts-de-Seine (arr. de Nanterre), dans la banlieue N.-O. de Paris; 24 500 hab. Constructions aéronautiques.

Bois-d'Arcy, com. des Yvelines (arr. de Versailles); 12 717 hab. Méca. de précision. – Centre national de la cinématographie (service des archives du film).

boisé, ée adj. **1.** Planté d'arbres. **2.** Se dit d'un vin qui a séjourné en fûts. **3.** n. m. (Canada) Petit espace couvert d'arbres. *Les sentiers d'un boisé.*

Boise City, v. des É.-U., cap. de l'Idaho; 125 700 hab. Centre admin. et économique.

boisement n. m. SYLVIC Action de planter des arbres sur un terrain; les plantations d'arbres de ce terrain.

boiser v. tr. [**1**] **1.** CONSTR Garnir d'une boiserie. **2.** MINES Procéder au soutènement à l'aide d'étais en bois. **3.** Planter d'arbres.

boiserie n. f. Revêtement d'un mur au moyen d'un ouvrage en menuiserie; cet ouvrage lui-même.

Bois-le-Duc (en néerl. *'s-Hertogenbosch*), v. des Pays-Bas, au confl. de l'Aa et de la Dommel, affl. de la Meuse; 89 600 hab.; ch.-l. du Brabant-Septentrional. Brasseries. Industr. text., méca., chim.; activités portuaires. – Cath. goth. – La v. fut française de 1794 à 1814.

Boismortier (Joseph Bodin de) (Thionville, 1689 – Paris, 1755), compositeur français : concertos, cantates, sonates, opéras-ballets (*Daphnis et Chloé*, 1747).

Boisrobert (François Le Métel, seigneur de) (Caen, 1592 – Paris, 1662), poète français. Protégé de Richelieu, il joua un rôle important dans la création de l'Académie française.

boisseau n. m. **1.** Anc. Mesure de capacité pour les grains (env. 13 l). ▷ Fig. *Mettre qqch sous le boisseau :* cacher la vérité. **2.** CONSTR Élément préfabriqué, à emboîtement, pour les conduits de fumée ou de ventilation. **3.** TECH *Robinet à boisseau :* robinet muni d'un axe, qu'on ferme avec une clé.

boissellerie n. f. Fabrication de petits objets ménagers en bois.

Boissière (Jean-Baptiste) (Valognes, 1806 – Paris, 1885), lexicographe français : *Dictionnaire analogique de la langue française* (1862).

boisson n. f. **1.** Tout liquide que l'on peut boire. **2.** *Spécial.* Boisson alcoolisée. *Débit de boissons.* – Loc. litt. *Être pris de boisson,* ivre. **3.** Fig. Passion de boire de l'alcool. *S'adonner à la boisson.*

Boissy d'Anglas (François, comte de) (Saint-Jean-Chambre, Ardèche, 1756 – Paris, 1826), homme politique français. Président de la Convention après Thermidor, il se rallia à l'Empire puis à Louis XVIII.

Boissy-Saint-Léger, ch.-l. de cant. du Val-de-Marne (arr. de Créteil); 15 170 hab. Centre résidentiel.

Boiste (Claude) (Paris, 1765 – Ivry-sur-Seine, 1824), lexicographe; auteur d'un *Dictionnaire universel de la langue française* (prem. édition, 1800).

boîte n. f. **1.** Récipient rigide, généralement à couvercle. *Boîte carrée, ronde. Boîte à bijoux.* ▷ Loc. fam. *Mettre en boîte :* se moquer de. *Boîte à malice :* ruses dont une personne dispose. *Elle sort d'une boîte :* elle est arrangée avec soin. **2.** *Par ext.* Contenu d'une boîte. *Avaler toute une boîte de bonbons.* **3.** *Boîte à musique :* coffret contenant un mécanisme qui reproduit une mélodie. – *Boîte à rythmes :* instrument électronique produisant de la musique programmée informatiquement. **4.** *Boîte aux (à) lettres :* réceptacle installé dans la rue ou dans une poste, destiné à recevoir le courrier à acheminer; boîte où le facteur dépose le courrier; fig. personne qui transmet des messages parfois clandestins. – *Boîte postale* (abrév. B.P.) : boîte aux lettres d'un particulier située dans un bureau de poste. – *Boîte vocale :* service de messagerie téléphonique, offrant les mêmes prestations qu'un répondeur-enregistreur. **5.** ANAT *Boîte crânienne :* cavité osseuse renfermant l'encéphale. **6.** AERON *Boîte noire :* appareil enregistreur placé à l'abri des chocs, qui permet de reconstituer les circonstances d'un accident d'avion. **7.** AUTO *Boîte à gants :* casier, souvent muni d'une porte, situé près du tableau de bord. *Boîte de vitesses :* organe qui sert à modifier le rapport entre la vitesse du moteur et celle des roues motrices. **8.** TECH *Boîte à fumée :* élément d'une chaudière reliant l'extrémité des tubes de fumées à la buse d'évacuation de la cheminée. – *Boîte à vent :* caisson qui reçoit l'air d'alimentation des tuyères d'un haut fourneau. – *Boîte de dérivation, de jonction,* à l'intérieur de laquelle on raccorde des conducteurs électriques. **9.** PHYS NUCL *Boîte à gants :* enceinte à l'intérieur de laquelle on manipule des produits radioactifs à travers des ouvertures munies de gants. **10.** Fam. École, lieu de travail. **11.** *Boîte de nuit :* cabaret qui sert des boissons alcoolisées, qui présente des spectacles et où l'on danse. – Absol. Fam. *Aller en boîte.*

boîte-boisson n. f. Boîte de métal contenant de la bière, du jus de fruits, etc. (Le syn. canette est un anglicisme.) *Des boîtes-boissons.*

boitement n. m. Rare Syn. de *boiterie.*

boiter v. intr. [1] **1.** Incliner le corps plus d'un côté que de l'autre en marchant. *Boiter du pied droit.* **2.** Fig. Être défectueux, en parlant d'un raisonnement, d'un plan. – *Un vers qui boite,* qui n'a pas le nombre régulier de pieds.

boiterie n. f. Action de boiter (êtres humains, animaux).

boiteux, euse adj. (et n.) **1.** Qui boite. **2.** (En parlant de choses.) En déséquilibre. *Table boiteuse.* **3.** Fig. Qui manque d'équilibre. *Une paix boiteuse.* – Irrégulier. *Période, phrase boiteuse.*

boîtier n. m. **1.** Coffret compartimenté. **2.** Partie d'une montre renfermant le mouvement. **3.** Corps d'un appareil photo dans lequel on insère la pellicule et où se fixe l'objectif.

boitillement n. m. Boitement léger.

boitiller v. intr. [1] Boiter légèrement.

Boito (Arrigo) (Padoue, 1842 – Milan, 1918), compositeur et écrivain italien. Auteur de l'opéra *Mefistofele* (1868), des livrets d'*Otello* et de *Falstaff* pour Verdi.

Bojer (Johan) (Orkanger, près de Trondheim, 1872 – Oslo, 1959), écrivain norvégien. Ses romans *la Grande Faim* (1916), *le Dernier Viking* (1921), *Gens de la côte* (1929) se rattachent à la tradition naturaliste.

Bokassa (Jean Bedel) (Bobangui, Zaïre, 1921 – Bangui, 1996), homme politique centrafricain. Président de la Rép. en 1966 (à la suite d'un coup d'État), président à vie en 1972; en déc. 1976 il fit de son pays un empire et prit le nom de Bokassa Ier. Il fut renversé en sept. 1979, à la suite d'un massacre d'écoliers auquel il aurait participé. Condamné à mort en 1987, sa peine a été commuée en travaux forcés à perpétuité et il fut libéré en 1993.

Bokenranef. V. Bocchoris.

Boksburg, v. d'Afrique du Sud (Transvaal); 162 890 hab. Mines d'or, houillères.

1. bol n. m. **1.** Petit récipient hémisphérique, destiné à contenir des liquides. *Un bol à punch.* **2.** Contenu d'un bol. *Un bol de lait.* ▷ Fig. *Prendre un (bon) bol d'air :* sortir au grand air. **3.** Fam. *Avoir du bol,* de la chance. – Fam. *En avoir ras le bol :* en avoir assez.

2. bol n. m. MED *Bol alimentaire :* masse que forme, au moment d'être avalé, un aliment soumis à la mastication.

Bolbec, ch.-l. de cant. de la Seine-Mar. (arr. du Havre), dans le pays de Caux; 12 505 hab. Prod. pharm. Fonderies.

bolchevik [bɔlʃevik; bɔlʃəvik] n. m. **1.** HIST Partisan des positions de Lénine, dont les amis eurent, au IIe Congrès du Parti ouvrier social-démocrate de Russie, en 1903, une légère majorité en leur faveur. (Les amis de Lénine défendaient des positions radicales, alors que ceux de Martov, chef de file de leurs adversaires, étaient plus modérés; ces derniers furent mis en minorité, ce qui leur valut le nom de *mencheviks**.) **2.** Vieilli Communiste.

bolchevique adj. Vieilli Qui se rapporte au bolchevisme.

bolchevisme n. m. **1.** HIST Ensemble des positions idéologiques et des pratiques révolutionnaires des bolcheviks. **2.** Péjor. Communisme russe.

Bolchoï, théâtre de Moscou construit en 1824, détruit par un incendie (1853), puis reconstruit en 1856 par Alberto Cavos. Il est célèbre par ses ballets et sa troupe d'opéra.

Boldini (Giovanni) (Ferrare, 1842 – Paris, 1931), peintre italien. Il connut le succès comme portraitiste de célébrités parisiennes.

boldo n. m. BOT Arbre du Chili dont la feuille contient un alcaloïde aux propriétés thérapeutiques.

bolduc n. m. Lien de couleur, plat, utilisé pour ficeler des paquets.

bolée n. f. Contenu d'un bol. *Une bolée de cidre.*

boléro n. m. **1.** Danse espagnole de rythme ternaire. **2.** Air sur lequel elle se danse. **3.** Veste sans manches, courte

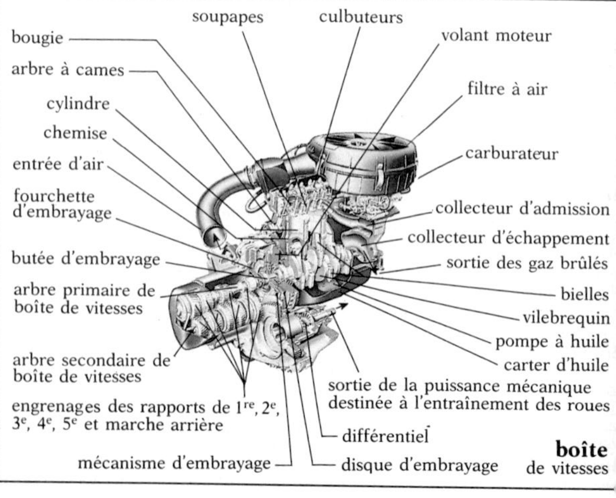

boîte de vitesses

et ouverte. **4.** Vx Petit chapeau rond de femme.

Boleslas (en polonais *Bolesław*), nom de cinq ducs et rois de Pologne (le premier fut duc de Pologne en 992, roi en 1025).

bolet n. m. Champignon basidiomycète dont le dessous du chapeau est garni de tubes accolés, et dont de nombr. espèces sont comestibles tandis que d'autres sont toxiques ou allergéniques. ▶ pl. champignons

bolide n. m. **1.** Grosse météorite qui produit une trace fortement lumineuse en traversant les hautes couches de l'atmosphère. ▷ Fig. *Arriver en bolide, comme un bolide,* brusquement et à toute vitesse. **2.** *Par ext.* Véhicule allant à grande vitesse.

Bolingbroke (Henry Saint John, vicomte) (Battersea, Surrey, 1678 – id., 1751), homme politique et écrivain anglais. Leader des tories au début du XVIIIe s., il signa la paix d'Utrecht (1713), fut exilé en France (1715-1723) et lutta en vain contre Walpole.

bolivar n. m. **1.** Unité monétaire du Venezuela. **2.** Anc. Large chapeau haut de forme.

Bolívar (Simón) (Caracas, 1783 – Santa Marta, Colombie, 1830), général et homme politique sud-américain. Principal protagoniste des guerres d'Indépendance des colonies espagnoles d'Amérique du Sud, il essuya d'abord plusieurs échecs (1811-1814). Après la victoire de Bayacá (1819), il fit proclamer la rép. de Grande-Colombie (Nouvelle-Grenade, Venezuela et, en 1822, Équateur) et libéra par la suite les États actuels de Colombie, de Bolivie et du Pérou. Impuissant à unifier l'Amérique latine (le congrès de Panamá, qu'il convoqua en 1826, fut un échec), accusé de vouloir la dominer, il se retira et mourut désespéré.

Bolivie (république de) (*República Boliviana*), État d'Amérique du Sud, entouré par le Brésil, le Pérou, le Chili, l'Argentine et le Paraguay; 1 098 581 km²; 7 400 000 hab.; cap. gouv. *La Paz*; cap. admin. *Sucre*. Nature de l'État : rép. de type présidentiel. Langue off. : espagnol. Monnaie : boliviano (BOP). Population : Indiens (maj., Aymaras sur les hauts plateaux, Quechuas dans les vallées), métis (27 %) et Blancs. Relig. : cathol.
Géogr. phys. et hum. – À l'O., la Bolivie andine, au climat tropical d'altitude, est formée de chaînes élevées encadrant un haut plateau (4 000 m) parsemé de lacs : l'Altiplano (80 % des habitants du pays vivent dans les vallées et le plateau central de cette région). À l'E., les bas pays chauds et humides de l'Oriente (70 % du territoire et 20 % de la population) appartiennent aux bassins de l'Amazone et du Paraguay; l'occupation humaine y progresse avec la colonisation agraire et l'exploitation pétrolière. La population, citadine à 58 %, est en croissance rapide.
Écon. – L'agriculture occupe la moitié de la pop. active : maïs, canne à sucre, pomme de terre, café, coton et la coca dont la contrebande constitue sans doute la première source de revenus du pays). Gaz naturel, étain, zinc et argent représentent plus de 75 % des exportations légales. La crise des années 80 a été douloureuse : baisse des cours des matières premières, endettement important, effondrement de la monnaie (le peso a été remplacé par le boliviano en 1987). Les mesures d'austérité préconisées par le F.M.I. ont permis de maîtriser l'inflation et de réduire la dette, mais ont renforcé l'agitation sociale.
Hist. – Le Haut-Pérou précolombien (qui comprenait la Bolivie actuelle) fut surtout peuplé par les Aymaras (civilisation de Tiahuanaco, Xe-XIIIe s.). Il fit partie de l'Empire inca jusqu'à la conquête espagnole (1538). Les mines d'argent du Potosí, exploitées dès 1545, enrichirent l'Europe pendant un siècle et demi; le travail forcé y provoqua la mort de milliers d'Indiens. Après de nombreux soulèvements entre le XVIe et le XVIIIe s., la guerre de libération aboutit en 1825 à la fondation de la république par Bolívar et Sucre, son lieutenant. Dès lors, l'histoire bolivienne est jalonnée par les coups d'État, les massacres de paysans et de mineurs par l'armée, les guerres contre les pays voisins qui firent perdre au pays plus de la moitié de son territoire : la façade maritime fut cédée au Chili (guerre du Pacifique, 1879-1894), le Chaco au Paraguay (1935). Après le gouvernement civil de V. Paz Estenssoro (1952-1964), qui effectua la nationalisation des mines et la réforme agraire, les dictatures militaires se sont succédé. Le mouvement de guérilla fondé par E. « Che » Guevara (tué en 1967) fut anéanti. Les élections de 1982 ont rendu le pouvoir aux civils. Mais le malaise social s'aggrave et, en 1997, les Boliviens portent à la présidence un ancien dictateur, le général Hugo Banzer.

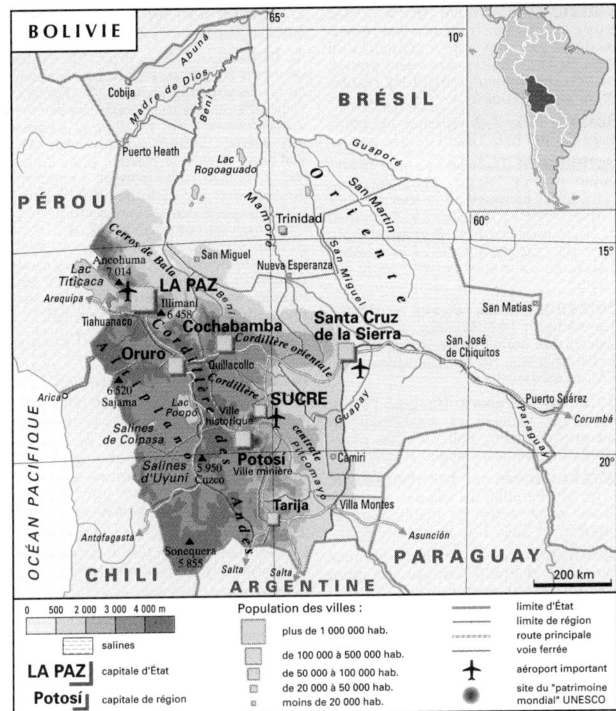

bolivien, enne adj. De Bolivie. ▷ Subst. *Un(e) Bolivien(ne).*

Böll (Heinrich) (Cologne, 1917 – Bornheim, 1985), écrivain allemand. Peintre de l'Allemagne de « l'année zéro » (*Rentrez chez vous, Bogner,* 1953) et du « miracle économique » (*Portrait de groupe avec dame,* 1971), contempteur de la bonne conscience bourgeoise (*l'Honneur perdu de Katharina Blum,* 1974), ce romancier et nouvelliste fut aussi un ardent pamphlétaire, qui défendit souvent à contre-courant les droits de l'individu. P. Nobel 1972.

Bollée (Amédée) (Le Mans, 1844 – Paris, 1917), constructeur français d'automobiles (à vapeur). Ses fils, **Léon** (Le Mans, 1870 – Neuilly-sur-Seine, 1913) et **Amédée** (Le Mans, 1872 – id., 1926), poursuivirent son œuvre.

Bollène, ch.-l. de cant. du Vaucluse (arr. d'Avignon); 13 981 hab. Centr. hydroél. sur un canal de dérivation du Rhône, qui relie Donzère à Mondragon.

Bologne, v. d'Italie; 445 140 hab.; ch.-l. de l'Émilie-Romagne. Industr. alim., métall., chim.; foire intern. du livre de jeunesse. – Archevêché. – Très anc. université (XIIe s.); foyer artistique dès le XVIe s. (école de Bologne : les Carrache, le Dominiquin, etc). Mon. du Moyen Âge et de la Renaissance (portiques). – En 1516, un concordat entre le pape Léon X et François Ier, maintenu jusqu'en 1790, y régla le statut de l'Église de France.

Bologne (Jean de). V. Giambologna.

Simón **Bolívar**

Heinrich **Böll**

Boltanski (Christian) (Paris, 1944), artiste plasticien français. Des objets évoquant des souvenirs imaginaires ou réels (livres, cahiers d'écolier, photos, etc.) recréent poétiquement les réalités de sa prime jeunesse.

Bolton, v. de G.-B. (Greater Manchester); 253 300 hab. Grand centre textile.

Boltzmann (Ludwig) (Vienne, 1844 – Duino, près de Trieste, 1906), physicien autrichien; pionnier de la thermodynamique. ▷ PHYS La *constante de Boltzmann (k)* est le quotient R/N, R étant la constante des gaz parfaits, et N le nombre d'Avogadro; $k = 1{,}38066.10^{-23}$ joule par kelvin.

Bolzano (en all. *Bozen*), v. d'Italie (Haut-Adige); 102 830 hab.; ch.-l. de la prov. du m. nom. Centre tourist. Métall. de l'aluminium, du fer. Centrale électr. – Mon. médiévaux.

Bolzano (Bernhard) (Prague, 1781 – id., 1848), logicien et mathématicien tchèque d'origine italienne. Sa philosophie logique a influencé Husserl.

bombacacées ou **bombacées** n. f. pl. BOT Famille de plantes dicotylédones comprenant le baobab et le kapokier. – Sing. *Une bombacacée.*

bombage n. m. **1.** Action de bomber (sens 1). **2.** Action d'écrire sur les murs avec une peinture en bombe.

bombance n. f. Bonne chère en abondance, ripaille. *Faire bombance.*

bombarde n. f. **1.** HIST Ancienne pièce d'artillerie à boulets de pierre (XIVe-XVe s.). **2.** MUS Instrument à vent à anche double, ancêtre du hautbois.

bombardement n. m. **1.** Action de bombarder, d'attaquer par bombes ou obus. *Un bombardement aérien.* **2.** PHYS Action de diriger un faisceau de particules (le plus souvent accélérées par un accélérateur de particules) sur une cible matérielle, en vue de produire des rayonnements divers ou de propager des réactions nucléaires. ▷ TECH *Soudage par bombardement électronique.*

bombarder v. tr. [1] **1.** Attaquer à coups de bombes. *Bombarder une ville.* **2.** Lancer (des projectiles) en grand nombre sur (qqn, qqch). *Les enfants bombardaient de cailloux une vieille boîte de conserve.* ▷ Fig., fam. Accabler. *Il me bombarde de coups de téléphone.* **3.** PHYS Soumettre à un bombardement de particules. **4.** Fig., fam. Revêtir (qqn) avec précipitation d'un titre, d'une fonction, d'une dignité. *On l'a bombardé ambassadeur.*

bombardier n. m. **1.** Vx Artilleur. **2.** Avion de bombardement. ▷ *Bombardier d'eau* : V. canadair. **3.** ENTOM Insecte qui projette une sécrétion caustique sur l'agresseur.

bombardon n. m. MUS Instrument à vent en cuivre, très grave (basse et contrebasse) à tube conique et à piston.

Bombay (auj. *Mumbai*), v. et premier port de l'Inde; cap. du Mahārāshtra, sur la côte ouest du Dekkan; 9 990 000 hab. La riche communauté parsi et les Brit. firent de la ville un grand centre écon. L'E. (docks, usines, quartiers pop.) s'oppose à l'O., sur la baie (quartiers riches de Marine Drive et de Malabar Hill); le N., plus industriel, attire la masse des déshérités. Très import. centre d'industr. text.; raff. de pétrole; industr. chim.; aciéries; constr. mécaniques et navales. Aéroport. – Le développement de la ville commença au XVIIe s. (possession de la Compagnie des Indes orient. de 1668 à 1783).

1. bombe n. f. Fam. *Faire la bombe* : manger, boire, se réjouir.

2. bombe n. f. **I. 1.** Projectile explosif qu'on lançait autref. avec un canon, qu'on largue auj. d'avion. **2.** *Par ext.* Projectile ou engin explosif. *Une bombe à retardement.* ▷ Fig., fam. *Tomber comme une bombe* : arriver à l'improviste. **II.** Par anal. **1.** *Bombe glacée* : glace moulée. **2.** *Bombe calorimétrique* : appareil qui mesure les quantités de chaleur accompagnant les réactions chimiques telles que les combustions. **3.** GEOL Projection volcanique solidifiée. **4.** EQUIT Casquette de cavalier. **5.** *Bombe aérosol, bombe* : récipient dans lequel un liquide destiné à être pulvérisé est maintenu sous pression par un gaz.

bombé, ée adj. Convexe. *Un verre bombé. Il a le front bombé.*

bombement n. m. Convexité, renflement. *Le bombement d'une route.*

1. bomber v. tr. [1] **1.** Rendre convexe. *Bomber une tôle.* – Fig. *Bomber le torse* : prendre un air avantageux. **2.** Écrire, dessiner (sur les murs) avec une peinture en bombe. **3.** v. intr. Devenir convexe. *Ce panneau bombe.*

2. bomber [bɔmbœr] (Anglicisme) Blouson bouffant en textile synthétique satiné, porté par les adolescents.

bombonne. V. bonbonne.

bombyx n. m. ENTOM Nom de divers papillons nocturnes. *La chenille du bombyx du mûrier (Bombyx mori) est le ver à soie.*

bombyx du mûrier aux trois stades de son développement : chrysalide dans son cocon, chenille, papillon

bôme n. f. MAR Espar horizontal sur lequel est enverguée une voile aurique, au tiers ou triangulaire.

1. bon, bonne adj., adv. et interj. **A.** adj. **I. 1.** Qui a les qualités propres à sa destination, qui est utile. *Avoir de bons yeux, une bonne digestion.* – Loc. fig. *Avoir bon pied, bon œil* : être en parfaite santé. – *Donner de bons conseils.* ▷ Loc. *Il est bon de, bon que...* : il est utile de, que... *Croire, juger, trouver bon.* – *Rien de bon* : rien qui vaille. **2.** Qui a acquis un certain degré de perfection dans un travail, un métier, une science. *Un bon élève. Un bon nageur. Il est bon en anglais.* Syn. sûr, capable. **3.** Qui possède une valeur intellectuelle ou artistique. *Un bon livre.* **4.** Conforme aux règles morales ou sociales. *Avoir bon esprit. La bonne société. Un jeune homme de bonne famille. Le bon droit.* Syn. équitable, juste, droit, honnête, correct. **5.** Agréable. *De la bonne cuisine. Il a la bonne vie!* – (Formule de vœux.) *Souhaiter la bonne année. Bon appétit!* **6.** Spirituel, amusant. *Un bon mot.* – *Elle est bien bonne!* : elle est très drôle, en parlant d'une histoire; (par antiphrase) c'est déplaisant, surprenant, en parlant d'un événement. ▷ Subst. Fam. *En avoir de bonnes* : exagérer, plaisanter. **7.** Aimable; simple. ▷ Loc. *Bon enfant.* – *Bon vivant**. **8.** Juste, correct. *Avoir un bon jugement. Ce calcul est bon. Écrire en bon français. Arriver au bon moment.* **9.** Loc. *Bon pour* : qui convient à. *Un médicament bon pour le foie.* ▷ *Bon pour le service* : apte à faire son service (militaire). – Fam. *Être bon pour...* : ne pas pouvoir échapper à... *Je suis bon pour l'indigestion, après un dîner pareil!* – *Il est bon* : il ne peut pas échapper. ▷ *Bon à* : propre à. *Il n'est bon à rien* : il est incapable de faire quoi que ce soit d'utile. **II. 1.** Qui aime faire le bien (personnes). « *Un sot n'a pas assez d'étoffe pour être bon* » (La Rochefoucauld). **2.** De disposition agréable; bienveillant, poli. *Être de bonne humeur. De bon gré. Bon accueil.* **3.** Qui montre de la bonté. *Avoir bon cœur. Une bonne action.* ▷ *Ce bon monsieur de La Palice.* – Pop. ou plaisant *Mon bon Monsieur.* **III. 1.** Très important. *Une bonne quantité. Cela fait un bon moment qu'il est parti. Coûter un bon prix.* ▷ *Une bonne fois pour toutes* : définitivement. ▷ *Arriver bon premier* : le premier loin devant les autres. **2.** (Par antiphrase.) Fort, violent. *Il a pris une bonne correction.* **B.** adv. **1.** adv. de manière. *Sentir bon. Tenir bon* : résister fermement. *Il fait bon* : la température est agréable. *Il fait bon* (+ inf.) : il est agréable de. *Il fait bon marcher. Il fait bon vivre à la campagne.* (Négativement) *Il ne fait pas bon s'y frotter* : on risque des désagréments à le mécontenter. **2.** Loc. adv. *À quoi bon?* : à quoi sert-il de...? *À quoi bon tant de discours?* ▷ *Pour de bon* : réellement (litt. *tout de bon*). *Se fâcher pour de bon.* ▷ Fam. *À la bonne* : en sympathie. *Elle m'a à la bonne.* **C.** interj. **1.** *Bon!* : marque la satisfaction. **2.** Marque la surprise, la déception. *Allons bon!* **3.** Marque le mécontentement, la restriction ironique. *Je n'ai pas fini.* – *Bon, voilà autre chose!* **4.** *C'est bon!* : assez! – N.B. Le comparatif de supériorité de *bon* est *meilleur. Bon* épithète est en général placé avant le nom.

2. bon n. m. **I. 1.** Ce qui est bon. *Le beau et le bon.* ▷ Loc. *Bon à tirer* : autorisation d'imprimer donnée par l'auteur ou l'éditeur à l'imprimeur. **2.** Ce qui est avantageux, important, intéressant. *Le bon de l'affaire, de l'histoire. Avoir du bon* : offrir des avantages. **3.** Personne qui a de la bonté. *Les bons et les méchants.* **II.** Autorisation écrite permettant à quelqu'un de toucher de l'argent, de recevoir un objet, une marchandise, etc. *Un bon de caisse de mille francs. Bon du Trésor* : obligation émise par le ministère des Finances. ▷ *Bon d'échange* ou *bon* : titre permettant d'obtenir des prestations ou des services payés d'avance ou non, notamment dans les hôtels et les restaurants ainsi que la location d'automobiles.

Bon (cap), cap au N.-E. de la Tunisie (gouvernorat de Nabeul); région extrêmement fertile.

bonace n. f. MAR Calme plat.

Bonald (Louis, vicomte de) (Millau, 1754 – id., 1840), philosophe et homme politique français. Catholique, monarchiste, il combattit les idées du XVIIIe s. et de la Révolution : *Théorie du pouvoir politique et religieux* (1796).

Bonaparte (à l'origine *Buonaparte*), famille française originaire d'Italie et établie en Corse au XVIe s. – **Charles Marie** (Ajaccio, 1746 - Montpellier, 1785), avocat corse, époux de **Maria Letizia Ramolino** (Ajaccio, 1750 - Rome, 1836), qui eut sous l'Empire le titre de Madame Mère. De cette union, huit enfants survécurent : – **Joseph** (Corte, 1768 - Florence, 1844), roi de Naples de 1806 à 1808, roi d'Espagne de 1808 à 1813. – **Napoléon** (V. Napoléon Ier). – **Lucien** (Ajaccio, 1775 - Viterbe, 1840), président du Conseil des Cinq-Cents, joua un rôle décisif lors du coup d'État du 18 Brumaire. Il fut prince de Canino. – **Maria-Anna,** dite Élisa (Ajaccio, 1777 - Trieste, 1820), épouse de Félix Bacciochi ; elle fut princesse de Lucques et de Piombino, puis grande-duchesse de Toscane. – **Louis** (Ajaccio, 1778 - Livourne, 1846), époux d'Hortense de Beauharnais, roi de Hollande de 1806 à 1810, père de Louis Napoléon (V. Napoléon III). – **Marie-Paulette,** dite Pauline (Ajaccio, 1780 - Florence, 1825), veuve du général Leclerc en 1802, épouse du prince Borghèse en 1803, duchesse de Guastalla en 1806. – **Marie-Annonciade,** dite Caroline (Ajaccio, 1782 - Florence, 1839), épouse de Joachim Murat, qui devint grand-duc de Berg et de Clèves, puis roi de Naples de 1808 à 1815. – **Jérôme** (Ajaccio, 1784 - Villegenis, Seine-et-Oise, 1860), roi de Westphalie de 1807 à 1813, épousa en secondes noces Catherine de Wurtemberg (1807). Il devint maréchal de France en 1850. Sa fille, la princesse **Mathilde** (Trieste, 1820 - Paris, 1904), tint à Paris un salon brillant. – L'actuel prince Napoléon (Bruxelles, 1914) est issu de la branche de Jérôme.

Bonaparte (princesse Georges de Grèce et de Danemark, née Marie) (Saint-Cloud, 1882 - id., 1962), psychanalyste française. Élève de Freud, dont elle fut l'exégète, elle est la cofondatrice de la Société psychanalytique de Paris (1926) : *la Sexualité de la femme* (1951).

bonapartisme n. m. Attachement au régime impérial fondé par Napoléon Bonaparte et à sa dynastie.

bonapartiste adj. (et n.) Qui se rapporte au bonapartisme. – Qui fait profession de bonapartisme.

bonasse adj. Bon jusqu'à la niaiserie ; simple et sans malice.

Bonaventure (Giovanni Fidanza, saint) (Bagnoregio, Ombrie, 1217 - Lyon, 1274), théologien italien ; il fut surnommé le Docteur séraphique. Ministre général de l'ordre des Franciscains (1257), cardinal (1273), légat du pape Grégoire X au concile de Lyon (1274), il est animé d'inspiration augustinienne (*le Chemin de l'âme vers Dieu*, 1259).

Bonaviri (Giuseppe) (Mineo, Catane, 1924), médecin et écrivain italien. Ses poèmes et ses romans chantent une Sicile immémoriale et fantastique : *le Fleuve de pierre* (1964), *Dolcissimo* (1978).

bonbon n. m. Petite friandise faite avec du sucre. *Des bonbons à la menthe.*

bonbonne ou **bombonne** n. f. Grosse bouteille servant à garder et à transporter de l'huile, des acides, etc. *Une bonbonne de verre.*

bonbonnière n. f. **1.** Boîte à bonbons. **2.** Fig. Petit appartement arrangé avec recherche.

Bonchamp (Charles, marquis de) (Juvardeil, Anjou, 1760 - Saint-Florent-le-Vieil, 1793), chef vendéen. Mortellement blessé devant Cholet, il aurait, avant de mourir, obtenu la grâce de 4 000 prisonniers républicains.

bon-chrétien n. m. Grosse poire jaune à chair fondante et parfumée, fort estimée. *Des bons-chrétiens.*

bond n. m. **1.** Saut brusque. *Faire un bond. Les bonds d'un tigre.* – Fig. *Aller par sauts et par bonds* : progresser irrégulièrement. **2.** Rejaillissement, rebondissement d'un corps inerte. ▷ Fig. *Saisir la balle au bond* : saisir l'occasion. – *Faire faux bond* : manquer à une promesse, décevoir l'attente.

bonde n. f. **1.** Ouverture par laquelle s'écoule l'eau d'un étang, d'un réservoir. – Pièce qui obture cet orifice. *Hausser, lâcher la bonde.* **2.** Fig. *Lâcher la bonde à sa colère, à ses larmes,* leur donner libre cours. **3.** Trou fait à un tonneau pour le remplir et le vider ; le bouchon en bois qui sert à le boucher.

bondé, ée adj. Rempli (de gens). *Un théâtre bondé de spectateurs. Un autobus bondé.*

bondérisation n. f. TECH Protection des métaux contre la rouille par un traitement à base de phosphates.

Bondevik (Kjell Magne) (Molde, 1947), homme politique norvégien. Il devient Premier ministre en oct. 1997.

bondieuserie [bɔ̃djøzʀi] n. f. Fam., péjor. **1.** Dévotion outrée. **2.** Objet de piété de mauvais goût. *Une marchande de bondieuseries.*

bondir v. intr. [3] **1.** Faire des bonds, sauter. *La balle bondit. Le cheval bondit.* **2.** S'élancer. *Bondir au secours de quelqu'un.* **3.** Fig. Tressaillir. *Mon cœur bondit de joie. Cela me fait bondir,* me scandalise.

bondissement n. m. Mouvement de ce qui bondit.

Bondy, ch.-l. de cant. de la Seine-St-Denis (arr. de Bobigny), au N.-E. de Paris, sur le canal de l'Ourcq ; 46 880 hab. (*Bondinois*). Électroménager. – Sa forêt, auj. disparue, fut un repaire de brigands.

Bône. V. Annaba.

bonellie [bɔnɛl(l)i] n. f. ZOOL Animal vermiforme marin, au remarquable dimorphisme sexuel.

bongo n. m. Instrument de percussion d'origine cubaine, composé de deux petits tambours juxtaposés, recouverts de peau sur un seul côté.

Bongo (Albert Bernard, puis Omar) (Lewai, région de Franceville, 1935), homme politique gabonais ; président de la Rép. depuis 1967.

bonheur n. m. **1.** Événement heureux, hasard favorable, chance. *Cet héritage, c'est un bonheur inespéré.* – *Porter bonheur* : favoriser, faire réussir. – *Au petit bonheur* : au hasard. – *Par bonheur* : heureusement. *Par bonheur, il est arrivé à temps.* **2.** État de bien-être, de félicité. *« Le bonheur n'est pas le fruit de la paix ; le bonheur, c'est la paix même »* (Alain). *Au comble du bonheur. Faire le bonheur de quelqu'un,* le rendre heureux. **3.** *Par ext.* Ce qui rend heureux. *J'ai eu le bonheur de vous rencontrer* (formule de politesse). Prov. *Le malheur des uns fait le bonheur des autres.*

Bonheur (Marie Rosalie, dite Rosa) (Bordeaux, 1822 - By, Seine-et-Marne, 1899), peintre français ; auteur académique de scènes rustiques et animalières.

bonheur-du-jour n. m. Petit meuble à tiroirs servant de secrétaire. *Des bonheurs-du-jour.*

Bonhoeffer (Dietrich) (Breslau, 1906 - camp de concentration de Flossenburg, 1945), pasteur et théologien allemand. Âme de la résistance de l'Église protestante au nazisme. Arrêté en 1943, il fut exécuté en 1945. Ses lettres de prison (*Résistance et soumission,* posth., 1951) eurent un grand retentissement.

bonhomie [bɔnɔmi] n. f. Bonté et simplicité ; bienveillance. *Un vieillard plein de bonhomie.*

bonhomme [bɔnɔm], **bonshommes** [bɔ̃zɔm] n. m. (et adj. inv.) **1.** Vx Homme bon. **2.** Vieilli Homme simple, doux, naïf. *Un bonhomme de mari.* ▷ adj. inv. Simple, doux, naïf. *Il a des aspects bonhomme.* **3.** Vx Vieillard. **4.** Fam., péjor. Homme. *Comment s'appelle-t-il, ce bonhomme ?* **5.** Terme d'affection (en parlant à un petit garçon). *Mon petit bonhomme, mon bonhomme.* **6.** Figure humaine grossièrement dessinée ou façonnée. *Un bonhomme de neige.* **7.** Loc. *Aller son petit bonhomme de chemin* : vaquer tranquillement à ses affaires.

Bonhomme (col du), col des Alpes (2 329 m), en Haute-Savoie, reliant la vallée de l'Arve à celle de l'Isère.

Bonhomme (col du), col des Vosges (949 m), reliant Saint-Dié à Colmar.

boni n. m. Excédent, bénéfice dans une opération financière ; supplément. *Des bonis.*

bon(n)iche n. f. Péjor., vieilli Bonne, employée de maison.

bonichon n. m. Fam., vx Petit bonnet.

Boniface (saint) (Devon, v. 675 - Dokkum, Frise, 754). Archevêque, apôtre de la Germanie. Il évangélisa la Frise, puis la Germanie (Bavière, Thuringe et Hesse, où il fonda l'abbaye de Fulda). Assassiné en Frise, il fut enseveli à Fulda.

Boniface VIII (Benedetto Caetani) (Anagni, v. 1235 - Rome, 1303), pape de 1294 à 1303 ; il eut de violents démêlés avec Philippe IV le Bel.

Bonifacio, ch.-l. de cant. de la Corse-du-Sud (arr. de Sartène), sur la Médit. ; 2 701 hab. La v. se trouve à 12 km de la Sardaigne, dont la sépare le *détroit* (ou *bouches*) *de Bonifacio.* – Dans la v. haute (enceinte fortif. du XVIe s.), égl. romane Sainte-Marie-Majeure (remaniée) et citadelle avec égl. Saint-Dominique (XIIIe-XIVe s.).

1. bonification n. f. **1.** Avantage accordé sur le taux d'intérêt d'un emprunt. **2.** SPORT Points supplémentaires accordés à un concurrent, à une équipe.

2. bonification n. f. Amélioration. *Bonification d'une terre.*

1. bonifier v. tr. [2] Accorder une bonification sur un taux d'intérêt. – Pp. adj. *Emprunt bonifié.*

2. bonifier 1. v. tr. [2] Rendre meilleur, améliorer. *Le fumier bonifie la terre.* **2.** v. pron. Devenir meilleur. *Le vin se bonifie en vieillissant.*

boniment n. m. **1.** Discours tenu en public par les camelots, les bateleurs, etc. **2.** Fam. Propos mensonger. *Ne crois pas tous ces boniments.*

bonimenteur, euse n. Personne qui fait des boniments.

Bonington (Richard Parkes) (Arnold, près de Nottingham, 1802 – Londres, 1828), peintre et aquarelliste anglais. Il fut un précurseur de l'impressionnisme.

bonite n. f. ICHTYOL Nom donné à plusieurs poissons méditerranéens du genre *Thynnus* (thon).

Bonivard (François de) (Seyssel, 1493 – Genève, 1570), patriote genevois. Retenu prisonnier six ans (1530-1536) par le duc de Savoie, au château de Chillon, il fut délivré par les Bernois. Byron en fit le héros de son poème *le Prisonnier de Chillon* (1816).

bonjour n. m. Salutation qui signifie littéralement « heureuse journée », mais qu'on emploie sans distinction d'heure. *Il lui souhaite le bonjour. Dire bonjour à qqn.* – Loc. *Facile, simple comme bonjour* : très facile.

Bonn, v. d'Allemagne (Rhén.-du-N.-Westphalie), sur le Rhin; 288 000 hab. Port fluvial. Ville résidentielle et universitaire. Cap. de la R.F.A. de 1949 à 1990. – Collégiale romane (XIe-XIIIe s., cloître du XIIe s.). Maison natale de Beethoven; musées.

Bonnard (Pierre) (Fontenay-aux-Roses, 1867 – Le Cannet, 1947), peintre, graveur et affichiste français. Il fit de la couleur la marque lyrique, intimiste et sensuelle du monde sensible *(Nu à contre-jour, la Dame aux chats).*

Bonnat (Léon) (Bayonne, 1833 – Monchy-Saint-Éloi, Oise, 1922), peintre académique et grand collectionneur français.

bonne n. f. **1.** Servante, domestique. *Bonne d'enfants.* **2.** *Bonne à tout faire,* et (cour.) *bonne* : employée de maison nourrie, logée et rétribuée qui s'occupe des travaux domestiques.

Bonne-Espérance (cap de), pointe mérid. de l'Afrique, découverte en 1487 par Bartolomeu Dias, qui l'appela *cap des Tempêtes.* En 1497 Vasco de Gama le doubla.

Bonnefoy (Yves) (Tours, 1923), poète français. Son œuvre est une réflexion sur la vérité de l'homme : *Du mouvement et de l'immobilité de Douve* (1953), *Pierre écrite* (1965), *l'Arrière-Pays* (1972), *Dans le leurre du seuil* (1975), *Entretiens sur la poésie* (1990).

bonne-maman n. f. Terme affectueux pour *grand-mère. Des bonnes-mamans.*

bonnement adv. Simplement. *Je vous le dis tout bonnement.*

bonnet n. m. **1.** Coiffure sans rebord. *Bonnet en laine. Bonnet de nuit,* qu'on mettait pour dormir. – *Bonnet à poil* : coiffure des grenadiers de l'Empire, des horse-guards anglais, etc. – *Bonnet phrygien, bonnet rouge* : coiffure retombant sur le côté adoptée par les révolutionnaires de 1789 et devenue l'emblème de la République. – *Bonnet d'âne* : coiffure à longues oreilles qu'on mettait aux élèves punis. – *Bonnet de bain* : coiffure imperméable qui empêche les cheveux d'être mouillés. **2.** Loc. fig. *Un bonnet de nuit* : une personne triste, ennuyeuse. *Être triste comme un bonnet de nuit.* – *Un gros bonnet* : un personnage important. – *Opiner du bonnet* : V. opiner. – *Avoir la tête près du bonnet* : être prompt à se

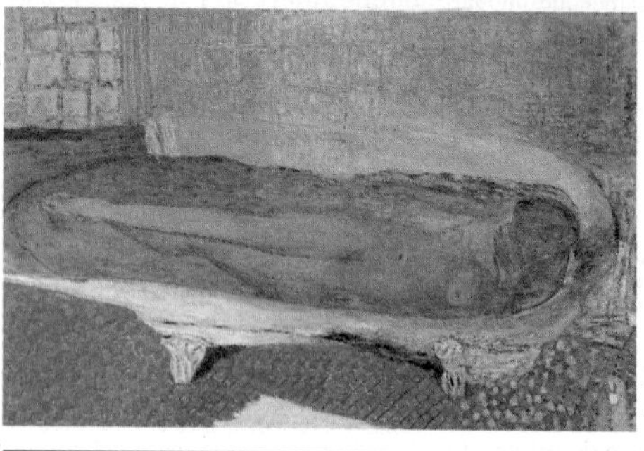
Pierre **Bonnard** : *Nu à la baignoire,* 1936; MNAM

fâcher. – *Prendre sous son bonnet* : prendre sous sa responsabilité. – *Jeter son bonnet par-dessus les moulins* : braver les convenances (en parlant d'une femme). – *C'est bonnet blanc et blanc bonnet* : il n'y a pas de différence. **3.** Deuxième estomac des ruminants. **4.** Chacune des deux poches d'un soutien-gorge.

Bonnet (Charles) (Genève, 1720 – id., 1793), naturaliste et philosophe suisse. Il découvrit la parthénogenèse des pucerons (1740) et fut un précurseur de la psychologie expérimentale.

Bonnet (Georges) (Bassilac, Dordogne, 1889 – id., 1972), homme politique français. Ministre des Affaires étrangères, il signa les accords de Munich (sept. 1938).

bonneteau n. m. Jeu de hasard et d'escamotage qui se joue avec trois cartes ou trois gobelets.

bonneterie n. f. **1.** Industrie ou commerce des articles en tissu à mailles (lingerie, sous-vêtements, chaussettes, etc.). **2.** Marchandise vendue par le bonnetier. **3.** Boutique d'un bonnetier.

bonnetier, ère n. **1.** Personne qui fabrique ou vend de la bonneterie. **2.** n. f. Petite armoire.

bonnette n. f. **1.** FORTIF Ouvrage formant saillie avancé au-delà du glacis. **2.** MAR Petite voile en forme de trapèze, que l'on ajoute aux autres voiles par temps calme. **3.** OPT Partie de la monture d'un oculaire servant d'appui à l'œil d'un observateur. ▷ Lentille additionnelle d'un objectif.

Bonneuil-sur-Marne, ch.-l. de cant. du Val-de-Marne (arr. de Créteil), au S.-E. de Paris; 13 995 hab. Port fluvial. Électromécanique.

Bonneval, ch.-l. de cant. d'Eure-et-Loir (arr. de Châteaudun), sur le Loir; 4 440 hab. – Égl. goth. (XIIIe s.); anc. abb. bénédictine (IXe et XVe s.); ruines d'une enceinte fortifiée.

Bonneval (Claude, comte de) (Coussac-Bonneval, 1675 – Constantinople, 1747), général français. Passé au service de l'Autriche, puis de la Turquie, il se convertit à l'islam et fut pacha de Roumélie sous le nom de Achmet Pacha.

Bonneville, ch.-l. d'arr. de la Haute-Savoie, sur l'Arve; 10 351 hab. Horlogerie. Constr. électromécaniques.

bonniche. V. boniche.

Bonnot (Jules Joseph) (Pont-de-Roide, Doubs, 1876 – Choisy-le-Roi, 1912), anarchiste français. Les attaques à main armée rendirent célèbre la *bande à Bonnot.* Son chef fut abattu au moment où il allait être arrêté.

Bononcini (Giovanni Battista) (Modène, 1670 – Vienne, v. 1750), compositeur italien. Enfant prodige, il fut un auteur prolixe (une trentaine d'opéras notam.).

bon-papa n. m. Terme d'affection pour *grand-père. Des bons-papas.*

bonsaï ou **bonzaï** [bɔ̃nzaj] n. m. Arbre ou arbuste miniaturisé selon une technique et un art originaires de Chine. *Depuis environ huit cents ans, les Japonais sont passés maîtres dans la culture et l'art des bonsaïs.*

bonsaï

bon sens. V. sens.

bonsoir n. m. Formule de salutation employée le soir. – Fig., fam. *Bonsoir!* : c'est fini. *Tout est dit, bonsoir!*

bonté n. f. **1.** Rare (En parlant de choses.) Qualité de ce qui est bon. *La bonté d'une terre.* **2.** (En parlant de personnes.) Qualité qui pousse à faire le bien, à être bon envers autrui. *Recourir à la bonté de quelqu'un.* **3.** (Formule de politesse.) *Ayez la bonté de...* – Iron. *Ayez la bonté de vous taire.* **4.** (Plur.) Actes de bonté, de bienveillance, d'amabilité. *Avoir des bontés pour quelqu'un.*

Bontempelli (Massimo) (Côme, 1884 – Rome, 1960), romancier et auteur dramatique italien. Il créa le « novécentrisme », mouvement qui réagit contre le vérisme, l'esthétisme et le roman d'analyse et développe la théorie du « réalisme magique » : il faut découvrir le surnaturel en dépassant la réalité par l'imagination (*Des gens dans le temps,* 1937).

Bontemps (Pierre) (Paris, v. 1505 – ? v. 1570), sculpteur français. Auteur des gisants du roi et de la reine du tombeau de François Ier (basilique Saint-Denis).

bonus n. m. **1.** Réduction du montant de la prime d'une assurance automobile accordée à un conducteur qui n'a pas été responsable d'accident pendant un certain laps de temps. Ant. malus. **2.** Fig., fam. Amélioration, supplément, prime.

bonzaï. V. bonsaï.

bonze, bonzesse n. **1.** Religieux ou religieuse bouddhiste. **2.** Fig., fam. Personnage officiel d'une solennité ridicule.

bonzerie n. f. Monastère de bonzes.

boogie-woogie [bugiwugi] n. m. MUS Danse sur un rythme très rapide et saccadé issu du blues. *Des boogie-woogies.*

book [buk] n. m. (Anglicisme) Syn. de *press-book.*

bookmaker [bukmekœʀ] n. m. Personne qui prend et inscrit les paris sur les courses de chevaux.

Boole (George) (Lincoln, 1815 - Cork, 1864), mathématicien et logicien anglais. Il est le fondateur de l'algèbre de la logique, dite *algèbre de Boole,* qui codifie les opérations et fonctions logiques.

George **Boole**

Pierre **Boulez**

booléen, enne [buleɛ̃, ɛn] adj. MATH Qui concerne l'algèbre de Boole.

boom [bum] n. m. Syn. de *boum.*

boomer [bumœʀ] n. m. AUDIOV Haut-parleur pour les sons graves.

boomerang [bumʀɑ̃g] n. m. **1.** Arme des aborigènes d'Australie, lame de bois recourbée qui revient vers celui qui l'a lancée si elle n'atteint pas son but. ▷ Fig. (En appos.) *Son mensonge a eu un effet boomerang.* **2.** Volant ayant la forme de cette arme, employé pour le jeu ou le sport. - Sport utilisant un tel volant.

1. booster [buste] v. tr. [1] (Anglicisme). Fam. Donner une forte impulsion. *Booster les ventes de l'entreprise.*

2. booster [bustɛʀ] n. m. (Anglicisme) Propulseur auxiliaire destiné à fournir une forte poussée à une fusée, en partic. au décollage.

Booth (William) (Nottingham, 1829 - Londres, 1912), prédicateur et réformateur anglais. Il fonda en 1864 la Mission chrétienne, qui devint en 1878 l'Armée du Salut.

Booth (John Wilkes) (Bel-Air, Maryland, 1838 - Bowling Green, Virginie, 1865), acteur américain. Il assassina Lincoln le 14 avril 1865.

Boothia (péninsule de), péninsule du N. du Canada (Territ. du N.-O.), séparée de la terre de Baffin par le *golfe de Boothia.*

bootlegger [butlɛgœʀ] n. m. HIST Contrebandier d'alcool à l'époque de la prohibition aux États-Unis.

boots [buts] n. (m. ou f.) pl. (Anglicisme) Bottes courtes.

Booz, personnage biblique; époux de Ruth, bisaïeul de David.

bop. V. be-bop.

Bophuthatswana, ancien bantoustan d'Afrique du Sud, réintégré dans la province du Nord-Ouest.

Bopp (Franz) (Mayence, 1791 - Berlin, 1867), linguiste allemand. Un des fondateurs de la grammaire comparée, il prouva dès 1816 l'origine commune du sanskrit et des langues indo-européennes.

boqueteau n. m. Petit bois.

Bor, v. de Serbie; 15 000 hab. Mines de cuivre, les plus import. d'Europe.

Bór (Tadeusz Komorowski, dit) (Lwów, 1895 - Londres, 1966), général polonais. Chef de l'armée secrète (1943), il déclencha l'insurrection de Varsovie.

Bora (Katharina von) (Lippendorf, Saxe, 1499 - Torgau, 1552), religieuse cistercienne de 1515 à 1523. Elle épousa Luther en 1525.

Bora Bora, île de la Polynésie française (archipel de la Société); 38 km²; 2 572 hab. - Tombeau d'Alain Gerbault.

Borås, v. du S.-O. de la Suède, à l'E. de Göteborg; 99 960 hab. Import. centre textile.

borate n. m. CHIM Sel ou ester de l'acide borique.

boraté, ée adj. CHIM Qui contient de l'acide borique.

borax n. m. CHIM Borate de sodium hydraté ($Na_2B_4O_7.10H_2O$), utilisé notam. comme décapant en soudure.

borborygme n. m. **1.** Gargouillement produit par les gaz du tube digestif. **2.** Fig., péjor. (souvent plur.) Paroles incompréhensibles.

Borchert (Wolfang) (Hambourg, 1921 - Bâle, 1947), écrivain allemand. Condamné pour activités antinazies, il décrit l'angoisse de ceux qui rentrent après la guerre, mais ne trouvent plus de «chez eux» : *Devant la porte* (1947).

bord n. m. **I. 1.** Extrémité, limite d'une surface. *Le bord de la mer. Le bord d'un chemin. - Le verre est plein à ras bord.* **2.** Ce qui borde. *Une capeline à larges bords.* ▷ Ruban, galon sur le pourtour d'un vêtement. *Mettre un bord à une veste.* ▷ Loc. adv. *Bord à bord :* en mettant les bords l'un contre l'autre, sans les superposer. **3.** Loc. fig. *Au bord de :* très près de. *Avoir un mot au bord des lèvres :* être prêt à le dire. *Être au bord des larmes, de la tombe.* ▷ Fam. *Sur les bords :* légèrement. **II. 1.** MAR Côté d'un navire, d'un vaisseau. *Faire feu des deux bords. Virer de bord :* changer d'amures. *Passer par-dessus bord :* tomber à la mer. **2.** *Par ext.* Le navire même. *Dîner à bord. Livre de bord.* **3.** Fig. Parti, opinion. *Nous ne sommes pas du même bord.*

Borda (Jean Charles de) (Dax, 1733 - Paris, 1799), mathématicien, physicien et marin français. Il dirigea les travaux qui aboutirent à la mise au point du système métrique.

bordage n. m. MAR Revêtement appliqué sur les membrures d'un navire.

bordé n. m. Ensemble des bordages.

bordeaux n. m. et adj. inv. **1.** n. m. Vin produit dans la région de Bordeaux. **2.** adj. inv. D'une couleur proche de celle des vins rouges de Bordeaux (rouge foncé).

Bordeaux, ch.-l. de la Rég. Aquitaine et ch.-l. du dép. de la Gironde, sur la Garonne; 213 274 hab. (env. 696 400 hab. dans l'aggl.). Grand port de comm. Aéroport *Bordeaux-Mérignac.* Centre du comm. des vins de Bordeaux. Marché (MIN). Marché à bestiaux. Constr. navales. Presse. Imprim. Industr. alim., chimiques, métall., aéron., etc. - La v.

Bordeaux : place de la Bourse et quai de la Garonne

fut la cap. des Bituriges, puis d'une prov. romaine (370-507). Elle se développa sous la domination angl. (1154-1453), grâce au comm. des vins. Au XVIIIe s., la traite des Noirs, associée au comm. avec les Antilles, lui rendit une prospérité qu'elle avait perdue avec son rattachement à la couronne. Le gouv. s'y installa en 1870, 1914 et 1940. - Ruines romaines (palais Gallien, amphithéâtre). Égl. St-Seurin (en grande partie romane); égl. Ste-Croix (XIIe-XIIIe s.); archevêché; cath. St-André (nef du XIIe s., transept et chœur du XIVe s.); égl. St-Michel (XIVe-XVIe s.); tour St-Michel (1472-1492, 109 m de haut); égl. Ste-Eulalie, St-Éloi, St-Pierre, etc.; place de la Bourse (XVIIe s.); Grand Théâtre (1773-1780); allées de Tourny (XVIIIe s.); esplanade des Quinconces (1818-1828); nombreuses portes monumentales; musées.

Bordeaux (Henry) (Thonon-les-Bains, 1870 - Paris, 1963), écrivain français; un des représentants du courant traditionaliste (*les Roquevillard,* 1906). Acad. fr. (1919).

bordée n. f. **1.** MAR Décharge simultanée de tous les canons du même bord d'un navire. ▷ Fig. *Une bordée d'injures.* **2.** Moitié de l'équipage d'un navire. **3.** MAR Chemin que parcourt un navire qui louvoie entre deux virements de bord. **4.** Fig., fam. *Tirer une bordée :* courir les lieux de plaisir. - *Être en bordée,* en escapade.

bordel n. m. **1.** Vulg. Lieu de prostitution. **2.** Fig., très fam. Désordre.

Bordelais, rég. du Bassin aquitain, autour de Bordeaux, comprenant les secteurs viticoles du Médoc, du haut Médoc, des Graves et des premières côtes de Bordeaux.

bordelais, aise adj. et n. **I.** adj. De Bordeaux; de la région de Bordeaux. ▷ Subst. *Les Bordelais.* **II.** n. f. **1.** Futaille de 225 litres. **2.** Bouteille contenant 75 centilitres.

bordélique adj. Fam. Particulièrement désordonné. *Organisation bordélique.*

border v. tr. [1] **1.** Servir de bord, longer. *Le quai borde la rivière.* **2.** Garnir le bord d'une chose pour l'orner, la renforcer. *Border de fourrure un manteau. - Border un lit :* rentrer le bord des draps et des couvertures sous le matelas. - Par ext. *Border qqn (dans son lit).* **3.** MAR *Border une voile :* en raidir les écoutes. ▷ *Border un navire :* revêtir ses membrures de bordages.

bordereau n. m. État détaillé d'articles, de pièces d'un dossier, d'opérations effectuées.

Borders, rég. d'Écosse; 4 672 km²; 102 700 hab.; ch.-l. *Newtown Saint Boswells.*

Bordes (Charles) (Rochecorbon, près de Vouvray, 1863 - Toulon, 1909), compositeur français; fondateur, avec V. d'Indy, de la Schola cantorum (1894).

Bordet (Jules) (Soignies, 1870 – Bruxelles, 1961), médecin et microbiologiste belge. Il a mis au point avec Wassermann la réaction sérologique de détection de la syphilis. P. Nobel 1919.

bordier, ère adj. GEOGR Qui borde. *Mer bordière d'un océan.*

Bordj bu Ariredj *(Burğ bū Arāriğ)*, v. d'Algérie, ch.-l. de la wil. du m. nom; 87 650 hab.

Bordj el-Kifan *(Burğ al-Kifan)* (anc. *Fort-de-l'Eau*), v. d'Algérie (wil. d'Alger); 46 590 hab. Station baln. dans la baie d'Alger.

Borduas (Paul-Émile) (Sainte-Hilaire, Québec, 1905 – Paris, 1960), peintre québécois, princ. animateur du mouvement des Automatistes*.

bordure n. f. **1.** Ce qui orne, marque, renforce le bord. *La bordure d'une tapisserie. Une bordure de fleurs. Une bordure de trottoir.* **2.** MAR *Bordure d'une voile*, son côté inférieur. **3.** *En bordure de :* au bord de.

bore n. m. CHIM Élément non métallique de numéro atomique Z = 5 et de masse atomique 10,81 (symbole B). – Corps simple (B) de densité 2,34, qui fond vers 2 079 °C et se sublime vers 2 550 °C, utilisé comme élément d'addition dans les aciers pour améliorer certaines de leurs propriétés.

boréal, ale, aux adj. Du Nord, septentrional. *Hémisphère boréal. Mers boréales. Aurore* boréale.* ► carte du **ciel**

Borée, fils d'un Titan et de l'Aurore, dieu grec du Vent du nord.

Borel (Pierre Joseph Borel d'Hauterive, dit Pétrus) (Lyon, 1809 – Mostaganem, 1859), écrivain français. Il est le chef de file des «petits romantiques» : *Champavert, contes immoraux* (1833), *Madame Putiphar* (1839).

Borel (Émile) (Saint-Affrique, 1871 – Paris, 1956), mathématicien et homme politique français. Ses travaux portèrent notam. sur le calcul des probabilités. Il fut ministre de la Marine en 1925.

Borg (Björn) (Stockholm, 1956), joueur de tennis suédois. Il domina le tennis mondial de 1976 à 1981.

Borge d'Hérémence. V. Dixence.

Borgerhout, com. de Belgique, dans l'aggl. d'Anvers; 51 000 hab. Industr. métall. et chim.; taille du diamant.

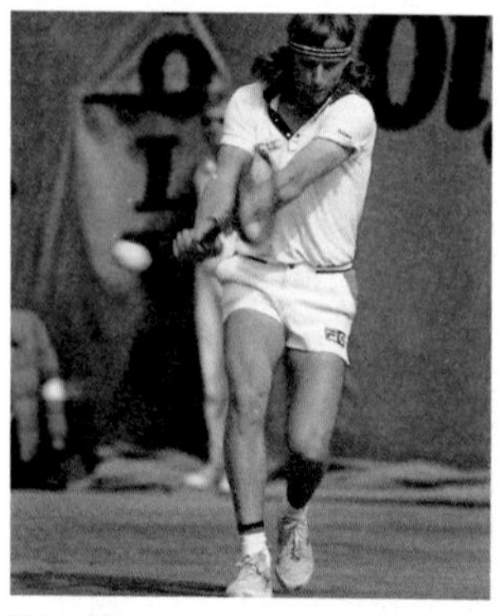

Björn **Borg**

Borges (Jorge Luís) (Buenos Aires, 1899 – Genève, 1986), écrivain argentin. Ses récits, dont l'érudition imaginaire repose sur une immense culture littéraire, relèvent des genres fantastique, policier, et de l'essai philosophique : *Histoire universelle de l'infamie* (1935), *Histoire de l'éternité* (1936), *Fictions* (1944), *Labyrinthes* (1949), *l'Aleph* (1950), *Inquisitions* et *Autres Inquisitions* (1925 et 1952). Il célébra avec ferveur la ville de Buenos Aires et ses habitants, les *Porteños* (*Evaristo Carriego*, 1930).

Borgese (Giuseppe Antonio) (Polizzigenerosa, Palerme, 1882 - Florence, 1952), critique, poète, dramaturge et romancier italien : *Rubè* (1921), roman d'analyse psychologique.

Borghèse, célèbre famille italienne d'origine siennoise, établie à Rome au XVIe s. Elle compte parmi ses membres le pape **Paul V** et **Camillo Borghèse** (Rome, 1775 – Florence, 1832), qui épousa Pauline Bonaparte. – Le *palais Borghèse* fut construit à Rome de 1590 à 1607. – La *villa Borghèse*, auj. parc public et musée, fut édifiée en 1615 à Rome; son «petit palais» abrite une importante collection de tableaux et sculptures.

Borgia, famille italienne originaire de Borja (Espagne), établie à Rome. – **Alonso** (Játiva, 1378 – Rome, 1458) fut pape sous le nom de Calixte III. – **Rodrigue** (Játiva, 1431 – Rome, 1503), neveu du préc., fut pape sous le nom d'Alexandre VI. – **César** (Rome, 1475 – Pampelune, 1507), fils du préc., cardinal, duc de Valentinois; il tenta de se constituer une principauté en Italie centrale. Il fut le modèle de Machiavel dans *le Prince*. – **Lucrèce** (Rome, 1480 – Ferrare, 1519), sœur du préc.; célèbre par sa beauté et sa culture; elle protégea les arts et les sciences. Victor Hugo en a fait une courtisane criminelle dans son drame *Lucrèce Borgia* (1833).

borgne n. et adj. **1.** n. et adj. Qui n'a qu'un œil. (Le féminin *borgnesse*, toujours péjor., est rare ou vx. *Cateau la borgnesse.*) – (Prov.) *Au royaume des aveugles, les borgnes sont rois.* **2.** adj. ARCHI Sans aucune ouverture. *Mur borgne.* **3.** adj. Fig. Obscur, mal famé. *Hôtel, rue borgne.*

borie n. f. Rég. Construction de pierres sèches à couverture en encorbellement, en Provence.

Borinage (le), région de Belgique (Hainaut), anc. bassin houiller, autour de Mons et Jemappes.

borique adj. CHIM Qualifie les composés oxygénés du bore. *Acide borique. Anhydride borique.*

boriqué, ée adj. PHARM *Eau boriquée :* solution aqueuse d'acide borique, utilisée autref. comme antiseptique.

Boris Ier (m. en 907), khan des Bulgares (852-889), devenu chrétien, il força son peuple à se convertir aussi. – **Boris II** (v. 949 – 979), tsar de Bulgarie (969-972), il dut se soumettre à Constantinople. – **Boris III** (Sofia, 1894 – id., 1943), roi de Bulgarie. Il régna de 1918 à 1943. Durant la Seconde Guerre mondiale, il se rangea dans le camp allemand (accord de Berchtesgaden, 1941); mais, refusant de déclarer la guerre à l'U.R.S.S., il mourut (peut-être assassiné par les nazis) au retour d'une entrevue avec Hitler.

Boris Godounov (?, v. 1551 – Moscou, 1605), tsar de Russie de 1598 à 1605. Il exerça le pouvoir dès 1584, au nom de son beau-frère Féodor Ier, faible d'esprit. Pouchkine (1831) et Moussorgski (1874) l'ont immortalisé.

Borlaug (Norman Ernest) (Cresco, Iowa, 1914), agronome américain. Ses recherches sur le blé, qui permirent d'en accroître le rendement pour combattre la faim dans le monde, lui valurent le P. Nobel de la paix 1970.

Borma (El-), petit village du Sud tunisien près de la frontière algérienne. Gisement pétrolifère; oléoduc qui rejoint celui d'Edjelé-La Skhirra.

Bormann (Martin) (Halberstadt, 1900 – disparu lors de la chute de Berlin, mai 1945), homme politique allemand; chef de la chancellerie du Reich en 1941; exécuteur testamentaire de Hitler.

Bormes-les-Mimosas, com. du Var (arr. de Toulon), dans le massif des Maures; 5 112 hab. Centre touristique.

Born (Bertran de). V. Bertran de Born.

Born (Max) (Breslau, 1882 – Göttingen, 1970), physicien all., naturalisé anglais (1939). Fuyant le nazisme, il travailla en Inde, puis à Édimbourg. Il est un des pionniers de la mécanique quantique (interprétation probabiliste de la fonction d'onde). P. Nobel 1954.

bornage n. m. **1.** Opération qui consiste à déterminer, puis à matérialiser la limite entre deux propriétés par des bornes. **2.** MAR Navigation côtière.

borne n. f. **1.** Marque qui matérialise sur le terrain les limites d'une parcelle. *Planter, reculer une borne.* **2.** *Borne kilométrique*, indiquant les distances en kilomètres sur les routes. ▷ Fam. Kilomètre. *C'est à trois bornes d'ici.* **3.** Grosse pierre plantée au pied d'un mur, d'un bâtiment, pour les protéger des roues des voitures. – Fig., fam. *Planté comme une borne :* immobile. **4.** ELECTR Pièce de connexion. *Bornes d'une pile.* **5.** MATH *Borne supérieure :* plus petit des majorants; *borne inférieure :* plus grand des minorants. **6.** (Plur.) Limites, frontières. *Les bornes d'un État.* – *Un horizon sans bornes.* ▷ Fig. *Une ambition sans bornes.* – *Passer, dépasser les bornes :* exagérer.

borné, ée adj. **1.** Limité, restreint. **2.** Fig. Peu intelligent. *Un esprit borné.*

borne-fontaine n. f. **1.** Petite fontaine en forme de borne. *Des bornes-fontaines.* **2.** (Canada) Prise d'eau en forme de borne, disposée le long des rues, réservée notam. à l'usage des pompiers. *Il est interdit de stationner devant une borne-fontaine.*

Bornéo, la plus grande île de l'Insulinde, la troisième du monde par la superficie; 750 000 km²; environ 9 000 000 d'hab. Elle est partagée entre l'Indonésie (Kalimantan), la Malaisie (Sarawak et Sabah) et le sultanat de Brunei. Les plaines côtières sont dominées par des plateaux et des montagnes (4 175 m au Kinabalu) couvertes d'une forêt dense, l'île étant traversée par l'équateur. Si l'intérieur, faiblement peuplé, est le domaine d'ethnies nomades ou semi-nomades (Dayaks Punans), les rég. côtières sont habitées par des populations sédentaires (Dayaks islamisés, Malais, Chinois). Les ressources écon. sont surtout fournies par les plantations d'hévéa et les gisements de pétrole, en début d'exploitation. – L'île fut découverte par les Européens au XVIe s. Les Néerlandais, les Anglais et les Espagnols s'en disputèrent la possession aux XVIIe et XVIIIe s.

borner v. [1] **I.** v. tr. **1.** Marquer avec des bornes les limites de. *Borner un champ.* **2.** Limiter. *La mer et les Alpes bornent l'Italie. Borner la vue,* la limiter. **3.** Fig. Modérer, restreindre. *Borner ses ambitions.* **II.** v. pron. **1.** Se contenter de. *Se borner au nécessaire.* ▷ (S. comp.) Se restreindre. *Il faut savoir se borner.* **2.** Se limiter à. *Sa culture se borne à de vagues souvenirs.*

Bornes (massif des), massif des Préalpes (2 438 m), en Hte-Savoie, entre le lac d'Annecy et l'Arve.

Bornholm, île du Danemark, dans la Baltique; 588 km²; 46 528 hab. Gisements de kaolin.

bornoyer v. [23] **1.** v. intr. Regarder d'un seul œil, pour vérifier si un alignement est droit, si une surface est plane. **2.** v. tr. Placer des jalons pour aligner des arbres, construire un mur.

Borobudur. V. Bārābudur.

Borodine (Alexandre Porfirievitch) (Saint-Pétersbourg, 1833 – id., 1887), compositeur russe. Membre du groupe des Cinq, il composa notam. *Dans les steppes de l'Asie centrale,* tableau symphonique (1880); pièces pour piano; *le Prince Igor,* opéra (1869-1887, achevé par Glazounov et Rimski-Korsakov).

Borodino, village de Russie, proche de Moscou. Le 7 sept. 1812 y fut livrée la bataille dite, en France, de la Moskova (de Borodino en Russie).

Borotra (Jean) (Biarritz, 1898 – Arbonne, 1994), joueur de tennis français. Surnommé le Basque bondissant, il est un des quatre « mousquetaires » (avec Brugnon, Cochet et Lacoste) qui remportèrent la coupe Davis de 1927 à 1932.

borraginacées n. f. pl. BOT Famille de dicotylédones gamopétales, le plus souvent très velues (bourrache, myosotis). – Sing. *Une borraginacée.*

Borrassa (Lluis) (Gerone, v. 1360 – Barcelone, v. 1425), peintre espagnol représentant du « gothique international ». Nombr. retables.

Borromée (saint Charles). V. Charles Borromée (saint).

Borromées (îles), groupe de quatre îles du lac Majeur (Italie du N.), réputées pour leur beauté et la douceur exceptionnelle de leur microclimat.

Borromini (Francesco Castelli, dit) (Bissone, près de Lugano, 1599 – Rome, 1667), architecte italien. Il incarne, avec le Bernin, l'architecture baroque romaine (courbes et contre-courbes, encorbellements, porte-à-faux) : église St-Charles-aux-Quatre-Fontaines (1634).

borsalino n. m. Chapeau de feutre à large bord.

Bort-les-Orgues, ch.-l. de cant. de la Corrèze (arr. d'Ussel), sur la Dordogne; 4 514 hab. Textile. Barrage et usine hydroél. – Orgues basaltiques.

Bornéo : canal à Pontianak

Jérôme **Bosch** : détail du triptyque *le Jugement dernier,* 1485-1505; musée de l'Académie des beaux-arts, Vienne

bortsch [bɔʀ(t)ʃ] n. m. Plat russe, potage aux choux et aux betteraves agrémenté de tomates et de viande ou de lard, et lié avec de la crème fraîche.

Bory (Jean-Louis) (Méréville, 1919 - id., 1979), journaliste et écrivain français : *Mon village à l'heure allemande* (1945), *le Pied* (1977).

Bosch (Hiëronymus Van Aeken ou Aken, dit Jérôme) (Bois-le-Duc, v. 1450 ou 1460 – id., 1516), peintre hollandais. De ses œuvres aux composantes mystiques, sexuelles et symboliques, on dit qu'elles préfiguraient le surréalisme : *la Nef des fous* (entre 1490 et 1500, Louvre), *le Jardin des délices* (v. 1500-1505, le Prado), *la Tentation de saint Antoine* (1485-1505, Lisbonne), *le Jugement dernier* (1485-1505, Vienne).

Bosch (Carl) (Cologne, 1874 – Heidelberg, 1940), chimiste et industriel allemand. Il réalisa la synthèse industrielle de l'ammoniac. P. Nobel 1931.

boschiman ou **bochiman, ane,** [bɔʃimɑ̃, an] adj. et n. m. **1.** adj. Du peuple des Boschimans. **2.** n. m. LING Langue de la famille khoisan, parlée par les Boschimans.

Boschiman(s) ou **Bochiman(s)** (en angl. *Bushmen*), peuple de l'Afrique australe (auj. moins de 50 000 individus nomadisant dans le désert du Kalahari, en Namibie); établi sur le continent probabl. au paléolithique supérieur. – Sing. *Un(e) Boschiman.*

bosco n. m. MAR Maître de manœuvre.

Bosco (Henri) (Avignon, 1888 – Nice, 1976), écrivain français. Ses romans ont pour thème la Provence rurale : *l'Âne Culotte* (1937), *le Mas Théotime* (1945), *Malicroix* (1948).

Bosco Reale ou **Boscoreale,** v. d'Italie (Campanie), au pied du Vésuve; 20 000 hab. – *Trésor de Boscoreale,* ensemble de pièces d'argenterie de l'époque hellénistique découvert à Bosco Reale en 1895 (Louvre).

Bose (Satyendranath) (Calcutta, 1894 – id., 1974), physicien indien; pionnier de la mécanique statistique, qu'Einstein développa par la suite. ▷ *Statistique de Bose-Einstein* : la permutation des coordonnées de position et de spin de particules élémentaires (bosons, notam.) ne modifie pas la valeur de la fonction d'onde symétrique.

Bösendorfer (Ignaz) (Vienne,1796 – id., 1849), facteur de pianos autrichien, fondateur d'une firme qui porte toujours son nom.

Bosio (François Joseph) (Monaco, 1768 – Paris, 1845), sculpteur français, élève de Canova; auteur du *Louis XIV* équestre de la place des Victoires et du quadrige de l'arc de triomphe du Carrousel, à Paris.

boskoop [bɔskɔp] n. f. Pomme vert grisé et rouge, à chair ferme et à goût acidulé.

bosniaque ou **bosnien, enne** adj. et n. De Bosnie-Herzégovine. ▷ Subst. *Un(e) Bosniaque* ou *Bosnien(ne).*

Bosnie-Herzégovine, *(Republika Bosna i Hercegovina),* État d'Europe (rép. fédérée de Yougoslavie jusqu'en 1991); 51 129 km²; 3 460 000 hab.; cap. *Sarajevo.* Langue : serbo-croate. Monnaie : dinar yougoslave. Pop. et relig. : Slaves musulmans, 43 %; Serbes orthodoxes, 32 %; Croates catholiques, 18 %. La rég., montagneuse, se consacre à l'élevage. Le sous-sol est riche : charbon, fer, lignite, manganèse, sel gemme.
Hist. – Le pays fait partie de l'Empire ottoman (1463-1878), puis est administré par l'Autriche-Hongrie, qui l'annexe en 1908; l'opposition de ses hab. donne naissance au mouvement Jeune-Bosnie, inspirateur de l'attentat de Sarajevo*. En 1918, la Bosnie-Herzégovine s'unit au nouvel État yougoslave et forme, de 1945 à 1992, une république fédérée. En mars 1992, son indépendance, refusée par les Serbes, fut proclamée après un référendum. Sa reconnaissance par la communauté internationale fut suivie de violentes offensives serbes, notam. contre Sarajevo, et de la proclamation d'une République serbe de Bosnie-Herzégovine. L'ONU condamna la pratique dite de *purification ethnique* (massacres, expulsions des non-Serbes), envoya des Casques bleus autour des enclaves musulmanes afin de freiner l'escalade du conflit. Musulmans et Croates bosniaques mirent fin à leurs hostilités, puis instaurèrent en mars 1994 une confédération entre la Bosnie

et la Croatie. En mai, le « groupe de contact » soumit un plan de paix aux belligérants, basé sur le partage du pays en deux parties autonomes mais respectant le maintien des frontières reconnues. Les Musulmans et les Croates bosniaques signèrent ce plan en juil., mais les Serbes de Bosnie le rejetèrent. La reprise des bombardements en mai 1995 provoqua la riposte de l'OTAN par des raids aériens. L'accord de paix signé en déc. à Paris reconnaît la République de Bosnie-Herzégovine comme un État unifié, tout en restant divisé en deux parties autonomes : l'entité serbe (49 % du territoire) et la Fédération croato-musulmane. ► carte **(ex-)Yougoslavie**

boson n. m. PHYS NUCL Particule de spin entier obéissant à la statistique de Bose*-Einstein. (Le comportement statistique des bosons s'oppose à celui des fermions, soumis au principe de Pauli ; le photon, les mésons, les nucléides de nombre de masse pair, sont des bosons. Les interactions* entre particules* de matière sont véhiculées par des bosons.)

Bosphore (en grec *Bosporos* : « Passage de la vache »), détroit très resserré (300 m à 3 km) qui relie la mer de Marmara à la mer Noire, entre l'Europe et l'Asie ; franchi par un pont routier depuis 1973. Istanbul est situé sur la rive ouest.

bosquet n. m. Petit groupe d'arbres, petit bois. *Les bosquets du parc de Versailles.*

boss n. m. inv. (Américanisme) Fam. Chef (d'entreprise, d'atelier, etc.), patron. – *Le big boss* : le grand patron.

bossage n. m. ARCHI Saillie laissée à dessein sur un ouvrage de bois ou de pierre et destinée à servir d'ornement.

bossa-nova [bɔsanɔva] n. f. MUS Danse brésilienne, variante de la samba. *Des bossas-novas.*

bosse n. f. **1.** Tuméfaction due à une contusion. *En tombant il s'est fait une bosse au front.* – Fig. *Ne rêver que plaies et bosses* : aimer les querelles, les batailles, les rixes. **2.** Grosseur dorsale due à une déviation de la colonne vertébrale, du sternum ou des côtes. – Loc. fig., fam. *Rouler sa bosse* : voyager. **3.** Protubérance sur le dos de certains animaux. *Le dromadaire a une bosse, le chameau en a deux.* **4.** ANAT Protubérance du crâne considérée autref. comme indice des facultés des individus. *La bosse des sciences.* – Loc. fig., fam. *Avoir la bosse de... :* être doué pour... **5.** Relief. *Ornements en bosse. Terrain rempli de bosses.* **6.** MAR Nom de divers cordages. *Bosse d'amarrage. Bosse de ris.*

Bosse (Abraham) (Tours, 1602 – Paris, 1676), graveur et peintre français. Ses eaux-fortes (1 500 env.) constituent un précieux témoignage sur la vie au XVIIe s.

bosselage n. m. En orfèvrerie, travail en bosse, en relief.

bosseler v. tr. [19] **1.** En orfèvrerie, travailler en bosse. **2.** Faire des bosses à (qqch).

bossellement n. m. TECH ou litt. Action de bosseler ; son résultat.

bosselure n. f. **1.** En orfèvrerie, objet ou travail en bosse. **2.** Déformation d'une surface par des bosses.

bosser v. [1] **1.** v. tr. MAR Maintenir avec une bosse. **2.** v. intr. Fam. Travailler.

bosseur, euse n. Fam. Celui, celle qui travaille dur. *C'est un bosseur acharné.*

bossoir n. m. MAR Potence située en abord d'un navire qui permet de soulever une embarcation et de la mettre à son poste de mer.

bossu, ue adj. et n. Qui a une ou plusieurs bosses dans le dos. – Loc. fam. *Rire comme un bossu,* beaucoup et fort.

Bossuet (Jacques Bénigne) (Dijon, 1627 – Meaux, 1704), prélat et écrivain français. Évêque de Condom (1669), précepteur du Dauphin, pour qui il écrivit le *Discours sur l'histoire universelle* (1681, remanié en 1700), évêque de Meaux (1681), il soutint le gallicanisme (rédaction de la *Déclaration des Quatre Articles,* 1682) et combattit les protestants (*Histoire des variations des Églises protestantes,* 1688), puis le quiétisme, faisant condamner Fénelon par Rome en 1699. Plus encore que ses sermons (*Sur la mort, Sur la Providence, Sur l'éminente dignité des pauvres dans l'Église de Jésus-Christ*), ses douze *Oraisons funèbres* font de ce styliste classique un poète dont l'imagination s'est nourrie aux sources bibliques et à celles de la culture classique. Acad. fr. (1671).

boston n. m. **1.** Ancien jeu de cartes ressemblant au whist. **2.** Valse lente.

Boston, v. et port des É.-U., cap. du Massachusetts, en Nouvelle-Angleterre ; 574 280 hab. (aggl. urb. 4 026 000 hab.). Import. centre comm. Industr. très diversifiée. Universités. – La v., fondée en 1630 par des colons angl., fut un foyer du puritanisme.

Bosworth, loc. de G.-B. (Leicestershire). – À proximité, une bataille (1485) mit fin à la guerre des Deux-Roses ; Richard III y trouva la mort.

bot, bote adj. Difforme. *Pied bot.*

botanique n. f. et adj. **1.** n. f. Science qui traite des végétaux. **2.** adj. Qui concerne les végétaux, l'étude des végétaux. *Un jardin botanique,* où sont réunies les plantes que l'on veut étudier. **3.** Se dit d'une plante d'ornement vendue sous sa forme sauvage.
ENCYCL Un végétal « parfait » est caractérisé par : des parois cellulaires cellulosiques, rigides à un stade de la vie de l'individu ; la présence d'au moins un type de chlorophylle, donc de la fonction chlorophyllienne ; un cycle de reproduction sexuée dans lequel la phase haploïde peut être représentée par des individus très organisés et menant une vie indépendante. La botanique étudie les algues, les bryophytes (« mousses »), les cryptogames vasculaires, les phanérogames (gymnospermes et angiospermes), qui sont toutes des plantes chlorophylliennes, et les champignons. Science biologique, la botanique se subdivise en morphologie, anatomie, physiologie, cytologie, histologie, etc., auxquelles on ajoute l'épithète *végétale.* Elle représente la base scientifique de l'agronomie. Le terme *botanique* s'applique de plus en plus uniquement à la morphologie et à l'anatomie végétales.

botaniste n. Personne qui étudie la botanique.

Botero (Fernando) (Medellín, 1932), peintre colombien. S'inspirant de la tech. des maîtres italiens du Quattrocento, il a élaboré un style faussement naïf dont l'humour (figuration de corps énormes) est une composante essentielle.

Botev (Hristo) (Kalofer, 1848 – rég. de Vraca, 1876), écrivain et patriote bulgare. Chantre, dans ses poèmes, du peuple bulgare, il est l'un des héros les plus populaires de son pays.

Botha (Louis) (Greytown, Natal, 1862 – Pretoria, 1919), général et homme politique sud-africain. Commandant en chef de l'armée des Boers durant la guerre de 1899-1902, il fut Premier ministre du Transvaal (1907-1910) puis de l'Union sud-africaine (1910-1919).

Botha (Pieter Willem) (Paul Roux, État d'Orange, 1916), homme politique sud-africain. Il succéda à J. Vorster au poste de Premier ministre (1978) et poursuivit la politique d'apartheid de son prédécesseur. Il fut président de la République de 1984 à 1989.

bothriocéphale n. m. Genre (*Bothriocephalus*) de plathelminthe cestode, voisin du ténia, parasite de l'homme, qui se fixe à sa paroi intestinale, la contamination se faisant par la consommation de certains poissons d'eau douce.

Bothwell (James Hepburn, comte de) (?, 1536 – Dragsholm, Danemark, 1578), homme politique écossais, un des instigateurs (1567) de l'assassinat de lord Darnley, mari de la reine Marie Stuart ; celle-ci l'épousa trois mois plus tard, mais il fut vite contraint de s'exiler au Danemark, où il mourut fou.

Botnie (golfe de), mer intérieure formée par la Baltique entre la Suède et la Finlande.

Botrange (signal de), point culminant de la Belgique (694 m), dans l'Ardenne.

Botrel (Théodore) (Dinan, 1868 – Pont-Aven, 1925), chansonnier français. Il connut le succès grâce à des chansons néo-folkloriques bretonnes (*la Paimpolaise, le Petit Mouchoir rouge de Cholet*).

botrytis [bɔtʀitis] n. m. BOT Genre de champignons ascomycètes microscopiques, tous parasites de végétaux. (*Botrytis cinerea* produit la pourriture grise des raisins mais également la pourriture noble mise à profit dans la préparation des sauternes et du tokay.)

Bótsaris. V. Botzaris.

Botswana (république du) (*Republic of Botswana*), État du Commonwealth, en Afrique australe, entouré par la Namibie, le Zimbabwe et l'Afrique du Sud ; 600 370 km^2 ; 1,5 million d'hab. ; cap. *Gaborone.* Nature de l'État : rép. Langues off. : tswana, angl. Monnaie : pula. Population : Bantous, Boschimans. Relig. : animistes, protestants (10 %). – Le désert du Kalahari occupe la majorité du territoire ; l'élevage extensif domine au N., alors que l'E., plus peuplé, fournit des cultures vivrières (maïs, sorgho). La grande richesse est le diamant (3e rang mondial), auquel s'ajoute un peu de nickel et de cuivre. Le pays dépend de l'Afrique du Sud qui constitue son seul débouché ferroviaire. Protectorat britannique de 1885 à 1966, sous le nom de Bechuanaland, le Botswana fait partie des pays les moins avancés.

botswanais, aise adj. et n. Du Botswana. ▷ Subst. *Un(e) Botswanais(e).*

Botta (Mario) (Mendrisio, Tessin 1943), architecte suisse. Qu'il s'agisse de maisons individuelles ou d'édifices publics (maison de la Culture de Chambéry, cathédrale d'Évry), il s'est fait le héraut de la sensibilité régionaliste.

1. botte n. f. Réunion de végétaux de même nature liés ensemble. *Une botte de paille, de radis, de fleurs.*

2. botte n. f. **1.** Chaussure de cuir de caoutchouc ou de plastique qu enferme le pied et la jambe, parfois la cuisse. *Des bottes de cavalier.* **2.** Loc. fig. *Graisser ses bottes* : se préparer à partir. – *Avoir du foin dans ses bottes* : être riche. – *Lécher les bottes de quelqu'un*, le flatter avec bassesse. – *Bruits de bottes* : rumeurs de guerre. – Fam. *En avoir plein les bottes* : être harassé ; être excédé.

3. botte n. f. **1.** SPORT En escrime, coup porté à l'adversaire avec un fleuret ou une épée. *Pousser, porter, parer une botte.* **2.** *Botte secrète*, dont la parade est ignorée de l'adversaire.

botteler v. tr. [19] AGRIC Lier en bottes.

botteleuse n. f. AGRIC Machine à botteler.

botter v. tr. [1] **1.** Pourvoir de bottes, chausser de bottes. **2.** Fig., fam. Convenir. *Ça me botte !* **3.** Fam. Donner un coup de pied à. *Botter le derrière de qqn.*

botteur n. m. SPORT Au rugby, celui qui transforme les essais et qui tire les pénalités.

Botticelli (Sandro di Mariano Filipepi, dit) (Florence, v. 1445 – id., 1510), peintre, dessinateur et graveur italien. Il fut l'élève de F. Lippi et de Verrochio. Inflexion des contours, fraîcheur des tons, mouvement et intensité d'expression caractérisent ses tableaux et fresques : *le Printemps* (1478, Offices), *la Naissance de Vénus* (1485, Offices).

bottier n. m. Celui qui fait des bottes, des chaussures sur mesure.

bottillon n. m. Chaussure à tige montante, souvent fourrée.

Bottin (Sébastien) (Grimonviller, Lorraine, 1764 – Paris, 1853), statisticien et administrateur français. Il publia le premier annuaire statistique français (*Annuaire statistique du Bas-Rhin*, an VI), puis édita l'*Almanach du commerce de Paris*.

bottine n. f. Chaussure montante serrée à la cheville.

Bottrop, v. d'Allemagne (Rhén.-du-N.-Westphalie) ; 118 000 hab. Houillères.

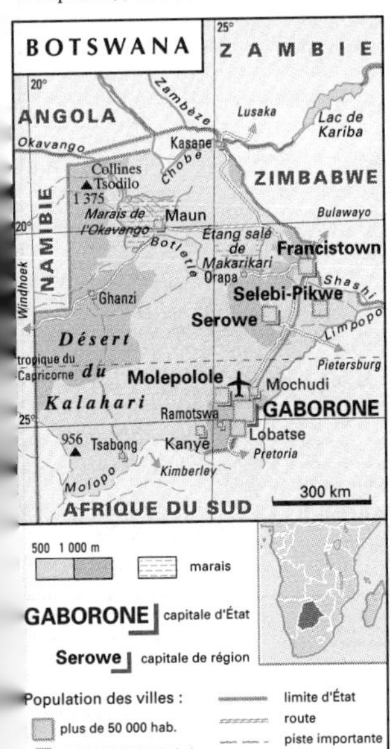

Botticelli : *Mars et Vénus*, v. 1475 ; National Gallery, Londres

botulisme n. m. MED Intoxication alimentaire due à des aliments avariés, à des conserves insuffisamment stérilisées, où s'est développé le bacille *Clostridium botulinum*.

Botzaris ou **Bótsaris** (Márkos) (Soulí, Albanie, 1788 – Karpenêsion, 1823), patriote grec, un des chefs de l'insurrection de 1820. Il participa à la défense de Missolonghi (1822-1823) contre les Turcs.

Bouaké, v. de la Côte-d'Ivoire ; 173 000 hab ; ch.-l. du dép. du m. nom. Industr. text. (coton). Centre comm.

Bouard (Michel de) (Lourdes, 1909 – Caen, 1989), historien français. Fondateur de l'archéologie médiévale, il s'attacha le prem. à l'archéologie de la vie matérielle, à l'analyse de laboratoire. Résistant, déporté à Matthausen, il créa le musée de Normandie (1946), le Centre de recherches archéologiques médiévales de Caen, et fonda les revues *Annales de Normandie* (1951) et *Archéologie médiévale* (1971).

Boubat (Édouard) (Paris, 1923), photographe français. Pour le magazine *Réalités*, il a fait des reportages sur l'environnement social. *Femmes* (1970), *Miroirs* (1973), *Anges* (1974).

Boubastis. V. Bubastis.

boubou n. m. Tunique africaine ample et longue. *Des boubous colorés.*

boubouler v. intr. [1] Rare Crier, en parlant du hibou. Syn. hululer.

bouc n. m. **1.** Mâle de la chèvre. **2.** Mâle de toute espèce caprine. **3.** *Bouc émissaire* : bouc que les Juifs chassaient dans le désert après l'avoir chargé des iniquités d'Israël, pour détourner d'eux la malédiction divine ; fig. personne que l'on charge des fautes commises par d'autres. **4.** Barbe limitée au menton. *Porter le bouc.*

1. boucan n. m. Viande fumée que mangeaient les Caraïbes. – *Par ext.* Gril qu'ils utilisaient pour fumer la viande.

2. boucan n. m. Fam. Tapage. *Faire du boucan.*

boucanage n. m. Rare Action de boucaner.

boucane n. f. (Canada) Fam. Fumée. *Une pièce remplie de boucane. Respirer de la boucane.*

boucaner v. tr. [1] Fumer de la viande, du poisson. – *Par ext.* Tanner. *Le soleil boucane la peau.*

boucanier n. m. Chasseur de bœufs sauvages dans les Antilles. *Les boucaniers s'allièrent aux flibustiers au XVIIe s.*

boucau n. m. Rég. Entrée d'un port, dans le Midi.

Boucau, com. des Pyr.-Atl. (arr. de Bayonne) ; 6 868 hab. Port près de l'embouchure de l'Adour.

Bouc-Bel-Air, com. des Bouches-du-Rhône (arr. d'Aix-en-Provence) ; 11 531 hab. Prod. pétroliers.

bouchage n. m. Action de boucher.

bouchain n. m. MAR Partie de la carène d'un navire entre les fonds et la muraille.

Bouchard (Lucien) (Saint-Cœur-de-Marie, 1938), homme politique canadien. Chef du Parti québécois, il devient Premier ministre du Québec en 1996.

boucharde n. f. TECH **1.** Massette de sculpteur, de tailleur de pierre, dont les têtes sont garnies de pointes de diamant. **2.** Rouleau des cimentiers.

Bouchardon (Edme) (Chaumont-en-Bassigny, 1698 – Paris, 1762), sculpteur français. Néo-classique, il délaissa le style rocaille pour l'art antique : fontaine des Quatre-Saisons (Paris).

bouche n. f. **1.** Cavité de la partie inférieure du visage, chez l'être humain, en communication avec l'appareil digestif et les voies respiratoires. *Avoir la bouche pleine.* – *Avoir la bouche sèche, pâteuse.* ▷ Les lèvres. *Avoir la bouche grande, petite.* – *Rester bouche bée*, la bouche grande ouverte de surprise. ▷ *La bouche*, organe du goût. *Garder (qqch) pour la bonne bouche* : réserver (le meilleur) pour la fin. – *Faire la fine bouche*, le difficile. – *Faire venir l'eau à la bouche* : exciter la soif, l'appétit ; fig. exciter les désirs. – *S'ôter le pain de la bouche* : se priver du nécessaire pour secourir qqn. – Péjor. *Les bouches inutiles* : les personnes à charge, qui ne rapportent rien. ▷ *La bouche*, organe de la parole. *Il n'ouvre pas la bouche. Rester bouche close.* – *Fermer la bouche de qqn*, lui imposer silence. – *Avoir toujours un mot à la bouche*, le répéter sans cesse. – *Bouche cousue !* : gardez le secret ! – *Son nom est dans toutes les bouches* : tout le monde parle de lui. *De bouche à oreille* : oralement. **2.** Cavité buccale de certains animaux. *La bouche d'un cheval.* (On dit la *gueule* pour les carnivores.) **3.** *Par anal.* Ouverture. *La bouche d'un four, d'un égout, d'un canon. Bouche de métro* : accès à une station de métro. *Bouche à feu* : pièce d'artillerie. *Bouche d'aération.* ▷ *Spécial.* Ouverture d'une canalisation, permettant d'adapter un tuyau. *Bouche d'incendie. Bouche d'arrosage.* **4.** Embouchure. *Les bouches du Nil.*

bouché, ée adj. **1.** Fermé, obstrué, encombré. *Avoir le nez bouché.* – Par ext. *Vin, cidre bouché*, en bouteille (par oppos. à *au tonneau*). **2.** Se dit d'un ciel couvert, d'un temps brumeux. **3.** Fig., fam. Peu intelligent. *Être bouché.*

bouche-à-bouche n. m. inv. Méthode de respiration artificielle pratiquée par un sauveteur sur un asphyxié et consistant à lui insuffler de l'air par la bouche.

bouchée n. f. **1.** Morceau qu'on met dans la bouche en une seule fois. *Une bouchée de pain.* – Fig. *Pour une bouchée de pain* : pour une somme dérisoire. – – Fig. *Ne faire qu'une bouchée de qqn*, en triompher aisément. **2.** CUIS Petit vol-au-vent garni. *Bouchée à la reine.* – *Bouchée au chocolat* : gros chocolat fourré.

1. boucher v. [1] **I.** v. tr. Fermer (une ouverture, l'ouverture de qqch). *Boucher un trou, un tonneau.* – Par ext. *Boucher un chemin*, l'obstruer. – *Boucher la vue* : empêcher de voir. ▷ Loc. fig., fam. *En boucher un coin à quelqu'un*, l'étonner. **II.** v. pron. **1.** Se fermer. *Se boucher le nez.* – Fig. *Se boucher les yeux, les oreilles* : refuser de voir, d'écouter. **2.** Être obstrué. *Le tuyau s'est bouché.*

2. boucher, ère n. et adj. **1.** Personne qui abat le bétail, qui vend de la viande crue au détail. *Un garçon boucher.* **2.** n. m. Fig. Homme sanguinaire. **3.** adj. Relatif à la boucherie. *Race bovine de qualité bouchère.*

Boucher (François) (Paris, 1703 – id., 1770), peintre, graveur et décorateur français. Ses scènes galantes, libertines, mythologiques ou allégoriques ont une grâce sensuelle (*Diane sortant du bain*, Louvre).

Boucher (Hélène) (Paris, 1908 – Versailles, 1934), aviatrice française. Elle établit plusieurs records de vitesse. Elle fut mortellement blessée lors d'un vol d'entraînement.

Boucher de Perthes (Jacques Boucher de Crèvecœur de Perthes) (Rethel, 1788 – Abbeville, 1868), préhistorien français. Ses *Antiquités celtiques et antédiluviennes* (1847-1864) font de lui un précurseur de la science préhistorique.

boucherie n. f. **1.** Commerce de la viande des bestiaux. **2.** Boutique où se vend de la viande. **3.** Massacre, carnage. *Mener les soldats à la boucherie.*

Bouches-du-Rhône, dép. franç. (13); 5 112 km²; 1 759 371 hab.; 344,1 hab./km²; ch.-l. *Marseille.* V. Provence-Alpes-Côte d'Azur (Rég.).

bouche-trou n. m. Fam. Personne, objet occupant momentanément une place vide. *Des bouche-trous.*

bouchon n. m. **I. 1.** Poignée de paille tortillée. *Mettre en bouchon* : tortiller, froisser. **2.** Anc. Rameau de verdure servant d'enseigne à un cabaret. – *Par ext.* Vx Cabaret. **II. 1.** Pièce servant à fermer une bouteille, une carafe, un flacon. *Bouchon de liège, de cristal, de matière plastique. Faire sauter le bouchon* : faire partir bruyamment le bouchon d'une bouteille de cidre ou de vin mousseux. **2.** Jeu dans lequel on cherchait à atteindre avec des palets un bouchon surmonté de pièces de monnaie. – Loc. fam. *C'est plus fort que de jouer au bouchon* : c'est très surprenant. **3.** PECHE Flotteur (notam. en liège) qui maintient une ligne à la surface. **4.** *Par ext.* Ce qui empêche le passage, ou le gêne. – Spécial. Ensemble des véhicules arrêtés dans un embouteillage.

bouchonnement n. m. Action de bouchonner (un animal).

bouchonner v. [1] **I.** v. tr. **1.** Mettre en bouchon, chiffonner. – Pp. adj. *Du linge bouchonné.* **2.** Frotter (un animal, notam. un cheval) avec un bouchon de paille, pour l'essuyer et le nettoyer. **3.** Pp. adj. *Vin bouchonné*, qui a un goût de bouchon. **II.** v. intr. Former un embouteillage.

bouchot [buʃo] n. m. Ensemble de pieux placés près des côtes, servant à la culture des moules, des coquillages.

Boucicaut (Aristide) (Bellême, 1810 – Paris, 1877), commerçant et philanthrope français. Il fit d'une mercerie le grand magasin « Au Bon Marché ». Son épouse, Marguerite Guérin (Verjux, 1816 – Cannes, 1887), fut étroitement associée à son œuvre; elle aida Pasteur et fonda l'hôpital Boucicaut.

bouclage n. m. **1.** TECH Mise en communication de deux circuits électriques, de deux canalisations d'eau ou de gaz (pour en équilibrer les pressions). **2.** Encerclement d'une région, d'une ville, d'un quartier par des troupes ou la police. **3.** PRESSE Fin de la rédaction (d'un numéro d'un journal).

boucle n. f. **1.** Agrafe, anneau, muni d'une ou plusieurs pointes mobiles (ardillons), servant à tendre une ceinture, une courroie. *Une boucle de ceinture.* **2.** Pendant d'oreille. *Des boucles d'oreilles.* **3.** MAR Gros anneau métallique. **4.** Spirale formée par les cheveux frisés. *Des boucles blondes.* **5.** Courbe d'un cours d'eau. *Les boucles de la Seine.* **6.** Acrobatie aérienne, cercle vertical effectué par un avion. **7.** Processus qui se répète indéfiniment. *Écouter en boucle certaines plages d'un CD.* **8.** INFORM Séquence d'instructions qui se répète cycliquement.

boucler v. [1] **I.** v. tr. **1.** Attacher par une boucle. *Boucler sa ceinture.* ▷ Fig. Achever, terminer. *Boucler un dossier.* – *Boucler le budget*, l'équilibrer. **2.** Fam. Fermer. *Boucler une chambre.* – Loc. fam. *La boucler* : se taire. – Fig., fam. Enfermer. *Boucler un cambrioleur. Se faire boucler.* **3.** Mettre en boucles (des cheveux). **4.** PRESSE *Boucler un journal*, en terminer la rédaction. **II.** v. intr. **1.** Prendre la forme de boucles. *Elle a les cheveux qui bouclent naturellement.* – Pp. adj. *Un petit garçon tout bouclé.* **2.** INFORM Entrer dans un cycle qui fait revenir au point de départ et recommencer sans fin.

bouclette n. f. Petite boucle. *Bouclette de cheveux.* – (En appos.) *Laine bouclette* ou, n. f., *bouclette* : laine à tricoter constituée de deux fils dont l'un est en boucle autour de l'autre.

bouclier n. m. **1.** Arme défensive, plaque portée au bras pour parer les coups. *Bouclier celte.* ▷ *Levée de boucliers* : geste des soldats romains en signe de résistance aux volontés de leur général; fig. manifestation d'opposition. **2.** Fig. Protection, défense. **3.** PHYS NUCL Blindage entourant un réacteur. *Bouclier biologique*, qui protège contre les radiations ionisantes. **4.** ESP *Bouclier thermique* : dispositif qui protège les structures d'un engin des effets de l'échauffement aérodynamique. **5.** ZOOL Pièce anatomique plate protégeant des organes mous. *Le bouclier céphalique des poissons cuirassés.* **6.** TECH Appareil utilisé pour le percement des souterrains. **7.** GEOL Masses de terrains continentaux formés de roches primitives. *Le bouclier canadien.* Syn. socle.

Boucourechliev (André) (Sofia, 1925 – Paris, 1997), compositeur français d'origine bulgare, un des plus importants représentants de la musique dite « aléatoire ».

bouddha [buda] n. m. **1.** Dans le bouddhisme, sage qui est parvenu à la connaissance de la vérité. **2.** BX-A Représentation du Bouddha.

Bouddha (du sanskrit *budh* : « s'éveiller ») ou **Çākyamuni** (« le Sage des Çākya »), nom donné au fondateur du bouddhisme, Siddhartha Gautama (Kapilavastu, auj. Roummindei, v. 560 av. J.-C. – Kućinagara, auj. Kasia, v. 480 av. J.-C.), prince issu de la tribu des Çākya (Népal). À l'âge de vingt-neuf ans, abandonnant tout, il s'enfuit de son palais pour se mettre en quête de la Vérité, qu'il découvrit, après de dures

première prédication du **Bouddha,** bois peint, art japonais, période Kamakura ; musée d'Art oriental Edoardo-Chiossone, Gênes

ascèses, dans le renoncement à soi et l'anéantissement complet du désir. De la période de méditation sous l'arbre de la Sagesse *(bodhi)* jusqu'à la fin de sa vie, il enseigna, voyageant à travers l'Inde du N., où il recruta de nombreux disciples et fonda le sangha (une communauté monastique).

bouddhique adj. Qui se rapporte au bouddhisme.

bouddhisme [budism] n. m. Doctrine (plus que religion) prêchée par le Bouddha.
ENCYCL Le bouddhisme est fondé sur une philosophie, voire une éthique (béatitude de l'émancipation), selon laquelle le sage doit anéantir en lui le désir, source de douleurs, pour atteindre le nirvana, totale et béatifique « extinction » des illusions qui forment le fond de l'existence de l'individu. Sa diffusion a abouti à un ensemble très varié d'écoles réparties en deux branches principales : le Petit Véhicule (*hīnayāna* ou *therāvada*) et le Grand Véhicule *(mahāyāna)*. Longtemps florissant en Inde, où il a auj. à peu près disparu, le bouddhisme a essaimé dans toute l'Asie du S. et du S.-E., surtout au Tibet, en Chine et au Japon.

bouddhiste n. Adepte du bouddhisme.

bouder v. [1] **1.** v. intr. Témoigner de la mauvaise humeur par une mine renfrognée. **2.** v. tr. *Elle boude son mari.* ▷ Fig., fam. *Ne pas bouder son plaisir* : se laisser aller sans contrainte à ce qui fait plaisir, ne pas faire la fine bouche. ▷ v. pron. *Ils se boudent encore.*

bouderie n. f. **1.** Mauvaise humeur. **2.** Fâcherie.

boudeur, euse adj. **1.** Qui boude volontiers. *Un enfant boudeur.* **2.** Qui marque la bouderie. *Humeur boudeuse.*

boudeuse n. f. Siège sur lequel deux personnes peuvent s'asseoir en se tournant le dos.

Boudicca. V. Boadicée.

boudin n. m. **1.** Boyau rempli de sang et de graisse de porc, qu'on mange cuit. - *Boudin blanc*, fait avec du lait et du blanc de volaille. ▷ *Eau de boudin*, dans laquelle on lave le boyau. - Loc. fig. *S'en aller en eau de boudin* : échouer misérablement (affaire, entreprise). **2.** Objet dont la forme rappelle celle du boudin. ▷ ARCHI Grosse moulure ronde. ▷ MINES Mèche avec laquelle on met le feu à une mine. ▷ TECH Saillie de la jante d'une roue de wagon ou de locomotive. ▷ *Ressort à boudin*, formé d'une hélice d'acier. **3.** Fam., péjor. Fille petite et grosse.

Boudin (Eugène) (Honfleur, 1824 - Deauville, 1898), peintre français ; précurseur de l'impressionnisme (marines).

boudiné, ée adj. **1.** En forme de boudin. *Doigts boudinés.* **2.** Serré dans des vêtements trop étroits.

boudoir n. m. **1.** Salon intime d'une habitation. **2.** Petit biscuit saupoudré de sucre, de forme allongée.

boue n. f. **1.** Mélange de terre ou de poussière et d'eau. Syn. fange. ▷ Fig. Abjection. *Traîner qqn dans la boue, couvrir qqn de boue*, l'accabler de propos insultants. *Une âme de boue* : une âme vile. **2.** Limon déposé par les eaux minérales et utilisé en thérapeutique. *Bains de boue.* ▷ GEOL Sédiment très fin, riche en eau, d'origine rocheuse, se déposant sur les fonds aquatiques calmes. ▷ TECH (Plur.) Résidus plus ou moins pâteux de diverses opérations industrielles. **3.** *Par ext.* Dépôt épais. *La boue d'un encrier.*

bouée n. f. **1.** MAR Engin flottant qui sert à signaler une position, à baliser un chenal ou à repérer un corps immergé. **2.** Engin flottant qui maintient une personne à la surface de l'eau. *Bouée de sauvetage. Apprendre à nager avec une bouée.* ▷ Fig. *Bouée de sauvetage* : tout ce à quoi l'on peut se raccrocher pour se sortir d'une situation difficile ou dangereuse.

boueur [buœʀ] ou **boueux** [buø] n. m. Syn de *éboueur.*

boueux, euse adj. **1.** Plein, couvert de boue. *Chemin, souliers boueux.* **2.** Pâteux. *Écriture boueuse.*

bouffant, ante adj. Qui bouffe, qui gonfle. *Manche bouffante.* ▷ TECH *Papier bouffant*, grenu.

bouffarde n. f. Fam. Pipe.

1. bouffe adj. **1.** *Opéra bouffe* : opéra d'un genre léger, sur un thème de comédie. **2.** Comique, dans le genre de la farce italienne.

2. bouffe n. f. Fam. Cuisine, nourriture, repas. *Il ne pense qu'à la bouffe.*

bouffée n. f. **1.** Souffle, exhalaison. *Bouffée de fumée, de tabac.* - Par anal. *Bouffée de vent, de chaleur.* **2.** Fig. Accès passager. *Bouffées d'orgueil.*

bouffer v. [1] **1.** v. intr. Se gonfler, prendre une forme ample. *Cheveux qui bouffent.* **2.** v. tr. Fam. Manger. - *Bouffer des briques* : n'avoir rien à manger. ▷ Fig., fam. *Se bouffer le nez* : se quereller.

1. bouffi, ie adj. Boursouflé, gonflé. *Bouffi de graisse. Yeux bouffis.* - Fig. *Bouffi d'orgueil.*

2. bouffi n. m. Hareng saur légèrement fumé.

bouffir v. [3] **1.** v. tr. Rendre enflé, boursoufler. **2.** v. intr. Devenir enflé.

bouffissure n. f. **1.** Enflure des chairs, embonpoint malsain. **2.** Fig. Vanité. - *Bouffissure du style* : affectation, emphase.

Boufflers (Louis François, marquis, puis duc de) (Cagny, Oise, 1644 - Fontainebleau, 1711), maréchal de France. Il défendit Lille contre le prince Eugène (1708) et organisa la retraite lors de la bataille de Malplaquet (1709).

1. bouffon n. m. **1.** Anc. Personnage de théâtre dont l'emploi est de faire rire. Syn. histrion. **2.** Anc. Personnage grotesque attaché à un seigneur qu'il devait divertir par ses facéties. Syn. fou. **3.** *Par ext.* Personne qui s'efforce de faire rire.

2. bouffon, onne adj. **1.** Plaisant, facétieux. *Personnage bouffon.* **2.** (Choses) Ridicule, grotesque. *Une prétention bouffonne.*

bouffonnerie n. f. Facétie, plaisanterie de bouffon.

Boug. V. Bug.

Bougainville, île de l'archipel Salomon (Papouasie-Nouvelle-Guinée), en Mélanésie ; 10 600 km^2 ; 96 400 hab. Cuivre. - Découverte par Bougainville en 1768, elle appartint à l'Allemagne de 1899 à 1914. À la proclamation d'indépendance de la Papouasie-Nouvelle-Guinée, en 1975, l'île Bougainville fit sécession pendant quelques mois. Créé en 1988, un mouvement séparatiste est parvenu à interdire par les armes, en 1989, toute exploitation du cuivre dans l'île. Après un cessez-le-feu, en 1990, les séparatistes se sont déclarés indépendants. Le blocus de l'île a été décrété par le gouvernement de Papouasie-Nouvelle-Guinée.

Bougainville (Louis Antoine, comte de) (Paris, 1729 - id., 1811), navigateur français. Il fit, de 1766 à 1769, un voyage autour du monde qu'il relata (*Voyage autour du monde*, 1771).

bougainvillée n. f. ou **bougainvillier** n. m. Plante dicotylédone apétale grimpante, ornementale, originaire d'Amérique du Sud, acclimatée dans les régions méditerranéennes, dont les bractées prennent une couleur intense, rouge carmin ou violet.

bouge n. m. **1.** Partie renflée d'un objet. *Bouge d'un tonneau.* ▷ MAR Convexité du pont d'un navire. **2.** Petit logement pauvre, obscur et sale. *Habiter un bouge.* ▷ Maison mal famée. *Hanter bouges et tripots.*

bougé n. m. Photographie floue, due à un heurt au moment du déclenchement.

bougeoir [buʒwaʀ] n. m. Petit chandelier à anse.

bougeotte [buʒɔt] n. f. Fam. Envie de déplacements, de voyages. - Manie de bouger son corps. *Avoir la bougeotte.*

bouger v. [13] **I.** v. intr. **1.** (Personnes) Faire un geste. *Il est assommé, il ne bouge pas.* ▷ Changer de place. *Je n'ai pas bougé de la maison.* ▷ Fig. S'agiter de manière hostile. *Les mécontents n'osèrent bouger.* **2.** (Choses) Remuer. *Dent, manche de couteau qui bouge.* Syn. branler. **II.** v. tr. Déplacer. *Bouger un objet.* ▷ v. pron. Fam. Se remuer, s'activer.

bougie n. f. **1.** Cylindre de cire, de stéarine, de paraffine, qui brûle grâce à une mèche noyée dans la masse. *Souffler une bougie.* **2.** CHIR Tige flexible ou rigide, cylindrique, autref. en cire, utilisée pour explorer un canal naturel. **3.** MECA Dispositif d'allumage électrique qui déclenche la combustion du mélange gazeux dans le cylindre d'un moteur. **4.** OPT Ancienne unité d'intensité lumineuse, remplacée par la *candela.*

Bougie. V. Bejaia.

Bougival, com. des Yvelines (arr. de Saint-Germain-en-Laye), sur la Seine ; 8 574 hab. Des peintres (Corot, Turner, Renoir) y séjournèrent au XIXe s.

bougna ou **bougnat** [buɲa] n. m. Pop. et vieilli Marchand de charbon et de bois qui débite aussi des boissons.

bougnoul ou **bougnoule** n. m. Inj. et raciste Travailleur immigré maghrébin; tout immigré non européen.

bougon, onne adj. (et n.) Qui est enclin à bougonner.

bougonnement n. m. Fait de bougonner; paroles dites en bougonnant.

bougonner v. intr. [1] Murmurer entre ses dents, dire en grondant des choses désagréables. ▷ v. tr. *Bougonner des reproches.*

bougre, esse n. 1. Fam. Individu, gaillard. *Un bon bougre* : un brave homme. *Ah! le bougre! La petite bougresse!* 2. (Pour renforcer une injure.) *Bougre d'âne.* ▷ Interj. *Bougre!* : diable!

bougrement adv. Fam. Très. *C'est bougrement embêtant.* Syn. rudement.

Bouguenais, com. de la Loire-Atlant. (arr. de Nantes), sur la Loire; 15 284 hab. Aéroport de Nantes. Constr. aéron. Industr. du bois.

Bouguereau (Adolphe William) (La Rochelle, 1825 - id., 1905), peintre français; modèle du pompiérisme.

boui-boui [bwibwi] n. m. Fam. Café-concert, restaurant de qualité inférieure. *Des bouis-bouis.* Syn. beuglant, gargote.

bouillabaisse n. f. Mets provenç. à base de poissons cuits dans un bouillon aromatisé.

bouillant, ante adj. 1. Qui bout. ▷ Très chaud. *Du café bouillant.* 2. Fig. Plein d'une ardeur impatiente. *Le bouillant Achille.*

Bouillaud (Jean) (Garat, Charente, 1796 - Paris, 1881), médecin français. Il décrivit notam. le rhumatisme articulaire aigu, maladie qui porte son nom.

bouille n. f. 1. Hotte de vendangeur. 2. Fam. Figure, tête. *Il a une bonne bouille.*

Bouillé (François Claude Amour, marquis de) (Cluzel-Saint-Éble, Auvergne, 1739 - Londres, 1800), général français. Il aida Louis XVI dans sa fuite à Varennes et émigra (1791).

bouilleur n. m. Celui qui fabrique de l'eau-de-vie. *Bouilleur de cru* : propriétaire qui distille sa propre récolte.

bouilli, ie adj. et n. m. I. adj. 1. (En parlant d'un liquide.) Porté à ébullition. 2. Cuit dans un liquide qui bout. *Des légumes bouillis.* II. n. m. Viande bouillie. *Du bouilli de bœuf.*

bouillie n. f. 1. Aliment, surtout destiné aux bébés, constitué de farine cuite dans un liquide (le plus souvent du lait) en ébullition, ou de farine précuite mélangée à un liquide chaud. - *Par ext.* Substance ayant perdu toute consistance. *Cette viande s'en va en bouillie. Mettre en bouillie* : écraser. - Fam. *Mettre qqn en bouillie,* le blesser gravement. - Loc. fig., fam. *Bouillie pour les chats* : travail mal fait; propos manquant de clarté. 2. VITIC *Bouillie bordelaise, bourguignonne* : solution de sulfate de cuivre et de chaux (ou de carbonate de sodium), destinée à combattre des maladies cryptogamiques de la vigne.

bouillir v. intr. [31] 1. (En parlant d'un liquide.) Entrer en ébullition. *La lave bout dans le volcan.* 2. Cuire dans un liquide qui bout. *Faire bouillir les légumes.* - Par ext. *Faire bouillir du linge,* pour le nettoyer. 3. Loc. fig., fam. *Faire bouillir la marmite* : procurer des moyens de subsistance. 4. Fig. Être dans un état d'emportement violent. *Bouillir d'impatience.* - Absol. *Cela me fait bouillir.*

bouilloire [bujwaʀ] n. f. Récipient à bec et à anse servant à faire bouillir de l'eau. *Bouilloire électrique.*

bouillon n. m. I. 1. Bulles d'un liquide en ébullition. *Éteindre au premier bouillon.* ▷ Bulles que forme un liquide qui tombe ou jaillit. *Sang qui coule à gros bouillons.* 2. COUT Fronces d'étoffe bouffante. 3. Plur. PRESSE Exemplaires invendus d'une publication. II. 1. Aliment liquide obtenu en faisant bouillir dans de l'eau viande, poisson ou légumes. *Bouillon gras.* ▷ Fam. *Bouillon d'onze heures* : breuvage empoisonné. ▷ Fam. *Boire un bouillon* : boire en se débattant dans l'eau; fig. faire de mauvaises affaires. 2. *Bouillon de culture* : milieu stérilisé préparé en vue de la culture de micro-organismes; fig. terrain où peut se développer un phénomène néfaste.

Bouillon, v. de Belgique (Luxembourg), sur la Semois; 6 000 hab. Tourisme. - Château fort des ducs de Bouillon.

Bouillon (Henri de La Tour d'Auvergne, vicomte de Turenne, duc de) (Joze, 1555 - Sedan, 1623), maréchal de France. Il se rallia à Henri IV et fut un des chefs des protestants; il est le père de Turenne. - **Frédéric Maurice de La Tour d'Auvergne, duc de Bouillon** (Sedan, 1605 - Pontoise, 1652), fils du préc., s'allia aux Esp. pour renverser Richelieu, vainquit les Français à la Marfée (1641) et participa à la Fronde des princes.

Bouillon. V. Godefroi de Bouillon.

bouillon-blanc n. m. BOT Scrofulariacée portant une rosette de feuilles très velues d'où sort une hampe dressée (jusqu'à 2 m) aux fleurs jaunes, employées en infusion comme émollient. *Des bouillons-blancs.* Syn. molène.

bouillonnant, ante adj. 1. Qui bouillonne. *La vapeur s'élève de l'eau bouillonnante. Surface bouillonnante d'un fleuve en crue.* Syn. tumultueux. 2. Fig. Agité par une émotion forte.

bouillonné adj. COUT Froncé en bouillons. ▷ n. m. Ornement d'étoffe froncé en bouillons.

bouillonnement n. m. 1. État d'un liquide qui bouillonne. 2. Fig. État d'une personne agitée par des émotions fortes.

bouillonner v. [1] I. v. intr. 1. En parlant d'un liquide, former des bouillons. 2. Fig. S'agiter sous le coup d'une émotion forte. 3. PRESSE Avoir une partie du tirage invendue. *Journal qui bouillonne.* II. v. tr. COUT Froncer en bouillons (un tissu). *Bouillonner une manche.*

bouillotte n. f. 1. Récipient rempli d'eau bouillante pour chauffer un lit. 2. Syn. de *bouilloire.*

Bouin (Jean) (Marseille, 1888 - sur le front, 1914), athlète français; champion de course à pied; recordman du monde du 10 000 m (1911), du 5 000 m et de l'heure (1913).

Boukhara, ville d'Ouzbékistan; 209 000 hab.; ch.-l. de la prov. du m. nom. Marché du coton. Industr. text. (tapis renommés) et du cuir. - Cap. des Sâmânides (874-999); nombreux monuments islamiques.

Boukharine (Nikolaï Ivanovitch) (Moscou, 1888 - id., 1938), économiste et homme politique soviétique. Éminent théoricien marxiste (*l'Économie de la période de transition,* 1920), d'abord porte-parole des « communistes de gauche », il devint, à partir de 1924, le représentant de l'aile droite du parti bolchevique et s'allia, contre Trotski, à Staline; ce dernier l'élimina de la vie politique en 1929 puis le fit condamner à mort. Il a été réhabilité en 1988.

boulange n. f. Fam. Métier du boulanger.

1. boulanger, ère n. et adj. 1. Personne qui fait, qui vend du pain. 2. adj. De boulangerie. *Levure boulangère.*

2. boulanger v. intr. [13] Pétrir et faire cuire le pain. ▷ v. tr. *Boulanger de la farine.*

Boulanger (Georges) (Rennes, 1837 - Ixelles, Belgique, 1891), général français. Ministre de la Guerre (1886-1887), il acquit une immense popularité de 1886 à 1889, cristallisant divers courants nationalistes. Il hésita devant le coup d'État, fut inculpé de complot et s'enfuit en Belgique (1889), où il se suicida sur la tombe de sa maîtresse.

Boulanger (Nadia) (Paris, 1887 - id., 1979), compositeur et pédagogue français. Professeur au Conservatoire de Paris et au Conservatoire américain de Fontainebleau, son enseignement eut un rayonnement considérable en France et aux États-Unis.

Boulanger (Daniel) (Compiègne, 1922), écrivain français. Ses romans et nouvelles racontent le monde provincial en mêlant à la convention apparente l'absurde et le fantastique : *la Mer à cheval* (1965), *la Barque amirale* (1972), *Lucarnes* (1985).

boulangerie n. f. 1. Fabrication, commerce du pain. 2. Boutique du boulanger.

boulangisme n. m. Doctrine, parti du général Boulanger.

boulangiste adj. Qui se rapporte au boulangisme. ▷ Subst. Partisan du général Boulanger.

Boulay-Moselle, ch.-l. d'arr. de la Moselle; 4 556 hab. Manuf. d'orgues.

Boulder Dam. V. Hoover Dam.

boule n. f. 1. Objet sphérique. *Rond comme une boule. Boule de neige.* - Fig. *Faire boule de neige* : s'amplifier. ▷ *Se mettre en boule* : se pelotonner en une attitude défensive (animaux); fig., fam. se mettre en colère. 2. MATH Volume intérieur d'une sphère. 3. Corps sphérique de dimension variable utilisé dans certains jeux. *Jeu de la boule* : jeu de hasard, à 9 numéros. *Jeu de boules* : jeu d'adresse qui consiste à placer des boules le plus près possible d'un but. - *Boule de billard, boule de loto.* 4. *Arbre en boule* : arbre dont le feuillage présente une forme sphérique. 5. *Boule-de-neige* : nom cour. de l'obier. 6. Fam Tête. *Avoir la boule à zéro* : avoir les cheveux coupés ras. - Fig. *Perdre la boule* : déraisonner.

boulê n. f. ANTIQ Sénat d'une cité grecque.

bouleau n. m. Arbre (fam. bétulacées) commun en Europe, dont l'écorce blanche, lisse et brillante, porte quelques taches noires.

bouledogue [buldɔg] n. m. Chien français aux pattes courtes et torses (25-35 cm de hauteur au garrot), au museau plat, aux grandes oreilles dressées, dont la robe est blanche avec quelques grandes taches sombres.

bouler v. [1] 1. v. intr. Rouler à terre comme une boule. *Lièvre qui boule.*

Fam. *Envoyer bouler qqn*, l'éconduire, le renvoyer brutalement. **2.** v. tr. *Bouler les cornes d'un taureau*, les garnir de boules de cuir pour les rendre moins dangereuses.

boulet [bulɛ] n. m. **1.** HIST Projectile sphérique dont on chargeait les canons. *Boulet rouge* : boulet rougi au feu, destiné à incendier. ▷ Loc. fig. *Tirer à boulets rouges sur qqn* : tenir des propos très violents contre lui. **2.** Boule métallique que les bagnards traînaient aux pieds. – Fig. *Traîner qqch (ou qqn) comme un boulet*, le ressentir comme une corvée, une charge pénible. **3.** TECH Aggloméré de forme ovoïde, combustible. *Boulets d'anthracite*. **4.** ZOOL Chez le cheval, articulation du canon avec le paturon.

boulette n. f. **1.** Petite boule. ▷ CUIS Viande hachée ou pâte en boule. **2.** Fig., fam. Sottise, bévue.

bouleute n. m. Membre de la boulê.

boulevard n. m. **1.** Large voie plantée d'arbres dans une ville ou sur son pourtour. (Abrév. : bd). **2.** Genre théâtral, illustré par des comédies légères (naguère représentées à Paris sur les *Grands Boulevards*, entre la porte St-Martin et la Madeleine). *Théâtre de boulevard*.

boulevardier, ère adj. *Esprit boulevardier* : comique facile. – *Auteur boulevardier*, de pièces de boulevard.

bouleversant, ante adj. Particulièrement émouvant. *Images bouleversantes d'une catastrophe*.

bouleversement n. m. Changement profond, perturbation radicale. *Un bouleversement politique*.

bouleverser v. tr. [1] **1.** Mettre dans une confusion extrême, déranger. *Bouleverser un tiroir*. **2.** Modifier totalement. *Cet événement bouleversa ses plans*. **3.** Fig. Émouvoir vivement (qqn). *Ce récit m'a bouleversé*.

Boulez (Pierre) (Montbrison, 1925), compositeur et chef d'orchestre français. Élève de Messiaen et de Leibowitz, il a successivement exploité les ressources de la technique dodécaphonique, du système sériel généralisé conçu par Webern, des musiques concrète et électronique. Organisateur des concerts du «Domaine musical» (1954), directeur de l'IRCAM* (1974-1991). Princ. œuvres : *le Marteau sans maître* (1955), *Pli selon pli* (1960), *Répons* (1981). ► illustr. page **221**

Boulgakov (Mikhaïl Afanassievitch) (Kiev, 1891 – Moscou, 1940), écrivain soviétique. Il écrit d'abord de brefs récits fantastiques (*la Diaboliade*, 1924) et, dans *la Garde blanche* (1925), dépeint la guerre civile. Dans *le Roman théâtral* (posth., 1965), il s'interroge sur les rapports de l'artiste et du pouvoir. *Le Maître et Marguerite* (posth., 1966), qui flétrit l'ère stalinienne, est une synthèse de son œuvre, où il mêle le fantastique aux mythes du Christ et de Faust.

bouleau : tronc, feuille et chaton

Boulganine (Nikolaï Alexandrovitch) (Nijni-Novgorod, 1895 – Moscou, 1975), homme politique soviétique. Maréchal en 1947, président du Conseil après l'élimination de Malenkov (février 1955), il fut lui-même éliminé par Khrouchtchev (avril 1958).

boulier n. m. Abaque, cadre comportant des boules qui glissent sur des tringles, servant à compter.

boulimie n. f. Augmentation pathologique de l'appétit accompagnant certains troubles psychiques.

boulimique adj. (et n.) Qui est atteint de boulimie, qui a trait à la boulimie.

boulin n. m. **1.** Trou pratiqué dans un mur pour permettre à un pigeon d'y nicher. **2.** TECH Trou destiné à recevoir, dans un mur, un support d'échafaudage; ce support lui-même.

boulingrin n. m. Gazon bordé d'arbustes.

bouliste adj. et n. Qui a trait au jeu de boules. *Club bouliste*. ▷ Subst. Joueur de boules.

Boulle (André Charles) (Paris, 1642 – id., 1732), ébéniste français. Il mit au point un procédé de marqueterie utilisant le cuivre pour le fond et l'écaille pour le dessin, ou inversement. – *École Boulle* : lycée technique et d'enseignement professionnel, devenu école supérieure des Arts appliqués, formant des techniciens et des créateurs de l'ameublement et de la décoration (fondé à Paris en 1886).

Boullée (Étienne Louis) (Paris, 1728 – id., 1799), architecte français. Outre de nombr. hôtels partic. auj. disparus (sauf l'hôtel Suchet), il conçut d'étranges projets d'architecture à la fois rationnelle et fantastique (cénotaphe de Newton, 1784; amphithéâtre pour 300 000 spectateurs, etc.).

Boullongne ou **Boulogne,** famille de peintres français. – **Louis,** dit le Père ou le Vieux (Paris, 1609 – id., 1674), décora en partie le Louvre et le palais de Versailles. – **Bon,** dit l'Aîné (Paris, 1649 – id., 1717), fils du préc., travailla à Versailles, à Trianon, à l'égl. des Invalides, etc. – **Louis,** dit le Jeune (Paris, 1654 – id., 1733), frère du préc., travailla aussi à Versailles et décora de nombr. églises.

boulocher v. intr. [1] En parlant d'un tissu, d'un tricot, former à l'usage des petites boules de fibre textile.

boulodrome n. m. Terrain aménagé pour le jeu de boules.

Boulogne (bois de), parc de Paris, à l'ouest de la ville, entre Neuilly-sur-Seine et Boulogne-Billancourt.

Boulogne-Billancourt, ch.-l. d'arr. des Hts-de-Seine, dans la banlieue S.-O. de Paris; 101 971 hab. Anc. site des usines Renault. Constr. aéron., méca., électr.

Boulogne-sur-Mer, ch.-l. d'arr. du Pas-de-Calais, sur la Manche; 44 244 hab. (*Boulonnais*). Princ. port de pêche français, 2e port de voyageurs. Industr. alim. Articles de bureau. Emballage. – De 1803 à 1805, le *camp de Boulogne* concentra des troupes destinées à envahir la G.-B. – Enceinte fortif. et chât. du XIIIe s.; hôtel de ville (XVIIIe s.).

boulon n. m. Tige cylindrique munie d'une tête et d'un filetage sur lequel est vissé un écrou.

boulonnage n. m. **1.** Action de boulonner; son résultat. **2.** Ensemble des boulons d'un montage.

boulonnais, aise adj. et n. **1.** adj. De Boulogne-Billancourt; de Boulogne-sur-Mer; du Boulonnais. ▷ Subst. *Un(e) Boulonnais(e)*. **2.** adj. *Race boulonnaise* : race de chevaux réputée, aux membres puissants et courts, à l'encolure épaisse.

Boulonnais, rég. du Pas-de-Calais, formée d'un plateau crayeux creusé d'une dépression argileuse et humide : la «fosse du Boulonnais». Élevage (bœufs, chevaux). Cult. (céréales, betterave sucrière).

boulonner v. [1] **1.** v. tr. Fixer avec des boulons. **2.** v. intr. Fig., fam. Travailler beaucoup.

boulonnerie n. f. Fabrique de boulons.

1. boulot n. m. Fam. Travail. *C'est l'heure du boulot*.

2. boulot, otte adj. (et n.) Fam. Se dit d'une personne petite et forte.

boulotter v. intr. [1] Fam. Manger.

boum interj. et n. m. **1.** interj. Onomat. imitant le bruit d'un choc, d'une détonation. *Boum! Et ce fut tout*. **2.** n. m. Bruit produit par ce qui tombe; bruit d'une explosion. ▷ Fig. Réussite, succès important et soudain. *Cette nouvelle mode fait un boum*. ▷ Loc. *En plein boum* : en état d'activité intense. **3.** n. m. Forte poussée de prospérité économique, souvent éphémère. *Le boum japonais*. Syn. (Anglicisme) boom.

Boumediene (Muhammad Bukharrubah, dit Houari) (*Muḥammad bū Ḫarrūba*, dit *Hawwārī bū Madyān*) (Héliopolis, près de Guelma, 1932 – Alger, 1978), militaire et homme politique algérien. Chef (colonel) de l'Armée de libération nationale (A.L.N.), cantonnée en Tunisie de 1960 à l'indépendance, il contribua à porter au pouvoir, en sept. 1962, Ben Bella, qu'il renversa en juin 1965. Il fut président de la République de 1965 à sa mort.

Bounine (Ivan Alexeïevitch) (Voronej, 1870 – Paris, 1953), écrivain russe. Ses romans sur la vie paysanne russe se rattachent à la tradition réaliste : *l'Amour de Mitia* (1925). P. Nobel 1933.

1. bouquet n. m. **1.** Petit bois, groupe d'arbres. **2.** Assemblage de fleurs, d'herbes liées ensemble. *Bouquet d'iris*. ▷ CUIS *Bouquet garni* : persil, thym et laurier. **3.** *Par anal.* Parfum, arôme (d'un vin, d'une liqueur). *Le bouquet d'un bordeaux*. **4.** Gerbe de fusées qui termine un feu d'artifice. ▷ Fam. *C'est le bouquet* : c'est le comble. **5.** TELECOM Ensemble de chaînes diffusées par un opérateur depuis un même satellite.

2. bouquet n. m. **1.** Petit bouc. **2.** Lapin, lièvre mâle. Syn. bouquin. **3.** Grosse crevette rose.

bouqueté, ée adj. Se dit d'un vin qui a du bouquet.

bouquetière n. f. Marchande ambulante de fleurs.

bouquetin n. m. Chèvre sauvage à longues et puissantes cornes annelées, arquées vers l'arrière, que l'on trouve dans les montagnes d'Europe.
► illustr. page **230**

1. bouquin n. m. **1.** Vieux livre. **2.** Fam. Livre. *Revendre ses bouquins*.

2. bouquin n. m. **1.** Vx Vieux bouc. **2.** Lièvre ou lapin mâle.

bouquetin des Alpes

bouquiner v. intr. [1] **1.** Vieilli Chercher de vieux livres. **2.** Fam. Lire.

bouquiniste n. Marchand de livres d'occasion, en partic., à Paris, le long des quais de la Seine.

Bourassa (Henri) (Montréal, 1868 - id., 1952), journaliste et homme politique canadien. Fondateur du journal *le Devoir* (1910), il combattit pour la promotion des Canadiens français.

Bourassa (Robert) (Montréal, 1933 - id., 1996), homme politique canadien; chef du parti libéral et Premier ministre du Québec de 1970 à 1976, puis de 1985 à 1994.

Bourbaki (Charles Denis Sauter) (Pau, 1816 - Cambo, 1897), général français. Commandant de l'armée de l'Est (1871), il fut contraint de se replier en Suisse.

Bourbaki (Nicolas), pseudonyme collectif de mathématiciens français qui, à la suite de Hilbert, se consacrent depuis 1939 à l'exposé logique des math. *(Éléments de mathématiques)*.

bourbe n. f. Fange formée dans les eaux croupissantes.

bourbeux, euse adj. Plein de bourbe. *Chemin bourbeux.*

bourbier n. m. Lieu fangeux. ▷ Fig. Situation embarrassante et fâcheuse. *S'enliser dans un bourbier.*

bourbillon n. m. MED Masse blanchâtre de tissus nécrosés, située au centre d'un furoncle.

Bourbince (la), riv. de Saône-et-Loire (72 km), affl. de l'Arroux (r. dr.), que longe le canal du Centre.

bourbon n. m. Whisky américain à base d'alcool de maïs.

Bourbon (île). V. Réunion (île de la).

Bourbon (maison de), maison souveraine française qui tire son nom de Bourbon-l'Archambault, capitale de la seigneurie. Au XIIIe s., la seigneurie échut à Robert de Clermont, sixième fils de Saint Louis. Une première branche, issue de Louis, duc de Bourbon en 1327, fils de Robert, s'éteignit avec Charles III en 1527. - Une deuxième branche, issue du même Louis, hérita du titre et parvint au trône de Navarre, Antoine ayant épousé Jeanne d'Albret (1555). Leur fils accéda, sous le nom d'Henri IV, au trône de France (1589), qui resta à sa lignée directe jusqu'à Charles X. Le dernier représentant en fut le comte de Chambord (m. en 1883). - Une troisième branche (Bourbon-Orléans), issue de Philippe, deuxième fils de Louis XIII et frère de Louis XIV, donna Louis-Philippe Ier, roi des Français de 1830 à 1848 (V. Orléans, maison d'). - Une quatrième branche, issue de Philippe V, roi d'Espagne, petit-fils de Louis XIV, régna sur l'Espagne de 1700 à 1931, et règne depuis 1975 avec Juan Carlos Ier. À cette branche appartiennent la maison de Bourbon, qui occupa le trône des Deux-Siciles jusqu'en 1860, et celle des Bourbon-Parme (duché de Parme et Plaisance, jusqu'en 1860).

Bourbon (Charles III, duc de) (Montpensier, 1490 - Rome, 1527), connétable de France. Par son mariage avec Suzanne de Beaujeu (1503), il se trouva à la tête d'un immense domaine au centre du royaume. Après avoir été fait connétable par François Ier, lors des guerres d'Italie (1515), il entra en conflit avec Louise de Savoie, mère de François Ier, lorsque sa femme mourut (1521), sans laisser d'héritier. Il passa au service de Charles Quint en 1523 et contribua à sa victoire à Pavie (1525).

Bourbon (Charles de) (La Ferté-sous-Jouarre, 1523 - Fontenay-le-Comte, 1590), prélat français. Oncle d'Henri IV, il fut proclamé roi de France sous le nom de Charles X par les ligueurs (1589). Mais la conversion d'Henri IV au catholicisme fit échouer cette tentative.

Bourbon (palais), hôtel construit à Paris de 1722 à 1728 par Giardini, pour la duchesse de Bourbon. La façade N., imitée de l'antique, qui fait face, sur la r. g., à l'égl. de la Madeleine, fut construite par Boyet (1804-1807). Le plafond de la bibliothèque a été décoré par Delacroix. C'est auj. le siège de l'Assemblée nationale (Palais-Bourbon).

Bourbon-Busset (Jacques de) (Paris, 1912), écrivain français. Historien, moraliste ironique et stoïcien, en quête de la connaissance de soi-même, il a comme sujet de prédilection le couple et l'amour : *Le remords est un luxe* (1958), *Moi, César* (1959), *Mémoires d'un lion* (1960), *La nature est un talisman* (1966), *Bien plus qu'aux premiers jours* (1985). Acad. fr. (1981).

Bourbon-Lancy, ch.-l. de cant. de Saône-et-Loire (arr. de Charolles); 6 507 hab. Stat. therm. - Station connue à l'époque romaine. Église des XIe-XIIe s.

Bourbon-l'Archambault, ch.-l. de cant. de l'Allier (arr. de Moulins); 2 642 hab. Stat. therm. - Elle fut la cap. de la seigneurie, puis duché de Bourbon.

bourbonien, enne adj. De la famille des Bourbons. *Nez bourbonien,* long et busqué.

Bourbonnais, anc. prov. du centre de la France, correspondant au dép. de l'Allier et à une petite partie de celui du Cher. - Le duché de Bourbon fut réuni à la Couronne en 1527, par la confiscation des domaines de Charles III, connétable de Bourbon.

Bourboule (La), com. du Puy-de-Dôme (arr. de Clermont-Ferrand), sur la Dordogne; 2 134 hab. Stat. therm. et climatique.

bourdaine n. f. Arbrisseau d'Europe (fam. rhamnacées) à petites fleurs verdâtres, dont les jeunes rameaux sont utilisés en vannerie et dont l'écorce a des propriétés laxatives.

Bourdaloue (Louis) (Bourges, 1632 - Paris, 1704), jésuite français. Prédicateur, il se fit remarquer par la force de sa pensée et la richesse de son observation psychologique.

bourde n. f. **1.** Propos mensonger, baliverne. *Raconter des bourdes.* **2.** *Par ext.* Erreur, bévue.

Antoine **Bourdelle** : *Tête d'Apollon,* 1900; musée Bourdelle, Paris

Bourdelle (Émile Antoine) (Montauban, 1861 - Le Vésinet, 1929), sculpteur français. Ses œuvres s'imposent par leur lyrisme, leur mouvement et leur force d'expression : *Héraclès archer* (1909), *le Centaure mourant* (1914), *Beethoven* (vingt et un bustes, de 1887 à 1929).

Bourdet (Édouard) (Saint-Germain-en-Laye, 1887 - Paris, 1945), auteur dramatique français. Il s'illustra dans la comédie de mœurs : *la Prisonnière* (1926), *le Sexe faible* (1929), *les Temps difficiles* (1934).

Bourdichon (Jean) (Tours, v. 1457 - id., 1521), peintre et miniaturiste français : *Grandes Heures d'Anne de Bretagne* (v. 1500-1507, Bibliothèque nat.).

Bourdieu (Pierre) (Denguin, Pyrénées-Atlantiques, 1930), sociologue français. Directeur d'études à l'École pratique des hautes études (1964) puis au Collège de France (1982), il consacre l'essentiel de ses recherches à la sociologie de la culture et de l'éducation. Ses travaux mettent en évidence le rôle des rapports de classe dans les choix de consommation culturelle et de style de vie (*la Distinction,* 1979).
▶ illustr. page **232**

1. bourdon n. m. **1.** Long bâton des pèlerins, surmonté d'un ornement en forme de pomme. **2.** COUT *Point de bourdon :* point de broderie qui, en tournant autour d'un bourrage, forme un relief.

2. bourdon n. m. ENTOM **1.** Nom de divers genres d'insectes hyménoptères aculéates, notam. le *Bombus terrestris* qui vit en colonies annuelles souterraines et auquel sa forte pilosité donne une allure globuleuse. (Ses couleurs peuvent être très vives - bandes alternées jaunes et noires - et sa taille respectable : jusqu'à 2,5 cm.) **2.** *Faux bourdon :* mâle de l'abeille. **3.** Fig., fam. *Avoir le bourdon :* être triste sans raison précise, avoir le cafard.

3. bourdon n. m. **1.** MUS Basse continue de divers instruments. ▷ *Bourdon d'orgue :* jeu d'orgue rendant les sons graves. **2.** Grosse cloche à son grave. **3.** *Faux bourdon :* v. faux-bourdon.

4. bourdon n. m. TYPO Omission d'un mot, d'une phrase ou d'un paragraphe lors de la composition.

Bourdon (Sébastien) (Montpellier, 1616 - Paris, 1671), peintre français. Portraitiste et paysagiste proche de Poussin.

bourdonnant, ante adj. Qui bourdonne.

bourdonnement n. m. **1.** Bruit de certains insectes quand ils volent. **2.** Bruit qui rappelle le son grave et continu de ce vol. **3.** *Par anal.* Murmure sourd et confus d'une foule. **4.** *Bourdonnement d'oreilles :* impression de bruit sourd, parfois continu, due princ. à des troubles circulatoires ou neurologiques.

bourdonner v. intr. [1] Bruire sourdement. *Machine qui bourdonne.*

bourg n. m. Gros village.

bourgade n. f. Village aux habitations dispersées.

Bourganeuf, ch.-l. de cant. de la Creuse (arr. de Guéret), sur le Thaurion; 3 722 hab. – Anc. grand prieuré d'Auvergne de l'ordre de Malte : égl. St-Jean (XIIe-XVe s.); tour de Zizim, bâtie au XVe s. pour un prince turc en exil.

Bourgas ou **Burgas,** grand port de Bulgarie, sur la mer Noire; 182 550 hab.; ch.-l. de la prov. du m. nom. Industr. alim., chim. Raff. de pétrole.

Bourg-d'Oisans (Le), ch.-l. de cant. de l'Isère; 2 981 hab. Stat. clim.

Bourgelat (Claude) (Lyon, 1712 – id., 1779), médecin vétérinaire français. Il fonda la première école vétérinaire du monde (Lyon, 1761, et Alfort, 1765).

Bourg-en-Bresse, ch.-l. du dép. de l'Ain, sur la Reyssouze, affl. de la Saône; 42 955 hab. (*Bressans*). Volailles de Bresse; fromage (bleu de Bresse). Import. carrefour routier et ferroviaire. Constr. méca. et métall. – Égl. Notre-Dame (XVe-XVIe s.); égl. de Brou (goth. flamboyant, XVIe s.).

bourgeois, oise n. et adj. **I.** n. **1.** Anc. Citoyen d'un bourg, jouissant de certains privilèges. *Bourgeois de Paris.* **2.** Anc. Sous l'Ancien Régime, personne qui n'était ni noble, ni ecclésiastique, ni travailleur manuel. Syn. roturier. **3.** Mod. Personne de la classe moyenne. – *Petit-bourgeois**. **4.** *En bourgeois :* en civil. ▷ adj. *Habit bourgeois* (par oppos. à *uniforme*). **5.** Personne conformiste, terre à terre, fermée à la littérature et aux arts. Syn. philistin. ▷ Personne de mœurs rangées, aux opinions conservatrices. **6.** n. f. Pop. *Ma (la) bourgeoise :* ma femme. **II.** adj. **1.** Simple, familial. *Cuisine, maison bourgeoise.* – (En parlant des vins.) De qualité supérieure. *Cru bourgeois.* **2.** Traditionaliste, conservateur. *Presse bourgeoise.* **3.** Qui est sans originalité, conformiste. *Goûts bourgeois.*

Bourgeois (Léon) (Paris, 1851 – château d'Oger, Marne, 1925), homme politique français. Prés. du Conseil (1895), il fut l'un des créateurs de la Société des Nations. P. Nobel de la paix 1920.

Bourgeois (Louise) (Paris, 1911), sculpteur amér. d'orig. française. Son œuvre, à la fois abstraite et expressive, possède un registre étendu d'intentions et d'inspiration (*les Uns et les autres,* 1955; *la Fillette,* 1968; *Nature Study,* 1986).

bourgeoisement adv. De façon bourgeoise. ▷ *Maison louée bourgeoisement,* où le locataire ne doit pas installer de commerce.

bourgeoisie n. f. **1.** Anc. Qualité de bourgeois. **2.** Classe sociale également appelée *tiers état* par les historiens de l'Ancien Régime. **3.** Dans le vocabulaire marxiste, classe dominante, qui possède les moyens de production dans un pays capitaliste. **4.** Ensemble des bourgeois (sens I, 3).

bourgeon n. m. **1.** Organe végétal écailleux des phanérogames, situé soit à l'extrémité d'une tige (*bourgeon terminal* ou *apical*), soit à l'aisselle d'une feuille (*bourgeon axillaire*), et contenant à l'état embryonnaire les organes de la période suivante de végétation : les feuilles et la tige qui les portera (*bourgeons à bois,* dans le cas des arbres) ou les fleurs (*bourgeons à fleurs*). **2.** MED *Bourgeons charnus :* excroissances rougeâtres formées de cellules embryonnaires, qui envahissent les plaies et constituent le signe de la cicatrisation.

bourgeonnement n. m. **1.** Développement des bourgeons. **2.** ZOOL Mode de reproduction asexuée par bourgeons, fréquent chez les cnidaires.

bourgeonner v. intr. [1] **1.** Jeter, pousser des bourgeons. *Les arbres bourgeonnent.* **2.** MED Produire des bourgeons charnus. *Plaie qui bourgeonne.* **3.** Fig. Se couvrir de boutons (visage).

bourgeron n. m. Veste en toile forte, vêtement de travail que portaient autrefois les ouvriers, les soldats.

Bourges, ch.-l. du dép. du Cher, sur le canal du Berry; 78 773 hab. (*Berruyers*). Constr. aéron. Électroménager. Pneumatiques. – Archevêché. La cath. St-Étienne, du XIIIe s., compte parmi les plus beaux mon. goth. de France. Hôtel Jacques-Cœur (édifice goth. du XVe s.). – La v., conquise par J. César en 52 av. J.-C., métropole d'une prov. romaine au IVe s., réunie à la Couronne en 1101, cap. du Berry, fut une cité import. au Moyen Âge. Charles VII, le «roi de Bourges», en fit une de ses résidences.

Bourget (lac du), lac de Savoie; 44 km², 18 km de long. Relié au Rhône par le canal de Savières. – Lamartine l'a célébré dans ses *Méditations.*

Bourget (Le), ch.-l. de cant. de la Seine-St-Denis (arr. de Bobigny), dans la banlieue N. de Paris; 11 728 hab. Troisième aéroport de Paris. Industr. aéron.; électron. – Musée de l'Air et de l'Espace. – Combats contre les Prussiens en 1870.

Bourget (Paul) (Amiens, 1852 – Paris, 1935), écrivain français. Romancier spiritualiste, il fut considéré comme un des maîtres du roman psychologique : *le Disciple* (1889), *Un divorce* (1904), *le Démon de midi* (1914). Acad. fr. (1894).

Bourg-la-Reine, ch.-l. de cant. des Hts-de-Seine (arr. d'Antony), dans la banlieue S. de Paris; 18 635 hab. (*Réginaborgiens*). Mat. de construction.

Bourg-lès-Valence, ch.-l. de cant. de la Drôme (arr. de Valence); 18 605 hab. Usine hydroél. sur un canal de dérivation du Rhône. Industries métall., textile.

bourgmestre n. m. Principal magistrat, maire de certaines villes de Belgique, des Pays-Bas, d'Allemagne, de Suisse.

Bourgneuf-en-Retz, ch.-l. de cant. de la Loire-Atlant. (arr. de Saint-Nazaire), près de la *baie de Bourgneuf;* 2 356 hab. Ostréiculture.

bourgogne n. m. Vin de Bourgogne. *Une bonne bouteille de bourgogne.*

Bourgogne, rég. historique, anc. province de France. – Le territ. des Éduens, soumis par Rome au Ier s. av. J.-C., fut envahi par les Alamans, puis par les Burgondes (auxquels la Bourgogne doit son nom), qui y fondèrent un royaume régi par un code, dit *loi gombette,* qu'édicta le roi Gondebaud (m. en 516). Ce royaume passa aux Mérovingiens en 534. Un second royaume, qui s'étendit jusqu'à la Médit., se constitua en 561 et fut annexé par Charlemagne en 771. Il se reconstitua avec Boson (3e roy.), en 879, hormis la Bourgogne septent. ou jurane, royaume distinct en 888 (4e roy.). Leur réunion en 934 forma le royaume d'Arles, dont hérita (1033) Conrad II, empereur germanique. Mais son morcellement en fiefs commença dès le IXe s. avec la constitution du duché de Bourgogne, qui passa (1002) à Robert le Pieux, roi de France. Cette maison capétienne de Bourgogne s'éteignit en 1361 par la mort de son représentant mâle Philippe de Rouvres. Le duché connut du Xe au XIIe s. une intense vie monastique (Cluny, Cîteaux) et l'épanouissement de l'art roman (Cluny, Vézelay). Jeanne de Bourgogne apporta le fief, par son mariage, au roi de France Jean II le Bon. Son quatrième fils, Philippe le Hardi, le reçut en apanage (1363). À partir de cette période, le duché connut une grande prospérité, due à l'administration de Jean sans Peur, puis de Philippe III le Bon, «grand-duc du Ponant». Sous ce prince (1419-1467), les États de la maison de Bourgogne (comprenant notam., outre le duché, les Pays-Bas et le comté de Bourgogne) devinrent une des grandes puissances européennes. L'échec de son successeur, Charles le Téméraire, à réunir les possessions des Pays-Bas et la Bourgogne par la conquête de la Lorraine entraîna l'écroulement de cette puissance et le rattachement du duché à la couronne de France (1477), le reste de ses États (Pays-Bas et Franche-Comté) allant aux Habsbourg.

Bourgogne, Région admin. française et région de la C.E., formée des dép. de la Côte-d'Or, de la Nièvre, de la Saône-et-Loire et de l'Yonne; 31 592 km²; 1 649 517 hab.; cap. *Dijon.*

Géogr. phys. et hum. – À cheval sur les bassins de la Seine, au N., de la Loire, à l'O. et de la Saône, au S., la Bourgogne est l'exemple type d'une région seuil. Au S. et au centre se dresse le massif cristallin du Morvan (902 m au signal du Bois-du-Roi), humide, boisé et propice aux herbages. Il est ceinturé, à l'O. et au N., de dépressions argileuses (Terre-Plaine, Auxois et Bazois), que dominent les plateaux calcaires du bassin de Paris, en Nivernais, Auxerrois et Tonnerrois. À l'E., le Morvan retombe sur les plaines de la haute Saône et la Bresse de Louhans, dépression plus continentale et plus sèche que ferment au N. les plateaux de Langres et du Châtillonnais, par les hauteurs de la Côte d'Or et du Mâconnais, coupées de fossés d'effondrement et de vallées. La densité modeste (52,2 hab./km²) cache un peuplement inégal : les hab. et les villes se concentrent sur les périphéries, dans les vallées, alors que le coeur de la région n'est que faiblement occupé. La croissance médiocre de la pop. profite surtout à la Côte-d'Or et à l'Yonne; Nièvre et Saône-et-Loire ont un solde migratoire négatif.

Écon. – La Bourgogne tire son prestige mondial de ses vins et de ses spécialités, produits d'une agriculture soignée et diversifiée : import. vignoble produisant des vins de qualité (chablis, côte-de-nuits, côte-de-beaune puis beaujolais), polyculture, lait et volailles de Bresse, élevage de qualité du Morvan et de ses bordures (bœuf charolais), grandes cultures des sols limoneux des plateaux du N.-O. À cela s'ajoute une importante production de bois, la forêt couvrant 31 % de la région. Les petites exploitations pratiquant la polyculture sont cependant en difficulté (30 % ont disparu depuis 1970). Les industries lourdes ont connu une crise aiguë : charbonnages, sidér., constructions méca. (liquidation de Creusot-Loire en 1984). Auj., l'activité s'organise autour d'une filière agroalimentaire puissante et de grands établissements créés par la décentralisation et les investissements étrangers : chimie et pharmacie, industries polygraphiques, constructions électriques et électroniques. Les activités de recherche et de haute technologie sont en plein essor. Grande zone de passage et carrefour de communications majeur (autoroutes, TGV) entre le N.-O. de la C.É.E., l'Allemagne et les régions méditerranéennes, la Bourgogne cherche à valoriser sa position favorable dans le grand marché européen.

Bourgogne (canal de), canal (242 km) reliant l'Yonne à la Saône, qu'il rejoint à Saint-Jean-de-Losne; passe à Dijon.

Bourgogne (hôtel de), anc. résidence, à Paris (r. dr.), des ducs de Bourgogne (Jean sans Peur notam.). En 1548, les «Confrères de la Passion» acquirent cet hôtel pour y représenter leurs «mystères», puis louèrent leur salle à des troupes de passage, notam. celle des Comédiens du roi, qui s'y installèrent en 1629 (troupe de l'hôtel de Bourgogne); celle-ci, formant, avec la troupe du théâtre Guénégaud, la Comédie-Française (1680), le céda à la Comédie-Italienne (1680-1783). Il n'en reste plus qu'une tour, dite «de Jean-sans-Peur».

Bourgoin-Jallieu, ch.-l. de cant. de l'Isère (arr. de La Tour-du-Pin), sur la Bourbre, affl. du Rhône; 22 749 hab. Matières plastiques. Industries métallurgique, textile, alimentaire.

Bourg-Saint-Maurice, ch.-l. de cant. de la Savoie (arr. d'Albertville), sur l'Isère; 7 060 hab. Stat. climatique et de sports d'hiver.

bourgueil n. m. Vin rouge de la région de Bourgueil.

Bourgueil, ch.-l. de cant. d'Indre-et-Loire (arr. de Chinon); 4 073 hab. Vins. – Égl. avec chœur carré de la fin du XIIe s. Vest. d'une abb. bénédictine du Xe s.

Bourguiba (Ḥabib ibn Ali) *(Ḥabīb ibn 'Ali bū Rqība)* (Monastir, 1903), homme politique tunisien. Fondateur du parti Néo-Destour (1934), il prit la tête de la lutte pour l'indép. de la Tunisie. Plusieurs fois emprisonné et exilé, il négocia avec le gouvernement de Mendès France, en 1955, l'indépendance de son pays, et devint président du Conseil, puis Premier ministre en 1956; l'année suivante, il fit abolir le système beylical et devint président de la République; il fut sans cesse réélu, et finalement fait président à vie par référendum (1975), puis destitué en 1987.

bourguignon, onne adj. et n. **1.** De Bourgogne. ▷ Subst. Personne originaire de Bourgogne. *Un(e) Bourguignon(ne).* **2.** *Bœuf bourguignon* ou, n. m., *bourguignon* : plat de viande de bœuf cuite dans du vin rouge avec des oignons.

Pierre **Bourdieu**

Bourguiba

Bourguignons (faction des), parti qui s'opposa à celui des Armagnacs durant la guerre de Cent Ans. Son chef, Jean sans Peur, duc de Bourgogne, profitant de la folie de Charles VI, voulut exercer le pouvoir en France (1407). Il laissa les Anglais battre les Armagnacs (1415), ce qui ajouta à la guerre de Cent Ans une guerre civile à laquelle mit fin le traité d'Arras (1435).

Bouriates, peuple mongol de Sibérie, implanté en Mongolie et dans la rép. auton. de Bouriatie.

Bouriatie (rép. autonome de), division administrative de la Russie, en Sibérie orientale; 351 300 km²; 1 030 000 hab.; cap. *Oulan-Oude.*

bourlinguer v. intr. [1] **1.** MAR En parlant d'un navire, rouler et tanguer violemment, en n'ayant presque pas d'erre. **2.** Naviguer beaucoup. – Fig., fam. Courir le monde, mener une vie aventureuse.

bourlingueur, euse n. Fam. Personne qui court le monde, mène une vie aventureuse.

Bourmont (Louis, comte de Ghaisnes de) (chât. de Bourmont, Anjou, 1773 – id., 1846), général français. Il abandonna l'armée impériale en juin 1815 pour rejoindre, à Gand, Louis XVIII. Ministre de la Guerre dans le cabinet Polignac, qu'il contribua à rendre impopulaire, il commanda l'expédition d'Alger et fut fait maréchal (1830).

Bournazel (Henri de Lespinasse de) (Limoges, 1898 – Bou Gafer, Maroc, 1933), officier français; gouverneur du Tafilalet (Maroc) en 1932, il fut tué au combat. Sa bravoure et sa tenue rouge de spahi firent de lui une figure légendaire.

Bournemouth, v. de G.-B. (Dorset), sur la Manche; 145 000 hab. Station balnéaire.

Bourniquel (Camille) (Paris, 1918), écrivain français. Ses romans évoquent les mystères de la mémoire et des rencontres, ainsi que ceux du pouvoir : *Sélinonte ou la Chambre impériale* (1970), *le Soleil sur la rade* (1979), *le Dieu crétois* (1982), *le Jugement dernier* (1983).

bourrache n. f. Plante annuelle (fam. borraginacées), à poils forts et rêches dont les fleurs bleues sont utilisées, en infusion, notam. comme diurétique.

bourrade n. f. Coup de poing, de coude, d'épaule. *Une bourrade de connivence.*

bourrage n. m. **1.** Action de bourrer. *Bourrage d'un pouf.* – *Par ext.* Matériau utilisé pour bourrer. **2.** Fig., fam. *Bourrage de crâne* : propos insistants et répétés, tenus avec le dessein de tromper ou d'endoctriner; *spécial.* propagande intensive. Syn. matraquage. **3.** TECH Accumulation accidentelle de pellicule, de papier, etc., en un point d'une caméra, d'un projecteur, d'une imprimante, etc.

bourrasque n. f. Brusque coup de vent tourbillonnant. – Fig. *Arriver en bourrasque.*

bourratif, ive adj. Fam. Qui bourre (aliments). *Gâteau bourratif.*

1. bourre n. f. **1.** Couche de fond (protection thermique) des fourrures des mammifères, constituée de poils fins, souples, courts et ondulés. *Les poils de bourre sont différents des jarres et des crins.* **2.** Amas de poils détachés de la peau d'animaux. **3.** *Bourre de laine, de soie,* déchets de ces matières. **4.** Duvet couvrant de jeunes bourgeons. **5.** Rondelle de feutre qui, dans une cartouche, sépare la poudre du plomb. **6.** Loc. fam. *À la bourre* : en retard. – *De première bourre* : de premier choix.

2. bourre n. m. Arg., vieilli Policier.

bourreau n. m. **1.** Exécuteur des jugements criminels (spécial. de la peine de mort). **2.** *Par ext.* Homme cruel, inhumain. ▷ *Bourreau des cœurs* : séducteur. ▷ *Bourreau de travail* : travailleur forcené.

bourrée n. f. **1.** Fagot de menues branches. **2.** Danse et air de danse à deux temps (Berry) ou à trois temps (Auvergne, Périgord), qu'on dansait autref. autour d'un feu de bourrées.

bourreler v. tr. [**19**] Usité au pp. dans la loc. *bourrelé de remords* : torturé par le remords.

bourrelet n. m. **1.** Cercle rembourré permettant de porter des charges sur la tête. **2.** Longue gaine étroite ou ruban épais s'adaptant aux jointures des portes et des fenêtres pour empêcher le passage des filets d'air. **3.** *Par anal.* Nom donné à divers objets allongés et renflés, ou à une partie du corps présentant une enflure. *Bourrelet de graisse.*

bourrelier n. m. Celui qui fabrique, vend ou répare des articles de cuir, partic. des harnachements.

bourrellerie n. f. Artisanat et commerce du bourrelier.

bourrer v. tr. [1] **1.** Garnir de bourre. *Bourrer un matelas.* **2.** Remplir complètement. *Bourrer une pipe, ses poches.* ▷ *Par ext.* Fam. Faire trop manger (qqn). *Bourrer ses invités.* ▷ v. pron. Manger avec excès, se gaver. ▷ Pp. adj. Très fam. Ivre. *Il est bourré dès onze heures.* **3.** Fig., fam. *Bourrer le crâne à qqn,* chercher à le tromper par des propos mensongers réitérés. **4.** *Bourrer de coups* : frapper.

bourrette n. f. **1.** Soie grossière, la plus externe du cocon. **2.** Déchets de la filature de la soie.

bourriche n. f. Long panier pour transporter du poisson, du gibier, etc.; son contenu. *Une bourriche d'huîtres.*

bourrichon n. m. Fam. Tête (seulement dans la loc. fam. *Se monter le bourrichon* : se monter la tête, se faire des illusions).

bourricot ou **bourriquot** [buʀiko] n. m. Petit âne.

bourride n. f. Bouillabaisse épaissie à l'aïoli.

Bourrienne (Louis Fauvelet de) (Sens, 1769 – Caen, 1834), homme politique français. Condisciple puis secrétaire de Bonaparte (1797), il rallia les Bourbons après 1814 et devint préfet de police puis ministre d'État sous Louis XVIII. Auteur de *Mémoires* (1829-1831).

bourrin n. m. Fam. Cheval.

bourrique n. f. **1.** Ânesse. **2.** Fig., fam. Personne têtue et stupide. ▷ Loc. fam. *Faire tourner qqn en bourrique,* l'abrutir à force d'exigences contradictoires.

bourru, ue adj. **1.** Âpre et rude comme la bourre. *Drap bourru.* – Par ext. *Vin bourru* : vin nouveau qui est en train de fermenter. *Lait bourru,* qui vient d'être trait. 2. Fig. D'humeur rude et peu accommodante. *Un caractère bourru.* Ant. doux, affable.

1. bourse n. f. 1. Petit sac destiné à contenir de l'argent, de la monnaie. – Loc. fig. *Tenir les cordons de la bourse* : disposer de l'argent. *Sans bourse délier* : sans payer. ▷ *Par ext.* Argent dont quelqu'un dispose. *Avoir recours à la bourse d'un ami. Faire bourse commune* : partager les recettes et les dépenses. 2. Pension versée par un organisme public ou privé à un élève, à un étudiant, pendant ses études. 3. Poche servant à prendre les lapins à la sortie du terrier. 4. ANAT *Bourse séreuse* : petite poche muqueuse qui facilite le glissement de certains organes, en partic. de la peau, autour des articulations. ▷ (Plur.) Scrotum.

2. bourse n. f. 1. Édifice, lieu public où s'assemblent, à certaines heures, les négociants, les agents de change, les courtiers, pour traiter d'affaires. *Bourse des valeurs. Bourse de commerce. La Bourse de Paris.* ▷ *Par ext.* La réunion même de ces personnes. *La Bourse a été agitée.* 2. *Bourse du travail* : réunion des adhérents des syndicats d'une ville ou d'une région, en vue de la défense de leurs intérêts et de l'organisation de services collectifs; lieu de cette réunion et lieu d'information. 3. *Bourse professionnelle* : manifestation permettant un échange d'informations ou des négociations entre professionnels d'un ou de plusieurs secteurs d'activités sur des problèmes les concernant.
ENCYCL Les Bourses de valeurs, marché officiel des valeurs mobilières, sont aujourd'hui en France au nombre de sept : Paris (95 % des transactions), Bordeaux, Lille, Lyon, Marseille, Nancy, Nantes. Leur fonctionnement est dévolu aux sociétés de Bourse, seuls intermédiaircs officiels. Leur nombre est fixé par le Conseil des Bourses de valeurs, autorité supérieure qui réglemente les marchés boursiers. Les échanges se font sous la forme de «marché au comptant» et «à terme» (livraison des titres et paiements sont reportés à une date de «liquidation» fixée de façon réglementaire chaque mois). La fixation des cours (ou cotation), longtemps établie selon une méthode orale («à la criée»), s'effectue auj. par télématique. C'est la Société des Bourses françaises qui a la responsabilité de diffuser et de surveiller les cotations. La Commission des opérations de Bourse (COB) contrôle les informations diffusées aux porteurs de valeurs mobilières; sa mission est de protéger les épargnants des agissements frauduleux. Les principales Bourses de valeurs sont : Londres, New York, Osaka, Paris, Sydney, Tokyo, Toronto, Milan, Francfort.

Bourseul (Charles) (Bruxelles, 1829 – Saint-Céré, 1912), inventeur français. Il créa le premier téléphone (1854).

boursicotage n. m. Fait de boursicoter.

boursicoter v. intr. [1] Jouer à la Bourse par petites opérations.

boursicotier, ère ou **boursicoteur, euse** n. et adj. Personne qui boursicote. – adj. *Il est très boursicoteur.*

1. boursier, ère n. Élève, étudiant qui bénéficie d'une bourse.

2. boursier, ère n. et adj. 1. n. Professionnel de la Bourse. 2. adj. Qui se rapporte à la Bourse. *Transactions boursières.*

boursouflage ou **boursouflement** n. m. Action de boursoufler; son résultat.

boursouflé, ée adj. 1. Enflé, bouffi. *Visage boursouflé.* 2. Fig. Ampoulé, emphatique. *Style boursouflé.*

boursoufler v. tr. [1] Rendre boursouflé, enflé.

boursouflure n. f. Enflure. – Fig. *Boursouflure du style.*

Bourvil (André Raimbourg, dit) (Prétot-Vicquemare, Seine-Maritime, 1917 – Paris, 1970), acteur et chanteur français. Il débuta comme chanteur puis s'illustra dans l'opérette (*la Route fleurie*, 1952). Au cinéma, il excella dans les rôles comiques (*le Corniaud*, 1965) comme dans les compositions dramatiques (*la Traversée de Paris*, 1956).

Bou Sada. V. Boussada.

Bouscat (Le), ch.-l. de cant. de la Gironde (arr. de Bordeaux); 21 574 hab. Constr. méca. Vins.

bousculade n. f. 1. Action de bousculer. 2. Mouvement produit par le remous d'une foule.

bousculer v. tr. [1] 1. Renverser, faire basculer. *Bousculer un pot de fleurs.* 2. Pousser, heurter (qqn). ▷ v. pron. *On se bousculait aux soldes des grands magasins.* 3. *Par ext.* Activer, presser. *Ne me bousculez pas, j'ai le temps. Il a été bousculé ces temps-ci.*

bouse n. f. Fiente des ruminants.

bouseux, euse adj. et n. 1. adj. Rare Couvert de bouse. 2. n. Fam., péjor. Paysan.

bousier n. m. Nom donné à divers coléoptères qui pondent leurs œufs dans des excréments après avoir roulé ces derniers en boule (ex. : le scarabée sacré, le géotrupe).

bousillage n. m. 1. CONSTR Mortier de chaume et de boue. 2. Fam. Action d'abîmer. ▷ Ouvrage bâclé.

bousiller v. [1] I. v. intr. CONSTR Maçonner avec un mélange de chaume et de boue. II. v. tr. 1. CONSTR Construire en bousillage. *Bousiller un mur.* 2. *Par ext.* Fam. Faire précipitamment et sans soin. *Bousiller son travail.* 3. Fam. Abîmer, démolir (qqch); tuer (qqn).

Bousquet (Joë) (Narbonne, 1897 – Carcassonne, 1950), écrivain français. Immobilisé à vie par une blessure de guerre (1918), il composa une œuvre poétique, romanesque et épistolaire, restituant la dimension à la fois tragique et magique de la vie : *Il ne fait pas assez noir* (1932), *Le passeur s'est endormi* (1939), *la Connaissance du soir* (1945), *le Meneur de lune* (1946).

Boussada *(bū Sa'āda)* (anc. *Bou Sada*), v. d'Algérie, au cœur d'une oasis arrosée par l'oued *Boussada*; 55 000 hab.

Boussinesq (Joseph) (Saint-André-de-Sangonis, Hérault, 1842 – Paris, 1929), mathématicien français; spécialiste de mécanique physique.

Boussingault (Jean-Baptiste) (Paris, 1802 – id., 1887), chimiste et agronome français. Il mit en évidence la présence de silicium dans l'acier. Il est également l'auteur de travaux agronomiques (engrais).

boussole n. f. Instrument constitué par un cadran au centre duquel est fixé un axe vertical autour duquel pivote une aiguille aimantée qui indique la direction du nord magnétique (un peu différent du nord géographique, du fait de la déclinaison magnétique). *La boussole, dont le principe fut découvert par les Chinois au IIe s. apr. J.-C., ne fut utilisée en navigation qu'au XIe s.* ▷ Loc. fig., fam. *Perdre la boussole* : perdre la tête, devenir fou.

boustifaille n. f. Fam. Nourriture.

boustrophédon n. m. ARCHEOL Ancienne écriture grecque et étrusque dont les lignes se lisaient alternativement et sans interruption de droite à gauche et de gauche à droite.

1. bout n. m. 1. Extrémité d'un corps; limite d'un espace. *Le bout des doigts. Au bout de la ville.* – Loc. *D'un bout à l'autre. À bout portant* : le bout de l'arme à feu touchant l'objectif. ▷ Loc. fig. *Brûler la chandelle par les deux bouts* : V. chandelle. – *Manger du bout des dents, rire du bout des lèvres*, de mauvaise grâce. – *Savoir sur le bout du doigt, des doigts*, à fond. – *Avoir un mot sur le bout de la langue* : être sur le point de se rappeler un mot que l'on a oublié. – *Montrer le bout de l'oreille* : se trahir, malgré les soins mis à se cacher. – *Ne pas voir plus loin que le bout de son nez* : être inconséquent, imprévoyant. – *On ne sait par quel bout le prendre* : il est d'un caractère difficile. – *Avoir de la peine à joindre les deux bouts* : manquer d'argent, boucler difficilement son budget. – *Au bout de la terre, du monde* : très loin. – Loc. fig., fam. *C'est le bout du monde* : on ne peut aller plus loin dans une telle supposition, une telle possibilité. *Si je peux vous prêter mille francs, c'est le bout du monde.* 2. Ce qui garnit l'extrémité de certaines choses. *Mettre un bout à une canne.* 3. Petite partie, morceau. *Un bout de ruban, un bout de pain.* ▷ Loc. fam. *Petit bout* : petit garçon, petite fille. – *Un bout d'homme* : un homme très petit. – *Mettre les bouts* : s'en aller, se sauver. 4. Terme, fin. *Le bout de l'année.* – Loc. fig. *Être au bout de son* (ou *du*) *rouleau* : avoir épuisé toutes ses ressources. – *Il n'est pas au bout de ses peines* : il n'en a pas fini avec les difficultés. ▷ *Au bout du compte* : tout bien considéré. ▷ *À bout* : sans ressource, épuisé. *Être à bout.* – *Pousser à bout* : faire perdre patience. ▷ *À bout de* : à la fin de. – Loc. *Venir à bout de...* : réussir, vaincre. ▷ *À tout bout de champ* : à tout propos, constamment. ▷ *Mettre bout à bout* : joindre par les extrémités. *Éléments d'une canne à pêche mis bout à bout.* ▷ *De bout en bout* : d'une extrémité à l'autre; du début à la fin.

2. bout [but] n. m. MAR Morceau de cordage, cordage. *Passer un bout à un bateau pour le remorquer.*

boutade n. f. Plaisanterie.

boutargue. V. poutargue.

boute-en-train n. m. inv. 1. Personne qui sait amuser, mettre en gaieté une assemblée. 2. Mâle que les éleveurs utilisent pour vérifier qu'une femelle est prête pour la saillie (notam. une jument).

boutefeu n. m. 1. Anc. Mèche au bout d'un bâton, avec laquelle on mettait le feu à la charge d'un canon. 2. MINES Personne responsable des tirs à l'explosif. 3. Fig., vx Personne qui excite la discorde.

bouteille n. f. 1. Récipient à col étroit et à goulot destiné à contenir des liquides. *Bouteille de verre. Mettre du vin en bouteilles.* – Son contenu. *Boire une bouteille de bière. Une bonne bouteille* : une bouteille de bon vin. ▷ *Aimer la bouteille* : aimer le vin, la boisson. ▷ *Vin qui a de la bouteille*, qui s'est amélioré en vieillissant. – Fig., fam. *Prendre de la bouteille* : vieillir. ▷ Fig. *La bouteille à* *l'encre* : une affaire obscure, embrouillée. **2.** *Bouteille de Leyde* : condensateur électrique constitué d'un flacon de verre dont la paroi extérieure est revêtue d'une feuille d'étain collée au verre, et la paroi intérieure d'une feuille d'étain ou de laiton reliée à une tige métallique traversant le goulot. **3.** Récipient métallique pour gaz liquéfiés. *Bouteille de propane, de butane.*

bouter v. tr. [1] VX Mettre ; pousser, repousser. *Bouter les Anglais hors du royaume.*

bouteur n. m. TRAV PUBL Engin de terrassement constitué par un tracteur à chenilles équipé à l'avant d'une lame pour pousser des terres, des déblais. Syn. (déconseillé) bulldozer. – *Bouteur biais*, dont la lame est orientable obliquement par rapport au sens de la marche (pour *angledozer*).

Bouthoul (Gaston) (Monastir, Tunisie, 1896 – Paris, 1980), sociologue français, spécialiste de polémologie (terme qu'il créa).

boutique n. f. **1.** Lieu où un marchand expose et vend sa marchandise, magasin. *Une petite boutique. Tenir boutique.* ▷ Loc. fam. *Parler boutique* : parler de son métier. ▷ Fam. *Et toute la boutique* : et tout le reste. **2.** Magasin de vêtements, d'accessoires féminins portant le nom d'un grand couturier. **3.** *Boutique franche*, où les marchandises ne sont pas soumises au paiement des droits ou des taxes. **4.** Fig., fam. Maison mal tenue. *Quelle boutique !* **5.** PECHE Boîte à fond percé, pour conserver dans l'eau le poisson vivant.

boutiquier, ère n. (et adj.) Personne qui tient boutique. ▷ Péjor. Personne à l'esprit étroit. – adj. *Des calculs boutiquiers.*

Boutmy (Émile) (Paris, 1835 – id., 1906), historien français. Spécialiste du droit constitutionnel, il fonda l'École libre des sciences politiques (1872).

boutoir n. m. **1.** Extrémité du groin des porcins. **2.** *Coup de boutoir* : coup violent ; fig. trait d'humeur, mots blessants.

bouton n. m. **1.** Bourgeon. – *Spécial.* Fleur non encore épanouie. *Bouton de rose.* **2.** Petite pièce, le plus souvent ronde, qui sert à attacher ensemble les différentes parties d'un vêtement. *Recoudre un bouton. Bouton de col.* **3.** Pièce saillante et arrondie. *Bouton de porte.* ▷ Petite pièce ou touche servant à la commande d'un appareil, d'un mécanisme. *Tourner le bouton de la radio. Appuyer sur le bouton de la minuterie.* **4.** Sur l'écran d'un ordinateur, élément graphique associé à une commande. **5.** Petite élevure rouge de la peau. *Avoir le visage couvert de boutons.* – *Bouton de fièvre* : herpès labial. ▷ Fig., fam. *Donner des boutons à quelqu'un* : l'agacer, lui déplaire, le dégoûter.

bouton-d'argent n. m. Renoncule à fleurs blanches. *Des boutons-d'argent.*

bouton-d'or n. m. Renoncule des prés à fleurs jaune d'or. *Des boutons-d'or.*

boutonnage n. m. **1.** Action de boutonner. **2.** Manière dont un vêtement se boutonne.

Boutonne (la), riv. de France (94 km), affl. de la Charente (r. dr.) ; naît dans le Poitou.

boutonner v. [1] **I.** v. intr. **1.** Rare Pousser des boutons. *Les arbres boutonnent au printemps.* **2.** S'attacher avec des boutons. *Blouse qui boutonne par-derrière.* ▷ v. pron. *Jupe qui se boutonne sur le côté.* **II.** v. tr. **1.** Attacher (un vêtement) avec des boutons. *Boutonner son pardessus.* **2.** SPORT En escrime, toucher de coups de fleuret.

boutonneux, euse adj. Qui a des boutons sur la peau. *Visage boutonneux.*

boutonnière n. f. **1.** Petite fente pratiquée dans un vêtement, souvent bordée d'un point spécial (*point de boutonnière*), dans laquelle on passe le bouton. **2.** CHIR Incision longue et étroite. *Faire une boutonnière pour passer une sonde cannelée.* ▷ Par ext., fam. *Faire une boutonnière à quelqu'un*, une blessure, avec un instrument tranchant ou piquant.

bouton-pression n. m. Bouton dont une partie s'engage dans une autre et y reste maintenue par un petit ressort. *Des boutons-pression.*

boutre n. m. MAR Petit navire à voile latine, utilisé pour la pêche et le cabotage sur la côte orientale de l'Afrique.

Boutros-Ghali (Boutros) (Le Caire, 1922), diplomate égyptien ; secrétaire général de l'ONU de 1992 à 1996 ; secrétaire de la Francophonie depuis 1997.

Boutroux (Émile) (Montrouge, 1845 – Paris, 1921), philosophe français. Il se fit le critique du déterminisme (*la Contingence des lois de la nature*, 1874). Acad. fr. (1912).

Bouts (Dierick ou Thierry) (Haarlem, v. 1415 – Louvain, 1475), peintre primitif d'origine hollandaise, influencé par Van der Weyden (*le Retable de la Cène*, 1464-1468, égl. St-Pierre à Louvain). ▸ illustr. **Cène**

bouts-rimés [buʀime] n. m. pl. Rimes données d'avance pour écrire une pièce en vers. – Sing. *Un bout-rimé* : une pièce en vers composée de bouts-rimés.

bouturage n. m. Action de bouturer.

bouture n. f. Jeune pousse d'un végétal (autre que celles ayant naturellement un rôle dans la multiplication végétative : tubercules, bulbilles, etc.) qui, séparée de la plante originelle et mise en terre, régénère les organes manquants pour donner un végétal entier.

bouturer v. [1] **1.** v. tr. Planter une bouture. **2.** v. intr. Donner, par accident, des boutures. *Cette plante a bouturé.*

bouvier, ère n. **1.** Personne qui garde les bœufs. ▷ n. m. ASTRO *Le Bouvier* : la constellation boréale dont fait partie l'étoile Arcturus. **2.** n. m. Nom donné à diverses races de chiens de berger. *Bouvier des Flandres, des Ardennes.*

bouvillon n. m. Jeune bœuf.

Bouvines, com. du Nord (arr. de Lille), sur la Marcq ; 684 hab. – Le 27 juil. 1214, les troupes de Philippe Auguste, qui comprenaient pour la première fois des contingents des communes, y vainquirent une coalition (Allemands, Flamands, Anglais) formée par l'empereur germanique Otton IV, le comte de Flandre Ferrand et le roi d'Angleterre Jean sans Terre. Cette victoire évita le démembrement du royaume.

bouvreuil n. m. Oiseau passériforme (*Phyrrhula vulgaris*, fam. fringillidés) atteignant 14 cm de long, au bec court et fort, au plumage gris et noir, à la poitrine rose vif et à calotte noire.

bouzouki ou **buzuki** n. m. Instrument à cordes de la musique grecque ayant une caisse bombée et un long manche.

bovarysme n. m. Insatisfaction romanesque engendrant une illusion sur soi-même et une tendance à se concevoir et à se vouloir autre que l'on est. *Le mot* bovarysme *a été forgé par Barbey d'Aurevilly à partir du roman de Gustave Flaubert,* Madame Bovary.

Bovet (Daniel) (Neuchâtel, 1907 – Rome, 1992), biochimiste suisse naturalisé italien ; un des inventeurs des sulfamides. P. Nobel de médecine 1957.

bovidés n. m. pl. ZOOL Famille de mammifères ruminants comprenant les bovins, les ovins et les caprins. – Sing. *Un bovidé.*

bovin, ine adj. et n. **1.** adj. Relatif au bœuf. *La race bovine.* ▷ Fig., fam. *Un regard bovin*, stupide. **2.** n. m. pl. Espèce engendrée par le taureau domestique (taureaux, bœufs, vaches, veaux). – Sing. *Un bovin.*

bovinés n. m. pl. ZOOL Sous-famille de bovidés comprenant, outre le bœuf, le buffle, le bison, le zébu, le yack. – Sing. *Un boviné.*

bowling [buliŋ] n. m. (Anglicisme) Jeu de quilles d'origine américaine (le joueur doit, avec deux boules, renverser dix quilles placées à 25 m). – Établissement, lieu où l'on y joue.

bow-window [bowindo] n. m. (Anglicisme) Balcon vitré en saillie sur une façade. *Des bow-windows.* Syn. (off. recommandé) oriel.

box, plur. **box** ou **boxes** [bɔks] n. m. **1.** Stalle d'écurie pour un seul cheval. **2.** Compartiment de garage pour une automobile. **3.** Espace en partie cloisonné dans un lieu public, dans des locaux collectifs. *Le box des accusés.*

box-calf [bɔkskalf] n. m. Peau de veau imprégnée de chrome dont on fait des chaussures, des sacs, etc. *Des box-calfs.*

boxe [bɔks] n. f. Sport de combat dans lequel deux adversaires, munis de gants, se frappent à coups de poing, selon des règles déterminées. *Boxe anglaise. Boxe française*, comportant des attaques avec le pied. *Gants de boxe* : fortes moufles de cuir, rembourrées, qui protègent les poings des boxeurs.

1. boxer v. [1] **1.** v. intr. Se battre à coups de poing selon les règles de la boxe. **2.** v. tr. Fam. Frapper qqn à coups de poing.

2. boxer [bɔksɛʀ] n. m. Chien de garde de grande taille (60 à 65 cm au garrot), du groupe des dogues, à la robe le plus souvent fauve, à museau plat, dont la mâchoire inférieure proéminente est dissimulée par les babines. ▸ pl. **chiens**

Boxers, mot angl. désignant les membres, fervents nationalistes, d'une société secrète chinoise, qui assiégèrent, en 1900, les légations euro-

bouvreuil

péennes de Pékin et contre lesquels fut dirigée une expédition militaire des puissances européennes commandée par le général allemand von Waldersee (prise de Tianjin et de Pékin).

boxeur n. m. Celui qui pratique la boxe. *Le visage tuméfié d'un boxeur.*

box-office [bɔksɔfis] n. m. (Anglicisme) Enregistrement (hebdomadaire, mensuel, annuel) de la cote commerciale d'un acteur, d'un chanteur, etc. *Il vaut 5 millions au box-office. Des box-offices.*

boy [bɔj] n. m. (Mot angl., «garçon».) **1.** Domestique indigène dans les pays autrefois colonisés (Asie, Afrique, Océanie, etc.). **2.** Danseur de music-hall.

Boyacá, bourg de Colombie. – Bolívar y remporta sur les Espagnols une célèbre victoire (1819) qui assura l'indép. du pays. – Nom d'un dép. colombien : 23 797 km^2; 1 089 000 hab.; ch.-l. *Tunja* (84 000 hab.).

boyard [bɔjaʀ] n. m. Seigneur, dans l'ancienne Russie et dans d'autres pays slaves.

boyau n. m. **1.** Intestin des animaux. – Plur. Fam. Intestin de l'homme. *Rendre tripes et boyaux* : vomir violemment. ▷ *Corde de boyau* ou *boyau* : corde faite avec des intestins de chat ou de mouton, servant à garnir les violons, guitares, etc., et les raquettes de tennis. **2.** *Par anal.* Conduit souple en cuir, en toile caoutchoutée, etc. **3.** FORTIF Fossé en zigzag mettant en communication deux tranchées. – Souterrain, corridor long et étroit. **4.** CYCLISME Enveloppe de caoutchouc, plus légère que le pneu.

Boyce (William) (Londres, 1710 – id., 1779), compositeur et organiste anglais, auteur d'un recueil de musique religieuse *(Cathedral Music)*, de drames, de symphonies, etc.

boycottage [bɔjkɔtaʒ] ou **boycott** [bɔjkɔt] n. m. **1.** Mise en interdit d'un patron par ses ouvriers, d'un commerçant par ses employés, etc. **2.** Refus d'acheter des marchandises provenant d'une firme, d'un pays. **3.** *Par ext.* Refus collectif de participer à (une manifestation, un événement publics).

boycotter [bɔjkɔte] v. tr. [**1**] Appliquer le boycott à.

Boyle (sir Robert) (Lismore Castle, Irlande, 1627 – Londres, 1691), physicien et chimiste irlandais. Il étudia la compressibilité des gaz *(loi de Mariotte-Boyle)* et introduisit la notion d'analyse en chimie.

Boylesve (René Tardiveau, dit René) (La Haye-Descartes, 1867 – Paris, 1926), romancier français. Subtil observateur des stratégies amoureuses (*la Leçon d'amour dans un parc*, 1902), il peignit aussi les mœurs provinciales (*la Becquée*, 1901). Acad. fr. (1918).

boy-scout [bɔjskut] n. m. Vieilli Scout. *Des boy-scouts.*

B.P. Sigle de *boîte postale.*

bpi [bepei] n. m. (Abrév. de l'angl. *bit per inch.*) INFORM Unité de densité d'information sur un support.

Bq PHYS NUCL Symbole du becquerel.

Br CHIM Symbole du brome.

brabançon, onne adj. et n. Du Brabant. ▷ Subst. *Un(e) Brabançon(ne).* ▷ *La Brabançonne* : hymne national belge, écrit par Ch. Rogier et composé par Fr. Van Campenhout (1780 – 1848) lors de la proclamation de l'indépendance en 1830.

brabant n. m. AGRIC Charrue métallique pourvue de deux jeux de socs.

Brabant, anc. duché, formé au XIe s., dont le territ. est divisé auj. entre les Pays-Bas (Brabant-Septentrional) et la Belgique. Par héritage, il passa en 1406 à la maison de Valois-Bourgogne; Philippe III le Bon, duc de Bourgogne, en hérita en 1430. Le Brabant suivit ensuite le sort des possessions bourguignonnes, et appartint donc après 1477 à la maison d'Autriche qui dut en abandonner le Nord (1609) aux Provinces-Unies. Dép. français de 1795 à 1815, la rég., annexée aux Pays-Bas jusqu'en 1830, fut à nouveau divisée lors de la création de la Belgique.

Brabant, nom de deux provinces de Belgique : le *Brabant flamand*, au nord, 2 096 km^2, 982 943 hab., ch.-l. *Louvain (Leuven)*; le *Brabant wallon*, au sud, 1 262 km^2, 335 000 hab., ch.-l. *Wavre.* Formée de plaines et de bas plateaux limoneux, la région est fertile : horticulture, céréales, élevage. Constructions métalliques et chimie.

Brabant-Septentrional, prov. des Pays-Bas; 4 958 km^2; 2 100 000 hab.; ch.-l. *Bois-le-Duc.* Élevage; horticulture; métallurgie.

bracelet n. m. **1.** Ornement en forme d'anneau qui se porte autour du poignet, du bras. ▷ *Bracelet de force*, en cuir, qui bande étroitement le poignet et le protège. **2.** ARCHI Anneau ornant le fût des colonnes.

bracelet-montre n. m. Montre que l'on porte attachée au poignet par un bracelet. *Des bracelets-montres.*

brachial, ale, aux [bʀakjal, o] adj. ANAT Qui appartient, qui a rapport au bras. *Plexus brachial.*

brachiopodes [bʀakjɔpɔd] n. m. pl. ZOOL Classe d'invertébrés marins à coquille formée de deux valves calcaires (une dorsale et une ventrale) et souvent munis d'un pédoncule qui les fixe au substrat. – Sing. *Un brachiopode.*

brachy-. Élément, du gr. *brakhus*, «court, bref».

brachycéphale [bʀakisefal] adj. et n. ANTHROP Se dit des hommes dont le crâne, vu du dessus, a une longueur et une largeur sensiblement égales. Ant. dolichocéphale.

brachycères [bʀakisɛʀ] n. m. pl. ENTOM Sous-ordre de diptères à antennes courtes et à tête très mobile comprenant les mouches communes, la mouche tsé-tsé, le taon, la drosophile, etc. – Sing. *Un brachycère.*

brachyoures [bʀakjuʀ] n. m. pl. ZOOL Sous-ordre de crustacés décapodes à abdomen large et court. Syn. crabes. – Sing. *Un brachyoure.*

braconnage n. m. Action de braconner.

braconner v. intr. [**1**] Chasser ou pêcher sans permis, ou en temps et lieux prohibés, ou avec des engins défendus. ▷ Fig. Empiéter sur les biens d'autrui.

braconnier n. m. Chasseur, pêcheur qui braconne.

Bracquemond (Félix) (Paris, 1833 – id., 1914), peintre, lithographe et aquafortiste français. Il reproduisit des œuvres de grands maîtres.

bractée n. f. BOT Petite feuille simple, souvent de couleurs vives, fixée au pédoncule floral.

bradage n. m. Action de brader qqch.

Bradbury (Ray Douglas) (Waukegan, Illinois, 1920), écrivain américain de science-fiction (*Chroniques martiennes*, 1950; *Fahrenheit 451*, 1953).

brader v. tr. [**1**] Vendre à vil prix. *Brader ses meubles.*

braderie n. f. Foire où l'on vend au rabais. – Vente au rabais.

bradeur, euse n. Personne qui effectue la vente au rabais.

Bradford, v. de G.-B. (West Yorkshire); 449 100 hab. Industr. textile.

Bradley (James) (Sherborne, Gloucestershire, 1693 – Chalford, Gloucestershire, 1762), astronome anglais. Observant l'aberration de la lumière des étoiles (1727), il démontra le mouvement de la translation de la Terre.

Bradley (Francis Herbert) (Clapham, Surrey, 1846 – Oxford, 1924), philosophe anglais. Il est le principal représentant de l'idéalisme néo-hégélien anglo-saxon : *les Principes de la logique* (1883), *Apparence et Réalité : un essai de métaphysique* (1893).

Bradley (Omar Nelson) (Clark, Missouri, 1893 – New York, 1981), général américain. Il commanda les forces amér. du débarquement de Normandie (1944), qu'il mena jusqu'à l'Elbe (1945).

brady-. Préfixe, du gr. *bradus*, «lent».

Brady (Mathew B.) (Lake George, New York, 1823 – New York, 1896), photographe américain. Précurseur du reportage photographique, il a pris 7 000 clichés de la guerre de Sécession.

bradycardie n. f. MED Lenteur du rythme cardiaque (moins de 60 pulsations par minute), pathologique (pouls lent permanent) ou physiologique (cœur des sportifs).

Braga, v. du N. du Portugal; 63 030 hab.; ch.-l. du distr. du m. nom. Chapellerie; fonderie; industr. métall. et text. – Monuments baroques.

Braga (Teófilo) (Ponta Delgada, Açores, 1843 – Lisbonne, 1924), homme politique et écrivain portugais; président du gouvernement provisoire républicain de 1910 à 1911, président de la République en 1915; auteur de poèmes et d'une *Histoire de la littérature portugaise* (1870-1873).

Bragance (en portug. *Bragança*), v. du N. du Portugal; 14 180 hab.; ch.-l. du distr. du m. nom. – Chât. médiéval, donjon du XIIe s.

Bragance (maison de), famille issue d'Alphonse Ier, descendant d'une branche bourguignonne des Capétiens, fils naturel de Jean Ier, roi du Portugal, et fait duc de Bragance en 1442. Elle a régné au Portugal de 1640 à 1910, et au Brésil de 1822 à 1889.

Bragg (sir William Henry) (Wigton, Cumberland, 1862 – Londres, 1942), physicien anglais. Il étudia la diffraction des rayons X par les cristaux *(loi de Bragg)* dont il précisa ainsi la structure. Son œuvre a été poursuivie par son fils **sir William Lawrence** (Adélaïde, Australie, 1890 – Ipswich, 1971). Ils reçurent le P. Nobel 1915.

braguette n. f. Ouverture verticale partant de la ceinture, sur le devant d'un pantalon, d'un short.

Brahe (Tycho) (Knudstrup, 1546 – Prague, 1601), astronome danois. On lui doit des perfectionnements remarquables des instruments astrono-

Tycho **Brahe** dans son atelier de travail, gravure ; Musée maritime, château de Kronborg, Danemark

miques. De son ouvrage *De nova stella anni 1572* et de recueils d'observations, Kepler, son élève, tira les lois qui portent son nom.

Brahmā, divinité hindoue ; père de toutes les choses créées. En tant que reflet du principe producteur du monde, il compose, avec Vishnu, puissance conservatrice, et Çiva, puissance destructrice (ou mieux, transformatrice), une triade (la Trimurti ou « triple corps ») qui personnifie les trois aspects fondamentaux et corrélatifs de l'Être universel.

brahmane [bʀaman] n. m. Membre de la caste sacerdotale hindoue, la première des quatre anciennes castes héréditaires de l'Inde.

brahmanique adj. Qui se rapporte au brahmanisme ; du brahmanisme.

brahmanisme n. m. Religion de l'Inde liée à un système socioreligieux caractérisé par une division de la société en castes. (Le brahmanisme comporte de grandes variations de croyances et de philosophies, puisqu'il n'est en somme que le nom générique des divers développements de la doctrine contenue en principe dans les *Vedas* et les *Upanishad* [800-500 av. J.-C.?].)

Brahmapoutre (le), fl. d'Asie (env. 2 900 km) ; naît au Tibet, qu'il traverse d'O. en E. sous le nom de Tsang Po, draine l'Assam (Inde orient.) et le Bangladesh, où il confond son delta avec celui du Gange dans le golfe du Bengale. Il est navigable sur 1 300 km.

Brahms (Johannes) (Hambourg, 1833 – Vienne, 1897), compositeur et chef d'orchestre allemand. Romantique, débordant d'invention rythmique et mélodique, il a cependant conservé les formes classiques, surtout dans sa musique de chambre et ses quatre symphonies. On lui doit notam. *Un requiem allemand*, des concertos pour violon et pour piano, des sonates pour violon, un quintette avec clarinette, de nombr. pièces pour piano et des lieder.

brai n. m. Résidu solide ou pâteux de la distillation de matières organiques. *Brai de houille, de pétrole. Brai végétal.*

braies n. f. pl. Anc. Pantalon ample des Gaulois, des Germains.

Brăila, v. et port de Roumanie, sur le Danube ; ch.-l. du dép. du m. nom ; 228 040 hab. Grand port fluv. Industr. chim., métall., méca. ; chantiers navals.

braillard, arde ou **brailleur, euse** adj. et n. Se dit d'une personne qui braille, qui a l'habitude de brailler.

braille n. m. Écriture en relief qui se lit avec les doigts, à l'usage des aveugles.

Braille (Louis) (Coupvray, Seine-et-Marne, 1809 – Paris, 1852), inventeur français. Professeur à l'Institut des aveugles, lui-même non-voyant, il créa un alphabet en relief (alphabet Braille, ou *braille*).

braillement n. m. Cri d'une personne qui braille.

brailler v. intr. [1] **1.** Parler, crier, chanter trop fort. ▷ v. tr. *Brailler un refrain.* **2.** Crier en pleurant (en parlant d'un enfant). **3.** (Canada) Pleurer.

brailleur, euse. V. braillard.

braiment [bʀɛmɑ̃] n. m. Cri de l'âne.

Braine (John) (Bradford, 1922 – Londres, 1986), écrivain anglais, représentant des « Jeunes hommes en colère ». D'inspiration catholique, il traite des conflits psychologiques créés par la nouvelle mobilité sociale : *le Dieu jaloux* (1964), *le Jeu des pleurs* (1968).

Braine-l'Alleud, com. de Belgique (Brabant) ; 24 000 hab. Text. – La bataille de Waterloo eut lieu en partie sur son territoire.

Braine-le-Comte, com. de Belgique (Hainaut) ; 10 700 hab. Centre import. de communications.

brainstorming [bʀɛnstɔʀmiŋ] n. m. (Anglicisme) Méthode de travail en groupe qui consiste à chercher des solutions originales à un problème en faisant appel à l'imagination et à la créativité des participants.

brain-trust [bʀɛntʀœst] n. m. (Anglicisme) Groupe de chercheurs, de spécialistes, qui sont chargés d'élaborer un projet ou de seconder une direction. *Des brain-trusts.*

braire v. intr. [58] (Surtout à l'inf. et à la 3ᵉ personne.) **1.** Crier, en parlant de l'âne. ▷ Fam. Brailler. **2.** Fig., fam. *Faire braire* : ennuyer.

braise n. f. Charbons ardents résultant de la combustion de bois, de houille, etc. *Marrons cuits sous la braise.*

braiser v. tr. [1] Faire cuire à feu doux et à l'étouffée. *Une viande braisée. Endives braisées.*

Johannes **Brahms** (à g.) et Johann II Strauss

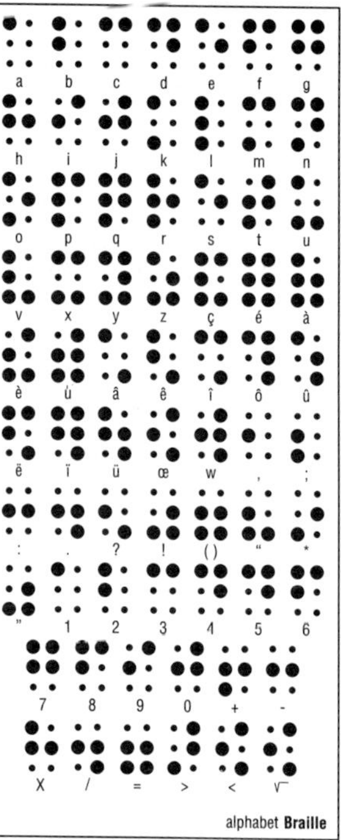

alphabet **Braille**

Bramante (Donato d'Angelo Lazzari, dit) (près d'Urbino, 1444 – Rome, 1514), peintre et architecte italien. Il implanta la Renaiss. class. à Rome (*Tempietto* de San Pietro in Montorio, 1502), mais ses plans de la nouvelle basilique St-Pierre furent radicalement modifiés lors de la construction. *Hommes d'armes* (1480-1485, fresques au palais Brera à Milan).

brame ou **bramement** n. m. Cri du cerf, du daim.

bramer v. intr. [1] Crier, en parlant du cerf et du daim. ▷ Fig., fam. Brailler, se lamenter bruyamment.

Brampton, v. du Canada (Ontario), à l'O. de Toronto ; 234 400 hab. Constr. automobile.

brancard n. m. **1.** Chacune des deux pièces fixées à une charrette, entre lesquelles on attelle une bête de trait. ▷ Fig. *Ruer dans les brancards* : se rebeller. **2.** Civière à bras. *Évacuer un blessé sur un brancard.*

brancardier n. m. Porteur de brancard.

branchage n. m. Ensemble des branches d'un arbre. ▷ (Plur.) Amas de branches. *Litière de branchages.*

branche n. f. **1.** Ramification qui pousse du tronc d'un arbre. *Branche maîtresse. Ramasser des branches mortes.* – *Par ext.* Ramification d'une plante. *Céleris en branches,* dont on mange les côtes. ▷ Loc. *Être comme l'oiseau sur la branche* : être dans une situation incertaine, précaire. ▷ Fam. *Vieille branche* : apostrophe d'amitié. **2.** *Par anal.* Ce qui ressemble à une branche par sa forme ou sa position par rapport à un axe. *Chandelier à sept branches. Les branches d'un compas.* ▷ ANAT *Les branches d'une artère, d'un nerf* : les petites artères, etc., qui proviennent des grosses artères, etc. **3.** Division, ramification. *Les branches* *d'une science.* **4.** *Par anal.* Une des familles issues d'un ascendant commun. *La branche aînée, la branche cadette.* – Loc. fig., fam. *Avoir de la branche,* une allure distinguée, aristocratique.

branché, ée adj. (et n.) Fam. À la mode, dans le vent.

branchement n. m. **1.** Action de brancher. **2.** Organe de raccordement, canalisation. *Branchement de gaz.* ▷ CH de F Appareil d'aiguillage. **3.** INFORM Instruction qui permet de poursuivre un programme à partir d'une autre instruction si une condition est remplie *(branchement conditionnel)* ou dans tous les cas *(branchement inconditionnel).*

brancher v. [1] **1.** v. tr. Relier un circuit secondaire à un circuit principal. *Brancher un fer à repasser.* ▷ v. pron. *Se brancher sur un émetteur,* de façon à en recevoir les signaux, les émissions. ▷ Fam. *Être bien branché sur qqn,* bien le comprendre, bien recevoir ses propos. – *Brancher qqn sur qqn, sur une affaire,* le mettre en contact avec, l'aiguiller sur. – *Brancher qqn,* lui plaire. *Cette fille me branche bien.* ▷ (Canada) Fam. Se décider. *Il faut savoir se brancher. Branche-toi!* **2.** v. intr. Percher sur les arbres. *Les oiseaux branchent.*

branchial, ale, aux [bʀɑ̃kjal, o] adj. ZOOL Qui a rapport aux branchies.

branchie n. f. ZOOL Organe d'animaux aquatiques (crustacés, larves d'insectes, poissons, têtards d'amphibiens) qui l'utilisent pour respirer l'oxygène dissous dans l'eau. (Les branchies sont des expansions de tissus très minces, richement vascularisées, au niveau desquelles s'effectuent les échanges gazeux entre le sang et l'eau.)

branchiopodes [bʀɑ̃kjɔpɔd] n. m. pl. ZOOL Ordre de crustacés entomostracés aux pattes aplaties et lobées. – Sing. *Un branchiopode.*

Brancusi (Constantin) (Pestişani, Olténie, 1876 – Paris, 1957), sculpteur roumain de l'école de Paris. À mi-chemin entre la figuration et l'abstraction, ses bronzes et marbres frappent par l'extrême simplification des formes, vigoureuses et expressives (*le Baiser,* 1908; *le Coq,* 1941).

Brand ou **Brandt** (Hennig) (m. en 1692), alchimiste allemand. Cherchant la pierre philosophale, il découvrit le phosphore lors d'une expérience sur l'urine (1669).

brandade n. f. Morue pochée et émincée, puis pilée avec de l'ail, de l'huile, etc.

Brancusi : *Tête de femme,* 1925; coll. part.

branchies : de g. à dr., nymphes d'éphémère, axolotl, requin pèlerin

brande n. f. Végétation des landes, des sous-bois (bruyères, genêts, etc.). ▷ Lieu où pousse une telle végétation. *Parcourir une brande.*

brandebourg [bʀɑ̃dbuʀ] n. m. Ornement de broderie ou de galon réunissant les boutons de certains vêtements (vestes des anciens uniformes, notam.). *Tunique à brandebourgs.*

Brandebourg (en all. *Brandenburg*), Land d'Allemagne et région de la C.E.; 29 059 km²; 2 641 000 hab.; cap. *Potsdam.* Plaine d'origine glaciaire parsemée de lacs et de forêts; agriculture, maraîchage, foyers d'industries lourdes. Depuis la réunification de 1990, la région renoue ses relations avec son ancien cœur historique, Berlin– Marche créée par Charlemagne pour arrêter les Slaves, le Brandebourg devint un margraviat (XIIe s.), puis un électorat (1361) qui échut aux Hohenzollern en 1415, formant le noyau du futur royaume de Prusse (1701).

Brandebourg (en all. *Brandenburg*), v. d'Allemagne, sur la Havel, à l'Ouest de Berlin; 95 000 hab. Industr. métall., méca. et chimique.

brandebourgeois, oise adj. et n. Du Brandebourg. ▷ Subst. *Un(e) Brandebourgeois(e).*

Brandes (Georg) (Copenhague, 1842 – id., 1927), critique littéraire danois. Partisan d'une littérature «progressiste», il influença la vie culturelle du Danemark : *les Principaux Courants de la littérature européenne au XIXe s.* (1871), *Radicalisme aristocratique* (1889), *Hellas* (1925).

brandir v. tr. [3] **1.** Agiter en l'air; élever pour mieux frapper ou lancer. *Brandir une hache.* ▷ *Par ext.* Agiter, maintenir en l'air pour faire voir. *Il brandissait une pancarte.* **2.** Fig. Présenter comme une menace. *Brandir le Code à tout instant.*

Brando (Marlon) (Omaha, 1924), acteur et réalisateur de cinéma américain. Élève de l'Actors' Studio, il impose, à partir d'*Un tramway nommé désir* (1951), sa forte personnalité et devient un des «monstres» du cinéma mondial (*Sur les quais,* 1954; *le Dernier Tango à Paris,* 1972; *Apocalypse Now,* 1979). ▸ illustr. **Kazan**

brandon n. m. **1.** Vx Flambeau fait de paille tortillée. **2.** Corps enflammé s'élevant d'un feu. *Le vent dispersait les brandons.* **3.** Fig. *Un brandon de discorde :* un provocateur, ou une cause de querelles.

Brandt ou **Brant** (Sebastian) (Strasbourg, 1458 – id., 1521), jurisconsulte et poète alsacien : *la Nef des fous* (1494), satire des mœurs du temps.

Brandt (Herbert Karl Frahm, dit Willy) (Lübeck, 1913 – Bonn, 1992), homme politique allemand; chef du parti social-démocrate (1964 à 1987), chancelier de la R.F.A. de 1969 à 1974. Il mena une polit. de détente avec l'Est, mais une affaire d'espionnage le contraignit à démissionner. Prés. de l'Internationale socialiste de 1976 à 1992. P. Nobel de la paix 1971.

brandy n. m. Eau-de-vie, en Angleterre.

branlant, ante adj. Qui branle, peu stable.

branle n. m. **1.** Mouvement oscillant d'un corps. *Le branle d'une cloche.* **2.** Fig. Impulsion donnée. *Donner le branle, mettre en branle :* faire entrer en mouvement, donner une impulsion. *Se mettre en branle :* commencer à entrer en mouvement. **3.** Danse française en vogue du Moyen Âge au XVIIe s.; air sur lequel elle se dansait.

branle-bas n. m. inv. **1.** MAR *Branle-bas de combat :* ensemble des dispositions prises en vue d'un combat. **2.** Bouleversement, agitation. *Un branle-bas général.*

branlement n. m. Mouvement de ce qui branle.

branler v. [1] **1.** v. tr. *Branler la tête,* la mouvoir, la faire aller deçà delà. **2.** v. intr. Bouger; être mal assuré, fixé. *Dent qui branle.* ▷ (Canada) Fig., fam. Hésiter, tergiverser. *Arrête de branler et décide-toi!* ▷ *Branler dans le manche :* être mal emmanché, en parlant d'un outil; fig. être peu stable, peu sûr (situation, fortune, etc.); (Canada) mettre du temps à se décider, être sur le point d'accepter (une offre, une proposition). **3.** v. tr. Vulg. Masturber. ▷ v. pron. Se masturber.

Branly (Édouard) (Amiens, 1844 – Paris, 1940), physicien français. Son «cohéreur» (tube radioconducteur à limaille, 1890) a permis le développement de la télégraphie sans fil.

Branner (Hans Christian) (Ordrup, 1903 – Copenhague, 1966), écrivain danois; auteur de romans (*le Cavalier,* 1949; *Personne ne connaît la nuit,* 1955), de nouvelles et de pièces de théâtre à tendance symboliste, où la psychanalyse joue un rôle fondamental.

Brant. V. Brandt (Sebastian).

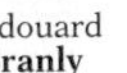

Édouard **Branly**

Georges **Brassens**

Brantford, v. du Canada (Ontario), à l'O. d'Hamilton ; 81 990 hab. Centre industr. (machines agricoles).

Branting (Karl Hjalmar) (Stockholm, 1860 - id., 1925), homme politique suédois ; leader du parti social-démocrate, il constitua et présida le premier gouvernement socialiste de l'histoire de la Suède. P. Nobel de la paix 1921.

Brantôme (Pierre de Bourdeille, seigneur et abbé de) (Bourdeille, Dordogne, v. 1540 - id., 1614), écrivain français, brillant chroniqueur *(Vies des hommes illustres et des grands capitaines, Vies des dames illustres)* et conteur libertin *(Vies des dames galantes).* L'ensemble de son œuvre est posthume.

braquage n. m. **1.** Action de braquer ; son résultat. - *Rayon de braquage :* rayon du cercle parcouru par la roue avant d'un véhicule, le volant étant tourné à fond. **2.** Arg. Attaque à main armée.

1. braque n. m. Chien de chasse d'arrêt à poil court, aux oreilles tombantes.

2. braque adj. et n. Fam. Écervelé, un peu fou.

Braque (Georges) (Argenteuil, 1882 - Paris, 1963), peintre français. Après une brève période fauve (1906-1907), il inventa le cubisme avec Picasso. D'abord « analytique » (découpage des volumes avant de les déployer, palette presque monochrome : *le Violon et la Cruche,* 1910), son cubisme fut « synthétique », avec des trompe-l'œil, le mélange de matières non picturales et des collages (*Compotier et Verre,* 1912). Après la guerre de 1914-1918, il a peint des formes plus courbes, et sa palette s'est enrichie (*le Guéridon noir,* 1919 ; *le Duo,* 1937 ; etc.).

braquemart [bʀakmaʀ] n. m. Épée courte à deux tranchants. ▷ Fig., vulg. Pénis.

braquer v. tr. [1] **1.** Diriger vers un point, dans une direction déterminée (un instrument d'optique, une pièce d'artillerie, une arme à feu). *Braquer une lunette d'approche sur l'horizon. Braquer un pistolet sur qqn.* ▷ Fig. *Braquer ses regards sur qqn, qqch.* **2.** Arg. Attaquer à main armée. *Braquer un convoyeur de fonds.* **3.** *Braquer les roues d'une automobile dans une direction* (ou, absol., *braquer*), les orienter le plus possible dans cette direction pour effectuer une manœuvre. **4.** *Braquer qqn,* provoquer son opposition têtue. *Braquer un enfant en le réprimandant.* ▷ v. pron. S'obstiner dans son opposition.

braquet [bʀakɛ] n. m. Développement d'une bicyclette. *Le dérailleur permet de changer de braquet.*

braqueur, euse n. Arg. Personne qui exécute un braquage.

bras n. m. **1.** Membre supérieur de l'homme, rattaché à l'épaule, terminé par la main. *Lever, plier les bras.* - *Spécial.* Partie du membre supérieur comprise entre l'épaule et le coude (par oppos. à l'*avant-bras,* entre le coude et le poignet). - *Donner le bras à une femme,* l'accompagner en lui tenant le bras. - Fig. *Les bras m'en tombent :* j'en suis stupéfait. - Fig. *Couper bras et jambes à qqn,* le mettre dans l'impuissance d'agir, le décourager. - *Rester les bras croisés,* à ne rien faire. - *Recevoir à bras ouverts,* chaleureusement, avec amitié. - *Avoir sur les bras :* être responsable de, ou accablé par. *Avoir beaucoup d'affaires sur les bras.* - *Être dans les bras de Morphée :* dormir. - *Donner du « cher Monsieur » gros comme le bras à qqn,* l'appeler « cher Monsieur », souvent et en insistant. **2.** Par méton. Homme qui agit, qui travaille. *Manquer de bras,* de travailleurs. *Être le bras droit de qqn,* son principal collaborateur. **3.** Pouvoir, autorité. *Le bras séculier :* l'autorité temporelle. - Fam. *Avoir le bras long :* avoir du crédit, du pouvoir. **4.** *Par anal.* Ce qui présente une certaine ressemblance avec les bras humains. *Les bras d'un fauteuil :* les accoudoirs. *Les bras d'une croix, d'un sémaphore.* ▷ ASTRO Développement extérieur d'une galaxie spirale, prenant naissance dans son noyau. ▷ MAR Manœuvre courante fixée à l'extrémité d'une vergue ou d'un tangon et servant à l'orienter. ▷ AUDIOV *Bras de lecture :* pièce d'une platine de tourne-disque qui porte la tête de lecture. ▷ MECA *Bras de levier :* distance du support d'une force à l'axe de rotation. ▷ TECH Tige ou poutre articulée. **5.** GEOGR Affluent ou subdivision du cours d'une rivière. - *Bras de mer :* étendue de mer entre deux terres rapprochées. **6.** Loc. *À bras :* en utilisant la force des muscles de l'homme. *Pompe à bras,* qui se manie avec le bras. - *À tour de bras, à bras raccourcis :* de toute sa force. *Tomber sur qqn à bras raccourcis.* - *Bras de fer :* épreuve de force. - *Bras dessus, bras dessous :* en se donnant le bras.

brasage n. m. TECH Procédé de soudage consistant à assembler des pièces métalliques par apport d'un alliage dont la température de fusion est plus faible que celle des surfaces à souder.

brasero [bʀazeʀo] n. m. Récipient de métal, sur pieds, destiné à recevoir des braises, pour se chauffer en plein air.

brasier n. m. **1.** Feu très vif, violent incendie. *Les sauveteurs étaient gênés par le brasier.* **2.** Fig. Passion, violence intense. *Le brasier de la guerre civile.*

Brasília, cap. du Brésil depuis 1960, au centre du pays à 1 200 m d'alt., à 940 km au N.-E. de Rio de Janeiro, l'anc. cap. ; 1 800 000 hab. ; ch.-l. d'un distr. fédéral. Université. Aéroport. - Son implantation a permis la création de nouvelles voies de communication et stimulé la pénétration de la pop. dans l'intérieur du pays, mais les bidonvilles de l'époque de la construction n'ont pas été résorbés. Pour l'essentiel, elle est l'œuvre de l'urbaniste Lucio Costa et de l'architecte Oscar Niemeyer.

Brasillach (Robert) (Perpignan, 1909 - fort de Montrouge, 1945), écrivain et journaliste français. Rédacteur en chef de *Je suis partout* (1937-1943), organe de propagande pronazie, il fut fusillé à la Libération. Il est l'auteur d'essais (*Présence de Virgile,* 1931 ; *Histoire du cinéma,* 1935, en collab. avec Maurice Bardèche) ; de romans (*Comme le temps passe,* 1937) ; de poésies (*Poèmes de Fresnes,* posth. 1949).

G. **Braque :** *Nature morte au compotier,* 1932 ; musée d'Art moderne de la Ville de Paris

brasiller v. intr. [1] **1.** Litt. Rougeoyer comme de la braise. **2.** Scintiller sous les rayons du soleil ou de la lune (en parlant de la mer).

bras-le-corps (à) loc. adv. Avec les deux bras passés autour du corps (de qqn). - Fig. *Prendre la vie à bras-le-corps,* vivre intensément.

Braşov (*Oraşul Stalin* de 1950 à 1960), v. de Roumanie centr. (Transylvanie) ; 334 990 hab. ; ch.-l. du district du m. nom. Industr. méca, chim., text. et alim. - Égl. St-Bartolomé (XIIIe-XIVe s.) ; égl. Noire (XIVe-XVe s.).

brassage n. m. **1.** Action de brasser, de remuer ; fait d'être brassé. - Fig. *Le brassage des populations.* **2.** TECH Opération consistant à extraire les matières solubles du malt, dans la fabrication de la bière.

Brassaï (Gyula Halász, dit) (Braşov, 1899 - Nice, 1984), photographe et sculpteur français d'origine hungaro-roumaine, attiré par l'insolite (*Graffiti,* 1961) et le monde de la nuit (*Paris secret,* 1976).

brassard n. m. **1.** HIST Pièce de l'armure qui couvrait le bras. **2.** Ornement ou signe de reconnaissance fixé au bras. *Brassard de secouriste.*

Brasschaat, com. de Belgique (banlieue d'Anvers) ; 32 220 hab. Taille du diamant. - Camp milit. (artillerie).

brasse n. f. **1.** Vx Longueur des deux bras étendus. **2.** Anc. unité de longueur (environ 1,60 m en France, 1,80 m en G.-B.). ▷ MAR Unité de profondeur équivalente. **3.** Nage sur le ventre dans laquelle les mouvements des bras et des jambes sont symétriques. *Brasse coulée, brasse papillon.* ▷ Distance parcourue par le nageur à chaque cycle de ces mouvements.

brassée n. f. Ce que peuvent contenir les deux bras. *Une brassée de bois.*

Brassempouy, com. des Landes (arr. de Dax) ; 280 hab. - Gisement

Brasília : la cathédrale

Dame à la capuche de **Brassempouy** ; musée des Antiquités nationales, Saint-Germain-en-Laye

du paléolithique supérieur (statuettes féminines en ivoire, dont la célèbre *Dame à la capuche* qui est la seule représentation du faciès humain de cette époque).

Brassens (Georges) (Sète, 1921 - Saint-Gély-du-Fesc, 1981), auteur-compositeur et chanteur français. S'accompagnant à la guitare (parfois renforcée d'une basse), il détaille des poèmes de composition parfaite aux accents anarchisants : *le Gorille, l'Auvergnat, les Copains d'abord, les Funérailles d'antan, Supplique pour être enterré à la plage de Sète,* etc. ▶ illustr. page **237**

1. brasser v. tr. [1] MAR Agir sur le bras (d'une vergue, d'un tangon, etc.) pour lui donner l'orientation voulue.

2. brasser v. tr. [1] **1.** Opérer les mélanges pour la fabrication de la bière. **2.** Remuer pour mélanger. *Brasser un mélange.* ▷ Fig. *Brasser des affaires :* s'occuper de nombreuses affaires. ▷ Fig., fam. *Brasser de l'air :* s'affairer beaucoup sans résultat.

brasserie n. f. **1.** Fabrique de bière ; industrie de la bière. **2.** Anc. Débit de boissons où l'on ne vendait que de la bière. - Mod. Lieu faisant à la fois café et restaurant.

brasseur, euse n. **1.** Fabricant de bière ; négociant en bière. **2.** *Brasseur d'affaires :* homme qui traite beaucoup d'affaires.

Brasseur (Pierre Espinasse, dit Pierre) (Paris, 1905 - Brunico, Italie, 1972), acteur français. Il mena une double carrière, au théâtre (*le Diable et le Bon Dieu,* 1951) et au cinéma, où, de 1925 à sa mort, il marqua de sa présence de nombreux films (*les Enfants du paradis,* 1945 ; *Porte des Lilas,* 1957).

brassière n. f. **1.** Petite chemise de bébé en toile fine ou en tricot. **2.** MAR *Brassière de sauvetage :* gilet de sauvetage.

brasure n. f. Soudure faite avec un métal ou un alliage dont le point de fusion est infér. à celui du métal à souder ; cet alliage ou ce métal d'apport.

Brătianu, famille roumaine de grands propriétaires terriens. – **Ion** (Pitești, 1821 - Florica, auj. Ștefănești, 1891), chef du parti national libéral ; président du Conseil de 1876 à 1888 (avec une brève interruption en 1881), il œuvra pour l'indép. de la Roumanie. – **Ion** (Florica, 1864 - Bucarest, 1927), fils du préc., chef du parti national libéral ; président du Conseil à cinq reprises entre 1909 et 1927, il fit entrer son pays en guerre aux côtés des Alliés (1916).

Bratislava (anc. en all. *Pressburg,* en fr. *Presbourg*), cap. de la Slovaquie, grand port fluv. sur le Danube ; 413 000 hab. Industr. métall., chim. Raff. de pétrole. - Centre universitaire et culturel. - Presbourg fut, après la prise de Buda par les Turcs (1541), la capitale politique du royaume de Hongrie, siège de la diète jusqu'en 1848. - Chât. du XIe s. (restauré au XVIIIe s.) ; basilique St-Martin (XIIIe s.) ; égl. St-François (XIIIe s.) ; hôtel de ville (XVe s., transformé en musée).

Bratsk, v. de Russie, en Sibérie orientale ; 240 000 hab. Très import. centr. hydroél. sur l'Angara. Métall. de l'aluminium.

Brauchitsch (Walther von) (Berlin, 1881 - Hambourg, 1948), maréchal allemand. Il commanda l'armée de terre (1938-1941) et dirigea la campagne de France (1940).

Braudel (Fernand) (Lunéville-en-Ornois, Meuse, 1902 - Cluses, 1985), historien français. Sa thèse *la Méditerranée et le monde méditerranéen à l'époque de Philippe II* (1949), par l'ampleur de ses vues, a fondé la « Nouvelle Histoire ». *Civilisation matérielle, économie et capitalisme, XVe-XVIIIe siècles* (1979) ; *l'Identité de la France* (posth., 1986). A dirigé avec E. Labrousse* une *Histoire économique et sociale de la France* (1970-1980). Collège de France (1949). Acad. fr. (1984).

Braun (Karl Ferdinand) (Fulda, 1850 - New York, 1918), physicien allemand. Il mit au point l'oscillographe cathodique (1897). P. Nobel 1909 avec G. Marconi.

Braun (Wernher von) (Wirsitz, auj. Wyrzysk, Pologne, 1912 - Alexandria, banlieue de Washington, 1977), ingénieur allemand ; le « père du V2 » (1944-1945). En 1945, il se rendit à l'armée américaine et fut emmené aux É.-U., où il collabora à la recherche spatiale.

Brauner (Victor) (Piatra Neamț, 1903 - Paris, 1966), peintre et graveur français d'origine roumaine, proche des surréalistes.

Brauwer. V. Brouwer.

bravache n. m. et adj. Faux brave, matamore. ▷ adj. *Un air bravache.*

bravade n. f. Défi, provocation en paroles ou en actes.

Bravais (Auguste) (Annonay, 1811 - Versailles, 1863), physicien et minéralogiste français. Il étudia l'optique des phénomènes atmosphériques et la structure des cristaux.

brave adj. et n. **1.** adj. Vaillant, courageux. *Un soldat brave.* Ant. lâche. ▷ Subst. *Un brave.* - Fam. *Un brave à trois poils,* d'une bravoure éprouvée. **2.** adj. (Avant le nom.) Honnête, bon, serviable. *De braves gens.* ▷ n. m. *Mon brave,* appellation familière et condescendante.

Fernand **Braudel**

Wernher von **Braun**

bravement adv. Avec bravoure.

braver v. tr. [1] **1.** Résister à, tenir tête à, en témoignant qu'on ne craint pas. *Braver l'autorité, le danger.* **2.** Manquer à, ne pas respecter. *Braver l'autorité, la morale.*

1. bravo interj. Exclamation qui accompagne un applaudissement, une approbation. ▷ n. m. *Des bravos répétés.*

2. bravo n. m. HIST Spadassin, assassin à gages. *Des bravi.*

Bravo (río). V. Grande (río).

bravoure n. f. **1.** Courage face au danger. **2.** MUS Vieilli *Air de bravoure :* air d'une exécution difficile, permettant de déployer son talent. - Mod. *Morceau de bravoure,* de virtuosité.

Bray (pays de), petite rég. du Bassin parisien, en Normandie, correspondant à une dépression argileuse. Import. élevage laitier. Pommiers.

Brazza (Pierre Savorgnan de) (Castel Gandolfo, 1852 - Dakar, 1905), explorateur français d'origine italienne. Il établit pacifiquement la domination française sur la r. dr. du Congo inférieur (1875-1885).

Brazzaville, cap. de la rép. pop. du Congo, sur la r. dr. du Congo, reliée par voie ferrée à Pointe-Noire, sur l'Atlant. ; 600 000 hab. Port fluv. et centre comm. import. Industr. alim., text. - Établie à l'emplacement du poste de Ntamo, fondé par Brazza en 1880, la v. prit plus tard le nom de l'explorateur et devint cap. de l'A.-É.F. en 1910. - En 1944, la *conférence de Brazzaville,* présidée par le général de Gaulle, réunit les représentants des colonies fr. d'Afrique noire. Elle tenta de définir un nouveau statut de l'empire.

Brazzaville

Brea, famille de peintres niçois. – **Louis** (Nice, v. 1450 - id., v. 1523), a laissé de nombr. retables (égl. de la région niçoise, notam. à Cimiez).

Bread and Puppet Theatre, compagnie théâtrale américaine utilisant un large éventail de techniques, modernes (happening) ou traditionnelles (marionnettes). Elle illustra le retour à un théâtre de participation, épique et fondé sur une réflexion.

1. break [bʀɛk] n. m. **1.** Anc. Voiture ouverte, au siège de cocher surélevé, dont les banquettes étaient disposées dans le sens de la longueur. **2.** Mod. Automobile qui possède un hayon sur sa face arrière, et dont la banquette arrière est généralement repliable.

2. break [bʀɛk] n. m. (Anglicisme) **1.** MUS En jazz, arrêt momentané du jeu de l'orchestre, pour souligner une intervention d'un seul instrument. **2.** SPORT Ordre de se séparer donné par l'arbitre à deux boxeurs au corps à corps.

breakfast [bʀɛkfœst] n. m. Petit déjeuner à l'anglaise, composé d'œufs et de charcuterie.

Bréal (Michel) (Landau, Bavière, 1832 - Paris, 1915), linguiste français ; élève et traducteur de F. Bopp. Spécialiste de linguistique comparée, il est le premier, en France, à avoir étudié la sémantique (*Essai de sémantique*, 1897).

brebis n. f. **1.** Mouton femelle. *Fromage de brebis.* **2.** (Par une métaph. fréquente dans les Écritures.) Chrétien par rapport à son pasteur. *Une brebis égarée* : un pécheur. Syn. ouaille. **3.** Péjor. *Brebis galeuse* : personne considérée comme donnant le mauvais exemple dans un groupe.

1. brèche n. f. **1.** Ouverture faite à un mur, une haie, etc. - *Spécial.* Trouée dans les remparts d'une ville assiégée. *Monter à l'assaut par une brèche.* ▷ Loc. fig. *Sur la brèche* : en pleine activité. - *Battre en brèche* : pratiquer une trouée dans (un rempart) à l'aide de l'artillerie ; fig. combattre avec succès. *Battre en brèche les idées reçues.* **2.** Vide à l'endroit où une partie a été ôtée à qqch. *Faire une brèche à un pâté.* ▷ Fig. Dommage causé à qqch que l'on entame. *Faire une brèche dans son capital.*

2. brèche n. f. GEOL Conglomérat de cailloux anguleux noyés dans un ciment de nature variable.

bréchet n. m. Crête médiane, verticale, ventrale, du sternum des carinates, sur laquelle sont insérés les muscles moteurs des ailes.

Brecht (Bertolt) (Augsbourg, 1898 - Berlin-Est, 1956), poète, essayiste et dramaturge allemand. Se dégageant de l'expressionnisme, il devint célèbre avec *l'Opéra de quat' sous* (1928, mus. de Kurt Weill) et se montra vite soucieux d'un théâtre politique, fondé sur l'analyse marxiste et l'effet de distanciation. Il quitta l'Allemagne nazie (1933) et s'installa aux É.-U. de 1941 à 1947 : *Mère Courage et ses enfants* (1938), *Galileo Galilei* (1939), *Maître Puntila et son valet Matti* (1940), *la Résistible Ascension d'Arturo Ui* (1941), *le Cercle de craie caucasien* (1945). À Berlin-Est (1948), il fonda le Berliner Ensemble, que sa veuve, Helene Weigel (1900 - 1971), dirigea après sa mort.

Breda, v. des Pays-Bas (Brabant-Septentrional), au confl. de la Mark et de l'Aa ; 120 210 hab. Brasseries. Machines. - Chât. (XVe-XVIe s.). Égl. goth. - En 1566, *compromis de Breda* : les Gueux présentèrent leurs revendications de tolérance religieuse à Marguerite de Parme, régente de Philippe II d'Espagne. - En 1667, le *traité de Breda*, signé entre la France, les Provinces-Unies, le Danemark et l'Angleterre, rendit l'Acadie à la France.

Brède (La), (*Labrède* jusqu'en 1987) ch.-l. de cant. de la Gironde (arr. de Bordeaux) ; 3 273 hab. Vignoble. Chât. (XIIIe, XVe et XVIe s.).

bredouillage ou **bredouillement** n. m. Action de bredouiller. - Ce qu'on bredouille.

bredouille adj. (En loc.) *Revenir bredouille* (de la chasse, de la pêche), sans gibier, sans poisson ; fig. en ayant échoué dans une entreprise, une démarche.

bredouiller v. intr. [1] Parler de manière précipitée et confuse. ▷ v. tr. *Bredouiller des excuses.* Syn. bafouiller.

1. bref, brève adj. et adv. **I.** adj. **1.** Qui dure peu. *La vie est brève.* ▷ Rapide. *À bref délai* : sous peu. Syn. court. Ant. long. **2.** Qui s'exprime en peu de mots, concis. *Soyez bref. Un bref discours.* Ant. prolixe. ▷ *Un ton bref*, sec et autoritaire. Syn. tranchant. **3.** *Syllabe, voyelle brève*, d'une courte durée d'émission. **II.** adv. En peu de mots, pour résumer. *Bref,* (litt. : *en bref*) *cela ne se peut.*

affiche pour les aéroplanes Louis-**Breguet**, v. 1910 ; musée de l'Air et de l'Espace, Le Bourget

2. bref n. m. Rescrit du pape, traitant d'affaires généralement de moindre importance que celles évoquées par une bulle.

Bregenz, ville d'Autriche, cap. du Vorarlberg, sur le lac de Constance ; 27 230 hab. Centre touristique.

Breguet, famille d'inventeurs français d'origine suisse. – **Abraham Louis** (Neuchâtel, 1747 - Paris, 1823), horloger ; inventeur de montres à remontoir automatique et à usage astronomique. – **Louis** (Paris, 1804 - id., 1883), petit-fils du préc. ; il inventa des appareils électriques et radiotélégraphiques. – **Antoine** (Paris, 1851 - id., 1882), fils du préc. ; il mit au point un anémomètre électrique. – **Louis** (Paris, 1880 - Saint-Germain-en-Laye, 1955), fils du préc. ; le plus célèbre des descendants d'Abraham Louis, il fut pilote et pionnier de la construction aéronautique française : le *Breguet XIV* participa aux opérations milit. de 1918 ; le *Breguet XIX*, piloté par Costes et Bellonte, accomplit la première traversée de l'Atlant. N. (1930) dans le sens E.-O.

bréhaigne [bʀeɛɲ] adj. f. **1.** Vx Stérile (en parlant d'une femme). **2.** Stérile (en parlant des femelles de certains animaux). - *Jument bréhaigne*, qui est stérile et possède des canines (caractère sexuel secondaire de l'étalon).

Bréhat (île de), île de la Manche (proche de Paimpol), formant une com. des Côtes-d'Armor (*Île-de-Bréhat* ; arr. de Saint-Brieuc) ; 471 hab. Tourisme important.

Breitkopf (Bernhard Christoph) (Leipzig, 1695 - 1777), éditeur de musique allemand ; fondateur d'une firme qui porte toujours son nom, associé, à partir de 1795, à celui de la famille Härtel.

breitschwanz [bʀɛtʃvɑ̃ts] n. m. Peau de l'agneau karakul mort-né, variété d'astrakan.

Brejnev (Leonid Ilitch) (Dnieprodzerjinsk, 1906 - Moscou, 1982), homme politique soviétique. Membre du parti communiste dès 1931, il succéda à Khrouchtchev comme premier secrétaire du Parti en 1964 et apparut progressivement comme le chef unique et suprême de l'U.R.S.S. En 1976 le titre de maréchal lui fut décerné. Il fut élu à la présidence du Præsidium du Soviet suprême en 1977. Son « règne » a été le plus long de l'U.R.S.S. (dix-huit ans) après celui de Staline (vingt-cinq ans).

Brekke (Paal) (Røros, 1923), poète norvégien. Il utilise une syntaxe brisée, symbolisant le poète confronté au chaos (*Combat avec les ombres*, 1949 ; *les Rameurs d'Ithaque*, 1960 ; *Le soir est tranquille*, 1972) et fait dans ses romans une critique de la société (*Orphée vieillissant*, 1951).

Brel (Jacques) (Bruxelles, 1929 - Bobigny, 1978), chanteur, acteur et cinéaste belge. Auteur-compositeur et interprète de chansons à forte charge poétique ou satirique, qui marquèrent son époque (*Amsterdam* ; *Ne me quitte pas*).

Bertolt **Brecht** Jacques **Brel**

brelan n. m. JEU Réunion de trois cartes de même valeur ou, aux dés, de trois faces semblables. *Brelan d'as.*

breloque n. f. **1.** Menu bijou attaché à une chaîne de montre, à un bracelet. **2.** Batterie de tambour qui annonçait la fin d'un rassemblement. ▷ Fig. *Battre la breloque* : fonctionner mal, irrégulièrement. *Horloge, cœur qui bat la breloque.*

1. brème n. f. Poisson téléostéen (fam. cyprinidés) des eaux douces, lentes et profondes (son corps est comprimé latéralement et atteint 70 cm de long).

2. brème n. f. Arg. Carte à jouer. *Maquiller les brèmes* : marquer le dos des cartes pour les reconnaître et tricher.

Brême (en all. *Bremen*), v. d'Allemagne, sur la Weser, à 65 km de la mer du Nord ; 521 980 hab. Elle forme, avec Bremerhaven, le plus petit Land d'All. et une région de la C.E. ; 404 km^2 ; 675 000 hab. Grand port de comm. Sidérurgie. Industr. méca., aéron., text., alim. et chim. Raff. de pétrole. - Anc. ville hanséatique. - Brême fut détruite aux deux tiers par les bombardements alliés en 1945. - Cath. goth., églises, maisons des XVIe, XVIIe et XVIIIe s., très restaurées.

Bremerhaven, v. d'Allemagne, sur la mer du Nord, avant-port de Brême ; 132 910 hab. Pêche et conserveries. Constr. navales.

Bremond (abbé Henri) (Aix-en-Provence, 1865 - Arthez-d'Asson, Pyrénées-Atl., 1933), critique littéraire et historien français : *Histoire littéraire du sentiment religieux en France* (1916-1933, inachevée), *la Poésie pure* (1926). Acad. fr. (1923).

Brémontier (Nicolas Thomas) (Quevilly, 1738 - Paris, 1809), ingénieur français. Il fixa les dunes de Gascogne (Landes) en y plantant des pins et des genêts.

Brendel (Alfred) (Loučna nad Desnou, Moravie, 1931), pianiste autrichien, spécialiste de Beethoven et de Liszt.

Brenn ou **Brennus** (IVe s. av. J.-C.) (*Brenn* signifie « chef » dans les langues celtes.) On désigne de ce mot le chef gaulois qui prit Rome vers 390 av. J.-C. et qui aurait jeté son épée dans la balance pour alourdir la rançon qu'il devait recevoir en prononçant l'invective *Vae victis!* (Malheur aux vaincus !)

Brenne (la), rég. du Berry, entre l'Indre et la Creuse (hab. Brennous) ; pays d'étangs, de pâturages pauvres et de bois.

Brenner (col du), col des Alpes orient. (1 370 m), reliant la vallée de l'Adige à celle de l'Inn, à la frontière italo-autrichienne.

Brenta (la), fl. d'Italie du N. (174 km) ; naît dans les Dolomites, près de Trente ; se jette dans l'Adriatique au S. de la lagune de Venise.

Brentano (Clemens) (Ehrenbreitstein, 1778 - Aschaffenburg, 1842), poète et romancier romantique allemand : *Godwin ou la Statue de la mère* (1801-1802), *le Cor merveilleux de l'enfant*, recueil de « Volkslieder » (chants populaires) (1806-1808, avec A. von Arnim), etc.

Brentano (Élisabeth, dite Bettina) (Francfort-sur-le-Main, 1785 - Berlin, 1859), femme de lettres, épouse de Achim von Arnim, fut la correspondante de Goethe.

Brentano (Franz) (Marienberg, 1838 - Zurich, 1917), philosophe et psychologue allemand. Sa *Psychologie du point de vue empirique* (publiée à partir de 1874) annonce la phénoménologie de Husserl : la conscience ne peut être décrite indépendamment des objets qu'elle appréhende.

Brera (palais), palais de Milan (XVIIe s.) qui abrite un observatoire, une bibliothèque et la *galleria Brera*, célèbre pinacothèque (écoles lombarde et vénitienne).

Brescia, v. d'Italie (Lombardie), au pied des Préalpes, à l'O. du lac de Garde ; 203 190 hab. ; ch.-l. de la prov. du m. nom. Centre comm. Industr. alim., métall., text. et chim. - Victoire franç. sur les Autrichiens (1799 et 1813). - Anc. cath., dite « la Rotonda » (XIe-XVe s.) ; musée d'antiquités.

Bresdin (Rodolphe) (Montrelais, Maine-et-Loire, 1822 - Sèvres, 1885), graveur fr. : lithographies et, surtout, eaux-fortes d'inspiration fantastique.

Brésil (république fédérale du) (*República federativa do Brasil*), État le plus grand d'Amérique du Sud et le 4e au monde par la superficie ; 8 511 965 km² ; 157 800 000 hab. ; cap. *Brasília*. Nature de l'État : rép. fédérale de type présidentiel. Langue off. : portugais. Monnaie : real (BRR). Population : environ 60 % de Blancs, 28 % de métis, 10 % de Noirs d'orig. africaine, 2 % d'Indiens (mais la notion de « race » n'est plus tenue en compte par les recensements officiels depuis 1950). Relig. : cathol. (93 %).

Géogr. phys. et hum. – La vaste cuvette équatoriale de l'Amazone (fleuve le plus puissant du monde), humide et couverte de forêt dense, occupe le N. du pays. Au S., lui succèdent les plateaux plus secs du Mato Grosso, domaines de la savane (les *campos*). Le reste du pays est constitué de plateaux qui s'inclinent à l'O. vers la gouttière du Paraguay mais sont fortement redressés vers le littoral atlantique où des hauteurs (les *serras*) dominent une étroite plaine côtière. Le climat tropical d'alizés de la façade atlantique prend des nuances tempérées au S., alors que le N.-E. intérieur, le Sertão, est un îlot de sécheresse couvert d'une végétation aride (la *caatinga*). La population, aux trois quarts citadine et dont la croissance annuelle atteint 1,22 %, se concentre sur la façade atlantique et surtout dans le « Sudeste », cœur économique du pays.

Écon. – Le Brésil est la première puissance écon. du tiers monde. L'agriculture oppose un secteur moderne et exportateur, constitué des cultures extensives du littoral, du Sud et du Sudeste (café, cacao, canne à sucre, soja, maïs, sorgho, agrumes) et des grands élevages bovins du Mato Grosso et de l'Amazonie, à une agriculture vivrière pauvre, que des réformes agraires aux effets limités n'ont pas réussi à transformer ; 65 % des exploitants possèdent moins de 10 hectares et ne contrôlent que 3 % des terres. Les ressources naturelles sont abondantes : bois, hydroélectricité (le barrage d'Itaipu sur le Parana alimente la plus puissante centrale du monde), pétrole (régions de Salvador et de Rio de Janeiro) et surtout gisements miniers du Minas Gerais et du bassin amazonien. Premier exportateur mondial de fer, le Brésil est devenu le premier producteur d'étain et occupe de bons rangs pour la bauxite, l'or, le manganèse, le tungstène, les pierres précieuses. L'industrie, très diversifiée, se place au 10e rang mondial pour la valeur de la prod. et concurrence les pays développés dans des domaines comme les biens d'équipement, les véhicules, l'armement, l'agro-alimentaire, le textile et la chaussure. Le véritable problème du pays tient aux déséquilibres issus d'un développement inégal : contrastes sociaux, disparités géographiques entre villes et campagnes, entre régions pauvres et régions riches (le Nordeste reste une véritable poche de misère). Les zones pionnières du Mato Grosso et de l'Amazonie ont connu une croissance importante depuis vingt ans, sans pour autant répondre pleinement aux attentes, et au prix de lourdes atteintes à l'environnement. Les principaux partenaires écon. sont les États-Unis, la C.É.E., le Japon et les voisins latino-américains. L'excédent commercial est important mais la dette ext. est la plus élevée du tiers monde, ce qui, ajouté à l'hyperinflation enregistrée à la fin des années 80, a conduit le président Collor à mettre en œuvre un plan de stabilisation draconien en mars 1990 : privatisations, hausse des tarifs publics, licenciement du quart des fonctionnaires. En 1994, F. Cardoso, alors ministre des Finances, a lancé le « plan real » (le huitième plan de stabilisation monétaire en sept ans), qui a permis de réduire l'inflation.

Hist. – Le Portugais Cabral aborda la côte du Brésil en 1500. La colonisation de la bordure atlant. fut faible jusqu'au XVIIe s., époque à laquelle elle se développa grâce à l'apport d'esclaves noirs astreints à cultiver la canne à sucre de Bahia à Recife. L'extension de la colonisation commença à la fin du XVIIe s., en raison de l'exploitation des mines d'or et de diamants du Minas Gerais (1696). Divisé en capitaineries dès 1548, le Brésil devint une vice-royauté (1720) qui, en 1808, accueillit la famille royale du Portugal, chassée par les conquêtes napoléoniennes. Il se constitua en empire constitutionnel indép. en 1822, avec Pierre Ier, fils du roi Jean VI reparti au Portugal. De grands progrès écon. furent accomplis sous le règne de Pierre II (1831-1889) : introduction de la cult. du café (1860), « boom » du caoutchouc, ouverture du pays aux immigrants européens. L'esclavage fut définitivement aboli en 1888. Un coup d'État militaire instaura la rép. en 1889. De 1930 à 1945 et de 1951 à 1954, la vie polit. fut dominée par le président G. Vargas, qui amorça l'essor industriel du pays. Au président J. Kubitschek (1956-1960) revient la création de Brasilia. Après une période d'instabilité (présidences de J. Quadros, 1961, et de J. Goulart, 1961-1964), la prise du pouvoir par les militaires en 1964 ouvrit une période de progrès écon. (grâce à l'aide américaine), mais accentua aussi les inégalités sociales. L'élection du gal Geisel, en 1974, marqua le retour à la vie constitutionnelle. Son successeur le gal Figueiredo (1979-1985) rendit le pouvoir aux civils en 1985. Le président J. Sarney, responsable d'un programme économique d'austérité, dut lutter contre une inflation galopante. En déc. 1989 eut lieu la première élection d'un président de la République au suffrage universel, qui porta au pouvoir Fernando Collor de Mello, mais, accusé de corruption, il fut destitué (1992) et remplacé par le vice-président Itamar Franco. Fernando Cardoso, président de la République depuis 1995, s'est attaché à réduire l'inflation. Mais son principal défi consiste à remédier à une situation sociale considérée comme particulièrement inégalitaire.

brésilien, enne adj. et n. Du Brésil. ▷ Subst. *Un(e) Brésilien(ne).*

Breslau. V. Wrocław.

Bresle (la), fl. côtier (72 km) formant la limite entre les dép. de la Seine-Marit. et de la Somme.

bressan, ane adj. et n. De la Bresse ; de Bourg-en-Bresse. ▷ Subst. *Un(e) Bressan(e).*

Bresse (la), rég. de l'E. de la France, comprise entre la Saône à l'O., le Jura à l'E., le Doubs au N. et les Dombes au S. ; v. princ. *Bourg-en-Bresse.* Important élevage (volailles, bovins, porcins).

Bresson (Robert) (Bromont-Lamothe, Puy-de-Dôme, 1901), cinéaste français. Son œuvre est marquée par la recherche d'une grande ascèse visuelle : *les Dames du bois de Boulogne* (1945), *le Journal d'un curé de campagne* (1951), *Un condamné à mort s'est échappé* (1956), *Pickpocket* (1959), *Lancelot du Lac* (1974), *l'Argent* (1983).

Bressuire, ch.-l. d'arr. des Deux-Sèvres ; 18 994 hab. Marché à bestiaux. Industrie métallique.

Brest, ch.-l. d'arr. du Finistère, au fond de la *rade de Brest,* qui communique avec l'océan Atlantique par le *goulet de Brest ;* 153 099 hab. (env. 199 600 hab. dans l'aggl.). Port milit. et comm. import. Aéroport (Guipavas). Arsenal. Réparations navales. Constr. électr., électron. et méca. Siège de l'Institut français de recherche pour l'exploitation de la mer et de l'Institut d'études marines. Écoles de la marine. L'île Longue abrite les sous-marins nucléaires de la marine nationale. – La v. fut presque entièrement rasée par les bombardements en 1944. – Tour de la Motte-Tanguy (XIVe s.) ; remparts de Vauban (1683).

Brest (jusqu'en 1921 *Brest-Litovsk*), ville de Biélorussie ; 222 000 hab. ; ch.-l. de la prov. du m. nom. La v. fut polonaise *(Brześć nad Bugiem)* de 1919 à 1939. – En 1918, le traité de Brest-Litovsk conclut la paix entre l'Allemagne et les Soviets.

brestois, oise adj. et n. De Brest. ▷ Subst. *Un(e) Brestois(e).*

Bretagne, anc. prov. franç. qui correspond à l'actuelle Rég. de Bretagne et à une partie du dép. de la Loire-Atlant. De riches vestiges mégalithiques attestent la présence d'une population préceltique. L'Armorique, conquise par Rome en 57 av. J.-C. (forte résistance des Vénètes, peuple de la région de Vannes), reçut au Ve s. les Bretons (Celtes) de G.-B. (d'où son nom de Bretagne), qui fuyaient devant les Angles et les Saxons, et fut évangélisée (nombreux monastères). La suzeraineté franque resta nominale. Aux IXe et Xe s., l'arrivée des Normands provoqua des guerres désastreuses. Au Xe s., les chefs bretons se disaient « ducs », mais le roi de France ne connaissait qu'un « comté ». Après l'assassinat du Plantagenêt Arthur Ier (1203), le comté de Bretagne (qui sera érigé en duché en 1297) échappa à la tutelle d'Angleterre et passa à Pierre Ier Mauclerc (1213), prince capétien, qui fit de Nantes sa cap. Ses descendants régnèrent jusqu'en 1341. S'ouvrit alors une guerre de Succession (1341-1365) qui vit la défaite de Charles de Blois. Jean IV de Montfort fut reconnu duc légitime par le roi de France (traité de Guérande, 1365). La Bretagne connut une grande prospérité au XVe s., sous Jean V et François II. La fille de ce dernier, la duchesse Anne, épousa les rois de France Charles VIII (1491), puis Louis XII (1498), préparant ainsi l'annexion du duché, laquelle fut effective en 1532. Malgré une polit. d'assimilation très vive sous la IIIe République, la Bretagne conserve une réelle originalité linguistique et culturelle qui a fait naître des mouvements autonomistes. À l'O. d'une ligne Saint-Brieuc-Vannes, le breton reste vivant.

Bretagne, Région admin. française et région de la C.E., formée des dép. des Côtes-d'Armor, du Finistère, de l'Ille-et-Vilaine et du Morbihan ; 27 184 km^2 ; 2 872 705 hab. ; cap. *Rennes.*

Géogr. phys. et hum. – Extrémité péninsulaire du Massif armoricain, vieille chaîne hercynienne arasée, la région oppose une Bretagne maritime (Armor) à une Bretagne intérieure (Arcoat). Les régions côtières, profondément échancrées au N. et à l'O., moins élevées au S., au climat doux et humide groupent, sur 1 100 km, la majorité de la pop. et la plupart des villes. L'intérieur fait alterner des alignements de hauteurs (monts d'Arrée, landes du Méné, Montagne Noire, landes de Lanvaux), très faiblement peuplés et des bassins plus propices à l'occupation humaine, comme ceux de Rennes et de Châteaulin. Touchée dès la fin du XIXe s. par une forte émigration, en partie compensée par une natalité élevée, la Bretagne n'a vu sa population s'accroître à nouveau notablement qu'à partir de années 60 ; sa croissance démographique est

aujourd'hui supérieure à la moyenne nationale et son solde migratoire est excédentaire.
Écon. – Jusqu'aux années 60, l'économie bretonne accusait d'importants retards et reposait sur l'agriculture et la pêche, auxquelles s'ajoutaient les activités portuaires, les arsenaux et une industrie embryonnaire. L'aménagement de grandes infrastructures pour désenclaver la région, la politique de décentralisation et le dynamisme des initiatives locales ont métamorphosé l'activité régionale. En dépit des difficultés d'adaptation de l'agriculture, de la pêche et des industries de main d'œuvre (chaussure, activités de montage), la région réalise aujourd'hui des performances enviées. L'agriculture, qui associe étroitement cultures et élevage, occupe le 1er rang français pour la valeur de la prod. : porcs, volailles, veau et bœuf, lait, légumes primeurs; ces productions, ajoutées à celles de la pêche et de l'aquaculture (1er rang national) ont permis le développement d'une puissante filière d'industries agroalim. L'implantation de branches comme l'électronique, les télécommunications, l'automobile, a diversifié l'industrie régionale qui développe aujourd'hui des activités de haute technologie dans les technopoles de Rennes et de Brest. L'important potentiel touristique est renforcé par le développement de la thalassothérapie. Aujourd'hui bien desservie par un réseau routier moderne et par le TGV, la Bretagne occupe une place de choix sur la façade atlantique de la C.É.E.

Bretagne (prov. de). V. Royaume-Uni de Grande-Bretagne et d'Irlande du Nord (hist.).

bretèche ou **bretesse** n. f. ANC. **1.** Ouvrage de fortification, muni de créneaux et avancé sur une façade. **2.** ARCHI Balcon en bois, placé sur la façade de certains hôtels de ville au XVe s.

Bretécher (Claire) (Nantes, 1940), dessinatrice et scénariste de bandes dessinées. Elle a participé à la création de *l'Écho des savanes* et collaboré au *Nouvel Observateur : Cellulite* (1969), *les Frustrés* (1973), *Thérèse d'Avila* (1980).

bretelle n. f. **1.** Sangle passée sur les épaules, servant à porter certains fardeaux. *Tenir un fusil par la bretelle.* ▷ Bande élastique passée sur chaque épaule et retenant un pantalon, une jupe. *Une paire de bretelles.* – Bande de tissu maintenant une combinaison, un soutien-gorge, etc. **2.** *Par anal.* MILIT Ligne intérieure reliant deux lignes de défense. ▷ CH de F Dispositif d'aiguillage. ▷ TRAV PUBL Portion de route raccordant une autoroute à une autre voie routière.

bretessé, ée [brətese] adj. HERALD Crénelé haut et bas alternativement.

Breteuil (pavillon de), à Sèvres, siège du Bureau international des poids et mesures.

Brétigny, hameau d'Eure-et-Loir, en Beauce, près de Chartres, où fut signé en 1360 un traité entre la France et l'Angleterre; celle-ci s'engageait à libérer Jean II le Bon contre une énorme rançon et recevait, en outre, le S.-O. de la France et d'autres territoires.

Brétigny-sur-Orge, ch.-l. de cant. de l'Essonne (arr. de Palaiseau); 20 069 hab. (*Brétignolais*). Aérodrome militaire, centre d'essais en vol.

breton, onne adj. et n. **1.** De Bretagne. *Calvaires bretons.* ▷ Subst. Personne originaire de Bretagne. *Un(e) Breton(ne).* **2.** n. m. *Le breton :* la langue celtique parlée dans l'ouest de la Bretagne. **3.** *Romans bretons :* cycle épique de romans en vers (français) du Moyen Âge, d'après des légendes et des traditions celtiques de Bretagne et de Grande-Bretagne.

Breton (pertuis), détroit entre l'île de Ré et le littoral vendéen.

Breton (André) (Tinchebray, Orne, 1896 – Paris, 1966), écrivain français; promoteur et princ. animateur du mouvement surréaliste, dont il a défini les fondements dans deux *Manifestes* (1924 et 1930). Prônant l'exploration poétique de l'inconscient, il a réhabilité l'imaginaire et le rêve : *Nadja* (1928), *l'Immaculée Conception* (1930, en collab. avec Paul Éluard), *les Vases communicants* (1932), *l'Amour fou* (1937), *Anthologie de l'humour noir* (1940), *Arcane 17* (1947), *Poèmes 1917-1948* (1948).

André **Breton,** peinture de Max Ernst et Marie Berthe; coll. part.

bretonnant, ante adj. Qui conserve la langue et les traditions bretonnes. *Breton bretonnant.*

Bretonneau (Pierre) (Saint-Georges-sur-Cher, 1778 – Paris, 1862), médecin français. Il étudia principalement la fièvre typhoïde et la diphtérie.

bretteur n. m. **1.** ANC. Spadassin; ferrailleur. **2.** FIG. Fanfaron.

Bretton Woods (accords de), conclus lors de la conférence monétaire et financière internationale qui se tint à Bretton Woods, dans le New Hampshire, en juil. 1944. Ils décidèrent l'institution d'une unité de change internationale, l'or, et de deux monnaies de réserve, le dollar américain et la livre sterling, ainsi que la création du Fonds monétaire international (F.M.I.).

bretzel n. m. ou f. Biscuit salé en forme de lorgnon.

Breuer (Joseph) (Vienne 1842 – id., 1925), psychiatre autrichien. Il publia avec le jeune Freud *Études sur l'hystérie* (1895).

Breuer (Marcel) (Pécs, 1902 – New York, 1981), architecte américain d'origine hongroise. Élève puis enseignant au Bauhaus, où il a créé un type de mobilier en acier tubulaire destiné à la production industrielle, il a notam. conçu, avec Nervi et Zehrfuss, le palais de l'Unesco à Paris (1952-1958).

Breughel. V. Bruegel.

Breuil (abbé Henri) (Mortain, 1877 – L'Isle-Adam, 1961), préhistorien français. Il fut l'un des tout premiers qui étudièrent les industries et l'art paléolithiques (*les Hommes de la pierre ancienne,* 1951).

breuvage n. m. **1.** VX ou LITT. Boisson. **2.** MOD. Boisson spécialement composée, médicamenteuse ou non. *Un breuvage sédatif.*

brève n. f. **1.** Syllabe, voyelle brève. **2.** Courte information diffusée par les médias. **3.** FAM. *Brève de comptoir :* bon mot, formule à l'emporte-pièce émis au comptoir d'un café.

Brévent (le), sommet des Alpes franç. (2 525 m), dans le massif des Aiguilles-Rouges (Hte-Savoie).

brevet n. m. **1.** DR Acte dont le notaire ne garde pas les minutes et qu'il relève sans y inclure la formule exécutoire. **2.** Acte non scellé par lequel le roi accordait une grâce, un titre. ▷ Titre délivré au nom d'un gouvernement ou d'un souverain, permettant d'exercer certaines fonctions. **3.** Spécial. *Brevet d'invention,* ou, absol., *brevet :* titre délivré par le gouvernement à l'inventeur d'un dispositif ou d'un produit nouveau, et qui, sous certaines conditions, lui confère un droit exclusif d'exploitation pour un temps déterminé. **4.** Nom de plusieurs diplômes. *Brevet des collèges, d'études professionnelles.* ▷ FIG. *Décerner à qqn un brevet de sottise.*

brevetable adj. Susceptible d'être breveté.

brevetage n. m. Action de breveter une invention.

breveté, ée adj. et n. **1.** Qui a obtenu un brevet d'invention. **2.** Qui a fait l'objet d'un brevet. *Produit breveté.*

breveter v. tr. **[20]** Protéger par un brevet. *Faire breveter une invention.*

bréviaire n. m. **1.** RELIG CATHOL Livre contenant les offices, que les clercs lisent chaque jour. **2.** FIG. Livre dont on fait sa lecture habituelle.

bréviligne adj. DIDAC. Qui a des mensurations courtes, un aspect trapu.

Brewster (sir David) (Jedburgh, 1781 – près de Melrose, 1868), physicien écossais. Il étudia la polarisation, inventa le kaléidoscope et le stéréoscope par réfraction. ▷ OPT *Loi de Brewster :* la lumière réfléchie sur un dioptre plan d'indice relatif n est entièrement polarisée pour un angle d'incidence i tel que $tg\,i = n$.

Breytenbach (Breiten) (Bonnievale, prov. du Cap, 1939), poète et peintre sud-africain d'expression afrikaans, exilé en France. Il dénonce dans ses ouvrages la condition faite aux Noirs de son pays (*Mouroir,* 1983).

Brézé (maison de), famille angevine. – **Louis II** (m. à Anet, 1531), grand sénéchal de Normandie et de France. Il épousa Diane de Poitiers (1514).

Brialmont (Henri Alexis) (Venlo, 1821 – Bruxelles, 1903), général belge; auteur d'un plan de fortifications, d'Anvers à la Meuse.

Brialy (Jean-Claude) (Aumale, Algérie, 1933), comédien et metteur en scène français. Vedette de la Nouvelle Vague* : *le Beau Serge* et *les Cousins* (1958), il se partagea ensuite entre le cinéma et la scène.

Briançon, ch.-l. d'arr. des Htes-Alpes, dans le Briançonnais, sur la Durance; 12 141 hab. Stat. clim. et tourist. – Citadelle de Vauban; pont d'Asfeld (1734).

Briançonnais, rég. alpestre autour de Briançon. Tourisme (sports d'hiver).

Briand (Aristide) (Nantes, 1862 – Paris, 1932), homme politique français. Cofondateur, avec Jaurès, du parti socialiste français (1901), qu'il quitta en 1905, il fut 23 fois ministre (18 fois des Affaires étrangères) et 11 fois président du Conseil. Après 1918, il s'attacha à maintenir la paix (accords de Locarno avec l'Allemagne, 1925) et se montra

Aristide **Briand**

actif à la Société des Nations (le *pacte Briand-Kellog,* pacte de renonciation générale à la guerre, fut signé en août 1928 par 60 nations). P. Nobel de la paix 1926.

Briansk, v. de Russie, sur la Desna, affl. du Dniepr; 430 000 hab.; ch.-l. de prov. – La v. fut occupée par les Allemands de 1941 à 1943.

briard, arde adj. et n. **1.** adj. De la Brie, de Brie-Comte-Robert. ▷ Subst. *Un(e) Briard(e).* **2.** n. m. Grand chien de berger à poil long.

Briare, ch.-l. de cant. du Loiret (arr. de Montargis), au confl. du *canal de Briare,* qui relie la Seine à la Loire, et du canal latéral à la Loire, lequel la franchit par un pont-canal; 6 210 hab.

bribe n. f. Petit morceau, fragment. *Une bribe de chocolat.* ▷ Fig. *Des bribes de conversation.*

bric-à-brac n. m. inv. Amas d'objets de peu de valeur et de toutes provenances. *Marchand de bric-à-brac.* ▷ Fig. *Un bric-à-brac de lieux communs et de préjugés.* Syn. fatras.

bric et de broc (de) loc. adv. De pièces et de morceaux disposés au hasard.

brick n. m. MAR Petit navire à deux mâts à voiles carrées.

bricolage n. m. Action de bricoler. ▷ Installation, réparation de fortune.

bricole n. f. **1.** HIST Catapulte à courroies du Moyen Âge. **2.** Partie du harnais d'un cheval de trait contre laquelle s'appuie son poitrail. – *Par ext.* Courroie, lanière pour porter un fardeau, pour tirer une charrette. **3.** Petite chose sans valeur; occupation futile ou travail mal rétribué. *Perdre son temps à des bricoles.*

bricoler v. [1] **I.** v. intr. **1.** Se livrer à de menus travaux, peu rémunérés. **2.** Exécuter de menus travaux de réparation, d'agencement, etc. *Passer ses dimanches à bricoler.* **II.** v. tr. Fabriquer, réparer (qqch) avec des moyens de fortune. *Bricoler un réveil.*

bricoleur, euse n. Personne qui aime à bricoler. ▷ adj. *Elle est très bricoleuse.*

bride n. f. **1.** Harnais de tête du cheval servant à le conduire. **2.** Les rênes seules. *Rendre, lâcher la bride à un cheval. Mener par la bride* : tenir les rênes sans monter. ▷ Fig. *Tenir en bride* : refréner, modérer. *Tenir la bride haute, courte à qqn,* lui accorder peu de liberté. *Laisser la bride sur le cou* : laisser libre d'agir. ▷ Loc. *À toute bride, à bride abattue* : très vite. **3.** *Par anal.* Pièce servant à attacher, à retenir. *Les brides d'un chapeau.* ▷ COUT Petit arceau fait soit de fil recouvert au point de boutonnière, soit de ganse, servant à retenir un bouton ou une agrafe, ou utilisé comme point arrêt. – Fils unissant les motifs d'une dentelle. **4.** CHIR Tissu fibreux dû à une cicatrisation anormale ou secondaire à un processus inflammatoire ou à un acte chirurgical. *Bride cicatricielle.* **5.** TECH Pièce d'assemblage des éléments d'une canalisation.

bridé, ée adj. **1.** À qui on a passé une bride. **2.** *Yeux bridés,* dont le larmier est dissimulé par un repli de peau (épicanthus) qui bride la paupière supérieure. (Trait caractéristique de la grand-race jaune.)

brider v. tr. [1] **1.** Mettre la bride à. *Brider un mulet.* **2.** Assurer par une bride, un lien. ▷ COUT Arrêter par une bride. ▷ CUIS *Brider une volaille,* la ficeler pour la cuisson. ▷ MAR Serrer étroitement par un amarrage (deux ou plusieurs cordages parallèles). ▷ *Par ext.* Serrer trop. *Ce veston le bride.* **3.** AUTO *Brider un moteur,* le munir d'un dispositif qui le fait tourner à un régime inférieur à son régime normal. **4.** Fig. Contenir, refréner. *Brider sa spontanéité.*

1. bridge [bʀidʒ] n. m. Jeu de cartes dérivé du whist et qui se joue avec un jeu de 52 cartes entre 2 équipes de 2 partenaires. *Un tournoi de bridge.*

2. bridge [bʀidʒ] n. m. Appareil de prothèse dentaire fixé par chacune de ses extrémités sur une dent saine.

Bridgeport, v. et port des É.-U. (Connecticut), sur le détroit de Long Island; 141 680 hab. Constr. méca.

bridger v. intr. [13] Jouer au bridge.

Bridgetown, cap. et port de la Barbade (Antilles); 7 470 hab.

bridgeur, euse n. Personne qui joue au bridge.

Bridgman (Percy Williams) (Cambridge, Massachusetts, 1882 - Randolph, New Hampshire, 1961), physicien américain; spécialiste des hautes pressions. P. Nobel 1946.

brie n. m. Fromage à pâte molle fermentée, fabriqué primitivement dans la Brie.

Brie (la), rég. du Bassin parisien, entre la Marne et la Seine, formée de plateaux calcaires recouverts de limons. C'est un pays de grandes exploitations pratiquant les cult. du blé, des betteraves à sucre et l'élevage laitier (fromages).

Brie-Comte-Robert, ch.-l. de cant. de Seine-et-Marne (arr. de Melun); 11 765 hab. (*Briards*). Centre comm. – Anc. cap. de la Brie française. – Ruines du chât. de Robert de France, 1er comte de Brie, frère de Louis VII; égl. St-Étienne (XIIe-XIVe s.).

briefer [bʀife] v. tr. [1] Informer, donner des consignes au sujet d'une tâche à accomplir.

briefing [bʀifiŋ] n. m. (Anglicisme) AVIAT Réunion au cours de laquelle sont données des informations et des consignes, avant un départ en mission. ▷ *Par ext.* Toute courte réunion d'information.

Brienne, famille champenoise. – **Jean** (?, v. 1148 - Constantinople, 1237), roi de Jérusalem de 1210 à 1225 par son mariage avec Marie de Montferrat. Il fut un des chefs de la 5e croisade (1217-1221) et empereur latin d'Orient de 1231 à 1237.

Brienne-le-Château, ch.-l. de cant. de l'Aube (arr. de Bar-sur-Aube); 3 870 hab. – La v. possédait une école militaire, datant du XVIIIe s., où étudia Bonaparte (1779-1784). Musée Napoléon Ier. – Victoire de Napoléon sur Blücher (janv. 1814) lors de la campagne de France.

Brienz (lac de), lac de Suisse (30 km²), formé par l'Aar.

Brière ou **Grande Brière** (la), plaine marécageuse de la Loire-Atlant., au N. de Saint-Nazaire. Tourbe. – Parc naturel régional depuis 1970.

Brieux (Eugène) (Paris, 1858 - Nice, 1932), dramaturge français. Ses pièces aux accents mélodramatiques sont consacrées aux problèmes sociaux : *la Robe rouge* (1900), *la Femme seule* (1912).

brièvement adv. En peu de mots. Syn. succinctement.

brièveté n. f. **1.** Courte durée. *La brièveté de la vie.* **2.** Rare Concision. *Brièveté du style.*

Briey, ch.-l. d'arr. de Meurthe-et-Moselle, en bordure du bassin minier de Briey (fer); 4 823 hab. Sidérurgie.

brigade n. f. **1.** MILIT Corps de troupe, dont la composition et les effectifs ont varié selon les époques. – De nos jours, unité d'une division, composée de plusieurs régiments. **2.** Groupe de quelques hommes. *Brigade de police.* **3.** Groupe d'ouvriers commandés par un même chef. *Brigade de cantonniers.*

Brigades internationales, pendant la guerre d'Espagne* (1936-1939), régiments de volontaires qui (au nombre de 20 000 env.), de toute l'Europe et même des É.-U., vinrent aider la République espagnole assaillie par Franco.

Brigades rouges (en ital. *Brigate rosse*), groupe d'extrême gauche italien, fondé en 1970, qui perpétra à partir de 1974 de nombreux attentats parmi lesquels l'assassinat d'Aldo Moro (1978).

brigadier n. m. **1.** MILIT Chef d'une brigade. ▷ Fam. Général de brigade. **2.** Dans l'artillerie, la cavalerie, grade correspondant à caporal dans les autres armes. ▷ *Spécial.* Chef d'une brigade de gendarmes. ▷ Gradé de police. ▷ MAR Matelot aidant à la manœuvre d'accostage d'une embarcation. **3.** Chef d'une équipe d'ouvriers.

brigadière n. f. Femme membre de la police, ayant le grade de brigadier.

brigand n. m. Malfaiteur qui vole, pille, commet des crimes. *Une bande de brigands.* Syn. bandit. ▷ *Par ext.* Homme malhonnête.

brigandage n. m. Pillage, vol à main armée. ▷ *Par ext.* Action très malhonnête, concussion.

brigantin n. m. Anc. Navire à deux mâts et à un seul pont.

brigantine n. f. MAR Voile de misaine trapézoïdale.

Bright (Richard) (Bristol, 1789 - Londres, 1858), médecin anglais. Il a donné son nom à la néphrite chronique *(mal de Bright).*

Brighton, v. de G.-B., sur la Manche, au S. de Londres (East Sussex); 133 400 hab. Station balnéaire.

Brigitte, Birgitte ou **Brïte** (sainte) (près d'Uppsala, v. 1303 - Rome, 1373), religieuse suédoise; fondatrice de l'ordre du Saint-Sauveur (1345-1346). Ses *Révélations* sont le plus célèbre écrit mystique de Scandinavie. Sainte patronne de la Suède.

Brignoles, ch.-l. d'arr. du Var; 11 814 hab. Mat. agric., de constr. – Les comtes de Provence y passaient l'été (palais du XIIIe s.). – Égl. des XVe et XVIe s. (portail roman), qui renferme le sarcophage de la Gayole, le plus anc. mon. chrétien de France (IIIe s.).

brigue n. f. Vx ou litt. Intrigue, manœuvre secrète et détournée pour obtenir une place, un honneur. *S'élever par la brigue, par brigue.* ▷ Vx Faction, cabale.

briguer v. tr. [1] **1.** Tâcher d'obtenir par brigue. *Briguer une faveur.* **2.** Solliciter, rechercher avec empressement.

brillamment adv. De manière brillante. *Exécuter brillamment une sonate.*

brillance n. f. Luminosité.

1. brillant, ante adj. **1.** (Choses) Qui brille. *Un soleil brillant. Des yeux brillants.* Syn. éclatant, étincelant. Ant. sombre, terne. **2.** (Choses) Qui se manifeste avec éclat, qui attire l'attention. *Une fête brillante. Une victoire brillante. Un style brillant.* ▷ (Personnes) Qui s'impose par ses qualités intellectuelles, son esprit, sa finesse. *Un élève brillant.* **3.** *Par ext.* Abondant, riche. *Un brillant mariage. Une affaire brillante.* Syn. magnifique, splendide. Ant. médiocre.

2. brillant n. m. **1.** Éclat, lustre. *Le brillant d'une pierre.* – Fig. *Le brillant de sa conversation.* **2.** Diamant taillé à facettes.

brillanter v. tr. [1] TECH **1.** Tailler (une pierre précieuse) en brillant. **2.** Donner un aspect brillant à. *Brillanter un métal.* ▷ Litt., rare Rendre brillant, parsemer d'ornements brillants. Ant. ternir.

brillantine n. f. Huile parfumée pour lustrer les cheveux.

Brillat-Savarin (Anthelme) (Belley, 1755 – Paris, 1826), magistrat, gastronome et écrivain français : *Physiologie du goût ou Méditations de gastronomie transcendante* (1826).

briller v. intr. [1] **1.** Jeter une lumière éclatante, avoir de l'éclat. *Le soleil brille. Un bijou qui brille.* Ant. pâlir. **2.** Fig. Se manifester clairement. *La joie brillait sur son visage.* **3.** Fig. Attirer l'attention, provoquer l'admiration. *Elle aime briller,* se faire admirer. ▷ Exceller. *Briller dans l'improvisation.*

brimade n. f. **1.** Plaisanterie, épreuve à caractère plus ou moins vexatoire que les anciens d'une école, d'un régiment, font subir aux nouveaux. V. aussi bizutage. **2.** *Par ext.* Mesure désobligeante, mesquine. *Les brimades d'une administration.*

brimbaler v. [1] **1.** v. tr. Fam., vieilli Agiter, secouer. **2.** v. intr. Osciller.

brimborion n. m. Vieilli Colifichet, babiole, bagatelle.

brimé, ée adj. Contraint, frustré.

brimer v. tr. [1] **1.** Soumettre (qqn) à des brimades (sens 1). **2.** Faire subir des vexations à.

brin n. m. **1.** Mince pousse, tige (d'une plante). *Brin d'herbe, de muguet.* ▷ Fig. *Un beau brin de fille :* une fille grande et bien faite. **2.** Parcelle mince et longue. *Un brin de paille, de fil.* **3.** TECH Chacun des fils d'un cordage, d'un câble électrique, etc. **4.** MAR Chacune des parties d'une manœuvre passant dans une poulie. *Brins d'un palan.* **5.** Fig. Très petite quantité. *Ajoutez un brin de sel.* ▷ Loc. adv. *Un brin :* un peu. *Nous avons causé un brin.*

brindille n. f. Branche mince et courte. *Feu de brindilles.*

Brindisi, v. d'Italie (Pouilles), sur l'Adriatique ; ch.-l. de la prov. du m. nom ; 88 950 hab. Archevêché. Port de voyageurs vers la Grèce et le Moyen-Orient. Constr. aéron. Chantiers navals. Industr. chimique.

Brinell (Johan August) (Bringetofta, 1849 – Stockholm, 1925), ingénieur suédois. Il mit au point une méthode pour évaluer la dureté d'un matériau. ▷ PHYS *Essai Brinell :* essai de dureté par la mesure de la surface de l'empreinte d'une bille appliquée sur le matériau. – *Dureté Brinell :* quotient de la force exercée par la bille et de la surface de l'empreinte (en N/mm^2).

1. bringue n. f. Pop. *Une grande bringue :* une femme dégingandée.

2. bringue n. f. Pop. Beuverie, fête, bombance. *Faire la bringue :* faire la noce.

Brink (André Philippus) (Vrede, État libre d'Orange, 1935), écrivain sud-africain d'expression afrikaans, exilé en Angleterre. Il réunit, dans ses romans, recherche formelle et engagement politique (*Une saison blanche et sèche,* 1980 ; *État d'urgence,* 1988).

brinquebaler ou **bringuebaler** v. [1] **1.** v. tr. Balancer, ballotter. **2.** v. intr. Cahoter, osciller.

Brinvilliers (Marie-Madeleine d'Aubray, marquise de) (Paris, 1630 – id., 1676). Célèbre criminelle française. Coupable de nombreux empoisonnements, elle fut décapitée puis brûlée.

brio n. m. Vivacité, virtuosité dans l'exécution d'une œuvre musicale. *Jouer avec brio.* – *Par ext.* Virtuosité (dans une activité quelconque).

brioche n. f. Pâtisserie faite avec de la farine, du beurre, des œufs et de la levure. ▷ Fig., fam. *Prendre de la brioche,* du ventre.

brioché, ée adj. Qui est confectionné comme la brioche, qui en a le goût. *Pâte briochée.*

Brioché (Pierre Datelin, dit) (m. à Paris, 1671), bateleur connu pour son théâtre de marionnettes.

briochin, ine adj. et n. De Saint-Brieuc. – Subst. *Un(e) Briochin(e).*

Brion (Marcel) (Marseille, 1895 – Paris, 1984), écrivain français. Critique d'art, romancier et essayiste, il s'intéressa au fantastique et aux sources du rêve (*l'Art fantastique,* 1961 ; *l'Allemagne romantique,* 1963-1979). Acad. fr. (1964).

Brioude, ch.-l. d'arr. de la Hte-Loire, près de l'Allier, dans la *Limagne de Brioude ;* 7 722 hab. – Égl. romane St-Julien (XIIe-XIIIe s.).

brique n. f. (et adj. inv.) **1.** Parallélépipède rectangle de terre argileuse, cuit au four ou séché au soleil. *Une maison de brique.* ▷ adj. inv. De la couleur rougeâtre de la brique. *Un velours brique.* **2.** *Par anal.* Objet de forme parallélépipédique. *Brique de verre.* ▷ MAR Bloc de grès ayant la forme d'une brique, ou, *par ext.,* mélange de sable et d'eau, qui sert à brosser le pont. ▷ Fam. *Une brique :* un million de centimes, dix mille francs. **3.** Loc. fig., fam. *Bouffer des briques :* n'avoir rien à manger.

briquer v. tr. [1] **1.** MAR Frotter (le pont) avec une brique. **2.** Mod. Nettoyer avec soin.

1. briquet n. m. **1.** Vx Pièce d'acier qui, frappée avec un silex, produit des étincelles. **2.** Mod. Appareil servant à produire du feu. *Briquet à quartz.* **3.** Sabre court utilisé autref. dans l'infanterie.

2. briquet n. m. Petit chien de chasse.

briquetage n. m. CONSTR Maçonnerie de briques ; garnissage en briques.

briqueter v. tr. [20] CONSTR **1.** Garnir de briques. **2.** Appliquer un enduit (où l'on trace des lignes pour imiter la brique) sur qqch.

briqueterie n. f. Fabrique de briques.

briquette n. f. Aggloméré en forme de brique, constitué de débris de combustibles (charbon, lignite, etc.), liés au brai.

bris [bʀi] n. m. DR Rupture. *Bris de scellés, bris de clôture.*

brisant n. m. (Souvent au plur.) Écueil sur lequel la mer brise et écume.

Brisbane, v. d'Australie, cap. de l'État du Queensland, à l'embouchure de la *rivière Brisbane* (côte orientale) ; 1 157 200 hab. Centre comm. et bancaire ; 3e port d'Australie. – Université.

briscard ou **brisquard** [bʀiskaʀ] n. m. HIST Vieux soldat chevronné. ▷ *Par ext.* Cour. *Un vieux briscard :* un homme rusé et de grande expérience.

brise n. f. Vent modéré et régulier. ▷ MAR Vent de 2 à 10 m/s. *Légère brise, jolie brise, bonne brise :* V. échelle de Beaufort*. *Brise de terre,* qui souffle, la nuit, vers le large. *Brise de mer,* qui souffle, le jour, vers la terre. *Régime des brises.*

brisé, ée adj. **1.** Rompu, mis en pièces. *Os brisé.* ▷ Fig. – *Être brisé de fatigue. Avoir le cœur brisé.* **2.** GEOM *Ligne brisée,* composée de segments de droites consécutifs qui forment des angles. ▷ ARCHI *Arc brisé,* aigu.

brise-béton n. m. inv. CONSTR Outil pour casser par percussion les dalles de béton.

brisées n. f. pl. VEN Branches rompues par le veneur pour marquer la voie. ▷ Fig. *Suivre les brisées de qqn,* l'imiter. *Aller sur les brisées de qqn,* entrer en rivalité avec lui sur son propre terrain.

brise-fer n. m. inv. Enfant turbulent, qui brise tout.

brise-glace(s) n. m. inv. **1.** Éperon placé en avant d'une pile d'un pont pour briser les glaces flottantes. **2.** MAR Éperon placé à l'avant d'un navire pour briser la glace. ▷ *Navire brise-glace* ou *brise-glace :* navire à étrave renforcée, construit pour briser la glace et ouvrir un passage à la navigation.

brise-jet n. m. inv. Dispositif adapté à un robinet, afin d'atténuer la force du jet.

brise-lames n. m. inv. Ouvrage destiné à protéger un port contre la mer en amortissant la houle. Syn. jetée, môle. – MAR Bordure verticale, sur la plage avant d'un navire, empêchant le ruissellement de l'eau vers l'arrière.

brise-mottes n. m. inv. AGRIC Lourd cylindre dentelé servant à briser les mottes de terre.

briser v. [1] **I.** v. tr. **1.** Rompre, casser. *Briser une glace.* – Fig. *Voix brisée par le chagrin.* ▷ Fig. Détruire, anéantir. *Briser des espérances. Briser la carrière de qqn.* – *Briser le joug, ses liens :* s'affranchir. – *Briser le cœur :* peiner, affliger. **2.** Fatiguer, abattre. *Toutes ces émotions m'ont brisé.* **3.** Interrompre soudainement. *Briser une conversation.* ▷ (S. comp.) *Brisons là :* ne poursuivons pas la discussion. **II.** v. intr. *Mer qui brise,* qui déferle. **III.** v. pron. Se casser. *Le miroir est tombé et s'est brisé.* – Fig. *Ses* *efforts se brisent sur l'obstacle.* ▷ *La mer se brise sur les écueils,* déferle, écume.

briseur, euse n. Celui qui brise. – *Briseur d'images :* iconoclaste. – *Briseur de grève :* ouvrier qui ne fait pas grève ou qui remplace un gréviste.

brise-vent n. m. inv. Ouvrage ou plantation qui protège de l'action du vent.

brisquard. V. briscard.

Brissac. V. Cossé.

Brisson (Barnabé) (Fontenay-le-Comte, v. 1530 – Paris, 1591), magistrat français. Nommé premier président du Parlement par les ligueurs, il fut ensuite désavoué par eux et exécuté.

Brissot de Warville (Jacques Pierre Brissot, dit) (Chartres, 1754 – Paris, 1793), journaliste et homme politique français. Député à l'Assemblée législative et à la Convention, il fut un des chefs des Girondins (appelés aussi *Brissotins*); il fut guillotiné.

bristol n. m. Carton mince d'aspect satiné, utilisé notam. pour les cartes de visite. *Chemise de bristol.*

Bristol, port du S.-O. de la G.-B., sur l'Avon, près de l'estuaire de la Severn; 370 300 hab.; ch.-l. du comté d'Avon. Sidérurgie. Constr. navales et aéron. Industr. chim. et du cuir. – Égl. St. Mary Redcliffe (XIVe-XVe s.); cath., abbatiale (XIIe s., reconstruite à diverses reprises du XIIIe au XIXe s.). – Le *canal de Bristol,* golfe de l'Atlant., sépare le pays de Galles de la Cornouailles.

brisure n. f. **1.** Cassure; partie brisée, détachée, fragment. *Brisures de truffes.* **2.** TECH Partie articulée d'un ouvrage de menuiserie qui se replie sur lui-même. **3.** HERALD Modification des armoiries qui distingue les branches d'une famille ou marque la bâtardise.

Britannicus (Tiberius Claudius) (v. 41 – 55 ap. J.-C.), fils de l'empereur Claude et de Messaline. Héritier du trône, sa belle-mère Agrippine l'en écarta; il fut empoisonné par Néron. ▷ LITTER *Britannicus :* tragédie de Racine (1669).

britannique adj. (et n.) Du Royaume-Uni. *Les îles Britanniques.* ▷ Subst. *Un(e) Britannique.*

Britanniques (îles), archipel comprenant la Grande-Bretagne, les îles de Wight, de Man, les Hébrides, les Orcades, les Shetland et l'Irlande.

Brïte. V. Brigitte.

British Museum, musée de Londres, créé en 1753; l'un des plus vastes et des plus riches du monde : art grec (sculpt. et frises du Parthénon), assyrien, égyptien (pierre de Rosette), suméro-babylonien, extrême-oriental, islamique, indien et africain (bronzes du Bénin). La bibliothèque comprend plus de deux millions de volumes.

Britten (Benjamin) (Lowestoft, Suffolk, 1913 – Aldeburgh, Suffolk, 1976), compositeur anglais : opéras (*Peter Grimes,* 1945; *le Songe d'une nuit d'été,* 1960), musique vocale (*les Illuminations,* sur des poèmes d'A. Rimbaud, 1939; *War Requiem,* 1962), symphonies, concertos, musique de chambre.

brittonique adj. Se dit du peuple celte établi en G.-B. avant la conquête romaine. ▷ n. m. *Le brittonique :* la langue celte parlée par ce peuple.

Brive-la-Gaillarde, ch.-l. d'arr. de la Corrèze, sur la Corrèze; 52 677 hab. (*Brivistes*). Industr. méca., mat. électr. et électron. – Égl. St-Martin (XIIe-XIVe s.).

Brno (en all. *Brünn*), v. de Rép. tchèque, ch.-l. de la Moravie-Méridionale; 384 550 hab. Industr. méca., text., alim. et chim. – Université. – Dans la citadelle du Špilberk (prison autrichienne) fut détenu S. Pellico. – Égl. goth. et baroques.

Broadway, une des grandes artères de New York (dans Manhattan); quartier des salles de spectacles.

1. broc n. m. Vase à anse et à bec évasé, pour tirer ou transporter de l'eau, du vin, etc. *Broc en métal émaillé.* – Son contenu. *Il a bu tout le broc.*

2. broc. V. bric et de broc (de).

Broca (Paul) (Sainte-Foy-la-Grande, Gironde, 1824 – Paris, 1880), médecin et chirurgien français; spécialiste d'anthropométrie. Il découvrit l'importance de la troisième circonvolution gauche du cerveau, dite *de Broca,* dans l'acquisition et la pratique du langage.

brocante n. f. Activité, commerce du brocanteur.

brocanter v. intr. [1] Acheter, troquer des marchandises d'occasion, des objets anciens pour les revendre.

brocanteur, euse n. Personne qui fait métier de brocanter. *J'ai trouvé cette lampe chez un brocanteur.*

1. brocard n. m. Maxime juridique.

2. brocard n. m. Vx ou litt. Trait piquant, raillerie mordante.

3. brocard n. m. VEN Chevreuil âgé d'un an et demi, dont les bois ne sont pas ramifiés.

brocarder v. tr. [1] Vx ou litt. Tourner en dérision par des brocards.

brocart n. m. Étoffe de soie brodée d'or, d'argent.

Brocéliande, forêt légendaire de Bretagne, parfois identifiée à l'actuelle forêt de Paimpont (Ille-et-Vilaine), séjour de la fée Viviane et de l'enchanteur Merlin (romans de la Table ronde).

Broch (Hermann) (Vienne, 1886 – New Haven, Connecticut, 1951), écrivain autrichien. Sa trilogie romanesque *les Somnambules* (1929-1932) dépeint la société all. décadente. Émigré aux É.-U. (1938), il y acheva *la Mort de Virgile* (1945), méditation sur le sens profond de l'œuvre d'art.

brochage n. m. **1.** Action de brocher un livre (suite d'opérations comportant le pliage, l'assemblage, la couture, la pose de la couverture et le massicotage); résultat de cette action. **2.** Procédé de tissage permettant de former dans l'étoffe des dessins en relief.

broche n. f. **1.** Tige pointue que l'on passe au travers d'une pièce de viande, d'une volaille à rôtir, pour pouvoir la faire tourner pendant qu'elle cuit. *Mettre un poulet à la broche.* ▷ Tige métallique adaptée aux métiers à filer, sur laquelle s'enroulent les fils. ▷ Long clou sans tête. ▷ Tige d'une serrure, qui pénètre dans le trou d'une clé forée. ▷ CHIR Fixateur métallique, interne ou externe, destiné à assurer la contention d'un ou de plusieurs segments osseux. ▷ ELECTR Tige conductrice d'un contact électrique. ▷ TECH Arbre principal d'une machine-outil. **2.** Bijou de femme muni d'un fermoir à épingle, que l'on pique dans l'étoffe d'un vêtement. **3.** VEN Chacune des défenses du sanglier. – Premier bois du cerf, du daim, du chevreuil.

brocher v. tr. [1] **1.** Procéder au brochage d'un livre. – Pp. adj. *Volume broché,* dont la couverture est en papier ou en carton mince (par oppos. à *volume relié* ou *cartonné*). **2.** Passer dans une étoffe, lors du tissage, des fils d'or, de soie, etc., qui forment un dessin en relief. **3.** Loc. HERALD *Brochant sur le tout :* passant d'un côté à l'autre de l'écu.

brochet n. m. Poisson téléostéen d'eau douce, très vorace, de couleur verdâtre. (*Esox lucius,* fréquent dans les eaux calmes, dépasse 1 m de long; c'est un carnivore vorace dont la gueule comporte plus de 700 dents acérées; il chasse à l'affût et se projette sur sa proie d'un brusque coup de nageoires.)

brochet

brochette n. f. **1.** Petite broche à rôtir; les morceaux enfilés sur la brochette. *Manger des brochettes.* ▷ Plaisant Groupe de personnes alignées. **2.** Petite broche à laquelle on suspend des médailles de décorations.

brocheur, euse n. **1.** Personne qui broche des livres (ou des tissus). **2.** n. f. Machine qui sert à brocher (les livres).

brochure n. f. **1.** Dessin broché sur une étoffe. **2.** Brochage (d'un livre). **3.** Ouvrage imprimé, peu épais, à couverture de papier ou de carton mince brochée ou piquée. *Brochure publicitaire.*

Brocken, sommet princ. du massif du Harz (1 142 m), en Allemagne. Selon la légende, les sorcières viennent y danser la nuit de Walpurgis (du 30 avril au 1er mai).

brocoli n. m. **1.** Variété de chou à tige érigée, à inflorescence verte moins compacte que celle du chou-fleur. **2.** Pousse de fleurs de chou ou de navet consommée comme légume.

Brod (Max) (Prague, 1884 – Tel-Aviv, 1968), écrivain israélien d'expression allemande (romans historiques). On lui doit l'édition des œuvres (posthumes) de Kafka, son ami.

brodequin n. m. **1.** Anc. Chaussure de marche montante, qui couvrait le cou-de-pied. **2.** Chaussure des acteurs comiques, chez les Anciens. – Fig., vx Par méton. *Le brodequin :* la comédie. **3.** Anc. (Plur.) Appareil de torture qui écrasait les jambes.

broder v. [1] **I.** v. tr. Orner (une étoffe) de dessins à l'aiguille. *Broder un couvre-pied.* – (S. comp.) *Soie à broder.* **II.** v. intr. **1.** Fig. Amplifier, embellir un récit. **2.** MUS Ajouter des ornements, des variations à un thème.

broderie n. f. **1.** Dessin exécuté à l'aiguille sur une étoffe déjà tissée. *Une broderie délicate. Faire de la broderie.* ▷ Ouvrage brodé. *La « tapisserie » de Bayeux est en réalité une broderie.* **2.** Fig. Embellissement apporté à un récit, fabulation.

brodeur, euse n. **1.** Personne qui brode. **2.** n. f. Machine à broder.

Brodsky (Joseph) (Leningrad, 1940 – New York, 1996), poète américain d'origine russe : *Une halte dans le désert* (1970), *Partie du discours* (1972-1976). P. Nobel de littérature 1987.

Broederlam (Melchior) (Ypres, v. 1338 – ?, apr. 1409), peintre flamand au service de Philippe II de Bourgogne (volets du retable de la chartreuse de Champmol).

Broglie, ch.-l. de canton de l'Eure (arr. de Bernay); 1 189 hab. – Anc. *Chambrais,* fief érigé en duché de Broglie (1742). – Égl. en partie romane. Chât. d'époque Louis XV.

Broglie, famille française (depuis 1650), d'origine piémontaise (*Broglia* ou *Broglio*). – **Victor-Maurice,** comte de Broglie (?, 1646 – chât. de Buhy, Val-d'Oise, 1727), maréchal de France (1724). – **François Marie II**, duc de Broglie (Paris, 1671 – Broglie, Eure, 1745), fils du préc.; maréchal de France (1734). – **Victor François**, duc de Broglie (1718 – Munster, 1804), fils du préc.; maréchal de France (1762); chef militaire des premiers émigrés en 1794. – **Achille Léon Victor**, duc de Broglie (Paris, 1785 – id., 1870), petit-fils du préc.; président du Conseil en 1835-1836 sous Louis-Philippe. Acad. fr. (1855). – **Albert**, duc de Broglie (Paris, 1821 – id., 1901), fils du préc.; historien; président du Conseil en 1873-1874 et en 1877; allié monarchiste de Mac-Mahon. Acad. fr. (1862). – **Maurice**, duc de Broglie (Paris, 1875 – Neuilly-sur-Seine, 1960), petit-fils du préc.; physicien, spécialiste des rayons X. Acad. des sciences (1924). Acad. fr. (1934). – **Louis Victor** (Dieppe, 1892 – Louveciennes, 1987), frère du préc.; prince puis duc de Broglie; l'un des plus grands physiciens de notre temps, créateur en 1923 de la mécanique ondulatoire. Nombr. ouvrages de physique théorique : *Ondes et Corpuscules* (1930), *Matière et Lumière* (1937), etc. Après 1952, il s'attacha à donner une nouvelle interprétation à la mécanique quantique. P. Nobel 1929. Acad. des sc. (1933). Acad. fr. (1944). ▷ PHYS *Relation de De Broglie :* à toute particule de quantité* de mouvement p est associée une onde monochromatique de longueur d'onde l = h/p (h : constante de Planck).

Louis de **Broglie**

Emily **Brontë**

Broken Hill, v. d'Australie (Nouvelle-Galles du Sud); 28 000 hab. Très import. gisements (plomb, zinc, argent, cobalt).

Broken Hill. V. Kabwe.

1. brome n. f. BOT Genre de graminées comprenant plus de 15 espèces fréquentes en France.

2. brome n. m. CHIM Élément non métallique appartenant à la famille des halogènes, de numéro atomique Z = 35 et de masse atomique 79,9 (symbole Br). – Corps simple liquide (Br_2 : *dibrome*) qui se solidifie à −7 °C et bout à 59 °C.

broméliacées n. f. pl. BOT Famille de monocotylédones d'Amérique tropicale, très souvent épiphytes, comprenant l'*ananas* et de nombreuses plantes d'intérieur (*tillandsia, billbergia,* etc.). – Sing. *Une broméliacée.*

Bromfield (Louis) (Mansfield, Ohio, 1896 – Colombus, Ohio, 1956), romancier américain, attaché à la réalité sociale américaine et à la fugacité des choses : *la Mousson* (1937), *Mrs. Parkington* (1946).

bromhydrique adj. CHIM *Acide bromhydrique :* bromure d'hydrogène (HBr).

bromique adj. CHIM *Acide bromique,* de formule $HBrO_3$.

bromure n. m. **1.** CHIM Nom générique des composés du brome. ▷ Sel ou ester de l'acide bromhydrique. **2.** IMPRIM Tirage photographique noir.

Bron, ch.-l. de cant. du Rhône (arr. de Lyon, dans l'aggl.); 40 514 hab. Aéroport. Centre industriel. – Université.

bronch-, broncho-. Élément, du grec *brogkhia,* « bronches ».

bronche n. f. Chacun des conduits aériens nés de la division de la trachée en deux, et chacune de leurs ramifications. *Bronches du premier, du deuxième, du troisième ordre. Une affection des bronches.* ► illustr. **poumon**

broncher v. intr. [1] **1.** En parlant d'un cheval, faire un faux pas, trébucher. **2.** Fig. Faire un geste, prononcer une parole pour protester, manifester sa désapprobation ou son impatience. *Gare à lui s'il bronche. Sans broncher :* sans protester.

bronchiole [bʀɔ̃ʃjɔl; bʀɔ̃kjɔl] n. f. Nom des ramifications les plus fines des bronches.

bronchique adj. ANAT Qui a rapport aux bronches. *Artère bronchique.*

bronchite n. f. Inflammation de la muqueuse des bronches.

bronchiteux, euse adj. et n. Se dit d'une personne qui a tendance à avoir des bronchites. ▷ Subst. *Un bronchiteux.*

bronchitique adj. (et n.) Qui a rapport à la bronchite. ▷ Qui est atteint de bronchite. – Subst. *Un bronchitique chronique.*

broncho-. V. bronch-.

broncho-dilatateur, trice adj. MED Qui dilate les bronches et les bronchioles. *Des produits broncho-dilatateurs.*

bronchographie [bʀɔ̃kɔgʀafi] n. f. MED Examen radiographique de l'arbre bronchique après administration d'une substance opaque aux rayons X.

broncho-pneumonie n. f. MED Inflammation des bronches et du parenchyme pulmonaire, généralement d'origine microbienne. *Des broncho-pneumonies.*

bronchoscopie n. f. MED Examen visuel des bronches au moyen d'un tube muni d'une source lumineuse *(bronchoscope)* que l'on introduit dans la trachée et dans les bronches.

bronchospasme n. m. MED Contracture spasmodique des bronches, gênant la respiration, caractéristique de l'asthme.

Brongniart (Alexandre Théodore) (Paris, 1739 – id., 1813), architecte français. On lui doit l'hôtel de Bourbon-Condé, les plans de la Bourse de Paris (bâtie de 1808 à 1827) et du cimetière du Père-Lachaise. – **Alexandre** (Paris, 1770 – id., 1847), fils du préc.; minéralogiste; l'un des créateurs de la paléontologie végétale. – **Adolphe** (Paris, 1801 – id., 1876), fils du préc.; botaniste, il fonda la paléontologie végétale.

Brongniart (palais), le siège de la Bourse de Paris, et, par ext., la Bourse elle-même.

Bronsted (Johannes Nicolaus) (Varde, 1879 – Copenhague, 1947), chimiste danois, spécialiste de l'étude cinétique des réactions chimiques. Il a donné une définition des acides* (donneurs de protons) et des bases (accepteurs de protons).

Brontë (les sœurs), romancières anglaises. – **Charlotte** (Thornton, Yorkshire, 1816 – Haworth, 1855) est l'auteur de *Jane Eyre* (1847). – **Emily** (Thornton, 1818 – Haworth, 1848) a écrit *les Hauts de Hurlevent* (1847), l'un des sommets de la littér. anglaise, totalement méconnu au moment de sa publication. – **Anne** (Thornton, 1820 – Scarborough, 1849) est l'auteur d'*Agnes Grey* (1847). – Les trois sœurs ont publié en 1846 un recueil de poèmes signé Currer, Ellis et Acton Bell.

brontosaure n. m. PALEONT Reptile fossile (genre *Brontosaurus*), le plus grand (40 m de long) des dinosauriens (crétacé), herbivore semi-aquatique.

Bronx, quartier de New York (É.-U.), au N.-E. de Manhattan, dont le sépare la riv. Harlem; 1 200 000 hab. environ.

bronzage n. m. **1.** TECH Traitement de la surface d'un objet, qui lui donne l'aspect du bronze. **2.** Hâle.

bronze n. m. **1.** Alliage de cuivre et d'étain. *Statue de bronze. Couler en bronze.* Syn. (litt.) airain. – Alliage de cuivre et d'un autre métal, peu altérable, facile à mouler, et dont on améliore la dureté par addition de phosphore, la malléabilité par du zinc, la conductibilité électrique par du silicium. *Bronze d'aluminium :* alliage de cuivre et d'aluminium. ▷ *Âge du bronze :* époque précédant l'âge du fer, où les hommes savaient fabriquer des outils et des armes en bronze (de la fin du IIIe mill. à 800 av. J.-C. env. en Europe continentale). **2.** Objet sculpté, moulé en bronze. *Une collection de bronzes anciens.*

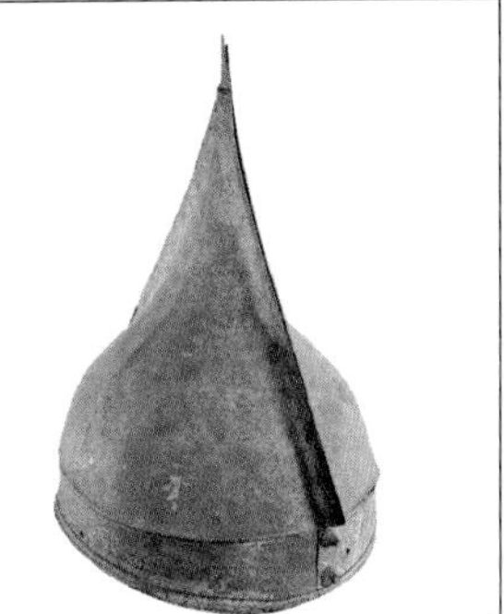

âge du **bronze :** casque; Musée départemental, Rouen

bronzer v. tr. [1] **1.** TECH Pratiquer le bronzage d'un objet. *Bronzer un canon de fusil.* **2.** Hâler. *Le soleil et le vent l'ont bronzé.* – Pp. adj. *Une peau bronzée.* ▷ v. pron. *Se bronzer sur la plage.* ▷ v. intr. *Elle bronze facilement.*

bronzier n. m. Fondeur d'objets d'art en bronze.

Bronzino (Agnolo Tori, dit il) (Florence, 1503 – id., 1572), peintre manié-

il **Bronzino** : *Portrait d'Éléonore de Tolède avec son fils*, v. 1545 ; galerie des Offices, Florence

riste italien ; portraitiste officiel du grand-duché de Toscane : *Cosme Ier de Médicis* (Florence, galerie des Offices).

Brook (Peter) (Londres, 1925), metteur en scène de théâtre et de cinéma anglais. Spécialiste de Shakespeare, il s'est installé en 1970 à Paris. Ses spectacles se caractérisent par la recherche de la vérité de l'œuvre et par le travail de l'acteur (*la Tragédie de Carmen*, 1982).

Brooke (Rupert Chawner) (Rugby, 1887 - Skýros, 1915), écrivain anglais. Il est l'auteur d'une poésie au ton sensible et héroïque, influencée par Keats (*1914 et autres poèmes*, posth. 1915), et d'ouvrages de critique littéraire (*John Webster et le théâtre élisabéthain*, posth. 1956).

Brooklyn, quartier de New York (É.-U.), dans l'O. de Long Island, séparé de Manhattan par l'East River ; 2 200 000 hab. environ.

Brooks (Louise) (Cherryvale, Kansas, 1906 - Rochester, 1985), actrice américaine. Grâce à *Lulu* (1929) elle devint une star, se distinguant par sa sensualité et sa coiffure à la « garçonne ».

Brooks (Richard) (Philadelphie, 1912 - Beverly Hills, 1992), réalisateur de cinéma américain. Abordant les sujets et les genres les plus variés, il traite, dans une perspective humaniste, les grands problèmes de l'Amérique (*Graine de violence*, 1955 ; *Elmer Gantry*, 1960 ; *les Professionnels*, 1966).

Brooks (Melvin Kaminsky, dit Mel) (New York, 1926), scénariste et cinéaste américain, auteur de films burlesques et parodiques : *Frankenstein junior* (1976), *la Folle Histoire de l'espace* (1987).

brossage n. m. Action de brosser.

Brossard (Sébastien de) (Dompierre, Orne, 1655 - Meaux, 1730), compositeur français ; auteur du plus ancien dictionnaire de musique en langue française (1703).

brosse n. f. **1.** Ustensile fait d'une plaque garnie de poils durs, de brins de chiendent, de fils métalliques ou synthétiques, etc., pour nettoyer. *Brosse à habits, à cheveux.* ▷ *Cheveux taillés en brosse*, droits sur la tête comme les soies d'une brosse. **2.** Gros pinceau pour étendre les couleurs. **3.** Poils que porte le cerf aux jambes de devant. ▷ Poils du corps ou des pattes de certains insectes (abeilles, notam.).

Brosse (Salomon de) (près de Verneuil-en-Halatte, Oise, v. 1570 - Paris, 1626), architecte français : palais du Luxembourg (1615-1620), fontaine Médicis à Paris, aqueduc d'Arcueil.

Brosse (Gui de La). V. La Brosse.

brosser v. [1] **1.** v. tr. Frotter, nettoyer avec une brosse. *Brosser une veste. Brosser qqn*, brosser ses vêtements. **2.** v. pron. Brosser ses propres vêtements. - *Se brosser les cheveux, les dents.* ▷ Fig., fam. *Se brosser le ventre* : être privé de nourriture. - *Il peut se brosser* : il n'aura pas ce qu'il veut, il n'obtiendra rien. **3.** v. tr. Peindre à la brosse, par larges touches. *Brosser un décor.* ▷ Fig. Décrire à grands traits.

brosserie n. f. Fabrication, vente des brosses.

Brosses (Charles de, dit le Président de) (Dijon, 1709 - Paris, 1777), magistrat et écrivain français ; premier président du parlement de Dijon. Correspondant de Voltaire, érudit prolifique (ouvrages d'hist. anc., trad., etc.), il relata dans ses *Lettres familières* (posth., 1799) son voyage en Italie (1739-1740).

Brossolette (Pierre) (Paris, 1903 - id., 1944), journaliste et homme politique français ; un des chefs de la Résistance, conseiller polit. du général de Gaulle (1942). Arrêté par les nazis, il se tua pour ne rien révéler à ses tortionnaires.

brou n. m. Écale verte et charnue des noix fraîches. ▷ *Brou de noix* : teinture brun foncé faite avec l'écale des noix.

Brou, écart de Bourg-en-Bresse (Ain), au S.-E. de la ville. L'égl., bâtie de 1513 à 1532 sur l'ordre de Marguerite d'Autriche à la mémoire de son mari, Philibert le Beau, duc de Savoie, bel exemple de goth. flamboyant, abrite plusieurs tombeaux.

Brouckère (Charles de) (Bruges, 1796 - Bruxelles, 1860), économiste et homme politique belge. Il joua un rôle important dans la révolution de 1830, fut plusieurs fois ministre et bourgmestre de Bruxelles (1848-1860).

brouet n. m. Vx Mets liquide et peu consistant. - Plaisant Mauvais potage.

brouette n. f. **1.** Anc. Chaise fermée à deux roues, dont on attribue le perfectionnement à Pascal. Syn. vinaigrette. **2.** Petit tombereau à une roue et deux brancards.

brouettée n. f. Charge d'une brouette.

brouetter v. tr. [1] Transporter dans une brouette. *Brouetter de la terre.*

Brougham and Vaux (Henry Peter Brougham, 1er baron) (Édimbourg, 1778 - Cannes, 1868), homme politique et avocat écossais. Il plaida des causes célèbres. Défenseur des libertés devant le Parlement, il lutta notam. pour l'abolition de l'esclavage. Il lança la station balnéaire de Cannes.

brouhaha [bʀuaa] n. m. Bruit confus qui s'élève dans une assemblée nombreuse. *Un grand brouhaha.*

brouillage n. m. RADIOELECTR Superposition d'une émission à une autre, rendant celle-ci inintelligible.

brouillamini n. m. Fam. Désordre, confusion. *« Il y a trop de tintamarre làdedans, trop de brouillamini »* (Molière).

1. brouillard n. m. Nuage formé au voisinage du sol par des gouttelettes microscopiques dues à un refroidissement de l'air humide. *Les brouillards de Londres. Brouillard qui voile le paysage.* ▷ Fig. *Voir à travers un brouillard* : avoir la vue troublée. - Loc. fig., fam. *Foncer dans le brouillard* : aller résolument son chemin sans se laisser arrêter par les difficultés.

2. brouillard n. m. Registre sur lequel on inscrit des opérations comptables, à mesure qu'elles se font. Syn. main courante.

brouillasser v. impers. [1] Tomber, en parlant d'une pluie fine qui forme comme un brouillard.

brouille ou **brouillerie** n. f. Mésintelligence, fâcherie.

brouiller v. [1] **I.** v. tr. **1.** Mettre pêle-mêle ; mélanger, mêler. *Brouiller des papiers.* - *Œufs brouillés*, dont on a mélangé les blancs et les jaunes pendant la cuisson. **2.** Troubler. *Brouiller la vue.* - *Brouiller le teint* : altérer le teint du visage. ▷ *Brouiller une émission de radio*, empêcher par le brouillage de l'entendre clairement. **3.** Mettre du désordre, de la confusion dans. *L'émotion brouillait ses souvenirs.* - *Brouiller la combinaison d'un cadenas, d'un coffre*, pour la dissimuler. **4.** Désunir (des personnes), susciter le désaccord entre elles. **II.** v. pron. **1.** Se troubler. *Avoir la vue qui se brouille.* ▷ *Le temps se brouille* : le ciel se couvre de nuages. **2.** Devenir désordonné, confus. *Idées qui se brouillent.* **3.** *Se brouiller avec qqn* : se fâcher avec qqn. *Il s'est brouillé avec son frère.*

brouillerie. V. brouille.

1. brouillon, onne adj. et n. Qui n'a pas d'ordre, qui embrouille tout. *Caractère brouillon.* ▷ Subst. *Un brouillon.*

2. brouillon n. m. Ce que l'on écrit d'abord, avant de mettre au net. ▷ *Par méton.* Papier servant à la rédaction des brouillons. *As-tu du brouillon ?* ▷ Loc. adv. *Au brouillon. Fais d'abord ta rédaction au brouillon, tu la mettras ensuite au propre.*

brouilly n. m. Vin rouge du Beaujolais.

broussaille n. f. (Rare au sing.) Ensemble d'arbustes et d'arbrisseaux souvent épineux, ayant poussé en s'entremêlant. *Terrain couvert de broussailles.* ▷ Par anal. *Sourcils en broussaille*, durs et embrouillés.

broussailleux, euse adj. Plein de broussailles.

Broussais (François) (Saint-Malo, 1772 - Vitry, 1838), médecin militaire français, fondateur de l'école physiologique, alors révolutionnaire, qui donnait pour unique cause des maladies l'inflammation des tissus.

broussard, arde n. Celui, celle qui parcourt la brousse, qui a l'habitude de vivre dans la brousse. *Un vieux broussard.*

1. brousse n. f. **1.** Végétation clairsemée, caractéristique de l'Afrique tropicale (hautes graminées mêlées d'arbres peu nombreux, savane, formations à épineux). ▷ Étendue couverte par une telle végétation. - *Par ext.* Tout ce qui n'est pas la ville. *Village de brousse.* **2.** Fam. Rase campagne. *Un patelin perdu en pleine brousse.*

2. brousse n. f. Fromage frais, de chèvre ou de brebis.

Brousse (en turc *Bursa*), v. de Turquie, dans la partie asiatique, au S.-E. de la mer de Marmara ; 476 000 hab. ; ch.-l. de l'il du m. nom. Industr. de la soie. Stat. therm. et tourist. – Anc. *Prousa*, cap. des rois de Bithynie à la fin du IIIe s. av. J.-C. Résidence des sultans ottomans au XIVe s. – Mosquées; tombeaux de sultans; musées.

Brousse (Paul) (Montpellier, 1844 – Paris, 1912), homme politique français; célèbre communard. Revenu d'exil, il fonda un parti, dit *broussiste* ou *possibiliste*, qui voulait réformer la société sans recours à la violence.

Broussel (Pierre) (?, v. 1575 – Paris, 1654), conseiller au parlement de Paris, très populaire. Son arrestation, sur l'ordre de Mazarin (26 août 1648), fut un des détonateurs de la Fronde.

Broussilov (Alekseï Alekseïevitch) (Saint-Pétersbourg, 1853 – Moscou, 1926), général russe; il mena une puissante offensive en Galicie contre les Allemands (1916). Généralissime en 1917, il se rallia aux Soviets.

broutard n. m. ELEV Jeune veau mis au pâturage.

brouter v. [1] **1.** v. tr. Paître de l'herbe, des feuilles vertes. *Les moutons broutent l'herbe.* – (S. comp.) *La chèvre broute.* **2.** v. intr. TECH Couper par saccades et d'une façon irrégulière (outils). ▷ Entrer en action de façon saccadée, en parlant d'un embrayage, d'un système de freinage, d'une machine.

broutille n. f. Futilité, chose sans valeur.

Brouwer ou **Brauwer** (Adriaen) (Audenarde, v. 1605 – Anvers, 1638), peintre de genre flamand : *Buveurs attablés; Intérieur de tabagie; la Douleur.*

Brown (Robert) (Montrose, 1773 – Londres, 1858), botaniste écossais. Il découvrit le phénomène dit *mouvement brownien* (V. ce mot).

Brown (John) (Torrington, Connecticut, 1800 – Charleston, Virginie, 1859), abolitionniste américain. Sa pendaison contribua au déclenchement de la guerre de Sécession (1861).

Brown (Herbert Charles) (Londres, 1912), chimiste américain; auteur de nombr. travaux de chimie organique, partic. sur les structures moléculaires (réactions de synthèse). P. Nobel 1979.

Browne (sir Thomas) (Londres, 1605 – Norwich, Norfolk, 1682), médecin et écrivain anglais. Essais à caractère encyclopédique : *Religio Medici* (1642), *Essai sur les erreurs populaires* (1646), *le Jardin de Cyrus* (1658).

brownien, enne [bʀonjɛ̃, ɛn] adj. PHYS *Mouvement brownien* : mouvement désordonné des particules microscopiques en suspension dans un liquide, dû à l'agitation thermique des molécules du liquide.

browning [bʀoniŋ] n. m. Pistolet automatique à chargeur.

Browning (Elizabeth Barrett) (Coxhoe Hall, Durham, 1806 – Florence, 1861), poétesse anglaise : *Sonnets de la Portugaise* (1850), *Aurora Leigh* (en 4 000 vers, 1856). – **Robert** (Camberwell, Londres, 1812 – Venise, 1889), mari de la préc., poète et dramaturge : *Cloches et Grenades* (poèmes lyriques et dramatiques, 1841-1846), *Hommes et Femmes* (1855), *l'Anneau et le Livre* (1868-1869), analyse psychologique en forme de long poème (20 000 vers).

Brown-Séquard (Charles Édouard) (Port-Louis, île Maurice, 1817 – Paris, 1894), neurologue français; il s'intéressa à la transplantation d'organes et à l'endocrinologie.

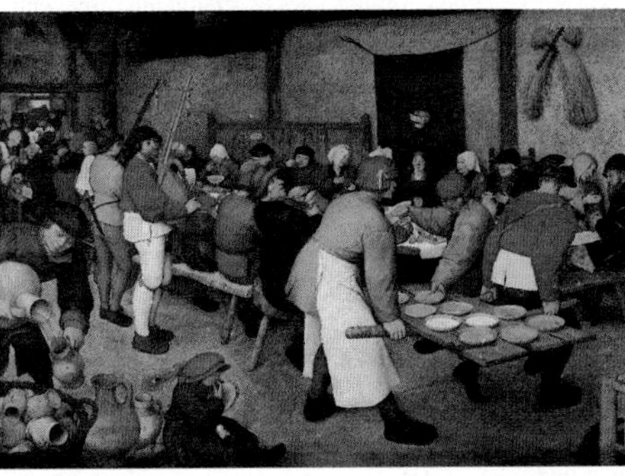

Pieter **Bruegel**, dit Bruegel le Vieux : *le Repas de noce*, 1568; musée d'Histoire de l'art, Vienne

broyage n. m. Action de broyer. *Le broyage du chanvre.*

broyer v. tr. [23] Réduire en poudre ou en pâte, écraser. *Les dents broient les aliments. Broyer des couleurs* : pulvériser des substances colorantes. ▷ Fig. *Broyer du noir* : s'abandonner à la tristesse.

broyeur, euse n. et adj. **1.** n. Ouvrier qui broie. *Broyeur de chanvre.* **2.** n. m. Appareil à broyer. *Broyeurs-concasseurs*, qui broient grossièrement. *Broyeur d'évier* : dispositif qui pulvérise déchets et détritus pour les évacuer par le réseau d'égout. **3.** adj. Qui broie. *Appareil buccal broyeur*, typique de certains insectes qui déchiquettent leurs aliments (guêpe, hanneton).

brrr! [bʀʀ] interj. marquant une sensation de froid, un sentiment de peur.

bru n. f. Vieilli Femme du fils; belle-fille.

bruant n. m. Genre *(Emberiza)* d'oiseaux passériformes comprenant de nombreuses espèces européennes (ortolan, proyer). *Bruant ortolan.*

Bruant (Libéral) (Paris, 1635 – id., 1697), architecte français. Son œuvre maîtresse est l'hôtel des Invalides (1670-1676; dôme et église ajoutés par Jules Hardouin-Mansart).

Bruant (Aristide) (Courtenay, 1851 – Paris, 1925), chansonnier montmartrois : *À Ménilmontant; Nini Peau d'chien; Rose blanche.*

Bruay-la-Buissière, ch.-l. de cant. du Pas-de-Calais (arr. de Béthune); 25 451 hab. Houillères en déclin. Chaudronnerie. Constr. mécaniques.

Bruay-sur-l'Escaut, com. du Nord (arr. de Valenciennes); 11 381 hab.

Brubeck (David Brubeck, dit Dave) (Concord, Californie, 1920), pianiste de jazz américain; fondateur d'un quartette célèbre dans le monde entier.

Bruce, famille écossaise d'origine normande, qui a donné des rois à l'Écosse. – **Robert Ier Bruce** (Turnberry, 1274 – près de Dumbarton, 1329), roi d'Écosse de 1306 à 1329; il vainquit Édouard II d'Angleterre à Bannockburn (1314).
– **David II** ou **David Bruce** (Dunfermline, 1324 – Édimbourg, 1371), fils du préc.; roi d'Écosse de 1329 à 1371, il fut fait prisonnier par les Angl. à la bataille de Neville's Cross (1346) et fut libéré seulement en 1357 (traité de Berwick).

brucellose n. f. MED VET Maladie infectieuse due à une bactérie (genre *Brucella*), fréquente chez les grands animaux d'élevage (elle peut provoquer l'avortement des femelles gravides) et transmissible à l'homme (elle se manifeste par une fièvre ondulante et des atteintes articulaires). Syn. fièvre de Malte, fièvre ondulante.

Bruche (la), riv. d'Alsace (70 km), affl. de l'Ill (r. g.); naît près du col de Saales.

Brücke (Die) (en fr. *le Pont*), groupe qui réunit à Dresde (1905) E. L. Kirchner, K. Schmidt-Rottluff, E. Heckel, E. Nolde, etc., peintres expressionnistes et pionniers de l'art moderne en Allemagne.

Bruckner (Anton) (Ansfelden, 1824 – Vienne, 1896), compositeur autrichien; auteur de musique religieuse (messes, psaumes, etc.) et de symphonies. Fervent admirateur de R. Wagner, il fut opposé à J. Brahms par les cercles musicaux viennois et eut pour élèves H. Wolf et G. Mahler.

Bructères, peuple germanique établi sur les bords de l'Ems (Ier s. apr. J.-C.).

Bruegel, Brueghel ou **Breughel,** famille de peintres flamands. – **Pieter,** dit Bruegel le Vieux (probabl. à Brueghel, près de Breda, v. 1525 – Bruxelles, 1569), peintre flamand. Ses paysages et scènes de genre sont une méditation sur la destinée humaine : *la Chute d'Icare, les Chasseurs dans la neige, Noces villageoises.* – **Pieter II,** dit Bruegel le Jeune ou d'Enfer (Bruxelles, v. 1564 – Anvers, 1638), fils aîné du préc.; auteur de scènes « infernales » (d'où son surnom) dans la manière de Jérôme Bosch. – **Jan Ier**, dit Bruegel de Velours (Bruxelles, 1568 – Anvers, 1625), second fils de Bruegel le Vieux, peignit des fleurs et des fruits.

Bruges (en néerl. *Brugge*), v. de Belgique, ch.-l. de la Flandre-Occidentale, reliée par canaux à diverses v. dont le port de Zeebrugge; 118 000 hab. Constr. navales, industr. méca., alim. et text. (célèbre dentelle ou « guipure des Flandres »). Import. port de pêche. Tourisme. – Bruges fut une très import. cité comm. et drapière (XIIIe-XVe s.) qui connut son apogée sous les ducs de Bourgogne; elle en conserve d'admirables mon. : cath. (XIIIe-XIVe s.); basi-

Bruges

lique du St-Sang (XIIe-XVe s.); hôtel de ville (XIVe s.); halles (XIIIe-XVIe s.); beffroi ou tour des Halles (XIIIe s.). Bruges est aussi connue pour son béguinage (fondé au XIIIe s.), ses canaux (elle est surnommée la « Venise du Nord »), son très riche musée municipal (peintures flamandes).

brugnon n. m. Pêche à peau lisse, à chair blanche et parfumée, à noyau adhérent.

Brugnon (Jacques) (Paris, 1895 - Monte-Carlo, 1978), joueur de tennis français. Spécialiste du double. L'un des quatre « mousquetaires » (avec Borotra, Cochet et Lacoste) qui donnèrent à la France la coupe Davis de 1927 à 1932.

bruine n. f. Petite pluie fine.

bruiner v. impers. [1] Pleuvoir en bruine. *Il ne cesse de bruiner.*

bruire v. intr. (défect.) [3] Rendre un son confus et continu. *Les vagues bruissaient.*

bruissement n. m. Bruit confus et prolongé. *Le bruissement du vent.*

bruit [bʀɥi] n. m. **I. 1.** Sensation perçue par l'oreille. *Le bruit du tonnerre. Les bruits de la rue. Faire du bruit.* - Cette sensation ressentie de manière désagréable. *Le bruit des voitures.* ▷ MED Son caractéristique et révélateur entendu à l'auscultation. ▷ PHYS Ensemble de sons à caractère le plus souvent accidentel. *L'intensité d'un bruit se mesure en décibels.* ▷ TELECOM *Bruit de fond* : son parasite dans un récepteur (bruits atmosphériques et cosmiques, bruits dus au fonctionnement de moteurs, aux lignes haute tension, bruits internes dus aux composants des amplificateurs, etc.). **2.** Tumulte, agitation. *Fuir le bruit du monde. Se retirer loin du bruit.* **3.** Nouvelle qui circule, rumeur. *Le bruit court. Un faux bruit immédiatement démenti.* ▷ *Faire du bruit* : provoquer l'intérêt, l'émotion du public. *Ce scandale a fait trop de bruit.* **II.** PHYS Fluctuations aléatoires de la lumière.

bruitage n. m. Reconstitution des bruits qui doivent accompagner une scène (théâtre, cinéma, radio, télévision); les bruits ainsi créés (bruits de pas, de tonnerre, etc.).

bruiter v. tr. [1] Réaliser le bruitage de (une émission de radio, de télévision, un film, etc.).

bruiteur n. m. Celui qui fait les bruitages.

brûlage n. m. **1.** Action de brûler, partic. les herbes sèches. **2.** Traitement des cheveux dont on brûle les pointes. *Se faire faire un brûlage.*

brûlant, ante adj. **1.** Qui brûle, qui dégage une chaleur intense. *Soleil brûlant. Une casserole brûlante.* ▷ Fig. *Une question brûlante,* qu'il est préférable de ne pas aborder ou qui passionne vivement. **2.** Accompagné d'une très grande chaleur. *Fièvre brûlante.* **3.** Fig. Ardent, fervent. *Brûlant d'amour, d'ambition. Désir brûlant.* Ant. froid, glacé.

brûlé, ée adj. et n. m. **I.** adj. **1.** Qui a brûlé. *Du riz brûlé.* **2.** Fig. *Une tête, une cervelle brûlée* : un esprit exalté, téméraire. **3.** Fig., fam. Démasqué, découvert. *Un agent secret brûlé.* **II.** n. m. Ce qui a brûlé. *Sentir le brûlé. Avoir goût de brûlé.* ▷ Fig., fam. *Ça sent le brûlé* : l'affaire est suspecte ou la situation dangereuse.

Brûlé (Étienne) (Champigny-sur-Marne, v. 1591 - Nouvelle-France, 1633), voyageur français. Il explora les Grands Lacs et servit d'interprète entre les Français et les Hurons, qui le massacrèrent.

brûle-gueule n. m. inv. Pipe à tuyau très court.

brûle-parfum n. m. Vase, réchaud dans lequel on brûle des parfums. *Des brûle-parfum(s).*

brûle-pourpoint (à) loc. adv. **1.** Vx À bout portant. **2.** Sans préambule, brusquement. *Poser une question à brûle-pourpoint.*

brûler v. [1] **I.** v. tr. **1.** Consumer, détruire par le feu. *Brûler des papiers, du bois.* - Fig. *Brûler ses vaisseaux* : s'engager dans une affaire en s'ôtant tout moyen de retraite. ▷ *Spécial.* Utiliser comme combustible ou comme luminaire. *Brûler du mazout, de la bougie.* **2.** Causer une altération, une douleur, sous l'effet du feu, de la chaleur, d'un corrosif. *Ce tison m'a brûlé. Acide qui brûle la peau. Brûler un plat,* en le laissant cuire trop longtemps. - Par anal. *La gelée a brûlé les bourgeons.* ▷ v. pron. *Je me suis brûlé.* ▷ Loc. fig. *Brûler la cervelle à qqn,* le tuer d'un coup de feu à bout portant dans la tête. **3.** Soumettre au feu pour produire des modifications. *Brûler du vin,* le distiller. *Brûler du café,* le torréfier. **4.** Fig. Ne pas s'arrêter à. *Brûler un feu rouge, un stop.* ▷ Loc. *Brûler les étapes* : progresser rapidement. - *Brûler la politesse à qqn,* partir sans prendre congé de lui. ▷ THEAT *Brûler les planches* : jouer avec fougue. **5.** Fig., fam. Démasquer, compromettre. *Brûler un espion.* ▷ v. pron. *Il s'est brûlé.* **II.** v. intr. **1.** Être consumé par le feu. *La maison a brûlé.* ▷ Fig. *Le torchon* brûle.* **2.** Subir une cuisson trop prolongée. *L'omelette brûle.* **3.** Être très chaud. *La tête me brûle.* ▷ Fig. Être ardent, possédé d'un grand désir. *Brûler d'impatience. Il brûle de vous voir.* - Litt. *Brûler pour qqn,* en être épris. - *Brûler à petit feu* : être dans une grande anxiété.

brûlerie n. f. **1.** Rare Lieu où l'on distille le vin pour obtenir l'eau-de-vie. **2.** Lieu où l'on torréfie le café.

brûleur n. m. **1.** Fabricant d'eau-de-vie. **2.** TECH Appareil destiné à mélanger un combustible et un comburant et à en assurer la combustion. *Brûleur à mazout.*

brûlis [bʀyli] n. m. **1.** Partie de forêt incendiée. **2.** AGRIC Champ dont on brûle la végétation pour le défricher ou le fertiliser. *Semailles sur brûlis.*

brûloir n. m. **1.** Appareil de torréfaction. **2.** Appareil pour brûler les vieilles peintures.

brûlot n. m. Navire que l'on chargeait de matières inflammables pour incendier les vaisseaux ennemis. ▷ Fig. *Lancer des brûlots* : attaquer par un pamphlet ou par des arguments irréfutables.

brûlure n. f. **1.** Sensation douloureuse. *Des brûlures d'estomac.* **2.** Lésion tissulaire produite par le feu, par un corps très chaud ou par une substance corrosive. *Une brûlure aux mains.* ▷ *Par ext.* Marque laissée sur ce qui a brûlé. *Brûlure de cigarette sur une nappe.* **3.** AGRIC Flétrissement, souvent suivi de nécrose, provoqué par le soleil frappant des plantes gelées, qui semblent brûlées.

brumaire n. m. HIST Deuxième mois du calendrier républicain (du 22-24 oct. au 20-22 nov.). ▷ *Journée du 18 Brumaire* (9 novembre 1799, an VIII de la rép.), au cours de laquelle Bonaparte contraignit par la force le Directoire à démissionner. (Les Conseils, transférés à Saint-Cloud, grâce à l'appui de Sieyès, furent dispersés le 19 par les grenadiers. Le Consulat commençait.)

brumasser v. impers. [1] Faire un peu de brume. *Il brumasse.*

brume n. f. Suspension dans l'atmosphère de gouttelettes d'eau microscopiques ou de particules qui réduisent la visibilité. *Brume de chaleur,* due à la réduction de la transparence de l'air sous l'effet de la chaleur. ▷ MAR Brouillard. ▷ Fig. *Les brumes de son esprit.*

brumeux, euse adj. **1.** Affecté par la brume. *Climat brumeux.* **2.** Fig. Qui manque de clarté. *Des idées brumeuses.* Ant. clair.

brumisateur n. m. (Nom déposé.) Appareil qui pulvérise en très fines gouttelettes un liquide, notam. pour les soins du visage.

brumisation n. f. Pulvérisation d'un liquide à l'aide d'un brumisateur.

brumiser v. tr. [1] Vaporiser avec un brumisateur.

Brummell (George Bryan) (Londres, 1778 - Caen, 1840), dandy anglais, arbitre des élégances; prodigue, il dut, ruiné, s'exiler en France (1816), où il mourut dans la misère.

brun, brune adj. et n. **1.** adj. De couleur jaune sombre tirant sur le noir. *Teint brun. Cheveux bruns. Le marron est un rouge brun.* ▷ Dont les cheveux sont bruns. *Elle est très brune.* ▷ Subst. *Une jolie brune.* - *Une brune,* en parlant d'une bière* ou d'une cigarette (V. tabac). *Je ne fume que des brunes.* **2.** n. m. Couleur brune. *Ce drap est d'un beau brun.* ▷ *Brun Van Dyck* : peinture à base de ferrocyanure de cuivre.

brunante n. f. (Canada) *À la brunante* : à la fin du jour, à la tombée de la nuit.

brunâtre adj. Tirant sur le brun.

brunch [bʀœnʃ] n. m. (Anglicisme) Petit déjeuner copieux, servant également de déjeuner, pris au milieu de la matinée.

Brundtland (Gro Harlem) (Oslo, 1939), femme politique norvégienne. Premier ministre de fév. à sept. 1981, de mai 1986 à sept. 1989 et depuis nov. 1990.

brune n. f. Vx Commencement de la nuit. - Mod. *À la brune* : à la fin du jour.

Brune (Guillaume) (Brive-la-Gaillarde, 1763 - Avignon, 1815), maréchal de France (1804). Il s'illustra en Italie et aux Pays-Bas. Il fut assassiné pendant la Terreur blanche.

Bruneau (Alfred) (Paris, 1857 - id., 1934), critique musical et compositeur français. Ami de Zola, il s'efforça d'introduire le naturalisme dans l'opéra : *le Rêve* (1890), *l'Ouragan* (1901).

Brunehaut (Espagne, vers 534 - Renève, près de Dijon, 613), reine d'Austrasie; fille d'Athanagild, roi des Wisigoths. Ayant épousé le roi Sigebert d'Austrasie en 567, elle administra le royaume avec énergie après son veuvage. Sa rivalité avec Frédégonde, reine de Neustrie, ravagea leurs États. Livrée à Clotaire II, fils de Frédégonde, elle périt dans les tortures.

Brunei, État de Bornéo, sur la côte N.-O. de l'île; 5 765 km²; env. 220 000 hab.; cap. *Bandar Seri Begawan.* Nature de l'État : sultanat. Langues : malais, (off.) angl. Monnaie : dollar. Relig. : islam. - Import. gisements de pétrole et de gaz naturel, exploités de façon croissante. – Anc. protectorat brit., indépendant depuis 1984, le Brunei reste dans le cadre du Commonwealth. ► carte **Indonésie**

brunéien, enne adj. et n. De Brunei. ▷ Subst. *Un(e) Brunéien(ne).*

Brunelleschi (Filippo di Ser Brunellesco) (Florence, 1377 – id., 1446), sculpteur et architecte florentin; le plus important théoricien de la perspective au quattrocento et l'un des plus grands initiateurs de l'architecture de la Renaissance : à Florence, coupole de Santa Maria del Fiore (1420-1436), chapelle et palais des Pazzi (1429-1446), hôpital des Innocents (1419).

Brunelleschi : chapelle des Pazzi (1429-1446), église Santa Croce, Florence

brunet, ette n. (Surtout au fém.) Personne dont les cheveux sont bruns. *Une petite brunette.*

Brunetière (Ferdinand) (Toulon, 1849 – Paris, 1906), critique littéraire français. Directeur de *la Revue des Deux Mondes* (1893), auteur des *Études critiques sur l'histoire de la littérature française* (1880-1925), continuées par ses disciples. Acad. fr. (1893).

Brunetto Latini. V. Latini.

Brunhes (Jean) (Toulouse, 1869 – Boulogne-sur-Seine, 1930), géographe français : *Géographie humaine* (1910).

bruni n. m. Partie polie (d'un métal) (par oppos. à *mat*).

Brüning (Heinrich) (Münster, 1885 – Norwich, Vermont, 1970), homme politique allemand. Représentant du Centre catholique, il fut, en 1930, chancelier de la république de Weimar. Destitué par Hindenburg en 1932, il eut pour successeurs (éphémères) von Papen et Schleicher, avant l'arrivée de Hitler au pouvoir (1933).

brunir v. [3] **I.** v. tr. **1.** Rendre brun. *Le soleil l'a bruni.* **2.** TECH Polir (un métal). *Brunir l'or.* **II.** v. intr. Devenir brun. *Cheveux qui brunissent. Il a bruni au soleil.*

brunissage n. m. TECH Opération consistant à brunir (sens I, 2); son résultat. *Brunissage de l'or.*

brunisseur, euse n. TECH Ouvrier, ouvrière qui brunit les métaux.

brunissure n. f. **1.** Poli d'un ouvrage qui a été bruni. **2.** Façon donnée à une étoffe que l'on teint.

Bruno (saint) (Cologne, v. 1030 – chartreuse della Torre, Calabre, 1101), mystique allemand; fondateur (1084) de l'ordre des Chartreux.

Bruno (Giordano) (Nola, royaume de Naples, 1548 – Rome, 1600), philosophe italien. Dominicain jusqu'en 1576, il critiqua l'aristotélisme, défendit la théorie de Copernic et développa une philosophie panthéiste assez riche d'intuitions : *l'Infini, l'univers et les mondes* (1584). Accusé d'hérésie par l'Inquisition, incarcéré sept ans, il fut brûlé vif.

Brunot (Ferdinand) (Saint-Dié, 1860 – Paris, 1938), linguiste français : *Histoire de la langue française des origines à 1900* (10 vol., 1905-1943), continuée par son collaborateur, le philosophe et grammairien C. Bruneau (3 vol., 1948-1953).

Brunoy, ch.-l. de cant. de l'Essonne (arr. d'Évry), près de la forêt de Sénart; 24 594 hab.

Brunschvicg (Léon) (Paris, 1869 – Aix-les-Bains, 1944), philosophe français. Son idéalisme positiviste est fondé sur l'analyse mathématique : *les Étapes de la philosophie mathématique* (1912). On lui doit une précieuse édition de Pascal (1920).

Brunswick (en all. *Braunschweig*), rég. d'Allemagne, duché du XIIIe s. à 1918, Land en 1919, distr. du Land de Basse-Saxe depuis 1946.

Brunswick (en all. *Braunschweig*), v. d'Allemagne (Basse-Saxe); 248 000 hab. Grand centre d'industr. méca., chim., text. et alim. – Cath. romane (XIIe-XIIIe s.). Palais ducal de Dankwarderode (XIIe s.).

Brunswick (maison de), très ancienne maison princière d'Allemagne dont l'origine remonte au Xe s.; elle fut puissante au XIIe s. La famille se partagea en plusieurs branches. George Ier d'Angleterre, ancêtre de la reine Élisabeth II, est issu de la branche Brunswick-Lunebourg.

Brunswick (Charles Guillaume Ferdinand, duc de) (Wolfenbüttel, 1735 – Ottensen, 1806), général au service de la Prusse. Chef des armées coalisées, il lança, le 25 juillet 1792, une proclamation *(manifeste de Brunswick)* qui menaçait de détruire Paris au moindre outrage subi par la famille royale de France; ce manifeste provoqua l'insurrection du 10 août 1792. Vaincu à Valmy (1792), Brunswick fut mortellement blessé à Auerstaedt.

brushing [bʀœʃiŋ] n. m. Procédé déposé de mise en plis, consistant à travailler les cheveux mouillés par mèches avec une brosse ronde et en les séchant au séchoir.

brusque adj. et n. f. **1.** adj. Qui a une vivacité rude, sans ménagement. *Un homme brusque. Des manières brusques.* Syn. bourru. Ant. aimable, affable. **2.** adj. Subit, inopiné. *Changement brusque. Un brusque départ.* **3.** n. f. MUS Ancienne forme de danse française.

brusquement adv. D'une manière brusque, soudaine. *Il est parti brusquement.*

brusquer v. tr. [1] **1.** Traiter sans ménagement. *Brusquer les gens.* **2.** Précipiter. *Brusquer les choses. Brusquer une décision.* Ant. ralentir, différer. – *Attaque brusquée* : coup de main rapide, inattendu.

brusquerie n. f. Manières brusques à l'égard d'autrui. *Répondre avec brusquerie.* Syn. rudesse.

brut, brute adj., n. m. et adv. **1.** Qui est encore dans son état naturel, n'a pas été modifié par l'homme. *Bois brut. Diamant brut,* non taillé. ▷ Dont la mise en œuvre n'est encore qu'ébauchée. *Sucre brut. Champagne brut,* très sec, qui n'a pas fermenté une deuxième fois. Syn. naturel. ▷ Fig., fam. *Brut de décoffrage* : tel quel, sans fioritures. ▷ n. m. *Du brut* : des hydrocarbures non raffinés. **2.** Grossier, peu civilisé. **3.** COMM *Poids brut,* celui de la marchandise et de l'emballage (par oppos. à *poids net*). ▷ adv. *Ce colis pèse brut quarante kilos.* **4.** ECON Évalué avant la déduction des taxes, des frais ou avant l'addition des indemnités, des primes, etc. *Produit brut. Salaire brut.* – n. m. *Le brut* (par oppos. au *net*). ▷ adv. *Cela rapporte brut deux mille francs.*

brutal, ale, aux adj. (et n.) **1.** Qui tient de la brute. *Passion brutale.* Syn. bestial. **2.** Grossier, violent. *Un geste brutal. Un homme brutal.* ▷ Subst. *Agir en brutal.* **3.** Dénué de ménagements, de douceur. *Franchise brutale.* – *Couleurs brutales,* éclatantes, vives. **4.** Rude et inopiné. *Une nouvelle brutale.*

brutalement adv. Avec violence. *Parler, manier qqch brutalement.* Syn. rudement. Ant. délicatement.

brutaliser v. tr. [1] Traiter avec rudesse, avec brutalité. Syn. maltraiter.

brutalisme n. m. ARCHI Courant architectural, issu dans les années 1950 du fonctionnalisme, qui entend ne pas dissimuler les éléments organiques d'un bâtiment (ex. : le CNAC Georges-Pompidou, à Paris).

brutalité n. f. **1.** Dureté, violence. *La brutalité des soldats.* Ant. douceur. **2.** Caractère violent et inopiné de qqch. *La brutalité d'un choc.*

brute n. f. **1.** Litt. Animal, envisagé sous l'aspect de sa bestialité. **2.** Personne grossière, violente. *Cet homme est une brute.*

Bruttium ou **Brutium,** prov. du S. de l'Italie anc. (auj. la *Calabre*).

Brutus (Lucius Junius) (VIe s. av. J.-C.), héros semi-légendaire romain. Il chassa de Rome les Tarquins et fonda la rép. (509 av. J.-C.).

Brutus (Marcus Junius) (Rome, v. 85 – Philippes, 42 av. J.-C.), homme politique romain. Neveu de Caton d'Utique, il prit part, avec Cassius, à la conspiration contre César (44 av. J.-C.). Vaincu par Octavien et Antoine à Philippes (Macédoine), il se suicida.

Bruxelles (en néerl. *Brussel*), cap. de la Belgique, sur la Senne. *Bruxelles-ville* compte 139 680 hab.; la région de *Bruxelles-capitale,* couvrant 160 km^2, 997 290 hab., comprend 19 communes et forme une région autonome. Le bilinguisme y est officiel. Grande métropole tertiaire et industrielle, au cœur des échanges européens, Bruxelles abrite d'importantes institutions internationales (sièges de l'Union européenne et de l'OTAN). – La v. se développa aux XIIe et XIIIe s. et fut un centre import. des États bourguignons. Ch.-l. du dép. français de la Dyle de 1794 à 1814, elle fit partie ensuite des Pays-Bas et devint en 1830 la cap. du nouvel État belge. – Monuments goth. : cath. Saint-Michel (XIIIe-XVe s., XVIe et XVIIe s.); égl. N.-D.-des-Victoires, au Sablon (XIVe-XVe s.); Grand-Place comprenant l'hôtel de ville (XVe s.). Archevêché (avec Malines). Université. Musées (riches en peintures flamandes). ► illustr. page **252**

bruxellois, oise [bʀysɛlwa, waz] adj. et n. De la ville de Bruxelles. ▷ Subst. *Les Bruxellois.*

bruyamment adv. Avec grand bruit.

Bruxelles : maison du Sac, Grand-Place, XVIe s.

bruyant, ante adj. **1.** Qui fait du bruit. *Conversation bruyante.* **2.** Où il se fait beaucoup de bruit. *Une rue bruyante.* Ant. silencieux.

bruyère n. f. **1.** Sous-arbrisseau (fam. éricacées), à fleurs violacées, poussant sur des landes ou dans des sous-bois siliceux. (Diverses espèces arborescentes ont des racines qui servent à la confection des pipes.) **2.** Lieu où poussent les bruyères. **3.** *Terre de bruyère* : terre acide, légère, formée de sable siliceux mélangé aux produits de décomposition des bruyères. **4.** *Coq de bruyère* : tétras.

Bryant (William Cullen) (Cummington, Massachusetts, 1794 - New York, 1878), écrivain américain, disciple de Wordsworth; le premier en date des poètes américains : *Thanatopsis* (1821).

bryo-. Élément, du gr. *bruon,* « mousse ».

bryophytes n. f. pl. BOT Embranchement comprenant en partic. les mousses et les hépatiques. - Sing. *Une bryophyte.*

Bry-sur-Marne, ch.-l. de cant. du Val-de-Marne (arr. de Nogent-sur-Marne); 13 912 hab. Mat. de constr. - INA (Institut national de l'audiovisuel).

bruyère

B.S.R. n. m. Sigle de *brevet de sécurité routière,* diplôme exigé depuis nov. 1997 pour conduire un cyclomoteur ou un scooter de 50 cm³.

B.T.P. n. m. Sigle de *bâtiment et travaux publics,* envisagé comme un secteur de l'économie.

B.T.S. n. m. Sigle de *brevet de technicien supérieur,* qui s'obtient deux ans après le bac.

buanderie n. f. Lieu où l'on fait la lessive.

bubale n. m. ZOOL Antilope africaine (genre *Alcelaphus*), haute de 1,30 m au garrot, à cornes en forme de lyre.

Bubastis ou **Boubastis,** v. de l'Égypte anc. (auj. *Tell Basta*), sur la branche Pélusiaque (orientale) du Nil; une des cap. du Delta à la période Hyksos. - La déesse Bastet y était vénérée dans l'Antiquité.

Buber (Martin) (Vienne, 1878 - Jérusalem, 1965), philosophe et théologien israélien d'origine autrich. attiré par le hassidisme. *Le Je et le Tu* (1923) expose sa philosophie existentielle du dialogue. Buber était partisan de la coexistence pacifique des Arabes et des Juifs en Palestine.

bubon n. m. MED Tuméfaction ganglionnaire. *Bubon de la peste.*

bubonique adj. Qui se caractérise par des bubons. *Peste bubonique.*

Bucaramanga, v. de Colombie, dans la Cordillère orientale, au N. de Bogotá; 341 510 hab.; ch.-l. de dép. Métall. Industrie alim.

Bucarest : peinture pariétale de l'église de la Patriarchie, XVIIe s.

Bucarest (en roumain *București*), cap. de la Roumanie, sur la Dîmbovița, sous-affl. du Danube; 1 989 820 hab. Centre industr. du pays (métall., constr. méca., industr. chim.). - Centre culturel; monuments anc. Travaux monumentaux entrepris par Ceaușescu (notam. pour la construction de son palais), qui ont endommagé les quartiers hist. de la ville, arrêtés dep. son renversement en déc. 1989. - Quatre *traités de Bucarest,* dont le premier fut signé en 1812 entre la Russie et la Turquie; le troisième, signé en 1913, mit fin à la seconde guerre balkanique.

buccal, ale, aux adj. Qui a rapport à la bouche. *Cavité buccale.*

buccin [byksɛ̃] n. m. **1.** ANTIQ ROM Trompette romaine droite ou recourbée. **2.** ZOOL Genre de mollusques gastéropodes marins à coquille hélicoïdale, dont une espèce, *Buccinum nudatum* (10 cm de long), est comestible. Syn. bulot.

buccinateur n. m. et adj. m. **1.** n. m. ANTIQ ROM Joueur de buccin. **2.** adj. m. ANAT Se dit des muscles des joues entre les deux mâchoires. ▷ n. m. *Le buccinateur.*

bucco-dentaire adj. Qui se rapporte à la bouche et aux dents. *Des soins bucco-dentaires.*

bucentaure n. m. MYTH Centaure à corps de taureau. ▷ *Le Bucentaure,* nom du navire sur lequel embarquait le doge de Venise, le jour de l'Ascension, pour la cérémonie de ses épousailles symboliques avec la mer.

Bucéphale, nom du cheval d'Alexandre le Grand.

Bucer ou **Butzer** (Martin) de son vrai nom Kuhhorn (Sélestat, 1491 - Cambridge, 1551), théologien alsacien. Protestant, disciple de Luther, il prêcha la Réforme à Strasbourg et à Cambridge.

Buchanan (George) (Killearn, Stirlingshire, 1506 - Édimbourg, 1582), humaniste et dramaturge écossais. Calviniste, précepteur du jeune roi d'Écosse Jacques VI, il écrivit en vers latins des tragédies d'inspiration biblique.

Buchanan (James) (près de Mercersburg, Pennsylvanie, 1791 - Wheatland, Pennsylvanie, 1868), homme politique américain; président des É.-U. de 1857 à 1861; partisan du système esclavagiste.

1. bûche n. f. **1.** Morceau de bois de chauffage. *Une bûche de pin.* ▷ *Bûche de Noël* : grosse bûche mise au feu pendant la veillée de Noël; *par anal.* pâtisserie en forme de bûche que l'on fait pour Noël. **2.** Fig. Personne lourde, stupide.

2. bûche n. f. Fam. Chute. *Ramasser une bûche* : tomber.

Buchenwald, localité de Thuringe (Allemagne) où fut installé de 1937 à 1945 un camp de concentration nazi.

1. bûcher n. m. **1.** Lieu où l'on range le bois à brûler. **2.** Amas de bois sur lequel les Anciens brûlaient les morts (ainsi que les fidèles de certaines religions le font auj.). ▷ Amas de bois sur lequel on brûlait les condamnés au supplice du feu.

2. bûcher v. tr. [1] **1.** TECH Dégrossir une pièce de bois. - Par anal. *Bûcher une pierre,* en enlever les saillies. **2.** Fam. Travailler avec ardeur. *Bûcher les mathématiques.* ▷ (S. comp.) *Il bûche.*

bûcheron, onne n. Personne qui abat et débite des arbres dans une forêt.

bûcheronnage n. m. Activité du bûcheron.

bûchette n. f. Menu morceau de bois sec.

bûcheur, euse adj. (et n.) Fam. Qui étudie avec ardeur. *Un étudiant bûcheur.* ▷ Subst. *C'est une bûcheuse.*

Buchez (Philippe Joseph Benjamin) (Matagne-la-Petite, Ardennes, 1796 - Rodez, 1865), philosophe et homme politique français; président de l'Assemblée constituante de 1848. Il tenta une synthèse du saint-simonisme et du traditionalisme de Bonald et de Lamennais.

Buchner (Eduard) (Munich, 1860 - Focșani, Roumanie, 1917), biochimiste allemand. Il étudia les fermentations et leurs agents (nommés auj. *enzymes*). P. Nobel de chimie 1907.

Büchner (Georg) (Godelau, près de Darmstadt, 1813 - Zurich, 1837), poète, romancier et dramaturge allemand. Il s'interrogea avec pessimisme sur le destin tragique de l'homme confronté à l'exigence révolutionnaire ou écrasé par la fatalité sociale : *la Mort de Danton* (drame, 1835), *Woyzeck* (drame, 1836), *Léonce et Léna* (comédie, 1836), *Lenz* (nouvelle inachevée; posth., 1839).

Buck (Pearl Sydenstriker, dite Pearl) (Hillsboro, Virginie, 1892 – Danby, Vermont, 1973), romancière américaine; auteur de romans sur la Chine : *la Terre chinoise* (1931), *la Mère* (1934), *Pavillon de femmes* (1946). P. Nobel 1938.

Buckingham (George Villiers, 1er duc de) (Brooksby, Leicestershire, 1592 – Portsmouth, 1628), homme polit. britannique. Favori de Jacques Ier et de Charles Ier; il mourut assassiné par un officier puritain.

Buckingham Palace, palais londonien, construit en 1705 pour le duc de Buckingham (plusieurs fois remanié au XIXe s.); résidence actuelle de la famille royale.

Buckinghamshire, comté d'Angleterre au N.-O. de Londres; 619 500 hab.; ch.-l. *Aylesbury.*

bucolique n. f. et adj. **1.** n. f. Poème pastoral. **2.** adj. Qui concerne la poésie pastorale. *Un poète bucolique.*

Bucovine, région géogr. des Carpates, partagée entre l'Ukraine, où se trouve la ville principale, Tchernovtsy (en roumain *Cernăuţi*), et la Roumanie. – Elle appartint aux Turcs (1538-1775), comme le reste de la Moldavie, puis à l'Autriche, pour être enfin unie à la Roumanie (1918). Le N. a été rattaché à l'Ukraine en 1947. – Nombr. monastères, dont certains (les Cinq Merveilles) ont une église peinte à fresque intérieurement et extérieurement : Humor (v. 1530), Moldoviţa (1532), Arbore (1503; peint. de 1541), Voroneţ (1488; peint. de 1547), Suceviţa (1582-1592).

bucrane ou **bucrâne** n. m. ARCHI Ornement figurant un crâne de bœuf.

Budapest, cap. de la Hongrie, sur le Danube; 2 073 740 hab. Formée par la réunion (1873) de *Buda,* anc. cité située sur la r. dr. du fl., et de *Pest,* située sur la r. g. Centre culturel et industriel (sidérurgie, industr. méca., chim., alim. et text.). – La v. fut en partie détruite en 1944-1945, et à nouveau en 1956. – Buda possède la plupart des monuments de la cap. : les égl. du Couronnement (XIIIe et XIVe s.) et de la Garnison (XIIIe et XVIIIe s.); le Palais royal, reconstruit au XVIIIe s.; l'anc. hôtel de ville (XVIIe s.).

Budapest : le Parlement

buddleia ou **buddleya** [bydleja] n. m. BOT Arbrisseau ornemental originaire de Chine, portant de grandes inflorescences violettes qui attirent les papillons (arbre aux papillons).

Budé (Guillaume) (Paris, 1467 – id., 1540), humaniste français. Il propagea l'étude du grec (*Commentaires sur la langue grecque,* 1529) et obtint de François Ier l'ouverture d'un Collège des trois langues (hébreu, grec et latin), qui devint le Collège de France en 1530.

budget n. m. **1.** État prévisionnel et contrôle de dépenses et recettes, généralement relatif à une année. *Budget d'activité. Budget de fonctionnement.* ▷ DR PUBL État des recettes et des dépenses présumées qu'une personne morale (État, département, commune, établissement, etc.) aura à encaisser et à effectuer pendant une période donnée. *Le budget d'une commune. Équilibre du budget.* – *Absol.* Budget de l'État. *Le Parlement a voté le budget.* **2.** *Par anal.* Revenus et dépenses d'un particulier.

buffle d'Afrique et buffle d'Inde (à dr.)

budgétaire adj. Relatif au budget. *Contrôle budgétaire.*

budgétarisme n. m. POLIT Attachement, jugé excessif, à la rigueur budgétaire.

budgétisation n. f. Inscription au budget.

budgétiser v. tr. [1] ou **budgéter** v. tr. [14] Inscrire au budget.

budgétivore adj. Fam. Qui ruine le budget d'une communauté, en partic. de l'État.

Buech (le), torrent des Alpes du S. (90 km); naît dans le Dévoluy; confl. avec la Durance (r. dr.) à Sisteron.

buée n. f. **1.** Vapeur qui se condense sur un corps froid. *De la buée sur les vitres.* **2.** Vapeur d'eau qui se dégage d'un liquide chauffé. *Aspirer les buées d'une cuisine.*

Buenaventura, princ. port de Colombie, sur le Pacifique; 160 340 hab. Exportation de café et de sucre.

Buenos Aires, cap. et port de comm. import. de l'Argentine, sur la rive S. du río de la Plata; 2 922 830 hab. (Porteños) (aggl. urb. 10 728 000 hab.). Princ. centre écon. du pays. Industr. alim. et traitant les sous-produits de l'élevage (cuir, laine). Métall. Raff. de pétrole. – La v., fondée en 1580, devint en 1776 la cap. de la vice-royauté de La Plata. Cap. fédérale depuis 1880. – La *province de Buenos Aires* couvre 307 571 km²; 12 226 000 hab.; ch.-l. *La Plata.*

Buffalo, v. et grand port fluv. des É.-U. (État de New York), à l'extrémité E. du lac Érié, près du Niagara; 328 100 hab. (aggl. urb. 1 204 800 hab.). Sidérurgie; pétrochim.; constructions navales et mécaniques.

Buenos Aires

Buffalo Bill (William Frederick Cody, dit) (Scott County, Iowa, 1846 – Denver, Colorado, 1917), aventurier américain; éclaireur au service de l'armée, puis directeur de cirque. Célèbre pour son adresse au tir, notam. sur les bisons destinés à ravitailler les chantiers du Kansas Pacific Railroad.

buffet n. m. **1.** Meuble où l'on range la vaisselle, l'argenterie. *Un buffet de chêne massif.* – Fig. *Danser devant le buffet* : n'avoir rien à manger. **2.** Table couverte de mets, de rafraîchissements, dans une réception. **3.** Salle d'une gare où l'on sert des repas et des boissons. **4.** Fig., fam. Ventre, estomac. **5.** Ouvrage de menuiserie qui renferme un orgue. *Buffet d'orgue.*

Buffet (Bernard) (Paris, 1928), peintre français. Ses œuvres, figuratives, au graphisme rectiligne, sont d'inspiration expressionniste.

buffle n. m. Nom de divers grands bovinés d'Europe du Sud, d'Afrique et d'Asie du Sud. *Lait de buffle.*

buffleterie [byflɛtʀi] n. f. Ensemble des bandes de cuir servant à l'équipement d'un soldat.

bufflonne ou **bufflesse** n. f. Rare Femelle du buffle.

Buffon (Georges Louis Leclerc, comte de) (Montbard, 1707 – Paris, 1788), naturaliste et écrivain français. Sa méthode est parfois plus intuitive qu'expérimentale, mais il a su observer les faits et poser les principes de l'évolution des espèces : *Histoire naturelle* (36 vol., 1749-1804, inachevée), avec des suppléments, dont l'*Histoire des sept époques de la nature* (1778). Les qualités

Comte de **Buffon,** par Carmontelle, gravure (détail); musée de Condé, Chantilly

de son style (*Discours sur le style*, prononcé lors de sa réception à l'Acad. fr., 1753) le mettent au rang des grands prosateurs.

bufonidés n. m. pl. ZOOL Famille d'amphibiens regroupant les crapauds vrais (genre *Bufo*). – Sing. *Un bufonidé.*

bug. V. bogue.

Bug ou **Boug,** fl. d'Ukraine, 856 km ; naît en Volhynie, se jette dans la mer Noire.

Bug ou **Bug occidental** (le), riv. d'Europe de l'E., frontière, sur 300 km, entre la Pologne et l'Ukraine (où il prend sa source), affl. de la Vistule (r. dr.) ; 813 km.

Bugatti (Ettore) (Milan, 1881 – Paris, 1947), constructeur français d'automobiles, d'origine italienne. Il fonda sa première usine à Molsheim en 1907.

Bugeaud (Thomas Robert, marquis de La Piconnerie, duc d'Isly) (Limoges, 1784 – Paris, 1849), maréchal de France. Gouverneur général de l'Algérie (1840-1847), il assura la conquête du pays, organisant la colonisation et battant les Marocains sur l'Isly (1844).

Bugey (le), pays de France, au S.-E. du dép. de l'Ain, dans le Jura. On distingue le haut Bugey, au N., et le bas Bugey, au S. – Réuni à la couronne en 1601. – Le nom de *Bugey* a été donné au centre de prod. nucléaire établi à Saint-Vulbans (Ain).

buggy [bœgi] n. m. **1.** Syn. de *boghei*. **2.** Voiture tout-terrain découverte, à pneus très larges montés sur un châssis de série.

1. bugle n. m. Instrument à vent en cuivre, à embouchure, de la famille des saxhorns.

2. bugle n. f. BOT Plante labiée atteignant 30 cm de haut, à fleurs groupées en épis, dont une espèce, la bugle rampante, est fréquente en France sur les sols argileux humides.

bugne n. f. Beignet saupoudré de sucre.

building [bildiŋ] n. m. Immeuble comptant de nombreux étages.

buis [bɥi] n. m. **1.** Arbrisseau toujours vert (fam. buxacées), à bois jaunâtre, dur et à grain fin. **2.** *Buis bénit :* branche de buis bénite le jour des Rameaux.

buisson n. m. **1.** Touffe d'arbustes ou d'arbrisseaux épineux. *Buisson d'églantines.* ▷ Spécial. *Buisson ardent,* forme sous laquelle Dieu apparut à Moïse pour le charger de sa mission. ▷ CHASSE *Faire buisson creux :* ne pas trouver la bête détournée ; fig. ne pas trouver ce qu'on espérait. ▷ *Arbre en buisson :* arbre fruitier nain taillé. **2.** CUIS *Buisson d'écrevisses :* écrevisses disposées en buisson sur un plat.

Buisson (Ferdinand) (Paris, 1841 – Thieuloy-Saint-Antoine, Oise, 1932), homme politique français ; princ. collaborateur de Jules Ferry (lois sur l'enseignement primaire) et l'un des fondateurs de la Ligue des droits de l'homme. P. Nobel de la paix 1927.

buisson-ardent n. m. Arbuste épineux (fam. rosacées) à fruits orange ou rouges, à feuillage persistant. *Des buissons-ardents.*

buissonnant, ante adj. BOT Qui a le port d'un buisson. *Un arbre buissonnant.* ▷ Fig. *L'évolution buissonnante de l'homme,* qui n'est pas linéaire.

buissonneux, euse adj. **1.** Couvert de buissons. *Terrain buissonneux.* **2.** En forme de buisson. *Arbre buissonneux.*

buissonnier, ère adj. Anc. *Écoles buissonnières,* tenues secrètement dans la campagne par les protestants, au XVIe s. – Mod. *Faire l'école buissonnière :* aller jouer, se promener au lieu d'aller à l'école, au travail.

Bujumbura (anc. *Usumbura*), cap. du Burundi, sur le lac Tanganyika ; 272 600 hab. Industr. alim. et textile.

Bukavu (anc. *Costermansville*), v. de la Rép. démocratique du Congo, sur le lac Kivu, à proximité de la frontière du Rwanda ; 210 000 hab. ; ch.-l. de la prov. du Kivu. Centre comm. Industr. textile.

Bukhari (al-) (Boukhara, 810 – Samarkand, 870), écrivain arabe d'origine persane. Son livre le plus célèbre : le *Sahīh* (« le Vrai »), qui contient plus de 6 000 traditions relatives à Mahomet, est considéré par les musulmans sunnites comme le livre le plus important après le Coran.

Bulawayo, v. du Zimbabwe, à 1 360 m d'alt. ; 429 000 hab. ; ch.-l. de la prov. de *Matabeleland-Nord.* Sidérurgie, métall. Industr. alimentaire.

bulbaire adj. ANAT D'un bulbe.

bulbe n. m. **1.** Organe végétal de réserve de forme arrondie constitué par une tige à entrenœuds très courts portant des feuilles (écailles) qui peuvent être très modifiées mais qui sont toujours de taille relativement importante. *Bulbe solide* (glaïeul, crocus, etc.), dont la tige est remplie de réserves, les feuilles étant desséchées. *Bulbe feuillé* (lis, tulipe, oignon, etc.), dont les feuilles sont remplies de réserves et deviennent charnues (bulbe écailleux du lis ; bulbe tuniqué de l'oignon). **2.** ANAT Nom de certains organes, ou de certaines parties d'organes renflés ou globuleux. *Bulbe de l'œil, bulbe urétral. Bulbe rachidien :* renflement de la partie supérieure de la moelle épinière où se trouvent plusieurs centres nerveux importants, notam. le centre respiratoire. **3.** ARCHI Coupole en forme de bulbe. **4.** MAR Partie profilée de l'étrave ou de la quille de certains bateaux. **5.** ASTRO *Bulbe galactique :* vaste structure ellipsoïdale composée d'étoiles rouges (vieilles), occupant les régions centrales des galaxies spirales et lenticulaires.

bulbeux, euse adj. **1.** *Plante bulbeuse,* pourvue d'un bulbe. **2.** ANAT Qui a la forme d'un bulbe.

bulbille n. f. BOT Petit bulbe qui se développe à l'aisselle des feuilles et qui, détaché de la plante mère, peut donner une nouvelle plante.

bulgare adj. et n. **1.** De la Bulgarie. ▷ Subst. *Un(e) Bulgare.* **2.** n. m. *Le bulgare :* la langue slave du groupe méridional parlée en Bulgarie.

Bulgarie (*Republika Bulgaria*) État de la péninsule Balkanique qui s'ouvre à l'O. sur la mer Noire ; 110 912 km^2 ; 8 990 000 hab. ; cap. *Sofia.* Nature de l'État : rép. de type parlementaire. Langue off. : bulgare. Monnaie : lev (BGL). Relig. : christianisme orthodoxe, islam.

Géogr. phys. et hum. – Des chaînes, orientées O.-E. (Balkan, Rhodope) séparent des dépressions qui concentrent l'essentiel du peuplement : bassin de Sofia, vallée de la Maritza, S. de la plaine du Danube. Le climat continental a des nuances méditerranéennes au S. La population compte de nombreuses minorités : Turcs, Pomaks (Bulgares musulmans), Tsiganes, Juifs, Roumains, Arméniens.

Écon. – Dans le cadre protégé du Comecon, la Bulgarie a développé une économie collectivisée, très dépendante de l'U.R.S.S., marquée par sa spécialisation agricole (céréales, betterave à sucre, tabac, coton, vigne, fruits et légumes, essence de rose) et la production de biens d'équipement et de consommation (machines, textile, agroalimentaire) ; les ressources du sous-sol sont notables (lignite, cuivre, plomb, zinc, fer). Un important tourisme international a été développé sur les rivages

de la mer Noire. En 1990, le pays s'est engagé dans une transition graduelle vers l'économie de marché qui révèle les faiblesses de son économie : faible compétitivité, forte dette extérieure, chute de la monnaie, flambée des prix.
Hist. – La Bulgarie correspond à l'anc. Thrace, dont Rome fit les prov. de Thrace et de Mésie, soumise aux invasions slaves dès le VIe s. Les Bulgares, peuple turco-mongol, assujettirent les Slaves au VIIIe s. et fondèrent un État, christianisé sous Boris Ier (852-889). Très étendu (de l'Adriatique à la mer Noire) après les conquêtes de Siméon le Grand (m. en 927), l'Empire bulgare ne put vaincre Byzance, qui le soumit en 972 et l'annexa en 1018. Les Asénides (Jean I, Jean II, Jean III Asen), aux XIIe-XIIIe s., reconstituèrent un puissant État, centre d'une brillante civilisation, mis à mal par les invasions mongole, puis turque. Le pays fit partie de l'Empire ottoman de 1396 à 1878 et retrouva son indépendance après la guerre russo-turque qui aboutit au traité de San Stefano. La Bulgarie annexa en 1885 la prov. de Roumélie-Orientale. La suzeraineté ottomane ne fut rejetée qu'en 1908, le prince Ferdinand de Saxe-Cobourg se proclamant tsar des Bulgares. Les import. conquêtes de la première guerre balkanique (1912) furent perdues dès 1913 (deuxième guerre balkanique). La Bulgarie, qui s'allia à l'Autriche-Hongrie durant la guerre de 1914-1918, perdit la Dobroudja et son débouché sur la mer Égée au traité de Neuilly (1919). Elle connut de graves crises polit. et écon. dans l'entre-deux-guerres où le roi Boris III (1918-1943) établit un régime dictatorial et se rangea au côté du Reich – qui l'occupa en 1941 –, annexant la Dobroudja mérid. (1940) et les Macédoines serbe et grecque. Après l'entrée des troupes sov. en 1944, elle s'orienta vers un régime socialiste, sous l'impulsion de Georgi Dimitrov, président du Conseil de 1946 à sa mort (1949), se constituant en république démocratique populaire (1947). Au traité de Paris (1947), elle perdit ses conquêtes, hors la Dobroudja mérid. La Bulgarie fit partie du Comecon (1949) et du pacte de Varsovie (1955) jusqu'à leur dissolution. Le régime communiste s'est caractérisé par la longévité au pouvoir de Todor Živkov, premier secrétaire du parti communiste à partir de 1954, chef de l'État de 1971 à 1989, par l'absence de troubles jusqu'au décret de 1984 imposant aux Turcs la bulgarisation de leur nom et, enfin, par une totale allégeance à Moscou en politique extérieure. La Bulgarie communiste a été touchée par la faillite du système communiste en Europe de l'Est. En 1989, Živkov démissionne; en 1990, le parti, qui ne se veut plus communiste, adopte le nom de Parti socialiste bulgare (P.S.B.), des mesures de restructuration économique sont avancées et, en juillet, le philosophe Jelio Jelev, dirigeant de l'Union des forces démocratiques (U.F.D.), principale force d'opposition, est élu président de la République. En 1991, l'U.F.D. remporte les élections et exerce le pouvoir avec l'appui du Mouvement des droits et des libertés (M.D.L.), petit parti représentant la minorité turque. Mais la difficile transition vers l'économie de marché, accompagnée d'une forte corruption, a plongé dans la pauvreté plus de la moitié de la population. Dans ce contexte de crise sociale, les ex-communistes du P.S.B. ont remporté les élections législatives de 1994. En 1996, la crise économique s'est aggravée, la population s'est détournée des ex-communistes : Petar Stoïanov, candidat de l'U.F.D., est élu prés. de la République. En 1997, l'U.F.D. remporte les élections législatives, et son leader, Ivan Kostov, est nommé Premier ministre.

Bull (John) (en fr. *Jean Taureau*), sobriquet donné par J. Arbuthnot au peuple anglais pour traduire son obstination (*Histoire de John Bull*, 1712).

Bull (John) (Somersetshire, v. 1562 – Anvers, 1628), compositeur anglais (pour orgue, épinette et clavecin); l'un des promoteurs de la technique du clavier moderne.

Bullant (Jean) (Écouen, v. 1520 – id., 1578), architecte français : château d'Écouen (1542-1552). Il succéda à P. Delorme comme architecte des Tuileries (1570) et y édifia deux pavillons. Il publia une *Règle générale d'architecture.*

bull-dog [buldɔg] n. m. Chien anglais à poil ras, de taille moyenne, robuste et musclé. (On le confond très souvent avec le bouledogue, qui en diffère notam. par les oreilles et la queue en tire-bouchon.) *Des bull-dogs.*

bulldozer [byldɔzɛʀ] n. m. Engin de terrassement. Syn. (off. recommandé) bouteur.

1. bulle n. f. **1.** HIST Petite boule de plomb attachée au sceau d'un acte pour l'authentiquer; ce sceau lui-même. **2.** Acte authentiqué par un sceau de plomb. – Spécial. *Bulle pontificale :* acte émanant du pape, désigné par son premier ou ses deux premiers mots. *Bulle Unigenitus. Bulle Ausculta fili.*

2. bulle n. f. **1.** Globule de gaz dans un liquide. – Globule de gaz inclus dans une matière fondue ou coulée. ▷ *Bulle de savon :* sphère remplie d'air dont la paroi est une pellicule d'eau savonneuse. **2.** *Par anal.* Espace graphique cerné d'un trait, dans lequel sont inscrites les paroles qu'un personnage de bande dessinée est censé prononcer. **3.** MED Enceinte stérile et transparente destinée à recevoir un enfant immunodéprimé. **4.** MED Vésicule soulevant l'épiderme par accumulation d'un liquide séreux. **5.** INFORM *Mémoire à bulles :* mémoire dans laquelle les informations sont enregistrées sous la forme de minuscules cylindres magnétiques. **6.** PHYS NUCL *Chambre à bulles :* enceinte servant à la détection des particules. **7.** *Bulle financière* ou *bulle spéculative :* maintien des cours boursiers à la hausse due essentiellement à la spéculation. **8.** Arg. (des militaires) *Coincer sa (la) bulle :* se reposer en dormant.

3. bulle adj. inv. *Papier bulle :* papier grossier, beige ou jaune pâle, fait de pâte non blanchie. ▷ n. m. *Du bulle.*

Bulle d'or, charte (portant un sceau d'or) due à l'empereur Charles IV, qui régla en 1356 le droit politique de l'Allemagne jusqu'en 1806, en organisant l'élection au Saint Empire.

Bullet (Pierre) (Paris, 1639 – id., 1716), architecte français : arc de la porte St-Martin (1674), égl. St-Thomas-d'Aquin à Paris.

bulletin n. m. **1.** Avis communiqué par une autorité et destiné au public. *Bulletin de santé,* périodiquement communiqué par les médecins qui soignent un personnage important. ▷ *Bulletin mensuel, trimestriel,* où sont consignées les appréciations portées sur le travail et la conduite d'un élève. **2.** Notice, récépissé. *Bulletin de bagages.* ▷ *Bulletin-réponse :* formulaire servant à un concours, à un jeu. **3.** Revue périodique d'une administration, d'une société. *Bulletins officiels des ministères.* **4.** Rubrique d'un journal, qui donne à intervalles réguliers des informations dans tel ou tel domaine. *Bulletin économique.* **5.** Papier spécialement destiné à exprimer un vote. *Bulletin blanc,* qui n'exprime aucun choix. *Bulletin nul,* qui ne peut être pris en compte.

Bullier (bal), bal populaire, installé place de l'Observatoire, à Paris, en 1842, et disparu en 1936.

bull-terrier [byltɛʀje] n. m. Chien d'origine anglaise, ratier à robe blanche, issu de croisements entre bull-dogs et terriers. *Des bull-terriers.*

Bully-les-Mines, com. du Pas-de-Calais (arr. de Lens); 12 647 hab.

bulot n. m. Syn. de *buccin.*

Bülow (Friedrich Wilhelm, comte Bülow von Dennewitz) (Falkenberg, 1755 – Königsberg, 1816), général prussien. Il participa aux batailles de Leipzig et de Waterloo.

Bülow (Hans, baron von) (Dresde, 1830 – Le Caire, 1894), pianiste et chef d'orchestre allemand. Il propagea les œuvres de R. Wagner. Sa femme, Cosima, fille de Liszt, le quitta pour épouser Wagner.

Bülow (Bernhard, prince von) (Klein-Flottbeck, Schleswig-Holstein, 1849 – Rome, 1929), homme politique allemand. Chancelier de 1900 à 1909, il continua la polit. de Bismarck.

Bultmann (Rudolf) (Wiefelstede, près d'Oldenburg, 1884 – Marburg, 1976), théologien protestant all.; exégète luthérien influent, soucieux de retrouver les paroles authentiques du Christ (*Jésus, mythologie et démythologisation,* 1968).

Bulwer-Lytton. V. Lytton.

bun [bœn] n. m. (Anglicisme) Petit pain rond, servant en particulier à la confection des hamburgers.

Bunche (Ralph Johnson) (Detroit, 1904 – New York, 1971), homme politique américain; médiateur de l'O.N.U. en Palestine (1948), artisan de nombr. tentatives de réconciliation internationale. Premier Noir à obtenir le P. Nobel de la paix (1950).

Bundesrat, nom du Conseil fédéral de l'Allemagne, assemblée législ. instituée en 1949 et composée de représentants des États fédérés allemands. – Nom d'une assemblée législ. de la Confédération de l'Allemagne du N. (1866-1871) et de l'Empire all. (1871-1918). – Nom de l'assemblée autrichienne des États. – Nom all. du Conseil fédéral suisse.

Bundestag, nom de l'Assemblée fédérale de l'Allemagne, assemblée législ. instituée en 1949, élue au suffrage universel direct.

Bundeswehr (armée fédérale), armée de l'Allemagne, reconstituée à la suite des accords de Londres (1954).

bungalow [bœ̃galo] n. m. Habitation basse entourée d'une véranda. – *Par ext.* Petite maison sans étage en matériaux légers.

bunker [bunkɛʀ] n. m. **1.** Casemate. **2.** Fosse remplie de sable aménagée sur un parcours de golf.

bunodonte adj. ZOOL Qualifie un type de dents à tubercules arrondis.

bunraku [bunʀaku] n. m. Spectacle de marionnettes japonais, agrémenté de récitatifs, de musique et de chants.

Bunsen (Robert Wilhelm) (Göttingen, 1811 – Heidelberg, 1899), chimiste et physicien allemand, inventeur de divers appareils (piles, brûleur appelé *bec Bunsen*, etc.) et, surtout, de la première méthode d'analyse spectrale des éléments (avec Kirchhoff).

Buñuel (Luis) (Calenda, Aragon, 1900 – Mexico, 1983), cinéaste espagnol; le représentant le plus important du surréalisme au cinéma. Son œuvre est marquée par le rejet de la morale traditionnelle et par l'art de tourner en dérision les conformismes et la religion : *Un chien andalou* (1928, en collab. avec S. Dali), *l'Âge d'or* (1930), *los Olvidados* (1950), *Nazarin* (1958), *Viridiana* (1961), *l'Ange exterminateur* (1962), *Belle de jour* (1966), *le Charme discret de la bourgeoisie* (1972), *le Fantôme de la liberté* (1974), *Cet obscur objet du désir* (1977).

Luis **Buñuel**

Bunyan (John) (Elstow, près de Bedford, 1628 – Londres, 1688), prédicateur baptiste anglais. Il fut emprisonné (1660-1672) par Charles II à Bedford, où il écrivit *le Voyage du pèlerin*, allégorie sur les chemins de la perfection chrétienne, qui eut une énorme influence.

Buonarroti. V. Michel-Ange.

Buonarroti (Philippe) (Pise, 1761 – Paris, 1837), révolutionnaire français d'origine italienne. Il fit connaître l'action et la pensée de Babeuf, dont il fut l'un des proches (*Histoire de la Conspiration de l'égalité*, 1828).

Buontalenti (Bernardo) (Florence, 1536 – id., 1608), architecte, peintre et sculpteur maniériste florentin : villa d'Artiminio (1594); décoration des fêtes à la cour des Médicis.

bupreste n. m. ENTOM Coléoptère aux brillantes couleurs, dont les larves creusent des galeries dans les pins, les chênes, les arbres fruitiers.

buraliste n. **1.** Personne préposée à un bureau de recette, de distribution, de poste, etc. **2.** Personne qui tient un bureau de tabac.

Burayda, v. du centre de l'Arabie Saoudite, dans une oasis; ch.-l. de prov.; env. 70 000 hab. Très import. marché chamelier.

Burckhardt (Johann Ludwig) (Lausanne, 1784 – Le Caire, 1817), explorateur suisse; le premier Européen à avoir pénétré dans les villes saintes d'Arabie, déguisé en marchand arabe.

1. bure n. f. Grosse étoffe de laine, généralement brune. *Manteau de bure.*

2. bure n. m. MINES Puits intérieur d'une mine entre deux ou plusieurs galeries de niveaux différents.

bureau n. m. **I. 1.** Table de travail, ou meuble à tiroirs, à casiers, comportant une table pour écrire. *S'asseoir à son bureau. Garniture de bureau.* **2.** Pièce où se trouve la table de travail. *Un bureau bien aménagé. Le bureau du directeur.* **3.** Lieu de travail des employés, des gens d'affaires, etc. *Dès l'ouverture des bureaux. Aller au bureau.* ▷ Établissement d'administration publique. *Bureau d'enregistrement. – Bureau d'aide sociale,* où fonctionne le secours public. ▷ Subdivision (dans un ministère). *Chef de bureau.* **4.** Guichet d'une salle de spectacle. *Jouer à bureaux fermés,* alors que toutes les places ont déjà été retenues. **5.** MILIT Chacune des divisions spécialisées d'un état-major. **II. 1.** Ensemble des membres directeurs élus d'une assemblée, d'une association. *Élire, réunir le bureau. Le bureau de l'Assemblée nationale.* **2.** *Bureau électoral* : autorité temporaire chargée de présider aux opérations d'un scrutin, d'en assurer la régularité et la police.

bureaucrate n. m. Péjor. Employé de bureau. ▷ adj. *Il est très bureaucrate.*

bureaucratie n. f. **1.** Pouvoir excessif de l'administration. **2.** Péjor. L'administration publique, l'ensemble des fonctionnaires.

bureaucratique adj. Relatif à la bureaucratie.

bureaucratisation n. f. Péjor. Action de bureaucratiser, de se bureaucratiser.

bureaucratiser v. tr. [1] Augmenter le poids de la bureaucratie dans. ▷ v. pron. *Ce parti se bureaucratise de plus en plus.*

bureauticien, enne n. Spécialiste de l'informatisation des entreprises.

bureautique n. f. INFORM Ensemble des techniques et des moyens qui visent à automatiser les activités de bureau et principalement le traitement et la communication de la parole, de l'écrit et de l'image.

burelé, ée adj. **1.** En philatélie, se dit d'un fond rayé. **2.** HERALD Divisé en fasces diminuées.

Buren (Daniel) (Boulogne-sur-Seine, 1938), artiste français. Il utilise comme « outil visuel » des bandes verticales alternativement blanches et colorées, structurant l'espace en fonction du lieu (*les Deux Plateaux,* cour d'honneur du Palais-Royal de Paris, 1986-1987, ensemble architectural connu sous le nom de « colonnes de Buren »).
► illustr. page **258**

Bures-sur-Yvette, com. de l'Essonne (arr. de Palaiseau), dans la vallée de Chevreuse; 9 292 hab. Institut des hautes études scientifiques.

burette n. f. **1.** Petit flacon destiné à contenir l'huile ou le vinaigre. ▷ Flacon destiné à contenir l'eau ou le vin de la messe. **2.** Récipient, généralement métallique, à tubulure effilée, servant au graissage de pièces mécaniques. **3.** CHIM Tube gradué vertical, portant un robinet à sa partie inférieure et servant pour certains dosages volumétriques.

Burgas. V. Bourgas.

Burgenland, Land d'Autriche, à la frontière hongroise; 3 966 km^2; 273 540 hab.; cap. *Eisenstadt.* – Terre hongroise jusqu'en 1918.

Bürger (Gottfried August) (Momerswende, Harz, 1747 – Göttingen, 1794), poète allemand; auteur de ballades d'inspiration populaire (*Lénore,* 1773).

Burgess (John Burgess Wilson, dit Anthony) (Manchester, 1917 – Londres, 1993), écrivain anglais. Romancier fécond, il fait la satire du monde moderne, de sa violence et de sa perversité, dans des langages volontiers artificiels (*Orange mécanique,* 1962; *les Puissances des ténèbres,* 1981; *le Royaume des mécréants,* 1986).

burgonde adj. Relatif aux Burgondes.

Burgondes, peuple germanique (qui a donné son nom à la Bourgogne) venu s'établir dans le bassin infér. du Main, puis sur le Rhin au déb. du Ve s. Leur royaume, anéanti en 436 par les mercenaires huns du général romain Aetius, se reconstitua en Gaule dans le bassin du Rhône et en Savoie (443). Les Francs l'annexèrent en 534.

Burgos, v. d'Espagne; 163 500 hab.; cap. de la communauté auton. de Castille et Léon; ch.-l. de la prov. de Burgos. Industr. du cuivre. Fonderies. – La v. fut prise par les Français en 1808. Le gouv. de Franco y siégea pendant la guerre civile (de 1936 à 1939). – Cath. goth. Ste-Marie (XIIIe-XVe s.); abb. cistercienne de Santa María de las Huelgas; chartreuse de Miraflores; Solar del Cid (maison du Cid).

Burgoyne (John) (Sutton, 1722 – Londres, 1792), général britannique. Sa capitulation, à Saratoga (1777), consacra l'indép. des É.-U.

burgrave n. m. Ancien titre de la hiérarchie féodale dans le Saint Empire. *« Les Burgraves », drame de Victor Hugo (1843).*

Buridan (Jean) (Béthune, v. 1300 – ?, apr. 1358), philosophe scolastique; recteur de l'Université de Paris en 1328, disciple nominaliste de Guillaume d'Occam. Il aurait proposé ce sophisme : un âne *(l'âne de Buridan)* également pressé par la faim et par la soif, placé à égale distance d'un seau d'eau et d'un picotin d'avoine ne sait choisir et se laisse mourir de faim et de soif (démonstration, par l'absurde, de la liberté de choix).

burin n. m. Outil d'acier taillé en biseau, qui sert dans de nombreux métiers à entailler les matériaux durs. *Sculpter au burin. Gravure au burin.*

buriner v. tr. [1] Travailler au burin. – Pp. adj. Fig. *Visage buriné,* aux traits marqués.

Burke (Edmund) (Dublin, 1729 – Beaconsfield, 1797), écrivain et homme polit. britannique; violent adversaire de la Révolution française : *Réflexions sur la Révolution en France* (1790).

burkinabé adj. et n. (inv. en genre) ou **burkinais, aise** adj. et n. Du Burkina Faso.

Burkina Faso (République démocratique et populaire du) (anc. *Haute-Volta*), État intérieur d'Afrique occid.; 274 200 km^2 ; environ 7 900 000 hab.; cap. *Ouagadougou.* Nature de l'État : rép. présidentielle. Langue off. : français. Monnaie : franc C.F.A. Princ. groupes ethniques : Mossis (48 %), Peuls, Lobis, Bobos, Sénoufos, Gourounsis. Relig. : animisme (majoritaire), islam et christianisme. – L'art des peuples voltaïques est princ. représenté par la production de masques des Bobos, des Kouroumbas, des Lobis et des Mossis.

Géogr. et écon. – Pénéplaine cristalline monotone au sol pauvre, le Burkina Faso se partage entre un milieu tropical de savane et de forêt sèche au S. et un milieu sahélien de steppe au N. La population, rurale à plus de 90 %, est en croissance rapide et la main-d'œuvre s'expatrie massivement pour travailler dans les pays voisins. Les ressources économiques sont

faibles (cultures vivrières, coton, arachide, élevage bovin extensif) et le seul débouché extérieur est la voie ferrée Ouagadougou-Abidjan. Très pauvre, le Burkina Faso appartient aux pays les moins avancés et dépend largement de l'aide internationale.
Hist. – Conquise par les Français (1895-1898), détachée du Haut-Sénégal-Niger en 1919, la Haute-Volta fut divisée en 1932 entre les colonies voisines. Elle retrouva ses limites territoriales en 1947. L'indépendance est proclamée en 1960 sous la présidence de Maurice Yaméogo. Un mouvement populaire entraîna l'intervention de l'armée, qui chassa Yaméogo en 1966. Cette dernière installa le colonel Sangoulé Lamizana, qui resta au pouvoir jusqu'en 1980. D'autres coups d'État se succédèrent jusqu'à l'arrivée en 1983 du capitaine Thomas Sankara. La Haute-Volta, rebaptisée Burkina Faso en 1984, devint une république démocratique et populaire. Sankara gouverna, appuyé par un Conseil national de la révolution (C.N.R.) et des comités pour la défense de la révolution. En 1987, des dissensions ayant éclaté entre le président et les chefs militaires du C.N.R., Sankara est assassiné par son compagnon d'armes et successeur, le capitaine Blaise Compaoré. En 1991, le parti abandonna le marxisme-léninisme et une nouvelle Constitution instaura le multipartisme. En 1997, une nouvelle révision de la Constitution met fin à la limitation du nombre des mandats.

burkinais. V. burkinabé.

Burkitt (tumeur de) MED Cancer des vaisseaux lymphatiques de la face, découvert en 1947 par le médecin anglais Burkitt en Afrique Équatoriale où la maladie est endémique. *La tumeur de Burkitt est le seul cancer humain dont un virus du groupe herpès est reconnu incontestablement responsable.*

burlat n. f. Variété de bigarreau à chair rouge vif ou foncé.

burlesque adj. **1.** Qui est d'une bouffonnerie outrée. *Tenue burlesque.* ▷ n. m. *Le burlesque* : le genre, le style burlesque. **2.** *Par ext.* Qui est plaisant par sa bizarrerie. *Chanson, projet burlesque.* Syn. grotesque.

burlingue n. m. **1.** Fam. Bureau. **2.** Arg. Ventre.

Burne-Jones (sir Edward Jones, dit) (Birmingham, 1833 – Londres, 1898), peintre anglais préraphaélite.

Burnley, v. de G.-B. (Lancashire); 89 000 hab. Houille. Industr. du coton; pneumatiques; constr. mécanique.

burnous [byʀnu(s)] n. m. Grand manteau de laine à capuchon porté par les Arabes. ▷ Manteau à capuchon dont on enveloppe les bébés.

Burns (Robert) (Alloway, 1759 – Dumfries, 1796), poète écossais. Écrits pour la plupart en dialecte écossais, ses poèmes exaltent la nature, son village, ses amours. Ses chants populaires d'Écosse ont paru dans le *Musée musical d'Écosse*, de James Johnson.

buron n. m. En Auvergne, bâtiment où le vacher habite et fabrique le fromage pendant l'estivage.

Burroughs (William Steward) (Rochester, 1857 – Saint Louis, 1898), industriel américain. Inventeur de la première machine à calculer, il créa, en 1886, la société qui porte son nom.

Burroughs (Edgar Rice) (Chicago, 1875 – Los Angeles, 1950), écrivain américain. Il a créé le personnage de Tarzan.

Burroughs (William) (Saint Louis, 1914 – Lawrence, Kansas, 1997), écrivain américain, un des principaux poètes de la « beat generation » (V. beatnik) : *Junkie* (1953), *le Festin nu* (1959), *Havre des saints* (1973).

Burrus (Sextus Afranius) (m. en 62 apr. J.-C.), préfet du prétoire (51 à 62) et précepteur de Néron, dont il s'efforça de réformer le caractère.

bursite n. f. MED Inflammation des bourses.

Burton (Robert) (Lindley, Leicestershire, 1577 – Oxford, 1640), essayiste anglais : *l'Anatomie de la mélancolie* (1621). Sa morale, humaniste, s'apparente parfois à celle de Montaigne.

burundais, aise [buʀundɛ, ɛz] adj. et n. Du Burundi.

Burundi (rép. du) (anc. *Urundi*), État d'Afrique centrale, sur le lac Tanganyika; 27 834 km^2; env. 5,5 millions d'hab.; cap. *Bujumbura.* Nature de l'État : rép. présidentielle. Langues off. : français, kirundi (langue bantoue). Monnaie : franc burundais. Princ. ethnies : Hutus (85 %), Tutsis. Relig. : christianisme (70 %), animisme.
Géogr. et écon. – Formé de montagnes (alt. max. 2 620 m) et de plateaux, le pays a un climat de type équat. tempéré par l'altitude. Sa densité est forte (200 hab./km^2). L'agric. est essentielle : maïs, haricots, sorgho, café, thé, coton, palmier à huile; élevage caprin, ovin, bovin. Café, thé, bananes sont les princ. exportations. Le Burundi fait partie des pays les moins avancés.
Hist. – Possession all. en 1891, l'Urundi passa avec le Ruanda sous mandat belge en 1923. Indép. depuis 1962, le Burundi connut plus. massacres interethniques entre Tutsis et Hutus (1972-1973, 1988, 1993, 1995). Michel Micombero destitua le roi et instaura la rép. en 1966. La présidence (1976-1987) de J.-B. Bagaza (Tutsi) marqua un retour au dialogue, mais il fut destitué par le major Buyoya, dont la politique fut dominée par des rivalités ethniques. Les élections libres de 1993 portèrent au pouvoir M. Ndadaye (Hutu), qui s'engagea dans une politique de réconciliation; mais son assassinat en juin déclencha des tueries interethniques. C. Ntaryamira (Hutu), élu en 1994, trouva la mort en avril, avec le président rwandais, dans un attentat. Après le coup d'État tutsi de juil. 1996, l'armée rappelle au pouvoir le major Pierre Buyoya. Ce dernier forme un gouvernement au sein duquel les deux ethnies sont représentées à égalité.
► carte page **258**

Bury (Pol) (Haine-Saint-Pierre, Belgique, 1922), artiste belge, auteur de structures en métal poli à l'intérieur desquelles des billes métalliques se déplacent lentement.

1. bus [bys] n. m. inv. Fam. Abrév. de *autobus.*

2. bus [bys] n. m. inv. INFORM Ensemble des conducteurs électriques et des conventions d'échange de signaux qui permet la transmission parallèle d'informations entre les organes d'un système informatique.

Bus (César de) (Cavaillon, 1544 – Avignon, 1607), missionnaire. Il introduisit en France la congrégation des Pères de la doctrine chrétienne.

busard n. m. Oiseau rapace diurne (ordre des falconiformes) aux longues ailes, au plumage gris ou marron, dont quatre espèces habitent les landes et les marais d'Europe. *Busard des roseaux. Busard cendré.*

Busch (Wilhelm) (Wiedensahl, 1832 – Mechtshausen, 1908), dessinateur humoriste allemand; caricaturiste cruel de la bourgeoisie : *Max et Maurice* (1865, trad. fr. 1952), *Père Filutius* (1871), *la Bonne Hélène* (1872).

1. buse n. f. Canalisation. *Buse d'assainissement,* destinée à l'écoulement des

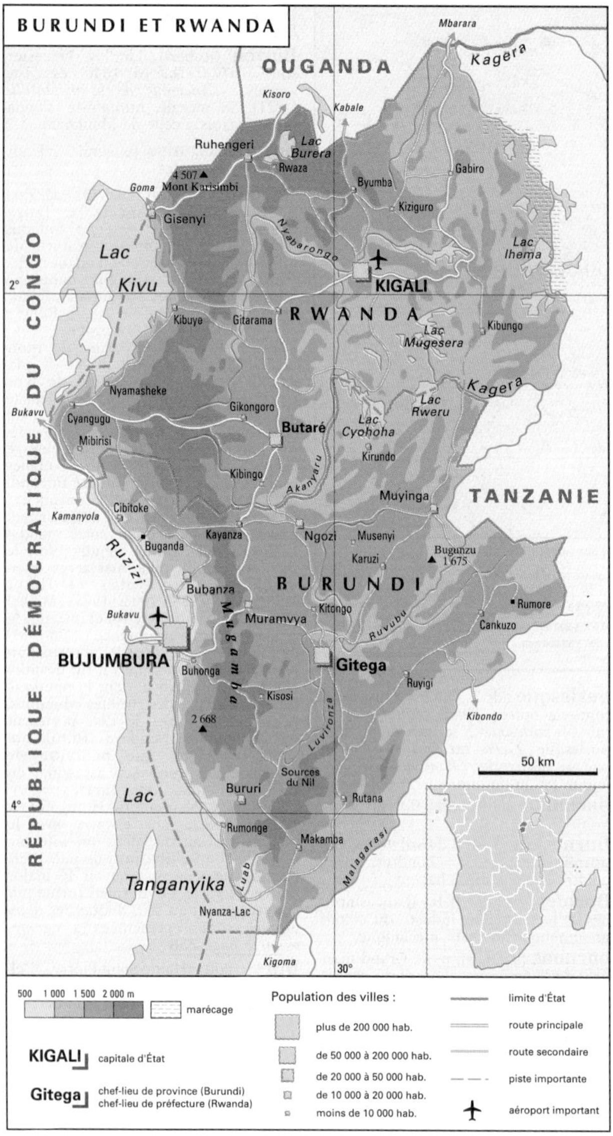

BURUNDI ET RWANDA

500 1 000 1 500 2 000 m — marécage

KIGALI capitale d'État

Gitega chef-lieu de province (Burundi) chef-lieu de préfecture (Rwanda)

Population des villes : plus de 200 000 hab. ; de 50 000 à 200 000 hab. ; de 20 000 à 50 000 hab. ; de 10 000 à 20 000 hab. ; moins de 10 000 hab.

limite d'État ; route principale ; route secondaire ; piste importante ; aéroport important

eaux usées ou pluviales. *Buse d'aérage,* d'une galerie de mine en cul-de-sac. *Buse de haut fourneau,* élément de la tuyère par lequel passe le vent. *Buse de carburateur,* tube calibré qui règle l'entrée de l'air.

2. buse n. f. **1.** Nom de divers oiseaux falconiformes, appartenant à différents genres. (La *buse variable* [genre *Buteo*] doit son nom au fait que son plumage peut aller d'un brun très clair au marron foncé ; elle a de 50 à 60 cm de long. C'est un rapace très courant en Europe.) **2.** Fig., fam. Personne ignorante et stupide.

Daniel **Buren** : *les Deux Plateaux,* sculpture in situ, Palais-Royal, Paris, 1985-86.

bush [buʃ] n. m. (Anglicisme) Végétation des régions sèches (Australie, Afrique orient., Madagascar) constituée de buissons et d'arbres bas clairsemés.

Bush (Vannevar) (Everett, Massachusetts, 1890 - Belmont, Massachusetts, 1974), physicien américain. Il participa aux travaux sur la bombe atomique et contribua à la naissance de la cybernétique.

Bush (George) (Milton, Massachusetts, 1924), homme politique américain. Directeur de la C.I.A. (1976-1977), vice-président des États-Unis (1980-1988), puis président (1988-1992).

bushido [buʃido] n. m. Code d'honneur de la caste guerrière de l'ancien Japon.

business [biznɛs] n. m. inv. Fam. **1.** *Le business* : les affaires. **2.** Chose compliquée, situation embrouillée. *Je ne comprends rien à tout ce business.* **3.** Chose quelconque, truc.

businessman [biznɛsman] n. m. (Anglicisme) Fam. Homme d'affaires. *Des businessmans* ou *des businessmen.*

Busoni (Ferrucio) (Empoli, 1866 - Berlin, 1924), compositeur et pianiste italien; grand interprète de Liszt. Il écrivit quatre opéras, notam. *Doktor Faust.* Il signa de nombr. transcriptions d'œuvres de J. S. Bach.

busqué, ée adj. Arqué. *Nez busqué.*

Bussang, com. des Vosges (arr. d'Épinal), sur la Moselle; 1 920 hab. Stat. therm. - Théâtre du peuple, fondé en 1895.

Bussotti (Sylvano) (Florence, 1931), compositeur et metteur en scène italien. D'abord influencé par la musique sérielle, il s'est orienté vers le théâtre lyrique (*Le Racine,*1980-1985), assurant en outre la direction successive de plus. festivals et maisons d'opéra en Italie.

Bussy-Leclerc (Jean Leclerc, dit) (m. à Bruxelles, 1635), magistrat français; un des chefs de la Ligue.

Bussy-Rabutin (Roger de Rabutin, comte de Bussy, dit) (Épiry, Nièvre, 1618 - Autun, 1693), général et écrivain français; auteur de l'*Histoire amoureuse des Gaules* (1665), chronique scandaleuse de la cour pendant la jeunesse de Louis XIV, qui lui valut l'emprisonnement, puis l'exil sur ses terres.

buste n. m. **1.** Tête et partie supérieure du corps humain. - *Spécial.* Poitrine de la femme. **2.** Peinture, sculpture représentant un buste.

bustier n. m. Sous-vêtement féminin ou corsage, couvrant partiellement le buste et soutenant la poitrine.

Busto Arsizio, ville d'Italie (Lombardie), sur l'Olona; 79 770 hab.

but [by(t)] n. m. **1.** Point que l'on vise. *Toucher le but.* ▷ Loc. adv. *De but en blanc :* brusquement. **2.** Terme où l'on s'efforce de parvenir. *Le but d'un voyage. Nous touchons au but.* **3.** Fig. Fin que l'on se propose. *Le but de nos études. Avoir un but dans la vie.* Syn. objectif, dessein. - *Aller droit au but :* aller directement à la fin que l'on se propose, au principal d'une affaire, d'un discours. - *Les buts de la guerre :* les objectifs finals des belligérants. ▷ Loc. prép. *Dans un but, dans le but de :* en vue de, pour. (N. B. Ces locutions, rejetées par certains grammairiens, sont auj. d'un usage fréquent.) **4.** SPORT Au football, au handball, au hockey, etc., rectangle délimité de chaque côté du terrain par deux poteaux verticaux et une barre transversale, et au-delà duquel l'équipe attaquante doit placer ou projeter le ballon (ou la balle, le palet, etc.). - *Ligne de but :* au rugby, ligne au-delà de laquelle on doit déposer le ballon pour marquer un essai. ▷ Point marqué par l'envoi du ballon au but. *Marquer un but.* - *But décisif :* au football, premier but marqué pendant les prolongations, qui détermine le vainqueur du match.

butadiène n. m. CHIM Hydrocarbure diénique, $CH_2{=}CH{-}CH{=}CH_2$, dont la polymérisation, en présence de styrène ou de nitrile acrylique, fournit les principaux caoutchoucs de synthèse actuels.

butane n. m. CHIM Nom des hydrocarbures saturés de formule C_4H_{10}, facilement liquéfiables, que l'on trouve dans le pétrole brut, le gaz naturel et les gaz de craquage du pétrole et qui servent de combustible. *Bouteille de butane.*

butanier n. m. Cargo spécialement aménagé pour le transport du butane liquide.

buté, ée adj. Obstiné, entêté. *Esprit buté.*

butée n. f. **1.** TRAV PUBL Massif de pierre aux extrémités d'un pont pour résister à la poussée des arches. Syn. culée. **2.** TECH Pièce empêchant ou limitant le mouvement d'un organe mécanique. *Butée de fin de course d'un ascenseur.*

Butenandt (Adolf) (Bremerhaven, 1903 - Munich, 1995), chimiste allemand, auteur de travaux sur les hormones sexuelles. P. Nobel de chimie 1939.

butène n. m. CHIM Hydrocarbure éthylénique, C_4H_3, provenant du craquage des pétroles. Syn. butylène.

1. buter v. [1] **1.** v. intr. Heurter le pied, trébucher (contre un obstacle). *Buter contre une pierre.* - Fig. *Il bute sur une difficulté mineure.* ▷ v. pron. Se heurter. *Se buter à un obstacle.* **2.** v. tr. TRAV PUBL Étayer, soutenir. *Buter un mur.* **3.** v. tr. Provoquer l'opposition têtue de. *Buter un enfant.* Syn. braquer. ▷ v. pron. S'obstiner, s'entêter.

2. buter v. tr. [1] Arg. Tuer, assassiner. *Se faire buter.*

buteur n. m. SPORT Joueur adroit qui marque des buts.

butin n. m. **1.** Ce que l'on a pris à l'ennemi après une victoire, ou par pillage. *Combattre pour le butin.* - *Par ext.* Ce que rapporte un pillage, un vol. *Le cambrioleur a emporté un butin estimé à plusieurs millions.* **2.** Fig. Ce qu'on se procure à la suite de travaux, de recherches. *Il a recueilli un riche butin dans ces manuscrits.* **3.** Récolte, produit d'un travail. *Le butin de l'abeille.*

butinage n. m. Action de butiner.

butiner v. intr. [1] Recueillir sur les fleurs le nectar et le pollen (en parlant des insectes, notam. des abeilles). ▷ v. tr. *Abeilles qui butinent les fleurs.*

butineur, euse adj. Qui butine.

Butler (Samuel) (Strensham, Worcestershire, 1612 - Londres, 1680), poète anglais : *Hudibras* (satire burlesque des mœurs puritaines, 1663-1678).

Butler (Samuel) (Langar, Nottinghamshire, 1835 - Londres, 1902), écrivain et philosophe anglais. Esprit satirique et mordant, il est l'auteur de *Erewhon* (1872), âpre critique des universités, des Églises et des tribunaux.

butoir n. m. **1.** Pièce contre laquelle vient buter le vantail d'une porte. **2.** CH de F Obstacle à l'extrémité d'une voie pour arrêter les locomotives, les wagons. **3.** SPORT Au saut à la perche, dispositif qui permet le blocage de la perche. **4.** Fig. Limite fixée à l'avance. *La date(-)butoir pour le paiement d'une taxe.*

butome n. m. BOT Plante aquatique fréquente dans les eaux douces calmes, qui porte des ombelles de fleurs roses à six pétales et neuf étamines.

butor n. m. **1.** Genre d'oiseaux ciconiiformes voisins des hérons, dont une espèce, le *butor étoilé,* au corps ramassé (75 cm de long) et au plumage brunroux, vit dans les marais européens. *Le cri du butor est une sorte de beuglement puissant.* **2.** Fig. Homme grossier, malappris. (Le fém. *butorde* est rare.)

butor étoilé

Butor (Michel) (Mons-en-Barœul, 1926), écrivain français; un des chefs de file du « nouveau roman » : *l'Emploi du temps* (1956), *la Modification* (1957), *Degrés* (1960); essais : *Mobile* (1962), *Portrait de l'artiste en jeune singe* (1967), *Matière de rêves* (1975-1977). Son œuvre critique, importante, est presque tout entière regroupée dans *Répertoire* (4 vol. parus depuis 1960).

butte n. f. **1.** Petite élévation de terre. ▷ *Spécial.* Petit tertre où l'on place une cible. *Butte de tir.* - Loc. fig. *Être en butte à* : être exposé à. **2.** Colline. *La butte Montmartre. Une butte de sable.* ▷ GEOGR *Butte-témoin* : hauteur, vestige d'un relief ancien arasé.

butter v. tr. [1] Entourer de terre le pied (d'un arbre, d'une plante). *Butter des pommes de terre.*

Buttes-Chaumont (les), hauteurs de Paris (XIXe arr.) aménagées en parc par J.-Ch. Alphand entre 1864 et 1867.

Butuan, v. des Philippines (Mindanao-Nord); 230 000 hab. Bois, pétrole.

butyle n. m. CHIM Radical monovalent C_4H_9.

butylène n. m. CHIM Syn. de *butène.*

butyr(o)-. Élément, du lat. *butyrum,* gr. *bouturon,* « beurre ».

butyreux, euse adj. Qui est de la nature du beurre, qui ressemble à du beurre.

butyrine n. f. CHIM Ester de la glycérine et de l'acide butyrique, dont l'hydrolyse fait rancir le beurre.

butyrique adj. CHIM, BIOCHIM *Acide butyrique* : de formule $CH_3 - CH_2 - CH_2 - CO_2H$, présent dans de nombreux corps gras. - *Ferment butyrique* : ferment anaérobie, capable de transformer le lactose en acide butyrique et gaz carbonique *(fermentation butyrique).*

butyrophénone n. m. Neuroleptique utilisé pour son action sédative et antihallucinatoire.

Butzer (Martin). V. Bucer.

buvable adj. Qui peut être bu, qui n'a pas un goût déplaisant.

buvard n. m. **1.** Sous-main composé ou recouvert d'un papier qui absorbe l'encre. **2.** (En appos.) *Papier buvard* ou *buvard* : papier qui absorbe l'encre.

buvette n. f. Endroit où l'on vend des boissons et des repas légers à consommer sur place, dans certains lieux publics. *Buvette d'une gare.*

buveur, euse n. **1.** Personne qui boit. *Buveur d'eau.* **2.** Personne qui s'adonne à la boisson. *Un franc buveur.*

buxacées [byksase] n. f. pl. BOT Famille de dicotylédones des régions tempérées ou subtropicales, à fleurs apétales et fruits charnus ou secs, dont le type est le buis. - Sing. *Une buxacée.*

Buxtehude (Dietrich) (Oldesloe, Schleswig-Holstein, 1637 - Lübeck, 1707), compositeur danois; organiste à Lübeck (1668) où il composa un grand nombre de pièces vocales et instrumentales pour les « Abendmusiken », concerts de musique d'église. Ses œuvres (cantates, sonates, pièces d'orgue et de clavecin) influencèrent J.-S. Bach et Haendel.

Buys-Ballot (Christophorus Henricus) (Kloetinge, 1817 - Utrecht, 1890), météorologiste néerlandais. Il découvrit la règle permettant la localisation du centre d'une dépression d'après la direction des vents : dans l'hémisphère Nord, « pour un observateur faisant face au vent, les basses pressions sont à droite ».

Büyük Menderes. V. Menderes.

Buzău, v. de Roumanie (Valachie), sur le *Buzău,* affl. du Siret (r. dr.); 129 510 hab.; ch.-l. du distr. du m. n. Centre comm. important.

Buzenval, écart de la com. de Rueil-Malmaison (Hauts-de-Seine) dont le chât. fut l'enjeu d'une terrible bataille contre les All. (19 janv. 1871).

Buzot (François) (Évreux, 1760 - Saint-Magne, Gironde, 1794), homme politique français, député girondin. Il tenta, en vain, de soulever la Normandie (1793) après l'élimination de son parti, et se tua pour éviter la guillotine.

buzuki. V. bouzouki.

Buzzati (Dino) (Belluno, 1906 - Milan, 1972), journaliste et écrivain italien, à la fois réaliste et fantastique; auteur de livrets d'opéra, de romans (*Barnabo des montagnes,* 1933; *le Désert des Tartares,* 1940; *Un amour,* 1963), de contes pour enfants, de pièces de théâtre (*Un cas intéressant,* 1953).

Byblos (auj. *Djebail*), anc. cité phénicienne, sur le littoral, à 35 km env. au N. de Beyrouth. Les fouilles de 1923 ont mis au jour le sarcophage en pierre du roi Ahiram (début du Xe s. av. J.-C.), orné de bas-reliefs et portant une inscription alphabétique (le plus ancien texte phénicien connu).

Bydgoszcz (en all. *Bromberg*), v. du N.-O. de la Pologne; 363 350 hab.; ch.-l. de la voïévodie du m. nom. Industr. mécanique et chimique.

by-pass [bajpas] n. m. inv. (Anglicisme) **1.** TECH Canalisation ou dispositif de dérivation qui évite le passage d'un fluide dans un appareil. **2.** CHIR Syn. de *pontage.*

Byrd (William) (Lincolnshire [?], 1543 - Stondon Massey [?], Essex, 1623), musicien anglais; promoteur de la musique de clavier, il est l'un des plus grands compositeurs de musique religieuse du XVIe s. : messes, motets, madrigaux, pièces pour viole et pour épinette.

Byrd (Richard Evelyn) (Winchester, Virginie, 1888 - Boston, 1957), aviateur et explorateur américain. Il atteignit en hydravion le pôle Nord (1926) et le pôle Sud (1929). Il explora l'Antarctique en 1933-1935 et en 1946-1947.

Byron (George Gordon Noel, 6e baron Byron, dit Lord) (Londres, 1788 - Missolonghi, Grèce, 1824), poète romantique anglais. Les deux premiers chants du *Pèlerinage de Childe Harold* (1812) et des nouvelles en vers, *la Fiancée d'Abydos* (1813), *le Giaour* (1813), *le Corsaire* (1814), etc., le rendent célèbre; mais en 1816, sa vie privée devient cause de scandale et le contraint à gagner la Suisse, où il écrit *le Prisonnier de Chillon* (1816) et *Manfred* (1817); en Italie, il compose *Don Juan* (1819-1824), son chef-d'œuvre. Conspirateur aux côtés des carbonari (1819), il embrasse plus tard (1823) la cause des Grecs soulevés contre les Turcs et meurt de la malaria dans Missolonghi assiégée.

Lord ***Byron*** *contemplant le Colisée à Rome*, gravure, XIXe s.; bibliothèque des Arts décoratifs, Paris

byronien, enne [bajʀɔnjɛ̃, ɛn] adj. Didac. Qui appartient à l'œuvre de Byron; qui rappelle la sensibilité ou le style de Byron.

byssus [bisys] n. m. ZOOL Appareil de fixation, sur substrat dur, de certains lamellibranches (notam. la moule), constitué par une touffe de filaments cornés que sécrète une glande située à la base du pied.

byte [bajt] n. m. (Anglicisme) INFORM Ensemble de huit bits. Syn. (off. recommandé) octet.

Bytom (en all. *Beuthen*), v. de Pologne, en Silésie; 239 940 hab. Houillères. Sidérurgie, métallurgie.

Byzance, nom de la très anc. v. grecque qui devint au IVe s. Constantinople. Le terme désigne aussi l'Empire byzantin.

byzantin, ine adj. (et n.). **1.** De Byzance. *Empire byzantin. Style byzantin.* **2.** adj. Fig. Qui fait preuve de byzantinisme. *Esprit byzantin.*

byzantin (Empire), nom donné à l'Empire romain d'Orient après qu'il se fut séparé en 395 de l'Empire romain d'Occident (partage ayant suivi la mort de Théodose). Cet État subsista jusqu'à la prise de Constantinople par les Turcs (1453). Il fut en butte dès le IVe s. à de graves crises relig. et sociales, et dut lutter contre les invasions barbares qui provoquèrent la chute de Rome (476). Justinien Ier (527-565) ne parvint pas à reconstituer l'Empire rom. Son règne fut un des plus grands, par l'éclat des institutions (Code justinien), des arts et des écoles, propagatrices de l'hellénisme chrétien. Mais la constitution d'un puissant État franc protégeant Rome fit abandonner à Byzance ses visées unitaires (VIIIe s.). L'Empire, affaibli par les querelles intestines, dut lutter contre les envahisseurs arabes (dès le VIIe s.) et slaves. La stabilisation polit. due à la dynastie macédonienne (867-1057) s'accompagna d'un renouveau culturel et permit une reconquête territoriale, achevée sous Basile II (976-1025). Malgré les efforts des Comnènes (1081-1185), l'intégrité de l'Empire, qui, sur le plan religieux, avait rejeté définitivement l'autorité papale (schisme d'Orient, 1054), ne put être conservée devant les invasions turques, slaves et normandes. Les divisions internes favorisèrent la conquête latine née de la 4e croisade (prise de Constantinople en 1204), laquelle provoqua une division de l'État : Empire latin d'Orient, empires de Trébizonde et de Nicée, despotat d'Épire, ces trois derniers restant aux Byzantins. Les Latins, chassés de Constantinople en 1261 par les Byzantins, se maintinrent dans le Péloponnèse et dans les îles, et l'Empire ne retrouva pas son unité territoriale, gravement compromise, en outre, par les attaques des Turcs. Ceux-ci prirent Constantinople en 1453, le Péloponnèse en 1460 et Trébizonde en 1461. L'Occident n'avait point aidé à arrêter leur avance. - L'art byzantin s'est constitué à partir de la fusion d'apports gréco-romains, orientaux (perse, syrien, anatolien) et barbares. On distingue généralement trois « âges d'or » : la période justinienne (VIe-VIIIe s.); celle des empereurs macédoniens (IXe-XIe s.) et des Comnènes (fin XIe-XIIe s.), marquée par une diffusion dans les pays du Bassin méditerranéen, dans les pays slaves et le Caucase; enfin la « Renaissance » du temps des Paléologues, période d'expansion dans les pays balkaniques.

byzantinisme n. m. Goût des disputes oiseuses, subtiles à l'excès, comme celles qui opposaient les théologiens de Byzance.

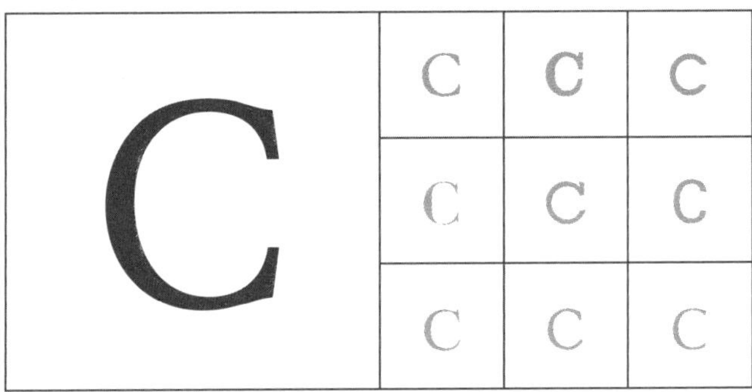

c [se] n. m. **1.** Troisième lettre (c, C) et deuxième consonne de l'alphabet notant : la fricative dentale sourde [s] devant *e, i, y* (ex. *cendre, ciel, cygne*) et, avec une cédille, devant *a, o, u* (ex. *façade, garçon, reçu*); l'occlusive sourde vélaire [k] devant *a, o, u* et devant les consonnes autres que h (ex. *car, corps, cure, croc,* etc., excepté dans *second* [səgɔ̃] et ses dérivés); dans la combinaison *ch*, la fricative prépalatale sourde [ʃ] (ex. *cheval*) ou, dans les mots savants, l'occlusive sourde vélaire [k] (ex. *chiasme*). **2.** CHIM C : symbole du carbone. ▷ ELECTR C : symbole du coulomb. ▷ MATH C : symbole du corps des nombres complexes. ▷ PHYS °C : degré Celsius. **3.** INFORM C : langage de programmation utilisé pour certains systèmes d'exploitation. **4.** C : chiffre romain qui vaut 100.

Ca CHIM Symbole du calcium.

C.A. n. m. Abrév. de *chiffre d'affaires*.

1. ça [sa] pron. dém. Fam. (Forme très usuelle dans la langue parlée.) Cela. *Donne-moi ça. À part ça, ça va? Ah non, pas de ça!* ▷ *Sans ça* : sinon. *Tu vas obéir, sans ça, gare!* ▷ *Comme ça* : de cette manière. *Ne te fatigue pas comme ça.* ▷ *Comme ci, comme ça* : médiocrement. *Comment ça va? Comme ci, comme ça.* ▷ Renforçant une interrogation. *Où ça? Quand ça?* ▷ Marquant la surprise, la colère, etc. *Ça, alors!*

2. ça [sa] n. m. inv. PSYCHAN *Le ça* : ensemble des pulsions et des tendances que le refoulement maintient dans l'inconscient.)

çà adv. de lieu. **1.** Vx Ici, tout près. *Viens çà que je t'embrasse.* ▷ Mod. *Çà et là* : de côté et d'autre. *Elle jetait ses affaires çà et là*, au hasard. **2.** interj. Vx (Pour exciter, encourager à faire qqch.) *Çà, partons!* – Marquant l'impatience, l'étonnement, etc. *Çà, allez-vous finir?*

Caaba. V. Ka'ba.

cab n. m. Anc. Cabriolet couvert où le cocher était placé sur un siège élevé derrière la capote, en usage en Angleterre au siècle dernier.

Cabal (ministère de la), coterie de conseillers royaux qui dirigea (1667-1673) le deuxième ministère de Charles II. Les initiales des noms de ses membres : Clifford, Arlington, Buckingham, Ashley-Cooper, Lauderdale, donnent le mot *cabal* (forme angl. de « cabale »).

cabale n. f. **I.** *Cabale* (vieilli) ou *Kabbale*. **1.** Ensemble des traditions juives relatives à l'interprétation mystique de l'Ancien Testament. **2.** Science occulte qui prétend mettre ses adeptes en communication avec le monde des esprits. **II.** Fig. **1.** Ensemble de menées concertées, intrigues visant à faire échouer qqn, qqch. *Cabale montée contre un auteur, une pièce.* Syn. complot. **2.** Ensemble des gens qui forment une cabale. *La cabale remplissait le parterre.* Syn. faction.

cabalistique adj. **1.** Qui se rapporte à la Cabale juive. *Science cabalistique.* **2.** Qui se rapporte à la cabale, à la science occulte. ▷ Qui a un air de mystérieuse obscurité. *Signes cabalistiques.*

Caballé (Montserrat) (Barcelone, 1933), cantatrice espagnole. Soprano aux qualités vocales exemplaires, elle s'illustra, à partir de 1956, dans les grands rôles du répertoire lyrique international (Mozart, Verdi, Puccini) et de tradition hispanique (zarzuelas).

Caballero (Cecilia Böhl von Faber, dite Fernán) (Morges, Suisse, 1796 – Séville, 1877), romancière espagnole d'origine allemande. Elle s'illustra dans le roman de mœurs provinciales : *Seule* (1831, en all.), *la Gaviota* (1849), *Larmes* (1853).

caban n. m. Veste de marin, en drap de laine épais.

cabane n. f. **1.** Petite construction en matériaux légers, pouvant servir d'abri. *Cabane de berger. Cabane à outils.* ▷ *Cabane à lapins*, où l'on élève des lapins; fig., péjor. maison mal construite; grand immeuble surpeuplé. **2.** Fam. Prison.

Cabanel (Alexandre) (Montpellier, 1823 – Paris, 1889), peintre français. Sa peinture relève de l'art officiel en vogue sous le Second Empire.

Cabanis (Pierre Jean Georges) (Cosnac, Corrèze, 1757 – Rueil, 1808), médecin et philosophe français. Membre du groupe des « idéologues », il participa au combat de ce groupe contre la pensée idéaliste : *Rapports du physique et du moral de l'homme* (1802-1803).

Cabanis (José) (Toulouse, 1922), écrivain français. Il dépeint la société du Sud-Ouest avec réalisme et moralisme : *l'Âge ingrat*, 1952; *Petit Entracte à la guerre* (1981). Essais : *Saint-Simon l'admirable* (1975). Acad. fr. (1990).

cabanon n. m. **1.** Petite cabane. **2.** Petite maison de campagne, en Provence. **3.** Cellule où l'on enfermait les déments que l'on estimait dangereux (pratique tombée en désuétude depuis l'avènement de la chimiothérapie). – Fam. *Il est bon à mettre au cabanon* : il est fou.

cabaret n. m. **1.** Établissement qui présente un spectacle (chansons, attractions diverses) et où le public peut boire ou se restaurer. **2.** Vieilli Modeste débit de boissons.

cabaretier, ère n. Vieilli Personne qui tient un cabaret (sens 2).

cabas [kaba] n. m. **1.** Panier à provisions en matériau souple, à deux anses. **2.** Panier en jonc ou en sparterie pour l'emballage des fruits secs.

cabernet n. m. VITIC Famille de cépages rouges du Bordelais et de la Touraine. *Cabernet sauvignon* : cépage très aromatique, donnant des vins corsés et colorés, cultivé dans le S.-O. de la France. *Cabernet franc*, plus fin, planté surtout dans le Val de Loire.

cabestan n. m. TECH Treuil à tambour vertical.

Cabet (Étienne) (Dijon, 1788 – Saint Louis, Missouri, 1856), théoricien socialiste français. Il tenta de fonder une communauté idéale au Texas; auteur du *Voyage en Icarie* (1840), roman philosophique.

Cabezón (Antonio de) (près de Castillo de Matajudiós, Burgos, v. 1500 – Madrid, 1566), compositeur et organiste espagnol. Musicien à la cour de Charles Quint et de Philippe II, il composa notam. des pièces pour clavier.

cabiai [kabjɛ] n. m. Le plus gros rongeur actuel (1 m de long), à corps massif couvert de courtes soies, végétarien, vivant en Amérique du Sud près des cours d'eau.

cabillaud n. m. Morue fraîche.

Cabillauds (les), faction hollandaise qui lutta contre celle des *Hameçons* (XIVe-XVe s.). Maximilien d'Autriche mit fin en 1492 à cette querelle dynastique.

Cabimas, ville du Venezuela, sur le lac de Maracaibo; 160 650 hab. Gisements et raffinerie de pétrole.

Cabinda, port de l'Angola; 23 000 hab.; ch.-l. de la prov. de *Cabinda* (7 270 km²; env. 4 114 000 hab.), enclavé dans les deux républiques du Congo. Gisements de pétrole.

cabine n. f. **1.** Chambre, à bord d'un navire. **2.** Petit réduit, local exigu servant à divers usages. *Cabine de bain*, où les baigneurs changent de vêtements. *Cabine d'essayage d'un magasin de vêtements. Cabine de douche. Cabine téléphonique. Cabine de peinture*, pour peindre au pistolet. **3.** Enceinte pour le transport des personnes (ascenseurs, téléphériques). ▷ Partie du fuselage d'un avion réservée aux passagers. – *Cabine de pilotage*, où sont regroupées les commandes de l'appareil. ▷ Partie d'un véhicule spatial dans laquelle prennent place les astronautes.

cabinet n. m. **I. 1.** Petite pièce retirée d'une habitation, destinée à différents usages. *Cabinet de toilette, de débarras. Cabinet noir*, sans fenêtre. – Spécial., Vieilli *Cabinet d'aisances* ou Mod., plur., *cabinets* : pièce utilisée pour uriner et déféquer. *Cuvette de cabinets.* – Par euph. Loc. *Aller aux cabinets.* **2.** Bureau, pièce destinée au travail, à l'étude. *Cabinet de travail.* **3.** Ensemble des bureaux, des locaux où les membres des professions libérales reçoivent leurs clients. *Cabinet dentaire, médical. Cabinet d'un avocat.* – Ensemble des affaires traitées dans un cabinet, clientèle. *Architecte qui vend son cabinet.* **II. 1.** Ensemble des ministres et secrétaires d'État. *Le cabinet a été renversé. Conseil de cabinet* : conseil des membres du gouvernement, présidé par le Premier ministre. **2.** Ensemble des personnes, des services qui dépendent directement d'un ministre, d'un préfet. *Chef de cabinet.* **III.** Lieu où l'on place, où l'on expose des objets d'étude ou de curiosité ; *par méton.*, la collection constituée par ces objets. *Cabinet d'antiques. Le cabinet des estampes de la Bibliothèque nationale.* **IV.** Meuble à petits tiroirs, richement décoré, qui servait à ranger des bijoux, de menus objets. *Un cabinet à bijoux d'époque Louis XIV.*

câblage n. m. **1.** Action de câbler ; son résultat. **2.** Ensemble des conducteurs d'un dispositif électrique ou électronique.

câble n. m. **1.** Ensemble de brins d'une matière textile ou synthétique, ou de fils de métal retordus ou tressés. *Câble en chanvre, en coton, en aloès, en nylon, en acier. Câble plat, rond.* – *Spécial.* Gros cordage très résistant. *Câbles en acier d'un ascenseur.* **2.** Ensemble de fils conducteurs. *Câble nu, isolé, armé. Câble à âmes multiples. Câble coaxial*. Télévision par câble* : système de transmission télévisuel dans lequel des signaux analogiques et numériques, représentant l'information sonore et visuelle, sont transportés par câble. ▷ *Par ext.* Dépêche télégraphique. *Recevoir un câble.* **3.** *Câble hertzien* : liaison par ondes hertziennes.

câblé, ée adj. Qui peut recevoir la télévision par câble. *Les foyers câblés d'une région.*

câbler v. tr. [1] **1.** Réunir par torsion (les brins d'un câble). **2.** Faire parvenir (une information) par télégramme. *J'ai câblé la nouvelle à Nice.* **3.** Poser les conducteurs de la télévision par câble dans (un secteur). *Câbler un quartier.*

câbleur, euse n. **1.** Spécialiste du câblage. **2.** n. f. Machine à fabriquer des câbles.

câblier n. m. (et adj. m.) Navire spécialement construit pour la pose, l'entretien et le relevage des câbles sous-marins. ▷ adj. m. *Navire câblier.*

câblo-. TELECOM Élément, de câble.

câblo-distributeur n. m. TELECOM Diffuseur de programmes par télédistribution. *Des câblo-distributeurs.*

câblo-distribution n. f. Syn. de *télédistribution.*

câblogramme n. m. Vieilli Télégramme transmis par câble.

câblo-opérateur n. m. TELECOM Opérateur dans le domaine de la télédistribution. *Des câblo-opérateurs.*

cabochard, arde adj. et n. Fam. Entêté. *Elle est un peu cabocharde. Un sacré cabochard.*

caboche n. f. Fam. Tête. *Qu'est-ce qui se passe dans ta caboche ?*

Cabochiens (les), faction parisienne sous Charles VI. Formée des éléments populaires les plus violents du parti bourguignon, que dirigeait l'écorcheur Simon Caboche, elle obtint une réforme polit. et admin. en 1413 *(ordonnance cabochienne)*, au bénéfice de la bourgeoisie. Condamnée par ses excès, elle fut décimée par les Armagnacs la même année.

cabochon n. m. **1.** Pierre précieuse polie mais non taillée. – Par ext. *Cabochon de cristal.* **2.** Clou d'ameublement à tête ouvragée.

cabomba n. m. Genre de dicotylédones aquatiques d'Amérique du Sud très utilisées comme plantes d'aquarium.

Cabora Bassa, barrage sur le Zambèze, au Mozambique, un des plus importants du monde.

cabosse n. f. **1.** Vx Bosse. **2.** Fruit du cacaoyer. *La cabosse, qui rappelle par sa forme un concombre ventru, contient de 15 à 40 cacaos.*

cabosser v. tr. [1] Déformer en faisant des bosses. *Cabosser l'aile de sa voiture contre un pare-chocs.* – Pp. adj. *Un vieux chapeau tout cabossé.*

1. cabot [kabo] n. m. Fam. Chien.

2. cabot [kabo] n. m. Fam. Cabotin (sens 1).

Cabot (détroit de), passage d'env. 100 km de large situé à l'entrée du Saint-Laurent et qui sépare Terre-Neuve de l'île du Cap-Breton.

Cabot (Jean ; en ital. *Giovanni Caboto*) (Gênes [?], v. 1450 – en Angleterre, v. 1498), navigateur vénitien au service de l'Angleterre. Il découvrit Terre-Neuve, les côtes du Labrador et celles de la Nouvelle-Angleterre (1497) avec son fils **Sébastien,** en ital. *Sebastiano* (Venise, v. 1476 – Londres, 1557), qui, passé en 1518 au service de l'Espagne, reconnut le Río de La Plata (1526). Ils cherchaient une nouvelle route marit. vers la Chine.

cabotage n. m. Navigation marchande à faible distance des côtes (par oppos. à *navigation au long cours*).

caboter v. intr. [1] Faire du cabotage.

caboteur n. m. Navire qui fait du cabotage.

cabotin, ine n. et adj. Fam., péjor. **1.** Mauvais comédien, qui sollicite les applaudissements du public par des effets de jeu faciles et peu naturels. **2.** Personne vaniteuse, qui aime attirer l'attention sur elle. ▷ adj. *Il est un peu cabotin.*

cabotinage n. m. Fam. **1.** Jeu affecté d'un cabotin, d'un mauvais acteur. **2.** Manière d'agir d'un cabotin (sens 2).

cabotiner v. intr. [1] Fam. Faire le cabotin.

caboulot n. m. Vieilli, fam. Débit de boissons de mauvaise apparence.

Cabourg, ch.-l. de cant. du Calvados (arr. de Caen) ; 3 375 hab. Station balnéaire.

Cabral (Pedro Álvares) (Belmonte, v. 1467 – près de Santarém, 1526), navigateur portugais. Il découvrit le Brésil en 1500 puis explora les côtes du Mozambique et de l'Inde.

Cabral (Amilcar) (îles du Cap-Vert, 1921 – Conakry, 1973), homme polit. guinéen. Fondateur (1956) du parti africain pour l'indép. de la Guinée portugaise et des îles du Cap-Vert (P.A.I.G.C.), il dirigea, à partir de 1959, la lutte armée contre le pouvoir portugais. Il fut assassiné. – **Luís de Almeida** (Bissau, 1931), demi-frère du préc., fut président de la rép. de Guinée-Bissau de 1974 à 1980, année où il fut renversé par un coup d'État.

cabrer v. [1] **I.** v. tr. **1.** Faire se dresser (un animal, partic. un cheval) sur ses pattes, ses jambes postérieures. **2.** Fig. Provoquer l'opposition, la révolte de (qqn). *Il est très susceptible, vous risquez de le cabrer.* V. braquer, buter. **3.** Par ext. *Cabrer un avion*, faire pointer son avant vers le haut. **II.** v. pron. **1.** Se dresser sur les pattes, les jambes postérieures, en parlant d'un animal, partic. d'un cheval. **2.** Fig. S'emporter avec indignation, se révolter. *Il se cabre au moindre mot.* **III.** v. intr. *Avion, hélicoptère qui cabre*, qui relève anormalement l'avant.

Cabrera, petite île des Baléares où les soldats français, vaincus à Bailén (1808), furent internés dans des conditions désastreuses jusqu'en 1813.

cabri n. m. Chevreau, petit de la chèvre.

Cabrières-d'Aigues, commune du Vaucluse (arr. d'Apt) ; 532 hab. – En 1545, les habitants, soupçonnés d'être membres de la secte des vaudois, furent exterminés.

cabriole n. f. **1.** Gambade, saut léger (comme celui d'un cabri) ; pirouette. ▷ CHOREGR Pas sauté dans lequel une jambe bat l'autre. **2.** EQUIT Saut du cheval les quatre pieds en l'air avec ruade.

cabrioler v. intr. [1] Faire des cabrioles.

cabriolet n. m. **1.** Anc. Voiture à cheval, légère, à capote mobile, suspendue sur deux roues. ▷ Mod. Automobile décapotable. **2.** Petit fauteuil à dossier incurvé.

cabus [kaby]adj. m. *Chou cabus* : chou pommé à feuilles lisses.

CAC acronyme pour *cotation assistée en continu.* – *Indice CAC 40* : indice boursier représentant la moyenne des cours de quarante valeurs françaises à règlement mensuel, créé en 1988 par la Société des Bourses françaises.

caca n. m. Fam. (Langage enfantin.) Excrément. *Faire caca.* ▷ Loc. adj. inv. *Caca d'oie* : de couleur jaune verdâtre.

cacaber v. intr. [1] Rare Pousser son cri, en parlant de la perdrix. Syn. cou glousser.

cacahuète [kakaɥɛt], **cacahouète** ou **cacahouette** [kakawɛt] n. f. **1.** Fruit souterrain de l'arachide, très riche en corps gras. *Beurre de cacahuète.* **2.** Cour. Graine contenue dans ce fruit, que l'on consomme torréfiée. *Cacahuètes salées.* ► illustr. **arachide**

cacao n. m. **1.** BOT Graine de cacaoyer qui, torréfiée puis broyée, sert à fabriquer le chocolat. *Le cacao contient de la théobromine.* Syn. fève de cacao. *Beurr*

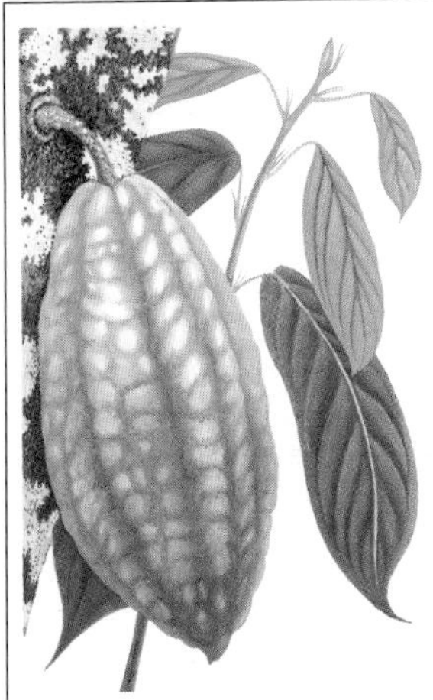
cacao : cabosse et feuilles du cacaoyer

de cacao : corps gras contenu dans le cacao. **2.** Cour. Poudre de graines de cacaoyer. – Boisson chaude faite avec cette poudre délayée dans de l'eau ou du lait.

cacaoté, ée adj. Qui contient du cacao. *Poudre cacaotée.*

cacaoui n. m. (Canada) Petit canard sauvage de la famille des anatidés (*Clangula hyemalis*).

cacaoyer ou **cacaotier** n. m. Petit arbre (fam. sterculiacées) originaire du Mexique, cultivé pour ses graines, les fèves de cacao.

cacarder v. intr. [1] Rare Pousser son cri, en parlant de l'oie.

cacatoès ou **kakatoès** [kakatɔɛs] n. m. Perroquet (genre *Kakatoe*, fam. psittacidés) d'Australie et de Nouvelle-Guinée, à plumage blanc rosé, pourvu d'une huppe érectile.

Caccini (Giulio) (Tivoli, v. 1550 – Florence, 1618), chanteur, luthiste et compositeur italien; il est considéré comme l'un des inventeurs du bel canto.

cacatoès

Cáceres, ville d'Espagne (Estrémadure); 73 900 hab.; ch.-l. de la prov. du m. nom. Industrie alim. – Collégiale goth. Sainte-Marie; palais Renaiss. dit « de los Golfines ».

cachalot n. m. Mammifère marin (sous-ordre des odontocètes) à la mâchoire inférieure pourvue de dents. (*Physeter macrocephalus*, le grand cachalot, atteint 25 m de long et peut peser plus de 50 t; sa tête énorme contient le blanc de baleine, et ses intestins l'ambre gris; c'est un carnassier vorace des mers chaudes. *Kogia breviceps*, le cachalot pygmée, ne dépasse pas 3 m.)

Cachan, ch.-l. de cant. du Val-de-Marne (arr. de L'Haÿ-les-Roses), dans la banlieue S. de Paris; 25 370 hab. Text. Centre nat. d'enseignement technique.

cache-. Élément, de *cacher*, servant à former divers mots composés.

cache n. **1.** n. f. Lieu où l'on peut cacher qqch, se cacher. **2.** n. m. PHOTO Feuille, lame opaque destinée à soustraire partiellement une surface sensible à l'action de la lumière. ▷ TECH Feuille de carton ajourée utilisée par les encadreurs. – Petit cadre en carton ou en plastique utilisé pour le montage des diapositives.

cache-cache n. m. inv. Jeu d'enfants où l'un d'eux doit trouver les autres qui se sont cachés. *Jouer à cache-cache.*

cache-cœur n. m. Vêtement féminin, sorte de gilet croisé sur la poitrine.

cache-col ou **cache-cou** n. m. inv. Écharpe portée autour du cou.

cachectique adj. (et n.) MED De la cachexie; atteint de cachexie.

cache-entrée n. m. inv. Pièce mobile qui masque l'entrée d'une serrure.

cachemire n. m. **1.** Tissu ou tricot fait de poil de chèvre du Cachemire ou du Tibet. *Écharpe en cachemire.* **2.** Étoffe à dessins indiens caractéristiques. *Châle, nappe de cachemire.*

Cachemire, anc. État de l'Inde, dans l'Himalaya occidental. La région comporte des chaînes montagneuses importantes : le Karakoram (qui abrite le K2 et de nombreux sommets de plus de 8 000 m), le Ladakh, le Zanskar, et l'Himalaya (avec le Nanga Parbat). – Peuplé d'une majorité de musulmans, il constituait en 1947 un État souverain, et son attribution donna lieu à plus. conflits armés entre l'Inde et le Pakistan (1947-1948, 1965). En 1949, le N. a été affecté au Pakistan (*Azad Cachemire*; cap. Gilgit), le S. à l'Inde (État de *Jammu-et-Cachemire*; cap. Srinagar et Jammu), mais une partie du territoire (Aksai Chin; 4 300 km^2) est occupée par la Chine (1962). Le Jammu-et-Cachemire est déchiré entre les partisans d'un État libre, ceux du rattachement au Pakistan et ceux du maintien dans l'Union indienne.

cache-misère n. m. inv. Vêtement qui dissimule des habits usagés.

cache-nez n. m. inv. Longue écharpe qui entoure le cou, préservant du froid le bas du visage.

cache-pot n. m. inv. Vase ou enveloppe dissimulant un pot de fleurs.

cache-poussière n. m. inv. Pardessus d'étoffe légère.

cache-prise n. m. Dispositif destiné à boucher une prise électrique pour éviter les risques d'électrocution. *Des cache-prise(s).*

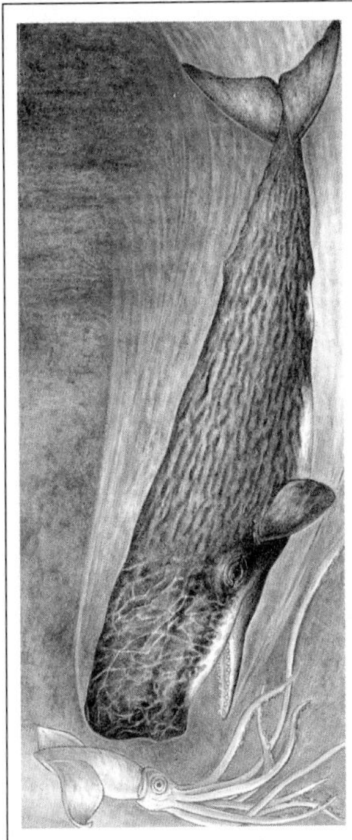
cachalot attaquant un calmar géant

1. cacher I. v. tr. [1] **1.** Mettre en un lieu secret; soustraire à la vue. *Cacher un trésor.* Syn. celer (litt.), dissimuler, planquer (fam.). – Loc. *Cacher son jeu*, aux cartes; fig. déguiser ses intentions. **2.** Empêcher de voir. *Cet immeuble cache la mer. Tu me caches le soleil.* Syn. masquer, voiler. **3.** Ne pas exprimer; taire. *Cacher sa joie. Cacher son âge.* **II.** v. pron. **1.** Se soustraire à la vue pour n'être pas trouvé. *Le voleur s'est caché.* – (Choses) *Où donc se cachent mes lunettes ?* – Fam. *Se cacher derrière son petit doigt :* refuser de voir la réalité. **2.** *Se cacher de qqn*, lui cacher ce qu'on fait. – *Se cacher de qqch*, le garder secret.

2. cacher. V. casher.

cache-radiateur n. m. Panneau ajouré qui dissimule un radiateur d'appartement. *Des cache-radiateur(s).*

cache-sexe n. m. inv. **1.** Pièce de vêtement qui ne couvre que le sexe. **2.** Fig., fam. Ce qui sert à cacher une action condamnable.

cachet n. m. **1.** Pièce gravée faite d'une matière dure, qu'on applique sur de la cire pour y produire une empreinte; l'empreinte elle-même. ▷ Morceau de cire qui porte cette empreinte. *Le cachet a été rompu.* ▷ HIST *Lettre de cachet*, signée de la main du roi et d'un secrétaire d'État, et qui contenait un ordre d'incarcération ou de mise en exil. **2.** Marque imprimée apposée avec un tampon. *Le cachet de la poste faisant foi* (pour le lieu, la date, l'heure d'envoi d'une lettre). **3.** Fig. Marque, caractère distinctif. *On reconnaît le cachet de cet écrivain.* – (S. comp.) *Peinture qui a du cachet, un certain cachet.* **4.** PHARM Capsule de pain azyme contenant un médicament. – Cour. Comprimé. *Cachet d'aspirine.* **5.** Rétribution d'un artiste pour une séance de travail. *Cachet d'un musicien, d'un acteur.*

cachetage n. m. Action de cacheter.

cache-tampon n. m. inv. Jeu d'enfants où l'un des joueurs cache un objet que les autres doivent découvrir.

cacheter v. tr. [20] **1.** Fermer à la cire. *Cire à cacheter. Cacheter une bouteille de vin.* – Pp. adj. *Pli diplomatique cacheté.* **2.** Clore (un pli) par collage. *Cacheter une enveloppe.*

cacheton n. m. Fam. Cachet d'un artiste. – (En loc.) Péjor. *Courir le cacheton.*

cachette n. f. **1.** Endroit où l'on peut se cacher, cacher qqch. **2.** Loc. adv. *En cachette* : en se cachant, en dissimulant ce qu'on fait.

cachexie [kaʃɛksi] n. f. **1.** MED Altération profonde de toutes les fonctions de l'organisme à la suite d'une maladie chronique grave. **2.** MED VET *Cachexie aqueuse du mouton, du bœuf, du porc,* provoquée par un parasite, notam. la douve.

Cachin (Marcel) (Paimpol, 1869 – Paris, 1958), homme politique français. Militant socialiste dès 1891, il prit la tête, lors du congrès de Tours (1920), de la fraction majoritaire, favorable à l'adhésion à l'Internationale communiste. Directeur de *l'Humanité* de 1918 à sa mort; il siégea au bureau polit. du parti communiste.

cachot n. m. Cellule de prison, étroite et sombre. *Mettre au cachot.*

cachotterie n. f. Manière d'agir ou de parler avec mystère pour cacher des choses sans importance. *Faire des cachotteries.*

cachottier, ère adj. et n. Qui aime faire des cachotteries. *Une fille cachottière.* – Subst. *C'est un cachottier.*

cachou n. m. et adj. inv. **1.** Substance solide brune extraite de la noix d'arec. – Petite pastille à base de cette substance. ▷ adj. inv. De la couleur brun foncé du cachou. *Une robe cachou.* **2.** Colorant synthétique de couleur brune.

cacique [kasik] n. m. **1.** Chef de tribu, chez certains Indiens d'Amérique centrale auj. disparus. **2.** Mod. Personnalité (politique en général). **3.** Arg. (des écoles) Premier reçu au concours d'entrée d'une grande école.

caco-. Préfixe, du gr. *kakos,* « mauvais ».

cacochyme adj. Vx ou plaisant D'une constitution faible, déficiente.

cacophonie n. f. Assemblage désagréable de sons discordants. – *Spécial.* Rencontre de sons de la parole jugés désagréables à l'oreille. *« Non, il n'est rien que Nanine n'honore » (Voltaire).*

cacophonique adj. Qui fait une cacophonie.

cactacées ou **cactées** n. f. pl. BOT Plantes dicotylédones (dites plantes grasses ou succulentes) originaires de l'Amérique centrale, à tige charnue (servant de réserve d'eau), aux feuilles réduites à des épines, cultivées souvent pour leurs fleurs colorées. – Sing. *Une cactacée* ou *une cactée.*

cactus n. m. Plante grasse épineuse de la famille des cactacées (nopal, figuier d'Inde, etc.).

Cacus, géant de la myth. romaine, fils de Vulcain; tué par Hercule, à qui il avait dérobé des bœufs et des génisses.

c.-à-d. Abrév. graphique de *c'est-à-dire.*

Ca' da Mósto ou **Cadamósto** (Alvise) (Venise, 1432 – ?, 1488), navigateur vénitien. Au service du Portugal, il explora les côtes du Sénégal et découvrit les îles du Cap-Vert (1456).

Cadarache, écart de la com. de Saint-Paul-lès-Durance (Bouches-du-Rhône, arr. d'Aix-en-Provence), au confl. de la Durance et du Verdon. Centre d'études nucléaires.

cadastral, ale, aux adj. Du cadastre. *Plan cadastral.*

cadastre n. m. **1.** Ensemble des documents qui répertorient les caractéristiques des parcelles foncières, et qui servent notam. à déterminer l'impôt foncier. **2.** Administration qui gère le cadastre. *Les employés du cadastre.*

cadastrer v. tr. [1] Inscrire au cadastre.

cadavéreux, euse adj. Qui tient du cadavre. *Un teint cadavéreux.*

cadavérique adj. Qui a rapport au cadavre. *Rigidité, pâleur cadavérique.*

cadavre n. m. **1.** Corps d'homme ou d'animal mort. *Après la bataille, le sol était jonché de cadavres.* ▷ Fig., fam. *Un cadavre ambulant* : une personne extrêmement affaiblie, très maigre. ▷ *Il y a un cadavre entre eux* : ils sont liés par un crime, un méfait. **2.** Fig., fam. Bouteille de boisson alcoolisée totalement vidée.

caddie n. m. **1.** Personne qui, au golf, porte les clubs des joueurs. **2.** (Nom déposé.) Petit chariot qui sert à transporter les bagages dans une gare, les achats dans un magasin en libre-service, etc.

cade n. m. Genévrier du pourtour méditerranéen. *Huile de cade* : goudron à odeur très forte, extrait du cade, utilisé en dermatologie.

cadeau n. m. **1.** Vx (Langue class.) Divertissement, repas offert à une dame. **2.** Mod. Ce que l'on donne en présent; objet offert. *Un cadeau de mariage, d'anniversaire.* Prov. *Les petits cadeaux entretiennent l'amitié.* – *Faire cadeau de* : offrir. ▷ Loc. fam. *Ne pas faire de cadeau à qqn,* ne pas le ménager, le traiter durement; ne pas tolérer de faute de sa part.

cadenas [kadna] n. m. Serrure mobile dont le pêne en arceau est articulé de manière à pouvoir être passé dans un anneau, dans les maillons d'une chaîne, etc.

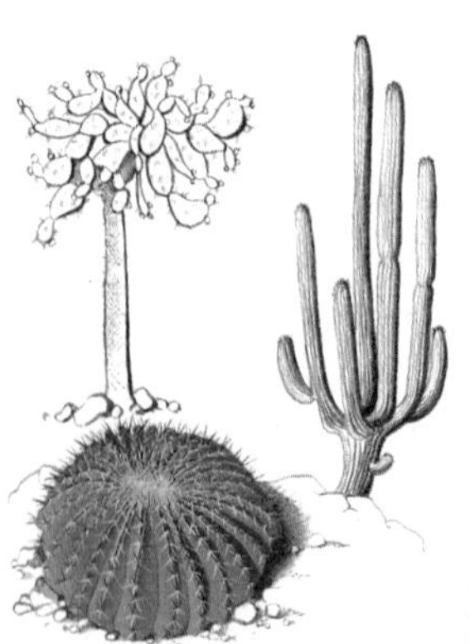

cactus : (à g.) à raquettes (opuntia), (à dr.) cierge, (au premier plan) globuleux

cadenasser v. tr. [1] Fermer avec un cadenas. *Cadenasser une porte.*

cadence n. f. **1.** Succession rythmique de mouvements, de sons. ▷ Succession d'accents marquant le rythme en poésie, en musique. *La cadence d'un vers.* ▷ CHOREGR Mesure qui règle le mouvement de la danse. *Suivre la cadence.* ▷ *En cadence* : en mesure; avec un rythme régulier. **2.** Rythme de production (*spécial.,* dans le travail à la chaîne). *Augmenter les cadences. Cadence infernale.* **3.** MUS Succession harmonique marquant la conclusion d'une phrase musicale. *Cadence parfaite, imparfaite. Cadence rompue.*

cadencé, ée adj. Qui a une cadence, rythmé. *Pas cadencé.*

cadencer v. tr. [12] **1.** Régler (ses mouvements) sur un rythme donné. *Cadencer le pas.* **2.** Donner par l'accentuation une cadence à. *Cadencer ses phrases.*

cadène ou **cadenne** n. f. MAR Pièce (chaîne, tige, plaque, etc.) qui sert à fixer sur la coque les extrémités basses des haubans d'un navire à voiles.

cadet, ette n. et adj. **1.** Chacun des enfants d'une famille nés après l'aîné. – Dernier-né, benjamin. ▷ adj. *Branche cadette,* issue d'un cadet. **2.** *Être le cadet de qqn,* être moins âgé que lui (sans lien de parenté). *Il est mon cadet de deux ans.* **3.** Loc. *C'est le cadet de mes soucis,* le moindre. **4.** SPORT Sportif âgé de 15 à 17 ans. **5.** Anc. Gentilhomme apprenant le métier des armes.

Cadet (parti), nom donné au parti russe constitutionnel-démocrate (Konstitoutsionno-Demokratitcheskaïa, en abrégé *K.D.,* d'où Cadet), partisan, sous Nicolas II, d'une monarchie constitutionnelle. De février à octobre 1917, il regroupa les adversaires de la gauche révolutionnaire.

Cadet Rousselle, héros et titre d'une chanson populaire de 1792, d'auteur anonyme.

cadi n. m. Juge musulman qui exerce des fonctions civiles et religieuses.

cadien, enne adj. et n. Syn. de *cajun.*

Cadix (en esp. *Cádiz*), port d'Espagne (Andalousie), sur l'Atlant., au N. de l'île de León, à l'O. du *golfe de Cadix;* 156 900 hab.; ch.-l. de la prov. du m. nom. Industr. alim., pétrochim., constr. navales; port militaire; tourisme. – La ville, fondée par les Phéniciens v. 1100 av. J.-C., devint très import. au XVIIIe s. (comm. avec l'Amérique). Cathédrale (XIIIe-XVIIe s.).

cadmium n. m. CHIM Élément métallique de numéro atomique Z = 48, de masse atomique 112,41 (symbole Cd). – Métal (Cd) blanc, de densité 8,65, qui fond à 321 °C et bout à 765 °C, aux propriétés voisines de celles du zinc.

Cadmos, héros phénicien; frère d'Europe, époux d'Harmonia, père d'Ino et de Sémélé, fondateur légendaire de Thèbes, en Béotie.

cadogan. V. catogan.

Cadorna (Luigi) (Pallanza, 1850 – Bordighera, 1928), maréchal italien. Généralissime de l'armée ital. de 1915 à 1917, il fut limogé à la suite de la défaite de Caporetto.

Cadou (René Guy) (Sainte-Reine-de-Bretagne, L.-Atl., 1920 – Louisfert, id. 1951), poète français. Il explora, dans une langue au lyrisme contenu, les temps essentiels de la vie (*Hélène ou le Règne végétal,* posth., 1945-1951).

Georges **Cadoudal**

John **Cage**

Cadoudal (Georges) (Kerléano, près d'Auray, 1771 - Paris, 1804), conspirateur français. Un des chefs de la chouannerie bretonne, il complota contre Bonaparte en 1800 (conspiration de la « machine infernale ») et en 1803. Arrêté, il fut exécuté.

cadrage n. m. AUDIOV, CINE Action de cadrer un sujet; son résultat.

cadran n. m. Surface graduée sur laquelle se déplace l'aiguille d'un appareil de mesure. *Cadran d'une montre, d'un baromètre.* - Par anal. *Cadran d'appel du téléphone automatique.* ▷ *Cadran solaire,* donnant l'heure selon la position de l'ombre portée par un style. ▷ Loc. *Faire le tour du cadran* : dormir douze heures d'affilée.

cadrat n. m. TYPO Bloc de plomb parallélépipédique moins haut que le bloc de caractère, et servant à former les blancs.

cadratin n. m. TYPO Cadrat d'un corps égal à celui du caractère, et dont la chasse est de la même force que le corps.

cadre n. m. **I. 1.** Bordure entourant un tableau, un miroir, etc. *Cadre à moulures d'une glace. Gravures dans un cadre.* **2.** Assemblage rigide de pièces formant un châssis, une armature. *Cadre de bicyclette. Cadres mobiles d'une ruche. Cadre d'une porte, d'une fenêtre,* scellé dans l'embrasure, et dans la feuillure duquel vient (viennent) battre le vantail (les vantaux). **3.** Grande caisse pour le transport (du mobilier notam.). **4.** ELECTR Circuit ou antenne mobile. **II.** Fig. **1.** Ce qui circonscrit, délimite. *Cela sort du cadre de mes fonctions. Dans le cadre de cet ouvrage, nous tenterons d'expliquer...* **2.** Ce qui constitue le milieu, l'environnement; paysage, décor. *Les montagnes formaient un cadre grandiose. Vivre dans un cadre luxueux.* **3.** MILIT Tableau de formation des divisions et subdivisions que comporte un corps. ▷ *Cadre de réserve* : corps des officiers généraux qui ne sont plus en activité (par oppos. à *cadre d'active*). ▷ *Les cadres d'une unité,* ses gradés. *Les cadres d'un bataillon.* ▷ *Le Cadre noir* : les écuyers de l'école militaire de Saumur. **4.** (Plur.) Tableau des services de Administration et de leurs fonctionnaires. *Être rayé des cadres.* **5.** Personne qui assure des fonctions d'encadrement. *Un cadre moyen, supérieur. Jeune cadre dynamique.*

cadrer v. [1] **1.** v. intr. S'adapter à, convenir à, concorder. *Son comportement ne cadre pas avec ses idées.* **2.** v. tr. AUDIOV , CINE Placer (un sujet) dans le champ d'un appareil photo, d'une caméra, etc. - Pp. adj. *Photo mal cadrée.*

cadreur, euse n. AUDIOV Personne chargée du maniement d'une caméra, opérateur de prises de vues. Syn. (déconseillé) cameraman.

caduc, uque adj. **1.** Qui est tombé en désuétude, qui n'a plus cours. *Théorie caduque, usage caduc.* ▷ DR *Legs caduc,* qui reste sans effet, par refus d'en jouir, incapacité ou décès du légataire. **2.** BOT *Organes caducs,* qui se renouvellent chaque année puis meurent et se détachent spontanément de la plante. *Feuilles caduques* (par oppos. à *persistantes*). **3.** ZOOL, MED Se dit d'un organe qui se sépare du corps au cours de la croissance. *Les dents de lait sont caduques.* ▷ *Membrane caduque* : muqueuse utérine qui tapisse l'œuf implanté et qui est expulsée lors de l'accouchement ou de l'avortement. - n. f. *La caduque.*

caducée n. m. Baguette entourée de deux serpents et surmontée de deux ailes, attribut d'Hermès, dieu grec du Commerce et de la Santé; sa représentation stylisée, emblème des pharmaciens et des médecins.

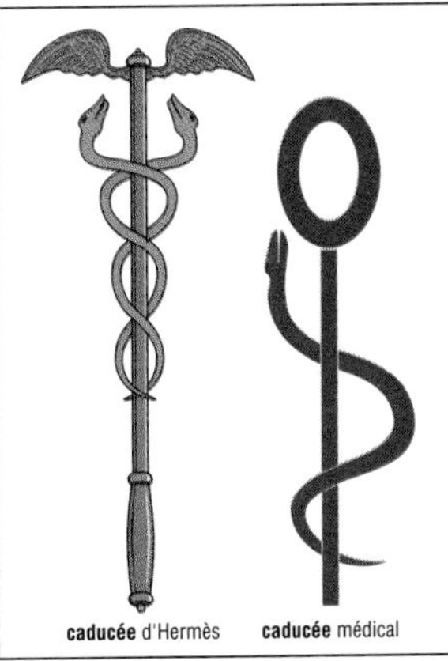
caducée d'Hermès **caducée** médical

caducifolié, ée adj. BOT Se dit des plantes qui perdent leurs feuilles en hiver, ou à la saison sèche sous les tropiques; se dit d'une forêt composée de tels arbres.

caducité n. f. Didac. Caractère caduc. *Caducité d'un acte juridique.*

Cadurci ou **Cadurques,** peuple gaulois de l'actuelle région de Cahors.

cæcal, ale, aux [sekal, o] adj. Du cæcum. *Inflammation de l'appendice cæcal,* ou *appendicite.*

Cæcilius Metellus (Lucius) (IIIe s. av. J.-C.), consul romain en 251 et en 243, vainqueur des Carthaginois en Sicile. – **Cæcilius Metellus** (Quintus), dit le Macédonien (IIe s. av. J.-C.), petit-fils du préc., préteur romain (148), conquérant de la Macédoine (147), consul en 143. – **Cæcilius Metellus** (Quintus), dit le Numidique (m. en 91 av. J.-C.), neveu du préc.; consul en 109, vainqueur de Jugurtha, mais supplanté par Marius* il se rallia à Sylla qui l'exila. – **Cæcilius Metellus Pius** (130 - 64 av. J.-C.), fils du préc., combattit pendant la guerre sociale. – **Cæcilius Metellus** (Quintus), dit Pius Scipio (m. en 46 av. J.-C.), fils adoptif du préc., consul en 52; partisan de Pompée, il fut battu par César à Thapsus (46) et se suicida.

cæcum [sekɔm] n. m. ANAT Segment initial du gros intestin, formant un cylindre creux fermé à sa partie inférieure, prolongé à sa partie supérieure par le côlon, et communiquant par sa face interne avec l'intestin grêle au niveau de la *valvule de Bauhin.*

Caen : église St-Étienne, XIe s., restaurée au XVIIe s.

Caedmon (mort v. 680), bénédictin et poète anglo-saxon, auteur de chants sacrés et de transcriptions en vers des Écritures, dont *Paraphrase de la Genèse.*

Caelius, l'une des sept collines de Rome.

Caen, ch.-l. du dép. du Calvados et de la Rég. Basse-Normandie, sur l'Orne, dans la *campagne de Caen;* 115 624 hab. (env. 191 500 hab. dans l'aggl.). Port important relié à la Manche par un canal (14 km). Centre sidérurgique et comm.; constr. électriques et électroniques; constr. auto.; industr. alim. Exportation de minerai de fer. - Nombr. monuments du règne de Guillaume le Conquérant et de la reine Mathilde (XIe s.) : chât.; égl. St-Étienne (abb. aux Hommes), de la Trinité (abb. aux Dames); égl. St-Pierre (XIIIe-XVIe s.); musée des Bx-A. Université (fondée au XVe s.).

caennais, aise adj. et n. De Caen. - Subst. *Un(e) Caennais(e).*

Caere. V. Cerveteri.

Caernarvon (en gallois *Caernarfon*), v. du pays de Galles; ch.-l. du comté de Gwinedd; 10 000 hab. - Vest. romains. Chât. du XIIIe s.

Caetano (Marcelo das Neves Alves) (Lisbonne, 1906 - Rio de Janeiro, 1980), homme politique portugais. Il élabora la doctrine corporatiste du régime avec Salazar, dont il fut un proche collaborateur et à qui il succéda en septembre 1968. Son renversement en avril 1974 marque la fin du salazarisme.

1. cafard, arde n. **1.** Hypocrite, faux dévot. ▷ adj. *Mine cafarde.* **2.** Fam. Dénonciateur, mouchard. Syn. rapporteur.

2. cafard n. m. **1.** Blatte. **2.** Fig. Tristesse, mélancolie sans motif précis. *Avoir le cafard.*

cafardage n. m. Action de cafarder (1).

1. cafarder v. intr. [1] Fam. Faire le cafard, dénoncer. Syn. rapporter.

2. cafarder v. intr. [1] Avoir des idées noires.

cafardeur, euse adj. et n. Se dit d'une personne qui cafarde. (V. cafarder 1).

cafardeux, euse adj. **1.** Qui a le cafard. **2.** Qui donne le cafard. *Un décor cafardeux.*

1. café n. m. (et adj. inv.) **1.** BOT Chacune des deux graines contenues dans la drupe (fruit) du caféier; cette graine torréfiée. *Café en grains, moulu. Une demi-livre, un paquet de café. Moulin à café.* ▷ *Café décaféiné,* partiellement privé de sa caféine au moyen de solvants organiques. **2.** Boisson (le plus souvent chaude) obtenue par infusion de cette graine torréfiée et broyée. *Café noir,* sans lait. *Café au lait, café crème,* mélangé de lait. *Café viennois*, nappé de crème fouettée. *Café liégeois**. ▷ Loc. fig., fam. *C'est fort de café* : c'est exagéré. ▷ adj. inv. *Des robes café.* – *Café au lait* : de la couleur brun clair du café au lait. *Une étoffe café au lait.*

2. café n. m. Lieu public où l'on consomme des boissons. *Prendre un demi à la terrasse d'un café.*

café-concert n. m. Anc. Café où se produisaient des artistes, des chanteurs. *Des cafés-concerts.* (Abrév. pop. vieillie : caf'conc' [kafkɔ̃s].)

caféier n. m. Arbuste (fam. rubiacées) à feuilles persistantes, cultivé pour sa graine (café).

ENCYCL Originaire d'Afrique équatoriale, le caféier fut ensuite (XIVe ou XVe s.) cultivé sur la côte asiatique de la mer Rouge (Yémen, aux environs de Moka), puis aux Indes et dans les îles de l'océan Indien. Aujourd'hui le Brésil et la Colombie sont les deux principaux producteurs et exportateurs de café. Le caféier dit d'Arabie (*Coffea arabica*) fournit les cafés les plus estimés, comme le moka. Le caféier Robusta (*Coffea robusta*), rustique, est très productif.

fruits et feuilles de **caféier** ; au centre, drupe entière et en coupe contenant deux cafés

caféine n. f. Alcaloïde du café, stimulant du système nerveux, que l'on trouve également dans le thé et le maté.

caféiné, ée adj. Qui contient de la caféine.

caféisme n. m. Didac. Intoxication par le café ou un produit contenant de la caféine.

cafetan ou **caftan** n. m. Long vêtement oriental, ample et souvent richement décoré.

cafétéria ou **cafeteria** [kafeteʀja] n. f. Lieu public généralement situé à l'intérieur d'un bâtiment officiel, des locaux d'une entreprise, d'un centre commercial, etc., où l'on sert du café, des boissons, des repas légers. *La cafétéria d'une faculté, d'un ministère.*

caféterie n. f. Local où l'on prépare les petits déjeuners dans les hôtels ou les édifices abritant les collectivités.

café-théâtre n. m. Petit théâtre où l'on peut assister au spectacle en consommant. ▷ Petit théâtre où se jouent des spectacles courts, généralement comiques. *Des cafés-théâtres.*

cafetier, ère n. Personne qui tient un café.

cafetière n. f. **1.** Récipient dans lequel on prépare le café ; récipient pour servir le café. **2.** Pop. Tête.

Caffieri (Jean-Jacques) (Paris, 1725 – id., 1792), sculpteur français d'ascendance napolitaine : bustes de Quinault (1770), P. Corneille (1777), Rotrou (1783), etc.

cafouillage ou **cafouillis** n. m. Fam. Action de cafouiller, façon d'agir confuse, maladroite ; fait de cafouiller, mauvais fonctionnement ; la confusion qui en résulte.

cafouiller v. intr. [1] Fam. Agir de façon brouillonne et maladroite ; mal fonctionner. *Cafouiller à un examen. Mécanique qui cafouille.*

cafouilleux, euse adj. Fam. Brouillon, désordonné.

cafre adj. et n. De la Cafrerie.

Cafrerie ou **pays des Cafres,** nom donné par les géographes arabes, à partir du XVIIe s., aux rég. africaines non musulmanes situées au S. de l'équateur.

Cafres ou **Xhosa(s),** peuple bantou d'Afrique du Sud habitant la Cafrerie.

caftan. V. cafetan.

cafter v. [1] v. intr. Fam. Moucharder. *C'est ce trouillard qui a cafté.* ▷ v. tr. *Cafter qqn*, le dénoncer.

Cagayan de Oro, v. et port des Philippines, au N. de l'île de Mindanao ; 339 590 hab. Sucre, riz.

cage n. f. **I. 1.** Loge garnie de grillage ou de barreaux où l'on enferme des oiseaux, des animaux sauvages. *Cage à serins. La cage aux lions d'une ménagerie. Cage à écureuil*, munie d'un tambour creux que l'animal peut faire tourner en s'y introduisant. ▷ Fig. Prison. **2.** SPORT Fam. Buts, au football. **II. 1.** CONSTR *La cage d'une maison*, ses murs extérieurs. ▷ Espace à l'intérieur duquel se trouve un escalier, un ascenseur. **2.** Pièce, ensemble de pièces qui entourent certains mécanismes. ▷ HORL *Cage d'une horloge, d'une montre*, contenant les rouages. ▷ TECH Bâti. *Cage de laminoir.* ▷ MAR *Cage d'hélice* : évidement pratiqué à l'arrière d'un navire pour permettre à l'hélice d'effectuer sa rotation. **3.** ELECTR (Par anal. de forme.) *Cage d'écureuil* : rotor d'un moteur, entraîné par induction sous l'action d'un champ tournant et constitué de conducteurs disposés suivant les génératrices d'un cylindre. ▷ *Cage de Faraday* : enceinte métallique isolée qui annule (écran électrostatique) l'influence électrique des corps extérieurs. **4.** MINES *Cage, cage d'extraction*, reliée par câbles à la machine d'extraction, et destinée à faire monter et descendre les berlines. **5.** *Cage thoracique* : thorax.

Cage (John) (Los Angeles, 1912 – New York, 1992), compositeur américain. Élève de Schönberg, inventeur du « piano préparé » (insertion d'objets divers entre les cordes), il fut un pionnier de la musique aléatoire et reste une des personnalités majeures de la mus. contemporaine (*Roaratorio*, 1979). ▸ illustr. page **265**

cageot [kaʒo] n. m. ou **cagette** n. f. Petite caisse à claire-voie, en bois léger, destinée au transport des denrées alimentaires.

cagibi n. m. Fam. Pièce de petite dimension servant de débarras. *Ranger les balais dans un cagibi.*

Cagliari, port d'Italie, sur la côte S. de la Sardaigne ; 224 500 hab. ; ch.-l. de la rég. admin. de Sardaigne. Archevêché. Université. Constr. méca. et navales, pétrochim. – Musée archéologique.

Cagliostro (Giuseppe Balsamo, dit Alexandre, comte de) (Palerme, 1743 – près de Rome, 1795), aventurier et charlatan italien qui parcourut l'Europe et fut très populaire à la cour de France. Mêlé aux mouvements occultistes et maçonniques, compromis dans l'affaire du Collier, il fut expulsé de France (1786) vers l'Italie, où il fut condamné à mort comme franc-maçon (1791) ; sa peine fut commuée en emprisonnement à vie.

cagna n. f. Arg. (des militaires) Abri souterrain. – *Par ext.* Cabane, maison modeste.

cagnard n. m. Rég. Coin ensoleillé et abrité, en Provence.

cagne ou **khâgne** n. f. Arg. (des écoles) Seconde année de la classe préparatoire au concours d'entrée aux écoles normales supérieures (lettres).

Cagnes-sur-Mer, ch.-l. de cant. des Alpes-Mar. (arr. de Grasse) ; 41 303 hab. Port de pêche et stat. baln. *(Cros-de-Cagnes)* ; électronique ; champ de courses. – Chât. (XIVe-XVIIe s.). Maison des Colettes (atelier de Renoir).

1. cagneux, euse adj. Qui a les genoux tournés vers l'intérieur. *Une jument cagneuse.* ▷ (Choses) *Genoux cagneux.*

2. cagneux, euse ou **khâgneux, euse** n. Arg. (scolaire) Élève de cagne.

Cagniard de La Tour (Charles, baron) (Paris, 1777 – id., 1859), physicien français. Il inventa la sirène en 1819.

cagnotte n. f. **1.** Boîte où l'on conserve tout ou partie des mises des joueurs, à certains jeux ; son contenu. *Ramasser la cagnotte.* **2.** Argent économisé par les membres d'un groupe, caisse commune.

cagot, ote n. et adj. **1.** Vx, litt. Faux dévot ; bigot. ▷ adj. *Des manières cagotes.* **2.** HIST Qui appartenait à certains groupes sociaux défavorisés groupés en isolats dans les hautes vallées d'accès difficile des Pyrénées centrales et occidentales. *Les cagots étaient victimes de diverses discriminations, à l'église notam. (« bénitier des cagots »).*

cagou. V. kagou.

cagoulard n. m. Membre d'une anc. organisation terroriste d'extrême droite, *la Cagoule.*

cagoule n. f. **1.** Vêtement de moine à capuchon et sans manches. **2.** Capuchon fermé, percé à la hauteur des yeux. *Cagoule de pénitent.* **3.** Passe-montagne.

Cagoule (la), nom donné au *Comité secret d'action révolutionnaire* (C.S.A.R.), organisation d'extrême droite fondée en 1935 par Eugène Deloncle. De 1935 à 1941, elle réunit des groupes armés pour lutter contre le communisme. Elle organisa notam. l'assassinat de Marx Dormoy (1941).

cahier [kaje] n. m. **1.** Assemblage de feuilles de papier liées par couture ou agrafage, destiné à l'écriture manuscrite. *Cahier d'essai* ou (vieilli) *de brouillon. Déchirer une feuille d'un cahier. Cahier d'écolier.* **2.** IMPRIM Ensemble de pages foliotées, constitué par une feuille pliée. **3.** DR ADMIN *Cahier des charges* : acte qui précise les conditions d'un marché (vente, travaux, fournitures). **4.** (Plur.) Mémoires, journal. *Les cahiers des états généraux.* **5.** (Plur.) Revue. *Les Cahiers de la Quinzaine*, dirigés par Ch. Péguy de 1900 à 1914. *Les Cahiers d'une société littéraire.*

cahin-caha [kaɛ̃kaa] adv. Fam. Avec peine, tant bien que mal. *Avancer cahin-caha. Les affaires marchent ? Cahin-caha.*

cahors n. m. Vin rouge de la région de Cahors.

Cahors, ch.-l. du dép. du Lot, sur le Lot; 20 787 hab. (*Cadurciens*). Centre comm. et industr. du Quercy : industr. du meuble, électr., alim. – Évêché. Cath. St-Étienne (égl. à coupoles, XIe-XIIIe s.). Pont Valentré du XIVe s.

cahot [kao] n. m. Saut que fait un véhicule en mouvement sur un terrain inégal.

cahotant, ante adj. **1.** Qui cahote. *Un vieux tacot cahotant.* **2.** Qui fait faire des cahots. *Chemin cahotant.*

cahotement n. m. Fait de cahoter; secousses causées par les cahots.

cahoter v. [1] **1.** v. tr. Secouer par des cahots. *La route cahote la voiture.* – Fig. *Être cahoté par la vie.* **2.** v. intr. Éprouver des cahots. *Voiture qui cahote.*

cahoteux, euse adj. Qui fait éprouver des cahots. *Route cahoteuse.*

cahute n. f. Petite hutte, cabane.

caïd n. m. **1.** Anc. En Afrique du N., magistrat assurant des fonctions judiciaires et administratives. **2.** Fam. Chef d'une bande de malfaiteurs. ▷ Homme énergique, ayant un grand ascendant sur les autres.

caïdat n. m. Domination exercée par un caïd.

caïeu ou **cayeu** [kajø] n. m. BOT Bulbe qui se forme sur le bulbe principal à partir d'un bourgeon axillaire. *Caïeu d'ail. Des caïeux* ou *des cayeux.* Syn. cour. gousse.

caillasse n. f. **1.** GEOL Dépôt caillouteux tertiaire. **2.** Fam. Accumulation de gros cailloux. *Marcher dans la caillasse.*

caillassage n. m. Fam. Jets de pierre.

Caillaux (Joseph) (Le Mans, 1863 – Mamers, 1944), homme politique français; plusieurs fois ministre des Finances, président du Conseil en 1911. Condamné en 1920 par la Haute Cour pour correspondance avec l'ennemi, il fut amnistié en 1925. Président de la commission des Finances du Sénat de 1925 à 1940.

Caillavet (Gaston Arman de) (Paris, 1869 – Essendiéras, Dordogne, 1915), auteur dramatique français. Il écrivit, en collab. avec Robert de Flers, des comédies de mœurs (*l'Habit vert*, 1912).

caille n. f. Oiseau migrateur galliforme ressemblant à une petite perdrix, et dont une espèce, *Coturnix coturnix*, niche dans les champs européens et hiverne en Afrique. *La caille margotte ou carcaille.*

caille

caillé, ée adj. et n. m. **1.** adj. Qui s'est coagulé. **2.** n. m. Lait caillé. ▷ Partie solide du lait caillé (caséine), qu'on utilise pour fabriquer le fromage.

caillebotis [kajbɔti] n. m. Treillis en acier galvanisé (sur les caniveaux) ou en lattes de bois (sur les sols humides ou boueux), laissant passer l'eau. *Le caillebotis d'une douche.* – MAR *Caillebotis couvrant une écoutille.*

caillebotte n. f. Masse de lait caillé.

Caillebotte (Gustave) (Paris, 1848 – Gennevilliers, 1894), peintre français; ami et mécène des impressionnistes.

cailler v. intr. [1] **1.** Se figer, former des caillots (lait, sang). *Lait mis à cailler dans une jatte.* – Pp. adj. *Sang caillé.* ▷ v. tr. *Le jus de citron caille le lait.* ▷ v. pron. *Le lait se caille vite par temps chaud.* **2.** Pop. Avoir froid. *On caille, ici!* – v. pron. *On se caille.* ▷ v. impers. *Il caille, ça caille :* il fait froid.

Cailletet (Louis Paul) (Châtillon-sur-Seine, 1832 – Paris, 1913), physicien français. Sidérurgiste, il se spécialisa dans la compression des gaz et parvint à liquéfier notam. l'oxygène et l'azote.

caillette n. f. Quatrième poche de l'estomac des ruminants, qui sécrète un suc (présure) faisant cailler le lait.

Caillié (René) (Mauzé, Deux-Sèvres, 1799 – La Baderre, 1838), voyageur français. Parti pour l'Afrique dès 1816, il fut le premier Européen à pénétrer dans Tombouctou (1828). Sa relation de ce voyage (*Journal d'un voyage à Tombouctou et à Jenné*, 1830) remporta un grand succès.

Caillois (Roger) (Reims, 1913 – Paris, 1978), écrivain français. Sa réflexion porte sur la création artistique et littéraire, et sur les mythes sociaux : *le Mythe et l'Homme* (1938), *l'Homme et le Sacré* (1939), *les Jeux et les Hommes* (1958), *Approches de l'imaginaire* (1974). Acad. fr. (1971).

caillot n. m. Petite masse coagulée d'un liquide (surtout le sang). *Le caillot sanguin est constitué par un réseau de fibrine enserrant des globules rouges.*

caillou, plur. **cailloux** n. m. **1.** Pierre petite ou moyenne; débris de roche. *Les cailloux du chemin.* ▷ Fam. Pierre précieuse. *Tu as vu les cailloux qu'elle porte!* **2.** Fragment de cristal de roche travaillé pour la joaillerie. **3.** Fam. Crâne. *Il n'a plus un cheveu sur le caillou.*

cailloutage n. m. **1.** Action de caillouter. **2.** Ouvrage constitué de cailloux noyés dans un mortier. **3.** Pâte de faïence faite d'argile et de sable ou de quartz pulvérisé.

caillouté, ée adj. Garni de cailloux. *Une allée cailloutée.* ▷ n. m. Faïence faite en cailloutage.

caillouter v. tr. [1] Couvrir, garnir de cailloux.

caillouteux, euse adj. Couvert, plein de cailloux. *Un chemin caillouteux.*

cailloutis [kajuti] n. m. Mélange de cailloux concassés, servant de revêtement routier. ▷ GEOL *Cailloutis glaciaire :* amas de cailloux, de graviers et de sable charrié par un glacier.

caïman n. m. **1.** Reptile crocodilien d'Amérique du Sud (genre *Caïman*, fam. alligatoridés), aux mâchoires très larges, au ventre vert-jaune. **2.** Arg. (des écoles) Répétiteur agrégé, à l'École normale supérieure.

Caïmans (îles) ou **Cayman Islands,** archipel britannique de la mer des Antilles, au S. de Cuba; 259 km^2; 23 000 hab.; ch.-l. *Georgetown.* Tourisme.

Cain (James Mallahan) (Annapolis, 1892 – University Park, Maryland, 1977), romancier américain; l'un des maîtres du roman «noir» : *Le facteur sonne toujours deux fois* (1934).

Caïn, fils aîné d'Adam et d'Ève; il tua son frère Abel, Dieu ayant préféré l'offrande de ce dernier à la sienne.

Caïphe, grand prêtre des juifs (de 18 à 36 apr. J.-C.); il présida le sanhédrin qui condamna Jésus à mort.

caïque n. m. Petite embarcation à voiles ou à rames, étroite et pointue, de la mer Égée et de la mer Noire.

Ça ira, chanson de la Révolution française surtout violente dans son refrain («...les aristocrates à la lanterne...»).

Caire (Le) (en ar. *al-Qāhira*), cap. de l'Égypte et la plus grande v. d'Afrique, en amont du delta du Nil; 6 052 840 hab. (aggl. urb. 9 000 000 d'hab. env.). Grand centre comm., industr., culturel et polit. En 1992, un séisme a fait plusieurs centaines de victimes. – Universités de Giza et de Ayn Chams (1950). Musées d'antiq. égypt., d'art arabe et copte. Nombr. mosquées, notam. la mosquée-université d'al-Azhar (970-978), fondée par les Fatimides, et la mosquée d'al-Hakim (990-1004).

Le Caire

cairn n. m. **1.** Monticule de pierres ou tumulus, élevé par les Celtes, en Bretagne, en Écosse, en Irlande. **2.** Monticule de pierres ou de glaçons, par lequel des explorateurs, des alpinistes jalonnent leur itinéraire ou marquent leur victoire sur une cime.

cairote adj. et n. Du Caire. ▷ Subst. Habitant ou personne originaire du Caire. *Un(e) Cairote.*

caisse n. f. **I. 1.** Grande boîte (souvent en bois) servant au transport ou à la conservation des marchandises, ou au rangement d'objets divers. *Expédier, décharger des caisses. Une caisse de champagne, une caisse à outils.* ▷ *Par méton.* Contenu d'une caisse. **2.** TECH Dispositif de protection qui entoure certaines pièces, certains mécanismes. *Caisse d'une horloge. Caisse de poulie.* ▷ AUTO Carcasse de la carrosserie; carrosserie. – Fam. Automobile. **3.** HORTIC Coffre ouvert, plein de terre, où l'on fait pousser certaines petites plantes, certains arbres. *Une caisse à fleurs. Palmiers en caisse.* **4.** ANAT *Caisse du tympan :* cavité située derrière le tympan contenant la chaîne des osselets et formant l'oreille moyenne. **5.** Pop. *La caisse :* la poitrine, dans l'expr. *partir de la caisse*, avoir les poumons malades, être tuberculeux. **6.** MUS Corps d'un instrument à cordes qui vibre par résonance. ▷ Cylindre en bois léger ou en métal mince fermé par deux peaux tendues et formant le corps d'un tambour. – *Caisse claire :* tambour plat sous lequel est tendu un timbre métallique réglable. *Grosse caisse :* gros tambour à la sonorité mate et sourde, qu'on frappe avec une mailloche; tambour le plus grave de la batterie. **II. 1.** Appareil à l'usage des commerçants où

est déposé l'argent perçu pour chaque vente. *Caisse enregistreuse.* – Fig. *Ne plus avoir un sou en caisse :* ne plus avoir d'argent du tout. **2.** Fonds contenus dans la caisse. *Livre de caisse. Faire sa caisse :* vérifier la correspondance entre les mouvements de fonds enregistrés et l'argent effectivement en caisse. – Fig., fam. *Tenir la caisse :* être responsable des dépenses. **3.** Bureau, guichet où s'effectuent les versements et les paiements. *Passer à la caisse :* recevoir son salaire; recevoir le solde de son compte; fig. être licencié. **4.** Établissement où des fonds sont déposés pour y être gérés. *Une caisse de prévoyance, de solidarité. La Caisse des dépôts* et consignations.*
▸ pl. instruments de **musique**

caissette n. f. Petite caisse.

caissier, ère n. Personne qui tient la caisse dans un magasin, une banque, une administration.

caisson n. m. **1.** MILIT Anc. Grande caisse montée sur roues, servant à transporter vivres et munitions. **2.** ARCHI Compartiment creux, orné de moulures, qui décore un plafond ou une voûte. **3.** TECH Grande caisse étanche immergée, contenant de l'air, et permettant de travailler sous l'eau. ▷ MED *Caisson hyperbare,* dans lequel on augmente la pression de l'air, utilisé en thérapeutique (traitements des accidents de décompression et de la gangrène gazeuse). – *Maladie des caissons,* survenant chez des sujets ayant été soumis à une forte pression ou à une décompression trop rapide (air comprimé, plongée sous-marine), et causée par la libération d'azote dans le sang.

Caïus (saint), pape de 283 à 296.

Cajal. V. Ramón y Cajal.

cajoler v. [1] **I.** v. tr. **1.** Avoir des paroles, des gestes tendres pour. *Cajoler un enfant.* **2.** Vieilli Être aimable envers (qqn) pour le séduire; flatter. **II.** v. intr. Crier (pie ou geai).

cajolerie n. f. **1.** Parole tendre, caresse affectueuse. **2.** Flatterie.

cajoleur, euse adj. et n. Qui cajole.

cajou ou **caju** [kaʒu] n. m. *Noix de cajou :* fruit comestible de l'anacardier.
▸ illustr. **anacardier**

cajun [kaʒœ̃] n. et adj. (inv. en genre) Habitant francophone de la Louisiane. *Un(e) Cajun. Les Cajuns.* ▷ adj. (inv. en genre) *La culture cajun.*

cake [kɛk] n. m. Gâteau contenant des raisins secs et des fruits confits.

Çākyamuni. V. Bouddha.

1. cal Symbole de la calorie.

2. cal, plur. **cals** n. m. **1.** Induration localisée de l'épiderme, provoquée par le frottement. *Les cals des mains du navigateur.* **2.** CHIR Formation osseuse qui soude les deux parties d'un os fracturé. *Cal vicieux,* fixant ces deux parties dans une mauvaise position. **3.** BOT Amas de cellulose qui obstrue pendant l'hiver les tubes criblés de certaines plantes (par ex. vigne).

calabrais, aise adj. et n. De la Calabre. ▷ Subst. *Un(e) Calabrais(e).*

Calabre, région admin. d'Italie méridionale et région de la C.E., formée des prov. de Catanzaro, Cosenza et Reggio di Calabria; 15 080 km²; 2 146 720 hab.; cap. *Catanzaro.* Rég. montagneuse agricole et pauvre, affectée par une longue émigration, la Calabre connaît, depuis les années 1960, un essor notable lié aux politiques d'aménagement de l'Italie du S. et aux aides de la C.É.E. – Conquise au XIe s. par les Normands, la Calabre fit partie du royaume de Sicile. Réunie à l'Italie en 1860-1861.

calage n. m. **1.** Action de caler, de rendre stable à l'aide d'une cale. **2.** TECH Réglage d'un organe dans la position où il procure le meilleur rendement. *Calage des balais d'une dynamo.*

Calais, ch.-l. d'arr. du Pas-de-Calais, sur le *pas de Calais;* 75 836 hab. (env. 101 800 hab. dans l'aggl.). Premier port franç. de voyageurs (entre la France et la G.-B.). Terminal du tunnel sous la Manche à *Coquelles.* Port de comm. Industr. chim. et text. : dentelle, fibres synthétiques. – Port de comm. import. au XIVe s. (laines), la v. fut prise par les Anglais en 1347 et épargnée grâce au dévouement de six bourgeois, dont Eustache de Saint-Pierre, qui se livrèrent à Édouard III. Elle fut reconquise en 1558 par François de Guise. Elle sortit très éprouvée de la Seconde Guerre mondiale. – Égl. Notre-Dame (XIVe-XVIe s.); tour du Guet (XIIIe s.); citadelle (1560). Sur la place du Soldat-Inconnu : *les Bourgeois de Calais,* par Rodin (1895).

Calais (pas de), détroit entre la France et la G.-B.; large de 31 km, long de 185 km, il relie la Manche à la mer du Nord. V. tunnel sous la Manche*.

calaisien, enne adj. et n. De Calais. – Subst. *Un(e) Calaisien(ne).*

calamar. V. calmar.

calame n. m. HIST Roseau dont les Anciens se servaient pour écrire.

calamine n. f. **1.** MINER Silicate hydraté de zinc utilisé comme minerai. **2.** TECH Résidu charbonneux encrassant la chambre de combustion, les pistons et les soupapes d'un moteur à explosion. **3.** Oxyde qui se forme à la surface des pièces métalliques soumises à une haute température.

calaminé, ée adj. Encrassé par la calamine.

calamistrer v. tr. [1] Friser, onduler (les cheveux, la barbe). – Pp. adj. *Cheveux calamistrés.*

calamité n. f. **1.** Malheur, désastre collectif qui afflige tout un pays, toute une population. *La famine, la guerre sont des calamités.* **2.** Malheur irréparable, infortune extrême. *Cette infirmité est une calamité.*

calamiteux, euse adj. Qui abonde en calamités. *Saison calamiteuse.*

1. calandre n. f. **1.** TECH Machine composée de cylindres et servant à fabriquer des feuilles (métal, plastique, etc.), à lustrer et à lisser des étoffes ou à glacer du papier. **2.** Garniture de tôle découpée, nickelée ou chromée, placée devant le radiateur de certaines automobiles pour le protéger.

2. calandre n. f. Alouette de grande taille (20 cm) à collet noir, du Bassin méditerranéen.

calanque n. f. Crique rocheuse, en Méditerranée.

calao n. m. Oiseau d'Afrique, d'Asie et d'Océanie (genre *Buceros*) de la taille d'un faisan, dont l'énorme bec, arqué, porte près des yeux une protubérance osseuse *(casque).* ▸ illustr. **becs**

Calas (Jean) (Lacabarède, Tarn, 1698 – Toulouse, 1762), négociant calviniste toulousain. Accusé d'avoir tué son fils désireux de se convertir au catholicisme, il fut supplicié. Voltaire s'employa à réhabiliter sa mémoire (1765).

Calatrava (ordre de), ordre religieux et militaire espagnol, créé en 1158, au moment de la défense de la forteresse de *Calatrava* contre les Maures; il devint ordre royal en 1482.

calc(i)-, calco-. Élément, du latin *calx, calcis,* «chaux», indiquant la présence de calcium.

calcaire adj. et n. m. **1.** adj. Qui renferme du carbonate de calcium. *Une roche calcaire. Un terrain calcaire. Eau trop calcaire qu'il faut adoucir.* **2.** n. m. Roche essentiellement constituée par du carbonate de calcium.

calcanéum n. m. ANAT Os court, le plus gros du tarse, situé à la partie inférieure de l'arrière du pied, articulé en haut avec l'astragale, en avant avec le cuboïde et constituant le talon.

calcédoine n. f. Quartz fibreux imparfaitement cristallisé que l'on trouve dans les roches sédimentaires et dont de nombreuses variétés (agate, chrysoprase, cornaline, jaspe, onyx, sardoine, etc.) sont utilisées en joaillerie.

calcémie n. f. MED Teneur du sang en calcium (0,100 g/l normalement).

calcéolaire n. f. Plante ornementale (fam. scrofulariacées) originaire d'Amérique du Sud, à fleurs jaune vif taché de rouge, en forme de sabot.

Calchas, devin grec, dans *l'Iliade,* qui réclama le sacrifice d'Iphigénie et conseilla la construction du cheval de Troie.

calci-. V. calc(i)-.

calcicole adj. BOT Qui pousse bien sur les sols calcaires. Ant. calcifuge.

calcicordés n. m. pl. PALEONT Sous-embranchement fossile (du cambrien au dévonien) de cordés marins jadis rattachés aux échinodermes. – Sing. *Un calcicordé.*

calciférol n. m. BIOCHIM Vitamine D_2 antirachitique, obtenue par irradiation de l'ergostérol.

calcification n. f. Dépôt de sels calcaires intervenant dans le processus normal de formation de l'os.

calcifier v. tr. [2] Recouvrir ou imprégner de carbonate de calcium. – Pp. adj. *Un squelette normalement calcifié.* ▷ v. pron. *Ses artères se sont calcifiées.*

calcifuge adj. BOT Qui pousse mal sur les sols calcaires. Ant. calcicole.

calcin [kalsɛ̃] n. m. **1.** Débris de verre servant de matière première pour les émaux, la verrerie. **2.** Croûte qui se forme à la surface des roches calcaires sous l'effet de la pluie. **3.** Dépôt calcaire qui se forme dans les chaudières et les bouilloires.

calcination n. f. **1.** CHIM Transformation du carbonate de calcium en chaux sous l'action de la chaleur. **2.** Traitement d'une substance par le feu, transformation sous l'effet d'une haute température.

calciner v. tr. [1] **1.** Transformer (du calcaire) en chaux par l'action du feu. **2.** Soumettre à une haute température (une matière quelconque). **3.** Brûler. ▷ Pp. adj. *Rôti calciné. Poutres calcinées par un incendie.* – Fig. *Une lande calcinée par le soleil.*

calcique adj. Relatif au calcium ou aux composés du calcium. *Dépôt calcique.*

calcite n. f. MINER Carbonate naturel de calcium cristallisant dans le système rhomboédrique, constituant principal de nombreuses roches sédimentaires (calcaires, marnes, etc.).

calcitonine n. f. BIOCHIM Syn. de *thyrocalcitonine*.

calcium n. m. CHIM Élément alcalinoterreux très abondant dans la nature, de numéro atomique Z = 20, de masse atomique 40,1 (symbole Ca). *Le calcium, constituant du tissu osseux, est apporté à l'organisme par les aliments, notam. par les produits laitiers.* – Métal (Ca) blanc, de densité 1,55, qui fond à 838 °C et bout vers 1 440 °C. – *Oxyde de calcium* : chaux vive. – *Hydroxyde de calcium* : chaux éteinte, peu soluble dans l'eau, dont la solution (eau de chaux) permet de détecter la présence de CO_2, et qui, en suspension dans l'eau (lait de chaux), est utilisée dans l'agriculture pour augmenter le pH des terrains acides (chaulage). – *Carbonate de calcium*, qui se trouve dans la nature sous forme de calcaire, calcite. – *Sulfate de calcium*, qui existe sous forme de gypse et sert à fabriquer le plâtre.

calciurie [kalsiyʀi] n. f. MED Taux d'élimination du calcium par les urines.

calco-. V. calc(i)-.

1. calcul n. m. **1.** Opération, suite d'opérations portant sur des combinaisons de nombres, sur des grandeurs. *Calcul numérique, algébrique. Calcul infinitésimal, différentiel, intégral. Règle à calcul. Calcul mental*, fait de tête, sans poser les opérations. **2.** Technique de la résolution des problèmes d'arithmétique. *Leçon de calcul.* **3.** Fig. Moyens prémédités pour le succès d'une affaire, d'une entreprise. *Les calculs de l'ambition. Déjouer les calculs de l'adversaire.* – *Agir par calcul*, par intérêt.

2. calcul n. m. Concrétion pierreuse qui se forme dans les réservoirs glandulaires et les canaux excréteurs. (Les plus fréquents sont les calculs biliaires et rénaux dont la migration dans le canal cholédoque ou dans l'uretère provoque une crise douloureuse : colique hépatique ou néphrétique.)

calculabilité n. f. Didac. Caractère de ce qui est calculable.

calculable adj. Qui peut être calculé.

calculateur, trice n. et adj. **1.** n. ersonne qui s'occupe de calcul, qui ait calculer. **2.** adj. Habile à combiner les projets. ▷ Péjor. Qui agit par calcul. voir l'esprit calculateur. ▷ Subst. *C'est un alculateur.* **3.** n. m. Machine à calculer ui effectue des opérations arithmétiques et logiques à partir d'informaions alphanumériques, selon un proramme établi au préalable. *Calculaeur numérique, analogique, hybride.* **4.** n. *Calculatrice de bureau, de poche* : nachine à calculer électronique de etite dimension.

alculer v. tr. [1] **1.** Établir, déteriner par le calcul. *Calculer la surface 'un terrain.* – Pp. *Prix de revient calculé u plus juste.* ▷ (S. comp.) *Il ne sait pas alculer.* **2.** Fig. Prévoir, combiner. *Il a al calculé son coup.* **3.** Apprécier, supputer. *Calculer ses chances de succès.*

alculette n. f. Calculatrice de poche.

alcutta, v. et port de l'Inde, cap. du engale-Occidental, sur l'Hooghly, dans delta du Gange; 3 305 000 hab. (aggl. rb. 10 916 000 hab.). Import. centre omm., bancaire et textile (jute, soie, oton); métall. – Université. – Cap. de nde brit. de 1772 à 1912.

caldarium n. m. HIST Salle des bains chauds (eau et vapeur), dans les thermes romains.

caldeira n. f. GEOL Cuvette de grande dimension résultant de l'effondrement du cratère d'un volcan à la suite d'une éruption.

Calder (Alexander) (Philadelphie, 1898 – New York, 1976), sculpteur et peintre américain. Il a surtout réalisé des *mobiles*, assemblages de formes animés par les mouvements de l'air, et des *stabiles*, sculptures inertes formées de plaques de tôles découpées.

Calder Hall, localité du Cumberland (G.-B.). Centrale nucléaire.

Calderón de la Barca (Pedro) (Madrid, 1600 – id., 1681), poète dramatique espagnol. Il fut le plus illustre représentant du «Siècle d'or» de la littér. espagnole. Baroques dans la forme et le fond, ses pièces comprennent des «comedias» religieuses (*la Dévotion à la Croix*, 1633), philosophiques (*La vie est un songe*, v. 1635), historiques (*l'Alcade de Zalamea*, 1636), psychologiques (*le Médecin de son honneur*, 1637) et de nombr. «autos sacramentales» (pièces brèves en un acte) : *le Grand Théâtre du monde* (v. 1649), *le Divin Orphée*, etc.
▸ illustr. page **270**

caldoche n. et adj. Fam. Européen(ne) établi(e) en Nouvelle-Calédonie. ▷ adj. *Les familles caldoches.*

Caldwell (Erskine Preston) (White Oak, Géorgie, 1903 – Paradise Valley, Arizona, 1987), romancier américain. Avec verve et réalisme, il peint l'univers des petites villes du «Deep South» : *la Route au tabac* (1932), *le Petit Arpent du Bon Dieu* (1933), *Un pauvre type* (1935), *Bagarres de juillet* (1940).

1. cale n. f. **1.** Partie du navire située sous le pont le plus bas. *Arrimer le fret dans la cale, à fond de cale.* – Compartiment dans cette partie. *Cale avant. Cale à charbon.* – Loc. fig. *Être à fond de cale* : être complètement ruiné. **2.** *Cale sèche, cale de radoub* : fosse étanche, communiquant avec la mer par des portes, qui sert à mettre les navires à sec.

2. cale n. f. Ce qui sert à caler, à maintenir d'aplomb ou à immobiliser quelque chose. *Mettre une cale sous un pied de meuble.* – SPORT *Cale de départ* : syn. (off. recommandé) de *starting-block*.

calé, ée adj. Fam. **1.** Qui a beaucoup de connaissances. *Il est calé en géographie. Un gars drôlement calé.* **2.** Difficile. *Il est calé, ce problème.*

Calcutta

Alexandre **Calder** : *la Porte de l'espace*, 1973, aux environs du plateau d'Assy, face au mont Blanc

calebasse n. f. Fruit de différentes espèces de cucurbitacées ou de bignoniacées, qui, vidé et séché, peut servir de récipient; ce récipient; son contenu.

calèche n. f. Voiture à cheval très légère, à quatre roues, munie, à l'arrière, d'une capote repliable et, à l'avant, d'un siège surélevé.

caleçon n. m. Sous-vêtement masculin en forme de culotte collante, courte ou longue. – Vieilli *Caleçon de bain* : maillot de bain.

Calédonie, nom donné par les Romains à la rég. correspondant à l'Écosse.

Calédonie (Nouvelle-). V. Nouvelle-Calédonie.

calédonien, enne adj. et n. **1.** De Calédonie. ▷ GEOL *Plissement calédonien*, qui, à la fin du silurien, affecta la zone comprise entre l'Irlande, la Scandinavie et la Bohême, laissant de nombreuses traces en Calédonie. **2.** De Nouvelle-Calédonie. ▷ Subst. *Un(e) Calédonien(ne).*

Calédonien (canal), canal d'Écosse, creusé en 1822 dans la dépression du Glen More, reliant l'Atlant. (Firth of Lorne) à la mer du Nord (Firth of Moray).

caléfaction n. f. **1.** Didac. Action de chauffer; son résultat. **2.** PHYS Phénomène par lequel un liquide projeté sur une plaque métallique fortement chauffée se résout en globules sphériques affectés d'un mouvement rapide et désordonné, dû à la pellicule de gaz qui se forme entre la plaque et le liquide.

calembour n. m. Jeu de mots fondé sur une différence de sens entre des mots de prononciation similaire. *«Et quand tu vois ce beau carrosse... Ne dis plus qu'il est amarante / Dis plutôt qu'il est de ma rente» est un calembour emprunté par Molière à l'abbé Cotin.*

calembredaine n. f. Plaisanterie; propos fantaisiste, dénué de bon sens.

calendaire adj. Relatif au calendrier. *Année calendaire*, du 1er janvier au 31 décembre.

calendes n. f. pl. ANTIQ Premier jour de chaque mois, chez les Romains. – Fig. *Renvoyer aux calendes grecques* : remettre à une époque qui n'arrivera jamais (les Grecs avaient un calendrier sans calendes).

calendrier n. m. **1.** Système de division du temps en périodes adaptées aux besoins de la vie sociale et concordant en général avec des phénomènes astronomiques. *Calendrier solaire, lunaire, luni-solaire. Calendrier romain. Calen-*

drier julien, grégorien. Calendrier musulman, juif. Le calendrier républicain, en usage officiellement de 1793 à 1806, comprenait 12 mois de 30 jours : vendémiaire, brumaire, frimaire (automne); nivôse, pluviôse, ventôse (hiver); germinal, floréal, prairial (printemps); messidor, thermidor, fructidor (été), et 5 jours complémentaires (6 jours pour les années bissextiles). *Calendrier perpétuel :* tableau permettant d'établir le calendrier d'une année quelconque. **2.** Tableau des jours de l'année, indiquant généralement les grandes fêtes religieuses et civiles. **3.** *Par ext.* Emploi du temps fixé à l'avance. *Cette entreprise n'a pas respecté son calendrier.*

calendula n. f. BOT Plante annuelle, médicinale (fam. composées), appelée vulgairement *souci.*

cale-pied n. m. Butoir maintenant le pied sur la pédale d'une bicyclette. *Des cale-pieds.*

calepin n. m. Petit carnet servant à prendre des notes.

Calepino (Ambrogio) (Bergame, v. 1435 – id., 1510), religieux italien; auteur d'un *Dictionnaire de la langue latine* (1502).

1. caler v. [1] **I.** v. tr. **1.** Mettre (un objet) de niveau ou d'aplomb, ou l'immobiliser à l'aide d'une cale. *Caler une table bancale avec un morceau de carton.* **2.** Immobiliser, rendre stable. *Caler une pile de livres avec un dictionnaire.* ▷ v. pron. (Personnes) *Se caler dans un bon fauteuil.* – Fig., fam. *Se caler les joues, l'estomac :* manger abondamment, à satiété. **3.** TECH Fixer, immobiliser (une pièce). *Caler un volant sur un arbre à l'aide d'une clavette.* ▷ *Par ext.* Régler (un organe, un système, etc.) pour en obtenir le rendement optimal. *Caler l'avance à l'allumage.* **II.** v. intr. **1.** S'arrêter brusquement (machines). *Moteur qui cale.* ▷ v. tr. *Caler le moteur d'une voiture en embrayant trop vite.* **2.** Fig., fam. S'arrêter, ne pas pouvoir continuer. *Il a calé avant la fin du repas.*

2. caler v. [1] **1.** v. tr. MAR Vx Abaisser (un mât supérieur, une basse vergue). **2.** v. intr. Mod. S'enfoncer dans l'eau. *Navire qui ne cale pas assez de l'arrière.* ▷ v. tr. *Ce navire cale six mètres.* **3.** v. intr. Fig. Reculer, céder. *Il a calé devant la menace.*

caleter. V. calter.

Calètes, peuple de l'anc. Gaule qui occupait le pays de Caux actuel.

calfat [kalfa] n. m. MAR Ouvrier chargé du calfatage.

calfatage n. m. MAR Opération consistant à calfater; son résultat.

calfater v. tr. [1] MAR Boucher avec de l'étoupe goudronnée les joints des bordages (d'un bâtiment en bois), pour les rendre étanches. ▷ *Par ext.* Boucher hermétiquement.

calfeutrage ou **calfeutrement** n. m. Action de calfeutrer; son résultat.

calfeutrer 1. v. tr. [1] Boucher les fentes (d'une porte, d'une fenêtre, etc.) pour empêcher l'air et le froid de pénétrer. **2.** v. pron. S'enfermer, se mettre au chaud. *Il s'est calfeutré chez lui.*

Calgary, v. du Canada (Alberta); 710 670 hab. Import. centre pétrolier, comm. (prod. laitiers, viande, blé) et ferroviaire de l'Ouest canadien.

Cali, v. de Colombie, dans la cordillère occid. des Andes; 1 323 940 hab.; ch.-l. de dép. Industries textile, alim., métall. et chimique.

Caliban, personnage de *la Tempête* (de Shakespeare). Gnome difforme, il personnifie les puissances infernales.

calibrage n. m. Action de donner, de mesurer un calibre. ▷ IMPRIM Évaluation de la longueur d'un texte avant la composition.

calibre n. m. **1.** Diamètre intérieur d'un tube; *spécial.,* du canon d'une arme à feu. – *Par ext.* Diamètre extérieur d'un projectile. *Un obus de gros calibre.* ▷ Arg. *Un calibre :* un pistolet, un revolver. **2.** Diamètre d'un objet cylindrique ou sphérique. *Oranges triées selon leur calibre. Calibre d'une colonne.* **3.** ELECTR *Calibre d'un appareil de mesure,* valeur maximale que celui-ci peut mesurer. **4.** MECA Instrument permettant de contrôler une dimension, un écartement, etc. *Calibre de forme. Calibre à limites.* **5.** Fig., fam. Importance, qualité, état. *Une erreur de ce calibre risque de nous attirer des ennuis. – Ce sont deux individus de même calibre.*

calibrer v. tr. [1] **1.** Donner le calibre convenable à (qqch). **2.** Mesurer le calibre de. **3.** *Par ext.* Classer selon le calibre. *Calibrer des œufs.* – Pp. adj. *Pommes de terre calibrées.* **4.** IMPRIM Procéder au calibrage d'un texte.

calice n. m. **I. 1.** LITURG CATHOL Coupe qui contient le vin du sacrifice eucharistique, consacré par le prêtre pendant la messe. **2.** Fig. Épreuve pénible. *Un calice de douleur. Boire le calice jusqu'à la lie :* endurer une souffrance jusqu'au bout. **II. 1.** BOT Partie la plus externe du périanthe d'une fleur, constituée par les sépales. **2.** ANAT *Calices rénaux :* tubes collecteurs de l'urine dont la réunion forme le bassinet.

calicot n. m. Toile de coton, moins fine que la percale. ▷ Banderole de cette étoffe portant une inscription. – *Par ext.* Banderole. *Calicot publicitaire.*

Calicut. V. Kozhikode.

califat ou **khalifat** [kalifa] n. m. **1.** Dignité de calife. **2.** Durée du règne d'un calife ou d'une dynastie. *Le califat des Abbassides.* **3.** Territoire soumis à l'autorité d'un calife.

calife ou **khalife** n. m. HIST Titre adopté après la mort de Mahomet par les dirigeants de la communauté musulmane. (Le calife détenait les pouvoirs spirituels et temporels. Le premier calife fut Abu Bakr, en 632, auquel succédèrent Umar, Uthman et Ali.)

Californie, État de l'O. des É.-U., le plus peuplé, sur le Pacifique; 411 012 km²; 29 760 000 hab.; cap. *Sacramento.* – Une chaîne côtière (Coast Range) borde le littoral, où se situent les princ. v. : San Francisco, Los Angeles. Lui succède une longue plaine (Grande Vallée) drainée par le Sacramento et le San Joaquin. L'E. est occupé par la sierra Nevada (4 418 m au mont Whitney). Le climat est chaud et sec. L'agriculture, qui a bénéficié de l'irrigation de la Grande Vallée et qui a donné naissance à une import. industrie alimentaire, est forte : fruits, vigne, céréales, coton. Une industr. très diversifiée est née des richesses du sous-sol (fer, houille, pétrole surtout). Constr. aéron. Électron.; informatique (Silicon Valley). – Colonie esp., le pays appartint au Mexique de 1822 à 1848 et devint le trente et unième État de l'Union en 1850.

Californie (Basse-), péninsule du Mexique, de plus de 1 000 km de long, au S. de la Californie, entre le Pacifique et le *golfe de Californie,* partagée en deux États : la *Basse-Californie du N.,* 70 113 km² ; 1 657 900 hab.; la *Basse-Californie du S.,* 73 667 km² ; 317 760 hab. Sous-sol riche : cuivre, plomb, argent. Cultures irriguées.

californien, enne adj. et n. De Californie. ▷ Subst. *Un(e) Californien(ne).*

californium n. m. CHIM Élément radioactif artificiel de numéro atomique Z = 98 et de masse atomique 251 (symbole Cf).

califourchon (à) loc. adv. Avec une jambe de chaque côté de ce que l'on chevauche. *Être à califourchon sur une chaise,* le dossier par-devant soi.

Caligula (Caius Caesar Germanicus, dit) (Antium, auj. Anzio, 12 – Rome, 41), empereur romain (37-41), fils de Germanicus et d'Agrippine, au comportement tyrannique et cruel. Il fut assassiné par un tribun de la garde prétorienne.

câlin, ine adj. et n. **1.** adj. Qui aime à câliner, à être câliné. *Un enfant câlin.* – Subst. *Elle fait la câline.* **2.** adj. Doux, caressant. *Un regard très câlin. Parler sur un ton câlin.* **3.** n. m. Gestes tendres, caresses affectueuses. *Viens faire un câlin avec maman.*

câliner v. tr. [1] Avoir des gestes tendres pour; caresser, cajoler. *Câliner un enfant.*

câlinerie n. f. Tendre caresse; manières câlines. *Ils se faisaient des câlineries.*

calisson n. m. Friandise provenç. à la pâte d'amandes et dont le dessus est glacé.

Calixte ou **Calliste II** (Guy de Bourgogne) (v. 1060 – 1124), pape de 1119 à 1124; il mit fin, par le concordat de Worms (1122), à la querelle des Investitures.

Callao, princ. port du Pérou, près de Lima; 512 200 hab.; ch.-l. de la prov. du m. nom. Pêche, comm. (1er exportateur mondial de farine de poisson).

Callas (Maria Kalogeropoulos, dite Maria) (New York, 1923 – Paris, 1977), cantatrice grecque. Sa voix de soprano d'une étendue peu commune (presque trois octaves) et surtout ses dons de tragédienne l'imposèrent comme une des plus remarquables artistes lyriques de sa génération.

calleux, euse adj. **1.** Qui a des callosités. *Avoir les mains calleuses.* **2.** ANAT *Corps calleux :* bande de substance blanche unissant les deux hémisphères cérébraux et formant la base du sillon interhémisphérique. **3.** MED *Ulcère calleux :* ulcère gastro-duodénal cicatrisé qu'entoure une zone constituée de fibrose.

Calderón de la Barca

Maria **Callas**

call-girl [kolgœʀl] n. f. Prostituée avec laquelle on prend contact par téléphone. *Des call-girls.*

calli-. Élément, du gr. *kallos,* « beauté ».

Callicratès (milieu du Vᵉ s. av. J.-C.), architecte grec. Il collabora avec Phidias et Ictinos à la construction du Parthénon. On lui attribue le temple d'Athéna Nikê, sur l'Acropole d'Athènes.

Callières (Louis Hector de) (Torigni-sur-Vire, Normandie, 1645 – Québec, 1703), administrateur colonial français. Gouverneur général de la Nouvelle-France (1699-1703), il signa la paix avec les Iroquois (Montréal, 1701).

calligramme n. m. Poème dont la typographie forme un dessin. (Mot forgé par G. Apollinaire, *Calligrammes,* 1918.)

calligraphe n. Personne qui pratique la calligraphie. – Personne qui a une belle écriture.

calligraphie n. f. **1.** Art de bien tracer les caractères de l'écriture. **2.** *Par ext.* Belle écriture.

calligraphier v. tr. [**2**] Bien tracer (les caractères de l'écriture). *Calligraphier un poème.*

calligraphique adj. Qui a rapport à la calligraphie.

Callimaque d'Athènes (fin du Vᵉ s. av. J.-C.), sculpteur grec, principal disciple de Phidias. Selon Vitruve, il serait l'inventeur du chapiteau corinthien. On lui attribue l'*Aphrodite Genitrix.*

Callimaque (Cyrène, v. 315 av. J.-C. – Alexandrie, v. 240 av. J.-C.), poète et grammairien grec ; il dirigea la bibliothèque d'Alexandrie. Son œuvre poétique a en grande partie disparu.

Calliope, dans la myth. grecque, muse de la poésie épique, mère de Linos et d'Orphée.

callipyge adj. Dont les fesses sont belles et, *par ext.,* volumineuses. *Vénus callipyge,* aux belles fesses (célèbre statue de Vénus).

Callirrhoé (« fontaine aux belles eaux »), nom donné, dans la myth. gr., à plusieurs nymphes.

Calliste. V. Calixte.

Callisto, dans la myth. grecque, fille de Lycaon, roi d'Arcadie. Aimée de Zeus, transformée en ourse par Héra qui la jalousait, elle fut tuée à la chasse par Artémis. Zeus la changea en constellation (la Grande Ourse).

Callisto, satellite de Jupiter, de 4 840 km de diamètre, découvert par Galilée en 1610. Il parcourt en 16,7 jours une orbite dont le rayon atteint 1,8 million de km.

callosité n. f. Épaississement et durcissement d'une partie de l'épiderme (à la paume des mains, au genou, à la plante des pieds, etc.) dus à des frottements répétés.

Callot (Jacques) (Nancy, 1592 – id., 1635), graveur, dessinateur et aquafortiste français. Son œuvre gravé, expressif, comprend notam. les séries des *Caprices* (1617), des *Gueux* (1622) et des *Misères de la guerre* (1633).

Calloway (Cabell, dit Cab) (Rochester, 1907 – Hockessin, Delaware, 1994), chanteur et chef d'orchestre de jazz américain. Il créa un style vocal burlesque qui annonçait le be-bop (*Minnie the Moocher,* 1931).

calmant, ante adj. et n. m. **1.** MED Qui apaise la nervosité, qui calme la douleur. *Une infusion calmante.* ▷ n. m. *Un calmant.* **2.** Qui apaise. *Des paroles calmantes et réconfortantes.*

calmar ou **calamar** n. m. Mollusque céphalopode à corps cylindrique et dont la coquille interne est réduite à une simple *plume* cornée. (La taille des calmars va de quelques décimètres pour l'*encornet,* à une vingtaine de mètres pour *Architeuthis,* qui vit dans les grands fonds.)

1. calme n. m. (Généralement au sing.) **1.** Absence de bruit, d'agitation, de mouvement. *La foule s'est dispersée dans le calme. Un calme absolu règne sur la campagne. Rétablir le calme.* ▷ MAR *Calme plat :* absence de vent sur la mer. ▷ GEOGR *Calmes équatoriaux, tropicaux :* zones de basses pressions, de vents faibles. **2.** État de sérénité, absence d'énervement chez qqn. *Il est d'un calme parfait en toute circonstance. Retrouver, perdre son calme. Du calme !*

2. calme adj. **1.** Se dit de ce qui est sans agitation, sans perturbation, de faible activité. *La mer est calme ce matin. Le marché de l'or est calme ces derniers jours. Avoir une vie bien calme.* **2.** Tranquille, maître de soi. *Être d'une humeur calme et régulière.*

calmement adv. Avec calme.

Calment (Jeanne) (Arles 1875 – *id.,* 1997). Elle avait été reconnue, en 1995, « doyenne de l'humanité ».

calmer v. tr. [**1**] **1.** Rendre plus calme, apaiser. *Ils ont calmé les enfants et les ont envoyés dormir.* ▷ v. pron. *Calme-toi, tu cries trop fort.* **2.** Atténuer, diminuer l'intensité (d'une sensation, d'un sentiment). *Un médicament qui calme les maux de tête.* Loc. fig., fam. *Calmer le jeu :* tenter d'atténuer les tensions, l'agressivité.

Calmette (Gaston) (Montpellier, 1858 – Paris, 1914), journaliste français. Directeur du *Figaro,* il fut l'instigateur d'une violente campagne contre le ministre des Finances, Joseph Caillaux ; Mᵐᵉ Caillaux l'assassina. – **Albert** (Nice, 1863 – Paris, 1933), frère du préc. ; bactériologiste français. Il mit au point avec C. Guérin un vaccin antituberculeux (B.C.G.).

Jacques **Callot :** *Un mousquetaire,* eau-forte ; Musée hist. lorrain, Nancy

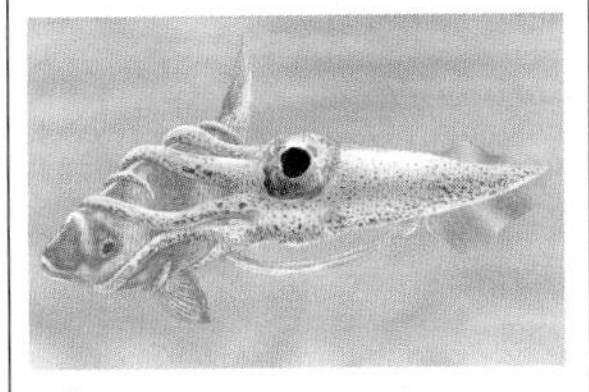
calmar capturant un poisson

calmir v. intr. [**3**] MAR Devenir calme, en parlant de la houle, du vent.

calomel n. m. Chlorure de mercure, utilisé autref. pour ses propriétés purgatives, auj. comme électrode de référence dans les pH-mètres*.

calomniateur, trice n. et adj. **1.** n. Personne qui calomnie. *Lutter contre les calomniateurs.* **2.** adj. *Des lettres calomniatrices.*

calomnie n. f. Accusation mensongère qui attaque la réputation, l'honneur. *Être en butte à la calomnie, aux calomnies.*

calomnier v. tr. [**2**] Attaquer la réputation, l'honneur de (qqn) par des accusations volontairement mensongères. *Calomnier un ennemi.* ▷ *Par ext.* Accuser à tort, même sans intention de nuire.

calomnieusement adv. D'une façon calomnieuse.

calomnieux, euse adj. Qui est de la nature de la calomnie. *Des propos calomnieux. La dénonciation calomnieuse est réprimée par le Code pénal.*

Calonne (Charles Alexandre de) (Douai, 1734 – Paris, 1802), homme politique français. Contrôleur général des Finances de 1783 à 1787, son plan de réformes, introduisant une certaine égalité devant l'impôt, rencontra l'opposition des privilégiés et lui valut la disgrâce.

caloporteur ou **caloriporteur** adj. m. *Fluide caloporteur* ou *caloriporteur :* fluide qui circule dans une machine thermique et en évacue la chaleur.

calori-. Élément, du lat. *calor, caloris,* « chaleur ».

calorie n. f. **1.** Anc. unité de quantité de chaleur, égale à 4,18 joules. **2.** PHYSIOL Unité de mesure de la valeur énergétique des aliments.

calorifère n. m. Appareil assurant le chauffage d'un bâtiment par la circulation, dans des conduites, d'eau ou d'air chauffés par une chaudière.

calorification n. f. PHYSIOL Production de chaleur dans le corps des organismes vivants.

calorifique adj. Relatif à la chaleur ; qui produit de la chaleur. *Déperdition calorifique. Pouvoir calorifique.*

calorifuge adj. (et n. m.) Qui conduit mal la chaleur, qui constitue un isolant thermique.

calorifugeage n. m. Action de calorifuger ; son résultat.

calorifuger v. tr. [**13**] Revêtir d'un matériau calorifuge.

calorimètre n. m. PHYS Appareil servant à mesurer la quantité de chaleur dégagée ou absorbée dans un phénomène physique, une réaction chimique.

calorimétrie n. f. PHYS Technique de la mesure des quantités de chaleur.

calorimétrique adj. PHYS Relatif à la calorimétrie.

calorique n. m. et adj. **1.** n. m. Vx Fluide hypothétique qui servait de véhicule à la chaleur. **2.** adj. Relatif à la calorie. *Puissance calorique. Ration calorique.* **3.** Syn. ancien de *calorifique.*

1. calot n. m. Coiffure militaire faite de deux larges bandes de tissu entourant une calotte formant soufflet, appelée aussi *bonnet de police,* nom donné autref. au couvre-chef porté par les soldats punis.

2. calot n. m. Grosse bille.

calotin, ine n. (et adj.) Fam., péjor. Ecclésiastique. ▷ *Par ext.* Ami et défenseur du clergé, de la « calotte ».

1. calotte n. f. **1.** Petit bonnet rond qui ne couvre que le sommet du crâne. - *Spécial.* Coiffure ecclésiastique. *Recevoir la calotte :* être élevé à la dignité de cardinal. **2.** Péjor. Ensemble du clergé et de ses partisans. *Être du côté de, pour la calotte. À bas la calotte!* **3.** ANAT *Calotte crânienne :* partie supérieure du crâne. **4.** GEOM *Calotte sphérique :* portion de sphère délimitée par un plan ne passant pas par le centre. **5.** ARCHI Voûte hémisphérique dont le cintre a peu d'élévation. **6.** GEOGR *Calotte glaciaire :* épaisse couche de glace des régions polaires.

2. calotte n. f. Fam. Tape donnée sur la joue, sur la tête. *Recevoir des calottes. Flanquer une paire de calottes à qqn.*

calotter v. tr. [1] **1.** Donner une tape, une calotte. **2.** Fam., vieilli Voler, dérober. *Il s'est fait calotter son portefeuille.*

caloyer, ère n. Moine grec, religieuse grecque obéissant à la règle de saint Basile.

Calpurnia *(gens),* famille plébéienne de l'ancienne Rome, d'origine sabine.

Calpurnius Pison (en lat. *Piso*), rameau de la *gens* Calpurnia. – **Caius,** consul romain (67 av. J.-C.) et proconsul de la Gaule Narbonnaise; accusé de malversation par César, il fut défendu par Cicéron. – **Cneius** (m. en 20 apr. J.-C.), gouverneur de Syrie (18 apr. J.-C.); accusé du meurtre de Germanicus, il dut se donner la mort. – **Caius** (m. en 65 apr. J.-C.) conspira contre Néron, échoua et s'ouvrit les veines. – **Lucius** (?, 38 - Rome, 69 apr. J.-C.), choisi par Galba pour lui succéder; il fut assassiné avec lui par les prétoriens.

calquage n. m. Action de calquer.

calque n. m. **1.** Copie d'un dessin obtenue généralement grâce à un papier transparent appliqué sur le modèle. *Prendre le calque d'une carte de géographie.* Syn. décalque. ▷ Papier servant à cette opération. - (En appos.) *Papier calque.* **2.** Fig. Imitation très proche du modèle. *Son dernier livre est le calque du précédent. Le fils est le calque du père!* **3.** LING Traduction d'un mot, d'une locution d'une autre langue, pour désigner une notion, un objet nouveau. *Le calque diffère de l'emprunt. Le composé « Moyen-Orient » est un calque de l'américain « Middle East ».*

calquer v. tr. [1] **1.** Faire le calque de. *Calquer un motif de broderie.* **2.** Fig. Imiter de façon très fidèle. *Calquer son comportement sur celui de qqn.*

Caltanissetta, v. d'Italie (Sicile); 60 710 hab.; ch.-l. de la prov. du m. nom. Industr. alim. et méca. Exploitation du soufre, de la potasse et du magnésium.

calter [kalte] v. intr. ou pron. [1] Arg. S'enfuir rapidement, en courant. *Elle a calté vite fait.* ▷ v. pron. *Il s'est calté sans demander son reste.* (On trouve aussi, à l'inf., *caleter.*)

Caluire-et-Cuire, ch.-l. de cant. du Rhône (arr. de Lyon), sur la r. g. de la Saône; 42 155 hab. (*Caluirards*). Industr. alim., text.; papet., jouets. - Jean Moulin y fut arrêté le 21 juin 1943.

calumet n. m. Pipe à long tuyau que fumaient les Indiens d'Amérique du Nord pendant les délibérations importantes. *Le calumet de la paix est rouge, celui de la guerre gris et blanc.* ▷ Fig. *Fumer le calumet de la paix :* se réconcilier.

calvados [kalvados] n. m. Eau-de-vie de cidre. *Un café arrosé de calvados.* (Abrév. fam. : calva).

Calvados (rochers ou plateau du), chaîne de rochers, sur la côte de Normandie, au fond de la *baie du Calvados.*

Calvados, dép. franç. (14); 5 536 km²; 618 478 hab.; 111,7 hab./km²; ch.-l. *Caen.* V. Normandie (Basse-) (Rég.).

calvadosien, enne adj. et n. Du Calvados. - Subst. *Un(e) Calvadosien(ne).*

calvaire n. m. **1.** Représentation de la croix du Calvaire ou des scènes de la Passion. *Giovanni Bellini a peint de nombreux calvaires.* - *Spécial.* Monument sculpté, élevé en plein air, pour commémorer la Passion. *Calvaire élevé à un croisement de routes.* **2.** Fig. Suite d'épreuves douloureuses. *Ses dernières années ont été un vrai calvaire.*

Calvaire (filles du) ou **calvairiennes,** congrégation de bénédictines fondée en 1617, à Poitiers, par Antoinette d'Orléans et le père Joseph, puis établie à Paris.

Calvi, ch.-l. d'arr. de la Hte-Corse, sur la côte N.-O.; 4 920 hab. Port de pêche, de comm. (vins) et de voyageurs. Tourisme. Électronique. - La citadelle génoise, ou Ville-Haute, entourée de remparts du XVIe s., domine la Ville-Basse.

calville n. f. Variété appréciée de pommes tardives, blanches ou rouges, de bonne conservation.

Calvin (Jean Cauvin, dit) (Noyon, 1509 - Genève, 1564), réformateur religieux et écrivain français. Initié au luthéranisme alors qu'il étudiait le droit à Orléans, il adhéra à la Réforme en 1533, puis s'installa à Bâle (1534), où il publia, en 1536, la première édition (en latin) de l'*Institution de la religion chrétienne,* qui deviendra la « Somme » du calvinisme (trad. fr. : 1540, remaniée en 1543 et 1559). Arrivé à Genève (1536), il institua dans cette ville, après un exil à Strasbourg (1538-1541), un gouvernement théocratique dont il fut, jusqu'à sa mort, le chef sévère (condamnation de Michel Servet, brûlé vif en 1553). Sur le modèle genevois se fondèrent de nombreuses Églises réformées, notam. celle de France. Prosateur préclassique d'une grande rigueur de style, Calvin est également l'auteur de

Calvin

Cambacérès

Catéchisme (1537), *Petit Traité de la sainte Cène* (1541), *Traité sur l'éternelle prédestination* (1552).

Calvin (Melvin) (Saint Paul, Minnesota, 1911 - Berkeley, 1997), chimiste et biologiste américain. Ses études sur la photosynthèse *(cycle de Calvin)* lui permirent de mettre en évidence les étapes de la transformation du gaz carbonique, notam. en sucres. P. Nobel 1961.

calvinisme n. m. Doctrine religieuse du réformateur Jean Calvin qui introduisit le protestantisme en France. ENCYCL La doctrine religieuse fondée par Calvin, formulée dans l'*Institution de la religion chrétienne*, repose sur trois principes essentiels. 1. L'unique source de la foi est l'Écriture sainte (Ancien et Nouveau Testament). 2. L'humanité, dépravée par la Chute, est par nature indigne face à la grâce toute-puissante d'un Dieu rédempteur qui, de toute éternité, a décidé le salut de l'homme en Jésus-Christ (le corollaire de cette affirmation est la doctrine de la prédestination). 3. Le culte n'admet que deux sacrements : le baptême et la communion, mais Calvin rejette la transsubstantiation romaine et la consubstantiation luthérienne.

calviniste adj. et n. **1.** adj. Relatif au calvinisme, à Calvin. **2.** n. Personne qui se réclame de la doctrine de Calvin. *Pendant la Contre-Réforme, les jésuites combattirent les calvinistes.*

Calvino (Italo) (Santiago de Las Vegas, Cuba, 1923 - Sienne, 1985), romancier italien. Il mêle au réalisme l'humour, la fantaisie et l'allégorie : *le Baron perché* (1957), *le Chevalier inexistant* (1959), *la Journée d'un scrutateur* (1963), *les Villes invisibles* (1972), *Si par une nuit d'hiver un voyageur* (1979), *la Machine littérature*, essai critique (1980).

calvitie [kalvisi] n. f. Absence plus ou moins complète de cheveux. *Une calvitie précoce.*

Calvo Sotelo (José) (La Corogne, 1893 - Madrid, 1936), homme politique espagnol; un des chefs du parti monarchiste. Son assassinat précipita le soulèvement franquiste.

Calydon, v. de l'anc. Étolie (Grèce). Dans la myth. grecque, elle fut ravagée par un sanglier que tua Méléagre.

calypso n. m. Danse jamaïcaine à deux temps.

Calypso, dans la myth. grecque, nymphe, reine de l'île d'Ogygie, où elle retint Ulysse pendant dix ans.

Cam ou **Cão** (Diogo) (XVe s.), navigateur portugais. Il découvrit l'embouchure du Congo en 1485.

Camagüey, ville de Cuba, à l'ouest de l'île; 271 850 hab.; ch.-l. de la prov. du m. nom. Sucreries. Raff. de pétrole.

camaïeu [kamajø] n. m. **1.** Pierre fine taillée, présentant deux couches d'une même couleur mais de nuances différentes. **2.** Œuvre peinte où sont utilisées les diverses nuances d'une même couleur. *On a peint beaucoup de camaïeux au XVIIIe s.* ▷ Fig. *Une colline en camaïeu.*

camail, ails n. m. **1.** HIST Armure de mailles qui protégeait la tête et le cou. **2.** Petite pèlerine à capuchon que portent certains dignitaires du clergé catholique. **3.** ZOOL Ensemble des longues plumes du cou et de la poitrine chez certains oiseaux, notam. le coq.

Câmara (Dom Hélder Pessõa). V. Pessõa Câmara.

camarade n. **1.** Personne avec qui on partage certaines occupations, certaines habitudes et qui de ce fait devient familière, proche; compagnon. *Camarade de régiment, d'école, d'atelier.* - *Par ext.* Ami. *Un vrai camarade.* ▷ (Appellation familière.) *Ça va, camarade?* **2.** Appellation utilisée dans les partis et organisations socialistes, communistes, ainsi que dans certains syndicats. *Camarades syndiqués... Le camarade Untel veut intervenir.*

camaraderie n. f. Familiarité entre camarades. *Un geste de camaraderie. Un père qui a des liens de camaraderie avec ses enfants.* - *Par ext.* Solidarité.

camard, arde adj. et n. **I.** adj. *Un nez camard*, camus, plat et écrasé. ▷ Qui a un nez camard. **II.** n. **1.** Personne qui a un nez camard. **2.** n. f. Litt. *La Camarde* : la Mort.

Camargo (Marie Anne de Cupis de) (Bruxelles, 1710 - Paris, 1770), danseuse française. Rivale de Marie Sallé, elle fit évoluer l'art chorégraphique dans le sens d'une plus grande expressivité.

camarguais, aise adj. et n. **1.** De Camargue. ▷ Subst. Habitant ou personne originaire de la Camargue. *Un(e) Camarguais(e).* **2.** n. m. Cheval de Camargue (on dit aussi *cheval camargue*).

Camargue (la), rég. marécageuse de Provence, entre le Grand et le Petit Rhône; 740 km^2. L'élevage des taureaux et des chevaux (au S., où a été créé en 1972 un parc naturel qui englobe une réserve établie en 1928) est de tradition ancienne. Production de riz, de sel (marais salants). Vigne. Cultures fourragères.

camarilla n. f. **1.** HIST Familiers du roi, en Espagne. **2.** Péjor., vieilli Coterie influente auprès d'un homme puissant.

Cà Mau (pointe de), à l'extrémité S. (bec tourné vers l'O.) du Viêt-nam.

Cambacérès (Jean-Jacques Régis de), duc de Parme (Montpellier, 1753 - Paris, 1824), juriste et homme polit. français. Conventionnel, deuxième consul, archichancelier d'Empire (1804), il fut un des principaux rédacteurs du Code civil. Acad. fr. (1803).

Cambay, port de l'Inde (Mahārāshtra), au nord de Bombay, sur le *golfe de Cambay;* 63 000 hab. - Mosquée (XIVe s.).

Cambert (Robert) (Paris, v. 1628 - Londres, 1677), compositeur français; un des créateurs de l'opéra en langue française : *la Pastorale d'Issy* (1659), *Pomone* (1671), *Ariane* (1674).

cambial, ale, aux ou **cambiaire** adj. FIN Relatif au change. *Droit cambiaire.*

cambiste n. FIN Personne qui s'occupe d'opérations de change.

cambium n. m. BOT Couche de cellules entre le bois et le liber, qui donne naissance à ces deux formations par multiplication cellulaire.

Cambodge, État d'Asie du S.-E., situé entre la Thaïlande, le Laos et le Viêt-nam; 181 035 km^2; 9 000 000 hab. (Khmers à plus de 88,6 %, minorités chinoise et vietnamienne), croissance démographique : 2,5 % par an; cap. *Phnom Penh.* Nature de l'État : monarchie parlementaire. Langue off. : khmer. Monnaie : riel. Relig. (d'État) : bouddhisme.

Géogr. phys. et hum. - Des hauteurs périphériques, la chaîne de l'Éléphant, la chaîne des Cardamomes et la chaîne du Dangrek, encadrent une vaste dépression centrale, drainée par le Mékong et ses affluents et occupée par le lac Tonlé Sap. Cette zone de bas pays est constituée de plateaux et de plaines inondées chaque année par la crue du fleuve. Le climat tropical est rythmé par la mousson d'été qui s'accompagne d'abondantes précipitations entrete-

nant une forêt de tecks. La densité est forte dans les plaines et les vallées rizicoles.
Écon. – Ruiné par deux décennies de guerre, le Cambodge est l'un des pays les plus pauvres du monde. L'écon., essentiellement agraire, connaît une reprise depuis les réformes libérales de 1988 qui ont permis à la production alimentaire (riz paddy, tubercules, légumes, pêche, élevage bovin et porcin) de retrouver son niveau des années 1960 et favorisé la renaissance de l'artisanat et du petit commerce.
Hist. – Au Ier s. apr. J.-C., sous l'influence d'une import. immigration de commerçants et de brahmanes venus d'Inde, se forme le premier royaume du Cambodge, nommé Founan. À son apogée, il déborde le cadre actuel, englobant le bassin du Ménam (dans la Thaïlande actuelle) et une partie de la péninsule malaise. Après une brillante période hindouiste, l'unité du royaume ne résiste pas aux luttes féodales du VIIe s. Il faut attendre le IXe s. pour voir le prince Jayavarman II (802-850) refaire l'unité du royaume khmer. Son fils Yaçovarman Ier (889-900) établit à Angkor sa cap., qui va devenir une prestigieuse ville monumentale, notam. au XIIe s., le grand siècle de l'Empire khmer : apogée de l'expansion territoriale, épanouissement de l'architecture avec la construction d'Angkor Vat, mausolée du prince Sûryavarman II (1113-1150). Les invasions siamoises, à l'O., puis vietnamiennes, à l'E., précipitent la décadence khmère. Les Siamois prennent Angkor en 1431, et Phnom Penh devient la cap. du Cambodge en 1434. Au XIXe siècle, Ang Duong, roi du Cambodge (1845-1859), demande l'aide de la France pour échapper à l'emprise du Viêt-nam et du Siam, mais la mission française échoue. Son fils Norodom Ier, pour éviter la destruction de son État, accepte, en 1863, le protectorat des Français, désireux d'installer, entre leur colonie de Cochinchine et le Siam, un État tampon leur permettant de faire face aux ambitions siamoises. Du point de vue territorial, le protectorat est favorable au Cambodge, qui, en 1907, récupère les provinces du Nord, avec les régions d'Angkor. La situation marginale du pays par rapport au reste de l'Indochine française ainsi que la prudence du roi Norodom Sihanouk (arrière-petit-fils de Norodom Ier), monté sur le trône en 1941, permettent au Cambodge de ne pas trop souffrir des guerres qui affectent les pays voisins (Viêt-nam et Laos) et d'obtenir son indépendance en 1953, confirmée par la conférence de Genève (1954). Sihanouk gouverne avec modération son pays et le modernise. Cependant, le mécontentement des paysans, victimes des usuriers, et l'influence du Viêt-cong suscitent l'essor du mouvement communiste des Khmers rouges. D'autre part, les milieux traditionalistes souhaitent une politique anticommuniste plus ferme. Cette double opposition aboutit à la chute de Sihanouk, renversé par le gal Lon Nol en 1970, et met un terme à la neutralité cambodgienne. La prise du pouvoir par Lon Nol, soutenu par les États-Unis, est immédiatement suivie de massacres de Vietnamiens et l'intensification de la guérilla, menée par les Khmers rouges, mais aussi par des partisans de Sihanouk, réfugié en Chine où il forme un Gouvernement royal d'union nationale du Kampuchéa (G.R.U.N.K.). Les Khmers rouges triomphent en 1975 et s'emparent de Phnom Penh. Leur dictature, qui dure quatre ans, est une catastrophe pour le Cambodge. Dirigés par Khieu Samphan et Pol Pot, ils mènent une révolution sanglante (plus de 1 million de morts), fondée sur la volonté d'effacer toute trace de la culture traditionnelle. Ces exactions provoquent de vives réactions, qui se traduisent par l'invasion des troupes vietnamiennes (que l'U.R.S.S. soutient) en 1979 et l'installation au pouvoir de communistes plus modérés. Le nouveau régime, dirigé par Hun Sen, se heurte à la double opposition des Khmers rouges et des partisans de Sihanouk, qui mènent (armés par la Chine) la guérilla à partir de camps situés à la frontière thaïlandaise. À partir de 1988, facilitées par l'amélioration des relations sino-vietnamiennes et américano-soviétiques, des négociations s'engagent entre les factions adverses. En 1989, les troupes vietnamiennes se retirent du Cambodge. Les négociations, placées sous l'égide des Nations unies, aboutissent en octobre 1991 aux accords de Paris, qui mettent officiellement fin à la guerre civile. Aux élections de mai 1993, le Funcinpec, parti royaliste, dirigé par le fils de Sihanouk, Norodom Ranariddh, devance le Parti du peuple cambodgien (P.C.P., communiste), mené par Hun Sen. Un gouvernement de coalition est formé par Sihanouk, avec deux co-Premiers ministres (Hun Sen et N. Ranariddh), et en octobre 1993 une nouvelle Constitution rétablit Sihanouk sur le trône. Mais la guérilla des Khmers rouges se poursuit. L'ampleur des destructions, la disparition des élites, la banalisation de la violence sont autant d'obstacles au développement de la démocratie. La mort de Pol Pot en avril 1998 met fin aux dernières guérillas des Khmers rouges dont les leaders survivants se rendent à Hun Sen qui consolide son pouvoir.

cambodgien, enne adj. et n. Du Cambodge.

Cambon (Joseph) (Montpellier, 1756 – Saint-Josse-ten-Noode, près de Bruxelles, 1820), conventionnel français. Membre du premier Comité de salut public (1793) et président du Comité des finances (1793-1795), il créa le « grand livre de la Dette publique » et contribua à la chute de Robespierre.

Cambon (Paul) (Paris, 1843 – id., 1924), diplomate français. Ambassadeur à Londres de 1898 à 1920, il contribua à l'établissement de l'Entente cordiale. – **Jules** (Paris, 1845 – Vevey, 1935), frère du préc., fut ambassadeur à Berlin de 1907 à 1914. Acad. fr. (1918).

cambouis [kɑ̃bwi] n. m. Huile, graisse ayant servi à la lubrification d'organes mécaniques, noircie par les particules qui s'y sont incorporées.

Cambrai, ch.-l. d'arr. du Nord, sur l'Escaut; 34 210 hab. (*Cambrésiens*). Centre comm. Industr. alim. (confiserie : bêtises de Cambrai), textile. Constr. méca. – Archevêché qui eut Fénelon pour titulaire de 1695 à 1715. Beffroi (XVe-XVIIIe s.). – En 1508, une alliance, la *ligue de Cambrai*, y fut conclue contre les Vénitiens entre Louis XII (qui les battit en 1509 à Agnadel), le pape Jules II, l'empereur Maximilien et Ferdinand d'Aragon; elle se dissocia dès 1510. – La *paix de Cambrai* ou *paix des Dames* y fut signée, en 1529, entre Louise de Savoie, au nom de François Ier, et Marguerite d'Autriche, au nom de Charles Quint.

cambré, ée adj. Courbé, arqué. *Un dos cambré,* creusé au niveau des reins. *Un pied cambré,* dont la plante est concave.

cambrer v. tr. [1] **1.** Courber légèrement, arquer (qqch). *Cambrer un madrier.* **2.** *Cambrer le corps, les reins, la taille* : se redresser en courbant légèrement le corps en arrière. ▷ v. pron. *Ne te cambre pas trop.*

cambrésien, enne adj. et n. De Cambrai; du Cambrésis.

Cambrésis, rég. du N. de la France, autour de Cambrai. C'est un pays fertile (blé, betterave à sucre), voie de passage entre la Flandre et le Bassin parisien par le *seuil du Cambrésis.*

Cambridge, v. de G.-B., au N.-E. de Londres; 101 100 hab.; ch.-l. du comté du m. nom. – Université célèbre, fondée au XIIIe s., rivale de celle d'Oxford.

Cambridge, v. des É.-U., dans le Massachusetts; 95 800 hab. – Université Harvard; Massachusetts Institute of Technology (M.I.T.).

Cambridgeshire, comté d'Angleterre; 3 409 km^2; 670 000 hab.; ch.-l. *Cambridge.*

cambrien, enne n. m. et adj. Première période de l'ère primaire; ensemble des terrains formés pendant cette période, qui contiennent les plus anciens fossiles connus. ▷ adj. De cette période. *La faune cambrienne.*

cambriolage n. m. Action de cambrioler; son résultat. *S'assurer contre le cambriolage.*

cambriole n. f. Arg., vieilli Cambriolage, monde du cambriolage.

cambrioler v. tr. [1] Voler en s'introduisant dans (une maison, un lieu fermé). *Cambrioler un appartement.* – Par ext. *On a cambriolé les voisins pendant les vacances. Se faire cambrioler.*

cambrioleur, euse n. Personne qui cambriole.

Cambronne (Pierre, vicomte) (Nantes, 1770 – id., 1842), général français. Il eut une conduite héroïque à Waterloo, où il commandait la Vieille Garde. Il a toujours nié avoir prononcé le mot qui lui est attribué.

cambrousse n. f. Pop., péjor. Campagne. *Il n'est jamais sorti de sa cambrousse !*

cambrure n. f. **1.** État, aspect de ce qui est courbe, arqué. *Cambrure d'une poutre de bois.* **2.** Partie cambrée. *La cambrure des reins. Cambrure d'une chaussure,* entre la semelle et le talon.

cambuse n. f. **1.** MAR Magasin à vivres d'un navire. **2.** Fam., péjor. Chambre, habitation pauvre, mal tenue.

Cambyse Ier, roi de Perse (v. 600 – 559 av. J.-C.), fils de Cyrus Ier et père de Cyrus le Grand. – **Cambyse II,** roi de Perse, succéda (530-522 av. J.-C.) à son père Cyrus II. Il conquit l'Égypte.

1. came n. f. Pièce arrondie non circulaire ou munie d'une encoche, d'une saillie, dont la rotation permet d'imprimer à une autre pièce un mouvement rectiligne alternatif. *Un arbre à cames. Des cames à disques.*

2. came n. f. Arg. Drogue.

camé, ée adj. et n. Arg. Drogué.

camée n. m. **1.** Pierre fine (onyx, agate, etc.) formée de couches de différentes couleurs, et sculptée en relief. *Un camée monté en pendentif.* **2.** Peinture en grisaille imitant le camée.

caméléon n. m. **1.** Reptile saurien arboricole et insectivore, long d'environ 30 cm, qui a la faculté de changer de couleur en fonction du milieu. (Les

caméléon capturant un criquet

caméléons vivent en Andalousie, en Afrique, à Madagascar, en Asie du Sud. Leurs yeux pédonculés ont des mouvements indépendants. Ils peuvent projeter leur langue très en avant pour capturer leurs proies.) **2.** Fig. Personne qui change fréquemment d'humeur, d'opinion, de conduite, selon les circonstances.

camélia n. m. **1.** Plante arborescente (genre *Camellia*, fam. théacées) à grandes fleurs blanches, roses ou rouges, à feuilles coriaces et persistantes. (*Camellia japonica* est le camélia ornemental des jardins. *Camellia sinensis* ou *Thea sinensis* est l'arbre à thé*.) **2.** Fleur du camélia.

camélidés n. m. pl. ZOOL Famille de mammifères artiodactyles sélénodontes (ruminants), sans cornes, à sabots réduits, comprenant les chameaux, les dromadaires, les lamas et les vigognes. – Sing. *Un camélidé.*

camelot n. m. **1.** Marchand forain, vendeur de menus objets sur la voie publique. **2.** HIST *Camelot du roi* : militant royaliste vendeur du journal *l'Action française* à la criée, entre 1908 et 1936.

Camelot (Robert) (Reims, 1903), architecte français; spécialiste du voile mince en béton armé (CNIT, 1958-1962, la Défense avec J. de Mailly et B. Zehrfuss).

camelote n. f. Fam. **1.** Marchandise de mauvaise qualité. **2.** Marchandise.

camembert n. m. **1.** Fromage de lait de vache à croûte fleurie, en forme de cylindre aplati, fabriqué selon le procédé traditionnel de la région de Camembert, dans l'Orne. **2.** Graphique présenté sous forme de cercle divisé en secteurs.

camer (se) v. pron. [1] Arg. Se droguer.

caméra n. f. Appareil de prises de vues (cinéma, télévision). *Caméra électronique*, transformant une image optique en une image électronique.

cameraman, men n. m. (Anglicisme) Syn. (off. déconseillé) de *cadreur*.

Camerarius (en all. *Kammermeister*, dit Joachim Ier) (Bamberg, 1500 – Leipzig, 1574), humaniste allemand. Il rédigea avec Melanchthon la *Confession d'Augsbourg* et l'*Apologie* de celle-ci. – **Rudolf Jakob** (Tübingen, 1665 – id., 1721), descendant du préc., naturaliste.

camérier n. m. Huissier de la chambre privée du pape.

camériste n. f. **1.** HIST Dame qui était attachée à la chambre d'une princesse, en Italie, en Espagne. **2.** Vx ou plaisant Femme de chambre.

camerlingue n. m. Cardinal qui gère les affaires de l'Église durant la vacance du Saint-Siège.

Camerone (francisation de *Camarón*, auj. *Villa Tejeda*), local. du Mexique, où des légionnaires franç. se défendirent héroïquement contre les Mexicains, le 30 avril 1863. Cette date est devenue celle de la fête de la Légion étrangère.

Cameroun (République du) *(United Republic of Cameroon)*, État de l'O. de l'Afrique, sur le golfe de Guinée; 475 442 km^2; env. 13 500 000 hab., croissance démographique : plus de 2,5 % par an; cap. *Yaoundé.* Nature de l'État : rép. de type présidentiel. Langues off. : franç. et angl. Monnaie : franc C.F.A. Relig. : animistes, musulmans, cathol., protestants.
Géogr. phys. et hum. – Aux plaines côtières densément peuplées du S.-O. succède un vaste plateau central, relayé, au N., par des plaines dépendant des bassins de la Bénoué et du lac Tchad. L'O. est flanqué d'une chaîne volcanique culminant à 4 070 m au mont Cameroun. Les régions méridionales, subéquatoriales, sont couvertes de forêt dense alors qu'au N. la savane correspond à une saison sèche plus longue. La population, citadine à 50 %, est très variée sur le plan ethnique : Soudanais (Xotokos, Massas, Toupouris...), Bantous (Bamilékés, Fangs...), pasteurs foulbés du N. (Borobos).
Écon. – Le développement du pays a été fondé sur les cultures commerciales, café et cacao surtout, qui assurent 40 % des recettes extérieures, à égalité avec le pétrole, exploité depuis 1978 à Douala et Kribi. Le bois et ses dérivés sont une ressource importante (plus de 10 % des exportations). L'ouverture d'une zone franche à Douala en 1991 devrait renforcer un secteur industriel trop peu diversifié (aluminium à Edea, textile, agro-alimentaire). Avec un P.N.B. qui dépasse 1 000 dollars par hab. et par an, le Cameroun est l'un des pays les moins défavorisés de la zone, mais la baisse des cours à l'exportation a entraîné de graves déséquilibres et imposé une politique d'austérité depuis 1986, renforcée par un programme de stabilisation du F.M.I. en 1988. Le Cameroun s'enfonce dans la récession (1995).
Hist. – Le peuplement se fit par arrivées successives de populations venues du N. De puissants royaumes se constituèrent du XVIe au XIXe s. (Bamum, Chomba, Mboum). La région côtière, découverte par Fernando Póo au XVe s., fut un centre de la traite des Noirs au XVIIe s. L'intérieur, exploré au XIXe s. par les Européens, devint en 1884 un protectorat allemand, que le traité franco-allemand de 1911 étendit jusqu'au Congo et à l'Oubangui. Occupé par les forces franco-brit. de 1914 à 1916, le pays fut placé, par la S.D.N., en 1922, sous mandat français,

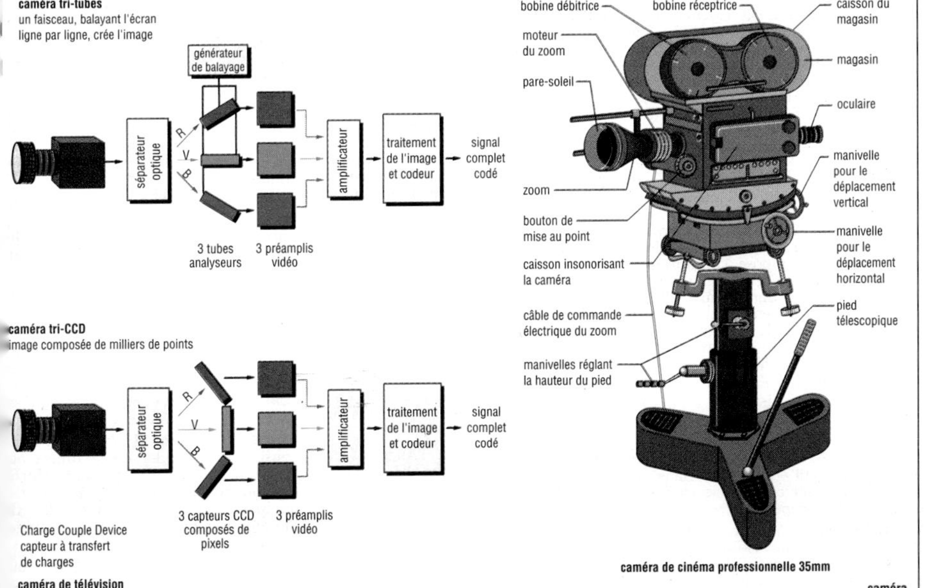

caméra

une étroite bande à l'O. revenant à la G.-B. Le Cameroun franç., indép. en 1960, forma en 1961 avec le S. du Cameroun brit. (le N. fusionnant avec le Nigeria) une fédération, puis une union en 1972. Ahmadou Ahidjo, prés. de la Rép. de 1960 à 1982, confronté à la rébellion de l'U.P.C. (Union des populations du Cameroun) de 1961 à 1971, s'appuya sur l'U.N.C. (Union nationale camerounaise), parti unique devenu en 1985 le R.D.P.C. (Rassemblement démocratique du peuple camerounais). Son successeur, Paul Biya (candidat unique), fut élu prés. de la Rép. en 1984. Alors que l'opposition impose l'instauration du multipartisme (1991), il est réélu en 1992 et 1997. Le Cameroun a adhéré au Commonwealth en 1995 et a promulgué une nouvelle Constitution en 1996, qui instaure un Parlement bicaméral (Assemblée et Sénat) et une Cour constitutionnelle.

camerounais, aise adj. et n. Du Cameroun. ▷ Subst. *Un(e) Camerounais(e).*

caméscope n. m. (Nom déposé.) Appareil portatif réunissant dans le même boîtier une caméra électronique et un magnétoscope.

Camille (m. v. 667 av. J.-C.), jeune Romaine, sœur des Horaces et fiancée à l'un des Curiaces. Elle fut tuée par son frère, vainqueur des Curiaces, parce qu'elle maudissait sa victoire.

Camille (Marcus Furius Camillus) (V[e]-IVe s. av. J.-C.), général romain. Dictateur, il s'empara de Véies (396 av. J.-C.) et chassa de Rome les Gaulois, qui l'avaient prise en 390 av. J.-C.

1. camion n. m. **1.** ANC. Chariot bas à quatre roues. **2.** Véhicule automobile destiné au transport de charges lourdes et volumineuses. *Camion de déménagement. Camion-grue. Camion-citerne.* **3.** TECH Récipient dans lequel les peintres en bâtiment délaient la peinture.

2. camion n. m. TECH Très petite épingle.

camionnage n. m. Transport par camion. ▷ Prix de ce transport.

camionner v. tr. [1] Transporter par camion.

camionnette n. f. Petit camion.

camionneur, euse n. **1.** Personne qui conduit un camion. **2.** Entrepreneur de camionnage. **3.** n. m. Gros pull à col zippé.

camisard n. m. HIST Protestant des Cévennes, révolté contre Louis XIV à la suite de la révocation de l'édit de Nantes, pendant la guerre de Succession d'Espagne (1702-1705).

camisole n. f. **1.** VX Vêtement court, à manches. ▷ (Canada) Sous-vêtement sans manches ou à manches courtes qui couvre le torse. **2.** *Camisole de force* : combinaison à manches fermées employée autref. couramment pour paralyser les mouvements des malades mentaux agités. ▷ *Camisole chimique* : médicament qui supprime l'extériorisation bruyante du trouble psychique.

Camoëns ou **Camões** (Luís Vaz de) (Lisbonne, v. 1524 – id., 1580), le plus grand poète portugais de la Renaiss. *Les Lusiades* (1572), son chef-d'œuvre, est un poème épique dans lequel il retrace toute l'histoire du Portugal, en exaltant plus partic. le voyage aventureux de Vasco de Gama. Auteur de comédies dramatiques (*Amphitryon*, v. 1540) et de sonnets, odes, églogues, élégies, réunis sous le titre de *Rimas*.

camomille n. f. Nom commun de la matricaire (fam. composées) dont les capitules sont utilisés en infusion pour stimuler la digestion. ▷ Cette infusion.

camomille romaine

Camondo (de), famille de financiers et de philanthropes juifs turcs, d'origine hispano-portugaise, dont plusieurs membres s'établirent en France. – **Isaac** (1851 – 1911) légua ses collections au musée du Louvre. – **Moïse** (1860 – 1935), cousin du préc., légua au musée des Arts décoratifs son hôtel particulier, construit par Sergent (1911-1914), et les œuvres d'art qu'il contenait (musée Nissim-de-Camondo, du nom de son fils, aviateur mort au combat en 1917).

camorra n. f. HIST Association de malfaiteurs, organisée et hiérarchisée, apparue principalement dans le royaume de Naples au XIXe s. ▷ MOD. Équivalent de la Mafia à Naples.

camouflage n. m. Action de camoufler ; son résultat.

camoufler v. tr. [1] Déguiser, rendre méconnaissable ou moins visible. *Camoufler des engins de guerre avec du feuillage.* – FIG. *Camoufler son écriture. Camoufler ses sentiments.* ▷ v. pron. *Il se camoufle derrière une écharpe.*

camouflet n. m. **1.** ANC. Taquinerie consistant à souffler de la fumée au visage de quelqu'un. ▷ *Par ext.*, LITT. Mortification, affront. *Infliger un camouflet à quelqu'un.* SYN. vexation, offense. **2.** MILIT Mine utilisée pour détruire un ouvrage adverse.

camp n. m. **1.** Espace de terrain où des troupes, des forces militaires, stationnent. *Camp volant*, provisoire. *Cam* *retranché* : place forte. **2.** Espace de terrain servant de lieu d'internement. *Camp de prisonniers. Camp de concentration* : V. nazisme et encycl. guerre. **3.** Lieu où des campeurs, des alpinistes dressent leurs tentes. **4.** Loc. fig. *Lever, ficher* (fam.), *foutre* (fam.) *le camp* : s'en aller, déguerpir. **5.** Parti, faction. *Il a changé de camp.* **6.** Dans certains jeux, terrain de base d'une équipe. *Envoyer la balle dans le camp adverse.* – Chacune des équipes qui s'opposent. **7.** (Canada) *Camp* ou *campe* : cabane de bois construite en forêt, aménagée sommairement pour servir d'abri. *Un petit camp en bois rond. Camp de bûcherons, de chasseurs.* – *Par ext.* Emplacement comportant plusieurs camps. *Un camp forestier* : V. chantier.

Camp (Maxime Du). V. Du Camp.

campagnard, arde adj. et n. De la campagne; qui vit à la campagne. *Habitudes campagnardes. Gentilhomme campagnard.* ▷ Subst. *Un(e) campagnard(e).*

campagne n. f. **I. 1.** Étendue de pays plat et non boisé. *Tomber en panne d'essence en rase (pleine) campagne.* ▷ GEOGR Paysage rural présentant des champs non clôturés et un habitat groupé. **2.** Les régions rurales (par oppos. à *la ville*). *Aller respirer l'air de la campagne. Maison de campagne. Curé, médecin de campagne. Passer ses vacances à la campagne.* – *Partie de campagne* : excursion à la campagne. – Loc. *Battre la campagne* : V. battre. **II. 1.** Expédition, ensemble d'opérations militaires. *Campagne d'Italie.* ▷ *Artillerie de campagne*, très mobile. **2.** Période d'activité d'une durée déterminée; ensemble d'opérations qui se déroulent suivant un programme établi à l'avance. *Campagne publicitaire, électorale.*

campagnol n. m. Rongeur muridé de petite taille à queue courte, qui cause d'importants dégâts dans les cultures, de blé notam. Syn. rat des champs.

Campan (Jeanne Louise Henriette Genet, Mme) (Paris, 1752 – Mantes, 1822), pédagogue française; première femme de chambre de Marie-Antoinette. Sous l'Empire, elle fut directrice de la maison de la Légion d'honneur à Écouen.

Campana (Dino) (Marradi, Toscane, 1885 – Castel Pulci, Toscane, 1932), poète italien. Il mena une vie errante et mourut dans un asile d'aliénés. Ses écrits sont empreints d'un lyrisme puissant (*Chants orphiques*, 1914).

Campanella (Tommaso) (Stilo, Calabre, 1568 – Paris, 1639), philosophe italien. Dominicain suspecté d'hérésie, puis accusé d'avoir pris la tête d'une révolte paysanne en Calabre, il passa vingt-sept ans en prison. Sa *Cité du Soleil* (v. 1602) décrit une cité théocratique idéale, fondée sur la communauté de vie.

Campanie, région admin. d'Italie et région de la C.E., au S. de Rome, sur la mer Tyrrhénienne, formée des prov. d'Avellino, de Bénévent, de Caserte, de Naples et de Salerne; 13 595 km²; 5 731 430 hab.; cap. *Naples.* La polyculture méditerranéenne intensive (fruits, légumes, vigne, céréales) occupe les plaines littorales fortement peuplées, dominées par les hauteurs calcaires de l'Apennin et ponctuées de volcans (Vésuve, champs Phlégréens). Le développement industriel de Naples et de Salerne et l'essor du tourisme ont enrayé l'émigration et l'exode vers le N.; mais le niveau de vie reste faible et le chômage élevé. – La colonisation grecque, qui débuta au VIIIe s. av. J.-C., fut import. La romanisation commença au IVe s. av. J.-C.

campaniforme adj. Didac. Qui a la forme d'une cloche. *Chapiteau campaniforme.*

campanile n. m. ARCHI **1.** Clocher à jour. – *Par ext.* Clocher isolé du corps de l'église. *Le campanile de Pise.* **2.** Lanterne qui surmonte certains édifices civils. *Le campanile de l'hôtel de ville de Lille.*

campanule n. f. Plante herbacée à fleurs gamopétales bleues, violettes ou blanches, en forme de clochettes, dont plus de vingt espèces poussent en France.

campanule

Campbell, clan d'Écosse qui joua un rôle politique important en Angleterre à partir du XIIIe s.

Campbell (William Wallace) (Hancock County, Ohio, 1862 – Mount Hamilton, Californie, 1938), astronome américain. Il fut le premier à expérimenter le principe de Doppler-Fizeau pour mesurer la vitesse des étoiles; il appliqua les théories d'Einstein sur la déviation de la lumière.

Campbell (Roy Ignace Dunnachie) (Durban, 1901 - Setúbal, Portugal, 1957), journaliste et écrivain sud-africain d'expression anglaise. Il est l'auteur de poèmes violents, favorables à l'apartheid : *la Tortue flamboyante* (1924), *la Georgiade* (1931), *la Fleur au fusil* (1939).

Camp David (accords de), traité de paix conclu, sur les instances du président américain J. Carter, entre l'Égypte (A. el-Sadate) et Israël (M. Begin), dans une résidence des présidents des É.-U. (Maryland), en 1978. Un second accord, envisageant le statut futur de la Cisjordanie et de Gaza, est resté inappliqué après la dénonciation unilatérale des accords par l'Égypte en 1987.

Camp du Drap d'or, lieu situé entre Guînes et Ardres (Pas-de-Calais), où se déroula en 1520 la rencontre entre François Ier et Henri VIII d'Angleterre en vue de conclure une alliance contre Charles Quint. Les deux souverains y rivalisèrent dans l'étalage de richesses.

campé, ée adj. **1.** *Bien campé* : bien bâti, vigoureux. *Un garçon bien campé.* – Fig. *Un personnage de roman bien campé*, qui s'impose avec précision. **2.** EQUIT Se dit d'un cheval dont les aplombs sont défectueux. *Campé du devant, du derrière.*

campêche n. m. Bois d'un arbre d'Amérique latine (genre *Hæmatoxylon*), qui, par infusion, donne un colorant brun-rouge.

Campeche, v. et port du Mexique; 172 200 hab.; cap. de l'État du m. nom. – Le *golfe* (ou *baie*) *de Campeche* est la partie méridionale du golfe du Mexique, que ferme le Yucatán.

campement n. m. **1.** Action de camper. **2.** Lieu où l'on campe. **3.** Installation sommaire, provisoire.

camper v. [1] **I.** v. intr. **1.** Établir un camp; vivre dans un camp. *La troupe campait aux abords de la ville.* **2.** Faire du camping. *Les enfants campent au bord de la mer.* **3.** Fig. S'installer sommairement et provisoirement. *Pendant notre déménagement, nous irons camper chez un ami.* **II.** v. tr. **1.** Établir dans un camp. *Camper son régiment sur la rive d'un fleuve.* **2.** Établir, poser solidement, hardiment. *Camper sa casquette sur l'oreille.* ▷ Fig. Représenter avec exactitude, avec relief. *Auteur qui campe rapidement un personnage.* – Pp. *Un récit bien campé.* **III.** v. pron. Se placer, s'installer avec audace, avec autorité. *Il se campa hardiment en face de lui.*

campeur, euse n. Personne qui pratique le camping.

camphre [kɑ̃fʀ] n. m. Substance de saveur âcre et aromatique, cétone terpénique et bicyclique ($C_{10}H_{16}O$) extraite du camphrier, aux propriétés stimulantes et antiseptiques.

camphré, ée adj. Qui contient du camphre. *Huile camphrée.*

camphrier n. m. Arbuste d'Asie du S.-E. et d'Océanie (fam. lauracées), dont on extrait le camphre par distillation du bois.

Campin (Robert) (Valenciennes, v. 1378 – Tournai, 1444), peintre flamand. V. Flémalle (le Maître de).

Campina Grande, v. du Brésil (État du Paraíba); 280 670 hab. Foire au bétail.

Campinas, v. du Brésil (São Paulo); 845 060 hab. Industr. alimentaires, textiles; métallurgie. Université.

Campine (en flam. *Kempen*), plaine du N. de la Belgique, se prolongeant aux Pays-Bas. La forte urbanisation autour de l'import. bassin houiller situé à l'est ainsi que la présence d'Anvers ont provoqué son développement agricole (fertilisation des sols sableux) : élevage laitier, cultures maraîchères.

camping [kɑ̃piŋ] n. m. Activité touristique qui consiste à camper, à vivre en plein air en couchant, la nuit, sous la tente. *Terrain de camping.*

camping-car [kɑ̃piŋkaʀ] n. m. (Anglicisme) Syn. (off. déconseillé) de *autocaravane. Des camping-cars.*

camping-gaz [kɑ̃piŋgaz] n. m. inv. (Nom déposé.) Réchaud à gaz portatif.

campo. V. campos.

Campobasso, v. d'Italie (région de Molise); 48 300 hab.; ch.-l. de la prov. du m. nom. Région de collines (monts du Matese). Archevêché. Coutellerie.

Campoformio (auj. *Campoformido*), v. d'Italie (Vénétie) où fut signé en 1797 un traité entre Bonaparte et l'Autriche. La France obtint les anc. Pays-Bas espagnols, une partie de la r. g. du Rhin, les îles Ioniennes et également la reconnaissance de la république cisalpine. Le traité entérinait la suppression de la république de Venise, dont les possessions étaient données à l'Autriche.

Campo Grande, v. du Brésil, cap. du Mato Grosso do Sul; 384 398 hab. Centre comm. Aéroport. Université.

campos ou **campo** [kɑ̃po] n. m. Fam., vieilli Repos, congé donné à des écoliers. *Ils ont campos pour deux jours.*

Campos, v. du Brésil (État de Rio de Janeiro); 367 130 hab. Industr. alim. (sucreries, café), textile et de l'aluminium.

Campra (André) (Aix-en-Provence, 1660 - Versailles, 1744), compositeur français. Il composa des motets, des messes et des psaumes; mais il est surtout le véritable créateur de l'opéra-ballet (*l'Europe galante*, 1697; *les Fêtes vénitiennes*, 1710).

campus [kɑ̃pys] n. m. Parc, vaste terrain qui entoure les bâtiments de certaines universités. - *Par ext.* Université dont les divers bâtiments sont séparés; territoire d'une telle université.

Cam Ranh (baie de), baie sur la côte mérid. du Viêt-nam, au S. de Nha Trang. Elle abrite le port de *Cam Ranh* (118 110 hab.). Une importante base aéronavale y a été aménagée, en 1965, par les Américains. De leur départ, en 1975, jusqu'en 1989, date du retrait des troupes soviétiques du Viêt-nam, elle a été utilisée par l'U.R.S.S.

camus, use adj. Court et plat, en parlant du nez. - Dont le nez est court et plat.

Camus (Albert) (Mondovi, Algérie, 1913 - près de Villeblevin, Yonne, 1960), écrivain français. Il proposa de surmonter le nihilisme qu'engendre le sentiment d'absurdité de l'Univers par une prise de conscience lucide, ouverte au monde. Essais : *le Mythe de Sisyphe* (1942), *l'Homme révolté* (1951), *l'Été* (1954); théâtre : *Caligula* (1938, remanié en 1958), *le Malentendu* (1942-1943), *l'État de siège* (1948), *les Justes* (1949); romans et nouvelles : *l'Étranger* (1942), *la Peste* (1947), *la Chute* (1956). P. Nobel 1957.

Albert **Camus**

Georg **Cantor**

Cana, bourg de Galilée; l'Évangile y situe le premier miracle de Jésus : l'eau changée en vin.

Canaan (terre ou pays de), territoire comprenant la Palestine et la Phénicie; c'est la Terre promise des Hébreux.

Canaan, personnage biblique; fils de Cham, petit-fils de Noé.

canada n. f. inv. Variété de pomme reinette dite aussi «reinette du Canada».

Canada, État fédéral de l'Amérique du Nord, membre du Commonwealth, deuxième pays du monde par la superf., s'étendant du Pacifique à l'Atlantique et des É.-U. (frontière de 8 850 km) à l'océan Arctique. Il est divisé en dix prov. et trois territ.; 9 203 210 km²; 29 600 900 hab.; cap. fédérale *Ottawa*. Nature de l'État : monarchie constitutionnelle (le chef honorifique de l'État est le souverain britannique). Langues off. : angl. et, depuis 1969, franç. Monnaie : dollar canadien. Relig. : catholicisme et protestantisme.

Géogr. phys. et hum. - Le relief s'ordonne autour du vaste bouclier canadien (47 % du pays), socle précambrien centré sur la baie d'Hudson et qui domine, à l'E., la vallée du St-Laurent. Au S.-E., de vieux massifs érodés sont le prolongement septentrional des Appalaches. À l'O. du bouclier s'étendent de vastes plaines sédimentaires (20 % du pays), dominées par les puissantes cordillères de l'O. pacifique (6 050 m au Mt Logan). L'empreinte des glaciers quaternaires est omniprésente (lacs, dépôts morainiques) et commande le dispositif hydrographique (Mackenzie, St-Laurent). La latitude, la continentalité et l'écran montagneux de l'O., qui arrête les influences pacifiques, expliquent la trame climatique, marquée par des hivers longs et intenses : toundra du Grand Nord arctique, forêt boréale de conifères des climats continentaux froids, qui lui fait suite au S., prairies des zones continentales sèches des grandes plaines. Seuls le S.-E., aux étés plus chauds (forêt mixte), et le S.-O. pacifique, aux hivers plus doux, offrent des conditions plus clémentes. Le peuplement, qui a progressé d'E. en O., avec la conquête pionnière du pays, est concentré et discontinu (la densité moyenne de 3,2 hab./km² n'ayant que peu de sens) : les provinces maritimes du S.-E., la vallée du St-Laurent, le S. de l'Ontario et des prairies, la région de Vancouver concentrent l'essentiel des habitants. La population, citadine à 78 %, compte 68 % d'anglophones, 23 % de francophones (ils constituent 83 % des effectifs au Québec et 31 % au Nouveau-Brunswick) et de nombreuses minorités : Amérindiens (qui représentent moins de 3 % de la pop. et tentent de faire reconnaître leurs droits), Inuit, Italiens, Allemands, Chinois, Ukrainiens, Grecs... La croissance démographique est modérée du fait de la baisse de la natalité et du ralentissement de l'immigration.

Écon. - Huitième puissance écon. mondiale, le Canada est un grand pays agricole, forestier et minier. Les grandes plaines sont l'un des greniers céréaliers du monde (2ᵉ exportateur de blé), alors que l'immense forêt boréale fournit en abondance bois et fourrures (la filière bois emploie près de 10 % des actifs du pays). Le solde commercial dégagé par l'export. de produits agricoles et forestiers est le plus élevé du monde. Moyennement pourvu en richesses fossiles : charbon et hydrocarbures du piémont des Rocheuses (Alberta et Colombie britannique), le Canada est le premier producteur mondial d'uranium (filière électronucléaire importante) et d'hydroélectricité, exportée vers les É.-U. (centrales de la baie James dans le nord du Québec). Les minerais métalliques constituent la principale richesse du sous-sol : 3ᵉ producteur et 1ᵉʳ exportateur mondial, le Canada occupe les meilleurs rangs pour le zinc, le nickel, l'or, le platine, le cuivre, le tungstène, le titane et de bonnes places pour le plomb, l'argent, le cobalt, le soufre et le fer. L'industrie, très diversifiée, se concentre au sud des Grands Lacs et dans la vallée du Saint-Laurent (Ontario et Québec), ainsi que dans les métropoles de l'Ouest. Elle est contrôlée aux deux tiers par des capitaux étrangers, américains et secondairement japonais. Doté de bonnes infrastructures de liaison, de la 2ᵉ voie d'eau du monde (Saint-Laurent-Grands Lacs), de ports modernes, le Canada ne dispose que d'un étroit marché intérieur et réalise 70 % de ses échanges avec les É.-U. L'Accord de libre-échange nord-américain (ALENA*), signé en août 1992 par le Canada, les É.-U. et le Mexique, est entré en vigueur en 1994. Malgré les turbulences politiques liées au référendum québécois (1995), la reprise économique s'est confirmée en 1996.

Hist. - Les Indiens furent les premiers habitants connus du pays. Le Canada fut reconnu par Cabot en 1497, exploré par Verrazano (1524) et par Cartier (1535-1536, remontée du Saint-Laurent), qui en prit possession au nom de la France. L'occupation de la Nouvelle-France, difficile à établir en raison des luttes engagées contre les Iroquois, se développa au XVIIᵉ s. : fondation de Québec par Champlain (1608), création en 1627 de la Compagnie de la Nouvelle-France chargée de coloniser le pays. Celui-ci fut administré comme une prov. franç. à partir de 1663, bénéficiant ainsi d'une meilleure organisation, qui permit l'exploration des terres intérieures. Mais le nombre de colons resta très inférieur à celui des Brit. implantés au S. Dès 1713, l'Acadie (Nouvelle-Écosse) et Terre-Neuve furent cédées à la G.-B.; à la suite de la guerre de Sept Ans et de la défaite subie par Montcalm dans les plaines d'Abraham, près de Québec (1759), le pays, appelé dès lors Canada, devint possession britannique (traité de Paris, 1763). Dans leur isolement, les colons franç. restèrent fortement soumis au clergé cathol. En 1791, à la suite de l'arrivée de 40 000 colons américains restés fidèles à la Couronne britannique, le pays fut divisé en Haut- et Bas-Canada. Une nouvelle Constitution (1840) réunit les deux prov., qui formèrent le Canada-Uni, lequel se transforma par l'*Acte de l'Amérique du Nord britannique* (1867) en une confédération, régie par une Constitution, demeurée en vigueur jusqu'en 1982 et à propos de laquelle l'ensemble des provinces ne s'est toujours pas mis d'accord, provoquant une grave crise politique (V. Québec); le statut, jusqu'en 1931, fut celui d'un dominion. Le pays se développa considérablement. Aux quatre prov. originelles : Nouveau-Brunswick, Nouvelle-Écosse, Ontario (Haut-Canada), Québec, s'ajoutèrent le Manitoba (1870), la Colombie britannique (1871), l'île du Prince-Édouard (1873), l'Alberta et le Saskatchewan (1905), Terre-Neuve (1949). Depuis 1945, dans le sillage des É.-U., le Canada a développé sa puissance économique et entrepris un aménagement de son immense territoire, surtout géré par des anglophones. King, Saint-Laurent, Diefenbaker, Pearson, Trudeau, Mulroney se sont succédé au poste de Premier ministre. Depuis que le Québec s'est refusé à avaliser l'amendement constitutionnel décidé en 1982 par les seules provinces anglophones, sa spécificité francophone n'est pas reconnue. En 1992, l'échec du référendum proposant de modifier la répartition des pouvoirs entre les dix provinces (et spécifiant l'existence d'une société distincte au Québec) a aggravé la crise institutionnelle. L'arrivée au pouvoir du parti libéral (oct. 1993) dirigé par Jean Chrétien n'a pas empêché la crise politique due à l'incertitude qui a pesé sur le résultat du référendum québécois. Plongés dans une crise identitaire, les Québécois ont finalement voté, le 30 octobre 1995, pour un maintien de leur province dans la Confédération avec 50,6 % des suffrages.

canadair n. m. (Nom déposé.) Avion de lutte contre les incendies de forêts

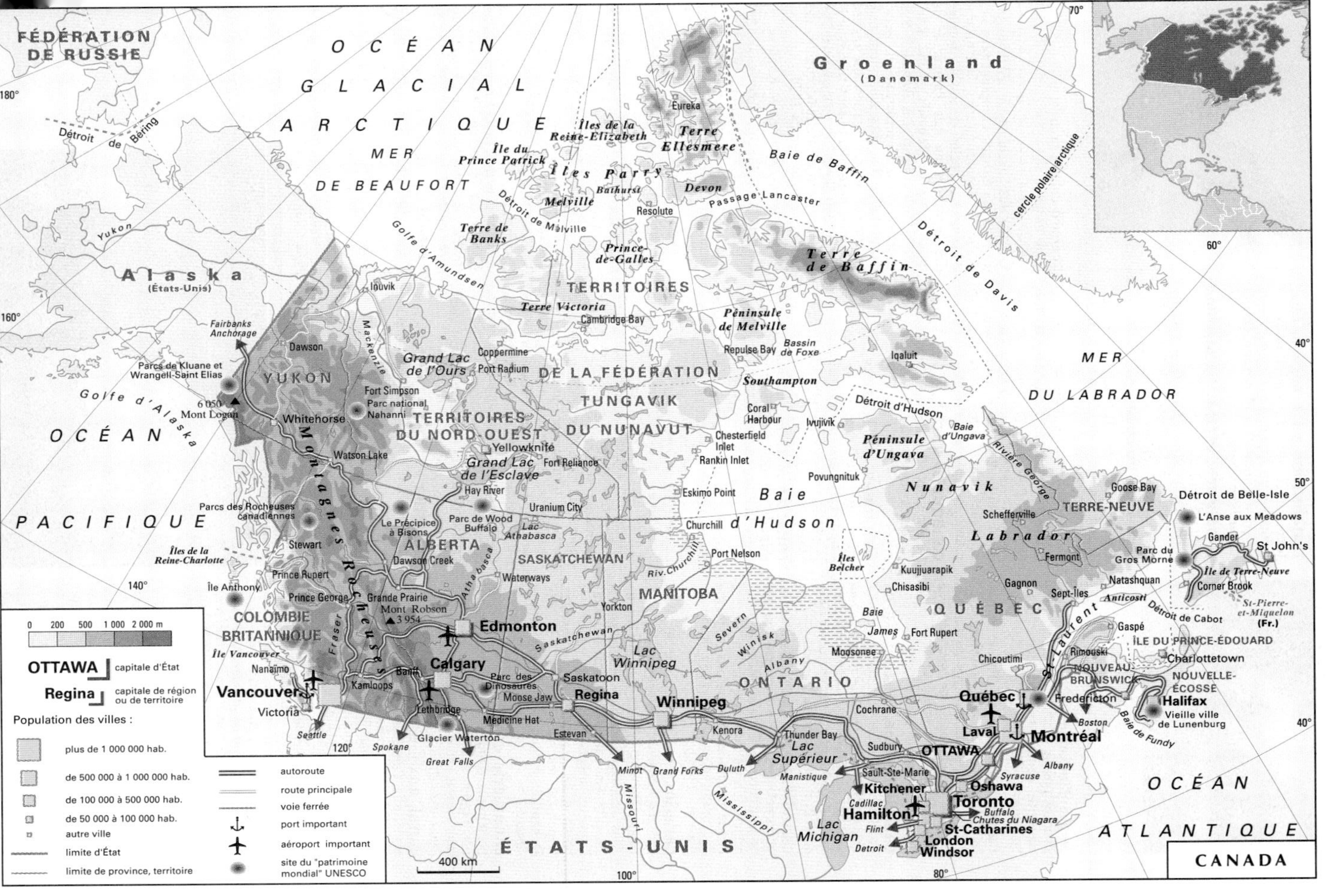

CANADA
FÉDÉRATION DE RUSSIE
OCÉAN GLACIAL ARCTIQUE
MER DE BEAUFORT
Groenland (Danemark)
Alaska (États-Unis)
OCÉAN PACIFIQUE
MER DU LABRADOR
OCÉAN ATLANTIQUE
ÉTATS-UNIS
Détroit de Béring
Golfe d'Alaska
Baie de Baffin
Détroit de Davis
Passage Lancaster
Détroit de Melville
Golfe d'Amundsen
Détroit d'Hudson
Baie d'Hudson
Baie James
Détroit de Belle-Isle
Détroit de Cabot
Baie de Fundy
cercle polaire arctique
Îles de la Reine-Élizabeth
Terre Ellesmere
Île du Prince Patrick
Îles Parry
Melville
Bathurst
Devon
Terre de Banks
Prince-de-Galles
Terre Victoria
Terre de Baffin
Péninsule de Melville
Bassin de Foxe
Southampton
Péninsule d'Ungava
Baie d'Ungava
Îles Belcher
Îles de la Reine-Charlotte
Île Vancouver
Île de Terre-Neuve
St-Pierre-et-Miquelon (Fr.)
Anticosti
YUKON
TERRITOIRES DU NORD-OUEST
TERRITOIRES DE LA FÉDÉRATION TUNGAVIK DU NUNAVUT
COLOMBIE BRITANNIQUE
ALBERTA
SASKATCHEWAN
MANITOBA
ONTARIO
QUÉBEC
Nunavik
Labrador
TERRE-NEUVE
NOUVEAU-BRUNSWICK
NOUVELLE-ÉCOSSE
ÎLE DU PRINCE-ÉDOUARD
Montagnes Rocheuses
Mont Logan 6 050
Mont Robson 3 954
Mackenzie
Yukon
Fraser
Athabasca
Saskatchewan
Riv. Churchill
Severn
Winisk
Albany
Rivière George
St-Laurent
Missouri
Mississippi
Grand Lac de l'Ours
Grand Lac de l'Esclave
Lac Athabasca
Lac Winnipeg
Lac Supérieur
Lac Michigan
OTTAWA
Edmonton
Calgary
Vancouver
Victoria
Nanaimo
Kamloops
Banff
Lethbridge
Medicine Hat
Moose Jaw
Regina
Saskatoon
Estevan
Yorkton
Winnipeg
Kenora
Thunder Bay
Sault-Ste-Marie
Sudbury
Cochrane
Moosonee
Kitchener
Hamilton
Toronto
Oshawa
St-Catharines
London
Windsor
Laval
Montréal
Québec
Chicoutimi
Rimouski
Gaspé
Sept-Îles
Fredericton
Charlottetown
Halifax
Vieille ville de Lunenburg
Natashquan
Fermont
Gagnon
Schefferville
Goose Bay
Corner Brook
Gander
St John's
L'Anse aux Meadows
Parc du Gros Morne
Fort Rupert
Chisasibi
Kuujjuarapik
Povungnituk
Ivujivik
Iqaluit
Coral Harbour
Repulse Bay
Chesterfield Inlet
Rankin Inlet
Eskimo Point
Churchill
Port Nelson
Uranium City
Fort Reliance
Yellowknife
Hay River
Fort Simpson
Parc national Nahanni
Port Radium
Coppermine
Cambridge Bay
Resolute
Eureka
Inuvik
Dawson
Whitehorse
Watson Lake
Stewart
Prince Rupert
Prince George
Grande Prairie
Dawson Creek
Waterways
Parc de Wood Buffalo
Le Précipice à Bisons
Parc des Dinosaures
Glacier Waterton
Parcs des Rocheuses canadiennes
Parcs de Kluane et Wrangell-Saint Elias
Île Anthony
Fairbanks
Anchorage
Seattle
Spokane
Great Falls
Minot
Grand Forks
Duluth
Manistique
Cadillac
Flint
Detroit
Buffalo
Chutes du Niagara
Syracuse
Albany
Boston
180°
160°
140°
120°
100°
80°
70°
60°
50°
40°
0 200 500 1 000 2 000 m
OTTAWA capitale d'État
Regina capitale de région ou de territoire
Population des villes :
plus de 1 000 000 hab.
de 500 000 à 1 000 000 hab.
de 100 000 à 500 000 hab.
de 50 000 à 100 000 hab.
autre ville
limite d'État
limite de province, territoire
autoroute
route principale
voie ferrée
port important
aéroport important
site du "patrimoine mondial" UNESCO
400 km

ravitaillement d'un **canadair** sur un plan d'eau

équipé d'importants réservoirs à eau; produit par la société de constr. aéronautique canadienne du même nom. Syn. bombardier d'eau.

canadianisme n. m. Façon de parler (prononciation, mot, tournure, etc.) caractéristique du français du Canada (Acadie et Québec). *Le mot canadianisme s'employait autrefois de façon spécifique en parlant de québécisme.*

canadien, enne adj. et n. **1.** adj. Du Canada; relatif au Canada. *La dualité linguistique canadienne. Le français canadien (ou franco-canadien) comprend deux variantes principales, le québécois et l'acadien.* **2.** n. Habitant du Canada.

canadienne n. f. **1.** Canoë aux extrémités relevées. **2.** Veste épaisse doublée de fourrure. **3.** (Canada) Manteau trois-quarts d'hiver avec capuchon, qui se ferme au moyen de boutons en forme de fuseau glissés dans une bride de tissu ou de cuir.

canado-. Élément, du rad. de *canadien. La frontière canado-américaine.*

canaille n. f. et adj. **1.** Ramassis de gens méprisables. *Être insulté par la canaille.* Syn. racaille. **2.** Individu malhonnête, méprisable. *Cette canaille a réussi à lui extorquer de l'argent.* Syn. fripouille, escroc, scélérat. **3.** adj. Débraillé et polisson. *Une allure canaille.*

canaillerie n. f. **1.** Caractère, comportement d'une canaille. *Son audace n'a d'égale que sa canaillerie.* **2.** Acte malhonnête et méprisable. *Commettre une canaillerie.*

canal, aux n. m. **I. 1.** Voie navigable artificielle. *Canal de navigation fluviale.* - *Canal maritime*, reliant deux mers, deux océans. *Canal de Suez, de Panamá.* **2.** GEOGR Espace de mer, relativement étroit et prolongé, entre deux rives. *Canal de Mozambique.* **3.** Tranchée creusée pour permettre la circulation des eaux. *Canaux d'irrigation*, qui amènent l'eau nécessaire aux cultures. *Canaux de drainage*, assurant l'évacuation de l'eau excédentaire. *Canaux d'amenée, de fuite, de dérivation des usines hydroélectriques.* **4.** Conduit, tuyauterie. **5.** TELECOM Voie par laquelle transitent des informations. **6.** Loc. fig. *Par le canal de* : par l'intermédiaire, l'entremise de. *J'ai obtenu ce renseignement par le canal d'un ami.* **II.** Conduit naturel d'un organisme vivant. **1.** ANAT *Canal cholédoque. Canal excréteur. Canaux semi-circulaires de l'oreille interne*, organes de l'équilibre. **2.** BOT Élément tubulaire de forme allongée. *Canaux sécréteurs de résine du pin.*

Canaletto (Giovanni Antonio Canal, dit) (Venise, 1697 - id., 1768), peintre et graveur italien, auteur d'innombrables *vedute* (vues) de Venise et de Londres.

canalicule n. m. ANAT Petit canal, petit conduit d'un organisme.

canalisable adj. Qui peut être canalisé. *Rivière canalisable.*

canalisation n. f. **1.** Action de canaliser; son résultat. **2.** Conduit destiné à véhiculer un fluide. *Canalisations d'eau, de gaz.* ▷ Conducteur électrique. *Canalisation haute tension.*

canaliser v. tr. [1] **1.** Aménager (un cours d'eau) pour le rendre navigable. **2.** Pourvoir (une région) d'un système de canaux. **3.** Fig. Rassembler et diriger dans le sens choisi. *Un service d'ordre canalisait les manifestants.*

cananéen, éenne adj. et n. m. **1.** adj. Du pays de Canaan. **2.** n. m. Groupe de langues sémitiques (hébreu, moabite, phénicien, punique).

canapé n. m. **1.** Long siège à dossier où plusieurs personnes peuvent s'asseoir. *Canapé-lit* : canapé transformable en lit. **2.** CUIS Tranche de pain de mie sur laquelle on dispose une garniture. *Canapés au saumon.*

canaque ou **kanak, e** [kanak] adj. Relatif aux Canaques. *L'organisation sociale canaque est à base tribale et coutumière.*

Canaques ou **Kanaks,** groupe ethnique autochtone de la Nouvelle-Calédonie, regroupé en majorité dans la partie centrale et septentrionale de l'île.

canard n. m. **1.** Oiseau aquatique palmipède (fam. anatidés) de taille moyenne (inférieure à celle de l'oie), au bec large, au cri nasillard caractéristique, dont certaines espèces sont domestiques et d'autres sauvages. *Le canard cancane, nasille*, pousse son cri. *La cane est la femelle du canard.* ▷ Fig., fam. *Canard boiteux* : membre d'un groupe qui n'arrive pas à suivre le rythme des autres; *en partic.* entreprise mal gérée, qui a des difficultés à se maintenir. ▷ Loc. fam. *Un froid de canard* : un froid intense. **2.** Fig. Morceau de sucre trempé dans le café ou dans l'eau-de-vie. **3.** Fausse note, son discordant. **4.** Fig., fam., vieilli Fausse nouvelle. ▷ *Par ext.* Cour., fam. Journal. **5.** Récipient à bec qui permet à un malade de boire couché.

canardeau n. m. Jeune canard, plus âgé que le caneton.

canarder v. [1] **1.** v. tr. Fam. Faire feu sur, en étant à couvert (comme pour la chasse au canard). **2.** v. intr. MUS Faire des canards, des fausses notes. *Les cuivres canardaient dans les aigus.*

canari n. m. Serin des Canaries, au plumage généralement jaune, apprécié pour son chant.

canard colvert prenant son envol

Canaries, archipel de l'Atlantique, au N.-O. du Sahara, comptant sept îles princ. Communauté autonome d'Espagne et région de la C.E., formée des provinces de Las Palmas et de Santa Cruz de Tenerife; 7 242 km^2; 1 589 400 hab.; cap. *Las Palmas.* - Ressources princ. : tourisme et agric. d'exportation (bananes, tabac, tomates); commerce actif en raison du régime douanier dérogatoire dont bénéficie la région dans la C.É.E. - Découvertes en 1402 par Jean de Béthencourt, les îles sont espagnoles depuis 1479.

Canaris (Constantin). V. Kanáris.

Canaris (Wilhelm) (Aplerbeck, 1887 - Flossenbürg, 1945), amiral allemand. Chef du service des renseignements de l'armée (1935-1944), il fut destitué après l'attentat manqué contre Hitler (1944) et exécuté sur ordre du Führer.

canasson n. m. Fam. Mauvais cheval; cheval.

canasta n. f. Jeu de cartes qui se joue avec deux jeux de 52 cartes et 4 jokers. ▷ Série de 7 cartes, de même valeur, à ce jeu.

Canaveral (cap). V. Kennedy (Centre spatial John F.).

Canberra, cap. fédérale de l'Australie, dans le S.-E. de la Nouvelle-Galles du Sud, où son territ. (2 400 km^2) est enclavé; 273 600 hab. - La v. fut inaugurée en 1927.

cancale n. f. Huître de Cancale.

Cancale, ch.-l. de cant. d'Ille-et-Vilaine (arr. de Saint-Malo), sur la Manche; 4 990 hab. Ostréiculture. Importante station balnéaire.

1. cancan n. m. (Souvent au plur.) Fam. Bavardage malveillant. Syn. potin, ragot, commérage.

Canaletto : *Venise, le pont du Rialto*, v. 1735-1740; musée du Louvre

2. cancan n. m. *French cancan* ou *cancan :* spectacle de music-hall, quadrille acrobatique dansé par des « girls ».

1. cancaner v. intr. [1] Faire des cancans (1).

2. cancaner v. intr. [1] Crier, en parlant du canard.

cancanier, ère adj. et n. Qui aime à cancaner, à rapporter des ragots.

cancer n. m. **1.** MED Tumeur maligne caractérisée par la prolifération anarchique des cellules d'un organe, d'un tissu. Syn. néoplasie, néoplasme. **2.** Fig. Danger insidieux, mal qui ronge. **3.** ASTRO *Le Cancer :* constellation zodiacale de l'hémisphère boréal. *Tropique du Cancer :* tropique boréal. ASTROL Signe du zodiaque* (22 juin-22 juillet). – Ellipt. *Il est cancer.*

ENCYCL Le processus de cancérisation peut se développer sur n'importe quel organe. Les plus souvent atteints sont : chez la femme, le sein, l'intestin, l'estomac, l'utérus; chez l'homme, le poumon, la trachée, l'estomac, la prostate, l'œsophage. Les recherches, notam. épidémiologiques, ont permis de savoir qu'il n'y a pas une cause unique des cancers, mais qu'entrent en jeu un certain nombre de facteurs : terrain immunitaire, prédispositions génétiques, processus viral, environnement, etc. Le cancer peut s'étendre localement, régionalement, et à distance, par dissémination sanguine ou lymphatique (métastase). Le traitement est d'autant plus efficace qu'il est plus précoce. Il dépend de la localisation, du type histologique, du stade d'évolution. Plusieurs thérapeutiques sont utilisées : chirurgie, radiothérapie, chimiothérapie, immunothérapie. De nombreux cancers traités à temps peuvent aujourd'hui être guéris.

cancéreux, euse adj. et n. **1.** adj. Du cancer, de la nature du cancer. *Tumeur cancéreuse.* **2.** adj. et n. Qui est atteint d'un cancer.

cancéri-. V. cancéro-.

cancérigène ou **cancérogène** adj. Qui peut provoquer le développement d'un cancer. *Substances cancérigènes.* Syn. carcinogène.

cancérisation n. f. Transformation des cellules saines en cellules cancéreuses.

cancériser (se) v. pron. [1] Subir une transformation cancéreuse. *Des polypes qui se cancérisent.*

cancéro-, cancéri-. Éléments signifiant « relatif au cancer ».

cancérogène. V. cancérigène.

cancérogenèse n. f. MED Processus de formation d'un cancer.

cancérologie n. f. Étude du cancer et de son traitement. Syn. carcinologie.

cancérologique adj. Relatif à l'étude ou au traitement du cancer.

cancérologue n. Spécialiste du cancer.

cancérophobie n. f. Peur injustifiée et angoissante d'être atteint d'un cancer.

canche n. f. Graminée fourragère (*Aira flexuosa*) très courante dans les prés.

Canche (la), fl. de France (96 km), en Artois; passe à Hesdin, à Montreuil et se jette dans la Manche à Étaples.

cancoillotte [kɑ̃kwajɔt] n. f. Fromage à base de lait de vache écrémé et caillé, égoutté puis fondu avec du beurre et de l'eau, fabriqué en Franche-Comté.

cancre n. m. Écolier paresseux, mauvais élève.

cancrelat n. m. Syn. de *cafard* (2). ▷ *Spécial.* Blatte d'Amérique.

Cancún, v. du Mexique, dans l'île du m. n. (mer des Caraïbes); 50 000 hab. Stat. baln. intern.

Candaule (VIIe s. av. J.-C.), roi de Lydie. Dernier de la dynastie des Héraclides, il fut tué par Gygès, son favori, qui lui succéda.

candela n. f. PHYS Unité d'intensité lumineuse (symbole cd); intensité lumineuse, dans une direction donnée, d'une source qui émet un rayonnement monochromatique de fréquence 540.10^{12} hertz et dont l'intensité énergétique dans cette direction est de 1/683 watt par stéradian. *Candela par mètre carré.*

candélabre n. m. **1.** Grand chandelier à plusieurs branches. **2.** Vieilli Appareil d'éclairage, colonne supportant une ou plusieurs lampes. **3.** ARCHI Balustre figurant une torchère.

candeur n. f. Pureté d'âme, innocence naïve. *Un visage plein de candeur. Parler avec candeur.* Syn. ingénuité.

candi adj. m. et n. m. *Sucre candi :* sucre en gros cristaux, obtenu par refroidissement lent de sirops très concentrés. *Fruits candis :* fruits confits sur lesquels on a fait se candir une couche de sucre. ▷ n. m. *Du candi blanc.*

candida n. m. BOT, MED Genre de champignons deutéromycètes dont une espèce, *Candida albicans,* est l'agent du muguet intestinal ou vaginal.

candidat, ate n. Personne qui postule une charge, un emploi, un mandat, ou qui se présente à un examen, à un concours. *Les candidats aux élections. Candidat au baccalauréat.*

candidature n. f. Action, fait d'être candidat. *Poser sa candidature. Candidature spontanée,* présentée pour postuler un poste sans qu'il y ait eu d'annonce pour recruter.

candide adj. Qui a, qui dénote de la candeur. *Une âme candide. Des paroles candides.*

Candide, héros du conte philo. (1759) de Voltaire *Candide ou l'Optimisme,* qui critique en la simplifiant la pensée de Leibniz *(Tout est pour le mieux dans le meilleur des mondes possibles).*

candidement adv. D'une manière candide.

candidose n. f. MED Infection due à un candida (muguet buccal, atteinte digestive, localisation cutanée).

Candie. V. Crète et Hêraklion.

Candilis (Georges) (Bakou, 1913 – Paris, 1995), architecte et urbaniste français d'origine grecque. Élève de Le Corbusier, il conçut et réalisa de nombreux ensembles urbains (Toulouse-Le Mirail notam.) ainsi que l'Université libre de Berlin).

candir v. tr. [3] Faire fondre jusqu'à cristallisation (du sucre). ▷ v. pron. Se cristalliser.

Candolle (Augustin Pyrame de) (Genève, 1778 – id., 1841), botaniste suisse; ses travaux (*Système naturel des végétaux,* 1817) l'imposèrent comme l'une des grandes figures de la science botanique.

Candragupta. V. Chandragupta.

cane n. f. Femelle du canard. *La cane canquette.*

Canebière (la), avenue de Marseille, l'une des plus animées de la ville, qui conduit au Vieux-Port.

Canée (La) (en gr. *Khaniá*), v. de Grèce, princ. port de la Crète, au N.-O. de l'île; 47 340 hab.; ch.-l. du nome du m. nom.

canéficier n. m. BOT Arbre (fam. légumineuses) produisant la casse. Syn. cassier.

canéphore n. f. ANTIQ GR Jeune fille qui, pendant certaines fêtes, portait sur la tête des corbeilles contenant les objets du culte.

1. caner v. intr. [1] Fam. Reculer, céder devant la difficulté.

2. caner ou **canner** v. intr. [1] Arg. **1.** S'enfuir, s'en aller. **2.** Mourir.

caneton n. m. Petit du canard plus jeune que le canardeau.

1. canette n. f. Petite cane; petite sarcelle.

2. canette ou **cannette** n. f. Petit tube garni du fil de trame, dans les métiers à tisser. ▷ Bobine de fil que l'on introduit dans la navette d'une machine à coudre.

3. canette n. f. **1.** Petite bouteille de bière; son contenu. **2.** (Anglicisme) Petite boîte dans laquelle est vendu un liquide (bière, boisson gazeuse, jus de fruit, etc.). Syn. boîte-boisson.

Canetti (Elias) (Ruse, 1905 – Zurich, 1994), écrivain britannique d'origine espagnole, d'expression allemande. Dans ses romans (*Autodafé,* 1936) comme dans ses essais (*Masse et Puissance,* 1960) il propose une analyse des comportements et des actions humaines. P. Nobel 1981.

canevas [kanva] n. m. **1.** Grosse toile lâche servant de support pour les ouvrages de tapisserie. **2.** Ensemble de points relevés en vue de l'établissement d'une carte. **3.** Plan, ébauche, esquisse d'un ouvrage. *Le canevas d'un discours, d'un roman.*

cange n. m. Anc. Bateau à voiles du Nil, étroit et léger.

cangue n. f. Carcan de bois très lourd qui enserrait le cou et les poignets du condamné, utilisé autref. en Asie (notam. en Chine).

Canguilhem (Georges) (Castelnaudary, 1904 – Marly-le-Roi, 1995), philosophe français. Il est l'un des fondateurs de l'épistémologie contemporaine : *la Formation du concept de réflexe aux XVIIe et XVIIIe siècles* (1955), *Études d'histoire et de philosophie des sciences* (1968).

caniche n. m. Chien de compagnie à poils crépus ou bouclés, utilisé autref. pour ses qualités de nageur dans la chasse au gibier d'eau. ► **pl. chiens**

caniculaire adj. De la canicule. *Une chaleur caniculaire.*

canicule n. f. Période de fortes chaleurs; temps très chaud.

canidés n. m. pl. ZOOL Famille de mammifères carnivores fissipèdes digitigrades comprenant les chiens et les loups (genre *Canis*), le renard *(Vulpes),* le fennec *(Fennecus),* etc. – Sing. *Un canidé.*

canif n. m. Petit couteau de poche à lame(s) pliable(s). ▷ Fig., fam. *Donner des coups de canif dans le contrat :* tromper son conjoint.

Canigou (le), massif des Pyrénées-Orientales (2 786 m), à 50 km de la Médit. Mines de fer.

canin, ine adj. Qui se rapporte au chien. *Race canine.*

canine n. f. Dent pointue entre les incisives et les prémolaires.

caninette n. f. (Nom déposé) Moto équipée d'un aspirateur pour nettoyer les trottoirs des déjections canines.

Canisius. V. Pierre Canisius (saint).

canisse. V. cannisse.

caniveau n. m. **1.** Rigole au bord de la chaussée servant à l'écoulement des eaux. **2.** CONSTR Canal maçonné utilisé pour le passage de tuyauteries, de conducteurs électriques, etc.

canna n. m. BOT Syn. de *balisier.*

cannabinacées n. f. pl. BOT Famille de plantes dicotylédones apétales comprenant le chanvre et le houblon. - Sing. *Une cannabinacée.*

cannabis [kanabis] n. m. BOT Nom scientif. du chanvre indien.

cannabisme n. m. MED Intoxication par le cannabis.

cannage n. m. Action de tresser des joncs, des roseaux pour garnir un siège. - Fond canné d'un siège.

canne à sucre

canne n. f. **1.** Bâton léger sur lequel on s'appuie en marchant. *Canne à pommeau d'or. Canne blanche d'aveugle. - Canne-épée :* canne creuse dissimulant une épée (arme prohibée). - *Canne anglaise :* canne orthopédique. ▷ *Par anal.* Fam. Jambe. **2.** *Canne à pêche :* gaule, généralement en plusieurs pièces, qu'on utilise pour pêcher à la ligne. **3.** TECH Tube métallique dont on se sert pour souffler le verre. **4.** Nom vulgaire de certains roseaux ou bambous. ▷ *Canne à sucre :* graminée de grande taille (2 à 3 m de haut) cultivée dans de nombreux pays tropicaux pour le sucre que l'on extrait de sa sève. **5.** TECH Bobine de fil.

canné, ée adj. Garni d'un cannage.

cannelé, ée adj. Qui présente des cannelures. *Colonne cannelée.*

canneler v. tr. [**19**] Orner, munir de cannelures.

cannelier n. m. Arbre (fam. lauracées) dont on tire la cannelle.

1. cannelle n. f. Écorce aromatique du cannelier utilisée comme condiment. ▷ adj. inv. De la couleur brun rosé de la cannelle.

2. cannelle ou **cannette** n. f. Robinet de bois ou de métal, adapté à une cuve, à un tonneau, etc.

cannelloni n. m. CUIS Pâte alimentaire farcie, de forme cylindrique.

cannelure n. f. **1.** Cour. Rainure, sillon longitudinal ornant certains objets. *Un meuble décoré de cannelures finement ciselées.* ▷ ARCHI Sillon vertical creusé à la surface d'une colonne, d'un pilastre. **2.** BOT Rainure longitudinale sur la tige de certaines plantes.

1. canner v. tr. [**1**] Garnir d'un cannage (le fond, le dossier d'un siège).

2. canner. V. caner 2.

Cannes (auj. *Canne della Battaglia*), anc. v. d'Apulie, sur l'Aufidus *(Ofanto).* Retentissante victoire d'Hannibal sur les Romains (216 av. J.-C.).

Cannes, ch.-l. de cant. des Alpes-Mar. (arr. de Grasse), sur la Médit. ; 69 363 hab. Aéroport (*Cannes-Mandelieu*). Stat. baln. et tourist. Mat. de constr. ; équipement industr., aéron. - Festival international du cinéma. - Église N.-D.-de-l'Espérance (XVIe-XVIIe s.), tour du Suquet (XIe-XIVe s.).

Cannet (Le), ch.-l. de cant. des Alpes-Mar. (arr. de Grasse), près de Cannes, sur la Médit. ; 42 005 hab. Stat. tourist. Constr. électromécanique.

cannette. V. canette 2 et cannelle 2.

cannibale n. m. et adj. Qui pratique le cannibalisme.

cannibaliser v. tr. [**1**] Démonter un appareil hors d'usage pour en récupérer les pièces.

cannibalisme n. m. Fait de manger les êtres de sa propre espèce.

Canning (George) (Londres, 1770 - Chiswick, 1827), homme politique brit. Ami et disciple de Pitt, député tory en 1793, plusieurs fois ministre, il fut le véritable chef de gouvernement de 1822 à 1827. Il reconnut l'indépendance des colonies espagnoles d'Amérique en 1825 et s'efforça de résister aux empiétements russes dans les Balkans pendant la crise de l'indépendance grecque.

cannisse ou **canisse** n. f. Claie de roseaux.

cannois, oise adj. et n. De Cannes.

Cano (Juan Sebastián de El) (Guetaria, ? - lors d'un voyage aux Indes, 1526), navigateur espagnol. Il ramena en Espagne le dernier vaisseau de l'expédition de Magellan (1522), dont il faisait partie.

Cano (Alonso) (Grenade, 1601 - id., 1667), peintre caravagiste, sculpteur et architecte espagnol (façade de la cath. de Grenade).

canoë n. m. Canot léger, aux extrémités relevées, que l'on manœuvre à la pagaie ; sport pratiqué avec ce canot.

canoéiste [kanɔeist] n. Personne qui pratique le sport du canoë.

canoë-kayak n. m. Discipline sportive qui regroupe les épreuves sur canoë et sur kayak.

1. canon n. m. **I. 1.** Pièce d'artillerie servant à lancer autref. des boulets, auj. des obus. *Tirer un coup de canon. Canon antichar, antiaérien. Un canon de 75,* de 75 mm de calibre. *Canon mitrailleur :* arme automatique montée sur affût, sur véhicule ou sur aéronef qui tire des obus d'un calibre supérieur à 20 mm. ▷ Loc. *Chair à canon :* les soldats sans grade, qu'on expose au danger sans égard pour leur vie. **2.** Tube d'une arme à feu. *Canon d'un fusil, d'un pistolet.* **3.** PHYS *Canon à électrons,* servant à produire un faisceau d'électrons. **II. 1.** TECH Nom de divers objets cylindriques. *Canon d'une clef.* ▷ TRAV PUBL Dispositif d'amarrage constitué d'un fût cylindrique vertical solidement ancré sur le bord des quais. ▷ *Canon à neige :* appareil servant à projeter sur les pistes de ski de la neige artificielle. **2.** Ancienne mesure de capacité pour le vin (un huitième de pinte). - Mod., pop. Petit verre de vin. *Aller boire un canon au bistrot.* **3.** ZOOL Partie de la jambe des équidés, entre le genou et le boulet.

2. canon n. m. et adj. **1.** Règle, type, modèle. **2.** THEOL Recueil des décisions solennelles des conciles. *Les canons de Nicée.* ▷ Liste des livres inspirés. *Canon des Écritures.* ▷ Ensemble des prières qui constituent l'essentiel, la partie immuable de la messe. *Canon de la messe, canon romain.* ▷ Collection des textes juridiques de l'Église. ▷ adj. *Droit canon.* **3.** BX-A Ensemble de règles déterminant, à l'origine dans la statuaire, le rapport idéal entre les dimensions des diverses parties du corps humain. *Le canon grec. Le canon du dessin de mode.* **4.** Pièce de musique dans laquelle la mélodie est reprise successivement par une ou plusieurs voix. *Un canon de Bach. Chanter en canon.*

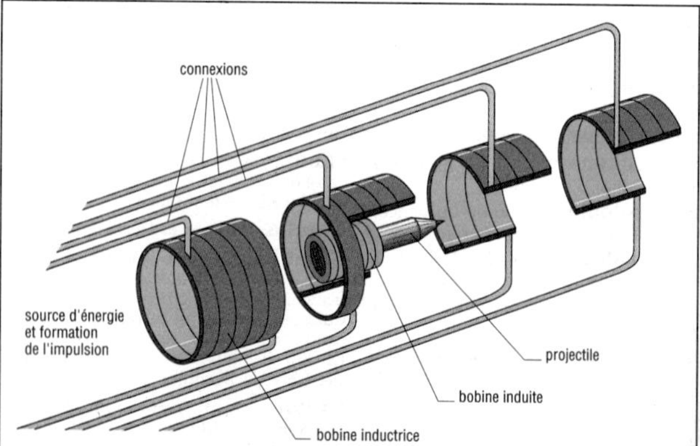

les canons électriques sont destinés à accélérer des projectiles, dont la vitesse varie entre 2 500 m/s et 20 000 m/s ; dans un *lanceur à induction* les courants traversant les bobines fixes créent des champs magnétiques qui induisent un courant dans la bobine projectile mobile; la force due à l'interaction courant-champ accélère le projectile

canon électrique à induction

cañon du Colorado

cañon ou **canyon** [kanjɔ̃; kanjɔn] n. m. GEOGR Gorge profonde creusée par un cours d'eau en terrain calcaire. *Les cañons du Colorado.*

canonique adj. **1.** Conforme aux canons de l'Église. *Doctrine canonique.* ▷ *Âge canonique :* âge exigé par le droit canon (minimum 40 ans) pour remplir certaines fonctions (notam. celle de servante d'un ecclésiastique). – Fam. *Une femme d'âge canonique,* d'âge respectable, assez avancé. **2.** MATH *Application, forme canonique :* formulations mathématiques liées de façon privilégiée à une structure. *On peut ramener certaines équations à une forme canonique par un simple changement de variable.*

canonisable adj. Qui est susceptible d'être canonisé, qui se prête à la canonisation.

canonisation n. f. Action de canoniser. *Le jugement de canonisation est rendu par le pape après instruction d'un procès en canonisation.*

canoniser v. tr. [1] Faire figurer au catalogue des saints. – Pp. adj. *Sainte Thérèse d'Ávila, canonisée en 1622, a été déclarée docteur de l'Église en 1970.*

canonnade n. f. Feu soutenu de canons.

canonnage n. m. **1.** Art du canonnier. **2.** Fait de canonner. *Canonnage des lignes ennemies.*

canonner v. tr. [1] Attaquer au canon.

canonnier n. m. Servant d'un canon. ▷ adj. ZOOL Relatif au canon (1 sens II, 3). *Muscles canonniers.*

canonnière n. f. **1.** Petit navire armé de canons. **2.** FORTIF Meurtrière pour le tir au canon ou au fusil. **3.** ARCHI Ouverture pratiquée dans un mur de soutènement pour permettre l'écoulement des eaux.

canope n. m. ANTIQ Vase funéraire employé par les Égyptiens et les Étrusques pour recevoir les viscères des morts momifiés. *Les canopes égyptiens étaient habituellement au nombre de quatre et leurs couvercles figuraient les bustes des quatre enfants d'Horus (un homme, un cynocéphale, un épervier, un chacal).*

Canope, anc. ville d'Égypte, près de l'actuelle Aboukir. – Temple de Sérapis.

Canope, étoile supergéante blanche de la Carène (magnitude visuelle apparente – 0,7), souvent utilisée pour guider les vaisseaux spatiaux.

Canossa, village d'Italie (Émilie, province de Reggio). – En 1077, l'empereur Henri IV, excommunié, vint s'y humilier devant le pape Grégoire VII (querelle des Investitures), d'où l'expression *aller à Canossa :* s'humilier.

canot n. m. **1.** Embarcation légère et non pontée. – *Canot de sauvetage,* insubmersible, destiné à évacuer les passagers d'un navire en détresse. *Canot pneumatique,* gonflable, en toile caoutchoutée. **2.** (Canada) Canoë. *Canot d'écorce, de bois, d'aluminium, de fibre de verre. Course de canots sur les glaces.* ▷ *Par ext.* Sport pratiqué avec cette embarcation. *Faire du canot.*

canotage n. m. Navigation sur un canot.

canoter v. intr. [1] Manœuvrer un canot (à l'aviron).

canoteur, euse n. Personne qui canote.

canotier n. m. **1.** MAR Marin qui fait partie de l'équipage d'un canot. ▷ Vieilli Personne qui s'adonne au canotage. **2.** Chapeau de paille à bords et à fond plats.

Canova (Antonio) (Possagno, prov. de Trévise, 1757 – Venise, 1822), sculpteur italien. Il fut le princ. représentant du style néo-classique : *l'Amour et Psyché, Pauline Borghèse.*

canqueter v. intr. [20] Pousser son cri, en parlant de la cane.

Canrobert (François Certain) (Saint-Céré, 1809 – Paris, 1895), maréchal de France. Il participa au coup d'État du 2 décembre 1851, commanda l'armée française en Crimée (1854-1855) et se distingua à Saint-Privat, près de Metz, en 1870.

canson n. m. (Nom déposé.) Papier fort pour le dessin, le lavis, l'aquarelle.

cantabile n. m. MUS Moment ou phrase musicale au mouvement lent, ample et mélodieux. ▷ adv. *Jouer cantabile.*

Cantabres, peuple de l'anc. Espagne établi au S. du golfe de Biscaye, partiellement soumis par Agrippa (19 av. J.-C.).

Cantabrie, communauté autonome du N. de l'Espagne, sur l'Atlantique, et région de la C.E.; 5 289 km²; 534 690 hab.; cap. *Santander.* Élevage, pêche, industr. lourde.

Cantabriques (monts), prolongement des Pyrénées, culminant à 2 665 m (Picos de Europa), en Espagne, près du golfe de Biscaye. Houille, fer, zinc.

Cantacuzène, illustre famille byzantine. Elle a donné des empereurs à Byzance, des despotes à Mistra (Péloponnèse) et des hospodars aux principautés de Moldavie et de Valachie.

cantal, als n. m. Fromage de lait de vache à pâte ferme, émiettée puis pressée.

Cantal (monts du), massif volcanique de l'Auvergne, culminant au *plomb du Cantal* (1 858 m), marqué par l'érosion et bordé de planèzes.

Cantal, dép. franç. (15); 5 741 km²; 158 723 hab.; 27,6 hab./km²; ch.-l. *Aurillac.* V. Auvergne (Rég.).

cantaloup n. m. Melon à côtes rugueuses et à chair rouge-orangé.

cantate n. f. Pièce musicale à caractère lyrique, d'inspiration profane ou religieuse, composée pour une ou plusieurs voix avec accompagnement d'orchestre.

cantatrice n. f. Chanteuse de profession dont l'art et le métier requièrent une éducation musicale et des possibilités vocales particulières; essentiellement chanteuse de chant classique et d'opéra.

Canteleu, commune de la Seine-Mar. (arr. de Rouen), sur la Seine; 16 694 hab. Port fluvial; I.A.A.

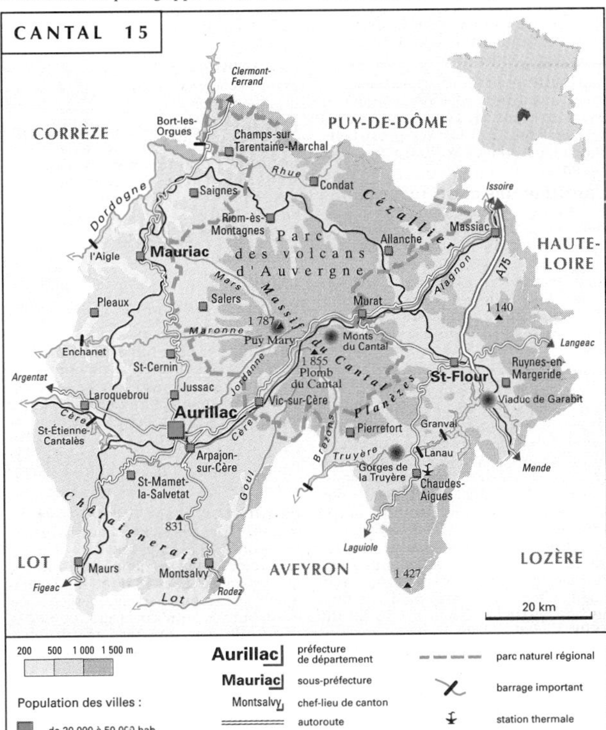

Cantemir (Dimitrie) (Iaşi, 1673 – Kharkov, 1723), prince régnant de Moldavie; philosophe et savant orientaliste. Il fut l'allié de Pierre le Grand contre les Turcs en 1711.

canter v. [1] (Canada) **1.** v. tr. Pencher, incliner, poser (un objet) sur le côté. **2.** v. pron. Se coucher. *Se canter de bonne heure le soir.*

Canterbury (en fr. *Cantorbéry*), v. de G.-B. (Kent); 127 100 hab. – Université. Célèbre cath. (XIe-XVIe s.), en partie romane, en partie gothique.

cantharide n. f. **1.** ENTOM Coléoptère (genre *Lytta*) à tête large et abdomen mou, de couleur vert métallique, long de 2 cm. **2.** MED Préparation à base de cantharides séchées et pilées, utilisée autref. comme aphrodisiaque et abortif. *Poudre de cantharide.*

Cantho, v. du Viêt-nam, au S.-O. d'Hô Chi Minh-Ville; 182 500 hab. Port fluvial.

cantilène n. f. **1.** Mélodie douce et mélancolique. ▷ MUS Chant profane, d'un style généralement sentimental. **2.** LITTER Complainte, récit lyrique et épique médiéval d'un martyre, d'un événement malheureux. *La Cantilène de sainte Eulalie* (premier poème en français, v. 880).

cantilever [kɑ̃tiləvœʀ; kɑ̃tiləvɛʀ] adj. inv. (et n. m.) Suspendu en porte à faux, sans haubanage. ▷ TRAV PUBL *Poutre cantilever :* poutre utilisée dans la construction de certains ponts, dont la partie centrale repose sur les extrémités de deux poutres consoles latérales.

cantine n. f. **1.** Local où les repas sont servis aux militaires d'une caserne, aux travailleurs d'une entreprise, aux enfants d'une école. **2.** Malle robuste.

cantinier, ère n. Personne qui tient, qui gère une cantine; serveur, serveuse dans une cantine. ▷ n. f. Anc. Femme qui tenait une cantine dans les armées.

cantique n. m. **1.** Chant religieux de forme analogue à celle des psaumes. ▷ Chant religieux en langue vulgaire (et non en latin). **2.** Chez les protestants, tout chant religieux autre que les psaumes.

Cantique des cantiques (le), livre de l'Ancien Testament attribué à Salomon, mais vraisemblablement rédigé par un lettré du IVe ou Ve s. av. J.-C. Deux exégèses sont proposées : l'une s'appuie sur le caractère profane des textes (une suite de chants d'amour humain), l'autre (traditions juive et chrétienne) opère une lecture symbolique.

canton n. m. **1.** Vx Portion d'un territoire. ▷ Mod. Portion de route ou de voie ferrée dont l'entretien incombe à un ou plusieurs cantonniers. – Portion de voie ferrée délimitée par une signalisation. **2.** En France, subdivision administrative d'un arr., élisant un représentant au Conseil général. **3.** Chacun des 23 États de la Confédération helvétique. *Le chef-lieu du canton de Vaud est Lausanne.* ▷ Au Luxembourg, division administrative. ▷ Au Canada, unité territoriale, généralement de forme rectangulaire, relevant d'un mode de division du territoire instauré à la fin du XVIIIe s. dans le but d'attribuer à des particuliers des terres publiques libres de toute redevance.

Canton ou **Guangzhou,** port de la Chine du S., cap. du Guangdong, à l'embouchure du Xijiang; 3 181 510 hab. (aggl. urb. 5 669 640 hab.). Foyer de l'expansion économique chinoise dep. les années 1980 (V. Guangdong). – Des comptoirs franç. et brit. s'y installèrent dès le milieu du XIXe s. En 1917, Sun Zhongshan (Sun Yat-sen) y établit une république de la Chine du S. En 1927, une insurrection communiste y fut noyée dans le sang par Tchang Kaï-chek (Jiang Jieshi).

cantonade n. f. Chacun des côtés de la scène au-delà duquel se trouvent les coulisses. ▷ Loc. *Parler à la cantonade :* parler à un personnage qui est supposé être dans les coulisses. – *Par ext.* Parler sans s'adresser à un interlocuteur précis.

cantonais, aise adj. et n. **1.** adj. De Canton. *Riz cantonais :* plat chinois composé de riz mêlé à quelques légumes et à de l'œuf. – Subst. *Un(e) Cantonais(e).* **2.** n. m. Dialecte chinois de la région de Canton.

cantonal, ale, aux adj. et n. f. pl. Qui appartient, qui a rapport au canton. *Les élections cantonales* ou, n. f. pl., *les cantonales.*

cantonnement n. m. **1.** Installation temporaire de troupes de passage dans une localité; localité où des troupes sont cantonnées. **2.** Action de diviser un terrain en parcelles délimitées; chacune de ces parcelles. **3.** MED VET *Cantonnement des animaux malades,* leur mise à l'écart dans un enclos; cet enclos.

cantonner I. v. tr. [1] **1.** Établir (des troupes) dans une localité. **2.** Isoler (animaux). *Il a fallu cantonner les bêtes contagieuses.* **II.** v. pron. **1.** Se renfermer, s'isoler. *Il se cantonne chez lui depuis quelques jours.* **2.** Fig. Se spécialiser étroitement (dans), se limiter, se borner (à). *Il s'est cantonné jusqu'à présent dans les études théoriques.*

cantonnier n. m. Ouvrier chargé de l'entretien des routes et des voies ferrées.

cantonnière n. f. Bande d'étoffe formant encadrement autour d'une porte ou d'une fenêtre.

Cantor (Georg) (Saint-Pétersbourg, 1845 – Halle, 1918), mathématicien allemand. Ses travaux sur les nombres réels l'amenèrent à utiliser la notion d'ensembles : *Contribution à la fondation de la théorie des nombres transfinis* (1895-1897). ► illustr. page **278**

Cantorbéry. V. Canterbury.

canular n. m. Fam. Mystification.

canularesque adj. Fam. Qui relève du canular, burlesque.

canule n. f. Petit tube rigide que l'on introduit dans une cavité du corps, par voie naturelle ou artificielle, de façon à assurer une communication facile entre l'extérieur et cette cavité *(canule trachéale),* à y introduire un liquide *(canule à lavement)* ou à drainer des liquides pathologiques qu'elle contient *(canule urétrale, vaginale).*

canut, use [kany, yz] n. (Rare au fém.) Ouvrier de la soie, dans la région de Lyon. – HIST *La révolte des canuts :* révolte des ouvriers de la soie lyonnais, qui éclata en nov. 1831 et fut la première insurrection sociale caractérisée au début de l'ère de la grande industrie; elle fut écrasée par le duc d'Orléans et Soult (5 déc.).

canyon. V. cañon.

canyoning [kanjoniŋ] n. m. (Anglicisme) Descente sportive de cañons.

canzone n. f. LITTER Pièce italienne de poésie lyrique divisée en strophes égales et terminée par une strophe plus courte. *Des canzoni* ou *canzones.*

Cão (Diogo). V. Cam.

Cao Bang, v. du Viêt-nam, sur le Song Bang Giang, près de la frontière chinoise; 9 000 hab.; ch.-l. de la prov. du m. nom. Mines d'étain, fonderies, tapis. – La *bataille de Cao Bang* (oct. 1950) fut le premier succès militaire de l'armée régulière du Vietminh sur le corps expéditionnaire français.

Cao Cao ou **Ts'ao Ts'ao** (?, 155 – Luoyang, 220), général et poète chinois. Il unifia toute la Chine du N. et fonda le royaume qui devint, ap. sa mort, l'empire des Wei. Il a laissé des œuvres d'un ton très personnel, empreintes de vigueur et de simplicité.

caodaïsme n. m. Religion syncrétique vietnamienne, fondée en 1926.

caoutchouc n. m. **I. 1.** Substance élastique provenant du traitement du latex de certains végétaux *(caoutchouc naturel)* ou du traitement d'hydrocarbures diéthyléniques ou éthyléniques *(caoutchouc synthétique). Gants en caoutchouc.* **2.** Vieilli Vêtement imperméable en tissu caoutchouté. – *Des caoutchoucs :* des chaussures imperméables. **3.** Fam. Élastique. **II.** Nom usuel d'un ficus (fam. moracées), plante ornementale.

caoutchouté, ée adj. Enduit de caoutchouc.

caoutchouter v. tr. [1] Enduire de caoutchouc.

caoutchouteux, euse adj. Qui a la consistance du caoutchouc. *Un fromage caoutchouteux.*

cap n. m. **I.** Vx Tête. ▷ Loc. mod. *De pied en cap :* des pieds à la tête. *Être équipé de pied en cap.* **II. 1.** GEOGR Partie d'une côte, souvent élevée, qui s'avance dans la mer. *Le cap Horn. Doubler, passer, franchir un cap.* ▷ Fig. *Passer, franchir un cap,* une limite, une étape. *Passer le cap de la cinquantaine,* des cinquante ans. – *Franchir le cap des deux millions de chiffre d'affaires.* **2.** Direction d'un navire ou d'un aéronef, définie par l'angle formé par l'axe longitudinal de l'appareil et la direction du nord. *Cap vrai, cap magnétique, cap compas.*

C.A.P. n. m. Sigle de *certificat d'aptitude professionnelle.*

Cap (province du), anc. prov. de l'Afrique du Sud formant les provinces *Cap-Nord,* 363 389 km², ch.-l. Kimberley; *Cap-Ouest,* 129 386 km², ch.-l. Le Cap; et *Cap-Est,* 170 616 km², ch.-l. Bisho-King William's Town. – La colonisation hollandaise commença au XVIIe s.

Cap (Le) (en angl. *Cape Town,* en afrikaans *Kaapstad*), grand port et cap. législative d'Afrique du Sud : ch.-l. de la prov. du Cap-Ouest à la pointe du continent africain, sur l'Atlantique; 2 500 000 hab. Centre industr. : raffineries de pétrole, industr. alim. et text. – Les Hollandais fondèrent la ville en 1652.

Capa (Andrei Friedmann, dit Robert) (Budapest, 1913 – Thai Binh, Viêt-nam, 1954), photographe américain d'origine hongroise. Il fut l'un des maîtres du reportage de guerre, de la guerre d'Espagne à celle d'Indochine, où il mourut.

capable adj. **1.** Qui est susceptible d'avoir (une qualité), de faire (une chose). *Il est capable de gentillesse. Capable d'un mauvais coup. Il est capable* *de tout*, des pires excès pour arriver à ses fins. ▷ *Capable de* (+ inf.) : qui est à même de, qui est apte à. *Capable de réussir. Il est capable de comprendre s'il veut s'en donner la peine.* ▷ (S. comp.) *Un homme très capable*, habile, compétent. **2.** DR Qui a les qualités requises par la loi pour. *Capable de tester, de voter.* **3.** GEOM *Arc capable* : ensemble des points d'où l'on voit la corde d'un arc de cercle sous un angle donné.

capacitaire n. Personne titulaire de la capacité en droit.

capacité n. f. **I. 1.** Contenance d'un récipient; volume. *La capacité d'un vase. Mesures de capacité.* **2.** ELECTR Rapport (exprimé en farads) entre la quantité d'électricité qu'un corps ou un condensateur peuvent emmagasiner et la tension qui leur a été appliquée. – *Capacité d'un accumulateur* : quantité d'électricité (exprimée en ampères-heures) que cet accumulateur peut rendre jusqu'à décharge complète. **3.** PHYS *Capacité calorifique* ou *thermique d'un corps*, quantité de chaleur nécessaire pour élever sa température de 1 °C. **II. 1.** Aptitude, habileté. *Il n'a aucune capacité pour ce travail.* ▷ (S. comp., plur.) *Elle a des capacités réduites.* **2.** Pouvoir (de faire). *La capacité d'écouter les autres.* **3.** DR Compétence légale. *Capacité de tester, de voter.* **4.** *Capacité en droit* : diplôme délivré après examen, par les facultés de droit, à des étudiants bacheliers ou non (deux ans d'études).

caparaçon n. m. Anc. Harnachement d'ornement ou de protection d'un cheval de bataille.

caparaçonner v. tr. [1] **1.** Couvrir d'un caparaçon. **2.** Recouvrir entièrement pour protéger. ▷ v. pron. *Se caparaçonner d'un épais manteau.*

Capazza (Louis) (Bastia, 1862 – Paris, 1928), ingénieur et aéronaute français. Il effectua la première traversée de la Manche en dirigeable (1910).

Capbreton, com. des Landes (arr. de Dax); 5 337 hab. Stat. baln. – À 400 m de la côte, *Gouf de Capbreton*, cañon sous-marin.

Cap-Breton (île du), île du Canada (Nouvelle-Écosse), à l'entrée du golfe du Saint-Laurent; 10 322 km^2; v. princ. *Sydney*. Pêche. Houillères. – L'île fut découverte en 1497 par Jean Cabot.

Capcir (le), région des Pyrénées-Orientales, formant la vallée supérieure de l'Aude. Élevage. – Réuni à la France en 1660.

Cap-d'Ail, com. des Alpes-Mar. (arr. de Nice), au S.-O. de Monaco; 4 871 hab. Stat. balnéaire.

Cap-de-la-Madeleine, v. du Canada (Québec); 33 700 hab. Centre industr. – Pèlerinage au sanctuaire Notre-Dame-du-Cap.

1. cape n. f. **1.** Manteau ample et sans manches. – *Roman, film de cape et d'épée* : roman, film d'aventures, dont l'action est située à une époque où l'on portait la cape et l'épée, et qui met en scène des héros chevaleresques, batailleurs et généreux. ▷ Loc. fig. *Sous cape* : à la dérobée, en cachette. *Rire sous cape.* **2.** Robe d'un cigare

2. cape n. f. MAR Allure d'un voilier qui fait tête au vent en dérivant, d'un navire à moteur qui réduit sa vitesse et prend le meilleur cap pour être protégé du choc des lames (manœuvre de gros temps). *Prendre la cape, se mettre à la cape.* ▷ *Voile de cape*, très résistante et de surface réduite, utilisée pour tenir la cape.

Čapek (Karel) (Svatoňovice, 1890 – Prague, 1938), écrivain tchèque; auteur de nouvelles, de romans et de drames, satire des travers humains (*la Guerre contre les salamandres*, 1936; *R.U.R., les robots universels de Rossum*, drame de science-fiction dans lequel apparaît le mot «robot», 1924).

capeline n. f. **1.** Chapeau de femme à bords larges et souples. **2.** Anc. Armure de tête avec couvre-nuque.

Capella. V. Chèvre (la).

Capeluche, bourreau de Paris de 1411 à 1418, un des meneurs de la faction bourguignonne. Il fut lui-même décapité.

CAPES n. m. Acronyme pour *certificat d'aptitude professionnelle à l'enseignement secondaire.*

capésien, enne n. (et adj.) Étudiant qui prépare le CAPES; personne titulaire du CAPES.

Capesterre-Belle-Eau, ch.-l. de cant. de la Guadeloupe (arr. de Basse-Terre); 19 081 hab.

CAPET n. m. Acronyme pour *certificat d'aptitude professionnelle à l'enseignement technique.*

Capet, surnom d'Hugues Ier, fondateur de la dynastie capétienne. Ce nom désigna officiellement Louis XVI après l'abolition de la monarchie (1792).

capétien, enne adj. Relatif à la dynastie des rois de France que fonda en 987 Hugues Capet.

Capétiens, dynastie fondée par Hugues Capet et qui, succédant aux Carolingiens, régna sur la France en ligne directe de 987 à 1328. La Branche des Valois devait régner de 1328 à 1589, et celle des Bourbons de 1589 à 1830.

Cap-Haïtien, port d'Haïti, au nord de l'île; 64 400 hab.; ch.-l. de dép. Raff. de sucre. Tourisme. – Appelée Cap-Français, la ville fut la cap. de Saint-Domingue de 1670 à 1770.

capharnaüm [kafaʀnaɔm] n. m. Fam. Lieu qui renferme beaucoup d'objets entassés pêle-mêle, endroit en désordre. *Tu t'y retrouves dans ton capharnaüm ?*

Capharnaüm (auj. *Kefar Nahum*), v. de l'anc. Galilée, près du lac de Génésareth (ou de Tibériade). Jésus y prêcha.

cap-hornier n. m. **1.** Grand voilier dont la route passait au large du cap Horn. **2.** Marin d'un tel voilier. *Les anciens cap-horniers.*

cap-hornier à trois mâts

1. capillaire adj. et n. m. **1.** Relatif aux cheveux. *Lotion capillaire. Soins capillaires.* **2.** Fin comme un cheveu. *Tube capillaire*, très fin, très ténu. ▷ ANAT *Vaisseaux capillaires* : vaisseaux sanguins très fins, organisés en réseaux complexes entre les artérioles et les veinules dans tous les tissus. *C'est au niveau des vaisseaux capillaires que s'effectuent les échanges gazeux et nutritifs et l'élimination des déchets.* ▷ n. m. *Les capillaires.* **3.** PHYS Relatif aux phénomènes de capillarité.

2. capillaire n. m. Fougère au pétiole fin et long portant de nombreuses et légères folioles très découpées. ► illustr. **fougères**

capillarite n. f. MED Lésion des vaisseaux capillaires cutanés.

capillarité n. f. **1.** Qualité, état de ce qui est capillaire. **2.** Propriété des tubes capillaires. **3.** PHYS Phénomène d'ascension des liquides dans les tubes fins, dû à la tension superficielle entre des milieux de natures différentes.

capilotade n. f. **1.** Vieilli Ragoût fait de restes de viandes coupés en petits morceaux. **2.** Loc. fig., fam. *Mettre en capilotade* : mettre en pièces, écraser. *Être en capilotade*, en piteux état.

capitaine n. **1.** Officier des armées de terre et de l'air, se situant au-dessus du lieutenant et au-dessous du commandant dans la hiérarchie militaire. *Le capitaine commande une compagnie, un escadron ou une batterie.* **2.** MAR *Capitaine de vaisseau, de frégate, de corvette* : officiers de la marine militaire dont les grades correspondent, dans l'armée de terre, respectivement à ceux de colonel, de lieutenant-colonel et de commandant. – *Capitaine d'armes* : officier marinier chargé du service intérieur et de la discipline. **3.** Officier commandant un navire de commerce. *Les brevets de capitaine de 1re et de 2e classe de la navigation maritime ont remplacé ceux de capitaine au long cours et de capitaine de la marine marchande.* – *Capitaine d'un port.* ▷ Cour. Commandant d'un navire. **4.** Litt. Chef militaire. *Alexandre et Napoléon furent de grands capitaines.* **5.** Chef d'une équipe sportive.

capitainerie n. f. Bureau et services du capitaine d'un port.

1. capital, ale, aux adj. et n. f. **I.** adj. **1.** Principal, essentiel. *Le point capital de cette affaire. Une découverte capitale. Les sept péchés capitaux.* **2.** *Peine capitale* : peine de mort. **II.** n. f. **1.** Ville où siègent les pouvoirs publics d'un État, d'une province. *Paris, capitale de la France.* – *Capitale fédérale*, où siège le gouvernement d'une fédération d'États. *Washington est la capitale fédérale des États-Unis.* **2.** Lettre majuscule. *Écrire en capitales d'imprimerie.*

2. capital, aux n. m. **1.** Cour. Bien, fortune. *Avoir un petit capital.* – *Manger son capital* : se ruiner. ▷ Fig. *Le capital historique de la France.* **2.** ECON Somme de richesses produisant d'autres richesses. **3.** Ensemble des moyens (financiers et techniques) dont dispose une entreprise industrielle ou commerciale. *Évaluer le capital réel d'une société. Capital technique.* ▷ *Capital nominal* ou *social* : somme des apports initiaux contractuels des actionnaires qui constituent une société. *Société anonyme au capital de cent mille francs.* **4.** ECON (Collectif) Ceux qui détiennent les moyens de production, les capitalistes; le capitalisme. *Prôner l'union du capital et du travail*, de la bourgeoisie et du prolétariat. **5.** *Spécial.* (Plur.) Moyens financiers dont dispose une entreprise ou un particulier pour investir. *La fuite des capitaux à l'étranger. Réunir, investir des capitaux. Manquer de capitaux.* ▷ *Capitaux fixes* (biens meubles et immeubles), *circulants* (liquidités destinées à recouvrir des traites, à payer les salaires). *Capitaux propres* ou *fonds propres* : capital social et réserves appartenant en propre à une entreprise. *Capitaux permanents :* capitaux propres et dettes à long et moyen terme. *Capitaux fébriles* ou *flottants :* V. fébrile.

capitalisable adj. Qui peut être capitalisé.

capitalisation n. f. Action de capitaliser; son résultat. ▷ *Capitalisation boursière :* évaluation de l'ensemble des titres d'une société d'après leur cotation en Bourse.

capitaliser v. [1] **1.** v. intr. Cour. Accumuler de l'argent pour constituer ou augmenter un capital. **2.** v. tr. ECON Accroître un capital par l'addition (des intérêts qu'il procure).

capitalisme n. m. **1.** Régime économique fondé sur la primauté des capitaux privés. *L'essor du capitalisme au XIXe s.* **2.** *Par ext.* Régime politique dans lequel le pouvoir est dépendant des détenteurs de capitaux.

capitaliste adj. et n. **1.** adj. Qui a rapport au capitalisme. *Régime capitaliste.* **2.** n. Personne qui détient des capitaux. – Fam. Personne qui est riche. *Un gros capitaliste.*

capital-risque n. m. (Ne s'emploie qu'au sing.) ECON Capital en fonds propres placé dans une entreprise, spécial. dans les secteurs de pointe.

capitation n. f. FEOD Taxe par tête, abolie en 1789.

capité, ée adj. BOT Se dit d'un organe renflé au sommet.

capiteux, euse adj. Qui porte à la tête, qui enivre. *Vin, parfum capiteux.*

Capitole ou **Capitolin** (mont), une des sept collines de Rome; située à l'O. de la v. primitive, entre le Tibre et le Forum. Sur l'un des sommets, Tarquin l'Ancien édifia un temple, le *Capitolium,* dédié à Jupiter, Junon et Minerve, et où étaient enfermées les oies consacrées à Junon. L'actuelle place du Capitole a été dessinée par Michel-Ange. – D'importants édifices et monuments portent auj. ce nom : Capitole de Toulouse (XVIIIe s.), Capitole de Washington (le Parlement des É.-U.).

capitolin, ine adj. Du Capitole. *Jeux capitolins. Jupiter capitolin.*

capiton n. m. **1.** Bourre de soie. **2.** Rembourrage piqué à intervalles réguliers (formant souvent des losanges); chacun de ces losanges. **3.** PHYSIOL Masse épaissie du tissu adipeux sous-cutané.

capitonnage n. m. Action de capitonner; garniture capitonnée.

capitonner v. tr. [1] Rembourrer, garnir de capiton. *Capitonner les murs d'une salle de concert.* – Pp. adj. *Un siège capitonné. Une porte capitonnée.*

capitoul n. m. HIST Nom donné au Moyen Âge et sous l'Ancien Régime, à Toulouse, aux magistrats municipaux.

capitulaire adj. et n. m. **1.** adj. Qui appartient à un chapitre de chanoines ou de religieux. *Salle capitulaire.* **2.** n. m. HIST Loi édictée par un roi, un empereur mérovingien ou carolingien.

capitulation n. f. **1.** HIST Convention par laquelle le vainqueur s'engageait à respecter certains droits des habitants des territoires conquis. – (Plur.) Conventions réglant le statut des étrangers chrétiens, notam. dans l'Empire ottoman (1569-1923), en Iran et dans divers pays d'Extrême-Orient. **2.** MILIT Convention pour la reddition d'une place, d'une troupe. *Signer une capitulation.* **3.** Fig. Fait de composer avec un adversaire, de céder.

capitule n. m. BOT Inflorescence formée de très nombreuses fleurs sessiles fixées sur un renflement terminal de l'axe floral. *Capitules des composées.*

capituler v. intr. [1] **1.** Traiter avec l'ennemi la reddition d'une place, d'une ville, d'une armée. **2.** Fig. Venir à composition, céder.

Caplet (André) (Le Havre, 1878 – Neuilly-sur-Seine, 1925), compositeur et chef d'orchestre français; ami de Debussy. Son inspiration est souvent religieuse : *Épiphanie* (1923), *le Miroir de Jésus* (1923).

Capo d'Istria ou **Capodistria** (Jean, comte de) (Corfou, 1776 – Nauplie, 1831), homme politique grec. Il joua un rôle déterminant dans la lutte pour l'indép. de la Grèce. Élu président de la rép. (1827), il fut assassiné.

capoeira n. f. Art martial brésilien, qui se présente comme une sorte de danse rituelle.

Capone (Alphonse Capone, dit Al) (Naples, 1899 – Miami, 1947), gangster américain. Maître du commerce clandestin de l'alcool à Chicago au temps de la prohibition.

caporal, aux n. m. **1.** Militaire qui a le grade le moins élevé, dans l'infanterie et l'aviation. – *Le Petit Caporal :* Napoléon Ier. – *Caporal-chef :* militaire du grade supérieur à celui de caporal et inférieur à celui de sergent. *Des caporaux-chefs.* **2.** Tabac fort, à fumer.

caporalisme n. m. Régime politique autoritaire, manière de conduire un État militairement. *Le caporalisme prussien de Bismarck.*

Caporetto (auj. *Kobarid*), village de Yougoslavie (Slovénie), sur l'Isonzo; 800 hab. – Grave défaite des Italiens devant les Austro-Allemands (oct. 1917).

1. capot n. m. **1.** MAR Toile de protection. **2.** Tôle protectrice recouvrant un moteur.

2. capot adj. inv. Se dit d'un joueur qui n'a fait aucune levée, aux cartes.

capotage n. m. **1.** Disposition de la capote d'une voiture. **2.** Fermeture, protection assurée par un capot.

capote n. f. **1.** Grand manteau à capuchon. **2.** Grand manteau militaire. **3.** Chapeau de femme. **4.** Couverture d'une voiture qui se plie à la manière d'un soufflet. **5.** Fam. *Capote anglaise :* préservatif masculin.

Capote (Strekfus Persons, dit Truman) (La Nouvelle-Orléans, 1924 – Los Angeles, 1984), écrivain américain. Il excella tour à tour dans l'imaginaire et le réalisme, le roman de fantaisie désenchantée (*Petit Déjeuner chez Tiffany,* 1958), le document-reportage (*De sang-froid,* 1966) et le théâtre.

1. capoter v. tr. [1] Munir d'une capote; fermer au moyen d'une capote.

Truman **Capote**

Caracalla

2. capoter v. intr. [1] **1.** MAR Chavirer. **2.** Se retourner par accident (automobile, avion). **3.** Fig. Échouer. **4.** Fig., fam. (Canada) Perdre la tête, devenir un peu fou. *Les gens capotent avec l'argent.* ▷ Pp. adj. *Il est complètement capoté.* – Par ext. *Un spectacle capoté.*

Capoue (en ital. *Capua*), v. d'Italie (Campanie), sur le Volturno; 18 050 hab. Industr. alimentaire. Archevêché. – L'armée d'Hannibal la prit (215 av. J.-C.), y établit ses quartiers d'hiver et s'y affaiblit (« délices de Capoue »). Les Romains reprirent la ville en 211 av. J.-C.

Cappadoce, anc. pays d'Asie Mineure, partie intégrante de l'Empire hittite durant la majeure partie du IIe millénaire av. J.-C., l'un des premiers centres d'expansion du christianisme. Auj. en Turquie. – Mon. byzantins.

Cappadoce

cappadocien, enne adj. et n. De la Cappadoce. ▷ Subst. *Un(e) Cappadocien(ne).*

cappella (a). V. a cappella.

Cappiello (Leonetto) (Livourne, 1875 – Grasse, 1942), peintre, caricaturiste et, surtout, affichiste français d'origine italienne (*Ouate thermogène,* 1909).

cappuccino [kaputʃino] n. m. Café au lait à la crème chantilly.

Capra (Frank) (Bisacquino, 1897 – Los Angeles, 1991), cinéaste américain d'origine italienne. Il s'illustra dans la comédie sociale et morale : *l'Extravagant M. Deeds* (1936), *Monsieur Smith au Sénat* (1939), *Arsenic et vieilles dentelles* (1944). De 1942 à 1944, il réalisa *Pourquoi nous combattons,* série de films de montage et de propagande.

Caprara (Giovanni Battista) (Bologne, 1733 – Paris, 1810), prélat italien. Négociateur du Concordat de 1801, il sacra Napoléon roi d'Italie à Milan en 1805.

câpre n. f. Bouton floral du câprier, qui, confit dans le vinaigre, sert de condiment.

Caprera, îlot proche de la côte N.-E. de la Sardaigne (Italie), où vécut Garibaldi de 1856 à sa mort en 1882.

Frank **Capra :** *Arsenic et vieilles dentelles,* 1945, avec Josephine Hull, Cary Grant et Jean Adair (à dr.)

Capri, île d'Italie (Campanie), à l'entrée S. du golfe de Naples; 7 490 hab.; v. princ. *Capri*. Les rivages, échancrés, sont creusés de grottes (*grotte d'Azur*, notam.). Tourisme.

capriccio [kapʀitʃjo] n. m. MUS Composition de forme libre, souvent inspirée du folklore. *Des capriccios*. Syn. caprice.

caprice n. m. **1.** Fantaisie, volonté soudaine et irréfléchie. *Satisfaire les caprices d'un enfant.* **2.** (Plur.) Changements imprévisibles. *Les caprices de la mode.* **3.** Fantaisie amoureuse. *«Les Caprices de Marianne», comédie de Musset.*

capricieusement adv. Par caprice.

capricieux, euse adj. et n. **1.** (Personnes) Qui a des caprices, fantasque. *Une diva capricieuse.* **2.** (Choses) Irrégulier, dont la forme change. *Les flots capricieux.*

capricorne n. m. **1.** ASTRO *Le Capricorne* : constellation zodiacale de l'hémisphère austral. – *Tropique du Capricorne* : tropique austral. ▷ ASTROL Signe du zodiaque* (22 déc.-20 janv.). – Ellipt. *Il est capricorne.* **2.** Coléoptère aux antennes très longues. *Le capricorne arlequin* (Acrocinus longimanus) *et le capricorne héros* (Cerambyx cerdo), *communs en France, sont des xylophages dangereux pour les charpentes.*

câprier n. m. Arbuste épineux des zones périméditerranéennes, à grandes fleurs odorantes.

câprier commun : feuilles, fleur et fruits

caprifoliacées n. f. pl. BOT Famille de dicotylédones gamopétales, comprenant le chèvrefeuille, le sureau, les viornes, la symphorine, etc. – Sing. *Une caprifoliacée.*

caprimulgiformes n. m. pl. ORNITH Ordre d'oiseaux comprenant notam. l'engoulevent (genre *Caprimulgus*), le martinet, les colibris. – Sing. *Un caprimulgiforme.*

caprin, ine adj. Qui se rapporte à la chèvre; de la chèvre. *Race caprine.*

caprins ou **caprinés** n. m. pl. ZOOL Sous-famille de bovidés ayant des cornes à grosses côtes transversales (chèvres, bouquetins, chamois, moutons). – Sing. *Un caprin* ou *un capriné.*

Caprivi di Caprara di Montecuccoli (Georg Leo, comte von) (Charlottenburg, Berlin, 1831 – Skyren, Brandebourg, 1899), homme politique prussien, d'origine italienne. Chancelier de l'Empire allemand de 1890 à 1894, successeur de Bismarck, il maintint la Triple-Alliance.

capside n. f. MICROB Formation de molécules protéiques, en forme de coque, qui entoure le matériel génétique (A.D.N. ou A.R.N.) d'un virus.

capsulage n. m. Fixation d'une capsule en métal ou en plastique sur le goulot d'une bouteille.

capsulaire adj. **1.** Didac. En forme de capsule. **2.** BOT Déhiscent.

capsule n. f. **1.** ANAT *Capsule articulaire* : enveloppe membraneuse qui entoure une articulation. – *Capsules surrénales* : glandes surrénales. **2.** BOT Fruit sec déhiscent contenant plusieurs graines (des lis, des tulipes, etc.). **3.** MICROB Enveloppe protectrice de certaines bactéries. **4.** CHIM Vase en forme de calotte dont on se sert pour faire évaporer un liquide. **5.** Petit tube de cuivre qui renferme une amorce de poudre fulminante. **6.** Couvercle en métal ou en plastique que l'on applique sur le bouchon ou le goulot d'une bouteille. **7.** Enveloppe soluble de certains médicaments. **8.** *Capsule spatiale* : habitacle hermétique destiné à être satellisé.

capsuler v. tr. [1] Boucher (une bouteille) avec une capsule.

captage n. m. Action de capter.

captant, ante adj. HYDROL Se dit du territoire alimentant une nappe phréatique.

captation n. f. DR Manœuvre malhonnête destinée à amener quelqu'un à consentir à une donation, un legs.

capter v. tr. [1] **1.** Obtenir par insinuation, par artifice. *Capter la confiance de quelqu'un.* **2.** Recueillir, canaliser. *Capter les eaux d'une source. Capter le rayonnement solaire.* **3.** Recevoir (une émission radioélectrique) sur un poste récepteur. **4.** PHYS NUCL *Atome qui capte un électron*, qui l'intègre à sa couche périphérique.

capteur n. m. TECH **1.** Organe capable de détecter un phénomène (bruit, lumière, etc.) à sa source et d'envoyer l'information vers un système plus complexe (calculateur). Syn. senseur. **2.** *Capteur solaire* : dispositif recueillant l'énergie calorifique du soleil.

captieux, euse [kapsjø, øz] adj. Litt. Qui tend à tromper, à surprendre par de fausses apparences; insidieux.

captif, ive adj. et n. **1.** Privé de la liberté, emprisonné, enfermé. *Un oiseau captif.* ▷ Subst. HIST ou litt. *Un captif, une captive* : une personne privée de sa liberté et, *spécial.*, faite prisonnière au cours d'une guerre et réduite en esclavage. **2.** *Ballon captif* : aérostat retenu au sol par un câble. **3.** Litt. Assujetti.

captivant, ante adj. Qui captive, qui charme. *Un livre captivant.*

captiver v. tr. [1] **1.** Vx Soumettre. **2.** Attirer et retenir l'attention de; séduire, charmer. *Cette histoire m'a captivé.*

captivité n. f. État d'une personne captive. *Vivre en captivité.*

captorhinomorphes n. m. pl. PALEONT Ordre de reptiles fossiles (du carbonifère au permien), qui constituent la souche des reptiles évolués actuels. – Sing. *Un captorhinomorphe.*

capture n. f. **1.** Fait de capturer. *La capture d'un animal, d'un criminel.* ▷ PHYS *Capture d'une particule*, par le noyau d'un atome. ▷ GEOGR *Capture d'un cours d'eau par un autre* : détournement naturel du premier vers le lit du second. **2.** Ce qui a été pris.

capturer v. tr. [1] **1.** Prendre vivant (un être humain, un animal). *Capturer un lion.* – Par anal. *Capturer un navire ennemi.* **2.** PHYS (En parlant du noyau d'un atome.) Absorber (une particule).

Capuana (Luigi) (Minéo, Sicile, 1839 – Catane, 1915), écrivain italien. Il fut critique dramatique en dialecte sicilien et romancier vériste (*le Marquis de Roccaverdina*).

capuce n. m. Capuchon en pointe de l'habit d'un moine.

capuche n. f. **1.** Capuchon ample qui se rabat sur les épaules. **2.** Capuchon amovible d'un vêtement.

capuchon n. m. **1.** Grand bonnet fixé sous le col d'une veste, d'un manteau, etc. *Capuchon d'un anorak.* **2.** Élément servant à protéger, à fermer. *Visser le capuchon d'un stylo.*

capuchonner v. tr. [1] Couvrir d'un capuchon (sens 2).

capucin, ine n. **1.** Religieux d'une branche de l'ordre des Franciscains. *Les Capucins luttèrent activement contre le protestantisme au XVI*e *s.* **2.** BOT *Barbe-de-capucin**. **3.** ZOOL Nom de divers singes d'Amérique du Sud (sajou, saki, saï, etc.).

capucine n. f. **1.** Plante ornementale cultivée pour ses fleurs vivement colorées. (Une espèce est grimpante.) **2.** Célèbre ronde enfantine. *Danser la capucine.*

capucine, espèce grimpante

Capulets (les) (en ital. *Capuleti*), famille légendaire de Vérone (XVe s.) favorable aux guelfes, et donc ennemie des Montaigus, ralliés aux gibelins. Juliette, héroïne du drame de Shakespeare *Roméo et Juliette*, était une Capulet.

Capus (Alfred) (Aix-en-Provence, 1858 – Neuilly-sur-Seine, 1922), journaliste et écrivain français. Romancier (*Qui perd gagne*, 1890) et auteur de comédies de mœurs (*la Veine*, 1902; *la Traversée*, 1920), il fut, avec esprit, le témoin de la fin du XIXe siècle.

capverdien, enne [kapvɛʀdjɛ̃, ɛn] adj. et n. Du Cap-Vert. ▷ Subst. *Un(e) Capverdien(ne).*

Cap-Vert (république des îles du) (*República das Ilhas do Cabo Verde*), État d'Afrique, à l'O. du Sénégal, archipel de l'Atlant.; 4 033 km²; 360 000 hab.; cap. *Praia*, dans l'île de Santiago. Nature de l'État : rép. Langue off. : portugais. Monnaie : escudo du Cap-Vert. Relig. : cathol.

Écon. État pauvre, faisant partie des pays les moins avancés, le Cap-Vert vit d'agriculture (maïs, manioc, banane, canne à sucre), de pêche, de l'exploitation des salines, mais surtout des transferts de fonds des 600 000 émigrés et de l'aide internationale.
Hist. L'archipel, portugais à partir de 1494, a accédé à l'indép. en 1975, sous la direction du Parti africain de l'indépendance de la Guinée et du Cap-Vert (P.A.I.G.C.). Après le coup d'État en Guinée-Bissau (1980), la section capverdienne, le P.A.I.C.V., gouverna le pays comme parti unique sous la direction d'Arístides Pereira jusqu'en 1990. Après l'adoption du multipartisme, le candidat du Mouvement pour la démocratie (M.P.D.), Antonio Monteiro, est élu à la présidence (1991) et fait adopter une nouvelle Constitution (1992). Il est réélu en 1996. ► carte **Sénégal**

caque n. f. Baril où l'on met les harengs salés. – (Prov.) vieilli *La caque sent toujours le hareng* : on garde toujours la marque de son origine.

caquelon n. m. Rég. Poêlon profond en terre ou en fonte.

caquet n. m. **1.** Gloussement de la poule qui vient de pondre. **2.** Fig., litt., vieilli Bavardage importun. **3.** *Rabaisser, rabattre le caquet de qqn*, le faire taire.

caquetage n. m. **1.** Action de caqueter (sens 1). **2.** Bavardage, commérage.

caqueter v. intr. [**20**] **1.** Glousser après avoir pondu (poules). **2.** Fig. Bavarder à tort et à travers.

Caquot (Albert) (Vouziers, 1881 – Paris, 1976), ingénieur français. Spécialiste de l'aérostatique et de la résistance des matériaux, il réalisa notam. le barrage de Donzère-Mondragon.

1. car conj. de coord. (Pour indiquer que l'on va énoncer la cause, la preuve, la raison de ce que l'on vient de formuler.) *Elle n'est pas sortie, car il pleuvait.*

2. car n. m. Autocar.

carabe n. m. ENTOM Coléoptère (genre *Carabus*), appelé cour. *jardinière*, généralement noir à reflets métalliques, au corps allongé muni de grandes pattes agiles. (De nombreuses espèces françaises sont des carnassiers utiles.)

carabin n. m. **1.** HIST Soldat de cavalerie légère au XVIe s. **2.** Fam. Étudiant en médecine.

carabine n. f. Fusil léger à canon court.

carabiné, ée adj. Fam. D'une grande force, violent. *Un rhume carabiné.*

carabinier n. m. **1.** Anc. Soldat armé d'une carabine. **2.** Gendarme, en Italie. – Douanier, en Espagne. ▷ Loc. *Arriver comme les carabiniers :* arriver trop tard (allus. aux *Brigands* d'Offenbach).

Carabobo, village vénézuélien où Bolívar battit à deux reprises (1814 et 1821) les Espagnols. La seconde bataille assura l'indépendance du pays.

Carabosse, fée malfaisante et contrefaite (contes de Perrault). ▷ *Par ext.* Femme laide et acariâtre. *C'est une vraie Carabosse.*

caracal n. m. ZOOL Lynx d'Afrique et d'Asie, au pelage fauve clair.

Caracalla (Marcus Aurelius Antoninus Bassianus, dit) (Lyon, 188 – près d'Édesse, 217), empereur romain (211-217), fils de Septime Sévère. Il accorda la citoyenneté romaine à tous les hommes libres de l'Empire. Bâtisseur (thermes de Caracalla, à Rome) et guerrier (contre les Alamans et les Parthes), il mourut assassiné.
► illustr. page **286**

Caracas, cap. du Venezuela, à 1 050 m d'alt.; 1 232 250 hab. (aggl. urb. 3 400 000 hab.). Reliée par une autoroute à La Guaira, sur la mer des Antilles, ce port lui servant de débouché. Industr. alim. et text. Pétrochim. – Université. Archevêché.

Caracas

Caraccioli ou **Caracciolo,** illustre famille napolitaine. – **Giovanni** (m. en 1431) fut le favori de la reine de Naples, Jeanne II, qui le fit assassiner pour sa tyrannie. – **Domenico** (Malpartida de la Serena, Espagne, 1715 – Naples, 1789), vice-roi de Sicile de 1781 à 1786, fut ministre des Affaires étrangères sous Ferdinand IV. – **Francesco** (Naples, 1752 – id., 1799), amiral de la république Parthénopéenne en 1799, fut capturé par Nelson, qui le fit pendre.

caraco n. m. **1.** Vieilli Corsage de femme, camisole. **2.** Sous-vêtement féminin couvrant le buste.

caracole n. f. Demi-tours, voltes effectués par des chevaux (montés ou non). – *Par ext.* Mouvement désordonné d'un cheval.

caracoler v. intr. [**1**] **1.** Faire des voltes, en parlant de chevaux et de leurs cavaliers. **2.** *Par ext.* Cabrioler. **3.** Fig. Se placer largement devant ses concurrents dans une compétition, une élection, un sondage.

caractère n. m. **I.** Empreinte, marque, figure. **1.** Signe d'une écriture. *Les caractères cunéiformes d'une tablette assyrienne. Écrivez en gros caractères.* **2.** TYPO Bloc métallique portant une figure de lettre en relief. *Caractères d'imprimerie.* – Dessin propre à un type de lettre. *Choisir les caractères d'une brochure.* **3.** Fig. Empreinte. **II.** Marque distinctive. **1.** Ce qui distingue une personne, une chose. *Les caractères héréditaires s'opposent aux caractères acquis.* **2.** Élément particulier (à une chose). *Sa maladie a un caractère grave.* **3.** *Absol.* Personnalité, originalité. *Cette œuvre manque de caractère.* – *Danse de caractère*, folklorique, expressive. **III. 1.** Ensemble des possibilités de réactions affectives et volontaires qui définissent la structure psychologique d'un individu; manière d'être, d'agir. *Ces deux frères ont des caractères opposés. Montrer un bon caractère. Avoir un caractère insupportable.* **2.** Force d'âme, fermeté. *Montrer du caractère.* **3.** Ensemble de traits distinctifs (d'une personne, d'un groupe); leur transcription littéraire. *Le caractère de Joad dans « Athalie ». « Les Caractères ou les mœurs de ce siècle », de La Bruyère (1688).* **4.** Personnalité (d'un peuple, d'une nation). *Le caractère national italien.*

caractériel, elle adj. et n. PSYCHO **1.** adj. Relatif au caractère (sens III, 1). *Troubles caractériels.* **2.** n. Personne qui présente des troubles du caractère.

caractérisation n. f. Manière dont qqch se caractérise; action, fait de caractériser.

caractérisé, ée adj. Nettement marqué, dont les caractères propres apparaissent immédiatement. *Une maladie caractérisée. Des injures caractérisées.*

caractériser v. tr. [**1**] **1.** Décrire avec précision (une personne ou une chose) par ses traits distinctifs. *Proust caractérise ses personnages avec subtilité.* **2.** Constituer les traits caractéristiques de. *La sottise qui caractérise cet homme.* ▷ v. pron. Être déterminé par tel ou tel caractère (sens II).

caractéristique adj. et n. f. **I.** adj. Qui distingue d'autre chose. *Une différence caractéristique.* **II.** n. f. **1.** Ce qui caractérise (qqn ou qqch). – Trait particulier. **2.** MATH *Caractéristique d'un logarithme*, sa partie entière (par oppos. à *mantisse*, sa partie décimale).

caractérologie n. f. Partie de la psychologie qui étudie les types de caractères.

caracul. V. karakul.

carafe n. f. **1.** Bouteille de verre à base élargie et col étroit. – Son contenu. *Boire une carafe d'eau.* **2.** Loc. fam. *Rester en carafe :* être laissé de côté ou rester en panne.

carafon n. m. **1.** Petite carafe. **2.** Fam. Tête. *Il n'a rien dans le carafon.*

Caragiale (Ion Luca) (Haimanale, 1852 – Berlin, 1912), écrivain roumain. Il est le créateur de la comédie roumaine moderne : *Une lettre perdue* (1884).

caraïbe adj. et n. m. **I.** adj. **1.** Des Caraïbes; des îles de la mer des Caraïbes. *La zone caraïbe.* **2.** Du groupe ethnique des Caraïbes. **II.** n. m. *Le caraïbe* : le groupe des langues de cette région.

Caraïbes, groupe ethnique qui peuplait les Petites Antilles et la côte de Guyane lors de l'arrivée des Européens (XVe s.). En 1660, il n'y avait que 6 000 survivants, dont les descendants résident aujourd'hui à la Dominique, à Saint-Vincent, au Honduras et au Guatemala.

Caraïbes, zone géographique qui comprend le golfe du Mexique et la mer des Antilles (avec l'archipel des Antilles) et leur périphérie territoriale.

Caraïbes (mer des). V. Antilles (mer des).

Caraïbes (fédération des). V. Indes occidentales (fédération des).

Caramanlis (Constantin) (Proti, près de Thessalonique, 1907 – Athènes, 1998), homme politique grec. Président du Conseil (1955-1963), il se rapprocha de l'Europe et accorda le droit de vote aux femmes. Il s'exila à Paris durant la dictature des militaires. Rappelé en juil. 1974, il restaura, comme Premier ministre, un régime démocratique. Il a été deux fois président de la République (1980-1985; 1990-1995).
► illustr. page **294**

carambolage n. m. **1.** Au billard, coup par lequel une bille en touche deux autres. **2.** Fig. Chocs répétés, en série.

carambole n. f. Fruit orangé à côtes du carambolier, arbre cultivé en Inde. – *Par ext.* Bille rouge, au jeu de billard.
► pl. **fruits exotiques**

carambolez v. [1] **1.** v. intr. Au billard, toucher deux billes avec la sienne. **2.** v. tr. Fig. Heurter, bousculer, renverser.

carambouillage n. m. ou **carambouille** n. f. Escroquerie qui consiste à revendre au comptant des marchandises non payées.

caramel n. m. **1.** Produit obtenu en chauffant du sucre. ▷ adj. inv. Brun clair. *Une étoffe caramel.* **2.** Bonbon au caramel. *Des caramels durs, mous.*

caramélisation n. f. Transformation du sucre en caramel.

caraméliser v. tr. [1] **1.** Transformer du sucre en caramel. – Pp. adj. *Sucre caramélisé.* **2.** Additionner de caramel. **3.** Enduire de caramel.

Caran d'Ache (Emmanuel Poiré, dit) (Moscou, 1859 – Paris, 1909), dessinateur humoristique français (le mot russe *karandache* signifie « crayon »).

carapace n. f. **1.** Formation tégumentaire très dure, enveloppe protectrice du corps de certains animaux. *Carapace cornée des chéloniens. Carapace calcifiée des crustacés, des tatous. La carapace d'une langouste.* **2.** Fig. Ce qui protège. *Un égoïste protégé par une carapace d'indifférence.*

carapater (se) v. pron. [1] Fam. S'enfuir.

caraque n. f. et adj. **1.** n. f. Anc. Navire de charge de 1 000 à 1 500 tonneaux, très élevé sur l'eau. *Les caraques desservaient les Indes et l'Amérique du Sud.* **2.** adj. (ou en appos.) *Porcelaine caraque :* porcelaine très fine que les caraques rapportaient des Indes en Europe.

carassin n. m. ICHTYOL Poisson téléostéen du genre *Carassius. Carassin doré :* cyprin doré ou, cour., poisson rouge.

carat n. m. **1.** Vingt-quatrième partie d'or fin contenue dans une masse d'or. **2.** Unité de masse pour les diamants, les pierres précieuses (0,2 g). **3.** Loc. fam. *Le dernier carat :* le dernier moment, l'extrême limite.

Caravage (Michelangelo Merisi, ou Amerighi ou Merighi, dit *il Caravaggio,* en fr. le) (Caravaggio, v. 1573 – Porto Ercole, 1610), peintre italien. Les contrastes violents qui accentuent le réalisme de ses œuvres exercèrent une grande influence sur la peinture européenne : *Conversion de saint Paul,* v. 1600-1601 ; *Mort de la Vierge,* v. 1604 (Louvre).

Caravaggio. V. Polidoro da Caravaggio.

caravagisme n. m. Courant pictural issu de la peinture du Caravage, caractérisé par le réalisme et le contraste entre l'ombre et la lumière.

caravanage n. m. Syn. (off. recommandé) de *caravaning.*

1. caravane n. f. **1.** Groupe de personnes (commerçants, pèlerins, nomades, etc.) voyageant ensemble pour mieux affronter les difficultés de certaines traversées (déserts notam.). **2.** *Par ext.* Groupe de personnes voyageant ensemble. *Caravane de touristes.*

2. caravane n. f. Roulotte de tourisme remorquée par une voiture.

1. caravanier, ère n. m. et adj. **1.** n. m. Conducteur des bêtes de somme d'une caravane. **2.** adj. Relatif aux caravanes. *Piste caravanière.*

2. caravanier, ère n. Personne qui utilise une caravane.

caravaning [kaʀavaniŋ] n. m. (Anglicisme) Camping itinérant avec une caravane. Syn. (off. recommandé) caravanage.

caravansérail [kaʀavɑ̃seʀaj] n. m. Lieu destiné à abriter les caravanes et à héberger les voyageurs, en Orient.

caravelle n. f. **1.** Anc. Navire à trois ou quatre mâts, à voiles latines, utilisé aux XVe et XVIe s., notam. dans les grands voyages de découverte. *La* Santa-Maria, *caravelle de Christophe Colomb.* **2.** Mod. (Nom déposé.) Nom donné à un biréacteur moyen-courrier, le premier avion à réaction civil construit en France. *Une Caravelle.*

carb(o)-. Élément, du lat. *carbo, carbonis,* « charbon ».

Carbet (Le), ch.-l. de cant. de la Martinique (arr. de Fort-de-France) ; à l'embouchure du *Carbet,* riv. née dans les *pitons du Carbet* (1 196 m d'alt.) ; 3 022 hab.

carbochimie n. f. Chimie industrielle des dérivés provenant de la cokéfaction de la houille (ammoniac, méthane, éthylène, acétylène, benzols, etc.), qui servent d'intermédiaires dans la synthèse de nombreux corps (matières plastiques, colorants, etc.).

carbonade. V. carbonnade.

carbonarisme n. m. **1.** Ensemble des principes, de la doctrine des carbonari. **2.** Organisation, mouvement politique des carbonari.

carbonaro, plur. **ari** n. m. Membre d'une société secrète, active en Italie au XIXe s., qui luttait pour la libération et l'unité nationales. *Les carbonari étaient groupés en sections appelées « ventes ».*

le **Caravage :** *David et la tête de Goliath,* v. 1605 ; musée d'Histoire de l'art, Vienne

carbonatation n. f. CHIM Neutralisation d'une base par l'acide carbonique.

carbonate n. m. CHIM Sel ou ester de l'acide carbonique.

carbone n. m. **1.** Élément non métallique de numéro atomique Z = 6 et de masse atomique 12,01 (symbole C). *La masse atomique du carbone 12, isotope* ^{12}*C (M = 12), a été choisie comme base pour le calcul des masses atomiques des éléments.* – Non-métal (C), qui fond à 3 600 °C et bout à 4 800 °C. ▷ *Fibre de carbone,* obtenue par pyrolyse de matières acryliques, et que l'on incorpore dans une matrice en résine époxy ou en alliage léger pour obtenir un matériau composite de très haute résistance. **2.** Cour. *Papier carbone* ou *carbone :* papier enduit d'un apprêt coloré sur une face, permettant d'exécuter des doubles, notam. en dactylographie.

ENCYCL Le carbone est peu abondant à l'état natif. On le trouve sous forme de diamant, de graphite (variétés allotropiques) et de charbons minéraux (houille et lignite). Sous forme combinée, l'élément carbone se rencontre dans les hydrocarbures et les carbonates ; c'est l'un des constituants fondamentaux de la matière vivante. L'atmosphère contient 0,03 % de dioxyde de carbone (CO_2), lequel joue un rôle fondamental lors de la photosynthèse. L'oxyde de carbone (CO), produit par la combustion incomplète de composés carbonés, présente une grande toxicité. L'isotope radioactif ^{14}C permet la datation (V. encycl. datation) des corps organiques.
Biochim. – *Cycle du carbone.* Les végétaux chlorophylliens et certaines bactéries, dits autotrophes, assimilent sous forme de CO_2 (assimilation chlorophyllienne ou photosynthèse) le carbone à partir duquel ils synthétisent leur matière vivante. Les autotrophes sont consommés par les animaux qui, hétérotrophes, sont incapables d'une telle assimilation ; le CO_2 dégagé lors de la respiration est récupéré par les autotrophes, mais une partie importante se perd, fixée sous forme de calcaire (squelettes, coquilles, etc.).

▶ illustr. **cycles naturels** et **étoile**

carboné, ée adj. CHIM Qui contient du carbone.

carbonifère n. m. et adj. **1.** n. m. GEOL Période de la fin de l'ère primaire, allant du dévonien au permien, pendant laquelle se constituèrent d'importantes couches de houille. *Le carbonifère.* ▷ adj. *La période carbonifère.* **2.** adj. Qui contient du carbone. *Roche carbonifère.*

carbonique adj. CHIM *Anhydride* ou *gaz carbonique :* dioxyde de carbone (CO_2). ▷ *Acide carbonique :* acide faible (H_2CO_3), que l'on ne trouve jamais à l'état libre. ▷ *Neige carbonique :* gaz carbonique solidifié.

carbonisation n. f. Réduction de matières organiques à l'état de charbon sous l'action de la chaleur.

carboniser v. tr. [1] **1.** Réduire (un corps) en charbon par la chaleur. *Les poutres ont été carbonisées par l'incendie.* **2.** *Par ext.* Cuire, rôtir à l'excès. *Le pain est presque carbonisé.* ▷ v. pron. *Les bûches se sont complètement carbonisées.*

carbonnade ou **carbonade** n. f. Ragoût de viande de bœuf à la bière et aux oignons.

carbonyle n. m. CHIM Radical bivalent C=O que possèdent les aldéhydes, les cétones et les composés résultant de l'union du fer ou du nickel avec l'oxyde de carbone.

carborundum [kaʀbɔʀɔ̃dɔm] n. m. (Nom déposé.) CHIM Carbure de silicium SiC, préparé industriellement et utilisé comme abrasif.

carboxylase n. f. CHIM Enzyme qui dégrade le groupement carboxyle.

carboxyle n. m. CHIM Groupement monovalent -COOH caractéristique des acides carboxyliques.

carboxylique adj. CHIM Qui contient le groupe carboxyle. *Acide carboxylique :* acide organique R-COOH.

carburant, ante adj. et n. m. **1.** adj. Qui contient une matière combustible. **2.** n. m. Combustible qui, mélangé à l'air, est facilement inflammable. (Les carburants les plus utilisés proviennent de la distillation du pétrole : essence, gazole, etc.; on peut également fabriquer des carburants synthétiques : essences, benzol, méthanol, alcool éthylique, etc.)

carburateur, trice adj. et n. m. **1.** adj. Qui sert à la carburation. **2.** n. m. Appareil servant à mélanger à l'air le carburant vaporisé qui alimente un moteur à explosion.

carburation n. f. **1.** METALL Addition de carbone à un métal. *Acier obtenu par carburation du fer.* **2.** Mélange de l'air et du carburant dans un moteur à explosion.

carbure n. m. **1.** CHIM Combinaison binaire du carbone avec un métal. **2.** Cour. Carbure de calcium.

carburé, ée adj. **1.** CHIM Qui contient du carbone. **2.** TECH Mélangé à un carburant. *Gaz carburé.*

carburer v. [1] **I.** v. tr. Additionner de carbone (un métal). *Carburer du fer.* **II.** v. intr. **1.** (Choses) Faire la carburation. *Un moteur qui carbure bien.* ▷ Fig., fam. *Carburer au rouge, au blanc :* ne boire que du vin rouge, du vin blanc. **2.** Fam. Aller bien, marcher, fonctionner. *Alors, ce stage, ça carbure ?*

carcailler v. intr. [1] Rare Crier, en parlant de la caille. Syn. courcailler.

carcan n. m. **1.** Anc. Cercle de fer avec lequel les criminels condamnés à l'exposition publique étaient attachés par le cou au pilori. - La peine ellemême. *Une loi de 1832 a aboli le carcan en France.* ▷ Fig. *Ce col empesé est un carcan.* **2.** Ce qui gêne, entrave la liberté (d'action, de pensée, etc.). *Le carcan des institutions.*

carcasse n. f. **1.** Ensemble des ossements du corps d'un animal, dépouillés de leurs chairs mais encore reliés les uns aux autres. **2.** Fam. Corps humain. *Traîner, sauver sa carcasse.* **3.** Assemblage de pièces résistantes, structure qui supporte, soutient, assure la rigidité d'un ensemble. *Carcasse d'une dynamo. Carcasse d'un navire en construction. Carcasse radiale* (d'un pneu) : armature constituée d'arceaux métalliques disposés en rayons.

Carcassonne, ch.-l. du dép. de l'Aude, sur l'Aude et le canal du Midi; 44 991 hab. Marché du vin. Pneumatiques. Industr. électr. Tourisme. - Évêché. - Dans la Cité : la plus remarquable enceinte fortifiée du Moyen Âge européen (restaurée au XIXe s. par Viollet-le-Duc); égl. St-Nazaire (vitraux XIVe-XVIe s.), romano-gothique. - La v. fut prise et ravagée en 1209 par Simon de Montfort, et cédée au roi de France en 1247.

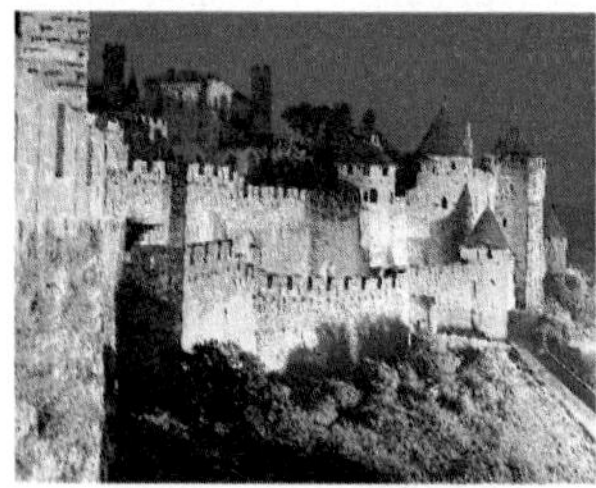

les remparts de **Carcassonne**

carcéral, ale, aux adj. De la prison, relatif à la prison. *Le régime carcéral.*

carcino-. Élément, du gr. *karkinos,* « cancer ».

carcinoembryonnaire [kaʀsinoɑ̃bʀijɔnɛʀ] adj. MED Se dit d'antigènes présents sur la surface des cellules du fœtus, mais également des cellules cancéreuses. *Le dosage des antigènes carcinoembryonnaires permet de surveiller l'extension d'un cancer.*

carcinogène adj. Cancérigène.

carcinologie n. f. **1.** MED Cancérologie. **2.** ZOOL Étude des crustacés.

carcinome n. m. MED Cancer du tissu épithélial. Syn. épithélioma, épithéliome.

Carco (François Carcopino-Tusoli, dit Francis) (Nouméa, 1886 - Paris, 1958), écrivain français; poète et romancier de Montmartre et du « milieu » : *Jésus la Caille* (1914), *l'Ami des peintres* (1944).

Carcopino (Jérôme) (Verneuil-sur-Avre, 1881 - Paris, 1970), historien français; spécialiste de la Rome antique : *César* (1936), *Aspects mystiques de la Rome païenne* (1941). Il participa au gouv. de Vichy (1941-1942). - Acad. fr. (1955).

cardage n. m. Action de carder; son résultat.

cardamine n. f. BOT Plante des prés, des lieux humides (fam. crucifères). Syn. cour. cressonnette, cresson des prés.

cardamome n. f. Plante du S.-E. asiatique, dont les graines très odorantes sont utilisées notam. comme condiment.

cardan n. m. Dispositif comportant deux axes de rotation orthogonaux et constituant une liaison mécanique à deux degrés de liberté. *Joint de Cardan, à la Cardan,* pour accoupler deux arbres dont les axes, situés dans le même plan, ne sont ni alignés ni parallèles. *Suspension à la Cardan,* utilisée sur les navires, et qui permet à certains instruments (compas et chronomètres, notam.) de rester horizontaux malgré le roulis et le tangage.

Cardan (Gerolamo Cardano, dit, en fr., Jérôme) (Pavie, 1501 - Rome, 1576), mathématicien, médecin et astrologue italien. Il inventa la suspension qui porte son nom et résolut l'équation du troisième degré.

-carde. V. cardi(o)-.

carde n. f. **1.** Instrument pour carder (autref. garni d'inflorescences de chardon). ▷ Machine à un ou plusieurs cylindres garnis de pointes, qui sert à carder la laine, le coton. **2.** Côte médiane, comestible, des feuilles de cardon, de bette, etc.

Cárdenas (Lázaro) (Jiquilpán, 1895 - Mexico, 1970), homme politique mexicain. De tendance révolutionnaire, il fit carrière dans l'armée, puis entra au gouvernement (1931-1934). Président de la République (1934-1940), il mena une politique de gauche et donna refuge à Trotski (1937) puis aux républicains espagnols exilés (1939).

carder v. tr. [1] Peigner à l'aide d'une carde (les fibres textiles) pour les démêler et les nettoyer. *Carder le coton, la laine.* - Pp. adj. *Laine cardée.*

cardère n. f. BOT Chardon à foulon (fam. dipsacacées) dont les inflorescences armées de fortes épines servaient autref. à carder.

cardeur, euse n. **1.** Personne chargée du cardage. **2.** n. f. Machine à carder.

cardi(o)-, -carde, -cardie. Éléments, du gr. *kardia,* « cœur ».

cardia n. m. ANAT Orifice œsophagien de l'estomac.

cardialgie n. f. MED Douleur d'origine cardiaque.

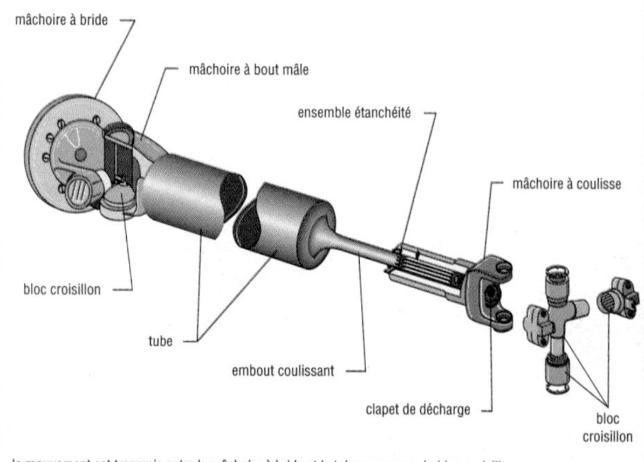

le mouvement est transmis entre la mâchoire à bride et le tube au moyen du bloc croisillon; il continue à se transmettre suivant des axes non alignés qu'articule un système tel que le bloc croisillon

transmission à la **Cardan**

cardiaque adj. et n. **1.** Du cœur. *Insuffisance cardiaque. Crise cardiaque.* **2.** Qui souffre d'une maladie de cœur. ▷ Subst. *Un(e) cardiaque.*

Cardiff, port de G.-B., sur le canal de Bristol; 272 600 hab.; capitale du pays de Galles, ch.-l. des comtés de South Glamorgan et Mi'd Glamorgan. Houille; métall.; industr. méca. (auto.) et alim. – Archevêché. Université. Chât. (XVe-XVIe s.). Stade *(Arms Park).*

cardigan [kaʀdigɑ̃] n. m. Veste de laine tricotée, à manches longues, boutonnée sur le devant jusqu'en haut.

Cardijn (Joseph) (Schaerbeek, 1882 – Louvain, 1967), prêtre belge. Il jeta les bases de la J.O.C.* (1925); cardinal en 1965.

Cardin (Pierre) (Sant'Andrea di Barbarana, Italie, 1922), couturier français. Fondateur d'une maison de couture (1949), il lança le prêt-à-porter «à griffe» (1959-1960) et fit évoluer la mode masculine.

1. cardinal, ale, aux adj. **1.** Litt. Qui sert de pivot, d'articulation, de base; principal. *L'idée cardinale de cette doctrine est...* – *Les vertus cardinales* (justice, prudence, force, tempérance) *et les vertus théologales.* – *Les points cardinaux :* le nord, l'est, le sud et l'ouest. **2.** *Nombres cardinaux,* qui désignent une quantité (par opposition aux *nombres ordinaux,* qui désignent un ordre, un rang). ▷ Subst. MATH *Cardinal d'un ensemble fini :* nombre des éléments de cet ensemble (noté card). *S'il existe une bijection entre deux ensembles A et B, card (A) = card (B).*

2. cardinal, aux n. m. **1.** Haut dignitaire ecclésiastique, membre du Sacré Collège, électeur et conseiller du pape. *Les cardinaux réunis en conclave élisent le pape. Recevoir la barrette de cardinal.* **2.** ORNITH Passériforme d'Amérique tropicale, dont il existe divers genres remarquables par leur huppe et leur coloration, rouge ou bleue en général.

Cardinal (Marie) (Alger, 1929), femme de lettres française. La perte du sol natal la met en quête de l'identité et de l'harmonie avec le monde : *Des mots pour le dire* (1975), *le Passé empiété* (1983).

cardinalat n. m. Dignité de cardinal.

cardinalice adj. Didac. Relatif au cardinalat. *La pourpre cardinalice.*

cardio-. V. cardi(o)-.

cardiofréquencemètre n. m. Appareil que l'on porte au poignet pour contrôler sa fréquence cardiaque au cours d'un effort.

cardiogramme n. m. Tracé obtenu avec le cardiographe.

cardiographe n. m. Appareil enregistrant les pulsations du cœur.

cardiographie n. f. Enregistrement des battements du cœur à l'aide du cardiographe.

cardiologie n. f. Étude du système cardio-vasculaire et de ses maladies.

cardiologue n. Médecin spécialiste de cardiologie.

cardiomégalie n. f. MED Augmentation du volume du cœur, observée en partic. dans l'insuffisance cardiaque.

cardiomyopathie n. f. MED Syn. de *myocardiopathie.*

cardiopathie n. f. MED Affection du cœur, acquise (ex. : infarctus du myocarde) ou congénitale (ex. : tétralogie de Fallot).

cardio-pulmonaire adj. MED Relatif au cœur et aux poumons. *Des troubles cardio-pulmonaires.*

cardiotomie n. f. CHIR Ouverture chirurgicale du cœur ou du cardia.

cardiotonique adj. et n. m. MED Qui augmente la tonicité du muscle cardiaque (médicaments). ▷ n. m. *La digitaline est un cardiotonique.*

cardio-vasculaire adj. Qui concerne le cœur et les vaisseaux. *Les maladies cardio-vasculaires.*

cardon n. m. Plante potagère vivace (fam. composées) dont on consomme la côte médiane, ou carde.

Cardoso (Fernando Henrique) (Rio de Janeiro, 1931), homme politique brésilien. Ministre des Finances (1993-1994), il est élu prés. de la République (1994).

Carducci (Giosue) (Val di Castello, 1835 – Bologne, 1907), poète et critique italien. Humaniste antireligieux et adversaire du romantisme, son œuvre, d'inspiration classique, est parfois scandée à la manière latine (*Odes barbares,* 1877-1889). P. Nobel 1906.

Carélie, région du nord de l'Europe, s'étendant de la mer Baltique au cercle polaire le long de la frontière entre la Finlande et la Russie. La *Carélie finlandaise,* qui couvre aujourd'hui environ 60 000 km², n'a pas d'existence administrative autonome. La *Carélie russe,* république autonome de la république socialiste de Russie de 1923 à 1991; 172 400 km²; 795 000 hab.; cap. *Petrozavodsk.* Elle comprend une partie de l'ancienne Carélie finlandaise annexée en 1940. – Pêche; industrie forestière et papetière.

carême ou **Carême** n. m. **1.** Période de quarante jours, du mercredi des Cendres à Pâques, consacrée par les catholiques à la préparation spirituelle à la fête de Pâques, et pendant laquelle les fidèles observent des pratiques d'abstinence et de jeûne. *Le carême est un rappel des quarante jours passés par le Christ au désert dans le jeûne et la prière.* ▷ Loc. *Arriver comme mars en carême,* régulièrement, avec opportunité, ou inévitablement. **2.** Abstinence, privation de certains plaisirs pendant les jours de carême. *Faire carême.* ▷ Loc. fam. *Face de carême :* mine triste et maussade.

Carême (Marie-Antoine) (Paris, 1784 – id., 1833), cuisinier français. Au service de Talleyrand, puis des princ. cours d'Europe, il est le créateur de la grande cuisine française : *le Pâtissier pittoresque* (1815), *le Maître d'hôtel français* (1822).

carême-prenant n. m. Vx **1.** Les trois jours précédant le carême. ▷ *Par ext.* Fête du Mardi gras. **2.** Personne déguisée, masquée. *Des carêmes-prenants.*

carénage n. m. **1.** Nettoyage, réparation de la carène d'un navire. **2.** Lieu où l'on carène les navires. **3.** Carrosserie aérodynamique. *Carénage d'une moto.*

carence n. f. **1.** Fait pour une personne, une autorité, de manquer à ses obligations, de se dérober devant ses responsabilités. *La carence du gouvernement.* **2.** MED Absence ou insuffisance dans l'organisme d'un ou de plusieurs éléments indispensables à son équilibre et à son développement. *Carence d'apport :* défaut d'apport d'éléments indispensables à l'organisme. *Carence d'utilisation :* défaut d'utilisation par l'organisme des éléments indispensables présents dans l'alimentation. ▷ PSYCHO *Carence affective :* manque d'affection parentale, susceptible de provoquer chez un enfant certains troubles psychologiques. **3.** DR Manque total ou partiel de ressources ou de biens mobiliers permettant de couvrir la dette d'un débiteur. *Dresser un procès-verbal de carence.*

carencé, ée adj. MED **1.** Qui présente une carence. *Régime carencé.* **2.** Qui souffre d'une carence. *Organisme carencé.*

carène n. f. **1.** Partie de la coque d'un navire située au-dessous de la ligne de flottaison, œuvres vives. ▷ *Abattre un navire en carène :* coucher un navire à flot sur l'un de ses flancs (pour caréner l'autre). **2.** BOT Partie inférieure saillante de la corolle des papilionacées, composée des deux pétales opposés à l'étendard.

caréner v. tr. [**14**] **1.** MAR Procéder au carénage de (un navire). **2.** Donner une forme aérodynamique à (une carrosserie); pourvoir d'un carénage. *Locomotive carénée.*

carentiel, elle [kaʀɑ̃sjɛl] adj. Dû à, relatif à une carence. *Polynévrite carentielle.*

caressant, ante adj. **1.** Qui aime caresser, être caressé. *Un animal caressant. Une enfant caressante.* **2.** Fig. Qui procure une impression de douceur. *Des paroles, des regards caressants.*

caresse n. f. **1.** Attouchement tendre, affectueux ou sensuel. *Faire des caresses à un chat. Couvrir, combler un enfant de caresses. Une tendre caresse de la main.* **2.** Fig. Manifestation tendre d'amour, d'affection. *Une caresse du regard, de la voix.* **3.** Fig. Effleurement. *La caresse du vent, du soleil sur la peau.*

caresser v. tr. [**1**] **1.** Faire des caresses à. *Caresser un chien. Caresser le cou, le visage d'un être cher.* ▷ Fig. *Caresser du regard, des yeux :* regarder avec douceur, insistance et envie. **2.** Litt. Frôler, effleurer avec douceur. *Le vent caresse les blés. Caresser les cordes, les touches d'un instrument.* **3.** Fig. *Caresser un espoir, une idée, un projet,* le cultiver complaisamment. ▷ Loc. fam., vieilli *Caresser la bouteille :* avoir un fort penchant pour l'alcool.

caret n. m. Grande tortue des mers chaudes (ordre des chéloniens), comestible, dont l'écaille est très recherchée.

carex n. m. BOT Genre de roseau des zones humides à feuilles rubanées coupantes (fam. cypéracées), comprenant une centaine d'espèces françaises, communément appelé *laiche.*

Carey (Henry Charles) (Philadelphie, 1793 – id., 1879), économiste américain. Exégète du libre-échangisme, il prôna, à partir de 1842, le protectionnisme pour les États-Unis.

car-ferry [kaʀfeʀi] n. m. Navire aménagé pour le transport des automobiles et des passagers. Syn. (off. recommandé) transbordeur. *Des car-ferries.*

cargaison n. f. **1.** Ensemble des marchandises dont est chargé un navire, un avion ou un camion. *Décharger une cargaison de betteraves. Une cargaison de mazout s'est déversée sur la chaussée.* **2.** Fam. Grande quantité. *Il s'est invité avec toute une cargaison d'amis.*

cargo n. m. Navire destiné au transport des marchandises. – *Cargo mixte,* qui peut transporter aussi des passagers.

carguer v. tr. [**1**] MAR Replier (une voile) contre la vergue à l'aide de cordages *(cargues).*

Carhaix-Plouguer, ch.-l. de cant. du Finistère (bassin et arr. de Châteaulin); 8 693 hab. Foires importantes; cartonnage.

cari, cary ou **curry** n. m. **1.** Assaisonnement indien composé de poudre de curcuma, de clous de girofle et d'autres épices. **2.** Plat de viande, de poisson préparé avec cet assaisonnement. *Un curry de poulet.*

cariatide ou **caryatide** [kaʀjatid] n. f. ARCHI Statue figurant une femme debout soutenant sur la tête un balcon, une corniche, etc. *Les cariatides de l'Érechthéion.*

cariatides de l'Érechthéion, acropole d'Athènes, Vᵉ s. av. J.-C.

caribe n. m. Famille de langues amérindiennes des Antilles et d'Amérique du Sud.

caribéen, enne adj. et n. De la région des Caraïbes.

Caribert ou **Charibert,** roi franc de Paris et de l'ouest de la Gaule (561-567); fils aîné de Clotaire Iᵉʳ.

Caribert ou **Charibert** (v. 606 - 632), roi d'Aquitaine de 628 à 632; frère de Dagobert.

caribou n. m. **1.** Grand cervidé d'Amérique du Nord (*Rangifer tarandus*, ordre des artiodactyles), apparenté au renne, aux bois longs et aplatis, au pelage grisâtre avec du blanc sur la gorge, le cou et la croupe et qui se déplace en troupeaux. **2.** (Canada) Vin additionné d'alcool.

caricatural, ale, aux adj. Qui a les caractères de la caricature. *Un nez caricatural. Une représentation caricaturale.*

caricature n. f. **1.** Dessin, peinture qui, par l'exagération de certains traits choisis, donne d'une personne une représentation satirique. **2.** Représentation délibérément déformée de la réalité, dans une intention satirique ou polémique. *Ce reportage est une caricature de la réalité.* **3.** Personne très laide ou ridiculement habillée.

caricaturer v. tr. [1] Faire la caricature de. *Caricaturer un homme politique. Molière a caricaturé la médecine de son époque.*

caricaturiste n. Artiste, dessinateur qui fait des caricatures.

carie n. f. **1.** MED *Carie osseuse :* inflammation et destruction du tissu osseux. ▷ *Carie dentaire :* altération de l'émail et de l'ivoire de la dent, évoluant vers l'intérieur par formation de cavités qui aboutissent à la destruction de celle-ci. **2.** BOT *Carie du bois :* altération et décomposition des tissus ligneux. ▷ *Carie des céréales :* maladie cryptogamique des céréales détruisant les grains.

Carie, colonie gr. d'Asie Mineure, qui comprenait Milet et Halicarnasse.

carié, ée adj. Atteint par la carie. *Une dent cariée.*

carier v. tr. [2] **1.** Gâter, détruire par la carie. **2.** v. pron. Être atteint par la carie.

carignan n. m. Cépage rouge du S. de la France, donnant des vins capiteux.

Carignan (en ital. *Carignano*), v. d'Italie (Piémont), sur le Pô; 8 830 hab. - Berceau d'une branche de la maison de Savoie.

carillon n. m. **1.** Ensemble de cloches accordées à différents tons. ▷ Sonnerie que ces cloches font entendre. *Le carillon de la cathédrale a retenti dans toute la ville.* **2.** Sonnerie d'une horloge, d'une pendule, qui se déclenche à intervalles réguliers. ▷ Horloge, pendule possédant un carillon. **3.** Instrument de musique constitué de lames ou de timbres accordés que l'on fait résonner en les frappant avec un petit marteau.

carillonnant, ante adj. Qui carillonne.

carillonné, ée adj. Vieilli *Fête carillonnée :* fête importante annoncée par de nombreuses sonneries de cloches.

carillonner v. [1] **I.** v. intr. **1.** Sonner en carillon, à la manière d'un carillon. *Les cloches, l'horloge carillonnent.* **2.** Faire résonner bruyamment, avec insistance la sonnette d'une porte. *Carillonner chez qqn pour le réveiller.* **II.** v. tr. **1.** Annoncer par un carillon. *L'horloge a carillonné minuit.* **2.** Annoncer, répandre avec bruit (une nouvelle, un triomphe, etc.). *Carillonner une naissance.*

carillonneur n. m. Celui qui était chargé du fonctionnement d'un carillon.

Carin (Marcus Aurelius Carinus), empereur romain de 283 à 285; assassiné par ses soldats.

carinates n. m. pl. ORNITH Sous-classe comprenant les oiseaux munis d'un bréchet. - Sing. *Un carinate.*

Carinthie (en all. *Kärntern*), Land d'Autriche mérid., drainé par la Drave; 9 533 km²; 552 400 hab.; cap. *Klagenfurt.* - La rég. passa à l'Autriche en 1335. La partie S. fut rattachée à la Yougoslavie en 1919.

carioca adj. et n. De Rio de Janeiro. ▷ Subst. *Les Cariocas.*

Carissimi (Giacomo) (Marino, 1605 - Rome, 1674), organiste et compositeur italien; l'un des premiers grands maîtres de la cantate profane et, avec *Jephté* (1656), le véritable créateur de l'oratorio.

cariste n. m. Conducteur d'un chariot de manutention.

caritatif, ive adj. **1.** Qui se consacre à l'aide des plus démunis (individus, groupes sociaux, populations). *Les organisations caritatives internationales.* **2.** Qui constitue une aide, un secours. *L'action caritative d'un organisme international.*

Carle (Gilles) (Maniwaki, Québec, 1929), cinéaste canadien. Ses films témoignent de l'effervescence culturelle qui s'empara de la société québécoise dans les années 70 (*les Mâles*, 1970; *la Mort d'un bûcheron*, 1973).

Carleton (Guy) (Strabane, Irlande, 1724 - Maidenhead, Berkshire, 1808), général britannique. Gouverneur du Canada (1768-1778 et 1786-1796), il mena une politique de conciliation avec les Canadiens français (Acte de Québec, 1774).

carlin n. m. Chien de petite taille, à poil ras, au museau noir et aplati.

Carling, com. du dép. de la Moselle (arr. de Forbach); 3 731 hab. Complexe industr. (situé sur plusieurs com.) spécialisé princ. en chimie.

carlingue n. f. **1.** MAR Forte pièce reposant sur les couples et servant de liaison longitudinale dans le fond d'un navire. **2.** AVIAT Ensemble formé par la cabine d'un avion et le poste de pilotage.

Carlisle, v. de G.-B.; 99 800 hab.; ch.-l. du comté du Cumbria. Textiles. - Cath. et forteresse (XIIᵉ-XIVᵉ s.).

Carlisle (sir Anthony) (Stillington, 1768 - Londres, 1840), physiologiste anglais. Il étudia les effets sur l'organisme de la pile de Volta et découvrit, avec Nicholson, l'électrolyse de l'eau (1800).

carlisme n. m. Doctrine, mouvement des partisans de don Carlos d'Espagne, défenseurs d'un traditionalisme politique et religieux.

carliste adj. et n. Relatif au carlisme. - Partisan du carlisme.

Carlitte ou **Carlit** (massif du), massif des Pyrénées-Orientales, culminant à 2 921 m.

Carloman (?, v. 715 - Vienne, Dauphiné, 754), fils aîné de Charles Martel, frère de Pépin le Bref; il administra l'Austrasie de 741 à 747, puis se fit moine. - **Carloman** (?, v. 751 - Samoussy, Aisne, 771), roi d'Austrasie (768-771), fils de Pépin le Bref. À sa mort, Charlemagne, son frère, se saisit de son royaume et fit cloîtrer ses enfants. - **Carloman** (?, 828 - Öttingen, 880), roi de Bavière (876-880), fils aîné de Louis II le Germanique. - **Carloman** (v. 866 - 884), roi de France (879-884), fils de Louis II le Bègue, régna avec son frère Louis III jusqu'en 882, puis seul.

Carlos (don) (Madrid, 1788 - Trieste, 1855), infant d'Espagne. Frère de Ferdinand VII, il fut prétendant au trône dont avait hérité sa nièce Isabelle et provoqua la première guerre carliste (1833-1840). Ses descendants maintinrent les mêmes prétentions.

Carlsbad, ville des É.-U. (Nouveau-Mexique); 24 900 hab. - Les *grottes de Carlsbad* constituent un gigantesque réseau de salles et de couloirs souterrains.

Carlsbad. V. Karlovy Vary.

Carlson (Carolyn) (Fresno, Californie, 1942), danseuse et chorégraphe américaine. Ses créations, à New York, à l'Opéra de Paris et à Venise, sont l'une des expressions les plus marquantes de la danse moderne (*Rituel pour un rêve mort*, 1972; *This, That, the Other*, 1977; *The Architects*, 1980).

Carlsson (Ingvar Gösta) (Borås, 1934), homme politique suédois. Président du parti social-démocrate, il occupe le poste de Premier ministre de 1986 à 1991 et depuis 1994.

Carlu (Jacques) (Bonnières-sur-Seine, 1890 - Paris, 1976), architecte français : palais de Chaillot (1936-1938), à Paris, en collab. avec Boileau et Azéma. - **Jean** (Bonnières-sur-Seine, 1900 - Nogent-sur-Marne, 1997), frère du préc., affichiste célèbre de l'entre-deux-guerres.

Carlyle (Thomas) (Ecclefechan, Écosse, 1795 – Londres, 1881), historien, critique et philosophe écossais. Il chercha à montrer le rôle des grands hommes et des héros dans l'histoire de l'humanité : *Histoire de la Révolution française* (1837), *les Héros et le Culte des héros* (1841).

Carmagnola (Francesco Bussone, dit) (Carmagnola, v. 1380 – Venise, 1432), condottiere italien. Au service du duc de Milan (1416-1423), puis de la rép. de Venise (1425), il fut accusé de trahison au profit du Milanais et fut décapité.

carmagnole n. f. **1.** Veste courte et étroite, à collet et revers, portée par les révolutionnaires français de 1792 à 1795. **2.** *La Carmagnole :* chanson et danse de la Révolution française, d'auteur inconnu. *«La Carmagnole» fut interdite sous le Consulat.*

Carmathen, ch.-l. du comté de Dyfed (pays de Galles); 13 000 hab. – Lieu de naissance, selon la tradition, de Merlin l'Enchanteur.

Carmaux, ch.-l. de cant. du Tarn (arr. d'Albi); 11 070 hab. Anc. houillères. Une mine de charbon à ciel ouvert est exploitée dep. 1989. Textile. Constr. métall. Centrale thermique.

carme n. m. Religieux de l'ordre du Carmel.

Carmel (ordre de Notre-Dame-du-Mont-Carmel et, par abrév., le), ordre religieux né v. 1180 d'une communauté d'ermites rassemblés sur le mont Carmel, en Palestine. Certains d'entre eux commencèrent à s'établir en Europe en 1235. En 1431, le pape Eugène IV instaura un adoucissement à leur règle et leurs constitutions se rapprochèrent de celles des dominicains. En 1562, Jean de la Croix et Thérèse d'Ávila réformèrent l'ordre. On distingue auj. les *grands carmes* ou *carmes chaussés,* les *carmes déchaux* (réformés), les *carmélites* (de l'ancienne observance et réformées).

carmélite n. f. Religieuse de l'ordre du Carmel.

Carmen, personnage d'un roman de Mérimée*, bohémienne éprise de liberté, qui mène un homme à sa perte et finit par être poignardée par lui.

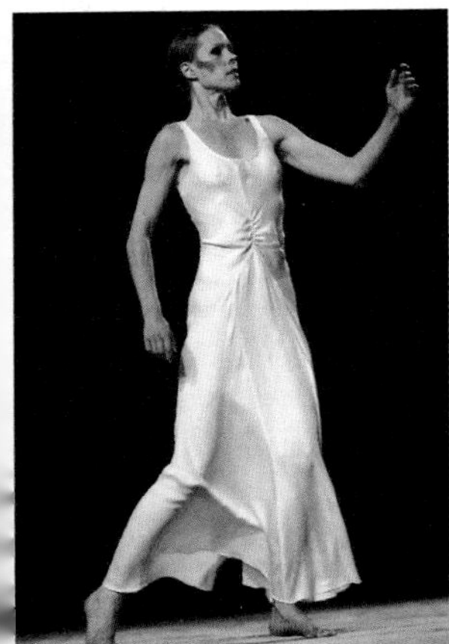

Carolyn **Carlson**

Carmen a inspiré un opéra-comique (musique de Bizet).

carmin n. m. et adj. inv. **1.** Colorant d'un rouge éclatant, fourni à l'origine par la cochenille du nopal. **2.** Couleur rouge éclatant. ▷ adj. inv. *Des tentures carmin.*

carminé, ée adj. Litt. D'un rouge proche du carmin.

Carmona (António Óscar de Fragoso) (Lisbonne, 1869 – Lumiar, 1951), maréchal et homme politique portugais. Président de la Rép. de 1928 à 1951, il fit appel à Salazar comme président du Conseil.

Carmontelle (Louis Carrogis, dit) (Paris, 1717 – id., 1806), peintre, architecte, paysagiste et écrivain français. Auteur de petites comédies (*Proverbes dramatiques,* 1768-1781), il dessina le parc Monceau, à Paris.
▸ illustr. **Buffon**

Carnac, com. du Morbihan (arr. de Lorient), près de la baie de Quiberon; 4 322 hab. Industr. chim. Stat. baln. à *Carnac-Plage.* – Célèbre par ses monuments mégalithiques, notam. ses alignements de menhirs disposés parallèlement sur 4 km env. Tumulus Saint-Michel. Musée de préhistoire.

les alignements de **Carnac**

Carnac. V. Karnak.

carnage n. m. Tuerie, massacre.

Carnap (Rudolf) (Ronsdorf, auj. Wuppertal, 1891 – Santa Monica, Californie, 1970), philosophe et logicien américain d'origine all. Il est l'un des fondateurs de l'école néo-positiviste dite «cercle de Vienne» : *la Syntaxe logique du langage* (1934), *Introduction à la sémantique* (1942).

carnassier, ère adj. et n. **I.** adj. **1.** Qui se nourrit de chair. *Le renard est un animal carnassier.* **2.** *Dent carnassière* ou, n. f., *carnassière :* grosse dent tranchante (4e prémolaire supérieure et 1re molaire inférieure) caractéristique des carnivores. **II.** n. m. Animal qui se nourrit de viande crue. *Le jaguar est un carnassier.*

carnassière n. f. Sac destiné à porter le gibier tué à la chasse.

carnation n. f. **1.** Teint, couleur de la chair d'une personne. **2.** BX-A Couleur des parties du corps humain représentées nues.

carnauba [karnoba] n. m. ARBOR Palmier brésilien *(Copernicia cerifera)* dont les feuilles sécrètent une cire utilisée dans l'industrie (ersatz de cire d'abeille, bougies, vernis, etc.).

carnaval, als n. m. **1.** Période de divertissements précédant le carême, qui commence à l'Épiphanie. *Le carnaval se termine par le Mardi gras.* **2.** Réjouissances (défilés de chars, bals, etc.) se déroulant pendant cette période. *Le carnaval de Rio.* **3.** Mannequin grotesque personnifiant le carnaval dans les mascarades. ▷ Fig. Personne grotesque, ridiculement accoutrée.

carnavalesque adj. **1.** Qui rappelle le carnaval. **2.** *Par ext.* Grotesque.

Carnavalet (hôtel), situé à Paris, rue de Sévigné, bâti sur les plans de P. Lescot, vers 1544; Mme de Kernevenoy (nom corrompu en *Carnavalet*) l'acquit en 1578. Mansart le termina en 1661; Mme de Sévigné y vécut de 1677 à 1696. Il renferme auj. un musée de la Ville de Paris (import. coll. de l'époque révolutionnaire).

carne n. f. Fam. **1.** Viande de mauvaise qualité, dure. **2.** Mauvais cheval. **3.** Inj. Personne détestable, méchante. *Quelle vieille carne!*

carné, ée adj. **1.** BOT Qui est couleur de chair. *Rose carnée.* **2.** Qui est à base de viande. *Alimentation carnée.*

Carné (Marcel) (Paris, 1906 – Clamart, 1996), cinéaste français. Son réalisme poétique doit beaucoup à son scénariste J. Prévert : *Drôle de drame* (1937), *Quai des brumes* et *Hôtel du Nord* (1938), *Le jour se lève* (1939), *les Visiteurs du soir* (1942), *les Enfants du paradis* (1945).

Carnéade (Cyrène, v. 215 – Athènes, v. 129 av. J.-C.), philosophe grec. Il dirigea la Nouvelle Académie et, s'attaquant au stoïcisme, fonda le probabilisme.

Carnegie (Andrew) (Dunfermline, Écosse, 1835 – Lenox, Massachusetts, 1919), industriel américain. Sa fortune, acquise dans l'acier (Carnegie Steel Company), lui permit de créer des fondations charitables et des instituts scientifiques. – *Carnegie Hall :* salle de spectacle (concerts) de New York.

carnet n. m. **1.** Cahier de petit format sur lequel on consigne des renseignements, des notes. *Carnet d'adresses. Carnet de rendez-vous.* **2.** Ensemble de feuillets, souvent détachables, réunis en cahier de format variable. *Carnet de chèques. Carnet de reçus, de quittances.* **3.** Ensemble de billets, tickets, bons, etc., que l'on n'a pas achetés à l'unité. *Carnet de timbres. Carnet de (tickets de) métro.*

carnier n. m. Petite carnassière (sac).

Carniole, anc. nom de la Slovénie. Annexé à l'Autriche en 1335, le pays fit partie des Provinces illyriennes (1809-1814), puis retourna à l'Autriche. Peuplé de Slovènes, il fut partagé en 1919 entre l'Italie et la Yougoslavie, qui le possède en totalité depuis 1945.

Marcel **Carné :** l'affiche de *Quai des brumes,* 1938, avec Jean Gabin et Michèle Morgan

Constantin **Caramanlis** — Lazare Nicolas **Carnot**

carnivore adj. et n. **1.** adj. Qui se nourrit de viande. *Mammifères, insectes carnivores.* ▷ BOT *Plantes carnivores,* dont les feuilles capturent des insectes qu'elles digèrent grâce à une enzyme. *Les dionées sont des plantes carnivores.* **2.** n. m. pl. ZOOL Ordre de mammifères caractérisés par le développement des canines (crocs) et des carnassières, et dont l'alimentation est fondamentalement carnée. (On les divise en trois sous-ordres : les créodontes, les fissipèdes et les pinnipèdes.) – Sing. *Un carnivore.* ▷ Plaisant (Personnes) *C'est un(e) carnivore !,* un amateur de viande.

Carnot (Lazare Nicolas) (Nolay, Côte-d'Or, 1753 – Magdeburg, 1823), officier du génie, conventionnel et mathématicien français. Il mérita le surnom d'« Organisateur de la Victoire » : membre du Comité de salut public, il créa les armées de la République et imposa une tactique offensive. Il se tint à l'écart sous l'Empire. La Restauration le bannit comme régicide. Il fut l'un des fondateurs de la géom. moderne. – **Nicolas Léonard Sadi** (Paris, 1796 – id., 1832), fils du préc. ; physicien français, auteur de *Réflexions sur la puissance motrice du feu et des machines propres à développer cette puissance* (1824), fondateur de la thermodynamique. ▷ PHYS *Principe de Carnot :* un moteur thermique ne peut fournir du travail que s'il emprunte de la chaleur à une source chaude et en restitue à une source froide. *Théorème de Carnot :* deux moteurs thermiques réversibles qui fonctionnent avec deux sources de chaleur dont les températures de source froide sont égales, et celles de source chaude aussi, ont le même rendement. *Cycle de Carnot :* cycle composé de deux isothermes et de deux adiabatiques. – **Lazare Hippolyte** (Saint-Omer, 1801 – Paris, 1888), frère du préc. ; homme polit. français, il adhéra à la révolution de 1830 et à celle de 1848, qui le fit membre du Gouvernement provisoire. – **Marie François Sadi** (Limoges, 1837 – Lyon, 1894), fils du préc. ; homme politique français, élu président de la République en 1887, il fut assassiné par un anarchiste italien, Caserio.

Carnutes, peuple de la Gaule qui occupait l'actuelle région de Chartres et d'Orléans.

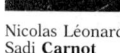

Nicolas Léonard Sadi **Carnot** — Lewis **Carroll**

Caro (Annibale) (Civitanova, 1507 – Rome, 1566), écrivain italien. Il est l'auteur d'une trad. de *l'Énéide* de Virgile, de *Lettres* (posth., 1572-1575) et d'une comédie satirique, *les Gueux* (1544).

Carobert. V. Charles Ier Robert.

Carol Ier, Carol II. V. Charles Ier, Charles II de Roumanie.

Caroline de Brunswick-Wolfenbüttel (Brunswick, 1768 – Londres, 1821), épouse du prince de Galles, devenu en 1820 roi d'Angleterre (George IV). Rejetée par son mari peu après son mariage, elle voyagea et revint en Angleterre en 1820 ; le roi lui intenta, pour adultère, un scandaleux procès, qu'il perdit.

Caroline du Nord, État du S.-E. des É.-U., sur l'Atlant. ; 136 197 km^2 ; 6 629 000 hab. ; cap. *Raleigh.* – D'O. en E. s'étendent les Appalaches (Blue Ridge) et une zone de piémont (Piedmont), couverte de pinèdes, qui retombe sur une plaine. Le climat, doux à l'E. et au S.-E., est de type continental à l'intérieur. Sur la plaine côtière, cultures de tabac, coton, maïs, arachides (bases des industr.). La pêche est import. – La rég., colonisée par les Angl. au XVIe s., se sépara en 1730 de la Caroline du Sud et devint un État de l'Union en 1789.

Caroline du Sud, État du S.-E. des É.-U., sur l'Atlant. ; 80 432 km^2 ; 3 487 000 hab. ; cap. *Columbia.* – À une plaine côtière succède le piémont appalachien. Le climat est doux. Une forte industr. textile s'est développée à partir de la cult. du coton. – Cet État, membre de l'Union depuis 1788, fut le premier, en 1860, à faire sécession.

Carolines (îles), archipel de l'Océanie, à l'E. des Philippines, formé d'env. 500 îles ; 1 194 km^2 ; 75 000 hab. – Espagnoles dès 1686, les îles furent allemandes à partir de 1899 et sous mandat japonais de 1919 à 1945. À partir de 1947, les É.-U. les administrent au nom de l'O.N.U. En 1980, une partie d'entre elles, regroupées dans l'État fédéré de Micronésie, ont acquis une certaine autonomie interne.

carolingien, enne adj. Qui a rapport à la dynastie fondée par Pépin le Bref. *L'art carolingien.* ▷ n. m. *Les Carolingiens.*

Carolingiens, dynastie franque, fondée par Pépin le Bref en 751. Succédant aux Mérovingiens, elle régna sur la France jusqu'en 987. Après le partage de l'empire qu'avait constitué le fils de Pépin le Bref, Charlemagne (qui lui a donné son nom), elle régna en Germanie jusqu'en 911.

carolus [kaʀɔlys] n. m. Monnaie frappée sous Charles VIII. *Un carolus valait onze deniers.*

Carolus-Duran (Charles Durand, dit) (Lille, 1837 – Paris, 1917), peintre français ; portraitiste mondain : *Dame au gant* (1869, Louvre).

Caron (Antoine) (Beauvais, v. 1521 – Paris, 1599), peintre maniériste français de l'école de Fontainebleau : le *Massacre des triumvirs* (1566, Louvre).

caroncule n. f. **1.** Petite excroissance charnue. *Caroncule lacrymale,* à l'angle interne de l'œil. ▷ Excroissance charnue de couleur rougeâtre sous le bec ou sur la tête de certains oiseaux (dindon, coq). **2.** BOT Petite protubérance de la graine de certaines plantes.

Caroní (río), riv. du Venezuela orient., affluent (r. dr.) de l'Orénoque ; 690 km ; nombreuses chutes, alimentant des centrales hydroélectriques.

carotène n. m. BIOCHIM Pigment jaune ou rouge, hydrocarbure présent dans certains végétaux (carotte, surtout) et animaux (carapace de certains crustacés, corps jaune de l'ovaire), précurseur de la vitamine A.

Carothers (Wallace Hume) (Burlington, Iowa, 1896 – Philadelphie, 1937), chimiste américain. Il inventa le nylon en 1937.

carotide n. f. Artère principale qui irrigue la face et le cerveau. ▷ adj. *Artères carotides.* (Les deux artères carotides principales, droite et gauche, issues de la crosse de l'aorte, se divisent chacune en une *carotide externe* qui irrigue la face, et une *carotide interne* qui irrigue la majeure partie de l'encéphale.)

carotidien, enne adj. De la carotide.

carottage n. m. **1.** Fam. Action de carotter. **2.** Prélèvement d'un échantillon de terrain (carotte), pour en déterminer la composition.

carotte n. f. (et adj. inv.) **I. 1.** Plante (fam. ombellifères) à racine pivotante rouge, jaune ou blanche, dont certaines variétés (dites *potagères*) sont cultivées pour leur racine comestible et d'autres (dites *fourragères*) pour l'alimentation des animaux. **2.** Racine rouge orangé de la carotte potagère. *Une botte de carottes. Carottes râpées.* ▷ Loc. fam. *Les carottes sont cuites* : les dés sont jetés, il n'y a plus rien à faire. **3.** adj. inv. De la couleur de la carotte potagère; roux. *Des moustaches carotte.* **II.** Par anal. **1.** *Carotte de tabac* : feuilles de tabac à chiquer roulées en forme de carotte. ▷ Enseigne rouge des bureaux de tabac, ayant la forme de deux carottes de tabac accolées par la base. **2.** Échantillon cylindrique prélevé d'un sol par sondage. **III. 1.** Fig., fam. *Tirer une carotte à qqn*, lui soutirer de l'argent, un bien quelconque par ruse. **2.** Fig. *La carotte et le bâton* : la récompense et la sanction.
▸ illustr. **ombellifère** et **racine**

carotter v. tr. [1] **1.** Fam. Voler, obtenir (qqch) par ruse. *Il a carotté quelques francs.* **2.** Prélever une carotte (sens II, 2).

caroube ou **carouge** n. f. Fruit du caroubier, à pulpe comestible et sucrée. *La poudre de caroube est utilisée comme antidiarrhéique.*

caroubier n. m. Arbre méditerranéen (fam. légumineuses), produisant la caroube et dont le bois dur est utilisé en menuiserie.

carouge n. **1.** n. f. Bois, rougeâtre, du caroubier. **2.** n. m. ORNITH Oiseau passériforme d'Amérique du Nord de la taille d'un étourneau, à bec conique et pointu, au plumage largement noir (oiseau mâle), commun dans les lieux humides.

carpaccio [kaʀpatʃjo] n. m. Mets italien constitué de très fines tranches de bœuf cru arrosées d'huile d'olive et de citron.

Carpaccio (Vittore Scarpazza, dit) (Venise, v. 1455 - id., 1525 ou 1526), peintre italien, chroniqueur de la vie vénitienne. Influencé par les Bellini, il atteignit avec le cycle de la *Légende de sainte Ursule* (1490-1496, Venise) à une maîtrise exceptionnelle.

Carpates ou **Karpates,** chaîne de montagnes d'Europe centr., formant un arc de cercle orienté du N.-O. au S.-E. (plus de 1 500 km de long), s'étendant sur la Tchécoslovaquie, la Pologne, l'Ukraine, la Roumanie, et culminant à 2 663 m dans les Tatras. Un plissement tertiaire souleva des terrains sédimentaires (nappes de charriage) et cristallins, qui constituent l'ossature de la chaîne : Tatras, massif de Maramures, Alpes de Transylvanie. La vie se concentre dans les vallées (nombr. riv.) et dans les bassins. L'exploitation forestière est très import. Le tourisme se développe. Le sous-sol recèle de la bauxite, du charbon et, en Roumanie, du pétrole et du gaz naturel (grands gisements).

carpatique adj. Des Carpates.

1. carpe n. f. **1.** Poisson d'eau douce (fam. cyprinidés), de grande taille, à longue nageoire dorsale, dont la mâchoire supérieure est garnie de barbillons. *La carpe habite les eaux tranquilles (rivières, canaux, étangs) et se prête aisément à l'élevage.* **2.** Loc. fam. *Rester muet, silencieux comme une carpe* : ne pas prononcer un mot. - *Bâiller comme une carpe,* largement et fréquemment. - Loc. fig. *Saut de carpe,* par lequel on se retourne sur le dos, en un seul mouvement, sans l'aide des mains, alors qu'on est allongé sur le ventre; *par ext.* bond.

2. carpe n. m. ANAT Ensemble des huit petits os du poignet, répartis en deux rangées, reliant l'avant-bras au métacarpe. *Le grand os et l'os crochu font partie du carpe.*

-carpe, carpo-. Éléments, du gr. *karpos,* « jointure » ou « fruit », servant à former certains mots savants (ex. *métacarpe, carpophore*).

Carpeaux (Jean-Baptiste) (Valenciennes, 1827 - Courbevoie, 1875), sculpteur et peintre français. Il rechercha le mouvement et l'instantané : *Triomphe de Flore* (1863-1866, Louvre), *les Quatre Parties du monde* (1867-1872, Observatoire, Paris), *la Danse* (1869, façade de l'Opéra, Paris). En peinture il annonce l'impressionnisme.

carpe diem [kaʀpedjɛm] loc. lat. (« Cueille le jour ».) Invitation à jouir de l'instant présent.

carpelle n. m. BOT Chacune des pièces florales dont la réunion constitue le pistil, chez les angiospermes.

Carpentarie (golfe de), large baie du N. de l'Australie, entre le cap York (Queensland) et la terre d'Arnhem (Australie du Nord).

Carpentier (Georges) (Liévin, 1894 - Paris, 1975), boxeur français. Champion du monde des mi-lourds en 1920, il brigua le titre des lourds en 1921, mais fut battu par Jack Dempsey.

Carpentier (Alejo) (La Havane, 1904 - Paris, 1980), écrivain cubain; romancier des coutumes magico-religieuses antillaises (*Ecue-Yamba-O,* 1933; *le Royaume de ce monde,* 1949), de l'affrontement des cultures (*le Partage des eaux,* 1953; *Concert baroque,* 1974) et des conflits sociopolitiques modernes (*le Siècle des lumières,* 1962).

Carpaccio : *Jeune chevalier dans un paysage;* coll. Thyssen-Bornemisza, Lugano

carpe miroir

Carpentras, ch.-l. d'arr. du Vaucluse, dans le Comtat; 25 477 hab. Centre agric. : primeurs, fruits, lavande, vins. Industr. alim., du bois. Motos, cycles. - Anc. cath. goth. St-Siffrein (XVe-XVIe s.). Palais de justice (XVIIe s.). Riche bibliothèque. Synagogue (XIVe s., restaurée au XVIIIe s.). Arc de triomphe romain. - Cap. du comtat Venaissin de 1229 à 1790.

carpetbagger [kaʀpɛtbagœʀ] n. m. (Mot américain.) HIST Nordiste, aventurier ou affairiste, qui cherchait à s'enrichir dans les États du Sud après la guerre de Sécession.

carpette n. f. **1.** Petit tapis. **2.** Fig., fam. Personne servile, sans amour-propre.

Carpi, v. d'Italie, au N. de Modène; 60 730 hab. Centre agric.; industr. textile.

carpien, enne adj. ANAT Du carpe. *Les huit os carpiens.*

carpo-. V. -carpe.

carpophore n. m. BOT Appareil qui porte les organes sporifères, chez les champignons ascomycètes et basidiomycètes.

Carquefou, ch.-l. de cant. de la Loire-Atlantique (arr. de Nantes); 12 925 hab. Réfrigération industrielle, électron.

carquois n. m. Étui à flèches.

Carr (Emily) (Victoria, Colombie britannique, 1871 - id., 1945), peintre et écrivain canadienne. Elle peignit les Amérindiens de la côte ouest du Canada.

Carra (Carlo Dalmazzo) (Quargnento, Piémont, 1881 - Milan, 1966), peintre italien. Il délaissa le futurisme (1916) pour la « peinture métaphysique » prônée par G. De Chirico.

Carrache (les) (en ital. *Carracci*), peintres italiens. - **Ludovico** (Bologne, 1555 - id., 1619), fondateur à Bologne, avec Agostino et Annibale, d'une académie réputée *(Accademia degli Incamminati)* v. 1585, s'inspira du Corrège, des maîtres romains et vénitiens. - **Agostino** (Bologne, 1557 - Parme, 1602), cousin du préc.; influencé par Raphaël, le Corrège et les Vénitiens, il pratiqua surtout la gravure. - **Annibale** (Bologne, 1560 - Rome, 1609), frère du préc.; il rompit avec le maniérisme et fut le princ. initiateur du classicisme : fresques de la grande galerie du palais Farnèse, à Rome (1597-1604).
▸ illustr. page **296**

carrare n. m. Marbre blanc veiné, extrait des carrières de Carrare.

Carrare, v. d'Italie (Toscane), près de la Médit.; 68 460 hab. Import. carrières de marbre réputées dès l'Antiquité.

carre n. f. **1.** TECH Coin, angle saillant d'un objet. **2.** SYLVIC Entaille faite au

Annibale **Carrache :** *Lapidation de saint Étienne ;* musée du Louvre

tronc des résineux pour en extraire la résine. 3. SPORT Baguette de métal encastrée le long des bords inférieurs d'un ski.

1. carré n. m. **I. 1.** Quadrilatère aux côtés égaux et perpendiculaires deux à deux. *Si le côté d'un carré vaut a, la diagonale vaut* $a\sqrt{2}$ *et l'aire* a^2. **2.** Surface quadrangulaire, dont la forme s'apparente à celle d'un carré. *Un carré de ciel bleu.* – *Carré de laitues :* partie d'un jardin plantée de laitues. – *Carré de soie, de coton :* foulard carré de soie, de coton. ▷ (Canada) (Dans des noms de lieux.) Place. *Carré Saint-Louis à Montréal. Carré d'Youville à Québec.* **3.** Chacune des surfaces (carrées ou non) délimitées par plusieurs perpendiculaires. *Les carrés d'un échiquier. Un carré de chocolat.* **4.** ANAT Muscle d'une forme proche de celle du carré. *Le carré de la cuisse.* **5.** (Boucherie) *Carré de côtes :* ensemble des côtes découvertes, premières et secondes chez le bœuf. ▷ *Carré de côtelettes :* ensemble des côtelettes du mouton, du porc, du veau. *Bas de carré, carré découvert de veau.* **6.** PECHE Filet carré tendu sur deux arceaux croisés, attachés à une perche. Syn. carreau, carrelet. **7.** MAR Local où les officiers, sur un navire, se réunissent, prennent leurs repas. **8.** MILIT Ordre de formation en bataille qui présentait la figure d'un carré ou d'un rectangle dont les quatre côtés faisaient face à l'ennemi. **9.** TECH Palier d'un escalier. **10.** JEU Réunion de quatre cartes de même valeur. *Un carré de rois, d'as.* **11.** TECH Clé de section carrée ou rectangulaire. **12.** *Carré magique :* tableau de nombres composé de telle façon que la somme des nombres situés sur une ligne, une colonne ou une diagonale est toujours la même. **13.** *Au carré :* d'une forme qui rappelle celle d'un carré ; net, rigoureux. – Loc. fam. *Faire (mettre) la tête au carré à qqn :* frapper avec violence qqn au visage au point de le déformer. **II. 1.** MATH Produit d'une expression, d'un nombre par lui-même. *Carré d'un nombre entier, d'une fraction. Le carré de l'hypoténuse. Élever un nombre au carré. Trois au carré* (3^2) *égale neuf.* **2.** Arg. (des écoles) Élève de deuxième année dans une grande école ou une classe préparatoire aux grandes écoles.

2. carré, ée adj. **I. 1.** Qui a la forme d'un carré. *Les surfaces carrées d'un dé.* ▷ *Un mètre carré :* une surface carrée d'un mètre de côté. ▷ *Centimètre, mètre, kilomètre... carré :* mesure d'une surface d'un centimètre, mètre, kilomètre... de côté. **2.** *Racine carrée* (d'un nombre donné) : nombre dont le produit par lui-même est égal au nombre donné. *Racine carrée de seize égale quatre* ($\sqrt{16} = 4$). ▷ *Nombre carré,* dont la racine carrée est un entier. **II.** Dont la forme est celle, ou rappelle celle d'un carré, d'un cube. *Une cour carrée, une boîte carrée.* ▷ Qui a des angles bien découpés, nettement marqués. *Un menton, un front carré.* – Fig. *Être carré d'épaules.* ▷ MILIT *Bataillon carré,* rangé en carré. ▷ MAR *Voile carrée :* voile quadrangulaire aux vergues horizontales hissées par le milieu. – *Mât carré,* portant des voiles carrées. **III.** Qui a un caractère tranché, net et catégorique. *Se montrer carré en affaires. Un homme carré,* rude mais franc.

Carré (maladie de) MED Maladie provoquée par un virus proche de celui de la rougeole humaine, qui atteint notam. les jeunes chiens et peut être mortelle. (La vaccination est efficace.)

Carré (Ambroise-Marie) (Fleury-les-Aubrais, 1908), dominicain français, prédicateur à Notre-Dame de Paris (1959-1966). Acad. fr. (1975).

carreau n. m. **I. 1.** Pavé plat de terre cuite, faïence, linoléum, etc., de forme géométrique régulière, servant au revêtement des sols, des murs. *Carreaux protégeant un mur au-dessus d'un évier. Intercaler un grand carreau rectangulaire et deux petits carreaux carrés.* **2.** *Par ext.* Sol revêtu de carreaux. *Laver, vernir le carreau.* ▷ *Sur le carreau :* au sol, à terre, en parlant d'une personne vaincue, blessée ou tuée dans une lutte. *Rester sur le carreau. Laisser qqn sur le carreau.* **3.** MINES Emplacement au jour où se trouvent les bâtiments et les installations nécessaires à l'exploitation. **4.** *Carreau des Halles* (de Paris, naguère) : endroit où se faisait la vente des légumes et des fruits aux abords des Halles. **5.** Vitre d'une porte, d'une fenêtre. *Épier ses voisins derrière ses carreaux. Poser un carreau.* ▷ (Plur.) Fam. Lunettes. *Retire tes carreaux !* **6.** TECH Fer à repasser des tailleurs. **7.** PECHE Syn. de *carré.* **8.** Anc. Grosse flèche d'arbalète ou de baliste, à pointe pyramidale. **9.** Vx (Langue classique.) Coussin de forme carrée. ▷ TECH Coussin de dentellière. **II. 1.** Dessin, motif carré ou rectangulaire. *Tissu à carreaux. Des copies à grands, à petits carreaux.* **2.** *Carreau de réduction, d'agrandissement :* réseau de lignes tracées sur le papier, la toile, permettant de réduire ou d'agrandir le modèle à reproduire. *Mise au carreau d'un modèle.* **III.** Une des quatre couleurs d'un jeu de cartes, dont la marque est un carreau rouge. *Roi de carreau.* – Carte de cette couleur. *Il a trois carreaux.* ▷ Loc. fig., fam. *Se tenir à carreau :* prendre ses précautions, surveiller sa conduite afin d'éviter tout ennui ou erreur. – Prov. *Qui (se) garde (à) carreau n'est jamais capot.*

carrée n. f. **1.** Anc. MUS Figure de note, carrée et sans queue, valant deux rondes. **2.** Arg., fam. Chambre.

carrefour n. m. **1.** Endroit où se croisent plusieurs routes. **2.** Fig. Point de rencontre. *Le carrefour de deux civilisations.* ▷ Moment où doit s'effectuer un choix important. *Se trouver au carrefour de sa vie.* ▷ Réunion organisée en vue d'un échange d'opinions. *Inviter des personnalités à un carrefour sur le thème de l'avenir de l'Europe.*

car-régie n. m. Véhicule équipé pour diffuser en direct des reportages télévisés. *Des cars-régies.*

Carrel (Alexis) (Sainte-Foy-lès-Lyon, 1873 – Paris, 1944), physiologiste et chirurgien français. Il fit progresser la culture *in vitro* des tissus animaux ; auteur de *l'Homme, cet inconnu* (1936). P. Nobel 1912.

carrelage n. m. **1.** Action de carreler. **2.** Surface carrelée, revêtement constitué de carreaux. *Mettre un tapis sur le carrelage.*

carreler v. tr. [19] **1.** Paver avec des carreaux. **2.** Tracer des carreaux sur. *Carreler un calque.*

carrelet n. m. **I. 1.** Poisson de mer plat (fam. pleuronectidés), portant de petites taches orange approximativement carrées. Syn. plie. **2.** PECHE Syn. de *carré 2.* **3.** Filet pour prendre les petits oiseaux. **II. 1.** Règle à section carrée. **2.** Petite lime à quatre faces. **3.** Aiguille à extrémité quadrangulaire, utilisée par les cordonniers, les selliers, etc.

carreleur, euse n. Ouvrier(ère) qui pose le carrelage.

carrément adv. **1.** En carré, à angles droits. **2.** Fig. D'une façon nette, ferme et sans détour. *Je lui ai parlé carrément.*

carrer v. [1] **I.** v. tr. **1.** TECH Donner une forme carrée à. *Carrer une poutre, une pierre.* **2.** SPORT Ajuster les carres sur (des skis). **II.** v. pron. **1.** Vx Se donner une attitude, un air important, qui manifeste le contentement de soi. **2.** S'installer confortablement, en prenant ses aises. *Se carrer sur son siège.*

Carrera Andrade (Jorge) (Quito, 1903 – id., 1978), diplomate et écrivain équatorien. Poète, il traduit une inquiétude métaphysique qu'il résout par un certain panthéisme : *Registre du monde* (1945), *Lieu d'origine* (1945), *Ci-gît l'écume* (1951).

Carrère d'Encausse (Hélène) (Paris, 1929), historienne et politologue française, spécialiste de l'Union soviétique : *l'Empire éclaté* (1978), *le Grand Frère* (1983), *la Gloire des nations* (1990). Acad. fr. (1990).

Carrero Blanco (Luis) (Santoña, 1903 – Madrid, 1973), amiral et homme politique espagnol. Ministre de Franco dès 1951, il fut désigné en 1972 comme devant succéder à Franco après la mort de celui-ci. Il fut Premier ministre de juin à déc. 1973 ; un attentat de l'E.T.A. lui coûta la vie.

carrier n. m. Ouvrier ou entrepreneur travaillant à l'exploitation d'une carrière.

Carrier (Jean-Baptiste) (Yolet, Cantal, 1756 – Paris, 1794), conventionnel français. Représentant du peuple en mission à Nantes, il y imposa un régime de terreur *(les noyades de Nantes).* Il fut guillotiné.

1. carrière n. f. Lieu, excavation (généralement à ciel ouvert) d'où l'on extrait des matériaux destinés à la construction. *Carrière de sable, de marbre, d'ardoise.*

2. carrière n. f. **1.** Vx Lice, enclos pour les courses de chevaux ou de chars. – Mod. EQUIT Terrain d'exercice en plein air pour les cavaliers. ▷ *Donner carrière à un cheval,* le laisser galoper librement. – Par anal. *Donner carrière à* : donner libre cours à. *Donner carrière à sa fantaisie.* **2.** Litt., vx Mouvement, cours (du temps, d'un astre). *Le soleil achève sa carrière.* **3.** Fig., litt. Voie, chemin sur lequel on s'engage. *La carrière de l'honneur. Entrer dans la carrière,* dans la vie. **4.** Mod. Profession, activité impliquant une série d'étapes. *Il s'est lancé dans une carrière politique. Un grand choix de carrières. Une carrière littéraire,* d'homme de lettres. ▷ Branche d'activité professionnelle. *La carrière des armes, de la magistrature.* – Fig. *Il a une carrière de séducteur devant lui.* ▷ Ensemble des étapes de la vie professionnelle. *Mener sa carrière habilement.* ▷ *La carrière* ou *la Carrière* : la carrière diplomatique. *Embrasser la Carrière.*

Carrière (Eugène) (Gournay-sur-Marne, 1849 – Paris, 1906), peintre et lithographe symboliste français.

Carrières-sous-Poissy, com. des Yvelines (arr. de Saint-Germain-en-Laye); 11 370 hab. Extraction de sable.

Carrières-sur-Seine, com. des Yvelines (arr. de Saint-Germain-en-Laye); 11 503 hab. Industr. bio-médicale.

carriérisme n. m. Attitude d'une personne qui ne choisit une activité que pour satisfaire ses ambitions et ses intérêts personnels. ▷ Comportement dicté par le désir de réussir sa carrière, à n'importe quel prix.

carriériste n. (Souvent péjor.) Personne qui fait preuve de carriérisme.

Carrillo (Santiago) (Gijón, 1915), homme politique espagnol. Secrétaire général du parti communiste espagnol de 1960 à 1982, il prôna la réconciliation nationale à l'intérieur, l'eurocommunisme à l'extérieur. Après la fin du franquisme, il fut un des protagonistes de l'éclatement de son parti.

carriole n. f. **1.** Petite charrette couverte. **2.** (Canada) Voiture d'hiver hippomobile, montée sur patins. **3.** Péjor., fam. Mauvaise voiture hippomobile.

Carroll (Charles Lutwidge Dodgson, dit Lewis) (Daresbury, 1832 – Guildford, 1898), écrivain et mathématicien anglais. Professeur de mathématiques à Oxford (*Traité élémentaire des déterminants,* 1867), il est l'auteur du célèbre récit *Alice au pays des merveilles* (1865), suivi de *De l'autre côté du miroir* (1871). Son poème humoristique *la Chasse au Snark* (1876) a été traduit en français par Louis Aragon. ▶ illustr. page 294

carrossable adj. Praticable pour les voitures. *Chemin carrossable.*

carrosse n. m. **1.** Anc. Luxueuse voiture à chevaux, à quatre roues, suspendue et couverte. ▷ Fig. *Rouler carrosse* : vivre dans l'opulence. ▷ *La cinquième roue du carrosse* : personne qui se sent inutile, dont on ne tient pas compte. **2.** Petite corbeille dans laquelle on couche une bouteille de vin vieux, de façon à servir celui-ci sans le troubler.

carrosser v. tr. [1] Doter (un véhicule) d'une carrosserie.

carrosserie n. f. **1.** Caisse, généralement en tôle, revêtant le châssis d'un véhicule. **2.** Industrie, commerce des carrosseries.

carrossier n. m. Celui qui fabrique, répare des carrosseries.

Carrouges, ch.-l. de cant. de l'Orne (arr. d'Alençon); 768 hab. – Chât. composite (du XIVe au XVIIe s.) à donjon carré (XVe s.).

carrousel n. m. **1.** Tournoi, parade où des cavaliers exécutent des joutes, des courses, des exercices divers. – Lieu où se donne un carrousel. ▷ Fig. *Un carrousel bruyant d'automobiles.* **2.** Dispositif de manutention constitué par un plateau, des éléments, etc., tournant autour d'un axe vertical. *Carrousel de distribution des bagages d'une aérogare.*

carroyage n. m. TECH Quadrillage servant à agrandir ou à réduire un dessin, une carte d'après modèle.

carroyer v. tr. [23] TECH Exécuter un carroyage sur.

Carrucci (Iacopo). V. Pontormo.

carrure n. f. **1.** Largeur du dos à la hauteur des épaules. *Avoir une belle, une forte carrure. La carrure d'une veste, d'un manteau.* **2.** Configuration large et carrée (du corps, d'une partie du corps). **3.** Fig. Envergure, valeur d'une personne.

Cars (Guy de Pérusse, duc des Cars, dit Guy des) (Paris, 1911 – id., 1993), écrivain français; auteur prolifique de romans à succès (*le Grand Monde, le Donneur, la Maudite, l'Envoûteuse).* En 1981, il publie *J'ose.*

Carson City, v. des É.-U., cap. du Nevada; 40 400 hab. Mines d'argent.

cartable n. m. **1.** Serviette, sacoche d'écolier. **2.** (Canada) Cahier muni d'anneaux (V. classeur).

Cartagena, port de Colombie, sur la mer des Antilles; 491 370 hab.; ch.-l. de dép. Industr. text., alim. Raff. de pétrole.

Cartan (Élie) (Dolomieu, Isère, 1869 – Paris, 1951), mathématicien français; auteur de travaux sur la théorie des groupes. – **Henri** (Nancy, 1904), fils du préc., mathématicien, l'un des fondateurs du groupe Nicolas Bourbaki.

carte n. f. **I. 1.** Petit carton rectangulaire dont un côté est marqué d'une figure, spécial. d'une figure et d'une couleur (trèfle, carreau, cœur, pique), et dont on se sert pour jouer. *Un jeu de trente-deux, de cinquante-deux cartes. Des cartes à jouer. Battre les cartes. Une partie de cartes. Tours de cartes* : tours de prestidigitation exécutés avec des cartes. *Faire, tirer les cartes* : prédire l'avenir d'après les cartes. – *Château de cartes* : petit échafaudage, construction instable faite avec des cartes à jouer. *S'écrouler comme un château de cartes.* – *Par anal.* Construction, projet fragile. **2.** Loc. fig. *Avoir la carte forcée* : être obligé de se plier à certaines exigences. – *Brouiller les cartes* : semer volontairement la confusion, embrouiller une affaire. – *Avoir plus d'une carte dans son jeu* : avoir beaucoup de possibilités, de ressources. – *Jouer, mettre cartes sur table* : ne rien cacher. – *Jouer sa dernière carte* : tenter sa dernière chance. – *Jouer toutes ses cartes* : miser tout ce qu'on possède, tenter sa chance en utilisant toutes ses ressources. – *Jouer la carte de...* : s'appuyer, pour réussir, sur..., compter surtout sur... *Jouer la carte du charme, de l'économie.* – *Connaître le dessous des cartes* : connaître les dessous d'une affaire. **II.** Pièce attestant l'identité de qqn ou son appartenance à un groupe. *Carte nationale d'identité. Avoir la carte d'un parti, d'un syndicat. Carte de presse,* délivrée aux journalistes. *Carte de séjour, de travail. Carte d'étudiant. Carte d'électeur* : carte attestant l'inscription de son titulaire sur une liste électorale et lui permettant de voter. *Carte grise,* indiquant les caractéristiques d'un véhicule et le nom de son propriétaire. *Carte orange* : en région parisienne, carte d'abonnement aux transports en commun. **III. 1.** Au restaurant, liste des mets et des boissons, avec leurs prix. *Déjeuner, dîner à la carte,* qu'on compose en choisissant les plats sur la carte (par oppos. à *déjeuner au menu*). **2.** *Carte de visite* ou *carte* : petit carton rectangulaire sur lequel on fait imprimer son nom, éventuellement son adresse, sa profession, ses titres. *Laisser, envoyer, donner sa carte.* **3.** *Carte postale* ou *carte* : carte dont le recto est illustré et dont le verso est destiné à la correspondance. *Il a reçu une carte du Brésil.* **4.** TECH *Carte perforée,* dont les perforations constituent la notation d'informations à traiter par une machine. – *Carte magnétique,* munie de pistes magnétiques sur lesquelles sont enregistrées des informations. – *Carte à puce* ou *carte à mémoire* : carte magnétique comportant un dispositif de mémorisation. – *Carte Bleue* : nom déposé d'une carte de crédit. **5.** Loc. fig. *Donner carte blanche à qqn* : V. blanc (1, sens 4). **IV.** GEOGR Représentation plane à échelle réduite d'une surface de terrain. *Dessiner, reproduire la carte de (la) France. Une carte des climats. Carte politique, démographique. Carte des routes à grande circulation. Carte marine. Carte de la Lune, du ciel.*

1. cartel n. m. **1.** Anc. Provocation en duel. **2.** Cartouche ornant le cadre de certaines pendules. ▷ Pendule murale ainsi encadrée.

2. cartel n. m. **1.** ECON Groupement, coalition de sociétés industrielles ou commerciales tendant à s'assurer la domination du marché en éliminant la concurrence et en évitant la baisse des prix. **2.** POLIT Union, accord passé entre des organisations politiques, syndicales, etc., en vue d'une action commune déterminée. *Le Cartel des gauches gagna les élections de 1924.*

carte-lettre n. f. Feuille de papier utilisée pour la correspondance, pliée et collée sans enveloppe, et qui est taxée comme une lettre. *Des cartes-lettres.*

cartellisation n. f. ECON Fait de se grouper en cartel.

carter [kaʀtɛʀ] n. m. Enveloppe métallique rigide destinée à protéger un mécanisme ou à éviter les accidents qu'il est susceptible de provoquer.

Carter (Elliott) (New York, 1908), compositeur américain; il a fait des recherches rythmiques avant de se consacrer à la musique sérielle : *Concerto* pour piano (1965), *Symphonie de trois orchestres* (1977), etc.

Carter (James Earl Carter, dit Jimmy) (Plains, Georgie, 1924), homme politique américain. Candidat démocrate, il bat Gerald Ford, en nov. 1976, et devient le trente-neuvième président des É.-U. En politique extérieure, il est l'artisan d'un certain «dégel» avec le bloc de l'Est (accord de désarmement signé à Vienne, en 1979, avec L. Brejnev) et du rapprochement entre l'Égypte et Israël (accords de Camp David, 1978). Mais l'affaire des otages de l'ambassade américaine à Téhéran entraîne son échec face à R. Reagan lors des élections présidentielles de 1980.

carterie n. f. 1. Fabrication des cartes à jouer. ▷ Lieu où on les fabrique. 2. (Nom déposé.) Magasin où l'on vend des cartes postales.

cartésianisme n. m. Philosophie de Descartes. ▷ *Par ext.* Philosophie de ses disciples ou continuateurs (notam. Malebranche, Spinoza, Leibniz).

cartésien, enne adj. (et n.) 1. Relatif à la doctrine, à la pensée de Descartes. ▷ Subst. Partisan de la philosophie, des théories de Descartes. 2. Qui présente les caractères attribués à la pensée de Descartes (ordre, rigueur, méthode). 3. *Coordonnées cartésiennes :* système de coordonnées imaginé par Descartes, dans lequel un point est défini par ses distances à trois axes. ▷ *Produit cartésien de deux ensembles E et F :* ensemble des couples (x, y) [x, E, y, F].

Carthage, v. de Tunisie, aux environs de Tunis; 7 150 hab. – Archevêché; cath. (1890) de style byzantino-mauresque. – Site de la v. anc. du m. nom. Nombreuses ruines de l'époque romaine (amphithéâtre, odéon, thermes, aqueduc, nécropole du IIe s., etc.). – Fondée v. 814-813 av. J.-C. par des Phéniciens de Tyr, conduits, selon la légende, par leur reine Didon, Carthage fut une grande puissance commerciale et maritime, gouvernée par une oligarchie financière et marchande; elle lutta, surtout contre Rome, pour l'hégémonie en Méditerranée occid. (possession de la Sicile); ce furent les *guerres puniques* (264-146 av. J.-C.). Malgré Hannibal, elle fut vaincue, puis détruite totalement par Scipion Émilien, à l'issue de la troisième guerre punique (146 av. J.-C.). Colonie romaine, d'abord rebâtie en 122 av. J.-C. *(Colonia Junonia)* puis par César, en 44 av. J.-C. (*Colonia Julia*), elle s'ouvrit à la pénétration du christianisme et redevint prospère. Ravagée en 439 par les Vandales, annexée à l'Empire byzantin par Bélisaire (534), elle connut son déclin définitif après la conquête arabe de 698.

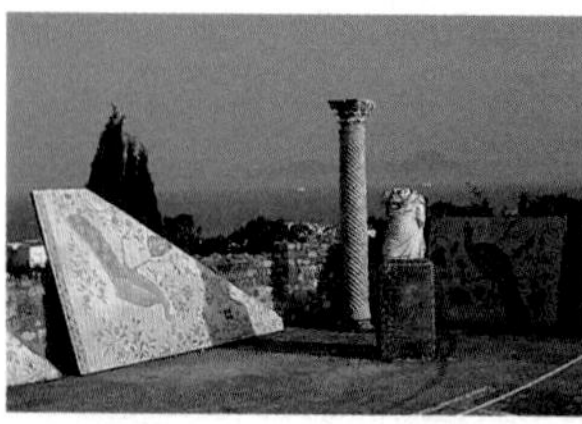

Carthage : terrasse de la maison de la Volière, Parc archéologique des villas romaines

Carthagène, v. et port d'Espagne (Murcie), sur la Médit.; 172 750 hab. Métall., chantier naval. Grande raff. de pétrole à Escombreras. – La v. fut fondée par les Carthaginois v. 223 av. J.-C.

carthaginois, oise adj. et n. De Carthage. *Antiquités carthaginoises.* ▷ Subst. *Un(e) Carthaginois(e).*

carthame n. m. Plante épineuse (fam. composées) dont une espèce, le *carthame des teinturiers,* donne deux colorants (jaune et rouge).

Cartier (Jacques) (Saint-Malo, 1491 – id., 1557), navigateur français. Cherchant un passage vers l'Asie par le N. du Nouveau Monde, il aborda au Canada, dont il prit possession au nom de François Ier (1534), à Gaspé. En 1535, il remonta le Saint-Laurent jusqu'à une colline qu'il appela Mont Royal (Montréal). Il fut surnommé le « découvreur du Canada ».

Cartier (sir Georges Étienne) (Saint-Antoine-sur-Richelieu, Québec, 1814 – Londres, 1873), homme politique canadien. Défenseur des Canadiens français, il œuvra pour l'établissement de la Confédération (proclamée en 1867).

Cartier-Bresson (Henri) (Chanteloup, Seine-et-M., 1908), dessinateur et, surtout, photographe français. Ses images rationnelles et objectives résultent d'une simultanéité presque parfaite entre le sujet, la visée et le déclenchement.

cartilage n. m. Tissu conjonctif typique des cordés, dur, élastique, blanc laiteux, constituant le squelette primaire des embryons avant leur ossification. (Ce tissu ne persiste chez les adultes qu'au niveau des articulations – cartilages articulaires – et de quelques organes – pavillons auriculaires, nez, etc. – Seuls les poissons chondrichthyens conservent un squelette cartilagineux à l'état adulte.)

cartilagineux, euse adj. De la nature du cartilage, composé de cartilage. *Tissus cartilagineux.*

cartographe n. Spécialiste de la cartographie.

cartographie n. f. Technique de l'établissement des cartes, des plans.

cartographier v. tr. [2] Établir la carte de (qqch).

cartographique adj. De la cartographie, relatif à la cartographie. *Recherches cartographiques.*

cartomancie n. f. Divination à partir des cartes à jouer.

cartomancien, enne n. Personne pratiquant la cartomancie.

carton n. m. 1. Feuille assez rigide, d'épaisseur variable, constituée d'une couche de pâte à papier ou de plusieurs feuilles de papier collées ensemble. *Une boîte de carton, une couverture de livre en carton.* – *Recevoir un carton (d'invitation).* ▷ *Carton-pâte**. *Carton mixte :* carton-pâte dont les deux faces sont recouvertes d'une feuille de papier fort. ▷ *Carton-paille,* dont la pâte est à base de fibres de paille hachées. ▷ *Carton-cuir :* carton enduit de caoutchouc, de résines synthétiques, etc., imitant le cuir. ▷ *Carton-pierre :* carton à la pâte duquel on a incorporé de l'argile, de la craie, etc., et dont la consistance et l'aspect rappellent la pierre. ▷ *Carton ondulé,* présentant des ondulations qui le rendent plus rigide. 2. Boîte, emballage de carton fort. *Un carton à chapeau. Carton à dessins.* ▷ Casier en carton destiné à ranger, à classer des papiers, des documents. (V. cartonnier.) – Fig. *Projet qui reste dans les cartons,* qui reste en attente, qui n'est pas exploité, utilisé. 3. BX-A Composition exécutée sur un carton léger, destinée à être reproduite (vitrail, tapisserie, fresque). *Les cartons de Raphaël.* 4. Cible de carton sur laquelle on s'exerce au tir. *Faire un carton :* tirer sur une cible d'exercice en carton; *par ext.,* fam., gagner facilement (à un sport).

cartonnage n. m. 1. Emballage, ouvrage en carton. 2. Fabrication d'objets en carton. 3. Action de cartonner (un livre). ▷ Reliure ainsi obtenue.

cartonner v. tr. [1] 1. Munir, garnir de carton. 2. Relier (un livre) avec du carton. 3. Fam. Faire un carton (sens 4). ▷ *Par ext.* (Impers.) *Ça a cartonné sur l'autoroute,* il y a eu beaucoup d'accidents.

cartonneux, euse adj. Qui a l'aspect, la consistance du carton.

cartonnier, ère n. 1. Personne qui fabrique, qui vend du carton. 2. n. m. Meuble de bureau pour le classement des dossiers, dont les tiroirs sont des boîtes en carton. 3. BX-A Artiste réalisant des cartons (sens 3).

carton-pâte n. m. Carton fabriqué à partir de vieux chiffons, de cartons usagés. *Décors en carton-pâte.* – Loc. fig. *De, en carton-pâte :* dont le caractère factice est évident. *Personnages en carton-pâte d'un mauvais film.*

cartoon [kaʀtun] n. m. 1. Bande illustrée à caractère humoristique. 2. Chacun des dessins composant un film de dessins animés. – Ce film lui-même.

cartooniste [kaʀtunist] n. Réalisateur de dessins animés.

cartophile n. Celui, celle qui collectionne des cartes postales.

cartothèque n. f. Meuble, local où l'on conserve des cartes (sens IV).

1. cartouche n. m. 1. Ornement sculpté, présentant une surface destinée à recevoir une inscription, des armoiries. 2. Encadrement de certaines inscriptions hiéroglyphiques. ▷ Encadrement de l'écu des armoiries. 3. Encadrement renfermant les références d'une carte, d'un plan (numéro d'ordre, titre, date, échelle, etc.).

2. cartouche n. f. 1. Étui de carton ou de métal contenant la charge d'une arme à feu. *Le culot, la douille, l'amorce d'une cartouche.* – *La bourre de fermeture d'une cartouche à plombs, d'une cartouche de chasse.* – *L'ogive de tête d'une cartouche à balle, d'une cartouche de guerre. Cartouche à blanc,* sans projectile. 2. Étui contenant des matières explosives. *Une cartouche de dynamite.* 3. Petit étui, généralement cylindrique, contenant un produit qui nécessite une certaine protection. *Cartouche d'encre pour stylo. Cartouche de gaz pour briquet.* 4. Emballage contenant plusieurs paquets de cigarettes. *Une cartouche de cigarettes anglaises.*

Cartouche (Louis Dominique) (Paris, 1693 – id., 1721), célèbre brigand français, chef d'une bande de voleurs. Il fut exécuté (supplice de la roue) en place de Grève.

cartoucherie n. f. 1. Fabrique de cartouches. 2. Dépôt de cartouches.

cartouchière n. f. Sac de cuir, de toile, ou série d'étuis montés en ceinture ou en baudrier pour porter les cartouches.

Cartwright (Edmund) (Marnham, 1743 – Hastings, 1823), ingénieur anglais. Il innova dans l'industr. du tissage, notam. en utilisant la machine à vapeur (1785).

Caruso (Enrico) (Naples, 1873 – id., 1921), ténor italien de renommée mondiale, premier ténor au Metropolitan Opera de New York (1903-1920).

carvi n. m. Ombellifère d'Europe, appelée aussi *anis des Vosges, cumin des prés,* dont la racine et les fruits sont aromatiques.

Carvin, ch.-l. de cant. du Pas-de-Calais (arr. de Lens); 17 103 hab.

cary. V. cari.

Cary (Arthur Joyce) (Londonderry, 1888 – Oxford, 1959), écrivain anglais. Il puise les éléments de ses romans dans ses séjours en Afrique et exprime la tragique incompréhension entre les êtres : *Sorcières d'Afrique* (1931), *Surprise* (trilogie, 1940-1944), *Prisonniers de la grâce* (1952), *les Captifs et les Libres* (1959).

caryatide. V. cariatide.

caryo-. Élément, du gr. *karuon*, «noyau, noix».

caryogamie n. f. BIOL Fusion du noyau du gamète mâle avec le noyau du gamète femelle, lors de la fécondation.

caryogramme n. m. BIOL Nombre de chromosomes défini par une formule constante pour une espèce donnée et comprenant les paires de chromosomes identiques *(autosomes)* et le ou les chromosomes sexuels (*allosomes* ou *hétérochromosomes*). (Le caryogramme de l'espèce humaine est de 46 chromosomes, soit deux fois 22 autosomes et 2 chromosomes sexuels : 2 chromosomes X chez la femme, 1 chromosome X et 1 chromosome Y chez l'homme.)

caryolyse n. f. BIOL Mort du noyau cellulaire.

caryolytique adj. et n. m. BIOCHIM Se dit des substances provoquant la caryolyse.

caryophyllacées n. f. pl. Famille de plantes dicotylédones dialypétales, à ovaires libres et feuilles opposées. *Les caryophyllacées comprennent des espèces ornementales, comme l'œillet, et des espèces médicinales, comme la saponaire.* – Sing. *Une caryophyllacée.*

caryopse n. m. BOT Fruit sec indéhiscent, typique des graminées, dans lequel le péricarpe est soudé à l'unique graine qu'il contient..

caryotype n. m. MED Nombre de chromosomes contenus dans les cellules d'un individu, dont l'examen (par culture cellulaire et microphotographie) permet d'établir le diagnostic de certaines maladies chromosomiques (la trisomie 21, par ex.).

Carzou (Jean) (Alep, 1907), peintre français d'origine arménienne. Il joue sur des effets linéaires de perspective pour figurer un univers fantasmatique.

1. cas [kɑ] n. m. **I. 1.** Ce qui arrive ou est arrivé; ce qui peut se produire; situation. *Cas grave, rare, imprévu. On peut, selon les cas, choisir la solution la mieux adaptée. Il est dans un cas particulièrement délicat. J'ai évoqué votre cas à la dernière réunion.* **2.** *Cas de conscience :* difficulté ou question sur ce que la conscience ou la foi permet ou défend en certaines circonstances. **3.** Ce qui peut être la cause de qqch. *Un cas de guerre* (V. casus belli). *C'est un cas de divorce.* **4.** Manifestation d'une maladie, atteinte. *On a relevé dix cas de choléra.* **5.** *Faire cas de :* apprécier, accorder de l'importance à. *Il fait grand cas de votre avis.* **6.** (En appos.) (Précédant un n. propre.) *Le cas X :* la personne de X, considérée sous l'angle des questions ou des problèmes particuliers qu'elle soulève. *Le cas Wagner.* – *Untel est un cas.* **7.** Loc. *C'est le cas de le dire :* cette parole est opportune, tombe bien, est à propos. **II.** Loc. **1.** Loc. prép. *En cas de :* dans l'hypothèse de. *En cas d'incendie, appeler les pompiers.* **2.** Loc. adv. *En tout cas, dans tous les cas :* quoi qu'il en soit, quoi qu'il arrive. ▷ *En ce cas :* dans cette hypothèse. ▷ *En aucun cas* (Dans une propos. nég.) : quoi qu'il arrive. **3.** Loc. conj. *Au cas que* (vieilli), *au cas où :* à supposer que. ▷ *Dans le cas où, pour le cas où :* s'il arrivait que.

Enrico **Caruso**

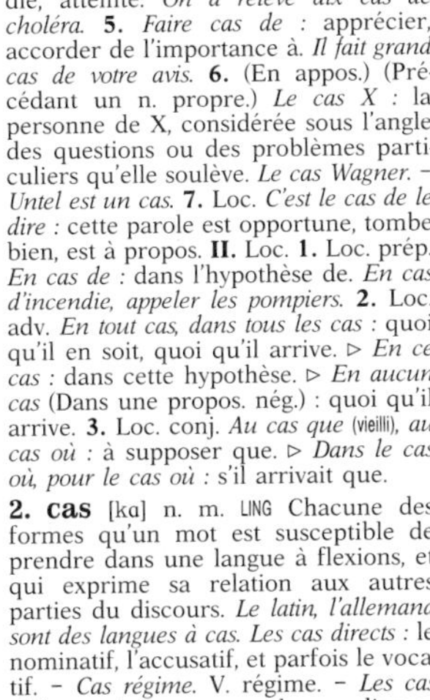

René **Cassin**

2. cas [kɑ] n. m. LING Chacune des formes qu'un mot est susceptible de prendre dans une langue à flexions, et qui exprime sa relation aux autres parties du discours. *Le latin, l'allemand sont des langues à cas. Les cas directs :* le nominatif, l'accusatif, et parfois le vocatif. – *Cas régime.* V. régime. – *Les cas obliques :* les autres cas du paradigme.

Casablanca (en ar. *ad-Dār al-Bayḍā*), princ. port et plus grande ville du Maroc; 923 630 hab. (aggl. urb. 2 408 600 hab.); préfecture. Premier centre écon. du pays : industr. chim., alim., méca. et text. Exportation de phosphates. – L'aménagement initial du port est dû à Lyautey. Grande mosquée Hassan II– La *conférence de Casablanca* (1943), entre Churchill et Roosevelt, coordonna de façon décisive la polit. de guerre des Alliés.

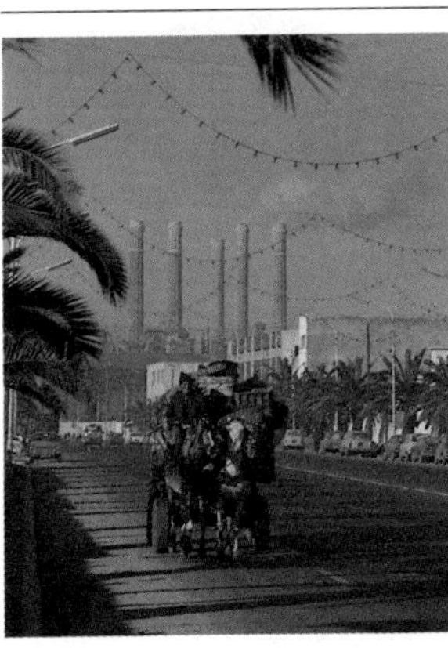

Casablanca

Casadesus, famille franç. de musiciens et de comédiens. – **Francis** (Paris, 1870 – id., 1954), compositeur de symphonies et d'œuvres lyriques. – **Robert** (Paris, 1878 – id., 1940), frère du préc.; comédien. – **Henri** (Paris, 1879 – id., 1947), frère des préc.; violoniste virtuose. – **Marius** (Paris, 1892 – id., 1981), frère des préc.; violoniste et compositeur. – **Robert** (Paris, 1899 – id., 1972), fils de Robert; pianiste et compositeur. – **Gisèle** (Paris, 1914), fille d'Henri; sociétaire de la Comédie-Française. – **Jean-Claude Probst,** dit Casadesus (Paris, 1935), fils de Gisèle, chef d'orchestre.

Casals (Pablo) (Vendrell, Catalogne, 1876 – San Juan, Porto Rico, 1973), violoncelliste espagnol. Il fonda en 1905, avec le pianiste A. Cortot et le violoniste J. Thibaud, un trio célèbre.

habitat rural en **Casamance**

Casamance (la), fl. côtier du Sénégal (300 km), au S. de la Gambie. La région de Casamance (où se développe un mouvement séparatiste) correspond à l'actuelle province sénégalaise de Ziguinchor.

casanier, ère adj. et n. **1.** Qui aime rester chez soi, qui ne veut pas bouleverser ses habitudes. *Une femme casanière.* ▷ Subst. *C'est un casanier, comme beaucoup de vieux garçons.* **2.** Propre aux personnes casanières. *Une vie, des goûts casaniers.*

Casanova (Giovanni Giacomo) (Venise, 1725 – Dux, Bohême, 1798), aventurier et écrivain italien. Il a beaucoup écrit, notam. sur la politique et l'histoire, mais il est surtout connu par ses *Mémoires,* récit, écrit en franç., de ses aventures galantes et de son évasion des Plombs de Venise, dont le texte intégral n'a été publié qu'en 1960-1963.

casaque n. f. **1.** Manteau ample à larges manches. ▷ Loc. fig. *Tourner casaque :* changer d'avis, de parti. **2.** Vx Blouse, tunique de femme que l'on porte sur une jupe. **3.** Veste de jockey en soie, de couleur voyante.

casbah [kazba] n. f. **1.** Anc. Palais du souverain, citadelle, dans une ville d'Afrique du N. **2.** Mod. Quartier anc. des villes d'Afrique du N. – Spécial. *La Casbah,* celle d'Alger.

cascade n. f. **1.** Chute d'eau, succession étagée de chutes d'eau. *L'eau tombait en cascade, de plusieurs dizaines de mètres de hauteur.* – Fig. *Une cascade de rires, de paroles, de chiffres.* ▷ Loc. fig. *En cascade :* à de courts intervalles. *Avoir des ennuis en cascade.* **2.** Chute, numéro périlleux d'un acrobate, d'un coureur automobile, d'un gymnaste, etc. ▷ CINE *Un acrobate double la vedette du film pour les cascades.* **3.** ELECTR *Association en cascade :* montage d'appareils en série.

cascader v. intr. [1] Tomber en cascade.

Cascades (chaîne des) ou **Cascade Range,** montagnes de l'O. des É.-U. et du Canada, parallèles à la chaîne côtière; 4 391 m au mont Rainier.

cascadeur, euse n. Acrobate qui exécute des sauts périlleux, des chutes diverses. ▷ CINE Personne qui exécute une cascade.

cascher. V. casher.

case n. f. **I.** Habitation en matériaux légers des pays chauds. **II. 1.** Compartiment d'un tiroir, d'une boîte, d'un meuble, etc., à usage déterminé. **2.** Division, compartiment délimité sur une surface. *Les cases d'un registre. Mettez une croix dans la case correspondant à votre choix. Les cases d'un jeu de jacquet,* *de dames.* **3.** Loc. fam. *Avoir une case en moins, une case (de) vide* : être un peu fou, ou simple d'esprit.

caséeux, euse adj. **1.** Qui a l'apparence du fromage. **2.** MED *Lésions tuberculeuses caséeuses,* ayant l'aspect du fromage.

caséifier v. [2] **1.** v. tr. Didac. Faire coaguler la caséine de. *Caséifier du lait.* **2.** v. pron. MED Se nécroser en prenant un aspect caséeux (en parlant d'un tissu).

caséine n. f. Protéine contenue dans le lait.

casemate [kazmat] n. f. Abri (auj. en béton armé) servant de protection contre les tirs d'artillerie et les attaques aériennes.

caser v. [1] **I.** v. tr. Trouver une place pour; mettre à la place qui convient. *Caser des bagages dans le coffre d'une voiture.* – Fam. *Où allons-nous vous caser?* **II.** Fam. **1.** v. tr. Trouver un emploi, une situation pour (qqn). *Caser ses enfants dans l'Administration.* **2.** v. pron. S'établir en un lieu; trouver un emploi. ▷ Se marier. *Il a fini par se caser.*

Caserio (Santo Jeronimo) (Motta Visconti, Lombardie, 1873 - Lyon, 1894), anarchiste italien. Ayant assassiné le président franç. Sadi Carnot (1894), il fut guillotiné.

caserne n. f. **1.** Bâtiment destiné au logement des troupes. ▷ Ensemble des troupes logées dans un tel bâtiment. **2.** Par anal. Fam. Vaste bâtiment peu avenant.

casernement n. m. **1.** Action de caserner. **2.** Lieu où l'on caserne les troupes. *Revue de casernement.*

caserner v. tr. [1] Loger (des troupes) dans une caserne.

Caserte, v. d'Italie méridionale (Campanie); 66 750 hab.; ch.-l. de la prov. du m. nom. Industr. text. et chim. - Cath. (XIIIe s.). - Les Allemands y signèrent en 1945 la capitulation de leurs armées d'Italie et d'Autriche.

cash [kaʃ] adv. et n. m. (Anglicisme) **1.** adv. Fam. *Payer cash* : payer comptant. **2.** n. m. Argent liquide, disponibilités en trésorerie.

casher, cacher, cascher, kascher ou **kasher, ère** [kaʃɛʀ] adj. Conforme aux lois du judaïsme concernant les aliments et leur préparation. (Se dit surtout des viandes provenant d'animaux abattus selon les rites.) *Viande cashère.* - Par ext. *Boucherie cashère.*

cash-flow [kaʃflo] n. m. (Anglicisme) FIN Capacité d'une entreprise à produire de la richesse, évaluée d'après l'ensemble de ses amortissements, de ses provisions et de ses bénéfices. *Des cash-flows.* Syn. (off. recommandé) marge brute d'autofinancement.

casier n. m. **I. 1.** Meuble de rangement composé de rayons, de compartiments. *On peut ranger cent bouteilles dans ce casier.* **2.** Petit meuble de rangement individuel. *Il y a un casier muni d'un cadenas au-dessus de chaque lit.* **3.** Case d'un meuble. **4.** PECHE Nasse destinée à la pêche aux crustacés. **II.** Fig. *Casier judiciaire* : relevé des condamnations criminelles ou correctionnelles dont un individu a fait l'objet; lieu, service où sont enregistrées ces condamnations. *Casier judiciaire vierge,* ne comportant aucune condamnation criminelle ou correctionnelle. ▷ *Casier fiscal* : relevé des amendes et des impositions de chaque contribuable.

Casimir (saint) (Cracovie, 1458 - Grodno, 1484), fils du roi Casimir IV de Pologne. Il se fit ermite après avoir disputé le trône de Hongrie à Mathias Corvin. Proclamé patron de la Pologne en 1602.

Casimir, nom de cinq ducs et rois de Pologne. – **Casimir III le Grand** (Kowal, 1310 - Cracovie, 1370), roi de 1333 à 1370; il agrandit et réorganisa le royaume. – **Casimir IV Jagellon** (1427 - Grodno, 1492), roi de 1445 à 1492, prit la Prusse occid. aux chevaliers Teutoniques. – **Casimir V** ou **Jean II Casimir** (?, 1609 - Nevers, 1672), roi de 1648 à 1668, s'exila en France après son abdication.

Casimir-Perier (Auguste Perier, dit, à partir de 1874) (Paris, 1811 - id., 1876), homme politique français (fils de Casimir Perier); ministre de l'Intérieur de 1871 à 1873, il fut partisan de Thiers. – **Jean** (Paris, 1847 - id., 1907), fils du préc.; homme politique français; conservateur; il fut élu président de la Rép. en 1894, et démissionna le 15 janv. 1895 devant l'opposition de gauche.

casino n. m. Établissement de jeux, où l'on donne aussi des spectacles (notam. dans une station baln. ou therm.).

casoar n. m. **1.** Oiseau coureur, atteignant deux mètres, au cou et à la tête déplumés, portant sur le crâne une sorte de casque corné; il vit en Australie et en Nouvelle-Guinée. **2.** Plumet ornant le shako des saint-cyriens.

casoar à casque

Caspienne (mer), la plus grande mer intérieure du monde, aux confins de l'Europe et de l'Asie (Caucase, Kazakhstan, Iran); env. 424 000 km². Elle se dessèche malgré l'apport de la Volga et de l'Oural. Ses eaux, très salées, se situent à - 28 m. Trafic pétrolier important.

casque n. m. **I. 1.** Coiffure rigide, faite d'un matériau résistant, pour protéger la tête. *Les Gaulois portaient des casques de cuivre ornés de cornes de taureau, de cerf, etc. Un casque de spéléologue. Le port du casque est obligatoire sur le chantier.* ▷ *Casque intégral,* qui protège le crâne, le visage et les cervicales. **2.** *Casque bleu* : membre des forces d'interposition militaire de l'O.N.U. **3.** Ensemble de deux écouteurs, appliqués sur les oreilles par un ressort cintré. **4.** Appareil chauffant emboîtant la tête utilisé pour le séchage des cheveux. *Rester sous le casque chez le coiffeur.* **II. 1.** Mollusque gastéropode des mers chaudes dont on découpe l'épaisse coquille en fragments pour y sculpter des camées. **2.** BOT Partie supérieure, en forme de casque, du calice ou de la corolle de certaines fleurs. **3.** Protubérance sur la tête ou le bec de certains oiseaux.

casqué, ée adj. Coiffé d'un casque.

casquer v. intr. [1] Fam. Donner de l'argent, débourser.

casquette n. f. Coiffure (surtout masculine) ronde et plate, à visière.

cassable adj. Qui peut se casser. Ant. incassable.

cassage n. m. Action de casser.

Cassagnac (Paul Granier de) (Paris, 1843 - Saint-Viâtre, Loir-et-Cher, 1904), journaliste et homme polit., il fut un des princ. chefs bonapartistes sous la IIIe République et participa au mouvement boulangiste.

Cassandre (en gr. *Kassandra*), princesse troyenne, fille de Priam et d'Hécube dans *l'Iliade.* Elle fut aimée d'Apollon, qui la dota du don de prophétie; repoussé par elle, le dieu décida que personne ne la croirait.

Cassandre (en gr. *Kassandros*) (v. 354 - 297 av. J.-C.), fils d'Antipatros, roi de Macédoine et de la quasi-totalité de la Grèce après la bataille d'Ipsos (301 av. J.-C.). Il avait épousé Thessalonikê, sœur d'Alexandre le Grand, dont il extermina toute la famille.

Cassandre (Adolphe Jean-Marie Mouron, dit) (Kharkov, 1901 - Paris, 1968), peintre et décorateur français; maître de l'affiche moderne : *Étoile du Nord* (1927), *Dubonnet* (1932).

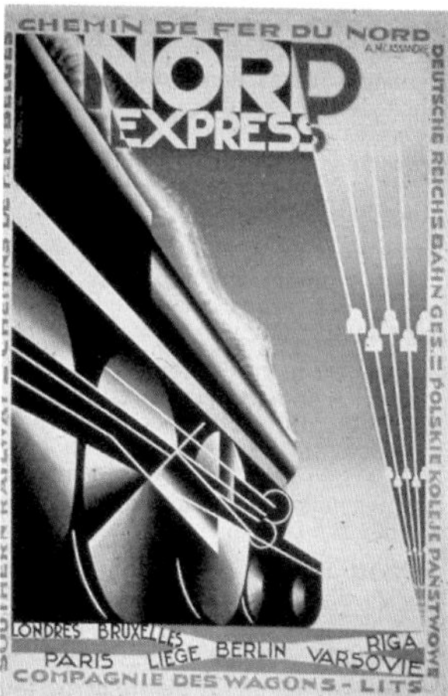

Cassandre : affiche pour le train international Nord Express; musée de la Publicité, Paris

Cassano d'Adda, v. d'Italie (Lombardie), sur l'Adda; 15 320 hab. - En 1705, Vendôme y défit le prince Eugène. En 1799, Moreau y fut battu par les Austro-Russes de Souvorov.

cassant, ante adj. **1.** Qui est fragile, qui se casse facilement. *Une pâte à tarte desséchée et cassante.* **2.** Autoritaire, dur, tranchant. *C'est un homme sec et cassant. Un ton cassant.*

cassate n. f. Crème glacée de différents parfums fourrée de fruits confits. *Une tranche de cassate.*

1. cassation n. f. **1.** Sanction par laquelle un militaire gradé est cassé. **2.** DR Action de faire perdre toute force juridique à une décision rendue en dernier ressort et de réputer non avenus tous les actes d'exécution accomplis sur le fondement de cette décision. *Former un pourvoi en cassation contre l'arrêt de la cour d'appel.* ▷ *Cour de cassation* : juridiction suprême de l'ordre judiciaire. *La Cour de cassation rejette un pourvoi, ou casse (annule) la décision de la cour d'appel.*

2. cassation n. f. MUS Suite pour divers instruments, formée de courts morceaux et destinée à être exécutée en plein air.

Cassatt (Mary) (Pittsburgh, 1845 – Le Mesnil-Théribus, Oise, 1926), peintre impressionniste américaine.

Cassavetes (John) (New York, 1929 – Los Angeles, 1989), acteur et cinéaste américain. Ses films explorent les sentiments et les rapports fragiles du couple dans la société américaine : *Shadows* (1959), *Une femme sous influence* (1975). Il a joué notamment dans *Rosemary's Baby.*

1. casse n. f. IMPRIM Boîte plate à petits rebords, divisée en compartiments, ou *cassetins*, de taille inégale, et contenant les caractères typographiques. – *Haut de casse* : ensemble des cassetins du haut, contenant les majuscules. – *Bas de casse* : ensemble des cassetins du bas contenant les signes les plus employés, notam. les minuscules. – n. m. inv. (Avec traits d'union.) *Texte en bas-de-casse*, en minuscules.

2. casse n. f. **1.** Fruit du canéficier, longue gousse contenant une pulpe laxative. **2.** Laxatif préparé avec ce fruit. ▷ Prov. *Passe-moi la casse, je te passerai le séné* : faisons-nous des concessions mutuelles.

3. casse n. f. TECH Grande cuillère utilisée par les verriers.

4. casse n. **1.** n. f. Action de casser ; dommage qui en résulte. *Il y a eu de la casse pendant le déménagement. Payer la casse.* – *Mettre, envoyer à la casse une voiture hors d'usage*, pour qu'elle soit dépecée. *Vendre à la casse*, au prix de la matière première. **2.** n. m. Arg. Cambriolage. *Faire un casse.*

1. cassé n. m. Degré de cuisson du sucre qui, jeté dans de l'eau froide, devient cassant.

2. cassé, ée adj. **1.** Brisé. **2.** Qui ne fonctionne plus. **3.** DR Annulé. *Arrêt cassé* (V. cassation 1, sens 2). **4.** Privé de son grade. *Un sergent cassé* (V. cassation 1, sens 1). **5.** *Voix cassée*, éraillée, qui a perdu la clarté de son timbre normal. **6.** Usé, courbé par l'âge. *Un vieillard tout cassé.* **7.** *Blanc cassé* : blanc modifié par l'adjonction d'une très petite quantité de couleur. *Un blanc cassé de jaune.*

casse-cou n. m. inv. et adj. inv. **1.** Endroit où l'on risque de tomber. *Cet escalier est un vrai casse-cou.* ▷ adj. inv. *Des parcours casse-cou.* **2.** Fam. Personne téméraire, qui prend des risques sans réfléchir. *C'est un dangereux casse-cou.* ▷ adj. inv. *Elles sont très casse-cou.*

casse-croûte n. m. inv. Fam. Petit repas léger pris rapidement.

casse-gueule n. m. inv. et adj. inv. Fam. **I.** n. m. inv. **1.** Entreprise qui présente des risques. **2.** Casse-cou, endroit où l'on risque de tomber. **II.** adj. inv. **1.** Qui présente des risques. *Décision, itinéraire casse-gueule.* **2.** (Personnes) Téméraire, casse-cou.

Cassel, ch.-l. de cant. du Nord (arr. de Dunkerque), sur le *mont Cassel* (alt. 176 m) ; 2 243 hab. – Place forte très disputée au Moyen Âge. En 1328, Philippe VI y vainquit les Flamands. En 1677, le duc d'Orléans y défit le prince d'Orange.

Cassel. V. Kassel.

casse-noisettes n. m. inv. Petit instrument, petite pince qui sert à casser la coque des noisettes.

casse-noix n. m. inv. **1.** Instrument du même type que le casse-noisettes, utilisé pour casser les noix. **2.** ZOOL Nom cour. des passériformes du genre *Nucifraga*, dont le puissant bec, droit, casse les noisettes et les graines de pin.

casse-pieds adj. inv. (et n. inv.) Fam. Qui ennuie, dérange. *Un voisin casse-pieds.* Syn. importun, raseur. – *Une affaire casse-pieds.* ▷ Subst. *Des casse-pieds.*

casse-pipe n. m. inv. Pop. *Le casse-pipe* : la mort sur le champ de bataille ; la bataille, le front. *Aller, monter au casse-pipe.* ▷ Entreprise présentant un danger de mort.

casser v. [1] **I.** v. tr. **1.** Briser, réduire en morceaux. *Casser un vase. Le vent a cassé les branches.* ▷ Fig. (Prov.) *Qui casse les verres les paie* : qui cause un préjudice doit le réparer. ▷ Loc. *Casser la tête* ou, fam., *les pieds à qqn*, l'importuner. – *Casser du sucre sur (le dos de) qqn*, dire du mal de lui. – Loc. fam. *Casser la gueule à qqn*, le battre, le rouer de coups. – *Casser la croûte* : manger. – *À tout casser* : extraordinaire. *Un banquet à tout casser.* – *Cela ne casse rien* : cela ne sort pas de l'ordinaire, de la banalité. – *Casser le morceau* : avouer. ▷ Loc. fig., fam. *Casser sa pipe* : mourir. ▷ ECON *Casser les prix, les cours* : provoquer une baisse brusque des prix, des cours. **2.** DR Annuler. *Casser un jugement.* **3.** Dégrader. *Casser un officier.* **II.** v. intr. Se rompre, se briser. *Ce bois casse facilement.* **III.** v. pron. **1.** Se rompre, se briser. *La potiche s'est cassée en tombant.* ▷ Loc. fig., fam. *Se casser la tête* : s'appliquer à une chose avec acharnement ; s'efforcer de trouver une solution à un problème. ▷ (Surtout en tournure négative, s. comp.) Se donner du mal. *Tu ne t'es pas beaucoup cassé pour y arriver.* ▷ Loc. fig., fam. *Se casser le nez* : trouver porte close ; ne pas réussir dans une entreprise. **2.** Fam. S'en aller, s'enfuir.

casserole n. f. **1.** Ustensile de cuisine cylindrique à fond plat muni d'un manche. ▷ Loc. fig., fam. *Passer à la casserole* : subir un traitement désagréable auquel on ne peut se soustraire. **2.** Arg. (du cinéma) Projecteur. **3.** Fam. Instrument désaccordé. ▷ *Chanter comme une casserole* : chanter faux.

casse-tête n. m. inv. **1.** Courte massue utilisée comme arme. **2.** Bruit fatigant. **3.** Travail, problème demandant beaucoup d'application, de concentration. ▷ *Casse-tête chinois* : question, jeu, problème, dont la solution est difficile à trouver.

cassette n. f. **1.** Petit coffre où l'on range ordinairement des objets précieux, de l'argent. *La cassette d'Harpagon dans « l'Avare ».* **2.** Trésor personnel d'un roi, d'un prince. **3.** Étui contenant une bande magnétique, permettant de charger instantanément un magnétophone ou un magnétoscope.

casseur, euse n. et adj. **I.** n. **1.** Personne dont le métier est de casser. *Casseur de pierres.* ▷ Commerçant qui casse et revend au poids brut des objets usagés. – *Spécial.* Ferrailleur. **2.** Arg. Cambrioleur. **3.** *Un casseur* : un mauvais garçon, un affranchi, un dur. *Jouer les casseurs.* ▷ Personne qui profite d'une manifestation pour dégrader la voie publique (mobilier urbain, magasins, etc.) ou des bâtiments publics ou privés. **II.** adj. Rare Qui casse beaucoup par maladresse.

cassier n. m. BOT Syn. de *canéficier.*

Cassin (mont) (en ital. *Monte Cassino*), mont d'Italie (519 m), dans la prov. de Frosinone, entre Rome et Naples. – Saint Benoît y fonda en 529 un monastère, ancêtre des abbayes bénédictines (détruit en 1944, lors de combats meurtriers ; auj. reconstruit).

Cassin (René) (Bayonne, 1887 – Paris, 1976), juriste français ; commissaire national à la Justice du Comité de Londres (1940), vice-président du Conseil d'État (1944-1960), il fut à l'origine de la Déclaration universelle des droits de l'homme votée par l'O.N.U. en 1948 et devint président de la Cour européenne des droits de l'homme (1965). P. Nobel de la paix 1968. Ses cendres sont au Panthéon (depuis 1988). ► illustr. page **299**

Cassini (Jean Dominique) (Perinaldo, comté de Nice, 1625 – Paris, 1712), astronome italien, premier directeur de l'observatoire de Paris. Il étudia notam. les satellites de Jupiter, ce qui permit à son assistant (Roemer) de calculer la vitesse de la lumière. Il fut le premier d'une lignée d'astronomes. – **Jacques** (Paris, 1677 – Thury, Beauvaisis, 1756), fils du préc., son successeur à la direction de l'Observatoire. – **César François Cassini de Thury** (Thury, 1714 – Paris, 1784), fils du préc. ; il commença la carte topographique de la France, connue sous le nom de *carte de Cassini.* – **Jacques Dominique,** comte de Cassini (Paris, 1748 – Thury, 1845), fils du précédent ; il termina la *carte de Cassini.* ► illustr. page **303**

Cassino, v. d'Italie mérid. (Latium) ; 31 140 hab. Centre comm. – La v. est près du mont Cassin. – De janvier à mai 1944 s'y déroula une rude bataille entre forces allemandes et alliées.

Cassiodore (en lat. *Flavius Magnus Aurelius Cassiodorus*) (Scylacium, Bruttium, v. 480 – monastère de Vivarium, Bruttium, v. 575), écrivain latin (*Historia ecclesiastica tripartita, De anima*, etc.), conseiller polit. de Théodoric le Grand, dont il fut préfet du prétoire.

Cassiopée, reine légendaire d'Éthiopie, épouse de Céphée, mère d'Andromède ; après sa mort, elle fut changée en constellation. ▷ ASTRO Grande constellation en forme de W.

Cassirer (Ernst) (Breslau, 1874 – New York, 1945), philosophe allemand. Il a développé le criticisme kantien dans une perspective historique : *Philosophie des formes symboliques* (1923-1929, 3 vol.).

1. cassis [kasis] n. m. **1.** Arbuste (on dit aussi *cassissier*) à baies noires aromatiques et comestibles (fam. saxifragacées). **2.** Fruit de cet arbuste. **3.** Liqueur tirée de ce fruit.

2. cassis [kasis] n. m. Rigole traversant perpendiculairement une route, un chemin. ▷ Creux, enfoncement, dans le sol d'une route. *La voiture cahotait sur les cassis et les dos-d'âne.*

Cassis, com. des Bouches-du-Rhône (arr. de Marseille) ; 7 988 hab. Stat. baln. Pêche. Vins blancs. – Grotte marine, découverte en 1991, ornée de nombr. peintures rupestres et dessins.

Cassitérides (îles), nom donné dans l'Antiquité à un groupe d'îles (parfois identifiées avec les îles Sorlingues, au large de la G.-B.) où l'on trouvait de l'étain.

Cassius Longinus (Caïus), général romain, un des meurtriers de César. Après la défaite de Philippes, il se tua (42 av. J.-C.).

Cassola (Carlo) (Rome, 1917 – Montecarlo di Lucca, 1987), écrivain italien. Auteur de romans sur la Toscane populaire et petite-bourgeoise, où la politique se mêle à l'amour : *Fausto et Anna* (1952), *les Vieux Compagnons* (1953).

cassolette n. f. **1.** Petit réchaud à couvercle percé de trous, servant à brûler des parfums. **2.** Petite boîte d'orfèvrerie contenant des parfums. **3.** Petit récipient cylindrique, supportant la chaleur du four, utilisé pour servir certains mets; mets ainsi servi. *Cassolette de fruits de mer.*

cassonade n. f. Sucre brut de canne.

Cassou (Jean) (Deusto, Biscaye, 1897 – Paris, 1986), écrivain français, inspiré par l'Espagne et la peinture moderne. Il s'illustra dans la Résistance, puis fut conservateur du musée d'Art moderne, à Paris, de 1946 à 1965.

cassoulet n. m. Ragoût de viande d'oie, de canard, de mouton, etc., aux haricots blancs.

cassure n. f. **1.** Endroit où un objet est cassé. ▷ GEOL Fissure, fracture de l'écorce terrestre. **2.** *Cassure d'un vêtement,* pliure de son étoffe. **3.** Fig. Rupture. *Ce deuil a été une cassure dans sa vie.*

castagne n. f. Arg. et fam. *La castagne :* les coups, la bagarre. *Chercher, aimer la castagne.*

castagnettes n. f. pl. Instrument à percussion fait de deux petites pièces en matière dure (bois, ivoire, etc.), arrondies et concaves, attachées aux doigts par un cordon, et que l'on fait résonner en les frappant l'une contre l'autre. *Une gitane qui chante et danse en jouant des castagnettes.*

Castagno (Andrea del). V. Andrea del Castagno.

Castaing (Raimond) (Monaco, 1921 – Paris, 1998), physicien français, inventeur d'une microsonde électronique.

caste n. f. **1.** Chacune des quatre classes sociales dans la société hindoue. **2.** Classe, groupe social fermé qui cherche à maintenir ses privilèges, à préserver ses caractères. *Avoir l'esprit de caste.*

castel n. m. Maison qui ressemble à un château, petit château.

Castel del Monte, célèbre château fort d'Italie, près d'Andria (Pouilles), construit à partir de 1240 pour l'empereur Frédéric II.

Castel del Monte

Casteldurante (auj. *Urbania,* env. d'Urbino), anc. centre italien de céramique (XIIIe-XVIIIe s.).

Castelfidardo, v. d'Italie (Marches), au S. d'Ancône; 14 290 hab. – Les troupes pontificales, commandées par Lamoricière, y furent battues par les Piémontais de Cialdini (1860).

Castel Gandolfo, commune d'Italie (Latium), à 27 km de Rome, sur le lac d'Albano; 6 240 hab. – Église, villa Barberini et palais pontifical (du Bernin). – Résidence d'été des papes.

Castellammare di Stabia (anc. *Stabies**), port d'Italie (Campanie), sur le golfe de Naples; 70 320 hab. Constr. navales. Raffinerie de soufre.

Castellane, ch.-l. d'arr. des Alpes-de-Hte-Prov., sur le Verdon; 1 359 hab. Usine hydroélectrique (barrage de Castillon).

Castellón de la Plana, v. d'Espagne, ch.-l. de la prov. de Castellón (Valence), à 6 km de la Médit.; 135 860 hab.; centre comm. (oranges). Industr. alim. Raff. de pétrole.

Castelnau (Pierre de) (Castelnaudary, ? – Saint-Gilles, près de Nîmes, 1208), religieux français de l'ordre de Cîteaux; légat du pape Innocent III. Un écuyer de Raimond VI de Toulouse, qu'il avait excommunié comme cathare, l'ayant assassiné, le pape lança la croisade contre les albigeois.

Castelnau (Édouard de Curières de) (Saint-Affrique, Aveyron, 1851 – Montastruc-la-Conseillère, Haute-Garonne, 1944), général français. Il sauva Nancy par sa résistance au Grand-Couronné (1914) puis aida à la bataille de Verdun (1916). Il anima entre les deux guerres un mouvement catholique dirigé contre la politique anticléricale du Cartel des gauches.

Castelnaudary, ch.-l. de cant. de l'Aude (arr. de Carcassonne), près du canal du Midi; 11 725 hab. (*Chauriens*). Industr. alim. et text. – En 1632, Louis XIII y battit le duc de Montmorency, qu'il fit prisonnier. – Église gothique St-Michel (XIIIe-XIVe s.). Moulin à vent du XVIIe s.

Castelnau-le-Lez, com. de l'Hérault (arr. de Montpellier); 11 215 hab. – Église Saint-Jean-Baptiste (XIIe s.).

Castelo Branco (Camilo) (Lisbonne, 1825 – São Miguel de Ceide, près de Braga, 1890), romancier portugais. Très prolifique, il évolua du romantisme au réalisme : *les Mystères de Lisbonne* (1854), *Amour de perdition* (1862), *Nouvelles du Minho* (12 vol., 1875-1877), etc.

Castelo Branco (Humberto de Alencar) (Fortaleza, 1900 – id., 1967), homme politique brésilien. Maréchal, chef d'état-major, il s'opposa au président J. Goulart, auquel il succéda en avril 1964, instaurant le régime militaire au Brésil. En oct. 1967, Costa e Silva fut préféré à cet homme de droite. Il se tua en avion peu de temps après.

Castelsarrasin, ch.-l. d'arr. du dép. de Tarn-et-Garonne, sur le canal latéral à la Garonne; 12 148 hab. Fonderie; métall. – Égl. St-Sauveur (fin XIIe s.).

Casteret (Norbert) (Saint-Martory, Haute-Garonne, 1897 – Toulouse, 1987), spéléologue français (abîmes des Pyrénées et de l'Atlas).

Castiglione (Baldassarre ou Baldesar) (Casatico, prov. de Mantoue, 1478 – Tolède, 1529), écrivain italien : *il Cortegiano* (« le Courtisan », 1528), essai sur le parfait homme de cour. Raphaël, son ami, a peint son portrait (Louvre).

Castiglione (Virginia Oldoini, comtesse Verasis di) (Florence, 1837 – Paris, 1899), aristocrate italienne célèbre par sa beauté, dont Cavour se servit pour gagner Napoléon III à la cause de l'unité ital. Brouillée avec l'empereur en 1859, elle soutint, après 1871, la cause orléaniste et mourut dans l'oubli.

Castiglione delle Stiviere, v. d'Italie (Lombardie), prov. de Mantoue; 15 090 hab. – En 1796, victoire d'Augereau sur les Autrich.; Augereau reçut, plus tard, le titre de duc de Castiglione.

castillan, ane adj. et n. **1.** adj. De Castille. ▷ Subst. *Un(e) Castillan(e).* **2.** n. m. *Le castillan :* la langue romane, parlée en Castille, devenue langue officielle de l'Espagne. Syn. (cour.) espagnol.

Castille, région et ancien royaume du centre de l'Espagne, aujourd'hui divisée en deux communautés autonomes qui sont aussi deux régions de la C.E. : *Castille-Léon* (formée des prov. d'Ávila, Burgos, Léon, Palencia, Salamanque, Ségovie, Soria, Valladolid et Zamora; 94 193 km^2; 2 610 270 hab.; cap. *Valladolid*) et *Castille-la Manche* (formée des prov. d'Albacete, Ciudad Real, Cuenca, Guadalajara et Tolède; 79 230 km^2; 1 695 140 hab.; cap. *Tolède*). Les sierras de Gredos et de Guadarrama (alt. max. 2 592 m) séparent en deux le plateau central espagnol (Meseta) : au N., la Vieille-Castille, drainée par le Douro; au S., la Nouvelle-Castille, drainée par le Tage et le Guadiana. Le climat méditerranéen, chaud et sec en été, est continental en hiver. La céréaliculture, les oliveraies, la vigne (vignoble de la Manche) et l'élevage ovin dominent; les périmètres irrigués s'étendent. Le tourisme culturel est important. La grande métropole économique est Madrid, entité administrative autonome par rapport aux deux régions. – La Castille, comté au IXe s., royaume à partir du Xe s., fut rattachée à la Navarre (XIe s.) puis, en 1230, au Léon. La Reconquista agrandit son territ. (Nouvelle-Castille). Le mariage d'Isabelle de Castille avec Ferdinand d'Aragon, en 1469, aboutit à l'union définitive de ces royaumes (1479).

Castillejo (Cristóbal de) (Ciudad Rodrigo, v. 1490 – Vienne, 1556), poète espagnol. Il s'opposa à l'invasion des modes littéraires italiennes et composa des œuvres morales (*Dialogue sur la condition des femmes,* 1546) et religieuses (*Dialogues et discours de la vie de cour*).

Castillon (barrage de), import. barrage sur le Verdon, com. de Castellane.

Castillon-la-Bataille, ch.-l. de canton de la Gironde (arr. de Libourne), sur la Dordogne; 3 030 hab. – En 1453, la victoire des Français sur les Anglais mit fin à la guerre de Cent Ans.

castine n. f. METALL Pierre calcaire utilisée comme fondant et comme épurateur dans les hauts-fourneaux.

casting [kastiŋ] n. m. (Anglicisme) Choix de la distribution dans un spectacle, notam. dans un film. ▷ *Par ext.* Ensemble de la distribution, des acteurs. Syn. (off. recommandé) distribution artistique.

Castlereagh (Robert Stewart, vicomte, 2e marquis de Londonderry) (Mount Stewart, Irlande, 1769 – North Craig, Kent, 1822), homme politique britannique. Après la mort de Pitt (1806), il fut l'âme des coalitions contre Napoléon Ier et dirigea, à partir de 1812, la polit. étrangère britannique.

castor n. m. **1.** Rongeur aquatique (*Castor canadensis* et *Castor fiber*) de grande taille (90 cm queue comprise, 30 kg), à la fourrure serrée, brune, fort recherchée, aux pattes postérieures palmées, à la large queue écailleuse. **2.** Fourrure de cet animal. **3.** n. m. pl. *Les Castors* : nom pris par des associations dont les membres travaillent en commun à l'édification de leurs habitations.

castor et sa hutte à entrée immergée

Castor et Pollux, héros grecs, fils jumeaux de Léda* et de Zeus selon la tradition la plus répandue, frères d'Hélène et Clytemnestre. Sous le nom de *Dioscures* (*Dioskouroi*, «enfants de Zeus»), ils étaient les dieux tutélaires de l'hospitalité et des athlètes. ▷ ASTRO Les deux étoiles les plus brillantes des Gémeaux (magnitudes visuelles apparentes 1,6 et 1,2).

Castracani (Castruccio, duc de Lucques) (Lucques, 1281 - id., 1328), condottiere. Il se mit au service de la France et de plusieurs princes italiens, et tenta, en vain, de se rendre maître de la Toscane. Machiavel lui consacra un essai biographique (1520).

castrat n. m. Individu mâle castré. ▷ *Spécial.* Chanteur qu'on castrait avant la puberté pour qu'il garde une voix aiguë.

castrateur, trice adj. et n. **1.** Qui châtre (sens 3). - Subst. *En édulcorant ce texte, il a agi en castrateur.* **2.** PSYCHO Qui provoque ou peut provoquer un complexe de castration (chez qqn). *Une mère castratrice.*

castration n. f. Ablation des glandes génitales (spécial. des testicules). Syn. émasculation (pour les mâles, les hommes); ovariectomie (pour les femelles, les femmes). ▷ PSYCHAN *Angoisse de castration*, qui se traduit, chez le petit garçon, par une peur fantasmatique de l'ablation du pénis et, chez la petite fille, par un sentiment coupable de manque. - *Complexe de castration* : persistance chez l'adulte de l'angoisse de castration, lui interdisant notam. l'accomplissement de l'acte sexuel.

castrer v. tr. [1] Pratiquer la castration sur. Syn. châtrer.

Castres, ch.-l. d'arr. du Tarn, sur l'Agout; 49 292 hab. Industr. text. (en crise), pharm.; constr. méca. - L'hôtel de ville (anc. évêché édifié entre 1665 et 1674 sur les plans de Mansart) abrite le musée Goya. Anc. cath. St-Benoît (XVIIe-XVIIIe s.).

Castries (Charles Eugène Gabriel de La Croix, marquis de) (Paris, 1727 - Wolfenbüttel, Allemagne, 1800), maréchal de France. Il se distingua pendant la guerre de Sept Ans. Ministre de la Marine (1780-1787), il réorganisa la flotte.

Castries (René, duc de) (La Bastide-d'Engras, Gard, 1908 - Paris, 1986), historien français : *Madame du Barry* (1967), *La Fayette* (1974), *Chateaubriand* (1976). Acad. fr. (1972).

castrisme n. m. Doctrine, due à Fidel Castro, selon laquelle seule la guérilla rurale peut venir à bout des régimes autoritaires qui, en Amérique latine, avec l'appui plus ou moins déclaré des É.-U., s'opposent au développement écon. et démocratique de divers pays.

castriste n. Partisan du castrisme.

Castro (Inès de). V. Inès de Castro.

Castro (João de) (Lisbonne, 1500 - Goa, 1548), capitaine portugais. Il explora la mer Rouge (1541) et fut vice-roi des Indes portug. (1545-1548).

Castro (Josué de) (Recife, 1908 - Paris, 1973), médecin et économiste brésilien. Président du conseil de la F.A.O., il fut un pionnier de la lutte contre la faim (*Géopolitique de la faim*, 1952). En 1964, il fut contraint à l'exil par le coup d'État militaire.

Castro (Fidel) (Mayarí, 1927), révolutionnaire et homme politique cubain. Docteur en droit, il dirigea la guérilla contre le régime de Batista (1956-1958). Premier ministre en 1959, chef de l'État en 1976, il établit une dictature socialiste (1962). Face à l'hostilité des É.-U., il chercha l'appui de l'U.R.S.S. en imposant un tiers-mondisme militant (expéditions militaires en Angola, en Éthiopie, à partir de 1975). Isolé au sein de la communauté internationale depuis l'effondrement du bloc soviétique, il doit faire face à une contestation intérieure.

Jean Dominique **Cassini** — Fidel **Castro**

Castro y Bellvís (Guilhem ou Guillén de) (Valence, 1569 - Madrid, 1631), dramaturge espagnol. Dans ses pièces, il met en scène des épisodes du *Romancero*, ensemble de romances et récits versifiés du Moyen Âge. *Les Enfances du Cid* (1618) ont inspiré Corneille.

casuel, elle adj. et n. m. **1.** adj. Didac. Qui peut arriver ou non, fortuit, accidentel. **2.** n. m. Revenu éventuel venant s'ajouter au revenu fixe. - *Spécial.* Anc. Redevance versée au prêtre par les fidèles en certaines occasions. - FEOD Profits, droits et revenus fortuits.

casuiste n. m. **1.** THEOL Théologien qui étudie la morale et cherche à se prononcer sur les cas de conscience. **2.** Péjor. Personne qui argumente d'une manière trop subtile.

casuistique n. f. **1.** Partie de la morale chrétienne portant sur les cas de conscience. **2.** Péjor. Façon trop subtile d'argumenter.

casus belli [kazysbɛlli] n. m. inv. (lat.) Fait pouvant motiver, entraîner une déclaration de guerre.

cata-. Élément, du gr. *kata*, «en dessous, en arrière».

catabolique adj. BIOCHIM Du catabolisme, qui a trait au catabolisme.

catabolisme n. m. BIOCHIM Chez les organismes vivants, ensemble des réactions biochimiques de dégradation au cours desquelles les grosses molécules sont transformées en molécules plus simples, avec libération d'énergie.

catabolite n. m. BIOCHIM Corps résultant du catabolisme.

catachrèse [katakʀɛz] n. f. RHET Figure consistant à étendre la signification d'un mot au-delà de son sens propre (ex. *les bras d'un fauteuil*).

cataclysmal, ale, aux adj. Litt. Syn. de *cataclysmique*.

cataclysme n. m. **1.** Bouleversement de la surface terrestre. **2.** Fig. Grand malheur, bouleversement. *Un cataclysme financier.*

cataclysmique adj. Didac. Qui a le caractère d'un cataclysme. ▷ GEOL Qui évoque comme cause la survenue d'un cataclysme. *Une théorie cataclysmique.*

catacombes n. f. pl. Cimetières souterrains où les premiers chrétiens se réunissaient. *Les catacombes de Rome.* - Cavités souterraines ayant servi de sépulture ou d'ossuaire.

catadioptre n. m. Surface réfléchissante placée à l'arrière d'un véhicule ou sur un obstacle, qui les rend visibles la nuit. Syn. cataphote.

catadioptrique adj. PHYS Se dit d'un instrument d'optique qui comporte au moins un miroir.

catafalque n. m. Estrade décorée, destinée à recevoir un cercueil.

cataire. V. chataire.

catalan, ane adj. et n. **1.** adj. De Catalogne. ▷ Subst. *Un(e) Catalan(e).* **2.** n. m. *Le catalan* : la langue romane du groupe méridional parlée en Espagne (essentiellement en Catalogne et aux Baléares), en France (Roussillon) et en Andorre (langue off.).

Catalauni, peuple de la Gaule établi au N. de la Champagne pouilleuse; cap. *Catalaunum* (auj. *Châlons-en-Champagne*).

Catalauniques (champs), plaine de Champagne où Attila fut défait par Aetius en 451. La bataille eut lieu au *Campus Mauriacus*, situé, croit-on aujourd'hui, près de Troyes.

catalectique adj. METR ANC Se dit d'un vers auquel il manque le dernier demi-pied.

art **catalan** : Christ Pantocrator, couverture d'autel provenant de Tost, près de Lérida; musée d'Art de Catalogne, Barcelone

Çatal Hüyük : peinture murale, scène de chasse ; musée Hittite, Ankara

catalepsie n. f. MED Perte provisoire de la faculté du mouvement volontaire.

cataleptique adj. (et n.) Atteint de catalepsie ; de la nature de la catalepsie.

Çatal Hüyük, site préhistorique de Turquie, au S.-E. de Konya, où les fouilles ont permis de reconstituer une véritable ville du néolithique anc. (VIIe-VIe millénaires).

Catalogne, communauté autonome du N.-E. de l'Espagne et région de la C.E., formée des prov. de Barcelone, Gérone, Lérida et Tarragone ; 31 930 km^2 ; 6 165 630 hab. ; cap. *Barcelone*. Langues : catalan, espagnol. Au N., les Pyrénées, fraîches et arrosées, se consacrent à l'élevage et au tourisme montagnard. Dans le bassin inférieur de l'Èbre, au S., l'irrigation permet une polyculture méditerranéenne intensive. Le littoral, très découpé (Costa Brava), ne compte que d'étroites plaines, intensément occupées, et vit d'agriculture intensive, de pêche et du tourisme balnéaire de masse. Barcelone est la grande métropole rég., portuaire et industrielle et constitue l'une des villes les plus dynamiques de la région méditerranéenne de la C.E.E. – Romaine au IIe s. av. J.-C., la Catalogne, occupée par les Wisigoths, puis par les Arabes, devint une marche franque (IXe s.). Réunie à l'Aragon en 1137, elle voit croître sa puissance jusqu'au XVe s. Après une période de déclin, elle redevient, au XVIIIe s., la région la plus riche d'Espagne. Le particularisme catalan, vivace dès le XVIe s., devient une force politique au XIXe s. Rép. autonome en 1931, la Catalogne perdit ses franchises à la victoire de Franco (1939). Elle a adopté un statut d'autonomie (référendum d'oct. 1979).

catalogue n. m. **1.** Liste énumérative méthodique. *Le catalogue des livres d'une bibliothèque.* **2.** Brochure, souvent illustrée, proposant des objets à vendre. *Catalogue de jouets. Catalogue de vente par correspondance.*

cataloguer v. tr. [1] **1.** Enregistrer et classer dans un catalogue. **2.** *Cataloguer qqn,* le classer dans une catégorie d'une manière péremptoire.

catalpa n. m. Arbre ornemental (fam. bignoniacées), à grandes feuilles et à fleurs blanches groupées en grappes aux extrémités des branches.

catalyse n. f. CHIM Modification de la vitesse d'une réaction chimique due à la présence d'un catalyseur. (La catalyse a une importance capitale en biologie et dans l'industr. chim. : synthèse de l'acide sulfurique, de l'acide nitrique et de l'ammoniac, industr. des matières plastiques, des textiles et des caoutchoucs synthétiques.) – *Four à catalyse :* four autonettoyant dont les parois oxydent, lors de la cuisson, les graisses projetées.

catalyser v. tr. [1] **1.** CHIM Provoquer ou accélérer par catalyse (une réaction chimique). **2.** Fig. Entraîner une réaction, un processus quelconque.

catalyseur n. m. **1.** CHIM Substance qui modifie, sans subir elle-même d'altération appréciable, la vitesse d'une transformation chimique. **2.** Fig. Chose, personne qui déclenche une réaction, un processus.

catalytique adj. **1.** CHIM De la catalyse. **2.** AUTO *Pot* catalytique.*

catamaran n. m. **1.** MAR Embarcation faite de deux coques accouplées. **2.** Système de flotteurs de l'hydravion.

catamaran

cataménial, ale adj. MED Relatif à la menstruation.

Catane, port d'Italie (le deuxième de Sicile), au pied de l'Etna, dont les éruptions ont souvent dévasté la ville ; 379 040 hab. ; ch.-l. de la prov. du m. nom. Industr. chim., alim. Raff. de pétrole et de soufre. – Archevêché. Université.

Catanzaro, v. d'Italie (Calabre), près de la mer Ionienne ; 101 960 hab. ; cap. de la Calabre et ch.-l. de la prov. du m. nom. Industr. textiles, alimentaires. – Archevêché.

cataphote n. m. (Nom déposé.) Syn. de *catadioptre.*

cataplasme n. m. **1.** Bouillie médicinale que l'on applique, entre deux linges, sur une partie du corps enflammée ou indurée. *Cataplasme à la farine de lin, de moutarde.* **2.** Fig., fam. Aliment épais et indigeste. *Cette crème est un vrai cataplasme.*

cataplexie n. f. MED Perte brutale du tonus musculaire sous l'effet d'une émotion, sans perte de conscience.

catapultage n. m. Action de catapulter.

catapulte n. f. **1.** Machine de guerre dont les Anciens se servaient pour lancer des pierres ou des traits. **2.** Appareil qui imprime à un avion la vitesse nécessaire pour décoller du pont d'un porte-avions, d'un navire.

catapulter v. tr. [1] **1.** Faire décoller (un avion) avec une catapulte. **2.** Lancer (qqch) avec force. – Fig. *Ce fonctionnaire a été catapulté en province.*

1. cataracte n. f. **1.** Chute à grand débit sur le cours d'un fleuve. *Cataractes du Niagara, du Zambèze.* Syn. chute. **2.** *Par ext.* Pluie violente. *Il tombe des cataractes.*

2. cataracte n. f. Affection oculaire aboutissant à l'opacité du cristallin ou à celle de sa capsule, qui frappe notam. les personnes âgées. *Traitement chirurgical de la cataracte.*

catar[r]hiniens [kataʀinjɛ̃] n. m. pl. ZOOL Singes anthropoïdes, appelés aussi *singes de l'Ancien Monde,* caractérisés par des narines rapprochées, séparées par une cloison nasale très mince (cercopithèque, gibbon, orang-outang, chimpanzé, gorille, etc.). – Sing. *Un catar(r)hinien.*

catarrhe [kataʀ] n. m. **1.** Vx Inflammation, aiguë ou chronique, des muqueuses, avec hypersécrétion de celles-ci. – *Spécial.* Inflammation de la muqueuse des fosses nasales, rhume de cerveau. **2.** MED VET *Catarrhe auriculaire :* otite externe eczémateuse.

catarrheux, euse adj. (et n.) **1.** Vieilli Sujet au rhume. **2.** Du catarrhe. *Toux catarrheuse.*

catastrophe n. f. **1.** Événement désastreux, calamiteux. *Catastrophe ferroviaire. Catastrophe financière.* **2.** Fam. Événement malheureux, qui porte préjudice. *La perte de son emploi a été pour lui une catastrophe.* – Événement inopportun, malencontreux. *Fais attention, maladroit, tu vas encore provoquer une catastrophe !* ▷ Loc. *En catastrophe :* en prenant de gros risques. *Atterrissage en catastrophe :* atterrissage d'un avion qui, à la suite d'une avarie, doit se poser d'urgence. – *Par ext.* À la hâte, sans préparation. *Partir en catastrophe.* **3.** LITTER Dénouement, événement principal d'une tragédie. **4.** MATH *Théorie des catastrophes :* théorie, due à René Thom, qui réalise le passage de la géométrie qualitative à une modélisation de toutes les formes (celles de l'univers physique, par ex.).

catastrophé, ée adj. Fam. Consterné, atterré. *Le petit regardait son jouet cassé d'un air catastrophé.*

catastrophique adj. **1.** Qui constitue une catastrophe. *Carambolage catastrophique sur l'autoroute.* **2.** Fam. Qui constitue ou entraîne un événement malheureux ou inopportun. *Ses résultats scolaires sont catastrophiques. Une politique catastrophique.*

catastrophisme n. m. Anc. théorie selon laquelle les changements de faune et de flore se seraient faits brusquement à la faveur de catastrophes géologiques de très grande ampleur. *La théorie de l'évolutionnisme de Darwin s'opposait au catastrophisme.*

catatonie n. f. PSYCHIAT Syndrome, souvent observé dans la schizophrénie, caractérisé par une inertie psychomotrice, une négation du monde extérieur et, accessoirement, des attitudes et des gestes paradoxaux.

catatonique adj. (et n.) PSYCHIAT Qui se rapporte à la catatonie ; qui présente une catatonie. – Subst. *Un(e) catatonique.*

Catay. V. Cathay.

catch [katʃ] n. m. Lutte où presque tous les coups sont permis et qui constitue un spectacle sportif.

catcher v. intr. [1] Pratiquer le catch.

catcheur, euse n. Personne qui pratique le catch.

Cateau-Cambrésis (Le), ch.-l. de cant. du Nord (arr. de Cambrai); 7 789 hab. - En 1559, deux traités y furent signés, l'un entre l'Angleterre et la France, laquelle conservait Calais; l'autre, qui mettait fin aux guerres d'Italie, entre l'Espagne et la France, laquelle gardait les Trois-Évêchés (Metz, Toul, Verdun). - Égl. baroque (XVIIe s.). L'hôtel de ville (XVIe s.) renferme un musée Matisse.

catéchèse [kateʃɛz] n. f. Enseignement de la doctrine chrétienne.

catéchiser v. tr. [1] **1.** Enseigner les éléments de la doctrine chrétienne à. *Catéchiser des enfants.* **2.** *Par ext.* Tâcher de persuader (qqn) de croire, de faire qqch. Syn. endoctriner.

catéchisme n. m. **1.** Enseignement de la doctrine chrétienne, généralement destiné à des enfants. - Leçon pendant laquelle est donné cet enseignement. - Livre qui contient cet enseignement. **2.** Ensemble des dogmes d'un système de pensée; principes fondamentaux d'une doctrine.

catéchiste n. Personne qui enseigne le catéchisme.

catécholamine [katekɔlamin] n. f. CHIM Amine vasopressive (adrénaline, par ex.).

catéchumène [katekymɛn] n. **1.** RELIG Personne à qui l'on enseigne, pour la préparer au baptême, les éléments de la doctrine chrétienne. **2.** Personne qui aspire à un enseignement, à une initiation.

catégorie n. f. **1.** Classe dans laquelle on range des objets, des personnes présentant des caractères communs. Syn. ensemble, espèce, famille, genre. **2.** PHILO Qualité qui peut être attribuée à un objet. *Les dix catégories de l'être d'Aristote* (substance, quantité, qualité, relation, lieu, temps, situation, manière d'être, action, passion). ▷ *Les catégories de Kant :* les concepts fondamentaux de l'entendement pur, dont la fonction est d'unifier la diversité des intuitions sensibles. **3.** MATH Être mathématique généralisant la notion d'ensemble (ex. : catégorie des ensembles ayant les ensembles comme objets et les applications comme morphismes).

catégoriel, elle adj. Qui concerne une catégorie déterminée de personnes.

catégorique adj. Clair, net, sans équivoque. *Faire une réponse catégorique.* - *Par ext.* Qui n'accepte pas la discussion. *Je suis catégorique : ma réponse est non.* ▷ PHILO *Impératif catégorique :* chez Kant, obligation absolue que constitue la loi morale. ▷ LOG *Proposition catégorique :* proposition énoncée isolément, indépendante d'une proposition antérieure.

catégoriquement adv. D'une manière catégorique.

catégorisable adj. Qui peut être classé par catégories.

catégorisation n. f. Action de catégoriser; son résultat.

catégoriser v. tr. [1] Ranger par catégories.

caténaire adj. et n. f. CH de F Se dit du système de suspension qui maintient, à une hauteur constante par rapport à la voie, le câble distribuant le courant aux véhicules électriques. *La suspension caténaire,* ou, n. f., *la caténaire.*

catgut [katgyt] n. m. CHIR Lien utilisé pour suturer les plaies, et qui est résorbé facilement par les tissus.

cathare [kataʀ] n. (et adj.) Membre d'une secte hétérodoxe du Moyen Âge, répandue surtout dans le S.-O. de la France. (V. albigeois.)

catharsis [kataʀsis] n. f. **1.** PHILO Chez Aristote, effet de purification des passions que produit la tragédie sur le spectateur. **2.** PSYCHAN Libération, sous forme d'émotion, d'une représentation refoulée dans l'inconscient et responsable de troubles psychiques.

cathartique adj. (et n.) **1.** PSYCHAN Relatif à la catharsis. *Méthode cathartique.* **2.** MED Qui purge. ▷ Subst. *Un cathartique.*

Cathay ou **Catay** (le), nom donné à la Chine par Marco Polo et repris par les auteurs du Moyen Âge.

cathédral, ale, aux adj. Rare Du siège de l'autorité épiscopale. *Église cathédrale.*

cathédrale n. f. **1.** Église du siège de l'autorité épiscopale. - *Par ext.* Grande église. *Cathédrales romanes d'Autun, d'Avignon, de Cahors, de Périgueux. Cathédrales gothiques de Paris, de Chartres, de Reims, d'Amiens, de Beauvais, de Sens, de Strasbourg.* **2.** (En appos.) *Verre cathédrale :* verre translucide, à surface granulée.

Cathelineau (Jacques) (Le Pin-en-Mauges, Anjou, 1759 - Saint-Florent-le-Vieil, Anjou, 1793), chef vendéen. Après plusieurs victoires, il fut blessé à mort lors de l'attaque de Nantes, qu'il dirigeait.

Cather (Willa Sibert) (Winchester, Virginie, 1873 - New York, 1947), romancière et journaliste américaine. Elle conte l'espérance farouche et l'énergie des émigrants (*Ô pionniers!*, 1913; *Un des nôtres*, 1923) et s'intéresse au catholicisme (*Ombres sur le rocher*, 1931). Poèmes : *Crépuscule d'avril* (1903).

Catherine d'Alexandrie (sainte) (m. v. 307), martyre chrétienne. Selon la légende, Jésus lui serait apparu le jour de son baptême et l'aurait choisie pour fiancée (mariage mystique); son corps aurait été porté par les anges sur le Sinaï (couvent de Sainte-Catherine). Patronne des jeunes filles, qui, le 25 novembre, renouvelaient, dans certaines églises, la coiffure de la statue de la sainte. (V. catherinette.)

Catherine de Sienne (sainte) *(Caterina Benincasa)* (Sienne, 1347 - Rome, 1380), religieuse ital., tertiaire dominicaine, connue par ses extases et ses révélations (récit du *Dialogue de la Divine Providence, Lettres, Poèmes*). Proclamée docteur de l'Église par Paul VI en 1970.

Catherine Labouré (sainte) (Fain-lès-Moutiers, Côte-d'Or, 1806 - Paris, 1876), religieuse française (fille de la Charité). Elle eut, en 1830 des apparitions de la Vierge qui sont à l'origine de la dévotion à la «médaille miraculeuse». Elle a été canonisée en 1947.

Catherine d'Aragon (Alcalá de Henares, 1485 - Kimbolton, 1536), première femme d'Henri VIII d'Angleterre (1509), qui la répudia en 1533. Ce divorce fut une des causes de la rupture avec Rome et de la réforme anglicane.

Catherine Howard (?, v. 1522 - Londres, 1542), cinquième femme d'Henri VIII d'Angleterre (1540), qui, la soupçonnant d'adultère, la fit décapiter.

Catherine Parr (1512 - Sudeley Castle, 1548), sixième femme d'Henri VIII d'Angleterre, qu'elle épousa en 1543 et à qui elle survécut.

Catherine de Médicis (Florence, 1519 - Blois, 1589), fille de Laurent II de Médicis, reine de France par son mariage avec Henri II, mère des trois derniers rois Valois : François II, Charles IX, Henri III. Régente au début du règne de Charles IX (1560-1574), son influence fut importante. Elle tenta, par une polit. habile et sans scrupules, de maintenir le pouvoir royal lors des guerres de Religion, en divisant les partis. Elle est l'une des responsables du massacre de la Saint-Barthélemy (1572), à la suite duquel la France connut un quart de siècle de guerre civile.

Catherine de Médicis

Catherine II

Catherine Ire (Martha Skavronskaïa) (Marienborg, auj. Malbork, Pologne, 1684 - Saint-Pétersbourg, 1727), impératrice de Russie de 1725 à 1727. Paysanne originaire de Livonie au passé agité, elle devint en 1712 la seconde épouse de Pierre le Grand, qui la fit couronner en 1724. Intelligente et courageuse, elle fut portée au pouvoir par la garde peu après la mort de son mari, dont, avec l'aide de Menchikov, elle sut continuer l'œuvre.

Catherine II la Grande (Stettin, auj. Szczecin, 1729 - Saint-Pétersbourg, 1796), impératrice de Russie de 1762 à 1796. Fille du duc allemand d'Anhalt-Zerbst, elle épousa Pierre III de Russie, qu'elle contraignit à abdiquer et qu'elle fit assassiner. Son règne fut très autocratique, mais l'usage qu'elle fit du mécénat, sa correspondance avec les philosophes (Diderot, Voltaire, etc.) lui valurent la réputation de «despote éclairé» en Europe occid. Son œuvre fut considérable. Elle agrandit ses États aux dépens de la Turquie (1787) et de la Pologne (1793, 1795), et procéda à de nombr. réformes d'esprit autoritaire, la plus import. touchant l'admin. (1775 : division du pays en 50 gouvernements). Elle privilégia la colonisation des régions du S. (Ukraine, Volga), créant des villes et des ports.

catherinette n. f. Jeune fille qui «coiffe sainte Catherine», qui fête la Sainte-Catherine l'année de ses vingt-cinq ans. (V. Catherine d'Alexandrie.)

cathéter [katetɛʀ] n. m. MED Tube long et mince destiné à être introduit dans un canal, un conduit, un vaisseau ou un organe creux pour l'explorer, injecter un liquide ou vider une cavité.

cathétérisme n. m. MED Introduction d'un cathéter. *Cathétérisme des uretères.*

cathode n. f. PHYS Électrode reliée au pôle négatif d'un générateur électrique lors d'une électrolyse, et siège d'une réaction de réduction.

cathodique adj. **1.** PHYS De la cathode. *Rayons cathodiques* : faisceau d'électrons produits par la cathode d'un tube à gaz sous faible pression. *Tube cathodique* : tube à vide très poussé comportant un écran fluorescent. **2.** TECH *Protection cathodique,* destinée à ralentir la corrosion d'une surface métallique en contact avec l'eau ou exposée à l'humidité. **3.** Fig., fam. Qui concerne la télévision. *Un grand battage cathodique.*

catholicisme n. m. Religion pratiquée par les chrétiens de l'Église catholique romaine (V. encycl. catholique).

catholicité n. f. Didac. **1.** Caractère de ce qui est catholique. **2.** Ensemble des catholiques.

catholique adj. et n. **1.** Qui se rapporte, qui est propre au catholicisme. *Culte catholique.* ▷ Subst. Personne dont la religion est le catholicisme. *Une fervente catholique. Un catholique non pratiquant.* **2.** Fig., fam. *Une affaire qui n'a pas l'air très catholique,* qui semble irrégulière, louche, suspecte.
ENCYCL L'Église catholique (env. 1 milliard de catholiques dans le monde) se définit elle-même comme l'assemblée visible des chrétiens organisés hiérarchiquement, sous l'autorité du pape et des évêques. Cette Église «romaine» se donne comme le nouveau peuple de Dieu, peuple messianique succédant à l'Ancienne Alliance mosaïque, «bien que des éléments nombreux de sanctification et de vérité subsistent hors de ses structures», note le concile Vatican II. Cette allusion et cet hommage aux autres confessions *chrétiennes* distinguent le *catholicisme* comme groupe religieux spécifique à côté des autres croyants (orthodoxes, réformés, etc.) qui, tout en adhérant au Christ et à sa révélation, n'acceptent pas intégralement certains dogmes, l'organisation et les moyens de salut de l'Église catholique.

Catilina (Lucius Sergius) (?, v. 108 – Pistorium, auj. Pistoia, 62 av. J.-C.), patricien romain; chef d'une conspiration déjouée en 63 av. J.-C. par Cicéron, pendant son consulat; tué à la bataille de Pistorium.

catimini (en) loc. adv. En cachette.

catin n. f. Vieilli Femme de mœurs dissolues.

Catinat (Nicolas) (Paris, 1637 – Saint-Gratien, 1712), maréchal de France; vainqueur du duc de Savoie à Staffarde (1690) et à La Marsaille (1693). Bon stratège, disgracié après son échec contre le Prince Eugène (1702), il était appelé par ses soldats *le Père la Pensée.*

cation [katjɔ̃] n. m. CHIM Ion porteur d'une ou de plusieurs charges électriques positives.

catir v. tr. [3] TECH Donner à (une étoffe) un aspect ferme et lustré. Ant. décatir.

catogan n. m. Coiffure formée par un nœud retenant les cheveux sur la nuque.

Caton l'Ancien ou **le Censeur** (en lat. *Marcus Porcius Cato*) (Tusculum, 234 – ?, 149 av. J.-C.), homme politique romain; célèbre par la sévérité des mesures qu'il prit comme censeur, à partir de 184 av. J.-C., contre le luxe et par son hostilité implacable envers Carthage, dont il préconisait la destruction.

Caton d'Utique (en lat. *Marcus Porcius Cato*) (?, 95 – Utique, 46 av. J.-C.), homme politique romain; arrière-petit-fils de Caton l'Ancien; stoïcien inflexible. Adversaire de César, il prit le parti de Pompée; après la défaite de ce dernier (à Thapsus), il se tua.

Catroux (Georges) (Limoges, 1877 – Paris, 1969), général français. Il se rallia au général de Gaulle en 1940, fut gouverneur général de l'Algérie (1943-1944), ambassadeur en U.R.S.S. (1945-1948) et grand chancelier de la Légion d'honneur (1954).

Cattaro. V. Kotor.

Cattégat. V. Kattégat.

Cattenom, ch.-l. de cant. de la Moselle (arr. de Thionville-Est); 2 269 hab. – Anc. établissement des Templiers (XIIe s.). – Centre de production nucléaire.

cattleya [katlɛya] n. m. Genre d'orchidées d'Amérique tropicale dont les grandes fleurs à labelle en cornet sont très recherchées.

Catulle (en lat. *Caius Valerius Catullus*) (Vérone, v. 87 – ?, v. 54 av. J.-C.), poète lyrique latin; imitateur des poètes grecs de l'école alexandrine, fondée par Callimaque : *la Chevelure de Bérénice, les Noces de Thétis et de Pélée, Attis,* etc. Il chanta également sa passion pour Lesbie.

Cau (Jean) (Bram, Aude, 1925 – Paris, 1993), journaliste et écrivain français. Dans ses romans (*la Pitié de Dieu,* 1961), ses essais et pamphlets ainsi que son théâtre (*les Yeux crevés,* 1967), il critique violemment ses contemporains et la décadence du monde occidental.

Cauca (le), riv. de Colombie (1 250 km), affl. du Magdalena (r. g.). Sa vallée est particulièrement fertile.

Caucase, chaîne de montagnes d'Asie occid., s'étendant de la mer Noire à la Caspienne sur 1 200 km de long; 5 633 m au mont Elbrouz (volcan éteint). – Au N., le *Grand Caucase* est une «chaîne barrière» (alt. moyenne 4 000 m), séparée du *Petit Caucase,* suite de massifs que fragmentent des bassins intérieurs, par une étroite dépression *(Transcaucasie)* où se concentre l'activité. Le climat, désertique dans l'ensemble, subit à l'O. les influences marit. Le sous-sol est riche : manganèse, cuivre, pétrole surtout (Bakou, Maïkop). Le Caucase est formé au nord par les républiques de Russie (Karatchaïs-Tcherkesses, Kabardino-Balkarie, Ossétie du Nord, Tchétchénie, Ingouchie, Daguestan) et au sud par les trois pays de la Transcaucasie (Géorgie, Azerbaïdjan, Arménie).

Caucasie, terme désignant un ensemble de régions d'Asie occid., comprenant, du N. au S., la Ciscaucasie (bassins du Kouban et du Terek), la chaîne du Grand Caucase, la dépression transcaucasienne et des montagnes d'Arménie (ou Petit Caucase).

caucasien, enne adj. et n. **1.** Du Caucase. **2.** En Amérique du Nord, se dit des personnes d'origine européenne (par oppos. aux personnes d'origine africaine, asiatique ou aborigène). **3.** LING *Langues caucasiennes* ou *caucasiques* : famille de langues parlées dans le Caucase, comprenant notam. le géorgien.

cauchemar n. m. **1.** Rêve pénible, effrayant et angoissant. **2.** Fig. Chose ennuyeuse, obsédante; personne insupportable. *Ce cours de math, c'est mon cauchemar.*

cauchemarder v. intr. [1] Faire des cauchemars.

cauchemardesque ou **cauchemardeux, euse** adj. Qui tient du cauchemar. *Une vision cauchemardesque.*

Cauchon (Pierre) (près de Reims, v. 1371 – Rouen, 1442), prélat français; évêque de Beauvais, rallié au parti bourguignon. Il présida le tribunal qui condamna Jeanne d'Arc au bûcher (1431).

Cauchy (baron Augustin Louis) (Paris, 1789 – Sceaux, 1857), mathématicien français; auteur de nombreux travaux, notam. en analyse mathématique *(intégrale de Cauchy).*

Augustin Louis **Cauchy**

Jean **Cavaillès**

caucus [kɔkys] n. m. (Canada) Réunion à huis clos où les parlementaires d'un même parti politique discutent de la conduite, de la stratégie, etc., de leur parti. *Députés réunis en caucus. Président du caucus.*

caudal, ale, aux adj. De la queue. *Nageoire caudale. Appendice caudal.*

caudillo [kawdijo] n. m. Chef militaire espagnol de l'époque de la Reconquista. ▷ Titre repris par le général Franco.

Caudines (fourches) (auj. *Stretto di Arpaja*), défilé situé près de l'anc. v. italienne de Caudium (auj. *Montesarchio,* Campanie). – Les Romains, cernés par les Samnites, y furent humiliés en passant sous le joug (321 av. J.-C.), d'où l'expression *passer sous les fourches* Caudines.*

Caudron (Gaston) (Favières, Somme, 1882 – m. en vol près de Lyon, 1915) et son frère **René** (Favières, 1884 – Nampont-Saint-Martin, Somme, 1959), constructeurs français d'avions.

Caudry, commune du Nord (arr. de Cambrai); 13 662 hab. Industries textile (centre de broderie) et chimique.

Caulaincourt (Armand, marquis de), duc de Vicence (Caulaincourt, Picardie, 1772 – Paris, 1827), général d'Empire et diplomate français; ambassadeur en Russie de 1807 à 1811, ministre des Affaires étrangères en 1813 et 1814.

caulerpe n. f. Algue tropicale verte, ressemblant à une fougère, très vivace et envahissante.

caulescent, ente [kolesɑ̃, ɑ̃t] adj. BOT Qui possède une tige apparente. Ant. acaule.

Caumartin (Le Fèvre de), famille de magistrats et de fonctionnaires français (XVIe-XVIIIe s.) originaire du Ponthieu.

Caumont (Arcisse de) (Bayeux, 1802 – Caen, 1873), archéologue français; fondateur de la Société française d'archéologie (1834). Spécialiste de l'art médiéval, il fit adopter le mot «roman» (*Essai sur l'architecture religieuse du Moyen Âge,* 1824).

Caus ou **Caux** (Salomon de) (pays de Caux, v. 1576 – Paris, 1626), physicien français. Dans *les Raisons des* *forces mouvantes avec diverses machines tant utiles que plaisantes* (1615), il décrivit avec précision ce qu'on nomma plus tard la machine à vapeur.

causal, ale, aux adj. et n. f. **1.** Qui implique un rapport de cause à effet. **2.** GRAM Se dit des conjonctions introduisant un complément de cause, ou de la subordonnée introduite par cette conjonction. ▷ n. f. Proposition causale.

causalisme n. m. PHILO Théorie fondée sur le principe de la causalité.

causalité n. f. PHILO *Rapport de causalité :* rapport de cause à effet. – *Principe de causalité :* principe selon lequel tout phénomène a une cause.

causant, ante adj. Fam. Qui cause volontiers. *Un homme causant.* Syn. loquace. Ant. taciturne.

causatif, ive adj. GRAM Syn. de *factitif.*

1. cause n. f. **1.** Procès qui se plaide et se juge à l'audience. *Gagner, perdre une cause. Les causes célèbres. Bonne, mauvaise cause. Plaider une cause.* ▷ *Avocat sans cause,* sans clientèle. ▷ *Avoir, obtenir gain de cause :* obtenir l'avantage dans un procès, dans une discussion. ▷ *En connaissance de cause :* en connaissant les faits. ▷ *En désespoir de cause :* en dernière ressource. ▷ *Être en cause :* être concerné, faire l'objet d'un débat. ▷ *Être hors de cause :* ne pas être concerné. *Le suspect fut mis hors de cause,* fut disculpé. **2.** Ensemble des intérêts d'une personne, d'un groupe, d'une idée. *Une cause juste. Défendre une cause.* ▷ *La bonne cause :* la cause que l'on croit juste ; plaisant l'union légale, le mariage. ▷ *Faire cause commune avec qqn,* s'allier avec lui. ▷ *Prendre fait et cause pour qqn,* prendre sa défense.

2. cause n. f. **1.** Ce qui fait qu'une chose est ou se fait. *La sécheresse fut la cause des mauvaises récoltes. Les causes de la guerre. Il s'est fâché, et non sans cause.* ▷ Fam. *Et pour cause! :* pour de bonnes raisons, pour des raisons évidentes. ▷ *Être cause de :* être responsable de, entraîner. *Les enfants sont souvent cause de soucis.* ▷ *Pour cause de :* en raison de. *Fermé pour cause d'inventaire.* ▷ GRAM *Complément de cause :* complément indiquant la raison, le motif pour lesquels une action se produit. ▷ PHILO *Cause première :* cause au-delà de laquelle on ne peut en concevoir d'autre. – *Cause finale**. ▷ Loc. prép. *À cause de :* en tenant compte de, par l'action de. *Il est resté à cause de vous. Il n'a rien vu à cause du brouillard.* ▷ Loc. conj. Vx *À cause que :* parce que. **2.** DR Fait qui explique et justifie la création d'une obligation par la volonté des parties. *L'obligation sans cause ne peut avoir aucun effet.*

1. causer v. tr. [1] Être cause de, occasionner. *Causer un malheur.*

2. causer v. intr. [1] **1.** S'entretenir familièrement (avec qqn). *J'ai causé avec lui à ton sujet. Nous causions.* (Incorrect : *causer à qqn.*) Syn. parler, bavarder. – Ellipt. *Causer peinture, voyages.* ▷ *Causer de la pluie et du beau temps :* parler de choses insignifiantes. **2.** Fam. Parler trop, inconsidérément. *Tu causes, tu causes, c'est tout ce que tu sais faire!* – *Cause toujours... :* tu peux dire ce que tu veux, je n'en tiendrai pas compte.

causerie n. f. Conversation ; exposé fait sur le mode familier. *Notre club organise des causeries.*

causette n. f. Fam. Bavardage, conversation. *Faire la causette, un brin de causette.*

causeur, euse n. Personne qui cause. *Une aimable causeuse.*

causeuse n. f. Petit canapé à deux places.

causse n. m. GEOGR Plateau calcaire presque stérile, dans le centre et le sud de la France. *Causse Noir. Causse du Larzac.*

caussenard, arde adj. et n. Des Causses.

Causses (les), plateaux calcaires du S. du Massif central. Ces pays pauvres, minés par les eaux souterraines, creusés de profonds cañons (gorges du Tarn), vivent de l'élevage ovin. Les *Grands Causses* sont composés des causses de Sauveterre, de Séverac, des causses Comtal, Méjean, du causse Noir, du causse du Larzac. À l'extrémité S.-O., les *Causses du Quercy* comprennent les causses de Martel, de Gramat et de Limogne.

causticité n. f. **1.** Propriété d'une substance caustique. **2.** Fig. Caractère satirique, mordant. *La causticité d'une épigramme.*

1. caustique adj. (et n. m.) **1.** Corrosif, qui attaque les substances organiques. *Soude caustique.* ▷ n. m. Substance caustique. *Un caustique puissant.* **2.** Fig. Satirique et mordant. *Une verve caustique.*

2. caustique n. f. PHYS Surface courbe à laquelle sont tangents les rayons lumineux réfléchis ou réfractés par une autre surface courbe.

cauteleux, euse [kotlø, øz] adj. Litt. Rusé et hypocrite. *Des manières cauteleuses.* Syn. mielleux, sournois.

cautère n. m. **1.** CHIR Instrument porté à haute température ou produit chimique utilisé pour brûler les tissus. **2.** Loc. prov. *Un cautère sur une jambe de bois :* un remède inutile.

Cauterets, com. des Htes-Pyr. (arr. d'Argelès-Gazost), sur le *gave de Cauterets ;* 1 203 hab. Import. stat. therm. Sports d'hiver.

cautérisation n. f. Destruction d'un tissu vivant à l'aide d'un cautère.

cautériser v. tr. [1] Appliquer un cautère sur. *Cautériser une plaie.*

caution [kosjɔ̃] n. f. **1.** Garantie d'un engagement, somme consignée à cet effet. *Payer une caution. Être libéré sous caution.* ▷ *Être sujet à caution :* être douteux, suspect. **2.** Personne qui répond pour une autre. – *Spécial.* DR Personne qui s'engage à remplir l'obligation contractée par une autre dans le cas où celle-ci n'y satisferait pas. *Se porter caution pour qqn.* Syn. garant.

cautionnement n. m. **1.** DR Contrat par lequel une personne en cautionne une autre. *Cautionnement solidaire.* **2.** Dépôt servant de garantie.

cautionner v. tr. [1] **1.** Se porter caution pour (qqch ou qqn). *Cautionner qqn pour vingt mille francs. Cautionner l'honnêteté de quelqu'un.* **2.** Donner son appui à. *Je refuse de cautionner cette attitude.* Syn. soutenir, approuver.

Cauvery. V. Kaverī.

Caux (pays de), rég. de Normandie, au N. de l'estuaire de la Seine. C'est un plateau crayeux, coupé de vallées et recouvert de limon : céréales, betterave à sucre, lin, élevage bovin. De hautes falaises bordent la Manche. Tourisme (Dieppe, Fécamp, Étretat).

Caux (Salomon de). V. Caus.

Cavaco Silva (Anibal) (Loulé, 1939), homme politique portugais. Prés. du parti social-démocrate (1985-1995), il a été Premier ministre de 1985 à 1995.

Cavaignac (Jean-Baptiste), baron de Lalande (Gourdon, 1763 - Bruxelles, 1829), conventionnel français, connu pour ses convictions antireligieuses. – **Godefroy** (Paris, 1801 - id., 1845), fils du préc. ; adversaire déclaré de Louis-Philippe, il fut élu en 1843 président de la Société des droits de l'homme. – **Louis Eugène** (Paris, 1802 - Ourne, Sarthe, 1857), frère du préc. ; général français. Chef du pouvoir exécutif de juin à déc. 1848, il dirigea la répression lors des journées de Juin. Il fut battu aux élections présidentielles par Louis Napoléon.

Cavaillé-Coll (Aristide) (Montpellier, 1811 - Paris, 1899), facteur d'orgues français (notam. à la Madeleine, St-Sulpice, Notre-Dame).

Cavaillès (Jean) (Saint-Maixent, 1903 - Arras, 1944), philosophe des mathématiques et logicien français : *Méthode axiomatique et formalisme* (1938), *Sur la logique et la théorie de la science* (posth. 1947). Résistant, il fut fusillé par les Allemands.

1. cavaillon n. m. AGRIC Bande de terre entre les ceps, inaccessible à la charrue.

2. cavaillon n. m. Petit melon jaune, de forme arrondie, à chair orangée et parfumée.

Cavaillon, ch.-l. de cant. du Vaucluse (arr. d'Apt), près de la Durance ; 23 470 hab. Marché MIN ; fruits (melons) et primeurs. Industr. alim. – Anc. cath. (XIIe s.). Synagogue (XVIIIe s.).

cavalcade n. f. **1.** Défilé de cavaliers. **2.** Défilé grotesque de gens à cheval, de chars, etc. *La cavalcade du Mardi gras.* **3.** Course bruyante et tumultueuse. *Entendre une cavalcade dans l'escalier.*

cavalcader v. intr. [1] Faire des cavalcades (sens 3).

Cavalcanti (Guido) (Florence, v. 1255 - id., 1300), poète italien, ami de Dante ; auteur de sonnets, canzoni et ballades.

Cavalcanti (Alberto) (Rio de Janeiro, 1897 - Paris, 1982), cinéaste d'avant-garde brésilien : *En rade* (1927), *Coal Face* (documentaire, 1936), *Au cœur de la nuit* (film fantastique, 1945), etc. Il a surtout tourné en G.-B. et en France.

1. cavale n. f. Litt. Jument.

2. cavale n. f. Arg. Évasion. *Être en cavale :* être en fuite et recherché.

cavaler v. intr. [1] Fam. **1.** Courir, fuir. ▷ v. pron. S'enfuir. *Il s'est cavalé à toute vitesse.* **2.** Se conduire en cavaleur.

cavalerie n. f. **1.** Anc. Ensemble des troupes militaires à cheval. *Charge de cavalerie.* ▷ Mod. Ensemble des troupes militaires motorisées. **2.** Traite frauduleuse sans contrepartie de marchandise. *Papiers de cavalerie.*

Cavalerie (La), commune de l'Aveyron (arr. de Millau), sur le causse du Larzac ; 966 hab. Princ. centre comm. du plateau ; camp militaire. – Anc. commanderie des Templiers ; restes de remparts.

cavaleur, euse adj. et n. Fam. Se dit de personnes constamment en quête d'aventures galantes.

cavalier, ère n. et adj. **I.** n. **1.** Personne qui monte à cheval. *Être bon* *cavalier.* **2.** Personne avec qui on forme un couple dans un bal, un cortège, etc. *Le cavalier donne la main à sa cavalière.* ▷ *Faire cavalier seul :* s'engager seul dans une entreprise. **3.** n. m. Militaire qui sert dans la cavalerie. **4.** n. m. JEU Pièce du jeu d'échecs. ▷ Carte du tarot (entre la dame et le valet). **II.** adj. **1.** Propre au cavalier; réservé aux cavaliers. *Route, allée cavalière.* **2.** Qui fait preuve de liberté excessive; inconvenant. *Ce procédé est un peu cavalier.* Syn. impertinent. **III.** n. m. et adj. **1.** MILIT Ouvrage de fortification en arrière du corps principal et le dominant. **2.** PHYS Pièce métallique servant à réaliser l'équilibre, sur une balance de précision. **3.** TECH Clou, pièce de métal ou de matière plastique en forme de U, servant à fixer un câble au mur. **4.** Petite pièce servant d'index dans un fichier. **5.** Butée mobile d'une machine à écrire. **6.** Format de papier (46 cm × 62 cm). ▷ adj. GEOM *Perspective cavalière :* projection oblique. – *Vue cavalière :* dessin représentant un paysage vu d'un point élevé.

Cavalier (Jean) (Ribaute-les-Tavernes, Gard, 1680 – Chelsea, Jersey, 1740), chef des camisards révoltés contre Louis XIV (1702-1705). Il se soumit, sans condition, à Villars et se plaça au service des Hollandais, puis des Anglais.

Cavalier bleu (le). V. Blaue Reiter (Der).

cavalièrement adv. D'une manière cavalière. *Traiter quelqu'un cavalièrement.* Syn. insolemment. Ant. respectueusement.

Cavalieri (Emilio dei) (Rome, v. 1550 – id., 1602), compositeur italien. Sa *Rappresentazione di anima e di corpo* (drame sacré, 1600) annonce l'oratorio classique.

Cavaliers, partisans royalistes angl. qui soutinrent Charles Ier lors de la première révolution (1642-1648). Ils s'opposaient aux parlementaires, dits Têtes rondes.

Cavalli (Pier Francesco Caletti, dit) (Crema, 1602 – Venise, 1676), compositeur italien; le plus grand représentant de l'opéra vénitien après Monteverdi.

Cavallini (Pietro) (Rome, v. 1250 – id., v. 1340), peintre et mosaïste italien de tradition byzantine, proche de Cimabue (fresque du *Jugement dernier,* v. 1293, égl. Ste-Cécile, Rome).

cavatine n. f. MUS Pièce de chant assez courte, sans reprise ni seconde partie, intercalée dans un récitatif d'opéra.

1. cave n. f. **1.** Local souterrain servant de réserve, d'entrepôt. **2.** Quantité et choix des vins que l'on a en cave. *Avoir une bonne cave.*

2. cave adj. **1.** Litt. Se dit de joues creuses, d'yeux enfoncés dans les orbites. **2.** ANAT *Veine cave :* chacune des deux veines principales de l'organisme, qui aboutissent à l'oreillette droite. *Veine cave supérieure, veine cave inférieure.*

3. cave n. f. JEU Somme d'argent que chaque joueur met devant lui pour la miser.

4. cave adj. et n. m. Arg. **1.** Dupe. **2.** Qui n'appartient pas au milieu.

caveau n. m. **1.** Petite cave. **2.** Construction souterraine pratiquée dans une église, un cimetière et servant de sépulture. **3.** Cabaret de chansonniers situé en sous-sol.

Caveau (Société du), société littéraire fondée à Paris, en 1729, par Piron, Collé, Crébillon père, etc., qui se réunissaient au cabaret *le Caveau* (rue de Buci). Dissoute en 1739, elle se reforma en 1759, avec Marmontel, Suard, Helvétius, etc. En 1805 fut créé *le Caveau moderne* (Désaugiers, Boufflers, etc., et, à compter de 1813, Béranger).

Cavelier de La Salle. V. La Salle.

Cavell (Edith Louisa) (Swardeston, 1865 – Bruxelles, 1915), infirmière brit. Elle fut fusillée par les Allemands pour avoir fait passer de Belgique aux Pays-Bas des soldats alliés.

Cavendish (Thomas) (Trimley Saint Martin, Suffolk, v. 1555 – en mer, 1592), navigateur anglais. Il pilla les colonies portug. et esp. d'Amérique du Sud. Il fit le tour du monde.

Cavendish (Henry) (Nice, 1731 – Londres, 1810), physicien et chimiste anglais. Il calcula la densité moyenne de la Terre, fit des travaux d'électrostatique, étudia la composition de l'eau et les propriétés de l'hydrogène.

Caventou (Joseph Bienaimé) (Saint-Omer, 1795 – Paris, 1877), chimiste et pharmacien français. Il découvrit la quinine en 1820, avec Pelletier.

caverne n. f. **1.** Cavité naturelle dans le roc. *L'âge des cavernes. La caverne d'Ali Baba.* Syn. grotte. **2.** MED Cavité pathologique située dans l'épaisseur d'un parenchyme, partic. dans le poumon. *Caverne tuberculeuse.*

caverneux, euse adj. **1.** ANAT Qui comporte des cavernes pathologiques. *Poumon caverneux.* – *Tissu caverneux,* formé de capillaires qui se dilatent. – *Corps caverneux :* organes érectiles (de la verge, du clitoris). **2.** Qui semble venir d'une caverne. *Voix caverneuse.* Syn. grave, sépulcral.

cavernicole adj. et n. m. SC NAT Se dit d'un animal qui habite dans les anfractuosités des cavernes. *Insectes cavernicoles.*

caviar n. m. Mets composé d'œufs d'esturgeon salés, gris foncé ou noirs.

caviarder v. tr. [1] Cacher, noircir (un passage d'un texte censuré).

cavicornes n. m. pl. ZOOL Ensemble des ruminants (les bovidés) dont les cornes gainent un os (le cornillon). – Sing. *Un cavicorne.*

caviste n. m. Personne chargée d'une cave à vin.

cavitaire adj. MED Relatif aux cavernes pulmonaires. *Tuberculose cavitaire.*

cavitation n. f. PHYS Formation, au sein d'un liquide, de cavités remplies de vapeur, lorsque la pression du liquide devient inférieure à celle de la vapeur.

cavité n. f. Partie creuse à l'intérieur d'un corps solide, d'un tissu organique, etc. *Cavités d'un rocher. Cavité thoracique.* Ant. protubérance, saillie.

Cavite, v. et port des Philippines (île de Luçon), sur la baie de Manille; 87 670 hab.; ch.-l. de la prov. du m. n. – La flotte esp. y fut détruite par celle des É.-U. (1898).

Cavour (Camillo Benso, comte de) (Turin, 1810 – id., 1861), homme politique italien; un des princ. artisans de l'unité italienne, qu'il établit par et pour la maison de Savoie (État de Piémont-Sardaigne). Député au Parlement à partir de 1848, président du Conseil de 1852 à 1859 et de 1860 à 1861, il développa l'écon. du Piémont et

comte de **Cavour**

Camilo José **Cela**

le dota d'une solide armée. Avec adresse, il usa de l'alliance franç. contre les Autrich. (victoire de Magenta, 1859) et utilisa les mouvements révolutionnaires (il rallia à lui Garibaldi) pour réaliser sa polit. unitaire : le royaume d'Italie fut proclamé en janv. 1861.

Cawnpore. V. Kānpur.

Caxias (Luís Alves de Lima e Silva, duc de) (Rio de Janeiro, 1803 – id., 1880), maréchal et homme politique brésilien. Il dirigea les armées dans la guerre contre le Paraguay (1865-1870).

Caxton (William) (comté de Kent, v. 1422 – Londres, 1491), imprimeur anglais. Il publia en 1477 le premier livre imprimé en Angleterre et fit de nombreuses traductions du français, du grec et du latin.

Cayatte (André) (Carcassonne, 1909 – Paris, 1989), cinéaste français. Il réalisa de nombreux films traitant des problèmes de la société française (*Nous sommes tous des assassins,* 1951; *Mourir d'aimer,* 1971).

Cayenne, ch.-l. du DOM de la Guyane, sur l'Atlant.; 41 659 hab. Aéroport. – Mat. de constr. Centre commercial. – Anc. lieu de déportation des condamnés de droit commun (1852-1945).

cayeu. V. caïeu.

Cayeux (Lucien) (Semousies, Nord, 1864 – Mauves-sur-Loire, Loire-Atlantique, 1944), géologue français, fondateur de la pétrographie des roches sédimentaires.

Cayley (Arthur) (Richmond, 1821 – Cambridge, 1895), astronome et mathématicien anglais, auteur de travaux sur les espaces vectoriels et la géométrie non euclidienne.

Cayman Islands. V. Caïmans (îles).

Cayrol (Jean Raphaël Marie Noël) (Bordeaux, 1911), poète, romancier, scénariste et réalisateur français. Ses poèmes (*De la nuit et du brouillard,* 1945) et ses romans (*Je vivrai l'amour des autres,* trilogie, 1947-1950; *Exposés au soleil,* 1980) traduisent l'inquiétude métaphysique, accentuée par l'horreur physique de la déportation. Il a réalisé le film *le Coup de grâce* (1965).

Cazaux (étang de), étang des Landes près de l'Atlantique; 57 km². Import. base aérienne militaire sur sa rive nord.

Cazotte (Jacques) (Dijon, 1719 – Paris, 1792), écrivain français; auteur de poèmes, de contes (*le Lord impromptu,* 1767) et d'un récit fantastique (*le Diable amoureux,* 1772). Adversaire de la Révolution, il mourut sur l'échafaud.

C.B. n. f. Sigle de *citizen band.*

C.C.P. Sigle de *compte courant postal.*

cd PHYS Symbole de la candela.

Cd CHIM Symbole du cadmium.

CD [sede] n. m. (Sigle de *Compact Disc.* [nom déposé]) Disque* compact.

CD-I [sedei] n. m. INFORM (Sigle de l'angl. *Compact Disc interactive.*) Disque compact interactif sur lequel sont stockés du texte, du son et de l'image.

CD4 n. m. BIOL Autre nom des *T4*, lymphocytes du système immunitaire.

CD-Rom [sederɔm] n. m. inv. (Acronyme pour *Compact Disc read only memory.*) INFORM Disque optique dont la mémoire conserve des informations inscrites une fois pour toutes (et donc impossibles à modifier) et lisibles par un ordinateur. Syn. cédérom.

C.D.V. n. m. inv. (Nom déposé; sigle de *Compact Disc Video*, «disque compact vidéo».) Vidéodisque compact.

1. ce, cet (devant une voyelle, un h muet) adj. dém. m. sing., **cette** f. sing., **ces** m. pl. et f. pl. **I.** Forme simple. **1.** Indique une personne ou une chose que l'on montre ou que l'on a déjà citée. *Cette montagne. Ce conseil est excellent.* **2.** Avec une expression de temps, désigne un moment rapproché. *Ce matin, il a plu. Cette année, j'irai souvent chez vous.* ▷ *Un de ces jours* : un jour prochain. **3.** Dans une phrase exclamative, implique une valeur emphatique ou péjor. *Ces ruines, quelle merveille! Et cette pluie qui gâche nos vacances!* **II.** En construction avec les adv. *-ci* et *-là*, insiste sur le signe démonstratif. *Je préfère ce livre-ci à celui-là. Ce visage-là m'est inconnu.*

2. ce (c' devant e; ç' devant a), pron. dém. neutre. Désigne la personne ou la chose dont on parle, et représente *ceci* ou *cela*. **1.** *Ce* + v. *être*, présentatif non analysable précédant un nom, un adj., un infinitif, une proposition introduite par *qui* ou *que*. *C'est mon frère. Ce sont eux qui me l'ont dit. C'est à toi de jouer. C'est dommage. Partir, c'est mourir un peu. S'il se tait, c'est qu'il n'a rien à dire. Ce doit être fini maintenant. Ça a été une grande joie.* ▷ *C'en est fait* : le sort en est jeté. ▷ *C'est pourquoi* : telle est la cause, le motif pour lequel... ▷ *Est-ce que...?* Formule interrogative. *Est-ce que vous viendrez ce soir?* **2.** *Ce*, antécédent d'un pron. relatif. *Je suis surpris de ce que vous me dites. C'est justement ce à quoi je pense. Ce dont je vous parle.* **3.** *Ce*, complément (surtout dans cert. expressions figées). *Ce faisant, il a déçu tout le monde. Et ce, parce qu'il voulait partir. Pour ce faire, je devrais y aller. Sur ce, il se retira.* **4.** *Ce que*, loc. adv. exclamative. *Ce qu'il m'ennuie avec ses histoires! Ce que c'est que d'être vieux!*

Ce CHIM Symbole du cérium.

C.E. n. m. Sigle pour *comité* d'entreprise.*

C.E.A. Sigle de *Commissariat à l'énergie atomique*, établissement public crée en 1945.

céans [seɑ̃] adv. Vx Ici. ▷ Loc. *Le maître de céans* : le maître de maison.

Ceará, État du N.-E. du Brésil, sur l'Atlant.; 148 016 km²; 6 207 000 hab.; cap. *Fortaleza*. Élevage extensif. Coton.

Ceaușescu (Nicolae) (près de Pitești, 1918 –?, 1989), homme politique roumain. Il adhéra dès 1933 au parti communiste, dont il devint secrétaire général en 1965. Président du Conseil d'État (chef de l'État) en 1967, il fut réélu en 1974, avec le titre de président de la République. Malgré sa relative indépendance vis-à-vis de Moscou, il mena une politique intérieure marquée par le népotisme, le culte de la personnalité et des aberrations dans les domaines économique et social. Déchu lors de la révolte de déc. 1989, il fut exécuté avec son épouse, Elena, au terme d'un procès sommaire.

cébidés n. m. pl. ZOOL Famille de singes platyrrhiniens comprenant notam. les sajous, les atèles et les hurleurs. – Sing. *Un cébidé.*

Cebu, île et prov. des Philippines, dans l'archipel des Visayas; 5 088 km²; 2 645 730 hab.; chef-lieu *Cebu* (610 417 hab.); port import.

C.E.C.A. Sigle de *Communauté européenne du charbon et de l'acier**.

ceci pron. dém. neutre. La chose la plus proche. *Ceci est à moi, cela est à vous.* – Ce qui va suivre (par oppos. à *cela*). *Retenez bien ceci.*

cécidie [sesidi] n. f. BOT Hypertrophie végétale (galle, par ex.) due à l'action d'un parasite.

Cecil (William), baron Burleigh ou Burghley (Bourne, Lincolnshire, 1520 – Londres, 1598), homme politique anglais; ministre à partir de 1558 et conseiller d'Élisabeth Iʳᵉ.

Cécile (sainte) (m. à Rome, 232), vierge et martyre romaine patronne des musiciens.

cécilie [sesili] n. f. ZOOL Genre d'amphibiens apodes d'Amérique du S., fouisseurs aveugles à l'allure de gros vers (50 cm de long).

cécité n. f. **1.** État d'une personne aveugle. *Cécité congénitale, accidentelle. Cécité corticale*, due à une lésion cérébrale, sans atteinte de l'œil. ▷ *Cécité psychique* : perte de la reconnaissance de la nature et de l'usage des objets. ▷ *Cécité verbale* : alexie. **2.** Fig. Aveuglement. Ant. clairvoyance.

Cécrops, héros légendaire grec; premier roi de l'Attique et fondateur d'Athènes *(Cécropia)*.

C.E.D. Sigle de *Communauté européenne de défense*. Projet d'armée européenne, incluant des contingents all., institué par le traité de Paris, en 1952, mais que le Parlement français refusa de ratifier (1954).

cédant, ante n. DR Personne qui cède son droit.

céder v. [14] **I.** v. tr. **1.** Laisser, abandonner (qqch à qqn). *Céder sa place.* ▷ *Céder du terrain* : reculer, fléchir; fig. faire des concessions. ▷ *Céder le pas (à une personne)* : s'effacer pour la laisser passer; fig. lui laisser la prééminence en telle ou telle occasion. – (Choses) Perdre de l'importance au profit de. ▷ *Le céder à* : s'avouer, être inférieur à. *Il ne le cède à personne en courage.* **2.** DR Transférer un droit sur une chose à une autre personne. – *Par ext.* Revendre. *Céder un fonds de commerce.* Syn. vendre. **II.** v. tr. indir. **1.** Ne pas résister, ne pas s'opposer, se soumettre à. *Céder au nombre, à la raison. Céder au sommeil. Elle céda à la tentation de tout lui raconter.* ▷ (S. comp.) *Les troupes durent céder.* Syn. capituler. ▷ S'abandonner (à un homme, en parlant d'une femme). *Elle finit par lui céder.* **2.** (Choses) Rompre, s'affaisser. *La branche céda sous son poids.*

cédérom n. m. Syn. de *CD-Rom.*

cédétiste adj. et n. De la Confédération française démocratique du travail (C.F.D.T.).

cedex [sedɛks] n. m. (Acronyme pour *courrier d'entreprise à distribution exceptionnelle.*) Mention, réservée aux boîtes postales ou aux distributions spéciales (administrations, usagers importants), que l'on ajoute au code postal du bureau distributeur.

cedi n. m. Unité monétaire du Ghana.

cédille n. f. Signe placé sous la lettre c devant a, o, u, quand elle doit être prononcée [s] (ex. *garçon*).

cédrat [sedʀa] n. m. Fruit du cédratier, gros citron que l'on consomme confit.

cédratier n. m. Citronnier à gros fruits des régions méditerranéennes.

cèdre n. m. **1.** Conifère de grande taille (jusqu'à 40 m de haut et 3,50 m de diamètre à la base), à ramure étalée, à bois assez dur et odorant. *Cèdre du Liban*, qui pousse dans ce pays et en est l'emblème. **2.** (Canada) Conifère d'Amérique du Nord (genre *Thuya*), dont les feuilles sont en forme d'écailles, le bois léger, odorant et réfractaire à la pourriture. – *Spécial.* Cèdre blanc (*Thuya occidentalis*). *Haie de cèdres.* ▷ Bois de cèdre.

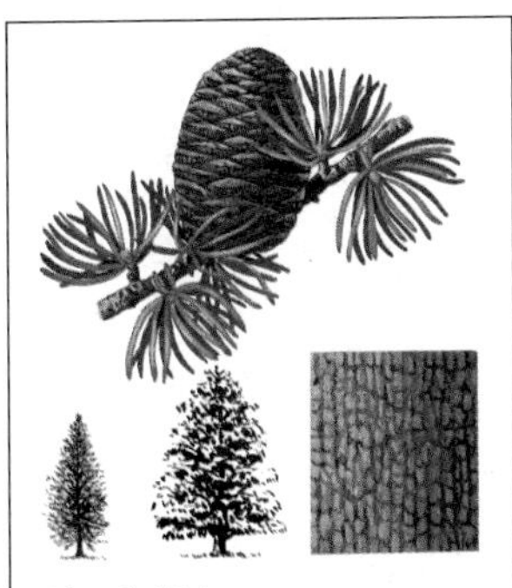

cèdre de l'Atlas : rameau avec cône; en bas, de g. à dr., jeune arbre, vieil arbre, écorce

Cédron (le), torrent de Judée; se jette dans la mer Morte. Il sépare Jérusalem du mont des Oliviers.

C.É.E. ou **C.E.E.** Sigle de *Communauté* économique européenne.*

Cefalù, v. et port de Sicile (prov. de Palerme); 14 000 hab. – Cathédrale romane (XIIᵉ-XIIIᵉ s.) construite par les Normands; mosaïques byzantines.

cégep n. m. (Canada) (Acronyme pour *collège d'enseignement général et professionnel*). Établissement public, au Québec, dispensant un enseignement général d'une durée de deux ans (conduisant à l'université) ou professionnel d'une durée de trois ans (débouchant sur un emploi). *Les cégeps.*

cégépien, enne n. (Canada) Étudiant(e) qui fréquente un cégep.

cégétiste adj. et n. De la Confédération générale du travail (C.G.T.).

C.É.I. Sigle de *Communauté* des États indépendants.*

ceindre v. tr. [55] Litt. **1.** Entourer (une partie du corps). *Une corde lui ceignait les reins.* ▷ v. pron. *Se ceindre d'un pagne. Se ceindre la tête d'un bandeau.* ▷ Par ext. *Ceindre une ville de murailles*, l'en entourer. **2.** *Ceindre le diadème, la couronne* : devenir roi. *Ceindre la tiare* : devenir pape.

ceinturage n. m. CONSTR Mise en place d'une ceinture autour d'un ouvrage.

ceinture n. f. **I. 1.** Ruban, bande souple, en tissu, en cuir, etc., dont on s'entoure la taille pour y ajuster un vêtement. *Ceinture brodée.* ▷ *Par ext.* Bord supérieur d'un pantalon ou d'une jupe. *Élargir la ceinture d'un pantalon, d'une jupe.* ▷ Fig., fam. *Se serrer la ceinture, faire ceinture* : ne pas manger, se priver, être privé de qqch. – Ellipt. *Eux, ils se gobergent, et, nous, ceinture!* **2.** *Par ext.* Taille. *Avoir de l'eau au-dessus de la ceinture.* ▷ Fig., fam. *Il ne lui arrive pas à la ceinture* : il lui est très inférieur. **3.** Ce qui entoure la taille. *Ceinture de sauvetage,* en matière insubmersible, qui permet de se soutenir sur l'eau. ▷ *Ceinture de sécurité,* ou *ceinture* : sangle destinée à retenir sur son siège le passager d'un avion ou d'une automobile, en cas de choc. *Au décollage et à l'atterrissage, les passagers sont priés d'attacher leur ceinture.* ▷ *Ceinture médicale* ou *orthopédique,* qui sert à maintenir les muscles de l'abdomen. **4.** *Ceinture de judo, de karaté, d'aïkido,* dont la couleur indique le niveau atteint par la personne pratiquant l'un de ces arts martiaux. *Ceinture noire,* indiquant les degrés les plus élevés. (V. dan.) **II. 1.** Ce qui entoure. *Ceinture de murailles d'une ville.* Syn. enceinte. **2.** Ce qui est périphérique. *Boulevards de ceinture,* qui font le tour d'une ville. **3.** CONSTR Bande métallique qui maintient un ouvrage. **III.** ANAT Ensemble des os qui rattachent les membres au tronc. *Ceinture pelvienne* : bassin. *Ceinture scapulaire* : omoplate et clavicule.

ceinturer v. tr. [1] **1.** Entourer d'une ceinture. **2.** Entourer avec ses bras pour maîtriser (une personne). *Ceinturer un malfaiteur.* **3.** CONSTR Entourer d'une ceinture (un ouvrage).

ceinturon n. m. Large ceinture solide.

cela pron. dém. neutre (contracté en *ça* dans la langue parlée). **1.** Cette chose. *Montrez-moi cela. Cela n'est pas vrai. Cela se passait hier. Nous verrons cela demain.* ▷ *Et cela* (Forme d'insistance.) *Il nous a conduits jusqu'à Paris, et cela sans accepter un centime.* ▷ *Comment cela?* : de quelle manière? (Marque l'étonnement.) ▷ *C'est cela* : pour marquer qu'on a bien compris, qu'on acquiesce. ▷ Fam., péjor. (En parlant des personnes.) *Cela (ça) veut donner des leçons aux autres et cela (ça) ne sait même pas se conduire correctement.* **2.** La chose la plus éloignée. *Ceci est à moi, cela est à vous.* – Ce dont on vient de parler; ce qui précède (par oppos. à *ceci*). *Cela vous étonne? Cela dit, je ne ferai pas d'objection.*

Cela (Camilo José) (Padrón, Galice 1916), romancier réaliste espagnol : *la Famille de Pascal Duarte* (1942), *la Ruche* (1951), *Office des ténèbres* (1973), *le Joli Crime du carabinier* (1989). P. Nobel 1989. ▶ illustr. page **308**

céladon n. m. et adj. inv. **1.** Vert pâle légèrement grisé. ▷ adj. inv. *Vert céladon.* **2.** (En appos.) *Porcelaine céladon,* recouverte d'émail de couleur vert tendre. – Ellipt. *Un céladon.*

Celan (Paul Antschel, dit) (Cernăuţi, auj. Tchernovtsy, 1920 – Paris, 1970), poète autrichien d'origine roumaine, à l'écriture dense et allusive : *Pavot et souvenir* (1952), *la Grille du langage* (1959).

Celano (Tommaso de). V. Tommaso de Celano.

-cèle. Élément, du gr. *kêlê,* « tumeur ».

Célé (le), riv. de France (102 km), affl. du Lot (r. dr.). Gorges dans les causses du Quercy.

Célèbes ou **Sulawesi,** île montagneuse d'Indonésie très découpée, qui est formée de quatre péninsules, à l'est de Bornéo; 189 035 km²; 11 552 920 hab.; v. princ. *Ujungpandang.* Coprah, café; nickel. – La *mer des Célèbes* (qui fait partie du Pacifique) baigne le N. de l'île, Bornéo et Mindanao.

célébrant n. m. Celui qui dit la messe.

célébration n. f. Action de célébrer. *Célébration du centenaire de la naissance, de la mort d'un grand musicien. Célébration d'un mariage.*

célèbre adj. Qui est connu de tous, qui a une grande renommée. *Un auteur célèbre. Un événement tristement célèbre.* Syn. illustre, renommé.

célébrer v. tr. [14] **1.** Fêter avec éclat (un événement). *Célébrer un anniversaire, la victoire.* **2.** Accomplir avec solennité. *Célébrer la messe,* ou (s. comp.) *célébrer* : dire la messe. **3.** Louer, exalter publiquement et avec force. *Célébrer le talent, le mérite de qqn.*

célébrité n. f. **1.** Large réputation, grande renommée. *La célébrité mondiale de cet artiste.* **2.** *Par ext.* Personne célèbre. *Les célébrités des arts et des lettres.*

celer v. tr. [17] Vx, litt. Cacher, tenir secret. *Celer de sinistres desseins.*

céleri [sɛlʀi] n. m. Plante potagère (fam. ombellifères) dont une variété est cultivée pour sa racine *(céleri-rave)* et une autre pour ses feuilles dont on consomme les côtes *(céleri en branches).*

céleri-rave

célérité n. f. **1.** Promptitude, diligence. *Traiter une affaire avec célérité.* **2.** PHYS Vitesse de propagation. *La célérité de la lumière.*

célesta n. m. MUS Instrument de musique à clavier dont le son est produit par le choc de marteaux sur des lames d'acier.

céleste adj. **1.** Qui appartient au ciel. *Corps célestes.* Ant. terrestre. **2.** Relatif au ciel, en tant que séjour de la Divinité. *Les esprits célestes.* – *Le père céleste* : Dieu. ▷ *Par ext.* Divin. *« Objet infortuné des vengeances célestes »* (Racine). – Litt. Merveilleux. *Elle était d'une beauté céleste.* ▷ MUS *Voix céleste* : registre de l'orgue qui produit des sons doux et voilés. **3.** *Le Céleste Empire* : la Chine, dont l'empereur était considéré comme le fils du Ciel. **4.** *Eau céleste* : solution aqueuse bleu azur de cuivre et d'ammoniac.

célestin n. m. HIST Religieux de l'ordre des Ermites de Saint-Damien.

Célestin, nom de cinq papes, dont : – **Célestin II** (Guido di Città di Castello), pape de 1143 à 1144. – **Célestin V** (saint) ou **saint Pierre Célestin** (Pietro Angeleri, dit del Morrone) (Isernia, Molise, v. 1215 – château de Fumone, Frosinone, Latium, 1296) abdiqua après cinq mois de pontificat en 1294 et fut maintenu en résidence forcée jusqu'à sa mort par son successeur, Boniface VIII. Canonisé en 1313.

célestine n. f. Syn. de *ageratum.*

céliaque. V. cœliaque.

célibat [seliba] n. m. État d'une personne qui n'a jamais été mariée. *Vivre dans le célibat. Le célibat des prêtres.* Ant. mariage.

célibataire adj. (et n.) Qui vit dans le célibat. *Elle est célibataire. Mère célibataire.* – Subst. *Il vit en célibataire.* – PHYS NUCL *Électron célibataire,* qui se trouve seul sur une des orbites de l'atome.

Célimène, héroïne de la comédie de Molière *le Misanthrope** (1666) : jeune, jolie, coquette et pleine d'esprit, elle est incapable de vivre hors des salons, qui lui renvoient une image flatteuse d'elle-même.

Céline (Louis Ferdinand Destouches, dit Louis-Ferdinand) (Courbevoie, 1894 – Meudon, 1961), écrivain français. Il a révolutionné l'écriture par l'introduction du langage parlé, souvent argotique. Dans un lyrisme débridé, son œuvre évoque surtout la misère et le désespoir humains : *Voyage au bout de la nuit* (1932), *Mort à crédit* (1936), *Bagatelles pour un massacre* (1937), *Féerie pour une autre fois* (1952), suivi de *Normance* (1954), *D'un château l'autre* (1957), *Nord* (1960), *le Pont de Londres* (posth., 1964, suite de *Guignol's Band,* 1944). Ses prises de position antisémites et favorables au gouvernement de Vichy l'incitèrent à s'exiler (1944-1951).

cella n. f. ANTIQ Partie réservée à la statue et à l'autel d'un dieu, dans les temples antiques.

Cellamare (Antonio del Giudice, duc de Giovenazzo, prince de) (Naples, 1657 – Séville, 1733), diplomate espagnol. Ambassadeur en France (1715-1718), il participa, à l'instigation d'Alberoni, à la conspiration du duc et de la duchesse du Maine, qui visait à donner à Philippe V d'Espagne la place du Régent (Philippe d'Orléans).

celle. V. celui.

Celle, v. d'Allemagne (Basse-Saxe), sur l'Aller; 70 250 hab. Centre industr. textiles, métallurgie.

celle-ci. V. celui-ci.

celle-là. V. celui-ci.

Louis-Ferdinand **Céline**

Blaise **Cendrars**

Benvenuto Cellini : *Salière de François Ier*; musée d'Histoire de l'art, Vienne

Celle-Saint-Cloud (La), ch.-l. de cant. des Yvelines (arr. de Saint-Germain-en-Laye); 22 844 hab. Industr. du plastique; informatique.– Chât. (XVIIe s.) où résida Mme de Pompadour.

cellier n. m. Pièce dans laquelle on conserve le vin et les provisions.

Cellini (Benvenuto) (Florence, 1500 - id., 1571), orfèvre et sculpteur italien; l'un des plus grands artistes de la Renaissance, surtout dans son courant maniériste : *Nymphe de Fontainebleau* (bas-relief, Louvre), *Salière de François Ier* (Vienne), *Persée* (loge des Lanzi, Florence). Il a laissé des *Mémoires* et des *Traités* sur son art.

cellophane n. f. (Nom déposé.) Pellicule cellulosique transparente servant de matériau d'emballage.

cellulaire adj. **1.** Composé de cellules. *Tissu cellulaire.* **2.** De la cellule. *Organites cellulaires. Division cellulaire.* **3.** Qui a rapport aux cellules des prisonniers. *Régime cellulaire. Fourgon cellulaire.* **4.** Se dit d'un système de liaison téléphonique avec des mobiles, fonctionnant grâce à un réseau de relais hertziens délimitant des cellules de quelques kilomètres.

cellular n. m. Tissu ajouré à mailles lâches dont on fait du linge de corps.

cellulase n. f. BIOCHIM Enzyme qui hydrolyse la cellulose.

cellule n. f. **I. 1.** Local étroit dans une prison, où sont enfermés isolément certains prisonniers. **2.** Petite chambre, partic. d'un religieux, d'une religieuse. *Cellule monastique.* **3.** Alvéole d'une ruche. **II. 1.** BIOL Le plus petit élément organisé et vivant possédant son métabolisme propre (ce qui l'oppose au virus). V. encycl. **2.** POLIT Groupement élémentaire à la base de certaines organisations politiques. *Réunion de cellule.* **3.** Groupe de personnes réunies dans un but spécial. *Cellule de crise.* **4.** SOCIOL Groupe d'individus considéré comme unité constitutive de l'organisation sociale. *La cellule familiale est une cellule sociale.* **5.** AVIAT Ensemble des structures (voilure et fuselage). **III.** *Cellule photoélectrique* ou *cellule* : dispositif transformant un flux lumineux en courant électrique, qu'on utilise notam. en photographie pour mesurer l'intensité de la lumière. *Régler la cellule de son appareil photographique.*

ENCYCL **Biol.** - Les cellules sont classées en deux types fondamentaux : les cellules procaryotes, rudimentaires, n'ont pas de noyau nettement différencié; les cellules eucaryotes sont les éléments de base des êtres vivants pluricellulaires, dans lesquels elles se spécialisent pour former des tissus : *cellules hépatiques, rénales, nerveuses ou neurones,* etc. Leur taille varie de quelques µm à plusieurs cm de diamètre (jaune d'œuf).

cellulite n. f. **1.** Cour. Infiltration du tissu conjonctif sous-cutané qui donne à la peau un aspect capitonné, en « peau d'orange ». **2.** MED Inflammation du tissu cellulaire sous-cutané, responsable de vives douleurs.

cellulitique adj. De la cellulite. *Bourrelets cellulitiques.*

celluloïd n. m. (Nom déposé.) Matière plastique très inflammable, formée de nitrocellulose plastifiée par du camphre.

cellulose n. f. Substance constitutive des parois cellulaires végétales $(C_6H_{10}O_5)n$, dont la forme la plus pure est le coton.

cellulosique adj. De la nature de la cellulose. *Colle cellulosique.*

Celse (en lat. *Aulus Cornelius Celsus*), médecin romain du siècle d'Auguste, adepte d'Hippocrate, auteur d'un *De arte medica.*

Celse (IIe s. apr. J.-C.), philosophe grec néo-platonicien, adversaire du christianisme.

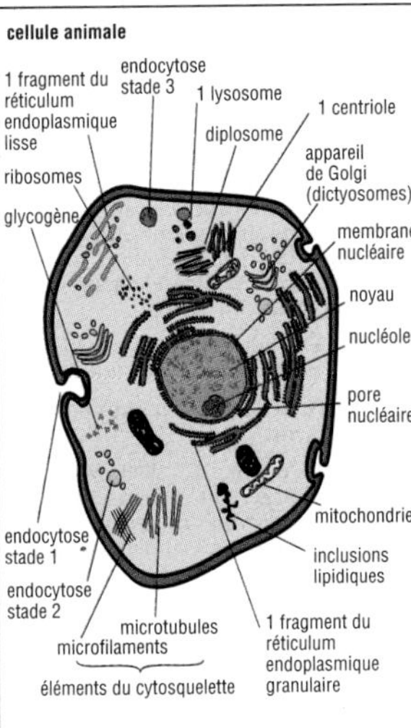

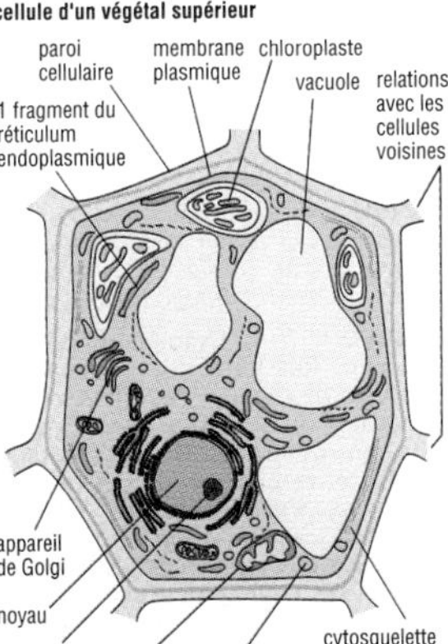

cellules

Celsius (Anders) (Uppsala, 1701 - id., 1744), astronome suédois qui eut l'idée de la graduation centésimale du thermomètre. ▷ PHYS *Échelle Celsius* : échelle thermométrique centésimale dont le point 0 correspond à la température de la glace fondante, et le point 100 à celle de l'ébullition de l'eau sous la pression atmosphérique normale. *Degré Celsius* : degré de l'échelle Celsius (symbole °C).

celte ou **celtique** adj. et n. m. **1.** adj. Relatif aux Celtes. **2.** n.m. *Le celte* ou *le celtique* : l'ensemble des langues celtiques, d'origine indo-européenne, encore vivantes en Irlande, en Écosse, au pays de Galles et en Bretagne.

Celtes, groupement humain de langue indo-européenne, aux origines mal définies, qui couvrit d'abord l'Europe centr., puis se répandit dans les contrées occid., en Gaule, en Espagne (XIIIe-VIIIe s. av. J.-C.), en Italie du N. (IVe s. av. J.-C.). Les deux principales bases celtiques furent celles du N.-E. et du centre de la Gaule. Dans les îles Britanniques, l'implantation celtique fut loin d'être générale et le peuplement est resté mixte.

Celtibères, anc. peuple de l'Espagne septentrionale et centrale, produit de la fusion des Celtes et des Ibères.

Celtique (Gaule), une des trois parties de la Gaule libre, s'étendant, du temps de César, de la Seine à la Garonne.

celui pron. dém. m. s., **celle** f. s., **ceux** m. pl., **celles** f. pl. (Désigne les personnes et les choses qu'on est en train d'évoquer.) **1.** Employé comme antécédent d'un relatif. *Son cousin, c'est celui qui est roux.* **2.** Suivi de la préposition *de. J'ai pris mon livre et celui de mon frère.* **3.** Mod. Devant un participe (emploi critiqué). *Les plus beaux coquillages sont ceux ramassés par Paul.*

celui-ci, celui-là pron. dém. m. s.; **celle-ci, celle-là** f. s.; **ceux-ci, ceux-là** m. pl.; **celles-ci, celles-là** f. pl. **1.** *Celui-ci* (pour désigner une chose, une personne rapprochée dans le temps et dans l'espace, ce dont il va être immédiatement question). **2.** *Celui-là* (pour désigner ce qui est le plus éloigné, ce qui a été dit précédemment). *J'aime la mer autant que la montagne; celle-là est plus vivante, celle-ci plus reposante.*

Cemal Paşa. V. Djamāl Pacha.

cembro n. m. Pin dont les aiguilles sont groupées par cinq, fréquent dans les hautes zones des Alpes. Syn. arolle.

cément n. m. **1.** ANAT Couche osseuse recouvrant la racine des dents. **2.** METALL Substance avec laquelle on cémente un métal.

cémentation n. f. METALL Modification de la composition superficielle d'un métal ou d'un alliage (acier, par ex.) auquel on incorpore en surface divers éléments provenant d'un cément (charbon de bois apportant du carbone à l'acier doux, par ex.).

cémenter v. tr. [1] METALL Soumettre à la cémentation.

cénacle n. m. **1.** Salle où eut lieu la Cène et où le Saint-Esprit descendit sur les apôtres à la Pentecôte. **2.** Réunion de gens de lettres, d'artistes, partageant les mêmes goûts. *Le cénacle romantique.*

Cenci, famille romaine citée du XIe au XVIe s. – **Francesco** (1549 - 1598), tyran débauché; il fut assassiné à l'instigation de sa fille **Béatrice** (1577 - 1599), de sa seconde femme et d'un de ses fils, **Giacomo,** eux-mêmes exécutés (1599) à la requête du pape Clément VIII.

Cendrars (Fréderic Sauser, dit Blaise) (La Chaux-de-Fonds, 1887 - Paris, 1961), écrivain français d'origine suisse, voyageur de l'écriture. Poète : *la Prose du Transsibérien et de la petite Jehanne de France* (1913); romancier : *l'Or* (1925), *Moravagine* (1926); auteur de récits autobiographiques : *la Main coupée* (1946), *Bourlinguer* (1948), etc.
▶ illustr. page **310**

cendre n. f. **I.** Résidu pulvérulent de matières brûlées. *Enlever la cendre accumulée dans une cheminée. La cendre de bois fournit un excellent engrais. Cendre de cigarette.* ▷ *Réduire en cendres :* anéantir en brûlant. – Fig. *Ses espérances furent réduites en cendres.* ▷ Fig. *Couver sous la cendre :* se développer insidieusement. *Le mécontentement qui couvait sous la cendre n'a pas tardé à éclater.* **II. 1.** Plur. *Les cendres :* les restes des morts. *Les cendres de Voltaire sont déposées au Panthéon.* ▷ Fig. *Renaître de ses cendres :* ressusciter (par allus. au phénix*). *Un vieux mythe qui renaît de ses cendres.* **2.** RELIG CATHOL *Les cendres,* symbole de deuil et de mortification. *Mercredi des Cendres :* premier jour du Carême, où le prêtre signe le front des fidèles avec une pincée de cendre pour les appeler à la pénitence.

cendré, ée adj. Qui est couleur de cendre, tirant sur le gris. *Des cheveux blond cendré. Lumière cendrée :* lumière due à la réflexion sur la Lune de la lumière solaire renvoyée par la Terre.

cendreux, euse adj. **1.** Mêlé de cendre. **2.** Qui a l'aspect de la cendre. *Teint cendreux.* **3.** TECH *Métal cendreux,* dont la surface grenue se polit difficilement.

cendrier n. m. **1.** Partie inférieure d'un foyer destinée à recueillir la cendre. **2.** Récipient destiné à recevoir la cendre de tabac et les mégots.

Cendrillon, héroïne d'un conte de Perrault, astreinte par une marâtre à de viles besognes.

-cène. Élément, du gr. *kainos,* « récent », entrant dans la composition de certains mots savants (ex. *oligocène, pliocène*).

cène (la) n. f. **1.** RELIG CATHOL (Avec une majuscule.) Dernier repas que Jésus-Christ prit avec ses apôtres, la veille de la Passion, et au cours duquel il institua l'eucharistie. **2.** *La sainte cène :* la communion dans le culte protestant.

le Retable de la **Cène,** de D. Bouts, 1464-1468; église St-Pierre, Louvain

cénesthésie [senɛstezi] n. f. Ensemble des sensations internes contribuant à la perception qu'un sujet a de son corps sans le concours des organes sensoriels.

Cenis (Mont-), massif des Alpes occid. (3 320 m), situé entre la Maurienne et la haute vallée de la Doire Ripaire (Italie). La route de Lyon à Turin passe par le *col du Mont-Cenis* (2 083 m), au N. du massif. Barrage hydroélectrique.

cenne n. f. (Canada) Syn. de cent. – Loc. fig. et fam. *Ça ne vaut pas une cenne, pas cinq cennes :* ça ne vaut rien.

céno-. V. cœno-.

cénobite n. m. Moine qui vit en communauté. Ant. anachorète, ermite.

Cénomans, peuple celtique dont certaines tribus s'établirent sur le Pô (VIe s. av. J.-C.), d'autres en Gaule (région du Mans).

Cenon, ch.-l. de cant. de la Gironde (arr. de Bordeaux); 21 726 hab. Vins, distilleries.

cénotaphe n. m. Didac., litt. Tombeau élevé à la mémoire d'un mort, mais ne contenant pas ses restes.

cénozoïque adj. GEOL Des ères tertiaire et quaternaire. ▷ n. m. *Le cénozoïque.*

cens n. m. **1.** ANTIQ Dénombrement des citoyens romains effectué tous les cinq ans. **2.** FEOD Redevance en argent payée annuellement au seigneur. **3.** *Cens électoral :* quotité d'impôt qu'un individu devait payer pour être électeur ou éligible (supprimé en 1848).

censé, ée adj. Supposé (suivi d'un inf.). *Nul n'est censé ignorer la loi.*

censément adv. Par supposition, apparemment.

censeur n. m. **1.** ANTIQ Magistrat romain chargé du recensement et investi du pouvoir de surveiller les mœurs. **2.** Celui qui appartient à une commission de censure officielle. (V. censure, sens 1.) **3.** *Par ext.* Celui qui s'érige en autorité pour juger défavorablement. *Un critique qui se conduit en censeur.* **4.** Personne chargée de l'organisation des études et de la discipline dans les lycées.

censier, ère n. (et adj.) FEOD **1.** Celui à qui était dû le cens; celui qui le devait. **2.** n. m. Recueil de droit coutumier, composé à l'instigation d'un seigneur, à l'époque carolingienne. Syn. terrier.

censitaire n. m. et adj. **1.** n. m. FEOD Personne qui acquittait un cens. **2.** n. m. Homme qui payait le cens électoral. ▷ adj. *Électeur censitaire.* **3.** adj. Qui relevait du cens. *Suffrage censitaire.*

censure n. f. **1.** Examen qu'un gouvernement fait faire des publications, des pièces de théâtre, des films, en vue d'accorder ou de refuser leur présentation au public. – *Par ext.* Instance administrative chargée de cet examen. *Délivrer un visa de censure. Abolir la censure. La censure a fait saisir tous les exemplaires de cet ouvrage jugé diffamatoire.* **2.** Vieilli Action de juger, de blâmer les idées, l'œuvre ou la conduite d'autrui. *S'exposer à la censure du public.* ▷ Mod. POLIT *Motion de censure :* désapprobation, votée par la majorité du Parlement, de la politique du gouvernement. *Déposer, voter une motion de censure.* **3.** RELIG CATHOL Peine disciplinaire (excommunication, interdit) que l'Église peut infliger aux fidèles par l'intermédiaire de ses ministres. **4.** PSYCHAN Opposition exercée par le surmoi contre des pulsions inconscientes.

censurer v. tr. [1] **1.** Interdire ou expurger, en parlant de la censure officielle. *Certains passages de ce film ont été censurés.* **2.** Vieilli Blâmer, critiquer. ▷ Mod. *Le Parlement a censuré le gouvernement,* a voté une motion de censure. **3.** RELIG CATHOL Infliger la peine de la censure à.

1. cent [sɑ̃] adj. num. et n. m. **I.** adj. num. **1.** (Cardinal. Prend un s au plur. sauf s'il est suivi d'un autre adj. num. cardinal.) Dix fois dix (100). *Cent francs. Deux cents ans. Deux cent cinquante francs.* ▷ Un nombre indéterminé, assez élevé. *Il l'a fait cent fois!* ▷ *Faire les cent pas :* aller et venir. – Fam. *Faire les quatre cents coups :* mener une vie désordonnée. – Fam. *Être aux cent coups :* être très inquiet, s'affoler. **2.** (Ordinal) Centième. *Page cent.* **II.** n. m. **1.** Le nombre cent. *Cent multiplié par cent.* ▷ Chiffres représentant le nombre cent (100). ▷ Numéro cent. *Habiter au cent.* ▷ *Pour cent. Bénéfice de trois pour cent (3 %) :* bénéfice de 3 F sur 100 F. ▷ Fam. *(À) cent pour cent :* totalement, entièrement. *Il est cent pour cent occupé par son travail.* **2.** Centaine. *Deux cents d'œufs.* ▷ Loc. fam. *Gagner des mille et des cents,* beaucoup d'argent.

2. cent [sɛnt] n. m. Centième partie de l'unité monétaire de certains pays, notam. du dollar américain ou canadien (symbole : ¢). *Une pièce de 5, 10, 25 ou 50 cents.* ▷ (Canada) Fam. (Souvent fém.) Pièce de monnaie. *Sortir une poignée de cents de ses poches.* – (Souvent au plur.) Argent. *Il est temps de penser à se faire quelques cents.* Syn. cenne.

centaine n. f. (Collectif) **1.** Nombre de cent, ou de cent environ. *Une centaine de francs. Quelques centaines.* – *Par centaines :* en grand nombre. **2.** *La centaine :* l'âge de cent ans.

Cent Ans (guerre de), nom donné au conflit qui opposa la France et l'Angleterre de 1337 à 1453. Les liens de vassalité unissant le roi d'Angleterre (pour ses fiefs franç.) au roi de France furent, dès le XIIe s., une source de discorde. En 1337, Édouard III donna une dimension nouvelle au conflit latent en affirmant, en tant que petit-fils de Philippe IV le Bel, ses droits à la couronne franç. détenue par Philippe VI de Valois depuis 1328. Cette prise de position s'expliquait par des préoccupations économiques, l'Angleterre ayant grand intérêt à détacher les Flandres, centre du trafic lainier, de l'obédience franç. Cette guerre fut d'abord une lutte de type féodal, la population ne se sentant guère concernée. Peu à peu, un sentiment national franç. s'éveilla, se cristallisa autour de Jeanne d'Arc et contribua fortement à la défaite angl. Entrecoupé de longues périodes de paix, ce conflit peut être scindé en quatre phases. **1.** Sous Philippe VI et Jean II le Bon, la France connut le désastre de Crécy (1346), puis la perte de Calais (1347), et la grave défaite de Poitiers (1356); au traité de Brétigny (1360), l'Angleterre reçut le quart du royaume, sans obligation de vassalité. **2.** Le règne de Charles V vit l'amorce d'une reconquête (victoires de Du Guesclin), les Angl. ne gardant plus en 1380 que Calais et la Guyenne. **3.** Sous Charles VI, la vacance du pouvoir, provoquée par la folie du roi, cause essentielle de la guerre civile entre Armagnacs et Bourguignons, permit au

Anglais de reprendre l'avantage (victoire d'Azincourt, 1415); le traité de Troyes, en 1420, fit du roi d'Angleterre le régent du royaume de France, lequel royaume devait en outre lui échoir à la mort de Charles VI. **4.** Sous Charles VII, l'impulsion donnée par Jeanne d'Arc à partir de 1429 (libération d'Orléans, qui permit de légitimer le « roi de Bourges » par le sacre de Reims) entraîna la reconquête progressive, qui s'acheva en 1453, date de la victoire de Castillon; seul Calais restait aux Anglais.

centaure n. m. **1.** MYTH Être fabuleux représenté comme un monstre moitié homme (tête et torse) et moitié cheval. **2.** ASTRO *Le Centaure :* constellation du ciel austral. (Une de ses étoiles, *Proxima Centauri,* est l'étoile la plus rapprochée de la Terre : 4,3 années-lumière.)

Chiron, le **centaure** médecin, avec Achille; fresque d'Herculanum, Musée archéol., Naples

centaurée n. f. BOT **1.** Composée, le plus souvent à fleurs bleues, comprenant un grand nombre d'espèces dont le bleuet. **2.** Cour. Nom de diverses plantes, telles la centaurée bleue (fam. labiées), la centaurée jaune et la petite centaurée.

centavo [sentavo; sɑ̃tavo] n. m. Centième partie de l'unité monétaire dans plusieurs pays d'Amérique latine.

centenaire adj. et n. **1.** adj. Qui a cent ans. *Arbre centenaire.* ▷ Subst. *Un(e) centenaire :* personne âgée de cent ans ou plus. **2.** adj. Qui se produit, qui est censé se produire environ tous les cent ans. *Crue centenaire.* **3.** n. m. Centième anniversaire. *Fêter le centenaire de la fondation d'une ville.*

centennal, ale, aux adj. Qui se produit tous les cent ans.

centésimal, ale, aux adj. Relatif aux divisions d'une quantité en cent parties égales. *Fraction centésimale.* ▷ PHYS *Échelle centésimale :* échelle déterminée à partir de deux graduations marquées 0 et 100, chaque degré de l'échelle représentant la centième partie de l'intervalle 0-100.

centète n. m. ZOOL Nom scientifique du tanrec.

centi-. Élément, du latin *centum,* « cent », impliquant l'idée d'une division en centièmes.

centiare [sɑ̃tjaʀ] n. m. Centième partie de l'are, équivalant à 1 m² (symbole : ca).

centième adj. et n. **I.** adj. num. ord. Dont le rang est marqué par le nombre 100. *Le centième jour.* **II.** n. **1.** Personne qui occupe la centième place. *La centième de la liste.* **2.** n. m. Chaque partie d'un tout divisé en cent parties égales. *L'augmentation a été d'un centième.* **3.** n. f. Centième représentation d'une pièce de théâtre. *L'auteur de la pièce était présent à la centième.*

centigrade adj. et n. m. **1.** adj. Cour. *Degré centigrade :* syn. impropre de *degré Celsius.* **2.** n. m. GEOM Centième partie du grade (symbole : cgr).

centigramme n. m. Centième partie du gramme (symbole : cg).

centilitre n. m. Centième partie du litre (symbole : cl).

centime n. m. **1.** Centième partie du franc. *Un chèque de quatre-vingt-douze francs et dix centimes.* (On dit aussi *quatre-vingt-douze francs dix.)* **2.** *Centimes additionnels :* majoration, autrefois pratiquée au profit des départements et des communes, du montant de certains impôts.

centimètre n. m. **1.** Centième partie du mètre (symbole : cm). ▷ *Par ext.* Règle ou ruban divisé en centimètres. *Un centimètre de couturière.* **2.** PHYS Unité de longueur fondamentale de l'ancien système C.G.S.

centimétrique adj. De l'ordre du centimètre. *Ondes centimétriques.*

Cent-Jours (les), période comprise entre le 20 mars 1815 (retour de Napoléon Ier, échappé de l'île d'Elbe, à Paris) et le 22 juin 1815 (seconde abdication). Elle fut marquée par un essai de monarchie constitutionnelle et des campagnes contre une coalition européenne qui l'emporte à Waterloo (18 juin).

centrafricain, aine adj. et n. De l'État d'Afrique centrale qui porte auj. le nom de République centrafricaine.

centrafricaine (République) ou **Centrafrique,** État d'Afrique équatoriale, au nord de la Rép. dém. du Congo, sans débouché marit.; 622 984 km²; 3 000 000 hab.; cap. *Bangui.* Nature de l'État : république. Langue off. : franç. Monnaie : franc C.F.A. Princ. ethnies : Bayas, Bandas. Relig. : christianisme, animisme.

Géogr. et écon. – Les affluents du Chari au N. (bassin du Tchad) et l'Oubangui au S. (bassin du Congo) drainent un vaste plateau. Le S., forestier et plus humide, concentre la pop., qui, rurale à 51,7 %, s'accroît de 2,1 % par an. L'agriculture emploie 65 % des actifs : cultures vivrières (manioc, mil) et comm. (café, coton); bois, diamant et or sont exportés. L'industrie est dans les mains des capitaux étrangers : agroalimentaire, text. et savonneries. La Rép. centrafricaine fait partie des pays les moins avancés.

Hist. – Anc. Oubangui-Chari, colonie franç. formée en 1905, le pays devint membre de la Communauté française en 1958, sous le nom de République centrafricaine, et accéda à l'indép. en 1960, avec David Dacko comme président. En 1966, un coup d'État porta au pouvoir Jean Bedel Bokassa, président à vie (1972), puis empereur (1976). Le désordre écon. et social, la répression sanglante exercée contre les opposants, les massacres de lycéens aboutirent, avec le soutien de la France, au retour de David Dacko (1979-1981), qui rétablit la république. Il fut destitué au profit de la junte du g^al^ Kolingba. Ce dernier, malgré une nouvelle Constitution (1986) et le retour au multipartisme (1991-1992), ne put se maintenir au pouvoir : Ange Félix Patassé fut élu en 1993. En mars 1998, un « pacte de réconciliation nationale » est signé à Bangui.

centrage n. m. TECH Action de centrer. ▷ Action de placer les axes de différents éléments sur une même droite.

central, ale, aux adj. et n. **I.** adj. **1.** Qui est au centre. *Place centrale.* Ant. périphérique. **2.** Principal, où tout converge, qui distribue tout. *Le système nerveux central :* l'encéphale et la moelle épinière. – *Chauffage central.* ▷ *Maison centrale* ou *centrale :* établissement pénitentiaire recevant les détenus condamnés à des peines d'emprisonnement supérieures à un an. *Faire deux ans de centrale.* **3.** *École centrale des arts et manufactures* ou, n. f., *Centrale,* assurant la formation d'ingénieurs *(centraliens).* **4.** MECA *Force centrale :* force dont la direction passe par un point fixe. **II.** n. m. Bureau, poste assurant la centralisation des communications téléphoniques ou télégraphiques. *Un central téléphonique.* **III.** n. f. **1.** *Centrale d'achat :* organisme commun à plusieurs entreprises dont il centralise les achats. **2.** Groupement de fédérations

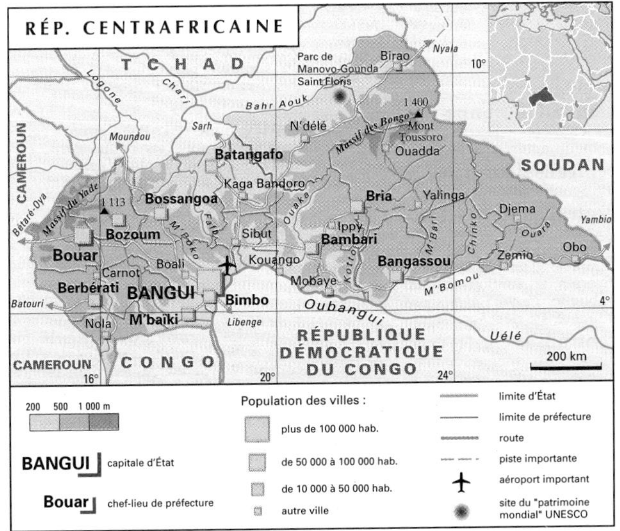

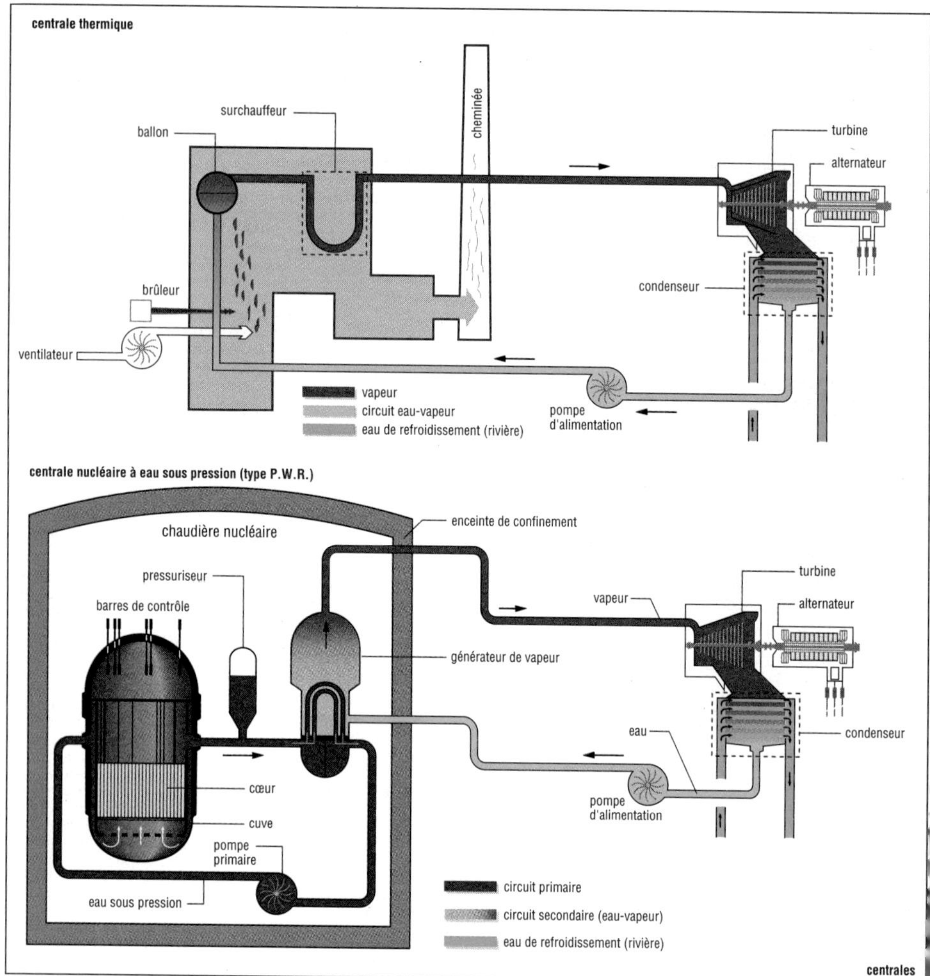

centrales

syndicales. *Centrale ouvrière.* **3.** Usine productrice d'énergie. *Centrale nucléaire, centrale hydraulique.* **4.** *Centrale inertielle :* ensemble d'organes (appareils à mesurer l'accélération, gyroscopes) capable de fournir la position d'un véhicule.

centralien, enne n. Élève ou ancien élève de l'École centrale des arts et manufactures.

centralisateur, trice adj. Qui centralise. *Bureau centralisateur.*

centralisation n. f. **1.** Action de centraliser. *Centralisation des demandes d'abonnement.* **2.** POLIT Réunion sous l'autorité d'un organisme central des diverses attributions de la puissance publique. *Centralisation politique, administrative.* Ant. décentralisation.

centraliser v. tr. [1] Concentrer, réunir en un même centre, sous une même autorité. *Centraliser les pouvoirs.*

centralisme n. m. **1.** Tendance à la centralisation **2.** POLIT Système gouvernemental qui consiste à centraliser le pouvoir de décision dans les domaines politiques et économiques importants. ▷ Mode d'organisation d'un syndicat ou d'un parti qui interdit la constitution de tendances en ne permettant pas la remise en cause des décisions prises en congrès. *Centralisme démocratique.*

centration n. f. PSYCHO *Loi, effet de centration :* concentration de l'attention sur un stimulus particulier au détriment des autres stimuli présents dans le champ perceptif.

centre n. m. **I. 1.** Point situé à égale distance de tous les points d'une circonférence ou de la surface d'une sphère. ▷ GEOM *Centre de répétition d'ordre n d'une figure plane :* point de cette figure tel que celle-ci reste identique à elle-même par rotation d'un énième de tour. – *Centre de symétrie :* point C qui fait correspondre à tout point A d'une figure un point A' tel que CA' = CA. – *Centre d'homothétie,* tel que CA' = k.CA. – *Centre de courbure :* point de rencontre des normales d'une courbe en deux points infiniment voisins de cette courbe. **2.** *Par ext.* Milieu d'un espace quelconque. *Le centre de l'agglomération.* ▷ Spécial. *Le Centre :* les régions du centre de la France; le Massif central; la Région du Centre. **3.** POLIT Partie d'une assemblée politique qui siège entre la droite et la gauche. (V. centrisme.) **II.** PHYS, MECA **1.** Point d'application de la résultante des forces exercées sur un corps. ▷ *Centre de masse* ou *d'inertie* (d'un système de points matériels) : barycentre de ces points affectés de leurs masses. ▷ *Centre de gravité :* point par lequel passe la résultante des forces dues à un champ de gravitation uniforme (ce point est confondu avec le centre de masse). ▷ *Centre instantané de rotation :* point d'une figure plane en mouvement, dont la vitesse est nulle à l'instant considéré. ▷ *Centre de poussée :* point d'application de la résultante des forces qui s'exercent sur un corps. **2.** *Centre optique :* point de l'axe d'une lentille ou d'un miroir, tel que tout rayon y passant ne soit ni dévié, ni réfléchi. **III. 1.** Fig. Point d'attraction. *Centre d'intérêt.* **2.** Point de grande concentration d'activité; point d'où s'exerce une action. *La Cité de Londres est un grand centre d'affaires. Centre commercial. Centre culturel.* **3.** ANAT Région du système nerveux central qui commande le fonctionnement de certains organes vitaux. *Centre respiratoire.* **4.** Organisme assurant la centralisation de certaines activités. *Centre national de la recherche scientifique (C.N.R.S.). Centre hospitalier universitaire (C.H.U.).* **IV.** SPOR *Faire un centre :* ramener le ballon de l'aile vers l'axe du terrain.

Centre, Région admin. française e rég. de la C.E., formée des dép. du

Cher, d'Eure-et-Loir, de l'Indre, d'Indre-et-Loire, du Loir-et-Cher et du Loiret; 39 150 km²; 2 427 688 hab.; cap. *Orléans*.
Géogr. phys. et hum. – Région de plaines et de plateaux (alt. max. 434 m), traversée d'E. en O. par la vaste courbe de la Loire moyenne, le Centre correspond au S. du bassin de Paris. La variété des terroirs donne une mosaïque de paysages, malgré l'uniformité du relief : opulentes campagnes ouvertes des zones limoneuses (Beauce et Champagne berrichonne), forêts et étangs des sols sableux et humides (Sologne, Brenne), paysages bocagers des périphéries (Perche, Puisaye, Boischaut), ruban d'horticulture des sols alluviaux des vallées (Loire, Cher). Doux et océanique, le climat a très tôt favorisé l'occupation humaine. La région enregistre un fort excédent migratoire, dû en particulier à la déconcentration du peuplement parisien, et sa croissance démographique est supérieure à la moyenne nationale.
Écon. – Réputé pour son agriculture puissante et variée (céréales – 1er rang de la C.É.E. pour le blé –, vignoble et horticulture du val de Loire, élevage des bordures S. et S.-E.), pour sa sylviculture (10 % du chêne français) et pour son patrimoine touristique (châteaux de la Loire, cathédrales de Bourges et de Chartres), le Centre est devenu une grande région énergétique et industrielle. L'aménagement de centrales nucléaires sur la Loire (Belleville, Dampierre, Saint-Laurent-des-Eaux, Avoine) permet de produire plus de 70 milliards de kWh par an (2e rang national). Dep. les années 50, la Région a été la principale bénéficiaire de la décentralisation industrielle et a attiré d'importants investissements étrangers. Dotée d'excellents équipements, bien desservie par un dense réseau autoroutier, routier et ferroviaire (TGV), bénéficiant de la proximité de Paris, la Région développe auj. ses activités de pointe et de recherche.

Centre, région du Portugal et de la C.E., entre le Tage et le Douro; 23 671 km²; 1 783 700 hab.; cap. *Coïmbre*.

Centre (canal du), canal qui relie la Saône à la Loire (114 km) en suivant les vallées de la Dheune et de la Bourbince (zone industrielle du Creusot).

Centre national d'art et de culture Georges-Pompidou. V. Pompidou.

Centre national de la recherche scientifique (C.N.R.S.), établissement public français, chargé de déve-opper la recherche fondamentale et ippliquée dans tous les domaines de la science. Créé en 1939, il fut doté en 1945 de structures, redéfinies en 1982.

Centre national des lettres, étaolissement public, fondé en 1973, qui a epris les attributions de la Caisse natioiale des lettres (créée en 1946) et qui ide les auteurs et les éditeurs dans le adre d'une promotion de la culture rançaise.

entré, ée adj. **1.** MECA Qui tourne utour d'un point. **2.** MATH *Variable aléaoire centrée :* variable dont l'espérance iathématique est nulle.

entre-auto n. m. Magasin d'articles lestinés à l'automobile. *Des centresutos.*

Centre-du-Québec, région adm. u Québec sur la rive sud du Saintaurent. V. princ. *Drummondville*.

centrer v. tr. [1] **1.** Déterminer le centre (d'une figure, d'un objet). ▷ Placer, ramener au centre. ▷ Régler les pièces tournantes d'une machine, la position de leurs axes de rotation. **2.** SPORT Envoyer le ballon vers l'axe du terrain. **3.** Fig. *Centrer le débat sur une question,* se la donner pour objet principal de discussion.

centre-ville n. m. Quartier central d'une ville, le plus ancien et le plus animé. *Des centres-villes.*

centrifugation n. f. TECH Séparation, sous l'action de la force centrifuge, de particules inégalement denses en suspension dans un liquide, un mélange.

centrifuge adj. *Force centrifuge,* qui tend à éloigner du centre. Ant. centripète. ▷ *Pompe centrifuge,* dans laquelle le fluide circule du centre vers l'extérieur du corps de la pompe.

centrifuger v. tr. [13] TECH Soumettre à la centrifugation.

centrifugeur n. m. ou **centrifugeuse** n. f. TECH Appareil utilisé pour la centrifugation.

centriole n. m. BIOL Organite intracellulaire, cytoplasmique, situé près du noyau. *Les centrioles forment le fuseau de division pendant la mitose.*

centripète adj. Qui tend à rapprocher du centre d'une trajectoire; qui est dirigé vers le centre. *Force centripète. Accélération centripète :* composante de l'accélération dirigée vers le centre de courbure de la trajectoire. Ant. centrifuge.

centrisme n. m. POLIT Position polit., idéologie de ceux qui siègent au centre, à l'Assemblée, entre les conservateurs et les progressistes. *Le centrisme réformateur. Centrisme de gauche, de droite.*

centriste adj. (et n.) Relatif au centrisme; partisan du centrisme. *Député centriste. Un centriste d'opposition.*

centro-. Élément, du lat. *centrum,* « centre ».

centromère n. m. BIOL Zone de constriction qui sépare le chromosome en deux bras et joue un rôle important lors de la division cellulaire.

centrosome n. m. BIOL Organite cellulaire situé près du noyau, qui, après une duplication, devient le centre organisateur de la formation du fuseau achromatique lors de la division cellulaire. (Il intervient également dans les mouvements des cils et flagelles lorsque les cellules en possèdent.)

centumvir [sɑ̃tɔmviʀ] n. m. Un des cent magistrats de la Rome antique désignés chaque année, notam. pour statuer sur les successions.

centuple adj. et n. m. **1.** adj. Qui vaut cent fois. *Nombre centuple d'un autre.* **2.** n. m. Quantité qui vaut cent fois une autre quantité. *Le centuple de dix est mille.* ▷ Loc. adv. Par exag. *Au centuple :* un grand nombre de fois en plus. *Je lui rendrai cela au centuple.*

centupler v. tr. [1] **1.** Multiplier par cent, rendre cent fois plus grand. *Centupler un nombre.* ▷ v. intr. *Son chiffre d'affaires a centuplé en moins de dix ans.* **2.** *Par exag.* Rendre un grand nombre de fois plus grand. *Centupler sa fortune en spéculant.*

centurie n. f. **1.** ANTIQ ROM Subdivision admin. qui comprenait cent citoyens. – Unité militaire de cent soldats. **2.** LITTER Ouvrage d'histoire dont les divisions, les chapitres correspondent à des siècles.

centurion n. m. ANTIQ ROM Officier subalterne de l'armée romaine, placé à la tête d'une centurie.

cénure. V. cœnure.

1. cep [sɛp] n. m. Pied de vigne.

2. cep ou **sep** [sɛp] n. m. AGRIC Partie de la charrue qui porte le soc.

cépage n. m. Variété de vigne cultivée. *Les cépages du vignoble bordelais.*

cèpe n. m. Variété de champignons, généralement comestibles, constituée de quelques espèces de bolets.
▸ pl. champignons

cépée n. f. Touffe de plusieurs tiges de bois ayant poussé à partir de la souche d'un arbre abattu. Syn. trochée.

cependant conj. et adv. **1.** conj. Néanmoins, toutefois, malgré cela. *Il ne devait pas venir et cependant le voici. Vous avez été très gentil, j'ai cependant un reproche à vous faire.* **2.** adv. de temps. Vx Pendant ce temps-là, cela étant en suspens. ▷ Loc. conj. Litt. *Cependant que :* pendant que, en même temps que.

céphalalgie n. f. MED Mal de tête.

céphalaspides n. m. pl. PALEONT Ordre d'agnathes (fin du primaire) au céphalothorax recouvert d'une cuirasse, munis d'un œil pinéal, et dont les nerfs aboutissaient à des aires qui étaient p.-ê. des organes électriques. – Sing. *Un céphalaspide.*

-céphale, -céphalie, céphalo-. Éléments, du gr. *kephalê,* « tête ».

Céphale, héros de la myth. grecque, amant d'Éôs (l'« Aurore »), puis époux de Procris. Jalouse, celle-ci le suivit à la chasse pour l'épier; il la tua accidentellement.

céphalée n. f. MED Céphalalgie violente et tenace.

céphalique adj. ANAT Qui a rapport à la tête. *Veine céphalique :* grosse veine superficielle du bras. ▷ ANTHROP *Indice céphalique :* rapport du diamètre transverse au diamètre antéropostérieur du crâne.

céphalocordés n. m. pl. ZOOL Sous-embranchement de cordés chez lesquels la corde dorsale se prolonge jusque dans la tête. – Sing. *Un céphalocordé.*

Céphalonie, la plus grande des îles Ioniennes (Grèce); 935 km²; 32 300 hab.; v. princ. *Argostoli*.

céphalopodes n. m. pl. ZOOL Classe de mollusques (divisée en dibranchiaux et tétrabranchiaux) chez lesquels le pied, rabattu vers l'avant autour de la bouche armée d'un bec de perroquet, est découpé en tentacules garnis de ventouses. *Les céphalopodes tels que la seiche, le calmar, le poulpe sont tous d'excellents nageurs marins.* – Sing. *Un céphalopode.*

céphalorachidien, enne [sefalorafidjɛ̃, ɛn] adj. ANAT, MED Qui a rapport à la tête et au rachis. *Liquide céphalorachidien :* liquide contenu dans les espaces méningés, constitué d'eau à 99 %, et dont l'examen par ponction lombaire permet de déceler une méningite, une encéphalite, etc.

céphalosporine n. f. PHARM Antibiotique faisant partie d'un groupe isolé à partir d'un champignon microscopique, à l'action antimicrobienne assez large.

céphalothorax [sefalotɔʀaks] n. m. ZOOL Partie antérieure du corps des arachnides et des crustacés décapodes, comprenant tête et thorax soudés et protégés par une carapace commune.

céphéide n. f. ASTRO Étoile pulsante dont δ Céphée est le prototype et dont l'éclat varie périodiquement. La relation qui lie la période des céphéides à leur luminosité absolue, établie en 1912 par l'Américaine Henrietta Leavitt, constitue l'un des plus sûrs indicateurs de distance dans l'Univers.

Céram, île d'Indonésie, dans les Moluques, à l'O. de la Nouvelle-Guinée; 17 150 km^2; 110 000 hab. Pétrole.

cérambycidés n. m. pl. ENTOM Famille de coléoptères aux couleurs vives, caractérisés par leurs longues antennes et dont les larves creusent le bois. (Le grand capricorne atteint 5 cm.) Syn. longicornes. – Sing. *Un cérambycidé.*

cérame adj. *Grès cérame,* qui sert à faire des vases, des appareils sanitaires, des carrelages.

céramique n. f. **1.** Art du potier; art du façonnage et de la cuisson des objets en terre cuite (faïence, grès, porcelaine). ▷ adj. *Les arts céramiques.* **2.** Matière dont sont faits ces objets. **3.** TECH Matériau manufacturé qui n'est ni organique ni métallique. **4.** CHIM Produit obtenu par chauffage avec un liant ou par cuisson d'une poudre minérale. *Certaines céramiques sont supraconductrices à des températures supérieures à celle de l'azote liquide.*

Céramique (le), quartier situé au N.-O. de l'anc. Athènes. Il renfermait l'Agora, puis s'étendait vers Le Pirée jusqu'aux jardins d'Académos.

céramiste n. Personne qui fabrique des objets en céramique.

céraste n. m. ZOOL Vipère saharienne et asiatique, appelée *vipère cornue* en raison des protubérances cornées qu'elle porte au-dessus des yeux.

cérat n. m. PHARM Onguent à base de cire et d'huile.

cératopsiens n. m. pl. PALEONT Sous-ordre de dinosauriens cuirassés du crétacé (genres *Protoceratops* et *Triceratops,* sorte de rhinocéros à trois cornes).– Sing. *Un cératopsien.*

cerbère n. m. Litt. Gardien intraitable.

Cerbère, com. des Pyr.-Orient. (arr. de Céret), au N. du *cap Cerbère;* 1 465 hab. Port de pêche. Station balnéaire.

Cerbère, chien à trois, cinquante ou cent têtes qui gardait les Enfers (mythologie grecque). Orphée le charma avec sa lyre; Héraclès le dompta au cours d'un de ses «douze travaux».

cerce n. f. CONSTR Armature circulaire. ▷ Calibre qui permet de donner à un ouvrage une forme bombée.

cerceau n. m. **1.** Lame circulaire de fer ou de bois, utilisée comme armature. *Cerceau de tonneau. Cerceau de crinoline.* **2.** Jouet d'enfant, cercle de bois léger que l'on fait rouler en le poussant à l'aide d'une baguette. **3.** Demi-cercle de bois, de fer. *Cerceau de tonnelle.*

Cerceau (Androuet du). V. Androuet du Cerceau.

cerclage n. m. **1.** Action de cercler. **2.** MED Resserrement chirurgical du col de l'utérus, au cours de la grossesse, pour éviter une fausse couche.

cercle n. m. **I. 1.** GEOM Courbe plane fermée, dont tous les points sont à égale distance d'un point appelé centre. ▷ *Cercle d'Euler :* cercle qui passe par les milieux des côtés d'un triangle, les pieds des hauteurs, et les milieux des segments compris entre les sommets et l'orthocentre. ▷ *Grand cercle d'une sphère,* situé dans un plan qui passe par le centre de cette sphère (les autres cercles sont appelés *petits cercles*). *Les cercles méridiens sont des grands cercles.* ▷ *Cercle polaire :* cercle situé à 66°34′ de latitude, qui marque la limite des régions polaires. ▷ ASTRO *Cercle horaire d'un astre :* demi-grand cercle de la sphère céleste locale, qui passe par les pôles célestes et la direction de l'astre. **2.** Périmètre d'un cercle; ligne circulaire. *L'aigle décrit des cercles dans le ciel.* **3.** Objet de forme circulaire. ▷ PHYS *Cercle oculaire :* pupille de sortie d'un instrument d'optique, sur laquelle l'observateur place son œil. **4.** ASTRO Instrument qui sert à mesurer les angles au moyen d'un cercle gradué sur toute sa circonférence. *Cercle méridien.* **5.** TECH Cerceau servant d'armature. – Cerceau de tonneau; *par ext.,* tonneau. *Vin en cercles.* **II. 1.** Personnes, objets formant une circonférence. *Un cercle de chaises.* **2.** Réunion de personnes dans un local réservé; ce local lui-même. *Cercle littéraire, politique, militaire, sportif.* ▷ *Cercle de qualité :* V. qualité. **III. 1.** Fig. Étendue. *Le cercle de nos connaissances.* **2.** LOG *Cercle vicieux :* raisonnement défectueux dans lequel la conclusion est démontrée par les prémisses; cour. *par ext.* situation sans issue. – *Cercle vertueux :* situation qui va d'elle-même en s'améliorant, du fait de la pertinence des mesures prises.

▶ pl. géométrie

cercler v. tr. [1] Garnir, entourer de cercles, de cerceaux. *Cercler un tonneau. Cercler une caisse en carton pour assurer une fermeture solide.*

cercopithécidés n. m. pl. ZOOL Famille de catarhiniens dont font partie notam. la guenon, le macaque et le babouin. – Sing. *Un cercopithécidé.*

cercopithèque n. m. ZOOL Singe catarhinien d'Afrique à longue queue grêle et au pelage souvent coloré.

cercueil n. m. Coffre dans lequel on enferme un cadavre pour l'ensevelir. *Un cercueil plombé.* Syn. bière.

Cerdagne (la) (en catalan *Cerdanya*), pays des Pyr.-Orient., formé par les bassins sup. du Sègre, en Espagne, et de la Têt, en France; v. princ. : *Montlouis* (Pyr.-Orient.) et *Puigcerdá* (Catalogne). – La Cerdagne fut partagée en 1659 (paix des Pyrénées) entre l'Espagne et la France.

Cerdan (Marcel) (Sidi-bel-Abbès, 1916 – Açores, 1949), boxeur français; champion du monde des poids moyens en 1948. Mort dans un accident d'avion.

▶ illustr. page **318**

Cère (la), riv. de France (110 km), affl. de la Dordogne (r. g.); naît au Plomb du Cantal. Centrale hydroélectrique de Saint-Étienne-Cantalès.

céréale n. f. Nom générique de toutes les plantes (graminées, polygonacées) cultivées pour leur production de grains. *Le blé, le seigle, l'avoine, l'orge, le maïs, le riz, le millet sont des céréales.* ▷ (Plur.) Produit à base de grains de céréales que l'on consomme dans du lait. *Un bol de céréales.*

céréaliculture n. f. Culture des céréales.

céréalier, ère adj. et n. m. **I.** adj. De céréales. *Culture céréalière.* – *Faim céréalière,* due à la rareté des céréales. **II.** n. m. **1.** Producteur de céréales. **2.** Navire spécialement conçu pour le transport des céréales.

cérébelleux, euse adj. ANAT Qui se rapporte au cervelet. ▷ *Syndrome cérébelleux,* dû à une lésion du cervelet.

cérébral, ale, aux adj. (et n.) **1.** ANAT Qui concerne le cerveau, l'encéphale. *Une hémorragie cérébrale.* **2.** Qui a trait à l'esprit. *Le travail cérébral.* **3.** Se dit d'une personne chez qui l'intellect prime la sensibilité. *Elle est plus cérébrale qu'intuitive.* ▷ Subst. *Un(e) cérébral(e).*

cérébrospinal, ale, aux adj. Du cerveau et de la moelle épinière.

cérémonial, ale, aux ou (n. m. pl.) **als** adj. et n. m. **I.** adj. Rare Qui concerne les cérémonies religieuses. **II.** n. m. **1.** Usage réglé que l'on observe lors de

cercopithèque de Brazza

céréales : de g. à dr., avoine, orge, seigle, mil

certaines cérémonies. *La Légion d'honneur lui a été remise suivant le cérémonial d'usage.* **2.** RELIG Livre où sont contenues les règles du cérémonial des fêtes liturgiques. **3.** Vieilli Ensemble des règles de politesse.

cérémonie n. f. **1.** Ensemble des formes extérieures réglées pour donner de l'éclat à une solennité religieuse. *Une cérémonie liturgique.* **2.** Ensemble des formalités observées dans certaines occasions importantes de la vie sociale. *Les cérémonies d'une visite officielle.* **3.** Péjor. Politesse exagérée, importune. *Il fait trop de cérémonies. Sans cérémonies :* en toute simplicité.

cérémoniel, elle adj. Qui a trait aux cérémonies.

cérémonieusement adv. D'une façon cérémonieuse.

cérémonieux, euse adj. Qui fait trop de cérémonies (sens 3). *Un ton cérémonieux,* affecté.

Cérès, déesse latine des Moissons, identifiée à la Déméter grecque. ▷ ASTRO Astéroïde de 750 km de diamètre, qui parcourt autour du Soleil une orbite de 2,8 UA en 1 680 jours.

Céret, ch.-l. d'arr. des Pyr.-Orient., sur le Tech ; 7 451 hab. Vins. Papeterie. – Égl. (clocher du XIIIe s.). Musée d'art moderne.

cerf [sɛʀ] n. m. Mammifère ruminant mâle de la famille des cervidés, portant des bois qui se renouvellent chaque année avant le rut. *« Cervus elaphus » est le cerf commun d'Europe.*

cerf commun d'Europe

cerfeuil n. m. Ombellifère cultivée pour ses feuilles aromatiques, qu'on utilise comme condiment. – *Cerfeuil tubéreux,* aux tubercules comestibles.

cerf-volant n. m. **1.** Lucane. **2.** Appareil fait d'une surface de papier, de toile, disposée sur une armature légère, qu'on fait monter en l'air en le tirant contre le vent avec une ficelle. *Des cerfs-volants.* ▸ illustr. **ailes**

cerf-voliste n. Personne qui fait évoluer des cerfs-volants. *Des cerfs-volistes.*

Cergy, ch.-l. de cant. du Val-d'Oise (arr. de Pontoise), sur l'Oise ; 48 524 hab. Bureautique ; électronique. Cergy fait partie de la ville nouvelle de *Cergy-Pontoise,* qui s'étend sur onze communes et couvre 8 000 ha (165 000 hab. en 1990 ; prévue pour 300 000 hab.). La préfecture du Val-d'Oise est établie à Cergy, mais le ch.-l. du dép. demeure Pontoise.– Université.

cérifère adj. Didac. Qui produit de la cire.

cérificateur n. m. TECH Appareil utilisé en apiculture pour fondre et épurer la cire.

Cerignola, ville d'Italie (Pouilles) ; 50 680 hab. Industr. text., alim. – En 1503, victoire de Gonzalve de Cordoue sur le duc de Nemours.

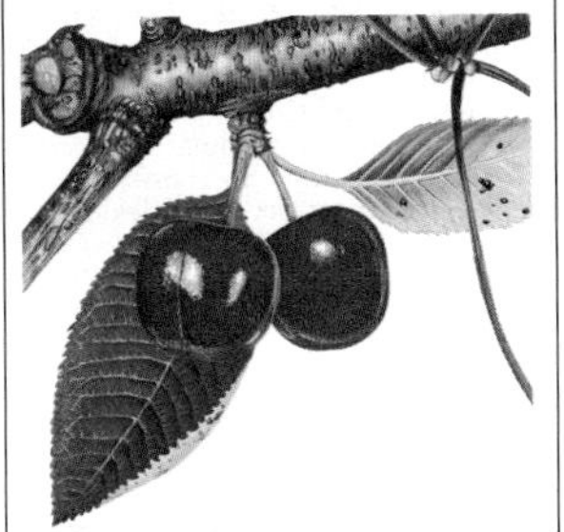
cerisier : branches, feuilles et fruits

cerisaie [s(ə)ʀizɛ] n. f. Plantation de cerisiers.

cerise [s(ə)ʀiz] n. f. et adj. inv. **1.** n. f. Drupe comestible du cerisier. ▷ Loc. fig., fam. *La cerise sur le gâteau :* le comble, le couronnement de qqch. **2.** adj. inv. De la couleur de la cerise. *Des robes cerise. Rouge cerise :* rouge vif.

cerisier n. m. Arbre (fam. rosacées) cultivé pour ses fruits (cerises et griottes) et son bois rosé, à grain très fin, utilisé en ébénisterie.

Cérisoles (en ital. *Ceresole Alba*), bourg d'Italie (Piémont). – Les Français, commandés par le comte d'Enghien, y défirent les Espagnols et les impériaux (1544).

cérium [seʀjɔm] n. m. CHIM Élément de la famille des lanthanides, de numéro atomique Z = 58 et de masse atomique 140,12 (symbole Ce). – Métal (Ce) qui fond à 795 °C et bout à 3 470 °C.

cermet n. m. CHIM Matériau composé d'une céramique associée à un métal.

Cern ou **CERN,** acronyme pour *Conseil européen pour la recherche nucléaire.* Actuellement appelée Centre européen pour la recherche nucléaire, cette institution, fondée en 1952 par douze États européens, se consacre à la recherche nucléaire fondamentale. Son siège est à Meyrin, près de Genève, où elle a construit le plus grand collisionneur du monde.

Cernăuţi. V. Tchernovtsy.

Cernay, ch.-l. de cant. du Haut-Rhin (arr. de Thann) ; 10 454 hab. Textile, constr. méca. – Restes de fortifications du XIIIe s. – César y vainquit le chef germain Arioviste en 58 av. J.-C.

cerne n. m. **1.** Cercle bleu ou bistre, qui entoure des yeux fatigués. **2.** Cercle livide autour d'une plaie. **3.** BOT Chacun des cercles concentriques visibles sur la section des racines, du tronc d'un arbre. (Un cerne correspond à une période de végétation ; le nombre de cernes indique donc l'âge du végétal.)

cerné, ée adj. Entouré d'un cerne.

cerneau n. m. Amande de la noix verte.

cerner v. tr. [1] **1.** Faire comme un cerne autour de. ▷ Entourer d'un trait (un dessin). **2.** *Par ext.* Entourer, investir (un lieu) en le coupant de toute communication avec l'extérieur. *Cerner une place forte.* – (Personnes) *Nous sommes cernés !* **3.** Fig. *Cerner une question,* préciser ses limites, l'appréhender. **4.** *Cerner des noix,* retirer leur coque pour en faire des cerneaux. – *Cerner un arbre,* en détacher une couronne d'écorce.

Cernuda (Luis) (Séville, 1902 - Mexico, 1963), poète espagnol. Influencé par le surréalisme, il se réclame aussi de Keats et de Hölderlin : *Profil de l'air* (1927), *les Nuages* (1937-1940), *la Désolation de la chimère* (1956-1962).

Cernuschi (Enrico) (Milan, 1821 – Menton, 1896), homme polit. et banquier italien. Il a légué à la Ville de Paris ses collections d'art extrême-oriental et son hôtel partic. (musée Cernuschi).

Cerro de Pasco, v. du Pérou ; 64 800 hab. ; ch.-l. du dép. de Pasco. Centre minier très important (argent, houille, vanadium, bismuth).

cers n. m. Vent d'O. ou de N.-O. dans le Roussillon et le Languedoc.

certain, aine adj. et pron. **I.** adj. (Placé après le nom.) **1.** (Choses) Sûr, indubitable. *La nouvelle est certaine.* **2.** n. m. FIN Prix de change acquitté par une monnaie dont la valeur est fixe. *Le taux de change est coté au certain à Londres.* **3.** Attribut (Personnes) Assuré de la vérité de (qqch), qui en a la certitude. *Je suis certain de ce que j'avance.* **II.** adj. (Placé avant le nom.) **1.** Se dit, en un sens vague, des personnes et des choses en quantité indéfinie. *Depuis un certain temps. Il jouit d'une certaine considération,* de quelque considération. *Un homme d'un certain âge,* qui n'est pas très âgé mais qui n'est plus jeune, par oppos. à *d'un âge certain,* âgé. **2.** (Plur.) Quelques. *Certains savants affirment que...* **3.** Devant un nom de personne. (Marquant parfois une nuance de mépris.) *Un certain X a osé le dire.* **III.** pron. (Plur.) Quelques personnes. *Certains sont venus. Certains ont refusé.*

certainement adv. **1.** D'une manière certaine, indubitable. **2.** *Par ext.* En vérité, assurément. *Il a certainement de vastes connaissances.* **3.** Oui (renforcé). *Viendrez-vous ? – Certainement.* – *Certainement pas :* sûrement pas.

certes adv. **1.** Vieilli Assurément, en vérité. *Oui, certes !* **2.** (En signe d'acquiescement, de concession.) *A-t-il raison ? Certes, mais...*

certificat n. m. **1.** Écrit émanant d'une autorité et qui fait foi d'un fait, d'un droit. *Certificat de travail,* remis par l'employeur pour indiquer la nature et la durée du travail du salarié. ▷ FIN *Certificat d'investissement :* titre représentant une action mais ne donnant pas de droit de vote au porteur. **2.** Attestation, diplôme prouvant la réussite à un examen ; cet examen lui-même. *Certificat d'aptitude professionnelle, de capacité en droit.*

certificateur adj. et n. m. DR Qui certifie, garantit qqch. *Organisme certificateur de la qualité d'un produit.*

certification n. f. DR Assurance, donnée par écrit, de la régularité d'une pièce, d'un acte, d'une saisie, de l'authenticité d'une signature.

certifié, ée n. (et adj.) Personne titulaire du CAPES*. *Une certifiée d'anglais.* – adj. *Professeurs certifiés et agrégés.*

certifier v. tr. [2] **1.** Assurer, attester qu'une chose est vraie, certaine. *Je vous certifie que ce renseignement est exact.* **2.** DR Garantir. – Pp. adj. *Chèque certifié.*

certitude n. f. **1.** Qualité de ce qui est certain. *La certitude des lois mathématiques.* **2.** Conviction qu'a l'esprit d'être dans la vérité. *Ses soupçons se changèrent en certitude.*

Cérulaire (Michael Keroularios, en fr. Michel) (Constantinople, v. 1000 - id., 1059), patriarche de Constantinople (1043-1059). Opposé à la primauté de Rome, excommunié par les légats du pape (16 juil. 1054), il réunit un synode qui excommunia les légats (25 juil. 1054); le schisme entre l'Église de Rome et l'Église d'Orient était consommé. La puissance de Cérulaire dura peu; il mourut en prison juste avant d'être jugé pour complot.

céruléen, éenne adj. LITT De couleur bleue, azur ou bleu-vert.

cérumen [seʀymɛn] n. m. Matière molle, jaunâtre et grasse, sécrétée par les glandes sébacées du conduit auditif externe qu'elle lubrifie et protège. *Bouchon de cérumen*, obturant le conduit auditif.

céruse n. f. CHIM Carbonate basique de plomb, $2PbCO_3$, $Pb(OH)_2$, utilisé comme pigment blanc. (L'emploi de ce produit toxique, réglementé, a été largement abandonné.) Syn. blanc d'argent.

Cervantès (Miguel de Cervantes Saavedra, en fr.) (Alcalá de Henares, 1547 - Madrid, 1616), écrivain espagnol. Soldat, il fut prisonnier des pirates barbaresques de 1575 à 1580. Il passa une importante partie de sa vie à écrire des comédies. En 1585 parut son roman pastoral, *Galatée* et, en 1605, la première partie de son chef-d'œuvre *Don Quichotte de la Manche*. Il publia ses *Nouvelles exemplaires* en 1614, et la seconde partie de *Don Quichotte* en 1615. Ce roman symbolise l'opposition entre le réel et l'idéal, la vérité poétique et la vérité concrète.

Marcel **Cerdan**

Cervantès

cerveau n. m. 1. ANAT Partie antérieure de l'encéphale. - *Par ext.* Substance nerveuse, en son entier, contenue dans la boîte crânienne. 2. Facultés mentales, esprit. - Fam. *Avoir le cerveau dérangé* : être fou. 3. *Un cerveau* : une personne très intelligente. 4. Fig. Centre intellectuel; centre de direction.
ENCYCL Le cerveau, que divise en deux hémisphères symétriques un sillon antéropostérieur et que de nombreuses scissures répartissent en lobes, est formé de substance blanche et de substance grise. Parmi les diverses cavités liquidiennes qu'il renferme, les plus importantes sont les deux ventricules latéraux. Le cerveau comprend les centres de la mémoire, de la sensibilité, de la motricité, du langage, etc.

cervelas [sɛʀvəla] n. m. Saucisson cuit, gros et court, assaisonné d'ail.

cervelet n. m. ANAT Partie de l'encéphale située au-dessous des hémisphères cérébraux et en arrière du bulbe et de la protubérance, formée de deux hémisphères symétriques et d'une partie médiane, le vermis, qui assure le contrôle de l'équilibre et la coordination des mouvements.

cervelle n. f. 1. Substance nerveuse qui constitue le cerveau. ▷ *Se brûler la cervelle* : se tuer d'un coup d'arme à feu tiré dans la tête. 2. CUIS Cerveau de certains animaux, destiné à servir de mets. *Cervelle d'agneau.* 3. Fig. Facultés mentales, esprit. *Cela lui a troublé la cervelle. Avoir une cervelle d'oiseau* : être sot ou distrait. *Se creuser la cervelle* : faire un effort de réflexion, de mémoire, d'imagination. - Fam. *Trotter dans la cervelle* : occuper l'esprit.

Cerveteri (anc. *Chisra*, à l'époque étrusque; *Caere*, à l'époque romaine), ville d'Italie (Latium); 8 500 hab. - Nécropole étrusque (tombeaux dits «des Tarquins»).

tombe de l'alcôve, nécropole de **Cerveteri**, VIIe-VIe s. av. J.-C.

cervical, ale, aux adj. ANAT 1. Du cou. *Vertèbre cervicale.* 2. Du col utérin. 3. Du col de la vessie.

cervicalgie n. f. MED Douleurs de la région cervicale.

cervidés n. m. pl. ZOOL Famille de mammifères artiodactyles ruminants, dont le cerf est le type, caractérisés par les bois pleins, caducs, que le mâle porte sur le front (la femelle en porte chez les rennes). *Les chevreuils, les élans, les daims sont des cervidés.* - Sing. *Un cervidé.*

cervier adj. m. V. loup-cervier.

Cervin (mont) (en all. *Matterhorn*), aiguille des Alpes du Valais (4 478 m), en Suisse, à la frontière italienne; domine la vallée de Zermatt.

cervoise n. f. Bière que les Anciens, les Gaulois en partic., fabriquaient avec de l'orge ou du blé.

ces. V. ce.

C.E.S. n. m. Abrév. de *contrat emploi-solidarité*, emploi précaire (un an maximum) créé pour lutter contre le chômage.

Césaire (saint) (Chalon-sur-Saône, 470 - Arles, 543), évêque d'Arles, adversaire de l'arianisme.

Césaire (Aimé) (Basse-Pointe, Martinique, 1913), écrivain et homme polit. antillais. Poète de langue française, d'inspiration surréaliste (*Soleil cou coupé*, 1948) et anticolonialiste (*Cahier d'un retour au pays natal*, 1939; *Une saison au Congo*, théâtre, 1965).

Césalpin (Andrea Cesalpino, en fr. André) (Arezzo, 1519 - Rome, 1603), médecin et naturaliste italien. Il fut le premier qui postula la reproduction sexuée chez les végétaux.

césalpiniacées n. f. pl. BOT Sous-famille de légumineuses comprenant l'arbre de Judée, le canéficier, le campêche, etc. - Sing. *Une césalpiniacée.*

1. césar n. m. 1. HIST Empereur romain. 2. Despote.

2. césar n. m. CINÉ Récompense décernée chaque année en France.

Aimé **Césaire**

Jules **César**

César (Caius Julius Caesar, en fr. Jules) (Rome, 101 - id., 44 av. J.-C.), général et homme politique romain. Issu d'une illustre famille patricienne, il gravit sans encombre tous les échelons du *cursus honorum* et forma en 60 un triumvirat avec Pompée et Crassus. Élu consul en 59, il se fit attribuer en 58 le gouv. de l'Illyrie, de la Gaule cisalpine et de la Narbonnaise, et conquit la Gaule «chevelue» (58-51). Fait consul unique par le Sénat (52), Pompée ordonne en 49 à César de rentrer à Rome sans son armée; César franchit alors le Rubicon et occupe l'Italie (janv.-fév. 49). Pompée est en fuite, la guerre civile a pour théâtre l'Empire (49-45), César écrase Pompée à Pharsale (48), le poursuit en Égypte (48), dont il donne le trône à Cléopâtre, et écrase les derniers foyers pompéiens à Thapsus (Afrique) en 46 et à Munda (Espagne) en 45. Maître de l'Empire, *imperator*, dictateur et censeur à vie (44), il cumula des pouvoirs qui firent de lui un véritable souverain. Grand général et habile politique, il est l'auteur de célèbres «commentaires» : *Sur la guerre des Gaules, Sur la guerre civile.* Victime d'une conspiration patricienne, il fut poignardé par Cassius et Brutus au sénat.

César (César Baldaccini, dit) (Marseille, 1921 - Paris, 1998), sculpteur français. Il a travaillé notam. à partir de ferrailles de rebut («Compressions», 1960) et de mousse de polyuréthane expansé («Expansions», à partir de 1967, et «Compressions murales», à partir de 1975).

Césarée, nom de plusieurs villes anciennes. – **Césarée de Palestine,** sur la côte de Judée; agrandie par Hérode le Grand de 12 à 9 av. J.-C.; détruite par le Mamelouk Baybars en 1265. – **Césarée de Cappadoce,** import. métropole chrétienne au IVe s. (auj. *Kayseri*, en Turquie). – **Césarée de Maurétanie** (auj. *Cherchell* en Algérie).

césarienne n. f. CHIR Ouverture de la paroi abdominale et de l'utérus pour extraire le fœtus vivant lorsque l'accouchement par voie basse n'est pas possible.

Césarion. V. Ptolémée XV.

césariser v. tr. [1] CHIR Pratiquer une césarienne sur (une femme).

césarisme n. m. 1. HIST Gouvernement des césars. 2. Domination d'un souverain absolu, d'un dictateur.

Cesbron (Gilbert) (Paris, 1913 - id., 1979), écrivain français. Auteur catholique, il puise ses sujets dans l'actualité sociale : *Les saints vont en enfer* (1952), *Chiens perdus sans collier* (1955). Théâtre : *Il est minuit, docteur Schweitzer* (1951), adapté à l'écran.

Cesena, v. d'Italie (Émilie); 89 640 hab. Centre agric. et industr. - Bibliothèque Malatestiana (XVe s.).

césium [sezjɔm] n. m. CHIM Élément alcalin de numéro atomique Z=55 e de masse atomique 132,90 (symbole Cs). – Métal (Cs) de densité 1,90, qui fond à 28,3 °C et bout à 670 °C. *Le césium entre dans la fabrication de cathodes photoémissives et de tubes électroniques.*

České Budějovice, ville de Tchécoslovaquie (Bohême), sur la Vltava; 91 600 hab.; ch.-l. de la Bohême-Méridionale. Industries alim., mécaniques.

cessant, ante adj. *Toute(s) affaire(s) cessante(s)* : immédiatement.

cessation n. f. Fait de mettre fin à quelque chose. *Cessation des paiements* : état de celui qui cesse de payer ses créanciers. *Cessation des hostilités* : fin officielle de l'état de guerre.

cesse n. f. (En loc. nég. seulement.) **1.** *N'avoir (point, pas) de cesse que...* : ne pas s'arrêter avant que... **2.** *Sans cesse* : continuellement. *Il fait sans cesse des progrès.*

cesser v. [1] **1.** v. intr. Prendre fin. *La pluie a cessé.* ▷ *Faire cesser* : interrompre. *Faire cesser une injustice.* **2.** v. tr. indir. *Cesser de* (+ inf.) : finir de. *Cesser de parler. Il a cessé de vivre* : il est mort. ▷ *Ne pas cesser de* : continuer à. – *Ne cesser de* : continuer, avec régularité et constance, à. *Il ne cesse de répéter la même chose.* **3.** v. tr. dir. Arrêter. *Cesser le combat.*

cessez-le-feu n. m. inv. Armistice, suspension des hostilités. *Signature du cessez-le-feu.*

cessibilité n. f. DR Nature d'une chose susceptible d'être cédée.

cessible adj. DR Qui peut être cédé.

cession n. f. DR Action de céder (un droit, un bien, une créance). *Cession de biens*, par un débiteur à ses créanciers. *Cession de bail.*

cession-bail n. f. FIN Mode de crédit dans lequel l'emprunteur vend un bien dont il est propriétaire à une société de crédit-bail qui le lui loue avec promesse de vente. *Des cessions-bails.*

cessionnaire n. DR Personne qui bénéficie d'une cession.

Cesson-Sévigné, com. d'Ille-et-Vilaine (arr. de Rennes); 13 257 hab. – Coopérative agricole, prod. laitiers, pneumatiques.

c'est-à-dire loc. conj. **1.** Précède et annonce une explication (abrév. : c.-à-d.). *Un mille marin, c'est-à-dire 1 852 mètres.* ▷ Annonce une qualification, une comparaison. *Un chien, c'est-à-dire un compagnon.* **2.** *C'est-à-dire que* : par conséquent. *Ma voiture est en panne, c'est-à-dire que j'arriverai en retard.* ▷ Marque une gêne, un désir d'atténuation, une rectification, au début d'une réponse.. *Tu viens au cinéma? - C'est-à-dire que j'ai du travail.*

Cestas, com. de Gironde (aggl. et arr. de Bordeaux); 16 797 hab.; aéron., industr. électron. – Égl. gothique.

Cesti (Pietro Antonio) (Arezzo, 1623 – Florence, 1669), compositeur italien; nombreux opéras (*l'Orontea, Il Tito*, etc.), motets et cantates.

cestodes n. m. pl. ZOOL Classe de plathelminthes formés de métamères dont tous les représentants (par ex., le ténia) sont des parasites intestinaux de vertébrés. – Sing. *Un cestode.*

césure n. f. **1.** Coupe ou repos qui divise le vers après une syllabe accentuée. **2.** Coupe d'un mot en fin de ligne.

cet, cette. V. ce.

cétacés n. m. pl. ZOOL Ordre de mammifères marins, comprenant les mysticètes (baleines, etc.) et les odontocètes (dauphins, etc.), de taille importante, adaptés à la vie en pleine eau grâce à leur corps pisciforme, à leurs membres antérieurs transformés en palettes natatoires et à une large nageoire caudale. – Sing. *Un cétacé.*

cétane n. m. Hydrocarbure saturé.

céteau ou **séteau** n. m. Sole (poisson) de petite taille.

cétène n. m. CHIM Nom générique des cétones non saturées possédant le groupement =C=C=O.

Cetinje, v. de Yougoslavie (Monténégro), anc. cap. de la principauté puis du royaume (1910-1918) de Monténégro; 12 000 hab.

cétoine n. f. ENTOM Coléoptère (divers genres) de 8 à 24 mm aux élytres dorés ou bronzés, vivant, en général, sur les roses. Syn. hanneton des roses.

cétol n. m. CHIM Nom générique des corps qui possèdent à la fois la fonction alcool et la fonction cétone.

cétologie n. f. Étude scientifique des cétacés.

cétone n. f. CHIM Nom générique des composés de formule R – CO – R', R et R' étant deux radicaux hydrocarbonés. Les cétones ont des propriétés voisines de celles des aldéhydes. Elles sont difficiles à oxyder et se trouvent dans la nature, dans les essences végétales (camphre, par ex.), auxquelles elles donnent leur parfum.

cétonique adj. CHIM Qui possède la fonction cétone.

cétonurie n. f. MED Présence de corps cétoniques dans l'urine.

cétose n. **1.** n. m. BIOCHIM Sucre simple qui possède une fonction cétone. **2.** n. f. MED État pathologique caractérisé par l'accumulation de corps cétoniques dans l'organisme.

cétostéroïdes n. m. pl. MED Groupe d'hormones dérivées des stérols et caractérisées par la présence en C_{17} d'un radical cétone. (Sécrétées par le testicule et la corticosurrénale, elles possèdent presque toutes une action androgène et agissent sur le métabolisme des protides et des électrolytes. Elles sont éliminées dans les urines, où on peut les doser.)

cette. V. ce.

Ceuta, v. espagnole, sur la côte médit. du Maroc, face à Gibraltar; 68 970 hab. Port franc et port de voyageurs. – Anc. préside rattaché à la prov. de Cadix.

ceux. V. celui.

Cévennes (les), région de la bordure sud-orientale du Massif central, entre les sources de l'Ardèche et celles de l'Hérault; 1 699 m au mont Lozère. – À des plateaux granitiques succèdent des *serres*, crêtes schisteuses retombant sur la plaine rhodanienne. Les cours d'eau torrentiels découpent de profondes vallées. L'élevage (extensif) reste la ressource princ. Les industr. sont implantées autour du bassin houiller d'Alès. Au sud, parc national.

cévenol, ole adj. (et n.) Des Cévennes.

Ceylan, vaste île au sud de l'Inde. État indép. (depuis 1972) sous le nom de *Sri Lanka* (V. ce nom).

Cézallier ou **Cézalier,** plateau basaltique d'Auvergne, entre le massif du Cantal et les monts Dore; 1 555 m au signal de Luguet.

Cézanne (Paul) (Aix-en-Provence, 1839 – id., 1906), peintre français. Proche des impressionnistes, il renonce à la perspective linéaire et au clair-obscur, pour construire par la couleur et non par la lumière, aboutissant à une superposition de plans rythmés par la géométrie : série de la *Montagne Sainte-Victoire*. Son art annonce le cubisme et les grands courants picturaux du XXe s., mais son génie ne fut reconnu qu'après 1900, notam. grâce à A. Vollard*.

Paul **Cézanne :** *Autoportrait à la palette*; coll. Buehrle, Zurich

Cèze (la), riv. de France (100 km), affl. du Rhône (r. dr.); naît en Lozère.

cf. Abrév. de l'impér. lat. *confer*, « compare », et signifiant : se reporter à.

Cf CHIM Symbole du californium.

C.F.A. n. m. (Du sigle de *Communauté financière africaine*.) *Franc C.F.A.* : unité monétaire de nombreux pays africains.

C.F.C. n. m. Abrév. de *chlorofluorocarbone.*

C.F.D.T. Sigle de *Confédération française démocratique du travail.*

C.F.E. Sigle de *Confédération française de l'encadrement.*

C.F.T.C. Sigle de *Confédération française des travailleurs chrétiens.*

cg Symbole du centigramme.

C.G.C. Sigle de *Confédération générale des cadres*. V. Confédération française de l'encadrement.

C.G.S. METROL *Système C.G.S.* : anc. système d'unités fondé sur le centimètre, le gramme et la seconde.

C.G.T. Sigle de *Confédération générale du travail.*

C.G.T.-F.O. Sigle de *Confédération générale du travail-Force ouvrière.*

ch Symbole du cheval-vapeur.

Cha'ab (Al-) (*Al-Ittiḥād* jusqu'en 1967), v. du Yémen, près d'Aden; env. 10 000 hab. – Anc. cap. de la Fédération de l'Arabie du Sud.

Chaalis (abbaye de), abb. cistercienne du XIIe s., au S.-E. de Senlis, auj. en ruine. Musée dans le chât. construit en 1736 par Jean Aubert.

Chaban-Delmas (Jacques) (Paris, 1915), homme politique français. Résistant, il a été promu général en 1944. Député radical-socialiste (1946), il s'est rallié au RPF de Charles de Gaulle. Il a été plusieurs fois prés. de l'Assemblée nationale (1958-1969, 1978-1981 et 1986-1988). Premier ministre de 1969 à 1972 sous la présidence de G. Pompidou, son projet de « nouvelle société » s'est heurté à l'opposition des conservateurs. Il a été maire de Bordeaux de 1947 à 1995.

Chabannes, famille noble du Limousin. Elle a donné de grands capitaines. – **Antoine de Chabannes** (Saint-Exupéry, Corrèze, 1408 - ?, 1488) fut au siège d'Orléans, aux côtés de Jeanne d'Arc. – **Jacques II de Chabannes.** V. La Palice.

chabichou n. m. Fromage de chèvre du Poitou.

Chablais, rég. de Hte-Savoie, dans les Préalpes de Savoie, au S. du lac Léman ; v. princ. *Thonon.*

Chablis, ch.-l. de canton de l'Yonne (arr. d'Auxerre) ; 2 608 hab. Vins blancs *(chablis).*

chabot n. m. Poisson téléostéen à grosse tête, qui peut atteindre 30 cm de long. (Les diverses espèces du genre *Cottus* sont marines, à l'exception d'une espèce européenne qui vit dans les eaux courantes très propres.) Syn. cotte.

Chabot (Philippe de, seigneur de Brion) (1480 - 1543), amiral de France, ami d'enfance de François Ier. Il conquit le Piémont (1535-1536).

Chabot (François) (Saint-Geniez-d'Olt, 1756 - Paris, 1794), homme politique français. Capucin, vicaire de Grégoire, évêque constitutionnel de Blois, il siégea à l'Assemblée législative et à la Convention. Impliqué dans le scandale financier de la Compagnie française des Indes, il fut exécuté.

Chabrier (Emmanuel) (Ambert, 1841 - Paris, 1894), compositeur français. Ses meilleures œuvres valent par leur fantaisie et leur brio : *l'Étoile* (opérette, 1877), *le Roi malgré lui* (opéra, 1887), *España* (œuvre pour orchestre, 1883).

chabrol [ʃabʀɔl] ou **chabrot** [ʃabʀo] n. m. En loc. Rég. *Faire chabrol :* verser du vin dans du bouillon.

Chabrol (fort), nom donné au local de la Ligue antisémite (51, rue de Chabrol à Paris) où, pendant l'Affaire Dreyfus (1899), le journaliste Jules Guérin, qui luttait contre la révision du procès, soutint contre la police un siège de trente-huit jours.

Chabrol (Jean-Pierre) (Chamborigaud, 1925), écrivain français. Il est le chantre de toutes les révoltes : *les Fous de Dieu* (1961), *le Canon fraternité* (1970), *Vladimir et les Jacques* (1980).

Chabrol (Claude) (Paris, 1930), cinéaste français. Au premier rang de la Nouvelle Vague avec *le Beau Serge* et *les Cousins* (1958), il fait ensuite une carrière féconde dans la comédie policière et le drame bourgeois : *Que la bête meure* (1969), *Violette Nozière* (1978), *Madame Bovary* (1991).

chacal, als n. m. Canidé d'Asie et d'Afrique *(Canis aureus)* de taille moyenne (30 cm au garrot), au pelage brun doré, au museau pointu et à la queue touffue, de mœurs grégaires, se nourrissant surtout des reliefs laissés par les grands fauves et par l'homme. (C'est probablement l'une des souches des chiens.)

cha-cha-cha [tʃatʃatʃa] n. m. inv. Danse dérivée de la rumba et du mambo, d'origine mexicaine.

chachlik n. m. CUIS Brochette de viande de mouton marinée.

Chaco ou **Gran Chaco,** vaste plaine d'Amérique du Sud, semi-aride, peu peuplée, s'étendant en Argentine et au Paraguay. – La *guerre du Chaco* (1928-1929, puis 1932-1935) opposa le Paraguay à la Bolivie, qui y perdit le *désert du Chaco.*

chaconne ou **chacone** n. f. Danse à trois temps apparue en Espagne à la fin du XVIe s. – Pièce instrumentale, suite de variations sur un thème court répété à la basse.

chacun, une pron. indéf. et n. f. **1.** Personne, chose faisant partie d'un ensemble et considérée individuellement. *Chacun d'eux, chacune d'elles. Ils ont chacun sa voiture,* ou *leur voiture. Tout un chacun :* n'importe qui. **2.** *Absol.* Tout le monde. *Chacun a ses défauts.* **3.** n. f., seulement dans l'expression familière *chacun avec sa chacune :* chaque garçon étant accompagné d'une fille.

Chadli (Chadli Benjadid, dit) (Bouteldja, près d'Annaba, 1929), officier et homme politique algérien. Président de la République de 1979 à 1992, il a engagé une timide démocratisation du régime, mais n'a pu empêcher la montée de la violence islamiste de son pays.

Chadwick (sir James) (Manchester, 1891 - Cambridge, 1974), physicien brit. Il reconnut en 1932 l'existence du neutron. P. Nobel 1935.

Chafi'i, chafi'isme, chafi'ite. V. Shafi'i, shafi'isme, shafi'ite.

chafouin, ine n. et adj. **1.** n. Vx Personne de mine sournoise. **2.** adj. *Un air chafouin.*

Chagall (Marc) (Vitebsk, 1887 - Saint-Paul-de-Vence, 1985), peintre français d'origine russe. Il a évoqué, en un réalisme poétique, le folklore russe, la tradition juive et l'enfance. *La Mort* (1908), *Au-dessus de la ville* (1919), le plafond de l'Opéra de Paris (1964).

Marc **Chagall :** *le Coq,* 1929 ; coll. Thyssen-Bornemisza, Lugano

1. chagrin, ine adj. Litt. Porté à la tristesse ; qui manifeste de la tristesse.

2. chagrin n. m. **1.** Peine morale, affliction. *Il a du chagrin.* **2.** Déplaisir, peine, tristesse due à une cause précise. *Chagrin d'amour.*

3. chagrin n. m. **1.** Cuir à surface grenue, préparé à partir de peaux de chèvre ou de mouton, utilisé pour les reliures. **2.** Loc. *Peau de chagrin :* chose qui se rétrécit régulièrement, par allus. au roman de Balzac (1831).

1. chagriner v. tr. [1] Causer du chagrin, de la peine. *Cette séparation les chagrine.*

2. chagriner v. tr. [1] Préparer une peau de chèvre ou de mouton, de manière à la rendre grenue, à la convertir en chagrin.

chah. V. schah.

Chahine (Youssef) (Alexandrie, 1926), cinéaste égyptien. Son esthétique s'appuie sur le montage : *Gare centrale* (1957), *l'Aube d'un jour nouveau* (1964), *la Terre* (1969), *Adieu Bonaparte* (1985).

Youssef **Chahine :** *le Sixième Jour,* 1986, avec Dalida et Mohsen Mohieddine

Chah-i-Zendeh ou **Shah-i-Zendeh** (m. près de Samarkand, 672), surnom de Qasim ibn Abbas, peut-être cousin de Mahomet. Il prêcha l'islam en Asie centrale. Son tombeau fut vite objet de vénération. – Site d'Ouzbékistan (Samarkand) où sont rassemblés, près de la tombe de Qasim, plusieurs mosquées et tombeaux.

Châhpuhr Ier ou **Shâhpur Ier,** roi sassanide (241-272). Grand conquérant, ennemi de Rome (en 260, il fit prisonnier l'empereur Valérien) ; il fut aussi un bâtisseur. – **Châhpuhr II** ou **Shâhpur II,** descendant du préc. ; roi sassanide (310-379), en lutte contre Byzance et contre le christianisme, au nom du mazdéisme. – **Châhpuhr III** ou **Shâhpur III,** fils du préc. ; roi sassanide (383-388), il fut déposé et tué par ses soldats.

chahut [ʃay] n. m. **1.** Vx Danse désordonnée et inconvenante. **2.** Tapage (partic. d'écoliers, de lycéens, pendant un cours). *Mener un chahut.*

chahuter v. [1] **I.** v. intr. Se livrer à des manifestations tapageuses (partic. pendant le cours d'un professeur). **II.** v. tr. **1.** Importuner (qqn, partic. un professeur) par des manifestations tapageuses. **2.** Mettre en désordre (des choses). *Ils ont tout chahuté chez lui.*

chahuteur, euse adj. (et n.) Qui aime chahuter, tapageur. *Une élève chahuteuse.*

chai [ʃɛ] n. m. Magasin au niveau du sol, utilisé pour entreposer des fûts de vin, d'eau-de-vie. *Vin élevé dans les chais du propriétaire.*

Chaillot (palais de), palais construit à Paris (16e, sur la colline de Chaillot), pour l'Exposition universelle de 1937, par les architectes Carlu*, Boileau et Azéma. Entrepris en 1936, achevé en 1938, il abrite notam. les musées de l'Homme et de la Marine, et un immense théâtre souterrain où le T.N.P. fut installé de 1951 à 1972.

Chain (Ernst Boris) (Berlin, 1906 - Castlebar, Irlande, 1979), biologiste anglais d'origine allemande. Reprenant les travaux de Fleming, il mit au point avec Florey la méthode de préparation de la pénicilline. P. Nobel de médecine 1945, avec Fleming et Florey.

chaînage n. m. **1.** Opération de mesure avec une chaîne d'arpenteur. **2.** Armature destinée à renforcer une maçonnerie.

chaîne n. f. **I.** Succession d'anneaux métalliques engagés les uns dans les autres. **1.** Lien. *Galérien rivé à sa chaîne. La chaîne d'une ancre de navire.* **2.** Ornement. *Une chaîne de montre. Chaîne d'huissier. Elle porte une chaîne d'or autour du cou.* **3.** TECH *Chaîne de Vaucanson, de Galle :* chaîne de transmission, sans fin. ▷ *Chaîne de vélo,* qui transmet à la roue le mouvement du pédalier. **4.** (Plur.) Dispositif constitué de chaînes assemblées, fixable aux pneus des voitures pour éviter le dérapage sur le verglas ou la neige. **5.** *Chaîne d'arpenteur,* formée de tringles métalliques ou d'un ruban d'acier très souple, qui sert à mesurer des segments de lignes droites sur le terrain. **II.** Fig. **1.** Litt., vieilli *La chaîne, les chaînes :* la servitude ; l'état de forçat, de prisonnier. *Ce peuple a brisé ses chaînes,* s'est libéré. **2.** Plur. Litt. Liens d'affection, d'intérêt, qui unissent des personnes. *Les chaînes de l'amitié, de l'amour.* **3.** Enchaînement, continuité, succession. *La chaîne des événements.* **4.** *Chaîne alimentaire :* succession des espèces végétales et animales qui vivent de la consommation des unes par les autres (végétaux – herbivores – petits carnivores – nécrophages). **III.** Fig. (Choses liées par une fonction ou unies en une structure.) **1.** Ensemble des fils longitudinaux d'un tissu. **2.** *Chaîne de montagnes :* série de montagnes se succédant dans une direction marquée. *La chaîne de la cordillère des Andes. Chaîne hercynienne.* **3.** ARCHI Syn. de *chaînage,* sens 2. *Chaîne d'angle.* **4.** ANAT *Chaîne nerveuse :* suite de ganglions nerveux réunis par des tissus conjonctifs. **5.** CHIM Suite d'atomes formant le squelette de la molécule d'un composé organique. *Chaîne carbonée.* **6.** *Chaîne haute-fidélité :* ensemble stéréophonique comprenant une platine de lecture de disques, un ou deux amplificateurs, plusieurs haut-parleurs, éventuellement un magnétophone et un tuner, et permettant une bonne restitution des sons. **7.** AUDIOV Groupement de stations de radiodiffusion ou de télévision diffusant simultanément le même programme. *Les chaînes périphériques.* **8.** Ensemble de magasins, d'hôtels, etc. appartenant à une même société. *Chaîne de restaurants.* **9.** INDUSTR Suite de postes de travail où chaque ouvrier effectue toujours les mêmes opérations sur l'objet en cours de fabrication, qui défile devant lui. *Une chaîne de montage d'automobiles. Travail à la chaîne. – Par ext.* Travail répétitif, monotone. **10.** FIN *Chaîne de billets :* ensemble des effets de commerce couvrant une créance, payables à diverses échéances. **IV.** Fig. Suite de personnes qui se tiennent par la main, se passent un objet de main en main. *Faire la chaîne avec des seaux pour éteindre un incendie.*

chaînette n. f. **1.** Petite chaîne. **2.** COUT *Points de chaînette,* dont la succession imite les maillons d'une chaîne. **3.** MECA Courbe que forme un fil, d'épaisseur et de densité uniformes, suspendu à deux points fixes et abandonné à l'action de la pesanteur.

chaînon n. m. **1.** Anneau d'une chaîne. **2.** Fig. Élément d'un ensemble. *Chaque être humain est un chaînon de la société.* **3.** Chaîne secondaire formée par un élément montagneux.

chair n. f. **I. 1.** Chez l'être humain et les animaux, substance fibreuse, irriguée de sang, située entre la peau et les os. *Être bien en chair :* être un peu gros, potelé. – *En chair et en os :* en personne. ▷ *Marchand de chair humaine :* trafiquant d'esclaves. **2.** Peau (chez l'être humain). *La chair douce d'un enfant.* ▷ *Chair de poule :* aspect grenu que prend la peau sous l'effet du froid, de la peur. *Avoir la chair de poule. Donner la chair de poule :* effrayer. **3.** BX-A Carnation des personnages d'un tableau. *Rubens rend bien les chairs.* **4.** (En appos.) *Couleur chair :* couleur blanc rosé. *Un maillot couleur chair.* **5.** Vx Viande. *Vendredi, chair ne mangeras :* tu ne mangeras pas de viande le vendredi, interdiction faite autref. par l'Église cathol. – Loc. fig. *N'être ni chair ni poisson :* être indécis. **6.** Mod. Viande hachée. *Chair à pâté, à saucisses.* **7.** Partie comestible de certains animaux (viande proprement dite exclue), de certains végétaux. *La chair tendre d'une truite, d'une pêche, d'un champignon.* **II. 1.** RELIG *La chair :* le corps humain (par oppos. à *l'âme*). *La résurrection de la chair. La chair est faible.* **2.** Litt. *La chair :* les instincts, spécial. l'instinct sexuel. – RELIG *L'œuvre de chair :* les relations sexuelles. *Le péché de la chair :* les relations sexuelles en dehors du mariage.

chaire n. f. **1.** Trône d'un évêque dans une cathédrale, du pape à Saint-Pierre de Rome. *Chaire épiscopale, pontificale.* **2.** Dans une église, tribune élevée réservée au prédicateur. *L'origine de la chaire à prêcher remonte au XIV*[e] *s.* – Fig. Prédication. *L'éloquence de la chaire.* **3.** Tribune d'un professeur. – *Par ext.* Poste d'un professeur d'université.

chaise n. f. **1.** Siège sans bras, à dossier. *Une chaise de jardin.* ▷ *Chaise longue,* où l'on peut s'allonger, à dossier inclinable. ▷ Anc. *Chaise percée,* munie d'un récipient, pour satisfaire les besoins naturels. ▷ Loc. fig. *Être assis entre deux chaises :* se trouver dans une situation instable, inconfortable. ▷ *Chaises musicales :* jeu dans lequel les joueurs se disputent une chaise dès que la musique s'arrête ; fig. chassé-croisé. **2.** *Chaise électrique,* sur laquelle on assoit les condamnés à mort pour les électrocuter (dans certains États des É.-U.). **3.** Anc. *Chaise à porteurs :* véhicule à une place, porté par deux hommes. ▷ *Mener une vie de bâton de chaise :* mener une vie agitée. **4.** MAR *Nœud de chaise,* formant une boucle qui ne peut se resserrer. **5.** TECH Support servant de soutien à un appareillage.

Chaise-Dieu (La), ch.-l. de cant. de la Hte-Loire (arr. de Brioude) ; 965 hab. – Église abbat. St-Robert (XIVe s.) : peint. murale de la *Danse macabre* (XVe s.), tapisseries (XVIe s.), tombeau de Clément VI.

chaisière n. f. Vx Loueuse de chaises dans une église, un jardin public.

chakchouka n. f. CUIS Ragoût de légumes, spécialité d'Afrique du Nord.

Chakhty, v. de Russie, dans le Donbass ; 221 000 hab. Houille. Industries alim. et métallurgiques.

Chalais (Henri de Talleyrand, comte de) (1599 – Nantes, 1626), favori de Louis XIII. Il conspira contre Richelieu avec la duchesse de Chevreuse. Il fut décapité.

1. chaland n. m. Bateau à fond plat qui sert à transporter les marchandises sur les fleuves et les canaux.

2. chaland, ande n. Vx Acheteur, client. *Attirer le chaland.*

chalandise n. f. COMM *Zone de chalandise :* zone d'attraction commerciale.

chalazion n. m. MED Petite tumeur des bords libres de la paupière, d'origine inflammatoire, sans connexion avec la peau.

Chalcédoine (auj. *Kadiköy,* en Turquie), anc. v. d'Asie Mineure, sur la rive asiatique du Bosphore. Siège du IVe concile œcuménique (451) qui reconnut au Christ une double nature, divine et humaine, ainsi que la prééminence du patriarche de Constantinople par rapport aux autres patriarches occidentaux.

chalcédonien, enne [kalsedɔnjɛ̃, ɛn] adj. De Chalcédoine. ▷ RELIG CATHOL Qui se rapporte aux décisions du concile œcuménique de Chalcédoine*.

chalcididés [kalsidide] n. m. pl. ENTOM Famille d'insectes hyménoptères, aux couleurs métalliques, dont les larves vivent à l'intérieur des œufs d'autres insectes ou dans les chrysalides de lépidoptères. – Sing. *Un chalcididé.*

Chalcidique (la), péninsule de Grèce bordée par la mer Égée. Elle se termine en trois presqu'îles : Cassandra, Sithonía et Haghion Óros (mont Athos).

Chalcis, v. et port de Grèce (île d'Eubée) ; 44 870 hab. ; ch.-l. du nome d'Eubée. Comm. Tourisme.

chalco-. Élément, du gr. *khalkos,* « cuivre ».

Chalcocondyle (Démétrios) (Athènes, 1424 – Milan, 1511), grammairien grec. Il établit la première éd. imprimée d'Homère (Florence, 1488).

chalcographie [kalkɔgʀafi] n. f. Vx Art de graver sur le cuivre, les métaux. – Mod. Lieu destiné à la conservation des planches gravées. *La chalcographie du Louvre.*

chalcolithique [kalkɔlitik] adj. et n. m. De la période transitoire entre le néolithique et l'âge du bronze, où l'on entreprit de travailler le cuivre, le premier métal connu. – n. m. *Le chalcolithique.*

chalcopyrite [kalkɔpiʀit] n. f. MINER Sulfure naturel double de cuivre et de fer ($CuFeS_2$), vert émeraude.

Chaldée, terme ancien désignant le pays de Sumer (plus tard la *Babylonie*) et la basse Mésopotamie.

chaldéen, éenne [kaldeɛ̃, eɛn] adj. et n. De Chaldée. ▷ Subst. *Un(e) Chaldéen(ne).* – *Église chaldéenne :* Église uniate orientale, de rite chaldéen, le plus ancien de la chrétienté (Ier s.), encore pratiqué par près d'un million de fidèles, notam. en Irak.

châle n. m. Grande pièce d'étoffe dont les femmes se couvrent les épaules.

chalenge, chalengeur. V. challenge, challenger.

chalet n. m. **1.** Maison de bois des régions montagneuses. *Un chalet savoyard.* ▷ Habitation champêtre dont la forme s'inspire de celle des chalets. ▷ (Canada) Habitation au bord d'un lac, d'un cours d'eau. *Un chalet d'été.* **2.** Vx *Chalet de nécessité :* petit bâtiment où sont installés des lieux d'aisances pour le public.

Châlette-sur-Loing, ch.-l. de cant. du Loiret (arr. de Montargis) ; 14 899 hab. Industr. du caoutchouc, métallurgie.

chaleur n. f. **I. 1.** Cour. Qualité, nature de ce qui est chaud; sensation produite par ce qui est chaud. *La chaleur d'un radiateur, du soleil.* ▷ Température élevée de l'air, temps chaud. *Vague de chaleur.* – Plur. *Les chaleurs :* la saison où le temps est chaud. **2.** PHYS Forme d'énergie qui se traduit par une augmentation ou une diminution de température, ou par un changement d'état. ▷ *Chaleur massique :* quantité de chaleur nécessaire pour élever de 1 °C la température de l'unité de masse d'un corps. ▷ *Chaleur latente :* quantité de chaleur nécessaire pour faire passer l'unité de masse d'un corps de l'état solide (ou liquide) à l'état liquide (ou gazeux). ▷ *Chaleur de combustion :* quantité de chaleur dégagée par la combustion de l'unité de masse d'un corps. **3.** PHYSIOL *Chaleur animale,* produite par le corps des animaux dits à *sang chaud* (homéothermes*) grâce au catabolisme de leurs réserves. **II. 1.** Sensation de chaud, lors d'un malaise physique. *La chaleur de la fièvre. Coup de chaleur.* **2.** État des femelles de certains animaux quand elles recherchent l'approche du mâle. *Femelle en chaleur.* **3.** Fig. Ardeur, impétuosité, véhémence. *La chaleur de la jeunesse. Il a pris votre défense avec chaleur.* **4.** Grande cordialité. *Accueillir qqn avec chaleur.*

ENCYCL La chaleur est une forme dégradée de l'énergie. Elle apparaît lors du frottement entre deux corps, au cours des réactions chimiques exothermiques et des réactions nucléaires, lors du passage d'un courant électrique dans un conducteur (effet Joule). La chaleur se propage par rayonnement, convection ou conductibilité. Elle se mesure en joules, unité légale de chaleur et de travail à préférer à la calorie (qui équivaut à 4,18 joules). Alors qu'il est possible de transformer intégralement du travail en chaleur, l'inverse n'est pas possible (le rendement limite d'un moteur thermique, inférieur à l'unité, dépend des températures des sources avec lesquelles il est en liaison). V. thermodynamique.

chaleureusement adv. D'une façon chaleureuse.

chaleureux, euse adj. Plein d'ardeur, d'animation, de cordialité. *Un discours chaleureux. Un accueil chaleureux.*

Chaleurs (baie des), baie du Canada, ainsi nommée par Jacques Cartier en 1534, formée par le golfe du Saint-Laurent, au nord du Nouveau-Brunswick.

Chalgrin (Jean-François) (Paris, 1739 – id., 1811), architecte français. Il construisit l'église St-Philippe-du-Roule (1774-1784), reconstruisit le théâtre de l'Odéon (1808), agrandit le Collège de France et dessina les plans de l'arc de triomphe de l'Étoile.

Chaliapine (Fedor Ivanovitch) (Kazan, 1873 – Paris, 1938), chanteur (baryton-basse) russe. Il s'illustra notam. dans *Boris Godounov* et *le Prince Igor.*

Chalindrey, commune de la Haute-Marne (arr. de Langres); 2 859 hab. Gare import. (Culmont-Chalindrey).

châlit [ʃali] n. m. Bois de lit ou cadre métallique supportant le sommier ou le matelas.

Challans, ch.-l. de cant. de la Vendée (arr. des Sables-d'Olonne), dans le Marais breton; 14 544 hab. Aviculture (canards); abattoirs; industr. alim. et du bois.

challenge [ʃalɑ̃ʒ] n. m. (Anglicisme) **1.** Épreuve sportive dont le vainqueur garde un prix, un titre, jusqu'à ce qu'un concurrent le lui enlève. **2.** *Par ext.* Défi. Syn. (off. recommandé) chalenge.

challenger [ʃalɑ̃ʒœʀ] n. m. (Anglicisme) **1.** Concurrent participant à un challenge pour tenter de ravir son titre au champion. **2.** *Par ext.* Rival. Syn.(off. recommandé) chalengeur, euse.

chaloir v. impers. défect. Litt. Seulement dans la loc. *peu me chaut, peu m'en chaut :* peu m'importe.

Châlons-en-Champagne (jusqu'en 1995 *Châlons-sur-Marne*), ch.-l. du dép. de la Marne, sur la Marne, à la jonction des canaux de la Marne au Rhin et de la Marne à la Saône; 51 533 hab. Industr. méca., alim.; comm. des vins de Champagne. Camp militaire (V. Mourmelon-le-Grand.) École des arts et métiers. – Évêché. Cath. St-Étienne (XIIIe s.), égl. St-Alpin (XIIe et XVIe s.), Notre-Dame-en-Vaux (XIIe s.).

Chalon-sur-Saône, ch.-l. d'arr. de Saône-et-Loire, sur la Saône et le canal du Centre; 56 259 hab. Industr. diverses (verre, prod. photo, électr. etc.). Comm. des vins. – Anc. cath. St-Vincent (XIIe-XVe s.) avec cloître (XIVe s.); musée Niepce.

Chalosse (la), pays d'Aquitaine, au S.-E. du dép. des Landes. C'est une région de collines, domaine de la vigne et de l'élevage.

chaloupe n. f. **1.** Grosse embarcation non pontée (auj. à moteur, autref. à voiles, à avirons), destinée au service des navires ou utilisée pour naviguer le long des côtes et sur les grands cours d'eau. *Chaloupe de sauvetage.* **2.** (Canada) Embarcation légère, utilisée surtout pour la navigation de plaisance ou pour la pêche sportive. *Chaloupe à rames, à moteur.*

chalouper v. intr. [1] Marcher, danser avec un balancement des hanches et des épaules évoquant le roulis.

chalumeau n. m. **1.** Vieilli Tuyau de roseau, de paille. *Boire avec un chalumeau.* **2.** Vx Flûte champêtre. **3.** Appareil destiné à produire une flamme à haute température à partir de gaz sous pression. *Chalumeau oxhydrique* (oxygène et hydrogène), *oxyacétylénique* (oxygène et acétylène), *à hydrogène atomique* (recombinaison d'atomes d'hydrogène dissociés par un arc électrique), *à plasma* (recombinaison d'ions au contact du métal).

chalut n. m. Filet de pêche en forme de poche traîné sur le fond de la mer ou entre deux eaux, par un ou deux bateaux.

chalutage n. m. Pêche au chalut.

chalutier n. m. **1.** Pêcheur au chalut. **2.** Bateau équipé pour la pêche au chalut.

Cham, second fils de Noé. Selon la Bible, ses descendants auraient peuplé l'Afrique.

Cham (Amédée de Noé, dit) (Paris, 1819 – id., 1879), dessinateur humoristique français; collaborateur du *Charivari* et du *Monde illustré.*

Cham(s) ou **Tcham(s),** groupe ethnique qui peuplait le royaume de Champa et dont des éléments subsistent au Viêt-nam et au Cambodge.

chamade n. f. **1.** Anc. Signal de tambours ou de trompettes que donnaient des assiégés pour avertir qu'ils voulaient parlementer. **2.** Mod. *Cœur qui bat la chamade,* dont les battements s'accélèrent sous l'effet de l'émotion.

chamærops ou **chamérops** [kameʀɔps] n. m. BOT Palmier nain du sud de la France, qui fournit un crin végétal.

chamailler (se) v. pron. [1] Fam. Se disputer bruyamment pour des vétilles.

chamaillerie n. f. Fam. Querelle bruyante et sans motif sérieux.

chamailleur, euse adj. (et n.) Fam. Qui aime se chamailler.

Chamalières, ch.-l. de cant. du Puy-de-Dôme (arr. de Clermont-Ferrand); 17 885 hab. Imprim. de la Banque de France.

chaman [ʃaman] n. m. Prêtre, sorcier, guérisseur dans le chamanisme.

chamanisme n. m. Ensemble de pratiques magico-religieuses faisant appel aux esprits de la nature et comportant notam. des techniques de guérison, que l'on observe princ. chez certains peuples de Sibérie, de Mongolie et de l'Extrême-Nord américain.

chamarré, ée adj. **1.** Surchargé d'ornements. *Un costume chamarré.* ▷ Fig. *Un style chamarré.* **2.** Bariolé. *Un oiseau au plumage chamarré.*

chamarrer v. tr. [1] **1.** Garnir d'ornements très colorés. **2.** Litt. Parer, orner.

chamarrure n. f. (Le plus souvent au plur.) Ornement qui sert à colorer.

chambard n. m. Fam. **1.** Bouleversement. **2.** Vacarme accompagné de désordre. *Faire du chambard.*

chambardement n. m. Fam. Bouleversement. *Préparer un chambardement général.*

chambarder v. tr. [1] Fam. Apporter des modifications profondes à, bouleverser. *Il a chambardé toute sa chambre.*

chambellan [ʃɑ̃bɛllɑ̃] n. m. HIST Officier chargé du service de la chambre d'un souverain. *En France, le titre de Grand Chambellan, apparu au XIIIe s., disparut en 1870.*

chambérien, enne adj. et n. De Chambéry. – Subst. *Un(e) Chambérien(ne).*

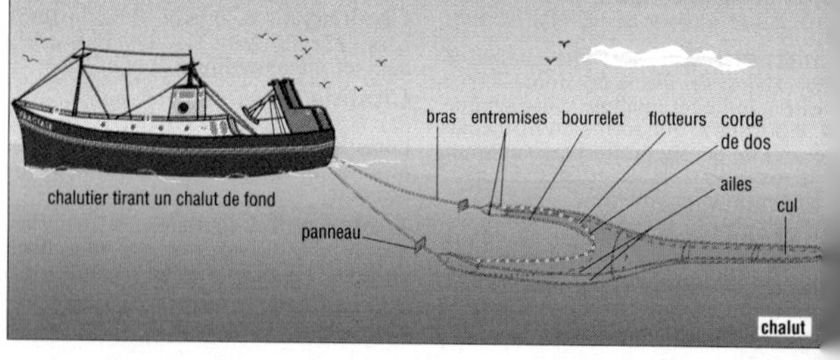

Chamberlain (Joseph) (Londres, 1836 - Birmingham, 1914), homme polit. brit. Un des chefs du parti libéral unioniste, il se fit le champion de l'impérialisme et du protectionnisme. – **Sir Joseph Austen** (Birmingham, 1863 - Londres, 1937), fils du préc., fut un des chefs du parti conservateur et ministre des Affaires étrangères (1924-1929). Son rôle dans la conclusion des *accords de Locarno* lui valut le P. Nobel de la paix 1925. – **Arthur Neville** (Edgbaston, Birmingham, 1869 - Heckfield, Berkshire, 1940), demi-frère du préc., fut Premier ministre de 1937 à 1940. Il mena une politique d'« apaisement » à l'égard de Hitler et signa les *accords de Munich* (sept. 1938). Les victoires allemandes en 1940 entraînèrent son retrait de la scène politique.

Chambers (Ephraïm) (Kendal, Westmoreland, v. 1680 - Islington, 1740), écrivain anglais, auteur d'un *Dictionnaire universel des arts et des sciences* (1728), dont Diderot, qui devait assurer la trad. française, s'inspira pour l'*Encyclopédie*.

Chambers (sir William) (Göteborg, 1723 - Londres, 1796), architecte néoclassique et paysagiste anglais (*Somerset House*, Londres, 1776-1786).

chambertin n. m. Vin rouge du vignoble de Gevrey-Chambertin, en Bourgogne.

Chambéry, ch.-l. du dép. de la Savoie, dans la *cluse de Chambéry,* entre les Bauges et la Grande-Chartreuse; 55 603 hab. (env. 103 300 hab. dans l'aggl.). I.A.A. Constr. méca. et métall. Industr. du verre et du bois. Tourisme. - La v. fut la cap. des comtes puis des ducs de Savoie de 1232 à 1562. Archevêché de Chambéry, Maurienne et Tarentaise. Cath. St-François-de-Sales (XVIe s.). Chât. des ducs de Savoie (XIVe et XVe s.).

Chambiges, famille d'architectes français des XVIe et XVIIe s. – **Martin** (Paris,? - Beauvais, 1532) est l'auteur des plans du transept des cath. de Sens et de Beauvais ainsi que de la façade de celle de Troyes. – **Pierre Ier** (Paris,? - id., 1544), fils du préc., travailla aux châteaux de Chantilly, de Fontainebleau et de Saint-Germain-en-Laye. - **Pierre II** (1544 - 1615), fils du préc., participa à la construction du Pont-Neuf et travailla au Louvre.

Chambon (barrage du), barrage des Alpes (Isère), sur la Romanche. Importante centrale hydroélectrique.

Chambon-Feugerolles (Le), ch.-l. de cant. de la Loire (arr. de Saint-Étienne); 16 142 hab. Métallurgie; constructions mécaniques.

Chambonnières (Jacques Champion de) (Paris ou Chambonnières-en-Brie, 1601 - Paris [?], 1672), claveciniste et compositeur français. Il est considéré comme le fondateur de l'école française du clavecin.

Chambon-sur-Lignon (Le), com. de la Haute-Loire (arr. d'Yssingeaux); [...]072 hab. Stat. clim. et touristique.

Chambord, com. de Loir-et-Cher (arr. de Blois); 214 hab. - Chât. construit à partir de 1519 sur ordre de François Ier et terminé en 1537 (projet initial attribué à Domenico Bernabei, dit le Boccador).

Chambord (Henri de Bourbon, duc de Bordeaux, comte de) (Paris, 1820 - Frohsdorf, Autriche, 1883), prince français, fils posth. du duc de Berry et petit-fils de Charles X. Après la mort de son grand-père (1836), il devint le prétendant légitimiste au trône sous le nom d'Henri V. Ses positions sur le drapeau tricolore lui en interdirent l'accès alors même que l'union des monarchistes, majoritaires à la Chambre des députés (1871-1873), était réalisée.

chamboulement n. m. Action de chambouler; son résultat.

chambouler v. tr. [1] Fam. Bouleverser.

chambranle n. m. Encadrement d'une porte, d'une fenêtre, d'une cheminée.

chambre n. f. **I. 1.** Pièce où l'on couche. *Chambre d'enfants. Chambre à coucher* (surtout en parlant de mobilier). *Chambre garnie, meublée,* qu'on loue garnie de meubles. ▷ *Garder la chambre* : rester chez soi à cause d'une maladie. ▷ *Valet, femme de chambre* : employés chargés du service de la maison, ainsi que du service particulier de leur employeur. ▷ *Musique de chambre,* écrite pour être jouée par peu de musiciens dans une petite salle. **2.** Loc. *En chambre* : chez soi. *Couturière en chambre,* qui travaille chez elle, à son compte. - Plaisant (En parlant d'une personne dont les aptitudes ne s'exercent pas hors de chez elle, qui prétend à des compétences qu'elle n'a pas.) *Diplomate, sportif en chambre.* **3.** Pièce spécialement aménagée pour un usage précis. *Chambre froide* : local réfrigéré où l'on entrepose des aliments périssables. - *Chambre forte,* blindée, pour entreposer de l'argent, des valeurs, des objets précieux. ▷ MAR *Chambre des cartes* : local, sur la passerelle d'un navire, où se trouvent les cartes nautiques et les instruments de navigation. - *Chambre des machines.* ▷ *Chambre à gaz* : pièce conçue pour l'exécution des condamnés à mort par des gaz toxiques. *Les chambres à gaz des camps de concentration nazis.* **II. 1.** Section d'une cour, d'un tribunal. *Chambre correctionnelle. Chambre d'accusation* : section de la cour d'appel qui intervient comme deuxième degré d'instruction en matière pénale. *Chambre des requêtes.* **2.** Assemblée parlementaire. *La Chambre des députés* : l'Assemblée nationale. *En Grande-Bretagne, le Parlement comprend la Chambre des communes, ou Chambre basse, et la Chambre des lords, ou Chambre haute.* **3.** Assemblée constituée. *Chambre de commerce* : assemblée qui représente les intérêts commerciaux et industriels d'une région auprès des pouvoirs publics. - *Chambre des métiers* : établissement public dont les membres, élus dans les mêmes conditions que les conseillers prud'hommes, sont chargés de représenter les intérêts des artisans auprès des pouvoirs publics. - *Chambre d'agriculture* : établissement public dont les membres représentent les intérêts des agriculteurs et veillent au développement, à l'équipement et à la formation dans les domaines de l'agriculture. **III. 1.** ARTILL Partie du canon d'une arme à feu où est mise la charge explosive. **2.** OPT *Chambre noire* : boîte dont une paroi est percée d'un trou de petit diamètre à l'opposé duquel se forme une image renversée des objets extérieurs. ▷ *Chambre claire* : appareil permettant de superposer deux vues, l'une directe, l'autre réfléchie. **3.** TECH *Chambre de combustion* : cavité d'un moteur dans laquelle un mélange combustible est injecté, et où s'effectue la combustion. **4.** *Chambre à air* : tube en caoutchouc, dans lequel on comprime de l'air et que l'on adapte à la jante des roues, à l'intérieur d'un pneumatique. **5.** ACOUST *Chambre sourde* : local traité de manière à offrir le minimum de réverbération aux ondes sonores. **6.** PHYS NUCL *Chambre d'ionisation* : appareil utilisé pour mesurer l'intensité d'un faisceau de rayons ionisants. - *Chambre à bulles* : enceinte à l'intérieur de laquelle on peut détecter les trajectoires des particules élémentaires. **7.** ANAT *Chambre de l'œil* : partie contenant l'humeur aqueuse, en avant du cristallin, et l'humeur vitrée, en arrière du cristallin. **8.** BOT *Chambre pollinique* : cavité servant à la fécondation des gymnospermes. **9.** GEOL *Chambre magmatique* : sorte de réservoir où se rassemble le magma en provenance du manteau.

façade du château de **Chambord,** première moitié du XVIe s.

Chambre ardente. V. ardent.

Chambre bleu horizon, la chambre des députés élue en 1919, nommée ainsi parce que le Bloc national (droite patriotique) avait remporté plus des deux tiers des sièges.

Chambre des communes ou **Chambre basse,** assemblée parlementaire britannique, élue au suffrage universel, qui exerce le pouvoir législatif.

Chambre des députés, une des deux assemblées formant le Parlement franç. sous la Restauration, la monarchie de Juillet et la IIIe Rép. Sous cette dernière, la Chambre des députés fut élue au suffrage universel (mais par les hommes seuls). Les Constitutions de 1946 (IVe Rép.) et de 1958 (Ve Rép.) firent d'elle l'*Assemblée nationale.*

Chambre des lords ou **Chambre haute,** assemblée parlementaire britannique, composée de pairs (héréditaires ou non), de hauts dignitaires de l'Église anglicane et de quelques hauts fonctionnaires. Son pouvoir législatif est très réduit. Elle peut jouer le rôle d'un tribunal supérieur d'appel.

chambrée n. f. Ensemble des occupants d'une même chambre, partic. dans une caserne. *Camarade de chambrée.* ▷ Cette pièce elle-même. *Balayer la chambrée.*

chambrer v. tr. [1] **1.** Fam. *Chambrer qqn,* se moquer de lui. **2.** Mettre du vin à la température de la pièce où il sera bu.

chambrette n. f. Petite chambre.

chameau, eaux n. m. (et adj.) **1.** Mammifère ruminant (fam. camélidés) à une ou deux bosses dorsales graisseuses qui constituent des réserves énergétiques. (*Camelus ferus,* le chameau à deux bosses, est typiquement asiatique. *Camelus dromedarius.* V. dromadaire.) *Chameau qui blatère,* qui pousse son cri, *qui baraque,* qui se couche sur le ventre en fléchissant les membres antérieurs. **2.** Fig., fam. Personne méchante, d'humeur désagréable. ▷

chameau de Bactriane

adj. (inv. en genre) *Ce qu'elle est chameau !*

chamelier n. m. Celui qui est chargé de conduire et de soigner les chameaux.

chamelle n. f. Femelle du chameau.

chamérops. V. chamærops.

Chamfort (Sébastien Roch Nicolas, dit de) (près de Clermont-Ferrand, 1740 – Paris, 1794), écrivain français. Il se fit, dans ses essais (*Maximes, pensées, caractères et anecdotes*, son chef-d'œuvre, posth., 1795) et ses pièces, le critique de la comédie sociale. Arrêté sous la Terreur, il se suicida. Acad. fr. (1781).

Chamillart (Michel de) (Paris, 1652 – id., 1721), homme politique français; contrôleur général des Finances (1699), secrétaire d'État à la Guerre de 1701 à 1709. Acad. fr. (1702).

Chamisso (Louis Charles Adélaïde Chamisso de Boncourt, dit Adelbert von) (chât. de Boncourt, Champagne, 1781 – Berlin, 1838), écrivain et naturaliste allemand d'origine française. Il est l'auteur de poésies (*Amour et vie de femme*, 1833) ainsi que de *la Merveilleuse Histoire de Peter Schlemihl* (1814), récit fantastique de l'homme qui a perdu son ombre.

Chamites. V. Hamites.

chamito-sémitique adj. LING *Famille chamito-sémitique* : famille de langues comprenant l'hébreu, l'arabe, le berbère, l'anc. égyptien, l'amharique et le groupe couchitique. *Les langues chamito-sémitiques.*

chamois n. m. (et adj. inv.) **I. 1.** Mammifère ruminant des montagnes d'Europe (*Rupicapra*, fam. bovidés, sous-fam. caprinés), à cornes recourbées en crochet vers l'arrière, à robe gris-beige (en été) ou noire (en hiver), blanche sur le front et la gorge. *Le chamois, haut de 0,70 m au garrot, vit dans les Alpes et dans les Pyrénées (où on le nomme* isard*) entre 2 000 et 3 000 m d'altitude.* **2.** Peau préparée du chamois. ▷ *Peau de chamois* : cuir de chamois, ou peau de mouton traitée par chamoisage. **3.** adj. inv. *Étoffe chamois*, d'un jaune clair légèrement ocré. **II.** Épreuve, test de niveau à ski (slalom spécial). *Chamois d'or, d'argent, de bronze.*

chamoisage n. m. Traitement de certaines peaux qui donne un cuir lavable, souple et velouté comme le cuir de chamois.

chamoiser v. tr. [1] Préparer (une peau) par chamoisage. *Cuir chamoisé.*

chamoniard, arde adj. et n. De Chamonix; de la vallée de Chamonix. – Subst. *Un(e) Chamoniard(e).*

Chamonix-Mont-Blanc, ch.-l. de cant. de la Haute-Savoie (arr. de Bonneville), sur l'Arve, au pied du mont Blanc; 10 062 hab. Célèbre stat. d'alpinisme et de sports d'hiver (alt. 1 050 m; ski jusqu'à 3 842 m).

chamotte n. f. TECH Argile cuite utilisée comme dégraissant en céramique et comme joint des matériaux réfractaires.

Chamoun (Camille) (Deir el-Kamar, 1900 – Beyrouth, 1987), homme politique libanais. Président de la République de 1952 à 1958, il fit appel à l'armée américaine lors de la crise de juillet 1958. Un des chefs de file du camp chrétien durant la guerre civile.

Chamousset (Claude Piarron de) (Paris, 1717 – id., 1773), philanthrope français; créateur des sociétés de secours mutuels et d'un service de distribution de lettres à Paris.

champ n. m. **I. 1.** Étendue, pièce de terre cultivable. *Labourer un champ. Un champ de maïs.* **2.** (Plur.) Campagne, terres cultivées. *Les fleurs des champs.* – *À travers champs* : sans prendre les chemins. – *Prendre la clef des champs* : s'enfuir. **3.** Terrain. *Champ de bataille. Tomber au champ d'honneur* : être tué à la guerre. *Champ de manœuvres. Champ de foire, de courses.* **4.** Lice où avaient lieu les duels judiciaires, les tournois. – Loc. fig. *Laisser le champ libre* : se retirer d'un lieu; laisser quelqu'un libre d'agir à sa guise. **5.** HERALD Fond de l'écu. **II.** Fig. **1.** Domaine. *Un vaste champ d'action. Le champ d'une science. Champ d'application de l'impôt.* – *Donner libre champ à son imagination, à sa colère*, les laisser se manifester librement, sans restriction. **2.** Loc. adv. *Sur-le-champ* : sur l'heure même, sans délai. *À tout bout de champ* : à chaque instant, à tout propos. **III. 1.** OPT *Champ d'un instrument d'optique* : portion de l'espace vue à travers l'instrument. – CINE *Ce figurant n'est plus dans le champ.* ▷ *Champ visuel* : toute l'étendue embrassée par l'œil immobile. **2.** CHIR *Champ opératoire* : zone cutanée intéressée par l'incision opératoire; *par ext.* chacun des linges qui délimitent cette zone. **3.** PHYS Portion de l'espace où s'exerce une action, où se manifeste un phénomène. *Champ de forces, champ acoustique.* **4.** INFORM Rubrique. **5.** MATH *Champ de vecteurs* : ensemble de vecteurs dont les composantes sont des fonctions des coordonnées des points auxquels ces vecteurs sont associés.

Champa ou **Tchampa,** royaume des Chams (IIe-IXe s.), situé au centre du Viêt-nam actuel (vers Huê), en lutte pendant un millénaire avec les Khmers et les Vietnamiens, qui le réduisirent puis l'absorbèrent. De nombreux mon. (tours et temples en brique) témoignent de l'influence hindoue.

1. champagne n. f. **1.** GEOL Plaine calcaire, nue et sèche, ou terre dont la couche végétale repose sur un tuf crayeux. **2.** HERALD Pièce qui occupe le tiers inférieur de l'écu.

2. champagne n. m. Vin blanc (quelquefois rosé) effervescent, élaboré à partir de raisin produit dans la zone d'appellation champagne, en Champagne.

Champagne, anc. prov. française, correspondant aux dép. de la Marne, de la Haute-Marne, de l'Aube, et en partie à ceux des Ardennes, de l'Yonne et de Seine-et-Marne; cap. *Troyes.* (V. Rég. Champagne-Ardenne.)
Hist. – Siège d'une brillante civilisation néolithique, la Champagne fut conquise par Rome sur un peuple de la Gaule (les Rèmes). Reims, devenue capitale régionale, connut un vif développement que maintinrent par la suite ses archevêques, princ. possesseurs de fiefs d'une région souvent morcelée aux temps mérovingien et carolingien. À partir du Xe s., les seigneurs de Troyes regroupèrent les territ. formant la prov. de Champagne (laquelle resta toutefois sans grande cohésion géogr.). Du XIIe au XIVe s., l'importance écon. de la rég. fut considérable en raison du développement des foires dites « de Champagne » (Troyes, Lagny, Provins, Bar-sur-Aube), centres d'un trafic européen. Le comté, incorporé à la France dès 1284 par le mariage de Jeanne de Champagne avec Philippe le Bel, fut définitivement réuni à la Couronne en 1361. Jusqu'au XIXe s. la Champagne est restée une région importante par sa production text. et métall. Ses vignobles se sont développés à partir du XVIIIe s.

Champagne (Philippe de). V. Champaigne.

Champagne-Ardenne, Région admin. française et rég. de la C.E., formée des dép. des Ardennes, de l'Aube, de la Marne et de la Haute-Marne; 25 064 km²; 1 388 402 hab.; cap. *Châlons-en-Champagne.*
Géogr. phys. et hum. – Sans unité physique, sinon celle d'un climat à nuance continentale (étés ensoleillés mais hivers rudes sur les hauteurs), la Région présente une grande variété de milieux naturels. Au N., le vieux massif ardennais est un plateau forestier entaillé par la Meuse; au centre, la Champagne crayeuse sèche (dite autrefois pouilleuse, car pauvre) est auj. une région d'openfield, qui fait place, à l'O., aux plateaux limoneux de la Brie et du Tardenois que borde la côte d'Île-de-France et son prestigieux vignoble champenois. Au S., s'étendent la Champagne humide, argileuse et herbagère, la dépression de Bassigny et le plateau de Langres, véritable château d'eau naturel pour les bassins de la Seine, de la Meuse et de la Saône; à l'E. s'élèvent les hauteurs boisées de l'Argonne et du Barrois. Les densités sont modestes (53 hab./km²); le peuplement et les villes se concentrent dans les vallées. Après avoir sensiblement augmenté jusqu'aux années 80, la pop. régionale s'est stabilisée, mais la Région enregistre un déficit migratoire touchant tous les départements.
Écon. – Secteur puissant et exportateur (3e rang français), l'agriculture reste un fondement de l'économie régionale. Ses deux piliers sont le[s] grandes cultures (céréales, betterave[s], oléagineux et fourrage) et le vin d[e] Champagne. Ce vignoble, qui a doubl[é] sa superficie depuis 1950 fournit 25 [%] de la valeur de la prod. agricole régi[o]nale. Élevage bovin et sylvicultur[e] dominent dans les périphéries du N., d[e] l'E. et du S. Ces productions ont perm[is] le développement d'une puissant[e] filière agroalim. La tradition indu[s]trielle régionale est très ancienne [:] fonderie et travail des métaux dan[s] les Ardennes, textile et bonneterie d[e] l'Aube (Troyes), métallurgie du Bass[i]gny (coutellerie de Nogent), mais ce[s] activités ont été durement touchées pa[r] la crise des années 70-80 qui a entraîn[é] un important chômage. D'autre[s] branches se sont développées, du fa[it] de la déconcentration des activités pa[ri]siennes et de l'investissement étranger[:] chimie, constructions méca. et éle[c]triques, matériel agricole; de plus, [la] Région est devenue une grande pr[o]ductrice d'électricité avec les central

nucléaires de Chooz et Nogent-sur-Seine. Bien située par rapport aux grands flux d'échanges de la C.É.E., dotée de bonnes infrastructures et de réserves d'espace, la Champagne-Ardenne peut valoriser sa position dans le Grand Marché européen.

champagnisation n. f. Procédé de préparation du champagne.

champagniser v. tr. [1] **1.** TECH Induire, par adjonction de sucre de canne et de levures sélectionnées, la seconde fermentation, en bouteille, d'un vin blanc d'appellation champagne. **2.** Cour. Rendre (un vin) mousseux. – Pp. *Les vins champagnisés de Californie n'ont pas droit à l'appellation de « champagne ».*

Champagnole, ch.-l. de cant. du Jura (arr. de Lons-le-Saunier), sur l'Ain ; 9 714 hab. Métall. (aciéries, tréfileries), mat. de constr., meubles.

Champagny (Jean-Baptiste de Nompère de), duc de Cadore (Roanne, 1756 – Paris, 1834), diplomate français. Il succéda à Talleyrand au ministère des Relations extérieures (1807-1811).

Champaigne ou **Champagne** (Philippe de) (Bruxelles, 1602 – Paris, 1674), peintre français d'origine flamande ; maître du portrait classique (*Richelieu*, 1640 ; *Ex-voto*, 1662, Louvre).

Champaubert, com. de la Marne (arr. d'Épernay) ; 112 hab. – Victoire de Napoléon Ier sur les Russes et les Prussiens (10 février 1814).

Champ-de-Mars, jardins de Paris situés entre la façade N. de l'École militaire et la tour Eiffel. Cet espace fut utilisé d'abord comme champ de manœuvres, puis pour y célébrer les fêtes de la Révolution (*fête de la Fédération*, le 14 juillet 1790, notam.), enfin pour les Expositions universelles de 1867, 1878, 1889, 1900 et 1937.

Champdivers (Odette ou Odinette de), dite la Petite Reine (m. v. 1425), dame d'honneur puis maîtresse de Charles VI, dont elle eut une fille.

Champeaux (Guillaume de). V. Guillaume de Champeaux.

champenois, oise adj. et n. De la Champagne. ▷ Subst. Habitant ou personne originaire de la Champagne. *Un(e) Champenois(e).* ▷ n. f. Bouteille épaisse, propre à contenir du champagne, du vin mousseux.

champêtre adj. **1.** Litt. Qui appartient aux champs. *Divinités champêtres,* qui présidaient aux travaux de la terre. **2.** Propre à la campagne. *Plaisirs champêtres.* – *Garde champêtre :* agent chargé de la police dans une commune rurale.

Champfleury (Jules Husson, dit Fleury, puis) (Laon, 1821 – Sèvres, 1889), écrivain et critique d'art français. Romancier réaliste (*Chien-Caillou*, 1847 ; *les Aventures de Melle Mariette*, 1853), il se fit aussi le défenseur de l'art populaire.

champi ou **champis, is(s)e** [ʃɑ̃pi, is] n. et adj. Vx Enfant trouvé dans les champs. *François le Champi,* roman de George Sand (1849).

Champigneulles, com. de Meurthe-et-Moselle (arr. de Nancy) ; 7 692 hab. Brasserie.

champignon n. m. **1.** Cour. Végétal sans chlorophylle, au pied généralement surmonté d'un chapeau, qui pousse dans les lieux humides. *Ramasser des champignons. Champignon de couche :* agaric (*Agaricus bisporus*), cultivé dans une champignonnière. *Champignon noir :* V. oreille (oreille-de-Judas). ▷ Loc. fig. *Pousser comme un champignon :* grandir très rapidement. – (En appos.) *Ville champignon.* ▷ BOT Végétal dont le corps est un thalle, sans chlorophylle. **2.** Ce qui rappelle la forme du champignon. *Poser son chapeau sur un champignon,* sur une patère. – Fam. Pédale de l'accélérateur d'une automobile. *Appuyer sur le champignon.* – *Champignon atomique :* nuage lumineux qui accompagne une explosion nucléaire.

ENCYCL Les champignons sont classés d'après leurs modes de reproduction, extrêmement complexes. Les *champignons supérieurs* ne possèdent jamais de cellules flagellées. Les *champignons inférieurs* présentent des affinités avec le règne animal. L'association d'une algue et d'un champignon donne un lichen. Tous les milieux contenant des matières organiques ont été conquis par les champignons, dont l'appareil végétatif varie de quelques cellules isolées (levures) au carpophore des basidiomycètes, en passant par le mycélium des moisissures. Le parasitisme est très développé dans certains groupes (phycomycètes), agents des *mycoses* animales et humaines, et des *maladies fongiques,* ou *cryptogamiques,* des végétaux. Les espèces comestibles sont toutes des champignons supérieurs ; quelques zygomycètes sont cultivés pour leurs sécrétions d'antibiotiques.

▸ pl. page **327**

champignonnière n. f. Lieu, le plus souvent souterrain (cave, carrière), où l'on cultive les champignons de couche. – *Par ext.* Couche de terreau ou de fumier préparée pour cette culture.

Champigny-sur-Marne, ch.-l. de cant. du Val-de-Marne (arr. de Nogent-sur-Marne), dans la banlieue E. de Paris ; 79 778 hab. (*Campinois*). Industr. alim., électr., etc. – Bataille entre Français et Allemands pendant le siège de Paris (30 nov. et 2 déc. 1870).

champion, onne n. **1.** n. m. Anc. Celui qui combattait en champ clos pour défendre une cause. **2.** Défenseur d'une cause. *Se poser en champion des droits de l'Homme.* **3.** Vainqueur d'une compétition sportive. *Un champion du monde d'escrime.* – En appos. *Une équipe championne du monde.* – *Par ext.* Sportif de grande valeur. *Une championne de gymnastique.* **4.** Fig., fam. Personne exceptionnelle. *C'est un vrai champion !* ▷ adj. inv. *À la pétanque, elle est champion !*

championnat n. m. Épreuve sportive organisée pour décerner un titre au meilleur dans une spécialité. *Le championnat du monde de boxe.*

Championnet (Jean Étienne Vachier, dit) (Valence, 1762 – Antibes, 1800), général français. Commandant de l'armée de Rome, il prit Naples et y proclama la république Parthénopéenne (1798).

champis, isse. V. champi.

Champlain (lac), lac situé aux frontières du Canada (Québec) et des É.-U., et communiquant, grâce à des canaux, avec l'Hudson et le lac Érié. Tourisme. – Découvert par Champlain en 1609.

Champlain (Samuel de) (Brouage, v. 1567 – Québec, 1635), explorateur et colonisateur français du Canada. De 1603 à sa mort, il explora la région du Saint-Laurent et des Grands Lacs et y fonda des colonies. Lieutenant du vice-roi de la Nouvelle-France à partir de 1612, il devint lieutenant-gouverneur en 1619.

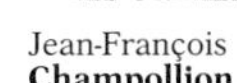

Samuel de **Champlain** — Jean-François **Champollion**

champlever [ʃɑ̃l(ə)ve] v. tr. [**16**] Pratiquer des alvéoles dans une plaque de métal pour y dessiner des figures ou y incruster des émaux. *Émail champlevé.*

Champmeslé (Marie Desmares, dite la) (Rouen, 1642 – Auteuil, 1698), actrice française. Elle interpréta notam. des pièces de Racine, dont elle fut la maîtresse.

Champmol (chartreuse de), monastère situé à proximité de Dijon, fondé en 1383 par Philippe le Hardi, détruit en 1793 (sauf le portail de l'anc. chap. et le *Puits de Moïse,* dus à Claus Sluter). Les nouveaux bâtiments (hôpital psychiat.) datent de 1843.

Champollion (Jean-François), dit le Jeune (Figeac, 1790 – Paris, 1832), égyptologue français. Ayant étudié la pierre de Rosette (196 av. J.-C.), qui célèbre Ptolémée V en égyptien et en grec, il put, le premier, déterminer l'existence et la correspondance entre eux de trois systèmes d'écriture (hiéroglyphique, hiératique, démotique), base pour le déchiffrement de la langue des anc. Égyptiens (*Précis du système hiéroglyphique,* 1824).

Champsaur, rég. des Hautes-Alpes drainée par le Drac (cours supérieur).

Champs-sur-Marne, ch.-l. de cant. de Seine-et-Marne (arr. de Meaux) ; 21 762 hab. – Chât. (XVIIIe s.) construit par J.-B. Bullet, où résida Mme de Pompadour. C'est auj. une des résidences des présidents de la République.

Chamrousse, stat. de sports d'hiver de l'Isère (alt. 1 620 m), sur la commune de Saint-Martin-d'Uriage. École nationale de ski.

Chamson (André) (Nîmes, 1900 – Paris, 1983), écrivain français. Il célébra dans ses romans la geste cévenole (*Roux le Bandit,* 1925 ; *le Crime des justes,* 1928 ; *la Superbe,* 1967). Il fut directeur général des Archives de France (1959-1971). Acad. fr. (1956).

chan ou **tch'an** [tʃan] n. m. RELIG Secte bouddhique dont la doctrine fut introduite en Chine au VIe s. par Bodhidharma, moine indien de l'école contemporaine du *dhyana,* état caractérisé par un effort pour obtenir une concentration qui mène à la connaissance de l'absolu. – Doctrine de cette secte. *Le chan pénétra à la fin du XIIe s. au Japon, où il se répandit sous le nom de zen.*

Chan(s). V. Shan(s).

chance n. f. **1.** Éventualité heureuse ou malheureuse. *Courir une chance. Souhaiter bonne chance.* **2.** (Plur.) Probabilités, possibilités. *Il y a peu de chances pour qu'il accepte. Calculer ses chances de succès.* **3.** Hasard heureux. *Quelle chance !*

Chancelade, com. de la Dordogne (arr. de Périgueux); 3 740 hab. – Égl. XIIe-XVIe s. d'une anc. abb. – Station préhistorique; les restes fossiles de l'*homme de Chancelade*, découverts en 1888, appartiennent à un type humain de la fin du magdalénien.

chancelant, ante adj. **1.** Qui chancelle, vacille. *Une passerelle chancelante.* **2.** Fig. Faible, ébranlé. *Santé chancelante. Courage chancelant.*

chanceler v. intr. [**19**] **1.** Être peu ferme sur ses pieds, sur sa base; osciller, perdre l'équilibre. *Chanceler comme un homme ivre.* **2.** Fig. Être menacé de chute, de ruine. *Un régime qui chancelle.* **3.** Fig. Hésiter. *Chanceler dans sa foi.*

chancelier n. m. **1.** HIST *Chancelier de France* : grand officier de la Couronne à qui était confiée la garde des sceaux. **2.** Titre de plusieurs grands dignitaires et de certains fonctionnaires dépositaires de sceaux. *Le grand chancelier de l'ordre de la Légion d'honneur. Un chancelier d'ambassade.* ▷ Premier ministre, en Allemagne et en Autriche. ▷ *Le chancelier de l'Échiquier* : le ministre des Finances, en G.-B.

chancelière n. f. **1.** Anc. Petit sac garni intérieurement de fourrure pour tenir les pieds au chaud. **2.** Épouse d'un chancelier.

chancellerie n. f. **1.** Bureaux, services d'un chancelier. *La grande chancellerie royale scellait les édits du grand sceau.* **2.** Administration centrale du ministère de la Justice. **3.** Services d'une ambassade. *Des intrigues de chancellerie.* **4.** *Grande chancellerie,* chargée de l'administration de l'ordre de la Légion d'honneur. **5.** *Chancellerie apostolique,* qui expédie les documents pontificaux solennels.

Chancellor (Richard) (m. en 1556), navigateur anglais. Il explora la mer Blanche et établit des relations commerciales entre l'Angleterre et la Russie.

chanceux, euse adj. Que la chance favorise.

chancre n. m. **1.** Ulcération qui marque le début de certaines infections (maladies vénériennes, maladies infectieuses). *Chancre syphilitique, lépreux. Chancre mou* : chancrelle. **2.** ARBOR Maladie des arbres, provoquée par un champignon, qui détruit l'écorce et réduit le bois en pourriture. Syn. ulcère. **3.** Fig. Ce qui dévore, détruit, dévaste. *La corruption est un chancre qui ruine toute société.* – *Par ext.* Loc. fig., fam. *Manger comme un chancre* : dévorer.

chancrelle n. f. MED Lésion locale due au bacille de Ducrey, à bords taillés à pic, à fond suppurant, s'accompagnant d'une adénopathie inflammatoire. Syn. Chancre mou.

chandail n. m. Gros tricot de laine.

Chandannagar. V. Chandernagor.

Chandeleur n. f. RELIG CATHOL Fête de la présentation de Jésus au Temple et de la purification de la Vierge, célébrée le 2 février.

chandelier n. m. **1.** Support pour une bougie, un cierge, une chandelle. *Chandelier en argent, en cristal. Chandelier à sept branches* : chandelier traditionnel du culte juif. **2.** MAR Support de rambarde.

chandelle n. f. **1.** Anc. Petit cylindre de suif muni d'une mèche, qui servait à l'éclairage. ▷ Mod. Bougie. *Un dîner aux chandelles.* **2.** Loc. fig. *Devoir une fière chandelle à qqn,* lui être redevable d'un grand service (par allus. au cierge que l'on fait brûler à l'église en signe de reconnaissance). – *Des économies de bouts de chandelles,* mesquines et inefficaces. – *Brûler la chandelle par les deux bouts* : faire des dépenses exagérées; abuser de sa santé. – *Le jeu n'en vaut pas la chandelle* : le but ne justifie pas la peine, le risque. – *Voir trente-six chandelles* : éprouver un éblouissement, par l'effet d'un coup, d'une chute. – Fam. *Tenir la chandelle* : favoriser, en tiers complaisant, une intrigue galante. **3.** CONSTR Étai vertical. **4.** AVIAT *Monter en chandelle,* presque verticalement. **5.** SPORT *Faire une chandelle* : envoyer la balle à la verticale.

Chandernagor ou **Chandannagar,** v. de l'Inde (Bengale-Occidental), sur l'Hooghly; 101 930 hab. Text. (jute). – Comptoir franç. de 1686 à 1951.

Chandigarh, v. de l'Inde, cap. de l'État du Pendjab (et, jusqu'en 1985, de l'Haryana). Depuis 1966, elle forme un territ. auton.; 640 720 hab. – Construite entre 1951 et 1957 selon le plan directeur de Le Corbusier.

Chandler (Raymond Thornton) (Laramie, Wyoming, 1888 – La Tolla, Californie, 1959), maître du roman policier « noir » américain : *le Grand Sommeil* (1939), *Adieu, ma jolie* (1940), *la Dame du lac* (1943).

Chandos (sir John) (m. à Mortemer, Poitou, 1370), grand capitaine anglais de la guerre de Cent Ans, connétable de Guyenne (1362) et sénéchal de Poitou (1369). Il fut mortellement blessé à Lussac-les-Châteaux.

Chandragupta ou **Candragupta** (v. 320 – 296 av. J.-C.), roi de l'Inde; fondateur de la dynastie Maurya. Il se battit contre Séleucos Ier Nikatôr. Deux autres rois de l'Inde portèrent ce nom : – **Chandragupta Ier** (v. 320 apr. J.-C.), fondateur de la dynastie Gupta. – **Chandragupta II,** roi de 375 (?) à 414, période de l'apogée de l'empire Gupta.

Chandrasekhar (Subrahmanyan) (Lahore, 1910 – Chicago, 1995), astrophysicien américain d'origine indienne. Il est connu pour ses travaux sur les étoiles denses, les naines blanches, dont il établit que la masse ne pouvait excéder 1,4 fois celle du Soleil. P. Nobel 1983.

Chanel (Gabrielle Bonheur, dite Coco) (Saumur, 1883 – Paris, 1971), couturière française. Elle fonda en 1914 une maison de couture, qui fut fermée en 1939 et qu'elle rouvrit en 1954, et a promu une élégance sobre et pratique. Elle fut aussi mécène et créatrice de parfums et de bijoux.
▸ illustr. page **330**

1. chanfrein n. m. Partie de la tête du cheval et de certains mammifères comprise entre les sourcils et le naseau.

2. chanfrein n. m. TECH Surface obtenue en abattant l'arête d'une pièce.

Chang. V. Shang.

Changarnier (Nicolas) (Autun, 1793 – Paris, 1877), général et homme politique français. Il se distingua en Algérie, dont il fut nommé gouverneur en 1848. Député royaliste en 1871, il contribua à la chute de Thiers.

Changchun, v. de la Chine du N.-E., ch.-l. du Jilin; 1 747 410 hab. (aggl. urb. 5 705 230 hab.). Nœud ferroviaire. Grand centre de constr. automobile.

change n. m. **1.** Action de changer, d'échanger; troc. *Perdre au change.* **2.** Conversion d'une monnaie, d'une valeur en une autre. *Marché des changes. Cours du change* : rapport des valeurs de monnaies différentes. *Contrôle des changes,* par lequel l'État équilibre offre et demande de devises. – FIN *Risque de change,* encouru par les entreprises importatrices et exportatrices du fait des fluctuations du cours du change. *Couverture de change* : protection contre le risque de change par des opérations d'achat ou de vente de devises. ▷ Par ext. *Change* : cours du change. ▷ *Agent de change.* V. agent 2. ▷ *Lettre de change* : écrit par lequel un souscripteur (le *tireur*) enjoint à une autre personne (le *tiré*), dont il est créancier, de payer à une époque précise une somme qui lui est due, à l'ordre de telle personne dénommée (le *bénéficiaire*). **3.** VEN *La bête donne le change,* fait lever une autre bête dont les chiens suivent la voie. *Chiens qui prennent le change.* – Fig. *Donner le change à qqn,* le tromper en lui faisant prendre une chose pour une autre. *Prendre le change* : se laisser abuser.

changeant, ante adj. **1.** Variable, inconstant, qui change facilement. *Son humeur est changeante.* **2.** Chatoyant. *Une étoffe aux reflets changeants.*

changement n. m. **I. 1.** Fait de changer, de passer d'un état à un autre. Syn. modification, mutation, transformation, variation. Ant. invariabilité, stabilité. ▷ Transformation de ce qui change ou est changé. *Un changement radical. Aimer le changement.* **2.** THEAT *Changement à vue* : changement de décor opéré sans que le rideau soit baissé; fig. changement brusque. **II. 1.** MATH *Changement d'axes* : passage d'un système de coordonnées à un autre. **2.** PHYS *Changement d'état* : passage d'un corps d'un état physique à un autre. *La fusion et la solidification sont des changements d'état.*

changer v. [**13**] **I.** v. tr. **1.** Céder en échange (une chose pour une autre). – *Spécial.* Convertir. *Changer des francs en dollars. Changer des francs pour des livres sterling.* **2.** Renouveler, remplacer (qqch, qqn). *Changer la décoration d'une pièce.* ▷ *Changer un bébé,* changer ses couches. **3.** Rendre différent. *Changer ses plans. Changer le sens d'un discours. Son mariage l'a changé.* – Fam. *Changer les idées* : distraire. *Allons au cinéma, cela nous changera les idées.* **4.** *Changer (qqch) en...* : transformer en... *Son attitude a changé mes soupçons en certitude.* **II.** v. tr. indir. *Changer de.* **1.** Quitter un lieu pour un autre. *Changer de place. Changer d'air* : partir. **2.** Quitter une (des) chose(s) pour une (d')autre(s). *Changer de chaussures. Il change d'avis très souvent.* **3.** Quitter une (des) personne(s) pour une (d')autre(s). *Changer de partenaire.* **III.** v. intr. Évoluer, se modifier. *Le temps est en train de changer. Il vieillit sans changer.* – Par antiphrase. Iron. *Pour changer* : comme toujours. **IV.** v. pron. **1.** Se transformer. *La chenille se change en papillon.* **2.** Changer de vêtements. *Change-toi pour sortir.*

changeur n. m. **1.** Personne dont le métier est d'effectuer des opérations de change. **2.** Appareil qui, contre des pièces de monnaie, des billets de banque, fournit la même somme en pièces de valeur inférieure. **3.** TECH Dispositif de changement. *Changeur automatique.*

Chang-hai. V. Shanghai.

Changhua, v. de Taiwan, à l'O. de l'île; 201 100 hab.; ch.-l. du comté du m. nom.

les champignons mortels

Amanite phalloïde

Amanite vireuse

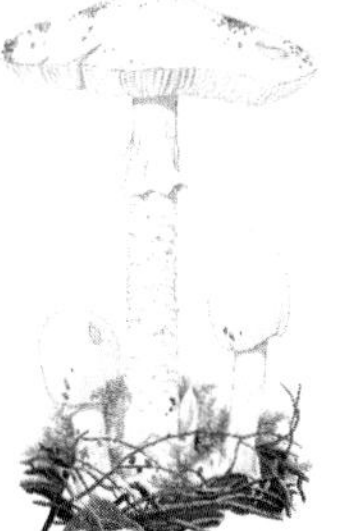

Amanite printanière

Cortinaire des montagnes

Lépiote brune

les meilleurs champignons

Agaric champêtre (rosé-des-prés)

Amanite des césars (oronge vraie)

Bolet bai

Bolet tête de nègre

Cèpe de Bordeaux

Girolle (chanterelle commune)

Hydne sinué (pied-de-mouton)

Lactaire délicieux

Lépiote élevée (coulemelle)

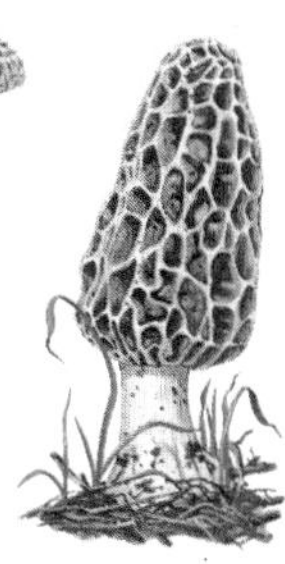

Morille

Pied bleu (tricholome nu)

Russule verdoyante

Tricholome de la Saint -Georges

Trompette-de-la-mort (craterelle)

Truffe du Périgord

Changjiang. V. Yangzijiang.

Chang Kaï-chek. V. Tchang Kaï-chek.

Changsha, v. de la Chine centrale, cap. du Hunan; 1 066 030 hab. (aggl. urb. 2 459 920 hab.). Centre commercial (riz) et industriel (métallurgie, constr. mécaniques, etc.).

Changzhou, v. de Chine (Jiangsu); 533 940 hab. Centre industriel (métall., text., etc.).

Channel (the), nom anglais (en franç. « le canal ») de la Manche.

Channing (William Ellery) (Newport, Rhode Island, 1780 - Bennington, Vermont, 1842), pasteur et théologien américain; théoricien de l'unitarisme. Il fut un partisan déclaré de l'abolition de l'esclavage.

chanoine n. m. **1.** Dignitaire ecclésiastique faisant partie d'un chapitre. **2.** Religieux, dans certaines congrégations. - Loc. fig., fam. *Avoir une mine de chanoine,* prospère et épanouie.

chanoinesse n. f. **1.** Anc. Religieuse qui possédait une prébende dans un chapitre de femmes. **2.** Religieuse, dans certaines congrégations.

chanson n. f. **1.** Petite composition chantée; texte mis en musique, divisé en strophes ou couplets, avec ou sans refrain. *Les paroles d'une chanson. Chanson à boire, chanson d'amour, chanson de corps de garde.* - Loc. fig. *L'air ne fait pas la chanson :* les apparences sont souvent trompeuses. *En France, tout finit par des chansons,* allusion à la légèreté prêtée aux Français (par Brid'oison dans *le Mariage de Figaro,* de Beaumarchais). ▷ Musique (d'une chanson). *Siffler une chanson.* ▷ Texte (d'une chanson). *Il écrit des chansons.* **2.** *Par ext.* Chant. *La chanson du rossignol.* - Bruit plaisant, murmure. *La chanson du ruisseau.* **3.** Fig., fam. Propos futiles, sornettes. *Chansons que tout cela! Chanter toujours la même chanson :* radoter. *Vous connaissez la chanson :* inutile de vous préciser ces propos. **4.** LITTER Au Moyen Âge : poème épique divisé en laisses. *La Chanson de Roland.* - *Chanson de geste :* V. geste 2.

chansonnette n. f. Petite chanson légère ou frivole.

chansonnier, ère n. **1.** n. m. LITTER Recueil de chansons. **2.** Vieilli Auteur, compositeur de chansons. **3.** Mod. Auteur, compositeur, interprète de sketches ou de chansons satiriques d'actualité.

1. chant n. m. **1.** Succession de sons musicaux produits par l'appareil vocal; musique vocale. *Un chant harmonieux. Apprendre le chant avec un professeur.* ▷ *Chant grégorien*. Chant choral. Chant des partisans :* V. Druon. **2.** Composition musicale destinée à être chantée. *Chants profanes, chants sacrés.* ▷ Partie mélodique d'une composition vocale ou instrumentale. *Le chant et le contre-chant*.* **3.** *Par anal.* Ramage des oiseaux. *Le chant du rossignol.* ▷ Par ext. *Le chant des cigales.* **4.** Poésie destinée à être chantée. *Chant nuptial, funèbre.* - *Chant royal :* poème allégorique imaginé sous Charles V, qui avait cinq stances et un envoi, tous terminés par un refrain identique. **5.** Chacune des divisions d'un poème épique ou didactique. *Épopée en douze chants.* **6.** Plur. POET *Les chants :* la poésie, les poèmes. *« Les Chants du crépuscule », recueil de poèmes de Victor Hugo.*

2. chant n. m. TECH Partie la plus étroite d'une pièce, par oppos. aux parties plus longues ou plus larges. *Poser des briques sur chant,* horizontalement, sur la face la plus étroite.

chantage n. m. **1.** Manière d'extorquer de l'argent à qqn en le menaçant de représailles, de révélations scandaleuses. *Être victime d'un chantage. Le chantage est un délit puni par la loi.* **2.** *Par ext.* Pression morale exercée sur qqn. *Elle lui fait du chantage au suicide.*

Chantal (Jeanne-Françoise Frémyot, baronne de). V. Jeanne-Françoise Frémyot de Chantal (sainte).

chantant, ante adj. **1.** Qui chante. **2.** Qui se chante aisément. **3.** Mélodieux. *Parler avec des intonations chantantes.*

chantefable n. f. LITTER Récit médiéval comportant des parties récitées (fable), d'autres chantées.

Chantemesse (André) (Le Puy, 1851 - Paris, 1919), bactériologiste français. Il mit au point, avec F. Widal, la vaccination contre la fièvre typhoïde (1889).

chanter v. [1] **I.** v. intr. **1.** Former avec la voix une suite de sons musicaux. *Chanter juste, faux. Chanter en chœur.* **2.** Produire des sons harmonieux (en parlant des oiseaux, de certains insectes, etc.). *Le rossignol chante.* - Par anal. *L'eau chante dans la bouilloire.* **3.** Loc. fam. *C'est comme si vous chantiez :* cela ne sert à rien. - *Faire chanter qqn,* exercer sur lui un chantage. - *Si cela vous chante :* si vous en avez envie. **II.** v. tr. **1.** Exécuter une partie ou un morceau de musique vocale. *Chanter des chansons.* - Fig., fam. *Chanter toujours le même refrain :* répéter toujours la même chose. - *Que me chantez-vous là ? :* que me dites-vous? - Vx *Chanter pouilles à qqn,* l'injurier. **2.** Poét. Célébrer, vanter, raconter. *Virgile a chanté les origines de Rome.* - Fam. *Chanter victoire :* se glorifier d'un succès. - *Chanter les louanges de qqn,* faire son éloge.

1. chanterelle n. f. **1.** Corde d'un instrument qui a le son le plus aigu. - Loc. fig. *Appuyer sur la chanterelle :* insister sur qqch pour en souligner l'importance. **2.** Appeau.

2. chanterelle n. f. Champignon basidiomycète comestible dont le chapeau est évasé en forme de pavillon de trompette (girolle, trompette-de -la-mort, etc.).

chanteur, euse n. et adj. **1.** n. Personne qui chante; personne qui fait métier de chanter. *Une chanteuse légère, réaliste, d'opéra. Un chanteur de charme,* spécialisé dans les chansons sentimentales. **2.** adj. Se dit des oiseaux dont le chant est agréable. **3.** n. m. (En appos.) *Maître chanteur :* celui qui pratique le chantage.

chantier n. m. **1.** TECH Pièce de bois, de pierre, etc., servant de support. - *Spécial.* Chacune des pièces de bois qui supportent un tonneau. **2.** Lieu où l'on entrepose des matériaux de construction, du bois de chauffage, etc. **3.** Lieu où s'effectue la construction (ou la démolition) d'un ouvrage, d'un bâtiment. *Chantier d'un immeuble en construction. Chantier interdit au public.* - *Chantier naval,* où sont construits des navires. - MINES Lieu d'abattage du minerai. ▷ Fig. *Mettre un ouvrage en chantier, sur le chantier,* le commencer. **4.** Fig., fam. Lieu où règne le désordre; désordre. *Quel chantier!*

chantilly n. **1.** n. m. Dentelle à mailles hexagonales. **2.** n. f. Crème fouettée sucrée. - (En appos.) *Crème chantilly.*

Chantilly, ch.-l. de cant. de l'Oise (arr. de Senlis), au N.-O. de la *forêt de Chantilly;* 11 125 hab. (*Cantiliens*). Hippodrome. - Siège du Q.G. de Joffre de nov. 1914 à janv. 1917. - Le chât., environné de pièces d'eau, fut rebâti sur l'emplacement du château d'Orgemont entre 1528 et 1531 pour le connétable de Montmorency; endommagé pendant la Révolution, il fut reconstruit à partir de 1840 (notam. par Daumet) pour le duc d'Aumale (héritier du dernier Condé), qui le légua à l'Institut de France (1886) avec les très riches collections d'art qu'il renferme (musée Condé).

Chantonnay, ch.-l. de cant. de la Vendée (arr. de La Roche-sur-Yon); 7 692 hab. - En 1793, les Vendéens y vainquirent les républicains.

chantonnement n. m. Action de chantonner.

chantonner v. intr. [1] Chanter à mi-voix. ▷ v. tr. *Chantonner un air.*

chantoung. V. shantung.

Chantoung. V. Shandong.

chantournement n. m. TECH Action de chantourner; son résultat.

chantourner v. tr. [1] TECH Découper, évider (une pièce) selon un profil déterminé.

chantre n. m. **1.** Celui dont la fonction est de chanter aux offices, dans une église. **2.** Fig., litt. Celui qui célèbre, qui se fait le laudateur de. *Ce poète s'est fait le chantre des exclus.* **3.** Fig., poét. Poète. *Le chantre d'Énée :* Virgile.

Chanute (Octave) (Paris, 1832 - Chicago, 1910), ingénieur français naturalisé américain. Il est surtout connu pour ses expériences sur le vol plané et pour l'aide qu'il apporta aux frères Wright.

chanvre n. m. **1.** Plante annuelle (fam. cannabinacées) dont une variété est cultivée pour ses fibres textiles et ses graines (chènevis) avec lesquelles on nourrit les oiseaux. ▷ *Chanvre indien (Cannabis sativa),* dont on tire le haschisch. **2.** Textile fabriqué à partir des fibres du chanvre. ▷ Loc. fig., fam. Vieilli *Cravate de chanvre :* corde servant à la pendaison.

Chanzy (Alfred) (Nouart, Ardennes, 1823 - Châlons-sur-Marne, 1883), général français. Sous le Second Empire, il fit sa carrière dans les zouaves en Algérie, dont il devint gouverneur en 1873. Il commanda en 1870 l'armée de la Loire, laquelle parvint à contenir l'armée allemande jusqu'en janvier 1871.

Chao Phraya. V. Ménam.

chaos [kao] n. m. **1.** RELIG *Le Chaos :* la confusion, le néant précédant la création du monde. **2.** GEOL Amoncellement désordonné de blocs rocheux que l'érosion a isolés de terrains hétérogènes. **3.** Fig. Désordre, confusion extrême. *Le chaos de la guerre civile.*

chaotique [kaotik] adj. Qui donne une impression de chaos, qui ressemble au chaos.

Chaouïa (la). V. Chawiyah (Ach-).

chaource n. m. Fromage de lait de vache fabriqué en Champagne, qui se consomme frais ou semi-affiné.

Chapala (lac de), le plus grand lac du Mexique, au N.-O. de Mexico; 1 530 km².

chapardage n. m. Fam. Fait de chaparder; menu larcin.

chaparder v. tr. [1] Fam. Dérober (des objets de peu de valeur). Syn. chiper.

chapardeur, euse adj. (et n.) Fam. Qui chaparde. *Une gamine chapardeuse.*

chape n. f. **1.** LITURG Long manteau ecclés. sans manches, agrafé par-devant, porté à l'occasion de certaines cérémonies. **2.** CONSTR Couche de ciment ou de mortier appliquée sur un sol pour le rendre plan et uni. **3.** TECH Pièce servant de monture, de couverture ou de protection dans divers mécanismes ou objets. *Chape de bielle,* enveloppant les coussinets. *Chape de poulie,* en forme d'étrier, qui supporte les extrémités de l'axe. *Chape d'un pneumatique,* sa bande de roulement. **4.** Fig. *La dictature a fait peser une chape de plomb sur le pays.* **5.** ORNITH Partie dorsale du plumage d'un oiseau dont la couleur est différente de celle des autres plumes.

chapé, ée adj. HERALD Se dit de l'écu divisé par deux diagonales partant du milieu du chef et rejoignant les angles de la pointe.

chapeau n. m. **I. 1.** Coiffure de matière variable (laine, feutre, paille, etc.) apprêtée généralement pour être rigide, dont la forme change selon les époques et les modes, portée surtout au-dehors, pour des raisons de confort ou de convenances, d'élégance. *Le gibus et le melon sont des chapeaux d'homme, la capeline et la charlotte des chapeaux de femme.* ▷ *Donner un coup de chapeau, tirer son chapeau à qqn,* le saluer en soulevant son chapeau; fig., lui rendre hommage, témoigner de l'admiration à son endroit. ▷ Fig., fam. *Chapeau! Chapeau bas!* (Exclamations marquant l'admiration.) ▷ Loc. fig., fam. *Porter le chapeau :* endosser les responsabilités pour les autres. – *Travailler du chapeau :* déraisonner, perdre la tête. **2.** Anc. Chapeau de cardinal. *Recevoir le chapeau.* **II. 1.** Ce qui couvre ou surmonte certains objets. *Un chapeau de lampe. Le chapeau d'une lucarne. Manger le chapeau d'une religieuse au chocolat.* ▷ Partie de certains champignons, supportée par le pied. ▷ MECA Pièce qui couvre, protège une autre pièce. *Chapeau de roue :* enjoliveur d'une roue d'automobile. (Surtout dans la loc. fam. *démarrer, virer sur les chapeaux de roues,* à grande vitesse.) **2.** MUS *Chapeau chinois :* instrument à percussion composé d'une calotte métallique garnie de clochettes. **3.** PRESSE Petit texte qui présente un article de journal, de revue.

chanvre cultivé : inflorescence

chapeauter v. tr. [1] **1.** Coiffer d'un chapeau. – Pp. adj. *Une femme élégamment chapeautée.* **2.** PRESSE Introduire (un texte) par un chapeau. – Pp. adj. *Texte chapeauté d'une introduction.* **3.** Fig. Contrôler, avoir sous sa responsabilité. *M. Untel chapeaute ce service.*

Chapeaux et **Bonnets,** nom de deux factions suédoises, opposées de 1738 à 1772; celle des *Bonnets* défendait une politique pacifiste, celle des *Chapeaux* prônait l'alliance avec la France et la lutte contre la Russie.

chapelain n. m. **1.** Anc. Bénéficier titulaire d'une chapelle. **2.** Prêtre qui dessert une chapelle privée.

Chapelain (Jean) (Paris, 1595 – id., 1674), écrivain français. Son poème *la Pucelle ou la France délivrée* (1656) fut sévèrement critiqué par Boileau. Il est un des fondateurs de l'Académie française.

chapelet n. m. **I. 1.** RELIG Objet de dévotion composé de grains enfilés que l'on fait passer un à un entre les doigts, en récitant chaque fois une prière. **2.** Prières récitées en égrenant un chapelet. *Dire son chapelet.* – *Par ext.* Loc. fam. *Dévider, défiler son chapelet :* dire tout ce que l'on a sur le cœur. **II.** Série d'objets dont la disposition rappelle celle des grains d'un chapelet. *Un chapelet de saucisses. Chapelet d'isolateurs.* – *Par ext.* Série, suite. *Un chapelet de jurons.*

chapelier, ère n. et adj. Personne qui confectionne ou qui vend des chapeaux. ▷ adj. *La tradition chapelière.*

chapelle n. f. **I. 1.** Lieu de culte privé. *La chapelle d'un château, d'un collège.* **2.** Partie d'une église comprenant un autel secondaire. **3.** Petite église qui n'a pas rang d'église paroissiale. *Chapelle expiatoire.* **4.** Ensemble des chanteurs et des musiciens d'une église. ▷ *Maître de chapelle :* celui qui dirige la musique et les chants dans une église. **5.** *Chapelle ardente :* salle tendue de noir, éclairée par des cierges, où l'on veille un mort. **II.** Groupement fermé de personnes ayant les mêmes idées, les mêmes affinités, les mêmes intérêts; coterie, clan. *Une chapelle littéraire.*

Chapelle-aux-Saints (La), com. de la Corrèze (arr. de Brive-la-Gaillarde); 184 hab. – Station préhistorique; un squelette du paléolithique moyen, de type *Homo neanderthalensis,* y fut découvert en 1908.

Chapelle-en-Vercors (La), ch.-l. de cant. de la Drôme (arr. de Die); 777 hab. Stat. de sports d'hiver. – Le village fut incendié le 23 juil. 1944 par les Allemands, qui fusillèrent seize otages.

chapellerie n. f. **1.** Commerce, fabrication des chapeaux. **2.** Lieu où l'on fabrique, où l'on vend des chapeaux.

Chapelle-Saint-Luc (La), ch.-l. de cant. de l'Aube, (arr. de Troyes), sur la Seine; 15 912 hab. Pneumatiques. Industr. du plastique.

Chapelle-sur-Erdre (La), ch.-l. de cant. de la Loire-Atlantique (arr. de Nantes); 14 946 hab. – Industrie alim. – Château de la Gâcherie (XVe s.), anc. siège du marquisat de Charette.

chapelure n. f. Pain séché et concassé.

chaperon n. m. **1.** Anc. Coiffure commune aux hommes et aux femmes, en usage au Moyen Âge. **2.** Capuchon. *Le Petit Chaperon rouge,* conte de Perrault (1697). **3.** Coiffe de cuir dont on couvre la tête des oiseaux de proie. **4.** Ornement placé sur l'épaule gauche du costume de cérémonie porté en certaines occasions par les magistrats, les avocats, les professeurs d'université, etc. **5.** CONSTR Faîtage protégeant un mur de l'infiltration des eaux de pluie. **6.** Anc. ou iron. Personne (le plus souvent âgée) qui accompagnait une jeune fille quand elle sortait.

chaperonner v. tr. [1] **1.** CONSTR Couvrir d'un chaperon. *Chaperonner une muraille.* **2.** Anc. ou iron. Servir de chaperon à (une jeune fille).

chapiteau n. m. **1.** ARCHI Partie supérieure d'une colonne, posée sur le fût. *Chapiteau dorique, ionique, corinthien.* ▷ *Par ext.* Couronnement qui sert d'ornement. *Un chapiteau de buffet.* **2.** Tente d'un cirque ambulant. ▷ Par méton. *Le chapiteau :* le cirque, le monde du cirque. ▷ *Par ext.* Abri provisoire dressé pour une manifestation (spectacle, réunion, etc.).

chapitre n. m. **I. 1.** Division d'un livre, d'un traité, d'un registre. *Cet ouvrage est divisé en sept chapitres.* ▷ *Spécial.* COMPTA *Chapitre des recettes, des dépenses :* ensemble des recettes, des dépenses. **2.** Matière, sujet (dont il est question). *Puisque nous en venons à ce chapitre, je dois dire...* – *Sur le chapitre de, au chapitre de :* en ce qui concerne, au sujet de. **II. 1.** Corps des chanoines d'une église cathédrale ou collégiale. **2.** Assemblée délibérante de chanoines ou de religieux; lieu où se réunit une telle assemblée. ▷ Fig. *Avoir voix au chapitre :* avoir le droit de donner son avis, être qualifié pour cela.

chapitrer v. tr. [1] **1.** Anc. Réprimander en plein chapitre. **2.** Adresser une remontrance à.

chapka [ʃapka] n. f. Coiffure en fourrure à rabats pour la nuque et les oreilles.

Chaplin (sir Charles Spencer, dit Charlie) (Londres, 1889 – Vevey, 1977), cinéaste anglais, à la fois acteur, réalisateur, scénariste et musicien. Il devint rapidement célèbre pour ses courts et longs métrages, où il joue le rôle de Charlot, personnage (créé aux É.-U. en 1913) en butte aux vicissitudes de l'existence : *l'Émigrant* (1917), *The Kid* («le Gosse», 1921), *le Pèlerin* (1923), *la Ruée vers l'or* (1925), *les Lumières de la ville* (1931). À partir des *Temps modernes* (1936), et surtout du *Dictateur* (1940), son premier film parlant, les références explicites au contexte social et politique vinrent colorer (et parfois alourdir) la satire : *Monsieur Verdoux* (1947), *Limelight* («les Feux de la rampe», 1952), *Un roi à New York* (1957).
▶ illustr. page **330**

Chapochnikov (Boris Mikhaïlovitch) (Zlatooust, Oural, 1882 – Moscou, 1945), maréchal soviétique; officier du tsar rallié dès 1917 au nouveau régime. Conseiller militaire de Staline, il fut chef d'état-major de 1937 à 1942.

Charlie **Chaplin :** *les Temps modernes*, 1936, avec Paulette Goddard

chapon n. m. **1.** Jeune coq châtré, engraissé pour la table. **2.** Croûte de pain frottée d'ail que l'on met dans une salade.

Chappe (Claude) (Brûlon, Sarthe, 1763 - Paris, 1805), physicien français à qui l'on doit le télégraphe aérien (1794 : première ligne entre Paris et Lille).

chapska ou **schapska** [ʃapska] n. m. Coiffure militaire polonaise portée par les lanciers français sous le Second Empire.

Chaptal (Jean Antoine), comte de Chanteloup (Nojaret, Lozère, 1756 - Paris, 1832), chimiste et homme polit. français. Il mit au point ou vulgarisa plusieurs applications de la science à l'industrie : « chaptalisation » des vins, amélioration de la production d'acide chlorhydrique, diffusion de la culture de l'indigo. Ministre de l'Intérieur sous le Consulat de 1800 à 1804, il promut l'industrie chim. en France et fonda la première école des arts et métiers.

chaptalisation n. f. TECH Procédé imaginé par Chaptal pour augmenter le degré d'alcool des vins, consistant à ajouter du sucre au moût de raisin.

chaptaliser v. tr. [**1**] TECH Traiter (un vin) par chaptalisation.

chaque adj. indéf. **1.** (Marquant que tout élément faisant partie de l'ensemble considéré est envisagé en soi, isolément.) *Chaque âge a ses plaisirs. Une place pour chaque chose, chaque chose à sa place. À chaque instant.* **2.** (Emploi critiqué.) Chacun, chacune. *Ces roses coûtent dix francs chaque.*

char n. m. **1.** ANTIQ Voiture à deux roues tirée par des chevaux. *Char romain.* **2.** Voiture à traction animale servant dans les campagnes au transport de lourdes charges. **3.** Voiture décorée pour les cortèges de carnaval. *Les chars de la mi-carême.* **4.** *Char funèbre* : corbillard. **5.** SPORT *Char à voile* : véhicule à roues, surmonté d'une voile et propulsé par l'action du vent. **6.** Véhicule blindé, armé (canon, mitrailleuses, missiles) et monté sur chenilles. *Char d'assaut, de combat.*

Char (René) (l'Isle-sur-la-Sorgue, 1907 - Paris, 1988), poète français. D'abord surréaliste (*L'action de la justice est éteinte*, 1931), il s'en éloigne pour exalter, dans une poésie frémissante d'une grande richesse, les forces de la vie et de la fraternité : *le Marteau sans maître* (1934), *Feuillets d'Hypnos* (1946), *Fureur et Mystère* (1948), *le Nu perdu* (1971).

Coco **Chanel**

René **Char**

charabia n. m. Fam. Parler confus, inintelligible et incorrect.

characées n. f. pl. BOT Famille d'algues vertes très évoluées que certains caractères rapprochent des mousses. - Sing. *Une characée.*

charade n. f. Devinette consistant à faire trouver un mot (appelé « mon tout » ou « mon entier »), dont toutes les syllabes (appelées « mon premier », « mon deuxième », etc.) sont successivement suggérées par une courte définition sous forme d'énigme du mot dont elles sont homonymes. *Charade en action*, où les définitions sont mimées.

charadriiformes [kaʀadʀiifɔʀm] n. m. pl. ZOOL Ordre d'oiseaux aux pattes longues et au bec effilé qui vivent dans les lieux marécageux (pluviers, vanneaux, bécasses, etc.). - Sing. *Un charadriiforme.*

charançon n. m. Nom cour. de coléoptères dont la tête est prolongée par un rostre et qui rongent les graines, les légumes et le bois. *Le charançon du blé*, ou *calandre.*

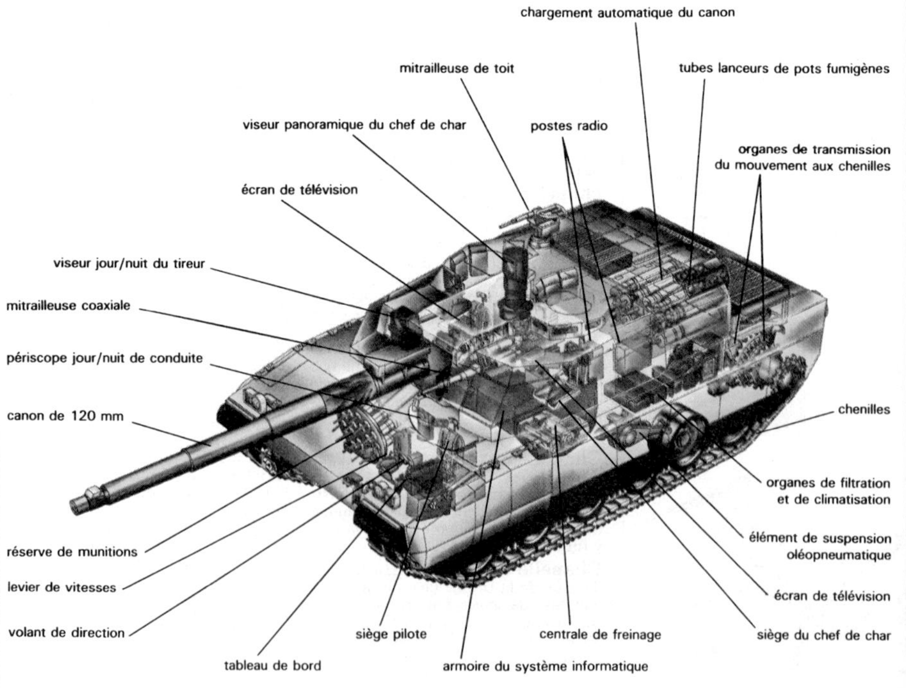

chargement automatique du canon
mitrailleuse de toit
tubes lanceurs de pots fumigènes
viseur panoramique du chef de char
postes radio
organes de transmission du mouvement aux chenilles
écran de télévision
viseur jour/nuit du tireur
mitrailleuse coaxiale
périscope jour/nuit de conduite
canon de 120 mm
chenilles
organes de filtration et de climatisation
réserve de munitions
élément de suspension oléopneumatique
levier de vitesses
écran de télévision
volant de direction
siège pilote
centrale de freinage
siège du chef de char
tableau de bord
armoire du système informatique

char d'assaut **AMX** Leclerc

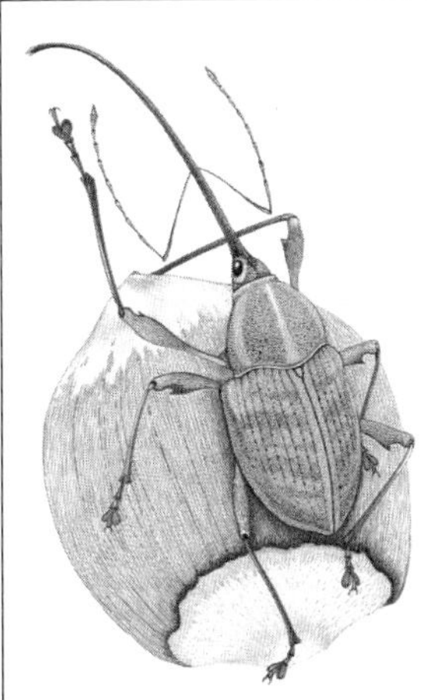
charançon des noisettes

charançonné, ée adj. Attaqué par les charançons.

charbon n. m. **I. 1.** Combustible solide, de couleur noire, contenant une forte proportion de carbone. *Charbon de terre* : houille. *Charbon de bois* : résidu de la pyrolyse du bois. *Charbon actif*, traité de façon à présenter une très grande surface par unité de masse (env. 2 000 m²/g) et utilisé comme catalyseur, adsorbant, décolorant, etc. ▷ Poussière, morceau de charbon. *Il a un charbon dans l'œil. Les charbons se sont éteints.* ▷ Loc. fig. *Être sur des charbons ardents* : être impatient, ou dans un état de grande tension. **2.** ELECTR Morceau de charbon constituant un balai de dynamo, de moteur. **3.** Fusain. *Dessin au charbon.* **4.** Arg. *Aller au charbon* : accomplir un travail pénible. **II. 1.** Maladie des céréales causée par des champignons parasites dont les spores noires envahissent les grains. *Charbon du maïs (Ustilago maydis).* **2.** Maladie infectieuse, contagieuse, commune à certains animaux (porc, mouton, bœuf, cheval, lapin, etc.) et à l'homme, causée par le bacille charbonneux *(Bacillus anthracis)* et qui se traduit par des pustules qui se rompent en laissant des escarres noires.

ENCYCL Les charbons minéraux résultent de l'action de micro-organismes sur des matières végétales accumulées. La teneur en carbone des charbons croît avec l'ancienneté du gisement : 60 % pour les *tourbes*, 65 % pour les *lignites*, 75 à 90 % pour les *houilles*, jusqu'à 94 % pour les *anthracites*.

charbonnage n. m. Exploitation d'une houillère. ▷ (Plur.) Houillères. *Les charbonnages du Nord.* – *Charbonnages de France* : établissement public chargé, depuis sa nationalisation en 1946, d'administrer les mines de combustibles minéraux en France.

Charbonneau (Robert) (Montréal, 1911 – id., 1967), écrivain canadien d'expression française : *Ils posséderont la terre* (1941), *Aucune créature* (1961).

charbonner v. [1] **I.** v. intr. **1.** MAR S'approvisionner en charbon (en parlant d'un navire). **2.** Se réduire en charbon sans faire de flammes. **II.** v. tr. **1.** Réduire en charbon. **2.** Noircir au charbon.

charbonnerie n. f. Société secrète politique formée en France sous la Restauration. V. carbonaro.

charbonneux, euse adj. **1.** Qui a l'aspect, la couleur du charbon. **2.** Relatif au charbon (sens II).

charbonnier, ère n. et adj. **I.** n. **1.** Personne qui vit du commerce du charbon, ou qui fait du charbon de bois. ▷ Loc. *La foi du charbonnier* : la foi naïve et confiante de l'homme simple. – Loc. *Charbonnier est maître chez soi* : chacun vit chez soi comme il lui plaît. **2.** n. m. Cargo aménagé pour le transport du charbon. **3.** n. f. Lieu où l'on fait du charbon de bois. **II.** adj. Relatif au charbon. *Industrie charbonnière. Production charbonnière.*

charbonnière n. f. Mésange à calotte noire et ventre jaune *(Parus major)* commune en Europe.

Charbonnières-les-Bains, com. du Rhône (arr. de Lyon); 4 039 hab. Prod. pharm. – Station thermale. Hippodrome.

Charcot (Jean Martin) (Paris, 1825 – près du lac des Settons, Morvan, 1893), neurologue français. Ses recherches sur l'hystérie et sur l'hypnotisme furent à l'origine des premiers travaux de Freud. ▷ MED *Maladie de Charcot* : sclérose latérale avec atrophie musculaire. – **Jean** (Neuilly-sur-Seine, 1867 – en mer, 1936), fils du préc.; océanographe; explorant les rég. polaires, il disparut lors du naufrage de son bateau, le *Pourquoi-Pas ?*, près du Groenland. ► illustr. page **335**

charcutage n. m. Fam., péjor. Action de charcuter; résultat de cette action.

charcuter v. tr. [1] Fam., péjor. Opérer maladroitement (un patient).

charcuterie n. f. **1.** Industrie, commerce du charcutier. **2.** Spécialité à base de porc faite par le charcutier. **3.** Boutique de charcutier.

charcutier, ère n. **1.** Personne qui prépare et qui vend de la viande de porc, des boudins, des saucisses, du pâté, etc. **2.** Fam., péjor. Chirurgien, dentiste maladroit.

Chardin (Jean-Baptiste Siméon) (Paris, 1699 – id., 1779), peintre français. Auteur de natures mortes (*les Pêches*, Louvre), de scènes domestiques et de portraits au pastel (*Chardin aux besicles*, Louvre).

chardon n. m. Nom cour. de diverses plantes épineuses, principalement de composées et d'ombellifères.

Jean-Baptiste Siméon **Chardin** : *Autoportrait au chevalet*, pastel, 1776; musée du Louvre

chardonay ou **chardonnay** n. m. VITIC Cépage blanc de la Bourgogne et du Mâconnais.

Chardonne (Jacques Boutelleau, dit Jacques) (Barbezieux, Charente, 1884 – La Frette-sur-Seine, 1968), écrivain français; peintre du couple et de l'amour conjugal : *l'Épithalame* (1921), *Claire* (1931), *Demi-jour* (1964).

chardonneret n. m. Petit oiseau passériforme commun en Europe *(Carduelis carduelis)*, au plumage très coloré (rouge et jaune), friand de graines de chardon.

Chardonnet de Grange (Hilaire Bernigaud de) (Besançon, 1839 – Paris, 1924), chimiste et industriel français. Il fonda, en 1891, à Besançon, la première usine de textiles artificiels (rayonne).

Chareau (Pierre) (Le Havre, 1883 – New York, 1950), architecte et décorateur français; un des pionniers de l'architecture contemp. en France : maison de verre du Dr. Jean Dalsace, rue Saint-Guillaume à Paris (1928-1931).

charentais, aise adj et n. **1.** adj. De la Charente. ▷ Subst. *Un(e) Charentais(e).* **2.** n. f. Chausson en étoffe épaisse, à semelle souple, à contrefort montant.

Charente (la), fl. de France (360 km); naît dans le Limousin, arrose Angoulême, Cognac, Saintes, Rochefort; se jette dans le pertuis d'Antioche (Atlantique).

chardon

Charente, dép. franç. (16); 5 953 km²; 341 993 hab.; 57,4 hab./km²; ch.-l. *Angoulême.* V. Poitou-Charentes (Rég.). ► carte page **332**

Charente-Maritime, dép. franç. (17); 6 848 km²; 527 146 hab.; 77 hab./km²; ch.-l. *La Rochelle.* V. Poitou-Charentes (Rég.). ► carte page **333**

Charenton-le-Pont, ch.-l. de cant. du Val-de-Marne (arr. de Créteil), au confl. de la Seine et de la Marne, dans la banlieue de Paris; 20 689 hab. Import. entrepôts de vins. Meunerie. – L'hôpital psychiatrique dit « de Charenton » (où séjourna Sade) dépend auj. de la com. de Saint-Maurice.

Charès de Lindos (fin du IVᵉ s. av. J.-C.), sculpteur grec. Il exécuta le colosse de Rhodes.

Charette de La Contrie (François Athanase de) (Couffé, L.-Atl., 1763 – Nantes, 1796), chef vendéen. Il combattit jusqu'au traité de La Jaunaye (1795),

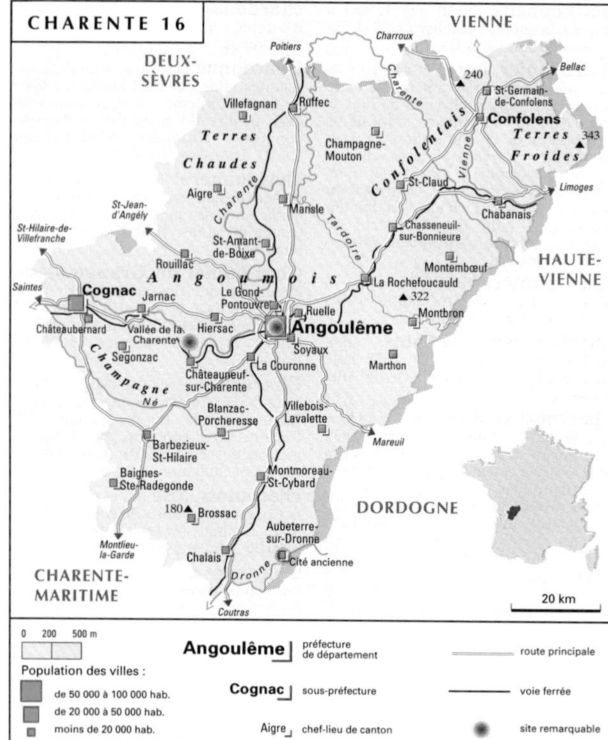

reprit les armes au moment du débarquement des émigrés à Quiberon, fut capturé par Hoche et exécuté.

charge n. f. **I. 1.** Ce qui est porté; ce que peut porter une personne, un animal, un véhicule, un navire, etc. *La charge d'un mulet. Charge utile d'un véhicule,* charge maximale compatible avec son bon fonctionnement. **2.** MAR Action de charger un navire. **3.** TECH Poussée. ▷ Pression qui s'exerce sur les parois d'une conduite. **4.** Quantité de poudre, d'explosif qui propulse un projectile ou qui le fait exploser. *La charge d'un fusil. Charge creuse :* masse d'explosif dans laquelle est ménagée une cavité qui focalise l'onde de choc. **5.** Mesure. *Une charge de fagots.* ▷ METALL Quantité de combustible, de minerai, de fondant que l'on met dans un haut fourneau. **6.** PHYS *Charge électrique :* quantité d'électricité portée par un corps, par une particule. **7.** CHIM Substance que l'on incorpore aux matières plastiques, au caoutchouc, au papier, etc., afin d'en modifier les caractéristiques en vue d'un usage précis. **8.** GEOMORPH Masse totale des particules solides transportées par un cours d'eau, en dissolution, en suspension ou roulées sur le fond du lit. **9.** MED *Charge virale :* densité de virus dans le sang d'une personne à un moment donné. **II. 1.** Attaque impétueuse d'une troupe. *Charge de cavalerie.* **2.** Batterie ou sonnerie particulière accompagnant une charge. *Battre, sonner la charge.* **3.** Fig. *Revenir, retourner à la charge :* réitérer ses démarches, ses instances, ses reproches, etc. **III.** Ce qui pèse sur qqn, sur qqch. **1.** Ce qui embarrasse, incommode. *Imposer une charge supplémentaire à qqn.* **2.** Tout ce qui met dans la nécessité de faire des dépenses. *Les frais sont à votre charge. Charges de famille.* – Spécial. *Les charges :* les frais d'entretien d'un immeuble. – *Les charges de l'État :* les dépenses publiques. *Charges sociales :* dépenses imposées à un employeur par la législation sociale. – *Être pris en charge par la Sécurité sociale :* avoir ses frais de maladie couverts par la Sécurité sociale. **3.** *À charge de :* avec obligation de. *Il lui laisse sa maison, à charge pour lui de payer les créanciers. À charge de revanche :* avec obligation de rendre éventuellement le même service. **4.** Fonction d'officier ministériel; office ministériel. *Une charge de commissaire-priseur, de notaire.* **5.** Fig. Responsabilité. *Prendre en charge,* sous sa responsabilité. *Avoir charge d'âme(s) :* avoir la responsabilité morale d'une ou de plusieurs personnes. **6.** Fonction, mission, travail donné à accomplir. *Il s'est bien acquitté de sa charge.* – *Femme de charge,* de ménage. **7.** Indice, preuve qui pèse sur un accusé. *Relever les charges produites contre l'accusé. Témoin à charge,* dont le témoignage tend à prouver la culpabilité de l'accusé. **8.** Représentation caricaturale, imitation satirique à forme grotesque. *Un portrait charge.*

chargé, ée adj. et n. **I.** adj. **1.** Qui porte une charge. *Un porteur chargé de bagages.* – Fam. *Être chargé comme un baudet*.* **2.** *Fusil chargé,* prêt à tirer. – Par ext. *Appareil photo chargé :* prêt à l'utilisation. **3.** *Lettre chargée,* qui contient des valeurs. **4.** Embarrassé, alourdi. *Avoir l'estomac chargé. Langue chargée,* blanchâtre. **5.** Fig. Couvert de. *Ciel chargé de nuages noirs. Un vieillard chargé d'ans et d'honneurs.* **6.** Exagéré. *Un récit chargé. Le rococo est le style chargé par excellence.* **7.** Responsable. *Être chargé de famille. Chargé d'une mission officielle.* **8.** Qui porte une charge électrique. *Corps chargé positivement, négativement.* **II.** n. **1.** *Chargé de cours :* professeur non titularisé de l'enseignement supérieur. **2.** *Chargé d'affaires :* diplomate qui assure l'intérim d'une ambassade. **3.** *Chargé de mission,* lié par contrat en vue d'une mission donnée.

chargement n. m. Action de charger (sens I). **1.** Action de charger un animal, un véhicule, un navire. *Chargement d'un train de marchandises.* ▷ *Par ext.* Ensemble des marchandises chargées. *Arrimer le chargement.* **2.** Action de déclarer à la poste les valeurs contenues dans une lettre, un paquet. **3.** Action de charger un fusil, un canon, un appareil photographique, etc. *Un appareil à chargement automatique.*

charger v. tr. [13] **I. 1.** Mettre une certaine quantité d'objets sur (un homme, un animal, un véhicule). *Charger un âne. Charger un cargo.* **2.** *Charger une lettre,* y enfermer des valeurs et l'expédier par pli spécial. **3.** Placer. *Charger une valise dans le coffre d'une voiture.* **4.** *Absol.* Prendre en charge. *Ce navire charge les voitures des passagers.* – *Taxi qui charge un client.* **5.** Introduire dans une arme à feu une charge, un projectile. *Charger un fusil.* **6.** *Charger un appareil photographique, une caméra,* y introduire de la pellicule vierge. **7.** ELECTR *Charger une batterie électrique, un condensateur, un accumulateur,* y accumuler une certaine quantité d'électricité. ▷ TECH *Charger un fourneau,* le remplir d'une quantité déterminée de combustible et de minerai. **8.** INFORM Introduire un fichier ou un logiciel dans la mémoire d'un ordinateur. **9.** Peser sur. *Cette poutre charge trop le mur.* **10.** *Charger de :* emplir, couvrir avec excès de. *Charger un mur de tableaux.* **II.** Attaquer avec impétuosité. *Charger l'ennemi à la baïonnette.* – Absol. *Chargez!* **III. 1.** *Charger (qqch, qqn) de :* faire porter à, supporter par. *Charger une planche de livres. Charger un enfant d'un énorme cartable.* ▷ Confier à (qqn) l'exécution d'une tâche, la conduite d'une affaire. *Charger un avocat d'une cause.* **2.** *Charger un accusé,* faire des déclarations qui tendent à le faire condamner. **3.** Exagérer. *Cet acteur charge pour provoquer les rires.* **IV.** v. pron. **1.** Prendre pour soi, porter une charge. *Ne vous chargez pas trop.* **2.** Fig. *Se charger d'un crime, d'une faute,* en prendre la responsabilité. **3.** Prendre le soin, la responsabilité de. *Se charger d'une affaire.* **4.** (Sens passif.) Recevoir une charge, en parlant des armes à feu. *Les anciens canons se chargeaient par la bouche.*

chargeur n. m. **1.** Celui qui charge les marchandises. ▷ MAR Celui à qui appartient une cargaison. **2.** Celui qui alimente une pièce d'artillerie, une arme automatique. **3.** Dispositif approvisionnant en cartouches une arme à répétition. **4.** Dispositif permettant d'approvisionner (un appareil photographique, une caméra) en pellicule vierge. **5.** ELECTR Appareil servant à la recharge d'accumulateurs.

chargeuse n. f. TECH Engin automoteur équipé d'un godet relevable pour ramasser des matériaux et les déverser ailleurs.

Chari (le), fl. d'Afrique équatoriale (1 200 km), tributaire du lac Tchad; naît dans la République centrafricaine.

chari'a (*charī'a*), **chari'ah** (*charī'ah*) ou **shari'ah** (*sharī'ah*) [ʃaʀija] n. f. Loi canonique de l'islam touchant les domaines de la vie religieuse, privée, sociale et politique, en vigueur dans de nombreux pays musulmans.

Charibert. V. Caribert.

chariot n. m. **1.** Voiture à quatre roues pour le transport des fardeaux. *Chariot élévateur :* engin de manutention qui sert à gerber les matériaux. ▷ *Le Petit Chariot :* la Petite Ourse. *Le Grand Chariot :* la Grande Ourse (constellations boréales). V. Ourse. **2.** TECH Pièce, partie d'une machine qui se déplace sur des glissières, des rails, des galets, etc. *Le chariot d'une machine à écrire.* **3.** Petite table roulante.

charismatique [kaʀismatik] adj. et n. **1.** Relatif à un charisme. ▷ RELIG *Mouvement charismatique* ou *renouveau charismatique :* mouvement de renouveau de la foi catholique, proche du pentecôtisme* protestant, né aux É.-U. en 1966, qui met en valeur les manifestations sensibles de la vie spirituelle (retour à la contemplation, accent mis sur la louange de Dieu, cérémonies laissant libre cours aux effusions du cœur) et dont la spiritualité s'épanouit souvent dans la vie communautaire, monastique ou non. ▷ Subst. *Un(e) charismatique :* un(e) adepte du renouveau charismatique. **2.** Qui possède, qui dégage un magnétisme particulier en raison de qualités exceptionnelles. *Personnalité charismatique. Pouvoir charismatique.*

charisme n. m. **1.** THEOL Grâce imprévisible et passagère accordée par Dieu à un chrétien pour le bien de la communauté des fidèles. **2.** Dons exceptionnels d'un individu. – *Par ext.* Influence, prestige extraordinaire.

charitable adj. **1.** Qui a de la charité pour son prochain. **2.** Qui part d'un principe de charité. *Conseil charitable.*

charitablement adv. Avec charité (souvent iron.). *Je te préviens charitablement que si tu t'avises de recommencer...*

charité n. f. **1.** THEOL Amour de Dieu et du prochain, l'une des trois vertus théologales. **2.** Bonté, indulgence. *Ayez la charité de lui pardonner.* **3.** Acte de bonté, de générosité envers autrui. *Faire la charité. Demander la charité,* une aumône.

Charites (les), nom générique des Grâces (mythologie grecque).

Charité-sur-Loire (La), ch.-l. de cant. de la Nièvre (arr. de Cosne-sur-Loire); 6 422 hab. – I.A.A. – Égl. abbat. Ste-Croix, vest. d'un monastère clunisien (roman bourguignon).

charivari n. m. **1.** Bruit discordant, tapage. **2.** Bruit accompagné de désordre.

Charivari (le), journal satirique fondé par Charles Philipon en 1832 et qui cessa de paraître en 1893. Daumier, Grandville, Gavarni, Cham, parmi les illustrateurs, et H. Rochefort, parmi les journalistes, y collaborèrent.

charlatan n. m. **1.** Guérisseur qui se vante de guérir toutes sortes de maladies. ▷ Péjor. Médecin incompétent. **2.** Personne qui exploite la confiance, la crédulité d'autrui, imposteur.

charlatanerie n. f. Rare Action, propos de charlatan.

charlatanesque adj. Rare De charlatan.

charlatanisme n. m. Comportement, procédés de charlatan.

Charlemagne (en latin *Carolus Magnus,* «Charles le Grand») (?, 742 – Aix-la-Chapelle, 814), Charles Ier le Grand, fils de Pépin le Bref, roi des Francs à partir de 768, empereur d'Occident de 800 à 814. Conquérant, administrateur et législateur, propagateur de la relig. cathol., il agit en maître et défenseur de l'Église, laquelle fut l'instrument de sa polit. de rénovation culturelle. Il hérita à la mort de son frère Carloman (771) de l'État franc (territ. de Neustrie, d'Austrasie, d'Aquitaine, d'Alémanie, d'Alsace, de Bourgogne et de Septimanie). En 774, il commença ses conquêtes en vainquant Didier, roi des Lombards. Suivirent, à l'E. et au N., celles de la Bavière (781), de la Saxe et de la Frise (799); les Avares de Pannonie furent définitivement soumis en 805. En Espagne, de 778 à 811, les pays au N. de l'Èbre furent enlevés aux musulmans (marche d'Espagne). À l'O., Charles créa une marche de Bretagne (789-790). Le catholicisme, implanté dans les territ. païens conquis, constituait un puissant trait d'union entre les peuples. Le signe éclatant de l'autorité acquise par Charles fut son couronnement en tant qu'empereur d'Occident (en 800) par le pontife romain. Désireux de contrôler ses vastes États, il plaça des *missi dominici** auprès des grands possesseurs de fiefs. Son ambition fut de renouer avec la culture antique : il réunit les hommes les plus instruits, qui formèrent l'*école du palais,* et créa des écoles au sein des cathédrales et des monastères. Mais cet énorme empire ne put survivre à la disparition de son créateur; le titre d'empereur fut cependant porté pendant dix siècles par les souverains germaniques.

Charleroi, v. de Belgique (Hainaut), sur la Sambre; 222 240 hab. Sidérurgie.

statuette équestre dite de **Charlemagne,** bronze, IXe s.; musée du Louvre

Industr. méca. et chim. Verreries. Anc. houillères. – La v. fut fondée en 1666 par Charles II d'Espagne. – La *bataille de Charleroi* qui opposa Allemands et Français du 21 au 23 août 1914 se termina par la retraite des troupes françaises.

Charles Borromée (saint) (chât. d'Arona, bord du lac Majeur, 1538 – Milan, 1584), neveu de Pie IV, cardinal (1560) puis archevêque de Milan (1564); l'un des rédacteurs des «décrets» du concile de Trente. Il fut un des pionniers de la Réforme catholique.

Charles Ier le Grand. V. Charlemagne.

Charles II, empereur d'Occident. V. Charles II le Chauve, roi de France.

ALLEMAGNE

Charles III le Gros (Neidingen, 839 – id., 888), empereur d'Occident (881-887), roi de Germanie (882-887), roi de la *Francia occidentalis* (884-887), fils de Louis le Germanique. Ayant acheté le départ des Normands, plutôt que de les combattre, il fut déposé par une diète en 887. – **Charles IV de Luxembourg** (Prague, 1316 – id., 1378), roi de Bohême (Charles Ier, 1347-1378); empereur germanique (1355-1378), il promulgua la Bulle d'or (1356), charte du Saint Empire jusqu'en 1806. Il fonda l'université de Prague (1347) et développa la vie artistique et écon. en Bohême. – **Charles V.** V. Charles Quint. – **Charles VI** (Vienne, 1685 – id., 1740), empereur germanique (1711-1740), roi de Hongrie (Charles III, 1711-1740) et de Sicile (Charles VI, 1711-1738), fils de Léopold Ier de Habsbourg. Il participa à la guerre de la Succession d'Espagne contre la France (1702-1714). Le dessein qu'il se fixa : assurer l'application de la pragmatique* sanction (1713), acte par lequel il faisait sa fille Marie-Thérèse héritière de ses États, l'entraîna à une polit. de concessions. Il perdit Naples et la Sicile lors de la guerre de la Succession de Pologne. – **Charles VII Albert** (Bruxelles, 1697 – Munich, 1745), Électeur de Bavière (1726-1745), empereur germanique (1742-1745). Avec l'appui de la France, il se fit élire empereur, succédant à Charles VI malgré la pragmatique sanction*, mais fut défait par Marie-Thérèse.

Charles Quint (Gand, 1500 – Yuste, Estrémadure, 1558), roi d'Espagne (Charles Ier, 1516-1556), prince des Pays-Bas (1516-1555), roi de Sicile (Charles IV, 1516-1556), empereur germanique (Charles V : *Quint*, 1519-1556), fils de Philippe le Beau, archiduc d'Autriche, et de Jeanne, reine de Castille. Il reçut, par une suite d'heureux héritages, d'immenses et riches domaines (Flandres, Franche-Comté, territ. autrich. des Habsbourg, Espagne, Naples, Sicile, colonies d'Amérique latine). Candidat à l'Empire, il l'emporta sur François Ier. Il désira s'imposer à l'Europe, visant, suivant l'expression du temps, à la *monarchie universelle*. Désireux de rétablir l'unité religieuse afin de renforcer son autorité et la cohésion de l'Empire, il se heurta à l'opposition des princes protestants allemands soutenus par la France. En outre, l'empereur dut lutter contre les Turcs, dont l'expansion se heurtait à l'Autriche en Europe centr. et à l'Espagne en Médit. L'or et l'argent rapportés d'Amérique latine financèrent ses nombr. guerres, d'abord victorieuses : la lutte contre la France

Jean Martin **Charcot**

Charles Quint

marquée par la victoire de Pavie (1525), celle contre les Turcs par la prise de Tunis (1535); les princes allemands furent défaits à Mühlberg (1547). Mais de graves échecs (ceux d'Alger, 1541; de Cérisoles, 1544; de Metz, Toul et Verdun, 1552), joints à l'impossibilité de rétablir l'unité relig. dans les territ. all., déterminèrent l'empereur à négocier la paix d'Augsbourg (1555), qui consacra la division de l'Allemagne en deux confessions. Charles Quint abdiqua ses différentes couronnes, d'oct. 1555 à janv. 1556, en faveur de son fils et de son frère, puis se retira au monastère de Yuste.

ANGLETERRE

Charles Ier (Dunfermline, Écosse, 1600 – Londres, 1649), roi d'Angleterre, d'Écosse et d'Irlande (1625-1649), fils de Jacques Ier Stuart. Sa polit. absolutiste, jointe à ses démêlés avec les Écossais et à ses complaisances pour le catholicisme, provoqua un grave mécontentement : luttes avec le Parlement, puis guerres civiles (1642-1649) opposant les partisans du roi, les «Cavaliers», aux «Têtes rondes», partisans du Parlement, menés par Cromwell. Livré à ce dernier, le roi fut jugé et décapité. – **Charles II** (Londres, 1630 – id., 1685), roi d'Angleterre, d'Écosse et d'Irlande (1660-1685), fils du préc. Rappelé sur le trône par le général Monk, il gouverna avec prudence et habileté. L'alliance avec Louis XIV lui rapporta d'import. subsides, mais, pour contenter ses sujets, il la rompit à deux reprises. Il dut accepter l'*habeas* corpus* (1679).

Charles Édouard Stuart, dit le Prétendant (Rome, 1720 – Florence, 1788), petit-fils de Jacques II Stuart, tenta de reconquérir le trône d'Angleterre, mais fut battu à Culloden (1746). Il est le *prince errant*, le *Bonnie Prince Charlie* des ballades écossaises.

AUTRICHE

Charles de Habsbourg, dit l'archiduc Charles (Florence, 1771 – Vienne, 1847), archiduc d'Autriche, fils de Léopold II. Il participa aux campagnes contre la France sous la République et l'Empire, et se montra excellent stratège.

Charles Ier (Persenbeug, Basse-Autriche, 1887 – Funchal, Madère,

Charles Ier d'Angleterre

Charles le Téméraire

1922), empereur d'Autriche et roi de Hongrie (Charles IV, 1916-1918), petit-neveu et successeur de François-Joseph; il ne put empêcher la dislocation de la monarchie austro-hongroise à l'issue de la Première Guerre mondiale et dut abdiquer.

BOURGOGNE

Charles le Téméraire (Dijon, 1433 – devant Nancy, 1477), fils de Philippe le Bon et d'Isabelle de Portugal, duc de Bourgogne (1467). Il voulut en vain reconstituer l'anc. Lotharingie, entre la France et l'Empire germanique. Il fut le plus dangereux adversaire de Louis XI, qu'il humilia à Péronne (1468) et emprisonna. Battu par les Suisses à Granson et à Morat (1476), il se retourna contre la Lorraine et fut tué au cours du siège de Nancy. Sa fille, Marie, apporta ses États (moins le duché de Bourgogne) aux Habsbourg, en épousant Maximilien d'Autriche (1477).

ESPAGNE

Charles Ier, roi d'Espagne. V. Charles Quint. – **Charles II** (Madrid, 1661 – id., 1700), roi d'Espagne (1665-1700) et de Sicile (Charles V), fils de Philippe IV, dernier descendant des Habsbourg d'Espagne. Battu par Louis XIV, il lui céda la Flandre (1668), l'Artois et la Franche-Comté (1678). Il fit du duc d'Anjou, petit-fils de Louis XIV, son héritier, et provoqua ainsi la guerre de la Succession d'Espagne. – **Charles III** (Madrid, 1716 – id., 1788), duc de Parme (1731-1735), roi des Deux-Siciles (1734-1759), roi d'Espagne (1759-1788), fils de Philippe V. Dans l'esprit du despotisme éclairé, il entreprit de nombr. réformes qui ne lui survécurent pas. – **Charles IV** (Naples, 1748 – Rome, 1819), roi de 1788 à 1808, fils du préc.; il abdiqua en faveur de Napoléon Ier, qui fit roi d'Espagne son frère Joseph.

FRANCE

Charles Martel (?, v. 685 – Quierzy, 741), maire du palais d'Austrasie et de Neustrie, fils de Pépin de Herstal. Il rétablit l'État mérovingien et aurait arrêté à Poitiers* (732) l'invasion musulmane. Il fut le père de Carloman et de Pépin le Bref.

Charles Ier le Grand, roi des Francs. V. Charlemagne. – **Charles II le Chauve** (Francfort-sur-le-Main, 823 – Avrieux, 877), roi de France de 843 à 877, empereur d'Occident (875-877), fils de Louis Ier le Pieux, frère de Lothaire et de Louis le Germanique. Son règne fut troublé par les guerres incessantes qui l'opposèrent à ses frères : au traité de Verdun (843), l'empire de Charlemagne connut un premier partage, qui fit de Charles II le roi de la *Francia occidentalis*. La formation de fortes principautés féodales quasi indép. résulta en partie de l'insécurité due à ces guerres et aux invasions normandes. – **Charles III le Simple** (?, 879 – Péronne, 929), roi de 898 à 923, fils de Louis II le Bègue; il donna la Normandie en fief à Rollon (traité de Saint-Clair-sur-Epte, 911). Détrôné, il mourut en prison. – **Charles IV le Bel** (Clermont, 1294 – Vincennes, 1328), roi de France et de Navarre (Charles Ier) (1322-1328); il réalisa d'importantes réformes admin. en vue d'élargir, au détriment de la noblesse, le pouvoir royal. Il fut le dernier des Capétiens directs. – **Charles V le Sage** (Vincennes, 1338 – Nogent-sur-Marne, 1380), roi de 1364 à 1380. Régent durant la captivité de son père, Jean II le Bon, en Angleterre (1356-1360), il fit face à des troubles graves (révolte parisienne dirigée par

Charles V le Sage : *Hommage de Louis II, duc de Bourbon, pour le comté de Clermont en Beauvaisis*, gouache de Louis Boudan ; B.N.

Étienne Marcel, Jacquerie) et dut accepter le désastreux traité franco-anglais de Brétigny (1360). Aidé par Du Guesclin, il reconquit, en chef prudent et habile, les territ. perdus, de sorte qu'à sa mort les Anglais ne tenaient plus que cinq villes françaises. En outre, il avait mis fin aux troubles intérieurs : paix imposée à Charles le Mauvais, évacuation en Espagne des Grandes Compagnies. L'assainissement des finances aida à ses succès et lui permit de satisfaire ses goûts de prince cultivé : construction de palais (Louvre notam.), collection de manuscrits, mécénat. Il accrut les privilèges de l'Université. – **Charles VI le Fol** ou **le Bien-Aimé** (Paris, 1368 – id., 1422), roi de 1380 à 1422, fils de Charles V. Rejetant la tutelle de ses oncles (1388), il fit appel aux « Marmousets », conseillers de son père. Mais la vacance du pouvoir, provoquée par sa folie (première crise en 1392), livra le pays aux factions (Armagnacs et Bourguignons) et facilita la conquête angl. En 1420, au traité de Troyes, et avec l'aide d'Isabeau de Bavière, épouse du roi, la France fut livrée à Henri V, roi d'Angleterre. – **Charles VII** (Paris, 1403 – Mehun-sur-Yèvre, 1461), roi de 1422 à 1461, fils de Charles VI. Sa légitimité (contestable selon le traité de Troyes) fut reconnue par les Armagnacs et il bénéficia du soutien de Jeanne d'Arc, dont les victoires sur les Anglais lui ouvrirent le chemin de Reims, où, appelé jusque-là le « roi de Bourges », il se fit sacrer en 1429. L'impulsion donnée par Jeanne se poursuivit après sa mort (1431) ; ainsi, en 1453, les Anglais ne conservaient plus que Calais. Charles VII fortifia l'autorité royale par la création d'une armée permanente (francs archers, compagnies d'ordonnance) et d'impôts permanents (taille, aides). La pragmatique* sanction de Bourges (1438) restreignit le pouvoir du pape sur l'Église de France. – **Charles VIII** (Amboise, 1470 – id., 1498), roi de 1483 à 1498, fils de Louis XI. Jusqu'en 1494, la régence fut exercée avec autorité par sa sœur Anne de Beaujeu, qui maria le roi à Anne de Bretagne (1491) en vue d'attacher le duché à la Couronne. Charles VIII tenta sans succès de faire valoir ses droits (analogues à ceux de la maison d'Anjou) sur le royaume de Naples (début des guerres d'Italie, 1494) : il acheta la neutralité espagnole et autrichienne en cédant le Roussillon, la Cerdagne, l'Artois et la Franche-Comté. – **Charles IX** (Saint-Germain-en-Laye, 1550 – Vincennes, 1574), roi de 1560 à 1574, fils d'Henri II et de Catherine de Médicis. Celle-ci exerça le pouvoir effectif durant tout le règne, que marquèrent les guerres de Religion et la faveur de Coligny auprès du roi (1570-1572). À l'instigation de sa mère, Charles IX ordonna le désastreux massacre de la Saint-Barthélemy (1572). – **Charles X** (Versailles, 1757 – Goritz, auj. Gorizia, Yougoslavie, 1836), roi de 1824 à 1830, frère de Louis XVI et de Louis XVIII. En 1789, alors comte d'Artois, il fut l'un des premiers à émigrer. En 1824, il accéda au trône et se montra fidèle à ses positions absolutistes, choisissant comme ministre Villèle, dont la polit. autoritaire renforça les mouvements d'opposition qui s'affirmèrent sous le ministère semi-libéral de Martignac (1828-1829). Pensant enrayer leurs progrès, le roi fit appel au prince de Polignac : le cabinet Polignac fut rejeté par la Chambre, qui fut dissoute. Les élections donnèrent la majorité à l'opposition. Le roi répliqua par les ordonnances de Saint-Cloud (25 juillet 1830), cause directe de la révolution de 1830, et choisit d'abdiquer. Sous son règne débuta la conquête de l'Algérie (1830).

Charles VII

Charles IX

HONGRIE

Charles Ier Robert ou **Carobert** (?, 1291 – Visegrád, 1342), roi de Hongrie de 1308 à 1342. Il accomplit une œuvre import. (réorganisation admin., écon. et polit.). – **Charles II,** roi de Hongrie. V. Charles III de Sicile. – **Charles III,** roi de Hongrie. V. Charles VI, empereur germanique. – **Charles IV,** roi de Hongrie. V. Charles Ier, empereur d'Autriche.

LORRAINE

Charles de Lorraine (v. 953 – v. 995), fils de Louis IV d'Outremer, compétiteur malheureux d'Hugues Capet à la Couronne de France.

NAVARRE

Charles Ier, roi de Navarre. V. Charles IV, roi de France. – **Charles II le Mauvais** (1332 - 1387), roi de 1349 à 1387, petit-fils de Louis X, roi de France. Il s'allia aux Anglais, soutint Étienne Marcel, mais fut vaincu par Du Guesclin à Cocherel (1364). – **Charles III le Noble** (Mantes, 1361 – Olite, 1425), roi de 1387 à 1425, fils du préc. Il s'entoura d'artistes français.

ROUMANIE

Charles Ier ou **Carol Ier** (Sigmaringen, 1839 – Sinaia, 1914), roi de Roumanie de 1881 à 1914, prince de Hohenzollern-Sigmaringen, élu prince de Roumanie en 1866. – **Charles II** ou **Carol II** (Sinaia, 1893 – Estoril, Portugal, 1953), roi de 1930 à 1940, fils de Ferdinand Ier. Ayant renoncé à ses droits dynastiques en 1926 en faveur de son fils Michel (roi en 1927), il s'exila, puis revint à Bucarest et remonta sur le trône (1930) ; mais il dut abdiquer en septembre 1940.

SICILE ET NAPLES

Charles Ier (?, 1226 – Foggia, 1285), comte d'Anjou, du Maine et de Provence (1246-1285), premier roi angevin de Sicile (1266-1285), dixième fils de Louis VIII de France. Après la révolte des Vêpres siciliennes (1282), deux royaumes de Sicile se constituèrent, l'un insulaire, l'autre péninsulaire, qui resta à Charles Ier. – **Charles II le Boiteux** (1248 ou 1254-1309), fils du préc., roi de Sicile péninsulaire de 1285 à 1309. – **Charles III** (1345-1386), roi de Naples (1381-1386), et de Hongrie (Charles II, 1385-1386). Il fut assassiné. – **Charles IV,** roi de Sicile. V. Charles Quint. – **Charles V,** roi de Sicile. V. Charles II, roi d'Espagne. – **Charles VI,** roi de Sicile. V. Charles VI, empereur germanique. – **Charles VII,** roi des Deux-Siciles. V. Charles III, roi d'Espagne.

SUÈDE

Charles XII (Stockholm, 1682 – Fredrikshald, 1718), roi de Suède de 1697 à 1718. Son génie militaire s'exprima dès 1700 dans les guerres qu'il dut mener contre les Danois, les Russes (victoire de Narva) et les Polonais, lesquels voulaient reprendre les territ. perdus au XVIIe s. Mais il s'enlisa dans la conquête de la Pologne (1700-1706), alors que Pierre le Grand fortifiait son armée. En 1709, les Russes le battirent à Poltava, et il dut se réfugier en Turquie. Il parvint à regagner la Suède en 1715. Voulant conquérir la Norvège, il fut tué au cours d'un siège. – **Charles XIII** (Stockholm, 1748 – id., 1818), roi de Suède (1809-1818) et de Norvège (1814-1818), désigna, en 1810, Bernadotte comme son successeur et lui laissa la direction du gouv. – **Charles XIV** ou **Charles-Jean.** V. Bernadotte. – **Charles XV** (Stockholm, 1826 – Malmö, 1872), roi de Suède de 1859 à 1872, petit-fils de Bernadotte. – **Charles XVI Gustave** (chât. de Haga, Stockholm, 1946), roi depuis 1973, à la mort de son grand-père Gustave VI Adolphe.

◊ ◊ ◊

Charles (Jacques) (Beaugency, 1746 – Paris, 1823), physicien français qui le premier utilisa l'hydrogène pour le gonflement des aérostats. – **Julie Françoise Bouchard des Hérettes** (Paris, 1782 – id., 1817), femme du préc., fut l'*Elvire* de Lamartine et peut-être sa *Graziella.*

Charles (Charles Robinson, dit Ray) (Albany, Georgie, 1932), chanteur, pianiste et compositeur de jazz américain. Aveugle à l'âge de six ans, il s'impose, à partir de 1959, avec des compositions mêlant gospel, rhythm and blues et musique blanche (*What Did I Say, I Got a Woman*).

Charles-Albert (Turin, 1798 – Porto, Portugal, 1849), roi de Sardaigne (1831-1849), neveu de Charles-Félix. Il établit une monarchie constitutionnelle

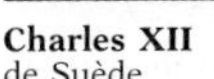

Charles XII de Suède

Ray **Charles**

(1848), prit la tête du mouvement anti-autrichien en Italie, mais, vaincu à Custozza (1848) et à Novare (1849), il abdiqua en faveur de son fils Victor-Emmanuel II.

Charles-de-Gaulle (aéroport), aéroport implanté près de Roissy-en-France (Val-d'Oise). Ouvert en 1974, il fait partie des Aéroports de Paris.

Charles-Emmanuel Ier le Grand (1562 - 1630), duc de Savoie (1580-1630), agrandit ses États. – **Charles-Emmanuel II** (1634 - 1675), duc de Savoie (1638-1675). – **Charles-Emmanuel III** (Turin, 1701 - id., 1773), duc de Savoie et roi de Sardaigne (1730-1773). – **Charles-Emmanuel IV** (Turin, 1751 - Rome, 1819), roi de Sardaigne (1796-1802), abdiqua après la conquête française.

Charles-Félix (Turin, 1765 - id., 1831), roi de Sardaigne (1821-1831).

charleston [ʃaʀlɛstɔn] n. m. Danse imitée des danses des Noirs des É.-U., qui fut très en vogue en Europe entre 1920 et 1930.

Charleston, port des É.-U. (Caroline du Sud), sur l'Atlant.; 80 400 hab. (aggl. urb. 472 500 hab.). - Ville fondée en 1670, centre de la résistance sudiste (1861 à 1865), dont la chute marqua la fin de la guerre de Sécession.

Charleston, v. des É.-U., cap. de la Virginie-Occidentale; 57 280 hab. (aggl. urb. 267 000 hab.). Houille. Raff. de pétrole.

Charlet (Nicolas) (Paris, 1792 - id., 1845), graveur français. Élève de Gros, il est l'auteur de nombr. lithographies (notam. sur la légende napoléonienne).

Charléty (Sébastien) (Chambéry, 1867 - id., 1945), historien français. Il réorganisa, après 1918, l'enseignement en Alsace et en Moselle. Il publia des ouvrages d'histoire sur le XIXe s. (*Histoire du saint-simonisme*, 1896).

Charleville-Mézières, ch.-l. du dép. des Ardennes, sur la Meuse; 59 439 hab. (*Carolomacériens*). Charleville et Mézières forment une seule com. depuis 1966. Industr. auto., méca. - Place Ducale (XVIIe s.).

Charlevoix (François-Xavier de) (Saint-Quentin, 1682 - La Flèche, 1761), jésuite français; explorateur des régions du Saint-Laurent et du Mississippi. Chateaubriand a utilisé son *Histoire et description générale de la Nouvelle-France* (1744).

charlot n. m. Fam. Homme qui manque de sérieux ou de compétence, sur qui on ne peut pas compter.

Charlot. V. Chaplin (Charlie).

1. charlotte n. f. Entremets fait de fruits ou de crème, et de biscuits ramollis dans un sirop. *Charlotte au chocolat. Un moule à charlottes.*

2. charlotte n. f. Coiffure féminine dont le bord est garni de dentelle froncée et de rubans.

3. charlotte n. f. Variété de pomme de terre à chair ferme.

Charlotte, v. des É.-U. (Caroline du Nord); 395 900 hab. (aggl. urb. 1 031 400 hab.). Industr. textiles, mécaniques.

Charlotte Amalie, ch.-l. des îles Vierges amér. (Petites Antilles), dans l'île Saint Thomas; 13 000 hab. - Ville anc. Tourisme.

Charlotte de Belgique (Laeken, 1840 - chât. de Bouchout, près de Bruxelles, 1927), princesse de Saxe-Cobourg-Gotha et de Belgique, fille de Léopold Ier, roi des Belges. Épouse de Maximilien d'Autriche, empereur du Mexique de 1864 à 1867, elle perdit la raison à la mort de ce dernier.

Charlotte de Nassau (chât. de Berg, 1896 - Fishbach, 1985), grande-duchesse de Luxembourg (1919-1964); épouse de Félix de Bourbon-Parme, elle abdiqua en faveur de son fils Jean.

Charlotte-Élisabeth de Bavière (Heidelberg, 1652 - Saint-Cloud, 1722), princesse Palatine; seconde femme (1671) du duc d'Orléans, frère de Louis XIV, et mère du Régent. Ses *Lettres* sont des chefs-d'œuvre.

Charlottetown, v. et port du Canada, cap. de l'île du Prince-Édouard; 15 390 hab. Industr. métall., alim. Pêche.

charmant, ante adj. **1.** Qui charme, séduit comme par ensorcellement. *Le prince charmant* : dans les contes de fées, jeune prince d'une grande beauté, protecteur des jeunes filles innocentes et persécutées. **2.** Plein de charme, d'agrément. *Un site charmant. Une histoire charmante.* ▷ *Par antiphrase.* Déplaisant, désagréable. *Il m'a ri au nez : charmant accueil!*

1. charme n. m. **1.** Enchantement magique. *Rompre un charme.* Syn. Envoûtement, maléfice, sortilège. ▷ Fig. *Rompre le charme* : couper court à qqch qui semble magique. ▷ Loc. fig. *Se porter comme un charme* : jouir d'une santé parfaite. **2.** Effet d'attirance, de séduction, produit sur qqn par une personne ou une chose. *Le charme de la musique.* ▷ *Chanteur* de charme.* ▷ *Faire du charme à qqn,* essayer de le séduire. **3.** Vieilli ou iron. Plur. *Les charmes d'une femme* : sa beauté, ses formes. **4.** PHYS NUCL Nombre quantique caractéristique du quatrième quark*.

2. charme n. m. Arbre de moyenne grandeur très répandu dans nos forêts (fam. bétulacées), aux feuilles ovales, alternes, à nervures saillantes, au bois blanc et dense.

charme : feuilles et épis à fruits; (en haut) fruit

charmer v. tr. [1] **1.** Litt. Adoucir, apaiser comme avec un charme. *Charmer l'ennui de qqn.* **2.** Plaire beaucoup, ravir par son charme. *Cette chanteuse a charmé son auditoire.* **3.** (Terme de politesse.) *Je suis charmé de vous voir,* j'en suis heureux.

Charmes, ch.-l. de cant. des Vosges (arr. d'Épinal), sur la Moselle, près de la *forêt de Charmes;* 4 871 hab. Exploitation forestière; filatures.

Charmettes (Les), hameau près de Chambéry. - J.-J. Rousseau y séjourna de 1732 à 1740, dans la maison de Mme de Warens, auj. musée.

charmeur, euse n. et adj. Personne qui plaît, qui séduit. *« Cet air charmé qui lui a valu sa réputation de charmeur » (S. de Beauvoir).* ▷ adj. *Un air charmeur.*

charmille n. f. Allée bordée de charmes. - *Par ext.* Allée bordée d'arbres taillés en berceau.

charnel, elle adj. **1.** Qui appartient à la chair (sens II). **2.** Qui a trait à la chair, à l'instinct sexuel. *Plaisir charnel.* - *Acte charnel, union charnelle* : acte sexuel.

charnellement adv. D'une manière charnelle.

charnier n. m. **1.** Anc. Ossuaire de cimetière. **2.** Amoncellement de cadavres.

charnière n. f. **1.** Assemblage mobile de deux pièces enclavées l'une dans l'autre, jointes par une tige qui les traverse et forme pivot. *Les charnières d'une porte d'armoire.* **2.** ZOOL Partie où s'unissent les coquilles bivalves. **3.** Fig. Point d'articulation, de jonction. *Vivre à la charnière de deux siècles.*

charnu, ue adj. **1.** Formé de chair. *Les parties charnues du corps.* **2.** Bien en chair. *Des épaules charnues.* ▷ (En parlant d'un fruit.) *Cerise charnue.* **3.** Se dit d'un vin qui a du corps.

charognard n. m. **1.** Animal qui se nourrit de charognes. - *Spécial.* Vautour. **2.** Fig., péjor. Personne toujours prête à tirer parti du malheur d'autrui.

charogne n. f. **1.** Corps d'animal mort, en décomposition. **2.** Péjor. Mauvaise viande, viande avariée. *De la charogne.* **3.** Injur. Individu ignoble.

charolais, aise adj. et n. Du Charolais. ▷ n. m. Bœuf blanc du Charolais.

Charolais ou **Charollais,** rég. de la bordure N.-E. du Massif central, en Saône-et-Loire. Formée de plateaux granitiques, elle comporte une dépression, le « bon pays », domaine d'un élevage bovin réputé : *race charolaise* (pour l'embouche). - Le comté de Charolais, créé en 1316, fut réuni à la Bourgogne en 1761.

Charolles, ch.-l. d'arr. de Saône-et-Loire; 3 418 hab. - Matériel agricole, faïencerie. - Au XIe s., capitale du comté de Charolais. - Restes du château médiéval.

Charon, dans la myth. grecque, nocher des Enfers; il passait les morts de l'autre côté de l'Achéron pour une obole.

Charon, unique satellite de Pluton, découvert en 1978 par l'Américain James Christy. Il a un diamètre de 1 190 km, égal à la moitié de celui de Pluton, et se déplace autour de cette planète avec une période de 6,4 jours, égale à la période de rotation de la planète sur elle-même. Charon est le plus gros satellite du système solaire par rapport à la taille de sa planète, de sorte que certains astronomes considèrent le système Pluton-Charon comme une planète double.

Charondas (Loys Le Caron, dit) (Paris, 1536 - id., 1617), poète et jurisconsulte français. Il édita notam. *le Grand Coutumier de France* (1598).

Charonne, anc. com., réunie en 1860 à Paris (quartier du XXe arr.).

Charonton, Charreton, Charton (Enguerrand). V. Quarton.

charophycées [kaʀɔfise] n. f. pl. BOT Syn. de *characées.* - Sing. *Une charophycée.*

Charpak (Georges) (Dabrovica, Pologne, 1924), physicien français d'orig. polonaise. Chercheur au Cern*, il a obtenu le prix Nobel de physique (1992) pour l'invention et le développement de détecteurs de particules.

charpentage n. m. TECH Construction d'une charpente.

charpente n. f. **1.** Assemblage de pièces de bois ou de métal servant de soutien à une construction. *Bois de charpente,* propre à la construction. *La maison est vieille, mais la charpente reste bonne.* **2.** Ensemble des parties osseuses du corps humain. *La charpente osseuse :* le squelette. *Avoir une solide charpente :* être bien constitué. **3.** Fig. Structure, plan d'un ouvrage. *La charpente d'un roman.*

charpenté, ée adj. **1.** Pourvu d'une charpente. **2.** Fig. *Un garçon charpenté,* solidement bâti. - *Un roman bien charpenté,* bien structuré.

charpenter v. tr. [1] **1.** Tailler (des pièces de charpente). **2.** Fig. Bâtir, agencer selon un plan régulier (un ouvrage de l'esprit).

charpenterie n. f. TECH **1.** Art, travail, technique du charpentier. **2.** Chantier de charpente.

charpentier n. m. Ouvrier qui fait des travaux de charpente.

Charpentier (Marc Antoine) (Paris, 1643 - id., 1704), compositeur français. Élève de Carissimi, il est un des maîtres de la musique religieuse française : messes, motets, oratorios (*Histoires sacrées*), opéras (*Médée,* 1963).

Charpentier (Gustave) (Dieuze, 1860 - Paris, 1956), compositeur français : *Impressions d'Italie* (suite d'orchestre, 1891), *Louise* (drame lyrique, 1900).

charpie n. f. **1.** Substance absorbante faite de toile effilée ou râpée. *La charpie était utilisée autref. pour panser les plaies.* **2.** Fig. *Mettre en charpie :* mettre en pièces. *Viande en charpie,* trop cuite et qui se détache.

Charrat (Janine) (Grenoble, 1924), danseuse et chorégraphe française : *Jeux de cartes* (1945), *Offrandes* à l'Opéra de Paris (1973). Elle fonda une compagnie en 1951.

charretée n. f. **1.** Charge d'une charrette. *Une charretée de foin.* **2.** Fig., fam. Grande quantité. *Une charretée d'insultes.*

charretier, ère n. et adj. **1.** n. Conducteur de charrette. *Jurer, parler comme un charretier,* très grossièrement. **2.** adj. Qui permet le passage aux charrettes. *Voie charretière.*

charrette n. f. **1.** Voiture à deux roues servant à porter des fardeaux, qui a ordinairement deux brancards et deux ridelles. *Atteler une charrette. Charrette à bras :* petite charrette traînée par un ou deux hommes. *Charrette anglaise :* petite voiture légère à quatre places, généralement à deux roues, tirée par un cheval. **2.** HIST *La charrette des condamnés :* tombereau qui, sous la Révolution, conduisait les condamnés à la guillotine. - Fig. *Des licenciements collectifs ont lieu dans l'entreprise, on se demande qui fera partie de la prochaine charrette.* **3.** Fam. Période de travail intensif pour achever un projet dans un certain délai. - Loc. *Être charrette.*

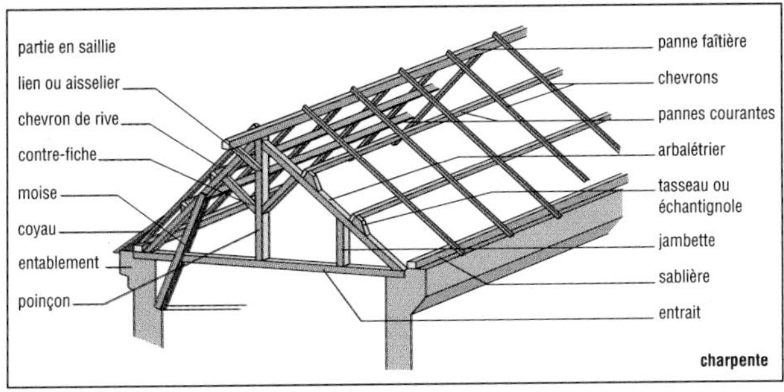

charpente

charriage n. m. **1.** Action de charrier, de transporter. **2.** GEOL Déplacement, à composante horizontale prépondérante, d'une partie d'un pli de terrain par rapport à l'ensemble du pli. ▷ *Nappe de charriage :* couche entière de terrain se déplaçant sur une très longue distance, au cours de mouvements tectoniques, et perdant tout contact avec le lieu d'où elle provient.

charrier v. [2] **I.** v. tr. **1.** Transporter. *Charrier du fumier.* **2.** Entraîner dans son courant, en parlant d'un cours d'eau. *La rivière charrie des glaçons.* **3.** Fig., fam. *Charrier qqn,* le tourner en dérision. **II.** v. intr. Fam. *Il charrie :* il exagère. *Faut pas charrier!*

charroi n. m. Transport par chariot, charrette, etc.

charron n. m. Ouvrier, artisan qui fait des trains de voitures, des chariots, des charrettes. ▷ (En appos.) *Ouvrier charron.*

Charron (Pierre) (Paris, 1541 - id., 1603), moraliste français. *De la Sagesse* (1601), apologie du scepticisme, est inspiré de Sénèque, de Plutarque et de Montaigne.

charroyer v. tr. [23] Transporter sur un tombereau, une charrette, un chariot, etc.

charrue n. f. Instrument servant à labourer la terre sur de grandes surfaces. *Le coutre et le soc de la charrue découpent une bande de terre que le versoir retourne.* ▷ Loc. fig. *Mettre la charrue avant, devant les bœufs :* commencer par où l'on devrait finir, suivre un ordre illogique.

charte n. f. **1.** Au Moyen Âge, titre qui réglait des intérêts, accordait ou confirmait des privilèges et des franchises. **2.** *L'École des chartes :* école fondée en 1821 formant des archivistes, des bibliothécaires, des spécialistes des documents anciens. **3.** HIST *La Charte constitutionnelle* (ou simplement *la Charte*) : constitution octroyée par Louis XVIII en 1814 et révisée après la révolution de 1830. **4.** HIST *La Grande Charte :* pacte imposé en 1215 par les barons anglais au roi Jean sans Terre après la défaite de Bouvines. **5.** DR INTERN *Charte des Nations unies :* traité constitutif de l'Organisation des Nations unies (O.N.U.), signé en 1945 à San Francisco. **6.** Par ext. *Charte des libertés :* déclaration des droits et des libertés des citoyens.

charter [ʃaʀtɛʀ] n. m. Avion affrété pour un groupe (compagnie de tourisme, organismes divers), à un tarif inférieur à celui d'un vol régulier. *Prendre un charter pour le Mexique.*

Chartier (Alain) (Bayeux, v. 1385 - ?, v. 1433), écrivain français, poète courtois (*la Belle Dame sans merci,* 1424) et écrivain politique (*le Livre des Quatre Dames,* 1415; *le Quadrilogue invectif,* 1422).

chartisme n. m. HIST Mouvement formé en Angleterre par les ouvriers entre 1837 et 1848 afin d'obtenir des réformes sociales améliorant leur condition.

chartiste adj. et n. **1.** Élève ou anc. élève de l'École nationale des chartes. **2.** HIST Partisan du chartisme, en Angleterre.

Chartres, ch.-l. du dép. d'Eure-et-Loir, sur l'Eure; 41 850 hab. Cap. de la Beauce, la v. est un centre agric. import. Industr. méca., électr., électron. Jouets; meubles. - Évêché. Cath. Notre-Dame, chef-d'œuvre de l'art goth. Le gros œuvre a été édifié de 1194 à 1225; le clocher vieux s'élève à 104 m; le neuf, construit au déb. du XVIe s., atteint 115 m, c'est la plus haute flèche en pierre de France. Les statues, les bas-reliefs et les vitraux sont des XIIe et XIIIe s. Égl. St-Pierre (XIe-XIIIe s.); collégiale St-André (XIIe s.); égl. St-Aignan (XVIe-XVIIe s.). Musée.

Chartres : la cathédrale et la Basse-ville

Chartres-de-Bretagne, com. d'Ille-et-Vilaine (arr. de Rennes); 5 564 hab. Industr. automobile.

chartreuse n. f. **1.** Couvent de chartreux. *« La Chartreuse de Parme », roman de Stendhal (1839).* **2.** Vx Petite maison de campagne retirée. **3.** Liqueur jaune ou verte fabriquée par les chartreux avec des plantes aromatiques.

Chartreuse (La Grande-), monastère situé dans la vallée du massif de la Grande-Chartreuse et fondé par saint Bruno en 1084. Les bâtiments actuels datent, dans leur ensemble, du XVIIe s.

chartreux, euse n. Religieux, religieuse de l'ordre de saint Bruno.

Charybde, nom donné par les Anciens à un tourbillon du détroit de Messine, proche d'un rocher nommé *Scylla.* – Loc. fig. *Tomber, aller de Charybde en Scylla,* de mal en pis.

chas [ʃa] n. m. Trou d'une aiguille où passe le fil.

Chase (René Brabazon Raymond, dit James Hadley) (Londres, 1906 – Corseaux-sur-Vevey, Suisse, 1985), écrivain anglais. Auteur prolifique de romans policiers à succès (*Pas d'orchidées pour Miss Blandish,* 1938; *Eva,* 1947).

Chasles (Michel) (Épernon, 1793 – Paris, 1880), mathématicien français; auteur de travaux de géométrie, notam. sur les espaces vectoriels (*Traité de géométrie supérieure,* 1852).

Chassagne-Montrachet, com. de la Côte-d'Or (arr. de Beaune); 436 hab. Crus réputés.

chasse n. f. **I. 1.** Action de chasser, de poursuivre des animaux afin de les tuer pour leur chair, leur fourrure, etc., afin d'éliminer ceux qui sont nuisibles, ou par goût du sport. *Un permis de chasse. Un chien de chasse. Chasse à tir,* au fusil. *Chasse à courre,* consistant à faire poursuivre une seule bête par une meute accompagnée de veneurs à cheval, jusqu'à ce que la bête traquée tombe, épuisée de fatigue. – *Chasse sous-marine,* dans laquelle on chasse le poisson avec un fusil-harpon. **2.** (Sens collectif.) Ensemble des chasseurs, des chiens, des rabatteurs et de tout l'équipage. *La chasse a passé par là.* **3.** Période où la chasse est autorisée. *La chasse n'est pas encore ouverte.* **4.** Domaine réservé pour la chasse. *Chasse gardée.* **5.** Gibier pris ou tué. *Manger sa chasse.* **6.** Prov. *Qui va à la chasse perd sa place :* celui qui quitte sa place risque de la retrouver occupée par un autre. **II. 1.** Action de poursuivre. *Faire, donner la chasse à :* poursuivre. *Chasse à l'homme.* – Fig. *Faire la chasse aux abus.* **2.** Poursuite d'un navire, d'un avion ennemi. *Prendre en chasse un bombardier, un sous-marin.* ▷ *Aviation de chasse,* ou *la chasse :* branche de l'aviation militaire chargée d'intercepter les avions ennemis, d'attaquer des objectifs terrestres et de fournir aux troupes qui sont au sol l'appui tactique dont elles ont besoin. **III. 1.** *Chasse d'eau :* masse d'eau libérée brusquement pour nettoyer un égout, un appareil sanitaire, etc. – Dispositif libérant cette eau. **2.** TECH Espace libre donné à une machine ou à certains de ses éléments pour en faciliter le mouvement. ▷ AUTO *Angle de chasse,* formé par la verticale et l'axe des pivots des fusées des roues avant. **3.** TYPO Largeur d'une lettre. **4.** En reliure, partie du plat qui déborde le bloc formé par les pages d'un volume.

1. châsse n. f. **1.** Coffre d'orfèvrerie où sont gardées les reliques d'un saint. *La châsse de saint Maurice.* ▷ Loc. *Parée comme une châsse :* très richement parée. **2.** TECH Cadre servant à enchâsser ou à protéger divers objets. *Châsse de verres optiques.* ▷ *Châsse d'une balance :* pièce métallique servant à soulever le fléau.

2. châsse n. f. ou m. (Surtout au pl.) Arg. Œil.

chassé n. m. CHOREGR Suite de pas précédant un saut au cours duquel un pied semble chasser l'autre.

chasse-clou n. m. TECH Poinçon servant à enfoncer les têtes de clous. *Des chasse-clous.* Syn. chasse-pointe.

chassé-croisé n. m. **1.** CHOREGR Pas figuré où le cavalier et sa danseuse passent alternativement l'un devant l'autre. **2.** Fig. Changement réciproque et simultané de place, de situation. *Des chassés-croisés.*

chasséen, enne adj. et n. m. PREHIST De la période du néolithique moyen (fin Vᵉ mill. av. J.-C.-déb. de l'âge du fer) caractérisée par une céramique décorée, après cuisson, de motifs géométriques. ▷ n. m. *Le chasséen.*

chasselas [ʃasla] n. m. VITIC Cépage blanc d'Alsace et de Pouilly-sur-Loire. ▷ Raisin de table blanc de ce cépage. ▷ Vin issu de ce cépage.

Chasseloup-Laubat (François, marquis de) (Saint-Sornin, Saintonge, 1754 – Paris, 1833), général et ingénieur militaire français. Il dirigea le siège de Dantzig (1807). – **Justin** (Alexandrie, Piémont, 1805 – Versailles, 1873), fils du préc.; homme politique français. Ministre de la Marine et des Colonies sous le Second Empire, il mena une politique coloniale active, notam. en Indochine.

chasse-mouches n. m. inv. Éventail, touffe de crins servant à chasser les mouches.

chasse-neige n. m. inv. **1.** Dispositif placé à l'avant d'un véhicule ou véhicule qui sert à déblayer les routes ou les voies ferrées enneigées. **2.** SPORT Position des skis en V vers l'avant pour freiner en descente.

chasse-pointe n. m. Syn. de *chasse-clou. Des chasse-pointes.*

chassepot n. m. Fusil à aiguille en usage dans l'armée française de 1866 à 1874.

chasser v. [1] **I.** v. tr. **1.** Poursuivre (des animaux) pour les tuer ou les prendre vivants. *Chasser l'éléphant.* – Prov. *Bon chien chasse de race :* les qualités viennent de l'atavisme. **2.** Pousser, faire marcher devant soi. *Chasser un troupeau de moutons.* – Loc. prov. *Un clou chasse l'autre :* V. clou. **3.** Mettre dehors avec force, contraindre à sortir. *Chasser le chat de la cuisine.* ▷ *Par ext.* Congédier. *Il a chassé son employé, son domestique.* ▷ Fig. *Chasser les mauvaises odeurs d'un lieu,* en l'aérant. *Chassez ces sombres pensées,* éloignez-les de votre esprit. **II.** v. intr. **1.** MAR *Navire qui chasse sur ses ancres,* qui entraîne ses ancres sous l'effet du vent ou du courant. *Ancre qui chasse,* qui ne tient pas sur le fond. **2.** TYPO En parlant d'un caractère d'imprimerie, avoir un encombrement important. **3.** CHOREGR Exécuter un chassé. **4.** Déraper. *Dans le virage, les roues arrière ont chassé.*

chasseresse n. f. et adj. Poét. Chasseuse. *Diane chasseresse.*

Chassériau (Théodore) (Santa Bárbara de Samaná, Saint-Domingue, 1819 – Paris, 1856), peintre français romantique, influencé par Ingres et Delacroix (*la Toilette d'Esther,* 1841, Louvre).

chasseur, euse n. **1.** Personne qui pratique la chasse. **2.** *Chasseur d'images :* photographe, cinéaste en quête d'images originales. – *Chasseur de son :* amateur de sons enregistrés sur le vif. – *Chasseur de primes :* dans l'ouest des É.-U., aventurier qui capturait des criminels dont la tête était mise à prix. **3.** *Chasseurs de têtes,* se dit d'Indiens d'Amazonie qui conservaient comme trophées les têtes coupées des ennemis qu'ils avaient tués. ▷ Fig. *Chasseur de têtes :* professionnel qui se charge, pour le compte d'une entreprise, du recrutement des cadres. **4.** n. m. Groom qui fait les commissions dans un hôtel, un restaurant. **5.** Nom donné à différentes subdivisions de l'infanterie et de la cavalerie et aux hommes qui les composent. *Chasseurs d'Afrique :* anc. régiments de cavalerie légère. *Chasseurs à pied, chasseurs alpins :* corps d'infanterie. **6.** MAR Navire rapide qui fait la chasse à d'autres navires, aux sous-marins en partic. **7.** Avion de chasse. *Chasseur à réaction. Chasseur-bombardier,* spécialisé dans l'attaque au sol et le bombardement tactique. **8.** CUIS *À la chasseur* ou, ellipt., *chasseur :* préparation incluant des champignons, du vin blanc, etc., pour les volailles et les œufs. *Poulet chasseur.*

chassie n. f. Matière visqueuse qui s'amasse sur le bord des paupières.

chassieux, euse adj. Qui a de la chassie. *Des yeux chassieux.*

châssis [ʃasi] n. m. **1.** Assemblage en métal ou en bois qui sert à encadrer ou à soutenir un objet, un vitrage, etc. *Châssis à tabatière.* **2.** HORTIC *Châssis couche :* châssis vitré provoquant un effet de serre, qui empêche le refroidissement d'une couche. **3.** BX-A Cadre sur lequel est tendue la toile d'un tableau, d'un décor de théâtre. **4.** IMPRIM Cadre rectangulaire dans lequel on impose, en typographie, les pages composées et les clichés. **5.** PHOTO Cadre contenant la plaque sensible d'un appareil photo. ▷ Cadre servant au tirage d'une épreuve photographique. **6.** *Châssis de wagon, d'automobile :* assemblage métallique rigide servant à supporter la carrosserie, le moteur, etc. **7.** Fig., fam. *Un beau châssis :* le corps d'une femme bien faite.

chaste adj. **1.** Qui pratique la chasteté. *Un homme chaste.* **2.** Pur, éloigné de tout ce qui blesse la pudeur. *Des oreilles chastes* (souvent iron.). *Un amour chaste et pur.*

Chastel (André) (Paris, 1912 – Neuilly-sur-Seine, 1990), historien et critique d'art français. Professeur au Collège de France (1970), il étudia notamment la Renaissance italienne (*Art et humanisme à Florence au temps de Laurent le Magnifique,* 1959).

Chastellain (Georges) (Alost, Flandres, v. 1410 – Valenciennes, 1475), chroniqueur flamand, conseiller de Philippe le Bon : *Chronique des ducs de Bourgogne.*

chastement adv. De manière chaste.

Chastenet de Castaing (Jacques) (Paris, 1893 – id., 1978), journaliste et historien français : *Histoire de la IIIᵉ République* (1952-1963). Acad. fr. (1956).

chasteté n. f. Vertu qui consiste à s'abstenir des plaisirs charnels jugés illicites; comportement d'une personne chaste. – *Vœu de chasteté :* vœu de continence prononcé par les prêtres, les religieux, les religieuses.

chasuble n. f. **1.** Ornement liturgique que le prêtre met par-dessus l'aube et l'étole pour dire la messe. *Une chasuble brodée d'or.* **2.** *Chasuble* ou, en appos., *robe chasuble :* robe de femme, sans manches, portée sur un autre vêtement dont les manches apparaissent.

chat, chatte n. **1.** Petit mammifère domestique ou sauvage (fam. félidés) au pelage soyeux, à la tête surmontée d'oreilles triangulaires, aux longues vibrisses («moustaches»), aux pattes garnies de griffes rétractiles. *Chat tigré, persan, siamois.* ▷ Loc. fig. *Appeler un chat un chat :* ne pas avoir peur des

chartreux

abyssin

havana

maine coon

persan

rex

siamois

chat de l'île de Man

européen

chat sauvage européen

mots, parler franchement, crûment. ▷ *Avoir un chat dans la gorge :* être enroué. ▷ *Acheter chat en poche,* sans voir l'objet que l'on achète. ▷ *Avoir d'autres chats à fouetter :* avoir des choses plus importantes à faire que celle dont il est question. ▷ Fam. *Il n'y a pas un chat :* il n'y a personne. ▷ *Il n'y a pas de quoi fouetter un chat :* c'est une affaire de peu d'importance. ▷ *Donner sa langue au chat :* déclarer que l'on renonce à chercher la solution d'une énigme, d'une devinette. ▷ *S'entendre comme chien et chat :* s'entendre très mal, ne pas pouvoir se supporter. ▷ *Écrire comme un chat,* d'une manière illisible. ▷ Prov. *Chat échaudé craint l'eau froide :* les expériences fâcheuses rendent prudent, méfiant. – *La nuit, tous les chats sont gris :* dans l'obscurité, toutes les confusions sont possibles. – *Quand le chat n'est pas là, les souris dansent :* en l'absence du chef, les subordonnés se relâchent. ▷ (Canada) *Chat sauvage :* nom cour. du raton laveur, de sa fourrure. *Des chats sauvages.* – Ellipt. *Manteau de chat.* **2.** Terme de tendresse. *Mon petit chat.* **3.** Jeu de poursuite enfantin. *Jouer à chat. Chat perché. Chat coupé.* – Joueur qui poursuit les autres. *Je t'ai touché! c'est toi le chat!* **4.** *Chat à neuf queues :* fouet à neuf lanières autref. en usage comme instrument de punition sur les navires anglais. **5.** CHORÉGR *Saut de chat* ou *pas de chat :* saut latéral exécuté en série, au cours duquel les jambes s'écartent tout en se repliant. (V. aussi chatte.)

châtaigne n. f. et adj. inv. **I. 1.** n. f. Fruit du châtaignier (V. marron). ▷ *Châtaigne d'eau :* fruit de la macre. **2.** adj. inv. De la couleur brun clair de la châtaigne. *Un pantalon châtaigne.* **II.** n. f. Fam. Coup. *Envoyer une châtaigne sur le nez de qqn.* Syn. marron.

châtaigneraie n. f. Lieu planté de châtaigniers.

châtaignier n. m. Arbre des régions tempérées (fam. fagacées) produisant

châtaignier : à g., feuille et floraison (chaton mâle); à dr., de haut en bas, bogue, châtaigne et silhouette

les châtaignes. (Les variétés améliorées, sélectionnées et propagées par greffe, portent le nom de marronniers.) – *Par méton.* Bois de cet arbre.

châtain, aine adj. et n. (Rare au fém.) De la couleur de la châtaigne, brun clair. *Cheveux châtains.* ▷ n. m. Cette couleur. ▷ Subst. (Personnes) *Un châtain clair.*

chataire [ʃatɛʀ] ou **cataire** [katɛʀ] n. f. Plante herbacée odorante (l'*herbe-aux-chats,* fam. labiées), à fleurs blanches, fréquente dans les endroits incultes.

château, eaux n. m. **1.** Forteresse entourée de fossés et défendue par de gros murs flanqués de tours ou de bastions. *Château fort, féodal, médiéval. Les oubliettes d'un château.* **2.** Habitation royale ou seigneuriale. *Le château de Chantilly, de Versailles. Les châteaux de la Loire.* **3.** Demeure belle et vaste, à la campagne. *Le château du village.* ▷ Dans le Bordelais, habitation au milieu d'un cru auquel elle donne son nom. *Château-Mouton-Rothschild.* **4.** Loc. fig. *Bâtir, faire des châteaux en Espagne :* former des projets irréalisables. **5.** *Château de cartes :* V. carte. **6.** MAR Superstructure dominant le pont d'un navire. *Château de proue :* gaillard d'avant. **7.** *Château d'eau :* réservoir surélevé permettant la mise sous pression d'un réseau de distribution d'eau.

chateaubriand ou **châteaubriant** n. m. Morceau de filet de bœuf grillé très épais.

Chateaubriand (François René, vicomte de) (Saint-Malo, 1768 – Paris, 1848), écrivain français. Il passa sa jeunesse en Bretagne, puis entama sans conviction une carrière militaire, qu'il interrompit au moment de la Révolution pour voyager en Amérique (1791); il en revint en 1792, puis émigra à Londres en 1793. Rentré en France en 1800, il publia *Atala* (1801) et *René* (1802), récits romanesques qui se rattachent au *Génie du christianisme* (1802). Ministre plénipotentiaire de Bonaparte, il démissionna après l'exécution du duc d'Enghien (1804). La publication en 1811 du récit d'un voyage en Orient (*Itinéraire de Paris à Jérusalem*) suivit celle des *Martyrs* (1809), nouvelle apologie du christianisme. À partir de 1814, il entra de nou-

Chateaubriand

Patrice **Chéreau**

tour chaperonnée
logis
tour de guet
tour d'angle
cour
chapelle
hourds en bois
poterne
corbeaux
bretèche
lice
palissade (lice)
herse
pont-levis
poivrière
pinacle
donjon
tour flanquante
chemin de ronde
citerne
tour à bec
créneaux
archères
parapet
meurtrières
fossé

château fort

veau dans la vie polit. (ambassadeur, ministre), mais, hostile à la monarchie de Juillet, s'en retira définitivement en 1830. Il publia *les Aventures du dernier Abencérage, les Natchez* (1826) et le *Voyage en Amérique* (1827), puis la *Vie de Rancé* (1844). Les *Mémoires d'outre-tombe* (commencés en 1809, terminés en 1841), récit de sa vie, son chef-d'œuvre, furent publiés immédiatement après sa mort. Acad. fr. (1811).

Châteaubriant, ch.-l. d'arr. de la L.-Atl., sur la Chère, affl. de la Vilaine; 13 378 hab. (*Castelbriantais*). Marché aux bestiaux. Emballage; industr. chim. et méca. – Le 22 oct. 1941, vingt-sept otages y furent fusillés par les Allemands.

Châteaubriant (Alphonse de) (Rennes, 1877 - Kitzbühel, Autriche, 1951), écrivain français. Dans ses romans, il décrit la Vendée et ses nobles : *Monsieur de Lourdines* (1911), *la Brière* (1923), *la Meute* (nouvelles historiques, 1927). Rallié au nazisme, il présida le groupe «Collaboration» et dirigea l'hebdomadaire *la Gerbe*. Il fut condamné à mort par contumace.

Château-Chinon, ch.-l. d'arr. de la Nièvre, sur l'Yonne, dans le Morvan; 2 952 hab. – Musée du Septennat (de F. Mitterrand).

Château-d'Olonne, com. de Vendée (arr. des Sables-d'Olonne); 11 133 hab. – Constr. de bateaux de plaisance.

Châteaudun, ch.-l. d'arr. d'Eure-et-Loir, en Beauce, sur le Loir; 15 328 hab. (*Dunois*). Industr. métall., méca.; prod. agric. – En 1870, la ville résista aux Allemands; prise, elle fut incendiée. – Égl. romane de la Madeleine (XIIe s.); égl. St-Valérien (XIIe-XVe s.). Château (XVe-XVIe s.); donjon (XIIe s.).

Château-Gaillard. V. Andelys (Les).

Château-Gontier, ch.-l. d'arr. de la Mayenne, sur la Mayenne; 11 476 hab. Import. marché (veaux). I.A.A.; métallurgie.

Châteauguay (le), rivière des É.-U. et du Canada (Québec), affl. du Saint-Laurent (r. dr.). – Victoire des Canadiens sur les Américains (1813).

Châteaulin, ch.-l. d'arr. du Finistère, sur l'Aulne, dans le *bassin de Châteaulin*; 5 614 hab. I.A.A. – Chap. Notre-Dame (XVe-XVIe s.).

Châteauneuf-de-Randon, ch.-l. de cant. de la Lozère (arr. de Mende); 544 hab. – Du Guesclin y mourut alors qu'il assiégeait (1380) ce haut lieu du Gévaudan tenu par les Anglais.

Châteauneuf-du-Pape, com. du Vaucluse (arr. d'Avignon), dans le Comtat; 2 067 hab. Vins renommés (côtes-du-rhône). – Ruines d'un château bâti au XIVe s. par les papes d'Avignon.

Châteauneuf-sur-Rhône, com. de la Drôme, cant. de Montélimar; 1 994 hab. Usine hydroélectrique sur une dérivation du Rhône.

Châteaurenard, ch.-l. de canton des Bouches-du-Rhône (arr. d'Arles); 11 829 hab. Marché (MIN) de fruits et légumes.

Château-Renault (François Louis de Rousselet, marquis de) (Château-Renault, 1637 – Paris, 1716), vice-amiral et maréchal de France. Il combattit les Barbaresques, les Anglais et les Hollandais.

Châteauroux, ch.-l. du dép. de l'Indre, sur l'Indre; 52 949 hab. (*Castelroussins*). Import. centre routier et ferroviaire. Industr. méca., aéron., alim. Prod. chim. Manuf. de tabac. Confection. – Au S. de la v., grande forêt domaniale. – Égl. St-Martial (XIIe-XVe s.). Le Château-Raoul (XVe s.) abrite les services de la préfecture.

Châteauroux (Marie Anne de Mailly-Nesle, marquise de la Tournelle, duchesse de) (Paris, 1717 – id., 1744), maîtresse de Louis XV.

Château-Salins, ch.-l. d'arr. de la Moselle; 2 719 hab.

Château-Thierry, ch.-l. d'arr. de l'Aisne, sur la Marne; 15 830 hab. (*Castrothéodoriciens*). Carrières; industr. alim., du plastique; mat. agric. Fabrique d'instruments de musique. – Égl. goth. (XVe-XVIe s.). Ruines du chât. (XIe s.). Musée La Fontaine, dans sa maison natale.

Châtel (Jean) (?, 1575 – Paris, 1594), il tenta d'assassiner Henri IV, le 27 déc. 1594, et fut écartelé le surlendemain.

châtelain n. m. **1.** HIST Seigneur possesseur d'un château et d'un territoire. **2.** Propriétaire d'un château, d'une vaste et belle demeure campagnarde. *Le châtelain du village.*

châtelaine n. f. **1.** Femme d'un châtelain; propriétaire d'un château. **2.** Bijou, chaîne de ceinture.

châtelet n. m. Petit château fort.

Châtelet (Grand et Petit), célèbres forteresses de Paris, mentionnées dès le IXe s. (elles étaient alors en bois, mais furent reconstruites en pierre au XIIe s.). Le *Grand Châtelet*, au N. du Pont-au-Change (r. dr.), était le siège d'un tribunal dont Saint Louis élargit les attributions (démoli v. 1802); le *Petit Châtelet*, à l'entrée de la rue Saint-Jacques (r. g.), servit de prison (démoli en 1782).

Châtelet (Émilie Le Tonnelier de Breteuil, marquise du) (Paris, 1706 – Lunéville, 1749), érudite et femme de lettres française; célèbre pour sa liaison avec Voltaire. Elle a traduit Newton.

Châtelguyon, com. du Puy-de-Dôme (arr. de Riom); 4 954 hab. Importante station thermale.

Châtellerault, ch.-l. d'arr. de la Vienne, sur la Vienne; 35 691 hab. (*Châtelleraudais*). Industr. méca., aéron. et text. – Égl. St-Jean-Baptiste (XVe-XVIe s., remaniée au XIXe). Égl. St-Jacques (XIIe-XIIIe s.). Maison de Descartes. Musée de l'Automobile et de la Technique.

Châtenay-Malabry, ch.-l. de cant. des Hauts-de-Seine (arr. d'Antony), au S. de Paris; 29 359 hab. (*Châtenaisiens*). Ville résidentielle. – Égl. St-Germain-l'Auxerrois (XIe-XIIe s.). Château de la Roseraie (XVIIIe s.). Domaine de la Vallée-aux-Loups, où habita Chateaubriand de 1807 à 1817. École centrale des arts et manufactures.

Chatham, v. de G.-B. (Kent), sur l'estuaire de la Medway; 61 910 hab. Port militaire important. Arsenal. Constructions navales.

Chatham (comtes de). V. Pitt.

chat-huant [ʃayɑ̃] n. m. Nom cour. de la hulotte. *Des chats-huants.*

châtier v. tr. [**2**] **1.** Litt. Infliger une peine à. *Châtier un criminel.* – Prov. *Qui aime bien châtie bien :* c'est aimer véritablement qqn que de le reprendre de ses fautes. **2.** Fig., litt. Punir (qqch). *Châtier l'audace de qqn.* **3.** Fig. Rendre plus pur, plus correct. *Châtier son style.* – Pp. adj. *Langage châtié.*

chatière n. f. **1.** Trou pratiqué dans le bas d'une porte pour laisser passer les chats. **2.** CONSTR Trou d'aération dans une toiture. **3.** TRAV PUBL Ouverture pratiquée dans un bassin pour permettre l'écoulement des eaux.

Châtillon, nom de plusieurs familles nobles. Celle de Châtillon-sur-Marne a compté **Eudes de Châtillon**, pape sous le nom d'Urbain II*, et **Gaucher V de Châtillon** (v. 1250 – 1329), connétable de Philippe le Bel; celle de Châtillon-sur-Loing (auj. *Châtillon-Coligny*) a compté l'amiral de Coligny (V. ce nom) et ses deux frères.

Châtillon (anc. *Châtillon-sous-Bagneux*), ch.-l. de cant. des Hauts-de-Seine (arr. d'Antony), dans la banlieue S. de Paris; 26 508 hab. Constr. aéronautique.

Châtillon-sur-Seine, ch.-l. de cant. de la Côte-d'Or (arr. de Montbard); 7 451 hab. – Égl. St-Vorles (fin du Xe s.). Musée (trésor de Vix) dans la maison Philandrier (Renaissance). – Le *congrès de Châtillon* réunit, du 5 février au 18 mars 1814, les représentants de la France et ceux des Alliés pour conclure la paix, mais en vain.

châtiment n. m. Correction, punition. *Un châtiment injuste.*

Chat-Noir (le), cabaret parisien (1881-1898), fondé à Montmartre par Rodolphe Salis. Il fut animé par des chansonniers (dont Aristide Bruant) et des dessinateurs (théâtre d'ombres).

chatoiement [ʃatwamɑ̃] n. m. Reflet brillant et changeant. *Le chatoiement de la moire.* – Fig. *Le chatoiement d'un style.*

1. chaton n. m. **1.** Jeune chat. **2.** Inflorescence unisexuée qui se détache d'une seule pièce après la floraison (chaton mâle) ou la fructification (chaton femelle). *Chatons de noisetier, de saule.* **3.** Fam. Petit amas de poussière qui s'accumule sous les meubles. Syn. mouton.

2. chaton n. m. Partie saillante d'une bague, marquée d'un chiffre ou portant une pierre précieuse.

Chatou, ch.-l. de cant. des Yvelines (arr. de Saint-Germain-en-Laye), sur la Seine; 28 077 hab. (*Catoviens*). Cité résidentielle. Industrie aéron. – Égl. (chœur du XIIIe s.). Derain et Vlaminck, qui y séjournèrent, formèrent l'*école de Chatou.*

1. chatouille n. f. (Souvent plur.) Fam. Chatouillement (sens 1). *Faire des chatouilles.*

2. chatouille n. f. Nom cour. de la petite lamproie de rivière.

chatouillement n. m. **1.** Action de chatouiller. **2.** Picotement désagréable.

chatouiller v. tr. [**1**] **1.** Causer, par un attouchement léger, un tressaillement spasmodique qui provoque un rire nerveux. *Chatouiller un bébé.* **2.** Produire une impression agréable. *Ce vin chatouille le palais.* **3.** Fig. Exciter. *Chatouiller la curiosité de qqn.*

chatouilleux, euse adj. **1.** Sensible au chatouillement. **2.** Fig. Susceptible. *Un caractère chatouilleux.*

chatouillis [ʃatuji] n. m. Fam. Chatouille légère.

chatoyant, ante adj. **1.** Qui chatoie. *Une étoffe chatoyante.* **2.** Litt., fig. *Style chatoyant*, où les images sont variées et nombreuses.

chatoyer v. intr. [**23**] Avoir des reflets changeants. ▷ Fig. *Style qui chatoie par la richesse de ses images.*

Châtre (La), ch.-l. d'arr. de l'Indre, sur l'Indre; 4 838 hab. Centre agricole.

châtrer v. tr. [1] **1.** Rendre stérile (un être humain ou un animal) par l'ablation des testicules ou des ovaires. **2.** HORTIC Supprimer les organes de multiplication végétative de (une plante). *Châtrer un fraisier,* en coupant les stolons. **3.** Fig. Mutiler. *Châtrer un ouvrage littéraire,* par des coupures.

Chatrian. V. Erckmann-Chatrian.

Chatt al-Arab (le) *(Šaṭṭ al 'Arab),* fl. d'Irak (200 km), formé par la réunion du Tigre et de l'Euphrate; arrose Bassorah, se jette dans le golfe Persique. Enjeu initial de la première guerre du Golfe (qui commença en 1980), le fleuve fait frontière entre l'Iran et l'Irak. L'invasion du Koweït par l'armée irakienne, en 1990, fut un nouvel épisode des efforts de l'Irak pour accéder directement aux rives du golfe Persique.

Chattanooga, v. des É.-U. (Tennessee), sur le Tennessee; 152 400 hab. (aggl. urb. 422 500 hab.). Industr. métallurgiques, mécaniques, textiles. – Victoire de Grant sur les Sudistes (novembre 1863).

chatte n. f. et adj. **I. 1.** n. f. Femelle du chat. **2.** Vulg. Sexe de la femme. **3.** adj. *Des manières chattes :* des manières câlines, comme celles d'une chatte. **II.** MAR Grappin à dents acérées qui sert à draguer des câbles, des chaînes, etc.

chattemite n. f. Litt. Personne qui affecte des airs doux et humbles pour tromper ou séduire.

chatterie n. f. **1.** Caresse câline. *Faire des chatteries à qqn.* **2.** Friandise.

chatterton [ʃatɛʀtɔn] n. m. Ruban adhésif employé comme isolant en électricité.

Chatterton (Thomas) (Bristol, 1752 – Londres, 1770), poète anglais. Il est l'auteur de très habiles pastiches de poèmes du XVe s. (*Poésies de Thomas Rowley,* posth., 1777). Sa vie misérable, à laquelle il mit fin fort jeune, a inspiré Vigny (*Chatterton,* 1835).

Chaucer (Geoffrey) (Londres, v. 1340 – id., 1400), le premier grand poète anglais. Il se libéra des influences franco-italiennes (G. de Machaut, Boccace); son recueil, les *Contes de Cantorbéry* (1387-1400), dépeint l'Angleterre du XIVe s. avec réalisme et humour.

chaud, chaude adj., n. et adv. **I.** adj. **1.** Qui procure une sensation de chaleur, qui présente une température plus élevée que celle du corps humain. *Un climat chaud. De l'eau trop chaude.* **2.** Qui donne, qui produit, qui garde, qui transmet la chaleur. *Des croissants encore chauds. Avoir les mains chaudes.* **3.** PHYSIOL *Les animaux à sang chaud,* homéothermes. **4.** Fig. *Une nouvelle toute chaude,* récente. – *Pleurer à chaudes larmes,* abondamment. – *Faire des gorges chaudes :* rire, se moquer. **5.** Fig. Ardent, sensuel. *Avoir un tempérament chaud. Avoir le sang* chaud.* **6.** Fig. *Une chaude affection,* passionnée, zélée. **7.** Fig. *L'alerte aura été chaude,* rude. **8.** Fig. *Une voix chaude,* animée, bien timbrée. **9.** Fig. PEINT *Coloris, tons chauds,* qui évoquent le feu (rouge, orangé, etc.). **II.** n. m. **1.** Chaleur. *Il ne craint ni le chaud ni le froid.* **2.** *Un chaud et froid :* refroidissement brusque alors que l'on est en sueur. **3.** Loc. fig. *Souffler le chaud et le froid :* imposer sa volonté en étant successivement amical et hostile. **4.** *Au chaud :* de manière que la chaleur se conserve. *Tenir un plat au chaud.* **5.** (Nominal après un verbe.) *Avoir chaud.* – *Avoir eu chaud :* avoir échappé de bien peu à un désagrément. – *Il fait chaud.* – Fam *Cela ne me fait ni chaud ni froid,* m'est indifférent. **III.** adv. **1.** *Mangez donc chaud.* **2.** Loc. adv. *Opérer à chaud,* en pleine crise. **3.** Fam. *Cela te coûtera chaud,* cher.

chaudement adv. **1.** De façon à avoir chaud. *Se vêtir chaudement.* **2.** Fig Avec ardeur, vivacité. *Cet avocat l'a chaudement défendu.*

chaude-pisse n. f. Vulg. Blennorragie. *Des chaudes-pisses.*

Chaudes-Aigues, ch.-l. de cant. du Cantal (arr. de Saint-Flour); 1 169 hab. Stat. therm. (eaux à 82 °C, bicarbonatées et radioactives, les plus chaudes d'Europe). – Égl. flamboyante et Renaissance.

Chaudet (Antoine Denis) (Paris, 1763 – id., 1810), sculpteur néo-classique français : *Napoléon* (1810-1814, statue placée au sommet de la colonne Vendôme), *l'Amour* (Louvre), etc.

chaud-froid n. m. Volaille ou gibier cuit, servi froid, nappé d'une sauce à base de gelée. *Des chauds-froids.*

chaudière n. f. Récipient, cuve destinée à porter un fluide (généralement de l'eau ou de la vapeur) à une température élevée. *Chaudière de chauffage central, à charbon, à mazout. Chaudière de bateau.*

Chaudière-Appalaches, rég. admin. du Québec qui s'étend du sud du Saint-Laurent à la frontière du Maine (É.-U.); 375 000 hab.

chaudron n. m. **1.** Petit récipient, de cuivre ou de fonte, muni d'une anse, surtout destiné aux usages culinaires; son contenu. *Un chaudron de légumes.* **2.** Fig., péjor. Mauvais instrument de musique.

chaudronnerie n. f. Industrie concernant la fabrication d'objets en métal par emboutissage, estampage, rivetage, martelage et soudage. ⊳ Usine, atelier où sont fabriqués de tels objets. ⊳ Produit de cette industrie.

chaudronnier, ère n. Personne qui fabrique ou vend des articles de chaudronnerie. *Un chaudronnier d'art.*

chauffage n. m. **1.** Action de chauffer; production de chaleur. *Appareil de chauffage.* **2.** Mode de production de chaleur; appareil destiné à chauffer. *Chauffage au bois, au gaz, à l'électricité. Chauffage central,* par des radiateurs alimentés par une chaudière unique (dans une maison, un appartement, un immeuble). *Chauffage urbain,* alimenté par ces centrales couvrant une zone urbaine. *Chauffage solaire. Le chauffage est tombé en panne.*

chauffagiste n. m. Spécialiste de l'installation et de l'entretien du chauffage central.

chauffant, ante adj. Qui chauffe. *Couverture chauffante.*

chauffard n. m. Automobiliste maladroit, imprudent, ou qui ne respecte pas les règles de la conduite. – Par extens. *Chauffard des mers.*

chauffe n. f. **1.** TECH Action, fait de chauffer. *Contrôle de chauffe.* ⊳ *Surface de chauffe :* surface d'une chaudière (parois et tubes) recevant la chaleur fournie par le foyer. ⊳ *Corps de chauffe :* appareil (radiateur, tuyau à ailettes, etc.) qui diffuse la chaleur apportée par un fluide chauffant. ⊳ *Bleu de chauffe :* vêtement de grosse toile bleue utilisé par divers corps de métiers (d'abord par les chauffeurs, sens 1). **2.** *Chambre de chauffe :* lieu où l'on brûle le combustible qui chauffe les fourneaux de fonderies, les chaudières de navires.

chauffe-bain n. m. Chauffe-eau servant à alimenter une salle de bains. *Des chauffe-bains électriques.*

chauffe-biberon n. m. Appareil électrique servant à faire chauffer les biberons au bain-marie. *Des chauffe-biberons.*

chauffe-eau [ʃofo] n. m. inv. Appareil de production d'eau chaude domestique. *Des chauffe-eau électriques, à gaz.*

chauffe-plat(s) n. m. Plaque chauffante, réchaud de table ou de desserte. *Des chauffe-plats.*

chauffer v. [1] **I.** v. tr. **1.** Rendre chaud, plus chaud; donner une sensation de chaleur. *Chauffer un métal pour le travailler. L'alcool chauffe les joues.* ⊳ *Chauffer au rouge, à blanc :* élever la température jusqu'à ce que le corps chauffé devienne rouge, blanc. – Fig., fam. *Être chauffé à blanc :* être très énervé, ne plus pouvoir se contenir. **2.** TECH Mettre sous pression (une machine à vapeur). – Anc. *Chauffer une locomotive.* **3.** Fig., fam. Mener vivement, activer (qqch); exciter, enthousiasmer (qqn). *Chauffer une affaire. Un chanteur qui chauffe son public.* ⊳ *Chauffer un candidat,* le préparer à une épreuve, à un examen, par un travail intensif. ⊳ *Chauffer les oreilles à qqn,* l'irriter. **4.** Arg., fam. Voler. *Se faire chauffer son portefeuille.* **II.** v. intr. **1.** Devenir chaud. *Le dîner est en train de chauffer.* **2.** Dégager de la chaleur. *La houille chauffe plus que le bois.* **3.** S'échauffer à l'excès. *Cet essieu va chauffer s'il n'est pas graissé.* – Fig., fam. *Ça chauffe, ça va chauffer :* cela se gâte, cela va prendre une tournure violente. **III.** v. pron. **1.** S'exposer à la chaleur. *Se chauffer au coin du feu.* **2.** Être chauffé. *Nous ne nous chauffons qu'au mazout.* ⊳ Fig., fam. *On verra de quel bois je me chauffe :* on verra de quoi je suis capable (menace).

chaufferette n. f. Anc. Boîte perforée contenant des braises et servant à se chauffer les pieds. – Mod. *Chaufferette électrique.*

chaufferie n. f. Local où sont installés des appareils de production de chaleur.

chauffeur n. m. **1.** Ouvrier chargé de l'alimentation d'un foyer. *Les chauffeurs des anciennes locomotives à vapeur.* **2.** Personne qui conduit une automobile. *Chauffeur de taxi.* **3.** HIST *Les chauffeurs :* brigands qui, au début du XIXe s., brûlaient les pieds de leurs victimes pour leur faire avouer où elles cachaient leurs richesses.

chauffeuse n. f. Siège bas à dossier pour s'asseoir auprès du feu.

chaulage n. m. Action de chauler; traitement par la chaux. *Chaulage des sols, des arbres.*

chauler v. tr. [1] **1.** AGRIC Amender un sol en y incorporant de la chaux. **2.** Enduire de chaux. *Chauler un mur.*

chaume n. m. **1.** BOT Tige herbacée des graminées (blé, avoine, etc.). **2.** AGRIC Partie des céréales qui reste dans un champ après la moisson. *Brûler le chaume.* Syn. éteule. ⊳ *Par ext.* (Surtout au plur.) Champ où le chaume est encore sur pied. *Se promener dans les chaumes.* **3.** Paille qui sert de couverture à certaines habitations rurales; cette couverture elle-même. *Une ferme à toit de chaume.*

chaumer v. tr. et intr. [1] AGRIC Couper, ramasser le chaume d'un champ.

Chaumette (Pierre Gaspard) (Nevers, 1763 - Paris, 1794), révolutionnaire français, membre du club des Cordeliers et procureur-syndic de la Commune insurrectionnelle de Paris en 1792. Athée, il fut le princ. instigateur du culte de la déesse Raison. Guillotiné avec les hébertistes (V. Hébert).

chaumière n. f. Maison couverte de chaume. - Loc. fam. *Une histoire à faire pleurer dans les chaumières*, très sentimentale.

Chaumont, ch.-l. du dép. de la Hte-Marne, sur la Marne; 28 900 hab. Papeterie; presse; industr. du bois, bioméd. Constr. métall. - Égl. St-Jean-Baptiste (XIIIe-XVIe s.). - Le *pacte de Chaumont* (9 mars 1814), entre les Alliés, stipulait que la France serait ramenée à ses frontières de 1792.

Chaumont-sur-Loire, com. du Loir-et-Cher (arr. de Blois); 880 hab. - Chât. (XVe-XVIe s.) ayant appartenu à Catherine de Médicis puis à Diane de Poitiers.

Chauny, ch.-l. de cant. de l'Aisne (arr. de Laon), sur l'Oise et le canal de Saint-Quentin; 13 619 hab. Industr. du bois, chimique.

Chausey (îles), groupe d'îlots (env. 80), dans la Manche, au large de la com. de Granville, dont ils dépendent. Pêche. Tourisme.

chaussant, ante adj. Qui chausse bien. *Des escarpins chaussants.*

chaussé, ée adj. **1.** Qui porte une, des chaussure(s). *Bien, mal chaussé. Chaussé de sabots.* - Prov. *Les cordonniers sont les plus mal chaussés* : on néglige souvent les avantages les plus accessibles. **2.** Muni de pneus. *Voiture chaussée de pneus cloutés.* **3.** HERALD Se dit de l'écu divisé par deux diagonales partant des angles du chef et se rejoignant au milieu de la pointe.

chaussée n. f. **1.** Partie d'une route aménagée pour la circulation. *Chaussée glissante par temps de pluie.* **2.** Levée de terre servant à retenir l'eau d'un étang, d'une rivière, etc., ou utilisée comme chemin de passage dans les lieux marécageux. **3.** MAR Long écueil sous-marin. *La chaussée de Sein.* **4.** HORL Pièce d'une montre, qui porte l'aiguille des minutes.

Chaussée des Géants (en angl. *Giant's Causeway*), site d'Irlande du Nord constitué par une coulée basaltique cristallisée en prismes et érodée par la mer; l'ensemble ressemble à une chaussée formée d'énormes pavés.

chausse-pied n. m. Instrument en forme de lame incurvée, dont on se sert pour chausser plus facilement une chaussure. *Des chausse-pieds.*

chausser v. tr. [1] **I. 1.** Mettre à ses pieds (des chaussures). *Chausser des bottes.* - Ellipt. *Chausser du 41,* porter des chaussures de cette pointure. ▷ EQUIT *Chausser les étriers* : mettre les pieds dans les étriers. ▷ Fig. *Chausser des lunettes,* les ajuster sur son nez. **2.** Mettre des chaussures à (qqn). *Chausser une fillette.* ▷ v. pron. *Se baisser pour se chausser.* **3.** Fournir en chaussures. *Un bottier célèbre qui chausse les plus grandes actrices.* ▷ v. pron. *Ne se chausser que dans les meilleures boutiques.* **4.** (En parlant de chaussures.) S'ajuster, être bien ou mal adapté. *Ce modèle vous chausse bien.* **5.** Munir de pneumatiques (un véhicule). **II.** ARBOR *Chausser un arbre,* entourer son pied de terre. Syn. butter 1.

chausses n. f. pl. Anc. Partie du vêtement masculin qui couvrait le corps de la ceinture aux genoux (*haut-de-chausses*) ou jusqu'aux pieds (*bas-de-chausses*).

chausse-trape ou **chausse-trappe** n. f. **1.** Trou recouvert où est dissimulé un piège, pour prendre les animaux sauvages. **2.** Fig. Ruse destinée à abuser qqn. *Attirer qqn dans des chausse-trapes.* **3.** Anc. MILIT Pièce métallique à quatre pointes assemblées en tétraèdre dont on parsemait un terrain pour en défendre le passage à la cavalerie.

chaussette n. f. Bas court (porté par les deux sexes). *Chaussettes en laine, en fil, en nylon.* - *Chaussette russe* : bande de toile enveloppant le pied et le mollet. - Fam. *Jus de chaussette* : mauvais café. ▷ Loc. *Laisser tomber qqn comme une vieille chaussette* : abandonner qqn qui n'a plus d'intérêt.

chausseur n. m. Commerçant en chaussures, généralement sur mesure. Syn. bottier. *Un grand chausseur parisien.*

chausson n. m. **1.** Chaussure d'intérieur souple, légère et confortable. *Se mettre en chaussons.* **2.** Chaussure souple utilisée dans certains sports. - *Spécial.* Chausson de danse. V. pointe. **3.** Chaussette basse tricotée pour nouveau-né. **4.** Fig. Combat à coups de pied, dérivé de la savate. *Pratiquer la canne et le chausson.* **5.** CUIS Pâtisserie faite d'un rond de pâte feuilletée plié en deux et fourré aux fruits. *Chausson aux pommes.*

Chausson (Ernest) (Paris, 1855 - Limay, près de Mantes-la-Jolie, 1899), compositeur français; ami et disciple de C. Franck : *Poème de l'amour et de la mer* (pour soprano et orchestre, 1892), *le Roi Arthus* (drame lyrique, 1896), *la Chanson perpétuelle* (1898).

chaussure n. f. **1.** Partie de l'habillement qui sert à couvrir et à protéger le pied (sandales, souliers, pantoufles, bottes, etc.). *Cirer, nettoyer, décrotter ses chaussures. Lacets, talons, semelles de chaussures.* Syn. soulier. ▷ Fig. *Trouver chaussure à son pied* : trouver ce qui convient, spécial. une personne avec qui se marier. **2.** Industrie de la chaussure. *Romans, capitale de la chaussure en France.*

chaut [ʃo]. V. chaloir.

Chautemps (Camille) (Paris, 1885 - Washington, 1963), homme politique français. Radical-socialiste, il fut président du Conseil en fév. 1930 et en 1933-1934, succéda à L. Blum en 1937 et tenta de maintenir les réformes du Front populaire (juin 1937 - mars 1938). Il fut membre du gouv. Pétain, mais le quitta en juil. 1940 et s'exila aux É.-U.

chauve adj. et n **1.** Qui n'a plus, ou presque plus, de cheveux. *Avoir la tête chauve.* - *Être chauve.* ▷ Subst. *Un chauve.* **2.** *Par ext.* Litt. Nu, dépouillé. *Monts chauves.*

Chauveau-Lagarde (Claude) (Chartres, 1756 - Paris, 1841), avocat français. Il défendit Brissot, Charlotte Corday, Madame Élisabeth, Marie-Antoinette devant le Tribunal révolutionnaire.

Chauvelin (Germain Louis de) (Paris, 1685 - id., 1762), homme politique français. Secrétaire d'État aux Affaires étrangères (1727-1737), il engagea la France dans la guerre de la Succession de Pologne. Le cardinal Fleury le fit exiler (1737).

chauve-souris : à g., la roussette; au centre et à dr., la pipistrelle

chauve-souris n. f. Mammifère à ailes membraneuses de l'ordre des chiroptères. ▷ En appos. *Manche chauve-souris,* à très large emmanchure et se rétrécissant au poignet. *Des chauves-souris.*

Chauvet-Combe d'Arc (grotte), grotte préhistorique découverte en 1994 dans les gorges de l'Ardèche, ornée de peintures pariétales du paléolithique (bestiaire exceptionnel datant de 30 à 32 millénaires).

chauvin, ine adj. Péjor. Qui professe un patriotisme agressif et borné. *Un comportement chauvin. Un journal chauvin.* ▷ Subst. *Un(e) chauvin(e).* ▷ *Par ext.* Qui manifeste une admiration exclusive pour sa ville, sa région, etc. *Un public chauvin.*

chauvinisme n. m. État d'esprit, sentiments chauvins. *Un chauvinisme exacerbé.*

chaux [ʃo] n. f. Oxyde de calcium, de formule CaO. ▷ *Chaux éteinte* : hydroxyde de calcium $Ca(OH)_2$. ▷ *Lait de chaux* : chaux éteinte étendue d'eau jusqu'à consistance de badigeon. ▷ *Eau de chaux* : solution de chaux dans l'eau. ▷ *Chaux vive* : anc. nom de l'oxyde de calcium anhydride. ▷ Loc. fig. *Être bâti à chaux et à sable* : être d'une constitution robuste.

Chaux-de-Fonds (La), v. de Suisse (canton de Neuchâtel), dans le Jura; 997 m d'alt.; 36 900 hab. Centre horloger de la Suisse.

Chaval (Yvan Le Louarn, dit) (Bordeaux, 1915 - Paris, 1968), dessinateur français. Ses dessins au trait incisif imposèrent son humour grinçant et son sens aigu de l'absurde.

Chaville, ch.-l. de cant. des Hts-de-Seine (arr. de Boulogne-Billancourt), à l'O. du bois de Meudon; 17 854 hab. Cité résidentielle.

Chavín de Huantar, site archéol. du Pérou septentrional. Vestiges d'une civilisation qui s'est épanouie entre le IXe et le IIIe s. av. J.-C.; remarquable par l'architecture (pyramides tronquées) et par la sculpture (bas-reliefs, rondes-bosses).

Chavìn de Huantar : le portail du Castillo

chavirement ou **chavirage** n. m. Fait de chavirer.

chavirer v. [1] I. v. intr. 1. Se retourner, en parlant d'un navire. *Un voilier qui chavire.* ▷ *Par ext.* Se renverser, se retourner. *La carriole chavira.* 2. Fig. Tourner retourner. *L'émotion lui chavirait la tête.* – Pp. adj. *Avoir le cœur chaviré.* II. v. tr. Renverser, culbuter. *Chavirer des meubles avec violence.*

Chawiyah (ach-) *(aš-Šāwiya)* ou **Chaouïa** (la), riche plaine du Maroc, entre l'Atlantique et le Moyen Atlas, arrière-pays de Casablanca. Céréales, primeurs. Phosphates.

Chawqi (Ahmad) *(Aḥmad Šawqi)* (Le Caire, 1868 – id., 1932), poète égyptien. Surnommé le Prince des poètes (1927), il s'imposa dans tous les genres de la poésie classique, en les renouvelant, et fut le premier dramaturge arabe : *la Fin de Cléopâtre* (1929), *Kaïs et Leïla* (1931).

Chayla (François Anglade de l'Anglade du) (diocèse de Mende, v. 1650 – Pont-de-Montvert, 1702), prédicateur français chargé de convertir les protestants des Cévennes. Haï pour sa dureté, il fut assassiné. Sa mort marqua le début de la révolte des camisards.

chèche n. m. Bande de tissu léger s'enroulant en turban autour de la tête, portée dans les pays arabes.

chéchia [ʃeʃja] n. f. Calotte de laine portée dans certains pays d'islam. *La chéchia rouge des anciennes troupes coloniales françaises.*

check-list [(t)ʃɛklist] n. f. (Anglicisme) TECH Liste des vérifications à effectuer avant la mise en marche d'un appareil (notam. d'un avion). *Des check-lists.* Syn. (off. recommandé) liste de contrôle.

check-point [tʃɛkpɔjnt] n. m. (Anglicisme) Poste de contrôle militaire établi sur un itinéraire. *Des check-points.*

check-up [(t)ʃɛkœp] n. m. inv. (Anglicisme) Bilan de santé.

cheddar [(t)ʃedaʀ] n. m. Fromage de vache anglais, à pâte dure jaunâtre ou orangée.

cheddite [ʃedit] n. f. Explosif à base de chlorate de potassium ou de sodium et de nitrotoluène.

Chedid (Andrée) (Le Caire, 1920), femme de lettres égyptienne d'origine libanaise, vivant en France. Elle est l'auteur de poèmes lyriques (*Double-pays*, 1965 ; *Cavernes et Soleils*, 1979), de romans dans lesquels elle s'interroge sur la destinée humaine (*le Sommeil délivré*, 1952 ; *le Survivant*, 1982), et se montre sensible aux problèmes du Moyen-Orient (*Cérémonial de la violence*, 1976).

chef n. m. I. 1. Personne qui est à la tête d'un corps constitué, qui a le premier rang, la première autorité. *Le chef de l'État* : le souverain, le président de la République. – *Le chef du gouvernement* : le Premier ministre. ▷ *Chef de file* : celui dont on suit l'exemple, les convictions. *Le chef de file des partisans de l'indépendance.* – *Chef d'école* : celui dont les doctrines sont admises par des disciples qui les propagent. ▷ Fam. *Bravo, tu es un chef !*, tu as réussi, tu as été à la hauteur ! 2. Dans les armées, tout militaire pourvu d'un grade lui conférant une autorité. *Obéir à ses chefs.* ▷ *Sergent-chef, maréchal des logis-chef,* appelés *chefs.* *À vos ordres, chef !* ▷ MAR Gradé placé à la tête d'un service. *Chef de quart.* 3. Titre d'un fonctionnaire à la tête d'un service, d'une division administrative. *Chef de service, chef de bureau.* ▷ *Chef de cabinet d'un ministre.* 4. (Parfois familièrement au fém. : *la chef*) Personne qui dirige qqch, qui en est responsable. *Chef d'entreprise. Chef d'atelier. Chef de chantier. Chef de gare, chef de train. Le chef de cuisine d'un restaurant,* ou ellipt., *le chef.* ▷ MUS *Chef d'orchestre*, chef de chœurs.* 5. Loc. adv. *En chef* : en qualité de chef suprême. *Général en chef des armées alliées.* ▷ *Ingénieur en chef.* II. 1. Vx ou litt. Tête. *Opiner du chef* : acquiescer. ▷ Loc. adv. *De son (propre) chef* : de sa propre initiative, de sa seule autorité. *Agir de son propre chef.* 2. Mod. DR Article, point principal. *Les chefs d'accusation qui pèsent sur l'accusé.* ▷ Loc. adv. *Au premier chef* : au plus haut point. *Question importante au premier chef.* 3. HERALD Partie supérieure de l'écu.

chef-d'œuvre [ʃɛdœvʀ] n. m. 1. Anc. Ouvrage exemplaire que devait faire un artisan pour accéder à la maîtrise, au sein d'une corporation. 2. Œuvre capitale, parfaite en son genre. *Les chefs-d'œuvre de la sculpture grecque.* – Par ext. *Un chef-d'œuvre d'habileté, de malice,* etc. : ce qui dénote une habileté, une malice exceptionnelles.

chefferie n. f. 1. Anc. circonscription qui était placée sous l'autorité d'un officier du génie militaire. 2. En Afrique noire notam., territ. placé sous l'autorité d'un chef traditionnel. ▷ Autorité, charge d'un chef traditionnel. 3. (Canada) Direction d'un parti politique.

chef-lieu n. m. Localité qui est le siège d'une division administrative. *Chef-lieu de canton.* – *Chef-lieu de département* : préfecture. *Des chefs-lieux de Région.*

cheftaine n. f. Dans le scoutisme, jeune fille chargée de la direction d'un groupe de louveteaux, de guides ou d'éclaireuses.

cheik, cheikh ou **scheikh** (en ar. *šayḫ*) [ʃɛk] n. m. Titre des chefs de tribu, chez les Arabes, et de certains maîtres spirituels, chez les musulmans.

Cheik-Saïd *(Šayḫ Sa'īd)*, anc. territ. français du S.-O. de l'Arabie, sous la souveraineté yéménite depuis 1939.

chéiroptères. V. chiroptères.

Cheju-do (anc. *Quelpart*), île de la mer de Chine orientale, faisant partie de l'État de Corée du Sud ; 1 850 km² ; 489 460 hab. ; ch.-l. *Cheju.* L'île, volcanique, est très fertile. Pêche. Tourisme.

Che-king. V. Shijing. (Cf. jing.)

chélate [kelat] n. m. CHIM Corps qui peut fixer des cations métalliques en formant un complexe stable.

chélateur [kelatœʀ] n. m. CHIM Corps qui agit comme un chélate et qui peut servir à la décontamination de l'organisme.

chelem ou **schelem** [ʃlɛm] n. m. 1. Réalisation de toutes les levées, par un seul joueur ou une seule équipe, à certains jeux de cartes (tarot, bridge). – *Faire un petit chelem* : gagner tous les plis sauf un. *Réussir un grand chelem.* 2. SPORT Série complète de victoires, dans un ensemble de compétitions.

Chelia (djebel), montagne du massif des Aurès, en Algérie ; le plus haut sommet du pays (2 328 m).

chélicérates [keliseʀat] n. m. pl. ZOOL Sous-embranchement d'arthropodes comprenant les arachnides, les mérostomes et les pycnogonides, tous pourvus d'une paire de chélicères, à l'aide de laquelle ils capturent leur proie et souvent lui inoculent un venin ou des enzymes destructrices. – Sing. *Un chélicérate.*

chélicère [keliseʀ] n. f. ZOOL Appendice céphalique le plus antérieur, chez les arthropodes chélicérates.

chélidoine [kelidwan] n. f. BOT Papavéracée des vieux murs et des éboulis, à fleurs jaunes, qui laisse écouler un latex jaune lorsqu'on la casse.

Chélif (le), le plus long fl. d'Algérie (700 km), formé par la réunion du Nahr Ouassel et de l'oued Touil ; arrose Ech-Cheliff (anc. *El-Asnam*), se jette dans la Méditerranée au nord de Mostaganem.

Cheliff (Ech-) *(aš-Šalif)* (anc. *Orléansville*, puis *El-Asnam*), v. d'Algérie, dans la plaine du Chélif ; 104 810 hab. ; ch.-l. de la wilaya du m. nom. Centre agric. – La ville a été fondée par Bugeaud en 1843, à l'emplacement de l'anc. *Castellum Tingitanum.* Graves séismes en 1954 et 1980. – Ruines d'une basilique chrétienne datant de l'époque constantinienne (v. 324) ; mosaïques.

chelléen, enne [ʃeleɛ̃, ɛn] n. m. (et adj.) PREHIST Le plus vieil étage du paléolithique inférieur. Syn. abbevillien.

Chelles, ch.-l. de cant. de Seine-et-Marne (arr. de Meaux), sur la Marne ; 45 495 hab. Industr. métall. et méca. – Égl. St-André (XIIIᵉ et XVᵉ s.). Station et musée préhistoriques.

Chelmsford, v. de G.-B., près de la Chelmer, tributaire de la mer du Nord ; 150 000 hab. ; ch.-l. du comté d'Essex. Centrale nucléaire.

chéloïde [kelɔid] n. f. MED Excroissance cutanée, en forme de bourrelet allongé et ramifié, qui se forme parfois sur une cicatrice.

chéloniens [kelɔnjɛ̃] n. m. pl. ZOOL Ordre de reptiles, couramment nommés tortues, dont le corps est protégé par une carapace et un plastron ventral osseux recouverts de corne. (Leur gueule, dépourvue de dents, est armée d'un puissant bec corné. Herbivores ou carnivores, ils peuvent être marins, dulçaquicoles ou terrestres.) – Sing. *Un chélonien.*

Chelsea, quartier occid. de Londres (r. g. de la Tamise), résidentiel et fréquenté par les artistes.

Chelthenham, ville de G.-B. (Gloucestershire) ; 85 900 hab. Stat. therm. (eaux salines et alcalines).

Chémery, com. du Loir-et-Cher ; 928 hab. Réservoir souterrain de méthane (le plus grand du monde, 7 milliards de m³). Une grave fuite, rapidement colmatée, a eu lieu en sept. 1989.

chemin n. m. I. 1. Voie par laquelle on peut aller d'un point à un autre, généralement à la campagne. *Chemin de terre. Chemin vicinal.* 2. Par anal. *Chemin de ronde,* aménagé dans une enceinte fortifiée pour le passage des rondes. ▷ *Se frayer un chemin à travers des taillis, la foule,* etc. : s'ouvrir un passage. ▷ *Demander son chemin* : se renseigner sur l'itinéraire à suivre pour aller quelque part. *Perdre son chemin.* II. 1. Distance. *La droite est le plus court chemin d'un point à un autre.* – *Faire du chemin* : parcourir une longue distance. ▷ *Par ext.* Durée d'un trajet. *Vous en avez pour deux heures de chemin.* 2. Ce qui mène à une fin. *Les chemins de la réussite. Il veut faire fortune mais n'en prend pas le chemin.* ▷ Prov. *Tous les chemins mènent à Rome* : on peut atteindre le même but de nombreuses façons différentes. **3.** Loc. fig. *Il n'y va pas par quatre chemins :* il va droit au but, sans ménagements. – *Barrer le chemin à qqn,* lui faire obstacle. – *S'arrêter en chemin :* abandonner une entreprise déjà commencée. – *Faire son chemin, faire du chemin :* s'enrichir, arriver. *Ce garçon a fait son chemin par lui-même. Il a fait du chemin depuis sa sortie de l'école.* – *Aller son petit bonhomme de chemin :* V. bonhomme. – *Suivre le droit chemin :* se conduire conformément aux principes moraux de son époque. – *Montrer le chemin :* montrer l'exemple. – *Faire la moitié du chemin :* faire un geste de bonne volonté dans une négociation. **4.** MATH *Chemin d'un graphe :* suite d'arcs allant d'un point du graphe (origine) à un autre (destination). – *Chemin critique (d'un graphe),* le plus court. **5.** PHYS *Chemin optique :* produit de la distance parcourue par un rayon lumineux dans une substance donnée par l'indice de réfraction de cette substance. **6.** *Chemin de table :* napperon long et étroit. **7.** LITURG et BX-A *Chemin de croix*.*

chemin de fer n. m. **1.** Vx Voie ferrée, constituée par deux rails parallèles, sur laquelle circulent les trains. **2.** Moyen de transport qui utilise les voies ferrées. *Voyager en chemin de fer. Accident de chemin de fer.* Syn. train. **3.** Administration qui dirige et exploite un réseau de chemin de fer. *Employé de chemin de fer. Travailler dans les chemins de fer.* ▷ *Société nationale des chemins de fer français (S.N.C.F.) :* société nationalisée qui exploite la quasi-totalité du réseau ferré français. **4.** Jeu de casino, variante du baccara. **5.** TECH Appareil ou organe qui se déplace sur des glissières, des rails ou des galets.
▶ illustr. page 347

Chemin des Dames, route du dép. de l'Aisne, qui suit la crête du plateau entre l'Aisne et l'Ailette. Tenue par les Allemands, elle fut l'enjeu de combats meurtriers en 1917 (offensive franç. de Nivelle, qui fut un échec sanglant) et en 1918 (offensive all., qui dépassa Château-Thierry).

chemineau n. m. Vx Vagabond, journalier qui parcourt les chemins de village en village.

cheminée n. f. **1.** Construction à l'intérieur d'une habitation, aménagée en foyer et dans laquelle on fait du feu. *Se réunir autour de la cheminée.* **2.** Extrémité du conduit de cheminée, destinée à évacuer la fumée et qui dépasse du toit; ce conduit lui-même. *Les cigognes font leur nid sur les cheminées.* – *Feu de cheminée :* inflammation de la suie déposée sur les parois d'un conduit de cheminée. **3.** Tuyau servant à l'évacuation des fumées dans les machines et dans certains foyers industriels. *Cheminée d'usine.* **4.** GEOL *Cheminée d'un volcan :* canal par lequel se fait l'ascension des gaz, des fumées et de la lave. ▷ *Cheminée de fée :* colonne argileuse dégagée par l'érosion et que protège un chapeau de roche résistante. **5.** ALPIN Étroite fente rocheuse où l'on progresse à la façon des anciens ramoneurs.

cheminement n. m. **1.** Action de cheminer. **2.** Fig. Évolution, progression (d'une idée, d'un sentiment). *C'est par un lent cheminement qu'il fut amené à la révolte.* ▷ Démarche intellectuelle ou artistique (d'un créateur). *Le cheminement d'un auteur.* **3.** MILIT Trajet suivi pour s'approcher à couvert des positions ennemies. **4.** TOPOGR Procédé de levée de plans consistant en mesures d'angles et de longueurs, le long d'une ligne polygonale.

cheminer v. intr. [1] **1.** Faire du chemin; aller à pied. *Ils cheminaient à travers bois.* **2.** Fig. Évoluer, progresser, en parlant d'une idée, d'un sentiment. **3.** MILIT Progresser à couvert des positions ennemies. **4.** TOPOGR Effectuer une levée par cheminement.

cheminot n. m. Employé, ouvrier de chemin de fer.

chemisage n. m. TECH Opération par laquelle on chemise; son résultat.

1. chemise n. f. **1.** Vêtement, surtout masculin, de tissu léger qui couvre le torse. *Chemise en coton, en laine, en nylon. Chemise d'homme* ou, absol., *chemise.* – *Être en manches, en bras de chemise,* en chemise, sans veste. – *Chemise de nuit :* long vêtement de nuit. **2.** Loc. fig., fam. *Jouer jusqu'à sa chemise, perdre jusqu'à sa chemise :* parier à un jeu de hasard tout ce que l'on a, se ruiner. – *Changer de (qqch) comme de chemise,* en changer très souvent, sans réflexion. *Il change d'opinion comme de chemise.* – *Se soucier de (qqch) comme de sa première chemise,* ne pas s'en soucier du tout. – *Ils sont (comme) cul et chemise,* inséparables.

2. chemise n. f. **1.** Couverture en papier ou en carton, renfermant des papiers divers. *Mettre des documents dans une chemise.* **2.** En armurerie, enveloppe en métal d'un projectile. *Chemise d'une balle, d'un obus.* **3.** CONSTR Revêtement de protection extérieur. **4.** TECH Enveloppe métallique intérieure ou extérieure d'une pièce, destinée à la protéger, à en augmenter la résistance, etc. *Chemise d'un piston.*

chemiser v. tr. [1] **1.** TECH Garnir d'une chemise 2 (sens 2 et 4). **2.** CUIS Garnir (les parois d'un moule) d'une substance, de papier.

chemiserie n. f. **1.** Fabrique, magasin de chemises. **2.** Industrie de la chemise et de la lingerie masculine.

Chemises brunes, nom donné aux membres du parti national-socialiste allemand (nazis) qui, à l'instar de Hitler, arboraient des chemises de cette couleur (à partir de 1925).

Chemises noires, nom des fascistes italiens, qui portaient culotte grise et chemise noire.

Chemises rouges, nom donné, à cause de leur uniforme, aux partisans de Garibaldi (1860, 1867, 1870-1871) et aux 10 000 volontaires italiens garibaldiens engagés aux côtés des troupes françaises en 1914, avant même l'entrée en guerre de l'Italie.

chemisette n. f. **1.** Chemise d'homme légère à manches courtes. **2.** Corsage léger.

1. chemisier n. m. Vêtement féminin analogue à la chemise d'homme.

2. chemisier, ère n. Personne qui confectionne ou vend des chemises.

Chemnitz (*Karl-Marx-Stadt* de 1953 à 1990), v. d'Allemagne sur la Chemnitz (Saxe); 319 000 hab. Grand centre industr. : textiles (coton), chimie, alimentation, métallurgie, constr. mécaniques.

Chemulpo. V. Inchon.

Chenāb (la), riv. du Pākistān (1 210 km), formée par la réunion de deux torrents originaires de l'Himalaya. L'une des cinq grandes rivières du Pendjab; elle conflue avec la Sutlej avant de rejoindre l'Indus.

chênaie n. f. Lieu planté de chênes.

chenal, aux n. m. **1.** Partie navigable d'un cours d'eau ou d'un bras de mer, donnant accès à un port ou à la haute mer, ou permettant de passer entre des îles, des écueils. *Chenal balisé d'un estuaire.* **2.** Canal amenant l'eau à un moulin, une usine.

chenapan n. m. Vaurien, garnement (en parlant d'un enfant). *Bande de chenapans!* Syn. galopin.

Chenard (Ernest) (Nanterre, 1861 – Chamalières, 1922), industriel français; constructeur de cycles, puis d'automobiles (premier modèle à carrosserie profilée).

chêne n. m. **1.** Grand arbre forestier (fam. fagacées) à fleurs apétales et à feuilles lobées. *Le gland est le fruit du chêne. Le chêne rouvre est recherché pour son bois dur et résistant. Chêne pédonculé.* ▷ Fig. *Solide comme un chêne :* d'une grande robustesse, d'une santé à toute épreuve. **2.** Bois du chêne rouvre. *Porte en chêne massif.*

feuilles et glands de **chênes :** de g. à dr., chêne vert, chêne kermès, chêne rouvre

chéneau n. m. Conduit placé à la base d'un toit pour recueillir les eaux de pluie et les déverser dans les tuyaux de descente. Syn. gouttière.

chêne-liège n. m. Chêne à feuilles persistantes des régions méditerranéennes dont l'écorce fournit le liège. *Des chênes-lièges.*

chenet n. m. Chacune des deux pièces métalliques qui se placent dans les cheminées, perpendiculairement au fond, et sur lesquelles on dispose le bois pour permettre l'accès de l'air nécessaire à la combustion.

chènevis [ʃɛnvi] n. m. Graine de chanvre que l'on donne à manger aux oiseaux et dont on extrait une huile, utilisée en savonnerie et dans la fabrication des peintures.

Chengdu, v. de Chine, ch.-l. du Sichuan, dans le Bassin rouge; 2 499 000 hab. (agglomération urbaine 4 025 180 hab.). Import. centre commercial et agricole. Industr. textiles; constr. mécaniques.

Chénier (André de) (Istanbul, 1762 – Paris, 1794), poète français. Il s'enthousiasma d'abord pour la Révolution, puis en condamna les excès dans de violents articles contre Brissot, Marat, etc. Arrêté le 7 mars 1794, il fut condamné à mort et exécuté le 25 juillet. La plupart de ses œuvres sont posth. (rassemblées lors d'une première édition en 1819) : *Bucoliques (la Jeune Tarentine, l'Aveugle, Néære,* etc.), *Élégies, Épîtres, Hymnes* ou *Odes, Iambes;* poèmes épiques en fragments : *Hermès, l'Amérique.* Si la forme est classique, les idées, modernes et personnelles, annoncent les romantiques français.

chenil [ʃəni(l)] n. m. Lieu où l'on garde, où l'on élève des chiens. *Le chenil du château. Le chenil de la Société protectrice des animaux.*

chenille n. f. **1.** Larve des papillons, formée d'anneaux ou segments, munie de mandibules dont elle se sert pour ronger feuilles et fleurs. *Destruction des chenilles nuisibles. La chenille du bombyx du mûrier est le ver à soie.* **2.** *Par anal.* Dispositif mécanique permettant aux véhicules automobiles de circuler sur des terrains peu consistants ou accidentés, constitué par un certain nombre de patins articulés les uns sur les autres et formant une chaîne sans fin passant sur deux roues motrices. *Chenilles métalliques d'un char d'assaut.* **3.** Gros cordon tors, de soie veloutée, dont on fait des objets de passementerie. ► illustr. **bombyx** et **papillons**

chenillé, ée adj. Muni de chenilles (sens 2). *Véhicule chenillé.*

chenillette n. f. **1.** Nom vulgaire d'un *Acacia* et d'un *Scorpiurus* (légumineuses). **2.** Petit véhicule chenillé.

chenin [ʃənɛ̃] n. m. *Chenin blanc* : cépage blanc d'Anjou et de Touraine.

Chennai. V. Madras.

Chennevières-sur-Marne, ch.-l. de canton du Val-de-Marne (arr. de Nogent-sur-Marne); 17 886 hab.

Chenonceaux, com. de l'Indre-et-Loire (arr. de Tours), sur le Cher; 317 hab. – Chât. de la Renaissance, bâti sur la rive droite du Cher (1515-1522) pour Thomas Bohier, receveur général des Finances. La Couronne le racheta; Henri II le donna à Diane de Poitiers, qui fit construire un pont reliant le château à la rive gauche, pont sur lequel Catherine de Médicis fit édifier deux étages de galeries (1560).

château de **Chenonceaux**

chénopode [kenopɔd] n. m. BOT Plante annuelle des décombres, dont on tire un vermifuge.

chénopodiacées [kenopɔdjase] n. f. pl. BOT Famille de dicotylédones apétales comprenant notam. la betterave et l'épinard. – Sing. *Une chénopodiacée.*

Chenôve, ch.-l. de cant. de la Côte-d'Or (arr. de Dijon); 17 865 hab. Vins. Industries pharm. et du plastique.

chenu, ue adj. Litt. **1.** Que l'âge a rendu blanc. *Tête chenue.* **2.** *Arbre chenu,* dont la cime est dépouillée.

Chenu (Marie Dominique) (Soisy-sur-Seine, Essonne, 1895 – Paris, 1990), théologien français. Dominicain, il a renouvelé les études thomistes.

Chéops ou **Khéops,** deuxième pharaon de la IVe dynastie (v. 2600 av. J.-C.). Il fit élever la grande pyramide de Gizeh.

Chéphren ou **Khéphren,** troisième pharaon de la IVe dynastie. Successeur de Chéops, il fit construire la deuxième pyramide de Gizeh et le Grand Sphinx.

cheptel n. m. **1.** Ensemble des troupeaux d'une propriété rurale. ▷ *Cheptel national* : ensemble des têtes de bétail d'un pays. *Cheptel bovin, porcin,* etc. **2.** DR *Bail à cheptel* : contrat par lequel l'une des parties donne à l'autre un fonds de bétail pour garder un troupeau, le nourrir et le soigner à des conditions convenues entre elles. ▷ *Cheptel vif* : bétail ainsi donné à bail. – *Cheptel mort* : moyens de production (bâtiments, matériel) donnés à bail.

chèque n. m. Mandat de paiement adressé à un banquier et servant au titulaire d'un compte à effectuer, à son profit ou au profit d'un tiers, le retrait de tout ou partie des fonds disponibles à ce compte. *Faire, émettre un chèque. Payer par chèque. Endosser un chèque.* – *Chèque barré,* qui ne peut être touché que par l'intermédiaire d'un établissement bancaire. – *Chèque à ordre,* sur lequel est indiqué le nom du bénéficiaire. – *Chèque au porteur :* chèque ne portant pas le nom du bénéficiaire, payable au porteur et devenu d'usage peu fréquent (depuis 1979, chaque chèque de cette sorte supporte un droit de timbre). – *Chèque certifié,* dont la banque émettrice garantit le recouvrement. – *Chèque sur place* ou *sur rayon, hors place* ou *hors rayon* : V. place. – *Chèque sans provision* ou, fam., *chèque en bois,* qui ne peut être honoré faute de fonds disponibles au compte de l'émetteur. – *Chèque en blanc,* signé sans indication de somme. – *Chèque-voyage* (de l'angl. *traveller's cheque*) : titre permettant au porteur de toucher des fonds dans un pays autre que le pays d'émission. – *Chèque-restaurant* (Nom déposé.) : ticket accepté dans les restaurants, délivré à l'employé par l'employeur qui s'acquitte ainsi de son obligation d'indemnité de repas. ▷ *Chèque emploi-service* ou *chèque service* : mode de rémunération simplifié pour des emplois de proximité. ▷ *Compte chèque postal,* ouvert par l'administration des Postes. *Chèque postal.*

chéquier n. m. Carnet de chèques.

cher, chère adj. et adv. **I. 1.** Qui est tendrement aimé, auquel on tient beaucoup. *Un ami qui m'est cher. C'est mon vœu le plus cher.* **2.** (Langue écrite.) *Cher Monsieur, Cher Maître, Cher Ami,* etc. : formules par lesquelles on commence généralement une lettre à qqn que l'on connaît déjà. ▷ (Langue parlée, avec une nuance de politesse familière ou affectée.) *Comment allez-vous, chère madame ?* **II. 1.** Dont le prix est élevé. *La viande est chère.* ▷ Fig. Précieux, rare. *Le temps est cher.* **2.** Qui vend à haut prix. *Un couturier cher.* **3.** adv. *Cher* : à haut prix. *Acheter, payer cher.* ▷ Fig., fam. *Ça va vous coûter cher !* : vous allez avoir de gros ennuis. – *Il me le paiera cher* : je me vengerai de lui durement. – *Il ne vaut pas cher* : il est bien peu estimable.

Cher (le), riv. de France (320 km), affl. de la Loire (r. g.); naît dans le plateau de Combrailles, arrose Montluçon, Vierzon, Tours.

Cher, dép. franç. (18); 7 228 km^2; 321 559 hab.; 44,5 hab./km^2; ch.-l. *Bourges.* V. Centre (Rég.).
► carte page **348**

Cherbourg, ch.-l. d'arr. de la Manche, sur la Manche, au N. de la presqu'île du Cotentin; 28 773 hab. Port militaire et de comm. installé dans une rade artificielle. Import. trafic de voyageurs. Arsenal. Constr. méca. et électr. – La ville, théâtre de violents combats lors du débarquement des Alliés, fut libérée le 26 juin 1944. – Égl. de la Trinité (XVe s.). Import. musée de peinture.

Cherchell, v. et port d'Algérie (wilaya de Blida [auj. *El-Boulaïda*]); 33 270 hab. Pêche, vins. – Anc. *Césarée,* du temps du roi de Maurétanie Juba II (25 av. J.-C.). – Aqueduc, thermes, musée. – L'École spéciale militaire de Saint-Cyr y fut réorganisée (1943-1945). Aujourd'hui école d'élèves officiers.

Cherchenievitch (Vadim Gabrielevitch) (Kazan, 1893 – Barnaoul, 1942), poète soviétique. Il fonda l'« imaginisme », qui donne la primauté à l'image sur la syntaxe et le sens : *les Merciers du bonheur* (1920), *les Coopératives de la gaieté* (1922).

chercher v. tr. [1] **1.** S'efforcer de trouver, de découvrir ou de retrouver. *Chercher qqn dans la foule. Chercher une clé égarée.* ▷ Loc. prov. Fig. *Chercher midi à quatorze heures* : compliquer les questions les plus simples. – Fam. *Chercher des poux dans la tête de qqn,* le harceler pour des motifs futiles. **2.** Tâcher de trouver, de se procurer. *Il cherche une secrétaire. Chercher un emploi, un logement.* **3.** S'efforcer de trouver par la réflexion, par l'analyse. *Chercher la solution d'un problème.* ▷ *Spécial.* Tâcher de se rappeler. *Je cherche son nom, je ne m'en souviens pas.* ▷ v. pron. S'efforcer de mieux se connaître. *Un adolescent qui se cherche.* **4.** *Chercher à* : s'efforcer de, essayer de parvenir à. *Chercher à nuire. Il cherche à rendre les gens heureux.* **5.** Quérir, aller prendre. *Aller chercher le médecin. Va me chercher mon livre.* **6.** Fam. Provoquer. *Quand on me cherche, on me trouve.* – Fam. *Tu l'as bien cherché !* **7.** Fam. *Aller chercher dans, aux alentours de* : atteindre tel prix. *Ça va chercher dans les mille francs.*

chercheur, euse n. et adj. **1.** Rare Personne qui cherche. – Cour. *Chercheur d'or.* **2.** Personne qui s'adonne à des recherches scientifiques. *Les chercheurs du C.N.R.S.* **3.** n. m. *Chercheur de télescope* : petite lunette à faible grossissement et à grand champ, qui permet d'amener rapidement l'objet à observer dans le champ du télescope. **4.** adj. *Tête chercheuse* : dispositif qui permet à un missile de se diriger automatiquement vers l'objectif au cours de la dernière phase de vol.

chère n. f. Nourriture. *Aimer la bonne chère.* – *Faire bonne chère* : faire un bon repas.

Chéreau (Patrice) (Lézigné, Maine-et-Loire, 1944), metteur en scène de théâtre et cinéaste français. Codirecteur du T.N.P. (1972) puis directeur du théâtre des Amandiers de Nanterre (1982-1989), il fait preuve, dans ses mises en scène théâtrales (*Richard II* de Shakespeare, 1970; *la Dispute* de Marivaux, 1973; *Hamlet* de Shakespeare, 1988) ou lyriques (*la Tétralogie* de Wagner, 1976-1980), d'un sens plastique raffiné. ► illustr. page **340**

chèrement adv. **1.** Vieilli Tendrement, affectueusement. *Aimer chèrement qqn.* **2.** Vx À haut prix. ▷ Fig., mod. *Une victoire chèrement acquise,* au prix de lourds sacrifices.

Chéret (Jules) (Paris, 1836 – Nice, 1932), peintre et dessinateur français. Ses affiches (lithographies en couleurs) sont typiques du style 1900.

1

2

3

4

5

6

7

8

chemins de fer

9

1 Machine Crampton pour le chemin de fer de Strasbourg, 1848 ; gravure.
2 Locomotive à vapeur du Far West.
3 Train de prestige : le *Al Andalus,* reconstitution du train des années 20, Espagne.
4 Train américain des lignes du Pacifique Sud.
5 Train magnétique de Berlin.
6 T.G.V. Atlantique, France, 1989.
7 Train japonais HSST.
8 Train expérimental japonais atteignant 500 km/h.
9 Métro de Lille.

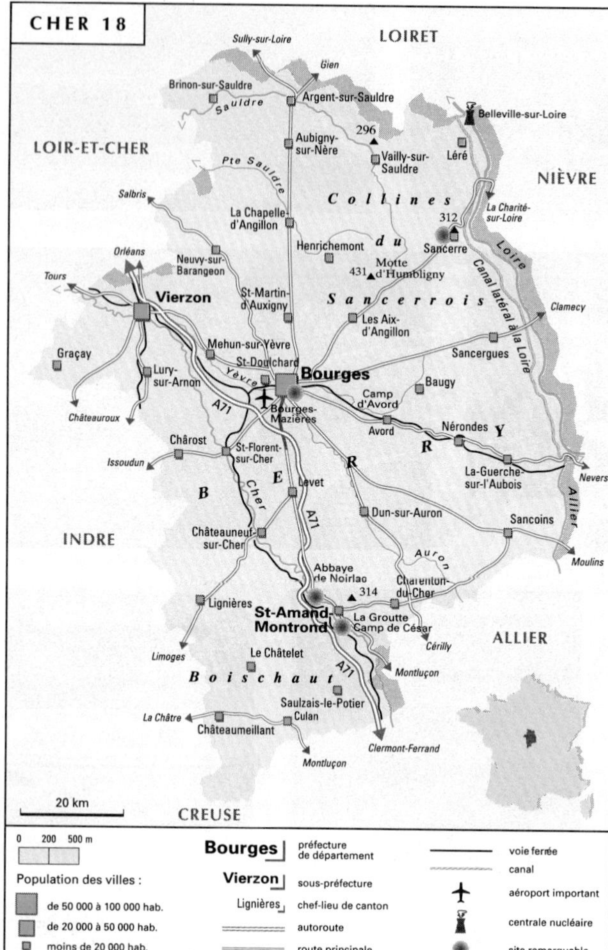

chergui n. m. Vent d'est, au Maroc.

Chergui (chott ech-) *(aš-šaṭṭ aš-Šarqī)*, cuvette lacustre d'Algérie, longue de 145 km, sur les hauts plateaux (alt. 987 m) au S. d'Oran (auj. *Whran*).

chéri, ie adj. Que l'on chérit. *Ma fille chérie.* ▷ Subst. *Mon chéri, ma chérie.*

chérif n. m. Descendant de Mahomet; prince, chez les Arabes.

chérifat n. m. **1.** Qualité, dignité du chérif. **2.** Territoire sur lequel s'étend son autorité.

chérifien, enne adj. Qui concerne le chérif. ▷ *Spécial.* Relatif au Maroc. *Le royaume chérifien* : le Maroc, la dynastie régnante étant issue du Prophète.

chérir v. tr. [3] **1.** Aimer tendrement. *Chérir ses enfants. Chérir sa patrie.* **2.** Être très attaché à, se complaire dans. *Chérir la liberté. Chérir les idées noires.*

chermes [kɛrm] ou **chermès** [kɛrmɛs] n. m. ZOOL Genre de pucerons parasites des conifères (épicéa, partic.), sur les aiguilles desquels ils provoquent des galles.

Cherokees, Indiens d'Amérique du Nord, de la famille des Iroquois. Établis jadis au S. des Appalaches, ils subsistent auj. en Oklahoma.

Chéronée, v. de Béotie (Grèce anc.). – Victoire de Philippe II de Macédoine sur les Athéniens et les Thébains (338 av. J.-C.); victoire de Sulla sur Archélaos, général de Mithridate VI (86 av. J.-C.).

cherry, plur. **cherries** [ʃeri] n. m. Liqueur de cerise.

Chersonèse (en gr. *Khersonêsos*, « presqu'île »), nom attribué par les Grecs à diverses péninsules : *Chersonèse de Thrace* (presqu'île de Gallipoli, au N. des Dardanelles), *Chersonèse Taurique* (Crimée), *Chersonèse Cimbrique* (Jylland) et *Chersonèse d'Or* (p.-ê. presqu'île de Malacca).

cherté n. f. État de ce qui est cher; prix élevé. *La cherté de la vie en période d'inflation. La cherté de l'or.*

chérubin n. m. **1.** Ange tutélaire des lieux sacrés. – THEOL *Chérubins* : deuxième chœur dans la première hiérarchie des anges. **2.** BX-A Tête ou buste d'enfant porté par deux ailes. **3.** Fig. Enfant beau et doux. – (Terme d'affection.) *Mon chérubin.*

Cherubini (Luigi) (Florence, 1760 – Paris, 1842), compositeur italien; directeur du Conservatoire de Paris de 1822 à 1841 : nombr. messes, motets, cantates, opéras-comiques et opéras (*Médée*, 1797; *Pygmalion*, 1809).

Chérusques, peuple de Germanie qui était établi entre la Weser et l'Elbe; Arminius fut leur chef.

Chesapeake, profonde baie de la côte atlant. des É.-U. (Maryland et Virginie), prolongement de l'estuaire de la Susquehanna. Longue d'env. 300 km et d'une largeur moyenne de 30 km, elle est franchie à son embouchure par un ensemble de ponts et de tunnels.

Cheselden (William) (Somerby, Leicestershire, 1688 – Bath, 1752), chirurgien ophtalmologiste anglais. L'« aveugle de Cheselden » (auquel une opération donna la vue) apporta de nombreux renseignements sur la genèse des sensations visuelles.

Cheshire. V. Chester.

Chesnay (Le), ch.-l. de cant. des Yvelines (arr. de Versailles); 29 611 hab. Cité résidentielle (Parly-II). Constr. automobile.

Chesne (Le) (anc. *Le Chêne-Populeux*), ch.-l. de cant. des Ardennes (arr. de Vouziers); 992 hab. – À proximité, défilé occupé par Dumouriez en 1792. – En 1918 (1er - 5 nov.), la bataille du Chesne et de Buzancy acheva la délivrance de l'Argonne.

Chessex (Jacques) (Payerne, 1934), écrivain suisse d'expression française. Inspiré par Gide, il écrit des poèmes (*le Jour proche*, 1954; *Bataille dans l'air*, 1959) et des romans ayant pour thème la passion confrontée aux contraintes sociales et familiales (*la Confession du pasteur Burg*, 1967; *Carabas*, 1971; *l'Ogre*, 1973).

chester [(t)ʃɛstər] n. m. Fromage de vache anglais à pâte dure.

Chester ou **Cheshire** (abrév. de Chestershire), comté de G.-B., au S. de Liverpool; 937 300 hab.; ch.-l. *Chester*, sur la Dee : 115 000 hab. Fromage réputé. Fonderies, constructions navales.

Chesterfield, v. de G.-B. (Derbyshire); 99 700 hab. Houille. Métallurgie.

Chesterton (Gilbert Keith) (Londres, 1874 – Beaconfield, 1936), écrivain anglais. Il fut un brillant polémiste (*Hérétiques*, 1905), un humoriste (*le Napoléon de Notting Hill*, 1904) et un apologiste de l'humanisme cathol. à travers des essais et des romans policiers métaphysiques (*le Dénommé Jeudi*, 1908; *Histoires du père Brown*, 1911-1935).

Chestov (Lev Isaakovitch Chvartsman, dit Léon) (Kiev, 1866 – Paris, 1938), écrivain et philosophe russe; l'un des précurseurs de l'existentialisme chrétien : *les Révélations de la mort* (1923), *Kierkegaard et la philosophie existentielle* (1936).

Che-t'ao. V. Shitao.

chétif, ive adj. Faible, maigre et maladif. *Enfant chétif.* ▷ Fig. Chiche, mesquin. *Des idéaux chétifs.*

chétivement adv. D'une manière chétive.

chétodon [ketodɔ̃] n. m. ICHTYOL Nom de nombr. poissons téléostéens des récifs coralliens, aux couleurs vives et aux dents fines. Syn. papillon de mer.

chevaine. V. chevesne.

cheval, aux n. m. **I. 1.** Animal domestique périssodactyle (fam. équidés). *Cheval de trait, de selle, de*

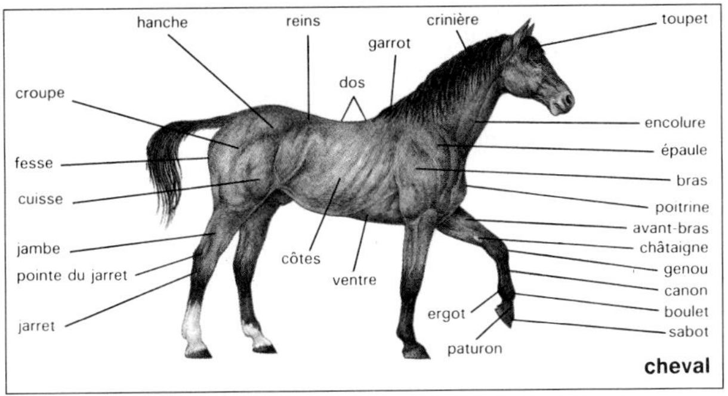

chevalier combattant

labour, de course. Atteler un cheval à une carriole. Monter un cheval : être sur un cheval. ▷ *Par ext., fig.* *Cheval de bataille* : argument polémique auquel on revient sans cesse. **2.** Équitation. *Faire du cheval. Bottes de cheval.* **3.** Loc. fig., fam. *Fièvre de cheval,* violente. *Remède de cheval,* très énergique. *Santé de cheval,* excellente. ▷ *Cela ne se trouve pas sous le pas (sabot) d'un cheval* : cela ne se trouve pas facilement. **4.** Fam. (En parlant d'une personne.) *C'est un cheval de labour* : il travaille beaucoup, avec énergie. ▷ Fam. Grande femme à l'allure peu féminine. *Regardez ce cheval!* ▷ *Cheval de retour* : délinquant récidiviste. **5.** Loc. *À cheval* : sur un cheval; *par ext.* à califourchon. *Être à cheval sur un mur.* – Par anal. *Ce domaine est à cheval sur une route.* ▷ Fig. *Être à cheval sur les principes,* ne pas admettre que l'on s'en écarte. ▷ Fig. *Monter sur ses grands chevaux* : s'emporter, le prendre de haut avec qqn. **II.** Représentation plus ou moins fidèle d'un cheval. **1.** *Chevaux de bois,* dans un manège de fête foraine; ce manège. – *Petits chevaux* : jeu de hasard qui se pratiquait dans les casinos; jeu de société dans lequel des figurines, représentant des chevaux, progressent selon les points indiqués par un dé. **2.** MILIT *Cheval de frise* : obstacle mobile constitué par une monture de bois garnie de pieux ou de barbelés. **3.** *Cheval marin* : hippocampe (sens 1 et 2). **4.** SPORT *Cheval d'arçons* ou *cheval-arçons* : appareil au milieu duquel sont fixées des poignées, qui sert d'appui pour des exercices de gymnastique. **III.** PHYS *Cheval-vapeur* : unité de puissance (hors système) valant 736 W (symbole ch). *Des chevaux-vapeur.* ▷ *Cheval-heure* : unité d'énergie mécanique (hors système) égale au travail fourni en une heure par un moteur de 1 ch (symbole chh). *Des chevaux-heure.* ▷ *Cheval fiscal* ou *cheval* : unité prise en compte pour taxer les automobiles en fonction de leur puissance (abrév. : CV). *Une 2 CV.*

Cheval (Ferdinand), dit *le Facteur Cheval* (Charmes, Drôme, 1836 – Hauterives, 1924), facteur rural qui construisit, à Hauterives, un «palais idéal», chef-d'œuvre de l'art naïf (1879-1912).

chevalement n. m. **1.** TECH Ensemble d'étais destinés à soutenir provisoirement une construction ou une partie de construction à reprendre en sous-œuvre. **2.** MINES Construction supportant les molettes d'extraction.

chevaleresque adj. Digne d'un chevalier. *Bravoure, courtoisie chevaleresque.*

chevalerie n. f. **1.** FEOD Institution milit. propre à la féodalité; rang, qualité de chevalier. *La cérémonie de l'adoubement consacrait l'accession de l'écuyer à la chevalerie.* ▷ (Collectif) Ensemble des chevaliers. **2.** FEOD *Ordres de chevalerie,* consacrés à la défense des Lieux saints et des pèlerins (*l'ordre du Saint-Sépulcre, l'ordre de Malte*). ▷ Mod. Distinction honorifique instituée par différents États. *La Légion d'honneur est un ordre de chevalerie.*

chevalet n. m. **1.** Support en bois, sur pieds, réglable en hauteur, que les peintres utilisent pour poser leur toile. – *Tableau de chevalet,* de petite dimension. **2.** Bâti en bois sur lequel on travaille dans plusieurs métiers. *Chevalet de tisserand.* **3.** MUS Pièce de bois dressée sur la table d'harmonie de certains instruments à cordes et qui sert à soutenir les cordes tendues. **4.** Anc. instrument de torture.

chevalier n. m. **I. 1.** FEOD Celui qui appartenait à l'ordre de la chevalerie. *Un preux chevalier.* – *Le Chevalier sans peur et sans reproche* : Bayard. – *Le Chevalier de la triste figure* : Don Quichotte. – *Les chevaliers de la Table ronde* : les compagnons du roi Arthur. – *Les chevaliers du Temple.* V. Templiers. ▷ Fig., plaisant *Être le chevalier servant d'une femme,* l'entourer de soins, de prévenance. **2.** Grade le plus bas d'une décoration civile ou milit., d'un ordre de chevalerie; le titulaire de ce grade. *Chevalier de la Légion d'honneur. Chevalier de l'ordre de Malte.* **3.** ANTIQ Romain de la seconde classe des citoyens, appartenant à l'ordre équestre. **4.** Fig., fam. *Chevalier d'industrie* : individu qui vit d'affaires louches, d'expédients; escroc, aventurier. **II. 1.** ORNITH Nom cour. de divers oiseaux charadriiformes (genres *Tringa* et voisins) élancés, à long bec fin et à longues pattes. *Le chevalier gambette combattant est commun en Europe.* **2.** *Omble chevalier* : V. omble.

palais idéal du Facteur **Cheval**

Chevalier (Maurice) (Paris, 1888 – id., 1972), chanteur fantaisiste français, acteur de cinéma international.

chevalière n. f. Bague large et épaisse ornée d'un chaton sur lequel sont souvent gravées des initiales, des armoiries.

chevalin, ine adj. **1.** Du cheval; qui a rapport au cheval. *Race chevaline. Boucherie chevaline.* **2.** Qui tient du cheval. *Profil chevalin.*

Chevarnadzé (Édouard) (Mamati, Géorgie, 1928), homme politique géorgien. Secrétaire du P.C. de Géorgie (1972-1985), il fut, comme ministre des affaires étrangères de l'U.R.S.S. (1985-1991), un proche collab. de M. Gorbatchev. Les Géorgiens l'appelèrent en mars 1992 et l'élurent président en oct.

chevauchant, ante adj. Qui chevauche (sens I, 2). *Tuiles chevauchantes.* ▷ GEOL *Pli chevauchant.*

chevauchée n. f. Course, promenade à cheval. *Une longue chevauchée dans la campagne.*

chevauchement n. m. Disposition de pièces, d'objets qui se chevauchent. *Le chevauchement des ardoises d'un toit.*

chevaucher v. [1] **I.** v. intr. **1.** Litt. Aller à cheval. **2.** Se recouvrir en partie. *Tuiles qui chevauchent régulièrement.* – TYPO *Caractères qui chevauchent,* qui sont mal alignés. ▷ v. pron. *Les lettres se chevauchent.* **II.** v. tr. **1.** Être à cheval sur. *Chevaucher une mule.* **2.** Être à califourchon sur. *Chevaucher un canon.*

chevau-léger n. m. HIST Cavalier légèrement armé qui faisait partie d'une compagnie ou d'un régiment (de Louis XIII à Napoléon) ou de la maison du roi (de 1570 à 1787) et sous la première Restauration. *Des chevau-légers.*

chevêche n. f. Chouette de petite taille (*Athene noctua,* 21 cm) commune dans les forêts européennes.

chevelu, ue adj. (et n.) **1.** Dont les cheveux sont longs et fournis. ▷ Subst. *Regardez-moi tous ces chevelus!* **2.** ANAT *Cuir chevelu* : enveloppe cutanée du crâne où prennent racine les cheveux. **3.** BOT *Racines chevelues,* qui portent un grand nombre de radicelles. ▷ n. m. *Le chevelu d'une racine* : l'ensemble de ses radicelles. **4.** *Astre chevelu* : V. chevelure et comète.

chevelure n. f. **1.** Ensemble des cheveux d'une personne. *Une belle chevelure blonde.* **2.** ASTRO Halo lumineux qui se développe autour du noyau d'une comète quand elle se rapproche du Soleil.

Cheverny, com. du Loir-et-Cher (arr. de Blois); 904 hab. – Château (1634) dû à l'architecte Boyer.

Chevert (François de) (Verdun, 1695 – Paris, 1769), général français. Il se rendit célèbre lors du siège de Prague par les impériaux (1742-1743). Après une résistance héroïque, il capitula honorablement.

chevesne, chevaine ou **chevenne** n. m. Poisson cyprinidé d'eau douce *(Leuciscus cephalus)* à tête large et museau arrondi, très vorace. Syn. meunier.

chevet n. m. **1.** Tête du lit. *Table de chevet*, que l'on place près du lit, à sa portée. Syn. table de nuit. – *Livre de chevet :* livre de prédilection, que l'on garde près de soi pour y revenir souvent. ▷ *Être au chevet de qqn*, près de son lit pour le veiller ou le soigner. *Se rendre au chevet d'un malade.* **2.** ARCHI Partie semi-circulaire qui constitue l'extrémité du chœur d'une église.

chevêtre n. m. CONSTR Pièce qui supporte les solives d'un plancher.

cheveu n. m. **1.** Poil du crâne, dans l'espèce humaine. *Cheveux frisés, crépus. Perdre ses cheveux :* devenir chauve. ▷ *Les cheveux blancs*, en tant que signe de vieillesse. *Par égard pour vos cheveux blancs :* par égard pour votre grand âge. – Loc. fig. *Se faire des cheveux (blancs) :* se tourmenter. ▷ (Collectif) *Le cheveu :* les cheveux. *Avoir le cheveu terne.* **2.** Loc. fig. *Faire dresser les cheveux sur la tête :* épouvanter, faire horreur. – *S'arracher les cheveux*, de désespoir. – Fam. *Mal aux cheveux :* migraine consécutive à un excès de boisson. – *Tiré par les cheveux*, amené d'une manière forcée, présenté de façon peu naturelle. – Fam. *Se prendre aux cheveux :* en venir aux mains, se battre. – *Saisir l'occasion aux cheveux*, sans hésiter. – Loc. fam. *Comme un cheveu sur la soupe :* au mauvais moment, hors de propos. **3.** Loc. fig. *Ne tenir qu'à un cheveu, s'en falloir d'un cheveu :* dépendre de très peu de chose. *Il s'en est fallu d'un cheveu que nous ne rations le train.* – Fam. *Couper les cheveux en quatre :* user de subtilités à l'excès. – *Si tu touches à un seul de ses cheveux... :* si tu lui causes le moindre mal... ▷ CUIS *Cheveux d'ange :* vermicelles longs très fins. ▷ BOT *Cheveu-de-Vénus :* fougère capillaire *(Adiantum capillus veneris).* ▸ illustr. **poil**

chevillage n. m. Action de cheviller; ensemble des chevilles d'un assemblage.

chevillard n. m. Boucher qui vend en gros ou demi-gros.

cheville n. f. **I. 1.** Petite pièce de bois, de métal ou de matière plastique, dont on se sert pour réaliser divers assemblages, ou que l'on enfonce dans un mur pour y introduire une vis. **2.** *Cheville ouvrière :* grosse cheville qui sert de pivot; fig. agent principal, indispensable, dans une affaire quelconque. *Plus qu'un intermédiaire, il a été la cheville ouvrière de toute l'opération.* ▷ Fig., fam. *Se mettre en cheville avec qqn*, s'associer avec lui dans une entreprise quelconque. **3.** Crochet de boucherie qui sert à suspendre de grosses pièces de viande dans un abattoir. – *Vente à la cheville :* vente de la viande en gros. **4.** MUS Pièce de bois ou de métal qui sert à régler la tension des cordes d'un instrument. **5.** VERSIF Mot ou groupe de mots inutile quant au sens, placé dans un vers pour compléter une rime ou la mesure. **II.** Articulation de la jambe et du pied. *La cheville présente deux saillies : la malléole du péroné externe, la malléole du tibia interne.* – Loc. fig., fam. *Ne pas arriver à la cheville de qqn*, lui être très inférieur. ▸ illustr. **pied**

cheviller v. tr. [1] Joindre, assembler avec des chevilles. – Pp. adj. *Un meuble entièrement chevillé.* – Loc. fig. *Avoir l'âme chevillée au corps :* être indestructible, avoir la vie dure.

chevillette n. f. Petite cheville.

Chevilly-Larue, ch.-l. de cant. du Val-de-Marne (arr. de L'Haÿ-les-Roses), au S. de Paris; 16 341 hab. Industr. de transformation. Mat. de constr.

Cheviot (monts), chaîne de hautes collines qui sépare l'Angleterre de l'Écosse; 816 m au *pic de Cheviot.*

cheviotte n. f. Laine d'Écosse tirée du mouton des monts Cheviot. ▷ Tissu fait avec cette laine.

Chevotet (Jean Michel) (Paris, 1698 – id., 1772), architecte et paysagiste fr. représentatif du style Louis XV : pavillon de Hanovre (Paris, 1760, reconstruit pierre par pierre dans le parc de Sceaux en 1932), château de Petit-Bourg (en collab. avec Contant d'Ivry), château de Champlâtreux.

chèvre

chèvre n. f. **1.** Mammifère ruminant (fam. bovidés) élevé pour son lait et son poil; la seule femelle (par oppos. au *bouc*). *Un fromage de chèvre* ou, n. m., *un chèvre :* un fromage fait avec du lait de chèvre. **2.** Nom cour. des bovidés sauvages du genre *Capra* (bouquetins), tous de mœurs montagnardes. **3.** Loc. fig., fam. *Devenir chèvre :* s'énerver à en perdre la tête. – *Ménager la chèvre et le chou :* ne pas prendre parti. **4.** TECH Appareil de levage constitué d'une charpente munie d'une poulie.

Chèvre (la) ou **Capella,** système double d'étoiles du Cocher dont la composante principale est une géante jaune (magnitude visuelle apparente du système 0,1).

chevreau n. m. **1.** Petit de la chèvre, cabri. **2.** Cuir de cet animal. *Des gants de chevreau.*

chèvrefeuille n. m. Liane aux fleurs odorantes, très répandue en France (fam. caprifoliacées). *Diverses espèces de chèvrefeuille sont des plantes d'ornement.*

chèvre-pied adj. et n. m. Vx, litt. Qui a des pieds de chèvre. *Satyre chèvre-pied.* ▷ n. m. *Des chèvre-pieds.*

chevreter. V. chevroter 1.

chevrette n. f. **1.** Petite chèvre. **2.** Femelle du chevreuil. **3.** Rég. Crevette rose. Syn. *bouquet.*

chevreuil n. m. **1.** Cervidé d'Europe *(Capreolus capreolus)* de 70 cm au garrot, au pelage brun-roux l'hiver, plus gris en été. (Il atteint 45 kg et vit une quinzaine d'années. Le mâle porte des bois verticaux peu ramifiés.) **2.** (Canada) Cervidé d'Amérique du Nord (*Odocoileus virginianus*, cerf de Virginie) apparenté au cervidé d'Europe mais de plus grande taille (il atteint 90 kg). ▸ illustr. **bois de cervidés**

Chevreul (Eugène) (Angers, 1786 – Paris, 1889), chimiste français; spécialiste des corps gras et des colorants.

Chevreuse, ch.-l. de cant. des Yvelines (arr. de Rambouillet), dans la pittoresque *vallée de Chevreuse*, où coule l'Yvette; 5 068 hab. – Égl. St-Martin (XIIe, XIVe et XVe s.). Ruines du chât. de la Madeleine (donjon du XIIe s.).

Chevreuse (Marie de Rohan-Montbazon, duchesse de) (?, 1600 – Gagny, 1679), épouse du connétable de Luynes, puis de Claude de Lorraine, duc de Chevreuse. Elle prit part aux intrigues contre Richelieu et Mazarin (Fronde) et connut divers exils. – **Charles Honoré d'Albert,** duc de Luynes, de Chaulnes et de Chevreuse (?, 1646 – Paris, 1712), petit-fils de la préc.; homme politique français. Conseiller privé de Louis XIV, gouverneur de Guyenne de 1698 à 1712, il fut le gendre de Colbert et l'ami de Fénelon.

chevrier, ère n. **1.** Personne qui mène paître les chèvres. **2.** n. m. Variété de haricots à grains verts.

chevrillard n. m. Petit du chevreuil âgé de six mois à un an et demi.

chevron n. m. **1.** CONSTR Pièce de bois équarrie, placée dans le sens de la pente du toit, qui supporte la couverture. **2.** Par anal. (de forme). MILIT Galon en forme de V renversé, qui se porte sur la manche d'un uniforme comme insigne d'un grade. ▷ Motif décoratif en forme de chevron. *Une veste à chevrons bleus et blancs.*

chevronné, ée adj. **1.** Rare Qui a obtenu des chevrons (sens 2). **2.** *Par ext.*, fig. Qui a de l'ancienneté et une grande compétence dans un métier, une activité. *Un pilote chevronné.*

chevrotain n. m. Nom de divers petits ruminants (0,30 m au garrot) d'Asie du S.-E. et d'Afrique, qui ne portent ni cornes ni bois. – *Chevrotain porte-musc :* cervidé *(Moschus moschiferus)* muni d'une glande ventrale, en avant des organes génitaux mâles, qui sécrète du musc en période de rut.

chèvrefeuille des jardins : feuilles, fleurs et fruits

chevrotant, ante adj. Qui chevrote. *Une voix chevrotante.*

chevrotement n. m. Tremblement de la voix.

1. chevroter v. intr. [1] ou **chevreter** v. intr. [20] Mettre bas des chevreaux.

2. chevroter v. intr. [1] Parler ou chanter d'une voix tremblotante qui rappelle le bêlement. ▷ v. tr. *Chevroter un air.*

chevrotin n. m. **1.** Petit du chevreuil avant six mois. **2.** Peau de chevreau apprêtée. **3.** Fromage au lait de chèvre.

chevrotine n. f. Plomb de chasse de fort calibre, pour le chevreuil et le gros gibier. *Une décharge de chevrotines.*

Chevtchenko (Tarass Grigorovitch) (Morintsy, auj. Zvenigorod, Ukraine, 1814 - Saint-Pétersbourg, 1861), poète lyrique national ukrainien : *Kobzar* (« le Barde », 1840), *les Haïdamaks* (1841).

chewing-gum [ʃwiŋgɔm] n. m. (Anglicisme) Gomme à mâcher aromatisée. *Des chewing-gums.*

Cheyenne, ville des É.-U., capitale du Wyoming, dans les Rocheuses; 50 000 hab. Centre commercial (bétail).

Cheyennes, Indiens des plaines d'Amérique du Nord, de la famille linguistique des Algonquins; ils subsistent auj. dans des réserves en Oklahoma et dans le Montana.

Cheylas (Le), com. de l'Isère; 1 311 hab. Usine hydroélectrique.

Cheyney (Peter Southouse-Cheyney, dit Peter) (Londres, 1896 - id., 1951), écrivain anglais; auteur de romans policiers mêlant érotisme et violence : *Cet homme est dangereux* (1936), *la Môme Vert-de-gris* (1937).

chez [ʃe] prép. **1.** Dans la maison de, au logis de. *Je suis allé chez vous. Rester chacun chez soi. Chez Durand.* - Précédé d'une autre prép. *Passez par chez moi. Je viens de chez vous.* **2.** *Par ext.* Dans tel pays, dans telle catégorie de gens, dans tel groupe animal. *Chez les Anglais, chez les républicains, chez les mammifères.* - *Ces gens-là ne sont pas de chez nous* : ils ne sont pas de la région. Fam. *Un petit vin bien de chez nous.* ▷ Au temps de. *Chez les Romains, les jeux du cirque étaient fort prisés.* **3.** En, dans la personne de, dans l'œuvre de. *C'est une manie chez lui. On trouve chez Mallarmé...*

chez-moi, chez-soi n. m. inv. (Connotation familière.) Domicile, lieu où l'on habite. *J'aime mon chez-moi. Aimer son chez-soi.*

chiader v. intr. [1] Arg., vieilli Travailler durement. *J'ai chiadé toute la nuit sur ma dissertation.* ▷ v. tr. Mod. ou fam. *Chiader une question.* ▷ Pp. adj. *Un travail chiadé,* peaufiné.

chialer v. intr. [1] Fam. Pleurer.

Chiangmai, v. du nord de la Thaïlande; env. 158 000 hab.; ch.-l. de la prov. du m. nom. Centre du comm. du teck. Soieries. - Fondée en 1296, la v. fut la cap. du royaume thaï du Lan Na. - Nombr. monuments et pagodes anc. dans la ville et à proximité.

chiant, ante adj. Vulg. Très ennuyeux. *Un boulot chiant. Un type chiant.*

Chianti, rég. d'Italie (Toscane), au N. de Sienne. Ses collines donnent un vin rouge connu *(chianti).*

Chiapas, État du Mexique, sur le Pacifique; env. 3 300 000 hab.; lieu, depuis 1994, de la rébellion zapatiste.

chiasma [kjasma] n. m. ANAT Croisement en forme d'X. *Chiasma optique* : lieu où se croisent les nerfs optiques, au niveau de l'os sphénoïde.

chiasme [kjasm] n. m. RHET Figure de style disposant en ordre inverse les mots de deux propositions qui s'opposent (ex. : il était très riche en défauts, en qualités très pauvre).

chiasse n. f. **1.** Vx Excrément d'insecte. **2.** Vulg. Diarrhée. *Avoir la chiasse.* ▷ Fig. Peur. *T'as la chiasse, pas vrai ?* - Difficulté, déveine.

Chiasso, com. de Suisse (Tessin), proche du tunnel du Saint-Gothard; 8 900 hab. Gare frontière.

Chiba, port du Japon (Honshū), sur la baie de Tōkyō; 788 930 hab.; ch.-l. du ken du m. nom. Sidérurgie; raff. de pétrole; constr. navales.

Chibcha(s) ou **Muisca(s),** anc. peuple indigène de la cordillère des Andes (Colombie). Sa civilisation fut détruite au XVIe s. par les Espagnols. - Les langues chibchas sont encore parlées au Panamá, en Colombie et en Équateur.

chic n. m., adj. inv. et interj. **I.** n. m. **1.** Habileté, savoir-faire. *Il a le chic pour dire ce qu'il faut dans ces moments-là.* ▷ Loc. *De chic* : sans l'aide d'un modèle; d'inspiration et avec habileté. *Dessiner de chic. Faire un tableau de chic.* **2.** Ce qui est élégant, de bon goût, distingué. *Ce chapeau a du chic.* **II.** adj. inv. **1.** Élégant, distingué. *S'habiller chic. Un dîner très chic.* Syn. huppé. - *Bon chic bon genre* : d'une élégance classique, de bon ton (abrév. B.C.B.G.). **2.** Amical et serviable. *Un chic type. Vous avez été très chic avec moi.* **III.** interj. Fam. Marque l'approbation, une surprise agréable. *Chic alors !*

Chicago, v. et port import. des É.-U. (Illinois), sur le lac Michigan; 2 783 700 hab. (aggl. urb. 8 035 000 hab., la 3e des É.-U.). Grand centre comm. et industr. qui doit son essor (XIXe s.) à sa situation (nœud de communications). Traitement des céréales et des prod. d'élevage (abattoirs). Métall., industr. chim., etc. - Nombr. chefs-d'œuvre de l'archi. contemp. (Crown Hall, par Mies van der Rohe, 1950-1956). Musées import. : Art Institute of Chicago, Museum of Science and Industry, Field Museum of Natural History. Université. - *L'école architecturale de Chicago,* à la fin du XIXe s., eut pour princ. promoteurs W. Le Baron Jenney, D. H. Burnham, D. Adler, L. H. Sullivan et H. H. Richardson, qui ont révolutionné les modes traditionnels de constr. en édifiant des bâtiments à ossature métallique, de conception verticale, qui sont à l'origine des gratte-ciel. - *L'école économique de Chicago,* contemporaine, est inspirée par M. Friedman. À l'encontre de l'école keynésienne, elle postule l'inefficacité de l'intervention de l'État en matière économique et prône le retour au libéralisme le plus complet.

Chicago

chicane n. f. **I. 1.** Procédure subtile que l'on engage sans fondement, de mauvaise foi. **2.** *Par ext.* Querelle sans fondement, tracasserie déplacée. *Chercher chicane à qqn. J'en ai assez de vos chicanes!* **II. 1.** Passage en zigzag installé sur une route et qui oblige les voitures à ralentir. *Chicane matérialisée par des bottes de paille, sur un circuit automobile.* **2.** TECH Aménagement destiné à modifier le trajet normal d'un liquide ou d'un gaz. **3.** JEU Au bridge, absence de cartes d'une couleur dans la distribution d'une main.

chicaner v. [1] **1.** v. intr. User de chicane, dans un procès. **2.** v. intr. Contester sans fondement et avec malveillance. *On ne peut pas discuter avec vous, vous chicanez tout le temps.* ▷ v. tr. *Il n'a pas cessé de me chicaner sur les mots.* **3.** v. tr. Ennuyer, tracasser. *Chicaner qqn.* ▷ (Canada) Fam. *Chicaner un enfant,* le réprimander. **4.** v. pron. Se disputer pour des vétilles. **5.** MAR *Chicaner le vent* : en voilier, serrer le vent de trop près.

chicanerie n. f. Fait de chicaner.

chicaneur, euse n. Personne qui chicane. ▷ adj. *Un esprit chicaneur.*

chicanier, ère n. Personne qui chicane sur la moindre chose. *C'est un chicanier.* ▷ adj. *Il est très chicanier.*

chicano [tʃikano] adj. et n. *Fam.* Aux États-Unis, Mexicain immigré.

1. chiche adj. **1.** Qui ne se laisse pas aller à dépenser, parcimonieux. - Fig. *Il est chiche de compliments.* **2.** (Choses) Peu abondant, qui témoigne d'un esprit mesquin. *Un repas très chiche.*

2. chiche. V. pois (chiche).

3. chiche interj. et adj. Fam. **1.** interj. Marque le défi. *Chiche que tu n'y vas pas!* **2.** adj. *Tu n'es pas chiche de le faire,* tu n'en es pas capable.

chiche-kebab [ʃiʃkebab] n. m. Brochette de mouton préparée à l'orientale. *Des chiche(s)-kebabs.*

chichement adv. D'une manière chiche, avec parcimonie.

Chichén Itzá, local. mexicaine située au N. de la prov. du Yucatán; autref. l'une des plus grandes cités de la civilisation toltèque-maya. - Nombr. vestiges archéologiques : pyramide dite *El Castillo,* temple des Guerriers, etc.

Chichén Itzá : temple des Guerriers, avec Chac-Mool, le dieu de la Pluie des Toltèques

Chichester, v. de G.-B., près de la Manche; 100 300 hab.; ch.-l. du West Sussex. – Très grande cathédrale (XIe-XIIe s.)

chichi n. m. Fam. **1.** Comportement maniéré. *Faire des chichis.* **2.** Belles paroles trompeuses. *Tout ça, que chichi, et rien d'autre !*

Chichimèques, tribus nomades du nord du Mexique qui se répandirent, à partir du XIIe s., dans le centre du pays, où leur culture se fondit dans la civilisation toltèque.

chichiteux, euse adj. Fam. Qui fait, qui aime faire des chichis.

Chiclayo, ville du Pérou, près du Pacifique; 349 250 hab.; ch.-l. de dép. Industr. alim. et textile.

chicon n. m. **1.** Laitue romaine. **2.** Rég. (Belgique, nord de la France.) Endive.

chicoracées n. f. pl. Syn. de *liguliflores.* – Sing. *Une chicoracée.*

chicorée n. f. **1.** Genre de composées, dont plusieurs espèces, annuelles (chicorée frisée, scarole, etc.) et vivaces (barbe de capucin, endive, etc.), sont cultivées en France. **2.** *Chicorée à café* ou *chicorée :* poudre ou petits morceaux de racines torréfiées de variétés de chicorée sauvage que l'on peut consommer en décoction ou mélanger au café.

chicorée sauvage

chicot n. m. **1.** Reste dressé du tronc d'un arbre brisé ou coupé. **2.** Reste d'une dent cariée ou cassée.

chicotin n. m. Suc très amer d'un aloès d'Afrique du S. *(Aloe succotrina).*

Chicoutimi, v. du Canada (Québec), sur le Saguenay; 62 670 hab. (aggl. urb. 139 400 hab.). Centre administratif. Industr. text. Papeteries.

chiée n. f. Très fam. Grande quantité.

chien, chienne n. **I. 1.** Quadrupède domestique de la famille des canidés. *Chien qui aboie, qui hurle, qui jappe.* – *Chien savant :* chien dressé à faire des tours; *par ext., fig., péjor.* personne (souvent un enfant) qui répète ce qu'elle a appris à la seule fin de plaire. **2.** Loc. fig. *Mourir comme un chien :* (vx) mourir sans les sacrements de l'Église; (mod.) mourir dans l'abandon. – *Mener une vie de chien,* une vie misérable. – *Garder à qqn un chien de sa chienne,* lui garder rancune et projeter une vengeance. – *Se regarder en chiens de faïence,* sans rien dire et avec une certaine hostilité. – *Entre chien et loup :* moment du crépuscule où l'on commence à ne plus reconnaître les objets. – Prov. *Qui veut noyer son chien l'accuse de la rage :* on trouve toujours un prétexte quand on veut se débarrasser de qqn, de qqch. **3.** Fig., fam. (En parlant des choses ou des personnes, par dénigrement.) *Un temps de chien. Quelle chienne de vie !* ▷ Terme injurieux. *Chien d'Untel !* **4.** interj., juron fam. *Nom d'un chien !* **5.** *Elle a du chien :* elle a de l'allure, elle plaît par son piquant. **6.** ASTRO *Le Grand Chien, le Petit Chien :* constellations australes. **II.** n. m. **1.** Pièce d'une arme à feu portative, qui assure la percussion de l'amorce de la cartouche. *Le chien d'un pistolet.* ▷ (Par anal. de forme avec le chien d'un fusil.) *Être couché en chien de fusil,* ramassé sur soi-même, les jambes repliées. **2.** *Chien de prairie :* V. cynomys.
ENCYCL Les différentes races de chiens auraient pour origine commune le loup. Elles sont réparties sous les rubriques suivantes : *chiens de garde et d'utilité :* chiens de berger, dogues, saint-bernard, etc.; *chiens de chasse :* terriers, chiens courants, chiens d'arrêt, lévriers, etc.; *chiens de luxe et d'agrément :* caniches, pékinois, etc.

Chien (grotte du), grotte des environs de Pouzzoles (prov. de Naples, Italie) où du gaz carbonique se dégage jusqu'à une hauteur de 20 à 50 cm, asphyxiant donc les petits animaux (chiens, par exemple).

chien-assis n. m. ARCHI Lucarne en charpente pratiquée dans le versant d'un toit et munie d'une baie vitrée verticale. *Des chiens-assis.*

chiendent n. m. Mauvaise herbe à rhizome envahissante et difficile à détruire (fam. graminées). *Brosse de chiendent,* fabriquée avec les rhizomes séchés du chiendent. ▷ Fig. *C'est un vrai chiendent :* c'est difficile à résoudre.

chienlit [ʃjɑ̃li] n. f. Fam. Ennui. *Quelle chienlit !* ▷ Agitation, désordre, pagaille. *Faire régner la chienlit.*

chien-loup n. m. Chien de berger (berger allemand), dont l'aspect rappelle celui du loup. *Des chiens-loups.*

chier v. intr. [2] **1.** Vulg. Déféquer. **2.** Fig., fam. *Faire chier qqn,* l'ennuyer, lui causer des désagréments. Syn. emmerder. – *Se faire chier :* s'ennuyer. *On s'est fait chier toute la journée.* ▷ *En chier :* en voir de toutes les couleurs. ▷ *Ça va chier :* il va y avoir du grabuge. – Pp. adj. *C'est chié :* c'est extraordinaire, très réussi.

Chiers (la), riv. de France (112 km), affl. de la Meuse (r. dr.); naît au Luxembourg, arrose Longwy et Montmédy.

Chieti, ville d'Italie (Abruzzes); 55 200 hab.; ch.-l. de la prov. du m. nom. Industr. alim. et méca. Archevêché.

chiffe n. f. **1.** Rare Morceau de tissu de mauvaise qualité, sans tenue. **2.** Fig. *Il est mou comme une chiffe, c'est une chiffe molle :* il est sans énergie (physique ou morale).

chiffon n. m. **1.** Morceau de vieux linge, de vieille étoffe. *Essuyer un meuble avec un chiffon.* ▷ (Plur.) Loc. fam. *Parler chiffons :* parler de vêtements, de toilette. **2.** *Chiffon de papier :* contrat, traité dénué de valeur.

chiffonnade n. f. CUIS **1.** Mélange de laitue et d'oseille, finement coupées, cuit au beurre et servant de garniture à un potage. **2.** Loc. *En chiffonnade :* coupé en très fines tranches.

chiffonnage ou **chiffonnement** n. m. **1.** Action de chiffonner. **2.** TECH Ponçage d'une peinture à l'aide d'un morceau de drap ou d'un abrasif très fin.

chiffonné, ée adj. Froissé. *Une robe chiffonnée.* – Fig. *Avoir la mine chiffonnée,* fatiguée.

chiffonner v. [1] **I.** v. tr. **1.** Froisser. ▷ v. pron. *Ma robe s'est chiffonnée.* **2.** Fig., fam. Contrarier, chagriner. *Il y a qqch qui me chiffonne dans ce que vous dites.* **II.** v. intr. **1.** S'occuper de vêtements, de toilettes féminines. *Elles adorent chiffonner.* **2.** Exercer l'activité de chiffonnier.

chiffonnier, ère n. **1.** Personne qui ramasse les chiffons, les vieux papiers, la ferraille; personne qui en fait commerce. ▷ Fig., fam. *Se battre comme des chiffonniers,* violemment. **2.** n. m. Petit meuble à tiroirs haut et étroit.

chiffrable adj. Qui peut être chiffré; qu'on peut évaluer en chiffres.

chiffrable adj. Qui peut être chiffré; qu'on peut évaluer en chiffres.

chiffrage n. m. **1.** Action de chiffrer. *Chiffrage d'une dépense.* **2.** Syn. de *chiffrement.* **3.** MUS Caractère numérique placé au-dessus ou au-dessous des notes de la basse pour indiquer les accords qu'elle comporte.

chiffre n. m. **1.** Caractère dont on se sert pour représenter les nombres. *Chiffres romains. Chiffres arabes.* **2.** Somme totale. *Diminuer le chiffre de ses dépenses.* ▷ Spécial. *Chiffre d'affaires :* montant total des ventes effectuées par une entreprise au cours d'une seule année (abrév. cour. : C.A.). *Doubler son chiffre d'affaires. Comparaison de chiffres d'affaires.* **3.** Écriture conventionnelle que l'on utilise pour transmettre des messages secrets, et dont la clé n'est connue que des correspondants; code secret. – *Service du chiffre :* service de certains ministères où l'on chiffre et déchiffre les dépêches. **4.** Arrangement artistique de lettres initiales d'un nom, entrelacées. *Mouchoirs brodés à son chiffre.*

chiffrement n. m. Action de chiffrer (sens 3).

chiffrer v. tr. [1] **1.** Évaluer, fixer le chiffre de. *Chiffrer une dépense.* – Pp. adj. *Estimations chiffrées.* **2.** Numéroter. *Chiffrer des pages.* **3.** Traduire en signes cryptographiques. *Chiffrer un texte.* **4.** Marquer d'un chiffre (sens 4). *Chiffrer du linge.* **5.** MUS Écrire le chiffre d'un accord.

Chigi, famille de banquiers italiens originaire de Sienne. – **Agostino** (Sienne, v. 1465 – Rome, 1520), promoteur à Rome de la villa Farnésine (qui abrite auj. le cabinet national des Estampes). – **Fabio** (Sienne, 1599 – Rome, 1667) fut pape sous le nom d'Alexandre VII. – **Flavio** (Sienne, 1631 – ?, 1693) et **Sigismond** (1649 – 1677), cardinaux qui firent construire à Rome le palais Chigi.

chignole n. f. **1.** Perceuse à main **2.** Fam. Mauvaise voiture.

chignon n. m. **1.** Masse de cheveux roulés ou tressés, sur la nuque ou au sommet du crâne. **2.** Loc. fig., fam. *Se crêper* le chignon.*

chihuahua n. m. Chien terrier d'origine mexicaine, le plus petit de tous les chiens (16 à 20 cm de haut et 0,8 à 2 kg).

Chihuahua, v. du Mexique septent à 1 450 m d'alt.; 530 480 hab.; cap. de

Beagle
Berger allemand
Caniche
Boxer
Teckel à poil dur
Yorkshire-terrier
Épagneul breton
Dogue allemand
Pointer
Griffon korthals
Husky sibérien
Setter anglais

l'État du m. nom. Centre comm. d'une import. région minière (or, plomb, zinc, uranium). Textiles. Traitement de l'uranium.

chiisme ou **chi'isme** [ʃiism] n. m. Courant de l'islam qui ne reconnaît ni la succession d'Abou Bakr au califat ni la doctrine de sa fille Aïcha, veuve du Prophète. ▷ Ensemble des chiites au sein de l'islam.

chiite ou **chi'ite** [ʃiit] adj. et n. Relatif au chiisme. ▷ Adepte du chiisme. Subst. *Les chiites sont nombreux en Iran et au Pākistān.*

Chikamatsu Monzaemon (Sugimori Nobumori, dit) (Hagi, Honshū, 1653 - Ōsaka, 1724), dramaturge japonais. Il écrivit d'abord pour le théâtre de poupées *(bunraku)* des pièces du genre *joruri* (sorte de conte psalmodié). Avec *Double Suicide d'amour à Sonezaki* (1703) et les très nombr. pièces qui suivirent (*les Batailles de Kokusenya*, 1715; *Double Suicide d'amour à Amijima*, 1720; etc.), il créa le théâtre japonais moderne. Son sens exceptionnel du tragique l'a fait surnommer le «Shakespeare de l'Orient».

Childebert Ier (v. 495 - 558), roi franc (511-558) du pays situé entre la Seine et la Loire et dont Paris était la capitale; troisième fils de Clovis. - **Childebert II** (570 - 596), roi d'Austrasie (575-596), de Bourgogne et d'Orléans (593-596); fils de Sigebert Ier et de Brunehaut. - **Childebert III** (683 - 711), roi de Neustrie et de Bourgogne (695-711); fils de Thierry III. Pépin le Jeune, maire du palais, exerça le pouvoir à sa place.

Childéric Ier (v. 440 - 481), roi des Francs Saliens (457-481), fils présumé de Mérovée et père de Clovis. - **Childéric II** (653 - 675), roi d'Austrasie (662-675); il occupa la Neustrie de 673 à sa mort (par assassinat). - **Childéric III** (?, v. 711 - Sithiu, auj. Saint-Bertin, près de Saint-Omer, 754), dernier des rois mérovingiens (743-751), déposé par Pépin le Bref.

Chili (république du) *(República de Chile)*. État de l'Amérique du Sud, bordé par le Pacifique; 756 945 km^2; 13 700 000 hab., croissance démographique : 1,5 % par an; cap. *Santiago*. Nature de l'État : république. Langue off. : esp. Monnaie : peso chilien. Relig. : cathol. (89 %).
Géogr. phys. et hum. - Étendu sur 4 200 km du N. au S., large en moyenne de 200 km, le Chili est un pays montagneux (6 959 m à l'Aconcagua). La cordillère volcanique orientale, très élevée, et la cordillère côtière, moins haute (2 000 à 3 000 m), encadrent une dépression de 1 000 km entre Santiago et Puerto-Montt, le Valle Central, cœur écon. du pays. L'étirement en latitude explique la succession des climats : aride au N. (désert d'Atacama), méditerranéen au centre, océanique frais au S., subpolaire en Terre de Feu. La pop., constituée surtout de métis de Blancs et d'Amérindiens, et d'immigrants européens, est citadine à 85 %.
Écon. - L'espace utile est très limité et seule la vallée centrale, au climat méditerranéen, a pu développer une agriculture intensive (céréales, vigne, fruits et légumes) que complète l'élevage ovin et bovin. Le Nord ne dispose que de quelques oasis alors qu'au sud domine l'exploitation forestière; sur le littoral se pratique une pêche active (5e rang mondial). Le cuivre, exploité dans les Andes, est la grande ressource nationale (1er rang mondial), le pays produisant aussi du fer, des nitrates, de l'argent, de l'or et du molybdène. L'hydroélectricité est la première ressource énergétique, à laquelle s'ajoute un peu de houille, de pétrole et de gaz. Fondée sur la transformation des ressources nationales, l'industrie a diversifié ses productions depuis le tournant libéral de 1974 et exporte désormais des produits manufacturés. Après la difficile période 1982-1987, la situation économique s'est assainie et le Chili aborde la décennie 1990 avec une croissance forte, une inflation et un endettement relativement réduits. Le prix social de ce redressement est lourd et un tiers de la population vit encore au-dessous du seuil de pauvreté.

Hist. - Les Espagnols, conduits par Diego de Almagro puis Pedro de Valdivia, conquirent le pays sur les Araucans à partir de 1536. Les Indiens ne furent définitivement soumis qu'au XIXe s. Nommé Nouvelle-Estrémadure, évangélisé par les jésuites, inclus dans la vice-royauté de Lima, fait capitainerie générale en 1778, le Chili intéressa peu les Espagnols. Dès 1810, il revendiqua son indépendance, laquelle fut définitivement acquise en 1818, par la victoire de Maipú remportée par San Martín et O'Higgins dont l'armée avait franchi les Andes. L'exploitation minière du pays commença; la bonne organisation et le développement du pays firent nommer le Chili «la Prusse de l'Amérique du Sud». Aux conservateurs (1831-1861) succédèrent les libéraux (1861-1891), qui développèrent l'économie. Victorieux dans la guerre du Pacifique contre le Pérou et la Bolivie (1879-1884), le Chili acquit les régions de l'Atacama et d'Antofagasta (gisements de nitrate et de cuivre) et le territoire d'Arica. Dès la fin du XIXe s., la classe ouvrière commença à s'organiser, fait rare en Amérique latine, et des partis de gauche participèrent à l'exercice du pouvoir de 1938 à 1958 (dont les communistes sous la présidence de G. González Videla). Le Chili s'orienta à partir de 1946 vers une politique d'industrialisation aidée par les États-Unis. La droite gouverna de 1958 à 1964, puis le pouvoir passa aux démocrates-chrétiens (présidence d'E. Frei, 1964-1970, qui rendit au Chili la propriété de ses mines et entama une réforme agraire). L'expérience d'unité populaire conduite par S. Allende (1970-1973) fut interrompue par le coup d'État du général Pinochet qui écrasa la gauche par une sanglante répression. Son régime fut d'abord consolidé par le retour de la prospérité, mais la montée des oppositions qui s'exprime dans le plébiscite d'oct. 1988, obligea, constitutionnellement Pinochet à remettre son pouvoir en jeu. Aux présidentielles de 1989, le candidat centriste P. Aylwin fut élu, le g[al] Pinochet gardant cependant le contrôle de l'armée. En 1991, le Chili normalisa ses relations avec l'Argentine (sur leur frontière commune; 5 400 km) et signa avec le Mexique le premier accord de libre-échange entre pays latino-américains. En 1993, Eduardo Frei (démocrate-chrétien), fils de l'anc. président remporta les présidentielles.

chilien, enne adj. et n. Du Chili. ▷ Subst. *Un(e) Chilien(ne).*

Chillon, chât. fort de Suisse (XIIIe s.) construit en bordure du lac Léman près de Vevey, autref. propriété des ducs de Savoie. Prison du patriote genevois Fr. de Bonivard de 1530 à 1536.

Chilly-Mazarin, ch.-l. de canton de l'Essonne (arr. de Palaiseau); 16 99[illegible] hab. Prod. pharm.; industr. méca.

Chiloé, île du Chili, au S. de Puerto Montt.

Chilon de Lacédémone (VIe s. av. J.-C.), éphore de Sparte, l'un des Sept Sages de la Grèce.

Chilpéric Ier (?, 539 - Chelles, 584), roi de Neustrie et de Soissons (561-584); fils de Clotaire Ier, époux de Frédégonde; il fut assassiné. – **Chilpéric II** (670 - 721), roi de Neustrie (715-721); fils de Childéric II, adversaire de Charles Martel.

Chimay, v. de Belgique (Hainaut); 9 270 hab. Brasserie. - Chât. (XVe s.). Tombe de Froissart dans l'église.

Chimborazo, volcan des Andes, en Équateur (6 272 m). Il a donné son nom à un État de l'Équateur (5 556 km²; 370 000 hab.; cap. *Riobamba*).

Chimbote, port et centre métallurgique du Pérou; 255 080 hab.

Chimène, personnage de la poésie castillane; elle est partagée entre l'honneur et l'amour chez Corneille (*le Cid*).

chimère n. f. **1.** MYTH Monstre fabuleux à tête de lion, corps de chèvre et queue de dragon qui vomit des flammes. **2.** Imagination vaine, illusion. *Se complaire dans des chimères.* **3.** ZOOL Poisson holocéphale des grandes profondeurs marines, à grosse tête et à corps effilé. **4.** BOT Produit d'une greffe possédant à la fois les caractères du greffon et ceux du porte-greffe. ▷ GENET Individu porteur de caractères génétiques issus de deux génotypes différents.

chimérique adj. **1.** Qui se complaît dans de vaines imaginations, dans des chimères. *Esprit chimérique.* **2.** Qui a le caractère vain, illusoire, des chimères. *Espérance chimérique.*

chimie n. f. Science des caractères et des propriétés des corps, de leurs actions mutuelles et des transformations qu'ils peuvent subir.
ENCYCL On divise la chimie en chimie pure et en chimie appliquée. La chimie pure comprend la *chimie générale* qui étudie les lois fondamentales, la *chimie minérale* qui décrit les propriétés des corps métalliques, non métalliques et de leurs composés, à l'exception des composés du carbone, dont l'étude fait l'objet de la *chimie organique.* La chimie organique se prolonge par l'étude des corps présents dans les tissus vivants *(biochimie).* La chimie pure a des ramifications interdisciplinaires : thermochimie, géochimie, électrochimie, physicochimie, etc. La chimie appliquée fait profiter l'industrie de ses travaux. Au XXe s. la chimie générale (*chimie* ou *physique*) a permis de rendre compte des *liaisons** entre les atomes d'une molécule. Quant à la *chimie nucléaire,* elle procède de la physique du noyau. V. éléments (tableau périodique).

chimio-. Élément, de *chimie.*

chimiokine n. f. BIOCHIM Molécule naturellement synthétisée par l'organisme humain et impliquée dans les mécanismes immunitaires.

chimioluminescence n. f. PHYS Luminescence provoquée par une oxydation lente.

chimiorécepteur ou **chimiosensible** adj. ANAT Sensible aux excitants chimiques (en parlant d'un organe ou d'une région du corps).

chimiorésistance n. f. MED Résistance de micro-organismes ou de cellules cancéreuses à l'égard des substances employées en chimiothérapie.

chimiosensibilité n. f. Sensibilité aux excitants chimiques.

chimiosynthèse n. f. BIOCHIM Synthèse de corps organiques réalisée par les végétaux inférieurs à partir de l'énergie dégagée par une réaction chimique.

chimiotactisme n. m. BIOL Propriété que possèdent certaines cellules (spermatozoïdes, globules blancs, etc.) d'être attirées (*chimiotactisme positif*) ou repoussées (*chimiotactisme négatif*) par certaines substances chimiques.

chimiothèque n. f. Ensemble contenant toutes les combinaisons possibles d'un groupe de molécules.

chimiothérapie n. f. Traitement par des substances chimiques, notam. antibiotiques et anticancéreuses.

chimique adj. De la chimie; relatif aux corps, aux transformations des corps que la chimie étudie. *Les symboles chimiques. Un engrais chimique.*

chimiquement adv. D'après les lois de la chimie. *Corps chimiquement pur,* tel qu'aucun réactif n'y révèle la présence de substances étrangères.

chimisme n. m. CHIM. Ensemble de phénomènes chimiques qui caractérisent qqch. *Chimisme stomacal.*

chimiste n. Spécialiste de la chimie.

chimpanzé n. m. Grand singe anthropoïde, de mœurs arboricoles, dont les diverses races peuplent l'Afrique, de la Guinée aux grands lacs.

chimpanzé

Chimú(s), anc. peuple du Pérou dont la civilisation eut un rayonnement important et qui fut soumis par les Incas au XVe s.

chinage n. m. TECH Opération qui consiste à teindre des fils, avant tissage, de différentes couleurs, pour que les brins placés au hasard forment une étoffe chinée.

chinchard n. m. Poisson marin voisin du maquereau.

chinchilla [ʃɛ̃ʃila] n. m. **1.** Petit rongeur de la cordillère des Andes, à fine fourrure grise très recherchée. *Un élevage de chinchillas.* **2.** Fourrure de cet animal. *Un manteau à col de chinchilla.*

Chindwin (la), riv. de Birmanie (800 km); princ. affl. de l'Irrawaddy (r. dr.); navigable sur environ 700 km en amont du confluent (transport du teck).

chine 1. n. m. Papier fait avec des bambous macérés dans l'eau. **2.** n. m. ou f. Porcelaine de Chine.

Chine (mer de), mer du Pacifique, longeant la Chine et l'Indochine. Au N. du détroit de Taiwan s'étend la *mer de Chine orientale,* qui baigne, outre la côte orientale de la Chine, le S. de la Corée et du Japon; au S., la *mer de Chine méridionale,* mer intérieure, borde toute la côte S.-E. de l'Asie, Bornéo, les Philippines et Taiwan.

Chine (république populaire de), État d'Asie orient., le premier du globe par la population, (env. 1,2 milliard d'hab.), le troisième par la superficie (9 596 961 km²); cap. *Pékin (Beijing).* Nature de l'État : rép. pop. Langue off. : mandarin (les minorités nat. parlent et écrivent leurs langues). Monnaie : yuan (yuan renminbi). Religion : athéisme officiel, mais certaines pratiques bouddhistes, taoïstes, musulmanes et chrétiennes sont tolérées.
Géogr. phys. – La Chine de l'O. appartient à l'Asie centrale. C'est un bastion de hautes terres occupé par le plateau tibétain (3 000 à 5 000 m), flanqué au S. de l'Himalaya (plus de 8 000 m) et ouvert au N. de deux dépressions, Dzoungarie et Tarim, séparées par la chaîne des Tianshan. Cet ensemble, partagé entre les milieux froids d'altitude et les déserts, couvre les 2/3 du territoire mais ne compte que 6 % de la population : minorités nomades tibétaines, mongoles et de Ouïgours musulmans. La sinisation progresse par le biais de la colonisation de peuplement et de l'urbanisation, les villes tendant à devenir des centres de sédentarisation. La Chine de l'E. appartient à l'Extrême-Orient asiatique. Ensemble compartimenté où dominent les plaines, elle compte 94 % de la population du pays et les densités moyennes y dépassent parfois 1 000 hab./km². Le N. de la Chine orientale est constitué de la Mandchourie, des plateaux de Loess, du Shanxi et du Shānxi et de la plaine de Chine du Nord; c'est la Chine du Huanghe (le fleuve Jaune, le plus puissant d'Asie), au peuplement majoritaire de Hans. Ces régions, au climat continental, rude en hiver et chaud et arrosé en été, sont le domaine des céréales (blé et millet); elles constituent le berceau traditionnel de la civilisation chinoise. La Chine du Sud appartient à l'Asie des moussons, aux hivers plus cléments et aux étés très chauds et humides. Elle comprend le bassin du Yangzijiang, le plus long fleuve d'Asie, et les plateaux et collines de Chine méridionale disséqués par l'érosion; c'est la Chine du riz dont le peuplement, outre les Hans, compte de nombreuses minorités : Zhuangs (Thaïs), Hin, Yis, Miaos, Yiaos... Les ruraux constituent 74 % de la pop., soit près de 840 millions de personnes. En dépit du faible taux d'urbanisation (26 %), la Chine compte le nombre le plus élevé de citadins de la planète (300 millions) et plus de 40 villes dépassent le million d'habitants. La politique draconienne de réduction des naissances a ramené la croissance démographique à environ 1,43 % par an, ce qui représente encore 17 millions de personnes.
Écon. – Dixième puissance économique mondiale, la Chine reste cependant un pays très pauvre, avec un revenu annuel par hab. dépassant de peu 300 dollars et un P.N.B. global qui correspond à 40 % de celui de la France. L'agriculture demeure la base de l'économie et emploie plus de 400 millions de paysans (60 % des actifs). La situation alimentaire s'est améliorée et le pays occupe le premier rang mondial pour de nombreux produits (blé, riz, porc, coton). Les progrès ont cependant été limités par la forte croissance démographique : entre 1950 et 1990, la prod. céréalière globale a presque été multipliée par trois mais la production par hab. n'a augmenté que de 25 %. Le Sud du pays est la région la plus productive, dominé par la riziculture inondée (plus de 50 % de la superficie agricole de la Chine est irriguée) et fournit deux à trois récoltes

par an : riz, maïs, blé, tabac, canne à sucre, agrumes, fruits tropicaux viennent de ces régions. Au Nord se situe la Chine du blé, culture à laquelle sont associés les millets et le sorgho ainsi que soja et coton. Dans l'Ouest montagneux et aride domine l'élevage, surtout ovin, avec quelques îlots de cultures irriguées et pionnières. Le petit élevage (porc, volailles) est présent dans tous les villages de Chine orientale où la pêche constitue également une activité de premier plan, avec plus de 10 millions de t de produits par an (3e rang mondial). Le pays dispose de bases énergétiques importantes, qui lui permettent d'exporter du charbon et du pétrole. Premier producteur mondial de houille, 7e producteur de pétrole, la Chine exploite aussi du gaz, et l'aménagement des bassins du Yangzijiang et du Huanghe fournit de l'hydroélectricité ; les autres richesses minérales sont variées : fer, or, tungstène, antimoine, cuivre, zinc, étain, bauxite, molybdène... Ces ressources naturelles et les héritages de la colonisation (grands pôles portuaires, bases d'industries lourdes en Mandchourie) ont permis un important développement industriel depuis 1945, avec l'aide soviétique jusqu'en 1960, sur des bases nationales ensuite. Toutes les branches industrielles sont présentes dans le pays mais si les productions classiques sont bien représentées (industries de base, mécanique et biens d'équipement, textile, artisanat), la Chine est très en retard dans des domaines clés comme l'automobile et les filières de pointe (chimie de synthèse, biotechnologies, électronique, nucléaire) pour lesquelles sa dépendance extérieure est forte. Les insuffisances et l'engorgement du système de transports constituent l'un des pricipaux obstacles au développement économique. Le réseau ferroviaire, surtout important en Chine orientale, mais totalement saturé, assure, avec la navigation fluviale, l'essentiel des échanges (90 % des marchandises et 65 % des passagers). Les carences du transport routier sont considérables, tant en ce qui concerne le réseau que le parc de véhicules. Depuis la révolution de 1949 et la mise en place d'une économie socialiste, la Chine a fait figure de laboratoire de développement pour le tiers monde, expérimentant des politiques économiques successives. Au modèle de type soviétique qui a fonctionné de 1953 à 1958 a succédé une voie spécifiquement chinoise (1958-1962), qui fut un échec complet (les famines qui ont suivi le « Grand Bond en avant » de 1958-1959 ont fait des millions de morts). À la tentative d'économie mixte des années 1962-1965, qualifiée de « vent du capitalisme » a succédé la brutale reprise en main de la révolution* culturelle qui a profondément désorganisé l'économie du pays (1966-1976). À partir de 1978, la Chine a adopté la politique des « quatre modernisations » (agriculture, industrie, sciences et techniques, défense) qui s'est accompagnée d'une ouverture internationale. En 1980, la Chine adhère au F.M.I., ouvre des zones économiques spéciales sur le littoral afin d'attirer les capitaux étrangers, (Shenzen, près de Hong Kong, est aujourd'hui la plus active), met en place des formes de privatisation du travail agricole et du petit commerce et donne priorité aux industries exportatrices (plan quinquennal de 1986-1990). La forte croissance économique de la fin des années 80 s'est traduite par l'apparition de grands déséquilibres : décollage des provinces côtières (particulièrement celles du Sud), qui représentent moins de 40 % de la pop. mais produisent plus de 50 % du revenu national et réalisent plus de 60 % des exportations, alors que les provinces de l'intérieur stagnent et voient parfois leurs problèmes s'aggraver ; montée du chômage et de l'inflation ; déficit extérieur croissant. L'orientation vers l'économie de marché amorcée à la fin des années 80 a été confirmée par le quatorzième congrès du P.C., en 1992.

Hist. – Les vestiges humains les plus anciens, connus sous le nom d'*homme de Pékin*, datent de 500 000 ans (V. Zhoukoudian). Le néolithique (IVe-IIe millénaire av. J.-C.) se développe sur le cours moyen du Huanghe. Sous la prem. dynastie, celle du Xia, le Nord-Est de la Chine est gagné à la vie agricole (IIe mill.). La dynastie des Shang (v. 1800-v. 1100 av. J.-C.) voit le début de la civilisation chinoise, fondée sur le bronze, les cités murées, le régime féodal, l'usage du char à timon, un système de numération et une écriture. Sous la dynastie Zhou (v. XIe s.-221 av. J.-C.), cette civilisation gagne la Chine centrale et méridionale, mais, à partir du VIIIe s., des États de type féodal se constituent. Dans cette époque de confusion, la pensée chinoise crée les grands systèmes de valeur qui vont durer jusqu'à nos jours, avec Lao-tseu, fondateur du taoïsme, et Confucius (VIe-Ve s. av. J.-C.). Le souverain Qin met fin à l'anarchie des « Royaumes combattants ». Shi Huangdi (221-210 av. J.-C.) crée, pour la première fois, un empire chinois unifié qu'il veut mettre à l'abri des nomades turco-mongols en édifiant la Grande Muraille. En 206 av. J.-C. est fondée la dyn. des Han qui dure jusqu'en 220 ap. J.-C. Se fixe alors l'organisation d'une Chine confucéenne, au corps de fonctionnaires recrutés par concours ; l'expansion militaire en Chine centrale permet l'ouverture de la Route de la soie. Du IIIe au VIe s., le morcellement de la Chine en de nombreux royaumes favorisa les invasions étrangères ; pendant cette période troublée, le bouddhisme pénétra profondément la Chine. La réunification fut l'œuvre de la dynastie Sui (581-617), qui réorganisa le pays et prépara la renaissance Tang (618-907), sous laquelle de grandes réformes (agraires, fiscales, administratives, économiques) et de vastes conquêtes (Asie centrale, Mongolie, Viêt-nam) assurèrent l'épanouissement d'une civilisation brillante : âge d'or de la poésie, invention de la xylographie (méthode d'impression par planches gravées). Après un demi-siècle d'unité perdue (907-960), la période Song (960-1279) fut marquée par de nombr. progrès : généralisation de l'imprimerie, invention de l'aiguille magnétique, de la boussole, de la poudre. À la fin du XIIIe s., à la tête des tribus mongoles, Gengis khān conquit toute la Chine ; son petit-fils Koubilaï khān fonda la dynastie des Yuan (1261-1368) et fit de Pékin sa capitale, où il accueillit Marco Polo. Sous la dynastie des Ming (1368-1644), les grands travaux d'irrigation et de drainage s'accompagnèrent d'une forte croissance démographique (de 60 millions à 150 millions d'hab.). Au XVIIe s., les Mandchous profitèrent de la sclérose du régime des Ming pour imposer leur dynastie, celle des Qing (1644-1911). Après avoir suscité une importante expansion territoriale (Mongolie, Tibet, Yunnan, Asie centrale, Taiwan, Corée, Viêt-nam, Népal, Birmanie), elle ne put résister au choc du contact avec les pays industrialisés (pays européens, É.-U., puis Japon) au XIXe s. Conclusion de la guerre de l'Opium avec l'Angleterre (1839-1842), le traité de Nankin (1842) ouvrit des ports aux Occidentaux. Dès lors, les grandes puissances européennes et les É.-U. exigèrent l'accès aux ports chinois, notam. après la révolte des Taiping (1853-1864) qui fut le prétexte d'une intervention franco-anglaise. Toutes les puissances établirent des concessions dans les grandes villes chinoises et obtinrent des territoires à bail. À l'issue de la guerre sino-japonaise (1894-1895), la Chine perdit Taiwan et la Corée. La révolte des Boxers (1900), nationalistes et xénophobes, encouragée par l'impératrice Ci Xi, fut matée par un corps expéditionnaire occidental. En 1912, les Mandchous abdiquèrent face au Guomindang nationaliste et républicain de Sun Zhongshan (Sun Yat-sen), dont l'alliance avec le parti communiste (1921) fut rompue en 1925, après la mort de Sun Zhongshan ; son successeur, Jiang Jieshi (Tchang Kaï-chek), s'empara du pouvoir. Après avoir subi une sanglante répression en 1927 à Canton et à Shanghai, les communistes, sous la direction de Mao Zedong, s'organisèrent et fondèrent en 1931 une « République soviétique chinoise » dans les montagnes du Jiangxi, d'où ils devaient atteindre, au terme de la Longue Marche (1934-1935), le Shānxi. La guerre sino-japonaise (1937-1945) provoqua une alliance tactique de Jiang Jieshi et des communistes, rompue en 1945, après la défaite du Japon. La guerre civile (1945-1949) entre nationalistes et communistes aboutit à la victoire des partisans de Mao Zedong, qui, en promulguant la réforme agraire, se rallièrent les masses paysannes. Jiang Jieshi se réfugia à Taiwan ; le 1er oct. 1949 fut proclamée à Pékin la république populaire de Chine. Après la signature d'un traité d'amitié avec l'U.R.S.S. (1950), les relations se tendirent puis se rompirent en 1960. Par la suite, l'opposition sino-soviétique a subsisté, provoquant même de sanglants incidents en 1969 sur l'Oussouri. À l'intérieur, la révolution ininterrompue connut plusieurs phases : campagne de critiques du Parti, dite des « Cent Fleurs », suivie d'une « rectification » (1956-1957) ; « grande révolution culturelle » (1966-1967), qui renouvela les cadres (destitution de Liu Shaoqi) ; campagne commune contre Lin Biao (ancien ministre de la Défense) et contre la pensée de Confucius (1974) ; enfin campagne contre Deng Xiaoping, accusé d'économisme, après la mort de Zhou Enlai (1976). Malgré ces luttes, le rôle de la Chine dans le monde n'a cessé de s'affirmer : entrée dans le « club nucléaire » (1964), admission à l'ONU (1971), voyage de Nixon (fév. 1972). Après la mort de Mao (1976) et avec la défaite de la gauche (condamnation de la « bande des quatre » dont la veuve de Mao) et, implicitement, du maoïsme, Deng Xiaoping (réhabilité en 1977) est revenu au pouvoir par personne interposée : Zhao Ziyang a succédé à Hua Guofeng au poste de Premier ministre. D'importants changements politiques et économiques s'ensuivirent ; une nouvelle constitution fut adoptée en 1982 et un prés. de la Rép. (honorifique), Li Xiannian, élu en 1983. Les relations avec l'U.R.S.S. s'apaisèrent, mais la tension demeura longtemps vive avec le Viêt-nam (soutenu par l'U.R.S.S.) avec qui un conflit armé éclata en fév. 1979. En 1987, Hu Yaobang, secrétaire du Parti, fut mis à l'écart et 95 membres du Comité central (sur 279) laissèrent la place à une génération plus jeune. Zhao Ziyang, nommé secrétaire général du Parti, devint le successeur officiel de Deng Xiaoping, tandis que Li Peng était nommé Premier ministre. En mai 1989, alors qu'une visite officielle de M. Gorbatchev mit fin à trente ans de brouille entre Moscou et Pékin, des étudiants réclamèrent la réhabilitation de Hu Yaobang sur la place Tien Anmen. Manifestations et troubles affectèrent l'ensemble du pays, mais l'armée réprima la contestation au début de juin (plusieurs milliers de morts, des dizaines de milliers d'arrestations). Zhao Ziyang fut remplacé par Jiang Zemin à la tête du parti. La loi martiale ne fut levée à Pékin qu'en janv. 1990.

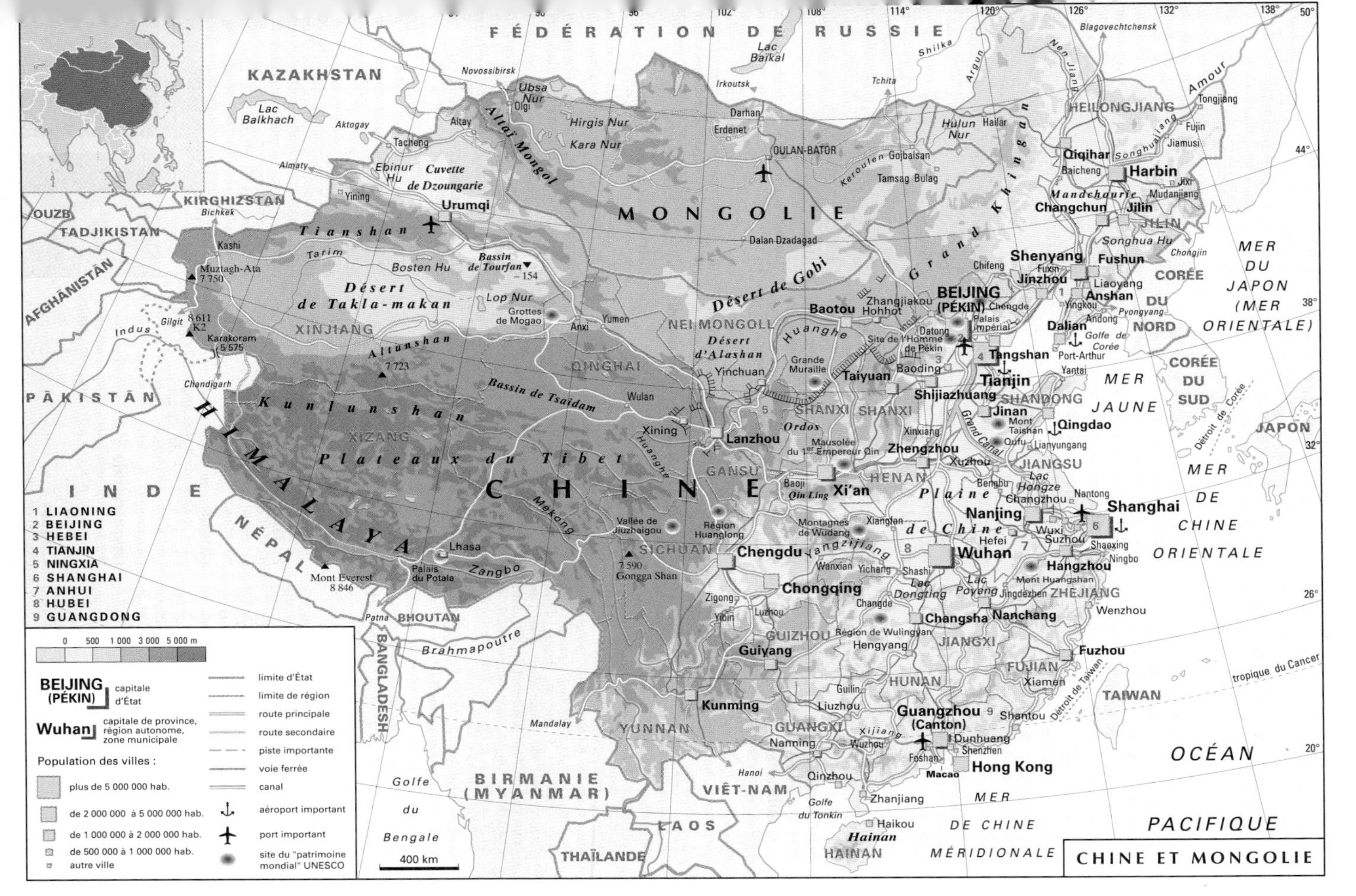
CHINE ET MONGOLIE
FÉDÉRATION DE RUSSIE
KAZAKHSTAN
KIRGHIZSTAN
TADJIKISTAN
OUZB.
AFGHANISTAN
PĀKISTĀN
INDE
NÉPAL
BHOUTAN
BANGLADESH
BIRMANIE (MYANMAR)
THAÏLANDE
LAOS
VIÊT-NAM
MONGOLIE
CHINE
CORÉE DU NORD
CORÉE DU SUD
JAPON
TAIWAN
MER DU JAPON (MER ORIENTALE)
MER JAUNE
MER DE CHINE ORIENTALE
MER DE CHINE MÉRIDIONALE
OCÉAN PACIFIQUE
Golfe du Bengale
Golfe du Tonkin
Golfe de Corée
Détroit de Corée
Détroit de Taiwan
tropique du Cancer
HIMALAYA
Plateaux du Tibet
Kunlunshan
Tianshan
Altunshan
Altaï Mongol
Grand Khingan
Désert de Gobi
Désert de Takla-makan
Désert d'Alashan
Bassin de Tsaidam
Bassin de Tourfan
Cuvette de Dzoungarie
Plaine de Chine
Mandchourie
Ordos
Qin Ling
Huanghe
Yangzijiang
Mékong
Zangbo
Brahmapoutre
Indus
Tarim
Xijiang
Amour
Songhuajiang
Nen Jiang
Argun
Shilka
Keroulen
Grand Canal
Lac Baïkal
Lac Balkhach
Ubsa Nur
Hirgis Nur
Kara Nur
Hulun Nur
Bosten Hu
Ebinur Hu
Lop Nur
Songhua Hu
Lac Hongze
Lac Poyang
Lac Dongting
Muztagh-Ata 7 750
K2 8 611
Karakoram 5 575
7 723
Mont Everest 8 846
Gongga Shan 7 590
−154
XINJIANG
XIZANG
QINGHAI
NEI MONGOLL
GANSU
SICHUAN
YUNNAN
GUIZHOU
GUANGXI
HUNAN
JIANGXI
FUJIAN
ZHEJIANG
JIANGSU
HENAN
SHANXI
SHANXI
SHANDONG
HEILONGJIANG
JILIN
HAINAN
BEIJING (PÉKIN)
OULAN-BATOR
Shanghai
Tianjin
Chongqing
Harbin
Qiqihar
Changchun
Jilin
Shenyang
Fushun
Anshan
Dalian
Jinzhou
Tangshan
Shijiazhuang
Taiyuan
Baotou
Hohhot
Zhangjiakou
Datong
Baoding
Jinan
Qingdao
Zhengzhou
Xi'an
Lanzhou
Xining
Yinchuan
Urumqi
Lhasa
Chengdu
Wuhan
Nanjing
Hangzhou
Nanchang
Changsha
Fuzhou
Guiyang
Kunming
Guangzhou (Canton)
Hong Kong
Macao
Palais impérial
Site de l'Homme de Pékin
Grande Muraille
Mausolée du 1er Empereur Qin
Grottes de Mogao
Vallée de Jiuzhaigou
Région Huanglong
Montagnes de Wudang
Mont Taishan
Qufu
Mont Huangshan
Région de Wulingyuan
Palais du Potala
400 km
1 LIAONING
2 BEIJING
3 HEBEI
4 TIANJIN
5 NINGXIA
6 SHANGHAI
7 ANHUI
8 HUBEI
9 GUANGDONG
0 500 1 000 3 000 5 000 m
BEIJING (PÉKIN) capitale d'État
Wuhan capitale de province, région autonome, zone municipale
Population des villes :
plus de 5 000 000 hab.
de 2 000 000 à 5 000 000 hab.
de 1 000 000 à 2 000 000 hab.
de 500 000 à 1 000 000 hab.
autre ville
limite d'État
limite de région
route principale
route secondaire
piste importante
voie ferrée
canal
aéroport important
port important
site du "patrimoine mondial" UNESCO

En outre, le Tibet et le Xinjiang (musulman) réclament de plus en plus leur autonomie. Condamnée par la communauté internationale pour sa violation des droits de l'homme, la Chine est toutefois entrée en force dans l'économie mondiale. Secrétaire général du parti communiste depuis 1989, Jiang Zemin est devenu chef de l'État en 1993 et la mort de Deng Xiaoping (1997) n'a entraîné aucun bouleversement. Hong Kong est retourné à la souveraineté chinoise le 1er juillet 1997. En 1998, Zhu Rongji devient Premier ministre.

Chine (rép. de) ou **Chine nationaliste.** V. Taiwan.

chiné adj. et n. m. **I.** adj. Dont le fil est de plusieurs couleurs. *Laine chinée.* **II.** n. m. **1.** Dessin formé par la juxtaposition irrégulière de traits de couleurs différentes. **2.** Tissu chiné.

1. chiner v. tr. [1] **1.** Procéder au chinage de. *Chiner des fils de laine, de soie.* **2.** Tisser (une étoffe) au moyen de fils chinés. **3.** Imprimer un chiné sur.

2. chiner v. intr. [1] Rechercher des objets d'occasion, anciens, rares ou curieux, soit en amateur, soit pour en faire commerce.

3. chiner v. tr. [1] *Chiner qqn,* se moquer de lui, le railler.

chinetoque ou **chinetoc** n. Fam., péjor. Chinois.

chineur, euse n. Personne qui aime chiner (2).

chinois, oise adj. et n. **I.** adj. **1.** De Chine. *Un vase chinois. Du thé chinois.* **2.** De la langue chinoise. *Apprendre la grammaire chinoise.* **3.** Fig., fam. Qui est formaliste, minutieux à l'excès. **II.** n. **1.** Habitant ou personne originaire de Chine. *Une délégation de Chinois en visite à Paris. Un(e) Chinois(e).* **2.** n. m. LING Branche de la famille des langues sino-tibétaines comprenant le mandarin (langue nationale) et de nombreux dialectes parlés en Chine. ▷ *Abusiv.* Mandarin. *Le chinois est une langue isolante*.* ▷ Fig., fam. *C'est du chinois :* c'est obscur, inintelligible. **3.** n. m. Jeune fruit encore vert du bigaradier que l'on conserve en Asie (Chine et Japon) dans l'eau-de-vie ou le sirop de sucre. **4.** n. m. Passoire à grille très fine, de forme conique, utilisée en cuisine.

chinoiser v. intr. [1] Fam. Chicaner, ergoter pour des broutilles.

chinoiserie n. f. **1.** Meuble, bibelot venant de Chine, ou de style chinois. ▷ BX-A Œuvre d'inspiration chinoise. **2.** Fig., fam. Complication, chicane mesquine.

chinon n. m. Vin rouge ou rosé produit en Touraine.

Chinon, ch.-l. d'arr. de l'Indre-et-Loire, sur la Vienne; 8 961 hab. Vin réputé. Chimie. Centre électronucléaire (à Avoine). – La ville est dominée par une colline sur laquelle s'élèvent les restes de trois forteresses : le fort St-Georges (enceinte, XIIIe s.), le chât. du Milieu (XIIe-XVe s.; Jeanne d'Arc y fut présentée à Charles VII), le chât. du Coudray (XIIe s.). Égl. St-Mexme (Xe, XIe et XVe s.), St-Maurice (XIIe-XVIe s.) et St-Étienne (XVe s.). – Rabelais naquit à 8 km de la ville, à La Devinière.

chinook [ʃinuk] n. m. **1.** Vent sec et chaud qui souffle des montagnes Rocheuses sur la Prairie américaine. **2.** Famille de langues amérindiennes de la côte du Pacifique.

chintz [ʃints] n. m. Percale glacée, utilisée surtout en ameublement.

Chio, île grecque de la mer Égée, proche de la Turquie; 904 km², 52 690 hab.; ch.-l. *Chio* (24 100 hab.). Vins réputés, olives, fruits. – Les Turcs s'emparèrent de l'île en 1566 et massacrèrent les habitants révoltés en 1822. En 1912, les Grecs occupent l'île. En 1923, le traité de Lausanne la rattache officiellement à la Grèce. – Site préhist. Ruines d'un temple d'Apollon et d'un château du XIIIe s.

Chioggia, port d'Italie (Vénétie), à l'embouchure de la Brenta; 53 570 hab. Pêche. Constr. navales. – La ville, très disputée au XIVe s., fut conquise par les Vénitiens sur les Génois en 1380.

chiot n. m. Très jeune chien.

chiottes n. f. pl. Vulg. Cabinets, w.-c.

chiourme [ʃjuʀm] n. f. Anc. Ensemble des rameurs d'une galère. ▷ Ensemble des forçats d'un bagne. *La chiourme de Brest.* ▷ *Garde-chiourme*.*

chiper v. tr. [1] Fam. Dérober (un objet sans grande valeur) souvent par taquinerie ou plaisanterie.

chipie n. f. Fam. Jeune fille ou femme capricieuse, acariâtre ou malveillante.

chipolata [ʃipɔlata] n. f. Saucisse de porc mince et longue.

chipotage n. m. ou **chipoterie** n. f. Action de chipoter, fait de se chipoter; querelle mesquine.

chipoter v. [1] **I.** v. intr. Fam. **1.** Manger peu et sans appétit, du bout des dents. **2.** Travailler sans suite et avec lenteur, lambiner. **3.** Marchander, contester pour des vétilles. ▷ v. tr. *Il me chipote chaque centime.* **II.** v. pron. Se quereller pour des choses sans importance.

chipoteur, euse ou **chipotier, ère** adj. (et n.) Qui chipote.

Chippendale (Thomas) (Otley, Yorkshire, v. 1718 – Londres, 1779), ébéniste anglais. Son recueil de gravures, *The Gentleman's and Cabinet-maker's Director* (1754, éd. augmentée en 1755 et 1762), présente des modèles de style rocaille, des « chinoiseries » et des meubles « gothiques » qui lancèrent le *style Chippendale.*

chips [ʃips] n. f. inv. (Employé le plus souvent au plur.) Très mince rondelle de pomme de terre, frite. *Un paquet de chips.* ▷ adj. ou en appos. *Des pommes chips.*

1. chique n. f. **1.** Boulette de tabac spécial. préparé pour être mâché. **2.** Loc. fig., fam. *Avaler sa chique :* mourir. ▷ *Être mou comme une chique :* être sans énergie, sans entrain. ▷ *Couper la chique à qqn,* le faire taire subitement en lui faisant perdre contenance.

2. chique n. f. Puce des régions tropicales dont la femelle, pénétrant sous la peau, peut occasionner certaines infections.

chiqué n. m. Fam. **1.** Feinte, simulation. *C'est truqué, c'est du chiqué!* **2.** Affectation, manque de simplicité, de naturel. *Faire du chiqué :* poser, faire des manières.

chiquenaude n. f. Petit coup donné par la détente brusque d'un doigt préalablement plié et raidi contre le pouce. Syn. pichenette.

chiquer v. tr. et intr. [1] Mâcher (une chique de tabac). *Tabac à chiquer.*

chiqueur, euse n. Personne qui chique.

Chiquitos, Indiens de l'Amérique du Sud (Bolivie, Brésil, Paraguay).

chir(o)-. Élément, du gr. *kheir,* « main ».

Chirac (Jacques) (Paris, 1932), homme politique français. Collaborateur de Georges Pompidou, député de la Corrèze (depuis 1967), il devient ministre de l'Agriculture (1972), puis de l'Intérieur (1974). Premier ministre sous la présidence de Valéry Giscard d'Estaing (1974), il démissionne en 1976 et fonde le Rassemblement pour la République (R.P.R.). Maire de Paris (1977-1995), il est nommé Premier ministre lors de la première cohabitation (1986-1988). Après avoir mené son parti à la victoire lors des élections législatives en 1993, il est élu président de la République en 1995.

chiral, ale, aux [kiʀal, o] adj. CHIM Se dit de deux molécules qui, image l'une de l'autre dans un miroir, ne sont pas superposables (isomères* optiques).

chiralité [kiʀalite] n. f. CHIM Propriété que possèdent deux molécules organiques chirales.

Chirāz, v. d'Iran mérid., à 1 600 m d'altitude; 800 000 hab.; ch.-l. de la prov. du Fārs. Tapis réputés; soieries; orfèvrerie. Vins. Roses. – La ville fut fondée au VIIe s. par les Arabes.

Chirico (Giorgio De). V. De Chirico.

chiro-. V. chir(o)-.

chirographaire [kiʀogʀafɛʀ] adj. DR **1.** Qui ne repose que sur un acte établi sous seing privé. **2.** Se dit d'une créance non munie de sûretés réelles (qui donneraient au créancier un rang privilégié par rapport aux autres créanciers). – *Créancier chirographaire :* créancier titulaire d'une telle créance.

chiromancie [kiʀomɑ̃si] n. f. Art divinatoire selon lequel le caractère ou la destinée d'une personne sont connaissables d'après les lignes de la main.

chiromancien, enne [kiʀomɑ̃sjɛ̃, ɛn] n. Personne qui pratique la chiromancie.

Chiron, dans la myth. gr., centaure médecin, maître d'Achille, de Jason, d'Ulysse, d'Héraklès. ▶ illustr. **centaure**

chiropracteur [kiʀopʀaktœʀ] n. m. Celui qui pratique la chiropraxie.

chiropraxie [kiʀopʀaksi] ou **chiropractie** [kiʀopʀakti] n. f. Méthode de traitement des douleurs rachidiennes par manipulations au niveau de la colonne vertébrale.

chiroptères [kiʀɔptɛʀ] ou **chéiroptères** [keiʀɔptɛʀ] n. m. pl. ZOOL Ordre de mammifères communément appelés chauves-souris, adaptés au vol grâce aux membranes de leurs membres antérieurs qui forment des ailes. *Les grands chiroptères sont frugivores, les plus petits généralement insectivores.* – Sing. *Un chiroptère* ou *un chéiroptère.*

Jacques **Chirac**

Étienne-François, duc de **Choiseul**

chiroubles n. m. Cru du Beaujolais.

chirurgical, ale, aux adj. **1.** Qui a rapport à la chirurgie. **2.** Fig. Se dit d'une action précise et efficace. *Bombardement chirurgical.*

chirurgie n. f. Partie de la médecine humaine et vétérinaire qui consiste à soigner un état pathologique ou une blessure, à remédier à une malformation, par intervention manuelle ou instrumentale sur l'organisme et ses parties internes. *Chirurgie cardio-vasculaire. Chirurgie correctrice et réparatrice. Chirurgie dentaire. Chirurgie esthétique.*

chirurgien, enne n. Spécialiste de la chirurgie.

chirurgien-dentiste n. m. Dentiste qui pratique la chirurgie dentaire. *Des chirurgiens-dentistes.*

Chisinau (anc. *Kichinev*), cap. de la Moldavie, sur le Bicu, affl. du Dniestr; 684 000 hab. Industr. métallurgiques et mécaniques.

chistera ou **chistéra** n. m. ou f. Panier d'osier en forme de gouttière recourbée, que l'on fixe solidement au poignet et qui sert à lancer et à recevoir la balle, à la pelote basque.

chitine [kitin] n. f. BIOL Substance organique (polysaccharide), souple et résistante, qui constitue les téguments des arthropodes.

chitineux, euse [kitinø, øz] adj. BIOL Constitué de chitine.

chiton [kitɔ̃] n. m. ANTIQ Tunique courte et collante des anciens Grecs.

Chitrāl, rég. montagneuse au N.-O. du Pākistān, à la frontière de l'Afghānistān; v. princ. *Chitrāl.*

Chittagong, port import. du Bangladesh, à l'E. du delta du Gange; 944 640 hab. (aggl. urb. 1 388 480 hab.); ch.-l. de la prov. du m. nom. Industr. textile (coton, jute), chimique et sidérurgique.

chiure n. f. Excrément d'insecte.

Chiusi, v. d'Italie (Toscane); 9 210 hab. – Appelée *Chamars* à l'époque étrusque, *Clusium* à l'époque romaine. Vest. d'une import. nécropole étrusque.

Chklovski (Viktor Borissovitch) (Saint-Pétersbourg, 1893 – Moscou, 1984), écrivain soviétique, romancier (*le Voyage sentimental,* 1923), théoricien du formalisme* (*la Théorie de la prose,* 1925), scénariste, historien et essayiste (*la Corde de l'arc,* 1970). Il fut aussi biographe de Vertov et d'Eisenstein.

chlamyde [klamid] n. f. ANTIQ Manteau des anciens Grecs fait d'une courte pièce d'étoffe agrafée sur l'épaule.

chlamydia [klamidja] n. f. MED Organisme présentant les caractères d'une bactérie et d'un virus, responsable de diverses infections transmissibles.

chleuh [ʃlø] n. et adj. **1.** n. m. Dialecte berbère parlé par les Chleuhs. **2.** n. et adj. Fam., péjor., vieilli Allemand.

Chleuhs, population berbère marocaine du Haut Atlas occidental, de l'Anti-Atlas et de la vallée du Sous.

chlinguer ou **schlinguer** [ʃlɛ̃ge] v. intr. [1] Pop. Puer. *Lorsqu'il a ôté ses chaussures, ça chlinguait!*

chloasma [kloasma] n. m. MED Ensemble de taches pigmentaires, de forme irrégulière, siégeant habituellement à la face, observées lors de certaines affections et pendant la grossesse (masque de grossesse).

Chlodion. V. Clodion le Chevelu.

chlor(o)-. Élément, du gr. *khlôros,* « vert ».

chloracétate [klɔʀasetat] n. m. CHIM Sel ou ester des acides chloracétiques.

chloracétique [klɔʀasetik] adj. CHIM *Acides chloracétiques,* qui résultent de la substitution du chlore à l'hydrogène de l'acide acétique.

chloracné n. f. Acné provoquée par des produits chlorés.

chlorate [klɔʀat] n. m. CHIM Nom générique des sels ou esters des acides oxygénés dérivés du chlore. *Les mélanges de chlorates alcalins et de combustibles constituent des explosifs.*

chloration [klɔʀasjɔ̃] n. f. Traitement de l'eau par le chlore, pour la rendre potable.

chlore [klɔʀ] n. m. CHIM Élément non métallique, de la famille des halogènes, de numéro atomique Z = 17 et de masse atomique 35,45 (symbole Cl). – Gaz (Cl_2 : *dichlore*) à l'odeur suffocante, de densité 2,49, qui se liquéfie à – 35 °C et se solidifie à – 101 °C.

chloré, ée adj. Qui renferme du chlore.

chlorelles [klɔʀɛl] n. f. pl. Algues vertes unicellulaires, libres ou symbiotiques. – Sing. *Une chlorelle.*

chlorer [klɔʀe] v. tr. [1] Traiter par le chlore, ou par le chlorure de chaux.

chlorhydrate [klɔʀidʀat] n. m. CHIM Sel résultant de l'action de l'acide chlorhydrique sur une base azotée.

chlorhydrique [klɔʀidʀik] adj. CHIM *Acide chlorhydrique* : chlorure d'hydrogène HCl, gaz incolore d'odeur piquante, extrêmement soluble dans l'eau, qui attaque presque tous les métaux. ▷ Solution aqueuse de ce gaz.

chloro-. V. chlor(o)-.

chlorobenzène n. m. CHIM Dérivé du benzène, de formule C_6H_5Cl, utilisé dans la synthèse de l'aniline et du phénol. Syn. Chlorure de phényl.

chlorofibre n. f. Fibre synthétique résistant bien au feu.

chlorofluorocarbone n. m. Composé fluorocarboné*. (Abrév. : C.F.C.)

chloroforme [klɔʀɔfɔʀm] n. m. CHIM Nom usuel du trichlorométhane $CHCl_3$, utilisé autref. comme anesthésique.

chloroformer [klɔʀɔfɔʀme] v. tr. [1] Anesthésier, endormir au chloroforme.

chlorophycées [klɔʀɔfise] n. f. pl. BOT Classe d'algues des eaux douces et marines, appelées aussi algues vertes, dont la chlorophylle est le seul pigment. – Sing. *Une chlorophycée.*

chlorophylle [klɔʀɔfil] n. f. Pigment végétal vert qui confère aux végétaux le possédant la fonction d'assimilation du carbone par photosynthèse. (Il existe diverses sortes de chlorophylles, qui ne sont synthétisées qu'à la lumière et dont la structure moléculaire est voisine de celle de l'hémoglobine.)

chlorophyllien, enne adj. Qui a rapport à la chlorophylle. *Assimilation chlorophyllienne,* par photosynthèse. – *Végétaux chlorophylliens,* qui renferment de la chlorophylle (tous les végétaux, à l'exception de certaines algues et des champignons).

chloroplaste [klɔʀɔplast] n. m. BOT Plaste (élément cellulaire) contenant de la chlorophylle, dans lequel s'effectue la photosynthèse chlorophyllienne.

chlorose [klɔʀoz] n. f. BOT Maladie des plantes, due au manque d'air, de lumière, ou à un excès de calcaire, caractérisée par la décoloration des feuilles.

chlorure [klɔʀyʀ] n. m. CHIM Nom générique des sels ou esters de l'acide chlorhydrique et de certains dérivés renfermant du chlore. *Chlorure de sodium (NaCl)* : sel marin. ▷ *Chlorure décolorant* : mélange de chlorures et d'un sel, d'un monoacide de formule Cl–OH (eau de Javel, chlorure de chaux).

chlorurer v. tr. [1] CHIM Transformer un corps en chlorure par combinaison avec du chlore.

Choa, province d'Éthiopie centrale; 85 400 km²; 9 503 140 hab.; ch.-l. *Addis-Abeba.*

choane [kɔan] n. f. ANAT Orifice mettant en communication, chez les vertébrés supérieurs, les fosses nasales et la cavité buccale.

choc n. m. et adj. **I.** n. m. **1.** Heurt d'un corps contre un autre. *Tomber sous la violence d'un choc.* **2.** MILIT Rencontre et combat de deux troupes armées. ▷ *Troupes de choc,* spécialisées dans les coups de main et les combats en première ligne. – Fig. *Un médecin, un curé de choc,* qui n'hésite pas à affronter les situations difficiles. **3.** Fig. Conflit, opposition. *Le choc des opinions, des générations.* **4.** MED Diminution profonde et brutale du débit circulatoire, provoquant une hypotension et des troubles de la conscience, qui peut être due à une agression extérieure (choc infectieux, choc opératoire, choc des brûlés) ou à une défaillance interne (choc cardiogénique ou hémorragique). *Le choc, dont l'évolution spontanée est mortelle, requiert un traitement immédiat.* ▷ Fig. *Traitement de choc* : mesure drastique. **5.** Émotion violente, perturbation causée par un événement brutal. *Cela lui a fait un choc de retrouver sa famille après tant d'années.* **6.** METEO *Choc en retour* : effet indirect de la chute de tension qui suit l'éclair; fig. contrecoup d'un événement réagissant sur sa propre cause. **II.** adj. Qui surprend, étonne. *Des soldes à des prix choc(s).*

Chocano (José Santos) (Lima, 1875 – Santiago du Chili, 1934), poète péruvien, chantre de l'Amérique du Sud : *Saintes Colères* (1895), *Alma América* (1906).

chocard n. m. Oiseau corvidé *(Coracia graculus)* de haute montagne, au bec jaune, au plumage noir et aux pattes rouges.

chochotte n. f. Fam. Mijaurée.

Chocim ou **Choczim.** V. Khotine.

chocolat n. m. et adj. inv. **I.** n. m. **1.** Substance comestible à base de cacao torréfié et de sucre. *Une tablette, une barre de chocolat. Du chocolat noir, au lait. Une mousse au chocolat.* **2.** Boisson au chocolat. *Un chocolat chaud.* **II.** adj. inv. **1.** De la couleur brun foncé du chocolat. **2.** Fam. *Être chocolat* : être déçu, trompé.

Chocolat (Raphael Padilla, dit) (La Havane, 1868 – Bordeaux, 1917), clown français. Il forma, avec Foottit, un célèbre duo.

chocolaté, ée adj. Contenant du chocolat, parfumé au chocolat.

chocolaterie n. f. Fabrique de chocolat.

chocolatier, ère n. 1. Personne qui fait, qui vend du chocolat. 2. n. f. Récipient, à couvercle et bec verseur, pour servir le chocolat.

chocotte n. f. Loc. fam. *Avoir les chocottes* : avoir peur.

Choderlos de Laclos. V. Laclos.

choéphore [koefɔʀ] n. ANTIQ GR Personne chargée de porter les offrandes aux morts, chez les anc. Grecs.

chœur [kœʀ] n. m. I. 1. ANTIQ Groupe de personnes, représentant un personnage collectif, qui chantaient, en dansant ou non, les vers d'une tragédie et prenaient ainsi part à l'action. ▷ *Par ext.* Ce que chante, déclame le chœur dans les tragédies grecques ou inspirées du modèle grec. *Les chœurs d'« Athalie ».* 2. Groupe de chanteurs qui exécutent ensemble une œuvre musicale. *Les chœurs de l'Opéra.* ▷ *Par ext.* Morceau de musique chanté par un chœur, chant des choristes. 3. Fig. Réunion de personnes qui expriment ensemble la même chose. *Le chœur des créanciers.* ▷ *En chœur* : tous ensemble, d'un commun accord. *Ils le conspuèrent en chœur.* II. Partie de l'église où se trouve le maître-autel et où se tiennent ceux qui chantent l'office divin. – *Enfant de chœur* : enfant qui assiste le prêtre pendant la célébration des offices; fig personne très naïve, crédule. *Moi, un enfant de chœur? tout de même!*

Chogori. V. K2.

choir v. intr. [51] (Surtout inf. et pp.) 1. Litt. Tomber. *Elle a chu de toute sa hauteur.* 2. Fam. *Laisser choir* : abandonner. *Elle l'a laissé choir sans explications!*

Choiseul, nom d'une famille française, originaire de Choiseul (Hte-Marne). – **César,** duc de Choiseul, comte du Plessis-Praslin (Paris, 1598 – id., 1675), maréchal de France en 1645. Il vainquit Turenne et les Espagnols à Rethel (1650). – **Étienne-François,** duc de Choiseul, comte de Stainville (en Lorraine, 1719 – Paris, 1785), secrétaire d'État aux Affaires étrangères (1758-1761), puis de la Guerre (1761-1770) et de la Marine (1761-1766). Il dirigea pendant douze ans la polit. extérieure de la France, resserrant l'alliance avec l'Autriche, concluant le pacte de Famille avec l'Espagne, acquérant la Corse (1768), base stratégique. Il réorganisa profondément l'armée et la marine. Il fut l'ami des encyclopédistes. Disgracié en 1770.
▸ illustr. page **358**

choisi, ie adj. 1. Qui a fait l'objet d'un choix. *Cocher la réponse choisie.* 2. *Par ext.* Qui est considéré comme ce qu'il y a de meilleur. *Société choisie.* ▷ Recherché, raffiné. *Il a formulé sa requête en termes choisis.*

choisir v. tr. [3] 1. Adopter, sélectionner selon une préférence. *Choisir ses amis. Choisir un cadeau.* 2. Décider de (faire une chose de préférence à une autre, à d'autres). *Il a choisi de vivre seul et de rester à Paris.* ▷ (S. comp.) *Être incapable de choisir.*

Choisy (François Timoléon, abbé de) (Paris, 1644 – id., 1724), écrivain français. Jeune, il s'habillait en femme, et se fit appeler, un moment, comtesse des Barres. Auteur d'un *Journal du voyage au Siam...* (1687) et de *Mémoires* (1721).

Choisy-le-Roi, ch.-l. de cant. du Val-de-Marne (arr. de Créteil), sur la Seine, dans la banlieue sud de Paris; 34 230 hab. Mat. de puériculture; emballage.– Vest. d'un chât. du XVIIe s. bâti par Jacques Gabriel, remanié en 1752 par Jacques Ange Gabriel; l'une des princ. résidences de Louis XV.

choix [ʃwa] n. m. 1. Action de choisir; décision prise lorsqu'on choisit. *Ses choix sont toujours excellents. Arrêter son choix sur qqch.* 2. Pouvoir, faculté, liberté de choisir. *Laisser, donner le choix à quelqu'un. N'avoir que l'embarras du choix.* 3. Ensemble de choses que l'on donne à choisir. *Présenter un choix de bagues.* 4. Chose choisie, ensemble de choses choisies. *Voici mon choix. Un choix de poésies.* ▷ *Des marchandises de choix, de premier choix,* de qualité supérieure. 5. *Au choix* : en ayant la possibilité de choisir. *Fromage ou dessert, au choix.* 6. MATH *Axiome du choix,* selon lequel on peut définir une fonction qui associe à toute partie non vide d'un ensemble un et un seul élément de cet ensemble.

chol(é)-. Élément, du gr. *kholê,* « bile ».

cholagogue [kɔlagɔg] adj. MED Se dit des substances facilitant l'évacuation de la bile. ▷ n. m. *Un cholagogue.*

cholécyste [kɔlesist] n. m. CHIR Vésicule biliaire.

cholécystectomie [kɔlesistɛktɔmi] n. f. CHIR Ablation de la vésicule biliaire.

cholécystite [kɔlesistit] n. f. MED Inflammation de la vésicule biliaire.

cholécystographie [kɔlesistɔgʀafi] n. f. MED Examen radiologique de la vésicule biliaire.

cholédoque [kɔledɔk] adj. m. et n. m. ANAT *Canal cholédoque* ou, n. m. *le cholédoque* : canal qui s'abouche dans le duodénum, et par lequel s'écoule la bile.

Cholem Aleichem (Shalom Rabinovitz, dit) (Pereïaslav, Ukraine, 1859 – New York, 1916), écrivain de langue yiddish. Il fut le peintre des ghettos juifs d'Europe centrale : *Contes de Tévié le laitier* (1899-1911).

cholémie [kɔlemi] n. f. MED Taux de la bile dans le sang.

choléra [kɔleʀa] n. m. Infection intestinale aiguë, très contagieuse, due au vibrion cholérique et à sa variété El Tor.

cholérique [kɔleʀik] adj. et n. MED 1. adj. Du choléra, relatif au choléra. *Le vibrion cholérique, ou bacille virgule.* 2. adj. et n. Qui est atteint du choléra.

cholestérol [kɔlɛsteʀɔl] n. m. Variété de stérol apportée par l'alimentation et synthétisée par le foie, présente dans les tissus et les liquides de l'organisme, dans laquelle on reconnaît auj. plusieurs fractions. *Le cholestérol intervient dans la synthèse des hormones sexuelles, des cortico-stéroïdes, des acides biliaires; dans le sang, il est lié aux lipoprotéines et, en excès, représente un facteur de risque cardio-vaculaire.*

cholestérolémie [kɔlɛsteʀɔlemi] n. f. MED Concentration sanguine en cholestérol, dont l'augmentation, dans certaines hyperlipémies, favorise l'athérosclérose.

Cholet, ch.-l. d'arr. du Maine-et-Loire, sur la Moine, affl. de la Sèvre nantaise; 56 528 hab. Marché à bestiaux. Industr. text. et métall. Électron. – Centre de violents combats pendant les guerres de Vendée (1793-1794).

Choletais. V. Mauges.

choline [kɔlin] n. f. BIOCHIM Alcool azoté entrant dans la composition de certains lipides et qui se trouve, à l'état libre ou estérifié (acétylcholine), dans toutes les cellules de l'organisme.

cholinergie [kɔlinɛʀʒi] n. f. BIOCHIM Libération d'acétylcholine, médiateur chimique du système parasympathique et des nerfs moteurs.

cholinergique [kɔlinɛʀʒik] adj. BIOCHIM Qui agit par l'intermédiaire de l'acétylcholine.

Cholodenko (Marc) (Paris, 1950), écrivain français. Ses poèmes (*Parcs,* 1972; *le Prince,* 1974) évoquent les rapports entre culture, épanouissement individuel et mort. Dans ses romans, il applique avec ambiguïté les procédés traditionnels et les pousse jusqu'à l'absurde : *les États du désert* (1976), *Meurtre* (1982).

Cholokhov (Mikhaïl Alexandrovitch) (Kroujiline, Ukraine, 1905 – Vechenskaïa, 1984), écrivain soviétique. *Le Don paisible* (1928-1940) est une grande fresque de la guerre révolutionnaire de 1917 (certains critiques lui contestent la paternité de cet ouvrage). Il est également l'auteur de *Terres défrichées* (1932-1959) et de *Ils ont combattu pour la patrie* (1946-1969). P. Nobel 1965.

Cho Lon, anc. v. du Viêt-nam, depuis longtemps rattachée à Saigon (auj. *Hô Chi Minh-Ville*), dont elle constitue un puissant fbg industr., portuaire (sur l'arroyo) et commercial.

Choltitz (Dietrich von) (Schloss Wiese, Silésie, 1894 – Baden-Baden, 1966), général allemand. Commandant les forces allemandes de Paris en 1944, il capitula lors de l'entrée des troupes de Leclerc et affirma avoir refusé d'exécuter l'ordre donné par Hitler de faire sauter la ville.

chômable adj. Que l'on peut ou que l'on doit chômer. *Fête chômable.*

chômage n. m. Fait de chômer, interruption de travail; état d'une personne privée d'emploi. *Chômage partiel,* par réduction des horaires. *Chômage technique,* imposé à certains secteurs de l'entreprise du fait de l'impossibilité, pour d'autres secteurs ou entreprises, de fournir les éléments indispensables à la fabrication. *Chômage structurel,* dû à l'inadéquation qualitative entre l'offre et la demande de travail. *Indemnité, allocation de chômage* : aide apportée au chômeur sous forme d'allocation.

chômé, ée adj. Se dit d'un jour où l'on ne travaille pas et qui est payé (par oppos. à *ouvré*). *Fête chômée.*

chômer v. [1] I. v. intr. 1. Cesser de travailler pendant les jours fériés. 2. Être sans travail, être privé d'emploi. 3. Cesser de fonctionner, d'être productif. *Laisser chômer une terre.* II. v. tr. Célébrer (une fête) en cessant le travail. *Chômer le 1er Mai.*

chômeur, euse n. Personne privée d'emploi.

Chomsky (Avram Noam) (Philadelphie, 1928), linguiste américain. Il élabora avec des linguistes du Massachusetts Institute of Technology où il enseigne, la théorie de la grammaire générative et un modèle transformationnel de description du langage : *Structures syntaxiques* (1957), *Aspects de la théorie syntaxique* (1965), *la Linguistique cartésienne* (1966). Il fut un des principaux porte-parole des adversaires de la guerre du Viêt-nam (*Guerre en Asie,* 1970; *Bains de sang,* 1973).

chondr(o)-. Élément, du gr. *khondros,* « cartilage ».

chondricht(h)yens [kɔ̃dʀiktjɛ̃] n. m pl. ZOOL Classe de poissons à squelette cartilagineux (poissons cartilagineux comprenant, notam., les sélaciens. – Sing. *Un chondricht(h)yen.*

chondriome [kɔ̃dʀijom] n. m. BIOL Ensemble des chondriosomes d'une cellule.

chondriosome [kɔ̃dʀijozom] n. m. BIOL Syn. de *mitochondrie.*

chondroblaste [kɔ̃dʀoblast] n. m. ANAT Cellule élémentaire du tissu cartilagineux.

chondrome [kɔ̃dʀom] n. m. MED Tumeur formée de tissu cartilagineux.

chondrosarcome [kɔ̃dʀosaʀkom] n. m. MED Tumeur maligne formée de tissu cartilagineux et de tissu embryonnaire.

chondrostéens [kɔ̃dʀosteɛ̃] n. m. pl. ZOOL Superordre de poissons téléostéens actinoptérygiens dont la colonne vertébrale demeure cartilagineuse. – Sing. *L'esturgeon est un chondrostéen.*

Chongjin. V. Chungjin.

Chongqing ou **Tchong-K'ing,** v. de Chine (Sichuan), sur le Yangzijiang; 2 673 170 hab. (aggl. urb. 6 511 130 hab.). Grand centre de batellerie et centre industriel (text. et chim.). – Quartier général de Tchang Kaï-chek de 1938 à 1946.

Chŏnju, v. de la Corée du Sud, au N. de Kwangju; 426 500 hab.; ch.-l. de prov. Industr. textile et alimentaire.

Chooz, com. des Ardennes (arr. de Charleville-Mézières); 805 hab. Centr. nucléaire franco-belge.

chope n. f. Verre à bière à paroi épaisse muni d'une anse; son contenu. *Boire une chope de bière.*

choper v. tr. [1] Pop. **1.** Prendre, voler. *Choper un portefeuille.* **2.** Arrêter, attraper. *Se faire choper.* **3.** Contracter (une maladie), recevoir (un coup). *Choper la rougeole.*

chopin n. m. Vieilli, fam. Profit, aubaine. - Conquête amoureuse qui est une bonne affaire.

Chopin (Frédéric) (Zelazowa-Wola, près de Varsovie, 1810 – Paris, 1849), pianiste et compositeur polonais (de père français). En 1831, il vint à Paris, où il rencontra George Sand (1836); il eut avec elle une liaison orageuse qui dura presque jusqu'à la mort du musicien, due à la tuberculose. Son style procède de la musique de piano préromantique (Weber, Dussek, Hummel), de la tradition classique (Mozart, Beethoven) et du folklore polonais. Parmi ses nombreuses œuvres : *Nocturnes* (1827-1846), *Ballades* (1836-1843), *Marche funèbre* (1837), *Préludes* (1839-1841) pour piano seul, *Concerto en* mi *mineur* et *Concerto en* la *mineur* pour piano et orchestre).

chopine n. f. **1.** Anc. mesure de capacité valant une demi-pinte (46,5 cl). ▷ Mod. (Canada) Mesure de capacité utilisée surtout pour les liquides, valant 56,8 cl. **2.** Pop. Bouteille de vin; son contenu.

Frédéric **Chopin**

sir Winston **Churchill**

choquant, ante adj. Qui choque. *Une conduite choquante. Une histoire choquante.*

choquer v. tr. [1] **I. 1.** Donner un choc à, heurter. *Ne choquez pas ces tasses, elles sont fragiles. Choquer les verres* : trinquer. ▷ v. pron. *Verres qui se choquent.* **2.** Heurter moralement. *Votre conduite l'a beaucoup choqué.* ▷ v. pron. *Elle se choque pour bien peu.* **3.** Être en opposition avec. *Cela choque le bon sens.* **4.** Produire une impression désagréable sur. *Un hiatus qui choque l'oreille.* **5.** Fig. Éprouver moralement, donner un choc émotionnel à. *Ce deuil l'a beaucoup choqué.* **II.** MAR *Choquer une amarre, une écoute,* lui donner du mou.

choral, ale, als ou, rare, **aux** [kɔʀal, o] adj. Relatif à un chœur. *Chant choral.* ▷ n. m. Chant liturgique protestant créé par Luther. – Composition pour clavecin ou orgue sur le thème de ce chant. *Bach porta le choral à son sommet.*

chorale [kɔʀal] n. f. Groupe, société de chanteurs qui exécute des chœurs. *La chorale d'un lycée.*

chorde. V. corde (II, 2).

chordés. V. cordés.

1. chorée [kɔʀe] n. f. MED Affection neurologique caractérisée par des mouvements involontaires amples et désordonnés des muscles. *La chorée, ou chorée de Sydenham ou danse de Saint-Guy, maladie aiguë de l'enfant, a probablement une origine infectieuse.*

2. chorée [kɔʀe] n. m. Syn. de *trochée.*

chorège [kɔʀɛʒ] n. m. ANTIQ Citoyen qui, à Athènes, assumait les frais d'un chœur pour une représentation théâtrale.

chorégie [kɔʀeʒi] n. f. **1.** ANTIQ À Athènes, charge du chorège. **2.** (Plur.) Réunion de chorales pour des manifestations culturelles.

chorégraphe [kɔʀegʀaf] n. Personne qui compose et règle des ballets.

chorégraphie [kɔʀegʀafi] n. f. **1.** Art de noter les pas et les figures de danse. **2.** Art de composer, de régler des ballets. **3.** Ensemble des figures de danse qui composent un ballet.

chorégraphique [kɔʀegʀafik] adj. Relatif à la chorégraphie, à la danse.

chorème [kɔʀɛm] n. m. GEOGR Représentation d'un espace géographique par des formes géométriques simples de la structure et de la dynamique.

choreute [kɔʀøt] n. m. ANTIQ Choriste, dans le théâtre grec.

chorion [kɔʀjɔ̃] n. m. ZOOL Paroi externe enveloppant l'embryon des vertébrés, formée par des replis de l'allantoïde.

choriste [kɔʀist] n. Personne qui chante dans un chœur, dans une chorale.

chorizo [(t)ʃɔʀizo] n. m. Saucisson d'origine espagnole, plus ou moins pimenté.

choroïde [kɔʀɔid] n. f. ANAT Membrane mince située entre la sclérotique et la rétine. ▷ En appos. *Plexus choroïde* : repli méningé où se forme le liquide céphalo-rachidien.

chorologie [kɔʀolɔʒi] n. f. ECOL Répartition des êtres vivants sur un territoire donné. (On distingue : l'*autochorologie,* qui concerne les individus et les espèces; la *synchorologie,* qui concerne les associations animales et végétales.)

chorus [kɔʀys] n. m. **1.** *Faire chorus* : répéter en chœur; se joindre à d'autres pour manifester son approbation. *Il dit que cela devait cesser, et les autres firent chorus.* **2.** MUS Ensemble des mesures du thème, qui constituent le canevas des improvisations de jazz. *Prendre un chorus de trente-deux mesures.*

Chorzów (anc. *Królewska-Huta;* en all. *Königshütte*), v. de Pologne, en haute Silésie; 143 350 hab. Grand centre industriel : houille, sidérurgie, constructions mécaniques; produits chimiques.

chose n. f. **I. 1.** Toute réalité concrète ou abstraite conçue comme une unité. **2.** Ce que l'on ne nomme pas précisément. *Insister serait la dernière chose à faire. Chaque chose en son temps. Il faisait froid, chose rare en cette saison. Il a très bien pris la chose. Il y a de bonnes choses dans cet ouvrage,* de bons passages, de bonnes idées. *Elle lui a raconté une chose épouvantable* : elle lui a fait un récit épouvantable. *Elle porte sur la tête une chose qu'elle appelle un chapeau.* ▷ DR *Chose jugée* : ce qui a été définitivement réglé par la juridiction compétente. *L'autorité de la chose jugée.* **II.** *Spécial.* **1.** Être inanimé (par oppos. à *être vivant*); objet matériel (par oppos. à *mot,* à *idée*). *Débarrassez le grenier de toutes les choses qui l'encombrent. Les personnes et les choses. Le mot et la chose.* Syn. objet. – Vx *Leçon de choses,* portant sur des objets usuels, et visant à inculquer des notions scientifiques élémentaires. **2.** Ce que l'on possède en propre. *C'est mon bien, ma chose.* **3.** DR *Choses communes* : biens non susceptibles d'appropriation. *L'air, l'eau de la mer sont des choses communes.* **4.** PHILO *Chose en soi* : réalité, par oppos. à l'idée, à la représentation. **5.** *La chose publique* : l'État. **6.** (Plur.) Ce qui existe, se fait, a lieu. *Laissez les choses suivre leur cours. Les choses étant ce qu'elles sont. Il faut regarder les choses en face. Aller au fond des choses* : approfondir un sujet. **7.** n. m. Désignant un objet que l'on ne peut ou que l'on ne veut pas nommer, ou (fam.) une personne. *Passez-moi le chose, là-bas. C'est chose qui me l'a dit.* Syn. (fam.) machin, truc. **8.** (Avec valeur d'adj.) Souffrant, fatigué. *Je me sens toute chose. Rester tout chose,* stupéfait, désorienté. **III.** Loc. **1.** Loc. pron. indéf., masc. *Quelque chose* : une certaine chose. *J'ai lu quelque chose qui m'a paru fort bon. Vous prendrez bien quelque chose* : vous mangerez ou vous boirez bien un peu. ▷ Suivi de *de* et d'un adj. au masc. *Quelque chose de beau, de nouveau.* ▷ *Il y a quelque chose comme un an que je ne l'ai vu* : il y a environ un an... ▷ *C'est quelque chose!* : exprime l'admiration, l'indignation. *On ne peut jamais avoir la paix, c'est quelque chose!* **2.** *Autre chose* : quelque chose d'autre. *Passons à autre chose.* **3.** *Grand-chose*.* **4.** *Peu de chose* : quelque chose de peu d'importance, de faible valeur. *Il suffit de peu de chose pour le contenter. Nous sommes peu de chose.* **5.** *Avant toute chose* : tout d'abord. – *De deux choses l'une...* : il faut choisir entre deux possibilités. **6.** *Dites-lui bien des choses (de ma part)* : formule de politesse.

chosifier v. tr. [2] PHILO Rendre semblable à une chose. Syn. réifier.

Chosroês Ier. V. Khosrô.

Chostakovitch (Dimitri Dimitrievitch) (Saint-Pétersbourg, 1906 – Moscou, 1975), compositeur soviétique. Il s'affirma par des œuvres modernistes (*le Nez,* opéra, 1928; *le Boulon,* ballet,

1931; etc.); ses grandes symphonies (*N° 5*, 1937; *N° 7*, dite de « Leningrad », 1941) manifestent un certain retour à l'inspiration classique.

chott [ʃɔt] n. m. Lac temporaire salé, en Afrique du Nord.

1. chou, choux n. m. **1.** Crucifère du genre *Brassica* dont de nombreuses espèces et variétés sont cultivées. (Le *chou pommé*, ou *chou cabus*, est le chou commun; le *navet*, le *chou de Bruxelles*, dont on consomme les bourgeons axillaires, le *chou-fleur*, le *chou rouge*, le *colza*, la *navette*, etc., sont également des *Brassica*.) ▷ *Aller planter ses choux* : se retirer à la campagne. ▷ *C'est bête comme chou* : c'est très simple. ▷ Fam. *Être dans les choux* : être dans les derniers d'un classement, échouer dans une entreprise. ▷ *Faire chou blanc* : échouer dans une démarche. ▷ *Faire ses choux gras de qqch* : faire son profit de qqch. ▷ Fam. *Feuille de chou* : journal de peu de valeur. Syn. canard. ▷ Fam. *Rentrer dans le chou de qqn*, se précipiter sur lui pour le battre. **2.** Coque de rubans. **3.** Pâtisserie soufflée. *Chou à la crème.*

2. chou, choute n. Fam. (Mot de tendresse.) *Mon chou.* ▷ adj. inv. Gentil, mignon. *Qu'elle est chou !*

chouan n. m. Insurgé royaliste de l'ouest, sous la Ire République.

chouannerie n. f. Insurrection des chouans.

choucas [ʃuka] n. m. Petit corvidé d'Europe (32 cm de long), à plumage noir et à nuque grise, qui vit en bandes dans les falaises, clochers, etc.

1. chouchou, oute n. Fam. Préféré, favori. *Les chouchous du professeur.*

2. chouchou n. m. Anneau de tissu fantaisie, porté autour du poignet ou dans les cheveux.

chouchouter v. tr. [1] Fam. Traiter en favori, dorloter. *Elle chouchoute trop son fils.* Syn. choyer.

choucroute n. f. CUIS Chou haché et fermenté dans la saumure. – *Spécial.* Plat constitué de ce chou cuit, de pommes de terre et de charcuterie.

Chou En-lai. V. Zhou Enlai.

1. chouette n. f. Nom donné à tous les oiseaux strigiformes (rapaces nocturnes), comme la hulotte, l'effraie, la chevêche, etc.

2. chouette adj. Fam. Beau, agréable, réussi. *Une chouette robe.* ▷ Interj. (Marque une surprise agréable.) *Ils viennent? Chouette!*

chouette hulotte

Chouf (plaine du), rég. du Liban située au sud de Beyrouth.

chou-fleur n. m. Chou dont on consomme les inflorescences, de couleur blanche et extrêmement serrées. *Des choux-fleurs.*

chouïa adv. Fam. (Emploi nominal.) *Un chouïa* : un peu. *Je reprendrais bien un chouïa de café. Je vais dormir un chouïa.*

Chou-king. V. Shujing.

Chou-kou-tien. V. Zhoukoudian.

chou-navet n. m. Rutabaga. *Des choux-navets.*

chou-palmiste n. m. Bourgeon comestible de l'arec. *Des choux-palmistes.*

chou-rave n. m. Crucifère dont les racines forment des tubercules, à chair blanche, comestibles. *Des choux-raves.*

chouraver ou **chourer** v. tr. [1] Arg. Voler. *On m'a chouravé mon sac.*

Chou Teh. V. Zhu De.

chow-chow [ʃoʃo] n. m. Chien à long poil fauve originaire de Chine. *Des chows-chows.*

choyer v. tr. [23] **1.** Soigner avec tendresse, entourer de prévenances. *Choyer un enfant.* **2.** Fig. *Choyer une idée*, l'entretenir, la cultiver.

Chraïbi (Driss) (Mazagan, auj. Al-Jadidah, 1926), écrivain marocain d'expression française, peintre des mutations de la société marocaine (*Une enquête au pays*, 1981).

chrême [kʀɛm] n. m. Huile consacrée mêlée de baume servant à certaines onctions sacramentelles des Églises catholique et orthodoxe.

chrétien, enne [kʀetjɛ̃, ɛn] adj. et n. **1.** Qui est baptisé, et, à ce titre, disciple du Christ. ▷ Subst. *Un chrétien.* **2.** Relatif au christianisme.

Chrétien (Henri Jacques) (Paris, 1879 – Washington, 1956), physicien français. L'objectif qu'il a mis au point a donné naissance au cinémascope.

Chrétien (Jean) (Shawinigan, 1934), homme politique canadien. Chef du parti libéral, il est Premier ministre depuis 1993.

Chrétien (Jean-Loup) (La Rochelle, 1938), spationaute fr. Premier Français à effectuer un vol spatial (Saliout 7, en 1982), il est demeuré trois semaines à bord de la station Mir (1988).

chrétienne-démocrate (Union) (CDU), parti politique allemand fondé en 1949 par Adenauer, dont les leaders successifs furent Adenauer, Erhard, Kiesinger et H. Kohl.

Chrétien de Troyes (v. 1135 – v. 1183), poète français, auteur de romans courtois en vers octosyllabes : *Érec et Énide* (v. 1170), *Cligès*. Il a porté à son sommet le *roman breton* (qui traite les légendes relatives aux exploits du roi Arthur et des chevaliers de la Table ronde) : *Lancelot ou le Chevalier à la charrette*, *Yvain ou le Chevalier au lion*, *Perceval ou le Conte du Graal.*

chrétiennement adv. D'une manière chrétienne.

chrétienté n. f. Ensemble des chrétiens ou des pays chrétiens.

chris-craft ou **chriscraft** [kʀiskʀaft] n. m. inv. (Nom déposé.) Canot automobile léger et rapide.

chrisme [kʀism] n. m. Didac. Monogramme du Christ.

christ [kʀist] n. m. **1.** Celui qui est l'oint du Seigneur. – *Le Christ* : Jésus de Nazareth. **2.** Figure de Jésus crucifié. *Un christ d'ivoire.* Syn. crucifix.

Christchurch, v. de Nouvelle-Zélande (île du Sud); ch.-l. de district; 307 200 hab. Import. centre agric. et industr. : alimentaire, textile et mécanique.

Christian Ier (?, 1426 – Copenhague, 1481), roi de Danemark (1448-1481), de Norvège (1450-1481) et de Suède (1457-1481). – **Christian II** (Nyborg, 1481 – Kalundborg, 1559), petit-fils du préc.; roi de Danemark et de Norvège (1513-1523), de Suède (1520-1523), il fut renversé par Gustave Vasa et mourut en exil. – **Christian III** (Gottorp, 1503 – Kolding, 1559), cousin du préc.; roi de Danemark et de Norvège (1534-1559), il acheva d'établir le luthéranisme dans ses États. – **Christian IV** (Frederiksborg, 1577 – Copenhague, 1648), petit-fils du préc.; roi de Danemark et de Norvège (1588-1648), il se lança dans la guerre de Trente Ans. Battu, il signa la paix de Lübeck (1629). – **Christian V** (Flensborg, 1646 – Copenhague, 1699), petit-fils du préc.; roi de Danemark et de Norvège (1670-1699), il s'allia à la Hollande contre la France.
– **Christian VI** (Copenhague, 1699 – Hørsholm, 1746), petit-fils du préc.; roi de Danemark et de Norvège (1730-1746). – **Christian VII** (Copenhague, 1749 – Rendsborg, 1808), petit-fils du préc.; roi de Danemark et de Norvège (1766-1808), il laissa gouverner ses ministres, dont Struensee. – **Christian VIII** (Copenhague, 1786 – id., 1848), neveu du préc.; roi de Danemark (1839-1848), il fit d'import. réformes.
– **Christian IX** (Gottorp, 1818 – Copenhague, 1906), premier souverain de la branche de Glücksburg; roi de Danemark (1863-1906), il perdit le Schleswig-Holstein (1864), annexé par la Prusse.
– **Christian X** (Charlottenlund, 1870 – Copenhague, 1947), petit-fils du préc.; roi de Danemark (1912-1947) et d'Islande (1918-1944), il s'opposa personnellement à l'occupant allemand.

christiania [kʀistjanja] n. m. SPORT Technique d'arrêt et de virage à skis (flexion, extension et projection circulaire du corps).

Christiania. V. Oslo.

christianisation n. f. Action de christianiser; conversion.

christianiser v. tr. [1] Rendre chrétien, convertir à la foi chrétienne.

christianisme n. m. Religion fondée sur l'enseignement de Jésus-Christ.

ENCYCL Le christianisme est la religion établie par Jésus-Christ, fils de Dieu et Dieu lui-même, rédempteur du genre humain. La vie du christianisme primitif nous est connue par le Nouveau Testament : Évangiles, Actes des Apôtres, Épîtres. Ayant attiré à lui les foules par sa prédication, par l'accomplissement en lui des prophéties de l'Ancien Testament, Jésus s'est choisi un petit groupe d'amis, les Apôtres, auxquels il a donné mission de répandre la doctrine qu'il leur a enseignée. Troublés d'abord par sa mort, ses premiers disciples reprendront confiance en lui, quand il leur sera apparu après sa Résurrection, après la venue du Saint-Esprit (Pentecôte), ils commenceront la prédication proprement dite de l'Évangile et sortiront de Palestine pour gagner le monde méditerranéen. Le goût manifesté alors par le monde païen pour les religions à mystères explique en partie la diffusion rapide du christianisme qui leur re semblait, mais s'en distinguait par la révélation de la transcendance divine du Christ et du mystère de la Trinité. Jésus présenta ces doctrines sous une forme simple et séduisante, les enrichit d'immenses trésors d'espérance et de consolation, et atteignit ainsi les humbles. Le christianisme peut se résumer ainsi : croire en Dieu, en la sainte Trinité, aimer Dieu de tout son cœur, de toute son âme et son prochain comme soi-même par amour de Dieu. Aujourd'hui, le christianisme regroupe un milliard d'hommes, au moins, dont plus de la moitié sont catholiques, plus du quart protestants, 10 % orthodoxes, etc.

Christian-Jaque (Christian Maudet, dit) (Paris, 1904 - id., 1994), cinéaste français. Prolifique, il a abordé tous les genres : comédies (*François Ier*, 1937), cape et épée (*Fanfan la Tulipe*, 1951), drames (*Sortilèges*, 1944 ; *Un revenant*, 1946), ou adaptations littéraires (*Carmen*, 1942 ; *Boule-de-Suif*, 1945 ; *la Chartreuse de Parme*, 1947 ; *Nana*, 1954).

Christie (Agatha Mary Clarissa Mallowan, née Miller, dite Agatha) (Torquay, 1890 - Wallingford, 1976), écrivain anglais. Elle écrivit de nombr. romans policiers à énigme : *le Meurtre de Roger Ackroyd* (1927), *le Crime de l'Orient-Express* (1934), *Mort sur le Nil* (1937), *Dix Petits Nègres* (1939), etc.

Christiné (Henri) (Genève, 1867 - Nice, 1941), auteur-compositeur franç. Il écrivit les paroles et la musique de nombr. chansons de café-concert qu'interprétèrent notam. Fragson, Mayol, Polin : *À la Martinique*, *Valentine*, *la Petite Tonkinoise* (mus. de V. Scotto). Son opérette *Phi-Phi* (1918) le rendit mondialement célèbre.

Christine de France (Paris, 1606 - Turin, 1663), fille d'Henri IV et de Marie de Médicis, duchesse de Savoie par son mariage avec Victor-Amédée Ier (1619), elle exerça le pouvoir en Savoie de 1637 à sa mort.

Christine de Pisan (Venise, v. 1363 - ?, v. 1430), poétesse française d'origine italienne. Son œuvre, d'une grande variété, mêle ouvrages savants, politiques (*Livre des faits et bonnes mœurs du sage roi Charles V*, v. 1404) et lyriques (rondeaux, ballades, *Ditié de Jeanne d'Arc*, 1429).

Christine de Suède (Stockholm, 1626 - Rome, 1689), reine de Suède (1632-1654), fille de Gustave-Adolphe. Elle agrandit ses États, faisant de la Suède la première puissance du N. Elle entretint une cour brillante. D'une grande culture, éprise d'idées nouvelles, elle attira Descartes en Suède (où il mourut). La liberté de ses mœurs fit scandale, et entraîna son abdication (1654). Elle parcourut l'Europe, se convertit au catholicisme et se fixa à Rome, où elle constitua un cénacle de littérateurs et réunit des collections d'art.

christique [kʀistik] adj. Qui concerne la personne du Christ.

Christmas. V. Kiritimati.

Christmas, île de l'océan Indien, dépendant de l'Australie ; 135 km² ; 3 250 hab. ; phosphates.

Christo (Christo Javacheff, dit) (Gaboro, 1935), artiste américain d'origine bulgare. Il intervient sur l'environnement en emballant des objets, des monuments (*Pont-Neuf*, à Paris, en 1985) ou des éléments de paysage pour modifier le regard et le comportement du public.

Christoff. V. Khristov.

christologie n. f. Partie de la doctrine chrétienne qui a trait à la personne du Christ et à ses rapports avec les hommes.

Christophe (saint), personnage légendaire ; il aurait porté Jésus sur ses épaules au passage d'une rivière (son nom gr., *Khristophoros*, signifie porte-Christ). Saint patron des automobilistes.

Christophe Ier (?, 1219 - Ribe, 1259), roi de Danemark (1252-1259). – **Christophe II** (?, 1276 - Nyköping, 1332), roi de Danemark (1320-1326 et 1330-1332). – **Christophe III** (?, 1418 - Hälsingborg, 1448), roi de Danemark (1440-1448), de Suède (1441-1448) et de Norvège (1442-1448) ; il fit de Copenhague sa capitale.

Christophe (Henri) (la Grenade, 1767 - Port-au-Prince, 1820), roi de Haïti (1811-1820) sous le nom de Henri Ier. Esclave noir affranchi, lieutenant de Toussaint Louverture, il fut un des chefs de la révolte des Noirs.

Christophe (Georges Colomb, dit) (Lure, 1856 - Nyons, 1945), botaniste, écrivain et dessinateur français. Il reste connu pour son œuvre de dessinateur humoriste (*la Famille Fenouillard*, 1889-1893 ; *le Sapeur Camember*, 1890-1896 ; *le Savant Cosinus*, 1893-1899).

Christus (Petrus) (Baerle, près de Gand, v. 1420 - Bruges, v. 1473), peintre religieux et portraitiste flamand : *Portrait de jeune femme* (Berlin).

chroma-, chromat(o)-, -chrome, -chromie, chromo-. Éléments, du gr. *khrôma*, *khrômatos*, « couleur ».

chromage [kʀɔmaʒ] n. m. TECH Dépôt par électrolyse d'une pellicule de chrome sur un objet métallique pour le protéger contre la corrosion.

chromate [kʀɔmat] n. m. CHIM Nom générique des sels oxygénés du chrome.

chromatide n. f. BIOL Filament fin et long d'A.D.N. qui prend une forme de spirale au moment de la division cellulaire, formant des enroulements serrés qui correspondent aux chromosomes.

chromatine n. f. BIOCHIM Structure du noyau de la cellule visible au microscope, formée de masses denses reliées entre elles par de fines terminaisons formant un réseau. (Elle contient l'A.D.N. nucléaire, de l'A.R.N., des protéines, des histones, des lipides et du calcium. Au moment de la division cellulaire, elle se condense en masses plus denses : les chromosomes.)

chromatique [kʀɔmatik] adj. **1.** OPT Qui se rapporte aux couleurs. ▷ *Aberration chromatique* : défaut du à la variation de l'indice de réfraction du verre d'une lentille en fonction de la longueur d'onde. **2.** MUS Qui procède par demi-tons consécutifs ascendants ou descendants. *Gamme chromatique.* ▷ *Intervalle chromatique* : intervalle entre deux notes de même nom dont l'une est altérée. **3.** BIOL Relatif aux chromosomes.

chromatisme n. m. **1.** Ensemble de couleurs. **2.** MUS Emploi de demi-tons à l'intérieur d'une échelle diatonique.

chromatographie n. f. BIOCHIM Procédé de séparation de différentes substances en solution ou en suspension dans un liquide. (Il existe plusieurs techniques de chromatographie : sur papier, sur colonne échangeuse d'ions et en atmosphère gazeuse, utilisées dans les laboratoires de recherche et d'analyse pour séparer les protéines, les acides aminés, les acides gras.)

-chrome. V. chroma-.

chrome [kʀom] n. m. Élément métallique de numéro atomique Z = 24 et de masse atomique 51,996 (symbole Cr). – Métal blanc, très dur, de densité 7,19, qui fond à 1 875 °C et bout à 2 665 °C. *Le chrome entre dans la composition des aciers inoxydables.*

chromé, ée adj. TECH Qui contient du chrome. ▷ Recouvert de chrome.

chromer v. tr. [1] TECH Recouvrir de chrome.

-chromie. V. chroma-.

chromique adj. CHIM Qui contient du chrome trivalent.

chromo-. V. chroma-.

chromo [kʀomo] n. m. Péjor. Mauvaise reproduction en couleurs. ▷ *Par ext.* Mauvais tableau.

chromolithographie n. f. TECH Impression lithographique en couleurs ; image ainsi obtenue.

chromosome [kʀɔmozom] n. m. BIOL Chacun des bâtonnets apparaissant dans le noyau de la cellule au moment de la division (mitose ou méiose) et résultant de la segmentation et de la condensation du réseau de chromatine. ENCYCL Chaque chromosome est formé de deux chromatides réunies au niveau du centromère, qui définit donc deux bras. La longueur relative des bras et la position du centromère permettent de distinguer les chromosomes. Il existe en général dans le noyau cellulaire deux exemplaires identiques de chaque chromosome (paires de chromosomes homologues), l'un d'origine paternelle, l'autre d'origine maternelle. Le nombre de paires de chromosomes est caractéristique de l'espèce. Chaque noyau, en dehors des gamètes, contient $2n$ chromosomes. Le nombre n correspond à une cellule haploïde (spermatozoïde, ovule), le nombre $2n$ à une cellule diploïde. Chez l'homme, $2n = 46$. Ce nombre est très variable d'une espèce à l'autre. Chez de nombr. espèces, en partic. chez l'homme, il existe une paire de chromosomes dont les constituants sont différents chez le mâle et la femelle : ce sont les hétérochromosomes, ou chromosomes sexuels. Dans l'espèce humaine, cette paire est formée de deux chromosomes : différents chez l'homme (X et Y), identiques chez la femme (2 X). Le caryotype permet de définir ces caractéristiques. Lorsque le

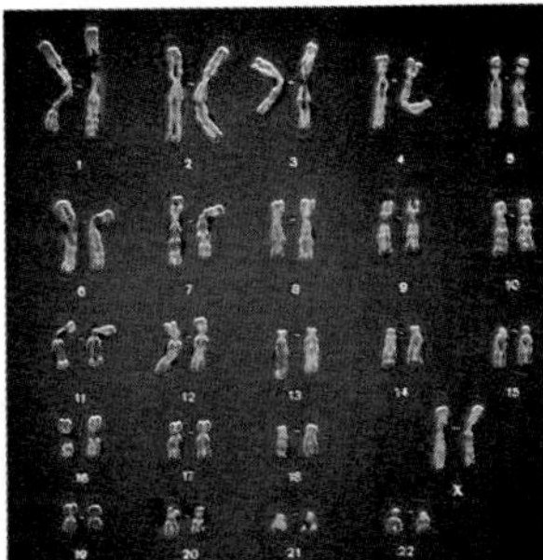

chromosomes d'une femme, après coloration

nombre ou la constitution des chromosomes apparaissent différents, on parle d'*aberration chromosomique*, à l'origine de certaines affections (trisomie 21 ou mongolisme). Les chromosomes renferment les mêmes constituants chimiques que la chromatine : A.D.N., A.R.N. et des protéines associées. L'A.D.N. chromosomique est porteur du code génétique, qui est transmis par l'A.R.N. messager aux ribosomes cytoplasmiques, où s'effectue la synthèse des protéines.

chromosomique adj. BIOL Relatif aux chromosomes. *Examen chromosomique.*

chromosphère n. f. ASTRO Région de l'atmosphère du Soleil située entre la photosphère et la couronne, d'une épaisseur un peu inférieure à 2 000 km, et de laquelle se détachent les protubérances et les éruptions.

chronaxie [kʀɔnaksi] n. f. PHYSIOL Durée que doit avoir une excitation électrique (dont l'intensité est le double de celle de la *rhéobase*) pour provoquer une réaction d'un nerf ou d'un muscle.

-chrone, chrono-. Éléments, du gr. *khronos*, « temps ».

chronicité n. f. Didac. Caractère de ce qui est chronique.

1. chronique [kʀɔnik] n. f. **1.** Recueil de faits historiques rédigés suivant l'ordre chronologique. *Les chroniques de Saint-Denis.* **2.** Ensemble des rumeurs qui circulent. *Défrayer la chronique* : faire parler de soi (en général dans un sens défavorable). **3.** Article spécialisé qui rapporte les informations les plus récentes sur un sujet particulier. *Chronique politique, sportive, financière.*

2. chronique [kʀɔnik] adj. MED Se dit des maladies qui ont perdu leur caractère aigu et durent longtemps, ou qui s'installent définitivement. *Bronchite, rhumatismes chroniques.* ▷ Par ext. *Chômage chronique.*

chroniquement adv. De façon chronique. *Région qui manque chroniquement d'eau.*

Chroniques (livre des), titre donné à deux livres de l'Ancien Testament (*Annales* en hébr., *Paralipomènes* en gr.), qui relatent l'histoire des Hébreux, des origines à la prise de Jérusalem (587 av. J.-C.) et à l'exil.

Chroniques de Saint-Denis, histoire quasi officielle de la royauté, jusqu'à l'avènement de Louis XI, rédigées à partir du XIIe s. par les moines de l'abbaye de Saint-Denis, d'abord en lat., ensuite en fr. sous le titre de *Grandes Chroniques de France* (XIVe-XVe s.).

chroniqueur, euse [kʀɔnikœʀ, øz] n. **1.** Celui qui tient une chronique dans un journal. **2.** n. m. LITTER Auteur de chroniques historiques. *Les grands chroniqueurs du Moyen Âge.*

-chrono. V. -chrone.

chrono [kʀɔno] n. m. Fam. Abrév. cour. de *chronomètre.*

chronobiologie [kʀɔnobjɔlɔʒi] n. f. BIOL Partie de la biologie qui étudie les phénomènes cycliques et leurs causes chez les êtres vivants : hibernation, reproduction, sommeil, floraison, fonctionnement cellulaire, etc.

chronographe [kʀɔnogʀaf] n. m. **1.** TECH Chronomètre. **2.** PHYS Appareil permettant de mesurer la durée d'un phénomène et d'enregistrer graphiquement la mesure effectuée.

chronologie [kʀɔnolɔʒi] n. f. **1.** Science de l'ordre des temps et des dates. **2.** Liste d'événements par ordre de dates. *Établir la chronologie des faits marquants d'une période.*

chronologique adj. Qui a rapport à la chronologie, à la classification des événements par ordre de dates. *Classer des journaux par ordre chronologique.*

chronologiquement adv. Par ordre chronologique.

chronométrage [kʀɔnometʀaʒ] n. m. Action de chronométrer ; son résultat.

chronomètre [kʀɔnomɛtʀ] n. m. **1.** Montre de précision ayant subi divers contrôles attestés par un « bulletin officiel de marche ». **2.** *Spécial.* Instrument de précision destiné à mesurer en minutes, secondes, dixièmes, centièmes et millièmes de seconde, le temps effectué par un athlète au cours d'une épreuve sportive. (Abrév. cour., fam. : chrono).

chronométrer [kʀɔnometʀe] v. tr. [14] Mesurer à l'aide d'un chronomètre. – Pp. adj. *Un exercice chronométré.*

chronométreur, euse [kʀɔnometʀœʀ, øz] n. Personne chargée du chronométrage (d'une épreuve sportive, d'un travail).

chronométrie [kʀɔnometʀi] n. f. PHYS Mesure du temps.

chronométrique adj. Didac. Qui se rapporte à la chronométrie.

chronophotographie [kʀɔnofotogʀafi] n. f. Procédé qui utilise une succession de photographies pour l'étude des mouvements rapides (vol des oiseaux, etc.). *La chronophotographie a donné naissance au cinématographe.*

chronothérapeutique n. f. Traitement médical qui tient compte de la chronobiologie.

chrys(o)-. Élément, du gr. *khrusos*, « or ».

chrysalide [kʀizalid] n. f. **1.** Nymphe spécifique du lépidoptère, état transitoire entre la chenille (larve) et le papillon (imago). – *Par ext.* Cocon de la chrysalide. **2.** Fig. État de ce qui n'a pas encore atteint son plein épanouissement.

chrysanthème [kʀizɑ̃tɛm] n. m. Genre de composées originaires de la Chine, dont on cultive de nombreuses variétés ornementales.

chrysanthème : feuille, fleur et tige

chryséléphantin, ine [kʀizelefɑ̃tɛ̃, in] adj. ANTIQ Fait d'or et d'ivoire. *La statue chryséléphantine d'Athéna Parthénos, par Phidias.*

chryso-. V. chrys(o)-.

chrysobéryl n. m. MINER Pierre précieuse naturelle de couleur variable (de vieil or à vert-jaune), constituée par de l'aluminate de béryllium.

chrysocale [kʀizokal] ou **chrysochalque** [kʀizokalk] n. m. Alliage à base de cuivre, imitant l'or en bijouterie.

chrysocolle n. f. Variété de silicate de cuivre bleu turquoise, pierre semi-précieuse utilisée en joaillerie.

chrysolite ou **chrysolithe** [kʀizolit] n. f. MINER Pierre semi-précieuse jaune-vert, silicate naturel double de fer et de magnésium.

chrysoprase n. f. MINER Variété de calcédoine vert pâle.

Chrysostome. V. Jean Chrysostome (saint).

ch'timi [ʃtimi] n. (et adj.) Fam. Habitant ou personne originaire du N. de la France.

chtonien, enne [ktɔnjɛ̃, ɛn] adj. MYTH Qui est né de la terre (qualificatif appliqué aux dieux infernaux). *Hadès et Perséphone sont des dieux chtoniens.*

C.H.U. Sigle de *centre hospitalo-universitaire.*

chuchotement n. m. Action de chuchoter ; le bruit qui en résulte. *On entendait des chuchotements inquiets.*

chuchoter v. intr. [1] Parler bas en remuant à peine les lèvres. ▷ v. tr. Dire à voix basse. *Il lui chuchota quelques mots à l'oreille.*

chuchotis [ʃyʃɔti] n. m. Chuchotement léger.

chuintant, ante adj. et n. f. Qui chuinte. ▷ n. f. PHON *Les chuintantes* : les consonnes fricatives ch [ʃ], j et g doux [ʒ].

chuintement n. m. **1.** Action de chuinter. ▷ Défaut de prononciation qui consiste à chuinter. **2.** Bruit d'une chose qui chuinte.

chuinter v. intr. [1] **1.** Pousser son cri, en parlant de la chouette. **2.** Prononcer les sons [s] et [z] comme [ʃ] et [ʒ]. **3.** Produire un son qui ressemble au son *ch* [ʃ]. *Gaz qui chuinte en s'échappant d'une canalisation.*

Chungjin ou **Chongjin,** port de Corée du Nord, sur la mer du Japon ; 265 000 hab. ; ch.-l. de prov. Métall. Industr. chimiques.

Chunqiu ou **Tch'ouen-ts'ieou,** recueil de textes « classiques » chinois (V. jing).

Chuquet (Nicolas) (Paris, 1445 – ?, 1500), mathématicien français ; auteur du *Triparty en la science des nombres* (1484), qui marque une date capitale dans l'histoire de l'algèbre.

Chuquicamata, v. du Chili septent., à 3 000 m d'alt. ; 16 890 hab. Mine de cuivre à ciel ouvert.

Chur. V. Coire.

Churchill (sir Winston Leonard Spencer) (Blenheim Palace, Oxfordshire, 1874 – Londres, 1965), homme politique britannique. Député en 1900, à la tête de divers ministères à partir de 1905, il fut Premier lord de l'Amirauté (1911-1915), préparant la G.-B. à la guerre. Après la guerre, il rallia le parti conservateur, qu'il avait quitté en 1904. Premier ministre (1940-1945) à la tête d'un cabinet d'union nationale, il fit preuve d'une rare énergie dans la conduite de la guerre contre l'Axe et joua un rôle actif en polit. internationale. Leader des conservateurs, il fut battu lors des élections de 1945, mais revint au pouvoir de 1951 à 1955.

Ses *Mémoires de guerre* (1948-1953) lui valurent le P. Nobel de littérature 1953. ► illustr. page **361**

Churchill (anc. *Hamilton*), fl. du Canada (1 000 km), dans le Labrador; se jette dans l'Atlantique par un long estuaire. Import. centr. hydroélectrique à Grand Falls.

Churriguera (de), famille d'architectes et de décorateurs espagnols (rég. de Madrid et de Salamanque) dont le style, dit *churrigueresque*, marqua l'apogée du baroque espagnol. – **José Benito** (Madrid, 1665 – id., 1725) : plans du palais et de l'égl. de Nuevo Baztán (près de Madrid). – **Joaquín** (Madrid, 1674 – Salamanque, 1724), frère du préc. : collège de Calatrava à Salamanque. – **Alberto** (Madrid, 1676 – Orgaz, 1740), frère des préc. : plans de la Plaza Mayor et de l'égl. de San Sebastián à Salamanque, égl. d'Orgaz, près de Tolède.

chut [ʃyt] interj. et n. m. inv. Injonction de faire silence. *Chut! Écoutez...* ▷ n. m. inv. *Quelques chut agacés ramenèrent le silence dans la salle.*

chute n. f. **1.** Action de choir, de tomber; mouvement de ce qui tombe. *Faire une chute de cheval.* ▷ PHYS Chute des corps, déterminée par la pesanteur. *Chute libre d'un corps qui n'est soumis qu'à l'action de son poids.* ▷ Fig. *La chute du jour* : la tombée du jour. – *La chute du rideau* : le moment où le rideau tombe, au théâtre; la fin d'un spectacle. **2.** *Chute d'eau* : masse d'eau qui se précipite d'une certaine hauteur. *Les chutes du Niagara.* ▷ Différence de hauteur entre les niveaux de deux biefs successifs d'un cours d'eau. ▷ ELECTR *Chute de potentiel* : différence de potentiel. **3.** Fig. Action de s'écrouler, de s'effondrer. *La chute d'un Empire.* – *La chute d'une valeur boursière,* l'effondrement de son cours. – *Chute d'une place forte après un siège,* sa capitulation. **4.** THEOL Faute, péché. *La chute* : le péché originel. **5.** Fait de se détacher et de tomber (pour une partie de qqch). *La chute des cheveux, des dents.* – *La chute des feuilles,* leur séparation d'avec l'arbre; *par ext.* la saison où elles tombent, l'automne. **6.** Litt. Pensée, formule brillante qui termine un texte. – RHET *Chute d'une période* : la fin, le dernier membre d'une période. **7.** Déchet, reste inutilisé d'un matériau que l'on a découpé. *Récupérer des chutes de tissu.* **8.** *La chute d'un toit,* sa pente; son extrémité inférieure. – *La chute des reins* : le bas du dos. ▷ MAR *La chute d'une voile* : le côté libre d'une voile, du point de drisse* au point d'écoute*.

chuter v. intr. [1] **1.** Tomber. **2.** JEU Ne pas réussir le contrat demandé, à certains jeux de cartes. *Chuter de deux levées, au bridge.* **3.** Fig. Baisser. *Les prix ont chuté de 10 %.*

chutney [ʃœtnɛ] n. m. Condiment composé de légumes et de fruits confits, épicé et sucré.

chyle [ʃil] n. m. PHYSIOL Contenu liquide de l'intestin, formé par les aliments digérés et prêts à être absorbés.

chylifère adj. ANAT Qui porte le chyle.

chyme [ʃim] n. m. PHYSIOL Bouillie formée par les aliments partiellement digérés au sortir de l'estomac.

chypre n. m. Parfum à base de bergamote et de santal.

Chypre (en grec *Kipriakê Dêmokratia*; en turc *Kibris Cumhuriyeti*), île de la Médit. orientale; 9 251 km²; 700 000 hab.; cap. *Nicosie.* Langues off. : grec et turc. Monnaie : livre chypriote. Population : Grecs (en majorité), Turcs. Relig : christianisme orthodoxe (Égl. auton. chypriote), islam.

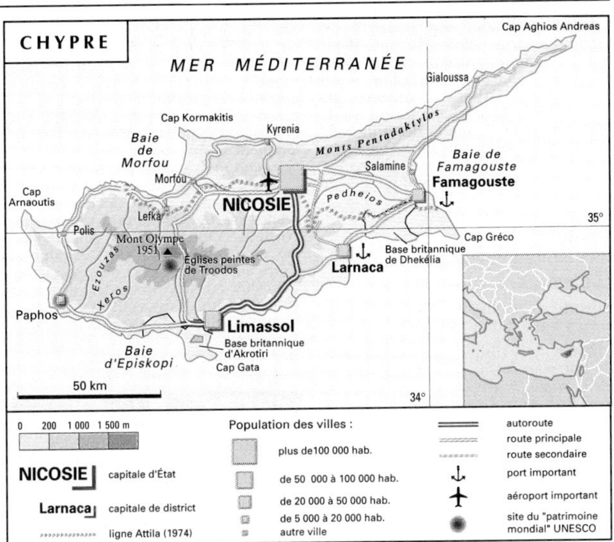

Géogr. phys. et hum. – Le massif du Troodhos au S. et la chaîne du Karpas au N. encadrent la dépression centrale de la Mésorée qui, avec les plaines littorales, groupe l'essentiel du peuplement. Les Turcs (20 % de la population sur 40 % du territoire) vivent dans la partie N. de l'île, les Grecs dans la partie S. (80 % de la pop., 60 % du territoire). **Écon.** – Traditionnellement agricole (vigne, agrumes, orge, moutons) et exportatrice d'amiante, l'île a connu de profonds bouleversements depuis la partition de 1974. La zone d'occupation turque, au nord, qui représentait 70 % du P.N.B. en 1970 a stagné et fait figure de région sous-développée, alors que la zone sud, grecque, a connu un essor sans précédent. L'aide de la Grèce et de l'Union européenne (statut d'association en mars 1973, candidature à l'adhésion en juillet 1990), l'afflux de capitaux libanais, le report d'une partie des activités de Beyrouth, le boom touristique, une législation attirant les investissements étrangers, ont fait de la Rép. chypriote une importante plateforme économique de la Méditerranée. **Hist.** – L'île fut connue comme productrice de cuivre dès le début du IIIᵉ millénaire av. J.-C. À la fin du IIᵉ millénaire, les marins mycéniens y installèrent des ports, puis les Phéniciens des comptoirs (IXᵉ-VIIIᵉ s.). Vassale de l'Assyrie (v. 707-640), soumise ensuite à l'Égypte (585-538), elle devint, à partir du VIᵉ s., l'enjeu des rivalités entre Grecs et Perses, qui la dominèrent jusqu'à son annexion à l'empire d'Alexandre (333). Devenue un important foyer de culture mi-grecque mi-orientale, elle fut l'enjeu des rivalités des Lagides et des Séleucides, avant d'être intégrée à l'Empire romain (58 av. J.-C.), puis à l'Empire byzantin (395 apr. J.-C.), qui dut la défendre contre les raids arabes (632-964). En 1192, l'île forma un royaume latin, et cet import. centre du comm. avec l'islam fut convoité par Gênes et Venise, qui l'acheta en 1489. Chypre fut prise par les Turcs en 1570. La G.-B. obtint de l'administrer (1878) et en fit une colonie en 1925. De violents conflits opposèrent les Grecs, partisans de l'union à la Grèce *(Enosis)*, à l'Angleterre (1955-1959). L'indépendance, accordée en 1960, ne régla pas le conflit entre populations d'origines grecque et turque, cette dernière étant minoritaire. Un coup d'État, encouragé par le régime des colonels, à Athènes, renversa Mgr Makarios, président de l'île, le 15 juil. 1974. Le 20 juil., craignant l'*Enosis*, l'armée turque pénétra à Chypre et en occupa la moitié nord; en 1983, les Turcs chypriotes ont proclamé la République turque de Chypre du Nord, ruinant l'espoir d'un État fédéral unissant les deux communautés, bien au contraire la paix ne repose que sur la présence d'une force d'interposition de l'ONU. Après la mort de Mgr Makarios (1977), Spyros Kyprianou est élu président; G. Vassiliou lui succède en 1988 avec l'appui du parti communiste. En 1993, Glafcos Cléridès est élu à la tête de l'État. Il est réélu en 1998.

chypriote [ʃipʀijɔt] ou **cypriote** [sipʀijɔt] adj. et n. De Chypre.

1. ci adv. de lieu. Marque le lieu où l'on est. **1.** Loc. *Ci-gît* : ici est enterré. **2.** (Avec un adj. ou un part.) *Ci-joint la copie de notre lettre. Les observations ci-incluses.* **3.** (En corrélation avec un nom précédé d'un démonstratif ou avec un pronom démonstratif; par oppos. à *là*.) Désigne ce dont on parle ou ce qui est proche. *Ce livre-ci, cette personne-ci. Celui-ci, ceux-ci.* **4.** Loc. adv. *Ci-après* : plus loin. – *Ci-contre* : tout à côté, vis-à-vis. – *Ci-dessus* : plus haut, supra. *Ci-dessous* : plus bas, infra. **5.** Loc. adv. (Avec les prép. *de* et *par*.) *De-ci de-là, par-ci par-là* : de côté et d'autre, en divers endroits. – *Aller de-ci de-là* : se promener sans but précis. – *On rencontre par-ci par-là quelques erreurs dans ce journal.* **6.** COMPTA Soit. *Cinq mètres à 20 francs, ci... 100 francs.*

2. ci pron. dém. (Employé avec *ça*.) *Faire ci et ça.* – Loc. fam. *Comme ci, comme ça* : moyennement. *Ça va comme ci, comme ça, en ce moment.*

Ci PHYS NUCL Symbole de curie.

C.I.A. Sigle de l'angl. *Central Intelligence Agency,* «Agence centrale de renseignements». Organisation de renseignements amér., créée en 1947, qui regroupe les services secrets des É.-U., en activité dans le monde entier.

Ciano (Galeazzo, comte de Cortellazzo) (Livourne, 1903 – Vérone, 1944), homme politique italien ; un des chefs fascistes. Gendre de Mussolini, il fut ministre des Affaires étrangères de 1936 à 1943 ; il favorisa la formation de l'Axe. En 1943, il vota la destitution de Mussolini et se montra favorable à une paix séparée. Arrêté par les Allemands, il fut livré au gouvernement fasciste de la « République sociale », condamné et exécuté.

Cians (le), petit affl. du Var (r. g.) encaissé dans des schistes rouges.

ci-après. V. ci 1 (sens 4).

cibiste n. Utilisateur de la C.B. (V. citizen band) à des fins personnelles.

cible n. f. **1.** Disque, panneau qui sert de but pour le tir. *Atteindre la cible en plein centre.* **2.** *Par ext.* Ce que l'on vise avec une arme. *La caille est une cible difficile.* ▷ Fig. Personne visée. *Toute la soirée, il fut la cible des railleries.* **3.** PUB Ensemble des consommateurs que l'on cherche à atteindre par des moyens publicitaires. *Déterminer la cible d'une campagne publicitaire.* **4.** PHYS NUCL Surface que l'on place sur la trajectoire des particules pour étudier les phénomènes qui se produisent aux points d'impact. **5.** LING (En appos.) *Langue cible* : langue dans laquelle on traduit (par oppos. à *langue source*).

ciblé, ée adj. Qui est adapté à un objet ou à un sujet particulier. *Prendre des mesures ciblées contre le chômage.*

cibler v. tr. [1] Définir la cible (sens 3) de. *Cibler un produit ménager.*

ciboire n. m. RELIG CATHOL Vase sacré où l'on conserve les hosties consacrées.

ciboule n. f. Liliacée voisine de l'oignon, utilisée comme condiment. Syn. cive.

ciboulette n. f. Liliacée dont les feuilles tubulaires sont utilisées comme condiment. Syn. civette.

ciboulot n. m. Pop. Tête. – *Se creuser le ciboulot* : se creuser la tête.

cicatrice n. f. Trace laissée par une plaie après guérison. ▷ Fig. Trace laissée par une blessure morale. *Il garde la cicatrice de cette tragédie.*

cicatriciel, elle adj. Relatif à une cicatrice.

cicatrisable adj. Susceptible de cicatrisation.

cicatrisant, ante adj. Qui favorise la cicatrisation. *Pommade cicatrisante.*

cicatrisation n. f. Guérison d'une plaie.

cicatriser 1. v. tr. [1] Guérir (en parlant d'une plaie). ▷ Fig. Adoucir, calmer. *Le temps cicatrise les douleurs d'amour-propre.* **2.** v. pron. Se refermer, guérir (en parlant d'une plaie).

cicéro n. m. TYPO Unité de mesure typographique (env. 4,5 mm).

Cicéron (en lat. *Marcus Tullius Cicero*) (Arpinum, 106 – Formies, 43 av. J.-C.), homme politique et orateur romain. Avocat, il entra dans la vie publique et entama la carrière des honneurs (*cursus honorum*) après la mort de Sylla (78 av. J.-C.). En 75, il est nommé questeur en Sicile. En 70, à la demande des Siciliens, il mena l'accusation contre le propréteur Verrès, qui avait pillé la Sicile dont il était gouverneur. Ce furent les fameuses plaidoires des *Verrines.* Édile (69), puis préteur (66), il déjoua, une fois consul (63), la conjuration de Catilina (les quatre *Catilinaires*). Exilé en Grèce (58) au temps du premier triumvirat (César, Crassus et Pompée), puis rappelé d'exil (57), il suivit Pompée après la rupture du triumvirat pour se rallier à César après Pharsale (48). À la mort de César (44), il s'en prit violemment à Antoine (les quatorze *Philippiques*) qui, ayant pu former avec Octave et Lépide le second triumvirat, le fit proscrire, puis assassiner. Ses grands discours politiques révèlent un art de la composition, un sens de l'ironie et de l'invective qui lui valurent d'être admiré par ses contemporains et d'accéder au rang de modèle du prosateur classique. Il est également l'auteur de traités philosophiques (*De republica, Tusculanes, De senectute, De amicitia,* etc.) et d'une correspondance.

Cicéron

André Citroën

cicérone n. m. Guide qui fait visiter aux touristes les curiosités d'une ville.

ciclosporine ou **cyclosporine** n. f. BIOCHIM Polypeptide cyclique utilisé comme immunodépresseur*.

ciconiiformes [sikɔniifɔʀm] n. m. pl. ORNITH Ordre d'oiseaux échassiers à long cou et à long bec conique, comprenant les cigognes, les hérons, les aigrettes, les marabouts, etc. Syn. ardéiformes. – Sing. *Un ciconiiforme.*

ci-contre. V. ci 1 (sens 4).

cicutine n. f. CHIM Alcaloïde très toxique contenu dans la grande ciguë. Syn. conicine.

Cid Campeador (Rodrigo Diaz de Vivar, dit le) (Vivar, près de Burgos, 1043 – Valence, 1099), héros espagnol. Époux de doña Jimena (Chimène), cousine du roi de Castille, il conquit notam. la principauté maure de Valence (1094). Devenu légendaire, il inspira de nombr. auteurs (*Romancero du Cid,* Guilhem de Castro ; *le Cid,* Corneille).

-cide. Élément, du lat. *cædes, cædis,* « action d'abattre, meurtre ».

ci-dessous, ci-dessus. V. ci 1.

ci-devant loc. adv. et n. inv. **1.** Loc. adv. Vx ou didac. Précédemment. *Le ci-devant gouverneur.* **2.** n. inv. HIST *Les ci-devant nobles,* nom donné aux nobles pendant la Révolution.

cidre n. m. Boisson alcoolique obtenue par fermentation du jus de pomme. *Cidre bouché,* champagnisé.

cidrerie n. f. Établissement où l'on fait du cidre. *Travailler dans une cidrerie.*

Cie Abrév. de *compagnie.*

ciel n. m. (Plur. *ciels; cieux* dans quelques expr. litt.) **I.** ESP **1.** Espace dans lequel se meuvent tous les astres ; partie de l'espace que nous voyons au-dessus de nos têtes. *L'immensité du ciel* et, litt., *des cieux. Voir un avion dans le ciel. Carte du ciel* : représentation plane de la sphère céleste, découpée en 88 zones distinctes qui recouvrent le tracé des constellations. ▷ Loc. *Entre ciel et terre* : dans l'air. – *Lever les yeux au ciel,* en signe de supplication ou d'exaspération. – Fig *Remuer ciel et terre* : tout mettre en œuvre pour obtenir un résultat. **2.** (Avec un adj., un comp.) Aspect de l'air, de l'atmosphère (selon le temps qu'il fait). *Ciel clair, nuageux, pluvieux. Un ciel de plomb.* ▷ METEO Partie du ciel présentant des caractéristiques nuageuses identiques. *Ciel pommelé, moutonné.* **3.** PEINT Représentation du ciel. *Les ciels de ce peintre sont toujours sombres.* **II.** Plafond. **1.** *Ciel de lit* : partie supérieure d'un baldaquin. **2.** MINES Plafond d'une galerie. – *Exploitation d'une mine à ciel ouvert,* à la surface du sol, à l'air libre. **III.** (Plur. *cieux.*) **1.** Le séjour de Dieu et des bienheureux, le Paradis. *Le royaume des cieux.* – *Être au ciel,* au Paradis ; *par euph.* être mort. ▷ Loc. fig., fam. *Tomber du ciel* : arriver inopinément mais très à propos. – *Être au septième ciel* : être dans un état de grande félicité. **2.** *Par ext.* La divinité, la providence. *Grâce au ciel, j'ai réussi.* ▷ Prov. *Aide-toi, le ciel t'aidera.* **3.** HIST *Le fils du Ciel* : autref. l'empereur de Chine. **4.** *Ciel!* : interj. marquant la stupéfaction, l'inquiétude, etc. *Ciel, les voilà revenus!*

Cienfuegos, v. et port de Cuba, au sud de l'île ; ch.-l. de la prov. du m. nom ; 120 600 hab. Sucreries. Manuf. de tabac.

cierge n. m. **1.** Longue chandelle de cire à l'usage des églises. *Brûler un cierge à un saint,* en signe de supplication ou de reconnaissance. **2.** Cactacée d'Amérique, dont la tige cylindrique peut atteindre 15 m de haut.

C.I.G. Sigle de *conférence intergouvernementale,* instance de négociation entre les représentants des États membres de l'U.E. en vue de modifier les traités.

cigale n. f. **1.** Insecte homoptère aux ailes transparentes et au corps sombre qui se nourrit de la sève des arbres. (*Cicada fraxini,* 45 mm, est abondante dans la région médit. ; seul le mâle craquette.) **2.** *Cigale de mer* : V. scyllare.

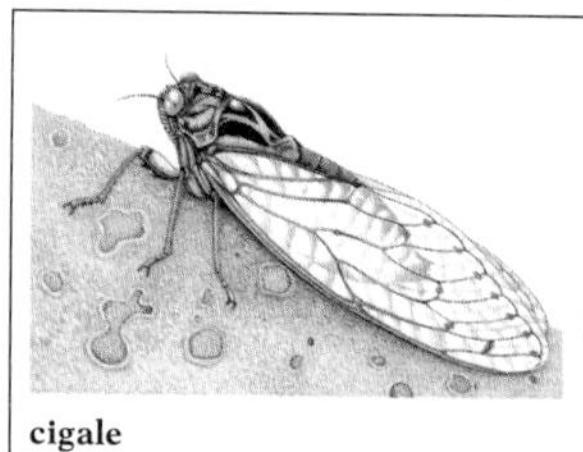
cigale

cigare n. m. Rouleau de tabac à fumer formé de feuilles non hachées. *Cigares de La Havane.*

cigarette n. f. Petit rouleau de tabac haché, enveloppé dans une feuille de papier très fin. *Papier à cigarette. Cigarettes blondes, brunes. Cigarettes médicinales,* faites avec des feuilles d'eucalyptus, de belladone ou de jusquiame. Syn. fam. clope, sèche.

cigarettier n. m. Industriel de la cigarette. *Les cigarettiers s'inquiètent des campagnes antitabac.*

cigarillo [sigaʀijo] n. m. Cigarette recouverte d'une feuille de tabac ; petit cigare.

ci-gît. V. ci 1 (sens 1) et gésir.

cigogne n. f. **1.** Grand oiseau échassier migrateur à long bec. (*Ciconia ciconia* est la cigogne blanche, longue de 1 m, à pattes rouges et à rémiges noires

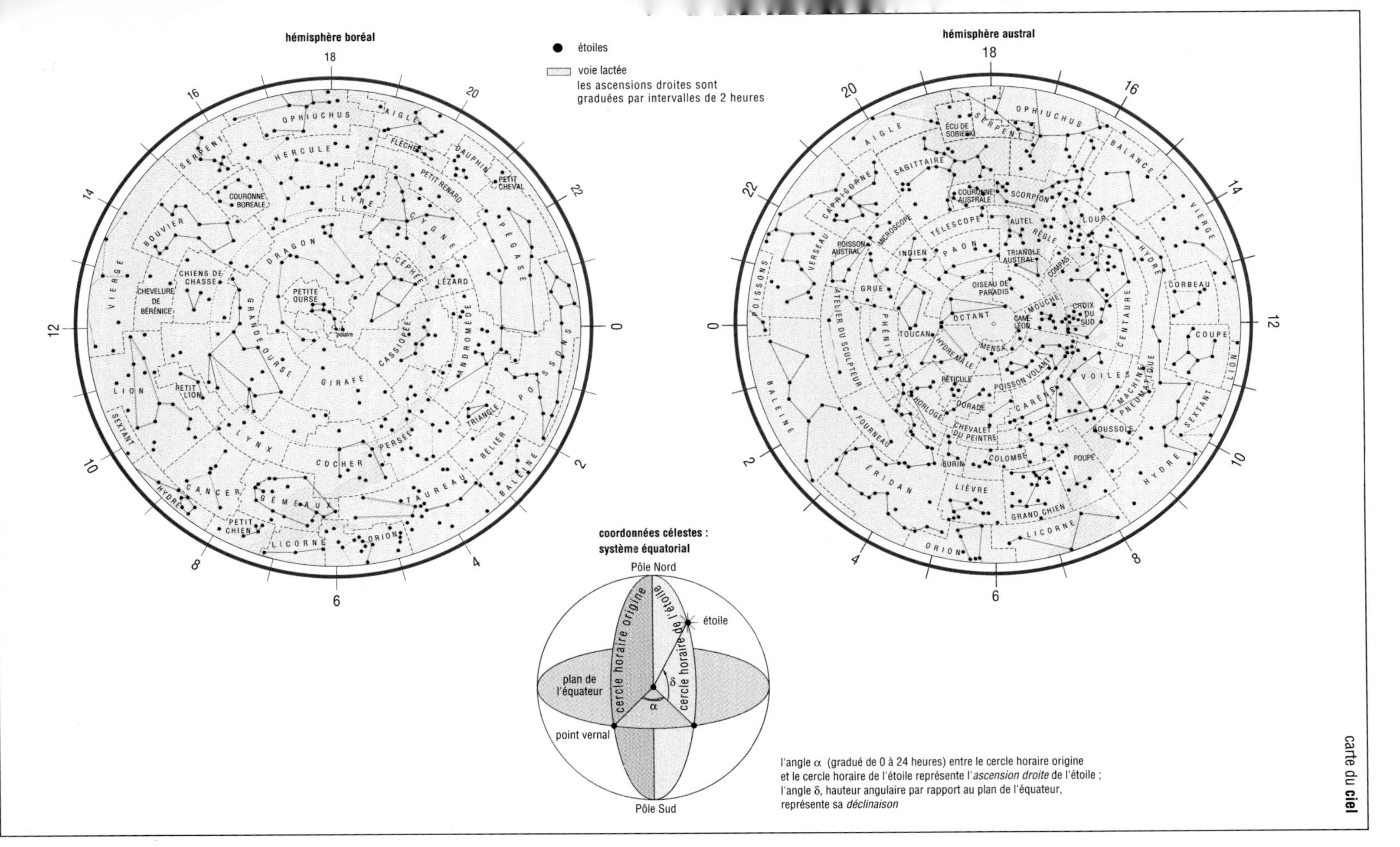

l'angle α (gradué de 0 à 24 heures) entre le cercle horaire origine et le cercle horaire de l'étoile représente l'*ascension droite* de l'étoile ; l'angle δ, hauteur angulaire par rapport au plan de l'équateur, représente sa *déclinaison*

cigogne

Elle hiverne en Afrique tropicale.) **2.** TECH Levier coudé.

cigogneau n. m. Petit de la cigogne.

ciguë [sigy] n. f. Plante vénéneuse (fam. ombellifères) qui contient un alcaloïde très toxique, la conicine. *La grande ciguë et la ciguë vireuse sont communes dans les décombres.* ▷ Poison que l'on en extrait. *Socrate fut condamné à boire la ciguë.*

ci-inclus, use. V. inclus (sens 3).

ci-joint, ci-jointe. V. joint (sens I, 3).

cil n. m. **1.** Poil garnissant le bord des paupières de l'homme et de certains animaux. **2.** BIOL *Cils vibratiles :* filaments protoplasmiques propres à certaines cellules et aux bactéries, qui ont pour fonction d'assurer la nutrition et la propulsion. **3.** BOT Poil garnissant le bord d'une partie quelconque d'un végétal. *Les cils d'une feuille.*

ciliaire adj. Des cils. ▷ ANAT *Procès ciliaires :* replis saillants de la choroïde en arrière de l'iris.

cilice n. m. Chemise ou large ceinture de crin que l'on porte sur la peau, par mortification.

Cilicie, anc. nom d'une région d'Asie Mineure (S.-E. de l'Anatolie); v. princ. : *Adana, Issos, Séleucie, Tarsus.* Auj. prov. de Turquie.

cilié, ée adj. et n. m. **1.** adj. BOT Bordé de poils rangés comme des cils. *Feuilles ciliées.* **2.** n. m. pl. ZOOL *Les ciliés :* classe

rameau fleuri de la grande **ciguë**

de protozoaires infusoires dont la cellule est couverte de cils (paramécie, stentor, vorticelle). – Sing. *Un cilié.*

cillement n. m. Action de ciller.

ciller [sije] v. tr. [1] **1.** Fermer et ouvrir rapidement (les yeux). *Ciller les yeux, des yeux, à cause du soleil.* – (S. comp.) *Une lumière éblouissante qui fait ciller.* Syn. cligner. **2.** v. intr. Fig. *Ne pas ciller :* rester sans bouger, sans manifester d'émotion.

Ciller (Tansu) (Istanbul, 1946), femme polit. turque. Ministre d'État chargée de l'Économie (1991-1993), elle prend la tête du parti de la Juste Voie (DVP) et du gouvernement (1993-1996).

Cimabue (Cenni di Pepi, dit) (Florence, v. 1240 ou 1250 – Pise, v. 1302),

Cimabue : fresque de la basilique St-François, v. 1280, Assise

peintre et mosaïste italien. Son style, encore marqué par l'art byzantin, annonce cependant la manière de Giotto, dont il aurait été le maître (fresques de la basilique Saint-François, à Assise, v. 1280).

Cima da Conegliano (Giovanni Battista Cima, dit) (Conegliano, v. 1459 – id., 1517 ou 1518), peintre italien. Installé à Venise, il subit l'influence de G. Bellini et de Mantegna.

cimaise n. f. ARCHI **1.** Moulure à la partie supérieure d'une corniche. **2.** *Par ext.* Partie d'un mur à la hauteur des yeux. – *Spécial.* Dans une galerie de peinture, cette partie, destinée à recevoir des tableaux.

Cimarosa (Domenico) (Aversa, Naples, 1749 – Venise, 1801), compositeur italien; auteur d'env. 70 opéras et opéras bouffes (*le Mariage secret,* 1792), et de nombr. œuvres relig. (oratorios, cantates, messes) et profanes.

Cimbres, peuple germanique qui envahit la Gaule avec les Teutons en 113 av. J.-C. et que Marius extermina à Verceil (101 av. J.-C.).

cime n. f. **1.** Sommet, faîte, partie la plus élevée. *La cime d'une montagne, d'un clocher.* **2.** Fig., litt. Le plus haut degré. *La cime des honneurs, du bonheur.*

ciment n. m. **1.** Matériau pulvérulent contenant du calcaire, de l'argile et du gypse, formant avec l'eau une pâte plastique qui fait prise et se solidifie en une matière dure et compacte. *Enduire, lier avec du ciment.* ▷ Abusiv. *Ciment armé :* béton armé*. **2.** *Par anal.* Toute matière liante compacte. *Ciment dentaire.* **3.** Fig. Ce qui lie ou rapproche. *Le ciment d'une alliance.*

cimentation n. m. Action de cimenter; processus par lequel s'opère cette action.

cimenter v. tr. [1] **1.** Lier, enduire avec du ciment. *Cimenter un mur.* **2.** Consolider, affermir. *Cimenter une entente.*

cimenterie n. f. Fabrique de ciment.

cimentier n. m. **1.** Ouvrier employé dans une cimenterie. **2.** Ouvrier du bâtiment spécialisé dans les ouvrages en béton.

cimeterre n. m. Sabre à lame recourbée, d'origine orientale.

cimetière n. m. **1.** Lieu, terrain où l'on enterre les morts. **2.** *Par ext.* Endroit où l'on dépose ce qui est hors d'usage. *Cimetière de voitures.*

1. cimier n. m. Ornement du sommet d'un casque.

2. cimier n. m. **1.** En boucherie, pièce de bœuf charnue prise sur la croupe. **2.** Croupe du cheval et des bêtes fauves.

Cimmériens, peuple fixé sur les rives du Pont-Euxin. Vaincus en 637 av. J.-C. par les Lydiens, ils disparurent au début du VIe s. av. J.-C.

Cimon (v. 510 – v. 449 av. J.-C.), général athénien, chef du parti aristocratique, fils de Miltiade. Ses victoires sur les Perses (bataille de l'Eurymédon, 468; expédition de Chypre, 449) contribuèrent à l'indép. des cités grecques d'Asie Mineure.

cinabre n. m. **1.** MINER Sulfure naturel de mercure (HgS) rouge-brun, exploité comme minerai et utilisé comme pigment dans certaines peintures. **2.** Couleur rouge vermillon.

Cincinnati, ville des É.-U. (Ohio), sur l'Ohio; 364 000 hab. (aggl. urb. 1 673 500 hab.). Constr. automobile, aéronautique.

Cincinnati (Société des), ordre héréditaire fondé aux É.-U. en 1783 par des officiers ayant combattu pour l'indépendance.

Cincinnatus (Lucius Quinctius) (Ve s. av. J.-C.), héros national romain; consul en 460 av. J.-C., deux fois dictateur, vainqueur des Èques; célèbre par la simplicité de ses mœurs.

cincle [sɛ̃kl] n. m. ORNITH Oiseau passériforme plongeur des bords des cours d'eau, qui marche sur le fond à la recherche de sa nourriture. (*Cinclus cinclus,* le merle d'eau, atteint 17 cm de long; son plumage est noir, avec un plastron blanc; il est commun en Europe.)

1. ciné-. Élément, du gr. *kinêma* « mouvement ».

2. ciné-. Élément, de cinéma.

ciné n. m. Fam. Abrév. de *cinéma.*

Cinéas (m. v. 277 av. J.-C.), homme politique grec, ministre de Pyrrhos II, roi d'Épire. Il échoua dans ses négociations de paix avec le Sénat romain.

cinéaste n. Metteur en scène, technicien de cinéma.

Cinecittà, centre cinématographique italien (studios, laboratoires, etc.), construit en 1937 à 10 km au sud-est de Rome.

ciné-club [sineklœb] n. m. Association d'amateurs de cinéma. *Fédération de ciné-clubs.*

cinéma n. m. **1.** Procédé d'enregistrement et de projection de vues photographiques animées. *L'âge d'or du cinéma muet (1918-1930). Naissance du cinéma parlant en 1927.* **2.** Art de réaliser de films; le spectacle que constitue la projection d'un film. *Une actrice de cinéma. Cinéma d'art et d'essai. Critique de cinéma.* ▷ *Le cinéma* : l'ensemble des professionnels du cinéma; l'industrie du spectacle cinématographique. *Le cinéma français. Travailler dans le cinéma.* **3.** Salle de spectacle où l'on projette des films. *Aller au cinéma.* (Abrév. fam. : ciné). **4.** Fig., fam. Façon d'agir pleine d'affectation, comédie. *Faire du cinéma. Arrête ton cinéma!*

cinémascope n. m. (Nom déposé.) Procédé cinématographique fondé sur l'anamorphose des images, qui donne, à la projection, une vue panoramique avec effet de profondeur.

cinémathèque n. f. **1.** Endroit où l'on conserve les films de cinéma. **2.** Organisme chargé de la conservation et de la projection publique des films de cinéma. *La Cinémathèque française, fondée par H. Langlois, G. Franju et P.-A. Harlé en 1936.*

cinématique adj. et n. f. **1.** adj. Relatif au mouvement. **2.** n. f. MECA Étude du mouvement d'un point de vue purement mathématique et descriptif (abstraction faite des causes du mouvement, dont s'occupe la *dynamique*).

cinématographe n. m. **1.** HIST Appareil de projection cinématographique. *L'invention du cinématographe.* **2.** Vieilli Syn. de *cinéma.*

cinématographie n. f. Ensemble des procédés du cinéma.

cinématographique adj. Du cinéma. *Technique cinématographique.*

cinémomètre n. m. TECH Instrument servant à mesurer la vitesse d'un corps en déplacement. ▷ *Cinémomètre-radar* : appareil servant à mesurer, par effet Doppler-Fizeau, la vitesse des véhicules sur les routes, pour déceler les infractions.

ciné-parc n. m. (Canada) Vaste parc de stationnement aménagé de façon à permettre aux spectateurs d'assister à la projection de films sur écran géant depuis leur voiture.

cinéphile n. Amateur de cinéma.

1. cinéraire adj. *Urne cinéraire,* qui renferme les cendres d'un mort incinéré.

2. cinéraire n. f. BOT Composée ornementale cultivée, selon l'espèce, pour ses feuilles gris cendré sur le revers ou pour ses fleurs.

cinérama n. m. (Nom déposé.) Système de projection cinématographique qui restitue l'impression de relief par l'utilisation de trois projecteurs synchronisés donnant trois images juxtaposées sur un écran courbe.

cinéroman n. m. **1.** Film à épisodes, à la mode entre 1920 et 1930. **2.** Récit en images, roman-photo utilisant des photographies tirées d'un film.

cinéscénie n. f. Syn. de *spectacle son et lumière.*

cinéscope n. m. ELECTRON Tube cathodique effectuant la synthèse d'une image de télévision.

cinétique adj. et n. f. **I.** adj. **1.** Relatif au mouvement. **2.** PHYS *Énergie cinétique* : énergie emmagasinée par un corps lors de sa mise en mouvement, égale à $1/2\ mV^2$ si le corps est en translation ou à $1/2\ J\omega^2$ s'il est en rotation (*m* : masse; *V* : vitesse; *J* : moment d'inertie par rapport à l'axe de rotation; ω : vitesse angulaire). – *Moment cinétique par rapport à un point* : moment, par rapport à ce point, de la quantité de mouvement. – *Théorie cinétique des gaz,* suivant laquelle les propriétés des gaz sont déduites de l'étude du mouvement d'agitation de leurs molécules. **3.** BX-A *Art cinétique* : courant de l'art contemp., né des tendances constructivistes de l'abstraction géométrique. (Les œuvres cinétiques sont animées soit d'un mouvement virtuel : Vasarely, Agam, Soto, etc., soit d'un mouvement réel provoqué par des procédés mécaniques et électriques : Bury, Tinguely, Schöffer, etc.) **II.** n. f. **1.** PHYS Étude descriptive du mouvement d'un système de particules caractérisées par leur masse. **2.** CHIM *Cinétique chimique* : étude de la modification de la composition d'un système chimique en fonction du temps.

cingalais ou **cinghalais, aise** [sɛ̃galɛ, ɛz] adj. et n. **1.** adj. De l'ethnie qui constitue près des trois quarts de la population du Sri Lanka (anc. Ceylan). ▷ Subst. *Un(e) Cingalais(e).* **2.** n. m. *Le cingalais* : la langue indo-aryenne parlée au Sri Lanka.

cinglant, ante adj. **1.** Qui fouette. *Un vent cinglant.* **2.** Fig. Blessant, mordant. *Une réplique cinglante.*

cinglé, ée adj. et n. Fam. Un peu fou. ▷ Subst. *Encore une cinglée!*

1. cingler v. intr. [1] Litt. Faire voile vers un point à bonne allure. *Le voilier cingle vers le port.*

2. cingler v. tr. [1] **1.** Frapper avec un objet flexible. *Cingler un cheval avec une cravache.* **2.** Fouetter, en parlant du vent, de la pluie, de la neige. *Un vent fort nous cinglait le visage.* **3.** Fig. Critiquer (qqn) d'une façon mordante. **4.** TECH Marquer une ligne droite sur (une paroi) à l'aide d'un cordeau enduit d'une matière colorante. **5.** METALL *Cingler le fer, l'acier,* les marteler pour en chasser les scories.

Cinna (Lucius Cornelius) (m. à Ancône, 84 av. J.-C.), général romain. Consul, il partagea le pouvoir avec Marius. À la mort de ce dernier, en 86 av. J.-C., il régna en despote.

Cinna (Cneius Cornelius) (Ier s. av. J.-C.), arrière-petit-fils de Pompée. Selon Sénèque et Dion Cassius, Auguste lui aurait pardonné d'avoir conspiré contre lui. Héros d'une tragédie de Corneille.

cinnamome n. m. BOT Genre de lauracées constitué d'arbres aromatiques des pays chauds : cannelier et camphrier vrai.

Cino da Pistoia (Guittoncino de Sighibuldi, dit) (Pistoia, v. 1270 – id., v. 1337), jurisconsulte et poète italien. Ami de Dante, commentateur du Code justinien, il influença Pétrarque. Auteur de *Lecture in codicem* (1314), *Canzoniere,* et d'env. deux cents pièces sur l'amour et la politique.

cinoche n. m. Fam. Cinéma.

cinq [sɛ̃k; sɛ̃ devant un mot commençant par une consonne] adj. inv. et n. m. inv. **I.** adj. num. inv. **1.** (Cardinal) Quatre plus un (5). *« Phèdre » est une tragédie en cinq actes.* – *Dans cinq minutes* : presque tout de suite. **2.** (Ordinal) Cinquième. *Charles V. Acte cinq.* – Ellipt. *Le cinq mars.* **II.** n. m. inv. **1.** Le nombre cinq. *Multiplier cinq par trois. Quatre-vingt-cinq.* – Loc. fam. *En cinq sec* : très rapidement. ▷ Chiffre qui représente le nombre cinq (5). *Est-ce un cinq ou un huit qu'il a écrit là?* ▷ Numéro cinq. *Rendez-vous au cinq de ma rue!* ▷ *Le cinq* : le cinquième jour du mois. **2.** Carte, face de dé ou côté de domino portant cinq marques.

Cinq (groupe des), groupe de musiciens russes (Balakirev, Cui, Moussorgski, Borodine, Rimski-Korsakov) qui, à l'initiative de Balakirev, donnèrent un puissant essor à la musique de leur pays.

Cinq-Cents (Conseil des), une des deux assemblées législ. créées par la Constitution française de l'an III (1795). Avec le Conseil des Anciens, elle formait le corps législ., qui fut dissous lors du 18 Brumaire (1799).

Cinq-Mars (Henri Coeffier de Ruzé d'Effiat, marquis de) (?, 1620 – Lyon, 1642), favori de Louis XIII. Ayant conspiré contre Richelieu, il fut arrêté sur ordre du roi, jugé et décapité avec son ami de Thou.

Cinq Nations (confédération des), ligue de tribus iroquoises (Cayagas, Mohawks, Oneidas, Onondagas, Senecas), fondée au XVIIe s., à laquelle s'intégrèrent les Tuscaroras et les Algonquins Delaware; ils vivaient sur la côte orient. d'Amérique du Nord, de part et d'autre du Saint-Laurent.

Cinq Nations (tournoi des), tournoi de rugby, créé en 1910, opposant chaque année l'Angleterre, l'Écosse, la France, l'Irlande et le pays de Galles; chaque équipe nationale dispute un seul match contre chacune des quatre autres.

cinquantaine n. f. Nombre de cinquante ou environ. *Une cinquantaine de pages.* – *Absol.* Âge de cinquante ans. *Elle frôle la cinquantaine.*

cinquante adj. inv. et n. m. inv. **I.** adj. num. inv. **1.** (Cardinal) Cinq fois dix (50). *Cinquante francs. Un homme de cinquante ans.* **2.** (Ordinal) Cinquantième. *Page cinquante.* **II.** n. m. inv. Le nombre cinquante. ▷ Chiffres représentant le nombre cinquante (50). ▷ Numéro cinquante. *Habiter au cinquante.*

cinquantenaire adj. et n. **1.** Qui a entre cinquante et soixante ans. ▷ Subst. *Un(e) cinquantenaire.* **2.** Qui a cinquante ans. *Un arbre cinquantenaire.* **3.** n. m. Cinquantième anniversaire. *Fêter le cinquantenaire d'une revue.*

cinquantième adj. et n. **I.** adj. num. ord. Dont le rang est marqué par le nombre 50. *La cinquantième année.* **II. 1.** n. Personne, chose qui occupe la cinquantième place. *La cinquantième de la liste.* **2.** n. m. Chaque partie d'un tout divisé en cinquante parties égales. *Deux cinquantièmes.*

Cinque Ports (les), confédération de ports anglais de la Manche et du pas de Calais, fondée au XIIe s. par Douvres, Sandwich, Romney, Hythe et Hastings (auxquels se joignirent d'autres villes, Rye et Wichelsea notam.). Ces ports furent dotés de divers privilèges, dont celui d'assurer la police des mers.

cinquième adj. et n. **I.** adj. num. ord. Dont le rang est marqué par le nombre 5. *La cinquième fois. Monter au cinquième étage,* ou, ellipt., *au cinquième.* – Loc. *Être la cinquième roue du carrosse* : ne servir à rien. **II.** n. **1.** Personne, chose qui occupe la cinquième place. *La cinquième de la liste.* **2.** n. f. Deuxième classe du premier cycle de l'enseignement secondaire. *Redoubler la cinquième.* **3.** n. m. Chaque partie d'un tout divisé en cinq parties égales. *Le cinquième d'un héritage.*

cinquièmement adv. En cinquième lieu.

cinsaut ou **cinsault** [sɛ̃so] n. m. Cépage noir du pourtour méditerranéen, notam. du midi de la France.

Cinto (monte), point culminant de la Corse (2 706 m), au N.-O. de l'île.

Cintra. V. Sintra.

cintrage n. m. TECH Action de cintrer ou de courber une plaque, une barre de métal.

cintre n. m. **1.** ARCHI Courbure concave et continue d'une voûte ou d'un arc. *Arc plein cintre*, qui a la forme d'un demi-cercle régulier. **2.** TECH Appareil qui supporte un tablier de pont ou une voûte pendant le coulage du béton. **3.** (Plur.) Partie supérieure d'une scène de théâtre. *Les décors descendent des cintres.* **4.** Support pour les vêtements, qui a la forme des épaules. *Accrocher une veste sur un cintre.*

cintré, ée adj. **1.** Courbé en arc. **2.** Pincé à la taille. *Une veste cintrée.* **3.** Fam., vieilli Un peu fou.

cintrer v. tr. [1] **1.** ARCHI Faire un cintre, faire (un ouvrage) en cintre. **2.** TECH Courber une pièce. *Cintrer un tuyau.* **3.** COUT Ajuster (un vêtement) à la taille.

C.I.O. Sigle de *Comité international olympique.* (V. olympique).

Cioran (Emil Michel) (Răşinari, Roumanie, 1911 - Paris, 1995), essayiste et moraliste français d'origine roumaine. Son œuvre, lucide, dénonçant toute idéologie ou doctrine, constitue une méditation sur le néant : *Précis de décomposition* (1949); *la Tentation d'exister* (1956); *De l'inconvénient d'être né* (1973).

Ciotat (La), ch.-l. de cant. des Bouches-du-Rhône (arr. de Marseille); 30 748 hab. (*Ciotadens*). Port. Constr. navales (en crise).

cipaye n. m. Anc. Soldat indien à la solde des Européens, en Inde. - *La révolte des cipayes*, contre les Anglais (1857-1858).

Cipriani (Amilcare) (Anzio, 1844 - Paris, 1918), homme politique italien. Compagnon de Garibaldi, cofondateur de la Ire Internationale (1864), il participa activement à la Commune de Paris (1871) et à la lutte des insurgés grecs (1898).

cirage n. m. **1.** Action de cirer. **2.** Composition, à base de cire, que l'on applique sur les cuirs pour les entretenir et les rendre brillants. *Étaler du cirage sur une chaussure.* **3.** Fig., fam. *Être dans le cirage* : être à moitié inconscient ou ivre; ne rien comprendre à qqch.

circadien, enne adj. PHYSIOL *Rythme circadien* : organisation séquentielle des diverses fonctions d'un organisme au cours d'une période de 24 heures.

circaète n. m. Oiseau falconiforme proche des aigles. (*Circaetus gallicus*, le circaète jean-le-blanc, atteint 1,60 m d'envergure; il vit au sud de la Loire.)

Circassie, anc. nom de la région bordant le Caucase septentrional.

circassien, enne adj. et n. **1.** De Circassie. (V. Tcherkesses.) **2.** Se dit des artistes de cirque.

Circé, dans la myth. gr., magicienne, fille d'Hélios et de Perséis. Dans *l'Odyssée*, elle change en différents animaux les compagnons d'Ulysse.

circon-. V. circum-.

circoncire v. tr. [64] Pratiquer l'opération de la circoncision sur (qqn).

circoncis adj. m. et n. m. Se dit d'un homme qui a subi la circoncision.

circoncision n. f. Opération qui consiste à exciser, complètement ou partiellement, la peau du prépuce. *La circoncision est pratiquée rituellement par les juifs et les musulmans.*

circonférence n. f. **1.** Ligne courbe fermée, dont tous les points sont également distants du centre. - Périmètre d'un cercle. *La longueur de la circonférence est égale à 2πR (π = 3,14; R = rayon).* **2.** *Par ext.* Ligne courbe enfermant une surface plane. *La vaste circonférence d'une capitale.*

circonflexe adj. et n. m. **1.** *Accent circonflexe* ou, n. m., *circonflexe* : signe orthographique placé sur une voyelle longue (*âme, pôle*) ou allongée par suite de la chute d'une des deux consonnes qui la suivent (*pâte, tête*), ou utilisé comme signe diacritique (*sur, sûr*). **2.** ANAT *Artères, nerfs circonflexes*, de forme sinueuse.

circonlocution n. f. Litt. Façon de parler qui exprime la pensée de manière indirecte ou imprécise. *Un discours plein de circonlocutions prudentes.*

circonscription n. f. Division d'un territoire (administrative, militaire, etc.). *Circonscription électorale.*

circonscrire v. tr. [67] **1.** Tracer une ligne autour de (qqch). - GEOM *Circonscrire un cercle à un polygone* : tracer un cercle passant par les sommets de ce polygone. *Circonscrire un polygone à un cercle* : tracer un polygone dont les côtés sont tangents à ce cercle. **2.** Donner des limites, mettre des bornes à. *Circonscrire un incendie, une épidémie.* **3.** Fig. Cerner, limiter. *Circonscrire le sujet d'un ouvrage.*

circonspect, ecte [siʀkɔ̃spɛ, ɛkt] adj. **1.** Qui se tient dans une prudente réserve. *Elle est très circonspecte dans ses déclarations.* **2.** Inspiré par une prudence méfiante.

circonspection [siʀkɔ̃spɛksjɔ̃] n. f. Prudence, retenue, discrétion. *Agissez avec circonspection.*

circonstance n. f. **1.** Ce qui accompagne un fait, un événement. *Se trouver dans des circonstances difficiles, dans une circonstance particulière.* **2.** DR *Circonstances aggravantes*, qui augmentent l'importance et parfois la nature des peines applicables. *Circonstances atténuantes*, qui, laissées à l'appréciation des juges, leur permettent de diminuer la peine encourue. **3.** Ce qui caractérise la situation présente. *Profitez de la circonstance. Dans les circonstances actuelles* : en ce moment. - Loc. adj. *De circonstance* : adapté à la situation.

circonstancié, ée adj. (En parlant d'un récit, d'un rapport, etc.) Détaillé, complet. *Un exposé circonstancié.*

circonstanciel, elle adj. **1.** Qui dépend des circonstances, de la situation. *Une démarche circonstancielle.* **2.** GRAM Qui marque les circonstances. *Les compléments circonstanciels marquent un rapport de temps, de lieu, de manière, de but, de prix, de cause, de conséquence, etc.*

circonvenir v. tr. [36] Agir (sur qqn) avec méthode et artifice pour obtenir qqch. *Il s'est laissé circonvenir.*

circonvoisin, ine adj. Litt. Qui se trouve situé près de.

circonvolution n. f. **1.** Tour décrit autour d'un centre. **2.** ANAT *Circonvolutions cérébrales* : replis sinueux séparés par des sillons qui marquent, chez les mammifères, la surface du cerveau. *Circonvolutions intestinales* : replis des intestins dans l'abdomen.

circuit [siʀkɥi] n. m. **1.** Itinéraire qui oblige à des détours. *Il faut faire un long circuit pour atteindre la maison.* **2.** Itinéraire touristique. *Faire le circuit des cathédrales gothiques de France.* **3.** Itinéraire ramenant au point de départ, utilisé pour des courses. *Un circuit automobile.* ▷ Loc. *En circuit fermé* : en revenant à son point de départ. **4.** TECH *Circuit de refroidissement* : dispositif de circulation d'eau en circuit fermé qui assure le refroidissement dans une machine. ▷ ELECTR, ELECTRON Ensemble de conducteurs reliés entre eux. ▷ *Circuit imprimé* : ensemble électrique dont les connexions sont réalisées au moyen de minces bandes conductrices incorporées dans une plaque isolante. ▷ *Circuit intégré* : bloc semi-conducteur dans lequel on a incorporé des composants, permettant de réaliser une fonction donnée. ▷ *Circuit logique* : circuit intégré qui remplit des fonctions logiques (OUI, NON, OU, etc.). **5.** MATH *Circuit d'un graphe* : chemin partant d'un sommet du graphe et aboutissant à ce même sommet. **6.** Cheminement effectué par des services, des produits; réseau. *Un circuit de distribution, de vente.* **7.** Dans certains sports (tennis, golf, échecs), ensemble de compétitions réservées aux professionnels, servant à établir le classement de ceux-ci.

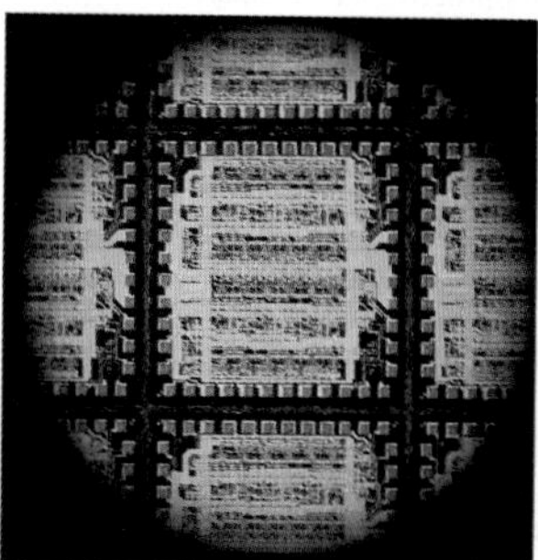

circuit intégré : puce insérée dans son boîtier; les pattes (25 µm² de diamètre) sont reliées aux broches du boîtier

circulaire adj. et n. f. **I.** adj. **1.** Qui a la forme d'une circonférence ou qui décrit cette figure. *Surface circulaire. Mouvement circulaire.* ▷ MATH *Fonction circulaire* : fonction qui fait correspondre à une valeur celle de sa ligne trigonométrique (ex. : y = sin x). ▷ *Secteur circulaire* : portion de plan comprise entre un arc de cercle et les rayons aboutissant aux sommets de cet arc. **2.** Qui a la forme d'un cercle ou qui évoque cette forme. *Excavation circulaire.* **3.** Par ext. *Voyage circulaire*, qui ramène au point de départ. **II.** n. f. Lettre écrite en plusieurs exemplaires destinée à plusieurs personnes. *Une circulaire ministérielle.*

circulairement adv. En cercle.

circularité n. f. Caractère de ce qui est circulaire.

circulation n. f. **1.** Mouvement d'un fluide qui circule. ▷ PHYSIOL *La circulation du sang* ou (s. comp.) *la circulation* : le mouvement du sang qui part du cœur

porte OU (anglais OR)

a	b	s
0	0	0
0	1	1
1	1	1
1	0	1

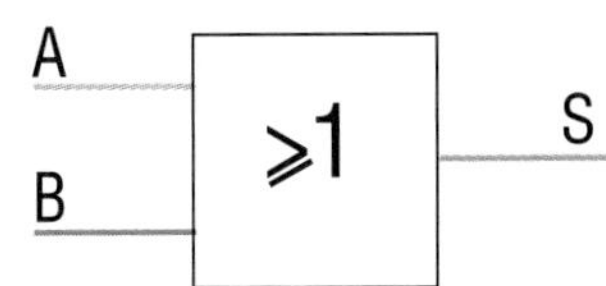

la sortie S n'est à l'état 0 que si les deux entrées A et B sont à l'état 0
notation : s = a + b

porte ET (anglais AND)

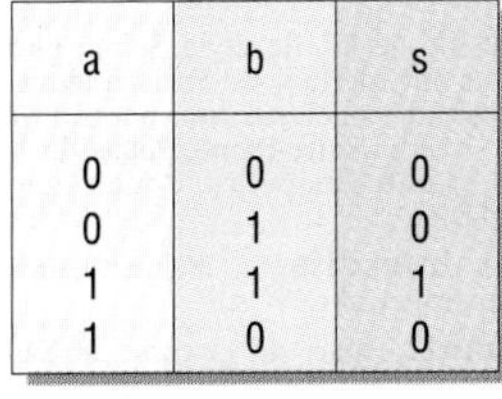

a	b	s
0	0	0
0	1	0
1	1	1
1	0	0

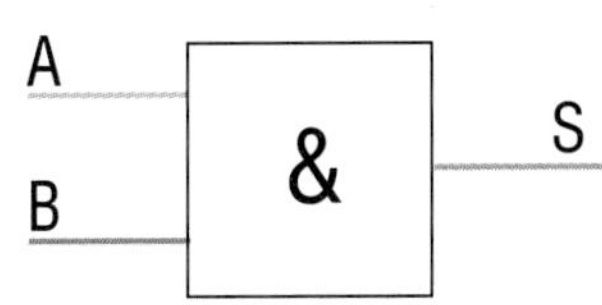

la sortie n'est à l'état 1 que si les deux entrées sont à l'état 1
notation : s = a × b

porte NON ET (anglais NAND)

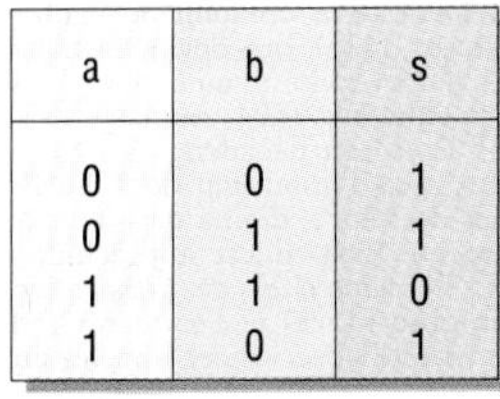

a	b	s
0	0	1
0	1	1
1	1	0
1	0	1

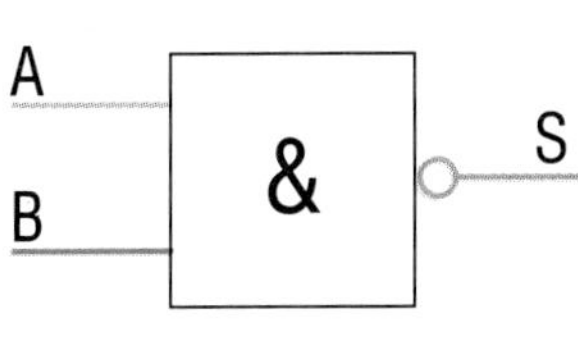

la sortie est complémentaire de celle d'une porte ET
notation : s = $\overline{a.b}$

circuit logique

et y revient. (V. encycl.) – *La grande circulation :* la circulation générale. *La petite circulation :* la circulation pulmonaire. ▷ METEO *Circulation générale de l'atmosphère :* ensemble des grands courants aériens à l'échelle planétaire. **2.** Mouvement de personnes, de véhicules sur une, des voies. *Les embarras de la circulation. Route à grande circulation.* – Loc. fig., fam. *Disparaître de la circulation :* ne plus donner de ses nouvelles. **3.** Mouvement des biens, des produits, passage de main en main. *Circulation monétaire. Retirer un produit de la circulation. Mettre en circulation :* mettre à la disposition du public.

ENCYCL **Physiol.** – La circulation sanguine permet l'apport d'oxygène, d'eau, et des nutriments indispensables aux différents organes et tissus de l'organisme. En outre, elle assure le transport des produits excrétés par la cellule (déchets ou sécrétions hormonales). Le sang oxygéné venant des poumons gagne les cavités cardiaques gauches; après éjection dans le ventricule gauche, l'aorte et ses collatérales, il vient ensuite irriguer les organes et les tissus périphériques, où l'oxygène est consommé. Le sang veineux, pauvre en oxygène et riche en acide carbonique, gagne les deux veines caves et l'oreillette droite, puis les artères pulmonaires, pour atteindre l'espace alvéolo-capillaire, où s'effectuent les échanges gazeux. Le cœur, qui agit comme une pompe, assure la circulation sanguine et permet de maintenir un niveau stable de pression artérielle.

▸ pl. homme

circulatoire adj. PHYSIOL Relatif à la circulation du sang. *Trouble circulatoire.*

circuler v. intr. [1] **1.** Se mouvoir dans un circuit. *Le sang circule dans tout l'organisme.* **2.** Aller et venir. *Les automobiles circulent à toute allure.* – *Circulez ! :* ne stationnez pas! Dispersez-vous! **3.** Passer de main en main. *L'argent circule.* **4.** Fig. Se propager, se répandre. *La nouvelle circule depuis hier.*

circum-, circon-. Élément, du lat. *circum,* « autour ».

circumduction [siʀkɔmdyksjɔ̃] n. f. Mouvement de rotation autour d'un axe ou d'un point. ▷ ANAT Mouvement faisant décrire à un membre un cône dont l'articulation forme le sommet.

circumnavigation [siʀkɔmnavigasjɔ̃] n. f. Didac. Voyage par mer autour d'un continent.

circumpolaire [siʀkɔmpɔlɛʀ] adj. ASTRO Voisin de l'un des pôles.

cire n. f. **1.** Matière jaune et fusible avec laquelle les abeilles construisent les alvéoles de leurs ruches. *Cire vierge,* telle qu'on la trouve dans les ruches. ▷ *Par anal.* Cour. Cérumen. **2.** Substance analogue produite par certains végétaux. **3.** Préparation, à usage domestique, à base de cire et d'essence de térébenthine. *Cire à parquet.* ▷ Préparation cosmétique à base de cire. *Cire à épiler.* **4.** Nom donné à des substances diverses fusibles ou plastiques. *Cire à cacheter. Cire à modeler.* **5.** ZOOL Membrane recouvrant la base du bec de certains oiseaux.

ciré, ée adj. et n. m. **1.** adj. Enduit de cire, de stéarine, etc. – *Toile cirée,* enduite d'une préparation qui la rend imperméable. **2.** n. m. Vêtement imperméable en tissu paraffiné ou plastifié.

cirer v. tr. [1] **1.** Enduire ou frotter de cire. *Cirer un parquet, un meuble.* **2.** Enduire de cirage. *Cirer ses chaussures.* **3.** Loc. fig., fam. *Cirer les bottes (les pompes) à, de qqn,* le flatter bassement. – Fam. *N'avoir rien à cirer de qqch :* ne pas s'en soucier, s'en moquer.

cireur, euse n. **1.** Personne qui cire (les parquets, les chaussures). **2.** n. f. Appareil ménager électrique pour cirer les parquets.

cireux, euse adj. **1.** Qui a la consistance, l'aspect de la cire. **2.** Qui a la couleur jaune pâle de la cire. *Le teint cireux d'un malade.*

cirque n. m. **1.** Lieu destiné chez les Romains à la célébration de certains jeux (en principe, courses de chevaux, de chars). *Les jeux du cirque. Le Grand Cirque de Rome.* **2.** Enceinte circulaire, où l'on donne en spectacle des exercices d'équitation, d'adresse, d'acrobatie, de domptage, des numéros de clowns. *Le chapiteau d'un cirque forain. Les gens du cirque.* **3.** Fig., fam. Manifestation excessive, théâtrale. *Arrête ton cirque !* **4.** GEOMORPH Dépression en cuvette circonscrite par des montagnes abruptes et produite par l'érosion. *Le cirque de Gavarnie, dans les Pyrénées.* **5.** ASTRO Dépression circulaire d'origine météorique à la surface de certains astres. *Les cirques lunaires.*

cirre ou **cirrhe** [siʀ] n. m. **1.** ZOOL Nom de certains appendices plus ou moins filiformes de divers invertébrés (crustacés, insectes, annélides, etc.). **2.** BOT Vrille de certaines plantes grimpantes.

cirrhose [siʀoz] n. f. MED Affection hépatique caractérisée par la prolifération du tissu conjonctif, la nécrose des hépatocytes et la présence de nodules de régénération.

ENCYCL La cirrhose (atrophique ou de Laennec, hypertrophique, bronzée, graisseuse, etc.) a pour conséquence une insuffisance plus ou moins importante des fonctions hépatiques et une hypertension dans le système veineux porte. Les causes en sont variées : alcoolisme (première cause en France), mais aussi hépatite chronique, compression biliaire, bilharziose, etc. L'évolution est en général lente et irréversible.

cirrhotique adj. MED Relatif à la cirrhose. – adj. et n. Atteint de cirrhose.

cirripèdes n. m. pl. ZOOL Ordre de crustacés entomostracés marins, fixés sur un support à l'état adulte (balanes) ou parasites (sacculines). – Sing. *Un cirripède.*

cirrocumulus ou **cirro-cumulus** [siʀɔkymylys] n. m. METEO Couche de petits nuages blancs (« moutons ») constitués d'aiguilles de glace.

▸ illustr. page **372**

cirrostratus ou **cirro-stratus** [siʀɔstʀatys] n. m. METEO Nuage de haute altitude constituant un voile transparent et blanchâtre formant un halo autour du Soleil ou de la Lune.

cirrocumulus

cirrus [siʀys] n. m. METEO Nuage en filaments, situé entre 6 et 10 km d'altitude.

cirse n. m. BOT Nom commun des composées cour. appelées *chardons*.

Cirta, v. de Numidie restaurée par Constantin apr. 311. Auj. *Quoussantîna* (*Constantine*, Algérie).

cis-. Élément, du lat. *cis*, « en deçà ».

cisaille n. f. **1.** (souvent au plur.) Gros ciseaux servant à couper des tôles, à tailler des arbustes, etc. **2.** Rognure résultant de la fabrication des monnaies.

cisaillement n. m. **1.** Action de cisailler. **2.** Coupure progressive d'une pièce métallique par une autre pièce avec laquelle le contact est mal assuré.

cisailler v. tr. [**1**] Couper avec des cisailles; couper par cisaillement.

cisalpin, ine adj. Qui est situé en deçà des Alpes, vu d'Italie (par oppos. à *transalpin*). – HIST *Gaule cisalpine* : pour les Romains, le bassin du Pô, peuplé de Celtes. – *République Cisalpine* : État créé (1797) par Bonaparte en Italie du N. et qui, augmenté de l'Italie centrale, devint la République italienne (1802-1805), puis le royaume d'Italie (1805-1814).

ciseau n. m. **1.** Outil plat, taillé en biseau tranchant à une extrémité, et servant à travailler le bois, le métal, la pierre, etc. *Ciseau de sculpteur, d'ébéniste.* **2.** n. m. pl. Instrument d'acier formé de deux branches mobiles tranchantes en dedans, et jointes en leur milieu par une vis formant axe. *Une paire de ciseaux.* ▷ SPORT *Sauter en ciseaux*, en levant les jambes tendues l'une après l'autre.

cisèlement n. m. Action de ciseler.

ciseler v. tr. [**17**] **1.** Travailler, tailler, orner avec un ciseau. – Pp. adj. *Un bijou ciselé.* ▷ Fig. *Ciseler une phrase, un vers.* **2.** CUIS Tailler en menus morceaux des légumes, des fines herbes; inciser obliquement la surface d'un poisson, d'une viande.

ciseleur n. m. Ouvrier, artiste dont le métier est la ciselure.

ciselure n. f. **1.** Art de ciseler. **2.** Ornement ciselé.

Cisjordanie, région du Proche-Orient (Palestine); 5 879 km². Annexée par la Jordanie en 1949, occupée et administrée par Israël depuis 1967, elle a été détachée en 1988, par le roi Hussein, du royaume hachémite. Le district de Jéricho (1993), puis les villes de Djénine, de Kalkiliya, de Tulkarem, de Naplouse, de Bethléem, de Ramallah (1995) et de Hébron (1997) sont sous le contrôle de l'Autorité palestinienne.

cisjuran, ane [sisʒyʀɑ̃, an] adj. Qui est situé en deçà du Jura.

Ciskei, anc. bantoustan d'Afrique du Sud, intégré dans la province Cap-Est.

cirrus

Cisleithanie, nom de l'Autriche et de ses dépendances dans l'Empire austro-hongrois (1867-1918), par oppos. à la Hongrie *(Transleithanie)*. La Leitha (affl. du Danube) formait frontière.

Cisneros (Francisco Jiménez de) (Torrelaguna, Castille, 1436 – Roa, 1517), prélat et homme politique espagnol. Franciscain, provincial de l'ordre (1494), confesseur et conseiller d'Isabelle la Catholique, archevêque de Tolède (1495), cardinal et Grand Inquisiteur de Castille (1507), puis d'Espagne (1513). Unificateur du royaume, il fut nommé régent à la mort de Ferdinand II (1516) et favorisa l'avènement de Charles Quint.

cispadan, ane [sispadɑ̃, an] adj. Qui est situé en deçà du Pô (par rapport à Rome). *Gaule cispadane.*

Cispadane (république), État créé (1796) par Bonaparte au S. du Pô et uni (1797) à la rép. Cisalpine.

1. ciste n. m. Plante méditerranéenne (genre *Cistus*) à fleurs dialypétales blanches, roses ou pourpres.

2. ciste n. f. **1.** ANTIQ Corbeille que l'on portait, chez les Grecs, dans certaines fêtes solennelles. **2.** PREHIST Sépulture dans laquelle le mort était accroupi.

cistercien, enne adj. et n. Qui appartient à l'ordre de Cîteaux. *Abbaye cistercienne.* ▷ n. Religieux, religieuse de l'ordre de Cîteaux, fondé en 1098 et obéissant à la règle de saint Benoît. *Un cistercien.*

cistron n. m. BIOL Ensemble de gènes renfermant l'information nécessaire à la protéosynthèse.

cistude n. f. Tortue (*Emys orbicularis*, 30 cm de diamètre) des marais d'Europe du Sud. ► illustr. **tortues**

citadelle n. f. **1.** Forteresse commandant une ville. *Une citadelle inexpugnable.* **2.** Fig. Centre important, principal. *Genève, citadelle du calvinisme.*

citadin, ine n. et adj. Habitant d'une ville. Ant. paysan, campagnard. ▷ adj. Qui a rapport à la ville. *Distractions citadines. Population citadine.* Ant. champêtre, rural, rustique.

citation n. f. **1.** DR Sommation de comparaître devant une juridiction; acte par lequel cette sommation est signifiée. *Citation devant les tribunaux.* **2.** Passage cité d'un propos, d'un écrit. *Il multiplie les citations grecques et latines.* – Loc. *Fin de citation* : expression par laquelle on signale qu'après avoir rapporté ou dicté les paroles d'un autre on parle en son propre nom. **3.** Mention spéciale pour une action d'éclat. *Citation d'un militaire à l'ordre d'une unité, de l'armée, de la Nation.*

cité n. f. **1.** Centre urbain, ville. ▷ *Cité de Dieu, cité céleste* : séjour des bienheureux. **2.** Partie la plus anc. d'une ville, souvent entourée de murs. *La cité de Carcassonne.* **3.** Groupe de logements. *Cité ouvrière. Cité universitaire.* – En partic., résidence HLM de banlieue. – *Cité-jardin*, qui comporte une importante part d'espaces verts. *Des cités-jardins.* **4.** ANTIQ Communauté politique souveraine et indépendante. *Les cités grecques.* – Mod. *Avoir droit de cité quelque part*, y être admis.

Cité (île de la), île de la Seine; partie la plus anc. de la v. de Paris, à laquelle elle est auj. reliée par huit ponts. Princ. mon. : cath. Notre-Dame, Palais de Justice, Sainte-Chapelle, Conciergerie, Hôtel-Dieu.

Cité interdite, à Pékin, l'ancien palais impérial (XVᵉ s.).

Cîteaux, écart de la com. de Saint-Nicolas-lès-Cîteaux (Côte-d'Or, arr. de Beaune); 150 hab. – Célèbre abbaye fondée en 1098 par Robert de Molesmes. – L'*ordre de Cîteaux* fut créé pour restaurer la règle de saint Benoît dans sa simplicité primitive. Saint Bernard favorisa la création de l'abb. de Clairvaux (1115), qui devint la maison mère d'une communauté dont l'essor fut prodigieux (694 monastères en 1300). Entré en décadence au XIVᵉ s., l'ordre, sous l'impulsion de J. Le Bouthillier de Rancé, donna naissance à la *Trappe* en 1664. Il est auj. scindé en deux : le *saint ordre de Cîteaux* (commune observance) et l'*ordre des Cisterciens* (stricte observance), appelés aussi trappistes.

citer v. tr. [**1**] **1.** Appeler à comparaître en justice. **2.** Rapporter, alléguer, à l'appui de ce qu'on dit. *Citer une loi, un exemple, un texte.* **3.** Signaler une personne, une chose qui mérite d'être remarquée. **4.** Décerner une citation à. *Citer qqn à l'ordre de la nation.*

citérieur, eure adj. Didac. Situé en deçà, du côté de (la personne qui parle). *La Gaule citérieure*, située, pour les Romains, de leur côté des Alpes.

citerne n. f. **1.** Réservoir d'eau pluviale. **2.** Réservoir destiné au stockage d'un liquide. *Citerne à mazout.*

cithare [sitaʀ] n. f. **1.** Instrument de musique dérivé de la lyre, très en faveur chez les anc. Grecs. **2.** Auj., instrument d'Europe centrale composé d'une caisse de résonance plate tendue d'un grand nombre de cordes.

citizen band [sitizənbɑ̃d] n. f. Bande de fréquence radio ouverte aux messages personnels ou locaux. Syn. (off. recommandé) bande publique. (Abrév. C.B.)

citoyen, enne n. **1.** ANTIQ Membre d'une cité, habitant d'un État libre qui avait droit de suffrage dans les assemblées publiques. *Les citoyens et les esclaves.* **2.** Ressortissant d'un État. *Devenir citoyen français par naturalisation.* ▷ Fam., péjor. *Un drôle de citoyen* : un drôle d'individu, de personnage. – *Citoyen, citoyenne* (pour *monsieur, madame, mademoiselle* pendant la Révolution française). **3.** adj. Du citoyen ou de la citoyenneté; qui fait preuve d'esprit civique.

citoyenneté n. f. Qualité de citoyen

citrate n. m. CHIM Nom des sels et esters de l'acide citrique.

citrin, ine adj. De la couleur du citron.

citrine n. f. MINER Quartz jaune plus ou moins foncé.

citrique adj. m. CHIM *Acide citrique* : triacide monoalcool existant dans les fruits acides, utilisé dans la préparation des boissons à goût de citron.

Citroën (André) (Paris, 1878 - id., 1935), ingénieur et industriel français. En produisant des modèles de voitures populaires (10 CV en 1919, 5 CV en 1922, 2 CV en 1949, etc.), il contribua à l'essor de l'industr. automobile en France. ► illustr. page **366**

citron n. m. et adj. inv. **1.** Fruit du citronnier, de couleur jaune pâle et de saveur acide. *Jus, zeste de citron. Jaune comme un citron.* - *Citron vert* : syn. de *lime.* **2.** Pop., fig. Tête. *Prendre un coup sur le citron.* **3.** adj. inv. De la couleur jaune pâle du citron. *Rubans citron.*

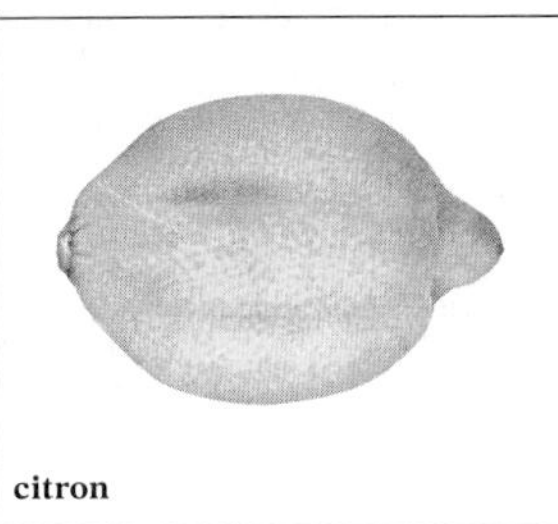
citron

citronnade n. f. Boisson préparée avec du jus ou du sirop de citron.

citronné, ée adj. Qui contient du citron; qui sent le citron. *Crème citronnée.*

citronnelle n. f. **1.** Nom cour. de plantes des régions tropicales utilisées comme condiment et dont on extrait une huile essentielle. **2.** Nom cour. de diverses plantes exhalant une odeur de citron (mélisse, verveine, etc.).

citronnier n. m. Arbre (fam. rutacées) qui produit les citrons et dont le bois odorant, clair et dense, est utilisé en ébénisterie fine.

citrouille n. f. **1.** Plante potagère (fam. cucurbitacées), variété de courge dont le fruit comestible, jaune orangé, peut atteindre 80 cm de diamètre. **2.** Fig., pop. *Donner un coup sur la citrouille,* sur la tête. - *Avoir la tête comme une citrouille* : être abruti par qqn, qqch.

City (la), le quartier financier de Londres.

Ciudad Bolívar, v. du Venezuela, sur l'Orénoque; 232 230 hab.; cap. de l'État de *Bolívar.* Exportation de fer.

Ciudad de Guatemala. V. Guatemala.

Ciudad Guayana, v. du Venezuela, formée (1961) par la réunion des v. de Puerto Ordaz et San Félix, au confl. de l'Orénoque et du Caroní; 434 180 hab. Sidérurgie.

Ciudad Juárez, v. du Mexique, dans l'État de Chihuahua, à la frontière des É.-U., sur le río Grande; 797 670 hab. Comm. avec les É.-U. Fonderies; industr. alimentaire.

Ciudad Real, v. d'Espagne (Castille-la Manche); 58 170 hab.; ch.-l. de la prov. du m. nom. - Victoire des Français sur les Espagnols (1809).

Çiva : sculpture en pierre, Xe s., Inde méridionale; musée d'Art oriental, Rome

Ciudad Trujillo. V. Saint-Domingue.

Ciudad Victoria, v. du Mexique, au pied de la Sierra Madre orient.; cap. de l'État de Tamaulipas; 207 830 hab. Tourisme.

Çiva, Siva ou **Shiva,** troisième personne de la Trimurti (trinité ou triade hindoue). (V. Brahmā.)

cive n. f. Rég. Ciboule.

civelle n. f. Jeune anguille arrivée au stade de développement qui fait suite à celui de la larve. (Elle est transparente et mesure 6 à 8 cm de long lors de la remontée des fleuves.)

civet n. m. CUIS Ragoût de gibier préparé avec le sang de l'animal, du vin et des oignons. *Civet de lièvre.*

1. civette n. f. Syn. de *ciboulette.*

2. civette n. f. **1.** Mammifère carnivore (genre *Viverra,* fam. viverridés), au museau pointu, au corps allongé, aux pattes courtes et à la queue épaisse, possédant des glandes anales à musc. (*Viverra civetta,* la principale espèce africaine, atteint 1,20 m de long, queue comprise.) **2.** Musc sécrété par la civette.

civière n. f. Dispositif muni de brancards servant à transporter des fardeaux, spécial. les blessés, les malades.

civil, ile adj. et n. m. **I.** adj. **1.** Relatif à l'État, aux citoyens, aux rapports entre les citoyens. *État civil. Responsabilité civile. Guerre civile.* ▷ *Année* civile.* **2.** Qui n'est ni militaire ni religieux. *Autorités civiles. Enterrement, mariage civil.* **II.** n. m. **1.** Homme qui n'est ni militaire ni ecclésiastique. ▷ *En civil* : qui n'est pas vêtu d'un uniforme. **2.** *Le civil* : la vie civile (par oppos. à la vie *militaire*). *Que faisiez-vous dans le civil?* **3.** DR Juridiction civile (par oppos. aux *juridictions criminelle, pénale*). *Poursuivre qqn au civil.* **III.** adj. Litt. Qui observe les usages, les convenances. *D'une façon fort civile.* Syn. courtois, poli.

civilement adv. **1.** DR En matière civile. *Être civilement responsable.* **2.** Avec civilité, politesse. *Parler, agir civilement.*

Civilis (Claudius Julius) (Ier s.), chef batave. Révolté contre les Romains, il fut vaincu et soumis par Petilius Cerialis (70 apr. J.-C.).

civilisateur, trice adj. (et n.) Qui civilise, ou qui est censé civiliser, favoriser le progrès de la civilisation. *Les Grecs furent les civilisateurs de l'Italie.*

civilisation n. f. **1.** Action de civiliser; état de ce qui est civilisé. *Les bienfaits et les méfaits de notre civilisation.* Ant. barbarie. **2.** Ensemble des phénomènes sociaux, religieux, intellectuels, artistiques, scientifiques et techniques propres à un peuple et transmis par l'éducation. *Civilisations grecque, chinoise, occidentale.* Syn. culture.

civilisationnel, elle adj. Relatif à une civilisation.

civilisé, ée adj. (et n.) Doté d'une civilisation avancée. *Pays civilisé.* Syn. policé. Ant. barbare, sauvage.

civiliser v. tr. [1] **1.** Améliorer l'état intellectuel, moral, matériel (d'un pays, d'un peuple). **2.** Rendre civil, sociable.

civiliste n. Didac. Spécialiste du droit civil.

civilité n. f. Politesse, courtoisie. *Les règles de la civilité.* ▷ (Plur.) Témoignage de politesse. *Il nous fit mille civilités.*

civique adj. Relatif au citoyen. *Droits civiques. Instruction civique.*

civisme n. m. Dévouement du citoyen pour son pays, de l'individu pour la collectivité.

Civitavecchia, port d'Italie (Latium), débouché marit. de Rome, à 70 km de la ville; 45 840 hab. Port pétrolier. Industries chimiques.

Ci Xi ou **Ts'eu Hi** (?, 1835 - Pékin, 1908), impératrice de Chine. De 1861 à 1908, elle exerça la régence au nom de son fils Tong Zhi, puis de son neveu Guang Xu. Elle adopta une politique conservatrice et nationaliste dans un État faible et troublé, favorisant notam. la révolte des Boxers. Après la victoire des Européens, suivie du traité de Pékin (1901), elle tenta de tardives réformes.

l'impératrice **Ci Xi**

Jim **Clark**

Cixous (Hélène) (Oran, 1937), femme de lettres française. Ses romans, influencés par Joyce, sont une réflexion sur l'écrit et l'émancipation de la femme : *le Prénom de Dieu* (nouvelles, 1967), *Neutre* (1972), *le Livre de Promethea* (1983).

cl Symbole de centilitre.

Cl CHIM Symbole du chlore.

clabauder v. tr. [1] **1.** Rare Aboyer fréquemment. - CHASSE Aboyer hors des voies de la bête. **2.** Fig., litt. Faire du bruit mal à propos; cancaner.

clac! [klak] interj. Onomatopée imitant un bruit sec. *Clic clac!*

clade n. m. ZOOL, BOT Vaste ensemble regroupant des espèces issues d'un ancêtre commun.

cladisme n. m. BIOL Méthode de classification développée dans les années 1950, qui privilégie le degré de parenté phylogénique plutôt que la ressemblance morphologique.

cladistique adj. BIOL Relatif au cladisme.

cladonie n. f. BOT Lichen très répandu dont certaines espèces sont fruticuleuses, tandis que d'autres sont constituées d'une lame rampante.

Claesz (Pieter) (Burgsteinfurt, Westphalie, v. 1597 - Haarlem, 1661), peintre hollandais. Avec Heda, son rival, il est le maître de la nature morte hollandaise au XVIIe s.

clafoutis [klafuti] n. m. Pâtisserie faite d'une pâte à flan garnie de fruits, souvent des cerises.

claie [klɛ] n. f. **1.** Ouvrage d'osier, de bois léger, à claire-voie. *Faire sécher des fruits sur une claie.* **2.** Treillage servant de clôture.

Clain (le), riv. de France (125 km), dans le Poitou, affl. de la Vienne (r. g.); arrose Poitiers.

clair, claire adj., n. m. et adv. **I.** adj. **1.** Qui répand ou reçoit de la lumière. *Une flamme claire. Une pièce claire.* Syn. lumineux. **2.** Qui laisse passer la lumière, transparent. *Eau claire.* ▷ *Ciel, temps clair,* dégagé, sans nuages. **3.** Peu épais. *Soupe claire.* **4.** Peu serré, lâche (tissus). *Toile claire.* **5.** Net et distinct (sons). *Une voix claire. Le son clair de la flûte.* Ant. sourd, voilé. **6.** Facile à comprendre, sans équivoque. *Une démonstration claire. C'est clair comme le jour.* Syn. manifeste, évident. Ant. embrouillé, obscur. **II.** n. m. **1.** Lumière, clarté. *Le clair de (la) lune.* **2.** Partie éclairée d'un tableau, d'une photographie. **3.** *Tirer du vin au clair,* le mettre en bouteilles quand il a reposé. - Fig. *Tirer une affaire au clair,* l'élucider. **4.** Loc. *Le plus clair de :* la plus grande partie de. *Passer le plus clair de son temps à travailler.* **5.** En clair. *Message en clair* (par oppos. à *message chiffré*), écrit sans utiliser de code. **III.** adv. De manière claire, distincte. *Voir clair,* distinctement; fig. être clairvoyant. ▷ *Parler clair,* franchement, sans détour.

Clair (René Chomette, dit René) (Paris, 1898 - id., 1981), cinéaste et écrivain français; réalisateur de films de fantaisie et d'humour qui influencèrent le cinéma français d'avant la Nouvelle Vague : *Entr'acte* (1924), *Sous les toits de Paris* (1930), *le Million* (1931), *À nous la liberté* (1931), *Fantôme à vendre* (1935), *Ma femme est une sorcière* (1942), *Le silence est d'or* (1947), *les Belles de nuit* (1952), *les Grandes Manœuvres* (1955), *Porte des Lilas* (1957). Acad. fr. (1960).

clairance n. f. **1.** BIOCHIM Coefficient d'épuration qui représente l'aptitude d'un organe à éliminer une substance déterminée. **2.** AVIAT Autorisation donnée par le contrôle, dans un plan de vol. (Terme off. recommandé pour *clearance.*)

René **Clair** : *Sous les toits de Paris,* 1930

Clairaut (Alexis) (Paris, 1713 - id., 1765), mathématicien français. Célèbre par sa précocité (il avait douze ans lorsqu'il présenta un premier mémoire à l'Acad. des sciences), il se spécialisa dans la géodésie (*Théorie de la figure de la Terre,* 1743) puis étudia la théorie des équations différentielles ordinaires.

claire n. f. **1.** Bassin peu profond dans lequel on met les huîtres à verdir. *Fine de claire,* huître ayant séjourné plusieurs semaines dans ce type de bassin. **2.** Huître de claire. *Une douzaine de claires.*

Claire (sainte) (Assise, v. 1194 - id., 1253), fondatrice avec saint François d'Assise, son directeur spirituel, de l'ordre des Pauvres Dames, ou ordre des Clarisses (1212). Elle fut canonisée dès 1255.

clairement adv. **1.** D'une manière claire, distincte. **2.** D'une manière compréhensible.

clairet, ette adj. **1.** *Vin clairet :* vin léger de couleur rouge clair. ▷ n. m. *Boire du clairet.* **2.** Peu épais. *Un potage clairet.*

clairette n. f. VITIC Cépage blanc du midi de la France, donnant des vins riches en alcool qui madérisent rapidement. ▷ Raisin blanc de ce cépage. ▷ Vin blanc mousseux issu de ce cépage. *Clairette de Die.*

claire-voie n. f. **1.** Clôture à jour. *Des claires-voies.* ▷ ARCHI Série de hautes fenêtres destinées à éclairer la nef d'une église gothique. **2.** Loc. *À claire-voie :* à jour, qui présente des intervalles, des espaces entre ses éléments. *Persiennes à claire-voie.*

clairière n. f. Partie dégarnie d'arbres dans un bois, une forêt.

clair-obscur n. m. **1.** PEINT Représentation des effets de contraste qui se produisent lorsque certaines parties d'un lieu sont éclairées alors que les autres restent dans l'obscurité. *Rembrandt est le grand maître des clairs-obscurs.* **2.** Lumière faible, douce.

clairon n. m. **1.** Instrument à vent dans le ton de si bémol, en cuivre, sans pistons ni clefs, à son clair. *Sonner du clairon.* **2.** Celui qui joue du clairon. **3.** L'un des jeux de l'orgue.
▶ pl. instruments de **musique**

Clairon (Claire Josèphe Léris de La Tude, dite la) (Condé-sur-Escaut, 1723 - Paris, 1803), actrice française; interprète des pièces de Voltaire.

claironnant, ante adj. *Voix claironnante,* forte.

claironner v. [1] **1.** v. intr. Jouer du clairon. **2.** v. tr. Fig. Annoncer bruyamment. *Claironner une nouvelle.*

clairsemé, ée adj. **1.** Peu dense, peu serré. *Des cheveux clairsemés.* **2.** Éparpillé. *Une population clairsemée.*

Clairvaux, écart de la com. de Ville-sous-la-Ferté, dans l'Aube (arr. de Bar-sur-Aube). - Abb. cistercienne fondée en 1115 par Étienne, abbé de Cîteaux; saint Bernard en fut le premier abbé et en fit le centre de la réforme cistercienne; auj. établissement pénitentiaire.

clairvoyance n. f. Pénétration d'esprit, lucidité, perspicacité.

clairvoyant, ante adj. **1.** Qui voit clair (par opposition à *aveugle*). **2.** Fig. Qui est lucide, qui a un jugement perspicace. *Un esprit clairvoyant.*

clam n. m. Mollusque lamellibranche fouisseur (*Venus mercenaria*), voisin de la praire, comestible.

Clamart, ch.-l. de canton des Hauts-de-Seine (arr. d'Antony), au S. de Paris; 47 755 hab. Industries chim. et métall.

clamecer. V. clamser.

Clamecy, ch.-l. d'arr. de la Nièvre, au confl. de l'Yonne et du Beuvron, sur le canal du Nivernais; 5 573 hab. - Égl. goth. St-Martin (XIIIe-XIVe s.).

clamer v. tr. [1] Manifester par des cris. *Clamer sa joie, sa douleur.*

clameur n. f. Ensemble de cris tumultueux et confus. *Les clameurs de la foule.*

clamp n. m. CHIR Pince à long mors, munie d'un cran d'arrêt, servant à pincer (*clamper*) un vaisseau ou un canal.

clamser ou **clamecer** [klamse] v. intr. [1] Pop. Mourir.

clan n. m. **1.** Tribu formée par un groupe de familles en Écosse et en Irlande. **2.** ETHNOL Groupe d'individus tous issus d'un ancêtre commun, souvent mythique, parfois représenté par un totem. **3.** Groupe de scouts. *Clan de routiers.* **4.** Fig. Groupe fermé de personnes ayant qqch en commun. *Avoir l'esprit de clan.*

Clancier (Georges-Emmanuel) (Limoges, 1914), écrivain français. Il est l'auteur de poésies pleines d'humour et de fantaisie (*le Paysan céleste,* 1943; *Évidence,* 1960), de romans consacrés aux humbles (*le Pain noir,* 1956) ou exprimant son désir de retrouver ses racines (*l'Enfant double,* 1984).

clandestin, ine adj. et n. **1.** Qui se fait en cachette. *Une publication clandestine.* **2.** Qui vit en marge de la société, en situation illégale. *Passager clandestin,* embarqué sur un bateau, un avion, à l'insu du commandant. ▷ Subst. *Les clandestins du temps de l'Occupation.*

clandestinement adv. De manière clandestine.

clandestinité n. f. **1.** Caractère des choses, des actes clandestins. **2.** État du clandestin. *Vivre dans la clandestinité.*

clanique adj. Du clan; relatif à l'organisation en clans d'une société. *Structures sociales claniques.*

clanisme n. m. ETHNOL, SOCIOL Organisation sociale reposant sur le clan.

clapet n. m. TECH Soupape qui ne laisse passer un fluide que dans un sens. ▷ Fig., pop. *Ferme ton clapet! :* tais-toi!

Clapeyron (Émile) (Paris, 1799 - id., 1864), mathématicien et physicien français. Il contribua à établir les bases de la thermodynamique et participa à la construction des premiers chemins de fer en France. ▷ PHYS *Diagramme de Clapeyron :* représentation des états d'un fluide suivant son volume et sa pression. ▷ *Formule de Clapeyron :* relation donnant la chaleur latente de changement d'état d'un corps pur, en fonction des variations de température, de volume et de pression. - Les *relations de Clapeyron* permettent de calculer les coefficients calorimétriques d'un fluide.

clapier n. m. **1.** Ensemble des terriers d'une garenne. **2.** Cage à lapins domestiques. *Lapin de clapier.* **3.** Fig., fam. Logement exigu.

clapot [klapo] n. m. MAR Agitation de la mer résultant de la rencontre de vagues ou de houles de directions différentes.

clapotement, **clapotis** ou, vieilli, **clapotage** n. m. Bruit et mouvement léger que font de petites vagues qui se croisent et s'entrechoquent.

clapoter v. intr. [1] (En parlant de vagues légères.) S'entrechoquer avec un bruit caractéristique.

clapoteux, euse adj. Où il y a du clapot. *Mer clapoteuse.*

clappement n. m. Bruit sec fait en décollant la langue du palais.

clapper v. intr. [1] Faire entendre un clappement.

Clapperton (Hugh) (Annan, Dumfriesshire, 1788 - près de Sokoto, Nigeria, 1827), voyageur écossais. Parti de Tripoli en 1822, il explora l'Afrique centrale jusqu'à sa mort.

claquage n. m. **1.** Rupture de fibres musculaires à la suite d'un violent effort. **2.** ELECTR Perforation de l'isolant d'un condensateur ou d'un transformateur soumis à un champ électrique trop intense.

claquant, ante adj. Fam. Fatigant.

1. claque n. **I.** n. f. **1.** Coup du plat de la main, gifle. *Recevoir une claque.* - Fam. *Tête à claques :* visage, personne qui agace (que l'on aimerait gifler). - Fig., fam. Échec humiliant, affront. **2.** *La claque :* en studio, au théâtre, à l'opéra, groupe de personnes payées pour applaudir le spectacle. *Chef de claque.* **3.** Loc. fam. *En avoir sa claque :* en avoir assez. **4.** (Canada) Protège-chaussure en caoutchouc qui s'adapte par élasticité. **II.** n. m. *Un chapeau claque* ou *un claque :* syn. de *gibus.*

2. claque n. m. Vulg. Maison close.

claquement n. m. Bruit de choses qui claquent.

claquemurer v. tr. [1] Enfermer dans un endroit étroit. ▷ v. pron. S'enfermer chez soi.

claquer v. [1] **I.** v. intr. **1.** Produire un bruit sec et net. *Claquer des mains.* - *Claquer des dents :* avoir peur, avoir froid, être fiévreux, de telle manière que les dents s'entrechoquent. - Loc. fig., fam. *Claquer du bec :* ne pas manger à sa faim. **2.** Fam. Éclater. *Un joint a claqué* - Fig. fam. *L'affaire lui a claqué dans les mains,* a raté, échoué. **3.** Pop. Mourir. *La vieille a claqué.* **II.** v. tr. **1.** Gifler (qqn). **2.** Faire claquer. *Claquer les portes.* **3.** Fam. Dépenser, dissiper. *Claquer un argent fou.* **4.** Fam. Fatiguer, épuiser. *Claquer un cheval.* - Pp. adj. *Il est arrivé complètement claqué.* ▷ v. pron. *Il se claque en travaillant la nuit.* **5.** *Se claquer un muscle,* se le froisser par claquage. **6.** ELECTR Produire un claquage.

claqueter ou **claquetter** v. intr. [20] Pousser son cri, en parlant de la cigogne, de la poule qui va pondre.

claquette n. f. **1.** Instrument formé de deux lames de bois réunies par une charnière, qui peuvent claquer l'une contre l'autre, pour donner un signal. **2.** (Plur.) Danse rythmée par des coups secs et sonores donnés avec les pieds, de la pointe et du talon, exécutée avec des chaussures dont les semelles sont munies de lames de métal.

Clarence (George, duc de) (Dublin, 1449 - Londres, 1478), frère d'Édouard IV d'Angleterre, qu'il trahit lors de la guerre des Deux-Roses. Il fut exécuté.

Clarendon (Constitutions de), règles imposées par Henri II à l'Église anglaise (1164), pour la placer sous le contrôle du roi. Thomas Becket, qui s'y opposa, fut assassiné (1170).

Clarendon (Edward Hyde, 1er comte de) (Dinton, Wiltshire, 1609 - Rouen, 1674), homme politique et historien anglais. Fidèle à Charles Ier et à Charles II, dont il prépara la restauration, il fut Premier ministre de 1660 à 1667, puis démis pour sa politique profrançaise.

clarifiant, ante adj. et n. m. Qui clarifie; qui sert a à clarifier. ▷ n. m. TECH Substance qui sert à clarifier.

clarification n. f. **1.** Opération par laquelle on sépare d'un liquide les matières étrangères solides qui le troublent. **2.** Fig. Éclaircissement.

clarifier v. tr. [2] **1.** Rendre clair (un liquide trouble). *Clarifier du vin.* **2.** Purifier. **3.** Fig. Rendre plus clair. *Clarifier la situation.*

clarine n. f. Clochette pendue au cou des animaux qui paissent en liberté.

clarinette n. f. MUS Instrument à vent, généralement en bois, à tube cylindrique, à clés et à anche.
▸ pl. instruments de **musique**

clarinettiste n. Instrumentiste qui joue de la clarinette.

clarisse n. f. Religieuse franciscaine de l'ordre de sainte Claire d'Assise (v. 1194-1253).

Clark (Mark Wayne) (Madison Barracks, État de New York, 1896 - Charleston, 1984), général américain. Adjoint d'Eisenhower, il dirigea les opérations en Tunisie et en Italie (1943-1945), puis les forces de l'O.N.U. en Corée (1952-1953).

Clark (Colin Grant) (Westminster, 1905 - Brisbane, 1989), économiste britannique. Il étudia les facteurs du développement économique et social (*The Conditions of Economic Progress,* 1940) et contribua à diffuser la notion de division de l'activité économique en trois secteurs (primaire, secondaire et tertiaire).

Clark (Jim) (Duns, Écosse, 1936 - circuit de Hockenheim, R.F.A., 1968), pilote de course automobile britannique. Il remporta vingt-cinq grands prix et fut deux fois champion du monde des conducteurs, en 1963 et en 1965. ▸ illustr. page 373

Clarke (Samuel) (Norwich, 1675 - Leicestershire, 1729), philosophe et théologien anglais. Adversaire des théories de Hobbes et de Spinoza, il est surtout connu pour sa correspondance avec Leibniz.

Clarke (Henri), duc de Feltre (Landrecies, 1765 - Neuwiller, 1818), officier et homme politique français. Ministre de la Guerre de 1807 à 1814, il se rallia aux Bourbons en 1814. Maréchal et pair de France sous la Restauration.

Clarke (Kenneth Spearman, dit Kenny) (Pittsburgh, 1914 - Montreuil-sous-Bois, 1985), batteur de jazz américain. Il fut l'un des inventeurs du be-bop.

Claros, anc. ville de l'Ionie, célèbre par son oracle d'Apollon.

clarté n. f. **1.** Lumière largement répandue. *La clarté d'un jour d'été.* **2.** Transparence. *La clarté de l'eau.* ▷ PHYS *Clarté d'un instrument d'optique :* rapport entre l'éclairement de l'image et la luminance de l'objet. **3.** Fig. Qualité de ce qui se comprend facilement. *Écrire avec clarté. Clarté d'esprit.* **4.** Fig., vieilli ou litt. (Surtout au plur.) Vérité éclatante. *Les clartés de la science.* ▷ Connaissance importante. *Avoir des clartés de tout.*

Clary (Julie) (Marseille, 1771 - Florence, 1845), épouse de Joseph Bonaparte; reine de Naples (1806-1808) puis d'Espagne (1808-1813). – **Désirée** (Marseille, 1777 - Stockholm, 1860), sœur de la préc.; épouse du maréchal Bernadotte, puis reine de Suède lorsque ce dernier devint roi de Suède (1818) sous le nom de Charles XIV.

clash [klaʃ] n. m. (Américanisme) Fam. Heurt brutal, rupture violente.

classable adj. Que l'on peut classer. *Un individu difficilement classable.*

classe n. f. **I. 1.** Groupe de citoyens dans une répartition civile ou politique. *La classe des chevaliers, à Rome.* **2.** Ensemble des personnes appartenant à un même groupe social. *La classe dirigeante.* ▷ *Spécial.* Selon Marx, groupe social défini par sa position et son rôle dans le processus de production. *La lutte des classes. Conscience de classe.* ▷ *Classe politique :* ensemble des hommes politiques d'un pays considérés comme un groupe social. **3.** Ensemble de personnes, de choses, qui possèdent des caractères communs. *Toutes les classes de spectateurs sont touchées par ce film.* **4.** STATIS Ensemble d'éléments qui ont des caractéristiques communes. *Classes d'âge. Classe creuse :* classe d'âge moins nombreuse du fait d'une baisse de la natalité. **5.** SC NAT, BIOL Unité systématique contenue dans l'embranchement et contenant l'ordre. *L'ordre des carnivores fait partie de la classe des mammifères, embranchement des vertébrés.* **6.** Catégorie de fonctionnaires, de militaires. *Un préfet de première classe. Un soldat de deuxième classe.* ▷ Catégorie de places dans les trains, les navires, les avions. *Un billet de première classe.* **7.** *Par ext.* Qualité, valeur. *Un spectacle de classe. De grande classe, de haute classe.* ▷ *Spécial.* Qualité d'un bâtiment, d'un établissement. (Officiellement recommandé pour remplacer *standing.*) **8.** Répartition des élèves dans les établissements scolaires selon leur niveau d'études. *Les classes élémentaires. Redoubler une classe.* ▷ Ensemble des élèves d'une même classe. *Toute la classe a eu congé.* **9.** Enseignement du professeur. *Faire la classe.* **10.** Salle de classe. ▷ *Par ext.* École. - Loc. *En classe. Aller en classe.* **11.** Ensemble des jeunes gens nés la même année, appelés au service militaire. *La classe 1980.* ▷ *Être de la classe,* du contingent prochainement libérable. ▷ (Plur.) Instruction militaire. *Avoir fait ses classes.* **II. 1.** ASTRO *Classe spectrale :* famille d'étoiles dont les spectres présentent des caractères communs. ▷ *Classe de luminosité,* qui caractérise la luminosité d'une étoile (étoile supergéante, géante brillante, géante normale, sous-géante, naine). - PHYS *Classe d'un appareil de mesure :* coefficient qui indique l'erreur maximale qui peut entacher une mesure (donné en centièmes de la valeur maximale de la graduation). **2.** MATH *Classe d'équivalence :* ensemble des éléments d'un ensemble liés à un élément donné de cet ensemble par une relation d'équivalence. ▷ En théorie des probabilités, intervalle entre deux valeurs de la variable aléatoire.

classement n. m. **1.** Action de mettre dans un certain ordre; résultat de cette action, de ce travail. *Classement de dossiers. Les élèves étaient soumis à un classement mensuel.* **2.** DR Incorporation d'un bien dans le domaine public. ▷ *Classement sans suite :* décision du ministère public par laquelle il renonce aux poursuites pénales.

classer v. tr. [1] **1.** Ranger, distribuer par classes, par catégories. *Classer les plantes.* **2.** Mettre dans un certain ordre. *Classer par ordre alphabétique.* **3.** Attribuer un rang, une catégorie à. *Classer qqn au premier rang.* **4.** Fam. *Classer qqn*, le juger dès le premier contact, ou de manière définitive. **5.** *Classer un monument*, le faire entrer dans la catégorie des monuments historiques protégés par l'État. **6.** Fig. *Classer une affaire*, ne pas lui donner suite. **7.** v. pron. *Se classer parmi* : être dans la catégorie de. *Il se classe parmi les grands spécialistes.*

classeur n. m. Portefeuille à compartiments, carton muni d'anneaux ou meuble où l'on classe des papiers.

classicisme n. m. **1.** Caractère des œuvres artistiques et littéraires de l'Antiquité gréco-romaine ou du XVIIe siècle français. **2.** Caractère de ce qui est conforme à la règle, aux principes, à la mesure. *Le classicisme de ses goûts.*

ENCYCL Le classicisme apparut en France au XVIIe s. et s'opposa au baroque, comme le néo-classicisme de la fin du XVIIIe s. et du XIXe s. s'opposera au romantisme. – L'archi. dite classique est princ. fondée sur l'emploi de la ligne droite et de l'angle droit, des courbes régulières, sur l'usage des symétriques (colonnade du Louvre) et des proportions mathématiques. Elle triomphe dans la réalisation, par Le Vau, puis J. Hardouin-Mansart, du chât. de Versailles. La sculpture imite la ronde-bosse gréco-romaine (*Vénus accroupie*, par Coysevox), donne des attitudes simples aux personnages (*Voltaire assis*, de Houdon), souvent vêtus de draperies tombantes (tombeau de Richelieu, par Girardon). – Dans le domaine de la peinture, la beauté classique est inséparable du caractère plan des surfaces : la composition repose sur une opposition rigoureuse des verticales et des horizontales (N. Poussin, Claude Lorrain) qui détermine un système radicalement inverse du mouvement continu que cultive l'art baroque. Le classicisme fut aussi l'idéal esthétique de Le Nain, Philippe de Champaigne, Le Brun, Le Sueur, Jouvenet et Mignard. – En littér., le classicisme, dans son sens le plus étroit, désigne la littér. fr. du XVIIe s., caractérisée par la prédominance d'un idéal de goût et de raison, puisé dans les œuvres des Anciens. Avec Vaugelas, Guez de Balzac, Voiture, la langue riche et chargée du XVIe s. est épurée. L'Académie française, fondée par Richelieu en 1635, commence à codifier grammaticalement le bon langage. Descartes écrit le *Discours de la méthode* (1637). Après Mairet (règle des trois unités), Corneille inaugure le théâtre classique, imité par son frère Thomas et par Rotrou. La doctrine dite de l'*école de 1660*, exprimée par Boileau, impose à la critique littéraire le culte de l'ordre (équilibre de la composition) et de la clarté. Racine, Molière et La Fontaine, chacun avec son originalité propre, portent l'écriture classique à un point de perfection formelle, seulement comparable à la beauté stylistique des deux autres « classiques » de génie : Pascal et Bossuet. L'esprit classique anime aussi de grands mémorialistes (notam. Retz) et de grands moralistes (La Rochefoucauld, La Bruyère). À la fin du siècle, la *querelle des Anciens et des Modernes* montre que la culture classique est en voie de transformation.

classieux, euse adj. Fam., péjor. Chic, distingué. *Un public classieux.*

classificateur, trice n. et adj. **1.** n. Spécialiste en classification. **2.** adj. Relatif à la classification. *Méthode classificatrice.*

classification n. f. Distribution méthodique par classes, par catégories. *La classification des espèces vivantes* : la systématique. – ASTRO *Classification stellaire*, relative à la lumière des étoiles. – CHIM *Classification périodique des éléments* : classification dans laquelle les éléments sont rangés par numéros atomiques croissants, de façon à faire apparaître dans la même colonne les éléments dont la couche de valence présente la même structure électronique.

classificatoire adj. **1.** Qui relève de la classification ; qui constitue une classification. **2.** ETHNOL *Parenté classificatoire*, qui ne relève que de la reconnaissance du groupe social.

classifier v. tr. [2] Établir une classification.

classique adj. et n. **I.** adj. **1.** Qui fait autorité, en quelque matière que ce soit. *L'ouvrage de ce jurisconsulte est devenu classique.* **2.** Qui est enseigné en classe, à l'école. *Étudier les auteurs classiques.* **3.** Des civilisations grecque et romaine, proposées en modèles. *Langues classiques* : le grec et le latin. *Études classiques.* **4.** LITTER Se dit des écrivains français du XVIIe s. et de leurs œuvres. *Le théâtre classique.* ▷ Qui suit les règles de composition et de style des artistes du XVIIe s. : clarté, mesure, refus du mélange des styles, etc. **5.** MUS *Musique classique*, qui s'est constituée vers le milieu du XVIIIe s. – *Par ext.* Musique des grands compositeurs occidentaux traditionnels (par oppos. à *musique folklorique*, à *musique de variétés*, etc.). **6.** PHYS *Physique classique* : physique macroscopique du continu (par oppos. à *physique quantique* et à *physique relativiste*). **7.** Conforme à la règle, aux principes, à la mesure. *Des vêtements très classiques. S'habiller (en style) classique.* **8.** Fam. Courant, qui se produit habituellement. *On lui a fait le coup classique...* **II.** n. m. **1.** Écrivain classique. *Étudier les classiques.* **2.** Œuvre classique. *Des classiques en format de poche.* **3.** *Par ext.* Œuvre d'une grande notoriété, qui sert de référence, de modèle. *Ce film est un classique de la comédie musicale.* ▷ Exemple type. *Gravir ce sommet est un classique de l'ascension.* **4.** Musique classique. **III.** n. f. **1.** Course cycliste sur route disputée en une seule journée. **2.** Itinéraire d'alpinisme présentant de nombreuses difficultés (par rapport à une autre voie dite « normale »).

classiquement adv. D'une façon classique.

-claste. Suffixe, du gr. *klastos*, « brisé ».

clathre [klatʀ] n. m. BOT Champignon basidiomycète non comestible dont le carpophore rouge vif est en forme de sphère ajourée ou d'étoile.

Claude Ier (Tiberius Claudius Cæsar Augustus Germanicus) (Lyon, 10 av. J.-C. – Rome, 54 apr. J.-C.), empereur romain, fils de Drusus. Son règne (41-54) fut marqué par une centralisation accrue du pouvoir et par la conquête, en 53, de l'île de Bretagne (Grande-Bretagne). Après avoir fait assassiner sa femme Messaline, il fut lui-même assassiné par sa seconde épouse, Agrippine.

Claude II le Gothique (Marcus Aurelius Claudius Gothicus) (Illyrie, v. 214 – Sirmium, 270), empereur romain (268-270), vainqueur des Goths à Naissus, auj. *Niš* (269).

Claude de France (Romorantin, 1499 – Blois, 1524), reine de France. Fille aînée de Louis XII et d'Anne de Bretagne, elle épousa le futur François Ier, apportant en dot le duché de Bretagne et ses droits sur le Milanais.

Claude (Jean) (La Sauvetat-du-Dropt, 1619 – La Haye, 1687), pasteur calviniste français, connu pour ses controverses avec Arnauld et Bossuet.

Claude (Georges) (Paris, 1870 – Saint-Cloud, 1960), chimiste et physicien français ; auteur de nombr. travaux sur la liquéfaction de l'air, la synthèse de l'ammoniac, l'énergie thermique des mers, etc. Accusé de collaboration, il fut exclu en 1944 de l'Acad. des sciences dont il était membre depuis 1924.

Claudel (Paul) (Villeneuve-sur-Fère, Aisne, 1868 – Paris, 1955), écrivain et diplomate français. Il découvrit, en 1886, Rimbaud et, le 25 décembre de la même année, eut la révélation qui décida de sa conversion au catholicisme. Son œuvre, nourrie par ces deux événements fondateurs, s'ordonne autour de trois axes : la poésie, dont le lyrisme semble prolonger les psaumes bibliques (*Connaissance de l'Est*, 1895-1905 ; *Cinq Grandes Odes*, 1900-1908) ; le théâtre, drame et poésie tout ensemble (*Tête d'or*, 1889 ; *l'Échange*, 1901 ; *le Partage de midi*, 1905 ; *le Soulier de satin*, 1923) et l'essai en prose (*Conversations dans le Loir-et-Cher*, 1935). Acad. fr. (1946). – **Camille** (Fère-en-Tardenois, Aisne, 1864 – Avignon, 1943), sculpteur français ; sœur du préc. Elle fut l'élève et la compagne de Rodin. *L'Abandon* (marbre, 1888, musée Rodin), *l'Âge mûr* (bronze, 1899). Elle passa les trente dernières années de sa vie dans un asile d'aliénés.

Paul **Claudel**

Georges **Clemenceau**

Claude Lorrain. V. Lorrain.

Claudia (gens), famille romaine qui a donné de nombreux hommes politiques. – **Appius Claudius Sabinus** (m. en 446 av. J.-C.), l'un des décemvirs chargés de donner à Rome un code et des lois. Sa tyrannie provoqua un soulèvement et la suppression du décemvirat. – **Appius Claudius Caecus (l'aveugle)** (IVe-IIIe s. av. J.-C.), censeur en 312, fit construire la voie Appienne et le premier aqueduc de Rome. – **Publius Claudius Pulcher,** consul en 249 av. J.-C. ; battu sur mer à Drepanum (auj. *Trapani*) par le Carthaginois Adherbal.

claudicant, ante adj. Litt. Boiteux. *Une silhouette claudicante.*

claudication n. f. Litt. Fait de boiter.

claudiquer v. intr. [1] Litt. Boiter. *Il s'avança en claudiquant.*

Claus (Hugo Maurice Julien) (Bruges, 1929), écrivain belge d'expression néerlandaise. Il participa au mouvement Cobra. Poète (*Tancredo infrasonic*, 1952 ;

Monsieur Sanglier, 1971), romancier (*Jours de canicule,* 1952; *À propos de Dédé,* 1963; *l'Année du cancer,* 1972; *le Chagrin des Belges,* 1985), dramaturge (*Sucre,* 1958; *Dent pour dent,* 1970), H. Claus est l'auteur d'une œuvre expressionniste, hantée par la cruauté et l'érotisme, et traversée par une quête de la pureté.

clause n. f. Disposition particulière faisant partie d'un traité, d'un édit, d'un contrat, ou de tout autre acte, soit public, soit privé. ▷ *Clause de style,* qu'il est d'usage d'insérer dans les contrats de même nature; fig., disposition sans importance, uniquement formelle.

Clausel ou **Clauzel** (Bertrand, comte) (Mirepoix, 1772 - Secourrieu, Haute-Garonne, 1842), maréchal de France (1831). Commandant en chef de l'armée d'Afrique (1830), il devint gouverneur général de l'Algérie en 1835. Son échec devant Constantine (1836) entraîna son rappel en métropole.

Clausewitz (Carl von) (Burg, 1780 - Breslau, 1831), général et théoricien militaire prussien. Il combattit Napoléon, dans l'armée prussienne, puis dans l'armée russe (1812). Son livre *De la guerre* (1831) est devenu un classique de la pensée sur la stratégie.

Clausius (Rudolf) (Köslin, Poméranie, 1822 - Bonn, 1888), physicien allemand. Il étudia plus partic. la thermodynamique, dégageant le phénomène d'entropie (1850), et la théorie cinétique des gaz.

claustra n. m. ARCHI Paroi ajourée typique de certaines architectures méditerranéennes. - Paroi ajourée utilisée en architecture intérieure. *Des claustra(s).*

claustral, ale, aux adj. Qui a rapport à un cloître, à un monastère. *Discipline claustrale.*

claustration n. f. État d'une personne enfermée dans un lieu clos. *Une claustration volontaire.*

claustre n. m. CONSTR Élément préfabriqué permettant de constituer une paroi ajourée pour clore un local qui doit être ventilé naturellement. ▷ *Par ext.* Cette paroi elle-même.

claustrer v. tr. [1] (Rare à l'inf.) Enfermer (qqn). - Pp. adj. *Cette vieille dame reste claustrée chez elle.* ▷ v. pron. S'enfermer. - Fig. *Se claustrer dans le silence.*

claustrophobe adj. et n. Atteint de claustrophobie.

claustrophobie n. f. Angoisse éprouvée dans un lieu clos.

Clauzel. V. Clausel.

clavaire n. f. BOT Champignon basidiomycète en forme de touffe à nombreux rameaux (comestible ou toxique selon l'espèce).

claveau n. m. ARCHI Pierre taillée en forme de coin, élément de l'appareil* d'un arc, d'une voûte.

clavecin n. m. MUS Instrument à cordes pincées et à clavier. *Le piano a succédé au clavecin à la fin du XVIII*ᵉ *s.*

claveciniste n. Musicien, musicienne qui joue du clavecin.

claveter ou **clavetter** v. tr. [**20**] et [1] TECH Assembler avec une, des clavettes.

clavette n. f. Cheville, goupille destinée à assembler deux pièces.

clavicorde n. m. MUS Instrument à cordes frappées et à clavier, ancêtre du piano.

claviculaire adj. De la clavicule.

clavicule n. f. Os pair, en forme de S allongé, qui s'articule avec le sternum et l'omoplate.

clavier n. m. **1.** Ensemble des touches d'un orgue, d'un piano, d'un clavecin, etc. - *Par ext.* Ensemble des touches d'une machine à écrire, à calculer, d'une linotype, d'un ordinateur, etc. *Taper à la machine sans regarder le clavier.* **2.** Fig. Étendue des possibilités d'une personne. *Ce romancier possède un clavier un peu restreint.*

claviste n. TECH Personne qui compose des textes d'imprimerie en actionnant un clavier.

Clay (Henry) (Hanover County, Virginie, 1777 - Washington, 1852), homme politique américain; un des chefs du parti whig. À plusieurs reprises président du Congrès, il contribua à établir le protectionnisme.

Clay (Cassius). V. Ali (Muhammad).

Clayes-sous-Bois (Les), com. des Yvelines (arr. de Versailles); 16 873 hab.

clayette [klɛjɛt] n. f. **1.** Petite claie. V. clayon. - *Par ext.* Dans un réfrigérateur, étagère amovible à claire-voie. **2.** Emballage à claire-voie servant au transport des denrées périssables.

clayon [klɛjɔ̃] n. m. **1.** Petite claie qui sert à faire égoutter les fromages, sécher des fruits. - Petite claie ronde sur laquelle les pâtissiers portent des gâteaux. **2.** Élément de clôture.

clayonnage n. m. TECH **1.** Assemblage de pieux, de branchages soutenant des terres. **2.** Construction d'un tel assemblage.

clé ou **clef** [kle] n. f. **I.** Instrument servant à ouvrir. **1.** Instrument de métal constitué d'une tige, d'un panneton* et d'une partie plus large permettant la prise, destiné à faire fonctionner une serrure. *Donner un tour de clé. Clé forée,* dont la tige est creuse (par oppos. à *clé bénarde*). *Clé de contact d'une automobile,* qui établit le contact pour faire démarrer le moteur. ▷ Fig. *Mettre la clé sous la porte :* s'esquiver, quitter discrètement un lieu; faire faillite. ▷ *Sous clé :* dans un lieu, un meuble fermé à clé. ▷ *Livrer une installation clés en main,* la livrer complète, en état de fonctionnement. **2.** Loc. fig. *Prendre la clé des champs :* s'enfuir. **3.** RELIG CATHOL *Les clés de saint Pierre :* l'autorité du pape. *Les clés du royaume :* les clefs qui, symboliquement, représentent l'accès au Paradis. **4.** Ce qui permet d'entrer quelque part, d'accéder à qqch. *Cette place forte est la clé de la région.* **5.** Ce dont dépend, ce qui conditionne le fonctionnement de qqch. - En appos. *Des industries clés,* essentielles pour l'économie. **6.** Ce qui permet de comprendre, d'interpréter. *La clé d'un code secret, d'un système, d'une affaire compliquée. Un roman à clé(s),* comportant des allusions à des personnes, à des faits réels. **7.** MUS Signe placé au commencement de la portée pour fixer la hauteur des notes dans l'échelle musicale. *La clé de sol, de fa, d'ut. Un bémol à la clé.* ▷ Loc. fig. *À la clé :* avec pour résultat, pour enjeu. *Il y a une récompense à la clé.* **II. 1.** Outil qui sert à visser, à serrer les écrous. *Clé anglaise, clé à molette.* **2.** ARCHI *Clé de voûte :* pierre en forme de coin qui, placée au sommet de l'arc ou de la voûte, maintient les autres pierres. - Fig. *Cet homme est la clé de voûte de cette organisation.* **3.** MUS Ce qui commande les trous du tuyau d'un instrument à vent. **4.** SPORT Prise immobilisante de judo ou de lutte. ▶ pl. solfège

clearance. V. clairance.

clearing [kliʀiŋ] n. m. (Mot angl.) ECON *Accord de clearing :* accord international visant à un règlement financier par compensation.

clébard ou **clebs** ou **klebs** n. m. Pop. Chien.

clématite n. f. Liane grimpante (fam. renonculacées), dont une espèce sauvage garnit en hiver les haies d'Europe de ses houppettes de fruits à aigrettes soyeuses. (Il existe de nombr. variétés ornementales.)

clémence n. f. **1.** Litt. Vertu qui consiste à pardonner les offenses, à modérer les châtiments des fautes que l'on punit. *Faire appel à la clémence de la cour.* **2.** Fig. (En parlant de la température, du temps, du climat.) Douceur.

Clemenceau (Georges) (Mouilleron-en-Pareds, Vendée, 1841 - Paris, 1929), homme politique français. Entré dans la vie polit. en 1870, il fut député à partir de 1875 (extrême gauche rad.), sénateur après 1902. Polémiste ardent, surnommé «le Tombeur de ministères», il provoqua la chute de J. Ferry et se rangea dans le camp des défenseurs de Dreyfus. Président du Conseil (1906-1909), il réprima durement les grèves ouvrières et rompit avec les socialistes. Appelé par Poincaré à la présidence du Conseil (nov. 1917), il fit preuve d'une grande énergie dans la conduite de la guerre, ce qui lui valut d'être surnommé «le Tigre» et «le Père la Victoire». Il se retira de la vie politique en 1920, après avoir échoué à l'élection présidentielle. Acad. fr. (1918).

clément, ente adj. **1.** Indulgent, porté à la clémence. *Un juge clément.* **2.** Fig. (En parlant de la température, du climat.) Doux, peu rigoureux. *L'hiver a été clément.*

Clément, nom de quinze papes dont : - **Clément V** (Bertrand de Got) (Villandraut, ? - Roquemaure, 1314), archevêque de Bordeaux, pape de 1305 à 1314, premier pape à s'être fixé en Avignon (1309); il abolit l'ordre des Templiers (1311). - **Clément VII** (Robert de Genève) (Genève, 1342 - Avignon, 1394), pape d'Avignon (le premier du Grand Schisme) de 1378 à 1394. - **Clément VII** (Jules de Médicis) (Florence, 1478 - Rome, 1534), pape de 1523 à 1534; il excommunia Henri VIII d'Angleterre. - **Clément XI** (Giovanni Francesco Albani) (Urbino, 1649 - Rome, 1721), pape de 1700 à 1721; il publia, en 1713, la bulle *Unigenitus* contre le jansénisme. - **Clément XIV** (Giovanni Vincenzo Ganganelli) (Sant'Arcangelo di Romagna, 1705 - Rome, 1774), pape de 1769 à 1774; il se résigna, sous la pression des puissances cathol., dont la France, à abolir l'ordre des Jésuites (1773).

Clément d'Alexandrie (en lat. *Titus Flavius Clemens*) (Athènes, v. 150 - en Cappadoce, v. 215), philosophe grec chrétien. Il se fixa à Alexandrie où, chef de l'école de catéchèse, il aurait été le maître d'Origène.

Clément (Jacques) (Serbonnes, Yonne, 1567 - Saint-Cloud, 1589), dominicain français. Ligueur exalté, il assassina Henri III et fut massacré par la suite du roi.

Clément (Jean-Baptiste) (Boulogne-sur-Seine, 1836 - Paris, 1903), chan-

René **Clément** : *Jeux interdits*, 1952

sonnier et militant socialiste français, membre de la Commune de Paris. On lui doit, entre autres chansons, *le Temps des cerises* (1867) et *la Semaine sanglante* (1871).

Clément (René) (Bordeaux, 1913 – Monte-Carlo, 1996), cinéaste français : *la Bataille du rail* (1946), *Jeux interdits* (1952), *Monsieur Ripois* (1954), *Plein Soleil* (1959), *Paris brûle-t-il?* (1966), *le Passager de la pluie* (1969).

Clementi (Muzio) (Rome, 1752 – Evesham, Worcestershire, 1832), compositeur et facteur de pianos italien. Interprète virtuose, il est l'un des créateurs du style pianistique moderne.

clémentine n. f. Fruit de l'hybride de l'oranger doux et du mandarinier.

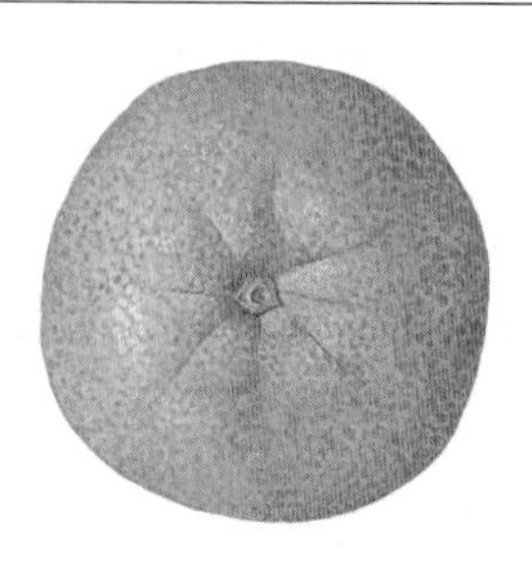
clémentine

clemenvilla n. f. Hybride de clémentine et de tangelo.

clenche ou **clenchette** n. f. Pièce principale d'un loquet de porte, qui tient la porte fermée en s'insérant dans le mentonnet.

Cléobis et **Biton,** dans la myth. gr., fils de Cydippe, prêtresse d'Héra à Argos. Leur dévouement filial et leur piété furent récompensés par un sommeil éternel.

Cléomène, nom de trois rois de Sparte. – **Cléomène III** (m. v. 220 av. J.-C.), roi de 235 à 222, tenta vainement de réformer la cité en restaurant les lois de Lycurgue.

Cléopâtre, nom de 7 reines d'Égypte, dont : – **Cléopâtre VII** (Alexandrie, 69 – id., 30 av. J.-C.), célèbre par sa beauté et son intelligence ainsi que par ses amours avec les puissants du moment (César, puis Antoine), qui lui permirent de sauver son trône. Antoine ayant été vaincu par Octave à Actium (31 av. J.-C.), elle s'enfuit avec lui en Égypte où ils se suicidèrent : elle s'empoisonna ou, selon la légende, se fit mordre par un aspic.

clepsydre n. f. Horloge à eau des Anciens.

cleptomane, cleptomanie. V. kleptomane, kleptomanie.

Clérambault (Louis Nicolas) (Paris, 1676 – id., 1749), compositeur et organiste français. Il adapta la cantate et la sonate italiennes au goût de la cour, dont il était musicien officiel.

clerc [klɛʀ] n. m. **1.** Celui qui est entré dans l'état ecclésiastique en recevant la tonsure. **2.** Vx ou plaisant Personne lettrée. *Habile homme et grand clerc.* **3.** Employé d'une étude de notaire, d'huissier. *Clerc de notaire. Premier clerc.* **4.** Loc. fig. *Pas de clerc* : faute commise par inexpérience, par étourderie.

clergé n. m. Ensemble des ecclésiastiques attachés à une paroisse, à une ville, à un pays, à une Église. *Clergé régulier*, séculier*. Bas clergé* : ensemble des prêtres exerçant un ministère paroissial. *Haut clergé* : épiscopat.

clergyman, men n. m. Ministre du culte dans l'Église anglicane.

clérical, ale, aux adj. **1.** Qui concerne le clergé. **2.** Qui concerne le cléricalisme.

cléricalisme n. m. Attitude, opinion des partisans d'une participation active du clergé à la vie politique.

cléricature n. f. Didac. État, condition, corps des clercs, des ecclésiastiques.

Clermont, ch.-l. d'arr. de l'Oise; 9 046 hab. Parachimie. – Église St-Samson (XIVe s.).

Clermont (Robert de France, comte de) (1256 – 1318), sixième fils de Saint Louis, tige de la branche capétienne des Bourbons par son mariage avec Béatrice de Bourbon.

Clermont-Ferrand, ch.-l. du dép. du Puy-de-Dôme et de la Rég. Auvergne, dans la Limagne; 140 167 hab. (env. 254 400 hab. dans l'aggl.). Grand centre de l'industr. du caoutchouc et des pneumatiques (Michelin). Industr. métall., électr., méca. et alim. Presse. – Université. Évêché. Cath. Notre-Dame (XIIIe-XIVe s., vitraux du XIIIe s., façade et tours de Viollet-le-Duc). Égl. N.-D.-du-Port (XIIe s.), chef-d'œuvre du roman auvergnat. Musées. – Le pape Urbain II y prêcha la 1re croisade au cours d'un concile (1095).

clermontois, oise adj. et n. De Clermont-Ferrand.

Clermont-Tonnerre, famille du Dauphiné. – **Gaspard** (1688 – Paris, 1781), maréchal de France; l'un des vainqueurs de Fontenoy (1745). – **Anne Antoine Jules** (Paris, 1749 – Toulouse, 1830), cardinal, député aux États généraux. – **Stanislas Marie Adélaïde** (Pont-à-Mousson, 1757 – Paris, 1792), député de la noblesse aux états généraux; il favorisa l'abolition des privilèges. – **Marie Gaspard** (Paris, 1779 – Glisolles, 1865), neveu du préc., ministre sous la Restauration.

Cléopâtre VII : avers d'une pièce de monnaie d'Antioche, 36 av. J.-C.

Cleveland, comté du nord de l'Angleterre; 583 km^2; 541 100 hab.; ch.-l. *Middlesbrough.*

Cleveland, v. des É.-U. (Ohio), sur le lac Érié; 505 600 hab. (aggl. urb. 2 788 400 hab.). Port de comm. import. Sidérurgie, constr. méca. et électr., pétrochim. – Université, musée.

Cleveland (Stephen Grover) (Caldwell, New Jersey, 1837 – Princeton, 1908), homme politique américain. Il fut président (démocrate) des É.-U. de 1885 à 1889 et de 1893 à 1897.

Clèves (en all. *Kleve*), v. d'Allemagne (Rhén.-du-N.-Westphalie); 44 730 hab. – Cap. de l'ancien duché du m. nom.

Clèves (Sibylle de) (Düsseldorf, 1512 – Weimar, 1554), épouse de l'Électeur de Saxe Jean-Frédéric. Elle contribua à répandre le luthéranisme en Allemagne.

1. clic! [klik] interj. Onomatopée imitant un petit claquement bref et sec.

2. clic ou **click** [klik] n. m. PHON Son produit « en créant un vide à quelque point du chenal expiratoire en écartant les organes entre deux points où se maintient la fermeture ». *« Dans certaines langues... les clics représentent des consonnes normales combinables avec les voyelles »* (Martinet).

3. clic n. m. INFORM Action de cliquer.

Clermont-Ferrand

clichage n. m. IMPRIM **1.** Action de clicher. **2.** Préparation des clichés.

cliché n. m. **1.** IMPRIM Plaque sur laquelle apparaissent en relief les éléments d'une composition typographique (texte et illustrations) et qui en permet le tirage. **2.** PHOTO Plaque ou pellicule impressionnée par la lumière et constituant l'épreuve. **3.** Fig., péjor. Idée, phrase toute faite et banale que l'on répète. *Un vieux cliché. Des clichés rebattus.*

clicher v. tr. [1] IMPRIM Couler du métal en fusion dans l'empreinte (d'une ou plusieurs pages composées).

Clichy, ch.-l. de cant. des Hts-de-Seine (arr. de Nanterre), dans la banlieue N.-O. de Paris; 48 204 hab. (*Clichiens*). Abattoirs. Industr. électr. et chim. Hôpital Beaujon.

Clichy (prison de), ancienne prison (à Paris, rue de Clichy) réservée aux condamnés pour dettes (1834-1867); auj. démolie.

Clichy-sous-Bois, com. de la Seine-St-Denis (arr. du Raincy), à l'E. de Paris; 28 280 hab. – Chapelle Notre-Dame-des-Anges (XIXe s.).

click. V. clic 2.

client, ente n. (et adj.)**1.** Personne qui achète qqch à un commerçant. *Vendeur qui sert un client, dans un magasin.* ▷ Personne qui se fournit habituellement chez un commerçant. *C'est mon meilleur client.* ▷ ECON Acheteur. *L'Allemagne est un client de la France.* – adj. *Les organismes clients d'un producteur.* **2.** Personne qui sollicite des services contre paiement. *Clients d'un médecin, d'un avocat, d'une agence de publicité.* **3.** ANTIQ ROM Plébéien qui se mettait sous la protection d'un patricien (le *patron*) en lui abandonnant une partie de ses droits civils et politiques.

clientèle n. f. **1.** Ensemble des clients d'un commerçant, d'un avocat, d'un médecin, etc. **2.** Habitude d'un particulier de s'adresser à un fournisseur déterminé. *Ce magasin n'aura plus ma clientèle.* **3.** ANTIQ ROM Ensemble des clients d'un patricien. ▷ *Par anal.*, mod. Ensemble de partisans d'un homme ou d'un parti politique.

clientélisme n. m. Péjor. Fait, pour un homme ou un parti politique, de chercher à élargir sa clientèle par des moyens démagogiques.

Clignancourt, quartier du nord de Paris (XVIIIe arr.); anc. hameau réuni à Paris en 1860.

clignement n. m. Action de cligner les yeux.

cligner v. tr. [1] **1.** *Cligner les yeux*, les fermer à demi pour diminuer le champ visuel. **2.** Fermer et ouvrir rapidement (les yeux). *La fumée lui fait cligner les yeux.* **3.** v. tr. ind. *Cligner de l'œil* : faire un clin d'œil.

clignotant, ante adj. et n. m. **1.** adj. Qui clignote. *Des feux clignotants.* **2.** n. m. AUTO Feu indicateur de changement de direction, s'allumant et s'éteignant alternativement. **3.** Indicateur économique ou social signalant un trouble, une évolution inquiétante.

clignotement n. m. **1.** Mouvement convulsif des paupières. **2.** Fait de clignoter.

clignoter v. intr. [1] **1.** Cligner fréquemment; remuer convulsivement les paupières. *Ses yeux ne cessent de clignoter. Clignoter des yeux.* **2.** (En parlant d'une lumière.) S'allumer et s'éteindre alternativement.

climat n. m. **1.** Ensemble des éléments qui caractérisent l'état moyen de l'atmosphère dans une région déterminée. *Climat équatorial, tropical, tempéré. Climat pluvieux, sec. Climat vivifiant, malsain.* **2.** Vieilli Pays, contrée caractérisés par un climat. *Connaître tous les climats.* **3.** Fig. Atmosphère, ambiance. *Un climat joyeux, sympathique. Climat social.*

ENCYCL Les éléments du climat sont : la température et l'humidité de l'air dans les couches voisines du sol, les précipitations, l'insolation, le vent, la pression atmosphérique et, accessoirement, le champ électrique de l'atmosphère, l'ionisation de l'air, sa composition chimique. On peut classer les climats en quelques types principaux : climats équatorial, tropical, tempéré, polaire; ou encore : climats maritime, continental, d'altitude. Il existe de nombr. sous-climats (méditerranéen, désertique, etc.).

climatérique adj. et n. f. **1.** HIST *Année climatérique* : pour les Anciens, chacune des années de la vie multiples de sept ou de neuf, considérées comme critiques. ▷ n. f. *La climatérique, la grande climatérique* : la soixante-troisième (7 x 9) année. **2.** Vx Climatique.

climaticien, enne n. Spécialiste de l'installation et de la maintenance des systèmes de climatisation.

climatique adj. Qui se rapporte au climat, à ses effets. *Conditions climatiques.* ▷ *Station climatique* : lieu dont le climat est propice au traitement de certaines maladies.

climatisation n. f. Action de climatiser. ▷ Installation qui sert à climatiser un local. *Climatisation défectueuse.*

climatiser v. tr. [1] Équiper (un local, un véhicule) d'une installation permettant de maintenir artificiellement des conditions déterminées de température et d'humidité.

climatiseur n. m. Appareil destiné à assurer une climatisation.

climatisme n. m. Didac. Ensemble de ce qui concerne les stations climatiques : hygiène, organisation, aménagements particuliers.

climatologie n. f. Didac. Étude des éléments du climat. – *Climatologie médicale* : étude de l'action des différents climats sur l'organisme.

climatologique adj. Didac. Qui se rapporte à la climatologie.

climatologue n. Spécialiste de climatologie.

climatothérapie n. f. MED Utilisation à des fins thérapeutiques des propriétés des différents climats.

climax n. m. **1.** BOT, ECOL Stade évolutif final, en équilibre avec le climat, du peuplement végétal naturel d'un lieu. **2.** Fig. Point culminant d'un récit. *Un climax d'une violence choquante.*

clin d'œil n. m. **1.** Signe de l'œil que l'on fait discrètement à qqn en fermant rapidement une paupière. *Faire un clin d'œil complice à qqn.* ▷ Fig. Allusion plaisante. *Les clins d'œil qu'un auteur adresse au spectateur, au lecteur.* **2.** Fig. *En un clin d'œil* : en très peu de temps.

clinfoc n. m. MAR Foc léger à l'extrémité du beaupré.

clinicat n. m. Didac. Fonction et rang de chef de clinique.

clinicien n. Médecin qui pratique la médecine clinique.

clinique adj. et n. f. **I. 1.** adj. Qui est effectué auprès du malade, sans utiliser d'appareils et sans recourir aux examens de laboratoire. *Leçons, observations cliniques. Signe clinique*, qui est décelé au simple examen. **2.** n. f. Partie de l'enseignement médical dispensée au chevet des malades d'un service hospitalier; somme des connaissances acquises de cette façon. **II.** n. f. **1.** Service hospitalier dans lequel on donne l'enseignement clinique. *Chef de clinique* : dans le système hospitalier, grade concernant les médecins, supérieur à celui d'interne et qui correspond à une fonction dans un service et à un rôle d'enseignant. **2.** Établissement de soins médicaux.

cliniquement adv. Sur le plan clinique. *Il était cliniquement mort.*

clino-. Élément, du gr. *klinein*, «être couché, penché».

clinomètre n. m. TECH Instrument servant à mesurer les inclinaisons sur l'horizontale.

clinquant, ante n. m. et adj. **I.** n. m. **1.** Lamelle d'or, d'argent, rehaussant les broderies. **2.** Mauvaise imitation de matières précieuses. *Une bague voyante en clinquant.* **3.** Fig. Faux brillant, éclat artificiel. *Le clinquant d'un discours.* **II.** adj. Qui brille d'un éclat tapageur, correspondant à un objet de peu de qualité. *Verroterie clinquante.*

Clinton (William Jefferson, dit Bill) (Hope, Arkansas, 1946), homme politique américain. Démocrate, gouverneur de l'Arkansas (1979-1992), il est élu président des États-Unis en 1992. Il s'est attaché à réduire le chômage et le déficit budgétaire, à libérer le commerce international (ratification de l'A.L.É.N.A., accords du G.A.T.T.). Il est réélu en 1996.

Bill **Clinton**

Clio, dans la myth. gr., muse de l'Histoire et de la Poésie.

1. clip n. m. **1.** Bijou monté sur une pince à ressort. **2.** TECH Mode de fixation par pince formant ressort, par cliquet.

2. clip n. m. Court-métrage conçu dans un but promotionnel.

1. clipper v. tr. [1] Fixer grâce à un clip.

2. clipper [klipœʀ] n. m. MAR Navire à voiles, long-courrier rapide et de fort tonnage, utilisé dans la seconde moitié du XIXe s.

Clipperton, atoll inhabité de l'océan Pacifique, rattaché à la Polynésie française; 1,6 km^2. – Découverte au XVIIIe s. par le pirate anglais John Clipperton, l'île, riche en guano, fut longtemps disputée entre le Mexique et la France qui en reprit possession en 1931.

clique n. f. **1.** Péjor. Groupe, coterie. *Clique de politiciens véreux.* **2.** MILIT Ensemble des tambours et des clairons d'un régiment. **3.** SOCIOL Groupe de personnes liées par des obligations mutuelles.

cliquer v. intr. [1] ELECTRON Appuyer sur un bouton de sélection (notam. la touche d'une souris).

cliques n. f. pl. Loc. fam. *Prendre ses cliques et ses claques* : déguerpir, filer en emportant ce que l'on possède.

cliquet n. m. TECH Pièce mobile qui, butant contre une roue dentée, ne permet à celle-ci qu'un sens de rotation.

cliqueter v. intr. [20] Produire un cliquetis.

cliquetis [klikti] n. m. Bruit sec et léger que font certains corps sonores qui s'entrechoquent. *Le cliquetis des couverts sur les assiettes.*

clisse n. f. **1.** Claie d'osier pour égoutter les fromages. **2.** Enveloppe d'osier tressé, pour protéger les bouteilles.

Clisson (Olivier de) (Clisson, 1336 – Josselin, 1407), connétable de France. Il soutint Du Guesclin dans la lutte contre les Anglais et lui succéda à sa mort (1380). Il vainquit les Flamands à Rozebeke (1382).

Clisthène (VIe s. av. J.-C.), homme politique athénien. Il contribua à la chute du tyran Hippias (510) et établit la démocratie à Athènes.

clitocybe n. m. Champignon basidiomycète à chapeau concave, à lamelles et spores blanches (nombr. espèces toxiques).

clitoridectomie n. f. CHIR Ablation du clitoris.

clitoridien, enne adj. Qui concerne le clitoris.

clitoris [klitɔʀis] n. m. ANAT Petit organe érectile situé à la partie antérieure de la vulve.

clivage n. m. **1.** Action et art de cliver; propriété que possèdent certains minéraux de se fracturer suivant des plans (*plans de clivages*), plus aisément que suivant d'autres. **2.** Fig., cour. Division, séparation. *Clivage politique.*

Clive de Plassey (Robert, baron) (Styche, Shropshire, 1725 - Londres, 1774), général et administrateur anglais. Il établit la puissance angl. en Inde (1750-1767).

cliver v. tr. [1] **1.** Fendre un minéral (partic. un diamant) en suivant l'organisation de ses couches, ou de sa symétrie. **2.** Fig. Diviser, séparer. ▷ v. pron. Se fendre.

clivia n. m. BOT Plante ornementale d'Afrique du Sud (fam. amaryllidacées), aux feuilles en ruban, portant une hampe florale rouge orangé.

cloaca maxima n. f. (Mots lat., «le grand égout»). Grand égout de l'ancienne Rome, attribué à Tarquin l'Ancien.

cloaque n. m. **1.** Lieu servant de dépôt d'immondices. - *Par ext.* Endroit malpropre, malsain. *Cette ruelle est un vrai cloaque.* **2.** ZOOL Cavité qui, chez certains animaux (oiseaux, reptiles, etc.), sert de débouché commun aux voies intestinales, urinaires et génitales.

clochard, arde n. Personne sans domicile et sans travail, menant une vie misérable en marge de la société.

clochardisation n. f. Passage à l'état de clochard, réduction à des conditions de vie misérables d'une personne, d'un groupe social.

clochardiser v. intr. [1] Réduire à l'état de clochard. ▷ v. pron. *Se clochardiser.*

1. cloche n. f. **1.** Instrument sonore de métal, en forme de vase renversé, muni d'un battant (à l'intérieur) ou d'un marteau (à l'extérieur) qui le met en vibration. *Sonner les cloches à toute volée. Les cloches de l'église, annonçant les cérémonies.* **2.** Loc. fig. *Entendre un autre son de cloche*, une version différente du même récit. ▷ Fam. *Sonner les cloches à qqn*, le réprimander sévèrement. ▷ *Déménager à la cloche de bois*, en cachette (pour ne pas payer le loyer). **3.** (En appos.) *Jupe cloche*, évasée vers le bas. - *Chapeau cloche* ou *cloche :* chapeau de femme en forme de cloche. **4.** Ustensile en forme de cloche, servant à couvrir, à protéger. *Cloche à fromage(s). Cloche à melon*, qu'on place sur des melons ou des plantes fragiles pour les protéger du froid. **5.** Anc. *Cloche à plongeur* ou *à plongée :* appareil en forme de cloche, descendu verticalement dans l'eau et entraînant une certaine quantité d'air avec lui, qui permet à celui qui s'y abritait de respirer.

2. cloche n. f. Fam. **1.** Personne stupide, sotte, incapable. *Tu es une vraie cloche.* ▷ adj. *Ce qu'il peut être cloche!* ▷ Loc. *C'est cloche :* c'est fâcheux, dommage. **2.** Clochard. - *La cloche :* le monde des miséreux, des clochards.

Clochemerle, nom d'un village, modèle d'antagonismes dérisoires et de rivalités de clocher (d'après un roman de Gabriel Chevallier, 1934).

cloche-pied (à) loc. adv. Sur un seul pied portant à terre. *Sauter à cloche-pied.*

1. clocher n. m. **1.** Construction élevée au-dessus d'une église et dans laquelle sont suspendues les cloches. **2.** *Par ext.* Paroisse, pays natal. *N'avoir jamais quitté son clocher.* - *Intérêts, rivalités de clocher*, qui n'intéressent qu'une localité, qu'une région restreinte. *Esprit de clocher.*

2. clocher v. intr. [1] **1.** Vx Boiter. **2.** Fig., fam. Être défectueux. *Quelque chose qui cloche dans un raisonnement.*

clocheton n. m. Petit clocher ou ornement en forme de clocher.

clochette n. f. **1.** Petite cloche. **2.** Fleur en forme de petite cloche.

Clodion ou **Chlodion le Chevelu** (m. v. 450), chef des Francs Saliens de 428 env. à sa mort. Ancêtre probable des Mérovingiens.

Clodion (Claude Michel, dit) (Nancy, 1738 - Paris, 1814), sculpteur français. Ses groupes de nymphes, de bacchantes et satyres, réalisés en terre cuite, furent souvent imités.

Clodius (Publius Appius) (93 - 52 av. J.-C.), chef de faction romain. Homme lige de César, il fit exiler Cicéron (58) et fut tué par Annius Milon, que Cicéron défendit *(Pro Milone).*

clodo [klɔdo] n. Fam. Clochard.

Clodoald (saint). V. Cloud.

Clodomir (?, 495 - Vézeronce, 524), roi franc d'Orléans (511-524), fils de Clovis. Il fut tué dans la guerre contre les Burgondes.

cloison n. f. **1.** Mur peu épais séparant deux pièces d'une habitation. **2.** ANAT Ce qui divise une cavité, ou sépare une cavité d'une autre. *Cloison nasale. Cloison des ventricules du cœur.* ▷ BOT Membrane de séparation à l'intérieur d'une cavité ou dans une masse charnue. **3.** MAR *Cloisons étanches :* cloisons métalliques qui divisent l'intérieur d'un navire en compartiments indépendants, et qui permettent de circonscrire un éventuel envahissement des eaux. - Fig. *Cloison étanche entre deux services administratifs.*

cloisonnage n. m. Action de cloisonner; son résultat.

cloisonné, ée adj. et n. m. **1.** Divisé par des cloisons, séparé en compartiments. *Hangar cloisonné.* **2.** BX-A *Émaux cloisonnés*, dont l'émail est coulé entre des bandes de métal soudées sur le fond et qui y forment un dessin. - n. m. *Un cloisonné.*

cloisonnement n. m. **1.** Ensemble de cloisons; leur disposition. **2.** Fig. État de ce qui est cloisonné; séparation, division. *Le cloisonnement entre les disciplines scolaires.*

cloisonner v. tr. [1] Séparer par des cloisons.

cloître n. m. **1.** Partie d'un monastère interdite aux laïcs, d'où les religieux ne sortent pas. **2.** *Par ext.* Monastère, abbaye. **3.** *Le cloître :* la vie conventuelle. *Les rigueurs du cloître.* **4.** Galerie intérieure couverte, entourant une cour ou un jardin, dans un monastère ou contiguë à une cathédrale, une collégiale. *Cloître gothique.*

cloîtré, ée adj. Qui vit dans un cloître (sens 1). *Religieuses cloîtrées.* - *Monastère cloîtré*, de l'enceinte duquel les religieux ne sortent pas.

cloîtrer v. tr. [1] **1.** v. tr. Soumettre à la règle de la clôture (sens 2). ▷ v. pron. Se retirer dans un cloître. **2.** Fig., cour. Enfermer (qqn). ▷ v. pron. Mener une vie très retirée. - *Se cloîtrer chez soi*, s'y enfermer.

clonage n. m. BIOL Technique consistant à développer une lignée (clone) de cellules à partir d'une cellule unique qui présente des caractéristiques intéressantes et qu'on isole après une sélection très stricte.

clone n. m. **1.** BIOL Ensemble des cellules (et, par ext., culture, tissu et même organisme) dérivant d'une seule cellule initiale dont elles sont la copie exacte. ▷ Fig. Réplique, copie exacte. **2.** INFORM Ordinateur compatible avec tout le matériel et les logiciels d'un ordinateur d'un autre modèle donné.

cloner v. tr. [1] BIOL Effectuer un clonage.

clonique adj. MED Se dit de convulsions consistant en contractions musculaires rapides et désordonnées.

Cloots (Jean-Baptiste, baron de Cloots, dit Anacharsis) (Gnadenthal, près de Clèves, 1755 - Paris, 1794), conventionnel d'origine hollando-prussienne. Il fut un agent actif de la déchristianisation et l'un des chefs des hébertistes, avec lesquels il fut guillotiné.

clope n. m. ou f. Fam. Mégot; cigarette.

clopin-clopant loc. adv. Fam. En clopinant.

clopiner v. intr. [1] Marcher avec peine, en boitant.

clopinettes n. f. pl. (En loc.) Pop. *Des clopinettes :* rien. *Travailler pour des clopinettes.*

cloporte n. m. Crustacé isopode terrestre vivant dans les lieux humides et sombres.

cloque n. f. **1.** Gonflement de l'épiderme provoqué par un épanchement de sérosité, consécutif à une brûlure, une piqûre d'insecte, etc. **2.** HORTIC Maladie cryptogamique du pêcher et de l'amandier, due à *Taplirina deformans* (ascomycète), qui se traduit par des déformations des feuilles.

cloqué, ée adj. **1.** Boursouflé, en parlant d'une matière en couche mince. - *Tissu cloqué :* gaufré. **2.** HORTIC Attaqué par la cloque.

cloquer v. [1] **1.** v. intr. Se boursoufler. *Couche de peinture qui cloque.* **2.** v. tr. *Cloquer un tissu*, le gaufrer.

clore v. tr. [79] **1.** Vieilli ou litt. Fermer complètement, boucher, obstruer (un passage). *Clore un conduit.* **2.** Vieilli Enclore. *Clore un jardin, un pré.* **3.** Arrêter, terminer ou déclarer terminé. *Clore une opération commerciale, un débat.*

cloître de l'abbaye de Noirlac (Cher), XIIIe-XIVe s.

1. clos, close adj. **1.** Fermé. *Trouver porte close.* ▷ Anc. *Champ clos* : champ entouré de barrières destiné aux tournois, aux duels. ▷ DR *À huis clos* : V. huis. ▷ *Maison close* : établissement où s'exerçait la prostitution. ▷ Loc. *En vase clos* : sans contact avec le monde extérieur, isolé, confiné. *Vivre en vase clos. Économie en vase clos.* ▷ Litt. *Nuit close* : pleine nuit. **2.** Terminé, achevé. *L'incident est clos.*

2. clos n. m. Terrain cultivé entouré d'une clôture. – *Spécial.* Vignoble délimité.

closerie n. f. **1.** Petite exploitation rurale close; petit clos avec une maison d'habitation. **2.** Anc. À Paris, jardin réservé à des divertissements publics.

Clostermann (Pierre) (Curitiba, Brésil, 1921), aviateur français. Pilote des Forces aériennes françaises libres, il a raconté ses combats dans *le Grand Cirque* (1948).

Clos-Vougeot, vignoble réputé de Bourgogne (côte de Nuits), dans la com. de Vougeot (Côte-d'Or, arr. de Beaune).

Clotaire Ier (?, v. 497 – Compiègne, 561), roi de Soissons en 511, fils de Clovis. Avec son frère Childebert, il fit assassiner deux des fils de son autre frère, Clodomir, et fut seul roi des Francs à partir de 558. – **Clotaire II** (584 – 629), roi de Neustrie (584-629) et d'Austrasie à partir de 613, petit-fils du préc., fils de Chilpéric Ier et de Frédégonde. Il mit à mort Brunehaut. – **Clotaire III** (m. en 673), roi de Neustrie (657-673), fils de Clovis II et de Bathilde. – **Clotaire IV** (m. en 719), roi de Neustrie (717-719); Charles Martel exerça le pouvoir en son nom.

Clotho, une des trois Moires*.

Clotilde (sainte) (?, v. 475 – Tours, 545), fille de Chilpéric, roi des Burgondes. Elle épousa Clovis Ier en 493 et contribua à sa conversion.

clôture n. f. **1.** Ce qui enclôt un espace. *Mur de clôture d'un parc. Une clôture en bois.* **2.** Enceinte d'un couvent cloîtré. – Fig. Obligation faite aux religieux des ordres cloîtrés de vivre retirés du monde. **3.** Action d'arrêter, de terminer une chose, ou de déclarer qu'elle est arrêtée, terminée. *Clôture d'un scrutin.*

clôturer v. tr. [1] **1.** Entourer de clôtures. **2.** Arrêter, déclarer terminé. *Clôturer la session parlementaire. Clôturer un compte.*

clou n. m. **I. 1.** Petite tige de métal, pointue, et ordinairement dotée d'une tête, servant à fixer, attacher ou pendre qqch. *Enfoncer un clou avec un marteau. Accrocher, suspendre un vêtement à un clou.* ▷ CHIR Tige métallique que l'on introduit dans le canal médullaire d'un os fracturé pour assurer sa contention. **2.** *Les clous* : le passage clouté. *Traverser dans les clous.* V. clouté. **3.** Loc. fig., fam. *Maigre comme un clou, gras comme un cent de clous* : très maigre. – *Cela ne vaut pas un clou* : cela n'a aucune valeur. – Interj. *Des clous!* : rien du tout! Pas question! ▷ Prov. *Un clou chasse l'autre* : un nouvel amour, un nouveau goût fait oublier le précédent. **II.** Fig. **1.** Fam. *Le clou* : le mont-de-piété (auj. crédit municipal). *Mettre une chose au clou,* la mettre en gage. **2.** Fam. *Un vieux clou* : une automobile, une motocyclette ou une bicyclette en mauvais état. **3.** *Le clou de la fête, du programme,* la principale attraction. **III.** Par anal. de forme. **1.** Fam. Furoncle. **2.** *Clou de girofle*.*

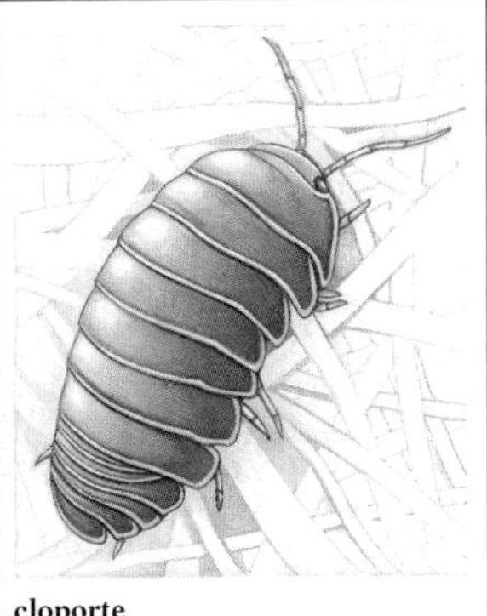
cloporte

clouage n. m. Action ou manière de clouer; résultat de cette action.

Cloud ou **Clodoald** (saint) (?, v. 522 – Novientum, auj. Saint-Cloud, v. 560), petit-fils de Clovis. Après le massacre de ses frères par Clotaire et Childebert, il se retira du monde et vécut en ermite à Novientum.

clouer v. tr. [1] **1.** Fixer, assembler avec des clous. *Clouer une caisse.* **2.** Fig. Fixer, obliger (qqn) à rester quelque part, dans une situation. *Il est cloué au lit par une forte grippe.* ▷ Loc. fig., fam. *Clouer le bec à qqn,* le réduire au silence par des propos définitifs.

Clouet (Jean, dit Jehannet ou Janet) (Bruxelles [?], v. 1475 ou 1485 – Paris, 1540), peintre français d'origine flamande, portraitiste à la cour sous François Ier (nombr. dessins à la pointe d'argent ou à la sanguine). – **François** (ou Janet) (Tours, av. 1522 – Paris, 1572), fils et successeur du préc., sous François Ier, Henri II et Charles IX, il se distingue par une grande rigueur dans le tracé des visages.

cloutage n. m. Action de clouter; son résultat.

clouté, ée adj. Garni de clous. *Semelles cloutées.* ▷ *Passage clouté* : passage au travers des rues, délimité naguère par de grosses têtes de clous, auj. par des bandes peintes sur la chaussée et réservé aux piétons. Syn. passage (pour) piétons.

clouter v. tr. [1] Garnir ou orner de clous.

Clouzot (Henri Georges) (Niort, 1907 – Paris, 1977), cinéaste français. Il fut un moraliste «noir», auteur d'une œuvre contrastée : *le Corbeau* (1943), *Quai des Orfèvres* (1947), *Manon* (1948), *le Salaire de la peur* (1953), *les Diaboliques* (1954), *la Prisonnière* (1968).

Henri Georges **Clouzot** :*Quai des Orfèvres,* 1947, avec, de dr. à g., L. Jouvet, B. Blier, R. Bussières

Clovis Ier (v. 465 – Paris, 511), roi des Francs de 481 à 511. Fils de Childéric Ier, il lui succéda comme roi salien de Tournai (481). Selon la chron. traditionnelle, il battit le général romain Syagrius à Soissons (épisode du vase de Soissons*) en 486, défit les Alamans à Tolbiac (496), puis les Burgondes (500); achevant de placer la Gaule presque entière sous son autorité, il remporta sur le roi wisigoth Alaric II la bataille de Vouillé (507). Sa conversion au christianisme (il fut baptisé par saint Remi, évêque de Reims, vers 496) fait de lui le premier roi barbare catholique romain. – **Clovis II** (632-657), roi de Neustrie et de Bourgogne (639-657), fils de Dagobert Ier. – **Clovis III** ou **Clovis IV** (682 – 695), roi de Neustrie, roi des Francs (691-695). Pépin de Herstal, maire du palais, exerça le pouvoir en son nom.

clovisse n. f. Mollusque lamellibranche fouisseur, comestible (*Tapes decussatus*). Syn. palourde.

clown [klun] n. m. **1.** Acteur bouffon de cirque. *Le clown blanc. Numéro de clowns.* **2.** Fig. *Faire le clown,* le pitre.

clownerie n. f. Vieilli Farce de clown. – Pitrerie digne d'un clown.

clownesque [klunɛsk] adj. Relatif aux clowns; digne d'un clown. *Attitude clownesque.*

1. club [klœb] n. m. **1.** Association, cercle de personnes qui se rassemblent régulièrement en un local déterminé, dans un but fixé (politique, sportif, amical, mondain). *Club de voile, de tennis,* etc. *Ciné-club*.* ▷ HIST *Club des Cordeliers*, des Feuillants*, des Jacobins** : clubs politiques formés pendant la Révolution française de 1789. **2.** (Canada) [klyb] Équipe sportive. *Un club de hockey, de baseball.* ▷ *Club de nuit* ou, fam., *club* : établissement commercial ouvert une partie de la nuit où l'on peut consommer de l'alcool, danser, voir des spectacles. **3.** (En appos.) *Fauteuil club,* en cuir, large et profond.

2. club [klœb] n. m. Crosse servant à frapper la balle au jeu de golf.

clubiste [klybist; klœbist] n. HIST Membre d'un club politique pendant la révolution française.

Cluj-Napoca, v. de Roumanie (Transylvanie); 299 790 hab.; ch.-l. de distr. Industr. métall., méca., chim., alim. – Université. Égl. goth. St-Michel (XIVe-XVe s.).

clunisien, enne adj. De l'ordre monastique de Cluny, de l'architecture qu'il contribua à répandre.

Cluny, ch.-l. de cant. de la Saône-et-Loire (arr. de Mâcon), sur la Grosne, affl. de la Saône; 4 734 hab. École d'arts et métiers. – Anc. et célèbre abb. bénédictine, fondée en 910 par le duc Guillaume d'Aquitaine. L'égl. abbat., bâtie de 1088 à 1150, fut, jusqu'à la construction de St-Pierre de

l'abbaye de **Cluny**

Rome, la plus vaste égl. du monde; la Révolution ayant entraîné sa ruine, il n'en reste qu'une faible partie, dont l'admirable clocher dit *de l'Eau bénite*.

Cluny (hôtel et musée de), musée de Paris (Ve arr.), dans l'ancien hôtel des abbés de Cluny, construit par J. d'Amboise à la fin du XVe s. Le musée est consacré au Moyen Âge. Ses jardins renferment les ruines des thermes romains dits de Julien (IIIe s.).

clupéiformes n. m. pl. ICHTYOL Ordre de poissons téléostéens malacoptérygiens, de forme allongée, à grandes écailles et queue fourchue, comprenant le hareng, l'alose, le sprat, la sardine, l'anchois, etc. – Sing. *Un clupéiforme.*

Clusaz (La), com. de la Haute-Savoie (arr. d'Annecy), à 1 040 m d'alt.; 1 850 hab. Sports d'hiver.

cluse n. f. GEOMORPH et Rég. Coupure transversale d'un anticlinal, mettant en communication deux vallées, typique du relief jurassien. *La cluse de Nantua.*

Cluses, ch.-l. de cant. de la Haute-Savoie (arr. de Bonneville), sur l'Arve; 16 732 hab. Import. centre de décolletage. Horlogerie. Mat. électr.

Clusium. V. Chiusi.

Clwyd, comté du pays de Galles; 2 427 km^2; 401 900 hab.; ch.-l. *Mold.*

Clyde (la), fl. d'Écosse (170 km); arrose Glasgow, se jette dans la mer d'Irlande par un profond estuaire (100 km).

Clydebank, ville d'Écosse, près de Glasgow (Strathclyde); 49 000 hab. Constr. mécaniques.

clystère n. m. Vx **1.** Lavement. **2.** Seringue spéciale, généralement en étain, qui servait aux lavements.

Clytemnestre, fille de Tyndare, roi de Sparte, et de Léda; femme d'Agamemnon, roi de Mycènes et d'Argos; mère d'Oreste, d'Électre et d'Iphigénie. Avec l'aide d'Égisthe, son amant, elle assassina son époux. Ils furent à leur tour tués par Oreste.

cm Symbole de centimètre.

cm^2 Symbole de centimètre carré.

cm^3 Symbole de centimètre cube.

Cm CHIM Symbole du curium.

CNAC Georges-Pompidou Acronyme pour *Centre national d'art et de culture Georges-Pompidou.* V. Pompidou.

CNES Acronyme pour *Centre national d'études spatiales.*

cnidaires [knidɛʀ] n. m. pl. ZOOL Embranchement de métazoaires diploblastiques à symétrie radiaire, couverts de cellules urticantes, et dont la cavité digestive ne possède qu'un seul orifice. (Ils sont divisés en deux superclasses : les *hydrozoaires*, divisés en hydraires, hydrocoralliaires, siphonophores; les *anthozoaires*, divisés en octocoralliaires et hexacoralliaires. Les cnidaires et les cténaires étaient autref. réunis dans les cœlentérés.) – Sing. *Un cnidaire.*

Cnide, v. anc. de Carie (Asie Mineure), célèbre par le temple où se trouvait l'*Aphrodite* de Praxitèle (dont l'original a été perdu); ruines au cap Tropion (Turquie). Au Ve s. av. J.-C. l'école de médecine de Cnide fut rivale de celle de Cos.

cnidosporidies [knidospɔʀidi] n. f. pl. ZOOL Sous-embranchement de protozoaires parasites dont le stade initial est un germe qui ressemble à l'amibe et le stade final une spore pourvue d'un filament. – Sing. *Une cnidosporidie.*

CNIL Acronyme pour *Commission nationale de l'informatique et des libertés.* Autorité administrative française, créée en 1978 pour faire respecter la loi sur l'informatique et les libertés.

C.N.J.A. Sigle de *Centre national des jeunes agriculteurs.* Organisation syndicale française fondée en 1961 et regroupant des jeunes agriculteurs âgés de 18 à 35 ans.

CNIT Acronyme pour *Centre national des industries et techniques.* Bâtiment situé à la Défense, construit en 1958 (architectes : Camelot, Zehrfuss et Mailly), dont la voûte de béton repose sur trois points, sur 6 800 m^2 en plan (record de portée pour ce type de voûte).

Cnossos, anc. ville de Crète, haut lieu d'une brillante civilisation (XXe-XIVe s. av. J.-C.). Le palais de Minos ne remonte qu'aux XVIe-XVe s., mais s'élève sur les vestiges d'un premier palais (XXIe-XXe s.).

Cnossos : la véranda des gardes

C.N.P.F. Sigle de *Conseil* national du patronat français.*

C.N.R. Sigle pour *Conseil* national de la Résistance.*

C.N.R.S. Sigle de *Centre* national de la recherche scientifique.*

co-. Préf., du lat. *co,* variante de *cum,* « avec », exprimant le concours, l'union, la simultanéité (ex. *coauteur, coaccusé, codétenu*).

Co Abrév. angl. de *Company* (société commerciale).

Co CHIM Symbole du cobalt.

coaccusé, ée n. Personne accusée en même temps qu'une ou plusieurs autres.

coach, plur. **coaches** [kotʃ] n. m. (Anglicisme) **1.** Voiture automobile à 2 portes et 4 glaces. **2.** SPORT Entraîneur d'une équipe, d'un athlète de haut niveau.

coacher [kotʃe] v. tr. [1] Arg. (des sportifs) Entraîner (un sportif).

coacquéreur, euse n. Personne qui acquiert un bien en commun avec une ou plusieurs autres.

coadjuteur, trice n. **1.** n. m. Prélat adjoint à un évêque. **2.** n. f. Religieuse adjointe d'une abbesse.

coagulable adj. Susceptible de se coaguler. *Le lait est coagulable.*

coagulant, ante adj. (et n. m.) Qui fait coaguler. *La présure est coagulante.* ▷ n. m. Substance qui a la propriété de coaguler.

coagulation n. f. Fait de se coaguler; état d'une substance coagulée. *Temps de coagulation du sang.*

coaguler v. [1] **1.** v. tr. Transformer une substance organique liquide en une masse plus ou moins solide. *Coaguler du sang, du lait.* Syn. figer, cailler. **2.** v. intr. Prendre une consistance plus ou moins solide. *Le sang coagule.* – v. pron. *Le sang se coagule.*

coagulum [kɔagylɔm] n. m. Didac. Caillot, masse coagulée.

coalescence n. f. PHYS Formation de gouttes à partir de gouttelettes en suspension. *La pluie se forme par coalescence à partir des gouttelettes des nuages.*

coalisé, ée adj. et n. Ligué dans une coalition. *Peuples coalisés.*– Subst. *Les coalisés.*

coaliser v. tr. [1] Liguer, réunir (différents partis) en vue d'une lutte. ▷ v. pron. Former une coalition.

coalition n. f. **1.** Réunion momentanée de puissances, de partis, de personnes pour lutter contre un ennemi commun. *Les sept coalitions contre la France révolutionnaire, puis napoléonienne.* Syn. alliance, ligue. **2.** Accord réalisé entre personnes de même condition dans des buts économiques ou professionnels. *La coalition commerciale est illicite.*

Coanda (Henri) (Bucarest, 1886 – id., 1972), ingénieur et physicien roumain. Il a établi, le premier, le principe de l'avion à réaction. – *Effet Coanda* : phénomène se traduisant par la tendance d'un jet de fluide sortant d'un récipient par un orifice ou un tuyau à épouser les contours extérieurs de ce récipient.

coassement n. m. Cri de la grenouille.

coasser v. intr. [1] Pousser son cri, en parlant de la grenouille.

coassocié, ée n. Personne associée à d'autres dans une affaire commerciale, financière, industrielle.

coassurance n. f. Assurance d'un même risque par plusieurs assureurs.

Coast Range, chaîne côtière du Pacifique (Canada et É.-U.); 4 418 m au mont Whitney (Californie).

coati n. m. ZOOL Mammifère carnivore fissipède (genre *Nasua*) d'Amérique tropicale, au très long museau.

coauteur n. m. Auteur avec un ou plusieurs autres d'un même ouvrage.

coaxial, ale, aux adj. Qualifie un objet qui a le même axe qu'un autre. ▷ ELECTR *Câble coaxial,* constitué par un conducteur central, un conducteur périphérique (tresse métallique généralement) isolé du premier, et une gaine de protection.

COB, acronyme pour *Commission des opérations de Bourse.* Organisme créé en 1967 pour formuler des avis ou prendre des décisions concernant certaines questions de Bourse (notam. admission des valeurs à la cote officielle).

cobalt [kɔbalt] n. m. Élément métallique de numéro atomique Z = 27, de masse atomique 58,93 (symbole Co). – Métal blanc, ferromagnétique, de densité 8,9, qui fond vers 1 450 °C et bout vers 2 900 °C. *Le cobalt entre dans la composition d'aciers destinés à la fabrication d'outils de coupe ultrarapides.* – *Bombe au cobalt* : V. cobalthérapie.

cobalthérapie ou **cobaltothérapie** n. f. MED Traitement par les rayonnements émis par le cobalt 60, isotope radioactif du cobalt.

cobaye angora

cobaye n. m. Petit rongeur (20 cm de long) d'Amérique du S. (*Cavia porcellus*), très utilisé comme animal de laboratoire et appelé également *cochon d'Inde*. – Fig. Personne, animal servant de sujet d'expérience.

Cobbett (William) (Farnham, Surrey, 1762 – Guildford, 1835), homme politique et publiciste britannique; fondateur du *Weekly Political Register*, mouvement radical anglais.

Cobden (Richard) (Dunford Farm, Sussex, 1804 – Londres, 1865), industriel, économiste et homme politique anglais. Adversaire résolu du protectionnisme, sa croisade pour le libre-échange fut couronnée par le traité de comm. franco-britannique de 1860.

cobelligérant, ante adj. et n. m. Allié(e) à un ou plusieurs pays en guerre contre un ennemi commun. *Nation cobelligérante.* ▷ n. m. *Les forces armées des cobelligérants furent placées sous le commandement suprême du maréchal Foch en 1918.*

Coblence (en all. *Koblenz*), v. d'Allemagne (Rhénanie-Palatinat), au confl. du Rhin et de la Moselle; 110 280 hab. Centre comm. et intel. – Église St-Castor (XIIe s.). Forteresse d'Ehrenbreitstein (1816-1826). – Lieu de ralliement des émigrés franç., qui y formèrent l'armée de Condé (1792).

cobol n. m. INFORM Langage de programmation utilisé en gestion d'entreprise.

Cobourg (en all. *Coburg*), v. d'Allemagne (Bavière), sur l'*Itz*, affl. du Main; 44 410 hab. Industr. text.; brasseries. – Cap. de l'anc. duché de Saxe-Cobourg-Gotha. Égl. gothique St-Maurice (XVe s.). Château (XVIe s.).

cobra n. m. Serpent venimeux dont les côtes peuvent se redresser, formant un élargissement postcéphalique caractéristique. (*Naja naja* est le cobra indien, ou serpent à lunettes. *Naja hannah*, le cobra royal, africain, atteint 4 m de long.)

cobra en posture d'agression

Cobra : Asger Jorn, *Guganaga*, 1945; Kunstmuseum, Århus

Cobra, acronyme pour *COpenhague, BRuxelles, Amsterdam*. Mouvement artistique international (1948-1951) d'inspiration expressionniste créé en réaction contre les formes académiques de l'art moderne (néo-surréalisme, etc.) et contre les « abstractions stériles » de Mondrian : Asger Jorn, Appel, Constant, Corneille, Alechinsky privilégièrent le geste impulsif et l'emploi de couleurs vives.

rameau fleuri de **coca**

coca n. **1.** n. m. ou f. Arbuste du Pérou et de Bolivie, dont les feuilles renferment divers alcaloïdes et notam. la cocaïne. **2.** n. f. Substance extraite des feuilles de coca, aux propriétés stimulantes.

coca-cola n. m. inv. (Nom déposé.) Boisson gazeuse d'abord à base de coca (auj. remplacé par un succédané) et de noix de cola. (Abrév. : coca).

cocagne n. f. (En loc.) **1.** *Pays de cocagne*, où l'on trouve tout à souhait et en abondance. **2.** *Mât de cocagne :* mât enduit de savon au haut duquel on s'essaie à grimper pour décrocher des lots.

cocaïne n. f. Alcaloïde ($C_{17}H_{21}NO_4$) extrait des feuilles de coca, stupéfiant et anesthésique.

cocaïnomane n. Toxicomane accoutumé à la cocaïne.

cocaïnomanie n. f. Toxicomanie due à l'usage de cocaïne.

cocarde n. f. **1.** Insigne de forme souvent circulaire que l'on portait à la coiffure. **2.** Insigne circulaire aux couleurs nationales. *Cocardes d'un avion militaire.*

cocardier, ère adj. Péjor. Qui aime l'armée, l'uniforme; chauvin.

cocasse adj. Fam. Qui est d'une étrangeté plaisante, qui fait rire. *Une histoire cocasse.* ▷ n. m. *Le cocasse de l'histoire...*

cocasserie n. f. Caractère de ce qui est cocasse; chose cocasse.

cocci [kɔksi] n. m. pl. Bactéries en forme de grain sphérique. (Le sing. *coccus* est peu usité.)

coccidie [kɔksidi] n. f. Protozoaire sporozoaire de très petite taille, ovoïde, parasite de la muqueuse intestinale ou du foie.

coccidiose n. f. MED VET Maladie parasitaire provoquée par diverses espèces de coccidies chez les bovins, ovins, volailles, lapins, etc.

-coccie. V. -coque.

coccinelle [kɔksinɛl] n. f. Coléoptère à corps hémisphérique, à élytres orangés ou rouges tachetés de noir, appelé aussi *bête à bon Dieu*. *À l'état larvaire ou adulte, les coccinelles chassent les pucerons.*

coccinelles : en haut, à g., *Thea vigintiduo punctata;* à dr., *Coccinella bipunctata;* en bas, *Septempunctata*

coccus. V. cocci.

coccyx [kɔksis] n. m. Os situé à l'extrémité inférieure du sacrum et formé de quatre ou cinq petites vertèbres soudées entre elles.

Cochabamba, v. de Bolivie, au S.-E. de La Paz, à 2 500 m d'alt.; 317 250 hab.; ch.-l. du dép. du m. nom. Raff. de pétrole. Industr. textile, alimentaire et de l'amiante.

1. coche n. m. Anc. Grande voiture qui servait au transport des voyageurs. *Aller en coche.* ▷ Loc. prov. Fig. *Faire la mouche du coche :* s'agiter beaucoup et sans utilité (par allus. à la fable de La Fontaine : *le Coche et la Mouche*). ▷ Loc. fig. *Manquer le coche :* laisser échapper l'occasion.

2. coche n. m. **1.** Anc. *Coche d'eau :* chaland halé par des chevaux servant au transport des voyageurs et des marchandises, sur les voies fluviales. **2.**

Coche de plaisance : petit bateau habitable de tourisme fluvial.

3. coche n. f. **1.** Entaille, encoche. *Coche d'une flèche.* **2.** *Par ext.* Marque. *Faire une coche au crayon.*

cochenille n. f. Nom de nombreux insectes homoptères de très petite taille, dont seul le mâle est ailé, parasites de divers végétaux.

1. cocher n. m. Celui qui conduit l'attelage d'une voiture. *Cocher de fiacre.*

2. cocher v. tr. [1] Marquer d'une coche ou d'un signe. *Cochez d'une croix les cases correspondantes.*

cochère adj. f. *Porte cochère,* par laquelle une voiture peut passer.

Cocherel, écart de la com. d'Houlbec-Cocherel (Eure, arr. d'Évreux), où Du Guesclin battit les troupes de Charles le Mauvais (1364).

Cochet (Henri) (Villeurbanne, 1901 – Saint-Germain-en-Laye, 1987), joueur de tennis français. Un des quatre « mousquetaires » vainqueurs de la coupe Davis de 1927 à 1932. Il remporta par deux fois le tournoi de Wimbledon (1927 et 1928).

Cochin, port de l'Inde (Kerala), sur la côte de Malabār; 513 250 hab. Raff. de pétrole; constr. navales. – Vasco de Gama y fonda un comptoir en 1502.

Cochin (Jacques Denis) (Paris, 1726 – id., 1783), curé de Saint-Jacques-du-Haut-Pas, à Paris, fondateur de l'hôpital qui porte son nom (XIVe arr.).

Cochinchine, désignation européenne de la région méridionale du Viêt-nam actuel. En 1867, la France en acheva la conquête, l'intégrant à l'Union indochinoise en 1887.

Cochise (v. 1812 – 1876), chef indien apache. Il fut, de 1861 à 1872, dans le S.-E. de l'Arizona, le plus célèbre chef de guerre de sa tribu (les Chiricahuas) et unifia la nation apache avec Geronimo.

cochléaire [kɔkleɛʀ] adj. ANAT Qui se rapporte au limaçon de l'oreille et, par ext., à l'audition.

cochlée [kɔkle] n. f. ANAT Limaçon de l'oreille interne.

cochon, onne n. (et adj.) **I.** n. m. **1.** Animal domestique omnivore, porc élevé pour sa chair. *Cochon de lait :* petit cochon, encore à la mamelle. ▷ Viande de cet animal. **2.** Loc. fig., fam. *Amis, copains comme cochons,* très liés. – *Tête de cochon :* mauvais caractère. – *Donner des perles, de la confiture à des cochons :* donner qqch de raffiné à qui n'est pas capable de l'apprécier. **3.** *Cochon d'Inde :* cobaye. – *Cochon d'Amérique :* pécari. – *Cochon de mer :* marsouin. – *Cochon de terre :* oryctérope. **II.** n. et adj. Fam. Personne malpropre; personne indélicate, malfaisante. *Cochon d'Untel!* – Loc. *Tour de cochon :* mauvais tour. ▷ adj. Licencieux, pornographique. *Des gravures cochonnes.* – Libidineux, vicieux. *Des jeux cochons.*

cochonnaille n. f. Fam. Charcuterie.

cochonner v. [1] **1.** v. intr. Rare Mettre bas, en parlant d'une truie. **2.** v. tr. Fam. Faire salement ou grossièrement (un ouvrage). ▷ Salir, souiller.

cochonnerie n. f. Fam. **1.** Extrême malpropreté. *Vivre dans la cochonnerie.* ▷ Saleté, souillure. **2.** *Par ext.* Action, parole obscène. **3.** Action indélicate, qui porte tort. *Faire une cochonnerie à qqn.* **4.** Chose sale, gâtée, sans valeur.

cochonnet n. m. **1.** Jeune cochon. **2.** Petite boule servant de but au jeu de boules.

Cochrane (Thomas), comte de Dundonald (Annsfield, Lanarkshire, 1775 – Kensington, 1860), amiral britannique. Il se mit successivement au service du Chili, du Brésil et de la Grèce, en lutte pour leur indépendance.

Cockcroft (sir John Douglas) (Todmorden, Yorkshire, 1897 – Cambridge, 1967), physicien anglais. Il bombarda pour la première fois (1932) des noyaux atomiques à l'aide de particules accélérées afin d'obtenir des transmutations. P. Nobel 1951.

cocker [kɔkɛʀ] n. m. Chien d'arrêt à poil long et grandes oreilles tombantes.

cockney [kɔknɛ] n. inv. Londonien de souche, notam. des quartiers pop. ▷ *Le cockney :* le langage pop. parlé par les cockneys. – adj. *Accent cockney.*

cockpit [kɔkpit] n. m. **1.** MAR Partie en creux, à ciel ouvert, située à l'arrière d'une embarcation où se tient le barreur. **2.** AVIAT Cabine constituant le poste de pilotage dans un avion.

cocktail [kɔktɛl] n. m. **1.** Boisson résultant d'un mélange dans lequel entrent des alcools. ▷ *Par ext.* Mélange. *Cocktail de fruits.* – Fig. *Un heureux cocktail de malice et de gravité.* **2.** Réunion mondaine où l'on boit des cocktails. **3.** *Cocktail Molotov :* projectile offensif constitué par une bouteille remplie d'un liquide explosif. **4.** MED *Cocktail lytique :* mélange de médicaments destiné à lutter contre des douleurs violentes résistant aux médicaments plus simples.

1. coco n. m. *Noix de coco,* fruit comestible du cocotier. (La noix de coco à maturité fournit le coprah ou blanc de coco, dont on tire divers corps gras servant à la fabrication de savons, parfums, margarine, huile, etc.) – *Lait de coco :* liquide que contient la noix de coco fraîche. – *Fibres de coco :* fibres lignifiées du cocotier, utilisées dans l'industrie.

2. coco n. m. Fam. **1.** (Langage enfantin) Œuf. **2.** Terme d'affection (souvent à l'adresse d'un enfant). *Mon petit coco.* **3.** Péjor. Individu. *Un drôle de coco.*

3. coco n. m. Boisson rafraîchissante à base de réglisse. *Boire du coco.*

cocon n. m. **1.** Enveloppe soyeuse que filent un grand nombre de chenilles (dont le ver à soie) pour s'y transformer en chrysalide. **2.** *Par ext.* Fig. Endroit douillet; situation où l'on se sent protégé. *Le cocon familial.*

Coconas ou **Coconnat** (Annibal, comte de) (Italie, 1535 – Vincennes, 1574), gentilhomme piémontais. Il se signala par ses cruautés lors de la Saint-Barthélemy. Ayant conspiré en faveur du duc d'Alençon contre Henri III, alors roi de Pologne, il fut décapité.

cocooner [kokune] v. intr. [1] (Anglicisme) Rester tranquillement chez soi, faire du cocooning.

cocooning [kokuniŋ] n. m. (Anglicisme) Comportement de qqn qui recherche un confort douillet, sans risque.

cocorico interj. et n. m. **1.** Cri du coq (on dit aussi *coquerico).* **2.** Bruyante manifestation de chauvinisme.

Cocos (îles) ou **Keeling,** archipel de l'océan Indien, au S.-O. de Java; 14,2 km²; 615 hab. Phosphate. Base aérienne. – Sous dépendance australienne depuis 1955.

cocoter ou **cocotter** v. intr. [1] Fam. Sentir mauvais. *Ça cocote dans cette pièce.*

cocotier n. m. Palmier des régions tropicales, pouvant atteindre 30 m de hauteur et donnant la noix de coco. ▷ Loc. fig., fam. *Secouer le cocotier :* chercher à déloger de leur place ceux qui sont plus âgés que soi, ou plus élevés dans une hiérarchie; lutter avec vigueur contre la routine, les habitudes.

cocotier commun et noix de coco germée

1. cocotte n. f. **1.** Poule (dans le langage enfantin). **2.** *Cocotte en papier :* carré de papier plié, figurant une poule. **3.** Fam., vieilli Femme de mœurs légères. Syn. pop. poule. **4.** Fam. Terme affectueux (à l'adresse d'une femme). *Comment vas-tu, ma cocotte?*

2. cocotte n. f. Marmite en fonte, de hauteur réduite, avec un couvercle. – *Cocotte-minute* (Nom déposé.) : autocuiseur.

Cocteau (Jean) (Maisons-Laffitte, 1889 – Milly-la-Forêt, 1963), écrivain et cinéaste français. Poète (*Plain-Chant,* 1923), romancier (*les Enfants terribles,* 1929), dramaturge (*les Parents terribles,* 1938), cinéaste (*le Sang d'un poète,* 1930; *Orphée,* 1950), constamment lié au « moderne » dans ses expressions éphémères et diverses; il fut aussi dessinateur, peintre (chapelles de Villefranche-sur-Mer et de Milly-la-Forêt), organisateur de spectacles-manifestes (*le Bœuf sur le toit,* 1920). Acad. fr. (1955).

cocu, ue adj. et n. Fam. **1.** adj. Qui est trompé par son conjoint. **2.** n. (Rare au fém.) Personne dont le conjoint, l'amant, la maîtresse est infidèle. ▷ Loc. fam. *Avoir une veine de cocu,* une chance peu ordinaire.

cocuage n. m. Fam. Fait d'être cocu; état d'une personne trompée par son conjoint.

cocufier v. tr. [2] Fam. Faire cocu, tromper.

Cocyte (le), dans la myth. gr., un des fleuves des Enfers.

Jean **Cocteau**

Jacques **Cœur**

Cod (cap), cap terminant une longue et étroite presqu'île du Massachusetts. – Parc national.

coda n. f. MUS Suite des mesures conclusives d'un morceau de musique, le plus souvent brillant raccourci des thèmes essentiels.

codage n. m. Fait de coder.

code n. m. **I. 1.** Recueil, compilation de lois. *Le code Justinien* : V. Justinien Ier. **2.** Corps de lois constituées en système complet de législation sur une matière déterminée. – *Code civil*, ou *code Napoléon*, promulgué en 1804 en exécution de la volonté affirmée par la Constituante d'unifier une législation pour tous les Français. (Il est composé de : Livre I. Des personnes, de l'état civil; Livre II. Des biens et des différentes modifications de la propriété; Livre III. Des différentes manières dont on acquiert la propriété.) – *Code pénal, code de commerce, code général des impôts.* ▷ *Code de la route* : ensemble de la réglementation et de la signalisation qui régit la circulation routière. – *Passer le code*, l'épreuve théorique du permis de conduire, ayant trait au code de la route. – AUTO *Phares en codes* ou *codes* : feux de croisement. *Se mettre en codes.* **3.** Fig. *Le code de l'honneur, de la morale, de la politique* : les préceptes en ces matières. **4.** Volume contenant le texte d'un code. **II. 1.** Système conventionnel de signes ou signaux, de règles et de lois, permettant la transformation d'un message en vue d'une utilisation particulière (transmission secrète; exploitation par des moyens informatiques). *Code secret. Code informatique.* ▷ *Code postal* : code à cinq chiffres réservé aux adresses postales, permettant le tri automatique du courrier. ▷ INFORM *Code binaire*, qui utilise un système de numération à base 2 (chiffres 0 et 1). **2.** Recueil de phrases, de mots et de lettres, et de leur traduction chiffrée. **3.** BIOL, GENET *Code génétique*, inscrit dans l'A.D.N. et qui contient l'information concernant la synthèse protéique propre à chaque individu.

ENCYCL **Génét.** – Le code génétique est déterminé dans une molécule d'A.D.N. par la séquence de 4 bases azotées : adénine, thymine, guanine, cytosine. Chaque triplet de bases, ou codon, représente un acide aminé donné. La molécule d'A.D.N. est transcrite dans la molécule d'A.R.N. messager, laquelle transporte l'information au niveau des ribosomes cytoplasmiques, où la protéine est alors synthétisée à partir des acides aminés voulus.

► pl. pages **386 et 387**

code-barres n. m. Code constitué de barres parallèles et qui, porté sur l'emballage de certains produits, permet leur identification par lecture optique. *Des codes-barres.*

codébiteur, trice n. DR Personne qui a contracté une dette, solidairement avec un ou plusieurs autres.

codéine n. f. MED Dérivé de la morphine (méthylmorphine), utilisé comme sédatif et antitussif.

coder v. tr. [1] **1.** Transcrire à l'aide d'un code secret. *Coder une dépêche.* – Pp. adj. *Message codé.* **2.** Transcrire une information selon un code, en vue de son exploitation informatique.

codétenu, ue n. Personne qui est détenue avec d'autres personnes.

codéveloppement n. m. Développement économique résultant d'une coopération entre pays riches et pays pauvres.

codex [kɔdɛks] n. m. PHARM Recueil officiel des préparations médicamenteuses autorisées.

codicille [kɔdisil] n. m. DR Disposition ajoutée à un testament pour le modifier, le compléter ou l'annuler.

codificateur, trice adj. (et n.) Qui codifie.

codification n. f. Action de codifier.

codifier v. tr. [2] **1.** DR Réunir des lois en un code. *Codifier la législation fiscale.* **2.** *Par ext.* Soumettre à des lois, des règles cohérentes. *Codifier l'orthographe.*

codirecteur, trice n. (et adj.) Personne qui dirige avec d'autres.

codirection n. f. Direction exercée simultanément avec d'autres.

codon n. m. GENET Unité constitutive du code génétique de l'A.D.N., formant un triplet qui correspond à une suite de trois nucléotides caractérisés chacun par une base azotée.

coéditer v. tr. [1] Effectuer une coédition.

coéditeur, trice n. Éditeur qui participe à une coédition.

coédition n. f. Édition d'un ouvrage par plusieurs éditeurs en collaboration.

coefficient n. m. **1.** MATH Valeur numérique ou littérale qui affecte une variable. *Dans 3*a, *3 est le coefficient de* a. ▷ *Spécial.* Dans les examens et les concours, nombre par lequel on multiplie la note attribuée dans une matière selon l'importance de celle-ci. *L'épreuve de mathématiques est affectée d'un coefficient élevé.* – Cour. Pourcentage non déterminé. *Prévoir un coefficient d'erreur.* **2.** PHYS Nombre correspondant à une propriété définie d'un corps. *Coefficient de dilatation, de frottement.* **3.** FIN *Coefficient de capitalisation des résultats* : ratio entre le cours boursier et le dividende par action.

cœlacanthe [selakɑ̃t] n. m. ZOOL, PALEONT Poisson crossoptérygien, dont la plupart des espèces ont disparu, mais dont une espèce, *Latimeria chalumnæ*, connue d'abord par des fossiles (300 millions d'années), a survécu dans le nord du canal de Mozambique (70 exemplaires pêchés depuis 1938). (Ces poissons nous renseignent sur l'évolution, car leurs nageoires sont des ébauches des membres des tétrapodes.)

cœlacanthe

cœlentérés [selɑ̃teʀe] n. m. pl. ZOOL Ancien embranchement d'animaux inférieurs actuellement démembré en cnidaires et cténaires (actinie, corail, méduse). – Sing. *Un cœlentéré.*

cœliaque ou **céliaque** [seljak] adj. ANAT Qui a rapport au ventre et aux intestins.

cœliochirurgie n. f. CHIR Chirurgie concernant les organes pelviens, pratiquée à l'aide d'un cœlioscope, sans ouverture importante de l'abdomen.

cœlioscope n. m. MED Tube optique éclairant, servant à la cœlioscopie et à la cœliochirurgie.

cœlioscopie [seljɔskɔpi] n. f. MED Examen des organes pelviens par introduction d'un endoscope dans la cavité abdominale à travers une petite incision.

cœlomate [selomat] n. m. ZOOL Animal pourvu d'un cœlome. Ant. acœlomate.

cœlome [selom] n. m. ZOOL Chez les métazoaires, cavité comprise entre le tube digestif et la paroi du corps, et tapissée dans l'abdomen par un tissu qui constitue le mésentère.

cœno- ou **céno-.** Élément, du gr. *koinos*, « commun ».

coentreprise n. f. ECON Syn. (off. recommandé) de *joint-venture*.

cœnure ou **cénure** [senyʀ] n. m. Ténia *(Tænia cœnurus)* qui vit dans le tube digestif du chien et dans le cerveau du mouton, chez lequel il provoque le tournis.

coenzyme [koɑ̃zim] n. f. ou m. BIOCHIM Groupement actif, non protéique (oligoélément, vitamine), d'une enzyme.

coépouse n. f. Chacune des épouses d'un polygame.

coéquipier, ère n. Personne qui fait équipe avec d'autres ou qui fait partie de la même équipe sportive que d'autres.

coercible adj. PHYS Qui peut être comprimé.

coercitif, ive adj. **1.** Capable de contraindre; qui contraint. *Dispositions coercitives.* **2.** ELECTR *Champ coercitif* : champ magnétique capable de faire disparaître le magnétisme rémanent dans un noyau magnétique.

coercition n. f. Action de contraindre qqn à faire qqch, et, spécial., à obéir à la loi. *Pouvoir de coercition d'un jugement.*

Coëtlogon (Alain Emmanuel, marquis de) (Rennes, 1646 – Paris, 1730), vice-amiral et maréchal de France. Il se distingua à La Hougue aux côtés de Tourville (1692) et lors de la défense de Saint-Malo contre les Anglais (1693). Il servit également Philippe V d'Espagne.

Coëtquidan, camp militaire du Morbihan (com. de Guer, arr. de Vannes). L'École spéciale militaire, jusque-là implantée à Saint-Cyr-l'École, y fut transférée en 1946.

cœur [kœʀ] n. m. **I. 1.** Organe musculaire creux contenu dans la poitrine, agent principal de la circulation du sang. *Les pulsations, les battements du cœur.* **2.** *Par ext.* Poitrine. *Presser qqn sur son cœur.* **3.** Fig. *Avoir mal au cœur, le cœur retourné* : avoir la nausée. **II.** Fig. **1.** Siège des sentiments, des émotions. *Le cœur battant, le cœur serré. Avoir le cœur gros* : avoir du chagrin. – Fam. *Cela lui fait mal au cœur d'être obligé de partir*, il en est fortement peiné. **2.** Siège des sentiments nobles et forts; ces sentiments et, partic., le courage. *Un homme de cœur. « Rodrigue, as-tu du cœur? »* (Corneille). – Fam. *Du cœur au ventre* : du courage. – Prov. *Faire contre mauvaise fortune bon cœur* : ne pas se laisser abattre par la malchance. **3.** Siège de l'affection, de l'amour, de l'amitié. *Donner son cœur à qqn.* – *C'est un cœur d'artichaut*, une personne volage. – *Faire le joli cœur* : s'efforcer de séduire par ses manières, son élégance. – *Joli, gentil comme un cœur* : très joli, très gentil. ▷ *S'en donner à cœur joie* : prendre beaucoup de plaisir. **4.** Siège de la bonté, de la pitié. *Avoir bon cœur.* – Loc. fig. *N'avoir pas de cœur* : être égoïste. *Avoir un cœur de pierre* : être sans pitié. *Avoir*

CODE DE LA ROUTE

Signalisation de danger

chaussée rétrécie · chaussée rétrécie par la droite · virage à droite · virage à gauche · succession de virages dont le premier est à droite · succession de virages dont le premier est à gauche · circulation dans les deux sens · intersection d'une route non prioritaire · dos d'âne

chaussée glissante · danger · croisement · passage protégé · vent latéral · feux tricolores · débouché de cyclistes ou de cyclomotoristes · descente dangereuse · débouché sur quai ou berge

pont mobile · passage à niveau manuel · passage à niveau sans barrière · projection de gravillons · travaux : ralentir · chutes de pierres · attention école · passage d'animaux sauvages · passage d'animaux domestiques

Signalisation d'interdiction et de priorité

circulation interdite · sens interdit · interdiction de tourner à gauche · interdiction de tourner à droite · interdiction de faire demi-tour · arrêt et stationnement interdits · stationnement interdit · dépassement interdit · dépassement interdit aux plus de 3,5 tonnes

interdit aux piétons · interdit aux véhicules sauf aux cyclomoteurs · interdit aux cycles et cyclomoteurs · interdit aux cyclomoteurs · interdit aux camions · interdit aux véhicules dépassant … mètres · interdiction de dépasser la vitesse indiquée · signaux sonores interdits · priorité à la circulation en sens inverse

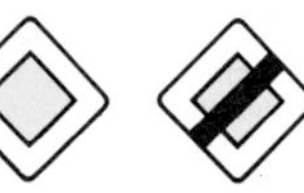

maintien d'un intervalle au moins égal à … mètres · interdit au véhicules d'une hauteur sup. à … mètres · interdit aux véhicules dépassant … tonnes sur un essieu · interdit aux véhicules d'une largeur sup. à … mètres · interdit aux véhicules ayant un poids en charge de plus de … tonnes · arrêt obligatoire · cédez le passage à l'intersection · indication de priorité d'une route à grande circulation · perte de priorité d'une route à grande circulation

Signalisation d'obligation

obligation d'aller tout droit · obligation de suivre la direction de droite · obligation de contourner l'obstacle · obligation de tourner à droite · obligation de tourner à droite ou à gauche · obligation d'aller tout droit ou à droite · sens giratoire obligatoire · voie réservée aux transports en commun · chaînes à neige obligatoires

voie piétonnière · piste cyclable · allée cavalière

Signalisation de fin d'interdiction

fin d'interdiction · fin de limitation de vitesse · fin d'interdiction de signaux sonores · fin d'interdiction de dépasser · fin d'interdiction de dépasser aux véhicules de plus de 3,5 tonnes

Fin d'obligation

fin de voie réservée aux transports en commun · fin d'obligation de chaînes à neige · fin de voie piétonnière · fin de la piste cyclable · fin de l'allée cavalière

Signalisation relative à une voie ferrée

balises rappelant l'approche du passage à niveau

passage à niveau à voie unique · passage à niveau à plusieurs voies

Signalisation de simple indication

intersection et indication de priorité

chemin sans issue

sens unique

priorité par rapport à la circulation en sens inverse

passage pour piétons

parc de stationnement

hôpital

autoroute

SIGNALISATION PROPRE A CERTAINS PAYS DE L'EUROPE

R.-U.

fin de route à chaussées séparées

Esp. Ital.

voie d'accélération sur la droite

Por. **Por.** **Por.**

intersection avec une route non prioritaire

Irl.

fin de route à quatre voies

Irl.

rétrécissement de chaussée

Irl.

virage dangereux

Dan.

annonce de sortie d'autoroute

Dan.

jonction d'autoroutes ou de routes à plusieurs voies

P.-Bas

jonction d'autoroutes

Esp.

itinéraire pour tourner à gauche

Esp. **Ital.** **Lux.**

voie réservée aux véhicules lents

All.

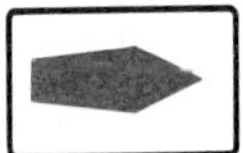
déviation de circulation

Dan.

vitesse conseillée pour quitter dans la direction indiquée un itinéraire important

Irl.

interdiction de touner à gauche

Irl.

obligation de tourner à gauche

P.-Bas Ital.

accès interdit aux véhicules tractant une remorque

Ital.

sur route de montagne, cédez le passage aux autocars en cas de croisement impossible

All.

obligation d'allumer les feux pour stationner de nuit

Esp.

zone urbaine

R.-U.

pont en dos d'âne

P.-Bas **Esp.**

accident

Esp.

chaussée dénivelée

P.-Bas All. **Esp.**

embouteillage

P.-Bas

visibilité réduite (neige - pluie - brouillard)

All.

risque de verglas

Por. **Por. Lux.**

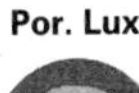
stationnement interdit les jours impairs

Por. **Por. Lux.**

stationnement interdit les jours pairs

Esp. Ital.

stationnement interdit du côté du chiffre I les jours impairs

Esp. Ital.

stationnement interdit du côté du chiffre II les jours pairs

Lux.

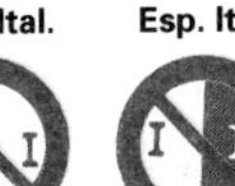

indicateur sur champ vert: circuler. indicateur sur champ rouge: arrêter

Irl.

stationnement interdit

Belg.

stationnement obligatoire en partie sur l'accotement ou le trottoir

Belg.

stationnement obligatoire sur la chaussée

Ital. Esp. Por. **All.**

garage

Abréviations

All.:	Allemagne	**Ital.:**	Italie
Belg.:	Belgique	**Lux.:**	Luxembourg
Dan.:	Danemark	**P.-Bas:**	Pays-Bas
Esp.:	Espagne	**Por.:**	Portugal
Irl.:	Irlande	**R.-U.:**	Royaume-Uni

un cœur d'or, le cœur sur la main : être d'une grande générosité. **5.** Dispositions secrètes, pensée intime. *Parler à cœur ouvert, ouvrir son cœur* : parler avec une entière franchise. ▷ Loc. *En avoir le cœur net* : être délivré de ses doutes. **6.** Loc. adv. *Par cœur* : de mémoire. *Apprendre par cœur.* – *Savoir par cœur* : savoir parfaitement. ▷ *De bon cœur, de grand cœur* : très volontiers, avec plaisir. – *À cœur ouvert* : sincèrement. – *À contrecœur* : avec répugnance. **III.** (Par anal.) **1.** Milieu, centre, partie active. *Cœur de laitue.* – *Au cœur de l'hiver* : au plus fort de l'hiver. – *Le cœur d'une ville. Le cœur d'un réacteur nucléaire.* **2.** BOT *Bois de cœur* : bois central, résistant, d'un arbre (par oppos. à *aubier*). **IV.** Objet, figure en forme de cœur. ▷ Bijou en forme de cœur. *Un petit cœur en argent.* ▷ L'une des couleurs des jeux de cartes. *Faire un pli à cœur. Atout cœur.*

ENCYCL Le cœur est un muscle creux à quatre cavités, situé dans le médiastin antérieur, en forme de cône dont le grand axe est dirigé en avant, en bas et à gauche. Il comporte trois tuniques : le péricarde à l'extérieur ; le myocarde ; l'endocarde, qui tapisse les cavités. Il existe fonctionnellement et anatomiquement un cœur droit et un cœur gauche, que sépare complètement la cloison auriculo-ventriculaire. Chacun comprend une oreillette et un ventricule, qui communiquent par un orifice auriculo-ventriculaire, muni d'une valve : tricuspide à droite, mitrale à gauche. Chaque ventricule communique (par un orifice muni de valves sigmoïdes) avec une volumineuse artère, dans laquelle il éjecte le sang à chaque systole : à droite (artère pulmonaire) et à gauche (aorte). Le cœur droit est à basse pression et contient du sang noir venant des veines caves, qui s'abouchent dans l'oreillette droite. Le cœur gauche est à haute pression et contient du sang rouge oxygéné qui gagne l'oreillette gauche par les veines pulmonaires.

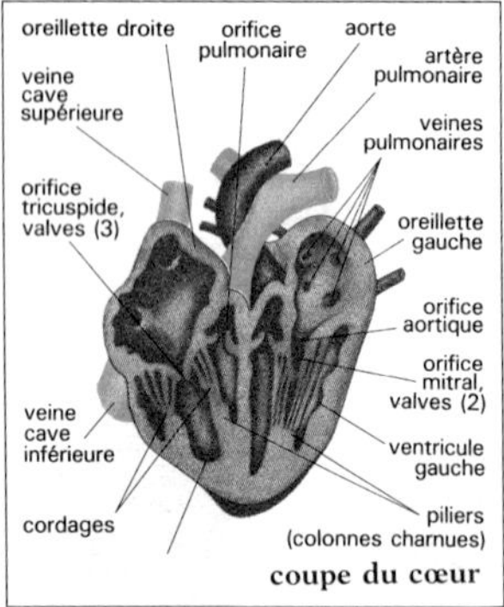

coupe du cœur

Cœur (Jacques) (Bourges, v. 1395 – Chio, 1456), négociant français. Sa fortune, édifiée sur la spéculation sur les métaux précieux et le commerce avec le Levant, lui permit de devenir le banquier de Charles VII. Nommé argentier du roi (1440), investi d'import. missions diplom., il assainit la situation monétaire, finança la reconquête du royaume, tout en augmentant sa fortune personnelle. Il fut arrêté en 1451 sous l'accusation (qui se révéla non fondée) d'avoir fait empoisonner Agnès Sorel, puis fut maintenu en prison pour malversations. En 1454, il s'évada et se mit au service du pape. Louis XI réhabilita sa mémoire. ▶ illustr. page **384**

coévolution n. f. Didac. Évolution de deux espèces liées par une interaction.

Coëvrons (les), collines gréseuses et boisées du bas Maine, en bordure du Massif armoricain ; 357 m au Gros-Rochard. Carrières de porphyre.

coexistence n. f. Existence simultanée. ▷ POLIT *Coexistence pacifique* : principe qui règle les relations entre États de régimes politiques différents afin que la divergence de leurs intérêts n'entraîne pas de conflit ouvert ou latent (« guerre froide »).

coexister v. intr. [1] Exister ensemble, simultanément.

cofacteur n. m. MATH Coefficient multiplicateur affectant un élément d'une matrice.

coffrage n. m. **1.** CONSTR Moule en bois ou en métal, dans lequel est mis en place le béton frais pour y être maintenu en forme pendant la prise. **2.** Charpente maintenant la terre d'une tranchée, d'un puits, d'un remblai, etc.

1. coffre n. m. **1.** Meuble en forme de caisse, muni d'un couvercle, qui sert à ranger divers objets. *Coffre à jouets.* ▷ AUTO Partie d'une voiture destinée à recevoir des bagages. **2.** Caisse spécialement destinée à renfermer de l'argent, des objets de valeur ; coffre-fort. **3.** Fam. Cage thoracique. *Avoir du coffre*, du souffle, une voix puissante ; fig. être courageux. **4.** CONSTR Conduit de fumée en saillie par rapport à un mur.

2. coffre n. m. Poisson téléostéen (fam. ostracionidés) recouvert d'une cuirasse osseuse et habitant les récifs coralliens.

coffre-fort n. m. Armoire blindée à serrure spéciale, destinée à enfermer des valeurs, des objets précieux. *Des coffres-forts.*

coffrer v. tr. [1] **1.** Fam. Emprisonner. *Coffrer un malfaiteur.* **2.** TECH Mouler au moyen d'un coffrage. *Coffrer un pilier.*

coffret n. m. **1.** Petit coffre orné, servant à enfermer des objets précieux. *Coffret à bijoux.* **2.** Cour. Boîte (avec nuance valorisante). – *Spécial.* Coffret de disques. *L'intégrale de l'œuvre d'un compositeur réunie en coffret.*

cofondateur, trice n. Personne qui fonde qqch avec d'autres personnes.

cogérance n. f. Gérance en commun.

cogérant, ante n. Personne qui exerce une cogérance.

cogérer v. tr. [14] Gérer en commun.

cogestion n. f. **1.** DR Gestion, administration en commun. **2.** Système de participation active des travailleurs à la gestion de leur entreprise et, par anal., des étudiants à celle de leur université.

cogitation n. f. Fam. Action de méditer ; réflexion. *Il était perdu dans des cogitations mélancoliques.*

cogiter v. intr. [1] Fam., plaisant Penser, réfléchir. *Cogiter sur son avenir.*

cogito [kɔʒito] n. m. PHILO Argument énoncé par Descartes dans son *Discours de la méthode* (1637), de la formule lat. *cogito, ergo sum*, « je pense, donc je suis ». (Dans le système cartésien, le *cogito* est la première évidence qui s'impose après le doute le plus radical et qui permet de conclure à la réalité de l'âme comme « substance pensante ».)

cognac n. m. Eau-de-vie de raisin fabriquée à Cognac et dans sa région.

Cognac, ch.-l. d'arr. de la Charente, sur la Charente ; 19 932 hab. (*Cognaçais*). Centre du comm. du cognac. Distillerie. Industr. du verre. – La v. fut l'une des quatre places fortes données aux protestants à la paix de Saint-Germain (1570). – Égl. St-Léger (en partie romane). Anc. chât. des Valois (vest. des XIIIe, XVe et XVIe s.), où est né François Ier.

Cognacq (Ernest) (Saint-Martin-de-Ré, 1839 – Paris, 1928), commerçant français. Il fonda *la Samaritaine* (1870). Avec sa femme, **Marie-Louise Jay** (Samoëns, 1838 – Paris, 1925), il consacra sa fortune au mécénat (notam. *prix Cognacq*, attribué aux familles nombreuses par la fondation *Cognacq-Jay*). – *Musée Cognacq-Jay* : musée aménagé dans leur ancien hôtel particulier, légué par testament à la Ville de Paris (collections du XVIIIe s.).

cognassier n. m. Arbre fruitier (fam. rosacées) originaire d'Asie, au port torturé, qui produit le coing.

cognassier : fruit à maturité et rameau fleuri

cognat [kɔgna] n. m. DR Parent par le sang (par oppos. à *agnat*). ▷ *Spécial.* Parent consanguin, en ligne maternelle.

cognation [kɔgnasjɔ̃] n. f. DR Parenté naturelle, consanguinité (par oppos. à *agnation*).

cogne n. m. Pop. Gendarme, policier.

cognée n. f. **1.** Forte hache pour couper les arbres. **2.** Loc. fig. *Jeter le manche après la cognée* : tout abandonner par découragement.

cognement n. m. Rare Fait de cogner. ▷ Bruit de ce qui cogne. *Cognements du moteur.*

cogner v. [1] **1.** v. tr. dir. Vx Frapper pour enfoncer. *Cogner un clou, une cheville.* ▷ Pop. Battre, frapper (qqn.) *Si ça continue, tu vas te faire cogner.* **2.** v. intr. Frapper fort (avec l'idée de répétition). *Cogner à la porte.* – Fam. *Il cogne dur* : il frappe fort (en se battant). **3.** TECH *Moteur qui cogne*, qui fonctionne mal et fait entendre un bruit saccadé. **4.** v. pron. Se heurter. *Se cogner à l'angle d'un meuble.* – Fig. *Je me suis cogné la tête contre les murs* : je me suis heurté à des difficultés insurmontables. ▷ (Récipr.) Fam. Se battre.

cogneur n. m. Fam. Personne qui frappe fort (*spécial.* en parlant d'un boxeur). *Attention, c'est un cogneur.*

cognisciences n. f. pl. Ensemble constitué par les sciences cognitives.

cogniticien, enne n. INFORM Spécialiste en intelligence artificielle.

cognitif, ive [kɔgnitif, iv] adj. PHILO Relatif à la connaissance, à la cognition. *Facultés, opérations cognitives.* ▷ *Sciences cognitives* : ensemble des sciences qui étudient l'intelligence (humaine, animale, artificielle) en tant qu'instrument de la cognition : psychologie, linguistique, informatique, etc.

cognition [kɔgnisjɔ̃] n. m. PHILO Faculté de connaître. – Acte intellectuel par lequel on acquiert une connaissance.

cohabitation n. f. **1.** État de deux ou plusieurs personnes qui habitent sous le même toit. **2.** POLIT Coexistence, dans un pays de régime présidentiel ou semi-présidentiel, d'un chef de l'État et d'un Premier ministre élus par des majorités politiquement opposées et qui partagent le pouvoir.

cohabiter v. intr. [**1**] Habiter, vivre ensemble.

Cohen (Marcel) (Paris, 1884 – Viroflay, 1974), linguiste français. Il s'est intéressé aux langues sémitiques, à la langue française, à l'organisation et à la sociologie du langage, à l'écriture (*les Langues du monde*, en collab., 1924).

Cohen (Albert) (Corfou, 1895 – Genève, 1981), écrivain suisse d'expression française. Il fut délégué du mouvement sioniste à la S.D.N. Ses origines juives, sa très grande sensibilité à la fuite du temps s'expriment dans une œuvre d'une haute tenue : *Solal* (1930), *Mangeclous* (1938), *le Livre de ma mère* (1954), *Belle du Seigneur* (1968).

Cohen-Tannoudji (Claude) (Constantine, 1933), physicien français. Ses travaux sur la manipulation des atomes à l'aide de lasers lui ont valu, avec S. Chu et W. Phillips, le prix Nobel 1997.

cohérence n. f. **1.** Liaison étroite, adhérence entre les divers éléments d'un corps. *Cohérence des molécules.* ▷ PHYS Caractère des faisceaux lumineux émis par les lasers. **2.** Connexion, rapport logique entre des idées, des propos. *Une histoire qui manque de cohérence.*

cohérent, ente adj. **1.** Qui offre de la cohésion, dont les parties sont liées logiquement entre elles. *Ensemble cohérent. Raisonnement cohérent.* **2.** Didac. Dont les éléments sont étroitement unis. *Roche cohérente,* dont les constituants sont agrégés. Syn. homogène. **3.** PHYS *Optique cohérente :* V. encycl.

ENCYCL **Phys.** – La lumière émise par le Soleil ou par les sources habituellement utilisées (lampes et tubes électriques, arc électrique) est constituée d'une succession de *trains d'ondes* électromagnétiques, qui n'ont entre eux aucun lien de phase. En revanche, la lumière émise par les lasers* présente des propriétés de *cohérence spatiale* (tous les atomes de la source entrant en vibration simultanément) et de *cohérence temporelle* (la durée d'un train d'ondes est grande, elle est de l'ordre de 10^{-2} seconde, alors que celle d'une source classique n'est que de l'ordre de 10^{-8} seconde). Cette lumière (dite *cohérente*) possède de ce fait des propriétés très importantes. Ce domaine d'études et d'applications a reçu le nom d'*optique cohérente.*

cohériter v. intr. [**1**] DR Hériter d'un même bien qu'une ou plusieurs autres personnes.

cohéritier, ère n. Personne qui cohérite.

cohésif, ive adj. Didac. Qui unit, qui joint. *Pouvoir cohésif.*

cohésion n. f. Union intime des parties d'un ensemble. *La cohésion d'un parti.* ▷ PHYS *Force de cohésion,* qui s'oppose à la séparation des molécules d'un corps.

Cohl (Émile Courtet, dit Émile) (Paris, 1857 – Villejuif, 1938), dessinateur et cinéaste français; pionnier, entre 1908 et 1918, du dessin animé et du film d'animation (*les Pieds nickelés,* 1918).

cohorte n. f. **1.** ANTIQ ROM Corps d'infanterie formant la dixième partie d'une légion. **2.** Vx ou litt. Troupe. *Des cohortes guerrières.* – *Les cohortes célestes :* les élus. Mod., fam. Groupe important de personnes. *Des cohortes d'étudiants.*

cohue [kɔy] n. f. Foule nombreuse et tumultueuse; désordre, confusion.

coi, coite adj. Silencieux, tranquille. *Se tenir, demeurer coi.*

coiffage n. m. **1.** Action de coiffer (les cheveux). **2.** Action de recouvrir. – Didac. *Coiffage de la pulpe dentaire mise à nu par une carie.*

coiffant, ante adj. Qui coiffe bien, convient au visage. *Une toque très coiffante.* ▷ Qui aide à la coiffure. *Un spray coiffant.*

coiffe n. f. **1.** Coiffure. *Coiffes régionales traditionnelles.* **2.** Membrane recouvrant parfois la tête de l'enfant à la naissance. **3.** BOT Enveloppe de la pointe d'une racine.

coiffer v. tr. [**1**] **1.** Couvrir (d'une coiffure) la tête de. *Coiffer un bébé d'un bonnet de laine.* – Fig. *Des nuages coiffent la montagne.* ▷ Loc. fam. *Coiffer Sainte-Catherine :* en parlant d'une jeune fille, fêter ses 25 ans sans être mariée. **2.** Prendre pour coiffure. *Coiffer une casquette.* **3.** Arranger les cheveux de. – Pp. adj. *Être bien (mal) coiffé.* **4.** Dépasser d'une tête à l'arrivée d'une course; vaincre au dernier moment. *Coiffer au, sur le poteau.* **5.** Fig. Réunir sous son autorité, contrôler. **6.** v. pron. *Se coiffer avec une brosse. Elle s'est coiffée d'un chapeau à plumes.*

coiffeur, euse n. **1.** Personne qui fait le métier de couper, d'arranger les cheveux. *Coiffeur pour dames.* **2.** n. f. Table de toilette munie d'un miroir.

coiffure n. f. **1.** Ce qui couvre ou orne la tête. *Une coiffure élégante.* **2.** Action de coiffer; manière de disposer les cheveux. *Coiffure en brosse.* ▷ Art de coiffer. *Salon de coiffure.*

Coigny (Marie François de Franquetot de) (Paris, 1735 – *id.,* 1821), maréchal de France. Il participa à la conquête du Hanovre. Élu député en 1789, il émigra et combattit dans l'armée de Condé.

Coimbatore, v. de l'Inde mérid. (Tamil Nadu); 1 150 000 hab. Centre comm. Cotonnades.

Coïmbre (en portug. *Coimbra*), v. du Portugal, sur le Mondego; 97 000 hab.; ch.-l. du district du m. nom et cap. de la région Centre. Industr. text., alim. et photographique. – Évêché. Monastère de Santa Cruz (*cloître du Silence,* XVIe s.). Université fondée au XIe s.

coin n. m. **I. 1.** Angle saillant ou rentrant. *Coin de table. Les quatre coins d'une pièce.* ▷ *Aller au coin, mettre au coin,* en guise de punition pour un enfant, un écolier. ▷ *Coin d'un bois :* endroit où une route coupe un bois; lieu isolé. *Je ne voudrais pas le rencontrer au coin d'un bois.* ▷ *Veillée au coin du feu,* à côté de la cheminée, près du feu. ▷ *Coins de la bouche, de l'œil,* les commissures. – *Regarder du coin de l'œil,* à la dérobée. ▷ *Coin de la rue :* endroit où deux rues se coupent. – *Absol.* Fam. *L'épicier du coin,* le plus proche. ▷ Fig., fam. *En boucher un coin à qqn,* lui fermer la bouche de surprise, l'étonner. **2.** Parcelle. *Un coin de terre. Un coin de ciel bleu.* **3.** Endroit retiré, non exposé à la vue. *Passer ses vacances dans un coin tranquille. Jetez cela dans un coin.* ▷ *Connaître qqch, qqn dans les coins,* parfaitement. ▷ Fam. *Le petit coin :* les cabinets. **II. 1.** TECH Pièce qui présente une extrémité en biseau et qui sert à fendre, à caler, etc. **2.** GEOL Faille ayant l'aspect d'un coin, due à une compression ou à une dépression latérale. **3.** Nom de deux incisives du cheval. **4.** Pièce d'acier gravée en creux servant à frapper les monnaies, les médailles.

coinçage n. m. Action de serrer dans un coin ou avec un coin.

coincement n. m. TECH État d'une pièce immobilisée accidentellement.

coincer v. tr. [**12**] **1.** Fixer avec des coins; serrer, empêcher de bouger. *Coincer une porte pour l'empêcher de battre.* ▷ v. pron. (En parlant des pièces d'un mécanisme). Se bloquer. *La serrure s'est coincée.* ▷ (En parlant d'une partie du corps). *Il s'est coincé le doigt dans une porte.* **2.** Fig., fam. Acculer, immobiliser. *Il m'a coincé contre un mur.* **3.** Fig., fam. Immobiliser, prendre. *On a coincé le coupable.* – *Se faire coincer :* se faire prendre. ▷ Mettre dans l'embarras en questionnant. *Il m'a coincé sur ce sujet.*

coïncidence [kɔɛ̃sidɑ̃s] n. f. **1.** GEOM État de deux figures, de deux éléments qui coïncident. **2.** Fait de se produire simultanément; concours de circonstances. *Quelle coïncidence! Nous parlions justement de vous.*

coïncident, ente adj. Qui coïncide; concomitant. *Empreintes coïncidentes.*

coïncider [kɔɛ̃side] v. intr. [**1**] **1.** GEOM Se superposer point à point. **2.** Se produire en même temps, correspondre exactement. *Les dates de nos vacances coïncident. Leurs goûts coïncident.*

coïnculpé, ée [koɛ̃kylpe] n. Personne inculpée avec une ou plusieurs autres pour le même délit.

co-infection n. f. MED Infection simultanée par plusieurs agents infectieux. *Co-infection sida-tuberculose. Des co-infections.*

coing [kwɛ̃] n. m. Fruit du cognassier, en forme de poire, de couleur jaune, au goût âpre, consommé surtout en gelée.

Coire (en all. *Chur*), v. de Suisse, dans la vallée du Rhin, sur la Plessur; 31 000 hab.; ch.-l. de cant. des Grisons. Industr. text. et alim. Tourisme.

Coiron (le) ou **Coirons** (les), plateau volcanique des Cévennes; 1 061 m au Roc de Gourdon.

coït [kɔit] n. m. Accouplement, copulation.

coite. V. coi.

1. coke n. m. Combustible résultant de la pyrogénation de la houille et qui sert de réducteur lors de l'élaboration de la fonte. ▷ *Coke de pétrole :* produit de la calcination du brai de pétrole.

2. coke n. f. Fam. Cocaïne.

cokéfaction n. f. TECH Transformation de la houille en coke.

cokéfier v. tr. [**2**] TECH Transformer en coke.

cokerie n. f. Usine de coke.

col n. m. **1.** Vx Cou. **2.** Partie rétrécie. *Le col d'une bouteille.* ▷ ANAT Partie plus mince et terminale d'un organe. *Col utérin. Col vésical. Col du fémur.* ▷ TECH Bouteille d'eau minérale, de jus de fruit, de vin, etc. **3.** Partie d'un vêtement qui entoure le cou. *Col de chemise. Col de dentelle. Col roulé. Col Claudine.* ▷ *Faux col :* col amovible qui s'adapte à une chemise d'homme; fig. mousse surmontant la bière dans un verre. ▷ Par méton. *Col blanc* : employé de bureau (par oppos. à *col bleu* : ouvrier). **4.** Dépression dans une ligne de faîte ou dans un relief, faisant communiquer deux versants. *Le col du Lautaret.*

col-. Élément, du lat. *cum.* V. com-.

cola. V. kola.

Colasse ou **Collasse** (Pascal) (Reims, 1649 - Versailles, 1709), compositeur français; collaborateur de J.B. Lully et auteur de tragédies lyriques.

colature n. f. PHARM Action de filtrer un liquide pour le débarrasser de ses impuretés; le liquide filtré.

colback [kɔlbak] n. m. **1.** Anc. coiffure militaire à poil, munie d'une poche qui pend de côté. **2.** Fam. Collet. *Attraper qqn par le colback.*

Colbert (Jean-Baptiste) (Reims, 1619 - Paris, 1683), homme d'État français, type accompli du «commis» d'Ancien Régime. Au service de Le Tellier, puis de Mazarin, qui, à sa mort (1661), le recommanda à Louis XIV, il acquit une grande expérience. Sa puissance de travail, son esprit méthodique lui permirent d'assumer les charges de surintendant des Bâtiments du roi (1664), de contrôleur général des Finances (1665), de secrétaire d'État à la Maison du roi (1668) et à la Marine (1669), la polit. extérieure étant le seul domaine à lui échapper. Il assainit les finances, redistribuant l'impôt, dont il exigea une meilleure comptabilité. Il dota le pays d'une import. flotte de guerre, liée à la création d'arsenaux, et fonda le système de l'inscription marit. Son effort princ. porta sur l'écon. Il appliqua une politique protectionniste et d'intervention de l'État (dite *colbertisme*) destinée à augmenter la richesse intérieure. Pour atteindre ce but, il créa plus de 400 manufactures, prémices de la grande industr., favorisa la marine marchande et les compagnies à monopole, simplifia les douanes intérieures. Des ordonnances réglementèrent les diverses activités écon. Il organisa les arts, les lettres et les sciences, fondant notam. la future Académie des inscriptions (1663), l'Académie des sciences (1666), l'Observatoire (1667), patronnant de nombr. artistes. Soucieux de limiter les dépenses, peu aimé à la Cour, il perdit vers la fin de sa vie, Louvois y aidant, son crédit auprès du roi et mourut découragé. – **Charles,** marquis de Croissy (Paris, v. 1626 - Versailles, 1696), frère du préc., fut secrétaire d'État aux Affaires étrangères en 1679. Il mena une politique d'annexion qui aboutit à la guerre de la Ligue d'Augsbourg.

colbertisme n. m. Dirigisme économique, mercantilisme (surtout quand il s'agit de la France).

col-bleu n. m. Fam. Marin de la marine nationale. *Des cols-bleus.*

J.-B. **Colbert**

Colette

Colchester, v. d'Angleterre (Essex), sur la Colne; 141 100 hab. Ostréiculture; confection. - Ruines antiques.

colchicine [kɔlʃisin] n. f. MED Alcaloïde extrait du colchique, médicament spécifique de la goutte.

Colchide, rég., à l'E. de la mer Noire (Pont-Euxin) et au S. du Caucase, où, selon la myth. gr., les Argonautes dérobèrent la Toison d'or.

colchique [kɔlʃik] n. m. Plante herbacée à bulbe, vénéneuse, aux fleurs en cornets (fam. liliacées), fréquente en automne dans les prés humides.

fleur du **colchique** d'automne

col-de-cygne n. m. **1.** TECH Instrument, robinet, tuyauterie ayant la forme courbe du cou d'un cygne. **2.** Motif décoratif en ameublement. *Des cols-de-cygne.*

-cole. Élément, du lat. *colere,* «cultiver, habiter».

Cole (Nathaniel Adams, dit Nat «King») (Montgomery, Alabama, 1919 - Santa Monica, Californie, 1965), pianiste de jazz et chanteur américain. L'un des crooners les plus populaires aux États-Unis dans les années 50.

colectomie CHIR Ablation partielle ou totale du côlon.

colégataire n. DR Personne instituée légataire avec une ou plusieurs autres.

Coleman (Ornette) (Fort Worth, Texas, 1930), saxophoniste alto de jazz américain. Il est un des créateurs du free-jazz (*Free Jazz,* 1960).

coléoptères n. m. pl. ENTOM Ordre d'insectes ptérygotes néoptères, le plus important de tous (plus de 300 000 espèces, dont : hanneton, carabe, cétoine, doryphore, coccinelle, etc.). (La première paire d'ailes est transformée en étuis chitineux rigides, les élytres, qui ne servent qu'à protéger la seconde paire, membraneuse, seule utilisée lors du vol; les pièces buccales sont broyeuses; carnivores à l'état larvaire ou adulte, les coléoptères ont conquis tous les biotopes.) - Sing. *Un coléoptère.* ▶ illustr. **ailes**

colère n. f. et adj. **1.** n. f. Réaction violente et agressive due à un profond mécontentement; accès d'humeur. *Être, se mettre en colère. Être blanc, rouge de colère. Il est dans une colère noire.* - Fam. *Piquer une colère.* ▷ Fig., poét. *La colère des éléments.* **2.** adj. Litt. et vx *Il est colère,* en colère.

coléreux, euse adj. Prompt à la colère.

Coleridge (Samuel Taylor) (Ottery Saint Mary, Devonshire, 1772 - Londres, 1834), critique, philosophe et poète anglais. Ses *Ballades lyriques* (1798, en collab. avec Wordsworth, comprenant notam. la *Ballade du vieux marin*) marquèrent profondément le romantisme naissant. Il fit connaître Kant et Schelling en Angleterre.

colérique adj. Sujet à la colère.

Colet (Louise Revoil, Mme) (Aix-en-Provence, 1810 - Paris, 1876), femme de lettres française. Elle fut liée à Musset, à Vigny et à Flaubert, avec lesquels elle entretint une correspondance.

Colette (sainte) (Corbie, 1381 - Gand, 1447), religieuse; réformatrice de la règle de l'ordre des Clarisses.

Colette (Sidonie Gabrielle Colette, dite) (Saint-Sauveur-en-Puisaye, 1873 - Paris, 1954), écrivain français. La série des *Claudine* (1900-1903, en collab. avec son premier mari Willy [Henry Gauthier-Villars]), *Chéri* (1920), *Sido* (1930), *Gigi* (1944) sont l'œuvre d'une prosatrice au frémissant pouvoir d'évocation. Elle fut également actrice de music-hall, journaliste et mémorialiste.

Coli (François) (Marseille, 1881 - en vol, 1927), aviateur français. Il disparut avec Nungesser, lors d'une tentative de traversée de l'Atlantique nord.

colibacille n. m. Bacille *(Escherichia coli)* qui vit normalement dans l'intestin de l'homme et des animaux, et qui, devenu virulent dans certaines conditions, provoque des infections urinaires et intestinales (très utilisé en biotechnologie).

colibacillose n. f. MED Infection due au colibacille

colibri n. m. Nom cour. de tous les oiseaux de l'ordre des apodiformes. (De très petite taille, parfois celle d'un bourdon, à plumage très coloré, ils ont un long bec qui leur permet d'aspirer le nectar. Ils vivent dans les régions tropicales.) Syn. oiseau-mouche.

colibri butinant en vol

colifichet n. m. Petit objet, petit ornement sans grande valeur. Syn. bagatelle, babiole.

coliforme adj. et n. m. BIOL Qui ressemble au colibacille. - n. m. *Des coliformes d'origine fécale sont souvent responsables de la pollution des eaux de consommation.*

Coligny (Gaspard de Châtillon, dit l'amiral de) (Châtillon-sur-Loing, 1519 - Paris, 1572), amiral de France. Après s'être illustré à Saint-Quentin (1557) contre les Espagnols, il passa à la Réforme et fut l'un des chefs calvinistes. Il contribua à la paix de Saint-Germain (1570). L'ascendant qu'il prit sur Charles IX, sa politique de réconciliation entre catholiques et protestants lui valurent la vindicte de Catherine de Médicis; il fut l'une des premières victimes de la Saint-Barthélemy. – **Odet,** dit le cardinal de Châtillon (Châtillon-sur-Loing, 1517 – Hampton Court, 1571), frère du préc., cardinal archevêque de Toulouse, puis évêque de Beauvais; il se convertit au calvinisme en 1562. – **François,** seigneur d'Andelot (Châtillon-sur-Loing, 1521 – Saintes, 1569), frère des préc.; il fut un des chefs huguenots des premières guerres de Religion. ▸ illustr. page **393**

Colijn (Hendrikus) (Haarlemmermeer, 1869 – Ilmenau, Allemagne, 1944), homme politique néerlandais. Leader du parti antirévolutionnaire, Premier ministre en 1925-1926 et 1933-1939, il dut affronter les graves crises de l'entre-deux-guerres. Arrêté en 1941 par les nazis, il mourut en déportation.

colimaçon n. m. **1.** Escargot. **2.** Loc. adv. Fig. *En colimaçon :* en spirale, en hélice. *Escalier en colimaçon.* Syn. hélicoïdal.

colin n. m. **1.** Syn. de *lieu noir.* ▷ *Abusiv.* Merlu commun. *Colin sauce mousseline.* **2.** Oiseau galliforme américain; voisin de la caille.

Colin (Paul) (Nancy, 1892 – Nogent-sur-Marne, 1985), peintre et décorateur français, affichiste célèbre (*la Revue nègre,* 1925).

P. **Colin :** affiche pour *la Revue nègre,* 1925; musée de l'Affiche, Paris

Colin de Blamont (François) (Versailles, 1690 – id., 1760), compositeur et écrivain français; créateur du ballet héroïque (*les Caractères de l'amour,* 1736; *les Fêtes de Thétis,* 1750), il s'opposa aux idées de Jean-Jacques Rousseau.

Colin Muset (XIIIᵉ s.), trouvère champenois dont on connaît neuf chansons rimées.

colinéaire adj. MATH *Vecteurs colinéaires,* tels qu'il existe deux scalaires *a* et *b* vérifiant $a\vec{V_1} + b\vec{V_2} = 0$.

colin-maillard n. m. Jeu où l'un des joueurs, les yeux bandés, cherche à attraper les autres à tâtons et à les reconnaître.

colinot ou **colineau** n. m. Petit colin (poisson).

colin-tampon n. m. inv. **1.** Batterie de tambour de l'ancienne garde royale suisse, dédaignée des autres corps. **2.** Fam. *Se soucier comme de colin-tampon de... :* ne faire aucun cas de...

colique n. f. et adj. **I.** n. f. **1.** Violente douleur abdominale. *Colique hépatique,* dans l'hypocondre droit, due à la migration d'un calcul dans les voies biliaires. *Colique néphrétique,* de siège lombaire, due en général à la migration d'un calcul dans l'uretère. *Colique de plomb,* due à une intoxication saturnine. **2.** Diarrhée. **3.** Vulg. Chose ou personne ennuyeuse. *Celui-là, quelle colique!* **II.** adj. ANAT Relatif au côlon. *Artères coliques.*

colis [kɔli] n. m. Objet emballé expédié par un moyen de transport public ou privé. *Colis postal.*

colisage n. m. COMM Conditionnement de marchandises en colis prêt à être expédié.

Colisée (ou *amphithéâtre Flavien*), célèbre amphithéâtre de Rome (524 m de tour, 100 000 spectateurs env.) qui doit son nom *(Colosseum)* à une statue colossale de Néron, autref. à proximité. Commencé par Vespasien, il fut achevé sous Titus (Flavius) en 80 apr. J.-C.

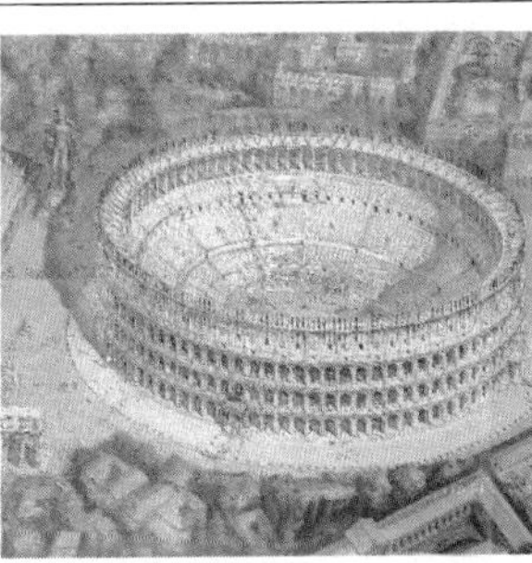
reconstitution du **Colisée** par Bruno Brizzi, dessin, 1985

colistier, ère n. POLIT Candidat inscrit sur la même liste électorale qu'un ou plusieurs autres.

colite n. f. MED Inflammation du côlon.

colitigant, ante adj. DR *Parties colitigantes,* qui plaident l'une contre l'autre.

collaborateur, trice n. **1.** Personne qui travaille avec une autre, avec d'autres, qui partage leur tâche. **2.** *Spécial.* Personne qui pratiquait la collaboration avec les Allemands, pendant l'Occupation*. (Abrév. fam. : collabo).

collaboration n. f. **1.** Action de collaborer, participation à une tâche. **2.** *Spécial.* Agissements, attitudes favorables à l'occupant allemand (1940-1944).

collaborationniste adj. et n. Qui est partisan, qui va dans le sens de la collaboration. *Une politique collaborationniste.* – *Spécial.* en France, sous l'Occupation, favorable à l'occupant allemand.

collaborer v. intr. [1] **1.** Travailler en commun à un ouvrage. *Collaborer à une revue.* **2.** Pratiquer la collaboration sous l'Occupation.

collage n. m. **I. 1.** Action de coller; son résultat. **2.** TECH Soudure ou scellement défectueux. **3.** Incorporation de colle dans la pâte à papier. **4.** Clarification des vins à l'aide de colle. **5.** ELECTR État de deux contacts électriques se touchant. **6.** BX-A Œuvre réalisée en collant sur la surface peinte divers matériaux qui, parfois, forment seuls la composition. *Les cubistes ont réalisé les premiers collages.* **II.** Fig., fam. Concubinage.

collagène n. m. et adj. BIOCHIM **1.** n. m. Protéine de structure fibreuse qui constitue l'essentiel de la trame conjonctive. **2.** adj. Qui donne de la gélatine ou de la colle par cuisson.

collagénose n. f. MED Se dit d'une maladie atteignant le tissu collagène.

collant, ante adj. et n. **I.** adj. **1.** Qui colle, qui adhère. *Papier collant.* **2.** Fig. Qui moule, dessine les formes (vêtements). *Jupe collante.* **3.** Fig., fam. Qui importune, dont on ne peut se débarrasser. *Qu'est-ce qu'il est collant, celui-là!* **II.** n. **1.** n. m. Maillot moulant. – Sous-vêtement très ajusté, couvrant le bas du corps des pieds à la taille. *Des collants fins.* **2.** n. f. Arg. (des écoles) Convocation à un examen.

collapsar n. m. ASTRO Syn. anc. de *trou noir.*

collapsus [kɔlapsys] n. m. MED *Collapsus cardio-vasculaire :* syndrome aigu caractérisé par une chute de tension artérielle, une cyanose, une tachycardie, des sueurs froides, dû le plus souvent à une brusque défaillance cardiaque. – *Collapsus pulmonaire :* affaissement du poumon dû à un épanchement de la plèvre ou à un pneumothorax.

collargol n. m. (Nom déposé.) CHIM Solution colloïdale d'argent, utilisée comme antiseptique.

collatéral, ale, aux adj. et n. **I.** adj. Situé sur le côté. ▷ ARCHI *Nef collatérale d'une église,* située sur un côté de la nef princ., bas-côté. ▷ GEOGR *Points collatéraux,* situés entre chaque couple de points cardinaux. **II.** adj. et n. **1.** DR Se dit de la parenté hors de la ligne directe. *Les frères, sœurs, oncles, tantes et cousins sont des collatéraux. Succession collatérale.* **2.** ANAT Se dit des branches qui naissent d'un tronc nerveux ou vasculaire principal et qui lui sont presque parallèles.

1. collation n. f. **1.** Action de conférer à qqn un titre, un bénéfice. *Collation de grade.* **2.** Comparaison de deux textes pour s'assurer de leur conformité.

2. collation n. f. Repas léger.

collationnement n. m. Didac. Action de confronter deux textes, de les collationner.

collationner v. tr. [1] Confronter deux écrits pour en vérifier la concordance. *Collationner un acte avec l'original.*

colle n. f. **1.** Matière utilisée pour faire adhérer deux surfaces. *Colle forte.* ▷ Fig. *Quel pot de colle celui-là!,* qu'il est collant! (sens 3). **2.** Arg. (des écoles) Interrogation. *Une colle de chimie.* – *Par ext.* Question difficile, délicate. *Poser des colles.* **3.** Arg. (des écoles) Punition, retenue. *Avoir deux heures de colle.* **4.** Fig., pop. *Être à la colle :* vivre en concubinage.

collectage n. m. Action de collecter. *Le collectage du lait.* Syn. ramassage.

collecte n. f. **1.** Action de recueillir et de rassembler. *La collecte des ordures ménagères.* **2.** Quête effectuée dans un but de bienfaisance. *Faire une collecte au profit des œuvres.* **3.** DR ANC Levée des impôts. **4.** LITURG CATHOL Oraison dite par le prêtre avant l'épître.

collecter v. [1] **1.** v. tr. Faire une collecte; ramasser, recueillir. *Collecter des dons, des fonds.* **2.** v. pron. MED

S'amasser dans une cavité, en parlant du pus, du sang.

collecteur, trice n. et adj. **I.** n. Personne chargée de recueillir de l'argent. *Collecteur d'impôts.* **II.** n. m. **1.** ELECTR Ensemble des pièces conductrices d'un rotor isolées les unes des autres et sur lesquelles frottent les balais d'un moteur ou d'une génératrice. **2.** ELECTRON Électrode d'un transistor. **3.** TELECOM *Collecteur d'ondes :* conducteur qui capte les ondes hertziennes. **III.** adj. Qui recueille. *Égout collecteur d'eau pluviale.*

collectif, ive adj. et n. m. **I.** adj. **1.** Qui réunit, qui concerne simultanément plusieurs personnes. *Travail collectif. Propriété collective.* ▷ SOCIOL *Conscience collective :* manière de penser propre à un groupe social déterminé, distincte de la manière de penser des individus de ce groupe pris séparément. **2.** GRAM Se dit d'un mot singulier désignant plusieurs choses ou plusieurs personnes (ex. : armée, foule). ▷ *Valeur, sens collectif :* valeur, sens que prend un mot qui n'est pas collectif par nature (ex. : *lion* dans *le lion est carnivore*). **II.** n. m. **1.** FIN Ensemble des crédits supplémentaires demandés à date fixe par le gouvernement. *Collectif budgétaire.* **2.** Groupement de personnes ayant des intérêts communs.

collection n. f. **1.** Réunion d'objets de même nature. *Collection de timbres, de papillons.* ▷ *Spécial.* Réunion d'objets d'art. *Les collections du musée du Louvre.* **2.** Série d'ouvrages de même genre. *Vous trouverez cet ouvrage dans telle collection.* ▷ Suite des divers numéros d'une publication. **3.** Série de modèles de couture. *Les collections d'hiver.* **4.** MED Amas (de pus, de sang) dans une cavité.

collectionner v. tr. [1] **1.** Réunir en collection. **2.** Fig., fam. Accumuler. *Collectionner les sottises.*

collectionneur, euse n. Personne qui fait une, des collections.

collectionnite n. f. Fam. Manie du collectionneur.

collectivement adv. De manière collective; dans un sens collectif.

collectivisation n. f. Attribution des moyens de production à la collectivité.

collectiviser v. tr. [1] Opérer la collectivisation de. *Collectiviser les terres.*

collectivisme n. m. Système économique et social qui réserve la propriété des moyens de production et d'échange à la collectivité (généralement l'État).

collectiviste adj. et n. Relatif au collectivisme. *Théorie collectiviste.* – Partisan du collectivisme.

collectivité n. f. **1.** Ensemble d'individus ayant entre eux des rapports organisés. *La collectivité nationale, communale.* ▷ Spécial. *Les collectivités locales* ou *territoriales :* les Régions, les départements et les communes. *Saint-Pierre-et-Miquelon et Mayotte ont le statut de collectivité territoriale.* **2.** Groupe, société (par oppos. à *individu*). *Apprendre à vivre en collectivité.*

collector n. m. Objet de collection, en partic. disque.

collège n. m. **1.** Corps ou compagnie de personnes revêtues d'une même dignité. *Collège des augures,* dans l'ancienne Rome. – Mod. *Collège des cardinaux,* ou *Sacré Collège.* **2.** *Collège électoral :* ensemble déterminé d'électeurs qui participent à une élection donnée. **3.** Établissement d'enseignement secondaire du premier cycle. **4.** *Collège de France :* établissement d'enseignement supérieur fondé à Paris, en 1530, par François Ier (*Collège des trois langues,* puis *Collège des lecteurs royaux*), pourvu auj. de 50 chaires environ. **5.** Dans les pays anglo-saxons, subdivision d'une université.

collégial, ale, aux adj. (et n. f.) **1.** Relatif à un chapitre de chanoines. – *Église collégiale* ou, n. f. *une collégiale :* église sans siège épiscopal et possédant néanmoins un chapitre de chanoines. **2.** Qui est fait, assuré par un collège, en commun. *Direction collégiale.*

collégialité n. f. Caractère de ce qui est dirigé, administré en commun.

collégien, enne n. Élève d'un collège (sens 3).

collègue n. Personne qui remplit la même fonction qu'une autre dans la même entreprise.

collemboles n. m. pl. ENTOM Ordre d'insectes aptérygotes sauteurs, longs de 1 à 4 mm, très primitifs, qui affectionnent les endroits sombres et frais. – Sing. *Un collembole.*

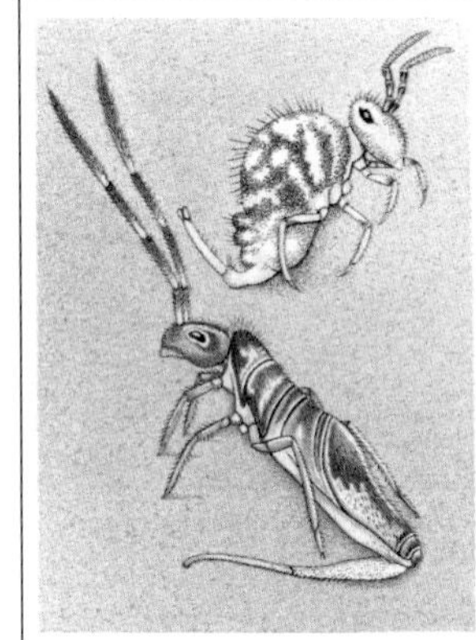

collemboles : en haut, *Sminthurus;* en bas, *Entomobrya*

collenchyme [kɔlɑ̃ʃim] n. m. BOT Tissu de soutien des végétaux supérieurs, constitué de cellules dont les parois cellulosiques sont fortement épaissies.

Colleoni (Bartolomeo) (Solza, près de Bergame, 1400 – Malpaga, 1475), condottiere italien. Il se plaça au service de Venise, en guerre contre Milan, mais, à deux reprises, passa dans le camp adverse. Verrocchio fit sa statue équestre (Venise).

coller v. [1] **I.** v. tr. **1.** Joindre, assembler, fixer avec de la colle. *Coller une affiche sur un mur.* **2.** TECH Imprégner de colle. *Coller de la toile.* ▷ Clarifier par collage (du vin). **3.** Appliquer; faire adhérer. *La sueur lui collait la chemise à la peau.* ▷ Par ext. *Coller son visage contre une vitre.* ▷ Fig. *Coller qqn au mur,* pour le fusiller. **4.** v. pron. Se tenir appliqué contre. *L'alpiniste se collait à la paroi.* **5.** Fig., fam. *Coller qqn,* ne pas le lâcher d'une semelle. **6.** Fam. Mettre, placer (vigoureusement, d'autorité). *Il a fini par me coller une boîte de savonnettes. Coller une gifle à qqn.* **7.** Arg. (des écoles) *Coller un élève,* lui poser une question à laquelle il ne peut répondre; lui donner une retenue. ▷ *Être collé* (à un examen) : échouer. **II.** v. intr. ou tr. indir. **1.** Adhérer. *Une boue épaisse qui colle aux souliers.* **2.** S'ajuster exactement. *Des bas qui collent bien* – Fig. S'adapter étroitement. *Un discours qui colle à la réalité.* **3.** Fam. *Il y a qqch qui ne colle pas,* qui ne va pas. – Fam. *Ça colle :* ça convient, c'est correct.

collerette n. f. **1.** Petit collet de linge fin que portent les femmes. ▷ Anc. Collet en linge plissé. **2.** TECH Bord rabattu d'une tuyauterie, qui sert à la raccorder à une autre.

collet n. m. **1.** Vx Partie de l'habillement entourant le cou. *Collet d'un habit.* ▷ Pèlerine qui s'arrête au milieu du dos. **2.** Mod. Loc. fig. *Collet monté :* qui affecte la pruderie et la gravité. *Ils sont très collet monté.* ▷ *Prendre, saisir qqn au collet,* l'attraper violemment par le col. – *Saisir un malfaiteur au collet,* l'arrêter. **3.** En boucherie, partie du cou des animaux. *Collet de veau.* ▷ TECH Partie de la peau d'une bête, près de la tête, destinée à préparer un cuir. **4.** *Collet battu :* rebord aplati d'un tube, obtenu par martelage. **5.** Lacet, nœud coulant, servant à piéger le menu gibier. *Tendre un collet.* **6.** BOT Zone transitoire entre la racine et la tige d'une plante. **7.** ANAT Partie de la dent entre la couronne et la racine.

colleter v. [20] **1.** v. tr. Rare Prendre au collet. **2.** v. pron. Se battre. *Se colleter avec des voyous.* ▷ Fig. *Se colleter avec les difficultés de la vie.*

colleur, euse n. **1.** Personne dont la profession est de coller. *Colleur d'affiches.* **2.** n. f. TECH Appareil pour coller (des enveloppes, des éléments de films).

colley [kɔlɛ] n. m. Chien de berger écossais.

collier n. m. **1.** Bijou, ornement de cou. *Collier de perles.* – *Spécial.* Chaîne d'or que portent les chevaliers de certains ordres. *Le collier (de l'ordre) du Saint-Esprit.* ▷ Par ext. *Collier de barbe :* barbe courte qui, partant des tempes, garnit le menton. **2.** Lanière, chaîne, etc., dont on entoure le cou des animaux pour les retenir, les atteler, etc. *Collier de chien. Collier de cheval :* partie du harnais à laquelle les traits sont attachés. ▷ Fig., fam. *Reprendre le collier,* le travail. *Donner un coup de collier :* fournir un grand effort. – *Être franc du collier :* agir franchement, de manière directe. **3.** ZOOL Tache de couleurs diverses entourant le cou de certains animaux. *Couleuvre à collier. Tourterelle à collier.* **4.** TECH Anneau métallique qui sert à consolider, à maintenir une tuyauterie, à supporter des éléments.

Collier (affaire du), escroquerie montée par la comtesse de La Motte, aidée par Cagliostro, qui fit croire au cardinal Louis de Rohan, amoureux de la reine Marie-Antoinette, que celle-ci désirait un collier fort onéreux; le cardinal ne put achever de le payer, et un scandale éclata, d'autant plus important que le joyau avait été démonté et vendu pièce par pièce. Portée par le roi devant le Parlement de Paris, l'affaire captiva l'opinion et discrédita la reine et la cour tout entière.

colliger v. tr. [13] **1.** Vx Collectionner. **2.** Litt. Réunir en un recueil (des articles de journaux, des extraits, etc.).

collimateur n. m. PHYS Appareil d'optique produisant des rayons parallèles, qui permet de superposer l'objet visé à l'image des repères. *Des collimateurs de tir très précis équipent aujourd'hui les avions de combat.* ▷ Loc. fig., fam. *Avoir qqn dans le collimateur,* le surveiller, le tenir à l'œil tout en étant prêt à l'attaquer.

colline n. f. Relief de faible hauteur, à sommet arrondi, dont les versants sont en pente douce.

Collins (William) (Chichester, Sussex, 1721 - id., 1759), poète anglais préromantique. Il est l'auteur d'*Odes* (1747).

Collins (William Wilkie) (Londres, 1824 - id., 1889), écrivain anglais, ami de Dickens, l'un des créateurs du roman policier : *la Dame en blanc* (1860), *la Pierre de lune* (1868).

Collioure, com. des Pyr.-Orient. (arr. de Céret), sur la Médit.; 2 775 hab. Pêche. Vins. Gisement de feldspath. Stat. baln. - Vieux bourg fortifié. Anc. château royal (XIIe-XIVe s., remanié au XVIIe s.). Église (1684-1693).

collision n. f. **1.** Choc de deux corps. *Collision de trains. Les deux véhicules sont entrés en collision,* se sont heurtés. **2.** Lutte violente, affrontement entre deux partis opposés. - Fig. *Collision d'idées.* **3.** PHYS Rapprochement entre des solides ou des particules tel que se produise un échange d'énergie et de quantité de mouvement.

collisionneur n. m. PHYS NUCL Accélérateur* de particules dans lequel entrent en collision deux faisceaux circulant en sens opposés.

collodion n. m. CHIM Solution de nitrocellulose dans un mélange d'alcool et d'éther (autref. utilisée en pharmacie, en photographie et dans la fabrication des explosifs).

colloïdal, ale, aux adj. Qualifie les solides ou les solutions liquides qui contiennent un corps dispersé sous forme de micelles.

colloïde n. m. et adj. **1.** n. m. CHIM Substance qui, dissoute dans un solvant, forme des particules de très petit diamètre appelées micelles (20 à 2 000 angströms). **2.** adj. MED Qui ressemble à de la gelée.

colloque n. m. Entretien, conférence, entre plusieurs personnes. - *Spécial.* Conférence, débat organisé entre spécialistes d'une discipline donnée. *Un colloque de physique nucléaire.*

colloquer v. tr. [1] DR COMM *Colloquer des créanciers,* les inscrire dans l'ordre dans lequel ils doivent être payés.

Collot d'Herbois (Jean-Marie) (Paris, 1750 - Sinnamary, Guyane, 1796), homme politique français. Conventionnel, membre du Comité de salut public, il fut chargé, avec Billaud-Varenne, de la politique intérieure. Un des principaux organisateurs de la Terreur, il écrasa l'insurrection royaliste de Lyon (1793), mais se retourna contre Robespierre lors du 9-Thermidor. Il fut déporté en 1795.

collure n. f. TECH Action, fait de coller; son résultat.

collusion n. f. DR Entente secrète pour tromper un tiers, lui causer préjudice. - *Par ext.* Entente, intelligence secrète pour porter préjudice. *Collusion avec l'ennemi.*

collutoire n. m. MED Médicament liquide destiné aux gencives et aux parois de la cavité buccale.

colluvion n. f. GEOL Dépôt fin provenant de reliefs avoisinants.

collybie n. f. BOT Champignon basidiomycète poussant sur les souches. (Deux espèces sont comestibles, dont la souchette.)

collyre n. m. MED Solution médicamenteuse que l'on applique sur la conjonctive.

Colman le Jeune (George) (Londres, 1762 - id, 1836), auteur dramatique anglais. Il excella dans la farce : *le Coffre de fer* (1796), *John Bull* (1803).

Colmar, ch.-l. du dép. du Ht-Rhin, sur la Lauch, affl. de l'Ill; 64 889 hab. Industr. text. Papeterie; porcelaine. Constr. méca. Comm. des vins d'Alsace. - Aéroport de *Colmar-Houssen.* - Cour d'appel. Égl. St-Martin (XIIIe-XIVe s.). Maison Pfister (1537). Musée d'Unterlinden (retable d'Issenheim, chef-d'œuvre de Grünewald). - Ville de la Décapole, Colmar fut cédée à Louis XIII en 1632 et devint cap. judiciaire de l'Alsace en 1698.

colmatage n. m. Action de colmater. ▷ État de ce qui s'est colmaté.

colmater v. tr. [1] **1.** AGRIC Exhausser ou fertiliser un sol au moyen de dépôts alluviaux riches en limon. **2.** Combler, boucher. **3.** MILIT Rétablir la continuité d'un front à l'aide de troupes de renfort. *Colmater une brèche.* ▷ Fig. *Colmater les brèches :* arranger les choses plus ou moins bien.

colocataire n. Personne qui est locataire avec d'autres dans une même maison.

Colocotronis (Théodore) (Ramavoúni, Messénie, 1770 - Athènes, 1843), homme politique grec; un des héros de l'indépendance grecque.

cologarithme n. m. MATH Logarithme de l'inverse d'un nombre : colog a = $\log \frac{1}{a} = -\log a$.

Cologne (en all. *Köln*), v. d'Allemagne (Rhén.-du-N.-Westphalie), sur la r. g. du Rhin; 914 340 hab. Place bancaire et centre comm. import. (port fluv., gare, aéroport). Nombr. industries : métall., text., chim., alim., etc. Centre intel. - Archevêché. Université. Célèbre cath. goth. (commencée en 1248, achevée suivant les plans initiaux en 1880). Égl. Ste-Marie, du Capitole (XIe s.), St-Géréon (XIe-XIIIe s.), des Apôtres (XIIIe s., restaurée après 1945). Musées. - Colonie rom. (Ier s.) import. au Haut-Empire, la ville fut la cap. des Francs Ripuaires (Ve s.). Siège d'un archevêché (785), v. libre impériale au XIIIe s., Cologne connut une grande prospérité au Moyen Âge. L'électorat, sécularisé en 1803, fut donné à la Prusse (1815).

Cologne : la cathédrale (à dr.)

Colomb (Christophe) (Gênes, 1450 ou 1451 - Valladolid, 1506), navigateur d'origine génoise, au service de l'Espagne. Les débuts de sa carrière sont controversés. Arrivé au Portugal en 1476 ou 1477, il aurait conçu, d'après des études cartographiques, l'idée de parvenir aux Indes en se dirigeant de l'Europe vers l'O. N'ayant pu intéresser le roi du Portugal à ses

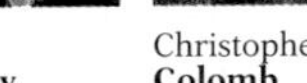

l'amiral **de Coligny** — Christophe **Colomb**

projets, il se tourna vers les souverains espagnols, qui lui accordèrent trois caravelles (les armateurs Pinzón participant aux frais). Parti de Palos le 3 août 1492, il aborda le 12 oct. à Guanahani, une des Lucayes, puis à Cuba et à Haïti. Au cours d'un deuxième voyage (1493-1496), il trouva d'autres Antilles. Lors d'un troisième (1498-1500) et d'un quatrième voyages (1502-1504), il toucha aux rives du Venezuela et de la Colombie, et longea l'Amérique centrale, du Honduras à l'isthme de Darién. Nommé vice-roi des territ. découverts (1493), il fut destitué au cours de son troisième voyage et mourut sans avoir admis l'existence d'un continent nouveau. La découverte de ces terres qu'on allait appeler *Amérique* fut à l'origine du traité de Tordesillas (1494), qui partagea le Nouveau Monde entre l'Espagne et le Portugal. Il a laissé un *Journal de bord* (1541).

colombage n. m. Charpente verticale dont les vides sont comblés de plâtre, de torchis, etc., utilisée autref. pour la construction des murs. *Les colombages des maisons normandes, alsaciennes.*

maisons à **colombages** du quartier de la Petite France, à Strasbourg, XVI-XVIIe s.

Colomban (saint) (Leinster, 540 - Bobbio, Italie, 615), religieux irlandais. Il évangélisa la Gaule et y fonda notam. le monastère de Luxeuil (590). Expulsé par Brunehaut, il fonda le monastère de Bobbio, en Italie.

Colomb-Béchar. V. Béchar.

colombe n. f. **1.** Poét. Pigeon. **2.** Pigeon à plumage blanc (symbole de pureté et de paix). *La blanche colombe et son rameau d'olivier.* **3.** Fig. Jeune fille pure et candide. ▷ Terme d'affection. *Ma douce colombe.*

Colombe (Michel) (Bourges [?], v. 1430 - Tours, v. 1513), sculpteur français. Son art, encore gothique dans la représentation des gisants, emprunte à la Renaiss. italienne pour les motifs décoratifs : tombeau du duc François II et de Marguerite de Foix (1502-1507, cathédrale de Nantes).

Colombes, ch.-l. de cant. des Hauts-de-Seine (arr. de Nanterre), sur la Seine, au N.-O. de Paris; 79 058 hab. Prod. photo, chim. Boissons. Stade Yves-du-Manoir, site des jeux Olympiques de 1924.

Colombey-les-Deux-Églises, com. de la Hte-Marne (arr. de Chaumont); 664 hab. – Anc. résidence du général de Gaulle (musée); mémorial érigé en 1971.

Colombie (république de) *(República de Colombia)*, État du N.-O. de l'Amérique du Sud, baigné au N. par l'Atlant., à l'O. par le Pacifique; 1 138 914 km²; env. 37 700 000 hab.; cap. *Bogotá*. Nature de l'État : rép. présidentielle. Langue off. : esp. Monnaie : peso colombien. Pop. en progression rapide (2 % par an) : métis (plus de 70 %), Amérindiens, Blancs, Noirs. Relig. : cathol. (90 %).

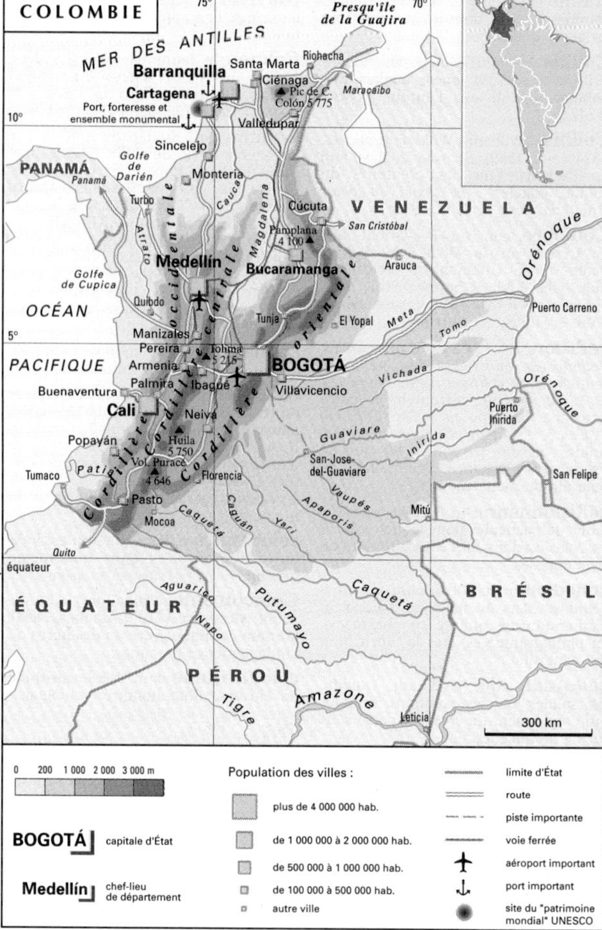

Géogr. phys. et hum. – A l'O., les Andes, séparées par les vallées du Cauca et de la Magdalena, sont le centre vital du pays; elles offrent une grande variété bioclimatique et groupent plus de 50 % des habitants. Les plaines insalubres du Pacifique sont délaissées alors que l'occupation progresse dans les plaines sèches de la zone caraïbe et sur le piémont tropical oriental (savanes et forêts). La population est citadine à 70 %.

Écon. – L'agriculture, qui emploie 30 % des actifs, fait une place de choix aux cultures commerciales : café (2e producteur mondial, plus de 50 % des recettes extérieures), bananes, fleurs coupées. Le pétrole, exporté, et le charbon (gisement de Cerrejon) sont les autres grandes ressources du pays. L'investissement étranger a permis de diversifier la prod. industrielle (pétrochimie, agro-alimentaire, textile, automobile). Les fluctuations de l'excédent commercial, l'endettement élevé, l'inflation forte rendent la situation écon. délicate, au moment où le gouvernement a entrepris une véritable guerre contre la drogue avec l'appui des États-Unis. Grand producteur de marijuana, première zone du trafic de la coca, la Colombie tire d'importantes ressources de cette économie illégale (5 % du P.I.B.).

Hist. – La conquête du pays, menée au cours du XVIe s. par les Esp., détruisit la civilisation des Chibchas, qui furent rapidement christianisés. Elle fut surtout due à Jiménez de Quesada, fondateur de Bogotá (1538), qui appela le pays « Nouvelle-Grenade » (Colombie, Panamá, Venezuela et Équateur). La colonie ne fut guère exploitée que pour ses ressources minières. D'abord rattachée à la vice-royauté de Lima, elle fut constituée en 1717 en vice-royauté indép. Dès 1780, la bourgeoisie créole, prospère, réclama l'indép., acquise en 1822 après plusieurs batailles victorieuses. En 1819, Bolívar avait proclamé l'union de la Nouvelle-Grenade et du Venezuela dans la rép. de Grande-Colombie (augmentée de Panamá et de l'Équateur), union qui éclata en 1830, à la mort de Bolívar. La rivalité entre l'Église et l'État, la lutte entre conservateurs et libéraux provoquèrent des troubles graves. En 1903, Panamá forma un État indép. à l'instigation des É.-U. De 1903 à 1930, les conservateurs dirigèrent la Colombie, qui fut soumise à l'influence des É.-U., et liée en 1948 au Venezuela et à l'Équateur par une union douanière. De 1948 à 1953, une guerre civile sanglante (200 000 morts), appelée *violencia*, aboutit à la dictature du général Rojas Pinilla (1953-1958). Depuis, l'alternance des partis au pouvoir (conservateur et libéral) est respectée (Lopez Michelsen en 1974, Julio César Turbay Ayala en 1978, Belisario Betancur en 1982, Virgilio Barco en 1986, César Gaviria en 1990). La guérilla depuis 1961, les enlèvements, la corruption ont provoqué une insécurité permanente, renforcée par la lutte engagée en 1989, avec l'aide des États-Unis, contre les trafiquants de drogue du cartel de Medellín puis, après la mort de son caïd Pablo Escobar en 1993, du cartel de Cali. Une nouvelle Constitution est adoptée en 1991. En 1994, Ernesto Samper est élu à la prés. de la Rép. En 1996, les É.-U., ayant décelé un ralentissement de la lutte contre la drogue, retirent à la Colombie les aides et certains financements internationaux. En 1998, Andrès Pastrana, candidat des conservateurs, remporte l'élection présidentielle marquée par des accusations de corruption portées contre le président Samper.

Colombie-Britannique, prov. de l'O. du Canada dep. 1871, bordée par le Pacifique; 948 596 km²; 3 282 060 hab. (46 000 francophones); cap. *Victoria*. – C'est une région montagneuse (système des Rocheuses, alt. moyenne 3 000 m) formée de chaînes et de plateaux que drainent les fl. Columbia et Fraser, et la riv. de la Paix. Le littoral, très découpé, jouit d'un climat doux, l'intérieur d'un climat continental. Les forêts, la pêche fournissent d'excellentes ressources, auxquelles s'ajoute une riche exploitation minière : cuivre, plomb, fer, houille, or, argent, charbon, pétrole, gaz naturel. Une industr. diversifiée, favorisée par une abondante énergie hydroél., s'est développée. Vancouver, reliée à l'Atlantique par le rail depuis 1886, port import., est le grand centre industr. – Les Indiens de la lisière occid. (Haïdas, Tlingits, Kwakiutl, Tsimshian) ont développé un art original : masques, sommets de coiffure, hochets de chaman, mâts totémiques, etc.

colombien, enne adj. et n. De Colombie. ▷ Subst. *Un(e) Colombien(ne)*.

colombier n. m. Pigeonnier.

colombin, ine n. et adj. **I.** n. **1.** n. m. Pigeon *(Columba œnas)* au plumage gris-bleu. **2.** n. f. Fiente de pigeon, de volaille. **3.** n. m. TECH Long boudin de pâte, utilisé pour fabriquer des poteries sans tour. **4.** n. m. Pop. Étron. **II.** adj. D'une couleur grise cassée de rouge-violet.

Colombine, personnage de la commedia dell'arte (souvent associé à celui d'Arlequin*), soubrette pleine d'astuce, fausse ingénue au physique piquant.

1. colombo n. m. BOT Plante vivace de Madagascar et d'Afrique orientale, dont la racine était employée en médecine.

2. colombo n. m. CUIS Plat antillais, ragoût très épicé, fait de viande ou de poisson et accompagné de riz.

Colombo ou **Kolamba,** cap. et port du Sri Lanka, à l'O. de l'île; 664 000 hab. Port d'escale et d'exportation : thé, caoutchouc, pierres précieuses. – La ville fut fondée en 1507 par les Portugais.

colombophile n. (et adj.) Personne qui élève des pigeons voyageurs.

colombophilie n. f. Élevage des pigeons voyageurs.

Colomiers, com. de la Hte-Gar. (arr. de Toulouse); 27 253 hab. Banlieue résidentielle. Constr. aéron. Mat. de constr.; chaudronnerie.

1. colon n. m. **1.** HIST Dans le Bas-Empire romain, homme libre attaché à la terre qu'il travaillait. **2.** DR Celui qui cultive la terre pour son compte en payant une redevance en nature au propriétaire. – *Colon paritaire :* métayer. **3.** Cour. Celui qui habite, exploite une colonie (sens 2). **4.** Enfant qui fait partie d'une colonie de vacances.

2. colon n. m. **1.** Arg. (des militaires) Colonel. **2.** Pop. (Exclamatif, en signe d'étonnement, d'admiration, de reproche, etc.) *Ben, mon colon!*

colón n. m. Unité monétaire (Salvador, Costa Rica).

côlon n. m. ANAT Totalité du gros intestin qui succède à l'intestin grêle et que termine le rectum. (On distingue trois parties : le *côlon droit,* ou ascendant, qui débute par le cæcum à la jonction iléocæcale; le *côlon transverse;* le *côlon gauche,* ou descendant, qui se termine par le rectum.)

Colón, v. du Panamá, sur la mer des Antilles, à l'entrée du canal de Panamá; cap. de la prov. du m. nom; 59 800 hab. Port de commerce.

Colone, bourg de l'Attique où naquit Sophocle (qui y fit mourir Œdipe dans *Œdipe à Colone*).

colonel n. m. Officier supérieur dont le grade vient immédiatement au-dessous de celui de général de brigade. *Le colonel commande un régiment dans l'armée de terre, une escadre dans l'armée de l'air.* (Dans la marine, le grade est *capitaine de vaisseau.*)

colonelle n. et adj. **1.** n. f. Femme d'un colonel. **2.** Femme ayant le grade de colonel. **3.** adj. *Compagnie colonelle,* la première d'un régiment, sous l'Ancien Régime.

colonial, ale, aux adj. et n. **1.** adj. Relatif aux colonies, qui vient des colonies. *Exposition coloniale. Denrées coloniales.* **2.** n. Habitant ou personne originaire des colonies. **3.** n. f. *La coloniale :* les troupes coloniales, spécialement entraînées pour les campagnes outre-mer, de 1901 à 1958.

colonialisme n. m. Doctrine politique qui vise à justifier l'exploitation de colonies par une nation étrangère.

colonialiste adj. et n. **1.** adj. Relatif au colonialisme. **2.** n. Péjor. Partisan du colonialisme.

colonie n. f. **1.** Groupe de personnes qui quittent leur pays pour s'établir dans une autre contrée. *C'est une colonie de Phocéens qui fonda Marseille.* – Lieu où viennent se fixer ces personnes. **2.** Territoire étranger à la nation qui l'administre et l'entretient dans un rapport de dépendance politique, économique et culturelle. *Le ministère des Colonies (devenu ministère de la France d'outre-mer) créé en 1894 disparut en 1959.* **3.** *Par ext.* Ensemble de personnes appartenant à une même nation et résidant à l'étranger. *La colonie française de Londres.* **4.** *Colonie de vacances :* centre de vacances et de loisirs; groupe d'enfants en vacances à la campagne, à la montagne ou à la mer, sous la surveillance d'animateurs. **5.** ZOOL Rassemblement d'animaux, généralement d'une même espèce. (Agglomération d'individus, dans les groupes inférieurs tels les cnidaires, tuniciers, etc.; rassemblement en vue de la reproduction chez les insectes et les vertébrés.)

colonisateur, trice adj. et n. Qui colonise.

colonisation n. f. Action de coloniser; résultat de cette action. *La colonisation de la Cochinchine par la France de 1859 à 1868.*

colonisé, ée adj. et n. Qui subit la domination d'une puissance colonisatrice. *Peuple colonisé qui revendique son indépendance.* ▷ Subst. *Les colonisés* (par oppos. aux *colonisateurs*).

coloniser v. tr. [1] **1.** Organiser un territoire en colonie; y établir des colons. **2.** Envahir un territoire (pour en faire une colonie). ▷ Fig. *Les touristes ont colonisé la ville.*

Colonna, famille romaine (XIIIe au XVIIe s.). – **Oddone,** pape sous le nom de Martin V (V. ce nom). – **Vittoria,** marquise de Pescara (Marino, Rome, 1492 - id., 1547), poétesse; imitatrice de Pétrarque et amie de Michel-Ange; surnommée *la Divine.* – **Marcantonio** (Civita Lavinia, 1535 - Medinaceli, Espagne, 1584) fut amiral du pape Pie V.

colonnade n. f. ARCHI Série de colonnes disposées autour ou sur l'un des côtés d'un édifice, à l'intérieur ou à l'extérieur, pour servir de décoration ou de promenade. *La colonnade du Louvre.*

colonne n. f. **1.** Support vertical de forme cylindrique, ordinairement destiné à soutenir un entablement ou à décorer un édifice. ▷ Par anal. *Les colonnes d'un lit,* qui soutiennent le ciel de lit. *Lit à colonnes.* **2.** ARCHI Monument

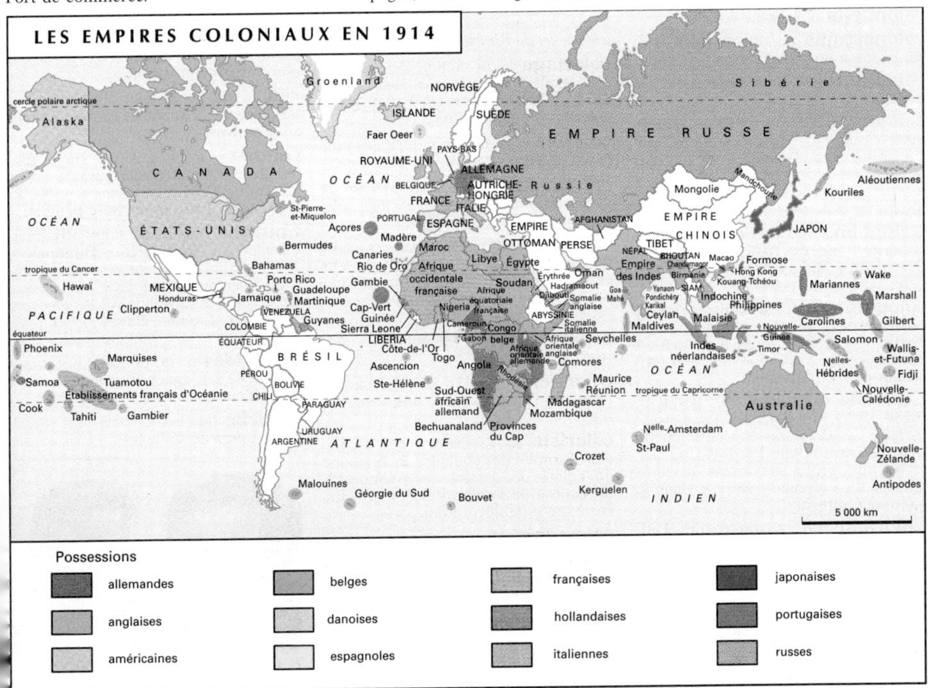

commémoratif en forme de colonne. *La colonne Vendôme.* ▷ *Colonnes d'Hercule :* chez les Anciens, le détroit de Gibraltar. **3.** Chacune des divisions verticales du texte des pages d'un livre, d'un journal, etc. *Page imprimée sur trois colonnes.* ▷ *Colonne de chiffres :* suite de chiffres placés les uns au-dessous des autres. *La colonne des dizaines, des centaines.* **4.** MILIT Corps de troupe en marche, disposé sur peu de front et beaucoup de profondeur. *Défiler en colonne par quatre.* ▷ *Par ext.* Longue suite d'individus, de véhicules en marche. *Une colonne de blindés.* ▷ *La cinquième colonne :* les agents ennemis, qui sapent la résistance de l'intérieur (par référence à la guerre d'Espagne [1936-1939] et, partic., à la bataille de Madrid où Franco en fit usage pour appuyer les quatre colonnes qui assiégeaient la ville). **5.** *Colonne vertébrale :* ensemble des vertèbres, articulées en un axe osseux qui soutient le squelette. *Maladie, déformation de la colonne vertébrale.* **6.** TECH *Colonne de production :* colonne utilisée pour acheminer les fluides exploités dans un puits de pétrole. – *Colonne de lavage :* laveur vertical. ▷ PHYS *Colonne d'eau, d'air, de mercure :* masse d'eau, etc., à l'intérieur d'un récipient cylindrique vertical. ▷ *Colonne à plateaux :* appareil de distillation fractionnée. ▷ AUTO *Colonne de direction :* arbre reliant le volant à la direction. **7.** CONSTR *Colonne montante :* canalisation alimentant les appareils situés aux différents niveaux d'un bâtiment. – *Colonne sèche :* tuyauterie verticale qui permet aux pompiers de raccorder les tuyaux d'incendie sans les dérouler verticalement.

Colonne (cap). V. Sounion.

Colonne (Judas Colonna, dit Édouard) (Bordeaux, 1838 – Paris, 1910), chef d'orchestre et violoniste français, fondateur en 1871 du Concert national (plus tard Association des concerts Colonne).

colonnette n. f. Petite colonne.

colonoscopie ou **coloscopie** n. f. MED Examen du côlon par endoscopie.

colopathie n. f. MED Affection du côlon.

colophane n. f. Résidu de la térébenthine exsudée de divers conifères, que l'on utilise pour l'encollage de papiers, la fabrication de vernis et pour faire mordre les archets sur les cordes des instruments de musique.

Colophon, anc. cité ionienne d'Asie Mineure; une des patries présumées d'Homère. – Ruines près de Değirmendere, Turquie.

coloquinte n. f. Cucurbitacée grimpante méditerranéenne et indienne qui donne un gros fruit, jaune à maturité, à péricarpe dur, à la pulpe amère et purgative; ce fruit lui-même.

Colorado (rio), fl. de l'O. des É.-U. (2 250 km); naît dans les Rocheuses; traverse le Colorado (où il s'appelle Grand River), l'Utah, l'Arizona (où il a creusé de profonds cañons dans le plateau du Colorado); se jette dans le golfe de Californie.

Colorado (rio), fl. du S. des É.-U. (1 560 km), tributaire du golfe du Mexique; naît sur le Llano Estacado; traverse le Texas.

Colorado (río), fl. d'Argentine (1 300 km); naît dans les Andes; se jette dans l'Atlant., au S. de Bahía Blanca.

Colorado, État de l'O. des É.-U.; 269 998 km^2; 3 294 000 hab.; cap. *Denver.* Les Rocheuses s'étendent sur la presque totalité de l'État (alt. moyenne 3 000 m), l'É. correspondant à de hautes plaines drainées par l'Arkansas et ses affl. Le climat est aride. L'irrigation des vallées a permis d'étendre les cult. : betterave sucrière, céréales, l'élevage bovin et ovin étant pratiqué dans les montagnes. Le sous-sol est riche : argent, or, molybdène, charbon, pétrole, uranium. Les industr. sont assez diversifiées. Parc nat. dans les Rocheuses. – La partie N. de l'État appartient aux É.-U. depuis 1803, le reste fut cédé par les Mexicains en 1848. Territ. en 1861, le Colorado devint en 1876 le trente-huitième État de l'Union.

Colorado Springs, v. des É.-U. (Colorado), au sud de Denver; 281 100 hab. Mines (houille, or). Tourisme. Centre militaire.

colorage n. m. TECH Action d'ajouter un colorant à une denrée alimentaire.

colorant, ante adj. et n. m. Qui colore, qui donne de la couleur. *Un produit colorant.* ▷ n. m. Substance susceptible de se fixer sur un support et de lui donner une couleur. – *Spécial.* Substance utilisée pour colorer un produit alimentaire. *L'usage des colorants (alimentaires) est réglementé.*

coloration n. f. Action de colorer; état de ce qui est coloré.

coloratur, ure adj. et n. f. inv. Virtuose du chant d'opéra à grandes vocalises. *Virtuose coloratur.* ▷ n. f. *Une colorature.*

coloré, ée adj. Qui a une couleur et, partic., des couleurs vives. – *Teint coloré,* vermeil. ▷ Fig. *Style coloré,* plein d'images, brillant.

colorer v. tr. [1] **1.** Donner une couleur, de la couleur à. *Le soleil colore les fruits.* **2.** Fig. Embellir, présenter sous un jour favorable. **3.** v. pron. Prendre de la couleur. *Ses joues se colorèrent sous l'effet de l'émotion.*

coloriage n. m. Action de colorier; son résultat. *Le coloriage d'une image. Livre de coloriage :* recueil d'images à colorier, pour les enfants.

colorier v. tr. [2] Appliquer des couleurs sur une estampe, un dessin, etc.

colorimétrie n. f. CHIM Analyse de l'absorption de la lumière par une solution que l'on cherche à doser.

coloris [kɔlɔʀi] n. m. **1.** Nuance résultant du mélange des couleurs, de leur emploi dans un tableau. **2.** *Par ext.* Coloration, éclat naturel. *Le coloris d'un visage, d'un fruit.*

colorisation n. f. TECH Action de coloriser; son résultat.

coloriser v. tr. [1] TECH Colorier, à l'aide de l'informatique, une copie de film noir et blanc.

coloriste n. **1.** Peintre qui excelle dans l'emploi des couleurs. **2.** Personne qui colorie des dessins, des estampes. **3.** Spécialiste de l'utilisation des couleurs en matière de décoration.

coloscopie. V. colonoscopie.

colossal, ale, aux adj. D'une grandeur exceptionnelle, gigantesque. ▷ Fig. *Une force colossale.*

colossalement adv. De manière colossale.

colosse n. m. **1.** Statue d'une grandeur exceptionnelle. *Le colosse de Rhodes.* **2.** Homme de haute stature, très robuste. **3.** *Le colosse aux pieds d'argile :* l'Empire assyrien (dans la Bible). – *Par ext.* Loc. prov. Puissance dont les fondements sont fragiles.

Colosses, anc. colonie grecque d'Asie Mineure, en Phrygie, convertie au christianisme par un disciple de saint Paul; la v. est auj. détruite (ruines près de Honaz, en Turquie).

colossien, enne adj. et n. De la ville de Colosses. *Épître de saint Paul aux Colossiens.*

colostomie n. f. CHIR Création d'un anus artificiel par abouchement à la peau d'une portion de côlon.

colostrum [kɔlɔstʀɔm] n. m. PHYSIOL Première sécrétion de la glande mammaire après l'accouchement.

Colot, famille de chirurgiens français. – **Germain** réussit en 1470 la première opération de la taille (extraction de calcul par ouverture de la vessie), que pratiquèrent ses descendants, par charge spéciale, à partir de **Laurent** (XVIe s.), jusqu'au XVIIIe s.

colpo-. Élément, du gr. *kolpos,* « vagin ».

colpoplastie n. f. CHIR Création d'un vagin artificiel en cas d'anomalie ou d'absence congénitale de cet organe.

colportage n. m. **1.** Action de colporter. *Colportage à domicile.* **2.** Profession de colporteur.

colporter v. tr. [1] **1.** Présenter (des marchandises) à domicile, pour les vendre. **2.** Fig. (Souvent péjor.) Répandre (une nouvelle, une information, un renseignement) en les répétant à de nombreuses reprises. *Colporter une nouvelle croustillante.*

colporteur, euse n. **1.** Marchand ambulant qui vend ses marchandises à domicile. **2.** Fig. Personne qui propage des nouvelles, des bruits. *Colporteur de ragots.*

colposcopie n. f. MED Examen du vagin et du col de l'utérus au moyen d'un instrument d'optique.

colt n. m. **1.** Pistolet à chargement automatique (calibre 11,43 mm). **2.** *Abusiv.* Revolver.

coltiner v. tr. [1] **1.** Porter sur le cou, les épaules (un fardeau pesant). – *Par ext.* Porter. *Coltiner une énorme valise.* **2.** v. pron. Fam. Faire (une chose pénible).

Coltrane (William John) (Hamlet, Caroline du Nord, 1926 – Huntington, 1967), saxophoniste de jazz américain. Il est le créateur d'un style lyrique aux effets sonores incantatoires (*Giant Steps,* 1959; *My Favorite Things,* 1960; *Olé,* 1961).

colubridés n. m. pl. ZOOL Importante famille de serpents comprenant notam. les couleuvres. – Sing. *Un colubridé.*

Coluche (Michel Colucci, dit) (Paris, 1944 – près de Valbonne, 1986), artiste

Coluche

Ph. de Commynes

comique français populaire. Il a eu une action sociale notam. par son engagement dans les « Restaurants du cœur », destinés aux plus défavorisés.

columbarium [kɔlɔ̃baʀjɔm] n. m. Édifice qui reçoit les urnes renfermant les cendres des morts incinérés.

Columbia (la) (anc. *Oregon*), fl. d'Amérique du Nord (1 953 km); naît dans les Rocheuses canadiennes; se jette dans le Pacifique après avoir traversé Portland (É.-U.) et sert de frontière entre le Washington et l'Oregon. Import. barrages hydroélectriques.

Columbia, district fédéral des États-Unis. (V. Washington.)

Columbia, v. des É.-U., cap. de la Caroline du Sud, au centre de l'État; 98 000 hab. (aggl. urb. 433 200 hab.). Textiles (coton).

Columbia (Université), l'une des universités (1912) de la ville de New York.

columbiformes n. m. pl. ORNITH Ordre d'oiseaux aux pattes courtes, au bec court avec une base membraneuse où s'ouvrent les narines (pigeon, tourterelle, etc.). – Sing. *Un columbiforme.*

Columbus, v. des É.-U., cap. de l'Ohio, sur le Scioto River, affl. de l'Ohio; 632 900 hab. (aggl. urb. 1 279 000 hab.). Important centre industriel : métallurgie, chimie, textiles, pneumatiques.

Columbus, v. des É.-U. (Georgie); 178 680 hab. Text. (coton), métall. – Université.

Columelle (Lucius Junius Moderatus Columella) (Cadix, Ier s. apr. J.-C.) écrivain latin : *De re rustica,* traité d'agronomie.

col-vert ou **colvert** n. m. Canard sauvage commun, à la tête verte aux reflets métalliques, au collier blanc, aux ailes et au corps gris à miroirs blancs pour le mâle. (La cane est brune.) *Des cols-verts.* ► illustr. **ailes**

colza n. m. Variété de crucifère annuelle à fleurs jaunes, cultivée pour l'huile que l'on extrait de ses graines et comme aliment pour le bétail.

com-. Élément, du lat. *cum,* « avec », exprimant le concours, l'union, la simultanéité d'action.

1. coma n. m. État morbide caractérisé par la perte de la conscience, de la sensibilité, de la motilité, avec conservation plus ou moins complète des fonctions respiratoires et circulatoires.

2. coma n. f. OPT Aberration géométrique d'un système centré donnant, d'un point voisin de l'axe, une tache rappelant un peu l'aspect d'une comète.

Comanches, Indiens de l'Amérique du Nord. Ils vécurent notam. de la chasse du bison. Leurs descendants sont auj. installés en Oklahoma.

comateux, euse adj. et n. **1.** Qui se rapporte au coma. *Un état comateux.* **2.** Qui est dans le coma. ▷ Subst. *Un comateux.*

comatule n. f. ZOOL Échinoderme crinoïde libre à l'état adulte, à la différence des lis de mer, toujours fixés. (L'adulte a 10 « bras », les 5 pédoncules de la larve se divisant quand ils se rompent.)

combat n. m. **1.** Lutte entre deux ou plusieurs personnes, entre deux corps de troupes. *Combat de gladiateurs. Combat naval.* – Lutte entre des animaux. *Combat de coqs.* ▷ *Être hors de combat :* n'être plus en mesure de combattre. **2.** Fig., litt. Lutte. *Le combat spirituel.* **3.** Lutte des humains contre l'adversité. *La vie de l'homme est un combat.* **4.** Opposition de choses entre elles. *Le combat des éléments.*

combatif, ive adj. (et n.) Porté à la lutte, à l'offensive. *Un tempérament combatif.* ▷ Subst. *C'est un combatif.*

combativité n. f. Volonté de lutte. *La combativité des troupes.*

combattant, ante n. et adj. **I. 1.** Personne qui prend part à un combat. *Une armée de vingt mille combattants.* – *Anciens combattants :* soldats qui ont combattu pendant une guerre et qui, revenus à la vie civile, se sont regroupés en associations. ▷ adj. *Les forces combattantes.* **2.** Fam. Personne qui prend part à une rixe. *Séparer les combattants.* **II.** n. m. ZOOL **1.** *Combattant* ou *chevalier combattant :* oiseau de rivage (*Philomachus pugnax,* ordre des charadriiformes) à plastron bouffant de couleur variable, dont les mâles, au printemps, se livrent à des parades à allure de combats. **2.** Rutilant poisson perciforme *(Betta splendens)* d'Asie du S.-E. dont les mâles se livrent des combats à mort.

combattre v. [61] **I.** v. tr. **1.** Attaquer qqn ou se défendre contre lui. *Rodrigue combattit les Maures.* **2.** Lutter contre (qqch de mauvais, de dangereux). *Combattre un incendie, une maladie.* ▷ S'opposer à. *Combattre des théories erronées.* **II.** v. tr. indir. et intr. **1.** Livrer combat. *Combattre avec des troupes fraîches. Combattre pour une juste cause.* **2.** Faire la guerre. *Combattre pour la patrie.* **3.** Lutter. *Combattre contre les préjugés, les passions.*

combe n. f. Dépression longue et étroite, parallèle à la direction des reliefs et entaillée dans les parties anticlinales d'un plissement.

Combes (Émile) (Roquecourbe, Tarn, 1835 – Pons, Char.-Mar., 1921), homme politique français. Membre du parti radical, président du Conseil de 1902 à 1905, il pratiqua une ferme polit. anticléricale (application de la loi sur les congrégations, 1901), déposant en 1904 la loi sur la séparation des Églises et de l'État, qui ne fut votée qu'après la chute du cabinet.

combien adv. et n. m. inv. **1.** À quel point, à quel degré. *Il m'a dit combien il vous estime.* **2.** adv. interrog. *Combien de :* quelle quantité, quel nombre. *Combien de disques as-tu acheté ? Combien de temps avez-vous mis pour venir ? Combien de kilomètres y a-t-il entre ici et la ville ?* ▷ *Absol.* Quelle quantité (de temps, de distance, d'argent, etc.). *Combien coûte ce livre ?* Fam. *Combien y a-t-il d'ici à la gare ?* – Fam. *C'est combien ? Ça fait combien ?* **3.** n. m. inv. (Emploi critiqué.) *Ce journal paraît tous les combien ?* **4.** adv. exclam. *Ô combien !* (Fréquemment en incise.) *Il exagère, ô combien !,* beaucoup. **5.** *De combien :* de quelle quantité, de quel nombre d'années. *De combien s'en faut-il ? De combien est-il votre cadet ?*

combinable adj. Qui peut se combiner.

combinaison n. f. **1.** Assemblage de plusieurs choses dans un certain ordre. *Combinaison de couleurs.* **2.** CHIM Formation d'un composé à partir de plusieurs corps qui s'unissent dans des proportions déterminées. **3.** MATH Dans un ensemble fini non vide comprenant n éléments, partie composée de p éléments, $p \leqslant n$ (p et n étant des entiers naturels). **4.** MUS Disposition du mécanisme des orgues permettant de préparer les jeux à jouer ultérieurement. **5.** Fig. (Souvent au plur.) Mesures, calculs faits pour réussir. *Déjouer des combinaisons malhonnêtes.* **6.** Sous-vêtement féminin, en tissu léger, porté sous la robe. ▷ Vêtement réunissant pantalon et veste en une seule pièce. *Combinaison de mécanicien, d'aviateur. Combinaison de plongée.* **7.** Ensemble de chiffres ou de lettres que l'on forme au moyen de boutons moletés, de cadrans, etc., et qui permet de faire jouer un système de fermeture (cadenas, serrure de coffre-fort, etc.) dit *à combinaison.*

combinard, arde adj. et n. Fam., péjor. Qui utilise des combines.

combinat n. m. Dans l'ex-U.R.S.S., complexe économique.

combinateur n. m. TECH Commutateur destiné à effectuer différentes combinaisons de circuits.

combinatoire adj. et n. f. **1.** adj. MATH *Analyse combinatoire* ou, n. f., *combinatoire :* partie de l'analyse qui étudie les différentes manières de combiner les éléments d'un ensemble (théorie des arrangements, des permutations et des combinaisons, notam.). *L'analyse combinatoire a une grande importance dans le calcul des probabilités.* **2.** n. f., Didac. Combinaison d'éléments qui interréagissent.

combine n. f. Fam. Moyen détourné, tricherie adroite pour arriver à ses fins ou pour obtenir qqch. *Il connaît une combine pour voyager sans payer.*

combiné, ée adj. et n. m. **I.** adj. **1.** Qui réunit plusieurs éléments (techniques, fonctions, avantages). *Un four combiné,* qui offre les possibilités d'un four classique et d'un four à micro-ondes. – Fig. Réuni. *L'ambition et le talent combinés le mèneront loin.* **2.** MILIT *Opérations combinées terre-air,* où interviennent plusieurs armes (par ex. l'infanterie et l'aviation). **II.** n. m. **1.** TECH Combinaison d'appareils ou de systèmes en un produit complexe. ▷ *Combiné téléphonique :* ensemble d'un écouteur et d'un microphone reliés par une poignée. **2.** Sous-vêtement réunissant un soutien-gorge et une gaine. **3.** SPORT *Combiné alpin :* compétition de ski associant la descente, le slalom géant et le slalom spécial. *Combiné nordique :* compétition associant une épreuve de ski de fond de 15 km et un saut.

combiner v. tr. [1] **1.** Arranger (plusieurs choses) dans un ordre ou dans des proportions déterminés. *Combiner des couleurs.* – v. pron. *Des matériaux qui se combinent.* **2.** CHIM Faire la combinaison de. **3.** Fig. Calculer, préparer, organiser. *Combiner un plan d'évasion.*

combishort [kɔ̃biʃɔʀt] n. m. Maillot de bain féminin une-pièce dont le bas a la forme d'un short.

comblanchien n. m. Calcaire jaunâtre, très dur, susceptible d'acquérir un beau poli.

1. comble n. m. **1.** Vx Ce qui peut tenir au-dessus d'une mesure déjà pleine. **2.** Fig. Maximum, degré le plus élevé. *Le comble de l'hypocrisie. Être au comble du désespoir.* – *C'est le comble, c'est un comble :* cela dépasse la mesure. **3.** ARCHI Ensemble formé par la charpente et la couverture d'un bâtiment. *Comble brisé,* qui comporte deux inclinaisons sur le même versant. ▷ Cour. *Les combles :* partie d'un édifice se trouvant directement sous la toiture. ▷ Loc. adv. *De fond en comble :* entièrement, du haut en bas. *Transformer sa maison et sa vie de fond en comble.*

2. comble adj. **1.** Vx Rempli au point de déborder. *Un boisseau comble.* – Fig. *La mesure est comble :* en voilà assez. **2.** Rempli de gens. *Une salle comble.*

comblement n. m. Fait de combler (un vide, un trou, un creux). *Le comblement d'un étang.*

combler v. tr. [1] **1.** Vx Remplir par-dessus les bords. *Combler un boisseau.* – Fig., mod. *Combler la mesure :* dépasser la mesure permise. *Ses insolences comblent la mesure.* **2.** Remplir (un vide, un trou, un creux). *Combler un puits.* **3.** Fig. Compenser. *Combler un déficit.* **4.** Fig. *Combler qqn,* le satisfaire pleinement. *Combler les désirs, les vœux de qqn,* les satisfaire pleinement. ▷ *Combler qqn de,* le gratifier en abondance de. *Combler de bienfaits, de cadeaux.*

Combourg, ch.-l. de canton d'Ille-et-Vilaine (arr. de Saint-Malo); 4 900 hab. – Chât. féodal (XIe-XVe s.) dans lequel Chateaubriand passa une partie de sa jeunesse.

Combraille (la), rég. boisée du N. du Massif central, formée de plateaux cristallins. Élevage.

comburant, ante n. m. et adj. CHIM Substance capable d'entretenir la combustion d'un combustible. *L'oxygène de l'air est le comburant le plus utilisé.*

combustibilité n. f. Aptitude d'un corps à entrer en combustion.

combustible adj. et n. m. **1.** adj. Qui peut brûler. *Corps, matière combustible.* **2.** n. m. Substance qui peut entrer en combustion (bois, charbon, essence, gaz naturel, etc.) et être utilisée pour produire de la chaleur. *Les carburants sont des combustibles qui contiennent des hydrocarbures.* **3.** PHYS NUCL *Combustible nucléaire :* matière susceptible de fournir de l'énergie par fission ou fusion nucléaire.

combustion n. f. **1.** Cour. Fait de brûler. **2.** CHIM Réaction d'oxydoréduction produisant de la chaleur. ▷ *Combustion massique :* énergie libérée par unité du combustible.

Côme (en ital. *Como*), v. d'Italie (Lombardie), au S. du lac de Côme; 95 180 hab.; ch.-l. de la prov. du m. nom. Text. Tourisme. – Cath. (XIVe-XVIe s.). – Le *lac de Côme* (146 km²) est un lac alpestre, allongé N.-S. et traversé par l'Adda.

Côme (ou **Cosme**) et **Damien** (saints) (m. à Tyr d'Euphrate, Syrie, v. 295), médecins chrétiens d'origine arabe, les deux frères furent martyrisés sous Dioclétien. Patrons des chirurgiens.

come-back [kɔmbak] n. m. inv. (Anglicisme) Réapparition d'une vedette ou d'une personnalité publique après une période de retrait ou d'inactivité.

Comecon, acronyme pour *COuncil for Mutual ECONomic assistance,* « Conseil d'aide économique mutuelle ». Organisme créé en 1949 à Moscou (« Marché commun de l'Est ») et dissous en 1991. Il comprenait la Bulgarie, la Hongrie, la Pologne, la Tchécoslovaquie, la Roumanie, la Mongolie, l'U.R.S.S., la R.D.A., Cuba (à partir de 1972) et le Viêt-nam (à partir de 1978).

comédie n. f. **I. 1.** Vx Pièce de théâtre; endroit où on la joue. – Troupe de comédiens. **2.** Fig. Caprice, feinte, mensonge. *Tout cela n'est que comédie. Quelle comédie ! :* que d'embarras ! ▷ *Jouer la comédie :* feindre des sentiments que l'on n'éprouve pas, affecter d'avoir des idées que l'on n'a pas. **3.** LITTER *« La Comédie humaine » :* cycle romanesque d'Honoré de Balzac (1830 – 1850). **II. 1.** Pièce de théâtre où sont décrits de manière plaisante les mœurs, les défauts, les ridicules des êtres humains. *Comédie d'intrigue, de mœurs, de caractères. Comédie-ballet, comédie de boulevard.* **2.** Le genre comique (par opposition à la *tragédie* et au *drame*). *Voltaire, surtout connu pour ses drames, ne méprisait pas la comédie.* **3.** Fig. *Un personnage, une tête, une silhouette de comédie,* ridicule, drôle.

Comédie-Française (la), le Théâtre-Français officiel, appelé parfois *le Français,* situé dans un bâtiment annexe du Palais-Royal, à Paris. Sa troupe fut constituée (arrêt du roi, 1680) par la réunion des comédiens de l'hôtel de Bourgogne et de ceux du théâtre Guénégaud. Le décret promulgué à Moscou par Napoléon (1812) en régla le fonctionnement jusqu'en 1946, date de la réunion du Théâtre-Français et de l'Odéon.

comédien, enne n. et adj. **1.** Personne dont la profession est de jouer au théâtre, au cinéma, etc.; acteur. **2.** Acteur de comédie (par oppos. à *tragédien*). **3.** Fig. Personne encline à jouer un rôle, à feindre. ▷ adj. *Ce qu'il est comédien, ce gamin !*

comédon n. m. Petit bouchon de sébum, noirâtre au sommet, qui obstrue un pore de la peau, communément appelé « point noir ».

Comencini (Luigi) (Salo, prov. de Brescia, 1916), cinéaste italien. Il excelle dans la peinture de l'enfance et de l'adolescence : *l'Incompris* (1967), *Casanova, un adolescent à Venise* (1969), *les Aventures de Pinocchio* (1972), *la Storia* (1986).

Comenius (Jan Amos Komenský, dit) (Uherský Brod, Moravie, 1592 – Amsterdam, 1670), humaniste tchèque. Prêtre des Frères moraves, auteur de *Porte ouverte sur les langues* (1631), il est un précurseur de la pédagogie moderne.

comestible adj. et n. m. pl. **1.** adj. Qui convient à la nourriture des êtres humains. *Un champignon comestible.* **2.** n. m. pl. Produits alimentaires. *Le rayon des comestibles d'un grand magasin.*

comète n. f. Petit corps céleste qui décrit une parabole ou une ellipse très allongée autour du Soleil. – Loc. fig. *Tirer des plans sur la comète :* faire des projets irréalisables.

ENCYCL Les comètes sont composées d'un noyau solide (agrégat de glace et de poussières) de forme irrégulière (dimension de l'ordre de quelques km), invisible depuis la Terre. Lorsqu'une comète se rapproche du Soleil, des structures lumineuses se développent à partir du noyau : la chevelure (halo circulaire de 50 000 à 200 000 km de diamètre constitué de gaz et de poussières libérés par le noyau et éclairés par le Soleil) et, s'étirant sur plusieurs millions de km à l'opposé du Soleil, la queue de plasma (ions de la chevelure repoussés par le vent solaire) et la queue de poussière (éclairée par diffusion de la lumière solaire). La plus connue est la comète de Halley (période : env. 76 ans).

comice n. m. **1.** (Plur.) ANTIQ Assemblée du peuple romain pour élire des magistrats ou voter des lois. **2.** (Plur.) HIST Réunion des électeurs. **3.** *Comice(s) agricole(s) :* assemblée formée par des cultivateurs, des propriétaires ruraux pour favoriser l'amélioration des procédés agricoles et du cheptel.

comicial. V. comitial.

Luigi **Comencini** : *la Storia,* 1986, avec Claudia Cardinale

comics [kɔmiks] n. m. pl. (Anglicisme) Bandes dessinées, dessins humoristiques.

Comines, com. du Nord (arr. de Lille), sur la Lys (qui la sépare de la com. belge du m. nom); 11 360 hab. Textiles, papeterie; centrale thermique.

Comines. V. Commynes.

comique adj. et n. **1.** adj. Qui appartient à la comédie (sens II). *Le genre*

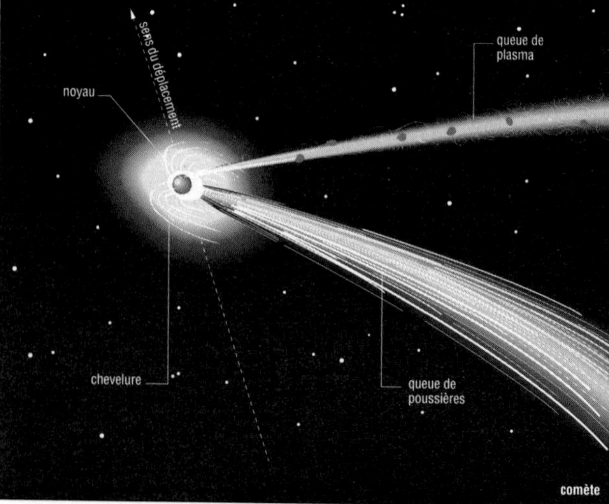

comique. – LITTER Vx De la comédie, du théâtre, des comédiens. *«Le Roman comique» de Scarron (1651).* ▷ n. m. Auteur comique. *Les comiques grecs.* – Acteur comique. *Les comiques troupiers étaient très appréciés vers 1900.* ▷ Fig. *Le comique de la troupe* : le bouffon, le boute-en-train. **2.** n. m. *Le comique* : le genre comique, la comédie. *Un acteur qui excelle dans le comique.* **3.** adj. Qui fait rire, plaisant, risible, ridicule. *Il lui arrive des aventures comiques.* ▷ n. m. *Le comique de l'histoire, c'est...*

comiquement adv. De manière comique (sens 3).

comité n. m. **1.** Réunion de personnes chargées d'examiner certaines affaires, de donner un avis, de préparer une délibération, d'orienter une décision. *Élire un comité. Comité de lecture.* – *Comité d'entreprise,* élu par les salariés pour améliorer les conditions de vie du personnel et pour gérer les œuvres sociales de l'entreprise. – HIST *Comité de salut public,* qui exerça le pouvoir effectivement en 1793 et 1794, puis théoriquement jusqu'en 1795. **2.** Loc. *En petit comité* : dans l'intimité. *Une réception en petit comité.*

comitial ou **comicial, ale, aux** [komisjal, o] adj. **1.** Relatif aux comices. **2.** MED *Mal comitial* : l'épilepsie (parce que les comices romains se séparaient si, dans l'assistance, un épileptique avait une crise). *Crise comitiale.*

comma n. m. MUS La plus petite division du ton perceptible à l'oreille. *Le ton se divise en neuf commas.* V. enharmonie.

Commagène, petit royaume hellénistique de l'ancienne Syrie, prov. romaine sous Vespasien (72 apr. J.-C.).

commandant, ante n. **1.** Personne qui exerce un commandement militaire. *Commandant en chef.* **2.** Grade le plus bas dans la hiérarchie des officiers supérieurs, dans les armées de terre et de l'air. **3.** Officier qui commande un bâtiment de guerre ou un navire de commerce. – Appellation donnée aux officiers du grade de capitaine de corvette. **4.** AVIAT *Commandant de bord* : pilote chef de l'équipage.

commande n. f. **1.** Demande de marchandise devant être fournie à une date déterminée. *Faire, passer (une) commande.* – Marchandise commandée. *Livrer une commande.* ▷ *Ouvrage de commande,* exécuté par un artiste à la demande d'un maître d'œuvre. ▷ *Travail sur commande, à la commande,* fait à la demande d'un client. **2.** Fig. *De commande* : affecté, feint, simulé. *Il manifestait un enthousiasme de commande.* **3.** TECH Mécanisme qui permet de provoquer la mise en marche, l'arrêt ou la manœuvre d'un ou de plusieurs organes. *Tenir les commandes.* – Fig. *Tenir les commandes d'une entreprise.* **4.** TECH Action de déclencher, d'arrêter et d'assurer le fonctionnement ou la conduite des organes ou des mécanismes d'un appareil.

commandement n. m. **1.** Action, manière de commander. *Un ton de commandement,* impératif. – MILIT Ordre bref. *À mon commandement, marche!* **2.** DR Injonction par ministère d'huissier de s'acquitter de ses obligations. **3.** RELIG Ordre, loi émanant d'une Église. *Les dix commandements,* donnés par Yahvé à Moïse, d'après l'Ancien Testament. *Les commandements de l'Église.* **4.** Autorité, pouvoir de celui qui commande. *Avoir le commandement d'un régiment.* **5.** Ensemble de la hiérarchie militaire supérieure. *Le haut commandement des forces françaises.*

commander v. [1] **I.** v. tr. dir. **1.** User de son autorité en indiquant à autrui ce qu'il doit faire. *Cet adolescent ne supporte pas qu'on le commande.* **2.** Exercer son autorité hiérarchique sur (qqn). *Commander une armée.* **3.** *Commander (qqch)* : ordonner, diriger. *Commander la manœuvre.* **4.** Fig. Appeler, exiger. *Sa conduite courageuse commande le respect.* **5.** Faire une commande de. *Commander du charbon.* **6.** Dominer, en parlant d'un lieu. *Cette éminence commande la plaine.* ▷ v. pron. S'ouvrir l'une sur l'autre, en parlant des pièces d'un appartement. *Ces deux chambres se commandent.* **7.** TECH Faire marcher, faire fonctionner. *Une cellule photo-électrique commande l'ouverture de cette porte.* **II.** v. tr. indir. **1.** Avoir autorité sur (qqn). *Commander à qqn. Commander à (qqn) de* (+ inf.). **2.** Fig. Maîtriser. *Commander à ses passions.* **III.** v. intr. User de son autorité, donner des ordres. *Ce n'est pas vous qui commandez ici.*

commanderie n. f. HIST **1.** Bénéfice affecté à l'ordre de Malte et à quelques autres ordres militaires. **2.** Résidence du commandeur d'un de ces ordres. *Une commanderie de templiers.*

commandeur n. m. **1.** HIST Chevalier pourvu d'une commanderie. *La statue du Commandeur dans «Dom Juan».* **2.** Dans certains ordres, grade au-dessus de celui d'officier. *Commandeur de la Légion d'honneur.* **3.** HIST *Le commandeur des croyants* : titre que prenaient les califes (et que porte toujours le roi du Maroc).

commanditaire n. m. Bailleur de fonds dans une société en commandite.

commandite n. f. **1.** Société dans laquelle une partie des associés (les bailleurs de fonds) ne prennent pas part à la gestion. **2.** Fonds versés par chaque associé d'une société en commandite.

commanditer v. tr. [1] **1.** Verser des fonds dans une société en commandite. **2.** *Par ext.* Financer. *Mécène qui commandite une troupe théâtrale.*

commando n. m. Groupe de combat chargé d'exécuter une opération rapidement et par surprise. *Des commandos.*

comme adv. et conj. **I.** adv. interrog. et exclam. **1.** À quel point, combien. *Comme il est susceptible!* **2.** Comment, de quelle manière. *Voyez comme il se hâte.* – Péjor. *Dieu sait comme. Il faut voir comme.* **II.** conj. de subordination. **1.** Puisque. *Comme il l'aime, il lui pardonnera.* **2.** Tandis que. *Comme il approchait, il vit...* **III.** conj. et adv. **1.** (Comparaison) De la même manière que, ainsi que, de même que. *Faites comme lui. Comme on fait son lit, on se couche.* ▷ *Tout comme* : exactement comme. *Elle est blonde tout comme sa mère.* – Fam. *C'est tout comme* : c'est pareil. ▷ *Comme tout* : extrêmement. *Elle est amusante comme tout, votre histoire.* **2.** Ainsi que. *Blanc comme neige.* **3.** (Manière) De la manière que. *Généreux comme il est, il ne peut refuser.* – *Comme vous voudrez* : à votre convenance. – *Comme de juste* : comme il est juste. – Loc. fam. *Comme de bien entendu* : évidemment. – *Comme il faut* : convenablement. *Rétribuez-le comme il faut.* – Fam. Convenable, distingué. *Une dame tout à fait comme il faut.* – Fam. *Comme qui dirait* : d'une certaine manière. – *Comme quoi* : ce qui montre que. *Il se trompe, comme quoi cela arrive à tout le monde.* **4.** (Pour atténuer.) *Elle est comme possédée.* ▷ Fam. *Comme ci comme ça* : tant bien que mal; ni bien ni mal. *Comment ça va? – Comme ci comme ça.* **5.** Tel que. *Un homme comme lui. On n'a jamais vu une escroquerie comme celle-là.* **6.** En tant que. *Être élu comme président. Prenez-le comme modèle.*

commedia dell'arte [kɔmedjadɛlaʀte] n. f. inv. (ital.) Comédie à types conventionnels (Arlequin, Pierrot, Pantalon, Colombine, etc.), jouée par des acteurs souvent masqués qui improvisent le dialogue sur un scénario donné. *La commedia dell'arte fut introduite d'Italie en France au début du XVIIe s.*

commémoratif, ive adj. Qui rappelle le souvenir d'une personne ou d'un événement. *Un monument commémoratif.*

commémoration n. f. **1.** Cérémonie à la mémoire d'une personne ou d'un événement. *Commémoration des morts* : fête que l'Église catholique célèbre le 2 novembre. **2.** *Par ext.* Souvenir. *Prononcer un discours en commémoration de l'Armistice.*

commémorer v. tr. [1] Rappeler le souvenir (d'une personne, d'un événement). *Commémorer la naissance d'un écrivain.*

commençant, ante n. Débutant.

commencement n. m. **1.** Premier moment dans l'existence d'une chose.

commedia dell'arte : *les Comiques place Saint-Marc,* détail, XVIIIe s.; casa Goldoni, Venise

Le commencement du monde. Le commencement de l'année. Au commencement : à l'origine. *C'est le commencement de la fin* : la mort, la défaite, la débâcle, etc., sont proches. – Prov. *Il y a (un) commencement à tout* : on ne réussit pas toujours dès les premiers essais. **2.** Partie d'une chose que l'on voit la première. *Commencement du train.* **3.** DR *Commencement de preuve par écrit* : écrit émanant de la personne à qui on l'oppose, rendant vraisemblable le fait allégué. **4.** (Plur.) Débuts. – *Spécial.* Les premières leçons dans un art, une science.

commencer v. [12] **I.** v. intr. Débuter. *La forêt commence ici. Cette histoire commence mal.* **II.** v. tr. **1.** Faire le commencement, le début, la première partie de (qqch). *Commencer un ouvrage.* **2.** Être en tête de. *Une citation bien choisie commence l'article.* **3.** Être dans le premier temps de. *Le souverain commençait son règne.* **4.** *Commencer à* ou *de* (+ inf.) : entreprendre, se mettre à. *Je commence à comprendre.* – v. impers. *Il commence à neiger.* **5.** *Commencer par* : faire en premier lieu (qqch). *Commencez par le commencement!*

commendataire adj. et n. Anc. Qui tenait un bénéfice en commende.

commende n. f. En droit canon, attribution d'un bénéfice ecclésiastique (abbaye, prieuré, etc.) à un séculier ou à un laïc.

commensal, ale, aux n. et adj. **1.** n. Litt. Personne qui mange à la même table que d'autres. ▷ Sous l'Ancien Régime, officiers et serviteurs de la maison royale. **2.** adj. BIOL Désigne les êtres vivants qui vivent et se nourrissent auprès d'autres sans leur nuire (à la différence des *parasites*). *Bactéries commensales du tube digestif.*

commensalisme n. m. BIOL Mode de vie des espèces commensales.

commensurable adj. Didac. Qualifie les grandeurs de même espèce qui peuvent être mesurées par une grandeur commune.

comment adv. et n. m. inv. **1.** (Interrogatif) De quelle façon. *Comment allez-vous?* – Fam. *Comment?* (sous-entendu : *dites-vous?*) : interrogation destinée à faire répéter qqch que l'on n'a pas compris. – *Par ext.* Pourquoi. *Comment ne m'avez-vous pas attendu?* **2.** (Affirmatif) De quelle manière. *Je vais vous dire comment cela s'est passé. Je me demande comment il se porte. On ne sait comment.* – *N'importe comment* : de n'importe quelle façon; mal. ▷ n. m. inv. Manière. *Le pourquoi et le comment d'une chose,* ses causes et la manière dont elle s'est produite. **3.** Exclamation de surprise, d'étonnement, d'impatience, d'indignation. *Comment, vous ici?* **4.** *Comment donc!* pour renforcer une affirmation. *Comment donc, tu pars! Puis-je téléphoner? – Mais comment donc!* ▷ Fam. *On a gagné, et comment!*

commentaire n. m. **1.** Explication d'un texte, remarques faites pour en faciliter la compréhension. **2.** Observation, explication, remarque. *Commentaires de presse.* – Fam. (Souvent plur.) *Cela se passe de commentaires. Épargnez-nous vos commentaires.* – Loc. fam. (Souvent péjor.) *Sans commentaire!* : les faits sont suffisamment éloquents. **3.** (Le plus souvent au plur.) Interprétation malveillante. *Susciter des commentaires.*

commentateur, trice n. **1.** Personne qui commente un ouvrage de littérature, d'histoire, de droit. *Un commentateur de Racine.* **2.** Personne qui commente (les informations) à la radio, à la télévision. *Un commentateur sportif.*

commenter v. tr. [1] **1.** Expliquer (un texte) par des remarques écrites ou orales. *Commenter un texte d'un auteur classique.* **2.** Interpréter, juger. *Commenter les agissements de son entourage.* **3.** Éclairer (des faits, des paroles, une information, etc.) par des commentaires. *L'ambassadeur a refusé de commenter les décisions présidentielles.*

Commentry, ch.-l. de cant. de l'Allier (arr. de Montluçon); 8 290 hab. Sidérurgie; industries chimiques. – Les houillères, exploitées dès le Moyen Âge, sont épuisées.

commérage n. m. Fam. Racontar, cancan. *Colporter des commérages.*

commerçant, ante n. et adj. **1.** n. Personne qui fait du commerce. *Les commerçants du quartier. Commerçant en détail, en gros. Les petits commerçants.* **2.** adj. Qui fait du commerce. *Un pays commerçant.* **3.** adj. Où se trouvent de nombreux commerces. *Une rue commerçante.*

commerce n. m. **I. 1.** Négoce, achat et vente de marchandises, de biens. *Le commerce intérieur. La balance du commerce extérieur* : le rapport d'équilibre entre les importations et les exportations d'un pays. *Un tribunal de commerce. Un voyageur* de commerce.* **2.** *Le commerce* : l'ensemble des commerçants. **3.** Boutique, magasin, fonds de commerce. *Tenir un commerce.* ▷ *Faire commerce de ses charmes* : se livrer à la prostitution. **II. 1.** Litt. Relations des êtres humains les uns avec les autres. *Aimer le commerce des gens de goût. Commerce charnel.* **2.** Manière d'être en société. *Il est d'un commerce agréable.*

commercer v. intr. [12] Faire du commerce. *Ce pays commerce avec ses voisins.*

commercial, ale, aux adj. et n. **I.** adj. **1.** Relatif au commerce. *Une entreprise commerciale.* **2.** Péjor. *Un roman, un film commercial,* réalisé dans le seul but d'être bien vendu, pour les bénéfices escomptés de cette vente. **II. 1.** n. f. Automobile fourgonnette. **2.** n. Personne travaillant dans le secteur commercial d'une entreprise. – Personne de formation commerciale.

commercialement adv. De façon commerciale; du point de vue du commerce.

commercialisable adj. Qui peut être commercialisé.

commercialisation n. f. Action de commercialiser.

commercialiser v. tr. [1] **1.** DR Assujettir aux règles du droit commercial. *Commercialiser une dette.* **2.** Mettre (qqch) dans le commerce. *Commercialiser un produit.* **3.** Transformer (qqch) en objet de commerce. *Commercialiser une découverte scientifique.*

Commercy, ch.-l. d'arr. de la Meuse, sur la Meuse; 7 673 hab. Industr. métall. et alimentaire (madeleines).

commère n. f. **1.** Vx Marraine, par rapport au parrain (le compère), au père. **2.** Mod. Femme curieuse et cancanière.

commettant n. m. DR Personne qui charge un tiers du soin de ses intérêts.

commettre v. tr. [60] **1.** Accomplir, faire (un acte répréhensible). *Commettre un crime.* **2.** Fam., iron. Être l'auteur de. *Commettre un livre.* **3.** Préposer (qqn) à, charger (qqn) de. *Commettre qqn à un emploi.* **4.** v. pron. Se compromettre, s'exposer. *Se commettre avec des personnes louches.*

comminatoire adj. **1.** DR Se dit d'une clause, d'une disposition légale, d'un jugement qui contient la menace d'une sanction. *Astreinte comminatoire.* **2.** Qui tient de la menace, qui est destiné à intimider.

Commines. V. Commynes.

commis [kɔmi] n. m. **1.** Employé subalterne (administration, commerce, agriculture). – *Commis boucher.* ▷ Vieilli *Commis voyageur* : voyageur de commerce. **2.** HIST Haut fonctionnaire d'un ministère, d'une administration. ▷ Mod. *Les grands commis de l'État* : les hauts fonctionnaires.

commisération n. f. Litt. Pitié, compassion.

commissaire n. m. **1.** Personne remplissant des fonctions généralement temporaires. – *Haut-commissaire* : haut fonctionnaire chargé d'une mission déterminée. – *Commissaire aux comptes* : agent désigné par les actionnaires d'une société anonyme pour contrôler les comptes des administrateurs. ▷ HIST *Commissaire du peuple* : titre des ministres soviétiques de 1917 à 1946. ▷ SPORT Personne qui vérifie la régularité d'une épreuve. **2.** Titulaire d'une fonction permanente. *Commissaire de police* : fonctionnaire chargé, dans les villes, du maintien de l'ordre et de la sécurité. **3.** Membre d'une commission.

commissaire-priseur n. m. Officier ministériel chargé de l'estimation et de la vente d'objets mobiliers dans une vente publique. *Des commissaires-priseurs.*

commissariat n. m. Bureaux, services d'un commissaire. *Commissariat de police.* ▷ Fonction de commissaire.

commission n. f. **I. 1.** Attribution d'une charge, d'une mission. ▷ DR COMM Charge qu'un commettant confie à un tiers. ▷ Activité de celui qui se livre à des actes de commerce pour autrui; somme perçue pour cette activité. *Toucher une commission sur un achat.* ▷ DR *Commission rogatoire* : pouvoir donné par un tribunal à un autre, pour accomplir à sa place un acte de procédure ou d'instruction; réquisition donnée à un officier de police judiciaire de procéder à un acte d'information. **2.** Message, objet confié à une personne chargée de le transmettre à une autre. **3.** Plur. Cour. Achat des produits ménagers de consommation courante. *Faire les commissions.* **II.** Réunion de personnes chargées de l'examen, du contrôle ou du règlement de certaines affaires. ▷ FIN *Commission des opérations de Bourse* : V. COB.

commissionnaire n. **1.** Personne qui se livre à des opérations commerciales pour le compte d'autrui. ▷ *Commissionnaire en douane* : personne chargée par une autre d'accomplir les formalités de douane. **2.** Personne qui est chargée d'une commission (sens I, 2). – Personne dont le métier est de faire des commissions; coursier.

commissionner v. tr. [1] **1.** Délivrer (à qqn) une commission par laquelle on le charge de faire qqch, ou on l'y autorise. **2.** Donner commission (à qqn) pour acheter ou vendre des marchandises.

commissure n. f. **1.** Point de jonction des parties d'un organe. *La commissure des lèvres.* **2.** CONSTR Joint entre les pierres.

commode adj. et n. f. **I.** adj. **1.** Pratique, qui répond à l'usage qu'on veut en faire. *Un outil commode à manier.* **2.** Facile. *Une solution commode.* **3.** Se dit d'une personne au caractère agréable, facile à vivre (souvent empl. nég.). *Un chef exigeant et pas commode.* **II.** n. f. Meuble de rangement à hauteur d'appui, pourvu de larges tiroirs.

Commode (en lat. *Lucius Ælius* et, plus tard, *Marcus Aurelius Commodus*) (Lanuvium, 161 - Rome, 192), empereur romain (180-192), fils de Marc Aurèle. Cruel, avide de gloire et débauché, il mourut assassiné.

commodément adv. De manière commode.

commodité n. f. **1.** Qualité de ce qui est commode. **2.** (Plur.) Facilités offertes par qqch. *Les commodités d'un nouveau service.* **3.** (Plur.) Vieilli Lieux d'aisances.

commodore n. m. Officier de marine néerlandais, américain ou britannique de grade supérieur à celui de capitaine de vaisseau.

Commonwealth of Nations, ensemble des pays ayant fait partie de l'Empire brit. (anc. dominions, protectorats, colonies) et qui demeurent unis à la couronne brit.; le souverain de G.-B. est le chef (honorifique) du Commonwealth. Les États membres sont : Antigua et Barbuda, l'Australie, les Bahamas, le Bangladesh, la Barbade, le Belize, le Botswana, le Brunei, le Canada, Chypre, la Dominique, la Gambie, le Ghana, la Grenade, la Guyana, l'Inde, la Jamaïque, le Kenya, Kiribati, le Lesotho, le Malawi, la Malaisie, les Maldives, Malte, l'île Maurice, Nauru, le Nigeria, la Nouvelle-Zélande, l'Ouganda, le Pākistān, la Papouasie-Nouvelle-Guinée, Saint-Christophe et Niévès, Sainte-Lucie, Saint-Vincent et Grenadines, les Salomon, les Samoa occidentales, les Seychelles, la Sierra Leone, Singapour, Sri Lanka, le Swaziland, la Tanzanie, les Tonga, Trinité et Tobago, Tuvalu, Vanuatu, la Zambie, le Zimbabwe.

commotion n. f. **1.** Vx Secousse violente et brutale. **2.** MED Ébranlement d'un organe par un choc, abolissant ses fonctions de façon temporaire ou permanente sans détruire son tissu. *Commotion cérébrale.* **3.** Choc nerveux ou émotionnel brutal.

commotionner v. tr. [1] Frapper d'une commotion.

commuable ou **commutable** adj. DR Qui peut être commué.

commuer v. tr. [1] DR Transformer (une peine) en une peine moindre.

commun, une adj. et n. m. **I.** adj. **1.** Qui appartient au plus grand nombre, qui le concerne. *Le sort commun de l'humanité.* **2.** Qui est partagé par plusieurs personnes, par plusieurs choses. *Les caractères communs à tous les félins. D'un commun accord.* ▷ Loc. *En commun :* ensemble. *Ils ont mis leur argent en commun. Transports en commun.* **3.** GRAM *Nom commun :* nom de tous les individus appartenant à la même catégorie (par oppos. à *nom propre*). **4.** Répandu. *Il fait preuve d'un courage peu commun. Lieu* commun.* **5.** DR *Droit commun :* ensemble de normes juridiques applicables sur un territoire donné. **6.** MATH *Diviseur commun :* nombre qui peut en diviser exactement plusieurs autres (ex. : 3 divise 9, 36, 96, etc.). **7.** Péjor. Qui manque de distinction, d'originalité. *Une fille gentille, mais commune.* **II.** n. m. **1.** Ensemble, majorité du groupe considéré. *Le commun des mortels. Une femme hors du commun.* **2.** (Plur.) Bâtiments réservés au service dans une grande propriété.

communal, ale, aux adj. et n. **1.** adj. Qui appartient à une commune. *Budget communal. École communale.* **2.** n. m. pl. *Les communaux :* l'ensemble des biens d'une commune.

communard, arde n. (et adj.) **1.** HIST Appellation donnée aux membres et partisans de la Commune de Paris en 1871 par les adversaires de celle-ci. **2.** Mod., péjor. Communiste.

communautaire adj. et n. Relatif à la communauté. *Vie communautaire.* ▷ Relatif à la Communauté européenne. ▷ Subst. Ressortissant de la C.É.E.

communautariser v. tr. [1] ECON Mettre à l'échelle de la Communauté économique européenne.

communautarisme n. m. Tendance à privilégier la place des communautés (ethniques, confessionnelles, etc.) dans l'organisation sociale.

communauté n. f. **1.** Caractère de ce qui est commun à plusieurs personnes, à plusieurs groupes sociaux. *Une communauté d'idées. Des liens reposant sur une communauté linguistique.* **2.** Groupe de personnes vivant ensemble et partageant des intérêts, une culture ou un idéal communs. *Une communauté de moines. Familles vivant en communauté.* ▷ Lieu abritant cette communauté. **3.** DR *Communauté entre les époux,* régime matrimonial dans lequel ils mettent en commun tout ou partie de leurs biens propres ou de leurs acquêts. - *Communauté légale :* régime prévu par la loi en cas d'absence de contrat. - *Communauté conventionnelle :* régime prévu par contrat.

Communauté des États indépendants (C.É.I.), fédération créée le 21 décembre 1991, à l'initiative de trois républiques de l'ex-Union soviétique (Russie, Ukraine, Biélorussie), rejointes par les républiques jusque-là fédérées au sein de l'U.R.S.S. (Arménie, Azerbaïdjan, Géorgie dep. oct. 1993, Kazakhstan, Kirghizstan, Moldavie, Ouzbékistan, Tadjikistan, Turkménistan), à l'exception des pays baltes. Le Conseil des chefs d'État en est l'organe suprême. En janvier 1992, toutes les républiques de la C.É.I. sont admises à la Conférence pour la sécurité et la coopération en Europe; la Russie en est membre de fait depuis la dissolution de l'U.R.S.S. En mai, six des rép. (Russie, Arménie, Kazakhstan, Ouzbékistan, Tadjikistan et Turkménistan) signent à Tachkent un pacte de sécurité collective, confirmant que les questions d'ordre militaire sont au centre de l'existence de la C.É.I.

Communauté économique européenne (C.É.E.), institution créée par le traité de Rome (1957) et comprenant initialement l'Allemagne, la Belgique, la France, l'Italie, le Luxembourg et les Pays-Bas, auxquels se sont joints le Danemark, la Grande-Bretagne et l'Irlande en 1973, la Grèce en 1981, l'Espagne et le Portugal en 1986. Son action aboutit à l'Acte unique (1986) et à la mise en place d'un processus d'Union économique et monétaire (traité de Maastricht, 1992), qui a transformé au 1er nov. 1993 la C.É.E. en Union européenne.

Communauté européenne de l'énergie atomique (C.E.É.A. ou Euratom), institution créée par le traité de Rome en 1957 en vue de développer les industr. nucl. V. Europe.

Communauté européenne du charbon et de l'acier (C.E.C.A.), institution créée en 1951 pour réaliser le marché commun du charbon et de l'acier entre les pays du Benelux, la France, l'Italie et la R.F.A. Depuis 1965, ses institutions ont fusionné avec celles de la C.É.E. Son siège est à Luxembourg.

Communauté française, association créée en 1958 entre la France et la plupart de ses anc. colonies, constituées à cette date en États autonomes. Elle cessa de fait en 1960, lorsque les États africains accédèrent à l'indépendance.

commune n. f. **1.** FEOD Ville affranchie que les bourgeois avaient le privilège d'administrer eux-mêmes. **2.** Mod. La plus petite division administrative de France, dirigée par un maire et son conseil municipal. V. encycl. ▷ Ensemble des habitants d'une commune. **3.** HIST *La Commune de Paris :* V. encycl. **4.** *Chambre des communes* ou *Communes* : Chambre des élus du peuple au Parlement britannique.

ENCYCL **Dr.** - La commune est l'association, à caractère administratif, des habitants d'une agglomération en vue de s'administrer, de se défendre, de pourvoir à la satisfaction des besoins matériels et moraux que fait naître le voisinage. Ses organes doivent aussi : publier les lois dans la commune, tenir les registres d'état civil, célébrer les mariages, assurer le recrutement pour le service national. La commune est administrée par la municipalité (le maire et ses adjoints), assistée du conseil municipal, organe délibérant (élu pour 6 ans au suffrage universel). Le maire est l'agent exécutif. Maire et adjoints sont élus par le conseil municipal, qui les désigne en son sein. Ils perçoivent des indemnités fixées suivant l'importance de la population. Il existe en effet une très grande disparité entre les communes de France (88,7 % ont moins de 1 000 hab., 0,1 % plus de 100 000 hab.). Trois villes (Paris, Lyon, Marseille) ont un statut particulier, mais leur administration reste, pour l'essentiel, confiée à des conseils municipaux élus par secteurs. Le régime administratif des communes ressortit à la loi fondamentale du 5 avril 1884, modifiée ultérieurement sur certains points. Depuis la loi de décentralisation du 2 mars 1982, qui a accru la liberté des communes, les tutelles administratives ne s'exercent plus qu'a posteriori sur l'administration communale : contrôle de la légalité par le tribunal administratif; contrôle du budget par les chambres régionales des comptes. De plus, les communes ont un pouvoir d'intervention dans les domaines économique et social (par ex. : aide aux entreprises en difficulté).

Hist. - On donne le nom de *Commune de Paris* à deux gouvernements de la ville de Paris. La première *Commune de Paris* dura de 1789 à 1795. Le 10 août 1792, une Commune insurrectionnelle se substitua à la Commune légale et fut à l'origine de la plupart des grandes mesures révolutionnaires, jusqu'à ce que le Comité de salut public fût devenu tout-puissant (automne 1793). La seconde *Commune de Paris* fut le gouvernement révolutionnaire formé lors de l'insurrection du 18 mars 1871. Après la chute de Napoléon III, les Parisiens, soumis au siège prussien, étaient affamés, armés et coupés du gouvernement dirigé par Thiers à Versailles; ils désiraient résister à l'assiégeant et

barricade de fédérés lors de la **Commune de Paris**, en 1871

accusaient Thiers de pactiser avec l'ennemi. Le 18 mars 1871, ils s'opposèrent à l'armée régulière (les «Versaillais»). Le 26 mars, des élections municipales installaient à l'Hôtel de Ville un conseil communal. Mais l'utopie, les divisions idéologiques, les querelles de personnes interdirent l'action réelle, qui se limita à quelques mesures sociales. Grâce à la bienveillance prussienne, les Versaillais s'organisaient et, le 21 mai, pénétraient dans Paris, conduits par Mac-Mahon. Du 22 au 28 mai («semaine sanglante»), la répression fut atroce; les communards, qui ripostèrent en fusillant des otages et en incendiant des monuments (églises, Hôtel de Ville, les Tuileries), furent massacrés (entre 20 000 et 30 000 morts) ou déportés (7 500 en Nouvelle-Calédonie). Marx fit le récit (*la Guerre civile en France,* 1871) et la critique de cette première révolution prolétarienne de l'histoire, qui adopta le drapeau rouge; dans sa prison, E. Pottier écrivit *l'Internationale.*

communément adv. Suivant le sens commun, l'opinion la plus fréquemment exprimée. *Il est communément admis que...*

communiant, ante n. Celui, celle qui reçoit le sacrement de l'eucharistie. ▷ *Premier (première) communiant(e)* : celui, celle qui communie pour la première fois. – *Par ext.* Jeune garçon ou fille qui fait sa profession de foi.

communicable adj. Qui peut être communiqué. *Une émotion difficilement communicable.*

communicant, ante adj. et n. **1.** adj. Qui communique. *Vases* communicants.* **2.** n. Personne qui participe à un processus de communication, à la communication d'une entreprise.

communicateur, trice n. Personne habile à communiquer par l'intermédiaire des médias. *Être bon, mauvais communicateur.*

communicatif, ive adj. **1.** (Choses) Qui se communique facilement. *Un rire communicatif.* **2.** (Personnes) Qui se confie facilement.

communication n. f. **1.** Action de communiquer, de transmettre qqch à qqn. *Donner communication d'un dossier.* **2.** Ce qui est communiqué. *Je dois vous faire une communication urgente.* **3.** Moyen de liaison entre deux points, accès à un lieu. *Toutes les communications sont coupées avec l'étranger.* **4.** Fait d'être en relation avec qqn, qqch. *Communication avec l'au-delà.* ▷ Communication téléphonique. *Le prix de la communication a augmenté.* **5.** SOCIOL Ensemble des phénomènes concernant la possibilité, pour un sujet, de transmettre une information à un autre sujet, par le langage articulé ou par d'autres codes. **6.** Information donnée au public sur l'activité, l'image de qqn, grâce aux médias.

communier v. intr. [2] **1.** Recevoir le sacrement de l'eucharistie. ▷ v. tr. Rare *Communier un mourant.* **2.** Litt. Être en parfait accord d'idées, de sentiments avec qqn. *Communier dans la même admiration pour un peintre.* ▷ Par anal. *Communier avec la nature.*

communion n. f. **1.** Union de personnes dans une même foi. *La communion des fidèles au sein de l'Église catholique.* ▷ *Communion des saints* : partage, par tous les membres de l'Église chrétienne, tant des fidèles sur terre que des bienheureux dans le ciel, de la même richesse spirituelle. **2.** RELIG Réception du sacrement de l'eucharistie. – *Par ext.* Moment de la messe où l'officiant administre l'eucharistie aux fidèles. ▷ *Communion solennelle* (ou profession de foi) : cérémonie au cours de laquelle le jeune catholique renouvelle les engagements du baptême par une profession de foi devant les fidèles. **3.** Partage (d'idées, de sentiments) par plusieurs personnes. *Vivre en parfaite communion de pensée.*

communiqué n. m. Avis transmis au public, à la presse, par une autorité compétente. *Le ministère a diffusé le communiqué suivant...*

communiquer v. [1] **I.** v. tr. **1.** Transmettre. *Communiquez vos réclamations à notre service.* **2.** (Personnes) Faire partager. *Communiquer sa joie, sa peine.* **3.** (Choses) Faire passer une qualité, un caractère, etc. *Une plaque électrique qui communique sa chaleur aux récipients.* **II.** v. pron. Se répandre, se transmettre. *L'incendie s'est communiqué à tout l'immeuble.* **III.** v. intr. **1.** (Personnes) Être en relation, en contact avec (qqn). *Communiquer par téléphone.* **2.** (Choses) Être en communication avec (qqch). *Le salon communique avec la cuisine.*

communisant, ante adj. (et n.) Proche du communisme. *Des idées communisantes.*

communisme n. m. **1.** Organisation sociale fondée sur l'abolition de la propriété privée des moyens de production au profit de la propriété collective. **2.** Système social, politique et économique proposé par Marx (V. encycl.). **3.** Ensemble des partis, des pays ou des personnes partisans de cette doctrine. ENCYCL L'organisation communiste, marquée par l'absence de classes sociales, par l'absence de l'«exploitation de l'homme par l'homme», aurait été la forme sociale «primitive». Cette thèse, à laquelle Marx et Engels tenaient, est peu confirmée par l'anthropologie moderne (préhistoire, protohistoire, ethnologie). On trouve chez Platon (qui ne renonce pas à l'esclavage), puis chez les paléochrétiens, chez certains Pères de l'Église, des principes d'organisation sociale fondés sur la communauté des biens. À partir du XVIe s. s'amorce un courant utopiste qui se développera jusqu'au milieu du XIXe s., de plus en plus cohérent à mesure que triomphe le capitalisme : Babeuf, Cabet, Fourier, voire Robert Owen, réclament la suppression de la propriété individuelle et l'abolition des inégalités de toutes sortes. Proudhon et les anarchistes caressent les mêmes rêves. Au contraire, pour Marx et Engels, le «socialisme scientifique» prétend dégager les lois du développement de la société et marquer les étapes de l'évolution sociale, de la lutte des classes, qui mettra fin au capitalisme. Les idées de Marx et d'Engels sont reprises, précisées, adaptées, développées par divers théoriciens, dont Lénine, Trotski et Mao Zedong. La doctrine est désormais plus souvent nommée communisme que socialisme, pour marquer qu'il s'agit d'une transformation fondamentale, que seul imposera un mouvement révolutionnaire, dépouillé de toute intention réformiste, aboutissant au dépérissement de l'État. Ce mouvement révolutionnaire, d'abord triomphant au sein de sociétés à peine sorties du Moyen Âge ou du colonialisme, puis échouant à les transformer en sociétés industrielles concurrentielles, a marqué l'histoire du XXe siècle. Depuis l'effondrement en Europe des régimes dits communistes, les derniers pays se réclamant du communisme sont Cuba, la Chine, la Corée du Nord et le Viêt-nam.

communiste adj. et n. **1.** adj. Relatif au communisme. – *Parti communiste* : parti se réclamant du marxisme. **2.** n. Partisan du communisme. – Membre d'un parti communiste.

commutable. V. commuable.

commutateur n. m. ELECTR, TELECOM Appareil permettant de substituer une portion d'un circuit à une autre ou bien de modifier successivement les connexions d'un ou de plusieurs circuits.

commutatif, ive adj. **1.** DR *Contrat commutatif,* dans lequel les parties fixent leurs obligations dès la conclusion de celui-ci. – *Justice commutative* qui préconise l'égalité des obligations et des droits. **2.** MATH *Loi commutative* opération dont le résultat est le même quel que soit l'ordre des termes ou des facteurs choisi pour l'effectuer. *L'addition et la multiplication obéissent à des lois commutatives.*

commutation n. f. **1.** Changement, substitution. *Procéder à la commutation des éléments dans un ensemble.* **2.** DR Fait de changer (une peine) en une peine moindre. *Obtenir une commutation de peine.* **3.** TELECOM Opération mettant en liaison deux lignes téléphoniques. *Commutation électronique.* **4.** ELECTR Modification des liaisons électriques dans un appareil.

commutativité n. f. MATH Propriété d'une loi, d'une opération commutatives.

commuter v. tr. [1] **1.** Didac. Transférer des éléments, les substituer les uns aux autres. **2.** ELECTR, TELECOM Effectuer la commutation d'un circuit électrique, d'un réseau téléphonique. **3.** LING Substituer, à l'intérieur d'une même classe phonétique, lexicale ou grammaticale, un élément à un autre, en vue de classer les unités de la langue.

Commynes, Comines ou **Commines** (Philippe de) (Renescure, près d'Hazebrouck, v. 1447 - chât. d'Argenton, 1511), chroniqueur français; «le premier écrivain moderne» selon Sainte-Beuve. Ses *Mémoires* (écrits entre 1489 et 1498, publiés en 1524 sous le titre de *Chronique de Louis XI*) relatent des événements survenus sous les règnes de Louis XI et de Charles VIII. ► illustr. page **396**

Comnène, famille de Byzance qui donna, de 1057 à 1185, six empereurs.

Comodoro Rivadavia, v. d'Argentine (Patagonie); 96 820 hab. Import. gisements de pétrole et de gaz naturel.

Comores (république fédérale islamique des), État de l'océan Indien, au N.-O. de Madagascar, formé par l'archipel des Comores (Ngazidja ou Grande Comore, Ndzouani ou Anjouan, Moili ou Mohéli), moins l'île de Mayotte, restée franç.; 1 797 km²; env. 560 000 hab.; cap. *Moroni*, dans l'île de Ngazidja. Langues off. : français et arabe. Monnaie : franc. Population : Arabes, Africains, Malgaches. Relig. : islam.
Géogr. et écon. - Le relief, d'origine volcanique, correspond à des plateaux retombant sur d'étroites plaines côtières. Le climat est tropical, avec interférence de la mousson. Son économie s'appuie sur deux activités, l'agriculture de plantes à parfum (vanille, ylang-ylang) et le commerce maritime, auxquelles vient s'ajouter le tourisme.
Hist. - Islamisées dès le XIe s., les îles relevèrent de la France au XIXe s., formant un protectorat en 1886. Elles acquirent l'auton. admin. en 1947 et devinrent un TOM en 1958. Les hab. se prononcèrent, en 1974, en faveur de l'indép. (hormis ceux de Mayotte), laquelle fut proclamée unilatéralement en 1975 par Ahmed Abdallah. Ce dernier est déposé peu après par un comité révolutionnaire présidé par Ali Soïlih, qui engage le pays dans la voie d'une socialisation radicale par l'exercice de la terreur, tandis que l'économie s'effondre. Ahmed Abdallah est réinstallé à la présidence de la République (1978) par des mercenaires qui l'assassinent en 1989. Saïd Mohamed Djohar lui succède en 1990, puis Mohamed Taki depuis 1996. En 1997, l'île d'Anjouan manifeste sa volonté de faire sécession. ► carte **Madagascar**

comorien, enne adj. et n. Des Comores. ▷ Subst. *Un(e) Comorien(ne).*

Comorin (cap), cap à l'extrême S. de l'Inde.

comourants n. m. pl. DR Personnes périssant ensemble dans le même accident sans que l'on puisse établir médicalement l'ordre de décès.

compacité n. f. Qualité de ce qui est compact. *La compacité d'une roche.*

1. compact, acte adj. Dont les parties sont fortement resserrées et forment une masse très dense. *Une matière compacte. Une foule compacte.*

2. compact, acte adj. et n. m. Qui tient relativement peu de place. *Un appareil photo compact* ou, n. m., *un compact. Une chaîne stéréophonique compacte* ou, n. m., *un compact.*

compactage n. m. **1.** Compression maximale de qqch (sol, déchets, etc.). **2.** INFORM Réduction de la place occupée en mémoire par des données sans perte d'information.

compact-disque n. m. Disque* compact. *Des compacts-disques.*

compacter v. tr. [1] Soumettre à un compactage.

compacteur n. m. TRAV PUBL Engin de travaux publics utilisé pour compacter.

compagne n. f. **1.** Celle qui partage, habituellement, les activités de qqn. *Compagne de classe.* **2.** Litt. Femme, dans un couple, concubine, maîtresse.

compagnie n. f. **1.** Fait d'être présent auprès de qqn. *Sa compagnie est très appréciée.* ▷ *En compagnie de qqn* : avec qqn. ▷ *Dame, demoiselle de compagnie* : personne appointée pour vivre auprès d'une autre. *Une dame de compagnie lui fait la lecture.* - *Animal de compagnie*, élevé comme animal familier, pour sa seule présence. ▷ *Fausser compagnie à qqn*, le quitter sans prévenir. **2.** Assemblée de personnes réunies par des activités communes, des intérêts communs. *Une nombreuse compagnie l'a salué.* ▷ Fam. *... et compagnie* : et tous les autres; et tout ce qui s'ensuit. **3.** Association commerciale. *Compagnie d'assurances.* ▷ Association de personnes ayant mêmes statut ou fonctions. *Compagnie des agents de change.* ▷ *Et compagnie* (abrév. : et Cie) : désigne les associés non nommés dans une raison sociale. **4.** *Compagnie théâtrale* : troupe permanente. **5.** Groupe de gens armés. ▷ MILIT Dans l'infanterie, troupe commandée par un capitaine. ▷ *Compagnies républicaines de sécurité**. **6.** Bande d'animaux de même espèce vivant en colonie. *Une compagnie de perdrix.*

Compagnies (Grandes), bandes de mercenaires à la solde des princes durant la guerre de Cent Ans. Lors des trêves, ils pillaient pour subsister. Charles V en débarrassa le royaume, les faisant conduire en Espagne par Du Guesclin, sous le prétexte d'y soutenir le prétendant au trône de Castille, Henri de Trastamare (1365).

Compagnies républicaines de sécurité (C.R.S.), unités mobiles de police créées en 1948 et placées sous la Direction centrale de la Sécurité publique et dépendant donc du ministère de l'Intérieur.

compagnon n. m. **1.** Celui qui partage, habituellement ou pour un temps déterminé, les occupations ou la vie de qqn. - Amant, concubin, mari. ▷ Animal familier. *Le chien est un fidèle compagnon de l'homme.* **2.** Ouvrier qui travaille pour le compte d'un maître. ▷ Anc. Artisan qui, dans une corporation, n'était plus apprenti, et pas encore maître. **3.** Grade de la franc-maçonnerie.

compagnonnage n. m. **1.** Association d'instruction professionnelle et de solidarité entre ouvriers de même métier. **2.** Période passée chez un maître par un compagnon après son temps d'apprentissage.

compagnonnique adj. Relatif au compagnonnage.

comparable adj. Qui peut être mis en comparaison. *Deux situations, deux personnes comparables.* ▷ *Comparable à* : qui ressemble à. *Une ville comparable à un vaste parking.*

comparaison n. f. **I. 1.** Action de comparer, de mettre sur le même plan pour chercher des ressemblances, des différences. *Faire, établir une comparaison. Trouver des éléments de comparaison.* ▷ *Supporter la comparaison (avec)* : être digne d'être comparé (à). **2.** GRAM *Adverbe de comparaison*, indiquant un rapport d'égalité, de supériorité ou d'infériorité. *Aussi, plus, autant, moins sont des adverbes de comparaison.* ▷ *Degrés de comparaison* : degrés de signification d'un adjectif ou d'un adverbe de manière (positif, comparatif, superlatif). **3.** Figure par laquelle on rapproche deux éléments en vue d'un effet stylistique. *«Beau comme un dieu», «noir comme un charbonnier», «sec comme un coup de trique» sont des comparaisons fréquentes dans la langue courante.* **II.** Loc. **1.** *En comparaison de* : par rapport à, à l'égard de, proportionnellement à. **2.** *Par comparaison à, avec* : relativement à. *Par comparaison aux salaires, le prix des loyers est élevé.* ▷ (S. comp.) *Se décider par comparaison.* **3.** *Sans comparaison (avec)* : incomparable (à). *Cet ouvrage est sans comparaison avec les autres.* ▷ (Empl. adv.) Incontestablement, absolument. *C'est, sans comparaison, sa meilleure œuvre.*

comparaître v. intr. [73] **1.** Se présenter (devant la justice, une autorité compétente) sur ordre. *Comparaître devant un tribunal comme témoin, comme accusé.* **2.** Se présenter (devant une autorité compétente). *Les époux ont comparu devant le maire.*

comparant, ante adj. et n. DR Qui comparaît devant un notaire, un juge, etc. Ant. défaillant, contumax.

comparatif, ive adj. et n. **I.** adj. **1.** Qui sert à comparer; qui comporte ou qui formule des comparaisons. *Une étude comparative des religions.* **2.** GRAM *Proposition, adverbe comparatifs*, qui marquent une comparaison. **II.** n. m. Un des trois degrés de signification de l'adverbe ou de l'adjectif. *Comparatif d'égalité, d'infériorité, de supériorité.* **III.** n. f. GRAM Proposition comparative.

comparatisme n. m. Didac. Méthode de recherche scientifique fondée sur l'étude comparative.

comparatiste n. Didac. Spécialiste de linguistique ou de littérature comparées.

comparativement adv. Par comparaison.

comparé, ée adj. *Grammaire, linguistique comparée*, qui étudie les rapports existant entre plusieurs langues. ▷ *Anatomie comparée* : étude comparative des organes des différentes espèces animales. - *Littérature comparée* : étude comparative des littératures de différents pays.

comparer v. [1] **I.** v. tr. **1.** Examiner les rapports entre (des choses, des personnes) en vue de dégager leurs différences et leurs ressemblances. *Comparer les diverses éditions d'une œuvre.* ▷ (S. comp.) *Comparer avant d'acheter.* **2.** *Comparer à, avec* : établir un rapprochement entre (des choses, des personnes) auxquelles on reconnaît des points communs. *Baudelaire compare le poète à un albatros. Comparer sa vie avec celle des autres.* **II.** v. pron. **1.** (Souvent précédé de *pouvoir* et d'une nég.) Être comparable. *Ça ne se compare pas! Ces deux comportements ne peuvent se comparer.* **2.** (Personnes) Se juger semblable, égal à. *Il se compare à Napoléon.*

comparse n. **1.** Figurant muet au théâtre. **2.** *Par ext.* Personne jouant un rôle secondaire dans une affaire, une situation donnée.

compartiment n. m. **1.** Division pratiquée dans un espace, un meuble, un lieu de rangement. *Coffret à compartiments.* **2.** Chacun des motifs décoratifs formés par un entrecroisement de lignes divisant une surface. *Les compartiments d'un plafond.* **3.** Partie d'une voiture de chemin de fer servant pour le transport des voyageurs, limitée par des cloisons et une porte.

compartimentage n. m. ou **compartimentation** n. f. Fait de compartimenter ; division en compartiments.

compartimenter v. tr. [1] **1.** Diviser en compartiments. **2.** Séparer, diviser par de nettes limites. *Assouplir les frontières qui compartimentaient l'Europe.*

comparution n. f. DR Fait de comparaître devant un juge, un notaire. ▷ *Mandat de comparution* : mandat délivré par un magistrat ou un tribunal pour faire comparaître qqn qui ne s'est pas présenté sur simple invitation.

compas [kɔ̃pa] n. m. **1.** Instrument fait de deux branches reliées par une charnière, servant à tracer des angles, des cercles, à prendre certaines mesures. ▷ *Compas d'épaisseur,* à branches recourbées. ▷ *Compas de proportion,* dont les branches sont faites de règles graduées. ▷ Loc. fig. *Avoir le compas dans l'œil* : évaluer les grandeurs avec précision, d'un simple regard. **2.** MAR, AVIAT Instrument de navigation indiquant le cap. *Compas gyroscopique,* comportant un gyroscope dont l'axe se stabilise dans la direction du nord vrai. *Compas magnétique,* composé de plusieurs aiguilles aimantées fixées sur une rose des vents, indiquant le nord magnétique, et permettant d'obtenir le nord vrai grâce à certains calculs de correction.

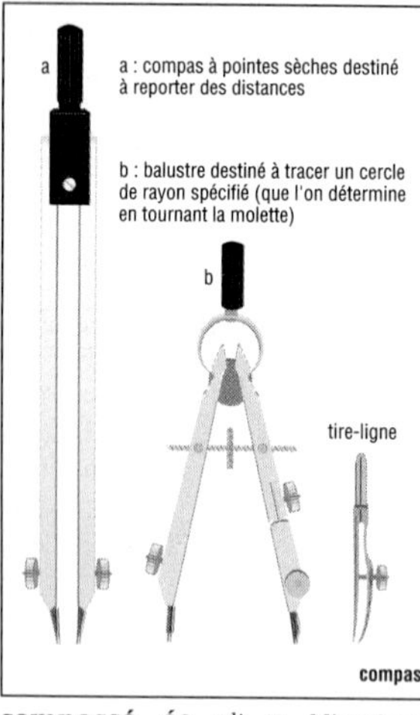
a
a : compas à pointes sèches destiné à reporter des distances
b : balustre destiné à tracer un cercle de rayon spécifié (que l'on détermine en tournant la molette)
b
tire-ligne
compas

compassé, ée adj. Litt. Minutieusement ordonné, réglé jusqu'à l'excès. ▷ Cour. (En parlant d'une personne, de son comportement.) Affecté, sans spontanéité. *Une politesse compassée.*

compassion n. f. Sentiment de pitié éprouvé devant les maux d'autrui et qui pousse à les partager. *Éprouver de la compassion pour qqn.*

compassionnel, elle adj. Où s'exprime de la compassion. *Administrer un traitement à titre compassionnel.*

compatibilité n. f. Caractère de ce qui est compatible. *Compatibilité d'esprit, de caractère. Compatibilité de deux systèmes informatiques.*

compatible adj. (et n. m.) Susceptible de s'accorder, de se concilier. *Ces deux opinions sont compatibles. Cette profession est-elle compatible avec vos obligations ?* ▷ MATH *Équations compatibles,* qui admettent des solutions communes. ▷ INFORM Qui peut être utilisé avec un autre appareil, spécial. d'une autre marque, sans modification d'interface. – n. m. *Un compatible.*

compatir v. tr. indir. [3] Éprouver de la compassion. *Compatir à la douleur, au deuil de qqn.*

compatissant, ante adj. Qui compatit, qui a de la compassion.

compatriote n. Personne du même pays ou, par ext. de la même région qu'une autre.

compendieux, euse adj. Vx **1.** Sommaire, exprimé brièvement. **2.** Qui s'exprime succinctement. *Un homme compendieux dans ses paroles.*

compendium [kɔ̃pɑ̃djɔm] n. m. Didac. Abrégé. *Des compendiums de droit.*

compensable adj. Qui peut être compensé.

compensateur, trice adj. et n. m. **1.** adj. (Choses) Qui apporte une compensation. ▷ PHYS *Pendule compensateur,* dont la période n'est pas affectée par les variations de température. ▷ FIN *Droits compensateurs* : droits de douane taxant une marchandise importée (pour compenser l'impôt dont elle aurait été frappée si elle avait été produite dans le pays importateur). **2.** n. m. TECH Appareil destiné à compenser les effets (d'un phénomène). *Compensateur de freinage, de dilatation.* ▷ ELECTR Appareil permettant la compensation (sens 5) d'un réseau.

compensation n. f. **1.** Action de compenser ; son résultat. *Compensation entre les pertes et les profits.* **2.** Dédommagement, avantage qui compense (une perte, un inconvénient). *Obtenir, recevoir une compensation.* ▷ *En compensation* : par contre, en revanche. *Un métier difficile, mais intéressant en compensation.* **3.** DR Mode d'extinction de deux obligations de même espèce existant réciproquement entre deux personnes. **4.** FIN En Bourse, règlement par virements, sans déplacement de numéraire. *Chambre de compensation.* **5.** ELECTR Amélioration du facteur de puissance d'un réseau. **6.** MAR, AVIAT *Compensation du compas* : opération destinée à réduire la déviation du compas. **7.** MATH *Loi de compensation* : loi des grands nombres. **8.** MED Réaction de l'organisme à une lésion primaire par des modifications secondaires tendant à rétablir l'équilibre physiologique. **9.** PSYCHO Mécanisme par lequel un sujet réagit à un complexe par une recherche d'activités valorisantes.

compensatoire ou **compensatif, ive** adj. Qui établit une compensation. *Forfait, indemnité compensatoire.*

compensé, ée adj. **1.** TECH Se dit d'un appareil qui a été rendu insensible aux effets de certains facteurs. **2.** *Semelle compensée* : semelle épaisse qui fait corps avec le talon. **3.** MED Se dit d'une lésion, d'une affection dont les effets secondaires ont disparu. *Une cardiopathie bien compensée.*

compenser v. tr. [1] **1.** Rétablir un équilibre entre (deux ou plusieurs éléments, choses). *Compenser un dommage par un avantage. Sa gentillesse compense tous ses défauts.* **2.** DR *Compenser les dépens, une dette.* V. compensation (sens 3). **3.** MAR, AVIAT *Compenser un compas.* V. compensation (sens 6). **4.** v. pron. *Gains et pertes se compensent,* s'équilibrent.

compère n. m. **1.** Vx Parrain d'un enfant (par rapport à la marraine, ou commère, et aux parents). **2.** Fam., vieilli Camarade, complice d'un moment (dans une situation donnée). *Un bon compère, toujours prêt à la plaisanterie.* ▷ Bon et fidèle camarade. **3.** Mod. Personne qui est de connivence avec un prestidigitateur, un bonimenteur, etc., et qui aide celui-ci à créer une illusion ou à tromper le public.

compère-loriot n. m. **1.** Loriot (oiseau). **2.** Petite inflammation sur le bord de la paupière (V. orgelet). *Des compères-loriots.*

compétence n. f. **I.** DR **1.** Aptitude d'une autorité administrative ou judiciaire à procéder à certains actes dans des conditions déterminées par la loi. *La célébration du mariage relève de la compétence du maire, officier d'état civil.* **2.** *Compétence législative* : aptitude d'une loi déterminée à régir une situation. **II. 1.** Cour. Connaissance, expérience qu'une personne a acquise dans tel ou tel domaine et qui lui donne qualité pour en bien juger. *Faire la preuve de ses compétences. Une personne d'une compétence exceptionnelle.* ▷ Fam. Personne compétente. **2.** LING En grammaire générative, connaissance implicite que les sujets parlants ont de leur langue, et qui leur permet de produire et de comprendre un nombre infini d'énoncés jamais entendus auparavant (par oppos. à *performance*).

compétent, ente adj. **1.** DR Dont la compétence (sens I) est reconnue. *Autorité, loi compétente. Tribunal compétent.* ▷ Requis, reconnu par la loi. *Avoir l'âge compétent pour voter, pour contracter un mariage.* **2.** Qui possède une, des compétences dans un domaine. *Un professeur compétent. Être compétent en mathématiques, en cuisine,* etc.

compétiteur, trice n. Personne en compétition (avec une ou plusieurs autres).

compétitif, ive adj. **1.** Vx Relatif à la compétition. **2.** Capable de supporter la compétition, la concurrence (en matière économique). *Des prix, des produits compétitifs.*

compétition n. f. **1.** Recherche simultanée d'un même but, d'une même réussite (par deux ou plusieurs personnes, groupes). *Les candidats se livrent à une compétition acharnée. Entrer en compétition* : rivaliser, être en concurrence. **2.** SPORT Match, épreuve. *Participer à une compétition d'athlétisme.*

compétitivité n. f. Caractère de ce qui est compétitif.

Compiègne, ch.-l. d'arr. de l'Oise, sur l'Oise, en bordure de la forêt domaniale de Compiègne (144 km²) ; 44 703 hab. Constr. méca. Prod. chim. Import. centre de tourisme. – Égl. St-Jacques (XIIIe-XVe s.). Hôtel de ville (1502-1510, restauré et agrandi au XIXe s.). Le chât., rebâti sous Louis XV sur les ruines d'un anc. palais de Charles V, puis restauré par Napoléon Ier, fut la résidence favorite de Napoléon III ; auj. il renferme le musée de la Voiture et du Tourisme. – Au *concile de Compiègne,* Louis le Débonnaire fut déposé (833). Dans cette ville Jeanne d'Arc tomba aux mains des Bourguignons (1430). Dans la forêt de Compiègne, à Rethondes, furent signés les armistices de 1918 et 1940. À Royallieu, les All. installèrent (1940-1944) des camps de regroupement, d'où partirent pour l'Allemagne des convois de déportés.

compilateur, trice n. **1.** Personne qui compile. **2.** n. m. INFORM Programme qui traduit un langage* de programmation évolué en langage machine.

compilation n. f. **1.** Action de compiler. **2.** Recueil sans originalité, fait d'emprunts. **3.** Sélection de succès (musicaux).

compiler v. tr. [1] **1.** Rassembler (des extraits de divers auteurs, des documents) pour composer un ouvrage. **2.** INFORM Traduire (un langage de programmation) en un langage utilisable par l'ordinateur.

compisser v. tr. [1] Vx ou plaisant Arroser de son urine.

complainte n. f. **1.** Vx Lamentation, plainte. **2.** Chanson populaire plaintive sur un sujet tragique. *La complainte du Juif errant.* **3.** DR Action en justice d'un possesseur d'immeuble dont la possession est actuellement troublée.

complaire v. [59] **1.** v. tr. ind. Litt. Se conformer, s'accommoder au goût de qqn pour lui plaire. *Je le ferai pour vous complaire.* **2.** v. pron. Se délecter, trouver du plaisir à. *Se complaire dans ses erreurs.*

complaisamment adv. Par, avec complaisance. *Il m'a complaisamment cédé sa place.* ▷ Péjor. *Il étalait complaisamment sa vie privée en public.*

complaisance n. f. **1.** Disposition à se conformer aux goûts, à acquiescer aux désirs d'autrui. *Il a eu la complaisance de me prévenir.* **2.** Péjor. Acte peu probe, comportement à caractère servile, adopté dans le seul but de plaire. *Ses complaisances répétées lui ont permis de faire carrière.* – *Attestation, certificat de complaisance,* délivré à qqn pour lui permettre d'obtenir certains avantages, et contenant des déclarations inexactes. – *Pavillon* de complaisance.* **3.** Péjor. Sentiment de satisfaction dans lequel on se complaît par facilité, par vanité. *Raconter sa vie, vanter ses exploits avec complaisance. Se juger avec complaisance.*

complaisant, ante adj. **1.** Prévenant, qui aime rendre service. **2.** Péjor. Qui a trop de complaisance, d'indulgence. *Se juger d'une manière complaisante.* – *Mari complaisant,* qui ferme les yeux sur les infidélités de sa femme.

complanter v. tr. [1] AGRIC Planter (un terrain) d'espèces différentes.

complément n. m. **1.** Ce qui s'ajoute ou doit être ajouté à une chose pour la compléter. *Verser un acompte et payer le complément à la livraison.* **2.** GEOM *Complément d'un angle :* ce qui manque à un angle aigu pour former un angle droit. **3.** LING Mot ou groupe de mots relié à un autre afin d'en compléter le sens. *Le complément indirect est relié au verbe par une préposition, contrairement au complément direct.* **4.** MED Chacun des facteurs qui, intervenant en cascade, développent l'activité des anticorps.

complémentaire adj. et n. m. **I.** adj. **1.** Qui sert à compléter. *Avantages complémentaires. Informations complémentaires.* **2.** GEOM *Arcs, angles complémentaires,* dont la somme égale 90 degrés. **3.** *Couleurs complémentaires :* V. encycl. couleur. **4.** LING *Éléments en distribution complémentaire,* qui n'ont aucun contexte commun. **II.** n. m. MATH *Complémentaire d'une partie d'un ensemble :* sous-ensemble constitué par les éléments du premier ensemble non contenus dans cette partie. *Le complémentaire d'une partie X de E se note X̄.*

complémentarité n. f. **1.** Qualité de ce qui est complémentaire. *La complémentarité de vos caractères.* **2.** LING *Complémentarité de deux ou plusieurs éléments.* V. complémentaire, sens I, 4. **3.** PHYS *Principe de complémentarité,* selon lequel la propagation d'une onde et le déplacement d'une particule ne sont que deux aspects complémentaires d'une même réalité (énoncé par Niels Bohr).

1. complet, ète adj. **1.** Auquel rien ne manque, qui comporte tous les éléments nécessaires. *Les œuvres complètes d'un écrivain.* ▷ *Pain complet,* fabriqué avec de la farine brute et du son. **2.** Qui ne peut contenir davantage. *Le théâtre affiche complet.* **3.** Entier, avec toutes ses parties; achevé. *Le premier chapitre est complet.* ▷ Loc. *Au complet, au grand complet :* dans son intégralité. *La troupe au grand complet est venue saluer.* **4.** À qui aucune qualité ne manque, dont les aptitudes sont très diversifiées. *Un artiste complet.* ▷ Qui réunit toutes les caractéristiques de sa catégorie. *Un abruti complet.*

2. complet n. m. Vêtement masculin en deux ou trois pièces assorties : veste, pantalon et gilet. *Des complets* ou, vieilli, *des complets-veston.*

complètement adv. D'une façon complète, tout à fait. *Être complètement ruiné.*

compléter v. [14] **1.** v. tr. Rendre complet. **2.** v. pron. Former un ensemble, un tout complet. *Ils ont des talents différents qui se complètent.* ▷ Devenir complet. *Sa collection se complète petit à petit.*

complétif, ive adj. et n. f. LING Qui a la fonction de complément. *Proposition complétive.* ▷ n. f. *Une complétive.*

complétude n. f. LOG, MATH Caractère complet (d'un énoncé, d'un ensemble, etc.).

complexe adj. et n. m. **I.** adj. **1.** Qui contient plusieurs idées, plusieurs éléments. *Question, personnalité, situation complexes.* **2.** Cour. Compliqué. **3.** MATH *Nombre complexe :* nombre de la forme $a + ib$ où a et b sont des nombres réels et $i = \sqrt{-1}$. (L'ensemble des nombres complexes, dits autref. *imaginaires,* forme le corps des complexes, noté ℂ; un nombre complexe peut aussi s'écrire sous la forme trigonométrique : $a\,(\cos\theta + i\sin\theta)$ ou sous la forme exponentielle : $a\,(e^{i\theta})$. **4.** CHIM *Ion, molécule complexe,* constitutifs d'un complexe. **5.** PHYS *Son complexe,* qui comporte plusieurs fréquences. ▷ *Lumière complexe,* formée de plusieurs radiations monochromatiques. **6.** LING *Phrase complexe,* que l'on peut décomposer en plusieurs phrases simples. **II.** n. m. **1.** GEOM Ensemble de droites dont les paramètres sont liés uniquement à trois paramètres arbitraires. **2.** CHIM Édifice formé d'atomes, d'ions ou de molécules (appelés *coordinats*) groupés autour d'un atome ou d'un ion central (appelé *accepteur*) capable d'accepter des doublets d'électrons. **3.** MED Ensemble de phénomènes pathologiques concourant au même effet global. **4.** PSYCHAN Ensemble de représentations, d'affects et de sentiments inconscients organisés selon une structure donnée, liés à une expérience traumatisante vécue par un sujet, et qui conditionnent son comportement. ▷ *Complexe d'Œdipe :* V. œdipe. ▷ *Complexe d'infériorité :* selon Adler, sentiment dévalorisant à l'égard de lui-même éprouvé par le sujet. ▷ Cour. Sentiment d'infériorité, manque de confiance en soi. *Avoir des complexes.* – *Être sans complexes :* agir avec assurance, insouciance. **5.** ECON Ensemble d'industries semblables ou complémentaires groupées dans une région. *Le complexe sidérurgique de la Ruhr.* **6.** Ensemble d'édifices aménagé pour un usage déterminé. *Un complexe scolaire, hospitalier, commercial.*

complexé, ée adj. (et n.) Fam. Affligé d'un (ou de) complexe(s), timide.

complexer v. tr. [1] Fam. Provoquer des complexes chez (qqn).

complexifier v. tr. [2] Didac. Rendre complexe. ▷ v. pron. Devenir complexe.

complexion n. f. Litt. Constitution (d'une personne) (considérée essentiellement du point de vue de sa résistance). *Être d'une complexion délicate.*

complexité n. f. État, qualité de ce qui est complexe. *La complexité d'une proposition, de la situation.*

complication n. f. **1.** État de ce qui est compliqué, ensemble de choses compliquées. *La complication d'une situation, d'un appareil.* **2.** (Souvent au plur.) Concours de faits, de circonstances susceptibles de perturber le bon fonctionnement de qqch. *Des complications inattendues l'ont empêché de venir.* Syn. difficulté. **3.** MED (Souvent au plur.) Apparition d'un nouveau trouble lié à un état pathologique préexistant; ce trouble lui-même.

complice adj. et n. **I.** adj. **1.** Qui participe sciemment à un délit, à un crime commis par un autre. *Se faire complice d'un assassinat.* **2.** Qui prend part à une action blâmable. **3.** Qui aide, qui favorise. *L'obscurité complice.* **4.** Qui marque la complicité, la connivence. *Un sourire complice.* **II.** n. Personne complice. *Dénoncer ses complices.*

complicité n. f. **1.** Participation au crime, au délit, à la faute d'un autre. **2.** Connivence, accord profond (entre personnes). *Une complicité de longue date les unissait.*

complies [kɔ̃pli] n. f. pl. LITURG CATHOL Dernières prières de l'office divin, que l'on récite le soir après les vêpres.

compliment n. m. **1.** (Surtout au plur.) Paroles de félicitations, obligeantes ou affectueuses. *Présenter ses compliments à qqn. Faire, recevoir des compliments.* **2.** (Surtout plur.) Paroles de civilité que l'on fait transmettre par un tiers à une personne absente. *Présentez mes compliments à votre sœur.* ▷ Petit discours élogieux adressé à (qqn) à l'occasion d'une fête, d'une réjouissance. *Réciter son compliment.*

complimenter v. tr. [1] Faire des compliments à. *Complimenter qqn sur son mariage.*

complimenteur, euse adj. (et n.) Se dit d'une personne qui fait trop de compliments.

compliqué, ée adj. (et n.) **1.** Composé d'un grand nombre de parties dont les rapports sont difficiles à comprendre. *Un appareil compliqué.* **2.** Difficile à comprendre. *Un caractère, un texte compliqué.* **3.** Qui manque de simplicité. *Un homme compliqué.* ▷ Subst. Fam. *C'est un compliqué,* qqn qui aime les complications.

compliquer v. [1] **1.** v. tr. Rendre moins simple; rendre confus, difficile à comprendre. *Compliquer un mécanisme.*

Compliquer le problème. **2.** v. pron. Devenir compliqué. *L'affaire se complique.* ▷ Fam. *Se compliquer la vie, l'existence :* se créer des difficultés, des soucis inutiles.

complot n. m. Machination concertée secrètement entre plusieurs personnes dans le dessein de porter atteinte à la vie, à la sûreté d'une personne, ou à une institution. *Ourdir un complot.* ▷ Fam. Petite intrigue.

comploter v. [1] **1.** v. tr. Vieilli Chercher à réaliser (qqch) par un complot. *Comploter la perte de qqn.* ▷ Mod. Mettre au point (qqch) en secret à plusieurs. *Comploter un mauvais tour.* **2.** Vieilli v. intr. Préparer un complot. *Comploter contre le roi.* ▷ v. tr. ind. Mod. *Comploter de faire une surprise.*

comploteur, euse n. Personne qui complote.

compograveur n. m. IMPRIM Entreprise qui assure la composition de textes et la photogravure, activités regroupées grâce aux techniques modernes.

componction n. f. **1.** RELIG Douleur, regret d'avoir offensé Dieu. **2.** Cour. Gravité affectée. *Un air de componction.*

componé, ée adj. HERALD Composé de fragments carrés d'émaux de couleurs alternées.

comportement n. m. **1.** Manière d'agir, de se comporter. *Avoir un comportement agréable avec ses amis. Un comportement étrange.* **2.** PSYCHO Ensemble des réactions, des conduites conscientes et inconscientes (d'un sujet). ▷ *Psychologie du comportement :* V. béhaviorisme.

comportemental, ale, aux adj. PSYCHO Relatif au comportement.

comportementalisme n. m. Didac. Syn. de *béhaviorisme.*

comporter v. [1] **I.** v. tr. **1.** (Choses) Permettre, admettre, contenir. *Règlement ne comportant pas de dérogation.* **2.** Comprendre, se composer de. *L'opération comporte trois phases.* **II.** v. pron. (Personnes) Se conduire. *Se comporter comme un enfant, en ami. Savoir se comporter.* ▷ (Choses) *Une voiture qui se comporte bien après cent mille kilomètres,* qui fonctionne bien.

1. composant, ante adj. Qui sert à former, qui entre dans la composition de. *Partie composante, élément composant d'un objet.*

2. composant n. m. Élément faisant partie de la composition de qqch. *L'azote et l'oxygène sont des composants de l'air. Composants électroniques.*

composante n. f. **1.** Cour. Chacune des parties constituant un tout. *Les composantes d'un problème, d'une personnalité.* ▷ PHYS Chacune des forces dont la somme donne la résultante. ▷ LING Chacune des parties constituant une grammaire, dans la théorie de la grammaire générative. **2.** MATH Projection d'un vecteur sur l'un des axes d'un système de coordonnées.

composé, ée adj. et n. **I.** adj. Qui est constitué de plusieurs éléments. ▷ BOT *Fleur composée,* formée de l'assemblage de plusieurs fleurs sur un réceptacle commun. *Feuille composée,* formée de plusieurs folioles. ▷ MATH *Nombre composé,* qui admet d'autres facteurs que lui-même ou l'unité. ▷ CHIM *Corps composé :* voir ci-après II, 2. ▷ LING *Temps composé,* formé d'un auxiliaire et du participe passé du verbe conjugué. – *Mot composé :* mot formé d'unités lexicales qui fonctionnent de manière autonome dans la langue (par oppos. à *dérivation*) ou d'un préfixe et d'un mot (ex. : salle à manger, porte-voix, contrepartie, revenir). **II.** n. m. **1.** Tout, ensemble formé de deux ou de plusieurs parties. *« C'est* (à propos du neveu de Rameau) *un composé de hauteur et de bassesse, de bon sens et de déraison » (Diderot).* **2.** CHIM Corps pur qui peut se fractionner par analyse élémentaire. ▷ LING Mot composé : voir plus haut. **3.** BOT n. f. pl. Importante famille de dicotylédones gamopétales dont les fleurs sont groupées en capitules, et dont le fruit est un akène. *Les composées comptent plus de dix mille espèces, parmi lesquelles l'artichaut, la laitue, le chrysanthème, le bleuet, la chicorée.*

une **composée :** la pâquerette commune ; à g. plant fleuri avec racines ; à dr., de haut en bas : vue en coupe du capitule (réceptacle, fleurons, ligules); fleuron contenant le pistil et un ligule ; fleuron vide

composer v. [1] **I.** v. tr. **1.** Former par assemblage de plusieurs éléments. *Composer un cocktail, un dîner, un décor.* **2.** IMPRIM Assembler des caractères pour former (un texte) soit à la main, soit de façon mécanique ou informatique. *Composer une page.* **3.** Entrer dans la composition de (un ensemble). *Quatre plats composaient le menu.* **II.** v. tr. **1.** Produire (une œuvre de l'esprit). *Composer un discours, un poème, un opéra.* **2.** (S. comp.) Écrire de la musique. *Beethoven a continué à composer malgré sa surdité.* **3.** (S. comp. dir.) Faire une composition scolaire. *Une classe qui compose en latin.* **III.** v. tr. Contrôler (son expression, son comportement, etc.) dans une intention déterminée. *Composer son maintien.* ▷ Fam. *Se composer une tête de circonstance.* **IV.** v. intr. Transiger, trouver un accord grâce à un compromis. *Composer avec ses créanciers.* **V.** v. pron. Être composé. *L'édifice se compose de trois bâtiments.*

composeuse n. f. TYPO Machine qui sert à composer les textes à imprimer.

composite adj. (et n. m.) **1.** ARCHI *Ordre composite,* qui combine l'ionique et le corinthien. ▷ n. m. *Le composite.* **2.** TECH *Matériau composite* ou, n. m., *un composite :* matériau présentant une très grande résistance, constitué de fibres (verre, bore, silice, graphite, alumine) maintenues par un liant (résine de polyester, aluminium, etc.) *Composite ciment-verre.* **3.** Cour. Composé d'éléments très différents. *Un mobilier composite.*

compositeur, trice n. **1.** Personne qui écrit des œuvres musicales. **2.** IMPRIM Personne ou entreprise chargée de la composition d'un texte à imprimer.

composition n. f. **I. 1.** Action de composer; résultat de cette action. *Composition d'un repas, d'un livre.* **2.** Manière dont est composée une chose, dont ses éléments sont répartis. *Étiquette précisant la composition d'un produit. Un poème, un traité d'une savante composition. Un sonnet de sa composition,* à sa manière, de son cru. **3.** BX-A Production, œuvre. *La dernière composition d'un sculpteur, d'un peintre. Une composition pour piano et orchestre.* ▷ *Spécial.* Art d'écrire la musique. *La classe de composition du Conservatoire.* **4.** *Composition française :* rédaction, dissertation sur un sujet concernant la langue ou la littérature françaises. ▷ Épreuve scolaire en vue d'un classement. *Être premier en composition d'histoire.* **II.** Vx Accommodement, acceptation d'un compromis. *Amener qqn à composition.* – Loc. Cour. *Être de bonne composition :* être très arrangeant, avoir bon caractère. **III. 1.** MATH *Loi de composition :* application qui associe un élément d'un ensemble à un couple d'éléments d'un ensemble quelconque. ▷ Spécial. *Loi de composition interne (sur un ensemble E) :* application de E x E dans E. (La réunion et l'intersection sont des lois de composition interne sur l'ensemble des parties d'un ensemble; l'addition et la multiplication sont des lois de composition interne sur l'ensemble des entiers naturels.) **2.** CHIM Indication des éléments qui entrent dans un corps. **3.** PHYS *Composition de plusieurs forces,* leurs composantes. **4.** IMPRIM Action de composer un texte destiné à être imprimé.

compost [kɔ̃pɔst] n. m. AGRIC Mélange de détritus organiques et de matières minérales (sable, cendres, etc.) destiné à engraisser et alléger un sol.

compostable adj. Qu'on peut utiliser pour le compost. *Déchets difficilement compostables.*

1. compostage n. m. AGRIC Préparation du compost.

2. compostage n. m. Action de marquer avec un composteur.

Compostelle. V. Saint-Jacques-de-Compostelle.

1. composter v. tr. [1] Transformer des déchets en compost.

2. composter v. tr. [1] Marquer au composteur (sens 2).

composteur n. m. **1.** TYPO Réglette à coulisse sur laquelle le compositeur ordonne les caractères destinés à l'impression. **2.** Appareil automatique qui sert à marquer, à dater, à numéroter un document, un billet, grâce à des lettres et à des chiffres mobiles.

compote n. f. Fruits entiers ou en morceaux cuits avec du sucre. *Un compote d'abricots, de pommes.* ▷ Fig., fam. *En compote :* meurtri (en parlant d'une partie du corps). *Avoir les pieds, le nez en compote.*

compotier n. m. Grande coupe pour les compotes, les entremets, les fruits.

compound [kɔmpund] adj. inv. et n. (Anglicisme) **1.** adj. TECH Composé. *Machine compound :* machine à vapeur qui comporte plusieurs cylindres dans lesquels la vapeur se détend successivement. – n. f. *Une compound.* ▷ ELECTR *Fil compound :* fil électrique composé de plusieurs métaux. **2.** n. m. Composition servant à l'isolation des machines électriques.

compréhensible adj. Qui peut être compris. *Un raisonnement compréhensible.* Syn. intelligible. ▷ *Une réaction bien compréhensible.* Syn. naturel, concevable.

compréhensif, ive adj. **1.** Qui comprend (sens III, 1) autrui, qui admet aisément les idées, le comportement d'autrui. *Soyez compréhensif, ne le punissez pas!* **2.** LOG Qui embrasse un nombre plus ou moins grand de caractères (en parlant d'un concept). *«Arbre» est plus compréhensif que «plante», mais moins extensif.*

compréhension n. f. **1.** Faculté de comprendre, aptitude à concevoir clairement (un objet de pensée). *Avoir une bonne compréhension d'un problème.* **2.** Possibilité, action de comprendre. *Faciliter la compréhension d'un texte par des notes.* **3.** Aptitude à discerner et à admettre le point de vue d'autrui. *Faire preuve de compréhension.* **4.** LOG Ensemble des attributs qui appartiennent à un concept (par oppos. à *extension*).

comprendre v. [**52**] **A.** v. tr. **I. 1.** (Choses) Contenir, renfermer en soi. *Une université comprend plusieurs facultés. Tableau qui comprend toutes les données.* Syn. comporter. **2.** Faire entrer dans un tout, une catégorie. *Comprendre les frais de déplacement dans une facture.* Syn. inclure. **II. 1.** Pénétrer, saisir le sens de. *Comprendre une question. Comprendre le russe.* ▷ *Comprendre qqch aux mathématiques, au sport, etc.*, avoir quelques connaissances dans ces domaines. ▷ (S. comp.) *Malgré ses efforts, il n'a pas compris. – As-tu compris?* **2.** Se représenter, se faire une idée de. *Il comprend la souffrance comme une punition de Dieu.* **3.** Se rendre compte de, que. *Comprendre l'ampleur de la catastrophe. Comprendre que tout est fini.* **III. 1.** Faire preuve de compréhension (sens 3) envers. *Comprendre qqn, sa conduite, ses erreurs.* ▷ *Comprendre la plaisanterie* : ne pas se vexer lorsqu'on est l'objet d'une moquerie, d'une farce. **2.** Percevoir, pénétrer par l'intuition plus que par la raison. *Elle comprend très bien les enfants.* ▷ v. pron. (Récipr.) (Personnes) Bien se connaître et bien s'entendre. **B.** v. pron. Pouvoir être compris. *Ce texte se comprend facilement.* ▷ Loc. fam. *Ça se comprend* : c'est normal, ça se justifie.

compresse n. f. Pièce de gaze utilisée pour nettoyer, badigeonner, panser, assécher une plaie, une contusion, un champ opératoire.

compresser v. tr. [**1**] Serrer, presser, comprimer.

compresseur adj. et n. m. **1.** adj. Qui comprime, sert à comprimer. ▷ TRAV PUBL *Rouleau compresseur* : cylindre servant à comprimer l'empierrement d'une chaussée. **2.** n. m. Appareil servant à comprimer un gaz. *Compresseur d'air.*

compressibilité n. f. Didac. Qualité de ce qui peut être comprimé, réduit. *Compressibilité des frais généraux.* ▷ PHYS Aptitude d'un corps à diminuer de volume sous l'effet d'une pression.

compressible adj. Qui peut être réduit. ▷ PHYS Dont le volume peut être réduit sous l'effet d'une pression.

compressif, ive adj. Didac. Qui sert à comprimer. *Pansement compressif.*

compression n. f. **1.** TECH Action de comprimer; résultat de cette action. ▷ PHYS Diminution du volume due à l'augmentation de la pression. (V. encycl.) ▷ AUTO *Taux de compression* : rapport entre le volume maximal (point mort bas) et le volume minimal (point mort haut) de la chambre de combustion d'un moteur à explosion. **2.** Cour. Restriction, réduction. *Compression des dépenses. Compression de personnel.*

ENCYCL Les solides et les liquides sont peu compressibles, contrairement aux gaz. La *compression isotherme* d'un gaz est une compression à température constante. Pour les gaz parfaits, elle obéit à la loi de Mariotte : le produit de la pression du gaz par son volume reste constant. La *compression adiabatique* est une compression sans échange de chaleur. Si elle est réversible, elle obéit, pour les gaz parfaits, à la loi de Laplace : PV^{γ} = constante (γ = rapport entre les chaleurs massiques à pression et à volume constants).

comprimable adj. Rare Syn. de *compressible.*

comprimé, ée adj. et n. m. **I.** adj. **1.** Dont le volume est réduit sous l'effet de la pression. **2.** Empêché de se manifester. *Pulsions, larmes comprimées.* **II.** n. m. Pastille faite de poudre de médicament comprimée. *Comprimés d'aspirine.*

comprimer v. tr. [**1**] **1.** Agir sur (un corps) par la pression pour en diminuer le volume. *Comprimer un gaz. – Comprimer son buste dans un corset.* **2.** (Personnes) Empêcher de se manifester. *Il comprime sa douleur, sa colère.* **3.** Réduire. *Comprimer un budget.*

compris, ise adj. **1.** Contenu, inclus (dans qqch). *Prix net, toutes taxes comprises.* ▷ Loc. adv. *Y compris* : en incluant. *Le journal a huit mille acheteurs, y compris les abonnés. – Non compris* : sans inclure. **2.** Saisi par l'intelligence. *Un texte, un problème bien, mal compris.*

compromettant, ante adj. Qui compromet, qui peut compromettre. *Une situation, des propos compromettants.*

compromettre v. [**60**] **I.** v. intr. DR Faire un compromis. **II.** v. tr. **1.** Exposer à des difficultés, causer un préjudice, nuire à. *Le mauvais temps a compromis les récoltes. Compromettre sa carrière, sa santé.* **2.** Nuire à l'honneur, à la réputation de. *Compromettre une jeune fille.* ▷ v. pron. *Il s'est gravement compromis dans un scandale.*

compromis [kɔ̃pʀɔmi] n. m. **1.** DR Convention par laquelle deux personnes ayant entre elles un litige conviennent de s'en rapporter, pour sa solution, à l'appréciation d'un ou de plusieurs arbitres. *En droit civil, le compromis est interdit dans les matières qui sont d'ordre public, ou si le différend n'est pas déjà né.* **2.** Accord dans lequel on se fait des concessions mutuelles. *Ils en sont venus à un compromis.* **3.** État intermédiaire, moyen terme. *Trouver un compromis entre la rigueur et l'indulgence.*

compromission n. f. **1.** Action par laquelle qqn est compromis. **2.** Expédient, action peu honorable par laquelle on s'abaisse, on se compromet.

comptabiliser [kɔ̃tabilize] v. tr. [**1**] Inscrire dans une comptabilité.

comptabilité [kɔ̃tabilite] n. f. **I. 1.** Manière d'établir des comptes. *Apprendre la comptabilité.* **2.** Ensemble des comptes ainsi établis. **3.** Service, personnel qui établit les comptes. ▷ Bureau où est situé ce service. **II. 1.** COMM *Comptabilité en partie simple*, dans laquelle le commerçant établit uniquement le compte de la personne à qui il livre ou de qui il reçoit. ▷ *Comptabilité en partie double*, dans laquelle le commerçant établit à la fois son propre compte et celui de la personne avec qui il fait commerce, sous la forme de deux écritures égales et de sens contraire. **2.** GEST *Comptabilité analytique*, qui répartit charges et produits par destination, permettant ainsi une gestion décentralisée avec contrôle des prix de revient. ▷ *Comptabilité générale*, qui répartit charges et produits par nature suivant le plan comptable, facilitant ainsi la gestion financière. ▷ *Comptabilité budgétaire*, qui a pour objet de déterminer le budget global à partir de prévisions effectuées par les responsables d'unités. ▷ *Comptabilité nationale* : regroupement des statistiques sur les comptes de la nation (prix, production intérieure brute, revenus des ménages, etc.) en vue de l'élaboration du budget et du Plan. ▷ *Comptabilité publique* : ensemble de règles qui s'appliquent à la gestion des finances publiques.

comptable [kɔ̃tabl] adj. et n. **I.** adj. **1.** Qui est tenu de rendre des comptes. *Agent comptable.* **2.** Fig. Responsable, tenu de se justifier. *Un gouvernement comptable de sa politique envers le Parlement.* **3.** Relatif à la comptabilité. *Pièce comptable.* ▷ Utilisé pour établir la comptabilité. *Machine comptable.* **II.** n. Personne qui a la charge de tenir une comptabilité. *La comptable est venue pour arrêter les comptes.*

comptage [kɔ̃taʒ] n. m. Action de compter pour dénombrer.

comptant adj. m., n. m. et adv. **1.** adj. m. Payé intégralement au moment de l'achat. *Argent, deniers comptants*, comptés, débités sur-le-champ. ▷ Loc. fig. *Prendre (qqch) pour argent comptant* : être très crédule, croire (qqch) sans méfiance. *Il a pris toutes ces promesses pour argent comptant.* **2.** n. m. Vx Argent comptant. *Avoir du comptant.* ▷ Loc. Mod. *Au comptant* : en argent comptant. *Opérations au comptant*, suivies d'un paiement immédiat (par oppos. à *opérations à terme*). **3.** adv. *Acheter, payer comptant*, avec de l'argent comptant. ▷ Loc. fig., fam. *Payer comptant* : rendre sur-le-champ le bien ou le mal que l'on a reçu.

compte [kɔ̃t] n. m. **I. 1.** Action de compter, d'évaluer; résultat de cette action. *Le compte y est. Faites-moi le compte de ce que je vous dois.* ▷ Loc. fig. *À ce compte-là* : vu de cette façon. – *Au bout du compte, en fin de compte, tout compte fait* : tout bien considéré (se dit pour conclure). *Tout compte fait, il n'est pas si méchant!* **2.** État des recettes et des dépenses, de ce que l'on doit et de ce qui est dû. *Arrêter, clore un compte. – Compte en banque. Compte courant* : compte ouvert à un client qui dépose ses fonds dans une banque et se réserve de les retirer en tout ou partie. *Compte de dépôt* ou *compte de chèques* (abrév. : C.C.). *Compte courant postal* (abrév. : C.C.P.), ouvert à un client dans un bureau de poste et lui permettant d'effectuer des virements et des retraits. *Compte joint*, dont les titulaires sont liés par une solidarité active (par oppos. à *compte indivis*). ▷ COMPTA *Compte d'exploitation générale* : compte de gestion qui comporte les charges et les produits. – *Compte de résultat*, qui fond, dans le nouveau plan comptable de 1982, les données du compte de pertes et profits et celles du compte d'exploitation générale. **3.** État des recettes et des dépenses de biens dont on a l'administration. **4.** Ce qui est dû à qqn. – *Donner son compte à un employé,* lui donner son salaire et, *par ext.,* le licencier. – *Demander son compte* : exiger son dû, son salaire, et, *par ext.,* démissionner. ▷ Fig., fam. *Régler son compte à qqn,* le punir, le tuer, lui faire un mauvais parti. – *Règlement de comptes* : vengeance, explication violente entre deux rivaux, deux adversaires. **5.** Loc. *À bon compte* : à bon marché, à peu de frais. *Acheter une maison à bon compte.* – Fig., fam. *S'en tirer à bon compte,* avec peu de dommages. **6.** *Cour des comptes* : V. encycl. cour. **7.** ESP *Compte à rebours* : partie de la chronologie de lancement qui précède l'ordre de mise à feu d'un lanceur spatial. **II.** Fig. **1.** *Tenir compte de* : prendre en considération, faire cas de. *Tenir compte des conseils avant d'agir.* ▷ *Faire entrer, mettre en ligne de compte un argument dans son raisonnement,* l'y inclure, le prendre en considération. **2.** *Laisser pour compte* : négliger, ne pas s'occuper de. **3.** *Être à son compte* : travailler pour soi, de manière indépendante. *Travailler pour le compte d'un employeur,* en dépendre. **4.** *Sur le compte de* : au sujet de. *Il y a beaucoup à dire sur son compte.* **5.** *Demander des comptes* : exiger un rapport explicatif, une justification. ▷ *Rendre compte de* : faire un rapport sur, expliquer. – *Rendre des comptes* : se justifier, exposer ses raisons. *Je n'ai de comptes à rendre à personne.* **6.** *Se rendre compte de, que* : comprendre. *Il s'est rendu compte de son erreur.* – Fam. *Tu te rends compte?* (pour prendre à témoin son interlocuteur).

compte-fils n. m. inv. Loupe très puissante pour examiner des tissus, des timbres-poste, des épreuves de photogravure, etc.

compte-gouttes n. m. inv. Petite pipette destinée à verser un liquide goutte à goutte. ▷ Fig. *Au compte-gouttes* : d'une façon parcimonieuse.

compte-minutes n. m. inv. Appareil qui émet un signal sonore lorsque le temps préalablement affiché est écoulé.

compter [kɔ̃te] v. [1] **I.** v. tr. **1.** Dénombrer, calculer le nombre, le montant de. *Compter les personnes présentes. Compter sa fortune.* ▷ Fig. *Compter les jours, les heures* : attendre, s'ennuyer. **2.** Comprendre, inclure dans un compte, un ensemble. *N'oubliez pas de compter les taxes.* **3.** Comporter. *Un parti qui compte de nombreux membres.* ▷ *Compter parmi* : ranger au nombre de. *Compter plusieurs députés parmi ses amis.* **4.** Estimer (à un certain prix). *Il m'a compté mille francs de frais.* **5.** Calculer, mesurer parcimonieusement. *Il compte chacune de ses dépenses.* ▷ *Compter ses pas* : marcher lentement, avec précaution; fig. se comporter, agir avec prudence, avec précaution. **6.** *Compter une somme à qqn,* la lui payer. **7.** Se proposer de, avoir l'intention de. *Je compte partir demain.* ▷ Espérer. *Il compte bien te voir ce soir.* **II.** v. intr. **1.** Dénombrer; calculer. *Compter jusqu'à cent. Savoir lire et compter.* **2.** *Compter avec* : tenir compte de. *Un homme avec qui il faut compter. Compter avec l'opinion publique.* **3.** Entrer en ligne de compte, être pris en considération. *La première partie ne compte pas.* – Fam. (Langage enfantin.) *Compter pour du beurre* : ne pas compter. ▷ Être important. *Ce qui compte, c'est d'être en bonne santé.* **4.** *Compter sur* : avoir confiance en, s'appuyer sur. *Je compte sur vous pour régler cette affaire.* ▷ Fam., iron. *Compte là-dessus!* : n'y compte pas! **5.** Être parmi. *Il compte parmi les meilleurs chimistes.* **III.** Loc. prép. **1.** *À compter de* : à dater de, à partir de. **2.** *Sans compter* : en n'incluant pas. *Il me doit mille francs, sans compter les intérêts.* ▷ *Sans compter que* : sans inclure le fait que, d'autant plus que. *Il parle trop, sans compter qu'il ne dit que des bêtises!*

compte rendu n. m. Exposé, relation (d'un fait, d'un événement, d'une œuvre). *Des comptes rendus de séances.*

compte-tours n. m. inv. TECH **1.** Appareil qui compte le nombre de tours effectués par une pièce en rotation pendant un laps de temps donné. **2.** *Abusiv.* Tachymètre.

compteur n. m. et adj. **1.** n. m. Appareil servant à mesurer différentes grandeurs (vitesse, fréquence de rotation, distance parcourue, énergie consommée ou produite, etc.) pendant un temps donné. *Compteur à gaz.* – *Compteur de particules,* qui permet de dénombrer les particules chargées électriquement. **2.** adj. Qui sert à compter. *Boulier compteur.*

comptine [kɔ̃tin] n. f. Court texte, chanté ou récité par les enfants, reposant sur des jeux de langage, utilisé pour choisir le rôle des participants à un jeu.

comptoir n. m. **1.** Table longue et étroite, généralement élevée, sur laquelle un commerçant étale sa marchandise, reçoit de l'argent, sert des consommations. *Boire un café au comptoir.* **2.** Établissement commercial privé ou public installé à l'étranger. ▷ *Spécial.* Établissement commercial installé dans une colonie. *Les comptoirs créés par Colbert à Pondichéry et Chandernagor.* **3.** ECON Organisation fondée sur une entente entre producteurs ou vendeurs, et servant d'intermédiaire entre ceux-ci et leur clientèle. *Comptoir de vente, comptoir d'achat.* **4.** Établissement de banque, de crédit. *Comptoir d'escompte.*

Compton (Arthur Holly) (Wooster, Ohio, 1892 – Berkeley, Californie, 1962), physicien américain. Il participa à la conception et à la mise au point de la bombe atomique. P. Nobel 1927. ▷ PHYS NUCL *Effet Compton* : phénomène de diffusion des photons, avec changement de fréquence, lorsqu'ils heurtent des électrons libres ou peu liés aux atomes d'une substance.

Compton-Burnett (Ivy) (Pinner, Middlesex, 1892 – Londres, 1969), romancière anglaise; peintre de la bourgeoisie victorienne : *Dolorès* (1911), *Frères et sœurs* (1929).

compulser v. tr. [1] **1.** DR Obtenir communication (des registres, des minutes) d'un officier ministériel en vertu de l'ordonnance d'un juge. **2.** Examiner, consulter. *Compulser des notes et des documents pour préparer une thèse.*

compulsif, ive adj. et n. PSYCHIAT Relatif à la compulsion. *Comportement compulsif.* Syn. compulsionnel. Subst. Personne poussée par des compulsions.

compulsion n. f. PSYCHIAT Contrainte interne, impérieuse, qui pousse un sujet à certains comportements sous peine de sombrer dans l'angoisse.

compulsionnel, elle adj. Syn. de *compulsif.*

comput n. m. Didac. Calcul destiné à fixer la date des fêtes mobiles du calendrier ecclésiastique.

comtadin, ine n. et adj. **1.** n. Habitant du comtat Venaissin. *Un(e) Comtadin(e).* **2.** adj. Du comtat Venaissin.

comtat [kɔ̃ta] n. m. Comté (uniquement dans certains noms de lieu : *comtat Venaissin, comtat d'Avignon*).

Comtat (le) ou **comtat Venaissin,** anc. pays de France, auj. dans le dép. du Vaucluse. Cédé à la papauté par Philippe III le Hardi, il releva de l'autorité pontificale de 1274 à 1791.

comte n. m. **1.** HIST Sous le Bas-Empire romain, chef militaire d'un territoire. **2.** Personne dotée d'un titre de noblesse qui se situe au-dessous de celui de marquis et au-dessus de celui de vicomte. ▷ Ce titre lui-même.

Comte (Auguste) (Montpellier, 1798 – Paris, 1857), philosophe français, fondateur de l'école positiviste. Après avoir été secrétaire du philosophe et économiste Saint-Simon, de 1817 à 1824, il commença la publication de son *Cours de philosophie positive* (1830-1842). Son système est fondé sur une réflexion historique selon laquelle l'esprit humain, dans chaque civilisation comme dans chaque individu, passe nécessairement du stade *théologique* au stade *métaphysique* pour s'élever au stade *positif.* À l'âge positif, «il n'y a qu'une maxime absolue, c'est qu'il n'y a rien d'absolu». À partir de 1845, sous l'influence de Clotilde de Vaux (rencontrée en 1844), il prôna une «religion de l'humanité».

Auguste **Comte**

Louis II, dit **le Grand Condé**

1. comté n. m. **1.** Terre donnant à son possesseur le titre de comte. ▷ Domaine possédé par un comte. **2.** Division territoriale et administrative, en Grande-Bretagne, dans plusieurs pays du Commonwealth, dont le Canada, et aux États-Unis. ▷ (Canada) Circonscription électorale représentée par un député élu.

2. comté n. m. Fromage de Franche-Comté, proche du gruyère.

comtesse n. f. **1.** Femme qui possédait, en propre, un comté. **2.** Femme d'un comte.

comtois, oise adj. Syn. de *franc-comtois.*

con-. Élément, du lat. *cum,* «avec».

1. con, conne n. et adj. **I.** n. m. Vulg. Sexe de la femme. **II.** Injur. et grossier **1.** Personne stupide, inintelligente. *Prendre qqn pour un con. Traiter une femme de conne.* **2.** Loc. adj. *À la con* : idiot, stupide. *Un livre à la con.* **3.** adj. *Un type complètement con. Une histoire conne* (ou *con*).

2. con prép. ital. («avec»), utilisée en musique, suivie d'un nom, également en italien, indiquant comment interpréter un morceau. *Con brio* : avec brio, éclat.

Conakry, cap. et port de la Guinée; 705 280 hab. (49 000 en 1957). Port actif (exportation de fer, de bauxite, de bananes). Industr. métall., alim. Une voie ferrée relie la ville à Kankan et à Fria.

Conan, nom de quatre ducs de Bretagne (Xe-XIIe s.).

Conan (Félicité Angers, dite Laure) (La Malbaie, 1845 - Sillery, 1924), romancière canadienne d'expression française : *Angéline de Montbrun* (1884), *l'Oublié* (1900).

conard. V. connard.

conasse. V. connasse.

Concarneau, ch.-l. de cant. du Finistère (arr. de Quimper), sur l'Atlant.; 18 989 hab. (*Concarnois*). Grand port de pêche (thon, sardines). Conserveries. Constr. navales. Centre de recherche de l'exploitation de la mer. - Vieille cité fortifiée (XVe-XVIIe s.) dite *la Ville-Close*.

concassage n. m. Action de concasser.

concasser v. tr. [1] Réduire une matière dure en petits fragments. *Concasser du poivre. Concasser des pierres.*

concasseur n. m. TECH Appareil destiné à fragmenter une matière dure.

concaténation n. f. PHILO, LING Enchaînement de plusieurs éléments.

concave adj. Qui présente une courbure en creux. *Verre concave.* Ant. convexe.

concavité n. f. **1.** État de ce qui est concave. *La concavité d'un miroir.* **2.** Cavité, creux. *Les concavités du crâne.*

concéder v. tr. [14] **1.** Accorder, octroyer comme une faveur. *Concéder un droit.* **2.** Céder sur un point en litige. *Je concède que j'ai eu tort.* Syn. admettre. **3.** SPORT Abandonner (un but, un point, etc.) à un adversaire.

concélébration n. f. Action de concélébrer; office concélébré.

concélébrer v. tr. [14] RELIG Célébrer 'un office) avec un ou plusieurs autres ministres du culte.

concentration n. f. **1.** Action de concentrer; état de ce qui est concentré. *La concentration urbaine.* ▷ *Camp de concentration :* camp où sont regroupées des personnes détenues pour des motifs politiques, religieux, ethniques, etc. *Les camps de concentration nazis.* **2.** HIM Grandeur caractérisant la richesse d'une phase (solide, liquide, gazeuse) en un de ses constituants (ex. : masse du corps dissous par unité de volume). **3.** CON Regroupement (ou fusion) d'entreprises destiné à lutter plus efficacement contre la concurrence dans un secteur déterminé *(concentration horizontale)* ou aux stades successifs d'élaboration d'un produit donné *(concentration verticale).* **4.** Fig. Fait de concentrer son esprit. *Un effort de concentration.*

oncentrationnaire adj. Relatif ux camps de concentration, de déportation. *La vie concentrationnaire.*

oncentré, ée adj. et n. m. **1.** Que on a concentré. *Lait concentré.* ▷ n. m. ubstance concentrée. *Du concentré de omate.* **2.** Qui manifeste de la concentration (sens 4).

oncentrer v. tr. [1] **1.** Réunir, faire onverger en un point. *Concentrer le ayonnement solaire. Concentrer des rces armées.* Syn. rassembler. **2.** CHIM ugmenter la concentration de. *oncentrer une solution.* **3.** Fig. Appliquer r un objet unique. *Concentrer ses forts sur un problème.* ▷ v. pron. Faire etour sur soi-même, appliquer sa flexion à un unique objet de pensée.

oncentrique adj. Qualifie des urbes ou des surfaces qui ont le ême centre de courbure.

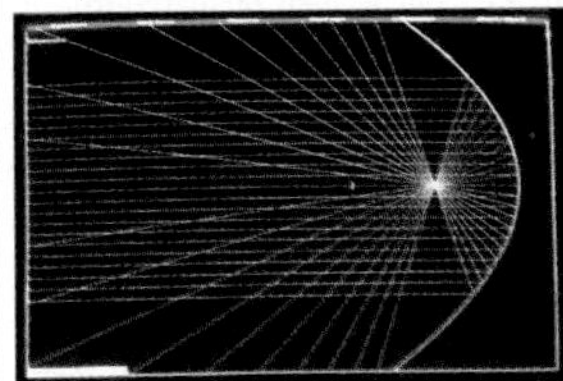
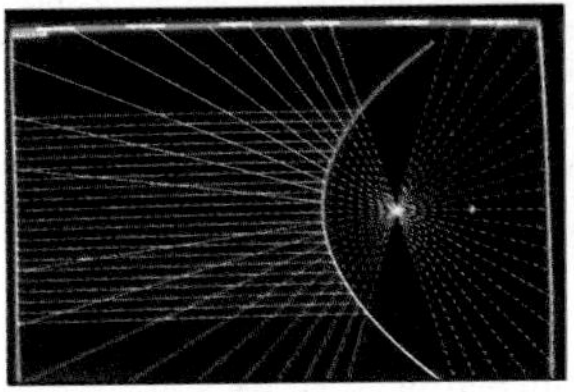
à g., réflexion d'un faisceau parallèle par un miroir parabolique **concave** : les rayons convergent vers un foyer réel; à dr., réflexion par un miroir parabolique **convexe** : les prolongements des rayons réfléchis passent par un même point (foyer virtuel)

concentriquement adv. De manière concentrique.

concentrisme n. m. POLIT Doctrine en faveur de la concentration économique.

Concepción, v. du Chili centr., près du port de Talcahuano; cap. de la rég. de Bío-Bío et de la prov. de Concepción; 294 380 hab. Industr. chim., métall. et text. - Université.

concept [kõsɛpt] n. m. PHILO Représentation mentale abstraite et générale. *Le concept de table. Le concept de bonheur. Forger un concept.*

concepteur, trice n. Personne qui conçoit. ▷ Mod. Personne qui conçoit des projets dans une entreprise, une agence de publicité.

conception [kõsɛpsjõ] n. f. **1.** Acte par lequel un nouvel être vivant est produit par fécondation d'un ovule. ▷ *Immaculée Conception :* dogme cathol. selon lequel la Vierge Marie a été préservée du péché originel. **2.** Action, façon de concevoir une idée, création de l'imagination. *Conception originale. Il a de l'amitié une conception particulière.* Syn. idée, opinion. - *Conception assistée par ordinateur (C.A.O),* dans laquelle l'ordinateur effectue le dessin correspondant aux données programmées. **3.** Faculté de saisir, de comprendre. *Avoir la conception vive, lente.*

conceptualisation n. f. Didac. Organisation en concepts.

conceptualiser v. tr. [1] Organiser en concepts (une notion, une idée générale, etc.).

conceptualisme n. m. PHILO Doctrine d'Abélard selon laquelle nos expériences révèlent les idées générales, en dépit du fait que celles-ci existaient de façon latente dans notre esprit avant toute expérience. *Synthèse du rationalisme et de l'empirisme, le nom de conceptualisme a été donné aux théories d'Aristote et de Kant.*

conceptuel, elle adj. Relatif aux concepts ou à la conception. *Texte conceptuel. Acte conceptuel.*

conceptuel (art), attitude artistique, née dans les années 60, qui accorde la primauté de l'idée sur la réalisation matérielle de l'œuvre d'art selon les techniques traditionnelles. Elle vise une recherche sans préoccupations esthétiques et une interrogation sur la fonction de l'art et sa situation. Diverses solutions sont apportées aux problèmes de la visualisation : textes (J. Kosuth, L. Weiner), intervention sur la nature ou *land art* (Christo, R. Smithson, D. Oppenheim), actions ou *happenings* (J. Beuys, A. Kaprow, J. Dine), art pauvre (refus des matériaux nobles).

concerner v. tr. [1] Intéresser, avoir rapport à. *En ce qui me concerne.* - Ppr. (Emploi prépositionnel.) *Loi concernant l'avortement.*

concert [kõsɛʀ] n. m. **1.** Accord, entente pour parvenir à une même fin. *Le concert européen.* ▷ Loc. adv. *De concert :* d'intelligence. *Agir de concert avec qqn.* **2.** MUS Harmonie formée par plusieurs voix ou plusieurs instruments, ou par une réunion de voix et d'instruments; séance musicale. *Aller au concert. Donner un concert.* - Association musicale. *Les Concerts Colonne.* **3.** Sons ou bruits, généralement harmonieux, qui se font entendre ensemble. *Les concerts des oiseaux.* - *Un concert de louanges.*

concertant, ante adj. MUS Se dit d'un morceau dans lequel plusieurs instruments exécutent alternativement la partie principale. *Symphonie concertante.*

concertation n. f. POLIT, ECON Conférence, échange d'idées en vue de s'entendre sur une attitude commune.

concerter v. [1] **I.** v. tr. **1.** Préparer en conférant avec une ou plusieurs

prisonniers d'un camp de **concentration** à l'annonce de leur libération

personnes. *Concerter un dessein.* **2.** Préparer, étudier. *Concerter son attitude.* – Pp. adj. *Des paroles concertées.* Syn. préméditer. **II.** v. intr. MUS En parlant d'instruments, de voix, exécuter alternativement ou simultanément la partie principale. *Le hautbois et la flûte concertent.* **III.** v. pron. Préparer ensemble un projet, s'entendre pour agir. *Ils racontèrent la même histoire : visiblement, ils s'étaient concertés.*

concertina n. m. MUS Instrument à soufflet, de forme hexagonale, proche de l'accordéon.

concertino [kɔ̃sɛʀtino] n. m. **1.** Dans le concerto grosso, petit groupe d'instrumentistes qui exécutent les passages en solo. **2.** Brève composition dans le style du concerto.

concertiste n. Instrumentiste qui se produit en concert, généralement comme soliste.

concerto n. m. MUS Composition en forme de sonate, qui oppose un ou plusieurs instruments (solistes) à l'orchestre. – *Concerto grosso :* première forme du concerto opposant un groupe d'instrumentistes (concertino) à une formation plus importante.

concessif, ive adj. et n. f. GRAM Qui marque l'idée de concession. *Les propositions concessives sont introduites par « bien que », « quoique », « encore que », etc.* ▷ n. f. *Une concessive.*

concession n. f. **1.** Action d'accorder un droit, un privilège, un bien. ▷ DR Autorisation de gérer à ses risques un service public (accordée à un particulier ou à une société privée). – *Concession domaniale :* autorisation d'exploiter à titre privatif des biens du domaine public, moyennant paiement. – *Concession commerciale,* qui fait d'un commerçant le représentant exclusif d'une firme dans une zone géographique. **2.** Chose concédée. ▷ Terre à cultiver distribuée par l'État dans une nouvelle colonie. ▷ Terrain loué ou vendu pour une sépulture. *Concession à perpétuité.* **3.** (Souvent au plur.) Ce que l'on accorde à qqn dans un litige. *Faire des concessions à un adversaire.*

concessionnaire n. **1.** Personne qui a obtenu une concession. **2.** COMM Représentant exclusif d'une marque dans une région.

concetti [kɔntʃɛti] n. m. pl. Litt. Pensées brillantes, mais trop subtiles, trop recherchées.

concevable adj. Qui peut se concevoir. *Il n'est pas concevable de refuser cela.*

concevoir v. tr. [5] **1.** Devenir enceinte, former (un enfant) en son sein. *Concevoir un enfant* ou, absol., *concevoir.* **2.** Former dans son esprit, créer. *Concevoir un projet.* – Pp. adj. *Une voiture conçue pour la ville.* Syn. créer, imaginer, inventer. **3.** Comprendre, avoir une idée de. *Je ne conçois pas une telle étourderie.* **4.** Litt. Éprouver. *Concevoir de l'amour pour qqn.*

Conches-en-Ouche, ch.-l. de cant. de l'Eure (arr. d'Évreux); 4 028 hab. – Égl. Ste-Foy (XVᵉ-XVIᵉ s.). Château féodal.

conchoïdal, ale, aux [kɔ̃kɔidal, o] adj. **1.** Qui ressemble à une coquille. **2.** GEOM Relatif à la conchoïde.

conchoïde [kɔ̃kɔid] adj. et n. f. **1.** GEOM Se dit d'une courbe ayant la courbure d'un coquillage. – n. f. *Une conchoïde.* **2.** MINER *Cassure conchoïde* (ou *conchoïdale*) : cassure qui présente une surface courbe lisse ou parcourue de stries concentriques.

conchyliculture [kɔ̃kilikyltyʀ] n. f. Élevage des coquillages comestibles.

conchyliologie [kɔ̃kiljolɔʒi] Étude scientifique des coquillages.

concierge n. Personne qui a la garde d'un immeuble. *Déposer le courrier chez le concierge.* Syn. gardien. ▷ Fig., fam. Personne curieuse et bavarde.

conciergerie n. f. Charge ou logement de concierge.

Conciergerie (la), dépendance du Palais de Justice de Paris (île de la Cité) où les prévenus attendent d'être reçus par le juge d'instruction. Elle faisait partie du palais royal de la Cité (quitté par Charles V pour le Louvre); le *concierge* qui l'administrait exerçait la basse et la moyenne justice. En 1392, elle devint une prison.

concile n. m. Assemblée d'évêques et de théologiens de l'Égl. cathol., réunis pour régler des questions concernant le dogme, la liturgie et la discipline ecclésiastiques.

ENCYCL On distingue les *conciles œcuméniques,* c.-à-d. universels, et les *conciles nationaux* ou *provinciaux,* qui n'intéressent que le clergé d'une nation ou d'une prov. ecclés. Bien qu'elle n'en ait jamais entériné officiellement la liste, l'Égl. cathol. reconnaît 21 conciles œcuméniques : Nicée I (325), Constantinople I (381), Éphèse (431), Chalcédoine (451), Constantinople II (553), Constantinople III (680-681), Nicée II (787), Constantinople IV (869-870), Latran I (1123), Latran II (1139), Latran III (1179), Latran IV (1215), Lyon I (1245), Lyon II (1274), Vienne (1311-1312), Constance (1414-1418), Bâle (1431-1437), déplacé à Ferrare (1437-1439) puis à Florence (1439-1442), Latran V (1512-1517), Trente (1545-1563), Vatican I (1869-1870), Vatican II (1962-1965). L'Égl. orthodoxe n'accepte que les sept premiers.

conciliable adj. Que l'on peut concilier.

conciliabule n. m. **1.** Vx Réunion secrète aux desseins généralement coupables. **2.** Conversation à voix basse. *De mystérieux conciliabules.*

conciliaire adj. Didac. Relatif à un concile. *Pères conciliaires.*

conciliant, ante adj. Disposé, propre à s'accorder. *Caractère conciliant.* Syn. accommodant.

conciliateur, trice adj. et n. **1.** Qui concilie. *Rôle conciliateur.* Syn. médiateur. **2.** DR Personne qui s'emploie bénévolement à régler à l'amiable des conflits privés.

conciliation n. f. **1.** Action de concilier; son résultat. **2.** DR Accord que le juge d'instance cherche à réaliser entre les parties avant le commencement d'un procès. **3.** Règlement amiable des conflits collectifs du travail. Syn. arbitrage.

conciliatoire adj. Didac. De la conciliation. *Démarche conciliatoire.*

concilier v. [2] **1.** v. tr. Accorder ensemble (des personnes divisées d'opinion, des choses contraires). *Chercher à les concilier serait peine perdue. Concilier l'intérêt et le devoir.* **2.** v. pron. Disposer favorablement, gagner à soi. *Se concilier un auditoire. Se concilier la sympathie de qqn.*

Concini (Concino) (Florence, v. 1575 – Paris, 1617), aventurier italien, maréchal de France. Époux de la sœur de lait de Marie de Médicis, Leonora Galigaï, il eut une grande influence sur la reine et exerça le pouvoir après la mort d'Henri IV. Il fut fait marquis d'Ancre, puis maréchal. Très impopulaire, arrogant et cupide, il dressa contre lui Louis XIII, qui décida de l'éliminer. Il fut tué lors de son arrestation.

concis, ise adj. Qui exprime beaucoup de choses en peu de mots. *Style, orateur concis.* Syn. bref. Ant. prolixe, verbeux.

concision n. f. Qualité de ce qui est concis.

concitoyen, enne n. Citoyen de la même ville, d'un même État (qu'un autre).

conclave n. m. **1.** Collège de cardinaux réunis pour l'élection d'un pape. **2.** Lieu où l'on procède à cette élection.

concluant, ante adj. Qui conclut, qui permet de conclure. *Argument concluant. Un essai concluant.* Syn. décisif, probant.

conclure v. [78] **I.** v. tr. **1.** Déterminer par un accord les conditions de. *Conclure une affaire.* **2.** Écrire, prononcer la péroraison de. *Il me reste à conclure mon exposé.* **II.** v. tr. indir. **1.** Tirer (une conséquence), inférer. *On a hâtivement conclu de la présence de l'accusé sur les lieux à sa culpabilité.* ▷ (S. comp.) *Il faut conclure.* **2.** Décider, donner un avis après examen et réflexion. *La police a conclu à un suicide.*

conclusif, ive adj. Vx Qui exprime une conclusion. *Proposition, conjonction conclusive.*

conclusion n. f. **1.** Action de conclure, accord final. *La conclusion d'un traité, d'une négociation.* ▷ Solution finale, issue. *L'enquête touche à sa conclusion.* **2.** Fin d'un discours, péroraison. *Une conclusion digne de l'exorde.* **3.** PHILO Proposition terminale d'un syllogisme. ▷ Cour. Conséquence tirée d'un raisonnement. *Tirer une conclusion.* – Loc. adv. *En conclusion.* – adv. Fam. *Conclusion, nous n'irons plus chez eux.* **4.** Plur. DR Exposé sommaire des prétentions des parties devant un tribunal.

concocter v. tr. [1] Fam. **1.** Préparer en pensée. *Il a concocté un plan infaillible.* **2.** Élaborer avec soin. *Il leur a concocté un bon petit plat.*

concombre n. m. **1.** Plante potagère (fam. cucurbitacées) dont le gros fruit oblong et aqueux est consommé surtout en salade. **2.** ZOOL *Concombre de mer :* nom cour. de l'holothurie.

concomitance n. f. Coexistence, simultanéité.

concomitant, ante adj. Qui accompagne une chose, un fait. *Symptôme concomitant.* Syn. coexistant. – PHYS *Variations concomitantes des phénomènes physiques :* variation d'une grandeur (par ex. le volume d'un gaz) par rapport à la variation d'autres grandeurs (par ex. la pression).

Concord, v. des É.-U., cap. du New Hampshire, sur le *Merrimack* 36 000 hab. Constructions mécaniques.

concordance n. f. **1.** Fait de s'accorder, d'être en conformité avec une autre chose. *La concordance de deux récits.* ▷ PHYS *Concordance de phase :* égalité de phase. *Radiations en concordance de phase.* **2.** GRAM *Concordance des temps :* règle syntaxique qui subordonne le temps du verbe de la complétive à celui de la proposition complétée

(Ex. *Je veux qu'il vienne* et *je voulais qu'il vînt.*) **3.** Ouvrage ou index rassemblant ou mentionnant les passages de la Bible qui se ressemblent.

concordant, ante adj. Qui concorde. *Renseignements concordants.*

concordat n. m. **1.** Accord entre le pape et un gouvernement à propos d'affaires religieuses. **2.** COMM Accord entre une entreprise en cessation de paiement et ses créanciers.

ENCYCL **Hist.** – En 1516, par le concordat négocié à Bologne entre les représentants du pape Léon X et ceux de François Ier, ce dernier cessait de tenir le concile pour supérieur au pape (pragmatique sanction de Bourges, 1438), mais il obtenait le droit de nommer les évêques. Ce concordat subsista jusqu'à la Constitution civile du clergé (1790). Après dix ans de luttes, un accord intervint à Paris, en 1801, entre les représentants de Bonaparte et de Pie VII, lequel reconnaissait la République française. Le clergé serait rémunéré par l'État, dont le chef nommerait les évêques. Ce concordat fut appliqué jusqu'à la séparation des Églises et de l'État (1905); il l'est toujours en Alsace et en Lorraine (allemandes en 1905). De tels concordats ont réglé, du XIIe s. (concordat de Worms, 1122) au XXe s., les rapports entre la papauté et certains États, notam. l'Italie (accords du Latran), l'Espagne, etc.

concordataire adj. **1.** Relatif à un concordat. **2.** Régi par un concordat. *Les évêchés alsaciens concordataires.* **3.** HIST Se dit des ecclésiastiques qui approuvèrent le concordat de 1801. **4.** COMM Qui bénéficie d'un concordat.

concorde n. f. Union de cœurs, de volontés; bonne intelligence. *Rétablir la concorde.* Syn. paix. Ant. discorde.

Concorde (place de la), à Paris. Conçue selon un plan octogonal par Gabriel (1753), elle prit sa forme définitive en 1854. D'abord *place Louis-XV*, puis *place de la Révolution* (Louis XVI y fut guillotiné), elle reçut son nom actuel en 1795, le perdit en 1814 et le retrouva en 1830. L'obélisque de Louxor y fut érigé en 1836.

Concorde, avion long-courrier supersonique de transport civil, réalisé en commun par les industr. aéron. brit. et franç. et dont la fabrication a cessé en 1980.

concorder v. intr. [1] **1.** Être en accord, en conformité. *Leurs témoignages concordent. Sa façon de vivre ne concorde pas avec ses principes.* Syn. correspondre. **2.** Coïncider. *Deux phénomènes qui concordent.* ▷ Contribuer au même résultat. *Actions qui concordent.*

concourant, ante adj. Qui concourt. ▷ GEOM *Droites concourantes,* qui passent par un même point. ▷ PHYS *Forces concourantes,* dont les supports passent par un même point.

concourir v. [26] **I.** v. tr. indir. **1.** Contribuer à produire un effet. *Tout concourt à notre succès.* **2.** GEOM Se rencontrer. *Deux droites qui concourent.* **II.** v. intr. Être en concurrence (pour obtenir un prix, un emploi, etc.); subir les épreuves d'un concours. *Il concourt dans l'épreuve de saut.*

concouriste n. Participant assidu aux concours proposés par les journaux, les radios.

concours n. m. **1.** Vx Rencontre, réunion. *Un grand concours de peuple.* – Mod. *Concours de circonstances. Point de concours.* **2.** Action de concourir, de tendre ensemble vers un but. *Réaliser un film avec le concours des habitants d'un village.* Syn. aide, collaboration. ▷ FIN *Fonds de concours* : fonds prévu pour concourir à certaines dépenses. **3.** Compétition dans laquelle les meilleurs sont récompensés. *Le concours Lépine récompense les meilleures inventions. Concours de plage.* ▷ SPORT Chacune des épreuves d'athlétisme autres que les courses, les lancers et les sauts. ▷ *Concours hippique* : compétition d'équitation avec saut d'obstacles. – Examen comparatif que subissent des candidats pour un nombre limité de places, de récompenses. *Se présenter, être reçu à un concours. Concours des grandes écoles.* ▷ *Concours général,* qui oppose les meilleurs élèves de France (classes de première et terminale) dans une discipline donnée.

concret, ète adj. et n. m. **1.** Vx Dont la consistance est épaisse (par oppos. à *fluide*). *Boue concrète.* **2.** Qui exprime, désigne un objet, un phénomène perçu par les sens (par oppos. à *abstrait*). *« Table » est un terme concret. Illustrer une théorie à l'aide d'exemples concrets.* ▷ n. m. Ce qui est concret. *Le concret et l'abstrait.* **3.** *Musique concrète* : musique inventée par P. Schaeffer, utilisant des sons préalablement enregistrés, en faisant varier leur forme, leur timbre, leur tessiture, etc., obtenant ainsi des « objets sonores » regroupés selon certaines lois de similitude. (On dit plutôt auj. *musique électroacoustique.*)

concrètement adv. D'une manière concrète, pratique. *Concrètement, qu'est-ce que cela donne ?*

concrétion [kɔ̃kʀesjɔ̃] n. f. **1.** Action, fait de s'épaissir. **2.** Agrégat de plusieurs substances en un corps solide. ▷ GEOL Amas minéral cristallisé en couches concentriques ayant précipité le long des cours d'eau souterrains. *Les stalactites sont des concrétions calcaires.* ▷ MED Corps étranger solide qui se forme parfois dans les tissus ou les organes. *Les calculs sont des concrétions.*

concrétisation n. f. Fait de concrétiser, de se concrétiser. *La concrétisation de vieux projets.*

concrétiser v. tr. [1] Rendre concret, réel. *Concrétiser une promesse.* ▷ v. pron. *Ses espoirs se sont concrétisés.*

concubin, ine n. Personne qui vit en concubinage.

concubinage n. m. Situation d'un homme et d'une femme vivant ensemble sans être mariés. Syn. union libre.

concupiscence [kɔ̃kypisɑ̃s] n. f. Vieilli Inclination pour les plaisirs sensuels.

concupiscent, ente adj. Vieilli Qui exprime ou éprouve de la concupiscence. *Regard concupiscent.*

concurremment [kɔ̃kyʀamɑ̃] adv. **1.** En rivalité. *Briguer concurremment une charge.* **2.** Conjointement, ensemble. *Agir concurremment.*

concurrence n. f. **1.** Vx Rencontre. ▷ Loc. mod. *Jusqu'à concurrence de* : jusqu'à la limite de. **2.** Compétition, rivalité entre personnes, entreprises, etc., qui prétendent à un même avantage; ensemble des concurrents. *Être en concurrence avec qqn. Des prix défiant toute concurrence,* très bas. ▷ *Système de la libre concurrence* : système économique laissant à chacun la liberté de produire et de vendre aux conditions qu'il souhaite. **3.** DR Égalité de rang, de droit. *Exercer une hypothèque en concurrence.*

concurrencer v. tr. [12] Faire concurrence à.

concurrent, ente adj. et n. **1.** Vx Qui concourt au même but. *Forces concurrentes.* **2.** Qui se fait concurrence. *Des commerces concurrents.* ▷ Subst. Personne qui est en rivalité avec une autre; commerçant qui fait concurrence. *Évincer tous ses concurrents.* **3.** Chacun des participants à une compétition, à un concours.

concurrentiel, elle adj. **1.** Qui peut entrer en concurrence. *Tarif, prix concurrentiel.* Syn. compétitif. **2.** Où se développe la concurrence. *Économie concurrentielle.*

concussion n. f. DR Délit consistant à recevoir ou à exiger des sommes non dues, dans l'exercice d'une fonction publique.

concussionnaire adj. et n. Coupable de concussion. *Ministre concussionnaire.*

condamnable adj. Qui mérite d'être condamné. *Opinion, attitude condamnable.* Syn. blâmable. Ant. justifiable.

condamnation n. f. **1.** Décision d'une juridiction de sanctionner un coupable. *Condamnation pour vol.* **2.** Blâme, critique.

condamnatoire adj. DR Portant condamnation. *Sentence condamnatoire.*

condamné, ée adj. et n. **1.** Qui s'est vu infliger une peine. ▷ Subst. *« Le Dernier Jour d'un condamné »,* de *V. Hugo. Un condamné à mort.* **2.** *Malade condamné,* dont la maladie est mortelle. **3.** Obligé, astreint (à). *Être condamné à l'immobilité.* **4.** *Porte, fenêtre condamnée,* par laquelle on ne peut plus passer.

condamner v. tr. [1] **1.** Prononcer une peine contre (qqn). *Condamner un criminel à vingt ans de prison.* – Interdire, proscrire. *La loi condamne l'usage des stupéfiants.* ▷ Par anal. *Les médecins l'ont condamné,* ont déclaré que sa maladie est mortelle. **2.** Astreindre, réduire. *Être condamné à l'immobilité. Cette panne nous condamne à renoncer à cette visite.* **3.** Blâmer, désapprouver. *Condamner la conduite de qqn.* **4.** Barrer (un passage); supprimer (une ouverture). *Condamner une porte.* Syn. barrer, boucher. **5.** Accabler. *Sa conduite la condamne.*

Côn Dao. V. Poulo Condor.

condé n. m. Arg. **1.** Autorisation officieuse accordée à un délinquant d'enfreindre une interdiction, en échange de renseignements fournis à la police; délinquant ayant obtenu une telle autorisation. **2.** Policier.

Condé (maison de), branche de la maison de Bourbon. La tige en est **Louis Ier** de Bourbon, prince de Condé (Vendôme, 1530 – Jarnac, 1569), oncle d'Henri IV. Il fut à partir de 1559 le princ. chef calviniste. À l'issue de la bataille de Jarnac, il fut assassiné par Montesquiou. – **Henri Ier** (La Ferté-sous-Jouarre, 1552 – Saint-Jean-d'Angély, 1588), fils du préc., s'allia avec Henri de Navarre contre les catholiques. – **Henri II** (Saint-Jean-d'Angély, 1588 – Paris, 1646), fils posth. du préc., lutta contre Marie de Médicis mais servit Richelieu. – **Louis II,** dit *le Grand Condé* (Paris, 1621 – Fontainebleau, 1686), fils du préc., remarquable homme de guerre. À vingt-deux ans, il remporta sur les Espagnols et les impériaux l'éclatante victoire de Rocroi, suivie de celles de Fribourg, Nördlingen et Lens. Chef de la Fronde des princes, il passa aux Esp. (1653). Rentré en grâce à la paix des Pyrénées (1659), il combattit avec succès en Franche-Comté, en Hollande et en Alsace. Il protégea les lettres et les arts (embellissements du château de Chantilly). – **Louis Henri,** duc de Bourbon (Versailles, 1692 – Chantilly, 1740), arrière-petit-fils du préc., joua un rôle polit. actif : chef du conseil de régence puis Premier ministre de Louis XV (1723-1726). – **Louis Joseph** (Paris, 1736 – id., 1818), fils du préc., combattit pendant la guerre de Sept Ans. Bien que libéral, il émigra et créa en 1792 l'*armée de Condé,* qui combattit les armées de la Révolution jusqu'en 1796. – **Louis Henri Joseph** (Chantilly, 1756 – Saint-Leu, 1830), fils du préc., auprès de qui il servit dans l'émigration. – **Louis Antoine Henri,** duc d'Enghien (Chantilly, 1772 – Vincennes, 1804), fils du préc. Résidant, en civil, à Ettenheim (Bade), face à Strasbourg, il fut enlevé par des hommes de Bonaparte dans la nuit du 15 au 16 mars 1804. Il fut ensuite condamné et exécuté au château de Vincennes (nuit du 20 au 21 mars). Le Premier consul entendait ainsi répondre à ceux qui comptaient sur lui pour préparer le retour des Bourbons.

condensable adj. Didac. Qui peut être condensé.

condensateur n. m. ELECTR Appareil composé de deux feuilles métalliques *(armatures)* séparées par un isolant et servant à emmagasiner de l'énergie électrique.

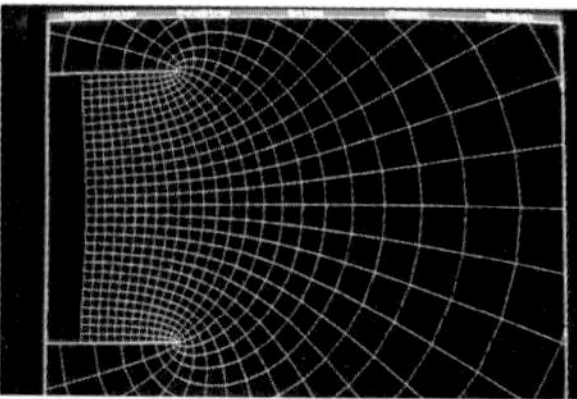

simulation des déformations des lignes de champs et des équipotentielles d'un **condensateur** plan

condensation n. f. **1.** PHYS Passage de l'état gazeux à l'état solide. – *Spécial.* Transformation de la vapeur en liquide. *Eau de condensation.* **2.** CHIM *Réaction de condensation :* réaction dans laquelle deux molécules organiques se soudent en éliminant une troisième molécule (eau, ammoniac, etc.). **3.** ELECTR Accumulation d'électricité.

condensé, ée adj. et n. m. **I.** adj. TECH Réduit de volume par évaporation, dessiccation. *Lait condensé.* – Fig. *Un style très condensé.* **II.** n. m. **1.** Résumé d'un ouvrage littéraire. **2.** Recueil d'œuvres résumées.

condenser [kɔ̃dɑ̃se] v. tr. [1] **1.** Rendre plus dense, resserrer dans un moindre espace. ▷ Faire passer de l'état gazeux à l'état liquide. ▷ v. pron. Passer de l'état gazeux à l'état liquide. *La vapeur d'eau se condense sur les corps froids.* **2.** Fig. Exprimer de manière concise; réduire (un texte). *Condenser sa pensée. Condenser un texte.*

condenseur n. m. **1.** TECH Appareil permettant par refroidissement de faire passer une substance de l'état gazeux à l'état liquide. **2.** PHYS Système optique convergent, permettant de concentrer la lumière sur un objet donné.

condescendance n. f. Attitude de supériorité bienveillante mêlée de mépris. *Traiter qqn avec condescendance.* Syn. hauteur.

condescendant, ante adj. Qui manifeste de la condescendance. *Manières condescendantes.*

condescendre v. tr. indir. [6] Daigner. *Condescendrez-vous à me répondre ?*

Condé-sur-l'Escaut, ch.-l. de cant. du Nord (arr. de Valenciennes); 11 333 hab. – Château des princes de Condé (XVe s.). Remparts (XVIIe s.).

Condillac (Étienne Bonnot de) (Grenoble, 1715 – abb. de Flux, près de Beaugency, 1780), philosophe et logicien français, princ. représentant de l'école « sensualiste ». Son *Traité des sensations* (1754) contient l'exposé le plus systématique de sa pensée : la connaissance, ou les « facultés » de l'esprit, dont il explique la genèse, ne sont que des sensations transformées ou composées. Il publia également une *Logique* (1780), *la Langue des calculs* (posth., 1798). Acad. fr. (1768).

condiment n. m. **1.** Substance ajoutée à un aliment pour l'assaisonner, en relever le goût. *Les épices sont des condiments.* **2.** Fig. Ce qui ajoute un attrait, du piquant. *L'imprévu est un condiment à la vie.*

condisciple [kɔ̃disipl] n. m. Compagnon d'études.

condition n. f. **1.** État, nature, qualité (d'une personne, d'une chose). *La condition humaine. La condition des vieillards.* ▷ *Mettre en condition :* préparer physiquement ou psychologiquement. **2.** Rang social. *Vivre selon sa condition.* – Vx *Une personne de condition,* de rang social élevé. **3.** (Plur.) Ensemble d'éléments, de circonstances qui déterminent une situation. *Les conditions atmosphériques. Travailler dans de bonnes, de mauvaises conditions.* **4.** Circonstance, fait dont dépendent d'autres faits, d'autres circonstances. *Condition nécessaire et suffisante.* – *Condition sine* qua non.* ▷ *À condition, sous condition :* avec certaines réserves. *Acheter à condition, sous condition. Se rendre sans condition.* ▷ *À (la) condition que* (+ indic. fut. ou subj.). *J'irai à condition que vous veniez me chercher,* seulement si vous venez me chercher. – *À (la) condition de* (+ inf.). *Nous partirons à cinq heures, à condition d'être prêts.* **5.** Convention, clause à la base d'un accord, d'un marché. *Les conditions d'un traité.* **6.** TECH Lieu où l'on pratique le conditionnement d'un textile. *La condition de Lyon.*

conditionnalité n. f. Caractère conditionnel de qqch.

conditionné, ée adj. **1.** Soumis à des conditions. *Résultat conditionné par... Réflexe conditionné.* ▷ *Personne conditionnée par son milieu,* dont le comportement dépend de certaines contraintes extérieures, liées à son milieu. **2.** Qui a subi un conditionnement. *Marchandise conditionnée.*

conditionnel, elle adj. et n. m. Subordonné à un fait incertain. *Promesse conditionnelle.* ▷ n. m. GRAM Mode indiquant que l'idée exprimée par le verbe est subordonnée à une condition. (Ex. : Si j'étais riche, je serais heureux.)

conditionnellement adv. À certaines conditions. *Accepter une offre conditionnellement.*

conditionnement n. m. **1.** PSYCHO Établissement d'un comportement déclenché par un stimulus artificiel. **2.** Action d'emballer un produit avant de le présenter au consommateur; premier emballage, au contact direct du produit. **3.** Opération visant à déterminer le degré d'humidité contenu dans un textile; lieu où se fait cette opération. **4.** *Conditionnement de l'air,* pour maintenir dans un local des conditions de température, d'hygrométrie et de pureté fixées à l'avance.

conditionner v. tr. [1] **1.** Procéder au conditionnement d'un produit. **2.** Constituer une, la condition de. *Votre habileté conditionnera votre réussite.*

conditionneur, euse n. **1.** n. m. TECH Appareil destiné au conditionnement de l'air. **2.** Personne dont le métier est de conditionner des marchandises. **3.** n. m. Lotion capillaire servant à améliorer l'aspect des cheveux. **4.** n. f. Dispositif, machine servant à conditionner.

condoléances n. f. pl. Témoignage de sympathie à la douleur d'autrui. *Lettre de condoléances.*

condom [kɔ̃dɔm] n. m. Vieilli (cour. Canada [kɔ̃dɔ̃]) Préservatif masculin.

Condom, ch.-l. d'arr. du Gers, sur la Baïse; 7 953 hab. Eau-de-vie (armagnac). Meubles. I.A.A. – Anc. cath. de style gothique flamboyant (XVIe s.). Bossuet y fut évêque.

condominium [kɔ̃dɔminjɔm] n. m. **1.** Anc. autorité légale et simultanée de deux puissances sur un même pays. *Le condominium franco-britannique des Nouvelles-Hébrides.* **2.** (Canada) (emploi critiqué) Copropriété immobilière. – Appartement ainsi acquis. *S'acheter un condominium* ou, plus fam., un condo.

condor n. m. Le plus grand de tous les vautours (plus de 3 m d'envergure), qui vit dans les Andes *(Vultur gryphus).*

Condorcet (Marie Jean Antoine Nicolas de Caritat, marquis de) (Ribemont, 1743 – Bourg-la-Reine, 1794), mathématicien, économiste, philosophe et homme politique français. Député, puis président de l'Assemblée législative (1792), député à la Convention, devant laquelle il présenta un projet de réforme de l'instruction publique, il fut décrété d'accusation avec les Girondins; condamné à mort, il s'empoisonna en prison. Économiste, il appartient à l'école des physiocrates; philosophe, il expose un rationalisme confiant dans le progrès (*Esquisse d'un tableau historique des progrès de l'esprit humain,* 1794). Acad. fr. (1782). Ses cendres sont au Panthéon depuis 1989.

le marquis de **Condorcet**

Confucius

condottiere [kɔ̃dɔtjɛʀ] n. m. HIST Nom donné, en Italie, aux chefs de mercenaires qui louaient leurs services aux différents États italiens, du XIIIe au XVIe s. *Des condottieri, des condottieres.*

condrieu n. m. Côtes-du-rhône blanc très réputé.

Condroz (le), rég. de Belgique, formée par le versant nord des Ardennes entre Namur et Liège.

conductance n. f. ELECTR Inverse de la résistance (s'exprime en *siemens*).

conducteur, trice n. (et adj.) **1.** Personne qui guide, qui dirige. *Un conducteur d'hommes.* ▷ CONSTR *Conducteur de travaux* : personne chargée de diriger les équipes d'un chantier. **2.** Personne aux commandes d'un véhicule, d'une machine. *Conducteur de train.* Syn. chauffeur. *Conducteur de presse.* **3.** n. m. Document de travail décrivant le contenu d'une émission de télévision. **4.** adj. PHYS Se dit d'une pièce ou d'une matière qui transmet la chaleur, l'électricité. *Fil, vaisseau conducteur.* – n. m. *Le cuivre est un bon conducteur.*

conductibilité n. f. PHYS et ELECTR Aptitude d'un corps à transmettre la chaleur *(conductibilité thermique)* ou l'électricité *(conductibilité électrique)*.

conductible adj. PHYS Capable de transmettre la chaleur ou l'électricité.

conduction n. f. Didac. Transmission de l'électricité, de la chaleur, de l'influx nerveux.

conductivité n. f. ELECTR Inverse de la résistivité. *La conductivité s'exprime en siemens par mètre.*

conduire v. [**69**] **I.** v. tr. **1.** Mener, guider, transporter (un être animé) quelque part. *Conduire des voyageurs. Conduire un troupeau aux pâturages.* Syn. accompagner. – *Conduire les pas, la main de qqn,* diriger sa marche, sa main. **2.** Faire aller, aboutir. *Ce chemin conduit au château. Le désespoir l'a conduit au suicide.* **3.** Commander, diriger, être à la tête de. *Conduire ses troupes, un pays, une entreprise.* ▷ *Conduire un deuil* : marcher en tête du cortège funèbre. **4.** Être aux commandes (d'un véhicule). *Conduire un train, une voiture.* – Absol. *Bien conduire* (une auto). *Permis* de conduire.* **5.** Orienter de telle manière la pousse d'un végétal. *Conduire une vigne en pergola.* **6.** PHYS Transmettre (la chaleur, l'électricité). **II.** v. pron. Se comporter. *Bien, mal se conduire.*

conduit n. m. **1.** TECH Canal, canalisation destinée à la circulation d'un fluide. *Conduit de fumée.* **2.** ANAT Nom de certains canaux. *Conduit auditif.*

conduite n. f. **I. 1.** Action de conduire, de guider. *La conduite d'un aveugle, d'un troupeau.* **2.** Direction musicale. *La symphonie sera jouée sous la conduite de l'auteur.* **3.** Action de conduire un véhicule. *Conduite en état d'ivresse.* **4.** Manière de se comporter, d'agir. *Adopter une ligne de conduite.* ▷ Fam. *Acheter une conduite* : se corriger. **II.** TECH Canalisation destinée au transport d'un fluide. *Conduite d'eau, de gaz.*

condylarthres n. m. pl. PALEONT Ordre de mammifères du tertiaire, plantigrades et omnivores, qui constituent p.-ê. la souche d'une partie des ongulés. Sing. *Un condylarthre.*

condyle n. m. ANAT Éminence articulaire.

Condylis (Georges) ou **Kondhýlis** (Gheórghios) (Tríkala, 1879 – Athènes, 1936), général et homme politique grec. En 1926, il renversa le dictateur Pangalos et favorisa le retour de Georges II.

condylome n. m. MED Petite tumeur cutanée siégeant au niveau de l'anus ou des organes génitaux.

cône n. m. **1.** Surface engendrée par une droite (la génératrice) passant par un point fixe (le sommet) et s'appuyant sur une courbe fixe (la directrice). ▷ ASTRO *Cône d'ombre, de pénombre* : ombre conique circonscrite à une planète ou à un de ses satellites, et au Soleil. **2.** BOT Fleur ou inflorescence de forme conique. *Des cônes de pin.* **3.** ZOOL Mollusque gastéropode de la fam. des conidés, à coquille conique ouverte longitudinalement, et dont certaines espèces sont venimeuses. **4.** GEOL Élévation conique au sommet de laquelle s'ouvre généralement le cratère d'un volcan. ▷ *Cône de déjection* : dépôt alluvionnaire formé par un torrent au moment où il arrive dans la vallée. **5.** ANAT *Cône terminal de la moelle épinière* : partie terminale de la moelle au niveau de la deuxième vertèbre lombaire.
▶ pl. géométrie

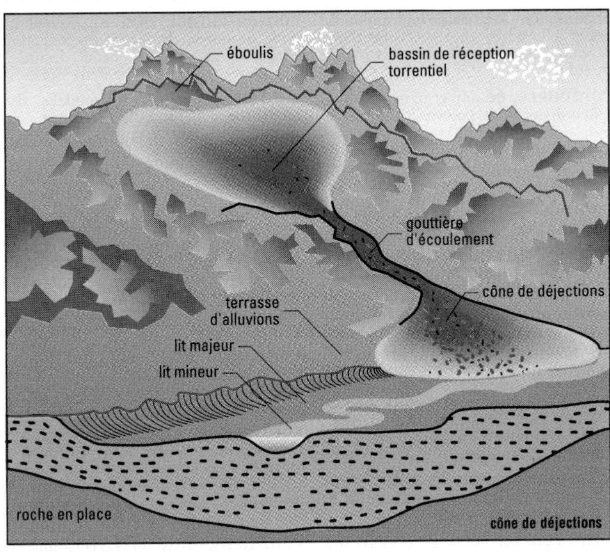

confection n. f. **1.** Action de fabriquer, de préparer qqch. **2.** *La confection* : l'industrie des vêtements vendus tout faits (par oppos. à ceux que l'on exécute sur mesure). Syn. prêt-à-porter.

confectionner v. tr. [**1**] Préparer, fabriquer. *Confectionner un gâteau, un vêtement.*

confectionneur, euse n. Fabricant de vêtements de confection.

confédéral, ale, aux adj. Qui se rapporte à une confédération.

confédération n. f. **1.** Association d'États qui, tout en conservant leur souveraineté, sont soumis à un pouvoir central. **2.** Groupement d'associations, de fédérations, de syndicats, etc. *La Confédération générale des cadres.*

Confédération du Rhin, union d'États allemands (1806-1813), créée à l'instigation de Napoléon Ier qui s'érigea en protecteur de la Confédération.

Confédération française de l'encadrement (C.F.E.-C.G.C.), organisation syndicale française fondée en 1944 et dont la dénomination, jusqu'en 1981, fut *Confédération générale des cadres (C.G.C.).* Elle vise à défendre les intérêts des catégories cadres, techniciens, agents de maîtrise et V.R.P.

Confédération française démocratique du travail (C.F.D.T.), nom adopté en 1964 par la C.F.T.C. Ayant pris une part active à la grève de 1968, cette confédération adopta en 1970 un programme se référant au socialisme autogestionnaire et à la lutte des classes. Elle infléchit, à partir de 1978, son orientation, dans un sens modéré.

Confédération française des travailleurs chrétiens (C.F.T.C.), organisation syndicale française fondée en 1919, fédérant les syndicats chrétiens. Elle prit son véritable essor en 1936; dissoute en 1940, elle participa à la Résistance. Sous l'action de son aile marchante, *Reconstruction,* elle distendit progressivement ses liens avec le M.R.P., et se transforma en C.F.D.T. en 1964. Une organisation, issue de la minorité de 1964, maintient le sigle et l'inspiration chrétienne de l'ancienne C.F.T.C.

Confédération générale du travail (C.G.T.), organisation syndicale française fondée en 1895. Fortement influencée par le syndicalisme révolutionnaire, elle définit ses objectifs par la *Charte d'Amiens* (1906). Elle se divisa, en 1922, en une C.G.T. réformiste et une C.G.T.U. (unitaire), où l'influence des communistes était prépondérante. Réunifiée en 1936, elle fut dissoute en 1940 et participa à la Résistance. En 1947, une minorité hostile aux communistes fit scission et créa la C.G.T.-F.O. Membre de la Fédération syndicale mondiale, elle est la plus import. centrale syndicale française.

Confédération générale du travail-Force ouvrière (C.G.T.-F.O. ou, par abrév., F.O.), organisation syndicale française issue d'une scission, en 1947, de la C.G.T. S'affirmant réformiste, elle est notam. implantée chez les fonctionnaires.

Confédération germanique, union des États allemands, issue du congrès de Vienne (1815) et placée sous la présidence de l'empereur d'Autriche. Elle fut dissoute en 1866 par la victoire de la Prusse sur l'Autriche (Sadowa). Les États situés au N. du Main, sous l'autorité de la Prusse, formèrent alors la *Confédération de l'Allemagne du Nord* (1866-1871), préfiguration du Reich allemand.

Confédération helvétique. V. Suisse.

Confédération internationale des syndicats libres (C.I.S.L.), organisation syndicale internationale, créée à Londres en 1949, issue d'une scission de la Fédération syndicale mondiale.

confédéré, ée adj. et n. m. **1.** Réuni en confédération. *Cantons confédérés de Suisse.* **2.** n. m. HIST *Les confédérés :* les sudistes, par oppos. aux *fédéraux,* ou *nordistes,* pendant la guerre de Sécession aux É.-U.

confédérer v. tr. [**14**] Réunir en confédération.

confer [kɔ̃fɛʀ] inv. (Mot latin) Mention qui signifie «comparez, reportez-vous à». (Abrév. : cf.)

conférence n. f. **1.** Réunion où plusieurs personnes examinent ensemble une question. *Conférence internationale,* entre diplomates, hommes d'État. *Conférence de presse,* où des journalistes interrogent une ou plusieurs personnalités. **2.** Discours sur un sujet donné, prononcé en public avec une intention didactique.

Conférence pour la sécurité et la coopération en Europe (C.S.-C.E.). V. Europe.

conférencier, ère n. Personne qui fait une, des conférences.

conférer v. [**14**] **I.** v. tr. **1.** Accorder, donner. *L'aisance que confère la compétence.* **2.** Rare Rapprocher des choses pour les comparer entre elles. *Conférer plusieurs épreuves typographiques.* **II.** v. intr. *Conférer avec :* être en conversation, s'entretenir d'une affaire avec. *Conférer d'un projet avec ses collaborateurs.*

confesse n. f. RELIG Confession (dans les loc. *aller à confesse, revenir de confesse).*

confesser v. tr. [**1**] **1.** Déclarer (ses péchés) à un prêtre, en confession. ▷ v. pron. Confesser ses péchés; *par ext.* avouer ses fautes. **2.** Entendre en confession. *Confesser un pénitent.* **3.** Fig., fam. Obtenir des aveux de. *Confesser un coupable.* **4.** Avouer. *Il a confessé son erreur. Je dois confesser que...* ▷ v. pron. *Se confesser de :* se reconnaître coupable de. **5.** Faire profession publique (d'une croyance). *Confesser la foi en Jésus-Christ.*

confesseur n. m. **1.** HIST Dans l'Église primitive, chrétien qui confessait sa foi au péril de sa vie. – *Par ext.* Saint qui n'est ni martyr ni apôtre. **2.** Prêtre qui entend en confession.

confession n. f. **1.** Aveu de ses péchés fait à un prêtre en vue de recevoir l'absolution, subordonnée à la contrition (regret sincère de ses fautes) et à la pénitence. – Loc. fig., fam. *On lui donnerait le bon Dieu sans confession,* se dit d'une personne qui inspire confiance, sans que celle-ci soit justifiée. **2.** Aveu, déclaration d'une faute. *Recevoir la confession d'un criminel.* **3.** (Souvent plur.) LITTER Mémoires dans lesquels l'auteur avoue ses erreurs, ses fautes. *«Les Confessions», de Jean-Jacques Rousseau. «La Confession d'un enfant du siècle», d'Alfred de Musset (1836).* **4.** Déclaration publique de sa foi religieuse. ▷ Croyance religieuse. *Être de confession catholique.* **5.** HIST Déclaration écrite des articles de la foi chrétienne. *Confession d'Augsbourg :* V. réforme (encycl.).

confessionnal, aux n. m. Dans une église, guérite où le prêtre entend les confessions. *Entrer au confessionnal. S'agenouiller dans un confessionnal.*

confessionnel, elle adj. Relatif à une confession de foi, à une religion. *École confessionnelle :* école destinée aux élèves d'une religion déterminée.

confetti n. m. Petite rondelle de papier de couleur qu'on se lance par poignées pendant un carnaval, une fête.

confiance n. f. **1.** Espérance ferme en une personne, une chose. *Avoir confiance en qqn, en l'avenir. Homme de confiance,* en qui l'on peut avoir confiance, dont on est sûr. **2.** Assurance, hardiesse. *Avoir confiance en soi. Il est plein de confiance.* **3.** *Poser la question de confiance :* demander à l'Assemblée nationale d'approuver sa politique par un vote, en parlant du gouvernement.

confiant, ante adj. **1.** Qui a confiance en qqn, en qqch. *Confiant dans l'avenir.* **2.** Disposé à la confiance. *Être confiant de nature.*

confidence n. f. Communication d'un secret personnel. *Faire, recevoir des confidences.* ▷ Loc. *En confidence :* secrètement. *Parler en confidence.* – *Dans la confidence :* dans le secret. *Vous a-t-il mis dans la confidence ?*

confident, ente n. **1.** Personne à qui l'on confie ses pensées intimes. **2.** THEAT Dans les tragédies classiques, personnage secondaire auquel se confie un personnage plus important. *Comédienne qui joue les confidentes.*

confidentialité n. f. Didac. Caractère de ce qui est confidentiel.

confidentiel, elle adj. Dit, écrit, fait en confidence, en secret. *Avis confidentiel.* – *Par ext.* De faible diffusion. *Publication confidentielle.*

confidentiellement adv. En confidence.

confier v. [**2**] **I.** v. tr. **1.** Remettre (qqch, qqn) aux soins de qqn d'autre. *Confier un dépôt. Confier ses enfants à des amis.* **2.** Litt. Livrer à l'action de. *Confier sa fortune au hasard.* **3.** Dire qqch de confidentiel (à qqn). *Confier ses peines, un secret à un ami.* **II.** v. pron. **1.** Avoir confiance en, s'en remettre à. *Se confier à la Providence.* **2.** Faire des confidences. *Se confier à qqn.*

configuration n. f. **1.** Surface extérieure d'un corps, qui le limite et lui donne la forme qui lui est propre. *Configuration d'un terrain.* **2.** CHIM Disposition relative des atomes ou des molécules d'un corps dont la formule développée est asymétrique. **3.** INFORM Ensemble des éléments (matériel et logiciel) dont est constitué un système. *Procéder à la configuration d'une machine.*

configurer v. tr. [**1**] INFORM Donner (à une machine) les instructions de base sur lesquelles on veut travailler. *Configurer une imprimante.*

confiné, ée adj. **1.** Enfermé. *Un malade confiné dans sa chambre.* Fig. *Un esprit confiné dans la routine.* **2.** *Air confiné,* insuffisamment renouvelé.

confinement n. m. **1.** Action de confiner, d'isoler; fait de se confiner, d'être confiné. **2.** Installation empêchant les produits radioactifs d'un réacteur nucléaire de se disséminer à l'extérieur.

confiner v. [**1**] **1.** v. tr. Reléguer en un lieu. *La maladie le confine chez lui.* **2.** v. tr. indir. Toucher aux limites d'une terre, d'une région, d'un pays. *La prairie qui confine à la forêt.* – Fig. Être proche de. *Sa naïveté confine à la bêtise.* **3.** v. pron. S'enfermer. *Elle se confine dans sa chambre.* – Fig. Se limiter. *Se confiner dans des tâches subalternes.*

confins n. m. pl. Limites, extrémités d'un pays, d'une terre; parties situées à leurs frontières. *Les confins du Sahara. Ville située aux confins de trois départements.* ▷ Fig. *Plaisanterie aux confins du mauvais goût.*

confire v. tr. [**64**] Mettre (des produits alimentaires) dans une substance qui les conserve. *Confire des morceaux d'oie dans de la graisse, des cornichons dans du vinaigre. Confire des fruits dans du sucre.*

confirmand, ande n. RELIG Personne qui va recevoir le sacrement de confirmation.

confirmatif, ive adj. DR Qui confirme. *Arrêt confirmatif d'un jugement.*

confirmation n. f. **1.** Action de confirmer; son résultat. *La confirmation d'un soupçon.* – Assurance nouvelle et expresse. *J'ai reçu confirmation de la nouvelle.* **2.** RELIG Sacrement de l'Église catholique romaine qui confirme la grâce reçue au baptême. ▷ Dans l'Église protestante, confession publique de la foi chrétienne après l'instruction religieuse. **3.** DR *Arrêt de confirmation,* par lequel une cour d'appel rend exécutoire le jugement précédemment rendu.

confirmer v. [**1**] **I.** v. tr. **1.** Maintenir (ce qui est établi), sanctionner, ratifier. *Confirmer une prérogative.* **2.** Conforter. *Il m'a confirmé dans mon opinion.* **3.** Assurer la vérité de qqch, l'appuyer par de nouvelles preuves. *Expérience qui confirme une théorie. Confirmer une nouvelle.* Ant. contredire, démentir, infirmer. **4.** RELIG Administrer le sacrement de la confirmation à. **II.** v. pron. Devenir certain. *Cette information se confirme.*

confiscable adj. Qui est sujet à confiscation.

confiscation n. f. Action, fait de confisquer.

confiscatoire adj. Didac. Qui vise à confisquer. *Taxation confiscatoire.*

confiserie n. f. **1.** Lieu où l'on fabrique, où l'on vend des fruits confits, des sucreries, des friandises. **2.** Fabrication, commerce de ces produits. **3.** Ces produits eux-mêmes. *Un assortiment de confiseries.*

confiseur, euse n. Personne qui fabrique, qui vend de la confiserie. ▷ Loc. *Trêve des confiseurs :* période des fêtes de fin d'année, pendant laquelle l'activité politique et diplomatique se ralentit.

confisquer v. tr. [**1**] **1.** Saisir au profit du fisc, de l'État. **2.** Retirer provisoirement (un objet) à un enfant, à un écolier. **3.** Fig. Prendre pour son seul profit, accaparer.

confit, ite adj. et n. m. **1.** adj Conservé dans du vinaigre, dans de la graisse, dans du sucre. ▷ n. m. Préparation culinaire composée de viande cuite et conservée dans sa propre graisse. *Confit d'oie, de canard.* **2.** adj. Fig., vieilli (Personnes) *Une bigote confite en dévotion,* exagérément attachée aux formes extérieures de la piété.

confiteor [kɔ̃fiteɔʀ] n. m. inv. LITUR CATHOL Prière, commençant par ce mot lat., signifiant «je confesse», qui se disait au début de la messe et avant de se confesser. *Le confiteor se récite aujourd'hui en français.*

confiture n. f. **1.** Fruits que l'on a fait cuire dans du sucre. *Confiture de cerises, de coings. Pot de confiture.* **2.** Loc. fig., fam. *Mettre en confiture,* en morceaux, en bouillie.

confiturier n. m. Pot dans lequel on sert les confitures.

conflagration n. f. **1.** Vx Embrasement. **2.** Fig. Bouleversement très important (guerre, révolution).

Conflans-Sainte-Honorine, ch.-l. de cant. des Yvelines (arr. de Saint-Germain-en-Laye), près du confl. de la Seine et de l'Oise; 31 857 hab. Port fluvial. – Grand centre de batellerie (musée). Égl. des XIIe-XVe s.

Conflent (le), rég. du Roussillon, dans la vallée de la Têt, autour de Prades.

conflictuel, elle adj. Qui recèle un conflit ou le provoque. *Situation conflictuelle.*

conflit n. m. **1.** Vx Lutte. **2.** Antagonisme. *Le conflit des passions. Un conflit de tendances, d'autorité.* Loc. *Être, entrer en conflit avec qqn.* ▷ PSYCHAN Opposition entre des exigences internes contradictoires. *Conflit manifeste, latent.* **3.** Opposition entre deux États qui se disputent un droit. *Conflit armé* : guerre. **4.** DR Opposition qui s'élève entre deux tribunaux se prétendant tous deux compétents *(conflit positif)* ou incompétents *(conflit négatif)* au sujet de la même affaire.

confluence n. f. **1.** Fait de confluer. *La confluence de l'Ohio et du Mississippi.* **2.** Fig. Rencontre. *La confluence d'opinions jusque-là divergentes.* **3.** MED Rapprochement de lésions cutanées dont les contours tendent à se confondre.

confluent n. m. **1.** Lieu où deux cours d'eau se réunissent. **2.** ANAT Point de rencontre de deux vaisseaux.

confluer v. intr. [1] **1.** Se réunir, en parlant de deux cours d'eau. *La Dordogne conflue avec la Garonne.* **2.** Fig. Se rassembler. *La foule conflue sur la place.*

confocal adj. m. TECH *Microscope confocal* : microscope à balayage laser permettant de réaliser des coupes optiques dans l'épaisseur d'un échantillon sans le couper, les images ainsi produites étant ensuite traitées par ordinateur pour aboutir à une visualisation tridimensionnelle de l'objet étudié.

Confolens, ch.-l. d'arr. de la Charente, au confl. du Goire et de la Vienne; 3 158 hab. – Égl. romane St-Barthélemy (XIe s.). Égl. St-Maxime (XVe s.). Ruines d'un château du XIIe s.

confondant, ante adj. Qui remplit d'étonnement, qui trouble. *Une audace confondante.*

confondre v. tr. [6] **I. 1.** Remplir d'étonnement, troubler. *Sa duplicité me confond.* **2.** Réduire (qqn) au silence en lui prouvant qu'il se trompe. *Confondre ses contradicteurs.* ▷ *Confondre un menteur,* le démasquer. **3.** v. pron. *Se confondre en excuses, en civilités* : multiplier les excuses, les marques de civilité. **II. 1.** Mêler, brouiller. *L'obscurité confondait tous les objets.* **2.** Prendre une chose, une personne pour une autre. *Confondre des noms, des dates.* ▷ (S. comp.) *Ce n'est pas lui, je confonds!* **3.** v. pron. Se mêler. *Les voix des choristes se confondent.*

confondu, ue adj. **1.** Mêlé. **2.** Litt (Personnes) Confus.

conformation n. f. **1.** Manière dont un corps organisé est conformé, dont

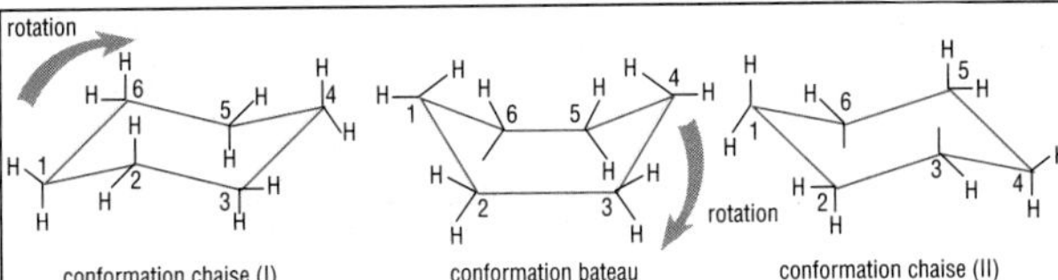

la molécule de cyclohexane C_6H_{12} peut présenter plusieurs conformations à cause de la libre rotation autour des 6 liaisons simples C – C (en rouge) ; le schéma montre le passage de «chaise (I)» à «bateau» puis à «chaise (II)»

conformation

ses parties sont disposées. **2.** MED *Vice de conformation* : malformation congénitale. **3.** CHIM Disposition dans l'espace susceptible d'être prise par les constituants d'une molécule d'un corps organique.

conforme adj. **I.** *Conforme à.* **1.** De même forme que, semblable à (un modèle). *Copie conforme à l'original.* – *Pour copie conforme* : formule attestant que la copie est semblable à l'original (abrév. : p. c. c.). **2.** Qui s'accorde avec, qui convient à. *Il mène une vie conforme à ses aspirations.* **II.** *Absol.* Qui s'accorde avec la majorité des opinions, des comportements en vigueur. *Dans certains régimes, il est dangereux d'avoir des idées non conformes.*

conformé, ée adj. Qui possède telle ou telle conformation. *Un enfant bien, mal conformé.*

conformément adv. De manière conforme. *Conformément à la loi.*

conformer v. tr. [1] **1.** Rendre conforme. *Conformer ses sentiments à ceux des autres.* **2.** v. pron. *Se conformer à* : agir selon. *Se conformer à un ordre. Se conformer aux coutumes d'un pays.*

conformisme n. m. **1.** HIST En Angleterre, profession de foi anglicane. **2.** Attitude de ceux qui, par manque d'esprit critique, se conforment à ce qui est communément admis.

conformiste n. et adj. **1.** n. HIST Personne qui se conforme aux doctrines et aux rites de l'Église anglicane. **2.** adj. et n. Péjor. Qui se soumet aux opinions généralement admises. *Une morale conformiste.* ▷ Subst. *Un conformiste hypocrite.*

conformité n. f. Analogie, accord. *La conformité d'une copie avec l'original. Conformité de sentiments.* ▷ Loc. *En conformité avec* : conformément à, selon. *Mener une vie en conformité avec ses idées.*

confort n. m. Bien-être matériel, commodités de la vie quotidienne. *Aimer le confort. Appartement avec tout le confort.* – Fig. (Souvent péjor.) Tranquillité psychologique. *Confort intellectuel.* ▷ *Médicament de confort,* qui permet de supporter un mal, mais sans constituer un traitement de ses causes.

confortable adj. Qui contribue au bien-être matériel. *Un appartement confortable. Des revenus confortables,* importants. – Fig. Qui donne le confort intellectuel, la tranquillité de l'esprit. *Ses idées le mettent dans une situation peu confortable.*

confortablement adv. De façon confortable. *Être confortablement installé.*

conforter v. tr. [1] Rendre plus ferme, plus solide, renforcer. *Cela me conforte dans mon opinion.*

confraternel, elle adj. De confrère, propre à des confrères. *Des relations confraternelles.*

confraternité n. f. Relations amicales entre confrères.

confrère n. m. Personne qui appartient à la même profession intellectuelle, à la même société savante (que la personne considérée). *Un médecin estimé de ses confrères. Ils sont confrères à l'Institut.*

confrérie n. f. **1.** Association pieuse, le plus souvent composée de laïcs. **2.** Vieilli Association, corporation. *Une confrérie de gastronomes.*

confrontation n. f. Action de confronter des personnes, des choses.

confronter v. tr. [1] **1.** DR Faire comparaître en même temps des accusés, ou des accusés et des témoins, pour les interroger et comparer leurs affirmations. ▷ *Par ext.* Mettre (des personnes) en présence les unes des autres, pour comparer leurs opinions, éclaircir une question obscure, etc. ▷ Examiner deux choses en même temps pour les comparer. *Confronter deux versions d'un texte. Confronter des idées.* **2.** v. pron. Se trouver en face de (une difficulté). *Se confronter à la misère. Se confronter à un adversaire redoutable.*

confucéen, enne adj. Relatif au confucianisme, inspiré par cette doctrine.

confucianisme n. m. Doctrine et enseignement de Confucius*.

confucianiste adj. et n. Se dit d'un adepte du confucianisme.

Confucius (nom latinisé par les missionnaires du XVIIIe s. d'après le chinois *K'ong-fou-tseu,* «Vénéré maître K'ong») ou **Kongzi** (VIe-Ve s. av. J.-C.), philosophe chinois dont la doctrine symbolise l'humanisme traditionnel de l'anc. Chine. Il a instauré une morale sociale axée sur la vertu d'humanité *(jen),* l'équité *(yi)* et le respect des rites cultuels *(li).* ▸ illustr. page **412**

confus, use adj. **1.** Dont les éléments sont brouillés, mêlés. *Amas confus. Un bruit confus.* **2.** Obscur, embrouillé. *La situation reste confuse.* **3.** Embarrassé, troublé. *«Le corbeau, honteux et confus...» (La Fontaine).*

confusément adv. De manière confuse.

confusion n. f. **1.** Embarras, honte. *Vos reproches me remplissent de confusion.* – *À la confusion de* : à la honte de, au dépit de. **2.** Désordre. *La confusion se mit dans les rangs.* **3.** Manque d'ordre, de clarté, de précision dans l'esprit. *La confusion des idées.* **4.** MED *Confusion mentale* : syndrome psychique, aux causes variées, caractérisé par une altération de la conscience, un état de stupeur, des troubles de l'idéation. **5.** Fait de confondre, de prendre une personne, une chose, pour une autre. *Une confusion de dates.* **6.** DR *Confusion des pouvoirs* : réunion de droits, de pouvoirs qui devraient être séparés. – *Confusion des peines* : condamnation d'une personne reconnue coupable de plusieurs crimes ou délits à la peine la plus élevée prévue pour sanctionner l'une des infractions commises, et à cette peine seule.

confusionnel, elle adj. MED Qui se rapporte à la confusion mentale. *Un état confusionnel.*

confusionnisme n. m. État de confusion ; maintien de cet état dans les esprits.

conga n. f. Tambour en bois recouvert d'une peau, de forme ovoïde, de plus de 1 m de haut, utilisé dans la musique africaine et latino-américaine.

congé n. m. **1.** Permission, autorisation de se retirer. *Prendre congé* : saluer des personnes avant de partir. **2.** Permission de s'absenter, de quitter momentanément son travail. *Congé de maladie. Les congés annuels. Avoir congé le lundi. Avoir deux jours de congé.* ▷ *Les congés payés* : les vacances payées auxquelles a droit chaque année un salarié ; péjor. les personnes qui ont droit aux congés payés. *Une plage envahie par les congés payés.* **3.** (Toujours employé avec le possessif.) *Demander son congé* : demander à quitter définitivement son emploi. *Donner son congé à qqn*, le renvoyer. **4.** DR En matière de louage, déclaration écrite ou orale par laquelle l'une des parties signifie à l'autre qu'elle veut mettre fin au contrat. *Donner congé à un locataire.* **5.** Attestation de paiement des droits de circulation frappant certaines marchandises (alcools, notam.). **6.** ARCHI Raccordement d'une moulure et d'un parement. **7.** TECH Évidement.

congédiement n. m. Action de congédier.

congédier v. tr. [2] Renvoyer qqn, lui donner ordre de se retirer.

congélateur n. m. Appareil ou partie d'un réfrigérateur qui sert à congeler des denrées alimentaires.

congélation n. f. **1.** PHYS Solidification sous l'action du froid. **2.** Conservation par de très basses températures.

congelé, ée adj. Qui a subi une congélation.

congeler v. tr. [17] **1.** PHYS Transformer un liquide en solide par refroidissement. **2.** Porter (un corps) à basse température pour le conserver. *Congeler du poisson.*

congénère adj. et n. **1.** adj. SC NAT De la même espèce. *Plantes congénères.* ▷ ANAT *Muscles congénères*, qui concourent à produire le même effet (par oppos. à *muscles antagonistes*). **2.** n. (Souvent péjor.) Être, animal du même genre, de la même espèce. *Lui et ses congénères.*

congénital, ale, aux adj. Qui existe à la naissance. (Ne pas confondre avec *héréditaire*.) *Une maladie, une anomalie congénitale.* ▷ Fig. *Une inaptitude congénitale au travail*, complète, absolue. – Fam., péjor. *Un imbécile congénital.*

congénitalement adv. De manière congénitale.

congère n. f. Amas de neige que le vent a entassée et qui a durci.

congestif, ive adj. Qui a rapport à la congestion. *Des troubles congestifs.*

congestion n. f. **1.** Excès de sang dans les vaisseaux d'un organe ou d'une partie d'organe. *Congestion cérébrale, pulmonaire.* **2.** Fig. Encombrement par accumulation. *La congestion des villes surpeuplées.*

congestionner v. tr. [1] Déterminer la congestion de. ▷ Fig. *Les embouteillages qui congestionnent la capitale.* – Pp. adj. *Un visage congestionné*, rougi par l'afflux du sang.

conglomérat n. m. **1.** PETROG Roche formée de blocs noyés dans un ciment naturel (ex. : brèche 2, poudingue). **2.** Fig. Rassemblement, association. **3.** ECON Ensemble d'entreprises aux productions variées, réunies dans un même groupe financier.

conglomérer v. tr. [14] Didac. Réunir en boule, en pelote, en masse.

conglutiner v. tr. [1] Didac. Coaguler, rendre un liquide visqueux.

Congo (le), fl. d'Afrique équat. (4 640 km), le deuxième du monde par l'étendue de son bassin et par son débit ; naît dans la rég. des Grands Lacs sous le nom de *Lualaba*, arrose Kisangani, Kinshasa, Brazzaville, et se jette dans l'Atlant. par un large estuaire. Malgré ses chutes et ses rapides, il forme une excellente voie de pénétration, des biefs navigables (complétés par des voies ferrées) ayant été aménagés. Princ. affl. : l'Oubangui, la Sangha, le Kasaï.

Congo (république du) (anc. *Congo-Brazzaville*), État d'Afrique équat., baigné par l'Atlant. ; 342 000 km² ; env. 2 665 000 hab. ; cap. *Brazzaville*. Nature de l'État : rép. de type présidentiel. Langue off. : français. Monnaie : franc C.F.A. Relig. : animisme, christianisme. **Géogr. phys. et hum.** – Le relief est monotone, constitué de plateaux et de collines, drainé par le Congo et ses affluents de rive droite (Oubangui, Sangha). La forêt dense, qui occupe le N. équatorial du pays, se dégrade en savane arborée dans le S. tropical. La population, rurale à près de 60 %, compte de nombreuses ethnies bantoues : Bakongos, Batékés, M'Bochis, etc. Elle se concentre au S., sur le littoral et dans les vallées.
Écon. – Les cultures vivrières sont la base de l'économie, le pétrole constituant la grande ressource d'exportation (60 % du budget national), devant le bois et ses dérivés. Brazzaville et Pointe-Noire sont les deux pôles économiques du pays. La dette extérieure est élevée et des mesures de libéralisation ont été prises pour relancer l'investissement privé. Un programme d'ajustement du F.M.I. a été adopté en 1995.
Hist. – Plusieurs royaumes (Makoko, XVᵉ s. ; Loango) se constituèrent sur le territ. de l'actuel Congo. L'explorateur Savorgnan de Brazza plaça les États Makoko sous l'autorité franç. (1879-1882). La colonie du Congo, créée en 1891 et devenue autonome en 1903, fit partie de l'A.-É.F. (dont Brazzaville devint la cap.) sous l'appellation de Moyen-Congo. Depuis l'indépendance,

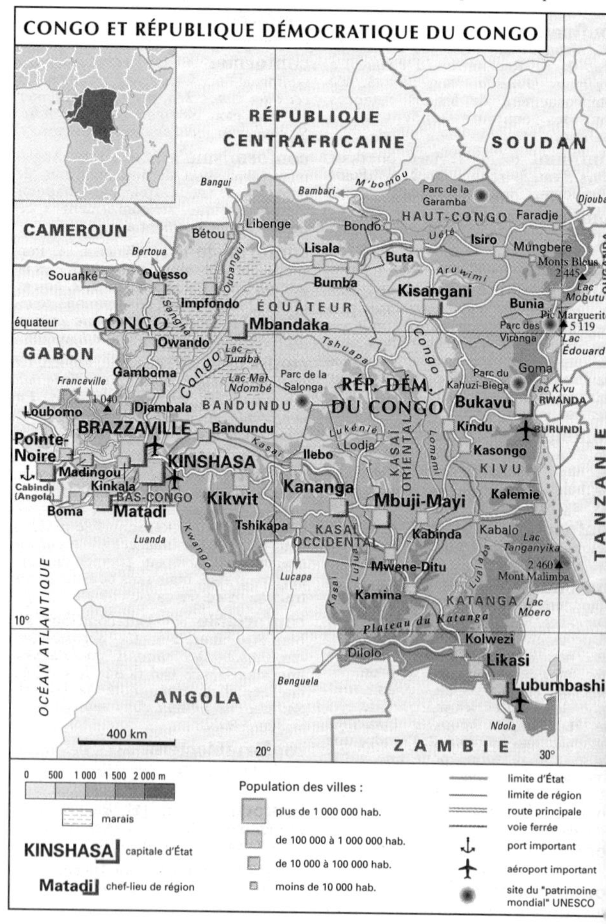

en 1960, l'histoire du Congo a été marquée par l'instabilité et la violence. Fulbert Youlou (1959-1963) est écarté du pouvoir par A. Massambat-Débat, lui-même renversé en 1968 par Marien Ngouabi, qui est assassiné en 1977. Au terme d'une expérience militaro-marxiste d'une vingtaine d'années, le pays s'est engagé, à partir de 1990, dans une délicate transition démocratique : une Constitution a été approuvée (1992). Pascal Lissouba a succédé à Denis Sassou Nguesso (1979-1992). Mais il doit faire face, depuis l'été 1993, à une guerre civile. Celle-ci est alimentée par la farouche rivalité prévalant au sein d'une triade (D. Sassou Nguesso, B. Kolelas, P. Lissouba) pour la conquête du pouvoir. En 1997, après quatre mois de combats violents et après avoir gagné la bataille du pétrole grâce aux troupes angolaises, Denis Sassou Nguesso est revenu au pouvoir.

Congo (république démocratique du) (R.D.C.) (Zaïre de 1971 à 1997). État de l'Afrique équatoriale, le troisième du continent par la superficie, après l'Algérie et le Soudan; 2 344 858 km²; 45 250 000 hab., croissance démographique : 3 % par an; cap. *Kinshasa*. Nature de l'État : rép. de type présidentiel. Pop. : Bantous (50 %). Soudanais, Pygmées. Langue off. : français. Monnaie : franc congolais. Relig. : christianisme (près de 70 %), animisme.

Géogr. phys. et hum. – Le pays, qui débouche sur l'Atlantique par un étroit couloir barré de chutes, correspond aux deux tiers orientaux de l'immense cuvette du Congo et s'adosse, à l'E. aux hautes terres d'Afrique orientale (5 119 m au Ruwenzori) que fracture le grand rift dont les lacs (Mobutu, Édouard, Kivu, Tanganyika) jalonnent la frontière. Plateaux et collines forment l'essentiel du relief, des plaines inondables longeant le fleuve et ses affluents. La majeure partie du bassin alluvial est couverte de forêt dense équatoriale et ne compte que de rares foyers de peuplement. Les hab. se concentrent sur les hauteurs périphériques de l'E., plus saines, et surtout dans le tiers sud du pays où dominent la forêt claire et la savane arborée (région de Kinshasa et du Shaba).

Écon. – Avec une importante paysannerie (env. 70 % des actifs), les princ. cultures (manioc, maïs) sont réservées à la consommation locale, mais le Congo doit importer des prod. alimentaires. Les ressources minières sont concentrées surtout dans la région du Shaba*. Le Congo, important producteur de cobalt, de cuivre, fournit aussi de l'or, des diamants et toute une gamme de minerais (zinc, manganèse, uranium), mais ses ressources énergétiques sont faibles. Bien que l'État, depuis 1966, exerce son contrôle sur la plupart des compagnies, notam. sur celles assurant la production du cuivre, les intérêts étrangers (belges, surtout) sont encore très puissants. Malgré ses riches possibilités, l'économie congolaise souffre de débouchés maritimes malaisés, d'un réseau de communications intérieures très insuffisant, des incohérences des décisions politiques et de la fluctuation des cours mondiaux

Hist. – Exploré par les Portugais au XVe s., le royaume du Congo était déchiré par les luttes locales et épuisé par la traite des Noirs lorsque, au XIXe s., le roi des Belges Léopold II en entreprit la colonisation. Il fit reconnaître (conférence de Berlin, fév. 1885) un « État indépendant du Congo », dont il fut le souverain à titre personnel et qui devint une colonie belge en 1908. S'appuyant sur des administrateurs compétents, sur les missions catholiques et sur de puissantes compagnies privées développant avec efficacité la recherche agronomique, la Belgique établit un régime paternaliste d'exploitation du pays, qu'elle dota d'une infrastructure routière et ferroviaire destinée à faciliter l'acheminement vers la métropole du produit des mines et des plantations. Le développement d'une pop. urbaine et ouvrière entraîna l'apparition des premiers mouvements nationalistes (l'Abako de Joseph Kasavubu, le Mouvement national congolais de Patrice Lumumba), qui obtinrent dans des conditions difficiles l'indépendance du Congo (30 juin 1960). Faute de cadres indigènes suffisamment nombreux, la jeune république sombra aussitôt dans le chaos et la division. Le Katanga fit sécession en juill. sous la direction de Moïse Tschombé, alors que le gouvernement central était divisé entre fédéralistes, animés par le président de la République Kasavubu, et unitaires, dirigés par Patrice Lumumba, Premier ministre. Après que les deux hommes se furent destitués réciproquement, le colonel Mobutu, commandant de la force publique, mit en place un collège de commissaires. Lumumba fut arrêté et exécuté par les Katangais (1961). Aidés par l'ONU, qui réduisit la sécession katangaise (1961-1963), Kasavubu, revenu à la présidence, et Adoula, chef du gouvernement, rétablirent un semblant d'unité qui ne dura pas. Les troubles reprirent et s'amplifièrent après le rappel par Kasavubu de Tschombé à la tête du gouvernement (1964). En nov. 1965, Mobutu, devenu général, s'empara du pouvoir. L'opposition décapitée, il organisa un régime présidentiel fort, intensifia le centralisme administratif et assura la « zaïrisation » de l'économie. Chef du parti unique, Mobutu voulut cimenter l'unité nationale et mit en échec des tentatives de soulèvement au Shaba (avril 1977, mai 1978) avec l'aide de troupes franç. et marocaines. Le président Mobutu fut réélu en déc. 1978 et en août 1984. En avril 1990, il proclama la IIIe République, introduisant le multipartisme. Le régime corrompu et autoritaire du président Mobutu dut concéder à l'opposition, en 1991, une Conférence nationale qui sera suspendue (1992). En mai 1997, la lutte pour le contrôle du pouvoir central et l'impact des crises aboutissent au départ de Mobutu et à l'arrivée au pouvoir de Laurent-Désiré Kabila qui se proclame président de la nouvelle République démocratique du Congo. Un an plus tard, une rebellion soutenue par ses anciens alliés, le Rwanda et l'Ouganda, menace Kinshasa sauvée par les troupes angolaises, avant de se retrancher dans l'est du pays (Kivu), faisant planer sur l'ex-Zaïre l'ombre d'une partition.

congolais, aise adj. et n. Du Congo.

congratulations n. f. pl. Vx ou plaisant Félicitations; compliments.

congratuler v. tr. [1] Vx ou plaisant Féliciter, complimenter.

congre n. m. Poisson téléostéen apode qui peut atteindre 3 m, de couleur gris-bleu, carnivore et comestible.

congrégation n. f. **1.** Au Vatican, chacune des organisations d'ecclésiastiques qui, placées sous l'autorité du pape, règlent l'administration de l'Église. *Congrégation pour la doctrine de la foi.* **2.** Dans l'Église protestante, organisation ecclésiastique. **3.** CATHOL Association de religieux, dont les membres vivent en communauté. *Congrégation de l'Oratoire.* **4.** Pieuse confrérie. *Congrégation de la Vierge.*

congrès n. m. **1.** Réunion de personnes rassemblées pour traiter d'intérêts communs, d'études spécialisées. *Un congrès d'historiens. Palais des congrès.* **2.** Réunion de diplomates appartenant à différentes puissances, ayant pour objet de régler certaines questions internationales. *Le congrès de Vienne s'acheva en 1815.* **3.** (Avec une majuscule.) Aux É.-U., corps législatif constitué par le Sénat et la Chambre des représentants.

congressiste n. Membre d'un congrès.

congru, ue adj. **1.** Vx Qui convient exactement. *Réponse congrue.* Ant. incongru. **2.** Anc. *Portion congrue* : rétribution annuelle versée au curé par le bénéficier d'une paroisse; *par ext.*, mod. appointements mesquins, revenus insuffisants. *Être réduit à la portion congrue.* **3.** MATH *Nombres congrus*, qui donnent le même reste lorsqu'on les divise par un même diviseur appelé *modulo. 14 est congru à 8 modulo 6.*

congruence n. f. **1.** MATH Caractère des nombres congrus. **2.** GEOM *Congruence de droites* : ensemble des droites satisfaisant à deux conditions (être tangentes à deux surfaces).

congrûment adv. Litt. D'une manière congrue.

conicine n. f. Syn. de *cicutine*.

conicité n. f. Didac. Caractère de ce qui est conique.

conifère n. m. Plante d'une famille de gymnospermes arborescentes, résineuses, à feuilles persistantes, caractérisées par leurs cônes. *Les pins, les sapins, les cèdres sont des conifères.*

conique adj. et n. f. **1.** adj. Qui a la forme d'un cône. **2.** adj. GEOM Qui se rapporte au cône. **3.** n. f. GEOM Courbe plane du second degré (ellipse, hyperbole ou parabole).

conirostre adj. et n. ZOOL Qui a un bec conique et court. ▷ Subst. *Les pinsons et les moineaux sont des conirostres.*

conjectural, ale, aux adj. Didac. Fondé sur de simples conjectures.

conjecture n. f. Opinion fondée sur des présomptions, des probabilités. *Se perdre en conjectures.*

conjecturer v. tr. [1] Inférer, juger en fonction de conjectures.

conjoint, ointe n. et adj. **1.** n. Personne qui est mariée à une autre. *La signature du conjoint est requise.* **2.** adj. Lié. *Des questions conjointes.*

conjointement adv. Ensemble, de concert avec. *Il faut agir conjointement.*

conjoncteur n. m. ELECTR Dispositif qui assure la connexion d'un circuit lorsque la tension est suffisante.

conjonctif, ive adj. **1.** GRAM Qui réunit deux mots, deux propositions. *« Bien que » est une locution conjonctive. Proposition conjonctive* ou, n. f., *une conjonctive.* **2.** ANAT Qui joint des parties organiques. – *Tissu conjonctif* : tissu de liaison de soutien entre les différents tissus et organes, formé par les cellules conjonctives, les fibres conjonctives et les fibres élastiques.

conjonction n. f. **1.** Union. *La conjonction d'éléments dissemblables.* **2.** GRAM Mot invariable qui unit deux mots, deux propositions. *Mais, ou, et, donc, or, ni, car* sont des conjonctions de coordination. *Comme, quand, que* sont des conjonctions de subordination. **3.** ASTRO Situation de deux planètes (ou d'une planète et du Soleil) alignées avec la Terre.

conjonctive n. f. ANAT Membrane qui tapisse la face antérieure de l'œil et la partie interne des paupières.

conjonctivite n. f. MED Inflammation de la conjonctive.

conjoncture n. f. **1.** Situation résultant d'un concours d'événements. *Fâcheuse conjoncture.* **2.** ECON Ensemble des conditions déterminant l'état du marché à un moment donné, pour un produit ou un ensemble de produits.

conjoncturel, elle adj. ECON Qui dépend de la conjoncture.

conjoncturiste n. ECON Spécialiste de l'analyse de la conjoncture.

conjugaison n. f. **1.** Action d'unir, de coordonner en vue d'un même but; son résultat. *La conjugaison de nos efforts.* **2.** GRAM Ensemble des formes que possède un verbe. *Conjugaison régulière, irrégulière. Conjugaison active, passive, pronominale.* **3.** BIOL Appariement de deux cellules avant la fécondation. ▷ Mode de reproduction sexuée typique des ciliés, dans lequel les deux cellules se séparent après avoir échangé une partie de leur A.D.N.

conjugal, ale, aux adj. Qui concerne l'union du mari et de la femme. *Amour conjugal.*

conjugalement adv. **1.** Avec son conjoint. **2.** D'une manière conjugale. *Vivre conjugalement sans être marié.*

conjugué, ée adj. **1.** Lié ensemble, uni. *Des éléments harmonieusement conjugués.* **2.** CHIM *Liaisons conjuguées :* liaisons multiples séparées par une liaison simple, dans une molécule. **3.** MATH *Expressions conjuguées,* qui ne diffèrent que par le signe de l'un de leurs termes (ex. : $a + b$ et $a - b$). ▷ *Quantités conjuguées,* entre lesquelles il existe une correspondance donnée. **4.** GEOM *Points conjugués harmoniquement* (par rapport à deux autres points A et B) ou *conjugués harmoniques* (de A et B) : points N et M tels que $\frac{MA}{MB} = -\frac{NA}{NB}$. **5.** PHYS *Points conjugués :* dans un système optique centré, ensemble de deux points dont l'un est l'image de l'autre. **6.** PHYS NUCL *Particules conjuguées :* ensemble d'une particule et de son antiparticule.

conjuguer v. tr. [1] **1.** Unir. *Conjuguer ses efforts.* **2.** GRAM Réciter, écrire la conjugaison d'un verbe. ▷ v. pron. *Le verbe « aller » se conjugue avec l'auxiliaire « être ».*

conjurateur, trice n. **1.** Personne qui est à la tête d'une conjuration. **2.** Rare Exorciseur.

conjuration n. f. **1.** Association en vue d'exécuter un complot contre l'État, le souverain. **2.** *Par ext.* Conspiration, cabale. **3.** Pratique de magie destinée à exorciser les influences néfastes.

conjuratoire adj. Destiné à conjurer le sort. *Incantation conjuratoire.*

conjuré, ée n. Personne entrée dans une conjuration. *Le chef des conjurés.*

conjurer v. tr. [1] **1.** Vx, litt. Préparer en complotant. *Conjurer la ruine de l'État.* ▷ v. pron. Mod. Se liguer par un complot. *Des généraux de l'état-major se sont conjurés.* – Fig. *Des hasards malheureux se conjurent contre nous.* **2.** Écarter, éloigner (une puissance néfaste) par des prières, des pratiques magiques. *Conjurer le sort.* **3.** Fig. Écarter (un danger, une menace). *Conjurer les craintes d'un enfant.* **4.** Prier avec insistance, supplier. *Écoutez-le, je vous en conjure.*

Connacht ou **Connachta** (en anglais *Connaught*), prov. du N.-O. de l'Eire; 17 122 km²; 422 900 hab.; ch.-l. *Galway.* Rég. pauvre (agric. extensive; faible industrialisation).

connaissance n. f. **1.** Fait de connaître une chose, fait de savoir qu'elle existe. *La connaissance sensorielle s'oppose à la connaissance abstraite.* **2.** PHILO *Théorie de la connaissance :* ensemble de spéculations ayant pour but de déterminer l'origine et la valeur de la connaissance commune, scientifique ou philosophique. **3.** Idée exacte d'une réalité, de sa situation, de son sens, de ses caractères, de son fonctionnement. *Avoir une grande connaissance de la musique, des affaires.* **4.** Loc. *Avoir connaissance de (qqch) :* en venir à apprendre (qqch). – *Prendre connaissance d'une chose,* l'examiner. – *À ma connaissance :* autant que je sache. – *Venir à la connaissance de qqn :* être appris par qqn. – *En connaissance de cause :* en se rendant compte de ce que l'on fait, dit, etc. **5.** (En loc.) Conscience de sa propre existence et de l'exercice de ses facultés. *Perdre connaissance; rester, tomber sans connaissance :* avoir une syncope. *Reprendre connaissance :* revenir d'un évanouissement. **6.** (Plur.) Notions acquises; ce que l'on a appris d'un sujet. *Avoir des connaissances en électronique.* **7.** Relation entre des personnes. *Faire connaissance avec qqn :* entrer en relation avec qqn. – Fig. *J'ai commencé à faire connaissance avec la région.* ▷ *De connaissance :* que l'on connaît. *J'ai retrouvé une tête de connaissance.* – Par ext. *En pays de connaissance :* au milieu de personnes, de choses que l'on connaît. **8.** Personne avec qui l'on est en relation. *C'est une vieille connaissance.* **9.** DR Droit de statuer sur une affaire.

connaissement n. m. DR MARIT Déclaration contenant un état des marchandises chargées sur un navire.

connaisseur, euse n. Personne qui est experte en un sujet. ▷ adj. *Un regard connaisseur.*

connaître v. tr. [73] **1.** Avoir une idée pertinente de. *Je connais les raisons de leur brouille.* **2.** Être informé de. *Connaissez-vous les dernières nouvelles?* **3.** Avoir la pratique de. *Connaître un métier.* **4.** Avoir l'expérience de. *Connaître la misère, le froid.* **5.** *Connaître un endroit,* y être allé. **6.** (Sujet nom de chose.) Avoir. *Son ambition ne connaît pas de limites.* **7.** *Ne connaître que (qqch) :* se préoccuper uniquement de. *Ne connaître que son devoir.* **8.** Savoir l'identité de (qqn). *Je le connais de vue seulement.* **9.** Avoir des relations avec (qqn). *Je le connais depuis trois ans.* ▷ v. pron. *Elles se sont connues au pensionnat.* **10.** (Style biblique, employé auj. par plaisant.) *Connaître une femme,* avoir avec elle des relations sexuelles. **11.** Apprécier, comprendre le caractère, la personnalité de (qqn). *J'ai mis longtemps à bien le connaître.* **12.** v. pron. Avoir une juste notion de soi-même. ▷ *Ne plus se connaître :* être dominé par la passion, la colère. ▷ *S'y connaître :* être compétent. **13.** v. tr. indir. DR *Connaître de :* avoir autorité pour statuer en matière de. *Connaître d'une affaire.*

connard ou **conard, arde** n. et adj. Vulg. Crétin, abruti.

connasse ou **conasse,** n. f. et adj. Vulg. Imbécile, idiote.

connecté, ée adj. et n. **1.** adj. ELECTR Mis en connexion. **2.** n. Personne qui a une connexion avec un réseau télématique.

connecter v. tr. [1] TECH Joindre. ▷ ELECTR Réunir par une connexion.

connecteur n. m. **1.** TECH Dispositif de connexion. **2.** ELECTR Prise de courant à broches multiples.

connecticien, enne n. INFORM Spécialiste chargé de faire évoluer un réseau, ses applications, et d'en assurer la maintenance.

Connecticut (le), fl. du N.-E. des É.-U. (553 km); se jette dans l'Atlantique (baie de Long Island).

Connecticut, État du N.-E. des É.-U., sur l'Atlant.; 12 973 km²; 3 287 000 hab.; cap. *Hartford.* – Le relief est formé de collines que draine du N. au S. le Connecticut. Les côtes sont échancrées. L'agric. est peu import. : les cult. maraîchères prédominent dans cet État très urbanisé, tourné auj. vers les industr. à haute technicité : aéron., électron. – Ce fut le cinquième État à adopter la Constitution fédérale (1788).

connectif, ive n. et adj. **1.** n. m. BOT Élément d'une étamine, faisant suite au filet et liant les anthères. **2.** adj. ANAT *Tissu connectif :* tissu conjonctif.

connectique n. f. **1.** Technologie et industrie des connecteurs électriques et électroniques. **2.** Dispositif de connexion d'un téléviseur, d'un ordinateur. *Un appareil disposant d'une connectique riche de trois prises péritel.*

connectivité n. f. INFORM, TELECOM Possibilité de se connecter à un réseau.

connement adv. Fam. Bêtement; d'une manière conne.

connerie n. f. Fam. et vulg. Bêtise, stupidité. *Attention, ne fais pas de connerie!*

connétable n. m. HIST **1.** Premier officier de la maison du roi. **2.** Titre de commandant général des armées de 1219 à 1627. **3.** Grand dignitaire du Premier Empire, en France. **4.** Titre qui se donnait aux gouverneurs de places fortes.

connexe adj. **1.** Qui est étroitement lié avec qqch d'autre. **2.** MATH *Espace connexe,* tel qu'il n'existe aucune partition de cet espace en deux parties ouvertes (ou fermées) non vides. **3.** DR *Affaires connexes, causes connexes,* qui sont jugées par un même tribunal.

connexion n. f. **1.** Liaison que certaines choses ont les unes avec les autres. *Il y a connexion entre ces deux sciences.* **2.** ELECTR Liaison de conducteurs ou d'appareils entre eux. ▷ Organe qui établit cette liaison.

connexionnisme n. m. PHILO Théorie qui explique le système cognitif par la simple mécanique d'un réseau neuronal.

connexité n. f. Didac. Rapport, liaison de certaines choses entre elles.

connivence n. f. Complicité par complaisance ou tolérance; accord tacite. *Être, agir de connivence avec qqn.*

connotation n. f. **1.** LOG Sens appliqué à un terme, plus général que celui qui lui est propre (par oppos. à *dénotation*). **2.** LING Sens particulier que prend un mot ou un énoncé dans une situation ou un contexte donnés. ▷ Cour. Résonance affective (d'un mot). *Les connotations du mot « liberté ».*

connoter v. tr. [**1**] **1.** LOG (En parlant d'un concept.) Rassembler (des caractères). **2.** LING Signifier par connotation.

connu, ue adj. et n. m. **1.** (Choses) Dont on a connaissance. *Le monde connu des Anciens.* – n. m. *Le connu.* **2.** (Personnes) Célèbre. *Elle est plus connue en tant qu'actrice qu'en tant qu'écrivain.* ▷ Loc. *Connu comme le loup blanc* : très connu. – *Ni vu ni connu !* : V. vu.

conque n. f. **1.** Coquille des lamellibranches et des gros gastéropodes du genre *Tritonia* (triton). ▷ MYTH Trompe des tritons, faite d'une de ces coquilles spiralées. **2.** *Par ext.* Objet ayant la forme d'une conque. **3.** ANAT Cavité du pavillon de l'oreille.

conquérant, ante n. et adj. **I.** n. **1.** Personne qui fait des conquêtes militaires. *Un peuple de conquérants. Guillaume le Conquérant.* **2.** Personne qui gagne la sympathie, l'amour de qqn. **II.** adj. *Air conquérant* : attitude avantageuse, air dominateur, fat.

conquérir v. tr. [**35**] **1.** Prendre par les armes. *Conquérir un pays.* **2.** Gagner, séduire, s'attacher. *Conquérir les cœurs. Conquérir l'estime de ses collaborateurs.*

Conques, ch.-l. de cant. de l'Aveyron (arr. de Rodez); 366 hab. – Vest. d'une abb. bénédictine du XIe s. : égl. romane Ste-Foy (célèbre *Jugement dernier* au tympan du grand portail) et salle du Trésor de Conques (ouvrages d'orfèvrerie du IXe au XVe s. : « Majesté » de sainte Foy, reliquaire dit de Pépin d'Aquitaine, etc.).

trésor de l'anc. abbaye de **Conques :** « Majesté » de sainte Foy, bois recouvert d'or et d'argent doré repoussés, pierres précieuses, camées antiques, perles fines

onquête n. f. **1.** Action de conqué-r. *Faire la conquête d'une province.* . Ce qui est conquis. *Les conquêtes Alexandre.* – Fig. *Les conquêtes de la ience.* **3.** Fig. Fait de gagner la sympa-ie, l'amour de qqn. *Faire la conquête une femme.* **4.** Fam. Personne dont on a nquis les bonnes grâces. *Il exhibe rtout sa nouvelle conquête.*

onquis, ise adj. **1.** Dont on a fait conquête militairement. *Une ville nquise.* ▷ *Se conduire comme en pays nquis,* avec une insolence cynique. **2.** ont on a gagné la sympathie, l'amour. *ne femme conquise.*

onquistador [kɔ̃kistadɔʀ] n. m. HIST om donné aux conquérants espagnols du Nouveau Monde. *Des conquistador(e)s.*

Conrad Ier (m. en 918), duc de Franconie, roi de Germanie (911-918); il eut pour successeur Henri l'Oiseleur, l'un de ses ennemis. – **Conrad II le Salique** (?, v. 990 – Utrecht, 1039), empereur germanique (1027-1039); il fonda la dynastie franconienne. – **Conrad III de Hohenstaufen** (?, v. 1093 – Bamberg, 1152), empereur germanique (1138-1152); il prit part à la 2e croisade. – **Conrad IV de Hohenstaufen** (Andria, 1228 – Lavello, 1254), empereur germanique (1250-1254), fils de Frédéric II; il fut aussi roi de Jérusalem (Conrad Ier, 1228-1254) et de Sicile (Conrad II, 1250-1254). – **Conrad V** ou **Conradin** (Wolfstein, 1252 – Naples, 1268), fils du préc., le dernier des Hohenstaufen, roi de Sicile (1254-1258) et de Jérusalem (1254-1268); il ne parvint pas à reconquérir l'Italie du Sud.

Conrad (v. 1145 – 1192), marquis de Montferrat, seigneur de Tyr (qu'il avait défendu contre Saladin); il fut élu roi de Jérusalem et exécuté quelques jours plus tard par les Assassins.

Conrad (Téodor Józef Konrad Nalecz Korzeniowski, dit Joseph) (Berditchev, Ukraine, 1857 – Bishopsbourne, Kent, 1924), écrivain anglais d'origine polonaise. Marin, il navigua pendant vingt ans. La mer est le personnage principal de ses romans : *le Nègre du « Narcisse »* (1897), *Lord Jim* (1900), *Typhon* (1903).

Conrart (Valentin) (Paris, 1603 – id., 1675), écrivain français. Il fut le premier secrétaire perpétuel de l'Académie française (1635).

consacré, ée adj. **1.** Dédié à une divinité; qui a reçu une consécration religieuse. *Lieu consacré.* **2.** Sanctionné par l'usage. *Un terme consacré.*

consacrer v. tr. [**1**] **1.** Dédier à (une divinité). *Consacrer un temple à Zeus.* ▷ *Par ext.* Offrir à Dieu. *Consacrer une église.* – *Consacrer le pain et le vin,* les transformer en le corps et le sang du Christ, lors du sacrifice eucharistique. **2.** Litt. Rendre sacré, saint, vénérable. *Ce lieu fut consacré par le sang des martyrs.* **3.** Sanctionner, faire accepter de tous. *L'usage a consacré ce mot.* **4.** Destiner (qqch) à. *Consacrer ses loisirs à la musique. Consacrer sa vie à qqn.* **5.** v. pron. Se vouer à. *Se consacrer à un travail.*

consanguin, ine adj. (et n.) Qui est parent du côté paternel. *Frère consanguin* : frère de père seulement (par oppos. à *frère utérin*). – *Mariage consanguin,* entre proches parents (cousins germains, par ex.). ▷ Subst. *Les consanguins.*

consanguinité n. f. Didac. **1.** Parenté du côté du père. **2.** *Par ext.* Parenté proche entre conjoints.

consciemment [kɔ̃sjamɑ̃] adv. De manière consciente. *Agir consciemment.*

conscience [kɔ̃sjɑ̃s] n. f. **1.** Sentiment, perception que l'être humain a de lui-même, de sa propre existence. *Perdre, reprendre conscience.* ▷ *Avoir conscience de* : connaître nettement, apprécier avec justesse. *Avoir conscience de ses droits.* **2.** PHILO Intuition plus ou moins claire qu'a l'esprit de lui-même, des objets qui s'offrent à lui, ou de ses propres opérations. – Perception, connaissance d'une situation. *Conscience de classe.* ▷ *Par méton.* Siège des convictions, des croyances. *Liberté de conscience.* **3.** Sentiment par lequel l'être humain juge de la moralité de ses actions. *Agir selon, contre sa conscience. Avoir la conscience nette* : n'avoir rien à se reprocher. *Bonne conscience* : sentiment rassurant de n'avoir rien à se reprocher. – *Avoir qqch sur la conscience* : avoir qqch à se reprocher. – *Cas de conscience* : difficulté à se déterminer sur ce que permet ou défend la religion ou la morale. **4.** Loc. *La main sur la conscience* : en toute franchise. – *En mon âme et conscience* : selon ma conviction la plus intime. – *Par acquit de conscience* : pour n'avoir rien à se reprocher par la suite. – *En conscience, en bonne conscience* : honnêtement, franchement. **5.** *Conscience professionnelle* : souci de probité, d'honnêteté, grand soin que l'on porte à son travail.

Conscience (Hendrik) (Anvers, 1812 – Bruxelles, 1883), romancier belge d'expression flamande, auteur de romans historiques (*le Lion de Flandre,* 1838) et de romans de mœurs (*le Conscrit,* 1850).

consciencieusement adv. De manière consciencieuse.

consciencieux, euse adj. (et n.) **1.** Qui remplit scrupuleusement ses obligations. *Un élève consciencieux.* ▷ Subst. *C'est un consciencieux.* **2.** Fait avec conscience. *Un travail consciencieux.*

conscient, ente adj. et n. m. **I.** adj. **1.** Qui a la conscience de soi-même, d'un fait, de l'existence d'une chose. *Malgré le choc de l'accident, il est resté conscient. Être conscient de ses obligations.* **2.** Dont on a conscience. *Ce n'est pas un mouvement conscient, c'est un réflexe.* **II.** n. m. Activité psychique consciente (par oppos. à *inconscient*).

conscription n. f. **1.** Vieilli Inscription annuelle sur les rôles militaires des jeunes gens qui ont atteint l'âge du service national. **2.** HIST Système d'appel sous les drapeaux appliqué de 1798 à 1868, consistant à tirer au sort sur les rôles établis le nombre de citoyens nécessaire aux armées.

conscrit n. m. et adj. m. **I.** n. m. **1.** Jeune homme inscrit sur les listes de recrutement du service militaire et appartenant à une classe qui doit être prochainement incorporée. **2.** Soldat nouvellement incorporé. **II.** adj. m. ANTIQ ROM *Pères conscrits* : titre des sénateurs romains.

consécration n. f. **1.** Action de consacrer. *Consécration d'un temple, d'une église, d'un autel.* **2.** LITURG Action du prêtre cathol. ou orthodoxe qui consacre, pendant la messe, le pain et le vin; moment de la messe où se fait cette action. *Les paroles de la consécration.* **3.** Sanction, confirmation. *La consécration du talent par le succès.*

consécutif, ive adj. **1.** (Plur.) Se dit des choses qui se suivent sans interruption. *Trois années consécutives.* **2.** Qui suit (comme résultat). *Accident consécutif à une imprudence.* **3.** GRAM *Proposition consécutive* : subordonnée circonstancielle marquant les conséquences de l'action indiquée dans la principale.

consécutivement adv. **1.** Immédiatement après, sans interruption, coup sur coup. *Elle a eu consécutivement deux enfants.* **2.** *Consécutivement à* : par suite de.

conseil n. m. **1.** Avis que l'on donne à qqn sur ce qu'il doit faire. *Donner, suivre un conseil. Prendre conseil de qqn,* le consulter avant d'agir. **2.** Personne dont on prend avis. *Conseil fiscal.* – (En appos.) Partenaire et conseiller en affaires. *Ingénieur-conseil. Avocats-conseils.* **3.** DR *Conseil judiciaire :* personne que la justice choisit pour gérer les biens d'une autre personne, frappée d'interdiction. **4.** Assemblée ayant pour mission de donner son avis, de statuer sur certaines affaires. *Tenir conseil :* se réunir pour délibérer, se concerter. **5.** ADMIN *Conseil des ministres :* réunion des ministres, présidée en France par le chef de l'État. – *Conseil de cabinet :* réunion des ministres délibérant sous la présidence du Premier ministre. – *Conseil général :* assemblée départementale composée de membres élus chacun par un canton. – *Conseil municipal,* composé de membres élus pour s'occuper des affaires communales. – *Conseil régional,* élu au suffrage universel pour administrer les affaires de la Région. – *Conseil supérieur de la magistrature :* organe constitutionnel dont le but est de garantir l'indépendance de l'autorité judiciaire et qui exerce un pouvoir disciplinaire sur les magistrats. *Conseil de la Sécurité sociale, de l'Éducation nationale.* **6.** *Conseil d'administration :* groupe de personnes élues par l'assemblée générale d'une société anonyme pour administrer celle-ci conformément à la loi et à ses statuts. – *Conseil de famille :* assemblée de parents présidée par le juge de paix, chargée de la tutelle des mineurs et interdits. – *Conseil de discipline :* assemblée chargée de juger des questions de discipline (par ex., dans un établissement scolaire). – *Conseil de classe :* dans les établissements d'enseignement secondaire, assemblée composée des professeurs, des représentants des élèves et de leurs parents, destinée à délibérer des problèmes généraux de la classe et à examiner la situation individuelle des élèves. – *Conseil de l'ordre,* chargé de veiller au respect de la déontologie chez les avocats, les architectes, les médecins, les notaires. – *Conseil de révision*.* **7.** HIST *Conseil des Dix :* V. dix. – *Conseil d'en haut :* conseil particulier des rois de France. – *Conseil des Anciens, conseil des Cinq-Cents :* assemblées politiques du Directoire. – *Conseil de guerre :* nom du tribunal militaire avant 1928. **8.** RELIG *Conseil œcuménique des Églises :* V. œcuménique. – *Conseil presbytéral :* chez les catholiques, représentation élue des prêtres auprès d'un évêque; chez les protestants, assemblée élue des responsables d'une paroisse.

ENCYCL **Conseil constitutionnel,** organisme créé par la Constitution franç. de 1958, qu'il a pour fonction de faire respecter : régularité des élections nat. et des référendums, constitutionnalité des lois organiques et ordinaires; il doit être consulté en cas d'usage de l'article 16 (V. constitution). Il est formé de membres de droit (anc. présidents de la Rép.) et de neuf personnalités nommées pour neuf ans. – **Conseil économique et social,** organisme prévu par la Constitution de 1958, à caractère consultatif, chargé de donner des avis au gouvernement sur tout projet de loi, de décret ou tout problème de caractère économique et social (à l'exception de la loi de finances). Il est composé de représentants des différentes catégories professionnelles du pays. – **Conseil d'État,** juridiction suprême de la France, dans l'ordre admin., maintenue depuis la Constitution de l'an VIII; son rôle consiste aussi à formuler des avis sur certains projets de décrets et sur les textes des projets de loi qui lui sont soumis par le gouvernement. – **Conseil de la République,** seconde chambre du Parlement sous la IVᵉ République; elle remplaçait le Sénat, avec moins de pouvoirs.

Conseil de l'Europe, organisation européenne, créée en 1949, qui réunit 40 États d'Europe et qui siège à Strasbourg. Elle a adopté en 1950 la *Convention européenne de sauvegarde des droits de l'homme et des libertés fondamentales.* La Commission européenne des droits de l'homme et la Cour européenne des droits de l'homme (créée en 1959) veillent au respect de cette Convention.

Conseil de sécurité, organe exécutif de l'O.N.U.

Conseil européen, ensemble des chefs de gouvernement des États membres de l'Union européenne.

1. conseiller v. tr. [1] **1.** Donner conseil à (qqn). *Conseiller un enfant indécis.* **2.** Recommander (qqch) à (qqn). *Il lui a conseillé la patience.* ▷ *Conseiller à (qqn) de. Je vous conseille de partir à l'heure.*

2. conseiller, ère n. **1.** Personne qui donne des conseils. *Il s'est montré un conseiller avisé.* – Par ext. *La colère est mauvaise conseillère.* **2.** n. m. Membre des cours judiciaires et de certains conseils et tribunaux. *Conseiller à la Cour de cassation, à la cour d'appel. Conseiller général.*

conseilleur, euse n. Vx ou litt. Personne qui donne des conseils. – Mod. Prov. *Les conseilleurs ne sont pas les payeurs :* ceux qui donnent des conseils se montrent souvent hardis en paroles, car ce ne sont pas eux qui courent des risques.

Conseil national de la Résistance (C.N.R.), institution fondée en 1943 par Jean Moulin en vue de regrouper les divers mouvements de la Résistance.

Conseil national du patronat français (C.N.P.F.), organisation créée en 1946, regroupant les plus import. des associations syndicales du patronat. Il est remplacé en 1998 par le *Mouvement des entreprises de France (Medef).*

Conseil supérieur de l'audiovisuel (C.S.A.), autorité administrative (douée d'autonomie) créée le 17 janv. 1989 pour contrôler le bon fonctionnement de la communication audiovisuelle (chaînes de radio et de télévision, publiques et privées) et en assurer la liberté.

consensualité n. f. Volonté consensuelle.

consensuel, elle adj. **1.** DR *Contrat consensuel,* qui est formé par le seul consentement des parties. **2.** Issu d'un consensus; qui témoigne d'un consensus. *Société consensuelle.*

consensus [kɔ̃sɛ̃sys] n. m. **1.** PHYSIOL Relation qui existe entre les différentes parties du corps. **2.** Consentement, accord entre des personnes.

consentant, ante adj. Qui consent, qui donne son adhésion.

consentement n. m. Approbation, adhésion donnée à un projet. *Pour le mariage d'un mineur, il faut le consentement des parents.*

consentir v. tr. indir. [30] **1.** Donner son consentement à. *Consentir à un mariage. Je consens (à ce) qu'il vienne.* ▷ (Prov.) *Qui ne dit mot consent :* se taire équivaut à consentir. **2.** Octroyer. *Le vendeur lui a consenti un rabais.* ▷ Litt. *Consentir que :* admettre, permettre que.

conséquemment [kɔ̃sekamɑ̃] adv. **1.** Vieilli De manière conséquente, logique. **2.** *Conséquemment à :* par suite de, en conséquence de.

conséquence n. f. **1.** Résultat, suite d'une action, d'un fait. *Une affaire ayant de graves conséquences.* – *Cela ne tire pas à conséquence :* cela n'a pas de réelle importance. ▷ Litt. *De conséquence :* important. *Une affaire de conséquence. Une affaire de peu de conséquence.* – *Sans conséquence :* sans importance, sans suite fâcheuse. **2.** Loc. adv. *En conséquence :* par conséquent. *En conséquence de :* en vertu de, conformément à. *En conséquence de vos instructions.* **3.** LOG Ce qui dérive, ce que l'on déduit d'un principe. *Tirer une (les) conséquence(s).* **4.** GRAM *Proposition de conséquence.* V. consécutif (sens 3).

conséquent, ente adj. et n. m. **I.** adj. **1.** Qui est logique et cohérent. *Soyez conséquent avec vous-même!* **2.** (Abusiv.) Considérable, important. *Une somme conséquente.* **3.** Loc. adv. *Par conséquent :* donc, en conséquence. *J'ai la grippe, par conséquent je ne puis sortir.* **4.** GEOMORPH Se dit d'un cours d'eau ou d'une dépression perpendiculaire à la ligne de crête. Ant. subséquent. **II.** n. m. LOG, MATH, GRAM Second terme d'une proposition, d'un rapport, d'un raisonnement (par oppos. à *antécédent*).

conservateur, trice n. et adj. **1.** n. Personne chargée de garder qqch. – Titre de certains fonctionnaires. *Conservatrice de musée. Conservateur des hypothèques, des eaux et forêts.* **2.** POLIT Partisan des institutions anciennes; traditionaliste. ▷ adj. *Le parti conservateur,* au Royaume-Uni (V. tory), au Canada. – Subst. Membre ou partisan du parti conservateur. **3.** adj. Qui conserve. *La puissance conservatrice du froid.* ▷ n. m. Substance qui assure la conservation des aliments. – Appareil utilisé pour la conservation des produits congelés. **4.** n. m. AVIAT *Conservateur de cap :* compas gyroscopique.

conservateur [parti] parti (dit *tory* jusqu'en 1832) qui gouverne la Grande-Bretagne en alternance avec le Parti travailliste.

conservation n. f. **1.** Action de conserver; résultat de cette action. *Conservation des aliments. Conservation des droits.* **2.** *Instinct de conservation :* instinct qui pousse un être vivant, l'être humain, à protéger sa propre vie. **3.** État de ce qui est conservé. *La conservation d'un tableau.* ▷ Loc. *En bon (mauvais) état de conservation. Cette momie es[t] dans un état de parfaite conservation.* **4.** Fonction, charge de conservateur[;] administration qu'il dirige; bâtimen[t] qui en est le siège. *La conservation d'un musée.*

conservatisme n. m. Opinion de ceux qui appartiennent à un part[i] conservateur; état d'esprit de ceux qu[i] les soutiennent. Ant. progressisme.

1. conservatoire adj. DR Qu[i] conserve un droit. *L'interruption d'un[e] prescription, le renouvellement d'une inscription d'hypothèque sont des acte[s] conservatoires.*

2. conservatoire n. m. Établissement destiné à préserver certain[s] domaines de la culture et à en transmettre l'enseignement. **1.** *Conservatoir[e] national supérieur de musique :* établissement public d'enseignement musica[l] fondé à Paris en 1792 et qui a pris so[n] nom actuel en 1957. **2.** *Conservatoir[e] national supérieur d'art dramatique :* ét[a-] blissement public d'enseignement de l'art dramatique, issu de la division, en 1946, du Conservatoire national de musique et d'art dramatique. *Passer du Conservatoire à la Comédie-Française.* **3.** *Conservatoire national des arts et métiers (CNAM)* : établissement fondé par la Convention en 1794 comme musée industriel, qui possède plusieurs chaires d'enseignement supérieur.

conserve n. f. **1.** VX Substance alimentaire préparée de manière à se conserver longtemps (salée, fumée, sucrée). **2.** Mod. Substance alimentaire qui peut se garder longtemps dans un récipient hermétiquement clos. *Ouvrir une boîte de conserve* ou *une conserve.* – *En conserve* : en boîte, en bocal. *Des haricots en conserve.* **3.** MAR *Naviguer de conserve* : se dit de navires qui font route ensemble. ▷ Loc. adv. Fig. *De conserve* : ensemble, en accord. *Aller de conserve au cinéma. Prendre une décision de conserve.*

conservé, ée adj. Qui est gardé. – Qui est maintenu en bon état. *Être bien conservé* : avoir encore, malgré son âge, beaucoup de fraîcheur, de beauté, ou de vivacité.

conserver v. tr. [1] **1.** Ne pas se défaire de, ne pas renoncer à. *Conserver de vieilles lettres. Conserver ses habitudes.* **2.** Ne pas perdre. *Conserver son emploi.* **3.** Maintenir en bon état; faire durer. *Conserver des fruits. Conserver une bonne santé.* ▷ Fig. *Je conserve précieusement ces souvenirs heureux.* – v. pron. *Des aliments qui se conservent longtemps.*

conserverie n. f. **1.** Fabrique de conserves alimentaires. **2.** Industrie des conserves.

considérable adj. **1.** Vieilli ou litt. Qui mérite considération. **2.** Puissant, important. *Une fortune considérable.*

considérablement adv. Énormément.

considérant n. m. DR Chacun des motifs qui précèdent le dispositif d'un arrêt. *Les considérants d'un jugement.*

Considérant (Victor) (Salins, Jura, 1808 – Paris, 1893), homme politique et économiste français; propagateur des théories phalanstériennes de Fourier (*Destinée sociale*, 1844-1849); député en 1848.

considération n. f. **1.** Examen attentif que l'on fait d'une chose avant de se décider. *Un problème digne de considération.* – *Prendre en considération* : tenir compte de. *Prenez en considération l'âge de l'accusé.* **2.** (Plur.) Réflexions. *Se perdre en considérations oiseuses.* **3.** Motif, raison d'une action. *Cette considération l'a décidé.* ▷ *En considération de* : à cause de. *En considération des services rendus.* **4.** Estime, déférence. *Jouir de la considération publique.*

considérer v. [14] **I.** v. tr. **1.** Regarder attentivement. *Il considérait le spectacle avec amusement.* **2.** Examiner, apprécier, envisager. *Considérer une affaire sous tous ses aspects.* – Pp. Loc. *Tout bien considéré.* **3.** Tenir compte de. *Je considère son seul mérite.* **4.** Estimer, faire cas de. *Il veut qu'on le considère.* – Pp. adj. *Une personne très considérée dans la région.* **5.** *Considérer comme* : juger, estimer. *Je le considère comme un grand peintre.* **II.** v. pron. *Se considérer comme...* : estimer qu'on est... *Il se considère comme un génie méconnu.*

consignataire n. m. **1.** DR Le tiers entre les mains duquel est faite une consignation. **2.** MAR Négociant ou commissionnaire qui représente dans un port les intérêts de l'armateur.

consignation n. f. **1.** DR Dépôt d'une somme entre les mains d'un tiers ou d'un officier public; somme ainsi déposée. *Caisse des dépôts et consignations* : V. dépôt. **2.** COMM Dépôt de marchandises entre les mains d'un négociant, d'un commissionnaire. **3.** Fait de consigner un emballage, une bouteille.

consigne n. f. **1.** Ordre sous forme d'instruction donné à une sentinelle, un surveillant, un gardien, etc. *Donner, passer la consigne. La consigne est de...* ▷ *Par ext.* Instruction. **2.** Punition infligée à un soldat, à un élève, consistant en une privation de sortie. *Quatre jours de consigne. Élève en consigne,* en retenue. **3.** Endroit où l'on met les bagages en dépôt dans une gare, un aéroport. *Mettre une malle à la consigne. Consigne automatique* : placard métallique muni d'une clé qu'on obtient après paiement en pièces de monnaie introduites dans cet appareil. **4.** Fait de consigner; somme rendue en échange d'un emballage, d'une bouteille. *Cinq francs de consigne.*

consigner v. tr. [1] **1.** DR Déposer chez un tiers une somme contre signature pour qu'elle soit délivrée ensuite à qui de droit. **2.** COMM Adresser à un consignataire. *Consigner pour mille francs de marchandises à un négociant.* **3.** Mettre par écrit. *Consigner un procès-verbal.* **4.** Priver de sortie. *Consigner un élève.* **5.** Donner des ordres pour empêcher l'accès ou la sortie (d'un lieu). *Consigner sa porte à qqn,* refuser de le recevoir. **6.** Mettre ses bagages à la consigne d'une gare, d'un aéroport. – Pp. adj. *Une malle consignée.* **7.** Facturer un emballage, une bouteille, qui, une fois rendus, seront remboursés. – Pp. adj. *Une bouteille consignée.*

consistance n. f. **1.** Degré de liaison, de rapprochement des molécules d'un corps, qui lui donne sa dureté ou sa mollesse, sa rigidité ou son élasticité. *La consistance molle de l'argile humide.* **2.** *Absol.* État d'une matière fluide qui prend une certaine solidité. *Une pâte sans consistance.* – *Par ext.*, fig. Stabilité, solidité, permanence. *Un esprit sans consistance. La nouvelle prend de la consistance,* commence à se confirmer.

consistant, ante adj. **1.** Qui a de la consistance. *Une soupe consistante.* **2.** Fig. Solide. *Il n'a aucun argument consistant à m'opposer.*

consister v. intr. [1] **1.** *Consister dans, en* : avoir pour essence. *La beauté consiste dans l'harmonie.* **2.** *Consister en* : être composé de. *Sa fortune consiste en actions.* **3.** *Consister à* (+ inf.) : avoir pour but de. *Votre tâche consiste à trier ces papiers. Le tout consiste à savoir...* : l'important est de savoir...

consistoire n. m. **1.** Dans l'Église cathol., réunion des cardinaux sur convocation du pape. **2.** Direction administrative de certaines communautés religieuses. *Consistoire protestant, israélite.*

consœur n. f. Femme appartenant au même corps, à la même compagnie, à la même société (que la personne considérée).

consolable adj. Qui peut être consolé. *Une douleur difficilement consolable.*

consolant, ante adj. (Rare en parlant de personnes.) Qui console, qui est propre à consoler.

consolateur, trice adj. Qui console. *Un espoir consolateur.* – Subst. *Elle a joué les consolatrices.*

consolation n. f. **1.** Soulagement apporté à la douleur morale de qqn. *Recevoir des paroles de consolation.* **2.** Sujet de soulagement, de satisfaction. *Les succès du fils sont la consolation du père.* **3.** Personne qui console. *Tu es ma seule consolation.*

console n. f. **1.** ARCHI Pièce en saillie en forme de S, destinée à supporter un balcon, une corniche, etc. **2.** Table à deux ou quatre pieds en forme de S, appuyée contre un mur, à la mode surtout sous Louis XV. **3.** TECH Pièce encastrée dans une paroi, servant de support. **4.** MUS Dans une harpe, la partie supérieure où se trouvent les chevilles. – Dans un orgue, meuble qui comporte le pédalier, les claviers et les registres. ▷ ELECTROACOUST *Console de mixage* : pupitre de mixage des diverses sources sonores. **5.** INFORM Périphérique ou terminal permettant de communiquer avec l'unité centrale ou de la contrôler. – *Console de jeux,* qui permet d'utiliser des jeux présentés en cassettes.

consoler v. [1] **1.** v. tr. Soulager (qqn) dans sa douleur, son affliction. *Consoler les affligés.* **2.** v. tr. Litt. Adoucir (un sentiment pénible). *Cet espoir console sa douleur.* **3.** v. pron. Oublier son chagrin. *Il se console difficilement de cet échec.*

consolidable adj. Qui peut être consolidé.

consolidation n. f. **1.** Action de consolider; son résultat. **2.** CHIR Action physiologique amenant la réunion des os fracturés par formation d'un cal. *Consolidation d'une fracture.* **3.** COMPTA *Consolidation d'un bilan* : opération consistant à faire apparaître la situation financière globale d'un groupe de sociétés. ▷ FIN Conversion d'une dette à court terme en dette à long terme.

consolidé, ée adj. FIN Qui a été soumis à une consolidation (sens 3). *Bilan consolidé. Comptes consolidés.*

consolider v. [1] **1.** v. tr. Affermir, rendre plus solide. *Consolider un édifice.* – Par ext. CHIR *Consolider une fracture.* ▷ Fig. *Consolider sa puissance.* ▷ FIN Convertir une dette à court terme en une dette à long terme. ▷ Réunir plusieurs bilans en un seul. **2.** v. pron. S'affermir, devenir plus solide. *Bien que faible, ma cheville se consolide.* – Fig. *Son pouvoir politique sur le pays se consolide.*

consommable adj. **1.** Qui peut être consommé. **2.** adj. et n. m. ECON Se dit d'un objet qui ne sert qu'une fois, d'un produit qui disparaît lors de son utilisation. *Le papier et le toner, principaux consommables de la bureautique.*

consommateur, trice n. et adj. **1.** THEOL Personne qui consomme, amène à perfection. **2.** Personne qui achète des produits pour les consommer. *La défense des consommateurs.* – adj. *Pays consommateur* (par oppos. à *pays producteur*). **3.** Personne qui boit ou mange dans un café, une brasserie, etc.

consommation n. f. **1.** Litt. Achèvement, accomplissement. *La consommation d'un sacrifice. Consommation du mariage* : union charnelle des époux. – *La consommation des siècles* : la fin des siècles, la fin du monde. **2.** Usage que l'on fait de certains produits dont on ne peut se servir qu'en les détruisant. *Ils cultivent les légumes nécessaires à leur consommation.* **3.** ECON Emploi, pour la satisfaction des besoins des êtres humains, des biens produits antérieurement. *Société de consommation*, se dit, parfois péjorativement, d'un type de société où l'accroissement de la production débouche sur la multiplication des produits à consommer et, par conséquent, sur la création de nouveaux besoins et désirs. **4.** Boisson ou nourriture prise dans un café. *Le garçon apporte les consommations.*

consommé, ée adj. et n. m. **1.** adj. Parvenu au plus haut degré, parfait. *Un musicien consommé.* **2.** n. m. Bouillon produit par la viande dont on a épuisé tout le suc par la cuisson.

consommer v. [1] **I.** v. tr. **1.** Litt. Accomplir, achever. *Il n'a pas eu le temps de consommer son crime.* ▷ *Consommer le mariage* : avoir les premières relations sexuelles avec son conjoint. **2.** Se servir (de choses qui se détruisent par l'usage). *Consommer de la viande, du blé.* – Absol. *On consomme beaucoup.* **3.** (Choses) User. *Moteur qui consomme trop d'huile.* **II.** v. intr. Prendre une consommation (dans un café).

consomption [kɔ̃sɔ̃psjɔ̃] n. f. MED Amaigrissement et perte des forces dans les maladies graves et prolongées.

consonance n. f. **1.** Ressemblance de sons dans la terminaison de deux ou plusieurs mots. **2.** MUS Accord entre les sons musicaux dans l'harmonie classique occidentale. *Consonances parfaites, imparfaites.* **3.** *Par ext.* Suite de sons. *Des consonances peu harmonieuses.*

consonant, ante adj. MUS Qui est formé par des consonances, qui produit une consonance. *Accord consonant.* – GRAM *Mots consonants*, qui ont une terminaison semblable.

consonantique adj. PHON Qui a le caractère de la consonne. *Un système consonantique.*

consonantisme n. m. PHON Système des consonnes d'une langue.

consonne n. f. **1.** Phonème résultant de la rencontre de l'émission vocale et d'un obstacle formé par la gorge ou la bouche. *Consonnes dentales* : [d] et [t]; *bilabiales* : [b] et [p]; *labiodentales* : [f] et [v]; *palatales* ou *vélaires* : [g] et [k]; *alvéolaires* : [s] et [z], etc. **2.** Lettre qui représente un de ces phonèmes.

consort [kɔ̃sɔʀ] n. m. pl. et adj. m. **1.** n. m. pl. (Souvent péjor.) Ceux qui sont engagés avec qqn dans une affaire. *Escrocs et consorts.* **2.** adj. m. *Prince consort* : époux d'une reine, qui n'est pas roi lui-même. *Le prince consort des Pays-Bas.*

consortium [kɔ̃sɔʀsjɔm] n. m. FIN Association d'entreprises. *Des consortiums.*

consoude n. f. BOT Borraginacée qui pousse dans les lieux humides et dont la racine astringente fut très utilisée en médecine.

conspirateur, trice n. et adj. **1.** n. Personne qui conspire. *Il affecte des airs de conspirateur.* **2.** adj. Rare *Des ruses conspiratrices.*

conspiration n. f. **1.** Complot, conjuration contre l'État, le pouvoir. **2.** Entente secrète contre qqn (ou qqch). *Une conspiration contre vous.*

Conspiration des poudres, machination de catholiques anglais dirigés par G. Fawkes, qui projetèrent de faire sauter Jacques Ier et le Parlement (1605). Une violente répression suivit sa découverte.

John **Constable** : *Vue d'Epsom*, 1809; Tate Gallery

conspirer v. [1] **1.** v. intr. Ourdir une conspiration. *Conspirer contre le souverain.* **2.** v. tr. Vieilli Projeter en secret, tramer. *Conspirer la mort d'un ennemi.* **3.** v. tr. indir. Fig., litt. Concourir, tendre au même but. *Tout conspire à votre bonheur.*

conspuer v. tr. [1] Manifester bruyamment son hostilité contre (qqn), en parlant d'un groupe, d'une foule. *L'orateur s'est fait conspuer. Les manifestants ont conspué le ministre.*

Constable (John) (East Bergholt, Suffolk, 1776 – Londres, 1837), peintre anglais, paysagiste romantique (*la Charrette de foin*, 1821).

constamment adv. **1.** Invariablement, toujours. *Constamment drôle.* **2.** Très souvent. *Il vient constamment la voir.*

constance n. f. **1.** Vieilli Fermeté, courage. *Souffrir avec constance.* **2.** Persistance, persévérance, partic. dans ses attachements. *La constance d'une amitié. La constance d'un amant.* ▷ Fam. Patience. *Pour supporter ces enfants, il faut de la constance!* **3.** État de ce qui ne change pas. *Constance des liquides de l'organisme.* ▷ BOT Mesure de la présence d'une même espèce dans divers relevés de la même association végétale.

Constance (en all. *Konstanz*), v. d'Allemagne (Bade-Wurtemberg), au N.-O. du lac du m. nom; 70 540 hab. Text., horlogerie. Import. stat. clim. – Égl. goth. St-Étienne (XIIe-XVe s., parties romanes du XIe s.). Entrepôt du XIVe s. où, à l'issue du concile de Constance, fut élu le pape Martin V. – Le *concile de Constance* (1414-1418) mit fin au grand schisme d'Occident; il condamna Jan Hus au bûcher (1415).

Constance (lac de) (en all. *Bodensee*), lac partagé entre la Suisse, l'Allemagne et l'Autriche; c'est une extension glaciaire du Rhin; 540 km^2. Import. centre de tourisme.

Constance, nom de trois empereurs romains. – **Constance Ier Chlore,** « le Pâle » (Marcus Flavius Valerius Constantius) (?, v. 225 – Eboracum, auj. York, 306), père de Constantin Ier le Grand. César en 293; empereur à l'abdication de Maximien (305), il se montra tolérant envers les chrétiens. – **Constance II** (Flavius Julius Constantius) (Illyricum, 317 – Mopsucrène, Cilicie, 361), deuxième fils de Constantin Ier le Grand; empereur de 337 à 361, favorable à l'arianisme. – **Constance III** (Flavius Constantius) (Naissus, auj. Niš, ? – Ravenne, 421), général d'Honorius, empereur romain pendant sept mois en 421; père de Valentinien III.

constant, ante adj. et n. f. **I.** adj. **1.** Vx Ferme, courageux. *Une âme constante.* **2.** Qui ne change pas; persévérant. *Constant en amour.* **3.** Qui dure; non interrompu. *Une tradition constante.* **4.** Rare Certain, indubitable. *Il est constant que...* **II.** n. f. **1.** ASTRO *Constante solaire* : quantité d'énergie de rayonnement solaire parvenant aux confins de l'atmosphère. **2.** MATH et PHYS Coefficient ou quantité dont la valeur ne change pas (par oppos. à *variable*). ▷ *Données en francs constants.* ▷ *Constante de temps* : temps pendant lequel la valeur d'une grandeur à décroissance exponentielle est divisée par *e*, base des logarithmes népériens. **3.** BIOL *Constante biologique* : élément dont le nombre ou la concentration ne varie pas dans l'organisme et sert de base de normalité.

Constant Ier (Flavius Julius Constans) (?, v. 320 – Elena, ou Castrum Elenæ, auj. Elne [Pyr.-Orient.], 350), troisième fils de Constantin Ier le Grand; empereur romain de 337 à 350.

Constant II Héraclius (?, 630 – Syracuse, 668), fils de Constantin III; empereur romain d'Orient de 641 à 668.

Constant (Benjamin Constant de Rebecque, dit Benjamin) (Lausanne, 1767 – Paris, 1830), homme politique et écrivain français. D'abord hostile à Napoléon, il le servit lors des Cent-Jours. Élu député sous la Restauration, il se rangea dans l'oppos. libérale (1818-1830). Ses écrits polit. sont auj. oubliés. Seuls *Adolphe*, le *Cahier rouge* et ses *Journaux intimes* (posth., 1952) assurent sa gloire littéraire.

Constant (Marius) (Bucarest, 1925), compositeur français d'origine franco-roumaine, élève de Messiaen, fondateur en 1963 de l'ensemble *Ars Nova;* il a effectué des recherches de musique aléatoire. Auteur notam. de : *le Joueur de flûte* (1952), *Turner* (1961).

Constanţa, v. et port de Roumanie, sur la mer Noire; 318 800 hab.; ch.-l. du distr. du m. nom. Port de comm. import. Pêche. Constr. navales. Stat. baln. – Site archéologique (ruines de l'antique *Tomes*, où Ovide mourut en exil).

Constantin Ier le Grand (Caius Flavius Valerius Aurelius Claudius Constantinus) (Naissus, auj. Niš, entre 270 et 288 – Nicomédie, 337), fils de Constance Ier Chlore; empereur romain (306-337). Il se rendit maître de

Constantin Ier le Grand

Copernic

l'Occident par sa victoire sur Maxence au pont Milvius (312), puis de tout l'Empire par ses victoires sur Licinius, qu'il fit assassiner en 325. Par l'édit de Milan (313), il autorisa le libre exercice du christianisme, qui devint bientôt une des relig. officielles de l'Empire. En 325, il convoqua le concile de Nicée, qui fut le prem. concile œcuménique. Son règne fut marqué par la fondation de Constantinople, sur l'emplacement de l'anc. colonie grecque de Byzance. En 330, il y fit transporter le siège du gouv. – **Constantin II le Jeune** (Arles, 317 – Aquilée, 340), fils aîné du préc.; empereur d'Occident (337-340). – **Constantin III Héraclius** (?, 612 – Chalcédoine, 641), fils aîné d'Héraclius Ier; empereur d'Orient de février à mai 641. – **Constantin IV** (654 – 685), fils aîné de Constant II; empereur d'Orient (668-685). – **Constantin V Copronyme** (718 – 775), fils de Léon III l'Isaurien, empereur byzantin (741-775); son règne fut troublé par la fameuse querelle des iconoclastes. – **Constantin VI** (771 – apr. 800), fils de Léon IV et d'Irène; empereur byzantin (780-797), il fut déposé par sa mère, qui lui fit crever les yeux. – **Constantin VII Porphyrogénète** (905 – 959), fils de Léon VI; empereur byzantin (912-959); il a laissé de nombr. écrits d'histoire et de philosophie. – **Constantin VIII** (v. 960 – 1028), second fils de Romain II et de Théophano; empereur byzantin (961-1028), frère de Basile II, avec qui il gouverna de 976 à 1025 avant d'être unique empereur. – **Constantin IX Monomaque** (v. 980 – 1055), empereur byzantin (1042-1055); le grand schisme entre Rome et Byzance fut consommé sous son règne. – **Constantin X Doukas** (1007 – 1067), empereur byzantin (1059-1067). – **Constantin XI Paléologue,** dit Dragasès (?, 1403 – Constantinople, 1453), dernier empereur byzantin (1449-1453); il succomba en défendant Constantinople contre Mehmet II.

Constantin Ier (Athènes, 1868 – Palerme, 1923), roi de Grèce; fils de Georges Ier, à qui il succéda en 1913. Déposé en 1917, il fut rappelé en 1920 et dut abdiquer à la suite des défaites que l'armée turque infligea à l'armée grecque (1922). – **Constantin II** (Athènes, 1940), dernier roi de Grèce (1964-1973), il s'exila en 1967 après le « putsch des colonels ».

Constantine (auj. *Qacentina),* v. d'Algérie, dans les gorges du Rummel; 450 740 hab.; ch.-l. de la wilaya du m. nom. Industr. text., alim., méca. – Université. Musée archéol. – Anc. *Cirta,* cap. de la Numidie, la v. fut détruite en 331 et reconstruite par Constantin. Occupée ensuite par les Arabes et les Turcs, elle fut prise par les Français, après une farouche résistance, en 1837.

Constantinescu (Emil) (Tighina, auj. Bender, Rép. de Moldavie, 1939), homme politique roumain. Président de la Convention démocrate de Roumanie (C.D.R.), il est élu à la présidence de la République en 1996.

Constantinois, nom franç. donné à la région orientale de l'Algérie.

Constantinople (anc. *Byzance,* auj. *Istanbul)* v. fondée en 324 par Constantin Ier le Grand, elle fut la cap. de l'Empire romain d'Orient, ou Empire byzantin*, de 330 à 1453. De 1204 à 1261, elle fut la cap. de l'Empire latin de Constantinople*. Occupée par les Turcs (depuis 1453), elle reçut son nom actuel. (V. Byzance et Istanbul.)

Constantinople (Empire latin de) ou **Empire latin d'Orient,** empire (1204-1261) fondé par les croisés après la chute de l'Empire romain d'Orient; miné par des querelles intestines, il s'effondra sous les coups de Michel Paléologue, qui restaura l'Empire byzantin.

Constantin Pavlovitch (Tsarskoïe Selo, 1779 – Vitebsk, 1831), grand-duc de Russie. Fils de Paul Ier, il abandonna le trône à son jeune frère Nicolas Ier. Il fut vice-roi de Pologne (1815-1830).

constat n. m. **1.** Procès-verbal, dressé par huissier, constatant un fait. *Constat amiable :* déclaration relatant les circonstances d'un accident (spécial. de la circulation), faite par les parties concernées. **2.** Fig. Ce qui permet de constater qqch. *Sa réflexion l'amène à un constat d'échec.*

constatation n. f. **1.** Action de constater. *Constatation d'un fait par des témoins.* **2.** Fait constaté et rapporté, qui sert de preuve. *D'après les constatations d'un voyageur.*

constater v. tr. [1] **1.** Vérifier, établir, certifier la réalité d'un fait. *Constater la mort de qqn. Constater par un procès-verbal.* **2.** Remarquer, s'apercevoir de. *Constater des différences. Je constate que la porte ferme mal.*

constellation n. f. **1.** Groupement apparent d'étoiles ayant une configuration propre. *Il existe de nombreuses constellations : la Grande Ourse, Persée, le Lion, etc.* **2.** Groupe d'objets brillants. **3.** Fig. Réunion de personnes illustres. *Une constellation de célébrités.*

constellé, ée adj. **1.** Parsemé d'étoiles. *Un ciel constellé.* **2.** Parsemé d'objets, en général brillants. *Une couronne constellée de diamants.* **3.** Fig. Parsemé en abondance. *Un texte constellé de fautes.*

consteller v. tr. [1] **1.** Parsemer d'étoiles. **2.** Fig. Parsemer, couvrir en abondance de.

consternant, ante adj. Qui consterne. *Une nouvelle consternante.*

consternation n. f. Stupeur causée par un événement pénible, surprise douloureuse, accablement.

consterner v. tr. [1] Jeter dans l'accablement. *Cette nouvelle nous a consternés.* – Pp. adj. *Avoir l'air consterné.*

constipant, ante adj. Qui constipe.

constipation n. f. Retard ou difficulté dans l'évacuation des selles, d'origine fonctionnelle ou organique.

constipé, ée adj. et n. **1.** Qui souffre de constipation. **2.** Fig., fam. Taciturne, embarrassé, contraint.

constiper v. tr. [1] Causer la constipation. *Cette alimentation m'a constipé.* – (S. comp.) *Certains aliments constipent.*

constituant, ante adj. et n. **1.** adj. Qui entre dans la composition de qqch. *Les parties constituantes d'une substance chimique.* **2.** n. m. CHIM Corps pur qui participe à un équilibre. **3.** adj. *Assemblée constituante,* élue pour rédiger une constitution. ▷ n. f. *La Constituante :* l'Assemblée de 1789 à 1791, qui adopta la Déclaration des droits de l'homme, la Constitution de 1791, la Constitution civile du clergé, l'abolition des privilèges, l'uniformisation des poids et mesures, etc. – n. m. *Les constituants :* les membres de la Constituante.

constitué, ée adj. **1.** *Les autorités constituées, les corps constitués,* établis par la Constitution. **2.** *Être bien, mal constitué,* de bonne, de mauvaise constitution physique.

constituer v. tr. [1] **1.** Former un tout, par la réunion de deux ou plusieurs choses. *Ces trois maisons constituent tout le village.* **2.** Être en soi, représenter. *Le loyer constitue la plus grande partie de ses dépenses.* **3.** DR Établir, mettre (qqn) dans une situation légale. *Il a constitué son neveu son héritier.* **4.** DR Établir (qqch) pour qqn. *Constituer une rente, une pension, une dot à qqn,* s'engager à lui payer une rente, une pension, une dot. **5.** Créer, organiser. *Constituer un groupe de recherches.* **6.** v. pron. *Se constituer partie civile :* V. partie. *Se constituer prisonnier :* se livrer à la justice.

constitutif, ive adj. **1.** Qui fait partie de. **2.** Qui constitue l'essentiel de. **3.** DR *Titre constitutif,* qui établit un droit.

constitution n. f. **1.** Ensemble des éléments constitutifs de qqch; composition. *La constitution des corps.* **2.** Complexion du corps humain (état général de son organisation et de sa nutrition). *Être de constitution délicate.* **3.** Création, fondation. *Présider à la constitution d'un ciné-club.* **4.** DR *Constitution d'avoué :* désignation d'un avoué. – *Constitution de partie civile :* demande de réparation d'un dommage. **5.** Ensemble des lois fondamentales qui déterminent la forme de gouvernement d'un État. *La Constitution de 1958 :* V. encycl. **6.** Actes solennels des papes et des conciles. *Constitution pastorale.* **7.** *Constitution civile du clergé :* nouvelle organisation donnée au clergé, en France, par le décret du 12 juillet 1790.

ENCYCL Les Constitutions françaises ont été les suivantes : – **Constitution du 3 septembre 1791.** Votée par l'Assemblée nationale constituante, elle a établi la monarchie constitutionnelle. – **Constitution de l'an I** (1793). Due à la Convention, elle établit le régime républicain mais ne fut jamais appliquée. – **Constitution de l'an III** (5 fructidor). Votée par la Convention après la chute de Robespierre, elle établit une république à caractère bourgeois. Deux assemblées élues au second degré au suffrage censitaire (Conseil des Anciens et Conseil des Cinq-Cents) détiennent le pouvoir législatif et nomment un Directoire (5 membres), qui détient l'exécutif. – **Constitution de l'an VIII** (22 frimaire). Due en grande partie à Bonaparte, elle établit le pouvoir consulaire après le coup d'État du 18 Brumaire. – **Constitution de l'an X** (ou sénatus-consulte organique). Votée par le Sénat après le plébiscite de 1802, elle accroît les pouvoirs du Premier consul (Bonaparte), qui est nommé consul à vie. – **Constitution de l'an XII** (1804). Elle établit l'empire héréditaire au profit de Napoléon. – **Charte de 1814.** Constitution octroyée par Louis XVIII instaurant la monarchie constitutionnelle. – **Acte additionnel aux Constitutions de l'Empire** (1815). Accordé par Napoléon à son retour de l'île d'Elbe, il établit l'empire constitutionnel. – **Charte de 1830.** Votée par les Chambres après la révolution de juillet 1830 et jurée par Louis-Philippe Ier, devenu roi des Français, elle modifie la Charte de 1814 et l'esprit du régime. – **Constitution de 1848.** Votée par l'Assemblée constituante après la révolution de février, elle établit un gouvernement républicain démocratique, fondé sur le suffrage universel. – **Constitution de 1852.** Élaborée par le président Louis Napoléon Bonaparte, après le coup d'État du 2 décembre 1851 et le plébiscite qui l'a sanctionné, elle rétablit en France le pouvoir plébiscitaire et personnel en s'inspirant de la Constitution de l'an VIII. Le sénatus-consulte du 7 novembre 1852 modifie cette Constitution en rétablissant l'empire au profit de Napoléon III. – **Constitution de 1875** (IIIe République). Elle est issue d'un ensemble de lois, les unes constitutionnelles, les autres dites organiques, votées par l'Assemblée nationale en 1875, après la guerre de 1870 et la chute du Second Empire. Le pouvoir législatif appartient à deux Chambres : d'une part, la Chambre des députés, élue au suffrage universel par tous les citoyens de sexe masculin âgés de 21 ans au moins et jouissant de leurs droits civiques; d'autre part, le Sénat, élu par un collège comprenant les députés, les conseillers généraux, les conseillers d'arrondissement et les délégués des conseils municipaux. Le pouvoir exécutif appartient, en droit, au président de la République, mais en fait au Conseil des ministres, le président de la République ne pouvant accomplir aucun acte sans contreseing ministériel. Le président de la République est élu pour 7 ans par les membres des deux Chambres réunies en Congrès à Versailles; il nomme les ministres, politiquement responsables devant les Chambres. Ceux-ci se réunissent soit en Conseil des ministres, sous la présidence du président de la République, soit en Conseil de cabinet, sous la présidence du président du Conseil. Le pouvoir judiciaire est exercé par le corps de la magistrature, dont les membres sont nommés par l'exécutif, certains (les juges du siège) ne pouvant être révoqués (inamovibilité). Les lois constitutionnelles ont été modifiées ou complétées à deux reprises, en 1881 et en 1926. La Constitution de 1875 a cessé d'être appliquée en juillet 1940, à la suite de l'invasion de la France par l'armée allemande et de l'accession au pouvoir du maréchal Pétain. – **Constitution de 1946** (IVe République). Élaborée par une Assemblée constituante et approuvée par un référendum, elle consacre les principes de la démocratie libérale et définit les bases fondamentales de l'Union française. Le Parlement est composé de l'Assemblée nationale : 627 députés, élus pour 5 ans au suffrage universel direct, au scrutin de liste départemental avec apparentements pour la majeure partie du territoire de la République française; du Conseil de la République : 320 sénateurs, âgés de 35 ans au moins, élus pour 6 ans (renouvelables par moitié tous les 3 ans) au suffrage universel à deux degrés par des collèges départementaux; cette assemblée consultative n'examine que pour avis les projets ou les propositions de lois votés en première lecture par l'Assemblée nationale. Seule cette dernière vote la loi et a l'initiative des dépenses; elle donne l'investiture au président du Conseil, désigné par le président de la République; elle est seule à pouvoir mettre fin aux fonctions du président du Conseil et de son cabinet, soit en votant une motion de censure, soit en lui refusant la confiance. La Constitution de 1946 instaure également un Conseil économique. Le pouvoir exécutif appartient, comme sous la IIIe République, au Conseil des ministres. Le président de la République, élu pour 7 ans et rééligible seulement une fois par l'Assemblée nationale et le Conseil de la République réunis en Congrès, est également président de l'Union française. Le président du Conseil choisit les membres du gouvernement; il est le seul responsable devant l'Assemblée nationale. (Cette dernière fit et défit les gouvernements, dont certains ne durèrent que quelques jours.) – **Constitution du 28 septembre 1958**, c.-à-d. celle de la Ve République, actuellement en vigueur. Élaborée sous le contrôle direct du général de Gaulle, son trait majeur est le rôle primordial dévolu au président de la République, chef de l'État, dont relèvent désormais directement le Premier ministre (qui ne porte plus le titre de président du Conseil) et le gouvernement. La responsabilité du gouvernement devant l'Assemblée nationale demeure, mais une crise ministérielle ne peut survenir qu'à la suite du vote d'une motion de censure par la majorité des membres de l'Assemblée ou à la suite d'un vote, acquis à la même majorité, contre le gouvernement lorsqu'il engage sa responsabilité; les abstentions sont considérées comme des votes favorables au gouvernement. Le président de la République détient le pouvoir de dissoudre l'Assemblée nationale, sous certaines conditions. Le cumul du mandat ministériel avec le mandat législatif est interdit; le député nommé ministre est remplacé par son suppléant. La modification de la Constitution, intervenue par voie de référendum en 1962, et en vertu de laquelle le président de la République est désormais élu au suffrage universel direct, renforce encore ce dispositif, au point que l'on peut dire que le régime de la Ve République est à la fois présidentiel et parlementaire. Les autres attributions du président de la République sont peu différentes de celles qui lui étaient conférées sous la IVe République, à l'exception cependant de celles relatives à l'article 16 de la Constitution, qui lui permet, lorsque l'indépendance de la nation ou l'intégrité de son territoire sont menacées, ou que le fonctionnement régulier des pouvoirs publics est interrompu, de prendre les pleins pouvoirs. Le Premier ministre dirige l'action du gouvernement en tant que premier collaborateur du président de la République. Le pouvoir législatif est exercé, comme sous la IVe République, par l'Assemblée nationale, élue pour 5 ans, et par le Sénat, élu pour 9 ans, renouvelable par tiers tous les trois ans. Dans la pratique, c'est le gouvernement qui propose les lois à l'approbation de l'Assemblée (projets de lois). Le contrôle de la constitutionnalité des lois revient au Conseil constitutionnel. En ce qui concerne le pouvoir judiciaire, la composition et la compétence du Conseil supérieur de la magistrature et de la Haute Cour de justice sont peu différentes de ce qu'elles étaient sous la IVe République. Le gouvernement et le Parlement sont assistés par une assemblée consultative, le Conseil économique et social, dont les membres sont désignés pour 5 ans et comprennent des représentants des principales catégories de la vie économique et sociale de la nation. La Constitution peut être révisée à l'initiative du président de la République ou à celle du Parlement. La révision n'est effective qu'après avoir été adoptée par référendum (importante innovation dans cette Constitution) ou votée à la majorité des trois cinquièmes par les deux Assemblées réunies en Congrès.

constitutionnaliser v. tr. [1] DR Rendre constitutionnel (un texte de loi).

constitutionnalité n. f. Conformité à la Constitution de l'État.

constitutionnel, elle adj. **1.** MED *Maladie constitutionnelle*, qui relève de la constitution de l'individu. **2.** Régi par une constitution. *Monarchie constitutionnelle.* **3.** Conforme à la Constitution de l'État. **4.** Relatif à la Constitution de l'État. *Loi constitutionnelle.* **5.** HIST *Prêtre constitutionnel* : prêtre ayant juré fidélité à la Constitution civile du clergé en 1790. **6.** *Droit constitutionnel* : partie du droit qui étudie les constitutions et leur fonctionnement.

constitutionnellement adv. Conformément à une constitution.

constricteur adj. m. (et n. m.) **1.** ANAT *Muscle constricteur*, qui resserre, en agissant circulairement. – n. m. *Un constricteur.* **2.** ZOOL *Boa constricteur* ou *constrictor*, ainsi nommé parce qu'il s'enroule autour de ses proies puis se contracte pour les étouffer.

constrictif, ive adj. (et n. f.) **1.** MED Qui resserre. *Douleur constrictive.* **2.** PHON *Une consonne constrictive* ou, n. f., *une constrictive*, produite avec une occlusion incomplète du canal buccal. *Les fricatives et les vibrantes sont des constrictives.*

constriction n. f. Didac. Resserrement par pression circulaire.

constrictor adj. m. *Boa constrictor* : V. constricteur (sens 2).

constructeur, trice n. et adj. **1.** n. Personne, entreprise qui construit. *Constructeur d'ordinateurs.* ▷ adj. *Les castors, animaux constructeurs.* **2.** adj. Qui établit qqch de nouveau. *Esprit constructeur.*

constructibilité n. f. Didac. Caractère de ce qui est constructible.

constructible adj. Qui peut être construit. ▷ Où l'on peut construire. *Terrain constructible.*

constructif, ive adj. **1.** Apte, propre à construire, à créer. **2.** Positif. *Des propositions constructives.*

construction n. f. **1.** Action de construire. *La construction d'un navire.* **2.** Édifice. *Un ensemble de constructions nouvelles.* **3.** Ensemble des techniques qui concourent à l'acte de construire des bâtiments et des ouvrages de génie civil. ▷ *Par ext.* Branche particulière de l'industrie. *Construction mécanique, aérospatiale, navale.* **4.** Fig. Élaboration. *Une construction de l'esprit.* ▷ Art de la composition littéraire. *La construction d'un discours.* **5.** *Jeu de construction* : jeu d'enfant constitué d'éléments, de cubes qui servent à dresser de petits ensembles figurant des maisons, des monuments, etc. **6.** GRAM Arrangement des mots suivant les règles et l'usage de la langue. **7.** GEOM Tracé d'une figure. *Construction d'un pentagone régulier.*

constructivisme n. m. Mouvement artistique proche du cubisme et du futurisme, issu des recherches d'avant-garde qui animèrent les arts en Russie de 1913 à 1922 environ. (A. Pevsner est l'un de ses créateurs.)

constructiviste n. et adj. Adepte du constructivisme.

construire v. tr. [**69**] **1.** Disposer, assembler les parties pour former (un tout), bâtir. *Construire une machine, un pont.* **2.** Fig. Composer. *Construire une plaidoirie.* **3.** GRAM Arranger, disposer les mots d'une phrase suivant les règles de l'usage. *Construire une phrase.* **4.** GEOM Tracer (une figure). *Construire un triangle rectangle.*

consubstantialité n. f. THEOL Unité et identité de substance entre les trois personnes de la Trinité.

consubstantiation [kɔ̃sypstɑ̃sjasjɔ̃] n. f. THEOL *Dogme de la consubstantiation :* dogme luthérien selon lequel la présence du Christ dans l'eucharistie ne fait pas disparaître la substance même du pain et du vin.

consubstantiel, elle adj. **1.** THEOL De la même substance. *Le Fils est consubstantiel au Père.* **2.** Inséparable.

consul n. m. **1.** ANTIQ Chacun des deux magistrats qui se partageaient, à Rome, le pouvoir exécutif au temps de la République, pendant une période d'une année, non renouvelable immédiatement. **2.** Au Moyen Âge, titre donné, dans certaines villes de France, dans le Midi en partic., aux magistrats municipaux. **3.** Titre des trois magistrats suprêmes de la République française de 1799 à 1804. *Le Premier consul :* Bonaparte. **4.** Mod. Agent diplomatique chargé, dans un pays étranger, de la défense et de l'administration des ressortissants de son pays dans le pays dont il a la charge. *Le consul de France à Calcutta.*

les trois **consuls :** Lebrun, Bonaparte et Cambacérès; cabinet des Estampes, B.N.

consulaire adj. **1.** Qui est propre aux consuls romains. **2.** *Juge consulaire :* membre des tribunaux de commerce. **3.** *Gouvernement consulaire,* établi en France par la Constitution de l'an VIII. **4.** Mod. Qui se rapporte à un consulat, à un consul à l'étranger.

consulat n. m. **1.** HIST Dans la Rome antique, dignité, charge de consul; temps pendant lequel un consul exerçait sa charge. **2.** Charge de consul dans une ville étrangère. – *Par ext.* Lieu où demeure un consul, où il a ses bureaux.

Consulat (le), gouvernement de la France (Constitution de l'an VIII), issu du coup d'État du 18 Brumaire. Il dura du 10 nov. 1799 au 18 mai 1804. Le pouvoir exécutif fut confié à trois consuls, nommés pour 10 ans : Bonaparte, Premier consul, qui détenait la réalité du pouvoir, Cambacérès et Lebrun. Le sénatus-consulte de l'an X (1802) instaura au profit du Premier consul le consulat à vie, et celui de l'an XII (1804) remplaça le Consulat par l'Empire. – Le Consulat désigne aussi la période hist. durant laquelle ce gouv. dirigea la France.

consultable adj. Qui peut être consulté. *Ce livre épuisé en librairie est consultable en bibliothèque.*

consultant, ante adj. et n. **1.** adj. Qui donne avis et conseil. *Avocat consultant :* avocat-conseil. *Médecin consultant.* – Subst. *Un(e) consultant(e).* **2.** n. Client, cliente d'un médecin, qui vient consulter.

consultatif, ive adj. Constitué pour donner un avis, sans pouvoir de décision. *Comité consultatif. Assemblée consultative.*

consultation n. f. **1.** Action de consulter (qqn ou qqch). *Consultation populaire :* élection, référendum. **2.** Examen d'un malade par un médecin, et l'avis de celui-ci. **3.** Réunion de médecins délibérant sur le moyen de secourir un malade. **4.** Conférence pour examiner une affaire. *Faire une consultation.* **5.** DR Opinion d'une personne susceptible de fournir un avis technique, exprimée verbalement ou par écrit, à la demande d'un juge ou d'un tribunal.

consulter v. [**1**] **I.** v. tr. **1.** Prendre l'avis de, s'adresser à (qqn) pour un conseil. *Consulter un avocat, un médecin, une voyante.* – (S. comp.) *Malade qui vient pour consulter.* ▷ v. intr. Donner une consultation. *Ce médecin consulte tous les jours.* – MED Conférer, délibérer. *Les spécialistes consultent ensemble.* **2.** Examiner pour chercher des renseignements. *Consulter un dictionnaire, des archives.* **3.** Examiner pour se déterminer. *Consulter ses goûts, ses intérêts. Consulter ses forces :* examiner si l'on est capable d'entreprendre une chose. **II.** v. pron. (Récipr.) Délibérer sur une question. *Ils se consultent pour savoir quoi faire.*

consulting [kɔ̃syltiŋ] n. m. (Anglicisme) ECON Activité du consultant en entreprise.

consumer v. tr. [**1**] **1.** Détruire par combustion. *Le feu consuma l'édifice.* ▷ v. pron. *Les braises se consumaient lentement.* **2.** Rare Dépenser. *Consumer son temps en démarches inutiles. Consumer son patrimoine,* le perdre, le dissiper inutilement. **3.** Litt. Épuiser, faire dépérir. *La fièvre, les chagrins le consument.* ▷ v. pron. Dépérir, s'épuiser. *Se consumer de chagrin.*

consumérisme n. m. Doctrine économique et commerciale des organisations de défense des consommateurs; action menée par ces organisations ou par les consommateurs eux-mêmes.

contact n. m. **1.** État de corps qui se touchent; action par laquelle des corps se touchent. *Point de contact.* **2.** Liaison, relation. *Mettre deux personnes en contact. Prendre contact, entrer en contact avec qqn :* entrer en liaison avec qqn. **3.** MILIT Proximité permettant le combat. **4.** ELECTR Liaison de deux conducteurs assurant le passage d'un courant. – Cour. Dispositif d'allumage d'un moteur à explosion. **5.** GEOM Propriété de deux courbes qui ont en un point la même tangente. **6.** OPT *Lentille, verre de contact :* cupule jouant le rôle de lentille correctrice, que l'on applique directement sur le globe oculaire.

contacter v. tr. [**1**] **1.** Établir une liaison, un contact avec (qqn). **2.** ELECTR Établir un contact avec.

contacteur n. m. ELECTR Interrupteur commandé à distance.

contactologie n. f. Didac. Partie de l'ophtalmologie qui s'occupe des lentilles de contact.

contactologiste n. Didac. Praticien spécialisé en contactologie.

contagieux, euse adj. et n. **1.** Transmissible par l'intermédiaire d'un substrat véhiculant l'agent contaminant. *Maladie contagieuse.* ▷ Qui communique la contagion, qui la favorise. *Un malade contagieux.* – Subst. Sujet atteint d'une maladie contagieuse. **2.** Fig. Qui se communique facilement. *Un fou rire contagieux.*

contagion n. f. **1.** Transmission d'une maladie par contact direct ou indirect. **2.** Fig. Imitation, propagation involontaire.

contagiosité n. f. Didac. Caractère de ce qui est contagieux.

container [kɔ̃tenɛʀ] n. m. TECH (Anglicisme) Conteneur.

contamination n. f. **1.** MED Souillure par des germes pathogènes et, par ext., par des substances radioactives. *Contamination par contact direct.* **2.** METALL Introduction non souhaitée d'un élément dans un métal ou un alliage, altérant ses caractéristiques. **3.** Fig. Souillure. **4.** LING Altération (d'un mot par un autre).

contaminer v. tr. [**1**] **1.** MED Introduire des germes pathogènes et, par ext., des substances radioactives dans un objet ou un être vivant. *Contaminer de l'eau.* **2.** Fig. Souiller.

Contant d'Ivry (Pierre Content ou Constant, dit) (Ivry-sur-Seine, 1698 – Paris, 1777), architecte français. Il commença l'aménagement des arcades du Palais-Royal et conçut le plan initial de l'église de la Madeleine.

conte n. m. **1.** Récit d'aventures imaginaires. *« Trois contes », de Flaubert. Conte de fées.* **2.** Vx ou litt. Histoire peu vraisemblable. *Conte à dormir debout, conte en l'air.*

conté. V. comté 2.

Conté (Nicolas Jacques) (Saint-Céneri-le-Gerei, 1755 – Paris, 1805), chimiste et ingénieur français. Fondateur, sous la Convention, du Conservatoire des arts et métiers. Du fait des hostilités avec l'Angleterre, la plombagine manquant en France, il inventa, en 1790, la mine de graphite et fonda une fabrique de crayons.

contemplateur, trice adj. et n. Qui contemple, se plaît à la contemplation, à l'observation, à la méditation.

contemplatif, ive adj. et n. **1.** Adonné à la contemplation, à la méditation. *Mener une vie contemplative.* **2.** RELIG CATHOL *Ordres contemplatifs,* voués à la contemplation. ▷ Subst. *Un contemplatif :* celui qui se voue à la contemplation dans un ordre cloîtré.

contemplation n. f. **1.** Action de contempler. *Rester en contemplation devant un paysage.* **2.** Profonde application de l'esprit à un objet intellectuel. **3.** RELIG Connaissance de Dieu acquise par la méditation.

contempler v. tr. [**1**] Regarder attentivement, avec admiration. *Contempler les astres.* – Fig. *« Du haut de ces pyramides, quarante siècles vous contemplent »* (attribué à Bonaparte). ▷ v. pron. *Se contempler dans un miroir.*

contemporain, aine adj. et n. **1.** Du même temps. *Boccace était contemporain de Pétrarque.* **2.** *Absol.* De notre temps. *Les historiens contemporains.*

L'histoire contemporaine commence en 1789. ▷ Subst. *Nos contemporains.*

contemporanéité n. f. Didac. **1.** Simultanéité. **2.** Caractère de ce qui est contemporain.

contempteur, trice [kɔ̃tɑ̃ptœʀ, tʀis] n. Litt. Personne qui dénigre, méprise. *Un contempteur des valeurs bourgeoises.*

contenance n. f. **1.** Capacité, étendue, superficie. *La contenance d'un vase.* **2.** Maintien, posture. *Ne savoir quelle contenance prendre* : ne savoir quelle attitude adopter. – (En loc.) *Par contenance* : pour se donner un maintien. – *Perdre contenance* : être embarrassé. – *Faire bonne contenance* : conserver son sang-froid dans un moment critique.

contenant n. m. Ce qui contient (qqch). *Le contenant et le contenu.*

conteneur n. m. **1.** Caisse métallique destinée au transport multimodal de marchandises, d'objets (meubles, armes, etc.). **2.** Grand contenant à usage particulier. *Conteneurs destinés à recueillir séparément verre, papier et plastiques.* **3.** Récipient plastique contenant un arbuste destiné à être transplanté. Syn. (off. déconseillé) container.

conteneurisation n. f. TRANSP Action de conteneuriser des marchandises.

conteneuriser v. tr. [1] TRANSP Mettre en conteneur.

contenir v. tr. [36] **1.** Avoir une capacité de, comprendre en soi (dans sa substance, dans son étendue). *Cette cuve contient cent hectolitres.* **2.** Renfermer. *Cette cuve contient du vin.* – Fig. *Ce livre contient toutes ses théories.* **3.** Maintenir, retenir. *Les gardes contiennent la foule.* **4.** Fig. Réprimer, se rendre maître de (qqch). *Contenir ses passions.* ▷ v. pron. Se maîtriser. *Contenez-vous!* : ne vous mettez pas en colère!

content, ente adj. et n. m. **1.** adj. Dont le cœur et l'esprit sont satisfaits. *Il est content. L'air content,* exprimant la satisfaction. ▷ *Être content de soi* : avoir bonne opinion de soi, à tort ou à raison. ▷ *Être content de* : être satisfait de. *Il est content de son sort.* ▷ Loc. *Non content de...* : il ne lui suffit pas de... *Non content de s'enivrer, il bat sa femme.* **2.** n. m. *Avoir son content* : avoir tout ce que l'on désirait.

contentement n. m. **1.** État d'une personne contente. **2.** Vx ou litt. Satisfaction. *Le contentement de ses désirs.*

contenter v. [1] **I.** v. tr. **1.** Rendre content, satisfaire (qqn). **2.** Satisfaire (qqch). *Contenter ses désirs.* **II.** v. pron. Être satisfait. *Je me contente de peu.* ▷ Se borner à. *Il s'est contenté de rire.*

contentieux, euse [kɔ̃tɑ̃sjø, øz] adj. et n. m. **1.** adj. DR Qui est contesté, litigieux, ou qui peut l'être. *Affaire contentieuse.* **2.** n. m. *Le contentieux* : l'ensemble des affaires contentieuses d'une administration, d'une entreprise; le service qui s'en occupe. ▷ *Par ext.* Conflit non réglé. *Avoir un contentieux avec qqn.*

1. contention n. f. Litt. Grande application de l'esprit.

2. contention [kɔ̃tɑ̃sjɔ̃] n. f. MED Fait de maintenir fermement un muscle, un organe dans un but thérapeutique. ▷ *Contention élastique* : traitement de l'insuffisance veineuse ou lymphatique par un bas élastique enserrant le membre.

contenu, ue adj. et n. m. **1.** adj. Maîtrisé. *Colère contenue.* **2.** n. m. Ce qui est renfermé dans un contenant. *Le contenu d'une boîte.* ▷ Fig. Substance, signification. *Le contenu d'une lettre.*

conter v. tr. [1] **1.** Vx. Faire le récit de, narrer. *Conter ses peines.* **2.** Raconter des choses inventées. ▷ *En conter de belles* : raconter des choses scandaleuses.

contestable adj. Qui peut être contesté.

contestataire n. et adj. Personne qui conteste, qui remet en cause l'ordre établi, les valeurs dominantes. ▷ adj. *Des propos contestataires.*

contestateur, trice adj. Qui conteste. *Diatribe contestatrice.*

contestation n. f. **1.** Objection, discussion. *Ce texte a suscité bien des contestations.* ▷ Action, fait de contester. *Contestation d'un résultat, d'un document.* – *Sans contestation* : sans aucun doute. **2.** Remise en cause de l'ordre établi. *La contestation étudiante.*

conteste (sans) loc. adv. Sans aucun doute, incontestablement.

contester v. [1] **I.** v. tr. **1.** Refuser de reconnaître la légalité ou la légitimité de. *Contester un testament.* **2.** Mettre en doute, discuter. *Il conteste cette version des faits.* **II.** v. intr. Discuter, pratiquer la contradiction. *C'est un esprit frondeur, qui se plaît à contester.* ▷ *Spécial.* Remettre en cause l'ordre établi.

conteur, euse n. **1.** Personne qui conte, qui fait des récits. *Un agréable conteur.* **2.** Auteur de contes. *Les conteurs de la Renaissance.*

contexte n. m. **1.** Ensemble des éléments qui précèdent et suivent une unité déterminée (phonème, mot, groupe de mots) dans le discours. **2.** Ensemble des circonstances qui entourent un, des événements. *Le contexte économique de l'après-guerre.*

contextuel, elle adj. Didac. Relatif au contexte.

contexture n. f. **1.** Liaison, agencement des différentes parties d'un tout. *Contexture des os.* **2.** TEXT Façon dont s'entrecroisent les fils de la chaîne et ceux de la trame.

Conti ou **Conty** (maison de), branche cadette de la maison de Bourbon-Condé. – **Armand** de Bourbon, prince de Conti (Paris, 1629 – Pézenas, 1666), frère du Grand Condé; il participa à la Fronde et épousa une nièce de Mazarin. – **François-Louis** de Bourbon, prince de Conti (Paris, 1664 – id., 1709), fils du préc.; élu roi de Pologne en 1697, il ne put exercer ses droits. – **Louis François** de Bourbon, prince de Conti (Paris, 1717 – L'Isle-Adam, 1776), petit-fils du préc.; il commanda l'armée d'Italie durant la guerre de la Succession d'Autriche (1744). Il protégea les lettres et les arts. (La maison s'éteignit en 1814.)

contigu, uë [kɔ̃tigy] adj. Attenant à autre chose. *La cuisine est contiguë à la salle à manger. Deux maisons contiguës.* – Fig. *Notions contiguës,* proches.

contiguïté n. f. Proximité immédiate dans l'espace ou dans le temps.

continence n. f. **1.** Abstention de tout plaisir charnel. **2.** MED *Continence vésicale, rectale* : fonction de rétention qu'assurent normalement les sphincters, en s'opposant au passage involontaire des urines ou des selles.

1. continent, ente adj. Litt. Qui observe la continence (sens 1).

2. continent n. m. **1.** Vaste étendue de terre émergée. *L'Australie n'est pas une île mais un continent.* ▷ *L'Ancien Continent* : l'Europe, l'Asie et l'Afrique. – *Le Nouveau Continent* : les deux Amériques. ▷ *Le continent* : la terre ferme, par rapport à une île. **2.** GEOL Vaste étendue granitique continue, émergée ou en partie recouverte de mers peu profondes, reposant sur un soubassement profond basaltique. *Géologiquement, les îles Britanniques font partie du continent européen.*

ENCYCL Les continents sont au nombre de six : Eurasie (Europe et Asie), Afrique (qui forme avec l'Eurasie l'*Ancien Monde*), Amérique du Nord et Amérique du Sud (le *Nouveau Monde*), Australie et Antarctique. La théorie de la dérive des continents, connue auj. sous le nom de *tectonique des plaques*, rend compte de ce fait. On distingue les continents des parties du monde, qui sont au nombre de cinq : Europe, Asie, Afrique, Amérique et Océanie.

continental, ale, aux adj. et n. **1.** Relatif aux continents. ▷ GEOGR *Climat continental,* caractéristique de l'intérieur d'un continent, non soumis aux influences océaniques (été chaud, hiver froid et sec). **2.** Relatif à, qui appartient à un continent, spécial. au continent européen. *Blocus continental.* ▷ Subst. *Les continentaux* : les habitants du continent (par oppos. à *insulaires*).

continentalité n. f. Didac. Caractère de ce qui est continental. *La continentalité d'un climat.*

contingence n. f. **1.** PHILO Possibilité qu'une chose arrive ou n'arrive pas (par oppos. à *nécessité*). **2.** (Plur.) Choses sujettes à variation, et dont l'intérêt est mineur. *Se soucier des contingences.*

contingent, ente adj. et n. m. **I.** adj. **1.** PHILO Qui peut arriver ou ne pas arriver. *Futurs contingents.* Ant. nécessaire. **2.** Peu important, accessoire. **II.** n. m. **1.** Ensemble des conscrits effectuant leur service militaire pendant une même période. **2.** Ensemble de choses reçues ou fournies. *Retourner au grossiste un contingent de marchandises avariées.* **3.** DR Quantité de marchandises qu'il est permis d'importer.

contingentement n. m. **1.** Partage, répartition. **2.** Limitation des importations.

contingenter v. tr. [1] Établir une répartition de, fixer un contingent (sens II, 3) à.

continu, ue adj. et n. m. **I.** adj. **1.** Qui n'est pas interrompu dans le temps ou dans l'espace. *Ligne continue.* – *Journée continue* : journée de travail qui ne comporte qu'une courte pause pour le repas. ▷ n. m. Loc. *En continu* : sans interruption. **2.** ELECTR *Courant continu,* qui se propage toujours dans le même sens (par oppos. à *courant alternatif*). ▷ MATH *Fonction continue sur un intervalle,* qui varie peu si la variable varie peu. ▷ LING Dont la prononciation ne nécessite pas une interruption de l'écoulement de l'air laryngé (en parlant d'un son). *Les voyelles, contrairement aux consonnes occlusives, sont continues.* **II.** n. m. Didac. Ce qui ne comporte pas d'interruption (dans l'espace, dans le temps).

continuateur, trice n. Personne qui continue l'œuvre ou l'activité commencée par une autre personne.

continuation n. f. Action de continuer; son résultat. *Décider la continuation d'un programme.* – Fam. *Bonne continuation!* : formule adressée à qqn dont on prend congé.

continuel, elle adj. **1.** Qui dure sans interruption. *Une pluie continuelle.* **2.**

Qui se répète fréquemment et avec régularité. *Être dérangé par des interruptions continuelles.*

continuellement adv. Sans cesse, à tout moment, fréquemment.

continuer v. [1] **I.** v. tr. Ne pas interrompre, donner une suite à. *Continuer ses études, ses recherches. Continuer son chemin, sa route.* - (S. comp.) Poursuivre, persévérer dans une activité. *C'est un bon début, continuez !* ▷ v. tr. indir. *Continuer de,* ou *à* (+ inf.). *Il continue à travailler malgré son âge. Ne vous dérangez pas, continuez de dîner.* **II.** v. intr. **1.** Se prolonger. *Le jardin continue jusqu'à la rivière.* **2.** Durer, ne pas cesser. *La séance continue.* **III.** v. pron. Être continué, se prolonger. *Des traditions qui se continuent depuis des siècles.*

continuité n. f. Qualité de ce qui est continu, de ce qui se continue dans le temps ou dans l'espace. *La continuité d'une politique. Solution* de continuité.* ▷ MATH Propriété d'une fonction continue.

continûment adv. Sans interruption, sans cesse.

continuum [kɔ̃tinɥɔm] n. m. Ensemble homogène d'éléments. ▷ MATH, PHYS Espace relativiste à quatre dimensions (dont l'une est le temps).

contondant, ante adj. Qui fait des contusions, qui blesse en meurtrissant et non en coupant. *Arme, instrument contondants.*

contorsion n. f. Contraction, déformation, volontaire ou non, des muscles, des membres. *Des contorsions de douleur. Un clown, un acrobate qui fait des contorsions.* ▷ *Par ext.* Attitude forcée, mouvements désordonnés. *Les contorsions d'un orateur.*

contorsionner (se) v. pron. [1] Faire des contorsions.

contorsionniste n. Artiste de cirque, de music-hall, dont la spécialité est de faire des contorsions acrobatiques.

contour n. m. **1.** Limite extérieure d'un corps, d'une surface. *Tracer les contours d'une figure. Le contour du nez.* **2.** (Plur.) Méandres, courbes sinueuses. *Les contours de la Seine.*

contourné, ée adj. Dont le contour est compliqué, dessine des courbes. *Une chaise aux pieds contournés.* - Fig. *Style contourné,* peu naturel, affecté, forcé.

contournement n. m. **1.** Action de contourner. **2.** Manière dont une chose est contournée.

contourner v. tr. [1] **1.** Rare Tracer les contours de. *Contourner des volutes.* **2.** Suivre les contours, faire le tour de. *Contourner une île.* ▷ Fig. *Contourner une difficulté,* l'éluder par un artifice quelconque.

contra-. Élément, du lat. *contra,* « contre, en sens contraire ».

contra n. m. Guérillero en lutte contre le régime sandiniste instauré au Nicaragua*. *Les contras.*

contraceptif, ive adj. et n. m. **1.** adj. Propre à la contraception, qui a des propriétés anticonceptionnelles. *Une méthode contraceptive.* **2.** n. m. Produit destiné à empêcher la conception. *Prescrire, prendre un contraceptif.*

contraception n. f. (Anglicisme) Action, fait d'empêcher la conception, la grossesse, d'y mettre volontairement obstacle par les méthodes anticonceptionnelles.

ENCYCL Les méthodes naturelles de contraception (telles la méthode Ogino-Knaus, la courbe de température) sont peu fiables. Les méthodes artificielles courantes comprennent : des moyens mécaniques (diaphragme vaginal; stérilet intra-utérin, qui bloque la nidation; préservatifs pour l'homme); la contraception chimique : les œstrogènes et progestatifs (« pilule ») absorbés par voie orale bloquent l'ovulation. Ils représentent la contraception la plus efficace, mais doivent être utilisés sous surveillance médicale en raison des contre-indications et des risques qu'ils peuvent présenter. Une « pilule pour homme » est en cours d'expérimentation. Quant à la stérilisation volontaire (vasectomie chez l'homme, ligature des trompes chez la femme), pratiquement irréversible, elle est pratiquée dans de nombreux pays.

contractant, ante adj. et n. Qui contracte, qui s'engage par une convention, un contrat. *Les parties contractantes.* ▷ Subst. *Les contractants.*

contracte adj. GRAM Se dit des déclinaisons et des conjugaisons où il y a contraction (surtout en grec.). *Déclinaison contracte. Verbes contractes.*

1. contracter v. tr. [1] **1.** S'engager à remplir certaines obligations par un contrat, une convention. *Contracter mariage. Contracter une assurance.* ▷ *Contracter des obligations :* accepter des services qui engagent à la reconnaissance. **2.** Prendre, acquérir (une habitude). *Contracter une manie, un goût.* ▷ Être atteint par (une maladie). *Contracter la varicelle.*

2. contracter v. [1] **I.** v. tr. **1.** Diminuer le volume de. *Le froid contracte les corps.* **2.** PHYSIOL Mettre en tension, avec ou sans raccourcissement, un ou plusieurs muscles. ▷ Cour. *Contracter son visage, sa bouche. La peur de l'échec le contracte,* le rend nerveux, inquiet. - Pp. adj. *Un muscle contracté. Être contracté dans l'attente du résultat d'un examen.* **3.** LING Réunir (deux voyelles, deux syllabes) pour n'en former qu'une seule. *On contracte « de » et « le » en « du ».* - Pp. adj. *Deux voyelles contractées.* **II.** v. pron. **1.** Diminuer de volume. **2.** Subir une contraction (sens 2). *Muscle, visage qui se contracte.* **3.** Fig. Être brusquement tendu nerveusement. *Se contracter à l'approche du danger.* **4.** LING *Deux voyelles qui se contractent en une seule,* se réduisent à une seule.

contractile adj. PHYSIOL Doté de contractilité.

contractilité n. f. PHYSIOL Propriété que possèdent certaines cellules (notam. celles de la fibre musculaire) de réduire l'une de leurs dimensions en effectuant un travail actif.

contraction n. f. **1.** Réduction du volume d'un corps. **2.** PHYSIOL Modification dans la forme de certains tissus sous l'influence d'excitations diverses. *Contraction musculaire. Contractions (utérines) de la femme qui accouche.* ▷ Cour. *Contraction du visage :* modification des traits sous l'influence d'une sensation, d'une émotion. **3.** LING Réunion de deux éléments en un seul. **4.** *Contraction de texte :* exercice consistant à réduire la longueur d'un texte tout en respectant son style et son contenu.

contractualiser v. tr. [1] Lier qqn par un contrat.

contractuel, elle adj. et n. **1.** Qui est stipulé par contrat. *Clauses contractuelles. Politique contractuelle.* **2.** *Agent contractuel* ou, n., *contractuel, elle :* agent d'un service public non titulaire recruté sur la base d'un contrat. - Subst. *Spécial.* Auxiliaire de police chargé de relever les infractions aux règles de stationnement des automobiles.

contractuellement adv. De manière contractuelle.

contracture n. f. MED Contraction prolongée et involontaire d'un ou de plusieurs muscles sans lésion du tissu musculaire. *On observe la contracture dans le tétanos, la rage, etc.*

contracturer v. tr. [1] Didac. Causer la contracture de (un muscle).

contradicteur, trice n. Personne qui contredit.

contradiction n. f. **1.** Action de contredire; opposition faite aux idées, aux paroles d'autrui. *Accepter, refuser la contradiction. Porter la contradiction au sein d'un débat.* - *Esprit de contradiction :* disposition à contredire. **2.** Fait de se contredire, de se mettre en opposition avec ce qu'on a dit ou fait; acte, parole, pensée qui s'oppose à une autre, à d'autres. *Un exposé rempli de contradictions. La contradiction règne au sein de ce parti politique.* **3.** Désaccord, incompatibilité. *Vivre, entrer en contradiction avec son entourage.* **4.** LOG Incompatibilité entre deux propositions qui se nient mutuellement.

contradictoire adj. **1.** Qui comporte une, des contradictions. *Témoignages contradictoires. Récit, attitude contradictoire.* **2.** DR Se dit de certains actes de procédure faits en présence des parties intéressées.

contradictoirement adv. D'une manière contradictoire.

contragestif, ive adj. MED Destiné à provoquer l'avortement.

contraignant, ante adj. Qui contraint, qui gêne.

contraindre v. [54] **I.** v. tr. **1.** Obliger, forcer (qqn) à agir contre son gré. *On m'a contraint à partir. La maladie l'a contraint à changer de métier.* **2.** Litt. Empêcher, réprimer l'expression (d'un sentiment, d'une tendance). *Contraindre son humeur, ses goûts, ses penchants.* **3.** DR *Contraindre qqn,* l'obliger, par voie de justice, à exécuter ses obligations. **II.** v. pron. **1.** Se maîtriser, maîtriser ses penchants. *Un homme austère, habitué à se contraindre.* **2.** S'obliger à. *Il se contraint à faire une heure de marche tous les matins.*

contraint, ainte adj. **1.** Gêné, qui manque de naturel, d'aisance. *Il a l'air contraint. Un style contraint.* **2.** Soumis à une forte pression morale, à une contrainte puissante. *Je ne ferai cela que contraint et forcé.*

contrainte n. f. **1.** Violence, pression exercée sur qqn (pour l'obliger à agir, ou l'en empêcher). *Céder à la contrainte. Obtenir qqch par la contrainte.* ▷ État de celui qui subit cette violence. *Vivre dans une contrainte permanente.* **2.** Obligation, règle à laquelle on doit se soumettre. *Les contraintes de la vie en société. Les contraintes économiques.* **3.** Retenue, gêne due au fait qu'on se contraint. *Rire sans contrainte.* **4.** DR Force à laquelle le prévenu n'a pu résister en commettant l'infraction qui lui est reprochée. **5.** DR Pouvoir reconnu au créancier ou à l'État sur le patrimoine ou la personne du débiteur ou du prévenu. ▷ *Contrainte par corps :* emprisonnement du débiteur ou du prévenu (auj. aboli pour les créanciers privés). **6.** PHYS Effort qui s'exerce à l'intérieur d'un corps. *Contrainte mécanique.*

contraire adj. et n. m. **I.** adj. **1.** Différent au suprême degré, opposé. *Des goûts contraires.* ▷ De sens opposé. *Vent contraire.* **2.** Qui gêne, qui nuit à, est incompatible avec. *Un régime contraire à la santé.* ▷ Litt. *Le sort, les dieux sont contraires,* hostiles. **3.** LOG *Propositions contraires,* qui ne peuvent être vraies l'une et l'autre, mais peuvent être toutes les deux fausses. (Ex. «Toutes les femmes sont belles» et «Aucune femme n'est belle».) ▷ MATH *Événements contraires d'un univers,* tels que leur union donne cet univers et que leur intersection soit vide. **II.** n. m. Ce qui est inverse, tout à fait opposé. *Froid est le contraire de chaud.* – *C'est tout le contraire d'un génie :* c'est un homme médiocre. – *Tu as raison, je ne te dis pas le contraire,* je ne le conteste pas. ▷ Loc. adv. *Au contraire :* inversement. ▷ Loc. prép. *Au contraire de :* contrairement à.

contrairement adv. D'une manière contraire à, à l'inverse de. *Contrairement à ce qu'il prétend... Contrairement aux lois.*

contralto n. m. **1.** MUS La plus grave des voix de femme. **2.** Femme qui a cette voix.

contrapuntique [kɔ̃tʀapɔ̃tik] adj. MUS Relatif au contrepoint.

contrapuntiste, contrapontiste [kɔ̃tʀapɔ̃tist] ou **contrepointiste** [kɔ̃tʀəpwɛ̃tist] n. MUS Compositeur qui fait usage des règles du contrepoint.

contrariant, ante adj. **1.** Qui se plaît à contrarier. *Un esprit contrariant.* **2.** De nature à contrarier. *Événement contrariant.*

contrarié, ée adj. **1.** Contrecarré, arrêté. *Un projet contrarié.* **2.** Mécontent, dépité. *Un air contrarié.* **3.** TECH Disposé en sens contraire. *Assemblage à joints contrariés.*

contrarier v. tr. [2] **1.** S'opposer à, faire obstacle au déroulement de (qqch). *Contrarier les projets de qqn. La pluie et le vent contrariaient notre marche.* **2.** Mécontenter, causer du dépit à (qqn) en ne répondant pas à son attente. *Tes paroles l'ont vivement contrarié.* ▷ Chagriner, inquiéter. *Il a reçu des nouvelles de sa famille qui l'ont contrarié.* **3.** TECH Disposer de façon à obtenir un contraste. *Contrarier les couleurs d'une étoffe.*

contrariété n. f. **1.** Sentiment de déplaisir créé par un obstacle, un événement imprévu. *Éprouver une grande contrariété.* **2.** Rare Opposition entre des choses contraires. *Contrariété des éléments, des couleurs.* **3.** DR *Contrariété de jugements :* contradiction entre deux jugements rendus en dernier ressort, entre les mêmes parties, et ayant la même cause et le même objet.

contrastant, ante adj. Qui forme contraste.

contraste n. m. **1.** Opposition prononcée entre deux choses ou deux personnes, chacune mettant l'autre en relief. *Être en contraste. Contraste de deux caractères.* **2.** OPT *Contraste de couleurs,* qui fait qu'une couleur paraît plus vive lorsqu'on la regarde en même temps que sa couleur complémentaire. – *Contraste d'une image optique :* variations de l'éclairement dans cette image. – AUDIOV *Régler le contraste d'un poste de télévision,* régler le rapport des brillances entre parties sombres et parties claires de l'image. ▷ MED *Produit de contraste :* substance opaque aux rayons X utilisée en radiologie. ▷ LING Rapport entre une unité d'un énoncé (morphème, phonème) et celles qui forment son contexte.

contrasté, ée adj. Qui présente un (des) contraste(s). *Tableau contrasté.*

contraster v. [1] **1.** v. intr. Former un contraste, être en opposition. *Sa conduite contraste avec ses propos.* **2.** v. tr. Mettre en contraste. *Contraster les couleurs.*

contrastif, ive adj. Didac. **1.** Qui établit un contraste. **2.** Qui établit une comparaison systématique entre des langues.

contrat n. m. **1.** DR Accord de volontés destiné à créer des rapports obligatoires entre les parties. *Contrat de travail, de location. Contrat de mariage,* qui fixe le régime matrimonial des époux pendant la durée du mariage. **2.** Acte qui enregistre cet accord. *Rédiger, signer un contrat.* **3.** JEU Au bridge, dernière annonce du camp déclarant, qui s'engage à réaliser un certain nombre de levées. *Le déclarant joue le contrat à quatre cœurs.* **4.** Loc. *Remplir son contrat :* faire ce que l'on avait promis.

contravention n. f. DR Infraction aux lois et aux règlements, qui relève des tribunaux de police. ▷ Cour. Amende dont est punie cette infraction. – *Spécial.* Amende pour infraction au Code de la route. ▷ Procès-verbal dressé pour cette infraction. *Trouver une contravention sur le pare-brise de sa voiture.*

contre-. Élément, du lat. *contra,* qui marque l'opposition, la proximité, la défense.

1. contre prép. et adv. **I.** prép. Marque : **1.** L'opposition, la lutte, l'hostilité. *Nager contre le courant. Être contre le gouvernement. Se battre contre une idée, un ennemi.* ▷ *Envers et contre tous :* malgré toutes les difficultés. **2.** La proximité, le contact. *Prendre un enfant contre son cœur. S'appuyer contre un pilier. Lancer une balle contre un mur. L'appentis édifié contre la maison.* **3.** L'échange. *Colis contre remboursement,* en échange du... **4.** La proportion. *Être élu par cinquante voix contre dix. Parier à dix contre un.* **5.** L'idée de défense. *S'assurer contre le vol.* – *Un remède contre la migraine,* pour combattre la migraine. **II.** adv. Marque : **1.** L'opposition. *Il a voté contre. J'ai toujours été contre.* **2.** La proximité, le contact. *Approchez-vous du radiateur et mettez-vous contre,* tout près, à le toucher. **III.** Loc. adv. *Par contre :* en revanche, en compensation (expression critiquée par certains puristes). *L'appartement est petit; par contre, il n'est pas cher.* ▷ *Tout contre :* en contact étroit. ▷ MAR *Voile bordée à contre,* dont le point d'écoute est au vent.

2. contre n. m. **1.** Ce qui est défavorable à, en opposition avec qqch. *Peser le pour et le contre :* évaluer les avantages et les inconvénients. **2.** SPORT Contre-attaque. – En escrime, parade qui consiste à baisser sa lame en oblique sous la lame adverse, en rejetant ensuite celle-ci à l'extérieur. – En boxe, dans les sports de combat, attaque déclenchée par l'attaque de l'adversaire, presque en même temps que celle-ci. **3.** *Faire un contre :* au billard, toucher deux fois la même bille avec sa propre bille par un retour imprévu de la première. **4.** JEU *Faire un contre* ou *contrer :* aux cartes, défier l'adversaire de faire ce qu'il a annoncé, de remplir son contrat. *Le contre double les gains ou les pertes.*

contre-alizé n. m. METEO Courant aérien opposé en altitude à l'alizé. *Des contre-alizés.*

contre-allée n. f. Allée latérale, parallèle à une allée, à une voie principale. *Des contre-allées.*

contre-amiral, aux n. m. Officier général de la marine dont le grade se situe entre celui de capitaine de vaisseau et celui de vice-amiral.

contre-appel n. m. MILIT Second appel fait à l'improviste pour contrôler le premier. *Des contre-appels.*

contre-assurance n. f. Didac. Seconde assurance contractée comme supplément de garantie. *Des contre-assurances.*

contre-attaque n. f. Action offensive répondant à une attaque. *Des contre-attaques.*

contre-attaquer v. tr. [1] Effectuer une contre-attaque.

contrebalancer v. tr. [12] **1.** Faire équilibre à (en parlant de deux forces opposées). **2.** Être égal en force, en valeur, en mérite. *Ses qualités contrebalancent ses défauts.* **3.** v. pron. Fam. *S'en contrebalancer :* s'en moquer. *Je m'en balance et je m'en contrebalance.*

contrebande n. f. **1.** Importation clandestine de marchandises prohibées ou taxées. *Faire de la contrebande.* **2.** Marchandise introduite en contrebande. *Un receleur de contrebande.*

contrebandier, ère n. et adj. Personne qui se livre à la contrebande. ▷ adj. *Un chien contrebandier.*

contrebas (en) loc. adv. À un niveau inférieur. *Talus en contrebas.*

contrebasse n. f. **1.** Le plus grand et le plus grave des instruments de la famille des violons. **2.** Personne qui joue de la contrebasse. **3.** *Voix de contrebasse :* la voix d'homme la plus basse. ► pl. instruments de **musique**

contrebassiste n. Personne qui joue de la contrebasse (V. bassiste).

contrebasson n. m. Instrument de musique à vent en bois, dont le son est d'une octave au-dessous du basson.

contrebouter ou **contrebuter** v. tr. [1] ARCHI Opposer à (une poussée) une poussée de sens contraire. *Les arcs-boutants des cathédrales gothiques contrebutent la poussée des voûtes.*

contre-braquer ou **contrebraquer** v. intr. [1] Braquer les roues d'une automobile dans le sens inverse de celui dans lequel elles étaient braquées.

contrecarrer v. tr. [1] S'opposer à (qqn); contrarier, empêcher (qqch). *Contrecarrer les projets de qqn.*

contrechamp n. m. CINE et AUDIOV Prise de vues effectuée dans un sens opposé à celui de la précédente (champ).

contre-chant n. m. MUS Phrase mélodique qui s'oppose au thème par un effet de contrepoint. *Des contre-chants.*

contre-choc ou **contrechoc** n. m. Choc en retour. *Des contre-chocs.*

1. contrecœur n. m. TECH Fond d'une cheminée, depuis l'âtre jusqu'au tuyau. ▷ Contre-feu (sens 2).

2. contrecœur (à) loc. adv. À regret, malgré soi. *Agir à contrecœur.*

contrecollage n. m. TECH Superposition de matériaux collés entre eux.

contrecoller v. tr. [1] TECH Procéder au contrecollage de (qqch).

contrecoup n. m. **1.** Litt. Rebondissement, répercussion. *Être blessé par le contrecoup d'une balle.* **2.** Mod. Événement qui arrive par suite ou à l'occasion d'un autre. *Les contrecoups d'une crise économique.* ▷ *Par, en contrecoup* : en retour.

contre-courant n. m. Courant allant dans le sens inverse du courant principal. *Des contre-courants.* ▷ Loc. adv. *À contre-courant* : en remontant le courant. *Nager à contre-courant.* – Fig. *Aller, vivre à contre-courant,* à l'opposé des idées, des habitudes de son époque.

contre-culture n. f. Ensemble des systèmes de valeurs esthétiques et intellectuelles qui se définissent par leur opposition aux valeurs culturelles traditionnelles, considérées comme contraignantes et caduques. *Des contre-cultures.*

contredanse n. f. **1.** Danse rapide dans laquelle les couples se font vis-à-vis et exécutent des pas compliqués; air qui accompagne cette danse. **2.** Fam. Contravention.

contredire v. [65] **I.** v. tr. **1.** Dire le contraire de ce que (qqn) a avancé. *Il ne supporte pas qu'on le contredise.* ▷ *Vous contredisez ses propos.* **2.** Être en contradiction avec (ce qui a été dit, établi), démentir. *Cette nouvelle contredit vos prévisions.* **II.** v. pron. **1.** (Réfl.) Tenir des propos contradictoires. *Le témoin ne cesse de se contredire.* **2.** (Récipr.) S'opposer, se démentir. *Faits qui se contredisent.*

contredit n. m. Rare Affirmation que l'on oppose à une autre. *Propos sujets à contredit.* ▷ Loc. adv. *Sans contredit* : sans que cela puisse être contredit, contesté. *Il est sans contredit le plus compétent.*

contrée n. f. Litt. Étendue déterminée de pays, région. *Une contrée fertile.*

contre-écrou n. m. Écrou servant à en bloquer un autre. *Des contre-écrous.*

contre-emploi n. m. Rôle qui diffère totalement de ceux confiés habituellement à un acteur en fonction de ses caractéristiques. *Des contre-emplois.*

contre-enquête n. f. Enquête faite à la suite de celle entreprise par la partie adverse ou destinée à compléter une enquête précédente. *Des contre-enquêtes.*

contre-épreuve n. f. **1.** En gravure, épreuve inversée d'un dessin dont l'encre est encore fraîche, obtenue en appliquant une feuille sur celui-ci. **2.** Seconde épreuve destinée à vérifier les résultats d'une première. *Soumettre les résultats d'une analyse à une contre-épreuve.* – *Spécial.* Vote d'une assemblée sur une proposition opposée à celle d'abord mise aux voix, qui permet de compter les véritables opposants. *Des contre-épreuves.*

contre-espionnage n. m. Action visant à démasquer, surveiller et déjouer les menées des espions d'un État étranger. ▷ Organisation, service chargé de cette action. *Des contre-espionnages.*

contre-étiquette n. f. Petite étiquette apposée sur une bouteille de vin à l'opposé de l'étiquette principale. *Des contre-étiquettes.*

contre-exemple n. m. Exemple qui contredit une règle, une affirmation. *Des contre-exemples.*

contre-expertise n. f. Nouvelle expertise pratiquée pour contrôler la précédente. *Des contre-expertises.*

contrefaçon n. f. Imitation ou reproduction frauduleuse de l'œuvre d'autrui; objet ainsi obtenu. *La contrefaçon d'un livre, d'une pièce de monnaie, d'un chèque.*

contrefacteur n. m. Celui qui commet une contrefaçon. Syn. faussaire.

contrefaire v. tr. [10] **1.** Litt. Représenter en imitant. *Contrefaire la démarche de qqn.* ▷ Imiter, singer pour tourner en ridicule. **2.** Vieilli Simuler (un sentiment, un comportement). *Contrefaire la folie, le chagrin.* **3.** Déguiser, dénaturer pour tromper. *Contrefaire sa voix.* **4.** Imiter, reproduire frauduleusement. *Contrefaire des billets de banque.*

contrefait, aite adj. **1.** Frauduleusement imité. *Signature contrefaite.* **2.** Vieilli Difforme. *Nez, bras contrefait.* **3.** Fabriqué, artificiel, feint. *Attitude, voix contrefaite.*

contre-fenêtre n. f. Intérieur d'une double fenêtre. *Des contre-fenêtres.*

contre-feu n. m. **1.** Feu allumé en certains points pour créer des clairières, afin de circonscrire un incendie de forêt. **2.** Garniture métallique placée sur le fond d'une cheminée. *Des contre-feux.*

contreficher (se) v. pron. [1] Fam. Se moquer complètement (de), ne prêter aucune attention (à). *Toutes tes histoires, je m'en contrefiche!* (On entend aussi, à l'inf., *se contrefiche.*)

contre-fil ou **contrefil** n. m. Sens contraire à la direction normale. *Le contre-fil du bois. Des contre-fils.* ▷ Loc. adv. *À contre-fil* : à rebours.

contre-filet ou **contrefilet** n. m. CUIS Faux-filet. *Des contre-filets.*

contrefort n. m. **1.** ARCHI Pilier, mur servant d'appui à un mur qui subit une poussée. **2.** Pièce de cuir renforçant la partie arrière d'une chaussure. **3.** (Plur.) Dans un massif montagneux, chaînes latérales qui relient la plaine à la chaîne principale, comme pour la soutenir.

contrefoutre (se) v. pron. [6] Pop. Se moquer complètement (de), ne prêter aucune attention (à). *S'en contrefoutre.*

contre-gouvernement n. m. POLIT Groupe d'opposition organisé de manière à pouvoir assurer une relève du gouvernement, dans un cadre démocratique. *Des contre-gouvernements.*

contre-haut (en) loc. adv. Rare À un niveau supérieur. Ant. contrebas (en).

contre-indication n. f. MED Circonstance interdisant d'appliquer le traitement qui semblerait indiqué. *Les contre-indications d'un médicament.*

contre-indiquer v. tr. [1] Notifier une contre-indication. – Pp. adj. Cour. *Médicament, aliment contre-indiqué,* qui est déconseillé, qui ne convient pas.

contre-interrogatoire n. m. Nouvel interrogatoire, mené pour contrôler le précédent. *Des contre-interrogatoires.*

contre-jour n. m. Éclairage sous lequel l'objet reçoit la lumière du côté opposé à celui du regard. *Des contre-jours.* ▷ Loc. adv. *À contre-jour* : en faisant face à la source de lumière. *Prendre une photographie à contre-jour.*

contre-la-montre n. m. inv. SPORT Course contre la montre*.

contremaître, esse n. Personne qui surveille, dirige une équipe d'ouvriers, d'ouvrières.

contre-manifestation n. f. Manifestation organisée en vue de protester contre une première manifestation, de la contrecarrer. *Des contre-manifestations.*

contremarche n. f. **1.** MILIT Marche d'une troupe dans une direction opposée à celle suivie d'abord. **2.** Face verticale d'une marche d'escalier.

contremarque n. f. **1.** Seconde marque apposée sur des marchandises. *Faire une contremarque à la vaisselle d'argent.* **2.** Billet délivré aux spectateurs sortant pendant l'entracte, et qui leur permet de rentrer dans la salle.

contre-mesure n. f. MILIT Mesure destinée à annihiler les défenses ennemies. *Des contre-mesures électroniques.*

contre-nature ou **contre nature** adj. Qui est contraire à la nature; qui n'est pas naturel.

contre-offensive n. f. MILIT Offensive qui contrecarre une offensive ennemie. *Des contre-offensives.*

contrepartie n. f. **1.** Partie qui correspond à une autre (dans un échange, une opération commerciale). *Inventeur qui cherche une contrepartie financière pour l'exploitation d'un brevet.* ▷ Loc. adv. *En contrepartie* : en échange, en compensation. **2.** Opinion, sentiment contraire. *Prendre la contrepartie de ce qu'on dit,* le contre-pied. **3.** FIN Valeur équivalente (or, devises, etc.) des billets mis en circulation par une banque. ▷ *Se porter contrepartie* : effectuer des opérations boursières en dehors des heures d'activité de la Bourse (en parlant d'un agent de change).

contre-passation n. f. COMPTA Annulation d'une écriture comptable par une nouvelle écriture contraire à la première. *Des contre-passations.*

contre-pente n. f. **1.** Versant d'une montagne opposé à un autre. *Des contre-pentes.* – Loc. adv. *À contre-pente.* **2.** CONSTR Pente qui empêche l'écoulement normal des eaux.

contre-performance n. f. SPORT Mauvaise performance d'un sportif. ▷ Par ext. *La contre-performance d'un homme politique à la télévision. Des contre-performances.*

contrepet n. m. ou **contrepèterie** n. f. Permutation de lettres ou de sons à l'intérieur d'un groupe de mots, donnant à celui-ci un nouveau sens, généralement burlesque ou grivois. (Par ex. : *Métropolitain* pour *Pétain mollit trop,* en opposition plaisante à l'occupation allemande entre 1940 et 1944.)

contre-pied n. m. **1.** VEN Erreur des chiens qui consiste à prendre à rebours la piste de la bête chassée. **2.** Par ext. Cour. Chose contraire. *Prendre le contre-pied de ce que dit, de ce que fait qqn,* soutenir le contraire de ce qu'il dit, faire le contraire de ce qu'il fait. *Des contre-pieds.* ▷ SPORT Loc. adv. *À contre-pied* : dans la direction opposée à celle de l'élan. *Joueur de tennis pris à contre-pied par une balle coupée.*

contreplaqué n. m. TECH Matériau constitué de minces feuilles de bois collées les unes sur les autres, en alternant le sens des fibres. *Plateau en contreplaqué.*

contre-plongée n. f. CINE et AUDIOV Prise de vues effectuée de bas en haut. *Des contre-plongées.*

contrepoids n. m. **1.** Poids qui contrebalance une force opposée. *Contrepoids d'horloge.* **2.** Cour., fig. Ce qui contrebalance (une qualité, un sentiment). *Son bon cœur fait contrepoids à son mauvais caractère.*

contre-poil (à) loc. adv. Dans le sens contraire à celui dans lequel est couché le poil, à rebrousse-poil. *Étriller un cheval à contre-poil.* ▷ Fig., fam. *Prendre qqn à contre-poil,* le choquer dans ses idées, dans ses goûts, etc.

contrepoint n. m. MUS Art d'écrire de la musique en superposant des lignes mélodiques. *L'harmonie enseigne à écrire correctement la musique, le contrepoint à combiner les différentes parties harmoniques.* ▷ *Par ext.* Composition écrite de cette manière.

contrepointiste. V. contrapuntiste.

contrepoison n. m. Remède qui neutralise l'effet d'un poison en cas d'intoxication. Syn. antidote.

contre-porte n. f. CONSTR Double porte destinée à isoler du bruit ou du froid. *Des contre-portes.*

contre-pouvoir n. m. Force politique, économique ou sociale dont l'action a pour effet de contraindre l'exercice du pouvoir en place. *Des contre-pouvoirs.*

contre-projet ou **contreprojet** n. m. Projet destiné à être substitué à un autre, auquel il s'oppose en certains points. *Des contre-projets.*

contre-propagande n. f. Propagande qui a pour but d'effacer les effets d'une autre propagande.

contre-proposition ou **contreproposition** n. f. Proposition faite en réponse à une proposition précédente, à laquelle elle apporte des modifications. *Des contre-propositions.*

contre-publicité n. f. **1.** Publicité ou propagande qui a un effet contraire à celui recherché. **2.** Publicité destinée à combattre, à neutraliser une autre publicité.

contrer v. [1] **1.** v. intr. Aux cartes, mettre l'adversaire au défi de réaliser son contrat. **2.** v. tr. Contrecarrer, se dresser contre (avec succès). *Contrer qqn. Se faire contrer.*

Contre-Réforme. V. Réforme catholique.

contre-révolution n. f. Mouvement politique visant à la destruction des résultats d'une révolution. *Des contre-révolutions.*

contre-révolutionnaire n. et adj. Celui qui est favorable à la contre-révolution. *Des contre-révolutionnaires.* ▷ adj. *Un mouvement contre-révolutionnaire.*

contrescarpe n. f. FORTIF Paroi extérieure du fossé qui ceinture une fortification.

contreseing n. m. Signature de celui qui contresigne.

contresens n. m. **1.** Interprétation contraire à la signification véritable d'un texte, d'un discours. *Traduction pleine de contresens.* **2.** Sens contraire à celui que l'on doit utiliser. *Prendre le contresens d'une étoffe.* ▷ Loc. adv. *À contresens :* dans le sens contraire au sens normal. *Prendre une rue à contresens (en voiture). Comprendre à contresens.*

contresigner v. tr. [1] DR Signer à la suite de qqn d'autre pour authentifier (un acte) ou pour marquer sa solidarité (avec une motion, une proposition, etc.). *Ce décret du président de la République doit être contresigné par le ministre responsable.*

contretemps n. m. **1.** Circonstance imprévue, accident inopiné qui dérange des projets. *Être empêché de sortir par un contretemps. Un léger contretemps.* ▷ Loc. adv. *À contretemps :* mal à propos, de façon inopportune. *Agir à contretemps.* **2.** MUS Attaque du son sur un temps faible ou sur la partie faible d'un temps, le temps fort – ou la partie forte du temps – qui lui succède étant occupé par un silence.

contre-torpilleur n. m. MAR Bâtiment de guerre rapide et de tonnage relativement faible (1 800 à 3 000 t), destiné à combattre les torpilleurs et, comme eux, à attaquer des bâtiments ennemis à la torpille. *Des contre-torpilleurs.*

contre-transfert n. m. PSYCHAN Ensemble des réactions inconscientes du psychanalyste au transfert opéré sur sa personne par l'analysé. *Des contre-transferts.*

contretype n. m. PHOTO Cliché négatif obtenu d'après un autre négatif, ou cliché positif obtenu d'après un autre positif, soit par copie intermédiaire, soit par inversion.

contre-ut n. m. MUS Note plus élevée d'une octave que l'ut supérieur du registre normal. *Des contre-uts* ou *des contre-ut.*

contre-valeur n. f. FIN Valeur donnée en échange de celle que l'on reçoit. *Des contre-valeurs.*

contrevenant, ante n. Celui, celle qui contrevient à une prescription. *Punir les contrevenants à la loi.*

contrevenir v. tr. indir. [36] Faire une chose contraire à ce qui est prescrit, ordonné. *Contrevenir à la loi.*

contrevent n. m. **1.** Volet extérieur. ▷ Cloison pour protéger du vent. **2.** CONSTR Élément renforçant la ferme d'une charpente.

contre-vérité ou **contrevérité** n. f. **1.** Ce que l'on dit dans l'intention de faire entendre le contraire. *Une contre-vérité plaisante.* **2.** Affirmation contraire à la vérité. *Un tissu de contre-vérités.*

contre-visite n. f. Visite destinée au contrôle des résultats d'une visite antérieure.

contre-voie (à) loc. adv. CH de F *Monter, descendre à contre-voie :* monter, descendre d'un train par le côté opposé au quai.

Contrexéville, com. des Vosges (arr. de Neufchâteau); 4 443 hab. Stat. therm., connue des Romains; ses eaux sulfatées calciques traitent les maladies du foie et des reins.

contribuable n. Personne qui contribue aux dépenses publiques, qui paie des contributions.

contribuer v. tr. indir. [1] **1.** *Contribuer à :* coopérer à (l'exécution, la réalisation de), prendre part à (un résultat). *Contribuer aux progrès de la médecine. Contribuer au succès d'une affaire.* **2.** *Spécial.* Payer sa part d'une dépense, d'une charge commune. *Contribuer aux frais de copropriété, aux charges publiques.*

contributif, ive adj. DR Relatif à une contribution. *Part contributive.*

contribution n. f. **1.** Part payée par chacun dans une dépense, une charge commune. *Contribution aux charges du ménage.* **2.** *Spécial.* Impôt. *Contribution foncière.* – *Contributions directes* (sur les biens et revenus personnels), *indirectes* (sur les produits de consommation taxés). ▷ *Par ext.* (plur.) Administration chargée du recouvrement de l'impôt; ses bureaux. *Inspecteur des contributions directes.* – *Contribution sociale généralisée (C.S.G.),* impôt proportionnel au revenu, destiné à équilibrer les comptes de la Sécurité sociale. **3.** Concours apporté à une œuvre. *Contribution à la rédaction d'un ouvrage collectif.* ▷ *Mettre qqn à contribution :* avoir recours à ses services, à ses talents.

contrister v. tr. [1] Litt. Rendre très triste, affliger. *La nouvelle le contrista.*

contrit, ite adj. **1.** RELIG Qui a le regret de ses péchés. *Un cœur contrit.* **2.** Par ext. Cour. Qui ressent ou exprime le repentir, l'affliction. *Un air contrit.*

contrition [kɔ̃tʀisjɔ̃] n. f. RELIG Pour les chrétiens, repentir sincère d'avoir péché. *Acte de contrition.*

contrôlable adj. Qui peut être contrôlé.

contrôle n. m. **1.** Vérification, surveillance. *Contrôle des instruments de mesure. Contrôle d'identité. Contrôle sanitaire. Contrôle fiscal.* ▷ *Contrôle continu (des connaissances) :* système de vérification des connaissances acquises par les étudiants, au moyen d'interrogations échelonnées tout au long de l'année. ▷ GEST *Contrôle de gestion :* analyse des écarts entre prévisions et réalisations. ▷ TECH Ensemble des opérations destinées à vérifier le bon fonctionnement d'un appareillage, d'une machine, d'une installation (en s'assurant notam. de sa conformité avec les règles de sécurité). **2.** Lieu où se tiennent les contrôleurs. *Passez au contrôle pour faire remplacer vos billets.* **3.** Organisme chargé du contrôle; le corps des contrôleurs. **4.** Maîtrise. *Perdre le contrôle de son véhicule.* ▷ SPORT *Rater le contrôle de la balle.* – Fig. *Le contrôle de soi-même.* **5.** Fait de diriger. ▷ FIN *Prise de contrôle d'une société :* ensemble des opérations financières par lesquelles un individu ou un groupe devient détenteur de la majorité des actions de cette société. ▷ *Contrôle des naissances* (trad. de l'angl. *birth control*) : limitation de la procréation par la contraception, planning familial. **6.** État nominatif des personnes appartenant à un corps. *Être porté sur un contrôle.* **7.** Marque, poinçon de l'État sur les ouvrages de métal précieux.

contrôler v. tr. [1] **1.** Exercer un contrôle sur. *Contrôler la gestion d'une entreprise. Contrôler les billets des passagers.* **2.** Être maître de (une zone, un espace aérien). *L'armée contrôle déjà toute la moitié nord du pays.* – Par ext. *Contrôler une société,* en détenir la majorité des actions. ▷ *Contrôler ses réactions :* être maître de soi. – v. pron. *Il se contrôle parfaitement.* **3.** Apposer le contrôle (sens 7) sur.

contrôleur, euse n. **1.** Personne qui contrôle. *Contrôleur des contributions. Contrôleur de la navigation aérienne.* ▷ HIST *Contrôleur général des Finances :* sous l'Ancien Régime, administrateur des finances publiques. *Colbert était contrôleur général des Finances.* ▷ GEST *Contrôleur de gestion :* personne chargée de la surveillance financière permanente d'une entreprise (ou d'un de ses secteurs) et qui, à travers ses analyses, joue un rôle de conseil dans l'organisation de la production. **2.** n. m. TECH Appareil servant à effectuer un contrôle. *Contrôleur de vitesse.*

contrordre n. m. Révocation d'un ordre donné. *Donner, recevoir un contrordre.*

controuvé, ée adj. Litt. Inventé pour nuire. *Assertions controuvées.*

controverse n. f. Débat suivi, contestation sur une question, une opinion, un point doctrinal. *Il y a là matière à controverse.*

controversé, ée adj. Débattu, qui est l'objet d'une controverse. *Un point très controversé,* sur lequel personne n'est d'accord.

controverser v. tr. [1] Rare Discuter, débattre (spécial., d'un dogme, d'un point de doctrine).

1. contumace [kɔ̃tymas] n. f. État de celui qui, prévenu dans une affaire criminelle, ne se présente pas devant la cour d'assises. *Condamné par contumace,* par défaut. (La contumace, qui vaut aveu du crime, est jugée en audience publique, mais sans jury et sans audition ni des témoins ni de la défense.)

2. contumace [kɔ̃tymas] ou **contumax** [kɔ̃tymaks] adj. et n. Se dit de la personne citée en justice qui ne se présente pas devant le tribunal. *Être déclaré contumace.* ▷ Subst. *Un(e) contumace* ou *contumax.*

contusion n. f. Lésion des tissus sous-jacents à la peau, sans déchirure des téguments.

contusionner v. tr. [1] CHIR Faire une contusion. ▷ Cour. Meurtrir, blesser (par contusion). – Pp. adj. *Jambe toute contusionnée.*

Conty. V. Conti.

conurbation n. f. GEOGR Groupement de plusieurs villes rapprochées constituant une région urbaine. *La conurbation Lille-Roubaix-Tourcoing.*

convaincant, ante adj. Qui a les qualités requises pour convaincre. *Un argument convaincant.*

convaincre v. tr. [57] **1.** Amener par des raisons, des preuves, à reconnaître la vérité d'un fait, d'une proposition; persuader. *Il m'a convaincu de la réalité du danger. Il faut le convaincre d'agir sans tarder.* **2.** *Convaincre qqn (d'une faute),* donner des preuves certaines (de sa culpabilité). *Convaincre qqn de trahison. Il a été convaincu de meurtre.*

convaincu, ue adj. Qui a la conviction, la parfaite assurance de. *Être convaincu de son bon droit.* ▷ Qui est sûr de ce qu'il croit. *Un militant, un partisan convaincu.* – Qui marque la conviction. *Parler d'une voix convaincue.*

convalescence n. f. Période qui succède à la maladie et pendant laquelle le fonctionnement normal de l'organisme se rétablit.

convalescent, ente adj. Qui est en convalescence. ▷ Subst. *Un(e) convalescent(e).*

convecteur n. m. TECH Appareil de chauffage utilisant le phénomène de convection, constitué d'un tuyau à ailettes et d'une gaine verticale.

convection ou **convexion** [kɔ̃vɛksjɔ̃] n. f. PHYS Transport de chaleur sous l'effet des mouvements d'un liquide, d'un gaz, d'un plasma. – *Courants de convection* (marins, atmosphériques, au sein du magma).

convenable adj. **1.** Qui convient, qui est à propos, adapté. *La réponse convenable.* **2.** Conforme aux convenances. *Une tenue convenable. C'est un jeune homme très convenable.*

convenablement adv. De manière convenable.

convenance n. f. **1.** Rapport de conformité entre les choses qui vont bien ensemble. – Spécial. *À sa convenance :* à son goût. *Chercher une robe à sa convenance.* **2.** Utilité, commodité particulière. *Demander une mutation pour convenances personnelles.* ▷ Spécial. *Mariage de convenance,* de raison, où les rapports de naissance, de fortune, sont déterminants. **3.** *Les convenances :* la bienséance, la décence. *Observer, braver les convenances.*

convenir v. tr. indir. [36] **I.** (Avec *être*; cour., fautif, avec *avoir.*) **1.** *Convenir de :* s'accorder sur. *Nous sommes convenus d'un prix.* **2.** Reconnaître, tomber d'accord. *Il avait fait une erreur et a bien voulu en convenir.* **II. 1.** (Auxil. *avoir.*) Être en rapport de conformité, être en harmonie. *Le mot convient à la chose. Ce poste ne lui convient pas.* – Plaire, agréer. *Cette situation ne lui a pas convenu. Ça me convient.* **2.** v. pron. (récipr.) Se plaire, s'entendre. *Ils se sont si bien convenu qu'ils ont décidé de se marier.* **3.** Loc. impers. *Il convient de* (+ inf.) : il sied de, il est convenable de; il est utile de. *Il convient de se taire quand qqn parle.* ▷ Litt. *Il convient que* (+ subj.) : il faut que. *Il convient que vous reveniez dès que possible.*

convent [kɔ̃vɑ̃] n. m. Assemblée générale d'une loge maçonnique.

convention n. f. **I. 1.** Accord, pacte, contrat entre deux ou plusieurs personnes (physiques, morales, publiques). *Conventions collectives :* accord conclu entre des représentants des salariés et des représentants des employeurs pour régler les conditions de travail. ▷ Stipulation particulière, clause que contient un traité, un pacte ou un contrat. **2.** Ce qu'il convient d'admettre. *Les conventions sociales* ou, ellipt., *les conventions.* ▷ Ce que l'on est tacitement convenu d'admettre. *Les conventions du théâtre.* **3.** Loc. adj. *De convention :* qui n'a de valeur, de sens, que par l'effet d'une convention. *Signe de convention.* – Péjor. Qui ne résulte que de l'usage établi par les conventions sociales. *Un sourire, des amabilités de convention.* **II. 1.** HIST Assemblée nationale munie de pouvoirs extraordinaires, soit pour établir une constitution, soit pour la modifier. **2.** Aux É.-U., congrès d'un parti réuni pour désigner un candidat à la présidence.

Convention nationale, assemblée constituante française qui gouverna du 21 sept. 1792 au 26 oct. 1795. Elle succéda à l'Assemblée législative après la chute de la royauté. On distingue trois périodes, suivant les partis qui exercèrent le pouvoir : à la Convention *girondine* (1792-1793) succédèrent la *montagnarde* (1793-1794) et, après la chute de Robespierre (17 juil. 1794), la *thermidorienne* (1794-1795). L'œuvre accomplie fut immense. À l'intérieur, la république fut proclamée (22 sept. 1792), de nombr. institutions furent créées (notam. l'École normale sup., l'École polytechnique, l'Institut de France), les mouvements contre-révolutionnaires furent écrasés (V. Terreur). À l'extérieur, les armées des pays coalisés contre la France furent vaincues, grâce à un effort de guerre exceptionnel; le territ. national fut agrandi. La Convention se sépara quand eut été élaborée la Constitution de l'an III, qui mit en place le Directoire (octobre 1795).

conventionnel, elle adj. et n. m. **I.** adj. **1.** Qui résulte d'une convention. *Obligation conventionnelle. Signe conventionnel.* **2.** Qui est conforme aux conventions sociales. *Terminer une lettre par une formule conventionnelle* (de politesse). – *Qqn de très conventionnel :* personne qui manque d'originalité, qui est trop respectueuse des conventions sociales. **3.** Relatif aux conventions collectives. **4.** MILIT *Armes conventionnelles,* autres que nucléaires, biologiques et chimiques. **II.** n. m. HIST *Un conventionnel :* député à la Convention nationale.

conventionnellement adv. De manière conventionnelle. ▷ Par convention. *Parties conventionnellement liées.*

conventionnement n. m. Accord tarifaire entre un membre d'une profession médicale ou un établissement de soins et un organisme officiel (Sécurité sociale).

conventionner v. tr. [1] Lier par une convention ou un conventionnement. *Clinique conventionnée.*

conventuel, elle adj. Didac. Qui a rapport aux couvents. *Assemblée conventuelle,* composée de tous les membres du couvent.

convenu, ue adj. Conforme à un accord. – Loc. *Comme convenu. Il est arrivé à huit heures comme convenu.* ▷ Établi par convention. *Langage convenu :* code. ▷ Sans originalité. *Style convenu.*

convergence n. f. **1.** Action de converger; fait de converger; fig. *convergence de points de vue.* ▷ GEOM Disposition de lignes qui se dirigent vers un même point. ▷ MATH *Convergence d'une suite :* propriété d'une suite dont le terme U_n tend vers une valeur finie lorsque le paramètre n tend vers l'infini. – *Convergence d'une série :* propriété d'une série dont la somme des

Boissy d'Anglas à la ***Convention*** *le 1er prairial an III,* par Nicolas Sébastien Maillot; musée St-Denis, Reims

termes tend vers une valeur finie. **2.** PHYS *Convergence d'une lentille* : inverse de sa distance focale.

convergent, ente adj. **1.** Qui converge. *Des routes convergentes.* – Fig. *Idées convergentes.* – GEOM *Lignes convergentes.* ▷ MATH *Série convergente*, dont la somme des termes tend vers une limite. **2.** PHYS Dont la fonction est de faire converger. *Lentille convergente.* ► illustr. **lentille**

converger v. intr. [**13**] **1.** Se diriger vers un même lieu. *Faire converger des troupes sur une ville. Converger vers un même lieu.* ▷ PHYS, GEOM Tendre vers un seul et même point. ▷ MATH Tendre vers une valeur donnée, sans jamais l'atteindre. **2.** Fig. Avoir le même but, la même tendance. *Faire converger ses efforts. Ils ont des idées qui convergent.*

convers, erse adj. Se dit d'un religieux non prêtre, d'une religieuse qui n'est pas une «religieuse de chœur» admise à chanter les offices dans le chœur de l'église ou de la chapelle, et qui sont en général employés aux besognes domestiques dans leur communauté. *Frère convers.*

conversation n. f. **1.** Échange de propos entre deux ou plusieurs personnes, sur des sujets variés. *Lier conversation avec qqn. Sujet de conversation plaisant.* **2.** Matière, sujet de cet échange; ce qui s'y dit. *Changer de conversation.* **3.** Art, manière de s'entretenir en société des sujets les plus divers. *Avoir de la conversation.*

conversationnel, elle adj. INFORM Qui permet le dialogue homme-machine.

converser v. intr. [**1**] S'entretenir, échanger des paroles (avec). *Ils conversèrent quelques instants avec le gardien.*

conversion n. f. **1.** Transformation d'une chose en une autre (changement de nature, de forme). *Conversion des métaux.* ▷ FIN *Conversion des monnaies*, leur échange contre d'autres pour une même valeur. **2.** *Spécial.* Changement de religion. *La conversion d'un protestant au catholicisme.* – *Par ext.* Changement de parti, d'opinion. *Conversion au socialisme.* ▷ RELIG *La conversion des âmes*, le fait de les ramener sur le chemin de Dieu. **3.** LOG Opération qui consiste, dans une proposition, à faire du sujet l'attribut et de l'attribut le sujet sans étendre abusivement la compréhension de l'un des concepts. (Ex. : la conversion de «*Tous* les oiseaux sont des animaux ailés» ne doit pas donner «*Tous* les animaux ailés sont des oiseaux» mais «*Certains* animaux ailés sont des oiseaux».) **4.** Changement de direction (spécial., d'une troupe militaire). – SPORT Demi-tour exécuté à l'arrêt par un skieur.

converti, ie adj. et n. Qui a été amené à changer de religion. – Qui a été ramené sur le chemin de la religion. *Un pécheur converti.* ▷ Loc. *Prêcher un converti* : s'évertuer à convaincre qqn qui est déjà convaincu.

convertibilité n. f. FIN Qualité de ce qui est convertible. *Libre convertibilité d'une monnaie* : échange légalement libre d'une monnaie contre de l'or ou contre d'autres monnaies.

convertible adj. **1.** Qui peut être converti en une autre chose ou échangé contre une autre chose. ▷ FIN *Obligations convertibles.* **2.** Se dit d'un meuble qui peut, en se transformant, avoir un autre usage. *Un canapé convertible.* ▷ n. m. *Un convertible.*

convertir v. tr. [**3**] **1.** Changer, transformer. *Convertir de la fonte en acier. Convertir des valeurs en espèces.* ▷ FIN Réduire le taux (d'une rente). **2.** Amener (qqn) à changer de religion et, par ext., de parti, d'opinion. *Les missionnaires voulaient convertir au christianisme les peuples d'Afrique et d'Asie.* ▷ v. pron. Adopter une religion; changer de religion, de croyance. *Se convertir au judaïsme.* – Revenir aux principes de la religion. *Ce libertin s'est converti.*

convertissable adj. Qui peut être converti (convertir, sens 1).

convertissement n. m. FIN Action de convertir.

convertisseur n. m. TECH Appareil ou dispositif qui transforme. ▷ ELECTR Appareil qui transforme un courant en un autre. *Convertisseur statique*, qui transforme un courant alternatif en courant continu sans utiliser d'organes mobiles (par oppos. à *groupe convertisseur*). ▷ ELECTRON Appareil permettant de passer d'un système de télévision à un autre (de PAL à SECAM, par ex.). – *Convertisseur d'images* : tube électronique permettant d'obtenir une image à partir d'une autre image. ▷ METALL Appareil qui affine la fonte en acier au moyen d'un courant d'oxygène ou d'air. *Convertisseur Thomas*, Bessemer*.* ▷ AUTO *Convertisseur de couple* : organe, servant à la fois d'embrayage et de boîte de vitesses, qui transmet aux roues l'effort moteur par l'intermédiaire d'un liquide.

convexe adj. **1.** Bombé, courbé en dehors. *Miroir convexe.* Ant. concave. **2.** MATH *Volume convexe*, tel que tout segment qui joint deux points quelconques de ce volume est contenu à l'intérieur de ce volume. *Surface convexe* : surface plane telle que tout segment joignant deux points quelconques de cette surface est contenu dans cette surface. *Fonction numérique convexe*, telle que la surface du plan située au-dessus de sa courbe représentative est convexe.

convexion. V. convection.

convexité n. f. État de ce qui est convexe; rondeur, courbure sphérique.

conviction n. f. **1.** Certitude que l'on a (de la vérité, d'un fait, d'un principe). *L'intime conviction des jurés quant à l'innocence du prévenu.* – DR *Pièce à conviction*, qui établit la preuve évidente et indubitable d'un fait. **2.** (Surtout plur.) Idées, opinions que l'on tient pour vraies et auxquelles on est fortement attaché. *Heurter qqn dans ses convictions. Les convictions religieuses.*

convier v. tr. [**2**] **1.** Inviter (à un repas, à une fête). – Pp. *Les enfants conviés à la fête.* **2.** Fig. Engager à. *Dormons, tout nous y convie.*

convive n. Personne qui participe à un repas avec d'autres.

convivial, ale, aux adj. **1.** Relatif aux repas, aux banquets. *Des échanges conviviaux.* ▷ Qui concerne la convivialité. **2.** INFORM Se dit d'un système informatique, d'un logiciel dont l'utilisation est simplifiée grâce à une interface bien adaptée aux besoins de l'utilisateur.

convivialité n. f. **1.** Goût pour les repas réunissant de nombreux convives. ▷ *Par ext.* Ensemble des rapports favorables des personnes d'un groupe social, entre elles et face à ce groupe. **2.** INFORM Caractère convivial (d'un système).

convocation n. f. **1.** Action de convoquer. *La convocation d'une assemblée.* **2.** Billet, feuille par laquelle on convoque.

convoi n. m. **1.** Réunion de voitures, de bateaux cheminant ensemble vers une même destination. – *Convoi de blé*, de véhicules transportant du blé. *Former un convoi. Escorter un convoi.* ▷ Spécial. *Convoi (de chemin de fer).* **2.** Cortège funèbre.

convoiement [kɔ̃vwamɑ̃] n. m. Rare Syn. de *convoyage.*

convoiter v. tr. [**1**] Désirer avidement. *Convoiter le bien d'autrui.*

convoitise n. f. Désir immodéré de possession. *Des bijoux qui provoquent la convoitise.*

convoler v. intr. [**1**] Plaisant *Convoler en justes noces* : se marier.

convolvulacées n. f. pl. BOT Famille de dicotylédones gamopétales superovariées généralement grimpantes (par enroulement de la tige : plantes volubiles), dont le type est le liseron et dont la patate douce fait partie. – Sing. *Une convolvulacée.*

convoquer v. tr. [**1**] **1.** Faire se réunir. *Convoquer le Parlement.* **2.** Mander, inviter à se présenter. *Convoquer qqn à un examen.*

convoyage n. m. Fait de convoyer. Syn. rare convoiement.

convoyer v. tr. [**23**] **1.** Escorter, accompagner pour protéger. *Bâtiments de guerre qui convoient des cargos.* **2.** TRANSP Conduire (un véhicule, un bateau) au destinataire qui doit en prendre livraison. **3.** Transporter (qqch, qqn). *Convoyer des matières premières.*

convoyeur, euse n. **1.** Personne qui convoie, qui escorte pour protéger. *Convoyeurs de fonds.* ▷ n. m. MAR Bâtiment qui en escorte d'autres. **2.** n. m. TECH Dispositif de manutention continue pour le transport des matériaux (sur bande, rouleaux, chaîne, bac métalliques, etc.).

convulsé, ée adj. Agité, contracté par des convulsions.

convulser v. tr. [**1**] Agiter de convulsions. ▷ v. pron. *Se convulser de douleur.*

convulsif, ive adj. MED Ayant la nature d'une convulsion. – Cour. *Rire, mouvement convulsif*, nerveux.

convulsion n. f. **1.** Contraction involontaire et transitoire des muscles, localisée ou généralisée. (Les convulsions peuvent être rapides et brusques – *cloniques* – ou durables – *toniques*. On les observe au cours de l'épilepsie, du tétanos, de la tétanie, etc. Chez l'enfant, elles peuvent survenir lors d'une fièvre élevée.) **2.** Fig. (Le plus souvent au plur.) Troubles sociaux violents. *Les convulsions d'une révolution, d'une guerre civile.*

convulsionnaire n. MED Personne qui a des convulsions. – HIST *Les convulsionnaires* : jansénistes fanatiques qui étaient pris de convulsions hystériques sur la tombe du diacre Pâris au cimetière Saint-Médard, à Paris (1727-1732), où des miracles se seraient produits.

convulsionner v. tr. [**1**] MED Causer des convulsions ou des mouvements convulsifs. – Pp. adj. *Un visage convulsionné.*

convulsivement adv. D'une façon convulsive.

cooccupant, ante adj. et n. DR Qui occupe un logement ou un local avec d'autres.

Cook (détroit de), bras de mer séparant les deux îles principales de la Nouvelle-Zélande.

Cook (îles), archipel d'Océanie, en Polynésie, au N.-E. de la Nouvelle-Zélande, dont il dépend (auton. interne en 1965); 240 km²; 17 650 hab.; cap. *Avarua*, dans l'île de Rarotonga.

Cook (mont), point culminant (3 764 m) de la Nouvelle-Zélande, dans l'île du Sud.

Cook (James) (Marton, Yorkshire, 1728 - Hawaii, 1779), navigateur anglais; célèbre par ses trois voyages dans l'océan Pacifique : 1768-1771 (découverte des îles de la Société et de la Nouvelle-Zélande), 1772-1775 (exploration des îles Marquises, des Nouvelles-Hébrides, expéditions dans l'Antarctique), 1776-1779 (découverte des îles Sandwich, auj. *archipel des Hawaii*, où il fut tué par un indigène).

Cook (Thomas) (Melbourne, 1808 - Leicester, 1892), fondateur britannique d'agences de voyages, à partir de 1841.

cookie, ies [kuki, iz] n. m. (Mot amér.) Gâteau sec à l'intérieur moelleux, contenant des fragments de fruits secs ou de chocolat.

cool [kul] adj. inv. Fam. (Anglicisme) Détendu, calme. ▷ *Spécial.* Se dit d'une manière de jouer le jazz : *cool jazz* (par oppos. à *hot jazz*, plus exubérant).

Coolidge (Calvin) (Plymouth, Vermont, 1872 - Northampton, 1933), homme politique américain. Vice-président républicain des É.-U. en 1921, il succéda à Harding, décédé, en 1923 et fut élu président en 1925.

Coolidge (William David) (Hudson, Massachusetts, 1873 - Schenectady, New York, 1975), physicien et chimiste américain. Il inventa le tube à rayons X qui porte son nom.

coolie [kuli] n. m. Manœuvre, porteur indien ou chinois, en Extrême-Orient.

Cooper (James Fenimore) (Burlington, New Jersey, 1789 - Cooperstown, New York, 1851), écrivain américain. Il fut le créateur du roman de la Prairie, peuplé d'Indiens et de pionniers : *le Dernier des Mohicans* (1826), *la Prairie* (1827), *le Tueur de daims* (1841).

Cooper (Frank J. Cooper, dit Gary) (Helena, Montana, 1901 - Hollywood, 1961), acteur américain. De 1929 (*The Virginian*, western) à sa mort, il incarna le héros américain, vigoureux physiquement et moralement *(les Trois Lanciers du Bengale, Pour qui sonne le glas, Le train sifflera trois fois)*.

Cooper (Leon N.) (New York, 1930), physicien américain, P. Nobel 1972 (avec J. Bardeen et J.R. Schrieffer) pour ses travaux sur la supraconductivité.

Gary **Cooper** dans *Le train sifflera trois fois*, 1952

Cooper (David) (Le Cap, 1931 - Paris, 1986), psychiatre anglais. Il fonda, avec R. D. Laing, l'antipsychiatrie (*Psychiatrie et Antipsychiatrie*, 1967; *Mort de la famille*, 1971).

coopérant, ante n. Personne chargée par son gouvernement d'une mission d'assistance technique ou culturelle dans certains pays étrangers en voie de développement. - *Spécial.* Appelé qui remplit ses obligations militaires dans le cadre d'un service civil à l'étranger (notam. dans les pays en voie de développement).

coopérateur, trice n. Membre d'une coopérative.

coopératif, ive adj. **1.** Qui résulte de la coopération de plusieurs personnes. ▷ Spécial. *Société coopérative* : V. coopérative. **2.** Qui coopère volontiers. *Un associé coopératif.*

coopération n. f. **1.** Action de coopérer. *Travailler en coopération avec qqn.* **2.** ECON Organisation en coopérative d'une entreprise commerciale. *Société de coopération.* **3.** Politique d'aide économique, culturelle et technique aux pays en voie de développement; cette aide. *Ministère de la Coopération.* - *Appelé qui part en coopération*, comme coopérant.

Coopération économique Asie-Pacifique (acronyme angl. : *APEC*), institution, créée en 1989, liant les 18 États riverains du Pacifique suivants : Australie, Brunei, Canada, Chili, Chine, Corée du S., États-Unis, Hong Kong, Indonésie, Japon, Malaisie, Mexique, Nouvelle-Zélande, Papouasie-Nouvelle-Guinée, Philippines, Singapour, Taiwan et Thaïlande.

coopératisme n. m. ECON Théorie fondée sur l'extension des coopératives de production et de consommation.

coopérative n. f. ECON Société à forme coopérative, dont les associés participent à part égale au travail, à la gestion et au profit. *Coopérative de production. Coopérative de consommation* : groupement de consommateurs pour l'achat de marchandises en gros. - *Coopératives agricoles*, réglementées par l'ordonnance du 12 oct. 1945 et qui doivent être agréées comme telles. *Groupement de coopératives* (en fédération).

coopérer v. [14] **1.** v. intr. Opérer, travailler conjointement avec qqn. *Des services qui coopèrent.* **2.** v. tr. indir. *Coopérer à des travaux.*

cooptation n. f. Mode de recrutement d'une assemblée, consistant à faire élire les nouveaux membres par les membres déjà élus.

coopter v. tr. [1] Admettre par cooptation.

coordinat n. m. CHIM Groupement d'atomes, d'ions ou de molécules, qui entoure un ion ou un atome central dans un complexe. Syn. ligand.

coordinateur. V. coordonnateur.

coordination n. f. **1.** Action de coordonner; état de ce qui est coordonné. *La coordination des mouvements. Coordination des projets d'aménagement.* **2.** GRAM *Conjonction de coordination*, qui sert à lier deux mots, deux groupes de mots ou deux propositions ayant même nature et même fonction *(mais, ou, et, donc, or, ni, car)*. **3.** CHIM *Composé de coordination* : syn. de *complexe*. **4.** Lors d'une grève, organisme représentatif constitué en dehors des organisations syndicales.

coordinence n. f. CHIM Nombre de coordinats pouvant entourer un ion ou un atome central. *Liaison de coordinence* : V. datif.

coordonnant, ante adj. et n. m. **1.** adj. Qui coordonne. **2.** n. m. LING Mot ou locution qui assure une fonction de coordination.

coordonnateur, trice ou **coordinateur, trice** adj. et n. Qui coordonne.

coordonné, ée adj. et n. f. **I.** adj. **1.** Qui se produit, est produit dans un rapport de simultanéité et d'harmonie. *Des efforts bien coordonnés.* **2.** GRAM Uni par une conjonction de coordination. **II.** MATH n. f. pl. Ensemble des nombres qui permettent de définir la position d'un point dans un espace (à deux ou plusieurs dimensions) par rapport à un repère. - Sing. *Une coordonnée.* ▷ Par ext. Fam. *Laissez-moi vos coordonnées*, les renseignements qui me permettront de savoir où vous joindre.

coordonner v. tr. [1] Produire, organiser dans un rapport de simultanéité et d'harmonie dans un but déterminé. *Coordonner ses efforts.*

copain, copine n. Fam. Camarade que l'on aime bien. *Un copain de classe, de régiment. Un petit copain, une petite copine* : un amoureux, une amoureuse.

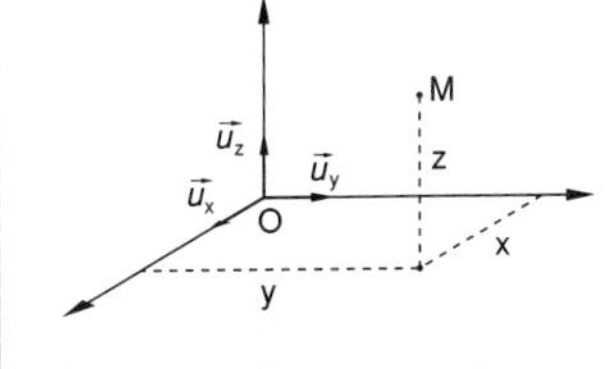

coordonnées cartésiennes (ou rectangulaires)

M est repéré par ses coordonnées x, y, z (abscisse, ordonnée et cote)

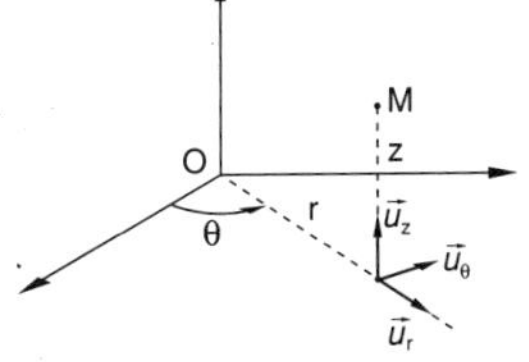

coordonnées cylindriques (ou polaires)

M est repéré par ses coordonnées r, θ, z (rayon-vecteur, angle polaire et cote)

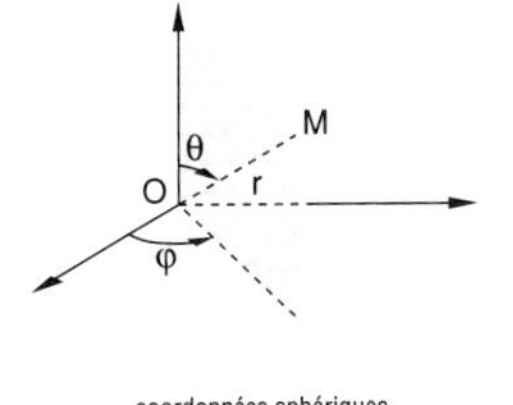

coordonnées sphériques

M est repéré par ses coordonnées r, θ, φ

coordonnées

Copán, site archéol. du Honduras, sur le fl. du m. nom, à la frontière guatémaltèque; ruines mayas (VIe-IXe s.).

coparticipant, ante adj. et n. DR Qui coparticipe.

coparticipation n. f. Participation avec d'autres à une entreprise.

copeau n. m. Morceau, éclat enlevé par un instrument tranchant. *Copeaux de bois, de métal.*

Copeau (Jacques) (Paris, 1879 - Beaune, 1949), écrivain, acteur et directeur de théâtre français. En 1913, il créa le théâtre du Vieux-Colombier.

Copenhague (en danois *København*), cap. du Danemark, sur la côte E. de l'île de Sjælland et sur l'île Amager; 464 770 hab. (aggl. urb. 1 358 540 hab.). Grand port de comm. de la Baltique et métropole industr. du pays : constr. méca., navales; industr. chim., alim., etc. - Jardin d'attractions de Tivoli. Université. Chât. de Rosenborg (1606-1617). Palais royal d'Amalienborg (1760). Musée national. Glyptothèque. - Cité comm., la v. devint cap. du Danemark en 1443. Elle contrôla le comm. de la Baltique au XVIIIe s. Membre de la ligue des Neutres, elle fut bombardée par les Anglais en 1801 et 1807. De 1940 à 1945, les Allemands l'occupèrent.

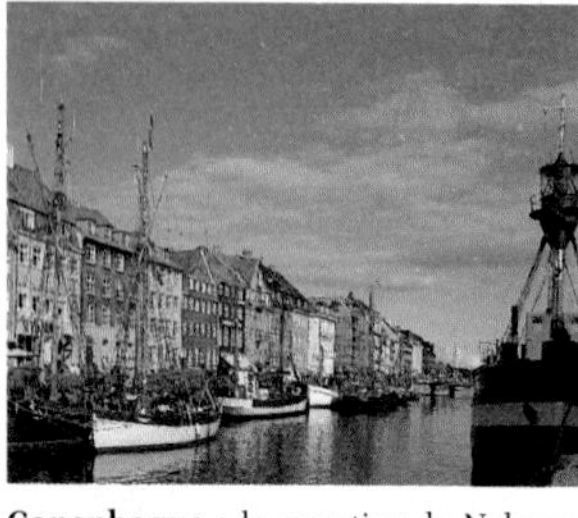

Copenhague : le quartier de Nyhavn

copépodes n. m. pl. ZOOL Ordre de crustacés entomostracés (ex. : le cyclope) pourvus d'appendices natatoires très développés, marins (planctoniques) ou d'eau douce, libres ou parasites. - Sing. *Un copépode.*

Copernic (Nicolas, en polonais *Mikołaj Kopernik*) (Toruń, 1473 - Frauenburg, auj. Frombork, 1543), astronome polonais. Dans son traité *De revolutionibus orbium cœlestium libri VI* (publié en 1543, à Nuremberg), il démontre, contrairement aux idées de l'époque, que la Terre n'est pas immobile au centre de l'Univers, mais qu'elle tourne sur elle-même et autour du Soleil.
▸ illustr. page **423**

copernicien, enne adj. **1.** Relatif au système de Copernic. **2.** Fig. Se dit d'un changement radical dans les modes de pensée.

Copi (Taborda Raoul Damonte, dit) (Buenos Aires, 1939 - Paris, 1987), écrivain, dessinateur et scénariste de bandes dessinées français d'origine argentine. Il a créé, pour *le Nouvel Observateur,* la «dame assise» et des pièces de théâtre : *la Journée d'une rêveuse* (1967), *Eva Perón* (1969).

copiable adj. Qui peut être copié.

copiage n. m. Action, fait de copier qqch. *Copiage d'un modèle en plusieurs exemplaires.*

copie n. f. **1.** Reproduction exacte d'un écrit. *L'original et la copie. Copie certifiée conforme* (à l'original). ▷ Devoir rédigé par un élève, à remettre au professeur. - *Feuille de copie* : papier quadrillé à l'usage des écoliers, sur lequel sont faits les devoirs. ▷ Fig., fam. Exposé de son projet par un homme politique, un décideur. **2.** Reproduction qui imite une œuvre d'art. *Ce tableau est une copie d'un Raphaël.* ▷ *Par ext.* Ce qui est emprunté, imité. *Sa pièce n'est qu'une pâle copie de Pirandello.* **3.** AUDIOV Film positif tiré d'un négatif. **4.** IMPRIM Texte à composer.- Fam. *Journaliste, écrivain en mal de copie,* en mal de sujet d'article.

copier v. [2] **I.** v. tr. **1.** Faire la copie manuscrite, la transcription de. **2.** Exécuter la copie de (une œuvre d'art). *Copier un tableau.* **II.** v. intr. Reproduire frauduleusement. *Élève qui copie sur son voisin.*

copieur, euse n. (et adj.) Celui, celle qui copie frauduleusement.

copieusement adv. De manière copieuse. *Servez-vous copieusement.*

copieux, euse adj. Abondant. *Repas copieux.* Syn. plantureux. Ant. maigre.

copilote n. AVIAT et cour. Second pilote, capable d'aider et de remplacer le pilote principal. ▷ SPORT Lors d'une course automobile sur route, passager qui indique au pilote les données issues des repérages.

copinage n. m. Fam., péjor. Entraide par relations. *C'est par copinage qu'il a obtenu son poste.*

copine. V. copain.

copiner v. intr. [1] Fam. Être copain. - Devenir copain. *Ils ont vite copiné.*

copiste n. **1.** Personne qui recopiait les manuscrits, avant l'invention ou l'expansion de l'imprimerie. **2.** Péjor. Imitateur du style d'un auteur, d'un artiste. **3.** Personne qui copie des œuvres d'art.

coplanaire adj. GEOM Qui est situé dans le même plan. *Droites, courbes coplanaires.*

Copland (Aaron) (Brooklyn, 1900 - North Tarrytown, New York, 1990), pianiste et compositeur américain (*Appalachian Spring,* 1944).

copossesseur n. m. DR Personne qui possède qqch en commun avec une ou plusieurs personnes.

copossession n. f. DR Fait de posséder en commun.

coppa n. f. Charcuterie italienne, roulée et fumée.

Coppée (François) (Paris, 1842 - id., 1908), écrivain français. D'abord parnassien (*Intimités,* 1868), il peignit la vie prosaïque du petit peuple de Paris (*les Humbles,* 1872). Acad. fr. (1884).

Coppens (Yves) (Vannes, 1934), paléontologue français. Il a participé à des fouilles en Afrique orient. (vallée de l'Omo, 1967; région de l'Afar, 1972); il est le co-inventeur (avec D. Johanson et T. White) de l'espèce *Australopithecus afarensis.* (V. Lucy.)

Coppet, village du canton de Vaud (Suisse), sur le lac Léman. - Lieu de séjour de Necker et de sa fille, Mme de Staël, qui y sont enterrés.

Coppi (Fausto) (Castellania, 1919 - Tortona, 1960), coureur cycliste italien. Grand rouleur et grimpeur, il domina le cyclisme mondial de 1949 à 1955.

Coppola (Francis Ford) (Detroit, Michigan, 1939), cinéaste américain. Producteur et réalisateur de films à grand spectacle, il obtint un premier succès international avec *le Parrain* (1972), avant de recevoir par deux fois la palme d'or au Festival de Cannes, pour *Conversation secrète* (1974) et *Apocalypse Now* (1979).

coprah ou **copra** [kɔpʀa] n. m. Albumen de coco mûr dont on extrait diverses matières grasses.

coprésidence n. f. Présidence assurée conjointement par plusieurs personnes *(coprésidents).*

coprin n. m. BOT Champignon basidiomycète à lamelles et à chapeau rabattu, dont une espèce pousse sur le fumier, une autre sur les troncs, les souches, etc. (comestible, sauf consommé avec de l'alcool). *Le coprin a servi à faire de l'encre.*

coprince n. m. Titre porté par le président de la République française et l'évêque espagnol d'Urgel, qui partagent la suzeraineté (symbolique) de la principauté d'Andorre.

copro-. Élément, du gr. *kopros,* «excrément».

coprocesseur n. m. INFORM Processeur auxiliaire destiné à une série de tâches spécifiques (fonctions, graphiques, etc.).

coproculture n. f. MED Culture bactériologique des selles pour déceler la présence de germes pathogènes.

coproducteur, trice n. Personne qui produit (un spectacle) avec une autre ou plusieurs autres.

coproduction n. f. Production en commun. *Film, livre en coproduction.*

coproduire v. tr. [69] Produire qqch en coproduction.

coprolalie n. f. PSYCHIAT Impulsion morbide à tenir des propos orduriers.

coprologie n. f. MED Étude des matières fécales ou des engrais.

coprophage adj. et n. Se dit des insectes qui se nourrissent d'excréments *(bousiers).*

coprophagie n. f. PSYCHOPATHOL Tendance pathologique à manger des excréments.

coprophilie n. f. PSYCHOPATHOL Intérêt pathologique pour ce qui touche aux excréments.

copropriétaire n. Celui, celle qui partage la propriété de qqch avec une ou plusieurs autres personnes. - *Spécial.* Celui, celle qui possède un bien immobilier en copropriété. *Assemblée générale des copropriétaires d'un immeuble.*

copropriété n. f. DR Propriété commune à plusieurs personnes. - *Copropriété immobilière* : forme de copropriété selon laquelle un immeuble est divisé en appartements attribués en propre à des propriétaires, les parties communes et le gros œuvre étant indivis entre eux. *Règlement de copropriété.*

copte n. et adj. **1.** n. *Les Coptes* : les chrétiens monophysites d'Égypte et d'Éthiopie. ▷ n. m. *Le copte* : la langue dérivée de l'ancien égyptien, parlée du IIIe au XIIIe s. et servant auj. uniquement de langue liturgique. **2.** adj. Relatif aux Coptes, à leur civilisation, à leur langue.

ENCYCL Lors de la conquête de l'Égypte, les Arabes donnèrent à ses habitants le nom de *Coptes,* nom qui fut ensuite limité à la partie, minoritaire, de la population qui demeura chrétienne. Au nombre auj. de 13 millions env., les Coptes, descendants directs des Égyptiens de l'époque pharaonique, étaient devenus chrétiens au IIIe s. et n'avaient pas suivi le concile de Chalcédoine (451) dans sa condamnation du monophysisme; ils forment la plus importante communauté chrétienne à l'intérieur du monde musulman. On nomme également souvent Coptes les chrétiens d'Éthiopie adeptes du monophysisme, qui, jusqu'en 1959, dépendaient hiérarchiquement du patriarche copte d'Alexandrie. L'art copte (IVe s.-mil. VIIe s.) est remarquable par ses reliefs sur pierre et ses tissus polychromes.

copulateur, trice adj. ZOOL Qui sert à la copulation. *Appendice copulateur.*

copulatif, ive adj. LOG, GRAM Qui sert à lier les termes, les propositions. *Terme copulatif. Conjonction copulative.*

copulation n. f. **1.** Union du mâle et de la femelle; accouplement, coït. ▷ BOT Fécondation. **2.** CHIM Réaction de condensation d'une amine ou d'un phénol avec un diazoïque (composé contenant deux atomes d'azote réunis par une double liaison).

copule n. f. **1.** LOG Verbe (partic. *être*) en tant qu'il affirme ou qu'il nie le prédicat du sujet. **2.** GRAM Ce qui lie le sujet d'une proposition à l'attribut (partic. le verbe *être*).

copuler v. intr. [1] S'accoupler. (Triv. en parlant d'êtres humains.)

copyright [kɔpiʀajt] n. m. **1.** Droit que détient un auteur ou un éditeur d'exploiter une œuvre littéraire, artistique, etc., pendant une durée déterminée. **2.** Mention qui est faite de ce droit sur le support matériel de l'œuvre (signe © suivi du nom de l'ayant droit et de l'année de la première publication).

1. coq n. m. **1.** Mâle de la poule domestique et de divers galliformes (ordre des galliformes), à crête charnue rouge vif, au chant éclatant («cocorico») caractéristique. – *Coq de bruyère :* V. tétras. – *Coq de roche :* V. rupicole. ▷ *Figure de coq,* à la pointe d'un clocher. ▷ *Coq gaulois,* emblème de la France. ▷ Loc. *Fier comme un coq :* très fier. – *Rouge comme un coq :* très rouge (de colère, etc.). – *Être comme un coq en pâte :* être bien soigné, avoir toutes ses aises. **2.** Fig. *Le coq du village :* le garçon qui a le plus de succès auprès des filles. **3.** SPORT *Poids coq :* catégorie de boxeurs pesant entre 52,164 kg et 53,524 kg (professionnels).

2. coq n. m. MAR Cuisinier, à bord d'un navire. *Maître coq.*

coq-à-l'âne n. m. inv. Passage sans transition ni motif d'un sujet à un autre dans une conversation, un discours. *Faire des coq-à-l'âne.*

coquard ou **coquart** n. m. Fam. Tuméfaction de la région de l'œil, due à un coup.

coq bankiva

-coque, -coccie. Éléments, du grec *kokkos,* «grain».

coque n. f. **I. 1.** Enveloppe externe, dure, d'un œuf (cornée chez les sélaciens, calcaire chez les oiseaux). ▷ *Œuf à la coque,* cuit à l'eau dans sa coque sans être durci. **2.** Enveloppe ligneuse de certaines graines, ayant subi une sclérification. *Coque de noix.* **3.** Lamellibranche marin *(Cardium edule),* comestible, très fréquent sur les côtes sableuses où il vit enfoui. **4.** *Coque de cheveux, de rubans :* boucle de cheveux, nœud de rubans en forme de coque d'œuf. **5.** MAR Boucle dans une amarre neuve qui n'a pas été élongée et détordue. **II. 1.** MAR Ensemble de la membrure et du bordé d'un navire. **2.** Carcasse du corps d'un avion. **3.** AUTO Carrosserie d'une automobile sans châssis. **4.** CONSTR Structure de faible épaisseur. **5.** Accessoire rigide destiné à protéger une partie du corps dans la pratique de certains sports.

coquelet n. m. CUIS Jeune coq.

coquelicot n. m. Papavéracée à fleur rouge vif, autref. fréquente dans les champs de céréales. ▷ adj. inv. De la couleur rouge du coquelicot.

Coquelin (Constant), dit *Coquelin aîné* (Boulogne-sur-Mer, 1841 – Couilly-Saint-Germain, auj. Couilly-Pont-aux-Dames, 1909), acteur français; créateur du rôle de Cyrano de Bergerac en 1897. – **Ernest,** dit *Coquelin cadet* (Boulogne-sur-Mer, 1848 – Suresnes, 1909), frère du préc.; acteur, il fut un remarquable interprète de Molière.

coqueluche n. f. **1.** Maladie infectieuse, contagieuse, immunisante, due au bacille de Bordet-Gengou, fréquente surtout chez l'enfant, caractérisée par une toux quinteuse, asphyxiante, évoquant le chant du coq. **2.** Fig., fam. *Être la coqueluche de :* être très admiré par. *Il est la coqueluche des dames.*

coquet, ette adj. et n. **1.** Qui cherche à plaire, à séduire. *Des mines coquettes,* inspirées par le désir de plaire. ▷ n. f. Vieilli Femme qui cherche à plaire. *Le manège d'une coquette.* ▷ THEAT *Grande coquette :* premier rôle féminin dans les comédies de caractère. *Jouer les grandes coquettes.* **2.** Qui aime être élégant. *Un homme coquet.* Ant. négligé. **3.** Dont l'aspect est agréable, soigné. *Un jardin coquet.* **4.** Fam. Important, considérable (en parlant d'une somme d'argent). *Cela vous coûtera la coquette somme de...*

coquetier n. m. Petit récipient dans lequel on place l'œuf que l'on mange à la coque.

coquettement adv. D'une manière coquette. *S'habiller coquettement.*

coquetterie n. f. **1.** Désir de plaire, d'attirer les hommages; artifice, manœuvre inspirée par ce désir. *La coquetterie de Célimène, dans «le Misanthrope». Faire des coquetteries.* ▷ Fig., fam. *Avoir une coquetterie dans l'œil :* loucher légèrement. **2.** Goût de la parure, manière élégante de s'habiller. **3.** Bon goût, manière élégante de décorer, d'arranger. *Appartement décoré avec coquetterie.*

Coquilhatville. V. Mbandaka.

coquillage n. m. Animal testacé (pourvu d'une coquille). *Manger des coquillages.* – Coquille vide d'un tel animal. *Collier de coquillages.*

coquille n. f. **I. 1.** Enveloppe dure, calcaire, univalve ou bivalve, sécrétée par le tégument de certains mollusques (lamellibranches, gastéropodes, etc.). *Coquille d'huître, d'escargot.* ▷ *Coquille Saint-Jacques :* lamellibranche comestible du genre *Pecten*; coquille vide de ce mollusque, emblème des pèlerins de Saint-Jacques-de-Compostelle. ▷ Loc. fig. *Rentrer dans sa coquille :* se replier sur soi-même, refuser la communication, l'échange avec autrui. **2.** ARCHI Motif ornemental figurant une coquille plus ou moins stylisée. *Coquille Louis XV.* **3.** TECH Élément ayant pour section une demi-couronne circulaire. ▷ Moule utilisé en fonderie. **4.** SPORT Appareil de protection des parties génitales (utilisé dans les sports de combat notam.). ▷ En escrime, partie de la monture d'une arme qui protège la main contre les coups adverses. **5.** CHIR *Coquille plâtrée :* appareillage amovible en plâtre, qui immobilise le rachis du patient. **6.** TYPO Faute de composition. **II. 1.** Matière calcaire qui recouvre l'œuf. ▷ (En appos.) *Un chemisier coquille d'œuf,* beige pâle. **2.** Enveloppe ligneuse d'une amande, d'une noisette, etc. ▷ Fig., fam. *Coquille de noix :* embarcation très légère.

coquillette n. f. Pâte alimentaire en forme de cylindre courbe.

coquillier, ère adj. et n. m. **1.** adj. GEOL Qui contient une grande proportion de coquilles. *Sable, calcaire coquillier.* **2.** n. m. Didac. Collection de coquilles.

Coquimbo, port du Chili septent., sur la *baie de Coquimbo;* 105 250 hab. Exportation de cuivre, de fer et de manganèse.

coquin, ine n. et adj. **1.** n. Vx Personne sans honneur ni probité; fripon, misérable. *C'est un coquin de la pire espèce.* **2.** Mod. Personne espiègle, malicieuse (surtout en parlant d'un enfant). *Petit coquin, où es-tu caché ?* – adj. *Un air, des yeux coquins.* **3.** adj. Leste, grivois. *Raconter des histoires coquines.*

coquinerie n. f. **1.** Vx Action, caractère de coquin; scélératesse. **2.** Vieilli Malice, espièglerie.

1. cor n. m. **I. 1.** Anc. Trompe d'appel formée d'une corne ou d'une défense d'animal creusée et percée. *Le cor de Roland.* **2.** Mod. Instrument à vent, en cuivre, à embouchure, constitué d'un tube conique enroulé sur lui-même et terminé par un large pavillon. *Sonner du cor.* – *Cor de chasse,* en général en *ré,* quelquefois en *mi* bémol. – *Cor d'harmonie :* instrument d'orchestre en *fa,* doté de pistons de rechange qui allongent le tube et permettent de jouer dans tous les tons. – *Cor à pistons* (ou *chromatique*), en *fa,* le seul utilisé auj. dans les orchestres. ▷ Loc. *Chasser à cor et à cri,* à grand bruit, avec le cor et les chiens. – Fig. *Demander à cor et à cri,* à grand bruit, en insistant. **3.** *Cor anglais :* hautbois en *fa,* au timbre rauque. ▷ *Cor de basset :* clarinette en *fa,* appelée aussi clarinette alto. **II.** (Plur.) Andouillers des bois des cervidés. *Un cerf dix cors,* qui a cinq andouillers sur chaque bois et qui est âgé de sept ans.

▶ pl. instruments de **musique**

2. cor n. m. Petite tumeur dure, formée par induration, souvent douloureuse, siégeant sur les orteils ou à la plante des pieds.

cora. V. Kora.

corail, aux n. m. **1.** Nom cour. des madréporaires. **2.** *Corail rouge (Corallium rubrum) :* octocoralliaire ramifié à squelette calcaire rouge-orangé, formant des colonies, très utilisé en joaillerie. **3.** *Serpent corail :* nom cour. de l'élaps. **4.** Nom cour. de la substance rouge des coquilles Saint-Jacques et de l'oursin. **5.** Poét. *De corail :* vermeil. *Des*

corail rouge : son squelette calcaire est secrété par de petits polypes (en haut, à g.) très contractiles

lèvres de corail. ▷ (En appos.) De la couleur du corail. *Rubans corail.*

Corail (mer de), mer du Pacifique, entre le S.-E. de la Nouvelle-Guinée et l'Australie. – Import. victoire aéronavale des Américains sur les Japonais (mai 1942).

corallien, enne adj. Qui est formé de coraux.

coran n. m. (Avec une majuscule.) Livre sacré des musulmans. ▷ Exemplaire de ce livre. *Un coran du XVIIIe s.* ENCYCL Le Coran, pour les musulmans, est la parole incréée de Dieu, révélée à Mahomet par l'archange Gabriel, et non un message inspiré, d'où l'importance capitale du texte. Du vivant du Prophète, le Coran (en arabe, « récitation ») avait été, le plus souvent, retenu de mémoire. Après la mort du Prophète et de ses compagnons, il apparut nécessaire, le Coran étant le fondement de la société musulmane (culte, droit, rapports sociaux, familiaux ou internationaux), d'en fixer le texte. Le troisième calife, Uthman, ordonna (entre 644 et 656) de recenser tous les recueils existants et, après la rédaction d'une version unique, ils furent détruits. Le Coran se compose de 114 chapitres *(sourates)* rangés dans l'ordre décroissant de leur longueur.

coranique adj. Du Coran, relatif au Coran. *La loi coranique.*

corbeau n. m. **1.** Nom donné aux deux plus grandes espèces du genre *Corvus* (fam. corvidés). (*Corvus corax*, le grand corbeau noir, atteint 60 cm; son bec, droit, est très puissant; devenu rare, il subsiste en France dans les massifs montagneux. Le corbeau freux, *Corvus frugilegus*, est plus petit.) **2.**

tête de corbeau freux (en bas) et corneille noire

Auteur de lettres ou de coups de téléphone anonymes. **3.** ARCHI Pierre ou élément en saillie sur un parement de maçonnerie, qui supporte l'une des extrémités d'un linteau, la retombée d'un arc, etc.

Corbeil-Essonnes, ch.-l. de cant. de l'Essonne (arr. d'Évry); 40 768 hab. Import. minoteries. Informatique. Constr. aéron. Imprimerie. – Évêché. Égl. (XIIe-XVe s.) et porte St-Spire (XIVe s.).

corbeille n. f. **1.** Panier sans anse. *Corbeille à papier.* – Son contenu. *Corbeille de fruits.* ▷ *Corbeille de mariage :* présents offerts à des mariés. **2.** ARCHI Partie du chapiteau corinthien, entre l'astragale et l'abaque, portant des feuilles d'acanthe. **3.** HORTIC Massif de fleurs. **4.** À la Bourse, espace entouré d'une balustrade, autour duquel les agents de change font offres et demandes. *L'informatique fait disparaître les corbeilles. À la corbeille :* à la Bourse. **5.** THEAT Galerie à balcon située au-dessus des fauteuils d'orchestre. **6.** BOT *Corbeille-d'argent :* crucifère ornementale aux nombr. fleurs d'un blanc très pur. *Des corbeilles-d'argent.*

Corbie, ch.-l. de cant. de la Somme (arr. d'Amiens); 6 279 hab. Textiles. – Abbaye, auj. disparue, fondée au VIIe s., particulièrement importante sous les Carolingiens.

Corbière (Édouard Joachim, dit Tristan) (Ploujean, près de Morlaix, 1845 – id., 1875), poète français. Sa gloire posth. repose sur un recueil, *les Amours jaunes* (1873), dans lequel le thème de la révolte se conjugue avec une forme baroque.

corbières [kɔʀbjɛʀ] n. m. Vin rouge des Corbières.

Corbières (les), ensemble montagneux (alt. max. 1 231 m), sur le flanc N. des Pyrénées orient. françaises, qui domine la vallée de l'Aude. Élevage ovin. Vignobles.

corbillard n. m. Voiture, fourgon mortuaire. *Le corbillard des pauvres.*

corbleu ! [kɔʀblø] interj. Ancien juron.

Corcyre. V. Corfou.

cordage n. m. **1.** MAR Câble, corde à bord d'un navire. **2.** Action de garnir de cordes une raquette de tennis; les cordes de cette raquette.

Corday (Charlotte de Corday d'Armont, dite Charlotte) (Saint-Saturnin-des-Ligneries, près de Sées, 1768 – Paris, 1793), jeune Française qui poignarda Marat dans son bain. Adepte de la Révolution, elle avait vu en lui le principal responsable de l'élimination des Girondins et de l'instauration de la Terreur. Elle fut guillotinée.
► illustr. page **440**

corde n. f. **I. 1.** Lien fait des brins retordus d'une matière textile. *Attacher une malle avec une corde. Une corde lisse, à nœuds. Une corde de nylon.* ▷ *Corde à linge,* sur laquelle on étend le linge pour le faire sécher. – (Canada) Fig. *Coucher, dormir, passer la nuit sur la corde à linge :* coucher dehors; passer une mauvaise nuit, une nuit blanche. ▷ Loc. fig. *Avoir plus d'une corde à son arc*.* – *Tirer sur la corde :* exagérer. ▷ *Corde à sauter,* (Canada) *corde à danser :* corde dont chaque extrémité est munie d'une poignée et que l'on fait tourner en sautant par-dessus à chaque passage, pour jouer ou pour s'entraîner. ▷ Lien de longueur déterminée servant à mesurer le volume d'un amas de bois débité et empilé régulièrement; pile de bois ainsi mesurée. – (Canada) *Par ext.* Tout amas de bois débité (bûches, rondins) et empilé régulièrement. – *Bois de corde :* bois débité spécial. pour le chauffage et destiné à être vendu à la corde. **2.** *Spécial.* Lien que l'on passe autour du cou des condamnés à la potence; le supplice de la potence. *Mériter la corde. Il ne vaut pas la corde pour le pendre.* ▷ Loc. fig. *Parler de corde dans la maison d'un pendu :* aborder un sujet embarrassant pour les personnes présentes. **3.** Trame d'une étoffe. *Habit usé jusqu'à la corde.* – Fig. *Une histoire usée jusqu'à la corde.* **4.** SPORT Limite intérieure de la piste d'un hippodrome (à cause de la corde qui marquait autref. cette limite). *Cheval qui tient la corde,* qui galope près de la corde. – *Par ext.* Limite intérieure d'une piste, d'un circuit de course. ▷ Fam. *Prendre un virage à la corde,* en serrant de près le bord intérieur. **5.** GEOM Droite qui sous-tend un arc. ▷ AVIAT *Corde de l'aile :* segment de droite joignant le bord d'attaque au bord de fuite. **6.** Câble tendu en l'air sur lequel marche, danse un acrobate. *Danseuse de corde.* ▷ Fig. *Être sur la corde raide :* se maintenir avec difficulté dans une situation délicate. **7.** MUS Fil d'une matière flexible (boyau, crin, métal, fibre synthétique) tendu sur un instrument de musique et mis en vibrations par différents systèmes (doigts, archet, marteau, etc.). *Le violon, la guitare, le piano sont des instruments à cordes.* – *Les cordes :* les instruments à cordes frottées. *Orchestre à cordes.* ▷ Fig. *Vous avez touché en lui la corde sensible :* vous l'avez particulièrement touché, ému, intéressé. **8.** Loc. *Être dans les cordes de qqn,* dans ses possibilités. *J'essaierai de trouver un emploi dans mes cordes.* **II. 1.** ANAT *Cordes vocales :* replis du larynx dont les vibrations produisent les sons vocaux. – *Corde du tympan :* rameau nerveux, branche du nerf facial. **2.** ZOOL *Corde* ou *chorde dorsale :* structure anatomique dorsale limitée à la queue (qui disparaît chez les tuniciers), donnant les corps vertébraux chez les vertébrés adultes.

1. cordé, ée adj. Didac. En forme de cœur.

2. cordé, ée adj. PROTOHIST *Céramique cordée,* décorée par impression de cordelettes sur l'argile crue (Chalcolithique, surtout).

cordeau n. m. **1.** Petite corde que l'on tend pour obtenir des lignes droites. *Allée tirée au cordeau.* – Fig. *Au cordeau :* très régulièrement. *Des lettres tracées au cordeau.* **2.** PECHE Ligne de fond pour pêcher les anguilles. **3.** TECH *Cordeau détonant :* gaine remplie d'un explosif, servant de détonateur. – *Cordeau Bickford :* mèche à combustion lente.

cordée n. f. **1.** Vieilli Quantité pouvant être entourée par une corde. *Cordée de bois.* **2.** PECHE Crin auquel sont attachés plusieurs hameçons. **3.** Caravane d'alpinistes réunis par une corde. *Premier de cordée.*

cordeler v. tr. [**19**] TECH Tordre en forme de corde. *Cordeler des cheveux.*

cordelette n. f. Corde mince.

cordelier, ère n. **1.** Sobriquet donné, en France, sous l'Ancien Régime, aux Frères mineurs observants, ou franciscains, et aux religieuses du tiers ordre régulier de Saint-François, ou franciscaines, qui portaient une ceinture de corde. **2.** HIST *Club* *des Cordeliers* : club fondé par Danton, Marat, C. Desmoulins dans l'ancien couvent des Cordeliers à Paris (1790).

cordelière n. f. **1.** Cordon de soie, de laine servant de ceinture ou d'ornement de passementerie. **2.** ARCHI Baguette d'ornement en forme de corde.

corder v. tr. [1] **1.** Tordre, mettre en corde. *Corder du chanvre.* **2.** Entourer, lier avec une corde. *Corder une malle.* **3.** Garnir (une raquette) de cordes. **4.** Mesurer (du bois) au moyen d'une corde. ▷ (Canada) *Par ext.*, cour. Empiler régulièrement. *Corder du bois pour l'hiver.* – *Par anal.* (en parlant de pers.) *Se corder* : se tasser, se serrer. *Se corder les uns sur les autres.*

corderie n. f. **1.** Technique de la fabrication des cordes, des cordages. **2.** Lieu où l'on fabrique, où l'on entrepose des cordes.

Cordes, ch.-l. de cant. du Tarn (arr. d'Albi); 971 hab. – Vest. des enceintes. Anc. église des Trinitaires (XVIe s.). Halles du XIVe s. Maisons anciennes.

c(h)ordés n. m. pl. ZOOL Vaste embranchement d'animaux possédant une corde dorsale, au moins pendant leur embryogenèse, et qui comprend : les tuniciers (ascidies, actinies), les céphalocordés (amphioxus) et les vertébrés. – Sing. *Un c(h)ordé.*

cordi-. Élément, du lat. *cor, cordis,* « cœur ».

cordial, ale, aux adj. et n. m. **1.** Vieilli ou litt. Qui stimule l'organisme; tonique. *Breuvage cordial.* ▷ n. m. *Prendre un cordial.* – *Par ext.* Boisson alcoolisée. **2.** Fig. Qui vient du cœur, sincère. *Affection cordiale. Paroles cordiales.*

cordialement adv. Avec affection et sincérité. *Saluer cordialement qqn.* ▷ Par antiphr. *Ils se détestent cordialement,* de tout cœur, profondément.

cordialité n. f. Manière de parler, d'agir, affectueuse et ouverte.

cordillère n. f. GEOL Chaîne de montagnes parallèles à crête élevée et continue. *La cordillère des Andes.*

cordite n. f. CHIM Poudre à base de nitroglycérine, se présentant sous la forme d'une corde.

Córdoba, v. d'Argentine centr., dominée par la *sierra de Córdoba*; ch.-l. de la prov. du m. nom; 970 570 hab. Grand centre industr. (industr. alimentaires, métallurgiques, textiles; constr. automobiles, ferroviaires et aéronautiques) et culturel.

Córdoba. V. Cordoue.

cordon n. m. **1.** Petite corde servant à divers usages. *Cordon de sonnette, de tirage. Cordons d'un bonnet.* – Loc. fig. *Tenir les cordons de la bourse* : régir les dépenses. ▷ Anc. Petite corde permettant au concierge d'ouvrir la porte sans sortir de sa loge. *Cordon, s'il vous plaît!* **2.** Ruban servant d'insigne à certains ordres. *Grand cordon de la Légion d'honneur.* **3.** Par anal. *Cordon ombilical,* qui relie le fœtus au placenta. – *Cordon médullaire* : faisceau de fibres nerveuses dans la moelle épinière. **4.** TECH Pièce de forme très allongée. *Cordon prolongateur électrique. Cordon chauffant.* **5.** Bord façonné d'une pièce de monnaie. **6.** ARCHI Grosse moulure de section circulaire. **7.** Série d'éléments alignés. *Cordon d'arbres. Cordon de troupes. Cordon sanitaire* : série de postes de surveillance le long d'une frontière ou autour d'une région, mis en place pour tenter d'enrayer une épidémie ou pour en éviter le risque. **8.** GEOL *Cordon littoral* : langue continue de sable, d'alluvions, déposés par les courants côtiers et qui, parfois, emprisonnent une nappe d'eau salée (lagune).

cordon-bleu n. m. Cuisinière chevronnée. *Des cordons-bleus.*

cordonnerie n. f. **1.** Métier de cordonnier. **2.** Atelier, boutique de cordonnier.

cordonnet n. m. **1.** Petite tresse, ruban de passementerie. **2.** Fil tors à trois brins. *Boutonnières faites au cordonnet.*

cordonnier, ère n. **1.** Anc. Personne qui fabrique et vend des chaussures. ▷ Prov. *Les cordonniers sont les plus mal chaussés* : on néglige souvent les avantages dont on peut disposer facilement. **2.** Artisan qui répare les chaussures.

cordouan, ane adj. et n. De Cordoue. ▷ n. m. Cuir de chèvre, travaillé à Cordoue.

Cordouan, rocher à l'embouchure de la Gironde. Le phare (1584-1611, surélévation 1788-1789) est le plus vieux d'Europe.

Cordoue (en esp. *Córdoba*), v. d'Espagne (Andalousie), sur le Guadalquivir; 307 270 hab.; ch.-l. de la prov. du m. nom. Centre agric., industr. (industrie text., méca. et chim.; constructions électr.) et tourist. – Mosquée omeyyade (fin VIIIe-Xe s.), la plus grande du monde après la mosquée de la Kaaba (La Mecque), vouée au culte cathol. au XIIIe s. Égl. mudéjares et goth. – Capitale de la prov. romaine de Bétique, la ville fut prise par les Goths (572), puis par les Arabes (711) : les Omeyyades en firent la cap. de l'*émirat de Cordoue* (756-1236), qui marqua l'un des sommets de la civilisation arabe; savants, poètes, écrivains (Averroès et Maimonide y sont nés) affluèrent des métropoles musulmanes d'Orient, mais, à partir de 1109, le califat, ruiné par les troubles intérieurs, se divisa en petits royaumes. Après la *Reconquista,* la ville perdit son importance.

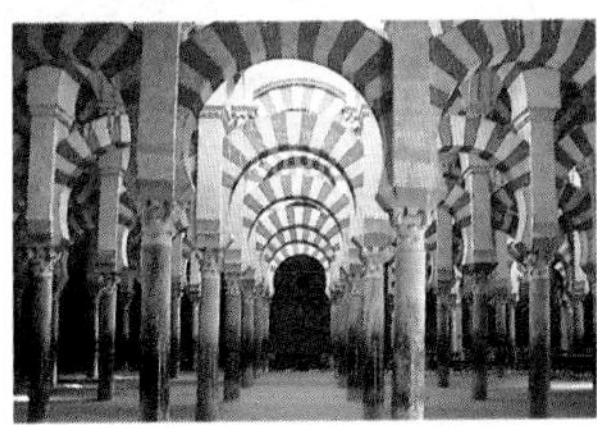

intérieur de la mosquée de **Cordoue**

coré. V. korê.

Corée (en coréen *Chôsen,* « le Pays du matin calme »), péninsule d'Asie orientale (219 015 km²), située au S. de la Mandchourie, et entre la mer Jaune et la mer du Japon. En 1945, l'État de Corée fut divisé en deux États, de part et d'autre du 38e parallèle : au nord, la république démocratique populaire de Corée; au sud, la république de Corée.

Géogr. phys. et hum. – Péninsule montagneuse, formée de massifs anciens rajeunis et fracturés que jalonnent des reliefs volcaniques plus récents. Le relief est dissymétrique : les montagnes de l'E. déterminent un littoral élevé et rectiligne sur la mer du Japon, alors qu'à l'O. et au S. le relief s'ouvre largement sur la mer Jaune par un littoral échancré, frangé d'îles et d'écueils. Le climat, aux hivers rigoureux et enneigés au N., un peu moins rudes au S., est marqué par les pluies de mousson en été et les typhons d'automne. La végétation naturelle, essentiellement forestière, présente une riche variété, des forêts mixtes tempérées du N. aux forêts subtropicales du S. Malgré l'importance des influences chinoises, la population, de type mongoloïde, est remarquablement homogène. Le tiers des habitants vit en Corée du N., où les densités moyennes dépassent 180 hab. au km²; la population, citadine à 66 %, augmente de près de 2,5 % par an. La Corée du S. est plus peuplée et urbanisée (2/3 des Coréens, 430 hab. au km², 70 % de citadins); elle enregistre une croissance plus faible, proche de 1 % par an. Cette population est jeune : au N. comme au S., elle est formée en majorité de moins de vingt ans.

Écon. – Avant la partition, une complémentarité économique existait entre le Nord, montagneux, riche en minerais et industrialisé, et le Sud, agricole et disposant des principales plaines. Après 1945, chaque État a dû développer le secteur déficient et moderniser le secteur favorisé. La Corée du N. consacre à l'armement une part de son P.N.B. quatre fois supérieure à celle de la Corée du S. Mais les puissances militaires restent comparables en raison de l'écart croissant entre les performances écon. et tech. des deux pays.

Hist. – L'influence des deux grands voisins de la Corée, la Chine et le Japon, a été déterminante. La première domination chinoise a duré du XIIe s. av. J.-C. au Ier s. apr. J.-C., date à laquelle trois royaumes coréens se formèrent. L'unité du pays s'est faite de 668 à 735, sous l'impulsion du royaume Silla, allié aux Chinois. La Corée s'ouvrit largement à la civilisation confucéenne et au bouddhisme, religion officielle au VIe s. Les différentes dynasties (Koryo, 918-1231; Li, 1392-1910) restèrent plus ou moins vassales de la Chine, qui ne reconnut l'autonomie de la Corée qu'en 1895. Au XIXe s., la Corée fut l'enjeu des luttes entre la Chine, le Japon et la Russie. Après la guerre russo-japonaise de 1905, la Corée devint protectorat puis, en 1910, colonie du Japon; le gouv. de Tōkyō instaura un régime policier et tenta d'imposer la langue et la culture nippones tout en créant une infrastructure économique moderne. Dès 1938, Kim Il Sung organisa la guérilla communiste contre le Japon, dont la défaite militaire, en 1945, entraîna l'indépendance de la Corée. L'avancée respective des troupes soviétiques et américaines, luttant contre les Japonais, aboutit à la division de la péninsule de part et d'autre du 38e parallèle et à la création de deux États concurrents : l'un d'obédience marxiste, au nord; l'autre lié au camp occidental. Leur rivalité entraîna la guerre de Corée (V. Corée [guerre de]). De graves incidents de frontière ont eu lieu en 1968 et 1976. Après l'admission simultanée des deux Corées à l'ONU et la signature entre elles d'un pacte de non-agression en 1991, un accord de dénucléarisation réciproque sous contrôle international a été conclu en 1992.

Corée (guerre de), conflit qui a opposé la Corée du Nord et la Corée du Sud, du 25 juin 1950 au 27 juillet 1953. L'intervention des É.-U., mandatés par l'ONU, fit de cette guerre un affrontement indirect entre l'U.R.S.S. et les

É.-U. Bien équipées par les Soviétiques, les troupes de Corée du Nord franchirent le 38ᵉ parallèle, frontière artificielle séparant les deux Corées, pour obtenir par la force la réunification du pays au profit du bloc communiste. Après une rapide avance, l'arrivée des troupes de l'ONU, essentiellement composées de forces américaines, refoula les Coréens du Nord jusqu'à la frontière mandchoue ; à son tour, la Chine entra dans la guerre par l'envoi de « volontaires » et les forces de l'ONU durent faire retraite. Le général MacArthur, qui voulait briser l'armée chinoise en bombardant ses bases de Mandchourie, fut destitué par le président Truman désireux d'éviter une extension du conflit. Après deux ans de pénibles négociations, un armistice, négocié à Panmunjom, fut signé. La ligne de cessez-le-feu, légèrement au nord du 38ᵉ parallèle, sert de frontière aux deux Corées. La guerre a causé d'énormes destructions et tué des millions de civils.

Corée du Nord (république démocratique populaire de Corée) *(Chôsen Minchu-chui Inmin Konghwa-guk)*, État d'Asie orientale fondé en 1945 ; 120 598 km^2 ; env. 22 millions d'hab. ; cap. *Pyongyang*. Nature de l'État : république socialiste (parti unique). Langue off. : coréen. Monnaie : won. Relig. : bouddhisme, confucianisme.

Écon. – L'économie socialiste, étatisée et centralement planifiée, s'est rapidement reconstruite dans les années 50, grâce à l'appropriation des biens japonais et aux aides soviétique et chinoise. La priorité a été accordée aux industries lourdes, fondées sur les ressources nationales (charbon, fer, zinc, plomb) et les importations de matières premières d'U.R.S.S. et de Chine, et aux industries de biens d'équipement. La production de biens de consommation a été sacrifiée et le pays souffre encore de graves insuffisances en ce domaine. L'agriculture, l'élevage, la pêche et l'exploitation forestière emploient 40 % des actifs : riz, millet, maïs, blé, orge étant les principales prod. vivrières, alors que le coton, le lin, le chanvre, le tabac et le ginseng (pour la pharmacie) arrivent en tête des plantes industrielles. Les difficultés économiques apparues dans les années 70 se sont confirmées dans la décennie suivante : appareil de production vétuste, dépendance énergétique, céréalière et technologique à l'égard de l'U.R.S.S. et de la Chine, endettement croissant, faiblesse du revenu individuel (estimé à 900 dollars par hab. et par an).

Hist. – La dictature de Kim Il Sung (1948-1994) a isolé le pays sur le plan international. La chute de l'Union soviétique a accéléré les ouvertures amorcées avec la Corée du Sud et les États-Unis. Kim Jong Il a succédé à son père en 1994.

Corée du Sud (république de Corée) *(Daehan-Minkuk)*, État d'Asie orientale fondé en 1945 ; 98 477 km^2 ; env. 43 100 000 hab. ; cap. *Séoul*. Nature de l'État : rép. de type présidentiel. Langue off. : coréen. Monnaie : won. Relig. : bouddhisme, confucianisme, christianisme.

Écon. – Durant la période 1970-1990, la Corée du Sud est sortie du sous-développement pour accéder au rang de pays industriel. Amorcé dans les années 60 sur les bases d'un « capitalisme sauvage », le développement économique a d'abord fait de la Corée un pays atelier, ouvert aux capitaux étrangers, offrant une main-d'œuvre abondante et bon marché et sacrifiant le progrès social à la croissance industrielle. Très vite, cependant, l'essor s'est poursuivi sur des bases nationales et, en dépit d'une forte dépendance extérieure pour l'énergie et les matières premières, le pays a construit un appareil de production diversifié avec de grands groupes coréens qui sont rapidement apparus comme des concurrents sérieux sur le marché mondial. Sidérurgie, chimie, constructions navales, automobile, équipement mécanique et électrique sont devenus des points forts de l'industrie coréenne, qui développe aussi l'électronique et les biotechnologies. Longtemps sacrifiée à l'industrie, l'agriculture (qui emploie

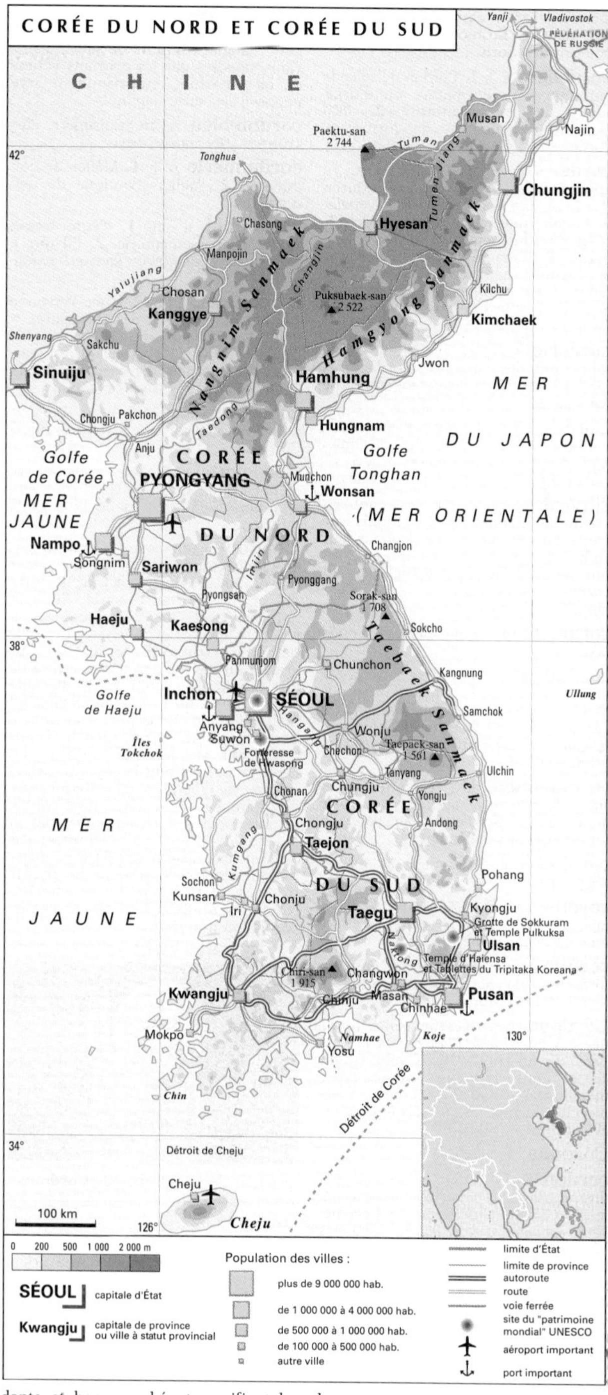

encore le quart des actifs) a progressé (riz, orge, fruits, tabac) mais le pays reste un gros importateur de denrées alimentaires et le déficit de la balance agricole est important. Prise dans la tourmente financière asiatique, en butte à une défiance accrue envers sa monnaie, la Corée est contrainte d'accepter toutes les exigences du F.M.I., en déc. 1997.
Hist. – Le développement économique a conforté les régimes autoritaires dirigés par Syngman Rhee (1948-1960), Park Chung-hee (1961-1979) et Chun Dooh-wan (1980-1988), mais un processus de démocratisation s'est engagé à partir de 1987. La nouvelle Constitution, en instaurant le suffrage universel, a permis l'élection de Roh Taewoo à la présidence de la République (1988-1993), puis celle de Kim Youngsam (1993-1997). Mais en 1997, la conjonction d'une crise du financement des grands conglomérats *(chaebol)*, qui a retenti sur la Bourse, d'une crise sociale se traduisant par des mouvements sans précédent (grèves, manifestations) et de scandales politico-financiers affectant l'entourage du pouvoir porte le candidat démocrate, Kim Dae-jung, à la présidence.

coréen, enne adj. et n. **1.** De Corée. ▷ Subst. *Un(e) Coréen(ne).* **2.** n. m. *Le coréen :* langue du groupe ouralo-altaïque parlée en Corée.

corégone n. m. Poisson lacustre (fam. salmonidés) à la chair appréciée.

coreligionnaire n. Didac. Personne qui professe la même religion qu'une autre, que d'autres.

Corelli (Arcangelo) (Fusignano, 1653 – Rome, 1713), compositeur italien. Fondateur de l'école classique de violon, il laissa six recueils de sonates et de *concerti grossi,* dont l'influence fut considérable.

coresponsable adj. et n. Qui partage une responsabilité avec d'autres.

Corfou (anc. *Corcyre,* en gr. mod. *Kerkyra),* île grecque de la mer Ionienne, proche de l'Épire; 105 040 hab. *(Corfiots);* ch.-l. *Corfou* (33 560 hab.). Vins, oliviers, agrumes. Tourisme important. – Églises byzantines. – Colonie corinthienne (VIIIe s. av. J.-C.), rivale de la v. mère, elle fut, v. 431 av. J.-C., l'une des causes de la guerre du Péloponnèse. Elle fut annexée par Rome en 229 av. J.-C. Occupée par la plupart des puissances méditerranéennes, elle fut sous la domination anglaise de 1815 à 1864, puis rattachée à la Grèce.

Cori (Carl Ferdinand) (Prague, 1896 – Cambridge, Massachusetts, 1984), biologiste américain d'origine tchèque. Avec sa femme, **Gerty Theresa** (Prague, 1896 – Saint Louis, Missouri, 1957), il réalisa d'importants travaux sur le métabolisme des glucides. Ils reçurent le P. Nobel de médecine 1947.

coriace adj. **1.** Qui est dur comme du cuir. *Une viande coriace.* Ant. tendre. **2.** Fig., fam. Se dit d'une personne qui résiste à tout, infatigable, inflexible, dure. *Un adversaire coriace.* Syn. obstiné.

coriacité n. f. Caractère coriace.

coriandre n. f. Ombellifère à fleurs blanches ou rougeâtres, dont le fruit est utilisé dans la fabrication de liqueurs et dont la feuille et la graine servent de condiment.

coricide adj. et n. m. PHARM Substance qui a la propriété de détruire les cors aux pieds. *Substance coricide.* – n. m. *Un coricide.*

corindon n. m. MINER Alumine anhydre cristallisée, naturelle ou artificielle, très dure, utilisée comme abrasif. *Le saphir et le rubis sont des corindons.*

Corinthe, port de Grèce, au fond du *golfe de Corinthe,* sur *l'isthme de Corinthe* (auj. coupé par un canal), qui relie le Péloponnèse à l'Attique; 22 660 hab.; ch.-l. du nome du m. nom. – La Corinthe antique (à 6 km de la ville actuelle) fut une des plus florissantes cités de la Grèce dès le VIIe s. av. J.-C. Fondatrice de nombreuses colonies (Syracuse), centre industr. exportant dans toute la Médit. (VII-VIe s.), elle subit bientôt la concurrence d'Athènes. Alliée de Sparte pendant la guerre du Péloponnèse (431 av. J.-C.), elle soutint contre elle, aux côtés d'Athènes, Thèbes et Argos, la guerre dite *de Corinthe* (395-387). Détruite par les Romains (146 av. J.-C.), elle fut relevée par César en 44 av. J.-C., puis ruinée par les invasions barbares du IIIe siècle. – Ruines du temple d'Apollon (VIe s. av. J.-C.).

corinthien, enne n. et adj. **1.** n. et adj. De Corinthe. *Épîtres de Paul aux Corinthiens.* **2.** adj. *Ordre corinthien :* l'un des trois ordres grecs d'architecture, caractérisé par l'emploi de la feuille d'acanthe dans l'ornementation des chapiteaux.

Coriolan (Gaius Marcius Coriolanus) (Ve s. av. J.-C.), général romain. Selon la tradition, il fut exilé, passa alors chez les Volsques et marcha avec eux sur Rome; seules les larmes de sa femme parvinrent à le fléchir.

Coriolis (Gaspard) (Paris, 1792 – id., 1843), mathématicien français. Spécialiste de mécanique, il étudia les forces centrifuges composées.

Cork (en gaélique *Corcaigh*), port du S.-O. de l'Eire; 133 270 hab.; ch.-l. du comté du m. nom. Text. (laines); constr. méca. et navales; produits chimiques; raffinage.

Cormack (Allan MacLeod) (Johannesburg, 1924), médecin américain d'origine sud-africaine. Spécialiste de médecine nucléaire, il permit la mise au point du scanographe. P. Nobel 1979.

Cormeilles-en-Parisis, ch.-l. de cant. du Val-d'Oise (arr. d'Argenteuil); 17 549 hab. Carrières. Cimenterie.

cormier n. m. Nom cour. du sorbier domestique, cultivé en région méditerranéenne et dont le bois, très dur, sert en ébénisterie.

cormophytes n. m. pl. BOT Groupe des végétaux caractérisés par la présence d'un axe aérien (par oppos. à *thallophytes).* – Sing. *Un cormophyte.*

cormoran n. m. Oiseau pélécaniforme (genre *Phalocrocorax)* à plumage noirâtre et à long cou, répandu sur toutes les côtes. *Excellent plongeur, le cormoran est dressé pour la pêche en Extrême-Orient.*

cornac [kɔʀnak] n. m. **1.** Personne chargée de conduire et de soigner un éléphant. **2.** Fig., fam. Personne qui guide qqn.

cornaline n. f. Calcédoine translucide rouge ou jaune, utilisée en joaillerie.

cornaquer v. tr. [1] Fam. Servir de guide à (une personne, un groupe). *Cornaquer des touristes.*

Cornaro ou **Corner,** famille patricienne de Venise qui, entre le XIVe et le XVIIIe s., donna trois doges à la République.

corne n. f. **1.** Appendice céphalique, dur et pointu, constitué de kératine sécrétée par l'épiderme de certains mammifères. (Différant des bois des cervidés, production osseuse dermique, ces cornes sont paires ou impaires, et pleines, chez les rhinocéros; paires et creuses, chez les bovidés; elles peuvent être caduques ou permanentes.) *Cornes de bœuf. Un coup de corne.* – Loc. *Bêtes à cornes :* bœufs, vaches, chèvres (par oppos. aux moutons et aux brebis). ▷ Loc. fig., fam. *Prendre le taureau par les cornes :* affronter résolument les difficultés. ▷ Loc. fam. *Faire les cornes :* faire, par dérision, avec les doigts, un signe qui représente des cornes. ▷ Loc. fig., fam. *Avoir, porter des cornes :* être trompé par son conjoint. **2.** *Par ext.* Appendice céphalique d'un animal. *Les cornes d'un escargot. Vipère à cornes.* **3.** Attribut du diable, des divinités malfaisantes. **4.** Matière dure constituant les cornes (V. kératine), les ongles, les griffes, les sabots, etc. *Dur comme la corne. Un peigne de corne.* ▷ *Corne cutanée,* constituée par l'épaississement des couches cornées de l'épiderme. *Avoir de la corne sous les pieds.* ▷ *Corne à chaussures :* chausse-pied (autrefois fait de corne). **5.** Objet fait d'une corne creuse. – *Spécial.* Trompe d'appel. *Corne de berger.* ▷ Par ext. *Corne de brume.* ▷ MYTH *Corne d'abondance :* corne (de la chèvre Amalthée) toujours remplie de fruits, de fleurs, symbolisant la prospérité, la richesse. **6.** Pointe, angle saillant. *Les cornes d'un croissant. Corne d'un bois. Chapeau à deux, trois cornes* (V. bicorne, tricorne). – Coin replié. *Corne à la page d'un livre.* ▷ ARCHI Angle saillant d'un abaque. **7.** ANAT Nom donné à certaines parties de l'organisme, en forme de corne. *Corne utérine.* **8.** ELECTR Tige métallique servant à protéger les isolateurs des effets des arcs. *Cornes de garde.*

corné, ée adj. Qui est de la nature, qui a l'apparence de la corne. – *Tissu corné :* partie dure et résistante des cornes, des ongles, des sabots.

corned-beef [kɔʀnbif] n. m. inv. Conserve de viande de bœuf. Syn. fam. singe.

Corne de l'Afrique, extrémité orientale de l'Afrique (à la pointe de la Somalie) bordée par l'océan Indien.

Corne d'Or (la), baie du Bosphore, célèbre site portuaire d'Istanbul.

grand **cormoran**

cornée n. f. Partie transparente de la conjonctive de l'œil, située devant l'iris.

cornéen, enne adj. Relatif à la cornée. *Lentilles cornéennes.*

corneille n. f. Nom de divers oiseaux corvidés (genre *Corvus*), voisins des corbeaux. (La corneille noire, *Corvus corone*, de 45 cm de long, au plumage entièrement noir, est très fréquente en Europe.) *La corneille oraille.* ▷ Fam. *Bayer* aux corneilles.* ► illustr. **corbeau**

Corneille de Lyon (La Haye, v. 1505 - Lyon, v. 1574), peintre français d'origine hollandaise; portraitiste à la cour d'Henri II et de Charles IX (*Gabrielle de Rochechouart*, musée Condé, Chantilly).

Corneille, famille de peintres et de graveurs français. – **Michel Ier**, dit *le Père* (Orléans, 1601 - Paris, 1664), fut le fondateur de l'Académie de peinture. – **Michel II,** dit *l'Aîné*, dit *Corneille des Gobelins* (Paris, 1642 - id., 1708), fils du préc.; il travailla à la décoration de Versailles.

Corneille (Pierre) (Rouen, 1606 - Paris, 1684), poète dramatique français. Issu d'une famille de gens de robe, il occupa lui-même une charge d'avocat (qu'il revendit en 1650). Il débuta dans la carrière dramatique avec une comédie, *Mélite* (1629), et une tragi-comédie, *Clitandre* (1630). Protégé de Richelieu (1635-1638), il composa sa prem. tragédie en 1635 *(Médée)*, puis revint à la comédie avec une pièce qui est son prem. chef-d'œuvre : *l'Illusion comique* (1636). *Le Cid*, représenté en janv. 1637, inaugura ensuite la période des œuvres où son génie oratoire élabora, dans la fascination de l'héroïsme, un théâtre qui est une véritable «école de grandeur d'âme» (Voltaire) : *Horace* (1640), *Cinna* (1641), *Polyeucte* (1642), *Rodogune* (1644), *Nicomède* (1651). En 1643, il avait donné une autre comédie, *le Menteur*, mais l'échec de *Pertharite* (1651) l'éloigna du théâtre pendant sept ans. Il y revint avec, entre autres, *Œdipe* (1659), *Sertorius* (1662), *Agésilas* (1666), *Attila* (1667), mais vit peu à peu son prestige entamé par les succès du jeune Racine (échec de *Tite et Bérénice*, 1670). Il échoua de nouveau avec *Pulchérie* (1672). *Suréna* (1674) est sa dernière œuvre dramatique. En 1662, il avait quitté Rouen pour Paris, où il mourut presque oublié. Acad. fr. (1647). – **Thomas** (Rouen, 1625 - Les Andelys, 1709), frère du préc.; poète dramatique français : *Timocrate* (1656), *Ariane* (1672), *le Comte d'Essex* (1678), *la Devineresse* (1679). Il est aussi l'auteur d'un *Dictionnaire des arts et des sciences* (1694) et d'un *Dictionnaire universel géographique et historique* (1708). Acad. fr. (1685).

Corneille (Cornelis van Beverloo, dit) (Liège, 1922), peintre néerlandais; un des fondateurs du groupe Cobra.

Cornelia (v. 189 - v. 110 av. J.-C.), fille de Scipion l'Africain, mère des Gracques; symbole de la mère romaine.

Charlotte **Corday**

Pierre **Corneille**

cornélien, enne adj. **1.** Relatif à Pierre Corneille et à son œuvre. *Tragédie cornélienne. Héros cornélien.* **2.** Qui met en balance le devoir et la passion; qui constitue un dilemme douloureux. *Situation cornélienne.*

Cornelisz (Cornelis), dit *Cornelisz van Haarlem* (Haarlem, 1562 - id., 1638), peintre maniériste néerlandais (*Bacchanale*, Budapest).

Cornelius Nepos (Pavie, v. 99 - v. 24 av. J.-C.), historien latin : *De excellentibus ducibus.*

cornemuse n. f. Instrument de musique à vent, composé d'une série de tuyaux à anches et d'un sac en peau de mouton ou de chèvre que l'on gonfle en soufflant par un tuyau porte-vent.

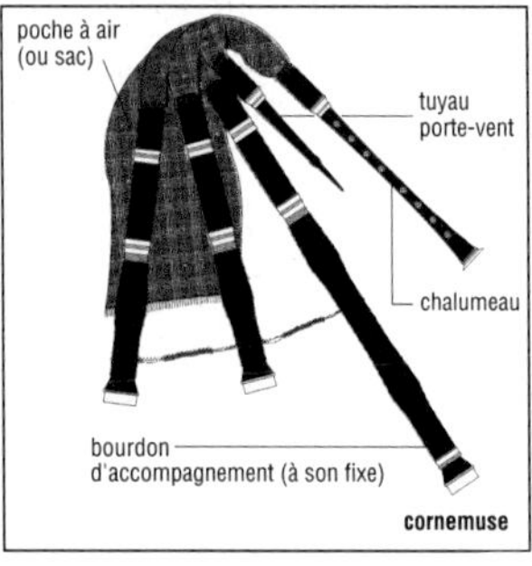

cornemuse

cornemuseur n. m. Rare Joueur de cornemuse.

1. corner v. intr. [1] **1.** Sonner d'une corne, d'un cornet. **2.** Donner la sensation d'un bourdonnement. *Les oreilles me cornent.* **3.** Fam. Parler très fort. *Corner aux oreilles de qqn.* ▷ v. tr. Rare Syn. de *claironner* (sens 2).

2. corner v. tr. [1] Plier le coin de. *Corner les pages d'un livre.* - Pp. adj. *Carte cornée*, laissée au domicile de qqn qui est absent.

3. corner [kɔRnɛR] n. m. (Anglicisme) SPORT Au football, coup de pied tiré par un joueur à partir d'un des deux coins de la ligne de but adverse, lorsque le ballon a été envoyé au-delà de cette ligne par l'équipe qui défend ce but. Syn. (off. recommandé) tir d'angle.

Corner. V. Cornaro.

cornet n. m. **1.** Petite corne, petite trompe. ▷ MUS *Cornet à pistons* : instrument à vent, en cuivre, comprenant une embouchure et des pistons, généralement en *si* bémol. **2.** Objet creux et conique ou tronconique, servant de récipient; son contenu. *Un cornet de papier. Un cornet de bonbons. Un cornet à dés.* ▷ Anc. *Cornet acoustique* : instrument présentant une extrémité évasée en pavillon et une extrémité très étroite, que l'on introduisait dans le canal auditif, et qui permettait de remédier à la faiblesse de l'ouïe. **3.** ANAT Ensemble des lames osseuses contenues dans les fosses nasales. **4.** Pop. Estomac. *Je n'ai rien dans le cornet.*

cornette n. f. **1.** Anc. Coiffure de certaines religieuses. **2.** MAR Pavillon à deux pointes, aux couleurs nationales. **3.** Vx Étendard d'une compagnie de cavalerie; la compagnie elle-même. ▷ Officier qui portait cet étendard.

cornettiste n. Musicien joueur de cornet à pistons.

cornflakes [kɔRnflɛks] n. m. pl. Flocons de maïs grillés.

corniaud [kɔRnjo] n. m. et adj. **1.** n. m. Chien bâtard. **2.** n. m. et adj. Fig., fam. Imbécile, niais.

1. corniche n. f. **1.** ARCHI Partie supérieure de l'entablement. – *Par ext.* Ornement saillant. *Corniche d'une armoire. Corniche d'un plafond.* **2.** Surface horizontale étroite située à flanc de falaise, de coteau. *Chemin en corniche. Route de la corniche.*

2. corniche n. f. Arg. (des écoles) Classe préparatoire à l'École spéciale militaire de Saint-Cyr-Coëtquidan.

1. cornichon n. m. **1.** Cucurbitacée cultivée pour son fruit vert, allongé et arqué, que l'on confit dans le vinaigre pour l'utiliser comme condiment; ce fruit. **2.** Fig., fam. Personne sotte, niaise.

2. cornichon n. m. Arg. (des écoles) Élève de corniche. (V. corniche 2.)

cornier, ère adj. et n. f. **1.** adj. Qui est à la corne, à l'angle de qqch. *Pilastre cornier.* ▷ *Jointure cornière* : chéneau de tuiles situé à la jonction de deux pentes d'un toit et qui en reçoit les eaux. **2.** n. f. TECH Profilé métallique en équerre servant à renforcer des angles.

corniste n. Musicien joueur de cor.

Cornouaille, rég. de Bretagne s'étendant sur le S. du Finistère et le N.-O. du Morbihan; v. princ. *Quimper.*

Cornouailles (en angl. *Cornwall*), comté du S.-O. de l'Angleterre, sur l'Atlant. et la Manche, correspondant à une péninsule aux côtes très découpées; 3 546 km²; 469 300 hab.; ch.-l. *Truro.* Pêche. Étain, plomb.

cornouiller n. m. Petit arbre dicotylédone dialypétale commun en France. *Le bois du cornouiller mâle sert à faire des manches d'outils.*

cornu, ue adj. Qui a des cornes. *Les bêtes cornues.*

cornue n. f. **1.** CHIM Vase à col allongé et recourbé servant à la distillation. **2.** METALL Récipient métallique garni de matériaux réfractaires.

Cornwall, v. du Canada (Ontario), sur le *canal de Cornwall*, latéral au Saint-Laurent; 47 100 hab. Centrale hydroélectrique. Industr. du bois, chimique et textile.

Cornwallis (Charles, 1er marquis de) (Londres, 1738 - Ghāzīpur, près de Bénarès, 1805), général britannique. Il capitula à Yorktown devant les troupes franco-américaines (1781). Commandant en Inde en 1786, il soumit Tippoo-Sahib (1792). Vice-roi d'Irlande (1798-1801), il réprima la révolte de 1798.

Corogne (La) (en esp. *La Coruña*), port très actif d'Espagne (Galice); 256 570 hab.; ch.-l. de la prov. du m. nom. Pêche. Constr. navales. Raff. de pétrole. – Tour d'Hercule (phare romain); égl. romane (XIIe-XVe s.).

corollaire n. m. **1.** LOG Proposition qui découle nécessairement et évidemment d'une autre proposition. ▷ MATH Conséquence découlant immédiatement d'une proposition déjà démontrée. (En appos.) *Proposition corollaire.* **2.** Cour. Conséquence immédiate, évidente.

corolle n. f. Partie du périanthe d'une fleur constituée par l'ensemble des pétales.

Coromandel (côte de), nom de la côte S.-E. de l'Inde. – *Laques de Coromandel* : laques chinois (paravents des XVIIe-XVIIIe s.) ainsi nommés parce que Madras et Pondichéry (ports princ. de la côte) assuraient autref. l'exportation des produits en provenance de Chine.

coron n. m. Maison ou groupe de maisons de mineurs, en Belgique et dans le nord de la France.

coronaire adj. ANAT *Artères coronaires*, qui irriguent le muscle cardiaque (myocarde) et dont la thrombose provoque l'infarctus du myocarde.

coronarien, enne adj. et n. Qui se rapporte aux vaisseaux coronaires. *Insuffisance coronarienne*, due à une sténose des vaisseaux coronaires et qui se traduit par l'angine de poitrine. ▷ Subst. *Un(e) coronarien(ne)* : malade atteint de troubles des artères coronaires.

coronarite n. f. MED Inflammation des artères coronaires, pouvant provoquer une angine de poitrine.

coronarographie n. f. MED Radiographie des artères coronaires après injection d'un produit de contraste.

coronelle n. f. ZOOL Couleuvre (genre *Coronella*) de petite taille (75 cm), ovovivipare, commune dans le sud de la France.

coroner [kɔʀɔnɛʀ] n. m. Officier de justice chargé d'enquêter sur les cas de mort non naturelle, dans les pays anglo-saxons.

corossol n. m. BOT Fruit comestible d'un arbre tropical de la famille des anonacées *(corossolier)*, dont on fait aussi une boisson fermentée et du vinaigre. ► pl. **fruits exotiques**

Corot (Jean-Baptiste Camille) (Paris, 1796 - id., 1875), peintre français. Paysagiste, ni classique ni romantique, il peignit d'après nature, annonçant l'impressionnisme (*le Pont de Narni*, 1826, Louvre). Il a également peint des portraits (*Autoportrait*, 1825, Louvre) et des nus féminins qui témoignent eux aussi de son «infaillible rigueur d'harmonie» (Baudelaire).

corozo n. m. Albumen corné, très dur, des graines d'un palmier *(ronier)*, utilisé dans la confection de petits objets et appelé également *ivoire végétal*.

corporatif, ive adj. Qui a rapport aux corporations.

corporation n. f. **1.** HIST Réunion d'individus de même profession en un corps particulier, ayant ses règlements propres, ses privilèges, ses jurés chargés de les défendre (V. jurande), etc., et reconnue par l'autorité. *La loi Le Chapelier de 1791 a aboli les corporations*. **2.** Cour. Ensemble des professionnels exerçant une même activité. Syn. profession.

corporatisme n. m. **1.** POLIT Doctrine favorable à une organisation sociale regroupant salariés et employeurs au sein de corporations (par oppos. au groupement des travailleurs en syndicats). **2.** Attitude qui consiste à défendre uniquement les intérêts de sa corporation, de sa caste.

corporatiste adj. Conforme au corporatisme; qui a rapport au corporatisme.

corporel, elle adj. **1.** Relatif au corps. *Châtiment corporel. Accident corporel*. ▷ PSYCHO *Schéma corporel* : image qu'une personne se fait de son corps. **2.** Qui a un corps. *Êtres corporels*.

corporellement adv. D'une manière corporelle. *Punir corporellement*.

Jean-Baptiste Camille **Corot** : *le Pont de Mantes*, v. 1868-1870; musée du Louvre

corps [kɔʀ] n. m. **I.** Partie matérielle d'un être animé (partic., de l'homme). **1.** (Par oppos. à *âme*, à *esprit*, etc.) *Le corps humain. Les exercices du corps*. ▷ Loc. fig. *Se donner corps et âme* : se dévouer entièrement. – *Faire commerce de son corps, vendre son corps* : se livrer à la prostitution. – *Avoir le diable au corps* : être habité par une passion déchaînée. **2.** Constitution, conformation. *Avoir un corps gracieux*. **3.** Tronc (par oppos. à *membres*, à *tête*). *Il lui a passé son épée à travers le corps*. – *Par ext.* Partie de l'habillement couvrant le tronc. *Le corps d'une cuirasse*. **4.** Personne (par oppos. à *bien*, à *chose*). DR Séparation de corps. – Cour. *Garde du corps* : celui qui veille à la sécurité d'une personne qui l'a engagé à cet effet. **5.** Dépouille mortelle, cadavre. *Levée du corps. On a retrouvé son corps dans la rivière*. **6.** Loc. *Lutter (au) corps à corps*, de très près, en touchant directement son adversaire. – *Corps à corps* : lutte qui se fait corps à corps. ▷ *À bras-le-corps* : V. bras. – Fig. *Prendre le problème à bras-le-corps*, l'attaquer résolument et dans son entier. ▷ *À corps perdu* : sans souci pour sa personne, sans ménagement pour soi, totalement. ▷ *À son corps défendant* : malgré soi; contre son gré. ▷ *Passer sur le corps de qqn*, le culbuter, le fouler au pied. – Fig. *Il faudra d'abord me passer sur le corps*. **II.** Substance, objet matériels. **1.** *Corps solide, gazeux. La chute des corps*. ▷ CHIM *Corps simple* : V. élément. *Corps composé* : V. composé (sens II, 2). ▷ ASTRO *Corps célestes* : les étoiles, les planètes, la matière interstellaire, les rayons cosmiques, etc. ▷ MED *Corps étranger*, introduit dans l'organisme et non assimilable par lui. ▷ PHYS *Corps noir*, qui absorbe complètement le rayonnement thermique qu'il reçoit. **2.** ANAT Nom de différents organes. *Corps calleux**. *Corps jaune* : corps temporaire agissant comme une glande, qui apparaît après l'ovulation et qui sécrète la progestérone. **3.** Partie principale, essentielle (d'une chose). *Corps d'une pompe* : bloc dans lequel joue le piston. *Corps de logis* : partie principale d'un bâtiment ou construction principale (maison de maître, etc.) d'une propriété. – *Corps d'un livre, d'un article, d'un texte*, etc., considéré sans les préface, introduction, table, etc. – *Corps d'une doctrine*, ses points essentiels. ▷ MAR *Navire perdu corps et biens*, disparu sans que rien subsiste ni du navire ni de la cargaison, sans que survive aucun membre de l'équipage, aucun passager. ▷ DR *Corps du délit* : le délit considéré en lui-même. ▷ METEO Partie centrale d'un système nuageux. **4.** Épaisseur, solidité, consistance. *Ce papier n'a pas de corps. Un vin qui a du corps*. – *Prendre corps* : prendre de la consistance, de la force. ▷ Fig. *Une idée qui prend corps*. – *Faire corps avec (qqch)* : adhérer fortement à, ne faire qu'une seule masse avec. **5.** TYPO Hauteur d'un caractère d'imprimerie. **III.** (Abstrait) **1.** Être collectif que forme une société, un peuple, une corporation, etc. *Le corps social. Le corps de la noblesse. Le corps électoral. Les ingénieurs du corps des mines*. – Spécial. *Esprit de corps* : entente, habitude de se soutenir entre membres d'une même corporation, d'un même groupe social ou professionnel. *L'esprit de corps des polytechniciens*. **2.** MILIT *Corps d'armée*, groupant 2 à 4 divisions. *Général de corps d'armée*. – *Corps de l'artillerie, du génie*, ensemble de ceux qui appartiennent à ces armes. – *Corps expéditionnaire* : troupe constituée en vue d'une expédition lointaine. *Corps franc* : compagnie d'un régiment chargée des opérations de commando et de l'exécution des coups de main. **3.** CHOREGR *Corps de ballet* : ensemble de la troupe des danseurs et danseuses. **4.** THEOL *Corps mystique du Christ* : l'Église elle-même, en tant que rassemblement de tous les baptisés formant un corps dont J.-C. est la tête. **5.** MATH Anneau unitaire (structure algébrique) tel que, pour tout élément a (différent de 0) de celui-ci, il existe un élément a' de cet anneau vérifiant $a'a = 1$. *Corps des nombres réels, des nombres rationnels*.

corps-mort n. m. MAR Lourde masse (grosse ancre, bloc de béton, etc.) coulée au fond de l'eau et reliée par une chaîne à une bouée ou à un caisson flottant, destinée à fournir aux navires un mouillage à poste fixe. *Des corps-morts*.

corpulence n. f. Masse du corps. *Un homme de forte corpulence*.

corpulent, ente adj. De forte corpulence. *Une femme corpulente*.

corpus [kɔʀpys] n. m. **1.** Recueil concernant une même matière. *Corpus d'inscriptions latines*. **2.** LING Ensemble fini d'éléments, d'énoncés, réunis en vue d'une analyse linguistique.

Corpus Christi, v. des É.-U. (Texas), sur le golfe du Mexique; 257 400 hab. Port pétrolier. Pétrochim.; métallurgie.

corpusculaire adj. PHYS NUCL Relatif aux corpuscules. *Dimensions corpusculaires*. ▷ *Théorie corpusculaire*, fondée sur la discontinuité de la matière et de l'énergie.

corpuscule n. m. **1.** ANAT Élément très ténu. *Corpuscules de Malpighi**. **2.** PHYS Vx Minuscule élément de matière.

corral, als n. m. En Amérique du S., enclos où l'on parque le bétail. ▷ En tauromachie, partie de l'arène où l'on parque les taureaux.

correct, ecte adj. **1.** Exempt de fautes. *Une phrase correcte. La réponse correcte.* **2.** Conforme aux règles, aux convenances, aux lois. *Attitude correcte.* **3.** Fam. Dont la qualité est convenable, acceptable. *Comme repas, c'était très correct.*

correctement adv. Sans fautes; conformément aux règles, aux convenances.

correcteur, trice n. et adj. **1.** n. Personne qui corrige et qui note (un devoir, un examen). **2.** n. TYPO Personne chargée de la correction des fautes de composition. **3.** n. m. Dispositif de correction. *Un correcteur gazométrique.* - INFORM *Correcteur orthographique* : logiciel associé à un traitement de texte, qui permet la vérification automatique de l'orthographe des textes saisis. **4.** adj. Qui corrige. *Verres correcteurs,* qui corrigent, compensent les défauts de la vision.

correctif, ive adj. et n. m. **1.** adj. Qui a la vertu de corriger, d'atténuer. *Gymnastique corrective,* destinée à corriger une attitude vicieuse et à atténuer ses conséquences sur le squelette ou dans la musculature. **2.** MED *Substance corrective,* que l'on ajoute à une autre (partic. un médicament) pour en adoucir l'action. ▷ n. m. *Un correctif.* **3.** n. m. Ce qui atténue ou corrige (un texte, un propos). *Apporter un correctif à un communiqué.*

correction n. f. **1.** Action de corriger, de réformer; résultat de cette action. *La correction des abus.* **2.** Châtiment corporel. *Enfant qui reçoit une correction.* ▷ Coups reçus par qqn. **3.** Changement que l'on fait à un ouvrage. *Apporter des corrections à un chapitre.* ▷ TYPO Indication des fautes de composition sur une épreuve. ▷ *Spécial.* Action de corriger un devoir d'écolier, d'étudiant. *Terminer la correction d'une copie.* **4.** Qualité de ce qui est correct, conforme aux règles et aux convenances. *Correction du style, de la langue. Correction de la tenue. La plus élémentaire correction* : le minimum de politesse, de savoir-vivre.

correctionnaliser v. tr. [1] DR Donner, par voies légales, à une affaire pénale un caractère correctionnel, la rendre de la compétence du tribunal correctionnel. *Correctionnaliser un crime.*

correctionnel, elle adj. et n. f. DR Se dit des peines que l'on applique aux actes qualifiés de délits par la loi, et des tribunaux compétents pour juger ces délits. *Peine correctionnelle. Tribunal correctionnel.* - n. f. *Passer en correctionnelle,* en jugement devant un tribunal correctionnel.

Corrège (Antonio Allegri, dit il Correggio, en fr. le) (Corregio, près de Parme, v. 1489 - id., 1534), peintre italien de la fin de la Renaiss., précurseur de l'esthétique baroque par son exaltation de la sensualité : *Léda* (Berlin), *Jupiter et Io* (Vienne).

Corregidor, îlot des Philippines; place stratégique à l'entrée de la baie de Manille. - En mai 1942, les Japonais l'enlevèrent aux Américains, qui le reprirent en fév. 1945 après de durs combats.

corrélat n. m. Didac. Terme d'une corrélation, d'un rapport.

corrélatif, ive adj. Qui est en relation logique avec autre chose. *Droit et devoir sont des termes corrélatifs.* - *Obligation corrélative,* subordonnée à l'accomplissement d'une première obligation. ▷ GRAM *Mots corrélatifs,* qui vont ensemble et indiquent une relation entre deux membres d'une phrase (par ex. *tel... que*).

corrélation n. f. **1.** Relation entre deux choses, deux termes corrélatifs. **2.** MATH Relation que l'on établit entre deux séries de variables aléatoires.

corrélativement adv. De manière corrélative.

corréler v. tr. [14] Faire la corrélation entre (deux choses, deux termes).

correspondance n. f. **I. 1.** Rapport de conformité, de symétrie, d'analogie. *C'est la parfaite correspondance d'idées entre eux qui a permis à l'affaire d'aboutir si rapidement. Correspondance entre les parties d'un ouvrage.* ▷ *Théorie des correspondances* : doctrine selon laquelle il existerait une analogie terme à terme et une action réciproque entre les différents règnes de l'univers (planètes, métaux, caractères humains). **2.** TRANSP Liaison entre deux lignes de transport (train, métro, autocar, etc.) ou entre deux moyens de transport. *Il y a deux correspondances pour aller à cette station.* - Moyen de transport qui assure une correspondance. *Il a raté la correspondance pour Paris qui passe à huit heures.* **3.** MATH Notion généralisant celles de fonction et d'application. **II.** Échange régulier de lettres entre deux personnes; les lettres elles-mêmes. *Entretenir une correspondance avec qqn. La correspondance de Gide a fait l'objet de nombreuses publications.* ▷ Par ext. *Correspondance téléphonique.*

correspondancier, ère n. Employé chargé de la correspondance dans une administration, une société commerciale. - (En appos.) *Secrétaire correspondancière.*

correspondant, ante adj. et n. **I.** adj. Qui a des rapports avec, qui correspond. *Des écrous et des boulons correspondants.* ▷ GEOM *Angles correspondants,* formés par deux droites parallèles que coupe une troisième et situés de part et d'autre de la sécante, l'un interne, l'autre externe. (Ils sont égaux.) ▷ PHYS *États correspondants* : état de deux fluides qui ont même pression, même température et même volume réduits. V. réduit 1. **II.** n. **1.** Personne avec qui on est en relation épistolaire. - *Par ext.* Personne avec qui on est en relation téléphonique. **2.** Personne chargée par un journal, une agence de presse, une station de radio ou de télévision d'envoyer des nouvelles du lieu où elle se trouve. *Hemingway fut le correspondant de guerre de plusieurs grands journaux américains.* **3.** Titre donné par une société savante à des savants résidant à l'étranger ou en province et n'assistant pas à ses réunions. - (En appos.) *Membre correspondant de l'Académie des sciences.* **4.** Personne chargée de veiller sur un jeune élève interne qui se trouve éloigné de sa famille.

le **Corrège** : *la Madone de Saint Georges;* Staatliche Kunstsammlungen, Dresde

correspondre v. [6] **I. 1.** v. tr. indir. ou intr. Être en rapport de conformité avec, être approprié à (qqch). *Cet article ne correspond pas à mon texte. On leur avait livré des armes sans les munitions qui correspondent.* ▷ Être en rapport de symétrie, d'analogie avec. *Théorie qui correspond à une conception matérialiste du monde.* **2.** v. intr. (Sujet nom de chose.) Communiquer l'un avec l'autre. *Pièces, chambres qui correspondent.* **II.** v. intr. Avoir un échange de lettres (avec qqn). - Absol. *Cesser de correspondre.*

Corrèze (la), riv. de France (85 km), affl. de la Vézère (r. g.); naît sur le plateau de Millevaches, baigne Tulle et Brive-la-Gaillarde.

Corrèze, dép. franç. (19); 5 860 km²; 237 908 hab.; 40,6 hab./km²; ch.-l. *Tulle.* V. Limousin (Rég.).

corrézien, enne adj. et n. De la Corrèze. - Subst. *Un(e) Corrézien(ne).*

corrida n. f. **1.** Spectacle au cours duquel des hommes affrontent des taureaux dans une arène. **2.** Fig., fam. Agitation, bousculade, dispute bruyante.

corrida : matador et picador

corridor n. m. **1.** Passage qui met en communication plusieurs appartements d'un même étage, plusieurs pièces d'un appartement. **2.** HIST Bande de terre neutralisée. *Le corridor de Dantzig (1918-1939), qui désenclavait la ville en lui donnant accès à la mer.*

Corrientes, v. d'Argentine, au confl. du Paraguay et du Paraná; 197 000 hab.; ch.-l. de la prov. du m. nom. Aciéries. Constructions navales.

corrigé, ée adj. et n. m. **1.** adj. *Surface corrigée* : selon la loi du 1er sept. 1948, élément de calcul du prix d'un loyer (habitation uniquement) sur la base de la surface réelle affectée de coefficients tenant compte des divers éléments de confort du logement. **2.** n. m. Devoir donné comme modèle à des élèves. *Donner le corrigé d'une version latine.*

corrigeage n. m. TYPO Opération qui consiste à effectuer (sur écran) les corrections demandées (sur épreuves).

corriger v. tr. [13] **1.** Rectifier les erreurs, les défauts (de qqch). *Corriger*

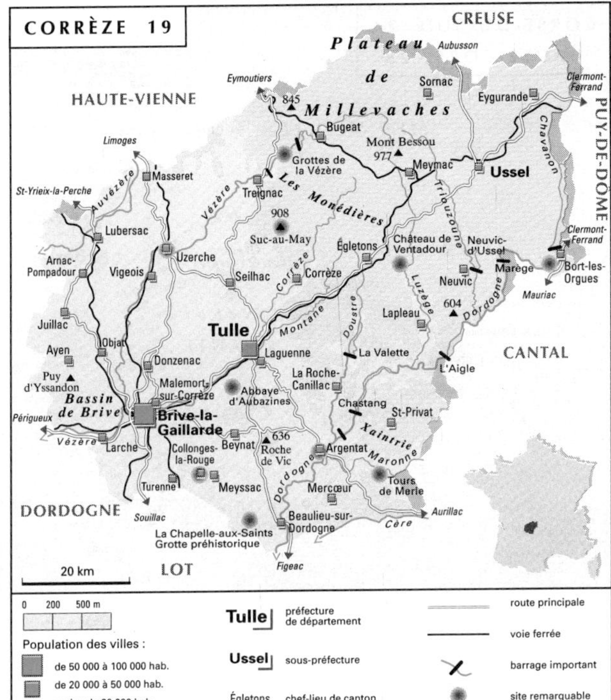

un texte, une épreuve d'imprimerie. ▷ *Corriger un devoir,* en relever les fautes et le noter. **2.** Vieilli *Corriger les mœurs,* les redresser. – Mod. *Corriger les défauts de qqn.* ▷ v. pron. S'efforcer de rectifier son attitude, de supprimer ses défauts. **3.** Tempérer, adoucir. *Corriger l'acidité du citron avec du sucre.* **4.** Punir, châtier, en infligeant une peine corporelle. *Corriger un enfant qui a désobéi.* – Donner des coups à (qqn), battre. *Il l'a durement corrigé.*

corroborant, ante adj. Rare Qui confirme. *Preuves corroborantes.*

corroboration n. f. Rare Action de corroborer.

corroborer v. tr. [1] Appuyer, confirmer, ajouter du crédit à (une idée, une opinion). *Déposition qui corrobore un témoignage.*

corrodant, ante adj. Qui corrode, qui ronge. Syn. corrosif.

corroder v. tr. [1] Ronger, détruire lentement. *L'acide corrode les métaux.* ▷ Fig. *L'envie corrode les meilleures amitiés.*

corrompre v. tr. [53] **1.** Gâter, altérer par décomposition. *La chaleur corrompt la viande.* ▷ Fig. (Sens moral.) Diminuer, altérer. *La crainte corrompt le plaisir.* **2.** Dépraver, pervertir. *Corrompre les mœurs.* **3.** Détourner de son devoir par des dons, des promesses. *Corrompre des témoins.*

corrompu, ue adj. **1.** Altéré par décomposition. **2.** Fig. Dépravé. *Âme corrompue.* **3.** Qui s'est laissé corrompre (sens 3) ou que l'on peut corrompre. *Fonctionnaire corrompu.*

corrosif, ive adj. (et n. m.) **1.** Qui corrode, qui ronge. *Substance corrosive.* Syn. corrodant. ▷ n. m. *Un corrosif.* **2.** Fig. Incisif, mordant. *Style, humour corrosif.*

corrosion n. f. Action ou effet de ce qui est corrosif. ▷ CHIM Détérioration superficielle des métaux d'origine chimique ou électrochimique (partic. sous l'effet de l'humidité, du sel, etc.). *La corrosion du fer par l'acide.* ▷ GEOL *Corrosion des sols,* par les eaux de ruissellement.

corroyage n. m. **1.** TECH Opération de finition (industrie du cuir, menuiserie). **2.** Forgeage ou soudage de pièces métalliques.

corrupteur, trice adj. et n. Qui corrompt. ▷ Subst. Vx ou litt. Celui, celle qui détourne qqn de son devoir en le soudoyant.

corruptible adj. **1.** Vx Qui est sujet à la corruption (sens 1). *Produit corruptible.* **2.** Que l'on peut circonvenir, détourner de son devoir par des dons, des avantages. *Un juge corruptible.* Ant. incorruptible.

corruption n. f. **1.** Vx Altération d'une substance par putréfaction. *Corruption de la viande.* **2.** Litt. Altération, déformation. *Corruption du goût. Corruption d'un texte.* **3.** Fig. Dépravation (des mœurs, de l'esprit, etc.). *La corruption de la jeunesse.* **4.** Moyens employés pour circonvenir qqn, le détourner de son devoir. *Corruption de fonctionnaire.*

cors [kɔʀ] n. m. pl. V. cor 1, sens II.

corsage n. m. Vêtement ou partie de vêtement féminin recouvrant le buste. *Corsage à manches courtes.*

corsaire n. m. **1.** HIST Navire armé en course par des particuliers avec l'autorisation du gouvernement (lettre de marque), pour faire la chasse aux navires marchands d'un pays ennemi. – Commandant d'un tel navire. *Les plus célèbres corsaires français furent Jean Bart, Duguay-Trouin et Surcouf.* **2.** *Abusiv.* Navire monté par des pirates; pirate. **3.** Pantalon moulant s'arrêtant au-dessous du genou.

corse adj. et n. **1.** De Corse. ▷ Subst. *Un(e) Corse.* **2.** n. m. *Le corse :* langue romane parlée en Corse.

Corse, île de la Méditerranée située à 160 km des côtes S. de l'Hexagone; collectivité territoriale de la Rép., formée des dép. de Corse-du-Sud et de Haute-Corse; 8 682 km²; 249 737 hab.; ch.-l. *Ajaccio.*
Géogr. phys. et hum. – La Corse est une île montagneuse (185 km du N. au S., 85 km max. d'O. en E.), qui culmine à 2 710 m au monte Cinto. Les plaines, rares sur la côte O. où le relief cristallin plonge dans la mer avec un littoral déchiqueté, ne s'imposent qu'à l'E., entre Bastia et Solenzara, où la Corse schisteuse se termine par un littoral sableux de 190 km de long. Le climat est méditerranéen, mais les pluies d'altitude assurent de bonnes ressources en eau. Les deux tiers du territoire sont boisés mais le maquis (forêt méditerranéenne dégradée) est la parure principale de l'île. Plus de la moitié des hab. se concentre dans les zones urbaines d'Ajaccio et de Bastia, les villages de l'intérieur, désertés depuis longtemps, ne groupent plus qu'une pop. âgée. Longtemps terre d'émigration, la Corse a aujourd'hui enrayé son exode vers le continent.
Écon. – L'écon. corse est dépendante, près de 40 % des revenus des ménages provenant des prestations sociales. Les activités productives (agriculture, pêche, industrie, bâtiment) ne produisent que 20 % du P.N.B. régional, contre 80 % au secteur tertiaire. Une agriculture moderne et exportatrice s'est cependant développée dans les plaines irriguées (agrumes, kiwi, vigne), et le tourisme est une activité de premier plan (1 million de vacanciers par an). L'industrie reste embryonnaire. Largement tributaire de l'aide nationale, la Corse profite aussi des actions de la C.É.E. et a bénéficié d'un programme intégré de développement pour la période 1986-1992.
Hist. – L'île a connu au IIIe mill. av. J.-C. une belle civilisation mégalithique. Possession punique, la Corse fut conquise par Rome de 238 à 162 av. J.-C., puis devint byzantine; elle fut ravagée par les Sarrasins (IXe-XIe s.). Pise l'administra à partir de 1078, mais Gênes se l'appropria au XIVe s. et la céda en 1768 à la France qui brisa la résistance animée par P. Paoli (1789). En 1794, celui-ci fit appel à la flotte britannique pour résister aux forces de la Convention; ce mouvement fédéraliste ou indépendantiste, provoquant le départ des familles attachées à l'unité de la Rép., celle des Bonaparte notam., prit fin en 1796. Lors de la Seconde Guerre mondiale, la Corse fut le premier territoire français libéré de l'occupation ital. et allemande (sept. 1943). La population conserve une forte originalité, qui se manifeste auj. par des mouvements nationalistes (autonomistes et indépendantistes). Les Corses ne veulent pas, notam., la spécialisation de leur pays en une terre de tourisme. Depuis les années 70 des troubles graves (attentats meurtriers, destruction de locaux) ont eu lieu. Parmi les mouvements nationalistes, le F.L.N.C. (Front de libération nationale de la Corse) prône en effet l'action violente; il a été dissous par le gouvernement en 1983, mais son action se poursuit. Un statut original (élections régionales au suffrage universel direct en particulier), effectif dep. 1982 et remodifié en 1990, confère à l'île des compétences administratives, politiques et économiques nouvelles.

Corse (cap), presqu'île formant l'extrémité N. de la Corse. Vins réputés.

corsé, ée adj. **1.** Qui a du corps, de la consistance, de la force. *Vin, café corsé. Goût corsé.* **2.** Fig., fam. *Addition corsée,* trop élevée. ▷ *Histoire corsée,* grivoise.

Corse (Haute-), dép. franç. (2B); 4 668 km^2; 131 563 hab.; 28,2 hab./km^2; ch.-l. *Bastia.* V. Corse.

Corse-du-Sud, dép. franç. (2A); 4 014 km^2; 118 174 hab.; 29,4 hab./km^2; ch.-l. *Ajaccio.* V. Corse.

corselet n. m. **1.** Anc. Corps d'une cuirasse. **2.** Anc. Pièce de vêtement féminin ceinturant le torse de la taille à la poitrine, lacée sur le devant. **3.** ZOOL Partie dorsale chitineuse du premier segment thoracique (prothorax) des insectes.

corser v. tr. [1] Donner de la force, de la consistance. *Corser un plat avec des épices.* – Par ext. *Corser un récit.* ▷ v. pron. Fam. *Ça se corse :* ça se complique; ça devient intéressant.

corset n. m. Sous-vêtement féminin, baleiné et lacé, qui moule la taille, de la poitrine aux hanches. ▷ MED *Corset orthopédique :* dispositif qui maintient l'abdomen, le thorax et la colonne vertébrale.

corseter v. tr. [18] **1.** Rare Mettre un corset à (qqn). **2.** Fig. Donner un cadre serré à.

corsetier, ère n. Personne qui fait ou vend des corsets.

corso n. m. *Corso fleuri :* défilé de chars fleuris, lors de certaines fêtes. *Le corso fleuri de Cabourg, de Nice.*

Corso (Gregory) (New York, 1930), poète américain de l'école de San Francisco. Il renouvelle l'écriture poétique par la rapidité de la notation objective : *Sentiments élégiaques américains* (1970).

Cortázar (Julio) (Bruxelles, 1914 – Paris, 1984), écrivain argentin, naturalisé français en 1981. Il est l'auteur de nouvelles et de romans où le fantastique naît du quotidien : *Bestiaire* (1951), *Marelle* (1963), *le Tour du jour en quatre-vingts mondes* (1967), *les Autonautes de la cosmoroute* (1983). Il fut également critique, essayiste et poète.

Corte, ch.-l. d'arr. de la Haute-Corse, au centre de l'île; 6 065 hab. Vins, huileries. – Citadelle (XVe s.). Université de Corse. – La ville, siège du gouvernement de P. Paoli, fut cap. de la Corse de 1755 à 1759.

cortège n. m. **1.** Suite de personnes qui en accompagnent une autre avec cérémonie. – Spécial. *Cortège funèbre.* **2.** *Par ext.* Groupe de gens qui défilent. *Manifestants qui se forment en cortège.* **3.** Fig. *La vieillesse et son cortège d'infirmités,* et les infirmités de toutes sortes qui l'accompagnent. **4.** *Par anal.* PHYS NUCL *Cortège d'électrons :* ensemble des électrons qui entourent un noyau atomique.

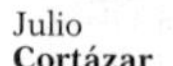
Julio **Cortázar**

Charles de **Coulomb**

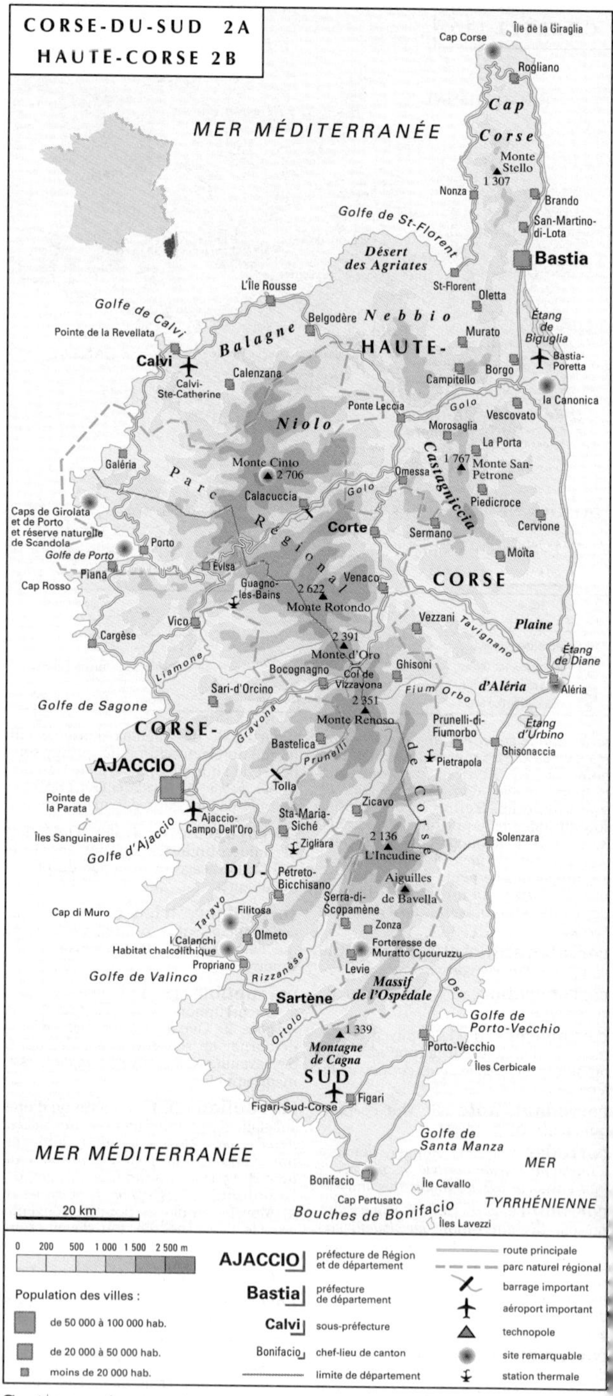

CORSE-DU-SUD 2A
HAUTE-CORSE 2B

0 200 500 1 000 1 500 2 500 m

Population des villes :
de 50 000 à 100 000 hab.
de 20 000 à 50 000 hab.
moins de 20 000 hab.

AJACCIO préfecture de Région et de département
Bastia préfecture de département
Calvi sous-préfecture
Bonifacio chef-lieu de canton
limite de département
route principale
parc naturel régional
barrage important
aéroport important
technopole
site remarquable
station thermale

Cortemaggiore, v. d'Italie (prov. de Plaisance); 4 890 hab. Extraction de méthane, ainsi que de pétrole (raffiné sur place).

Cortes [kɔʀtɛs] n. f. pl. **1.** HIST Assemblée législative (comprenant le Sénat et le Congrès des députés) en Espagne et au Portugal. **2.** Mod. Parlement espagnol.

Cortés (Hernán), en franç. *Fernand Cortez* (Medellín, Estrémadure, 1485 – Castilleja de la Cuesta, près de Séville, 1547), un des grands conquistadors espagnols. Il soumit le Mexique, détruisant l'Empire aztèque (1519-1521), et administra les pays conquis jusqu'en 1541. Il mourut en disgrâce. Auteur de

Lettres à Charles Quint sur la découverte et la conquête du Mexique (1522).

cortex [kɔʀtɛks] n. m. ANAT Couche superficielle de certains organes. *Cortex surrénal.* – Absol. *Le cortex* : l'écorce cérébrale.

Cortez (Fernand). V. Cortés (Hernán).

cortical, ale, aux adj. **1.** BOT Relatif à l'écorce. **2.** ANAT Qui appartient, qui dépend d'un cortex. *Cellules corticales,* du cortex cérébral. – *Hormones corticales* : V. corticosurrénal.

cortico-. Élément, du lat. *cortex, corticis,* « écorce », utilisé pour former des mots essentiellement médicaux, avec le sens de « relatif au cortex ».

corticoïde ou **corticostéroïde** n. m. BIOCHIM Nom générique des hormones sécrétées par les corticosurrénales et de leurs dérivés synthétiques.

corticostimuline n. f. BIOCHIM Hormone hypophysaire qui règle la sécrétion de corticoïdes par la corticosurrénale. Syn. A.C.T.H.

corticosurrénal, ale, aux adj. et n. f. Qui a rapport au tissu cortical de la glande surrénale. – n. f. *La corticosurrénale* : ce tissu lui-même. – *Hormones corticosurrénales* ou, n. f., *les corticosurrénales,* qui assurent une fonction de régulation des métabolismes.

corticothérapie n. f. MED Emploi thérapeutique des hormones corticosurrénales et de l'A.C.T.H.

Cortina d'Ampezzo, v. d'Italie (Vénétie), dans les Dolomites; 7 810 hab. Import. stat. de sports d'hiver (alt. 1 210 m).

cortinaire n. m. BOT Champignon basidiomycète de couleurs très vives variant selon l'espèce. (La plupart de ces champignons sont toxiques ou mortels.) ► pl. champignons

cortisol n. m. BIOCHIM Hormone (17-hydroxycorticostérone) la plus active et la plus importante parmi les corticoïdes agissant sur le métabolisme des glucides, sécrétés par la corticosurrénale.

cortisone n. f. BIOCHIM Hormone sécrétée par la corticosurrénale, moins active que le cortisol. (Synthétisée, elle est utilisée comme thérapeutique anti-inflammatoire, antiallergique, etc.)

corton n. m. Vin de Bourgogne très réputé du vignoble d'Aloxe-Corton (Côte-d'Or).

Cortone (Pierre de). V. Pierre de Cortone.

Cortot (Alfred) (Nyon, Suisse, 1877 – Lausanne, 1962), pianiste et chef d'orchestre français. Il fonda en 1905, avec J. Thibaud et P. Casals, un célèbre trio et fut un interprète virtuose de Chopin et de Schumann.

L'escorte d'Hernán **Cortés** arrivant à Mexico; dessin mexicain, XVIe s.; B.N.

corvéable adj. Qui est soumis à la corvée. *Taillable et corvéable à merci.*

corvée n. f. **1.** DR FEOD Travail gratuit dû par les serfs, les paysans, au seigneur ou au roi. **2.** *Par ext.* Travail que font tour à tour les soldats d'une unité, les membres d'une collectivité, etc. *Corvée d'eau, de vivres.* **3.** Toute chose qu'on est obligé de faire et qu'on trouve pénible ou désagréable.

corvette n. f. **1.** MAR Anc. Petit bâtiment de guerre à trois mâts, rapide, destiné à des missions d'éclaireur. – Mod. Escorteur de haute mer spécialisé dans la lutte contre les sous-marins ou la lutte antiaérienne. **2.** *Capitaine de corvette* : officier supérieur de la marine militaire, du grade correspondant à celui de commandant dans les autres armes.

corvidés n. m. pl. ZOOL Famille de grands oiseaux passériformes, à fort bec droit, aux pattes robustes, de régime omnivore (corbeaux, corneilles, choucas, geais, pies, etc.). – Sing. *Un corvidé.*

Corvin (Mathias). V. Mathias Ier Corvin.

Corvisart (baron Jean) (Dricourt, Ardennes, 1755 – Paris, 1821), médecin français. Excellent clinicien, il fut nommé médecin du gouvernement, puis de Napoléon Ier. Il est l'auteur d'un *Essai sur les maladies et les lésions organiques du cœur* (1806-1811).

Corydon, berger dans divers poèmes antiques (*Églogues* de Virgile).

corymbe n. m. BOT Inflorescence (du sureau, par ex.) dans laquelle les pédoncules floraux partent de l'axe à des hauteurs différentes et s'allongent de telle façon que toutes les fleurs sont dans un même plan.

coryphée n. m. **1.** Chef du chœur dans le théâtre de la Grèce antique. ▷ CHOREGR Troisième grade dans l'ordre hiérarchique du corps de ballet de l'Opéra de Paris. **2.** Fig., litt. Celui qui a le plus d'autorité dans un groupe. *Le coryphée d'un parti politique.*

coryza n. m. Rhinite catarrhale aiguë, rhume de cerveau.

cos MATH Abrév. de *cosinus.*

Cos (en gr. *Kôs*), île grecque (nome du Dodécanèse), proche de la côte turque, à l'entrée du *golfe de Cos;* 290 km^2; 20 000 hab.; ch.-l. *Cos.* Fruits, légumes, vignes, tabac. – Ruines antiques (sanctuaire d'Asclépios; chât. des Chevaliers de Rhodes). – Patrie d'Hippocrate qui y fonde une école de médecine.

cosaque adj. et n. m. **1.** adj. D'origine cosaque, relatif aux Cosaques. **2.** n. m. Fig. Homme dur, brutal.

Cosaques, populations guerrières originaires d'Asie centrale, utilisées par les princes moscovites au XVe s. pour coloniser les steppes du Sud. Les populations cosaques comprenaient les *Cosaques du Don* (groupe ling. grand-russien), les *Cosaques du Dniepr* et les *Zaporogues* (du groupe ling. petit-russien). À partir de 1917, ils se heurtèrent aux bolcheviks et durent s'intégrer au nouvel ordre soviétique.

Cosenza, v. d'Italie (Calabre); 106 350 hab.; ch.-l. de la prov. du m. nom. Industr. textile et alimentaire. Archevêché. Université. – Cathédrale (XIIe-XIIIe s.); tombeau d'Isabelle d'Aragon, reine de France. – Le chef wisigoth Alaric mourut en assiégeant la ville, en 412.

cosignataire n. et adj. Personne qui signe avec une autre ou avec d'autres un document.

cosigner v. tr. [1] Signer avec une ou plusieurs autres personnes (un document).

Cosimo (Piero di). V. Piero di Cosimo.

cosinus [kɔsinys] n. m. MATH *Cosinus d'un angle aigu d'un triangle rectangle* : rapport du côté adjacent à l'hypoténuse. V. trigonométrie. (Abrév. : cos).

-cosme, cosmo-. Éléments, du gr. *kosmos,* « ordre, univers ».

Cosme (saint). V. Côme et Damien.

Cosme de Médicis. V. Médicis.

cosmétique n. m. et adj. Substance utilisée pour l'hygiène et la beauté de la peau, des cheveux. ▷ adj. *Un produit cosmétique.*

cosmétologie n. f. Partie de l'hygiène qui concerne les soins de beauté et l'utilisation des cosmétiques.

cosmétologue n. Didac. Spécialiste de cosmétologie.

cosmique adj. **1.** Relatif à l'Univers. **2.** ASTRO De l'espace extra-terrestre. *Poussières cosmiques* : très petits corps qui circulent dans l'espace. – *Rayons cosmiques* : flux de particules de haute énergie d'origine extra-terrestre, découvert en 1911 par le physicien autrichien Victor Franz Hess, constitué essentiellement de protons (90 %) et de noyaux d'hélium, et, en plus faibles quantités, de noyaux de carbone, d'azote, d'oxygène, de fer, ainsi que d'électrons. L'énergie de chacune des particules peut atteindre 10^{21} électronvolts; leur interaction avec les hautes couches de l'atmosphère crée des gerbes de particules, dont l'étude a été à l'origine de la découverte du *positon* et du *muon.*

cosmo-. V. -cosme.

cosmochimie n. f. Étude de la composition chimique des corps célestes.

cosmodrome n. m. Terrain aménagé pour le lancement des engins spatiaux, dans l'ex-U.R.S.S.

cosmogonie n. f. Didac. Théorie (mythique, philosophique ou scientifique) de la formation de l'univers. *Les cosmogonies de l'Antiquité.* ▷ ASTRO Théorie de la formation des corps célestes.

cosmogonique adj. Didac. Relatif à la cosmogonie.

cosmographie n. f. ASTRO Description du ciel tel qu'il se présente pour un observateur terrestre, les astres étant situés sur une sphère fictive de grand rayon *(sphère céleste)* dont la Terre occupe le centre.

cosmographique adj. ASTRO Relatif à la cosmographie.

cosmologie n. f. **1.** Didac. Partie de l'astronomie qui a pour objet l'étude de la structure et de l'évolution de l'univers considéré comme un tout. *L'essor récent de la physique des particules joue un grand rôle en cosmologie.* **2.** PHILO *Cosmologie (rationnelle)* : étude métaphysique de l'univers.

cosmologique adj. Didac. Relatif à la cosmologie. – Relatif au monde. *Sciences cosmologiques.*

cosmonaute n. Pilote ou passager d'un véhicule spatial.

cosmophysique n. f. Didac. Science ayant pour objet l'étude de la structure physique des corps célestes, notam. par expérimentation directe sur le sol des astres.

cosmopolite adj. et n. **1.** Qui s'accommode aisément des mœurs et des usages des pays où il vit. **2.** Composé de personnes originaires de pays divers. *Une société cosmopolite.*

cosmopolitisme n. m. **1.** Doctrine, opinion de ceux qui se disent cosmopolites. *Le cosmopolitisme était fréquent au XVIII*ᵉ *s.* **2.** Manière de vivre cosmopolite.

1. cosmos [kɔsmos] n. m. **1.** PHILO Univers, considéré comme un tout organisé et harmonieux (par oppos. à *chaos,* dans les cosmogonies de l'Antiquité). **2.** L'espace extra-terrestre.

2. cosmos [kɔsmos] n. m. Genre de composées originaires d'Amérique tropicale dont les fleurs rappellent celles du dahlia simple.

Cosne-Cours-sur-Loire, ch.-l. d'arr. de la Nièvre; 12 429 hab. Métallurgie, constructions mécaniques.

Cosquer (grotte), grotte préhistorique proche de Marseille, ornée de peintures pariétales datant de 28 millénaires (du n. de son découvreur).

cossard, arde adj. et n. Fam. Paresseux.

1. cosse n. f. **1.** Enveloppe des petits pois, haricots, fèves, etc., que l'on enlève pour récupérer les graines *(écossage).* **2.** ELECTR Plaque métallique que l'on fixe à l'extrémité d'un conducteur pour en faciliter la connexion.

2. cosse n. f. Fam., vieilli Paresse. *« Elle se vautrait dans une vraie cosse » (Céline).*

Cossé ou **Cossé-Brissac,** famille angevine dont sont issus plusieurs maréchaux de France. – **Charles Iᵉʳ de Cossé,** comte de Brissac, dit *le maréchal de Brissac* (?, v. 1505 - Paris, 1563); il s'illustra sous François Iᵉʳ et reprit Le Havre aux Angl. (1563). – **Artus de Cossé,** seigneur de Gonnor, comte de Secondigny (?, 1512 - Gonnor, Anjou, 1582), frère du préc.; il fut un des chefs cathol. des guerres de Religion. – **Charles II de Cossé,** comte puis 1ᵉʳ duc de Brissac (?, v. 1550 - Brissac, 1621), fils de Charles Iᵉʳ; gouverneur de Paris sous la Ligue, il fit entrer Henri IV dans la cap. (1594).

cossidés n. m. pl. Famille de papillons de grande taille, dont les chenilles creusent des galeries dans le bois. – Sing. *Un cossidé.*

Cossiga (Francesco) (Sassari, 1928), homme politique italien. Premier ministre de juin à oct. 1980. Président de la République (1985-1992).

cossu, ue adj. (Personnes) Riche, opulent. *Un homme cossu.* – *Par ext.* (Choses) Qui dénote la richesse, l'opulence. *Un appartement cossu.*

Costa (Lúcio) (Toulon, 1902 - Rio de Janeiro, 1998), architecte et urbaniste brésilien; auteur du plan directeur de Brasília (1956).

Costa Brava, côte de la Catalogne, entre Cerbère et le río Tordera.

Costa del Sol, côte mérid. de l'Espagne, de part et d'autre de Málaga.

Costa e Silva (Arthur da) (Taquarí, Rio Grande do Sul, 1902 - Brasília, 1969), homme politique brésilien. Militaire de carrière, il fut ministre de la Guerre (1964) de Castelo Branco, à qui il succéda (1967) à la présidence de la République.

Costa-Gavras (Konstandínos Gavras, dit) (Athènes, 1933), cinéaste français d'origine grecque. Il s'est fait connaître par une trilogie dénonçant l'intolérance politique et l'oppression sous divers régimes du monde contemporain : *Z* (1969), *l'Aveu* (1970), *État de siège* (1973). En 1982, il a obtenu la palme d'or à Cannes pour *Missing.*

Costa Gomes (Francisco da) (Chaves, 1924), général et homme politique portugais; président de la Rép. de sept. 1974 (chute de Spinola) à juin 1976 (élection du général Eanes).

costal, ale, aux adj. ANAT Qui concerne les côtes. *Douleur costale.*

costard n. m. Fam. Costume d'homme.

Costa Rica (république du) *(República de Costa Rica),* État d'Amérique centrale, entre le Nicaragua, au N., et le Panamá, au S.; 50 900 km²; 3 300 000 hab. ; cap. *San José.* Nature de l'État : rép. présidentielle. Langue off. : esp. Monnaie : colón. Pop. : Blancs (85 %). Relig. : catholicisme (relig. d'État).
Géogr. phys., hum. et écon. – L'axe du pays est constitué d'une succession de cordillères orientées N.-O.–S.-E., qui isolent, au centre, un plateau élevé et fertile groupant les trois quarts des hab. La mise en valeur progresse dans les plaines périphériques, qui restent faiblement occupées. La population est citadine à 52 %, et augmente de 2,5 % par an. Le climat tropical, tempéré par l'altitude, permet les cultures d'exportation : café, banane, cacao, canne à sucre, beaucoup de plantations étant contrôlées par les États-Unis, principal partenaire commercial. La crise des années 1979-1982 a été surmontée par l'application de plans d'ajustement du F.M.I. et le pays aborde la décennie 1990 avec une économie assainie : dette allégée, inflation et chômage réduits, exportations en progrès.
Hist. – Le pays, découvert par Colomb en 1502, fut colonisé par les Esp. au cours du XVIᵉ s. et fit partie de la Capitainerie générale de Guatemala. Indép. en 1821, il fut un des États membres de la Confédération d'Amérique centrale (1824-1839). La république du Costa Rica possède une longue tradition démocratique, exceptionnelle en Amérique latine. En outre, elle n'a pas d'armée (abolie en 1948). Le président, Oscar Arias Sánchez, élu en 1986, a obtenu le prix Nobel de la paix en 1987 pour le plan de paix qui porte son nom. En 1998, le social-chrétien Miguel Angel Rodriguez a succédé au social-démocrate José María Figueres.
► carte **Amérique centrale**

costaricien, enne adj. et n. Du Costa Rica. ▷ Subst. *Un(e) Costaricien(ne).*

costaud, aude adj. et n. (Fém. rare.) Fam. Fort, solide, résistant. *Un type très costaud. Elle est vraiment costaud.* ▷ Subst. *Un(e) costaud(e).*

Costeley (Guillaume) (Pont-Audemer?, v. 1531 - Évreux, 1606), compositeur français. Organiste de Charles IX et d'Henri III, il est surtout connu pour ses nombreuses chansons, parmi les plus belles de la Renaissance française.

Coster (Laurens Janszoon, dit) (Haarlem, v. 1405 - id., v. 1484), imprimeur hollandais. Certains lui attribuent l'invention des caractères mobiles, avant Gutenberg.

Coster (Charles De). V. De Coster.

Costes (Dieudonné) (Septfonds, Tarn-et-Garonne, 1892 - Paris, 1973), aviateur français. Avec Bellonte, il battit en 1929 le record du monde de distance en ligne droite (Paris-Qiqihar, 7 905 km) et réalisa la première liaison Paris-New York sans escale (1930).

costière n. f. **1.** TECH Rainure pour faire glisser les décors d'un théâtre. **2.** CONSTR Encadrement d'une cheminée, en saillie.

costume n. m. **1.** Manière de se vêtir propre à une époque, à un pays. *Le costume français, breton.* **2.** Vêtement, habillement. *Un costume ecclésiastique.* ▷ Cour. Vêtement d'homme composé d'un pantalon et d'une veste (et parfois d'un gilet; V. complet). *Mettre un costume pour aller dîner.* ▷ *Spécial.* Habit pour le théâtre, déguisement. *Les costumes d'une pièce. Mettre un costume de pirate.*

costumé, ée adj. Vêtu d'un costume de théâtre ou d'un déguisement. *Elle était costumée en bergère.* ▷ *Bal costumé,* où les invités sont travestis.

costumer v. tr. [1] Revêtir d'un costume, d'un déguisement. – v. pron. *Se costumer pour une fête.*

costumier, ère n. Personne qui confectionne, vend, loue ou répare des costumes de théâtre, de cérémonie, de bal costumé, etc.

cosy [kɔzi] ou **cosy-corner** [kɔzi kɔʀnɛʀ] n. m. Vieilli Ensemble d'ameublement (divan, étagères) disposé dans un coin de pièce. *Des cosys* ou *des cosies. Des cosy-corners.*

cotan, (anc.) **cotg** MATH Symbole de cotangente.

cotangente n. f. MATH Quotient du cosinus d'un arc par son sinus (symbole : cotan).

cotation n. f. **1.** Action de coter. *Cotation en Bourse.* **2.** TECH Ensemble des cotes d'un dessin.

cote n. f. **1.** Marque numérale dont on se sert pour classer les pièces d'un procès, d'un inventaire, les livres d'une bibliothèque, etc. *La cote d'un document à la Bibliothèque nationale.* **2.** FIN Indication du cours de valeurs mobilières. *Admission* de valeurs à la cote.* – *Par ext.* Bulletin où est publiée la cote des valeurs de la Bourse. **3.** *Par ext.* Évaluation, estimation de la valeur de diverses marchandises. *La cote d'une voiture à l'argus.* ▷ TURF *La cote d'un cheval* : le rapport entre la totalité des sommes engagées dans les paris sur une course et la part engagée sur chaque animal, et, *par ext.,* l'estimation des chances de chaque cheval en fonction de ce rapport. **4.** Loc. Vieilli *Cote d'amour* : partie de la note donnée à un candidat, qui tient compte d'éléments autres que ceux qui résultent des épreuves (antécédents, présentation, impression laissée au correcteur, au jury, etc.). – Fam. *Avoir la cote auprès de qqn,* être prisé, estimé de cette personne. **5.** TECH Chiffre qui indique une dimension (sur un schéma, sur un plan). ▷ GEOM Nombre qui indique, dans un système de coordonnées cartésiennes, la distance d'un point au plan horizontal. – *Par ext.* Désignation de ce point sur une carte. – Indications sur une courbe de niveaux. *Cote de niveau, d'altitude.* ▷ *Cote d'alerte* : niveau d'un fleuve au-delà duquel il y a risque d'inondation; fig. seuil à partir duquel une situation devient critique. **6.** Part de chacun dans une dépense commune (partic., un impôt, une contribution, etc.). *La cote mobilière.* ▷ Fig. *Cote mal taillée* : dépense commune mal répartie; compromis.

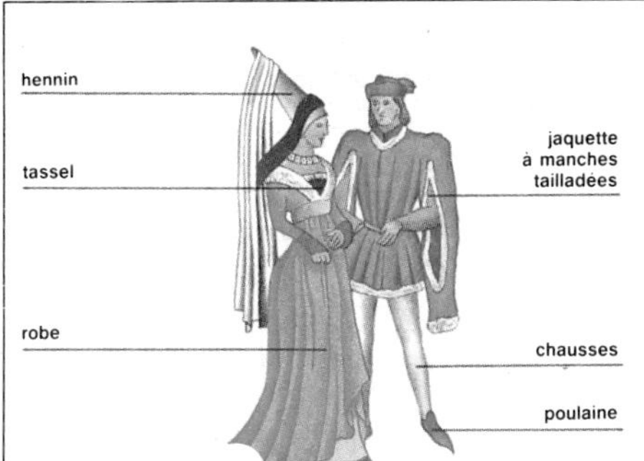

XVe s. Moyen Âge

XVIIe s. - époque Louis XIV

XVIIIe s. - époque Louis XVI

XXe s. - la Belle Époque

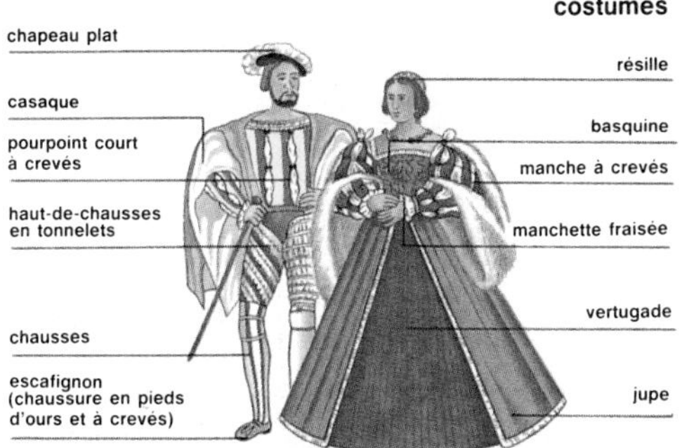

XVIe s. - Renaissance - époque François Ier

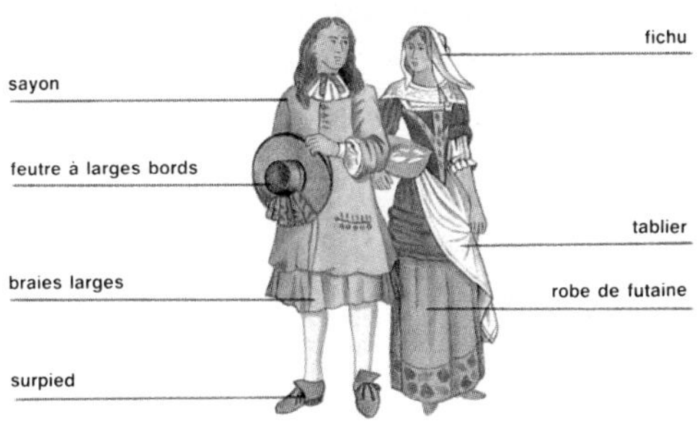

XVIIe s. - costumes paysans

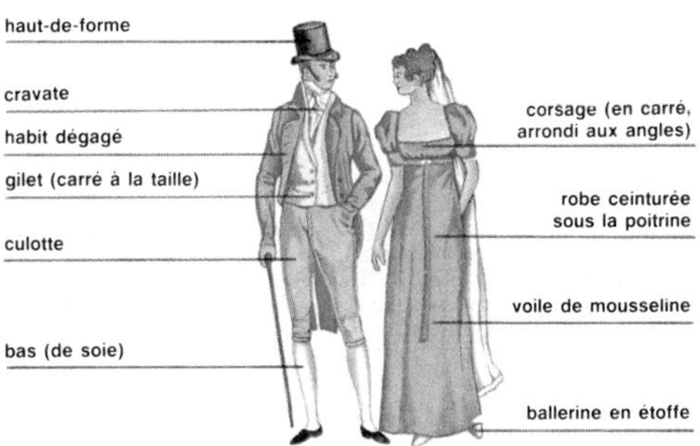

XIXe s. - époque Premier Empire

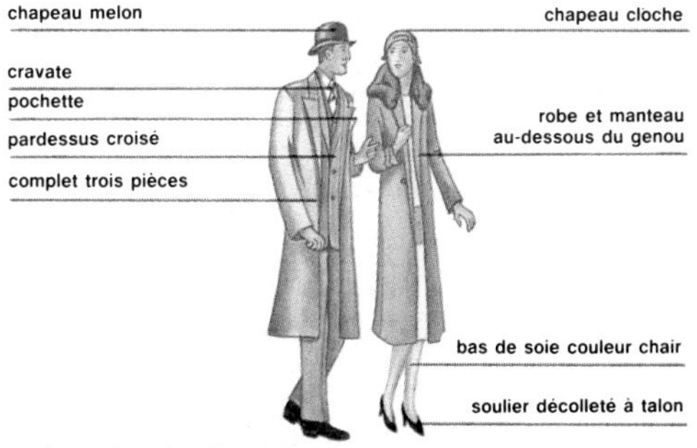

XXe s. - les Années folles

côte n. f. **I. 1.** Chacun des os longs et courbes qui forment la cage thoracique. *L'homme a douze paires de côtes.* ▷ Loc. fam., *On lui compterait les côtes, on lui voit les cotes :* il est très maigre. – Fig. *Rire à s'en tenir les côtes :* rire beaucoup. – Loc. fam. vieilli *Avoir les côtes en long :* être très paresseux; être courbatu. ▷ Loc. adv. *Côte à côte :* à côté l'un de l'autre. *Marcher côte à côte.* ▷ En boucherie : *côte de bœuf, côte de porc,* etc. **2.** *Par anal.* Saillie qui divise une surface courbe, dans divers objets. *Côtes d'un melon.* ▷ ARCHI *Côtes d'un dôme.* – *Côtes d'une colonne :* petites moulures séparant les cannelures. ▷ *Étoffe à côtes,* qui présente des lignes en relief sur sa surface. *Velours à grosses côtes.* **II. 1.** Pente d'une montagne; route qui monte. *Une côte raide. Monter, descendre une côte.* ▷ GEOMORPH *Relief de côte,* caractérisé par un relief dissymétrique, provoqué par la présence d'une couche résistante, modérément inclinée et interrompue par l'érosion. Syn. cuesta. **2.** Rivage de la mer. *Côte escarpée. Une côte hérissée d'écueils.* ▷ MAR *Aller à, donner à la côte :* s'échouer sur le rivage. *Navire qui va à la côte.* – Fig., vieilli *Il est à la côte :* il est sans ressources, ses affaires vont très mal.

coté, ée adj. **1.** *Être coté :* être apprécié, estimé. *Un acteur très coté.* **2.** FIN *Valeur cotée,* admise pour les transactions en Bourse. **3.** GEOM *Géométrie cotée,* dans laquelle un point est défini par sa projection sur un plan horizontal et par sa cote. ▷ TECH *Croquis coté :* représentation d'un objet par ses projections, avec l'indication de ses principales dimensions.

côté n. m. **I. 1.** Partie du corps, de l'aisselle à la hanche, où sont situées les côtes. *Être blessé au côté.* ▷ Partie droite ou gauche du corps. *Être couché sur le côté.* **2.** GEOM Chacun des segments de droite formant le périmètre d'un polygone. *Les côtés d'un triangle.* ▷ Ligne, surface limitant un objet. *Les côtés d'un meuble, d'une boîte.* **3.** Une des parties, des faces d'une chose (par oppos. à l'autre, à l'une des autres, aux autres). *Le bulletin est imprimé sur un seul côté. Le potager est de l'autre côté du mur.* ▷ Partie latérale d'une chose. *Entrez par le côté gauche de la maison.* **II. 1.** Aspect, manière dont se présente une chose, une situation, une personne. *Les bons, les mauvais côtés de qqn, de qqch. Prendre la vie du bon côté.* **2.** Parti, camp, opinion. *Être du côté du plus fort. Mettre les rieurs de son côté.* **3.** Ligne de parenté. *Cousin du côté du père, parent du côté maternel.* **III.** Loc. **1.** Loc. prép. *À côté de :* près de, tout près de. *Le pain est sur la table, à côté du vin. Il habite à côté de son bureau.* ▷ *À mes (tes, nos...) côtés :* avec, auprès de moi (toi, nous...). Fig. Au(x) côté(s) de : avec, en soutenant. *Il a toujours milité à nos côtés.* ▷ En dehors de (en n'atteignant pas le but visé). *Le ballon est passé à côté du filet.* – Fig. *Passer complètement à côté de la question.* ▷ En comparaison de. *À côté d'elle, il paraît tout petit.* **2.** Loc. adv. *À côté :* tout près d'ici. *Il habite à côté.* **3.** Loc. prép. *Du côté de :* dans la direction de. *Il est parti du côté de la gare.* ▷ Dans les environs de. *Il s'est installé du côté de Bordeaux.* ▷ Avec, auprès de, en accord avec (qqn, un groupe, une opinion). *Être du côté des faibles.* ▷ Fam. *Du côté* ou, absol., *côté :* du point de vue de. *(Du) côté argent, ne vous inquiétez pas.* ▷ *De mon (ton, leur...) côté :* pour ma (ta, leur...) part. *Je pense, de mon côté, pouvoir faire qqch.* ▷ *De tout côté, de tous côtés :* de toute(s) part(s); dans toutes les directions. *Nous sommes cernés de tout côté. Courir de tous côtés.* ▷ *D'un côté..., de l'autre :* d'un point de vue..., de l'autre. *D'un côté il a raison, de l'autre il a tort.* **4.** Loc. adv. *De côté :* de biais, obliquement. *Regarder, marcher de côté.* ▷ Sur le côté. *Sauter de côté,* en faisant un écart. ▷ Fam. *Mettre de côté :* écarter, mettre en réserve. *Tu dis cela parce que tu mets de côté ton amour-propre. Mettre de l'argent de côté.* ▷ Fam. *Laisser de côté :* négliger, ne pas tenir compte de. *Laissons de côté nos divergences.*

coteau n. m. **1.** Versant d'une colline. ▷ *Spécial.* Versant d'une colline planté de vignobles. **2.** Petite colline.

Côte d'Argent, côte atlantique française entre la Gironde et la Bidassoa (frontière espagnole). Nombr. stations balnéaires.

Côte d'Azur, côte méditerranéenne française entre Cassis et Menton. Nombr. stat. baln. (été, hiver). V. Provence-Alpes-Côte d'Azur (Région).

Côte de la Trêve, partie de la côte du golfe Persique qui fut longtemps infestée de pirates *(Côte des Pirates).* La G.-B. signa en 1820 (puis en 1853) avec les émirats riverains une trêve (angl. *truce*) qui permit le développement du comm. Auj. ces émirats, un moment nommés *Trucial States* ou *Trucial Oman,* sont indépendants; en 1971, ils sont entrés dans la Fédération des émirats du golfe Persique. (V. Émirats arabes unis.)

Côte d'Émeraude, côte franç. de la Manche, très découpée, entre la pointe du Grouin (au N. de Cancale) et le Val-André (à l'E. de Saint-Brieuc). Stat. balnéaires.

Côte des Esclaves, anc. nom de la côte qui borde le golfe du Bénin. Elle fut un centre de la traite des Noirs.

Côte des Pirates. V. Côte de la Trêve.

Côte-d'Ivoire (république de), État d'Afrique occid., sur le golfe de Guinée; 322 463 km²; 14,3 millions d'hab. (*Ivoiriens*); cap. *Yamoussoukro*; v. princ. *Abidjan.* Nature de l'État : rép. de type présidentiel. Langue off. : français. Monnaie : franc C.F.A. Princ. ethnies : Agnis, Baoulés, Krous, Lobis, Malinkés, Sénoufos. Relig. : animisme (60 % env.), islam, catholicisme.

Géogr. phys. et hum. – Le relief est constitué de plateaux cristallins ou schisteux qui se relèvent au N.-O. (1 752 m au mont Nimba) et s'abaissent vers la plaine côtière bordée de lagunes. Le climat, de type équat. au S. (forêt dense), devient tropical au N. (savane et forêt claire). Le réseau hydrographique nord-sud est assez important. Les rég. du nord se dépeuplent auj. au profit de celles du sud (région d'Abidjan). La population, encore majoritairement rurale (55 %), est très jeune et la croissance naturelle dépasse 3,5 % par an; les immigrés sont

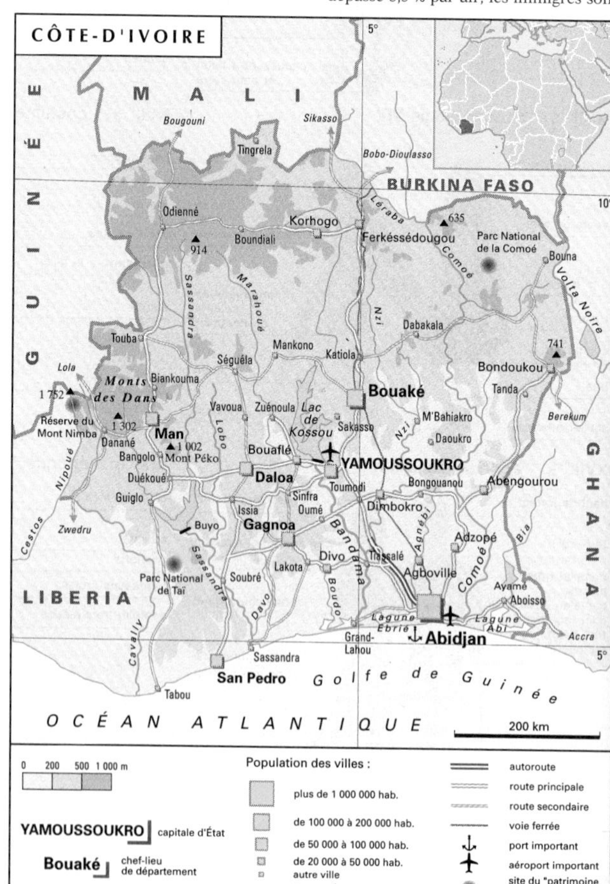

nombreux : Burkinabés, Maliens, Guinéens.
Écon. – L'agriculture, fondée sur les cultures d'exportation des grandes plantations du Sud : cacao (1er rang mondial), café, huile de palme, bananes et ananas, occupe plus de 50 % des actifs et a développé les prod. alimentaires (ignames, manioc, maïs, riz) et les plantes industrielles (canne à sucre, coton, hévéa). L'exploitation de l'acajou représente plus de 6 % des recettes commerciales du pays. Six barrages hydroélectriques assurent 60 % des besoins d'électricité mais les gisements pétroliers marins, exploités depuis 1982, ont vu leur production se réduire considérablement, après avoir atteint 2 millions de tonnes en 1982. Principal débouché de la Côte-d'Ivoire et du Burkina Faso, le port d'Abidjan concentre l'essentiel des industries (agro-alimentaire, textile, chimie, constructions mécaniques) et se classe au premier rang de toute l'Afrique pour le transport par conteneurs. Longtemps vitrine du développement de l'Afrique francophone, la Côte-d'Ivoire connaît une crise grave, que le programme de redressement appliqué depuis 1980 sous la directive du F.M.I. n'a pu résoudre. L'effondrement des cours du cacao et la baisse de ceux du café ont entraîné un recul du P.N.B. Après sept ans de récession, le pays a renoué avec la croissance : la dévaluation du franc C.F.A. (1994) et la flambée des cours du café ont amélioré la situation des finances publiques.
Hist. – Le pays, reconnu par les Portugais au XVIe s., fut exploré par les Français (XVIIe-XIXe s.), qui constituèrent en 1893 la colonie de la Côte-d'Ivoire, intégrée, après la capture de Samory (1898), dans l'A.-O.F. (1899). Autonome en 1958 et indépendant en 1960, l'État a été présidé de 1960 à sa mort par Félix Houphouët-Boigny (réélu six fois). L'opposition ayant été démantelée après l'indépendance, le pays a connu jusqu'en 1990 un régime de parti unique (Parti démocratique de la Côte-d'Ivoire, P.D.C.I.). Il a joué un rôle politique important en Afrique. Les mesures d'austérité économique adoptées en 1990 ont provoqué des troubles mais, en nov., le P.D.C.I., naguère unique, a largement remporté les premières élections législatives multipartistes et M. A. Ouattara, nommé Premier ministre, a entrepris de réformer profondément la structure économique du pays (privatisations). Le processus de démocratisation, amorcé en 1990, a été interrompu en 1992 par la répression de manifestations de l'opposition. À la mort d'Houphouët-Boigny (déc. 1993), H. Konan Bédié lui a succédé. – L'art est princ. représenté par les objets rituels des Baoulés, des Sénoufos et des Lobis.

Côte d'Opale, côte française de la Manche et de la mer du Nord, de la baie de la Somme à la frontière belge.

Côte d'Or, plateau de Bourgogne, portant sur son rebord orient., qui domine la Saône, des vignobles célèbres.

Côte-d'Or, dép. franç. (21); 8 765 km²; 493 866 hab.; 56,3 hab./km²; ch.-l. *Dijon*. V. Bourgogne (Rég.).

côtelé, ée adj. Couvert de côtes (surtout en parlant d'un tissu). *Velours côtelé.*

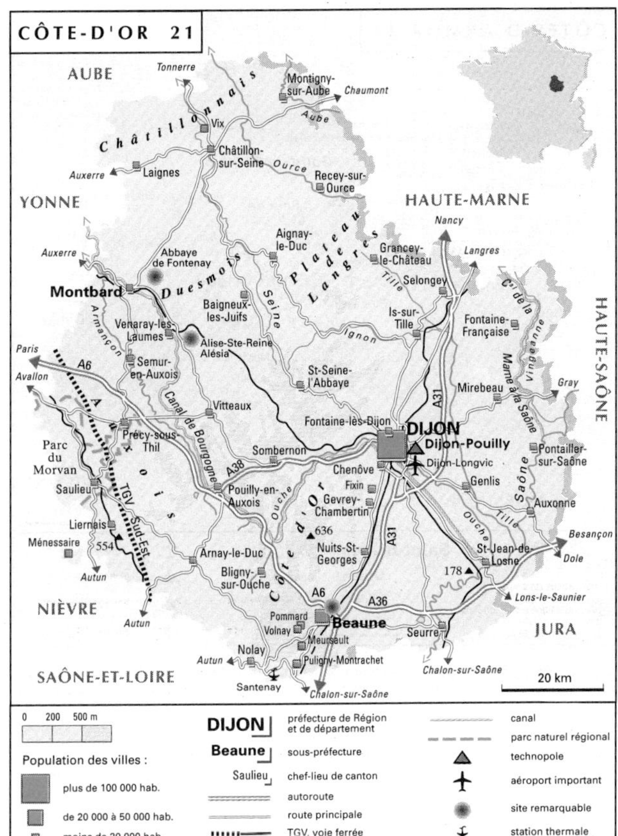

côtelette n. f. **1.** Côte des animaux de boucherie de taille moyenne (mouton, porc). **2.** Fam. Côte (d'une personne).

Côte-Nord, rég. admin. du Québec située au N.-E. de la province; 102 800 hab.

Cotentin, presqu'île massive de Normandie, s'avançant dans la Manche entre l'embouchure de la Vire (à l'E.) et la baie du Mont-Saint-Michel (à l'O.). Élevage bovin import. Tourisme.

coter v. tr. [1] **1.** Marquer d'un chiffre, d'une lettre, numéroter (un chapitre, les pages d'un document). **2.** FIN Marquer à la valeur du jour. *Coter des marchandises, des actions à la Bourse.* **3.** Apprécier par une note. *Coter la copie d'un candidat.* ▷ *Un restaurant très coté,* très apprécié. **4.** TECH Inscrire les cotes sur (un schéma, un plan, etc.). *Coter un croquis.*

coterie n. f. **1.** Anc. Association de paysans entretenant les terres du seigneur. **2.** Vieilli ou péjor. Groupe de personnes se coalisant pour défendre leurs intérêts. *Coterie politique, littéraire. Rivalité de coteries.*

Côte-Rôtie, nom d'un vignoble du Rhône, au S. de Lyon.

Côte-Saint-André (La), ch.-l. de cant. de l'Isère (arr. de Vienne); 4 536 hab. Vins blancs. – Maison natale de Berlioz (musée).

Côtes-d'Armor (jusqu'en 1990 *Côtes-du-Nord*), dép. franç. (22); 6 878 km²; 538 395 hab.; 78,3 hab./km²; ch.-l. *Saint-Brieuc.* V. Bretagne (Rég.).
► carte page **450**

côtes-du-rhône n. m. inv. Appellation de vins réputés de la vallée du Rhône au sud de Lyon.

coteur n. m. FIN Professionnel qui effectue des cotations en Bourse.

Côte Vermeille, côte méditerranéenne française de Collioure à Cerbère (Roussillon).

cotg. V. cotan.

cothurne [kɔtyʀn] n. m. ANTIQ Bottine montant jusqu'à mi-jambe, lacée par-devant, chez les Grecs et les Romains. ▷ Anc. Chaussure à semelle épaisse portée par les acteurs tragiques. – *Par ext.* Litt. *Le cothurne* : le genre tragique.

coticé, ée adj. HERALD Chargé de bandes diminuées de largeur traversant l'écu en diagonale.

côtier, ère adj. (et n. m.) Relatif au bord de mer; proche des côtes. *Population côtière.* – *Fleuve côtier,* qui prend sa source près des côtes. ▷ *Pilote côtier* ou, n. m., *côtier* : pilote qui a la connaissance, la pratique d'une côte.

cotillon n. m. **1.** Anc. Jupon que portaient les femmes du peuple. ▷ Loc. fam. *Courir le cotillon* : courtiser les femmes. **2.** Danse terminant un bal. ▷ Danse avec jeux, réjouissances diverses pour une fête. *Accessoires de cotillon* ou *cotillons* : serpentins, confettis, etc.

cotisant, ante adj. et n. Qui paie une cotisation.

cotisation n. f. **1.** Action de cotiser; somme ainsi réunie. **2.** Quote-part. *Verser sa cotisation.* – *Cotisation sociale* : ver-

sement obligatoire aux organismes d'assurance sociale. *Cotisations patronales, salariales.*

cotiser 1. v. intr. [**1**] Payer sa quote-part. *Cotiser à un parti, à une mutuelle.* **2.** v. pron. Contribuer à réunir une somme pour couvrir une dépense commune.

côtoiement [kotwamɑ̃] n. m. Fait de côtoyer.

coton n. m. (et adj. inv.) **1.** Matière constituée par les longs poils de cellulose fixés aux graines du cotonnier. V. encycl. **2.** Étoffe fabriquée avec cette matière. *Une robe de coton imprimé.* **3.** Fil de coton. *Un écheveau de coton à broder.* **4.** *Coton hydrophile,* que l'on a débarrassé de ses substances graisseuses et résineuses. ▷ *Un coton :* un morceau de coton hydrophile. **5.** Loc. fig. *Élever un enfant dans du coton,* avec mollesse, en l'entourant de trop de soins. ▷ *Avoir les bras, les jambes en coton :* être très affaibli, ressentir une grande mollesse dans les membres. ▷ *Filer un mauvais coton :* être dans une situation difficile, pénible (pour sa santé, ses affaires, sa réputation). **6.** adj. inv. Fam. Difficile. *C'est coton. Des affaires coton.* **7.** n. m. *Coton de Tulear :* race de petits chiens blancs et frisés.

ENCYCL On cultive le coton notam. dans le sud des É.-U., au Mexique, au Brésil, au Proche-Orient (Égypte), au Turkestan, au Pākistān, en Inde, en Afrique centrale. On tire des graines du cotonnier une huile industrielle qui entre dans les margarines, savons, etc. Le coton, qui est l'un des principaux textiles naturels du monde, connaît de nombr. autres utilisations pour sa richesse en cellulose. ► illustr. **filature**

coton : fleur, fruits (mûr en haut) et feuille

cotonéaster [kɔtɔneastɛʀ] n. m. Arbrisseau ornemental (fam. rosacées) originaire de l'Himalaya et de l'Extrême-Orient, au feuillage fin et aux fruits rouges ou orangés.

cotonnade n. f. Étoffe de coton, pur ou mélangé.

cotonner (se) v. pron. [**1**] Se couvrir d'un léger duvet rappelant les fibres de coton. *Une étoffe qui se cotonne après le premier lavage.* ▷ *Fruit qui se cotonne,* dont la pulpe devient molle et spongieuse.

cotonnerie n. f. **1.** TECH Culture du coton. **2.** Lieu où se cultive, où se travaille le coton.

cotonneux, euse adj. **1.** Dont l'aspect, la consistance rappelle la ouate. *Un ciel cotonneux.* **2.** Couvert de poils fins. *Fruit cotonneux.*

cotonnier, ère n. et adj. **1.** n. m. Végétal herbacé annuel, ou arbustif vivace, cultivé pour la fibre (coton) qui entoure ses graines dont on tire une huile. **2.** n. Personne qui travaille le coton. **3.** adj. Qui a rapport au coton. *Industrie, production cotonnière.*

Cotonou, princ. v. du Bénin; ch.-l. de prov.; 478 000 hab. Port actif, relié par voie ferrée à Parakou au nord, à Lomé à l'ouest et à Porto-Novo (capitale béninoise) à l'est.

coton-tige n. m. (Nom déposé.) Bâtonnet aux deux extrémités duquel est enroulé du coton hydrophile, pour nettoyer les oreilles ou le nez. *Des cotons-tiges.*

Cotopaxi, volcan actif des Andes (5 897 m), en Équateur.

côtoyer v. tr. [**23**] **1.** Vx Aller côte à côte avec, marcher auprès de (qqn). ▷ Mod., fig. Fréquenter occasionnellement, être en relation avec. *Il côtoie de nombreux scientifiques.* **2.** Aller le long de. *La route côtoie la rivière.* ▷ Fig. Frôler. *Côtoyer la mort à chaque instant.* – Éviter de peu, friser. *Côtoyer le ridicule.*

cotre n. m. Voilier à un mât, gréant foc et trinquette.

cottage [kɔtaʒ; kɔtɛdʒ] n. m. Petite maison de campagne, coquette et rustique.

Cottbus, ville d'Allemagne (Brandebourg), sur la Sprée; 116 090 hab. Lignite. Industries textiles et chimiques.

cotte n. f. **I. 1.** Vx Tunique. **2.** Vx Courte jupe plissée. **3.** Vieilli Vêtement de travail couvrant les jambes et la poitrine. *Cotte de plombier.* **4.** Anc. *Cotte d'armes :* tunique qui se portait sur la cuirasse. ▷ *Cotte de mailles :* armure souple faite de mailles de fer, en forme de tunique. **II.** Chabot (poisson).

Cotte (Robert de) (Paris, 1656 – id., 1735), architecte français. Il fut formé par son beau-frère J. Hardouin-Mansart : chapelle du château de Versailles, plans de l'égl. St-Roch à Paris, place Bellecour à Lyon.

Cottereau (Jean), dit *Jean Chouan* (Saint-Berthevin, 1757 – près de Laval, 1794), avec ses trois frères *(les frères Chouan),* il fomenta dans le bas Maine l'insurrection catholique et royaliste qui prit le nom de *chouannerie.*

Cotton (Aimé) (Bourg-en-Bresse, 1869 – Sèvres, 1951), physicien français. Il découvrit la biréfringence magnétique (avec Mouton) et le dichroïsme circulaire. Il donna des applications import. à ses travaux d'électromagnétisme (ultramicroscope, électroaimant). ▷ PHYS *Balance de Cotton :* instrument permettant de mesurer les champs magnétiques intenses.

cotutelle n. f. DR Tutelle dont une personne est chargée avec une autre.

cotuteur, trice n. DR Personne chargée avec une autre d'une tutelle.

Coty (René) (Le Havre, 1882 – id., 1962), homme politique français. Dernier président de la IVe République (déc. 1953 – janv. 1959), il favorisa, dès mai 1958 (message du 29 mai), le retour au pouvoir du général de Gaulle.

cotyle n. m. ou f. ANAT Cavité d'un os dans laquelle s'articule la tête d'un autre os.

cotylédon n. m. **1.** ANAT Ensemble des masses charnues situées sur la face maternelle du placenta, qu'elles relient à l'utérus. **2.** BOT Feuille primordiale constitutive de l'embryon des préphanérogames et des phanérogames.

cou n. m. **1.** Partie du corps qui joint la tête au thorax. *Porter un bijou, un foulard autour du cou. Avoir un long cou.* **2.** Loc., fam. *Passer la corde au cou de qqn,* le pendre; fig. l'épouser. ▷ Loc. fig. *Tendre le cou* (pour que le bourreau le coupe) : se laisser maltraiter sans résister. ▷ *Se casser, se rompre le cou :* se blesser grièvement en tombant; fig. échouer. ▷ *Laisser la bride sur le cou à qqn :* V. bride. ▷ *Sauter, se jeter au cou de qqn,* l'embrasser avec chaleur, effusion. ▷ *Prendre ses jambes à son cou :* se sauver en courant. ▷ *Jusqu'au cou :* complètement. *Être dans les soucis, le travail jusqu'au cou.* **3.** *Par anal.* Partie longue et amincie d'un récipient. *Le cou d'une bouteille, d'une aiguière.*

couac [kwak] n. m. **1.** Son faux ou déplaisant produit par un chanteur ou un instrument à vent. *Faire un couac.* **2.** Fig., fam. Incident fâcheux.

couard, arde adj. et n. Lâche, poltron.

couardise n. f. Poltronnerie, lâcheté.

Coubertin (Pierre de) (Paris, 1863 – Genève, 1937), pédagogue français; créateur des jeux Olympiques modernes (1896, à Athènes). Adversaire du chauvinisme, du professionnalisme et de la participation des femmes, il se retira en 1925 du Comité international olympique, qu'il présidait.

Coubre (pointe de la), pointe située à l'extrémité N. de la Gironde. Phare puissant.

couchage n. m. Action de coucher, de se coucher. *Sac de couchage.* ▷ *Par ext.* Ensemble des objets qui servent à se coucher.

couchant, ante adj. et n. m. **1.** adj. Qui se couche. *Soleil couchant.* ▷ CHASSE *Chien couchant* : chien d'arrêt qui se couche dès qu'il flaire le gibier. – Fig. *Faire le chien couchant* : s'abaisser, flagorner pour plaire. **2.** n. m. Endroit de l'horizon où le soleil se couche; son aspect. ▷ Moment où le soleil se couche. *Partir au couchant.*

couche n. f. **I. 1.** Litt. Lit. *La couche nuptiale. Partager, délaisser la couche de qqn.* **2.** (Plur.) Période d'alitement qui suit l'accouchement. *Être en couches. Mourir en couches.* ▷ Accouchement. *Couches difficiles.* ▷ Sing. *Fausse* couche.* **3.** Linge absorbant dont on enveloppe un bébé de la taille aux cuisses de façon à former une protection. **II. 1.** Substance étalée sur une surface. *Passer une couche de peinture.* ▷ TECH Enduit appliqué sur le papier pour en améliorer la qualité. **2.** HORTIC Terre à laquelle on incorpore du fumier dont la fermentation provoque une élévation de température favorable à la germination et à la croissance des jeunes plantes. *Champignons de couche.* **3.** PHYS *Couche mince* : dépôt d'une épaisseur de l'ordre d'un micron. **4.** PHYS NUCL *Couche de demi-atténuation* : épaisseur d'une substance qui absorbe 50 % d'un rayonnement. **5.** PHYS *Couche électronique d'un atome* : chacun des niveaux d'énergie correspondant à une probabilité de présence d'un ou plusieurs électrons. ▷ *Couche limite* : dans l'écoulement d'un fluide le long d'une paroi solide, mince couche du fluide influencé par le contact avec la paroi. **6.** Loc. fig., fam. *En avoir, en tenir une couche* : être stupide. **III. 1.** Épaisseur de substance, de matière (considérée avec d'autres). *Les couches de l'atmosphère.* ▷ GEOL Lit rocheux dont la composition est relativement homogène, d'épaisseur plus ou moins importante, à surface étendue, et qui s'est sédimenté dans des conditions géologiques constantes. *Couche calcaire.* Syn. strate. **2.** Fig. Classe sociale, catégorie de personnes. *Les couches les plus défavorisées, les couches possédantes.* **IV.** TECH **1.** *Plaque de couche* : armature métallique de la tranche d'une arme à feu. **2.** *Arbre de couche* : arbre moteur.

couché, ée adj. (et n. m.) **1.** Allongé sur un lit, étendu. *Rester couché une journée.* ▷ Prêt pour le sommeil; endormi. *À cette heure-là, ils doivent être couchés.* **2.** Incliné, penché. *Navire couché*, incliné sous l'action du vent. – GEOL *Pli couché, incliné sous l'effet de l'érosion.* **3.** *Papier couché* : papier couvert d'une couche d'enduit qui le rend lisse et brillant. ▷ n. m. *Un beau couché.*

couche-culotte n. f. Bande absorbante jetable, échancrée en forme de culotte et munie d'attaches, qui sert de protection pour les bébés.

1. coucher v. [1] **I.** v. tr. **1.** Étendre de tout son long (qqn, qqch qui est normalement vertical). *Coucher une armoire pour la réparer. Coucher un blessé sur une civière.* ▷ Mettre au lit. *Coucher un enfant.* ▷ *Coucher qqn chez soi*, l'héberger. ▷ *Coucher un fusil en joue*, l'épauler pour viser. – Par ext. *Coucher en joue* : viser. **2.** Incliner, pencher. *La pluie a couché les blés.* **3.** Étendre, étaler en couche. *Coucher une couleur sur une surface.* **4.** Fig., litt. *Coucher par écrit* : consigner. ▷ *Coucher qqn, coucher une clause sur son testament* : V. inscrire, insérer. **II.** v. intr. **1.** S'allonger pour prendre du repos. *Coucher sur un lit de camp.* **2.** *Coucher avec qqn* : passer la nuit avec qqn dans le même lit; fam. avoir des relations sexuelles avec qqn. **3.** Passer la nuit. *Coucher à l'hôtel, à la belle étoile, chez des amis.* **4.** Loc. fam. *Un nom à coucher dehors*, difficile à prononcer, à comprendre. **III.** v. pron. **1.** S'allonger pour se reposer. *Se coucher dans l'herbe.* ▷ Se mettre au lit. *Se coucher tous les soirs à la même heure.* ▷ Prov. *Comme on fait son lit, on se couche* : on prépare son avenir par sa conduite actuelle. **2.** Se pencher en avant, se courber. *Se coucher sur le guidon de sa bicyclette.* **3.** Fig. Descendre sous l'horizon (soleil, astres). *Le soleil se couche.* Ant. se lever.

2. coucher n. m. **1.** Action, moment de se coucher, de se mettre au lit. *Les préparatifs du coucher.* **2.** Moment où un astre disparaît sous l'horizon. *Le coucher du soleil.* ▷ *Coucher de soleil* : représentation (peinte, photographique, etc.) du soleil se couchant.

coucherie n. f. (Souvent plur.) Fam., péjor. Rapports sexuels sans amour.

couchette n. f. Lit étroit, dans une cabine de navire, un compartiment de chemin de fer, etc.

coucheur, euse n. Fig., fam. *Mauvais coucheur* : personne difficile à vivre, chicanière.

couchis [kuʃi] n. m. CONSTR Lit de sable, de terre, de lattes, préparé pour un pavage, un plancher. *Couchis de lattes.*

couchitique adj. LING Qualifie un groupe de langues d'Afrique orientale, parlées princ. en Somalie, appartenant à la famille chamito-sémitique.

couci-couça [kusikusa] loc. adv. Fam. À peu près, ni bien ni mal.

coucou n. m. **1.** Oiseau de silhouette allongée, à longue queue, généralement de mœurs parasites. (Le coucou commun d'Europe, *Cuculus canorus*, gris à ventre blanc, atteint 35 cm de long et hiverne en Afrique. La femelle pond ses œufs dans le nid d'autres oiseaux qui élèvent le jeune coucou, lequel expulse leurs oisillons et leurs œufs.) **2.** Nom des autres oiseaux du genre *Cuculus* et de l'ordre des cuculiformes. **3.** Nom cour. des primevères sauvages, des narcisses des bois et de diverses anémones à fleurs jaunes. **4.** Pendule de style rustique dont la sonnerie imite le cri du coucou. **5.** Aux XVIIIe et XIXe s., petite voiture publique à deux roues. **6.** Fam., vieilli Vieil avion; petit avion. **7.** *Coucou !* : interj. des enfants jouant à cache-cache ou de qqn manifestant plaisamment sa présence, son arrivée.

coucou gris

coucoumelle n. f. Nom usuel de divers champignons (spécial. de l'amanite vaginée, comestible).

Coucy-le-Château-Auffrique, ch.-l. de cant. de l'Aisne (arr. de Laon); 1 156 hab. – Ruines d'un célèbre chât. féodal (IXe-XIIIe s.), détruit en 1917 par les Allemands.

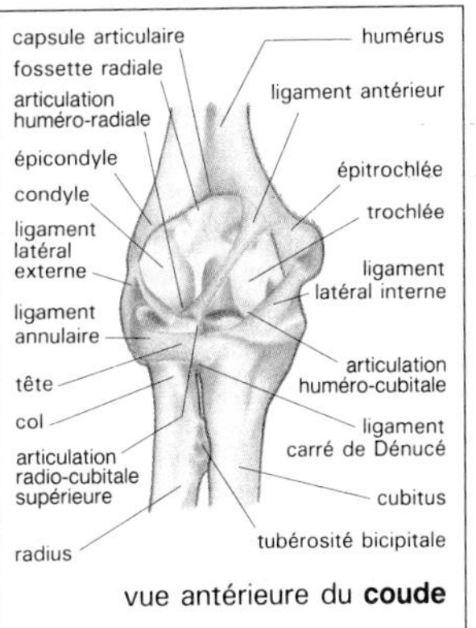

vue antérieure du **coude**

coude n. m. **1.** Articulation entre le bras et l'avant-bras, formée, en haut, par le condyle de l'humérus, en bas, par les têtes cubitale et radiale. *Mettre, poser les coudes sur la table. Donner un coup de coude à qqn.* ▷ Loc. fig., fam. *Lever le coude* : boire beaucoup. – *Huile de coude* : dépense d'énergie musculaire, mouvement. *Frotte, n'aie pas peur d'employer l'huile de coude !* – *Se serrer les coudes* : se soutenir mutuellement. – *Au coude à coude* : en se tenant très proches les uns des autres. ▷ Loc. fam. *Jouer des coudes* : se frayer un passage au milieu d'un grand nombre de personnes en les écartant sans ménagement; fig. faire son chemin sans souci d'autrui. **2.** Dans un vêtement, partie de la manche couvrant le coude. *Veste trouée aux coudes.* **3.** ZOOL Articulation de la patte antérieure des onguligrades, analogue au coude de l'homme, mais intégrée dans le corps. *Coude de l'âne.* **4.** *Coude d'un chemin, d'une rivière, d'un tuyau* : angle.

coudée n. f. **1.** Anc. Mesure de longueur (env. 0,50 m). **2.** Loc. mod. *Avoir les coudées franches* : pouvoir agir librement, sans contrainte.

Coudekerque-Branche, ch.-l. de cant. du Nord (arr. et banlieue de Dunkerque); 24 133 hab. Métallurgie.

Coudenhove-Kalergi (Richard, comte) (Tōkyō, 1894 – Schruns, Autriche, 1971), homme politique autrichien, pionnier de l'unité européenne pour laquelle il milita dès la fin de la Première Guerre mondiale (*Paneuropa*, 1923).

cou-de-pied n. m. Partie supérieure du pied, articulée avec la jambe. *Des cous-de-pied.*

couder v. tr. [1] Plier en forme de coude. *Couder une barre à angle droit.*

coudière n. f. Accessoire servant à protéger le coude des chocs.

coudoiement n. m. Fait de coudoyer.

coudoyer v. tr. [23] **1.** Vx Heurter du coude. **2.** Se trouver en contact avec. *Coudoyer qqn dans la foule.* – (Abstrait) *Un discours dans lequel la démagogie coudoie la médiocrité.*

coudre v. tr. [76] Joindre au moyen d'un fil passé dans une aiguille. *Coudre un bouton.* ▷ *Coudre la manche, le col d'une chemise,* les réunir au corps du vêtement. ▷ (S. comp.) *Coudre bien, vite. Coudre à la machine, à la main.* ▷ *Coudre une plaie,* la refermer chirurgicalement. ▷ *Coudre les cahiers d'un livre,* en assembler les pages par un fil pour former une brochure. ▷ *Machine à coudre,* qui permet d'exécuter des travaux de couture. *Le premier modèle de machine à coudre, dû à Thimonnier, date de 1830.*

coudrier n. m. Noisetier, avelinier.

Coué (Émile) (Troyes, 1857 – Nancy, 1926), pharmacien et psychologue français. Il prôna une méthode de guérison par autosuggestion *(méthode Coué).*

couenne [kwan] n. f. **1.** Épiderme fibreux, très résistant, du porc. **2.** Peau de cochon flambée et raclée. *Couenne de lard.* **3.** Pop., vieilli Peau de l'homme. *Se gratter la couenne :* se raser. ▷ Péjor. Personne imbécile, maladroite.

Couëron, com. de la Loire-Atlantique (arr. de Nantes); 16 367 hab. Métallurgie.

Couesnon (le), fl. côtier de France (90 km); arrose Fougères, se jette dans la baie du Mont-Saint-Michel. Son cours inférieur sépare la Bretagne de la Normandie.

1. couette n. f. Édredon de plume ou de matière synthétique qui, mis dans une housse, remplace le drap et la couverture.

2. couette n. f. Fam. Petite touffe de cheveux retenue par un lien.

couffin n. m. Rég. Cabas souple. ▷ Son contenu. *Un couffin de pommes.* ▷ Cour. Berceau transportable en paille ou en osier, muni d'anses.

coufique adj. et n. m. De Coufa, v. auj. en Irak *(Kūfa).* ▷ *L'écriture coufique* ou, n. m., *le coufique :* la calligraphie arabe utilisée notam. sur les monuments dès les premiers siècles de l'hégire.

couguar [kugaʀ] ou **cougouar** [kugwaʀ] n. m. Puma.

couic ! interj. Onomat. imitant le son d'un cri étranglé.

couille n. f. Vulg. Testicule. *Avoir des couilles,* du courage. – Fig., fam., plaisant Qqch qui ne va pas, qui cloche. *Y a une couille là-dedans !*

couillon, onne n. et adj. Fam. Idiot, imbécile.

couillonnade n. f. Fam. Sottise, erreur grossière.

couillonner v. tr. [1] Fam. Tromper, gruger.

couinement n. m. Cri du lièvre, du lapin.

couiner v. intr. [1] Pousser de petits cris aigus.

coulage n. m. **1.** Action de couler (sens II, 1). ▷ TECH *Coulage d'un métal, du béton.* **2.** Fig. Perte provenant de gaspillages, de petits larcins.

Coulanges (Philippe Emmanuel, marquis de) (Paris, 1633 – id., 1716), gentilhomme français. Cousin et correspondant de Mme de Sévigné, il fut l'auteur de chansons à succès et de *Mémoires* (posth. 1820).

1. coulant n. m. **1.** Anneau (d'une ceinture, d'une courroie). **2.** BOT Stolon du fraisier.

2. coulant, ante adj. **1.** Qui coule. *Camembert coulant.* ▷ *Nœud coulant,* qui se serre quand on tire l'extrémité du lien. **2.** Aisé, qui semble se faire sans effort. *Style coulant.* **3.** Fam. Accommodant, facile, indulgent. *Un patron très coulant.*

coule n. f. Long vêtement à capuchon de certains religieux.

coulé n. m. **1.** MUS Liaison entre deux ou plusieurs notes. **2.** JEU Au billard, coup par lequel une bille suit presque la même ligne que la première bille touchée. **3.** SPORT En escrime, action de glisser le fer le long de la lame adverse.

coulée n. f. **1.** GEOL Terrain pâteux répandu en discordance sur d'autres terrains et solidifié par la suite. *Coulée de lave, de boue.* **2.** VEN Trace laissée par le passage répété d'un animal dans des buissons, un sous-bois, etc. **3.** METALL Action de couler un métal; masse de métal que l'on coule. *Coulée continue :* technique consistant à couler le métal en continu et à lui faire subir un premier laminage.

coulemelle n. f. Lépiote à chapeau comestible et à pied coriace.

couler v. [1] **I.** v. intr. **1.** Se mouvoir, aller d'un endroit à un autre d'un mouvement continu (liquides). *Le ruisseau coule lentement.* ▷ Se liquéfier. *Cire, beurre qui coule.* **2.** Laisser échapper un liquide. *Le tonneau coule. Robinet qui coule goutte à goutte.* **3.** Sortir, s'échapper (liquides). *Le sang coulait de sa lèvre fendue. Laisser couler ses larmes.* ▷ *Faire couler le sang :* être responsable d'un massacre, d'une guerre, de blessures. *Une guerre qui a fait couler beaucoup de sang.* ▷ Fig. *Faire couler de l'encre :* susciter de nombreux écrits. ▷ (Choses) *Couler de source :* être la conséquence évidente, naturelle. **4.** Glisser, s'échapper. *Farine, sable qui coule dans la main.* ▷ Fig. *L'argent lui coule entre les doigts :* il est très dépensier. **5.** Passer, s'écouler (temps). *Les jours coulaient paisiblement.* **6.** S'enfoncer, disparaître dans l'eau. *Le navire a coulé.* ▷ Fig. *Une affaire, une entreprise qui coule.* Syn. sombrer. **II.** v. tr. **1.** Faire passer un liquide d'un récipient dans un autre. **2.** Verser (une substance fluide) dans un moule où elle se solidifie. *Couler du béton, de l'acier en fusion.* **3.** Vieilli ou litt. Glisser, faire passer discrètement (qqch) quelque part. *Couler une pièce de monnaie dans la main de qqn.* – Par ext. *Couler un regard à qqn.* **4.** MUS *Couler des notes,* les jouer, les chanter liées. **5.** *Couler un navire,* le faire sombrer. ▷ Fig. Ruiner, discréditer. *Couler qqn, couler une maison de commerce.* **6.** Passer (son temps). *Couler des jours heureux.* ▷ v. pron. Loc. fam. *Se la couler douce :* mener une vie agréable, sans soucis. **III.** v. pron. **1.** Vieilli Se glisser adroitement, furtivement. *Se couler le long d'un mur.* **2.** Fig. Se perdre, perdre son crédit.

couleur n. f. **I. 1.** Impression produite sur l'œil par les diverses radiations constitutives de la lumière; qualité particulière de ces radiations. *Les couleurs du prisme. Couleurs simples, couleurs composées. Robe de couleur claire, vive, passée.* ▷ (En appos.) *Ruban couleur chair, couleur acajou.* **2.** Toute couleur qui n'est ni noire, ni grise, ni blanche. *Une carte postale en couleurs.* ▷ Tissu, vêtement de couleur. *Laver le blanc et les couleurs séparément.* **3.** (Plur.) Habit, signe distinctif (d'un groupe). *Porter les couleurs d'un club sportif.* ▷ *Les couleurs :* le pavillon national. *Envoyer, hisser les couleurs.* **4.** Chacune des quatre marques (trèfle, carreau, cœur, pique) dans un jeu de cartes. ▷ *Annoncer la couleur,* la couleur de l'atout; fig. expliquer clairement ses intentions. **5.** Teint, carnation du visage. *Avoir des couleurs :* avoir le teint rose, frais, signe de bonne santé. ▷ *Changer de couleur :* pâlir, rougir à la suite d'une émotion. ▷ *Homme de couleur,* qui n'est pas de race blanche (spécial. homme à la peau noire ou très brune). **6.** Coloris (d'un tableau). *Des couleurs trop contrastées.* **II.** Substance colorante. *Broyer, mélanger des couleurs.* **III. 1.** *Couleur locale,* propre à chaque objet indépendamment de son exposition particulière à la lumière; fig. ensemble des caractéristiques extérieures des personnes et des choses en un lieu et à une époque donnés. **2.** Opinion professée (partic. politique). *La couleur d'un journal.* **3.** Apparence, aspect sous lequel se présente une situation. *Voir l'avenir sous de sombres couleurs. Cet incident a une couleur comique. La couleur du temps.* – Loc. *Haut en couleur :* qui a le teint très coloré; fig. d'une originalité accentuée. ▷ Loc. prép. *Sous couleur de :* sous prétexte de. *Calomnier sous couleur de défendre.* **4.** Loc. prov. *Des goûts et des couleurs, il ne faut disputer :* chacun peut avoir son opinion. ▷ Fam. *En faire voir de toutes les couleurs à qqn,* l'ennuyer de mille façons. ▷ Fam. *Ne pas voir la couleur de (qqch) :* n'avoir jamais pu voir, apprécier (qqch), ou bénéficier de (qqch, partic. de ce qui vous est dû). *Je n'ai jamais vu la couleur de ce qu'il me doit.* **IV.** PHYS NUCL Grandeur qui détermine les interactions qu'un quark* peut exercer.

ENCYCL **Phys.** – Un corps apparaît coloré parce qu'il ne diffuse et ne réfléchit qu'une partie de la lumière blanche qu'il reçoit, ou parce qu'il émet lui-même de la lumière s'il est porté à une température suffisante. On peut décomposer une lumière blanche à l'aide d'un prisme; les couleurs *fondamentales* sont le rouge, l'orangé, le jaune, le vert, le bleu, l'indigo et le violet. Deux couleurs dont la superposition donne la teinte blanche sont appelées *complémentaires* (par ex. le violet est la couleur complémentaire du jaune). Une couleur quelconque peut être créée à partir des trois couleurs *primaires* (le rouge, le jaune et le bleu) ou de leurs couleurs complémentaires. C'est le principe de la quadrichromie, utilisé dans l'imprimerie, la photographie, le cinéma et la télévision.

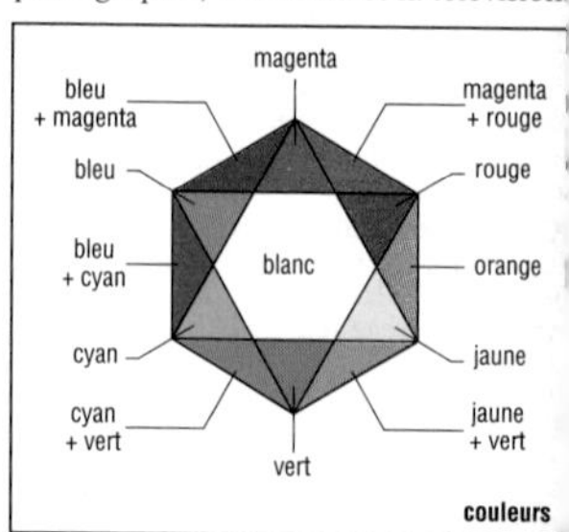

couleurs

couleuvre n. f. Serpent (fam. colubridés) dont la mâchoire supérieure est dépourvue de crochets venimeux, très répandu en Europe. (La couleuvre à collier, *Natrix natrix*, aquatique, fréquente en France, atteint 2 mètres de long. La couleuvre de Montpellier [genre *Malpolon*] atteint 2,50 m de long et possède des crochets venimeux dans la gorge.) ▷ Fig. *Avaler des couleuvres :* essuyer des affronts sans protester; croire n'importe quoi.

couleuvre de Montpellier pillant un nid

couleuvrine n. f. MILIT Ancienne pièce d'artillerie au canon allongé.

coulis [kuli] adj. et n. m. **I.** adj. *Vent coulis*, qui se glisse par les fentes. **II.** n. m. **1.** Suc, extrait obtenu en passant au tamis un aliment cru ou après cuisson lente et prolongée. *Coulis de tomates.* **2.** CONSTR Substance assez fluide (mortier, plâtre, métal fondu) pour pénétrer dans les joints.

coulissant, ante adj. Monté sur une (des) coulisse(s); qui coulisse.

coulisse n. f. **1.** COUT Repli ménagé dans une étoffe pour passer un cordon, un ruban, etc., et serrer à volonté. *Passer un lacet dans une coulisse.* **2.** TECH Rainure permettant à une pièce mobile de se déplacer par glissement. *Porte à coulisse. Pied à coulisse :* V. pied (sens C, 4). **3.** THEAT Rainure sur laquelle glissent les châssis mobiles des décors. ▷ (Sing. et plur.) Partie d'un théâtre, invisible du public, derrière les décors. ▷ Fig. *Rester dans la (les) coulisse(s) :* ne pas se montrer, laisser ignorer sa présence. ▷ Fig., péjor. *Les coulisses de la politique*, les manœuvres cachées. **4.** FIN Avant 1962, marché assuré à la Bourse par les courtiers.

coulissement n. m. Fait de coulisser, glissement sur coulisse.

coulisser v. [1] **1.** v. tr. COUT Munir d'une (de) coulisse(s). *Coulisser un sac de toile.* **2.** v. intr. Glisser sur des coulisses. *Porte qui coulisse.*

couloir n. m. **1.** Passage de dégagement, de forme allongée, qui permet d'aller d'un point à un autre. *Couloir d'un appartement, d'un immeuble. Les couloirs du métro.* ▷ (Plur.) Galeries avoisinant une salle de séance. *Les couloirs du Palais-Bourbon. Bruits de couloirs :* nouvelles officieuses recueillies dans les couloirs. **2.** GEOL Passage étroit délimité au sein d'un relief, d'une étendue. *Rivière encaissée dans un couloir pierreux.* – *Couloir d'avalanches :* chemin encaissé sur une pente montagneuse, suivi généralement par les avalanches. ▷ *Couloir d'autobus :* passage sur une voie de circulation, réservé aux véhicules de transport en commun, aux taxis et aux véhicules de secours d'urgence. ▷ SPORT Bande délimitée sur une piste d'athlétisme, dans un bassin de natation, etc., réservée à un seul concurrent (sauf dans les relais). ▷ AVIAT *Couloir aérien :* itinéraire imposé à la circulation aérienne.

coulomb [kulɔ̃] n. m. PHYS Unité SI de charge électrique (symbole C). *Un coulomb = 1 ampère × 1 seconde.*

Coulomb (Charles de) (Angoulême, 1736 – Paris, 1806), physicien français. Il étudia l'électricité et le magnétisme, inventant notam. la *balance de torsion* pour mesurer les très petites forces électromagnétiques ou magnétiques.
▶ illustr. page 444

coulommiers n. m. Fromage de lait de vache, à pâte molle et à croûte fleurie.

Coulommiers, ch.-l. de cant. de Seine-et-Marne (arr. de Meaux), sur le Grand Morin; 13 405 hab. (*Columériens*). Comm. des fromages (bries et coulommiers). Imprim., industr. alim. – Commanderie des Templiers (XIIIe-XVIe s.).

coulpe n. f. Vx Faute, péché. ▷ Anc. *Battre sa coulpe :* se frapper la poitrine en disant « mea culpa » (c'est ma faute); *par ext.*, mod. avouer sa culpabilité, montrer son repentir.

coulure n. f. **1.** Traînée laissée par ce qui a coulé. *Une coulure de peinture.* **2.** TECH Partie du métal qui coule par les joints du moule pendant la fonte. **3.** BOT Altération ou élimination du pollen des végétaux par des éléments atmosphériques (froid, pluie persistante, etc.), ce qui rend impossibles la fécondation et la fructification, spécial. de la vigne. Syn. millerandage.

coumarine n. f. Substance odorante contenue dans la fève tonka, utilisée en pharmacie pour son pouvoir anticoagulant.

Counaxa. V. Cunaxa.

country [kuntʀi] n. f. (ou m.) Genre musical issu de la musique folklorique américaine.

coup [ku] n. m. **I.** Choc produit par le heurt violent de deux corps; résultat du choc. *Enfoncer un clou à coups de marteau. Frapper à grands coups.* **1.** Choc violent que reçoit une personne que l'on frappe. *Coup de pied, de poing.* ▷ *Sans coup férir*.* ▷ *Coup de grâce*, par lequel on assure la fin d'un condamné à mort; fig. événement, action qui aggrave une situation déjà difficile. ▷ *Coup bas :* en boxe, coup donné au-dessous de la ceinture; fig. action déloyale. ▷ *Coup de pied de l'âne*.* ▷ Fig. *Coup de bec*, coup de patte*.* ▷ Fig. *Faire d'une pierre* deux coups.* ▷ Fig. *Coup d'épée dans l'eau*, acte sans résultat. **2.** Décharge d'une arme à feu. *Coup de revolver, de pistolet. Coup de semonce*.* ▷ *Faire coup double :* tuer deux pièces d'un même coup de feu; fig. obtenir deux résultats par la même action. **3.** Blessure de la sensibilité, choc moral. *Sa mort a été un coup terrible pour elle.* ▷ Fam. *Être aux cent* coups.* – *Tenir le coup :* résister aux épreuves physiques et morales. – *Coup dur :* ennui, épreuve pénible. **4.** SPORT *Coup franc :* sanction contre une équipe qui a commis une faute. ▷ *Coup de pied de réparation :* V. penalty. ▷ *Coup droit.* Au tennis, coup puissant par lequel on renvoie la balle presque horizontalement, au ras du filet. Syn. drive. En escrime, mouvement rectiligne de la pointe vers la cible adverse, coordonné avec un mouvement du corps. **II.** Action de très courte durée accomplie en une seule fois. **1.** Action soudaine d'un élément naturel. *Coup de tonnerre.* ▷ METEO *Coup de vent*.* ▷ Fig. *Coup de foudre*.* **2.** CUIS *Coup de feu*.* **3.** MAR *Coup de barre*.* **4.** Mouvement bref et rapide (d'une partie du corps). *Coup d'œil*.* ▷ Fig. *Donner un coup de main*, de pouce*, d'épaule*.* ▷ MILIT *Coup de main*.* ▷ Fam. *Coup de gueule :* engueulade soudaine et de courte durée. **5.** Mouvement, action produite par un outil, un ustensile, un instrument que l'on manie. *Coup de balai*, de plumeau.* – *Coup de filet*.* ▷ *Coup de téléphone** ou (fam.) *coup de fil*.* **6.** Bruit soudain. *Entendre des coups de feu. Coup de sonnette. Les douze coups de minuit.* **7.** Action ponctuelle, momentanée. *Faire un mauvais coup. Tenter le coup. Faire les cent** (ou *les quatre cents*) *coups.* – Fam. *Manquer son coup :* échouer. – Fam. *Être dans le coup :* participer à une action; être informé. ▷ *Coup de maître :* action remarquable, ouvrage très réussi. – *Coup d'essai :* première tentative. **8.** Action soudaine, entraînant des bouleversements. *Coup d'État*.* – *Coup de théâtre*.* **9.** Quantité absorbée, consommée en une fois. *Boire à petits coups.* ▷ Fam. *Boire un coup.* **III.** Loc. **1.** Loc. adv. *À coup sûr :* sûrement, certainement. ▷ *Après coup :* plus tard, une fois la chose faite. *Je m'en suis aperçu après coup.* ▷ *Coup sur coup :* l'un après l'autre, sans interruption. ▷ *Tout à coup, tout d'un coup :* soudain, subitement. ▷ *Sur le coup :* à l'instant même, immédiatement. *Sur le coup, je n'ai pas compris.* **2.** Loc. prép. *Sous le coup de :* sous la menace de, sous l'effet de. *Il est encore sous le coup du choc.* ▷ *À coups de, à grands coups de :* en frappant avec. *Fendre des bûches à coups de hache.* – Fig. En se servant de. *Traduire à coups de dictionnaires.* **3.** (Canada) Loc. conj. Fam. *Tout à coup que, tout d'un coup que, d'un coup que* (+ indicatif ou conditionnel) : au cas où, et si... *D'un coup qu'il arrive avant nous! Tout à coup qu'on gagnerait le gros lot!*

coupable adj. et n. **1.** Qui a commis une faute, un délit, un crime. *Se rendre coupable de vol. L'accusé est reconnu coupable.* – Subst. *On a retrouvé le coupable.* ▷ (Sens atténué.) Responsable. *C'est lui qui est coupable de cette mauvaise plaisanterie.* – Subst. *Le coupable de cette maladresse.* ▷ PSYCHO *Se sentir coupable :* avoir un sentiment de culpabilité. **2.** Qui est contraire à la morale, aux convenances, au devoir. *Négligence coupable. Pensées coupables.*

coupage n. m. Action de mélanger plusieurs vins, plusieurs alcools. *Vin obtenu par coupages successifs.* ▷ Addition d'eau à un liquide. *Eau minérale pour le coupage des biberons.*

coupant, ante adj. **1.** Qui coupe. *Outil coupant.* **2.** Fig. Autoritaire, impérieux. *Un ton coupant.*

coup-de-poing n. m. **1.** Arme métallique, masse percée de trous pour laisser passer les doigts, parfois hérissée de pointes. *Coup-de-poing américain.* **2.** PREHIST Silex tranchant taillé pour servir d'arme de main. *Des coups-de-poing.*

1. coupe n. f. **1.** Verre à boire évasé, à pied. *Une coupe à champagne.* ▷ *Par méton.* Son contenu. *Boire une coupe de champagne.* ▷ (Prov.) *Il y a loin de la coupe aux lèvres :* il y a loin du rêve à la réalité, du projet à sa réalisation. **2.** Récipient évasé monté sur un pied; son contenu. *Une coupe à fruits, à glace.* ▷ Vase de cette forme offert comme prix au vainqueur d'un tournoi, d'une compétition sportive; la compétition elle-même. *La coupe Davis.*

2. coupe n. f. **1.** Action de couper. *La coupe des blés.* ▷ COUT *Faire un patron avant de procéder à la coupe.* ▷ JEU Action de diviser en deux paquets un jeu de cartes avant une partie. ▷ SYLVIC Action de couper des arbres dans une forêt. ▷ Étendue de bois sur pied à abattre. – *Coupe réglée* : coupe annuelle d'une quantité de bois déterminée. *Mettre une forêt en coupe réglée.* Fig. *Mettre (qqn* ou *qqch) en coupe(s) réglée(s)* : opérer des prélèvements abusifs au détriment de (qqn ou qqch). – *Coupe claire* : abattage d'un grand nombre d'arbres dans un taillis; fig. *coupe claire* ou, abusiv., *coupe sombre* : élimination importante dans un texte, un compte, etc. – *Coupe sombre* : abattage d'une partie des arbres seulement, pour permettre l'ensemencement. **2.** Manière dont une chose est coupée. *Costume de bonne coupe. Coupe de cheveux.* ▷ VERSIF *Coupe d'un vers, d'une phrase* : manière dont les repos y sont ménagés. **3.** Ce qui a été coupé. *Une coupe de drap* : un coupon de drap. ▷ Préparation microscopique. *Observer une coupe histologique au microscope.* **4.** Endroit où qqch a été sectionné. *Coupe d'une planche révélant un défaut du bois.* ▷ *Coupe syllabique* : frontière entre deux syllabes. **5.** Représentation de la section verticale d'une pièce, d'un bâtiment, etc. **6.** Loc. JEU *Être sous la coupe de (qqn)* : craindre que la carte que l'on vient de jouer ne soit coupée par celle d'un autre joueur; fig. être sous la dépendance, sous l'emprise de (qqn).

1. coupé n. m. **1.** Anc. Compartiment avant d'une diligence. **2.** Automobile à deux portes généralement à deux places. **3.** Pas de danse dans lequel une jambe se substitue à l'autre.

2. coupé, ée adj. **1.** Divisé par une coupe, sectionné. *Fleurs coupées.* **2.** Qui est taillé, découpé d'une certaine manière. *Des fruits coupés en dés. Un pantalon mal coupé.* **3.** SPORT *Balle coupée*, à laquelle on a donné de l'effet de façon que son rebond soit modifié, au tennis, au tennis de table. **4.** Châtré. *Un chat coupé.*

coupe-bordure n. m. Outil de jardinage qui sert à égaliser les bordures de gazon. Syn. taille-bordure. *Des coupe-bordures.*

coupe-choux n. m. inv. Fam., anc. Sabre court des fantassins. ▷ Rasoir à longue lame.

coupe-cigare n. m. Instrument pour couper le bout des cigares. *Des coupe-cigares.*

coupe-circuit n. m. inv. ELECTR Dispositif de sécurité constitué d'un alliage qui fond si l'intensité du courant est trop élevée, coupant ainsi le circuit.

coupe-coupe n. m. inv. Sorte de sabre destiné à abattre les branches dans une forêt très épaisse.

coupée n. f. MAR Ouverture pratiquée dans la muraille d'un navire et donnant accès à l'*échelle de coupée*, qui permet de monter à bord.

coupe-faim adj. inv. et n. m. inv. Se dit de produits (alimentaires ou pharmaceutiques) destinés à couper la faim.

coupe-feu n. m. inv. Obstacle ou espace libre destiné à éviter ou à interrompre la propagation d'un incendie. – (En appos.) *Porte coupe-feu, cloison coupe-feu.*

coupe-file n. m. Carte officielle permettant à son titulaire de circuler librement là où la circulation est interdite au public, ou de bénéficier d'un passage prioritaire. *Des coupe-files* ou *des coupe-file.*

coupe-gorge n. m. inv. Endroit, passage isolé où l'on risque de se faire voler, assassiner.

coupellation n. f. TECH Séparation de l'or et de l'argent contenus dans un alliage par fusion en atmosphère oxydante.

coupelle n. f. **1.** Petite coupe. **2.** CHIM Récipient fait avec des os calcinés dans lequel on pratique la séparation de l'or et de l'argent.

coupe-ongles n. m. inv. Petite pince servant à se couper les ongles.

coupe-papier n. m. inv. Couteau de bois, d'ivoire, de métal, etc., pour couper le papier plié, les pages d'un livre.

couper v. [1] **I.** v. tr. **1.** Diviser avec un instrument tranchant. *Couper du papier avec des ciseaux. Couper du bois.* ▷ Loc. fig. *Couper l'herbe sous le pied de qqn*, le supplanter dans une affaire, un projet. – Fam. *Couper les cheveux en quatre* : compliquer les choses à plaisir, être inutilement subtil. – Fig. *Donner sa tête à couper que...* : affirmer absolument que... – Fig. *Un brouillard à couper au couteau*, très épais. **2.** Cour. Tailler (un vêtement) dans de l'étoffe. *Couper une robe.* **3.** Blesser en entamant la peau, la chair. *La scie lui a coupé le doigt profondément.* **4.** Fig. Produire l'impression d'une coupure. *Vent qui coupe le visage.* **5.** Interrompre, empêcher le passage de. *Couper un circuit, le courant.* – *Couper la retraite à l'ennemi. Couper le cours d'un fleuve.* – *Couper la fièvre, la faim, l'appétit.* ▷ Loc. *Couper le souffle* : essouffler; fig. étonner, surprendre grandement. – Fam. *Couper le sifflet, la chique* : faire taire (en inspirant l'étonnement, la crainte). *Ça vous la coupe!* : cela vous étonne, vous n'avez plus rien à répondre. – *Couper la parole à qqn* : interrompre qqn qui était en train de parler; imposer le silence. ▷ *Couper une communication téléphonique.* – Absol. *Nous avons été coupés.* **6.** Supprimer, censurer. *Certains passages du livre, du film ont été coupés.* **7.** Traverser, partager. *Une droite qui coupe un plan. Ce petit chemin coupe une grande route.* **8.** Mélanger un liquide à un autre. *Couper d'eau le lait, le vin.* **9.** JEU Séparer un jeu de cartes en deux parties. ▷ Jouer un atout quand on ne peut fournir la couleur demandée. **10.** SPORT Au tennis, au tennis de table, donner de l'effet à (une balle). **II.** v. intr. Être tranchant. *Ce rasoir coupe bien.* **III.** v. tr. indir. **1.** *Couper à* : échapper à, éviter. *Couper à une corvée.* **2.** *Couper court à* : abréger brusquement, faire cesser. *Pour couper court à toute discussion, il quitta la pièce.* **IV.** v. pron. **1.** Se blesser avec un instrument tranchant. *Se couper jusqu'à l'os.* **2.** *Étoffe qui se coupe*, qui s'use aux plis. **3.** Se croiser, s'entrecroiser. *Des routes qui se coupent à angle droit.* **4.** Fig. Se contredire après avoir menti. *Elle affirmait une chose, puis se coupait maladroitement.*

couperet n. m. **1.** Couteau large et lourd pour trancher ou hacher la viande. **2.** Couteau de la guillotine. ▷ Fig. *Le couperet du temps imparti.* **3.** TECH Outil d'acier servant à couper les filets d'émail.

Couperin, famille de musiciens français. – **Louis** (Chaumes-en-Brie, v. 1626 – Paris, 1661), organiste et compositeur ordinaire de la mus. du roi; il excella dans les vieilles formes contrapuntiques. – **François I**[er] (Chaumes-en-Brie, v. 1630 – Paris, 1701), frère du préc.; organiste et professeur de clavecin. – **Charles** (Chaumes-en-Brie, 1638 – Paris, 1679), frère des préc.; il succéda à François Ier à l'orgue de St-Gervais. – **François II,** dit *Couperin le Grand* (Paris, 1668 – id., 1733), fils du préc.; claveciniste, organiste, compositeur et professeur à la cour de Louis XIV. Il réalisa une brillante synthèse des styles français et italien dans 240 pièces pour clavecin. ▶ illustr. page **459**

couperose n. f. Dilatation de vaisseaux sanguins du visage, apparaissant sous forme de minces filets rouges.

couperosé, ée adj. Atteint de couperose. *Un visage couperosé.*

coupeur, euse n. **1.** Personne dont la profession consiste à couper (des étoffes, des cuirs, du papier, etc.). **2.** *Coupeur de...* : personne qui coupe... *Coupeur de têtes.* – Fig. *Coupeur de cheveux en quatre* : V. couper I, 1. **3.** n. f. Machine qui sert à couper.

coupe-vent n. m. inv. **1.** CH de F Dispositif placé à l'avant d'une locomotive, destiné à réduire la résistance de l'air. – (En appos.) *Une haie, un mur coupe-vent.* **2.** Vêtement qui ne laisse pas passer le vent.

couplage n. m. **1.** Réunion étroite de deux choses. *Le couplage des hausses des salaires et des prix.* **2.** TECH Action d'assembler deux éléments; son résultat. **3.** ELECTR Mode de branchement de deux circuits électriques, tel que les variations d'intensité ou de tension de l'un se répercutent sur l'autre. ▷ Interconnexion entre deux circuits permettant de transférer de l'énergie de l'un sur l'autre. **4.** PHYS Rapport entre deux systèmes entre lesquels se produit un transfert d'énergie. ▷ TECH *Le couplage d'une nouvelle centrale au réseau.*

1. couple n. f. **1.** Ensemble de deux choses, de deux individus de même espèce. *Une couple de bœufs.* **2.** VEN Lien servant à attacher deux chiens de chasse ensemble.

2. couple n. m. **1.** Ensemble de deux personnes vivant ensemble; en partic. le mari et la femme. *Des couples dansaient au milieu de la piste.* ▷ (Animaux) *Un couple de serins.* **2.** MATH Groupe de deux éléments (a, b) appartenant à deux ensembles différents (A et B). **3.** MAR Section transversale de la carène au droit d'une membrure. – Pièce à deux branches courbes et symétriques montant de la quille au plat-bord. – *Maître couple* : couple dont les branches sont les plus écartées. – *S'amarrer à couple*, côte à côte avec un autre bateau. **4.** MECA Système de deux forces parallèles, égales et de sens contraire. – *Moment du couple* : produit de l'intensité de la force par le bras de levier. ▷ AUTO *Couple moteur* : travail résultant des forces qu'exercent, sur le vilebrequin, la bielle et les paliers. – *Couple conique* : organe qui transmet aux roues le mouvement de l'arbre moteur. **5.** ELECTR *Couple thermoélectrique* : ensemble de deux conducteurs de nature différente soudés entre eux en deux points. (Si l'on maintient une différence de température entre les deux soudures, un courant circule dans le circuit.) **6.** CHIM *Couple oxydoréducteur*, constitué de la forme oxydée et de la forme réduite d'un élément (ex. : Cu^{2+}/Cu). – *Couple acido-basique*, constitué de la forme acide et de la forme basique d'un même acide faible (ex. $CH_3 - COOH / CH_3 - COO^-$).

couplé n. m. Pari consistant à désigner soit les deux premiers d'une course *(couplé gagnant)*, soit deux des trois premiers arrivés *(couplé placé)*.

coupler v. tr. [1] **1.** VEN Attacher avec une couple. *Coupler des chiens.* **2.** TECH Assembler (des éléments) deux par deux. *Coupler des essieux.* **3.** ELECTR Réunir par un couplage. *Coupler des circuits.*

couplet n. m. Strophe d'une chanson qu'achève un refrain. *Premier couplet.*

coupleur n. m. TECH Dispositif permettant de raccorder deux circuits, d'accoupler deux organes. ▷ ELECTR *Coupleur automatique*, permettant de raccorder une machine synchrone sur le réseau.

coupoir n. m. Outil servant à couper.

coupole n. f. **1.** Partie concave d'un dôme. – *Par ext.* Dôme. *La coupole de Saint-Pierre de Rome. La coupole du palais Mazarin.* – *La Coupole* : l'Institut de France. *Siéger sous la Coupole*, à l'Académie française. ▷ ASTRO *Coupole astronomique* : dôme qui abrite une lunette, un télescope, etc. **2.** MILIT Partie supérieure d'une tourelle cuirassée. *Coupole tournante.*

coupon n. m. **1.** Morceau d'étoffe restant d'une pièce. *Un coupon de toile.* **2.** FIN Titre joint à une action, une obligation, et que l'on détache pour en toucher les dividendes. **3.** Ticket attestant l'acquittement d'un droit.

couponing ou **couponnage** n. m. Vente par correspondance utilisant des coupons-réponse.

coupon-réponse n. m. Partie détachable d'une annonce publicitaire à renvoyer par le lecteur. *Des coupons-réponse.*

coupure n. f. **1.** Incision, entaille faite par un instrument tranchant. *Avoir une coupure à la main.* **2.** Suppression, retranchement dans un ouvrage littéraire, un film. *La Commission de contrôle a exigé certaines coupures.* **3.** Article, passage découpé dans un journal. *Coupures de presse.* **4.** Billet de banque. *Petites coupures* : billets de faible valeur. **5.** Interruption brutale. *Coupure dans une amitié.* **6.** Arrêt de la fourniture de courant, de gaz, etc. **6.** MATH Partition des nombres rationnels en deux sous-ensembles tels que tout élément du premier soit inférieur à tout élément du second.

cour n. f. **I.** Espace environné de murs ou de bâtiments dépendant d'une maison, d'un immeuble public ou privé. *Un appartement sur cour. La cour de récréation d'une école. Cour d'honneur d'un château, d'un palais.* ▷ Fig., fam. *La cour des grands* : les gens ou les groupes qui comptent. ▷ THEAT *Côté cour* : côté de la scène à gauche de l'acteur (par oppos. à *côté jardin*). ▷ *Cour des Miracles* : lieu de réunion des mendiants de Paris, du Moyen Âge au XVIIe s., où disparaissaient comme par miracle les infirmités qu'ils simulaient pour mendier; lieu où se trouve une population misérable et inquiétante. **II. 1.** Lieu où résident un souverain et son entourage. *Vivre à la cour.* **2.** Société vivant autour d'un souverain. *Les gens de cour* : les courtisans. ▷ *Cour du roi Pétaud* ou *pétaudière**. **3.** Souverain et ses ministres. – *Être bien, mal en cour* : jouir ou non de la faveur du souverain (et, par ext., de qqn). **4.** Ensemble des gens qui entourent une personne et s'efforcent de lui plaire. *Avoir une cour d'admirateurs.* **5.** *Faire la* (ou *sa*) *cour à qqn* : essayer de gagner sa bienveillance. – *Faire la cour à une femme*, chercher à la séduire. **III. 1.** Siège de justice (ne s'emploie auj. que pour les juridictions supérieures). *Une cour d'assises. Une cour d'appel. La Cour de cassation.* **2.** Ensemble des magistrats de l'une de ces juridictions siégeant ensemble. *Messieurs, la cour!* **3.** *Cour d'amour* : au Moyen Âge, réunion littéraire d'hommes et de femmes, généralement nobles, jugeant des questions de galanterie chevaleresque.

ENCYCL **Cour d'appel,** juridiction du second degré chargée de juger les appels formés contre les décisions des juridictions inférieures. – **Cour d'assises,** tribunal qui juge les crimes et qui est composé de magistrats (un président et deux assesseurs) et de citoyens (un jury de neuf jurés tirés au sort). La cour siège, périodiquement dans chaque département, en public (sauf si le huis clos est prononcé) et ses jugements sont sans appel sauf à se pourvoir en cassation. – **Cour de cassation,** tribunal suprême franç., dans l'ordre judiciaire, chargé de veiller au respect de la loi : il peut casser, en dernier ressort, les décisions qui lui sont déférées, renvoyant l'affaire devant un tribunal de même ordre et de même rang que celui dont la décision a été cassée. La Cour n'examine que les points de droit et non pas les faits, dont l'appréciation appartient souverainement aux juridictions inférieures. – **Cour des comptes,** tribunal admin. franç., chargé (depuis 1807) de la vérification et du jugement des comptes en deniers publics. En dehors de ses attributions de justice, la Cour, dans le cadre d'un rapport annuel rendu public, contrôle la gestion financière des administrations et organismes publics. – **Cour de sûreté de l'État,** tribunal unique franç., auquel fut déférée en temps de paix (de 1963 à 1981) toute affaire relevant de la sûreté de l'État. – **Cour internationale de justice,** tribunal siégeant à La Haye, créé en 1945 (organisme de l'O.N.U.) pour arbitrer notam. les conflits entre États. Ses quinze membres sont élus par l'Assemblée générale et le Conseil de sécurité à la majorité absolue pour neuf ans. – **Cour suprême des États-Unis,** juridiction suprême créée par la Constitution de 1787. Les neuf juges inamovibles qui la composent auj. sont nommés par le prés. des États-Unis. Elle régit les rapports entre les États, les États et le gouvernement fédéral, mais aussi entre le citoyen et les instances constitutionnelles.

courage n. m. **1.** Fermeté d'âme permettant de supporter ou d'affronter bravement le danger, la souffrance. *Combattre avec courage.* Syn. bravoure, cran (fam.). Ant. couardise, lâcheté, poltronnerie, pusillanimité (litt.). **2.** Ardeur, zèle, énergie dans une entreprise. ▷ Loc. fig., fam. *Prendre son courage à deux mains* : concentrer son énergie, sa volonté pour s'imposer un effort.

courageusement adv. Avec courage. *Se défendre courageusement.* Syn. fermement, résolument.

courageux, euse adj. Qui a du courage; qui dénote du courage. *Se montrer courageux. Des paroles courageuses.* Syn. brave. Ant. lâche, pusillanime.

couramment adv. **1.** Sans hésitation, facilement. *Parler couramment le russe.* **2.** D'une manière habituelle, fréquente. *Cela se voit couramment.*

1. courant, ante adj. **1.** Qui court. CHASSE *Chien courant*, qui aboie quand il flaire le gibier. ▷ *Eau courante*, qui coule. Ant. stagnant. – Eau distribuée par des tuyauteries. *L'eau courante n'est pas installée.* ▷ *Main* courante.* ▷ MATH *Point courant* : point caractéristique d'une courbe. **2.** Présent, actuel. *L'année courante. Le 15 courant, fin courant* : le 15, le dernier jour du mois en cours. **3.** FIN *Compte* courant.* **4.** Qui a lieu, qui a cours ordinairement, habituellement. *Prix courant. Affaires courantes.* Syn. ordinaire. ▷ *Monnaie courante*, qui a un cours légal. – Fig. *C'est monnaie courante* : c'est fréquent, banal.

2. courant n. m. **1.** Mouvement d'un fluide dans une direction déterminée. *Les courants marins. Nager contre le courant. Courants atmosphériques.* ▷ *Courant d'air* : air en mouvement passant à travers un espace resserré. *Être en plein courant d'air.* ▷ METEO *Courants aériens* : mouvements de l'air atmosphérique. – *Courant de perturbation* ou *courant perturbé* : courant entraînant des perturbations atmosphériques. *Courant perturbé d'ouest.* – *Courant-jet* : violent courant aérien au voisinage de la tropopause. **2.** ELECTR Mouvement d'ensemble de particules chargées électriquement. *Dans un métal, un courant est dû au mouvement d'électrons sous l'action d'un champ électrique. Panne de courant.* – Fig. *Le courant passe* : il y a de la sympathie entre les personnes concernées. ▷ *Courant continu*, dont l'intensité reste constante. – *Courants de Foucault*, qui se développent dans les masses métalliques sous l'effet de champs magnétiques variables. **3.** Fig. Déplacement orienté de personnes, de choses; tendance générale. *Les courants de populations. Les grands courants de pensée. Le courant de l'Histoire.* **4.** Succession de moments, cours. *Dans le courant du mois, de l'année.* **5.** Ce qui est courant, normal, habituel. *Le courant des affaires.* ▷ *Courant d'affaires* : quantité moyenne d'affaires que fait une entreprise. **6.** Loc. *Au courant* : informé, au fait (d'une chose). *(Se) mettre, (sc) tenir au courant. Être au courant de l'actualité.* **7.** MAR Partie mobile d'une manœuvre (par oppos. à *dormant*).

ENCYCL Un courant marin peut être dû : à des forces de gravité qui créent des *courants de marées*; aux vents, qui provoquent des courants superficiels, ainsi le *Gulf Stream* (chaud) et le *courant de Humboldt* (froid); à des différences de densité, de salinité, de température, etc.

courante n. f. **1.** Danse ancienne au rythme vif sur une mesure à trois temps; air de cette danse. **2.** Pop. Diarrhée.

courantomètre n. m. Appareil de mesure des courants marins.

courbage ou **courbement** n. m. Action de courber; état de ce qui est courbé.

courbatu, ue adj. **1.** Syn. de *courbaturé.* **2.** Litt. Qui éprouve une grande fatigue; harassé.

courbature n. f. **1.** Douleur musculaire due à un effort prolongé ou à un état fébrile. **2.** MED VET Raideur musculaire généralisée après un effort trop intense.

courbaturé, ée adj. Qui ressent des courbatures.

courbaturer v. tr. [1] Causer une courbature à.

courbe adj. et n. f. **I.** adj. Se dit d'une ligne qui n'est ni droite ni composée de segments de droite, d'une surface qui n'est ni plane ni composée de surfaces planes. Ant. droit, plan. **II.** n. f. **1.** Ligne courbe. *Un cercle est une courbe*

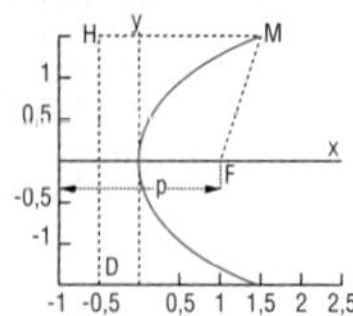

parabole : courbe d'équation cartésienne $y = 2px$. p : *paramètre* de la courbe ; F : *foyer* ; D : droite, dite *directrice*, d'équation $y = -p/2$

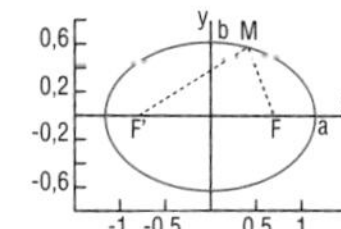

ellipse : courbe d'équation cartésienne $\frac{x^2}{a^2} + \frac{y^2}{b^2} = 1$
a : *demi-grand* axe;
b : *demi-petit* axe;
F et F' : *foyers*

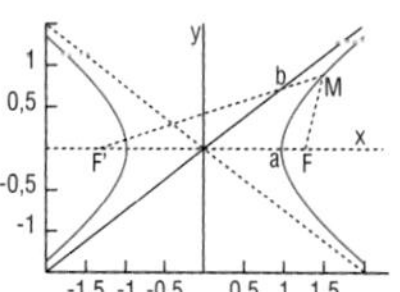

hyperbole : courbe d'équation cartésienne $\frac{x^2}{a^2} - \frac{y^2}{b^2} = 1$ elle admet pour les droites d'équations $y = \mp\frac{b}{a}x$; F et F' : *foyers*

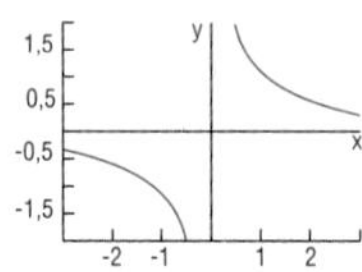

hyperbole équilatère (cas particulier d'hyperbole) : b = a; les asymptotes sont donc perpendiculaires

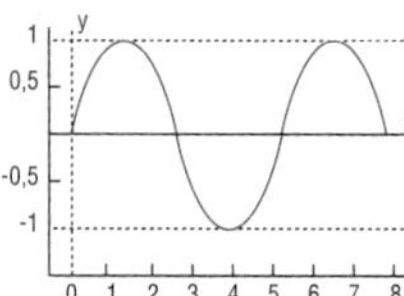

sinusoïde : courbe d'équation cartésienne $y = \sin x$, caractérisée par une *période* 2π ; y est inchangé quand x augmente d'un multiple entier de 2π

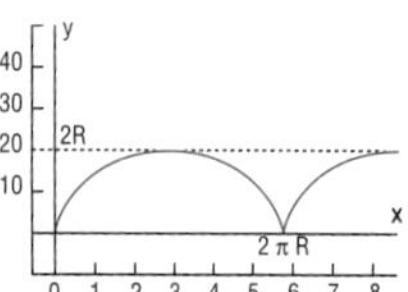

cycloïde : courbe d'équations paramétriques $x = R\,(t - \sin T)$ et $y = R\,(1 - \cos t)$; c'est la trajectoire d'un point attaché à un cercle de rayon R qui roule, sans glisser, sur la droite $y = 0$

courbes

fermée. Les courbes du corps humain. **2.** MATH Ligne continue dont les points ont une même propriété caractéristique représentée par son équation. – *Courbe plane*, dont tous les points sont dans un même plan. *Courbe gauche*, dont les points ne sont pas dans un même plan. ▷ Ligne représentant graphiquement les variations d'un phénomène. *Courbe de température. Courbe des salaires. Courbe de niveau**. *Courbe de Gauss* ou *loi de Laplace-Gauss* : V. Laplace. **3.** TECH Pièce cintrée. **4.** Élément de voie courbe. *Aborder une courbe à grande vitesse.*

courbé, ée adj. Rendu courbe, plié, fléchi.

courbement. V. courbage.

courber v. [1] **I.** v. tr. **1.** Rendre courbe. *Courber une branche.* **2.** Fléchir, baisser. *Il doit courber la tête pour passer la porte.* – Fig. *Courber le front, la tête* : témoigner sa soumission. **II.** v. intr. Plier, fléchir, devenir courbe. *Courber sous le poids.* **III.** v. pron. **1.** Devenir courbe. *Pièce qui se courbe à la chaleur.* **2.** Fig. Céder, se soumettre. *Je refuse de me courber devant lui.*

Courbet (Gustave) (Ornans, 1819 – La Tour-de-Peilz, Suisse, 1877), peintre français. Son réalisme fit scandale. Membre de la Commune, accusé d'avoir fait renverser la colonne Vendôme, il fut condamné à la faire relever à ses frais; libéré de prison, il se réfugia en Suisse. *Un enterrement à Ornans* (1850), *la Rencontre* ou *Bonjour, monsieur Courbet!* (1854), *l'Atelier* (1855).

Courbet (Amédée Anatole) (Abbeville, 1827 – îles Pescadores, 1885), amiral français. Il établit le protectorat franç. sur l'Annam (traité de Huê, 1883).

courbette n. f. **1.** EQUIT Mouvement du cheval levant les deux membres antérieurs fléchis. **2.** Fig. Politesse exagérée et obséquieuse. *Faire des courbettes.* Syn. platitude.

Courbevoie, ch.-l. de cant. des Hauts-de-Seine (arr. de Nanterre), sur la Seine; 65 649 hab. Chaudronnerie; industr. chim., alim., métall. Centre d'affaires dans le quartier de la Défense, construit en partie sur la commune.

courbure n. f. Forme ou état d'une chose courbe. *La courbure des pieds d'un fauteuil Louis XV.* Syn. cambrure. *Double courbure* : courbure en S. ▷ GEOM *Courbure moyenne d'un arc de courbe* : rapport entre l'angle formé par les tangentes aux points extrêmes de cet arc et la longueur de celui-ci. *Courbure en un point d'une courbe* : limite de la courbure moyenne d'un arc infiniment petit dont les extrémités tendent à se rapprocher de ce point. ▷ PHYS *Courbure de l'univers* : courbure créée dans l'espace-temps de la théorie de la relativité générale par la présence de matière, d'autant plus forte que la densité de matière y est plus grande.

courcailler v. intr. [1] Crier, en parlant de la caille. Syn. carcailler.

Courchevel, import. centre de sports d'hiver de Savoie (com. de Saint-Bon-Tarentaise, arr. d'Albertville), constitué de deux stations principales : *Courchevel 1850* et *Courchevel 1550.*

courçon ou **courson** [kuʀsɔ̃] n. m., **courçonne** ou **coursonne** [kuʀsɔn] n. f. Branche d'arbre fruitier taillée court.

Courçon (Robert de). V. Robert de Courçon.

Courcouronnes, com. de l'Essonne (arr. d'Évry); 13 284 hab. – Industrie alim., micro-électron., chaussures.

courette n. f. Petite cour.

coureur, euse n. **1.** Personne, animal exercé à la course. *Cette jument est une bonne coureuse.* ▷ Personne qui pratique la course ou qui participe à une course. *Coureur cycliste. Coureur de fond.* **2.** Personne qui parcourt (un lieu), fréquente (un endroit). *Un grand coureur de pays.* Syn. voyageur. *Coureur de cafés, de tripots.* ▷ (Canada) HIST *Coureur de bois* : aventurier de l'époque de la Nouvelle-France qui faisait la traite des fourrures avec les Amérindiens et était ainsi amené à adopter leur mode de vie. **3.** Fam. Personne qui court les aventures galantes. *Un coureur de filles, de jupons. C'est une coureuse.* **4.** n. m. pl. ZOOL Anc. nom des ratites (ex. l'autruche).

courge n. f. **1.** Nom cour. de diverses cucurbitacées cultivées pour leur fruit comestible (citrouille, potiron, courgette, etc.); ce fruit. **2.** Fam. Imbécile.

courgette n. f. Courge dont les fruits le plus souvent allongés sont consommés jeunes; ce fruit.
▸ illustr. **cucurbitacées**

Courier (Paul-Louis) (Paris, 1772 – Véretz, Indre-et-Loire, 1825), écrivain français. Helléniste, il se distingua surtout comme auteur de pamphlets contre la Restauration (*le Pamphlet des pamphlets,* 1824) et des *Lettres écrites de France et d'Italie* (en partie posth.).

Gustave **Courbet :** *la Rencontre* ou *Bonjour Monsieur Courbet,* 1854; musée Fabre, Montpellier

courir v. [26] **A.** v. intr. **I.** (Sujet n. d'être animé.) **1.** Aller avec vitesse, mouvoir rapidement les jambes ou les pattes. *Courir vite. Courir à toutes jambes.* **2.** SPORT Disputer une course, une compétition. *Voir courir des cyclistes. Les chevaux qui courent à Longchamp.* **3.** Se porter rapidement vers. *Courir au feu, aux armes. Le bonheur est dans le pré, cours-y vite, cours-y vite* (P. Fort). **4.** Faire qqch en se hâtant. *Lisez plus lentement, ne courez pas.* ▷ *Courir à sa perte, à sa ruine :* se conduire de manière à hâter sa perte, sa ruine. **5.** *Courir après une chose,* la rechercher avec ardeur. *Courir après l'argent, après les honneurs.* – Fam. *Courir après qqn,* le poursuivre de ses assiduités. **II.** (Sujet n. de chose.) **1.** Être en cours, suivre son cours. *L'affaire qui court. Par les temps qui courent :* dans les circonstances actuelles. **2.** Fig. Se mouvoir rapidement. *Ses doigts couraient sur le clavier.* **3.** Couler (en parlant des liquides). *Le ruisseau court dans la prairie.* **4.** Circuler; se propager. *Faire courir un bruit. La nouvelle court déjà dans la ville.* **5.** MAR Faire route. *Courir vent arrière. Courir sur son ancre :* conserver de la vitesse après avoir mouillé. **B.** v. tr. **1.** Poursuivre pour attraper. *Courir le cerf :* V. courre. **2.** SPORT Participer à (une course, une compétition). *Courir le marathon. Courir le Prix de l'Arc-de-Triomphe.* **3.** Parcourir. *Courir le monde.* ▷ Fréquenter. *Courir les bals.* – Fam. *Courir les rues :* être fréquent, banal. *Des occasions comme celle-ci, ça ne court pas les rues.* **4.** Rechercher avec ardeur. *Courir les honneurs.* ▷ Fam. *Courir les filles, les garçons :* rechercher les aventures. **5.** S'exposer à. *Courir un risque, un danger.*

Courlande (la) (en letton *Kurzeme*), région de Lettonie, sur la mer Baltique. État des chevaliers Teutoniques (fondé en 1237), elle devint en 1561 un duché vassal de la Pologne, annexé par la Russie en 1795.

courlis [kuʀli] n. m. Oiseau charadriiforme à long bec fin, arqué vers le sol (genre *Numenius*). *Courlis cendré,* à plumage brunâtre, fréquent sur les côtes et dans les marais d'Europe.

profil et silhouette du **courlis** cendré

Cournand (André) (Paris, 1895 – Great Barrington, Massachusetts, 1988), cardiologue américain d'orig. française. Il réalisa d'import. travaux sur l'exploration cardio-vasculaire à l'aide de sondes à manomètre. P. Nobel de médecine 1956.

Courneuve (La), ch.-l. de cant. de la Seine-St-Denis (arr. de Bobigny), dans la banlieue N. de Paris; 34 351 hab. Centre industriel. Parc de sports et de loisirs.

Cournon-d'Auvergne, ch.-l. de canton du Puy-de-Dôme (arr. de Clermont-Ferrand), sur l'Allier; 19 280 hab. I.A.A. Mat. électr.; prod. pharm. – Égl. romane (XIIe s.).

Cournot (Antoine Augustin) (Gray, 1801 – Paris, 1877), mathématicien, économiste et philosophe français. Il est connu pour ses travaux sur le calcul des probabilités et pour sa théorie du hasard défini comme «rencontre de deux séries causales indépendantes». Auteur de : *Considérations sur la marche des idées et des événements dans les temps modernes* (1872), *Matérialisme, vitalisme, rationalisme* (1875).

couronne n. f. **1.** Ornement encerclant la tête, insigne de dignité, marque d'honneur ou parure. *Couronne de lauriers, de fleurs. La couronne de fer des rois lombards.* – *Couronne d'épines,* qui fut placée par dérision sur la tête du Christ, «roi des Juifs». – *Couronne héraldique :* ornement de l'écu. ▷ *Triple couronne :* tiare papale. **2.** Autorité, dignité royale, impériale. *L'héritier de la couronne.* ▷ Territoire royal. *Duché réuni à la Couronne.* **3.** Objet de forme circulaire. *Couronne funéraire.* ▷ *En couronne :* en cercle. *Pain en couronne.* ▷ AUTO Roue dentée. ▷ ASTRO Partie la plus externe de l'atmosphère solaire. ▷ MATH *Couronne circulaire :* aire comprise entre deux cercles concentriques. ▷ MILIT Fortification semi-circulaire. **4.** *Par anal.* Tonsure monastique. **5.** ANAT Partie de la dent qui sort de la gencive. ▷ CHIR Revêtement en métal placé sur une dent pour la protéger. **6.** ZOOL Partie du pied du cheval située au-dessus du sabot. **7.** BOT Ensemble des appendices libres ou soudés qui naissent à la face interne de certaines corolles. **8.** Unité monétaire de certains pays nordiques.

couronné, ée adj. **1.** Qui a reçu, qui porte une couronne. *Tête couronnée :* souverain. **2.** Fig. Récompensé. *Ouvrage couronné par l'Académie française.* **3.** *Couronné de :* entouré, surmonté par. *Colline couronnée de verdure.* **4.** *Cheval couronné,* blessé au genou. – *Par ext.* (En parlant d'une personne.) *Avoir le genou couronné,* éraflé, blessé. ▷ *Cerf couronné,* dont les bois se terminent par une ramification comprenant plusieurs andouillers.

couronnement n. m. **1.** Action de couronner; cérémonie au cours de laquelle on couronne un souverain. **2.** ARCHI Ouvrage situé à la partie supérieure d'une façade, d'un mur, d'une pile de pont, etc. **3.** Fig. *Le couronnement de :* le plus haut degré, l'achèvement de. *C'est le couronnement de sa carrière.*

couronner v. tr. [1] **1.** Mettre une couronne sur la tête de (qqn). **2.** Sacrer souverain. **3.** Décerner un prix, une récompense à; honorer. *Couronner le vainqueur, un ouvrage.* **4.** Surmonter. *Un entablement couronne l'édifice.* **5.** Fig. Parfaire, mettre un heureux terme à. *Le succès a couronné son entreprise.*

couros. V. kouros.

couroucou n. m. Oiseau grimpeur (ordre des trogoniformes) des forêts tropicales, arboricole, à longue queue et au plumage vivement coloré.

courre v. tr. (Usité seulement à l'inf.) VEN Poursuivre (un gibier). *Courre le cerf.* ▷ Loc. *Chasse à courre :* chasse à cheval avec des chiens courants, où l'on s'efforce d'atteindre la bête (cerf, sanglier, renard, etc.) en la fatiguant.

courriel n. m. Abrév. de *courrier électronique,* syn. de e-mail.

courrier n. m. **1.** Anc. Personne qui précédait la voiture de poste pour préparer les relais. **2.** Anc. Employé de l'administration des postes qui portait les lettres en malle-poste. – Vx Porteur de dépêches. **3.** Moyen de transport assurant un service postal ou commercial. *Courrier maritime, aérien.* ▷ AVIAT *Court-courrier, moyen-courrier, long-courrier :* V. ces mots. **4.** Ensemble de la correspondance transmise par un service postal. *Faire, lire son courrier. Le courrier partira à 17 heures.* **5.** Nom de certains journaux, de certaines chroniques d'un journal. *Le Courrier de N...*

Courrières, ch.-l. de cant. du Pas-de-Calais (arr. de Lens); 11 420 hab. Abattoirs. Centr. therm. – En 1906, 1 200 mineurs y périrent à la suite d'un coup de grisou.

courriériste n. Journaliste chargé d'une chronique, d'un courrier. Syn. chroniqueur.

courroie n. f. Bande étroite et longue faite d'une matière souple, et servant à lier, à relier. *Courroie de cuir, de caoutchouc, de nylon.* ▷ TECH *Courroie de transmission :* lien flexible sans fin, servant à transmettre le mouvement entre deux axes de rotation.

courroucer v. tr. [12] Litt. Mettre en colère, irriter. – Pp. adj. *Un air courroucé.*

courroux [kuʀu] n. m. Litt. Colère, irritation. *Craignez mon courroux!* – Fig. *Les flots en courroux.*

1. cours [kuʀ] n. m. **I. 1.** Mouvement des liquides, en partic. des eaux d'une rivière, d'un fleuve. *Le cours rapide d'un torrent. Remonter, descendre le cours d'une rivière.* ▷ *Cours d'eau :* ruisseau, rivière, fleuve. ▷ Fig. *Donner libre cours à :* ne pas opposer de résistance à, laisser aller. *Donner libre cours à ses larmes, à sa fureur, à ses sentiments.* **2.** Longueur du parcours d'une rivière, d'un fleuve, etc. *Le Rhône n'est pas navigable sur tout son cours.* **3.** Mouvement des astres. *Le cours du Soleil.* **4.** Suite, enchaînement d'événements dans le temps. *Le cours des affaires. Nous avons dû nous arrêter en cours de route.* **II.** FIN **1.** Circulation régulière de monnaie, d'effets de commerce, etc. – *Monnaie à cours légal,* acceptée par les caisses publiques et les particuliers pour sa valeur nominale. – *Monnaie à cours forcé,* dont le pouvoir d'achat varie, mais qui est obligatoirement acceptée pour sa valeur nominale dans les règlements intérieurs. ▷ *Avoir cours :* être en usage (monnaie). *Ces vieilles pièces n'ont plus cours.* – Fig. *Ce genre de comportement n'a pas cours ici!* **2.** Taux qui sert de base aux transactions de valeurs mobilières. *Cours de la Bourse.* – *Cours du change :* valeur relative d'une monnaie par rapport à une monnaie étrangère. **III. 1.** Suite de leçons portant sur une matière déterminée; chacune de ces leçons. *Cours d'histoire, de français. Cours par correspondance.* ▷ *Chargé* de cours.* **2.** Ouvrage renfermant une suite de leçons. *Le «Cours de philosophie positive» d'Auguste Comte.* **3.** Degré d'enseignement. *Cours préparatoire, élémentaire, moyen, supérieur.*

2. cours [kuʀ] n. m. *Navigation au long cours,* de longue durée. ▷ *Capitaine au long cours.*

3. cours [kuʀ] n. m. Avenue, promenade plantée d'arbres. *Le cours Albert-Ier à Paris.*

course n. f. **1.** Action de courir. *Course rapide. Rejoindre qqn à la course.* ▷ Fam. *Être dans la course :* être au courant; comprendre. **2.** SPORT Compétition, épreuve de vitesse. *Course à pied. Course cycliste, automobile.* ▷ Absol. *Les courses :* les courses hippiques. *Jouer aux courses.* **3.** Action de parcourir; trajet, espace parcouru ou à parcourir. *Une course de trois kilomètres.* **4.** TECH Espace parcouru par une pièce mobile. *La course d'un piston.* **5.** Mouvement, marche en avant, progrès. *Le temps emporte tout dans sa course.* **6.** Allées et venues, démarches effectuées pour se procurer qqch. *Garçon de courses.* ▷ Commissions, achats. *Faire une, des courses.* **7.** HIST *Guerre de course* : guerre sur mer (capture de vaisseaux, incursions en territoire ennemi en vue de pillage). *Armer un navire en course.*

course-poursuite n. f. Poursuite effrénée, riche en rebondissements. *Des courses-poursuites.*

courser v. tr. [1] Fam. Suivre. *Un garçon coursait la fille.*

Courseulles-sur-Mer, com. du Calvados (arr. de Caen), sur la Manche; 3 199 hab. Stat. baln. – Les Canadiens y débarquèrent le 6 juin 1944.

coursier, ère n. **1.** Personne chargée de faire des courses. Syn. commissionnaire. **2.** n. m. Litt. Cheval. *Un fougueux coursier.*

coursive n. f. Passage, couloir, à bord d'un navire.

Cours-la-Reine (le), promenade de Paris, créée en 1616 par Marie de Médicis, en bordure de la Seine, de la Concorde à la place du Canada.

courson, coursonne. V. courçon, courçonne.

1. court, courte adj., n. m. et adv. **I.** adj. **1.** De peu de longueur. *La droite est le plus court chemin d'un point à un autre. Des cheveux courts. Vêtement trop court.* Ant. long. **2.** Qui dure peu. *Les nuits d'été sont courtes. Une courte harangue.* Syn. bref. ▷ *Avoir la mémoire courte* : ne pas pouvoir, ou ne pas vouloir, se souvenir. **3.** Peu éloigné dans le temps ou dans l'espace. *Échéance à court terme.* ▷ *Avoir la vue courte* : ne pas distinguer, ou mal distinguer, les objets éloignés; fig. manquer de prévoyance, de pénétration. **4.** Insuffisant, sommaire. *Un dîner un peu court.* **II.** n. m. Ce qui est court. – Spécial. *Le court* : les robes, les jupes, les vêtements courts. ▷ *Au (plus) court* : par le plus court chemin; fig. par le moyen le plus rapide. *Régler une difficulté en allant au plus court.* **III.** adv. **1.** En retranchant une certaine longueur de qqch. *Attacher court un animal.* **2.** Brusquement, subitement. *S'arrêter, tourner court. Couper court aux discussions.* ▷ *Demeurer, rester court* : ne plus savoir que dire. **3.** *Être à court de* : manquer, ne plus avoir de. *Être à court d'argent, d'arguments.* **4.** *De court* : à l'improviste. *Prendre qqn de court.* **5.** *Tout court* : sans rien ajouter de plus. *Lui l'aime bien, mais elle l'aime tout court.*

2. court n. m. SPORT Terrain de tennis.

courtage n. m. **1.** Profession, activité des courtiers. ▷ COMM Vente directe au consommateur (par oppos. à *vente en magasin*). *Les grandes encyclopédies sont souvent vendues par courtage.* **2.** Transaction effectuée par un courtier; commission perçue pour cette transaction. *Frais de courtage.*

courtaud, aude n. et adj. **1.** n. m. Cheval, chien auquel on a coupé les oreilles et la queue. **2.** adj. Fam. De taille courte et ramassée. *Un homme courtaud.* – Subst. *Un(e) courtaud(e).*

court-bouillon n. m. CUIS Bouillon fait d'eau additionnée de sel, de vinaigre ou de vin blanc et d'épices, dans lequel on fait cuire le poisson. *Des courts-bouillons.*

court-circuit n. m. Connexion volontaire ou accidentelle de deux points d'un circuit électrique entre lesquels il existe une différence de potentiel, par un conducteur de faible résistance. *Des courts-circuits.*

court-circuiter v. tr. [1] **1.** ELECTR Mettre en court-circuit. **2.** Fig. Éliminer un ou plusieurs intermédiaires. *Mode de distribution qui court-circuite les filières commerciales habituelles.*

court-courrier n. m. Avion de transport pour étapes courtes (moins de 2 500 km). *Des court-courriers.*

Courteline (Georges Moinaux, dit Georges) (Tours, 1858 – Paris, 1929), écrivain français. Il est l'auteur de comédies satiriques d'une grande verve, inspirées d'expériences vécues : *les Gaîtés de l'escadron* (1886), *le Train de 8 h 47* (1888), *Messieurs les ronds-de-cuir* (1893), *Le commissaire est bon enfant* (1899), *la Paix chez soi* (1903).

Courtenay (maison de), famille française qui a donné trois empereurs latins d'Orient : Pierre II, Robert Ier et Baudouin II. (V. ces noms.)

courtepointe n. f. Couverture de lit piquée.

courtier, ère n. Personne qui met un objet ou un produit à la disposition de la clientèle. *Courtier d'assurances, de change, d'affrètement.*

courtilière n. f. Insecte orthoptère *(Gryllotalpa vulgaris),* de couleur brune, long de 4 à 5 cm, dont les pattes antérieures fouissent le sol, creusant des galeries qui endommagent les jardins. Syn. taupe-grillon.

courtine n. f. **1.** Vx Rideau de lit, tenture. **2.** Muraille réunissant les tours d'une enceinte fortifiée, d'un château fort.

courtisan, ane n. et adj. **1.** Personne vivant à la cour d'un souverain, d'un prince. **2.** Fig., péjor. Personne qui, par intérêt, cherche à plaire. *Un vil courtisan.* ▷ adj. *Esprit courtisan.* **3.** n. f. Anc. Prostituée d'un rang social élevé. *Les courtisanes grecques.*

courtiser v. tr. [1] Faire sa cour à, rechercher les bonnes grâces de. *Courtiser les grands.* ▷ *Courtiser une femme,* lui faire la cour, chercher à la séduire.

court-jointé, ée adj. Se dit d'un cheval aux paturons trop courts. *Des chevaux court-jointés.*

court-jus n. m. Fam. Syn. de *court-circuit. Des courts-jus.*

court-métrage ou **court métrage** n. m. V. métrage.

courtois, oise adj. **1.** Qui manifeste ou exprime la politesse, le respect d'autrui. *Se montrer courtois. Des paroles, des manières courtoises.* Syn. affable, aimable, civil, poli. **2.** Qualifie un genre littéraire en vogue au Moyen Âge, exaltant l'amour mystique et chevaleresque. *Amour courtois. Littérature, roman courtois.* **3.** Loc. *Armes courtoises,* mousses ou mouchetées. ▷ Fig. *Lutter à armes courtoises,* avec loyauté.

Courtois (Bernard) (Dijon, 1777 – Paris, 1838), chimiste français. Il isola la morphine à partir de l'opium, ainsi que l'iode à partir de cendres de plantes marines.

courtoisement adv. D'une manière courtoise.

courtoisie n. f. Politesse, civilité. *Traiter qqn avec courtoisie. Merci de votre courtoisie.*

Courtonne (Jean) (Paris, 1671 – id., 1739), architecte français. Il construisit, à Paris, vers 1719, l'hôtel de Noirmoutier et, à partir de 1720, l'hôtel Matignon.

Courtrai (en néerl. *Kortrijk*), ville de Belgique (Flandre-Occidentale), sur la Lys; 75 920 hab. Comm. du lin. Industr. text. et électronique. – Beffroi (XIVe s.). Béguinage Ste-Élisabeth. Hôtel de ville (XVIe s.). – En 1302, victoire des Flamands sur les Français *(bataille des Éperons d'or).*

court-vêtu, ue adj. Qui porte un vêtement court. *Des femmes court-vêtues.*

couru, ue adj. **1.** Recherché, à la mode. *Un spectacle très couru.* **2.** Fam. *C'est couru* : c'est d'avance certain.

couscous [kuskus] n. m. Mets d'Afrique du Nord, composé de semoule de blé dur cuite à la vapeur, de bouillon aux légumes et de viande.

couscoussier n. m. Ustensile de cuisine conçu pour la cuisson du couscous.

Couserans, rég. des Pyrénées centr., en amont de Saint-Girons (Ariège). Élevage laitier.

cousette n. f. Fam., vieilli Jeune apprentie couturière.

1. cousin n. m. Moustique fin et allongé *(Culex pipiens),* le plus répandu en France.

2. cousin, ine n. Parent issu de l'oncle ou de la tante, ou de leurs descendants. *Cousin(e) germain(e)* : fils (fille) du frère ou de la sœur du père ou de la mère. *Cousin issu de germain,* issu de cousin germain. *Cousin(e) par alliance* : conjoint(e) d'un cousin ou d'une cousine.

Cousin (le), riv. de France (64 km), affl. de la Cure (r. dr.); naît dans le Morvan, arrose Avallon.

Cousin (Jean), dit *le Père* (Soucy, près de Sens, v. 1490 – Paris, v. 1560), peintre français de la première école de Fontainebleau; auteur de cartons de vitraux, de tapisseries et du premier grand nu français : *Eva Prima Pandora* (v. 1550, Louvre).

Cousin (Victor) (Paris, 1792 – Cannes, 1867), philosophe français. Fondateur du spiritualisme éclectique, il a résumé sa doctrine dans les trois préfaces des *Fragments de philosophie contemporaine* (1826, 1833, 1838). Acad. fr. (1830).

cousinage n. m. Vieilli **1.** Parenté entre cousins. **2.** Fam. Ensemble des parents. *Inviter tout le cousinage.*

cousiner v. intr. [1] Vx Être cousin. ▷ Tenir compte, faire état de son cousinage. *Elle cousine beaucoup* : elle entretient des liens avec ses parents les plus éloignés. ▷ Fig. Fréquenter, s'entendre avec. *Elles ne cousinent guère ensemble.*

Cousin-Montauban (Charles), comte de Palikao (Paris, 1796 – Versailles, 1878), général français; chef du corps expéditionnaire français qui battit les Chinois à Palikao *(Baliqiao)* (1860). Il fut le dernier chef de gouvernement sous Napoléon III (août-sept. 1870).

Cousser. V. Kusser.

coussin n. m. **1.** Petit sac cousu rempli de plumes, de crin, de bourre, de matière synthétique, etc., servant à supporter confortablement une partie du corps. *Coussins de canapé. Être calé avec des coussins.* ▷ *Coussin gonflable* : accessoire de sécurité en automobile, coussin qui se gonfle en cas de choc. **2.** TECH *Coussin d'air* : couche d'air sous pression permettant à un aéroglisseu

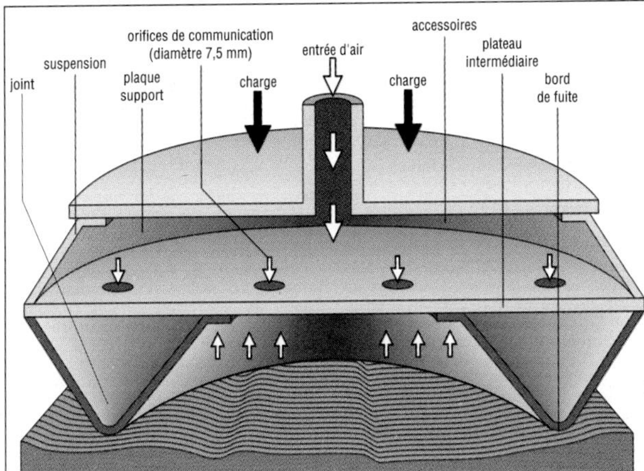

un film d'air, créé par un réseau d'air comprimé, sépare le sol (qui peut être accidenté) et la charge à manutentionner ; le frottement devient alors quasiment nul et la charge peut évoluer avec un effort minimal

coussin d'air

ou à un engin de manutention de se maintenir au-dessus d'une surface. ENCYCL La sustentation par coussin d'air permet d'atteindre de très grandes vitesses en réduisant les forces de traînée et de roulement. Elle rend possible le déplacement des véhicules au-dessus de l'eau ou de terrains instables.

coussinet n. m. **1.** Petit coussin. *Coussinet de selle.* **2.** ARCHI Côte de la volute d'un chapiteau ionique. **3.** TECH Pièce qui maintient un rail sur une traverse. **4.** TECH Cylindre à l'intérieur duquel tourne un arbre.

Cousteau (Jacques-Yves) (Saint-André-de-Cubzac, Gironde, 1910 – Paris, 1997), officier de marine et océanographe français. Il mit au point en 1943, avec l'ingénieur Gagnan, un scaphandre autonome qui lui permit une exploration océanographique de la planète à partir de la *Calypso.* Auteur de nombreux films (*le Monde du silence,* 1955) et de livres. Acad. fr. (1988).

François II **Couperin**

Jacques-Yves **Cousteau**

Coustou (Guillaume) (Lyon, 1677 – Paris, 1746), sculpteur français; auteur des *Chevaux de Marly* (longtemps sur la place de la Concorde, auj. remplacés par des copies). Neveu de Coysevox, il a subi fortement son influence.

cousu, ue adj. Assemblé par une couture. *Rideaux cousus à la machine.* ▷ Fam. *Cousu main :* cousu à la main. – Fig., fam. *Du travail cousu main,* de première qualité. ▷ Fig., fam. *Être cousu d'or,* très riche. ▷ Fig. *Une ruse cousue de fil blanc,* grossière, qui ne trompe personne. ▷ Fig. *Garder bouche cousue :* ne rien dire, rester d'une discrétion absolue. – Loc. fam. *Motus et bouche cousue !*

coût [ku] n. m. **1.** Ce que coûte une chose. *Le coût d'une denrée.* ▷ *Le coût de la vie :* ce que coûtent les biens et services durant une période donnée. Syn. valeur, montant, prix. **2.** COMPTA *Coût fixe :* dans le calcul d'un prix de revient, charge constante liée à la capacité de production d'une entreprise (par oppos. à *coût de production,* comprenant montant des achats et coût de fabrication). **3.** Fig. Conséquences fâcheuses d'une situation. *Le coût social d'une politique économique.*

Coutances, ch.-l. d'arr. de la Manche, dans le Bocage normand; 11 827 hab. Abattoirs. – Évêché, cath. goth. (XIIIe s.). – Des bombardements endommagèrent la ville en juillet 1944.

coûtant adj. m. *Prix coûtant :* prix qu'une chose a coûté. *Vendre à prix coûtant,* sans bénéfice.

couteau n. m. **1.** Instrument tranchant composé d'une lame et d'un manche. *Couteau de poche, à découper, à cran d'arrêt.* ▷ Fig. *Avoir le couteau sous la gorge :* subir une contrainte, une menace. – *Être à couteaux tirés avec qqn,* en conflit ouvert avec lui. – Fam. *Au couteau :* acharné, furieux. *Une bataille au couteau.* ▷ Fig., fam. *Second couteau :* personnage secondaire, comparse. **2.** TECH Instrument, outil plus ou moins tranchant. *Couteau de vitrier, de maçon, de peintre. Peindre au couteau.* ▷ *Le couteau de la guillotine :* le couperet. *Je le jurerais la tête sous le couteau* (ou : *j'en mettrais ma tête à couper*). **3.** Prisme triangulaire qui supporte le fléau d'une balance. **4.** Lamellibranche fouisseur, remarquable par sa coquille rectangulaire longue et étroite, fréquent sur les côtes sableuses de France (genres *Solen* et *Ensis*), comestible.

couteau-scie n. m. Couteau dont la lame est dentelée. *Des couteaux-scies.*

coutelas [kutla] n. m. **1.** Vx Épée courte et large à un seul tranchant. **2.** Mod. Grand couteau de cuisine.

coutelier, ère n. (et adj.) Personne qui fabrique, qui vend des instruments tranchants (couteaux, rasoirs, etc.). ▷ adj. *Industrie coutelière.*

coutellerie n. f. **1.** Industrie, commerce des couteaux, des instruments tranchants. **2.** Lieu où l'on fabrique, où l'on vend des couteaux, des instruments tranchants. – Ensemble des produits fabriqués ou vendus par les couteliers.

coûter v. [1] **I.** v. intr. et tr. indir. **1.** Nécessiter un paiement pour être acquis. *Ce vase coûte cent francs. Objet qui coûte cher.* (N. B. : Le pp. *coûté* est inv. quand il se rapporte à une somme.) *Les centaines de milliers de francs que cette maison m'a coûté.* – *Absol.* Être cher. *Un luxe qui coûte.* **2.** Occasionner, entraîner des frais, des dépenses. *Son procès lui a coûté cher.* **3.** Fig. Occasionner des peines, des sacrifices. *Son impudence lui coûtera cher. Il n'y a que le premier pas qui coûte.* ▷ (Impers.) *Il m'en coûte de l'avouer.* ▷ Loc. adv. *Coûte que coûte :* quoi qu'il puisse en coûter, à tout prix. **II.** v. tr. Causer (une peine, une perte). *Les peines que ce travail m'a coûtées. Coûter la vie :* entraîner la mort.

coûteux, euse adj. **1.** Qui entraîne une dépense importante. *Un voyage coûteux.* **2.** Fig. Qui entraîne des pertes, des peines. *Une victoire coûteuse.*

Couthon (Georges) (Orcet, Auvergne, 1755 – Paris, 1794), homme politique français. Conventionnel, il collabora étroitement avec Robespierre et Saint-Just au sein du Comité de salut public et réprima l'insurrection de Lyon (1793). Il fut guillotiné le 10 thermidor.

coutil [kuti] n. m. Toile très serrée et lissée. *Coutil de lin, de coton.*

Coutras, ch.-l. de cant. de la Gironde (arr. de Libourne), sur la Dronne; 6 778 hab. Distillerie. Verrerie. – Victoire d'Henri de Navarre sur les catholiques commandés par le duc de Joyeuse (1587).

coutre n. m. AGRIC Couteau situé en avant du soc de la charrue, qui fend la terre verticalement.

coutume n. f. **1.** Manière d'agir, pratique consacrée par l'usage qui se transmet de génération en génération. *Respecter les coutumes d'un pays. La coutume veut que vous fassiez un vœu.* Syn. tradition. ▷ *Les us et coutumes :* l'ensemble des usages et des coutumes. **2.** Habitude individuelle. *Il a coutume de faire une sieste après le déjeuner.* ▷ Prov. *Une fois n'est pas coutume :* l'habitude ne naît pas d'une manière d'agir exceptionnelle. ▷ *De coutume :* à l'ordinaire. *Il est aussi gai que de coutume.* **3.** DR Droit né de l'usage. *La coutume était autrefois l'une des sources du droit français. Pays de coutume* (le centre et le nord de la France) et *pays de droit écrit* (le Midi). **4.** DR Recueil du droit coutumier d'un pays.

coutumier, ère adj. et n. m. **1.** Qui a coutume de faire qqch. *Ne vous inquiétez pas de son silence, il est coutumier du fait.* **2.** Ordinaire, habituel. *Les occupations coutumières.* **3.** Qui appartient à la coutume. *Droit coutumier,* consacré par l'usage (par oppos. à *droit écrit*). ▷ n. m. Didac. Recueil des coutumes d'un pays. *Les coutumiers de Normandie.*

couture n. f. **1.** Action de coudre; ouvrage exécuté par qqn qui coud. *Faire de la couture. Des points de couture.* **2.** Art de coudre; métier, commerce d'une personne qui coud. *Cours de couture. Maison de couture.* ▷ *Haute couture :* ensemble des grands couturiers qui font la mode. **3.** Suite de points exécutés à l'aide d'un fil et d'une aiguille pour assembler deux pièces. *Couture de pantalon. Coutures apparentes.* ▷ Loc. fig. *Sous toutes les coutures :* dans les moindres détails. – *Battre à plate(s) couture(s) quelqu'un,* le vaincre totalement, le terrasser; l'emporter sur tous les points. **4.** Fig., fam. Cicatrice en longueur.

couturé, ée adj. Couvert de cicatrices. *Visage couturé.*

couturier n. m. **1.** Personne qui dirige une maison de couture. *Collec-*

tions des grands couturiers parisiens. **2.** ANAT Muscle de la cuisse qui fléchit la jambe sur la cuisse et la cuisse sur le bassin.

couturière n. f. **1.** Celle qui coud, qui exécute, à son propre compte, des vêtements féminins. *Aller chez sa couturière pour un essayage.* **2.** THEAT *Répétition des couturières*, ou *couturière* : dernière répétition avant la générale, qui permet aux costumières de faire leurs dernières retouches.

couvain n. m. **1.** Ensemble des œufs, chez divers insectes (abeilles, fourmis, etc.). **2.** Ensemble des œufs, larves et nymphes contenus dans une ruche.

couvaison n. f. ou **couvage** n. m. **1.** Action de couver. **2.** Temps que dure cette action.

Couve de Murville (Maurice) (Reims, 1907), homme politique français. Ministre des Affaires étrangères de 1958 à mai 1968, il succéda à G. Pompidou comme Premier ministre en juillet 1968 et se retira en juin 1969 après le départ du général de Gaulle.

couvée n. f. Ensemble des œufs couvés en même temps par un oiseau. – *Par ext.* Ensemble des petits éclos de ces œufs. *Une poule et sa couvée. «Adieu veau, vache, cochon, couvée!»* (La Fontaine). – Fig., fam. Nombreux enfants de la même famille.

couvent n. m. **1.** Maison de religieux ou de religieuses. *Entrer au couvent*, dans un ordre religieux. ▷ Communauté religieuse. *Tout le couvent était rassemblé.* **2.** Vieilli Pensionnat de jeunes filles tenu par des religieuses.

couventine n. f. Personne qui vit ou qui est élevée dans un couvent.

couver v. [1] **I.** v. tr. **1.** En parlant des oiseaux, se tenir sur des œufs pour les faire éclore. *Une poule qui couve ses œufs.* **2.** Fig. Entourer d'une tendre sollicitude. *Cette mère couve ses enfants.* ▷ Loc. *Couver des yeux* : ne pouvoir détacher son regard de (qqch, qqn). **3.** Fig. Préparer par la pensée, élaborer sous forme de projet. *Couver de mauvais desseins.* Syn. fam. concocter, mijoter. **4.** *Couver une maladie*, en porter les germes. **II.** v. intr. Se préparer sourdement, en étant prêt à se manifester. *Le mécontentement couvait.*

couvercle n. m. Ce qui sert à couvrir (un pot, une boîte, etc.).

1. couvert, erte adj. **1.** Muni d'un couvercle, d'un toit. *Maison couverte en ardoises.* **2.** Habillé, vêtu. *Être bien, chaudement couvert.* – Qui porte une coiffure sur la tête. *Je vous en prie, restez couvert.* **3.** *Couvert de* : qui a sur lui beaucoup de. *Un arbre couvert de fruits. Un vêtement couvert de taches.* – Fig. *Être couvert de dettes* : être très endetté. **4.** Dissimulé, caché. *Un ciel couvert*, masqué par les nuages. *Sa voix fut couverte par le brouhaha.* ▷ *Parler à mots couverts*, en termes voilés, par allusions. **5.** Protégé, dégagé de toute responsabilité. *Il est couvert par ses supérieurs.*

2. couvert n. m. **I. 1.** Ce qui couvre, toit. – Loc. *Le vivre et le couvert* : de quoi manger et s'abriter. **2.** Litt. Abri, ombrage formé par des feuillages. *Se réfugier sous le couvert d'un bois.* **3.** *À couvert (de)* : à l'abri (de), en sûreté. *Se mettre à couvert de la pluie. Être à couvert.* **4.** *Sous couvert de* : sous prétexte de. *Sous couvert de littérature, il ne fait que du commerce.* **5.** *Sous le couvert de* : dans une enveloppe portant l'adresse d'un autre; sous la responsabilité de. *Sous le couvert du ministre.* **II. 1.** Ce dont on couvre une table avant de servir les mets. *Mettre, dresser le couvert.* **2.** Ensemble des ustensiles destinés à chacun des convives. *Ajouter un couvert.* ▷ Cuillère et fourchette, et, parfois, couteau. *Couverts en argent.*

couverte n. f. TECH Enduit vitreux transparent recouvrant certaines poteries ou certaines faïences.

couverture n. f. **I.** Ce qui sert à couvrir, à envelopper, à protéger. **1.** CONSTR Ouvrage situé à la partie supérieure d'une construction, destiné à la protéger des intempéries. *Couverture de tuiles, d'ardoises, de zinc.* **2.** Épaisse pièce d'étoffe, de laine, de coton, de matière synthétique, destinée à protéger du froid, à couvrir un lit. *Border les couvertures. Couverture chauffante*, garnie de résistances électriques. ▷ Loc. fig., fam. *Tirer la couverture à soi* : s'adjuger la meilleure part; chercher à se faire valoir, à s'attribuer tout le mérite d'une réussite. **3.** Ce qui couvre, protège un livre, un cahier. *Couverture plastifiée.* **II.** Fig. **1.** Ce qui sert à dissimuler, à protéger. *Commerce qui n'est qu'une couverture pour dissimuler un trafic illicite.* **2.** FIN, COMM Garantie donnée pour un paiement. **3.** *Couverture sociale* : protection garantie à un assuré social. **4.** Dans le journalisme, fait de couvrir un événement. *Assurer la couverture d'un match.*

couveuse n. f. et adj. f. **1.** Femelle d'oiseau de basse-cour apte à couver. *Une bonne couveuse.* – adj. f. *Une poule couveuse.* **2.** Appareil à température constante dans lequel on pratique des couvaisons artificielles. **3.** Appareil dans lequel on place les nouveau-nés fragiles, notam. les prématurés, pour les maintenir à température constante et diminuer le risque infectieux.

couvrant, ante adj. Qui couvre une surface d'une manière satisfaisante.

couvre-chaussure n. m. (Canada) Chaussure imperméable qui se porte par-dessus la chaussure pour protéger celle-ci de l'humidité, du froid. *Des couvre-chaussures.*

couvre-chef n. m. Vx ou plaisant Chapeau, coiffure. *Des couvre-chefs.*

couvre-feu n. m. **1.** Signal marquant l'heure de se retirer et d'éteindre les lumières. *Sonner le couvre-feu.* **2.** Interdiction qui est faite de sortir à certaines heures. *Des couvre-feux.*

couvre-lit n. m. Pièce d'étoffe dont on recouvre un lit. *Des couvre-lits.*

couvre-nuque n. m. Pièce d'étoffe adaptée à la coiffure, qui protège la nuque du soleil. *Des couvre-nuques.*

couvre-pied(s) n. m. Couverture ou édredon qui couvre le lit à mi-longueur. *Des couvre-pieds.*

couvre-plat n. m. Couvercle dont on recouvre un plat. *Des couvre-plats.*

couvre-sol n. m. invar. Plante destinée principalement à couvrir la terre nue.

couvreur n. m. Artisan, ouvrier qui couvre les maisons, répare les toitures.

couvrir I. v. tr. [32] **1.** Placer sur (une chose) une autre qui la protège, la cache, l'orne, etc. *Couvrir une maison. Couvrir un livre pour le protéger.* ▷ JEU *Couvrir une carte*, en mettre une autre par-dessus. ▷ FIN *Couvrir une enchère* : surenchérir. **2.** Habiller, vêtir. *Couvrir ses épaules d'un châle.* **3.** Mettre en grande quantité sur, charger (qqch) de. *Couvrir un habit de broderies.* **4.** Être répandu sur. *Des feuilles couvrent les allées.* **5.** Cacher, dissimuler. *Voile qui couvre le bas du visage.* **6.** Garantir, abriter; protéger, défendre. *Couvrir qqn de son corps.* ▷ Fig. *Couvrir qqn*, se déclarer responsable de ce qu'il fait, le protéger. – Par ext. *Couvrir les fautes d'un ami.* ▷ *L'amnistie a couvert ce crime*, fait qu'on ne peut plus poursuivre son auteur. **7.** Balancer, compenser. *La recette ne couvre pas les frais.* ▷ FIN Donner une garantie pour un paiement; payer. *Couvrir un emprunt.* **8.** Parcourir (une distance). *Couvrir trente kilomètres en une heure.* **9.** S'accoupler avec (la femelle), en parlant d'un animal mâle. *Étalon qui couvre une jument.* **10.** Dans le journalisme, assurer l'information sur un événement. *Un envoyé spécial couvre les élections.* **II.** v. pron. **1.** Se vêtir. *Se couvrir chaudement.* ▷ Mettre un chapeau sur sa tête. **2.** Mettre sur soi, porter. *Se couvrir de bijoux.* – Fig. *Se couvrir de gloire, de honte.* **3.** Se cacher, se dissimuler; se retrancher derrière. *Se couvrir d'un prétexte.* ▷ *Le ciel se couvre*, il est obscurci par des nuages. **4.** Se mettre à l'abri. *Se couvrir d'un bouclier.* – Fig. Se garantir. *Il s'est bien couvert contre un tel risque.*

covalence n. f. CHIM Liaison entre deux atomes, caractérisée par la mise en commun d'une ou de plusieurs paires d'électrons.

covalent, ente adj. CHIM Relatif à la covalence. *Liaison covalente.*

covariance n. f. MATH, STATIS En calcul des probabilités, valeur correspondant à la plus ou moins grande corrélation qui existe entre deux variables aléatoires.

covariant, ante n. m. et adj. **1.** n. m. MATH, STATIS Fonction déduite d'autres fonctions et telle qu'elle ne varie que d'un facteur constant lorsqu'on applique une transformation linéaire aux variables des autres fonctions. **2.** adj. Relatif aux covariants ou à la covariance.

Covarrubias (Alonso de) (Torrijos, Burgos, 1488 – Tolède, 1578), architecte et sculpteur espagnol. Il fut l'un des premiers en Espagne à s'inspirer du style de la Renaissance italienne (cath. de Tolède, 1534).

Covent Garden, quartier du centre de Londres. Autrefois, marché aux fruits, légumes et fleurs. – Théâtre d'opéra, fondé en 1732, incendié, reconstruit et devenu (1892) le *Royal Opera House* (mais l'anc. nom est toujours usité).

Coventry, v. de G.-B. (Warwickshire), dans les Midlands de l'Ouest; 292 500 hab. Grand centre de constr. auto. et aéron. Industr. chim. – La ville fut ravagée par les bombardements allemands en nov. 1940.

cover-girl [kɔvœʀgœʀl] n. f. Jeune femme qui pose pour les photographes de mode, notam. pour illustrer les couvertures des magazines. *Des cover-girls.*

Covilham ou **Covilhã** (Pêro Da) (Covilhã, Beira, ? – en Abyssinie, v. 1545), voyageur portugais. Au service de Jean II du Portugal, il explora l'Inde, la Perse et l'Abyssinie.

covoiturage n. m. Utilisation concertée de la même voiture par plusieurs personnes pour se rendre au travail.

Coward (Noel Pierce) (Teddington 1899 – Port Maria, Jamaïque, 1973) acteur, chanteur, danseur et auteur dramatique anglais. Ses spectacles oscillent entre le boulevard et le music-hall : *Vortex* (1923), *les Amants terribles* (1930), *Gai Fantôme* (1941). Auteur de scénarios de cinéma (*Brève Rencontre*, 1946).

cow-boy [kobɔj; kawbɔj] n. m. Gardien de bétail ou de chevaux dans les ranches du Far West. *Des cow-boys.*

Cowes, port de G.-B., au N. de l'île de Wight; 19 660 hab. Régates et courses-croisières célèbres (Cowes-Dinard, Cowes-le Fastnet).

Cowley (Abraham) (Londres, 1618 – Chertsey, 1667), poète et essayiste anglais de la cour des Stuarts : *Odes pindariques* (v. 1654), *Essai sur moi-même* (1656).

Cowper (William) (Great Berkhamsted, Hertfordshire, 1731 – East Dereham, Norfolk, 1800), poète anglais. Il traita, d'abord sur le mode satirique, puis sur le ton religieux, en contemplatif, des grandes causes humanitaires : *la Divertissante Histoire de John Gilpin* (1782), *la Tâche* (son œuvre la plus import., 1785), *Correspondance*.

cow-pox [kopɔks] n. m. inv. Éruption variolique (vaccine) qui se manifeste sur le pis des vaches sous forme de pustules dont le contenu sert à préparer le *vaccin antivariolique*.

coxal, ale, aux adj. ANAT Relatif à la hanche. *Os coxal* : os iliaque.

coxalgie n. f. MED **1.** Douleur de la hanche. **2.** Tuberculose de l'articulation coxo-fémorale.

coxarthrose n. f. MED Arthrose de la hanche.

coxo-fémoral, ale, aux adj. ANAT Relatif à la hanche et à la partie supérieure du fémur. *Les articulations coxo-fémorales.*

coyote n. m. Canidé d'Amérique du Nord *(Canis latrans)*, proche du loup et du chacal.

Coypel, famille de peintres français. – **Noël** (Paris, 1628 – id., 1707), élève de Le Brun; peintre d'histoire. – **Antoine** (Paris, 1661 – id., 1722), fils du préc.; « premier peintre du roi » (Louis XV), il décora la voûte de la chapelle de Versailles. – **Noël Nicolas** (Paris, 1690 – id., 1734), frère du préc.; influencé par Rubens, il annonce Boucher. – **Charles Antoine** (Paris, 1694 – id., 1752), fils d'Antoine; il réalisa pour les Gobelins 25 cartons sur *Don Quichotte* (Compiègne).

Coysevox (Antoine) (Lyon, 1640 – Paris, 1720), sculpteur français. Représentant typique du style Louis XIV, il travailla à la décoration de Versailles sous la direction de Le Brun, réalisa, pour les jardins de Marly, *la Renommée* et *Mercure* (deux allégories équestres, 1698-1706, auj. à l'entrée du jardin des Tuileries), fit divers monuments funéraires (tombeaux de Mazarin, Colbert, Le Brun) et de nombreux bustes.

c.q.f.d. Abrév. de *ce qu'il fallait démontrer*, formule qui conclut une démonstration mathématique.

Cr CHIM Symbole du chrome.

Crabbe (George) (Aldeburgh, Suffolk, 1754 – Trowbridge, 1832), poète anglais. Il a peint avec réalisme la misère et la souffrance des paysans : *le Village* (1783), *le Bourg* (1810).

crabe n. m. **1.** Nom cour. de très nombr. crustacés décapodes, marins pour la plupart mais dont quelques-uns sont dulçaquicoles ou terrestres. (*Carcinus maenas* est le crabe vert, très fréquent sur les côtes françaises, *Cancer pagurus* est le tourteau, *Portunus puber* est l'étrille.) – *Crabe des cocotiers* : crustacé décapode de Polynésie, à l'abdomen mou, comme celui du pagure, aux mœurs terrestres; son goût est proche de celui de la langouste. **2.** Fig. *Panier de crabes* : groupe de personnes qui se dénigrent ou cherchent à se nuire. **3.** Fig. *Marcher en crabe*, de côté.

Antoine **Coypel** : *la Mort de Didon*, musée Fabre, Montpellier

Crabe (nébuleuse du), vestige d'une explosion de supernova dans la constellation du Taureau, observée en 1054 par des astronomes chinois et arabes, renfermant un pulsar dont la période est 33 millisecondes. Nébuleuse et pulsar du Crabe constituent l'un des astres les plus lumineux du ciel en rayons X et gamma.

crabier n. m. Nom de divers animaux (oiseaux, mammifères) qui se nourrissent de crabes. – (En appos.) *Héron crabier.*

Antoine **Coysevox** : *Buste de Louis XIV*, marbre, 1690; château de Versailles

crac! interj. Onomat. qui imite le bruit sec de qqch qui se brise, ou qui évoque la soudaineté. *Crac! la branche cassa. Et crac, il disparut!*

crachat n. m. **1.** Salive ou mucosité que l'on crache. – MED Syn. de *expectoration. Crachat hémoptysique*, teinté de sang. *Crachat rouillé*, jaunâtre, caractéristique de la pneumonie. **2.** Fig., fam. Plaque, insigne des grades supérieurs, dans les ordres de chevalerie.

craché, ée adj. Fig., fam. D'une ressemblance parfaite. *Cet enfant, c'est son père tout craché, c'est le portrait craché de son père.*

crachement n. m. **1.** Action de cracher. *Crachement de sang.* **2.** Fig. Projection, éjection. *Des crachements de flammes. Les crachements d'une mitrailleuse, d'un volcan.* **3.** Bruit parasite émis par un haut-parleur.

cracher v. [1] **I.** v. tr. **1.** Rejeter (qqch) de la bouche. *Cracher du sang.* ▷ Fig. *Cracher des injures* : proférer des injures avec véhémence. **2.** Fig., fam. Donner, dépenser. *Il a craché pas mal de fric.* **3.** Fig. Rejeter au-dehors. *Les volcans crachent du feu.* **II.** v. intr. **1.** Rejeter par la bouche de la salive, des mucosités. **2.** Fig., fam. *Cracher sur une chose, sur qqn*, s'exprimer avec dédain à son sujet. **3.** *Plume, stylo qui crache*, qui fait jaillir l'encre de tous côtés. **4.** Faire entendre des crachements. *Un vieux poste de radio qui crache.*

crabe tourteau tenant dans ses pinces un bivalve

cracheur, euse adj. et n. m. **1.** adj. Rare Qui crache souvent. **2.** n. m. *Cracheur de feu* : bateleur qui emplit sa bouche d'un liquide inflammable et le rejette en l'enflammant.

crachin n. m. Pluie fine et dense.

crachiner v. impers. [1] Pleuvoir sous forme de crachin. *Il crachine.*

crachoir n. m. **1.** Récipient dans lequel on crache. **2.** Loc. fig., fam. *Tenir le crachoir* : parler sans arrêt. – *Tenir le crachoir à qqn*, l'écouter parler sans pouvoir parler soi-même.

crachotement n. m. **1.** Fait de crachoter. **2.** Bruit que fait entendre ce qui crachote.

crachoter v. intr. [1] **1.** Cracher souvent et peu à la fois. **2.** Fig. Faire entendre de petits crachements, de légers crépitements.

1. crack [kʀak] n. m. (Anglicisme) **1.** Poulain favori d'une écurie de course. **2.** Fam. Personne très forte dans un domaine. *En philo, c'est un crack.* Syn. champion.

2. crack n. m. (Anglicisme) Fam. Chlorhydrate de cocaïne, drogue très toxique.

cracker n. m. (Anglicisme) Petit gâteau sec et salé, servi à l'apéritif.

cracking [kʀakiŋ] n. m. (Anglicisme) TECH Syn. (off. déconseillé) de *craquage.*

Cracovie (en polonais *Kraków*), v. de Pologne, sur la Vistule; 743 360 hab.; ch.-l. de la voïévodie du m. nom. L'industr. est concentrée à Nowa Huta, v. satellite. Grand centre comm., scientif. et culturel. – Université Jagellon, fondée en 1364. Archevêché. Forteresse de la Barbacane (XVe s.). Égl. Notre-Dame (XIIIe-XIVe s., renferme un célèbre retable en bois polychrome de Wit Stwosz). Beffroi dit « hôtel de ville » (XVIe s.); le Wawel, château royal. – La v. fut cap. de la Pologne (XIVe-XVIe s.).

crade, cradingue ou **crado** adj. Fam. Crasseux.

craie n. f. **1.** Roche sédimentaire généralement blanche, tendre et perméable, de densité 1,25, constituée presque exclusivement de carbonate de calcium sous forme de coccolite (squelettes de foraminifères et autres êtres vivants microscopiques ayant vécu au crétacé). *Le blanc de Meudon, le blanc de Troyes, le blanc d'Espagne sont des variétés de craie.* **2.** Bâton, autref. en craie, auj. en plâtre moulé, avec lequel on écrit, spécial. sur un tableau noir.

Craig (Edward Gordon) (Stevenage, 1872 – Vence, 1966), acteur, scénographe et écrivain anglais. Il se réfère à Ibsen et Shakespeare pour créer un « théâtre total » : *Sur l'art théâtral* (1911).

crailler v. intr. [**1**] Crier, en parlant de la corneille.

craindre v. tr. [**54**] **1.** Redouter, avoir peur de, chercher à éviter (qqch ou qqn). *Craindre la douleur. Ce chien craint son maître. Il ne craint pas le ridicule.* – *Ne craindre ni Dieu ni diable* : ne reculer devant rien. – *Absol.* Avoir des appréhensions, des inquiétudes. *Craindre pour sa réputation.* **2.** *Craindre que* (+ subj.) : considérer comme probable une chose fâcheuse. *Je crains qu'il n'arrive en retard.* ▷ Impers. *Il est à craindre que* (+ subj.) : il faut malheureusement s'attendre que. *Il est à craindre qu'il ne puisse réaliser ses projets.* **3.** *Craindre de* (+ inf.). *Il craint d'échouer.* – *Ne pas craindre de* : accomplir un acte avec audace. *Il n'a pas craint d'intervenir* : il a eu le courage d'intervenir. *Il n'a pas craint de mentir* : il a eu l'effronterie de mentir. *Je ne crains pas de dire que...* : je suis certain, je puis affirmer que... **4.** (Choses) Être sensible à. *Cette plante craint le froid.* **5.** v. intr. Pop. *Ça craint* : c'est affreux; c'est difficile.

crainte n. f. **1.** Sentiment de trouble, d'inquiétude à l'idée d'un mal possible ou menaçant. *Être saisi de crainte. La crainte du châtiment.* **2.** Loc. conj. *De crainte que* : de peur que. *Ne lui dites rien, de crainte qu'il ne le redise.* ▷ Loc. prép. *De crainte de* : de peur de. *De crainte de se tromper.*

craintif, ive adj. **1.** Sujet à la crainte. *Un naturel craintif.* **2.** Qui dénote la crainte. *Une voix craintive.*

craintivement adv. D'une façon craintive. *Parler craintivement.*

Craiova, v. du S.-O. de la Roumanie; 267 470 hab.; ch.-l. de distr.

cramer v. [**1**] **1.** v. tr. Fam. Brûler légèrement. *Cramer un steak.* **2.** v. intr. Brûler, roussir.

Cramer (Gabriel) (Genève, 1704 – Bagnols-sur-Cèze, 1752), mathématicien suisse, connu pour ses travaux d'algèbre linéaire. ▷ MATH *Équations de Cramer* : système de *n* équations linéaires à *n* inconnues de rang *n.*

Cramer, famille de musiciens all. – **Wilhelm** (?, 1745 – ?, 1799), violoniste et chef d'orchestre; il émigra en Angleterre et y devint directeur de la musique royale. – **Johann Baptist** (Mannheim, 1771 – Londres, 1858), fils du préc. *Études* pour piano (compositions pédagogiques).

cramoisi, ie adj. **1.** D'une couleur rouge foncé. *Une draperie cramoisie.* **2.** Très rouge. *Il était cramoisi de colère.*

crampe n. f. **1.** Contraction involontaire, douloureuse et passagère, d'un muscle ou d'un groupe musculaire. *Avoir une crampe dans le bras.* **2.** *Crampe d'estomac* : douleur vive qui semble avoir son siège dans la paroi de ce viscère.

crampon n. m. (et adj. inv.) **1.** TECH Pièce de métal, recourbée, à une ou plusieurs pointes, qui sert à fixer. ▷ Pièce fixée sous la semelle d'une chaussure pour éviter de glisser (sur la glace, sur un sol boueux). *Des chaussures à crampons.* ▷ Élément fixé sur un pneumatique pour améliorer l'adhérence sur une route enneigée ou verglacée. **2.** BOT Racines adventives de diverses plantes grimpantes (lierre, par ex.), qui leur permettent de s'accrocher à un support. **3.** Fig., fam., vieilli Personne insistante et importune. *Quels crampons, ces gens!* – adj. inv. *Qu'elle est crampon!*

cramponner v. tr. [**1**] **1.** TECH Attacher avec un crampon. *Cramponner des fers.* **2.** Fig., fam., vieilli Importuner par son insistance. *Il me cramponne pour que je l'écoute.* **3.** v. pron. S'accrocher de toutes ses forces. *Enfant qui se cramponne au cou de sa mère.* ▷ Fig. *Il se cramponne à ses idées folles.*

Crampton (Thomas Russell) (Broadstairs, 1816 – Londres, 1888), ingénieur britannique. Il mit au point, en 1848, les premières locomotives à grande vitesse (les *machines Crampton* avaient, à l'arrière, une seule paire de très grandes roues motrices). En 1851, il établit le premier télégraphe sous-marin (Douvres-Calais).

machine **Crampton,** gravure du XIXe s.; bibliothèque des Arts décoratifs, Paris

cran n. m. **1.** Entaille faite dans un corps dur pour accrocher ou arrêter qqch. *Couteau à cran d'arrêt.* ▷ *Cran de mire,* qui détermine la ligne de mire d'une arme à feu. **2.** Trou d'une courroie, servant d'arrêt. *Serrer son ceinturon d'un cran.* **3.** Ondulation donnée à la chevelure. *Se faire des crans.* **4.** Fig. *Monter, baisser d'un cran* : passer à un degré supérieur, inférieur. *Il monte d'un cran dans mon estime.* **5.** Fam. Énergie, courage. *Avoir du cran.* **6.** Fam. *Être à cran,* de très mauvaise humeur, exaspéré.

Cranach (Lucas), dit *Cranach l'Ancien* (Kronach, près de Bamberg, 1472 – Weimar, 1553), peintre et graveur allemand de la Renaissance. Il excella dans les scènes d'inspiration biblique ou mythologique (*le Jugement de Pâris, Vénus,* Louvre) et le portrait (*Magdalena Luther,* Louvre; *Autoportrait*).

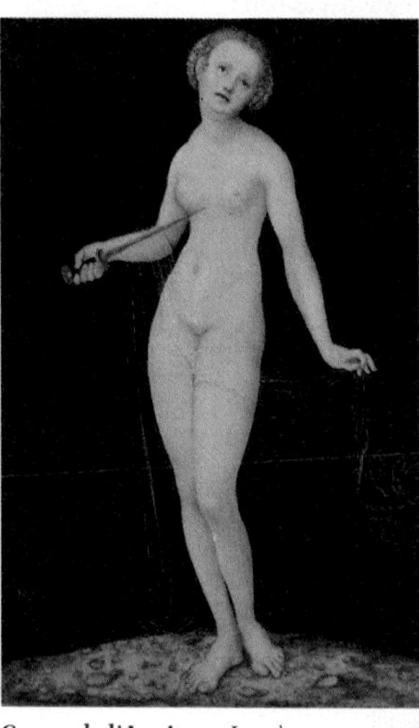

Cranach l'Ancien : *Lucrèce;* musée d'histoire de l'Art, Vienne

Crane (Stephen) (Newark, New Jersey, 1871 – Badenweiler, Allemagne, 1900), journaliste et écrivain américain. Romans : *Maggie, fille des rues* (1893); *la Conquête du courage* (1895), qui montre l'absurdité de la guerre (de Sécession). Ses nouvelles (*The Open Boat,* 1898) exercèrent une grande influence.

Crane (Harold Hart) (Garrettsville, Ohio, 1899 – golfe du Mexique, 1932), poète symboliste américain. *Blancs Édifices* (1926), *le Pont* (1930).

1. crâne n. m. **1.** Boîte osseuse contenant l'encéphale de l'homme, des vertébrés. (Chez l'homme, il comprend huit os : le frontal, les deux temporaux, les deux pariétaux, le sphénoïde, l'ethmoïde et l'occipital. La partie inférieure est percée du trou occipital, qui permet le passage de la moelle épinière. Les os de la voûte se réunissent par des sutures, qui ne sont pas fermées chez le jeune enfant, laissant des espaces non ossifiés, les fontanelles.) **2.** Cour. Tête. *J'ai mal au crâne.* – Fig., fam. *Mets-toi cela dans le crâne* : comprends cela et ne l'oublie plus. *Bourrer le crâne à qqn,* l'endoctriner.

2. crâne adj. Vieilli Audacieux, hardi. *Avoir l'air crâne.* ▶ illustr. **tête**

crânement adv. Vieilli Hardiment. *Se conduire crânement.*

crâner v. intr. [**1**] Fam. Faire le brave, poser, se montrer prétentieux.

crânerie n. f. **1.** Vieilli Courage devant le danger. **2.** Fam. Affectation de bravoure.

crâneur, euse n. et adj. Fam. Personne prétentieuse, qui pose. *Une petite crâneuse.* – adj. *Il est trop crâneur.*

Cran-Gevrier, com. de la Haute-Savoie (arr. d'Annecy); 16 267 hab. Papeterie. Industr. métallurgique (aluminium).

crani(o)-. Élément, du gr. *kranion,* « crâne ».

crânien, enne adj. ANAT Qui appartient, qui a rapport au crâne. *Traumatisme crânien. Les nerfs crâniens :* l'ensemble des douze paires de nerfs qui naissent directement de l'encéphale.

Cranmer (Thomas) (Aslacton, Nottinghamshire, 1489 - Oxford, 1556), prélat anglais. Premier archevêque anglican de Canterbury (1532), il annula le mariage d'Henri VIII avec Catherine d'Aragon. Adversaire de Marie Tudor, il fut condamné à mort pour hérésie.

Crans-sur-Sierre, stat. clim. de Suisse (Valais), à 1 500 m d'alt. Sports d'hiver.

crantage n. m. TECH Action de cranter; son résultat.

cranter v. tr. [1] Faire des crans (sens 1 et 3) à. - Pp. adj. *Une roue crantée.*

Craonne, ch.-l. de cant. de l'Aisne (arr. de Laon); 68 hab. - Sur le *plateau de Craonne,* Napoléon vainquit Blücher (mars 1814). Violents combats en 1917.

crapahuter [kʀapayte] v. intr. [1] Progresser, marcher sur un terrain difficile, accidenté.

crapaud n. m. **1.** Amphibien anoure, à la peau verruqueuse. (Carnivore, le crapaud détruit limaces, insectes et vers de terre. Terrestre à l'état adulte, il ne va à l'eau qu'au printemps, pour la reproduction. *Bufo bufo,* fam. bufonidés, est le crapaud commun d'Europe, mais il existe de nombr. autres genres, appartenant à diverses familles.) **2.** MINER Impureté opaque incluse dans une pierre précieuse. **3.** Cour. (En appos.) *Fauteuil crapaud :* petit fauteuil bas. - *Piano crapaud* et, ellipt., *crapaud :* piano à queue, plus petit que le demi-queue.

crapaud accoucheur mâle portant la ponte

crapaudine n. f. **1.** TECH Palier servant de support et de guide à un axe vertical. **2.** Plaque percée ou grille placée à l'extrémité d'un tuyau pour arrêter les ordures. **3.** CUIS *Poulet, canard, pigeon à la crapaudine,* que l'on aplatit avant de les faire griller ou rôtir.

crapet n. m. (Canada) Poisson (genre *Lepomis* et voisins) des eaux douces et chaudes d'Amérique du Nord, très coloré, et dont les nageoires dorsales, qui rappellent celles de la perche, sont en partie réunies. *Crapet-soleil (Lepomis gibbosus). Crapet calicot (Promoxis nigromaculatus). Crapet* ou *achigan de roche (Ambloplites rupestris).*

crapule n. f. **1.** Vx Débauche grossière. **2.** Vieilli Ceux qui vivent dans la débauche. **3.** Individu malhonnête. *C'est une crapule.*

crapulerie n. f. Vieilli Malhonnêteté.

crapuleusement adv. D'une façon crapuleuse.

crapuleux, euse adj. Relatif à la crapule. ▷ *Crime crapuleux,* qui a le vol pour mobile.

craquage n. m. **1.** TECH Procédé thermique ou catalytique de raffinage servant à augmenter la proportion des composants légers d'une huile de pétrole par modification de la structure chimique de ses constituants. **2.** Séparation d'un produit agricole (lait, orge, etc.) en divers sous-produits qui serviront de matières premières dans l'industrie agroalimentaire. Syn. (off. déconseillé) cracking.

craquant, ante adj. **1.** Qui craque sous la dent, croquant. **2.** Fam. Qui est très attrayant, irrésistible.

craque n. f. Fam. Mensonge, vantardise. *Raconter des craques.*

craquelage n. m. TECH Action de craqueler la céramique.

craquèlement ou **craquellement** [kʀakɛlmɑ̃] n. m. Fait de se craqueler; aspect qui en résulte.

craqueler v. tr. [19] Fendiller. ▷ v. pron. *Le mur se craquelle.* - Pp adj. *Une poterie craquelée.*

craquelin n. m. Rég. Biscuit qui craque sous la dent.

craquelure n. f. Défaut d'un vernis, d'une peinture qui se fendille.

craquement n. m. Bruit sec que font certaines choses en se cassant, en éclatant. *Le craquement du bois sec.*

craquer v. [1] **I.** v. intr. **1.** Faire un bruit sec. *La table craque. Le pain dur craque sous la dent.* ▷ v. tr. *Craquer une allumette,* l'allumer par frottement. **2.** Céder, se casser en faisant du bruit. - *Plein à craquer,* au point de risquer d'éclater. *Ma valise est pleine à craquer.* **3.** Fig. Échouer. *L'affaire a craqué.* **4.** Fam. S'effondrer nerveusement. *Je suis à bout, je vais craquer!* - Fam., plaisant Ne pas résister (à une tentation). *J'ai craqué et je l'ai acheté.* **II.** v. tr. TECH Soumettre au craquage (un produit pétrolier).

craqueter v. intr. [20] **1.** Craquer avec de petits bruits secs. *Le sel craquette dans le feu.* **2.** Crier (pour la cigogne, ou la grue). - Faire crisser ses élytres (pour la cigale).

crase n. f. GRAM GR Fusion de la syllabe finale d'un mot et de la syllabe initiale du mot suivant.

crash [kʀaʃ] n. m. (Anglicisme) AVIAT Atterrissage de fortune, effectué train rentré. Syn. écrasement.

Crashaw (Richard) (Londres, 1613 - Loreto, Italie, 1649), poète mystique anglais : *Épigrammes sacrées* (1634), *Hymne à sainte Thérèse* (1648).

crasher (se) v. pron. [1] (Anglicisme) Fam. Se poser en catastrophe en parlant d'un avion; sortir accidentellement d'une route, d'une piste, etc. Syn. (off. recommandé) s'écraser.

crash-test n. m. (Anglicisme) Essai visant à analyser les effets d'un accident automobile. *Des crash-tests.*

crassane n. f. Variété de poires rondes, jaunâtres, à chair fondante.

crasse n. f. (et adj. f.) **1.** Saleté qui s'amasse sur la peau, les vêtements, les objets. *Un habit luisant de crasse.* **2.** TECH Résidu d'une matière. **3.** METALL Scorie d'un métal en fusion. **4.** Fam. Brume épaisse. **5.** Fam. Mauvais procédé, indélicatesse. *Faire une crasse à qqn.* **6.** adj. f. Fam. *Une ignorance crasse,* grossière.

crasseux, euse adj. Couvert de crasse. *Visage crasseux.*

crassier n. m. METALL Entassement des scories de hauts fourneaux.

crassulacées n. f. pl. BOT Famille de dicotylédones dialypétales qui comprend des plantes à tiges et feuilles charnues, plantes grasses des terrains secs. - Sing. *Une crassulacée.*

Crassus (Marcus Licinius) (v. 114 - 53 av. J.-C.), homme politique romain; membre, avec César et Pompée, du premier triumvirat (60 av. J.-C.). Chargé de l'expédition contre les Parthes, il fut vaincu et tué à Carrhes.

-crate, -cratie, -cratique. Éléments, du gr. *kratos,* « force, puissance ».

cratère n. m. **1.** ANTIQ Grand vase à large orifice et à deux anses, dans lequel on mélangeait le vin et l'eau. **2.** Dépression conique par où sortent les produits émis par un volcan, et dont le fond est généralement obstrué, en période d'inactivité, par un bouchon de lave solidifiée. ▷ Par ext. *Cratère lunaire :* dépression en forme de cirque à la surface de la Lune. - *Cratère météorique, cratère d'impact,* dû à la chute d'une météorite sur la Terre. - *Cratère de bombe,* dû à l'éclatement d'une bombe. **3.** TECH Ouverture dans la partie supérieure d'un fourneau de verrier.

craterelle n. f. BOT Champignon basidiomycète comestible, cour. nommé *trompette-de-la-mort* ou *trompette-des-morts.* ► pl. **champignons**

Crau (la), vaste plaine des Bouches-du-Rhône, à l'E. du Grand Rhône, anc. delta de la Durance. La *Petite Crau,* au N., bien irriguée, porte cult. (primeurs, riz) et prairies. La *Grande Crau,* au S., est caillouteuse (moutons).

cravache n. f. **1.** Badine flexible servant de fouet aux cavaliers. **2.** Fig. *Mener à la cravache,* durement.

cravacher v. [1] **1.** v. tr. Frapper avec une cravache. *Cravacher son cheval.* **2.** v. intr. Fig., fam. Travailler beaucoup, dans un but précis.

cravate n. f. **1.** Mince bande d'étoffe qui se noue autour du cou ou du col de la chemise. *Nœud, épingle de cravate.* - Par ext. *Cravate de fourrure,* portée par les femmes. ▷ *Cravate de chanvre :* V. chanvre. - Loc. fig., fam. *S'en jeter un derrière la cravate :* boire un verre d'une boisson alcoolisée. **2.** *Cravate de drapeau :* morceau d'étoffe à franges que l'on attache en haut de la hampe. **3.** Insigne des commandeurs de certains ordres. **4.** SPORT En lutte, torsion imprimée au cou de l'adversaire.

cravater v. tr. [1] **1.** Mettre une cravate à. **2.** Fam. Tromper par des mensonges. **3.** Fam. Saisir (qqn) par le cou. - *Par ext.* Prendre, attraper (qqn). *Les inspecteurs avaient cravaté le pickpocket.*

crave n. m. Oiseau corvidé des falaises et des montagnes *(Coracia pyrrhocorax),* long de 40 cm env., au plumage noir, au bec et aux pattes rouges.

crawl [kʀol] n. m. SPORT Nage rapide consistant en un battement continu des pieds avec un mouvement alterné des bras.

crawler [kRole] v. intr. [1] Nager le crawl. – Pp. adj. *Dos crawlé* : nage sur le dos, en crawl.

Crawley, v. de G.-B. (West Sussex), fondée en 1947 («ville nouvelle») pour décongestionner Londres; 87 100 hab. Métallurgie. Électronique.

Craxi (Bettino) (Milan, 1934), homme politique italien. Secrétaire général du parti socialiste italien de 1976 à 1993, il a été Premier ministre de 1983 à 1987.

crayeux, euse adj. **1.** Qui contient de la craie. *Terrain crayeux.* **2.** Qui a la couleur de la craie. *Une face crayeuse.*

crayon n. m. **1.** Morceau de minerai coloré, et partic. morceau de graphite, propre à écrire ou à dessiner. **2.** Petite baguette de bois, garnie intérieurement d'une mine de crayon (sens 1), servant à écrire ou à dessiner. *N'écrivez pas au crayon, mais à l'encre.* (Canada) *Crayon de plomb.* – Par ext. *Crayon à bille* : stylo à bille. (Canada) *Crayon à mine* : porte-mine. **3.** Dessin au crayon. *Une collection de crayons d'Ingres.* **4.** Manière d'un dessinateur. *Avoir le crayon facile.*

crayon-feutre n. m. Stylo dont la pointe est en feutre. *Des crayons-feutres.*

crayonnage n. m. **1.** Fait de crayonner. **2.** Dessin rapide fait au crayon.

crayonné n. m. Esquisse d'une illustration, d'une affiche publicitaire.

crayonner v. tr. [1] **1.** Dessiner, écrire au crayon. **2.** Écrire rapidement. *Crayonner quelques mots.* **3.** Esquisser.

crayon-optique n. m. INFORM Syn. de *photostyle.*

créance n. f. **1.** Vx Croyance en une chose. – Loc. mod. *Donner créance à* : ajouter foi à. **2.** *Lettres de créance* : acte servant à accréditer un agent diplomatique d'un pays auprès du gouvernement d'un autre pays. *Le nouvel ambassadeur a remis ses lettres de créance.* **3.** DR Droit d'exiger de qqn l'exécution d'une obligation, le paiement d'une dette. – Titre établissant ce droit. ▷ *Abandon de créance* : effacement d'une dette, sans contrepartie.

créancier, ère n. Personne à qui est due l'exécution d'une obligation, le paiement d'une dette. *Payer ses créanciers. Créancier hypothécaire,* dont la créance est garantie par une hypothèque.

créateur, trice n. et adj. **I.** n. **1.** n. m. RELIG (Avec une majuscule.) Celui qui a créé toutes choses, Dieu. *Adorer le Créateur.* **2.** Personne qui crée, qui a créé. *Lavoisier, créateur de la chimie moderne.* **3.** Artiste novateur. *Est-il un véritable créateur ou un simple opportuniste ?* **4.** SPECT Premier interprète d'un rôle. **II.** adj. Qui crée, qui invente. *Génie créateur. Force créatrice.*

créatif, ive adj. et n. Capable de création, d'invention. *Un enfant créatif.* ▷ Subst. *Aider les créatifs.*

créatine n. f. BIOCHIM Constituant azoté de l'organisme, notam. des fibres musculaires où il joue un important rôle énergétique.

créatinine n. f. BIOCHIM Constituant basique des muscles et du sang, épuré par le glomérule rénal.

création n. f. **1.** RELIG Action de Dieu créant de rien l'Univers. *La création du monde* et, absol., *la Création.* **2.** Univers, ensemble des êtres créés. *Les merveilles de la création.* **3.** Invention, œuvre de l'imagination, de l'industrie humaine. *Les créations de Michel-Ange.* **4.** Fondation d'une entreprise, d'une institution, etc. *La création d'une maison de commerce.* **5.** SPECT Fait de jouer un rôle pour la première fois; ce rôle. *Il revient à la scène dans une création.* – Première représentation d'une œuvre. *Assister à la création d'un opéra.* **6.** COMM Nouveau modèle. *Elle portait une création d'un grand couturier.*

créationnisme n. m. Doctrine qui professe que les espèces vivantes ont été créées subitement et isolément et qui nie donc l'évolution.

créativité n. f. Capacité à créer, à inventer.

créature n. f. **1.** RELIG ou litt. L'être humain, considéré par rapport à Dieu. **2.** Individu de l'espèce humaine (se dit en partic. des femmes). *Une belle créature. De malheureuses créatures.* **3.** Péjor., vx Femme méprisable. *Il s'affiche avec des créatures.* **4.** Fig., péjor., vieilli Personne qui tient sa position, sa fortune d'une autre. *Les créatures d'un homme politique.*

Crébillon père (Prosper Jolyot, sieur de Crais-Billon, dit) (Dijon, 1674 – Paris, 1762), auteur dramatique français (tragédies pompeuses, à l'intrigue compliquée et aux terrifiants coups de théâtre : *Idoménée,* 1705; *Rhadamiste et Zénobie,* 1711). Acad. fr. (1731). – **Crébillon fils** (Claude-Prosper Jolyot de Crébillon, dit) (Paris, 1707 – id., 1777), fils du préc.; auteur raffiné de romans galants : *les Égarements du cœur et de l'esprit* (1736 et 1738), *le Sopha* (1742).

crécelle n. f. **1.** Instrument de musique à percussion en bois, fait d'une roue dentée mue par une manivelle. *La crécelle est aujourd'hui un jouet.* **2.** Fig. *Voix de crécelle* : voix criarde et déplaisante. ▷ Personne qui possède ce genre de voix.

crécerelle n. f. Le plus commun des falconiformes d'Europe *(Falco tinnunculus),* long de 35 cm, à plumage roussâtre.

crèche n. f. **1.** Vx Mangeoire des bestiaux. *Mettre du foin dans la crèche.* **2.** Mangeoire où Jésus fut déposé au moment de sa naissance. – *Par ext.* Petite construction représentant l'étable de Bethléem et les scènes de la Nativité. *Les santons de la crèche.* **3.** Établissement équipé pour la garde diurne des enfants en bas âge. **4.** Fam. Chambre, logement.

crécher v. intr. [14] Fam. Habiter. *Où est-ce que tu crèches ?*

Crécy-en-Ponthieu, ch.-l. de cant. de la Somme (arr. d'Abbeville), au N. de la *forêt de Crécy;* 1 507 hab. – Grande victoire d'Édouard III d'Angleterre sur Philippe VI de France, en 1346.

crédence n. f. **1.** Meuble, partie de buffet sur lesquels on dépose la vaisselle, les couverts, les plats. **2.** LITURG CATHOL Petite table près de l'autel, où l'on dispose les objets du culte.

crédibiliser v. tr. [1] Rendre crédible.

crédibilité n. f. Caractère de ce à quoi l'on peut faire crédit, de ce que l'on peut croire.

crédible adj. Digne de foi; que l'on peut croire.

crédirentier, ère n. DR Personne créancière d'une rente (par oppos. à *débirentier*).

crédit n. m. **1.** Faculté de se procurer des capitaux, par suite de la confiance que l'on inspire ou de la solvabilité que l'on présente. *Avoir du crédit. Faire crédit, donner à crédit* : céder des marchandises sans en exiger le paiement immédiat. *Vendre, acheter à crédit.* **2.** Cession de capitaux, de marchandises, à titre d'avance, de prêt. *Ouvrir un crédit à qqn,* s'engager à lui faire des avances de fonds jusqu'à concurrence d'une certaine somme. – *Carte de crédit,* délivrée par un organisme bancaire, qui permet d'acquérir un bien ou un service sans avoir à le payer immédiatement et d'effectuer des retraits d'espèces. – *Crédit à court, moyen, long terme* : avance consentie par un organisme financier pour une durée inférieure à deux ans, de deux à dix ans, de plus de dix ans. – *Crédit-relais* : prêt destiné à faire la liaison entre une dépense immédiate et une rentrée d'argent attendue. – *Crédit revolving,* qui se renouvelle au fur et à mesure des remboursements de l'emprunteur. ▷ FIN *Crédit croisé* : échange temporaire entre banques centrales d'un certain montant de leurs monnaies respectives afin de soutenir le cours de change de l'une d'elles. Syn. (off. déconseillé) swap. – *Lettre* de crédit.* ▷ *Crédit d'impôt* : créance sur le Trésor public. Syn. avoir fiscal. **3.** *Établissement de crédit* : établissement destiné à faciliter l'avance des capitaux. – Nom de certaines sociétés bancaires. *Crédit foncier. Crédit Lyonnais. Crédit industriel et commercial.* **4.** *Crédit municipal* : établissement municipal de prêt sur gage. Syn. anc. mont-de-piété. **5.** Somme prévue par le budget pour une dépense publique. *Les crédits du ministère de la Défense nationale.* **6.** Partie d'un compte où figure ce qui est dû à un créancier. **7.** Confiance qu'inspire une personne, considération dont elle jouit, influence qu'elle exerce. *Il a perdu tout crédit.* **8.** *Crédit photographique* : mention obligatoire du nom des propriétaires des photos figurant dans un ouvrage. **9.** (Canada) Unité de valeur dans l'enseignement universitaire et collégial. *Cours de trois crédits.* Syn. (recommandé) unité.

crédit-bail n. m. FIN Type de crédit dans lequel le prêteur offre à l'emprunteur la location d'un bien, assortie d'une promesse unilatérale de vente. *Des crédits-bails.*

créditer v. tr. [1] **1.** FIN *Créditer qqn d'une somme* : inscrire cette somme à son crédit, avec les sommes qui lui sont dues. ▷ *Créditer un compte* : inscrire une somme au crédit d'un compte. **2.** Fig. Attribuer un avantage, un mérite à qqn. *Parti crédité de 10 % des voix par les sondages.*

créditeur, trice n. et adj. **1.** n. Personne qui a ouvert un crédit à une autre personne. ▷ Personne qui a une somme portée à son crédit sur un compte. **2.** adj. *Compte, solde créditeur,* positif.

credo n. m. **1.** RELIG (Avec une majuscule.) Premier mot du symbole des Apôtres dit en latin, profession de foi chrétienne. – Cette profession de foi elle-même. *Réciter le Credo.* **2.** *Par ext.* Ensemble de principes sur lesquels repose une opinion. *Un credo politique.*

crédule adj. Qui croit facilement. *Tromper une personne crédule.*

crédulité n. f. Facilité excessive à admettre un fait non confirmé, une opinion non assurée. *Abuser de la crédulité de qqn.*

créer v. tr. [11] **1.** Tirer du néant donner l'être à. *Dieu créa l'Univers en six jours.* **2.** Imaginer, inventer. *Créer une œuvre.* **3.** Fonder, instituer, organiser. *Créer un prix littéraire.* **4.** SPECT Jouer pour la première fois (une pièce, un rôle, un morceau de musique). *La Champmeslé créa plusieurs pièces de Racine.* **5.** Produire, engendrer, causer. *Il va nous créer des ennuis.*

Crees. V. Cris.

Creil, ch.-l. de cant. de l'Oise (arr. de Senlis), sur l'Oise; 32 501 hab. Centre industr. (métallurgie, verrerie, chimie, etc.) et ferroviaire. Centrale thermique.

crémaillère n. f. **1.** TECH Organe rectiligne denté servant à transformer un mouvement circulaire en mouvement rectiligne ou inversement. *Chemin de fer à crémaillère*, utilisé sur les pentes abruptes. **2.** Pièce métallique munie de crans, utilisée pour suspendre, soutenir à des hauteurs variables un élément mobile, par ex. un chaudron au-dessus du feu dans une cheminée. – Loc. fig. *Pendre la crémaillère* : célébrer par un repas, une fête une nouvelle installation. **3.** FIN Régime dans lequel les parités de change sont révisables par des modifications de faible amplitude.

crémant n. m. Mousseux élaboré selon la méthode champenoise à partir de vins d'appellation contrôlée (bourgogne, alsace, etc.).

crémation n. f. Action de brûler les cadavres, incinération.

crématiste n. Partisan de la crémation des défunts.

crématoire adj. et n. m. Qui concerne la crémation. *Four crématoire*, ou, n. m., *un crématoire*, où l'on brûle les cadavres et les débris humains. – Spécial. *Fours crématoires des camps d'extermination nazis.*

crématorium [kʀematɔʀjɔm] n. m. Lieu où les morts sont incinérés.

Crémazie (Octave) (Québec, 1827 – Le Havre, 1879), poète canadien, précurseur de la poésie canadienne française : *le Drapeau de Carillon*, 1858.

crème n. f. (et adj. inv.) **1.** Substance grasse de couleur jaune pâle, à la surface du lait qui a reposé, avec laquelle on fait le beurre. *De la crème fraîche. Crème fouettée. Crème Chantilly.* ▷ (En appos.) *Un café crème* ou, ellipt. et fam., *un crème* : un café additionné de crème ou de lait. **2.** Entremets fait de lait, de sucre et d'œufs, qui a la consistance de la crème. *Crème au chocolat.* – *Crème glacée* : glace. – CUIS *Crème brûlée* : entremets constitué d'une crème dont on fait caraméliser la surface. **3.** Liqueur fine et très sirupeuse. *Crème de cassis.* **4.** Préparation pâteuse. *Crème pour les chaussures.* **5.** Produit de toilette onctueux. *Crème de beauté.* **6.** adj. inv. D'un blanc tirant sur le beige. *Des écharpes crème.* **7.** Fig., fam. *C'est la crème des hommes*, le meilleur des hommes.

crémerie n. f. **1.** Boutique où l'on vend des produits laitiers, des œufs, etc. **2.** Loc. fig., fam. *Changer de crémerie* : aller dans un autre endroit.

crémeux, euse adj. **1.** Qui contient beaucoup de crème. *Du lait crémeux.* **2.** Qui a la consistance de la crème. *Une lotion crémeuse.*

crémier, ère n. Commerçant, commerçante qui tient une crémerie.

Crémieu, ch.-l. de cant. de l'Isère (arr. de La Tour-du-Pin), près de l'*île Crémieu* (plateau calcaire situé dans un coude du Rhône); 2 888 hab. – Église (XIVe-XVIe s.). Halles (XVe s.). Tour de l'Horloge (XVIe s.). Ruines du château St-Laurent (XVe s.).

Crémieux (Isaac Moïse, dit Adolphe) (Nîmes, 1796 – Paris, 1880), avocat et homme politique français. Ministre de la Justice dans le gouv. de la Défense nationale en 1870, il fit adopter le *décret Crémieux*, qui donnait rang de citoyens français aux Juifs d'Algérie.

crémone n. f. Verrou double utilisé pour la fermeture des croisées.

Crémone (en ital. *Cremona*), v. d'Italie (Lombardie), sur le Pô; 80 760 hab.; ch.-l. de la prov. du m. nom. Centre agricole; industrie alimentaire. – Cath. (XIIe s.). Musée. Ville renommée pour ses luthiers (Stradivarius). – En 1702, victoire du prince Eugène sur Villeroi.

créneau n. m. **1.** Échancrure rectangulaire pratiquée en haut d'un mur de fortification ou dans un parapet, et qui permet de tirer sur l'ennemi en étant à couvert. ▷ Fig., fam. *Monter au créneau* : intervenir dans l'action en cours. **2.** Motif décoratif figurant un créneau. **3.** *Par anal.* Espace libre, intervalle de temps disponible. ▷ COMM Secteur dans lequel une entreprise a intérêt à exercer son activité, du fait de la faible concurrence. ▷ *Faire un créneau* : garer un véhicule entre deux autres véhicules en stationnement.

crénelage n. m. **1.** Ensemble des créneaux d'une fortification. **2.** TECH Cordon sur l'épaisseur d'une pièce de monnaie, d'une médaille.

créneler v. tr. [**19**] **1.** Munir de créneaux. *Créneler une muraille.* ▷ Pp. adj. *Un mur crénelé.* **2.** TECH Munir de crans, de dents. ▷ Pp. adj. *Une roue crénelée.* ▷ Faire des cordons sur (une pièce de monnaie).

crénelure n. f. Dentelure.

crénothérapie n. f. MED Ensemble des méthodes thérapeutiques utilisant les eaux minérales sous diverses formes (boisson, bain, inhalation, etc.).

créodontes n. m. pl. PALEONT Mammifères carnivores fossiles (de l'éocène au miocène). – Sing. *Un créodonte.*

créole adj. et n. **1.** adj. Se dit d'une personne de race blanche née dans une des anciennes colonies des régions tropicales. *Un(e) créole.* **2.** CUIS *Riz à la créole*, cuit dans beaucoup d'eau puis séché au four. **3.** n. m. LING Langue provenant du contact d'une langue locale ou importée (partic. d'une langue africaine) avec l'anglais, le français, l'espagnol ou le portugais, et servant de langue maternelle à une communauté culturelle. *Le créole de la Guadeloupe. Créole français d'Haïti.* ▷ adj. *Le parler créole de la Martinique.* **4.** n. f. Boucle d'oreille composée d'un anneau.

créolisme n. m. LING Particularité propre à une langue créole.

créolophone adj. et n. Qui parle un créole.

Créon, personnage légendaire, frère de Jocaste. Roi de Thèbes après la mort des fils d'Œdipe, il fut tué par Thésée. Sophocle le mit en scène dans *Œdipe roi, Œdipe à Colone* et *Antigone.*

créosote n. f. Mélange de phénols, incolore, d'odeur forte, utilisé comme antiseptique et comme produit d'imprégnation pour la protection des bois.

crêpage n. m. **1.** Apprêt que l'on donne au crêpe. **2.** Action de crêper les cheveux; son résultat. **3.** Fam. *Crêpage de chignon* : bataille, violente altercation entre femmes.

1. crêpe n. f. Fine galette plate et ronde à base de farine, d'un liquide (eau, lait ou bière) et d'œufs, généralement cuite sur une plaque. *Crêpes de froment. Crêpes au sucre, au fromage.*

2. crêpe n. m. **1.** Tissu léger et non croisé, fabriqué avec de la soie ou de la laine très fine et qui a un aspect grenu obtenu par une extrême torsion des fils. ▷ Morceau de crêpe (ou de tissu analogue) noir, que l'on porte en signe de deuil. *Mettre un crêpe au revers de son manteau.* **2.** Caoutchouc brut épuré. *Des bottillons à semelles de crêpe.*

crêpelé, ée adj. Frisé, crêpé avec de très petites ondulations.

crêpelure n. f. État des cheveux crêpelés.

crêper v. tr. [**1**] **I. 1.** Faire gonfler (les cheveux) en repoussant une partie de chaque mèche vers la racine. **2.** v. pron. Être crêpé. *Cheveux qui se crêpent.* ▷ Loc. fig., fam. *Se crêper le chignon* : se battre, se disputer violemment (en parlant de femmes). **II.** Apprêter (le crêpe) en tordant les fils de chaîne. ▷ Donner l'aspect du crêpe à. *Crêper un papier.*

crêperie n. f. Établissement où l'on fait et où l'on consomme des crêpes.

crépi n. m. Enduit projeté sur un mur et non lissé.

crêpier, ère n. Personne qui vend des crêpes.

crépine n. f. **1.** Bande de passementerie, brodée de jours et ornée de franges. *« Les lourdes tentures de damas cramoisi à longues crépines »* (G. Sand). **2.** En boucherie, épiploon de l'agneau, du veau, du porc. **3.** TECH Filtre placé à l'aspiration d'une canalisation.

crépinette n. f. Saucisse plate enveloppée dans de la crépine.

crépir v. tr. [**3**] Enduire (une muraille) de crépi.

crépissage n. m. Action de crépir.

crépitement n. m. ou (rare) **crépitation** n. f. Bruit produit par ce qui crépite; fait de crépiter. *Le crépitement d'une arme automatique. La crépitation d'un feu de bois sec.* ▷ MED *Crépitation osseuse* : bruit produit par le frottement des fragments d'un os fracturé. – Bruit dû à la compression de parties emphysémateuses, notam. du poumon.

crépiter v. intr. [**1**] Produire une suite de bruits secs. *Un feu de bois qui crépite.*

crépon n. m. Crêpe épais. ▷ *Papier crépon* : papier d'aspect gaufré.

crépu, ue adj. **1.** Très frisé. **2.** BOT *Feuilles crépues*, irrégulièrement gaufrées sur toute leur surface.

crépusculaire adj. **1.** Du crépuscule, qui rappelle le crépuscule. *Lueurs crépusculaires.* ▷ *Animal crépusculaire*, qui ne sort qu'au crépuscule. **2.** Fig., litt. Qui est sur son déclin.

crépuscule n. m. **1.** Lumière diffuse qui précède le lever du soleil ou qui suit son coucher. **2.** *Spécial.* Tombée du jour, crépuscule du soir. *Je n'aime pas conduire au crépuscule.* **3.** Fig., litt. Déclin. *Le crépuscule d'une vie. « Le Crépuscule des dieux », opéra de Wagner.*

Crépy, com. de l'Aisne (arr. de Laon); 1 637 hab. – Le *traité de Crépy-en-Laonnais* mit fin aux guerres entre François Ier et Charles Quint (1544).

Crépy-en-Valois, ch.-l. de cant. de l'Oise (arr. de Senlis); 13 320 hab. Mat. agric. et de travaux publics. – Égl. St-Denis (nef romane); restes de l'abb. de St-Arnould (XIIe-XVIe s.). Vest. du chât. des Valois.

Créqui, famille noble originaire de l'Artois. – **Charles Ier**, sire de Créqui (1578 – Crema, Italie, 1638), maréchal de France; il combattit les Espagnols.

– **Charles III,** sire puis duc de Créqui (1623 - Paris, 1687), petit-fils du préc.; ambassadeur à Rome, il fut mêlé aux incidents diplomatiques qui opposèrent Louis XIV et le pape Alexandre VII (1663). – **François,** marquis de Créqui (v. 1624 - Paris, 1687), frère du préc.; maréchal de France, il s'illustra dans les guerres contre les Impériaux.

crescendo [kReʃɛndo] adv. et n. m. inv. **1.** adv. MUS En augmentant progressivement l'intensité du son. ▷ *Par anal.* En augmentant. *Sa mauvaise humeur va crescendo.* **2.** n. m. inv. Passage exécuté crescendo. ▷ *Par anal.* Augmentation progressive. *Un crescendo de cris.*

Crescentius, famille de patriciens romains. – **Crescentius I**[er] (m. à Rome v. 984) souleva le peuple de Rome, en 974, contre le pape Benoît VI, qu'il fit étrangler. – **Crescentius II** (m. à Rome en 998), fils du préc.; il se rendit maître de Rome (985) et mit le pape Jean XV en tutelle. Capturé par l'empereur Otton III, il fut décapité. – **Crescentius III** (m. à Rome en 1012), fils du préc.; il fit élire les papes Jean XVII, Jean XVIII et Serge IV.

crésol n. m. CHIM Phénol dérivé du toluène, de formule $CH_3 - C_6H_4 - OH$. *Les crésols sont des antiseptiques puissants.*

Crespin (Régine) (Marseille, 1927), cantatrice française. Soprano, elle excelle dans l'interprétation de Wagner et de Richard Strauss.

Cressent (Charles) (Amiens, 1685 - Paris, 1768), ébéniste français. Il travailla pour le Régent et la famille d'Orléans (marqueterie en bois colorés, placage, motifs en bronze doré).

cresson n. m. Crucifère aquatique comestible à fleurs blanches, fréquente en France dans les eaux courantes. *Cresson de fontaine. Une salade de cresson et de betterave.* ▷ *Cresson alénois :* crucifère cultivée dans les jardins et utilisée comme condiment.

Cresson (Édith) (Boulogne-sur-Seine, auj. Boulogne-Billancourt, 1934), femme politique française. Après avoir occupé plusieurs postes ministériels, elle fut Premier ministre de mai 1991 à avril 1992. Elle a été la première femme à assurer ces fonctions en France.

cressonnette n. f. Nom cour. (fam. crucifères) de la cardamine des prés, à feuilles comestibles.

cressonnière n. f. Lieu où croît le cresson. *Cressonnière artificielle.*

crésus [kRezys] n. m. Fam. Homme extrêmement fortuné. *C'est un vrai crésus.* ▷ Loc. Cour. *Être riche comme Crésus.*

Crésus, dernier roi de Lydie (561-546 av. J.-C.), fils d'Alyatte. Il fut célèbre pour ses richesses dues aux sables aurifères du Pactole. Cyrus le Grand le vainquit à Thymbrée, puis le fit prisonnier dans Sardes, sa capitale, mais lui laissa la vie.

crésyl n. m. (Nom déposé.) CHIM Antiseptique à base d'eau, de savon, de crésol et d'huile de créosote.

crêt [kRɛ] n. m. GEOMORPH Crête rocheuse dominant une combe dans un relief jurassien. *Le crêt de la Neige, le plus haut sommet du Jura, domine Genève.*

crétacé, ée adj. et n. m. **1.** adj. Vx GEOL Qui est de la nature de la craie. **2.** n. m. GEOL Période de la fin du secondaire, s'étendant de moins 140 à moins 65 millions d'années, caractérisée par des dépôts considérables de craie. *On distingue le crétacé inférieur et le crétacé supérieur.* ▷ adj. *Terrain crétacé,* formé à cette période.

crête n. f. **I. 1.** Excroissance en lame d'origine tégumentaire dont sont pourvus certains animaux. *Triton à crête dorsale. La crête du coq est charnue et rouge.* ▷ *Par ext.* Huppe sur la tête de certains oiseaux. *Crête d'alouette.* **2.** ANAT Saillie osseuse. *Crête iliaque.* **II. 1.** Sommet, faîte. *Crête d'un toit, d'une muraille. La crête d'une montagne.* ▷ *Crête d'une vague,* sa partie supérieure, frangée d'écume. **2.** GEOGR *Ligne de crête :* ligne reliant les points les plus élevés d'un relief, appelée aussi *ligne de partage des eaux.* **3.** MILIT Arête formée par l'intersection de deux talus. **4.** METEO *Crête de haute pression :* longue bande de haute pression s'allongeant entre deux dépressions stationnaires. V. dorsale. **5.** ELECTR *Tension, courant de crête :* valeur maximale d'une tension, d'un courant variable.

Crète (au Moyen Âge *Candie*), l'une des plus grandes îles de la Médit. orient., au S.-E. du Péloponnèse; région grecque et région de la C.E.; 8 336 km²; 536 980 hab.; cap. *Héraklion.* Île calcaire montagneuse (max. 2 460 m), allongée d'O. en E., au climat chaud et sec et aux médiocres ressources en eau. Princ. activités : agric. (vigne, olivier, blé, fruits et légumes), pêche, élevage ovin et tourisme. Bases milit. américaines. Aides de la C.É.E.
Hist. – L'île a vu fleurir à l'âge du bronze une civilisation d'un grand éclat, dite *minoenne* (2400-1400 av. J.-C.), remarquable, à partir de 2000, par une vie agraire et maritime organisée autour de grands palais (Cnossos, Phaïstos, Mallia) détruits vers 1700, puis reconstruits. Cnossos, après 1580, semble avoir exercé une hégémonie ensuite ruinée par les Mycéniens ou par quelque catastrophe (éruption volcanique de Santorin suivie d'un raz de marée). En 1100, la Crète mycénienne elle-même disparut devant les Doriens. En 67 av. J.-C., elle devint province romaine. Terre byzantine conquise par les musulmans (826), puis reprise par les Byzantins (961), elle fut assujettie aux Vénitiens du XIIIe au XVIIe s., pour tomber ensuite sous la domination turque (1669-1898). Après une courte période d'autonomie (1898-1913), la Crète a été définitivement rattachée à la Grèce (1908, puis 1913).

art de la **Crète :** le palais de Phaïstos; au fond, la plaine de la Messara

crêté, ée adj. Qui a une crête.

crête-de-coq n. f. **1.** MED Papillome d'origine vénérienne des muqueuses génitales. **2.** BOT Nom cour. de divers rhinanthes. *Des crêtes-de-coq.*

Créteil, ch.-l. du dép. du Val-de-Marne, sur la Marne, au S.-E. de Paris; 71 705 hab. (*Cristoliens*). Industr. électroméca., bioméd. Ville résidentielle et centre d'affaires. - Évêché. Égl. (XIIe-XIIIe s.). Dans le *Nouveau Créteil :* maison de la culture, hôpital Henri-Mondor, université Paris-XII.

crétin, ine adj. et n. **1.** MED Se dit d'une personne atteinte de crétinisme. **2.** Fam. Se dit d'une personne stupide, ignorante.

crétinerie n. f. Fam. Stupidité, bêtise.

crétinisant, ante adj. Qui crétinise.

crétinisation n. f. Action de crétiniser; son résultat.

crétiniser v. tr. [1] Rendre crétin, abêtir. *Crétiniser les foules avec des spectacles abrutissants.*

crétinisme n. m. **1.** MED Affection congénitale due à une insuffisance thyroïdienne et caractérisée par une idiotie, un nanisme, une atrophie génitale et un ralentissement de toutes les fonctions de l'organisme. **2.** *Par ext.* Cour. Imbécillité, grande stupidité.

crétois, oise adj. et n. De l'île de Crète. *La cité crétoise de Cnossos.* ▷ Subst. *Un(e) Crétois(e).*

cretonne n. f. Toile de coton très forte.

cretons n. m. pl. (Canada) Charcuterie faite de viande de porc hachée, cuite avec des oignons dans de la graisse de panne.

Creus ou **Creuz** (cap de), cap de l'extrémité N.-E. de l'Espagne (Catalogne), près de la France.

Creuse (la), riv. de France (255 km), affl. de la Vienne (r. dr.); naît au plateau de Millevaches, baigne Aubusson.

Creuse, dép. franç. (23); 5 559 km²; 131 349 hab.; 23,6 hab./km²; ch.-l. *Guéret.* V. Limousin (Rég.).

Créüse, dans la myth. gr., fille de Priam et prem. épouse d'Énée. Elle disparut lors de la prise de Troie.

Créüse (dans *Médée,* d'Euripide), fille de Créon, roi de Corinthe. Elle épousa Jason après la répudiation de Médée; celle-ci la fit périr au moyen d'une tunique empoisonnée qu'elle lui envoya comme cadeau de noces.

creusement ou **creusage** n. m. Action de creuser; son résultat. *Le creusement d'un canal.*

creuser v. [1] **I.** v. tr. **1.** Rendre creux; faire un creux dans. *Le jeûne et la fatigue lui ont creusé les joues. Creuser la terre.* **2.** Fig. *Creuser l'estomac :* donner un vif appétit. ▷ (S. comp.) Fam. *L'effort, ça creuse!* **3.** Pratiquer (une cavité). *Creuser un trou, une tranchée.* **4.** Fig. Approfondir. *Creuser un sujet, une question.* **II.** v. pron. **1.** Devenir creux. *Dent qui se creuse.* **2.** Fig., fam. *Se creuser la tête, la cervelle :* se donner beaucoup de peine pour résoudre un problème. ▷ (S. comp.) *Vous ne vous êtes pas beaucoup creusé!*

creuset n. m. **1.** Vase qui sert à faire fondre certaines substances. **2.** METALL Partie inférieure d'un haut fourneau, qui reçoit la fonte et le laitier. **3.** Fig. Point de rencontre de divers éléments qui se mêlent, se confondent. *La capitale, creuset d'influences, d'idées et de cultures.*

creusois, oise adj. et n. De la Creuse. - Subst. *Un(e) Creusois(e).*

Creusot (Le), ch.-l. de cant. de Saône-et-Loire (arr. d'Autun); 29 320

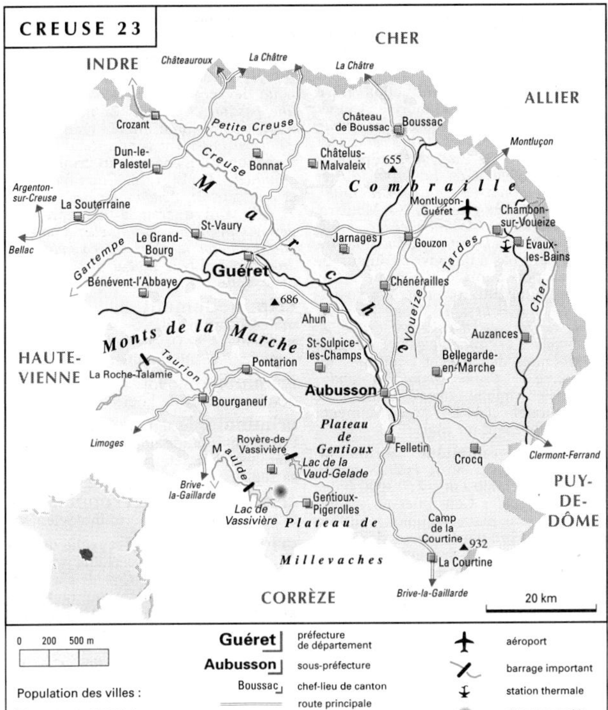

hab. Houillères exploitées dès le XVIIIe s., auj. en déclin. Aciers spéciaux. Constructions mécaniques. – Écomusée du Creusot-Montceau-les-Mines.

Creutzfeldt-Jakob (maladie de), grave maladie neurologique provoquée par un prion. (De nombreux cas sont apparus récemment, liés à l'administration d'hormone de croissance.)

Creutzwald, com. de la Moselle (arr. Boulay-Moselle), à la frontière sarroise; 15 371 hab. Houille. Industr. électron., méca. Salaisons.

creux, euse adj., n. m. et adv. **I.** adj. **1.** Dont l'intérieur présente un vide, une cavité. *Dent creuse. Mur creux.* ▷ *Avoir le ventre creux* : avoir très faim. ▷ *Son creux* : son rendu par un objet creux que l'on frappe. **2.** Qui présente un enfoncement. *Assiettes creuses et assiettes plates. Joues creuses,* caves. ▷ *Chemin creux,* situé en contrebas, encaissé. ▷ *Mer creuse,* agitée, houleuse. **3.** *Heures creuses,* pendant lesquelles l'activité est ralentie (par oppos. à *heures de pointe*). **4.** Fig. Sans substance, sans intérêt. *Des paroles creuses. Raisonnement creux.* – Fam. (Personnes) Nul, sans intérêt. *Il est complètement creux.* **II.** n. m. **1.** Cavité, vide à l'intérieur d'un corps. *Le creux d'un rocher.* ▷ Fam. *Avoir un petit creux* : avoir faim subitement. **2.** Dépression, concavité. *Le creux de la main.* ▷ *Creux des lames, des vagues,* hauteur entre leur base et leur sommet. – Fig. *Être au (ou dans le) creux de la vague* : traverser une période de difficultés, d'échecs. **III.** adv. *Sonner creux* : rendre un son creux (sens I, 1).

Creuz. V. Creus (cap de).

crevaison n. f. **1.** Action de crever; son résultat. ▷ Dégonflement d'un pneumatique qui a été percé. **2.** Pop. Mort; épuisement.

crevant, ante adj. Fam. **1.** Vieilli Qui fait crever de rire. *Une histoire crevante.* **2.** Qui épuise, fait crever de fatigue. *Un voyage crevant.*

crevasse n. f. **1.** Fissure profonde. *La terre desséchée était fendue de crevasses. Les crevasses d'une muraille.* ▷ GEOL Large fente béante à la surface d'un glacier ou d'une roche dure. **2.** Fissure de la peau.

crevasser v. tr. [1] Faire des crevasses à. ▷ v. pron. Se fendre, se fissurer. – Pp. adj. *Elle avait les mains crevassées par le froid.*

crève n. f. Fam. *Attraper la crève* : prendre froid.

crevé, ée adj. et n. m. **I.** adj. **1.** Éclaté, percé, déchiré. *Pneu crevé.* **2.** (Plantes, animaux et, pop., personnes.) Mort. *Des rats crevés.* **3.** Fam. Très fatigué, épuisé. **II.** n. m. Ouverture longitudinale sur la manche d'un vêtement, laissant apparaître la doublure.

crève-cœur n. m. inv. Grand chagrin mêlé de dépit.

Crèvecœur (Philippe de) (m. à L'Arbresle, Rhône, 1494), maréchal de France (1483). Conseiller de Charles le Téméraire, il passa au service de Louis XI (1477). Il négocia, sous Charles VIII, la paix d'Étaples (1492).

Crevel (René) (Paris, 1900 – id., 1935), écrivain français. Il fut lié aux surréalistes et au mouvement Dada : *Babylone* (1928), *Salvador Dali ou l'Antiobscurantisme* (1931), *le Clavecin de Diderot* (1932).

crève-la-faim n. inv. Fam. Personne misérable, indigente.

crever v. [16] **I.** v. intr. **1.** Éclater, s'ouvrir sous l'effet d'une tension. *Le ballon a crevé. Pneu d'une voiture qui crève.* ▷ Fam. *J'ai crevé* : un pneu de ma voiture a crevé. **2.** Fig., fam. Être envahi à l'extrême (par un sentiment, une émotion). *Crever d'orgueil, d'envie, de jalousie. Crever de rire.* **3.** (Plantes, animaux.) Mourir. *Tous les arbres ont crevé. Le chien a crevé de froid.* ▷ (Personnes) Pop. Mourir. *Alors, je vais crever tout seul dans mon coin ?* ▷ Fam. *Crever de faim, de froid* : avoir très faim, très froid. – (Sens atténué.) *Allons manger, je crève de faim.* **II.** v. tr. **1.** Percer, rompre, faire éclater. *Crever un sac en papier, un ballon. Crever les yeux à qqn.* ▷ Fig., fam. *Cela crève les yeux* : on ne voit que cela, c'est évident. ▷ Fig. *Crever le cœur de* : causer une vive contrariété, une grande peine à. **2.** Épuiser (un animal ou, fam., une personne) en lui imposant un effort excessif. *Crever un cheval. Ce travail la crève.* ▷ v. pron. Fam. *Se crever au travail, à la tâche.*

crevette n. f. Nom de plusieurs crustacés décapodes, macroures (« à longue queue ») et marins, à longues antennes et à longues pattes. (Il en existe de nombr. espèces, notam. la crevette grise, *Crangon crangon,* le bouquet ou crevette rose, *Leander serratus,* qui atteint 10 cm de long.)

Creys-Malville, site du premier surrégénérateur* français à grande puissance (com. de Creys-et-Pusignieu, dép. de l'Isère, sur le Rhône). De nombreuses avaries ont contraint le surrégénérateur à fonctionner en dessous de son régime normal.

cri n. m. **1.** Son de voix aigu ou élevé qu'arrache la douleur, l'émotion, ou destiné à être entendu de loin. *Pousser un cri. Cri d'horreur, de peur, de joie, de surprise. Pousser des cris d'indignation. Protester, demander à grands cris,* avec force, insistance. – Loc. *Jeter les hauts cris* : se récrier avec véhémence. *À cor et à cri* : à grand bruit (V. cor). ▷ *Spécial.* Annonce des marchands ambulants pour interpeller, attirer les clients. *Les cris des vendeurs de journaux, des rémouleurs.* ▷ *Dernier cri* : dernière mode, suprême élégance. *Une robe (du) dernier cri.* **2.** Fig. Opinion manifestée hautement. *Un cri unanime d'admiration. Un cri d'amour, de passion.* ▷ Appel. *Cette lettre est un cri. Le cri de la misère.* **3.** *Par ext.* Mouvement intérieur (qui nous pousse à réagir). *Un cri du cœur. Le cri de la conscience.* **4.** Bruit caractéristique émis par la voix d'un animal. *Le cri de la chouette est le hululement.* **5.** Bruit aigre produit par certaines choses. *Le cri de la scie.*

criaillement n. m. Cri désagréable, récrimination aigre.

criailler [kʀi(j)ɑje] v. tr. [1] **1.** Crier, se plaindre sans cesse d'une manière désagréable. **2.** Crier (faisan, oie, perdrix, pintade, paon).

criaillerie [kʀi(j)ɑjʀi] n. f. Cri, récrimination répétée et sans motif important.

criant, ante adj. **1.** (Choses) Qui incite à se plaindre, à protester. *Une injustice criante.* **2.** Évident, manifeste. *Ressemblance criante entre deux personnes.*

criard, arde adj. **1.** Qui crie souvent et désagréablement. *Un enfant criard.* **2.** Qui blesse l'oreille. *Voix criarde. Oiseaux criards.* **3.** Péjor. Qui heurte la vue (par sa vivacité, son bariolage). *Couleurs criardes.* **4.** Par méton. *Dettes criardes,* dont le remboursement est réclamé avec insistance.

criblage n. m. TECH Action de cribler. ▷ Triage mécanique. *Le criblage des petits pois.*

crible n. m. **1.** TECH Appareil muni de trous pour trier des matériaux. Syn.

tamis. **2.** Loc. fig. *Passer au crible :* examiner avec un soin et une attention extrêmes. *Passer au crible les déclarations d'un suspect.*

cribler v. tr. [1] **1.** TECH Passer au crible. *Cribler du sable, des grains.* **2.** *Par anal.* Percer, marquer en de nombreux endroits. *Cribler qqn de coups de couteau. Cribler une cible de balles.* – Pp. adj. *Corps criblé de coups, de bleus. Sol criblé de taches.* – Fig. *Criblé de dettes,* couvert de dettes.

cric n. m. Appareil comportant une crémaillère ou une vis entraînée par une manivelle, qui sert à soulever des corps lourds sur une faible hauteur. *Cric à manivelle. Cric hydraulique. Cric losange.*

cric-crac interj. (et n. m. inv.) Onomatopée évoquant le bruit d'un mécanisme qui joue, d'une serrure que l'on ouvre ou ferme. ▷ n. m. inv. *Entendre des cric-crac.*

Crick (Francis Harry Campton) (Northampton, 1916), biologiste britannique, découvreur, avec D. Watson et M. H.F. Wilkins, de la structure en double hélice de l'acide désoxyribonucléique. Prix Nobel 1962.

cricket [kʀikɛ(t)] n. m. Jeu, sport qui se joue à deux équipes de onze, avec des battes et des balles de cuir (surtout pratiqué en G.-B. et dans les pays du Commonwealth).

cri-cri ou **cricri** n. m. Nom familier du grillon. *Des cri-cri* ou *cricris.*

criée n. f. **1.** *Vente à la criée* ou *criée :* vente aux enchères en public. *Vendre à la criée des meubles saisis.* ▷ Cour. *À la criée :* avec présentation de la marchandise d'une voix forte. *Journaux vendus à la criée.* **2.** Bâtiment où l'on vend le poisson à la criée, dans un port de pêche.

crier v. [2] **I.** v. intr. **1.** Pousser un cri, des cris. *Crier à tue-tête. Il crie comme si on l'écorchait.* **2.** Élever la voix. *Discutez sans crier.* **3.** Exprimer son mécontentement, sa colère en élevant très haut la voix. *On ne peut rien lui dire, il se met aussitôt à crier* (V. protester, se fâcher). **4.** *Crier à l'injustice, au scandale, à la trahison :* dénoncer avec véhémence l'injustice, etc. ▷ *Crier au miracle :* déclarer, affirmer bien haut qu'un miracle, ou qqch considéré comme tel, s'est produit. **5.** (Choses) Produire un son aigu et discordant. *Essieu qui crie. La serrure crie, il faut la graisser.* ▷ Heurter la vue. *Ces couleurs crient trop ensemble.* **6.** (Animaux) Pousser le cri de son espèce. *La volaille effrayée criait, courait dans tous les sens.* **II.** v. tr. **1.** Dire à voix très haute. *Crier des ordres.* **2.** Proclamer, dire hautement. *Crier son innocence.* **3.** *Spécial.* Annoncer publiquement la vente de. *Crier la dernière édition d'un journal.* ▷ Mettre à l'enchère. *Crier des meubles.* **4.** Loc. *Crier vengeance :* exiger, appeler la vengeance. ▷ *Crier grâce,* pour implorer la clémence de son adversaire. ▷ *Crier famine, misère,* s'en plaindre hautement. ▷ *Crier gare :* prévenir d'un danger, d'un risque encouru. **III.** v. tr. indir. *Crier au feu. Crier au secours, à l'aide :* appeler pour avertir et demander de l'aide.

crieur, euse adj. et n. **1.** adj. Qui pousse des cris fréquemment. *Les mouettes crieuses.* **2.** Anc. *Crieur public :* Homme qui proclamait publiquement les annonces publiques. **3.** Marchand ambulant qui annonce ce qu'il vend. *Crieur de journaux.*

Crillon (Louis des Balkes de Berton de) (Murs, Provence, 1543 – Avignon, 1615), homme de guerre français. Il prit part dès 1557 aux guerres de Religion, à la bataille de Lépante (1571) et lutta contre les Ligueurs.

crime n. m. **1.** Cour. Infraction grave aux prescriptions de la morale. *Accuser qqn de tous les maux et de tous les crimes. Être capable de tous les crimes par amour de l'argent.* ▷ *Par exag.* Acte répréhensible, blâmable. *C'est un crime d'avoir abattu ces arbres. Ce n'est pas un crime :* ce n'est pas très grave. **2.** Cour. Meurtre. *Chercher l'arme, le mobile du crime. Crime passionnel. Crime parfait,* dont on ne parvient pas à découvrir l'auteur. **3.** DR Infraction punie d'une peine afflictive ou infamante (par oppos. à *contravention* et à *délit*). *Le crime est justiciable de la cour d'assises.* – *Crime de lèse*-majesté.* – *Crime de guerre,* commis en violation des lois et coutumes de la guerre. – *Crime contre l'humanité,* commis en violation des règles du droit international, par les gouvernements ou les citoyens d'un État.

Crimée, république autonome d'Ukraine, baignée au N. et au S. par la mer Noire. 27 000 km^2; 2 600 000 hab.; cap. *Simferopol.* – Constituée en grande partie par une plaine steppique, elle est dominée au sud par les *monts de Crimée* (1 545 m max.), qui bordent le littoral. Princ. ressources : vignes, agrumes, blé, tourisme. – Connue des Grecs *(Chersonèse Taurique),* qui s'y établirent dès le VIIe s. av. J.-C., la rég. subit de nombr. invasions, dont celles des Mongols et des Tatars, lesquels fondèrent un territoire indépendant sous l'autorité d'un khān (XIIIe s.). Sous suzeraineté ottomane à partir de 1475, le territoire de Crimée fut annexé à l'empire de Russie en 1783. – La *guerre de Crimée* (1854-1855), épisode de la question d'Orient, opposa la Russie (qui fut vaincue) à la Turquie, à la G.-B., à la France et au Piémont. Elle fut marquée par la prise de Sébastopol et conclue par le traité de Paris (1856). – Après la révolution russe, la Crimée fut le refuge des armées blanches de Denikine et Wrangel jusqu'en 1920, puis érigée en république autonome en 1921. Occupée par les Allemands, elle fut reconquise par les Soviétiques en mai 1944. Accusés de collaboration avec les nazis, les Tatars furent déportés en Sibérie, mais malgré leur réhabilitation en 1967, leur république ne sera pas restaurée. En 1954, l'*oblast* (région) de Crimée fut concédé à l'Ukraine par Khrouchtchev. En fév. 1991, le Soviet suprême de l'Ukraine a voté la restauration de la rép. de Crimée. Alors qu'une grande partie de la population revendique le rattachement à la Russie, ses habitants se sont prononcés en faveur de l'indépendance de l'Ukraine (déc. 1991). Peuplée majoritairement de Russes, la Crimée a élu en janv. 1994 son président, le Russe Iouri Mechkiv, mais le Parlement de l'Ukraine a annulé l'autonomie de la République en mars 1995.

criminalisation n. f. Action de criminaliser.

criminaliser v. tr. [1] DR Transformer (une affaire civile ou correctionnelle) en affaire criminelle.

criminaliste n. Didac. Juriste spécialiste du droit criminel.

criminalistique n. f. et adj. Didac. **1.** n. f. Science de toutes les techniques d'investigation policière. **2.** adj. Relatif à cette science.

criminalité n. f. **1.** Caractère de ce qui est criminel. **2.** Ensemble des faits criminels considérés dans une société donnée, pendant une période donnée. *Baisse du taux de criminalité.*

criminel, elle adj. et n. **I.** Cour. **1.** adj. Qui est condamnable, répréhensible du point de vue de la morale. *Une action, une passion criminelle.* **2.** n. Personne qui a commis un crime. *Le criminel s'est enfui par la fenêtre.* ▷ adj. Relatif à une personne qui a commis un crime. *Main criminelle.* **II.** DR **1.** n. Coupable d'un crime (sens 3). *Condamner un criminel.* **2.** adj. Qui a trait à la répression pénale. *Instruction criminelle. Chambre criminelle de la Cour de cassation. Le droit criminel.* ▷ n. m. Juridiction criminelle. *Poursuivre un inculpé au criminel.*

criminellement adv. **1.** D'une manière criminelle. *Se conduire criminellement.* **2.** DR Devant la juridiction criminelle. *Poursuivre qqn criminellement.*

criminogène adj. Qui favorise le développement de la criminalité.

criminologie n. f. Didac. Science de la criminalité; étude de ses causes, de ses manifestations, de sa prévention et de sa répression.

criminologiste ou **criminologue** n. Didac. Spécialiste en criminologie.

crin n. m. **1.** Poil long et rêche du cou et de la queue de certains mammifères. *Le crin du lion. Crin de cheval.* **2.** Ces crins, considérés comme matériau. *Matelas de crin.* **3.** Par anal. *Crin végétal :* fibres végétales employées aux mêmes usages que le crin animal. **4.** Fig., fam. *À tous crins :* énergique, entier. *C'est un partisan à tous crins de...* ▷ *Être comme un crin,* grincheux, de mauvaise humeur.

crincrin n. m. Fam. Mauvais violon.

crinière n. f. **1.** Ensemble des crins du cou de certains animaux. *La crinière du lion.* ▷ Par ext. *Crinière d'un casque :* touffe de crins qui le garnit. **2.** Fam. Chevelure abondante, épaisse.

crinoïdes n. m. pl. ZOOL Classe d'échinodermes, fixés par un pédoncule (lis de mer), ou libres à l'état adulte (comatule), dont le corps en forme de calice est bordé de cinq tentacules, divisés ou non. – Sing. *Un crinoïde.*

crinoline n. f. **1.** Vx Étoffe de lin à trame de crin, servant à faire des jupons, des cols. **2.** *Par ext.* Jupon bouffant maintenu par une cage de lames d'acier et des baleines, à la mode au Second Empire. *Robes à crinoline.* **3.** TECH *Échelle à crinoline :* échelle de secours munie d'arceaux servant de garde-corps.

crique n. f. **1.** Petit enfoncement de la mer dans une côte rocheuse. *Abriter un voilier dans une crique.* **2.** METALL Fente apparaissant dans une structure sous l'effet de contraintes.

criquet n. m. Insecte orthoptère sauteur, à antennes courtes et élytres longs, au chant caractéristique, appelé souvent (et abusiv.) *sauterelle.* (*Schistocerca gregaria,* criquet pèlerin; *Locusta migratoria,* criquet migrateur.) *Les criquets, communs en France, constituent en Afrique et en Asie de véritables fléaux.*

Cris ou **Crees,** peuple amérindien établi princ. au Québec, dans la région du Nord-du-Québec.

Criş. V. Körös.

crise n. f. **1.** MED Changement rapide, généralement décisif, en bien ou en mal, survenant dans l'état d'un malade. ▷ Accident subit chez un sujet atteint d'une maladie chronique, ou apparemment en bonne santé. *Crise d'asthme*

Crise d'appendicite. Crise cardiaque. **2.** Paroxysme d'un sentiment, d'un état psychologique. *Traverser une crise de conscience. Avoir une crise de larmes, de désespoir.* – Loc. *Crise de nerfs :* état de tension extrême qui se manifeste par des cris, des pleurs. ▷ *Être en crise :* traverser une période difficile, où l'on est amené à résoudre de nombreuses contradictions. ▷ Loc. fam. *Prendre, piquer une crise, faire sa crise :* être en proie à une violente colère. **3.** Moment difficile et généralement décisif dans l'évolution d'une société, d'une institution. *La crise de l'Église.* ▷ *Crise ministérielle :* période entre la chute d'un ministère et la formation d'un nouveau cabinet. ▷ *La crise :* la période où les difficultés économiques, politiques et idéologiques sont ressenties comme paroxystiques. *C'est la crise. Que pensez-vous de la crise ?*

crispant, ante adj. Qui agace, crispe.

crispation n. f. **1.** Rare Contraction, resserrement qui ride la surface de qqch. *Crispation du papier qui se consume.* **2.** Contraction musculaire involontaire. *La crispation de son front révélait sa colère contenue.* **3.** Fig. Impatience, vive irritation.

crispé, ée adj. **1.** Rare Resserré, plissé. *Une surface crispée.* **2.** Contracté. *Mains crispées par le froid.* **3.** Fig. Contrarié, irrité. *Il parut crispé.* ▷ Tendu, contraint. *Un sourire crispé.*

crisper v. [1] **I.** v. tr. **1.** Rare Resserrer en plissant la surface de. *Le froid crispe la peau.* **2.** Provoquer la crispation musculaire (d'une partie du corps). *Douleur, colère qui crispe le visage.* **3.** Fig. Causer de l'impatience, de la contrariété à (qqn). *Son arrogance me crispe.* **II.** v. pron. Se contracter. *Se crisper au moindre bruit.*

Crispi (Francesco) (Ribera, Sicile 1818 – Naples, 1901), homme politique italien. Il milita, dans les rangs de l'extrême gauche, pour l'unité italienne, mais à partir de 1865 il se rapprocha du roi. Président du Conseil (1887-1891, 1893-1896), il renforça la Triple-Alliance et voulut doter son pays de colonies. Il démissionna après le désastre d'Adoua, en Éthiopie (mars 1896).

crispin n. m. **1.** Anc. Type de valet fanfaron, sans scrupule et flagorneur, de la commedia dell'arte. **2.** Manchette de cuir ajoutée aux gants pour protéger le poignet.

criquet migrateur du genre *Locusta*

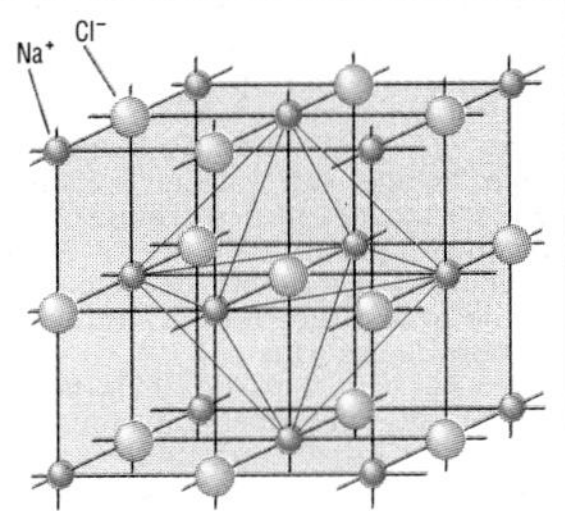

maille élémentaire du chlorure de sodium Na Cl; chaque ion Cl^- est entouré de six ions Na^+ et chaque ion Na^+ est entouré de six ions Cl^- ; le cristal est constitué de telles mailles cubiques

cristal

crissement n. m. Action de crisser; bruit produit par ce qui crisse. *Crissement des feuilles sèches sous les pas.*

crisser v. intr. [1] Produire un grincement par écrasement ou par frottement. *Pneus qui crissent. Le sable crisse sous les pas.*

cristal, aux n. m. **1.** CHIM, MINER Solide, souvent limité naturellement par des faces planes, formé par la répétition périodique, dans les trois directions de l'espace, d'un même ensemble de constituants (atomes, ions ou molécules). V. maille, réseau cristallin. **2.** *Cristal de roche :* quartz. **3.** Variété de verre pur et dense, très sonore, riche en oxyde de plomb. *Un service à porto en cristal.* ▷ (Plur.) Objets de cristal. *Une table luxueuse, couverte de cristaux et de porcelaines fines.* **4.** Fig., litt. Eau, glace limpide et pure. *Le cristal d'un lac.* ▷ *De cristal :* pur, limpide, harmonieux. *Une voix de cristal.* **5.** ELECTRON *Cristal liquide :* substance organique dont les molécules peuvent être orientées sous l'effet d'un champ électrique, utilisée pour l'affichage numérique des données. ▷ *Cristal piézoélectrique :* lame cristalline laissant apparaître une charge électrique proportionnelle à la pression qu'on exerce sur elle. **6.** Cour. *Cristaux de glace, de neige :* particules résultant de la cristallisation de l'eau. – Abusiv. *Cristaux de soude :* carbonate de sodium cristallisé servant au nettoyage.

Cristal (monts de), massif cristallin d'Afrique équatoriale (Gabon), qui s'étage entre 700 et 800 m d'altitude.

cristallerie n. f. **1.** Art de fabriquer le cristal, les objets de cristal. ▷ Ensemble d'objets en cristal. *L'argenterie et la cristallerie d'un grand restaurant.* **2.** Lieu où l'on fabrique, où l'on vend des objets en cristal.

cristallifère adj. Didac. Qui contient des cristaux (sens 1).

1. cristallin, ine adj. **1.** Propre au cristal. *Structure cristalline.* **2.** Qui contient des cristaux. ▷ MINER *Roche cristalline,* dont les minéraux constitutifs sont cristallisés. *Calcaire, schiste cristallin.* – *Système cristallin :* chacun des sept systèmes (cubique, quadratique, orthorhombique, triclinique, hexagonal, rhomboédrique, monoclinique) définis par la forme géométrique de la maille. – *Réseau cristallin :* V. réseau. **3.** Litt. Pur, clair comme le cristal. ▷ Pur comme le son rendu par le cristal. *Voix cristalline.*

2. cristallin n. m. ANAT Élément constitutif de l'œil, en forme de lentille biconvexe, dont la courbure est modifiable sous l'action des muscles ciliaires, et qui concentre les rayons lumineux de la rétine. *La cataracte détermine l'opacification du cristallin.*

cristallisable adj. PHYS Susceptible de se cristalliser.

cristallisation n. f. **1.** PHYS Formation de cristaux (par solidification, condensation d'un gaz en solide, évaporation d'un solvant, ou refroidissement d'une solution saturée). ▷ *Cristallisation fractionnée :* fractionnement d'un mélange de corps dissous par abaissement progressif de la température. **2.** Corps formé d'un ensemble de cristaux. *Une cristallisation basaltique.* **3.** Fig., litt. Fait de se cristalliser (idées, sentiments, sensations). *Cristallisation des espérances, des souvenirs.* ▷ Litt. Phénomène par lequel l'imagination de celui qui aime, selon Stendhal, transfigure l'objet de sa passion en lui attribuant sans cesse de nouvelles perfections.

cristalliser v. [1] **I. 1.** v. tr. TECH Provoquer la cristallisation (d'une substance). *Cristalliser du sucre.* – Pp. adj. *Un paquet de sucre cristallisé.* **2.** v. intr. PHYS Prendre la forme de cristaux. **3.** v. pron. Former des cristaux. **II.** Fig., litt. **1.** v. tr. Donner forme, transformer en un ensemble cohérent (des éléments dispersés). *Un parti qui réussit à cristalliser les ambitions, les aspirations des citoyens. Fait, incident qui cristallise une angoisse latente.* **2.** v. intr. ou pron. Prendre forme, devenir cohérent (idées, sentiments, sensations).

cristallo-. Élément, du gr. *krustallos,* « cristal ».

cristallographie n. f. Didac. Science qui étudie la structure et la formation des cristaux.

cristallographique adj. Didac. Relatif à la cristallographie.

Cristofori (Bartolomeo) (Padoue, 1655 – Florence, 1731), facteur de clavecins italien. Il est considéré comme l'inventeur du piano-forte.

critère n. m. Principe, point de repère auquel on se réfère (pour énoncer une proposition, émettre un jugement, distinguer et classer des objets, des notions). *Les critères de la beauté. Ce n'est pas un critère pour le juger.* ▷ MATH Condition nécessaire et suffisante.

critérium [kʀiteʀjɔm] n. m. SPORT Épreuve organisée en vue d'établir un classement des concurrents. *Être éliminé, sélectionné dans un critérium.* ▷ *Spécial.* Course de poulains ou de pouliches du même âge, permettant d'évaluer leur valeur future (par oppos. à *omnium*).

Critias (450 – 403 av. J.-C.), homme politique athénien, élève de Socrate; l'un des Trente Tyrans imposés à Athènes en 404 par les Spartiates.

criticisme n. m. PHILO Doctrine de Kant qui place à la base de la réflexion philosophique une étude rigoureuse visant à déterminer les conditions et les limites de notre faculté de connaître. ▷ *Par ext.* Philosophie qui met la théorie de la connaissance à la base de la réflexion.

criticiste adj. et n. PHILO Qui appartient au criticisme. – Subst. Partisan du criticisme.

critiquable adj. Sujet à la critique.

critique adj. et n. **A.** adj. **I. 1.** MED Qui annonce ou accompagne une crise; qui décide de l'évolution d'une maladie. *Phase critique.* ▷ Spécial. *Âge critique :* ménopause. **2.** Qui détermine un changement en bien ou en mal (en parlant d'une situation, d'une période, d'un état). *Instant critique.* ▷ Par ext. *Être dans une situation critique,* difficile, pénible, dangereuse. **3.** PHYS *Point critique :* limite supérieure de la phase d'équilibre liquide-vapeur d'un fluide (état caractérisé par une température, une pression et un volume critiques). *Un gaz ne peut être liquéfié que si sa température est inférieure à la température critique.* ▷ PHYS NUCL *Masse critique :* masse de matériau fissile nécessaire au déclenchement d'une réaction en chaîne. **II. 1.** Qui s'applique à discerner les qualités et les défauts d'une œuvre, d'une production de l'esprit d'une personne. *Compte rendu critique d'une pièce de théâtre. Présentation, exposé critique d'une thèse. Porter un regard critique sur qqn.* **2.** Qui cherche à établir la vérité, la justesse d'une proposition, d'un fait. *L'examen critique d'une doctrine. Étude critique des Évangiles.* ▷ *Édition critique,* établie après examen et comparaison des divers manuscrits ou éditions antérieures. ▷ *Esprit critique,* qui ne tient pour vraie une proposition qu'après l'avoir établie ou démontrée, et après avoir examiné toutes les objections susceptibles de lui être opposées. *Manquer d'esprit critique.* **3.** Qui porte un jugement sévère, qui blâme ou dénigre. *Juger qqn en termes très critiques.* **B.** n. **I.** n. f. **1.** Art de juger les œuvres littéraires et artistiques. *«La critique est aisée, et l'art est difficile»* (Destouches). *La critique littéraire.* (V. aussi : nouvelle critique.) **2.** Jugement porté sur une œuvre littéraire ou artistique; ensemble de ces jugements. *Lire les critiques avant d'aller voir un film. La critique a été encore meilleure dans la presse étrangère que dans la presse française.* **3.** Ensemble des critiques (sens B, II). *La critique a éreinté la pièce qu'il vient de monter.* **4.** Analyse rigoureuse (d'une œuvre, d'une production de l'esprit, d'une personne). *«La Critique de la raison pure», ouvrage de Kant. Critique dogmatique, historique, thématique du roman. Soumettre sa conduite à une critique vigilante.* **5.** Désapprobation, jugement négatif, sévère. *Se livrer à une critique systématique de son entourage. Accabler qqn de critiques.* **II.** n. (Rare au fém.) Personne qui juge des œuvres littéraires et artistiques. *Critique littéraire, critique d'art.*

critiquer v. tr. [1] **1.** Examiner en critique. *Critiquer un livre, une doctrine.* **2.** Juger avec sévérité, avec blâme. *Critiquer ses amis, ses voisins.* ▷ (S. comp.) *Il ne fait que critiquer.*

Criton (Ve-IVe s. av. J.-C.), riche citoyen d'Athènes, ami et disciple de Socrate. Platon a donné son nom à un dialogue, consacré à la condamnation à mort de Socrate.

Crivelli (Carlo) (Venise, v. 1430 - ?, v. 1493), peintre italien. Ses œuvres, chargées de réminiscences byzantines et gothiques, combinent des effets savants de perspective.

croassement n. m. Cri du corbeau, de la corneille. ▷ Plur. Fig. Propos malveillants.

croasser v. intr. [1] Crier en parlant du corbeau, de la corneille.

croate adj. et n. **1.** De la Croatie. ▷ Subst. *Un(e) Croate.* **2.** n. m. *Le croate :* la langue parlée en Croatie. *Le serbo-croate s'écrit soit en caractères latins (croate), soit en caractères cyrilliques (serbe).*

Croatie (*Republika Hrvatska*), État d'Europe (qui fut une des rép. féd. de Yougoslavie jusqu'en janvier 1992). Elle borde la majeure partie de la côte de l'Adriatique, anciennement yougoslave, et s'étend jusqu'à la Hongrie, entre le Monténégro et la Bosnie-Herzégovine à l'est et au nord, et la Slovénie à l'ouest; 56 538 km^2; 4 665 000 hab.; cap. *Zagreb.* Langue off. : croate. Monnaie : dinar croate. Pop. : Croates catholiques (75 %), Serbes orthodoxes (11,5 %). Princ. ressources : céréales, betteraves sucrières, pétrole, houille, fer, bauxite. L'économie a été totalement désorganisée par le conflit yougoslave (dep. 1991); 40 % de l'industrie aurait été détruite. En outre, le pays a vu affluer les réfugiés de Bosnie-Herzégovine.
Hist. - La rég. fit partie de la prov. romaine de Pannonie. Envahie au VIIe s. par les Croates, peuple slave, elle forma du Xe au XIe s. un royaume qui fut inclus, tout en gardant une certaine auton., dans celui de Hongrie de 1102 à 1918. Toutefois, une partie de la rég. fut occupée par les Turcs de 1526 à 1699, et Napoléon créa, avec des territoires croates et slovènes, les Provinces Illyriennes (1805-1813). Au début du XXe s., le mouvement nationaliste croate s'unit à celui des Serbes pour réunir les Slaves du Sud. Intégrée en Yougoslavie en 1919, la Croatie n'obtient pas d'autonomie. Elle est alors agitée par de violents mouvements nationalistes, dont celui des oustachis, initiateurs de l'assassinat du roi Alexandre en 1934. Après la victoire de l'Axe sur la Yougoslavie en avril 1941, la Croatie devient un État satellite du Reich, avec Ante Pavelic comme chef de gouvernement. À la libération, en 1945, elle devient l'une des six républiques de la Fédération yougoslave. En 1990, faute d'avoir pu s'entendre avec la Serbie sur l'avenir de la fédération, les premières élections libres placent un gouvernement nationaliste au pouvoir (F. Tudjman). En juin 1991, la Croatie proclame unilatéralement son indépendance, provoquant l'intervention militaire de l'armée fédérale. L'entrée en guerre des Serbes de la Krajina, la disparition de ses frontières internes et externes, malgré sa reconnaissance par la communauté internationale en janv. 1992, ont fait de la Croatie un foyer de guerre permanent. En décidant en janv. 1995 de ne pas proroger le mandat de l'ONU dans les mêmes termes, F. Tudjman affirme sa volonté de restaurer son autorité sur la totalité de son territoire : l'armée croate passe à l'offensive et s'empare de la Slavonie occidentale en mai et de la Krajina en août. Un considérable exode de population serbe a suivi cette reconquête. En déc., le président F. Tudjman signe avec le Serbe S. Milosevic et le Bosniaque A. Izetbegovic le compromis de Dayton, qui marque le début d'une coexistence des trois communautés ennemies.
▶ carte **(ex-) Yougoslavie**

Carlo **Crivelli :** *le Christ mort,* musée du Louvre

croc [kRo] n. m. **1.** Instrument à pointes recourbées servant à suspendre. **2.** Longue perche munie d'un crochet. **3.** *Croc à fumier :* instrument à dents pour ramasser, étaler le fumier. **4.** Chacune des quatre canines de certains carnivores. *Les crocs d'un lion.* **5.** Fam. Dents de l'homme. ▷ Loc. fig., fam. *Montrer les crocs :* menacer, se mettre en colère. ▷ Loc. fig., fam. *Avoir les crocs :* avoir très faim.

Croce (Benedetto) (Pescasseroli, Abruzzes, 1866 - Naples, 1952), critique littéraire, historien et philosophe italien. Influencé princ. par G. Vico et Hegel, il a montré que le développement de la liberté était le moteur du passé et l'idéal spirituel du futur : *Philosophie de la pratique* (1908), *Bréviaire d'esthétique* (1913), *l'Histoire comme pensée et action* (1938), etc. Antifasciste, il devint en 1944, après le renversement de Mussolini, ministre, puis député, et, en 1948, sénateur; il fut également président du parti libéral italien.

croc-en-jambe n. m. **1.** Action de mettre le pied devant la jambe de qqn pour le faire tomber. **2.** Fig. Moyen déloyal utilisé pour nuire à qqn. *Des crocs-en-jambe.*

croche adj. et n. f. **1.** adj. Vx Courbe, crochu. *Nez croche.* ▷ Fig., fam. *Avoir les mains croches :* être avare; V. crochu. **2.** n. f. pl. Tenailles de forgeron. **3.** n. f. MUS Note dont la queue porte un crochet, et qui vaut le quart d'une blanche, ou le huitième d'une ronde. *Double croche, triple croche :* croche qui porte deux, trois crochets et qui vaut la moitié, le tiers de la croche.

croche-pied n. m. Syn. de *croc-en-jambe. Des croche-pieds.*

crocher v. tr. [1] **1.** Saisir avec un croc. ▷ MAR Saisir. - (S. comp.) *L'ancre a croché,* a accroché le fond. **2.** Tordre en forme de crochet. *Crocher un fil de fer.*

crochet n. m. **I. 1.** Instrument recourbé pour suspendre, maintenir, attacher. *Clou à crochet. Boucle et crochet d'une agrafe. Crochet d'attelage d'une locomotive.* - Loc. fig., fam. *Vivre aux crochets de qqn,* à ses dépens. **2.** Instrument, tige présentant une extrémité recourbée servant à saisir. *Crochet de chiffonnier. Crochet de serrurier :* instrument recourbé en L, pour ouvrir les serrures. **3.** Grosse aiguille à pointe recourbée utilisée pour le tricot ou la dentelle. *Faire une écharpe au crochet.* **4.** Chacune des canines du mulet et du cheval. ▷ Chacune des deux dents recourbées des serpents venimeux, généralement percée d'un canal qui la relie aux glandes à venin. **II. 1.** ARCHI Motif ornemental en forme de feuille recourbée. **2.** TYPO Signe [], voisin de la parenthèse. **3.** Détour, changement de direction. *Faire un crochet pour éviter les embouteillages.* **4.** SPORT En boxe, coup porté par un mouvement du bras en arc de cercle. *Parer un crochet du droit.*

crochetable adj. Qui peut être crocheté.

crochetage n. m. Action de crocheter (une serrure); résultat de cette action.

crocheter v. tr. [18] **1.** Ouvrir (une serrure, une porte, etc.) avec un crochet. *Crocheter un coffre-fort.* **2.** Piquer, saisir à l'aide d'un crochet. **3.** Garnir (un ouvrage) d'une bordure exécutée au crochet. *Crocheter le bas des manches et le col d'un gilet.*

crocheteur n. m. **1.** Malfaiteur qui crochète les serrures. **2.** Anc. Portefaix qui utilisait un crochet (sens I, 3).

crochu, ue adj. Recourbé en forme de croc. *Nez, doigts crochus.* ▷ Loc. fig., fam. *Avoir les doigts crochus* : être avare, rapace. ▷ ANAT *Os crochu* : un des huit os du carpe.

crocodile n. m. **1.** Grand reptile carnivore vorace, aux pattes courtes, aux mâchoires très longues, vivant dans les eaux chaudes. *Les vagissements du crocodile.* ▷ Loc. fig. *Larmes de crocodile,* hypocrites, simulées. **2.** Peau de crocodile. *Une ceinture, des chaussures en crocodile.* (Abrév. fam. : croco). **3.** CH de F Pièce métallique placée entre les rails, qui déclenche un signal.

crocodiliens n. m. pl. ZOOL Ordre de reptiles sauriens de grande taille (alligators, caïmans, crocodiles, gavials), amphibies, présentant des caractères très évolués (notam. un cœur à quatre cavités, comme les mammifères) et dont le cuir est doublé de plaques osseuses dermiques. – Sing. *Un crocodilien.*

crocus n. m. Plante vivace bulbeuse (fam. iridacées) à grande fleur violette, jaune ou blanche. (*Crocus sativus* fournit le safran.)

croire v. [71] **I.** v. tr. **1.** Tenir pour vrai, estimer comme véritable. *Croire ce qu'on dit. Croire un récit.* **2.** Avoir confiance (en qqn, en la sincérité de ses dires). *Je le crois, car il ne ment jamais. Croyez-moi, je n'avais jamais vu un tel désordre!* ▷ *En croire* : s'en rapporter à (qqn, à ses dires). *À l'en croire, tout peut changer très rapidement.* ▷ *Ne pas en croire ses oreilles, ses yeux* : être stupéfait, très surpris par ce que l'on entend, par ce que l'on voit. ▷ Fam. *Je te crois! Je vous crois! Je crois bien!* : je suis d'accord avec toi, avec vous! *ou* : c'est sûr, c'est évident, cela ne m'étonne pas. **3.** *Croire* (+ inf.) : tenir pour véritable (ce qui n'est pas). *Il a cru entendre un bruit. Il croyait être définitivement rétabli mais il a eu une rechute.* ▷ *Croire que* : estimer, supposer que. *Je crois qu'il fera beau demain. Je ne crois pas qu'il puisse tenir ses promesses. Il est à croire* (ou, fam., *c'est à croire*) *qu'il n'a jamais travaillé!* **4.** *Croire qqch, qqn* (suivi d'un attribut) : estimer, imaginer, tenir pour vraisemblable ou possible. *Je ne crois pas cette tentative inutile. Je le crois honnête.* ▷ v. pron. S'imaginer être, se prendre pour. *Elle se croit une grande comédienne.* **II.** v. tr. indir. **1.** *Croire en qqn, en qqch,* avoir confiance en lui (en elle). *Il croit beaucoup en cet enfant. Croire en soi. Croire en l'avenir* : avoir confiance en l'avenir. **2.** *Croire à une chose,* être convaincu de sa valeur, de sa portée. *Croire à la science, au progrès.* – Fam. *Croire dur comme fer* : être fermement convaincu. **3.** Être persuadé de la réalité, de la vérité, de l'existence de qqch. *Croire en Dieu et à son amour. Croire aux revenants, à l'enfer, à la vie éternelle.* ▷ *Croire à un changement,* le tenir pour probable. **III.** v. intr. **1.** Accepter entièrement, sans examen ni critique (une proposition, des paroles, etc.). *Croire et ne jamais discuter, voilà sa règle.* **2.** *Spécial.* Avoir la foi. *Il n'est pas pratiquant mais il croit.*

croisade n. f. **1.** HIST Nom donné aux expéditions parties d'Occident du XIe au XIIIe s. pour délivrer les Lieux saints de Palestine de la domination musulmane, puis pour assurer leur défense. ▷ *La croisade des albigeois* : l'expédition conduite, avec une cruauté impitoyable, contre les populations hérétiques du midi de la France par Simon de Montfort de 1209 à 1218. **2.** Mod. Campagne, lutte menée en vue d'un objectif précis. *Croisade pour la paix, pour le désarmement.*

ENCYCL On compte huit croisades principales, mais ce nombre ne rend pas compte de la complexité du mouvement, car le va-et-vient des croisés fut continu entre l'Occident et l'Orient. – La *1re croisade* (1096-1099), décidée par le pape Urbain II pendant le concile de Clermont (1095), comporta une croisade populaire (prêchée par Pierre l'Ermite, mais mal organisée et rapidement massacrée par les Turcs en Anatolie) et la croisade des barons, commandée par Godefroi de Bouillon; celle-ci aboutit à la prise de Jérusalem (1099), puis à la création du roy. de Jérusalem, dont Baudouin, comte de Flandre, frère de Godefroi de Bouillon fut le prem. souverain (1100). – La *2e croisade* (1147-1149), prêchée par saint Bernard de Clairvaux à Vézelay et commandée par le roi de France Louis VII le Jeune et l'empereur Conrad III, échoua devant Damas. – La *3e croisade* (1189-1192), prêchée par Guillaume, archevêque de Tyr, fut commandée par le roi de France Philippe Auguste et le roi d'Angleterre Richard Cœur de Lion, d'une part, l'empereur Frédéric Barberousse, d'autre part; les croisés ne parvinrent pas à reprendre Jérusalem, que Saladin avait enlevée en 1187. – La *4e croisade* (1202-1204), organisée par le pape Innocent III, prêchée par son légat Pierre Capuano, commandée par Baudouin IX, comte de Flandre, et Boniface Ier de Montferrat, fut détournée de son but (l'Égypte) par les Vénitiens, qui l'amenèrent à se tourner contre Byzance; cela aboutit au pillage de Constantinople (1204), ainsi qu'à la constitution des États latins de Grèce : Empire latin, principauté de Morée, empire maritime de Venise. – La *5e croisade* (1217-1221), décidée par Innocent III, commandée par Jean de Brienne, roi nominal de Jérusalem, et André II de Hongrie, et dirigée contre l'Égypte, remporta quelques succès (prise de Damiette en 1219), puis échoua. – La *6e croisade* (1228-1229) fut commandée, après de multiples tergiversations, par l'empereur Frédéric II, alors excommunié, qui, par un traité avec le sultan d'Égypte Al-Kamil, obtint la cession de Jérusalem. – La *7e croisade* (1248-1254), commandée par Saint Louis, dirigée contre l'Égypte dont le sultan était devenu maître de Jérusalem (1244), se solda par un échec : défaite de Mansourah et capture du roi (1250). – La *8e croisade* (1270), inachevée, fut également commandée par Saint Louis qui mourut de la peste devant Tunis. ▶ carte page **472**

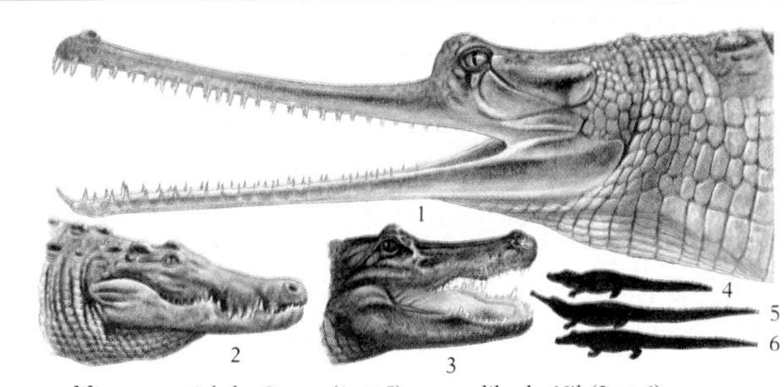

crocodiliens : gavial du Gange (1 et 5); crocodile du Nil (2 et 6); alligator américain (3 et 4)

croisé, ée adj. et n. m. **I.** adj. **1.** En forme de croix ou de X. *Baguettes croisées.* ▷ *De l'étoffe croisée,* ou n. m., *du croisé* : de l'étoffe à fils très serrés. ▷ *Vêtement croisé,* dont les bords se superposent en partie. *Boutonnage croisé* (par oppos. à *boutonnage bord à bord*). **2.** *Mots croisés* : jeu qui consiste à trouver, d'après une définition souvent en forme d'énigme, des mots se croisant à angle droit sur une grille qui peut être lue horizontalement et verticalement. **3.** MILIT *Feux, tirs croisés,* qui prennent l'ennemi sous deux angles différents. – Fig. *Être pris sous les feux croisés de la critique.* **4.** LITTER *Rimes croisées,* alternées. **5.** Produit par croisement (êtres vivants à reproduction sexuée). *Chien croisé avec un loup.* **II.** n. m. Celui qui partait en croisade.

croisée n. f. **1.** Endroit où deux choses se croisent. *La croisée des chemins.* – Fig. *Se trouver à la croisée des chemins* : être dans une situation où un choix décisif s'impose. ▷ ARCHI *Croisée d'ogives* : croisement des ogives d'une voûte gothique. *Croisée du transept* : croisement de la nef et du transept. **2.** Châssis vitré à un ou plusieurs vantaux qui sert à clore une fenêtre. ▷ *Par ext.* Fenêtre.

croisement n. m. **1.** Fait de croiser, de se croiser; disposition en croix. *Croisement de deux fils, de deux bandes de tissu. Croisement de deux véhicules.* ▷ TEXT Entrelacement des fils d'un tissu. **2.** Point où deux ou plusieurs lignes ou voies se croisent. *Croisement de la voie ferrée et de la route.* ▷ Carrefour. *Ralentir aux croisements.* **3.** Méthode de reproduction par fécondation entre individus (animaux ou plantes) de même espèce ou d'espèces voisines. **4.** LING Formation d'un mot par télescopage entre deux mots ou par contamination.

croiser v. [1] **I.** v. tr. **1.** Disposer en croix ou en X. *Croiser les jambes, les mains. Croiser un habit,* en faire passer un pan sur l'autre. ▷ *Croiser la baïonnette,* la diriger en avant, perpendiculairement au corps. ▷ *Croiser le fer* : engager les épées, se battre à l'épée; fig. s'affronter. **2.** Passer au travers de (une route, un chemin). *Route nationale croisant un chemin communal.* **3.** *Croiser qqn* : passer à côté de lui en allant dans la direction opposée. *Je l'ai croisé sur le boulevard. Voiture qui en croise une autre.* **4.** Faire se reproduire des êtres vivants (de races ou d'espèces différentes). *Croiser deux races bovines, deux plantes.* **II.** v. intr. **1.** *Veste qui croise,* dont un côté couvre l'autre et s'y boutonne. **2.** MAR Aller et venir dans une

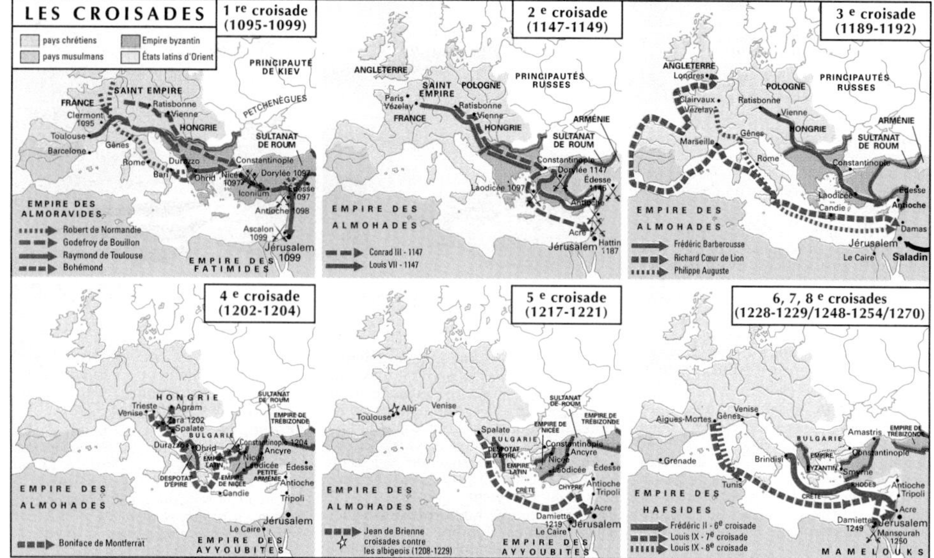

même zone, naviguer. *Navire qui croise au large de la côte.* **III.** v. pron. **1.** Être disposé en croix ou en X. *Routes qui se croisent.* **2.** *Pans, côtés d'un vêtement qui se croisent,* qui se superposent. **3.** *Personnes, véhicules qui se croisent,* dont les trajectoires sont inverses sur la même route. ▷ *Regards qui se croisent,* qui se rencontrent. **4.** (Animaux, plantes.) Se reproduire par croisement. **5.** VX Entreprendre une croisade (sens 1).

Croisette (cap), cap situé au sud de Marseille (Bouches-du-Rhône).

Croisette (pointe de la), cap situé au S.-E. de Cannes (Alpes-Maritimes). – *La Croisette :* boulevard maritime, célèbre promenade de Cannes.

croiseur n. m. MAR Bâtiment de guerre, rapide et de tonnage moyen, servant à éclairer la marche des escadres, à engager le combat avant les navires de ligne et à exercer une surveillance sur une grande distance.

Croisic (Le), ch.-l. de cant. de la Loire-Atlantique (arr. de Saint-Nazaire); 4 448 hab. Port de pêche. Ostréiculture, mytiliculture. Station balnéaire.

croisière n. f. **1.** MAR Action de croiser dans une zone déterminée pour y exercer une surveillance (bâtiment de guerre). **2.** Voyage d'agrément en mer. *Croisière en Méditerranée.* ▷ *Par anal.* Voyage d'agrément en avion. ▷ *Vitesse de croisière d'un avion, d'un navire :* vitesse à laquelle un avion, un navire effectue un long parcours sans usure anormale des moteurs. – Par anal. *Vitesse de croisière d'une voiture.*

croisillon n. m. **1.** Traverse d'une croix, d'une croisée. ▷ ARCHI Bras du transept d'une église. **2.** Pièce qui divise le châssis d'une fenêtre. ▷ (Plur.) Pièces disposées en croix à l'intérieur d'un châssis, servant à supporter les vitres. **3.** (Plur.) Ensemble de motifs, de pièces en forme de croix, de X.

croissance n. f. **1.** Développement progressif des êtres organisés, de leur taille. *Croissance difficile, harmonieuse d'un enfant.* ▷ BIOL Accroissement des diverses parties d'un être vivant, ou adjonction de nouvelles parties semblables à des parties préexistantes, à l'exclusion de toute adjonction de fonctions nouvelles. ▷ MED *Troubles de croissance :* nanisme, gigantisme, acromégalie, etc. – *L'hormone de croissance :* l'hormone somatotrope. **2.** Augmentation, développement. *Croissance démesurée des villes.* – *Croissance économique :* phénomène se manifestant par l'augmentation du produit national brut par habitant sur une certaine période.

1. croissant n. m. **1.** Figure échancrée de la Lune à son premier ou dernier quartier. ▷ Par anal. *Dessiner un croissant.* **2.** Période pendant laquelle la Lune croît, de la nouvelle à la pleine lune. **3.** Emblème de l'Empire turc, de l'islam. *La lutte de la croix et du croissant.* **4.** Faucille en forme de croissant servant à élaguer. **5.** COUR. Petite pâtisserie de pâte feuilletée en forme de croissant. *Manger des croissants au petit déjeuner.*

2. croissant, ante adj. Qui s'accroît, qui va en augmentant. *Le nombre croissant des accidents de la route. Ambition croissante.* ▷ MATH *Fonction croissante,* qui varie dans le même sens que la variable dont elle dépend. – *Suite croissante :* suite telle que l'élément de rang *n* est toujours inférieur à celui de rang *n* + *1*.

Croissant fertile, plaines alluviales du Moyen-Orient où naquit l'agriculture et où s'édifièrent les grandes civilisations préclassiques.

Croissant-Rouge (le), organisation correspondant, dans les pays musulmans, à la Croix-Rouge; reconnue par la conférence de Genève (1949).

Croisset (Franz Wiener, dit Francis de) (Bruxelles, 1877 – Neuilly-sur-Seine, 1937), écrivain français d'origine belge; auteur de comédies légères : *les Vignes du Seigneur* (en collab. avec R. de Flers, 1923).

Croissy (Charles Colbert, marquis de). V. Colbert (Charles).

croître v. intr. [72] **1.** Se développer, grandir. *Les petits de l'animal croissent, au début de leur vie, plus rapidement que ceux de l'homme.* **2.** Augmenter en volume, en intensité, en nombre. *La rivière a crû. Le bruit croît. L'abstentionnisme croît à chaque scrutin.* **3.** (Plantes) Se développer, pousser naturellement. *Champignons qui croissent en abondance au pied de certains arbres.*

croix [kʀwa] n. f. **I. 1.** Instrument de supplice composé de deux pièces de bois croisées, sur lequel on fixait certains condamnés à mort dans l'Antiquité (esclaves, notam.). *Mettre qqn en croix. Mourir sur la croix.* **2.** Spécial. *La Croix,* sur laquelle Jésus-Christ fut crucifié. *Jésus portant sa croix. Le mystère de la Croix :* le mystère de la rédemption des hommes par la mort que Jésus a soufferte sur la croix. ▷ Fig. *Chacun porte sa croix :* chacun connaît des épreuves douloureuses, a sa part de souffrance. ▷ *Chemin de croix :* suite de quatorze tableaux représentant les étapes de la Passion de Jésus. – *Faire le (un) chemin de croix :* s'arrêter pour prier devant chacun de ces tableaux en respectant les étapes du chemin parcouru par le Christ jusqu'à sa crucifixion. ▷ *Signe de (la) croix :* geste rituel des chrétiens (orthodoxes et catholiques), dessinant une croix. *Faire un signe de croix en pénétrant dans une église.* **3.** *La croix :* la religion chrétienne. *Faire triompher la croix.* **4.** Représentation figurée de la croix de Jésus-Christ. *La croix pectorale des évêques. Croix funéraire,* placée sur une tombe. ▷ Bijou en forme de croix. *Offrir une croix à un premier communiant.* **II. 1.** Objet, signe, ornement composé de deux éléments qui se croisent. *Croix du drapeau danois, suisse.* **2.** Décoration en forme de croix de différents ordres de chevalerie. *La croix de la Légion d'honneur. Croix de guerre :* décoration remise à un combattant qui s'est illustré pendant une guerre. ▷ COUR. *Recevoir la croix,* la croix de la Légion d'honneur. **3.** Marque formée par deux traits qui se croisent. *Marquer une page d'une croix.* ▷ Fig. *Mettre, faire une croix sur une chose,* la tenir pour perdue, y renoncer. **4.** *En croix :* croisé, qui forme une croix, un X. *Couverts disposés en croix sur une assiette. Carrefour en croix. Étendre les bras en croix.* **5.** COUT *Point de croix,* dans lequel le fil forme une croix, utilisé en broderie, en tapisserie. **6.** Signe en forme de croix. – *Croix grecque,* dont les quatre branches sont

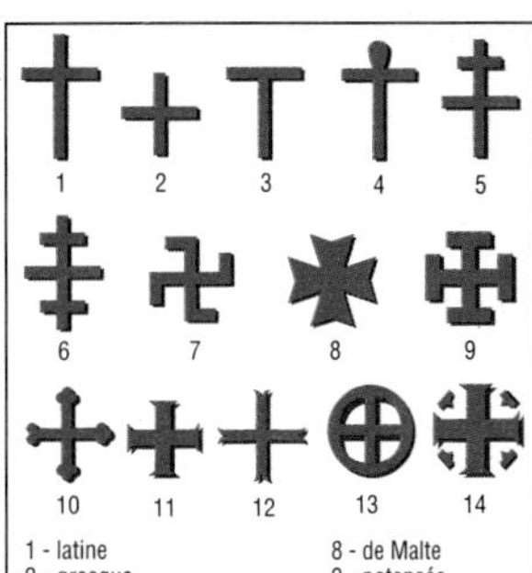

égales. – *Croix latine,* dont la branche inférieure est plus longue que les autres. – *Croix de Saint-André,* en forme de X. – *Croix de Saint-Antoine,* en forme de T. – *Croix de Lorraine,* à deux croisillons inégaux. – *Croix de Malte,* dont les quatre branches égales vont en s'élargissant. – *Croix tréflée, potencée.* ▷ ASTRO *Croix du Sud :* V. ce mot.

Croix, com. du Nord (arr. de Lille), dans la banlieue de Roubaix; 20 308 hab. Industr. textile.

Croix (la), grand quotidien de la presse catholique française, fondé en 1883 par les assomptionnistes, devenu, en 1956, *la Croix l'événement.*

Croix de fer, ordre militaire allemand créé en 1813 par Frédéric-Guillaume III, roi de Prusse.

Croix-de-Feu (les), association d'anciens combattants fondée en 1927 et dirigée par le colonel de La Rocque. De tradition «patriotique» et antiparlementaire, elle participa à la manifestation du 6 fév. 1934, avant que celle-ci ne tournât à l'émeute. Elle fut dissoute en 1936, en même temps que l'ensemble des ligues d'extrême droite.

Croix du Sud (la), constellation australe dont les quatre étoiles les plus brillantes dessinent une croix. La branche la plus grande est orientée vers le pôle Sud, dont elle donne approximativement la direction aux observateurs qui se trouvent dans l'hémisphère austral.

Croix-Rouge (la), organisation internationale (dénomination officielle : *Mouvement international de la Croix-Rouge et du Croissant-Rouge*) fondée à l'instigation d'Henri Dunant, en 1863 (apparition des premiers comités; la convention de Genève fut adoptée en 1864) pour protéger les victimes des guerres. Auj., 144 sociétés nationales en font partie. Le Comité international de la Croix-Rouge (C.I.C.-R.) siège à Genève.

Croix-Rousse (la), quartier de Lyon, au N. de la ville, sur une colline que traverse un tunnel routier.

Cro-Magnon, abri-sous-roche de la com. des Eyzies-de-Tayac (Dordogne) où furent découverts, en 1868, plusieurs squelettes fossilisés appartenant à un type humain de culture aurignacienne (paléolithique supérieur, vers 30 000 av. J.-C.) appelé *homme de Cro-Magnon.*

cromlech [kʀɔmlɛk] n. m. Monument mégalithique formé de blocs espacés dressés en cercle.

Crommelynck (Fernand) (Paris, 1886 – Saint-Germain-en-Laye, 1970), dramaturge belge d'expression française. Il est surtout connu pour *le Cocu magnifique* (1921), caricature bouffonne de la jalousie.

Cromwell (Thomas), comte d'Essex (Putney [?], v. 1485 – Londres, 1540), homme politique anglais. Chancelier de l'Échiquier en 1533 puis lord du Sceau privé en 1536, tenant de l'absolutisme royal, il seconda avec force Henri VIII dans la Réforme anglicane. Tombé en disgrâce, il fut décapité.

Cromwell (Oliver) (Huntingdon, 1599 – Londres, 1658), homme politique anglais. Gentilhomme puritain, député au Long Parlement (1640), il fut l'un des adversaires les plus acharnés du roi Charles Ier. Lors de la guerre civile, il leva à ses frais un régiment, les «Côtes de fer», et réorganisa l'armée des révoltés, dont il prit la tête, battant le roi à Naseby (1645). Soutenu par l'armée, il acquit une forte autorité, fit condamner Charles Ier à mort (1649), instaura la rép. (*Commonwealth*) et soumit l'Irlande et l'Écosse (1650-1651). Il exerça en fait une dictature, recevant le titre de *lord-protecteur* en 1653. Il renforça la puissance marit. anglaise (Acte de navigation, 1651), favorisa le comm. et lutta contre les Espagnols, s'alliant à la France pour annexer Dunkerque (1658). – **Richard** (Huntingdon, 1626 – Cheshunt, 1712), troisième fils du préc., lui succéda, les deux aînés étant morts, mais, n'ayant point l'envergure paternelle, il dut abandonner le pouvoir dès 1659 et s'exila 20 ans.

Cronin (Archibald Joseph) (Cardross, Dumbartonshire, 1896 – Montreux, 1981), romancier anglais. Ses œuvres sont d'un idéalisme sans concessions : *le Chapelier et son château* (1930), *la Citadelle* (1937), *les Clefs du royaume* (1941), *l'Arbre de Judas* (1961).

Cronin (James Watson) (Chicago, Illinois, 1931), physicien américain. Ses travaux (en commun avec V. Fitch) démontrant la violation du principe de symétrie dans la désintégration des mésons K neutres ont été couronnés par le prix Nobel 1980.

Cronos ou **Kronos,** divinité hellénique, fils d'Ouranos (le Ciel) et de Gaia (la Terre), père de Zeus. Identifié par les Romains à Saturne.

aide alimentaire de la **Croix-Rouge** en Éthiopie

Oliver **Cromwell**

sir William **Crookes**

Cronstadt ou **Kronstadt,** base navale de l'ex-U.R.S.S., dans l'île de Kotline, à 30 km à l'O. de Saint-Pétersbourg, au fond du golfe de Finlande. – Importantes fortifications. – Mutineries de marins en 1905, en 1917 et en 1921; cette dernière, à caractère «gauchiste», dirigée contre le pouvoir soviétique, fut sévèrement réprimée par Trotski.

Crookes (sir William) (Londres, 1832 – id., 1919), chimiste et physicien anglais. Il découvrit en 1878 la composition des rayons cathodiques et mit au point le *tube* (cathodique) *de Crookes.*

crooner [kʀunœʀ] n. m. (Anglicisme) Chanteur de charme.

1. croquant n. m. **1.** HIST Paysan révolté, en Guyenne, sous les règnes de Henri IV et de Louis XIII. **2.** Vx, péjor. Paysan. ▷ Homme rustre, sans éducation.

2. croquant, ante adj. et n. m. Qui croque sous la dent. *Biscuits croquants.* ▷ n. m. Cartilage de la volaille et de certaines viandes.

croque au sel (à la) loc. adv. Avec du sel pour seul assaisonnement. *Artichauts, tomates à la croque au sel.*

croque-madame n. m. inv. Croque-monsieur surmonté d'un œuf sur le plat.

croquembouche n. m. CUIS Pièce montée composée de petits choux caramélisés et fourrés de crème.

croque-mitaine n. m. Être imaginaire et terrible que l'on évoquait autref. pour effrayer les enfants, les faire obéir. *Si tu n'es pas sage, le croque-mitaine viendra te prendre!* ▷ Fig. Personne qui se fait redouter par son apparence sévère. *Jouer les croque-mitaines.*

croque-monsieur n. m. inv. Mets fait de deux tranches de pain de mie entre lesquelles on place une tranche de jambon et du fromage, et que l'on fait griller ou frire.

croque-mort n. m. Fam. Employé d'une entreprise de pompes funèbres. *Des croque-morts.* ▷ Loc. fam. *Avoir une figure, une tête de croque-mort :* avoir un air lugubre.

croquenot n. m. Fam. Soulier.

croquer v. [1] **I.** v. intr. Faire un bruit sec sous la dent. *Chocolat qui croque.* **II.** v. tr. **1.** Manger (qqch qui produit un bruit sec) en broyant avec les dents. *Croquer une pomme. Croquer du sucre.* ▷ v. intr. *Croquer dans un fruit.* **2.** Fig. Faire disparaître rapidement. *Croquer un héritage,* le dilapider. ▷ MUS *Croquer des notes,* ne pas les jouer, les escamoter. **3.** Loc. fig., pop. *Croquer le marmot :* se morfondre à attendre. **4.** PEINT Esquisser rapidement, sur le vif, les traits essentiels de. *Croquer un paysage, un visage.* ▷ *Personne jolie à croquer,* très jolie. ▷ *Par anal.* Décrire, présenter les caractères essentiels de. *Il nous a croqué* en quelques phrases le portrait de sa future femme. **5.** Au jeu de croquet, atteindre et projeter loin du but (la boule de l'adversaire).

1. croquet n. m. Rég. Biscuit sec, mince et croquant.

2. croquet n. m. Jeu qui consiste à pousser sous des arceaux, suivant un itinéraire déterminé, des boules de bois avec un maillet. *Faire une partie de croquet.*

3. croquet n. m. Galon à petites dents, servant à border un ourlet ou à orner un vêtement.

croquette n. f. CUIS Boulette de pâte, de viande hachée, etc., passée dans du jaune d'œuf et de la chapelure, puis frite. *Croquettes de poisson.*

croquignol, ole adj. Fam. Amusant et bizarre, comique.

croquignole n. f. Petite pâtisserie croquante.

croquignolet, ette adj. Fam. (souvent iron.) Mignon, amusant, surprenant.

croquis [kʀɔki] n. m. **1.** Représentation schématiquement dessinée d'un objet. ▷ PEINT Esquisse rapide indiquant les traits essentiels. *Faire un croquis. Carnet de croquis.* **2.** GEOM *Croquis coté* : V. coté.

Cros (Charles) (Fabrezan, Aude, 1842 – Paris, 1888), poète et savant français. Il a défini, parallèlement à Ducos du Hauron, qu'il ne connaissait pas, le principe de la photographie en couleurs (communiqué à la Société française de photographie en 1869) et, en 1876, avant Edison, celui du phonographe (paléophone). Les surréalistes, admirateurs des poèmes du *Coffret de santal* (1873), ont également vu en lui un humoriste noir (*la Science de l'amour*, dans *le Collier de griffes*, posth., 1908). – L'*académie Charles-Cros* honore chaque année la mémoire de l'inventeur du paléophone en décernant des prix à des disques.

Charles **Cros**

Georges **Cuvier**

Crosby (Harry Lillis, dit Bing) (Washington, 1904 – Madrid, 1977), acteur et chanteur américain. Célèbre pour ses émissions radiophoniques. Il détint le record mondial de la vente du disque. Au cinéma, il interpréta la série *En route pour...* (à partir de 1940), *Haute Société* (1955), *le Millionnaire* (1960).

crosne [kʀon] n. m. Tubercule comestible d'une labiée, présentant plusieurs renflements successifs.

cross n. m. SPORT Course sur un parcours tout terrain (cyclisme, motocyclisme, équitation, etc.).

cross-country [kʀɔskuntʀi] n. m. SPORT Course à pied au milieu d'obstacles naturels. *Des cross-countries.*

crosse n. f. **1.** Bâton pastoral d'évêque ou d'abbé, à bout recourbé. **2.** Bâton à bout recourbé utilisé dans certains jeux pour frapper ou pousser la balle. *Crosse de hockey.* **3.** Partie du fût d'un fusil, d'un pistolet, etc., qu'on appuie contre l'épaule ou que l'on serre dans la main pour tirer. ▷ *Mettre la crosse en l'air* : se rendre ou se mutiner (en parlant de soldats). **4.** TECH Pièce recourbée à une de ses extrémités. *Crosse de violon.* ▷ ANAT Partie recourbée d'un vaisseau. *Crosse de l'aorte* : courbe de l'aorte dans le médiastin, à sa sortie du cœur. ▷ BOT Extrémité recourbée d'une inflorescence et de certaines feuilles. *Crosse de fougère.* **5.** Loc. fig., pop. *Chercher des crosses* : chercher querelle.

crossé, ée adj. RELIG CATHOL *Abbé crossé*, qui a le droit de porter la crosse.

crossoptérygiens n. m. pl. ZOOL Ordre de poissons ayant vécu du dévonien au permien et dont les nageoires préfigurent les membres des amphibiens. – Sing. *Un crossoptérygien.*

crotale n. m. **1.** Serpent très venimeux d'Amérique (genre *Crotalus*), atteignant 2 m de long, et dont l'extrémité de la queue est constituée d'étuis cornés qui produisent un bruit de crécelle quand il se déplace (d'où son appellation cour. de *serpent à sonnette*). **2.** MUS Sorte de castagnette en usage dans l'Antiquité.

crotale lové agitant sa sonnette

croton n. m. BOT Euphorbiacée arbustive ou arborescente, qui produit des graines (petits pignons d'Inde) dont on tire une huile purgative.

Crotone, v. et port d'Italie (prov. de Catanzaro, en Calabre); 58 280 hab. Industr. chim. – Fondée à la fin du VIIIe s. av. J.-C. par les Achéens, cette ville de Grande-Grèce (conquise par Rome au début du IIe s. av. J.-C.) hébergea Pythagore exilé et vit naître Milon.

Crotoy (Le), com. de la Somme (arr. d'Abbeville), sur la *baie de la Somme*; 2 451 hab. Pêche. Station balnéaire.

crotte n. f. **1.** Fiente de certains animaux. *Crotte de lapin, de souris.* – *Par ext.* Tout excrément solide. ▷ Fam. *C'est de la crotte, de la crotte de bique* : cela n'a aucune valeur. ▷ Fam., vieilli *Crotte!* : interj. de dépit, de surprise. **2.** Vx Boue des rues qui salit. *Être tout couvert de crotte.* **3.** *Crotte en chocolat* : bonbon de chocolat.

crotter v. [1] **1.** v. tr. Salir avec de la boue. – Pp. adj. *Des souliers crottés.* ▷ v. pron. *Il s'est crotté en jouant.* **2.** v. intr. Faire des crottes (sens 1).

crottin n. m. **1.** Excrément solide des équidés. **2.** Petit fromage de chèvre de forme ronde.

croulant, ante adj. et n. **1.** adj. Qui croule ou qui est près de crouler. *Une maison croulante.* **2.** n. Fam. Adulte, personne âgée.

1. crouler v. intr. [1] **1.** Tomber en se désagrégeant. *Un mur qui croule.* **2.** Fig. S'effondrer. *L'empire croulait de toutes parts.* – *Crouler de fatigue.*

2. crouler v. intr. [1] Crier (en parlant de la bécasse).

croup n. m. Laryngite à fausses membranes, presque toujours d'origine diphtérique.

croupe n. f. **1.** Partie de divers animaux (cheval, âne, etc.) qui s'étend des reins à la naissance de la queue. – *Monter en croupe* : monter derrière la personne qui est en selle. **2.** Fig., fam. Partie postérieure de l'être humain (se dit en partic. des femmes). *Elle a une jolie croupe.* **3.** GEOGR Sommet arrondi d'une colline.

croupetons (à) loc. adv. Dans une position accroupie. *Se tenir à croupetons.*

croupi, ie adj. *Eau croupie*, stagnante et corrompue.

croupier, ère n. Employé(e) d'une maison de jeu qui tient le jeu et la banque pour le compte de l'établissement.

croupière n. f. **1.** Partie du harnais passant sous la queue du cheval, du mulet, etc., rattachée à la sellette pardessus la croupe. **2.** Loc. fig., vieilli *Tailler des croupières à qqn*, lui susciter des difficultés.

croupion n. m. **1.** Extrémité postérieure du tronc des oiseaux, portant des plumes rétrécies. *Le croupion d'un poulet.* ▷ Zone d'attache de la queue, chez les mammifères. **2.** HIST Par dénigr. *Le Parlement Croupion* : la fraction du Parlement anglais que Cromwell conserva en 1648. V. Parlement (Long).

croupir v. intr. [3] **1.** (Liquides) Se corrompre faute de mouvement. *L'eau croupit.* – (Choses) Se corrompre dans une eau stagnante. *Herbes qui croupissent dans une mare.* **2.** Fig. Vivre dans l'ordure, dans un état dégradant. *Croupir dans sa crasse. Croupir dans le vice.* ▷ (S. comp.) Être inactif, improductif.

croupissant, ante adj. Qui croupit. *Mare croupissante.* – Fig. Inactif.

croupissement n. m. Fait de croupir; état de ce qui croupit.

croustade n. f. **1.** CUIS Pâté chaud à croûte croquante. **2.** Mets préparé avec des tranches épaisses de pain de mie creusées et garnies. **3.** En Languedoc, pâtisserie faite de couches alternées de pâte très fine et de pommes.

croustillant, ante adj. **1.** Qui croustille. *Croissants croustillants.* **2.** Fig. Qui contient des détails scabreux ou grivois. *Histoire croustillante.*

croustiller v. intr. [1] Craquer agréablement sous la dent. *Une galette qui croustille.*

croûte n. f. **I. 1.** Partie extérieure du pain, que la cuisson a durcie. *La croûte et la mie du pain.* – *Par ext.* Reste de pain durci. *Tremper des croûtes de pain dans sa soupe.* ▷ Loc. fig., fam. *Casser la croûte* : manger. – *Gagner sa croûte* : gagner de quoi manger; gagner sa vie. **2.** Pâte cuite renfermant un pâté. *Pâté en croûte.* **3.** Partie superficielle du fromage. *Manger un camembert avec la croûte.* **II.** *Par anal.* **1.** Tout ce qui se forme et durcit sur qqch. *Une croûte de tartre.* ▷ MED Plaque non vascularisée qui se forme à la surface des téguments lors de la cicatrisation d'une plaie, de certaines affections dermatologiques. **2.** GEOL *Croûte terrestre* : partie la plus superficielle du globe terrestre. (Elle se compose de la croûte continentale granitique, constituant le sol des continents, et de la croûte océanique basaltique, continue sur tout le globe, qui constitue le sous-sol des continents et le sol des fonds océaniques.) Syn. écorce terrestre. **3.** Fam. Mauvais tableau. **4.** TECH Partie du cuir obtenue par sciage, côté chair.

croûter v. intr. [1] **1.** Former une croûte. *La neige croûte au printemps.* **2.** Fam. Manger. *Quand est-ce qu'on croûte ?*

croûteux, euse adj. Qui forme une croûte ; qui présente l'aspect d'une croûte.

croûton n. m. **1.** Morceau de croûte, en partic. à l'extrémité d'un pain ; extrémité d'un pain. *Il ne restait plus qu'un croûton à manger.* **2.** CUIS Petit morceau de pain frit. *Préparer des croûtons pour accompagner une soupe. Omelette aux croûtons.* **3.** Fig., fam. Individu routinier, confiné dans l'habitude. *Un vieux croûton.*

crown-glass [kRonglas] n. m. inv. (Anglicisme) TECH Verre optique, utilisé dans la fabrication des lentilles.

croyable adj. (Choses) Qui peut être cru. *Est-ce croyable ? C'est à peine croyable.* Ant. incroyable.

croyance n. f. **1.** Fait de croire. *La croyance aux bienfaits du progrès scientifique.* ▷ *Spécial.* Fait de croire en Dieu. **2.** Ce que l'on croit, ce à quoi on adhère (en matière politique, philosophique, et, spécial., religieuse). *Respecter les croyances d'autrui.*

croyant, ante adj. Qui a la foi. *Elle était très croyante.* ▷ Subst. *Les croyants et les athées.*

Croydon, v. de G.-B., au S. de l'aggl. de Londres ; 299 600 hab. Constr. méca.

Crozat (Antoine), marquis du Châtel (Toulouse, 1655 - Paris, 1738), financier français ; il fit construire le *canal Crozat* (auj. *de Saint-Quentin*).

Crozet (îles), archipel français situé aux confins de l'océan Indien et de l'océan Antarctique, au S. de Madagascar. Érigé en parc national en 1938.

Crozon, ch.-l. de cant. du Finistère (arr. de Châteaulin), dans la partie S. de la *presqu'île de Crozon* ; 8 060 hab. Port de pêche.

C.R.S. Sigle de *Compagnies* républicaines de sécurité.*

1. cru, crue adj. Que l'on croit. *Une chose crue de tous.*

2. cru n. m. **1.** Terroir considéré relativement à sa production. *Les spécialités du cru.* ▷ *Du cru* : de la région. *Les gens du cru.* ▷ Spécial. *Vin du cru,* fait avec le raisin de l'endroit. - Ellipt. *Un grand cru. Les crus de Bourgogne, de Bordeaux. Bouilleur* de cru.* **2.** Loc. fig. *De son cru* : de sa propre invention. *Il fit encore quelques bons mots de son cru et prit congé.*

3. cru, crue adj. (et adv.) **1.** Qui n'est pas cuit. *Viande crue.* - adv. *Manger cru.* **2.** Naturel, brut, non préparé. *Chanvre cru.* **3.** Dit, fait sans ménagement. *Une réponse bien crue.* - adv. *Parler cru à qqn.* ▷ Licencieux, inconvenant. *Plaisanteries, propos très crus.* **4.** Que rien n'atténue, violent (lumière, couleur). **5.** Loc. adv. *À cru* : sur la peau nue. ▷ *Monter à cru,* sans selle.

crû, crue Pp. du v. *croître.*

Cruas, com. de l'Ardèche (arr. de Privas) ; 2 213 hab. - Vest. d'une abb. du Xᵉ s. - Centre de production nucléaire.

cruauté n. f. **1.** Inclination à faire souffrir. *Traiter qqn avec cruauté.* ▷ Caractère de ce qui est cruel. *La cruauté d'une action.* - *La cruauté du tigre,* sa férocité. **2.** Acte cruel. *Commettre des cruautés.* **3.** Fig. Caractère de ce qui est rigoureux. *La cruauté du sort, du destin.* **4.** Vx Indifférence de celui, de celle qui fait souffrir ceux qui l'aiment.

cruche n. f. **1.** Vase à large panse, à col étroit et à anses. *Une cruche en grès, en terre.* - Son contenu. *Une cruche d'eau.* ▷ Prov. *Tant va la cruche à l'eau qu'à la fin elle se casse* : tout finit par s'user ; à force de s'exposer à un péril, on finit par y succomber. **2.** Fig., fam. Personne sotte. *Quelle cruche !*

cruchon n. m. Petite cruche ; son contenu.

crucial, ale, aux adj. **1.** Qui est en forme de croix. *Incision cruciale.* **2.** Fig. *Expérience cruciale,* décisive (indiquant une direction sûre comme le poteau indicateur à un carrefour). **3.** Décisif, capital. *Point crucial. Moment crucial.*

crucifère adj. Qui porte une croix. *Colonne crucifère.*

crucifères n. f. pl. BOT Famille de dicotylédones dialypétales superovariées dont la corolle à quatre pétales forme une croix et dont les fruits sont des siliques. *Les crucifères sont très nombreuses : chou, navet, cresson, giroflée, etc.* - Sing. *La moutarde est une crucifère.*

une **crucifère :** le navet ; à g., tige fleurie montée en graine avec feuille ; à dr., de haut en bas, cosse ouverte contenant des graines et vue en coupe de la fleur

crucifié, ée adj. et n. **1.** Se dit d'une personne mise en croix. - Spécial. *Le Crucifié* : Jésus-Christ. **2.** Fig. Qui éprouve une grande souffrance morale. *Un cœur crucifié.*

crucifier v. tr. [2] **1.** Supplicier (qqn) en le fixant sur une croix pour l'y faire mourir. *Les Romains ont crucifié le Christ.* **2.** Fig. Tourmenter cruellement. *Son malheur le crucifie.* ▷ RELIG Mortifier. *Crucifier ses passions.*

crucifix [kRysifi] n. m. Croix sur laquelle est représenté le Christ crucifié. *Un crucifix en bois, en argent, en or.*

crucifixion n. f. ou **crucifiement** [kRysifimɑ̃] n. m. **1.** Action de crucifier. **2.** BX-A Représentation peinte ou sculptée de Jésus-Christ sur la Croix. ▸ <u>illustr. **Pénicaud**</u>

cruciforme adj. Didac. En forme de croix.

cruciverbiste n. Didac. Amateur de mots croisés.

crudité n. f. **1.** Rare (Aliments) Qualité de ce qui est cru. ▷ Cour. *Crudités* : légumes divers que l'on mange crus, généralement en salade. *Assiette de crudités.* **2.** Fig. Caractère d'un propos, d'une représentation dont le réalisme choque. **3.** Fig. Caractère d'une lumière, d'une couleur qui tranche violemment. *La crudité d'un éclairage.*

crue n. f. Élévation du niveau d'un cours d'eau, pouvant provoquer son débordement. *Les crues du Nil. Une rivière en crue.*

cruel, elle adj. **1.** Qui prend plaisir à faire souffrir, à voir souffrir. *C'est un tyran cruel.* ▷ Fig. *Destin, sort cruel.* **2.** Qui dénote la cruauté. *Action cruelle.* **3.** Sévère, inflexible. *Un père cruel.* ▷ Vieilli Insensible (en parlant d'une femme courtisée). *Une beauté cruelle.* **4.** Qui cause une grande souffrance. *Une cruelle maladie.*

cruellement adv. **1.** D'une manière cruelle. *Battre qqn cruellement.* **2.** D'une manière douloureuse. *Être cruellement éprouvé par la mort d'un parent.*

cruenté, ée adj. MED Imprégné de sang. *Plaie cruentée.*

Cruikshank (George) (Londres, 1792 - id., 1878), caricaturiste et illustrateur anglais (notam. de Dickens).

cruiser n. m. (Anglicisme) MAR Petit yacht à moteur.

Crumb (Robert) (Philadelphie, Pennsylvanie, 1943), dessinateur et scénariste de bandes dessinées américain. Il fut l'un des principaux représentants de la culture *underground* à la fin des années 60.

crumble [kRœmbœl] n. m. (Anglicisme) Sorte de tourte aux fruits.

crûment adv. D'une manière crue (3, sens 3). *Répondre crûment.*

cruor n. m. MED Partie du sang qui se coagule (par oppos. à *sérum*).

crural, ale, aux adj. ANAT Qui appartient à la cuisse. *Artère crurale.*

crustacé, ée adj. et n. **1.** adj. Vx SC NAT Dont le corps est couvert d'une membrane dure et cassante. **2.** n. m. pl. Mod. ZOOL *Les crustacés* : classe d'arthropodes antennates dont le tégument chitineux est fortement minéralisé par des sels de calcium. (Généralement aquatiques à respiration branchiale, ils sont ovipares. On les divise en *malacostracés,* ou crustacés supérieurs : homard, crevette, crabe, etc., et en *entomostracés,* ou crustacés inférieurs : daphnie, etc.) - Sing. *Un crustacé.* ▷ Cour. Se dit des crustacés aquatiques comestibles (homard, langoustine, crevette, crabe, etc.). *Faire un repas de crustacés.*

crustal, ale, aux adj. GEOL Qui concerne la croûte terrestre.

Cruz (Juana Ramírez de Asbaje, en relig. Sor Juana Inés de la) (San Miguel Nepantla, 1651 - Mexico, 1695), femme de lettres mexicaine : poèmes philosophiques *(le Songe),* dramatiques (*Divin Narcisse*), sonnets, textes autobiographiques *(Réponse à sœur Philotée).*

Cruz e Sousa (João da) (Florianópolis, Santa Catarina, 1861 - Estação de Sitio, Minas Gerais, 1898), poète brésilien. Noir, symboliste, il fut rejeté par les poètes brésiliens contemp., en majorité parnassiens. Il ne fut reconnu qu'après 1920 (*Bouclier*s, 1893).

Cruz y Olmedilla (Ramón de la) (Madrid, 1731 – id., 1794), auteur dramatique espagnol. L'essentiel de son œuvre consiste en quelque 400 *sainetes* (saynètes) qui mettent en scène le peuple madrilène et marquent un retour à l'inspiration populaire.

cry(o)-. Élément, du gr. *kruos*, « froid ».

crylor n. m. (Nom déposé.) TECH Textile synthétique acrylique.

cryoconservation n. f. TECH Conservation (de tissus organiques notam.) à très basse température.

cryoélectronique adj. et n. f. ELECTRON Partie de l'électronique qui utilise les supraconducteurs.

cryogène adj. PHYS Qui produit du froid. *L'azote liquide est cryogène.*

cryogénie n. f. PHYS Production de très basses températures.

cryométrie n. f. PHYS Mesure des températures de congélation.

cryoscopie n. f. PHYS Étude des lois de la congélation des solutions, visant à déterminer, par la mesure de l'abaissement de la température, la masse molaire d'un corps soluble.

cryothérapie n. f. MED Traitement fondé sur l'emploi du froid.

cryptage n. m. Action de crypter; son résultat. ▷ Procédé consistant à coder une transmission afin de ne la rendre intelligible qu'aux détenteurs d'un décodeur.

crypte n. f. Caveau construit au-dessous d'une église. – Chapelle souterraine dans une église.

crypter v. tr. [1] **1.** Coder une transmission afin de la rendre intelligible aux seuls détenteurs d'un décodeur. – Pp. adj. *Une chaîne de télévision cryptée.* **2.** INFORM Transformer un message de manière qu'il ne soit accessible qu'aux possesseurs du code utilisé. – Pp. adj. *Des données cryptées.*

cryptique adj. Didac. **1.** Qui vit dans les grottes. **2.** Souterrain.

crypto-. Élément, du gr. *kruptos*, « caché ».

cryptocalvinisme n. m. Doctrine qui, sur l'eucharistie, rapprochait le point de vue luthérien du point de vue calviniste et dont les adeptes furent persécutés, en Allemagne, à la fin du XVIe s.

cryptocommunisme n. m. Sympathie, non exprimée, pour la doctrine ou les idées communistes, sans adhésion au parti communiste.

cryptogame adj. et n. m. **1.** BOT Se dit des végétaux dont les organes de fructification sont cachés ou peu apparents. **2.** n. m. pl. *Les cryptogames* : vaste ensemble de végétaux dont le mode de reproduction est resté longtemps mystérieux, à cause de la taille, de la position, du caractère aléatoire des organes reproducteurs. (Ils s'opposent aux phanérogames. Ce sont les algues, les champignons, les mousses, etc.) *Les cryptogames vasculaires* : les fougères.

cryptogamie n. f. BOT **1.** Reproduction des cryptogames. **2.** Étude des cryptogames.

cryptogamique adj. BOT Se dit des maladies végétales dues à un champignon parasite (par ex. la cloque).

cryptogénétique adj. MED Dont la cause est inconnue. *Maladie cryptogénétique.*

cryptogramme n. m. Message rédigé dans une écriture secrète, dépêche chiffrée.

cryptographie n. f. Didac. Technique des écritures secrètes.

cryptophyte n. f. BOT Plante dont les bourgeons passent la mauvaise saison cachés dans le sol (*géophyte*), dans l'eau (*hydrophyte*) ou dans la vase (*hélophyte*).

cryptorchidie [kʀiptɔʀkidi] n. f. MED Absence d'un seul ou des deux testicules dans les bourses, par défaut de migration à partir de l'abdomen, due à une malformation congénitale.

Cs CHIM Symbole du césium.

C.S.A. Sigle de *Conseil* supérieur de l'audiovisuel.*

csar. V. tsar.

csardas [ksaʀdas] ou **czardas** [gzaʀdas] n. f. inv. Danse hongroise populaire à deux mouvements, le premier lent, le second rapide.

C.S.C.E. Sigle de *Conférence pour la sécurité et la coopération en Europe*.*

Csepel, quartier de Budapest, dans l'*île Csepel* (60 km de long). Port fluvial. Important centre métallurgique.

C.S.G. n. f. Contribution* sociale généralisée.

cténaires [ktenɛʀ] ou **cténophores** [ktenɔfɔʀ] n. m. pl. ZOOL Embranchement de métazoaires à symétrie bilatérale, pélagiques, se déplaçant à l'aide de huit palettes ciliées, autref. réunis aux cnidaires dans les cœlentérés. – Sing. *Un cténaire* ou *un cténophore.*

Ctésiphon, v. antique de Mésopotamie (auj. *Iraq* ou *Irak*), sur le Tigre. Une des cap. des Arsacides jusqu'aux campagnes de Trajan (116) et de Septime Sévère (197). Elle connut son apogée sous les Sassanides jusqu'à la conquête arabe (637).

Cu CHIM Symbole du cuivre.

Cuauhtémoc (?, v. 1497 – ?, 1525), dernier empereur aztèque; vaincu par Cortés, qui le fit pendre.

Cuba (république de) *(República de Cuba)*, État d'Amérique centr. formé par la plus grande île des Antilles (à laquelle sont rattachés l'île des Pins et de nombr. îlots), à l'entrée du golfe du Mexique; 114 524 km²; env. 11,2 millions d'hab.; cap. *La Havane.* Nature de l'État. : rép. socialiste. Langue off. : espagnol. Monnaie : peso cubain. Population : métis 51 %; Blancs 37 %; Noirs 11 %. Relig. : catholicisme en majorité.
Géogr. phys. et hum. – L'île de Cuba est formée de plaines et de bas plateaux au sol fertile, coupés de quelques reliefs montagneux : au S.-E., la sierra Maestra culmine à 1 990 m. Les côtes sont découpées en larges baies. Le climat est tropical, humide, avec deux saisons sèches; les cyclones sont fréquents. La population est en majorité urbaine (près de 75 %) et s'accroît de 1 % par an.
Écon. – Au cours des trois dernières décennies, le développement de Cuba s'est réalisé grâce à l'aide et à l'encadrement soviétiques et selon un système d'accords préférentiels qui permettaient à l'île de recevoir de l'U.R.S.S. pétrole, produits de base, céréales, pièces détachées à des prix très inférieurs aux cours mondiaux, et de lui vendre sucre, nickel, agrumes au prix fort. Les ressources de l'île sont limitées : canne à sucre, tabac, nickel, cultures vivrières et pêche; son endettement est important. La réduction des livraisons soviétiques en 1990 a imposé à Cuba un rationnement draconien en énergie, denrées alimentaires et biens

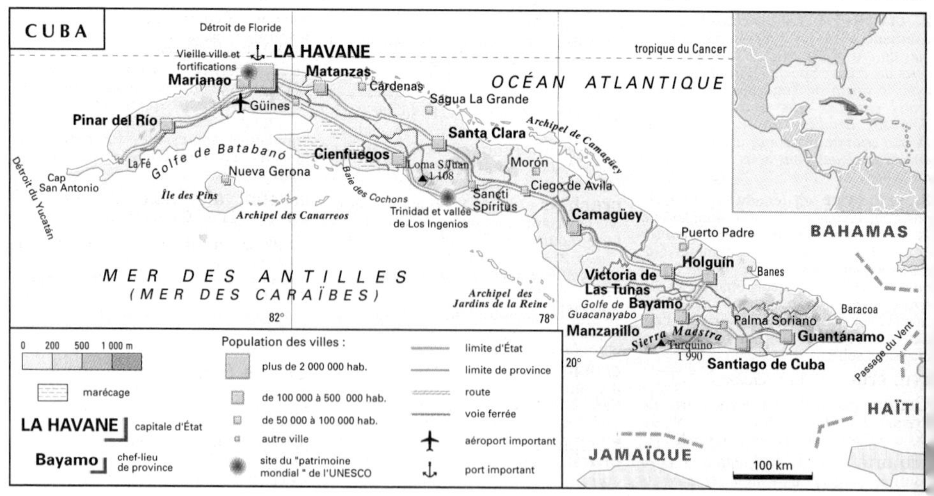

de consommation. Malgré les modestes mesures de libéralisation prises en 1993, les Cubains souffrent de la détérioration des relations avec la Russie et du sévère embargo américain appliqué depuis 1960.
Hist. – L'île, découverte en 1492 par Christophe Colomb, conquise par Diego Velázquez (1511-1514), dépendit de la capitainerie générale de Porto Rico, puis forma une capitainerie particulière en 1777. Elle était le lieu de rassemblement, puis de départ des convois à destination de l'Espagne. Régentant l'économie de l'île jusqu'en 1818 (liberté de comm. accordée à cette date), l'Espagne y transporta des esclaves noirs dès le XVIe s. pour cultiver les plantations de tabac, canne à sucre, café. Au XIXe s., créoles et Noirs luttèrent à maintes reprises contre la métropole (révolte de 1868). L'esclavage ne fut aboli qu'en 1880. En 1898, les É.-U. intervinrent contre l'Espagne. L'île, indépendante en 1901, reconnut aux É.-U. une sorte de protectorat; son écon. devint complètement dépendante de ceux-ci. La dictature de Batista (1933-1944, 1952-1959) fut renversée par une guérilla, menée par Fidel Castro et ses compagnons, qui débuta en 1953. Premier ministre en 1959, Fidel Castro entreprit de profondes réformes : abolition de la grande propriété (1959), nationalisation des entreprises amér. (1960). Les É.-U. répliquèrent par un blocus écon. et politique. Cuba se rapprocha alors de l'U.R.S.S. et des pays socialistes. L'île fut en 1961-1962 le centre d'une grave tension soviéto-américaine après l'échec du débarquement anticastriste dans la baie des Cochons (avril 1961); en octobre 1962, l'U.R.S.S. dut renoncer à installer des rampes de fusées dirigées vers les É.-U. Les États-Unis ont appliqué à partir de cette date un rigoureux blocus économique. Castro créa un nouveau parti communiste cubain, en 1965. Cuba intervient militairement dans les conflits africains (Angola, Éthiopie) de 1975 à 1989. L'isolement du régime provoqué par l'effondrement de l'U.R.S.S. et la détérioration de l'économie entraînent une nouvelle vague d'émigration (1994) : Fidel Castro s'accroche au pouvoir, mais la visite du pape en janv. 1998 s'accompagne de quelques mesures de détente (libération de détenus politiques). En fév. 1998, Fidel Castro est réélu pour un mandat de cinq ans.

cubage n. m. **1.** Action de cuber, de mesurer un volume. **2.** Cour. Résultat de cette mesure. *Déterminer le cubage d'une pièce de bois.*

cubain, aine adj. et n. De Cuba. ▷ Subst. *Un(e) Cubain(e).*

cubature n. f. GEOM Détermination du volume d'un solide.

cube n. m. **1.** Polyèdre limité par six carrés (hexaèdre régulier). (Surface = 6 a^2; volume = a^3, a étant la dimension de l'arête du cube.) **2.** MATH Troisième puissance d'un nombre. *4 au cube (4³). Élever 4 au cube* ($4^3 = 4 \times 4 \times 4 = 64$). *64 est le cube de 4.* ▷ (En appos.) *Centimètre cube* (cm^3), *mètre cube* (m^3), etc. : unités de mesure du volume d'un corps ou de sa contenance. *Ce bassin a une capacité de 4 mètres cubes.* **3.** Objet en forme de cube. – *Jeu de cubes* : jeu destiné aux jeunes enfants. **4.** Arg. (des écoles) Élève se préparant pour la troisième fois au concours d'accès à une grande école.

cuber v. [1] **1.** v. tr. Évaluer le nombre d'unités de volume cubiques de. *Cuber du bois.* **2.** v. intr. Avoir une certaine contenance. *Cette citerne cube 300 litres.* **3.** Fig., fam. Représenter une grosse masse, une grosse quantité. *Cent francs par-ci, cent francs par-là, ça finit par cuber.*

cucurbitacées : depuis le fond et de g. à dr., melon brodé d'Espagne, pastèque, melon cantaloup charentais, potiron, pâtisson et courgette

cubique adj. et n. f. **1.** Qui a la forme d'un cube. *Construction cubique.* **2.** MATH Qui est à la troisième puissance. ▷ Qui est du troisième degré. *Fonction, équation cubique.* ▷ *Racine cubique d'un nombre,* dont le cube a ce nombre comme valeur (symbole : $\sqrt[3]{\ }$). *Si* $a = \sqrt[3]{b}$ *(racine cubique de* b*),* $a^3 = b$. **3.** n. f. Courbe dont l'équation est du troisième degré.

cubisme n. m. Mouvement artistique, né en 1906-1907, qui rompt avec la vision naturaliste traditionnelle en représentant le sujet fragmenté, décomposé en plans géométriques inscrits dans un espace tridimensionnel de peu de profondeur.
ENCYCL Le tableau de Picasso *les Demoiselles d'Avignon* (1907) marque traditionnellement la naissance du cubisme. On y décèle l'influence de Cézanne (pour qui *« il faut traiter la nature par le cylindre, la sphère, le cône »*), de la statuaire romane espagnole et de la sculpture d'Afrique noire. Les éléments constitutifs du vocabulaire graphique cubiste sont ensuite élaborés par P. Picasso, G. Braque et J. Gris (à partir de 1911), dans des recherches néo-cézanniennes (en 1908-1909) qui débouchent sur ce qu'on a appelé le *cubisme analytique* (1910-1913) : plusieurs aspects d'un même sujet géométrisé, fragmenté, s'inscrivent simultanément dans l'espace. Le *cubisme synthétique* (1913-1914) voit la réduction du sujet à son essence et l'on a pu parler d'une véritable esthétique conceptuelle, surtout à propos de J. Gris, qui, partant du cylindre, « fait une bouteille ». Avec F. Léger, R. Delaunay, A. Gleizes, J. Metzinger, L. Marcoussis, R. La Fresnaye, A. Lhote, etc., le cubisme a proposé, jusqu'en 1930 env., des formes généralement restées plus proches de la nature et, par conséquent, plus « lisibles ».

cubiste adj. et n. Qui se rapporte au cubisme. ▷ Subst. Artiste dont l'œuvre relève du cubisme.

cubitainer [kybitenɛʀ] n. m. (Nom déposé.) Récipient cubique en plastique, utilisé pour transporter des liquides, notam. du vin. *Un cubitainer de bourgogne.*

cubital, ale, aux adj. Relatif au coude, au cubitus. *Muscles cubital antérieur et cubital postérieur.*

cubitus [kybitys] n. m. ANAT Le plus gros des deux os de l'avant-bras, qui s'articule, en bas, avec les os du carpe et, en haut, avec l'humérus au niveau de l'articulation du coude. (Il est relié au radius à ses deux extrémités, supérieure et inférieure.) *L'extrémité supérieure du cubitus, ou « olécrane », forme la saillie du coude.*

cuboïde adj. et n. m. **1.** adj. Didac. En forme de cube. **2.** n. m. ANAT Os du tarse, en avant du calcanéum.

cucu ou **cucul** [kyky] adj. inv. Fam. Bêtement naïf; simpliste et niais à la fois.

cuculiformes n. m. pl. Ordre d'oiseaux comprenant notam. les coucous et les touracos; ordre autref. inclus dans les grimpeurs. – Sing. *Un cuculiforme.*

cucurbitacées n. f. pl. BOT Famille de dicotylédones gamopétales dont la tige est une liane souvent charnue (ex. : courges, cornichons, melons, etc.). – Sing. *Une cucurbitacée.*

Cúcuta ou **San José de Cúcuta,** v. du N. de la Colombie; 357 030 hab.; ch.-l. de dép. Centre comm. (café). Pétrole.

cueillette n. f. **1.** Récolte de certains fruits. *La cueillette des olives.* **2.** Produit de cette récolte. *Une cueillette abondante.*

cueilleur, euse n. Personne qui cueille. *Les cueilleurs de cerises.*

cueillir v. tr. [27] **1.** Détacher (des fleurs, des fruits, des légumes) de la branche ou de la tige. *Cueillir des roses. Cueillir un bouquet de fleurs.* **2.** Fig. Recueillir. *Cueillir un baiser.* – Métaph. *« Cueillez dès aujourd'hui les roses de la vie »* (Ronsard). *Cueillir des lauriers* : avoir des succès. **3.** Fam., fig. *Cueillir un malfaiteur,* l'arrêter, l'appréhender sans qu'il s'y attende. *Ils ont cueilli l'escroc à sa descente d'avion.* ▷ Passer prendre (qqn). *Il nous a cueillis à l'arrivée du train pour nous conduire à l'hôtel.*

cueilloir n. m. Instrument servant à cueillir les fruits hors de portée (constitué d'un panier et d'une cisaille fixés au bout d'une perche). ▷ Panier où l'on met ce que l'on cueille.

Cuenca, ville d'Espagne (Castille-la Manche); 43 200 hab.; ch.-l. de la prov. du m. nom. – Cath. gothique (XIIIe s.), maisons suspendues.

Cuenca, v. de l'Équateur, à 2 580 m d'altitude; 176 870 hab.; ch.-l. de prov. – Chapeaux de paille dits « de Panamá ».

Cuénot (Lucien) (Paris, 1866 – Nancy, 1951), biologiste français. Il étudia les mutations et l'évolution des espèces *(la Genèse des espèces animales)*.

Cuernavaca, v. du Mexique, cap. d'État *(Morelos)*, à 1 540 m d'alt.; 181 750 hab. – Centre touristique célèbre par ses palais, notam. le palais de Cortés. Cath. du XVIe s.

Cuers, ch.-l. de cant. du Var (arr. de Toulon); 7 067 hab. Vins. Base aéronavale.

cuesta [kwɛsta] n. f. GEOMORPH Syn. de *relief de côte*.

Cueva (Juan de la) (Séville, v. 1550 – id., 1610), écrivain espagnol. Il a surtout écrit des pièces épiques à sujets antiques ou nationaux : *la Mort du roi Sancho; la Libération de l'Espagne par Barnard del Carpio*. Il a exprimé ses idées sur le théâtre dans *l'Exemplaire poétique*.

Cuevas (Jorge de Piedrablanca de Guana, marquis de) (Santiago du Chili, 1885 – Cannes, 1961), directeur de ballet américain d'origine chilienne.

Cugnaux, com. de la Haute-Garonne (arr. de Toulouse); 12 159 hab. – Mat. agric., parfums.

Cugnot (Nicolas Joseph) (Void, Lorraine, 1725 – Paris, 1804), ingénieur français. Il inventa la première automobile à vapeur (1770) et un véhicule pour transporter des charges, le *fardier* (1771). ► illustr. **fardier**

Cui (César Antonovitch) (Vilna, 1835 – Petrograd, 1918), compositeur russe; un des membres du « groupe des Cinq » : dix opéras, dont *Angelo* (1876) et *le Prisonnier du Caucase* (1883).

Cuiabá, v. du Brésil, cap. du Mato Grosso; 283 070 hab.

cui-cui n. m. inv. Onomatopée évoquant le cri des petits oiseaux.

cuiller ou **cuillère** n. f. **1.** Ustensile de table formé d'une palette creuse à manche, servant à manger les aliments liquides ou peu consistants. *Cuiller à café, à dessert. Petite cuiller. Cuiller à soupe. Cuiller à pot.* ▷ *Biscuit à la cuiller* : biscuit long et menu, très léger. ▷ Contenu d'une cuiller. *Versez deux cuillers à soupe de sucre.* Syn. cuillerée. **2.** Ustensile en forme de cuiller. *Cuiller de plombier.* – PECHE Pièce métallique brillante, munie d'hameçons, servant d'appât pour le poisson. – CHIR Chacune des deux parties d'un forceps dont la concavité s'adapte à la tête du fœtus. **3.** Loc. fam. *Ne pas y aller avec le dos de la cuiller* : agir sans ménagement. – *Être à ramasser à la petite cuiller* : être en piteux état, être très fatigué.

cuillerée n. f. Ce que contient une cuiller. *Une cuillerée à soupe, à dessert, à café* (env. 20 g, 10 g et 5 g d'eau, selon les normes du codex).

cuir n. m. **1.** Peau épaisse de certains animaux, contenant une couche dermique fibreuse. **2.** Cette peau séparée de la chair et préparée pour les besoins de l'industrie. *Veste, bagages en cuir. Cuir de Russie*, parfumé à l'essence de bouleau. **3.** *Cuir chevelu* : peau du crâne humain, où sont implantés les cheveux. **4.** Fig., fam. Vice de langage qui consiste à faire une liaison incorrecte entre des mots. Ex. : *Il va (t) à Paris* [ilvatapaʀi] au lieu de [ilvɑpaʀi].
ENCYCL La peau brute séparée du corps de l'animal présente un côté poil (ou *fleur*) et un côté *chair*. Le *tannage* des peaux est précédé par une série d'opérations destinées à assouplir les peaux et à en ôter les poils et résidus. Il a pour but de transformer la peau en cuir (tannage végétal, tannage minéral ou chamoisage). Le produit fini est obtenu après un *corroyage*, qui lui donne souplesse, résistance et imperméabilité. Les produits de remplacement du cuir sont les syndermes (déchets de cuir agglomérés), le cuir reconstitué et les matières plastiques souples (chlorure de polyvinyle).

cuirasse n. f. **1.** Anc. Partie de l'armure destinée à protéger le tronc. – *Défaut de la cuirasse* : intervalle non protégé entre deux pièces de la cuirasse; fig. point faible. *Trouver le défaut de la cuirasse.* **2.** Blindage de protection. ▷ MAR Enveloppe métallique destinée à protéger certains navires de guerre (*cuirassés*). **3.** ZOOL Ensemble des plaques anguleuses et dures qui, chez certains poissons et mammifères, couvrent tout ou partie du corps. – Enveloppe protectrice de certains infusoires. **4.** Fig. Ce qui protège, ce dont on affecte de se protéger. *La cuirasse de l'indifférence.*

cuirassé, ée adj. et n. m. **1.** Couvert, protégé par une cuirasse. ▷ n. m. Anc. Bâtiment de guerre armé d'artillerie lourde et protégé par un blindage d'acier. **2.** Fig. Endurci moralement, insensible. *Une âme cuirassée.*

cuirasser v. tr. [1] Revêtir d'une cuirasse. *Cuirasser un navire.* ▷ v. pron. Revêtir une cuirasse. – Fig. *Se cuirasser contre les coups du sort*, s'en protéger.

cuirassier n. m. Anc. Cavalier portant une cuirasse. *Cuirassier blessé*, tableau de Géricault. – Mod. Soldat d'un régiment de cavalerie.

cuire v. [69] **I.** v. tr. **1.** Soumettre à l'action du feu, de la chaleur, afin de préparer pour la consommation. *Cuire des légumes, de la viande.* **2.** Soumettre (un corps) à l'action transformatrice du feu, de la chaleur, pour le rendre propre à un usage déterminé. *Cuire des briques.* **3.** Réaliser la cuisson (en parlant d'une source de chaleur). *La braise cuit mieux que la flamme.* **4.** Fig. Donner une sensation de brûlure. *Le soleil cuisait ses épaules.* – *La honte cuisait ses joues.* **II.** v. intr. **1.** Être soumis à l'action du feu, de la chaleur, pour devenir propre à l'alimentation. *La soupe cuit. Ces légumes cuisent bien, mal*, ils sont faciles, difficiles à cuire. ▷ Fig., fam. *Un dur à cuire* : une personne très résistante (à la fatigue, à la douleur, etc.). **2.** Fig., fam. Avoir très chaud. *Ouvrez une fenêtre, on cuit ici!* **3.** Causer une sensation de brûlure, une douleur. *Cette écorchure me cuit.* ▷ Loc. impers. *En cuire à (qqn). Il vous en cuira* : vous vous en repentirez.

cuisant, ante adj. **1.** Qui provoque une sensation de brûlure. *Un froid cuisant.* **2.** Fig. Qui affecte vivement. *Un échec cuisant. Des paroles cuisantes.*

cuiseur n. m. Récipient servant à la cuisson à la vapeur ou à l'étouffée.

cuisine n. f. **1.** Pièce où l'on apprête les mets. *Batterie, ustensiles de cuisine.* ▷ *Cuisine roulante* : fourneau ambulant servant à préparer la nourriture des troupes en campagne. **2.** Manière, art de préparer les mets. *La cuisine française est renommée. Livre, recettes de cuisine.* **3.** Ordinaire d'une maison, nourriture. *La cuisine est médiocre chez lui. Faire la cuisine. Des odeurs de cuisine.* **4.** Fig., fam. Manigances, opérations louches. *Cuisine électorale.*

cuisiner v. [1] **I.** v. intr. Apprêter les mets, faire la cuisine. *Elle cuisine bien. Il aime cuisiner.* **II.** v. tr. **1.** Accommoder, préparer (un mets). *Cuisiner un ragoût.* – Pp. adj. *Plat cuisiné*, vendu tout préparé. **2.** Fig., fam. Presser qqn de questions pour lui faire avouer qqch.

cuisinette n. f. Petite cuisine. Syn. (off. recommandé) de *kitchenette*.

cuisinier, ère n. Personne qui fait la cuisine. *Un bon cuisinier.*

cuisinière n. f. Fourneau de cuisine. *Cuisinière électrique, à gaz, à charbon.*

cuisiniste n. m. Concepteur et installateur de cuisines.

cuissage n. m. DR FEOD *Droit de cuissage* : droit qu'auraient possédé certains seigneurs de passer avec la femme d'un serf la première nuit de ses noces.

cuissard n. m. **1.** Anc. Partie de l'armure protégeant la cuisse. **2.** Culotte des coureurs cyclistes, s'arrêtant à mi-cuisse.

cuissardes n. f. pl. Bottes dont la tige couvre les cuisses.

cuisse n. f. Segment supérieur du membre inférieur de l'homme, contenant le fémur, articulé sur le bassin à la partie supérieure et au genou à la partie inférieure. *Le muscle de la cuisse.* – Loc. fam. *Se croire sorti de la cuisse de Jupiter* : étaler un orgueil injustifié. ▷ (Animaux) *Une cuisse de poulet.*

cuisseau n. m. Partie du veau comprise entre la queue et le rognon.

cuisse-madame n. f. Poire jaune, de forme allongée. *Des cuisses-madame.*

cuisson n. f. **1.** Action de faire cuire; son résultat. *La cuisson d'un rôti. Temps de cuisson. Cuisson des briques.* **2.** Fig. Douleur semblable à une brûlure. *La cuisson d'une blessure.*

cuissot n. m. Cuisse de gibier de grande taille. *Cuissot de chevreuil.*

cuistot n. m. Fam. Cuisinier.

cuistre n. m. (et adj.) Litt. Homme pédant, prétentieux.

cuistrerie n. f. Litt. Pédantisme, manières de cuistre.

cuit, cuite adj. et n. f. **1.** Qui a subi une cuisson. *Pommes cuites au four. Poteries de terre cuite.* ▷ n. f. TECH Action de cuire. *La cuite de la porcelaine.* **2.** Fig. Dont le coloris est chaud. *Tons cuits.* **3.** Fam. Ivre. *Être complètement cuit.* ▷ n. f. Ivresse. *Prendre une cuite* : s'enivrer. **4.** Fig., fam. Fini, perdu. *C'est cuit* : les jeux sont faits, tout est perdu. *Je suis cuit* : c'en est fait de moi. **5.** Fig., fam. *C'est du tout cuit* : c'est acquis, gagné d'avance.

cuiter (se) v. pron. [1] Fam. S'enivrer.

cuit-vapeur n. m. inv. Ustensile constitué de plusieurs récipients percés de trous et emboîtés, servant à cuire les aliments à la vapeur.

cuivre n. m. **I.** Élément métallique de numéro atomique Z = 29 et de masse atomique 63,55 (symbole Cu). – Métal (Cu) usuel de couleur brun orangé, de densité 8,92, qui fond à 1 083 °C et bout à 2 567 °C. *Fil de cuivre.* ▷ *Cuivre jaune* : laiton (par oppos. à *cuivre rouge*, cuivre pur). **II.** Objet en cuivre. **1.** Objet usuel ou d'ornement fait de cuivre ou de laiton. *Fourbir, astiquer les cuivres.* **2.** MUS

Les cuivres : les instruments à vent en alliage de cuivre (trompettes, trombones, etc.). **3.** TECH Planche gravée sur cuivre; gravure tirée de cette planche. ENCYCL **Chim.** – Le cuivre est un très bon conducteur de l'électricité (fabrication de fils électriques) et de la chaleur (ustensiles de cuisine). Il entre dans la composition de nombreux alliages : notam. bronzes et laitons. Ses propriétés anticryptogamiques font utiliser le *sulfate de cuivre* dans la bouillie* bordelaise.

cuivré, ée adj. **1.** De la couleur brun orangé du cuivre. *Teint cuivré. Les reflets cuivrés d'une chevelure.* **2.** Qui a un timbre éclatant, rappelant les instruments de cuivre. *Une voix cuivrée.*

cuivreux, euse adj. CHIM Qui renferme du cuivre au degré d'oxydation + 1.

cuivrique adj. CHIM Qui renferme du cuivre au degré d'oxydation + 2.

Cujas (Jacques) (Toulouse, 1520 – Bourges, 1590), jurisconsulte français. Représentant de l'*école historique*, il rénova l'étude du droit romain en s'efforçant de replacer les documents antiques dans leur contexte.

Cukor (George) (New York, 1899 – Los Angeles, 1983), cinéaste américain. Sa prédilection allant aux portraits de femmes, il a dirigé les plus grandes actrices de Hollywood : Greta Garbo (*le Roman de Marguerite Gautier*, 1935), Katharine Hepburn (*Indiscrétions*, 1940), Ava Gardner (*la Croisée des destins*, 1955), Marilyn Monroe (*le Milliardaire*, 1960), Audrey Hepburn (*My Fair Lady*, 1964).

cul [ky] n. m. **1.** Très fam. Partie postérieure de l'homme et de certains animaux, comprenant les fesses et le fondement. *Donner, recevoir des coups de pied au cul. Botter le cul à qqn.* ▷ Loc. fig. *En tomber sur le cul* : être stupéfait. – *Être comme cul et chemise*, inséparables. – *Renverser cul par-dessus tête* : culbuter. ▷ Loc. fig. *En avoir plein le cul* : être excédé. – *Être à cul* : ne plus avoir de ressources. – *Être assis, avoir le cul entre deux chaises* : être dans une position fausse, ne savoir quel parti prendre. – *Lécher le cul à qqn*, le flatter bassement. – *Tirer au cul* : esquiver les corvées (V. flanc). **2.** Partie inférieure, fond de certaines choses. *Cul de bouteille. Cul d'une poulie.* ▷ Loc. fam. *Faire cul sec* : vider son verre d'un trait.

culard adj. m. et n. m. ELEV *Bœuf culard*, dont l'arrière-train fort développé fournit plus de viande de bonne qualité que les bovins appartenant aux races traditionnellement élevées. ▷ n. m. *Les culards sont nés de la zootechnie.*

culasse n. f. TECH **1.** Pièce mobile qui ferme la partie arrière du canon d'une arme à feu. **2.** Partie supérieure, démontable, du bloc-moteur d'un moteur à explosion. *Joint de culasse.* **3.** En bijouterie, partie inférieure d'une pierre taillée.

cul-blanc n. m. Nom cour. de divers oiseaux à croupion blanc, notam. d'un chevalier, de l'hirondelle de fenêtre et du traquet motteux. *Des culs-blancs.*

culbutage n. m. **1.** Action de culbuter. **2.** ESP Mouvement désordonné d'un véhicule spatial autour de son centre de gravité.

culbute n. f. **1.** Exercice que l'on exécute en posant les mains et la tête à terre, et en roulant sur soi-même les jambes levées. *Faire des culbutes.* Syn. (fam.) galipette. **2.** Chute à la renverse. **3.** Fig., fam. Faillite, ruine. ▷ Prov. *Au bout du fossé, la culbute* : les actions irréfléchies peuvent avoir des suites fâcheuses. ▷ *Faire la culbute* : se retrouver ruiné. **4.** Fig. COMM *Faire la culbute* : revendre au double du prix d'achat.

culbuter v. [1] **I.** v. intr. Tomber à la renverse. **II.** v. tr. **1.** Renverser cul par-dessus tête, bousculer. *Il culbutait tout sur son passage.* **2.** Rejeter en désordre. *Culbuter l'ennemi.* **3.** Fig., vieilli Faire tomber, ruiner. *Culbuter un ministère.*

culbuteur n. m. **1.** TECH Dispositif servant à faire basculer un récipient pour le vider de son contenu. **2.** AUTO Dispositif qui actionne les soupapes d'un moteur à explosion.

cul-de-basse-fosse n. m. Cachot souterrain creusé dans une basse-fosse. *Des culs-de-basse-fosse.*

cul-de-four n. m. ARCHI Voûte en forme de quart de sphère (demi-coupole). *Des culs-de-four.*

cul-de-jatte n. (et adj.) Personne privée de jambes. *Des culs-de-jatte.*

cul-de-lampe n. m. **1.** ARCHI Ornement d'un lambris ou d'une voûte ressemblant au dessous d'une lampe d'église. **2.** ARTS GRAPH Vignette imprimée à la fin d'un livre, d'un chapitre. *Des culs-de-lampe.*

cul-de-poule n. m. Renflement arrondi en forme de cul de poule. *Le cul-de-poule d'une espagnolette*, dans lequel pivote la tige au niveau de la poignée. *Des culs-de-poule.* ▷ *Bouche en cul de poule*, dont les lèvres s'arrondissent en une moue pincée.

cul-de-sac n. m. **1.** Impasse, voie sans issue. *Des culs-de-sac.* **2.** Fig. Situation, entreprise sans avenir.

culée n. f. ARCHI Ouvrage d'appui à l'extrémité d'un pont, d'une voûte. *Culée d'arc-boutant.*

Culiacán, v. du Mexique septentrional, dans une rég. minière; 459 000 hab. Cap. d'État (*Sinaloa*).

culinaire adj. Relatif à la cuisine. *Art culinaire.*

Culloden, village d'Écosse où le duc de Cumberland battit le prétendant Charles-Édouard (1746), dernier des Stuarts.

culminant, ante adj. *Point culminant* : point où un astre est le plus haut sur l'horizon. – *Par ext.* Partie la plus élevée d'une chose, plus haut degré. *Il est arrivé au point culminant de sa carrière.*

culmination n. f. ASTRO Passage d'un astre au méridien d'un lieu donné.

culminer v. intr. [1] **1.** ASTRO Passer au méridien (en parlant d'un astre). **2.** Atteindre son plus haut point, son plus haut degré. *Les Alpes culminent au mont Blanc.* – Fig. *L'émotion culmina à sa vue.*

culot [kylo] n. m. **I. 1.** Partie inférieure de certains objets (partic. d'une lampe d'église, d'un bénitier). **2.** ARCHI Élément portant en surplomb en forme de cône ou de pyramide. **3.** Extrémité, fond métallique. *Culot d'une ampoule. Culot à vis, à baïonnette. Culot de la douille d'une cartouche.* **II.** Dépôt qui se forme au fond d'un récipient. **1.** Partie métallique restant au fond d'un creuset. **2.** BIOL Partie inférieure des liquides organiques ou autres préparations soumises à la centrifugation. **3.** Résidu amassé dans le fourneau d'une pipe. **III.** Fam. Audace excessive. *Quel culot! Y aller au culot.*

culottage n. m. Action de culotter (une pipe).

culotte n. f. **1.** Vêtement masculin qui couvre de la ceinture aux genoux en enveloppant chaque jambe séparément. *Culottes de drap. Culotte courte* : pantalon s'arrêtant aux genoux porté par les petits garçons. *Faire un accroc à son fond de culotte.* ▷ Fig., fam. *Femme qui porte (la) culotte*, qui gouverne le ménage plus que son mari. – Vx, péjor. *Culotte de peau* : vieux militaire borné. **2.** Sous-vêtement couvrant de la ceinture au haut des cuisses, porté par les femmes, les enfants. *Culotte de coton, de nylon. Culottes en plastique pour les bébés.* **3.** En boucherie, partie du bœuf située entre le filet et l'échine. **4.** CONSTR Élément de raccordement de conduites d'évacuation.

culotté, ée adj. **1.** *Pipe culottée*, dont le fourneau est revêtu d'un dépôt charbonneux. **2.** *Par ext.* Noirci, patiné par un long usage. *Cuir culotté.* **3.** Fam. D'une audace excessive.

1. culotter v. tr. [1] *Culotter une pipe*, la faire se revêtir d'un dépôt charbonneux en commençant par la fumer lentement, sans avoir bourré le fourneau.

2. culotter v. tr. [1] Rare Mettre une culotte à. *Culotter un enfant.* – Pp. adj. *Un bébé bien, mal culotté.*

culpabilisant, ante adj. Qui culpabilise.

culpabilisation n. f. Fait de culpabiliser; sa conséquence.

culpabiliser v. tr. [1] Faire éprouver à (qqn) de la culpabilité. ▷ v. pron. Se sentir coupable.

culpabilité n. f. **1.** Caractère de ce qui est coupable, état d'un individu reconnu coupable. *La culpabilité de cet homme est évidente.* **2.** PSYCHO *Sentiment de culpabilité* : état affectif consécutif à un acte réel ou fictif, précis ou imprécis, que le sujet considère comme répréhensible.

culte n. m. **1.** Hommage religieux que l'on rend à un dieu ou à un saint personnage. *Le culte des saints.* **2.** Ensemble des cérémonies par lesquelles on rend cet hommage. *Ministre du culte.* Syn. rite. **3.** *Par ext.* Religion. *Culte catholique, protestant, israélite.* **4.** *Absol.* Office religieux, chez les protestants. *Aller au culte.* **5.** Fig. Admiration passionnée mêlée de vénération. *Vouer un culte à la mémoire de sa mère.* – (En appos.) *Livre culte. Film culte.*

cul-terreux n. m. Fam., péjor. Paysan. *Des culs-terreux.*

-culteur. Élément, du lat. *cultor*, « qui cultive ».

cultisme n. m. Syn. de *gongorisme*. (V. Góngora y Argote.)

cultivable adj. Susceptible d'être cultivé. *Terre cultivable.*

cultivar n. m. BOT Variété obtenue par sélection au cours de cultures successives.

cultivateur, trice n. et adj. **1.** Personne qui cultive, exploite une terre. ▷ adj. *Un peuple cultivateur.* **2.** n. m. Nom de divers instruments agricoles.

cultivé, ée adj. **1.** Mis en culture. *Terres cultivées.* **2.** Fig. Qui possède une culture intellectuelle. *Esprit cultivé.*

cultiver v. tr. [1] **I. 1.** Travailler la terre de manière à lui faire produire des végétaux. *Cultiver un champ, un jardin.* **2.** Faire pousser, faire venir (un végétal). *Cultiver des fleurs.* **II.** Fig. **1.** Développer, perfectionner (une faculté intellectuelle) par l'éducation, l'instruction. *Cultiver sa mémoire. Cultiver un don.* ▷ v. pron. Enrichir, cultiver son esprit. *Lire pour se cultiver.* **2.** Fig., litt. S'adonner à (un art, une science, etc.). *Cultiver les sciences.* ▷ *Cultiver la vertu, la sagesse :* s'appliquer à être vertueux, sage. **3.** Conserver, entretenir des relations amicales avec (qqn). *Cultiver l'amitié d'un grand personnage.* – *C'est une relation à cultiver,* à ne pas négliger, qui peut être utile.

cultuel, elle adj. Didac. Relatif au culte. *Édifice cultuel. Association cultuelle.*

cultural, ale, aux adj. Didac. Relatif à la culture de la terre.

culturalisme n. m. Didac. École américaine contemporaine d'anthropologie, qui tente d'infléchir les thèses de la psychanalyse freudienne dans le sens d'une interprétation plus sociologique que biologique.

-culture. Élément, du lat. *cultura,* « culture ».

culture n. f. **I. 1.** Action de cultiver la terre, travail visant à la rendre productive. *Encourager la culture. Pays de grande, de petite culture. Culture mécanique.* ▷ *Culture sèche :* syn. (off. recommandé) de *dry-farming,* ensemble de techniques culturales appliquées dans les régions semi-arides pour éviter au maximum l'évaporation (ameublissement poussé du sol, permettant une bonne pénétration des eaux pluviales). **2.** Action de cultiver (tel végétal). *La culture du blé.* ▷ Par anal. *Culture de la soie.* **3.** (Plur.) Terres cultivées. *Marcher dans les cultures.* **4.** BIOL *Culture de tissus :* technique de laboratoire qui consiste à faire vivre des tissus animaux ou végétaux sur des milieux synthétiques. – *Bouillon de culture :* milieu liquide dans lequel on fait se développer des micro-organismes. **II.** Fig. **1.** Développement des facultés intellectuelles. *La culture de l'esprit.* **2.** Ensemble des connaissances acquises par un individu. *Avoir une culture étendue. Culture générale. Culture littéraire, philosophique. Culture classique.* ▷ *Culture de masse,* répandue par les techniques de diffusion massive (*mass media :* télévision, radio, presse, cinéma) au sein de la masse sociale sans tenir compte des structures internes (classe, âge, sexe). **3.** Ensemble des activités soumises à des normes socialement et historiquement différenciées, et des modèles de comportement transmissibles par l'éducation, propre à un groupe social donné. *Chaque société a sa propre culture. Culture occidentale.* **4.** *Culture physique :* gymnastique.

culturel, elle adj. Relatif à la culture intellectuelle, à la civilisation. *Héritage culturel.*

culturisme n. m. Gymnastique visant à développer la musculature dans un but esthétique.

culturiste n. Adepte du culturisme.

Cumberland (William Augustus, duc de) (Londres, 1721 – id., 1765), général britannique, troisième fils de George II. Défait par les Français à Fontenoy (1745) et à Lawfeld (1747), il vainquit Charles-Édouard Stuart à Culloden (1746).

Cumbria, comté de G.-B.; 6 809 km^2; 486 900 hab.; ch.-l. *Carlisle.* – Il s'étend sur le *massif du Cumberland* (alt. max. 978 m), où abondent les lacs glaciaires (*Lake District*). Tourisme. Métallurgie.

Cumes, v. anc. (auj. *Cuma*) de l'Italie du S. (Campanie) où s'établit une colonie grecque (VIIIe s. av. J.-C.), qui, plus tard, lutta aux côtés de Rome contre l'envahisseur carthaginois. – Virgile a évoqué *(Énéide)* la sibylle de Cumes, dont l'antre se trouvait non loin de la ville.

cumin n. m. Ombellifère cultivée en Europe centrale pour ses fruits aromatiques; ces fruits. – *Cumin des prés :* carvi.

Cummings (Edward Estlin) (Cambridge, Massachusetts, 1894 – North Conway, 1962), écrivain américain. Ses romans portent sur l'individu confronté à la communauté (*l'Énorme Chambrée,* 1922). Son théâtre joue sur la virtuosité des jeux de langage (*Tom,* 1935; *Saint-Nicolas,* 1946). Ses poèmes sont des quasi-calligrammes : *Tulipes et Cheminées* (1923), *Poésies complètes* (1923-1954).

cumul n. m. **1.** DR Action de poursuivre un certain objet simultanément par plusieurs voies de droit. **2.** Fait d'exercer simultanément deux fonctions, deux emplois.

cumulable adj. Qui peut être cumulé.

cumulard n. m. Fam., péjor. Personne qui cumule plusieurs fonctions rétribuées.

cumulatif, ive adj. Qui résulte de l'accumulation, implique l'accumulation. *Fonction cumulative. Un médicament à effet cumulatif.*

cumuler v. tr. [1] **1.** Réunir, joindre ensemble (plusieurs droits, plusieurs qualités). **2.** Occuper (plusieurs places), toucher (plusieurs traitements) à la fois. *Cumuler deux emplois.*

cumulo-nimbus ou **cumulonimbus** [kymylɔnɛ̃bys] n. m. inv. METEO Nuage à grand développement vertical dont le sommet s'étale en forme d'enclume. *Le cumulo-nimbus est signe d'orage.*

cumulo-stratus n. m. inv. METEO Syn. de *strato-cumulus.*

cumulus [kymylys] n. m. inv. METEO Nuage dense, à contours nets, plus ou moins développé verticalement et présentant des protubérances qui le font ressembler à un chou-fleur.

cumulonimbus

cumulus

Cunaxa ou **Counaxa,** v. de Mésopotamie près de laquelle Artaxerxès II vainquit son frère Cyrus le Jeune (401 av. J.-C.).

Cunégonde (sainte) (?, v. 978 – abb. de Kaufungen, Hesse, 1033 ou 1039), impératrice germanique; épouse de l'empereur Henri II, également canonisé.

cunéiforme adj. Didac. En forme de coin. **1.** ANAT *Os cunéiformes :* les trois os qui occupent la rangée antérieure du tarse avec le cuboïde et le scaphoïde. **2.** *Écriture cunéiforme :* anc. écriture notamment des Perses, des Mèdes, des Assyriens, combinant des signes en forme de coin et de fer de lance.

Cuneo (en fr. *Coni*), v. d'Italie (Piémont), sur la Stura, affl. du Pô; 55 390 hab.; ch.-l. de la prov. du m. nom. Textiles. Pneumatiques.

Cunha (Tristão ou Tristan da) (Lisbonne, v. 1460 – en mer, 1540), navigateur portugais. Il découvrit en 1506, dans le S. de l'Atlant., le groupe d'îles qui porte son nom.

Cunhal (Alvaro) (Coimbra, 1913), homme politique portugais. Après avoir passé onze années en prison (1949-1960), il s'évada et fut élu secrétaire général du parti communiste portugais (1961). Il s'installa à Moscou et regagna le Portugal lors de la « révolution des œillets » (1974), à la suite de laquelle il fut ministre d'État (1974-1975).

cunnilingus [kynilɛ̃gys] ou **cunnilinctus** [kynilɛ̃ktys] n. m. Pratique sexuelle consistant à exciter avec la bouche le sexe de la femme.

Cunningham (Merce) (Centralia, Washington, 1919), danseur et chorégraphe américain. Il signa ses premières chorégraphies en 1944 (début d'une longue collaboration avec le compositeur J. Cage). Fondant sa propre compagnie en 1953, il lança le mouvement de la « post modern dance » : *Summerspace* (1958), *Antic Meet* (1958), *Un jour ou deux* (1973), *Rebus* (1975), *Locale* (1979).

Merce **Cunningham :** répétition de *Five Stone Wind,* festival d'Avignon 1988

cupide adj. Qui a un amour immodéré du gain, de l'argent. *Usurier cupide. Esprit cupide.* Syn. avide. Ant. désintéressé.

cupidement adv. D'une manière cupide.

cupidité n. f. Désir immodéré de s'enrichir, amour du gain. Syn. avidité, convoitise.

Cupidon, dans la myth. lat., dieu de l'Amour, correspondant à l'Éros grec.

cupri-, cupro-. Élément, du lat. *cuprum,* « cuivre », utilisé notam. pour former les noms d'alliages à base de cuivre.

cuprifère adj. **1.** MINER Qui renferme du cuivre. **2.** METALL Relatif à l'industrie du cuivre. *Exploitation cuprifère.*

cuprique adj. CHIM De la nature du cuivre.

cupule n. f. Petit organe en forme de coupe. *Cupule du radius. Cupule de gland.* – *Par anal.* Petit objet en forme de coupe.

curabilité n. f. MED Caractère d'un mal curable.

curable adj. Qui peut être guéri. *Un mal curable.* Ant. incurable.

curaçao [kyʀaso] n. m. Liqueur faite avec de l'eau-de-vie, du sucre et des écorces d'oranges amères.

Curaçao, princ. île des Antilles néerl.; 444 km²; 170 000 hab.; ch.-l. *Willemstad.* Agrumes, phosphates, raffinage de pétrole (en provenance du Venezuela).

curage n. m. **1.** Action de curer, de nettoyer; résultat de cette action. *Le curage d'une fosse, d'un puits, d'un étang.* **2.** CHIR Extirpation à la main (sans instruments) du contenu d'une cavité. – Excision des éléments d'une région. *Curage ganglionnaire.*

curare n. m. Alcaloïde d'origine le plus souvent végétale, qui bloque temporairement la plaque neuromusculaire, entraînant une paralysie généralisée. *Autrefois utilisé comme poison, le curare est employé notamment en anesthésie.*

curariser v. tr. [1] MED Administrer du curare à.

curatelle n. f. DR Charge, fonction du curateur.

curateur, trice n. **1.** DR ROM Officier public chargé de fonctions très diverses. **2.** DR Personne nommée par le juge des tutelles pour assister dans l'administration de ses biens un mineur émancipé, un incapable. *Curateur aux biens d'un absent. Curateur à succession vacante. Curateur ad hoc,* nommé pour veiller à des intérêts particuliers. **3.** En Belgique, administrateur d'une université.

curatif, ive adj. Destiné à la guérison des maladies. *Moyens curatifs.* ▷ n. m. *Des curatifs.*

curcuma n. m. BOT Genre de zingibéracées. (Le rhizome de *Curcuma longa,* le *safran des Indes,* entre dans la composition du cari.)

1. cure n. f. **I.** Vx Souci, soin. – Mod., litt. *N'avoir cure de* : n'avoir aucun souci de. *Je n'en ai cure.* **II.** MED **1.** Traitement d'une maladie ou d'une affection chirurgicale. – *Par ext.,* cour. Usage prolongé (d'une chose salutaire). *Une cure de soleil, de repos.* **2.** Séjour thérapeutique dans une station thermale, une maison de repos, etc. *Aller en cure.*

2. cure n. f. **1.** Charge de curé, fonction ecclésiastique à laquelle est attachée la direction d'une paroisse. **2.** Territoire dépendant d'un curé. **3.** Presbytère.

Cure (la), riv. de France (112 km), affl. de l'Yonne (r. dr.); naît dans le Morvan; forme le lac-réservoir des Settons.

curé n. m. **1.** Prêtre qui a la charge d'une paroisse. *« Journal d'un curé de campagne »,* roman de *G. Bernanos.* **2.** Pop., péjor. Ecclésiastique. *Les curés* : le clergé. *Bouffer du curé* : être anticlérical.

cure-dent(s) n. m. Petit instrument servant à se curer les dents. *Des cure-dents.*

curée n. f. **1.** VEN Partie de la bête donnée aux chiens après la chasse. **2.** Moment de la chasse où l'on donne la curée; sonnerie de cor annonçant ce moment. **3.** Fig. Lutte pleine d'âpreté pour le partage des profits, des places.

Curel (François de) (Metz, 1854 – Paris, 1928), écrivain français. Ses pièces traitent des problèmes moraux posés par la société : *l'Envers d'une sainte* (1892), *les Fossiles* (1892-1900), *Terre inhumaine* (1922). Il fut aussi romancier : *l'Été des puits secs* (1885).

cure-ongles n. m. inv. Petit instrument servant à nettoyer le dessous des ongles.

cure-pipe n. m. Petit instrument qui sert à vider le fourneau d'une pipe. *Des cure-pipes.*

curer v. tr. [1] **1.** Nettoyer (qqch) en grattant. *Curer un étang.* ▷ v. pron. *Se curer les dents, les ongles.* **2.** *Curer une vigne en pied* : ôter du cep le bois inutile.

curetage n. m. CHIR Grattage et nettoyage d'une cavité naturelle ou pathologique. *Curetage de l'utérus, d'un abcès.*

cureter v. tr. [20] CHIR Effectuer le curetage de.

curette n. f. **1.** TECH Outil servant à nettoyer. Syn. écouvillon. **2.** CHIR Petit instrument servant à cureter une cavité naturelle ou une plaie.

Curiaces. V. Horaces.

curiate adj. ANTIQ ROM *Comices curiates* : la plus ancienne assemblée politique de Rome.

1. curie n. f. **I.** ANTIQ ROM **1.** Fraction de la tribu romaine. **2.** Lieu de réunion du sénat. **II.** Gouvernement central de l'Église catholique. *Curie romaine.*

2. curie n. m. PHYS NUCL Ancienne unité de radioactivité (symbole Ci), correspondant à $3{,}7.10^{10}$ désintégrations par seconde (activité de 1 g de radium env.).

Curie (Pierre) (Paris, 1859 – Paris, 1906) et sa femme **Marie**, née Skłodowska (Varsovie, 1867 – Sancellemoz, près de Sallanches, 1934), physiciens français. Ils ont découvert le radium en 1898 (P. Nobel 1903). Marie Curie fut la première femme à occuper une chaire de l'enseignement supérieur (1906). Elle reçut en 1911 le P. Nobel de chimie.

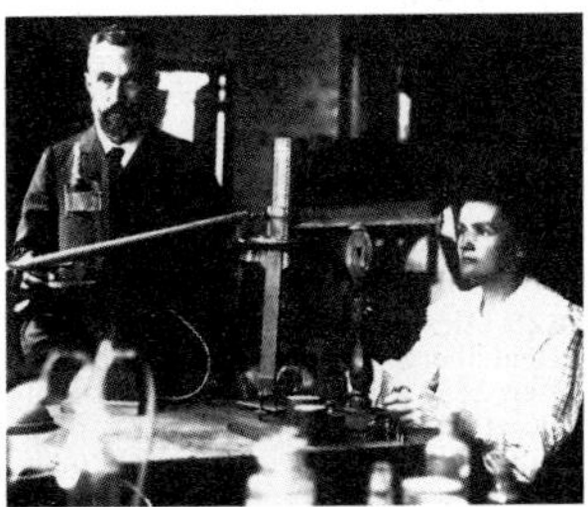

Pierre et Marie **Curie** dans leur laboratoire de l'École de physique et de chimie à Paris en 1903

curiethérapie [kyʀiteʀapi] n. f. MED Irradiation thérapeutique par le radium. Syn. radiumthérapie.

curieusement adv. **1.** Avec curiosité. *Regarder curieusement.* **2.** D'une manière curieuse, bizarre. *Ils se ressemblent curieusement.* Syn. bizarrement, étrangement.

curieux, euse adj. et n. **1.** Qui a un grand désir de voir, d'apprendre, de savoir. *Un esprit curieux. Il est curieux de tout.* **2.** Qui cherche à savoir, à connaître les secrets d'autrui. *Curieux jusqu'à écouter aux portes.* ▷ Subst. *J'ai surpris cette curieuse à lire mon courrier. Une foule de curieux qui contemplaient l'incendie.* **3.** Qui excite la curiosité. *Un curieux personnage. Une curieuse mésaventure.* Syn. bizarre, étrange, singulier. ▷ n. m. Aspect curieux, singulier d'une chose. *Le curieux de l'affaire, c'est que...*

curiosité n. f. **1.** Désir de voir, de connaître, de s'instruire. *Satisfaire sa curiosité. Piquer la curiosité de qqn.* **2.** Désir indiscret de connaître les affaires d'autrui. *La curiosité est un vilain défaut.* **3.** Objet, chose remarquable par sa rareté, sa beauté, etc. *Magasin de curiosités. Les curiosités d'une ville.*

curiste n. Personne qui fait une cure thermale.

Curitiba, v. du Brésil, cap. de l'État du Paraná; 1 285 030 hab. Centre agric. (bétail). Industr. textiles, chimiques et alimentaires. Université.

curium [kyʀjɔm] n. m. CHIM Élément radioactif artificiel, appartenant à la famille des actinides, de numéro atomique Z = 96 et de masse atomique 247 (symbole Cm).

curling [kœʀliŋ] n. m. SPORT Jeu consistant à faire glisser sur la glace un palet vers une cible.

Curnonsky (Maurice Edmond Sailland, dit) (Angers, 1872 – Paris, 1965), écrivain (*le Métier d'amant,* avec P.-J. Toulet, 1899) et gastronome français (*Cuisine et Vins de France,* 1953), dit « le Prince des gastronomes ».

curriculum vitæ [kyʀikylɔmvite] n. m. inv. (Lat., « cours de la vie ».) Ensemble des renseignements concernant l'état civil, les titres, les capacités et les activités passées d'une personne. *Fournir un curriculum vitæ* ou, ellipt., *un curriculum.* (Abrév. cour. : C.V.)

curry. V. cari.

curseur n. m. **1.** TECH Repère coulissant (d'une règle à calcul, d'une hausse de fusil, etc.). **2.** INFORM Repère lumineux indiquant sur un écran l'emplacement de la frappe à venir. **3.** ASTRO Fil que l'on déplace dans le champ d'un oculaire pour mesurer le diamètre apparent d'un astre.

cursif, ive adj. **1.** *Écriture cursive,* tracée à main courante. ▷ n. f. *Une belle cursive moulée.* **2.** Fig. Rapide, bref. *Lecture cursive. Remarques cursives.*

cursus [kyʀsys] n. m. Ensemble des phases successives d'une carrière, d'un cycle d'études. *Cursus universitaire.*

Curtis (Louis Laffitte, dit Jean-Louis) (Orthez, 1917 – Paris, 1995), écrivain français. Ses romans, d'une ironie satirique, dénoncent le dessèchement du siècle. *Les Forêts de la nuit* (1947), *les Justes Causes* (1954), *le Roseau pensant* (1970), *Questions à la littérature* (essai critique, 1973), *Une éducation d'écrivain* (1985).

Curtiz (Mihaly Kertész, dit Michael) (Budapest, 1888 – Los Angeles, 1962), cinéaste américain d'origine hongroise. Aventure, mélodrame, policier ou épouvante, il excella dans tous les domaines : *Masques de cire* (1933); *Capitaine Blood* (1935); *la Charge de la brigade légère* (1936); *les Aventures de Robin des Bois* (1938); *la Vie privée d'Élisabeth d'Angleterre* (1938); *Casablanca*

(1943); *le Roman de Mildred Pierce* (1945), *l'Homme des plaines* (1954).

curule adj ANTIQ ROM *Chaise curule* : siège d'ivoire réservé aux plus hauts magistrats romains.

curv(i)-. Élément, du lat. *curvus,* « courbe ».

curviligne adj. GEOM Formé par des lignes courbes. *Triangle curviligne.* ▷ MATH *Abscisse curviligne,* repérant la position d'un point sur une courbe par rapport à une origine prise sur celle-ci.

Curzon of Kedleston (George Nathaniel, 1er marquis) (Kedleston, Derbyshire, 1859 - Londres, 1925), homme politique britannique ; vice-roi des Indes (1898-1905), secrétaire d'État aux Affaires étrangères (1919-1923). Le tracé de la frontière russo-polonaise qu'il proposa en 1919 ne put être appliqué, mais fut repris en 1945 *(ligne Curzon).* Il participa à l'élaboration du traité de Lausanne (1923).

cuscute n. f. Plante (fam. convolvulacées) parasite des légumineuses.

Cushing (Harvey Williams) (Cleveland, Ohio, 1869 - New Haven, Connecticut, 1939), neurochirurgien américain. Il est l'un des fondateurs de la neurochirurgie et l'auteur d'études endocrinologiques.

Cusset, ch.-l. de cant. de l'Allier (arr. de Vichy) ; 14 072 hab. Usine d'armement. Station thermale.

Custine (Adam Philippe, comte de) (Metz, 1740 - Paris, 1793), général français. Il combattit en Amérique aux côtés de Rochambeau. Sous la Révolution, il commanda les armées du Rhin (1792) et du Nord (1793). Il fut guillotiné pour avoir perdu Mayence.

custode n. f. **1.** LITURG Boîte servant à exposer ou à transporter les hosties consacrées. **2.** AUTO Partie arrière d'une automobile.

custom [kœstɔm] n. m. (Anglicisme) Véhicule ou appareil dont on a modifié l'aspect pour le personnaliser.

customiser v. tr. [1] Modifier qqch pour en faire un custom. *Des ordinateurs customisés.*

Custozza ou **Custoza,** localité d'Italie, prov. de Vérone, qui vit les victoires des Autrichiens sur les Piémontais (1848) et sur les Italiens (1866).

cutané, ée adj. ANAT Qui appartient à la peau. *Lésion cutanée.*

cuti n. f. Fam. Abrév. de *cuti-réaction* (à la tuberculine). - *Virer sa cuti* : présenter pour la première fois une cuti-réaction ; fig., fam., changer radicalement de comportement, de conviction.

cuticule n. f. **I.** ANAT Peau très fine, membrane ou pellicule recouvrant une structure anatomique. **II.** BOT Couche de cutine recouvrant les organes aériens herbacés (feuilles, pollen, etc.) des végétaux. **III.** ZOOL **1.** Couche superficielle chitineuse, résistante, du tégument des invertébrés (notam. des arthropodes). **2.** Couche vernissée externe de la coquille des mollusques.

cutine n. f. BOT Substance cireuse imperméable, constituant principal de la cuticule des végétaux.

cuti-réaction n. f. MED Réaction cutanée apparaissant au point d'inoculation d'une substance lorsque le sujet est allergique à cette substance ou immunisé contre elle, et qui constitue un test. - *Cuti-réaction à la tuberculine* ou, par abrév., *cuti,* qui permet de détecter la rencontre avec le bacille de la tuberculose. *Des cuti-réactions.*

Cuttack, v. de l'Inde (Orissa), sur le delta de la Mahānadi ; 402 000 hab.

cutter [kytœʀ] n. m. Instrument muni d'une lame coulissante pour couper le papier, le carton, etc.

cuvage n. m. ou **cuvaison** n. f. Action de faire cuver le vin.

cuve n. f. **1.** Grand récipient servant à la fermentation du vin, de la bière, etc. **2.** Grand récipient à usage ménager ou industriel. *Cuve à mazout. Cuve de teinturier, de photographe.* **3.** METALL Dans un haut fourneau, tronc de cône où s'effectue la réduction du minerai.

cuveau n. m. Rég. Petite cuve.

cuvée n. f. **1.** Quantité de vin qui se fait en une seule fois dans une cuve. *Première cuvée.* **2.** Vin qui provient de la récolte d'une même vigne.

cuver v. [1] **1.** v. intr. Demeurer dans une cuve pour y fermenter. *Ce vin a bien assez cuvé.* **2.** v. tr. Fig., fam. *Cuver son vin* : dormir après avoir trop bu.

cuvette n. f. **1.** Bassin portatif large et peu profond, servant à divers usages. *Cuvette et pot à eau de faïence.* ▷ *Cuvette de w.-c.* **2.** PHYS Petit réservoir à mercure dans lequel plonge le tube d'un baromètre. **3.** GEOL Dépression naturelle.

cuvier n. m. Cuve pour les vendanges.

Cuvier (Georges, baron) (Montbéliard, 1769 - Paris, 1832), zoologiste français. Père de la paléontologie et de l'anatomie comparée des vertébrés, il établit la première classification raisonnée des animaux et énonça les principes de subordination des organes et de corrélation des formes. Il est notam. l'auteur des *Leçons d'anatomie comparée* (1800-1805) et du *Discours sur les révolutions de la surface du globe* (1825). Acad. fr. (1818). – **Frédéric** (Montbéliard, 1773 - Strasbourg, 1838), frère du préc. ; zoologiste, il est l'auteur d'une *Histoire des cétacés* et, en collab. avec Geoffroy Saint-Hilaire, d'une *Histoire des mammifères.* ▶ illustr. page **474**

Cuvilliés (Jean-François de) (Soignies, Hainaut, 1695 - Munich, 1768), architecte et ornemaniste allemand ; le plus grand représentant du style rococo bavarois : pavillon d'Amalienburg dans le parc de Nymphenburg, près de Munich (1734-1739).

Cuxhaven, v. d'Allemagne (Basse-Saxe), sur la mer du Nord, avant-port de Hambourg ; 56 080 hab. Pêche ; constr. navales ; station balnéaire.

Cuyp (Albert) (Dordrecht, 1620 - id., 1691), peintre hollandais. Son œuvre (scènes de genre, animaux, marines) reflète l'influence des paysagistes italianisants d'Utrecht.

Cuza (Alexandre-Jean Ier) (Galați, 1820 - Heidelberg, 1873), prince roumain. Élu en 1859 prince héréditaire de Moldavie et de Valachie, il unifia ces principautés (la future Roumanie), mais il dut abdiquer en 1866.

Cuzco, v. du Pérou mérid., dans les Andes, à 3 650 m d'alt. ; 235 860 hab. ; ch.-l. du dép. du m. nom. Industr. text. et alim. Tourisme. - Anc. cap. de l'Empire inca ; ruines de son passé précolombien. La ville fut un centre import. de l'Amérique espagnole.

CV, Symbole pour *cheval* fiscal.*

C.V. n. m. Sigle de *curriculum vitæ.*

Cx n. m. PHYS Coefficient de pénétration dans l'air, caractérisant l'aérodynamisme d'un mobile.

cyan-, cyani-, cyano-. CHIM Élément, du gr. *kuanos,* « bleu sombre », qui indique la présence du radical $-C{\equiv}N$ dans une molécule.

cyan [sjɑ̃] n. m. TECH Couleur bleu-vert, complémentaire du rouge.

cyanhydrique adj. CHIM *Acide cyanhydrique* : liquide incolore (appelé aussi *cyanure d'hydrogène, acide prussique*), poison violent de formule $H-C{\equiv}N$, qui sert à fabriquer le nitrile acrylique, point de départ de fibres synthétiques.

cyanoacrylate n. m. Adhésif très puissant.

cyanogène n. m. et adj. **1.** n. m. CHIM Gaz incolore, poison violent, de formule $N{\equiv}C-C{\equiv}N$. **2.** adj. MED Qui produit une cyanose.

cyanophycées ou **cyanobactéries** n. f. pl. Vaste groupe d'algues procaryotes occupant tous les milieux. Syn. algues bleues. - Sing. *Une cyanophycée.*

cyanose n. f. MED Coloration bleue des téguments par défaut d'oxygénation.

cyanoser v. tr. [1] MED Entraîner une cyanose. *Son doigt s'est cyanosé.*

cyanure n. m. CHIM Sel ou ester de l'acide cyanhydrique. (Les cyanures de métaux lourds forment des complexes très stables ; le ferrocyanure ferrique est le *bleu de Prusse.*) - *Groupe cyanure* : le groupe $-C{\equiv}N$.

Cyaxare ou **Ouvakhshatra,** roi des Mèdes (633 - 584 av. J.-C.) qui, allié de Nabopolassar, détruisit Ninive (612), abattant ainsi l'Empire assyrien. Il donna un essor à l'Empire mède.

Cybèle, déesse de la Fécondité dont le culte est passé de Phrygie dans le monde gréco-romain au IIIe s. av. J.-C. À Rome, à partir de 204 av. J.-C., on célébra en son honneur les jeux Mégalésiens.

cyber-. Préfixe, de *cybernétique,* servant à former des mots liés aux nouvelles techniques de communication.

cybercafé n. m. Établissement associant un débit de boissons et un équipement en micro-ordinateurs connectés avec Internet.

cyberespace n. m. Ensemble des informations et des relations que l'on peut trouver sur un réseau électronique. Syn. cybermonde.

cybermarketing n. m. (Anglicisme) Marketing pratiqué grâce au réseau Internet.

Cuzco : maisons construites sur les vestiges d'un palais inca

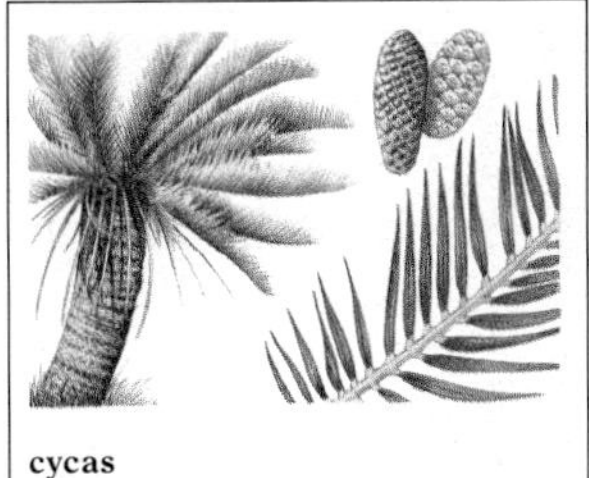
cycas

cybermonde n. m. Cyberespace.

cybernaute n. Syn. de *internaute.*

cybernéticien, enne n. Spécialiste de la cybernétique.

cybernétique n. f. et adj. Ensemble des théories et des études sur les systèmes considérés sous l'angle de la commande et de la communication. (La cybernétique trouve des applications dans l'industrie, en biologie, dans le domaine des arts. L'informatique est une application de la cybernétique.) ▷ adj. *Applications cybernétiques.*

cyberspatial, ale, aux adj. Du cyberespace.

cyborg n. Dans la science-fiction, créature cybernétique, robot.

cycas [sikas] n. m. Gymnosperme préphanérogame (genre *Cycas*) à port de palmier, vivant dans les régions tropicales et dont les ovules ont la grosseur d'un œuf de poule.

cyclable adj. Accessible aux cycles. *Piste cyclable.*

Cyclades (en gr. *Kuklades;* de *kuklos,* «cercle»), archipel gr. (îles princ. : Andros, Délos, Milo, Naxos, Paros, Santorin, Syros, Tínos) de la mer Égée, au S.-E. de l'Attique. Il forme un nome : 2 572 km²; 95 080 hab.; ch.-l. *Hermoupolis* (Syros). Agric. pauvre. Tourisme. – L'art des Cyclades (IIIe millénaire av. J.-C.) est princ. représenté par des statuettes en marbre blanc aux formes humaines très stylisées.

cycladique adj. Des Cyclades, dans l'Antiquité. *La civilisation cycladique.*

cyclamen n. m. Plante ornementale (fam. primulacées) aux fleurs complexes blanches ou roses, et aux feuilles maculées, dont le tubercule est toxique. – De la couleur du cyclamen.

1. cycle n. m. **1.** ASTRO Période d'un nombre déterminé d'années après

statuette caractéristique de l'art des **Cyclades** ; musée national d'Archéologie, Athènes

cyclamen

laquelle certains phénomènes astronomiques se reproduisent constamment dans le même ordre. *Cycle solaire :* période d'env. 22 ans, généralement divisée en deux périodes de 11 ans, pendant laquelle l'activité solaire a des variations. *Cycle lunaire :* période de 18 ans et 11 jours à l'issue de laquelle les phases de la Lune reviennent aux mêmes époques. **2.** Suite de phénomènes se renouvelant constamment dans un ordre immuable. *Le cycle des saisons.* – PHYSIOL *Le cycle menstruel.* **3.** ECON Succession de divers états de l'économie, comprenant généralement quatre phases : expansion, prospérité, récession, dépression ou crise. **4.** Ensemble de transformations que subit un corps ou un système d'un état initial jusqu'à un état final identique à l'état initial. – PHYS *Cycle de Carnot**. – BIOCHIM *Le cycle de Krebs**. *Les cycles de l'azote, du carbone.* ▷ CHIM Chaîne fermée que forme le squelette d'une molécule. **5.** BIOL *Cycle biologique* ou *cycle de reproduction :* ensemble des étapes par lesquelles passe un être vivant, du moment où il est fécondé jusqu'à celui où il devient capable de se reproduire. ▷ GEOL *Cycle d'érosion :* ensemble des étapes qui conduisent une chaîne de montagnes à être transformée en pénéplaine par l'action des agents d'érosion. ▷ ASTRO *Cycle de Bethe**. **6.** LITTER Ensemble de poèmes épiques relatifs à un même groupe de personnages ou aux mêmes événements. *Le cycle troyen. Le cycle de la Table ronde.* **7.** Ensemble de classes groupées, dans l'enseignement. *Premier cycle du secondaire,* de la 6e à la 3e. ▷ *Les trois cycles universitaires :* DEUG; licence et maîtrise; D.E.A., D.E.S.S. et doctorat.
▶ pl. page **485**

2. cycle n. m. Véhicule à deux roues, plus rarement trois (V. tricycle), mû par la force des jambes (bicyclette) ou par un petit moteur (cyclomoteur).

cyclique adj. **1.** Relatif à un cycle (astronomique, chronologique, etc.). **2.** PHYS *Transformations cycliques.* – MED *Maladie cyclique,* dont l'apparition ou l'évolution est marquée par des phases bien déterminées. ▷ Qui se reproduit à intervalles réguliers. *Phénomènes cycliques.* – ECON *Crise cyclique.* **3.** BOT *Fleur cyclique,* dont les divers éléments (sépales, pétales, étamines, carpelles) sont disposés en cercles concentriques. **4.** CHIM *Composé cyclique,* dont la molécule renferme un ou plusieurs cycles.

cycliquement adv. De façon cyclique.

cyclisme n. m. Pratique de la bicyclette; sport qui utilise la bicyclette. *Aimer le cyclisme. La page du cyclisme d'un journal sportif.*

cycliste n. et adj. **1.** n. Personne qui fait de la bicyclette. **2.** n. m. Culotte très collante, arrivant au-dessus du genou. **3.** adj. Relatif à la bicyclette, au cyclisme. *Course cycliste.*

cyclo-. Élément, du gr. *kuklos,* «cercle», ou du français *cycle.*

cyclocross n. m. inv. SPORT Épreuve cycliste pratiquée en terrains variés.

cycloergomètre n. m. Appareil sur lequel on pédale pour obtenir un électrocardiogramme d'effort.

cycloïdal, ale, aux adj. GEOM Relatif à la cycloïde (1); qui décrit une cycloïde. *Pendule cycloïdal.*

cycloïde n. f. GEOM Courbe décrite par un point d'un cercle qui roule sans glisser sur une droite.
▶ illustr. **courbes**

cyclomoteur n. m. Cycle à moteur d'une cylindrée inférieure à 50 cm³.

cyclomotoriste n. Personne qui fait du cyclomoteur.

cyclonal, ale, aux ou **cyclonique** adj. METEO Relatif à un cyclone. *Aire cyclonale. Pluies cycloniques.*

cyclone n. m. **1.** Mouvement giratoire rapide de l'air autour d'une dépression de faible étendue. (La partie centrale est appelée *œil du cyclone.*) *Région dévastée par un cyclone.* **2.** TECH Appareil servant à séparer un gaz de ses poussières, sous l'effet de la force centrifuge. ▶ illustr. page **484**

cyclope n. m. **1.** MYTH V. Cyclopes. **2.** Crustacé copépode muni d'un œil unique et qui utilise ses antennes comme appendices locomoteurs.

cyclopéen, enne adj. **1.** Des Cyclopes. **2.** Litt. Énorme, gigantesque. *Déployer une énergie cyclopéenne.* **3.** *Monuments cyclopéens :* constructions gigantesques, de très haute antiquité, faites d'énormes blocs de pierre.

Cyclopes, dans la myth. gr., les trois fils de Gaia (la Terre) et d'Ouranos (le Ciel), géants qui n'avaient qu'un œil, au milieu du front. Ils fabriquèrent la foudre à l'intention de Zeus. – Dans *l'Odyssée,* pasteurs anthropophages, de taille gigantesque et à œil unique, représentés par Polyphème. – Dans la poésie alexandrine, géants, aides-forgerons d'Héphaïstos, ayant élu domicile sous l'Etna.

cyclo-pousse n. m. Pousse-pousse tiré par un cycliste. *Des cyclo-pousses.*

cyclorameur n. m. Tricycle d'enfant, mû par la force des bras.

cyclosporine V. ciclosporine.

cyclosportif, ive adj. et n. **1.** Relatif au cyclisme amateur. **2.** n. Coureur cycliste amateur.

cyclostomes n. m. pl. ZOOL Seul ordre d'agnathes ayant des représentants vivants (ex. : les lamproies). – Sing. *Un cyclostome.*

cyclothymie n. f. PSYCHIAT Constitution psychique caractérisée par l'alternance de périodes d'excitation euphorique et de dépression mélancolique.

cyclothymique adj. et n. Relatif à la cyclothymie; atteint de cyclothymie.

cyclotourisme n. m. Tourisme à bicyclette.

cyclotron n. m. PHYS NUCL Accélérateur de particules constitué de deux électrodes creuses en forme de demi-cylindre entre lesquelles on établit un champ électrique alternatif. (Les par-

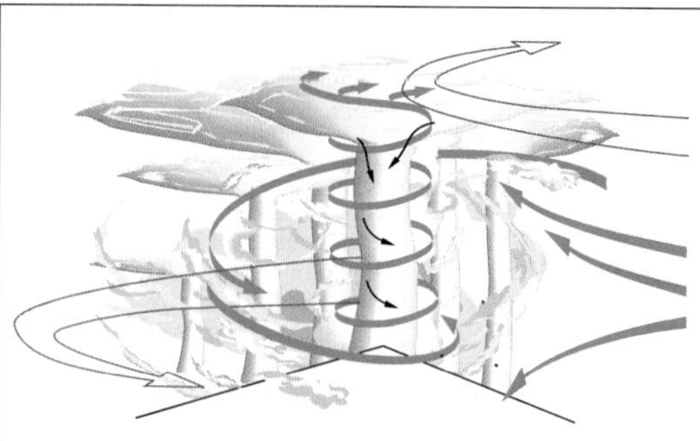

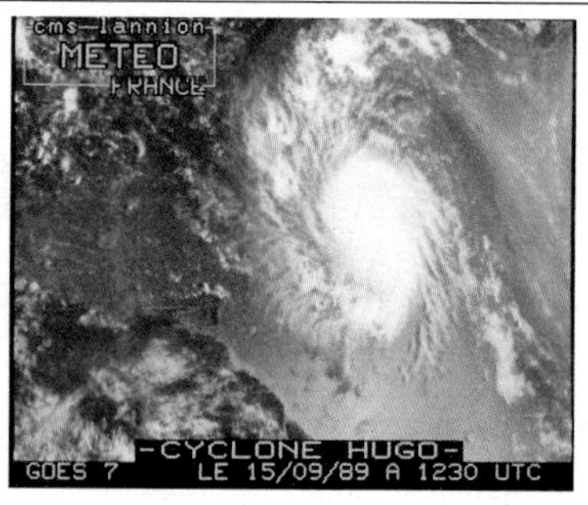

au centre, l'œil du cyclone (d'un diamètre de 2 à 3 kilomètres) autour duquel s'enroulent les amas de cumulo-nimbus (largeur : 300 à 400 kilomètres)

ticules y décrivent des demi-cercles dont le rayon augmente à chacun de leur passage entre les électrodes.)

Cycnos, nom de plusieurs personnages de la myth. gr., que les dieux métamorphosèrent en cygne (*cycnos* signifie « cygne » en gr.).

cygne n. m. **1.** Grand oiseau anatidé à plumage blanc ou noir (cygne d'Australie) et au long cou très souple. (*Cygnus olor,* le *cygne tuberculé* des pièces d'eau des parcs, peut atteindre 1,50 m; il possède un tubercule à la base du bec et un plumage blanc.) – *Une blancheur de cygne :* une blancheur éclatante. – *Un cou de cygne,* fin, long et gracieux. **2.** Fig. *Le chant du cygne :* le dernier chef-d'œuvre d'un poète, d'un musicien, etc., avant sa mort. **3.** Fig. *Le Cygne de Mantoue :* Virgile. *Le Cygne de Cambrai :* Fénelon. **4.** ASTRO *Le Cygne :* constellation boréale.

cylindraxe n. m. ANAT Syn. de *axone.*

cylindre n. m. **1.** Volume obtenu en coupant les génératrices d'une surface cylindrique par deux plans parallèles. – *Cylindre de révolution :* volume engendré par la rotation d'un rectangle autour de l'un de ses côtés (surface latérale = $2\pi Rh$; surface totale = $2\pi R\ (h+R)$; volume = πR^2h, h étant la hauteur et R le rayon du cercle de base). **2.** TECH Appareil en forme de rouleau. *Cylindre de laminoir. Cylindre compresseur.* ▷ Organe dans lequel se déplace un piston. *Moteur à huit cylindres (disposés) en V* (abrév. : V8). **3.** MED *Cylindres urinaires :* éléments cylindriques microscopiques de substance protéique formés dans les canaux urinaires et retrouvés dans les urines (leur augmentation est pathologique). ▶ pl. **géométrie**

cygne

cylindrée n. f. AUTO Volume engendré par le déplacement des pistons dans les cylindres (égal au produit de la course d'un piston par la somme des surfaces transversales des pistons; exprimé en cm^3 et en *litres*). *Une voiture de 1 300 cm^3 de cylindrée. Une voiture de course de 3,5 l de cylindrée.* – Ellipt. *Une petite, une grosse cylindrée.*

cylindrique adj. **1.** Qui a la forme d'un cylindre. *Boîte cylindrique.* **2.** GEOM *Surface cylindrique :* surface engendrée par une droite qui se déplace parallèlement à elle-même en s'appuyant sur une courbe plane.

cymbalaire n. f. BOT Scrofulariacée à petites fleurs violet pâle, fréquente en France sur les vieux murs. Syn. ruine-de-Rome.

cymbale n. f. MUS Instrument à percussion, disque de cuivre ou de bronze muni d'une poignée (faisant partie d'une *paire de cymbales,* que l'on frappe l'une contre l'autre) ou monté sur pied (et frappé avec une baguette, une mailloche, etc.). ▶ pl. instruments de **musique**

cymbalier n. m. ou **cymbaliste** n. Musicien(ne) qui joue des cymbales.

cymbalum [sɛ̃balɔm] ou **czimbalum** [tʃimbalɔm] n. m. Instrument à cordes frappées, en forme de trapèze, dérivé du tympanon et employé dans les orchestres hongrois.

cyme n. f. BOT Inflorescence dont l'axe principal, terminé par une fleur, porte un, deux ou plusieurs rameaux, eux-mêmes terminés par une fleur et ramifiés de la même façon (ex. : myosotis, bourrache, etc.).

cymrique. V. kymrique.

cynégétique adj. et n. f. Didac. Qui concerne la chasse. *Des exploits cynégétiques.* ▷ n. f. Art de la chasse.

Cynewulf (VIIIe s.), poète anglo-saxon. Il paraphrase les Écritures ou les légendes des saints : *le Christ; Hélène; le Sort des apôtres.*

cynips [sinips] n. m. Insecte hyménoptère de petite taille (3 à 5 mm), à corps noir ou orange selon les espèces, qui provoque des galles sur le chêne et le rosier.

cynique adj. et n. **1.** PHILO Se dit de l'école d'Antisthène et de ses disciples (Diogène, Ménippe, etc.), qui professaient le mépris des conventions sociales dans le dessein de mener une vie conforme à la nature. *L'école cynique. Les philosophes cyniques.* ▷ Subst. *Les cyniques. Diogène le Cynique.* **2.** Cour. Qui se plaît à ignorer délibérément la morale, les convenances. *Conduite cynique.*

cyniquement adv. De manière cynique.

cynisme n. m. **1.** PHILO Philosophie morale de l'école cynique. **2.** Cour. Attitude de celui qui affecte de se moquer de la morale, des convenances. *Parler avec cynisme.*

cyno-. Élément, du gr. *kuôn, kunos,* « chien ».

cynocéphale n. m. Singe dont la tête ressemble à celle d'un chien (ex. : babouin).

cynodrome n. m. Piste aménagée pour les courses de chiens.

cynomys [sinomis] n. m. Gros rongeur d'Amérique du N. que son cri a fait nommer *chien de prairie.*

cynorhodon n. m. BOT Réceptacle rouge et charnu de l'églantier, dont on fait des confitures. Syn. gratte-cul.

Cynoscéphales ou **Cynocéphales,** hauteurs de Thessalie (dont les sommets évoquent des têtes de chien); champ de bataille célèbre par la victoire du Thébain Pélopidas sur Alexandre, tyran de Phères (364 av. J.-C.), et par celle du consul romain Flamininus sur Philippe V de Macédoine (197 av. J.-C.).

cypéracées n. f. pl. BOT Famille de monocotylédones apétales herbacées et vivaces dont la tige est pleine et sans nœuds (ex. : laîche, scirpe). – Sing. *Une cypéracée.*

cyphose n. f. MED Déviation de la colonne vertébrale à convexité postérieure. ▶ illustr. colonne **vertébrale**

cyprès n. m. Conifère à feuilles vertes écailleuses imbriquées et persistantes, fréquent dans les régions méditerranéennes et dont le bois est utilisé en ébénisterie. *Un cimetière planté de cyprès.* – *Cyprès chauve :* taxodium.
▶ illustr. page **486**

Cyprien (saint) (Thascius Cæcilius Cyprianus) (Carthage, déb. IIIe s. – id., 258), Père de l'Église, évêque de Carthage (249) : *De l'unité de l'Église.* Martyr, il mourut décapité.

cyprin n. m. Nom cour. des poissons de la famille des cyprinidés.

cyprinidés n. m. pl. ZOOL Famille de téléostéens à grandes écailles, munis d'une seule nageoire dorsale et de dents pharyngiennes (ex. : carpe, « poisson rouge » ou cyprin doré, barbeau, tanche, etc.). – Sing. *Un cyprinidé.*

cypriote. V. chypriote.

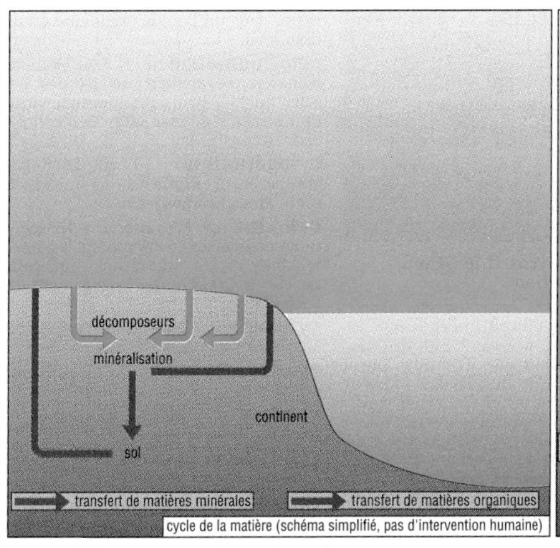
décomposeurs
minéralisation
continent
sol
transfert de matières minérales
transfert de matières organiques
cycle de la matière (schéma simplifié, pas d'intervention humaine)

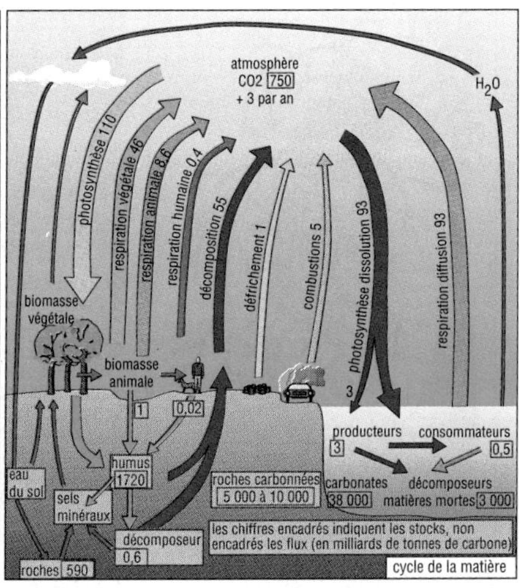
atmosphère
CO2 750
+ 3 par an
H2O
photosynthèse 110
respiration végétale 46
respiration animale 8,6
respiration humaine 0,4
décomposition 55
défrichement 1
combustions 5
photosynthèse dissolution 93
respiration diffusion 93
biomasse végétale
biomasse animale
1
0,02
3
producteurs
consommateurs
3
0,5
eau du sol
humus
1720
sels minéraux
roches carbonnées
5 000 à 10 000
carbonates
38 000
décomposeurs
matières mortes 3 000
décomposeur
0,6
roches 590
les chiffres encadrés indiquent les stocks, non encadrés les flux (en milliards de tonnes de carbone)
cycle de la matière

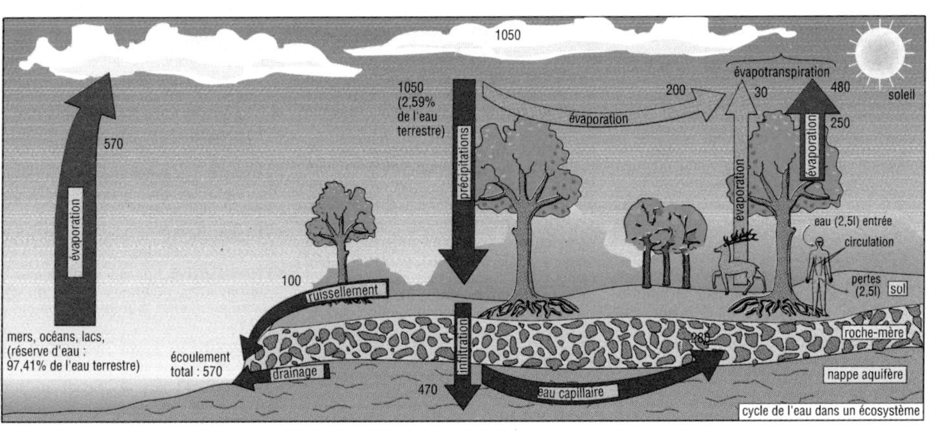
1050
évapotranspiration
200
30
480
soleil
1050 (2,59% de l'eau terrestre)
évaporation
250
570
évaporation
précipitations
évaporation
évaporation
eau (2,5l) entrée
circulation
pertes (2,5l)
sol
100
ruissellement
roche-mère
mers, océans, lacs, (réserve d'eau : 97,41% de l'eau terrestre)
écoulement total : 570
drainage
infiltration
280
470
eau capillaire
nappe aquifère
cycle de l'eau dans un écosystème

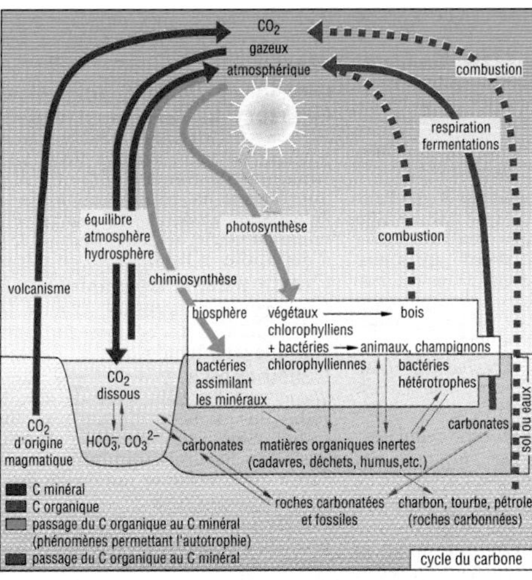
CO2 gazeux atmosphérique
combustion
respiration fermentations
photosynthèse
combustion
équilibre atmosphère hydrosphère
chimiosynthèse
volcanisme
biosphère
végétaux chlorophylliens + bactéries chlorophylliennes
bois
animaux, champignons
bactéries assimilant les minéraux
bactéries hétérotrophes
CO2 dissous
HCO3−, CO3 2−
carbonates
carbonates
matières organiques inertes (cadavres, déchets, humus,etc.)
sol ou eaux
CO2 d'origine magmatique
roches carbonatées et fossiles
charbon, tourbe, pétrole (roches carbonnées)
C minéral
C organique
passage du C organique au C minéral (phénomènes permettant l'autotrophie)
passage du C organique au C minéral
cycle du carbone

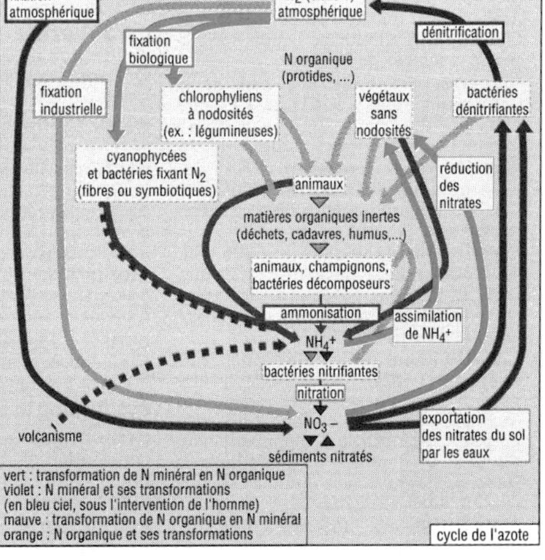
fixation atmosphérique
N2 (diazote) atmosphérique
dénitrification
fixation biologique
N organique (protides, ...)
fixation industrielle
chlorophyliens à nodosités (ex. : légumineuses)
végétaux sans nodosités
bactéries dénitrifiantes
cyanophycées et bactéries fixant N2 (fibres ou symbiotiques)
animaux
réduction des nitrates
matières organiques inertes (déchets, cadavres, humus,...)
animaux, champignons, bactéries décomposeurs
ammonisation
assimilation de NH4+
NH4+
bactéries nitrifiantes
nitration
NO3 −
volcanisme
sédiments nitratés
exportation des nitrates du sol par les eaux
vert : transformation de N minéral en N organique
violet : N minéral et ses transformations
(en bleu ciel, sous l'intervention de l'homme)
mauve : transformation de N organique en N minéral
orange : N organique et ses transformations
cycle de l'azote

cyprès de Provence

Cyrankiewicz (Józef) (Tarnów, 1911 – Varsovie, 1989), homme politique polonais. Président du Conseil de 1947 à 1952 et de 1954 à 1970, il fut président du Conseil d'État (chef de l'État) de 1970 à 1972.

Cyrano de Bergerac (Savinien de) (Paris, 1619 – id., 1655), écrivain français. Représentant le plus original du libertinage érudit au XVIIe s., il est l'auteur d'une tragédie (*la Mort d'Agrippine,* 1653), de comédies (*le Pédant joué,* 1654) et, surtout, de 2 romans utopiques (*Histoire comique des États et Empires de la Lune,* posth., 1657 ; *Histoire comique des États et Empires du Soleil,* posth., 1662).

cyrénaïque n. et adj. **1.** Didac. De la v. antique de Cyrène. **2.** PHILO Se dit de la doctrine et des disciples d'Aristippe, fondateur de l'école de Cyrène, qui faisait de l'impression subjective du plaisir le souverain bien (doctrine qu'il ne faut pas confondre avec l'épicurisme).

Cyrénaïque, région du N. de l'Afrique, sur la côte médit., entre l'Égypte et le golfe de la Grande Syrte. Les Grecs y fondèrent des colonies (Cyrène) ; en 74 av. J.-C., elle devint province romaine. Conquise par les Arabes (641), par les Turcs (1551), par l'Italie (1912), elle forme depuis 1951 la partie orientale de la Libye.

Cyrène, v. antique, anc. cap. de la Cyrénaïque, fondée v. 631 av. J.-C., probabl. par des colons doriens de Thêra (Santorin). Nombreuses ruines.

Cyrille (saint) (Jérusalem, v. 315 – id., 386), évêque de Jérusalem (350), docteur de l'Église ; auteur de *Catéchèses baptismales.*

Cyrille (saint) (Alexandrie, v. 376 – id., 444), patriarche d'Alexandrie (412), docteur de l'Église ; adversaire de Nestorius, dont il fit condamner la doctrine au concile d'Éphèse (431).

Cyrille (saint), dit le Philosophe (Thessalonique, v. 827 – Rome, 869), prêtre grec. Il fut chargé, avec son frère Méthode, d'évangéliser les pays slaves, en partic. la Moravie. L'alphabet dérivé du grec qu'il utilisa pour traduire la Bible en slave est sans doute à l'origine de l'alphabet *cyrillique.*

cyrillique adj. *Alphabet cyrillique :* alphabet adapté de l'alphabet grec et utilisé pour noter plusieurs langues slaves et notam. le russe.

tombeau de **Cyrus II le Grand,** à Pasargades, Iran

Cyrus II le Grand (mort v. 528 av. J.-C.), fils de Cambyse Ier et de Mandane ; fondateur de l'Empire perse achéménide. Roi des Mèdes à partir de 556 av. J.-C., il conquit la Lydie (546), puis les colonies ioniennes d'Asie Mineure, l'Arabie du N., etc., et finalement la Chaldée, prenant Babylone en 539 (libération des captifs juifs). À sa mort, l'Empire perse était le plus grand empire que l'Antiquité eût connu.

Cyrus le Jeune (424 – 401 av. J.-C.), prince perse, fils de Darios II. S'étant révolté contre son frère Artaxerxès II Mnémon, il fut vaincu et tué à Cunaxa.

-cyste, cyst(i)-, cysto-. Éléments, du gr. *kustis,* « vessie ».

cysticerque n. m. ZOOL Larve de ténia à son dernier stade, qui se présente sous la forme d'une petite vésicule (env. 1 cm de diamètre).

cystidés ou **cystoïdes** n. m. pl. PALEONT Classe d'échinodermes du primaire dont le test était formé de plaques calcaires octogonales. – Sing. *Un cystidé* ou *cystoïde.*

cystique adj. ANAT Qui appartient à la vessie ou à la vésicule biliaire. – *Canal cystique* ou, n. m., *le cystique :* canal qui relie la vésicule biliaire au canal hépatique pour former le canal cholédoque.

cystite n. f. Inflammation de la vessie.

cystographie n. f. MED Radiographie de la vessie après injection d'une substance opaque aux rayons X.

cystoscope n. m. MED Instrument qui permet d'explorer visuellement la vessie après cathétérisme de l'urètre.

cystoscopie n. f. Examen de la vessie au cystoscope.

cytaphérèse n. f. BIOL Technique d'extraction de cellules sanguines, reposant sur des phénomènes de sédimentation.

-cyte, cyto-. Éléments, du gr. *kutos,* « cavité, cellule » (ex. *spermatocyte*).

Cythère, île grecque, au S. du Péloponnèse ; 262 km² ; 4 000 hab. – Elle était consacrée à Aphrodite, qui, selon la myth. gr., y avait abordé après être née au sein des flots. Dans le langage poétique, Cythère est le pays des Amours. *La déesse de Cythère :* Vénus. *L'enfant de Cythère :* Cupidon.

cytise n. m. Plante arbustive (fam. papilionacées), aux fleurs jaune d'or en grappes. Syn. faux ébénier.

cytobiologie n. f. Biologie cellulaire.

cytochimie n. f. BIOL Étude de la constitution et du fonctionnement chimiques des cellules, spécial. des cellules vivantes.

cytochrome [sitokRom] n. m. BIOCHIM Pigment cellulaire contenant du fer et jouant un rôle essentiel dans la respiration cellulaire.

cytodiagnostic n. m. MED Diagnostic fondé sur la recherche de cellules anormales dans un liquide organique ou un tissu lésé.

cytofluométrie n. f. BIOL Méthode d'analyse permettant un tri des cellules après marquage immunologique de certaines d'entre elles (les cellules cancéreuses notam.).

cytogénétique n. f. BIOL Discipline consacrée à l'observation microscopique des chromosomes.

cytokine n. f. BIOL Ensemble des sécrétions cellulaires, comprenant les interleukines et les interférons, qui collaborent à la défense immunitaire de l'organisme.

cytologie n. f. Didac. Science qui étudie la cellule sous tous ses aspects.

cytologique adj. BIOL De la cytologie, relatif à la cytologie.

cytolyse n. f. BIOCHIM Dissolution, destruction de la cellule.

cytolytique adj. BIOCHIM **1.** Relatif à la cytolyse. **2.** Qui produit la cytolyse.

cytomégalovirose n. f. MED Infection due à un cytomégalovirus, grave chez un sujet immunodéprimé.

cytomégalovirus n. m. Virus responsable d'affections graves chez les sujets immunodéprimés.

cytoplasme n. m. BIOL Ensemble constitué du hyaloplasme et des organelles cellulaires, dans une cellule vivante. (S'oppose traditionnellement au noyau et à la membrane.) Syn. protoplasme.

cytoplasmique adj. BIOL Relatif au cytoplasme.

cytosine n. f. BIOCHIM Base pyrimidique, constituant fondamental des nucléoprotéines et des gènes.

cytosquelette n. m. BIOL Armature fibreuse des cellules.

cytostatique adj. MED Qui bloque la multiplication cellulaire. ▷ n. m. *Des cytostatiques sont administrés contre le cancer.*

cytotoxine n. f. MED Toxine d'origine cellulaire.

cytotoxique adj. MED Se dit de tout médicament ou moyen de défense immunitaire (anticorps) capable de tuer les cellules vivantes.

Cyzique, anc. v. de l'Asie Mineure (Phrygie), sur la mer de Marmara. – Ruines près d'Erdek (Turquie).

czar. V. tsar.

czardas. V. csardas.

Czartoryski (Adam Jerzy) (Varsovie, 1770 – Montfermeil, 1861), homme politique polonais. Ministre des Affaires étrangères du tsar Alexandre Ier, il ne put obtenir la reconstitution de la Pologne au congrès de Vienne. Président du gouvernement insurgé (1831), il dut s'exiler à Paris.

Czernowitz. V. Tchernovtsy.

Czerny (Karl) (Vienne, 1791 – id., 1857), pianiste et compositeur autrichien : études pour piano.

Częstochowa, v. de Pologne, sur la Warta ; 247 790 hab. ; ch.-l. de la voïévodie du m. nom. Centre text. (lin, coton). Sidérurgie, métall. – Évêché. Basilique Ste-Croix qui renferme la *Vierge noire* (peinture qui donne lieu à un pèlerinage célèbre).

Cziffra (György, dit Georges) (Budapest, 1921 – Senlis, 1994), pianiste français d'origine hongroise. Interprète virtuose de l'œuvre de Franz Liszt.

czimbalum. V. cymbalum.

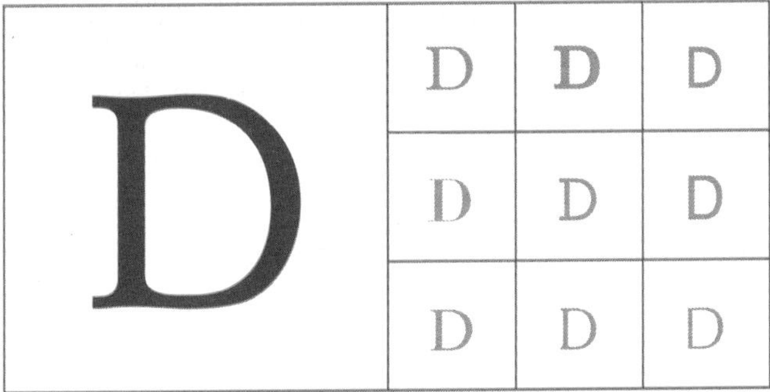

d [de] n. m. **1.** Quatrième lettre (d, D) et troisième consonne de l'alphabet notant l'occlusive dentale sonore [d] qui, en position finale, ne se prononce pas, sauf dans des mots d'emprunt (ex. *caïd*, *plaid*) et devant une voyelle où elle s'assourdit en [t] de liaison (ex. : *un grand arbre* [œ̃gʀɑ̃taʀbʀ], *un grand homme* [œ̃gʀɑ̃tɔm]). **2.** Fam. *Système D* (première lettre de *débrouillard*) : art de se débrouiller, même par des procédés douteux. **3.** D : chiffre romain qui vaut 500. **4.** PHYS D : symbole du *debye*. **5.** CHIM D : symbole du deutérium.

da Abrév. du préf. *déca-* (ex. *dam*, décamètre ; *dal*, décalitre).

Dabadie (Jean-Loup) (Paris, 1938), scénariste, dialoguiste et parolier français. Il a notamment écrit des monologues (pour Guy Bedos), des scénarios (*Une belle fille comme moi* de F. Truffaut, *les Choses de la vie* de Cl. Sautet, *Violette et François* de J. Rouffio).

Dabit (Eugène) (Paris, 1898 - Sébastopol, 1936), écrivain français. Romancier populiste, il connut le succès avec *Hôtel du Nord* (1929). Il publia ses souvenirs de guerre (*Petit-Louis*, 1930).

d'abord. V. abord.

Dąbrowska ou **Dombrowska** (Maria) (Rusow, près de Kalisz, 1889 - Varsovie, 1965), femme de lettres polonaise : *Gens de là-bas* (1925), *les Nuits et les Jours* (1932-1934).

Dąbrowski ou **Dombrowski** (Jan Henryk) (Pierszowice, près de Cracovie, 1755 - Winagóra, Posnanie, 1818), général polonais. Il défendit Varsovie lors du soulèvement de 1794, puis se mit au service de la France (1797-1813), créant les « légions polonaises » ; il se distingua durant les campagnes d'Italie et de Russie.

Dąbrowski ou **Dombrowski** (Jarosław) (Jitomir, Ukraine, 1836 - Paris, 1871), révolutionnaire polonais. Il participa à l'insurrection de 1863. Réfugié en France, il organisa la défense de la Commune contre les Versaillais et fut tué sur les barricades.

Dac (André Isaac, dit Pierre) (Châlons-sur-Marne, 1893 - Paris, 1975), chansonnier et écrivain français. Il cultiva avec bonheur le genre « loufoque ».

da capo [dakapo] loc. adv. (ital.) MUS Indique, dans un morceau, qu'il faut reprendre depuis le début. (Abrév. : D.C.)

Dacca. V. Dhākā.

d'accord. V. accord.

dace adj. et n. HIST De la Dacie. ▷ Subst. Habitant de cette région. *Les Daces.*

Dachau, v. d'Allemagne (Bavière) ; 32 870 hab. - Un camp de concentration nazi y fut implanté de 1933 à 1945.

Dacie, rég. antique située sur le territoire de l'actuelle Roumanie. Conquise par Trajan, elle fut transformée en prov. romaine (106-274).

Dacier (André) (Castres, 1651 - Paris, 1722), philologue français, traducteur d'Horace, d'Aristote et de Platon. Acad. fr. (1695). – **Anne Lefebvre** (Preuilly-sur-Claise, 1647 - Paris, 1720), son épouse ; auteur d'une trad. en prose de l'*Iliade* (1699) et de l'*Odyssée* (1708). En 1714, son pamphlet contre la trad. de l'*Iliade* par Houdar de la Motte ranima la querelle des Anciens* et des Modernes.

dacquois, oise adj. et n. De Dax. ▷ Subst. *Un(e) Dacquois(e).*

dacron n. m. (Nom déposé.) Textile synthétique à base de polyester.

dactyl(o)-, -dactyle. Éléments, du gr. *daktulos*, « doigt ».

dactyle n. m. **1.** METR ANC Pied composé d'une longue et de deux brèves, élément fondamental de l'hexamètre grec et latin. *Le dactyle a été ainsi nommé par analogie avec le doigt, dont la première phalange est plus longue que les deux autres.* **2.** BOT Graminée fourragère, très commune en France.

dactylo ou vx **dactylographe** n. (Le plus souvent fém.) Personne qui utilise professionnellement une machine à écrire. *Une dactylo expérimentée.*

dactylographie n. f. Technique de l'écriture à la machine. (Abrév. : dactylo).

dactylographier v. tr. [2] Écrire à la machine. *Dactylographier un rapport.*

dactylographique adj. Relatif à la dactylographie.

dactylologie ou **dactylophasie** n. f. Didac. Langage des sourds-muets, reposant sur des signes et mouvements conventionnels des doigts.

dactyloscopie n. f. Procédé d'identification au moyen des empreintes digitales. *L'anthropométrie judiciaire utilise la dactyloscopie.*

1. dada n. m. **1.** (Mot enfantin.) Cheval. *Aller à dada.* **2.** Fig., fam. Thème de prédilection, idée sur laquelle on revient sans cesse. *Enfourcher son dada.* Syn. marotte.

2. dada adj. inv. Relatif à Dada. *Le mouvement dada. Manifestes dada.*

Dada, mouvement de révolte littéraire et esthétique né en 1916 par réaction contre la guerre, le militarisme, et qui exprima d'abord un refus absolu de l'art, récusé jusque dans ses manifestations d'avant-garde (cubisme, futurisme). Le mot « Dada » a été choisi au hasard dans le dictionnaire par les fondateurs du mouvement, qui éclata simultanément à Zurich (où il trouva son nom) sous l'impulsion notam. des poètes Tristan Tzara et Hugo Ball, des artistes Hans Arp, Hans Richter, et à New York (Duchamp, Picabia, Man Ray). Un peu avant la fin de la guerre, il s'implanta en Allemagne, à Berlin, où il se doubla d'une révolte politique de caractère marxiste (John Heartfield, Georg Grosz, Raoul Haussmann), à Cologne (Max Ernst, J. T. Baargeld, Arp, venu de Zurich) et à Hanovre (Kurt Schwitters). À Paris, Tzara, Picabia, Ribemont-Dessaignes et plusieurs des futurs surréalistes (Breton, Aragon, Soupault, Éluard) illustrèrent l'esprit dada en 1920-1921, mais dès 1921-1922, les surréalistes rompirent violemment avec ce mouvement (nommé aussi *dadaïsme*). Entre 1916 et 1920 Tzara écrivit *Sept Manifestes Dada.*

dadais n. m. Personne niaise, gauche. *Un grand dadais.*

dadaïsme n. m. *Le dadaïsme* : le mouvement dada.

Breton, Hilsum, Aragon, Éluard, lors de la parution du numéro 3 de la revue ***Dada*** en 1918

dadaïste adj. (et n.) Qui suit le dadaïsme. *École dadaïste.* ▷ Subst. Adepte du dadaïsme.

Dagan. V. Dagon.

Daghestan ou **Daguestan,** rép. auton. de Russie, sur le versant N. du Caucase, baignée par la Caspienne; 50 300 km^2; 1 823 000 hab.; cap. *Makhatchkala.* Gisements de pétrole.

Dagobert Ier (?, v. 604 – Saint-Denis, 639), roi des Francs (629-639), fils de Clotaire II. Il rétablit l'autorité de la monarchie franque, aidé par les futurs saint Éloi et saint Ouen, et défendit les frontières menacées. L'abbaye de Saint-Denis lui dut ses privilèges. – **Dagobert II** (m. en 680), roi d'Austrasie (676-679), petit-fils du préc., périt assassiné. – **Dagobert III** (m. en 715), roi de Neustrie et de Bourgogne (711-715), fils de Childebert III. Pépin de Herstal exerça le pouvoir à sa place.

Dagon ou **Dagan,** divinité (probabl. agraire) assyro-babylonienne mentionnée à Mari dès les prem. dynasties (IIIe millénaire); on l'adora à Sumer, à Akkad, puis chez les Philistins.

dague n. f. **1.** Épée très courte; poignard à lame très aiguë. **2.** VEN Premier bois, non ramifié, du jeune cerf ou daim. – Défense d'un vieux sanglier.

Daguerre (Louis Jacques Mandé) (Cormeilles-en-Parisis, 1787 – Bry-sur-Marne, 1851), inventeur français. Il perfectionna la photographie (inventée en 1816 par Niepce).

daguerréotype n. m. **1.** Appareil photographique inventé par Daguerre, permettant de fixer une image sur une plaque de cuivre argenté. **2.** Image ainsi obtenue.

Daguestan. V. Daghestan.

dahlia [dalja] n. m. Plante ornementale (fam. composées), à racines tubéreuses et à grandes fleurs colorées, originaire d'Amérique du Sud.

dahlia pompon : à g., fleur; à dr., tige avec feuille

dahoméen, enne adj. et n. Du Dahomey (V. Bénin). ▷ Subst. *Un(e) Dahoméen(ne).*

Dahomey. V. Bénin (république populaire du).

dahu [day] n. m. Animal imaginaire, attrape-nigaud pour les gens crédules.

daigner v. tr. [1] Vouloir bien, condescendre à (faire qqch). *Il n'a pas daigné répondre.*

Dai Jin ou **Tai Tsin** (Qiantang, Zhejiang, v. 1388 – ?, 1462), peintre chinois de l'époque Ming, fondateur d'une célèbre école paysagiste.

d'ailleurs. V. ailleurs.

daim, daine n. **1.** Petit cervidé d'Europe. *Le daim brame,* pousse son cri. (*Dama dama* atteint 1 m au garrot; son pelage brun-roux est tacheté de blanc; le mâle porte des bois aplatis.) **2.** Cuir de daim. – *Par ext.* Envers du cuir de veau ayant l'apparence du cuir de daim. *Manteau de daim.*
▸ zool. illustr. **bois** de cervidés

Daimler (Gottlieb) (Schorndorf, 1834 – Cannstatt, près de Stuttgart, 1900), ingénieur allemand. Il est l'inventeur d'un moteur léger fonctionnant au gaz de pétrole, qui favorisa le développement de l'industrie automobile.

daïmyo ou **daïmio** [daimjo] n. m. Seigneur japonais possesseur d'un vaste fief, de la fin du XVIe au XIXe s.

daïquiri n. m. Cocktail à base de rhum blanc.

daïra n. f. En Algérie, subdivision de la wilaya.

Dairen. V. Dalian.

dais n. m. **1.** Baldaquin de bois ou d'étoffe aménagé au-dessus d'un autel, d'un trône, d'un lit, d'une chaire à prêcher. ▷ Pavillon d'étoffe supporté par quatre hampes, pour abriter le saint sacrement dans les processions. **2.** ARCHI Petite voûte saillante abritant une statue. **3.** Par ext. *Un dais de feuillage.*

Dakar, cap. du Sénégal (depuis 1957), dans la presqu'île du Cap-Vert, sur l'Atlant.; 1 729 000 hab. Aéroport. Grand port de comm. et de pêche. Raff. de pétrole. Industr. métall., text. et alim. Constr. navales. Centre polit. africain. – La ville, fondée par Faidherbe (1862), fut la cap. de l'A.-O. F. à partir de 1902.

vue aérienne de **Dakar**

dakarois, oise adj. et n. De Dakar.

Dakin (eau de), solution d'hypochlorite de sodium employée comme désinfectant des plaies.

Dakota, peuple indien de l'Amérique du Nord qui occupait autref. les territoires à l'ouest du Mississippi moyen, jusqu'aux Rocheuses.

Dakota, vaste territ. fédéral des États-Unis, divisé en 1889 en deux États : le *Dakota du Nord,* à la frontière canadienne (183 022 km^2; 639 000 hab.; cap. *Bismarck*), et le *Dakota du Sud* (199 551 km^2; 696 000 hab.; cap. *Pierre*). S'étendant sur la rég. des Grandes Plaines, ils sont drainés par le Missouri et ses affluents.

Daladier (Édouard) (Carpentras, 1884 – Paris, 1970), homme politique français. Député radical-socialiste à partir de 1919, il fut président du Conseil, en 1933, et du 30 janv. au 7 fév. 1934. Ministre de la Défense nationale sous le Front populaire, il redevint ensuite président du Conseil (avril 1938-mars 1940), signa les accords de Munich (sept. 1938), puis fit partie du gouvernement Reynaud. À ce titre, il fut arrêté par Vichy (sept. 1940) et déporté en Allemagne (1943-1945). Il fut député radical du Vaucluse de 1946 à 1958, date à laquelle il prit sa retraite.

dalaï-lama [dalailama] n. m. Titre conféré au chef suprême, temporel et spirituel, des bouddhistes tibétains, les lamaïstes. *Des dalaï-lamas.* – Le quatorzième dalaï-lama a reçu le P. Nobel de la paix en 1989 (V. Tenzin Gyatso).

Da Lat, v. du Viêt-nam, dans l'Annam, à 1 500 m d'alt.; 105 000 hab. – Lieu de trois conférences franco-vietnamiennes : avril-mai 1946, août 1946, et fév. 1953. Cette dernière engagea Bao-Daï dans la guerre contre le Viêt-minh.

Dalayrac ou **d'Alayrac** (Nicolas-Marie) (Muret, Haute-Garonne, 1753 – Paris, 1809), compositeur fr., auteur d'une cinquantaine d'opéras-comiques (*Nina ou la Folle par amour,* 1786).

Dale (sir Henry Hallett) (Londres, 1875 – Cambridge, 1968), médecin anglais; auteur de travaux sur les mécanismes chim. du système nerveux. P. Nobel 1936.

Dalécarlie (en suédois *Dalarna*), anc. prov. de la Suède centrale (v. princ. *Falun,* 52 200 hab.). Région touristique.

D'Alema (Massimo) (Rome, 1943), homme politique italien. Leader du P.D.S. (Parti démocratique de la gauche, ex-communiste), il succède à Romano Prodi comme président du Conseil en 1998.

D'Alembert. V. Alembert.

Dalhousie (James Ramsay, 1er marquis de) (Dalhousie Castle, Écosse, 1812 – id., 1860), homme politique britannique; gouverneur des Indes (1848-1856), dont il voulut unifier l'admin. et qu'il agrandit par de nombreuses annexions.

Dalí (Salvador) (Figueras, Catalogne, 1904 – id., 1989), peintre, dessinateur et écrivain espagnol. Membre du groupe surréaliste de 1928 à 1939, il réalisa, avec Buñuel, les films *Un chien andalou* et *l'Âge d'or.* Créateur d'une œuvre iconographique où s'expriment ses multiples fantasmes, Dalí a illustré la « voie paranoïaque critique » (*la Persistance de la mémoire,* 1931; *la Tentation de saint Antoine,* 1936; *le Christ de saint Jean de la Croix,* 1951; *la Cène,* 1955).

Dalian (anc. *Dairen*), princ. port de la Chine du N.-E. (Liaoning); 1 480 240 hab. (aggl. urb. 4 619 060 hab.). Grand centre industriel.

Dalila, personnage biblique. Courtisane judéenne qui livra Samson aux Philistins après lui avoir coupé les cheveux, qui faisaient sa force (Juges, XVI).

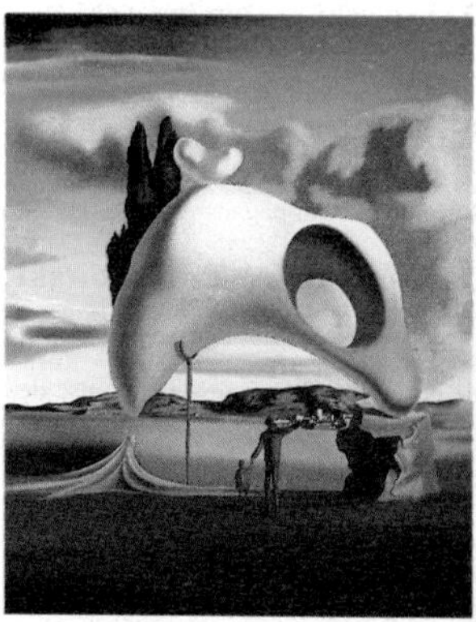

Salvador **Dalí** : *Vestiges ataviques après la pluie,* 1934; coll. Perls Galleries, New York

dallage n. m. **1.** Action de daller. **2.** Revêtement de dalles. *Dallage en mosaïque.*

Dallapiccola (Luigi) (Pisino d'Istria, 1904 – Florence, 1975), compositeur italien. Il fut le premier dans son pays à adopter le dodécaphonisme. Opéras : *Vol de nuit* (1937), *le Prisonnier* (1944), *Ulysse* (d'après J. Joyce, 1968); oratorio : *Job* (1950).

Dallas, v. des É.-U. (Texas); 1 006 870 hab. (aggl. urb. 3 348 000 hab.). Centre cotonnier et fin. Pétrochim. – Le président Kennedy y fut assassiné (nov. 1963).

dalle n. f. **1.** Plaque de matériau dur de taille variable, servant au revêtement d'un sol, d'un toit. *Le sol était recouvert de dalles de marbre. Dalle funéraire :* pierre tombale. – Revêtement de sol en béton. *Couler une dalle sur un sol de terre battue.* ▷ Espace horizontal réunissant des immeubles d'habitation au niveau du rez-de-chaussée. **2.** Fig., pop. Gorge, gosier. *Avoir la dalle :* avoir faim. *Avoir la dalle en pente :* aimer boire. *Se rincer la dalle :* se désaltérer. **3.** Arg. *Que dalle :* rien. *On n'y voit que dalle.*

daller v. tr. [**1**] Paver de dalles.

Dalloz (Victor Alexis Désiré) (Septmoncel, Jura, 1795 – Paris, 1869), jurisconsulte français. Il créa avec son frère **Armand,** dit *Dalloz le Jeune* (1797 – 1867), la maison d'édition qui publie le *Répertoire de législation, de doctrine et de jurisprudence générale* (le «Dalloz») et de nombreux ouvrages de droit.

dalmate adj. et n. De la Dalmatie. ▷ Subst. *Un(e) Dalmate.*

Dalmatie, rég. montagneuse côtière du N. de la Croatie, sur la côte adriatique, comprenant de nombr. îles. Tourisme important. – Conquise par les Romains entre 230 et 155 av. J.-C., province du diocèse d'Illyrie occid. jusqu'à la chute de Rome, la Dalmatie fut réunie à l'empire d'Orient sous Justinien. Au VIe s., fuyant les invasions slaves (Croates et Serbes), une partie des populations romanisées se réfugia le long de l'Adriatique sous la protection de Venise. Attribuée à l'Autriche après Campoformio, province illyrienne de l'Empire napoléonien de 1809 à 1814, puis autrichienne de nouveau, la Dalmatie fut rattachée à la Yougoslavie en 1920.

dalmatien n. m. Grand chien d'agrément (50 à 60 cm au garrot), à robe blanche portant de nombreuses petites taches noires ou brunes.

dalmatique n. f. **1.** HIST Tunique blanche à longues manches, que portaient les empereurs romains, les rois de France lors de leur sacre. **2.** LITURG Tunique portée par les diacres et les évêques.

Dalton (John) (Eaglesfield, Cumberland, 1766 – Manchester, 1844), physicien et chimiste anglais. Un des créateurs de la théorie atomique, il étudia la maladie appelée, depuis, *daltonisme.*

daltonien, enne adj. et n. MED Atteint de daltonisme.

daltonisme n. m. MED Trouble de la perception des couleurs, anomalie héréditaire récessive.

dam [dam] n. m. **1.** Vx Dommage, préjudice. ▷ Mod. Loc. *Au grand dam de qqn,* à son détriment; à son grand regret. **2.** THEOL Peine des damnés consistant en l'éternelle privation de la vue de Dieu.

Dam (Henrik Carl Peter) (Copenhague, 1895 – id., 1976), biochimiste danois. Il découvrit la vitamine K et étudia ses applications. P. Nobel de médecine 1943.

daman n. m. Mammifère ongulé herbivore d'Afrique et du Proche-Orient (genre *Daman,* ordre des hyracoïdes), qui ressemble à une marmotte.

Damān (anc. *Damão*), port de l'Inde, au N. de Bombay; env. 50 000 hab. – La ville fut portug. de 1558 à 1961. Elle forme avec l'île de Diu un territ. de l'Inde (112 km^2; 101 400 hab.).

Damanhour ou **Damanhūr,** v. d'Égypte, au S.-E. d'Alexandrie; 203 000 hab.; ch.-l. de gouvernorat. Text. – Anc. *Hiéraconpolis* des Grecs.

damas [dama] n. m. **1.** Tissu, le plus souvent de soie, autref. fabriqué à Damas, qui présente des dessins satinés sur un fond mat. – *Par ext.* Étoffe imitant le damas. **2.** TECH Acier présentant une surface moirée. **3.** Variété de prunier mirabelle.

Damas, cap. de la Syrie, près du Liban, dans une oasis irriguée par le Barada; 1 500 000 hab. (Damascènes). Centre comm. import. Industr. textiles et alimentaires. Artisanat (cuir). – Cap. du royaume araméen (Xe s. av. J.-C.), elle appartint successivement aux Empires perse, d'Alexandre (332 av. J.-C.), romain (65 av. J.-C.) et byzantin. Conquise par les Arabes (635), elle demeura la cap. des Omeyyades jusqu'en 724 (construction de la Grande Mosquée, 706-715). Haut lieu de la résistance aux croisés (1148), elle fut ruinée par Tamerlan (1401) puis fit partie de l'Empire ottoman (1516-1918). Passée sous mandat français en 1920, elle est depuis 1946 la cap. de la Syrie indépendante.

Damas

damascène adj. et n. De Damas. ▷ Subst. *Un(e) Damascène.*

Damascène (saint Jean). V. Jean Damascène (saint).

Damase Ier (saint) (Espagne, v. 305 – Rome, 384), pape de 366 à 384. Il chargea saint Jérôme de revoir la trad. latine de l'Ancien Testament, qui prit alors le nom de Vulgate.

Damaskinos ou **Dhamaskinos** (Dimitrios Papandhréou) (Dorvitsa, Thessalie, 1889 – Athènes, 1949), prélat et homme politique grec; régent de Grèce de 1944 à 1946.

damasquinage n. m. Action de damasquiner.

damasquiner v. tr. [**1**] Incruster de filets de métal précieux (une surface métallique). *Pistolet damasquiné.*

damassé, ée adj. et n. m. **1.** Tissé comme du damas. *Linge damassé.* ▷ n. m. Étoffe ainsi tissée. **2.** TECH *Acier damassé,* dont la surface présente des dessins moirés.

damasser v. tr. [**1**] Donner la façon du damas à (une étoffe, un acier).

damassure n. f. Travail, aspect du damassé.

Damāvend. V. Demāvend.

1. dame n. f. **I. 1.** Vx Femme noble; femme d'un noble (par oppos. à *demoiselle,* femme d'un bourgeois). ▷ Femme à laquelle un chevalier avait voué sa foi. *Rompre une lance pour sa dame.* – Mod., plaisant *La dame de ses (mes, tes) pensées :* la femme aimée. **2.** Femme d'un rang social relativement élevé. *C'est une grande dame. La première dame d'un pays,* l'épouse du chef de l'État. **3.** Terme courtois pour *femme. Il était en compagnie d'une dame. «Au bonheur des dames»* (roman d'Émile Zola). **4.** Femme mariée. *C'est une dame ou une demoiselle ?* – Pop. Épouse. *Et votre dame, ça va ?* **5.** Nom que portent certaines religieuses. *Les dames du Sacré-Cœur.* **6.** Titre donné aux femmes ayant certains offices auprès de reines et de princesses. *Dame d'honneur.* ▷ *Dame de compagnie.* V. compagnie. **II.** Fig. **1.** JEU Chacune des quatre cartes figurant une reine. *La dame de trèfle.* ▷ Pièce du jeu d'échecs, appelée aussi *reine.* ▷ Chacun des pions avec lesquels on joue au jacquet. ▷ *Jeu de dames :* jeu qui se joue à deux sur un damier, avec des pions noirs et blancs, et qui consiste à prendre tous les pions de l'adversaire. (Une *dame,* à ce jeu, est un pion doublé, c.-à-d. recouvert d'un pion de même couleur). *Aller à dame :* avancer un pion jusqu'aux dernières cases du côté de l'adversaire. **2.** MAR *Dame de nage :* évidement demi-circulaire servant de point d'appui à un aviron. **3.** Outil servant à tasser un sol. Syn. demoiselle, hie.

2. dame ! interj. **1.** Fam, vieilli Certes. *Dame, oui ! Oh ! dame non !* **2.** Marque une explication, une excuse, sur un ton d'évidence. *Je ne lui ai pas prêté d'argent; dame ! il m'en devait déjà.*

dame-d'onze-heures n. f. Plante bulbeuse du genre ornithogale dont les fleurs s'épanouissent vers onze heures du matin. *Des dames-d'onze-heures.*

dame-jeanne n. f. Grosse bouteille ou bonbonne renflée, de verre ou de grès, souvent cerclée d'osier. *Des dames-jeannes.*

1. damer v. tr. [**1**] *Damer un pion :* aux dames, aux échecs, transformer un pion en dame. ▷ Loc. fig., fam. *Damer le pion à qqn,* le supplanter, l'emporter sur lui.

2. damer v. tr. [**1**] Tasser (un sol), le rendre compact. *Damer la neige. Piste damée.*

Dames (paix des). V. Cambrai.

Damia (Marie-Louise Damien, dite) (Paris, 1892 – La Celle-Saint-Cloud, 1978), chanteuse française. Elle conféra ses lettres de noblesse à la chanson réaliste, dont elle magnifia le caractère dramatique (*les Goélands* de Lucien Boyer).

Damien (saint). V. Côme et Damien (saints).

Damien (saint Pierre). V. Pierre Damien (saint).

Damiens (Robert François) (La Thieuloye, 1715 – Paris, 1757), valet français, auteur d'un inoffensif attentat (à l'aide d'un canif) contre Louis XV (janv. 1757), à la suite duquel il fut écartelé.

damier n. m. **1.** Tablette carrée divisée en cent carreaux alternativement blancs et noirs, sur laquelle on joue aux dames. **2.** *Par ext.* Surface divisée en carrés de couleurs différentes. *Le damier des champs et des prés vus du haut de la montagne.*

Damiette, v. d'Égypte, sur le delta orient. du Nil; 102 000 hab.; ch.-l. du gouvernorat du m. nom. Pêche. Text. – Anc. place forte, la ville fut prise en 1249 par Saint Louis, qui la restitua, à titre de rançon pour sa libération, en 1250.

Dammam (*Dammām*), v. et port d'Arabie Saoudite, sur le golfe Persique; 127 840 hab. Pétrole.

Dammarie-les-Lys, com. de Seine-et-Marne (arr. de Melun); 21 228 hab.

damnable [danabl] adj. **1.** RELIG Qui mérite la damnation éternelle. **2.** Pernicieux, blâmable.

damnation [danasjɔ̃] n. f. Châtiment des damnés. ▷ Litt. Juron inspiré par la colère. *Enfer et damnation!*

damné, ée adj. et n. **1.** Condamné aux expiations de l'enfer. ▷ Subst. *Les damnés.* **2.** Fam. Maudit. *Ce damné coquin!* **3.** *Être l'âme damnée de qqn,* l'aider dans la réalisation de ses mauvais desseins en lui obéissant aveuglément.

damner [dane] v. tr. [1] **1.** RELIG Condamner aux peines de l'enfer. ▷ *Dieu me damne!* : anc. juron. **2.** Causer la damnation de. ▷ Loc. fig., fam. *Faire damner qqn,* le tracasser jusqu'à l'exaspérer.

Damoclès (IVe s. av. J.-C.), courtisan de Denys l'Ancien. Pour lui montrer la précarité du bonheur, son maître l'invita à un festin au cours duquel Damoclès aperçut au-dessus de sa tête une épée suspendue au plafond par un simple crin de cheval. L'anecdote est à l'orig. de l'expression *une épée de Damoclès,* désignant une menace permanente.

Dāmodar (la), riv. de l'Inde (545 km), affl. de l'Hooghly (bras du delta du Gange); traverse un riche bassin houiller (sidérurgie). Nombr. aménagements hydroélectriques.

damoiseau n. m. **1.** Au Moyen Âge, jeune gentilhomme qui n'était pas encore chevalier. **2.** Plaisant Jeune homme qui fait le galant auprès des femmes.

damoiselle n. f. Anc. Titre donné aux jeunes filles nobles.

Dampier (William) (East Coker, Somerset, v. 1652 – Londres, 1715), navigateur et aventurier anglais. Il découvrit, entre l'île de Waigeo et la Nouvelle-Guinée, le détroit qui porte son nom. Auteur d'un *Voyage autour du monde* (1691).

Dampierre (Auguste Henri Marie Picot, marquis de) (Paris, 1756 – Valenciennes, 1793), général français. Il joua un rôle décisif à Jemmapes (1792) et succéda à Dumouriez. Il fut tué devant Condé.

Dampierre-en-Burly, com. du Loiret (arr. d'Orléans); 925 hab. – Centre de production nucléaire.

Dampierre-en-Yvelines, com. des Yvelines (arr. de Rambouillet); 1 034 hab. – Château (XVIe s.) construit par Mansart (1675-1683) pour le duc de Luynes; parc de Le Nôtre.

Damrémont ou **Danrémont** (Charles Denys, comte de) (Chaumont, 1783 – Constantine, 1837), général français. Successeur de Clausel en Algérie (1837), il fut tué en assiégeant Constantine.

dan [dan] n. m. Dans les arts martiaux japonais (judo, karaté, aïkido, etc.), chacun des degrés dans la hiérarchie des titulaires de la ceinture noire. *Ceinture noire sixième dan.*

Dan(s) ou **Yacoba(s),** peuple de la Côte-d'Ivoire. L'art des Dan est princ. représenté par des masques réalistes à patine noire, de formes sobres.

Danaé, dans la myth. gr., fille d'Acrisios, roi d'Argos, et d'Eurydice. Séduite par Zeus, qui se présenta sous forme d'une pluie d'or, elle enfanta Persée.

danaïde n. f. Lépidoptère diurne d'Afrique, aux ailes orange, atteignant 8 cm d'envergure.

Danaïdes, dans la myth. gr., nom des 50 filles de Danaos. Ayant épousé par contrainte les 50 fils de leur oncle Égyptos, elles les égorgèrent la nuit de leurs noces, mais l'une d'elles, Hypermnestre, épargna Lyncée, qui les tua, ainsi que Danaos. Elles furent condamnées dans les Enfers à remplir éternellement un tonneau sans fond.

Danakil(s). V. Afar(s).

Da Nang (anc. *Tourane*), port du Viêt-nam, dans l'Annam; 492 200 hab. Industr. text. et alim. – Il tint un rôle stratégique lors de l'intervention des É.-U. au Viêt-nam.

Danaos, dans la myth. gr., roi d'Argolide, frère d'Égyptos et père des Danaïdes. (V. ce nom.)

dancing [dɑ̃siŋ] n. m. (Anglicisme) Établissement public de danse. Syn. discothèque.

dandinant, ante adj. Qui dandine, se dandine. *Une allure dandinante.*

dandinement n. m. Action de dandiner, de se dandiner; mouvement qui en résulte.

dandiner v. intr. [1] Balancer son corps d'un mouvement régulier et rythmé. *Marcher en dandinant.* ▷ v. pron. *Il se dandinait d'un pied sur l'autre.*

Dandolo, famille patricienne de Venise qui donna quatre doges à la République. – **Enrico** (Venise, v. 1107 – Constantinople, 1205), le prem., fut l'un des princ. responsables du détournement de la 4e croisade contre Byzance. – **Andrea** (Venise, v. 1307 – id., 1354), le quatrième, doge de 1343 à 1354, est l'auteur d'une chronique de Venise en latin.

Dandong. V. Andong.

Dandrieu. V. Andrieu (Jean-François d').

dandy n. m. **1.** HIST En Grande-Bretagne, nom donné aux jeunes hommes élégants de la haute société. **2.** Homme qui cherche à exprimer, par son comportement et par sa mise, un idéal de parfaite élégance et de raffinement aristocratique. **3.** Cour. Homme qui affecte une grande recherche dans sa toilette.

dandysme n. m. **1.** Idéal esthétique, comportement du dandy (sens 1). **2.** Recherche dans la mise, raffinement du dandy.

Danemark (royaume de) (*Kongeriget Danmark*), État de l'Europe septent., sur la mer du Nord et la Baltique; 43 075 km²; 5 177 770 hab.; cap. *Copenhague.* Nature de l'État : monarchie constitutionnelle. Langue off. : danois. Monnaie : couronne danoise. Relig. : luthéranisme.

Géogr. phys. et hum. – Bordé par un littoral de 7 314 km, le Danemark est un pays de plaines et de bas plateaux (point culminant 173 m), modelés par les grands glaciers quaternaires. La péninsule du Jylland couvre 69 % du territoire, le reste se partageant entre plus de 500 îles : Sjælland, Fyn (Fionie), Møn, Falster, Lolland, Bornholm, etc. Le climat, océanique frais et bien arrosé, connaît parfois des hivers rudes. La population, à niveau de vie très élevé, est urbaine à 85 % et se concentre à l'E. de la péninsule et dans les îles des détroits baltes.

Écon. – Fondée sur l'élevage intensif des vaches laitières et des porcs, l'agriculture emploie 5 % des actifs et assure, avec la pêche (1er rang européen), près de la moitié des recettes d'exportation. Malgré les hydrocarbures de la mer du Nord, la dépendance énergétique dépasse 70 % des besoins. Doté d'excellentes infrastructures, le pays dispose d'une industrie diversifiée mais l'économie repose sur le secteur tertiaire, qui emploie 69 % des actifs. Comme les autres pays scandinaves le Danemark bénéficie d'un niveau de vie très élevé ainsi que d'un système social avancé. Mais les dépenses des administrations publiques, très lourdes, pèsent sur l'économie alors que le déficit public est très important.

Hist. – Le Danemark connut une brillante civilisation à l'époque mégalithique et à l'âge du bronze. Les Vikings chassèrent les Angles et les Jutes vers 500 apr. J.-C. Les Danois ont participé aux navigations vikings et, en partic., ont peuplé la Normandie. Converti au christianisme à partir de 960, le Danemark devint le centre d'un vaste empire marit. sous Knud le Grand (1016-1035), mais la Norvège, puis l'Angleterre (1042) s'en détachèrent. Du XIe au XIVe s., le Danemark conquit un empire maritime en Baltique; son effondrement et la puissance croissante de la Hanse incitèrent les pays scandinaves à réaliser une union dynastique : l'*Union de Kalmar* (1387), qui fut rapidement contestée et finalement rompue par la Suède en 1523. Le Danemark adopta la Réforme en 1536 et l'imposa en 1537 à la Norvège, qui fut sa vassale jusqu'en 1814. Du XVIe au XVIIIe s., la lutte contre l'hégémonie suédoise se solda par des échecs : perte de la Scanie, du Halland et de Bornholm (1658). Néanmoins, grâce à sa position géogr., le pays resta un grand centre du comm. de la Baltique, très prospère au XVIIIe s. (renforcement du pouvoir royal, progrès de l'agric., abolition du servage). La perte de la Norvège (1814) sanctionna son alliance avec Napoléon. Vaincu par la Prusse et l'Autriche (1864), le Danemark dut abandonner le Schleswig (Slesvig), le Holstein et le Lauenburg. Neutre pendant la Première Guerre mondiale, il récupéra la partie N. du Schleswig, après plébiscite (1920), mais dut reconnaître l'autonomie de l'Islande (1918) puis son indépendance (1944). Occupé sans combats en 1940 par les Allemands (qui furent empêchés de persécuter les juifs par le civisme des Danois), il fut libéré en 1945. L'évolution sociale, allant de pair avec les transformations écon. profondes qui avaient commencé au début du XXe s., a placé cet État parmi les démocraties avancées. Depuis 1945, le pouvoir est exercé par les sociaux-

démocrates, en alternance avec une coalition de libéraux et de radicaux. En 1972, le Danemark adhéra à la C.É.E. Le Groenland a obtenu son autonomie en 1979. Poul Schlüter, Premier ministre (libéral) de 1982 à 1993, a dirigé un gouvernement minoritaire à partir de 1987. Le traité de Maastricht*, rejeté par référendum en juin 1992, a finalement été ratifié, après sa modification, en mai 1993. En 1993, Poul Rasmussen (social-démocrate) remplace P. Schlüter, démissionnaire, à la tête d'un gouv. de coalition, qui remporte les législatives de mars 1998, avec une voix de majorité.

Dangeau (Philippe de Courcillon, marquis de) (Chartres, 1638 – Paris, 1720), mémorialiste français. Il tint, de 1684 à sa mort, un *Journal* (publication intégrale : 1854-1860) qui dépeint la cour de Louis XIV. Acad. fr. (1668).

danger n. m. **1.** Ce qui expose à un mal quelconque, ce qui peut compromettre la sécurité ou l'existence de qqn, de qqch. *Courir un danger. Être en danger de mort. La patrie est en danger.* Syn. péril, risque. ▷ Fam. *Il n'y a pas de danger que* : il n'arrivera sûrement pas que... – [Par antiphrase] *Iron. Elle est fatiguée, mais il n'y a pas de danger qu'il l'aide !* ▷ Loc. *C'est un danger public*, se dit de qui met les autres en péril, par son insouciance, sa maladresse, ses imprudences. **2.** MAR Obstacle à la navigation (écueil, épave, etc.).

dangereusement adv. D'une manière dangereuse. *Vivre dangereusement.*

dangereux, euse adj. **1.** Qui constitue, qui présente un danger. *Route dangereuse.* **2.** Qui peut nuire, dont il faut se méfier. *Un bandit dangereux. Un animal dangereux.*

dangerosité n. f. PSYCHO Didact. Caractère dangereux, capacité de passer à l'acte agressif.

Daniel, prophète de la Bible ; personnage central du livre de l'Ancien Testament qui porte son nom.

Daniélou (Jean) (Neuilly-sur-Seine, 1905 – Paris, 1974), théologien et prélat français. Jésuite, ses travaux portent notam. sur les théologiens de l'Antiquité chrétienne (*Platonisme et théologie mystique*, 1944). Il fut créé cardinal en 1969. Acad. fr. (1972).

Daniel-Rops (Henri Petiot, dit) (Épinal, 1901 – Chambéry, 1965), écrivain français. Romans : *Mort, où est ta victoire ?* (1934), *l'Épée de feu* (1938). Ouvrages d'hist. religieuse : *Jésus en son temps* (1945), *Histoire de l'Église du Christ* (1948-1963). Acad. fr. (1955).

Danjon (André) (Caen, 1890 – Suresnes, 1967), astrophysicien français. Il effectua des études photométriques de Vénus et de Mercure, et découvrit l'influence du Soleil sur les aspects de la Lune durant ses éclipses.

D'Annunzio (Gabriele) (Pescara, Abruzzes, 1863 – Gardone Riviera, 1938), écrivain italien. Son culte exacerbé de l'héroïsme l'incita à soutenir l'engagement de son pays dans la Première Guerre mondiale, puis à adhérer au fascisme. Poésie : *Louanges du ciel, de la mer, de la terre et des héros* (1902-1933). Romans : *l'Enfant de volupté* (1889), *le Feu* (1899), *Forse che si, forse che no* (1910). Théâtre : *la Ville morte* (1898), *le Martyre de saint Sébastien* (en français, 1911).

danois, oise adj. et n. **I.** adj. Du Danemark. ▷ Subst. *Un(e) Danois(e).* **II.** n. m. **1.** Langue scandinave parlée au Danemark. **2.** Chien de très grande taille (80 à 90 cm au garrot), à robe rase claire, parfois tachetée de sombre, appelé aussi *dogue allemand.*

Danrémont. V. Damrémont.

dans prép. **1.** Marquant le lieu (indique le rapport qui existe entre deux choses dont l'une contient ou reçoit l'autre). ▷ (Emplacement) *Marcher dans la ville. Tomber dans un puits. Mettre du vin dans un verre.* – Par ext. *Je l'ai lu dans le journal.* ▷ (Milieu, situation.) *Entrer dans les ordres. Être dans la magistrature. Servir dans l'aviation.* ▷ (Rapports de circonstance, d'état, de situation, de disposition morale ou physique.) *Il montra du courage dans l'infortune. Dans la paix comme dans la guerre. Être dans la force de l'âge. Être dans le doute. Tomber dans la misère.* **2.** Marquant la manière. ▷ (Conformité à qqch.) *Recevoir dans les règles.* ▷ (Tendance, intention.) *Recherches dans l'intérêt des familles. Agir dans l'espoir de plaire.* **3.** Marquant le temps. ▷ (Durée, époque.) *Dans ma jeunesse. Être dans sa vingtième année. Dans l'attente de vous lire.* ▷ (Délai dans l'avenir.) *Il arrivera dans deux jours.* **4.** Fam. Marquant l'approximation. *Cela va chercher dans les trente francs.*

dansable adj. Qui peut se danser.

dansant, ante adj. **1.** Qui danse. ▷ Fig. *Un reflet dansant.* **2.** Propre à faire danser. *Musique dansante.* **3.** Où l'on peut danser. *Soirée dansante.*

danse n. f. **1.** Suite de mouvements rythmiques du corps, évolution à pas réglés, le plus souvent à la cadence de la musique ou de la voix. *Pas de danse. Cours de danse. Danse classique, rythmique, folklorique. Salle de danse.* **2.** Air, musique à danser. *Jouer une danse.* **3.** Fig., fam. Correction, volée de coups. *Recevoir, administrer une danse.* **4.** Loc. fig. *Entrer dans la danse* : s'engager dans une entreprise, une bataille, à laquelle on n'avait d'abord pris aucune part. – *Mener la danse* : diriger une entreprise, une affaire, une action. **5.** *Danse de Saint-Guy* : chorée* de Sydenham.

danser v. [1] **I.** v. intr. **1.** Mouvoir son corps en cadence, le plus souvent au son d'une musique. *Apprendre à danser. Inviter une femme à danser.* ▷ Fig., fam. *Ne savoir sur quel pied danser* : être embarrassé, indécis. **2.** *Par anal.* Remuer, se mouvoir, s'agiter. *Les flammes dansent dans la cheminée.* **II.** v. tr. Exécuter (une danse). *Danser le rock.*

danseur, euse n. **1.** Personne qui danse, par plaisir ou par profession. *Être bon danseur. Un couple de danseurs. Danseuse étoile. Danseur, danseuse de corde* : funambule. **2.** SPORT *En danseuse* : position d'un cycliste qui pédale sans s'asseoir sur la selle. **3.** n. f. Fig., fam. Passion coûteuse.

(de g. à dr.) Boccace, l'Arioste, **Dante Alighieri,** Pétrarque; peinture anonyme, B.N.

Dante Alighieri (Florence, 1265 – Ravenne, 1321), poète italien. En 1295, il fut mêlé à la vie politique de la République florentine dont il devint, en 1300, l'un des six hauts magistrats. Guelfe « blanc » (c.-à-d. modéré : plus florentin que romain), il fut condamné par les « noirs » au bannissement perpétuel et mena, à partir de 1302, une existence de proscrit (à Bologne, Vérone et Lucques) avant de se retirer à Ravenne. Dante était encore un enfant lorsqu'il s'éprit de Béatrice Portinari. Après la mort de la jeune femme (1290), il la fit revivre dans un amour idéalisé, l'une des sources les plus profondes de son inspiration, qu'il évoque déjà dans les sonnets, ballades et *canzoni* de sa première grande œuvre : *la Vita nuova* (achevée v. 1294). Entre 1304 et 1307, il rédigea un traité philosophique, *Il Convivio* (« le Banquet », inachevé), où il entrevoit la possibilité d'une langue commune à toute l'Italie (idée également exprimée dans son *De vulgari eloquentia*, en lat., 1303-1304). Il écrivit également, en lat., un traité politique, *De monarchia* (1310-1313), tout en travaillant à ce qui sera l'un des chefs-d'œuvre de la littérature universelle : *la Divine Comédie* (entre 1306-1308 et 1321).

dantesque adj. D'une horreur grandiose, rappelant le caractère de *l'Enfer* de *la Divine Comédie* de Dante. *Paysage dantesque.*

Danton (Georges Jacques) (Arcis-sur-Aube, 1759 – Paris, 1794), homme politique français. Avocat au Conseil du roi de 1785 à 1791, il se prononça pour la Révolution, fondant en 1790 le club des Cordeliers. Ministre de la Justice après le 10 août 1792, il laissa s'accomplir les massacres de Septembre. Conventionnel montagnard, il s'attacha à la défense nat. (levée en masse), participant à la création du Tribunal révolutionnaire et du Comité de salut public. Évincé de ce dernier en juillet 1793, il devint le chef des Indulgents, hostiles à la Terreur, et fut guillotiné (5 avril 1794) sur accusation de vénalité et de tractations avec l'ennemi (accusations dont les études ultérieures ont confirmé la réalité).

Danton

Charles **Darwin**

Dantzig ou **Danzig,** nom all. de *Gdańsk*, v. de Pologne. – Au débouché de la plaine de la Vistule, sur la Baltique, la v. fut très disputée. Port hanséatique au XIVe s., sous protection polonaise à partir de 1454, elle fut réunie (1793) à la Prusse, à laquelle elle revint en 1815, après avoir été cité libre de 1807 à 1814 (avec garnison française). En 1919, elle fut érigée en ville libre, accrue d'un territ. (« couloir de Dantzig », qui reliait la Pologne à la mer), sous contrôle de la Société des Nations. Hitler s'en empara le 1er sept. 1939, déclenchant ainsi la Seconde Guerre mondiale. Libérée en 1945, elle fut incorporée à la Pologne. V. Gdańsk.

Danube (le), deuxième fl. d'Europe (après la Volga) par sa longueur (2 850 km) et la superf. de son bassin (817 000 km²); il naît dans la Forêt-Noire, par la réunion, à Donaueschingen, de la Breg et de la Brigach, et se jette dans la mer Noire par un vaste delta à trois branches. Il draine l'Allemagne, l'Autriche, la Slovaquie, la Hongrie, la Croatie, la Yougoslavie, la Roumanie, la Bulgarie et l'Ukraine; il franchit un défilé célèbre, les Portes de Fer, entre les Carpates et les Balkans. C'est une excellente voie de pénétration. Des travaux récents ont remédié à l'irrégularité de son cours, accroissant ainsi son intérêt écon. Il est relié au Rhin par l'Europa-Kanal et à l'Oder par le canal Danube-Oder. Le canal Main-Danube permet la liaison entre la mer du Nord et la mer Noire. Nombreux aménagements hydroélectriques.

danubien, enne adj. et n. m. **1.** adj. Du Danube, de sa région. **2.** n. m. PREHIST *Le danubien :* l'ensemble des faciès culturels néolithiques de l'Europe centrale et occidentale à céramique rubanée ou poinçonnée (milieu du Ve millénaire – fin du IIIe millénaire av. J.-C.).

dao. V. tao.

Daphné, dans la myth. gr., nymphe qui, poursuivie par Apollon, fut changée en laurier.

daphnie n. f. Crustacé branchiopode d'eau douce, de très petite taille, appelé aussi *puce d'eau* (genre *Daphnia*), qui se déplace par saccades. *La daphnie séchée ou vivante sert d'aliment aux poissons d'aquarium.*

Daphnis, dans la myth. gr., berger sicilien, fils d'Hermès et d'une nymphe. Joueur de flûte, il inventa la poésie bucolique.

Da Ponte (Emanuele Conegliano, dit Lorenzo) (Ceneda, auj. Vittorio Veneto, 1749 – New York, 1838), aventurier et librettiste italien. Il est l'auteur de 36 livrets d'opéra, dont ceux des *Noces de Figaro* et de *Don Giovanni* de Mozart. Il a laissé également ses *Mémoires.*

d'après. V. après.

Dapsang. V. K2.

Daqing, v. de Chine, au N.-O. de Harbin (prov. du Heilongjiang); 758 430 hab. Premier centre pétrolier de la Chine.

Daquin ou **d'Aquin.** V. Aquin (Louis-Claude d').

darbouka. V. derbouka.

Darboy (Georges) (Fayl-Billot, Haute-Marne, 1813 – Paris, 1871), prélat français. Archevêque de Paris, il fut fusillé comme otage par les communards.

darce. V. darse.

dard [daʀ] n. m. **1.** Ancienne arme de jet composée d'une pointe de fer montée sur une hampe de bois. **2.** Fig., VX Trait acéré. *Les dards de la calomnie.* **3.** *Par anal.* Aiguillon de certains animaux. *Le dard de la guêpe.* ▷ Langue du serpent. **4.** HORTIC Rameau court, porteur de fruits, de certains arbres fruitiers (pommiers, poiriers). **5.** TECH Partie la plus chaude de la flamme d'un chalumeau.

Dard (Frédéric) (Jallieu, Isère, 1921), écrivain français. Auteur de romans policiers, et notam. des nombr. « enquêtes du commissaire San-Antonio » (publiées sous ce patronyme), truculentes parodies du genre.

Dardanelles (détroit des) (antiq. *Hellespont*, en turc *Çanakkale Boğazi*), détroit entre la Turquie d'Europe et la Turquie d'Asie, reliant la mer Égée à la mer de Marmara; longueur : 68 km; largeur variant de 1 300 à 7 000 m. – En 1915, une expédition franco-britannique s'y heurta à une farouche résistance turque.

Dardanos, dans la myth. gr., fils de Zeus et d'Électre, fondateur légendaire de Troie.

darder v. tr. [1] **1.** Vx Frapper, blesser avec un dard. *Darder une baleine.* **2.** Fig. Lancer comme un dard, une flèche. *Darder sur qqn des regards aigus. Le soleil darde ses rayons.* ▷ (S. comp.) *Rayons de soleil qui dardent.*

dardillon n. m. Petit dard.

dare-dare loc. adv. Fam. En toute hâte.

Dar el-Beïda *(ad-dār al-Bayḍā')* (anc. *Maison-Blanche*), v. d'Algérie, dans la Mitidja; 17 770 hab. Aéroport d'Alger.

Dar el-Beïda. V. Casablanca.

Dar es-Salaam *(Dār as-Salām)*, anc. cap. et port de Tanzanie, sur l'océan Indien, reliée par voies ferrées aux lacs Tanganyika, Victoria, et à la Zambie; 1 096 000 hab. Industr. alimentaires et textiles. Raff. de pétrole.

Darfour, rég. montagneuse (alt. max. 3 040 m) et prov. occid. de la république du Soudan.

Dargilan (grotte de), aven du causse Noir (Lozère), près de Meyrueis, exploré dès la fin du XIXe s.

dari n. m. Forme du persan parlé en Afghānistān (langue officielle).

Darien (Georges Adrien, dit Georges) (Paris, 1862 – id., 1921), journaliste et écrivain français de tendance anarchiste : *Biribi* (1890), *le Voleur* (1897), *la Belle France* (1901).

Darién (golfe de), golfe de la mer des Antilles, bordant l'extrémité orient. de l'isthme de Panamá.

Darío (Félix Rubén García Sarmiento, dit Rubén) (Metapa, Nicaragua, 1867 – León, Nicaragua, 1916), poète nicaraguayen; promoteur du renouveau « moderniste » de la poésie hispano-américaine : *Azur* (1888), *Chants de vie et d'espérance* (1905).

Darius ou **Darios,** nom de trois rois de Perse. – **Darius Ier** (m. en 486 av. J.-C.), fils d'Hystaspe; roi de 522 à 486, il conquit l'Inde en deçà de l'Indus, la Thrace et la Macédoine, mais échoua dans une invasion de la Grèce, où son armée fut défaite à Marathon (490, déb. des guerres médiques); il donna à l'Empire perse l'organisation qui assura sa durée. – **Darius II Okhos,** dit *Nathos* (« le Bâtard ») (m. en 404 av. J.-C.), fils d'Artaxerxès Ier Longue-Main, roi de

Darius Ier sur son trône, bas-relief, (VIe-Ve s. av. J.-C.), Persépolis

423 à 404. – **Darius III Codoman** (m. en 330 av. J.-C.), probabl. arrière-petit-fils de Darius II, roi de 336 à 330; vaincu au Granique, à Issos et à Gaugamèles par Alexandre; tué à Hécatompylos par deux de ses satrapes.

Darjīling, v. de l'Inde (Bengale-Occidental); 50 000 hab. Stat. climat., à 2 185 m d'alt., créée par les Britanniques *(Darjeeling)*. Commerce du thé.

Darlan (François) (Nérac, 1881 – Alger, 1942), amiral français. Commandant en chef de la flotte (1939-1940) et des forces armées (sous le gouv. de Vichy), il fut le successeur désigné de Pétain et, de déc. 1940 à avril 1942, le vice-président du Conseil des ministres. À Alger, où il se trouvait par hasard lors du débarquement allié (nov. 1942), il fit acte de ralliement et tenta de s'assurer le pouvoir, mais fut assassiné en déc.

Darling (le) riv. du S.-E. de l'Australie, affl. (r. dr.) du Murray; 2 450 km.

Darmesteter (Arsène) (Château-Salins, 1846 – Paris, 1888), philologue et lexicographe français : *la Vie des mots étudiée dans leur signification* (1887), *Dictionnaire général de la langue française* (en collab. avec A. Hatzfeld et A. Thomas, 1890-1900).

Darmstadt, v. d'Allemagne (Hesse); 133 570 hab. Centre industr. (prod. chim., métall., électron.). Tourisme. – Capitale des princes de Hesse-Darmstadt à partir de 1567. – Château ducal (XVIe s.). Hôtel de ville (XVIe et XVIIIe s.).

darne n. f. CUIS Tranche de gros poisson. *Darne de saumon béarnaise.*

Darnley (Henry Stuart, lord) (Temple Newsam, Yorkshire, 1545 – Édimbourg, 1567), seigneur écossais; petit-neveu d'Henri VIII, deuxième époux de Marie Stuart. Responsable du meurtre de Rizzio, favori de la reine, il fut tué par Bothwell.

Darrieux (Danielle) (Bordeaux, 1917), actrice de cinéma française. Jeune première des années trente, elle réussit une carrière internationale : *Mayerling* (1936), *le Plaisir* (1951), *le Rouge et le Noir* (1954), *les Demoiselles de Rochefort* (1966).

darse ou **darce** n. f. MAR Bassin d'un port.

darsonvalisation n. f. MED Traitement utilisant des courants de haute fréquence.

D'Artagnan. V. Artagnan (d').

Dartmoor, massif granitique de G.-B. (Devonshire), culminant à 617 m. Pays de landes (élevage ovin).

Dartmouth, v. du Canada (Nouvelle-Écosse), sur la baie de Halifax; 65 240 hab. Raff. de pétrole; constr. aéronautiques et navales.

dartre n. f. Plaque sèche, squameuse ou durcie de la peau, dans certaines dermatoses. *Avoir des dartres sur le visage.*

Daru (Pierre Bruno, comte) (Montpellier, 1767 – Bécheville, près de Meulan, 1829), homme politique français. Intendant de la Grande Armée, il est l'auteur d'une *Histoire de la République de Venise* (8 vol., 1819). Acad. fr. (1806).

Darwin, port d'Australie et cap. du Territoire du Nord, sur la mer de Timor; 56 480 hab. Exportation de minerais et de viande.

Darwin (Charles) (Shrewsbury, Shropshire, 1809 – Down, Kent, 1882), naturaliste anglais, le père des théories modernes sur l'évolution des êtres vivants (*De l'origine des espèces, par voie de sélection naturelle,* 1859; *la Descendance de l'homme et la sélection sexuelle,* 1871).

darwinien, enne ou **darwiniste** adj. et n. Qui a rapport à Ch. Darwin et au darwinisme. ▷ Subst. Partisan du darwinisme.

darwinisme [darwinism] n. m. Théorie, émise par Ch. Darwin, selon laquelle les divers êtres vivants actuels résulteraient de la sélection naturelle au sein du milieu de vie. *Le darwinisme s'oppose au lamarckisme.* V. encycl. évolution.

Dassault (Marcel Bloch, dit Marcel) (Paris, 1892 – Neuilly-sur-Seine, 1986), industriel et homme politique français. À son retour de déportation (1945), il fit de la firme Avions Marcel-Dassault l'une des plus importantes sociétés de construction aéronautique, spécialisée dans le matériel militaire (séries des avions « Mirage »).

dasycladales [dazikladal] n. f. pl. BOT Ordre d'algues vertes des mers chaudes à thalle siphonné connues comme fossiles. – Sing. *Une dasycladale.*

dasypodidés n. m. pl. ZOOL Famille de xénarthres comprenant les tatous (genre *Dasypus*). – Sing. *Un dasypodidé.*

datable adj. Auquel on peut attribuer une date. *Manuscrit, fossile datable.*

datage n. m. Action de mettre la date, de porter une date sur (un document, un acte).

DATAR, acronyme pour *Délégation à l'aménagement du territoire et à l'action régionale.*

datation n. f. **1.** Syn. de *datage.* **2.** Action de déterminer, d'attribuer une date. *Datation d'un site préhistorique.* ▷ Date attribuée.

ENCYCL La datation peut se faire par diverses méthodes. Les unes permettent d'établir l'ancienneté d'un objet par rapport à un autre; les autres de déterminer l'âge de l'objet étudié. Elles sont toutes fondées sur des phénomènes cycliques : les anneaux concentriques formés annuellement dans le tissu ligneux d'un arbre lors de sa croissance, la vitesse de dépôt des sédiments, des dépôts dus à la fonte des anciens glaciers, les fluctuations de niveau d'une mer ou d'un lac, la stratigraphie, la typologie, la paléontologie, les pollens fossiles (palynologie), l'étude du géomagnétisme, la thermoluminescence (pour déterminer la date de cuisson d'une céramique). On dosera les traces que certains éléments radioactifs ont laissées lors de leur désintégration. Ainsi la datation par le carbone 14 est possible parce que le carbone naturel renferme (en très faible pourcentage) un isotope radioactif de masse atomique 14 (^{14}C) dont la période est d'environ 5 700 ans. Toute matière organique contient donc du ^{14}C. La recherche de sa proportion dans un composé carboné (cendres de bois, par ex.) et la connaissance de la proportion qu'il contenait au moment où il faisait partie d'un organisme vivant permettent de fixer la date de la mort de cet organisme. Une découverte récente, utilisant le couple uranium-thorium, aurait toutefois permis d'établir que la datation par le ^{14}C n'est plus fiable quand les fossiles dépassent 9 000 ans. Des méthodes analogues utilisent l'uranium, le potassium 40 dans la méthode dite du potassium-argon (période d'env. 1,3 milliard d'années) et le rubidium 87 (période de 47 milliards d'années env.); le couple rubidium-strontium a permis de calculer l'âge des pierres lunaires rapportées sur Terre (3,2 à 4,6 milliards d'années).

datcha n. f. Maison de campagne russe.

date n. f. **1.** Indication précise du jour, du mois et de l'année. *Inscrire sur un registre la date d'un mariage. La date d'une lettre. Date de naissance.* ▷ *Prendre date* : s'engager pour un jour déterminé à faire qqch. **2.** Moment, époque précise où une chose est faite. *Fixer la date des prochaines élections.* ▷ FIN *Date de valeur* : jour à partir duquel une opération prend effet sur un compte. ▷ *Amitié de longue date,* qui dure depuis longtemps. *Un ami de fraîche date,* récent. *Le premier, le dernier en date* : le plus ancien, le plus récent connu. ▷ Moment marqué par un événement important; événement important. *La découverte du phonographe est une date dans l'histoire de la technique. Faire date* : marquer un moment important, décisif.

dater v. [1] **I.** v. tr. Mettre la date sur (un document, un acte, etc.). *Dater une lettre. Dater un chèque.* – Pp. *Journal daté du 3 mars.* ▷ *Dater une couche géologique,* en déterminer l'époque. **II.** v. intr. **1.** *Dater de* : avoir eu lieu, avoir commencé d'exister à (telle date, telle époque). *Immeuble qui date du XIXe s.* ▷ Loc. adv. *À dater de* : à partir de. *À dater de ce jour, le stationnement est interdit dans cette rue.* **2.** (S. comp.) Être démodé, paraître ancien. *Les dialogues datent, dans ce vieux film.*

dateur, euse n. m. et adj. **1.** n. m. Appareil à lettres et chiffres mobiles où la date est apposée manuellement ou automatiquement. *Cadran de montre avec dateur.* **2.** adj. *Composteur dateur, tampon dateur,* qui permettent de marquer la date.

1. datif n. m. GRAM Cas marquant l'attribution, dans les langues à déclinaison.

2. datif, ive adj. **1.** DR Nommé par le conseil de famille ou par le juge. *Tuteur datif, tutelle dative.* **2.** CHIM, PHYS *Liaison dative,* appelée aussi *liaison semi-polaire, liaison de coordinence,* par laquelle un atome donneur met en commun son doublet d'électrons avec un atome accepteur. *Une fois établie, la liaison dative ne se distingue pas de la liaison de covalence ordinaire.*

dation n. f. DR Action de donner. ▷ *Dation en paiement :* opération par laquelle un débiteur remet en paiement à son créancier une chose autre que celle qui faisait l'objet de l'obligation. *La dation en paiement doit être conventionnelle.*

Datong, v. de la Chine du Nord (Shanxi); 981 000 hab. Centre houiller, constructions mécaniques.

datte n. f. Baie comestible, très sucrée, de forme allongée (3 à 4 cm), produite par le dattier.

dattier n. m. Palmier d'Afrique et du Proche-Orient atteignant 20 m de haut, cultivé pour la production des dattes.

datura n. m. BOT Solanacée à grandes fleurs en cornet, fréquente en France, toxique et narcotique. *La stramoine est un datura.*

daube n. f. **1.** CUIS Manière de cuire les viandes braisées, dans un récipient couvert, avec un assaisonnement relevé. ▷ Viande ainsi accommodée. **2.** Fig., fam. *C'est de la daube :* ça ne vaut rien, c'est du galimatias, c'est nul.

Daubenton (Louis d'Aubenton, dit) (Montbard, 1716 - Paris, 1800), naturaliste français; collaborateur de Buffon.

dauber v. tr. ou intr. [1] Vx ou litt. *Dauber qqn* ou *sur qqn,* le railler, se moquer de lui.

Dauberval (Jean Bercher, dit Jean) (Montpellier, 1742 - Tours, 1806), danseur et chorégraphe français; auteur du ballet *la Fille mal gardée* (1789).

Daubigny (Charles François) (Paris, 1817 - id., 1878), paysagiste français de l'école de Barbizon. Ses dernières toiles (*le Champ au mois de juin,* 1874) annoncent l'impressionnisme.

Daudet (Alphonse) (Nîmes, 1840 - Paris, 1897), écrivain français. Il tempéra son naturalisme de fantaisie et parfois de gaieté. Romans : *le Petit Chose* (1868), la trilogie de *Tartarin de Tarascon* (1872, 1885 et 1890), *Jack* (1876), *Sapho* (1884). Contes et nouvelles : *Lettres de mon moulin* (1866), *Contes du lundi* (1873). Théâtre : *l'Arlésienne* (1872). **– Léon** (Paris, 1867 - Saint-Rémy-de-Provence, 1942), fils du préc.; journaliste, homme politique et écrivain français, il fonda avec Charles Maurras le journal *l'Action française* (1908).

Daum (Paul) (Nancy, 1888 - camp de Saarbrücken Neue-Brem, 1944), maître verrier français. **– Michel** (Nancy, 1900 - Lay-Saint-Christophe, 1986), cousin du préc., également maître verrier, ne travailla que le cristal.

Daumal (René) (Boulzicourt, Ardennes, 1908 - Paris, 1944), écrivain français. Son activité littéraire est indissociable de ses expériences d'ascèse mystique, marquées par l'occultisme puis l'ésotérisme : *le Contre-Ciel* (poèmes, 1936), *la Grande Beuverie* (1938), *Tu t'es toujours trompé* (textes de 1928-1929, éd. posth., 1970).

Daumesnil (Pierre, baron) (Périgueux, 1776 - Vincennes, 1832), général français. En 1814, il refusa de rendre aux Alliés le château de Vincennes dont il était gouverneur. En 1830, il tint tête à la foule qui exigeait qu'on lui livrât les ministres de Charles X détenus à Vincennes.

Daumier (Honoré) (Marseille, 1808 - Valmondois, 1879), dessinateur, lithographe, peintre et sculpteur français. Son œuvre gravé flétrit avec mordant la société bourgeoise. Peintre novateur de scènes de la vie quotidienne, il annonce l'expressionnisme.

Honoré **Daumier :** *Crispin et Scapin,* v. 1864; musée d'Orsay

Daunou (Pierre Claude François) (Boulogne-sur-Mer, 1761 - Paris, 1840), homme politique et historien français. Membre de la Convention, il fut l'un des auteurs de la Constitution de l'an III et l'organisateur de l'Institut. Conservateur des Archives sous l'Empire.

1. dauphin n. m. **1.** Cétacé odontocète (fam. delphinidés), de 2 à 4 m de long, dont les mâchoires, étroites et très longues, forment une sorte de bec garni de nombreuses dents. (Le dauphin des Anciens, *Delphinus delphis,* dauphin commun, a les flancs rayés. *Tursiops truncatus,* le dauphin à gros nez, est le dauphin souffleur. Toutes les espèces sont grégaires; leur sens social et leur psychisme sont très développés; ils communiquent et se repèrent à l'aide d'ultrasons.) **2.** TECH Tube recourbé, en bas d'une descente d'eaux pluviales, pour évacuer ces eaux sur le sol.

2. dauphin n. m. **1.** Titre qui servait à désigner l'héritier du trône de France (en général le fils aîné du roi) après 1349. *Le dernier à porter le titre de dauphin fut le fils de Charles X.* ▷ Personne portant ce titre; fils aîné du roi de France. **2.** *Par ext.* Successeur présumé d'un chef d'État, d'un personnage important, d'un chef d'entreprise, choisi par lui.

dauphine n. f. HIST Femme du dauphin de France.

Dauphiné, anc. prov. de France, formée des actuels dép. de l'Isère et des Hautes-Alpes, de la plus grande partie de la Drôme et d'une partie de l'Ain. Possession des comtes du Viennois, elle fut achetée en 1349 par Philippe VI et devint l'apanage du prince héritier de France, jusqu'à sa réunion définitive au domaine royal en 1560; cap. *Grenoble.* On distingue le *bas Dauphiné* à l'E. (piémont alpin) et le *haut Dauphiné* au centre et à l'O., très montagneux (Belledonne, Oisans).

dauphin à nez en bouteille

dauphinelle ou **delphinelle** n. f. BOT Renonculacée ornementale aux grandes inflorescences. Syn. cour. pied-d'alouette.

dauphinois, oise adj. et n. **1.** adj. et n. Du Dauphiné. ▷ *Gratin dauphinois :* gratin de pommes de terre au beurre et à la crème fraîche. ▷ Subst. *Un(e) Dauphinois(e).* **2.** n. m. Ensemble des parlers romans du nord du Dauphiné.

daurade ou **dorade** n. f. Poisson téléostéen marin au corps comprimé latéralement, aux mâchoires très puissantes armées de fortes dents, dont les écailles ont des reflets dorés ou argentés.

daurade royale

Dausset (Jean) (Toulouse, 1916), médecin et généticien français. Ses recherches sur l'immuno-hématologie biologique l'ont amené à découvrir des groupes tissulaires. P. Nobel 1980.

Dauzat (Albert) (Guéret, 1877 - Paris, 1955), linguiste français : *Histoire de la langue française* (1931), *Dictionnaire étymologique de la langue française* (1938).

davantage adv. **1.** Plus. *Ne m'en demandez pas davantage. Il est riche, mais son père l'était bien davantage.* **2.** Plus longtemps. *Je ne peux rester davantage.* **3.** Vx En outre, de plus. *Rien davantage :* rien de plus. **4.** Vx ou litt. Le plus. *Choisissez l'ouvrage qui vous plaît davantage.* **5.** *Davantage que, de :* plus que, de. *Davantage d'argent. Rien ne me plaît davantage que...* (Locutions très usitées mais rejetées par certains grammairiens.)

Davao, port des Philippines (île de Mindanao), au fond du *golfe de Davao;* 611 000 hab. Industr. alimentaires et textiles.

David, roi d'Israël (v. 1015-975 av. J.-C.), l'une des plus grandes figures de l'Ancien Testament. Fils de Jessé, vainqueur de Goliath en combat sin

J. L. **David** : *Portrait de Mme Sériziat*, 1795 ; musée du Louvre

gulier, il fut élu roi (successeur de Saül) par la tribu de Juda. Après avoir conquis Jérusalem sur les Jébuséens, il en fit la cap. politique et religieuse d'Israël. La tradition voit en lui l'initiateur du psaume. ▶ illustr. **Caravage**

David Ier (?, 1084 – Carlisle, 1153), roi d'Écosse de 1124 à 1153. Il réorganisa son royaume sur le modèle anglonormand.

David (Gérard) (Oudewater, v. 1460 – Bruges, 1523), peintre flamand. Bien que sensible à la manière ital., il subit surtout l'influence de Van Eyck et de Memling. Son chef-d'œuvre est *la Vierge entre les vierges* (1509).

David (Jacques Louis) (Paris, 1748 – Bruxelles, 1825), peintre français ; chef de l'école néo-classique. Député à la Convention, il peignit l'admirable *Marat assassiné* (1793). Peintre officiel de l'Empire (*le Sacre*, 1805-1807, Louvre). Il fut exilé à la Restauration. Il eut pour élèves Gros, Isabey, Ingres, Girodet.

David d'Angers (Pierre-Jean) (Angers, 1788 – Paris, 1856), sculpteur et dessinateur français : fronton du Panthéon (1837), nombr. portraits de personnages célèbres en buste ou en médaillon.

davier n. m. **1.** CHIR Pince à longs bras et à mors très courts pour extraire les dents, ou pour maintenir des os en chirurgie osseuse. **2.** TECH Barre de fer dont l'une des extrémités est recourbée en crampon, servant au menuisier à serrer et à assembler des pièces. **3.** MAR Rouleau, monté sur un axe horizontal, servant à supporter un câble sur lequel s'exerce un effort. *Davier d'étrave.*

Davioud (Gabriel) (Paris, 1823 – id., 1881), architecte français : palais du Trocadéro (en collab. avec Bourdais), théâtre et place du Châtelet, à Paris.

Jean **Dausset**

Miles **Davis**

Davis (John) (Sandridge, Devonshire, v. 1550 – détroit de Malacca, 1605), navigateur anglais. En 1585, cherchant une voie marit. au N. de l'Amérique, il découvrit, entre la mer de Baffin et l'Atlant., le détroit qui porte son nom.

Davis (Jefferson) (Christian County, auj. Todd County, Kentucky, 1808 – La Nouvelle-Orléans, 1889), officier et homme politique américain ; un des artisans de la sécession des États du S. Il présida la Confédération sudiste (1861-1865).

Davis (Stuart) (Philadelphie, 1894 – New York, 1964), peintre américain. Pionnier de l'art abstrait aux É.-U., son œuvre dynamique évoque la réalité urbaine par des procédés empruntés à tous les modes d'expression, notam. au graphisme publicitaire.

Davis (coupe), compétition internationale de tennis, créée en 1900 par l'Américain D. F. Davis. Elle oppose, par élimination directe, des équipes nationales masculines qui, à chaque match, disputent quatre simples et un double.

Davis (Miles Dewey) (Alton, Illinois, 1926 – Santa Monica, Californie, 1991), trompettiste de jazz américain.

Davisson (Clinton Joseph) (Bloomington, Illinois, 1881 – Charlottesville, Virginie, 1958), physicien américain. Il vérifia en 1927, en collab. avec L.H. Germer, la théorie de L. de Broglie en observant la diffraction électronique. P. Nobel 1937.

Davos, v. de Suisse (Grisons), dans la *vallée de Davos* ; 10 500 hab. Import. stat. climat. et de sports d'hiver (alt. 1 560-2 844 m).

Davout (Louis Nicolas) (Annoux, Bourgogne, 1770 – Paris, 1823), duc d'Auerstaedt, prince d'Eckmühl ; maréchal de France. Il s'illustra durant les guerres de la Révolution et de l'Empire, notam. à Auerstaedt (1806).

Louis Nicolas **Davout**

sir Humphry **Davy**

Davy (sir Humphry) (Penzance, Cornouailles, 1778 – Genève, 1829), chimiste et physicien anglais. Il découvrit notam. le potassium et le sodium, en 1807, grâce à ses travaux sur l'électrolyse, qui lui permirent de préciser la notion d'acide (V. ce mot.) Il inventa une lampe de sûreté pour les mineurs.

Dawes (Charles Gates) (Marietta, Ohio, 1865 – Evanston, Illinois, 1951), financier et homme politique américain. Il donna son nom au plan (appliqué de 1924 à 1929) qui devait permettre à l'Allemagne de payer les réparations de guerre sans ruiner son économie. Il fut vice-président des É.-U. sous Coolidge (1925-1929). P. Nobel de la paix 1925.

Dawhah (Al-) ou **Doha (Al-)** (*ad-Dawḥa*), cap. du Qatar ; 217 290 hab.

Dawson (anc. *Dawson City*), localité du Canada ; 970 hab. (près de 30 000 hab. v. 1900). – Célèbre par la ruée vers l'or du Klondike (fin du XIXe s.).

Dax, ch.-l. d'arr. des Landes, sur l'Adour ; 20 119 hab. (*Dacquois*). Stat. therm. (eaux sulfatées et boues prescrites contre les rhumatismes). Industr. du bois, emballage. – Évêché d'Aire et de Dax. Cath. Notre-Dame (XVIIe s., portail gothique du XIIIe s.).

Dayak(s), population autochtone de Bornéo.

Dayan (Moshé) (Degania, S. du lac de Tibériade, 1915 – Ramat Gan, 1981), général et homme politique israélien. Ministre de l'Agriculture (1959-1965), de la Défense (1967-1974), des Affaires étrangères (1977-1979), il fut considéré comme le vainqueur de la guerre des Six Jours (1967), et comme le responsable du demi-échec de celle du Kippour (1973).

Dayton, v. des É.-U. (Ohio) ; 182 000 hab. (aggl. urb. 930 100 hab.). Constr. mécaniques.

dazibao [da(d)zibao] n. m. En Chine, affiche manuscrite traitant de l'actualité politique.

dB PHYS Symbole du décibel.

D.C.A. n. f. (Sigle de *défense contre avions.*) Artillerie antiaérienne.

DDASS, acronyme pour *Direction départementale de l'action sanitaire et sociale.*

D.D.T. n. m. (Sigle de *dichloro-diphényl-trichloréthane.*) Insecticide puissant.

1. de, d', du, des, prép. (*d'* ; devant une voyelle ou un h muet ; *du*, contraction de *de le* ; *des*, contraction de *de les*). **I.** La préposition *de* exprime des rapports, extrêmement nombreux à partir du sens fondamental, d'*origine*, de *point de départ*, et notam. : **1.** Le lieu (départ, séparation, extraction, provenance). *Venir de Toulouse. Tenir une nouvelle de qqn. Natif de Lyon.* – (Éloignement) *C'est à cent mètres de chez moi.* ▷ (Particule nobiliaire.) *Madame de Grignan.* **2.** L'intervalle de temps (*de... à...*). *Du matin au soir.* ▷ La durée. *De jour, de nuit* : pendant le jour, la nuit. **3.** Le cheminement, la progression, la répétition, l'intervalle (*de... en...*). *Épidémie qui s'étend de jour en jour. Relais disposés de place en place.* **4.** La cause. *Mourir de faim. Être rouge de colère.* ▷ (Introduisant une propos. à l'indic. ou au subj.) *Il est triste de ce que vous ne lui écrivez* (ou *écriviez*) *plus.* **5.** La manière. *Rire de bon cœur. Citer de mémoire.* **6.** L'instrument, le moyen. *Coup de bâton. Signe de tête. Suivre des yeux.* **7.** La mesure. *Un navire de cent mètres. Un enfant de six mois.* **8.** L'auteur, l'agent. *Le crime de l'assassin. « L'Énéide » de Virgile.* ▷ (Introduisant le complément d'agent d'un verbe au passif.) *Être vu de tous.* **II.** *De* peut marquer également : **1.** Un rapport de possession ou assimilé à la possession. *Le livre de Paul. Un bien de famille. La beauté d'une femme.* **2.** Le rapport de la partie à l'ensemble. *Le quart de la somme. Le reste du temps.* – Du contenant au contenu. *Un panier de cerises.* – D'une chose aux éléments ou à la matière dont elle est faite. *Une colonne de marbre.* **3.** La qualité. *Un homme de génie.* ▷ La condition, la profession. *Un homme de lettres.* ▷ La catégorie, l'espèce. *Une robe du soir. Un chien de race.* **4.** La destination, l'emploi. *Salle de spectacle.* **III.** Enfin, *de* s'analyse comme un mot-outil de sens neutre. **1.** Devant l'objet d'un v. tr. indir. *Médire de qqn.* **2.** Devant les adjectifs, participes passés, adverbes en relation avec certains pronoms. *Quelqu'un de bien. Rien de tel.* **3.** Devant un infinitif sujet ou complément. *D'y retourner ne vous donnerait* *que du regret. Il est fâcheux de ne pas s'entendre. Arrêtez de courir.* **4.** Devant l'infinitif de narration. *Et moi de rire encore, et lui de crier de plus belle.* **5.** Devant l'attribut de l'objet des verbes *taxer, traiter, qualifier. Traiter qqn de voleur.* **6.** Dans les appositions. *La ville de Nantes. Ce fou de Rameau.* **7.** Dans certaines locutions figées. *Comme de juste. À vous de jouer.*

2. de, **du**, **de la**, **des**, articles partitifs (devant les noms d'objets qui ne peuvent être comptés). *Boire du cidre en mangeant des rillettes et de la dinde.* – (Abstrait) *Il y a du vrai dans ce qu'il dit.*

1. de-, dé-, des-, dés-. Élément, du lat. *dis-*, marquant l'éloignement, la séparation, l'opposition.

2. de-, dé-, des-, dés-. Élément, du lat. *de-*, indiquant soit un mouvement de haut en bas, soit un renforcement (ou le commencement) de l'action.

1. dé n. m. **1.** Petit cube de matière dure (os, bois, plastique, etc.) dont chacune des six faces est marquée d'un nombre différent de points, de un à six, et qui sert dans de nombreux jeux de hasard. *Lancer les dés. Cornet à dés. Dé pipé*, que l'on a truqué pour s'assurer de gagner. ▷ Fig. *Coup de dé* (ou *de dés*) : entreprise, opération hasardeuse. *Risquer sa fortune sur un coup de dés. Les dés sont jetés* : la décision est prise, on ne peut plus revenir en arrière. **2.** TECH Partie d'un piédestal en forme de cube. ▷ Pierre taillée cubique. **3.** CUIS Petit morceau de forme cubique. *Couper le lard en dés.*

2. dé n. m. *Dé à coudre* ou, absol., *dé* : petit fourreau de métal, protégeant le bout du doigt qui pousse l'aiguille.

D.E.A. n. m. (Sigle de *diplôme d'études approfondies.*) Un des diplômes universitaires du 3e cycle.

deal [dil] n. m. (Anglicisme) Marché, contrat.

dealer [dilœʀ] n. m. (Anglicisme) Revendeur de drogue.

déambulateur n. m. Appareil à pieds aidant à la marche, sur lequel on s'appuie et que l'on déplace devant soi.

déambulation n. f. Action de déambuler.

déambulatoire adj. et n. m. **1.** adj. Vx Relatif à la déambulation, à la promenade. **2.** n. m. Appareil conçu pour aider à la marche, sur lequel on s'appuie et qu'on déplace à chaque pas. **3.** n. m. ARCHI Galerie qui relie les bas-côtés d'une église en passant derrière le chœur.

déambuler v. intr. [1] Marcher, se promener sans but précis.

De Amicis (Edmondo) (Oneglia, 1846 – Bordighera, 1908), écrivain italien : *les Amis* (1883), *Cœur* (1884), *le Cri du peuple* (exposé de ses idées socialistes, 1907).

Dean (James Byron, dit James) (Marion, Indiana, 1931 – Paso Robles, Californie, 1955), acteur américain. Il devint, après sa mort accidentelle, une figure mythique, incarnation du mal-être adolescent (*la Fureur de vivre* de N. Ray, *À l'est d'Eden* d'Elia Kazan, 1955 ; *Géant* de G. Stevens, 1956).

Déat (Marcel) (Guérigny, 1894 – San Vito, près de Turin, 1955), homme politique français. Ancien dirigeant socialiste, ministre dans le cabinet Sarraut (1936), il fonda sous l'Occupation un parti collaborationniste et fascisant, le Rassemblement national populaire, et fit partie du gouvernement de Vichy en 1944. Après la guerre, il fut condamné à mort par contumace.

Deauville, com. du Calvados (arr. de Lisieux) ; 4 380 hab. Import. stat. baln.

débâcher v. tr. [1] Retirer la bâche de. *Débâcher un camion.*

débâcle n. f. **1.** Rupture de la glace recouvrant un cours d'eau. Ant. embâcle. **2.** Bouleversement entraînant l'effondrement, la ruine. *Débâcle financière.* – Spécial. *La débâcle d'une armée vaincue.* Syn. déroute.

déballage n. m. **1.** Action de déballer. **2.** Étalage, pour la vente, d'objets en vrac ; commerce de ces objets. **3.** Fig., fam. Étalage (de ce qui jusqu'alors était resté secret). *Un déballage de scandales.*

déballastage n. m. MAR Opération consistant à évacuer l'eau de mer dont on leste un navire lorsqu'il revient à vide. *Le déballastage des pétroliers est une cause importante de pollution.*

déballer v. tr. [1] **1.** Retirer (une marchandise) de son emballage. *Déballez d'abord les assiettes.* ▷ Pp. adj. *Les objets déballés traînaient sur le sol.* – Par ext. *Caisses à moitié déballées.* **2.** Exposer (des marchandises à vendre). *Déballer des tissus.* **3.** Fig., fam. Étaler, exposer. *Déballer ses sentiments, ses griefs, ce qu'on a sur le cœur.*

déballonner (se) v. pron. [1] Fam., péjor. Se dégonfler (sens fig.).

débandade n. f. Fuite, dispersion désordonnée. ▷ Loc. adv. *À la débandade* : dans la confusion et le désordre.

1. débander v. tr. [1] **1.** Enlever la bande, le bandage de. *Débander une plaie. Débander les yeux de qqn.* **2.** Détendre ce qui est bandé. *Débander un ressort.* ▷ Absol. Fig., vulg. Ne plus être en érection. ▷ Loc. fig., fam. *Sans débander* : sans relâcher son effort.

2. débander v. tr. [1] **1.** Vx Mettre en désordre, disperser (une troupe). **2.** v. pron. Se disperser en désordre. *L'armée s'est débandée dès le début de la bataille.*

débaptiser [debatize] v. tr. [1] Changer le nom de (qqn ou qqch). *Débaptiser une rue.*

débarbouillage n. m. Action de débarbouiller ou de se débarbouiller.

débarbouiller v. tr. [1] Laver le visage de. *Débarbouiller un enfant*, nettoyer ce qui lui barbouille le visage. – Pp. adj. *Un enfant mal débarbouillé.* ▷ v. pron. Se nettoyer le visage ; se laver sommairement.

James **Dean** dans *la Fureur de vivre*, de Nicholas Ray, 1955

débarbouillette n. f. (Canada) Petit carré de tissu-éponge dont on se sert pour se débarbouiller, pour faire sa toilette.

débarcadère n. m. Quai ou appontement aménagé pour débarquer ou embarquer des voyageurs, des marchandises. Syn. embarcadère.

débardeur n. m. **1.** Vieilli Ouvrier qui travaille au chargement et au déchargement de marchandises. **2.** Maillot couvrant le haut du corps, à encolure et emmanchures très échancrées.

débarquement n. m. **1.** Action de débarquer (des marchandises, des passagers). *Quai de débarquement.* **2.** Action d'une personne qui débarque ; moment de cette action. *Il a été arrêté à son débarquement.* **3.** Fig., fam. Action de révoquer (qqn), de se débarrasser (de qqn). *Le débarquement d'un préfet.* **4.** MILIT Opération qui consiste à transférer sur un littoral des troupes embarquées sur un navire avec leurs véhicules et leur armement. *Le débarquement du 6 juin 1944 sur les côtes normandes.*

débarquer v. [1] **I.** v. tr. **1.** Faire passer à terre (les passagers, les marchandises d'un navire). ▷ *Par ext.* Enlever, faire sortir (d'un train, d'un avion). ▷ MILIT *Débarquer un commando.* **2.** Fig., fam. Se débarrasser de (qqn), le révoquer. **II.** v. intr. **1.** Quitter le bateau et descendre à terre. *Quelques membres de l'équipage ont débarqué à Toulon.* ▷ Par ext. *Débarquer d'un train, d'un avion.* ▷ MILIT Effectuer une opération de débarquement. *Napoléon renonça à débarquer en Angleterre.* **2.** Fam. Arriver à l'improviste (quelque part, partic. chez qqn). *Il débarque de temps en temps chez nous.*

débarras [debaʀa] n. m. **1.** Fam. Disparition d'un embarras, délivrance de ce qui embarrassait. *Les voilà partis, bon débarras !* **2.** Lieu où l'on range les objets encombrants. *Ranger les balais dans le débarras.*

débarrasser v. [1] **I.** v. tr. Dégager (un endroit) de ce qui embarrasse. *Débarrasser une chambre, une cave.* ▷ Libérer (un lieu, une personne) de (ce qui gêne, encombre). *Débarrassez donc le bureau de toutes ces paperasses. Débarrassez-le de son manteau.* ▷ (S. comp.) Enlever le couvert d'une table. – Pp. adj. *Une table débarrassée.* ▷ Fam. *Débarrassez-moi le plancher !* : allez-vous-en ! **II.** v. pron. **1.** *Se débarrasser d'une chose*, s'en défaire, l'abandonner. *Se débarrasser d'une vieille voiture. – Se débarrasser d'une manie, d'une idée.* **2.** *Se débarrasser de qqn*, l'éloigner ; *par euph.*, le tuer.

débarrer v. tr. [1] (Canada) Ouvrir ce qui est fermé par un mécanisme quelconque. – *Spécial.* Ouvrir à l'aide d'une clé. *Débarrer une porte.* – Absol. *Tu peux entrer, j'ai débarré.*

débat n. m. **I. 1.** Examen et discussion d'une question par des personnes d'avis différents. *Un débat animé. Entrer dans le cœur du débat.* **2.** Conflit moral, psychologique. *Être en proie à un débat de conscience, à un débat intérieur.* **II.** Plur. **1.** Discussion sur une question, dans une assemblée politique. *Les débats parlementaires.* **2.** DR Phase du procès comprenant les plaidoiries des avocats et les conclusions du ministère public. *Assister aux débats.*

débatteur, euse n. Personne remarquable dans le débat public.

débattre v. [61] **1.** v. tr. Discuter, examiner de façon contradictoire avec une ou plusieurs personnes. *Débattre une affaire, une question.* ▷ v. tr. indir. *Débattre sur, débattre de qqch.* **2.** v. pron. Lutter énergiquement pour se dégager. *À force de se débattre, il a réussi à s'échapper.* ▷ Fig. *Se débattre contre la misère.*

débauchage n. m. **1.** Action de débaucher (sens I, 1) un employé **2.** Action de débaucher (sens I, 2) du personnel.

débauche n. f. **1.** Dérèglement des mœurs, recherche excessive des plaisirs sensuels. *Incitation de mineurs à la débauche.* **2.** Fig. *Débauche de :* profusion, abus de. *Raconter une histoire avec une débauche de détails.*

débauché, ée n. et adj. Personne qui vit dans la débauche. Ant. rangé, sage, vertueux. ▷ adj. *Un homme débauché.*

débaucher v. tr. [1] **I. 1.** Inciter (qqn) à quitter son travail, son emploi. *Débaucher un employé.* **2.** Licencier, faute de travail. Ant. embaucher. – Absol. *Un secteur industriel où l'on débauche.* **II. 1.** Entraîner (qqn) dans le plaisir, la débauche. *Débaucher un jeune homme.* ▷ v. pron. *Il a commencé à se débaucher très jeune.* **2.** Fam. (Sens atténué.) Détourner momentanément (qqn) de son travail, de ses occupations pour le divertir. *Allez, je vous débauche : je vous emmène au cinéma.*

débecter [1] , **débéqueter** ou **débecqueter** [debekte] [**20**] v. tr. Fam. Dégoûter.

débet n. m. FIN Ce qui reste dû après l'arrêté d'un compte.

débile adj. et n. **I.** adj. **1.** Vieilli Qui manque de force, de vigueur. *Un corps, un esprit débile.* **2.** Fam. Idiot, stupide. *Une histoire complètement débile.* **II.** n. MED *Débile mental* ou *débile :* sujet atteint d'une arriération mentale (dont on évalue l'importance par le quotient intellectuel, établi en fonction de l'âge). *Débile léger, profond.*

débilitant, ante adj. **1.** Qui affaiblit, débilite. *Remède débilitant.* **2.** Fig. Déprimant. *Vivre dans un cadre débilitant.*

débilité n. f. **1.** MED État de faiblesse extrême. *Débilité congénitale.* **2.** MED État d'un débile mental.

débiliter v. tr. [1] Rendre débile, affaiblir. ▷ Fig. Déprimer, affaiblir moralement.

débine n. f. Pop. Indigence, misère. *Être dans la débine.*

1. débiner v. tr. [1] Fam. Dénigrer, médire de.

2. débiner (se) v. pron. [1] Fam. Se sauver, partir précipitamment.

débirentier, ère n. DR Personne débitrice d'une rente (par oppos. à *crédirentier*).

1. débit n. m. **1.** Vente continue au détail d'une marchandise. *Boutique qui a un fort débit. Produit de faible débit.* **2.** *Débit de boissons :* établissement où l'on vend des boissons à consommer sur place. – *Débit de tabac :* bureau de tabac. **3.** Manière de réciter, de parler. *Un orateur au débit rapide.* **4.** Manière dont on coupe, on taille (le bois, la pierre, etc.). *Débit en planches, en rondins d'un arbre.* **5.** Quantité de fluide qui s'écoule en un temps donné. *Débit d'un fleuve.* ▷ *Par anal.* Quantité fournie, capacité de production, par unité de temps, en un point donné. *Débit d'une source électrique. Le débit horaire d'une autoroute.*

2. débit n. m. **1.** Compte des sommes dues par qqn. *Porter une dépense au débit de qqn.* Ant. crédit. **2.** COMPTA Compte de toutes les sommes qui ont été versées à un tiers.

débitage n. m. Action de débiter (1, sens 1).

débitant, ante n. Vx Personne qui vend au détail. ▷ Mod. *Débitant de tabac, de boissons :* personne qui tient un débit de tabac, de boissons.

1. débiter v. tr. [1] **1.** Tailler, découper en morceaux prêts à l'emploi. *Débiter de la pierre. Débiter un quartier de bœuf.* **2.** Vendre (une marchandise) au détail. **3.** Fournir (une certaine quantité de matière, de fluide, d'électricité, etc.) en une période donnée. *Source qui débite tant de litres par heure.* **4.** Péjor. Énoncer, réciter d'une manière monotone. *Débiter une leçon sans la comprendre.* ▷ Péjor. Raconter, répandre (des sottises, des mensonges, etc.).

2. débiter v. tr. [1] Porter une somme au débit de (qqn). *Débiter un client d'une somme.* ▷ Par ext. *Débiter un compte de telle somme.* Ant. créditer.

débiteur, trice n. et adj. **1.** Personne qui doit de l'argent. *Débiteur insolvable.* ▷ adj. *Solde, compte débiteur,* où le débit est supérieur au crédit. Ant. créditeur. **2.** Fig. Personne qui a une obligation morale envers une autre. *Vous m'avez rendu un grand service, et je reste votre débiteur.*

débitmètre n. m. Didac. Appareil permettant de mesurer le débit d'un fluide.

déblai n. m. **1.** Action de déblayer. **2.** *Par ext.* (Surtout au plur.) Terres, décombres que l'on retire d'un terrain. – TRAV PUBL *Route en déblai,* en tranchée. Ant. remblai.

déblaiement ou **déblayement** [deblɛmɑ̃] n. m. Opération par laquelle on déblaie.

déblatérer v. intr. [**14**] Fam. Parler longtemps et avec violence (contre qqch, qqn). *Déblatérer contre le gouvernement.* ▷ v. tr. *Déblatérer des injures.*

déblayage n. m. Action de déblayer.

déblayer v. tr. [21] **1.** Enlever des terres, des décombres de. *L'armée est venue déblayer les rues après le tremblement de terre.* **2.** Dégager (un lieu) de ce qui l'encombre. *Déblayer une cave.* ▷ Fig. *Déblayer le terrain :* aplanir les difficultés, préparer avant d'entreprendre.

déblocage n. m. Action, fait de débloquer.

débloquer v. [1] **I.** v. tr. **1.** Remettre en mouvement (une machine, une pièce bloquée). *Débloquer le balancier d'une horloge.* **2.** Permettre le mouvement (de marchandises, de fonds bloqués). *Débloquer les crédits.* ▷ *Débloquer les salaires :* permettre l'augmentation des salaires jusqu'alors bloqués. **II.** v. intr. Fam. Dire des choses dépourvues de sens, divaguer.

débobiner v. tr. [1] Dérouler (ce qui est embobiné). ▷ TECH Démonter les enroulements (d'un appareil, d'un dispositif électrique).

déboguer v. tr. [1] INFORM Examiner un programme pour en supprimer les bogues.

déboire n. m. (Surtout au plur.) Contrariété, déception pénible. *Ses enfants lui ont causé des déboires.*

déboisement n. m. Action de déboiser; son résultat.

déboiser v. tr. [1] Dégarnir (une terre) de ses bois, de ses arbres. – Pp. adj. *Une colline déboisée.* ▷ v. pron. Perdre ses bois. *La région s'est déboisée en dix ans.*

déboîtement n. m. **1.** MED Luxation. **2.** Action de déboîter.

déboîter v. [1] **I.** v. tr. **1.** Faire sortir (une pièce) de son logement, disjoindre (des éléments emboîtés). *Déboîter une porte. Déboîter des tuyaux.* **2.** MED Luxer. – v. pron. *Se déboîter l'épaule.* **II.** v. intr. **1.** Sortir d'une colonne, d'un cortège, en se déplaçant vers le côté (personnes). **2.** Sortir d'une file (véhicules). *Voiture qui déboîte pour tourner.*

débonder v. tr. [1] **1.** Ôter la bonde de. *Débonder un tonneau.* **2.** Fig. *Débonder son cœur* ou, absol., *débonder :* s'épancher sans retenue. ▷ v. pron. *Se débonder.*

débonnaire adj. **1.** Vieilli Bon jusqu'à la faiblesse. **2.** Mod. Bienveillant. *Avoir l'air, être d'humeur débonnaire.*

Déborah (XIIe s. av. J.-C.), prophétesse et juge d'Israël; auteur d'un cantique qui célèbre la victoire des Israélites sur les Cananéens (Bible, Juges, V).

débordant, ante adj. **1.** Qui déborde, qui passe les limites. **2.** Fig. Qui ne peut se contenir et se manifeste avec exubérance. *Joie débordante.*

débordé, ée adj. **1.** Rare Sorti de ses bords. *Fleuve débordé.* **2.** Fig. Surchargé (d'activités, d'obligations, etc.). *Être débordé de travail, de soucis.* – Absol. *Je préfère remettre notre rendez-vous à demain, aujourd'hui je suis débordé.* **3.** Fig. Qui reste impuissant devant les événements, qui n'en a plus le contrôle. *Le service d'ordre a été débordé.* **4.** MILIT, SPORT Contourné, dépassé. *Débordé par les ailes.*

débordement n. m. **1.** Fait de déborder. *Débordement d'un cours d'eau.* **2.** Fig. Profusion, abondance excessive. *Un débordement de paroles.* **3.** Plur. Fig. Excès, conduite dissolue. *Se livrer à des débordements.* **4.** MILIT, SPORT Action de déborder.

déborder v. [1] **I.** v. intr. **1.** Laisser son contenu se répandre par-dessus bord. *Vase qui déborde.* ▷ Loc. fig. *La goutte d'eau qui fait déborder le vase :* l'événement, le fait qui rend insupportable une situation déjà très pénible. ▷ Fig. S'épancher, manifester des opinions, des sentiments longtemps contenus. *Laisser déborder son cœur.* ▷ Fig. *Déborder de vitalité, de courage. Déborder de joie.* **2.** Se répandre par-dessus bord. *Le lait a débordé de la casserole. Rivière qui déborde.* **II.** v. tr. **1.** Ôter le bord, la bordure de. *Déborder un napperon.* **2.** *Déborder des draps :* tirer les bords des draps de dessous le matelas. – Par ext. *Déborder un lit.* **3.** MAR *Déborder une embarcation,* l'éloigner de la coque d'un navire ou du quai où elle est accostée, la pousser vers le large. – Absol. *Déborde!* **4.** Dépasser les limites, le bord de. *Cette pierre déborde l'autre de quelques centimètres.* – Fig. *Conférencier qui déborde le sujet annoncé.* **5.** MILIT, SPORT Dépasser en contournant. *L'ennemi, l'adversaire a débordé notre aile.*

débotté ou **débotter** n. m. **1.** Vx Moment où l'on se débotte. – *Par ext.* Moment où l'on arrive. **2.** Loc. fig. Mod. *Au débotté, au débotter :* à l'improviste, sans préparation.

débotter v. tr. [1] Ôter les bottes à (qqn). ▷ v. pron. Retirer ses bottes.

débouchage n. m. Action de déboucher.

débouché n. m. **1.** Issue, endroit où un passage resserré débouche sur un espace plus vaste. *Débouché d'une vallée, d'un col.* **2.** TRAV PUBL Section de passage d'un pont. **3.** Moyen de placer un produit, une marchandise, d'en assurer l'écoulement; marché. *Trouver à l'étranger de nouveaux débouchés.* **4.** *Par ext.* (Surtout au plur.) Carrières, professions auxquelles telle formation professionnelle, telles études donnent accès. *Spécialité où peu de débouchés sont offerts.*

1. déboucher v. tr. [1] **1.** Dégager de ce qui bouche, obstrue. *Déboucher un évier, une cheminée.* **2.** Ôter le bouchon de. *Déboucher une bouteille.*

2. déboucher v. intr. [1] **1.** Sortir d'un endroit resserré pour entrer dans un endroit plus large. *Un groupe de touristes déboucha sur la place.* **2.** Aboutir à (un lieu plus vaste, un passage plus large), en parlant d'une voie; se jeter dans, en parlant d'un cours d'eau. *Chemin qui débouche dans la plaine, sur la route. La Seine débouche dans la Manche.* **3.** Fig. *Déboucher sur* : aboutir à (un autre domaine, des perspectives, des conclusions nouvelles). *Hypothèse qui débouche sur une remise en question des connaissances actuelles.*

déboucheur n. m. Produit pour déboucher les canalisations.

déboucler v. tr. [1] **1.** Ouvrir en détachant l'ardillon d'une boucle. *Déboucler un ceinturon.* **2.** Défaire les boucles (d'une chevelure).

déboulé n. m. **1.** CHOREGR Mouvement constitué d'une suite de demi-tours sur les pointes ou les demi-pointes. **2.** SPORT Course rapide, puissante. *Avoir un bon déboulé.* **3.** VEN Départ rapide et à l'improviste du lapin, du lièvre devant le chasseur. *Tirer un lièvre au déboulé.*

débouler v. intr. [1] **1.** Fam. Rouler comme une boule de haut en bas. – *Par ext.* Descendre très vite, comme une boule qui roule. *Débouler du haut de la rue sans s'arrêter.* – v. tr. *Il déboula les deux étages.* **2.** VEN Fuir précipitamment et à l'improviste devant le chasseur.

déboulonnage ou **déboulonnement** n. m. Action de déboulonner; état de ce qui est déboulonné.

déboulonner v. tr. [1] **1.** Enlever les boulons de, démonter (ce qui était boulonné). **2.** Fig., fam. *Déboulonner qqn,* lui faire perdre son prestige, sa réputation; lui retirer son poste, ses responsabilités. *Déboulonner un homme politique.*

débouquer v. intr. [1] MAR Déboucher d'une passe, d'un chenal dans la mer.

débourber v. tr. [1] **1.** Ôter la bourbe de. *Débourber une mare.* ▷ TECH Ôter la gangue (d'un minerai). – Purifier (un liquide) par décantation. **2.** Sortir de la bourbe. *Débourber un camion.*

débourrer v. [1] **I.** v. tr. **1.** Ôter la bourre de. *Débourrer une peau avant de la tanner.* **2.** Dégarnir de ce qui bourre. *Débourrer une pipe,* en retirer le tabac, les cendres. **3.** EQUIT Commencer à dresser (un poulain). **II.** v. intr. **1.** ARBOR Éclore, sortir de sa bourre, en parlant des bourgeons. **2.** Arg. Déféquer.

débours [debuʀ] n. m. (Souvent au plur.) Somme déboursée. *Rentrer dans ses débours.*

déboursement n. m. Action de débourser.

débourser v. tr. [1] Sortir (une certaine somme) de sa bourse, de sa caisse, pour payer. *N'avoir rien à débourser.*

déboussoler v. tr. [1] Fam., fig. Faire perdre la tête à qqn., le déconcerter. *Ses propos m'ont déboussolé.*

debout adv. et adj. **I.** adv. **1.** Sur un de ses bouts, en position verticale. *Poser un tonneau debout.* ▷ Fig. *Mettre une affaire debout,* la créer, l'organiser. **2.** (Personnes) Sur ses pieds, en station verticale (par oppos. à *couché, assis*). *Se mettre debout.* ▷ *Debout!* : interj. par laquelle on ordonne à qqn de se lever, on l'invite à partir. **3.** Levé, hors de son lit. *Être debout à 5 heures tous les matins.* – Loc. *Dormir debout* : être fatigué au point de s'endormir sans être couché; fig. être très fatigué. – Fig. *Une histoire à dormir debout,* inimaginable, invraisemblable. **4.** *Être, tenir debout* : résister à la destruction, à l'usure. *Cette vieille bâtisse est encore debout.* ▷ Fig. *Tenir debout* (souvent nég.) : être cohérent, vraisemblable (en parlant d'une théorie, d'un récit, etc.). *Un raisonnement, une argumentation qui ne tient pas debout. Cette explication tient debout.* **II.** adj. inv. **1.** DR *La magistrature debout* : le ministère public (par oppos. à *la magistrature assise**). **2.** MAR *Navire debout à la lame, au vent,* qui présente son avant à la lame, au vent. ▷ *Vent debout,* contraire à la direction suivie par le navire, l'avion. *Décoller vent debout,* face au vent.

débouter v. tr. [1] DR Déclarer (qqn) mal fondé dans la demande qu'il a faite en justice. *Le tribunal a débouté le demandeur de sa prétention.*

déboutonner v. tr. [1] **1.** Dégager de leurs boutonnières les boutons de. *Déboutonner son manteau.* **2.** v. pron. Déboutonner ses vêtements. ▷ Fig., fam. Dire tout ce qu'on pense, parler sans retenue; avouer, dire tout ce qu'on sait.

débraillé, ée adj. et n. m. **1.** adj. Dont les vêtements sont en désordre. *Un enfant sale et débraillé.* ▷ Négligé, sans soin. *Une allure, une tenue débraillée.* ▷ Fig. *Des manières débraillées,* trop libres, inconvenantes. **2.** n. m. Mise négligée. ▷ Fig. *Le débraillé du style.*

débranchement n. m. Action de débrancher.

débrancher v. tr. [1] **1.** CH de F Séparer (des wagons ou des voitures) d'un convoi pour les diriger sur une autre voie. **2.** Interrompre la connexion, supprimer le branchement de. *Débrancher un poste de radio, une prise électrique.*

débrayage n. m. **1.** Action de débrayer. **2.** Arrêt du travail; grève.

débrayer v. [21] **1.** v. tr. TECH Désaccoupler (l'arbre entraîné) de l'arbre moteur d'une machine. ▷ (S. comp.) AUTO *Débrayer pour passer les vitesses.* **2.** Supprimer un automatisme pour revenir à un fonctionnement manuel. *Débrayer le flash de l'appareil photo.* **3.** v. intr. Cesser le travail en signe de mécontentement, se mettre en grève.

débrayeur n. m. TECH Mécanisme servant à débrayer.

Debré (Robert) (Sedan, 1882 – Le Kremlin-Bicêtre, 1978), pédiatre français; son action contribua à faire de l'hôpital des Enfants-Malades un centre de renommée internationale. – **Michel** (Paris, 1912 – Montlouis-sur-Loire, 1996), fils du préc., homme politique français. Résistant, gaulliste militant, il critiqua violemment les institutions de la IVe République. Nommé garde des Sceaux (1958), il prit une part importante dans l'élaboration de la Constitution de la Ve République. Premier ministre (1959-1962), il s'attacha à régler le problème algérien. Il fut ensuite ministre de l'Économie et des Finances (1966-1968), des Affaires étrangères (1968-1969), de la Défense nationale (1969-1973). Acad. fr. (1988). – **Olivier** (Paris, 1920), frère du préc., peintre français. Abandonnant les effets de matière et de rugosité, il a évolué, dep. 1963, vers un style fluide lié à l'abstraction gestuelle.

Debrecen, ville de la Hongrie orientale; 210 360 hab.; ch.-l. de comté. Centre agric. et comm. Les industr. (méca., text., chim., alim.) se sont implantées après 1945. – Université. – Surnommée la « Rome calviniste » ou la « Genève hongroise », elle fut le foyer de la Réforme en Hongrie.

débridé, ée adj. Qui a perdu toute contrainte. *Imagination débridée.*

débridement n. m. **1.** Action de débrider. **2.** MED Sectionnement de la bride qui comprime ou étrangle un organe. – Large incision pratiquée dans un foyer purulent. **3.** Fig. Déchaînement. *Le débridement des passions.*

débrider v. tr. [1] **1.** Ôter la bride à. *Débrider un cheval.* **2.** Libérer (qqch) de ce qui serre, contraint comme une bride. ▷ AUTO *Débrider un moteur,* lui permettre de tourner plus vite, après rodage. ▷ MED Pratiquer le débridement de. *Débrider un abcès.* – Fig., cour. *Débrider les yeux à qqn,* lui faire voir la vérité. ▷ *Sans débrider* : sans interruption.

débriefer [debʀife] v. tr. [1] (Anglicisme) Interroger minutieusement un transfuge, un espion.

débriefing [debʀifiŋ] n. m. Action de débriefer qqn.

débris n. m. (Surtout au plur.) **1.** Fragment d'un objet brisé, ou en partie détruit. *Les débris d'un vase.* ▷ Ruines (d'un bâtiment, d'une ville). – Fig., litt. *Les débris d'un empire, d'une civilisation.* **2.** *Débris fossiles, débris organiques* : restes plus ou moins bien conservés d'êtres organisés. **3.** Restes d'une chose en partie consommée. *Les débris d'un repas.* **4.** Fam., péjor. *Un vieux débris* : une personne âgée et diminuée.

débronzer v. intr. [1] Perdre son bronzage. *J'ai débronzé en une semaine.*

débrouillage n. m. **1.** Action de débrouiller. **2.** Fait de se débrouiller.

débrouillard, arde adj. et n. Fam. Qui sait se débrouiller. *Un enfant débrouillard.* ▷ Subst. *C'est un débrouillard.*

débrouillardise n. f. Fam. Aptitude (d'une personne) à se débrouiller.

débrouillement n. m. Action de débrouiller (qqch).

débrouiller v. tr. [1] **I. 1.** Démêler, mettre, remettre en ordre (une chose qui est embrouillée). *Débrouiller un écheveau.* **2.** Fig. Éclaircir, dénouer. *Débrouiller une affaire confuse, un mystère. Débrouiller un texte difficile.* **3.** Fam. *Débrouiller qqn,* lui apprendre à se tirer d'embarras, lui donner les rudiments d'un savoir. **II.** v. pron. Fam. Se tirer d'embarras. *Il a su se débrouiller au milieu de toutes ces difficultés.* ▷ Spécial. Se tirer d'affaire, arriver à ses fins par son habileté. *C'est un homme qui arrive toujours à se débrouiller.*

débroussaillement ou **débroussaillage** n. m. Action de débroussailler; son résultat.

débroussailler v. tr. [1] Enlever les broussailles de. *Débroussailler un chemin.* ▷ Fig. Commencer à tirer au clair. *Débroussailler une question, un problème.*

débroussailleuse n. f. TECH Machine à débroussailler.

débrousser v. tr. [1] Défricher (la brousse).

Debucourt (Philibert Louis) (Paris, 1755 - Belleville, 1832), peintre et graveur français (scènes de genre).

débudgétisation n. f. Action de débudgétiser; son résultat.

débudgétiser v. tr. [1] Enlever une charge au budget de l'État et lui trouver un autre mode de couverture financière. *Le programme de construction des autoroutes de liaison a été débudgétisé.*

Deburau (Jean-Baptiste Gaspard) (Kolín, Bohême, 1796 - Paris, 1846), mime français du théâtre des Funambules à Paris, créateur avec son fils **Jean-Charles** (Paris, 1829 - Bordeaux, 1873) du Pierrot muet de la pantomime.

débureaucratiser v. tr. [1] Réduire l'importance de la bureaucratie de. *Débureaucratiser un parti.* ▷ v. pron. (En parlant d'un État, d'un organisme.) Réduire sa propre bureaucratie.

débusquement n. m. Action de débusquer.

débusquer v. tr. [1] **1.** VEN Faire sortir (le gibier) du bois, du terrier. ▷ v. intr. Sortir du bois, de son terrier. **2.** Chasser (qqn) d'un abri, d'une position protégée. *Débusquer l'ennemi.*

Debussy (Achille-Claude, dit Claude) (Saint-Germain-en-Laye, 1862 - Paris 1918), compositeur français. Il créa un langage musical fondé sur l'emploi de gammes exotiques (gamme pentatonique) et sur la modalité, cultivant dissonances et harmonies nouvelles et recourant « à la beauté du son pour lui-même » (P. Boulez). Princ. œuvres : *Prélude à l'après-midi d'un faune* (1894), *Nocturnes* pour orchestre (1901), *Pelléas et Mélisande* (opéra, 1902), *la Mer* (1905), *Children's corner* (1906-1908), *Images* (pour orch., 1906-1911), *Jeux* (ballet, 1913), 24 *Préludes* pour piano (1910-1913), 12 *Études* pour piano (1915), *Sonate n°3* pour violon et piano (1917).

début n. m. **1.** Commencement. *Depuis le début du mois. Du début jusqu'à la fin. Tout au début, au tout début.* **2.** (Au plur.) Premiers essais, premiers pas dans une activité, une carrière). *Faire ses débuts dans le monde. Les débuts d'un comédien.*

débutant, ante n. et adj. **I.** n. **1.** Personne qui débute dans une activité, un métier. *Un rôle de débutant.* ▷ *Spécial.* Personne sans expérience. *C'est du travail de débutant.* **2.** n. f. Jeune fille qui fait ses débuts dans le monde. *Le bal des débutantes.* **II.** adj. *Un avocat débutant.*

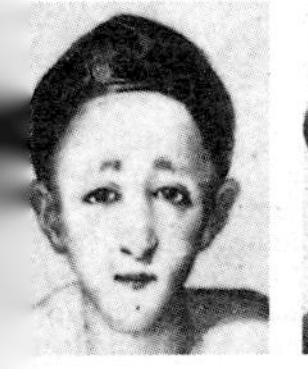

Jean-Baptiste Gaspard **Deburau**

Claude **Debussy**

débuter v. intr. [1] **1.** Commencer (choses). *La séance débute à 8 heures.* **2.** Faire ses débuts (dans une activité, une carrière). *Il a débuté comme simple manœuvre.* ▷ v. tr. *Il a mal débuté sa journée* (construction déconseillée par certains grammairiens).

debye [dəbaj] n. m. PHYS Unité de moment électrique qui équivaut à $\frac{1}{3} \times 10^{-29}$ coulomb-mètre, servant à exprimer les moments dipolaires de molécules (symbole D).

Debye (Petrus) (Maastricht, 1884 - Ithaca, État de New York, 1966), physicien américain d'origine néerlandaise. Il est connu pour ses travaux sur la diffraction des rayons X par les poudres cristallines et sur l'ionisation des électrolytes. Il fut également un pionnier de la physique du solide et des basses températures. P. Nobel de chimie 1936.

déca-. Élément, du gr. *deka*, « dix ».

deçà prép. et adv. **I.** prép. **1.** Vx De ce côté-ci (opposé à *delà*). *Deçà et delà le fleuve, le pays n'est pas le même.* **2.** Loc. prép. Vx *Au deçà de* : de ce côté-ci. *« Vérité au deçà des Pyrénées, erreur au-delà » (Pascal).* - Mod. *En deçà de* : en arrière, audessous de. *En deçà de la rivière.* - Fig. *Rester en deçà de la vérité* : dire moins que la vérité; ne pas tout dire. **II.** Loc. adv. *Deçà... delà, deçà et delà, deçà delà* : d'un côté et de l'autre, de côté et d'autre, de tous côtés.

décabriste ou **décembriste** n. m. HIST Membre d'un groupe de conspirateurs russes du début du règne de Nicolas Ier, qui voulaient écarter du trône le nouvel empereur, de tendance absolutiste, au profit de son frère Constantin; la révolte (26 déc. 1825) fut rapidement matée et les *décabristes* furent sévèrement condamnés et déportés en Sibérie.

décachetage n. m. Action de décacheter.

décacheter v. tr. [20] Ouvrir (ce qui est cacheté). *Décacheter une lettre.*

décadaire adj. **1.** Qui se rapporte aux décades, dans le calendrier républicain. **2.** Qui a lieu, ou qui paraît tous les dix jours. *Compte rendu décadaire.*

décade n. f. **1.** Période de dix jours consécutifs. ▷ *Spécial.* Période de dix jours, dans le calendrier* républicain de 1793, remplaçant la semaine. **2.** *Par ext.* (Emploi critiqué.) Période de dix ans. *La première décade du XXe siècle.* **3.** LITTER Partie d'un ouvrage composée de dix livres, dix chapitres, etc. *Il ne subsiste que la première et la troisième décades de l'« Histoire romaine » de Tite-Live.*

décadenasser v. tr. [1] Ouvrir en enlevant le cadenas. *Décadenasser une malle.*

décadence n. f. Commencement de la chute, de la ruine. *Tomber en décadence.* ▷ *Spécial.* Période de déclin politique et économique, accompagné d'un déclin des institutions, des valeurs d'une société.

décadent, ente adj. (et n.) **1.** Qui résulte de la décadence ou la traduit; qui est en décadence. *Siècle décadent. Peinture décadente.* **2.** LITTER *L'école décadente* : l'école littéraire et philosophique qui prépara le symbolisme. ▷ n. m. *Les décadents.*

décadentiste adj. LITTERSe dit des poètes français des années 1880-1890 qui, en réaction contre les parnassiens, adoptèrent les idées de Baudelaire, Verlaine et Mallarmé.

décaèdre adj. et n. m. GEOM **1.** adj. Qui a dix faces. **2.** n. m. Polyèdre limité par dix faces.

décaféiné, ée adj. et n. m. Dont on a extrait la caféine. *Un café décaféiné.* ▷ n. m. *Un décaféiné.* (Abrév. fam. : un déca).

décaféiner v. tr. [1] Enlever la caféine de.

décagonal, ale, aux adj. GEOM Qui a la forme d'un décagone.

décagone n. m. GEOM Polygone à dix angles et dix côtés.

décagramme n. m. Unité valant dix grammes (symbole dag).

décaisser v. tr. [1] Sortir (une somme d'argent) d'une caisse.

décalage n. m. **1.** TECH Action de décaler. **2.** Position, état de ce qui est décalé (dans le temps ou dans l'espace). - *Décalage horaire* : différence (en plus ou en moins) d'heure légale entre deux pays situés sur des fuseaux horaires différents. ▷ ASTRO *Décalage spectral* : phénomène se traduisant, dans le spectre des étoiles, par des raies décalées vers la couleur rouge. **3.** Fig. Inadéquation, différence entre deux choses, deux faits. *Il y a un décalage énorme entre sa version des faits et la réalité.*

décalaminer v. tr. [1] TECH Enlever la calamine de. *Décalaminer un moteur.*

décalcification n. f. MED Diminution du calcium de l'organisme provoquant une fragilité osseuse, localisée ou diffuse.

décalcifier v. tr. [2] MED Priver d'une partie de son calcium. - v. pron. Être atteint de décalcification.

décalcomanie n. f. Procédé de décoration par report de figures ou de motifs qui se détachent d'un papier que l'on applique sur l'objet à décorer. *Porcelaines décorées par décalcomanie.* - Cour. *Album de décalcomanies pour les enfants.* - *Par méton.* Image appliquée par ce procédé.

décaler v. tr. [1] **1.** Ôter les cales de. **2.** Faire subir un léger déplacement (dans le temps ou dans l'espace) à. *Être obligé de décaler la date d'un départ.*

décalitre n. m. Mesure de capacité valant dix litres (symbole dal).

décalogue n. m. *Le Décalogue* : les dix principes fondamentaux de la loi juive, énoncés au chap. XX de l'*Exode*, que Dieu aurait lui-même gravés sur les tables de pierre (les Tables de la Loi) que Moïse lui présenta dans le massif du Sinaï.

décalotter v. tr. [1] Ôter la calotte de (qqch).

décalquage ou **décalque** n. m. Action de décalquer; son résultat.

décalquer v. tr. [1] Reporter le calque de (qqch) sur une surface quelconque. *Papier à décalquer.*

décalvant, ante adj. Didac. Qui rend chauve. *Pelade décalvante.*

décalvation n. f. MED Chute des cheveux.

décamètre n. m. Unité de longueur égale à dix mètres (symbole dam). ▷ TECH Chaîne ou ruban d'une longueur de 10 m servant à certaines mesures. - Spécial. *Décamètre d'arpenteur.*

décamper v. intr. [1] **1.** Vx Lever le camp. *L'ennemi décampa dès l'aube.* **2.** S'enfuir, partir à la hâte.

Decamps (Alexandre Gabriel) (Paris, 1803 - Fontainebleau, 1860), peintre orientaliste français.

décan n. m. ASTROL Chaque dizaine de degrés de chacun des signes du zodiaque. *Le troisième décan du Bélier.*

décanat n. m. Dignité de doyen; exercice, durée de cette dignité.

décaniller v. intr. [1] Fam. S'enfuir prestement, décamper.

décantage n. m. ou **décantation** n. f. Action de décanter; son résultat.

décanter v. tr. [1] Laisser reposer (un liquide) pour le séparer des matières solides qu'il tenait en suspension. ▷ v. pron. *Cidre qui se décante.* - Fig. Se clarifier. *Laisser la situation se décanter avant d'agir.*

décanteur n. m. TECH Appareil servant à décanter. *Les décanteurs d'une station d'épuration d'eau.*

décapage n. m. Action de décaper.

décapant, ante adj. et n. m. **1.** adj. Qui décape. - Fig. *Des propos décapants,* incisifs, qui bousculent. **2** n. m. Substance chimique assurant le décapage.

décaper v. tr. [1] **1.** TECH Débarrasser (une surface métallique) des oxydes ou des impuretés qui y adhèrent. *Décaper des poutrelles métalliques.* ▷ Par ext., cour. *Décaper une table en bois avant de la vernir.* **2.** TRAV PUBL Enlever la couche superficielle d'un sol.

décapeuse n. f. TRAV PUBL Engin de terrassement pour décaper les sols. Syn. (off. déconseillé) scraper.

décapitation n. f. Action de décapiter.

décapiter v. tr. [1] **1.** Trancher la tête de (qqn). *Décapiter un condamné.* **2.** *Par anal.* Enlever la partie supérieure de (qqch). *Décapiter des arbres.* **3.** Fig. Enlever la partie essentielle de. - Pp. *Un parti décapité par la mort de son chef.*

décapodes n. m. pl. ZOOL **1.** Ordre de mollusques céphalopodes dibranchiaux caractérisés par la présence de 10 tentacules et d'une coquille interne recouverte de chair (seiches, calmars, etc.). **2.** Sous-ordre de crustacés malacostracés pourvus de 5 paires de pattes locomotrices (la première paire pouvant prendre la forme de pinces). *La langouste, le crabe et le pagure sont des décapodes.* - Sing. *Un décapode.*

Décapole, territoire de la Palestine antique groupant dix villes hellénisées : Scythopolis, Pella, Gadara, Dion, Hippos, Philadelphie (auj. *Amman*), Gerasa, Kanatha, Damas et Abila.

Décapole, association formée au XIVe s., à l'intérieur du Saint Empire, de dix villes alsaciennes : Mulhouse, Colmar, Munster, Turckheim, Kaysersberg, Sélestat, Obernai, Rosheim, Haguenau, Wissembourg (remplacée au XVIe s. par Landau). Elles ne seront définitivement françaises qu'en 1789.

décapotable adj. et n. f. Qui peut être décapoté. *Une voiture décapotable* ou, n. f., *une décapotable.*

décapoter v. tr. [1] **1.** Ouvrir la capote (d'une voiture). **2.** Retirer, ouvrir le ou les capots (d'un moteur).

décapsulage n. m. Action de décapsuler.

décapsuler v. tr. [1] Enlever la capsule de. *Décapsuler une bouteille.*

décapsuleur n. m. Ustensile pour décapsuler les bouteilles. Syn. ouvre-bouteilles.

décarboxylase n. f. BIOCHIM Enzyme qui catalyse la décarboxylation de substances organiques.

décarboxylation n. f. BIOCHIM Perte spontanée ou enzymatique d'une molécule de dioxyde de carbone.

décarburant n. m. CHIM Substance ayant la propriété de débarrasser une autre substance du carbone qu'elle contient.

décarcasser (se) v. pron. [1] Fam. Se donner beaucoup de peine.

décarcération. V. désincarcération.

décasyllabe [dekasil(l)ab] adj. et n. m., ou **décasyllabique** [dekasil(l)abik] adj. Qui a dix syllabes. *Vers décasyllabe ou décasyllabique.* ▷ n. m. *Un décasyllabe.*

décathlon n. m. SPORT Compétition masculine d'athlétisme, inscrite aux jeux Olympiques, comportant dix épreuves (4 courses, 3 sauts, 3 lancers).

décathlonien n. m. SPORT Athlète pratiquant le décathlon.

décati, ie adj. **1.** Qui a perdu son lustre, en parlant d'une étoffe. *Un vieux pardessus en drap décati.* **2.** Fig., péjor. Qui a perdu sa fraîcheur. *Un vieil homme décati.*

décatir 1. v. tr. [3] TECH Enlever (à une étoffe) le lustre et le brillant produits par les apprêts. *Décatir le drap, la toile de lin.* **2.** v. pron. Fig., péjor. Perdre sa fraîcheur, sa beauté; vieillir. *Commencer à se décatir.*

decauville n. m. CH de F Chemin de fer à voie étroite (40-60 cm).

Decazes et de Glücksberg (Élie, duc) (Saint-Martin-de-Laye, 1780 - Decazeville, 1860), homme politique français. Il se rallia aux Bourbons lors du retour de Napoléon de l'île d'Elbe et fut un des chefs de la tendance constitutionnelle, qui prônait, contre les ultraroyalistes, l'application de la Charte de 1814. Ministre de Louis XVIII, il devint Premier ministre en 1819, mais dut démissionner en 1820. Il se lança dans les affaires et développa les houillères de Decazeville, où se créa une industrie sidérurgique. — **Louis,** duc (Paris, 1819 - château de Graves, Gironde, 1886), fils du préc.; il fut ministre des Affaires étrangères (1873-1877).

Decazeville, ch.-l. de cant. de l'Aveyron (arr. de Villefranche-de-Rouergue); 8 182 hab. Anc. houillères (fin de l'exploitation en 1987). Métallurgie - La ville doit son nom au duc Decazes.

Deccan. V. Dekkan.

Dèce. V. Decius.

décédé, ée adj. et n. Mort. *Un oncle décédé.* ▷ Subst. *Les ayants droit du décédé.*

décéder v. intr. [14] (Personnes) Mourir.

décelable adj. Qui peut être décelé.

déceler v. tr. [17] **1.** Découvrir (ce qui était caché). *Impossible de déceler le moindre indice.* **2.** Être l'indice de; faire découvrir, révéler. *C'est un léger bruit qui décela sa présence.*

décélération n. f. Accélération négative, diminution de la vitesse d'un mobile. *Les effets de la décélération sur l'organisme d'un cosmonaute.*

décélérer v. intr. [14] Effectuer, subir une décélération.

décéléromètre n. m. TECH Appareil utilisé pour mesurer les décélérations.

décembre n. m. Douzième et dernier mois de l'année, comprenant trente et un jours. *Le jour de Noël est le 25 décembre.* ▷ HIST *2 Décembre* : nom du coup d'État du 2 déc. 1851, exécuté par Louis Napoléon Bonaparte, alors président de la Rép., en souvenir d'Austerlitz et du sacre de Napoléon Ier. L'Assemblée législ., mise hors d'état d'agir, fut dissoute et le suffrage universel rétabli. Cette manœuvre préluda à l'établissement du Second Empire, le 2 déc. 1852.

décembriste. V. décabriste.

décemment [desamɑ̃] adv. **1.** D'une manière décente. *Se vêtir, se comporter décemment.* **2.** En tenant compte des convenances, du bon sens. *On ne peut décemment pas le faire attendre.*

décemvir [desɛmviʀ] n. m. ANTIQ ROM Magistrat romain qui faisait partie d'un collège de dix membres. (Les décemvirs, au Ve s. av. J.-C., furent chargés de rédiger un code juridique.)

décence n. f. Respect de la pudeur, de la correction, de la modestie. *Montrer de la décence dans sa tenue.* - *Ayez au moins la décence de vous taire.*

décennal, ale, aux adj. **1.** Qui dure dix ans. *Engagement décennal.* **2.** Qui revient tous les dix ans. *Exposition décennale.*

décennie n. f. Période de dix ans.

décent, ente adj. Conforme à la décence, convenable. *Une tenue décente.* ▷ Raisonnable, acceptable. *Un salaire décent.*

décentrage n. m. Action de décentrer; fait d'être décentré. ▷ OPT, PHOTO Syn. de *décentrement.*

décentralisateur, trice adj. et n. Qui concerne la décentralisation. *Une réforme décentralisatrice.* ▷ Subst. Partisan de la décentralisation.

décentralisation n. f. ADMIN Système dans lequel une collectivité ou un service technique s'administrent eux-mêmes sous le contrôle de l'État. - Mise en œuvre de ce système.

décentraliser v. tr. [1] Procéder à la décentralisation de.

décentrement n. m. ou **décentration** n. f. **1.** OPT Défaut d'alignement des centres des lentilles. **2.** PHOTO Action de décentrer l'objectif d'un appareil photographique. Syn. décentrage.

décentrer v. tr. [1] TECH Déplacer le centre de, ou écarter (qqch) du centre de. ▷ PHOTO Déplacer l'objectif d'un appareil photographique parallèlement à la surface sensible (pour éviter les déformations dues à la perspective). *Décentrer un objectif en largeur.*

déception n. f. Sentiment d'une personne trompée dans ses espérances. *Votre attitude lui a causé une cruelle déception.*

décérébrer v. tr. [14] PHYSIOL Ôter, détruire le cerveau de (un animal). ▷ Pp. adj. *Étude des réflexes sur une grenouille décérébrée.* - Fig. Qui semble privé de cerveau. *Une brute décérébrée.*

décerner v. tr. [1] **1.** Accorder (à qqn) des récompenses, des honneurs). *Décerner les palmes académiques à un professeur.* **2.** DR Vx Édicter, établir juridiquement. *La loi ne décerne aucune peine pour cette faute.* ▷ Mod. Ordonner qqch contre qqn. *Décerner un mandat de dépôt.*

décerveler v. tr. [17] Fam. **1.** Faire sauter, détruire la cervelle de. **2.** Fig. Retirer tout jugement à, abrutir.

décès [desɛ] n. m. DR ADMIN Mort naturelle d'une personne. *Acte de décès.* – Cour. Mort. *Le décès d'un de ses proches l'a beaucoup affecté.*

De Céspedes (Alba) (Rome, 1911 – Paris, 1997), romancière italienne, analyste du comportement psychologique et social de la femme (*la Bambolona*, 1967).

décevant, ante adj. Qui apporte des déceptions. *Une réaction décevante.*

décevoir v. tr. [5] **1.** Tromper (qqn) dans ses espérances. *Ce voyage m'a beaucoup déçu.* **2.** Litt. Ne pas répondre à l'attente de. *Il ne vous pardonnera jamais d'avoir déçu sa confiance.*

déchaîné, ée adj. **1.** (Choses) Violent, très agité. *Les vents déchaînés.* ▷ Outré. *Un snobisme déchaîné.* **2.** (Personnes) Exubérant; délivré de toute retenue. *Il est déchaîné ce soir!*

déchaînement n. m. Action de déchaîner, de se déchaîner; état de ce qui est déchaîné.

déchaîner v. tr. [1] **1.** Exciter, soulever, libérer de tout frein. *Une polémique qui déchaîne les passions.* **2.** v. pron. *Les éléments s'étaient déchaînés avec une violence inouïe.* ▷ (Personnes) S'emporter violemment.

déchanter v. intr. [1] **1.** Rare Changer de ton. **2.** Rabattre de ses prétentions, de ses espérances.

décharge n. f. **I. 1.** Vx Action d'enlever une charge. **2.** Lieu où l'on décharge (des ordures, des déchets). *Décharge publique.* **3.** TECH *Tuyau de décharge*, par lequel se fait l'écoulement des eaux. – Ouverture pratiquée pour permettre cet écoulement. *Déboucher une décharge.* **4.** ARCHI *Arc de décharge*, construit pour diminuer, en la répartissant, la charge supportée par la partie inférieure d'un édifice. **II. 1.** Action de faire partir un projectile d'arme à feu. – Salve, tir simultané de plusieurs armes à feu. *Décharge d'artillerie.* **2.** *Décharge électrique* : phénomène qui se produit lorsqu'un conducteur soumis à un potentiel électrique perd brusquement sa charge. ▷ *Décharge disruptive*, qui entraîne la perforation d'un diélectrique. – *Décharge d'un condensateur*, qui neutralise les charges des armatures de ce condensateur. – *Décharge d'un accumulateur*, réduction de la quantité d'électricité emmagasinée. *Une batterie dont la décharge est anormale.* **III. 1.** DR Se dit de tout ce qui tend à réduire ou à invalider les charges qui pèsent sur un accusé (dans l'expr. *à décharge*). *Témoin à décharge.* ▷ Cour. *Il faut dire à sa décharge...* **2.** Attestation qui dégage la responsabilité de qqn. *Faire signer une décharge.* **3.** FISC Annulation d'une imposition abusive.

déchargement n. m. **1.** Action de décharger (un navire, un camion, etc.). *Procéder au déchargement d'un avion.* **2.** Enlèvement des projectiles introduits dans une arme à feu.

décharger v. [13] **I.** v. tr. **1.** Enlever les marchandises, les objets dont un navire, un camion, etc., sont chargés. *Décharger un bateau. Décharger des briques d'un camion.* **2.** Débarrasser d'un poids qui surcharge. *Décharger un plancher.* **3.** v. pron. S'écouler (en parlant des eaux). *Le trop-plein se décharge dans un bassin.* **4.** Fig., fam. *Décharger son cœur, sa bile, sa colère* : dire enfin l'objet de sa souffrance, de sa rancœur, de son mécontentement. **II.** v. intr. IMPRIM Maculer. *Cette encre décharge.* ▷ Déteindre (en parlant d'une étoffe). **III.** *Décharger de.* **1.** Dispenser (qqn d'une charge, d'un travail). *Je vous déchargerai de ce soin.* – v. pron. *Il se décharge de toute la comptabilité sur ses collaborateurs.* **2.** Innocenter (un accusé des charges qui pèsent contre lui). *Les conclusions des experts l'ont totalement déchargé de cette accusation.* **IV.** v. tr. **1.** Enlever la charge de (une arme à feu). *Décharger un pistolet avant de le nettoyer.* ▷ *Décharger une arme à feu*, tirer tous les projectiles qu'elle contient. **2.** Débarrasser (un appareil) de sa charge électrique. *Décharger une batterie.* – v. pron. *Pile qui se décharge à l'humidité.*

décharné, ée adj. **1.** Débarrassé de sa chair. *Un squelette décharné.* ▷ Fig. *Un style décharné*, sec, aride. **2.** Extrêmement maigre. *Visage décharné.*

décharnement n. m. État d'amaigrissement extrême.

décharner v. tr. [1] **1.** Dépouiller de la chair. *Décharner un os.* **2.** Amaigrir de façon importante. *La maladie l'a décharné.*

déchaumer v. tr. [1] AGRIC Enterrer les chaumes par un labour léger.

déchaussé, ée adj. **1.** Sans chaussure. *Pied déchaussé.* – *Carmes déchaussés* ou *déchaux**. **2.** Dont la base a une mauvaise assise. *Mur déchaussé.* – *Dent déchaussée*, dont la racine n'est plus maintenue correctement dans l'alvéole dentaire.

déchaussement n. m. **1.** Fait de se déchausser (construction; dent); état de ce qui est déchaussé. *Le déchaussement des dents.* – CONSTR *Le déchaussement d'un mur.* **2.** ARBOR Opération qui consiste à dégager le pied des arbres et des vignes pour y mettre du fumier.

déchausser v. [1] **I.** v. tr. **1.** Ôter ses chaussures à (qqn). ▷ v. pron. *Se déchausser avant d'entrer.* **2.** Mettre à nu le pied, la base de (qqch). *Déchausser un arbre, un mur.* – *Déchausser une dent*, la dégager de la gencive. ▷ v. pron. *Avoir les dents qui se déchaussent.* **II.** v. intr. SPORT Ôter ses skis. – ALPIN Ôter de ses chaussures les crampons à glace.

déchaux adj. *Carmes* déchaux*, qui vont pieds nus dans leurs sandales.

dèche n. f. Fam. Misère ou gêne passagère. *Être dans la dèche.*

déchéance n. f. **1.** Diminution, perte du rang social, de la réputation. *La déchéance d'une grande maison.* ▷ Cour. Affaiblissement (d'une faculté physique); décadence morale, avilissement. *Tomber dans la déchéance la plus totale.* **2.** DR Perte d'un droit ou d'une faculté (pour défaut d'usage dans les délais fixés ou dans les conditions prescrites par la loi). *Déchéance de la puissance paternelle.* ▷ Suspension (de qqn) d'un rang, d'une fonction. *L'Assemblée nationale prononça la déchéance de Louis XVI.* – HIST *Noble frappé de déchéance par décret royal.*

déchet n. m. **1.** Vx Perte qu'une chose éprouve dans sa quantité. *Le déchet du pain à la cuisson.* ▷ Mod. DR COMM *Déchet de route* : part admise de dépréciation (qualitative ou quantitative) d'une marchandise au cours d'un transport (par fer, mer, route, etc.). *Le déchet de route n'engage pas la responsabilité du transporteur.* **2.** Ce qui tombe lorsqu'on coupe, rogne, etc. (une matière). *Des déchets de viande, de laine.* **3.** (Plur.) Résidus, restes (sales, dangereux, etc.). *Déchets radioactifs.* **4.** Fig. Personne déchue, pitoyable ou méprisable. *C'est un déchet. Un déchet de la société.*

déchetterie n. f. Lieu public où les particuliers peuvent déposer dans des containers appropriés un certain type de déchets (métal, plastique, etc.).

déchiffrable adj. Qui peut être déchiffré.

déchiffrage n. m. Action de déchiffrer. – MUS Lecture et exécution à première vue d'un morceau de musique.

déchiffrement n. m. Action de déchiffrer (un texte codé, une affaire compliquée, etc.).

déchiffrer v. tr. [1] **1.** Trouver la signification de, traduire en clair (ce qui est écrit en chiffres, en caractères inconnus). *Déchiffrer un message codé. Déchiffrer des hiéroglyphes.* **2.** Lire (ce qui est difficile à lire). *Déchiffrer une écriture.* **3.** MUS Lire, jouer ou chanter de la musique à première vue. **4.** Fig. Démêler, pénétrer (ce qui est compliqué, obscur, etc.). *Déchiffrer une affaire.* – Litt. *Déchiffrer quelqu'un.*

déchiquetage n. m. Action de déchiqueter; son résultat.

déchiqueter v. tr. [20] **1.** Déchirer, tailler en menus morceaux. *Bête sauvage qui déchiquette sa proie.* – Pp. *Les lambeaux d'une étoffe déchiquetée.* **2.** Fig. Mettre en pièces (une idée, un argument, etc.).

déchiqueteur n. m. ou **déchiqueteuse** n. f. TECH Machine servant à déchiqueter. *Passer des lettres à détruire au déchiqueteur.*

déchirant, ante adj. Qui émeut pathétiquement. *Un spectacle déchirant. Des cris déchirants.*

déchiré, ée adj. Qui subit ou a subi un déchirement.

déchirement n. m. **1.** Action de déchirer; son résultat. – *Déchirement d'un muscle* : claquage. **2.** Fig. Souffrance morale extrême. *Cette séparation lui causa un réel déchirement.* **3.** Plur. Fig. Discordes, luttes intestines. *Les déchirements causés par la guerre civile.*

déchirer v. tr. [1] **1.** Mettre en pièces, en morceaux, sans se servir d'un instrument tranchant. *Déchirer du tissu.* ▷ v. pron. *Le papier se déchire facilement.* – MED *Se déchirer un muscle* : se rompre des fibres musculaires. **2.** Fig. Produire une sensation douloureuse ou désagréable sur. *Cette musique déchire les oreilles.* – Litt. *Ce spectacle déchirait mon âme.* **3.** Fig. Troubler par des dissensions violentes; diviser. *Les guerres de Religion déchirèrent la France au XVI*ᵉ *s.* ▷ v. pron. (récipr.) S'outrager; s'injurier. *Des politiciens qui se déchirent entre eux.*

De Chirico (Giorgio) (Volos, Grèce, 1888 – Rome, 1978), peintre italien. Ses œuvres «métaphysiques», symbolistes et oniriques (1912-1919), préludent au surréalisme. Après 1920, il se confine dans l'académisme. ► illustr. page **502**

déchirure n. f. **1.** Rupture faite en déchirant. *Faire une déchirure à un vêtement.* – MED Rupture d'un tissu. *Déchirure musculaire, ligamentaire.* **2.** Litt., fig. Douleur morale très vive.

déchlorurer [deklɔʀyʀe] v. tr. [1] Didac. Débarrasser (l'alimentation, l'eau, le sol, etc.) des chlorures. – *Régime déchloruré*, sans sel. Syn. désodé.

déchocage n. m. MED Ensemble de manœuvres pratiquées en urgence pour ranimer un sujet en état de choc (hémorragie grave, choc anaphylactique, etc.).

déchoir v. intr. [51] (Princ. employé à l'infinitif et au pp.) Tomber d'un état dans un autre, inférieur. *Déchoir de son*

De Chirico : *Place romaine,* 1921 ; coll. part., Lausanne

rang. ▷ *Être déchu d'un droit,* en être dépossédé.

déchoquer v. tr. [1] MED Pratiquer le déchocage de. *Déchoquer un malade.*

déchristianisation [dekʀistjanizasjɔ̃] n. f. Fait de déchristianiser ou de se déchristianiser; son résultat.

déchristianiser [dekʀistjanize] **1.** v. tr. [1] Faire perdre la religion chrétienne à (un peuple, une nation, un État). **2.** v. pron. Perdre la religion chrétienne. – Pp. adj. *Région déchristianisée.*

déchu, ue adj. **1.** Tombé dans un état inférieur; atteint de déchéance. *Gloire déchue. Roi déchu.* **2.** Privé de (un droit, une qualité juridique, etc.). *Déchu de la nationalité française.* **3.** THEOL Qui a perdu l'état de bienheureux. *Ange déchu.*

déci-. Élément, du lat. *decimus,* « dixième partie ».

déci n. m. (Suisse) Mesure utilisée pour le vin dans les cafés et les restaurants.

décibel n. m. **1.** PHYS Unité (égale à 1/10 de bel) sans dimension, exprimant le rapport entre deux grandeurs, notam. deux intensités sonores (symbole dB). **2.** (au plur.) Fam. Bruit insupportable.

décidabilité n. m. LOG Caractère décidable d'une proposition.

décidable adj. **1.** Qui peut faire l'objet d'une décision. **2.** LOG *Formule décidable :* formule mathématique qui peut être démontrée ou réfutée.

décidé, ée adj. **1.** Sur quoi on a pris une décision. *C'est une chose décidée.* **2.** Résolu, ferme. *Une personne décidée.*

décidément adv. (Au début d'une phrase.) Vraiment, tout bien considéré. *Décidément, il n'a pas de chance.*

décider v. [1] **I.** v. tr. dir. **1.** Prendre la résolution, la décision de. *J'ai décidé son départ.* – (S. comp.) *C'est lui qui décide.* **2.** *Décider qqn à faire qqch :* déterminer qqn à faire qqch. *Je l'ai décidé à venir.* **II.** v. tr. indir. **1.** *Décider de qqch :* statuer sur, décréter sur, disposer de qqch. *C'est la justice qui décidera du bien-fondé de votre plainte.* – *Une conversation qui décida de son avenir.* **2.** *Décider de* (suivi de l'inf.) : prendre la résolution de. *Il a décidé de partir.* **III.** v. pron. **1.** *Se décider à* (+ inf.) : prendre la décision de. *Il s'est enfin décidé à revenir.* **2.** *Se décider pour* (ou *contre*) *qqn ou qqch :* se prononcer pour (ou contre), se déclarer partisan (ou adversaire) de qqn ou qqch.

décideur, euse n. Personne qui a le pouvoir de prendre des décisions.

décigrade n. m. GEOM Dixième partie du grade (symbole dgr).

décigramme n. m. Dixième partie du gramme (symbole dg).

décilitre n. m. Dixième partie du litre (symbole dl).

décimal, ale, aux adj. et n. f. **1.** adj. Qui a pour base le nombre 10. *Numération décimale. Logarithme décimal.* – *Système décimal,* fondé sur la numération décimale. ▷ *Fraction décimale,* dont le dénominateur est une puissance de 10. – *Nombre décimal :* nombre composé d'une partie entière et d'une fraction décimale séparées par une virgule. *2,5 est un nombre décimal. 5 est la partie décimale de 2,5.* **2.** n. f. Chacun des chiffres qui forment une fraction décimale dans un nombre et sont séparés de la partie entière par une virgule. *5 et 6 sont des décimales dans 2,56.*

décimalisation n. f. Didac. Conversion d'un système de mesure non décimal en système de mesure décimal.

décimaliser v. tr. [1] Didac. Opérer la décimalisation.

décimation n. f. **1.** ANTIQ ROM Action de décimer; son résultat. **2.** Mod. Ravages commis dans une population par une catastrophe naturelle, une guerre, etc.

décime n. **1.** n. m. FISC Taxe ou impôt égal au dixième du principal et qui vient s'y ajouter (partic., à titre d'amende fiscale). ▷ Rare Dixième partie du franc. **2.** n. f. HIST Impôt levé par le roi sur le clergé.

décimer v. tr. [1] **1.** ANTIQ ROM Mettre à mort un homme sur dix par tirage au sort. *Décimer une armée après une mutinerie.* **2.** Mod. Faire périr une proportion importante d'une population, en parlant d'une catastrophe naturelle, d'une guerre, etc. *La grande peste de 1348 décima l'Europe.*

décimètre n. m. **1.** Dixième partie du mètre (symbole dm). *Le décimètre carré (dm²) est la centième partie du mètre carré; le décimètre cube (dm³) est la millième partie du mètre cube.* **2.** TECH Règle mesurant 1 dm, graduée en centimètres et millimètres. ▷ Cour. *Décimètre* ou *double décimètre :* règle graduée mesurant 20 centimètres.

Décines-Charpieu, com. du Rhône (arr. de Lyon); 24 608 hab. Industr. textiles. Prod. chimiques.

décintrer v. tr. [1] **1.** TRAV PUBL Débarrasser (une voûte, un arc) des cintres établis pour sa construction. **2.** Défaire les coutures qui cintrent (un vêtement).

décisif, ive adj. **1.** Qui résout, qui tranche (ce qui est incertain). *Une démonstration décisive.* – *Moment décisif,* où une chose se décide. – *Victoire, bataille décisive.* **2.** Qui indique l'esprit de décision. *Un ton décisif.*

décision n. f. **1.** Action de décider; son résultat. *Prendre une décision énergique. Décision de justice.* ▷ MILIT Document transmettant des ordres. *Exécuter une décision de l'état-major.* **2.** Fermeté et résolution. *Montrer de la décision. Esprit de décision.*

décisionnaire n. et adj. **1.** n. Décideur. **2.** adj. Qui se rapporte à la décision. *Pouvoir décisionnaire.*

décisionnel, elle adj. Didac. Relatif à une décision. *Argument décisionnel.*

décitex n. m. TEXT Unité de titrage valant 1 g pour 10 000 m de fil.

Decius (Caius Messius Quintus Decius Valerianus Trajanus), en fr. *Dèce* (Bubalia, près de Sirmium, Pannonie [auj. Sremska Mitrovica, Vojvodine], v. 201 – Abryttos, Mésie [auj. Aptaak, Bulgarie], 251), empereur romain de 248 à 251. Il persécuta les chrétiens.

déclamation n. f. **1.** Manière, action et art de déclamer. **2.** Cour. Langage pompeux et affecté.

déclamatoire adj. Emphatique, pompeux. *Ton déclamatoire.*

déclamer v. tr. [1] Réciter à haute voix avec le ton et les accentuations convenant à l'intelligence du texte. *Déclamer des vers.* – Péjor. *Déclamer un discours.* ▷ v. intr. Péjor. Parler avec emphase. *Chaque fois qu'il aborde ses sujets favoris, il ne parle plus, il déclame.* – Litt. *Déclamer contre :* parler violemment contre (qqn ou qqch).

déclarant, ante n. et adj. DR Personne qui déclare un fait (naissance, décès), une identité, etc., à qui de droit. – adj. *Le témoin déclarant.*

déclaratif, ive adj. **1.** DR Se dit d'un acte par lequel on constate un état de choses, un fait, un droit, etc. *Acte déclaratif de propriété. Jugement déclaratif de filiation,* qui atteste une filiation contestée. **2.** GRAM *Verbes déclaratifs,* qui indiquent une communication (ex. : dire, raconter, etc.), par opposition à ceux qui expriment une disposition d'esprit (ex. : croire, vouloir, juger, etc.).

déclaration n. f. **1.** Action de déclarer; discours, acte, écrit par lequel on déclare. *Faire une déclaration. Déclaration de guerre.* **2.** *Absol.* Action de déclarer ses sentiments amoureux à la personne concernée. *Faire sa déclaration.* **3.** Action de proclamer ouvertement et solennellement; proclamation solennelle. *Déclaration de principes. La Déclaration des droits de l'homme et du citoyen. La Déclaration d'indépendance des États-Unis d'Amérique.* **4.** Action de porter (qqch) à la connaissance des autorités compétentes. *Déclaration d'une naissance à la mairie.* ▷ DR Jugement déclarant un fait comme accompli. *Déclaration de faillite.* ▷ *Déclaration d'impôts :* écrit par lequel le contribuable déclare ses revenus et ses biens soumis à l'impôt.

ENCYCL **Hist.** – *Déclaration des droits (Bill of Rights) :* acte constitutionnel anglais ratifié par Guillaume III (1689). Il rap

DECLARATION
DES DROITS DE L'HOMME ET DU CITOYEN.

Décrétés par la Convention Nationale en 1793 acceptés par le Peuple Français.

PRÉAMBULE

Le peuple français, convaincu que l'oubli et le mépris des droits naturels de l'homme, sont les seules causes des malheurs du monde, a résolu d'exposer dans une déclaration solennelle ces droits sacrés et inaliénables, afin que tous les citoyens, pouvant comparer sans cesse les actes du Gouvernement avec le but de toute institution sociale, ne se laissent jamais opprimer et avilir par la tyrannie; afin que le peuple ait toujours devant les yeux les bases de sa liberté et de son bonheur, le magistrat la règle de ses devoirs, le législateur l'objet de sa mission.

En conséquence, il proclame en présence de l'Etre-suprême, la déclaration suivante des droits de l'homme et du citoyen.

ARTICLE PREMIER.

Le but de la société est le bonheur commun.

Le gouvernement est institué pour garantir à l'homme la jouissance de ses droits naturels et imprescriptibles.

II.

Ces droits sont l'égalité, la liberté, la sûreté, la propriété.

III.

Tous les hommes sont égaux par la nature et devant la loi.

IV.

La loi est l'expression libre et solennelle de la volonté générale; elle est la même pour tous, soit qu'elle protège, soit qu'elle punisse; elle ne peut ordonner que ce qui est juste et utile à la société: elle ne peut défendre que ce qui lui est nuisible.

V.

Tous les citoyens sont également admissibles aux emplois publics. Les peuples libres ne connoissent d'autres motifs de préférences dans leurs élections que les vertus et les talens.

VI.

La liberté est le pouvoir qui appartient à l'homme de faire tout ce qui ne nuit pas aux droits d'autrui: elle a pour principe la nature; pour règle la justice; pour sauve-garde la loi; sa limite morale est dans cette maxime: *ne fais à autre ce que tu ne veux pas qu'il te soit fait.*

VII.

Le droit de manifester sa pensée et ses opinions, soit par la voye de la presse, soit de toute autre maniere, le droit de s'assembler paisiblement, le libre exercice des cultes ne peuvent être interdits.

La nécessité d'énoncer ces droits suppose ou la présence ou le souvenir récent du despotisme.

VIII.

La sûreté consiste dans la protection accordée par la société à chacun de ses membres pour la conservation de sa personne, de ses droits et de ses propriétés.

IX.

La loi doit protéger la liberté publique et individuelle contre l'oppression de ceux qui gouvernent.

X.

Nul ne doit être accusé, arrêté, ni détenu que dans les cas déterminés par la loi, et selon les formes qu'elle a prescrites. Tout citoyen appellé ou saisi par l'autorité de la loi doit obéir à l'instant: il se rend coupable par la résistance.

XI.

Tout acte exercé contre un homme hors des cas et sans les formes que la loi détermine est arbitraire et tyrannique: celui contre lequel on voudroit l'exécuter par la violence a le droit de le repousser par la force.

XII.

Ceux qui solliciteroient, expédieroient, signeroient, exécuteroient ou feroient exécuter des actes arbitraires, sont coupables et doivent être punis.

XIII.

Tout homme étant présumé innocent jusqu'à ce qu'il ait été déclaré coupable, s'il est jugé indispensable de l'arrêter, toute rigueur qui ne seroit pas nécessaire pour s'assurer de sa personne, doit être sévèrement réprimé par la loi.

XIV.

Nul ne doit être jugé ni puni, qu'après avoir été entendu ou légalement appellé et qu'en vertu d'une loi promulguée antérieurement au délit. La loi qui puniroit les délits commis avant qu'elle existât, seroit une tyrannie: l'effet rétroactif donné à la loi seroit un crime.

XV.

La loi ne doit décerner que des peines strictement et évidemment nécessaires: les peines doivent être proportionnées au délit, et utiles à la société.

XVI.

Le droit de propriété est celui qui appartient à tout citoyen de jouir et de disposer à son gré de ses biens, de ses revenus, du fruit de son travail et de son industrie.

XVII.

Nul genre de travail, de culture, de commerce ne peut être interdit à l'industrie des citoyens.

XVIII.

Tout homme peut engager ses services, son tems; mais il ne peut se vendre ni être vendu. Sa personne n'est pas une propriété aliénable. La loi ne reconnoit point de domesticité; il ne peut exister qu'un engagement de soins, et de reconnoissance entre l'homme qui travaille et celui qui l'emploie.

XIX.

Nul ne peut être privé de la moindre portion de sa propriété sans son consentement, si ce n'est lorsque la nécessité publique, légalement constatée l'exige, et sous la condition d'une juste et préalable indemnité

XX.

Nul contribution ne peut être établie que pour l'utilité générale. Tous les citoyens ont droit de concourir à l'établissement des contributions, d'en surveiller l'emploi, et de s'en faire rendre compte.

XXI.

Les secours publics sont une dette sacrée. La société doit la subsistance aux citoyens malheureux, soit en leur procurant du travail, soit en assurant les moyens d'exister à ceux qui sont hors d'état de travailler.

XXII.

L'instruction est le besoin de tous. La société doit favoriser de tout son pouvoir les progrès de la raison publique, et mettre l'instruction à la portée de tous les citoyens

XXIII.

La garantie sociale consiste dans l'action de tous pour assurer à chacun la jouissance et la conservation de ses droits: cette garantie repose sur la souveraineté nationale.

XXIV.

Elle ne peut exister, si les limites des fonctions publiques ne sont pas clairement déterminées par la loi, et si la responsabilité de tous les fonctionaires n'est pas assurée.

XXV.

La Souveraineté réside dans le peuple. Elle est une et indivisible imprescriptible et inaliénable.

XXVI.

Aucune portion du peuple ne peut exercer la puissance du peuple entier; mais chaque section du souverain assemblée, doit jouir du droit d'exprimer sa volonté avec une entiere liberté

XXVII.

Que tout individu qui usurperoit la souveraineté soit à l'instant mis à mort par les hommes libres.

XXVIII.

Un peuple a toujours le droit de revoir, de réformer et de changer sa constitution. Une génération ne peut assujétir à ses loix les générations futures.

XXIX.

Chaque citoyen a un droit égal de concourir à la formation de la loi, et à la nomination de ses mandataires ou de ses agens.

XXX.

Les fonctions publiques sont essentiellement temporaires; elles ne peuvent être considérées comme des distinctions ni comme des récompenses, mais comme des devoirs.

XXXI.

Les délits des mandataires du peuple et de ses agens ne doivent jamais être impunis. Nul n'a le droit de se prétendre plus inviolable que les autres citoyens.

XXXII.

Le droit de présenter des pétitions aux dépositaires de l'autorité publique ne peut, en aucun cas, être interdit, suspendu ni limité.

XXXIII.

La résistance à l'oppression est la conséquence des autres droits de l'homme.

XXXIV.

Il y a oppression contre le corps social, lorsqu'un seul de ses membres est opprimé. Il y a oppression contre chaque membre lorsque le corps social est opprimé.

XXXV.

Quand le Gouvernement viole les droits du peuple, l'insurrection est pour le peuple, et pour chaque portion du peuple le plus sacré des droits et le plus indispensable des devoirs.

éclaration *des droits de l'homme et du citoyen décrétés par la Convention en 1793*; musée Carnavalet, Paris

pelait les droits fondamentaux du Parlement et des sujets. – *Déclaration d'indépendance :* acte par lequel les treize colonies angl. d'Amérique proclamèrent leur indép. (4 juillet 1776), prélude à la guerre d'Indépendance (1776-1783) des É.-U. – *Déclaration des droits de l'homme et du citoyen :* acte voté par l'Assemblée constituante le 26 août 1789. Il visait à une portée universelle et inspira la Constitution de 1791. Ses dix-sept art. définissaient les droits du citoyen (égalité devant la loi, respect de la propriété, liberté d'expression) et de la nation (souveraineté, séparation des pouvoirs). La source essentielle de ces principes se trouve dans les théories polit. des philosophes du XVIIIe s. Par la suite, les diverses Constitutions de la Rép. franç. les ont repris ou complétés dans leur préambule, notam. celles de 1793 (2e Déclaration des droits de l'homme) et de 1795 (3e Déclaration). – *Déclaration universelle des droits de l'homme :* acte voté le 10 déc. 1948 par l'O.N.U. Il cherche à définir les droits individuels, les libertés publiques, les droits écon., soc. et culturels, et à fixer les rapports de l'homme et de la société.

déclaratoire adj. DR Qui déclare qqch, en parlant d'un acte juridique.

déclaré, ée adj. Avoué, reconnu ; qui a nettement pris parti. *Un adversaire déclaré (de...).*

déclarer v. [1] **I.** v. tr. **1.** Manifester, faire connaître. *Déclarer ses intentions.* – *Déclarer la guerre :* annoncer qu'on va commencer les hostilités. **2.** Manifester l'existence de (qqch) aux autorités compétentes. *Déclarer un objet de valeur à la douane. Rien à déclarer ?* – *Déclarer un décès, une naissance à la mairie.* **3.** Décréter. *Déclarer une transaction nulle et non avenue.* **II.** v. pron. **1.** Manifester son existence, en parlant d'un phénomène dangereux. *Le choléra s'est déclaré. L'incendie s'est déclaré à midi.* **2.** Faire connaître sa pensée, ses intentions, son point de vue, etc. *Il s'est déclaré surpris par votre attitude.* – *Il s'est déclaré incompétent pour juger.* **3.** Prendre parti, se prononcer (pour ou contre). *Il s'est nettement déclaré contre la peine de mort.* **4.** (S. comp.) Vieilli, litt. Avouer son amour. *Il n'ose se déclarer.*

déclassé, ée adj. et n. Hors de sa classification ou de son classement. ▷ Déchu de son rang, de sa position sociale. *Bourgeois, noble déclassé.* ▷ Subst. *C'est un déclassé.*

déclassement n. m. Action de déclasser, de se déclasser ; état de ce qui est déclassé. *Déclassement social.*

déclasser v. tr. [1] **1.** Déranger (ce qui est classé). *Déclasser des dossiers.* **2.** Provoquer, être à l'origine de la chute de (qqn) vers une classe sociale inférieure. *Ses parents prétendent qu'un tel mariage l'a déclassé.* ▷ SPORT Faire rétrograder à une place inférieure un concurrent pour pénaliser un manquement au règlement de l'épreuve. – v. pron. *Se déclasser.* **3.** Classer (qqn ou qqch) à un rang inférieur. *Déclasser un restaurant.* ▷ *Déclasser un monument,* lui retirer sa qualification de monument classé. ▷ Spécial. *Déclasser un voyageur,* le faire changer de classe.

déclassifier v. tr. [1] Rendre accessible un document d'archives jusque-là sous le régime du secret.

déclenchement n. m. Action de déclencher, fait de se déclencher. *Le déclenchement d'un mécanisme. Le déclenchement d'une offensive.*

déclencher v. tr. [1] **1.** Amorcer le fonctionnement de. *Déclencher le système d'alarme.* ▷ v. pron. *Le dispositif s'est déclenché automatiquement.* **2.** Provoquer subitement. *Son attitude déclencha une huée générale.* ▷ v. pron. *Réaction chimique qui se déclenche.*

déclencheur, euse adj. et n. m. Qui déclenche. ▷ n. m. Appareil qui déclenche un mécanisme. *Le déclencheur (de l'obturateur) d'un appareil photographique.*

déclic n. m. **1.** Décrochement d'un organe, d'une pièce (*cliquet*) qui déclenche le fonctionnement d'un mécanisme. *Faire fonctionner un déclic.* **2.** Bruit sec et métallique que fait un mécanisme qui se déclenche. **3.** Fig., fam. Prise de conscience, compréhension soudaine. *Pour lui, cette phrase a été le déclic.*

déclin n. m. État de ce qui tend vers sa fin, de ce qui perd de sa force. *Le déclin du jour. Une gloire sur son déclin.*

déclinable adj. GRAM Qui peut se décliner.

déclinaison n. f. **1.** GRAM Dans les langues flexionnelles (latin, russe, etc.), ensemble des formes (cas) que peuvent prendre les noms, pronoms et adjectifs selon leur fonction dans la phrase. **2.** COMM Action de décliner un produit ; gamme de produits en résultant. **3.** PHYS *Déclinaison magnétique :* angle qui sépare la direction du nord magnétique de celle du nord géographique. **4.** ASTRO *Déclinaison d'un astre :* hauteur d'un astre au-dessus du plan équatorial.

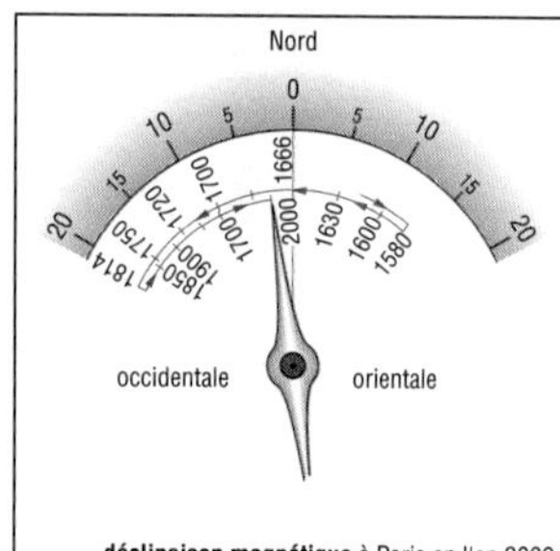

déclinaison magnétique à Paris en l'an 2000

déclinant, ante adj. Qui est sur son déclin.

décliner v. [1] **I.** v. intr. **1.** Tendre vers sa fin. *Le jour commence à décliner.* **2.** S'affaiblir, tomber en décadence. *Ses forces déclinent de jour en jour.* **3.** ASTRO S'éloigner de l'équateur céleste. *Un astre qui décline.* **II.** v. tr. **1.** GRAM Énumérer les différents cas (nominatif, génitif, etc.) de la déclinaison d'un mot. ▷ v. pron. *En latin, les noms et les adjectifs se déclinent.* **2.** Fig. Énoncer qqch dans ses composantes ou sous ses différents aspects. *Décliner un slogan publicitaire.* ▷ *Décliner son identité :* l'énoncer avec précision. **3.** COMM Faire plusieurs présentations de (un même produit). **4.** DR Écarter, refuser de reconnaître (qqch). *Décliner la compétence du tribunal.* **5.** Refuser d'accepter (qqch). *Décliner une invitation.* – *Décliner toute responsabilité dans une affaire.*

décliqueter v. tr. [20] TECH Dégager le cliquet (d'un mécanisme).

déclive adj. et n. f. Qui va en pente. *Terrain déclive.* – n. f. *Chaussée en déclive.*

déclivité n. f. État de ce qui est en pente ; pente. *La déclivité d'un terrain.*

décloisonnement n. m. Fait de décloisonner (surtout au sens 2) ; état de ce qui est décloisonné.

décloisonner v. tr. [1] **1.** Ôter les cloisons de. **2.** Fig. Enlever ce qui sépare, ce qui fait obstacle à la communication entre (des services, des bureaux).

déclouer v. tr. [1] Défaire, enlever les clous de (ce qui était cloué).

déco (art). V. art* déco.

décocher v. tr. [1] **1.** Lancer avec un arc, une arbalète. *Décocher une flèche.* – *Par ext.* Lancer, envoyer très brusquement. *Décocher un coup de poing à qqn.* **2.** Fig. Lancer vivement (une remarque malicieuse, ironique, etc.). *Décocher un sarcasme.*

décoction n. f. Procédé consistant à faire bouillir une substance dans un liquide, pour en extraire les principes solubles. – Produit ainsi obtenu.

décodage n. m. Action de décoder.

décoder v. tr. [1] **1.** Déterminer le sens (d'un message codé). – Transformer en langage clair (une information codée). **2.** Procéder au décryptage de (une émission de télévision, un message informatique).

décodeur n. m. **1.** TECH Appareil qui permet de décoder des informations. **2.** LING Sujet parlant, en tant que destinataire actif du message linguistique.

décoffrage n. m. CONSTR Opération qui consiste à ôter les coffrages d'un ouvrage lorsque le béton a une résistance suffisante.

décoffrer v. tr. [1] CONSTR Procéder au décoffrage de.

décoiffer v. tr. [1] **1.** Enlever le chapeau de (qqn). ▷ v. pron. Se découvrir afin de saluer. **2.** Déranger, défaire la coiffure de (qqn). *Le vent m'a décoiffé. Être décoiffé.* **3.** Fig., fam. Remplir d'étonnement ou d'admiration. *Ce spectacle ça décoiffe !* **4.** TECH Ôter ce qui coiffe (qqch). *Décoiffer une fusée d'obus.*

décoincement ou **décoinçage** n. m. Action de décoincer ; son résultat.

décoincer v. tr. [12] Dégager (ce qu était coincé).

décolérer v. intr. [14] Cesser d'êtr en colère. *Il ne décolère pas.*

décollable adj. Qui peut être décollé

décollage n. m. **1.** Action d'enleve (ce qui était collé). **2.** AVIAT Fait de déco ler ; moment où un avion décolle. ▷ ECO (Trad. de l'angl. *take off.*) *Décollage éco nomique :* moment du développemen d'un pays, à partir duquel on considèr que celui-ci a quitté le niveau de pays sous-développés. *Le difficile déco lage économique des jeunes nations d tiers monde.*

décollation n. f. Vx Action pa laquelle on décapite qqn.

décollectivisation n. f. Action d décollectiviser.

décollectiviser v. tr. [1] Faire cesse la collectivisation de.

décollement n. m. Action de déco ler, de se décoller ; état de ce qui e décollé. – MED Séparation d'un tiss d'un organe, de la partie à laquelle adhérait. *Décollement de la rétine.*

1. décoller v. [1] **1.** v. tr. Sépare détacher (ce qui était collé). *Décoll une étiquette.* – v. pron. *La couverture d livre se décolle.* **2.** v. intr. Quitter le s (en parlant d'un avion) ou un pla d'eau (en parlant d'un hydravion). *Not avion a pu décoller malgré le brouillard.*

SPORT Se séparer du peloton. **3.** v. intr. Fig., fam. *Il ne décolle pas de chez nous,* il y est toujours, ne s'en va pas. – Fam. Maigrir. *Il avait drôlement décollé, après sa jaunisse.*

2. décoller v. tr. [1] Vx, litt. Couper le cou à, décapiter (qqn).

décolletage n. m. **1.** Action de décolleter. *Le décolletage d'une robe.* ▷ Échancrure du corsage laissant le cou nu; décolleté. **2.** TECH Fabrication de vis, boulons, etc., au tour à décolleter. *Le décolletage permet la production de vis en très grande série.* **3.** AGRIC Action de décolleter (sens 4.).

décolleté, ée adj. et n. **1.** adj. Qui laisse apparaître le cou, les épaules, le haut de la poitrine. *Une robe décolletée.* ▷ Par ext. *Une femme décolletée,* qui porte une robe décolletée. **2.** n. m. *Le décolleté* : la partie décolletée d'un vêtement. ▷ *Porter un décolleté,* un vêtement décolleté. ▷ *Par ext.* Parties du corps que laisse apparaître un décolleté. *Un beau décolleté.*

décolleter v. tr. [20] **1.** Découvrir, laisser apparaître le cou, les épaules, le haut de la poitrine. **2.** Couper (un vêtement) de manière à dégager le cou. *Décolleter une robe.* **3.** TECH Fabriquer des pièces (vis, boulons, clous, etc.) les unes à la suite des autres à partir d'une même barre de métal. *Tour à décolleter :* machine-outil servant au décolletage. **4.** AGRIC Couper le haut de certaines racines pour les empêcher de bourgeonner. *Décolleter les betteraves avant de les mettre en silo.*

décolleuse n. f. TECH Machine à décoller les revêtements (muraux ou de sol).

décolonisation n. f. Processus par lequel un peuple accède à l'indépendance, cesse de dépendre politiquement de l'État qui l'avait colonisé.

décoloniser v. tr. [1] Accorder l'indépendance à (une colonie).

décolorant, ante adj. et n. m. **1.** CHIM Qui décolore. **2.** Cour. Qui est destiné à décolorer les cheveux. ▷ n. m. *Les décolorants.*

décoloration n. f. **1.** Perte de la couleur naturelle. **2.** Opération qui consiste à décolorer. *Se faire faire une décoloration chez le coiffeur.*

décoloré, ée adj. Qui a perdu sa couleur. *Une tenture décolorée. Cheveux décolorés à l'eau oxygénée.*

décolorer 1. v. tr. [1] Faire perdre en partie ou complètement sa couleur à (qqch). *Décolorer une étoffe. Se faire décolorer les cheveux* ou, s. comp., *se faire décolorer.* **2.** v. pron. Perdre de sa couleur ou sa couleur. *Cheveux qui se décolorent au soleil.*

décombres n. m. pl. **1.** Ruines, gravats qui restent après la démolition ou la destruction d'un édifice. *Des décombres encore fumants.* **2.** Fig. Restes de ce qui a été détruit. *Les décombres d'un empire.*

décommander 1. v. tr. [1] Annuler (une invitation, une commande, etc.). *Il a décommandé toutes les invitations qu'il avait lancées.* **2.** v. pron. Annuler un rendez-vous. *La réunion est reportée, le conférencier s'étant décommandé.*

de commodo et incommodo [dekɔmɔdoɛtinkɔmɔdo] loc. lat. ADMIN *Enquête de commodo et incommodo,* faite par l'Administration avant une déclaration d'utilité publique (en cas d'expropriation), ou avant d'accorder l'autorisation d'établir une industrie considérée comme potentiellement dangereuse, insalubre ou incommode.

décompensation n. f. MED Rupture de l'équilibre de l'organisme face à une affection jusqu'alors bien tolérée.

décompensé, ée adj. MED Se dit d'une affection au cours de laquelle l'organe atteint ne peut plus remplir son rôle (jusqu'alors assuré par compensation des parties restées saines). *Cardiopathie décompensée.*

décomplexer v. tr. [1] Fam. Enlever à qqn ses complexes, ses inhibitions. – v. pron. *Depuis ce jour, il s'est décomplexé.*

décomposable adj. Susceptible d'être décomposé.

décomposer v. tr. [1] **1.** Séparer les parties, les éléments d'une chose; analyser. *Décomposer une phrase.* – CHIM *Décomposer de l'eau.* – PHYS *Décomposer une force,* déterminer ses composantes. – MATH *Décomposer un nombre.* V. décomposition. **2.** Altérer profondément, gâter. *La chaleur décompose les matières animales.* – v. pron. *La viande se décompose sous l'effet de la chaleur.* **3.** Fig. Altérer, bouleverser. *La terreur décomposait son visage. Il était décomposé.* ▷ v. pron. *Ses traits se décomposèrent.*

décomposition n. f. **1.** Résolution d'une chose, d'un corps, en ses éléments; séparation de ses différentes parties constituantes. ▷ MATH *Décomposition d'un nombre en facteurs premiers :* opération qui consiste à remplacer un nombre par un produit équivalent de nombres premiers (ex. : $540 = 2^2 \times 3^3 \times 5$). *Décomposition d'un polynôme en un produit de facteurs :* opération qui consiste à transformer une somme de termes ($Ax^n + Bx^{n-1} + ...$) en un produit de facteurs ($A (x-a) (x-b)...$). **2.** Altération profonde d'une substance organique. *Cadavre en état de décomposition avancée.* **3.** Fig. Altération. *La décomposition de ses traits montrait qu'il avait peur.* **4.** Fig. Destruction, éclatement. *Les invasions barbares hâtèrent la décomposition de l'Empire romain.*

décompresser v. intr. [1] Faire cesser ou diminuer une compression ▷ Fam. Relâcher sa tension nerveuse.

décompresseur n. m. TECH **1.** Appareil qui réduit la pression (d'un fluide, d'un gaz comprimés). **2.** Soupape qui réduit la compression d'un moteur à explosion lors de sa mise en marche.

décompression n. f. Action de décomprimer; son résultat. *La décompression d'un gaz.* ▷ MED *Accident de décompression* (on dit aussi *maladie des caissons*). V. barotraumatisme.

décomprimer v. tr. [1] TECH Réduire ou faire cesser une compression.

décompte [dekɔ̃t] n. m. **1.** Déduction à faire sur une somme. *Faire le décompte des taxes sur une marchandise.* **2.** Compte détaillé d'une somme due. *Faire le décompte d'une facture.*

décompter [dekɔ̃te] v. [1] **1.** v. tr. Déduire d'une somme. *Décompter les frais généraux d'un bénéfice.* **2.** v. intr. Se dit d'une pendule dont la sonnerie n'est pas en accord avec l'heure indiquée par les aiguilles. *Réveil qui décompte.*

déconcentration n. f. ADMIN Système dans lequel l'autorité centrale délègue des pouvoirs à ses subordonnés. – Mise en œuvre de ce système. ▷ Cour. Transfert d'une partie des bureaux, usines, etc., d'un organisme centralisé, en un lieu éloigné du siège de cet organisme.

déconcentrer v. tr. [1] **1.** Procéder à une répartition moins concentrée, moins centralisée. **2.** Fig. Troubler la concentration de (qqn). *Déconcentrer un artiste.* ▷ v. pron. Relâcher sa concentration, son attention.

déconcertant, ante adj. Qui déconcerte. *Une question déconcertante.*

déconcerter v. tr. [1] **1.** Troubler, dérouter, faire perdre contenance à (qqn). *Un rien le déconcerte. Ce raisonnement m'avait déconcerté.* **2.** Vx, litt. Déranger. *Cela déconcerte tous mes projets.*

déconfit, ite adj. **1.** Vx, litt. Battu dans un combat. *Les assaillants, déconfits, abandonnèrent le siège de la ville.* **2.** Mod. Abattu, décontenancé. *Avoir la mine déconfite. Être tout déconfit.*

déconfiture n. f. **1.** Fam. Ruine financière; faillite morale. *Société qui tombe en déconfiture.* **2.** DR État d'un débiteur non commerçant insolvable. **3.** Vx, litt. Entière défaite (au combat).

décongélation n. f. Action de décongeler.

décongeler v. tr. [17] Ramener (un corps congelé) à une température plus élevée que 0 °C. *Décongeler de la viande.*

décongestion n. f. ou **décongestionnement** n. m. Action de décongestionner; son résultat.

décongestionnant, ante adj. Qui décongestionne.

décongestionner v. tr. [1] **1.** Atténuer ou faire disparaître la congestion de (la peau, un organe). **2.** Fig. Atténuer, faire cesser l'encombrement de (une voie, un service). *Cette nouvelle avenue décongestionnera le centre de la ville.*

déconnant, ante adj. Fam. **1.** (Personnes) Qui déconne. **2.** (Choses) Qui ne fonctionne pas. **3.** Absurde.

déconnecté, ée adj. Fam. Qui a perdu le contact avec la réalité.

déconnecter v. tr. [1] Démonter, débrancher (ce qui connecte : tuyauterie de raccordement, raccord électrique). ▷ Par ext. Fig. Séparer, détacher.

déconner v. intr. [1] Fam. **1.** Dire ou faire des conneries. *Vous avez fini de déconner? 2. Il y a quelque chose qui déconne,* qui ne marche pas.

déconnexion n. f. **1.** Action de déconnecter; son résultat. **2.** Par ext. MED *Déconnexion neurovégétative :* suppression des réactions neurovégétatives par l'administration de médicaments.

déconseiller v. tr. [1] Conseiller de ne pas faire. *Je le lui ai vivement déconseillé.*

déconsidération n. f. Litt. Perte de l'estime et de la considération publiques.

déconsidérer 1. v. tr. [14] Faire perdre la considération, l'estime dont jouissait (qqn). *Cette affaire risque de le déconsidérer.* **2.** v. pron. Agir de telle façon qu'on perd la considération, l'estime dont on jouissait. *Il se déconsidère par ses mauvaises fréquentations.*

déconsigner v. tr. [1] **1.** Lever la consigne, la punition infligée à. *Déconsigner des troupes.* **2.** Retirer, dégager (les bagages mis à la consigne). *Déconsigner une malle.* **3.** Rembourser le prix de la consigne d'un emballage (princ. pour les bouteilles en verre).

décontamination n. f. Suppression de la contamination (de corps ayant subi l'action de radiations, de substances ou de germes nocifs).

décontaminer v. tr. [1] Procéder à la décontamination de.

décontamineur n. m. TECH Professionnel chargé de décontaminer les sites et les objets pollués par des substances nocives, notam. des poussières radioactives, ou les personnes qui ont été en contact avec elles.

décontenancer 1. v. tr. [12] Faire perdre contenance à (qqn). *Cette question l'a décontenancé.* 2. v. pron. Perdre contenance.

décontractant, ante adj. Qui détend, qui aide à se décontracter.

décontracté, ée adj. 1. Relâché (muscles). 2. Détendu. 3. Fig., fam. Insouciant.

décontracter v. tr. [1] 1. Faire cesser la contraction de. *Décontracter ses muscles.* 2. v. pron. Se détendre; pratiquer la décontraction musculaire. *Décontractez-vous en respirant fortement.*

décontraction n. f. 1. Relâchement du muscle succédant à la contraction. 2. Détente physique. 3. Fig., fam. Insouciance, laisser-aller.

décontracturant, ante adj. et n. m. MED Se dit d'une substance ou d'une manœuvre destinées à faire cesser une contracture musculaire. – n. m. Substance destinée à faire cesser une contracture musculaire.

déconventionner v. tr. [1] Mettre fin à une convention. ▷ *Spécial.* Faire cesser la convention qui lie un médecin, un établissement à la Sécurité sociale. – v. pron. *Le centre médical s'est déconventionné.* ▷ Pp. adj. *Un médecin déconventionné.*

déconvenue n. f. Désappointement dû à un insuccès, à un contretemps, à une erreur; vive déception. *Essuyer, subir, éprouver une déconvenue.*

décor n. m. 1. Ensemble de ce qui sert à décorer. *Cet hôtel particulier offre un superbe décor Empire.* 2. Au théâtre, au cinéma, à la télévision, ensemble de ce qui sert à représenter les lieux de l'action. *Changer les décors.* 3. Fig. *L'envers du décor* : le côté caché des choses. *Changement de décor* : évolution soudaine et marquée. 4. Environnement, cadre. *Mon décor quotidien.* 5. Loc. fam. *Aller, entrer dans le décor* : sortir des limites d'une route, d'une piste d'aéroport, etc., et heurter les obstacles qui les bordent.

décorateur, trice n. 1. Personne dont la profession est d'orner l'intérieur des appartements. *Peintre décorateur. Décoratrice d'intérieur.* 2. Personne dont la profession est de créer des décors de théâtre, de cinéma, de télévision. *Ce décorateur se consacre à l'opéra.*

décoratif, ive adj. 1. Qui décore agréablement, qui enjolive. *Des objets décoratifs.* 2. *Arts décoratifs*, qui ont pour fin la décoration, la stylisation, l'embellissement des objets d'utilité. *Musée des Arts décoratifs. Une grande exposition des arts décoratifs eut lieu à Paris en 1925.* – Abrév. *Le style art déco* : V. art* déco.

décoration n. f. 1. Action d'orner au moyen de peintures, tentures, sculptures, etc. *Elle a effectué elle-même la décoration de son appartement.* 2. Ensemble de ce qui décore. *La décoration d'une villa pompéienne.* 3. Insigne d'une récompense, d'un ordre honorifique. *Recevoir une décoration.*

décorder v. tr. [1] 1. TECH Disjoindre les brins (d'une corde, d'un câble). 2. Enlever les cordes de. *Décorder une raquette.* 3. v. pron. ALPIN Se détacher d'une cordée.

décorer v. tr. [1] 1. Orner, parer, embellir. *Décorer un appartement.* 2. Fig., vieilli Orner d'une apparence séduisante mais trompeuse. *Le cuisinier décore ce plat d'un nom ronflant.* 3. Conférer une décoration à (qqn). *Décorer qqn de l'ordre du Mérite.*

décorner v. tr. [1] 1. Arracher les cornes de. ▷ Fig., fam. *Un vent à décorner les bœufs*, très violent. 2. Aplatir les coins cornés de. *Décorner de vieilles images.*

décorticage n. m. 1. Opération qui consiste à décortiquer. 2. Fig. Analyse minutieuse et complète.

décortication n. f. 1. Action de décortiquer. 2. Grattage du tronc d'un arbre pour détruire les parasites. 3. CHIR Action de débarrasser un organe de son enveloppe fibreuse, normale ou pathologique.

décortiquer v. tr. [1] 1. Enlever l'écorce d'un arbre, l'enveloppe d'une graine, la carapace d'un crustacé, etc. *Décortiquer des cacahuètes.* 2. Fig. Faire l'analyse minutieuse et complète de (qqch). *J'ai beau décortiquer sa lettre, je n'y comprends rien.*

décorum [dekɔʀɔm] n. m. sing. 1. Pompe officielle. *Le décorum de la Cour.* 2. Dignité, respect des convenances, des usages de la société. *Respecter le décorum.*

De Coster (Charles) (Munich, 1827 – Ixelles, 1879), écrivain belge d'expression française; un des premiers romanciers belges modernes : *la Légende et les aventures d'Ulenspiegel et de Lamme Goedzak* (1867).

décote n. f. 1. FIN Baisse du cours, de la valeur. 2. Réduction d'impôt.

découcher v. intr. [1] Coucher ailleurs que chez soi; ne pas revenir chez soi de toute une nuit. *Jeune homme qui commence à découcher.*

découdre v. [76] I. v. tr. 1. Défaire (ce qui est cousu). *Découdre un ourlet.* – v. pron. Se dit des choses dont la couture se défait. *L'ourlet s'est décousu.* 2. VEN Déchirer avec ses défenses. *Le sanglier a décousu un chien.* II. v. intr. *En découdre* : se battre.

découler v. intr. [1] Être la conséquence de. *Les effets qui découlent d'une telle décision.*

découpage n. m. 1. Action de découper. *Procéder au découpage d'une tarte.* 2. Image que les enfants découpent. *Elle joue avec des découpages.* 3. AUDIOV *Découpage d'un film* : texte (ou script) découpé en plans et comportant toutes les indications nécessaires au tournage du film.

découpe n. f. TECH Action de découper; résultat de cette opération. – COUT Coupe pratiquée dans un vêtement ou morceau de tissu ajouté à un vêtement, dans un but décoratif.

découpé, ée adj. 1. Coupé suivant un dessin, un contour. *Une photographie découpée dans une revue.* 2. Qui comporte de nombreuses échancrures. *Côte découpée. Feuille découpée*, dont le limbe comporte de profondes échancrures.

découper v. tr. [1] 1. Couper en morceaux ou en tranches. *Découper un poulet, un gigot.* – Absol. *Savoir découper. Un couteau à découper.* 2. Couper avec régularité. *Découper du drap.* 3. Couper de manière à former une figure. *Découper en festons.* ▷ Couper avec des ciseaux en suivant un contour. *Découper une photographie dans un journal.* 4. AUDIOV Procéder au découpage d'un film. 5. v. pron. *Cette viande se découpe facilement.* – *Se découper sur* : se détacher sur (un fond). *Le clocher se découpe sur le ciel.*

découplé, ée adj. 1. VEN Détaché. *Chiens découplés.* 2. *Être bien découplé*, vigoureux et bien bâti.

découpler v. tr. [1] 1. VEN Détacher (des chiens attachés par une couple*). 2. ELECTRON, TELECOM Empêcher (deux circuits) de réagir l'un sur l'autre.

découpure n. f. 1. Action de découper une étoffe, du papier, etc.; son résultat. 2. Irrégularité d'un contour. *Les découpures d'une baie.*

Decour (Daniel Decourdemanche, dit Jacques) (Paris, 1910 – Mont-Valérien, 1942), universitaire et écrivain français. Créateur de la revue clandestine *les Lettres françaises* (1941), résistant, il fut arrêté en 1942 et fusillé par les nazis.

décourageant, ante adj. 1. (Personnes) Qui fait perdre courage, patience. *Un candidat décourageant de bêtise.* 2. (Choses) Qui fait perdre courage. *Un échec décourageant.*

découragement n. m. Abattement, perte de courage. *Tomber dans le découragement.*

décourager v. tr. [13] 1. Ôter le courage, l'énergie à. *Les obstacles le découragent. Cela décourage.* – Pp. adj. *Découragé par la pluie, il renonça à sortir.* 2. *Décourager qqn de*, lui faire perdre l'envie de. *Il voulait partir, ses amis l'en ont découragé.* 3. Rebuter. *Il décourage ma patience.* 4. v. pron. Perdre courage. *Ne vous découragez pas!*

découronner v. tr. [1] 1. Rare Enlever la couronne (sens 2) de. *Découronner un roi.* 2. Fig. Priver de ce qui couronne. *Découronner un arbre de sa cime.*

décours n. m. 1. ASTRO Déclin de la lune. 2. MED Période de déclin d'une maladie.

décousu, ue adj. et n. m. 1. Dont la couture est défaite. *Vêtement décousu.* 2. Fig. Sans suite. *Style décousu. Une conversation décousue.* – n. m. *Le décousu d'un discours.*

1. découvert n. m. 1. FIN Solde débiteur d'un compte. *Vendre à découvert* : vendre en Bourse des valeurs qu'on ne possède pas. *Être à découvert* : avoir un compte en banque dont le solde est négatif. 2. Loc. adv. *À découvert* : sans protection. *Combattre à découvert.* ▷ Fig. Clairement. *Parler à découvert.*

2. découvert, erte adj. Qui n'est pas couvert. *La tête découverte. Une allée découverte.* – *Pays découvert*, non boisé. ▷ Spécial. *Côte d'agneau découverte*, dont l'os est partiellement découvert. ▷ Fig. *À visage découvert* : ouvertement, sans se cacher.

découverte n. f. 1. Action de découvrir ce qui était caché ou inconnu. *La découverte d'un trésor, d'un vaccin.* 2. Chose que l'on a découverte. *Exploiter une grande découverte.* 3. SPECT Arrière-plan en trompe l'œil d'un décor. 4. Loc. adv. *Aller à la découverte*, en reconnaissance. – Fig. *Il va à la découverte de nouvelles idées.*

découvreur, euse n. Celui, celle qui fait des découvertes.

découvrir v. [32] I. v. tr. 1. Ôter ce qui couvre. *Découvrir un pot.* 2. Laisser voir. *Une robe sans manches qui découvre les bras.* 3. Faire cesser la protection de. *Découvrir sa dame*, au jeu d'échecs, la laisser isolée. 4. Révéler (c

Légion d'honneur (officier)

Croix de la Libération

Médaille militaire

Ordre national du Mérite (officier)

Croix de guerre (1914/1918)

Croix de guerre (1939/1945)

Croix des guerres des T.O.E.

Croix de la valeur militaire

Médaille de la Résistance

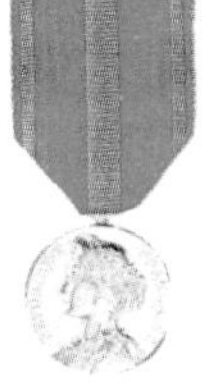
Médaille des évadés

Croix du combattant volontaire (1914/1918)

Croix du combattant volontaire de la Résistance

Médaille d'honneur de la Gendarmerie nationale

Ordre des Palmes académiques (officier)

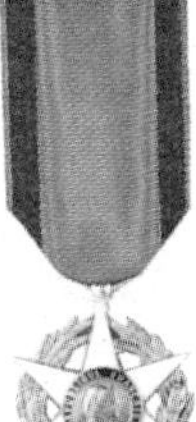
Ordre du Mérite agricole (officier)

Ordre du Mérite maritime (officier)

Ordre des Arts et des Lettres (officier)

Médaille de l'Aéronautique

Médaille (commémorative) de la Grande Guerre

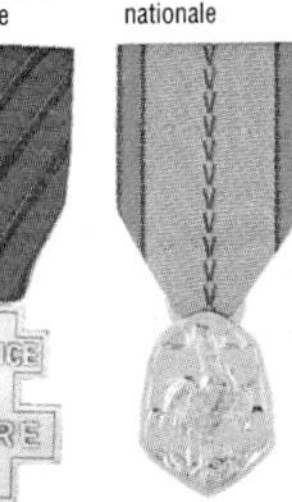

Médaille (commémorative) des services volontaires dans la France Libre

Médaille (commémorative) de la guerre (1939/1945)

Médaille (commémorative) de la campagne d'Indochine

Médaille (commémorative) des opérations de sécurité et de maintien de l'ordre en Afrique du Nord (Algérie)

Médaille d'honneur pour acte de courage et de dévouement (or)

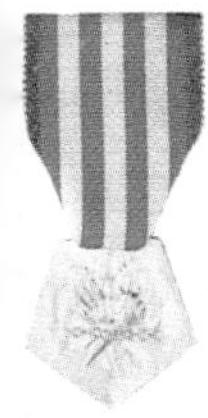
Médaille de la déportation pour faits de Résistance

Médaille d'honneur de la jeunesse et des sports (or)

Médaille d'honneur de la police

Médaille d'honneur des sapeurs-pompiers (25 ans)

Médaille d'honneur du Travail (30 ans)

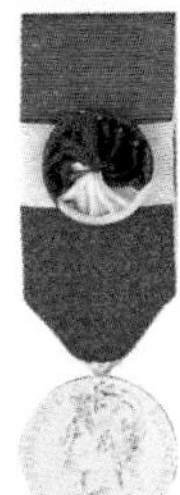
Médaille d'honneur agricole (30 ans)

Médaille d'honneur des Eaux et Fôrets

Médaille d'honneur des Chemins de Fer (30 ans)

qui était tenu caché). *Découvrir ses sentiments à qqn.* – Fig. *Découvrir son jeu :* laisser paraître ses intentions. **5.** Voir, apercevoir (ce qui n'est pas visible d'ailleurs). *Du haut de la tour, on découvre un beau panorama.* **6.** Trouver (ce qui n'était pas connu, ce qui était ignoré). *Découvrir une mine. Découvrir une planète. Découvrir la cause d'une maladie.* **7.** Parvenir à connaître (ce qui était caché, secret). *Découvrir un complot.* **II.** v. intr. *La mer découvre,* se retire. **III.** v. pron. **1.** Retirer ce qui couvre (le corps). *Ce malade se découvre continuellement. Se découvrir devant qqn,* ôter son chapeau pour le saluer. **2.** S'éclaircir (temps, ciel). *Le ciel se découvre.* **3.** S'exposer. *Le bataillon s'est découvert.* **4.** Se montrer. *La ville se découvre dans le lointain.* **5.** Livrer sa pensée. *Il se découvre à ses interlocuteurs.* **6.** Apprendre à se connaître soi-même. *Il s'est découvert fort tard.*

décrassage ou **décrassement** n. m. TECH Opération qui consiste à débarrasser la grille d'un foyer des matières non combustibles. ▷ Opération qui consiste à enlever les crasses et scories qui surnagent.

décrasser v. tr. [1] **1.** Enlever la crasse de. **2.** Fig., fam. *Décrasser qqn,* lui inculquer les rudiments d'un savoir; le former aux habitudes de la société. **3.** v. pron. Fig., fam. Commencer à acquérir les premières notions de ce qui vous est appris.

décrément n. m. INFORM Valeur dont une variable diminue à chaque exécution d'une opération cyclique.

décrémenter v. tr. [1] INFORM Diminuer d'un décrément.

décrépir v. tr. [3] CONSTR Enlever le crépi (d'un mur). – Pp. *Un mur décrépi.*

décrépissage n. m. CONSTR Action de décrépir; son résultat.

décrépit, ite adj. Très affaibli par la vieillesse. *Un vieillard décrépit.*

décrépitude n. f. **1.** Vieilli État de vieillesse extrême, de délabrement physiologique. **2.** Fig. Décadence. *Une institution en pleine décrépitude.*

decrescendo ou **décrescendo** [dekʀeʃendo] adv. et n. m. inv. **1.** adv. MUS En décroissant, en diminuant l'intensité des sons. – n. m. inv. Phrase musicale jouée decrescendo. *Faire un decrescendo.* **2.** Fig., fam. En décroissant, en déclinant. *Ragots qui vont decrescendo.*

décret [dekʀɛ] n. m. **1.** Décision, ordre émanant du pouvoir exécutif. *Un décret ministériel.* ▷ Fig. *Les décrets de la Providence, du destin, de la critique.* **2.** RELIG CATHOL Décision, ordre émanant de l'Église. *Décret pontifical.*

décréter v. tr. [14] **1.** Ordonner, régler par un décret. *Décréter la mobilisation générale.* **2.** Décider de manière autoritaire. *Il a décrété qu'il ne voulait plus me voir.*

décret-loi n. m. Décret que prend un gouvernement et qui a force de loi. *Des décrets-lois.*

décrier v. tr. [2] **1.** Vx Interdire par proclamation la circulation d'une monnaie, la vente d'une marchandise. **2.** S'efforcer de ruiner la réputation, l'autorité de (qqn, qqch). *Décrier un auteur.* – Pp. adj. *Une œuvre très décriée par la critique.*

décrire v. [67] **I.** v. tr. **1.** Représenter, dépeindre par des mots, en paroles ou par écrit. *Décrire une personne, une ville. Je renonce à décrire la confusion qui suivit.* **2.** Dessiner (une ligne courbe). *Les sinuosités que décrit la rivière.* **3.** GEOM Tracer, parcourir. *Un point qui se meut décrit une ligne droite ou courbe.* **II.** v. pron. Être représenté au moyen d'un discours. *Une telle scène ne peut se décrire.*

décrispation n. f. **1.** Action de décrisper; état qui en résulte. **2.** Atténuation des tensions, des conflits.

décrisper v. tr. [1] **1.** Décontracter (les muscles). **2.** Atténuer les tensions, les conflits. *Décrisper la situation politique.*

décrochage n. m. **1.** Action de décrocher. *Le décrochage des wagons.* **2.** MILIT Mouvement qui permet de décrocher. **3.** AVIAT Réduction brusque de la portance, lorsque l'angle d'incidence de la voilure dépasse la valeur maximale admissible. **4.** Fam. Fait d'abandonner une activité.

décrochement n. m. **1.** État de ce qui est décroché. **2.** Partie en retrait (dans une ligne, une surface). *Un décrochement dans une façade.* **3.** GEOL Faille accompagnée d'un déplacement horizontal des deux blocs.

décrocher v. [1] **I.** v. tr. **1.** Détacher (une chose qui était accrochée). *Décrocher un tableau.* ▷ Loc. fam. *Décrocher la timbale :* obtenir ce que l'on postulait depuis longtemps; être le gagnant dans une compétition. – *Vouloir décrocher la lune :* demander, tenter l'impossible. – *Bâiller à se décrocher la mâchoire :* faire de longs bâillements. ▷ (S. comp.) Décrocher le combiné d'un appareil téléphonique. *Pour appeler, décrochez et attendez la tonalité.* **2.** Fig., fam. Obtenir. *Il a enfin décroché son examen.* **II.** v. intr. **1.** Fam. Interrompre une activité. **2.** Fam. Ne plus porter son attention sur qqch. *La conférence m'ennuyait trop, j'ai décroché une demi-heure avant la fin.* **3.** MILIT Rompre le contact avec l'ennemi; se replier. **4.** AVIAT Subir le phénomène du décrochage, en parlant d'un aéronef.

décrocheur, euse n. (Canada) Adolescent qui abandonne ses études.

décrochez-moi-ça n. m. inv. Fam. Boutique, éventaire de fripier.

décroiser v. tr. [1] Cesser de croiser, faire cesser le croisement de. *Décroiser les bras.*

décroissance n. f. **1.** Diminution. *La décroissance de la fièvre.* **2.** PHYS NUCL *Décroissance radioactive :* diminution, au cours du temps, de l'activité d'une substance radioactive.

décroissant, ante adj. **1.** Qui décroît. **2.** MATH *Fonction décroissante,* qui varie dans le sens inverse de la variable dont elle dépend. *Suite décroissante,* dont les termes diminuent de valeur.

décroissement n. m. Diminution.

décroît n. m. ASTRO Décroissement de la Lune pendant son dernier quartier.

décroître v. intr. [72] Diminuer peu à peu; décliner. *Les jours décroissent en automne. Ses forces décroissent.* – N.B. *Décroître* se conjugue comme *croître,* sauf *décru,* qui ne prend pas d'accent circonflexe.

Decroly (Ovide) (Renaix, 1871 – Uccle, 1932), médecin et pédagogue belge. Sa méthode pédagogique, fondée sur l'étude des besoins de l'enfant, est largement appliquée en Belgique, mais moins connue en France.

décrotter v. tr. [1] **1.** Ôter la boue de. *Décrotter des souliers.* **2.** Fig., fam., vieilli Dépouiller (qqn) de sa rusticité. *Il a besoin d'être décrotté.*

décrottoir n. m. Lame de métal, scellée généralement dans le mur extérieur d'une maison, utilisée pour décrotter ses chaussures avant d'entrer.

décrue n. f. **1.** Baisse du niveau des eaux (après une crue). *La décrue de la rivière s'est accentuée.* **2.** Fig. Décroissance.

décrutement n. m. ECON Technique favorisant la mobilité de la main-d'œuvre, qui consiste, pour une entreprise, à faciliter le départ de certains de ses salariés (cadres, notam.) en leur assurant un autre emploi.

décryptage n. m. **1.** Action de découvrir le sens d'un texte chiffré dont on ne possède pas la clef. **2.** Action d'obtenir une émission cryptée sous forme intelligible au moyen d'un décodeur. **3.** INFORM Action d'accéder à une information cryptée.

décrypter v. tr. [1] Procéder au décryptage de.

déçu, ue adj. Qui a éprouvé une déception. ▷ *Espoir déçu,* non réalisé.

décubitus [dekybitys] n. m. MED Attitude du corps qui repose en position horizontale. *Décubitus dorsal, ventral, latéral.*

de cujus [dekyʒys] n. m. inv. (loc. lat.) DR Défunt, testateur. *Les volontés du de cujus.*

déculasser v. tr. [1] TECH Ôter la culasse de (une arme à feu, un moteur).

déculottée n. f. Fam. Défaite humiliante. ▷ Fessée.

déculotter **I.** v. tr. [1] **1.** Ôter la culotte, le pantalon de (qqn). **2.** Fam. *Déculotter une pipe,* enlever les dépôts agglomérés dans son fourneau. **II.** v. pron. **1.** Retirer sa culotte, son pantalon. **2.** Fig., fam. Abandonner toute réserve. ▷ Céder honteusement.

déculpabilisation n. f. Action de déculpabiliser; son résultat.

déculpabiliser v. tr. [1] Libérer (qqn) d'un sentiment de culpabilité.

déculturation n. f. ETHNOL Perte ou dégradation de l'identité culturelle.

décuple adj. et n. **1.** adj. Qui vaut dix fois. **2.** n. m. Quantité qui vaut dix fois une autre quantité. *Je lui ai rendu le décuple de son prêt.*

décuplement n. m. Action de décupler; résultat de cette action.

décupler v. [1] **I.** v. tr. **1.** Rendre dix fois plus grand. *Décupler sa fortune.* **2.** Fig. Augmenter considérablement. *Le désir de vaincre décuple ses forces.* **II.** v. intr. Devenir dix fois plus grand. *La valeur de ce tableau a décuplé.*

décurie n. f. ANTIQ ROM Troupe de dix soldats, le dixième de la centurie.

décurion n. m. ANTIQ ROM **1.** Chef d'une décurie. **2.** Membre d'une curie (sénat municipal dans l'Empire romain).

décurrent, ente adj. BOT Se dit d'un organe lamellaire qui se prolonge sur son support. *Feuille décurrente,* dont le limbe se prolonge sur la tige.

décuver v. tr. [1] TECH Retirer (le vin) d'une cuve.

dédaignable adj. (Surtout dans des phrases négatives.) Qui mérite d'être dédaigné. *Ces marques de faveur ne sont pas dédaignables.*

dédaigner v. tr. [1] **1.** Traiter avec dédain, marquer du dédain à l'égard de. *Dédaigner le pouvoir.* **2.** Négliger, rejeter comme sans intérêt, ou indigne de soi. *Dédaigner les services de qqn.* **3.** v. tr. indir. Litt. *Dédaigner de* (+ inf.). *Il dédaigne de nous parler.*

dédaigneusement adv. Avec dédain.

dédaigneux, euse adj. et n. Qui éprouve du dédain, qui montre du dédain. *Une mine dédaigneuse.* ▷ Subst. *Faire le dédaigneux.*

dédain n. m. Mépris, vrai ou affecté, manifesté par le ton, l'allure, les manières. *Recevoir un compliment avec dédain. Le dédain des honneurs.*

dédale n. m. **1.** Labyrinthe, lieu où l'on s'égare à cause de la complication des détours. *Le dédale des traboules lyonnaises.* **2.** Fig. Ensemble compliqué où il est difficile de se reconnaître. *Le dédale de la jurisprudence.*

Dédale, architecte légendaire grec. Venu d'Attique en Crète, il construisit le Labyrinthe, dans lequel le roi Minos emprisonna le Minotaure. Enfermé lui-même dans le Labyrinthe, il s'envola avec son fils Icare grâce à des ailes de cire et de plume qu'il avait fabriquées.

dedans adv., prép. et n. m. **I.** adv. de lieu. **1.** À l'intérieur. *On le cherchait dehors, il était dedans.* **2.** Loc. fam. *Mettre qqn dedans,* le tromper. ▷ Pop. *Mettre, fourrer dedans* : emprisonner, consigner. ▷ *Rentrer dedans (qqn)* : frapper (qqn). **3.** Loc. adv. *Là-dedans* : là, à l'intérieur, là où vous êtes. *Entrez là-dedans! Que faites-vous là-dedans?* ▷ *Au-dedans, en dedans* : à l'intérieur. *Il fait froid au-dedans comme au-dehors. La porte ouvre en dedans. Avoir les genoux en dedans,* cagneux. ▷ *De dedans* : de l'intérieur. *Il vient de dedans.* ▷ *Par-dedans,* par l'intérieur. *Passez par-dedans.* **II.** prép. de lieu. **1.** Vx Dans. *Dedans la ville.* **2.** Loc. prép. Vx *Par-dedans. Il a passé par-dedans la cour.* ▷ *En dedans de* : à l'intérieur de. *La maison se situe en dedans du village.* ▷ *Au-dedans de* : à l'intérieur de. *Au-dedans du village se trouve l'église.* **III.** n. m. **1.** Partie intérieure d'une chose. *Le dedans d'une maison.* **2.** Fig. Esprit (par oppos. au *corps*); monde intérieur (par oppos. au *monde extérieur*); intérieur (par oppos. à l'*extérieur*). *L'Espace du dedans,* titre d'un recueil de poèmes d'Henri Michaux. *Les ennemis du dedans,* de l'intérieur.

Dedekind (Richard) (Brunswick, 1831 - id., 1916), mathématicien allemand. Auteur de travaux d'analyse mathématique, il a formulé la *théorie des idéaux* (1871).

dédicace n. f. **1.** RELIG (judaïsme) Consécration du Temple de Jérusalem au culte. **2.** LITURG CATHOL Consécration d'une chapelle, d'une église au culte divin; inscription qui relate cette consécration. **3.** Consécration d'un monument à une personne. ▷ *Par ext.* Inscription qui relate cette consécration. **4.** Inscription par laquelle un auteur dédie son œuvre à qqn, ou en offre un exemplaire avec sa signature. *La dédicace des « Fleurs du mal » de Baudelaire à Théophile Gautier.*

dédicacer v. tr. [12] Faire l'hommage (d'un livre, d'une photographie), par une dédicace. – Pp. adj. *Cette comédienne envoie son portrait dédicacé à ses admirateurs.*

dédicataire n. Didac. Personne à qui un ouvrage est dédié. *Gaston Calmette, dédicataire de « Du côté de chez Swann » de M. Proust.*

dédier v. tr. [2] **1.** Consacrer au culte divin; placer sous l'invocation d'un saint. *Dédier une chapelle à un saint.* – Pp. adj. *Temple dédié à Vénus.* **2.** Faire hommage (d'un ouvrage) par une inscription (dédicace) placée en tête. *Il a dédié son premier livre à sa mère.* – Pp. adj. *Une thèse dédiée à son maître.* **3.** Fig. Consacrer, vouer. *Il a dédié sa vie à l'étude.* ▷ Pp. adj. INFORM Se dit d'un ordinateur consacré à un seul ensemble de tâches. **4.** Fig. Offrir. *Il a dédié sa collection de tableaux à l'État.*

dédifférenciation n. f. BIOL Perte (pour une cellule, un tissu) d'une partie ou de la totalité de ses caractères propres. *La dédifférenciation des cellules cancéreuses.*

dédifférencié, ée adj. BIOL Qui a subi une dédifférenciation.

dédifférencier (se) v. pron. [2] BIOL Perdre (pour une cellule ou un tissu) les caractères propres à sa fonction, totalement ou en partie.

dédire v. [65] **1.** v. tr. Vx *Dédire qqn,* le désavouer. **2.** v. pron. Désavouer ce qu'on a dit; se rétracter. *Les témoins se sont dédits.* – Fam. *Cochon qui s'en dédit* : formule pour prêter serment.

dédit [dedi] n. m. **1.** Révocation d'une parole donnée. **2.** DR Pénalité stipulée dans un contrat contre celui qui manque à l'exécution. *Payer un dédit.*

dédommagement n. m. **1.** Réparation d'un dommage. *Obtenir mille francs de dédommagement.* **2.** Fig. Compensation. *Trouver un dédommagement à ses malheurs.*

dédommager v. tr. [13] **1.** Indemniser d'un dommage. *La compagnie d'assurances les dédommagera.* **2.** Offrir une compensation à. *Rien peut-il dédommager de la perte d'un être cher?* ▷ v. pron. Trouver un dédommagement, une compensation.

dédorer v. tr. [1] **1.** Enlever la dorure de. **2.** v. pron. Perdre sa dorure. – Pp. adj. *Un cadre dédoré.*

dédouanement ou **dédouanage** n. m. Action de dédouaner (une marchandise); son résultat.

dédouaner v. tr. [1] **1.** Faire sortir (une marchandise) de la douane en acquittant les droits. **2.** Fig. Réhabiliter (qqn). ▷ v. pron. Se réhabiliter, se blanchir. *Un ancien malfaiteur qui cherche à se dédouaner.*

dédoublage n. m. **1.** Action de dédoubler (un vêtement). **2.** TECH Action de diluer l'alcool par l'eau.

dédoublement n. m. **1.** Action de dédoubler (sens I, 2); son résultat. **2.** PSYCHIAT *Dédoublement de la personnalité* : absence du sentiment de l'unité et de l'identité de la personnalité, observée chez certains psychopathes, deux personnalités différentes et autonomes coexistant chez le même individu.

dédoubler **I.** v. tr. [1] **1.** Ôter la doublure de. *Dédoubler une veste.* **2.** Diviser en deux. *Dédoubler une classe aux effectifs trop nombreux. Dédoubler un train,* en faire partir un second, alors qu'un seul était prévu. **II.** v. pron. **1.** Se séparer en deux. **2.** PSYCHIAT Souffrir de dédoublement de la personnalité.

dédramatiser v. tr. [1] Ôter son caractère dramatique à. *Dédramatiser une situation conflictuelle.*

déductibilité n. f. Caractère de ce qui est déductible. *La déductibilité de certains frais dans une déclaration de revenus.*

déductible adj. Qui peut être déduit, soustrait.

déductif, ive adj. LOG Qui procède par déduction. *Un raisonnement déductif.* Ant. inductif.

déduction n. f. **1.** Soustraction. *Ces mille francs viennent en déduction de ce que vous avez déjà touché.* Syn. défalcation. **2.** LOG Méthode de raisonnement par laquelle on infère d'un principe ou d'une hypothèse toutes les conséquences qui en découlent. *La forme la plus classique de la déduction est le syllogisme, étudié par Aristote, dans lequel on conclut du général au particulier.* Ant. induction. **3.** Cour. Raisonnement rigoureux; conclusion d'un tel raisonnement; action de déduire.

déduire v. tr. [69] **1.** Retrancher, soustraire d'une somme. *De cette somme, je déduis vingt francs.* **2.** LOG Tirer par déduction (une proposition) comme conséquence d'une autre, admise. **3.** Tirer comme conséquence. *On peut en déduire que...*

déesse n. f. **1.** MYTH Divinité de sexe féminin. *Minerve était la déesse de la Sagesse chez les Romains.* **2.** Fig. Femme d'une grande beauté et d'une grâce imposante.

de facto [defakto] loc. adv. (lat.) De fait et non de droit (par oppos. à *de jure*).

défaillance n. f. **1.** Faiblesse physique, évanouissement. *Il est tombé en défaillance.* ▷ MED *Défaillance cardiaque* : insuffisance cardiaque aiguë. **2.** Faiblesse morale. *Tout homme a ses défaillances.* **3.** Faiblesse, incapacité. *La défaillance du gouvernement.* ▷ DR Non-exécution d'une clause, d'un paiement. **4.** Arrêt du fonctionnement normal. *Défaillance du système de sécurité.*

défaillant, ante adj. **1.** Qui s'affaiblit, qui devient faible. *Des forces défaillantes. Murmurer d'une voix défaillante.* **2.** Sur le point de s'évanouir (personnes). **3.** DR Qui fait défaut. *Témoin défaillant.*

défaillir v. intr. [28] **1.** Tomber en faiblesse, s'évanouir. *Défaillir de peur.* **2.** S'affaiblir. *Son courage défaille.* **3.** Litt. Faiblir, manquer de force morale. *Agissez sans défaillir!*

défaire **I.** v. tr. [10] **1.** Changer l'état d'une chose, de manière qu'elle ne soit plus ce qu'elle était. *Ce que l'un fait, l'autre le défait.* **2.** Détacher, dénouer. *Défaire sa cravate.* **3.** Litt. Battre, vaincre, mettre en déroute. *Alexandre défit Darius.* **II.** v. pron. **1.** Cesser d'être fait, construit, formé. *Le nœud s'est défait.* **2.** Se délivrer, se débarrasser. *Se défaire d'un fâcheux.* ▷ *Se défaire d'un objet,* le vendre ou le donner.

défait, aite adj. **1.** Qui n'est plus fait, construit, formé. *Un nœud défait. Le lit défait.* **2.** Vaincu, en déroute. *Une armée défaite.* **3.** Abattu, épuisé. *Il apparut, pâle et défait.*

défaite n. f. **1.** Perte d'une bataille. *La défaite de Waterloo.* ▷ Perte d'une guerre. *La défaite de 1940.* Syn. déroute. **2.** Échec. *Essuyer une défaite aux élections.*

défaitisme n. m. **1.** Manque de confiance dans l'issue victorieuse des hostilités. – Fait d'exprimer et de propager des idées correspondant à cet état d'esprit. **2.** *Par ext.* Manque de confiance dans le succès.

défaitiste adj. et n. **1.** adj. Qui a trait au défaitisme. ▷ Empreint de défaitisme. *Tenir des propos défaitistes.* **2.** n. Personne qui fait preuve de défaitisme.

défalcation n. f. Déduction, retranchement, décompte.

défalquer v. tr. [1] Rabattre; déduire (une somme) d'un compte. *Il faut défalquer les frais du bénéfice brut.*

défatiguer v. tr. [1] Supprimer la fatigue ou les effets de la fatigue chez (qqn).

1. défausser v. tr. [1] Redresser (ce qui a été faussé). *Défausser une tringle.*

2. défausser v. tr. [1] JEU Se débarrasser de (une carte inutile ou gênante). *Défausser un petit cœur.* ▷ v. pron. *Se défausser à pique.* ▷ Fig. Se débarrasser, se décharger. *Se défausser d'une obligation.*

défaut n. m. **I. 1.** Imperfection physique. *Elle avait un corps de déesse, sans le moindre défaut.* **2.** Imperfection dans un objet, point faible dans une matière. *Cette poutre présente un défaut. Les défauts d'un diamant.* **3.** Fig. Imperfection morale. *Il est trop âgé pour se corriger de ses défauts.* **4.** Imperfection dans une œuvre d'art, un ouvrage de l'esprit. *Critiquer les défauts d'un roman. Les défauts du système sont-ils compensés par ses réussites?* **II. 1.** Manque (de qqch). *Le défaut de preuves l'a fait acquitter.* ▷ *Faire défaut :* manquer. *Le talent lui fait cruellement défaut.* **2.** Absence (de certaines qualités, de certains avantages). *Défaut de jugement, de mémoire.* **3.** Endroit où se rejoignent deux os, deux articulations. *Le défaut des côtes, de l'épaule.* **4.** *Défaut de la cuirasse :* intervalle entre les pièces contiguës d'une armure. – Fig. Point faible d'un système, d'un raisonnement. **5.** VEN *Les chiens sont en défaut,* ont pris une fausse piste. – Fig. *Être en défaut :* commettre une faute, une erreur; manquer à ses engagements. *Ma mémoire est souvent en défaut. Quand je lui demande un service, je ne le trouve jamais en défaut.* **6.** PHYS NUCL *Défaut de masse :* différence entre la somme des masses des nucléons d'un noyau et la masse du noyau, correspondant à l'énergie de liaison des nucléons. **7.** PHYS *Défauts de réseau :* irrégularités (lacunes d'ions, ions déplacés en position interstitielle, etc.) qui perturbent la structure parfaite d'un réseau cristallin. **8.** DR Situation du défendeur ou du prévenu qui ne fait pas valoir ses moyens de défense devant le tribunal. *Juger par défaut,* contre un défendeur qui fait défaut. *Défaut de comparaître :* situation du défendeur qui ne se présente pas, ou qui, en matière civile, ne constitue pas avocat. **9.** Loc. prép. *À défaut de :* faute de, en l'absence de. *Un travail bien rémunéré, à défaut d'être intéressant.*

défaveur n. f. Disgrâce, perte de la faveur. *Être en défaveur auprès de qqn.*

défavorable adj. Qui n'est pas favorable. *Émettre un avis défavorable.*

défavorablement adv. D'une manière défavorable.

défavorisant, ante adj. Qui défavorise. *Une situation défavorisante.*

défavorisé, ée adj. et n. Dépourvu d'avantages, spécial. économiques; pauvre. – Subst. *Les défavorisés :* les pauvres.

défavoriser v. tr. [1] Mettre (qqn) en défaveur; donner moins d'avantages qu'aux autres à (qqn). *Ce testament l'a défavorisé.*

défécation n. f. **1.** CHIM Séparation, par précipitation, des constituants d'une solution (industrie sucrière). **2.** Expulsion des matières fécales.

défectif, ive adj. GRAM Se dit d'un verbe, d'une forme verbale qui ne comporte pas tous ses temps, tous ses modes ou toutes ses personnes. *«Choir», «clore», «faillir» sont des verbes défectifs.*

défection n. f. Abandon d'un parti, d'une cause. *Faire défection :* abandonner, ne pas être présent. *Il a fait défection au dernier moment.*

défectueux, euse adj. **1.** Qui manque des qualités, des conditions requises. *Marchandises défectueuses. Une argumentation défectueuse.* **2.** DR Entaché d'un défaut.

défectuosité n. f. Rare Défaut, imperfection. *Les défectuosités d'un meuble.*

défendable adj. Qui peut être défendu. *Une place défendable.* – Fig. *Cette opinion n'est plus défendable.*

défendeur, deresse n. DR Personne contre qui est introduite une action en justice.

défendre v. [6] **I.** v. tr. **1.** Protéger, soutenir contre une agression. *Défendre sa vie, son honneur, ses intérêts. L'aigle défend ses petits.* **2.** Résister pour rester maître de (qqch). *Défendre une position contre l'ennemi.* **3.** Plaider pour (qqn). *Défendre un accusé.* **4.** Plaider pour (qqch). *Défendre une opinion.* **5.** Loc. fig. *À son corps défendant :* à contrecœur, malgré soi. *J'ai agi à mon corps défendant.* **6.** *Défendre de :* mettre à l'abri de, préserver de (choses). *Ce mur nous défend du froid.* **7.** Prohiber, interdire (qqch à qqn). *Défendre le vin à un malade. Il est défendu de parler au conducteur.* **II.** v. pron. **1.** Repousser une attaque, une agression, y résister. *Il ne se défendait que mollement.* **2.** Fam. Se débrouiller. *Pour parler anglais, je (ne) me défends pas mal.* **3.** Chercher à se justifier. *Il se défend violemment des critiques.* **4.** Nier (une chose qu'on vous impute). *Il se défend d'avoir emporté ce livre.* **5.** Se mettre à l'abri de (qqch). *Se défendre du froid.* **6.** S'empêcher d'éprouver (un sentiment); se retenir de (faire qqch). *Je ne puis me défendre d'une certaine partialité envers lui. Elle ne peut se défendre de pleurer.*

défendu, ue adj. **1.** Protégé. *Une ville défendue par ses remparts.* **2.** Interdit, réprouvé par la morale. *Livre défendu. Fruit défendu :* chose d'autant plus convoitée qu'elle est interdite.

défenestration n. f. Action de jeter une personne par la fenêtre. – HIST *Défenestration de Prague* (23 mai 1618) : acte de violence par lequel les protestants de Bohême, s'insurgeant contre l'empereur Mathias, précipitèrent par la fenêtre de la salle du Conseil deux des quatre gouverneurs. (Ce fut le prélude de la guerre de Trente Ans.)

défenestrer v. tr. [1] Jeter (qqn) par la fenêtre.

1. défense n. f. **1.** Action de repousser une agression dirigée contre soi ou contre d'autres. *Prendre la défense des opprimés. Venez à ma défense.* ▷ DR *Légitime défense :* droit de se défendre par la force contre une agression. *Être en état de légitime défense,* dans une situation telle que, étant attaqué, on est en droit de se défendre par la force. **2.** Action de défendre une position contre l'ennemi. *Mettre une place en état de défense. Ligne de défense. La défense de Verdun.* **3.** Moyen de protection. *Des ouvrages de défense autour d'une ville menacée.* – *Installer des défenses à une fenêtre.* **4.** *Défense nationale :* ensemble des moyens employés par une nation pour se protéger contre l'ennemi. *Le ministre de la Défense nationale. La défense passive tend à réduire les effets des attaques aériennes. Défense contre avions (D.C.A.).* **5.** Ce qu'on dit, ce qu'on écrit pour défendre qqn ou se défendre soi-même. *On ne voulut pas écouter sa défense.* **6.** DR Ensemble des moyens employés par une personne pour se défendre en justice. *L'accusé modifie son système de défense.* – Par ext. *La défense :* l'avocat, par oppos. à *l'accusation,* représentée par le ministère public. *La parole est à la défense.* **7.** PHYSIOL *Défense de l'organisme,* contre les traumatismes, les microbes. **8.** PSYCHAN *Défense du moi :* ensemble des processus inconscients utilisés par le moi pour se défendre. *Les mécanismes de défense sont plus ou moins intégrés au moi : refoulement, sublimation, régression, projection.* **9.** Prohibition, interdiction. *Défense d'afficher.* **10.** SPORT Manière de s'opposer aux offensives de l'adversaire; ensemble des joueurs d'une équipe qui s'opposent à ces offensives.

ENCYCL **Hist.** – Le *gouvernement de la Défense nationale* dirigea la France, en guerre contre la Prusse, à partir du 4 sept. 1870 : la révolution parisienne provoqua la chute du Second Empire, et Gambetta proclama solennellement au Palais-Bourbon la déchéance de la dynastie. Ce gouvernement exclut les révolutionnaires et eut pour membres princ. : le général Trochu (président), E. Arago, J. Favre, J. Ferry, L. Gambetta, A. Crémieux, J. Simon. Il affirma sa volonté de maintenir l'intégrité du ter rit. et organisa la défense en prov. et à Paris, assiégé à partir du 18 sept. Le 12 sept. une délégation ministérielle s'était installée à Tours et le 2 oct Gambetta partit de Paris, en ballon pour tenter de mettre un frein à la divi sion et à l'anarchie qui s'emparaient du territoire franç. Mais la capitulation de Metz (27 oct.) fut le prélude à la défaite et le 9 déc. la délégation de Tours s'ins talla à Bordeaux. La défaite de Buzen val (19 janv. 1871) eut pour consé quence le soulèvement pop. de Paris (22 janv.) et entraîna l'armistice du 28 janv. et la démission de Gambetta. Le 12 fév., le gouv. remit ses pouvoirs à l'Assemblée nationale (élue le 8 fév.) Bientôt (18 mars), celle-ci dut faire face à la Commune de Paris.

2. défense n. f. Dent de certain mammifères, dont la croissance se pro longe durant la vie entière et qui atteignant de grandes dimensions, sor de la cavité buccale. *Les défenses son soit des canines (sanglier, chevrotain), so des incisives (éléphant, narval).*

Défense (la), quartier de la banlieu parisienne de l'O. (Puteaux, Courbevoie Nanterre), où ont été aménagés, à pa tir de 1958, un vaste centre d'affaires e un ensemble résidentiel moderne. L séparation de la circulation automobil et des piétons y est assurée par des so artificiels (plates-formes de béton). Su le parvis de la Défense s'élèvent l CNIT* et la Grande Arche*.

défenseur n. m. **1.** Celui qui défen soutient, protège. *Défenseur de opprimés. Les défenseurs de la patrie.* **2** Fig. Personne qui défend (une cause, un opinion, une doctrine). *Elle s'érige e défenseur de la morale.* **3.** DR Avocat qu défend en justice. *Avoir un bon défen seur.*

défensif, ive adj. Fait pour l défense. *Traité défensif. Armes défensive Guerre défensive.*

défensive n. f. État d'une armé prête à se défendre, ou qui s'efforce d contenir une attaque ennemie. ▷ Loc. *Être, se tenir sur la défensive* : être prêt, se tenir prêt à se défendre (au propre et au figuré).

déféquer v. [14] **1.** v. tr. CHIM Clarifier (un liquide). **2.** v. intr. Évacuer les matières fécales.

déférence n. f. Politesse respectueuse, considération. *Témoigner de la déférence à une personne âgée.*

1. déférent adj. m. **1.** ASTRO *Cercles déférents* : cercles qui ont été imaginés par les Anciens pour expliquer le mouvement des planètes. **2.** ANAT *Canal déférent* : conduit excréteur du testicule, par lequel le sperme gagne les vésicules séminales pour se jeter dans l'urètre.

2. déférent, ente adj. Qui témoigne de la déférence. *Une attitude déférente.*

déférer v. tr. [14] **1.** Vieilli Accorder, décerner (un titre, un honneur). *Le peuple romain déféra le consulat à Scipion.* **2.** DR Traduire (un accusé) en justice. Soumettre à une juridiction. *Déférer un jugement à la Cour de cassation.* **3.** v. tr. indir. Litt. Céder par respect. *Déférer au désir de qqn.*

déferlant, ante adj. Qui déferle. ▷ n. f. Vague qui déferle.

déferlement n. m. **1.** Action de déferler. *Écouter le déferlement des vagues.* **2.** Fig. Déploiement, manifestation de grande ampleur. *Un déferlement de mécontentement.*

déferler v. [1] **1.** v. tr. MAR Déployer. *Déferler une voile, un pavillon.* **2.** v. intr. Se déployer et se briser en écume (en parlant des vagues). **3.** Fig. Se répandre avec abondance, violence. *Les injures déferlaient sur lui.*

déferrer v. tr. [1] **1.** Ôter une ferrure. **2.** Ôter le fer du pied d'un cheval. ▷ v. pron. *Le cheval s'est déferré*, a perdu un fer.

défeuillaison n. f. Chute des feuilles.

défeuiller v. tr. [1] Litt. Enlever ou faire tomber les feuilles (d'un arbre). *L'orage défeuille les arbres.* ▷ v. pron. Perdre ses feuilles. *Arbre qui se défeuille.*

Deffand (Marie de Vichy-Chamrond, marquise du) (chât. de Chamrond, Bourgogne, 1697 – Paris, 1780), femme de lettres française. Correspondante de Horace Walpole, de Voltaire, de d'Alembert. Son salon eut pour habitués Marivaux, La Harpe, Sedaine, les encyclopédistes, etc.

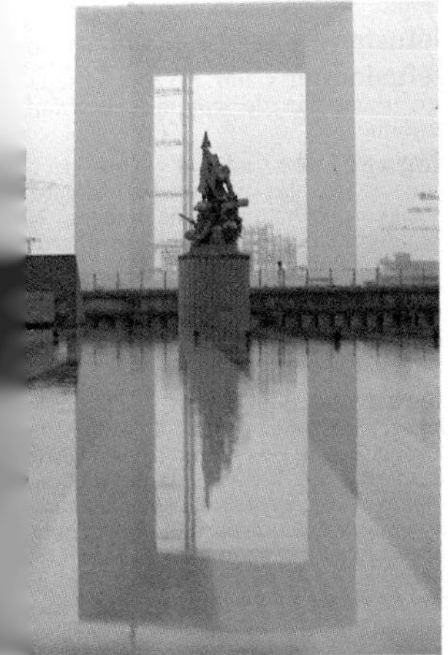

rche de la Fraternité à **la Défense**

Defferre (Gaston) (Marsillargues, Hérault, 1910 – Marseille, 1986), homme politique français. Militant socialiste (S.F.I.O.), résistant, maire de Marseille à partir de 1953, député (1946-1958), il fut ministre de la France d'outre-mer en 1956-1957. Sénateur (1959-1962), à nouveau député, il fut candidat à la présidence de la République en 1969. Rallié au parti socialiste dirigé par Fr. Mitterrand (1971), ministre de l'Intérieur et de la Décentralisation dans le gouvernement Mauroy (1981), il élabora la loi de mars 1982 érigeant les Régions franç. en collectivités territoriales (dite *loi Defferre*).

défi n. m. **1.** Anc. Provocation à un combat singulier, au Moyen Âge. **2.** Mod. Provocation. *Un défi au bon sens. Prendre un air de défi. Mettre qqn au défi de faire qqch. Relever le défi.*

défiance n. f. Crainte d'être trompé, méfiance. *Ses mensonges répétés inspirent la défiance.*

défiant, ante adj. Pénétré de défiance. *Un caractère défiant.*

défibrer v. tr. [1] TECH Ôter les fibres de.

défibrillation [defibʀijasjɔ̃] n. f. MED Technique thérapeutique (choc électrique) permettant le rétablissement d'un rythme cardiaque normal chez un malade en état de fibrillation.

déficeler v. tr. [19] Ôter la ficelle de (un paquet, un objet ficelé).

déficience n. f. **1.** BIOL Insuffisance organique ou fonctionnelle. *Déficience mentale. Déficience hépatique.* **2.** Fig. Faiblesse, insuffisance.

déficient, ente adj. **1.** Se dit d'un organe qui n'assure pas normalement ses fonctions. *Un cœur déficient.* **2.** Trop faible, insuffisant. *Son vocabulaire est déficient.*

déficit [defisit] n. m. **1.** Ce qui manque à certaines choses. *Déficit sur la récolte.* **2.** Excédent des dépenses sur les recettes dans une comptabilité. *Le déficit du budget. Le bilan de cette affaire présente un gros déficit. Être en déficit.* **3.** MED *Déficit immunitaire* : incapacité, pour l'organisme, de trouver la réponse immunitaire adaptée.

déficitaire adj. **1.** Trop faible, insuffisant. *Une récolte déficitaire.* **2.** Qui présente un déficit. *Commerce déficitaire.*

1. défier v. tr. [2] **1.** Provoquer (qqn) en combat singulier. – *Par ext.* Provoquer à une lutte quelconque. *Défier qqn à la course.* ▷ v. pron. *Elles se sont défiées aux cartes.* **2.** Braver, se dresser contre. *Défier la morale.* **3.** Déclarer à qqn qu'on le croit incapable d'exécuter qqch. *Je vous défie de m'en donner la preuve.* **4.** Résister aux attaques, aux coups de (choses). *Notre bateau défiait la tempête. Ce mur a défié le temps.*

2. défier (se) v. pron. [2] *Se défier de* : avoir de la défiance envers. *Se défier des flatteurs, des racontars.*

défigurer v. tr. [1] **1.** Altérer l'aspect du visage. *Cette blessure l'a défiguré.* **2.** Gâter la forme, l'allure, l'aspect de (qqch). *Défigurer un tableau par des retouches.* **3.** Fig. Altérer, dénaturer, rendre méconnaissable. *Défigurer la vérité. Défigurer la pensée d'un auteur.*

défilé n. m. **1.** Passage étroit et encaissé entre deux montagnes. *Troupe surprise dans un défilé.* **2.** Suite d'unités militaires en marche au pas cadencé, passant devant un chef ou rendant les honneurs. *Le défilé du 14 Juillet.* **3.** File de personnes, de véhicules en marche. *Le défilé des amis à la sacristie. Le défilé des chars au carnaval.*

défilement n. m. **1.** MILIT Stationnement ou cheminement à couvert des vues et à l'abri des tirs de l'ennemi. **2.** Dans un magnétophone, un magnétoscope, déroulement continu de la bande magnétique ; dans un appareil de projection, déroulement du film.

1. défiler v. [1] **I.** v. tr. **1.** Défaire (un tissu) fil à fil. **2.** Ôter le fil passé dans. *Défiler des perles.* ▷ v. pron. *Votre collier s'est défilé.* **3.** Fig., fam. *Défiler son chapelet* : dire tout ce que l'on sait de désagréable sur qqn ou qqch. **4.** MILIT *Défiler un ouvrage*, le garantir des vues et des feux d'enfilade de l'ennemi. **II.** v. pron. **1.** Se mettre à couvert des vues et des feux d'enfilade de l'ennemi. **2.** Fig., fam. S'esquiver, se dérober. *Se défiler au moment de payer. Quand on lui demande un service, il se défile.*

2. défiler v. intr. [1] **1.** Aller à la file. *Ils défilent en colonne par deux.* **2.** Faire un défilé. *Les soldats, les manifestants défilent en rangs serrés.* **3.** Fig. Se succéder avec régularité. *Les jours défilaient, monotones.*

défini, ie adj. **1.** Déterminé, expliqué par une définition. *Mot défini.* ▷ n. m. *« Prouver tout, en substituant mentalement les définitions à la place des définis »* (Pascal). **2.** Précisé. *Une tâche bien définie.* **3.** GRAM *Article défini* : le, la, les. *Passé défini* ou *passé simple* : temps qui fait référence à un moment précis du passé : *« Je fus » est un passé défini.* **4.** CHIM *Loi des proportions définies* ou *loi de Proust*, qui pose que les proportions suivant lesquelles des corps simples se combinent sont des valeurs fixes et discontinues. **5.** MATH *Quantité définie*, déterminée par le nombre qui l'exprime.

définir v. tr. [3] **1.** Expliquer, préciser en quoi consiste un concept. *Définir la liberté en l'opposant à l'aliénation. Définir un mot*, donner son sens, sa définition. **2.** Décrire de façon précise. *Il a du mal à définir le sentiment qu'il a éprouvé.*

définissable adj. Que l'on peut définir.

définitif, ive adj. Qui ne peut plus, ne doit plus être modifié. *Version définitive d'une œuvre.* – *Vous en parlez en des termes bien définitifs*, catégoriques, excessifs. ▷ n. m. *Le définitif et le provisoire.* – Fam. *Cet achat, c'est du définitif.* ▷ Loc. adv. *En définitive* : en conclusion, en dernière analyse. *En définitive, je crois qu'il a raison.*

définition n. f. **1.** PHILO Ensemble de propositions qui analysent la compréhension d'un concept. *La définition doit être courte, claire, précise, exempte de contradictions.* **2.** Explication précise de ce qu'un mot signifie. *Il est plus difficile de donner la définition des mots abstraits que celle des mots concrets.* **3.** MATH *Ensemble de définition*, dans lequel une relation entre les éléments est possible. **4.** AUDIOV Nombre de lignes balayées par le spot pour composer une image de télévision. – *Haute définition* : définition de plus de mille lignes. **5.** THEOL Affirmation claire et solennelle d'un dogme par le magistère. *La définition de l'infaillibilité pontificale par le concile Vatican I en 1870.* **6.** Loc. adv. *Par définition* : en vertu de la définition même de ce dont on parle. *Un triangle a, par définition, trois côtés.*

définitionnel, elle ou **définitoire** adj. LING De la définition. *Une phrase à valeur définitionnelle.*

définitivement adv. D'une manière définitive. *Une affaire définitivement close.*

défiscalisation n. f. FISC Fait de défiscaliser; son résultat.

défiscaliser v. tr. [1] FISC Exonérer d'impôts.

déflagrateur n. m. TECH Appareil servant à enflammer des matières explosives.

déflagration n. f. CHIM Mode de combustion dans lequel la vitesse de propagation de la flamme est de l'ordre d'un mètre par seconde. ▷ Cour. Explosion. *La déflagration a soufflé les vitres des maisons environnantes.*

déflagrer v. intr. [1] CHIM S'enflammer en explosant.

1. déflation n. f. GEOL Érosion éolienne des sols désertiques.

2. déflation n. f. ECON Ensemble des mesures (restriction de crédit, compression des dépenses publiques, majoration des impôts, etc.) destinées à lutter contre l'inflation et le déséquilibre extérieur.

déflationniste adj. ECON Qui tient d'une déflation, relatif à une déflation. *Mesures déflationnistes.*

défléchir v. tr. [3] Didac. Détourner de sa direction.

déflecteur, trice adj. et n. m. **1.** adj. Qui défléchit (un fluide, un courant gazeux). **2.** n. m. TECH Appareil servant à modifier la direction d'un fluide. ▷ AUTO Dispositif aérodynamique destiné à modifier l'écoulement de l'air autour d'un véhicule; cour. partie latérale de la vitre d'une portière, constituée d'un petit volet orientable.

défleurir v. [3] **1.** v. tr. Faire tomber, ôter les fleurs de. *La gelée a défleuri les abricotiers.* **2.** v. intr. Perdre ses fleurs.

déflexion n. f. **1.** MED Mouvement d'extension de la tête de l'enfant au moment du dégagement, lors de l'accouchement. **2.** PHYS Déviation d'un faisceau de particules.

déflocage n. m. TECH Suppression du flocage qui couvre une surface.

défloraison ou **défleuraison** n. f. Chute des fleurs.

défloration n. f. Action de déflorer (sens 2).

déflorer v. tr. [1] **1.** Faire perdre sa fraîcheur, sa nouveauté à. *Déflorer un sujet,* lui faire perdre le charme de la nouveauté en le traitant superficiellement ou avec maladresse. **2.** Litt. *Déflorer une jeune fille,* lui faire perdre sa virginité.

Defoe ou **De Foe** (Daniel) (Londres, v. 1660 – id., 1731), journaliste et écrivain anglais. Il fut l'un des plus grands prosateurs du XVIIIe s. : *la Vie, les aventures et les pirateries du célèbre capitaine Singleton* (1720), *Moll Flanders* (1722), *Colonel Jack* (1722), *le Journal de l'année de la peste* (1722), *Lady Roxana ou l'Heureuse Catin* (1724) et, surtout, *Robinson Crusoé* (1719), inspiré par le séjour du marin écossais Alexandre Selkirk dans l'île de Juan Fernández, au large du Chili.

défoliant, ante adj. et n. m. Se dit d'un produit chimique provoquant la chute des feuilles.

défoliation n. f. BOT Chute des feuilles d'un végétal à feuilles caduques.

défolier v. tr. [2] Provoquer, en général par des moyens chimiques, la défoliation de.

défonçage ou **défoncement** n. m. Action de défoncer; résultat de cette action. ▷ AGRIC Labour profond.

défonce n. f. Arg. État dans lequel se trouve un drogué après usage d'hallucinogènes. *Il est en pleine défonce.* – *La défonce :* l'usage de la drogue.

défoncé, ée adj. **1.** Éventré, brisé par enfoncement. *Siège défoncé.* **2.** *Chemin défoncé,* plein d'ornières. **3.** Arg. Qui est sous l'effet d'une drogue.

défoncer v. [12] **I.** v. tr. **1.** Ôter le fond de. *Défoncer un tonneau.* **2.** Briser, crever en enfonçant. *Défoncer un mur. Défoncer un canapé.* **3.** *Défoncer un terrain,* le labourer en profondeur. – TRAV PUBL Ameublir ou creuser. **II.** v. pron. **1.** Arg. Se droguer. *Il se défonce au hasch.* **2.** Fam. Donner le meilleur de soi-même dans un travail, une activité.

défonceuse n. f. **1.** TRAV PUBL Appareil servant à défoncer le sol. **2.** TECH Machine-outil de menuiserie, munie d'une fraise, qui sert à creuser le bois.

De Forest (Lee) (Council Bluffs, Iowa, 1873 – Hollywood, 1961), radiotechnicien américain. Il est l'inventeur de la triode (1906).

déforestation n. f. Destruction de la forêt.

déformable adj. Qui peut être déformé.

déformant, ante adj. Qui déforme. *Miroir déformant. Rhumatisme déformant.* ▷ Fig. *Version déformante d'un événement.*

déformation n. f. Altération de la forme première, habituelle. *Déformation d'un organe.* – TECH *Déformation permanente d'une pièce métallique,* qu'on a étirée, tordue ou fléchie en dépassant sa limite d'élasticité. ▷ Fig. *Votre récit est une déformation systématique de la vérité.* – *Déformation professionnelle :* ensemble d'habitudes, d'automatismes acquis dans l'exercice d'une profession et qui se manifestent intempestivement dans la vie courante.

déformer v. tr. [1] **1.** Altérer la forme de (une chose matérielle). *Déformer le corps, un vêtement. La colère déformait ses traits.* ▷ v. pron. *Objet qui se déforme sous l'action de la chaleur, de l'humidité, etc.* **2.** Fig. Reproduire inexactement. *Déformer les paroles, la pensée de qqn.* ▷ *Déformer qqn,* modifier, altérer son esprit, son comportement.

défoulement n. m. PSYCHAN Retour dans le conscient de souvenirs, d'affects refoulés. ▷ Cour. Fait de se défouler.

défouler (se) v. pron. [1] Se livrer à des actions sur lesquelles pouvait peser un interdit; libérer, dans une activité quelconque, une énergie bridée par ailleurs. *Se défouler en faisant du sport.* – Fam. S'épancher sans retenue.

défouloir n. m. Endroit, activité où on se défoule.

défournage ou **défournement** n. m. TECH Action de défourner.

défourner v. tr. [1] Retirer du four. *Défourner du pain, des porcelaines.*

défraîchi, ie adj. Qui a perdu sa fraîcheur, son éclat. *Costume défraîchi.* ▷ *Visage défraîchi,* fané, flétri.

défraîchir v. tr. [3] Faire perdre sa fraîcheur, son éclat à. *Un vêtement que la pluie avait défraîchi.* ▷ v. pron. *Tentures qui se défraîchissent.*

défraiement [defʀɛmɑ̃] n. m. Paiement par lequel on défraie qqn, remboursement.

défrayer v. tr. [21] **1.** Payer la dépense, les frais de (qqn). *Défrayer qqn du coût de ses déplacements.* Syn. dédommager. **2.** Fig. *Défrayer la conversation,* en faire les frais en y participant largement, ou parce qu'on en est l'objet. ▷ *Défrayer la chronique :* faire beaucoup parler de soi.

défrichable adj. Qui peut être défriché.

défrichage ou **défrichement** n. m. Action de défricher; son résultat.

défricher v. tr. [1] Travailler à rendre cultivable (une terre en friche). ▷ Fig. *Défricher le terrain :* commencer à étudier un sujet, prendre des dispositions avant un travail, etc.

défricheur, euse n. Personne qui défriche. ▷ Fig. *Les défricheurs de l'art du futur.*

défriser v. tr. [1] **1.** Défaire la frisure de. *La pluie m'a défrisée, a défrisé mes cheveux.* **2.** Fig., fam. Désappointer, contrarier, décevoir, déplaire à. *Tu ne vas pas faire ça! – Pourquoi? ça te défrise?*

défroisser v. tr. [1] Aplatir, rendre lisse, uni (ce qui est froissé).

défroncer v. tr. [12] Défaire les fronces de. *Défroncer une jupe.* ▷ Fig. *Défroncer les sourcils.*

défroque n. f. **1.** RELIG ou Vx Ce qu'un religieux laisse en mourant. *La défroque des moines appartenait à l'abbé.* **2.** Cour. Vêtements usés ou démodés qu'on ne porte plus. ▷ Péjor. Vêtements usagés et ridicules.

défroqué, ée adj. et n. Qui a quitté l'état monastique ou ecclésiastique. *Un prêtre défroqué.* ▷ Subst. *Un défroqué.*

défroquer v. [1] v. tr. Faire quitter le froc, l'habit monastique ou ecclésiastique à (qqn).

défunt, unte adj. et n. **1.** Qui est mort. *Votre défunte mère.* V. feu 1. ▷ Subst. *Prier pour les défunts.* **2.** Litt., fig. Révolu. *Ses espérances défuntes.*

défusion n. f. ADMIN Fait de défusionner.

défusionner v. intr. [1] ADMIN Se séparer, s'agissant de communes ayant fusionné.

dégagé, ée adj. **1.** Que rien n'encombre. *Un couloir bien dégagé.* – *Ciel dégagé :* ciel sans nuages. **2.** Qui donne une impression de liberté, d'aisance (allure, démarche, etc.). *Un air dégagé.* Ant. embarrassé, gauche, gêné. **3.** Affranchi, libéré (des conventions; d'une obligation). *Un esprit dégagé de tout préjugé.*

dégagement n. m. **1.** Action de dégager des objets gagés. **2.** Action de dégager ce qui est encombré; son résultat. **3.** Passage facilitant la circulation. *Couloir de dégagement.* ▷ TRANSP *Itinéraire de dégagement,* qui permet de résorber ou d'éviter un embouteillage. **4.** Fait de se dégager (en parlant d'un fluide). – CHIM *Dégagement de chaleur* ou *dégagement calorifique :* production de chaleur lors d'une réaction. **5.** SPORT Action de dégager, au rugby, au football. ▷ En escrime, changement de ligne suivi d'un coup droit. 6. OBSTETR Dernier temps de l'accouchement.

dégager v. [13] **I.** v. tr. **1.** Retirer (ce qui avait été donné en gage). *Dégager des objets du Crédit municipal.* ▷ Fig. *Dégager sa parole,* la retirer après l'avoir engagée. **2.** Débarrasser de ce qui obstrue, encombre. *Dégager une porte, un passage.* – Absol. Fam. *Dégagez! Ya rien à voir.* **3.** Délivrer, libérer de ce qui enferme. *Dégager une place forte encerclée.* ▷ Fig. Libérer (de ce qui engage). *Dégager qqn d'une responsabilité, d'une obligation.* **4.** Produire (une émanation). *Dégager une odeur sulfureuse. Dégager de l'oxygène.* **5.** Produire un profit. *Placement qui dégage des bénéfices importants.* **6.** Isoler d'un ensemble, faire apparaître (une idée, une impression). *Dégager l'idée centrale d'un texte, la morale d'une histoire.* **II.** v. intr. SPORT Au rugby, au football, envoyer le ballon loin de ses buts ou loin de son camp. *Dégager en touche.* ▷ En escrime, effectuer un dégagement. **III.** v. pron. **1.** Sortir. *Des fumées se dégageaient des décombres.* ▷ Fig. Émaner, ressortir. *Une impression pénible se dégage de ce film.* **2.** Se libérer (d'une contrainte, d'une entrave). *Se dégager d'une obligation.*

dégaine n. f. Fam. Tournure, allure originale ou ridicule. *Quelle dégaine!*

dégainer v. tr. [1] Tirer (une arme) de sa gaine, de son fourreau. *Dégainer un couteau.* – (S. comp.) *Dégainer et tirer.*

déganter v. tr. [1] Ôter les gants de. ▷ v. pron. Ôter ses gants.

dégarnir v. [3] **1.** v. tr. Dégager de ce qui garnit. *Dégarnir une chambre de ses meubles.* **2.** MILIT Retirer des troupes de (un secteur, une place). *Dégarnir les ailes d'une armée.* **3.** v. pron. Perdre ce qui garnissait. – *Spécial.* Perdre ses cheveux. *Ses tempes se dégarnissent.* – Absol. *Il se dégarnit.*

Degas (Hilaire Germain Edgar de Gas, dit Edgar) (Paris, 1834 – id., 1917), peintre, sculpteur, graveur et pastelliste français. Naturaliste, il a peint les spectacles *(le Café-concert des Ambassadeurs),* la danse, les femmes au travail *(les Repasseuses),* ou à leur toilette. Ses cadrages ont renouvelé la perspective.

De Gasperi (Alcide) (Pieve Tesino, Trentin, 1881 – Valsugana, 1954), homme politique italien. Député autrichien (1911), citoyen italien (1918), président du Parti populaire, d'inspiration démocrate-chrétienne (1919), il fut emprisonné par le gouv. fasciste de 1926 à 1930. À la Libération, il reprit ses activités politiques en tant que leader de la démocratie chrétienne, et chef du gouv. de déc. 1945 à juil. 1953.

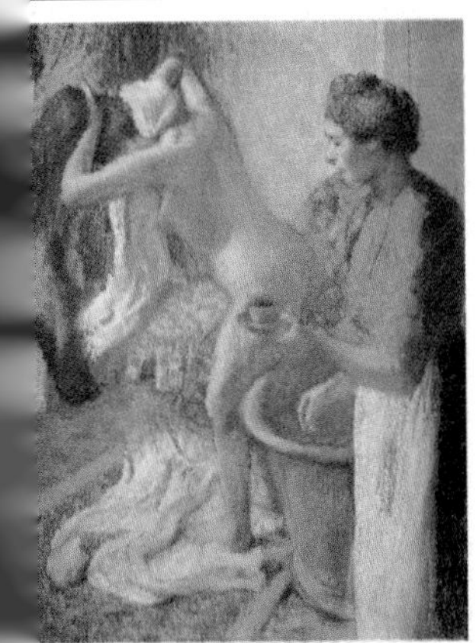

Edgar **Degas :** *le Petit Déjeuner à la sortie du bain,* pastel, 1895 ; coll. part.

dégât [dega] n. m. (Le plus souvent au plur.) Dommage, destruction, détérioration. *La grêle a fait de gros dégâts.*

dégauchir v. tr. [3] TECH Rendre plane (la surface d'une pièce de menuiserie ou de charpente, d'une pierre).

dégauchissage ou **dégauchissement** n. m. TECH Action de dégauchir.

dégazage n. m. TECH Action d'éliminer les gaz dissous. ▷ *Spécial.* Élimination des gaz et des résidus contenus dans les cuves d'un pétrolier.

dégazer v. tr. [1] TECH Pratiquer le dégazage de. *Dégazer une eau.* ▷ v. intr. *Ce pétrolier a dégazé en haute mer.*

dégel n. m. **1.** Fonte de la glace, de la neige par suite de l'élévation de la température. – *Barrière de dégel :* V. barrière. **2.** Fig. Fait de se dégeler. – *Spécial.* Détente des relations entre deux États, deux groupements.

dégelée n. f. Fam. Volée de coups. *Il a pris une de ces dégelées!*

dégeler v. [17] **I.** v. tr. **1.** Faire qu'une chose qui était gelée cesse de l'être. **2.** Fig. Rendre moins réservé, détendre. *Dégeler un auditoire.* – v. pron. *L'atmosphère de la réunion s'est rapidement dégelée.* **3.** FIN Remettre en circulation (une somme qui avait été bloquée). *Dégeler des crédits.* **II.** v. intr. Cesser d'être gelé. – Impers. *Il dégèle.*

dégénératif, ive adj. Didac. Qui présente les caractéristiques de la dégénérescence ; qui amène celle-ci.

dégénéré, ée adj. et n. **1.** Qui a dégénéré. *Une espèce dégénérée.* **2.** Vieilli Qui est atteint d'anomalie congénitale, spécial. psychique. ▷ Fam. *Il est complètement dégénéré,* stupide, idiot. ▷ Subst. *Un(e) dégénéré(e).*

dégénérer v. intr. [14] **1.** S'abâtardir, perdre les qualités du type primitif de sa race, en parlant d'un animal ou d'une espèce. **2.** En parlant de l'être humain, perdre de ses qualités morales et intellectuelles, de son mérite. **3.** *Dégénérer en :* changer de nature, de caractère (en allant en s'aggravant). *Discussion qui dégénère en querelle. Son rhume a dégénéré en bronchite.*

dégénérescence [deʒeneʀesɑ̃s] n. f. **1.** Fait de dégénérer. *La dégénérescence d'une espèce animale.* **2.** MED Altération d'un tissu ou d'un organe dont les cellules perdent leurs caractères spécifiques et se transforment en une substance inerte. *Dégénérescence graisseuse, calcaire.* ▷ *Dégénérescence d'une tumeur :* transformation d'une tumeur bénigne en tumeur maligne.

dégermer v. tr. [1] Enlever le(s) germe(s) de. *Dégermer des pommes de terre.*

Degeyter (Pierre) (Gand, 1848 – Saint-Denis, 1932), ouvrier tourneur belge qui, en 1888, mit en musique *l'Internationale,* poème d'E. Pottier.

dégingandé, ée adj. Fam. Qui a l'air disloqué dans ses mouvements, sa démarche. *Un grand diable tout dégingandé.*

dégivrage n. m. Action de dégivrer. *Le dégivrage d'un réfrigérateur.*

dégivrer v. tr. [1] Ôter le givre de. *Dégivrer les glaces d'une voiture.*

dégivreur n. m. TECH Appareil servant à dégivrer, à éviter la formation de givre.

déglacer v. tr. [12] **1.** Ôter la glace de. – *Spécial.* Débarrasser (une route, une rue) du verglas. **2.** TECH Ôter le lustre d'une surface brillante (papier, tissu, etc.). **3.** CUIS Dissoudre dans du vin, dans de l'eau, etc., les sucs caramélisés formés au fond d'un récipient.

déglaciation n. f. Fonte des glaciers.

déglinguer v. tr. [1] Fam. Disloquer, démolir. – Pp. adj. *Une voiture toute déglinguée.*

déglutir v. tr. [3] Avaler (sa salive, un aliment).

déglutition n. f. Action de déglutir.

dégobiller v. tr. et intr. [1] Très fam. Vomir.

dégoiser v. intr. [1] Fam., péjor. Parler avec volubilité. – v. tr. *Dégoiser des âneries.*

dégommer v. tr. [1] **1.** Ôter la gomme de (qqch). **2.** Fig., fam. Renvoyer, destituer. *On l'a dégommé de sa place.*

dégonflage n. m. **1.** Action de dégonfler. *Le dégonflage des pneus.* **2.** Fig., fam. Fait de se dégonfler (sens 2).

dégonflé, ée adj. et n. **1.** Qui a perdu tout ou partie de ce qui le gonflait. *Pneu complètement dégonflé,* à plat. **2.** Fig., fam. Celui, celle qui se dégonfle (sens 2). *C'est un type dégonflé.* – Subst. *Bande de dégonflés!*

dégonflement n. m. Action de dégonfler ; fait de se dégonfler (choses).

dégonfler v. [1] **1.** v. tr. Vider (une chose) de ce qui la gonflait. *Dégonfler un ballon.* **2.** v. pron. *Chambre à air qui se dégonfle.* ▷ Fig., fam. Perdre son assurance, manquer de courage au moment de faire qqch. *Alors, tu te dégonfles?*

dégorgement n. m. **1.** Action de dégorger ; fait de se dégorger. *Un dégorgement de bile.* **2.** Écoulement d'eau, d'immondices, etc., d'un endroit où elles étaient retenues. **3.** TECH Action de dégorger un tissu.

dégorger v. [13] **I.** v. tr. **1.** Expulser, évacuer (un liquide). *Oléoduc crevé qui dégorge du pétrole.* **2.** Débarrasser (un conduit) de ce qui l'engorge. *Dégorger un tuyau.* **3.** TECH Débarrasser (du cuir, de la laine, etc.) des substances étrangères. **II.** v. intr. **1.** Se déverser, déborder. *Ravines qui dégorgent dans un étang.* – (S. comp.) *Réservoir qui dégorge.* ▷ v. pron. S'épancher, se vider. *Étang qui se dégorge dans des canaux.* **2.** CUIS *Faire dégorger :* faire rendre du liquide à. – *Faire dégorger des escargots,* leur faire rendre leur eau, leur bave.

dégoter ou **dégotter** [degɔte] v. [1] **1.** v. tr. Fam. Trouver, obtenir. *Il a dégoté une bonne place.* ▷ Découvrir. *J'ai dégoté un bon petit restaurant.* **2.** v. intr. Pop. Avoir telle allure. *Il dégote plutôt mal.*

dégoulinade n. f. Fait de dégouliner ; ce qui dégouline. *Peindre un mur sans faire de dégoulinades.*

dégouliner v. intr. [1] S'écouler goutte à goutte ou en filet. *L'eau qui dégouline du toit.*

dégoupiller v. tr. [1] TECH Enlever la goupille de. *Dégoupiller une grenade.*

dégourdi, ie adj. et n. Actif, avisé, débrouillard. *Il est très dégourdi pour son âge.* ▷ Subst. *C'est un drôle de dégourdi!*

dégourdir v. tr. [3] **1.** Faire cesser l'engourdissement de. *Dégourdir ses* *doigts avant de se mettre au piano.* ▷ v. pron. *Se dégourdir les jambes.* **2.** Faire chauffer légèrement. *Dégourdir de l'eau.* ▷ TECH Soumettre à une légère cuisson. *Dégourdir une pâte de poterie.* **3.** Fig. Faire perdre sa gaucherie, sa timidité à (qqn). *Ce voyage va le dégourdir un peu.* – v. pron. *Il s'est bien dégourdi.*

dégourdissement n. m. Action de dégourdir; son résultat. *Le dégourdissement des jambes après une longue immobilité.*

dégoût [degu] n. m. **1.** Répugnance pour certains aliments; manque d'appétit. *Avoir un dégoût pour le vin.* **2.** *Par ext.*, fig. Répugnance, aversion. *Éprouver un dégoût profond pour les sports brutaux.*

dégoûtamment adv. Rare D'une façon dégoûtante. *Manger dégoûtamment.*

dégoûtant, ante adj. et n. **1.** Qui inspire de la répugnance, de l'aversion, par son aspect. *Une nourriture dégoûtante.* – Très sale. *Cette table est dégoûtante.* **2.** Fig. Qui inspire du dégoût par sa bassesse morale. ▷ Subst. *Vous êtes un dégoûtant*, un être vil, répugnant par son indélicatesse. **3.** Fam. Révoltant. *C'est trop injuste; c'est vraiment dégoûtant!*

dégoûté, ée adj. (et n.) **1.** Qui éprouve du dégoût. – *Dégoûté de* : qui a perdu le goût de. *Un homme aigri, dégoûté de tout.* **2.** Qui éprouve facilement du dégoût. ▷ *Par ext.* Délicat, difficile. – Subst. *Faire le dégoûté*, le délicat.

dégoûter v. tr. [1] **1.** Vx Ôter l'appétit à. **2.** Inspirer de la répugnance, de l'aversion à. *Toutes ces bassesses me dégoûtent.* **3.** *Dégoûter de* : enlever le désir, le goût de. *Il est dégoûté du jeu car il perd toujours.* **4.** v. pron. *Se dégoûter de* : prendre en dégoût, en horreur, en aversion. *Il s'est totalement dégoûté de son travail.*

Degoutte (Jean Marie Joseph) (Charnay, Rhône, 1866 – id., 1938), général français. Il commanda l'offensive de Champagne (juil. 1918) et libéra le S. de la Belgique. Il fut commandant en chef, de 1920 à 1925, des forces alliées qui occupaient la Rhénanie.

dégoutter v. intr. [1] **1.** Couler goutte à goutte. *La sueur lui dégouttait du front.* **2.** Laisser tomber goutte à goutte. *Les toits dégouttent de pluie.*

De Graaf (Reinier) (Schoonhoven, près d'Utrecht, 1641 – Delft, 1673), anatomiste et physiologiste néerlandais. Auteur de travaux sur le pancréas et les ovaires, il découvrit les follicules ovariens *(follicules de De Graaf).*

dégradant, ante adj. Avilissant. *Un acte dégradant.*

1. dégradation n. f. **1.** DR Destitution infamante d'un ordre, d'une qualité, d'un grade, etc., à titre de peine. *Dégradation militaire*, entraînant la perte du grade et la mise au niveau d'homme de troupe. – *Dégradation civique*, entraînant la perte des droits civiques. **2.** Dégât fait à un édifice, à une propriété. *Dégradation de monument, dégradation d'édifice public.* **3.** Délabrement, détérioration. *Immeuble dans un état de dégradation pitoyable.* ▷ Fig. *La dégradation de la situation économique.* **4.** PHYS *Dégradation de l'énergie* : tendance de toute énergie à se transformer en chaleur.
▸ illustr. **Dreyfus**

2. dégradation n. f. Diminution progressive (de la lumière, des couleurs).

dégradé n. m. Disposition dégradée des valeurs, des couleurs, en peinture, en photographie, etc. *Papier photographique qui donne de bons dégradés.*

1. dégrader v. tr. [1] **1.** Destituer (qqn) de son grade, de sa dignité. *Dégrader un militaire.* **2.** Fig. Avilir. *La corruption dégrade l'homme.* **3.** Endommager, détériorer (qqch). *Dégrader un monument.* ▷ v. pron. Se détériorer, s'aggraver. *La situation se dégrade de jour en jour.*

2. dégrader v. tr. [1] Diminuer progressivement (la lumière, les couleurs, etc.). *Ce peintre sait bien dégrader les tons.*

dégrafer v. tr. [1] Détacher, défaire (ce qui est agrafé). *Dégrafer son corsage.* ▷ v. pron. *Ma ceinture s'est dégrafée.*

dégraissage n. m. Action de dégraisser; son résultat.

dégraisser v. tr. [1] **1.** Enlever la graisse de. *Dégraisser du bouillon.* **2.** Enlever les taches de graisse de. *Dégraisser un pantalon, une jupe.* **3.** TECH *Dégraisser une pièce*, l'amincir. **4.** v. tr. et intr. Fam. Alléger. *Cette entreprise dégraisse (ses effectifs)*, supprime les employés en surnombre.

dégraisseur, euse n. Personne qui dégraisse les vêtements, les étoffes.

degré n. m. **I.** Litt. Chacune des marches qui forment un escalier, qui servent d'entrée ou de soubassement aux grands édifices. *Les degrés de l'hôtel de ville.* – L'escalier lui-même. **II. 1.** Échelon, rang, niveau. *Parvenir au plus haut degré de la gloire. Ouvrage d'un haut degré de technicité. Au plus haut degré, au suprême degré* (loc. marquant un superl. absolu renforcé). *Il est intelligent au suprême degré.* **2.** Rang dans une hiérarchie. ▷ DR *Degré de juridiction* : place qu'occupe un tribunal dans la hiérarchie des juridictions. ▷ *Degré de parenté* : nombre de parents qui séparent les membres d'une famille. *Ils sont cousins au septième degré.* ▷ Place d'un cycle d'études dans un cursus scolaire ou universitaire. *Enseignement du 1er degré.* **3.** MED *Brûlures du premier degré* (rougeur douloureuse), *du deuxième degré* (avec bulles, œdème) *ou du troisième degré* (carbonisation des tissus). ▷ GRAM *Degré de comparaison* ou *de signification* : niveau d'expression d'un adjectif ou d'un adverbe (positif, comparatif ou superlatif). ▷ MUS Position relative de chaque note dans la gamme selon la tonalité. **4.** MATH *Degré d'un polynôme, d'une équation*, valeur la plus élevée des exposants des monômes qui les constituent. *$ax^2 + bx + c = 0$ est une équation du second degré en x.* **5.** Loc. adv. *Par degrés* : graduellement. *S'acclimater par degrés.* **III. 1.** PHYS Chacune des divisions de l'échelle de mesure d'un système donné. – *Degré Celsius* : unité de température. V. échelle. *Degré Kelvin* : anc. nom du kelvin. *Degré Fahrenheit* : degré d'une échelle de température où au 0 °C correspond le 32 °F et au 100 °C le 212 °F. (Les correspondances sont les suivantes : $C = \frac{5}{9}(F - 32)$ et $F = \frac{9}{5}C + 32$. Cette échelle est encore cour. employée en G.-B. et en Amérique du Nord.) **2.** GEOM Unité d'arc égale à la 360e partie du cercle. ▷ Unité d'angle correspondant à un arc de 1 degré (symbole °). *$360° = 400$ gr. $= 2\pi$ rad.* **3.** CHIM Unité qui caractérise la concentration d'une solution. *Degré Gay-Lussac* (symbole °GL) : nombre de cm^3 d'alcool dans 100 cm^3 d'un mélange eau - alcool éthylique. – *Degré Baumé*, mesurant la densité d'une solution (non légal, mais cour. employé dans certaines industries). – *Degré hydrotimétrique*, mesurant la dureté d'une eau.

dégréer v. tr. [11] MAR Dégarnir de son gréement (un bateau). – Ôter de sa place (un élément du gréement). *Dégréer un foc et le plier.*

Degrelle (Léon) (Bouillon, 1906 – Málaga, 1994), homme politique belge. Fondateur du *rexisme*, mouvement antiparlementaire et fasciste (1935), il collabora avec l'occupant all., créant la légion Wallonie, qui combattit les Soviétiques dans la Waffen S.S. À la Libération, il s'enfuit en Espagne et fut condamné à mort par contumace.

dégressif, ive adj. Qui diminue par degrés. *Tarif dégressif.* – *Impôt dégressif*, dont le taux diminue à mesure que baissent les revenus. Ant. progressif.

dégressivité n. f. Caractère de ce qui est dégressif. *Dégressivité d'une taxe.*

dégrèvement n. m. Action de dégrever. *Demander un dégrèvement fiscal.*

dégrever v. tr. [16] Dispenser du paiement d'une partie ou de la totalité d'un impôt, d'une charge fiscale. *Dégrever les petits contribuables.*

dégriffé, ée adj. et n. m. Se dit d'un vêtement dont la marque a été enlevée et vendu à prix réduit.

dégriffer v. tr. [1] Retirer la marque commerciale pour un circuit de vente à prix réduit.

dégringolade n. f. Fam. Action de dégringoler; son résultat. – Fig. *La dégringolade des prix.*

dégringoler v. [1] **1.** v. tr. Descendre avec précipitation. *Dégringoler un escalier quatre à quatre.* **2.** v. intr. Faire une chute rapide (d'un lieu élevé en pente). *Dégringoler d'un toit.* ▷ Fig. *Les prix à l'exportation ont dégringolé.*

dégrippant n. m. TECH Produit permettant de supprimer le grippage.

dégripper v. tr. [1] Faire cesser le grippage de. *Dégripper les rouages d'une machine.*

dégriser v. tr. [1] **1.** Dissiper l'ivresse de (qqn). *L'air frais achèvera de le dégriser.* ▷ v. pron. Cesser d'être ivre. *Il commence à se dégriser.* **2.** Fig. Faire cesser (pour qqn) une illusion, un charme trompeur. *Le contact avec la réalité des faits l'a tout à fait dégrisé.*

dégrossir v. tr. [3] **1.** Ébaucher, donner une première forme à (une matière que l'on façonne). *Dégrossir un bloc de marbre.* **2.** Fig. Commencer à débrouiller, à éclaircir. *Dégrossir une affaire par des contacts officieux.* **3.** Fig., fam. *Dégrossir qqn*, lui donner les premiers rudiments d'instruction, d'éducation. – Pp. adj. *Un individu mal dégrossi.*

dégrossissage n. m. Action de dégrossir (une matière); première ébauche effectuée.

dégrouiller (se) v. pron. [1] Fam. Se dépêcher. *Dégrouille-toi!*

dégroupage n. m. TRANSP Action de dégrouper (sens 2); son résultat.

dégroupement n. m. Action de dégrouper (sens 1); son résultat.

dégrouper v. tr. [1] **1.** Diviser des groupes constitués (de choses, de personnes). **2.** TRANSP Séparer des colis groupés pour les répartir par destination.

De Groux (Charles Degroux, dit Charles) (Comines, 1825 – Bruxelles, 1870), peintre réaliste belge.

déguenillé, ée adj. Dont les vêtements sont en lambeaux. *Être tout déguenillé.*

déguerpir v. [3] **1.** v. tr. DR ANC Abandonner la possession de (un immeuble). *Déguerpir un héritage.* ▷ Mod. *Sommation à déguerpir.* **2.** v. intr. Cour. Se sauver, partir précipitamment. *Je vous dis de déguerpir!*

dégueulasse adj. et n. Très fam. Dégoûtant, ignoble (au physique ou au moral). *Ce plat est dégueulasse. Faire une chose pareille, c'est dégueulasse.* ▷ Subst. *T'es un dégueulasse.*

dégueuler v. tr. et intr. [1] Vulg. Vomir.

dégueulis [degœli] n. m. Vulg. Matières vomies.

déguisé, ée adj. Revêtu d'un déguisement. – Fig. Feint, dissimulé. *Amour déguisé. Pensée déguisée.* ▷ *Fruits déguisés,* enrobés de sucre fondant ou de chocolat.

déguisement n. m. **1.** Ce qui sert à se déguiser. *Louer un déguisement. Un déguisement d'Indien.* **2.** Vieilli Artifice pour cacher la vérité.

déguiser v. tr. [1] **1.** Habiller (qqn) de sorte qu'on ne puisse le reconnaître. – (Plus souvent pron.) *Détective qui se déguise pour une enquête.* **2.** Habiller (qqn) d'un costume inhabituel, amusant, grotesque, etc., à l'occasion d'une fête ou pour qu'il joue un rôle. *Déguiser un enfant en Pierrot.* ▷ v. pron. *Se déguiser en mousquetaire.* **3.** Rendre méconnaissable. *Déguiser sa voix, son écriture.* **4.** Fig. Cacher sous des apparences trompeuses, dissimuler (qqch). *Déguiser ses mauvaises intentions sous les dehors de l'amitié.*

dégurgiter v. tr. [1] Rendre ce qu'on avait ingurgité.

dégustateur n. m. Spécialiste de la dégustation (en partic. des vins).

dégustation n. f. Action de déguster. *Une dégustation de fruits de mer.* ▷ *Spécial.* Art de reconnaître au goût la qualité, l'origine d'une boisson, d'un vin.

déguster v. tr. [1] **1.** Goûter (une boisson, un mets, etc.) pour en apprécier la qualité. *Déguster un vin, un fromage.* **2.** Fig. Apprécier, savourer, se délecter de. *Nous sommes restés là à déguster le spectacle.* **3.** (S. comp.) Fam. Recevoir des injures, des coups. *Qu'est-ce qu'il a dégusté!*

Dehaene (Jean-Luc) (Montpellier, 1940), homme politique belge. Membre du parti social-chrétien flamand, il est premier ministre depuis 1992.

déhalage n. m. MAR Action de déhaler, de se déhaler.

déhaler v. tr. [1] MAR Déplacer (un navire) au moyen de ses amarres. ▷ v. pron. *Se déhaler.*

déhanchement n. m. **1.** Action de se déhancher. **2.** Démarche de ceux qui se déhanchent.

déhancher (se) v. pron. [1] **1.** Balancer les hanches en marchant. – *Par ext.* Avoir une démarche voluptueuse. **2.** Faire reposer le poids du corps sur une jambe, l'autre étant légèrement fléchie.

déharnacher v. tr. [1] Débarrasser un cheval, un animal de trait de son harnais.

De Havilland (sir Geoffrey) (Haslemere, Surrey, 1882 – Londres, 1965), ingénieur anglais. Il fut un pionnier de l'aviation civile (constructeur du «Comet», premier avion à réaction commercial, en 1952) et militaire.

déhiscence [deisɑ̃s] n. f. BOT Ouverture, lors de la maturation, d'une anthère ou d'un fruit, qui permet au pollen ou aux graines de s'échapper. *Déhiscence longitudinale des gousses.*

déhiscent, ente [deisɑ̃, ɑ̃t] adj. BOT Se dit des organes clos qui s'ouvrent naturellement au moyen de sutures. *La silique de giroflée est déhiscente.*

dehors adv., prép. et n. m. **I. 1.** adv. de lieu. À l'extérieur, hors du lieu ou de la chose en question. *Rester dehors. Sortir du linge de la buanderie pour le faire sécher dehors.* – Interj. *Dehors! :* sortez! ▷ Fig. *Mettre, flanquer, jeter qqn dehors,* le chasser. **2.** Loc. *Mettre toutes voiles dehors :* déployer toutes ses voiles, en parlant d'un navire. ▷ Fig. *Toutes voiles dehors :* en déployant toutes ses ressources; le plus vite possible. *Il a filé toutes voiles dehors.* **II.** Loc. adv. et prép. **1.** *En dehors :* à, vers l'extérieur. *La porte ouvre en dehors.* – *Marcher avec les pieds en dehors.* ▷ *En dehors de :* à l'extérieur de. *Habiter en dehors de la ville.* – Fig. *Je n'ai rien à vous dire en dehors de cela,* mis à part, à l'exclusion de cela. **2.** *Au-dehors :* extérieurement, hors d'un lieu clos. *Il faisait au-dehors un temps affreux.* ▷ *Au-dehors de :* à l'extérieur de. *Au-dehors des fortifications.* **3.** *De dehors :* de l'extérieur. ▷ *Par-dehors :* par l'extérieur. *Il est passé par-dehors.* **III.** n. m. **1.** Partie extérieure d'une chose. *Le dehors et le dedans.* **2.** Plur. Fig. Extérieur, apparence d'un individu. *Sous des dehors modestes, il est fort orgueilleux.*

déhoussable adj. Dont la housse est amovible. *Canapé déhoussable.*

déicide n. et adj. Didac. **1.** Pour les chrétiens, meurtre de Dieu en la personne du Christ. – *Le déicide :* la crucifixion de Jésus. **2.** Meurtrier de Dieu. – adj. *Un peuple déicide.*

déictique adj. LING Se dit d'un élément à référence variable servant à désigner avec précision ou avec insistance (ex. : *ci* dans *ce livre-ci*).

déification n. f. Action de déifier; son résultat.

déifier v. tr. [2] **1.** Diviniser, placer (qqn) au rang des dieux. *Les Romains déifièrent plusieurs empereurs.* **2.** Vénérer, rendre un culte à (qqn, qqch). *Les anciens Égyptiens déifiaient le chat.*

Deimos, l'un des deux satellites de Mars, de forme ovoïdale (15 km sur 11 km), gravitant à 20 000 km de la surface de la planète.

Deir el-Bahari *(dayr al-Baḥri),* site archéologique d'Égypte, situé sur la rive occidentale du Nil, face à l'anc. Thèbes (auj. *Karnak*); partie d'une vaste nécropole : temple funéraire de la reine Hatshepsout (v. 1520 av. J.-C.).

Deir ez-Zor *(dayr az-Zūr),* ville de Syrie, sur l'Euphrate; 106 460 hab.; ch.-l. de la prov. du m. nom. Centre commercial.

déisme n. m. PHILO Opinion, croyance de ceux qui admettent l'existence d'un être suprême mais qui refusent de lui appliquer toute détermination précise et rejettent la révélation, les dogmes et les pratiques religieuses.

déiste n. Personne qui fait profession de déisme. – adj. *Les philosophes déistes.*

déité n. f. Litt. Divinité, dieu ou déesse de la mythologie.

déjà adv. de temps. **1.** Dès le moment même, au moment où l'on parle, dès à présent. *J'ai déjà fini mon ouvrage.* **2.** Dès le moment (passé ou à venir) dont on parle. *Le soleil était déjà levé lorsqu'il se réveilla. Quand vous arriverez, je serai déjà parti.* **3.** Auparavant. *Je vous l'avais déjà dit.* **4.** *Déjà!* Interj. marquant la surprise devant ce qui arrive plus vite qu'on ne s'y attendait. *Déjà prêt!* **5.** (Marquant, dans une affirmation, que la chose affirmée n'est pas sans importance.) *C'est déjà gentil d'être venu.* ▷ (En fin de phrase, pour se faire rappeler ce que l'on a oublié.) *C'est combien, déjà?*

Déjanire, dans la myth. gr., épouse d'Héraklès, qui la délaissa pour Iole. (V. Héraklès.)

déjanter v. [1] **1.** v. tr. Faire sortir (un pneu) de la jante. ▷ v. pron. *Le pneu s'est déjanté.* **2.** v. intr. Fam. Devenir fou.

déjauger v. intr. [13] MAR En parlant d'un bateau, avoir sa ligne de flottaison hors de l'eau.

déjà-vu n. m. inv. Ce qui n'a rien de nouveau, rien d'original. *C'est du déjà-vu, votre invention révolutionnaire.* ▷ *L'impression de déjà-vu* ou *déjà vu :* l'impression de voir (une scène) pour la seconde fois.

Déjazet (Virginie) (Paris, 1798 – id., 1875), actrice française. Elle joua très souvent des rôles masculins *(Bonaparte à Brienne).*

déjection n. f. **1.** Évacuation des matières fécales de l'intestin. – (Plur.) Matières évacuées. **2.** Plur. GEOL Matières rejetées par un volcan. ▷ GEOMORPH *Cône de déjection :* dépôt alluvionnaire laissé par un torrent à l'endroit où il débouche sur une vallée.

déjeté, ée adj. **1.** Disjoint; gauchi, courbé. – (Personnes) *Le malheureux est tout déjeté.* **2.** GEOL Dont les flancs n'ont pas la même inclinaison, en parlant des plis montagneux. *Plis déjetés.*

déjeter v. tr. [20] Déformer, tordre, gauchir. ▷ v. pron. S'écarter de sa position naturelle; se déformer. *Sa colonne vertébrale s'est déjetée.*

1. déjeuner v. intr. [1] Prendre le repas du milieu du jour. ▷ Prendre le petit déjeuner, le repas du matin.

2. déjeuner n. m. **1.** Repas du milieu du jour. *«Le Déjeuner sur l'herbe», tableau de Manet (1863).* **2.** Repas du matin, appelé le plus souvent *petit déjeuner.* **3.** Ensemble des mets qui composent ces repas (partic., le repas du milieu du jour). *Le déjeuner est servi.* **4.** Fig. *Un déjeuner de soleil :* une étoffe dont la couleur passe facilement. – *Par anal.* Ce qui est éphémère. *La chance est un déjeuner de soleil.* **5.** Grande tasse et soucoupe assorties qui servent au petit déjeuner. *Un déjeuner en porcelaine.*

déjouer v. tr. [1] Faire échouer (une intrigue). *Déjouer un complot.*

déjuger (se) v. pron. [13] Revenir sur ce que l'on avait jugé, décidé. *Il ne peut faire cela sans se déjuger.*

de jure [deʒyʀe] loc. adv. et adj. (lat.) De droit. *Reconnaître de jure l'existence d'un État.* (Par oppos. à *de facto.*)

Dekkan ou **Deccan,** partie péninsulaire de l'Inde, au S. du fl. Narbadā. Ce vaste plateau, constitué par un vieux socle précambrien, a été soulevé à l'O. : le bourrelet montagneux des *Ghāts occidentaux,* qui domine la côte de Malabār, atteint 2 695 m à l'Aneimudi; les *Ghāts orientaux,* dominant la côte de Coromandel, forment une barrière moins élevée et plus discontinue. Les pluies de mousson, abondantes sur le rebord occidental (forêt dense), se raréfient vers l'intérieur du Dekkan, où la végétation naturelle se dégrade en forêt sèche (teck, bambou) et brousse épineuse. L'agriculture est assez pauvre : millet, sorgho au centre du plateau; coton sur les terres noires du N.; thé, café, hévéa dans les montagnes méridionales. En revanche, le sous-sol est très riche : fer, houille, cuivre, bauxite, etc. L'urbanisation reste faible. La pop., métissée d'Indo-Aryens au nord, est surtout dravidienne dans le sud.

De Klerk (Frederik Willem) (Johannesburg, 1936), homme politique sud-africain. Élu, en 1989, à la tête du Parti national (conservateur), il succède la m. année à P. Botha à la présidence de la Rép. De 1990 à 1994, il a mis en œuvre des réformes destinées à abolir l'apartheid. Après les élections multiraciales en 1994, il a été nommé vice-président de la Rép. Il a abandonné la vie politique en 1997. Prix Nobel de la paix en 1993 avec N. Mandela.

De Kooning (Willem) (Rotterdam, 1904 – New York, 1997), peintre américain d'origine néerlandaise. Il est un des princ. représentants de l'expressionnisme abstrait et de l'*Action painting*.

delà adv. et prép. **I.** adv. **1.** adv. de lieu (joint à *deçà* ou *deci*). *Rosiers plantés deçà, delà,* de côté et d'autre. – *Marcher deci, delà,* ici et là. **2.** Loc. adv. *Au-delà, par-delà* : encore plus, encore davantage, encore plus loin. *On l'a satisfait, et au-delà. Ils ont poussé jusqu'à l'équateur et même par-delà.* ▷ Loc. adv. Rare *En delà* : plus loin. *C'est un peu plus en delà.* – À l'extérieur (par oppos. à *en deçà*). *En delà de la limite.* **II.** prép. **1.** Vx prép. de lieu. De l'autre côté de. *Delà le fleuve.* ▷ Mod. Loc. prép. *Par-delà* : de l'autre côté, plus loin que. *Par-delà les Alpes. Vouloir se situer par-delà les polémiques.* **2.** *Au-delà de* : en passant par-dessus, en dépassant. *Au-delà des mers.* ▷ Fig. (Marquant le dépassement d'une chose.) *Il a réussi au-delà de nos espérances.*

délabré, ée adj. En mauvais état, en ruine. *Ferme délabrée. Estomac délabré.*

délabrement n. m. État de ce qui est délabré.

délabrer 1. v. tr. [1] Rare Mettre en mauvais état, détériorer. *La tempête a délabré cette cabane.* ▷ Compromettre la solidité de, ruiner. *Ses excès ont délabré sa santé.* **2.** v. pron. Cour. Tomber en ruine. *Monument qui se délabre faute d'entretien.* – Fig. *L'économie se délabre.*

délacer v. tr. [12] Défaire le laçage de. *Délacer un soulier.* ▷ v. pron. *Mon soulier s'est délacé.*

Delacroix (Eugène) (Saint-Maurice, 1798 – Paris, 1863), peintre français, fils présumé de Talleyrand. Sa *Barque de Dante* (1822, Louvre) marque officiellement le début du romantisme. S'il excella dans le portrait (*George Sand, Chopin,* Louvre), ses sujets sont généralement grandioses; il mit à la mode l'orientalisme et, grand coloriste, utilisa les tons purs, juxtaposant les couleurs. Ses esquisses, ses aquarelles, ses fresques (galerie d'Apollon, au Louvre; égl. St-Sulpice) témoignent d'une liberté d'expression qui inspirera Cézanne et Renoir. Il a laissé un important *Journal* (3 vol., posth., 1893).

Delage (Louis) (Cognac, 1874 – Le Pecq, 1947), ingénieur et industriel français. Il mit au point des moteurs et, à partir de 1911, des automobiles de luxe, puis il se spécialisa dans les voitures de course, avec lesquelles il remporta de nombreux grands prix (champion d'Europe en 1925).

Delagoa (baie), baie de l'océan Indien, sur la côte du Mozambique, où est située la cap., Maputo.

délai n. m. **1.** Temps accordé pour faire une chose, pour s'acquitter d'une obligation. *Travaux à terminer dans un délai de deux ans.* ▷ *Délai de préavis* ou *délai-congé* : délai que doit respecter chacune des parties engagées dans un contrat de travail, avant de donner congé à l'autre. **2.** Retard, remise à une époque plus éloignée. *Accorder un délai supplémentaire à qqn.* – *Sans délai* : sans nul retard, immédiatement.

délainer v. tr. [1] TECH Enlever la laine de (peaux de moutons écorchés).

délaissé, ée adj. **1.** Laissé sans secours, sans subsistance, sans affection (personnes). *Enfants délaissés.* **2.** Abandonné (choses). *Procédure délaissée.*

délaissement n. m. **1.** Action de délaisser. – DR *Délaissement d'enfant.* **2.** Manque de tout secours, de toute assistance. *Une personne dans un état de total délaissement.*

délaisser v. tr. [1] **1.** Laisser (qqn) sans secours, sans assistance; abandonner. *Ses amis l'ont délaissé.* **2.** S'occuper de moins en moins de (une chose, une activité). *Il délaisse ses études.* **3.** DR Abandonner (un droit). ▷ Renoncer à. *Délaisser des poursuites.*

Delalande (Michel Richard) (Paris, 1657 – Versailles, 1726), compositeur français, musicien officiel de la Cour. Son œuvre, consacrée surtout à la musique religieuse, comprend de remarquables motets; il a laissé également des *Symphonies pour les soupers du Roy.*

De La Mare (Walter John) (Charlton, Kent, 1873 – Twickenham, Middlesex, 1956), poète anglais, lyrique et visionnaire : *Terrine de paons* (1913), *Poèmes pour enfants* (1930), *Rimes et Vers* (1944). Il a également publié des romans (*le Retour,* 1910).

Delamare-Deboutteville (Édouard) (Rouen, 1856 – Montgrimont, Seine-Mar., 1901), inventeur et industriel français. Il réalisa en 1883, avec Léon Malandin, le premier véhicule automobile quadricycle, équipé d'un moteur à explosion, qui ait circulé sur route.

Eugène **Delacroix** : *Autoportrait,* 1837; musée du Louvre

Delambre (le chevalier Jean-Baptiste Joseph) (Amiens, 1749 – Paris, 1822), astronome français. Il mesura, avec Pierre Méchain, la portion de méridien comprise entre Dunkerque et Barcelone. (V. Méchain.)

Delaney (Shelagh) (Salford, Lancashire, 1939), dramaturge anglaise. Elle décrit les problèmes de la solitude morale en milieu ouvrier : *Un goût de miel* (1958), *le Lion amoureux* (1960).

Delannoy (Jean) (Noisy-le-Sec, 1908), cinéaste français. Son œuvre, abondante, est marquée par un souci tout académique de la forme (*Pontcarral,* 1943; *l'Éternel Retour,* 1943; *la Symphonie pastorale,* 1946; *Bernadette Soubirous,* 1988).

Delaroche (Hippolyte, dit Paul) (Paris, 1797 – id., 1856), peintre d'histoire, élève de Gros : *l'Assassinat du duc de Guise* (1835).

De La Roche (Mazo) (Toronto, 1885 – id., 1961), romancière canadienne d'expression anglaise. Elle consacra ses nombr. ouvrages à la famille Whiteoak (série des *Jalna,* à partir de 1927).

Delarue-Mardrus (Lucie Delarue, Mme Charles Mardrus) (Honfleur, 1880 – Château-Gontier, 1945), écrivain français; poétesse (*la Figure de proue,* 1908) et romancière (*l'Ex-Voto,* 1921; *Une femme libre et l'amour,* 1933, qui peint avec émotion sa Normandie natale).

délassant, ante adj. Qui délasse. *Une soirée délassante.*

délassement n. m. **1.** Repos qu'on prend pour se délasser. *S'accorder une minute de délassement.* **2.** Distraction délassante. *La pêche est son délassement.*

délasser 1. v. tr. [1] Reposer, faire cesser la lassitude de. *La marche délasse l'esprit.* – (S. comp.) *Le sommeil délasse.* **2.** v. pron. Se reposer. *Faire une sieste pour se délasser.* ▷ Se reposer en se distrayant. *Einstein se délassait en jouant du violon.*

délateur, trice n. et adj. Personne qui pratique la délation. – adj. *Une démarche délatrice.*

délation n. f. Dénonciation par vengeance, par intérêt ou par vilenie. *Encourager la délation.*

Delaunay (Robert) (Paris, 1885 – Montpellier, 1941), peintre français. Du cubisme, il passa à une organisation rythmique de plans non figuratifs aux couleurs pures qu'Apollinaire appela *orphisme* : *Rythmes sans fin* (1933-1934). – **Sonia,** née Terk (Odessa, 1885 – Paris, 1979), épouse du préc.; peintre français d'origine ukrainienne. Elle appliqua la juxtaposition « orphiste » des couleurs, qui caractérise sa peinture (*le Bal Bullier,* 1913), à la décoration et à la couture.

Sonia **Delaunay** : *Composition rythme,* 1958; MNAM

délavé, ée adj. 1. Détrempé. *Terrain délavé.* 2. Dont la couleur s'est éclaircie, affaiblie. *Tissu délavé.*

délaver v. tr. [1] 1. Pénétrer d'eau, détremper. *L'orage a délavé les champs.* 2. Éclaircir, affaiblir avec de l'eau une teinture, une couleur étendue sur du papier.

Delavigne (Casimir) (Le Havre, 1793 – Lyon, 1843), écrivain français. Son œuvre comprend des élégies lyriques et patriotiques (*les Trois Messéniennes,* 1818; *Nouvelles Messéniennes,* 1822-1827), des comédies (*l'École des vieillards,* 1823) et des tragédies où il essaie de tenir le milieu entre classicisme et romantisme : *les Vêpres siciliennes* (1819), *Marino Faliero* (1823), *les Enfants d'Édouard* (1833). Acad. fr. (1825).

Delaware (la), fl. de l'E. des É.-U. (406 km), formé par des riv. naissant dans les Appalaches; il baigne Philadelphie et se jette dans l'Atlantique, formant la *baie de la Delaware* (longueur : 86 km, largeur max. : 45 km), entre le New Jersey et l'État de Delaware.

Delaware, État de l'E. des É.-U. (le plus petit après le Rhode Island), sur la baie de la Delaware; 5 328 km²; 666 000 hab.; cap. *Dover.* – Il est formé au N. par des collines, au S. par une plaine. Le climat est tempéré. Agric. (légumes, fruits). Import. centres industr. (notam. industr. chim. à partir de pétrole importé). – Colonisé dès le XVIIe s., l'État fut le premier à adopter la Constitution fédérale (1787).

Delay (Jean) (Bayonne, 1907 – Paris, 1987), médecin et psychiatre français. Il a écrit de nombr. ouvrages, notam. *les Ondes cérébrales et la psychologie* (1941), *Maladies de la mémoire* (1943), *la Jeunesse d'André Gide* (essai, 1957). Acad. fr. (1959).

délayage n. m. 1. Action de délayer; état de ce qui est délayé. 2. Fig., fam. Manque de précision et de concision dans la manière de s'exprimer. *C'est du délayage, ce rapport.*

délayer v. tr. [21] 1. Détremper (une substance) dans un liquide. *Délayer de la farine.* 2. Fig. *Délayer sa pensée,* lui faire perdre sa force en l'exprimant trop longuement.

Delbrück (Max) (Berlin, 1906 – Pasadena, Californie, 1981), biochimiste américain d'origine allemande. P. Nobel de médecine 1969 pour ses travaux sur l'A.D.N.

Delcassé (Théophile) (Pamiers, 1852 – Nice, 1923), homme politique français. Ministre des Affaires étrangères (1898-1905), il fit sortir la France de son isolement : accords avec l'Italie, renforcement de l'alliance franco-russe (1900), et surtout Entente cordiale avec la G.-B. (1904).

delco n. m. (Nom déposé.) AUTO Dispositif d'allumage pour moteur à explosion, utilisant une bobine d'induction; cette bobine elle-même.

deleatur ou **déléatur** [deleatyʀ] n. m. inv. TYPO Signe typographique (₰) qui indique une suppression à effectuer sur une épreuve.

délébile adj. Rare Qui s'efface; qui peut être effacé. *Encre délébile.* Ant. indélébile.

délectable adj. Litt. Qui délecte. *Un vin délectable.* Syn. délicieux.

délectation n. f. 1. Plaisir qu'on savoure. *Manger, lire, paresser avec délectation.* 2. THEOL *Délectation morose* : complaisance avec laquelle on pense au péché, sans intention de le commettre.

délecter 1. v. tr. [1] Vx ou litt. Charmer, causer une joie vive à. 2. v. pron. Cour. Trouver un vif plaisir à (qqch). *Le repas était délicieux et je me délectais.* – *Se délecter d'un spectacle.*

Deledda (Grazia) (Nuoro, Sardaigne, 1871 – Rome, 1936), romancière italienne. Elle s'apparente à l'école vériste : *Récits sardes* (1894), *Âmes honnêtes* (1895), *Cendres* (1904). P. Nobel 1926.

délégant, ante n. DR Personne qui délègue (par oppos. à *délégataire*).

délégataire n. DR Personne à qui l'on délègue (par oppos. à *délégant*).

délégation n. f. 1. Commission donnée par une personne à une autre pour agir en ses lieu et place. *Agir en vertu d'une délégation.* ▷ *Délégation de poste* : dans l'Université, poste d'un suppléant dans la chaire d'un titulaire. 2. Procuration, écrit par lequel on délègue qqn. 3. Action de déléguer, transfert (d'un pouvoir). *Délégation de pouvoirs d'un ministre à son chef de cabinet.* ▷ DR Opération par laquelle un individu (le délégant) ordonne à un autre (le délégué) de donner à (ou de faire qqch au profit de) un troisième (le délégataire). *Délégation de solde* (d'un militaire à sa famille), pendant la durée d'une campagne. *Délégation de créance.* 4. Ensemble de personnes déléguées pour représenter un corps, une société, etc. *Le ministre a reçu une délégation.*

délégitimer v. tr. [1] Ôter à qqn ou qqch sa légitimité. *Des hommes politiques délégitimés.*

délégué, ée n. Personne chargée d'une délégation ou appartenant à une délégation. *Délégué du personnel, délégué de classe.* – adj. *Personne déléguée.*

déléguer v. tr. [14] 1. Charger (qqn) d'une mission, d'une fonction, avec pouvoir d'agir. *Administration qui délègue un fonctionnaire dans une commission.* 2. Transmettre (un pouvoir) par délégation. *Savoir déléguer ses responsabilités.*

Delémont, v. de Suisse; ch.-l. du cant. du Jura; 11 800 hab. Horlogerie.

Delerue (Georges) (Roubaix, 1925 – Los Angeles, 1992), compositeur français. Il s'est imposé comme un des maîtres de l'« école française » de la musique de film *(Hiroshima mon amour, Jules et Jim, Viva Maria !).* Il a également composé des opéras et des musiques de scène.

Delescluze (Louis Charles) (Dreux, 1809 – Paris, 1871), journaliste et homme politique français. Déporté à Cayenne après le 2 Décembre, il fut amnistié en 1860. Membre de la Commune, délégué à la Guerre, il fut tué sur les barricades.

Delessert (Étienne) (Lyon, 1735 – Paris, 1816), financier français; on lui doit la première compagnie d'assurance contre l'incendie (1782). – **Benjamin** (Lyon, 1773 – Paris, 1847), fils du préc., créa la première usine de sucre de betterave (1810) et fonda la première caisse d'épargne (1818).

délestage n. m. Action de délester. *Itinéraire de délestage.*

délester v. tr. [1] 1. Décharger de son lest (un navire, un aéronef). 2. Rare Soulager d'un poids, d'un fardeau. *Le bagagiste nous a délestés de nos valises.* ▷ Fig., iron. *On l'a délesté de son portefeuille,* on le lui a volé. 3. Détourner de (une route encombrée) une partie des véhicules qui l'empruntent. 4. ELECTR Réduire la charge de (un réseau électrique).

Delestraint (Charles Antoine) (Biache-Saint-Waast, Pas-de-Calais, 1879 – Dachau, 1945), général français. Résistant de la première heure, à Lyon, puis chef de l'armée secrète, il fut arrêté en mars 1943 et mourut en déportation.

délétère adj. 1. Dangereux pour la santé, la vie; toxique. *Un gaz délétère.* 2. Fig., litt. Corrupteur, pernicieux. *Un discours délétère.*

Deleuze (Gilles) (Paris, 1925 – *id.,* 1995), philosophe français. Il présente la rationalité comme génératrice de contraintes : *Nietzsche et la philosophie* (1962), *Logique du sens* (1969), *L'Anti-Œdipe* (1972) en collab. avec F. Guattari, *Rhizome* (1976), *le Pli, Leibniz et le baroque* (1988).

Delft, v. des Pays-Bas (Hollande-Méridionale), entre La Haye et Rotterdam; 88 070 hab. Faïenceries célèbres, verrerie; constr. méca. Centre de recherches nucléaires. – Ville universitaire. – Canaux, maisons anciennes, beffroi gothique, Nouvelle Église (XVe s., renferme le tombeau de Guillaume le Taciturne), Prinsenhof.

Delgado (cap), cap africain, au N. du canal du Mozambique, sur l'océan Indien.

Delhi, v. de l'Inde, sur la Yamunā, affl. du Gange; 7 175 000 hab.; cap. du *territoire de Delhi* (1 483 km²; 9 370 470 hab.). Industr. text., alim. et chim. – Nombr. mon. : colonne de Fer (inscription du IVe s.), Qutb Minar (XIIIe s.), mosquées. – *New Delhi,* cap. fédérale de l'Inde; 272 000 hab. Quartier de Delhi, au S. de la vieille ville, construit pendant la période coloniale par les Britanniques.

délibérant, ante adj. Qui délibère.

délibératif, ive adj. Relatif à la délibération. ▷ *Voix délibérative* : voix de celui qui a qualité pour voter (par oppos. à *voix consultative*).

délibération n. f. 1. Action de délibérer. *La délibération du jury.* ▷ *Par ext.* Litt. Décision. *Prendre une délibération.* 2. Examen qu'on fait en soi-même relativement à un parti à prendre. *Agir après délibération.*

délibératoire adj. Didac. Relatif à la délibération.

délibéré, ée adj. et n. m. I. adj. 1. Arrêté, décidé de façon consciente. *Avoir la volonté délibérée de nuire.* ▷ *Marcher d'un pas délibéré,* ferme et résolu. 2. Loc. adv. *De propos délibéré* : à dessein, avec une intention bien arrêtée. II. n. m. DR Délibérations d'un tribunal, d'une cour, avant jugement.

délibérément adv. De façon délibérée, résolument.

délibérer v. [14] I. v. intr. 1. Discuter, se concerter pour résoudre un problème, prendre une décision. *Les membres du conseil délibèrent sur la question.* 2. Litt. Réfléchir avant de prendre une résolution, un parti. II. v. tr. indir. *Délibérer de* : discuter de, se concerter au sujet de. *Nous avons délibéré de cette affaire hier.*

Delibes (Léo) (Saint-Germain-du-Val, Sarthe, 1836 – Paris, 1891), compositeur français. On lui doit des opéras-comiques (*Lakmé,* 1883), des opérettes, des ballets (*Coppélia,* 1870; *Sylvia,* 1876).

délicat, ate adj. 1. Fin, raffiné. *Une soie délicate. Une saveur délicate.* Ant.

grossier. **2.** Qui a été exécuté avec beaucoup de minutie, d'adresse. *Une statuette délicate.* ▷ Par ext. *Le ciseau délicat du sculpteur.* **3.** Qui peut aisément être altéré, endommagé. *Une plante délicate.* **4.** Qui demande de la prudence, de la circonspection. *Se trouver dans une situation délicate.* **5.** Qui apprécie les moindres nuances. *Un esprit délicat. Un palais délicat.* ▷ (Avec une nuance péjor.) *Vous êtes bien délicat!* – Subst. *Faire le délicat.* **6.** Qui dénote le sens moral, la probité; qui montre des scrupules. *Un procédé peu délicat.* ▷ Qui fait preuve de tact et sensibilité. *Un homme délicat. Une délicate attention.*

délicatement adv. Avec délicatesse.

délicatesse n. f. Qualité de ce qui est délicat. **1.** Finesse, subtilité. *La délicatesse d'une teinte.* **2.** Précision, adresse dans un travail, dans un geste. *La délicatesse d'un coup de pinceau.* **3.** Qualité de ce qui est délicat, fragile. *La délicatesse d'un tissu.* **4.** Qualité de ce qui doit être abordé, traité avec circonspection, prudence. *Étant donné la délicatesse de cette affaire...* **5.** Disposition à sentir, penser, juger avec subtilité. *Délicatesse des sentiments.* **6.** Probité, rigueur morale. *Un procédé qui manque de délicatesse.* ▷ Tact, finesse. *Il a montré beaucoup de délicatesse à son égard.* – *Être en délicatesse avec qqn* : être en désaccord avec lui, lui être hostile.

délice n. **1.** n. m. sing. Vif plaisir. – Par ext. Cour. *Cette poire est un délice.* **2.** n. f. pl. Litt. Jouissances, plaisirs. *Les délices enivrantes de l'amour.* – Loc. *Les délices de Capoue**.

délicieusement adv. D'une façon délicieuse.

délicieux, euse adj. Qui flatte les sens, le goût, l'esprit, jusqu'au ravissement. *Il fait un temps délicieux pour une promenade. Une enfant délicieuse.*

délictueux, euse ou **délictuel, elle** adj. DR Qui présente les caractères d'un délit. *Des faits délictueux.*

délié, ée adj. **I. 1.** Litt. Extrêmement mince, ténu. ▷ n. m. Partie fine, déliée, d'une lettre calligraphiée. *Tracer les pleins et les déliés.* **2.** Fig. *Avoir l'esprit délié* : avoir de la finesse d'esprit, de la subtilité. **II. 1.** Qui n'est plus lié. *Des rubans déliés.* **2.** Fig. Souple, agile. *Les doigts déliés d'un harpiste.*

délier v. tr. [2] **1.** Défaire ce qui lie ou ce qui est lié. *Délier un lacet, une gerbe.* – Loc. *Sans bourse délier* : sans payer. ▷ Fig. *Délier la langue à qqn,* le faire parler. *Le vin lui déliera la langue.* **2.** Fig. Dégager (d'une obligation, d'un engagement). *Délier qqn d'un serment.* **3.** THEOL Absoudre.

déligner v. tr. [1] Éliminer en scierie les défauts, les inégalités d'une pièce de bois.

Delille (Jacques, dit l'abbé) (Aigueperse, Auvergne, 1738 – Paris, 1813), écrivain français. Il fut un maître de la poésie descriptive et didactique au XVIIIe s. : *les Jardins* (1782). Il a traduit en vers les *Géorgiques* de Virgile (1769). Acad. fr. (1774).

DeLillo (Don) (New York, 1936), romancier américain, évocateur des grands mythes de la société des États-Unis : *les Noms* (1982); *Libra* (1988).

délimitation n. f. Action de délimiter.

délimiter v. tr. [1] Assigner des limites à. *Délimiter un territoire.* – Fig. *Délimiter une question.*

délinéament n. m. Didac. Trait qui indique un contour. – Ligne. *Les délinéaments de la main.*

délinéateur n. m. TRAV PUBL Balise munie de cataphotes blancs, placée le long des accotements d'une route pour indiquer la limite de la chaussée.

délinquance n. f. Ensemble de crimes et délits considérés d'un point de vue statistique.

délinquant, ante n. Personne qui a commis un délit. ▷ adj. *La jeunesse délinquante.*

déliquescence [delikesɑ̃s] n. f. **1.** Didac. Propriété qu'ont certains corps d'absorber l'eau atmosphérique et de s'y dissoudre. **2.** Fig. État de ce qui se décompose, tombe en ruine; dégénérescence. *Tomber en déliquescence.*

déliquescent, ente [delikesɑ̃, ɑ̃t] adj. **1.** Didac. Qui possède la propriété de déliquescence. ▷ BOT Qui se liquéfie au cours de la maturation. **2.** Fig. Décadent; sans fermeté, sans rigueur.

délirant, ante adj. **1.** En proie au délire. *Un patient délirant.* **2.** Fig. *Un enthousiasme délirant,* excessif.

délire n. m. **1.** Désordre des facultés intellectuelles caractérisé par une perception erronée de la réalité, qui est souvent interprétée selon un thème (persécution, grandeur, mélancolie, mysticisme, etc.). ▷ Par ext. Cour. *C'est du délire!* : c'est extravagant, insensé. **2.** Fig. Trouble extrême provoqué par des émotions, des passions violentes. *Le délire de l'amour. Foule en délire.*

délirer v. intr. [1] Avoir le délire. *La fièvre fait délirer.* – Fig. *Il délire de joie.*

delirium tremens [deliʀjɔmtʀemɛ̃s] n. m. inv. (Lat., «délire tremblant».) Délire alcoolique aigu accompagné d'agitation, d'hallucinations, de tremblements, de fièvre et de déshydratation grave.

délister v. tr. [1] Retirer un produit d'une liste. *Médicament délisté et en vente libre.*

1. délit [deli] n. m. **1.** DR En droit civil, acte qui cause à autrui un dommage quelconque, de par la faute ou sous la responsabilité de son auteur. **2.** DR En droit pénal, infraction punie d'une peine correctionnelle (par oppos. à *crime* et à *contravention*). ▷ Loc. *En flagrant délit* : au moment même de la consommation du délit. – *Le corps du délit* : le délit considéré en lui-même, abstraction faite de la personne du délinquant. **3.** DR *Délit d'initié,* consistant, dans les affaires, à se servir d'informations confidentielles pour en tirer un profit personnel. **4.** Cour. Infraction plus ou moins grave à la loi.

2. délit [deli] n. m. **1.** Plan perpendiculaire au litage, dans une pierre. **2.** Discontinuité, veine d'une pierre, parallèle au plan de litage.

délitage n. m. Action de déliter.

délitement n. m. Division d'une pierre suivant la direction des couches.

déliter v. [1] **I.** v. tr. **1.** CONSTR Poser une pierre en délit (2, sens 1), de façon que le plan de litage soit vertical. **2.** Détacher, débiter (une pierre) dans le sens de ses lignes de stratification. **II.** v. pron. **1.** Se fragmenter en plaques parallèles à la direction du litage (roches, pierres). **2.** En parlant de la chaux, se désagréger dans l'eau qu'elle absorbe. **3.** Fig. Se décomposer, se fragmenter, devenir moins crédible. *Leurs relations se sont délitées progressivement.*

1. délitescence [delitesɑ̃s] n. f. Didac. Fait de se déliter, de se désagréger.

2. délitescence n. f. MED Disparition soudaine d'un signe anormal (tumeur, lésion, etc.).

délivrance n. f. **1.** Action de délivrer, de libérer; son résultat. *La ville fête sa délivrance. La délivrance d'un prisonnier.* **2.** Fig. Soulagement. *La délivrance d'une inquiétude.* **3.** Action de délivrer, de remettre qqch. *La délivrance des marchandises, d'une ordonnance.* **4.** OBSTETR Expulsion des annexes fœtales. – *Par ext.* Cour. Accouchement.

délivrer v. tr. [1] **I. 1.** Faire recouvrer la liberté à. *Délivrer un captif.* **2.** *Délivrer qqn de,* le débarrasser de (ce qui l'entrave, le gêne). *Délivrer un prisonnier de ses menottes.* – *Délivrez-moi de cet importun!* ▷ v. pron. *Il s'est délivré de toutes ses obligations.* **II.** Remettre entre les mains, livrer. *Délivrer un certificat à qqn.*

Della Francesca (Piero). V. Piero della Francesca.

Della Porta (Giacomo) (Porlezza, près de Côme, v. 1539 – Rome, 1602), architecte italien. Il termina la plupart des édifices laissés inachevés par Michel-Ange (notam. la coupole de la basilique St-Pierre) et réalisa la façade de l'église du Gesù (Rome).

Della Robbia (Luca) (Florence, v. 1400 – id., 1482), sculpteur et céramiste florentin, le premier à travailler sur de la terre cuite à décor polychrome émaillé (*Résurrection, Ascension,* dôme de Florence). – **Andrea** (Florence, 1435 – id., 1525), neveu et élève du préc., continua l'œuvre de son oncle. – **Giovanni** (Florence, 1469 – id., 1529), fils du préc. : fontaine de la sacristie de Santa Maria Novella à Florence. – **Girolamo** (Florence, 1488 – Paris, 1566), frère du préc., travailla surtout en France (chât. de Madrid, à Neuilly, et tombeau des Valois, à Saint-Denis).

Della Scala ou **Scaligeri,** famille italienne de Vérone, du parti gibelin, dont le plus célèbre représentant fut **Cangrande I**[er] (Vérone, 1291 – Trévise, 1329), capitaine général de la ligue des gibelins en Lombardie; protecteur des arts, il accueillit Dante exilé. – **Cansignorio** (1340 – 1375) fit construire à Vérone le tombeau des Scaligeri.

Deller (Alfred) (Margate, 1912 – Bologne, 1979), chanteur anglais, fondateur d'un ensemble vocal, le *Deller Consort,* qui se consacra après 1950 à l'interprétation de la musique de la Renaissance anglaise. Il a été le pionnier du retour aux authentiques voix de fausset pour l'exécution des œuvres de ce répertoire.

Delluc (Louis) (Cadouin, Dordogne, 1890 – Paris, 1924), cinéaste français : *la Femme de nulle part* (1922). Ses écrits (*Cinéma et C*[ie], 1919) ont fondé la critique cinématographique. Depuis 1936, un prix Louis-Delluc récompense un film français.

Delly, pseudonyme de Marie (Avignon, 1875 – Versailles, 1947) et Frédéric (Vannes, 1876 – Versailles, 1949) Petitjean de La Rosière, écrivains français, auteurs de romans populaires, sentimentaux et moralisants (*Magali,* 1910; *Comme un conte de fées,* 1935).

délocalisation n. f. **1.** Action de délocaliser. **2.** CHIM État d'un électron dépendant de plus de deux atomes dans une molécule ou un ion.

délocaliser v. tr. [1] ECON Déplacer une administration, une implantation industrielle, etc.

Alain **Delon**, dans *Nouvelle vague*, de Jean-Luc Godard, 1990

déloger v. [**13**] **I.** v. intr. Abandonner son logement, l'endroit où l'on se trouve. *Il finira bien par déloger tôt ou tard.* **II.** v. tr. **1.** Faire quitter (à qqn) le logement qu'il occupe. Syn. expulser. **2.** Chasser d'une position. *Déloger l'ennemi.*

Delon (Alain) (Sceaux, 1935), acteur français. Jeune encore, il tourne avec de grands réalisateurs qui jouent sur son apparence de démon ingénu (*Rocco et ses frères*, 1960; *le Guépard*, 1963), puis il se partage entre des œuvres graves qui répondent à sa conception pessimiste de la vie (*M. Klein*, 1976; *le Retour de Casanova*, 1992) et des films conçus pour un large public (*Borsalino*, 1970).

Deloncle (Eugène) (Brest, 1890 - Paris, 1944), homme politique français. Militant de l'Action française, il fonda (1935) le C.S.A.R. (la *Cagoule*), puis (1940) le fascisant Mouvement social révolutionnaire. Il fut assassiné (avec son fils) par la Gestapo, pour d'obscures raisons.

Delorme ou **de l'Orme** (Philibert) (Lyon, v. 1510 ou 1515 - Paris, 1570), architecte français. Il sut rythmer l'ornementation classique. Une grande partie de son œuvre est détruite. Subsistent l'hôtel Bullioud (1536, Lyon), certaines parties (chap. et portail) du château d'Anet, qu'il édifia pour Diane de Poitiers de 1545 à 1555, et le tombeau de François Ier (Saint-Denis). Il a écrit des traités d'architecture.

Delors (Jacques) (Paris, 1925), homme politique français. Ministre de l'Économie et des Finances (1981-1984), il devint président de la Commission européenne (1985-1995); il contribua à l'élaboration du traité de Maastricht (1992).

Délos, la plus petite des Cyclades, consacrée dans l'Antiquité au culte d'Apollon. Elle fut le siège de la Ligue maritime fondée par Athènes et abrita dans le temple d'Apollon le trésor fédéral (478-454 av. J.-C.). Sa ruine date du début de l'Empire romain. Nombr. vest. : théâtre sur le port Sacré, allée des Lions.

île de **Délos :** ruines de la maison de Cléopâtre VII, IIe s. av. J.-C.

déloyal, ale, aux adj. Dépourvu de loyauté; qui dénote le manque de loyauté. *Un adversaire déloyal.*

déloyalement adv. De manière déloyale.

déloyauté n. f. **1.** Manque de loyauté. *La déloyauté d'un confrère.* **2.** Acte déloyal. *Commettre une déloyauté.*

Delphes, v. de l'anc. Grèce (Phocide), au pied du Parnasse. Apollon y avait un temple et la Pythie y rendait des oracles en son nom; hommes politiques et simples citoyens venaient de toute la Grèce pour la consulter. Du VIIe au IVe s. av. J.-C., Delphes connut une grande prospérité, notam. culturelle. Le site comprend de grands ensembles archéologiques (temples, stade, théâtre, gymnase) révélés dès 1860 par les fouilles de l'École française d'Athènes.

la tholos de **Delphes,** IVe s. av. J.-C.

delphinarium [dɛlfinaʀjɔm] n. m. Aquarium où l'on présente des dauphins.

delphinelle. V. dauphinelle.

delphinidés n. m. pl. ZOOL Famille de cétacés odontocètes de taille petite ou moyenne (2 à 10 m), pourvus d'un aileron dorsal et d'un bec aux nombreuses dents (dauphin, globicéphale, orque, etc.). - Sing. *Un delphinidé.*

delphinium [dɛlfinjɔm] n. m. BOT Renonculacée à fleurs zygomorphes. Syn. cour. pied-d'alouette.

delphinologie n. f. Étude des dauphins.

Delsarte (Jean) (Fourmies, 1903 - Nancy, 1968), mathématicien français; l'un des membres du groupe Bourbaki.

delta n. m. **1.** Quatrième lettre de l'alphabet grec (δ, Δ). **2.** AVIAT *Aile delta* ou *en delta*, en forme de triangle isocèle. ▷ SPORT *Aile delta :* voilure triangulaire (appelée aussi *aile volante*) utilisée par les adeptes du deltaplane. **3.** Embouchure d'un fleuve divisée en deux ou plusieurs bras par des dépôts d'alluvions et affectant la forme d'un triangle. *Le delta du Rhône.*

Delta (plan), ensemble des travaux d'aménagement menés à partir de 1958 sur les côtes des Pays-Bas (Hollande-Méridionale et Zélande) en vue de protéger les régions littorales contre les risques d'inondation.

deltaplane

deltaïque adj. GEOGR Qui se rapporte à un delta.

deltaplane n. m. Appareil de vol à voile constitué d'une surface alaire triangulaire *(aile delta, aile volante)* fixée sur une armature tubulaire et d'un harnais permettant un vol en suspension.

Delteil (Joseph) (Villar-en-Val, Aude, 1894 - Montpellier, 1978), écrivain français. Renouant avec l'art épique du Moyen Âge, il écrivit en 1925 *Jeanne d'Arc* (adapté à l'écran par Dreyer), puis *La Fayette* (1928), *Il était une fois Napoléon* (1929), *Saint Don Juan* (1930).

deltoïde adj. et n. m. ANAT Se dit du muscle triangulaire de l'épaule, qui s'insère en haut sur la clavicule et l'omoplate, en bas sur l'humérus, et qui permet le mouvement d'abduction du bras. ▷ n. m. *Le deltoïde.*

déluge n. m. **1.** (Souvent avec une majuscule.) Inondation universelle, d'après la Bible. *Lors du Déluge, Noé se réfugia dans son arche.* ▷ Loc. fig. *Remonter au déluge*, fort loin dans le passé. **2.** *Par exag.* Pluie torrentielle. *La pluie ne s'arrête pas, c'est un déluge.* V. diluvien. ▷ Fig. *Un déluge de paroles, de larmes.*

déluré, ée adj. D'un esprit vif et astucieux. ▷ Très libre dans ses mœurs. *Une fille délurée.*

délurer v. tr. [**1**] Rare Rendre moins gauche. ▷ Péjor. Déniaiser, dévergonder. - v. pron. *Il s'est un peu déluré.*

Delvaux (Paul) (Antheit, près de Huy, 1897 - Furnes, 1994), peintre belge de tendance surréaliste : *les Nœuds roses* (1937, musée royal des Beaux-Arts, Anvers).

Delvaux (André) (Louvain, 1925), cinéaste belge : *Rendez-vous à Bray* (1971), *Belle* (1972), *Femme entre chien et loup* (1978), *l'Œuvre au noir* (1988).

Paul **Delvaux :** *l'Appel*, 1943; coll. Aberbach, New York

Delvincourt (Claude) (Paris, 1888 – Ortebello, Italie, 1954), compositeur français, proche de Ravel et de Chabrier : *Croquembouches* (pièces pour piano, 1926), *la Femme à barbe* (comédie musicale, 1938), *Lucifer* (mystère, 1948).

démagnétiser v. tr. [1] PHYS, TECH Faire disparaître l'aimantation de. *Démagnétiser une montre.*

démagogie n. f. **1.** Politique, procédés d'un démagogue. **2.** Didac. État social dans lequel le pouvoir politique est aux mains de la multitude.

démagogique adj. De la démagogie, relatif à la démagogie.

démagogue n. et adj. **1.** n. Personnage politique qui feint de soutenir les intérêts des masses pour mieux les dominer ; personne qui professe des théories propres à flatter les passions et les préjugés populaires. ▷ adj. *Un politicien démagogue.* **2.** adj. (Sens atténué.) Se dit d'une personne qui cherche à s'attirer la faveur d'un groupe, la popularité, par des platitudes, une complaisance excessive.

démailler v. tr. [1] Défaire les mailles de. ▷ v. pron. *Bas qui se démaille.*

démailloter v. tr. [1] Défaire le maillot, les langes de (un bébé).

demain adv. **1.** Jour qui suivra celui où l'on est. *Demain il fera beau.* ▷ (Emploi nominal.) *Demain sera un grand jour.* – *À demain* : jusqu'au lendemain (formule pour prendre congé). **2.** Dans un futur proche. *Qu'en sera-t-il demain ?* ▷ (Emploi nominal.) *De quoi demain sera-t-il fait ?*

Demaison (André) (Bordeaux, 1883 – Maule, 1956), écrivain français. Moraliste, il fait une édifiante comparaison entre la vie des hommes africains et des animaux et celle des êtres dits civilisés : *Le livre des bêtes qu'on appelle sauvages* (1929), *Diaeli, le livre de la sagesse noire* (1931).

démancher v. [1] **I.** v. tr. **1.** Enlever le manche de. *Démancher un balai, un couteau.* ▷ v. pron. *Marteau qui se démanche.* **2.** Défaire, déglinguer, disloquer. ▷ v. pron. *Mécanique qui se démanche.* **II.** v. intr. MUS Dans le jeu de certains instruments à cordes, retirer le pouce gauche de dessous le manche pour jouer les notes aiguës. **III.** v. pron. Fam. **1.** Se démettre (un membre). *Se démancher le bras.* **2.** Se donner de la peine, se démener pour un résultat.

demande n. f. **1.** Action de demander. *Rejeter une demande.* ▷ *Par ext.* Écrit exprimant une demande. *Demande de prélèvement.* – Chose demandée. **2.** *Demande en mariage* : démarche par laquelle on demande une jeune fille en mariage. **3.** DR Action intentée en justice en vue de faire reconnaître ses droits. *Une demande en dommages-intérêts.* **4.** ECON Besoins en produits, en services, que le consommateur est prêt à acquérir pour un prix donné. *La loi de l'offre et de la demande.*

demander v. tr. [1] **I. 1.** S'adresser à qqn pour obtenir qqch. *Demander un verre d'eau, de l'aide. Je vous demande de partir.* ▷ *Demander la main d'une jeune fille,* la demander en mariage. **2.** Loc. *Ne demander qu'à* : n'avoir d'autre désir que de. *Je ne demande qu'à vous aider.* ▷ Fam. *Ne pas demander mieux* : accepter volontiers. **3.** Faire connaître qu'on a besoin de (qqn). *Demander un médecin. On demande une secrétaire.* **4.** Avoir besoin de, nécessiter. *Sa santé demande des ménagements.* **5.** S'enquérir de, chercher à prendre contact avec. *Qui demandez-vous ?* **6.** DR Faire une demande en justice. *Demander le divorce.* **II.** Interroger qqn pour apprendre qqch. *Demander son chemin à un passant. Je lui ai demandé s'il avait terminé.* ▷ v. pron. S'interroger soi-même. *Je me demande si j'ai bien fait.*

demandeur n. et adj. **1.** DR Personne qui forme une demande en justice. (Au fém. *demanderesse.*) **2.** *Demandeur d'emploi* : personne à la recherche d'un travail inscrite à l'A.N.P.E. (Au fém. *demandeuse.*) **3.** adj. Désireux d'obtenir qqch. *Des personnes demandeuses d'aide à domicile.*

démangeaison n. f. **1.** Picotement de l'épiderme qui incite à se gratter. *Les piqûres de moustiques provoquent des démangeaisons.* **2.** Fig., fam. Vif désir.

Demangeon (Albert) (Gaillon, Eure, 1872 – Paris, 1940), universitaire français ; spécialiste de géographie humaine et économique.

démanger v. intr. [13] **1.** Faire éprouver une démangeaison à. *Le dos me démange.* **2.** Fig., fam. *Les poings, la langue lui démangent* : il a grande envie de frapper, de parler.

démantèlement n. m. Action de démanteler ; son résultat.

démanteler v. tr. [17] **1.** Démolir (des fortifications, les fortifications de). *Démanteler une muraille, un château.* **2.** Fig. Anéantir, abattre. *Démanteler un réseau de trafiquants.*

démantibuler v. tr. [1] Fam. Disloquer, démolir, mettre en pièces. *On a démantibulé ce piano en le transportant.*

démaquillage n. m. Action de démaquiller, de se démaquiller.

démaquillant, ante adj. et n. m. Qui est utilisé pour démaquiller. *Crème démaquillante.* ▷ n. m. *Un démaquillant.*

démaquiller v. tr. [1] Enlever le maquillage de. *Démaquiller son visage.* ▷ v. pron. *Se démaquiller.* – (Faux pron.) *Se démaquiller les yeux.*

démarcage. V. démarquage.

démarcation n. f. **1.** Action de fixer une limite ; cette limite. *Les États réviseront la démarcation de leurs frontières.* ▷ *Ligne de démarcation,* séparant deux zones d'un territoire. – HIST *La ligne de démarcation,* fixée par l'armistice franco-allemand de juin 1940 entre la zone occupée de la France et la zone « libre » administrée par le gouvernement de Vichy. **2.** Fig. Séparation, délimitation. *La démarcation entre les classes sociales.*

démarchage n. m. Travail du démarcheur.

démarche n. f. **1.** Façon de marcher. *Une démarche gracieuse.* **2.** Fig. Façon dont procède un raisonnement, une pensée. *Une démarche logique.* **3.** Action menée pour atteindre un but, réussir une affaire. *Faire des démarches pour obtenir un poste.*

démarcher v. tr. [1] Visiter à domicile dans le but de placer des marchandises, des services.

démarcheur, euse n. Personne dont le métier est de placer des marchandises, des services à domicile.

démarier v. tr. [2] AGRIC Éclaircir (un semis) en arrachant des jeunes plants. *Démarier des carottes.*

démarquage ou **démarcage** [demaʀkaʒ] n. m. Action de démarquer.

démarque n. f. **1.** JEU Partie où l'un des joueurs perd un nombre de points égal à celui marqué par l'autre joueur. *Jouer à la démarque.* **2.** Action de démarquer des marchandises. **3.** GEST *Démarque inconnue* : différence entre le stock comptable et le stock réel, par suite de vol ou d'erreur de gestion.

démarquer v. tr. [1] **1.** Enlever la marque de. *Démarquer du linge.* **2.** Plagier. *Démarquer une œuvre littéraire.* **3.** *Démarquer des marchandises,* en enlever la marque pour les vendre à moindre prix. **4.** SPORT Libérer (un coéquipier) de l'emprise (marquage) d'un adversaire. ▷ v. pron. Prendre du recul ou ses distances vis-à-vis de qqn ou de qqch.

démarrage n. m. Action de démarrer ; résultat de cette action.

démarrer v. [1] **1.** v. tr. Faire fonctionner, mettre en mouvement. *Démarrer un moteur.* – Fig. *Démarrer une nouvelle affaire.* **2.** v. intr. Se mettre en mouvement, commencer à fonctionner. *Le train démarre. Moteur qui démarre.* – Fig., fam. *De nouvelles industries vont démarrer.*

démarreur n. m. Petit moteur électrique auxiliaire, actionné par la batterie, qui sert à lancer le moteur d'un véhicule automobile.

démascler v. tr. [1] TECH Écorcer (un chêne-liège).

démasquer v. tr. [1] **1.** Enlever son masque à (qqn). **2.** Fig. Dévoiler, montrer sous son vrai jour. *Démasquer une intrigue, un hypocrite.* – Pp. adj. *Un escroc démasqué.* **3.** MILIT *Démasquer une batterie* : repérer une batterie camouflée. – Fig. *Démasquer ses batteries* : montrer des desseins jusqu'alors cachés. ▷ v. pron. Faire connaître ses intentions.

démâtage n. m. MAR Action, fait de démâter.

démâter v. [1] **1.** v. tr. Enlever le(s) mât(s) de (un navire). *Démâter un voilier.* **2.** v. intr. MAR Perdre son (ses) mât(s). *L'embarcation a démâté.*

dématérialisation n. f. **1.** Fait de se dématérialiser. **2.** PHYS NUCL Transformation en photons d'une particule et de son antiparticule qui se sont annihilées l'une l'autre. **3.** FIN Remplacement de la représentation matérielle de valeurs mobilières par une inscription au compte de leur propriétaire ou d'un intermédiaire.

dématérialiser v. tr. [1] **1.** Rendre immatériel, intangible. **2.** PHYS NUCL Détruire les particules matérielles, celles-ci se transformant en énergie rayonnante. ▷ v. pron. *Un négaton et un positon se dématérialisent en donnant deux photons gamma.*

Demāvend ou **Damāvend,** point culminant (5 610 m) du massif de l'Elbourz (Iran). Ce volcan éteint est un haut lieu de la mythologie persane.

démazouter v. tr. [1] Nettoyer qqch, un animal du mazout qui le souille.

d'emblée. V. emblée (d').

dème n. m. ANTIQ GR Division administrative de l'anc. Attique.

démêlage ou **démêlement** n. m. Action de démêler ; son résultat.

démêlant, ante n. m. Produit qui facilite le démêlage des cheveux. ▷ adj. *Crème démêlante.*

démêlé n. m. Altercation, désaccord. *Avoir un démêlé avec qqn.* – *Avoir eu des démêlés avec la justice* : avoir encouru une condamnation.

démêler v. tr. [1] **1.** Séparer ce qui est emmêlé. *Démêler ses cheveux.* **2.** Fig. Tirer de la confusion, éclaircir. *Démêler* une intrigue. *Démêler le vrai du faux.* **3.** v. pron. (passif) *Fils qui se démêlent facilement.* ▷ Fig. *Imbroglio qui se démêle.*

démêloir n. m. Peigne à grosses dents.

démêlure n. f. (Le plus souvent plur.) Cheveux tombés au cours de la coiffure.

démembrement n. m. Fig. Action de démembrer (sens 2); son résultat. *Le démembrement de la Pologne.*

démembrer v. tr. [1] **1.** Séparer les membres du tronc de. *Démembrer un sanglier.* **2.** Fig. Morceler, séparer les parties de. *Démembrer un royaume.*

déménageable adj. Qui peut être déménagé. *Un piano difficilement déménageable.*

déménagement n. m. Action de déménager; son résultat.

déménager v. [13] **I.** v. tr. Transporter (des objets, des meubles) d'un endroit à un autre. – Par ext. *Déménager une maison, un placard.* **II.** v. intr. **1.** Changer de logement. *Nous espérons déménager bientôt.* – Fam. *Déménager à la cloche de bois,* en cachette et sans avoir payé le loyer. **2.** Fig., fam. Déraisonner.

déménageur n. m. Entrepreneur, ouvrier qui fait des déménagements.

démence n. f. **1.** Cour. Altération grave du psychisme d'un individu. *Être atteint de démence.* ▷ Cour. *C'est de la démence! :* c'est déraisonnable, insensé! V. délire. **2.** DR Aliénation mentale qui, reconnue au moment de l'infraction, entraîne l'irresponsabilité. **3.** MED Diminution irréversible des facultés mentales. ▷ *Démence précoce* ou *juvénile. Démence sénile.*

démener (se) v. pron. [16] **1.** S'agiter violemment. *Se démener comme un beau diable, comme un diable dans un bénitier.* **2.** Fig. Se donner beaucoup de peine pour la réussite d'un projet, d'une entreprise. *Il s'est démené pour obtenir cette place.*

dément, ente adj. et n. Atteint de démence. ▷ Mod., fam. Extraordinaire, sensationnel. *C'est dément!* – Extravagant, déraisonnable. *Des prix déments.*

démenti n. m. Action de démentir; ce qui dément. *Les faits apportent un démenti formel à votre hypothèse.*

démentiel, elle adj. **1.** Qui se rapporte à la démence, dénote la démence. **2.** Fam., cour. Extravagant, insensé. *Des idées complètement démentielles.*

démentir v. tr. [30] **1.** Affirmer que qqn n'a pas dit la vérité. *Démentir un témoin.* **2.** Affirmer le contraire de (ce qui a été dit), déclarer faux. *Démentir une nouvelle.* ▷ Contredire. *Les autres témoignages démentent ses assertions.* **3.** Fig. Être en contradiction avec. *Sa conduite dément ses paroles.* **4.** v. pron. Faiblir, cesser. *Sa patience ne s'est jamais démentie.*

démerder (se) v. pron. [1] Très fam. Se débrouiller. *Démerde-toi pour arriver à l'heure.* – Se hâter (surtout à l'impér.). *Démerdez-vous!*

démérite n. m. Litt. Ce qui fait perdre l'estime d'autrui. *Il n'y a pas de démérite à agir ainsi.*

démériter v. intr. [1] Agir d'une façon telle que l'on perd l'estime d'autrui. *Il a grandement démérité à leurs yeux en agissant ainsi.*

démesure n. f. Manque de mesure, excès. *La démesure de son ambition.*

démesuré, ée adj. **1.** Qui excède la mesure normale. *Taille démesurée.* **2.** Fig. Excessif, immodéré. *Une vanité démesurée.*

démesurément adv. D'une manière démesurée.

Déméter, dans la myth. gr., déesse de la Terre cultivée, fille de Cronos et de Rhéa, et sœur de Zeus. Son culte est lié à celui de Perséphone, sa fille. Les Romains identifièrent Déméter à Cérès.

Démétrios de Phalère (Phalère, Attique, v. 350 - Haute-Égypte, v. 283 av. J.-C.), homme politique et orateur athénien. Il gouverna Athènes pendant dix ans au nom de Cassandre.

Démétrios Ier Poliorcète («Preneur de villes») (v. 336 - 282 av. J.-C.), fils d'Antigonos Monophthalmos; roi de Macédoine (306-287 av. J.-C.). Vainqueur de Cassandre aux Thermopyles, il fut battu en Asie Mineure par Séleucos Ier (286 av. J.-C.), qui l'emprisonna.

Démétrios Ier Sôter («le Sauveur») (m. en 150 av. J.-C.), fils de Séleucos IV; roi de Syrie de 162 à 150 av. J.-C. Il fut vaincu par Alexandre Ier Balas. – **Démétrios II Nikatôr** («le Vainqueur») (m. près de Tyr, 125 av. J.-C.), fils du préc.; roi de Syrie de 145 à 138 et de 129 à 125 av. J.-C. Il triompha de l'usurpateur Alexandre Ier Balas. – **Démétrios III Eukairos** («l'Heureux») (m. en 88 av. J.-C.), roi de Syrie de 95 à 88 av. J.-C.

1. démettre v. tr. [60] Déplacer (un os), luxer. *Il lui a démis le bras.* ▷ v. pron. *Se démettre l'épaule.*

2. démettre v. tr. [60] Destituer d'un emploi, d'une charge, d'une dignité. Syn. révoquer. ▷ v. pron. Démissionner. *Se démettre de ses fonctions.*

démeubler v. tr. [1] Enlever tout ou partie des meubles de (un lieu).

demeurant (au) loc. adv. D'ailleurs, au reste.

demeure n. f. **I. 1.** DR Retard mis à remplir une obligation. **2.** *Mettre un débiteur en demeure de payer,* le sommer d'acquitter ses dettes. ▷ Cour. *Mettre qqn en demeure de tenir ses promesses, ses engagements.* ▷ *Il n'y a pas péril en la demeure :* on ne risque rien à maintenir les choses en l'état. **II.** Loc. adv. *À demeure :* de façon permanente. *Châssis fixé à demeure.* **III.** Habitation, maison d'une certaine importance. *Une belle demeure.* – Fig., litt. *La dernière demeure :* la tombe. *Conduire qqn à sa dernière demeure.*

demeuré, ée adj. (et n.) Mentalement retardé. *Un enfant demeuré.*

demeurer v. intr. [1] **1.** (Avec l'auxiliaire *avoir.*) Avoir sa demeure, son habitation. *Il demeure à la campagne. Nous avons demeuré longtemps dans ce quartier.* **2.** Litt. S'arrêter, rester un certain temps en quelque endroit. *Notre vaisseau a (est) demeuré trois jours à l'ancre.* Syn. séjourner. **3.** Persister, durer (choses). *Les écrits demeurent.* **4.** (Avec l'auxiliaire *être.*) Persister à être (dans un certain état). *Il est demeuré inébranlable.* ▷ *En demeurer d'accord avec qqn,* tomber d'accord après discussion. ▷ Loc. *En demeurer là :* ne pas donner suite à qqch. **5.** *Demeurer à qqn,* lui rester, lui être laissé. *Ce titre lui demeure.*

demi-. Élément, de l'adj. *demi,* désignant la division par deux ou le caractère imparfait, incomplet. (Rem. : demi- est toujours inv.)

demi, ie adj., n. et adv. **I.** adj. **1.** (Devant un nom et suivi d'un trait d'union, inv.) Qui est la moitié exacte d'un tout. *Un demi-kilo. Une demi-livre.* V. aussi hémi-, semi-. ▷ Fig. Incomplet, imparfait. *Ce n'est qu'un demi-succès. Il n'y a que demi-mal.* **2.** *Et demi, ie* (après un nom, s'accordant en genre seulement) : plus une moitié. *Il est deux heures et demie. Sept ans et demi.* **II.** n. **1.** n. m. Moitié d'une unité. *Un demi plus un demi égalent une unité.* **2.** n. Moitié d'une chose. *Ne me donne pas une part entière, un morceau entier, je n'en veux qu'une demie, qu'un demi.* **3.** n. m. Verre de bière qui contient 25 cl (un demi-litre à l'origine); contenu de ce verre. *Un demi de blonde.* **4.** n. f. Demi-heure après l'heure juste. *L'horloge sonne les demies. J'ai rendez-vous à la demie.* **5.** n. m. SPORT Joueur qui assure la liaison entre les avants et les trois-quarts (rugby) ou entre les arrières et les avants (football). **III.** adv. **1.** À moitié. *Des bouteilles demi-vides.* **2.** En partie, presque, imparfaitement. *C'est un vieil original, demi-fou.* **IV.** Loc. adv. *À demi :* à moitié. *Le travail est plus qu'à demi fait.* ▷ Imparfaitement. *Un rôti à demi cuit.*

demiard n. m. (Canada) Mesure de capacité pour les liquides, valant une demi-chopine, soit 28,4 cl. ▷ *Par ext.* (Depuis l'adoption du système métrique.) Quart de litre.

demi-botte n. f. Botte qui monte à mi-mollet. *Des demi-bottes.*

demi-brigade n. f. HIST Nom donné au régiment sous la Révolution. ▷ Mod. Formation de troupes composée de deux ou trois bataillons et commandée par un colonel. *Des demi-brigades.*

demi-centre n. m. SPORT Au football, joueur qui, au milieu du terrain, organise la défense et fournit la balle aux avants. *Des demi-centres.*

demi-cercle n. m. GEOM Moitié d'un cercle, limitée par un diamètre. *Des demi-cercles.*

demi-circulaire adj. Qui a la forme d'un demi-cercle. *Des structures demi-circulaires.* V. semi-circulaire.

demi-colonne n. f. ARCHI Colonne engagée de la moitié de son diamètre dans une maçonnerie. *Des demi-colonnes.*

demi-deuil n. m. **1.** Anc. Deuil moins strict que l'on portait après la période de grand deuil (vêtements noir mêlé de blanc, gris ou mauves). *Des demi-deuils.* **2.** CUIS *Poularde demi-deuil,* blanchie après introduction sous la peau de lamelles de truffes (noires).

demi-dieu n. m. MYTH Enfant mâle issu des amours d'un dieu et d'une femme, d'une déesse et d'un homme, ou héros divinisé pour ses exploits. *Des demi-dieux.*

demi-douzaine n. f. Moitié d'une douzaine. *Des demi-douzaines.*

Demidov, famille russe (XVIIe-XIXe s.). L'industrie métallurgique fut à l'origine de sa fortune. – **Anatole** (Moscou, 1812 - Paris, 1870), prince de San Donato, épousa la princesse Mathilde Bonaparte.

demi-droite n. f. MATH Segment de droite dont une extrémité est rejetée à l'infini. *Des demi-droites.*

demi-écrémé, ée. V. écrémer.

demi-fin, -fine adj. **1.** Qui n'est ni gros ni fin. *Des petits pois demi-fins.* **2.** Qui contient la moitié de son poids d'alliage. *Or demi-fin.* ▷ n. m. *Un bracelet en demi-fin.*

demi-finale n. f. SPORT Épreuve éliminatoire dont les vainqueurs disputeront la finale. *Des demi-finales.*

demi-finaliste n. Concurrent ou équipe qualifiés pour une demi-finale. *Des demi-finalistes.*

demi-fond n. m. inv. SPORT *Course de demi-fond* : course de moyenne distance, qui demande à la fois des qualités de vitesse et d'endurance. *Un coureur de demi-fond.*

demi-frère n. m. Frère seulement par le père (frère consanguin) ou par la mère (frère utérin). *Des demi-frères.*

demi-gros n. m. inv. Vente qui se situe entre le gros et le détail. *Commerce de demi-gros.*

demi-heure n. f. Moitié d'une heure. *Des demi-heures.*

demi-jour n. m. Faible clarté. *Des demi-jours.*

demi-journée n. f. Moitié d'une journée, spécial. d'une journée de travail. *Des demi-journées.*

démilitarisation n. f. Action de démilitariser.

démilitariser v. tr. [1] Empêcher toute activité militaire dans (une zone déterminée), y supprimer toute installation de matériel militaire.

demi-litre n. m. Moitié d'un litre. *Des demi-litres.*

De Mille (Cecil Blount) (Ashfield, Massachussets, 1881 - Hollywood, 1959), cinéaste américain; producteur et réalisateur de films à grand spectacle : *Forfaiture* (1915), *les Dix Commandements* (1923 et 1956), *les Flibustiers* (1938), *les Tuniques écarlates* (1940), *Samson et Dalila* (1949), *Sous le plus grand chapiteau du monde* (1952).

Cecil B. **De Mille :** *les Dix Commandements,* 1956, avec Yul Brynner (à g.) et Charlton Heston

demi-longueur n. f. SPORT *Gagner d'une demi-longueur,* en franchissant la ligne d'arrivée avec la moitié de la longueur (du cheval, du bateau, etc.) d'avance sur le suivant. *Des demi-longueurs.*

demi-lune n. f. 1. FORTIF Ouvrage avancé, en demi-cercle ou en saillant, situé au droit de la courtine. 2. ARCHI Place semi-circulaire à l'entrée d'un palais, à l'extrémité d'un jardin, etc. *Des demi-lunes.* 3. AMEUB *En demi-lune* : de forme semi-circulaire (fin XVIIIe-déb. XIXe s.).

demi-mal n. m. Mal, dommage moindre que celui qu'on pouvait redouter. *Des demi-maux.*

demi-mesure n. f. 1. Moitié d'une mesure. *Une demi-mesure de blé.* 2. Mesure, démarche, précaution insuffisante. *Vous n'obtiendrez rien avec des demi-mesures.*

demi-mondaine n. f. Vieilli Femme du demi-monde. *Des demi-mondaines.*

demi-monde n. m. Vieilli Milieu social composé de femmes aux mœurs légères et de leur entourage. *Des demi-mondes.*

demi-mort, -morte adj. Presque mort. *Ils étaient demi-morts* (ou, loc., *à demi morts) de faim.*

demi-mot (à) loc. adv. Sans qu'il soit nécessaire de tout dire. *Comprendre à demi-mot.*

déminage n. m. Action de retirer les mines d'une zone terrestre ou maritime, de les rendre inoffensives.

déminer v. tr. [1] Procéder au déminage de.

déminéralisation n. f. 1. TECH Action de déminéraliser; son résultat. 2. MED Perte pathologique, localisée ou diffuse, des sels minéraux contenus dans la substance osseuse.

déminéraliser v. tr. [1] TECH Débarrasser des sels minéraux. - Pp. adj. *Eau déminéralisée.* ▷ v. pron. MED Être atteint de déminéralisation.

démineur n. m. Spécialiste du déminage. - (En appos.) *Char démineur.*

demi-pause n. f. MUS Figure de silence d'une durée égale à celle d'une blanche, placée sur la troisième ligne de la portée sous la forme d'un petit trait. *Des demi-pauses.*

demi-pension n. f. Pension qui ne comporte qu'un seul repas par jour. *Hôtel qui propose la demi-pension et la pension complète.* ▷ *Spécial.* Pension qui ne comporte que le repas de midi, dans un établissement scolaire. *Des demi-pensions.*

demi-pensionnaire n. Élève qui prend son repas de midi dans un établissement scolaire. *Externes, demi-pensionnaires et internes.*

demi-place n. f. Place à moitié prix. *Des demi-places.*

demi-plan n. m. GEOM Partie d'un plan, limitée par une droite. *Des demi-plans.*

demi-portion n. f. Fam., péjor. Personne chétive, de petite taille. - Personne insignifiante. *Des demi-portions.*

demi-queue adj. et n. m. *Piano demi-queue,* plus petit que le piano à queue et plus grand que le crapaud. ▷ n. m. *Des demi-queues.*

Demirel (Süleyman) (Islâmköy, 1924), homme politique turc. Dirigeant du Parti de la justice, il fut, de 1965 à 1980, plusieurs fois Premier ministre. En 1980, un coup d'État militaire l'écarte de tout poste. Á nouveau Premier ministre en 1991, il devient président de la République en mai 1993.

demi-reliure n. f. TECH Reliure dont le dos n'est pas de la même matière que les plats. *Des demi-reliures.*

demi-ronde n. f. TECH Lime dont une face est plate et l'autre arrondie. *Des demi-rondes.* ▷ adj. *Lime demi-ronde.*

1. démis, ise adj. Luxé, désarticulé. *Cheville démise.*

2. démis, ise adj. Destitué, révoqué. *Être démis de ses fonctions.*

demi-saison n. f. Automne ou printemps. *Les demi-saisons.* - *Vêtements de demi-saison,* que l'on porte pendant cette période.

demi-sang n. m. inv. Cheval ou jument provenant de reproducteurs dont un seul est pur-sang, ou de deux demi-sang.

demi-sec adj. m. et n. m. Se dit d'un vin ou d'un cidre plus sucré que le sec et moins que le doux. - n. m. *On a servi des demi-secs.*

demi-sel n. m. inv. 1. (En appos.) *Beurre demi-sel,* peu salé. 2. Fromage blanc frais, légèrement salé. 3. Arg., péjor. Malfaiteur peu aguerri.

demi-sœur n. f. Sœur par le père ou la mère seulement. V. demi-frère. *Des demi-sœurs.*

demi-solde n. 1. n. f. Solde réduite de moitié des militaires en disponibilité. *Des demi-soldes.* 2. n. m. inv. Militaire percevant cette solde. ▷ *Spécial.* Officier de l'Empire mis à l'écart par la Restauration.

demi-sommeil n. m. État intermédiaire entre l'état de veille et le sommeil. *Des demi-sommeils.*

demi-soupir n. m. MUS Silence d'une durée égale à celle d'une croche, figuré sur la troisième ligne de la portée par un signe en forme de 7. *Des demi-soupirs.*

démission n. f. Acte par lequel on renonce à un emploi, à une dignité. *Donner sa démission.*

démissionnaire adj. et n. Qui vient de donner sa démission. ▷ Fig. Qui ne fait pas face à ses responsabilités.

démissionner v. intr. [1] 1. Donner sa démission. ▷ v. tr. Iron. *Démissionner qqn,* le renvoyer. 2. *Par ext.* Fig., fam. Renoncer à faire qqch, abandonner. *C'est vraiment trop compliqué; moi, je démissionne.* ▷ Renoncer à faire face à une situation qui exigerait qu'on assume ses responsabilités. *Avec ses enfants, il a démissionné.*

demi-tarif n. m. Tarif inférieur de moitié au plein tarif. *Place à demi-tarif. Des demi-tarifs.* - adj. inv. *Billets demi-tarif.*

demi-teinte n. f. 1. Teinte peu soutenue. *Un tissu imprimé tout en demi-teintes.* ▷ Fig. *Un poème en demi-teinte.* 2. MUS Sonorité atténuée.

demi-ton n. m. MUS Intervalle le plus petit entre deux notes consécutives de la gamme tempérée. *Demi-ton diatonique,* entre deux notes de noms différents. *Demi-ton chromatique,* entre deux notes de même nom, dont l'une est altérée par un dièse ou un bémol. *Des demi-tons.*

demi-tour n. m. Moitié d'un tour; volte-face. *Demi-tour à droite! Demi-tour, droite! Des demi-tours.* - *Faire demi-tour* : se retourner; revenir sur ses pas.

démiurge n. m. 1. PHILO Nom donné par Platon, dans le *Timée,* à l'ordonnateur du cosmos, différent de Dieu, pure Intelligence. 2. Litt. Créateur d'une œuvre, généralement de grande envergure.

demi-vie n. f. PHYS NUCL Durée à l'issue de laquelle la moitié d'un corps radioactif s'est désintégrée. *Des demi-vies.* Syn. période.

demi-volée n. f. SPORT Renvoi de la balle (tennis) ou du ballon (rugby, football) à l'instant même de son rebond. *Des demi-volées.*

démo-. Élément, du gr. *dêmos* « peuple ».

démobilisable adj. Qui doit être démobilisé. *Un appelé démobilisable.*

démobilisateur, trice adj. Qui démobilise.

démobilisation n. f. Action de démobiliser.

démobiliser v. tr. [1] **1.** Renvoyer à la vie civile (les hommes appelés sous les drapeaux). **2.** Fig. POLIT Diminuer l'enthousiasme combatif de. ▷ v. pron. Ne plus se sentir motivé pour agir. *Même les plus obstinés se démobilisèrent.*

démocrate n. et adj. **1.** Partisan de la démocratie. – adj. *Un parti démocrate.* **2.** Membre d'un des deux grands partis politiques américains. *Les démocrates et les républicains.* – adj. *Le Parti démocrate.*

démocrate-chrétien, enne n. et adj. POLIT Qui se réclame de la démocratie chrétienne.

démocratie [demɔkʀasi] n. f. **1.** Régime politique où la souveraineté est exercée par le peuple. *« Lorsque, dans la république, le peuple en corps a la souveraine puissance, c'est une démocratie » (Montesquieu).* **2.** Pays qui vit sous un tel régime. *Les démocraties antiques.* ▷ *Les démocraties populaires :* les pays de l'Est qui se réclamaient du marxisme-léninisme (économie dirigée de type socialiste). – *Démocratie libérale,* dont l'organisation économique est de type capitaliste libéral. – *Démocratie chrétienne :* doctrine politique, économique et sociale qui s'inspire à la fois des principes du christianisme et de ceux de la démocratie libérale.

démocratique adj. **1.** Conforme à la démocratie. *Élection démocratique. Régime démocratique.* **2.** À la portée du plus grand nombre. *Un moyen de transport démocratique.*

démocratiquement adv. D'une manière démocratique.

démocratisation n. f. Action de démocratiser; fait de se démocratiser.

démocratiser v. tr. [1] **1.** Rendre démocratique. *Démocratiser les institutions.* ▷ v. pron. *Le régime de ce pays se démocratise.* **2.** Mettre à la portée du plus grand nombre. ▷ v. pron. *La pratique de l'équitation se démocratise.*

Démocrite (Abdère, Thrace, v. 460 – ?, v. 370 av. J.-C.), philosophe grec, contemporain de Socrate et de Protagoras. Matérialiste, il identifie l'être à la matière (composée d'atomes qui se déplacent dans le vide) et le non-être au vide. Affirmant que le souverain bien réside dans le calme de l'âme, il est le précurseur direct d'Épicure (qui reprendra son atomisme).

démodé, ée adj. Passé de mode. *Chapeau démodé.*

démoder (se) v. pron. [1] Cesser d'être à la mode.

démoduler v. tr. [1] TELECOM Séparer un signal de l'onde porteuse qu'il module.

démographe n. Spécialiste de la démographie.

démographie n. f. Science qui décrit et étudie les peuples (natalité, mortalité, etc.), les populations (âge, profession, etc.). *Les apports de la démographie à la géographie humaine.* – *Par méton.* État d'une population (sous l'aspect quantitatif).

démographique adj. **1.** Qui a rapport à la démographie. *Étude démographique.* **2.** Qui a rapport aux populations, envisagées du point de vue quantitatif. *Poussée démographique.*

demoiselle n. f. **I. 1.** Jeune fille, femme non mariée. **2.** *Demoiselle d'honneur :* jeune fille qui accompagne la mariée. *Les demoiselles d'honneur et les garçons d'honneur.* ▷ Jeune fille attachée à la cour d'une reine, d'une princesse. **3.** Anc. Femme d'un bourgeois (par oppos. à *dame**, femme noble). **II.** Fig. **1.** Nom cour. de diverses petites libellules, partic. du genre *Calopteryx.* **2.** GEOL *Demoiselle* ou *demoiselle coiffée :* cheminée* de fée. **3.** TECH Outil de paveur qui sert à compacter. Syn. hie, dame.

Demoiselles (grotte des), excavation dominant les gorges de l'Hérault, ornée de stalactites et de stalagmites d'une grande beauté.

démolir v. tr. [3] **1.** Détruire, abattre pièce par pièce (ce qui était construit). *Démolir une maison.* **2.** Fig. Ruiner, abattre complètement. *Démolir la réputation de qqn.* **3.** Mettre en pièces, rendre inutilisable. *Démolir un appareil.* **4.** Fam. *Démolir qqn,* le rosser. *Se faire démolir.* ▷ Fatiguer à l'extrême, exténuer. *Cette marche forcée nous a complètement démolis.* ▷ Ruiner la santé de. *C'est l'alcool qui l'a démoli.*

démolissage n. m. Action de démolir.

démolisseur, euse n. **1.** Celui, celle qui travaille à démolir. *La pioche des démolisseurs.* **2.** Fig. Celui qui s'acharne à ruiner des idées, des systèmes.

démolition n. f. **1.** Action de démolir. *Entreprise de démolition.* – Fig. *La démolition des institutions.* **2.** (Plur.) Matériaux provenant de constructions démolies.

démon n. m. **1.** MYTH Génie bon ou mauvais. ▷ *Le démon de Socrate :* le génie, la voix intérieure (personnification de la conscience morale) qui, aux dires de Socrate, lui inspirait sa conduite. (On dit aussi le *daïmôn* [dajmɔn] *socratique.*) **2.** Ange déchu, chez les chrétiens et les juifs. – Spécial. *Le démon :* le diable, Satan. **3.** Fig. Personne méchante, mauvaise. *Méfiez-vous d'elle, c'est un démon.* ▷ *C'est un petit démon,* un enfant turbulent, bruyant. **4.** *Le démon de... :* l'instinct mauvais qui pousse vers... *Le démon du jeu.* ▷ *Avoir* (ou *être possédé par*) *le démon de midi :* se dit d'une personne qui, au milieu (« midi ») de sa vie, éprouve le désir violent d'avoir à nouveau des aventures amoureuses. ▷ Fam. *Les vieux démons de qqn :* d'anciennes habitudes néfastes auxquelles il semblait avoir renoncé.

démonétisation n. f. Action de démonétiser.

démonétiser v. tr. [1] **1.** Enlever sa valeur légale à (une monnaie). **2.** Fig. Déprécier, discréditer.

démoniaque adj. et n. **1.** Relatif au démon; qui a le caractère qu'on prête au démon. *Personnage démoniaque.* **2.** Qui est possédé du démon. ▷ Subst. *L'exorcisation d'un démoniaque.*

démonologie n. f. Didac. Étude du démon, des démons.

démonstrateur, trice n. Celui, celle qui fait la démonstration d'un appareil, d'un produit, etc. *Démonstratrice en produits de beauté.*

démonstratif, ive adj. et n. m. **1.** Qui sert à démontrer. *Argument démonstratif.* **2.** Qui a tendance à s'extérioriser, à manifester ses sentiments. *Un homme peu démonstratif.* **3.** GRAM Qui sert à montrer, à désigner la personne, la chose dont on parle à l'exclusion de toute autre. *Adjectifs démonstratifs* (ce, cet, cette, ces). *Pronoms démonstratifs* (celui, celle, etc.). ▷ n. m. *« Ce » et « celui » sont des démonstratifs.*

démonstration n. f. **1.** Action de démontrer; raisonnement par lequel on démontre. ▷ Ce qui prouve, démontre. *Votre manière d'agir est une excellente démonstration de l'absurdité de vos principes.* **2.** Leçon pratique, explication donnée en montrant les objets dont on parle. *Professeur qui fait une démonstration de physique.* ▷ *Spécial.* Explication pratique concernant un appareil, un produit, etc., donnée par un représentant ou un vendeur. *Démonstration gratuite à domicile.* **3.** Témoignage, manifestation extérieure d'un sentiment. *Faire des démonstrations d'amitié, d'affection à qqn.* **4.** Manifestation publique spectaculaire. *L'aéro-club a organisé une grande démonstration aérienne.* ▷ MILIT Manœuvres faites pour donner le change à l'ennemi ou pour l'intimider. *La Marine a fait une importante démonstration navale en Méditerranée.*

démonstrativement adv. D'une manière démonstrative, convaincante.

démontable adj. Qui peut être démonté; qui est prévu pour être démonté.

démontage n. m. Action de démonter, de désassembler.

démonté, ée adj. **1.** Dont on a mis les éléments en pièces détachées. **2.** *Mer démontée,* dont les lames sont très grosses et déferlent.

démonte-pneu n. m. Outil, levier qui sert à déjanter un pneu. *Des démonte-pneus.*

démonter v. tr. [1] **1.** Séparer, désassembler (des pièces assemblées). *Démonter un mécanisme. Démonter une roue.* ▷ (Faux pron.) *Se démonter la mâchoire.* **2.** Jeter (qqn) à bas de sa monture. *Cheval qui démonte son cavalier.* **3.** Fig. Causer du trouble à, déconcerter. *Cette objection le démonta.* ▷ v. pron. Perdre contenance. *Se démonter devant un contradicteur.*

démontrable adj. Qui peut être démontré.

démontrer v. tr. [1] **1.** Établir par un raisonnement rigoureux l'évidence, la vérité de. *Démontrer un théorème.* **2.** Témoigner par des signes extérieurs de. *Ces quelques incidents démontrent la difficulté de l'entreprise.*

démoralisant, ante adj. **1.** Qui est propre à décourager, à abattre. *Votre ingratitude est démoralisante.* **2.** Vx, litt. Qui démoralise (sens 2). *Influences démoralisantes.*

démoralisateur, trice adj. et n. Qui démoralise (sens 1). *Tenir des propos démoralisateurs.*

démoralisation n. f. **1.** Action de décourager, de démoraliser. – État d'une personne, d'une collectivité démoralisée. **2.** Vx, litt. Action de faire perdre le sens moral; son résultat.

démoraliser v. tr. [1] **1.** Donner un mauvais moral à, abattre, décourager. *Cet échec l'a démoralisé.* ▷ v. pron. Perdre courage. **2.** Vx, litt. Corrompre, faire perdre le sens moral à. *Le luxe démoralisa les Romains.*

démordre v. tr. indir. [6] *Démordre de* (s'emploie surtout négativement) : se départir de, renoncer à. *Il s'entête dans son erreur, et il n'en démordra pas.*

Démosthène (Athènes, 384 – Calaurie, auj. *Póros,* près de la côte de l'Argolide, 322 av. J.-C.), homme politique et orateur athénien. Issu d'un milieu aisé, il n'aborda la tribune politique qu'en

354, après avoir, dit-on, corrigé une prononciation défectueuse. Chef du parti antimacédonien, il dénonça avec clairvoyance les ambitions de Philippe de Macédoine : *Première Philippique* (351), les trois *Olynthiennes* (349-348). En 339, à son instigation, Athéniens et Thébains s'allièrent contre Philippe, qui les vainquit à Chéronée (338). Après l'assassinat du roi (336), Démosthène ne désarma pas. En 330, il dut défendre ses principes politiques (discours *sur la couronne*) lors du procès d'une affaire qui remontait à 338 : à cette époque, l'assemblée athénienne lui avait offert une couronne d'or pour le remercier de son action civique, ce qu'Eschine avait jugé contraire aux lois. Exilé en 324 sur une accusation de corruption, il mit à profit la mort d'Alexandre le Grand (323) pour soulever les Grecs contre la domination macédonienne et rentra à Athènes. Mais Antipatros, régent de Macédoine, battit les insurgés à Crannon (322), et Démosthène dut se réfugier dans l'île de Calaurie, où il s'empoisonna. ► illustr. page **535**

démotique n. 1. n. m. Didac. Ancienne écriture égyptienne. ▷ adj. *L'écriture démotique est une simplification de l'écriture hiératique.* 2. n. f. Grec moderne communément parlé.

démotivant, ante adj. Qui démotive.

démotivation n. f. Action de démotiver; son résultat.

démotiver v. tr. [1] Retirer toute motivation à (qqn). *L'inertie de son partenaire a fini par le démotiver.*

démoulage n. m. Action de démouler.

démouler v. tr. [1] Retirer du moule. *Démouler une pièce de fonderie.*

démoustication n. f. Action de démoustiquer.

démoustiquer v. tr. [1] Débarrasser (un lieu) des moustiques.

Dempsey (William Harrison, dit Jack) (Manassa, Colorado, 1895 - New York, 1983), boxeur américain; champion du monde poids lourds (1919-1926), vainqueur de G. Carpentier (1921).

démultiplicateur, trice n. et adj. MECA Dispositif qui réduit la vitesse transmise par un moteur en même temps qu'il augmente le couple moteur. - adj. *Une roue démultiplicatrice.*

démultiplication n. f. MECA Ensemble de systèmes démultiplicateurs; effet de ces systèmes, rapport (inférieur à 1) entre la vitesse de l'arbre entraîné et celle de l'arbre moteur.

démultiplier v. tr. [2] Réduire par une démultiplication la vitesse de.

démuni, ie n. et adj. Personne sans ressources.

démunir v. tr. [3] Dépouiller (d'une chose nécessaire). *L'afflux de commandes nous a démunis de notre stock.* ▷ v. pron. Se dessaisir de ce qu'on aurait dû conserver par-devers soi, et *spécial.* de son argent. *Il ne veut pas se démunir avant d'avoir retrouvé du travail.*

démuseler v. tr. [19] 1. Ôter sa muselière à (un animal). 2. Fig. Rendre libre. *Démuseler la presse.*

démutiser v. tr. [1] Didac. Apprendre à parler à (des sourds).

Demy (Jacques) (Pontchâteau, L.-Atl., 1931 - Paris, 1990), cinéaste français. Il inventa une comédie musicale « à la française » (*les Parapluies de Cherbourg,* 1964; *les Demoiselles de Rochefort,* 1966; *Une chambre en ville,* 1982).

démystification n. f. Action de démystifier; son résultat.

démystifier v. tr. [2] 1. Désabuser (qqn qui a été victime d'une mystification). 2. Cour. Démythifier.

démythification n. f. Action de démythifier; son résultat.

démythifier v. tr. [2] Ôter son caractère mythique à.

Denain, ch.-l. de cant. du Nord (arr. de Valenciennes), port sur l'Escaut; 19 685 hab. (*Denaisiens*). - Lors de la guerre de la Succession d'Espagne, Villars y remporta sur le prince Eugène une victoire (24 juil. 1712) qui préserva la France de l'invasion.

dénasalisation n. f. PHON Perte par un phonème de son caractère nasal (ex. *bon* [bɔ̃], *un bon artiste* [œ̃bɔnaʀtist]).

dénasaliser v. tr. [1] PHON Opérer la dénasalisation de (un phonème).

dénatalité n. f. Décroissance du nombre des naissances dans un pays.

dénationalisation n. f. Action de dénationaliser une entreprise, une industrie; son résultat.

dénationaliser v. tr. [1] Rendre au secteur privé (une entreprise, une industrie nationalisée).

dénaturaliser v. tr. [1] Faire perdre les droits acquis par naturalisation à.

dénaturant, ante adj. et n. m. Qui dénature; qui sert à la dénaturation. ▷ n. m. *La naphtaline est utilisée comme dénaturant du sel marin.*

dénaturation n. f. 1. Action de dénaturer (une chose). - TECH Opération qui consiste à dénaturer une substance pour la rendre impropre à la consommation alimentaire et la réserver à l'usage industriel. ▷ BIOCHIM *Dénaturation d'une protéine,* altération de sa structure. 2. Fig. Déformation, altération de la nature d'un fait, d'une idée. *Dénaturation d'une théorie scientifique dans un mauvais ouvrage de vulgarisation.*

dénaturé, ée adj. 1. TECH Qui a subi une dénaturation. *Alcool dénaturé.* ▷ Fig. Faux, altéré. *Un texte dénaturé.* 2. Qui va à l'encontre de ce qui est considéré comme naturel. *Mœurs dénaturées.* ▷ *Spécial.* Qui manque aux sentiments naturels d'affection ou d'humanité. *Père dénaturé.*

dénaturer v. tr. [1] 1. Changer la nature, les caractères spécifiques de. *Engrais chimique qui dénature le goût des légumes.* ▷ TECH Opérer la dénaturation de. *Dénaturer de l'alcool.* 2. Fig. Changer le caractère de, altérer, déformer. *Citation qui dénature la pensée de l'auteur.*

dénazification n. f. Ensemble des mesures prises en Allemagne, après la victoire des Alliés en 1945, pour combattre et détruire l'influence du nazisme.

Dendérah, village et site archéologique de Haute-Égypte, sur la r. g. du Nil, à 70 km env. de Louxor : temple de la déesse Hathor (Ier s. av. J.-C.).

dendr(o)-, -dendron. Éléments, du gr. *dendron,* « arbre ».

Dendre (la) (en flam. *Dender*), riv. de Belgique (65 km), canalisée, affl. de l'Escaut (r. dr.); baigne Ath, Alost.

dendrite n. f. 1. MINER Arborisation formée par de fins cristaux de sels métalliques ou de métaux à l'état natif à la surface de diverses roches. 2. ANAT Prolongement arborescent du cytoplasme de la cellule nerveuse.

dendritique adj. 1. Didac. De la dendrite, en forme de dendrite. 2. GEOGR Se dit d'un réseau hydrographique très ramifié.

dendrochronologie [dɑ̃dʀokʀɔnɔlɔʒi] n. f. Méthode de datation par l'examen des couches concentriques annuelles des arbres, des arbres fossiles.

dendroclimatologie n. f. PALEONT Méthode de détermination des paléoclimats par reconstitution des caractéristiques de la croissance des arbres aux époques considérées.

dendrologie n. f. BOT Partie de la botanique qui étudie les arbres.

-dendron. V. dendr(o)-.

Deneb, étoile supergéante bleue de la constellation du Cygne (magnitude visuelle apparente 1,3).

dénébuler ou **dénébuliser** v. tr. [1] TECH Dissiper artificiellement un brouillard (sur les pistes d'un aéroport, en partic.).

dénégation n. f. 1. Action, fait de nier. *Opposer une dénégation formelle à des allégations mensongères.* 2. DR *Dénégation d'écriture* : refus de reconnaître l'authenticité d'une pièce écrite produite en justice. 3. PSYCHAN Mécanisme de défense d'un sujet qui, tout en formulant un désir, jusque-là refoulé, nie qu'il lui appartienne.

déneigement n. m. Opération qui consiste à déneiger.

déneiger v. tr. [13] Ôter la neige de. *Déneiger une route.*

Deneuve (Catherine Dorléac, dite Catherine) (Paris, 1943), actrice française; beauté froide, elle est devenue une des images mythiques de l'éternel féminin : *les Parapluies de Cherbourg* (1964), *Belle de jour* (1967), *Tristana* (1970), *le Dernier Métro* (1980), *Indochine* (1992).

Denfert-Rochereau (Pierre Philippe) (Saint-Maixent, 1823 - Versailles, 1878), colonel français. Sa défense de Belfort, assiégé par les Prussiens (1870-1871), permit à la ville de rester française.

dengue [dɛ̃g] n. f. MED Maladie virale aiguë caractérisée par une éruption, une fièvre, une conjonctivite, des douleurs musculaires et articulaires, transmise par les moustiques et qui sévit à l'état endémique dans les zones tropicales et subtropicales.

Deng Xiaoping ou **Teng Siao-p'ing** (Guangyan, Sichuan, 1904 - Pékin, 1997), homme politique chinois. Membre du parti communiste (1924), secrétaire général du Comité central (1954), il fut écarté du pouvoir pour « déviationnisme de droite » en 1966, lors de la révolution culturelle. Il réapparut en 1973, redevint vice-Premier ministre en 1975 et fut à nouveau destitué en 1976. Il recouvra ses fonctions en 1977, après la mort de Mao Zedong. Véritable numéro un (officieusement) du Parti, il orienta la politique chinoise dans le sens d'une libéralisation de l'économie mais prit la responsabilité de la violente répression des manifestations du printemps 1989.

Dengyō Daishi, nom posthume donné au moine bouddhiste japonais Saichō (Kyōto, 767 - id., 822), fondateur dans son pays d'une école bouddhique (le Tendai).

déni n. m. **1.** DR Refus d'une chose due. ▷ *Déni (de justice) :* refus que fait un juge de statuer alors qu'il a été régulièrement saisi (délit pénal). – Cour. Refus d'accorder son droit à qqn. *Vous ne pouvez me refuser cela après me l'avoir promis, ce serait un déni odieux.* **2.** Vx ou litt. Action de dénier (un fait, une assertion). *Apporter un déni formel aux affirmations de la presse.* **3.** PSYCHAN Refus d'admettre une réalité perçue comme traumatisante.

déniaiser v. tr. [1] **1.** Rendre moins niais. *La vie indépendante l'a un peu déniaisé.* **2.** Fam. Faire perdre sa virginité à (un garçon, une fille). ▷ Pp. adj. *Une fille déniaisée.*

dénicher v. [1] **I.** v. tr. **1.** Ôter du nid. *Dénicher des oiseaux.* **2.** Fig. Trouver, découvrir à force de recherches. *Dénicher un objet rare.* ▷ Faire sortir par force qqn du lieu qu'il occupe. *Dénicher les ennemis de leur position.* **II.** v. intr. Rare Abandonner son nid. *Les fauvettes ont déniché.*

dénicheur, euse n. **1.** Personne qui déniche les oiseaux. **2.** Fig. Personne qui sait découvrir (des objets rares). *C'est un incomparable dénicheur de pièces grecques.*

dénicotiniser v. tr. [1] Enlever la nicotine de.

denier n. m. **1.** ANTIQ Monnaie romaine qui valut dix, puis seize as. *Les trente deniers de Judas,* que Judas reçut pour avoir désigné le Christ. **2.** Anc. Monnaie française qui valait le douzième d'un sou. ▷ Mod. Plur. *Payer qqch de ses deniers,* de son propre argent. *En être de ses deniers,* de sa poche. **3.** RELIG CATHOL *Denier du culte :* somme recueillie auprès des fidèles pour subvenir aux frais du culte et à l'entretien du clergé. ▷ Fam. *Les deniers de l'État, les deniers publics :* les fonds publics. **4.** TEXT Unité de titrage valant 0,05 g pour 450 m de fil.

revers d'un **denier** romain, au type des Dioscures à cheval, argent, IIe s. av. J.-C., musée des Thermes, Rome

dénier v. tr. [2] **1.** Ne pas reconnaître, ne pas accorder (un droit) à (qqn). *Je vous dénie formellement le droit de tenir de tels propos.* **2.** Refuser de prendre à son compte, de se voir imputer (qqch). *Je dénie toute responsabilité dans cette affaire.*

dénigrement n. m. Action de dénigrer.

dénigrer v. tr. [1] Chercher à diminuer le mérite, la valeur de (qqn, qqch). *Dénigrer un rival.* Syn. noircir, discréditer, décrier. Ant. vanter, louer.

Denikine (Anton Ivanovitch) (près de Varsovie, 1872 – Ann Arbor, Michigan, 1947), général russe. Il dirigea (1918-1920) contre les bolcheviks une armée de volontaires en Ukraine.

Maurice **Denis :** *les Muses,* 1893 ; MNAM

denim [denim] n. m. Tissu sergé, très solide, généralement à trame blanche ou grise et à fil de chaîne bleu indigo, initialement fabriqué à Nîmes. *Les blue-jeans sont faits en denim.*

Denis ou **Denys** (saint), évangélisateur des Gaules, premier évêque de Paris (v. 250). Il fut martyrisé.

Denis le Libéral (Lisbonne, 1261 – Odivelas, 1325), roi de Portugal (1279-1325). Il développa l'écon. du pays, fonda l'université de Lisbonne (1290, transférée à Coimbra en 1307) et reconstitua l'ordre des Templiers sous le nom d'ordre du Christ (1318).

Denis (Maurice) (Granville, 1870 – Paris, 1943), peintre français. Théoricien du symbolisme, membre du groupe des nabis, il fonda, avec G. Desvallières, les Ateliers d'art sacré (1919).

Denisov (Edison) (Tomsk, 1929), compositeur russe. Ses pièces instrumentales et vocales, d'une écriture rigoureuse et lyrique à la fois, font souvent appel à des références littéraires, notamment françaises : *l'Écume des jours,* opéra (1986).

dénitrater v. tr. [1] Débarrasser un sol, une eau de ses nitrates.

dénitrifiant, ante adj. TECH Qui dénitrifie. ▷ MICROB *Bactéries dénitrifiantes,* qui transforment les nitrates du sol ou des eaux (aliment essentiel des plantes) en azote organique inutilisable par les végétaux.

dénitrification n. f. TECH Action de dénitrifier ; élimination de l'azote d'un sol.

dénitrifier v. tr. [2] TECH Enlever l'azote, ou l'un de ses composés, de (une substance, un sol).

dénivelée n. f. ou **dénivelé** n. m. Différence d'altitude entre deux points (partic. entre les deux extrémités d'une remontée mécanique, entre une arme et son objectif).

déniveler v. tr. [19] **1.** Rendre accidenté (ce qui était nivelé). **2.** Donner une certaine inclinaison, une certaine pente à ; changer le niveau de.

dénivellation n. f. ou **dénivellement** n. m. **1.** Action de déniveler ; son résultat. **2.** Différence de niveau ; inégalité du terrain.

Denizli, v. de Turquie ; 169 130 hab. ; ch.-l. de l'il du m. n. Centre comm. (céréales, coton).

Denjoy (Arnaud) (Auch, 1884 – Paris, 1974), mathématicien français. Il est connu pour ses études sur les fonctions, les ensembles et les nombres transfinis.

Denktas (Rauf) (Paphos, 1924), homme politique chypriote. Président de l'État fédéré turc de Chypre (1975-1983), puis de la république turque de Chypre du Nord.

Dennery ou **d'Ennery** (Adolphe Philippe, dit) (Paris, 1811 – id., 1899), dramaturge français ; auteur, seul ou en collab., de nombr. mélodrames (*les Deux Orphelines,* 1874), de féeries et de livrets d'opéra (*le Cid,* musique de Massenet, 1885). Il a légué à l'État sa demeure et ses collections d'objets d'art d'Extrême-Orient (musée d'Ennery, Paris).

dénombrable adj. Qu'on peut compter, dénombrer ; dont on peut dénombrer les éléments. ▷ MATH *Ensemble dénombrable,* en correspondance biunivoque avec une partie de l'ensemble des entiers positifs. *L'ensemble des nombres rationnels et celui des nombres algébriques sont dénombrables.*

dénombrement n. m. Action de dénombrer ; son résultat.

dénombrer v. tr. [1] Faire le compte détaillé de, recenser. *Dénombrer des effectifs.*

dénominateur n. m. MATH Terme d'une fraction placé sous le numérateur et indiquant en combien de parties égales l'unité a été divisée. *Le dénominateur de $\frac{7}{3}$ est 3. Le plus petit dénominateur commun de $\frac{1}{6}$ et de $\frac{2}{15}$ est 30 ($\frac{1}{6} = \frac{5}{30}$; $\frac{2}{15} = \frac{4}{30}$).* ▷ Fig. *Dénominateur commun :* caractère, particularité que des personnes ou des choses ont en commun.

dénominatif, ive adj. et n. m. LING **1.** adj. Qui dénomme, désigne. **2.** n. m. Dérivé d'un nom. *« Rationner », qui vient de « ration », est un dénominatif.*

dénomination n. f. Désignation d'une personne, d'une chose donnée par un nom. – Nom assigné à une chose. *Ce médicament est connu sous plusieurs dénominations.*

dénommé, ée n. ADMIN ou péjor. (Devant un nom propre.) Celui, celle qui a pour nom... *J'ai eu affaire au dénommé Untel.*

dénommer v. tr. [1] **1.** Assigner un nom à (une chose). *Il est souvent difficile de dénommer simplement une technique nouvelle.* **2.** Désigner par un nom, par son nom (un objet, une personne).

Denon (Dominique Vivant, baron) (Givry, près de Chalon-sur-Saône, 1747 – Paris, 1825), graveur et écrivain français. Il suivit Bonaparte en Égypte (*Voyage dans la haute et basse Égypte,* textes et dessins, 1802). Napoléon le nomma directeur général des musées. Auteur d'un récit libertin, *Point de lendemain* (1777).

dénoncer v. tr. [12] **I. 1.** *Dénoncer (qqn),* le signaler, l'indiquer comme coupable à la justice, à l'autorité. *Dénoncer un criminel.* ▷ v. pron. *Se dénoncer à la justice.* **2.** *Dénoncer (qqch) :* faire connaître publiquement en s'élevant contre (un acte répréhensible). *Dénoncer l'arbitraire d'une décision.* **3.** Litt. Indiquer, révéler (qqch). *Tout en lui dénonce* *la fausseté.* **II. 1.** DR Signifier par voie légale à un tiers qu'une action est engagée contre lui. **2.** Cour. Faire connaître la cessation, la rupture de (un engagement contractuel). *Dénoncer un contrat. Dénoncer un armistice.*

dénonciateur, trice n. et adj. Celui, celle qui dénonce (qqn, qqch). ▷ adj. *Écrit dénonciateur.*

dénonciation n. f. **1.** Action de dénoncer (qqn). *Être arrêté sur dénonciation.* ▷ Action de dénoncer qqch. *Des dénonciations grandiloquentes.* **2.** DR Signification légale. *Dénonciation de saisie-arrêt.* **3.** Action de dénoncer (un engagement contractuel). *Dénonciation d'un traité.*

dénotatif, ive adj. LING, LOG Relatif à la dénotation.

dénotation n. f. **1.** Fait de dénoter; chose dénotée. **2.** LING, LOG Désignation de tous les objets appartenant à la classe définie par un concept (par oppos. à *connotation*). V. compréhension, extension.

dénoter v. tr. [1] **1.** Marquer, être le signe de. *Tout cela dénote de réelles qualités de cœur.* **2.** LING, LOG Désigner (un sujet) indépendamment de ses qualités (par oppos. à *connoter*).

dénouement ou **dénoûment** [denumɑ̃] n. m. Fait de se dénouer; son résultat. *Le dénouement d'une crise.* ▷ Manière dont se termine un roman, une pièce de théâtre, etc. *Un dénouement inattendu.*

dénouer v. tr. [1] **1.** Défaire (un nœud); détacher (ce qui était noué). *Dénouer sa ceinture.* – v. pron. *Ses nattes se sont dénouées.* ▷ Fig., vieilli *Dénouer la langue à qqn,* la lui délier, le faire parler. **2.** Démêler, débrouiller, trouver la solution de, mettre fin à (une affaire embrouillée, compliquée). *Chercher le moyen de dénouer une crise.* ▷ v. pron. Fig. Se terminer. *L'intrigue de cette pièce se dénoue fort plaisamment.*

dénoyautage n. m. Action de dénoyauter. *Le dénoyautage mécanique des olives* (avec un *dénoyauteur*).

dénoyauter v. tr. [1] Enlever le noyau de (un fruit).

Denpasar, v. d'Indonésie, cap. de la prov. de Bali; 261 260 hab. Tourisme.

denrée n. f. Marchandise destinée à la nourriture de l'homme et des animaux. *Denrée périssable.* ▷ Fig. *La générosité est une denrée rare.*

dense adj. **1.** Compact, épais. *Une forêt dense.* – *Une population dense,* nombreuse relativement à la surface qu'elle occupe. **2.** Fig. *Un style dense,* riche et concis. – *Une vie dense,* riche d'événements. **3.** PHYS Dont la densité est élevée. *Élément plus dense qu'un autre.* **4.** MATH *Ensemble dense dans un autre ensemble,* tel qu'il existe au moins un élément α de ce dernier qui réponde à l'inéquation $a < \alpha < b$, a et b étant deux éléments quelconques du premier ensemble.

densément adv. De manière dense.

densification n. f. Augmentation de la densité. ▷ URBAN *Densification de l'habitat :* augmentation du nombre de logements construits sur une surface donnée.

densifier v. tr. [2] **1.** TECH Augmenter par pression la densité de (un bois). – *Par ext.* Rendre plus dense (un matériau). ▷ v. pron. *L'os s'est densifié depuis la dernière radio.* **2.** Augmenter en nombre (un ensemble, une population). *Densifier un réseau ferroviaire.* – Pp. adj. *Une zone urbaine très densifiée.* ▷ v. pron. *La population de la région s'est densifiée depuis le recensement.*

densimétrie n. f. PHYS Mesure des densités.

densité n. f. **1.** Qualité de ce qui est dense. ▷ GEOGR *Densité de la population :* nombre d'habitants (d'une région, d'un pays) au kilomètre carré. ▷ Fig. *La densité d'un style,* sa richesse et sa concision. **2.** PHYS *Densité d'un liquide ou d'un solide,* rapport entre la masse d'un volume de ce liquide ou de ce solide et la masse du même volume d'eau à 4 °C. *La densité du mercure est 13,55.* ▷ *Densité d'un gaz,* rapport entre la masse d'un volume donné de ce gaz et la masse du même volume d'air, dans les mêmes conditions de température et de pression. *La densité du butane est 2.* ▷ ELECTR *Densité de courant :* rapport entre l'intensité qui traverse un conducteur et la section droite de ce conducteur. ▷ *Densité optique :* logarithme décimal du rapport du flux incident au flux transmis.

densitomètre n. m. PHYS Photomètre servant à mesurer la densité optique.

dent n. f. **I. 1.** Chez l'homme, organe de consistance très dure, de coloration blanche, implanté sur le bord alvéolaire des maxillaires et servant à la mastication. *Dents de lait, de sagesse. Dent cariée.* **2.** ZOOL Formation osseuse du squelette des vertébrés, qui sert à la mastication, parfois à la défense. *Les dents d'un éléphant, d'un sanglier,* ses défenses. **3.** Loc. fam. *N'avoir rien à se mettre sous la dent :* n'avoir rien à manger. – Fam. *Avoir la dent, avoir la dent creuse :* avoir faim. – *Mordre à belles dents,* de toutes ses dents, avec avidité. *Manger du bout des dents,* sans appétit. ▷ *Parler entre ses dents,* de manière indistincte. *Ne pas desserrer les dents :* garder un silence obstiné. ▷ Loc. fig. *Avoir les dents longues :* être très ambitieux. *Un jeune loup aux dents longues.* – *Avoir la dent dure :* ne pas ménager celui dont on parle. – *Avoir une dent contre qqn :* avoir une rancune, une animosité particulière contre qqn. – *Se faire les dents :* s'aguerrir. ▷ *Grincer des dents :* montrer de l'agacement, de la colère. *Il va y avoir des pleurs et des grincements de dents.* ▷ *Être sur les dents :* être débordé de travail; être accablé, surmené. ▷ *Être armé jusqu'aux dents,* très bien armé. ▷ *Prendre le mors* aux dents.* ▷ *Œil pour œil, dent pour dent :* formule de la loi du talion*. **II.** *Par anal.* **1.** Pointe ou saillie que présentent certains objets. *Les dents d'un râteau, d'un peigne, d'un pignon, d'un timbre-poste. Les dents d'une scie.* ▷ Loc. *En dents de scie :* présentant une suite d'arêtes, de montées et de descentes. *Graphique en dents de scie.* – Fig. *Un marché qui progresse en dents de scie,* irrégulièrement. **2.** BOT *Les dents d'une feuille, d'un calice,* etc., les échancrures de leurs bords. **3.** GEOGR Pic montagneux. *La dent Blanche.*

ENCYCL **Anat.** – Chaque dent se compose de trois parties : la racine, incluse dans l'alvéole; la couronne, qui fait saillie hors du bord alvéolaire; le collet, par lequel la racine s'unit à la couronne. La dent est creusée d'une cavité centrale, la cavité pulpaire, qui contient les rameaux vasculo-nerveux correspondants. Elle est faite de dentine, ou ivoire, recouverte d'émail sur la couronne et de cément sur la racine. Les dents, implantées sur les maxillaires, dessinent deux courbes paraboliques : les arcades dentaires. Chez l'enfant, les dents de lait commencent à apparaître vers l'âge de 6 mois. Au nombre de 20, elles sont remplacées entre 6 et 10 ans par les 32 dents définitives, qui se répartissent en : 8 incisives, 4 canines, 8 prémolaires, 12 molaires (dont 4 dents de sagesse apparaissant après l'âge de 18 ans).

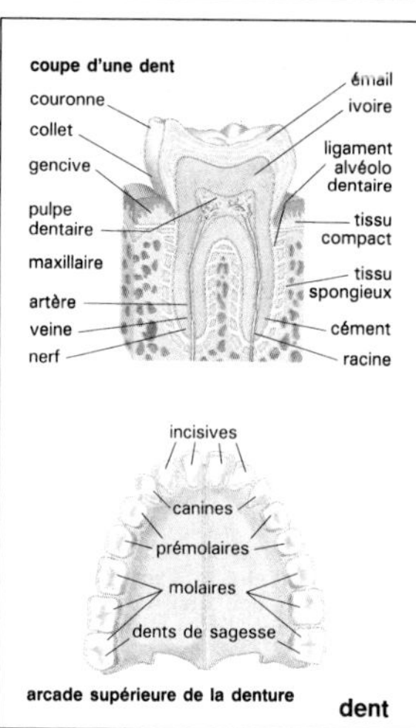

dent

dentaire adj. Qui appartient, qui a rapport aux dents, à leur traitement. *Arcade dentaire. École dentaire.* – *Formule dentaire,* qui indique le nombre et la répartition des dents d'un individu, d'une espèce (homme et animal).

dental, ale, aux adj. et n. f. PHON *Une consonne dentale* ou, n. f., *une dentale,* qui se prononce en appliquant la langue contre les dents (ex. [t, d]).

dent-de-lion n. f. Autre nom du pissenlit, en raison de la découpure de ses feuilles. *Des dents-de-lion.*

denté, ée adj. **1.** TECH Garni de dents. *Roue dentée.* **2.** BOT Dont les bords présentent des dents. *Feuille dentée.*

dentelé, ée adj. et n. m. **1.** adj. Qui est coupé ou découpé en forme de dents. *Les bords dentelés d'un timbre-poste.* – *Par ext.* Découpé. *Un rivage dentelé.* **2.** ANAT *Muscles dentelés :* muscles du tronc présentant des structures en forme de doigts qui s'insèrent sur les côtes. ▷ n. m. *Le grand, le petit dentelé.*

denteler v. tr. [19] Découper (qqch) en forme de dents. *Denteler le bord d'un tissu pour éviter qu'il ne s'effiloche.*

dentelle n. f. **1.** Tissu à jours et à mailles très fines fait avec du fil de lin, de soie, de laine, d'or, etc., et dont le bord est généralement dentelé. *La dentelle se fait à l'aide d'aiguilles, de fuseaux, de crochets, de navettes ou de métiers.* – *Robe de dentelle.* – *Porter des dentelles,* des parures en dentelle. **2.** Ce qui évoque la dentelle par son aspect. *Dentelle de pierre des clochers gothiques.* – (En appos.) *Crêpes dentelle,* très fines.

dentellier, ère adj. et n. f. **1.** adj. Qui concerne la dentelle. *Industrie dentellière.* **2.** n. f. Ouvrière qui fait de la dentelle. *La Dentellière,* tableau de Vermeer (Louvre). ▷ TECH Machine à fabriquer la dentelle.

dentelure n. f. **1.** Découpure en forme de dents. – Par ext. BOT *Les dentelures d'une feuille.* **2.** ARCHI Ornement de sculpture dentelé.

denticule n. m. ARCHI Ornement de section carrée, rappelant une dent, caractéristique des corniches ionique et corinthienne.

denticulé, ée adj. ARCHI Garni de denticules. *Colonne denticulée.*

dentier n. m. Prothèse dentaire amovible constituée de plusieurs dents artificielles montées sur une même pièce rigide.

dentifrice n. m. Préparation servant au nettoyage et à l'entretien des dents, des gencives, et à l'antisepsie de la bouche. *Tube de dentifrice.* - adj. *Pâte, eau, poudre dentifrice.*

dentine n. f. BIOCHIM Élément constitutif de la dent, d'une consistance proche de celle de l'os. Syn. ivoire.

dentiste n. Praticien diplômé spécialiste des soins dentaires. *Aller chez le dentiste.*

dentisterie n. f. Pratique des soins dentaires.

dentistique n. f. TECH Fabrication de prothèses dentaires grâce à la conception et à la fabrication assistées par ordinateur.

dentition n. f. **1.** Ensemble des phénomènes anatomiques et physiologiques conduisant à la mise en place de la denture. **2.** Cour., *abusiv.* Denture.

denture n. f. **1.** Ensemble des dents. *La denture complète de l'homme adulte comprend 32 dents.* **2.** TECH Ensemble des dents d'un outil, d'un pignon.

dénucléarisation n. f. MILIT Action, fait de dénucléariser; résultat de cette action.

dénucléariser v. tr. [1] MILIT Prohiber ou réduire en quantité l'armement nucléaire de (un pays, un groupe de pays). - Pp. adj. *Zone dénucléarisée,* où ne se trouve plus aucune arme nucléaire.

dénudation n. f. Didac. Action de dénuder; état de ce qui est dénudé. *La dénudation d'une veine. La dénudation d'une roche.*

dénudé, ée adj. Mis à nu, dépouillé de son enveloppe. *Des épaules dénudées.* - *Arbre dénudé,* sans feuilles. *Paysage dénudé,* sans végétation.

dénuder v. tr. [1] Mettre à nu; dépouiller de ce qui recouvre, garnit. *Dénuder une partie du corps. Dénuder un tronc d'arbre de son écorce, un fil électrique de sa gaine.* ▷ v. pron. *En automne, les arbres se dénudent.*

dénué, ée adj. Dépourvu, privé (de). *Un livre dénué d'intérêt.*

dénuement [denymɑ̃] n. m. Manque du nécessaire. *Vivre dans un profond dénuement.* ▷ *Par métaph.* État de ce qui est dépouillé d'un bien moral. *Le dénuement de l'âme, du cœur.*

dénutri, ie adj. MED Qui souffre de dénutrition. *Un enfant gravement dénutri.*

dénutrition n. f. MED Déficience nutritionnelle consécutive à une carence d'apports (vitamines, protéines) ou à des troubles dus à un déséquilibre entre l'assimilation et la désassimilation.

Denver, v. des É.-U., cap. du Colorado, à 1 700 m d'altitude, au pied des montagnes Rocheuses; 467 600 hab. (aggl. urb. 1 791 400 hab.). Grand centre comm. et industr. (sidérurgie, caoutchouc, etc.). - Université. Archevêché catholique.

Denys l'Aréopagite (saint) (Ier s. apr. J.-C.), membre de l'Aréopage converti par saint Paul; considéré, selon la Tradition, comme le premier évêque d'Athènes.

Denys (saint). V. Denis (saint).

Denys l'Ancien (Syracuse, v. 430 - id., 367 av. J.-C.), tyran de Syracuse de 405 à 367, célèbre pour ses cruautés; il lutta contre les Carthaginois, qui s'étaient rendus maîtres d'une partie de la Sicile. — **Denys le Jeune** (397 - 344 av. J.-C.), tyran de Syracuse; fils et successeur du préc. Chassé de Syracuse (344), il mourut à Corinthe.

Denys d'Halicarnasse (Ier s. av. J.-C.), grammairien, historien et critique grec qui enseigna à Rome : *Traité de l'arrangement des mots; Antiquités romaines.*

Denys le Petit (Scythie, ? - v. 540), moine et écrivain, il fut le premier à compter les années à partir de la naissance de Jésus-Christ, mais il data cet événement avec quatre ans de retard.

déodorant n. m. et adj. (Anglicisme) Désodorisant corporel. ▷ adj. *Un savon déodorant.*

Déols, com. de l'Indre (dans la banlieue nord de Châteauroux); 10 219 hab. Fonderies, industr. du plastique. - Ruines d'une célèbre abbaye (Xe s.).

Déon (Michel) (Paris, 1919), écrivain français. Lié au groupe des « Hussards », il développe dans ses romans un épicurisme teinté de désenchantement (*les Poneys sauvages,* 1970; *Un taxi mauve,* 1973). Acad. fr. (1978).

déontologie n. f. Didac. **1.** Théorie des devoirs moraux. **2.** Morale professionnelle, théorie des devoirs et des droits dans l'exercice d'une profession (en partic. la profession médicale).

déontologique adj. Didac. Relatif à la déontologie.

dépannage n. m. Action de dépanner. *Entreprise de dépannage.*

dépanner v. tr. [1] **1.** Remettre en état de fonctionnement, réparer (une machine, un appareil en panne). **2.** Fig., fam. Tirer d'embarras. *Vous m'avez rendu un service qui m'a bien dépanné. Peux-tu me dépanner de cent francs?*

dépanneur, euse adj. et n. **1.** adj. Qui dépanne. **2.** n. Ouvrier, ouvrière (mécanicien, électricien, etc.) qui se charge des dépannages. **3.** n. f. Voiture équipée pour remorquer les véhicules en panne. **4.** n. m. (Canada) Magasin d'alimentation autorisé à rester ouvert au-delà des heures habituelles.

dépaqueter v. tr. [20] Défaire (un paquet); sortir d'un paquet.

déparasiter v. tr. [1] Débarrasser un appareil des parasites radioélectriques.

Depardieu (Gérard) (Châteauroux, 1948), comédien français. Venu du café-théâtre, il connut un grand succès avec *les Valseuses* (1972). Citons ensuite : *1900* (1974-1976), *Loulou* (1980), *Danton* (1982), *Sous le soleil de Satan* (1987), *Cyrano de Bergerac* (1990).
▶ illustr. **Truffaut**

dépareillé, ée adj. **1.** Qui a été séparé d'un ou de plusieurs objets avec lesquels il formait un ensemble. *Des chaussettes dépareillées.* **2.** Qui forme un ensemble incomplet. *Jeu de cartes dépareillé.*

dépareiller v. tr. [1] Altérer l'ordonnance régulière d'une paire ou d'un ensemble d'objets assortis.

déparer v. tr. [1] Nuire à la beauté, au bon effet de (un ensemble). *Ce fauteuil moderne dépare le reste du mobilier. Ce meuble ne dépare pas.*

déparier v. tr. [2] **1.** Rare Ôter l'une des deux choses qui forment une paire. *Déparier des gants.* **2.** Séparer le mâle et la femelle de certains animaux. *Déparier des pigeons.* Syn. désapparier.

1. départ n. m. Litt. Séparation, distinction (entre deux choses). - Loc. *Faire le départ entre* (deux choses abstraites).

2. départ n. m. **1.** Action de partir. *Les départs en vacances. Donner le signal du départ.* ▷ SPORT *Faux départ* : départ non valable (certains concurrents étant partis avant le signal). **2.** Action de quitter une fonction, un emploi, une situation. *Refuser le départ du ministre.* **3.** Lieu d'où l'on part. *Rassembler des coureurs au départ.* **4.** Commencement d'une action, d'un mouvement. *Il a pris un mauvais départ. Reprenons l'affaire à son point de départ.* ▷ *Au départ* : d'abord, au début. *Au départ, nous ne voulions pas acheter une si grande maison.* - *De départ* : initial. *Le projet de départ.*

départager v. tr. [13] **1.** DR Faire cesser un partage en parts égales (de voix, de suffrages). *Organiser un second tour de scrutin pour départager les voix.* **2.** *Par ext.* Choisir entre (deux opinions, deux personnes, deux partis). *Comme il ne pouvait y avoir deux gagnants on s'en remit au sort pour les départager.*

département n. m. **1.** Chaque partie de l'administration des affaires publiques attribuée à un ministre ou constituant un ensemble spécialisé et autonome. *Le département de la Marine.* **2.** Division des services de certaines administrations. *Le département des manuscrits d'une bibliothèque.* **3.** Chacune des principales divisions administratives de la France et de quelques autres pays. *Les deux départements de la Région Alsace. Le département du Lot. Chef-lieu de département.* **4.** *Département d'État* : aux États-Unis, ministère des affaires étrangères.

départemental, ale, aux adj. Qui appartient au département (sens 3). *Fonds départementaux. Route départementale.*

départementalisation n. f. Action de départementaliser; son résultat.

départementaliser v. tr. [1] **1.** Conférer le statut de département à (un territoire). **2.** Faire relever de la compétence du département (ce qui relevait de celle de l'État ou d'une collectivité publique).

départir **I.** v. tr. [30] Distribuer, attribuer comme part. *Départir des faveurs, des tâches.* **II.** v. pron. *Se départir de.* **1.** Rare Se désister de, renoncer à. *Il s'est départi de sa demande.* **2.** Abandonner (un comportement). *Il ne s'est pas départi de son calme.* Ant. conserver, garder.

dépassant n. m. COUT Garniture qui dépasse à dessein une partie d'un vêtement.

dépassement n. m. **1.** Action de dépasser. *Dépassement sans visibilité.* ▷ Fait de se dépasser. *Le sublime, c'est le dépassement de soi-même.* **2.** Fait d'excéder, de dépasser. *Dépassement de crédit.*

dépasser v. tr. [1] **1.** Aller plus loin que, au-delà de (qqch). *Dépasser une limite, un but.* - Fig. *Le succès a dépassé mes espérances.* - Fam. *Dépasser les bornes* : exagérer. **2.** Devancer, laisser derrière soi en allant plus vite. *Il a essayé de dépasser le camion dans la ligne droite.* Syn. doubler. - Fig. *Il a rattrapé son aîné dans ses études et il est sur le point* *de le dépasser.* Syn. distancer. ▷ Fig., fam. *Être dépassé par les événements :* ne pas être en mesure de contrôler la situation. – *Cela me dépasse,* me déconcerte. – *C'est dépassé,* démodé. **3.** Être plus grand, plus important que. *Cet immeuble dépasse les autres. Cette dépense dépasse mes prévisions.* ▷ Absol. *Sa chemise dépasse.* ▷ v. pron. Accomplir une chose hors du commun, exceptionnelle. *Aimer à se dépasser.*

dépassionner v. tr. [1] Rendre moins passionné, plus objectif. *Dépassionner un débat.*

dépatouiller (se) v. pron. [1] Fam. Se sortir d'une situation difficile, embarrassante. *Il est assez grand pour se dépatouiller tout seul.* Syn. se dépêtrer.

dépavage n. m. Action de dépaver.

dépaver v. tr. [1] Arracher, ôter les pavés de. *Dépaver une rue.*

dépaysant, ante, adj. Qui dépayse.

dépaysement n. m. Action de dépayser; état d'une personne dépaysée. *Il supportera mal le dépaysement.*

dépayser v. tr. [1] **1.** Vx Faire changer de pays, de lieu. *Dépayser des animaux.* **2.** Fig. Dérouter, désorienter en tirant de son milieu, de ses habitudes. *Le climat, le rythme de vie, les gens, tout cela l'a beaucoup dépaysé.* **3.** DR Renvoyer l'instruction d'une affaire devant une autre cour.

dépeçage ou **dépècement** n. m. Action de dépecer. *Le dépeçage d'une bête après l'abattage.*

dépecer v. tr. [16] Mettre en pièces, en morceaux (surtout un animal). *Dépecer un bœuf.* ▷ *Par ext.* Analyser en détail, disséquer. *Ses détracteurs ont dépecé son livre.*

dépêche n. f. **1.** Correspondance officielle concernant les affaires publiques. *Une dépêche diplomatique, ministérielle.* **2.** Vieilli Communication, officielle ou privée, transmise par voie rapide. Syn. télégramme. *Envoyer, recevoir une dépêche.* **3.** (Dans le titre de certains journaux.) *La Dépêche du Midi.*

dépêcher 1. v. tr. [1] Envoyer (qqn) en hâte. *Le gouvernement a dépêché un chargé de mission.* **2.** v. pron. Se hâter. *Dépêchez-vous, ou vous serez en retard!*

dépeigner v. tr. [1] Déranger, défaire la coiffure de (qqn). *Ce vent m'a dépeignée.* Syn. décoiffer.

dépeindre v. tr. [55] Décrire, représenter par le discours. *Dépeindre une situation, un caractère.* ▷ v. pron. (passif) *Cette scène horrible ne peut se dépeindre.* Syn. raconter.

dépenaillé, ée adj. Vêtu de haillons; mal habillé. Syn. déguenillé.

dépénalisation n. f. Action de dépénaliser une infraction.

dépénaliser v. tr. [1] DR Ne plus faire relever du droit pénal une action.

dépendance n. f. **1.** État d'une personne, d'une chose, qui dépend d'une autre. *Être sous la dépendance de qqn.* **2.** Rapport qui fait dépendre une chose d'une autre. *Ces phénomènes sont dans une dépendance mutuelle.* **3.** État d'une personne dépendante (handicapé, toxicomane, etc.) **4.** (Souvent au plur.) Ce qui dépend de qqch. *Le château et ses dépendances. Cette île était une dépendance de la France.*

dépendant, ante adj. **1.** Qui dépend de. *Il est financièrement dépendant de ses parents.* Ant. indépendant, autonome. ▷ GRAM *Une proposition subordonnée est dépendante de la principale.* **2.** Se dit de qqn qui ne peut se passer d'une assistance constante (malade, vieillard, handicapé...). **3.** Se dit d'un toxicomane qui ne peut se passer de sa drogue habituelle.

1. dépendre v. tr. indir. [6] **1.** *Dépendre de :* être assujetti à, sous la domination de. *Les enfants dépendent de leurs parents.* ▷ Relever de l'autorité de. *Sa nomination dépend du ministre.* **2.** Être rattaché à. *Ce prieuré dépend de telle abbaye.* **3.** Être fonction de. *Son succès dépendra de son travail.* ▷ v. impers. *Il ne dépend que de vous que vous réussissiez.* ▷ Fam. *Ça dépend :* c'est variable, c'est selon les circonstances. *Irez-vous vous promener? – Ça dépend!*

2. dépendre v. tr. [6] Détacher (ce qui était pendu). *Dépendre un tableau.*

dépens [depɑ̃] n. m. pl. **I.** DR Frais de justice. *Être condamné aux dépens.* **II.** Loc. prép. *Aux dépens de.* **1.** En occasionnant des frais à. *Il vit à mes dépens.* **2.** Fig. En causant du tort, du dommage à. *Réussir aux dépens d'autrui.* ▷ *Rire aux dépens de qqn,* se moquer de lui.

dépense n. f. Action de dépenser. **1.** Emploi d'argent. *Faire de grandes dépenses.* **2.** Argent déboursé. *Participer aux dépenses.* – Loc. fam. *Regarder à la dépense :* être économe, près de ses sous. – COMPTA Compte détaillé de l'argent dépensé. *La dépense excède la recette.* ▷ FIN *Dépenses publiques :* dépenses incombant à l'État, et couvrant le fonctionnement des services publics. ▷ FISC *Dépenses fiscales :* coût, en termes de manque à gagner, des allégements fiscaux. **3.** Emploi d'une chose. *Dépense de temps, d'énergie.*

dépenser v. [1] **I.** v. tr. **1.** Employer (de l'argent). *Dépenser une fortune.* – Absol. *Dépenser beaucoup, sans compter.* **2.** Fig. Employer, puiser dans (des ressources). *Dépenser son temps, ses forces.* **3.** Consommer. *Ces machines dépensent beaucoup d'électricité.* **II.** v. pron. **1.** (Passif) Être dépensé. *Il se dépense des sommes énormes dans les casinos.* **2.** Déployer une grande activité. *Elle se dépense sans compter pour les siens.*

dépensier, ère adj. (et n.) Qui aime la dépense, qui dépense excessivement. *Une femme dépensière.* Ant. économe.

déperdition n. f. PHYS Perte (d'énergie). *Déperdition de chaleur.* ▷ Fig. Diminution, perte. *La vieillesse entraîne une déperdition des forces.*

dépérir v. intr. [3] **1.** S'affaiblir progressivement, décliner. *Cet homme dépérit à vue d'œil.* **2.** Fig. Se détériorer, être en voie de destruction; péricliter. *Les affaires dépérissent.*

dépérissement n. m. État de ce qui dépérit. *Le dépérissement de la végétation.* ▷ Fig. *Le dépérissement d'une industrie,* son déclin.

dépersonnalisation n. f. PSYCHIAT Trouble mental caractérisé par la sensation d'être étranger à soi-même.

dépersonnaliser v. tr. [1] **1.** Faire perdre sa personnalité à. **2.** Ôter le caractère personnel, individuel à.

dépêtrer v. tr. [1] **1.** Vx Débarrasser d'une entrave les pieds de. **2.** Dégager, délivrer. *C'est lui qui m'a dépêtré de ce bourbier.* ▷ v. pron. *Je ne peux me dépêtrer de cette glu.* – Fig., fam. *Ne pas pouvoir se dépêtrer de qqn,* ne pas pouvoir s'en débarrasser.

dépeuplement n. m. Action de dépeupler, fait de se dépeupler; état de ce qui est dépeuplé. *Le dépeuplement des campagnes.* Syn. dépopulation.

dépeupler 1. v. tr. [1] Dégarnir, vider de ses habitants. *Les vacances ont dépeuplé la capitale.* – Par ext. *Dépeupler une forêt* (de ses animaux, de ses arbres). **2.** v. pron. Perdre son peuplement. *Régions qui se dépeuplent.*

déphasage n. m. **1.** PHYS Différence de phase entre deux phénomènes alternatifs de même fréquence. **2.** Fig., fam. Fait d'être déphasé.

déphasé, ée adj. **1.** PHYS Qui présente un déphasage. **2.** Fig., fam. Perturbé dans son rythme de vie; troublé dans ses pensées. *Il travaille la nuit et il dort le jour, il est complètement déphasé.*

déphosphater v. tr. [1] Éliminer les phosphates indésirables d'une eau, d'un sol.

dépiauter v. tr. [1] **1.** Fam. Enlever la peau de (un animal). *Dépiauter un lapin.* Syn. écorcher. – Par ext. *Dépiauter une orange.* **2.** Fig. *Dépiauter un texte,* l'analyser minutieusement.

dépigeonnisation n. f. Action de débarrasser un site urbain des pigeons indésirables.

dépigmentation n. f. BIOL, MED Disparition du pigment (d'un tissu, partic. de la peau).

dépilage n. m. TECH Action de dépiler les peaux pour le tannage.

dépilation n. f. Action de dépiler; son résultat. ▷ Chute de poils.

dépilatoire adj. et n. m. Qui sert à faire tomber les poils. *Crème, lotion dépilatoire.* ▷ n. m. *Un dépilatoire.*

dépiler v. tr. [1] **1.** Faire tomber les poils, les cheveux de. **2.** TECH Ôter les poils d'une peau avant de la tanner.

1. dépiquage n. m. AGRIC Action de dépiquer (1, sens 2) pour repiquer.

2. dépiquage n. m. AGRIC Action de dépiquer (2).

1. dépiquer v. tr. [1] **1.** COUT Défaire les piqûres de. *Dépiquer un col.* **2.** AGRIC Déplanter des semis pour les repiquer en pleine terre. *Dépiquer des salades.*

2. dépiquer v. tr. [1] AGRIC Battre (les céréales) pour récolter le grain.

dépistage n. m. Action de dépister. *Test de dépistage du sida.*

dépister v. tr. [1] **I. 1.** CHASSE Découvrir (le gibier) à la piste. – *Par ext.* Découvrir, retrouver (qqn) en suivant une trace. *La police a rapidement dépisté les coupables.* **2.** Découvrir (ce qui était dissimulé). *Dépister une fraude.* – *Dépister une maladie.* **II.** Faire perdre la piste, la trace à. *Dépister des créanciers.*

dépit [depi] n. m. **1.** Vive contrariété mêlée de colère, causée par une déception, une blessure d'amour-propre. *Manifester son dépit. Agir par dépit.* **2.** Loc. prép. *En dépit de :* malgré, sans tenir compte de. *Réussir en dépit des obstacles.*

dépité, ée adj. Qui conçoit, montre du dépit. *Un amant dépité. Une mine dépitée.*

dépiter v. tr. [1] Litt. Causer du dépit à. *Votre refus l'a dépité.*

déplacé, ée adj. **1.** Qui a été changé de place. **2.** Fig. Qui n'est pas à sa place étant donné la situation, les circonstances. *Des propos déplacés. Cette dispute devant des tiers est déplacée.* Syn. malséant, incongru, inopportun. **3.** *Personne déplacée,* qui a été contrainte de quitter son pays.

déplacement n. m. **1.** Action de déplacer, de se déplacer; fait d'être déplacé. *Déplacement d'air. Cela vaut le déplacement.* ▷ Cour. , abusiv. *Déplacement d'une vertèbre.* **2.** Voyage. *Cet emploi exige des déplacements fréquents.* **3.** MAR *Déplacement d'un navire,* poids du volume d'eau déplacé par la carène. **4.** CHIM *Déplacement d'un équilibre :* modification de la composition d'un système de corps chimiques en équilibre (due à une modification de pression, de température, de concentration). **5.** GEOM Transformation (translation, rotation) d'une figure en figure égale.

déplacer v. [12] **I.** v. tr. **1.** Ôter (une chose) de la place qu'elle occupe. *Déplacer un meuble.* – *Déplacer les foules,* les attirer massivement derrière soi. ▷ Fig. *Déplacer la question :* s'écarter de l'objet précis d'une discussion. – *Déplacer des montagnes :* faire l'impossible. **2.** Fig. Faire changer (qqn) de poste. *Déplacer un fonctionnaire.* **3.** MAR Avoir un déplacement de. *Cuirassé déplaçant 35 000 t.* **II.** v. pron. **1.** Changer de place (choses). *Les nuages se déplaceront vers l'intérieur du pays.* **2.** Quitter un lieu, aller d'un lieu à un autre (personnes). *Vous devrez aller le voir, car il se déplace rarement.*

déplafonnement n. m. FIN Fait de déplafonner. *Déplafonnement des crédits.*

déplafonner v. tr. [1] FIN Faire cesser le plafonnement de, supprimer la limite supérieure de. *Déplafonner les cotisations de la Sécurité sociale.*

déplaire v. [59] **I.** v. tr. indir. **1.** Ne pas plaire à, ne pas être du goût de. *Ce livre m'a déplu. Il a un visage sournois qui me déplaît.* Syn. rebuter. ▷ Impers. *Il me déplaît de :* il m'est désagréable de. *Il ne me déplairait pas de le revoir.* **2.** Causer du chagrin à, offenser, fâcher. *Son comportement m'a beaucoup déplu.* ▷ *Ne vous (en) déplaise :* nonobstant votre opinion, votre mécontentement. **II.** v. pron. N'éprouver aucun plaisir, ne pas se trouver bien. *Je me déplais en sa compagnie.* – Fig. *Ces plantes se déplaisent à l'ombre.* – (Récipr.) *Au premier coup d'œil ils se sont déplu.*

déplaisant, ante adj. **1.** Qui ne plaît pas. *Un visage déplaisant. Une situation déplaisante.* Syn. antipathique, désagréable. **2.** Qui contrarie, qui offense. *Des allusions déplaisantes.* Syn. désobligeant.

déplaisir n. m. **1.** Vx Chagrin, affliction. **2.** Contrariété, mécontentement. *Il a omis de m'en prévenir, à mon grand déplaisir.*

déplanter v. tr. [1] **1.** Enlever de terre (un végétal) pour le planter ailleurs. *Déplanter un arbre, un piquet.* **2.** Dégarnir de ses plantes. *Déplanter un verger.*

déplâtrage n. m. Action de déplâtrer.

déplâtrer v. tr. [1] **1.** Ôter le plâtre de. *Déplâtrer un mur.* **2.** CHIR Enlever un plâtre de. *Déplâtrer un bras.* – Par ext. *Déplâtrer qqn.*

dépliage ou **dépliement** n. m. Action de déplier; fait de se déplier.

dépliant, ante adj. et n. m. **1.** adj. Qui se déplie. *Canapé dépliant.* **2.** n. m. Page plus grande que la couverture d'un livre, qu'on déplie pour la consulter. *Les dépliants des tableaux synoptiques d'un ouvrage.* **3.** n. m. Prospectus imprimé formé de plusieurs volets que l'on déplie. *Dépliants d'une agence de voyages.*

déplier v. [2] **1.** v. tr. Étaler, étendre, ouvrir (ce qui était plié). *Déplier sa serviette. Déplier son journal.* – Par ext. *Déplier de la marchandise,* la sortir, l'étaler, l'exposer. **2.** v. pron. S'étaler, s'ouvrir, s'étendre. *Les ailes de l'oiseau se déplièrent.*

déplisser v. tr. [1] Défaire les plis, effacer les faux plis de. *Déplisser une jupe.* ▷ v. pron. *Vêtement qui se déplisse sans repassage.*

déploiement [deplwamɑ̃] n. m. Action de déployer, état de ce qui est déployé. *Déploiement d'un parachute.* – Par ext. *Un grand déploiement de forces policières. Un déploiement de richesses.*

déplomber v. tr. [1] **1.** Enlever un sceau de plomb de. *Déplomber un colis.* **2.** CHIR Enlever l'amalgame de (une dent obturée).

déplorable adj. **1.** Vx Triste, affligeant. *Sa fin fut déplorable.* **2.** Regrettable, fâcheux. *Un incident déplorable.* **3.** Cour. Très mauvais, blâmable. *Un travail déplorable. Une conduite déplorable.*

déplorablement adv. D'une manière déplorable.

déploration n. f. **1.** Didac. Fait de se lamenter, de manifester de la douleur. **2.** BX-A *Déploration du Christ :* œuvre représentant le Christ pleuré par Marie, Madeleine et saint Jean, après la descente de croix.

déplorer v. tr. [1] **1.** Vx *Déplorer qqn,* le pleurer. ▷ Mod. Témoigner une grande affliction de. *Déplorer la mort de qqn.* **2.** Trouver mauvais, regretter. *Je déplore la maladresse de cette mesure.*

déployé, ée adj. Étendu, déplié. *Voguer toutes voiles déployées.* ▷ *Rire à gorge déployée,* aux éclats, bruyamment. ▷ MILIT *Ligne déployée :* dispositif d'étalement d'une troupe qui permet de faire face à l'ennemi.

déployer v. tr. [23] **1.** Étendre, développer (ce qui était plié). *Déployer des tentures.* ▷ v. pron. *Son parachute ne s'est pas déployé.* **2.** MILIT *Déployer des troupes,* leur faire occuper un grand espace de terrain; leur faire prendre le dispositif de combat. ▷ v. pron. *L'armée se déploie dans la plaine.* **3.** Fig. Montrer, étaler. *Déployer tous ses talents pour convaincre un auditoire.*

déplumer I. v. tr. [1] Rare Ôter ses plumes à. *Déplumer un oiseau.* **II.** v. pron. **1.** Perdre ses plumes; s'arracher les plumes. *Les oiseaux se déplument à coups de bec.* **2.** Fig., fam. Perdre ses cheveux. *Il se déplume sur le sommet du crâne.* – Pp. adj. *Crâne déplumé.* **3.** Fig. Perdre son argent. *Il s'est déplumé au jeu.*

dépoétiser v. tr. [1] Ôter son caractère poétique à.

dépoitraillé, ée adj. Fam., péjor. Dont la poitrine est fort découverte.

dépoli, ie adj. Qui a perdu son poli. *Verre dépoli,* rendu translucide (et non plus transparent).

dépolir v. tr. [3] Ôter le poli de. ▷ v. pron. Perdre son poli.

dépolissage n. m. TECH Action de dépolir; son résultat. *Dépolissage du verre, des métaux.*

dépolitisation n. f. Action de dépolitiser; son résultat.

dépolitiser v. tr. [1] Ôter son caractère politique à (qqch), toute conscience politique à (qqn). *Dépolitiser un sujet. Dépolitiser la jeunesse.* ▷ v. pron. Rompre avec la politique.

dépolluant, ante adj. et n. m. Se dit d'un produit qui dépollue.

dépolluer v. tr. [1] Supprimer les effets de la pollution. *Dépolluer une plage.*

dépollueur adj. (et n. m.) Qui combat la pollution, ses effets. *Navire dépollueur.*

dépollution n. f. Action de dépolluer; son résultat.

déponent, ente adj. et n. m. Didac. Se dit des verbes latins qui ont une forme passive et un sens actif.

dépopulation n. f. **1.** Action de dépeupler; fait de se dépeupler. **2.** État d'un pays qui se dépeuple. *La dépopulation des campagnes.* Syn. dépeuplement.

déportation n. f. **1.** Peine d'exil, afflictive et infamante, appliquée autref., notam. en France, aux crimes politiques. *Déportation simple. Déportation dans une enceinte fortifiée.* **2.** Internement dans un camp de concentration situé dans une région éloignée du domicile de la victime ou dans un pays étranger. (V. nazisme et encycl. guerre.)

déporté, ée n. (et adj.) **1.** Personne condamnée à la déportation. **2.** Personne internée dans un camp de concentration.

déportement n. m. Fait d'être déporté, dévié de sa direction.

déporter v. tr. [1] **I. 1.** Faire subir la déportation à (qqn). *Les nazis déportèrent plusieurs millions de Juifs en Allemagne et en Pologne.* **2.** Dévier, entraîner hors de la bonne direction. *Son chargement mal équilibré le déportait vers la droite.* **II.** v. pron. **1.** S'écarter de sa route. **2.** DR Se récuser.

déposant, ante n. **1.** DR Personne qui fait une déposition en justice. **2.** Personne qui effectue un dépôt dans une banque, une caisse d'épargne, etc.

dépose n. f. TECH Opération consistant à déposer ce qui était fixé, posé. *Frais de pose et de dépose.*

1. déposer v. [1] **A.** v. tr. **I.** Destituer du pouvoir souverain. *Déposer un pape, un roi.* **II. 1.** Poser (ce que l'on porte). *Déposer un fardeau.* – Fig. *Déposer les armes :* cesser le combat, se rendre. **2.** Fig., litt. Quitter, se dépouiller de. *Déposer sa fierté. Sylla déposa la dictature.* **3.** Placer, mettre, laisser quelque part. *Déposer son manteau sur une chaise. La voiture m'a déposé à la porte.* ▷ LEGISL *Déposer un projet de loi,* le soumettre à l'Assemblée nationale. ▷ *Déposer une plainte :* porter plainte en justice. **4.** Mettre en dépôt, donner en garde. *Déposer de l'argent à la banque.* ▷ COMM *Déposer une marque de fabrique, un brevet,* en effectuer le dépôt légal pour se garantir des contrefaçons. *Modèle déposé.* ▷ DR COMM *Déposer son bilan :* se déclarer en cessation de paiement. **5.** Former un dépôt, en parlant d'un liquide. *Cette eau a déposé beaucoup de sable.* ▷ v. intr. *Laisser un vin déposer.* ▷ v. pron. *La lie se dépose au fond de la bouteille.* **B.** v. intr. DR Faire une déposition en justice. *Le témoin est venu déposer à la barre.*

2. déposer v. tr. [1] TECH Ôter (un objet) de la place où il avait été fixé, posé. *Déposer une serrure.*

dépositaire n. **1.** Personne qui reçoit qqch en dépôt. *Ces documents ne vous appartiennent pas, vous n'en êtes que le dépositaire.* – Fig. *Nous sommes les dépositaires d'une grande tradition.* **2.** Commerçant chargé de vendre des marchandises qui lui sont confiées. *Le dépositaire exclusif de telle marque.*

déposition n. f. **1.** Destitution, privation du pouvoir souverain. **2.** DR Déclaration d'un témoin en justice. *La déposition de l'expert fit grande impression.* **3.** BX-A *Une déposition de croix :* une œuvre représentant le Christ descendu de la croix. ► illustr. **Angelico**

déposséder v. tr. [**14**] Priver (qqn) de ce qu'il possédait. *Déposséder qqn de ses biens.* Syn. dépouiller.

dépossession n. f. Action de déposséder; son résultat.

dépôt [depo] n. m. **1.** Action de déposer, de placer qqch quelque part. *Le dépôt des ordures est interdit à cet endroit.* ▷ Action de remettre, de confier qqch à qqn. – *Spécial.* Action de confier des fonds à un organisme bancaire. *Effectuer un dépôt à la banque. Banque de dépôt,* qui utilise les dépôts à vue de ses clients pour diverses opérations de crédit. ▷ *Caisse des dépôts et consignations :* établissement public chargé de recevoir et d'administrer les fonds appartenant à divers services publics (caisses d'épargne, de retraite, de Sécurité sociale, etc.). ▷ *Dépôt légal :* dépôt obligatoire de plusieurs exemplaires d'une œuvre littéraire ou audiovisuelle, lors de sa parution, aux services officiels compétents. **2.** Chose confiée, donnée en garde. *Restituer un dépôt.* – *Dépôt à vue,* dont le propriétaire peut disposer à tout moment. – Fig. *Un secret est un dépôt sacré.* **3.** Lieu où l'on garde des objets. *Dépôt d'armes clandestin.* ▷ Lieu où l'on gare des locomotives, des autobus, etc. ▷ Lieu de vente au détail de certains produits. *Dépôt de pain. Dépôt de vin.* **4.** Établissement où sont hébergées ou gardées certaines personnes. *Dépôt des équipages de la flotte :* caserne des marins à terre, dans un port de guerre. – *Dépôt de la préfecture de police* ou, absol., *dépôt :* lieu où l'on emprisonne provisoirement les individus qui viennent d'être arrêtés. *Tout ce joli monde a été conduit au dépôt.* **5.** Matières qui se déposent au fond d'un récipient contenant un liquide. *Dépôt au fond d'une bouteille de vin.* **6.** Matière recouvrant une surface. *Dépôt électrolytique. Dépôt calcaire sur les parois d'une bouilloire.* – GEOL Accumulation de matériaux détritiques d'origine minérale. *Dépôt éolien, glaciaire,* etc.

dépotage ou **dépotement** n. m. Action de dépoter; son résultat.

dépoter v. tr. [**1**] **1.** Ôter d'un pot. *Dépoter une plante.* **2.** TECH Transvaser (un liquide). – Par ext. *Dépoter un wagon-citerne.* **3.** v. intr. Fam. Être très efficace, très spectaculaire; aller vite.

dépotoir n. m. **1.** Lieu destiné à recevoir les matières provenant des vidanges. **2.** Lieu où l'on dépose les ordures; décharge publique. ▷ Fig., fam. Lieu en grand désordre, très sale. *Quel dépotoir, cette chambre !*

dépôt-vente n. m. Magasin où les particuliers déposent ce qu'ils veulent vendre. *Des dépôts-ventes.*

dépouille n. f. **I. 1.** Peau enlevée à un animal. – ZOOL Tégument épidermique dont se débarrassent, à époques fixes, certains animaux. *La dépouille d'un serpent.* **2.** Fig., litt. *La dépouille mortelle :* le corps d'un défunt. **3.** (Plur.) Litt. Butin pris à l'ennemi. ▷ ANTIQ ROM *Dépouilles opimes**. **II.** TECH Taille oblique donnée au bord d'un outil.

dépouillé, ée adj. **1.** Dont on a ôté la peau. *Lapin dépouillé.* **2.** Dégarni. *Arbre dépouillé.* **3.** Fig. Sobre, simple, sans fioritures. *Formes dépouillées.*

dépouillement n. m. **1.** Action de dépouiller; état de ce qui est dépouillé. **2.** Inventaire, examen, analyse minutieuse. *Dépouillement d'un scrutin.*

dépouiller v. tr. [**1**] **I. 1.** Enlever la peau de (un animal). *Dépouiller une anguille.* – *Par ext.* Priver de ce qui couvre ou garnit. *Dépouiller un temple de ses ornements. Le vent a dépouillé les arbres.* ▷ v. pron. Ôter, perdre ce qui couvre. *Se dépouiller de ses vêtements. La forêt se dépouille de sa verdure.* **2.** Déposséder. *Dépouiller qqn de ses biens.* ▷ v. pron. *Se dépouiller en faveur de qqn.* **3.** Fig. Faire l'inventaire, l'examen minutieux et approfondi de. *Dépouiller un compte, un dossier.* ▷ *Dépouiller un scrutin :* dénombrer les suffrages en faveur de chacun des candidats, de chacune des propositions, etc. **II.** Litt. **1.** Quitter, perdre (ce qui enveloppait). *L'insecte dépouille sa première carapace.* **2.** Fig. Abandonner, renoncer à. *Dépouiller sa morgue.* ▷ v. pron. *Se dépouiller de ses préjugés.*

dépourvu, ue adj. **1.** Qui a perdu ce dont il était pourvu; qui manque du nécessaire. *« La cigale se trouva fort dépourvue »* (La Fontaine). ▷ *Dépourvu de :* dénué, privé de. *Un jardin dépourvu de fleurs. Être dépourvu de bon sens.* Ant. doté, muni, pourvu. **2.** Loc. adv. *Au dépourvu :* à l'improviste, sans préparation. *Il m'a pris au dépourvu.*

dépoussiérage n. m. Action de dépoussiérer.

dépoussiérant n. m. TECH Produit qui facilite le dépoussiérage en retenant les poussières.

dépoussiérer v. tr. [**14**] Enlever les poussières de. – Fig. Remettre à neuf, renouveler.

dépravation n. f. Vieilli Action de dépraver; son résultat. *Dépravation du goût, du jugement, des mœurs.* – *Spécial.* Débauche sexuelle. *Tomber dans la dépravation.* Syn. corruption, perversion, vice.

dépravé, ée adj. et n. **1.** Vx Altéré, corrompu. *Viande dépravée.* **2.** Perverti, vicieux, immoral. *Mœurs dépravées. Des gens dépravés.* ▷ Subst. *Un(e) dépravé(e).*

dépraver v. tr. [**1**] **1.** Vieilli Altérer, dégrader. *Dépraver le goût.* **2.** Amener (qqn) à faire et à aimer le mal; corrompre. *Ses fréquentations l'ont dépravé. Dépraver les mœurs.* Syn. pervertir.

dépréciatif, ive adj. Qui déprécie, vise à déprécier. *Avis dépréciatif.*

dépréciation n. f. Action de déprécier, de se déprécier; état d'une chose dépréciée.

déprécier v. tr. [**2**] **1.** Rabaisser, diminuer le prix, la valeur de. *L'installation d'une usine à proximité a déprécié ce terrain.* Syn. dévaloriser. ▷ v. pron. *Monnaie qui se déprécie.* **2.** Dénigrer, chercher à déconsidérer. *Il ne parle de vous que pour vous déprécier.* Ant. exalter, vanter. ▷ v. pron. Se dévaloriser aux yeux d'autrui.

déprédateur, trice adj. (et n.) Qui commet des déprédations.

déprédation n. f. **1.** Vol, pillage accompagné de destruction, de détérioration. **2.** Détérioration causée à des biens matériels. **3.** Malversation, détournement. *Déprédation des finances publiques.* **4.** Exploitation de la nature sans précautions écologiques.

déprendre (se) v. pron. [**52**] Litt. Se détacher, se dégager. *Se déprendre de qqn, d'une affection, d'une habitude.*

Deprés (Josquin). V. Des Prés.

dépresseur n. m. et adj. m. PHARM Produit qui diminue l'activité mentale. – adj. m. *Il est recommandé de ne pas conduire quand on prend un médicament dépresseur de la vigilance.*

dépressif, ive adj. et n. PSYCHIAT Relatif à la dépression. *État dépressif.* – Subst. Personne sujette à la dépression.

dépression n. f. Abaissement au-dessous d'un niveau donné; enfoncement. **1.** GEOL, GEOMORPH Zone, plus ou moins étendue, en forme de cuvette. **2.** TECH Pression inférieure à la pression atmosphérique. ▷ METEO Zone dans laquelle la pression atmosphérique est plus basse que dans les régions voisines. **3.** PSYCHIAT État psychique pathologique caractérisé par une asthénie, un ralentissement de l'activité intellectuelle et motrice, accompagné de tristesse et d'anxiété. *Dépression nerveuse.* **4.** ECON Période de ralentissement des affaires, crise. ► illustr. **météorologie**

dépressionnaire adj. METEO Qui est le siège d'une dépression. *Zone dépressionnaire d'Islande.*

dépressurisation n. f. TECH Action de dépressuriser (la cabine d'un avion, d'un engin spatial).

dépressuriser v. tr. [**1**] TECH Faire cesser la pressurisation de.

Depretis (Agostino) (Mezzana Corti, près de Pavie, 1813 – Stradella, près de Pavie, 1887), homme politique italien. Président du Conseil (1876-1878, 1878-1879 et 1881-1887), il fut l'un des artisans de la Triple-Alliance (1882).

Deprez (Marcel) (Aillant-sur-Milleron, Loiret, 1843 – Vincennes, 1918), physicien français; collaborateur de D'Arsonval. Le premier, il mit au point une méthode de transport de l'énergie électrique (1883).

déprimant, ante adj. Qui déprime, abat. *Une nouvelle déprimante.* Syn. démoralisant.

déprime n. f. **1.** Fam. Abattement, idées noires. **2.** Pour un secteur économique, ralentissement de l'activité. *La déprime des marchés.*

déprimé, ée adj. et n. Qui est dans un état dépressif. *Il est très déprimé.* ▷ Subst. *Un déprimé chronique.*

déprimer v. tr. [**1**] **1.** Produire un affaissement, un enfoncement dans (qqch). *Le choc a déprimé l'os frontal.* **2.** BIOL Diminuer l'activité de. *Ce produit déprime le centre respiratoire.* **3.** Produire une dépression dans un secteur économique. **4.** Diminuer l'énergie, abattre le moral de (qqn). *Sa maladie l'a beaucoup déprimé.* **5.** v. intr. Fam. Être démoralisé, déprimé. *Il déprime depuis huit jours. La Bourse déprime.*

déprise n. f. Cessation de l'emprise, de l'occupation. *Les méfaits sur le paysage de la déprise agricole.*

De profundis (Lat., « des profondeurs ».) RELIG CATHOL Un des psaumes de la pénitence devenu la prière pour les morts, et qui commence par ces mots.

déprogrammation n. f. Action, fait de déprogrammer.

déprogrammer v. tr. [**1**] **1.** Supprimer une émission de télévision, annuler un spectacle. **2.** INFORM Supprimer d'un programme (qqch qui y figurait, qui en faisait partie).

dépucelage n. m. Fam. Action de dépuceler.

dépuceler v. tr. [**19**] Fam. Faire perdre son pucelage, sa virginité à.

depuis prép. **I.** (Exprimant le temps.) **1.** À partir de (tel moment, tel événement passé). *Nous sommes à Paris depuis le 1er janvier. Depuis quand êtes-vous absents?* – Iron. *Depuis quand nous tutoyons-nous?* ▷ adv. *Qu'est-il arrivé depuis? Je ne l'ai pas revu depuis.* **2.** Pendant (un espace de temps qui s'est étendu jusqu'au moment dont on parle). *Je vous attends depuis une demi-heure. Il n'avait pas plu depuis longtemps.* – Exclam. *Depuis le temps que je voulais vous voir!* : il y a si longtemps que je voulais vous voir! **3.** Loc. conj. *Depuis que. Depuis qu'il fait froid, je ne sors plus.* **II.** (Exprimant l'espace, avec une idée de mouvement ou d'étendue.) À partir de (tel endroit). *Il est venu à pied depuis Rouen. La douleur s'étendait depuis le genou jusqu'à l'aine.* ▷ Abusiv. *Elle surveillait les enfants depuis son balcon* (il faudrait dire : *de son balcon*). *Notre envoyé spécial nous parle depuis Beyrouth (de Beyrouth).* **III.** Fig. *Depuis... jusqu'à* (introduisant le premier terme d'une série ininterrompue). *Depuis le plus jeune jusqu'au plus vieux.*

dépuratif, ive adj. et n. m. Propre à purifier l'organisme. *Une eau dépurative.* ▷ n. m. *Prendre un dépuratif.*

dépuration n. f. Action de dépurer.

dépurer v. tr. [1] MED, TECH Rendre plus pur.

députation n. f. **1.** Envoi d'une ou de plusieurs personnes chargées d'une mission; ces personnes elles-mêmes. *Recevoir une députation.* Syn. délégation. **2.** Fonction de député. *Se présenter à la députation.*

député, ée n. **1.** Personne envoyée (par une nation, une ville, une assemblée, etc.) pour remplir une mission particulière. **2.** Personne nommée ou élue pour faire partie d'une assemblée délibérante. *Les députés de la noblesse, du clergé, du tiers état.* **3.** Membre de l'Assemblée nationale. *Élire un député.*

députer v. tr. [1] Envoyer (qqn) comme député. *Ils le députèrent pour plaider leur cause.*

déqualification n. f. Baisse ou perte de la qualification professionnelle.

déqualifier v. tr. [2] Faire perdre ou baisser la qualification professionnelle.

De Quincey (Thomas) (Greenheys, Manchester, 1785 – Édimbourg, 1859), écrivain anglais; auteur des *Confessions d'un mangeur d'opium* (publiées en vol. en 1822) et de *De l'assassinat considéré comme un des beaux-arts* (prem. version, 1827). Baudelaire traduisit d'import. extraits de ses *Confessions* (qu'il introduisit dans *les Paradis artificiels*).

der n. Abrév. de *dernier, dernière.* – Loc. fam. *Der des ders* : dernier des derniers. – Spécial. *La der des ders* : la dernière de toutes les guerres (s'est dit de la guerre 1914-1918). ▷ JEU *Dix de der* : les dix derniers points attribués à celui qui fait le dernier pli à la belote.

déraciné, ée adj. et n. **1.** Arraché de terre (végétaux). **2.** Fig. Qui a quitté son pays, son milieu d'origine. *Des émigrants déracinés.* ▷ Subst. *«Les Déracinés» (1897), œuvre de M. Barrès.*

déracinement n. m. Action de déraciner; état de ce qui est déraciné. – Fig. État d'une personne déracinée.

déraciner v. tr. [1] **1.** Tirer de terre, arracher avec ses racines (un végétal). *Déraciner un arbre.* – Par anal. *Déraciner une dent.* **2.** Fig. Faire disparaître, détruire complètement. *Déraciner un préjugé, un vice.* Syn. extirper. **3.** Fig. Obliger qqn à quitter sa région, son milieu.

déraillement n. m. Accident de chemin de fer d'un train sorti des rails.

dérailler v. intr. [1] **1.** Sortir des rails. *Le convoi a déraillé.* **2.** Fig., fam. Fonctionner mal, se dérégler, dévier. *Ce baromètre déraille complètement. Sa voix déraille dans les aigus.* **3.** Fig., fam. S'égarer dans un raisonnement; perdre tout bon sens. *Ce n'est pas cela du tout! Tu déraillES, mon vieux!* Syn. déraisonner.

dérailleur n. m. **1.** TECH Dispositif permettant de faire passer la chaîne d'une bicyclette d'un pignon sur un autre. **2.** CH de F Dispositif permettant à un wagon de changer de voie.

Derain (André) (Chatou, 1880 – Garches, 1954), peintre et graveur français. Avec Vlaminck et Matisse, il fut à l'origine du fauvisme, puis passa à une stylisation néo-cubiste et revint à la figuration traditionnelle.

déraison n. f. Litt. Manque de raison; manière d'agir contraire à la raison.

déraisonnable adj. Qui n'est pas raisonnable. *Personne déraisonnable. Il serait déraisonnable de partir maintenant.*

déraisonnablement adv. De manière déraisonnable.

déraisonner v. intr. [1] Penser, parler contrairement à la raison, au bon sens. *Ça, un chef-d'œuvre? Mais tu déraisonnes!*

déramer v. tr. [1] Manipuler (une rame de papier) de manière à supprimer l'adhérence entre les feuilles.

dérangeant, ante adj. Qui dérange, gène.

dérangement n. m. **1.** Action de déranger; état de ce qui est dérangé. **2.** Désordre. **3.** Fig. Trouble apporté dans des habitudes. *Causer du dérangement à qqn.* **4.** Mauvais fonctionnement, dérèglement. *Téléphone en dérangement.* **5.** Indisposition passagère. *Dérangement intestinal.*

déranger v. tr. [13] **1.** Ôter (une chose) de sa place habituelle. *Déranger des livres. Vous rangerez ce que vous avez dérangé.* – *Par ext.* Mettre du désordre dans. *Déranger une chambre.* **2.** Obliger (qqn) à quitter sa place. *Il a dérangé dix personnes pour accéder à son fauteuil.* ▷ v. pron. *Ne vous dérangez pas, je vous l'apporte.* **3.** Interrompre, troubler (qqn) dans ses occupations. *Cette musique me dérange. Prière de ne pas déranger.* ▷ v. pron. *Continuez votre travail, ne vous dérangez pas pour moi.* – Contrarier, gêner. *Cela vous dérange-t-il de reporter notre rendez-vous?* **4.** Provoquer des troubles physiologiques. *Mets indigestes qui dérangent le foie.* ▷ Pp. adj. *Avoir le cerveau dérangé* : déraisonner, divaguer.

dérapage n. m. **1.** Action de déraper. ▷ Fig. Changement incontrôlé. *Dérapage des prix.* **2.** À skis, glissade latérale contrôlée avec les carres.

déraper v. intr. [1] **1.** TECH Glisser, lorsque l'adhérence n'est plus suffisante. *La voiture a dérapé sur une plaque de verglas.* ▷ Fig. S'écarter de façon incontrôlée. *La conversation a dérapé.* **2.** À skis, pratiquer le dérapage (sens 2). **3.** MAR En parlant d'une ancre, ne plus assurer la tenue sur le fond. ▷ v. tr. *Déraper l'ancre* ou, absol., *déraper* : arracher l'ancre du fond pour la remonter.

déraser v. tr. [1] CONSTR Abattre le sommet de (un mur).

dératé, ée n. Fam. *Courir comme un(e) dératé(e),* très rapidement.

dératisation n. f. Action de dératiser.

dératiser v. tr. [1] Débarrasser des rats. *Dératiser un navire.*

derbouka [dɛʀbuka] ou **darbouka** [daʀbuka] n. m. Tambour d'Afrique du N. fait d'une peau tendue sur l'orifice d'un vase sans fond en terre cuite.

derby [dɛʀbi] n. m. **1.** TURF Course de chevaux qui a lieu chaque année à Epsom, en Angleterre. – *Derby français* : Prix du Jockey Club, qui se court à Chantilly. **2.** SPORT Rencontre opposant deux équipes sportives d'une même ville ou de deux villes voisines. **3.** Chaussure lacée sur le cou-de-pied.

Derby, v. de G.-B., ch.-l. du Derbyshire; 214 000 hab. Porcelaine réputée; industr. mécaniques (auto., aéron.), chimiques et textiles.

Derby (Edward Stanley, 14e comte de) (Knowsley, Lancashire, 1799 – id., 1869), homme politique britannique; un des chefs du parti conservateur, défenseur du protectionnisme, il fut Premier ministre en 1852 et 1858, et de 1866 à 1868. – **Edward Stanley,** 15e comte de Derby (Knowsley, 1826 – id., 1893), fils du préc.; ministre des Affaires étrangères, puis des Colonies (1882-1885), il rallia le parti libéral unioniste en 1886.

Derbyshire, comté des Midlands de l'Est; 2 631 km²; 914 600 hab.; ch.-l. *Matlock.*

déréalisation n. f. PSYCHIAT Sentiment d'étrangeté, de perte de contact avec la réalité.

déréaliser v. tr. [1] PSYCHIAT Faire perdre le contact avec la réalité.

derechef adv. Vx ou litt. De nouveau.

déréglé, ée adj. **1.** Qui est mal réglé, qui fonctionne mal. *Montre déréglée.* ▷ Sans mesure. *Appétit déréglé. Imagination déréglée.* **2.** Qui ne suit pas les règles de la morale. *Conduite déréglée.*

dérèglement n. m. **1.** État de ce qui est déréglé. *Le dérèglement des saisons.* **2.** Vieilli Absence de règles morales, désordre, inconduite. *Vivre dans le dérèglement. Le dérèglement des mœurs.*

déréglementation n. f. Fait d'alléger ou de supprimer la réglementation (d'un secteur, notam. économique).

déréglementer v. tr. [1] Pratiquer la déréglementation de.

dérégler v. tr. [14] **1.** Déranger le réglage de; détraquer (un mécanisme). *Le froid dérègle les horloges.* – Par ext. *La boisson lui a déréglé l'estomac.* **2.** Vieilli Faire négliger les règles de la morale, du devoir, etc. *Des mœurs déréglées.*

dérégulation n. f. ECON Arrêt des dispositions servant à réguler un secteur d'activité, une profession.

déréguler v. tr. [1] Opérer une dérégulation.

déréliction n. f. THEOL État de l'homme abandonné à lui-même, privé de toute assistance divine. ▷ Litt. État d'abandon et de solitude extrême.

déremboursement n. m. Cessation ou diminution d'un remboursement par la Sécurité sociale.

Derème (Philippe Huc, dit Tristan) (Marmande, 1889 – Oloron-Sainte-Marie, 1941), poète français. D'abord futuristes, à l'ironie sentimentale, ses poèmes deviennent des exercices de calligraphie : *la Verdure dorée* (1922), *Zodiaque ou les Étoiles de Paris* (1929).

dérépression n. f. BIOL Mécanisme par lequel un gène échappe à l'inhibition du gène qui le contrôle.

déresponsabiliser v. tr. [1] Retirer le sens des responsabilités à.

dérider v. tr. [1] **1.** Faire disparaître les rides. **2.** Égayer. *Dérider qqn.* ▷ v. pron. Perdre sa mauvaise humeur. *Il a fini par se dérider.*

dérision n. f. Moquerie méprisante. *Je disais cela par dérision. Tourner (qqn, qqch) en dérision* : se moquer de manière méprisante de (qqn, qqch).

dérisoire adj. **1.** Litt. Qui incite à la dérision. *Il était dérisoire dans son malheur.* **2.** Ridiculement bas, insignifiant. *Un salaire dérisoire.*

dérivable adj. MATH *Fonction dérivable en un point,* qui admet une dérivée en ce point.

dérivatif, ive adj. et n. m. **1.** Cour. Qui procure une diversion pour l'esprit. *Activités dérivatives.* – n. m. *Le travail est un dérivatif au chagrin, aux soucis.* **2.** LING Qui permet la formation de dérivés. *Préfixe, suffixe dérivatif.*

1. dérivation n. f. **1.** Action de dériver, de dévier de son cours. *Dérivation d'un cours d'eau.* ▷ *Ligne branchée en dérivation,* entre deux points d'un circuit électrique. **2.** MATH Calcul de la dérivée d'une fonction. **3.** LING Processus de formation de mots nouveaux à partir d'un radical par préfixation, suffixation, etc.

2. dérivation n. f. **1.** MAR, AVIAT Action de dériver (sous l'effet des courants, du vent). **2.** ARTILL Fait, pour un projectile, de s'écarter du plan de tir (phénomène dû à sa rotation ou à l'effet du vent).

dérive n. f. **1.** MAR, AVIAT Dérivation d'un avion, d'un navire, sous l'effet du vent, des courants. *Navire qui subit une dérive de 3° ouest par rapport à son cap. Angle de dérive.* ▷ *Bateau qui va à la dérive,* qui va au gré des éléments sans pouvoir se diriger. **2.** Fig. Évolution incontrôlée et dangereuse d'un phénomène, de l'action de qqn, d'un groupe. *Une dérive dans l'alcoolisme.* **3.** GEOL *Dérive des continents* : déplacement des masses continentales. (V. encycl.) **4.** MAR Aileron vertical immergé et amovible, destiné à diminuer la dérive d'un bateau à voile *(dériveur).* ▷ AVIAT Gouvernail de direction d'un avion. **5.** MILIT Angle selon lequel on modifie le tir pour compenser la dérivation des projectiles. **6.** TECH Déplacement du zéro d'un appareil de mesure.
ENCYCL Selon la théorie de la dérive des continents, due à Wegener (1912), les continents actuels résulteraient de la division, au cours des ères secondaire et tertiaire, d'un continent unique, le Gondwana; chaque morceau aurait dérivé ensuite sous l'effet des forces dues à la rotation de la Terre, ces déplacements étant possibles grâce à la viscosité du manteau sur lequel flotteraient les continents. Cette théorie connaît auj., sous une forme nouvelle, un regain de faveur dû à la théorie des plaques*.

1. dérivé n. m. **1.** LING Mot qui dérive d'un autre. *« Dépuration » est un dérivé de « dépurer ».* **2.** CHIM Corps qui provient d'un autre (par distillation, combinaison, etc.). *L'essence est un dérivé du pétrole.* **3.** FIN Produit dérivé.

2. dérivé, ée adj. **1.** Détourné de son cours, en parlant d'un cours d'eau. *Canal dérivé.* ▷ ELECTR *Loi des courants dérivés,* qui permet de déterminer la répartition du courant entre plusieurs conducteurs placés en dérivation. **2.** Se dit d'un droit perçu par une firme sur l'utilisation par d'autres firmes de son nom ou de son logo sur des produits dits *produits dérivés.* **3.** FIN Se dit d'un produit financier complexe, tel que les marchés d'options, les contrats à terme, les swaps.

dérivée n. f. MATH Limite du rapport entre l'accroissement d'une fonction continue (résultant de l'accroissement de la variable) et l'accroissement de la variable, lorsque ce dernier tend vers zéro.

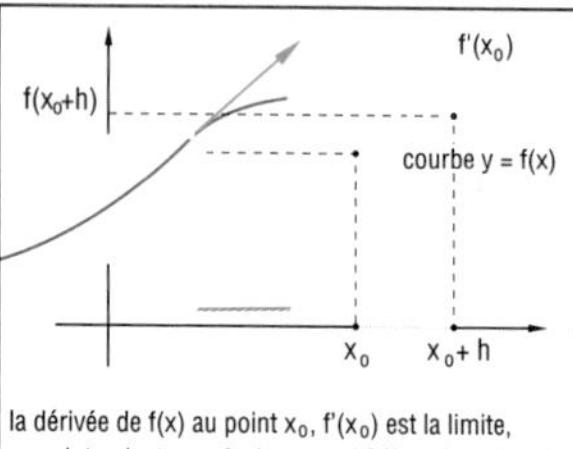

la dérivée de f(x) au point x_0, $f'(x_0)$ est la limite, pour h tendant vers 0, du rapport $[f(x_0+h) - f(x_0)]/h$

dérivée

1. dériver v. [1] **I.** v. tr. dir. **1.** Détourner de son cours. *Dériver un ruisseau.* **2.** MATH *Dériver une fonction,* en calculer la dérivée. **II.** v. tr. indir. *Dériver de.* **1.** Découler de, être issu de. *Une conception du monde qui dérive des philosophies de la Grèce antique.* **2.** LING Tirer son origine de. *Une part importante du vocabulaire français dérive du latin. Mot qui dérive d'un autre.*

2. dériver v. intr. [1] **1.** MAR, AVIAT Avoir tendance (sous l'effet des courants, du vent) à s'écarter du cap suivi. **2.** MAR Aller au gré du vent et de la mer sans pouvoir se diriger.

3. dériver [1] ou **dériveter** v. tr. [20] TECH Défaire (ce qui est rivé).

dériveur n. m. Voilier muni d'une dérive (par oppos. à *quillard*).

Derjavine (Gavriil Romanovitch) (Kazan, 1743 – Saint-Pétersbourg, 1816), poète russe d'inspiration classique : *Felitsa* (ode à Catherine II, 1783).

derm(o)-. V. dermato-.

dermaptères n. m. pl. ENTOM Groupe d'insectes, aux ailes antérieures coriaces, dont le perce-oreille est le représentant le plus connu. – Sing. *Un dermaptère.*

dermatite ou **dermite** n. f. MED Inflammation de la peau. *Dermatite séborrhéique.*

dermato-, -derme, derm(o)-. Éléments, tirés du gr. *derma, dermatos,* « peau ».

dermatologie n. f. MED Partie de la médecine qui traite de la peau et de ses maladies.

dermatologique adj. Qui a rapport à la dermatologie.

dermatologue ou **dermatologiste** n. MED Médecin spécialiste en dermatologie.

dermatose n. f. MED Maladie de la peau.

-derme. V. dermato-.

derme n. m. Partie profonde de la peau, située sous l'épiderme, formée de tissu conjonctif et contenant des vaisseaux, des nerfs et les follicules pileux.

dermique adj. Relatif au derme.

dermite. V. dermatite.

dermo-. V. dermato-.

dermoprotecteur, trice adj. et n. m. MED Se dit d'un produit qui protège la peau. *Crème dermoprotectrice.*

dermoptères n. m. pl. ZOOL Ordre de mammifères, proches des insectivores, auquel appartient le galéopithèque. – Sing. *Un dermoptère.*

dernier, ère adj. et n. **1.** (Avant le nom.) Qui vient après tous les autres. *Le dernier jour du mois. La dernière édition* (de la journée) *d'un journal* (ellipt. *la dernière*). – *Rendre le dernier soupir* : expirer. – *Dire son dernier mot* : faire entendre que la position adoptée, que la décision prise est définitive. *Je vous le laisse à vingt francs, mais c'est mon dernier mot! Avoir le dernier mot dans une polémique,* l'emporter. ▷ (Après le nom.) *Le jugement dernier.* ▷ (Attribut) *Il est parti dernier. Il est bon dernier au classement général.* ▷ Subst. *Le dernier de la classe.* ▷ Loc. adv. *En dernier* : après tous les autres, après le reste. *Nous verrons cela en dernier.* **2.** Qui précède immédiatement; le plus récent. *L'année dernière. Habillé à la dernière mode. Nouvelles de dernière heure. Aux dernières nouvelles.* – Fam. *Vous connaissez la dernière ?,* la dernière histoire. ▷ Subst. Dernier-né. *C'est son petit dernier.* **3.** Extrême. *Le dernier degré de la perfection.* ▷ Subst. *C'est le dernier des ...* : c'est le plus méprisable, le plus bas. *C'est à la portée du dernier des imbéciles.*

dernièrement adv. Depuis peu, récemment. *Je l'ai vu tout dernièrement.*

dernier-né, **dernière-née** n. Enfant né le dernier. *Les derniers-nés.*

dérobade n. f. Action de se dérober. *La dérobade d'un cheval devant l'obstacle.* ▷ Fig. *Il a coupé court aux questions par une dérobade.*

dérobé, ée adj. **1.** Pris en cachette, volé. *Restituer un objet dérobé.* **2.** Secret, dissimulé. *Escalier dérobé.*

dérobée (à la) loc. adv. Subrepticement, sans être vu. *Je l'observais à la dérobée.*

dérober v. [1] **I.** v. tr. **1.** Prendre en cachette, voler (qqch). *On lui a dérobé sa montre.* – Fig. *Dérober un secret.* ▷ Prendre subrepticement ou par surprise. *Dérober un baiser.* **2.** Litt. Soustraire. *Dérober un coupable à la justice.* **3.** Cacher, empêcher de voir. *Ce mur me dérobe le paysage.* **II.** v. pron. **1.** *Se dérober à* : se soustraire à. *Se dérober à toutes les questions.* ▷ (S. comp.) *Chaque fois qu'on l'interroge, il se dérobe.* **2.** Fléchir, faiblir. *Ses genoux se dérobèrent sous lui.* **3.** EQUIT *Cheval qui se dérobe devant un obstacle, qui se dérobe,* qui refuse de sauter un obstacle.

dérocher v. [1] **1.** v. intr. ALPIN Faire une chute en montagne, tomber d'une paroi rocheuse. *Il a déroché.* Syn. dévisser. ▷ v. pron. *Il se dérocha au moment le plus inattendu.* **2.** v. tr. TRAV PUBL Enlever les roches de. *Dérocher le lit d'une rivière.*

dérogation n. f. **1.** DR Fait de s'écarter de la loi, d'un principe de droit. **2.** Cour. Action de déroger à (qqch). *Je ne tolérerai aucune dérogation au règlement.*

dérogatoire adj. DR **1.** Qui accorde une dérogation. *Acte dérogatoire.* **2.** Qui a le caractère d'une entorse à la loi.

Cette clause de votre contrat est dérogatoire et illicite (en vertu du principe de droit civil qui veut qu'aucune convention particulière ne déroge aux lois qui intéressent l'ordre public).

déroger v. tr. indir. [13] *Déroger à.* **I. 1.** S'écarter de (un usage, une loi, une convention). *Déroger à la loi.* **2.** Faire une chose indigne de. *Déroger à la majesté du trône.* ▷ (S. comp.) S'abaisser. *Il ne pourrait faire une chose pareille sans déroger.* **II.** HIST *Déroger à noblesse :* perdre la noblesse en exerçant une activité incompatible avec la qualité de noble. – (S. comp.) *« Hélas ! le dernier des Sigognac a dérogé ! » (Th. Gautier).*

dérouillée n. f. Pop. Correction, volée de coups. *Flanquer une dérouillée à qqn.*

dérouiller v. [1] **I.** v. tr. **1.** Ôter la rouille de. *Dérouiller une arme.* **2.** Fig., cour. Faire perdre son engourdissement à. *La lecture dérouille l'esprit.* – (Faux pron.) *Se dérouiller les jambes.* **3.** Pop. Battre. *Je l'ai dérouillé.* **II.** v. intr. Pop. Recevoir des coups. *Si tu continues, tu vas dérouiller.* – *Par ext.* Souffrir, avoir mal. *On m'a arraché une dent... ce que j'ai pu dérouiller !*

déroulage n. m. **1.** Action de dérouler. ▷ TECH *Déroulage d'une bille d'okoumé.* (V. dérouler, sens 3.) **2.** Déroulement. *Le déroulage d'une bobine.*

Déroulède (Paul) (Paris, 1846 – Mont-Boron, près de Nice, 1914), écrivain et homme politique français ; auteur des *Chants du soldat* (1872), poèmes nationalistes à caractère revanchard. Cofondateur de la Ligue des patriotes (1882), il fut condamné au bannissement (1900-1905) pour avoir tenté un coup d'État en 1899.

déroulement n. m. **1.** Action de dérouler ; son résultat. *Le déroulement d'un tuyau d'arrosage.* **2.** Fig. Succession dans le temps. *Saisir les faits dans leur déroulement.*

dérouler v. tr. [1] **1.** Étaler (ce qui était roulé). *Dérouler un tapis.* ▷ v. pron. *Pelote de laine qui se déroule.* – Fig. *Le panorama superbe qui se déroulait devant nous.* **2.** Fig. Exposer selon une succession donnée. *Il déroula tout son raisonnement avec une assurance parfaite.* ▷ v. pron. Se produire selon une succession donnée. *Les faits se sont déroulés en si peu de temps que personne n'a réagi.* **3.** TECH Détacher en feuilles minces les couches successives de (une bille de bois).

dérouleur n. m. **1.** TECH Appareil servant à dérouler (des produits livrés en rouleau). **2.** INFORM Élément périphérique d'un ordinateur qui assure le déroulement de la bande magnétique lors de l'enregistrement ou de la lecture de données.

dérouleuse n. f. TECH **1.** Machine pour dérouler le bois. **2.** Dispositif permettant d'enrouler et de dérouler (un câble, un fil électrique, etc.).

déroutage ou **déroutement** n. m. Action de dérouter (sens 1).

déroutant, ante adj. Qui déroute, déconcerte. *Une réponse déroutante. Un mode d'expression déroutant.*

déroute n. f. **1.** Fuite en désordre d'une armée vaincue. *Mettre une armée en déroute.* **2.** Fig. Défaite, revers grave ; déconfiture. *Ses affaires sont en déroute.*

Déroute (passage de la), chenal de la Manche entre Jersey et le Cotentin.

dérouter v. tr. [1] **1.** Modifier l'itinéraire initialement prévu de (un moyen de transport). *Dérouter un avion en raison du brouillard.* **2.** Fig. Déconcerter, mettre sur une fausse voie. *Ses mensonges me déroutent.* ▷ Pp. adj. *Dérouté par tant d'assurance, il se tut.*

derrick [dɛʀik] n. m. Chevalement qui supporte les tubes de forage des puits de pétrole. Syn. (off. recommandé) tour de forage.

Derrida (Jacques) (El-Biar, près d'Alger, 1930), philosophe français. Son étude des créateurs modernes (Mallarmé, Artaud, Bataille, Joyce, Husserl, Heidegger, etc.) a débouché sur une critique de la métaphysique classique : *l'Écriture et la différence* (1967), *De la grammatologie* (1967), *Glas* (1974), *la Carte postale ; de Socrate à Freud et au-delà* (1980).

1. derrière prép. et adv. **I.** prép. **1.** Après, en arrière de (par oppos. à *devant*). *Marcher les uns derrière les autres. Les mains derrière le dos.* – Fig. *Avoir une idée derrière la tête :* avoir une idée non avouée. **2.** De l'autre côté de. *Derrière le mur. Derrière la montagne.* **3.** Fig. Après (dans une succession, un ordre). *X est derrière Y au classement général.* **II.** adv. **1.** En arrière, après, ou du côté opposé au devant. *Regarder derrière. Il marche derrière. Demeurer loin derrière.* **2.** Loc. adv. *Par-derrière :* du côté opposé à celui auquel une personne ou une chose fait face. *Attaquer l'ennemi par-derrière.* – Fig. Sournoisement. *Faire des coups par-derrière.*

2. derrière n. m. **1.** Partie postérieure d'une chose. *Le derrière de la maison.* Ant. devant, façade. **2.** Partie de l'homme et de quelques animaux qui comprend les fesses et le fondement. *Tomber sur le derrière. Mettre qqn dehors à coups de pied au derrière.*

derviche n. m. Religieux musulman faisant partie d'une confrérie rattachée le plus souvent au soufisme. *Derviche tourneur,* qui effectue des danses rituelles tourbillonnantes.

Déry (Tibor) (Budapest, 1894 – id., 1977), écrivain hongrois. Activement mêlé aux événements qui marquèrent son pays (membre du parti communiste depuis 1919, il prit en 1956 la tête de l'opposition intellectuelle au stalinisme), il restitua dans ses romans (*la Phrase inachevée,* 1947 ; *Cher beau-père,* 1973) et ses nouvelles les déchirements de sa génération.

1. des-, dés-. V. de- 1.

2. des-, dés-. V. de- 2.

dés-. Élément, du lat. *dis-,* marquant la privation, la cessation.

des [de] article **I. 1.** Article déf. pl. contracté *(de les). Le catalogue des livres de la bibliothèque. La salle des débats.* **2.** Article partitif. *Verser des arrhes. Reprenez des tripes.* **II.** Article indéf. (plur. de *un, une*). *Donner des bonbons à des enfants. Des amis sont venus me voir.* ▷ (Avec une valeur emphatique.) *Il rentre à des une heure du matin.*

dès [dɛ] prép. **I.** (Marquant le temps.) **1.** À partir de, aussitôt après. *Dès l'enfance. Dès maintenant.* ▷ Loc. conj. *Dès que :* aussitôt que. *Dès que vous arriverez, je pourrai partir.* **2.** Loc. adv. *Dès lors :* à partir de ce moment. *Dès lors, il devient suspect.* ▷ Loc. conj. *Dès lors que :* à partir du moment où. *Dès lors que vous acceptez, le marché est conclu.* **II.** (Marquant le lieu.) Depuis, à partir de. *Fleuve navigable dès sa source.*

désabonner v. tr. [1] Faire cesser l'abonnement de (qqn). ▷ v. pron. *Cette revue ne m'intéressait plus, je me suis désabonné.*

désabusé, ée adj. Qui n'a plus d'illusions, revenu de tout. *Une personne désabusée. Prendre un air désabusé.* ▷ Subst. *Un(e) désabusé(e).*

désabuser v. tr. [1] Vx ou litt. Détromper (qqn) de ce qui l'abuse, désillusionner.

désaccord n. m. **1.** Dissentiment, différence d'opinion. *Ce léger désaccord entre eux n'a fait que croître avec le temps.* ▷ Manque d'accord, désunion. *Ces discussions amenèrent le désaccord dans la famille.* **2.** Discordance (entre des choses). *Le désaccord flagrant entre la théorie et la pratique.*

désaccorder v. tr. [1] MUS Faire perdre l'accord à (un instrument). *L'humidité a désaccordé ce piano.* ▷ v. pron. *Harpe qui se désaccorde.*

désaccoupler v. tr. [1] Séparer (ce qui était par couple, ce qui était couplé). *Désaccoupler des bœufs.* – TECH *Désaccoupler des circuits électriques.*

désaccoutumance n. f. MED Cessation de l'état d'accoutumance d'un organisme à une substance. *La désaccoutumance des stupéfiants nécessite un traitement approprié.*

désaccoutumer v. tr. [1] Faire perdre une habitude à (qqn). ▷ v. pron. *Se désaccoutumer de tricher. Se désaccoutumer du tabac.*

désacralisation [desakʀalizasjɔ̃] n. f. Action de désacraliser ; son résultat.

désacraliser [desakʀalize] v. tr. [1] Retirer le caractère sacral attaché à (une fonction, une pratique, une institution). *Désacraliser la justice.*

désactivation n. f. PHYS NUCL Action de désactiver ; son résultat. *La désactivation des déchets radioactifs.*

désactiver v. tr. [1] PHYS NUCL Débarrasser une substance de sa radioactivité.

désadapté, ée adj. et n. Qui a perdu son adaptation (à un milieu social, professionnel, etc.). ▷ Subst. *Un(e) désadapté(e).*

désadapter v. tr. [1] Faire perdre à (qqn) son adaptation (sociale, professionnelle, etc.). *L'incarcération prolongée désadapte les détenus.* ▷ v. pron. *Se désadapter progressivement.*

désaffecté, ée adj. Qui n'assure plus le service auquel il était affecté, pour lequel il était prévu. *Une grange désaffectée transformée en garage.*

désaffecter v. tr. [1] **1.** Ôter à (un édifice) son affectation première. *Désaffecter une caserne, une église.* **2.** FIN Cesser d'affecter (une somme) à un emploi déterminé.

désaffection n. f. Perte de l'affection. *La désaffection du peuple pour son souverain.* – Cessation de l'intérêt (porté à qqch). *La désaffection du public pour le théâtre.*

désagréable adj. Déplaisant, qui cause du désagrément. *Personne désagréable. Nouvelle désagréable.*

désagréablement adv. D'une manière désagréable.

désagrégation n. f. Séparation des différentes parties d'un corps ; dislocation, dissolution. – Fig. *La désagrégation des institutions.*

désagréger v. tr. [15] Séparer (ce qui est agrégé), décomposer, disjoindre.

L'humidité désagrège le plâtre. ▷ v. pron. *Ce mur se désagrège.*

désagrément n. m. Déplaisir, ennui, souci. *Causer du désagrément.*

désaimanter v. tr. [1] Faire disparaître l'aimantation de.

désaisonnaliser v. tr. [1] Éliminer les variations saisonnières d'une courbe statistique.

Desaix (Louis Charles Antoine Des Aix, dit), chevalier de Veygoux (Ayat, près de Riom, 1768 – Marengo, 1800), général français. Il se distingua en 1796 sur le Rhin, puis en Égypte (1798-1800). Il fut tué à Marengo, après avoir assuré la victoire.

désaliénation n. f. Cessation de l'aliénation (mentale ou sociale).

désaliéner v. tr. [14] Faire cesser l'aliénation de (qqn, qqch); libérer.

désalinisateur n. m. Appareil servant à dessaler l'eau de mer.

désaltérant, ante adj. Qui apaise bien la soif. *Une boisson très désaltérante.*

désaltérer v. tr. [14] Apaiser la soif de (qqn). *Désaltérer un malade fiévreux.* – (S. comp.) *L'eau pure, le thé désaltèrent.* ▷ v. pron. Apaiser sa soif, boire. *Allons nous désaltérer au bar.*

désambiguïsation n. f. Didac. Action de désambiguïser.

désambiguïser v. tr. Didac. Supprimer l'ambiguïté.

désamiantage n. m. Action de désamianter un local.

désamianter v. tr. [1] Éliminer l'amiante qui avait été utilisé lors de la construction d'un bâtiment.

désamorçage n. m. Action de désamorcer. *Le désamorçage d'une pompe.*

désamorcer v. tr. [12] **1.** Ôter l'amorce de. *Désamorcer une bombe.* **2.** Interrompre l'état de fonctionnement de. *Désamorcer une pompe.* **3.** Fig. Faire perdre à (une chose) son caractère menaçant. *Désamorcer les antagonismes.*

désamour n. m. Litt. Perte de l'amour, de l'intérêt pour qqn ou qqch.

De Sanctis (Francesco) (Morra Irpino, Campanie, 1817 – Naples, 1883), écrivain italien, doctrinaire du vérisme : *Essais critiques* (1866).

désannexer v. tr. [1] DR INTERN Restituer un territoire à l'État auquel il appartenait avant son annexion.

désannexion n. f. DR INTERN Action de désannexer; son résultat.

Desanti (Jean-Toussaint) (Ajaccio, 1914), philosophe français. Épistémologue et historien de la philosophie, ses travaux portent notam. sur l'analyse des discours scientifiques (*Phénoménologie et praxis*, 1963).

De Santis (Giuseppe) (Fondi, 1917 – Rome, 1997), cinéaste italien néoréaliste : *Chasse tragique* (1947), *Riz amer* (1948), *Pâques sanglantes* (1949).

désapparier v. tr. [2] Déparier.

désappointement n. m. État d'une personne désappointée; déception, contrariété. *Elle en conçut un vif désappointement.*

désappointer v. tr. [1] Décevoir (qqn) dans son attente, dans son espérance. – Pp. adj. *Un air désappointé.*

désapprendre v. tr. [52] Oublier (ce qu'on avait appris).

désapprobateur, trice adj. Qui désapprouve. *Un ton désapprobateur.*

désapprobation n. f. Action de désapprouver. *Geste de désapprobation.*

désapprouver v. tr. [1] Ne pas agréer, juger mauvais, blâmer. *Désapprouver un projet. Il désapprouve formellement votre attitude. Désapprouver qqn,* lui donner tort, le blâmer.

désarçonner v. tr. [1] **1.** Mettre (un cavalier) hors des arçons, jeter (qqn) à bas de la selle. *Son cheval l'a désarçonné.* **2.** Fig. Faire perdre contenance à, déconcerter. *Cette question l'a complètement désarçonné.*

désarêter v. tr. [1] Ôter les arêtes d'un poisson.

désargenté, ée adj. **1.** Qui a perdu sa couche d'argent. *Des couverts désargentés.* **2.** Fam. Démuni d'argent. *Je suis fort désargenté en ce moment.*

désargenter v. tr. [1] **1.** TECH Enlever la couche d'argent de (un objet recouvert d'argent). ▷ v. pron. *Les couverts se désargentent.* **2.** Fam., rare Retirer son argent à (qqn).

Desargues (Gérard) (Lyon, 1591 – id., 1662), mathématicien français; fondateur de la géométrie projective des coniques.

désarmant, ante adj. Qui fléchit la rigueur. *Un sourire désarmant.*

désarmement n. m. **1.** Action de désarmer (qqch). *Le désarmement d'un fort, d'un paquebot.* **2.** Action de réduire ou de supprimer les forces militaires.

désarmer v. [1] **I.** v. tr. **1.** Enlever, arracher ses armes à (qqn). *Désarmer un malfaiteur.* – Enlever les armes de. *Désarmer un fort,* en retirer les canons. ▷ *Désarmer une arme à feu,* la rendre inoffensive en libérant le ressort de percussion. **2.** Fig. *Ces plaisanteries l'ont désarmé,* lui ont ôté tout moyen de s'irriter. – Pp. adj. *Elle se sentit désarmée par tant de candeur.* **3.** MAR *Désarmer un navire,* le débarrasser de son matériel mobile et débarquer son équipage. **II.** v. intr. Renoncer à tous préparatifs militaires; réduire son armement (en parlant d'un État). *Toutes les puissances désarmèrent à la fois.* ▷ Fig. Se débarrasser d'un sentiment hostile, d'une rancune. *Il est trop rancunier pour désarmer. Il lui en veut et ne désarmera pas.*

désarrimer v. tr. [1] Faire que qqch ne soit plus arrimé.

désarroi n. m. Trouble, confusion de l'esprit. *Le bouleversement de ses projets l'avait plongé dans un désarroi complet.*

désarticulation n. f. Action de désarticuler; son résultat.

désarticuler v. tr. [1] **1.** Faire sortir de l'articulation. *Désarticuler un os de poulet.* – v. pron. *L'os s'est désarticulé.* (Faux pron.) *Se désarticuler le coude.* **2.** CHIR Amputer au niveau de l'articulation. **3.** Défaire (ce qui était articulé). *Désarticuler les pièces d'un mécanisme.* – Pp. adj. *Pantin désarticulé.* **4.** v. pron. Se contorsionner en donnant l'impression que les os sortent de leurs articulations.

désassemblage n. m. Action de désassembler, de se désassembler.

désassembler v. tr. [1] Défaire (ce qui est assemblé).

désassimilation n. f. **1.** PHYSIOL Élimination des substances préalablement assimilées par un organisme vivant. **2.** BIOL Décomposition partielle des organelles cellulaires.

désassimiler v. tr. [1] Produire une désassimilation.

désassortiment n. m. Action de désassortir; état désassorti.

désassortir v. tr. [3] Rendre incomplet (un assortiment); dépareiller.

désastre n. m. **1.** Événement funeste, grande calamité, catastrophe. *Cette inondation fut un désastre pour la région. Le désastre boursier de Wall Street en octobre 1929.* **2.** Grave échec. *Cette opération a été un désastre.*

désastreux, euse adj. **1.** Qui a le caractère d'un désastre. *Un événement désastreux pour notre économie.* **2.** Cour. Très fâcheux; qui porte tort. *Votre attitude est désastreuse.*

désatelliser v. tr. [1] ESP Faire quitter son orbite à un satellite.

Désaugiers (Marc Antoine) (Fréjus, 1742 – Paris, 1793), compositeur français; auteur d'opéras-comiques et d'un drame, *la Prise de la Bastille* (1789). – **Antoine** (Fréjus, 1772 – Paris, 1827), fils du préc.; chansonnier et vaudevilliste, il fut président du Caveau* moderne.

Desault (Pierre Joseph) (Vouhenans, près de Lure, 1738 – Paris, 1795), chirurgien français; maître de Bichat. Il créa la première clinique chirurgicale française à l'Hôtel-Dieu.

Des Autels (Guillaume) (manoir de Vernoble, Charolais, 1529 – id., 1581), poète français; imitateur de Pétrarque (*Amoureux Repos*, 1553), défenseur de l'orthographe étymologique.

désavantage n. m. **1.** Cause d'infériorité. *Le désavantage d'une position.* **2.** Préjudice, dommage. *Cette clause du contrat est à votre désavantage.*

désavantager v. tr. [13] **1.** Frustrer d'un avantage; faire supporter un désavantage à. *Désavantager un de ses enfants.* **2.** Mettre en état d'infériorité. *Il est désavantagé par sa mauvaise mémoire.*

désavantageusement adv. D'une manière désavantageuse.

désavantageux, euse adj. Qui cause un désavantage. *Des conditions désavantageuses.*

désaveu n. m. **1.** Déclaration par laquelle on désavoue ce qu'on a dit ou fait. *Faire un désaveu public de sa doctrine.* **2.** Fait de désavouer qqn. *Il a subi le désaveu de ses supérieurs.* **3.** DR *Désaveu de paternité* : action par laquelle un mari fait déclarer judiciairement qu'il n'est pas le père d'un enfant né de sa femme légitime, pendant le mariage.

désavouer v. tr. [1] **1.** Ne pas vouloir reconnaître comme sien. *Désavouer une signature. Désavouer un enfant.* **2.** Déclarer qu'on n'a pas autorisé (qqn) à dire ou à faire qqch. *Désavouer un ambassadeur.* **3.** Désapprouver, condamner. *Désavouer la conduite de qqn.*

désaxé, ée adj. et n. **1.** Qui s'est écarté de son axe. **2.** Déséquilibré. *Un esprit désaxé.* ▷ Subst. *Un(e) désaxé(e).*

désaxer v. tr. [1] **1.** Écarter de son axe. **2.** Fig. Faire perdre à (qqn) son équilibre mental, physique.

Desbordes-Valmore (Marceline Desbordes, Mme Lanchantin, dite Marceline) (Douai, 1786 – Paris, 1859), poétesse française. Son œuvre romantique fut appréciée par Baudelaire, Verlaine

Démosthène Descartes

et Breton : *Élégies et romances* (1818), *Pleurs* (1833), *Pauvres fleurs* (1839).

descamisados [deskamisadɔs] n. m. pl. HIST Surnom des libéraux espagnols (1820), puis (1943-1955) des partisans argentins du général Perón, qui s'appuyaient sur le prolétariat misérable.

Descartes (René) (La Haye [auj. La Haye-Descartes, Indre-et-Loire], 1596 - Stockholm, 1650), philosophe et savant français. Il fait ses études chez les jésuites au collège de La Flèche (1604-1612) puis étudie le droit avant de s'engager dans l'armée hollandaise et au service de l'Électeur de Bavière. Durant cette période (1617-1628), où il voyage beaucoup, Descartes observe et médite plus qu'il ne lit. En 1629 il est en Hollande, où il restera vingt ans. Après le *Traité du monde*, qu'il renonce à publier en 1633 (quand Galilée est condamné par le Saint-Office), paraissent en 1637 trois textes scientifiques : la *Dioptrique*, la *Géométrie* et les *Météores*, précédés du *Discours de la méthode*, où il expose une méthode pour conduire sa raison, pas à pas, dans la découverte de la vérité, et pour reconstruire les principes de la science. Cette démarche fait appel à la métaphysique (*Méditations sur la philosophie première*, 1641 ; *Principes de la philosophie*, 1644); les fondements d'une philosophie dont le point de départ est le doute sont alors jetés. Se trouve ainsi mise en question l'existence du monde, pour passer au *cogito ergo sum* («je pense, donc je suis»), et enfin à la «preuve ontologique» de l'existence de Dieu (idée de perfection); Dieu est pour Descartes le «garant» de son système de connaissance. Dans le *Traité des passions de l'âme* (1649), son dernier ouvrage, il s'attache à décrire les interactions de l'âme et du corps, montrant que les passions ne doivent pas être rejetées mais, dans la mesure du possible, maîtrisées : avec sa «générosité» et grâce à sa volonté, l'homme devra «entreprendre et exécuter toutes les choses qu'il jugera être les meilleures...». Descartes meurt à Stockholm où, invité par Christine de Suède, il s'était rendu à la fin de l'année 1649.

descellement [desɛlmɑ̃] n. m. Action de desceller; son résultat.

desceller [desele] v. tr. [1] **1.** Défaire ce qui était scellé. *Desceller des barreaux.* **2.** Ôter le sceau de.

descendance [desɑ̃dɑ̃s] n. f. **1.** Vx Filiation; fait de descendre de qqn. **2.** Ensemble des descendants, postérité. *Une nombreuse descendance.* **3.** BIOL Ensemble des individus issus d'un couple par reproduction sexuée.

descendant, ante n. et adj. **1.** n. Individu issu d'une personne, d'une famille données. *C'est le seul descendant de cette maison.* **2.** adj. Qui descend. *Marée descendante.* ▷ MILIT *Garde descendante*, celle qui quitte son poste, qui est relevée par la garde montante. ▷ MUS *Gamme descendante*, qui va de l'aigu au grave.

descendeur, euse n. SPORT Sportif, sportive dont la spécialité est la descente (à bicyclette, à skis).

descendre [desɑ̃dʀ] v. [6] **I.** v. tr. (Avec l'auxiliaire *avoir*.) **1.** Parcourir de haut en bas. *Descendre un escalier, une colline. Descendre un fleuve*, en suivre le cours en allant vers l'embouchure. **2.** Mettre, porter plus bas. *Descendre un tableau. Descendre du vin à la cave.* **3.** Fam. Abattre. *Descendre un avion.* ▷ Fam. *Descendre qqn*, l'abattre, le tuer. **4.** Fam. Vider. *Descendre une bouteille*, la boire entièrement. **II.** v. intr. (Avec l'auxiliaire *être* ou, vx, *avoir*.) **1.** Aller de haut en bas. *Descendre de la montagne.* - Litt. *Descendre au cercueil, au tombeau* : mourir. ▷ Loc. *Descendre dans la rue* : participer à une manifestation. *Des milliers de Marseillais sont descendus dans la rue.* **2.** Mettre pied à terre. *Il descendit de sa bicyclette.* ▷ *Descendre à terre* : débarquer. **3.** S'arrêter quelque part pour y coucher, pour y séjourner. *Descendre à l'hôtel.* **4.** Fig. Entrer. *Descendre en soi-même* : consulter sa conscience. *Descendre dans le détail* : examiner tous les détails. **5.** Fig. Être issu de, tirer son origine de. *Il descend d'une famille de magistrats.* **6.** Aller en pente du haut vers le bas. *La route descend puis remonte.* **7.** (Sujet n. de chose.) Aller du haut vers le bas. *Le baromètre descend. Le soleil descend. La nuit descend quand le soleil se couche.* **8.** Baisser. *La mer descend.* ▷ Par anal. *Les prix descendent.* **9.** MUS Parcourir l'étendue des sons de l'aigu vers le grave. *Ce chanteur a une voix qui descend très bas.*

descenseur n. m. TECH *Ascenseur-descenseur* : ascenseur pouvant supporter une charge à la descente.

descente [desɑ̃t] n. f. **1.** Action de descendre. *La descente à la cave se fait par un escalier très raide. Saluer qqn à la descente du train.* **2.** Irruption d'ennemis venus par terre ou par mer. *La descente des Sarrasins en Espagne.* **3.** Visite d'un lieu pour une opération de justice ou de police. *Une descente de police.* **4.** Mouvement de haut en bas d'une chose. *Descente en vol plané d'un avion.* **5.** Pente. *Descente rapide. Ralentir dans les descentes.* **6.** SPORT Épreuve de ski chronométrée sur une pente de forte dénivellation comportant des portes de contrôle. **7.** Action par laquelle on descend qqch. *Descente d'un fleuve.* **8.** MYTH *Descente aux Enfers* : récit du voyage fabuleux de certains personnages aux Enfers. *Les plus célèbres descentes aux enfers sont celles d'Orphée, d'Hercule, de Thésée, d'Ulysse, d'Énée, et celles de «la Divine Comédie» de Dante et des «Aventures de Télémaque» de Fénelon.* ▷ *Descente de croix* : tableau ou sculpture représentant Jésus-Christ mort que l'on descend de la croix. *Rubens et Rembrandt ont peint des descentes de croix.* **9.** *Descente de lit* : tapis mis à côté du lit. **10.** MED *Descente d'organe* : ptôse, prolapsus. *Descente de matrice.* **11.** Pop. *Avoir une bonne descente* : boire en grande quantité. **12.** CONSTR *Descente d'eaux pluviales* : canalisation verticale servant à évacuer les eaux de pluie. ▷ *Descente de paratonnerre* : conducteur reliant le paratonnerre à la prise de terre.

Deschamps (Eustache) (Vertus, Champagne, v. 1346 - ?, v. 1406), poète français; élève de G. de Machaut. Il a laissé quelque 1 500 poèmes (ballades, rondeaux, virelais, traités satiriques, tel *le Miroir de mariage*, inachevé) et un *Art de dictier* (1392) qui a marqué l'histoire de l'art poétique (abandon de l'accompagnement musical, accent mis sur la «musique naturelle» des «paroles métrifiées»).

Deschamps (Émile Deschamps de Saint-Amand, dit Émile) (Bourges, 1791 - Versailles, 1871), poète français, l'un des premiers romantiques; il fonda (1823) avec Victor Hugo *la Muse française*, où il publia des chroniques et des nouvelles. - **Antoine** (dit Antony) (Paris, 1800 - id., 1869), frère du préc.; poète romantique, il traduisit en vers *la Divine Comédie* (1829).

Deschanel (Paul) (Schaerbeek, 1855 - Paris, 1922), homme politique français. Élu président de la République en fév. 1920, il démissionna pour raison de santé en sept. de la même année. Acad. fr. (1899).

déscolarisation n. f. Action de déscolariser; son résultat.

déscolariser v. tr. [1] *Déscolariser un enfant*, le retirer de l'école, le soustraire au système scolaire.

descripteur n. m. **1.** Didac. Celui qui décrit. **2.** INFORM Code attaché à un objet et qui permet de le localiser et de le lire. *Descripteur de fichier.*

descriptible adj. Rare Qui peut être décrit.

descriptif, ive adj. et n. m. **1.** Qui décrit, qui a pour objet de décrire. *Poésie descriptive.* **2.** CONSTR *Devis descriptif*, décrivant les caractéristiques d'un ouvrage et son mode d'exécution. ▷ n. m. *Un descriptif détaillé.* **3.** MED *Anatomie descriptive*, qui décrit avec précision les formes, les aspects de chacun des organes. **4.** *Linguistique descriptive*, qui rend compte des phénomènes verbaux qu'elle observe (par oppos. aux grammaires traditionnelles de caractère normatif). **5.** MATH *Géométrie descriptive* : représentation de figures projetées sur un plan (géométrie cotée) ou sur plusieurs plans.

description n. f. **1.** Écrit ou discours par lequel on décrit. *Faire la description d'une tempête. Un chaos qui défie toute description.* **2.** DR Inventaire. *Le procès-verbal de saisie contient la description des meubles.*

Desdémone, personnage de l'*Othello* de Shakespeare (1604), type de la femme vertueuse, injustement soupçonnée par son époux.

déséchouer v. tr. [1] MAR Remettre à flot (un navire échoué).

déségrégation [desegʀegasjɔ̃] n. f. Suppression de la ségrégation raciale.

désembourber v. tr. [1] Tirer hors de la boue. *Désembourber une voiture.*

désembouteiller v. tr. [1] Supprimer l'embouteillage (sens 2) de. *Désembouteiller un carrefour.*

désembuer v. tr. [1] Supprimer la buée de. *Désembuer une vitre.*

désemparé, ée adj. **1.** Qualifie un navire, un avion, etc., que ses avaries empêchent de manœuvrer. **2.** Qui a perdu tous ses moyens, qui ne sait plus que dire, que faire. *Un homme désemparé.*

désemparer v. tr. [1] Vx Abandonner l'endroit que l'on occupe. - Mod. *Sans désemparer* : sans interruption, avec persévérance. *L'assemblée a siégé sans désemparer.*

désemplir v. [3] **1.** v. tr. Rare Vider en partie. *Désemplir un bassin.* **2.** v. intr. (Surtout dans des phrases négatives.)

Ne pas désemplir : être toujours plein, ne pas cesser d'être fréquenté. *Sa maison ne désemplit pas.* **3.** v. pron. *La salle se désemplit.*

désencadrer v. tr. [1] **1.** Retirer le cadre de. – Pp. adj. *Une toile désencadrée.* **2.** FIN Libérer de l'encadrement (un crédit).

désenchaîner v. tr. [1] Délivrer de ses chaînes. – Fig. Libérer d'une forte contrainte.

désenchanté, ée adj. (et n.) Désillusionné, déçu, blasé. *Il est revenu désenchanté de ce voyage.* ▷ Subst. *« Les Désenchantées »,* roman de Pierre Loti.

désenchantement n. m. Sentiment de désillusion.

désenclavement n. m. Action de désenclaver.

désenclaver v. tr. [1] **1.** Faire cesser l'enclavement de. **2.** Faire cesser l'isolement de (une région) par l'extension des moyens de transport et de communication et l'accroissement des échanges économiques.

désencombrer v. tr. [1] Débarrasser de ce qui encombre. *Désencombrer un grenier.*

désencrasser v. tr. [1] Nettoyer, faire disparaître la crasse de.

désendettement n. m. Fait de se désendetter.

désendetter (se) v. pron. [1] Se décharger de ses dettes.

désenfler v. intr. [1] Devenir moins enflé. *Son genou désenfle.*

désengagement n. m. Action de désengager ou de se désengager. *Désengagement politique :* fait de renoncer à un engagement politique.

désengager v. tr. [13] Libérer d'un engagement. *Il a désengagé ses capitaux.* ▷ v. pron. *Se désengager d'une obligation.*

désengorger v. tr. [13] Faire cesser l'engorgement de. *Désengorger une tuyauterie.*

désenivrer v. tr. [1] Faire passer l'ivresse de. *L'air frais l'a désenivré.* ▷ v. intr. *Ne pas désenivrer :* être toujours ivre.

désennuyer v. tr. [22] Dissiper, chasser l'ennui de (qqn); distraire. *Visiter un malade pour le désennuyer.* ▷ v. pron. *Jouer aux cartes pour se désennuyer.*

désenrayer v. tr. [21] TECH Débloquer (un mécanisme enrayé). *Désenrayer une mitrailleuse.*

désensabler v. tr. [1] Dégager, sortir du sable (qqch).

désensibilisant, ante adj. **1.** MED Qui induit une désensibilisation. *Traitement désensibilisant.* **2.** Qui calme l'irritation. *Crème de beauté désensibilisante.*

désensibilisation n. f. **1.** MED Procédé destiné à faire disparaître la sensibilité anormale ou l'allergie à l'égard de certains allergènes normalement bien tolérés. (La désensibilisation spécifique consiste à introduire l'allergène dans l'organisme à doses infimes progressivement croissantes, de façon à induire une tolérance, par ex. dans le traitement de l'asthme allergique.) **2.** PHOTO Opération qui consiste à diminuer la sensibilité d'une émulsion.

désensibiliser [desɑ̃sibilize] v. tr. [1] **1.** MED Pratiquer une désensibilisation sur (qqn). **2.** PHOTO Pratiquer la désensibilisation de (une émulsion).

désentoilage n. m. Action de désentoiler. *Désentoilage d'un tableau,* opération qui consiste à enlever la toile qui lui sert de support afin de la remplacer.

désentoiler v. tr. [1] Enlever la toile de (un tableau, un vêtement, etc.).

désentraver v. tr. [1] Débarrasser de ses entraves.

désenvaser v. tr. [1] **1.** Retirer la vase de. *Désenvaser un bassin.* **2.** Sortir de la vase. *Désenvaser une barque.*

désépaissir v. tr. [3] Rendre moins épais.

déséquilibre n. m. **1.** Absence d'équilibre. *Le déséquilibre de la balance des paiements.* **2.** Manque d'équilibre mental. *Il donne des signes de déséquilibre.*

déséquilibré, ée adj. et n. **1.** Qui manque d'équilibre. **2.** Qui ne jouit pas de toutes ses facultés mentales, dont l'équilibre psychique est perturbé. ▷ Subst. *Un(e) déséquilibré(e).*

déséquilibrer v. tr. [1] **1.** Faire perdre l'équilibre à (qqn); rompre l'équilibre de (qqch). *Sa valise trop lourde le déséquilibre.* **2.** Troubler l'esprit, l'équilibre mental de. *La mort de son fils l'a complètement déséquilibrée.*

1. désert, erte adj. **1.** Qui est sans habitants. *Une île déserte.* **2.** Peu fréquenté, où il n'y a personne. *Rue déserte.* **3.** Sans cultures, sans végétation. *Paysage désert.*

2. désert n. m. **1.** Région où les rigueurs du climat sont telles que la vie végétale et animale est presque inexistante. *On distingue les déserts chauds, où les précipitations sont inférieures à 200 millimètres d'eau par an* (Sahara), *et les déserts froids* (Antarctique et Arctique), *dont les basses températures sont peu propices à la vie.* **2.** Vx Lieu écarté, isolé. **3.** Fig. Grande solitude morale; isolement total. *« Le Désert de l'amour »,* roman de François Mauriac. **4.** Loc. fig. *Prêcher dans le désert :* parler sans être écouté.

déserter v. tr. [1] **1.** Abandonner (un lieu). *Les habitants ont déserté le village.* – Pp. adj. *Une ville désertée.* **2.** Fig. Abandonner, trahir. *Déserter une cause.* **3.** (S. comp.) En parlant d'un militaire, refuser de rejoindre son corps ou le quitter illégalement avec l'intention de n'y pas revenir; abandonner son poste. – Passer à l'ennemi.

déserteur n. m. **1.** Militaire qui a déserté. *Fusiller un déserteur.* **2.** Fig. Celui qui abandonne une cause, un parti, une religion.

désertification ou **désertisation** n. f. Transformation en désert (d'une région).

désertifier v. tr. [2] **1.** Transformer en désert. **2.** Dépeupler. **3.** v. pron. *Une région qui se désertifie.*

désertion n. f. **1.** Action de déserter (en parlant d'un militaire). *Désertion à l'étranger, à l'ennemi.* **2.** Fig. Acte de celui qui abandonne un parti, une cause, une religion. *Le groupe ne s'est pas remis de la désertion de son chef.*

désertique adj. **1.** Qui a les caractères du désert. *Région désertique.* **2.** Du désert, propre au désert. *Climat, flore désertique.*

désescalade n. f. Processus inverse de l'escalade, dans le domaine militaire, social, etc.

désespérance n. f. Litt. Lassitude découragée de celui qui a perdu l'espoir.

désespérant, ante adj. **1.** Qui jette dans le désespoir, qui cause un vif chagrin. *Cette pensée est désespérante.* **2.** Décourageant. *Il est désespérant de sottise.*

désespéré, ée adj. et n. **1.** Abandonné au désespoir. *Un amoureux désespéré.* ▷ Subst. *Le geste fou d'un désespéré.* **2.** Inspiré par le désespoir. *Prendre un parti désespéré.* **3.** Qui ne laisse plus aucun espoir. *Être dans une situation désespérée.* **4.** *Par ext.* Extrême. *Tentative désespérée.*

désespérément adv. **1.** D'une façon désespérée. *Elle l'avait désespérément attendu.* **2.** Par exag. *Un livre désespérément ennuyeux,* d'un ennui qui décourage le lecteur. **3.** Éperdument. *Ils se sont battus désespérément jusqu'au bout.*

désespérer v. [14] **1.** v. tr. indir. Perdre l'espoir (de). *Désespérer de réussir.* – Cesser d'espérer (en). *Désespérer de qqn,* perdre l'espoir de le voir se comporter comme on le souhaiterait. **2.** v. intr. Perdre espoir. *Ne désespérez jamais.* **3.** v. tr. Litt. *Désespérer que* (+ subj.) : ne plus espérer que. *Je ne désespère pas qu'il aille mieux.* **4.** v. tr. Affliger profondément, réduire au désespoir. *La conduite de son fils le désespère.* **5.** v. pron. Se livrer, se laisser aller au désespoir.

désespoir n. m. **1.** État de celui qui a perdu l'espoir. *Tomber dans le désespoir. Être au désespoir :* être désespéré; *par exag.* être navré, désolé. *Je suis au désespoir de ne pouvoir vous accompagner.* **2.** *Faire le désespoir de qqn,* lui causer une profonde affliction. – *Être le désespoir de :* être une personne, une chose qui désespère. **3.** *Désespoir des peintres :* plante *(Saxifraga umbrosa)* dont les fleurs, qui tremblent au moindre courant d'air, sont très difficiles à peindre. **4.** Loc. adv. *En désespoir de cause :* en dernière ressource et sans trop y croire.

désétatiser v. tr. [1] Réduire le rôle ou la part de l'État dans (une industrie).

Desèze ou **De Sèze** (Romain, comte) (Bordeaux, 1748 – Paris, 1828), avocat et magistrat français. L'un des trois défenseurs de Louis XVI devant la Convention, le seul qui plaida. Acad. fr. (1816).

déshabillage n. m. Action de déshabiller ou de se déshabiller.

déshabillé n. m. **1.** Vx Vêtement d'intérieur. *« Voici encore un petit déshabillé pour faire le matin mes exercices »* (Molière). – Fig. *En déshabillé :* sans affectation. **2.** Mod. Léger vêtement d'intérieur pour les femmes. *Un déshabillé de dentelle.*

déshabiller I. v. tr. [1] **1.** Enlever à (qqn) les vêtements qu'il porte. *Déshabiller un enfant.* **2.** TECH Enlever le revêtement, les accessoires de. **3.** Fig. Mettre à nu, à découvert. **II.** v. pron. **1.** Retirer ses vêtements. *Se déshabiller pour prendre un bain.* **2.** Quitter ses vêtements de ville (manteau, gants, chapeau, etc.) pour une tenue d'intérieur.

déshabituer v. tr. [1] Faire perdre à (qqn) l'habitude (de). *Déshabituer qqn de boire.* ▷ v. pron. *Il n'arrive pas à se déshabituer du tabac.*

désherbage n. m. Action de désherber.

désherbant, ante adj. et n. m. Qui détruit les mauvaises herbes. – n. m. *Un désherbant puissant.*

désherber v. tr. [1] Ôter les mauvaises herbes de. *Désherber les allées.*

déshérence n. f. **1.** DR État d'une succession vacante. *Droit de déshérence :* droit qu'a l'État de recueillir la succession des individus morts intestats et sans héritiers. **2.** Fig. Situation d'abandon dans lequel on laisse un lieu, un groupe. *Lutter contre la déshérence des banlieues.*

déshérité, ée adj. et n. **1.** adj. Privé d'un héritage. *Neveux déshérités.* **2.** adj. Fig. Privé de dons naturels, défavorisé par le sort. *Une région déshéritée.* – Subst. *Aider les pauvres, les déshérités.*

déshériter v. tr. [1] **1.** Priver de sa succession (ses héritiers légitimes). *Il veut déshériter son fils au profit de son neveu.* **2.** Fig., litt. Priver (qqn, qqch) des avantages naturels.

déshonneur n. m. Perte de l'honneur, honte, opprobre, infamie. *Être souillé par le déshonneur.*

déshonorant, ante adj. Qui déshonore. *Une conduite déshonorante.*

déshonorer v. tr. [1] **1.** Ôter l'honneur à (qqn). *Cette action vile l'a déshonoré.* ▷ v. pron. *Il s'est déshonoré.* **2.** Vieilli *Déshonorer une femme,* la séduire, abuser d'elle. **3.** Fig. Flétrir, ternir, enlaidir (qqch). *Cette affreuse statue déshonore la place.*

déshumanisation n. f. Perte du caractère humain (de qqn, de qqch). *La déshumanisation du paysage urbain.*

déshumaniser v. tr. [1] Faire perdre son caractère humain à (qqch), sa qualité d'être humain à (qqn). *Conditions d'existence qui déshumanisent l'individu.*– Pp. adj. *Un monde déshumanisé.*

déshydratant, ante adj. Qui déshydrate (en parlant d'une substance, d'un milieu).

déshydratation n. f. **1.** Action de déshydrater. *Déshydratation de denrées alimentaires en vue de leur conservation.* **2.** MED Diminution de la quantité d'eau contenue dans l'organisme.

déshydraté, ée adj. **1.** Qui a été privé de son eau. **2.** MED Atteint de déshydratation. **3.** Fam. Assoiffé. *Je suis déshydraté, je meurs de soif!*

déshydrater 1. v. tr. [1] TECH Enlever l'eau combinée ou mélangée à (un corps). **2.** v. pron. MED Perdre son eau, en parlant de l'organisme.

déshydrogénase n. f. BIOCHIM Enzyme capable de libérer l'hydrogène constitutif des molécules organiques.

déshydrogéner v. tr. [14] CHIM Éliminer tout ou partie de l'hydrogène de (un corps).

De Sica (Vittorio) (Sora, Latium, 1901 – Paris, 1974), acteur et cinéaste italien, naturalisé français. Il fut l'un des maîtres du cinéma néo-réaliste : *Sciuscia* (1946), *le Voleur de bicyclette* (1948), *Miracle à Milan* (1951), *Umberto D* (1952), *l'Or de Naples* (1954), *la Ciociara* (1960), *le Jardin des Finzi Contini* (1970), *le Voyage* (1973).

Vittorio **De Sica :** *le Voleur de bicyclette,* 1948, avec Lamberto Maggiorani et Enzo Staiola

desiderata [dezideʀata] n. m. pl. (Mot lat.) Choses désirées. *Exposez vos desiderata.*

design [dizajn] n. m. inv. (Anglicisme) **1.** Mode de création industrielle qui vise à adapter la forme des objets (appareils, outils, machines, etc.) à la fonction qu'ils doivent remplir tout en leur conférant une beauté plastique qui rende agréable leur utilisation. Syn. (off. recommandé) esthétique industrielle. **2.** Style de décoration inspiré de ce mode de création (dépouillement des formes, emploi de couleurs pures, utilisation de matériaux tels que le verre, l'acier, l'aluminium et les matières plastiques).

désignation n. f. **1.** Action de désigner. *La désignation d'un aristocrate par son titre de noblesse.* **2.** Action de désigner (qqn) pour une charge, un emploi, une affectation. *Sa désignation pour Paris est officielle.* **3.** LING Ce qui désigne (sens 5). *La désignation de «cabaretier» appliquée au propriétaire d'un débit de boissons est vieillie.*

designer [dizajnœr] n. m. (Anglicisme) Spécialiste du design.

désigner v. tr. [1] **1.** Indiquer (une personne ou une chose) d'une manière distinctive, par un signe, un geste, une marque. *Il a désigné la personne qui l'avait frappé.* **2.** Annoncer, indiquer. *«La mine désigne les biens de la fortune»* (La Bruyère). **3.** Fixer, marquer. *Désignez l'endroit de votre choix.* **4.** Signaler. *Désigner qqn à l'hostilité générale.* ▷ v. pron. Se signaler soi-même. *Il s'est désigné à l'attention générale.* **5.** LING En parlant d'un signe, renvoyer à (qqch). *Le mot «vilain» désignait le paysan libre au Moyen Âge.* **6.** Appeler (qqn) à une charge, une dignité, une fonction. *Désigner son successeur.*

désillusion n. f. Perte des illusions, déception, désenchantement. *Il a été aigri par cette désillusion.*

désillusionner v. tr. [1] Faire perdre à (qqn) une, ses illusions. *Son échec l'a désillusionné.*

désincarcération ou **décarcération** n. f. Opération consistant à extraire la ou les victimes d'un accident du lieu où elles se trouvent bloquées (véhicule, voiture de chemin de fer, avion, immeuble, etc.) lorsqu'elles ne peuvent en sortir sans dommages par leurs propres moyens.

désincarcérer v. tr. [14] Procéder à une désincarcération.

désincarnation n. f. Action de se désincarner.

désincarné, ée adj. **1.** RELIG Dégagé de son enveloppe charnelle. **2.** Fig. Qui néglige les considérations matérielles, qui tend à l'abstraction.

désincarner (se) v. pron. [1] **1.** Perdre l'apparence charnelle. **2.** Litt. Se détacher de la condition humaine.

désincrustant, ante adj. et n. m. **1.** adj. Qui sert à désincruster. **2.** n. m. TECH Substance servant à enlever les dépôts qui se forment dans les appareils contenant une eau calcaire.

désincrustation n. f. **1.** TECH Action de désincruster (un appareil où circule de l'eau chaude). **2.** *Désincrustation de la peau du visage,* soins cosmétiques consistant à la débarrasser de ses cellules mortes et à la nettoyer.

désincruster v. tr. [1] **1.** TECH Ôter les dépôts incrustés de. **2.** Faire une désincrustation (de la peau).

désindexation n. f. Suppression de l'indexation.

désindexer v. tr. [1] Pratiquer la désindexation de. – Pp. *Une valeur boursière désindexée.*

désindustrialisation n. f. ECON Ensemble des mécanismes économiques qui réduisent le nombre et l'importance des établissements industriels d'une région, d'un pays.

désinence n. f. **1.** LING Terminaison qui sert à marquer le cas, le nombre, le genre, la personne, etc. **2.** BOT Terminaison de certains organes.

désinfectant, ante adj. et n. m. Qui sert à désinfecter. – n. m. *Un désinfectant efficace.*

désinfecter v. tr. [1] Nettoyer à l'aide d'une substance (désinfectant) qui détruit les germes pathogènes. *Désinfecter une plaie. Désinfecter une salle d'hôpital.*

désinfecteur adj. et n. m. Qui est utilisé pour désinfecter. *Un appareil désinfecteur,* ou n. m., *un désinfecteur.*

désinfection n. f. Destruction de la flore microbienne d'un lieu, d'une partie de l'organisme, par des moyens mécaniques (lavage, brossage), physiques (chaleur) ou chimiques (antiseptiques, antibiotiques).

désinflation n. f. Réduction de l'inflation.

désinformation n. f. Suppression de l'information, réduction de sa portée ou modification de son sens.

désinformer v. tr. [1] Faire subir une désinformation.

désinhibant, ante adj. Qui supprime les inhibitions. *Drogue à effet désinhibant.*

désinhiber v. tr. [1] PHYSIOL, PSYCHO Lever l'inhibition de.

désinsectisation n. f. Action de désinsectiser; son résultat.

désinsectiser v. tr. [1] Débarrasser des insectes nuisibles. *Désinsectiser une région impaludée.*

désinsertion n. f. Fait d'être en marge de la société, d'un groupe.

désintégration n. f. **1.** Action de désintégrer. **2.** PHYS NUCL Action de désintégrer (par bombardement de particules); fait de se désintégrer (radioactivité naturelle, fission nucléaire).

désintégrer v. [14] **I.** v. tr. **1.** Détruire l'intégrité de, ruiner complètement. **2.** PHYS NUCL Détruire (un noyau atomique) pour libérer de l'énergie. **II.** v. pron. **1.** PHYS NUCL Se dématérialiser. ▷ Se transformer en émettant un rayonnement et de l'énergie (en parlant d'un noyau). **2.** TECH Se détruire, être détruit complètement. *Le satellite s'est désintégré en rentrant dans l'atmosphère.*

désintéressé, ée adj. **1.** Qui n'est pas motivé par son intérêt particulier. *Un homme désintéressé.* **2.** Où l'intérêt ne joue aucun rôle. *Une action désintéressée.*

désintéressement n. m. **1.** Détachement de tout intérêt personnel. *Montrer un entier désintéressement.* **2.** Action de désintéresser (qqn).

désintéresser 1. v. tr. [1] Payer à (une personne) ce qu'elle peut avoir à réclamer, indemniser, dédommager. *Désintéresser ses créanciers.* **2.** v. pron. *Se désintéresser de :* n'avoir plus d'intérêt pour, ne plus s'occuper de. *Se désintéresser d'une affaire.*

désintérêt n. m. Perte de l'intérêt pour qqch.

désintoxication n. f. **1.** Action de débarrasser des toxines. **2.** Traitement destiné à guérir une intoxication, due à l'alcool, aux stupéfiants, etc. *Cure de désintoxication.*

désintoxiquer v. tr. [**1**] **1.** Débarrasser des toxines. **2.** Supprimer les effets d'une intoxication chez (qqn). *Désintoxiquer un alcoolique.*

désinvestir v. [**3**] **1.** v. tr. MILIT Cesser d'investir. *Désinvestir une place.* **2.** v. intr. PSYCHAN Cesser d'investir. ▷ ECON Réduire ou supprimer l'investissement.

désinvestissement n. m. **1.** ECON Action de réduire ou de supprimer les investissements. **2.** PSYCHAN Cessation d'un investissement.

désinvolte adj. **1.** Qui a une allure libre et dégagée. *Un jeune homme désinvolte.* **2.** Trop libre, léger jusqu'à l'insolence. *Sa réponse désinvolte l'a vexé.*

désinvolture n. f. **1.** Air dégagé. **2.** Légèreté, sans-gêne. *Il agit à mon égard avec une grande désinvolture.*

désir n. m. **1.** «Tendance qui a pris conscience d'elle-même» (Spinoza); tendance particulière à vouloir obtenir qqch pour satisfaire un besoin, une envie. *Formuler un désir. Modérer ses désirs.* ▷ *Désir de* (+ inf.). *Le désir de plaire.* ▷ *Désir de* (+ subst.). *Le désir d'enfant.* **2.** Attirance sexuelle. *Brûler de désir.*

désirable adj. **1.** Qui excite le désir, qui mérite d'être désiré. *C'est un sort désirable.* **2.** Qui suscite l'attirance sexuelle. *Une femme désirable.*

Désirade (la), île et com. des Antilles françaises qui dépend de la Guadeloupe (arr. de Pointe-à-Pitre); 27 km^2; 1 611 hab.

désirer v. tr. [**1**] **1.** Avoir le désir de (qqch). *Désirer les honneurs. C'est tout ce qu'il désire. Vous désirez ?* ▷ *Désirer que* (+ subj.). *Je désire qu'il réussisse.* **2.** *Se faire désirer :* se faire longtemps attendre; mettre peu d'empressement à satisfaire les désirs d'autrui. **3.** Loc. *Laisser à désirer :* présenter quelque imperfection. *Son éducation laisse un peu à désirer.* **4.** Éprouver une attirance sexuelle pour.

désireux, euse adj. Qui désire. *Il se montre très désireux de succès.* ▷ *Désireux de* (+ inf.) : qui a envie de. *Il est désireux de vous satisfaire.*

désistement n. m. **1.** DR Renoncement volontaire à (une poursuite). *Désistement d'instance, d'action.* **2.** Action de retirer sa candidature (en faveur d'un autre candidat).

désister (se) v. pron. [**1**] **1.** DR Renoncer à (une poursuite). *Se désister d'une plainte.* **2.** Retirer sa candidature à une élection, en faveur d'un autre candidat. *Se désister au second tour en faveur d'un candidat mieux placé.*

Desjardins (Martin Van den Bogaert, dit) (Breda, 1640 - Paris, 1694), sculpteur français d'origine hollandaise. Il prit part à la décoration du parc de Versailles *(Thétis, Diane chasseresse).*

Desmarets ou **Des Marets** (Nicolas), seigneur de Maillebois (Paris, 1648 - id., 1721), homme politique français, neveu de Colbert. Contrôleur général des Finances (1708-1715), il créa un nouvel impôt sur le revenu, l'impôt du dixième.

Desmarets (Henry) (Paris, 1661 - Lunéville, 1741), compositeur français; disciple de Lully. Opéras-ballets : *Didon* (1693), *Vénus et Adonis* (1697), *les Fêtes galantes* (1698).

Desmarets de Saint-Sorlin (Jean) (Paris, 1595 - id., 1676), écrivain français (*les Visionnaires*, comédie, 1637). Protégé de Richelieu, il fut l'un des premiers membres de l'Académie française. Il lança la querelle des Anciens et des Modernes, prenant le parti de ces derniers, et attaqua les jansénistes.

Desmichels (Louis Alexis, baron) (Digne, 1779 - Paris, 1845), général français. Il participa aux guerres de l'Empire et à la conquête de l'Algérie (1833-1834), battit Abd el-Kader, puis traita avec lui (1834).

Des Moines, v. des É.-U., cap. de l'Iowa, sur la riv. *Des Moines*, affl. du Mississippi; 193 180 hab. Industr. alim. (viande, minoteries), méca., etc. - Université. Évêché catholique.

Desmoulins (Camille) (Guise, 1760 - Paris, 1794), journaliste et homme politique français. Le 12 juillet 1789, au Palais-Royal, il entraîna la foule parisienne à l'insurrection qui aboutit à la prise de la Bastille. Conventionnel, il lutta contre les Girondins. Les violents pamphlets qu'il écrivit dans ses journaux (*les Révolutions de France et de Brabant*, 1789-1791; *le Vieux Cordelier*, 1793-1794) eurent une grande influence sur l'opinion publique. Voulant, comme Danton, abolir la Terreur, il fut guillotiné.

Camille **Desmoulins**

Robert **Desnos**

Desnos (Robert) (Paris, 1900 - en déportation à Terezín, Tchécoslovaquie, 1945), poète français. Surréaliste (1922-1930), pionnier de l'écriture automatique (*Deuil pour deuil*, 1924), il revint ensuite à des formes plus traditionnelles. *Domaine public* (posth., 1953) reprend l'essentiel de son œuvre poétique.

désobéir v. tr. indir. [**3**] *Désobéir à :* ne pas obéir, refuser d'obéir à (qqn, un ordre). *Il a désobéi à son père. Militaire qui désobéit aux ordres.* - Absol. *Pierre a désobéi.*

désobéissance n. f. Action de désobéir. *Un acte de désobéissance.*

désobéissant, ante adj. Qui désobéit (en parlant d'un enfant). *Une fillette désobéissante.*

désobligeant, ante adj. Qui n'aime pas à obliger; qui désoblige, vexe. *Son procédé est tout à fait désobligeant. Insinuations désobligeantes.*

désobliger v. tr. [**13**] Litt. Causer de la peine, du déplaisir à (qqn), le vexer. *Vous me désobligeriez en agissant ainsi.*

désobstruer v. tr. [**1**] Débarrasser de ce qui obstrue. *Désobstruer un tuyau.*

désodé, ée adj. Sans sodium, sans sel. *Régime désodé.*

désodorisant, ante adj. et n. m. Qui enlève les odeurs. - n. m. *Un désodorisant très efficace.*

désodoriser v. tr. [**1**] Enlever l'odeur qui imprègne (une matière, un corps, un objet, etc.). - *Spécial.* Enlever les mauvaises odeurs au moyen d'un produit parfumé.

désœuvré, ée adj. Qui ne sait pas, qui ne veut pas s'occuper. *Des vacanciers désœuvrés.* ▷ Subst. *Un(e) désœuvré(e).*

désœuvrement n. m. État d'une personne désœuvrée. *Le désœuvrement le poussait à fumer.*

désolant adj. Qui désole; attristant. *C'est désolant.*

désolation n. f. **1.** Vieilli ou litt. Ravage, ruine, destruction. *Désolation par la famine.* **2.** Affliction extrême. *Cette mort les a plongés dans la désolation.*

désolé, ée adj. **1.** Profondément affligé. - Par ext. *Un regard désolé.* **2.** Marqué par la désolation. *Un paysage désolé.*

désoler v. [**1**] **I.** v. tr. **1.** Vx ou litt. Dévaster, dépeupler, ruiner. *La peste désolait la Provence.* **2.** Causer une grande affliction à (qqn). *Votre conduite me désole.* **3.** Contrarier. *Votre absence m'a désolé.* **II.** v. pron. Être très contrarié. *Il se désole de ne pouvoir vous rendre ce service.*

désolidariser [desolidaʀize] **1.** v. tr. [**1**] Rare Rompre l'union entre, soustraire à la solidarité (des personnes, des groupes). ▷ (Compl. n. de chose.) Désunir, disjoindre. *Désolidariser les pièces d'un mécanisme.* **2.** v. pron. *Se désolidariser de, d'avec (une personne, un groupe) :* cesser d'être solidaire.

désopilant, ante adj. Qui fait beaucoup rire. *Un acteur désopilant.*

désopiler v. tr. [**1**] **1.** MED Vx *Désopiler la rate,* la désobstruer de ses humeurs. **2.** v. pron. Vieilli S'amuser énormément, rire beaucoup.

désordonné, ée adj. **1.** Qui manque d'ordre. *Un enfant désordonné.* **2.** Qui n'est pas en ordre. *Une chambre désordonnée.* **3.** Déréglé. *Une vie désordonnée.*

désordre n. m. **1.** Manque d'ordre; état de ce qui n'est pas en ordre. *Il est d'un désordre effrayant. Une maison en désordre.* **2.** Trouble, confusion, incohérence. *Le désordre des idées.* **3.** Mauvais état de ce qui est mal organisé, mal dirigé. *Le désordre des finances publiques.* **4.** Dérèglement des mœurs. **5.** Tumulte, trouble. *Un grand désordre règne dans l'assemblée.* **6.** (Plur.) Troubles, dissensions qui agitent une société. *Des désordres qui dégénèrent en émeutes.* **7.** (Le plus souvent au plur.) Troubles physiologiques. *L'eau magnésienne provoque des désordres intestinaux.*

désorganisateur, trice adj. et n. Qui désorganise.

désorganisation n. f. Action de désorganiser, fait de se désorganiser; son résultat. *La désorganisation des affaires publiques.*

désorganiser v. tr. [**1**] **1.** Altérer profondément. *La tumeur a désorganisé les tissus environnants.* **2.** Détruire l'organisation de. *Désorganiser un service public.* ▷ v. pron. Perdre son organisation, se désagréger. *À la mort de son chef, le groupe s'est désorganisé.*

désorientation n. f. Rare Action de désorienter; son résultat.

désorienter v. tr. [1] **1.** Faire perdre la notion de l'orientation à. *La brume acheva de nous désorienter.* **2.** Fig. Déconcerter, dérouter, troubler. *La mort de son père l'a désorienté.*– Pp. adj. *Depuis qu'elle a perdu son emploi, elle se sent désorientée.*

désormais adv. À l'avenir, dès ce moment-ci, dorénavant. *Désormais vous déjeunerez avec nous.*

désorption n. f. PHYS, CHIM Rupture des liaisons entre un corps adsorbé et le substrat. Ant. adsorption.

désossé, ée adj. **1.** Dont on a ôté les os. **2.** Fig. Dont les membres, extrêmement souples, semblent n'avoir plus d'os. ▷ Subst. *Valentin le Désossé* : célèbre danseur de bal public, immortalisé par Toulouse-Lautrec.

désosser v. tr. [1] **1.** Ôter l'os, les os (et, par anal, les arêtes) de. *Désosser un gigot.* **2.** Fig., fam. Démonter complètement un appareil, une machine; démanteler. **3.** v. pron. Fig. Se désarticuler, faire des contorsions avec une extrême souplesse.

désoxydant, ante adj. et n. m. CHIM Réducteur. – n. m. *Un désoxydant.*

désoxydation n. f. Action de désoxyder; son résultat.

désoxyder v. tr. [1] Ôter l'oxyde de. *Désoxyder les pièces d'un mécanisme.*

désoxyribonucléique adj. BIOCHIM *Acide désoxyribonucléique* (abrév. : A.D.N.; D.N.A. ou DNA chez les Anglo-Saxons) : acide nucléique, constituant chimique essentiel des chromosomes du noyau des cellules vivantes.
ENCYCL L'A.D.N. constitue le support biochimique de l'hérédité et joue un rôle essentiel dans la synthèse des protéines spécifiques. Son existence a été découverte à la fin du XIXe s. grâce aux travaux de Miescher, Altmann et Kossel; ses fonctions ont été mises en évidence par les expériences de Beadle et Tatum sur la moisissure du pain, *Neurospora crassa* (1954). Un schéma de structure hélicoïdale a été proposé par Crick et Watson (1953); dans ce schéma, les macromolécules d'A.D.N. affectent la forme d'un long escalier en spirale pouvant grouper entre 3 et 10 millions de nucléotides. L'A.D.N. est constitué par 4 bases : adénine et thymine, guanine et cytosine, reliées deux à deux par une liaison hydrogène labile qui permet le dédoublement des chaînes pendant la mitose. La quantité d'A.D.N. présente dans chaque noyau est constante pour une espèce donnée et constitue 70 à 90 % du poids sec du noyau. V. aussi chromosome, nucléique et code (génétique).

desperado [dɛspeʀado] n. m. Homme que son attitude négative face à la société rend disponible pour toutes sortes d'entreprises violentes.

Des Périers (Bonaventure) (Arnay-le-Duc, Bourgogne, v. 1510 – Lyon, v. 1544), poète et conteur français (*Nouvelles Récréations et joyeux devis*, 1558), auteur du célèbre pamphlet contre l'intolérance religieuse *Cymbalum mundi* («le Carillon du monde», 1537).

Despiau (Charles) (Mont-de-Marsan, 1874 – Paris, 1946), sculpteur français. En réaction contre Rodin, il revint à la statuaire classique.

Desportes (Alexandre, François) (Champigneules, 1661 – Paris, 1743), peintre français. Il fut peintre de la vénerie de Louis XIV, décora Versailles (1729) et Compiègne (1738-1739) et exécuta des cartons pour les Gobelins.

despote n. et adj. **1.** n. m. Souverain qui exerce un pouvoir arbitraire et absolu. **2.** n. m. HIST Dans l'Empire byzantin, prince (gouverneur de province ou souverain d'un petit État). **3.** n. Fig. Personne tyrannique. *C'est un despote dans sa famille.* – adj. *Un patron despote.*

despotique adj. **1.** Absolu et arbitraire. *Un gouvernement despotique.* **2.** Qui a un caractère autoritaire, tyrannique. *Un ton despotique.*

despotiquement adv. De façon despotique.

despotisme n. m. **1.** Pouvoir absolu et arbitraire du despote. – Gouvernement despotique. ▷ HIST *Despotisme éclairé* : nom donné à la doctrine selon laquelle le souverain doit gouverner en s'appuyant sur les principes rationalistes propres aux philosophes du XVIIIe s. **2.** Fig. Autorité qui s'exerce de manière despotique, tyrannique. *Le despotisme d'un chef.*

Despréaux. V. Boileau.

Des Prés ou **Deprés** (Josquin) (Beaurevoir, Picardie, v. 1440 – Condé-sur-Escaut, 1521), compositeur français; contrapuntiste de l'école flamande et l'un des premiers grands polyphonistes : messes (*Hercules dux Ferrariæ*; *Pange lingua*; etc.), motets (*Ave Maria*; *Stabat mater*; *Miserere*; etc.), chansons. ► illustr. page **544**

desquamation [dɛskwamasjɔ̃] n. f. MED Exfoliation de l'épiderme sous forme de squames ou de plaques plus ou moins étendues.

desquamer [dɛskwame] v. [1] **1.** v. tr. Débarrasser des squames. **2.** v. intr. MED Se détacher par squames. *Cette dermatose le fait desquamer.* ▷ v. pron. *Peau qui se desquame.*

desquels, desquelles pron. relatifs. V. lequel.

Desrochers (Alfred) (Saint-Élie-d'Orford, Québec, 1901 – Montréal, 1978), poète canadien d'expression française : *l'Offrande aux vierges folles* (1928); *À l'ombre d'Orford* (1929).

Desrosiers (Léo Paul) (Berthierville, 1896 – Montréal, 1967), romancier canadien d'expression française : *Nord-Sud* (1931), *les Engagés du grand portage* (1938), *Sources* (1942).

D.E.S.S. n. m. (Sigle de *diplôme d'études supérieures spécialisées.*) Un des diplômes universitaires du 3e cycle.

dessablement ou **dessablage** n. m. **1.** Action de dessabler; son résultat. **2.** TECH Élimination des particules minérales en suspension dans les eaux usées.

dessabler v. tr. [1] TECH Enlever le sable de.

dessaisir 1. v. tr. [3] DR Enlever à (une juridiction) ce dont elle a été saisie. *Dessaisir un tribunal d'une affaire.* **2.** v. pron. *Se dessaisir de* : donner, remettre en d'autres mains (ce qu'on avait en sa possession). *Se dessaisir d'un dossier.*

dessaisissement n. m. Action de dessaisir, de se dessaisir; son résultat.

dessalage n. m. MAR Fait de dessaler (sens 3), chavirage.

dessalé, ée adj. **1.** Débarrassé totalement ou partiellement de son sel. **2.** Fig., fam. Déniaisé. «*Huit de ces élèves*

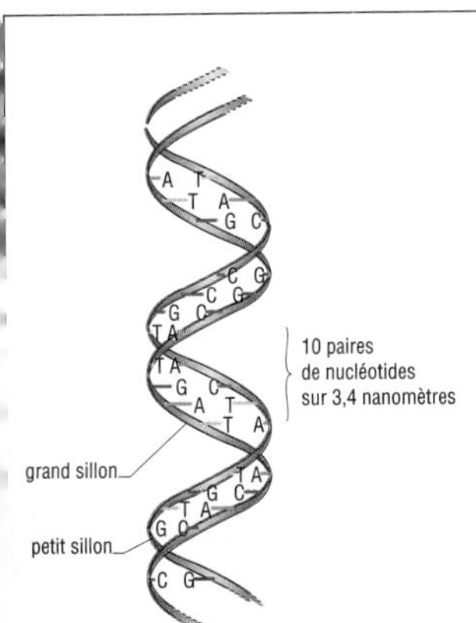

séquence d'acide désoxyribonucléique (A.D.N.); les deux brins se font face, opposant l'adénosine (A) à la thymine (T), la cytosine (C) à la guanine (G) et inversement

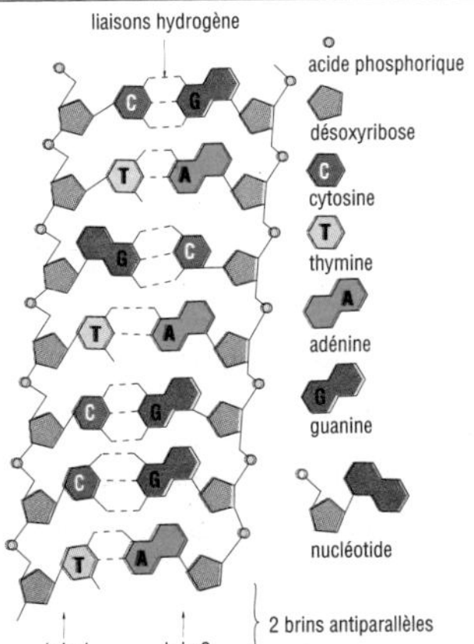

agencement des composants de l'A.D.N. (dans une séquence plus brève qu'à gauche)

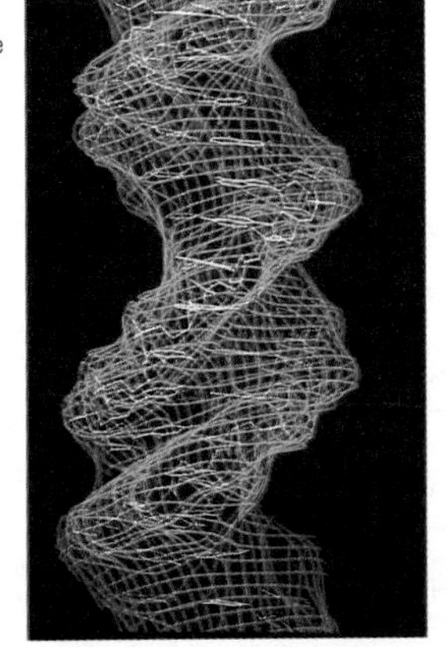
en bleu, le désoxyribose; en jaune et en rouge, les paires de bases azotées : reconstitution informatique de la double hélice d'acide **désoxyribonucléique**

disaient qu'ils étaient dessalés et traitaient les autres de puceaux» (Sartre).

dessalement ou **dessalage** n. m. Action de dessaler, d'ôter le sel; résultat de cette action. *Dessalement de l'eau de mer.*

dessaler v. [1] **1.** v. tr. Enlever, en partie ou en totalité, le sel de. *Dessaler un jambon.* ▷ v. intr. *Mettre du porc à dessaler.* **2.** v. tr. Fig., fam. Rendre moins niais, dégourdir (notam. en matière sexuelle). – v. pron. *Il s'est rapidement dessalé.* **3.** v. intr. MAR Chavirer, en parlant d'un petit voilier. ▷ Tomber à l'eau à la suite d'un chavirage.

Dessalines (Jean-Jacques) (en Guinée, av. 1758 – Jacmel, 1806), empereur d'Haïti sous le nom de Jacques Ier (1804-1806). Esclave noir, il avait pris part à l'insurrection de 1791 et s'était battu au côté de Toussaint Louverture, puis il avait repris la lutte (1803) et chassé les Français de l'île. S'étant proclamé empereur (1804), il élimina les Blancs et fut tué dans une révolte dirigée par Christophe et Pétion.

dessangler v. tr. [1] Défaire ou relâcher les sangles de. *Dessangler sa monture.*

dessaouler. V. dessoûler.

Dessau, v. d'Allemagne, sur la *Mulde,* affl. de l'Elbe (r. g.); 103 190 hab. Métallurgie, constructions mécaniques.

desséchant, ante adj. **1.** Qui dessèche. *Chauffage desséchant.* **2.** Fig. Qui empêche l'épanouissement. *Une activité professionnelle desséchante.*

dessèchement n. m. Action de dessécher; état de ce qui est desséché.

dessécher v. [14] **I.** v. tr. **1.** Rendre sec. *La canicule a desséché les prairies.* **2.** Amaigrir. *La vieillesse a desséché son corps.* **3.** Fig. Faire perdre la vivacité des sentiments, la spontanéité, la sensibilité à. *Ses études l'ont complètement desséché.* **II.** v. pron. **1.** Devenir sec. **2.** Fig. Perdre sa sensibilité, sa spontanéité, ses qualités de cœur.

dessein n. m. Litt. Intention, projet. *Avoir le dessein de voyager.* ▷ Loc. adv. *À dessein* : exprès, intentionnellement. *Je l'ai fait à dessein.* ▷ Loc. prép. *À dessein de* : avec l'intention de. *Il est allé chez lui à dessein de le tuer.*

desseller [desele] v. tr. [1] Enlever la selle de. *Desseller un mulet.*

desserrage n. m. Action de desserrer.

desserrement n. m. Fait de se desserrer, d'être desserré.

desserrer v. tr. [1] Relâcher (ce qui est serré). *Desserrer sa cravate. Desserrer un écrou.* ▷ Loc. *Ne pas desserrer les dents* : se taire obstinément. – v. pron. *Le nœud s'est desserré.*

dessert n. m. Ce qu'on mange à la fin du repas (mets sucrés, fruits, etc.). *Fromage ou dessert.* – *Par ext.* Moment où le dessert est servi. *Arriver au dessert.*

1. desserte n. f. **1.** Fait de desservir une localité, un lieu. *Desserte par car.* – *Chemin de desserte d'une exploitation.* **2.** Vx Service de (une paroisse, une chapelle, etc.).

2. desserte n. f. Petit meuble destiné à recevoir la vaisselle nécessaire au service et celle qui a été desservie.

dessertir v. tr. [3] TECH Dégager de sa monture. *Dessertir la pierre d'une bague.*

dessertissage n. m. Action de dessertir.

desservant n. m. RELIG Ecclésiastique qui dessert une paroisse, une chapelle, etc.

1. desservir v. tr. [30] **1.** Assurer les communications avec (une localité, un lieu). *Le train qui dessert le bourg.* ▷ Par ext. *Ce couloir dessert plusieurs pièces.* **2.** RELIG Assurer le service de (une paroisse, une chapelle, etc.). *Ecclésiastique qui dessert plusieurs villages.*

2. desservir v. tr. [30] **1.** Enlever les plats, les couverts de (la table) après le repas. **2.** Rendre un mauvais service à (qqn), lui nuire en produisant une impression fâcheuse. *Il vous a desservi auprès de vos proches. Son attitude arrogante le dessert.*

dessiccatif, ive adj. et n. m. Didac. Qui dessèche. – n. m. *Un dessiccatif.*

dessiccation n. f. Didac. Action de dessécher; fait de se dessécher.

dessiller [desije] v. tr. [1] Vx Ouvrir les paupières. *Dessiller les yeux.* ▷ Mod., fig. *Dessiller les yeux à qqn, de qqn,* le désabuser, lui faire voir les choses sous leur vrai jour.

dessin n. m. **1.** Représentation d'objets, de personnages, etc. sur une surface, au crayon, à la plume, etc. *Un dessin de Raphaël. Dessin à main levée,* exécuté sans règle ni compas. – *Dessin industriel* : représentation linéaire (généralement par projection sur trois plans) d'une pièce mécanique, d'une machine, etc. – *Dessin assisté par ordinateur (D.A.O.)* : dessin industriel effectué par un ordinateur à partir du programme et des données qu'il a reçus. ▷ Ensemble de lignes agencées pour produire un effet visuel. *Le dessin d'un tissu, d'un papier mural.* ▷ Contour, forme naturelle. *Le dessin des sourcils.* ▷ Grands traits d'un ouvrage. *Le dessin général d'un projet.* **2.** Art de la représentation des objets sur une surface plane par des moyens graphiques. *Prendre des leçons de dessin.* **3.** *Dessin animé* : film tourné à partir d'une série de dessins qui décomposent le mouvement en ses phases successives.

dessinateur, trice n. **1.** Personne qui s'adonne à l'art du dessin. ▷ Personne dont la profession est d'exécuter des dessins. *Dessinateur en publicité. Dessinateur industriel.* **2.** Peintre qui donne une importance prépondérante au dessin (par oppos. à *coloriste*).

dessiner v. [1] **I.** v. tr. **1.** Représenter au moyen du dessin. *Dessiner une fleur.* – (S. comp.) *Il dessine.* **2.** (Sujet nom de chose.) Accuser, faire ressortir (les formes du corps). *Robe qui dessine la silhouette.* ▷ Figurer, avoir la forme de. *L'ombre des feuillages dessine une dentelle.* **II.** v. pron. **1.** Se détacher, apparaître nettement sur un fond. *La montagne se dessine sur le ciel.* **2.** Devenir plus apparent, commencer à se développer. *Formes qui se dessinent.* ▷ Fig. *Projets qui se dessinent.*

dessouder v. tr. [1] **1.** TECH Ôter la soudure de; disjoindre (des éléments soudés). ▷ v. pron. *Pièces qui se dessoudent.* **2.** Arg. Assassiner.

dessoûler ou **dessaouler** [desule] v. [1] **1.** v. tr. Fam. Faire cesser, diminuer l'ivresse de. *L'air frais de la nuit l'avait dessoûlé.* **2.** v. intr. Cesser d'être soûl. *Il ne dessoûle pas.*

1. dessous prép. et adv. **I.** prép. marquant la position d'une chose sous une autre. **1.** Vx Sous. *Regardez dessous le lit.* **2.** Loc. prép. *De dessous* (marquant la provenance). *On l'a retiré de dessous les décombres.* ▷ Par-dessous. *Porter un gilet par-dessous sa veste.* ▷ Au-dessous de. *La température est au-dessous de zéro.* – Fam. *Être au-dessous de tout* : n'avoir aucune valeur, ne présenter aucun intérêt. **II.** adv. de lieu. Plus bas, à un niveau inférieur, dans la partie inférieure. *Cherchez dessous. Sens dessus dessous* : V. dessus (sens II). ▷ Loc. adv. *Au-dessous* : plus bas. *La citadelle est sur la colline, la ville est au-dessous.* ▷ *Ci-dessous* : ci-après, plus loin dans le texte. *Voyez la note ci-dessous.* ▷ *En dessous, par-dessous* : sous autre chose. *Ce vêtement est fait pour se mettre en dessous. Passez par-dessous.* – *Regarder en dessous,* sans lever la tête, sournoisement. – Fig., fam. *Agir en dessous,* d'une manière dissimulée, hypocrite. ▷ *Là-dessous* : sous cela. *Déposez votre panier là-dessous.* – Fig. *Il y a quelque chose là-dessous* : cela est suspect.

2. dessous n. m. **1.** Ce qui est en dessous; l'envers, le côté inférieur. *Le voisin du dessous. Le dessous d'une table, d'une étoffe.* ▷ Loc. *Avoir le dessous* : être en état d'infériorité dans une lutte quelconque. **2.** *Dessous de...* : objet que l'on place sous une bouteille, un plat, etc., pour protéger ce qui est dessous. **3.** Fig. Ce qui est caché, secret. *Vous ne connaissez pas les dessous de l'affaire.* **4.** (Plur.) Vêtements de dessous, lingerie féminine. *Des dessous de soie.*

dessous-de-bras n. m. inv. Pièce de tissu protégeant un vêtement de la transpiration aux aisselles.

dessous-de-plat n. m. inv. Support destiné à recevoir les plats déposés sur la table.

dessous-de-table n. m. inv. Somme donnée clandestinement par un acheteur en plus du prix régulièrement fixé.

1. dessus prép. et adv. **I.** prép. marquant la position d'une chose sur une autre. **1.** Vx Sur. *Dessus la table.* **2.** Loc. prép. *Par-dessus* : sur, au-delà, par-delà. *Sauter par-dessus une barrière.* – *Par-dessus tout* : principalement, surtout. – *Par-dessus le marché* : en plus. ▷ *Au-dessus de* : plus haut que. *Le tableau qui est au-dessus de la cheminée.* – (Marquant une supériorité quelconque.) *Les enfants au-dessus de dix ans.* – *Un travail au-dessus de tout éloge.* **II.** adv. de lieu. Plus haut, à un niveau supérieur, dans la partie supérieure. – *Sens* [sɑ̃] *dessus dessous* : en plaçant dessous ce qui devrait normalement être dessus. *Poser une caisse sens dessus dessous. Il a tout mis sens dessus dessous* : il a tout bouleversé. ▷ Loc. adv. *Au-dessus* : plus haut. *Le sel est sur l'étagère du bas, la farine est au-dessus.* – Fig. *L'auteur n'a rien produit qui soit au-dessus,* qui soit supérieur. ▷ *Ci-dessus* : plus haut, avant dans le texte. *Voyez ci-dessus, page...* ▷ *En dessus* : du côté supérieur. *Ce pain est brûlé en dessus.* ▷ *Là-dessus* : sur cela. *Mettez le paquet là-dessus.* – Fig. Sur ce sujet, sur cette affaire. *Passons là-dessus.* – Aussitôt après. *Là-dessus, il m'a quitté.* ▷ *Par-dessus* : sur cela. *Mettez votre manteau par-dessus.*

2. dessus n. m. **1.** Ce qui est au-dessus, l'endroit, le côté supérieur. *Le dessus d'une table, d'une étoffe.* ▷ *Avoir le dessus* : avoir l'avantage dans une lutte. **2.** *Dessus de...,* objet que l'on place sur (un autre) pour le protéger, le décorer. *Un dessus de cheminée.* **3.** *Le dessus du panier* : ce qu'il y a de meilleur.

dessus-de-lit n. m. inv. Syn. de *couvre-lit.*

dessus-de-porte n. m. inv. Ornement peint ou sculpté formant encadrement au-dessus du chambranle d'une porte.

déstabilisant, ante ou **déstabilisateur, trice** adj. Qui déstabilise.

déstabilisation n. f. Action de déstabiliser.

déstabiliser v. tr. [1] Saper la stabilité de (un État, une situation).

déstalinisation n. f. Processus, engagé par N. Khrouchtchev en 1956, de libéralisation du régime soviétique stalinien.

déstaliniser v. tr. [1] Libéraliser (un parti, un État, où règne le stalinisme).

destin n. m. **1.** Puissance qui, selon certaines croyances, réglerait la vie des hommes et le cours des événements. *Les arrêts du destin. Le Destin,* cette puissance divinisée. **2.** Sort particulier d'une personne ou d'une chose. *Un destin malheureux. Le destin d'une œuvre.*

destinataire n. Personne à qui l'on adresse un envoi. *Indiquer lisiblement l'adresse du destinataire.* ▷ n. m. LING Celui auquel un message est adressé (par le destinateur).

destinateur n. m. LING Celui qui adresse un message (au destinataire).

destination n. f. **1.** Rôle, emploi assigné à une personne ou à une chose. *La destination de cette pièce reste à déterminer.* **2.** Lieu où doit se rendre une personne, où une chose est expédiée. *Parvenir à destination.*

destinée n. f. **1.** Destin (sens 1). *Se révolter contre la destinée.* **2.** Sort (d'une personne). *Ma destinée était de vous rencontrer.* **3.** Vie, existence. – *Unir sa destinée à qqn,* l'épouser, s'unir à lui.

destiner v. tr. [1] **1.** Réserver (qqch) à qqn. *Je vous ai destiné cette tâche.* **2.** Réserver (une chose) à tel ou tel usage. ▷ Pp. adj. *Salle destinée aux réunions.* **3.** Orienter (qqn) vers une carrière, une occupation. – v. pron. *Se destiner à la magistrature.*

destituer v. tr. [1] Priver (qqn) de sa charge, de sa fonction. *Destituer un fonctionnaire.* Syn. révoquer, casser.

destitution n. f. Action de destituer; fait d'être destitué. *Pour un militaire, la destitution entraîne la perte du grade.*

déstockage n. m. Fait de déstocker.

déstocker [destɔke] v. tr. et intr. [1] Diminuer un stock par son utilisation ou sa mise en vente.

Destour, parti nationaliste tunisien qui doit son nom au mot arabe *dasûr,* « Constitution »), issu du mouvement « jeune-tunisien » fondé au début du XXe s. En 1934, il se scinda en *Vieux Destour,* prônant le retour à une Tunisie traditionnelle, et *Néo-Destour,* favorable à un État démocratique. Ce dernier, sous l'impulsion de Bourguiba, contribua à assurer au pays son indép. (1956) et à instaurer la rép. (1957). En 1964, il est devenu le Parti socialiste destourien et, après la destitution de Bourguiba, le Rassemblement constitutionnel démocratique (fév. 1988).

déstresser v. tr. [1] Supprimer le stress de qqn.

destrier n. m. Anc. Cheval de bataille. par oppos. à *palefroi,* cheval de parade).

destroy [dɛstʀɔj] adj. inv. (Anglicisme) Fam. Destructeur et provocateur. *Un look destroy.*

destroyer n. m. MAR Contre-torpilleur.

destructeur, trice adj. et n. Qui détruit. *Un combat destructeur.* – *Une philosophie destructrice.*

destructible adj. Qui peut être détruit.

destructif, ive adj. Qui provoque, peut provoquer la destruction. *La force destructive du vent.*

destruction n. f. Action de détruire; fait d'être détruit. *La destruction d'une ville.* Ant. construction.

déstructuration n. f. Destruction de la structure.

déstructurer v. tr. [1] Détruire la structure de (qqch).

Destutt de Tracy (Antoine Louis Claude, comte) (Paris, 1754 – id., 1836), philosophe français. Disciple de Condillac, chef de file des « idéologues », il voyait dans la sensation la source du jugement et des idées générales : *Éléments d'idéologie* (1801-1804). Acad. fr. (1808).

désuet, ète adj. Dont on ne fait plus usage. *Un style désuet.*

désuétude n. f. Abandon de l'usage d'une chose. – Loc. *Tomber en désuétude. Coutume tombée en désuétude.*

désulfurer v. tr. [1] CHIM, TECH Éliminer le soufre contenu dans (un corps).

désuni, ie adj. **1.** Séparé par la mésentente. **2.** *Cheval désuni,* qui galope sans synchroniser le mouvement de ses membres antérieurs et celui de ses membres postérieurs.

désunion n. f. Division, mésentente.

désunir v. tr. [3] **1.** Séparer (ce qui était joint, uni). **2.** Cour. Rompre l'union, l'entente entre (des personnes). *Désunir un couple.* **3.** v. pron. SPORT Perdre la coordination de ses mouvements.

désynchronisation [desɛ̃kʀɔnizasjɔ̃] n. f. TECH État de ce qui n'est plus synchrone. *Désynchronisation de deux alternateurs. Désynchronisation du son et de l'image.*

désynchroniser [desɛ̃kʀɔnize] v. tr. [1] TECH Faire cesser le synchronisme de.

désyndicalisation n. f. Fait de cesser d'être syndicalisé. ▷ Désaffection à l'égard du syndicalisme.

désyndicaliser v. tr. [1] Opérer une désyndicalisation.

détachable adj. Qui peut être détaché. *Coupon détachable.*

détachage n. m. Action de détacher.

détachant, ante adj. et n. m. Qui enlève les taches. – n. m. *Un détachant.*

détaché, ée adj. **1.** Qui n'est plus attaché. **2.** Séparé. *Pièce détachée,* que l'on peut se procurer isolément pour remplacer une pièce usagée d'un mécanisme. **3.** Fig. Qui vit dans le détachement; qui manifeste le détachement. *Il est détaché de tout. Un air détaché.*

détachement n. m. **1.** État d'esprit d'une personne qui n'attache pas d'importance particulière à qqch; indifférence. *Le détachement vis-à-vis des biens de ce monde. Considérer les choses avec détachement.* **2.** MILIT Fraction d'une unité constituée, en mission temporaire hors de son unité d'origine. **3.** Position d'un fonctionnaire provisoirement affecté à un autre service.

1. détacher v. [1] **I.** v. tr. **1.** Dégager (qqn, qqch) de ce qui l'attache; défaire (ce qui sert à attacher). *Détacher un animal. Détacher des liens.* **2.** Séparer, éloigner (une chose) d'une autre à laquelle elle est jointe, avec laquelle elle est en contact. *Détacher une feuille d'un carnet. Détacher les bras du corps.* ▷ Fig. Écarter, détourner (qqn) d'une personne, d'un groupe. *Ses nouvelles occupations l'ont détaché de nous.* **3.** Séparer (une, des personnes) d'un groupe en vue d'une action donnée. *On l'a détaché pour accueillir les nouveaux venus.* ▷ Affecter provisoirement à un autre service. *Détacher un fonctionnaire.* **4.** Faire ressortir, mettre en évidence, en relief. *Détachez bien le premier plan dans votre dessin.* **5.** MUS *Détacher des notes,* exécuter chacune d'elles sans les lier. **II.** v. pron. **1.** Cesser d'être attaché. *La vache s'était détachée.* **2.** Se séparer. *Les feuilles mortes se détachent des branches.* ▷ Cesser d'être attaché par un lien affectif. *Se détacher progressivement de sa famille.* **3.** SPORT Prendre de l'avance sur les autres concurrents, dans une course. **4.** Ressortir, être en évidence, en relief. *Lettres noires qui se détachent sur un fond blanc.*

2. détacher v. tr. [1] Enlever les taches. *Détacher un vêtement.*

détail n. m. **1.** Vente ou achat de marchandises par petites quantités (par oppos. à *gros*). *Magasin de détail. Acheter au détail.* **2.** Fig. Ensemble considéré dans ses moindres particularités. *Le détail d'un compte, d'une affaire.* ▷ Loc. adv. *En détail* : avec toutes les circonstances, en tenant compte de chacun des éléments de l'ensemble. *Il a raconté son aventure en détail.* **3.** Cour. Élément accessoire. *Se perdre dans les détails. C'est un détail* : cela a peu d'importance. **4.** MILIT *Officier de détail,* chargé du ravitaillement d'une unité.

détaillant, ante n. Commerçant qui vend au détail (par oppos. à *grossiste*).

détaillé, ée adj. Qui mentionne les détails, précis, circonstancié. *Un compte rendu détaillé.*

détailler v. tr. [1] **1.** Couper en morceaux, diviser en parties. *Détailler un bœuf.* **2.** Vendre (une marchandise) au détail. *Détailler de la farine.* **3.** Fig. Raconter, exposer en détail. *Détailler une histoire.* **4.** Observer les détails de. *Détailler un tableau.*

détaler v. intr. [1] Fam. S'enfuir au plus vite. *Détaler comme un lapin.*

détartrage n. m. Action de détartrer.

détartrant, ante adj. et n. m. Qui dissout le tartre.

détartrer v. tr. [1] Enlever le tartre de.

détaxation n. f. Action de détaxer; son résultat.

détaxe n. f. Suppression, diminution ou remboursement d'une taxe.

détaxer v. tr. [1] Supprimer ou réduire une taxe sur.

détectable adj. Qui peut être détecté.

détecter v. tr. [1] Déceler la présence de (un phénomène, un objet caché).

détecteur, trice n. m. et adj. Appareil servant à détecter (un objet, un phénomène). *Détecteur de mines, de grisou, de fumées,* etc. – adj. *Sonde détectrice.*

détection n. f. Action de détecter.

détective n. m. Personne qui effectue des enquêtes, des filatures privées. *Détective privé.*

déteindre v. [55] **1.** v. tr. Enlever la teinture, la couleur de. *Cette lessive déteint les vêtements.* **2.** v. intr. Perdre sa couleur. *Ce tissu déteint au lavage.* ▷ *Déteindre sur* : communiquer sa couleur à. – Fig. *Ses idées ont déteint sur vous.*

dételage n. m. Action de dételer (sens 1).

dételer v. [19] 1. v. tr. Détacher (un animal attelé). 2. v. intr. Fig., fam. Renoncer à son métier, aux plaisirs. ▷ Interrompre une occupation.

détendeur n. m. TECH Appareil servant à réduire la pression d'un fluide.

détendre v. tr. [6] 1. Faire cesser la tension de (qqch). *Détendre un ressort. Détendre un arc.* ▷ v. pron. Cesser d'être tendu. *Le piège se détendit brusquement.* 2. Fig. Faire cesser la tension mentale de ; reposer. *Allez faire un tour, cela vous détendra. Détendre l'atmosphère par une plaisanterie.* ▷ v. pron. *Je me détends en écoutant de la musique.* 3. TECH Diminuer la pression (d'un fluide). ▷ v. pron. *La vapeur se détend dans le cylindre.* 4. Détacher, enlever (ce qui était tendu). *Détendre une tapisserie.*

détendu, ue adj. 1. (Choses) Qui n'est plus tendu. *Un élastique détendu.* 2. Fig. Sans tension nerveuse, calme. *Avoir l'air détendu.*

détenir v. tr. [36] 1. Conserver, retenir par-devers soi. *Détenir des tableaux de valeur.* ▷ Fig. *Détenir l'autorité, un titre sportif.* 2. Retenir (qqn) en prison.

détente n. f. 1. TECH Mécanisme qui permet de détendre un ressort. ▷ *Spécial.* Mécanisme qui provoque la percussion, dans une arme à feu. *Avoir le doigt sur la détente* (abusiv. *sur la gâchette*). ▷ Loc. fig., fam. *Être dur à la détente.* (V. dur, sens I, 3.) 2. PHYS Expansion d'un fluide préalablement comprimé. 3. Brusque effort musculaire, produisant un mouvement rapide. *Détente sèche de la jambe d'appel d'un sauteur.* 4. Fig. Apaisement d'une tension mentale, repos. *Profiter de ses heures de détente pour lire.* 5. Amélioration d'une situation internationale tendue. *La politique de détente qui a suivi la guerre froide.*

détenteur, trice n. Personne qui détient qqch. *La détentrice du titre mondial de saut en hauteur.*

détention n. f. 1. Action de détenir qqch. *Détention illégale d'armes.* ▷ DR Fait de disposer d'une chose sans en être le possesseur. 2. État d'une personne incarcérée. ▷ DR Peine afflictive, privative de liberté. – *Détention préventive,* d'un inculpé en attente de jugement.

détenu, ue n. et adj. Personne que l'on détient en prison.

détergent, ente adj. et n. m. Qui nettoie en dissolvant les impuretés. *Substance détergente.* ▷ n. m. *Un détergent.* Syn. détersif.

déterger v. tr. [13] 1. MED Nettoyer (une plaie, un ulcère). 2. TECH Faire disparaître (des impuretés) avec un détergent.

détérioration n. f. Action de détériorer ; son résultat.

détériorer v. tr. [1] 1. Mettre en mauvais état, abîmer, dégrader. *Les intempéries ont détérioré la maison.* ▷ v. pron. *Matériel qui se détériore.* 2. Fig. *Détériorer sa santé.* ▷ v. pron. *Situation qui se détériore.*

déterminable adj. Qui peut être déterminé.

déterminant, ante adj. et n. m. I. adj. Qui détermine, qui amène à prendre une décision. *Un argument déterminant.* II. n. m. 1. LING Élément qui détermine un substantif (article, adjectif possessif, démonstratif, indéfini, numéral, etc.). 2. MATH Nombre qui est déduit du produit des éléments d'une matrice carrée et qu'on utilise pour résoudre un système de *n* équations à *n* inconnues.

déterminatif, ive adj. (et n. m.) LING Qui caractérise un mot, en détermine le sens. *Adjectif déterminatif.* ▷ n. m. *Un déterminatif.*

détermination n. f. 1. Action de déterminer, de préciser. *La détermination de l'âge d'une roche.* 2. PHILO Relation de dépendance d'un élément de connaissance par rapport à un autre. 3. Intention, résolution. *Avoir la détermination de réussir.* 4. Fermeté de caractère. *Agir avec détermination.*

déterminé, ée adj. et n. m. I. adj. 1. Fixé, délimité. 2. Résolu, décidé. *Une attitude déterminée.* 3. PHILO Qui est la conséquence de phénomènes antérieurs. (V. déterminisme.) II. adj. et n. m. LING Qui est précisé par le déterminant. – n. m. *Le déterminé.*

déterminer v. tr. [1] 1. Fixer, régler. *Déterminer la durée d'un congé.* 2. Faire prendre une résolution à. *Je l'ai déterminé à abandonner ce projet.* Syn. décider. ▷ v. pron. Prendre une résolution. *Se déterminer à agir.* 3. Établir avec précision, d'une manière positive. *Déterminer la distance du Soleil à la Terre.* 4. LING Caractériser, préciser la valeur ou la signification de (un mot, et spécial. d'un nom par un déterminant). *L'article détermine le nom.* 5. Être la cause de. *Le choc a déterminé l'explosion.*

déterminisme n. m. PHILO 1. Caractère d'un ordre nécessaire de faits répondant au principe de causalité. 2. Système philosophique selon lequel tout dans la nature obéit à des lois rigoureuses, y compris les conduites humaines.

ENCYCL Le principe du déterminisme consiste à admettre que tout phénomène dépend d'un ensemble de conditions antérieures ou simultanées (« les mêmes causes produisent les mêmes effets »).

déterministe adj. et n. 1. adj. Qui se rapporte au déterminisme. 2. n. Partisan du déterminisme.

déterré, ée adj. et n. 1. adj. Qui a été sorti de terre. 2. Subst., dans la loc. fig. *Avoir un air, une mine de déterré* : avoir le visage pâle et défait (comme un cadavre).

déterrement n. m. Action de déterrer.

déterrer v. tr. [1] 1. Retirer de la terre (ce qui y était enfoui). *Déterrer un trésor.* ▷ *Spécial.* Exhumer (un corps). 2. Fig. Découvrir (une chose, une personne cachée). *Déterrer un livre rare.*

détersif, ive adj. et n. m. Syn. de *détergent.*

détersion n. f. Nettoyage au moyen d'un détergent.

détestable adj. 1. Rare Qui doit être, qui mérite d'être détesté. 2. Très mauvais, exécrable.

détester v. tr. [1] 1. Vx Maudire. 2. Mod. Avoir (qqn, qqch) en horreur. *Détester qqn.* – *Par ext.* Ne pas pouvoir supporter. *Détester les bavards.*

déthéiné, ée adj. Dont on a extrait la théine. *Un thé déthéiné.*

détonant, ante adj. (et n. m.) Qui détone, produit une détonation. *Mélange détonant.* ▷ n. m. Produit qui peut détoner.

détonateur n. m. TECH Amorce qui renferme une substance servant à faire détoner une charge d'explosif. ▷ Fig. Fait, événement qui provoque une action. *Cet incident fut le détonateur de la grève.*

détonation n. f. 1. Cour. Bruit fait par ce qui détone, explose. 2. CHIM Mode de combustion dans lequel la vitesse de propagation de la flamme est de l'ordre du km par s.

détoner v. intr. [1] Exploser bruyamment.

détonner v. intr. [1] 1. MUS Sortir du ton. – Cour. Chanter faux. 2. Fig. Contraster désagréablement avec autre chose, ne pas s'harmoniser. *La couleur de cette écharpe et celle de votre robe détonnent.*

détordre v. tr. [6] Remettre dans son premier état (ce qui a été tordu). ▷ v. pron. *Fil qui se détord.*

détortiller v. tr. [1] Défaire (ce qui était tortillé).

détour n. m. 1. Changement de direction par rapport à la ligne directe. *Les détours d'une rivière, d'un chemin.* 2. Trajet qui s'écarte du plus court chemin. *Faire un détour.* 3. Fig. Moyen indirect, subterfuge. *User de détours pour atteindre son but.* ▷ Circonlocution. *Avouer sans détour.*

détourage n. m. 1. TECH Opération par laquelle on donne à une pièce en cours d'usinage sa forme définitive. 2. ARTS GRAPH Opération qui consiste à éliminer le fond entourant le sujet central d'une photo, d'un dessin, par découpage ou usage d'un cache.

détourer v. tr. [1] 1. TECH Procéder au détourage de (une pièce). 2. ARTS GRAPH Procéder au détourage (d'un sujet).

détourné, ée adj. 1. Qui fait un détour. *Un chemin détourné.* ▷ Fig. *Moyens détournés* : moyens indirects, biais. 2. Qui s'exprime indirectement, de façon voilée. *Un compliment détourné.*

détournement n. m. 1. Action d'éloigner de la voie directe, de sa destination initiale. *Détournement de la circulation.* – *Détournement d'avion* : action de contraindre un avion à changer de destination. 2. DR Soustraction frauduleuse. *Un détournement de fonds.* 3. DR *Détournement de mineur(e)* : action de soustraire une personne mineure à l'autorité de ses parents ou de son tuteur ; cour. incitation d'une personne mineure à la débauche.

détourner v. tr. [1] 1. Écarter du chemin suivi ou à suivre ; changer la direction, l'itinéraire de. *Détourner un train.* – Contraindre (un avion) à changer de destination. – Fig. *Détourner qqn de son devoir.* ▷ *Détourner la conversation,* l'orienter vers un autre sujet. *Détourner l'attention de qqn.* 2. Tourner dans une autre direction. *Détourner la tête.* 3. Soustraire frauduleusement. *Détourner une grosse somme.*

détoxication n. f. MED Neutralisation du pouvoir toxique (de certains corps). – Élimination des toxines.

détracteur, trice n. et adj. Personne qui s'efforce de rabaisser la valeur de qqch, le mérite de qqn. *Une loi qui a ses détracteurs.* ▷ adj. *Un esprit détracteur.*

détraqué, ée adj. Fam. Atteint de troubles mentaux, déséquilibré. – Subst. *Un(e) détraqué(e).*

détraquer v. tr. [1] 1. Déranger (un mécanisme). *Détraquer une serrure, une horloge.* ▷ v. pron. *Montre, système qui se détraque.* 2. Fig., fam. Troubler le fonctionnement de. *Médicaments qui détraquent* *le foie. Cette histoire lui a détraqué le cerveau.* ▷ v. pron. *Le temps se détraque.*

1. détrempe n. f. **1.** PEINT Pigments délayés dans de l'eau et additionnés d'un liant et d'un fixatif. **2.** Œuvre exécutée avec cette préparation.

2. détrempe n. f. TECH Opération qui détruit la trempe de l'acier.

1. détremper v. tr. [1] Délayer dans un liquide; mouiller abondamment. *Détremper du pain.*

2. détremper v. tr. [1] TECH Détruire la trempe de (l'acier).

détresse n. f. **1.** Angoisse causée par un danger imminent ou par le besoin, la souffrance. *Un cri de détresse.* ▷ Situation qui cause cette angoisse. – Dénuement, misère. **2.** Situation périlleuse d'un navire, d'un aéronef, etc. *Signaux de détresse. Navire en détresse.*

détriment n. m. **1.** Vx Dommage, préjudice. **2.** Loc. prép. *Au détriment de* : au préjudice de. *Il travaille au détriment de sa santé.*

détritique adj. GEOL Se dit des dépôts ou des roches (grès, conglomérats) provenant de la désagrégation mécanique de roches préexistantes.

détritus [detʀity(s)] n. m. (Le plus souvent au plur.) Débris, ordures.

détroit n. m. **1.** Passage maritime resserré entre deux terres. *Le détroit de Gibraltar.* **2.** ANAT Nom donné aux deux rétrécissements du bassin. *Détroit supérieur,* séparant le grand bassin du pelvis. *Détroit inférieur* : orifice inférieur du pelvis.

Detroit, v. des É.-U. (Michigan), sur la *rivière de Detroit,* qui unit les lacs Saint-Clair et Érié; 1 027 970 hab. (aggl. urb. 4 577 100 hab.). Grand centre de l'industr. automobile. Métallurgie; chimie. – Université.

Détroits (les), détroits turcs du Bosphore et des Dardanelles, reliant la mer Noire et la Méditerranée. Leur circulation marit. fit l'objet de nombr. litiges, réglés par des traités entre les grandes puissances (XVIIIe-XXe s.).

détromper v. tr. [1] Tirer (qqn) d'erreur. ▷ v. pron. *Détrompez-vous* : ne croyez pas cela, revenez de votre erreur.

détrôner v. tr. [1] **1.** Déposséder du trône, du pouvoir souverain. **2.** Fig. Supplanter. *Un champion qui en détrône un autre. Théorie qui en détrône une autre.*

détrousser v. tr. [1] Litt. Voler (qqn) en usant de violence.

détrousseur n. m. Litt. Celui qui détrousse.

De Troy (Jean-François) (Paris, 1679 – Rome, 1752), décorateur (petits appartements de Versailles), portraitiste et peintre de genre français. Il subit l'influence des Vénitiens et de Rubens.

détruire v. tr. [69] **1.** Démolir, abattre (un édifice). *Détruire un immeuble vétuste.* **2.** Anéantir (en altérant, en cassant, en brûlant, etc.). *Détruire des papiers compromettants.* ▷ Fig. *Détruire une illusion.* **3.** Donner la mort à. *Poison qui détruit les rongeurs.* ▷ v. pron. Se suicider. – Ruiner sa santé. *Il se détruit en buvant.*

dette n. f. **1.** Ce qu'on doit à qqn. – Spécial. Somme d'argent qu'on doit. *Avoir des dettes. Reconnaissance de dette* : acte écrit par lequel le débiteur reconnaît une créance. ▷ FIN *Dette publique* : ensemble des sommes dues par l'État. ▷ ECON *Dette extérieure* : ensemble des dettes d'un pays à l'égard de l'étranger. **2.** Fig. Obligation morale envers qqn. *Une dette de reconnaissance.*

Deucalion, dans la myth. gr., roi de Thessalie, fils de Prométhée. Il échappa au déluge avec sa femme Pyrrha; tous deux repeuplèrent le monde en jetant derrière eux des pierres qui se changèrent en hommes et en femmes.

DEUG [dœg] n. m. (Acronyme pour *diplôme d'études universitaires générales.*) Diplôme qui sanctionne le premier cycle des études universitaires.

deuil n. m. **1.** Douleur, tristesse que l'on éprouve de la mort de qqn. *Un deuil très éprouvant. Un jour de deuil.* **2.** Marques extérieures du deuil. *Vêtements de deuil,* noirs ou foncés. *Prendre, porter le deuil, être en deuil* : porter des vêtements de deuil. *Deuil national.* ▷ Fig., fam. *Ongles en deuil,* malpropres, noirs. **3.** Temps pendant lequel on porte le deuil. *L'usage a abrégé le deuil.* **4.** Cortège funèbre. *Mener le deuil.* **5.** Loc. fam. *Faire son deuil d'une chose,* ne plus compter sur elle, la considérer comme perdue.

Deuil-la-Barre, com. du Val-d'Oise (arr. de Montmorency); 19 160 hab. Centre résidentiel de la banlieue N. de Paris.

Deûle (la), riv. du N. de la France (68 km), en partie canalisée, affl. de la Lys (r. dr.).

deus ex machina [deusɛksmakina] n. m. (lat.) Dans le théâtre antique, dieu qui, sortant de la machinerie de la scène, intervenait pour apporter à une situation sans issue un dénouement heureux. ▷ Fig. Personnage, événement qui vient arranger providentiellement une situation difficile.

deut-, deuter-, deutéro-. Éléments, du grec *deuteros,* « deuxième ».

deutérium [døteʀjɔm] n. m. CHIM Isotope de l'hydrogène, de masse atomique 2 (symbole D). – Corps simple diatomique (formule D_2) nommé aussi *hydrogène lourd.* (Son principal dérivé est l'eau lourde, D_2O.)

Deutéro-Malais. V. malais.

deutéromycètes n. m. pl. BOT Ensemble des champignons dont on ne connaît pas la reproduction sexuée. – Sing. *Un deutéromycète.*

Deutéronome, cinquième livre du Pentateuque qui forme comme un *second* (d'où son nom : *deuteronomos* en gr., « seconde loi ») traité de la loi de Dieu. Il relate aussi la mort de Moïse.

Deutsch de la Meurthe (Henry), (Paris, 1846 – Ecquevilly, Seine-et-Oise, 1919), industriel français. Il contribua à l'essor de l'automobile et de l'aéronautique, et à leur popularisation (aéro-clubs, automobile-clubs).

deutsche Mark. V. mark.

Deutschland über alles *(l'Allemagne au-dessus de tout,* c'est-à-dire « au-dessus de tous les États allemands » de l'Allemagne en cours d'unification), chant allemand (paroles de Hoffmann von Fallersleben, 1841, sur une musique de Joseph Haydn, 1797) dont on fit, en 1922, l'hymne national allemand. Remanié pour les paroles, il a été, à partir de 1949, sous le titre de *Deutschlandlied,* l'hymne national de la R.F.A.

deux adj. inv. et n. m. inv. **I.** adj. num. inv. **1.** (Cardinal) Un plus un (2). *Les deux mains.* ▷ (Marquant un très petit nombre indéterminé.) *J'habite à deux pas d'ici.* ▷ (Opposé à l'unité.) *Deux avis valent mieux qu'un.* ▷ (Marquant la différence.) *Ton père et toi, cela fait deux.* – *Tenir et promettre sont deux,* deux choses bien différentes. **2.** (Ordinal) Deuxième. *Article deux.* – Ellipt. *Le deux août.* **II.** n. m. inv. **1.** Le nombre deux. *Deux et deux font quatre.* ▷ Chiffre représentant le nombre deux (2). ▷ Numéro deux. *Habiter au deux.* ▷ *Le deux* : le deuxième jour du mois. **2.** Carte, face de dé, ou côté de domino portant deux marques. *Le deux de carreau. Sortir un deux. Le double deux.* **3.** SPORT En aviron, embarcation manœuvrée par deux rameurs. *Deux barré. Deux sans barreur.*

deux-deux (à) loc. adj. MUS *Mesure à deux-deux* (2/2 ou ₵), à deux temps, avec une blanche par temps.

deuxième [døzjɛm] adj. et n. **1.** adj. numéral ord. Dont le rang est marqué par le nombre 2. *Le deuxième lundi du mois. Habiter au deuxième étage* ou, ellipt., *au deuxième.* **2.** n. Personne, chose qui occupe la deuxième place. *La deuxième de la classe.*

deuxièmement adv. En deuxième lieu.

deux-mâts n. m. inv. Voilier à deux mâts.

deux-pièces n. m. inv. **1.** Costume féminin comportant une veste et une jupe du même tissu. *Complet deux-pièces* : veste et pantalon de même tissu, pour homme. ▷ Maillot de bain composé d'un slip et d'un soutien-gorge. **2.** Appartement comportant deux pièces.

deux-points n. m. inv. **1.** Signe de ponctuation (:) introduisant une énumération, une explication, etc. **2.** Signe de la division.

Deux-Ponts (en all. *Zweibrücken*), ville d'Allemagne (Rhénanie-Palatinat); 32 720 hab. Industries mécaniques.

deux-quatre (à) loc. adj. MUS *Mesure à deux-quatre* (2/4), à deux temps avec une noire par temps.

Deux-Roses (guerre des), guerre civile anglaise (1450-1485). La maison de Lancastre (rose rouge dans ses armoiries) et celle d'York (rose blanche) se disputèrent la couronne. Henry VII Tudor, apparenté aux Lancastres, l'emporta et épousa Élisabeth d'York, fille d'Édouard IV, pour marquer la réconciliation.

deux-roues n. m. inv. Véhicule à deux roues (bicyclette, cyclomoteur, vélomoteur, motocyclette, etc.).

Deux-Sèvres, dép. franç. (79); 6 036 km^2; 345 965 hab.; 57,3 hab./km^2; ch.-l. *Niort;* V. Poitou-Charentes (Rég.).
► carte page **544**

Deux-Siciles, anc. royaume comprenant le S. de l'Italie péninsulaire et la Sicile. Leur réunion, par Alphonse V d'Aragon, forma le royaume des Deux-Siciles (1442-1458), reconstitué en 1816 par Ferdinand IV de Naples et rattaché en 1861 au nouveau royaume d'Italie.

deux-temps n. m. inv. Moteur à deux temps.

Devadasi, dans l'Inde brahmanique, la « servante du dieu »; prêtresse, danseuse, prostituée sacrée (temple de Vishnu et de Çiva).

dévaler v. [1] **1.** v. intr. Aller très vite ou brusquement du haut vers le bas. *Avalanche qui dévale.* **2.** v. tr. Descendre rapidement. *Dévaler un escalier.*

De Valera (Eamon) (New York, 1882 – Dublin, 1975), homme politique irlan-

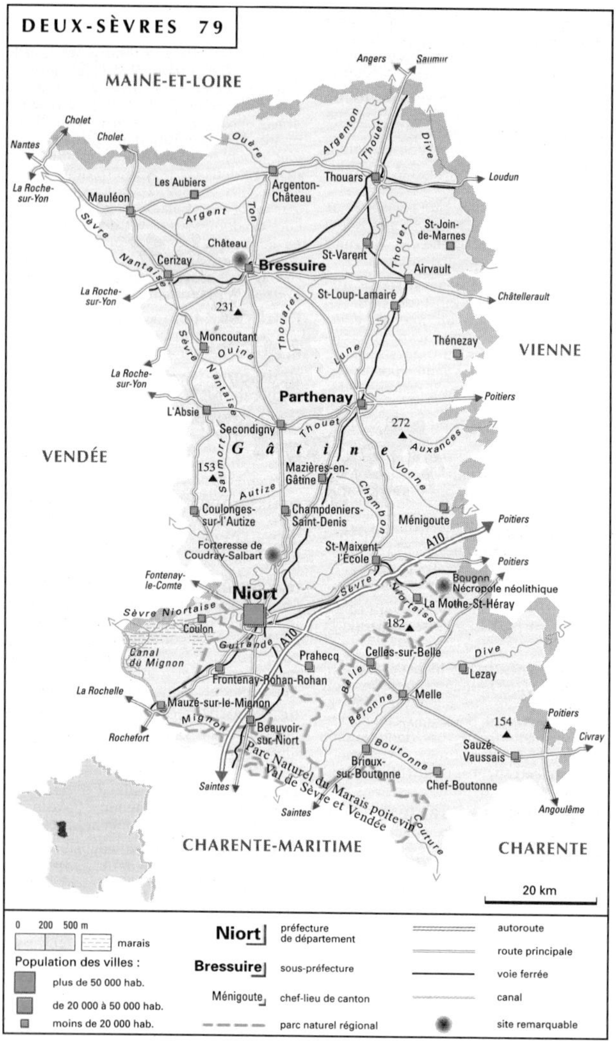

DEUX-SÈVRES 79

MAINE-ET-LOIRE · VENDÉE · VIENNE · CHARENTE-MARITIME · CHARENTE

Niort — préfecture de département
Bressuire — sous-préfecture
Ménigoute — chef-lieu de canton

0 200 500 m — marais

Population des villes : plus de 50 000 hab. ; de 20 000 à 50 000 hab. ; moins de 20 000 hab.

autoroute · route principale · voie ferrée · canal · parc naturel régional · site remarquable

20 km

dais. Chef du gouvernement révolutionnaire (1918), il œuvra, avec une modération grandissante, pour l'indépendance effective de son pays, qu'il imposa en 1932, après la victoire électorale de son parti, le Fianna Fáil. Presque sans interruption, il fut président du gouv. puis de la République (1959) jusqu'à son retrait de la vie publique (1973).

dévaliser v. tr. [1] Voler à (qqn) son argent, ses vêtements. *Dévaliser un passant.* – Par ext. *Dévaliser une villa.*

Josquin **Des Prés**

De Valera

De Valois ou **Devalois** (Edris Stannus, dite Ninette) (Blessington, Irlande, 1898), danseuse et chorégraphe anglaise. Elle fit partie des Ballets russes et dirigea le Royal Ballet de Grande-Bretagne (1956-1963).

dévalorisant, ante adj. Qui dévalorise.

dévalorisation n. f. Action de dévaloriser; son résultat. Syn. dépréciation.

dévaloriser v. tr. [1] Déprécier, diminuer la valeur de. ▷ v. pron. *Marchandise qui s'est dévalorisée.*

dévaluation n. f. Abaissement de la valeur légale d'une monnaie par rapport aux monnaies étrangères ou à l'étalon de référence.

dévaluer v. tr. [1] Opérer la dévaluation de. *Dévaluer une monnaie.* ▷ Pp. adj. Monnaie dévaluée. ▷ Fig. *Certaines valeurs morales sont dévaluées.*

devanāgarī [devanagaʀi] ou **nāgarī** [nagaʀi] n. m. Écriture utilisée pour le sanskrit.

devancement n. m. Fait de devancer; résultat de cette action.

devancer v. tr. [12] **1.** Marcher, aller en avant de; dépasser, distancer. *Coureur qui devance ses concurrents.* **2.** Surpasser, avoir l'avantage sur. *Élève qui devance ses condisciples.* **3.** Être en avance (dans le temps). – Fig. *Son génie avait devancé son siècle.* **4.** Aller au-devant de, prévenir (qqch). *Devancer une attaque.* – Loc. *Devancer l'appel :* s'engager dans l'armée, pour la durée légale, avant l'appel de sa classe.

devancier, ère n. Personne qui en a précédé une autre.

1. devant prép. et adv. **I.** prép. **1.** En avant de. *Marcher devant les autres.* Ant. derrière. **2.** Vis-à-vis de, en face de, contre. *La voiture est garée devant la maison.* – *Par ext.* En présence de. *Il l'a dit devant témoin.* ▷ Fig. *Avoir du temps, de l'argent devant soi :* disposer d'un certain temps, d'une certaine somme d'argent. **3.** Loc. prép. *Au-devant de :* à la rencontre de; en avant pour prévenir. *Aller au-devant des arrivants.* ▷ DR *Par-devant :* en présence de. *Contrat passé par-devant notaire.* **II.** adv. **1.** adv. de lieu. *Je pars devant.* **2.** adv. de temps. Auparavant. (Vx, sauf dans la loc. prov. *Être Gros-Jean comme devant :* n'avoir pas avancé dans ses affaires malgré ses efforts, ou avoir été trompé.) **3.** Loc. adv. *Par-devant :* à la face, à la partie antérieure; par l'avant.

2. devant n. m. **1.** Face antérieure d'une chose, côté opposé à celui de derrière. *Le devant d'une maison, d'une robe.* **2.** Plur. (en loc.) *Prendre les devants :* partir avant qqn, le dépasser en allant plus vite; fig. prendre l'initiative, devancer qqn en faisant qqch.

devanture n. f. **1.** Façade d'une boutique. **2.** *Par ext.* Étalage, objets exposés dans une vitrine. *Remarquer une bague à la devanture d'une bijouterie.*

dévasement n. m. Action de dévaser.

dévaser v. tr. [1] Débarrasser de la vase. *Dévaser un port.* Syn. désenvaser.

dévastateur, trice adj. et n. Qui dévaste. *Un fléau dévastateur.* ▷ Subst. *Les Mongols furent de grands dévastateurs.* Syn. destructeur.

dévastation n. f. Action de dévaster; son résultat. *Les dévastations dues aux guerres.* Syn. ravage.

dévaster v. tr. [1] Ruiner, causer de grands dégâts à. *Un tremblement de terre a dévasté la région.* Syn. saccager, ravager.

déveine n. f. Fam. Mauvaise chance persistante. *Tu parles d'une déveine!* Syn. guigne. Ant. veine.

développable adj. Qui peut se développer. ▷ GEOM *Surface développable,* qui peut être étalée sur un plan sans subir de déformation. *Une surface cylindrique est développable.*

développement n. m. **1.** Action de déployer, de donner toute son étendue à. – Fig. Déroulement. *Développement des opérations.* – GEOM Action de développer un solide. – MATH Action de développer une expression algébrique. **2.** Exposition détaillée. *Développement d'une idée. Introduction, développement et conclusion d'un exposé.* **3.** Accroissement naturel d'un organisme vivant par l'acquisition de nouvelles fonctions, de nouveaux organes (distinct de la croissance). *Développement d'un bourgeon.* – Accroissement des facultés mentales ou intellectuelles. *Le développement de l'intelligence chez l'enfant.* **4.** Ampleur, importance, extension que prend une chose qui évolue. *Une entreprise en plein développement.* Syn. essor, expansion. – *Pays* *en voie de développement, en développement,* dont le niveau économique n'a pas atteint celui de l'Europe occidentale ou de l'Amérique du Nord (expression créée pour remplacer *sous-développé*). **5.** TECH Action de développer un cliché photographique. **6.** Distance parcourue par une bicyclette à chaque tour de pédalier.

développer v. [1] **I.** v. tr. **1.** Rare Ôter l'enveloppe de. *Développer un paquet.* **2.** Rare Étendre ce qui était plié, enroulé; déployer. *Développer un rouleau de papier.* – Fig. Exposer en détail, avec une certaine longueur. *Développer une idée, un sujet, un argument.* – GEOM Représenter sur un plan les différentes faces d'un corps solide. – MATH Effectuer une série de calculs. *Développer une série :* transformer une fonction en une somme algébrique de termes. **3.** Faire croître. *Développer la mémoire, l'intelligence, les goûts de qqn.* ▷ Faire prendre de l'ampleur, de l'importance, de l'extension. *Développer une affaire. Développer un pays.* **4.** Mener l'ensemble des opérations de la conception d'un produit à sa mise sur le marché. *Développer un prototype.* **5.** TECH Traiter (un cliché photographique) pour faire apparaître l'image. **6.** Avoir (tel développement), en parlant d'une bicyclette. *Cette bicyclette développe 7 mètres.* **7.** MED Être atteint par une maladie et en éprouver les diverses phases. **II.** v. pron. **1.** Se déployer, s'étendre. *L'armée se développa dans la plaine.* – Fig. *L'intrigue se développait lentement.* **2.** Prendre de l'extension, de l'importance; grandir. *Une ville qui se développe. La pratique de ce sport s'est beaucoup développée ces dernières années.*

développeur n. m. INFORM Personne qui réalise un logiciel.

1. devenir v. intr. [36] **1.** Passer d'un état à (un autre). *Devenir vieux, riche. Cette petite affaire est devenue une grosse entreprise.* **2.** Avoir tel ou tel résultat, tel ou tel sort, telle ou telle issue. *Qu'allons-nous devenir? Je ne l'ai pas vu depuis des années, qu'est-il devenu?*

2. devenir n. m. **1.** Litt. Avenir, futur, destin de qqn ou de qqch. **2.** PHILO Transformation des choses, des êtres; ensemble des changements dans leur déroulement temporel.

déventer v. tr. [1] MAR Empêcher (un navire, une voile, etc.) d'être soumis à l'effet du vent. *Foc trop bordé qui dévente la grand-voile.*

Deventer, v. des Pays-Bas (prov. d'Overijssel), sur l'IJssel; 66 060 hab. Industr. métallurgiques, chimiques et alimentaires.

déverbal, aux n. m. LING Nom formé à partir du radical d'un verbe, spécial. sans suffixe. *Moulinage est un déverbal de mouliner.*

Devereux (Georges) (Lugos, auj. Lugoj, Roumanie, 1908 – Paris, 1985), psychanalyste et anthropologue américain d'origine hongroise. Il est un des fondateurs de l'ethnopsychiatrie : *Essai d'ethnopsychiatrie générale* (1970).

dévergondage n. m. Conduite, notam. sexuelle, dépourvue de pudeur, de retenue. Syn. débauche. – Fig. Fantaisie excessive.

dévergondé, ée adj. Qui est sans retenue, sans pudeur, notam. dans sa conduite sexuelle. ▷ Subst. *Un(e) dévergondé(e).*

dévergonder (se) v. pron. [1] Abandonner toute retenue, toute pudeur notam. sur le plan de la conduite sexuelle; se débaucher.

déverguer v. tr. [1] MAR Ôter (une voile) de ses espars. Ant. enverguer.

Devéria (Jacques Jean Marie Achille) (Paris, 1800 – id., 1857), peintre et graveur français, connu pour ses lithographies : portraits et illustrations des auteurs romantiques. – **Eugène** (Paris, 1805 – Pau, 1865), frère du préc.; peintre romantique.

dévernir v. tr. [3] Ôter le vernis de. *Dévernir un meuble.*

déverrouillage n. m. Action de déverrouiller.

déverrouiller v. tr. [1] **1.** Ouvrir en tirant le verrou de. *Déverrouiller une porte.* **2.** Libérer (un mécanisme préalablement immobilisé). *Déverrouiller le train d'atterrissage d'un avion.*

devers [dəvɛʀ] prép. **1.** Vx Du côté de. *Tourne ton visage devers moi.* **2.** Loc. prép. Rare *Par-devers :* par-devant. DR *Se pourvoir par-devers le juge.* ▷ *Par ext.* En la possession de. *Garder des documents par-devers soi.*

dévers, erse [devɛʀ, ɛʀs] adj. et n. m. **I.** adj. CONSTR Qui n'est pas d'aplomb. **II.** n. m. **1.** TECH Différence de niveau entre les deux rails d'une voie de chemin de fer, les deux bordures d'une chaussée. *Dans les courbes, le dévers contrarie les effets de la force centrifuge.* **2.** CONSTR Pente ou gauchissement d'une pièce.

déversement n. m. Action de déverser, de se déverser.

déverser v. tr. [1] **1.** Faire couler (un liquide). *Déverser le trop-plein dans le ruisseau.* ▷ v. pron. S'écouler. *Les eaux de pluie se déversent dans une citerne.* **2.** *Par ext.* Déposer en épandant, en versant. *Déverser du charbon dans une cave par le soupirail.* – Par anal. *Les avions déversent des flots de touristes.* **3.** Fig. Épancher, répandre. *Déverser son mépris, sa rancœur.*

déversoir n. m. TECH Ouvrage servant à évacuer l'eau en excès. *Le déversoir d'un barrage.*

dévêtir v. tr. [33] Enlever la totalité ou une partie des vêtements de. *Dévêtir un enfant.* Syn. déshabiller. ▷ v. pron. *Se dévêtir pour aller se baigner.*

dévî n. f. RELIG Divinité féminine de la mythologie hindoue.

déviance n. f. PSYCHO Conduite qui s'écarte des normes sociales.

déviant, ante adj. (et n.) Dont la conduite s'écarte des normes sociales.

déviation n. f. **I.** Fait de s'écarter de sa direction. **1.** TECH Angle que fait la direction d'un projectile avec le plan de tir. **2.** Différence angulaire entre la direction du nord magnétique et la direction du nord indiquée par un compas soumis à l'influence des masses ferreuses du navire ou de l'aéronef («nord du compas»). **3.** TECH Déplacement de l'aiguille d'un appareil de mesure. **4.** PHYS Angle formé par le rayon incident et le rayon qui traverse un système optique. **5.** MED Direction anormale d'un organe, d'une partie du corps. *Déviation utérine. Déviation de la colonne vertébrale.* **6.** Fig. Écart, variation dans la conduite. *Suivre ses principes sans déviation.* **II. 1.** Action de changer la direction de qqch. *Déviation d'un cours d'eau, d'une route.* **2.** Itinéraire détourné. *Prenez la déviation à gauche.*

déviationnisme n. m. Fait de s'écarter de la stricte conformité à une doctrine, à la ligne d'un parti.

déviationniste adj. (et n.) Qui s'écarte de la ligne du parti.

dévidage n. m. Action de dévider du fil.

dévider v. tr. [1] **1.** Mettre en écheveau ou en pelote (le fil embobiné ou en fuseau). **2.** Dérouler. *Dévider une bobine.* **3.** Loc. fig., fam. *Dévider son écheveau, son chapelet :* dire tout ce que l'on a sur le cœur.

dévidoir n. m. Appareil servant à dévider ou à dérouler.

dévier v. [2] **1.** v. intr. S'écarter de sa direction. *La balle a dévié. Dévier de la bonne route.* – Fig. *Dévier d'une ligne de conduite.* **2.** v. tr. Écarter, détourner de la direction normale. *Les gendarmes dévièrent la circulation.*

Déville-lès-Rouen, com. de la Seine-Maritime (arr. de Rouen); 11 136 hab. Électromécanique; parachimie.

devin, devineresse n. Personne qui prétend prédire les événements et découvrir les choses cachées. *Les devins de l'Antiquité.*

devinable adj. Qui peut être deviné.

deviner v. tr. [1] **1.** Rare Révéler ce qui doit arriver. *Peut-on deviner l'avenir?* **2.** Découvrir, savoir par conjecture, par supposition. *Deviner la pensée de qqn. Sais-tu ce qui est arrivé? – Je ne le sais pas, mais je le devine.* – Absol. *Deviner juste.* ▷ v. pron. Être deviné. *La fin de l'histoire se devine aisément.*

devinette n. f. Question que l'on pose par jeu pour en faire deviner la réponse. *Jouer aux devinettes.*

devis [d(ə)vi] n. m. État détaillé des travaux à effectuer accompagné de l'estimation de leur prix. *Devis descriptif,* qui donne une description détaillée des travaux à effectuer, des matériaux à employer, des délais d'exécution. *Devis estimatif,* qui donne une évaluation du prix des travaux.

dévisager v. tr. [13] Regarder longuement et attentivement un visage. *Il m'a dévisagé avec insistance.*

1. devise n. f. Sentence indiquant les goûts, les qualités, la résolution de qqn. *«Plutôt souffrir que mourir, c'est la devise des hommes»* (La Fontaine). ▷ HERALD Sentence concise particulière à une famille, une ville, etc., inscrite sur un ruban au-dessus de l'écu. *La devise de Paris est : «Fluctuat nec mergitur», il est battu par les flots mais ne sombre pas.*

2. devise n. f. FIN Monnaie émise par une banque nationale, envisagée par rapport à d'autres. *Le franc est la devise française.*

deviser v. intr. [1] Litt. S'entretenir familièrement. *Nous devisions gaiement entre amis.*

dévissage n. m. Opération qui consiste à dévisser.

dévisser v. [1] **1.** v. tr. TECH Ôter (une vis, un écrou). – Démonter (une pièce vissée). *Dévisser une serrure.* **2.** v. intr. ALPIN Lâcher prise d'une paroi et faire une chute.

de visu [devizy] loc. adv. (lat.) Après avoir vu, en voyant. *S'assurer de visu de la véracité d'une description.*

dévitalisation n. f. Action de dévitaliser.

dévitaliser v. tr. [1] *Dévitaliser une dent,* en retirer le tissu vital (la pulpe et le nerf).

dévitaminé adj. Qui a perdu ses vitamines.

dévoiement [devwamɑ̃] n. m. **1.** CONSTR Changement de direction d'un conduit. **2.** État d'une personne dévoyée.

dévoilement n. m. Action de dévoiler; fait de se dévoiler.

dévoiler v. tr. [1] **1.** Enlever le voile qui dissimule (qqn ou qqch). *Dévoiler une statue.* **2.** Fig. Découvrir, révéler (ce qui était secret, caché). *Dévoiler un scandale.* ▷ v. pron. Cesser d'être caché, se montrer. *Ses intentions se sont dévoilées ensuite.* – Se trahir. *Le traître s'est dévoilé.* **3.** TECH Faire perdre son voile, rendre plan. *Dévoiler une roue.*

1. devoir v. [44] **I.** v. tr. **1.** Avoir à donner ou à restituer (une somme d'argent) à qqn. *Je te dois vingt francs.* **2.** Être redevable de (qqch) à (qqn), tenir de. *Il lui doit sa situation. L'Égypte doit sa fertilité au Nil.* – *Devoir à (qqn) de* (+ inf.). *Je lui dois d'avoir été promu à ce poste.* **3.** Avoir pour obligation (morale) envers (qqn). *Il me doit le respect.* **II.** v. auxil. suivi de l'inf., marque : **1.** La nécessité inéluctable, l'obligation. *Nous devons tous mourir. Je dois finir cela avant demain.* **2.** Le futur proche, l'intention. *Je dois m'absenter prochainement. Nous devions partir quand l'orage éclata.* **3.** La possibilité, la vraisemblance. *Il doit se tromper.* **4.** (Au conditionnel.) La probabilité. *Il devrait être près du but, maintenant.* **5.** (Au subjonctif imparfait, avec inversion du sujet.) Litt. Même si. *Je le ferai, dussé-je y passer la nuit. Il fera des excuses, dût-il en mourir de honte.* **III.** v. pron. **1.** Être tenu de se sacrifier, de se dévouer. – *Se devoir à* : avoir des obligations morales envers. *On se doit à sa famille.* **2.** (Impers.) *Cela se doit* : cela doit être. – *Comme il se doit* : comme il le faut, comme il est convenable.

2. devoir n. m. **1.** Ce à quoi on est obligé par la morale, la loi, la raison, les convenances, etc. *Il a fait son devoir. Manquer à tous ses devoirs.* ▷ *Se mettre en devoir de* : se mettre en état de, commencer à. **2.** *Le devoir* : l'ensemble des règles qui guident la conscience morale. *Agir par devoir.* **3.** Plur., vieilli *Présenter ses devoirs à qqn,* lui présenter ses respects. – *Les derniers devoirs* : les honneurs funèbres. **4.** Tâche écrite donnée à un élève. *Faire ses devoirs. Devoir de mathématiques. Devoirs de vacances.*

Devoir, une des dénominations du compagnonnage; association professionnelle, indépendante des corporations, groupant principalement les ouvriers du bâtiment (Compagnons du Devoir du tour de France).

dévoisé, ée adj. PHON Qui a perdu son voisement, assourdi. *Consonne dévoisée.*

dévolter v. tr. [1] ELECTR Diminuer la tension dans (un circuit).

dévolu, ue adj. et n. m. **I.** adj. **1.** DR Acquis, échu par droit. *Succession dévolue à l'État.* **2.** *Par ext.* Réservé, destiné. *Nous accomplissons les tâches qui nous sont dévolues.* **II.** n. m. Anc. Provision d'un bénéfice ecclésiastique vacant. *Obtenir par dévolu.* ▷ Loc. mod. *Jeter son dévolu sur* : fixer son choix sur.

dévolutif, ive adj. DR Qui fait qu'une chose est dévolue.

dévolution n. f. DR Transmission d'un bien, d'un droit d'une personne à une autre en vertu de la loi. *À défaut de parents dans la ligne paternelle ou maternelle du de cujus, il y a dévolution de sa succession à une autre ligne.*
ENCYCL **Hist.** – Prétextant le *droit de dévolution,* en usage dans certaines parties des Pays-Bas espagnols, qui donnait la succession aux enfants d'un premier lit, Louis XIV (époux de Marie-Thérèse, née du premier mariage de Philippe IV d'Espagne qui, d'un autre lit, avait eu un fils, son héritier, Charles II) se lança dans la guerre dite *de Dévolution* (1667-1668), marquée par la conquête de villes flamandes et de la Franche-Comté. Le traité d'Aix-la-Chapelle (1668) lui laissa la Flandre mérid. mais rendit à l'Espagne la Franche-Comté.

Dévoluy, massif calcaire des Alpes du Dauphiné; 2 793 m à l'Obiou.

devon n. m. PECHE Poisson artificiel muni d'hameçons et servant d'appât.

Devon ou **Devonshire,** comté de G.-B., entre la Manche et le canal de Bristol; 6 715 km^2; 998 200 hab.; ch.-l. *Exeter.* Élevage ovin et bovin. Pêche. Activités portuaires import. (notam. à Plymouth).

dévonien, enne n. m. et adj. GEOL Période de l'ère primaire qui suit le silurien et précède le carbonifère. ▷ adj. *La période dévonienne.*

dévorant, ante adj. **1.** Qui dévore. *Loups dévorants.* Syn. vorace. ▷ Fig. *Une soif dévorante de connaître.* **2.** Qui consume, détruit. *Un feu dévorant.* ▷ Fig. *Une passion dévorante.*

dévorateur, trice adj. Litt. Qui dévore.

dévorer v. tr. [1] **1.** Manger en déchirant avec les dents, avaler avidement. *Le tigre dévore sa proie.* – Fig. *Elle a été dévorée par les moustiques.* **2.** Manger avec gloutonnerie. *Cet enfant ne mange pas, il dévore.* ▷ Fig. *Dévorer un livre,* le lire très vite et avec passion. ▷ *Dévorer des yeux* : regarder avec insistance, avec convoitise. **3.** Fig. Détruire, consumer. *Les flammes dévorèrent leur maison en un clin d'œil. Les impôts ont dévoré mes économies.* ▷ Tourmenter (peine, affliction). *Elle était dévorée par le chagrin.*

dévoreur, euse n. (et adj.) Personne, animal qui dévore. – Fig. *Chaudière dévoreuse de fuel. Lecteur dévoreur de romans policiers.*

De Vos (Cornelis) (Hulst, v. 1584 – Anvers, 1651), peintre flamand proche de Van Dyck et de Rubens, notam. dans ses portraits et groupes familiaux.

Devos (Raymond) (Mouscron, 1922), artiste de variétés français. Ses monologues et ses sketches, où le cocasse le dispute à l'absurde, font de ce poète un virtuose de la jonglerie avec les mots.

dévot, ote adj. et n. **1.** Vieilli Attaché aux pratiques religieuses, pieux. ▷ Subst. *Les vrais et les faux dévots.* – Par ext., péjor. bigot. **2.** Vx *Faux dévot,* qui simule la dévotion d'une façon outrée et ostentatoire. Syn. tartufe. **3.** Qui est fait avec dévotion. *Prière dévote.*

dévotement adv. D'une manière dévote.

dévotion n. f. **1.** Vive piété, attachement aux pratiques religieuses. *Dévotion sincère, affectée.* **2.** (Plur.) Pratique religieuse. *Faire ses dévotions.* **3.** Culte rendu à un saint. *La dévotion à la Vierge.* – Fig. *Elle a pour la musique une véritable dévotion.* ▷ *Être à la dévotion de qqn,* lui être entièrement dévoué.

Raymond **Devos** Hugo **De Vries**

dévotionnel, elle adj. Qui concerne les actes de dévotion.

dévoué, ée adj. Plein de dévouement. *Être dévoué, tout dévoué à qqn,* disposé à le servir sans restriction. ▷ (Dans les formules épistolaires.) *L'expression de mes sentiments dévoués.*

dévouement [devumɑ̃] n. m. **1.** Action de se dévouer. *Le dévouement de Vincent de Paul.* **2.** Disposition à servir qqn, abnégation de soi en faveur d'autrui. *Preuve de dévouement.*

dévouer **I.** v. tr. [1] Vx ou litt. Vouer, consacrer. *Dévouer sa vie à la science.* **II.** v. pron. **1.** Se consacrer, se livrer sans réserve (à qqch). *Se dévouer à une grande cause.* **2.** *Absol.* Se sacrifier. *Elle se dévoue pour ses enfants.*

dévoyé, ée adj. et n. Sorti du droit chemin. *Un adolescent, un esprit dévoyé.* ▷ Subst. *Une bande de dévoyés.*

dévoyer v. tr. [23] Détourner du droit chemin. *Les mauvaises fréquentations l'ont dévoyé.* ▷ v. pron. Se détourner du droit chemin.

De Vries (Hugo) (Haarlem, 1848 – Lunteren, 1935), botaniste néerlandais. Spécialiste de cytologie végétale, il découvrit le phénomène de la mutation.

Dewar (sir James) (Kincardine-on-Forth, 1842 – Londres, 1923), physicien et chimiste écossais, connu pour ses études sur la liquéfaction des gaz.

Dewey (Melvil) (Adams Center, New York, 1851 – Lake Placid, Floride, 1931), bibliographe américain. Il est l'inventeur du système décimal de classification des livres et des périodiques.

Dewey (John) (Burlington, Vermont, 1859 – New York, 1952), philosophe, pédagogue et psychologue américain influencé par le pragmatisme.

Dewoitine (Emile) (Crépy-en-Laonnois, 1892 – Toulouse, 1979), constructeur d'avions français qui réalisa plus de cinquante prototypes.

dextérité n. f. **1.** Adresse manuelle. *La dextérité d'un sculpteur, d'un chirurgien.* **2.** Fig. Adresse de l'esprit. *Négocier une affaire avec dextérité.* Syn. habileté, adresse.

dextralité n. f. Fait d'être droitier.

dextre n. f. et adj. **1.** n. f. Vx Main droite. ▷ *Par extens.* Côté droit. **2.** adj. HERALD *Le côté dextre* : le côté droit de l'écu (c.-à-d. le côté gauche pour l'observateur). **3.** adj. SC NAT Qui décrit une hélice dans le sens des aiguilles d'une montre. *Coquille dextre.* Ant. senestre.

dextro-. Élément, du lat. *dexter,* « qui est à droite ».

dextrogyre adj. PHYS Qui fait tourner à droite le plan de polarisation de la lumière.

dextrose n. f. BIOCHIM Glucose.

dey [dɛ] n. m. HIST Chef de la milice turque qui gouvernait la régence d'Alger avant la conquête française (1671-1830).

Deyrolle (Jean-Jacques) (Nogent-sur-Marne, 1911 – Toulouse, 1967), peintre et lithographe français. Influencé d'abord par le cubisme, il évolua vers une abstraction d'inspiration géométrique, dans des gammes de brun.

le port fluvial de **Dhākā**

dg Symbole du décigramme.

Dhahran. V. Zahran.

Dhākā (anc. *Dacca*), cap. du Bangladesh, près du delta du Gange ; 1 679 570 hab. (aggl. urb. 3 458 600 hab.). Centre comm. Industr. text.

Dhamaskinos. V. Damaskinos.

dharma [daʀma] n. m. Didac. Conformité aux normes naturelles, sociales ou métaphysiques, l'une des notions essentielles de la civilisation indienne.

Dhaulagiri, un des sommets (8 172 m) de l'Himalaya (Népal), gravi seulement en 1960.

Dheune (la), riv. de France (65 km), affl. de la Saône (r. dr.), longée par le canal du Centre.

Dhorme (Édouard) (Armentières, 1881 - Roquebrune-Cap-Martin, 1966), exégète et orientaliste français, spécialiste de l'Orient ancien (*les Religions de Babylonie et d'Assyrie*, 1945) et traducteur de la Bible.

Dhôtel (André) (Attigny, 1900 - Paris 1991), romancier français : *le Pays où l'on n'arrive jamais* (1955).

Dhuis ou **Dhuys** (la), riv. du Bassin parisien (15 km), affl. de la Marne (r. g.); ses eaux, captées, alimentent Paris : *aqueduc de la Dhuis* (131 km).

di-. Élément, du gr. *dis*, « deux fois ».

dia-. Préfixe, du gr. *dia-*, signifiant la séparation, la distinction (ex. *diacritique*), ou « à travers » (ex. *diagraphe*).

dia ! interj. Cri des charretiers pour faire aller leurs chevaux à gauche, par oppos. à *hue* (à droite). ▷ Fig. *L'un tire à hue, l'autre à dia :* ils se contrarient, s'opposent, au lieu de combiner leurs efforts.

diabète n. m. Terme générique désignant un ensemble d'affections caractérisées par une augmentation de la faim, de la soif, de la diurèse, et des modifications sanguines responsables d'une cachexie. (Le mot employé sans épithète désigne généralement le *diabète sucré*.)

CYCL Le *diabète sucré* est caractérisé par une augmentation de la glycémie avec présence de sucre dans les urines (glycosurie). Il peut se compliquer par un coma diabétique nécessitant un traitement d'urgence par l'insuline et la réhydratation. Le diabète sucré peut être dû à une sécrétion insuffisante d'insuline par le pancréas (diabète dit insulino-dépendant, car le sujet doit recevoir un apport quotidien d'insuline) ou à un trouble de l'utilisation du glucose sans défaut d'insuline. Le *diabète insipide*, dû à l'absence de sécrétion d'A.D.H. (hormone antidiurétique) par l'hypophyse, se manifeste par une diurèse très importante et immuable, quels que soient les apports hydriques. C'est maintenant traité avec succès par l'administration d'A.D.H.

diabétique adj. et n. Relatif au diabète; atteint de diabète. - Subst. *Un(e) diabétique.*

diabétologie n. f. Didac. Partie de la médecine consacrée au diabète.

diabétologue n. Médecin spécialiste du diabète.

diable n. m. et interj. **I. 1.** Démon, ange déchu voué au mal. - Absol. *Le Diable :* Satan. ▷ Représentation traditionnelle d'un démon caractérisé par des oreilles pointues, des petites cornes, des pieds fourchus et une longue queue. ▷ Loc. prov. et fam. *La beauté du diable :* la beauté, la fraîcheur de la jeunesse. - *Avoir le diable au corps :* être turbulent, emporté ou très déréglé dans sa conduite. ▷ *C'est le diable :* c'est le difficile, le contrariant de la chose. - *Ce n'est pas le diable :* c'est peu de chose, ce n'est pas très pénible, très difficile. *Je vous demande seulement d'arriver à l'heure, ce n'est quand même pas le diable ! - Ce serait bien le diable si :* ce serait fort étonnant si. ▷ *Faire le diable à quatre :* faire beaucoup de bruit. ▷ Vieilli *Le diable m'emporte si, du diable si* (renforçant ce que l'on dit). *Le diable m'emporte si je mens.* ▷ *Ne croire ni à Dieu ni à diable :* ne croire à rien. ▷ *Se débattre, remuer comme un (beau) diable :* remuer beaucoup, en déployant une grande vigueur. ▷ *Tirer le diable par la queue :* avoir des difficultés financières. ▷ Loc. adv. *À la diable :* vite et mal. *S'habiller à la diable.* ▷ *Au diable, au diable vauvert :* très loin. *Il habite au diable.* - *Envoyer qqn au diable, à tous les diables,* le chasser, le repousser sans ménagement. - (Dans une tournure exclamative.) *Qu'il aille au diable ! Au diable l'avarice !* ▷ *En diable :* extrêmement. *Elle est séduisante en diable.* ▷ Loc. adj. *Diable de* (exprimant le mécontentement, la surprise, etc.) *Un diable de métier. Diable d'homme !* ▷ *Du diable. Avoir un esprit du diable, de tous les diables :* avoir beaucoup d'esprit. *Il fait un vent du diable,* très violent. **2.** Fig., vx Personne méchante ou violente. - Mod. *Un petit diable :* un enfant espiègle et turbulent. **3.** (Avec une épithète.) Personne, individu. *Un bon diable :* un brave homme. - *Un grand diable :* un homme de grande taille, dégingandé. - *Un pauvre diable :* un miséreux. **II.** (Objets) **1.** Petite figure de diable, montée sur un ressort, qui surgit d'une boîte à l'ouverture. *Surgir comme un diable d'une boîte.* **2.** TECH Chariot à deux roues servant à transporter des objets lourds. **III.** (Animaux) *Diable cornu :* moloch. - *Diable de mer :* raie cornue. - *Diable de Tasmanie :* V. sarcophile. **IV.** interj. (Marquant la surprise, l'admiration, le mécontentement, le doute, l'inquiétude, etc.) *Diable, c'est loin !* ▷ *Que diable !* (Renforçant une exclamation, une interrogation.) *Défendez-vous, que diable ! Que diable lui voulez-vous ?*

Diable (île du), une des trois îles du Salut (Guyane franç.), où fut détenu Alfred Dreyfus (1895-1899).

diablement adv. Fam. Excessivement. *Il fait diablement chaud.*

diable de Tasmanie

Diablerets (les), massif des Alpes suisses (Vaud, Valais et Berne); 3 246 m. - Au N.-O. du massif, stat. tourist. des *Diablerets* (alt. 1 150 m).

diablerie n. f. **1.** Sortilège, ensorcellement. **2.** Malice, espièglerie. *Encore une de ses diableries !* **3.** LITTER Au Moyen Âge, pièce dramatique où le diable jouait le rôle principal. *Diablerie à deux, à quatre personnages.* - BX-A Dessin représentant des diables. *Les diableries de Callot.*

diablesse n. f. **1.** Rare Diable femelle. **2.** Fig., vx Femme méchante, rusée, intrigante. - Mod. Femme remuante, fillette turbulente. *Quelle diablesse !*

diablotin n. m. **1.** Petit diable; petite figure de diable. **2.** Fig. Enfant vif et turbulent. **3.** Bonbon enveloppé avec un petit pétard dans une papillote. **4.** Larve de l'empuse.

diabolique adj. **1.** Qui vient du diable. *Pouvoir diabolique.* Syn. démoniaque. **2.** Fig. Qui semble venir du diable, à la fois astucieux et méchant. *Invention diabolique. Esprit diabolique.* Syn. infernal, satanique. **3.** Très désagréable, très difficile. *Une situation diabolique.*

diaboliquement adv. Avec une astuce, une méchanceté diabolique. *Une ruse diaboliquement préparée.*

diaboliser v. tr. [1] Litt. Rendre diabolique. - Faire passer pour diabolique.

diabolo n. m. **1.** Jouet, bobine creuse que l'on fait rouler sur une cordelette tendue entre deux baguettes, pour la lancer en l'air et la rattraper. **2.** TECH Avant de véhicule automobile permettant le déplacement des semi-remorques séparées de leur tracteur. **3.** Limonade au sirop. *Diabolo grenadine, citron, menthe,* etc.

diachronie [djakʀɔni] n. f. LING Évolution des faits dans le temps. Ant. synchronie.

diachronique [djakʀɔnik] adj. LING Relatif à la diachronie. *Linguistique diachronique.* Syn. évolutif, historique. Ant. statique, synchronique.

diacide n. m. et adj. CHIM Composé possédant deux fonctions acide.

diaclase n. f. GEOL Fissure affectant une roche en place. *Le réseau de diaclases est le point d'attaque préférentiel de l'érosion chimique par les eaux d'infiltration.*

diaconat n. m. **1.** Deuxième ordre majeur chez les catholiques, premier chez les orthodoxes. **2.** Fonction d'un diacre, durée de cette fonction.

diaconesse n. f. **1.** Dans l'Église primitive, jeune fille ou veuve qui se consacrait à certaines activités religieuses. **2.** Chez les protestants, femme vivant en communauté, et qui se voue à des missions d'assistance (malades, nécessiteux, etc.).

diacoustique n. f. PHYS Partie de l'acoustique qui traite de la réfraction des sons.

diacre n. m. **1.** Ministre des cultes catholique et orthodoxe qui a reçu le diaconat. **2.** Dans les Églises protestantes, laïc remplissant bénévolement diverses fonctions (administration, assistance aux nécessiteux, etc.).

diacritique adj. Didac. Qui sert à distinguer, à différencier. *Signe diacritique :* signe graphique destiné soit à distinguer des mots homographes (par ex., l'accent sur le *à*, préposition, distingue ce mot de *a*, forme conjuguée du verbe avoir), soit les différentes prononciations d'une même lettre (par ex., *c* et *č*, en croate, notent [ts] et [tʃ]).

diadème n. m. **1.** Bandeau de tête qui, dans l'Antiquité, était l'insigne de la royauté. – *Par métaph.* La royauté. **2.** Parure de tête féminine en forme de bandeau, de couronne. *Un diadème de pierres précieuses.*

Diaghilev (Sergheï Pavlovitch, dit Serge de) (près de Novgorod, 1872 – Venise, 1929), organisateur de spectacles russe. De 1909 à sa mort, il dirigea les célèbres Ballets russes : *Petrouchka* de Stravinski (1911), *Daphnis et Chloé* de Ravel (1912), *Jeux* de Debussy (1913), *le Sacre du printemps* de Stravinski (1913), etc. Il découvrit Nijinski.

diagnostic [djagnɔstik] n. m. Acte par lequel le médecin, en groupant les symptômes et les données de l'examen clinique et des divers autres examens, les rattache à une maladie bien identifiée. ▷ *Par ext.* Évaluation d'une situation donnée, jugement porté sur telle conjoncture, tel ensemble de circonstances.

diagnostique adj. Didac. Qui a rapport au diagnostic. *Signes diagnostiques.*

diagnostiquer [djagnɔstike] v. tr. [1] Faire le diagnostic de. *Le médecin a diagnostiqué un cancer.* ▷ Par ext. *Cet expert a diagnostiqué des erreurs de gestion.*

diagonal, ale, aux adj. Qui joint deux angles opposés. *Ligne diagonale.* ▷ MATH *Matrice diagonale,* dont tous les éléments sont nuls sauf ceux de la diagonale.

diagonale n. f. **1.** Segment de droite reliant deux sommets non consécutifs d'un polygone. **2.** Loc. adv. *En diagonale* : suivant la diagonale, en biais. *Il traversa le carrefour en diagonale.* ▷ Fig., fam. *Lire en diagonale,* rapidement et superficiellement.

diagonalement adv. En diagonale.

diagramme n. m. **1.** Représentation graphique de la variation d'une grandeur. *Diagramme de température.* Syn. Courbe, graphique. **2.** Dessin géométrique sommaire représentant les parties d'un ensemble et leur position les unes par rapport aux autres. – BOT *Diagramme floral :* schéma indiquant le nombre, les positions et les rapports des pièces florales (vues par l'ouverture du périanthe).

diagraphe n. m. Instrument composé de miroirs ou de prismes, et qui permet de reproduire l'image d'un objet sans connaissances spéciales en dessin.

dialcool [dialkɔl] n. m. CHIM Composé possédant deux fonctions alcool. Syn. glycol.

dialectal, ale, aux adj. D'un dialecte. *Forme dialectale.*

dialecte n. m. Manière de parler une langue, particulière à une province, une région. *Dialecte picard.*

dialecticien, enne n. Personne qui utilise la dialectique ou qui discute habilement.

dialectique n. f. **I.** PHILO **1.** Chez Platon, art de la discussion, du dialogue, considéré comme le moyen de s'élever des connaissances sensibles aux Idées. ▷ Chez Aristote, logique du probable (par oppos. à *analytique*). **2.** Au Moyen Âge, logique formelle (par oppos. à *rhétorique*). *La dialectique, la rhétorique et la grammaire formaient la division inférieure des arts enseignés dans les universités.* **3.** Chez Kant, « logique de l'apparence », celle de la pensée qui, voulant se libérer de l'expérience, tombe dans les antinomies. **4.** Chez Hegel, progression de la pensée qui reconnaît l'inséparabilité des contradictoires *(thèse* et *antithèse),* puis découvre un principe d'union *(synthèse)* qui les dépasse. ▷ adj. *Démarche dialectique.* **5.** Chez Marx, mouvement progressif de la réalité qui évolue (comme la pensée chez Hegel) par le dépassement des contradictions. ▷ adj. *Mouvement dialectique de l'histoire. Matérialisme dialectique.* **II.** Cour. Manière de discuter, d'exposer, d'argumenter. *Une dialectique serrée.*

S. de **Diaghilev,** assis face à I. Stravinsky ; J. Cocteau et E. Satie ; dessin, 1917

dialectiquement adv. Selon les formes de la dialectique. *Raisonner dialectiquement.*

dialectologie n. f. LING Étude, science des dialectes.

dialogique adj. LITTER En forme de dialogue. *Écrit dialogique.*

dialogue n. m. **1.** Entretien, conversation entre deux personnes. **2.** Ensemble des paroles échangées entre les personnages d'une pièce de théâtre, d'un film. *Le scénario est bon, mais le dialogue est vulgaire.* **3.** Composition littéraire ayant la forme d'une conversation entre deux ou plusieurs personnes. *Les dialogues de Platon.*

dialoguer v. [1] **1.** v. intr. Converser avec un interlocuteur. **2.** v. tr. Mettre sous forme de dialogue. *Dialoguer un roman.*

dialoguiste n. Auteur du dialogue d'un film.

dialypétale adj. et n. f. pl. BOT Se dit d'une fleur dont les pétales sont libres les uns par rapport aux autres. Ant. gamopétale. ▷ n. f. pl. Ordre d'angiospermes dont les fleurs sont dialypétales. – Sing. *Une dialypétale.*

dialyse n. f. **1.** CHIM Procédé de séparation des corps colloïdaux par diffusion à travers des parois semi-perméables. **2.** MED Procédé thérapeutique d'épuration extra-rénale (parfois dit *rein artificiel*), qui permet d'éliminer les toxines et l'eau contenues en excès dans le sang. – *Dialyse péritonéale :* méthode d'épuration sanguine par diffusion à travers la cavité péritonéale.

dialysépale [djalisepal] adj. BOT Se dit des fleurs dont le calice porte des sépales séparés. Ant. gamosépale.

dialyser v. tr. [1] **1.** CHIM Préparer ou purifier une substance par dialyse. **2.** MED *Dialyser un malade,* le soumettre à une dialyse (sens 2).

dialyseur n. m. CHIM Appareil servant à effectuer la dialyse.

diamant n. m. **1.** Variété de carbone pur cristallisé dans le système cubique, caractérisé par une extrême dureté. *Le diamant est une pierre précieuse. Diamant blanc-bleu.* **2.** Bijou orné d'un diamant. *Offrir un diamant.* **3.** TECH Outil servant à couper le verre. **4.** Fig., litt. Ce qui brille comme un diamant. *Les diamants de la rosée.*

ENCYCL La dureté exceptionnelle du diamant est due aux liaisons de covalence qui unissent ses atomes. Le diamant a une densité de 3,5 ; il est clivable. On distingue 3 variétés : le *bort,* transparent, mais comportant de nombreux défauts et que l'on utilise pour tailler le verre et les minéraux ; le *carbonado,* diamant noir utilisé pour le forage des roches ; le *diamant transparent de joaillerie,* que l'on taille à facettes après clivage, les nombreux feux qu'il jette étant dus à son indice de réfraction très élevé (2,40 à 2,46), et que l'on caractérise par son *eau* (couleur, transparence), et par son poids, exprimé en *carats.* Borts, carbonados et diamants de synthèse sont utilisés dans la construction de meules, d'appareils de forage (trépan), etc.

Diamant (cap), promontoire du Canada, au confl. du Saint-Laurent et de la riv. Saint-Charles, où fut fondé Québec.

diamantaire adj. et n. m. **1.** adj. Qui a l'éclat du diamant. *Roche diamantaire.* **2.** n. m. Ouvrier qui taille les diamants. – Négociant en diamants.

diamanté, ée adj. **1.** Garni d'une pointe de diamant ou d'iridium. **2.** *Éclat diamanté,* rappelant celui du diamant.

diamanter v. tr. [1] **1.** Orner de diamants. ▷ Garnir d'une pointe de diamant. **2.** Faire briller comme un diamant.

diamantifère adj. Didac. Qui contient du diamant.

diamantin, ine adj. Qui a la dureté ou l'éclat du diamant. Syn. adamantin.

diamétral, ale, aux adj. Qui appartient au diamètre ; qui passe par le diamètre.

diamétralement adv. **1.** GEOM Dans le sens du diamètre. *Points diamétralement opposés.* **2.** Cour., fig. *Avis, points de vue diamétralement opposés,* absolument, radicalement opposés.

diamètre n. m. **1.** GEOM Segment de droite joignant deux points d'un cercl d'une sphère, et passant par le centre. **2.** *Par ext.* Segment de droite de plus grande longueur reliant deux points d'une courbe ou d'une surface fermée. ▷ *Diamètre d'un objet cylindrique ou sphérique,* sa plus grande largeur ou grosseur. **3.** PHYS *Diamètre apparent d'un objet,* angle sous lequel il est vu.

diamide n. f. CHIM Composé qui possède deux fois la fonction amide.

diamine n. f. CHIM Composé qui possède deux fois la fonction amine.

Diamir. V. Nānga Parbat.

Diana (Spencer, princesse de Galles, dite *Lady Di*) (Sandringham, 1961 – Paris, 1997). Épouse de Charles, prince de Galles (1981), divorcée (1996), elle fut tuée dans un accident d'automobile.

diane n. f. Anc. Batterie de tambour ou sonnerie de clairon pour éveiller les soldats. *Sonner la diane.*

Diane, par Jean Antoine Houdon, bronze ; musée du Louvre

)iane, divinité italique de la nature auvage, assimilée par les Romains à Artémis grecque ; fille de Jupiter et de .atone, sœur d'Apollon, Diane est la 'éesse de la Chasse.

)iane de France ou **Diane de 'alois** (en Piémont, 1538 – Paris, 619), fille légitimée d'Henri II ; épouse u duc de Castro, puis du maréchal rançois de Montmorency (1559). Penant les guerres de Religion, sa modéation exerça une réelle influence.

)iane de Poitiers, duchesse de alentinois (?, 1499 – Anet, 1566). pouse de Louis de Brézé, puis favorite Henri II, sur qui elle eut une grande ıfluence. Après la mort du roi, elle se ɛtira au château d'Anet, construit pour 'le par Philibert Delorme. ► illustr. age **550**

iantre ! interj. Vieilli, plaisant Diable uron). – Dans une interrogation, ıarque l'étonnement. *Que diantre ɹulez-vous ?*

iapason n. m. MUS **1.** Étendue des ɹns que peut parcourir une voix ou un strument, de la note la plus grave à la us aiguë. **2.** Petit instrument composé une lame d'acier recourbée et qui, ıis en vibration, produit la note *la.* **3.** *Se mettre au diapason de qqn,* adopter même ton, la même attitude que lui.

iaphane adj. Qui se laisse traverser ır la lumière sans permettre de distinıer nettement les formes. *Une brume aphane.* Syn. translucide. – Fig. *Un visage aphane,* à la carnation délicate.

diaphanoscopie n. f. MED Méthode d'examen de certaines parties du corps utilisant l'éclairage par transparence.

diaphragmatique adj. ANAT Du diaphragme. *Hernie diaphragmatique.*

diaphragme n. m. **1.** ANAT Muscle transversal qui sépare le thorax de l'abdomen, et qui joue un rôle très important dans la respiration (traversé par l'aorte, l'œsophage et la veine cave inférieure, il est innervé par les nerfs phréniques). **2.** Préservatif féminin constitué d'une membrane en caoutchouc souple oblitérant le fond du vagin. **3.** SC NAT Cloison qui sépare un fruit capsulaire. **4.** TECH Cloison extensible, percée d'un orifice, que l'on place à l'intérieur d'une canalisation ou d'un appareil (pour réduire ou mesurer un débit, limiter les faisceaux lumineux traversant un instrument d'optique, etc.). *Diaphragme d'un appareil photo.* **5.** Membrane élastique. *Pompe à diaphragme.* **6.** Cloison étanche (séparant les ergols dans un réservoir, par ex.).

diaphragmer v. [1] **1.** v. tr. TECH Munir d'un diaphragme. **2.** v. intr. Régler l'ouverture d'un appareil photographique en agissant sur le diaphragme.

diaphyse n. f. ANAT Partie d'un os long comprise entre ses deux extrémités *(épiphyses).*

diaporama n. m. **1.** Projection de diapositives (constituant un spectacle, un moyen publicitaire ou pédagogique). **2.** Séquence d'images fixes d'un CD-Rom.

diapositive n. f. Épreuve photographique positive sur support transparent, destinée à être regardée par transparence ou projetée.

diaprer v. tr. [1] Litt. Nuancer de plusieurs couleurs.

diaprure n. f. Litt. État de ce qui est diapré, variété de couleurs.

diariste n. Auteur d'un journal intime.

diarrhée [djaʀe] n. f. Évacuation fréquente de selles liquides.

diarrhéique [djaʀeik] adj. Relatif à la diarrhée. *Selles diarrhéiques.*

diarthrose n. f. ANAT Articulation présentant des surfaces articulaires mobiles les unes sur les autres (ex. : le coude et le genou).

Dias (Bartolomeu) (en Algarve, v. 1450 – au large de Bonne-Espérance, 1500), navigateur portugais. Il doubla, le premier, en 1487, le cap des Tempêtes (auj. *de Bonne-Espérance).*

diaspora n. f. **1.** *La Diaspora* : dispersion des Juifs, au cours des siècles, hors du territoire de leurs ancêtres. **2.** Dispersion d'une ethnie quelconque. *La diaspora tsigane.*

diasporique adj. D'une diaspora.

diastase n. f. Syn. anc. de *enzyme.*

diastole n. f. PHYSIOL Période de repos du cœur, pendant laquelle les ventricules se remplissent et se dilatent sous l'effet de l'afflux sanguin. *La diastole succède à la systole.*

diastolique adj. Relatif à la diastole.

diathèque n. f. Collection de diapositives.

diathermie n. f. MED Procédé thérapeutique qui utilise les courants de haute fréquence pour produire des effets thermiques dans la profondeur des tissus.

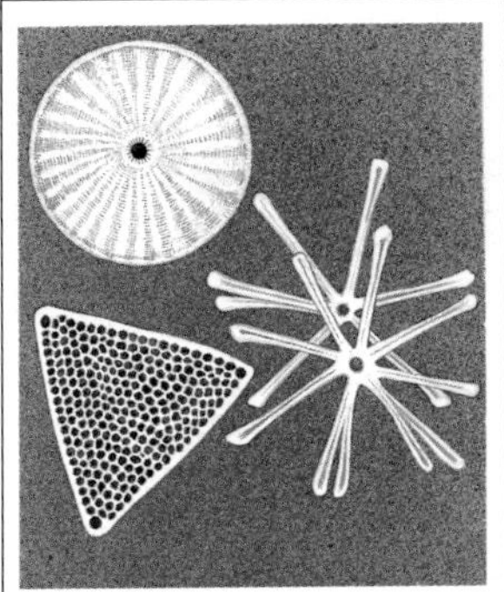

diatomées : à g. de haut en bas, *Arachnoïdiscus Ehrenbergi, Asterionella formosa ;* à dr., *Triceratium favus*

diatomées n. f. pl. BOT Classe d'algues brunes unicellulaires enfermées dans une coque siliceuse (frustule) formée de deux pièces évoquant une boîte et son couvercle. *Les diatomées sont fréquentes dans le plancton.* – Sing. *Une diatomée.*

diatonique adj. MUS Qui procède par succession naturelle des tons et demi-tons de la gamme (par oppos. à *chromatique*).

diatribe n. f. Critique amère et virulente. *Prononcer une diatribe contre qqn.*

Díaz (Porfirio) (Oaxaca, 1830 – Paris, 1915), homme politique mexicain. Il combattit l'empereur Maximilien. Président de la République (1876-1880 et 1884-1911), il établit un régime dictatorial et développa l'écon. du pays avec l'aide des capitaux américains.

Diaz (Armando) (Naples, 1861 – Rome, 1928), maréchal italien. Commandant en chef de l'armée italienne en 1917-1918, il vainquit les Autrichiens (Vittorio Veneto, 1918).

Diaz de la Peña (Narcisse) (Bordeaux, 1807 – Menton, 1876), peintre français de l'école de Barbizon (paysages de la forêt de Fontainebleau).

diazo-. CHIM Préfixe désignant le groupement –N=N– dans une molécule.

Dib (Mohammed) (Tlemcen, 1920), écrivain algérien d'expression française. D'abord romancier populiste (*la Grande Maison,* 1952 ; *l'Incendie,* 1954 ; *le Métier à tisser,* 1957), il adopte par la suite un style qui le rapproche du « nouveau roman » (*le Maître de chasse,* 1973 ; *Habel,* 1977). Il est également poète (*Ombre gardienne,* 1961) et auteur dramatique.

dibranches ou **dibranchiaux** n. m. pl. ZOOL Sous-classe de céphalopodes possédant deux branchies. – Sing. *Un dibranche* ou *un dibranchial.*

dichotomie [dikɔtɔmi] n. f. **1.** Didac. Opposition entre deux choses. *La dichotomie entre recherche fondamentale et recherche appliquée.* **2.** BOT Mode de ramification par bifurcations successives, donnant deux ramifications de même taille. **3.** Pour un médecin, fait de toucher une part des honoraires du chirurgien ou du laboratoire d'analyses auquel il adresse un malade. *La dichotomie est une pratique illicite.* **4.** LOG Division d'un genre en deux espèces qui en recouvrent l'extension.

Diane de Poitiers Charles **Dickens**

dichotomique [dikɔtɔmik] adj. Didac. Qui se divise de deux en deux. *Division dichotomique.*

dichroïsme [dikʀɔism] n. m. PHYS Propriété que possèdent certains corps de présenter une coloration différente selon la direction de l'observation.

dicibilité n. f. Didac. Caractère de ce que l'on peut exprimer.

dicible adj. Litt. Qui peut être exprimé.

Dickens (Charles) (Landport, Portsmouth, 1812 - Gadshill, Rochester, 1870), écrivain anglais. Autodidacte, il conserva intactes la sensibilité et la générosité de la classe moyenne dont il était issu, se faisant le défenseur des humbles et des misérables. Son œuvre procède de tous les genres : réaliste, satirique, psychologique, moralisant, humoristique (*les Aventures de M. Pickwick,* 1837). Romans : *Olivier Twist* (1838), *Nicolas Nickleby* (1839), *le Magasin d'antiquités* (1840), *Martin Chuzzlewit* (1843), *Dombey et Fils* (1848), *David Copperfield* (1849), *les Temps difficiles* (1854), *les Grandes Espérances* (son chef-d'œuvre, 1861).

Dickinson (Emily) (Amherst, Massachusetts, 1830 - id., 1886), poétesse américaine. Elle a écrit, dans une retraite provinciale, avec humour et sensibilité, des centaines de petits poèmes sur la nature, l'amour, l'au-delà, publiés à titre posthume.

dicline adj. BOT Se dit d'une fleur unisexuée, ou d'une plante portant de telles fleurs.

dico n. m. Fam. Dictionnaire.

dicotylédone n. f. et adj. BOT *Les dicotylédones :* sous-classe d'angiospermes comprenant toutes les plantes dont la graine renferme un embryon à deux cotylédons. ▷ adj. *Une plante dicotylédone.*

dictateur n. m. **1.** ANTIQ ROM Magistrat extraordinaire investi pour une brève durée de pouvoirs illimités. **2.** Homme politique qui exerce un pouvoir absolu, sans contrôle.

dictatorial, ale, aux adj. **1.** D'un dictateur, d'une dictature. *Pouvoir dictatorial.* **2.** Impérieux, tranchant. *Parler sur un ton dictatorial.*

dictature n. f. **1.** ANTIQ ROM Pouvoir, dignité du dictateur; temps pendant lequel s'exerce ce pouvoir. **2.** Pouvoir absolu, sans contrôle. ▷ POLIT *Dictature du prolétariat :* chez Marx, première étape de l'évolution vers le socialisme, destinée à l'élimination définitive de la bourgeoisie, et pendant laquelle le pouvoir est exclusivement exercé par le prolétariat. **3.** Fig. *La dictature de la mode.*

dictée n. f. **1.** Action de dicter. *Écrire sous la dictée.* - Fig. *Elle agissait sous la dictée de son ressentiment.* **2.** Exercice scolaire consistant à dicter à des écoliers un texte qu'ils doivent orthographier correctement. - Le texte dicté lui-même. *Dictée sans faute.*

dicter v. tr. [1] **1.** Prononcer lentement, en articulant (des mots, des phrases, etc.) pour qu'une ou plusieurs personnes les écrivent, les prennent en note. *Dicter une lettre à son secrétaire.* **2.** Suggérer, inspirer à qqn ce qu'il doit dire ou faire. *C'est la raison qui doit nous dicter nos actes.* **3.** Imposer. *Le vainqueur dicte ses conditions.*

diction n. f. Manière d'articuler les mots d'un texte, d'un discours. *Cet orateur a une bonne diction.* Syn. élocution, prononciation.

dictionnaire n. m. Ouvrage qui recense et décrit, dans un certain ordre, un ensemble particulier d'éléments du lexique (sens 4). *Dictionnaire médical, étymologique.* - *Dictionnaire de la langue* ou *dictionnaire de langue,* qui décrit le sens, les valeurs, les emplois, etc. des mots d'une langue. *Le dictionnaire de l'Académie française.* - *Dictionnaire bilingue,* qui donne les équivalents des mots et expressions d'une langue dans une autre langue. *Dictionnaire encyclopédique,* qui, outre les descriptions de mots, fournit des développements encyclopédiques consacrés aux objets désignés par les mots.

dictionnairique adj. et n. f. Didac. Du dictionnaire; qui concerne le (les) dictionnaire(s). *La production dictionnairique.* ▷ n. f. Pratique de la rédaction, de l'édition de dictionnaires.

dicton n. m. Phrase passée en proverbe. *Un dicton populaire.* Syn. adage.

dictyoptères n. m. pl. ENTOM Ordre d'insectes des régions chaudes et tempérées comprenant notam. les blattes et les mantes religieuses. - Sing. *Un dictyoptère.*

dictyosome n. m. BIOL Organite cellulaire formé d'une pile d'écailles aplaties (saccules), au nombre de 4 ou 5, qui élabore des polyholosides (sucres) et des protéines. Syn. appareil de Golgi.

didacthèque n. f. Bibliothèque de didacticiels.

didacticiel n. m. INFORM Ensemble des programmes destinés à un enseignement assisté par ordinateur.

didactique adj. et n. f. **I.** adj. **1.** Qui est propre à instruire; qui est destiné à l'enseignement. *Traité didactique.* **2.** Qui appartient au vocabulaire savant (par oppos. au vocabulaire de la langue courante). *Terme didactique. Langue didactique.* **II.** n. f. Théorie et technique de l'enseignement.

didactyle adj. ZOOL Qui possède deux doigts. *L'autruche est didactyle.*

didascalie [didaskali] n. f. Didac. Indications scéniques données par l'auteur, accompagnant le texte d'une œuvre théâtrale.

Didelot (Charles Louis) (Stockholm, 1767 - Kiev, 1837), danseur et chorégraphe français. Il dirigea (1801-1811) le Théâtre-Impérial de Saint-Pétersbourg; son influence fut considérable sur l'école russe de ballets.

Diderot (Denis) (Langres, 1713 - Paris, 1784), écrivain et philosophe français. Déiste dans ses essais philosophiques antérieurs à 1750, puis matérialiste en lutte ouverte avec le christianisme, Diderot attend tout du progrès. Il a élaboré une œuvre complexe, se montrant tour à tour théoricien du théâtre, romancier, critique d'art, essayiste, dramaturge. De 1747 à 1772, il assuma la direction de l'*Encyclopédie,* dont il rédigea de nombreux articles.

Denis **Diderot** **Dioclétien**

Œuvres publiées de son vivant : *Pensées philosophiques* (1746), *les Bijoux indiscrets* (roman licencieux, 1747), *Lettre sur les aveugles à l'usage de ceux qui voient* (1749, essai philosophique qui lui valut trois mois d'incarcération), *Pensées sur l'interprétation de la nature* (1754); des écrits sur le théâtre et deux drames : *le Fils naturel* (1757), *le Père de famille* (1758). Après sa mort, on publia : ses *Salons* (1759-1781), qui inaugurent la critique d'art en France; ses trois princ. romans : *la Religieuse* (1796), *Jacques le Fataliste* (1796) et *le Neveu de Rameau* (trad. all. de Goethe, 1805, retraduit en fr. en 1821; édition d'après manuscrit original, 1891); le *Supplément au voyage de Bougainville* (1796); en 1830, les très importantes *Lettres à Sophie Volland,* le *Paradoxe sur le comédien, le Rêve de d'Alembert* (méditation philosophique).

Didier (m. à Liège ou à Corbie apr. 774), dernier roi des Lombards, de 757 à 774; vaincu à Pavie et détrôné par Charlemagne.

didjeridoo [didʒeʀidu] n. m. Instrument à vent des aborigènes australiens, constitué d'un long tube de bois aux sonorités profondes.

Didon ou **Élissa,** reine légendaire de Tyr. Selon la tradition, elle s'enfuit après que son frère, Pygmalion, eut tué son mari, Sicharbas, et fonda Carthage. Ses amours avec Énée sont contées dans l'*Énéide* de Virgile.

Didot, famille d'imprimeurs-libraires français. – **François Ambroise** (Paris, 1730 - id., 1804) créateur d'un caractère *(didot).* – **Firmin** (Paris, 1764 - Le Mesnil-sur-l'Estrée, Eure, 1836), fils du préc.; graveur et fondeur de caractères. – **Ambroise Firmin** (Paris, 1790 - id., 1876), fils du préc.; savant helléniste, graveur de caractères.

Didymes, anc. ville d'Asie Mineure (Ionie) célèbre pour son temple d'Apollon reconstruit à l'époque hellénistique (IIIᵉ-Iᵉʳ s. av. J.-C), un des plus grands du monde grec.

Die, ch.-l. d'arr. de la Drôme, sur la Drôme; 4 361 hab. Vin blanc champagnisé *(clairette de Die).* - Anc. cath. romane (restaurée au XVIIᵉ s.).

Didymes : temple d'Apollon, chambre des prêtres et escalier

dièdre n. m. **1.** GEOM Figure formée par deux demi-plans issus de la même droite (arête). *Angle d'un dièdre :* intersection d'un dièdre et d'un plan perpendiculaire à l'arête. ▷ adj. *Angle dièdre.* **2.** AVIAT Valeur de l'angle formé par les deux ailes d'un avion, d'un planeur. (Cette valeur est nulle si les ailes sont dans un même plan.)

Diefenbaker (John George) (Newstadt, Ontario, 1895 - Ottawa, 1979), homme politique canadien; leader des conservateurs (1956-1967), Premier ministre de 1957 à 1963.

dieffenbachia [difɛnbakja] n. m. Plante d'appartement (fam. aracées), à grandes feuilles marquées de blanc.

Diego Garcia, île britannique de l'océan Indien (archipel des Chagos), louée en 1974 aux É.-U., qui y ont installé une import. base militaire. L'île Maurice, dont elle dépendait av. 1965, la revendique.

Diégo-Suarez. V. Antsiranana.

diélectrique adj. et n. m. PHYS Se dit d'une substance qui s'oppose au passage du courant électrique.

Diêm. V. Ngô Dinh Diêm.

Diên Biên Phu, site du N. du Viêtnam, dans une petite plaine encaissée, près du Laos. - Après une longue résistance (13 mars-7 mai 1954), les troupes franç. du colonel de Castries, encerclées par les forces du Viêt-minh que commandait Giap, y furent vaincues. Les accords de Genève (juillet) furent conclus après cette défaite.

diencéphale n. m. ANAT Partie du cerveau située entre les deux hémisphères et en avant du cerveau moyen, creusée par le troisième ventricule.

diène n. m. CHIM Hydrocarbure dont la molécule contient deux doubles liaisons entre les atomes de carbone.

Dieppe, ch.-l. d'arr. de la Seine-Maritime, sur la Manche; 36 600 hab. Actif port de pêche, de voyageurs (vers Newhaven) et de commerce (bananes). Industries métall. et méca.; constr. navales. Import. stat. baln. - La ville fut endommagée par un raid anglo-canadien en 1942. - Églises St-Jacques (XIIIe-XVIe s.), St-Rémy (XVIe-XVIIe s.). Château (XIVe au XVIIe s.).

dieppois, oise adj. et n. De Dieppe.

diérèse n. f. **1.** PHON Division d'une diphtongue en deux syllabes. **2.** CHIR Séparation de tissus organiques dont la continuité pourrait être nuisible.

diergol n. m. Syn. de *biergol.*

dièse n. m. MUS Signe d'altération (#) qui indique que le son de la note devant laquelle il est placé est élevé d'un demi-ton. - adj. *Un fa dièse.*

diesel n. m. Moteur à combustion interne fonctionnant avec des combustibles lourds (gazole en partic.). - (En appos.) *Moteur Diesel.*

Diesel (Rudolf) (Paris, 1858 - au cours d'une traversée de la Manche, 1913), ingénieur allemand; inventeur du moteur qui porte son nom (1897).

diéséliser v. tr. [**1**] Équiper de diesels.

diéséliste n. Spécialiste des diesels.

diéser v. tr. [**14**] MUS Marquer d'un dièse.

dies irae [djɛsiʀe] n. m. (Lat., «jour de colère».) LITURG Hymne latin de la messe des morts, qui commence par ces mots; air sur lequel il est chanté.

diester n. m. (Nom déposé) TECH Biocarburant élaboré principalement à partir d'huile de colza.

1. diète n. f. **1.** MED Régime alimentaire prescrit dans un but thérapeutique. **2.** Cour. Privation d'aliments solides imposée à un malade. *Être à la diète.*

2. diète n. f. **1.** HIST Assemblée politique où l'on réglait les affaires publiques dans certains pays. *Charles Quint fit comparaître Luther devant la diète d'Augsbourg.* **2.** Assemblée de certains ordres religieux.

diététicien, enne n. Spécialiste de la diététique.

diététique n. f. et adj. **1.** n. f. Branche de l'hygiène qui traite de l'alimentation. **2.** adj. Relatif à l'alimentation. ▷ Cour. Se dit d'une alimentation saine, équilibrée, pauvre en calories. *Un menu diététique.*

diéthylstilbestrol ou **diéthylstilbœstrol** [djetilstilbɛstʀɔl] n. m. CHIM, ELEV Œstrogène de synthèse utilisé comme anabolisant dans l'élevage du bétail (interdit en Europe).

Dietikon, com. de Suisse (canton de Zurich); 21 330 hab. Métall.; textile.

Dietrich (Maria Magdalena von Losch, dite Marlène) (Berlin, 1901 - Paris, 1992), comédienne et chanteuse américaine d'origine allemande. Révélée par *l'Ange bleu* de Sternberg (1930), elle fascina par sa voix rauque et fut le type parfait de la femme fatale (*Shanghai Express,* 1932; *l'Impératrice rouge,* 1934).

Marlène **Dietrich** dans *l'Ange bleu* de Sternberg, 1930

dieu n. m. **1.** L'Être suprême, créateur et conservateur de l'univers, adoré dans les diverses religions monothéistes (en ce sens, s'écrit avec une majuscule, et n'a pas de pluriel). *La crainte de Dieu. Le Dieu des armées. Le bon Dieu.* ▷ Loc. RELIG CATHOL *Le bon Dieu :* l'hostie consacrée, le viatique. *Porter le bon Dieu à un malade.* - Loc. fam. *On lui donnerait le bon Dieu* (la communion) *sans confession :* se dit d'une personne d'apparence trompeusement innocente. ▷ Loc. *Dieu m'en garde! À Dieu ne plaise! :* puisse cela ne pas m'arriver, se produire. - (Appuyant une demande, une prière instante.) *Faites-le, pour l'amour de Dieu, au nom de Dieu.* - (Appuyant ce qu'on affirme ou ce qu'on nie.) *Dieu sait si nous avons souhaité ce moment! Dieu sait que j'y suis opposé!* - (Exprimant l'incertitude, le doute.) *Il arrivera Dieu sait quand. Dieu seul sait maintenant où il est.* ▷ (Exclamatif) *Dieu! Mon Dieu! Grand Dieu!* - (Jurons) *Nom de Dieu! Mais bon Dieu! faites donc attention!* **2.** Être surhumain adoré dans les religions polythéistes et supposé présider à certaines catégories de phénomènes (en ce sens, s'écrit avec une minuscule, et possède un pluriel : *dieux). Les dieux de l'Olympe. Mars, dieu de la Guerre.* ▷ Fig., fam. *Promettre, jurer ses grands dieux :* affirmer avec de grands serments. ▷ *Faire son dieu de qqn,* lui vouer une vénération profonde. ▷ *Être beau comme un dieu,* très beau. *Skier comme un dieu,* à la perfection.

Dieudonné (Jean) (Lille, 1906 - Paris, 1992), mathématicien français. Membre fondateur du groupe Nicolas Bourbaki, il est connu pour ses travaux sur la topologie.

diffa [difa] n. f. Réception, accompagnée d'un festin, offerte aux hôtes de marque en Afrique du Nord.

diffamant, ante adj. Dit ou fait pour diffamer. *Des propos diffamants.*

diffamateur, trice n. (et adj.) Personne qui diffame.

diffamation n. f. **1.** Action de diffamer. *La diffamation est un délit.* **2.** Acte diffamatoire. *Ce discours est une diffamation.*

diffamatoire adj. Qui a pour but de diffamer. *Libelle, placard diffamatoire.*

diffamer v. tr. [**1**] Attaquer l'honneur, la réputation de. *Diffamer ses adversaires.*

Differdange, v. du Luxembourg, sur la Chiers; 16 730 hab. Minerai de fer. Sidérurgie.

différé, ée adj. et n. m. **1.** adj. Ajourné. *Paiement différé.* **2.** n. m. AUDIOV Procédé consistant à enregistrer une émission et à la diffuser ultérieurement. *Le match de football sera retransmis en différé.* Ant. direct.

différemment [difeʀamɑ̃] adv. D'une manière différente.

différence n. f. **1.** Ce qui distingue une chose, une personne d'une autre. *Différence d'âge.* **2.** Excès d'une quantité sur une autre; résultat de la soustraction. *La différence entre 30 et 20 est 10. - Différence de deux ensembles A et B :* ensemble constitué par les éléments de A qui n'appartiennent pas à B. ▷ FIN Solde d'une opération de Bourse dans un marché à terme. ▷ ELECTR *Différence de potentiel :* tension (abrév. : d.d.p.).

différenciateur, trice adj. Qui différencie. *Élément différenciateur.*

différenciation n. f. **1.** Action de différencier; fait de se différencier. *L'activité professionnelle est un facteur important de différenciation sociale.* **2.** BIOL Acquisition (par les cellules d'un être vivant) de certains caractères selon leurs fonctions.

différencier v. tr. [**2**] **1.** Distinguer, marquer la différence entre. *Différencier ces deux nuances est difficile.* **2.** MATH V. différentier. **3.** v. pron. Se distinguer par un ou des caractères dissemblables. *Ces deux fleurs se différencient par leur parfum.* ▷ BIOL Subir la différenciation.

différend n. m. Opposition, désaccord. *Un vif différend les sépare.*

différent, ente adj. Dissemblable, distinct. *Ce mot a des sens différents.* ▷ Plur. (Devant le nom.) Divers, plusieurs. *Différentes personnes m'ont confirmé l'histoire.*

différentiation n. f. MATH Calcul d'une différentielle.

1. différentiel, elle adj. **1.** Qui constitue une différence. *Caractères différentiels.* ▷ COMM *Tarif différentiel,* qui diminue à mesure que le poids ou la distance augmente. **2.** Se dit d'appa-

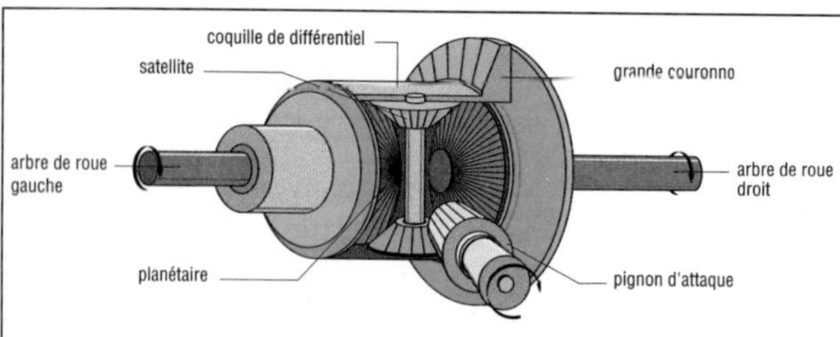

le pignon entraîne la grande couronne qui transmet le mouvement aux planétaires, donc aux arbres de roues, dont la différence de vitesse est permise par les satellites

différentiel

reils servant à mesurer des différences. *Compteur différentiel.* **3.** MATH *Calcul différentiel*, dont l'objet est l'étude des variations infinitésimales des fonctions.

2. différentiel n. m. TECH Organe permettant la transmission d'un mouvement de rotation à deux arbres qui peuvent tourner à des vitesses différentes.

différentielle n. f. MATH Fonction linéaire qui fait correspondre à un nombre p le nombre q = df (p) = pf' (x). (Si la fonction dérivable f(x) est égale à y, on peut écrire dy = f'(x)dx.)

différentier v. tr. [2] MATH Calculer la différentielle d'une fonction. (On écrit aussi *différencier.*)

1. différer v. intr. [14] Être différent. *Il diffère de son frère par le caractère. Couleurs qui diffèrent.*

2. différer v. tr. [14] Retarder, remettre à plus tard. *Différer son voyage.*

difficile adj. (et n.) **1.** Qui donne de la peine, des efforts; qui cause des soucis. *Un chemin difficile. Une situation difficile.* **2.** Exigeant, délicat. *Être très difficile pour la nourriture.* ▷ Subst. *Faire le (la) difficile* : se montrer exigeant.

difficilement adv. Avec peine. *S'exprimer difficilement.*

difficulté n. f. **1.** Caractère de ce qui est difficile. *Mesurer la difficulté d'une entreprise.* Ant. facilité. ▷ *En difficulté* : dans une situation délicate. **2.** Chose difficile; obstacle, empêchement. *Il a dû surmonter de grosses difficultés.* **3.** Objection, contestation. *Faire des difficultés.*

difficultueux, euse adj. **1.** Vieilli Qui fait des difficultés. *Personne difficultueuse.* **2.** *Abusiv.* Qui présente de nombreuses difficultés. *Une entreprise difficultueuse.*

diffluer v. intr. [1] Se répandre, s'épancher de divers côtés.

difforme adj. Qui n'a pas la forme qu'il devrait avoir; contrefait, disproportionné, mal bâti. *Un visage difforme.*

difformité n. f. Défaut dans la conformation, les proportions. *Souffrir d'une difformité.*

diffracter v. tr. [1] Produire la diffraction de.

diffraction n. f. PHYS Modification de la direction de propagation d'une onde au voisinage d'un obstacle et notam. quand elle traverse une ouverture. *Diffraction lumineuse, acoustique.*

diffus, use adj. **1.** Répandu, renvoyé dans toutes les directions. *Lumière, chaleur diffuse.* **2.** (À propos d'un discours.) Imprécis et délayé. *Exposé diffus.* – Par ext. *Orateur diffus.* **3.** MED Qui n'est pas circonscrit. *Phlegmon diffus.*

diffusable adj. Qui peut être diffusé, transmis. *Cette nouvelle n'est pas diffusable.*

diffuser v. tr. [1] **1.** Répandre dans toutes les directions. *Les corps mats diffusent la lumière.* **2.** Transmettre sur les ondes. *La radio diffuse un concert.* **3.** Répandre dans le public. *Les journaux ont diffusé la nouvelle.* ▷ COMM Vendre ou distribuer gratuitement au public (journaux, livres, disques ou films).

diffuseur n. m. **1.** TECH Appareil permettant d'effectuer la diffusion, la dialyse, la macération, la dissolution d'une substance dans une autre. *Diffuseur de parfum.* **2.** Appareil captant ou renvoyant une onde acoustique de façon irrégulière. ▷ Appareil d'éclairage qui donne une lumière diffuse. **3.** COMM Personne, société qui diffuse (journaux, livres, disques ou films) dans le public. *Un diffuseur de presse.*

diffusible adj. Qui peut être diffusé. *Une substance diffusible.*

diffusion n. f. **1.** Action de diffuser; fait de se propager, de se répandre. *La diffusion de la lumière, des connaissances.* **2.** CHIM Transfert de matière tendant à égaliser le potentiel chimique des différents éléments d'un système. (Il se produit rapidement dans les gaz, lentement dans les liquides, et très lentement dans les solides.) **3.** PHYS NUCL *Séparation isotopique par diffusion gazeuse* : procédé permettant d'enrichir l'uranium naturel en isotope 238, fondé sur le fait que la vitesse de diffusion d'un gaz à travers un écran poreux est inversement proportionnelle à la racine carrée de sa masse molaire. **4.** Radiodiffusion. *La diffusion d'un concert en stéréophonie.* **5.** COMM Action de diffuser; son résultat. ▷ Nombre d'exemplaires distribués d'une publication.

digamma n. m. Sixième lettre de l'alphabet grec archaïque, notant le son [w].

digérer v. tr. [14] **1.** Faire l'assimilation des aliments. *Il ne digère pas les œufs.* **2.** Fig. Assimiler intellectuellement. *Digérer ses lectures.* **3.** Fig., fam. Endurer, accepter sans rien dire. *Digérer un affront.* – Pp. adj. *Reproche mal digéré.*

digest [diʒɛst] n. m. (Anglicisme) Résumé d'un livre, d'un article; revue spécialisée dans la publication de tels résumés.

digeste adj. Facile à digérer. *Un mets digeste.*

digestibilité n. f. Caractère de ce qui est digestible.

digestible adj. Qui peut être digéré.

digestif, ive adj. et n. m. **1.** adj. Qui concourt à la digestion. *Suc digestif.* ▷ ANAT *Appareil digestif* : ensemble des organes dont la fonction est la digestion. **2.** n. m. Liqueur, alcool que l'on boit à la fin du repas. Il est déconseillé de prendre un digestif avant de conduire.

ENCYCL Chez l'homme, l'appareil digestif comprend : le tube digestif, parcouru par le bol alimentaire (pharynx, œsophage, estomac, intestin grêle et gros intestin); les organes dont les actions métaboliques et les sécrétions

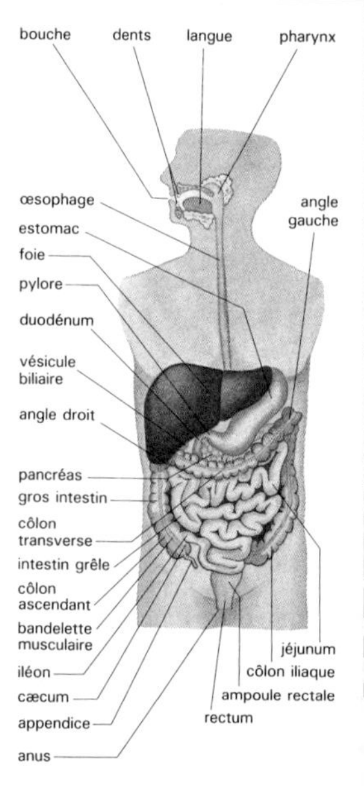

appareil **digestif**

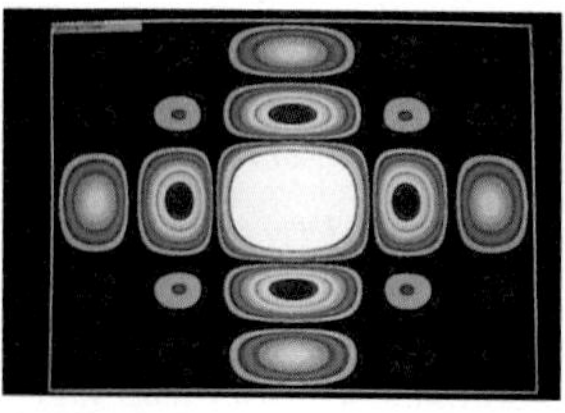

simulation des figures de diffraction obtenues en faisant passer un faisceau lumineux à travers une ouverture rectangulaire (à g.) ou circulaire (à dr.); une échelle conventionnelle de couleurs (noir... bleu... rouge... blanc) figure des intensités lumineuses croissantes

diffraction

jouent un rôle dans la digestion (foie, pancréas, voies biliaires).

digestion n. f. **1.** Ensemble des processus physiologiques concourant à la transformation des aliments, permettant leur assimilation par l'organisme. *Avoir une bonne digestion.* **2.** PHARM Macération à chaud d'une substance dans un dissolvant.

digi(t)-, digiti-, digito-. Élément, du lat. *digitus,* « doigt ».

digicode n. m. Appareil électromécanique commandant l'ouverture d'une porte et qui fonctionne à l'aide d'un clavier sur lequel on compose un code d'accès.

digit [diʒit] n. m. (Anglicisme) INFORM Symbole graphique représentant un caractère numérique dans un système de numération donné, et servant à représenter des données et à transmettre des ordres. – *Digit binaire* : syn. de *bit.*

1. digital, ale, aux adj. Des doigts. *Empreintes digitales.*

2. digital, ale, aux adj. INFORM Syn. (off. déconseillé) de *numérique.* – *Affichage digital,* à variation discontinue, par quantités entières (par oppos. à *affichage analogique*). *Une montre à affichage digital.*

digitale n. f. Scrofulariacée toxique dont les fleurs de diverses couleurs sont en forme de doigt de gant. *La digitale pourprée, ou pourpre, est très commune en France.*

digitale pourpre

digitaline n. f. MED Produit extrait de la digitale pourprée et possédant une action tonicardiaque, très utilisé en thérapeutique.

digitaliser v. tr. [1] INFORM Syn. (off. déconseillé) de *numériser.* – Pp. adj. *Informations digitalisées.*

digité, ée adj. BOT Qui est divisé en forme de doigts. *Une feuille digitée.*

digitigrade adj. et n. m. ZOOL Se dit des vertébrés terrestres dont les doigts constituent la surface d'appui sur le sol. – n. m. *Le chien est un digitigrade* (par oppos. à *plantigrade*).

diglossie n. f. LING État d'un groupe humain ou d'une personne qui pratique deux langues de niveaux socioculturels différents. *La diglossie des Arabes qui emploient l'arabe littéraire et l'arabe parlé. La diglossie du Breton qui parle le français à l'extérieur et le breton en famille.*

digne adj. **1.** Qui a de la dignité, qui inspire le respect. *Un homme très digne.* ⊳ Vieilli (Devant le subst.) Qui mérite de l'estime. *Une digne mère de famille.* **2.** *Digne de* : qui mérite (qqch). *Personne digne de louanges. Attitude digne de mépris.* **3.** *Digne de* : qui est conforme à, qui a les mêmes qualités que (qqch, qqn). *Réponse digne d'un sot. Fils digne de son père.*

Digne-les-Bains (*Digne* jusqu'en 1988), ch.-l. du département des Alpes-de-Haute-Provence, au pied des *Préalpes de Digne*; 17 425 hab. (*Dignois*). Mat. de constr. Marché de la lavande. Stat. thermale (eaux sulfureuses contre les rhumatismes). – Église romane N.-D.-du-Bourg (XIIIe s.). Cathédrale St-Jérôme (fin XVe s.). Évêché.

dignement adv. **1.** Avec dignité. *Il s'en alla dignement.* **2.** Vieilli Comme il convient, justement. *Récompenser dignement qqn.*

dignitaire n. m. Celui qui est pourvu d'une dignité (sens II). *Dignitaire de l'Église.*

dignité n. f. **I. 1.** Respect que mérite qqch ou qqn. *La dignité de sa conduite.* – *Dignité de la personne humaine* : valeur particulière que représente l'humanité de l'homme et qui mérite le respect. **2.** Respect de soi-même. *Il manque de dignité. Avoir sa dignité,* sa fierté. ⊳ Allure grave et fière qui évoque ce respect de soi. *Des manières empreintes de dignité.* **II.** Fonction éminente; haute distinction. *Accéder à la plus haute dignité de l'État.*

digramme n. m. LING Groupe de deux lettres représentant un seul phonème. *« Eu » dans « euphorie » est un digramme.*

digression n. f. **1.** Développement qui s'écarte du sujet traité. *Assez de digressions, allons au fait!* **2.** ASTRO Éloignement apparent d'une planète par rapport au Soleil.

digue n. f. **1.** Construction servant à contenir les eaux marines ou fluviales. **2.** Fig. Ce qui retient. *Les digues rigides des conventions.*

Dijon, ch.-l. du dép. de la Côte-d'Or et de la Rég. Bourgogne, sur l'Ouche et le canal de Bourgogne; 151 936 hab. (env. 230 450 hab. dans l'aggl.). Grand centre ferroviaire. Marché à bestiaux. Presse. Industr. alim. traditionnelles (moutarde, pain d'épice, etc.). Industr. méca. et électron., bioméd. Parc d'attractions. – Cour d'appel; évêché; académie et facultés; musées. Palais des ducs de Bourgogne (presque totalement rebâti à partir de 1682 sur les plans de J. Hardouin-Mansart). Palais de justice (XVe-XVIe s.). Cath. St-Bénigne (XIIIe-XIVe s.). Égl. goth. N.-D. (XIIIe s.). Fbg de la ville : chartreuse de Champmol (*Puits de Moïse,* par Claus Sluter).

dijonnais, aise adj. et n. De Dijon. – Subst. *Un(e) Dijonnais(e).*

diktat [diktat] n. m. Péjor. Convention diplomatique, clause d'un traité imposée par la force. ⊳ Fig. Ce qui est imposé, dicté. *Les diktats de la nature.*

dilacération n. f. Didac. Action de dilacérer; son résultat.

dilacérer v. tr. [14] Didac. Déchirer, mettre en pièces.

dilapidateur, trice adj. et n. Litt. Qui dilapide. – Subst. *Dilapidateur des finances publiques.*

dilapidation n. f. Action de dilapider; son résultat.

dilapider v. tr. [1] Ruiner par des dépenses excessives et désordonnées. *Dilapider sa fortune.* ⊳ Fig. Gâcher, gaspiller. *Dilapider ses heures de loisir.*

dilatable adj. Qui peut se dilater.

dilatateur, trice adj. et n. m. **1.** adj. Qui sert à dilater. – ANAT *Muscles dilatateurs,* qui ont pour fonction de dilater certains organes. **2.** n. m. CHIR Instrument qui sert à agrandir une ouverture, à la tenir béante.

dilatation n. f. Action de dilater ou de se dilater; son résultat. ⊳ MED Augmentation (thérapeutique ou pathologique) du calibre d'un canal ou d'une cavité. *Dilatation des bronches.* ⊳ PHYS Augmentation du volume d'un corps sous l'effet de la chaleur, sans altération de la nature de ce corps.
ENCYCL Les liquides se dilatent plus que les solides. On appelle *coefficient de dilatation linéaire* d'un corps, entre les températures t_o et t_1, l'allongement de ce corps par unité de longueur et par degré d'élévation de température. Il est égal à $1{,}2 \cdot 10^{-5}$ pour l'acier, à $3{,}1 \cdot 10^{-5}$ pour le zinc et à $0{,}9 \cdot 10^{-5}$ pour le verre ordinaire, entre 0 et 100 °C. En première approximation, le *coefficient de dilatation volumique* (accroissement du volume par unité de volume) des gaz ne dépend pas de leur nature spécifique (loi de Gay-Lussac). Pour les gaz parfaits, il est égal à 1/273,15.

dilater v. tr. [1] **1.** Augmenter le volume, la dimension de. *La chaleur dilate les corps.* ⊳ Fig. *La joie dilate le cœur.* **2.** v. pron. S'élargir, augmenter de volume.

dilatoire adj. **1.** Qui procure un délai, vise à gagner du temps. *Moyen dilatoire. Réponse dilatoire.* **2.** DR Qui tend à retarder, à prolonger un procès. *Exception dilatoire.*

dilection n. f. RELIG Amour et tendresse spirituels. *La dilection du prochain.*

dilemme n. m. **1.** Cour. Situation qui donne à choisir impérativement entre deux partis, chacun entraînant des conséquences graves. *Se trouver confronté à un dilemme* (souvent pris abusiv. pour *alternative*). **2.** PHILO Raisonnement présentant en majeure (II, sens 3) une alternative dont les différents termes conduisent à la même conclusion.

dilettante n. Cour. Personne qui exerce une activité pour le plaisir et sans s'y appliquer vraiment. *Faire de la peinture*

Dijon

en dilettante. – Péjor. *C'est un dilettante, on ne peut pas lui confier un travail sérieux.*

dilettantisme n. m. Caractère, attitude du dilettante.

Dili, port de Timor (Indonésie), anc. ch.-l. de la colonie portugaise de Timor; 65 000 hab.

diligemment [diliʒamɑ̃] adv. Avec diligence; rapidement et avec soin.

1. diligence n. f. **1.** Vx Soin, zèle. *Travailler avec diligence.* **2.** Vx ou litt. Rapidité, efficacité dans l'exécution d'une tâche. ▷ Loc. *Faire diligence* : se hâter. **3.** DR Requête. *À la diligence de Monsieur le Procureur.*

2. diligence n. f. Anc. Voiture à chevaux couverte servant au transport des voyageurs.

diligent, ente adj. Vieilli ou litt. **1.** Qui apporte du soin et de l'empressement à ce qu'il fait. *Être diligent dans son travail.* **2.** Qui se hâte. *Aller d'un pas diligent.*

diligenter v. tr. [1] ADMIN, DR Mener avec diligence (V. diligence 1). *Diligenter une affaire.*

Dillon (John) (Blackrock, près de Dublin, 1851 – Londres, 1927), homme politique irlandais. Chef de la Fédération nationale irlandaise en 1896 et du parti nat. irlandais en 1918, il lutta pour l'indép. de l'Irlande, que le Sinn Fein, qui le déborda, obtint finalement (1921).

Dilthey (Wilhelm) (Biebrich, Rhénanie, 1833 – Seis, Tyrol, 1911), philosophe allemand. Il ouvrit la voie à la sociologie et à la psychologie sociale : *l'Essence de la philosophie* (1907); *la Construction du monde de l'histoire dans les sciences de l'esprit* (1910).

diluant, ante adj. et n. m. Qui dilue, qui sert à diluer.

diluer v. tr. [1] Délayer dans un liquide. *Diluer un peu de peinture dans de l'essence.* ▷ Ajouter du solvant à (une solution). ▷ Fig. Affaiblir, atténuer.

dilution n. f. Action de diluer; son résultat.

diluvien, enne adj. Qui a rapport au déluge. *Les eaux diluviennes.* – Par exag. *Des pluies diluviennes,* très abondantes.

diluvium n. m. GEOL Terrain formé au quaternaire par des alluvions fluviales.

dimanche n. m. Septième jour de la semaine, qui suit le samedi, traditionnellement consacré à Dieu et au repos, dans le monde chrétien. *Aller à l'église le dimanche. Nous rentrerons dimanche. Un dimanche de Pentecôte.* ▷ Plaisant *Habits du dimanche,* les plus beaux. ▷ Fam., péjor. *Du dimanche* : amateur ou inexpérimenté. *Un peintre du dimanche.* – *Un chauffeur du dimanche,* qui conduit avec maladresse.

dîme n. f. HIST Prélèvement sur les récoltes au profit de l'Église. *Payer la dîme. Abolition des dîmes en 1789.* – *Par ext.* Impôt.

dimension n. f. **1.** Étendue considérée comme susceptible de mesure. *Les trois dimensions* : longueur, largeur, hauteur. ▷ *La quatrième dimension* : le temps, dans la théorie de la relativité. **2.** Grandeur mesurée par rapport aux unités d'un système défini. *Prendre les dimensions d'une pièce.* **3.** Fig. Grandeur évaluée selon des critères variables d'importance. *Un homme de cette dimension!* – *Voir la dimension internationale d'un événement.*

dimensionnel, elle adj. Relatif aux dimensions.

dimère n. m. CHIM Composé résultant de la combinaison *(dimérisation)* de deux molécules semblables. *N_2O_4 est le dimère de NO_2.*

diminué, ée adj. **1.** Qui a subi une diminution. *Épaisseur diminuée.* ▷ *Bas, tricot diminué,* dont la forme, à certains endroits, est le résultat d'une diminution. **2.** MUS *Intervalle diminué,* qui comporte un demi-ton chromatique de moins que l'intervalle juste ou mineur correspondant. **3.** Affaibli au physique ou au moral. *Il est très diminué depuis son accident.*

diminuendo [diminɥɛndo] adv. MUS En affaiblissant progressivement l'intensité du son.

diminuer v. [1] **I.** v. tr. **1.** Rendre moindre (une grandeur, une quantité). *Diminuer la longueur d'une planche. Diminuer les impôts.* ▷ (S. comp.) Réduire le nombre de mailles (d'un tricot). **2.** Rendre moins fort, modérer. *Son observation diminua mon enthousiasme.* **3.** Déprécier, dénigrer (qqn). *Diminuer ses ennemis.* ▷ v. pron. S'avilir. *Il s'est diminué par cette attitude.* **II.** v. intr. **1.** Devenir moindre. *Les provisions ont diminué.* – *Les jours diminuent,* raccourcissent. **2.** Faiblir. *Son ardeur diminue.* – *Spécial.* (Personnes) S'affaiblir physiquement ou moralement. *Il a bien diminué.*

diminutif, ive adj. et n. m. **1.** adj. LING Qui affaiblit le sens d'un mot ou lui ajoute l'idée de petitesse. *Les suffixes diminutifs dans «gentillet» et «fillette».* **2.** n. m. Cour. Transformation d'un nom ou d'un prénom, exprimant la familiarité ou l'affection. *Jeannot est le diminutif de Jean.*

diminution n. f. Action de diminuer; son résultat. *Une diminution de prix.* ▷ *Spécial.* Réduction, à certains rangs, du nombre de mailles d'un tricot par rapport aux rangs précédents. – Point de tricot employé pour faire des diminutions.

Dimitrov (Georgi) (Radomir, 1882 – Moscou, 1949), homme politique bulgare. Dirigeant du parti communiste bulgare, il dut s'exiler en 1923. Installé en Allemagne, il y fut accusé, à tort, d'avoir participé à l'incendie du Reichstag (1933). Son procès eut un grand retentissement. Expulsé vers l'U.R.S.S., il y fut secrétaire général de la IIIe Internationale (1935-1943). Il fut président du Conseil bulgare de 1946 à sa mort.

Dimitrovgrad (anc. *Rakouski*), v. de Bulgarie, sur la Maritza, au centre d'un import. bassin de lignite; env. 50 000 hab. Prod. chim.; sidérurgie; cimenterie.

Dimitrovo. V. Pernik.

dimorphe adj. **1.** Didac. Qui peut prendre deux formes différentes. **2.** CHIM Qui peut cristalliser dans deux systèmes différents. *Le soufre est dimorphe.*

dimorphisme n. m. Didac. Caractère de ce qui est dimorphe. ▷ SC NAT *Dimorphisme sexuel* : propriété, pour une espèce animale, de présenter d'un sexe à l'autre des caractères morphologiques différents non directement liés à la reproduction (pelage, plumage, etc.).

Dinan, ch.-l. d'arr. des Côtes-d'Armor, sur la Rance; 12 873 hab. Électromécanique. Brasseries. – Remparts (XIIIe-XIVe s.). Chât. de la duchesse Anne (XIVe-XVe s.).

dinanderie n. f. **1.** Fabrication artistique d'objets en cuivre jaune; ces objets. **2.** Production d'objets artisanaux par martelage de feuilles de métal.

dinandier n. m. Vx Fabricant ou marchand de dinanderie.

Dinant, com. de Belgique (Namur), sur la Meuse; 12 110 hab. Objets en cuivre et en laiton coulé («dinanderies»). – La ville fut ravagée en 1914. – Collégiale N.-D. (XIIe-XIVe s.). Citadelle XIe s., reconstruite aux XVIe-XVIIe s. Grottes préhistoriques (mont Fat).

dinar n. m. **1.** Anc. Monnaie d'or arabe. **2.** Unité monétaire d'Algérie, d'Irak, de Jordanie, de Tunisie, etc. V. monnaies (tableau).

Dinard, ch.-l. de cant. d'Ille-et-Vilaine (arr. de Saint-Malo), sur l'estuaire de la Rance; 10 341 hab. Import. stat. baln. – Manoir du Prince Noir (XVe s.). Maisons anciennes.

Dinariques (Alpes ou chaînes), chaînes montagneuses des Balkans (alt. max. 2 527 m), entre les Alpes slovènes au N. et le Rhodope au S., formées de blocs calcaires (le Karst, au N.) ou cristallins.

dînatoire adj. *Goûter dînatoire* : goûter abondant qui tient lieu de dîner.

dinde n. f. **1.** Femelle du dindon. **2.** Fig. Femme stupide, niaise. *C'est une petite dinde!*

dindon n. m. **1.** Gros oiseau de basse-cour (ordre des galliformes), originaire d'Amérique du Nord, dont la tête est pourvue de caroncules érectiles rouges, et dont la queue peut se déployer en éventail. *Dindon qui fait la roue.* – *Spécial.* Le mâle, par oppos. à *dinde.* **2.** Fig. Homme balourd, peu intelligent. *Ce dindon!* ▷ Prov. *Être le dindon de la farce* : être la victime, la dupe, d'une plaisanterie.

dindon

dindonneau n. m. Petit de la dinde. – Jeune dindon.

1. dîner v. intr. [1] **1.** Prendre le repas du soir. *Être invité à dîner.* ▷ Prov. *Qui dort dîne* : le sommeil tient lieu de nourriture. **2.** Vx ou rég. Prendre le repas de midi.

2. dîner n. m. **1.** Repas du soir. *Préparer le dîner. Dîner d'affaires.* **2.** Mets composant ce repas. *Le dîner est servi.* **3.** Vx ou rég. Repas de midi.

dînette n. f. **1.** Simulacre de repas que font les enfants. *Jouer à la dînette.* ▷ *Par ext.* Petit repas intime. **2.** Service de table miniature dont les enfants se servent pour jouer. *Dînette de poupée.*

dîneur, euse n. Convive, à un dîner.

dinghy [diŋgi], plur. **dinghys** ou **dinghies** [diŋgiz] n. m. (Anglicisme)

dinosaures : stégosaure, tyrannosaure et hadrosaure

dionée : les feuilles (munies de lobes ciliés) servent à la capture des insectes

Embarcation de sauvetage pneumatique.

1. dingo n. m. Chien d'Australie (0,50 à 0,60 m au garrot), p.-ê. domestiqué, puis retourné à la vie sauvage, et qui, comme le loup, chasse en meute.

2. dingo adj. et n. inv. en genre Fam. Fou, cinglé. *Elle est complètement dingo.*

dingue adj. et n. Fam. **1.** Fou. *Il est dingue, ce type !* – Subst. *Un(e) dingue.* **2.** Marqué par la démesure, l'excès, l'extravagance, etc. *Une ambiance dingue !*

dinornis [dinɔʀnis] n. m. PALEONT Oiseau ratite fossile du pléistocène, de Nouvelle-Zélande, éteint récemment. *Dinornis robustus* atteignait 3,50 m de haut ; ses ailes étaient réduites à des moignons.

dinosaure ou **dinosaurien** n. m. **1.** PALEONT *Les dinosaures* ou *dinosauriens :* ensemble de reptiles du secondaire (*avipelviens* et *sauripelviens*), pour certains géants, et dont l'extinction a fait l'objet de diverses interprétations. – Sing. *Un dinosaure* ou *un dinosaurien.* **2.** Fig., Fam. *Dinosaure :* personne, institution considérable, comme il n'en existe plus.

dinothérium [dinɔteʀjɔm] n. m. PALEONT Proboscidien du miocène et du pléistocène de l'Ancien Monde (5 m env. au garrot), mandibule munie de deux défenses dirigées vers le sol et courbées vers l'arrière).

diocésain, aine adj. et n. Qui a rapport au diocèse ; qui en fait partie. ▷ Subst. Fidèle appartenant à un diocèse. *L'archevêque s'est adressé à ses diocésains.*

diocèse n. m. **1.** Circonscription ecclésiastique placée sous la juridiction d'un évêque. *Le diocèse de Paris.* **2.** ANTIQ Circonscription administrative de l'Empire romain.

Dioclétien (en lat. *Caius Aurelius Valerius Diocles Diocletianus*) (près de Salone, auj. Split, 245 – id., 313), empereur romain (284-305). Proclamé empereur par ses soldats après la mort de Numérien et du frère de celui-ci, Carin, il gouverna de 285 à 293, confiant l'Occident à l'autorité de Maximien, nommé lui aussi auguste (287). Il organisa ensuite la *tétrarchie :* deux augustes (Dioclétien et Maximien) et deux césars (Galère et Constance Chlore), qui, subordonnés aux premiers, étaient leurs successeurs désignés, Dioclétien conservant une supériorité de fait sur ses associés. Sous son règne, l'autocratie impériale s'amplifia, l'ordre fut maintenu, les envahisseurs repoussés, les frontières consolidées, une réforme monétaire rationalisa l'imposition ; les chrétiens furent violemment persécutés à partir de 303. Dioclétien abdiqua en 305 et obligea Maximien à faire de même. ▶ illustr. page **550**

diode n. f. ELECTRON Composant à deux électrodes et qui redresse le courant alternatif.

Diodore de Sicile (Agyrion, auj. Agirone, Sicile, v. 90 – v. 20 av. J.-C.), historien grec du temps d'Auguste ; auteur de la célèbre *Bibliothèque historique,* histoire universelle dont 15 livres (sur 40) sont parvenus jusqu'à nous.

Diogène le Cynique (Sinope, v. 413 – 327 av. J.-C.), philosophe grec ; le plus célèbre représentant de l'école cynique, qui cherchait la sagesse dans le dénuement. Platon l'appelait « un Socrate en délire » : il vivait, dit la légende, dans un tonneau ; on raconte qu'il alluma en plein jour sa lanterne pour « chercher un homme », et qu'il répondit à Alexandre le Grand qui lui demandait s'il désirait quelque chose : « Oui, que tu t'ôtes de mon soleil. »

Diogène Laërce ou **de Laërte** (Laërte, Cilicie, v. le déb. du IIIᵉ s.), historien grec. Son ouvrage *Vies, doctrines et sentences des philosophes illustres* est précieux pour la connaissance de la philosophie antique.

dioïque adj. BOT Se dit des plantes (chanvre, houblon, certains fucus, etc.) chez lesquelles les fleurs mâles et les fleurs femelles se trouvent sur des pieds séparés. Ant. monoïque.

Diois, massif des Préalpes du S., drainé par la Drôme, dans la région de Die ; point culminant à la montagne de la Glandasse (2 045 m).

Diomède, dans la myth. gr., roi de Thrace qui nourrissait ses chevaux de chair humaine ; Héraclès le fit dévorer par eux.

Diomède, roi d'Argos, héros de la guerre de Troie ; *l'Iliade* le présente comme un guerrier exceptionnellement valeureux.

Dion (Albert, marquis de) (Carquefou, près de Nantes, 1856 – Paris, 1946), industriel et homme politique français ; pionnier de l'automobile, fondateur de l'Automobile-Club de France (1895).

dionée n. f. BOT Plante carnivore d'Amérique du N. *Dionée attrape-mouches.*

dionysiaque adj. et n. f. pl. **1.** Relatif à Dionysos. *Le culte dionysiaque.* ▷ n. f. pl. ANTIQ GR *Les dionysiaques :* les fêtes en l'honneur de Dionysos (on dit aussi *dionysies*). **2.** PHILO Qui a rapport au caractère, à la signification prêtée à Dionysos par la mythologie. – Terme employé par Nietzsche pour exprimer l'ivresse extatique, l'enthousiasme et l'inspiration que rien ne bride (par oppos. à *apollinien*).

dionysien, enne adj. et n. De Saint-Denis. – Subst. *Un(e) Dionysien(ne).*

Dionysos, dans la myth. gr., fils de Zeus et de la mortelle Sémélé. Identifié avec Bacchus dans la myth. romaine, il est le plus jeune, le plus populaire, mais aussi le plus complexe des dieux de l'Olympe : bon vivant (dieu de la Vigne), gai, tout en étant cruel jusqu'au paroxysme. Son culte, important, est aussi celui de l'art et de la poésie et a donné naissance au théâtre grec.

Diop (Cheikh Anta) (Diourbel, 1923 – Dakar, 1986), homme politique, historien et essayiste sénégalais d'expression française : *Nations nègres et culture* (1955), *l'Afrique noire précoloniale* (1960). Militant actif, il dirigea, jusqu'à sa mort, le Rassemblement national démocratique (opposition marxiste).

Diophante (v. 325 – v. 410), mathématicien grec de l'école d'Alexandrie. On lui attribue la théorie des équations du premier degré.

Dionysos : mosaïque d'Herculanum ; Musée archéologique, Naples

dioptre n. m. OPT Système formé de deux milieux inégalement réfringents, séparés par une surface plane, sphérique, etc.

dioptrie n. f. OPT Unité de vergence des systèmes optiques (symbole : δ) équivalant à la vergence d'une lentille ayant 1 m de distance focale dans un milieu dont l'indice de réfraction est 1.

dioptrique n. f. et adj. **1.** n. f. PHYS Partie de la physique qui étudie la réfraction de la lumière. **2.** adj. Qui a rapport à la dioptrique.

Dior (Christian) (Granville, 1905 - Montecatini, Italie, 1957), couturier français. Il lança, à Paris, en 1947, une mode très féminine *(new look)* qui eut un énorme succès.

diorama n. m. Tableau panoramique qui, par certains jeux de la lumière, donne l'illusion du réel en mouvement.

Diori (Hamani) (Soudouré, 1916 - Rabat, 1989), président de la République du Niger, de l'indépendance du pays (1960) au coup d'État de 1974.

dioscoréacées [djɔskɔʀease] n. f. pl. BOT Famille de monocotylédones, très proche des amaryllidacées, fréquemment dioïques et à tiges volubiles. - Sing. *Une dioscoréacée.*

Dioscures, dans la myth. gr., nom collectif donné à Castor et Pollux, fils de Zeus (au génitif *Dios*) et de Léda.

Diouf (Abdou) (Louga, 1935), homme politique sénégalais. Premier ministre depuis 1970, il succéda en 1981 à L. S. Senghor (qui l'avait désigné) comme président de la République et fut constamment réélu depuis.

dioxine n. f. CHIM Appellation courante du tétrachloro-dibenzo-paradioxine, produit très toxique (lésions cutanées).

dioxyde n. m. CHIM Oxyde contenant deux atomes d'oxygène. Syn. bioxyde. - *Dioxyde de carbone* : gaz carbonique (CO_2).

dipétale adj. Qui a deux pétales.

diphasé, ée adj. ELECTR Qui présente deux phases (courant).

diphtérie n. f. Maladie infectieuse due au bacille de Klebs-Lœffler, contagieuse, à déclaration obligatoire.
ENCYCL La diphtérie est caractérisée par la production de pseudo-membranes au niveau du pharynx et du larynx, parfois responsables d'une asphyxie *(croup)*; elle se manifeste aussi par des signes toxiques : paralysies, myocardite, néphrite. L'évolution peut être mortelle. La vaccination est obligatoire.

diphtérique adj. et n. Qui a rapport à la diphtérie; atteint de diphtérie.

diphtongue n. f. PHON Voyelle unique dont le timbre se modifie en cours d'émission. *Les phonéticiens considèrent que, à part certaines prononciations régionales, le français ne possède pas de diphtongues.* ▷ *Diphtongue ascendante* ou *fausse diphtongue,* où la semi-consonne est le premier élément (*pied, lui*). ▷ *Diphtongue descendante,* où la semi-consonne est le second élément (*travail*).

dipl(o)-. Élément, du gr. *diploos,* « double ».

diplocoque n. m. MICROB Genre de bactéries formées d'éléments groupés par paires (par ex. les pneumocoques).

diplodocus [diplɔdɔkys] n. m. Dinosaure herbivore des terrains marécageux du jurassique des montagnes Rocheuses, qui atteignait 32 m de long.

diploïde adj. BIOL Se dit d'un être vivant dont les cellules contiennent une paire de chaque chromosome typique de l'espèce, soit un nombre total pair, noté 2n. (L'homme a 23 paires de chromosomes, soit 2n = 46.) Ant. haploïde.

diplômant, ante adj. Se dit d'un stage en entreprise ouvrant l'accès à un diplôme.

diplomate n. et adj. **1.** Personne chargée par un gouvernement d'une fonction de négociation avec un État étranger. *Les ambassadeurs sont des diplomates.* **2.** *Par anal.* Personne qui a du tact avec autrui, qui est habile à négocier. *Dans les affaires, c'est un diplomate habile.* - adj. *Elle est très diplomate.* **3.** n. m. Gâteau fait de biscuits à la cuiller, de crème et de fruits confits.

diplomatie [diplɔmasi] n. f. **1.** Ce qui concerne les relations entre les États, l'art des négociations entre gouvernements. ▷ Politique diplomatique. *Critiquer la diplomatie d'un pays.* ▷ Carrière diplomatique. *Entrer dans la diplomatie.* ▷ Ensemble des diplomates. *Toute la diplomatie française de Londres était invitée.* **2.** *Par anal.* Tact et habileté. *Faire preuve de diplomatie.*

diplomatique adj. et n. f. **I.** adj. **1.** Qui a rapport à la diplomatie. *Être chargé d'une mission diplomatique.* ▷ *Valise diplomatique* : bagage ou colis appartenant à certains diplomates et sur lesquels l'administration des douanes n'a pas le droit de visite. **2.** Fig. Qui a rapport au tact et à l'habileté dans les relations ou négociations privées. **II.** n. f. Didac. *La diplomatique* : la science qui étudie les diplômes, les chartes, les documents anciens et examine leur authenticité. ▷ adj. Qui a rapport à la diplomatique.

diplomatiquement adv. De manière diplomatique.

diplôme n. m. **1.** Titre ou grade, généralement délivré par un établissement d'enseignement à la fin d'un cycle d'études. *Diplôme de bachelier. Diplôme de l'École des hautes études commerciales. Diplôme d'études approfondies* : V. D.E.A. *Diplôme d'études supérieures spécialisées* : V. D.E.S.S. ▷ Examen nécessaire à l'obtention d'un diplôme. *Passer un diplôme.* **2.** Certificat écrit attestant l'obtention d'un diplôme. *Photocopie d'un diplôme.* **3.** Vx Acte officiel accordant à qqn un droit, un privilège.

diplômé, ée adj. et n. Qui a obtenu un diplôme. *Infirmière diplômée.*

diplômer v. tr. [1] Délivrer un diplôme à.

diplopie n. f. MED Trouble de la vue dans lequel les objets paraissent doubles.

dipneustes [dipnøst] n. m. pl. ICHTYOL Ordre de poissons ostéichthyens d'eau douce possédant des branchies et des poumons. (Ils vivent dans des mares d'Afrique, d'Amérique du S. et d'Australie, et utilisent l'oxygène de l'air pour survivre. Ils sont apparus au dévonien.) - Sing. *Un dipneuste.*

dipolaire adj. PHYS, CHIM Relatif à un dipôle. *Moment dipolaire.*

dipôle n. m. **1.** PHYS Ensemble de deux charges électriques ou magnétiques infiniment voisines et de signes opposés. **2.** TECH Dispositif électrique qui ne comporte que deux bornes.

dipsacacées ou **dipsacées** n. f. pl. BOT Famille de dicotylédones gamopétales inférovariées, herbes vivaces ou annuelles des régions tempérées, dont les fleurs sont groupées en capitules (ex. : la scabieuse). - Sing. *Une dipsacacée* ou *une dipsacée.*

dipsomanie n. f. MED Impulsion pathologique à boire, par crises périodiques, de grandes quantités de liquides alcooliques.

diptère adj. ARCHI Se dit d'un édifice entouré d'un portique à double rangée de colonnes. *Temple diptère.*

diptères n. m. pl. ENTOM Ordre d'insectes comportant les mouches, les taons, les moustiques. - Sing. *Un diptère.*

diptyque n. m. **1.** ANTIQ Tablette double enduite de cire, sur laquelle on écrivait au style. **2.** BX-A Tableau formé de deux panneaux rabattables l'un sur l'autre. **3.** Fig. Œuvre littéraire ou artistique en deux parties.

Dirac (Paul) (Bristol, 1902 - Tallahassee, Floride, 1984), physicien anglais. Il développa la mécanique quantique, élaborant notam. la théorie quantique relativiste. P. Nobel 1933 (avec E. Schrödinger). ► illustr. page **559**

1. dire v. tr. [65] **I. 1.** Faire entendre au moyen de la parole, énoncer. *Dites trente-trois!* - Prov. *Qui ne dit mot consent* : ne pas répondre équivaut à accepter ce qu'on propose. **2.** Exprimer par la parole. *Dire ce qu'on voit. Elle dit être pressée* ou *qu'elle est pressée.* ▷ Loc. *Cela va sans dire* : c'est tout à fait évident. - *À vrai dire, à dire vrai* : pour s'exprimer d'une manière conforme à la vérité. - *Pour ainsi dire* : en quelque sorte (formule d'atténuation). - *Cela dit* (ou, moins correct, *ceci dit*) : sur ces paroles. *Cela dit, venons-en au fait,* après cette introduction, ce préambule... - *Soit dit en passant* (pour inclure une remarque étrangère au propos). - *Entre nous soit dit* : en confidence. - *C'est vite dit* : c'est plus facile en paroles qu'en actes. *Il n'y a qu'à, il n'y a qu'à... c'est vite dit!* ▷ À l'impératif, pour appeler l'attention de l'interlocuteur. *Dites-moi, cher ami...* - Fam. (Insistant sur une question.) *Tu viendras, dis?* ▷ Loc. fam. *Tu l'as dit!* : marquant l'approbation. - *Comme dit l'autre* : formule d'accompagnement d'une locution proverbiale, d'une citation dont l'auteur est supposé connu. *Comme dit l'autre, l'argent ne fait pas le bonheur.* **3.** Exprimer (un avis, un jugement). *Dire du mal de qqn.* ▷ Loc. *Parler pour ne rien dire,* pour dire des choses sans intérêt ou futiles. - *Dire son fait, ses (quatre) vérités à qqn,* lui dire sans ménagement ce que l'on pense de sa conduite. - *Avoir beau dire* : donner son opinion, s'exprimer en vain. *Tu as beau dire, tu ne nous convaincras pas.* - *Je ne vous le fais pas dire* : vous en convenez

dipneuste

vous-même. – *C'est vous qui le dites* (pour exprimer des réserves, son désaccord sur ce qui vient d'être dit). *Je n'ai rien fait pour l'éviter... c'est vous qui le dites!* – *Qu'en dites-vous?* : comment jugez-vous cela?, l'approuvez-vous? *Que diriez-vous d'un bon dîner?*, cela vous serait-il agréable? ▷ *Dire que...* (Introduisant une phrase exprimant le regret, la tristesse, l'étonnement.) *Dire qu'il était si mignon quand il était petit!* ▷ (Avec l'idée de penser, de croire.) *Qui l'eût dit?* : qui aurait pu l'imaginer, le prévoir? – *On dirait que* : on pourrait penser, imaginer que. *On dirait qu'il nous évite.* **4.** Raconter. *Je vais vous en dire une bien bonne.* – *Je me suis laissé dire que...* : on, quelqu'un, m'a rapporté que... (sans que je sache encore s'il faut le croire). – *On dit que* : le bruit court que. *On dit que le gouvernement s'apprête à démissionner.* – (En incise.) *Cet endroit, dit-on, est un des plus dangereux de la côte.* **5.** Réciter, lire, débiter. *Dire des vers. Dire sa leçon.* – Spécial. *Dire la messe.* **6.** Exprimer selon la règle ou l'usage de la langue. *Comment dit-on cela en anglais? Il est fautif de dire «pallier à».* **7.** Exprimer sa volonté, son intention, commander; recommander. *Qui vous a dit de partir? Ne pas se le faire dire deux fois* : ne pas hésiter à faire ce qui est demandé. *Tenez-vous-le pour dit* : considérez que c'est mon dernier mot, que c'est un ordre. **8.** (En loc.) Exprimer (une critique, une objection). *Il n'y a rien à dire, c'est parfait. Qu'avez-vous à dire à cela?* : que pouvez-vous répondre, quelles objections pouvez-vous opposer? – Prov. *Bien faire et laisser dire* : il faut faire ce que l'on doit sans se soucier de l'opinion d'autrui. **II.** Exprimer, énoncer par écrit. *L'auteur le dit dans son ouvrage.* – (En parlant de l'écrit lui-même.) *Que dit le Code civil sur ce point?* **III.** (Sujet nom de chose.) **1.** Révéler, indiquer. *Son sourire disait toute sa joie. Que dit le baromètre? Quelque chose me dit que...* : j'ai l'impression, le sentiment que... – *En dire long* : laisser entendre plus qu'il n'est exprimé. *Un silence qui en disait long.* ▷ Prédire. *Dire l'avenir, la bonne aventure.* **2.** *Dire à...* : intéresser, tenter; plaire à. *Il me propose de partir avec lui, cela ne me dit rien. Cela ne me dit rien qui vaille* : cela ne me paraît pas très engageant, très rassurant. – *Si le cœur vous en dit* : si cela vous tente, vous fait plaisir. **3.** *Vouloir dire* : signifier. *Que veut dire cette expression? Que veulent dire ces cris?* **IV.** Constructions pronominales. **1.** (Réfléchi) Dire à soi-même, faire à part soi quelque réflexion. *Je me suis dit que j'avais eu tort.* **2.** (Réciproque) *Nous nous sommes dit des amabilités.* **3.** (Passif) *«Zazou» ne se dit plus guère.* **4.** (Avec attribut.) Se prétendre, se faire passer pour. *Il se dit spirituel. Elle se dit ingénieur.*

2. dire n. m. **1.** Litt. (Surtout au plur.) Ce qu'on dit. *Nous nous assurerons de la véracité de ses dires.* – *Au dire des observateurs*, selon leur témoignage, leur avis. ▷ DR *À dire d'experts* : à l'estimation des experts. *Les dédommagements seront soumis à dire d'experts.* **2.** DR Pièce de procédure où se trouvent consignés les moyens et les réponses des parties.

direct, ecte adj. et n. m. **I.** adj. **1.** Droit, sans détour. *Voie directe, mouvement direct.* – Fig. *Une accusation directe. Il a été très franc, très direct.* ▷ *Ligne directe* : ligne généalogique des ascendants et descendants, par oppos. à *ligne collatérale.* **2.** Immédiat, sans intermédiaire. *Les conséquences directes d'un accident. Entretenir des rapports directs avec un supérieur. La connaissance directe*, par oppos. à la *connaissance discursive.* ▷ GRAM *Complément direct*, construit sans préposition. – *Style direct*, qui rapporte telles quelles les paroles prononcées. **3.** Formel, absolu. *Preuve directe. De deux affirmations en contradiction directe, l'une exclut nécessairement l'autre.* **4.** LOG *Proposition directe*, par oppos. à celle, dite *inverse*, qui résulte du renversement de ses termes. **5.** CH de F *Train direct*, qui ne s'arrête qu'à certaines grandes stations. ▷ n. m. *Prendre le direct pour Marseille.* **II.** n. m. **1.** SPORT En boxe, coup droit. *Envoyer un direct.* **2.** AUDIOV *Émission en direct* (par oppos. à *en différé*), diffusée dans l'instant même de la prise de vues ou de son. ▷ *Les impératifs du direct.*

directement adv. **1.** Tout droit, sans détour. *Je me rendrai directement chez vous.* **2.** D'une manière directe. *Aborder directement un sujet*, sans préambule. **3.** *Directement opposé, contraire* : en opposition totale, en contradiction absolue. *Des conceptions directement contraires.* **4.** Sans intermédiaire. *Communiquer directement avec qqn.*

directeur, trice n. et adj. **I.** n. **1.** Personne qui dirige, qui est à la tête d'une entreprise, d'un service, etc. *Directeur d'une usine. Directeur du personnel. Directrice d'un lycée.* **2.** *Directeur de conscience* : prêtre choisi par une personne pour la conduire en matière de morale et de religion. **3.** AVIAT *Directeur de vol* : dispositif qui enregistre les données du vol d'un avion et les transmet au système de pilotage automatique. **4.** HIST *Un Directeur* : un des cinq membres qui constituaient le Directoire. **II.** adj. **1.** Qui dirige. *Comité directeur.* **2.** Fig. *Principe directeur, ligne directrice*, servant à déterminer une ligne de conduite. *Schéma* directeur.* **3.** MECA *Roues directrices*, qui permettent de diriger un véhicule. **4.** GEOM *Plan directeur* : plan auquel sont parallèles les génératrices d'une surface réglée. – *Vecteur directeur d'une droite* : vecteur porté par cette droite. – *Coefficient directeur d'une droite* : pente de cette droite. ▷ n. f. Ligne sur laquelle s'appuie la génératrice qui engendre une surface.

directif, ive adj. **1.** Qui a ou peut avoir la propriété, la fonction de diriger. *Force directive, indication directive.* **2.** PHYS Qui rayonne ou fonctionne dans une direction privilégiée. *Micro directif.* Syn. directionnel.

direction n. f. **I. 1.** Action de diriger. *Assurer la direction des travaux, d'un groupe, d'une entreprise. Travailler sous la direction d'un spécialiste.* **2.** Fonction, poste de directeur. *Obtenir une direction, la direction d'un service.* ▷ *La direction* : le ou les directeurs; les personnes ou les services qui les assistent. *La direction commerciale d'une société.* ▷ Siège, bureau du ou des directeurs, de leur personnel. *Votre dossier est à la direction.* **3.** Action de diriger, de conduire. *La direction d'un attelage, d'un bateau, d'un train*, etc. **II. 1.** Orientation ou sens du déplacement d'une personne, d'une chose. *Choisir une direction. Être dans la bonne direction. Changer de direction. En direction de, dans la direction de* : vers. – Fig. *Il faut orienter nos conjectures dans une autre direction.* ▷ Fig. Ligne de conduite. *Prendre une bonne, une mauvaise direction.* **2.** Ensemble des organes (volant, colonne, boîtier) qui servent à diriger un véhicule. ▷ *Direction assistée*, dans laquelle l'effort imprimé au volant est amplifié par un servomoteur.

directionnel, elle adj. PHYS Syn. de *directif. Antenne directionnelle.*

directive n. f. **1.** MILIT Instruction générale, moins impérative qu'un ordre, donnée par le haut commandement militaire. **2.** *Par ext.* (Surtout au plur.) Instructions, indications générales données par une autorité. *Demander, recevoir des directives.*

directivité n. f. **1.** PHYS Direction préférentielle dans l'émission ou la réception d'un rayonnement sonore ou électrique. **2.** Didac. Fait d'être directif (dans un enseignement, un entretien, etc.), d'orienter, de guider dans une direction préétablie.

directoire n. m. **1.** Organe collectif chargé de gérer (dans certaines sociétés anonymes). **2.** *Le style Directoire* : le style créé à l'époque du Directoire*. – (En appos.) *Un meuble Directoire.*

Directoire (le), le comité de cinq membres chargé du pouvoir exécutif de 1795 à 1799 et, par ext., le régime politique sous lequel vécut la France pendant cette période. Le Directoire succéda à la Convention et dirigea la France du 4 brumaire an IV (26 oct. 1795) au 18 brumaire an VIII (9 nov. 1799). Il fut institué par la Constitution de l'an III, qui confia le pouvoir exécutif à cinq Directeurs nommés par le Conseil des Anciens et par le Conseil des Cinq-Cents, lesquels détenaient le pouvoir législ. Des troubles graves, polit. (coups d'État dus à l'agitation jacobine ou royaliste : 18 fructidor an V, 30 prairial an VII) et écon. (crise financière) marquèrent cette période. À l'extérieur, fut menée une polit. d'expansion : création de «républiques sœurs» (batave, helvétique, etc.), guerre contre l'Autriche (campagne d'Italie) et contre l'Angleterre (campagne d'Égypte), qui engendra la deuxième coalition et donna à Bonaparte une popularité telle qu'il put renverser le régime (18 Brumaire).

directorial, ale, aux adj. **1.** HIST Relatif au Directoire. *Le régime directorial.* **2.** Relatif à la fonction de directeur. *Bureau directorial.*

Dirédaoua ou **Dire Dawa,** v. d'Éthiopie, sur la ligne de chemin de fer Djibouti-Addis-Abeba; 98 100 hab. Centre comm.; textile; cimenterie.

dirham [diʀam] n. m. Unité monétaire du Maroc et des Émirats arabes unis.

Dirichlet (Peter Gustav Lejeune-) (Düren, Prusse-Rhénane, 1805 – Göttingen, 1859), mathématicien allemand connu pour ses travaux sur les différentielles, les séries trigonométriques et la théorie des nombres.

dirigé, ée adj. Soumis à une direction, à une autorité. *Une entreprise bien dirigée.* – *Économie dirigée*, régie dans sa totalité ou sa quasi-totalité par la puissance publique (par oppos. à *économie libérale*).

dirigeable adj. et n. m. **1.** adj. Qui peut être dirigé. *Ballon dirigeable.* **2.** n. m. Aéronef propulsé par un ou plusieurs moteurs dont la sustentation est assurée par des ballonnets contenant un gaz plus léger que l'air (hydrogène ou hélium) enfermés dans une enveloppe.

dirigeant, ante adj. et n. Qui dirige, qui détient l'autorité, le pouvoir. *Les classes dirigeantes.* ▷ Subst. *Les dirigeants d'une entreprise, d'un parti politique.*

diriger v. tr. [13] **I. 1.** Conduire (en tant que chef, organisateur, responsable). *Diriger un ministère. Diriger des travaux.* ▷ (S. comp.) *C'est lui qui dirige.* ▷

Spécial. *Diriger des acteurs,* les mettre en scène. **2.** Exercer une autorité intellectuelle ou morale sur. *Diriger un élève, ses études.* **3.** (Sujet nom de chose.) *L'intérêt public a dirigé toute sa vie.* **II. 1.** Guider le déplacement de. *Le guide vous dirigera dans la vieille ville. Diriger un véhicule.* ▷ v. pron. *Se diriger vers :* aller dans la direction de. **2.** Donner telle orientation, telle destination à. *Diriger un bateau vers le port. Diriger ses pas vers un lieu, ses regards sur un objet.* – Fig. *Diriger son attention sur, vers qqch.*

dirigisme n. m. Doctrine économique et politique qui prône l'économie dirigée. – Système économique et politique qui pratique une telle économie.

dirigiste adj. et n. **1.** adj. Qui est inspiré par le dirigisme. *Plan économique dirigiste.* **2.** n. Partisan du dirigisme.

dirimant, ante adj. DR Qui rend nul ou qui fait obstacle. *Un empêchement dirimant au mariage.*

dis-. Élément, du lat. *dis,* indiquant la séparation, l'absence, l'opposition.

discal, ale, aux adj. MED Relatif aux disques intervertébraux. *Hernie discale.*

discarthrose n. f. MED Altération dégénérative du disque intervertébral.

discernable adj. Qui peut être discerné.

discernement [disɛʀnəmɑ̃] n. m. **1.** Litt. Action de différencier par l'esprit. *Le discernement du vrai d'avec le faux.* **2.** Cour. Faculté d'apprécier avec justesse les situations, les choses. *Faire preuve de discernement. Agir sans discernement.*

discerner [disɛʀne] v. tr. [1] **1.** Distinguer, reconnaître par la vue. *Discerner des formes dans la nuit.* ▷ Par ext. *Discerner la rumeur des vagues.* – Fig. *Je discerne quelque réticence dans son accord.* **2.** Faire la distinction entre, différencier. *Discerner les diverses nuances du vert. Discerner le bien du mal.*

disciple [disipl] n. m. **1.** Personne qui reçoit l'enseignement d'un maître. *Démosthène fut le disciple d'Isée.* – *Les disciples de Jésus-Christ :* les douze apôtres. V. ce mot. **2.** Personne qui a adopté la doctrine d'un maître. *Les disciples de Freud.*

disciplinable adj. Qui peut être discipliné.

disciplinaire adj. Qui a rapport à la discipline (d'un corps, d'un établissement, etc.). *Mesure disciplinaire.* ▷ MILIT *Compagnie, bataillon disciplinaire :* unités spéciales auxquelles sont affectés les militaires ayant fait l'objet de graves sanctions et où la discipline est particulièrement sévère.

discipline [disiplin] n. f. **I. 1.** Domaine particulier de la connaissance; matière d'enseignement. *Disciplines scientifiques, littéraires.* **2.** Ensemble des règles de conduite imposées aux membres d'une collectivité pour assurer le bon fonctionnement de l'organisation sociale; obéissance à ces règles. *Sanctionner un manquement à la discipline.* **3.** Règle de conduite que l'on s'impose. *Sportif qui s'astreint à une discipline rigoureuse.* **II.** HIST Châtiment qu'imposait le maintien de la règle, dans certains monastères catholiques. ▷ Châtiment corporel appliqué comme pénitence pour certains péchés graves. – *Par ext.* Fouet dont on se servait comme instrument de pénitence ou de mortification. *Se donner la discipline.*

discipliné, ée adj. Qui se soumet à la discipline.

discipliner v. tr. [1] **1.** Contraindre (qqn) à la discipline. *Discipliner un élève, une troupe.* – Fig. *Discipliner la force des eaux,* la régulariser. **2.** Régler en exerçant un contrôle sur, maîtriser. *Discipliner ses passions.* ▷ v. pron. *Vous devriez vous discipliner.*

disc-jockey [diskʒɔkɛ] n. m. (Anglicisme) Animateur de radio ou de discothèque qui choisit et passe des disques (ou des bandes enregistrées). *Des disc-jockeys.*

discman [diskman] n. m. inv. (Nom déposé.) Appareil comprenant un lecteur laser relié à un casque d'écoute et que l'on porte sur soi.

disco n. m. Musique de variétés fortement rythmée et saccadée. – (En appos.) *Musique, boîte, style disco.*

discobole n. m. ANTIQ Athlète qui lançait le disque, le palet.

réplique en marbre du ***Discobole*** de Myron, Ve s. av. J.-C.; musée national des Thermes, Rome

1. discographie n. f. Répertoire méthodique de disques enregistrés.

2. discographie n. f. MED Radiographie d'un disque intervertébral après injection d'un liquide opaque aux rayons X.

discompte n. m. Francisation de *discount. Les solderies, braderies et autres discomptes font le bonheur des consommateurs.*

discompteur n. m. Francisation de *discounter.*

discontinu, ue adj. (et n. m.) **1.** Qui n'est pas continu. *Mouvement discontinu.* ▷ MATH *Fonction discontinue :* fonction dont la variation est nulle quand la variable varie peu. – n. m. *La physique du discontinu.* **2.** Qui n'est pas continuel. *Un bruit discontinu.*

discontinuer v. intr. [1] (Dans des phrases à valeur négative.) *La pluie n'a pas discontinué :* n'a pas cessé. – *Sans discontinuer :* sans s'arrêter.

discontinuité n. f. Absence de continuité. *Discontinuité d'un trait.* ▷ MATH Propriété des fonctions discontinues.

disconvenir v. tr. indir. [36] *Disconvenir de :* ne pas convenir de. – (Avec la négation.) *Vous avez raison, je n'en disconviens pas :* j'en tombe d'accord.

discordance n. f. **1.** Absence ou défaut d'accord, d'harmonie. *Discordance de goûts, d'opinions.* **2.** GEOL État de deux couches dont les stratifications ne sont pas parallèles, une phase d'orogenèse s'étant produite avant le dépôt de la nouvelle couche sur l'ancienne.

discordant, ante adj. Qui n'est pas en accord, en harmonie. *Sons discordants.*

discorde n. f. Dissentiment grave; dissension. *Semer la discorde.* – *Pomme de discorde :* sujet de dispute et de division (par allus. à la pomme que Pâris remit à Vénus, provoquant la haine de Junon et Minerve).

discothécaire n. Personne qui a la charge d'une discothèque (sens 1).

discothèque n. f. **1.** Collection de disques enregistrés. ▷ Endroit, meuble où on les conserve. ▷ Organisme d'archivage, de prêt de disques. **2.** Établissement où l'on peut écouter des disques et danser.

discount [diskunt; diskawnt] n. m. (Anglicisme) Rabais sur un prix, remise. Syn. (off. recommandé) discompte.

discounter [diskuntœʀ; diskawntœʀ] n. m. (Anglicisme) Commerçant ou magasin qui pratique le discount. Syn. (off. recommandé) discompteur.

discoureur, euse n. Péjor. Personne qui aime à discourir.

discourir v. intr. [26] **1.** Vieilli Converser. **2.** Mod., péjor. Parler longuement sur un sujet.

discours n. m. **1.** Vieilli Ce que dit une personne, propos. – Mod. Paroles (par oppos. à *fait, à action*). *Pas tant de discours, au travail!* **2.** Exposé oratoire à l'intention d'un public sur un sujet déterminé. *Prononcer, improviser, faire un discours.* **3.** Exposé écrit de caractère didactique; traité, essai. *« Discours sur les passions de l'amour »,* de Pascal. **4.** Expression verbale de la pensée. – *Les parties du discours :* les catégories de mots distinguées par la grammaire traditionnelle (article, nom, pronom, verbe, adjectif, adverbe, préposition, conjonction, interjection). ▷ LING Ensemble des paroles, des énoncés (verbaux ou non). *Langue et discours.* **5.** PHILO Entendement (par oppos. à *intuition*).

discourtois, oise adj. Qui n'est pas courtois. *Personnage discourtois.*

discrédit [diskʀedi] n. m. Diminution, perte du crédit dont jouissait qqch, qqn. *Jeter le discrédit sur qqn.*

discréditer v. tr. [1] Faire tomber dans le discrédit. ▷ v. pron. *Se discréditer par des mensonges.*

1. discret, ète adj. **1.** Qui parle ou agit avec retenue, tact, réserve. *Il est discret, il ne vous importunera pas de questions gênantes.* ▷ Par ext. *Des manières discrètes.* **2.** Qui n'attire pas l'attention, qui ne se remarque pas. *Faire un signe discret. Un vêtement discret.* ▷ *Un endroit discret,* à l'abri des regards, d'éventuels gêneurs. **3.** Qui sait garder un secret. *Un ami discret.*

2. discret, ète adj. MATH, PHYS *Grandeur, quantité discrète,* composée d'unités distinctes (nombres, objets etc.), par oppos. à *grandeur, quantité continue* (durée, vitesse, etc.).

discrètement adv. D'une manière discrète.

discrétion n. f. **I.** Vx Aptitude à discerner, à juger, à décider. – Mod. *À la discrétion de :* à la volonté, au jugement de. ▷ Loc. adv. *À discrétion :* à volonté. **II. 1.** Réserve, retenue délicate; modération. *Parler, agir avec discrétion. S'habiller avec discrétion.* **2.** Qualité d'une personne qui sait garder un secret. *Comptez sur ma discrétion.*

discrétionnaire adj. Qui est laissé à la discrétion de qqn. – DR *Pouvoir discrétionnaire d'un magistrat,* faculté qui lui est laissée de prendre des mesures hors des règles établies.

discriminant, ante adj. et n. m. **1.** adj. Qui établit une séparation, une distinction. **2.** n. m. MATH Expression qui permet de déterminer si une équation du second degré possède des racines réelles.

discrimination n. f. **1.** Séparation, distinction. *Les coupables seront jugés sans discrimination de rang ni de fortune.* **2.** Cour. Fait de distinguer des autres un groupe (social) et de restreindre ses droits. *Discrimination raciale.*

discriminatoire adj. Qui établit une discrimination entre les personnes. *Mesures discriminatoires.*

discriminer v. tr. [1] Distinguer, mettre à part.

disculpation n. f. Rare Action de disculper ou de se disculper.

disculper v. tr. [1] Mettre (qqn) hors de cause, montrer qu'il n'est pas coupable. *Disculper un prévenu. Ce témoignage l'a entièrement disculpé.* ▷ v. pron. Se justifier.

discursif, ive adj. **1.** LOG Qui procède par le raisonnement ou repose sur lui. *La déduction est un procédé discursif.* – *Connaissance discursive,* par oppos. à *connaissance intuitive* ou *directe.* **2.** Qui passe d'un sujet à un autre, qui n'est pas rigoureusement continu. *Un mémoire intéressant, encore qu'un peu discursif.* **3.** Didac. Du discours, relatif au discours.

discussion n. f. **1.** Action de discuter, d'examiner contradictoirement qqch. *Discussion d'un projet de loi.* ▷ MATH *Discussion d'une équation :* étude de la nature des solutions suivant les différents cas qui peuvent se présenter. **2.** Fait de contester, d'élever des objections. *Pas de discussion, je vous demande d'obéir.* **3.** Conversation, débat, échange de vues. *J'ai eu avec lui une longue discussion.* ▷ *Par ext.* Dispute, altercation. *Leur discussion a tourné au pugilat.*

discutable adj. **1.** Qui prête à discussion, à contestation. *Un raisonnement discutable.* **2.** Critiquable, douteux. *Procédé discutable.*

discutailler v. intr. [1] Fam., péjor. Discuter longuement sur des détails sans importance.

discuté, ée adj. Qui soulève des objections, des critiques, des controverses. *Une décision discutée.*

discuter v. [1] **I.** v. tr. **1.** Débattre d'une chose, l'examiner contradictoirement. *Discuter les clauses d'un contrat.* ▷ v. pron. (Passif) *Cette conclusion n'est pas définitive, elle peut se discuter.* **2.** Contester, trouver des objections à. *Discuter le bien-fondé d'une décision.* – (S. comp.) *Obéissez sans discuter.* **II.** v. intr. ou tr. indir. Échanger des opinions, des arguments sur un sujet. *Discuter sur un événement.* – *Discuter de (qch). Discuter de politique* ou, ellipt., *discuter politique.* ▷ *Absol.* Converser, bavarder. *Passer la soirée à discuter.*

disert, erte adj. Litt. Qui parle avec facilité et élégance.

disette n. f. Manque ou rareté de choses nécessaires, et partic. de vivres.

diseur, euse n. **1.** Personne qui dit habituellement (telle ou telle chose). – *Diseuse de bonne aventure :* femme qui fait profession de prédire l'avenir. **2.** *Un fin diseur, une fine diseuse :* une personne qui récite, qui raconte avec art.

disgrâce n. f. **1.** Perte, privation des bonnes grâces dont on jouissait. *Encourir la disgrâce royale. Tomber en disgrâce.* **2.** Vx Infortune, malheur. *Une cruelle disgrâce.* **3.** Défaut de grâce.

disgracié, ée adj. **1.** Tombé en disgrâce. **2.** Qui manque de grâce, au physique ou au moral. *Disgracié de* (ou *par*) *la nature.*

disgracier v. tr. [2] Priver de sa faveur, de ses bonnes grâces. *Disgracier un favori.*

disgracieux, euse adj. Dépourvu de grâce. *Une démarche disgracieuse.*

disjoindre [disʒwɛ̃dʀ] v. tr. [56] Séparer (ce qui était joint). *Disjoindre les lattes d'un plancher.* ▷ v. pron. *Les pierres du mur commencent à se disjoindre.* ▷ DR *Disjoindre deux causes,* les séparer pour les juger indépendamment l'une de l'autre. – *Disjoindre un article d'un projet de loi,* le séparer de la loi en discussion, pour l'examiner à part.

disjoint, ointe adj. **1.** Séparé ou mal joint. *Une fenêtre aux carreaux disjoints.* **2.** MATH *Ensembles disjoints,* dont l'intersection est vide.

disjoncter [disʒɔ̃kte] v. intr. [1] Se mettre en position de coupure de courant (en parlant d'un disjoncteur). ▷ Fig., fam. Perdre le sens des réalités, perdre la tête.

disjoncteur n. m. ELECTR Interrupteur dont l'ouverture se produit automatiquement si l'intensité dépasse une valeur donnée.

disjonctif, ive adj. et n. f. **1.** GRAM Qui sépare les idées tout en reliant les termes ou les propositions de la phrase. *Une particule disjonctive* (ex. : *ou, ni*) ou, n. f., *une disjonctive.* **2.** LOG *Proposition disjonctive,* dont les termes sont séparés par un mot disjonctif. – *Syllogisme disjonctif,* dont la majeure est une alternative, ou proposition disjonctive. ▷ n. f. Alternative disjonctive.

disjonction [disʒɔ̃ksjɔ̃] n. f. **1.** Action de séparer ce qui est joint; son résultat. – DR *Disjonction de deux procédures. Disjonction d'un article d'un projet de loi* (V. disjoindre). **2.** RHET Suppression des particules conjonctives (par oppos. à *conjonction*). (Ex. *« Dans un chemin montant, sablonneux, malaisé »* [La Fontaine].)

dislocation n. f. **1.** Déboîtement, luxation d'un os, d'un membre. **2.** Fig. Séparation des parties d'un ensemble. *Dislocation d'un empire.*

disloquer v. tr. [1] **1.** Démettre, déboîter (une articulation). *Un retour de manivelle lui a disloqué le poignet.* – Par ext. *Disloquer un bras.* – Par anal. *Disloquer les pièces d'un mécanisme.* ▷ v. pron. *Contorsionniste qui se disloque.* **2.** Fig. Désunir, diviser, démembrer. *Disloquer un parti, un cortège, un empire.* ▷ v. pron. *Association qui se disloque.*

dismutation n. f. CHIM Réaction au cours de laquelle un élément est en partie oxydé, en partie réduit.

Disney (Walter Elias, dit Walt) (Chicago, 1901 – Burbank, Californie, 1966), producteur et réalisateur américain de dessins animés le plus souvent d'inspiration animalière (Mickey, Donald Duck, Pluto, etc.) : *Silly Symphonies* (400 courts métrages, 1929-1939), *Blanche-Neige et les sept nains* (1938), *Pinocchio* (1939), *Fantasia* (1940), *les 101 Dalmatiens* (1961). À partir de sa production cinématographique, il édifia un véritable empire industriel.

Disneyland Paris, parc d'attractions aménagé en 1992 près de la ville nouvelle de Marne-la-Vallée.

disparaître v. intr. [73] **I.** Cesser d'être visible. **1.** (Choses) *Les nuages ont disparu* ou (vx ou litt., marquant l'état) *sont disparus. Le village disparaît sous la neige.* **2.** (Personnes) Quitter un lieu, partir. *Elle a disparu de son domicile.* – Fam. *Disparaissez ! :* sortez, déguerpissez ! ▷ (En parlant de choses égarées ou dérobées.) *Mes papiers ont disparu.* **II.** Cesser d'être. **1.** Mourir, périr. *Passagers qui disparaissent dans un naufrage.* **2.** Ne plus exister, ne plus se manifester. *L'enflure a disparu.* – Fig. *Vos craintes finiront par disparaître.*

1. disparate adj. Qui ne forme pas un ensemble harmonieux. *Vêtements disparates.*

2. disparate n. f. Vx ou litt. Défaut choquant de convenance, d'harmonie.

disparité n. f. Différence, dissemblance entre des choses que l'on compare. *La disparité des salaires.*

disparition n. f. Action de disparaître; son résultat.

disparu, ue adj. et n. **1.** Qui a cessé d'être visible. ▷ Égaré ou dérobé. *Les bijoux disparus.* **2.** Qui a cessé d'exister. – Subst. *Un(e) disparu(e) :* un(e) défunt(e). ▷ *Spécial.* Se dit d'une personne présumée décédée mais dont la mort n'a pu être établie avec certitude. *Un soldat porté disparu.*

1. dispatcher [dispatʃœʀ] n. m. ou **dispatcheur, euse** n. Personne qui assure un dispatching, répartit des tâches. Syn. (off. recommandé) régulateur.

2. dispatcher [dispatʃe] v. tr. [1] (Anglicisme) Syn. (off. déconseillé) de *réguler, répartir (le trafic, des tâches).*

dispatching [dispatʃiŋ] n. m. (Anglicisme) **1.** TECH Syn. (off. déconseillé) de *répartition, régulation. Dispatching des trains sur un réseau ferré, du courant électrique.* **2.** Action de distribuer (qqch); son résultat.

dispendieusement adv. Rare D'une manière dispendieuse.

dispendieux, euse adj. **1.** Coûteux, qui occasionne ou nécessite de grandes dépenses. *Un train de vie dispendieux.* **2.** (Canada) Syn. cour. de *cher. Des souliers dispendieux.*

dispensaire n. m. MED Établissement, public ou privé, de diagnostic, de prophylaxie et de soins sans hospitalisation, et dont les services sont gratuits ou peu coûteux. *Un dispensaire d'hygiène mentale.*

dispensateur, trice n. et adj. Personne ou chose qui dispense, qui distribue. *Le Soleil, dispensateur d'énergie.* – adj. *Un prince dispensateur de bienfaits.*

dispense n. f. Exemption (de la règle commune, d'une obligation, d'une

Paul **Dirac** Walt **Disney**

charge). *Dispense de service militaire. Dispense d'âge,* qui permet d'accéder à certains droits avant l'âge prescrit. – Pièce qui atteste cette exemption. *Présenter une dispense.*

dispenser v. tr. [1] **1.** Distribuer. *Dispenser des blâmes, des récompenses.* – Pp. adj. *L'enseignement dispensé dans cet établissement est d'un bon niveau.* **2.** *Dispenser de :* exempter de (la règle commune, une obligation, une tâche); exempter de (faire qqch). *Dispenser un élève d'exercices physiques. Une bonne mémoire ne dispense pas de réfléchir.* – Par euph. *Je vous dispense de vos remarques :* je vous prie ou je vous somme de me les épargner. – Pp. adj. *Il est dispensé du service militaire.* ▷ v. pron. *Se dispenser de venir.* – *Je me dispenserais bien de cette obligation,* je m'y soustrairais volontiers.

dispersant, ante adj. et n. m. Se dit d'un produit utilisé pour disperser du mazout répandu sur la mer.

dispersement n. m. Action de disperser.

disperser v. tr. [1] **1.** Éparpiller, répandre de tous côtés. *Le vent disperse les feuilles mortes.* **2.** Placer dans des endroits divers; disséminer. *Disperser des soldats.* ▷ Fig. *Disperser ses forces, sa pensée, son attention,* les appliquer à des objets trop variés. ▷ v. pron. Fig. Avoir des occupations trop diverses. **3.** Séparer en faisant aller dans des directions différentes. ▷ v. pron. *Les manifestants se sont dispersés dans le calme.* **4.** Vendre une collection d'objets d'art, d'antiquités.

dispersif, ive adj. PHYS Qui provoque la dispersion d'une radiation. *Pouvoir dispersif d'une surface.*

dispersion n. f. **1.** Action de disperser; fait de se disperser. *La dispersion des nuages par le vent. Dispersion des manifestants.* ▷ Fig. *Dispersion de l'esprit, de l'attention.* **2.** CHIM Dissémination d'une substance au sein d'une autre. **3.** PHYS Séparation d'un rayonnement complexe en rayonnements de longueurs d'onde différentes. *Dispersion de la lumière blanche par un prisme.* **4.** MATH En calcul des probabilités, écart, défini par la variance, de la variable aléatoire de part et d'autre de la moyenne. **5.** Répartition des points d'impact de projectiles tirés par une même arme.

display n. m. (Anglicisme) COMM Présentoir publicitaire.

disponibilité n. f. État d'une chose ou d'une personne disponible. **1.** (Plur.) Fonds, capitaux dont on peut disposer immédiatement. *J'investirai selon mes disponibilités.* **2.** Situation d'un fonctionnaire temporairement déchargé de ses fonctions. *Être en disponibilité.* ▷ Situation d'un militaire, apte au service, mais renvoyé dans ses foyers.

disponible adj. **1.** Dont on peut disposer. *Logement disponible.* **2.** En disponibilité. *Fonctionnaire disponible.* **3.** Qui n'est soumis à aucune sorte d'obligation; qui est exempt de toute contrainte intellectuelle ou morale.

dispos, ose adj. Vieilli Qui est en bonne condition physique et mentale. – Loc., cour. *Être frais et dispos.*

disposé, ée adj. **1.** Arrangé, ordonné. *Des parterres disposés à la française.* **2.** *Être disposé à :* être prêt à, se proposer de. *Il est disposé à nous aider.* ▷ *Être bien disposé pour, envers, à l'égard de qqn,* être dans des dispositions, des sentiments favorables à son égard.

disposer v. [1] **I.** v. tr. **1.** Arranger dans un certain ordre. *Disposer des troupes pour un combat.* **2.** *Disposer qqn à,* le préparer à (qqch), l'inciter à (faire qqch) *Les récents événements nous avaient disposés à cette éventualité.* ▷ v. pron. *Se disposer à :* se préparer à, être sur le point de. *Je me disposais à vous téléphoner quand j'ai trouvé votre message.* **II.** v. tr. indir. *Disposer de :* avoir à sa disposition, pouvoir utiliser. *Il dispose de moyens considérables, d'un personnel compétent.* ▷ *Disposer de qqn :* user de ses services comme on l'entend. *Disposez de moi, je ne peux rien vous refuser.* – Absol. (En s'adressant à un subalterne.) *Vous pouvez disposer* (sous-entendu, de vous-même) : je ne vous retiens pas. **III.** v. intr. Stipuler, prescrire. *Disposer par contrat.*

dispositif n. m. **1.** TECH Agencement des divers organes d'un système mécanique; le système, l'appareil lui-même. *Dispositif d'alarme.* **2.** MILIT Ensemble des forces mises en place pour remplir une mission donnée. **3.** DR Partie d'un texte législatif ou énoncé final d'une décision de justice, par oppos. au préambule de ce texte, aux motifs de cette décision.

disposition n. f. **1.** Arrangement, manière dont sont disposées des choses les unes par rapport aux autres. *La disposition des lieux.* **2.** (Plur.) Mesures que l'on prend avant de ou pour faire qqch. *Il faut prendre vos dispositions pour arriver à l'heure.* **3.** *Disposition à :* tendance, inclination à. *Disposition à la paresse.* **4.** (Plur.) Aptitudes. *Avoir des dispositions pour la musique.* **5.** Sentiment à l'égard de qqch, de qqn; attitude d'esprit. *Être dans telle disposition à l'égard d'un projet. Je suis dans les meilleures dispositions envers lui.* **6.** Dans les loc. *à ma (votre, leur,* etc.) *disposition, à la disposition de,* pouvoir d'utiliser, de se servir de qqch; faculté d'user des services de qqn. *Les documents sont à la disposition de la justice. Je reste à votre entière disposition.* **7.** DR Pouvoir, action de disposer de son bien. – Acte par lequel on en dispose. **8.** *Les dispositions d'une loi, d'un règlement,* etc. : les points qu'elle (il) règle; ce qu'elle (il) ordonne.

disproportion n. f. Défaut de proportion, de convenance entre plusieurs choses. *Disproportion entre un délit et sa sanction. La disproportion des forces de deux adversaires.*

disproportionné, ée adj. Qui manque de proportion. *Une colère disproportionnée à* (ou *avec*) *sa cause.*

disputailler v. intr. [1] Fam., péjor. Disputer longtemps sur des futilités.

dispute n. f. **1.** Vx Échange plus ou moins vif d'opinions, d'idées, d'arguments sur une question importante ou délicate. *Dispute scientifique, théologique.* **2.** Altercation, querelle. *Une conversation qui dégénère en dispute.*

disputé, ée adj. Que l'on dispute, qui est l'objet d'une lutte. *Une victoire disputée. Une épreuve très disputée.*

disputer v. [1] **I.** v. tr. indir. Vx ou litt. **1.** Avoir une dispute (sens 1). *Disputer sur un point de droit. Disputer de la raison d'État.* **2.** Rivaliser de. *Les disciples disputent de savoir avec leur maître.* **II.** v. tr. **1.** Lutter pour obtenir ou conserver. *Disputer la possession d'un bien à qqn. Disputer la victoire, le terrain.* **2.** Vx ou litt. *Le disputer en :* rivaliser de. *Cet art le dispute en rigueur à celui des classiques.* **3.** SPORT *Disputer un combat, une course,* y participer comme concurrent. **4.** Fam. *Disputer qqn,* le réprimander. **III.** v. pron. **1.** (Récipr.) Se quereller. *Se disputer avec qqn. Cessez de vous disputer.* **2.** (Passif) SPORT *L'épreuve s'est disputée en deux manches.*

disquaire n. Marchand(e) de disques.

disqualification n. f. Action de disqualifier; son résultat.

disqualifier v. tr. [2] **1.** Interdire une course hippique, une compétition sportive à (un concurrent qui n'est pas en règle); exclure (un concurrent), pour infraction aux règles, du droit de poursuivre une épreuve ou de bénéficier de la victoire, de l'avantage acquis. **2.** *Par anal.* Faire perdre à (qqn) la considération, le crédit dont il jouissait. *Ce mensonge l'a disqualifié aux yeux de tous.* ▷ v. pron. Démériter, se discréditer. *Se disqualifier par son ingratitude.*

disque n. m. **1.** ANTIQ Palet pesant, de pierre ou de métal, que les athlètes grecs s'exerçaient à lancer. – Mod. Palet de bois cerclé de fer que lancent les athlètes, de dimension et de poids réglementaires différents selon les catégories d'âge ou de sexe. **2.** Surface visible circulaire d'un astre. *Le disque du Soleil.* **3.** Objet de forme ronde et plate. – ANAT *Disque intervertébral :* lentille biconvexe de tissu fibreux, située entre deux vertèbres. (Le déplacement pathologique de son centre, le *nucleus pulposus,* constitue une hernie discale.) **4.** (Ellipt., pour *disque phonographique.*) Plaque mince et circulaire en matière synthétique pour l'enregistrement et la reproduction des sons. ▷ Par anal. *Disque vidéo* – *Disque compact* ou *compact-disque* (abrév. : C.D.) : disque audionumérique de 12 cm de diamètre. – INFORM *Disque dur :* support circulaire d'informations. – *Disque optique compact (D.O.C.)* : recomm. officielle pour CD-Rom. **5.** MATH Ensemble des points intérieurs à un cercle, comprenant *(disque fermé)* ou ne comprenant pas *(disque ouvert)* sa frontière.

disquette n. f. INFORM Disque constitué de pistes concentriques, utilisé comme mémoire externe et permettant un accès direct.

Disraeli (Benjamin), comte de Beaconsfield (Londres, 1804 – id., 1881), homme politique et écrivain anglais. Romancier social (*Vivian Grey,* 1826; *Sybil,* 1845), député aux Communes (1837), chef du parti tory (1848), Disraeli fut Premier ministre en 1866, puis de 1874 à 1880. Soucieux de la grandeur britannique, il mena une politique impérialiste, se heurtant au libéral Gladstone; en 1876, il fit proclamer la reine Victoria impératrice des Indes. Dans le conflit russo-turc (1877-1878), il s'opposa à la Russie et renforça l'influence britannique dans l'Empire ottoman (cession de Chypre).
▶ illustr. page **568**

dissection n. f. Action de disséquer. *Instruments de dissection.*

dissemblable adj. Qui n'est pas semblable. *Des caractères dissemblables.*

dissemblance n. f. Litt. Absence de ressemblance; différence.

dissémination n. f. Action de disséminer; son résultat.

disséminer v. tr. [1] **1.** Répandre çà et là. *Le vent dissémine certains pollens.* ▷ *Par ext.* Disperser. – Pp. adj. *Un peuple disséminé.* ▷ Fig. *Disséminer une nouvelle.* **2.** v. pron. *Plus nous avancions, plus les maisons se disséminaient.*

dissension n. f. Vif désaccord dû à la diversité des sentiments, des opinions, des intérêts. *Apaiser les dissensions.*

dissentiment n. m. Litt. Différence de vues, de jugements qui cause des conflits.

disséquer v. tr. [14] **1.** Séparer en ses différentes parties un corps organisé (cadavre humain, animal, plante) pour l'étudier. **2.** Fig. Analyser minutieusement. *Disséquer une œuvre littéraire.*

dissertation n. f. **1.** Exposé généralement écrit d'une réflexion méthodique sur un sujet. *Une dissertation savante.* **2.** Exercice scolaire consistant en une composition écrite sur un sujet littéraire ou philosophique.

disserter v. intr. [1] Faire une dissertation; exposer méthodiquement ses idées (surtout oralement). – Péjor. Discourir longuement, d'une manière ennuyeuse ou pédante.

dissidence n. f. Action, état de l'individu, du groupe qui cesse d'obéir à l'autorité établie ou qui se sépare de la communauté à laquelle il appartenait; état qui en résulte. *Province qui entre en dissidence.* ▷ Par ext. *Rallier la dissidence :* rallier le groupe des dissidents.

dissident, ente adj. et n. Qui est en dissidence. *Faction dissidente.* – Subst. *Un(e) dissident(e).*

dissimilitude n. f. Absence de similitude.

dissimulateur, trice adj. et n. Se dit d'une personne qui sait dissimuler ou qui en a l'habitude.

dissimulation n. f. **1.** Action de dissimuler; son résultat. **2.** Caractère d'une personne qui dissimule; duplicité, hypocrisie.

dissimulé, ée adj. **1.** Caché. **2.** Hypocrite, sournois. *Un caractère dissimulé.*

dissimuler v. tr. [1] **1.** Tenir caché, ne pas laisser paraître (des sentiments, des pensées, etc.). *Dissimuler sa joie.* – Pp. adj. *Colère mal dissimulée.* – (S. comp.) *Inutile de dissimuler.* ▷ v. pron. *Une émotion qui ne peut plus se dissimuler.* **2.** Taire, laisser ignorer à. *On lui dissimula l'incident. Je ne vous dissimulerai pas que je suis mécontent,* je tiens à vous le faire savoir. ▷ v. pron. *Je ne me dissimule pas les difficultés de l'entreprise.* **3.** Masquer, cacher, rendre moins visible. *Dissimuler son visage. Dissimuler les défauts d'un ouvrage.* ▷ v. pron. *Se dissimuler derrière une tenture.*

dissipateur, trice n. et adj. Personne qui dissipe des biens. ▷ adj. *Une administration dissipatrice.*

dissipation n. f. **1.** Action de dissiper; son résultat. *La dissipation d'un malentendu.* – Fait de se dissiper. *La dissipation du brouillard.* **2.** Action de dissiper (des biens). *Dissipation d'un patrimoine.* **3.** Manque d'attention, de sérieux. *Dissipation d'un élève, d'une classe.* **4.** Litt. Conduite débauchée. *Vivre dans la dissipation.*

dissipé, ée adj. **1.** Inattentif, turbulent. *Un élève dissipé.* **2.** Litt. Livré aux plaisirs, à la licence. *Une existence dissipée.*

dissiper v. tr. [1] **1.** Faire disparaître en écartant, en dispersant; mettre fin à. *La lumière dissipe les ténèbres. Le vent dissipe les nuages.* – Fig. *Dissiper un malaise, des craintes, des soupçons.* ▷ v. pron. *Le brouillard s'est dissipé.* **2.** Perdre en dépenses, en prodigalités. *Dissiper sa fortune.* – Fig. *Dissiper son temps, sa jeunesse.* **3.** *Dissiper qqn,* le distraire, détourner son attention; l'inciter à des écarts de conduite. *Dissiper ses camarades de classe. Exemples qui dissipent la jeunesse.* ▷ v. pron. *Élèves qui se dissipent.*

dissociable adj. Qui peut être dissocié.

dissociation n. f. **1.** Action de dissocier; son résultat. *Dissociation des budgets de fonctionnement et de recherche.* **2.** CHIM Réaction équilibrée par laquelle un corps pur donne naissance à d'autres corps purs *(dissociation thermique)* ou à des ions *(dissociation électrolytique).*

dissocier v. tr. [2] **1.** Séparer (des personnes, des choses, qui étaient liées ou réunies). *Dissocier deux questions,* les distinguer, les disjoindre. **2.** PHYS, CHIM Séparer (les éléments constitutifs d'un corps). *Dissocier les molécules d'un gaz.*

dissolu, ue adj. Qui vit dans la licence. *Homme dissolu.* Ant. austère, vertueux.

dissolubilité n. f. Didac. Caractère de ce qui peut être dissous (sens 1 et 2).

dissoluble adj. **1.** Rare Soluble. **2.** POLIT Qui peut être dissous. *L'Assemblée nationale est dissoluble.*

dissolution n. f. **1.** Transformation ou anéantissement d'une substance par décomposition. – Fig. *Une économie menacée de dissolution.* **2.** PHYS, CHIM Dispersion des molécules d'un corps (le *soluté*) dans un liquide (le *solvant*); le mélange homogène (la *solution*) qui en résulte. *Une dissolution de sulfate de cuivre.* **3.** DR Action de mettre légalement fin à (qqch). *Dissolution du mariage.* ▷ Acte par lequel il est mis fin, avant le terme légal, au mandat d'une assemblée élue. *Dissolution d'un conseil municipal.* – *Dissolution de société :* décision amiable ou judiciaire mettant fin à l'existence d'une société et entraînant sa liquidation. **4.** Litt. Dérèglement des mœurs, débauche. *On prête à la Rome décadente les pires dissolutions.*

dissolvant, ante adj. et n. m. Qui a la propriété de dissoudre. ▷ n. m. Syn. de *solvant.* – *Spécial.* Produit employé pour dissoudre le vernis à ongles.

dissonance n. f. **1.** Rencontre de sons qui ne s'accordent pas; effet désagréable dû à leur succession ou à leur simultanéité. *Dissonance de mots, de syllabes.* ▷ MUS Accord, intervalle qui donne une impression plus ou moins prononcée d'incohérence harmonique et qui appelle une consonance. **2.** Fig. Discordance, manque d'harmonie.

dissonant, ante adj. Désagréable à l'oreille. *Voix dissonante. Phrase dissonante.* ▷ MUS *Accord dissonant,* qui forme dissonance.

dissoudre v. tr. [75] **1.** Opérer la dissolution d'un corps. *L'eau pure dissout le gypse.* – Fig. Faire disparaître. ▷ v. pron. *Le sel se dissout dans l'eau.* **2.** DR Annuler. *Dissoudre un mariage.* – *Dissoudre une assemblée élue,* mettre fin à son mandat. ▷ v. pron. *Le mariage se dissout notamment par le décès d'un des conjoints.*

dissous, dissoute adj. **1.** Qui a subi une dissolution. **2.** Qui a été annulé; qui a cessé d'exister. *Une association dissoute.*

dissuader v. tr. [1] Détourner (qqn) d'un projet, d'une résolution.

dissuasif, ive adj. Qui dissuade; propre à dissuader. *Moyens dissuasifs.*

dissuasion n. f. Action de dissuader; son résultat. – MILIT *Force de dissuasion :* ensemble des moyens (armes nucléaires, notam.) destinés, par leur puissance de destruction, à dissuader un éventuel ennemi d'engager les hostilités.

dissyllabe ou **dissyllabique** adj. et n. m. Qui a deux syllabes. *Vers dissyllabiques,* composés de deux syllabes. – n. m. *Un dissyllabe* ou *dissyllabique :* un mot dissyllabe.

dissymétrie n. f. Absence de symétrie; défaut de symétrie.

dissymétrique adj. Qui manque de symétrie ou qui présente une dissymétrie. *Cristal dissymétrique.*

distal, ale, aux adj. Didac. Qui est le plus éloigné du centre, de l'origine dans une structure anatomique. Ant. proximal. ▷ *Face distale d'une dent,* partie qui est proche des extrémités des arcades dentaires.

distance n. f. **1.** Espace qui sépare deux lieux, deux choses. *Distance d'une ville à une autre. Parcourir, franchir une distance.* – Loc. adv. *À distance :* de loin. *Dispositif qui se commande à distance.* ▷ GEOM *Distance d'un point à une droite, à un plan :* distance d'un point au pied de la perpendiculaire menée de ce point sur la droite, le plan. ▷ ASTRO *Distance angulaire :* angle formé par deux directions visées par un observateur. **2.** Espace qui sépare deux personnes. ▷ Loc. *Prendre ses distances :* se disposer en ligne à la distance du bras étendu, devant soi ou latéralement (militaires, gymnastes, etc.). Fig. *Face à son indélicatesse, j'ai pris mes distances.* – *Tenir à distance :* empêcher d'approcher; fig. empêcher, par une attitude réservée, toute manifestation d'empressement ou de familiarité. – Fig. *Garder, conserver ses distances :* se montrer distant. **3.** *Par anal.* Intervalle de temps. *Distance qui sépare deux époques, deux événements.* – Loc. adv. *À distance :* après un certain temps ou avec le recul du temps. *Reconstitution des faits à distance.* **4.** Différence de rang, de valeur, de nature, etc. *Supprimer les distances entre personnes de conditions différentes.*

distancer v. tr. [12] **1.** Dépasser. **2.** SPORT Mettre une certaine distance entre soi et les autres concurrents, dans une course. *Se laisser, se faire distancer.* – Pp. adj. *Le favori est distancé.* ▷ Faire rétrograder, dans le classement d'une course, un concurrent contre lequel une irrégularité a été relevée.

distanciation n. f. Action de prendre du recul (au sens fig.) par rapport à qqn, à qqch, ou de mettre une certaine distance entre deux choses, deux séries, deux faits, etc. ▷ THEAT *Effet de distanciation :* prise de conscience critique du spectateur par rapport au personnage, provoquée par le jeu de l'acteur volontairement détaché de son rôle, interprété comme à distance.

distancier (se) v. pron. [2] Didac. *Se distancier de :* prendre ses distances (par rapport à qqn, qqch). *Se distancier d'un maître. Il s'est distancié de la nouvelle orientation de son parti.*

distant, ante adj. **1.** Qui est à une certaine distance dans l'espace ou le temps. *Le bourg est peu distant, est distant de trois kilomètres.* **2.** Réservé ou froid dans son attitude, son comportement. *Être distant avec qqn. Un air distant.*

distendre v. tr. [6] **1.** Augmenter par tension, de manière considérable ou excessive, les dimensions normales d'une chose. *Distendre les muscles, un ressort.* **2.** v. pron. Devenir moins tendu, moins serré; se relâcher. *La peau se distend avec l'âge.* – Fig. *Liens d'amitié qui se distendent.*

distension n. f. **1.** Augmentation considérable ou excessive, sous l'effet d'une tension, de la surface, du volume d'une chose. **2.** Relâchement à la suite d'une extension excessive. *Distension d'une courroie.*

distillat [distila] n. m. Didac. Produit d'une distillation.

distillateur, trice n. Fabricant de produits obtenus par distillation. ▷ *Spécial.* Fabricant d'eau-de-vie.

distillation n. f. Opération qui consiste à faire passer un mélange liquide à l'état de vapeur, de façon à séparer ses divers constituants. – *Distillation des vins, des fruits, des moûts,* etc., qui donne les liqueurs alcooliques. – *Distillation fractionnée,* pour séparer des liquides inégalement volatils. – *Distillation du pétrole :* V. encycl.

ENCYCL Le principe de la distillation repose sur le fait que des substances mélangées ont, à une température donnée, des pressions de vapeur différentes. La distillation *simple,* utilisée notam. pour produire des alcools à partir de cidre ou de vin, consiste à porter le liquide à ébullition et à recueillir les produits les plus volatils par condensation. La distillation *fractionnée,* utilisée dans l'industrie, s'effectue dans des colonnes à plateaux. La distillation *atmosphérique* consiste à séparer, à la pression atmosphérique, l'essence, le kérosène, le gazole et les produits les plus lourds réunis dans le pétrole brut.

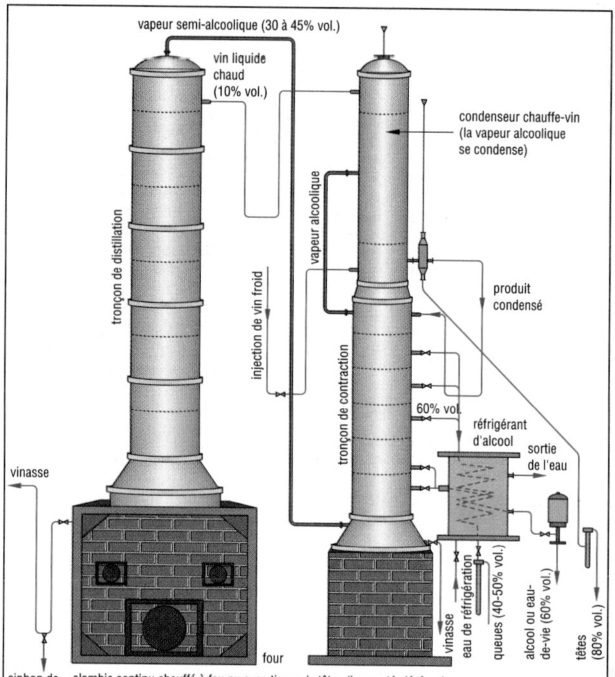
vapeur semi-alcoolique (30 à 45% vol.)
vin liquide chaud (10% vol.)
condenseur chauffe-vin (la vapeur alcoolique se condense)
tronçon de distillation
vapeur alcoolique
injection de vin froid
produit condensé
tronçon de contraction
60% vol.
réfrigérant d'alcool
sortie de l'eau
vinasse
four
vinasse
eau de réfrigération
queues (40-50% vol.)
alcool ou eau-de-vie (60% vol.)
têtes (80% vol.)
siphon de vidange
alambic continu chauffé à feu nu avec tirage de têtes (impuretés légères) et de queues (impuretés lourdes)

distillation alcoolique

distiller v. [1] **I.** v. tr. **1.** Opérer la distillation de. *Distiller du vin, des plantes aromatiques.* ▷ *Par ext.* Produire par élaboration (un liquide, un suc). *L'abeille distille le miel.* **2.** (Surtout fig.) Produire, répandre peu à peu (et comme goutte à goutte). *L'aube distillait un jour blafard. Distiller des informations. Des propos qui distillent la haine.* **II.** v. intr. **1.** Passer à l'état de vapeur par distillation, en parlant d'un corps. *L'alcool ordinaire distille à 78,5 °C.* **2.** Couler goutte à goutte. *Le sang distillait de la blessure.*

distillerie n. f. **1.** Industrie des produits distillés; spécial., des liqueurs alcoolisées. **2.** Lieu de distillation.

distinct, incte adj. **1.** Qui est séparé, différent (d'une chose comparable). *Des pétales distincts. Des fonctions distinctes.* Ant. confondu. **2.** Qui se perçoit nettement. *Des formes, des paroles distinctes.*

distinctement adv. D'une manière distincte. *Prononcer distinctement.*

distinctif, ive adj. Qui permet de distinguer. *Signe distinctif.*

distinction n. f. **1.** Action de distinguer, de faire la différence entre des choses ou des personnes. *Faire la distinction entre le bonheur et la félicité.* **2.** Division, séparation. *Distinction des pouvoirs exécutif et législatif.* **3.** Marque d'honneur décernée à qqn en reconnaissance de ses mérites. *Distinction officielle, honorifique. Recevoir une distinction.* **4.** Élégance du maintien, des manières, du langage. *Sa distinction ajoute à sa beauté.*

distinguable adj. Qui peut être distingué.

distingué, ée adj. **1.** Remarquable par ses mérites. *Un économiste distingué.* **2.** Qui a de la distinction. *Un monsieur très distingué.* **3.** (Dans une formule de politesse, à la fin d'une lettre.) Tout particulier. *L'assurance de ma considération distinguée.*

distinguer v. [1] **I.** v. tr. **1.** Rendre particulier, différent, reconnaissable. *Sa taille le distingue des autres.* **2.** Faire la différence entre (des personnes ou des choses). *Savoir distinguer le fer de l'acier.* ▷ v. intr. *Distinguer entre le possible et le probable.* **3.** Remarquer, porter un intérêt particulier à (qqn qui se signale par ses mérites). *Le professeur l'a tout de suite distingué.* **4.** Percevoir avec quelque netteté, par les sens ou par l'esprit. *Distinguer une odeur, un bruit. Je distingue assez bien vos intentions.* **II.** v. pron. **1.** Être reconnaissable (à cause de telle ou telle particularité). *Papier qui se distingue par son grain.* **2.** Se signaler par ses qualités, ses mérites, etc. *Se distinguer par ses talents, son audace.* **3.** Être perçu, reconnu. *Une voix se distinguait dans la rumeur.*

distinguo [distɛ̃go] n. m. Distinction que l'on fait dans une argumentation, entre deux idées, deux points. – Fam. Distinction d'une subtilité excessive. *Il s'empêtre dans des distinguos sans fin.*

distique n. m. VERSIF Réunion de deux vers, formant un ensemble complet par le sens, parfois une maxime. – Dans la versification grecque et latine, réunion d'un hexamètre et d'un pentamètre.

distordre v. tr. [6] **1.** Faire subir une distorsion à. *Distordre un membre.* ▷ v. pron. Subir une torsion. **2.** TECH Déformer (une onde, un signal).

distorsion n. f. **1.** Torsion, déplacement d'une partie du corps. *Distorsion du tronc.* **2.** PHYS Aberration géométrique d'un système optique centré. **3.** TECH Déformation d'un signal, d'une onde électromagnétique ou acoustique. **4.** Fig. Déséquilibre générateur de tension. – *Par ext.* Déformation. *La distorsion des faits dans un récit.*

distraction n. f. **1.** Manque d'attention, relâchement de l'attention. *Avoir des distractions. Par distraction, il a mis des chaussettes de couleurs différentes.* **2.** Délassement, amusement, dérivatif. *Sa distraction favorite est de jouer aux échecs.* **3.** DR Séparation d'une partie d'avec le tout. *Faire distraction d'une somme en faveur de qqn.* – *Distraction de saisie :* incident par lequel un tiers, qui se prétend propriétaire de tout ou partie d'un bien saisi, demande que ce dernier soit ôté de la saisie. – *Distraction de dépens,* qui permet à l'avocat ou à l'avoué du gagnant de faire payer directement ses frais par le perdant.

distraire v. tr. [58] **1.** Litt. Séparer (une partie) d'un tout. *Distraire une somme d'argent d'un héritage.* ▷ *Par ext.* Détourner à son profit (qqch). *Distraire une grosse somme d'argent.* **2.** Déranger (qqn) dans son occupation. *Distraire un élève en plein travail.* ▷ *Distraire l'attention de qqn,* l'éloigner de son objet. **3.** Divertir, amuser. *Il distrait l'assemblée par ses plaisanteries.* ▷ v. pron. S'amuser, se détendre. *On va au cinéma pour se distraire.*

distrait, aite adj. et n. **1.** Qui ne prête pas attention à ce qu'il dit, à ce qu'il fait. *Il est distrait au point d'oublier ses affaires partout où il va.* ▷ Subst. *«Le Distrait», comédie de Regnard (1697).* **2.** Inattentif. *Il a l'air perpétuellement distrait.* – *Écouter d'une oreille distraite, regarder d'un œil distrait.*

distraitement adv. D'une manière distraite, sans prêter attention.

distrayant, ante adj. Qui distrait. *Un spectacle distrayant.*

distribuer v. tr. [1] **1.** Donner à diverses personnes (les éléments partagés d'un ensemble); répartir, partager. *Le préposé de l'administration des Postes distribue le courrier. Distribuer les rôles d'une pièce de théâtre,* et, absol., *distribuer une pièce :* attribuer son rôle à chacun des interprètes. **2.** Répartir dans plusieurs endroits. *Conduites qui distribuent l'eau dans un immeuble.* **3.** *Distribuer un appartement :* affecter un usage particulier aux différentes pièces. – Pp. adj. *Un vieil appartement mal distribué.* **4.** Donner au hasard, dispenser. *Distribuer des coups dans toutes les direc *tions.* **5.** Classer, ordonner. *Distribuer harmonieusement les paragraphes dans un article.*

distributeur, trice adj. et n. **I.** adj. Qui distribue. *Organe distributeur. Appareil distributeur de billets.* **II.** n. **1.** Personne qui distribue. *Un distributeur de tracts.* **2.** Personne ou organisme chargé de la diffusion commerciale, spécial. de films. *Les distributeurs retardent la sortie de ce film.* **3.** n. m. Appareil servant à distribuer (des objets, un fluide, etc.). *Un distributeur automatique de billets.* **4.** n. m. ELECTR Appareil servant à relier des circuits.

distributif, ive adj. **1.** (Choses) Qui distribue. – *Justice distributive,* qui répartit les peines et les récompenses selon les mérites (par oppos. à *justice commutative*). **2.** GRAM, LOG Qui désigne séparément (par oppos. à *collectif*). *« Chaque » est un adjectif distributif.* **3.** MATH *Loi distributive par rapport à une autre loi,* telle que a × (b + c) = (a × b) + (a × c). *La multiplication est distributive par rapport à l'addition* [8 × (4 + 2) = (8 × 4) + (8 × 2)].

distribution n. f. **1.** Répartition (de choses) entre plusieurs personnes. *Distribution de vivres. La distribution du courrier.* ▷ *Distribution des prix :* cérémonie au cours de laquelle les meilleurs élèves sont récompensés, à la fin de l'année scolaire. **2.** THEAT, CINE Recherche des interprètes et attribution des rôles. – *Par ext.* Ensemble des interprètes. *Ce film bénéficie d'une prestigieuse distribution.* **3.** COMM *Circuit de distribution,* par lequel un produit parvient au consommateur. **4.** Arrangement, ordonnance, disposition. *La distribution des paragraphes dans un texte.* **5.** LING Environnement d'un élément dans un énoncé. **6.** Division selon la destination. *La distribution des pièces d'un logement.* **7.** MATH En calcul des probabilités, répartition de la densité de probabilité suivant les valeurs de la variable aléatoire. **8.** TECH Répartition vers les utilisateurs. *Distribution de l'électricité, du gaz.* Syn. (off. recommandé) de *dispatching.* ▷ Ensemble des organes qui commandent la circulation, la répartition du fluide dans un moteur, une machine.

distributionnalisme n. m. LING Théorie selon laquelle l'analyse distributionnelle est le critère de description de la langue.

distributionnel, elle adj. LING, LOG Qui a trait à la distribution des éléments dans un énoncé. *Grammaire distributionnelle.*

distributivement adv. MATH, LOG En un sens distributif.

district [distʀikt] n. m. **1.** HIST Étendue de juridiction administrative ou judiciaire. **2.** Sous la Révolution, chacune des divisions principales d'un département, remplacées aujourd'hui par les *arrondissements,* moins nombreux. **3.** *District fédéral :* nom donné dans divers États fédéraux (États-Unis, notam.) au territoire englobant la capitale fédérale et ses environs. – *District urbain,* qui regroupe des communes voisines ou formant une même agglomération. **4.** *Par ext.* Région.

distyle adj. ARCHI Se dit d'une construction présentant deux colonnes de front. *Un temple distyle.*

1. dit [di] n. m. **1.** Vx ou plaisant Mot, sentence. *Les dits et les gestes de cet individu. Dits et redits :* propos nombreux, bavardages. **2.** LITTER Récit comique en vers ou en prose, des XIIe, XIIIe et XIVe s. *Le Dit de l'herberie,* de Rutebeuf.

2. dit, dite [di, dit] adj. **1.** Loc. *C'est (une) chose dite :* voilà une chose convenue, n'en parlons plus. **2.** Surnommé. *Charles V, dit le Sage.* **3.** DR (Accolé à l'article défini.) *Ledit, ladite, lesdits, lesdites :* celui, celle, ceux, celles dont on vient de parler.

dithyrambe n. m. **1.** ANTIQ GR Poème lyrique en l'honneur de Dionysos. **2.** Louange enthousiaste, et le plus souvent excessive.

dithyrambique adj. **1.** ANTIQ GR De la nature du dithyrambe. **2.** Très élogieux; élogieux à l'excès. *Des louanges dithyrambiques.*

dito adv. (S'emploie surtout dans les écritures commerciales pour éviter la répétition d'un mot.) Déjà dit, de même (espèce). *Vingt balles de coton à tant, trente dito, à tant.* (Abrév. : d^o^).

Diu, petite île de la côte N.-O. de l'Inde; 38 km^2; 30 000 hab. – Territ. portug. du XVIe s. à 1962 (sauf de 1670 à 1717, période pendant laquelle l'île fut occupée par les Arabes de Mascate). Elle forme, depuis 1987, avec Goa et Damān, le territ. de *Goa, Damān et Diu.*

diurèse n. f. MED Production d'urine; débit urinaire.

diurétique adj. et n. m. **1.** adj. MED Qui augmente la sécrétion urinaire. **2.** n. m. *Les plantes fournissent de nombreux diurétiques.*

diurne adj. **1.** Qui dure un jour (vingt-quatre heures). ▷ ASTRO *Mouvement diurne :* mouvement quotidien de rotation apparent d'un astre autour de l'axe de la Terre. *Le mouvement diurne de l'étoile polaire est pratiquement nul.* ▷ *Arc diurne :* durée, exprimée en degrés d'arc, entre le lever et le coucher d'un astre. **2.** Qui a lieu pendant le jour. Ant. nocturne. ▷ BOT *Plante diurne,* dont la fleur s'épanouit durant le jour. ▷ ZOOL *Animal diurne,* qui est actif (chasse, migration, etc.) pendant le jour. Ant. nocturne, crépusculaire. – *Rapaces diurnes :* les falconiformes (aigles, faucons).

diva n. f. Cantatrice talentueuse et célèbre. – Fig. Personne capricieuse et vaniteuse.

divagation n. f. **1.** DR Action de laisser divaguer (un animal). **2.** *Divagation d'un cours d'eau,* inondation qui se produit quand il sort de son lit. **3.** Fig. Fait de s'égarer, de s'écarter de son sujet. *Se perdre dans des divagations.* ▷ Propos incohérents. *Les divagations d'un mythomane.*

divaguer v. intr. [1] **1.** DR Errer çà et là. *Laisser divaguer des bestiaux.* **2.** *Cours d'eau qui divague,* qui sort de son lit. **3.** Fig. S'écarter de son sujet sans raison. ▷ Perdre la tête, tenir des propos incohérents. *Il est ivre, il divague.*

divan n. m. **1.** HIST Salle de conseil garnie de coussins chez les Orientaux; assemblée qui siège à ce conseil. – Anc. Conseil d'État de la Turquie; *par ext.,* l'Empire ottoman. **2.** Anc. Salle de réception garnie de coussins le long des murs, dans les maisons orientales (turques ni bras, garni de coussins et pouvant servir de lit. ▷ (Canada) Canapé. – *Divan-lit :* canapé-lit. **4.** LITTER *Divan* ou *diwan :* recueil de poèmes arabes ou persans.

dive adj. f. Vieilli ou plaisant Divine. *La dive bouteille* (expression figée) : le vin.

divergence n. f. **1.** Fait de diverger; état de ce qui diverge. **2.** Fig. Différence, désaccord. *S'opposer par une divergence d'opinions.* **3.** MATH *Divergence d'un vecteur :* somme des dérivées partielles de chaque composante du vecteur par rapport à la coordonnée correspondante. **4.** PHYS NUCL Fonctionnement autonome d'un réacteur nucléaire (lorsque la réaction commence à s'entretenir d'elle-même, sans apport d'énergie). *Entrer en divergence :* en parlant d'une réaction de fission nucléaire, s'entretenir d'elle-même.

divergent, ente adj. **1.** Qui diverge ▷ MATH *Série divergente,* qui ne tend pas vers une limite. ▷ PHYS Qualifie des rayons qui s'écartent les uns des autres. – *Lentille divergente,* qui, plus épaisse sur ses bords qu'en son centre, fait diverger les rayons qui la traversent. **2.** Fig. Qui est en désaccord, opposé. *Avis divergents.* ► illustr. **lentille**

diverger v. intr. [13] **1.** Aller en s'écartant de plus en plus (en parlant de deux ou de plusieurs choses rassemblées au départ). *Lignes, rayons qui divergent.* **2.** Fig. Ne pas se rejoindre, être en désaccord. *Leurs opinions à ce sujet divergent.*

divers, erse adj. (et n. m.) **1.** Qui présente plusieurs aspects différents. *Un pays très divers. Un esprit divers.* **2.** (Plur.) Différent, distinct. *Les divers sens d'un mot.* ▷ n. m. POLIT *Les divers droite (gauche) :* l'ensemble des candidats représentant plusieurs partis, faiblement représentés, de même orientation générale à droite (à gauche). **3.** (Plur.) Plusieurs. *Nous parlerons de diverses choses.*

diversement adv. De diverses manières.

diversification n. f. Action de diversifier, fait de se diversifier. ▷ *Spécial.* Production et commercialisation de biens de consommation nouveaux et différents (par oppos. à *spécialisation*).

diversifier v. tr. [2] Rendre divers; varier. *Diversifier le choix de ses expressions.* ▷ v. pron. Être différent. *Les coutumes se diversifient selon les époques.*

diversiforme adj. BIOL Qui a une forme variable. Syn. hétéromorphe, polymorphe.

diversion n. f. **1.** MILIT Opération destinée à détourner l'attention de l'ennemi. *Tenter une diversion.* **2.** Fig. Action de détourner le cours des idées, des préoccupations de qqn. *Faire diversion :* détourner l'attention pour ne pas aborder un sujet. ▷ *Par ext.* Distraction, dérivatif. *Incident qui crée une diversion.*

diversité n. f. **1.** Variété, différence. *La diversité des opinions.* **2.** Opposition, divergence. *La diversité de leurs idées ne les empêche pas d'être amis.*

diverticule n. m. **1.** MED Cavité pathologique terminée en cul-de-sac et communiquant avec un conduit naturel, le tube digestif notam. **2.** Rare Lieu écarté; petit détour. *Le guide conseillait d'emprunter un diverticule.*

divertimento [divɛʀtimɛnto] n. m. MUS Syn. de *divertissement* (sens 4).

divertir v. tr. [3] **1.** DR Soustraire d'un ensemble, s'approprier (illégitimement). *Divertir des fonds.* **2.** Vieilli Détourner (qqn) de (qqch). *Qu'est-ce qui le divertit de son projet?* **3.** Mod., cour. Récréer, amuser. *Ce spectacle m'a diverti.* ▷ v. pron. S'amuser, se distraire. *Se divertir agréablement.*

divertissant, ante adj. Distrayant, amusant. *Spectacle divertissant.*

divertissement n. m. **1.** Vieilli Ce qui divertit qqn, le détourne momentanément de ce qui l'occupe. *« Chercher le divertissement et l'occupation au dehors »*

(Pascal). **2.** Mod. Récréation, distraction, passe-temps. *Jouer aux cartes est son divertissement préféré.* **3.** DR *Divertissement de fonds, des effets d'une succession,* détournement frauduleux, recel de ces biens. **4.** MUS Composition instrumentale de la seconde moitié du XVIIIe s., écrite pour être jouée en plein air. Syn. divertimento. – Intermède libre, dans la fugue. ▷ Morceau composé d'airs chantés et de danses, inséré dans un opéra, dans une comédie-ballet, aux XVIIe et XVIIIe s.

Dives (la), fl. côtier de France (100 km); naît dans le Perche, arrose la vallée d'Auge et se jette dans la Manche.

Dives-sur-Mer, com. du Calvados (arr. de Lisieux); 5 618 hab. – Anc. port de mer d'où Guillaume le Conquérant s'embarqua pour l'Angleterre (1066).

Divico ou **Divicon** (fin IIe s.-Ier s. av. J.-C.), chef helvète. Il défendit son pays contre les Romains; César le vainquit à Bibracte (58 av. J.-C.).

dividende n. m. **1.** MATH Le nombre divisé (par oppos. à *diviseur*). **2.** FIN Part de bénéfice distribuée à chaque actionnaire d'une société. *Donner, toucher des dividendes.* – Portion attribuée à chaque créancier sur la somme qui reste à partager après la liquidation d'une faillite.

Dividing Range, nom de deux chaînes côtières de l'Australie orientale, l'une dans l'État de Victoria, l'autre dans le Queensland.

divin, ine adj. et n. m. **1.** Qui appartient à un dieu, aux dieux, à Dieu. *La divine Providence.* **2.** Qui est dû à un dieu, aux dieux, à Dieu. *Célébrer le culte divin.* ▷ n. m. *Un aperçu du divin.* **3.** Divinisé (se dit des héros mythiques, des personnages historiques de l'Antiquité). *Le divin Auguste.* **4.** Excellent, parfait. *Une beauté divine.* **5.** *Par exag.* Extrêmement agréable, délicieux, ravissant. *Ce dîner a été tout simplement divin.*

divinateur, trice n. et adj. Anc. Personne qui pratiquait la divination. ▷ adj. Qui prévoit l'avenir. *Une intuition divinatrice.*

divination n. f. **1.** Art de deviner l'avenir par l'interprétation des présages. *Les Romains recouraient à la divination dans leurs affaires publiques et privées.* **2.** Faculté de deviner le futur, d'expliciter des pressentiments. *Elle semble posséder un réel pouvoir de divination.*

divinatoire adj. Qui procède de la divination (au sens 1). *Art divinatoire.* – *Baguette divinatoire,* qui permettrait aux sourciers de repérer des sources, des métaux enfouis, etc.

divinement adv. **1.** Par la vertu divine. *Divinement inspiré.* **2.** À la perfection. *Elle chante divinement.*

divinisation n. f. Action de diviniser; son résultat.

diviniser v. tr. [1] **1.** Mettre au rang des dieux. – Pp. adj. *Un empereur romain divinisé.* **2.** Donner un caractère divin à. *Diviniser un animal.* **3.** Fig. Exalter, glorifier. *Diviniser la force.*

divinité n. f. **1.** Essence, nature divine. *La divinité du Verbe.* **2.** Dieu. *Adorer la Divinité.* ▷ *Les divinités des eaux.* **3.** Fig. Chose, personne que l'on adore comme un dieu. *L'argent est sa divinité.*

divis, ise [divi, iz] adj. et n. m. DR Partagé (par oppos. à *indivis*). *Propriétés divises.* – Loc. adv. *Par divis* : par suite d'un partage.

diviser v. tr. [1] **I. 1.** Partager en plusieurs parties. *Diviser une propriété entre plusieurs personnes. Une tragédie classique est divisée en cinq actes.* ▷ v pron. *L'année se divise en douze mois dans le calendrier grégorien. 4 se divise par 2 et par 4.* **2.** MATH Effectuer la division de. *En divisant 16 par 4, on obtient 4.* **3.** Séparer en parties. *Diviser une tarte en six.* **II. 1.** Désunir. *Diviser pour régner. Le projet gouvernemental divise l'opinion.* **2.** v. pron. S'opposer. *Se diviser sur l'opportunité d'un projet.*

diviseur, euse n. (et adj.) **1.** n. m. MATH Nombre qui divise un autre nombre appelé dividende. **2.** n. m. ELECTR *Diviseur de tension :* appareil qui fournit une tension de sortie inférieure à la tension d'entrée. *Diviseur de fréquence :* montage fournissant une fréquence de sortie qui est sous-multiple de la fréquence d'entrée. **3.** n. Rare Personne qui désunit. ▷ adj. *Des idées diviseuses.*

divisibilité n. f. MATH Propriété d'un nombre divisible.

divisible adj. **1.** Qui peut être divisé. **2.** MATH Se dit d'un nombre qui peut être divisé sans reste. *9 est divisible par 3.*

division n. f. **1.** Action de diviser; état d'une chose divisée. *Division d'un État en provinces. La division d'un livre en chapitres.* **2.** MATH Opération, notée : consistant à partager un nombre (le dividende) en un certain nombre (le diviseur) de parties égales, dont chacune est le quotient. **3.** GEOM *Division harmonique*.* **4.** Chaque partie d'un tout divisé. *Les divisions d'un territoire peuvent être géographiques, administratives, politiques.* **5.** ECON, POLIT *Division du travail :* organisation de la production par répartition du travail en tâches spécialisées. **6.** MILIT Unité importante regroupant des troupes de différentes armes et des services, placée sous les ordres d'un général. *Une division aéroportée, blindée.* **7.** BIOL *Division cellulaire :* V. mitose et méiose. **8.** Réunion de plusieurs bureaux sous la direction d'un chef. *La division du personnel.* **9.** DR Partage. *Division d'un héritage.* – *Bénéfice de division,* permettant à la caution non engagée solidairement d'exiger du créancier qu'il divise ses poursuites entre chaque caution solvable. **10.** Fig. Désunion, discorde, opposition. *Semer la division dans les esprits.*

divisionnaire adj. et n. **1.** Qui concerne une division. *Monnaie divisionnaire,* celle qui représente la division de l'unité monétaire. **2.** Qui appartient à une division. – *Inspecteur divisionnaire,* qui inspecte une certaine portion, une division du territoire. ▷ Subst. *Un divisionnaire :* un commissaire (de police) divisionnaire. **3.** n. m. Fam. Général de division.

divisionnisme n. m. PEINT Procédé qui consiste à juxtaposer sur la toile de petites touches de couleur pure. *Seurat fut le principal théoricien du divisionnisme, lui-même à l'origine du pointillisme.*

divisionniste n. et adj. PEINT Artiste, théoricien adepte du divisionnisme.– adj. *Peintre divisionniste.*

Divonne-les-Bains, com. de l'Ain (arr. de Gex); 5 610 hab. Stat. thermale (maladies nerveuses). Casino.

divorce n. m. **1.** Rupture légale du mariage. *Être en instance de divorce.* **2.** Séparation complète, opposition entre deux choses. *Divorce entre la raison et la passion.*

divorcé, ée adj. et n. Séparé par un divorce. ▷ Subst. *Un(e) divorcé(e).*

divorcer v. intr. [12] **1.** Rompre légalement, par divorce, son mariage. *Elle a divorcé l'an dernier. Il a divorcé de sa première femme.* **2.** Fig., rare Rompre avec. *Cet homme politique a divorcé d'avec son parti.*

divortialité n. f. SOCIOL Nombre annuel des divorces dans une population donnée.

divulgateur, trice n. Personne qui divulgue.

divulgation n. f. Action de divulguer. *La divulgation d'un accord secret.*

divulguer v. tr. [1] Rendre public (ce qui n'était pas connu). *Divulguer un secret.*

diwan. V. divan (sens 4).

dix [dis] en fin de groupe de mots; [diz] devant une voyelle ou un *h* muet; [di] devant une consonne ou un *h* aspiré. adj. inv. et n. m. inv. **I.** adj. num. inv. **1.** (Cardinal) Neuf plus un (10). *J'ai passé dix jours à Paris.* ▷ Loc. *Dix fois :* souvent. *Je vous l'ai répété dix fois.* **2.** (Ordinal) Dixième. *Tome X. Charles X.* – Ellipt. *Le dix janvier.* **II.** n. m. inv. **1.** Le nombre dix. *Dix fois dix font cent.* ▷ Chiffres utilisés pour écrire le nombre dix (10). *Le dix est mal formé.* ▷ Numéro dix. *Il habite au dix de ta rue.* ▷ *Le dix :* le dixième jour du mois. *Je pars en vacances le dix.* **2.** JEU Carte portant dix marques. *Dix de cœur.* **3.** HIST *Conseil des Dix,* fondé à Venise en 1310 et qui, à partir du XVIe s., détint la réalité de l'exécutif de la République.

Dix (Otto) (Untermhaus, près de Gera, 1891 – Singen, près de Constance, 1969), peintre et graveur allemand d'inspiration expressionniste. Il a traité des thèmes contemporains et dénoncé l'injustice sociale avec un réalisme parfois violent : *la Tranchée* (1920-1923), *l'Ouvrier* (1921), *la Grande Ville* (1927), *la Guerre* (1929-1932). Sous le nazisme, certaines de ses œuvres furent détruites et il fut emprisonné.

Dixence (la) ou **Borgne d'Hérémence** (la), torrent de Suisse (17 km); alimente un des barrages les plus élevés du monde (284 m de hauteur).

dix-huit adj. inv. et n. m. inv. **I.** adj. num. inv. **1.** (Cardinal) Dix plus huit (18). *La majorité légale est fixée à dix-huit ans.* **2.** (Ordinal) Dix-huitième. *Louis XVIII.* – Ellipt. *Le dix-huit mars.* **II.** n. m.

Otto **Dix :** *Portrait de la journaliste Sylvia von Harden,* 1926; MNAM

inv. Le nombre dix-huit. *Multiplier dix-huit par trois.* ▷ Chiffres représentant le nombre dix-huit (18). *Son dix-huit ressemble à un quinze.* ▷ Numéro dix-huit. *Habiter au dix-huit.* ▷ *Le dix-huit* : le dix-huitième jour du mois. *J'ai rendez-vous chez mon dentiste le dix-huit.*

dix-huitième adj. et n. **I.** adj. num. ord. Dont le rang est marqué par le nombre 18. *Le dix-huitième jour. Le dix-huitième siècle* ou ellipt., *le dix-huitième.* **II.** n. **1.** Personne, chose qui occupe la dix-huitième place. *La dix-huitième de sa promotion.* **2.** n. m. Chaque partie d'un tout divisé en dix-huit parties égales. *Le dix-huitième de 72 est 4.* **3.** n. f. MUS Intervalle de quarte redoublé à deux octaves.

Dixieland, nom donné au sud des É.-U. C'est aussi le nom d'un style de jazz traditionnel originaire de La Nouvelle-Orléans.

dixième [dizjɛm] adj. et n. **I.** adj. num. ord. Dont le rang est marqué par le nombre 10. *La dixième voiture d'un convoi. Le dixième arrondissement,* ou, ellipt., *le dixième.* **II.** n. **1.** Personne, chose qui occupe la dixième place. *La dixième de la famille.* **2.** n. m. Chaque partie d'un tout divisé en dix parties égales. *Le dixième de son salaire. Les quatre dixièmes d'une somme.* **3.** n. m. Billet de loterie nationale qui a dix fois moins de valeur qu'un billet entier. **4.** n. f. MUS Intervalle de dix degrés diatoniques ou d'une octave et d'une tierce.

Dix Mille (retraite des), retraite fameuse entreprise après la défaite et la mort de Cyrus le Jeune à Cunaxa, Mésopotamie (401 av. J.-C.), par ses dix mille mercenaires grecs. Xénophon, qui était un de leurs chefs, a raconté cette retraite dans *l'Anabase.*

Dixmude (en néerl. *Diksmuide*), ville de Belgique (Flandre-Occidentale), sur l'Yser; 15 350 hab. – Combats contre les Allemands en 1914 et 1918, puis en 1940 et 1944. – Jubé célèbre (XVIe s., restauré).

dix-neuf adj. inv. et n. m. inv. **I.** adj. num. inv. **1.** (Cardinal) Dix plus neuf (19). *Elle s'est mariée à dix-neuf ans* [diznœvɑ̃]. **2.** (Ordinal) Dix-neuvième. *Chapitre dix-neuf.* – ellipt. *Le dix-neuf août.* **II.** n. m. inv. Le nombre dix-neuf. *Dix-neuf moins trois font seize.* ▷ Chiffres représentant le nombre dix-neuf (19). *Le dix-neuf est mal écrit.* ▷ Numéro dix-neuf. *Jouer le dix-neuf.* ▷ *Le dix-neuf* : le dix-neuvième jour du mois. *Que faites-vous le dix-neuf?*

dix-neuvième adj. et n. **I.** adj. num. ord. Dont le rang est marqué par le nombre 19. *Le dix-neuvième essai. Le dix-neuvième siècle* ou ellipt., *le dix-neuvième.* **II.** n. **1.** Personne, chose qui occupe la dix-neuvième place. *La dix-neuvième à partir de la droite.* **2.** n. m. Chaque partie d'un tout divisé en dix-neuf parties égales. *Un dix-neuvième de la surface.* **3.** n. f. MUS Intervalle formé de deux octaves et d'une quinte.

dix-sept adj. inv. et n. m. inv. **I.** adj. num. inv. **1.** (Cardinal) Dix plus sept (17). *Avoir dix-sept ans.* **2.** (Ordinal) Dix-septième. *Page dix-sept. La rangée dix-sept. Louis XVII.* – Ellipt. *Le dix-sept octobre.* **II.** n. m. inv. Le nombre dix-sept. *Dix-sept plus trois égale vingt.* ▷ Chiffres représentant le nombre dix-sept (17). *Le dix-sept est illisible.* ▷ Numéro dix-sept. *Composer le dix-sept.* ▷ *Le dix-sept* : le dix-septième jour du mois. *Nous sommes le dix-sept.*

dix-septième adj. et n. **I.** adj. num. ord. Dont le rang est marqué par le nombre 17. *La dix-septième représentation. Le dix-septième siècle,* ou, ellipt., *le dix-septième.* **II.** n. **1.** Personne, chose qui occupe la dix-septième place. **2.** n. m. Chaque partie d'un tout divisé en dix-sept parties égales. *Un dix-septième du poids.* **3.** n. f. MUS Intervalle formé de deux octaves et d'une tierce.

Diyala (la) *(Diyālā)*, affl. du Tigre (r. g.); 442 km; donne son nom à l'une des prov. de l'Irak.

Diyarbakir (anc. *Amida*), v. de Turquie, sur le Tigre sup., ch.-l. de l'il du m. nom; 305 940 hab. Text.; maroquinerie. – Belles fortifications en basalte.

dizain n. m. VERSIF Pièce de poésie, stance de dix vers.

dizaine n. f. **1.** Nombre de dix. *Unité, dizaine, centaine.* **2.** Réunion de dix unités. ▷ *Par ext.* Quantité proche de dix. *Une dizaine de personnes l'entouraient.* **3.** Groupe de dix grains successifs d'un chapelet. *Vous direz en pénitence trois dizaines de chapelet.*

dizygote adj. BIOL *Jumeaux dizygotes,* qui proviennent de deux œufs. Syn. faux jumeaux, jumeaux bivitellins. Ant. monozygote.

dj [didʒi] n. m. Syn. de *disc-jockey.*

Djābir ibn Hayyān. V. Geber.

Djahiz (Al-) *(Abū 'Utmān 'Amr ibn Baḥr al-Ǧāḥiẓ)* (Bassorah, v. 776 – id., v. 868), le plus grand des prosateurs arabes par son savoir encyclopédique, par sa connaissance des hommes et de son époque (*Livre des avares, Livre des animaux* et un célèbre traité de rhétorique, où l'humour côtoie l'érudition).

djaïn, djaïnisme. V. jaïn, jaïnisme.

Djakarta ou **Jakarta,** cap. de la rép. d'Indonésie, au N.-O. de Java; env. 10 millions d'hab. Centre admin. et comm. Métall. (constr. navales). – La ville fut fondée en 1619 par les Hollandais, qui la nommèrent *Batavia.*

Djakarta

Djamal al-Din al-Afghani *(Ǧamāl ad-dīn al-Afġānī)* (Asadābād, près de Kaboul, 1838 – Istanbul, 1897), philosophe et homme politique afghan, considéré comme le pilier du réveil musulman au XIXe s. Il prôna, face aux puissances coloniales, une attitude de résistance, qui influença les mouvements de libération nationale. Exilé, il voyagea et exprima ses convictions panislamiques dans de nombr. articles.

Djamāl Pacha ou **Cemal Paşa** (Ahmet) (Mytilène, 1873 – Tiflis, 1922), général et homme polit. ottoman. Il fut un des artisans de l'alliance avec l'Allemagne et l'Autriche durant la Première Guerre mondiale. Après la guerre, à la tête d'une mission turque, il réorganisa l'armée afghane. Il fut assassiné, probabl. par des Arméniens.

Djamboul. V. Aoulié-Ata.

Djami *(Nūr ad-dīn 'Abd ar-Raḥmān Ǧāmī)* (Djām, dans le Khurāsān, 1414 – Herāt, 1492), poète persan, romantique et mystique. Il aborda la quasi-totalité des genres littéraires : *la Chaîne d'or, le Présent offert aux hommes, le Chapelet des pieux, Yūsuf et Zulaykha.*

Djamila. V. Djemila.

Djarach. V. Gerasa.

Djarir (Yamama, v. anc. d'Arabie, v. 653 – id., v. 730), poète arabe. Il est connu par les joutes poétiques qui l'opposèrent à ses deux rivaux Al-Akhtal et Al-Farazdak.

Djayapura ou **Jayapura** (anc. *Hollandia*), cap. de l'Irian Jaya, au N.-E. du pays; 150 000 hab.

Djebail ou **Djubayl.** V. Byblos.

djebel n. m. Montagne ou mont, en Afrique du N. *Le djebel Toubkal (Haut Atlas) est le plus haut sommet du Maghreb (4 165 m).*

Djedda *(Ǧaddah)*, v. d'Arabie Saoudite, sur la mer Rouge; 561 000 hab. Port de La Mecque. Import. centre commercial.

Djelal ad-Din Rumi *(Ǧalāl ad-dīn ar-Rūmī)* (Balkh, dans le Khurāsān, v. 1207 – Konya, Turquie, 1273), poète mystique persan; fondateur de l'ordre des derviches tourneurs. Il exposa la doctrine soufite dans *les Distiques,* poème didactique considéré comme le plus important ouvrage de la littérature mystique de l'Islam.

Djelfa (El-) (auj. *al-Ǧalfa*), v. d'Algérie; 88 930 hab.; ch.-l. de la wil. du m. n. Marchés import.; alfa, laine.

djellaba [dʒɛlaba] n. f. Robe longue à manches longues et à capuchon, portée par les habitants de l'Afrique du N.

Djem (El-) (auj. *al-Ǧem*), v. de Tunisie (gouvernorat de Sousse), sur le littoral; 12 790 hab. Artisanat. – De l'anc. *Thysdrus* est demeuré l'amphithéâtre, le plus vaste monument romain d'Afrique. ► illustr. **amphithéatre**

Djem («le Majestueux») ou **Zizim** (pour les Européens) (Andrinople, 1459 – Naples, 1495), prince ottoman, frère et rival malheureux de Bajazet II. Tombé aux mains des chevaliers de Rhodes, il fut déporté en France, puis à Rome, où Charles VIII, en 1494, s'assura de sa personne; mais Zizim mourut peu après.

Djemdet-Nasr, site archéologique de Mésopotamie, proche du site de Babylone. À la civilisation de Djemdet-Nasr correspond la dernière phase de l'époque prédynastique sumérienne (fin du IVe millénaire- déb. du IIIe).

Djemila (auj. *Djamila*), com. d'Algérie (wil. de Constantine); 22 070 hab. – Anc. colonie romaine de *Cuicul.* – Ruines importantes.

Djenné, v. du Mali; 10 280 hab. – Anc. cap. du royaume des Songhaïs. – Mosquée (reconstruite en 1905).

Djerba ou **Jerba,** île de Tunisie, au S. du golfe de Gabès; 510 km²; 92 270 hab.; ch.-l. *Houmt-Souk.* Vaste oliveraie et palmeraie au climat agréable. Tourisme. – Ce serait l'île des Lotophages de *l'Odyssée.*

Djérid (chott **el-**) *(chaṭṭ al-Djarīd)*, dépression marécageuse du Sud tunisien.

Djézireh *(al-Ǧazīra)* rég. comprise entre le Tigre et l'Euphrate, partagée entre l'Irak et la Syrie.

Djibouti (république de), État d'Afrique orientale, sur la mer Rouge, enclavé entre l'Éthiopie et la Somalie; indépendant en juin 1977, il formait auparavant le Territoire français des Afars et des Issas; 23 000 km²; env. 600 000 hab.; cap. *Djibouti* (365 000 hab.). Langues off. : arabe, français. Monnaie : franc de Djibouti. Pop. : Issas (47 %), Afars (37 %), Arabes (6 %). Relig. : islam.
Géogr. phys. et hum. – Territoire désertique au relief contrasté, à la charnière des grands rifts d'Afrique orientale, Djibouti garde le détroit de Bab al-Mandab, entre la mer Rouge et le golfe d'Aden. Peuplé de nomades Afars (Danakils au N.) et Issas (Somalis en voie de sédentarisation au S.), c'est un pays très pauvre, à la croissance démographique rapide qui dépend largement de l'aide française. Le port de Djibouti, débouché du commerce éthiopien, est le seul grand pôle économique du pays.
Hist. – Les Français prennent possession d'Obock en 1862. En 1888 est créé Djibouti, et en 1896 la Côte française des Somalis, sur un territoire concédé par l'Éthiopie à la France en échange d'une voie ferrée reliant Addis-Abeba à Djibouti (construite de 1897 à 1917). Territoire d'outre-mer en 1946, elle acquiert son autonomie le 23 juin 1956. Revendiquée par l'Éthiopie et la Somalie, elle reste française après le référendum du 19 mars 1967 et devient le Territoire français des Afars et des Issas. Djibouti accède à l'indépendance en 1977, mais conserve une base militaire française. L'exclusion des Afars de la gestion du pays par le président Hassan Gouled Aptidon provoque une guérilla (1991). Après le référendum constitutionnel qui renforce le pouvoir présidentiel (1992), le gouvernement et l'opposition armée signent, en déc. 1994, un accord de paix. Mais, en 1996, les opposants sont privés de leurs droits civiques et, en 1997, le gouvernement demande l'extradition d'Ahmed Dini et d'Ali Maki, réfugiés respectivement au Yémen et en Éthiopie.

djiboutien, enne adj. et n. De Djibouti. ▷ Subst. *Un(e) Djiboutien(ne).*

Djidjel. V. Jijel.

djihad ou **jihad** n. m. Mot arabe *(effort)* désignant une démarche individuelle de recherche de la perfection ou une démarche collective pour étendre l'islam par la force (sens proche de *guerre sainte*).

Djihad ou **Jihad islamique,** organisation d'extrémistes musulmans chiites pro-iraniens, apparue au Liban en 1983.

djinn [dʒin] n. m. Génie, lutin, esprit de l'air, chez les Arabes. *Les Djinns,* poème de Victor Hugo, dans *les Orientales.*

Djibouti

statue du roi **Djoser** (détail), provenant de la pyramide de Saqqarah; calcaire polychrome, IIIᵉ dyn.; Musée égyptien, Le Caire

Djoser ou **Zoser,** nom de deux pharaons de la IIIᵉ dynastie. Le plus connu, Horus Néterirkhet, fit élever la pyramide à degrés de Saqqarah.

Djouba (le), fl. d'Afrique orientale (880 km); naît en Éthiopie et se jette dans l'océan Indien à Kismayou (Somalie). Son cours délimitait les possessions italiennes (1888-1924).

Djoungarie. V. Dzoungarie.

Djubran. V. Gibran.

Djurdjura, chaîne de montagnes du Tell algérien (2 308 m au Lalla Khadidja).

dl Symbole du *décilitre.*

dm, dm², dm³. Symbole du *décimètre,* du *décimètre carré,* du *décimètre cube.*

Dmitriev (Ivan Ivanovitch) (Bogorodskoïe, près de Simbirsk, 1760 – Moscou, 1837), écrivain russe. Il participa à la réforme littéraire menée par Karamzine et composa des fables, des chansons, des contes, des odes. *L'Intelligence des autres* (satire de l'ode classique, 1794), *Ermak* (ballade préromantique, 1794).

Dmytryk (Edward) (Grand Forks, Canada, 1908), cinéaste américain. Inquiété par la Commission des activités anti-américaines, il traita souvent les thèmes de la culpabilité et du remords : *Feux croisés* (1947), *la Lance brisée* (1954), *Ouragan sur le Caine* (1954), *le Bal des maudits* (1958), *l'Homme aux colts d'or* (1959).

D.N.A. ou **DNA** BIOCHIM Sigle de l'anglais *Desoxyribonucleic Acid,* souvent utilisé pour A.D.N.*

Dniepr (le), fl. d'Europe (2 201 km); naît sur le plateau du Valdaï, draine l'Ukraine et la Biélorussie, arrosant notam. Smolensk et Kiev, et se jette dans la mer Noire. Lent et abondant, c'est un grand axe comm. (bois, charbon, minerais). Il alimente de nombr. barrages hydroélectriques, notam. celui de Dnieprogues.

Dnieprodzerjinsk, v. d'Ukraine, sur le Dniepr; 271 000 hab. Centrale hydroél. Chimie, métallurgie.

Dniepropetrovsk (anc. *Ekaterinoslav* ou *Iekaterinoslav*), v. d'Ukraine, sur le Dniepr; 1 201 000 hab.; ch.-l. de prov. Sidérurgie; métall. de transformation; chimie.

Dniestr (le), fl. d'Europe (1 411 km); naît dans les Carpates, sépare la Moldavie de l'Ukraine, se jette dans la mer Noire.

do n. m. inv. MUS Première note de la gamme. Syn. *ut.*

Doba, v. du Tchad; 13 500 hab.; ch.-l. du Logone-Oriental.

doberman [dɔbɛʀman] n. m. Chien à poil ras, svelte et musclé.

Döblin (Alfred) (Stettin, 1878 – Emmendingen, 1957), écrivain allemand. Il collabora à la revue expressionniste *Der Sturm.* Dans son roman *Berlin Alexanderplatz* (1929), il rompt avec la technique du récit traditionnel, notam. par l'utilisation du monologue intérieur.

Dobrič. V. Tolbuhin.

Dobrolioubov (Nikolaï Alexandrovitch) (Nijni-Novgorod, 1836 – Saint-Pétersbourg, 1861), philosophe, critique littéraire et révolutionnaire russe. Adversaire de l'art pour l'art, il fut un théoricien occidentaliste et socialiste : *Qu'est-ce que l'oblomovisme* (sur Gontcharov), *le Royaume des ténèbres* (sur Ostrovski).

Dobro Polje, sommet dans le massif de Nidže (Serbie). – Victoire des troupes franco-serbes de Franchet d'Esperey (15-16 sept. 1918) sur les Bulgares.

Dobroudja, rég. de Roumanie et de Bulgarie, entre le Danube et la mer Noire. Vaste plateau marécageux bordé par une côte basse (port de Constanţa). – Turque de 1396 à 1878, elle fut acquise par la Roumanie (1913 et traité de Neuilly, 1919). Sa partie méridionale a été rendue à la Bulgarie en oct. 1940.

dobson [dɔbsɔn] n. m. Unité de mesure de la couche d'ozone. *100 dobsons correspondent à une couche d'ozone de 1 millimètre d'épaisseur à 0 °C.*

D.O.C. n. m. Abrév. de *disque optique compact,* recomm. officielle pour CD-Rom.

Doce (rio), fl. du Brésil oriental (980 km) dont la vallée est suivie par la voie ferrée qui unit Belo Horizonte à la côte.

docile adj. Obéissant. *Un chien docile.* ▷ Par ext. *Une chevelure docile,* facile à arranger, à peigner.

docilement adv. Avec docilité.

docilité n. f. **1.** Vieilli *Docilité à :* disposition à obéir (à). *Sa docilité aux injonctions du maître.* **2.** Mod. Soumission, disposition à obéir, à se laisser conduire. *Un élève qui fait preuve d'une parfaite docilité.*

docimologie n. f. Didac. Étude des divers modes de sélection (tests, examens, concours, etc.), destinée à en corriger les imperfections et à en améliorer le fonctionnement.

dock [dɔk] n. m. **1.** Bassin entouré de quais, servant au chargement et au déchargement des navires. **2.** Chantier de réparation de navires. *Dock flottant :* installation d'un bassin de radoub mobile, permettant de mettre au sec les navires dans un port. **3.** (Plur.) Grands hangars servant d'entrepôts dans les ports. *Des docks à coton.*

docker [dɔkɛʀ] n. m. Ouvrier qui charge et décharge les navires.

docte adj. Vieilli (Souvent iron.) Savant, érudit. *Je vous laisse à ce docte entretien.*

doctement adv. Vieilli (Souvent iron.) D'une manière savante, pédante.

docteur n. m. **1.** Vieilli ou péjor. Savant pédant. *Il use d'un langage de docteur.* 2.

Personne qui, après soutenance d'une thèse, est promue, dans une université, au plus haut grade. *Docteur ès lettres, docteur ès sciences. Elle est docteur en droit.* **3.** Personne qui a le titre de docteur en médecine. *Consulter le docteur. Docteur Geneviève Durand.* **4.** RELIG CATHOL *Docteur de l'Église* : titre donné par le Saint-Siège aux plus éminents théologiens et apologistes du catholicisme. *Saint Jean Chrysostome, saint Augustin, saint Thomas d'Aquin, sainte Thérèse d'Ávila comptent parmi les docteurs de l'Église.* ▷ RELIG *Docteur de la Loi,* qui interprétait et enseignait la Loi judaïque.

doctoral, ale, aux adj. **1.** Didac. Qui se rapporte aux docteurs, au doctorat. **2.** Péjor. Pédant. *Un ton doctoral.*

doctoralement adv. Péjor. D'une manière doctorale.

doctorat n. m. **1.** Grade de docteur. *Il possède son doctorat d'État. Thèse de doctorat.* **2.** Épreuve à passer pour obtenir ce grade. *Il se présente au doctorat.*

doctoresse n. f. Vieilli Femme qui a passé son doctorat en médecine.

doctrinaire n. et adj. **1.** n. m. RELIG CATHOL Membre de l'une ou l'autre des deux congrégations de la Doctrine* chrétienne. **2.** n. m. pl. HIST Philosophes et hommes politiques qui, sous la Restauration, proposaient une doctrine intermédiaire entre celle du droit divin et celle de la souveraineté populaire. *Royer-Collard et Guizot furent des doctrinaires.* ▷ adj. *Parti doctrinaire.* **3.** n. Personne systématiquement attachée à une doctrine. *Cette journaliste était une doctrinaire du stalinisme.* **4.** adj. Péjor. Dogmatique. *Manifester un attachement doctrinaire à une cause.*

doctrinal, ale, aux adj. Qui a trait à une doctrine, à un ensemble de doctrines. *Des débats doctrinaux.*

doctrine n. f. **1.** Ensemble des opinions que l'on professe, des thèses que l'on adopte. *Cette doctrine nouvelle me paraît fausse. Quelle est votre doctrine en la matière ?* **2.** Système intellectuel (religieux, philosophique, socio-économique, etc.), qui est lié à un penseur ou à un thème. *La doctrine de Platon, la doctrine de l'immortalité de l'âme.* **3.** DR Interprétation théorique des règles du droit (par oppos. à *la jurisprudence,* qui est l'application pratique des lois). **4.** RELIG CATHOL *Prêtres de la Doctrine chrétienne* : membres d'une congrégation fondée au XVIe s. pour l'instruction religieuse du peuple. – *Frères de la Doctrine chrétienne* : membres d'une congrégation de religieux non prêtres fondée en Alsace au XIXe s. – *Congrégation pour la Doctrine de la foi* : congrégation de la Curie romaine, qui a succédé à la congrégation du Saint-Office en 1965.

docudrame n. m. Film de fiction sur un canevas d'histoire vraie.

document n. m. **1.** Chose écrite qui peut servir à renseigner, à prouver. *Documents historiques. Documents de famille.* – *Par ext.* Ce qui peut servir à renseigner, à prouver. *Ce reportage est un document humain.* **2.** DR Certificat commercial servant à identifier une marchandise à transporter.

documentaire adj. et n. m. **1.** adj. Qui repose sur des documents. – Qui possède un caractère de document. *Ce film a une valeur documentaire.* – *À titre documentaire* : à titre de renseignement. **2.** adj. COMM *Traite documentaire* : traite accompagnée de documents tels que factures, récépissés, etc. **3.** n. m. Film à but didactique. *Un documentaire sur la vie des lions.* ▷ adj. *Séquences documentaires.*

documentaliste n. Personne spécialisée dans la recherche, la mise en ordre et la diffusion des documents. *La documentaliste de l'entreprise.*

documentariste n. Cinéaste spécialiste du film documentaire.

documentation n. f. **1.** Action de documenter, de se documenter. **2.** Ensemble de documents. *Une riche documentation.* ▷ *Centre de documentation* : endroit où sont réunis des ouvrages et documents sur un sujet. **3.** Notice, mode d'emploi fournis avec un appareil, un jeu, un logiciel, etc.

documenté, ée adj. Qui se fonde sur une documentation. *Étude sérieusement documentée.* – Qui est informé, dispose de nombreux documents. *Chercheur mal documenté.*

documenter v. tr. [1] Fournir des documents à (qqn). *Documenter un chercheur.* ▷ v. pron. Rechercher, amasser des documents pour soi-même. *Se documenter sur un point d'histoire.*

Dodds (Alfred Amédée) (Saint-Louis, Sénégal, 1842 – Paris, 1922), général français. Il conquit le Dahomey en triomphant de Béhanzin (1892-1894).

dodéca-. Élément, du gr. *dôdeka,* « douze ».

dodécaèdre n. m. GEOM Solide à douze faces. *Un dodécaèdre régulier a pour faces douze pentagones égaux.*

dodécagone n. m. GEOM Polygone qui a douze côtés.

Dodécanèse, archipel de la mer Égée (comprenant douze îles, notam. Cos et Pátmos) et nome de Grèce ; 2 705 km^2 ; 162 430 hab. ; ch.-l. *Rhodes.* – Ces îles, turques depuis 1522, conquises par l'Italie en 1912, furent attribuées à la Grèce en 1947 (traité de Paris).

dodécaphonique adj. Qui utilise le dodécaphonisme. *Musique dodécaphonique. Un musicien dodécaphonique.*

dodécaphonisme n. m. MUS Méthode de composition atonale mise au point par A. Schönberg en 1923, dans laquelle est utilisée, sans répétitions, la série des douze sons de l'échelle chromatique.

dodécasyllabe adj. et n. m. Qui a douze syllabes. – n. m. *L'alexandrin est un dodécasyllabe.*

dodelinement n. m. Action de dodeliner (de la tête, du corps).

dodeliner v. intr. [1] Se balancer doucement. *Dodeliner de la tête.*

1. dodo n. m. Syn. de *dronte.*

2. dodo n. m. (Langage enfantin.) **1.** Loc. *Faire dodo* : dormir. *On va faire un gros dodo.* **2.** Lit. *Aller au dodo.*

Dodoma, cap. de la Tanzanie (depuis 1990) ; 85 000 hab.

Dodone, anc. v. de Grèce (Épire), célèbre pour son temple et pour son oracle de Zeus.

dodu, ue adj. Gras, potelé. *Un poulet dodu. Elle est un peu trop dodue.*

Doesburg (Christian Emil Marie Kupper, dit Theo Van) (Utrecht, 1883 – Davos, 1931), peintre, architecte et théoricien de l'art hollandais ; un des princ. représentants du néo-plasticisme ; fondateur avec Mondrian du groupe *De Stijl* (1917).

dogaresse n. f. HIST Femme d'un doge.

doge n. m. HIST Premier magistrat de plusieurs rép. italiennes au Moyen Âge, notam. à Venise et Gênes. (À Venise, le pouvoir quasi absolu du doge fut limité par la création du Grand Conseil en 1143, puis du Conseil des Dix* en 1310. À Gênes, d'abord élus à vie, les doges le furent pour deux ans, de 1339 à 1797.)

Doges (palais des), palais de Venise (XIIe s., plusieurs fois reconstruit), anc. résidence des doges. Il est doté de façades gothiques (XIVe-XVe s.) et communique, par le pont des Soupirs, avec les prisons.

Dogger Bank, haut-fond sablonneux de la mer du Nord ; chalutage (morue, hareng) ; recherches pétrolières. – Combats entre les flottes anglaise et néerlandaise (1781), britannique et allemande (1915).

dogmatique adj. et n. **1.** Qui concerne le dogme. *Théologie dogmatique.* **2.** PHILO Qui affirme certaines vérités (par oppos. à *sceptique*). *La philosophie dogmatique.* ▷ Subst. *Les dogmatiques.* **3.** Décisif et tranchant ; qui n'admet pas la contradiction. *User d'un ton dogmatique.* **4.** n. f. RELIG Ensemble des vérités de foi organisées en corps de doctrine.

dogmatisme n. m. **1.** Caractère des doctrines philosophiques ou religieuses dogmatiques. *Le dogmatisme s'oppose au scepticisme.* **2.** Attitude intellectuelle consistant à affirmer des idées sans les discuter. *Le dogmatisme étroit d'un théoricien.*

dogme n. m. **1.** Principe établi ; enseignement reçu et servant de règle de croyance, de fondement à une doctrine. *Le dogme de la Trinité. Dogme philosophique, politique.* **2.** RELIG *Le dogme* : l'ensemble des articles de foi d'une religion, notam. du catholicisme. *Attaquer le dogme.*

dogon adj. (inv. en genre) Des Dogons. ▷ Subst. *Un(e) Dogon.*

Dogons, peuple de l'Afrique noire, vivant au Mali, à l'intérieur de la boucle du Niger, dans la rég. des falaises de Bandiagara. Leurs mythes, très anciens, complexes, sont bien inventoriés ; leur art, très riche, est intimement lié aux mythes.

dogue n. m. **1.** Chien de garde à grosse tête, au museau écrasé, aux mâchoires très puissantes. *Les boxers et les danois sont des dogues.* **2.** Fig., fam. *Un dogue* : un homme coléreux, hargneux. – *Être d'une humeur de dogue* : être de très mauvaise humeur, irascible.

► pl. chiens

Doha (Al-). V. Dawhah (Al-).

doigt [dwa] n. m. **I. 1.** Chacune des cinq parties articulées, mobiles, qui terminent la main. *Les cinq doigts de la main sont : le pouce, l'index, le médius (ou majeur), l'annulaire et l'auriculaire. Chaque doigt comporte trois phalanges, sauf le pouce qui n'en a que deux.* ▷ *Les doigts de pied* : les orteils. ▷ *Les doigts d'un gant* : les parties du gant qui gainent les doigts. ▷ Loc. fig. *Mettre le doigt sur* : découvrir, deviner. – *Avoir des doigts de fée* : être d'une grande habileté manuelle. – *Avoir les doigts verts* : être bon jardinier. – *Se mordre les doigts* : éprouver des regrets très vifs. – *Donner, taper sur les doigts de qqn,* le réprimander, le rappeler à l'ordre. – *Obéir au doigt et à l'œil,* ponctuellement, au premier signe. – *Mon petit doigt me l'a dit,* s'emploie en parlant à un enfant pour lui faire croire que l'on connaît ce qu'il cache. – *Être comme les deux doigts de la main*, très liés. – *Savoir qqch sur le bout des doigts*, parfaitement. – *Avoir de l'esprit jusqu'au bout des doigts* : être très spirituel. – Fam. *Se mettre le doigt dans l'œil* : se tromper lourdement. – Fam. *Faire qqch les doigts dans le nez*, avec une grande facilité. **2.** *Un doigt* : un travers de doigt, pris comme mesure. *Un doigt de vin.* – Fig., fam. *Faire un doigt de cour à une femme.* ▷ *À deux doigts de* : très près de. **II.** Chacune des parties articulées attachées à la patte, au pied de certains vertébrés (et à la main du singe). *Les doigts des pattes antérieures des chauves-souris soutiennent la membrane alaire.* **III.** TECH Pièce servant de cran d'arrêt, de butoir.

doigté [dwate] n. m. **1.** MUS Jeu des doigts sur les instruments à cordes, à clavier, etc. ▷ Indication chiffrée, sur la partition, du jeu des doigts. **2.** Habileté des doigts. *Cette dactylo a un excellent doigté.* **3.** Fig. Tact, finesse. *Il a beaucoup de doigté.*

doigtier [dwatje] n. m. Fourreau servant à couvrir, à protéger un doigt.

Doillon (Jacques) (Paris, 1944), cinéaste français. Ses films intimistes reflètent les mentalités contemporaines : *les Doigts dans la tête* (1974), *la Vengeance d'une femme* (1989).

Doire (la) (en ital. *Dora*), nom de deux riv. piémontaises tributaires du Pô : la *Doire Baltée* (160 km), née au mont Blanc, arrose le val d'Aoste ; la *Doire Ripaire* (125 km), née près du col du Montgenèvre, coule dans le val de Suse.

Doisneau (Robert) (Gentilly, 1912 – Paris, 1994), photographe français. Il est le photographe par excellence de Paris et de sa banlieue ; ses images pleines de poésie et d'humour montrent la vie des gens du peuple.

Doisy (Edward) (Hume, Illinois, 1893 – Saint-Louis, 1986), biochimiste américain, auteur de travaux sur l'insuline. P. Nobel de médecine 1943.

doit n. m. COMPTA Partie d'un compte contenant les dettes.

dojo [doʒo] n. m. **1.** Salle d'entraînement et de compétition pour les arts martiaux. **2.** Salle de méditation zen.

dol n. m. DR Artifice destiné à abuser autrui, tromperie.

dolby [dɔlbi] n. m. (Nom déposé.) ELECTROACOUST Système de réduction du bruit de fond des bandes magnétiques, par compression puis expansion de bandes de fréquences déterminées du spectre audible.

dolce [dɔltʃe] adv. MUS Indique qu'un passage doit être exécuté avec douceur. (Abrév. : dol.)

dolcissimo [dɔltʃisimo] adv. MUS Très doucement.

Dol-de-Bretagne, ch.-l. de cant. d'Ille-et-Vilaine (arr. de Saint-Malo) ; 5 046 hab. Cultures maraîchères et fruitières dans le *marais de Dol.* – Cath. XIIIe s. ; maisons XIe s.

doldrums [dɔldʀœms] n. m. pl. (Anglicisme) GEOGR Calmes plats équatoriaux, dus aux basses pressions.

Dole, ch.-l. d'arr. du Jura, sur le Doubs ; 27 860 hab. Centre comm. et industr. : métall., constr. méca., montage électron. et radioélectr. – Anc. cap. de la Franche-Comté.

dôle n. f. Vin réputé du Valais, issu de pinot, le plus souvent rouge.

doléance n. f. (Surtout au plur.) Plainte, récrimination. *Faire ses doléances.* ▷ HIST *Cahiers de doléances* : cahiers rédigés pour les états généraux sur lesquels étaient consignées les protestations adressées au roi.

dolent, ente adj. **1.** Litt. Qui éprouve une souffrance physique, qui est mal en point. *Se sentir dolent.* **2.** Triste et plaintif. *Voix dolente.*

Dolet (Étienne) (Orléans, 1509 – Paris, 1546), imprimeur et humaniste français ; auteur de *Commentaires sur la langue latine* (1536 et 1538), de poèmes ; un des éditeurs de Cl. Marot et Rabelais. Accusé d'hérésie et d'athéisme, il fut pendu et brûlé.

dolicho-. Élément, du gr. *dolikhos*, « long ».

dolichocéphale [dɔlikosefal] adj. et n. ANTHROP Se dit des hommes dont le crâne a une longueur (distance front-occiput) supérieure à sa largeur (diamètre pariétal). Ant. brachycéphale.

doline n. f. GEOMORPH Syn. de *sotch.*

dollar n. m. Unité monétaire des États-Unis, du Canada, ainsi que de nombr. États (Australie, Taiwan, Liberia, etc.) de la *zone dollar* (symbole : $).

Dollard des Ormeaux (Adam) (Les Ormeaux, en Île-de-France, 1635 – Long-Sault, Ontario, 1660), officier français tué avec dix-sept compagnons en combattant les Iroquois.

dollarisation n. f. ECON Substitution du dollar à une monnaie locale pour des échanges commerciaux.

dollariser v. tr. [1] ECON Faire évoluer vers la dollarisation.

Dollfuss (Engelbert) (Texing, 1892 – Vienne, 1934), homme politique autrichien. Chancelier chrétien-social (1932), il instaura un régime autoritaire corporatiste et chrétien, fit anéantir, en 1934, les milices ouvrières social-démocrates. Il s'efforça de tenir tête aux nazis, qui l'assassinèrent.

Döllinger (Johann Ignaz von) (Bamberg, 1799 – Munich, 1890), théologien allemand, inspirateur du schisme des « vieux-catholiques ». Refusant le nouveau dogme de l'infaillibilité pontificale, il fut excommunié en 1871.

dolman [dɔlmɑ̃] n. m. Veste militaire à brandebourgs des anciens hussards.

dolmen [dɔlmɛn] n. m. Chambre funéraire mégalithique composée d'une grande dalle reposant sur deux ou plusieurs pierres verticales.

Dolní Věstonice, site préhistorique de Moravie-Méridionale (Rép. tchèque) ; cimetière slave (IXe et Xe s.). – Vénus de Věstonice (20 000 av. J.-C.).

doloire n. f. TECH **1.** Instrument utilisé pour réduire l'épaisseur d'une pièce de bois. **2.** Instrument pour gâcher la chaux, le sable.

dolmen près de l'Aumède, causses de Sauveterre

Benjamin **Disraeli**

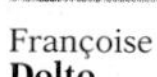

Françoise **Dolto**

dolomie n. f. PETROG Roche sédimentaire formée de dolomite.

Dolomieu (Dieudonné ou Déodat de Gratet, dit) (Dolomieu, Isère, 1750 – Châteauneuf, Saône-et-L., 1801), géologue français qui étudia les calcaires magnésiens, auxquels il donna son nom (*dolomie*).

dolomite n. f. Carbonate naturel double de calcium et de magnésium.

Dolomites ou **Alpes dolomitiques,** massif calcaire italien des Alpes orient. (3 360 m au Marmolada).

dolomitique adj. PETROG Qui renferme de la dolomite. *Calcaire dolomitique.*

dolorisme n. m. Doctrine qui attribue à la douleur une valeur éthique.

Dolto (Françoise) (Paris, 1908 – id., 1988), neuropsychiatre et psychanalyste française, connue pour ses études sur l'enfant (*Psychanalyse et pédiatrie*, 1939, *le Cas Dominique*, 1971) ; elle a contribué à vulgariser les notions de psychanalyse le concernant.

dom [dɔ̃] n. m. **1.** Titre d'honneur donné aux religieux de plusieurs ordres (bénédictins, chartreux). **2.** Titre donné aux nobles, au Portugal. *Dom Miguel.*

DOM n. m. inv. Acronyme pour *département (français) d'outre-mer. La Guadeloupe, la Martinique, la Guyane française et la Réunion constituent les DOM.*

Domagk (Gerhard) (Lagow, Brandebourg, 1895 – Burgberg, Bade-Wurtemberg, 1964), biochimiste allemand. Il découvrit l'action des sulfamides (1935). P. Nobel de médecine 1939.

domaine n. m. **1.** Propriété foncière. *Un domaine de 50 hectares.* – Fig. *Cette pièce est son domaine, je n'y mets jamais les pieds.* **2.** Ensemble des biens. *Le domaine de l'État* ou, absol., *le Domaine. Le domaine public.* ▷ *Tomber dans le domaine public* : cesser d'être, après un certain nombre d'années, la propriété des ayants droit, en parlant de productions artistiques, littéraires, etc. **3.** Fig. Tout ce qu'embrasse un art, une activité intellectuelle donnée. *Avoir des connaissances dans tous les domaines. Agrandir le domaine de la science.* ▷ Ensemble des connaissances, des compétences de qqn. *Ceci n'est pas de mon domaine.* **4.** MATH *Domaine de définition d'une fonction* : ensemble des valeurs de la variable pour lesquelles une fonction est définie.

domanial, ale, aux adj. Qui appartient à un domaine, en partic. au domaine de l'État. *Forêt domaniale.*

domanialiser v. tr. [1] ADMIN Annexer au domaine de l'État. *Domanialiser une forêt.*

Dombasle (Christophe Joseph Alexandre Mathieu de) (Nancy, 1777

– id., 1843), agronome français. Il fit progresser les méthodes culturales (il inventa une charrue) et révéla, notam., l'importance du chaulage.

Dombasle-sur-Meurthe, com. de Meurthe-et-Moselle (arr. de Nancy), au confluent de la Meurthe et du Sanon; 9 368 hab. Sel gemme; soude.

Dombes (la), anc. pays de France, réuni à la Couronne en 1762. Situé dans le dép. de l'Ain, c'est un plateau argileux d'origine glaciaire, riche en étangs. Pisciculture, élevage, forêts. Réserve ornithologique de *Villars-les-Dombes.*

Dombrowska. V. Dąbrowska.

Dombrowski. V. Dąbrowski.

1. dôme n. m. Église cathédrale, en Italie et en Allemagne.

2. dôme n. m. **1.** ARCHI Comble arrondi qui recouvre un édifice. *Le dôme du Panthéon.* ▷ Par anal. *Un dôme de feuillage.* **2.** GEOL Surélévation arrondie et régulière. *Les dômes du Massif central.* **3.** TECH Objet de forme hémisphérique. *Le dôme d'une chaudière.*

Dôme (monts). V. Puys (chaîne des).

Domenico di Pace. V. Beccafumi.

Domenico Veneziano (Domenico di Bartolomeo, dit) (Venise, v. 1400 – Florence, 1461), peintre italien. Son emploi des couleurs claires influença Piero della Francesca, son élève.

Domergue (Jean-Gabriel) (Bordeaux, 1889 – Paris, 1962), décorateur et portraitiste mondain français (nombr. portraits de femmes).

domesticable adj. Que l'on peut domestiquer.

domestication n. f. Action de domestiquer; résultat de cette action. *Domestication d'animaux sauvages.* – Fig. *Domestication de l'énergie solaire.*

domesticité n. f. **1.** Vx État de domestique. **2.** Ensemble des domestiques. *La domesticité d'un hôtel* (on dit plutôt auj. *le personnel*).

domestique adj. et n. **I.** adj. **1.** Qui est de la maison, qui appartient à la maison. *Vie, travaux domestiques. Vertus domestiques.* ▷ n. m. Vx Intérieur, ménage. *Vivre dans son domestique.* **2.** Qui concerne l'intérieur d'un pays. *Réglementation domestique et réglementation communautaire.* **3.** Se dit d'animaux sauvages dont l'espèce a été apprivoisée (pour le trait, la garde, la chasse, l'alimentation, l'agrément). *Le cheval, le chien sont des animaux domestiques.* Ant. sauvage. **II.** n. **1.** Vx Personne attachée à la maison d'un prince, d'un grand seigneur. *La Bruyère fut domestique de la maison de Condé.* **2.** Serviteur, servante à gages. *Un vieux domestique.* (N.B. : on dit plutôt auj. *employé(e) de maison, gens de maison.*)

domestiquer v. tr. [1] **1.** Rendre domestique (un animal, une espèce animale sauvage). *Le chat fut domestiqué par les Égyptiens.* **2.** Fig., péjor. Amener (une personne, un groupe) à une soumission complète. *Domestiquer un peuple.* **3.** Par ext. Tirer parti de (une source naturelle). *Domestiquer l'énergie atomique.*

domicile n. m. **1.** Lieu où demeure une personne. *Vous pouvez m'écrire à mon domicile.* ▷ Loc. adv. *À domicile* : au lieu d'habitation. *Livrer des marchandises à domicile. Travailler à domicile.* – *Sans domicile fixe (S.D.F.)* : en état de vagabondage. **2.** DR Lieu où une personne, une société est légalement et officiellement établie. *Domicile fiscal.* – *Domicile élu* : lieu choisi pour l'exécution d'un acte.

domiciliaire adj. Didac. Relatif au domicile. *Visite domiciliaire* : visite d'un domicile par autorité de la justice.

domiciliataire n. m. DR Personne (généralement un banquier) au domicile de laquelle est payable une traite, un effet de commerce, un coupon d'intérêt ou un dividende.

domiciliation n. f. DR Désignation du domicile où un effet de commerce est payable.

domicilié, ée adj. Qui a son domicile (en tel lieu). *Untel, domicilié à Paris.*

domicilier v. tr. [2] **1.** Fixer un domicile à. **2.** FIN Élire un domicile pour le paiement d'une traite.

domien, enne adj. et n. D'un département d'outre-mer.

dominance n. f. **1.** Didac. Fait de dominer, prédominance, prépondérance. **2.** BIOL État provoqué par l'importance relative que prend un caractère héréditaire ou un gène.

dominant, ante adj. **1.** Qui domine, prévaut. *Couleur, idée dominante. Qualité dominante.* Syn. principal. Ant. accessoire, secondaire. ▷ BIOL Se dit d'un allèle, qui, se trouvant avec un allèle gouvernant un même caractère, s'exprime seul dans le phénotype de l'hybride. (En ce qui concerne la couleur des yeux, par ex., le gène «yeux noirs» domine son allèle «yeux bleus».) Ant. récessif. **2.** Qui domine, exerce une autorité sur. – DR *Fonds dominant* : fonds en faveur duquel une servitude est établie. **3.** Qui surplombe. *Cette forteresse occupe une position dominante.*

dominante n. f. **1.** Ce qui domine, qui est prépondérant. *Une dominante verte sur une photo.* **2.** Matière principale, dans les universités. **3.** MUS Cinquième degré de la gamme diatonique. – Note principale, dans le plain-chant. **4.** ASTROL Signes et planètes prépondérants dans le ciel au moment de la naissance.

dominateur, trice adj. et n. Qui domine, aime à dominer. *Esprit dominateur.* Ant. humble, soumis.

domination n. f. **I. 1.** Puissance, autorité souveraine. *César voulut étendre sa domination.* **2.** Influence, ascendant. *Subir une domination morale.* **II.** (Plur.) THEOL Premier chœur de la deuxième hiérarchie des anges.

dominer v. tr. [1] **1.** Avoir une puissance absolue sur. *Ce conquérant cherchait à dominer le monde.* – Fig. Être maître de. *Dominer sa colère. Dominer les événements.* ▷ v. intr. *Athènes dominait en Grèce.* ▷ v. pron. *Savoir se dominer en toute circonstance.* **2.** Prévaloir, l'emporter en quantité, en intensité sur. *Il parlait d'une voix claire qui dominait le brouhaha.* Syn. prédominer, dépasser. **3.** Être plus haut que, s'élever au-dessus de. *La citadelle domine la ville.* Syn. surmonter, surplomber. ▷ Fig. *Dominer son sujet*, bien le connaître.

1. dominicain, aine n. et adj. **1.** n. Religieux de l'ordre de saint Dominique. **2.** adj. Relatif aux dominicains.

2. dominicain, aine adj. et n. De Saint-Domingue et de la rép. Dominicaine. – Subst. *Un(e) Dominicain(e).*

Dominicaine (république), État d'Amérique centrale formé par la partie orientale de l'île d'Haïti (anc. *Saint-Domingue*); 48 442 km^2; env. 7 800 000 hab. (Dominicains); croissance démographique : plus de 2 % par an; cap. *Saint-Domingue.* Nature de l'État : rép. de type présidentiel. Langue off. : esp. Monnaie : peso dominicain. Pop. : métis (75 %), Blancs (15 %), Noirs (10 %). Relig. off. : catholicisme.

Géogr. phys., hum. et écon. – Île montagneuse (3 175 m au *Pico Duarte*), tropicale humide, au relief aéré de vallées intérieures et de plaines littorales fertiles où se concentrent les habitants. La population est citadine à près de 60 %. Les cultures commerciales (canne à sucre, café, cacao, tabac), le nickel et un peu d'or, constituent l'essentiel des exportations. L'ouverture d'une quarantaine de zones franches industrielles et l'essor du tourisme ont permis un dynamisme économique indéniable, qui profite cependant peu à la majorité des habitants dont le niveau de vie reste faible. L'inflation est élevée, la dette importante et la dépendance à l'égard des États-Unis très forte.

Hist. – Découverte en 1492 par Chr. Colomb, l'île d'Hispaniola fut occupée par les Espagnols jusqu'en 1697 : le traité de Ryswick la partagea entre l'Espagne (à l' E.) et la France (à l'O.), qui en obtint la totalité en 1795 (traité de Bâle). Une première rép. Dominicaine fut fondée en 1809. En 1814, l'Espagne récupéra la partie orientale (Saint-Domingue), où en 1821 une éphémère rép. fut détruite par les Haïtiens. Rép. indépendante en 1844, Saint-Domingue connut à nouveau la domination esp. de 1861 à 1865. Les difficultés politiques et économiques permirent aux É.-U. de l'occuper militairement de 1916 à 1924. Le général Trujillo régnera sans partage de 1930 jusqu'à son assassinat en 1961. En 1962, Juan Bosch, prés. du Parti révolutionnaire dominicain (P.R.D.), fut élu prés. de la Rép., mais en sept. 1963 un putsch militaire le renversa et institua un triumvirat civil. En 1965, les É.-U. intervinrent militairement pour mettre un terme à la guerre civile, mais les affrontements armés ne cessèrent effectivement qu'en 1973. Joaquín Balaguer, président de la République de 1978 à 1996, a cédé la place, en août 1996, à Leonel Fernandez.

dominical, ale, aux adj. **1.** Qui appartient au Seigneur. *L'oraison dominicale* : le Pater. **2.** Du dimanche. *Repos dominical.*

dominion [dɔminjɔn] n. m. Chacun des pays autrefois sous la tutelle du Royaume-Uni et actuellement membres du Commonwealth en pays libres et indépendants.

Dominique (la), État des Petites Antilles, situé entre la Guadeloupe et la Martinique; 751 km^2; 90 000 hab.; cap. *Roseau.* République à régime parlementaire, membre du Commonwealth. Île volcanique (1 447 m au *Morne Diablotin*), la Dominique vit de cultures tropicales destinées à l'exportation (noix de coco, coprah, bananes, agrumes) et du tourisme. – Anc. colonie franç. cédée à l'Angleterre par le traité de Paris (1763). Indépendante depuis 1978.

Dominique de Guzmán (saint Dominique) (Caleruega, prov. de Burgos, v. 1170 – Bologne, 1221), prédicateur espagnol. Chargé par Innocent III d'exhorter les albigeois à renoncer à leur hérésie, il força le respect par son esprit évangélique de pauvreté et d'humilité. Il fonda en 1216 un ordre religieux *(ordre de Saint-Dominique* ou *des dominicains)* suivant en

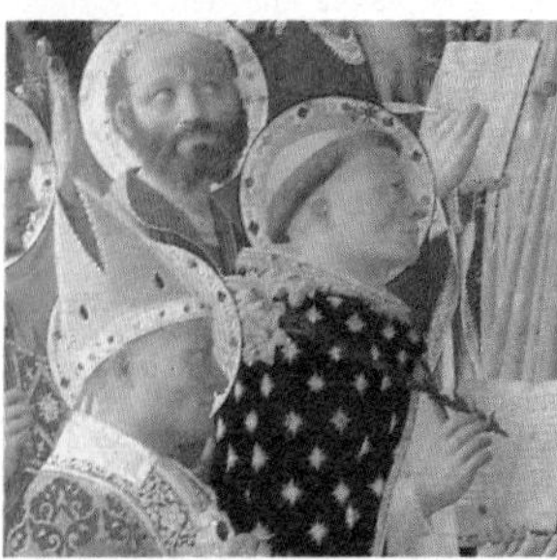

Dominique de Guzmán représenté par Fra Angelico, dans le *Couronnement de la Vierge*, 1430-1435 ; musée du Louvre

partie la règle de saint Augustin, avec pour mission l'apostolat et la lutte contre l'hérésie. Il fut canonisé en 1234.

Dominiquin (Domenico Zampieri, dit *il Domenichino*, en fr. le) (Bologne, 1581 - Naples, 1641), peintre italien, élève des Carrache : fresques de l'égl. St-Louis-des-Français et de Sant'Andrea della Valle, à Rome.

domino n. m. **I.** Vx **1.** Camail noir des ecclésiastiques. **2.** Déguisement de bal masqué, consistant en une longue robe munie d'un capuchon. **II.** Mod. **1.** JEU (Plur.) Jeu de société composé de vingt-huit petites plaques marquées chacune deux fois d'un certain nombre de points combinés. *Une partie de dominos.* - (Sing.) Chacune de ces plaques. **2.** ELECTR Pièce cubique ou parallélépipédique servant à raccorder des conducteurs. **3.** Fig. *Couple domino* : constitué d'une personne blanche et d'une personne noire. - *Effet de dominos* : réaction en chaîne aux effets catastrophiques, en partic. dans le domaine des relations entre États.

Domitien (en lat. *Titus Flavius Domitianus*) (Rome, 51 - id., 96 apr. J.-C.), empereur romain. Deuxième fils de Vespasien, il succéda à son frère Titus en 81. Il étendit l'Empire romain en Bretagne, en Germanie, mais le régime de terreur instauré à la fin de son règne lui valut beaucoup d'ennemis : il fut assassiné, victime d'un complot dont sa femme, Domitia Longina, fit partie.

Domitius Ahenobarbus (Cneius) (Ier s. apr. J.-C.), consul en 32. Premier mari d'Agrippine la Jeune et père de Néron.

dommage n. m. **1.** Ce qui fait du tort. *Causer, subir un dommage.* Syn. préjudice. ▷ (Plur.) DR *Dommages et intérêts* ou *dommages-intérêts* : indemnité due en réparation d'un préjudice. **2.** (Plur.) Dégâts. *L'incendie a causé des dommages importants.* ▷ *Dommages de guerre* : dommages subis par des personnes dans leurs biens, du fait d'actes de guerre ; indemnités et réparations allouées à ces personnes, à la charge de l'État ou de l'ennemi. **3.** Chose fâcheuse, regrettable. *Quel dommage !* - Ellipt. *Dommage qu'il pleuve !* - Fam. *Bien sûr qu'il sait lire, à son âge, ce serait dommage !*

dommageable adj. Qui cause un dommage. *La grêle est dommageable pour les récoltes.*

Domodossola, v. d'Italie (prov. de Novare), au débouché de la route et du tunnel du Simplon ; 20 070 hab. Vins. Électrométallurgie.

Domont, ch.-l. de cant. du Val-d'Oise (arr. de Montmorency) ; 13 341 hab. Industr. métall., du plastique. - Église (chœur du XIIe s.).

domotique n. f. et adj. Didac. Informatique appliquée à l'ensemble des systèmes de sécurité de la maison et de régulation des tâches domestiques. - adj. *Installations domotiques.*

domptage [dɔ̃(p)taʒ] n. m. Action de dompter ; résultat de cette action.

dompter [dɔ̃(p)te] v. tr. [1] **1.** Forcer (un animal sauvage) à obéir. *Dompter un cheval.* Syn. dresser. **2.** *Par ext.* Subjuguer, soumettre à son autorité. *Dompter des rebelles.* Syn. mater. **3.** Fig., litt. Maîtriser, vaincre. *Dompter une passion. Dompter la force des eaux.* Syn. discipliner.

dompteur, euse n. Personne qui dompte les animaux sauvages. *Dompteur de fauves.*

Domrémy-la-Pucelle, com. des Vosges (arr. de Neufchâteau) ; 190 hab. - Maison natale de Jeanne d'Arc, transformée en musée.

DOM-TOM n. m. pl. Ensemble des départements et des territoires français d'outre-mer. V. DOM et TOM.

1. don n. m. **1.** Action de donner. *Faire un don.* - *Don du sang, d'organe.* - *Faire (le) don de soi, de sa vie* : se dévouer entièrement, se sacrifier. **2.** Chose donnée. *Don en nature, en espèces.* ▷ HIST *Don gratuit* : versement que le clergé et les États d'une province faisaient au roi pour subvenir aux besoins publics. **3.** Fig. Avantage naturel (considéré comme donné par la providence, par le sort, etc.). *La beauté est un don. Cet enfant a tous les dons.* ▷ *Par ext.* Aptitude innée à (qqch). *Le don des langues.* - (En mauv. part.) *Vous avez le don de me mettre en colère.*

2. don n. m., **doña** n. f. **1.** (Placé devant le nom de baptême.) En Espagne, titre d'honneur des nobles, qui s'applique auj. à tous les hommes d'un certain rang. *Don Quichotte. Doña Isabel.* (En fr. class. *dom* : *Dom Juan, de Molière.*) **2.** n. m. En Italie, titre d'honneur donné aux abbés.

Don (le), fl. de Russie ; 1 870 km ; naît près de Toula, arrose Lebedian, Rostov-sur-le-Don, Azov et se jette dans la mer d'Azov. Relié par un canal à la Volga, c'est un grand axe commercial (transport du blé).

Donald, nom de huit rois d'Écosse. **- Donald III Bane,** roi de 1093 à 1097, eut un règne troublé, marqué par un renouveau des traditions celtiques et des luttes contre l'Angleterre.

Donat (m. en Gaule ou en Espagne, v. 355), évêque de Casae Nigrae (à 50 km de la v. actuelle de Sétif), puis de Carthage. Protestant contre le pouvoir central de Rome (312), il fut condamné par les conciles de Rome (313) et d'Arles (314) et exilé par l'empereur Constantin en Espagne (316), mais le *donatisme* demeura vivace en Afrique du N. pendant plus. siècles. Les donatistes liaient la validité des sacrements à la sainteté du ministre. Berbères non romanisés, ces hérétiques opposaient, sur le plan politique, la simplicité paysanne à la pompe des clercs qui parlaient latin et appuyaient leur administration sur les structures de l'Empire romain.

donataire n. DR Personne à qui est faite une donation.

Donatello : *David adolescent*, 1430, bronze ; musée du Bargello, Florence

Donatello (Donato di Niccolo Betto Bardi, dit) (Florence, 1386 - id., 1466), sculpteur italien. Le plus grand sculpteur florentin du Quattrocento, à la fois marbrier et bronzier, il a tracé la voie entre le gothique international à caractère réaliste et le classicisme : série des prophètes du campanile de Florence, dont le célèbre *Habacuc* dit *le Zuccone* (1427-1436), *David* (bronze, 1430-1440, Bargello), effigie du condottiere *Gattamelata* (1447, achevée en 1453, Padoue), la prem. grande statue équestre de la Renaissance.

donateur, trice n. **1.** Personne qui fait un don. *Nous remercions les généreux donateurs.* ▷ *Spécial.* Personne qui donne à une église un tableau sur lequel elle se fait représenter. *Vierge au donateur.* **2.** DR Personne qui fait une donation.

donation n. f. DR Contrat par lequel une personne (donateur) se dépouille gratuitement et irrévocablement, de son vivant, d'une partie de ses biens, en faveur d'une autre personne (donataire), qui accepte. *Donation entre vifs.* ▷ Acte constatant ce contrat.

donation-partage n. f. DR Acte par lequel qqn donne et partage de son vivant des biens entre ses descendants. *Des donations-partages.*

donatisme n. m. HIST Doctrine des donatistes.

donatiste n. Partisan de Donat.

Donbass, bassin houiller (« bassin du Donets »), situé en Ukraine (pour la plus grande part) et en Russie. Il a pour centre Donetsk. Import. région industr. reliée aux mines de fer de Krivoï-Rog : sidérurgie, chimie, métallurgie.

donc conj. **1.** (Introduisant la conclusion d'un raisonnement, marquant la conséquence.) « *Je pense, donc je suis* » (Descartes). *J'ignorais son adresse, je ne pouvais donc pas lui écrire.* **2.** (Pour reprendre la suite d'un discours interrompu.) *Nous disions donc que...* **3.** (Marquant l'étonnement, la surprise, l'impatience ; appuyant une affirmation, un ordre.) *Qu'avez-vous donc ? Allons donc, ce n'est pas possible ! Taisez-vous donc ! Mais comment donc !*

Doncaster, ville d'Angleterre (South Yorkshire) ; 284 300 hab. Houille ; industries chimiques et mécaniques.

dondon n. f. Fam., péjor. Femme lourde, ayant beaucoup d'embonpoint.

Donen (Stanley) (Columbia, 1924), cinéaste américain, auteur de comédies musicales et de comédies légères : *Chantons sous la pluie* (1952), *Drôle de frimousse* (1957), *Charade* ((1964).

Donets ou **Donetz** (le), riv. d'Ukraine et de Russie (1 016 km); naît dans la rég. de Koursk, arrose Lougansk et se jette dans le Don.

Donetsk (anc. *Stalino*), v. d'Ukraine; ch.-l. de la prov. du m. nom; 1 099 000 hab. Puissante industr. métall. au centre du Donbass.

dông [dõg] n. m. Unité monétaire du Viêt-nam.

Dong Qichang ou **Tong K'i-tch'ang** (1555-1636), peintre chinois de la dynastie des Ming; grand calligraphe qui a défini les dogmes de la peinture de lettré.

Dongting (lac), grand lac de Chine (5 000 km²) situé dans le N.-E. du Hunan.

Dönitz (Karl) (Grünau, 1891 – Aumühle, Schleswig-Holstein, 1980), amiral allemand. Commandant des forces sous-marines (1935), commandant suprême de la flotte (1943), il remplaça Hitler cinq jours avant la capitulation de l'Allemagne (mai 1945). Condamné à Nuremberg en 1946, il fut libéré en 1956.

Donizetti (Gaetano) (Bergame, 1797 – id., 1848), compositeur italien. *Lucie de Lammermoor* (opéra, 1835), *la Fille du régiment* (opéra-comique, 1840) et *Don Pasquale* (opéra bouffe, 1843).

donjon n. m. Tour principale d'un château fort, constituant l'ultime refuge en cas d'assaut.

don Juan n. m. Grand séducteur. *Des don(s) Juans.*

Don Juan, personnage légendaire d'orig. espagnole (le seigneur don Juan Tenorio, qui vécut à Séville au XVIe s., aurait servi de modèle), type du séducteur libertin, audacieux et cynique, que le Ciel punit.

donjuanesque adj. Relatif au caractère, à la légende de Don Juan. *Des manœuvres donjuanesques.*

donjuanisme ou **don-juanisme** n. m. Manière d'être d'un don Juan. *Des don-juanismes* (plur., rare).

Donleavy (James Patrick) (New York, 1926), écrivain américain. Ses romans critiquent les conventions bourgeoises avec un mélange de réalisme et de fantaisie : *Un homme étrange* (1963), *la Bestiale Béatitude de Balthazar B.* (1969).

Donn (Jorge) (Buenos Aires, 1947 – Lausanne, 1992), danseur argentin. Danseur vedette du Ballet du XXe siècle de M. Béjart, il tint les rôles de soliste notam. dans *Roméo et Juliette* (1966) et *Nijinski, clown de Dieu* (1971).

donnant, ante adj. **1.** Vx Qui donne volontiers. *Il n'est pas donnant.* **2.** Loc. adv. *Donnant donnant* : que l'on ne donne qu'en échange de qqch.

donne n. f. JEU Action de distribuer les cartes; les cartes distribuées. *Fausse, mauvaise donne.*

Donne (John) (Londres, 1573 – id., 1631), prédicateur, poète et philosophe anglais, surtout connu pour ses poésies profanes, qui mêlent une sensualité violente à l'idée de la mort : *le Voyage de l'âme* (1601, publié en 1633), *Biathanatos* (posth. 1644).

donné, ée adj. et n. **I.** adj. **1.** Accordé, octroyé, attribué. *Une récompense donnée par la ville.* – *Par exag.* Vendu à très bas prix. *À ce prix, c'est donné.* **2.** Représenté. *Tragédie donnée à la Comédie-Française.* **3.** Déterminé, connu. *En un temps donné.* **4.** Loc. prép. inv. *Étant donné* : considérant. *Étant donné deux triangles rectangles...* ▷ Loc. conj. *Étant donné que* : puisque, du fait que. *Étant donné qu'il pleut, cela m'étonnerait qu'il vienne.* **II.** n. m. LOG *Le donné* : ce qui est immédiatement présent à la conscience avant toute élaboration. **III.** n. f. **1.** Supposition, notion, élément servant de base à un raisonnement, une recherche, etc. *S'appuyer sur des données fausses.* ▷ INFORM Information servant à effectuer des traitements. *Banque de données.* **2.** MATH Grandeur permettant de résoudre une équation, un problème.

Donneau de Visé (Jean) (Paris, 1638 – id., 1710), écrivain et auteur dramatique français : *Zélinde ou le Portrait du peintre* (1663, comédie, critique de *l'École des Femmes* de Molière). Il fonda le journal hebdomadaire *le Mercure galant* (1672).

donner v. [1] **A.** v. tr. **I.** Remettre. **1.** Faire don de, abandonner gratuitement et définitivement. *Donner des étrennes. Donner de vieux vêtements.* ▷ Loc. *Donner sa vie* : se sacrifier. – *Donner son temps à une tâche, à qqn.* Syn. consacrer. ▷ DR *Donner et retenir ne vaut* : adage signifiant que le donateur, en matière de donation entre vifs, doit se dessaisir irrévocablement. ▷ Prov., fam. *Donner c'est donner, reprendre c'est voler* : le donateur doit se dessaisir irrévocablement. – *Qui donne aux pauvres, prête à Dieu* : Dieu nous rendra le bien que nous faisons aux malheureux. – *Qui donne tôt, donne deux fois* : accorder promptement une grâce en double la valeur. **2.** Céder en échange. *Donnez-moi pour vingt francs de petits fours.* **3.** Confier en dépôt. *Donner des chaussures à réparer, du linge à repasser.* **4.** Attribuer, assigner. *Donner des lois à un pays. Donner un nom à un enfant.* **II.** Mettre à la disposition de. **1.** Présenter, offrir. *Donner le bras, la main à qqn. Donner une soirée, une réception en l'honneur de qqn.* ▷ Distribuer. *Donner des cartes à des joueurs.* – Absol. *À qui le tour de donner ?* **2.** *Donner qqn à qqn* : accorder. *Il a donné sa fille* (en mariage) *à son voisin.* **3.** Dénoncer, livrer. *Donner ses complices.* **4.** Communiquer, transmettre. *Donner de ses nouvelles. Donner l'heure. Donner un ordre.* – *Je vous le donne en mille* : je vous défie de le deviner. – INFORM *Donner des instructions à un ordinateur.* ▷ Exposer (qqch à qqn). *Donner un cours, une conférence. Le notaire donna lecture du testament. Donner (son) congé.* ▷ Transmettre par contagion. *Il a donné son rhume à toute la famille.* **5.** Fig. Concéder, octroyer, accorder. *Il a donné son accord pour le projet. Je vous donne trois jours pour réfléchir.* ▷ *Donner sa parole* : promettre, s'engager. ▷ *Donner à qqn de,* permettre, accorder (surtout en tournure passive). *Il m'a été donné de m'exprimer.* ▷ v. pron. *Se donner du bon temps, s'en donner à cœur joie* : mener une vie gaie, être gai. **III.** Causer. **1.** Produire. *Cette source donne de l'eau potable. Notre entrevue n'a rien donné.* – Absol. *Le blé n'a pas donné.* **2.** Causer, susciter. *Donner du souci. Donner du fil à retordre. Donner chaud, froid, soif, faim.* – *Donner à...* : fournir l'occasion de. *Donner à penser, à entendre.* **3.** (En loc.) Exercer une action. *Donner des soins. Donner des coups de pied. Donner le fouet.* – Fig. *Donner un coup de main* : aider. ▷ MAR *Donner du mou à* : détendre (un cordage). **4.** Fig. Attribuer. *Quel âge lui donnes-tu ? Donner tort, raison à qqn.* ▷ v. pron. *Se donner l'air de* : affecter de, faire semblant de. **B.** v. intr. **1.** Heurter, toucher. *Donner de la tête contre le mur.* – Fig. *Ne plus savoir où donner de la tête* : être très occupé. **2.** Se jeter dans. *Le vent donne dans les voiles.* – Fig. *Donner dans le panneau,* s'y jeter, y tomber. – *Donner dans (un travers),* y être porté. *Donner dans la bigoterie.* **3.** MILIT Attaquer, charger. *Faites donner la Garde !* **4.** Faire retentir, sonner. *Donner de la voix, donner du cor.* **5.** *Donner sur* : avoir accès, avoir vue sur. *Fenêtre qui donne sur la rue.* **C.** v. pron. **1.** Faire don de soi-même, se dévouer. *Se donner à la patrie, à une cause.* ▷ *Se donner à* : accorder ses faveurs à, en parlant d'une femme. ▷ *Se donner en spectacle* : se faire remarquer. ▷ *Se donner pour* : se faire passer pour. **2.** (Passif) Être donné. *Un conseil, cela se donne de bon cœur.* – Se faire, être livré. *L'assaut s'est donné cette nuit.* **3.** (Récipr.) *Les deux galopins se donnaient des coups de pied.*

donneur, euse n. et adj. **I.** n. **1.** *Donneur de* : personne qui donne. *Donneur de cartes.* ▷ DR, FIN *Donneur d'aval. Donneur d'ordre* : V. opérateur. **2.** Arg., fam. Dénonciateur, mouchard. **3.** n. m. MED Personne qui donne son sang pour une transfusion, un organe pour une greffe (rein, œil, etc.). *Donneur de sang. Donneur universel,* dont le sang (du groupe O) est compatible avec tous les autres groupes sanguins. **II.** adj. **1.** Qui donne facilement. *Elle n'est pas très donneuse.* **2.** CHIM *Atome donneur,* celui qui fournit un doublet d'électrons dans une liaison covalente (par oppos. à *receveur*).

Donon (le), sommet (1 008 m) et col (737 m) des Vosges. Stat. climatique et hivernale. – Ruines gallo-romaines.

don Quichotte n. m. Homme généreux et naïf qui prétend redresser tous les torts. *Qu'est-ce que c'est que ces petits don(s) Quichottes ?*

Don Quichotte, héros de Cervantès (*l'Ingénieux Hidalgo don Quichotte de la Manche*); type du redresseur de torts dont la généreuse naïveté est proche de la folie.

donquichottisme ou **don-quichottisme** n. m. Manières, attitude d'un don Quichotte. *Des don-quichottismes* (plur. rare).

Donskoï (Mark Semenovitch) (Odessa, 1901 – Moscou, 1981), cinéaste soviétique. Il a notam. adapté Gorki à l'écran : *l'Enfance de Gorki* (1938), *En gagnant mon pain* (1939), *Mes universités* (1940), *la Mère* (1956).

dont pron. relatif inv. Sert à introduire une proposition correspondant à un complément introduit par la prép. *de. Dont* peut être : **I.** Complément du verbe. **1.** Comp. d'objet indir. *L'homme dont je t'ai parlé.* **2.** Comp. circonstanciel. *À la façon dont il s'y prenait, j'ai cru qu'il allait tout casser. La famille dont il sort est illustre.* (Mais au sens concret : *le bâtiment d'où il sort.*) **II.** Comp. de n. et d'adj. *Un combat dont l'enjeu est l'honneur. Ce nom dont vous êtes fier.* **III.** (Introduisant une proposition sans verbe.) Parmi lesquels, lesquelles. *Ils ont choisi dix personnes, dont moi.*

donzelle n. f. Fam. Jeune vaniteuse.

Donzère, com. de la Drôme (arr. de Nyons), près du Rhône; 4 295 hab. – Église romane; ruines de l'enceinte médiévale et d'un château du XIe s. – Au N., import. barrage hydroélectrique (dit de *Donzère-Mondragon*).

Doon de Mayence, cycle de chansons de geste, qui regroupe (XIIIe s.) les chansons de Doon de Mayence, Raoul de Cambrai, Renaud de Montauban, etc.

dopa n. f. BIOCHIM Dérivé de la tyrosine et précurseur de la dopamine; son isomère naturel, ou *L-dopa*, est utilisé pour traiter la maladie de Parkinson.

dopage n. m. **1.** Utilisation d'une substance qui a pour effet d'augmenter les performances physiques d'un individu. (Les produits utilisés sont dangereux, aussi sont-ils prohibés dans les compétitions sportives.) **2.** CHIM Modification de certaines des propriétés (d'une substance) par addition d'un dope.

dopamine n. f. BIOCHIM Dérivé de la dopa par décarboxylation, précurseur de la noradrénaline, utilisé en cardiothérapie.

dopant n. m. Stimulant, excitant.

dope n. **1.** n. m. CHIM Produit que l'on ajoute en petites quantités à une substance pour en modifier les caractéristiques (lubrifiants, semiconducteurs, etc.). **2.** n. f. Arg. Drogue (sens 3).

doper v. [1] **I.** v. tr. **1.** Administrer un stimulant à. *Doper un cheval.* – Fig. Stimuler. *Tes encouragements l'ont dopé.* **2.** CHIM Ajouter un dope à une substance. **II.** v. pron. Avoir recours au dopage. – *Par ext.* Prendre un excitant.

doping n. m. (Anglicisme) Syn. (off. déconseillé) de *dopage.*

Doppler (Christian) (Salzbourg, 1803 – Venise, 1853), mathématicien et physicien autrichien. Il est connu pour ses travaux d'acoustique. ▷ PHYS *Effet Doppler-Fizeau :* phénomène suivant lequel la fréquence apparente d'un mouvement vibratoire varie selon la vitesse relative de la source par rapport à l'observateur.
ENCYCL L'effet Doppler a été observé pour le son par Doppler en 1843 et appliqué aux phénomènes lumineux par Fizeau en 1848. En médecine, il permet de mesurer le déplacement du sang artériel et le débit de n'importe quel vaisseau. Cette technique associée à l'échographie (*échographie Doppler* ou *échodoppler*) permet d'établir la cartographie dynamique du système vasculaire.

Dora, bourg d'Allemagne (entre Halle et Weimar) où les nazis établirent un camp de concentration; 60000 détenus y furent internés.

dorade. V. daurade.

dorage n. m. Action de dorer; son résultat.

Dorat (Jean Dinemandi, dit) (Limoges, 1508 – Paris, 1588), humaniste français, maître de Ronsard, de Baïf et de Jodelle; membre de la Pléiade. Il n'a écrit que des vers grecs et latins.

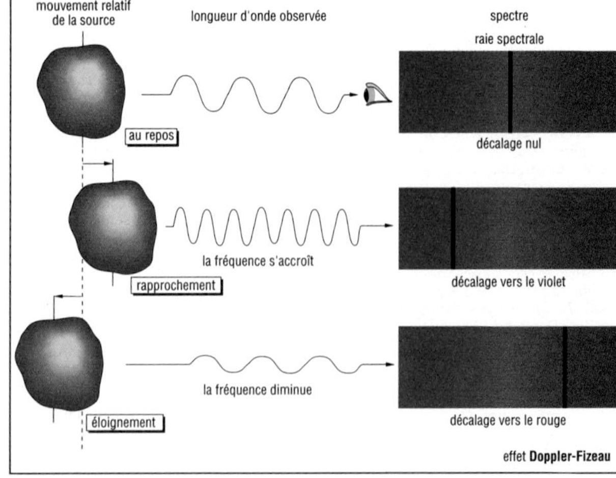

effet **Doppler-Fizeau**

D'Orbay. V. Orbay.

Dorchester, v. d'Angleterre; ch.-l. du comté de Dorset; 14000 hab.

Dordogne (la), riv. de France (490 km); naît au puy de Sancy et se jette dans la Garonne au bec d'Ambès; elle alimente plusieurs barrages hydroél. Sa vallée est riche de sites préhistoriques. (V. Périgord.)

Dordogne, dép. franç. (24); 9184 km²; 386365 hab.; 42 hab./km²; ch.-l. *Périgueux.* V. Aquitaine (Rég.).

Dordrecht, v. des Pays-Bas (Hollande-Méridionale), sur la Vieille Meuse *(Merwede);* 107870 hab. Port maritime et fluvial. Constr. navales, industr. alim., engrais. – L'*Union de Dordrecht* (1572), qui groupait les États de Hollande, reconnut à Guillaume d'Orange le titre de stathouder. – En 1619, le *synode de Dordrecht* réglementa l'Église réformée des Pays-Bas.

Dore (la), riv. du Puy-de-Dôme (140 km), affl. (r. dr.) de l'Allier.

doré, ée adj. et n. m. **1.** Recouvert d'or. *Livre doré sur tranche. Le vermeil est de l'argent doré.* **2.** De la couleur de l'or. *Des cheveux dorés.* **3.** Fig. Fortuné, brillant. *Mener une existence dorée.* ▷ HIST *Jeunesse dorée :* jeunes gens fortunés qui participèrent, après le 9 Thermidor, au mouvement de réaction contre la Terreur; – mod., cour. jeunes gens riches et oisifs. ▷ *La Légende dorée :* V. légende. **4.** n. m. Coloration dorée. *Le doré de ce cadre s'est terni.*

Doré (Gustave) (Strasbourg, 1832 – Paris, 1883), dessinateur, peintre et gra

Gustave **Doré :** *Cendrillon;* illustr. du conte de Charles Perrault, éd. 1862

veur français de style romantique et d'inspiration fantastique; illustrateur fécond : Œuvres de Rabelais, 1854; Balzac (*Contes drolatiques,* 1855); Dante (*la Divine Comédie,* 1861); Cervantès (*Don Quichotte,* 1863).

dorénavant adv. À partir de ce moment, à l'avenir.

dorer v. tr. [1] **1.** Appliquer une mince couche d'or sur. *Dorer un cadre.* – Absol. *Dorer à l'or fin.* ▷ Fig. *Dorer la pilule à qqn :* adoucir une communication désagréable par des paroles aimables, flatteuses. **2.** Donner une teinte d'or à. *Le soleil dore la peau. Mai dore d'ajoncs la lande bretonne.* – CUIS Enduire de jaune d'œuf avant la cuisson pour colorer. *Dorer un pâté.* ▷ v. pron. *Se dorer au soleil.*

doreur, euse n. Personne dont le métier est de dorer. *Doreur sur cuir.*

Dorgelès (Roland Lécavelé, dit Roland) (Amiens, 1885 – Paris, 1973), romancier français. Ses grands thèmes sont la guerre et Montmartre : *les Croix de bois* (1919), *Partir* (1926). Acad. Goncourt (1929).

Doria, famille gibeline de Gênes. Elle compta plusieurs amiraux. – **Andrea** (Oneglia, 1466 – Gênes, 1560) servit notam. François Ier puis Charles Quint.

Doride, anc. contrée du S.-O. de l'Asie Mineure, sur les côtes de Carie, où se situa l'Hexapole (6 villes).

Doride, contrée de la Grèce anc., au N.-O. du mont Parnasse.

dorien, enne adj. et n. **1.** adj. De Doride. ▷ Subst. *Les Doriens.* **2.** n. m. Dialecte de la langue grecque ancienne.

Doriens, peuple de la Grèce anc. Refoulant les Achéens, ils envahirent au XIIe s. av. J.-C. le Péloponnèse, dont ils occupèrent la plus grande partie. Ils fondèrent, par leurs migrations, la Doride, en Asie Mineure, et des colonies en Afrique, en Sicile et en Italie du Sud.

Doriot (Jacques) (Bresles, Oise, 1898 – en Allemagne au cours d'un bombardement allié, 1945), homme politique français. Dirigeant du parti communiste, il en fut exclu en 1934 et fonda, en 1936, le Parti populaire français (P.P.F.), qui collabora avec l'Allemagne dès 1940.

dorique adj. et n. m. Se dit du plus simple des trois ordres d'architecture grecque et de ce qui s'y rapporte. *Colonne dorique :* colonne légèrement conique, cannelée, posée directement sur le soubassement d'un chapiteau demi-circulaire en forme de coussin qui supporte l'architrave et soutient le bâtiment. ▷ n. m. *Le dorique.*

dorloter v. tr. [1] Traiter délicatement, avec tendresse. *Dorloter un enfant. Se faire dorloter.* Syn. cajoler. ▷ v. pron. Être aux petits soins pour soi-même.

dormance n. f. BOT État de divers organes végétaux (bourgeons, graines, etc.) qu'une contrainte physiologique empêche de se développer.

Dormans, ch.-l. de cant. de la Marne (arr. d'Épernay); 2 937 hab. Industr. du bois. – Victoire d'Henri de Guise sur les reîtres allemands venus au secours de François d'Anjou (1575). – Chap. commémorative des batailles de la Marne (1914-1918); cimetière militaire, ossuaire.

dormant, ante adj. et n. m. **1.** Rare Qui dort. *La Belle au bois dormant.* **2.** Immobile, stagnant. *Eau dormante.* Ant. courant, vif. **3.** BOT Qui est en état de dormance. **4.** Qui ne bouge pas, fixe. *Châssis dormant.* ▷ n. m. CONSTR Partie fixe d'un châssis, d'une porte, d'une fenêtre (par oppos. à *ouvrant*).

dormeur, euse n. **1.** n. Personne qui dort, ou qui aime dormir. **2.** n. m. Tourteau (crabe). **3.** n. f. Boucle d'oreille formée d'une perle ou d'une pierre précieuse montée sur un pivot et serrée derrière l'oreille par un écrou.

1. dormir v. intr. [30] **I. 1.** Être dans le sommeil. *Dormir profondément, légèrement. Dormir du sommeil du juste,* d'un sommeil calme et profond. *Dormir debout :* avoir une forte envie de dormir. – Fig. *Histoire à dormir debout,* extravagante. ▷ Fig. *Dormir sur ses deux oreilles :* ne pas être inquiet. ▷ *Ne dormir que d'un œil :* dormir légèrement. ▷ Loc. prov. *Il ne faut pas éveiller le chat qui dort :* il ne faut pas rappeler un vieux sujet de querelle. – *Qui dort dîne :* quand on dort, on ne sent pas la faim. Ant. veiller. **2.** Poét. Être mort. *C'est dans ce cimetière qu'il dort à jamais. Qu'ils dorment en paix.* Syn. reposer. **3.** v. tr. *Dormir son sommeil, sa nuit.* – Fam. *Il n'a pas dormi son compte.* **II.** Rester immobile, inactif. **1.** (Personnes) Ne pas agir, être lent. *Nous avons à faire, ce n'est pas le moment de dormir. Dormir sur ses lauriers**. **2.** (Choses) Rester oublié, improductif. *Des manuscrits qui dorment dans des classeurs. Laisser dormir des capitaux.* **3.** Être immobile, stagner, en parlant de l'eau. – Prov. *Il n'est pire eau que l'eau qui dort :* il faut se méfier des gens calmes, d'apparence inoffensive.

2. dormir n. m. Litt. Sommeil. *Perdre le dormir.*

dormition [dɔRmisjɔ̃] n. f. RELIG Pour les catholiques et les orthodoxes, la mort de la Vierge (qui fut comme un sommeil), avant l'Assomption.

Dormoy (Marx) (Montluçon, 1888 – Montélimar, 1941), homme politique français. Dirigeant socialiste, ministre de l'Intérieur de juin 1937 à avril 1938, il fut assassiné par des membres de la Cagoule.

Dorpat. V. Tartou.

dorsal, ale, aux adj. et n. **1.** ANAT Qui appartient au dos. *Épine dorsale. Les muscles dorsaux* ou, n. m., *les dorsaux.* – Par anal. *Face dorsale du pied, de la main.* **2.** Qui se fixe sur le dos. *Parachute dorsal* (par oppos. à *ventral*).

dorsale n. f. **1.** GEOL Ligne continue de montagnes terrestres ou sous-marines. *La dorsale médio-atlantique.* **2.** METEO Axe de hautes pressions entre deux zones dépressionnaires. Ant. talweg. **3.** PHON Phonème qui s'articule avec le dos de la langue.

Dorsale tunisienne, chaîne de montagnes qui barre le nord de la Tunisie du sud-ouest au nord-est (1544 m au djebel Chambi).

dorsalgie n. f. MED Douleur localisée au dos.

Dorset, comté du sud-ouest de l'Angleterre; 2 654 km²; 645 200 hab.; ch.-l. *Dorchester.*

Dorst (Jean) (Mulhouse, 1924), zoologiste et écologiste français (*Avant que nature meure,* 1965). Directeur du Muséum national d'histoire naturelle de 1976 à 1985.

Dortmund, v. d'Allemagne (Rhénanie-du-Nord-Westphalie), sur le *canal de Dortmund-Ems;* 568 160 hab. Son essor est lié à celui de la Ruhr : houille, sidérurgie, industr. méca., brasseries. Port fluvial. – Anc. ville hanséatique.

dortoir n. m. **1.** Grande salle commune où l'on couche. *Le dortoir d'un lycée.* ▷ (En appos.) *Ville-dortoir* (plur. *villes-dortoirs*), *cité-dortoir* (plur. *cités-dortoirs*), située à la périphérie d'une grande ville, et où logent des personnes dont le lieu de travail est ailleurs. **2.** ECOL Endroit où une collectivité animale se rassemble pour dormir.

dorure n. f. **1.** Action, art de dorer. *Dorure sur cuir, sur bois.* **2.** Couche d'or. *La dorure s'est écaillée.* **3.** Ce qui est doré. *Les dorures du plafond.* **4.** Poét. Couleur d'or. *La pâle dorure de ses cheveux.* **5.** CUIS Action de dorer au jaune d'œuf; son résultat.

Dorval (Marie Delaunay, dite Marie) (Lorient, 1798 – Paris, 1849), comédienne française; interprète du théâtre romantique. Sa liaison avec A. de Vigny est célèbre.

doryphore n. m. Coléoptère (*Leptinotarsa decemlineata*), long de 10 mm, aux élytres jaunes rayés longitudinalement de noir. (L'adulte et la larve, très voraces, dévastent les champs de pommes de terre.)

dos [do] n. m. **I. 1.** Partie arrière du corps de l'homme, comprise entre la nuque et les reins. *Avoir le dos plat, voûté. Sac* à dos.* – Par euph. *Le bas du dos :* les fesses. ▷ Loc. fig. *Avoir bon dos :* se dit d'une chose ou d'une personne sur laquelle on se décharge des accusations, des responsabilités auxquelles on ne veut pas faire face. *Les absents ont bon dos.* – *Courber le dos :* se résigner, céder. – Fam. *En avoir plein le dos :* être excédé. – *Scier le dos à qqn,* l'importuner. – *Tendre le dos :* se préparer à qqch de fâcheux. ▷ *Tourner le dos :* s'en aller. ▷ *Tourner le dos à qqn, à qqch,* pré-

fissure dans la masse basaltique d'une **dorsale** océanique (Pacifique)

senter son dos à. *Il tournait le dos au nouveau venu. La plage n'est pas par là, vous lui tournez le dos.* – Fig. Abandonner (qqn). *Il est devenu si irascible que ses amis lui ont tourné le dos.* ▷ *À dos* : sur le dos. *Ces pierres ont été transportées à dos d'homme.* – Fig. *Se mettre qqn à dos*, s'en faire un ennemi. ▷ *Au dos* : sur le dos. *Il est parti sac au dos.* ▷ *Dans le dos* : le long du dos. *Les cheveux dans le dos.* – Fig. *Donner froid dans le dos* : effrayer, horrifier. – Fig., fam. *Passer la main dans le dos de qqn*, le flatter. – Fig. *Agir dans le dos de qqn*, à son insu, sournoisement. ▷ *De dos* : du côté du dos (par oppos. à *de face*). *Apercevoir qqn de dos.* ▷ *Dos à dos* : dos contre dos. *On les plaça dos à dos pour savoir lequel était le plus grand.* – Fig. *Renvoyer dos à dos deux adversaires*, ne donner raison ni à l'un ni à l'autre. ▷ *Sur le dos. Dormir sur le dos.* – Fig. Sur soi, sur son corps. *N'avoir rien à se mettre sur le dos.* – Fig. *Se laisser manger la laine sur le dos* : se laisser exploiter. ▷ Loc. adj. *En dos d'âne* : qui présente deux pentes séparées par une arrête arrondie. *Pont en dos d'âne.* **2.** ZOOL Face supérieure du corps des vertébrés comprise, chez les tétrapodes, entre le cou et la croupe. *Le dos d'un poisson. Faire une promenade à dos de mulet.* **II.** *Par anal.* **1.** Partie d'un vêtement couvrant le dos. *Robe ornée d'un pli dans le dos.* – Dossier. *Le dos d'une chaise.* **2.** Partie supérieure et convexe de certains organes ou objets. *Le dos de la main* (par oppos. à *paume*). *Le dos du pied* (par oppos. à *plante*). *Le dos d'une cuiller.* **3.** Envers d'un objet. *Le dos d'un billet.* – *Voir au dos*, au verso.

dosable adj. Que l'on peut doser.

dosage n. m. **1.** Action de doser; son résultat. **2.** CHIM Détermination quantitative des composants d'une substance. **3.** PHARM Action de déterminer la dose d'un médicament. **4.** Fig. Répartition, proportion. *Un bon dosage de souplesse et de rigueur.*

dos-d'âne n. m. inv. **1.** Faible relief constitué de deux pentes symétriques qui se rejoignent en crête. **2.** Bombement transversal (sur une voie). *Cahoter sur des dos-d'âne.* **3.** Bureau au plateau incliné. **4.** *Dos d'âne* : V. dos.

dose n. f. **1.** Quantité (d'un médicament) à administrer en une seule fois. *Ne pas dépasser la dose prescrite.* **2.** Quantité et proportion des ingrédients composant un mélange. *Mettre une dose d'anisette pour cinq d'eau.* **3.** Quantité quelconque. *Dose létale*. Dose maximale admissible de rayonnements* : quantité totale de rayonnements qu'un individu peut absorber sans risque au cours de sa vie. ▷ Fig. *Une forte dose d'orgueil, de sottise.* ▷ Fam. *Avoir sa dose*, en avoir assez, en être à saturation.

doser v. tr. [1] **1.** Déterminer la dose de. **2.** CHIM Procéder au dosage de. **3.** Fig. Combiner dans telles ou telles proportions. *Savoir doser ses distractions.* Syn. mesurer, proportionner.

dosette n. f. **1.** Conditionnement d'un produit contenant une seule dose. *Dosette de sérum physiologique.* **2.** Petit récipient doseur fourni avec un produit (par ex. lessive).

doseur n. m. TECH Appareil servant à effectuer un dosage. ▷ En appos. *Verre doseur.*

dosimètre n. m. PHYS NUCL Appareil servant à mesurer les quantités de rayonnements auxquels une personne ou un matériel ont été soumis.

dosimétrie n. f. PHYS NUCL Mesure de doses de radiation.

Dos Passos (John Roderigo) (Chicago, 1896 – Baltimore, 1970), romancier américain. *Manhattan Transfer* (1925) et sa trilogie *U.S.A.*, comprenant *42e Parallèle* (1930), *1919* (1932) et *la Grosse Galette* (1936), composent une vaste fresque amère et désenchantée de la société américaine.

John **Dos Passos** **Dostoïevski**

Dos Santos (José Eduardo) (Luanda, 1942), homme politique angolais, président de la République depuis 1979.

dossard n. m. SPORT Pièce d'étoffe marquée d'un numéro qui se porte sur le dos lors d'une compétition.

dosse n. f. Première et dernière planches, encore garnies d'écorce, que l'on scie en débitant un arbre.

dosseret n. m. **1.** ARCHI Petit pilastre servant de jambage à une ouverture. **2.** CONSTR Surface verticale à laquelle est adossé un appareil sanitaire, une paillasse de laboratoire, etc. **3.** TECH Pièce renforçant le dos d'une scie.

1. dossier n. m. Partie d'un siège sur laquelle on appuie le dos. *Le dossier d'un fauteuil.*

2. dossier n. m. Ensemble de documents sur le même sujet; carton où ceux-ci sont rangés.

dossiste n. SPORT Spécialiste de la nage sur le dos.

Dosso Dossi (Giovanni de Lutero, dit) (Mantoue, v. 1479 – Modène, v. 1542), peintre italien. À partir de ses études sur Titien et Giorgione, il acquit un style original dans des portraits, dans l'illustration de thèmes mythologiques *(Circé)*, religieux. Auteur de dessins pour l'*Orlando furioso* de l'Arioste et de cartons de tapisserie.

Dostoïevski (Fiodor Mikhaïlovitch) (Moscou, 1821 – Saint-Pétersbourg, 1881), romancier russe. Nommé officier du génie en 1843, il démissionna un an plus tard pour se consacrer à la littérature (*les Pauvres Gens*, 1846). Fréquentant les milieux libéraux, il fut accusé de complot contre l'État et condamné à mort (1849), mais, sa peine commuée, il fut déporté pour quatre ans en Sibérie. Revenu à Saint-Pétersbourg en 1859, sa production devint abondante et sa renommée s'étendit. Mais il mena jusqu'au bout une existence précaire (il avait la passion du jeu), traversée de crises d'épilepsie. Princ. œuvres : *Souvenirs de la maison des morts* (1861-1862), *Mémoires écrits dans un souterrain* (1864), *Humiliés et Offensés* (1861, publié en 1866), *Crime et Châtiment* (1866), *l'Idiot* (1868), *les Possédés* ou *les Démons* (1872), *les Frères Karamazov* (1879-1880). Dostoïevski a fait de l'inconscient de ses personnages et de leur rapport à Dieu les moteurs principaux du récit.

dot [dɔt] n. f. Biens qu'une femme apporte à l'occasion de son mariage ou lorsqu'elle entre au couvent. *Avoir une grosse dot.* ▷ DR Biens donnés par un tiers dans le contrat de mariage.

dotal, ale, aux adj. De la dot.

dotation n. f. **1.** DR Ensemble des revenus, des dons attribués à un établissement d'utilité publique. **2.** MILIT Ensemble de l'armement et de l'équipement affectés à une unité. **3.** Revenus ou biens assignés à un souverain, aux membres de sa famille, à certains hauts fonctionnaires.

doter v. tr. [1] **1.** Donner des biens en dot à. **2.** Assigner une dotation à. *Doter un hôpital.* **3.** Fournir en matériel. – Pp. *Une cuisine dotée d'un équipement moderne.* **4.** Fig. Gratifier. *La nature l'a doté de grands talents.*

Douai, ch.-l. d'arr. du Nord, sur la Scarpe; 44 195 hab. (env. 199 600 hab. dans l'aggl.). Située dans le bassin houiller du Nord, la ville est un centre industr. import. : constr. automobiles; carbochimie; imprimerie. – Égl. N.-D. (XIIIe, XIVe et XVIe s., très endommagée en 1944). Hôtel de ville (XVe s.; moitié gauche : 1860). Beffroi (XIVe et XVe s.). Musée.

douaire [dwɛʀ] n. m. DR ANC Biens réservés par un mari à sa femme en cas de veuvage.

douairière n. f. **1.** DR ANC Veuve jouissant d'un douaire. *Une princesse douairière.* **2.** Mod. Vieille femme d'allure solennelle.

douaisien, enne adj. et n. De Douai. – Subst. *Un(e) Douaisien(ne).*

Douala, v. et port du Cameroun; ch.-l. de province; 1 029 730 hab. Exportation des bois, du caoutchouc et de l'aluminium d'Édéa. Industr. mécaniques et textiles; cimenterie.

Douala(s) ou **Duala(s),** groupe ethnique du Cameroun oriental.

douane [dwan] n. f. **1.** Administration publique chargée de percevoir des droits sur les marchandises exportées ou importées. **2.** Lieu où est établi le bureau de la douane. *S'arrêter à la douane.* **3.** Taxe perçue par la douane. *Le paiement de la douane.*

1. douanier, ère n. Personne qui visite les marchandises importées ou exportées et perçoit les droits sur celles-ci.

2. douanier, ère adj. Relatif à la douane. *Tarif douanier.* ▷ *Union douanière* : convention commerciale entre plusieurs États, concernant les importations et les exportations.

douar n. m. **1.** Campement de nomades, en Afrique du N. **2.** HIST Circonscription administrative rurale en Afrique du N. du temps de la domination française.

Douarnenez, ch.-l. de cant. du Finistère (arr. de Quimper); 16 701 hab. (*Douarnenistes*). Port de pêche (sardines) et de plaisance. Conserveries, industr. métall.

Douaumont, com. de la Meuse (arr. de Verdun); 10 hab. – Son fort fut occupé par les Allemands, par surprise, dès le début de la bataille de Verdun (25 fév. 1916) et ne fut reconquis par l'armée française que le 24 oct. suivant. Un ossuaire (inauguré en 1932) contenant les dépouilles de 300 000 soldats domine le champ de bataille.

doublage n. m. **1.** COUT Action de garnir d'une doublure. *Doublage d'une jupe.* **2.** CONSTR Action de doubler une paroi d'un revêtement; ce revêtement lui-même. **3.** AUDIOV Enregistrement des dialogues d'un film dans une langue différente de celle de l'original. ▷ Fait de remplacer un acteur par sa doublure.

double adj., n. m. et adv. **I.** adj. **1.** Égal à deux fois la chose simple. *Une double paye. Une double part de gâteau.* **2.** Composé de deux choses pareilles ou de même nature. *Une double porte.* ▷ Fig. *Un mot à double sens,* qui a deux significations possibles. **3.** Qui se fait deux fois. *Un double contrôle.* ▷ *Double emploi* : répétition inutile. ▷ *Coup* double.* – Fig. *Faire coup* double.* **4.** Fig. Qui a deux aspects dont un seul est connu, visible. *Une personnalité double.* **5.** ASTRO *Étoile double* : système de deux étoiles tournant l'une autour de l'autre. **6.** BOT *Fleur double,* dont les étamines se sont transformées en pétales. **7.** CHIM *Sel double* : cristal ionique dans la composition duquel on trouve plus de deux sortes d'ions (aluns, par ex.). **8.** FIN *Comptabilité en partie double,* dans laquelle on procède à une double écriture, l'une au débit, l'autre au crédit. **9.** GEOM *Point double* : point où se coupent deux branches d'une courbe. **II.** n. m. **1.** Quantité multipliée par deux. *Six est le double de trois.* ▷ *Jouer à quitte ou double* : jouer une partie dont l'enjeu consiste soit à perdre tout son gain soit à le doubler. ▷ Loc. adv. *En double. Avoir qqch en double,* en deux exemplaires. *Plier une couverture en double,* en deux. **2.** Copie, reproduction d'une chose. *Le double d'une lettre.* **3.** Fig. Être réel ou imaginaire qui ressemble à une personne donnée. ▷ ANTIQ Dans les croyances égyptiennes, l'ombre du mort. **4.** SPORT Partie de tennis, de ping-pong opposant deux équipes de deux joueurs. *Double mixte,* où chaque équipe est composée d'un homme et d'une femme. **III.** adv. En double quantité. *Voir double* : voir deux objets là où il y en a un seul.

doublé, ée adj. et n. m. **I.** adj. **1.** Multiplié par deux. *Un prix doublé.* **2.** Pourvu d'une doublure. *Une robe doublée.* **3.** Fig. *Doublé de* : qui est également. *Un poète doublé d'un musicien.* **4.** AUDIOV Dont on a effectué le doublage. *C'est un film doublé.* ▷ Qui est remplacé par sa doublure. *Un acteur doublé.* **II.** n. m. **1.** Orfèvrerie recouverte d'une plaque de métal précieux. *Un bracelet en doublé or.* **2.** Double réussite. **3.** EQUIT Action de se rendre perpendiculairement d'une piste à l'autre, en faisant deux pas à droite ou à gauche.

doubleau n. m. et adj. **1.** n. m. CONSTR Solive plus forte que les autres. **2.** adj. ARCHI *Arc doubleau* : arc en saillie qui renforce une voûte.

double-crème n. m. inv. Fromage blanc additionné de crème.

1. doublement adv. Pour deux raisons; de deux manières.

2. doublement n. m. Action de doubler, de multiplier par deux. *Le doublement d'une consonne.*

doubler v. [1] **I.** v. tr. **1.** Multiplier par deux. *Doubler la somme.* ▷ Fig. Augmenter. *L'attente doublait son anxiété.* **2.** Disposer en double. *Doubler une couverture en la pliant.* **3.** Mettre une doublure, un revêtement à. *Doubler une veste. Doubler une cloison.* **4.** v. pron. Fig. *Se doubler de* : s'accompagner de. *Une observation qui se double d'un reproche.* **5.** Dépasser (une personne, un véhicule). *Doubler une voiture.* ▷ *Doubler un cap,* le franchir. – Fig. *Doubler le cap de la trentaine.* ▷ Fig., fam. *Doubler qqn,* le trahir. *Elle s'est fait doubler.* **6.** AUDIOV *Doubler un film,* procéder à son doublage. ▷ *Doubler un acteur,* le remplacer. **II.** v. intr. Être multiplié par deux. *Les prix ont doublé.*

doublet n. m. **1.** Pierre fausse constituée d'un morceau de cristal dont le dessous a été coloré. **2.** LING Mot de même origine qu'un autre, mais de forme différente, l'un étant de formation populaire, l'autre de formation savante. *Pasteur est le doublet savant de pâtre.* **3.** PHYS *Doublet électronique* : ensemble formé par deux électrons occupant la même case quantique.

doubleur, euse n. AUDIOV Spécialiste du doublage de film.

1. doublon n. m. TYPO Répétition fautive d'un ou de plusieurs mots, d'un paragraphe.

2. doublon n. m. Anc. monnaie d'or espagnole.

doublonner v. intr. [1] Être en double, faire double emploi (avec qqch).

doublure n. f. **1.** Étoffe qui garnit l'intérieur d'un objet, d'un vêtement. *La doublure d'un manteau, d'un coffret.* **2.** CINE Acteur qui joue à la place d'un autre (par ex., dans des scènes périlleuses).

Doubs (le), riv. de France (430 km); naît dans le haut Jura; arrose Pontarlier, Morteau (brève incursion en Suisse), Audincourt, Besançon; se jette dans la Saône (r. g.). La topographie jurassienne lui impose un cours tourmenté.

Doubs, dép. franç. (25); 5 228 km²; 484 770 hab.; 92,7 hab./km²; ch.-l. *Besançon.* V. Franche-Comté (Rég.).

douce-amère n. f. Solanacée grimpante, à fleurs violettes et à baies rouges (morelle). *Des douces-amères.*

douceâtre adj. D'une douceur fade. *Une boisson douceâtre.*

doucement adv. **1.** De façon modérée. *La pente descend doucement.* **2.** Sans rudesse, avec douceur. *Traiter qqn doucement.* **3.** Médiocrement. *Les affaires marchent doucement. Le malade se porte doucement, tout doucement.* ▷ Interj. (Pour inciter à la modération.) *Doucement! Vous allez tomber.*

doucereusement adv. Rare D'une manière doucereuse.

doucereux, euse adj. **1.** Vieilli D'une douceur peu agréable au goût. *Vin doucereux.* **2.** Fig. Doux avec affectation. *Une mine doucereuse.*

Doucet (Jacques) (Paris, 1853 – Neuilly-sur-Seine, 1929), couturier français. Il légua à l'université de Paris son import. bibliothèque d'art et de littérature (fonds précieux pour l'histoire du surréalisme).

doucette n. f. Rég. Mâche (salade).

doucettement adv. Fam. Très doucement. *Il va doucettement.*

douceur n. f. **1.** Saveur douce, agréable au goût. *La douceur du miel.* ▷ *Des douceurs* : des pâtisseries, des sucreries. **2.** Qualité de ce qui flatte les sens. *La douceur d'un parfum, de l'air.* **3.** Sentiment agréable. *La douceur de vivre, d'aimer.* **4.** Qualité d'une personne qui est calme, bienveillante. *Un caractère*

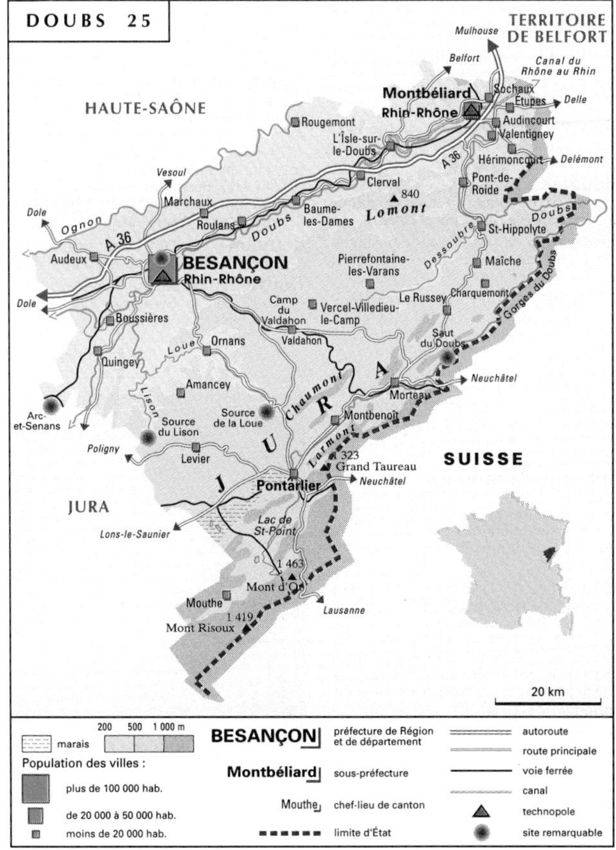

plein de douceur. ▷ Loc. adv. *En douceur :* sans brusquerie, avec précaution.

Douchanbe (anc. *Stalinabad*), cap. du Tadjikistan ; 602 000 hab. Centre comm. et industr. Nœud ferroviaire.

douche n. f. **1.** Jet d'eau qui arrose le corps et dont on use pour des raisons hygiéniques et parfois médicales. ▷ *Douche écossaise,* alternativement chaude et froide ; fig. situation dans laquelle un événement désagréable succède brutalement à un événement agréable. **2.** Appareil sanitaire composé d'une pomme d'arrosage et d'une canalisation d'alimentation en eau. **3.** Fam. Grosse averse ; aspersion d'un liquide sur qqn. **4.** Fig. Désillusion brutale. *Cette nouvelle a été une douche pour lui.*

doucher v. tr. [1] **1.** Faire prendre une douche à. *Doucher un enfant.* ▷ v. pron. Prendre une douche. **2.** Fam. Arroser (de pluie, d'un liquide quelconque). *L'orage l'a surpris, il s'est fait doucher.* **3.** Fig., fam. Tempérer rudement (un mouvement d'excitation). *Doucher l'enthousiasme de qqn.*

douchette n. f. **1.** Petite douche à pomme mobile. **2.** Fam. Lecteur de code-barres.

Doudart de Lagrée (Ernest) (Saint-Vincent-de-Mercuze, Isère, 1823 - Dongchuan, Yunnan, 1868), officier de marine français. Il prépara l'établissement du protectorat français sur le Cambodge (1862).

doudou n. m. Fam. Objet transitionnel*.

doudoune n. f. Fam. Veste, manteau fait d'une double couche de tissu léger rembourré, généralement de duvet.

doué, ée adj. **1.** *Doué de :* pourvu naturellement de. *L'homme est doué de conscience.* **2.** Qui a des aptitudes naturelles. *Un élève doué en français.*

douer v. tr. [1] Pourvoir de (un avantage). *La nature l'a doué d'un heureux caractère.*

douglas n. m. Conifère à croissance rapide et donnant un bois de bonne qualité, appelé aussi pin d'Oregon.

Douglas, v. de Grande-Bretagne ; ch.-l. et port de l'île de Man ; 20 000 hab. Filatures. Tourisme.

Douglas, famille d'Écosse, célèbre par ses luttes contre les Anglais et par sa rivalité avec les Stuarts (XIIe-XIVe s.).

Douglas (Donald Wills) (New York, 1892 - Palm Springs, Californie, 1981), ingénieur et industriel américain. Créée en 1920, son entreprise de construction aéronautique devint McDonnell-Douglas Corporation en 1967.

Douglas-Home (sir Alexander) (Londres, 1903 - Coldstream, Écosse, 1995), homme politique anglais. Ministre (conservateur) de Macmillan, il lui succéda comme Premier ministre (1963-1964).

douille n. f. **1.** Partie évidée dans laquelle vient se fixer un manche, un outil. **2.** Pièce métallique évidée, que l'on fixe au bout d'une clé de mécanicien. *Clé à douille.* **3.** Partie de la cartouche qui contient la poudre. **4.** Pièce servant à recevoir le culot d'une ampoule électrique.

douillet, ette adj. **1.** Doux, bien rembourré. *Un lit douillet.* **2.** Fig. Trop sensible à la douleur physique. *Une personne très douillette.*

douillette n. f. Manteau ouaté.

Doukas, famille byzantine qui a donné trois empereurs à l'empire d'Orient : **Constantin X** (1059-1067), **Michel VII** (1071-1078) et **Alexis V** (mort en 1204).

douleur n. f. **1.** Sensation pénible ressentie dans une partie du corps, résultant d'une impression quelconque produite avec trop d'intensité. *Éprouver une vive douleur.* ▷ Spécial. *Être dans les douleurs,* celles de l'accouchement. ▷ Cour. *Avoir des douleurs,* des rhumatismes. **2.** Impression morale pénible. *Avoir la douleur de perdre un être cher.*

Doullens, ch.-l. de cant. de la Somme (arr. d'Amiens) ; 7 443 hab. Prod. agric. - À la *Conférence franco-britannique de Doullens* (26 mars 1918) fut décidée l'unification du commandement des forces alliées.

douloureusement adv. D'une manière douloureuse.

douloureux, euse adj. et n. **1.** Qui provoque une douleur physique. *Une plaie douloureuse.* **2.** Où la douleur est ressentie, en parlant d'une partie du corps. *Des pieds douloureux.* **3.** Qui provoque une douleur morale. *Un souvenir douloureux.* **4.** Qui exprime la douleur. *Des plaintes douloureuses.* **5.** MED Malade qui éprouve des douleurs intenses. **6.** n. f. Fam. *La douloureuse :* la note à payer.

douma [duma] n. f. **1.** HIST Conseil, assemblée, dans la Russie des tsars. ▷ Nom donné aux assemblées législatives russes entre 1905 et 1917. **2.** *La Douma :* chambre basse du parlement russe dep. 1993.

Doumer (Paul) (Aurillac, 1857 - Paris, 1932), homme politique français. Gouverneur général de l'Indochine (1897-1902), président du Sénat (1927) puis de la République (1931), il fut assassiné par un Russe blanc, Gorgulov.

Doumergue (Gaston) (Aigues-Vives, Gard, 1863 - id., 1937), homme politique français. Député radical-socialiste, ministre, président du Conseil (déc. 1913 - juin 1914) et du Sénat (1923), il fut élu président de la République (1924-1931). Président du Conseil après les émeutes (fascisantes) du 6 fév. 1934, il démissionna en novembre.

doupion n. m. TEXT Fil dont la grosseur est irrégulière ; tissu fait avec ce fil.

Doura-Europos (auj. *Salihiyeh*), anc. v. de l'E. de la Syrie, sur l'Euphrate. Site archéol. d'une importante colonie macédonienne (fondée v. 300 av. J.-C.) conquise par les Parthes, intégrée à l'Empire romain en 165 apr. J.-C. et ruinée au IIIe s. par les Perses. - Temples, synagogue du IIIe s., maison chrétienne avec baptistère.

Doura-Europos : fresque du temple de Bêl, dédié aux dieux de Palmyre, 75 av. J.-C. ; Musée archéol., Damas

Dourbie (la), riv. du Massif central (75 km), dans les Grands Causses ; naît près du mont Aigoual et se jette dans le Tarn (r. g.).

Dourdan, ch.-l. de cant. de l'Essonne (arr. d'Étampes) ; 9 062 hab. Peintures. Belle forêt. - Donjon (XIIIe s.).

Dourdou (le), nom de deux riv. franç., affl. (r. g.) du Lot (82 km) et affl. (r. g.) du Tarn (90 km).

douro [duro] n. m. Ancienne monnaie d'argent espagnole.

Douro (le) (en esp. *Duero*), fl. d'Espagne et du Portugal (850 km) ; naît dans la sierra d'Urbión, traverse dans des gorges profondes le plateau de Vieille-Castille et se jette dans l'Atlantique, à Porto. Aménagements hydroélectriques.

doussié n. m. Arbre d'Afrique tropicale au bois dur et lourd, très résistant.

doute n. m. **1.** Hésitation à croire à la réalité d'un fait, à la vérité d'une affirmation. *Dans le doute, abstiens-toi.* ▷ *Mettre en doute :* contester. **2.** *Spécial.* Attitude de celui qui n'est pas sûr de sa foi religieuse. **3.** PHILO *Doute méthodique :* principe de Descartes posé comme condition première pour trouver matière à asseoir les fondements d'une certitude. *Le doute méthodique ne s'applique ni aux règles morales ni à la foi.* **4.** Soupçon, méfiance. *J'ai des doutes sur sa loyauté.* **5.** Loc. adv. *Sans doute :* probablement. *J'irai sans doute le voir demain.* ▷ *Sans aucun doute, sans nul doute :* incontestablement.

douter v. tr. indir. et dir. [1] **1.** Hésiter à croire à. *Douter de la réussite d'une entreprise. Je doute qu'il vienne.* **2.** Mettre en question (des vérités établies). *Douter même de l'évidence.* **3.** *Ne douter de rien :* être trop sûr de soi. *Les sots ne doutent de rien.* **4.** Ne pas avoir confiance en, soupçonner. *Douter de qqn, de son amitié.* **5.** v. pron. Pressentir, avoir l'intuition de. *Se douter de qqch. Je me doutais qu'il n'y arriverait pas.*

douteux, euse adj. **1.** Qui n'est pas certain (quant à sa réalité ou à sa réalisation). *Un succès douteux.* **2.** Obscur, équivoque. *Une réponse douteuse.* **3.** Dont la qualité laisse à désirer. *Un travail douteux.* ▷ Malpropre. *Un col de chemise douteux.* **4.** Qui éveille la méfiance quant à sa probité, sa moralité. *Un homme d'affaires douteux. Des mœurs douteuses.*

1. douve n. f. **I. 1.** FORTIF Fossé rempli d'eau entourant un château. **2.** AGRIC Petit fossé pour l'écoulement des eaux de pluie. **3.** EQUIT Fossé plein d'eau, précédé d'une claie. **II.** TECH Chacune des planches incurvées qui forment un tonneau.

2. douve n. f. Ver plathelminthe trématode, parasite interne des vertébrés. (Il s'infiltre dans les canaux biliaires des mammifères, de l'homme, généralement par l'intermédiaire des plantes aquatiques.)

Douve (la), petit fl. côtier de la Manche (70 km).

Douvres (en angl. *Dover*), v. et port de G.-B. (Kent), sur le pas de Calais ; 102 600 hab. Port de voyageurs et stat. baln. - *Traité de Douvres :* accord secret conclu entre Louis XIV et Charles II contre les Provinces-Unies (1670).

doux, douce adj., adv. et n. **I.** adj. **1.** D'une saveur peu prononcée ou sucrée. *Doux comme le miel.* – *Cidre doux,* qui contient encore du sucre, la fermentation continuant en bouteille. – *Eau douce,* qui n'est pas salée (par oppos. à *l'eau de mer* et à *eau dure*). **2.** Agréable aux sens. *Une lumière douce. Une fourrure douce. Une chaleur douce.* **3.** Modéré. *Une pente douce. Cuire qqch à feu doux.* **4.** Qui fait naître un sentiment, une émotion agréable. *De doux souvenirs.* **5.** Qui n'est pas agressif; clément, affable; qui dénote le calme, la bienveillance. *Une petite fille douce et gentille. Une physionomie douce.* **6.** TECH *Métal doux,* ductile et malléable. **7.** *La taille-douce* : l'art de la gravure en creux (burin, pointe sèche). **II.** adv. **1.** Loc. *Filer doux* : se soumettre sans résister. **2.** Loc. adv. *Tout doux* : très doucement. **3.** Loc. adv. Fam. *En douce* : à l'insu d'autrui. **III.** n. **1.** n. m. Ce qui est doux; ton doux. *Passer du grave au doux.* **2.** Personne douce. *Heureux les doux!*

doux-amer, douce-amère [duzamɛʀ, dusamɛʀ] adj. À la fois agréable et pénible. *Des réflexions douces-amères.*

douzaine n. f. **1.** Ensemble de douze objets de même nature. *Une douzaine d'œufs.* **2.** Quantité voisine de douze. *Une douzaine de personnes.*

douze adj. inv. et n. m. inv. **I.** adj. inv. **1.** (Cardinal) Dix plus deux (12). *Les douze mois de l'année.* **2.** (Ordinal) Douzième. *Louis XII.* – Ellipt. *Le douze avril.* **II.** n. m. inv. Le nombre douze. *Douze plus deux égale quatorze.* ▷ Chiffres représentant le nombre douze (12). *Le douze est mal écrit.* ▷ Numéro douze. *Habiter au douze.* ▷ *Le douze* : le douzième jour du mois. *Nous sommes le douze.*

Douze (la), riv. d'Aquitaine (110 km); à Mont-de-Marsan, elle s'unit au Midou et forme la Midouze, affl. (r. dr.) de l'Adour.

Douze Tables (loi des), loi promulguée à Rome par les décemvirs et gravée sur douze tables de bronze (451 et 449 av. J.-C.). C'est la plus ancienne législation romaine écrite.

douzième adj. et n. **I.** adj. num. ord. Dont le rang est marqué par le nombre 12. *Le douzième mois de l'année. Le douzième arrondissement* ou, ellipt., *le douzième.* **II.** n. **1.** Personne, chose qui occupe la douzième place. *La douzième du classement.* **2.** n. m. Chaque partie d'un tout divisé en douze parties égales. *Un douzième des terres.* ▷ FIN *Douzième provisoire* : acompte sur le budget général, dont le gouvernement peut disposer provisoirement. **3.** n. f. MUS Intervalle de douze sons et de onze degrés conjoints.

Dover, v. des États-Unis, cap. de l'État du Delaware; 27 600 hab.

Dovjenko (Alexandre Petrovitch) (Sosnitsi, Ukraine, 1894 – Moscou, 1956), cinéaste soviétique. Il traita avec lyrisme de la vie des paysans ukrainiens : *Zvenigora* (1927), *l'Arsenal* (1929), *la Terre* (1930), *Aerograd* (1935), *Chtchors* (1939).

Dow Jones (indice), indice boursier américain, créé par le *Wall Street Journal* en 1896, représentant la moyenne des cours de trente valeurs de premier plan (dites *blue chips*).

Dowland (John) (Londres [?], 1563 – Londres, 1626), luthiste et compositeur anglais. Ses quatre livres d'*ayres* (chansons au luth) font de lui un pionnier de la mélodie accompagnée.

Downing Street, rue de Londres où se trouve, au numéro 10, la résidence du Premier ministre britannique.

doxo-, -doxe, , -doxie. Éléments, du gr. *doxa,* « opinion ».

doxologie n. f. LITURG Prière, formule pour glorifier Dieu.

doyen, enne [dwajɛ̃, ɛn] n. **1.** Personne la plus ancienne dans un corps, une compagnie. *Le doyen du Sénat.* ▷ Personne la plus âgée d'un groupe. *Elle est notre doyenne.* **2.** Titre universitaire conféré à celui qui dirige une faculté. **3.** Titre ecclésiastique. *Un curé-doyen.*

Doyle (sir Arthur Conan) (Édimbourg, 1859 – Crowborough, Sussex, 1930), écrivain anglais; auteur de nombr. romans policiers dont le princ. héros est le détective Sherlock Holmes, aux déductions infaillibles : *le Chien des Baskerville* (1902).

D.P.L.G. Sigle de *diplômé par le gouvernement.*

Dr Abrév. de *docteur.*

Draa ou **Dra** (oued), fl. du N.-O. de l'Afrique (1 200 km); naît dans le Haut Atlas et se jette dans l'Atlantique.

Drabble (Margaret) (Sheffield, 1939), femme de lettres anglaise. Dans ses romans, elle dénonce la soif de pouvoir et d'argent : *la Meule* (1965).

Drac (le), torrent alpestre (150 km); naît dans le Champsaur, alimente plusieurs barrages et se jette dans l'Isère (r. g.) en aval de Grenoble.

drachme [dʀakm] n. f. **1.** ANTIQ GR Poids valant env. 4 g. ▷ Principale unité de monnaie. **2.** Unité monétaire de la Grèce moderne.

Dracon (fin VIIe s. av. J.-C.), archonte législateur d'Athènes; auteur d'un code à la rigueur proverbiale.

draconien, enne adj. D'une excessive sévérité. *Conditions draconiennes.*

Dracula (Vlad Tepeş, dit) (m. en 1476), souverain de Valachie de 1456 à 1462 et en 1476. Il combattit l'hégémonie turque avec une dureté qui lui valut le surnom d'*Empaleur.* Ce personnage inspira plus tard à l'écrivain irlandais Bram Stoker (1847 – 1912) un type de vampire aristocrate demeuré célèbre (*Dracula,* 1897).

dragage n. m. Action de draguer. *Dragage d'un chenal.* ▷ *Dragage de mines* : opération consistant à détruire des mines immergées.

1. dragée n. f. **1.** Confiserie constituée d'une amande recouverte de sucre durci. *Des dragées de baptême.* ▷ Loc. fig. *Tenir la dragée haute à qqn,* lui faire payer cher un avantage, le prendre de haut. **2.** PHARM Pilule recouverte de sucre durci. **3.** Menu plomb de chasse. ▷ Arg. Balle d'arme à feu.

2. dragée n. f. AGRIC Mélange de fourrages.

dragéifier v. tr. [2] TECH Faire une dragée de. *Dragéifier une amande.* ▷ Préparer comme une dragée. – Pp. adj. *Un médicament dragéifié.*

drageoir n. m. Vx Sorte de coupe ou de boîte pour servir des dragées, des confiseries.

drageon [dʀaʒɔ̃] n. m. BOT Rejet qui naît d'une racine.

drageonner v. intr. [1] BOT Émettre des drageons.

dragline [dʀaglajn] n. m. (Anglicisme) Engin de travaux publics servant à racler un terrain meuble au moyen de godets tirés par des câbles.

dragon n. m. **I. 1.** Animal fabuleux ayant des griffes, des ailes et une queue de serpent. *Le dragon du jardin des Hespérides.* ▷ *Spécial.* Dans l'iconographie chrétienne, symbole du démon. *Saint Michel terrassant le dragon.* **2.** Fig. Gardien intraitable. ▷ Loc. *Dragon de vertu* ou *dragon* : femme d'une vertu excessive; femme acariâtre. **3.** Fig. Pays en voie d'industrialisation rapide. *Les dragons du Sud-Est asiatique.* **4.** ZOOL *Dragon volant* : saurien de l'Asie du Sud-Est, pourvu d'un repli membraneux sur les flancs, dont il se sert pour planer d'arbre en arbre. ▷ *Dragon de Komodo* : grand varan de l'île de Komodo. **5.** ASTRO *Le Dragon* : constellation située entre la Grande et la Petite Ourse. **II.** Anc. Soldat de cavalerie qui servait à cheval et à pied. – Mod. Soldat d'une unité blindée.

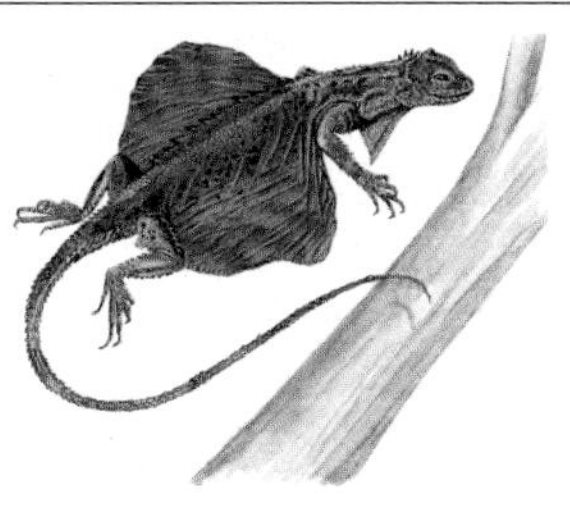

le **dragon** volant utilise une sorte de parachute, le *patagium*

dragonnade n. f. HIST Persécution exercée sous Louis XIV contre les protestants du S.-O. et du S. de la France. (On obligeait les protestants à loger des dragons, qui avaient pour mission de se livrer à toutes sortes d'excès.)

dragonne n. f. Lanière double ornant la poignée d'une épée ou d'un sabre, que l'on passe au poignet. ▷ Courroie d'un bâton de ski, d'un appareil photo, etc., que l'on passe au poignet.

dragonnier n. m. Amaryllidacée arborescente des pays chauds, qui sécrète une résine rouge.

drag-queen [dragkwin] n. f. (Anglicisme) Travesti qui fréquente les cabarets, les night-clubs. *Des drag-queens.*

drague n. f. **1.** Filet muni d'une armature et d'un manche, servant à la pêche aux huîtres, aux moules. **2.** Engin de terrassement flottant utilisé pour approfondir un chenal, extraire des matériaux. *Drague à godets.* **3.** Fig., fam. Action de draguer (sens II).

draguer v. [1] **I.** v. tr. **1.** Pêcher avec une drague. **2.** Approfondir un chenal ou extraire des matériaux à l'aide d'une drague. **3.** Rechercher et détruire les mines sous-marines. **II.** v. intr. Fig., fam. Flâner en quête d'aventures. ▷ v. tr. Aborder, racoler. *Draguer une fille.*

dragueur, euse n. **1.** Personne qui pêche à la drague. **2.** n. m. Ouvrier qui drague des matériaux. **3.** n. m. Bateau qui drague. ▷ *Dragueur de mines* : bâtiment de guerre spécialement aménagé pour le dragage des mines sous-marines. **4.** Fig., fam. Personne qui drague, qui a l'habitude de draguer (sens II).

Draguignan, ch.-l. d'arr. du Var, sur la Nartuby; 32 851 hab. (*Dracenois*). Centre comm., industr. alim. – Ch.-l. du Var jusqu'en 1974 (auj. Toulon). – Tour de l'Horloge (XVIIe s.). Anc. palais d'été des évêques de Fréjus (XVIIIe s.).

Dragut (en turc, *Turğud*) (Anatolie, ? – Malte, 1565), corsaire turc. Il écuma la Méditerranée orientale et ravagea les côtes italiennes.

draille n. f. MAR Cordage sur lequel on hisse une voile. *Draille de trinquette.*

drain n. m. **1.** Conduit souterrain qui sert à épuiser l'eau des sols trop humides. **2.** MED Tube qui assure l'élimination d'un liquide (pus, ascite, etc.).

drainage n. m. **1.** Action d'assainir un terrain au moyen de drains ou de fossés. **2.** MED Évacuation d'un liquide pathologique à l'aide d'un drain qui assure son écoulement continu. ▷ *Drainage lymphatique* : massage doux destiné à activer la circulation lymphatique. **3.** Fig. Action de drainer (sens 3).

drainant, ante adj. et n. m. **1.** adj. Qui favorise le drainage. *Terrain drainant.* **2.** n. m. TRAV PUBL Enrobé assurant une chaussée sèche en cas de pluie.

drainer v. tr. [1] **1.** Assainir (un terrain) par drainage. **2.** MED Pratiquer le drainage (d'une plaie, d'une collection liquide). **3.** Fig. Attirer vers soi, rassembler. *Drainer les capitaux.*

Drais (Karl Friedrich, baron von Sauerbronn) (Karlsruhe, 1785 – id., 1851), ingénieur allemand; inventeur de la draisienne (1816).

draisienne n. f. Anc. Vélocipède mû par le va-et-vient des pieds sur le sol, ancêtre de la bicyclette.

draisine n. f. CH de F Wagonnet à moteur utilisé pour la surveillance et l'entretien des voies.

Drake (sir Francis) (près de Tavistock, Devon, v. 1540 – au large de Portobelo, Panamá, 1596), marin et corsaire anglais. Il participa à de nombr. expéditions contre les Espagnols (1570-1572) puis réalisa le deuxième voyage autour du monde (1577-1580). Un des artisans de la victoire anglaise sur l'Invincible Armada (1588).

Drake (Edwin Laurentine, dit le Colonel) (Greenville, New York, 1819 – Bethlehem, Pennsylvanie, 1880), pionnier américain des forages pétroliers (premier puits exploité industriellement à Titusville en 1859).

Drakensberg, chaîne montagneuse d'Afrique du Sud (3 650 m au pic Cathkin).

drakkar n. m. HIST Navire à étrave très relevée, utilisé par les Vikings.

dramatique adj. et n. f. **1.** Du théâtre; écrit pour le théâtre. *L'art dramatique. Une œuvre dramatique.* ▷ n. f. Pièce de théâtre télévisée. **2.** Se dit de ce qui est particulièrement émouvant, poignant dans un texte, un récit. *Les passages dramatiques d'un roman.* – Par anal. *Un récit dramatique.* ▷ Grave, dangereux, tragique (dans la réalité). *Des événements dramatiques.*

drakkar en chêne au bordé riveté, aux extrémités sculptées, IXe s.; musée de la Navigation, Oslo

dramatiquement adv. D'une manière dramatique.

dramatisation n. f. Fait, action de dramatiser.

dramatiser v. tr. [1] **1.** Rendre dramatique (sens 2). *Dramatiser une scène.* **2.** Exagérer la gravité, l'importance (d'un événement, d'une situation).

dramaturge n. Auteur de pièces de théâtre.

dramaturgie n. f. Art de composer des œuvres dramatiques; traité sur ce sujet.

drame n. m. **1.** Vx Ouvrage composé pour le théâtre. ▷ *Spécial.* LITTER Genre dramatique où le pathétique et le sublime côtoient le familier et le grotesque; œuvre théâtrale de ce genre. *Le drame romantique.* ▷ Mod. Pièce de théâtre dont le sujet est tragique. **2.** Événement tragique. *Un drame épouvantable s'est produit dans cette famille.*

Drammen, v. et port de Norvège; ch.-l. de comté; 58 700 hab. Fonderies de cuivre; papeteries, textiles.

Drancy, ch.-l. de cant. de la Seine-St-Denis (arr. de Bobigny); 60 928 hab. (*Drancéens*). Ville-dortoir. Équipement industr., électroménager. – Camp d'internement et de transit (essentiellement des Juifs) sous l'occupation nazie.

Dranem (Armand Ménard, dit) (Paris, 1869 – id., 1935), chanteur et acteur français. Il créa un personnage de faux niais interprète de «chansons idiotes».

drap [dʀa] n. m. **1.** Étoffe de laine dont les fibres sont feutrées par foulage. ▷ *Drap mortuaire* : pièce de drap ou de velours noir dont on couvre une bière. ▷ *Drap d'or, de soie* : tissu d'or, de soie. **2.** Chacune des deux grandes pièces de toile qui couvrent un lit et entre lesquelles on se couche. ▷ Loc. fig. *Se mettre, être dans de beaux draps,* dans une situation embarrassante.

drapé, ée adj. et n. m. **1.** TECH Préparé comme le drap. **2.** Garni d'un drap. **3.** Disposé en draperie. ▷ n. m. Arrangement de plis d'une étoffe.

drapeau n. m. **1.** Pièce d'étoffe attachée par un de ses côtés à une hampe et servant d'emblème, de signe de ralliement, etc. *Le drapeau tricolore.* ▷ *Drapeau blanc,* qui, en temps de guerre, indique que l'on désire parlementer ou se rendre. ▷ Fig. *Être sous les drapeaux* : effectuer son service militaire légal. **2.** AVIAT *Hélice en drapeau,* dont le plan moyen des pales est orienté parallèlement à la direction du déplacement de l'avion, pour réduire la résistance à l'avancement lorsque le moteur s'arrête en vol. ▸ pl. **pavillons**

draper v. [1] **I.** v. tr. **1.** Disposer harmonieusement les plis d'une étoffe, d'un vêtement sur (une personne, une statue). **2.** Former des plis harmonieux avec (une étoffe, un vêtement). *Draper une ceinture.* **II.** v. pron. S'envelopper dans un vêtement lâche et flottant. *Se draper dans son manteau.* ▷ Fig., plaisant *Se draper dans sa dignité* : prendre un air noble et digne.

Draper (Henry) (Prince Edward County, Virginie, 1837 – New York, 1882), astronome américain; spécialiste de spectroscopie stellaire. Son *Draper Catalogue* (plus de 10 000 étoiles), publié en 1891, a été continué au XXe s.

draperie n. f. **I. 1.** Étoffe, tenture, disposée avec art, en grands plis. **2.** PEINT, SCULP Représentation des étoffes drapées. **II.** Manufacture, commerce du drap. *Travailler dans la draperie.*

drap-housse [dʀaus] n. m. Drap resserré sur les bords par un élastique de manière à emboîter le matelas. *Des draps-housses.*

drapier, ère n. et adj. Anc. Fabricant ou marchand de drap. – (En appos.) *Les marchands drapiers.* ▷ adj. *L'industrie drapière.*

drastique adj. et n. m. **1.** adj. Fig. Rigoureux, radical. *Mesures drastiques.* **2.** Qui a un effet énergique. *Un médicament drastique, un purgatif drastique.*

drave n. f. (Canada) Anc. Transport, flottage du bois par eau. *Faire la drave.*

draver v. [1] (Canada) Anc. **1.** v. tr. Diriger le flottage (de pièces de bois). *Draver des billots.* – *Draver une rivière,* y pratiquer la drave. **2.** v. intr. Participer à la drave. *Au printemps, les hommes partaient draver sur les rivières.*

draveur n. m. (Canada) Ouvrier qui conduit les trains de bois flottés.

Drave (la), affl. (r. dr.) du Danube (707 km); naît dans les Alpes italiennes, coule en Autriche puis sépare la Hongrie de la Croatie.

Draveil, ch.-l. de cant. de l'Essonne (arr. d'Évry), sur la Seine; 28 034 hab. Mat. électrique.

dravidien, enne adj. Qui concerne les Dravidiens. *L'art dravidien.* ▷ LING *Langues dravidiennes* : ensemble de langues non indo-européennes (dont le tamoul et le télougou), parlées dans le S. de l'Inde et le N. du Sri Lanka, formant une famille linguistique originale, apparentée à aucune autre.

Dravidiens, ensemble des peuples occupant la plus grande partie du Dekkan, des monts Vindhya au cap Comorin, et le nord de Sri Lanka.

dreadlocks [dʀɛdlɔks] n. f. pl. (Anglicisme) Petites tresses serrées, coiffure traditionnelle des rastas.

dreadnought [dʀɛdnɔt] n. m. (Mot anglais.) MAR Vx Cuirassé de gros tonnage du déb. du XXe s.

Dreiser (Theodore) (Terre Haute, Indiana, 1871 – Hollywood, 1945), romancier naturaliste américain : *Sœur Carrie* (1900), *le Financier* (1912), *le Titan* (1914), *Une tragédie américaine* (1925).

Drenthe, province des Pays-Bas; 2 647 km²; 432 000 hab.; ch.-l. *Assen.* Pétrole et gaz naturel.

drépanocytose n. f. MED Maladie due à une anomalie héréditaire de la structure de l'hémoglobine, surtout rencontrée chez les Noirs et pouvant se manifester par des troubles plus ou moins graves liés à une hémolyse.

Drepanum (auj. *Trapani*), anc. ville et promontoire de Sicile où la flotte carthaginoise d'Adherbal battit la flotte romaine (249 av. J.-C.).

Dresde (en all. *Dresden*), v. d'Allemagne, cap. de la Saxe, sur l'Elbe, 521 000 hab. – Presque entièrement rasée par les bombardements anglo-américains de fév. 1945 qui firent env. 35 000 morts, la ville, reconstruite, s'est spécialisée dans les industr. méca. de précision (optique, électromécanique). – Université technique. Palais du Zwinger (restauré), abritant une riche pinacothèque.

dressage n. m. **1.** Action de faire tenir droit, d'élever. **2.** TECH Opération qui consiste à dresser (sens I, 4), à rendre plan; son résultat. **3.** Action d'habituer un animal à faire telle ou telle chose (tour d'adresse, tâche déterminée, etc.). *Le dressage des chiens de cirque.* – Péjor. Éducation trop stricte. *Le dressage d'un enfant.*

dresser v. [1] **I.** v. tr. **1.** Lever, tenir droit (une partie du corps). *Dresser la tête.* – Fig. *Dresser l'oreille* : écouter attentivement; être particulièrement attentif. **2.** Faire tenir droit. *Dresser une échelle contre une façade.* **3.** Élever, construire, installer. *Dresser un échafaud, une tente.* **4.** TECH Rendre parfaitement plan. *Dresser au rabot les chants d'une planche.* **5.** Préparer (en disposant matériellement). *Dresser la table* : mettre le couvert. *Dresser un buffet,* le garnir. **6.** Préparer, établir. *Dresser un contrat, un plan.* **7.** Fig. *Dresser une personne contre une autre,* la mettre dans des dispositions défavorables à son égard. **8.** Effectuer le dressage de (un animal). *Dresser un chien.* – Par ext. *Je vais le dresser* (en parlant de qqn), l'obliger à obéir, à se soumettre. **II.** v. pron. **1.** Se tenir droit, levé. *Se dresser sur la pointe des pieds.* – Fig. *Se dresser sur ses ergots* (par allusion au coq) : prendre une attitude provocante, menaçante. – Fig. *Avoir les cheveux qui se dressent sur la tête* : avoir très peur. **2.** Fig. *Se dresser contre* : s'élever, protester contre. *Se dresser contre une injustice.* **3.** (Passif) Être susceptible de recevoir un dressage. *Les éléphants, les ours et même les chats se dressent.*

dresseur, euse n. Personne qui dresse des animaux.

dressoir n. m. Étagère, buffet à gradins où l'on expose la vaisselle.

Dreux, ch.-l. d'arr. d'Eure-et-Loir, sur la Blaise; 35 866 hab. (*Durocasses* ou *Drouais*). Centre industr. (constr. mécaniques et radioélectroniques, prod. chim.). – Égl. St-Pierre (XIIIe-XVIIe s.). Chap. royale St-Louis (déb. XIXe s.). – Fief de la famille d'Orléans, Dreux abrite les sépultures des princes de cette maison, depuis Louis-Philippe.

Dreux-Brézé (Henri Evrard, marquis de) (Paris, 1762 – id., 1829), grand maître des cérémonies sous Louis XVI. Il présida à l'installation des états généraux et fut chargé, le 23 juin 1789, de chasser le tiers état.

Dreyer (Carl) (Copenhague, 1889 – id., 1968), cinéaste danois. Son œuvre est une analyse rigoureuse et pénétrante des rapports humains : *la Passion de Jeanne d'Arc* (1928), *Dies iræ* («Jour de colère», 1943), *Ordet* (1955), *Gertrud* (1964).

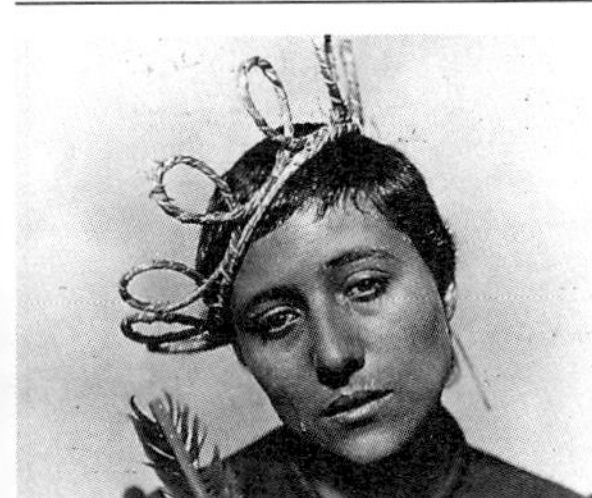

Carl **Dreyer** : *la Passion de Jeanne d'Arc,* 1928

Dreyfus (Alfred) (Mulhouse, 1859 – Paris, 1935), capitaine français. En déc. 1894, il fut condamné au bagne (île du Diable) pour espionnage au profit de l'Allemagne. En 1896, le commandant Picquart fit porter l'accusation sur un Hongrois naturalisé, le commandant Esterhazy, qui fut acquitté. La famille Dreyfus, aidée par le journaliste Bernard Lazare, mena campagne pour la révision du procès. La publication par Zola dans *l'Aurore,* en janv. 1898, d'une lettre ouverte au président de la République («J'accuse») et la condamnation à un an de prison qu'elle valut à son auteur firent éclater ce qui devint l'*Affaire Dreyfus.* L'opinion se divisa alors en *dreyfusards,* hommes de gauche, anticléricaux et antimilitaristes, et en *antidreyfusards,* nationalistes, conservateurs et antisémites (Dreyfus était juif). En sept. 1898, il fut révélé que l'Affaire reposait sur un faux, dû au colonel Henry, qui se suicida. Le ministre de la Guerre, Cavaignac, démissionna; lors du procès en révision (Rennes, sept. 1899), Dreyfus fut condamné, avec circonstances atténuantes, puis immédiatement gracié. En 1906, le jugement de Rennes est cassé par la Cour de cassation, Dreyfus est réhabilité, réintégré dans l'armée (au grade supérieur, comme Picquart, promu général) et décoré de la Légion d'honneur. En 1930, on découvrit que le coupable était bien Esterhazy.

dégradation du capitaine Alfred **Dreyfus,** le 5 janvier 1895; *le Petit Journal,* B.N.

dreyfusard, arde n. et adj. HIST Partisan de Dreyfus, de la révision du procès de Dreyfus. – adj. *Sympathies dreyfusardes.*

dribble n. m. SPORT Action de progresser en contrôlant le ballon.

dribbler v. intr. [1] SPORT Contrôler la balle en progressant.

dribbleur n. m. SPORT Joueur spécialiste du dribble.

Drieu La Rochelle (Pierre) (Paris, 1893 – id., 1945), écrivain français. Peintre du désarroi de la jeunesse d'après-guerre, il est obsédé par l'acte viril et fasciné par les régimes d'autorité. Romans et nouvelles : *le Feu follet* (1931), *la Comédie de Charleroi* (1934), *Gilles* (1939). Essais politiques : *Mesure de la France* (1922), *Genève ou Moscou* (1928), *Socialisme fasciste* (1934). De 1940 à 1943, il dirigea la *Nouvelle Revue française.* Favorable à la politique de collaboration, recherché après la Libération, il se suicida. En 1992, on a publié son *Journal 1939-1945.*

drift [dʀift] n. m. GEOL Dépôt laissé par le recul d'un glacier.

drill [dʀij] n. m. ZOOL Babouin d'Afrique occidentale, de grande taille, à face noire.

1. drille n. f. TECH Outil de bijoutier constitué d'une tige où est fixé un foret, munie d'un volant et entraînée par le déroulement d'un double cordon.

2. drille n. m. **1.** Vx Soldat, soudard. **2.** *Un joyeux drille* : un gai luron, un joyeux camarade.

Drina (la), riv. de Yougoslavie (346 km), affl. (r. dr.) de la Save. Centrale hydroél. – La *bataille de la Drina* (sept.-nov. 1914) fut remportée par les Austro-Hongrois sur les Serbes.

Drinkwater (John) (Leytonstone, 1882 – Londres, 1937), écrivain anglais. Poète (*Moisson d'été,* 1933), il excella surtout dans le drame historique : *Abraham Lincoln* (1918), *Mary Stuart* (1921), *Cromwell* (1923).

drisse n. f. MAR Cordage servant à hisser une voile, un pavillon.

drive [dʀajv] n. m. (Anglicisme) **1.** TENNIS Syn. de *coup* droit.* **2.** GOLF Coup puissant et précis donné à la balle au départ d'un trou.

driver [dʀive] v. [1] **1.** v. intr. Exécuter un drive, au golf, au tennis. ▷ v. tr. *Driver une balle.* **2.** v. tr. Conduire (un cheval) dans une course de trot attelé.

Drogheda (en gaélique *Droichead Atha*), v. et port de la rép. d'Irlande (prov. de Leinster, comté de Louth), sur la Boyne; 23 800 hab. Ciment, textile. – Sa population a été massacrée par Cromwell en 1649.

drogue n. f. **1.** Vx Matière première employée pour les préparations pharmaceutiques, pour la teinture. **2.** Péjor. Substance médicamenteuse. *Il absorbe trop de drogues.* **3.** Stupéfiant. *Un trafiquant de drogue.*

ENCYCL L'utilisation de drogues «douces» (haschisch, marijuana) et «dures» (héroïne, cocaïne, L.S.D.) avec toxicomanie s'est largement répandue, surtout chez les jeunes. Les dangers que cette toxicomanie représente (accoutumance, assuétude, dépendance) ont conduit à un effort d'information, à une intensification de la lutte contre le trafic de drogue (à l'échelle internationale), à la surveillance plus étroite de la vente des médicaments psychotropes et à la mise en place de centres médicaux de désintoxication et de centres d'aide psychologique.

drogué, ée adj. et n. Qui s'adonne aux stupéfiants.

droguer **I.** v. tr. [1] Péjor. Donner des remèdes inutiles, faire absorber beaucoup de médicaments à (qqn). *Droguer un malade.* **II.** v. pron. **1.** Péjor. Prendre trop de médicaments. **2.** Prendre des stupéfiants.

droguerie n. f. Commerce des couleurs et des produits d'entretien; magasin où l'on vend de tels produits.

droguiste n. Marchand de couleurs et de produits d'entretien.

1. droit n. m. **I. 1.** Faculté d'accomplir une action, de jouir d'une chose, d'y prétendre, de l'exiger. *Les droits et les devoirs. La Déclaration des droits de l'Homme* (V. encycl. déclaration). *Être* *dans son droit.* ▷ Loc. *Avoir droit à :* pouvoir prétendre à, bénéficier de. *Il a eu droit à une gratification.* – *Être en droit de :* avoir le droit de. – *Avoir un droit sur. Le père de famille de l'ancienne Rome avait droit de vie et de mort sur ses enfants.* – *Droit divin,* qui vient de Dieu. *Monarque de droit divin.* – *Droit d'aînesse :* privilège qui, dans une succession, avantageait l'aîné. – *Droits civiques,* attachés à la qualité de citoyen (notam. éligibilité, droit de vote). – (Au sens moral.) *Les droits de l'amitié.* **2.** Taxe. *Droits de péage, d'enregistrement. Payer un droit d'entrée.* – *Droits d'auteur :* somme que l'auteur touche sur la vente, la reproduction ou la représentation de ses œuvres. ▷ *Droits de tirage spéciaux :* monnaie internationale créée par le F.M.I. en 1969 servant d'instrument de crédit accordé aux États membres. **II.** *Le droit.* **1.** Ensemble des règles qui régissent les rapports entre les hommes. *Opposer le droit à la force.* **2.** Loc. *Faire droit à :* rendre justice à. *Faire droit à une demande,* lui donner une suite favorable. – *De droit, de plein droit :* sans contestation possible. *Cela lui revient de droit.* – *À qui de droit :* à qui est habilité, qualifié. – *À bon droit :* avec raison, justement. **3.** Pouvoir d'agir selon sa volonté. *Le droit du plus fort.* **4.** Ensemble des dispositions juridiques qui règlent les rapports entre les hommes. *Droit romain. Droit canon. Droit civil, droit pénal. Droit international. Droit commercial. Droit des affaires. Droit du travail. Droit privé,* qui régit les rapports des particuliers entre eux et des particuliers avec l'administration. *Droit public,* qui régit le fonctionnement de l'État (Constitution, administration). **5.** Science du droit. *La faculté de droit.*

2. droit, droite adj., n. m. et adv. **I.** adj. **1.** Qui n'est pas courbe, qui trace une ligne qui ne dévie pas. *Droit comme un I. Avoir le nez droit.* **2.** Qui va par le chemin le plus court d'un point à un autre. *Une ligne droite. En droite ligne :* directement. **3.** Vertical. *Ce mur n'est pas droit.* **4.** (Vêtements) *Veste droite* (opposé à *croisée* ou *cintrée*); *jupe droite* (opposé à *ample*). **5.** ASTRO *Ascension droite :* angle formé par le méridien de l'astre et le méridien du point vernal. **6.** GEOM *Angle droit,* formé par deux droites perpendiculaires. *L'angle droit vaut 90°.* ▷ n. m. *La somme des angles d'un triangle est égale à deux droits.* **7.** ANAT *Muscle droit,* dont les fibres sont verticales. ▷ n. m. *Grand droit de l'abdomen.* **8.** Juste, équitable. *Un esprit droit.* **9.** (Personnes) Honnête et loyal. **II.** adv. **1.** En ligne droite. *Tout droit. Aller droit devant soi.* ▷ *Marcher droit :* en ligne droite; fig., bien se conduire. **2.** Directement. *Aller droit au fait.*

3. droit, droite adj. et n. m. **1.** adj. Qui est du côté opposé à celui du cœur. *La main droite. La rive droite d'un fleuve,* celle qui est du côté de la main droite en descendant son cours. – Fig. *Le bras droit de qqn,* son collaborateur indispensable. ▷ SPORT *Coup* droit.* Ant. gauche. **2.** n. m. En boxe, le poing droit.

droite n. f. **1.** GEOM Ligne droite. ▷ *Droite affine,* munie d'une origine et d'un point par rapport auquel ses autres points peuvent être repérés. **2.** *La droite :* le côté droit, la partie droite. *Prendre sur la droite :* tourner à droite. *Garder sa droite :* se tenir sur le côté droit (d'une route). **3.** *La droite d'une assemblée :* ceux qui siègent à la droite du président (traditionnellement les conservateurs). ▷ *La droite :* l'ensemble des conservateurs. – Loc. *De droite, à droite. Un ministre de droite. Voter à droite.* **4.** Loc. adv. *À droite :* du côté droit. *À droite et à gauche :* de tous côtés.

droit-fil n. m. **1.** COUT Sens des fils d'un tissu, par oppos. au *biais.* **2.** Fig. Ligne principale, prolongement logique. *Se situer dans le droit-fil d'une orientation politique. Des droits-fils.*

droitier, ère adj. **1.** Qui se sert habituellement de sa main droite. *Êtes-vous droitier ou gaucher?* **2.** Fam. De droite, en politique. *Une déviation droitière.*

droiture n. f. **1.** État d'un esprit droit (2, sens 9), honnête. *La droiture du jugement.* **2.** État d'une personne droite, sincère. *Un caractère plein de droiture.*

drolatique adj. Litt. Comique.

drôle n. m. et adj. **I.** n. m. **1.** Vieilli Polisson, mauvais sujet. ▷ Enfant espiègle. *Un petit drôle.* **2.** Rég. Petit garçon. **II.** adj. **1.** Plaisant, comique. *Cet acteur est drôle.* – Fam. *Ce n'est pas drôle :* c'est fâcheux. **2.** Singulier, curieux. *C'est drôle qu'il n'écrive pas comme prévu.* ▷ Fam. Étrange. *Un drôle de personnage, une drôle d'histoire.* – *La drôle de guerre :* V. guerre. **3.** Fam. (Intensif) *Une drôle de bagarre :* une bagarre acharnée. *Il a une drôle de veine,* beaucoup de chance.

drôlement adv. **1.** D'une manière étrange. *Il est drôlement attifé.* **2.** Fam. Extrêmement. *C'est drôlement bien.*

drôlerie n. f. **1.** Bouffonnerie, facétie. **2.** Comique. *Un livre plein de drôlerie.*

drôlesse n. f. Vieilli Fille, femme rusée, méprisable.

dromadaire n. m. Chameau à une seule bosse *(Camelus dromedarius),* parfaitement adapté au climat désertique chaud, que l'on utilise comme monture ou comme bête de somme de l'Inde à l'Afrique centrale.

dromadaire vu de face; bosse en coupe et silhouette

-drome, -dromie. Éléments, du gr. *dromos,* « course ».

Drôme (la), riv. de France (110 km); naît dans les Alpes, arrose Die et Crest, et se jette dans le Rhône (r. g.).

Drôme, dép. franç. (26); 6 576 km²; 414 072 hab.; 62,9 hab./km²; ch.-l. *Valence.* V. Rhône-Alpes (Rég.).

drômois, oise adj. et n. De la Drôme. – Subst. *Un(e) Drômois(e).*

Dronne (la), riv. du Périgord (190 km); affl. (r. dr.) de l'Isle. Dans sa vallée, nombr. sites préhistoriques.

dronte n. m. Oiseau columbiforme (genre *Raphus*) à bec énorme, de la taille d'un dindon, incapable de voler. (Il vécut aux Mascareignes et fut exterminé au XVIIIe s.) Syn. dodo.

dronte

drop-goal [dʀɔpgol] n. m. (Anglicisme) SPORT Au rugby, coup de pied en demi-volée par lequel on tente de projeter le ballon entre les poteaux de but. *Des drop-goals.* – Ellipt. : *drop. Des drops.* Syn. coup de pied tombé.

Dropt (le), riv. de France (125 km), affl. de la Garonne (r. dr.), utilisée pour l'irrigation.

droséra n. m. Plante carnivore des marais européens, qui capture les insectes à l'aide de poils glanduleux enduits d'une pepsine qui les digère. Syn. rossolis.

drosophile n. f. Mouche du vinaigre *(Drosophila melanogaster),* brun clair, longue de 2 mm, dont le patrimoine génétique est particulièrement utile à la recherche (nombreuses mutations, chromosomes de grande taille).

drosse n. f. MAR Cordage ou chaîne transmettant les mouvements de la barre au gouvernail.

drosser v. tr. [1] MAR Entraîner vers la côte, vers un danger (un navire). *Courant qui drosse un navire.*

Drouet (Jean-Baptiste) (Sainte-Menehould, 1763 – Mâcon, 1824), fils du maître de poste de Sainte-Menehould. Il reconnut Louis XVI et la famille royale en fuite et les fit arrêter à Varennes (21 juin 1791). Il fut ensuite membre de la Convention et du Conseil des Cinq-Cents.

Drouet (Julienne Gauvain, dite Juliette) (Fougères, 1806 – Paris, 1883), actrice française; connue surtout par sa liaison avec Victor Hugo. On a publié sa *Correspondance* avec le poète.

Drouot (Antoine, comte) (Nancy, 1774 – id., 1847), général d'artillerie. Il accompagna Napoléon Ier à l'île d'Elbe.

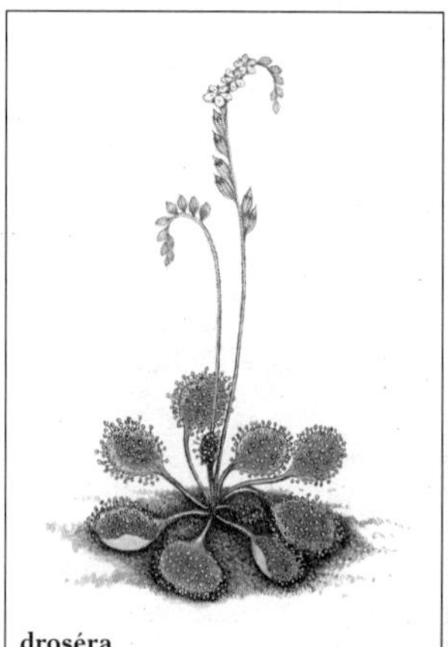

droséra

dru, drue adj. et adv. **I.** adj. **1.** Épais, touffu. *Blés drus.* **2.** Fig. Fort, vigoureux. *Des pages drues et colorées.* **II.** adv. En grande quantité, d'une manière serrée. *Ses cheveux poussent dru. La grêle tombe dru.*

drugstore [dʀœgstɔʀ] n. m. (Nom déposé.) En France, magasin de luxe composé d'un restaurant, ou d'un bar, et de stands divers (cadeaux, livres, journaux, épicerie, etc.).

druide n. m. Nom des anciens prêtres gaulois et bretons.
ENCYCL Les druides étaient les chefs religieux des populations celtiques qui, avant la conquête romaine, occupaient la Gaule et la Grande-Bretagne. Ils représentaient une classe sacerdotale chargée de la célébration du culte, de l'éducation de la jeunesse et des décisions de justice. Leur doctrine se fondait sur la transmigration des âmes. La récolte du gui de chêne, plante sacrée, est l'une des coutumes druidiques les mieux connues.

druidique adj. Didac. Relatif aux druides.

druidisme n. m. Didac. Religion, doctrine des druides.

Drumev (Vasil), en relig. *Clément* (Šumen, auj. Kolarovgrad, v. 1838 – Tărnovo, 1901), prélat et écrivain bulgare. Il anima par ses écrits (*Ivanko,* 1872) et par son action politique (il fut membre, en 1879, de l'Assemblée constituante de son pays) la lutte pour l'indépendance. Métropolite de Tărnovo, il fut déposé en 1887 et rappelé en 1894.

Drummondville, v. du Québec (Mauricie-Bois-Francs) sur la rivière *Saint-François*; 35 460 hab.

Drumont (Édouard) (Paris, 1844 – id., 1917), journaliste, écrivain et homme politique français; pamphlétaire antisémite (*la France juive,* essai d'histoire contemporaine, 1886); fondateur de *la Libre Parole* (1892).

drums [dʀœms] n. m. pl. (Anglicisme) MUS Batterie (dans un orchestre de jazz, de rock, un spectacle de variétés).

Druon (Maurice) (Paris, 1918), écrivain français. Il a écrit des cycles romanesques d'un ton réaliste sur la société d'avant 1940, puis des aventures historiques au succès facile : *les Grandes Familles* (3 vol., 1948-1951), *les Rois maudits* (1955-1966). Il est l'auteur, avec Joseph Kessel, des paroles du *Chant des partisans.* Ministre des Affaires culturelles (1973-1974). Acad. fr. (1966).

drupe n. f. BOT Fruit charnu (cerise, prune, pêche, olive, etc.) dont l'endocarpe lignifié forme un noyau contenant l'amande (la graine).

Drusus (Nero Claudius) (?, 38 – ?, 9 av. J.-C.), fils de Livie et frère de Tibère; père de Germanicus. Il fit plus. campagnes victorieuses en Germanie, où il créa les prov. de Rhétie et de Vindélicie.

Drusus (Caesar) (?, 10 av. J.-C. – ?, 23 apr. J.-C.), fils de Tibère et de Vipsania; empoisonné à l'instigation de Séjan, commandant des gardes prétoriennes, amant de sa femme Livilla.

druze [dʀyz] adj. Relatif aux Druzes.

Druzes, populations (700 000 individus env.) habitant surtout en Syrie et en Jordanie (*djebel Druze,* montagnes du Hawran), au Liban et en Israël. Les Druzes constituent une secte ismaélienne émanant des Fatimides. Ils furent persécutés par les musulmans orthodoxes vers le début du XIe s. Après avoir vécu des siècles en bonne intelligence avec les maronites, ils entrèrent en conflit avec eux et incendièrent plusieurs de leurs villages (1860). En 1925-1926, les Druzes de Syrie se soulevèrent contre les Français, qui entendaient séparer le djebel Druze du reste du pays. Les Druzes du Liban (150 000 individus env.) se sont vu reconnaître une place institutionnelle dans le partage intercommunautaire actuel (six sièges au Parlement).

dry [dʀaj] adj. inv. et n. m. inv. (Anglicisme) **1.** adj. inv. Sec, non moelleux, en parlant du champagne. *Extra-dry :* très sec. **2.** n. m. inv. Cocktail à base de vermouth blanc sec et de gin.

dryade [dʀijad] n. f. MYTH Nymphe qui protège les forêts.

Dryden (John) (Aldwinkle, Northamptonshire, 1631 – Londres, 1700), poète et dramaturge anglais; l'un des principaux tenants de la doctrine classique en Angleterre : *Essai sur la poésie dramatique* (1668), *Aureng-Zeb* (tragédie héroïque, 1675), *Absalon et Achitophel* (poème satirique, 1681).

dry-farming n. m. (Anglicisme) AGRIC Syn. (off. déconseillé) de *culture sèche.* V. culture (sens I, 1). *Des dry-farmings.*

D.S.T. Sigle de *Direction de la surveillance du territoire.* Service de police ressortissant à la Direction générale de la sûreté nationale et consacré à la lutte contre l'espionnage à l'intérieur des frontières nationales.

du article m. sing. **1.** Article défini contracté. *Le fils du voisin.* **2.** Article partitif. *Prendre du bon temps.*

dû, due adj. et n. m. **1.** Que l'on doit. *Chose promise, chose due.* ▷ n. m. *Réclamer son dû.* **2.** Provoqué par. *Une grande fatigue due au surmenage.* **3.** DR *Acte en bonne et due forme,* rédigé dans les formes légales.

dual n. m. MATH *Dual de l'espace vectoriel E :* espace vectoriel, noté E*, constitué par les formes linéaires de E.

Duala(s) V. Douala(s).

dualisme n. m. **1.** PHILO Système qui admet la coexistence de deux principes irréductibles (le corps et l'âme, par ex.). Ant. monisme. **2.** *Par ext.* Coexistence de deux principes essentiellement différents. *Le compromis de 1867 établit le dualisme de l'Autriche-Hongrie.*

dualiste adj. (et n.) Didac. **1.** Qui a le caractère du dualisme. *Théorie dualiste.* **2.** Qui professe le dualisme.

dualité n. f. **1.** Caractère de ce qui est double. **2.** Coexistence de deux principes différents.

duathlète n. Coureur (euse) de duathlon.

duathlon n. m. Épreuve sportive d'endurance combinant la course à pied et la bicyclette.

dub [dœb] n. m. (Anglicisme) Style musical issu du reggae, fondé sur des trucages électroniques.

Dubaï ou **Dubayy,** v. (265 700 hab.) et émirat du golfe Persique (3 750 km^2, 420 000 hab.). (V. Émirats arabes unis.)

Dubček (Alexander) (Uhrovec, Slovaquie, 1921 - Prague, 1992), homme politique tchécoslovaque. Premier secrétaire du parti communiste tchécoslovaque en janv. 1968, il fut l'artisan de la politique de libéralisation («printemps de Prague»), laquelle entraîna l'intervention des forces du pacte de Varsovie en août 1968. À la faveur de la révolution de l'automne 1989, Dubček, assigné à résidence dep. 1969, fut élu, en déc., président de l'Assemblée nationale tchécoslovaque.

Alexander **Dubček**

Alexandre **Dumas**

Dubillard (Roland) (Paris, 1923), acteur et auteur dramatique français. Avec un humour noir, il traite des perspectives ouvertes par les lois physiques et morales. Pièces : *Naïves Hirondelles,* 1961 ; *Bain de vapeur,* 1976 ; nouvelles (*Olga ma vache,* 1974 ; *la Boîte à outils,* 1985).

dubitatif, ive adj. Qui exprime le doute. *Air, geste dubitatif.*

dubitativement adv. D'une manière dubitative. *Répondre dubitativement.*

Dublin (en gaélique *Baile Átha Cliath*), port princ. et cap. de la rép. d'Irlande (Eire), sur la côte orient. de l'île ; 546 750 hab. (aggl. urb. 1 024 400 hab.). Industr. agric., métall., chim. (engrais), électron. ; brasseries. - Archevêchés cathol. et protestant. Université. Cathédrale protestante Saint-Patrick (fin XIIIe s., remaniée au XIXe s.) - À Pâques 1916, les nationalistes y déclenchèrent une insurrection contre la G.-B., qui, malgré son échec, relança la lutte pour l'indépendance.

Dublin

Dubois (Guillaume) (Brive-la-Gaillarde, 1656 - Versailles, 1723), cardinal et homme politique français. Anc. précepteur du duc d'Orléans, il devint, sous la Régence, son conseiller puis son ministre secrétaire d'État aux Affaires étrangères (1718). Diplomate avisé, il avait négocié en 1717 la Triple-Alliance de La Haye avec l'Angleterre et la Hollande pour faire échec à l'Espagne, lutte qu'il poursuivit jusqu'en 1720. Cardinal en 1721, il fut nommé Premier ministre en 1722. Acad. fr. (1722).

Du Bois (William Edward Burghardt) (Great Barrington, Massachusetts, 1869 - Accra, 1963), écrivain et sociologue noir américain, naturalisé ghanéen (1960). Fondateur en 1909 de l'Association nationale pour le progrès des gens de couleur, il prôna le panafricanisme ; auteur de *In Battle for Peace* (1952).

Dubois de Crancé ou **Dubois-Crancé** (Edmond Louis Alexis) (Charleville, 1747 - Rethel, 1814), général et homme politique français. Montagnard, il réforma le régime militaire français, créant notam. l'*amalgame* (1793), ensemble de mesures ayant pour but d'assurer la cohésion des armées.

Du Bois-Reymond ou **Dubois-Reymond** (Emil) (Berlin, 1818 - id., 1896), physiologiste allemand ; un des créateurs de la physiologie expérimentale, auteur d'ouvrages d'anatomie et de philosophie des sciences.

Du Bos (Charles) (Paris, 1882 - La Celle-Saint-Cloud, 1939), écrivain français. Son œuvre est une méditation sur les valeurs éthiques dans la littérature : *Approximations* (essai critique, 7 vol., 1922-1937), *Journal* (posth., 1946-1962), correspondance avec A. Gide. Il se convertit au catholicisme en 1927.

Du Bouchet (André) (Paris, 1924), poète français. Son œuvre, réputée «difficile», exprime la quête d'un être qui se dérobe sans cesse : *Air* (1953), *Dans la chaleur vacante* (1961), *Qui n'est pas tourné vers nous* (1972), *Rapides* (1980), *Une tache* (1988).

Du Bourg (Anne) (Riom, 1521 - Paris, 1559), magistrat français ; prêtre et conseiller au Parlement de Paris (1557). Favorable aux calvinistes, il fut étranglé puis brûlé en place de Grève.

Dubout (Albert) (Marseille, 1905 - Saint-Aunes, 1976), dessinateur humoriste français à la composition et à la profusion rabelaisiennes.

Dubrovnik (anc. *Raguse*), v. et port de Croatie, sur l'Adriatique ; 31 000 hab. Centre touristique et culturel. - Nombr. monuments ; enceinte fortifiée (XIIIe-XVIe s.) ; fontaine d'Onofrio (XVe s.) ; palais Sponza (XVIe s.) ; palais des Recteurs (XVe s.) ; cathédrale (baroque) ; nombr. églises. - Fondée au VIIe s. par les habitants d'Épidaure (auj. *Cavtat*), détruite par les Slaves, la ville appartint successivement à Byzance (867), à Venise (1205), à la Hongrie (1358). Libérée de la tutelle hongroise au XVIe s., elle s'érigea en une république prospère (comm. avec l'Empire ottoman). Française par le traité de Presbourg (1806), puis autrichienne (1815), elle devint yougoslave en 1918. En 1992, assiégée par les forces serbes, la ville a été en partie détruite.

Jean **Dubuffet** : *Houle du virtuel,* 1963 ; MNAM

Dubuffet (Jean) (Le Havre, 1901 - Paris, 1985), peintre et sculpteur français. Artiste marginal, théoricien de l'art* brut, il a laissé «se produire et apparaître tous les hasards qui sont propres au matériau employé» (sable, goudron, mâchefer, polyester, etc.).

Duby (Georges) (Paris, 1919 - Aix-en-Provence, 1996), historien français, spécialiste de la civilisation médiévale. Dans l'esprit des *Annales,* et avec une écriture qui cherche à traduire à la fois la distance et l'esprit d'une époque, il s'intéressa aux aspects artistiques (*l'Europe des cathédrales, 1140-1280,* 1966 ; *le Temps des cathédrales, 980-1420,* 1974), aux mentalités (*le Dimanche de Bouvines,* 1973 ; *les Trois Ordres ou l'Imaginaire du féodalisme,* 1978), aux rapports familiaux et sociaux (*le Chevalier, la Femme et le Prêtre,* 1981), aux personnages (*Guillaume le Maréchal ou le Meilleur Chevalier du monde,* 1984). Il a publié son autobiographie professionnelle (*l'Histoire continue,* 1991). Acad. fr. (1987).

1. duc n. m. **1.** Anc. Souverain de certains États (duchés). *Les ducs de Bourgogne.* **2.** Titre de noblesse le plus élevé, après celui de prince. - V. aussi archiduc, et grand-duc.

2. duc n. m. Nom cour. de divers hiboux. (Le grand duc, *Bubo bubo,* long de 70 cm, rare, vit réfugié dans les forêts de montagne ; le moyen duc, *Asio otus,* de 35 cm, et le petit duc, *Otus scops,* de 20 cm, sont plus fréquents ; tous trois sont européens.)

ducal, ale, aux adj. **1.** Propre à un duc, à une duchesse. *Un palais ducal.* **2.** Du doge de Venise.

Du Camp (Maxime) (Paris, 1822 - Baden-Baden, 1894), journaliste, mémorialiste et romancier français. Ami de Flaubert, il voyagea avec lui en Orient et en Bretagne (*Par les champs et par les grèves,* 1885, en collab. avec Flaubert). Auteur du premier livre illustré de photographies (*Égypte, Nubie, Palestine et Syrie,* 1852). Acad. fr. (1880).

Du Cange (Charles du Fresne, seigneur) (Amiens, 1610 - Paris, 1688), lexicographe et historien français. Spécialiste de Byzance, il a écrit une *Histoire de Constantinople sous les empereurs français* (1657), des glossaires de bas latin (1678) et de grec tardif (1688).

Ducasse (Isidore). V. Lautréamont.

ducat [dyka] n. m. Anc. Pièce d'or ou d'argent d'origine italienne, qui s'est répandue dans toute l'Europe.

Duccio di Buoninsegna (Sienne, v. 1260 - id., 1319), peintre italien. Il influença profondément l'école siennoise du XIVᵉ s., marquant le passage du style byzantin au style gothique : retable de la Vierge (*Maestà*, 1311).

duce [dutʃe] n. m. *Le Duce* : titre (signifiant « chef » en italien) qu'avait pris Benito Mussolini, chef du gouvernement fasciste italien de 1922 à 1943.

Duchamp (Marcel) (Blainville, Seine-Maritime, 1887 – Neuilly-sur-Seine, 1968), peintre et poète français. D'abord proche du futurisme (*Nu descendant un escalier nº 2*, 1912), il annonça le mouvement dada* dès 1913 avec ses « ready-made », objets usuels manufacturés exposés en tant qu'œuvres d'art, et participa ensuite aux activités du mouvement surréaliste. Ses conceptions influencèrent divers courants artistiques contemporains (notam. le nouveau réalisme). Poésie : *Marchand du sel*, 1954.

Marcel **Duchamp :** *Nu descendant un escalier*, 1911 ; Museum of Art, coll. Arensberg, Philadelphie

Duchamp-Villon (Raymond Duchamp, dit) (Damville, 1876 – Cannes, 1918), sculpteur français ; frère de M. Duchamp et de J. Villon. Influencé par Rodin, il adhéra ensuite au cubisme puis s'orienta vers l'abstraction.

Ducharme (Réjean) (Saint-Félix-de-Valois, Québec, 1941), écrivain canadien d'expression française, auteur de romans : *l'Avalée des avalés* (1966) ; *l'Océantume* (1968) ; *l'Hiver de force* (1973).

duché n. m. Étendue de territoire à laquelle le titre de duc est attaché. *Le duché de Parme.* – *Duché-pairie* : terre à laquelle était attaché le titre de duc et pair. *Des duchés-pairies.*

Duchesne ou **Duchêne (le Père),** type populaire, consacré par le théâtre, qui servit de titre à de nombr. pamphlets politiques, violents et crus, publiés sous la Révolution. Hébert (à partir de 1790) reprit le titre pour son journal, comme d'autres le firent en 1848 et sous la Commune, en 1871.

duchesse n. f. **1.** Femme qui possède un duché. *Anne, duchesse de Bretagne.* **2.** Épouse d'un duc. *La duchesse de Windsor.* ▷ Fam., iron. *Elle prend des allures de duchesse, elle fait sa duchesse* : elle affecte un air de dignité, de supériorité. **3.** Fig. *Lit à la duchesse* : grand lit à colonnes et à baldaquin. ▷ *Duchesse* : lit de repos à dossier. **4.** n. f. inv. Variété de poire fondante très parfumée. – (En appos.) Des poires duchesse.

Duclaux (Pierre Émile) (Aurillac, 1840 – Paris, 1904), physicien et chimiste français. Élève de Pasteur, il lui succéda à la tête de l'Institut Pasteur en 1895. Un des fondateurs de la Ligue des droits de l'homme.

Duclos (Jacques) (Louey, Hautes-Pyrénées, 1896 – Montreuil, 1975), homme politique français. Membre du bureau politique du parti communiste de 1931 à sa mort, il dirigea durant la Seconde Guerre mondiale, en l'absence de M. Thorez, son parti dans la clandestinité. Il fut candidat à la présidence de la République en 1969.

Ducos (Roger, comte) (Dax, 1747 – près d'Ulm, 1816), homme politique français. Conventionnel, membre du Directoire, il s'associa à Bonaparte et à Sieyès lors du coup d'État du 18 brumaire. Comte et sénateur d'Empire, il dut s'exiler en 1816.

Ducos du Hauron (Louis) (Langon, Gironde, 1837 – Agen, 1920), physicien français. Il inventa le *procédé trichrome* pour l'impression en couleurs ; on lui doit aussi les premières photographies en couleurs.

Ducretet (Eugène) (Paris, 1844 – id., 1915), radioélectricien et industriel français ; auteur de nombr. réalisations expérimentales : télégraphie sans fil (1897), radiotélégraphie (1898), radiotéléphonie (1900).

ductile adj. TECH Qui peut être étiré sans se rompre.

ductilité n. f. TECH Propriété d'un corps de se laisser étirer en fils sans se rompre. *De tous les métaux, l'or est celui qui possède la plus grande ductilité.*

Dudelange, v. du Luxembourg ; 14 070 hab. Centre sidérurgique.

Dudley, ville de Grande-Bretagne (West Midlands) ; 300 400 hab. Sidérurgie, constructions mécaniques. – Ruines d'un chât. des XIVᵉ et XVIᵉ s.

Dudley (John), duc de Northumberland (?, 1502 – Londres, 1553), homme politique anglais. Grand maréchal d'Angleterre sous Édouard VI, il réussit à faire désigner sa belle-fille, Jeanne Grey, comme héritière du trône. Mais une réaction loyaliste, qui fit triompher Marie Tudor, entraîna sa condamnation à mort et son exécution.

duègne [dɥɛɲ] n. f. Anc. Gouvernante, femme d'un âge respectable, chargée, en partic. en Espagne, de veiller sur la conduite d'une jeune fille. – THEAT Emploi de duègne. *Jouer les duègnes.*

1. duel n. m. **1.** Anc. Combat singulier entre deux personnes. **2.** Combat, devant témoins, entre deux personnes dont l'une estime avoir été offensée par l'autre. *Provoquer en duel. Duel à l'épée, au pistolet.* **3.** Fig. Combat entre deux armées. *Duel d'artillerie.* **4.** Fig. *Duel oratoire* : assaut d'éloquence entre deux personnes.

2. duel n. m. GRAM Nombre qui s'emploie pour désigner deux personnes, deux choses, considérées comme formant un groupe indissociable. *Le duel existe en grec, en sanscrit.*

duelliste n. m. Celui qui se bat en duel.

Duero, nom espagnol du Douro.

duettiste n. **1.** Personne qui chante ou joue en duo avec une autre. **2.** Fig., fam. Personne qui accomplit une action spectaculaire avec une autre.

Dufay (Guillaume) (Hainaut, v. 1400 – Cambrai, 1474), compositeur français ; un des plus grands musiciens de son temps : messes, motets, magnificats, chansons françaises (rondeaux).

duffel-coat ou **duffle-coat** [dœfœlkot] n. m. Manteau trois-quarts chaud, en laine, avec un capuchon. *Des duffel-coats, des duffle-coats.*

Dufour (Guillaume Henri) (Constance, 1787 – Les Contamines, Genève, 1875), général suisse. Après avoir servi Napoléon Iᵉʳ, il réorganisa l'armée helvétique et réduisit la révolte du Sonderbund (1847). Il dirigea les travaux d'établissement de la carte de Suisse.

Du Fu ou **Tou Fou** (Duling, Shānxi, 712 – Leiyang, Hunan, 770), poète chinois de la dynastie des Tang. Considéré traditionnellement comme le plus grand poète classique chinois, il vécut la plupart du temps dans la misère et décrivit les souffrances du peuple (guerres, exodes des paysans, etc.). Contrairement à son ami Li Bo, taoïste fougueux, Du Fu est un confucianiste orthodoxe, admiré pour sa perfection technique et sa profondeur d'émotion : *Chanson du vieux cèdre, Lamentation sur la bataille de Shendao.*

Dufy (Raoul) (Le Havre, 1877 – Forcalquier, 1953), peintre, décorateur et illustrateur français. Il a élaboré un style très personnel, fondé sur la dissociation du trait (léger, allusif) et de la couleur (vive, fluide).

Raoul **Dufy :** *la Musique militaire, 14 juillet 1951* ; musée du Havre

Dugommier (Jacques François Coquille, dit) (Basse-Terre, Guadeloupe, 1738 – près de Figueras, Catalogne, 1794), général français. Député à la Convention, il commanda les troupes qui reprirent Toulon (1793).

dugon [dygɔ̃] ou **dugong** [dygɔ̃g] n. m. ZOOL Mammifère sirénien *(Halicore dugung)* atteignant 3 m de long, très massif, qui vit sur les côtes de l'océan Indien.

Duguay-Trouin (René) (Saint-Malo, 1673 – Paris, 1736), corsaire français. Il s'illustra durant le conflit avec l'Angleterre et la Hollande puis comme capitaine de frégate, au cours de la guerre de la Succession d'Espagne. En 1711, il prit Rio de Janeiro.

Du Guesclin (Bertrand) (La Motte-Broons, près de Dinan, 1315 ou 1320 – Châteauneuf-de-Randon, 1380), connétable de France. Après avoir servi

Charles de Blois (1350), il combattit pour Charles V (qui le fit chevalier en 1357) les armées de Charles le Mauvais (1364). Capturé à la bataille d'Auray (1364) et libéré contre rançon, il débarrassa la France des Grandes Compagnies, les emmenant en Espagne pour soutenir le prétendant au trône de Castille. Connétable (1370), il entreprit d'expulser les Anglais de France, mais mourut devant Châteauneuf-de-Randon. Charles V le fit enterrer à Saint-Denis.

Duhamel (Georges) (Paris, 1884 - Valmondois, 1966), écrivain français. Dans ses premiers récits, il évoque l'expérience de la guerre : *Vie des martyrs* (1917), *Civilisation* (1918). Son œuvre est dominée par deux cycles romanesques : *Vie et aventures de Salavin* (1920-1932) et *Chronique des Pasquier* (1933-1945). Acad. fr. (1935).

Duilius (Caius), consul romain (260 av. J.-C.). Il gagna sur les Carthaginois, à Myles, la première bataille navale qu'aient livrée les Romains.

Duisburg, v. d'Allemagne (Rhénanie-du-Nord-Westphalie), au confl. de la Ruhr et du Rhin; 514 630 hab. Un des plus grands ports fluviaux du monde. Industries sidérurgiques, mécaniques (constr. navales et ferroviaires), chimiques, textiles et alimentaires.

duit [dɥi] n. m. **1.** TECH Lit artificiel d'un cours d'eau, créé entre des digues, pour les besoins de la navigation. **2.** PÊCHE Digue artificielle barrant l'embouchure d'un cours d'eau maritime et retenant le poisson lors du reflux.

Dukas (Paul) (Paris, 1865 - id., 1935), compositeur français, réputé pour son sens de l'orchestration : *l'Apprenti sorcier* (scherzo symphonique, 1897), *Ariane et Barbe-Bleue* (conte lyrique, 1907), *la Péri* (poème chorégraphique, 1912).

Dulac (Germaine) (Asnières, 1882 - Paris, 1942), cinéaste française. Elle fut la première femme à réaliser des films long métrage : *la Souriante Madame Beudet* (1922).

Dulbecco (Renato) (Catanzaro, Calabre, 1914), biologiste américain d'origine italienne. Il a démontré l'existence de mécanismes viraux de cancérisation chez l'homme. P. Nobel de méd. 1975, avec D. Baltimore et H.M. Temin.

dulçaquicole ou **dulcicole** adj. BIOL Qui vit dans les eaux douces.

dulcifier v. tr. [2] PHARM Tempérer l'âcreté ou l'amertume d'un liquide en le mêlant à un liquide plus doux.

dulcinée n. f. Plaisant Femme dont on est épris. *Il ne quitte pas sa dulcinée.*

Dulcinée, personnage du *Don Quichotte* de Cervantès. Elle est la « dame des pensées » du chevalier errant et lui dicte secrètement ses actes.

dulie n. f. THEOL *Culte de dulie :* culte de vénération rendu aux anges et aux saints (par oppos. à *culte de latrie**).

Dulles (John Foster) (Washington, 1888 - id., 1959), homme politique américain. Secrétaire d'État sous les présidences d'Eisenhower (1952-1959), il fut un des champions de l'anticommunisme lors de la guerre froide.

Dullin (Charles) (Yenne, Savoie, 1885 - Paris, 1949), acteur et metteur en scène français. Il fonda et dirigea le théâtre de l'Atelier à Paris de 1922 à 1939. ▸ illustr. **Tourneur**

Dulong (Pierre Louis) (Rouen, 1785 - Paris, 1838), physicien et chimiste français. Il énonça la loi des chaleurs spécifiques des corps simples solides.

Duluth, v. des États-Unis (Minnesota), sur le lac Supérieur, à l'embouchure de la riv. Saint Louis; 85 490 hab. (aggl. urb. 253 800 hab.). Port import. (fer, bois). Sidérurgie, conserveries. - Évêché catholique.

Dumas (Jean-Baptiste) (Alès, 1800 - Cannes, 1884), chimiste français. Il contribua, par ses recherches sur la masse atomique des corps, à fonder la chimie organique. Il travailla également sur les corps, les fonctions chimiques, les réactions (qu'il fut l'un des premiers à mettre en équation). À partir de 1849, il se consacra de plus en plus à l'activité politique. Acad. fr. (1875).

Dumas (Alexandre) (Villers-Cotterêts, 1802 - Puys, près de Dieppe, 1870), écrivain français, dit *Dumas*, fils du général Alexandre Davy de la Pailleterie (Jérémie, Saint-Domingue, 1762 - Villers-Cotterêts, 1806), qui avait pris le nom de sa mère, une esclave noire. Il consacra sa puissance d'imagination et son souffle narratif à de nombreuses œuvres historico-romanesques : *les Trois Mousquetaires* (1844), complétés par *Vingt Ans après* (1845) et *le Vicomte de Bragelonne* (1850); *le Comte de Monte-Cristo* (1846); *la Reine Margot* (1845), suivie de *la Dame de Monsoreau* (1846) et des *Quarante-Cinq* (1848). Princ. œuvres dramatiques : *Henri III et sa cour* (1829), *la Tour de Nesle* (1832), *Kean* (1836). Il a laissé des *Mémoires* (1852-1854). **– Alexandre Dumas fils** (Paris, 1824 - Marly-le-Roi, 1895), fils naturel du préc. Il écrivit des pièces qui, malgré certains traits réalistes, se rattachent au théâtre de boulevard : *la Dame aux camélias* (1852), *le Fils naturel* (1858), *Denise* (1885), *Francillon* (1887). Acad. fr. (1874). ▸ illustr. page **582**

Du Maurier (George Louis Busson Palmella) (Paris, 1834 - Londres, 1896), peintre, dessinateur humoristique et écrivain anglais; surtout connu par son roman onirique *Peter Ibbetson* (1891). **– Daphne** (Lady Browning) (Londres, 1907 - Par, Écosse, 1989), petite-fille du préc., romancière (*Rebecca*, 1938; *l'Auberge de la Jamaïque*, 1939).

dum-dum [dɔmdɔm; dumdum] n. f. inv. MILIT Balle de fusil dont l'enveloppe se déchire dans la blessure. *L'emploi des dum-dum a été interdit par la Convention internationale de La Haye de 1899.*

dûment adv. Selon les formes prescrites.

Dumesnil (Marie-Françoise Marchand, dite Mlle) (Paris, 1713 - id., 1803), tragédienne française, interprète de Racine et de Voltaire.

Dumézil (Georges) (Paris, 1898 - id., 1986), historien français des religions, professeur au Collège de France (1949-1968). Sa démarche originale est l'étude comparative des mythologies des peuples de langue indo-européenne. *Mitra-Varuna* (1948), *les Dieux des Germains* (1959), *Mythe et épopée* (3 vol., 1968, 1971 et 1973). Acad. fr. (1978). ▸ illustr. page **586**

Dumfries, v. d'Écosse; 29 400 hab.; ch.-l. de la rég. de *Dumfries et Galloway* (6 370 km²; 146 800 hab.).

Dumnorix (m. en 54 av. J.-C.), chef gaulois des Éduens; allié, puis ennemi de César.

Dumonstier (Daniel) (Paris, 1574 - id., 1646), peintre français. Il fut peintre à la cour d'Henri IV et de Louis XIII.

Du Mont (Henry de Thier, dit) (Villers-l'Évêque, près de Liège, 1610 - Paris, 1684), compositeur wallon. Établi à Paris en 1638, il fut le premier, en France, à systématiser l'emploi de la basse continue : *Cinq Messes en plain-chant musical* (1669), *Motets* (1681).

Dumont (René) (Cambrai, 1904), agronome français; spécialiste des problèmes économiques des pays du tiers monde : *L'Afrique noire est mal partie* (1962), *l'Agronomie de la faim* (1974).

Dumont d'Urville (Jules Sébastien César) (Condé-sur-Noireau, 1790 - Meudon, 1842), navigateur français. Il explora les côtes de la Nouvelle-Guinée et de la Nouvelle-Zélande (1822-1825), de la Polynésie (1826-1829, à la recherche de La Pérouse), et de l'Antarctique (1837-1840). ▷ *Dumont-d'Urville :* base scientif. française en Terre Adélie.

Dumouriez (Charles François du Périer du Mouriez, dit) (Cambrai, 1739 - Turville Park, Oxfordshire, 1823), général français. Diplomate au service de Louis XV (1763), puis ministre des Affaires étrangères de Louis XVI, il précipita la déclaration de guerre à l'Autriche (20 avr. 1792). Vainqueur des Prussiens à Valmy (20 sept. 1792) et des Autrichiens à Jemmapes (6 nov. 1792), il occupa la Belgique. Relevé de son commandement après la défaite de Neerwinden (20 mars 1793), il passa à l'ennemi.

dumper [dœmpœʀ] n. m. (Anglicisme) Engin de terrassement automoteur à benne basculante. Syn. (off recommandé) tombereau.

dumping [dœmpiŋ] n. m. (Anglicisme) ECON Pratique consistant à vendre des marchandises sur le marché extérieur à des prix beaucoup plus bas que ceux du marché national pour éliminer des concurrents. - Par ext. *Dumping social :* concurrence économique inégale entre pays, due à des différences dans leurs politiques sociales.

Dunant (Henri) (Genève, 1828 - Heiden, canton d'Appenzell, 1910), philanthrope suisse; fondateur de la Croix-Rouge (1863). Il reçut le premier prix Nobel de la paix (1901).

Dunbar, port d'Écosse, sur la mer du Nord; 4 600 hab. - Cromwell y vainquit les Écossais (1650).

Dunbar (William) (Salton, v. 1460 - Flodden [?], v. 1530), poète écossais. Franciscain et prédicateur errant, il conjugue l'allégorie et la satire, le cynisme et le lyrisme : *le Chardon et la Rose, Complainte pour le poète.*

Duncan, nom de deux rois d'Écosse. **– Duncan Ier** fut assassiné par Macbeth (1040). **– Duncan II** fut tué en 1094 sur ordre de son rival Donald III.

Duncan (Isadora) (San Francisco, 1878 - Nice, 1927), danseuse américaine. En s'inspirant de l'Antiquité (elle dansait pieds nus, vêtue d'une tunique grecque) et en rejetant les canons de la danse classique, elle annonce, par ses « danses libres », la danse moderne.

dundee [dœndi] n. m. Anc. Petit voilier à deux mâts à voile trapézoïdale.

Dundee, v. et port d'Écosse, sur l'estuaire du Tay; ch.-l. du Tayside. 183 340 hab. Métall.; chantiers navals; raffinerie de pétrole; industr. chimiques, textiles (jute) et alimentaires.

dune n. f. Colline de sable accumulé par les vents dominants, au bord de la mer ou dans les déserts.

Dunedin, v. et port de la Nouvelle-Zélande (île du Sud); ch.-l. de prov.; 109 500 hab. Superphosphates, papeteries, industr. alim. – Université.

Dunes (bataille des), victoire de Turenne sur l'armée espagnole que commandaient don Juan d'Autriche et Condé près de Dunkerque (1658).

dunette n. f. MAR Superstructure élevée sur le pont supérieur, à l'arrière d'un navire et sur toute sa largeur.

Dunfermline, v. d'Écosse (rég. de Fife); 52 000 hab. Sidérurgie; industr. chim. et text. – Anc. résidence des rois d'Écosse.

Dunford (Nelson) (Saint Louis, Missouri, 1906), mathématicien américain; connu pour ses travaux sur l'intégration et les opérateurs linéaires.

Dunhuang, v. de Chine, dans la prov. du Gansu; 10 000 hab. À 30 km de cette ville se trouve un complexe de 486 grottes (dites des «Mille Bouddhas», V^e-Xe s.) aménagées en monastère, et dont l'ornementation et la bibliothèque présentent un intérêt esthétique et documentaire majeur.

Duni (Egidio Romualdo) (Matera, 1709 – Paris, 1775), compositeur italien : *le Peintre amoureux de son modèle* (opéra-comique, 1757).

Dunkerque, ch.-l. d'arr. du Nord; 71 071 hab. (env. 190 900 hab. dans l'aggl.). Actif port minéralier et pétrolier relié par un canal à grand gabarit à la Rég. Nord. Sidérurgie; I.A.A.; prod. chim. – Occupée par les Allemands (4 juin 1940) après l'épisode tragique de l'évacuation de 234 000 Britanniques et de 112 000 Français (27 mai 1940), la ville a souffert de nombreux bombardements. – Égl. St-Éloi (XVIe s., façade du XIXe s.). Musée d'Art contemporain.

Dun Laoghaire (anc. *Kingstown*), v. de la rép. d'Irlande; 54 496 hab. Avant-port de Dublin.

Dunlop (John Boyd) (Dreghorn, Ayrshire, 1840 – Dublin, 1921), vétérinaire et inventeur écossais. Il réalisa le premier pneumatique (1888).

Dunois, anc. pays de France (Beauce), donné à Louis Ier d'Orléans, père de Jean de Dunois.

Dunois (Jean d'Orléans, comte de Longueville et de), dit *le Bâtard d'Orléans* (Paris, 1403 – L'Hay, 1468), prince capétien; fils naturel de Louis Ier d'Orléans et de Mariette d'Enghien. Il combattit les Anglais au côté de Jeanne d'Arc, dont il poursuivit l'œuvre (soumission de la Normandie et de la Guyenne).

Dunkerque : le port et l'hôtel de ville (XXe s.)

Dunoyer de Segonzac (André) (Boussy-Saint-Antoine, 1884 – Clichy, 1974), peintre français; graveur et illustrateur (notam. de romans de Dorgelès, Carco, Colette).

Duns Scot (John) (Maxton, Écosse, v. 1266 – Cologne, 1308), théologien et philosophe écossais, surnommé le «Docteur subtil». Franciscain, partisan de l'augustinisme, il combattit Averroès et saint Thomas d'Aquin.

duo n. m. MUS Composition pour deux voix ou deux instruments. *Chanter un duo.* – Interprétation d'une telle composition. *Leur duo manquait d'harmonie.* ▷ Fam. , plaisant. *Ils se chamaillent encore, quel duo!*

duodécimal, ale, aux adj. MATH, INFORM Qualifie un système de numération à base 12.

duodénal, ale, aux adj. ANAT Relatif au duodénum.

duodénum [dɥɔdenɔm] n. m. ANAT Première portion de l'intestin grêle, comprise entre l'estomac et le jéjunum, et dont la boucle *(cadre)* enserre la tête du pancréas.

duopole n. m. ECON Marché où les acheteurs sont en présence de deux vendeurs.

Dupanloup (Félix) (Saint-Félix, Haute-Savoie, 1802 – chât. de Lacombe, Savoie, 1878), prélat français. Un des auteurs de la loi Falloux (1850), il fut, sous le Second Empire, le chef de file des catholiques libéraux. Acad. fr. (1854).

Du Parc (marquise Thérèse de Gorla, ou de Gorle, dite la) (Paris, 1633 – id., 1668), comédienne française; elle fut aimée de Racine, qui l'enleva à Molière.

Duparc (Henri Fouques-Duparc, dit Henri) (Paris, 1848 – Mont-de-Marsan, 1933), compositeur français. Il cessa de composer en 1885 et détruisit une grande partie de ses œuvres. La plus connue est un recueil de treize mélodies sur des poèmes de Baudelaire, Th. Gautier, Leconte de Lisle, etc.

Isadora **Duncan** et ses élèves en 1909

dupe n. f. et adj. **1.** n. f. Personne trompée ou facile à tromper. *Faire des dupes. Être la dupe de tout le monde.* ▷ *Un jeu de dupes, un marché de dupes* : une affaire où l'on a été trompé, où l'on risque de l'être. **2.** adj. *Être dupe, être dupe de (qqn, qqch).*

duper v. tr. [**1**] Prendre pour dupe, tromper. *Duper un concurrent.*– Pp. adj. *Un client dupé.*

duperie n. f. **1.** Action de duper qqn; son résultat. *Être victime d'une duperie.* Syn. tromperie. **2.** État de celui qui est dupe. *Vivre dans la duperie.*

Duperré (Victor Guy, baron) (La Rochelle, 1775 – Paris, 1846), amiral français. Il commanda l'expédition d'Alger (1830).

Duperrey (Louis Isidore) (Paris, 1786 – id., 1865), navigateur français. Il accompagna Freycinet dans son voyage autour du monde (1817-1820) et explora l'Océanie (1822-1825).

Dupes (journée des), journée (11 nov. 1630) au cours de laquelle les ennemis de Richelieu (Marie de Médicis, notam.) crurent leur victoire assurée, alors que Louis XIII renouvelait sa confiance au cardinal.

Dupetit-Thouars (Aristide Aubert) (chât. de Boumois, près de Saumur, 1760 – Aboukir, 1798), commandant français du *Tonnant* à la bataille d'Aboukir, où il périt. – **Abel** (La Fessardière, près de Saumur, 1793 – Paris, 1864), neveu du préc.; amiral, il assura le protectorat français sur Tahiti (1842).

Dupin (André Marie), dit *Dupin aîné* (Varzy, Nivernais, 1783 – Paris, 1865), jurisconsulte, magistrat et homme politique français : *Choix de plaidoyers et de mémoires.* Acad. fr. (1832). – **Charles** (Varzy, 1784 – Paris, 1873), frère du préc.; mathématicien et homme politique. Spécialiste de la théorie des surfaces, il créa les premiers services de statistiques français.

Dupleix (Joseph François, marquis de) (Landrecies, 1697 – Paris, 1763), administrateur et colonisateur français. Gouverneur général de la Compagnie des Indes en 1742, il développa la position comm. de la France et lutta contre l'influence anglaise. Malgré le traité d'Aix-la-Chapelle (1748), il établit sur le sud du Dekkan un véritable protectorat français, que les Anglais ruinèrent. En 1754, il fut rappelé en France. Il avait investi aux Indes toute sa fortune, qui ne lui fut pas remboursée.

Duplessis (Maurice Le Noblet) (Trois-Rivières, Québec, 1890 – Schefferville, 1959), homme politique canadien; fondateur de l'Union nationale, Premier ministre du Québec de 1936 à 1939 et de 1944 à 1959.

Duplessis-Mornay (Philippe de Mornay, seigneur du Plessis-Marly, dit) (Buhy, Vexin, 1549 – La Forêt-sur-Sèvre, Poitou, 1623), chef protestant français. Compagnon d'Henri IV, il fut surnommé «le Pape des huguenots». Auteur de plusieurs ouvrages religieux (*Traité de l'eucharistie,* 1600).

duplex n. m. **1.** TELECOM Système de télécommunication permettant la réception et l'envoi simultanés des messages. **2.** Appartement réparti sur deux étages reliés par un escalier intérieur.

duplicata n. m. inv. Reproduction exacte, double d'un document quelconque. *Le duplicata d'un diplôme.*

duplicateur n. m. TECH Appareil permettant de reproduire un document.

duplication n. f. **1.** Action de doubler. ▷ BIOCHIM Phénomène par lequel une molécule ou un organite peut donner naissance à un nouvel élément semblable. **2.** Fait, action de dupliquer (sens 2 et 3). **3.** TELECOM Installation d'un duplex (sens 1).

Duplice, alliance conclue le 7 oct. 1879 entre l'Allemagne et l'Autriche-Hongrie. Cette alliance devait prendre le nom de Triplice quand l'Italie y adhéra en 1882.

duplicité n. f. Caractère d'une personne qui ne se montre pas sous son vrai jour, qui est hypocrite.

dupliquer v. tr. **1.** TELECOM Établir en duplex (un équipement). **2.** Faire des duplicata. **3.** INFORM Faire une copie de. *Dupliquer un fichier.*

Dupond (Patrick) (Paris, 1959), danseur et chorégraphe français, danseur étoile (1980), puis directeur de la danse (1990) de l'Opéra de Paris.

Dupont de l'Étang (Pierre Antoine, comte) (Chabanais, Charente, 1765 – Paris, 1840), général français. Il s'illustra à Marengo et à Ulm. Destitué pour avoir capitulé à Bailén (Espagne), il fut gracié par Louis XVIII, qui en fit son ministre de la Guerre (1814).

Dupont de l'Eure (Jacques Charles) (Le Neubourg, Eure, 1767 – Rouge-Perriers, Eure, 1855), homme politique français. Membre du Conseil des Cinq-Cents, député de l'opposition sous la Restauration, il présida le gouvernement provisoire de 1848.

Dupont de Nemours (Pierre Samuel) (Paris, 1739 – près de Wilmington, Delaware, 1817), économiste français. Physiocrate, il fut, avant et pendant la Révolution, un financier écouté. En 1814, il gagna définitivement les É.-U., où son fils **Éleuthère Irénée** (Paris, 1771 – Philadelphie, 1834), chimiste, avait implanté (1802) une poudrerie près de Wilmington. Auj. la firme Du Pont de Nemours est l'une des grandes sociétés chim. du monde.

Dupont-Sommer (André) (Marnes-la-Coquette, 1900 – Paris, 1983), orientaliste français. Spécialiste de philologie hébraïque et d'histoire ancienne de l'Orient (*les Araméens*, 1949-1950), il fut l'un des premiers à déchiffrer les manuscrits de la mer Morte : *Écrits esséniens découverts près de la mer Morte* (1959).

Duport ou **Du Port** (Adrien) (Paris, 1759 – Appenzell, Suisse, 1798), homme politique français. Député de la noblesse aux états généraux de 1789, il se rallia au tiers état et forma, avec Barnave et Lameth, un triumvirat. Il émigra après le 10 août 1792.

Duprat (Antoine) (Issoire, 1463 – Nantouillet, 1535), prélat et homme politique français. Chancelier de France de 1515 à 1535, il négocia le concordat de Bologne (1516). Il devint cardinal en 1527.

Dupré (Louis) (Rouen, 1697 – Paris, 1774), danseur français. À partir de 1733, il créa les ballets de Rameau.

Dupré (Marcel) (Rouen, 1886 – Meudon, 1971), organiste, compositeur et pédagogue français; organiste titulaire de l'église St-Sulpice de 1934 à sa mort.

Dupuytren (Guillaume, baron) (Pierre-Buffière, Haute-Vienne, 1777 – Paris, 1835), chirurgien français. Chirurgien de Louis XVIII et de Charles X, il fut un des fondateurs de l'anatomie pathologique. Le legs qu'il fit à la Faculté permit la création, à Paris, du musée qui porte son nom.

duquel. V. lequel.

Duquesne (Abraham, marquis) (Dieppe, 1610 – Paris, 1688), marin français. Lieutenant général des armées de mer en 1667, il se distingua dans les guerres contre la Hollande et l'Angleterre, bombarda Tripoli, Alger, Gênes. Protestant, il refusa d'abjurer sa religion, mais fut exempté des effets de la révocation de l'Édit de Nantes.

dur, dure adj., adv. et n. **I.** adj. **1.** Difficile à entamer, à pénétrer. *Bijou en pierre dure. Une matière dure comme le fer.* – Fig. *Croire qqch dur comme fer,* avec une conviction absolue. ▷ *Un œuf dur,* cuit, dont le blanc et le jaune se sont solidifiés. **2.** Dépourvu d'élasticité, de moelleux. *Un lit dur.* **3.** Qui oppose une résistance, qui ne cède pas sous l'effort. *Tirez fort sur la poignée, elle est un peu dure. Un fusil dur à la détente.* – Fig., fam. *Il est dur à la détente* : il est avare; il ne comprend pas vite. – MAR *Mer dure,* dont les lames, courtes et hachées, s'opposent à l'avancement du navire. ▷ Loc. fig. *Avoir l'oreille dure, être dur d'oreille* : être un peu sourd. *Avoir la tête dure* : être obstiné, têtu, ou comprendre difficilement. ▷ Fam. Difficile à faire. *Un problème assez dur.* ▷ *Dur à* (+ subst.) : qui résiste à. *Être dur à la fatigue, au mal.* ▷ *Dur à* (+ inf.) : difficile à. *Un plat dur à digérer.* – Fig., fam. *Une personne dure à cuire* ou, subst., *un(e) dur(e) à cuire* : personne déterminée et obstinée, ou qui a une grande résistance physique ou morale. **4.** Difficile à supporter, pénible. *Un hiver dur. Des reproches durs à entendre. Les temps sont durs* : la vie est difficile. *Mener la vie dure à qqn,* lui causer des difficultés, du tourment. **5.** Déplaisant, sans harmonie. *Un visage fermé et dur. Un dessin dur.* **6.** Sans indulgence, sans douceur. *Un père dur pour ses enfants. Un cœur dur.* **7.** *Eau dure,* qui a une forte teneur en calcium ou en magnésium. **II.** adv. Fam. Énergiquement, intensément. *Taper dur. Il gèle dur.* **III.** n. **1.** n. m. Ce qui est dur. *Le dur et le moelleux.* **2.** n. f. *Coucher sur la dure, à la dure,* à même le sol. **3.** n. Fam. Personne qui ne recule devant rien, que le risque n'effraie pas. *«Je voulais être un homme. Un dur»* (Sartre). *Une dure.* **4.** Loc. adv. *À la dure* : rudement, sans ménagement. *Un enfant élevé à la dure.*

durabilité n. f. **1.** Didac. Caractère de ce qui est durable. **2.** DR Durée d'utilisation d'un bien.

durable adj. Qui peut durer, stable. *Une paix durable.*

durablement adv. D'une manière durable.

duralumin n. m. (Nom déposé.) METALL Alliage d'aluminium et de cuivre, dur et léger. (Abrév. : dural).

Durán (Agustin) (Madrid, 1793 – id., 1862), écrivain espagnol. Il introduisit le romantisme en Espagne avec son *Essai sur l'influence de la critique moderne sur la décadence de l'ancien théâtre espagnol* (1828) et l'édition d'une collection de *Romances* anciens (1828-1831).

Duran (Carolus-). V. Carolus-Duran.

Durance (la), riv. des Alpes du Sud (280 km), affl. du Rhône (r. g.); naît au Montgenèvre, baigne Briançon, Embrun, Sisteron, Cavaillon. À partir de Serre-Ponçon, elle alimente de nombreux barrages hydroél. utilisés également pour l'irrigation. La prise d'eau de Cadarache, qui alimente le *canal de la basse Durance* (irrigation de 80 000 ha), dévie la majeure partie de ses eaux vers l'étang de Berre.

Durand (Auguste) (Paris, 1830 – id., 1909), compositeur et organiste français, fondateur, avec – **Jacques** (Paris, 1865 – Bel-Ebat, près Fontainebleau, 1928), son fils, d'une importante maison d'édition musicale française.

Durandal ou **Durendal,** nom de l'épée de Roland.

Durango ou **Victoria de Durango,** v. du Mexique, au pied de la sierra Madre occidentale; cap. de l'État du m. nom; 391 000 hab. Métallurgie, industries textiles.

durant prép. **1.** (Avant le nom.) Au cours de, pendant. *Durant la Renaissance.* **2.** (Après le nom, dans certaines loc.) Pendant la durée continue, complète de. *Il a souffert sa vie durant.*

Duranty (Louis Edmond) (Paris, 1833 – id., 1880), critique d'art et romancier français; défenseur du mouvement réaliste et des impressionnistes.

Duras (Marguerite Donnadieu, dite Marguerite) (Gia Dinh, Indochine, 1914 – Paris, 1996), écrivain et cinéaste française. L'amour absolu, mais toujours vaincu, et la mort sont les thèmes majeurs d'une œuvre servie par une langue d'une grande musicalité. Romans : *Un barrage contre le Pacifique* (1950), *Moderato Cantabile* (1958), *le Ravissement de Lol V. Stein* (1964), *l'Amant* (1983), *la Pluie d'été* (1990). Théâtre : *les Viaducs de Seine-et-Oise* (1960). Scénario : *Hiroshima mon amour* (1959). Films : *Détruire, dit-elle* (1969), *India Song* (1975), *le Camion* (1977).

Georges **Dumézil**

Marguerite **Duras**

Durazzo. V. Durrës.

Durban (anc. *Port Natal*), v. et port de la rép. d'Afrique du Sud, sur l'océan Indien; env. 1 000 000 d'hab. dans l'agglomération. Métall., chim., constr. méca., raff. de pétrole.

durcir v. [3] **I.** v. tr. **1.** Rendre plus dur. *La chaleur durcit la terre.* **2.** Fig. Rendre moins accommodant, moins conciliant. *Durcir son attitude.* **3.** Donner une apparence moins douce, moins harmonieuse à. *La maladie avait durci ses traits.* **II.** v. pron. ou intr. Devenir dur. *La colle se durcit* ou *durcit en séchant.*

durcissement n. m. Action de durcir, de se durcir. *Le durcissement d'une pâte à la cuisson.* ▷ Fig. *Le durcissement des positions des adversaires.*

durcisseur n. m. TECH Produit qui sert à faire durcir une substance. *Mélanger le durcisseur et l'adhésif d'une colle.* ▷ Vernis conçu pour durcir les ongles. *Un durcisseur d'ongles incolore.*

durée n. f. **1.** Espace de temps que dure une chose. *La durée de la vie.* **2.** MUS Temps pendant lequel doit être maintenu un son, un silence. **3.** PHILO Temps

Albrecht **Dürer**

Émile **Durkheim**

vécu, forme que prend la succession des états de conscience d'un sujet (par oppos. au *temps objectif, mesurable*).

durement adv. D'une manière dure.

dure-mère n. f. ANAT La plus externe des trois enveloppes qui forment les méninges. *Des dures-mères.*

Durendal. V. Durandal.

durer v. intr. [1] **1.** Continuer d'être (pendant un certain temps). *Leur entretien a duré une heure.* **2.** *Absol.* Se prolonger, persister. *C'est trop beau pour que cela dure. Faire durer le plaisir.* **3.** Se conserver avec ses qualités. *Ces chaussures ont duré un an.* **4.** Sembler long (en parlant du temps). *Cette heure dura une éternité. Le temps me dure.*

Dürer (Albrecht) (Nuremberg, 1471 - id., 1528), peintre et graveur allemand. Bien qu'il soit un coloriste raffiné (*l'Adoration de la Sainte Trinité,* 1511), le graveur surpasse le peintre par la précision et la force de son dessin : 15 planches de l'*Apocalypse* (bois, 1498); *le Chevalier, la Mort et le Diable; Saint Jérôme dans sa cellule* et *Mélancolia* (cuivres, 1513-1514).

dureté n. f. **1.** Qualité de ce qui est dur, difficile à entamer. *La dureté du diamant, d'une viande.* **2.** Manque de douceur. *Dureté d'un visage, d'une voix.* **3.** Caractère de ce qui est difficile à supporter, pénible. *La dureté d'un climat. La dureté d'une séparation.* **4.** Raideur, défaut d'harmonie. *La dureté des contours, du style.* **5.** Insensibilité, sévérité. *Dureté d'un chef envers ses subordonnés.* **6.** *Dureté de l'eau,* sa teneur en calcium et en magnésium.

durham [dyʀam] n. et adj. Se dit d'un bovin d'une race originaire du Durham, dont on importe en France des spécimens destinés à améliorer les races autochtones.

Durham, v. du N.-E. de l'Angleterre; 85 000 hab.; ch.-l. du comté du m. nom; (2 436 km²; 589 800 hab.). Houille, élevage bovin. - Cathédrale (XIe-XIIIe s.).

Durham (John George Lambton, 1er comte de) (Londres, 1792 - Cowes, 1840), homme politique britannique. Gouverneur du Canada (1838), il prépara un rapport prônant la réunion du Haut et du Bas-Canada et l'établissement d'un gouvernement responsable; il contribua ainsi à la formation de la Confédération canadienne (1867).

durillon n. m. Callosité provoquée par un frottement et une pression répétés, sur la paume des mains et la plante des pieds.

durion ou **durian** n. m. BOT Arbre de l'Inde, cultivé pour son fruit comestible de la taille du melon.
▸ pl. fruits exotiques

durit ou **durite** n. f. (Nom déposé.) TECH Tube de caoutchouc armé, utilisé pour raccorder les canalisations des moteurs à explosion.

Durkheim (Émile) (Épinal, 1858 - Paris, 1917), sociologue français. Influencé par le positivisme, il visa à établir le caractère scientifique de la sociologie; il définit l'objet et les méthodes de cette discipline (*Règles de la méthode sociologique,* 1894), dont la fécondité fut illustrée par ses travaux (*De la division du travail social,* 1893; *le Suicide,* 1897; *les Formes élémentaires de la vie religieuse : le système totémique en Australie,* 1912). Il fonda, en 1896, la revue *l'Année sociologique,* organe de l'école française de sociologie.

Duroc (Géraud Christophe Michel, duc de Frioul) (Pont-à-Mousson, 1772 - Markersdorf, Silésie, 1813), général français. Aide de camp de Bonaparte (Italie, Égypte), il fut nommé grand maréchal du palais en 1804.

Durrell (Lawrence George) (Darjeeling, Inde, 1912 - Sommières, Gard, 1990), écrivain anglais. Avec la tétralogie du «Quatuor d'Alexandrie» (*Justine,* 1957; *Balthazar,* 1958; *Mountolive,* 1958; *Clea,* 1960), il visa à renouveler l'écriture romanesque.

Dürrenmatt (Friedrich) (Konolfingen, cant. de Berne, 1921 - Neuchâtel, 1990), écrivain suisse de langue allemande. Romancier (*le Juge et son bourreau,* 1952, *la Mission,* 1988) et essayiste, il est surtout connu pour son œuvre dramatique (*Romulus le Grand,* 1949; *la Visite de la vieille dame,* 1956).

Durrës, v. et port d'Albanie, sur l'Adriatique; ch.-l. du distr. du m. nom; 75 300 hab. Tabac. - Anc. *Dyrrachium,* la ville fut italienne *(Durazzo).*

Durrutti (Buenaventura) (prov. de Léon, 1896 - Madrid, 1936), anarchiste espagnol. Pendant la guerre civile espagnole, il organisa la *colonne Durrutti* pour libérer, sans succès, Saragosse des mains des franquistes, puis lutta pour la défense de Madrid, où il fut tué.

Durtal, ch.-l. de cant. du Maine-et-Loire (arr. d'Angers); 3 218 hab. - Château (XVe-XVIIe s.). Église romane.

Duruflé (Maurice) (Louviers, 1902 - Paris, 1986), organiste et compositeur français, auteur de pièces pour orgue et d'un *Requiem* (1947).

Duruy (Victor) (Paris, 1811 - id., 1894), historien français. Ministre de l'Instruction publique de 1863 à 1869, il libéralisa l'enseignement. Auteur d'une importante *Histoire des Romains* (1879-1885). Acad. fr. (1884).

Dušan. V. Étienne IX Uroš IV.

Duse (Eleonora) (Vigevano, 1858 - Pittsburg, Pennsylvanie, 1924), actrice italienne; interprète célèbre de Dumas fils, d'Ibsen et de G. D'Annunzio, qui eut avec elle une liaison orageuse.

Du Sommerard (Alexandre) (Bar-sur-Aube, 1779 - Saint-Cloud, 1842), archéologue français. Il réunit les premières collections de l'actuel musée de Cluny (Paris).

Dussek (Jan Ladislav Dusik, dit Johan Ludwig) (Caslav, Bohême, 1760 - Saint-Germain-en-Laye, 1812), pianiste et compositeur tchèque; l'un des premiers grands virtuoses pour piano.

Düsseldorf, v. d'Allemagne, cap. de la Rhénanie-du-Nord-Westphalie, sur le Rhin; 560 570 hab. Port fluvial de la Ruhr, centre bancaire et admin., la ville possède des industr. diversifiées : métall., automobiles, chimie, notam. - Université. Musée des beaux-arts.

Dutert (Ferdinand) (Douai, 1845 - Paris, 1906), architecte français; un des promoteurs de la construction métallique (galerie des machines de l'Exposition universelle de Paris, 1889).

Dutilleux (Henri) (Angers, 1916), compositeur français : sonate pour piano (1947), deux symphonies (1951, 1956-1957), un concerto pour violoncelle (*Tout un monde lointain,* 1970), un quatuor (*Ainsi la nuit,* 1976).

Dutrochet (René Joachim Henri) (Néons-sur-Creuse, Indre, 1776 - Paris, 1847), biologiste français. Spécialiste de cytologie et d'embryologie, il découvrit notam. l'osmose cellulaire.

Dutuit (Auguste) (Paris, 1812 - Rome, 1902), peintre français. Il réunit, avec son frère Eugène, d'importantes collections, qu'il légua à la Ville de Paris (Petit Palais).

duumvir [dyɔmviʀ] n. m. ANTIQ ROM Magistrat qui exerçait une charge conjointement avec un autre.

Duval (Émile Victor, dit le général) (Paris, 1841 - Petit-Clamart, 1871), un des chefs militaires de la Commune. Il fut fusillé par les versaillais.

Duvalier (François) (Port-au-Prince, 1907 - id., 1971), médecin et homme politique haïtien. Président de la République en sept. 1957, réélu en 1961, proclamé président à vie en 1964, «Papa Doc» instaura un régime dictatorial et policier. - **Jean-Claude** (Port-au-Prince, 1951), fils du préc., surnommé «Bébé Doc»; il succéda à son père. La contestation populaire et l'intervention des É.-U. le contraignirent à quitter le pouvoir, en 1986, et à s'exiler.

Du Vergier (ou **Du Verger**) **de Hauranne** (Jean, dit Saint-Cyran) (Bayonne, 1581 - Paris, 1643), théologien français, abbé de Saint-Cyran. Ami de Jansénius et d'Arnauld, il prit, en 1636, la direction spirituelle de Port-Royal.

duvet n. m. **I. 1.** Plume très légère. - Ensemble des plumes couvrant tout le corps des oiseaux, sous les tectrices de l'adulte et chez certains oisillons. **2.** *Par ext.* Poil fin et tendre qui recouvre certains mammifères. *Le duvet de la chèvre du Cachemire.* **3.** Sac de couchage bourré de duvet (sens 1). **II.** *Par anal.* **1.** Peau cotonneuse de certains fruits. *Le duvet d'une pêche.* **2.** Première barbe d'un jeune homme; poil très fin. *Un fin duvet ombrait sa lèvre supérieure.*

Duvet (Jean) dit *le Maître à la Licorne* (Langres, v. 1485 - ?, v. 1570), orfèvre, médailleur et graveur français, proche de Dürer : *l'Apocalypse figurée* (25 burins, 1546-1555).

duveté, ée adj. Couvert de duvet. *Peau duvetée.*

duveteux, euse adj. **1.** Qui a l'aspect du duvet. *Une étoffe duveteuse.* **2.** Couvert de duvet.

Duveyrier (Henri) (Paris, 1840 - Sèvres, 1892), explorateur français : *les Touaregs du Nord* (1864).

Duvivier (Julien) (Lille, 1896 - Paris, 1967), cinéaste français. Il a réalisé des films réalistes : *Poil de carotte* (1925 et 1932), *la Bandera* (1935), *la Belle Équipe* (1936), *Pépé le Moko* (1936).

D.V.D. n. m. (Anglicisme) INFORM Abrév. de *Digital versatile disc,* support de stockage multimédia à grande capacité.

Dvina (la), nom de deux fleuves d'Europe : la *Dvina occidentale,* en letton *Daugava* (1 024 km), naît dans le Valdaï

Antón **Dvořák**

Bob **Dylan**

et se jette dans la Baltique après avoir arrosé la Russie, la Biélorussie et la Lettonie ; la *Dvina septentrionale* (1 293 km), fleuve de Russie, formé de la réunion du Ioug et de la Soukhona, se jette dans la mer Blanche à Arkhangelsk.

Dvořák (Antón) (Nelahozeves, 1841 – Prague, 1904), compositeur tchèque. Il a renouvelé dans son pays la musique de chambre et la symphonie (*Symphonie du Nouveau Monde*, 1893).

Dy CHIM Symbole du dysprosium.

Dyck (Antoine Van). V. Van Dyck.

Dyfed, comté du pays de Galles ; 5 768 km²; 341 600 hab. ; ch.-l. *Carmarthen.*

Dylan (Robert Zimmerman, dit Bob) (Duluth, Minnesota, 1941), chanteur, auteur-compositeur et musicien américain. Inspiré par le folksong et le rock, il se spécialisa dans la chanson contestataire.

Dyle (la), riv. de Belgique (90 km) ; arrose Louvain et Malines. – Nom d'un anc. dép. français (1795-1814) dont le ch.-l. était *Bruxelles.*

dynam(o)-, -dynamie. Éléments, du gr. *dunamis,* « force ».

dynamique adj. et n. f. **I.** adj. **1.** Relatif aux forces, et aux mouvements qu'elles engendrent. *Électricité dynamique :* courant électrique (par oppos. à *électricité statique*). **2.** Fig. Qui manifeste une force, une puissance engendrant un mouvement. *Art dynamique.* Ant. statique. **3.** Fig. Qui manifeste de l'énergie, de l'entrain, de la vitalité. *Un chef d'équipe dynamique.* **II.** n. f. **1.** MECA Partie de la mécanique qui traite des relations entre les forces et des systèmes sur lesquels ces forces agissent. **2.** PSYCHO *Dynamique de(s) groupe(s) :* étude expérimentale des lois qui régissent le comportement des petits groupes et des individus au sein de ces groupes. – Ensemble des techniques qui visent à améliorer le comportement d'un individu au sein du groupe.

dynamisation n. f. Action de dynamiser. *La dynamisation d'une équipe.*

dynamiser v. tr. [1] Donner du dynamisme à. *Dynamiser une équipe.*

dynamisme n. m. **1.** Puissance d'action, activité entraînante. *Mener une entreprise avec dynamisme.* **2.** PHILO Tout système qui, dans l'explication de l'univers, admet l'existence de forces irréductibles à la masse et au mouvement (par oppos. à *mécanisme*).

dynamitage n. m. Action de dynamiter.

dynamite n. f. **1.** Explosif constitué de nitroglycérine mélangée à une substance solide qui la stabilise. *La dynamite fut inventée par Nobel en 1867. Dynamite-gomme :* mélange de nitroglycérine et de nitrocellulose. **2.** Fig., fam. *C'est de la dynamite :* se dit d'une chose, d'un événement capable de susciter une réaction violente, intense ; d'une personne dynamique, remuante.

dynamiter v. tr. [1] **1.** Faire sauter à la dynamite. **2.** Fig. Détruire violemment (en général des règles établies).

dynamiteur, euse n. **1.** Personne qui effectue un dynamitage. **2.** Fig. *Un dynamiteur de la morale bourgeoise.*

dynamo-. V. dynam(o)-.

dynamo n. f. Génératrice de courant continu.

dynamographe n. m. Instrument servant à enregistrer la force musculaire.

dynamomètre n. m. PHYS Appareil servant à la mesure des forces. *Dynamomètre à ressort, piézoélectrique.*

dynamométrique adj. Relatif à la mesure des forces.

dynaste n. m. **1.** HIST Petit souverain régnant sous la dépendance d'un souverain plus puissant. **2.** ENTOM Scarabée d'Amérique centrale, de grande taille, dont le mâle porte deux longues cornes formant une pince puissante.

dynastie n. f. **1.** Succession de souverains d'une même famille qui ont régné sur un pays. *Dynastie des Mérovingiens, des Carolingiens, des Capétiens.* **2.** *Par anal.* Succession d'hommes illustres d'une même famille. *La dynastie des Estienne.*

dynastique adj. Qui concerne une dynastie.

-dyne, dyn(o)-. Éléments, du gr. *dunamis,* « force ».

dyne n. f. PHYS Force qui communique à une masse de 1 gramme une accélération de 1 cm/s² (symbole : dyn). (Cette unité du système C.G.S. est exclue du système SI, dans laquelle les forces se mesurent en newtons.)

dys-. Élément, du gr. *dus,* « difficulté, mauvais état ».

dyscalculie n. f. PSYCHO, MED Perturbation de l'apprentissage du calcul.

dyschromie n. f. MED Trouble de la pigmentation de la peau (vitiligo, albinisme, etc.).

dysembryoplasie n. f. MED Trouble du développement embryonnaire, générateur de malformations.

dysenterie n. f. Maladie infectieuse, contagieuse, caractérisée par l'émission de selles fréquentes, abondantes, glaireuses, sanglantes et douloureuses.

dysentérique [disɑ̃teʀik] adj. Relatif à la dysenterie ; qui ressemble à la dysenterie. *Syndrome dysentérique.*

dysfonctionnement n. m. ou **dysfonction** n. f. Didac. Trouble, anomalie dans le fonctionnement.

dysglobulinémie n. f. MED Anomalie quantitative ou qualitative des immunoglobulines sériques.

dysgraphie n. f. MED Trouble dans l'apprentissage de l'écriture.

dysharmonie n. f. Didac. Manque d'harmonie (sens II, 1, 2).

dysharmonique adj. Didac. Qui manque d'harmonie (sens II, 1, 2).

dyshidrose ou **dysidrose** [dizidʀoz] n. f. MED Variété d'eczéma, siégeant aux mains et aux pieds.

dyskinésie n. f. MED Difficulté à exécuter des mouvements.

dyslexie n. f. Difficulté à identifier, comprendre et reproduire l'écriture.

dyslexique adj. et n. Qui est atteint de dyslexie.

dysménorrhée [dismenɔʀe] n. f. MED Menstruation difficile et douloureuse.

dysorthographie n. f. MED Trouble de l'acquisition et de la pratique de l'orthographe.

dysorthographique adj. et n. MED Qui est atteint de dysorthographie.

dyspepsie n. f. MED Digestion douloureuse et difficile.

dyspepsique ou **dyspeptique** adj. (et n.) MED Relatif à la dyspepsie ; atteint de dyspepsie.

dyspnée [dispne] n. f. MED Trouble de la respiration accompagnant les affections respiratoires et cardiaques, et certains accidents neurologiques.

dysprosium [dispʀozjɔm] n. m. CHIM Élément appartenant à la famille des lanthanides, de numéro atomique Z = 66, de masse atomique 162,5 (symbole : Dy). – Métal (Dy) qui fond à 1 407 °C et bout vers 2 600 °C.

dystonie n. f. MED Contraction musculaire parasite, incontrôlable, intermittente et localisée.

dystrophie n. f. MED Anomalie du développement d'un organe, due à un trouble de la nutrition.

dystrophine n. f. Protéine, découverte en 1988, qui assure l'entretien et la régénérescence des fibres musculaires. (Son défaut est à l'origine de la myopathie.)

dysurie n. f. MED Difficulté à uriner.

dytique n. m. ENTOM Coléoptère carnivore, hôte des eaux stagnantes, long de 5 cm, vorace et très bon plongeur.

Dzaoudzi, îlot situé à l'E. de Mayotte qu'il a suivi dans la sécession des Comores ; 5 800 hab.

Dzerjinsk, v. de Russie, sur l'Oka ; 274 000 hab. Constr. mécaniques.

Dzoungarie ou **Djoungarie,** nom donné par les Européens à la région de Chine occid. (Xinjiang), située entre les monts Tianshan et Tarbagataï, où les Mongols Oïrates constituèrent un territoire indépendant aux XVIIe et XVIIIe s.

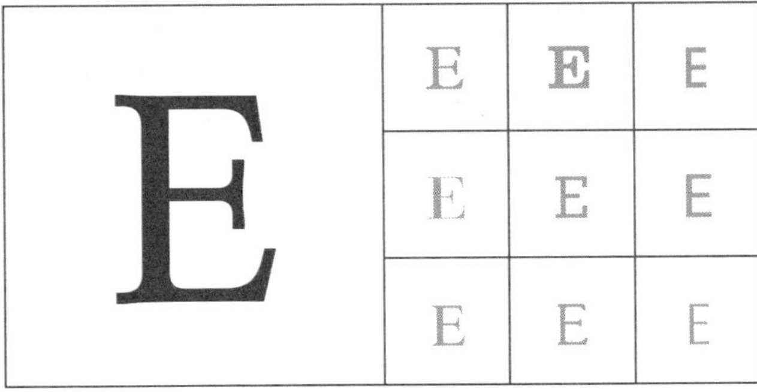

e [ə] n. m. **1.** Cinquième lettre (e, E) et deuxième voyelle de l'alphabet, notant les sons : [ɛ] ou *e* ouvert (ex. *père, rêve, jouet, ciel*); [e] ou *e* fermé (ex. *bonté, cacher, courez*); [ə] ou *e* muet, qui se prononce (ex. *petit*) ou non (ex. *enjouement, flamme, rapidement*) et qui s'élide devant une voyelle ou un h muet (ex. : *Je n'ai pas vu l'homme qu'il a invité*); [ɑ̃] ou *e* nasal (ex. *vent*), et, en combinaison, le son [ø] ou *eu* fermé (ex. *peu, vœu*), le son [œ] ou *eu* ouvert (ex. *seul, œuf*) et le son vocalique où il ne se prononce pas (ex. le son [o], écrit *eau* de *beau*). *Un e tréma**. **2.** BIOL *Vitamine E* : vitamine liposoluble. **3.** GEOGR E. : abrév. de *Est*. **4.** MATH *e* : symbole de la base des logarithmes népériens. **5.** MUS E : notation alphabétique de la note *mi*. **6.** PHYS E : symb. de l'énergie. ▷ e : symb. de l'électron.

é-, ef-, es- ou **ex-.** Préfixe, du lat. *e(x)*, marquant une idée de sortie, d'extraction, d'éloignement ou d'achèvement.

Éacides, nom patronymique des descendants d'Éaque : Télamon, Achille, Ajax, etc.

Eadred. V. Edred.

Eames (Charles) (Saint Louis, 1907 – id., 1978), designer et architecte américain; créateur de meubles, notam. de fauteuils, qui révolutionnèrent l'art du mobilier.

Eanes (Ramalho) (Alcains, Castelo Branco, 1935), général et homme politique portugais. Un des auteurs du coup d'État du 25 avril 1974; il fut président de la Rép. de 1976 à 1986.

E.A.O. Sigle de *enseignement assisté par ordinateur*.

Éaque, héros mythique grec, roi d'Égine, fils de Zeus et père de Télamon. Il devint après sa mort, avec Minos et Rhadamanthe, juge des Enfers.

East London, v. et port de la rép. d'Afrique du Sud (prov. du Cap), sur l'océan Indien; 167 990 hab. Sidérurgie, constr. mécaniques, chantiers navals.

Eastman (George) (Waterville, New York, 1854 – Rochester, New York, 1932), inventeur américain. Il est connu pour ses travaux sur les pellicules photographiques. Fondateur de la firme Eastman Kodak Company (1892).

East River, chenal entre deux quartiers de New York, Manhattan et Brooklyn.

East Sussex, comté du S.-E. de l'Angleterre; 1 795 km²; 670 600 hab.; ch.-l. *Lewes*.

eau [o] n. f. **I. 1.** Substance liquide, transparente, inodore et sans saveur, de formule H_2O. **2.** Ce liquide, abondant sur la Terre à l'état plus ou moins pur. *Eau de source, de pluie. Eau claire, trouble. Eau douce* : eau non salée (par oppos. à *eau de mer*). – Fam. *Marin d'eau douce*, inexpérimenté. – *Eau gazeuse*, qui contient du dioxyde de carbone (par oppos. à *eau plate*). – *Eaux usées* : eaux salies, impures, rejetées après usage. – *Eau de vaisselle*, qui a servi à laver la vaisselle; fig., fam. soupe, sauce insipide, trop allongée. – *Vert d'eau* : vert pâle. ▷ Loc. fig. et prov. *C'est une goutte d'eau dans la mer*, peu de chose. *C'est une tempête dans un verre d'eau*, beaucoup de bruit pour rien. *Un coup d'épée dans l'eau* : une démarche inutile, sans résultat. *Il faut se méfier de l'eau qui dort*, des apparences doucereuses ou pacifiques. *Mettre de l'eau dans son vin* : devenir plus modéré, moins intransigeant. *Se noyer dans un verre d'eau* : être arrêté par la moindre difficulté. – Fig., fam. *Tourner en eau de boudin* : tourner court, échouer. ▷ CONSTR *Mettre hors d'eau un bâtiment*, en terminer la couverture, l'étanchéité. ▷ LITURG *Eau baptismale, bénite, consacrée*. **3.** Toute masse plus ou moins considérable de ce liquide (mer, rivière, lac, etc.). *Le niveau des eaux. Hautes, basses eaux. Le bord de l'eau*. ▷ Loc. et prov. *À fleur d'eau* : à la surface de l'eau. *Au fil de l'eau* : en suivant le courant. *D'ici là, il passera de l'eau sous les ponts* : cela n'arrivera pas de sitôt. *Être comme un poisson dans l'eau* : être dans son élément. *Grandes eaux* : aménagements des bassins avec des jets d'eau; les eaux jaillissantes elles-mêmes. *Nager entre deux eaux*, en restant recouvert par l'eau; fig., louvoyer entre deux partis. – Fig. *L'eau va à la rivière* : les richesses, les honneurs vont à ceux qui en sont déjà bien pourvus. *Pêcher en eau trouble* : se procurer un profit à la faveur du désordre. *Se jeter à l'eau* : se lancer avec courage dans une entreprise. *Tomber à l'eau* : échouer. *Son projet est tombé à l'eau*. ▷ ADMIN *Eaux et Forêts* : les forêts, les rivières, les lacs, etc., en tant qu'objet d'une surveillance de l'État et d'une législation spéciale. **4.** (Plur., en loc.) Eaux qui possèdent des vertus curatives ou bienfaisantes et dont on fait usage soit en s'y baignant, soit en les absorbant comme boisson. *Ville d'eaux. Aller aux eaux. Prendre les eaux*. – Sing. *Eau minérale, thermale*. **5.** Préparation aqueuse usitée en médecine, en parfumerie, dans l'industrie. *Eau oxygénée* : peroxyde d'hydrogène (H_2O_2), employé comme antiseptique. *Eau de Cologne. Eau de toilette* : lotion alcoolique utilisée pour se parfumer, préparée par distillation ou infusion de plantes et mouillée d'eau, moins concentrée en essence que le parfum. *Eau de Javel* : hypochlorite de sodium. – *Eau lourde**. **II.** Liquide produit par un organisme. **1.** (En loc.) Sueur, salive. *Suer sang et eau. Être en eau. L'eau en vient à la bouche*. **2.** (Plur.) Liquide amniotique. *Poche des eaux. Perdre les eaux*. **3.** Suc de certains fruits. *Cette poire a beaucoup d'eau*. **4.** (Canada) Sève de l'érable à sucre. *Eau d'érable*. **III.** Transparence, éclat d'une pierre précieuse. *Des perles d'une belle eau*. ▷ Fig. *De la plus belle eau* : parfait dans son genre. – Iron. *Un paresseux de la plus belle eau*.

ENCYCL **Chim.** – Le volume d'eau contenu dans les océans (1 milliard de km³) constitue 97 % de nos ressources en eau. L'eau naturelle est un mélange d'eau, d'eau lourde D_2O et d'eau mixte DHO (ces deux dernières en proportions très faibles). Elle se solidifie à 0 °C et bout à 100 °C sous la pression atmosphérique normale. À partir de 1 200 °C, l'eau se dissocie en hydrogène et en oxygène. Elle intervient dans de très nombreuses réactions chimiques (oxydation, réduction, hydrolyse). Elle se fixe sur certains corps en donnant des hydrates. La purification de l'eau s'effectue dans des échangeurs d'ions ou en utilisant des produits qui détruisent les matières organiques et les bactéries (ozone, chlore, eau de Javel).

Biol. – L'eau est un constituant essentiel des cellules animales et végétales (70 % en moyenne chez les animaux). Dans un être vivant, on distingue l'*eau libre*, qui constitue le moyen de transport de nombreuses substances (dans le sang, par ex.), l'*eau liée* (par adsorption, imbibition ou capillarité) et l'*eau de constitution* ou *intramoléculaire*, qui est intégrée dans des molécules. – *Cycle de l'eau* : sous l'action du soleil, l'eau des mers, des océans et des lacs s'évapore et retombe en précipitations. L'eau retombée, pour une part, retourne à son origine ou dans la nappe phréatique, par ruissellement ou drainage, pour une autre part, se trouve absorbée par les végétaux et les êtres animés, et s'évapore.

Eaubonne, ch.-l. de cant. du Val-d'Oise (arr. de Pontoise); 22 208 hab.

eau-de-vie n. f. Liqueur alcoolique extraite par distillation du jus fermenté de fruits, de plantes ou de grains. *L'armagnac, le cognac, le rhum, le whisky sont des eaux-de-vie.*

eau-forte n. f. **1.** Acide nitrique additionné d'eau dont se servent les graveurs. *Graver à l'eau-forte.* **2.** BX-A Gravure obtenue en faisant mordre par l'acide nitrique une plaque de cuivre ou de zinc recouverte d'un vernis protecteur, sur lequel on a dessiné à l'aide d'une pointe qui a mis le métal à nu. *Des eaux-fortes.*

Eauze, ch.-l. de cant. du Gers (arr. de Condom); 4 198 hab. Comm. des eaux-de-vie (armagnacs). - Anc. cité ibère, puis rom. *(Elusa),* métropole de la Novempopulanie, ruinée par les Goths. Vieille ville pittoresque. Vest. gallo-romains.

ébahi, ie adj. Très étonné, surpris, stupéfait. *En rester ébahi.* Syn. éberlué, interdit.

ébahir [ebaiʀ] v. tr. [**3**] Frapper d'étonnement. *Sa performance nous a ébahis.* ▷ v. pron. S'étonner.

ébahissement n. m. Étonnement, très grande surprise. Syn. stupéfaction.

ébarbage ou **ébarbement** n. m. Action d'ébarber, son résultat.

ébarber v. tr. [**1**] TECH Enlever les barbes, les irrégularités, les bavures de. *Ébarber des plumes, de l'orge, du papier. Ébarber une pièce de métal.*

ébarbeuse n. f. TECH Machine à ébarber le métal.

ébarbure n. f. TECH Particule qui se détache à l'ébarbage.

ébats [eba] n. m. pl. Mouvements, jeux de qqn qui s'ébat. - Spécial. *Ébats amoureux.*

ébattre (s') v. pron. [**61**] S'amuser, se divertir en se donnant du mouvement. *Enfants qui s'ébattent.* Syn. folâtrer.

ébaubi, ie adj. Vieilli Très étonné, qui éprouve une surprise mêlée d'admiration.

ébaubir v. tr. [**2**] Vieilli Étonner grandement. ▷ v. pron. Litt. *Il s'ébaubissait d'un tel spectacle.*

ébauchage n. m. TECH Action de donner une première forme.

ébauche n. f. **1.** Première forme donnée à une œuvre, à un ouvrage. *La première ébauche d'un tableau, d'une sculpture, d'un roman.* - Fig. *L'ébauche d'une législation.* **2.** Commencement d'une chose, amorce. *L'ébauche d'un sourire.* Syn. esquisse. **3.** TECH Forme grossière d'une pièce. *Une ébauche de clé.*

ébaucher v. [**1**] **I.** v. tr. **1.** Donner une première forme à (un ouvrage). *Ébaucher une statue. Ébaucher un roman.* **2.** TECH Dégrossir. *Ébaucher du chanvre. Ébaucher un diamant.* **3.** Fig. Commencer et ne pas achever. *Ébaucher un geste, un sourire. Ébaucher une idylle.* Syn. esquisser. Ant. achever, parfaire. **II.** v. pron. (Passif) Être ébauché; commencer à prendre tournure.

ébauchoir n. m. TECH Outil (de sculpteur, notam.) servant à ébaucher.

ébaudir (s') ou **esbaudir (s')** v. pron. [**3**] Se réjouir et manifester sa joie.

Ebbinghaus (Hermann) (Barmen, 1850 - Halle, 1909), psychologue allemand. Pionnier de la psychologie expérimentale (*Fondements de la psychologie,* 1901-1908), il étudia notam. les processus de mémorisation.

Ebbon (?, 775 - Hildesheim, 851), archevêque de Reims. Il prit parti pour Lothaire contre Louis le Pieux (833).

ébénacées n. f. pl. BOT Famille de dicotylédones gamopétales, arbres tropicaux comprenant les ébéniers. - Sing. *Une ébénacée.*

ébène n. f. **1.** Bois de l'ébénier, dur, très dense, noir, veiné de brun ou de blanc, utilisé en ébénisterie de luxe. **2.** *Par comparaison.* Couleur d'un noir éclatant. *Chevelure d'ébène.* ▷ Fig. *Bois d'ébène :* nom donné autref. par les négriers aux esclaves noirs.

ébénier n. m. Arbre exotique (fam. ébénacées) à fleurs unisexuées et à fruits juteux. (L'ébénier de Ceylan et du S. de l'Inde produit une ébène noire non veinée. Une autre espèce acclimatée aux régions méditerranéennes produit le kaki.) ▷ *Faux ébénier :* autre nom du cytise.

ébéniste n. m. **1.** Ouvrier qui fabrique des meubles de luxe en utilisant la technique du placage (placage d'ébène à l'origine). **2.** *Par ext.* Ouvrier, artisan qui fabrique, qui vend des meubles.

ébénisterie n. f. Travail, art de l'ébéniste.

éberlué, ée adj. Très étonné, stupéfait.

éberluer v. tr. [**1**] Vieilli Étonner grandement, ébahir.

Eberswalde-Finow, v. d'Allemagne (district de Francfort-sur-l'Oder), sur le *canal Finow;* 53 180 hab. Métallurgie.

Ebert (Friedrich) (Heidelberg, 1871 - Berlin, 1925), homme politique allemand. Président du parti social-démocrate (1913), il fit voter les crédits de guerre en août 1914. Chancelier du gouvernement provisoire (nov. 1918), il réprima les mouvements révolutionnaires (spartakisme, notam.). Nommé président de la République par l'Assemblée de Weimar (1919-1925).

Eberth (Karl Joseph) (Würzburg, 1835 - Berlin-Halensee, 1926), médecin allemand. Il étudia de nombreuses maladies bactériologiques, notam. la fièvre typhoïde. ▷ *Bacille d'Eberth : Salmonella typhi,* agent de la fièvre typhoïde, isolé en 1881.

Ebla, site archéologique de Syrie, cité du IIIe millénaire située près d'Alep. Vestiges et très importantes archives sur tablettes cunéiformes.

Éblé (Jean-Baptiste, comte) (Saint-Jean-Rohrbach, Moselle, 1758 - Königsberg, 1812), général français. Commandant le corps des pontonniers, il organisa le passage de la Berezina.

éblouir v. tr. [**3**] **1.** Troubler par une lumière trop vive la vue de. *Le soleil l'éblouissait.* **2.** Fig. Surprendre, séduire par une apparence brillante mais trompeuse. *Se laisser éblouir par l'éloquence de qqn.* ▷ Mod. Susciter l'admiration, l'émerveillement. *Sa virtuosité nous a éblouis.*

éblouissant, ante adj. **1.** Qui éblouit. *Une neige éblouissante.* **2.** Fig. Qui émerveille. *Une grâce éblouissante.*

éblouissement n. m. **1.** Gêne dans la perception visuelle, causée par une lumière trop vive. *L'éblouissement provoqué par les phares.* ▷ *Par ext.* Trouble de la vue dû à un malaise. *Des éblouissements causés par la fatigue.* **2.** Fig. Émerveillement. *Ce spectacle fut un éblouissement.*

ébonite n. f. TECH Combinaison de caoutchouc et de soufre (au moins 25 %). (Cet excellent isolant électrique a perdu de son intérêt depuis l'apparition des résines synthétiques.)

éborgnement n. m. Rare Action d'éborgner (sens 1); son résultat.

éborgner v. [**1**] **1.** v. tr. Rendre borgne. **2.** v. pron. Se crever un œil.

Éboué (Félix) (Cayenne, 1884 - Le Caire, 1944), administrateur français. Premier Noir gouverneur des colonies, à la Guadeloupe (1936), puis au Tchad (1938), il se rallia aux Forces françaises libres dès 1940, devenant alors gouverneur général de l'A.-É.F.

éboueur n. m. Employé chargé de débarrasser la voie publique des ordures ménagères et des boues. Syn. cour. boueur, boueux.

ébouillantage n. m. Action d'ébouillanter.

ébouillanter v. tr. [**1**] Tremper dans l'eau bouillante ou arroser d'eau bouillante. *Ébouillanter une volaille pour la plumer. Ébouillanter une théière.* ▷ v. pron. Se brûler avec un liquide bouillant.

éboulement n. m. **1.** Fait de s'ébouler. *L'éboulement d'une muraille.* **2.** *Par méton.* Éboulis.

ébouler v. [**1**] **1.** v. tr. Rare Provoquer la chute, l'effondrement de (qqch). **2.** v. pron. S'affaisser, s'effondrer en se désagrégeant. *Le tunnel s'est éboulé.*

éboulis [ebuli] n. m. **1.** Amas de matériaux éboulés. **2.** GEOMORPH Accumulation de matériaux grossiers, au pied d'un relief, due à une érosion mécanique.

ébourgeonnement ou **ébourgeonnage** n. m. HORTIC Action d'ébourgeonner.

ébourgeonner [ebuʀʒɔne] v. tr. [**1**] HORTIC Ôter les bourgeons inutiles (des arbres fruitiers).

ébouriffant, ante adj. Fam., vieilli Extraordinaire, renversant. *Un succès ébouriffant.*

ébouriffé, ée adj. Rebroussés et en désordre (en parlant des cheveux, des poils d'un animal). - Par ext. *Tu es tout ébouriffé.*

ébouriffer v. tr. [**1**] **1.** Rebrousser en désordre (les cheveux). **2.** Fig., fam., vieill Stupéfier, ahurir. **3.** v. pron. *S'ébouriffer les cheveux.* ▷ Fig., vieilli *Il s'ébouriffe à la moindre crudité de langage.*

ébranchage ou **ébranchement** n. m. Action d'ébrancher un arbre.

ébrancher v. tr. [**1**] Dépouiller (un arbre) d'une partie ou de la totalité de ses branches.

ébranlement n. m. **1.** Mouvemen provoqué par une secousse, par un choc. ▷ PHYS Déformation due à un choc **2.** Fig. Menace de ruine, d'effondrement *L'ébranlement d'un empire.* **3.** Commotion nerveuse. *L'ébranlement dû à un accident.*

ébranler v. [**1**] **I.** v. tr. **1.** Provoque des secousses, des vibrations dans. *Le passage du train ébranlait toute la maison* **2.** Rendre moins stable, moins solide à la suite d'un ébranlement. *Le vent a ébranlé la cheminée.* ▷ Fig. *Une crise qui ébranle l'État. Ébranler sa santé.* **3**

Rendre (qqn) moins ferme dans ses convictions, ses sentiments. *Vos raisons l'ont ébranlé.* **II.** v. pron. Se mettre en branle, en mouvement. *Convoi qui s'ébranle.*

ébraser v. tr. [1] ARCHI Élargir (une baie) suivant un plan optique.

Èbre (l'), fl. d'Espagne (930 km); naît dans les monts Cantabriques, arrose Saragosse, se jette dans la Méditerranée. Hydroél., irrigation.

ébrèchement n. m. Action d'ébrécher.

ébrécher v. tr. [14] **1.** Abîmer en faisant une brèche. *Ébrécher une tasse.* ▷ v. pron. *Le couteau s'est ébréché.* ▷ Pp. adj. *Un vieux pot ébréché.* **2.** Fig. Diminuer, entamer. *Ébrécher ses économies.*

ébréchure n. f. Éclat correspondant à une brèche faite sur un objet; point où un objet est ébréché.

ébriété n. f. Ivresse.

ébroïcien, enne adj. et n. D'Évreux. ▷ Subst. *Un(e) Ébroïcien(ne).*

Ébroïn (m. v. 683), maire du palais de Neustrie et de Bourgogne sous Clotaire III, puis sous Thierry III. Il lutta contre Léger, évêque d'Autun, qu'il fit tuer, et contre Pépin de Herstal, qu'il vainquit à Latofao (680). Il fut assassiné.

ébrouement [ebʀumɑ̃] n. m. Action, fait de s'ébrouer.

ébrouer (s') v. pron. [1] **1.** En parlant de certains animaux (cheval, notam.), expirer très fortement en faisant vibrer («ronfler») ses naseaux. **2.** Se secouer pour se nettoyer, se sécher. *Il s'ébroue après sa douche. Chien qui s'ébroue au sortir de l'eau.*

ébruitement n. m. Action d'ébruiter; son résultat.

ébruiter v. tr. [1] Divulguer, rendre public. *Ébruiter une nouvelle.* ▷ v. pron. *L'affaire s'est ébruitée.*

ébullition n. f. **1.** État d'un liquide qui bout. ▷ PHYS État d'un liquide qui se vaporise dans sa masse même. **2.** Fig. *En ébullition* : surexcité, vivement agité. *Une ville en ébullition.*

ENCYCL Un liquide entre en ébullition lorsque la pression de sa vapeur saturante est égale à la pression qu'il supporte. La température à laquelle se produit ce phénomène (point d'ébullition) reste constante et dépend donc de la pression; ainsi, à une altitude élevée, le point d'ébullition de l'eau est inférieur à 100 °C.

éburné, ée ou **éburnéen, enne** adj. Litt. Qui a l'aspect de l'ivoire.

Éburons, peuple de l'anc. Gaule Belgique, établi dans le pays qui s'étend de la Meuse au Rhin.

écaillage n. m. **1.** Action d'enlever les écailles (d'un poisson) ou d'ouvrir (un coquillage bivalve). **2.** TECH Défaut d'une peinture, d'une poterie qui s'écaille.

écaille n. f. **1.** Chacune des plaques minces, imbriquées ou non, recouvrant tout ou partie du corps de certains animaux. **2.** Matière cornée tirée de la carapace de certaines tortues de mer et utilisée dans la marqueterie et la confection d'objets de luxe (peignes, par ex.). **3.** Petite plaque, fine lamelle qui se détache d'une surface qui s'effrite. *Des écailles de peinture.* – Fig. *Les écailles lui sont tombées des yeux* : la vérité lui est enfin apparue. **4.** BOT Nom de diverses formations de nature foliaire. *Les écailles d'un bourgeon. Écailles d'un lis* : feuilles gorgées de réserves qui constituent le bulbe. **5.** ANAT Partie de l'os temporal. **6.** TRAV PUBL Plaque utilisée comme parement des murs en terre armée.

1. écailler v. tr. [1] **1.** Enlever les écailles de. *Écailler un poisson.* **2.** Ouvrir (un coquillage bivalve). *Écailler des huîtres.* **3.** Détacher par plaques minces. ▷ v. pron. *Vernis qui s'écaille.*

2. écailler, ère n. Personne qui vend, qui ouvre des huîtres et d'autres coquillages.

écailleur n. m. Ustensile servant à écailler le poisson.

écailleux, euse adj. **1.** Qui a des écailles. *Un poisson, un bulbe écailleux.* **2.** Qui se détache par plaques minces. *Ardoise écailleuse.*

écaillure n. f. TECH Pellicule se détachant d'une surface. *Les écaillures d'un vernis.*

écale n. f. Enveloppe recouvrant la coque dure des noix, des amandes, etc.

écaler v. tr. [1] Enlever l'écale de. *Écaler des noix. Écaler des œufs.*

écalure n. f. Pellicule dure de certains fruits ou de certaines graines. *Écalure de café.*

écarlate n. f. et adj. **1.** n. f. Colorant rouge vif, obtenu à partir de la cochenille. **2.** adj. De la couleur de l'écarlate. *Des rideaux écarlates. Devenir écarlate de fureur.*

écarquiller v. tr. [1] Ouvrir tout grands (les yeux).

écart n. m. **1.** Intervalle entre deux choses qu'on écarte ou qui s'écartent. *L'écart des doigts.* ▷ *Faire le grand écart* : écarter les jambes, tendues d'avant en arrière ou de gauche à droite, jusqu'à ce qu'elles touchent le sol sur toute leur longueur. **2.** Différence, variation, décalage (par rapport à un point de référence). *Des écarts de température, de prix. L'écart entre le rêve et la réalité. Écart entre le modèle et la copie.* ▷ ECON Syn. (off. recommandé) de *gap.* ▷ STATIS *Écart quadratique moyen* ou *variance* : moyenne des carrés de la différence entre chaque valeur de la variable aléatoire et la moyenne de ces valeurs. *Écart type* : racine carrée de la variance. ▷ PHYS *Écart angulaire* : différence entre deux angles. **3.** Action de s'écarter de sa direction, de sa position. *Le cheval a fait un écart.* ▷ Fig. Action de s'écarter des règles de bonne conduite. *Des écarts de jeunesse, de langage.* **4.** ADMIN Groupe de maisons éloigné de l'agglomération communale. **5.** MED VET Entorse de l'épaule du cheval. **6.** Loc. adv. *À l'écart* : dans un lieu écarté, isolé. *Habiter à l'écart.* – Fig. *Laisser, tenir qqn à l'écart,* le laisser, le maintenir dans l'isolement. **7.** Loc. prép. *À l'écart de* : en dehors de. *Une maison à l'écart de la ville.* – Fig. *Rester à l'écart des discussions.*

écarté n. m. Jeu dans lequel on peut écarter des cartes pour les remplacer par d'autres.

écartelé adj. m. HERALD Partagé en quatre quartiers égaux.

écartèlement n. m. Supplice qui consistait à arracher les membres d'un condamné en les faisant tirer dans des sens opposés par quatre chevaux.

écarteler v. tr. [17] **1.** Faire subir le supplice de l'écartèlement à. **2.** (Employé au passif et au pp.) Fig. Partager, déchirer. *Être écartelé entre des sentiments contraires.*

écartement n. m. **1.** Action d'écarter, de s'écarter. **2.** État de ce qui est écarté. **3.** Espace qui sépare une chose d'une autre. *Écartement des rails de chemin de fer. Écartement des yeux.*

1. écarter v. [1] **I.** v. tr. **1.** Séparer, éloigner l'une de l'autre (des choses jointes ou rapprochées). *Écarter les jambes. Écarter une chaise de la table.* **2.** Tenir à distance. *Écarter un enfant d'un endroit dangereux.* **3.** Déplacer (des choses qui gênent le passage, la vue). *Écarter les branches pour passer.* **4.** Repousser, chasser. *Écarter les importuns.* – Fig. *Écarter un risque, un danger.* ▷ Rejeter, exclure. *Sa candidature a été écartée.* **5.** Détourner, changer la direction de. *Écarter qqn de sa route.* – Fig. *Écarter qqn de ses devoirs.* **II.** v. pron. **1.** S'éloigner (de qqn, de qqch). *S'écarter d'un groupe, d'un endroit.* **2.** Se détourner de. *S'écarter de son chemin.* – Fig. *S'écarter de son sujet.*

2. écarter v. tr. [1] Mettre de côté (certaines cartes de son jeu) pour en reprendre d'autres.

écarteur n. m. **1.** Dans les courses landaises, homme qui excite la vache et l'évite au dernier moment en faisant un écart. **2.** CHIR Instrument utilisé pour écarter les lèvres d'une incision, pour dilater certains canaux.

Ecbatane (auj. *Hamadhan*), v. anc., d'abord cap. du royaume mède (fin VIIe-VIe s. av. J.-C.), puis résidence d'été des souverains perses. Alexandre la pilla (331 av. J.-C.).

ecce homo [ɛkseɔmo] n. m. inv. (Mots lat., «Voici l'homme», paroles prononcées par Ponce Pilate tandis qu'il présentait au peuple le Christ couronné d'épines.) – BX-A Tableau ou statue représentant le Christ couronné d'épines.

ecchymose [ekimoz] n. f. MED Marque cutanée de couleur bleu-noir, puis violacée, verdâtre ou jaunâtre, souvent secondaire à un traumatisme, et due à une infiltration sanguine sous-jacente. Syn. cour. bleu.

Eccles (sir John Carew) (Melbourne, 1903 – Locarno, 1997), neurologue australien. Il a étudié les processus ioniques d'inhibition et d'excitation de la cellule nerveuse. P. Nobel de médecine et de physiologie 1963, avec Hodgkin et Huxley.

ecclésial, ale, aux adj. Didac. Qui a rapport à l'Église, à la communauté des chrétiens.

Ecclésiaste (livre de l'), livre sapiential de l'Ancien Testament (IIIe s. av. J.-C.), dont l'auteur (qui s'appelle en hébr. *Qôhéléth,* «celui qui parle dans une assemblée du peuple», en gr. *Ekklêsiastês,* et que la tradition identifie à Salomon) médite sur l'absolue vanité des actions humaines.

ecclésiastique [eklezjastik] adj. et n. m. Qui a rapport à l'Église, au clergé. *Fonctions ecclésiastiques.* ▷ n. m. Membre du clergé. *Un jeune ecclésiastique.*

Ecclésiastique (livre de l'), livre sapiential de l'Ancien Testament; écrit en hébr. (v. 200 av. J.-C.) par Jésus Ben Sirach (d'où le nom moderne de *Ben Sira,* ou *le Siracide*), il fut trad. en grec (132 av. J.-C.).

écervelé, ée adj. et n. Qui est sans jugement, sans prudence; étourdi.

E.C.G. n. m. MED Sigle de *électrocardiogramme.*

échafaud n. m. **1.** Plate-forme dressée sur la place publique pour l'exécution des condamnés à mort. *Monter à* (ou *sur*) *l'échafaud.* ▷ *Par ext.* Peine capitale. *Risquer l'échafaud.* **2.** Vx Estrade ou plate-forme sur tréteaux servant de tribune, de plancher de théâtre.

échafaudage n. m. **1.** Construction provisoire faite de planches, de perches et de traverses en bois ou en métal, qui permet l'accès à tous les niveaux d'un bâtiment qu'on édifie ou qu'on rénove. **2.** *Par ext.* Amas de choses assemblées ou posées les unes sur les autres. *Un échafaudage de caisses.* – Fig. Assemblage sans consistance d'idées, d'arguments. *Ce bel échafaudage s'est écroulé devant les faits.* **3.** (Abstrait) Action d'amasser, d'édifier peu à peu. *L'échafaudage d'une œuvre philosophique.*

échafauder v. [1] **1.** v. intr. Mettre en place un échafaudage. ▷ v. pron. Se construire. **2.** v. tr. Fig. Édifier en esprit; combiner. *Échafauder un plan, une théorie.* ▷ v. pron. *Des hypothèses qui s'échafaudent.*

échalas [eʃala] n. m. Piquet fiché en terre pour soutenir un cep de vigne, un jeune arbre. – Par comparaison, fam. Personne grande et maigre.

échalote n. f. Plante potagère, originaire d'Orient, dont le bulbe parfumé est utilisé comme condiment.

échancrer v. tr. [1] Creuser le bord de; tailler en arrondi ou en V. *Littoral que la mer échancre. Échancrer une robe.*

échancrure n. f. Partie échancrée, découpure. *Échancrures d'un littoral. Échancrure d'un corsage.*

échange n. m. **1.** Fait d'échanger, de céder une chose contre une autre. *Faire, proposer un échange.* ▷ DR Opération contractuelle par laquelle les parties se donnent respectivement une chose pour une autre. *Échange avec soulte,* comportant la remise d'une somme d'argent qui compense la différence de valeur entre les choses échangées. ▷ ECON *Échange direct :* troc. *Échange indirect,* par l'intermédiaire de la monnaie. *Échanges internationaux :* opérations commerciales de pays à pays. ▷ (En parlant de personnes.) *Échange de prisonniers. Échange de partenaires.* **2.** *Par anal.* Fait de s'adresser réciproquement telles ou telles choses. *Échange de compliments, de coups, de bons procédés. Un échange de vues.* **3.** BIOL Transfert réciproque de substances entre l'organisme, la cellule, et le milieu extérieur. *Échanges gazeux,* dans la respiration, dans la photosynthèse des plantes. *Échanges cellulaires,* par lesquels la cellule emprunte les matériaux nécessaires à sa survie et restitue soit des déchets, soit des produits qu'elle a synthétisés. ▷ CHIM *Échange isotopique :* remplacement d'un élément par un de ses isotopes. ▷ PHYS *Échange de chaleur :* transfert de chaleur entre deux corps. **4.** Loc. adv. *En échange :* en contrepartie, par compensation. ▷ Loc. prép. *En échange de :* pour prix de, en contrepartie de.

échangeable adj. Qui peut être échangé; qui peut être l'objet d'un échange. *Des marchandises échangeables.*

échanger v. tr. [13] **1.** Donner une chose et en obtenir une autre à la place. *Échanger des livres. Échanger du minerai contre des produits manufacturés.* ▷ (En parlant de personnes.) *Échanger des otages contre la promesse de l'impunité.* **2.** S'adresser, se remettre réciproquement. *Échanger une correspondance, des documents.* – Fig. *Échanger des compliments, des injures.*

échangeur, euse n. m. (et adj.) **1.** TECH *Échangeur de chaleur :* récipient où s'opère un transfert de chaleur entre un fluide chaud et un fluide froid. **2.** Ouvrage de raccordement de routes ou d'autoroutes qui évite aux usagers toute intersection à niveau des voies. **3.** CHIM *Échangeur d'ions :* solide insoluble qui, au contact d'une solution, échange les ions qu'il contient contre d'autres ions, de même signe, présents dans la solution. *Les échangeurs d'ions sont utilisés pour adoucir l'eau.* – adj. *Résine échangeuse d'ions.* ▷ *Par ext.* Appareil qui utilise de telles substances.

échangisme n. m. **1.** ECON Théorie qui privilégie l'échange dans l'analyse économique, par rapport à la production et à la consommation. **2.** Échange de partenaires sexuel pratiqué entre deux couples ou en groupe, avec le consentement des participants.

échangiste n. **1.** DR Chacun des partenaires d'un échange de biens. **2.** Personne qui pratique l'échangisme (sens 2).

échanson n. m. Anc. Officier dont les fonctions étaient de servir à boire à la table du roi, du prince auquel il était attaché. – Plaisant Personne qui sert à boire.

échantillon n. m. **1.** Petite quantité d'une marchandise, qui sert à faire apprécier la qualité de celle-ci, ou, comme moyen publicitaire, à faire connaître son existence. *Un échantillon de vin, de parfum, d'étoffe.* ▷ Personne, chose considérée dans ce qu'elle a de typique; spécimen. *Un échantillon de l'humour britannique.* ▷ Fig. Exemple, aperçu. *Donner un échantillon de ses talents, de sa bassesse.* **2.** CONSTR Type de certains matériaux, selon la réglementation en vigueur. *Pavés, briques, ardoises d'échantillon.* **3.** STATIS Ensemble d'individus choisis comme représentatifs d'une population. *Faire un sondage sur un échantillon de 1 000 personnes.* Syn. panel.

échantillonnage n. m. **1.** Assortiment d'échantillons. *Échantillonnage d'étoffes.* **2.** Action d'échantillonner, de prélever des échantillons. *Échantillonnage d'une marchandise, d'une production.* **3.** STATIS Choix d'un échantillon d'intérêt statistique.

échantillonner v. tr. [1] **1.** Prélever des échantillons de. *Échantillonner des vins.* **2.** TECH *Échantillonner des peaux,* leur donner une forme régulière en enlevant les bords. **3.** STATIS Choisir un échantillon dans une population.

échappatoire n. f. Moyen habile et détourné pour se tirer d'une difficulté.

échappée n. f. **1.** SPORT Action menée par un ou plusieurs concurrents, partic. dans une course cycliste, pour se détacher du peloton et conserver une avance sur celui-ci. **2.** *Échappée de vue* et, plus cour., *échappée :* espace resserré mais par lequel la vue peut porter au loin. *Il y a, entre les collines, une échappée superbe sur la mer.* **3.** Fig., litt. Passage qui permet d'entrevoir brièvement. *On trouve dans son ouvrage quelques échappées sur sa vie.* **4.** Espace de dégagement à l'entrée d'une cour, d'un bâtiment, pour faciliter le passage des véhicules. – *Échappée d'un escalier,* hauteur, espace libre au-dessus de celui-ci.

échappement n. m. TECH **1.** Mécanisme oscillant régulateur du mouvement des rouages d'une montre. **2.** Évacuation des gaz de combustion d'un moteur. – Système qui permet cette évacuation. ▷ *Pot d'échappement :* appareil, appelé aussi *silencieux,* qui diminue le bruit de l'échappement. *Échappement libre,* sans pot d'échappement ou dont le pot d'échappement n'atténue plus les bruits.

échapper v. [1] **I.** v. intr. **1.** S'enfuir, se soustraire à. *Échapper des mains de l'ennemi, à la surveillance d'un gardien.* ▷ Se détacher affectivement de. *Elle sent bien que son mari lui échappe.* ▷ *Laisser échapper :* ne pas retenir (par maladresse ou par mégarde). *Laisser échapper un objet. Laisser échapper un cri, un soupir, un secret.* – Fig. *Laisser échapper sa chance, une occasion,* la laisser passer, se perdre. **2.** N'être plus tenu, retenu. *Le vase m'a échappé, m'a échappé des mains. Cet héritage pourrait bien vous échapper,* ne pas vous revenir. ▷ *Son nom m'échappe,* je ne l'ai plus en mémoire. ▷ Être dit ou fait par mégarde. *Le geste, le mot lui a échappé.* **3.** *Échapper à :* se dérober à (qqn ou qqch qui menace de nous saisir, de nous atteindre). *Échapper à ses poursuivants. Échapper à des recherches.* – Se sauver ou être sauvé de. *Échapper à un accident, à la mort.* ▷ Ne pas donner prise à. *Il échappe à toute critique.* ▷ *Échapper à une corvée,* l'éviter, s'y soustraire. **4.** Ne pas être perçu, compris. *Ce détail, ce sens, cette allusion m'a échappé. Rien ne lui échappe :* son attention n'est jamais en défaut. **5.** Être soustrait à, exempté de. *Ces revenus échappent à l'impôt.* **II.** v. tr. **1.** Dans la loc. *l'échapper belle :* éviter de justesse un danger. *Sa maison a brûlé, il l'a échappé belle.* **2.** (Canada) Laisser tomber (qqch). *Échapper un vase. Échapper son crayon par terre.* **III.** v. pron. **1.** S'enfuir, s'évader. *Les détenus se sont échappés.* – Fam. *J'essaierai de m'échapper un moment,* de m'esquiver, de prendre un moment sur mes occupations. **2.** SPORT Faire une échappée. *Un coureur s'est échappé.* **3.** Sortir, se répandre plus ou moins brusquement ou abondamment. *Fumée qui s'échappe d'un conduit. Sang qui s'échappe d'une blessure.* **4.** S'évanouir, disparaître. – Fig. *Il a vu s'échapper ses dernières illusions.*

écharde n. f. Petit éclat d'un corps quelconque, et partic. de bois, entré dans la peau par accident.

écharpe n. f. **1.** Bande d'étoffe qui se porte obliquement d'une épaule à la hanche opposée, ou qui se noue autour de la taille, et sert d'insigne de certaines dignités, de certaines fonctions. *Écharpe tricolore de maire.* ▷ Bandage passé au cou et utilisé pour l'immobilisation temporaire, en flexion, du membre supérieur. *Avoir, porter le bras en écharpe.* ▷ Par ext. *En écharpe :* obliquement, de biais. *Prendre un véhicule en écharpe,* le heurter de flanc. – MILIT *Tir d'écharpe,* oblique par rapport à la ligne du front. **2.** Bande d'étoffe, de tricot, qui se porte sur les épaules ou autour du cou. **3.** TECH Pièce de bois placée en diagonale dans un bâti de menuiserie.

écharper v. tr. [1] **1.** Faire avec un instrument tranchant une grande blessure à (qqn). **2.** Mettre en pièces, massacrer. *Le meurtrier fut écharpé par la foule.* – Fig. *Se faire écharper :* se faire maltraiter, en actes ou en paroles. ▷ v. pron. (Récipr.) *Au cours d'une querelle, ils se sont écharpés.*

échasse n. f. **1.** Chacun des deux longs bâtons munis d'un étrier où l'on pose le pied pour marcher à une certaine hauteur au-dessus du sol. ▷ Fam. *Marcher, être monté sur des échasses :* avoir de longues jambes. **2.** CONSTR Perche de bois utilisée verticalement dans les échafaudages. **3.** ORNITH Oiseau blanc et noir des marais méditerranéens, aux pattes très longues et fines, type de l'ordre des charadriiformes.

échassiers n. m. pl. ORNITH Ancien ordre hétéroclite d'oiseaux à pattes longues, actuellement démantelé en ciconiiformes, charadriiformes et gruiformes. – (Sing.) Oiseau de cet ordre (héron, cigogne, outarde, etc.).

échaudage n. m. Action d'échauder. ▷ *Spécial.* Brûlure des vignes, des céréales par le soleil.

échauder v. tr. [1] **1.** Jeter de l'eau chaude sur; plonger dans l'eau chaude ou bouillante. *Échauder un cochon,* pour ôter plus facilement son poil. **2.** Causer une brûlure avec un liquide très chaud. ▷ Pp. adj. Fig. *Être échaudé :* essuyer un mécompte, une déception. – (Prov.) *Chat échaudé craint l'eau froide :* on redoute même l'apparence de ce qui a nui.

échauffement n. m. Action d'échauffer, son résultat; fait de s'échauffer, d'être échauffé. **1.** TECH Élévation anormale de la température par frottement (d'organes mécaniques, de l'air, etc.). **2.** SPORT Action de s'échauffer. – Ensemble des exercices que l'on fait pour s'échauffer. **3.** Début de fermentation sous l'action de la chaleur. *Échauffement des céréales, des farines.* **4.** Vieilli Légère inflammation.

échauffer v. [1] **I.** v. tr. **1.** Rendre chaud, spécial. de manière inhabituelle ou excessive. *Frottement qui échauffe un essieu.* **2.** Fig. Animer, exciter. *La nouvelle échauffa les esprits.* – Loc. *Échauffer la bile, les oreilles à qqn,* l'impatienter, provoquer son irritation. **3.** Produire la fermentation de. *Une trop longue exposition au soleil échauffe les grains.* **II.** v. pron. **1.** Fig. S'animer, s'exciter. *La conversation soudain s'échauffa.* **2.** Commencer à fermenter. *Les foins s'échauffent.* **3.** SPORT Se préparer avant un entraînement, une épreuve, par des exercices d'assouplissement et de mise en condition physique.

échauffourée n. f. Affrontement inopiné qui met aux prises de façon plus ou moins violente et confuse deux groupes d'adversaires. ▷ MILIT Petit engagement de groupes isolés.

échauguette n. f. Guérite de pierre placée en encorbellement sur une muraille fortifiée, au sommet d'une tour.

château de Vincennes : **échauguette** du donjon (XIIe s.)

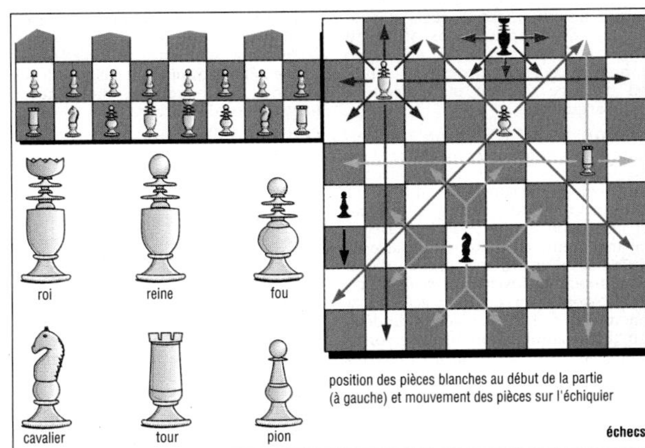

position des pièces blanches au début de la partie (à gauche) et mouvement des pièces sur l'échiquier

échecs

èche. V. esche.

échéance n. f. **1.** Date à laquelle un paiement, une obligation, un engagement quelconque vient à exécution; terme d'un délai. *Échéance d'une lettre de change, d'une traite, d'un loyer.* ▷ *Payer de lourdes échéances. Faire face à ses échéances :* être en mesure de régler, dans les délais impartis, un paiement, etc. **2.** Temps qui sépare l'engagement de l'échéance; délai. *Un emprunt à courte échéance.* ▷ Fig. *À longue échéance :* sur un long temps ou dans un temps éloigné. *À brève échéance :* bientôt. *Je vous ferai part de mes conclusions à brève échéance.*

échéancier n. m. Livre où sont inscrits par ordre d'échéance les effets à payer ou à recevoir.

échéant, ante adj. **1.** DR Qui vient à échéance. *Effet échéant.* **2.** Loc. adv. *Le cas échéant :* si le cas se présente, à l'occasion.

échec [eʃɛk] n. m. **I.** Plur. **1.** Jeu qui se joue sur un tableau carré divisé en soixante-quatre cases égales alternativement claires et foncées, et qui oppose deux adversaires disposant chacun de seize figurines (pièces) respectivement noires et blanches. *Une partie d'échecs.* **2.** Ensemble des pièces de ce jeu (8 pions, 2 tours, 2 cavaliers, 2 fous, la reine ou la dame, le roi). *Des échecs en ivoire.* **II.** Sing. **1.** Aux échecs, position du roi qui se trouve sur une case battue par une pièce de l'adversaire. – Coup qui crée cette situation, et que son auteur doit signaler par le mot *échec. Échec au roi. Être en échec. Échec et mat*.* ▷ adj. *Être échec.* **2.** Par anal. *Faire échec à :* entraver, empêcher, contrecarrer. *Faire échec à des manœuvres politiques.* – *Tenir, mettre qqn en échec,* le mettre en difficulté, s'opposer avec succès à la réalisation de ses intentions, de son entreprise. **3.** Insuccès. *Tentative vouée à l'échec. Échec à un concours, un examen.* ▷ Revers, défaite. *Essuyer, subir un échec. Démarches qui se soldent par un échec.* **4.** PSYCHAN *Névrose d'échec :* névrose caractérisée par la recherche systématique, mais inconsciente, de l'échec. *Conduite d'échec,* qui résulte de cette névrose, ou d'autres analogues, et où domine un sentiment d'impuissance et de résignation.

Echegaray y Eizaguirre (José) (Madrid, 1832 – id., 1916), mathématicien et dramaturge espagnol. Son œuvre mêle romantisme et réalisme : *le Grand Galeoto* (1881). P. Nobel de littérature 1904.

échelle n. f. **I.** Appareil constitué de deux montants parallèles ou convergents réunis par des traverses régulièrement espacées qui permettent de monter ou de descendre. *Monter à, sur une échelle. Dresser une échelle contre un mur. Échelle double,* faite de deux échelles articulées à la partie supérieure. *Échelle de meunier :* escalier droit sans contremarches. *Échelle de coupée,* qui sert à monter à bord d'un navire. *Échelle de corde,* dont les montants sont en corde. ▷ Loc. *Faire la courte échelle à qqn,* lui servir de support avec ses mains, puis ses épaules, pour atteindre un point élevé; fig., favoriser sa réussite. – Fig., fam. *Il n'y a plus qu'à tirer l'échelle :* il est impossible de faire mieux (ou, iron., pire). – Fig., fam. *Monter à l'échelle :* prendre au sérieux une mystification, une plaisanterie. **II. 1.** Série d'êtres ou de choses qui s'organise selon un ordre, une hiérarchie, une progression. *Échelle des êtres,* des organismes les plus simples aux plus complexes. *Échelle sociale :* hiérarchie des positions sociales, des conditions des individus dans une société. *S'élever dans l'échelle sociale. Tout jugement moral implique une échelle des valeurs.* **2.** ECON *Échelle mobile :* système d'indexation de prix ou de revenus sur un élément économique variable. *Échelle mobile des salaires,* indexés sur le coût de la vie. **3.** MUS Succession des sons produits par des instruments ou des voix, du plus grave au plus aigu. *Échelle naturelle* ou *diatonique*.* **III.** Ensemble de graduations d'un instrument ou d'un tableau de mesures; mode de graduation des phénomènes mesurés. *Échelle d'un baromètre. Échelle thermométrique Celsius*.* (V. aussi degré Fahrenheit, Kelvin, température.) *Échelle de Beaufort*. Échelle de Richter*.* – MATH *Échelle logarithmique :* système de divisions proportionnelles aux logarithmes des nombres. **IV.** Rapport des dimensions, des distances figurées sur un plan, un croquis, une carte, etc., avec les dimensions, les distances dans la réalité. *Ce plan est à l'échelle de 1/50 000.* – Par anal. *Échelle d'une maquette. Échelle de réduction, d'agrandissement d'un modèle.* – Fig. *Faire qqch sur une grande, une vaste échelle :* travailler, opérer en grand. ▷ *À l'échelle de :* à la mesure de, aux dimensions de. *Un urbanisme à l'échelle de l'homme.*

Échelles de Barbarie, anc. nom des ports d'Afrique du Nord (dont Tripoli).

Échelles du Levant, anc. nom des ports de commerce de la Médit. orient.

(Constantinople notam.), régis par le système des capitulations jusqu'au XIXe s. (Ce nom est dû au terme de marine *échelle*, qui désigne la portion d'espace où l'on place l'échelle de débarquement.)

échelon n. m. **1.** Chacun des barreaux d'une échelle. **2.** Fig. Degré dans une série, une hiérarchie. *Le dernier échelon* : le degré supérieur ou le degré inférieur. – Fig. *Il est remonté d'un échelon dans mon estime.* – *Spécial.* Degré d'avancement d'un fonctionnaire à l'intérieur d'un même grade, d'une même fonction. *Passer au septième échelon. Descendre un* ou *d'un échelon.* ▷ Chacun des différents niveaux de décision d'une administration, d'un corps, d'une entreprise, etc. *Initiatives prises à l'échelon communal, départemental.* **3.** MILIT Chacun des éléments d'une troupe disposée en profondeur. *Échelon d'attaque.*

échelonnement n. m. Action d'échelonner; son résultat.

échelonner v. tr. [1] **1.** Placer de distance en distance, ou à des dates successives. *Échelonner des postes de secours. Échelonner des paiements.* ▷ v. pron. *Livraisons qui s'échelonnent sur un an.* **2.** MILIT Disposer (des troupes) par échelons.

échenillage n. m. Action d'écheniller.

écheniller v. tr. [1] **1.** Ôter les chenilles de. *Écheniller un arbre.* **2.** Fig. Supprimer ce qui est inutile, élaguer. *Écheniller un texte en ôtant les redites.*

écheveau n. m. **1.** Longueur de fil roulée en cercle ou repliée sur elle-même. *Écheveau de laine, de coton.* **2.** Fig. Ensemble compliqué, embrouillé. *Un écheveau d'intrigues.*

échevelé, ée adj. **1.** Dont la chevelure est en désordre. **2.** Fig. Débridé, effréné. *Une course échevelée. Une improvisation échevelée.*

écheveler v. tr. [19] Litt. Mettre en désordre la chevelure de.

échevin n. m. Magistrat municipal, en France avant 1789, en Belgique et aux Pays-Bas de nos jours.

échevinage n. m. Fonction d'échevin; temps d'exercice de cette fonction. ▷ Corps des échevins; ressort de leur juridiction.

Échidna, dans la myth. gr., monstre fabuleux, moitié femme et moitié serpent, qui enfanta Cerbère, l'hydre de Lerne, la Chimère, le Sphinx, le lion de Némée et d'autres monstres.

échidné [ekidne] n. m. ZOOL Mammifère monotrème (genres *Echidna* et *Zaglossus*) à bec corné, fouisseur insectivore d'Australie et de Nouvelle-Guinée, dont le corps, long de 25 à 30 cm, est couvert de piquants.

échin(o)-. Préfixe, du gr. *ekhinos,* « hérisson ».

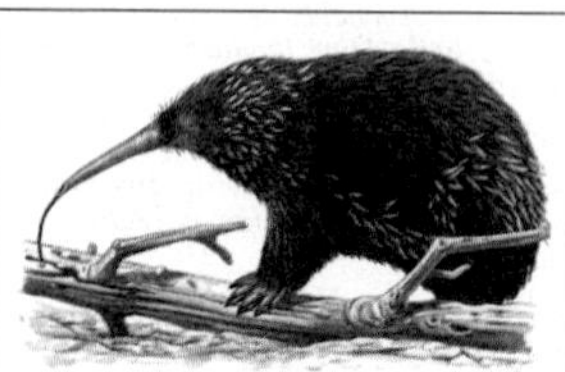

échidné capturant des insectes

échine n. f. **1.** Colonne vertébrale. *Se rompre l'échine.* ▷ Loc. fig. *Courber l'échine* : se soumettre. – *Avoir l'échine souple* : être complaisant jusqu'à la servilité. **2.** En boucherie, morceau du haut du dos du porc.

échiner (s') v. pron. (Réfl.) Se fatiguer, se donner de la peine. *Je m'échine à lui faire comprendre.* Syn. fam. s'esquinter.

échinidés [ekinide] n. m. pl. ZOOL Classe d'échinodermes à test globuleux garni de piquants (oursins). – Sing. *Un échinidé.*

échinocoque [ekinokɔk] n. m. ZOOL Ténia de l'intestin des carnivores. (*Echinococcus granulosus* vit chez le chien; sa larve, nommée *hydatide,* peut envahir tous les organes de l'homme où elle développe un *kyste hydatique,* dans lequel elle grossit et se multiplie de façon asexuée : 2 millions de larves par kyste.)

échinodermes [ekinodɛʀm] n. m. pl. ZOOL Embranchement de métazoaires marins dont la symétrie bilatérale, fondamentale, disparaît au cours du développement larvaire pour former une organisation rayonnée et qui possèdent un squelette calcaire interne fréquemment garni de piquants. (On distingue les crinoïdes, les échinidés et les stelléroïdes.) – Sing. *Un échinoderme.*

échinorynque [ekinɔʀɛ̃k] n. m. ZOOL Ver dont l'extrémité antérieure a la forme d'une trompe armée de crochets, dépourvu de tube digestif, qui parasite l'intestin du porc. *La classe des échinorynques est parfois rattachée à celle des plathelminthes.*

échiquéen, enne adj. Didac. Qui concerne le jeu d'échecs.

échiquier n. m. **I. 1.** Tableau servant au jeu d'échecs*. ▷ Surface dont la disposition rappelle celle d'un échiquier. – *Planter des arbres en échiquier,* en quinconce. **2.** Fig. Lieu, domaine où s'opposent les partis, les intérêts. *L'échiquier politique.* **II. 1.** En Grande-Bretagne, administration financière centrale. *Le chancelier de l'Échiquier* : le ministre britannique des Finances. **2.** HIST *L'Échiquier* : cour féodale des ducs de Normandie qui jugeait, en dernier ressort, des affaires précédemment soumises à des juridictions inférieures.

Échirolles, ch.-l. de cant. de l'Isère (arr. de Grenoble), dans la banlieue S. de Grenoble; 34 646 hab. Constr. métallurgiques; textiles.

écho [eko] n. m. **1.** Phénomène de répétition d'un son par réflexion sur une paroi; son ainsi répété. *Seul l'écho lui répondait.* **2.** Lieu où ce phénomène se produit. – Loc. fig. *À tous les échos* : partout. *Répandre une nouvelle à tous les échos.* **3.** TECH Onde réfléchie ou diffusée par un obstacle et revenant vers sa source. *Sur le radar, on enregistre l'écho de l'impulsion émise.* **4.** Plur. Fig. Propos répétés. *J'ai eu quelques échos de votre conduite.* – Nouvelle, information locale donnée dans les journaux. – Titre de divers journaux. *« Les Échos ».* **5.** Fig. Ce qui reproduit, répète qqch ou y répond. *Se faire l'écho de* : répéter ce que l'on a entendu, propager. – *Ne pas trouver d'écho* : ne recueillir aucune approbation, aucune adhésion. **6.** LITTER, MUS Phrase ou portion de phrase, rime ou note reprenant la précédente et produisant un effet d'écho. *Thème, rime en écho.*

Écho, dans la myth. gr., nymphe des eaux et des bois. Elle personnifie l'écho.

échodoppler [ekodɔplɛʀ] n. m. MED Technique d'investigation associant échographie et effet Doppler*. Syn. échographie Doppler.

échographie [ekogʀafi] n. f. MED Méthode d'exploration médicale utilisant la réflexion des ultrasons par les organes. *L'échographie est très utilisée pour les examens prénatals. Échographie Doppler* : V. échodoppler et Doppler.

échographier [ekogʀafje] v. tr. [2] MED Examiner au moyen de l'échographie.

échographiste n. Spécialiste de l'échographie.

échoir v. défect. [51] **1.** v. tr. indir. Être dévolu par le sort (à). *Cela lui échoit en partage.* **2.** v. intr. Arriver à échéance. *Le premier règlement échoit à la fin de l'année.* – Pp. adj. *Terme échu.*

écholalie n. f. MED Impulsion morbide à répéter, en écho, les derniers mots des phrases entendues.

écholocation [ekolɔkasjɔ̃] ou **écholocalisation** [ekolɔkalizasjɔ̃] n. f. ZOOL Localisation des obstacles et des proies par émission d'ultrasons puis réception des ultrasons réfléchis, observée chez certains animaux (chauves-souris, dauphins).

1. échoppe n. f. Petite boutique, le plus souvent faite de planches et adossée à un mur. *Échoppe de cordonnier.*

2. échoppe n. f. TECH Burin de graveur.

échopper v. tr. [1] TECH Graver avec une échoppe.

échosondage n. m. TECH Mesure de la profondeur marine au moyen d'un échosondeur.

échosondeur [ekosɔ̃dœʀ] n. m. TECH Instrument utilisant la réflexion des ultrasons pour déterminer la profondeur des fonds marins.

échotier [ekɔtje] n. m. Rédacteur chargé des échos dans un journal.

échouage n. m. MAR Situation d'un navire que l'on échoue volontairement. *Bassin d'échouage.*

échouement [eʃumɑ̃] n. m. (En parlant d'un navire.) Action d'échouer.

échouer v. intr. [1] **I. 1.** Toucher le fond, accidentellement ou non, et cesser de flotter (en parlant d'un navire). *Le navire a échoué sur la plage.* – Par anal. *Une baleine qui échoue.* ▷ v. tr. *Échouer un navire,* le faire échouer volontairement. Ant. renflouer. ▷ v. pron. Se mettre au sec accidentellement. *L'épave s'est échouée sur le sable.* **2.** Fig. Aboutir en un lieu sans l'avoir vraiment voulu. *Renvoyé de partout, il échoua dans ce modeste emploi.* **II. 1.** (Personnes) Ne pas réussir. *Il a échoué à ses examens.* **2.** (Choses) Ne pas aboutir. *L'attaque échoua devant la résistance ennemie.* Syn. manquer, avorter, rater.

Echternach, v. du Luxembourg ch.-l. de cant.; 4 200 hab. – Procession dansante, le mardi de la Pentecôte, à la basilique de Saint-Willibrord.

écimage n. m. AGRIC Action d'écimer.

écimer v. tr. [1] AGRIC Couper (la cime d'un végétal) pour favoriser la production de ramifications ou la fructification. *Écimer le maïs.* Syn. étêter.

Eck (Johann Maier, dit Johann) (Egg an der Güns, Souabe, 1486 – Ingolstadt 1543), théologien catholique allemand adversaire de Luther.

Eckart ou **Eckhart** (Johann, dit Maître) (Hochheim, près de Gotha, v. 1260 - Avignon ou Cologne, v. 1327), dominicain et philosophe mystique allemand. La hardiesse de vingt-huit de ses propositions sur la conception de l'essence divine fut condamnée en 1329. Son œuvre, en lat. et en all. *(Entretiens sur le discernement spirituel, Livre de la consolation divine)*, suscita de nombreuses interprétations divergentes, et même contradictoires.

Eckmühl, village de Bavière. - Napoléon y vainquit les Autrichiens (1809). Cette victoire valut à Davout le titre de *prince d'Eckmühl*.

Eckmühl (phare d'), phare situé à la pointe de Penmarch (Finistère), construit, entre 1892 et 1897.

éclaboussement n. m. Action d'éclabousser.

éclabousser v. tr. [1] **1.** Faire rejaillir (un liquide, de la boue) sur. **2.** Fig. Faire subir un dommage, un préjudice par contrecoup. *Toutes ces rumeurs ont éclaboussé sa réputation.*

éclaboussure n. f. **1.** Liquide salissant qui a rejailli. *Recevoir des éclaboussures de boue.* **2.** Fig. Dommage subi par contrecoup.

éclair n. m. **I. 1.** Lumière violente et brève provoquée par une décharge électrique entre deux nuages ou entre un nuage et le sol. *Éclair en trait, en boule.* ▷ Loc. fig. *Vif, rapide comme l'éclair* : très vif, très rapide. - *En un éclair, en l'espace d'un éclair* : très rapidement, en un instant. ▷ CHIM *Point d'éclair* : température à laquelle une huile s'enflamme. **2.** *Par anal.* Vive lueur, rapide et passagère. *Les éclairs d'un phare. Ce diamant lance des éclairs.* - Fig. *Un éclair de malice brillait dans ses yeux.* **3.** Fig. Ce qui a la vivacité, la rapidité de l'éclair. *Avoir un éclair de génie, d'intelligence.* ▷ (En appos.) Très rapide. *Un voyage éclair. Guerre éclair.* **II.** Petit gâteau allongé fourré de crème pâtissière. *Éclair au chocolat, au café.*

éclairage n. m. **1.** Action, manière d'éclairer à l'aide d'une lumière artificielle. *Éclairage au gaz, à l'électricité. Éclairage direct,* dans lequel le flux lumineux est dirigé sur l'objet à éclairer (par oppos. à *éclairage indirect*). ▷ Dispositif servant à éclairer. *Éclairage public* : ensemble des appareils et du réseau d'éclairage des espaces publics (routes, rues, etc.). **2.** Manière dont une chose est éclairée. *Éclairage naturel, artificiel.* Syn. lumière. ▷ Fig. Manière dont une chose est considérée. *Je ne vois pas la situation sous cet éclairage.*

éclairagisme n. m. TECH Étude des procédés d'éclairage.

éclairagiste n. m. TECH Spécialiste de l'éclairage artificiel.

éclairant, ante adj. Qui a la propriété d'éclairer. *Fusée éclairante.* ▷ Fig. *Une comparaison éclairante.*

éclaircie n. f. **1.** Espace clair dans un ciel chargé de brume ou de nuages. - Diminution importante de la nébulosité, interruption du temps pluvieux; période au cours de laquelle elle se produit. *Le temps sera généralement pluvieux avec quelques éclaircies.* **2.** Fig. Amélioration momentanée. *La situation diplomatique présente des éclaircies.* **3.** AGRIC et SYLVIC Opération consistant à éclaircir un semis, une futaie, etc.

éclaircir v. tr. [3] **1.** Rendre clair, plus clair. *Cette couleur lui éclaircit le teint.* Ant. assombrir, foncer, obscurcir. ▷ v. pron. *L'orage passé, le ciel s'est rapidement éclairci.* **2.** Rendre plus net, plus pur. *Le miel éclaircit la voix.* ▷ v. pron. *Il toussa pour s'éclaircir la gorge.* **3.** Rendre moins épais, moins dense. *Éclaircir une sauce.* Syn. allonger. Ant. épaissir. ▷ v. pron. *Sa chevelure s'éclaircit,* devient moins dense. ▷ AGRIC et SYLVIC Enlever des plants (d'un semis, d'une futaie, etc.) pour favoriser la croissance des autres. **4.** Fig. Rendre clair, intelligible; élucider. *Il faudrait éclaircir votre pensée. Éclaircir une affaire, une énigme.* Syn. démêler, clarifier. Ant. embrouiller, compliquer. ▷ v. pron. *La situation s'est éclaircie.*

éclaircissage n. m. AGRIC et SYLVIC Action d'éclaircir (sens 3).

éclaircissant, ante adj. et n. m. Se dit d'un produit cosmétique destiné à décolorer légèrement les cheveux.

éclaircissement n. m. **1.** Action d'éclaircir, de rendre moins sombre. *L'éclaircissement d'une teinte.* **2.** Explication d'une chose difficile à comprendre ou qui prête à équivoque. *Demander des éclaircissements.* Syn. explication, justification.

éclairé, ée adj. **1.** Qui reçoit de la lumière. *Une pièce bien éclairée.* **2.** Fig. Qui a des lumières, des connaissances, de l'expérience. *Un esprit éclairé. Un public éclairé.* - Par ext. *Un avis éclairé.*

éclairement n. m. **1.** PHYS Quotient du flux lumineux par unité de surface (exprimé en lux, c.-à-d. en lumen/m^2). **2.** Manière dont une surface est éclairée. *L'éclairement d'un plan de travail.*

éclairer v. tr. [1] **I. 1.** Répandre de la clarté, de la lumière sur; illuminer. *Le Soleil éclaire la Terre. Une lampe jaune éclairait faiblement la pièce.* ▷ (S. comp.) *Cette lampe éclaire mal.* **2.** Fournir, procurer de la lumière à (qqn). *Je passe devant vous pour vous éclairer.* ▷ v. pron. *S'éclairer au gaz, à l'électricité.* **3.** Rendre plus clair, plus lumineux. *Ces grandes baies éclairent la pièce.* ▷ Fig. *Un sourire éclaira son visage.* Ant. assombrir. - v. pron. *Son visage s'éclaira de joie.* **4.** Vx Allumer. *Éclairer une lanterne.* **5.** JEU *Éclairer le jeu* ou, absol., *éclairer* : jouer de manière à faire connaître les cartes que l'on a en main. **II. 1.** Expliquer à (qqn), mettre (qqn) en état de comprendre. *Il éclaira ses amis sur la situation. Je ne suis pas au courant, voulez-vous m'éclairer.* Syn. informer, instruire. ▷ v. pron. Acquérir des connaissances. *Les esprits commencent à s'éclairer.* **2.** Rendre (qqch) intelligible. *L'enquête a éclairé bien des points obscurs.* ▷ v. pron. *Tout s'éclaire.* **3.** MILIT *Éclairer la marche d'une unité,* reconnaître au préalable son itinéraire par l'envoi d'éclaireurs.

éclaireur, euse n. **1.** n. m. MILIT Soldat envoyé pour reconnaître un itinéraire, une position. ▷ *Par ext.* Loc. *Marcher en éclaireur* : être envoyé en reconnaissance. - Cour. *Partir en éclaireur,* le premier. **2.** n. Membre d'une organisation laïque de scouts.

éclampsie n. f. MED Syndrome convulsif grave, parfois observé en fin de grossesse, lors de l'accouchement ou immédiatement après, dû à une toxémie gravidique.

éclamptique adj. (et n. f.) **1.** Relatif à l'éclampsie. **2.** Qui souffre d'éclampsie. ▷ n. f. *Une éclamptique.*

éclat [ekla] n. m. **I. 1.** Fragment détaché d'un corps dur. *Le pare-brise a volé en éclats.* **2.** Son, bruit soudain plus ou moins violent. *Des éclats de voix. Des éclats de rire. Rire aux éclats.* **3.** Fig. Bruit, réaction retentissante. *La nouvelle fit un grand éclat.* ▷ Manifestation violente, scandale. *On craint qu'il ne fasse un éclat.* **II. 1.** Vive lumière émanant d'une source lumineuse, d'un corps brillant; intensité de cette lumière. *L'éclat d'un diamant. Ses yeux brillaient d'un éclat fiévreux.* ▷ Lumière vive et brève. *Compter les éclats d'un phare.* **2.** Vivacité d'une couleur, qualité de ce qui frappe le regard par sa splendeur. *L'éclat d'une rose. L'éclat de la beauté.* **3.** Fig. Ce qui frappe par des qualités brillantes. *Un style qui a de l'éclat.* - *Une action, un coup d'éclat,* remarquable, dont on parle.

éclatage n. m. AGRIC Action d'éclater (sens I, 3).

éclatant, ante adj. **1.** Qui brille avec éclat, qui frappe le regard. *Lumière, blancheur éclatante. Une beauté éclatante.* Ant. sombre, terne, obscur. **2.** Sonore, retentissant. *Un son éclatant.* **3.** Fig. Qui se manifeste avec évidence, intensité, éclat. *Victoire éclatante. Bonne foi éclatante.*

éclaté adj. et n. m. TECH *Un dessin éclaté* ou, n. m., *un éclaté* : un dessin qui présente, séparés les uns des autres, les éléments d'un mécanisme ou d'une construction complexes pour mettre en évidence leur agencement.

éclatement n. m. **1.** Action d'éclater; résultat de cette action. *Éclatement d'un obus.* **2.** Fig. Répartition, division en plusieurs éléments. *Éclatement d'un fichier en sous-fichiers.* - *Éclatement d'un groupe politique.*

éclater v. intr. [1] **I. 1.** Se rompre, se briser avec violence et par éclats. *Ce bois a éclaté. La bombe a éclaté sur la ville.* - Par exag. *Taisez-vous, ma tête va éclater!* Syn. exploser. **2.** Se séparer en plusieurs éléments. *L'autoroute de Normandie éclate en deux tronçons à Rocquencourt.* **3.** v. tr. AGRIC Répartir (une touffe végétale) en plusieurs éléments. *Éclater un dahlia,* séparer ses tubercules pour que chacun donne un nouveau pied. **II. 1.** Faire entendre un bruit soudain et violent. *Des applaudissements éclatèrent. Le tonnerre éclata dans le silence de la nuit.* **2.** Manifester un sentiment brusquement et bruyamment. *Éclater de rire. Éclater en injures, en sanglots.* - *Absol.* Se mettre en colère. *Il s'était longtemps contenu et, brusquement, il éclata.* **3.** Fig. Se manifester d'une manière soudaine et violente. *L'incendie éclata pendant la nuit. Une révolte éclata.* **4.** Fig. Se manifester avec évidence, intensité, éclat. *Sa gloire éclata aux yeux du monde. Je ferai éclater la vérité.* **5.** v. pron. Mod., fam. S'amuser, se divertir sans retenue. *Ils se sont éclatés toute la soirée.*

éclectique adj. (et n.) **1.** PHILO Qui appartient à l'éclectisme. *Doctrine éclectique.* ▷ Qui est partisan de l'éclectisme. - Subst. *Un(e) éclectique.* **2.** Qui choisit dans divers genres ce qui lui plaît sans s'asservir à un seul. *Être éclectique dans ses lectures, ses fréquentations.* - Divers. *Avoir des goûts éclectiques.* Ant. exclusif, sectaire.

éclectisme n. m. **1.** PHILO Système composé d'idées ou d'éléments doctrinaux empruntés à des philosophes d'écoles différentes. **2.** Largeur d'esprit permettant d'accueillir toute idée avec compréhension. *Faire preuve d'éclectisme.*

éclipse n. f. **1.** Disparition momentanée d'un astre lorsqu'un autre astre s'interpose sur le trajet des rayons lumineux qui l'éclairent. *Éclipse de Lune* : se dit lorsque la Terre porte ombre sur la Lune. *Éclipse de Soleil* : se dit lorsque

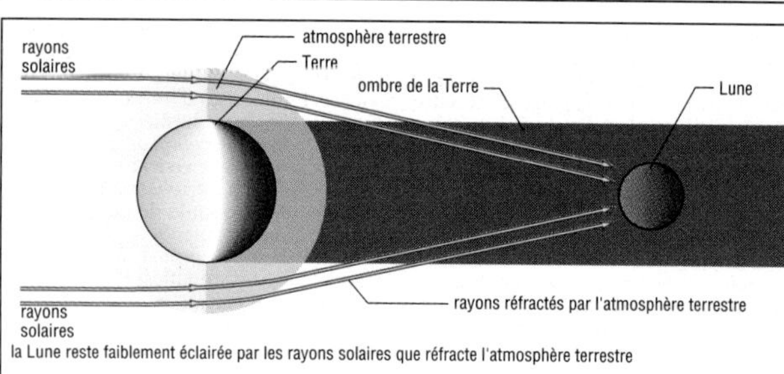

la Lune reste faiblement éclairée par les rayons solaires que réfracte l'atmosphère terrestre

éclipse de Lune

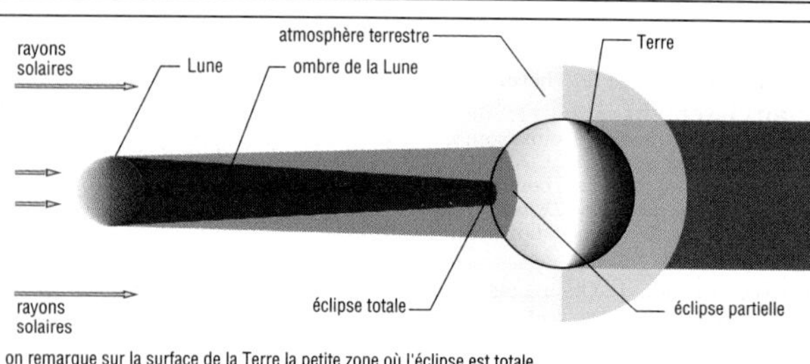

on remarque sur la surface de la Terre la petite zone où l'éclipse est totale, entourée d'une région plus vaste où l'éclipse est partielle

éclipse de Soleil

la Lune, passant entre la Terre et le Soleil, intercepte les rayons lumineux de celui-ci (il s'agit en fait d'une *occultation* du Soleil par la Lune, et le terme d'éclipse, utilisé couramment, est impropre). *Éclipse partielle* (et *annulaire** dans le cas du Soleil), *éclipse totale*. **2.** Fig. Disparition ou défaillance momentanée. *Son succès a connu quelques éclipses. Éclipse de mémoire.*

éclipser v. [1] **I.** v. tr. **1.** ASTRO Intercepter la lumière émise par un astre (en parlant d'un autre astre). *La Lune éclipse quelquefois le Soleil.* **2.** Fig. Empêcher (qqch ou qqn) de paraître, en attirant sur soi toute l'attention. *Éclipser ses partenaires.* Syn. surpasser, surclasser, effacer. **II.** v. pron. **1.** Fam. Disparaître, partir discrètement. *S'éclipser d'une réunion.* Syn. s'esquiver. **2.** ASTRO Subir une éclipse.

écliptique adj. et n. m. ASTRO **1.** adj. Relatif aux éclipses ou à l'écliptique (sens 2). **2.** n. m. Plan de l'orbite de la Terre autour du Soleil.

ENCYCL *L'écliptique* est incliné en moyenne de 23° 27' sur le plan de l'équateur. L'intersection de ces deux plans détermine la ligne des équinoxes; la ligne des solstices, située dans l'écliptique, étant perpendiculaire à celle des équinoxes. ► carte du **ciel**

éclisse n. f. **1.** TECH Éclat de bois. **2.** TECH Bois de refend servant à confectionner les seaux, les tambours, etc. **3.** CH de F Pièce servant à relier deux rails. **4.** CHIR Syn. de *attelle*.

éclisser v. tr. [1] **1.** CH de F Relier (des rails) par des éclisses. **2.** CHIR Maintenir (un membre fracturé) au moyen d'éclisses.

éclopé, ée adj. et n. Qui marche avec peine, à cause d'une blessure à la jambe. *Un vieillard éclopé.* – Subst. *Les éclopés de la dernière saison de ski.* ▷ Se dit des militaires momentanément hors de combat à la suite de blessures ou de maladies légères.

éclore v. intr. [79] **1.** Naître d'un œuf. *Les poussins viennent d'éclore.* – *Par ext.* S'ouvrir pour donner naissance à un animal (en parlant d'un œuf). *Les œufs sont* (ou *ont*) *éclos ce matin.* **2.** *Par anal.* Commencer à s'ouvrir (en parlant des fleurs). *Le soleil a fait éclore les résédas.* **3.** Fig., litt. Naître, paraître, se manifester. *Les grands génies que ce siècle vit éclore.*

éclosion n. f. **1.** Fait d'éclore (en parlant d'un œuf, d'un animal). **2.** Épanouissement des fleurs. **3.** Fig., litt. Naissance, première manifestation. *L'éclosion d'un talent.*

éclusage n. m. **1.** Manœuvre par laquelle on fait franchir une écluse à un bateau. **2.** GEOL Dans un relief volcanique, reprise d'écoulement de la lave fluide contenue dans un tunnel sous-basaltique.

écluse n. f. Ouvrage étanche, délimité par deux portes, une dalle de fond et des parois latérales, permettant à un bateau le passage d'un bief à un autre.

Écluse (L') (en néerl. *Sluis*), v. des Pays-Bas (Zélande); 2 890 hab. – Victoire angl. sur la flotte franç. (1340).

écluser v. tr. [1] **1.** TECH Faire passer un bateau d'un bief à l'autre par une écluse. **2.** Pop. Boire. *Écluser un godet.*

éclusier, ère n. (et adj.) Personne préposée à la garde et à la manœuvre d'une écluse. ▷ adj. *Maison éclusière,* de l'éclusier.

éco-. Élément, du gr. *oikos,* « maison, habitation ».

Eco (Umberto) (Alexandrie, Égypte, 1932), sémiologue et écrivain italien. Ses recherches portent sur la signification de l'œuvre d'art et sur ses rapports avec les médias (*l'Œuvre ouverte,* 1962). Il est également romancier (*le Nom de la rose,* 1982; *le Pendule de Foucault,* 1990).

écobilan n. m. Inventaire des conséquences que la fabrication d'un produit industriel a sur l'environnement.

écobuage n. m. Action d'écobuer.

écobuer v. tr. [1] AGRIC Arracher par plaques la végétation sauvage (d'une terre), la sécher, la brûler et utiliser les cendres comme engrais.

écocide n. m. Désastre écologique.

écœurant, ante adj. Qui écœure. *Un gâteau écœurant.* ▷ Fig. Moralement repoussant, révoltant. *Il est d'une servilité écœurante.* ▷ Décourageant. *Elle a une chance écœurante au jeu.*

écœurement n. m. **1.** Action d'écœurer; état d'une personne écœurée. **2.** Fig. Répugnance. *Ces scènes avaient suscité l'écœurement général.*

écœurer v. tr. [1] **1.** Soulever le cœur de dégoût. *Ces sucreries m'écœurent.* **2.** Fig., fam. Provoquer la répugnance de (qqn). *Sa conduite m'écœure.* **3.** Fig. Abattre le moral de (qqn). *Toutes ces difficultés l'ont écœuré.* Syn. décourager, démoraliser.

éco-industrie n. f. Industrie visant à réduire la pollution, à protéger l'environnement. *Des éco-industries.*

écolabel n. m. Label délivré à un produit industriel qui présente un bon écobilan.

écolâtre n. m. Au Moyen Âge, ecclésiastique qui dirigeait l'école attachée à l'église cathédrale.

école n. f. **1.** Établissement où l'on dispense un enseignement collectif de connaissances générales, ou de connaissances particulières nécessaires à l'exercice d'un métier, d'une profession, ou à la pratique d'un art. *École communale. École de dessin, de musique. École polytechnique, navale. Grandes écoles* : écoles d'enseignement supérieur, dont l'accession est généralement soumise à une sélection sévère (concours, etc.) et qui dispensent un enseignement de haut niveau. ▷ *Spécial.* Établissement d'enseignement primaire (par oppos. à *lycée, université, faculté*). *Maître, maîtresse d'école.* ▷ (Collectif) Ensemble des élèves et des professeurs qui fréquentent un tel établissement. *Les écoles de la ville participaient à la fête.* – HIST *L'École* : l'enseignement universitaire médiéval de la philosophie et de la théologie. **2.** Ce qui est propre à instruire, à former. *S'instruire à l'école de l'expérience, de la vie.* – Loc. *Être à bonne école* : être avec des gens capables de bien conseiller, de bien former. **3.** Ensemble des adeptes d'un même maître, d'une même doctrine; cette doctrine elle-même. *L'école de Platon, d'Hippocrate.* ▷ BX-A Groupe d'artistes présentant des points communs (origine, style, formation, etc.). *L'école flamande.* ▷ Loc. *Faire école* : servir de modèle à des imitateurs; gagner à ses principes, à son opinion. **4.** MILIT Chacun des degrés de l'instruction militaire. *École du soldat. École de bataillon.* ▷ EQUIT *Haute école* : ensemble des exercices destinés à amener un cheval au plus haut degré de dressage; exécution de ces exercices.

écolier, ère n. **1.** Enfant qui fréquente une école primaire. – Loc. fig. *Le chemin des écoliers* : le chemin le plus long, où l'on flâne. ▷ (En appos.) *Papier écolier* : papier blanc quadrillé. **2.** Personne novice, inexpérimentée, malhabile. *Ce n'est qu'un écolier.*

écolo n. et adj. Fam. Abrév. de *écologiste* et de *écologique*.

écologie n. f. **1.** BIOL Science qui étudie les conditions d'existence d'un être vivant et les rapports qui s'établissent entre cet être et son environnement. **2.** Cour. Protection de la nature, de l'environnement.

ENCYCL L'écologie se subdivise en *autécologie* (étude des rapports d'une seule espèce avec le milieu où elle vit), *synécologie* (étude des rapports des espèces appartenant à un même groupement avec le milieu où elles vivent) et *dyn mique des populations* (modifications et causes de l'abondance des espèces dans un même milieu). Tous les problèmes relatifs au maintien des équilibres biologiques, à la conservation de la nature, à la protection des faunes et des flores, et à la survie du milieu naturel relèvent de l'écologie appliquée. L'écologie animale répond aux mêmes principes généraux. Elle étudie l'action des facteurs physiques, comme la lumière et la température, sur les animaux, mais aussi et surtout les innombrables interactions qui unissent ceux-ci entre eux ou aux végétaux. La notion de chaîne alimentaire, qui commence avec le plancton ou les algues et se termine avec les espèces carnivores, a incité les écologistes à étudier avec un intérêt particulier les milieux où les animaux ne peuvent survivre qu'au prix d'adaptations très perfectionnées (déserts, grottes, abysses, etc.). La notion moderne de protection de la nature (flore, faune, fleuves, océans) relève directement de l'écologie appliquée et des préoccupations relatives à l'environnement humain (villes, milieu rural, etc.).

écologique adj. **1.** Relatif à l'écologie. **2.** Qui respecte la nature, l'environnement.

écologiquement adv. Du point de vue écologique.

écologisme n. m. Mouvement, action des écologistes (sens 2).

écologiste n. **1.** Écologue. **2.** Personne attachée à la protection de la nature et des équilibres biologiques.

écologue n. Didac. Spécialiste des problèmes liés à l'écologie.

écomusée n. m. Didac. Musée de l'homme et de la nature où l'homme est interprété dans son milieu naturel, la nature dans sa sauvagerie, mais aussi telle que la société l'a adaptée.

éconduire v. tr. [**69**] Mettre dehors, repousser avec plus ou moins de ménagement; ne pas agréer. *Éconduire un importun.* – Litt. ou plaisant *Elle éconduit tous ses soupirants.* Syn. repousser.

économat n. m. Emploi, bureau, charge d'économe.

économe n. et adj. **I.** n. Personne chargée de la recette, de la dépense et de toute l'administration matérielle d'un établissement, d'une communauté. **II.** adj. **1.** Qui dépense avec mesure. *Une maîtresse de maison économe. Économe jusqu'à l'avarice.* **2.** Fig. *Être économe de paroles, d'éloges,* les mesurer, ne pas les prodiguer.

économétrie n. f. Didac. Application des méthodes mathématiques aux sciences économiques.

économie n. f. **I. 1.** Soin à ne dépenser que ce qui convient; épargne dans la dépense. *Vivre avec la plus stricte économie.* – Fam. *Vivre à l'économie,* sans beaucoup dépenser. Ant. gaspillage, prodigalité. **2.** GEST *Économie d'échelle :* réduction des coûts unitaires des produits fabriqués par une entreprise lorsqu'elle accroît sa capacité de production. **3.** Ce qui est épargné. *Il n'y a pas de petites économies. Économie de temps, d'énergie.* – Fig., fam. *Économie(s) de bouts de chandelles**. ▷ (Plur.) Argent épargné. *Avoir des économies.* **II. 1.** Administration, gestion d'une maison, d'un ménage, d'un bien. *Économie domestique.* ▷ Didac. *Économie privée, publique, mixte.* – *Économie politique :* science (nommée auj. *science économique*) qui a pour objet l'étude des phénomènes de production, de circulation, de répartition et de consommation des richesses. – *Économie rurale :* science des procédés tendant à obtenir le meilleur rendement d'un sol. **2.** Ensemble des faits relatifs à la production, à la circulation, à la répartition et à la consommation des richesses dans une société. *Avoir une économie florissante. Économie fermée,* dans laquelle les échanges internationaux sont très réduits (par oppos. à *économie ouverte*). *Économie dirigée :* système dans lequel l'État oriente, régularise et contrôle l'activité économique du pays. Syn. dirigisme. *Économie de marché**. **3.** Harmonie existant entre les différentes fonctions d'un organisme vivant. *L'économie animale.* ▷ Fig. Distribution des parties d'un tout, coordination d'ensemble. *L'économie d'une pièce de théâtre.*

ENCYCL C'est à partir de la Renaissance que l'*économie politique* (l'expression apparaît en 1615) devint une discipline de pensée autonome, détachée de la philosophie et préoccupée exclusivement de la création et de la circulation des biens matériels à l'échelle nationale (d'où l'association des deux mots économie et politique). Cette conjonction demeurera jusqu'à la fin de la première moitié du XXe s. Le développement du socialisme redonnant au mot politique un sens philosophique, et l'accroissement des échanges internationaux détachant la pensée politique du seul cadre national, l'économie politique se transforma en *science économique*; cette mutation fut favorisée par le recours de plus en plus fréquent à l'outil statistique et par l'introduction des mathématiques dans la recherche économique. Pendant longtemps (en fait jusqu'à la parution en 1936 de la *Théorie générale de l'emploi, de l'intérêt et de la monnaie* de Keynes), il avait semblé à la majorité des penseurs que, dans une économie de marché, le volume de la production s'établissait automatiquement sur une longue période, assurant ainsi le plein emploi de la main-d'œuvre. Keynes découvrit que les équilibres de sous-emploi pouvaient également être durables. Les économistes entreprirent alors de déterminer les conditions de l'équilibre général, à l'échelle macroéconomique. Ainsi la science économique s'est-elle fixé comme principal objectif de sa recherche les équilibres fondamentaux. Elle dispose d'un appareil statistique de plus en plus perfectionné et des techniques nouvelles de la comptabilité nationale.

économique adj. **1.** Relatif à l'économie, à l'économie politique. *Doctrines économiques. Crise économique. Zone économique.* **2.** Qui réduit la dépense, qui coûte peu. *Les grosses quantités sont plus économiques que les petites.*

économiquement adv. **1.** À peu de frais. *Se distraire économiquement.* Ant. coûteusement. **2.** Du point de vue de la science économique. *Une politique économiquement défendable.* ▷ *Les économiquement faibles :* les personnes dont les ressources sont très insuffisantes.

économiser v. tr. [**1**] **1.** Épargner. *Économiser le pain, l'énergie.* – Fig. *Économiser son temps, ses forces.* Syn. ménager. Ant. gaspiller. **2.** Faire des économies, mettre de côté (une somme d'argent). *Il économise une partie de son salaire.* ▷ v. intr. *Il économise sur ses revenus.* Syn. épargner. Ant. dépenser.

économiseur n. m. TECH Dispositif permettant une économie d'essence, de combustible, d'électricité, etc.

économisme n. m. Didac. Doctrine qui attribue aux faits économiques un rôle prépondérant dans la politique, la civilisation, etc.

économiste n. Spécialiste de science économique. V. économie (encycl.).

écope n. f. MAR Pelle creuse servant à épuiser l'eau embarquée.

écoper v. tr. [**1**] **1.** MAR Vider l'eau (d'une embarcation) à l'aide d'une écope. **2.** Fam. Subir, recevoir (une punition, un dommage). *Il a écopé (de) trois jours d'arrêts.* ▷ (S. comp.) Subir des reproches, des coups; avoir des ennuis. *C'est lui qui a écopé.* Syn. trinquer.

écoproduit n. m. Produit fabriqué sans polluer l'environnement.

écorce n. f. **1.** Épaisse enveloppe des troncs et des branches des arbres. *Écorces de hêtre, de chêne.* ▷ Loc. prov. *Entre l'arbre et l'écorce il ne faut pas mettre le doigt :* il ne faut pas intervenir dans des querelles entre proches. **2.** *Par anal.* Peau épaisse de divers fruits. *Écorce d'orange.* **3.** GEOL *Écorce terrestre :* croûte* terrestre. **4.** Fig. Aspect extérieur, apparence.

écorcer v. tr. [**12**] **1.** Retirer l'écorce de. *Écorcer un arbre.* ▷ v. pron. Perdre son écorce (en parlant d'un arbre). *Ce chêne s'écorce.* **2.** Peler, décortiquer.

écorché, ée adj. et n. **1.** adj. Dont on a enlevé la peau. ▷ Fig. Qui est mal prononcé. *Un nom écorché.* **2.** BX-A n. m. Figure, gravure, statue, etc., représentant un homme ou un animal dépouillé de sa peau. – *Par ext.* Dessin qui montre l'intérieur d'un mécanisme. *Un écorché de voiture.* ▷ Fig. n. Personne dont la sensibilité est à fleur de peau, très vive. *C'est un écorché vif.*

écorchement n. m. Action d'écorcher. *Écorchement d'un lapin.*

écorcher v. tr. [**1**] **1.** Dépouiller de sa peau. *Écorcher un lapin, une anguille.* **2.** Blesser superficiellement. *Mon soulier m'a écorché le talon. Un genou écorché.* – v. pron. *S'écorcher (à) la main.* Syn. griffer, égratigner. ▷ *Par ext.* Déchirer, enlever superficiellement un morceau de. *Un obus a écorché la façade.* Syn. érafler. – Par exag. *Écorcher les oreilles :* offenser l'ouïe, en parlant d'un son. **3.** Fig. Prononcer d'une manière incorrecte. *Écorcher une langue. Écorcher le nom de qqn.* Syn. estropier. **4.** Fig., vieilli Exiger un prix trop élevé de. *Écorcher le client.* Syn. voler, estamper (fam.).

écorcheur n. m. **1.** Personne dont le métier est d'écorcher les bêtes mortes. **2.** Fig., vieilli Personne qui fait payer trop cher ses marchandises, ses services. ▷ HIST *Les Écorcheurs :* les mercenaires sans emploi, organisés en bandes, qui pillèrent quelques provinces de France au XVe s.

écorchure n. f. **1.** Plaie superficielle de la peau. Syn. égratignure. **2.** *Par ext.* Légère éraflure à la surface d'une chose. *Faire une écorchure à un mur.*

écorner v. tr. [**1**] **1.** Rompre une corne ou les cornes à (un animal). **2.** Casser, déchirer, un angle, un coin d'un objet. *Écorner un livre.* **3.** Fig. Diminuer, réduire par une atteinte, un dommage. *Écorner son patrimoine.* Syn. entamer.

écornifler v. tr. [**1**] Fam., vieilli Se procurer (qqch) aux dépens d'autrui. *Écornifler un repas.*

écornifleur, euse n. Fam., vieilli Parasite, pique-assiette.

écornure n. f. Éclat, morceau provenant d'un objet écorné; brèche qui en résulte.

écossais, aise adj. et n. **1.** D'Écosse. **2.** n. m. Étoffe à carreaux de couleurs. – adj. *Une couverture écossaise.* **3.** n. f. Danse populaire d'Écosse.

Écosse (en angl. *Scotland*), anc. royaume et partie septentrionale de la G.-B., que les monts Cheviot séparent de l'Angleterre. Région du Royaume-Uni et de la C.E. ; 78 783 km^2 ; 4 957 000 hab. ; cap. *Édimbourg.*
Géogr. et écon. – Massif ancien soulevé au tertiaire et remanié par les glaciers, l'Écosse se compose de deux ensembles montagneux : les *Southern Uplands* au S. et les *Highlands* au N., séparés par des bassins d'effondrement *(Lowlands)* où se concentre la majeure partie des activités écon. À côté de l'agriculture (élevage ovin et bovin, céréales) et des textiles s'est développée une industr. importante grâce au charbon, au fer et à une situation maritime favorable (sidérurgie, constr. méca., chantiers navals à Glasgow, Édimbourg). L'exploitation du pétrole en mer du Nord, commencée en 1975, compense partiellement le déclin des industries traditionnelles.
Hist. – Population préceltique, les Pictes résistèrent aux Romains et reçurent l'apport des Scots, des Angles et des Brittones (IVe-VIe s.), avant d'être christianisés. À partir du XIIe s., les rivalités entre les clans et la lutte contre l'influence anglaise dominèrent la vie polit. de l'Écosse, dont l'indépendance fut reconnue en 1314 et confirmée par le traité de Northampton (1328). L'anarchie intérieure et les luttes relig. firent renaître les prétentions angl. à partir du XVIe s. À la mort d'Élisabeth Ire (1603), Jacques VI Stuart, roi d'Écosse, devint roi d'Angleterre sous le nom de Jacques Ier *(union personnelle)*, mais la fusion des deux royaumes ne fut opérée qu'en 1707, par l'Acte d'union. En septembre 1997, les Écossais approuvent par référendum la création d'un Parlement autonome en l'an 2000.

Écosse du Centre *(Central Scotland)*, rég. d'Écosse ; 2 631 km^2 ; 271 000 hab. ; ch.-l. *Stirling.*

écosser v. tr. [1] Enlever la cosse de.

écosystème n. m. BIOL Ensemble écologique constitué par un milieu (sol, eau, etc.) et des êtres vivants, liés par des relations énergétiques, trophiques, etc. *Un lac, une forêt, un aquarium constituent des écosystèmes.*

écot [eko] n. m. Litt. Quote-part due par un convive pour un repas. ▷ Fig. *Payer son écot* : contribuer à une dépense collective.

écotaxe n. f. Impôt sur les activités polluantes, créé pour sauvegarder l'environnement.

écotourisme n. m. Voyage touristique dans des régions écologiquement préservées.

écotoxicologie n. f. Étude des substances écotoxiques.

écotoxique adj. Se dit d'une substance toxique pour l'environnement.

écotype n. m. BIOL Être vivant présentant des variations morphologiques ou physiologiques dues au biotope auquel il s'est adapté.

Écouen, ch.-l. de cant. du Val-d'Oise (arr. de Montmorency) ; 4 922 hab. Industr. bioméd. – Chât. Renaissance bâti de 1535 env. à 1578 pour le connétable Anne de Montmorency ; auj. musée nat. de la Renaissance.

écoulement n. m. **1.** Action de s'écouler ; mouvement d'un fluide qui s'écoule. *Écoulement des eaux.* – Spécial. MED *Écoulement de sécrétions, de pus.* ▷ Par anal. *Écoulement de la foule, des véhicules.* **2.** Possibilité de vente ; vente, débit. *Écoulement de marchandises.*

écouler v. [1] **I.** v. tr. Vendre, débiter (une marchandise) jusqu'à épuisement. *Il a écoulé tout son stock.* ▷ v. pron. Se vendre. *Un produit qui s'écoule facilement.* **II.** v. pron. **1.** Couler hors de quelque endroit (liquides). *L'eau s'écoule par cette fente.* – Par anal. *La foule s'écoula peu à peu.* **2.** Fig. Passer, disparaître progressivement. *Le temps s'écoulait lentement.*

écoumène ou **œcoumène** ou **œkoumène** [ekumɛn] n. m. GEOGR Ensemble des terres habitées ou exploitées.

écourgeon. V. escourgeon.

écourter v. tr. [1] **1.** Rendre plus court en longueur. *Écourter une jupe.* – Spécial. *Écourter un chien,* lui couper la queue ou les oreilles. *Écourter un cheval,* lui couper la queue. **2.** Rendre plus court en durée. *Écourter une conversation, ses vacances.* Syn. abréger.

écoutant, ante n. Personne qui répond aux appels téléphoniques dans un service d'aide psychologique.

1. écoute n. f. **1.** Action d'écouter (une émission radiophonique et, *par ext.*, une émission de télévision). *Être à l'écoute. Heure, moment de grande écoute.* **2.** Capacité à écouter autrui, à comprendre ses difficultés. ▷ *Être aux écoutes* : être vigilant ; fig., être aux aguets. **3.** Action d'écouter à l'insu des interlocuteurs. *Écoutes téléphoniques.*

2. écoute n. f. MAR Cordage assujetti au coin inférieur d'une voile et servant à la border. *Écoute de foc, de grand-voile.* ▷ *Point d'écoute* : coin inférieur d'une voile, où est assujettie l'écoute.

écouter v. tr. [1] **1.** Prêter l'oreille pour entendre. *Allô, j'écoute. Parlez, je vous écoute.* – (S. comp.) Loc. *Écouter aux portes,* indiscrètement. ▷ Fam. *N'écouter que d'une oreille,* distraitement. ▷ *Écoute ! écoutez ! :* interj. employée pour réclamer l'attention. ▷ v. pron. *Il s'écoute parler :* il est satisfait de ce qu'il dit. **2.** Prêter attention à l'avis de (qqn), suivre (un avis). *Écouter les conseils de ses aînés.* ▷ Pp. adj. (Personnes) *Un conseiller très écouté,* qui émet des avis dont on fait cas. ▷ *Par ext.*, fig. Suivre une impulsion, une inspiration. *N'écouter que son courage, que son cœur.* ▷ v. pron. Être trop attentif à soi-même, à sa santé. *Il s'écoute trop.*

écouteur n. m. TECH Appareil transformant des signaux électriques en sons perceptibles par l'oreille. *Le combiné téléphonique comporte un écouteur et un micro.*

écoutille n. f. MAR Ouverture pratiquée sur le pont d'un navire pour donner accès aux entreponts et aux cales.

écouvillon n. m. TECH Brosse fixée à une longue tige, et destinée à nettoyer l'intérieur des récipients étroits, des objets tubulaires, etc.

écouvillonner v. tr. [1] TECH Nettoyer avec un écouvillon.

écrabouillage ou **écrabouillement** n. m. Fam. Action d'écrabouiller.

écrabouiller v. tr. [1] Fam. Écraser complètement, réduire en bouillie.

écran n. m. **1.** Panneau servant à garantir contre l'ardeur du feu. *Écran de cheminée.* **2.** *Par ext.* Objet interposé pour dissimuler ou protéger. – GEST *Société écran,* derrière laquelle se dissimule le véritable bénéficiaire. ▷ ESP *Écran thermique :* revêtement des structures de missiles et d'engins spatiaux, destiné à atténuer les effets thermiques dus à la rentrée dans l'atmosphère. V. ablation. ▷ MILIT *Écran de fumée :* nuage émis par des appareils fumigènes. ▷ PHYS NUCL Blindage de protection. – Fig. Barrière illusoire. *Ces prétextes ne sont qu'écran de fumée.* ▷ ELECTRON *Grille-écran :* grille d'un tube électronique, placée au voisinage de l'anode. **3.** Surface sur laquelle sont projetées des images. *L'écran d'une salle de cinéma. Un écran perlé,* revêtu de minuscules billes de verre qui augmentent son pouvoir réfléchissant. – *Par ext.* L'art cinématographique. *Les vedettes de l'écran.* ▷ Surface sur laquelle apparaissent les images. *L'écran d'un téléviseur. Le petit écran :* la télévision. ▷ INFORM Périphérique d'ordinateur sur lequel s'affichent les données. *Écran tactile.* Syn. moniteur.

écrasant, ante adj. **1.** Très lourd, difficile à supporter. *Un fardeau écrasant. Chaleur écrasante.* Syn. accablant. **2.** Qui domine, qui est très supérieur. *Obtenir une majorité écrasante.*

écrasement n. m. Action d'écraser ; résultat de cette action. *Blessé par écrasement.* ▷ Fig. Anéantissement. *L'écrasement des armées ennemies.* ▷ Syn. (off. recommandé) de *crash.*

écraser v. [1] **I.** v. tr. **1.** Aplatir, déformer par une forte compression, un coup violent ; tuer en aplatissant. *Écraser un insecte.* – *Écraser sa cigarette,* pour l'éteindre. ▷ v. pron. Syn. (off. recommandé) de *se crasher. L'avion s'est écrasé au sol.* **2.** Broyer en pressant. *Écraser du grain. Écraser des légumes, des fruits.* – Par exag. *Sa poigne énergique vous écrasait la main.* – *Spécial.* Tuer en passant sur (qqn) en voiture. *Tu as failli écraser un piéton.* ▷ v. pron. Par exag. *On s'écrasait :* la foule était très dense. **3.** Vaincre, anéantir. *L'armée fut écrasée.* ▷ Opprimer. *Le fort écrase le faible.* **4.** Fig. Faire supporter une charge excessive à. *Écraser le peuple d'impôts. Être écrasé de travail.* Syn. accabler. **5.** Dominer de sa masse ; faire paraître plus petit, plus bas, plus court. *La citadelle écrase la ville.* – Fig. Humilier, rabaisser. *Écraser qqn de son mépris.* **6.** INFORM *Écraser des données,* les supprimer involontairement par superposition. **7.** Fig., fam. *En écraser :* dormir profondément. **II.** v. intr. ou pron. Pop. Se soumettre, obtempérer sans mot dire, ne pas insister. *Oh ! écrase !*

écrémage n. m. Action d'écrémer.

écrémer v. tr. [14] **1.** Enlever la crème (du lait). – Pp. adj. *Du lait écrémé, demi-écrémé* (par oppos. à *lait entier*). **2.** Fig. Prendre ce qu'il y a de meilleur dans. *Écrémer une collection.* **3.** TECH Enlever les scories qui surnagent sur un liquide en fusion. *Écrémer le verre.*

écrémeuse n. f. Machine servant à écrémer le lait par centrifugation.

écrêtement n. m. MILIT, TECH Action d'écrêter.

écrêter v. tr. [1] **1.** MILIT Abattre le sommet (d'un ouvrage) à l'aide d'un tir d'artillerie. **2.** TECH Diminuer la hauteur de. *Écrêter les pics d'une courbe.*

écrevisse n. f. **1.** Crustacé décapode macroure d'eau douce, à fortes pinces, d'Amérique et d'Eurasie. (*Astacus plu-viatilis,* l'écrevisse française, verdâtre

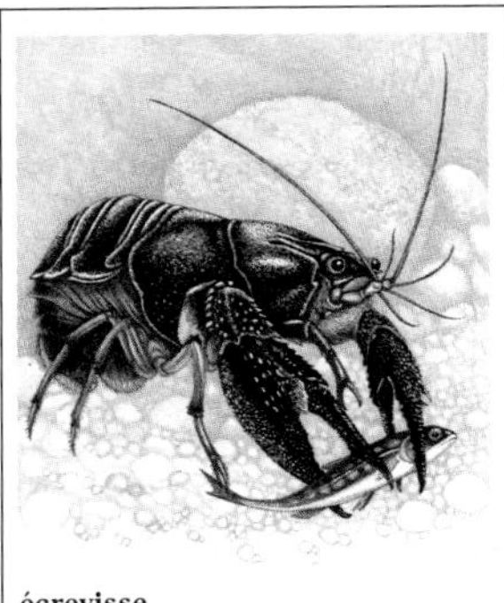
écrevisse

atteint 15 cm de long, pinces comprises; elle constitue un mets de choix, de même que *Cambarus affinis*, l'écrevisse américaine, introduite en Europe.) – *Être rouge comme une écrevisse*, très rouge (comme l'écrevisse cuite).

écrier (s') v. pron. [2] Prononcer, dire en criant, en s'exclamant. *Je m'écriai que c'était une injustice.*

écrin n. m. Petit coffret où l'on dispose des bijoux, des objets précieux. *Écrin capitonné.* – Son contenu.

Écrins (barre des), sommet des Alpes du Dauphiné, point culminant du massif du Pelvoux (4 103 m).

écrire v. tr. [67] **I. 1.** Tracer, former (des lettres, des caractères). **2.** Orthographier. *Comment écrivez-vous ce mot?* ▷ v. pron. *Ça s'écrit comme ça se prononce.* **3.** Mettre, noter, consigner par écrit. *Écrire son adresse. Je vais l'écrire pour ne pas l'oublier.* Syn. inscrire, marquer. ▷ v. pron. *Tout ce qui se dit ne s'écrit pas.* **4.** Rédiger (une correspondance). *Écrire une lettre.* – Absol. *Laissez votre adresse, on vous écrira.* – Dire, annoncer par lettre. *Il m'a écrit qu'il ne viendra pas.* ▷ v. pron. Entretenir une correspondance. *Nous nous écrivons régulièrement.* **II. 1.** Composer une œuvre (littéraire, musicale), un article journalistique, scientifique), etc. *Écrire des poèmes, un roman, une symphonie.* – Absol. *Il écrit dans des revues scientifiques.* – *Écrire au courant de la plume*, en composant aussi vite, à mesure qu'on écrit. – *Spécial.* Faire le métier d'écrivain. *Il écrit depuis l'âge de vingt ans.* **2.** Exprimer sa pensée par l'écriture de telle ou telle manière. *L'art d'écrire. Cet auteur écrit bien.* **3.** Avancer une proposition, dire, exposer dans un ouvrage imprimé. *Voltaire a écrit : «Il faut cultiver notre jardin.»*

écrit, ite adj. et n. m. **I.** adj. **1.** Tracé. *Je ne peux pas lire, c'est trop mal écrit.* **2.** Couvert de signes d'écriture. *Papier écrit des deux côtés.* **3.** Consigné, noté, exposé par écrit. *Langue écrite et langue parlée. Un ouvrage mal écrit.* ▷ Fig. Évident, manifeste. *C'est écrit sur son visage.* **4.** Fig. Décidé par le sort, le destin, la Providence. *Il est écrit que je ne serai jamais tranquille. C'était écrit.* **II.** n. m. **1.** Papier, parchemin, etc. sur lequel est écrit qqch; ce qui est écrit. *Les paroles s'envolent, les écrits restent.* ▷ *Par écrit* : sur le papier. *Il s'est engagé par écrit.* **2.** Ouvrage de l'esprit. *Les écrits de V. Hugo.* **3.** Épreuves écrites d'un examen (par oppos. à *oral*). *Être reçu à l'écrit.*

écriteau n. m. Tableau portant une inscription destinée au public; pancarte.

écritoire n. f. Anc. Coffret renfermant tout ce qui est nécessaire pour écrire.

écriture n. f. **1.** Représentation des mots, des idées, du langage au moyen de signes. *Écriture alphabétique, idéographique, phonétique.* **2.** Caractères écrits, forme des lettres tracées. *Écritures ronde, bâtarde, anglaise, gothique.* **3.** Manière particulière à chacun de former les lettres. *J'ai reconnu son écriture. Une belle écriture.* **4.** Fig. Manière de s'exprimer par écrit. *Une écriture simple.* **5.** ADMIN Ce que l'on inscrit, ce que l'on consigne pour garder trace d'une opération. *Employé aux écritures.* ▷ (Plur.) Comptabilité d'un commerçant, d'un industriel, d'une administration. *Tenir les écritures.* ▷ DR Écrits que l'on fait à l'occasion d'un procès. **6.** (Avec une majuscule.) Texte saint, sacré. *L'Écriture sainte, les Saintes Écritures* ou, absol., *les Écritures* : l'Ancien et le Nouveau Testament, la Bible.

écrivailler ou **écrivasser** v. intr. [1] Fam., péjor. Écrire en mauvais style des choses sans valeur.

écrivailleur, euse n. ou **écrivaillon** n. m. Fam., péjor. Écrivain sans talent. Syn. écrivassier, plumitif.

écrivain n. m. **1.** Personne dont la profession est d'écrire. ▷ *Écrivain public*, qui, moyennant rémunération, se charge d'écrire pour les illettrés. **2.** Personne qui compose des ouvrages littéraires. Syn. auteur.

écrivaine n. f. Fam. Femme écrivain. (Ce mot est usuel au Québec.)

écrivasser. V. écrivailler.

écrivassier, ère n. Personne qui a la manie d'écrire.

1. écrou n. m. DR Procès-verbal inscrit sur le registre d'une prison lors d'une incarcération. *Levée d'écrou* : acte qui remet un prisonnier en liberté.

2. écrou n. m. TECH Pièce dont l'intérieur est fileté de façon à recevoir une vis, un boulon.

écrouelles n. f. pl. Nom anc. de l'adénopathie cervicale tuberculeuse chronique. *On attribuait aux rois de France le pouvoir de guérir les écrouelles.*

écrouer v. tr. [1] DR Inscrire (qqn) sur le registre d'écrou. ▷ *Par ext.* Emprisonner. *Il a été écroué à la Santé.*

écroulement n. m. Fait de s'écrouler. **1.** Chute, éboulement. *Écroulement d'une maison, d'un mur.* Syn. effondrement. **2.** Fig. Ruine complète, soudaine. *L'écroulement d'une monarchie.* **3.** Défaillance physique. *Il lutta un moment puis ce fut l'écroulement.*

écrouler (s') v. pron. [1] **1.** Tomber en s'affaissant, de toute sa masse et avec fracas. *La tour s'est écroulée.* – (Avec ellipse du pronom.) *Vous allez faire écrouler la maison.* **2.** Fig. S'anéantir, tomber en décadence. *Cet empire s'écroulait.* **3.** Avoir une défaillance brutale après avoir fourni un effort. *Il s'écroula trois mètres avant le but.*

écru, ue adj. TECH Qui n'a pas encore été blanchi. *Toile écrue.* – *Par ext.* De la couleur beige jaunâtre de la toile non blanchie. *Une robe écrue.*

ecstasy [ɛkstazi] n. f. (Anglicisme) Drogue de synthèse, dérivée de l'amphétamine, à effet euphorisant et stimulant.

-ectasie. Élément, du gr. *ektasis*, «dilatation».

ectasie n. f. MED Dilatation d'un organe creux ou d'un vaisseau.

ecto-. Élément, du gr. *ektos*, «au-dehors».

ectoderme ou **ectoblaste** n. m. EMBRYOL Feuillet embryonnaire externe appelé à former la peau et ses annexes, ainsi que le système nerveux et les organes sensoriels. V. endoderme et mésoderme.

ectodermique adj. Relatif à l'ectoderme; qui en dérive.

-ectomie. Élément, du gr. *ektomê*, «ablation».

ectoparasite n. m. et adj. ZOOL Parasite externe. *La puce est un ectoparasite.* Ant. endoparasite.

ectopie n. f. MED Emplacement anormal d'un organe.

ectopique adj. MED Anormalement situé. *Testicule ectopique.*

ectoplasme n. m. **1.** Forme visible qui serait produite par émanation psychique de certains médiums en état de transe. **2.** BIOL Zone périphérique hyaline du cytoplasme de certains protozoaires, où se produisent des courants et des changements de viscosité, responsables de l'émission des pseudopodes.

ectoproctes n. m. pl. ZOOL Classe de lophophoriens de très petite taille, vivant dans les mers en colonies, dont l'anus débouche à l'extérieur de la couronne de tentacules. – Sing. *Un ectoprocte.*

ectropion n. m. MED Retournement vers l'extérieur du bord libre des paupières qui découvre une partie du globe oculaire.

1. écu n. m. **1.** Anc. Bouclier des hommes d'armes au Moyen Âge. ▷ HERALD Figure, généralement en forme de bouclier, portant les armoiries. **2.** Ancienne monnaie, généralement d'argent, portant un écu aux armoiries du roi.

2. écu n. m. Unité de compte de l'Union européenne de 1979 à 1995, auj. remplacée par l'*euro*.

écueil [ekœj] n. m. **1.** Rocher ou banc de sable à fleur d'eau présentant un danger pour la navigation. **2.** Fig. Obstacle, cause possible d'échec. *Il a su éviter les écueils d'une telle entreprise.*

écuelle n. f. Assiette épaisse et creuse, sans rebord; son contenu. *Écuelle en bois. Une écuelle de soupe.*

écuisser v. tr. [1] SYLVIC Faire éclater (le tronc d'un arbre) à l'abattage.

éculé, ée adj. **1.** Dont le talon est usé. *Des bottes éculées.* **2.** Fig. Qui est usé, qui a perdu son pouvoir à force d'avoir servi. *Une plaisanterie éculée.*

éculer v. tr. [1] Rare User (le talon d'une chaussure).

Écully, com. du Rhône (arr. et banlieue O. de Lyon); 19 018 hab. Métall., industr. méca., électroménager, textiles.

écumage n. m. Action d'écumer. *Écumage des confitures.*

écumant, ante adj. Couvert d'écume. *Une mer écumante. Cheval écumant.* – Fig. *Un homme écumant de colère*, fou de colère.

écume n. f. **1.** Mousse blanchâtre se formant à la surface d'un liquide agité, chauffé ou en fermentation. *L'écume des vagues. L'écume d'un pot-au-feu.* ▷ METALL Masse de scories qui surnagent sur un métal en fusion. **2.** Bave mousseuse de certains animaux. **3.** Mousse blanchâtre s'amassant sur le corps d'un cheval ou d'un taureau en sueur. *Cheval couvert d'écume.* **4.** MINER *Écume de mer* : silicate naturel hydraté de magnésium (sépiolite), d'un blanc pur, utilisé pour la fabrication de pipes de luxe.

écumer v. [**1**] **I.** v. intr. **1.** Se couvrir d'écume. *La mer écume.* **2.** (Animaux) Baver. *Le taureau écumait.* – Fig. Être exaspéré. *Écumer de rage.* **II.** v. tr. **1.** Ôter l'écume de la surface (d'un liquide). *Écumer un bouillon.* **2.** Fig. *Écumer les mers*, y pratiquer la piraterie. – Par ext. *Des gangsters ont écumé le quartier.*

écumeur n. m. *Écumeur des mers* : pirate.

écumeux, euse adj. Qui écume. *Mer écumeuse.*

écumoire n. f. Ustensile de cuisine formé d'un disque mince légèrement incurvé, percé de trous et muni d'un long manche, servant à écumer.

écureuil n. m. Petit rongeur arboricole de la famille des sciuridés, au pelage généralement brun-roux, à la queue en panache, se nourrissant de petits animaux, de fruits secs (glands, noisettes) ou de graines. *L'écureuil d'Europe* (Sciurus vulgaris) *a 25 cm de long et une queue de 20 cm. Écureuil volant* : polatouche. *Écureuil de Russie* : petit-gris. ▷ ELECTR *Moteur à cage d'écureuil*, dont le rotor est constitué de conducteurs disposés suivant les génératrices d'un cylindre.

écureuil commun d'Europe : adulte (à g.) et jeune

écurie n. f. **1.** Bâtiment destiné à loger les chevaux, les ânes ou les mulets. ▷ MYTH *Les écuries d'Augias* : écuries malpropres dont le nettoiement constitua l'un des travaux d'Hercule. **2.** Ensemble des chevaux de course appartenant à un même propriétaire. **3.** Ensemble des coureurs représentant une même marque, en cyclisme ou en sport automobile.

écusson n. m. **1.** HERALD Petit écu armorial, parfois employé comme meuble d'un écu plus grand. **2.** MILIT Petite pièce de drap, cousue au collet ou sur la manche d'un uniforme, indiquant l'arme et l'unité de celui qui la porte. ▷ Petite pièce de tissu ou de métal indiquant l'appartenance à un groupe. *Porter l'écusson d'un club sportif, d'un collège, d'une province.* **3.** Cartouche sculpté ou peint portant des inscriptions ou des armoiries, et pouvant servir d'enseigne. **4.** TECH Plaque ornant l'entrée d'une serrure. **5.** ARBOR Fragment comportant un bourgeon, un peu d'écorce, de liber et de bois, que l'on détache d'un végétal lors de la montée de la sève et qui, glissé sous l'écorce d'un autre, constitue un greffon. *Greffe en écusson.*

écussonner v. tr. [**1**] **1.** Mettre un écusson sur (qqch). **2.** ARBOR Greffer en écusson. *Écussonner un rosier.*

écuyer, ère [ekɥije, ɛʀ] n. **I.** n. m. **1.** HIST Jeune noble qui, avant l'adoubement, s'attachait au service d'un chevalier et portait son écu. **2.** Anc. Titre des officiers chargés de l'intendance des écuries royales. **3.** Anc. Officier royal chargé du service de bouche. *Écuyer tranchant*, qui découpait la viande. **II.** n. **1.** Personne qui monte à cheval. – *Bottes à l'écuyère* : bottes montant plus haut que le genou par-devant et échancrées par-derrière. **2.** n. m. Professeur d'équitation. *Un écuyer du Cadre noir de Saumur.* **3.** Personne faisant des exercices équestres dans un cirque.

eczéma [egzema] n. m. MED Affection cutanée caractérisée par des lésions érythémateuses, prurigineuses et vésiculeuses, évoluant par poussées.

eczémateux, euse [egzematø, øz] adj. et n. MED Relatif à l'eczéma; atteint d'eczéma.

edam [edam] n. m. Fromage de Hollande à pâte cuite, en forme de grosse boule recouverte d'une pellicule de paraffine rouge.

Edam, v. et port des Pays-Bas (Hollande-Septentrionale); 24 410 hab. Fromages. – Église des XIVe et XVIIe s.

Edda (chants de l'), nom de deux recueils de poèmes islandais (VIIe-XIIIe s.) relatant les princ. mythes scandinaves.

Eddington (sir Arthur Stanley) (Kendal, 1882 – Cambridge, 1944), astronome et physicien anglais. Il appliqua à l'astronomie la théorie de la relativité et apporta une contribution majeure à la théorie de la constitution des étoiles.

Eddy (Mary Baker) (Bow, New Hampshire, 1821 – Chester Hill, Massachusetts, 1910), mystique américaine, fondatrice de la Christian Science (V. ce nom).

Ede, v. des Pays-Bas (Gueldre); 91 250 hab. Métallurgie; industr. textiles et chimiques (colorants).

Édéa, v. du Cameroun, ch.-l. de la Sanaga-Maritime; 23 000 hab. Centrale hydroél. sur la Sanaga; métall. de l'aluminium; huileries.

edelweiss [edɛlvɛs] n. m. inv. Composée montagnarde *(Leontopodium alpinum)* formée de petits capitules jaunes (0,5 cm de diamètre) groupés en bouquet, et de feuilles blanches disposées en couronne en dessous.

éden [edɛn] n. m. (Avec une majuscule.) Nom du paradis terrestre dans la Bible. – Litt. *Un éden* : un lieu paradisiaque.

Eden (Anthony), lord Avon (Windlestone Hall, Durham, 1897 – Alvediston, 1977), homme politique britannique. Député conservateur, ministre des Affaires étrangères (1935-1938, 1940-1945, 1951-1955), il fut Premier ministre de 1955 à 1957; l'échec politique de l'intervention franco-britannique à Suez le contraignit à démissionner.

edelweiss

édénique adj. Litt. Syn. de *paradisiaque.*

édenté, ée adj. et n. Qui a perdu ses dents. *Un vieillard édenté.* – Subst. *Un vieil édenté.* ▷ Par méton. *Un sourire édenté. Un peigne édenté.*

édenter v. tr. [**1**] Rompre, user les dents de (qqch). *Édenter un peigne, une scie.*

édentés n. m. pl. ZOOL Ancien ordre groupant les mammifères placentaires dépourvus de dents, actuellement disloqué en xénarthres (tatous, fourmiliers, paresseux), pholidotes (pangolins) et tubulidentés (oryctéropes). – Sing. *Un édenté.*

Édesse (auj. *Urfa*, en Turquie), v. caravanière tôt christianisée (Ier-IIIe s.), siège d'une école théologique célèbre (saint Éphrem), conquise par les Arabes en 638. – *Comté d'Édesse* : principauté prise en 1098 à son souverain arménien, vassal des musulmans, par Baudouin Ier de Boulogne, frère de G. de Bouillon. Premier comte d'Édesse (1098-1100), Baudouin, devenu roi de Jérusalem, laissa le territoire à son cousin Baudouin II du Bourg (1100-1118); devenu à son tour roi de Jérusalem, celui-ci le transmit à Jocelin Ier de Courtenay (1119-1131), qui se défendit avec succès contre les Turcs. Son fils Jocelin II (1131-1150) ne put empêcher Édesse d'être prise et ravagée en 1144, ce qui déclencha la 2e croisade; le comté ne connut plus ensuite d'existence autonome.

É.D.F.-G.D.F. V. Électricité de France service national (É.D.F.).

Edfou ou **Idfu** *(Adfū)*, v. d'Égypte (prov. d'Assouan), sur le Nil (r. g.) 28 000 hab. env. – Temple d'Horus élevé sous les Ptolémées de 237 à 57 av J.-C.

Edgar le Pacifique (944 – 975), ro des Anglo-Saxons (959-975).

Edgar (?, 1072 – Dundee, 1107), ro d'Écosse (1097-1107).

Edgar Atheling (v. 1050 – v. 1130) héritier de la dynastie anglo-saxonne destiné au trône d'Angleterr qu'occupa finalement Guillaume l Conquérant (1066).

édicter v. tr. [**1**] Prescrire sous form de loi, de règlement.

édicule n. m. Petite construction uti taire élevée sur la voie publiqu (kiosque, urinoir, etc.).

édifiant, ante adj. Qui édifie; qu porte à la vertu. *Une vie édifiante. U spectacle édifiant.* ▷ Iron. *Faire une de cription édifiante des mœurs actuelles.*

1. édification n. f. **1.** Action d bâtir (un édifice). *L'édification des cath drales.* **2.** Fig. Constitution, création. *L'éd fication du socialisme.*

2. édification n. f. Action d'édifie (2). *Il parlait pour l'édification des fidèle*

édifice n. m. **1.** Grand bâtiment. *Re tauration des édifices publics.* ▷ DR Tou construction (bâtiment ou ouvrag d'art). **2.** *Par anal.* Ensemble comp qué. *L'édifice d'une coiffure.* – (Abstrai *Apporter sa pierre à l'édifice* : contribu modestement à une grande œuvre.

Édimbourg : le palais Holyrood, seconde moitié du XVIIe s.

édifier v. tr. [2] **I. 1.** Bâtir (un édifice, un monument). **2.** Constituer, créer. *Édifier une fortune. Édifier une doctrine.* **II. 1.** Porter à la vertu par l'exemple. *Son comportement édifiait les foules.* **2.** Iron. Renseigner sur les mauvaises intentions de qqn, ou sur des faits répréhensibles. *Son discours cynique m'a édifié. Maintenant, te voilà édifié !*

édile n. m. **1.** ANTIQ ROM Magistrat préposé aux édifices, aux jeux, à l'approvisionnement des villes. **2.** Mod., litt. Magistrat municipal. *Les édiles de notre cité.*

Édimbourg (en angl. *Edinburgh*), cap. de l'Écosse, près de l'estuaire du Forth; 444 740 hab. Centre politique et universitaire de l'Écosse, la ville compte de nombr. industr. : textiles, mécaniques, alimentaires; sidérurgie; pétrochimie. - Ancienne forteresse du roi Edwin (VIIe s.), Édimbourg fut disputée entre Anglais et Écossais au XIVe s. et prise par Cromwell en 1650. - Cath. goth. Saint-Gilles (XIVe-XVe s.). Festival international de musique, de danse et de théâtre.

Édimbourg (duc d'). V. Mountbatten (Philip).

Edirne (anc. *Andrinople*), v. de Turquie d'Europe, sur la Maritza; ch.-l. de l'il du m. nom; 86 910 hab. Industr. text. - Ruines romaines. Mosquée de Selim II (XVIe s.).

Edison (Thomas Alva) (Milan, Ohio, 1847 - West Orange, New Jersey, 1931), inventeur américain. Autodidacte, il mit au point la lampe à incandescence, le phonographe et déposa plus d'un millier de brevets. Il a découvert l'*effet thermoélectronique*, appelé aussi *effet Edison* (émission d'électrons par les métaux chauffés).

édit [edi] n. m. HIST Sous l'Ancien Régime, loi promulguée par un roi ou un gouverneur. *Édit de Nantes*, qu'Henri IV rendit le 13 avril 1598 pour donner un statut légal à l'Église réformée en France.

éditer v. tr. [1] **1.** Publier (un ouvrage). *Éditer des romans, de la musique.* **2.** Faire paraître (une œuvre, le plus souvent relativement ancienne, dont on a établi et annoté le texte). *Éditer « la Chanson de Roland ».*

éditeur, trice n. **1.** Personne qui prépare la publication de certains textes. *Notes de l'éditeur.* **2.** Personne ou société assurant la publication et, le plus souvent, la diffusion d'un ouvrage. *Un éditeur célèbre.* - (En appos.) *Maison éditrice.* ▷ *Éditeur responsable*, sous la responsabilité duquel paraît une publication périodique. ▷ Par ext. *Éditeur de musique.* **3.** INFORM Programme pour la saisie et la modification de texte.

édition n. f. **1.** Publication et diffusion d'une œuvre écrite. *Maison d'édition. Édition à compte d'auteur*, pour laquelle l'auteur paie lui-même les frais d'impression. - Par anal. *Édition d'une gravure, d'une carte.* - Par ext. *Édition d'un disque, d'un film.* **2.** Ensemble des livres ou des journaux publiés en une seule fois. *Édition revue et corrigée. Édition originale. Acheter une édition originale*, en acheter un exemplaire. *Édition spéciale.* **3.** Action d'établir (un texte); texte ainsi édité. *Édition critique d'un film.* **4.** Industrie et commerce du livre. *Travailler dans l'édition.* **5.** INFORM Mise en forme des résultats avant impression.

1. éditorial, aux n. m. Article de fond reflétant les grandes orientations d'une publication (journal, revue) et émanant souvent de la direction. (Abrév. fam. édito).

2. éditorial, ale, aux adj. Qui concerne l'édition, le métier d'éditeur. *Une réunion éditoriale.*

éditorialiste n. Personne qui écrit l'éditorial d'une publication.

Edjelé, centre d'exploitation pétrolière du Sahara algérien, à la frontière libyenne. Le pétrole est conduit à La Skhirra (Tunisie) par un oléoduc de 250 km.

Edmond Ier (v. 922 - Pucklechurch, Gloucestershire, 946), roi des Anglo-Saxons (939-946). – **Edmond II** (v. 980 - 1017), roi des Anglo-Saxons (1016-1017).

Edmonton, v. du Canada, cap. de l'Alberta, sur le Saskatchewan; 616 700 hab. Centre comm. et industr. : métallurgie; constr. méca.; raff. de pétrole; industr. chim. et alimentaires.

Edo. V. Tōkyō.

Édom, surnom d'Ésaü (Bible, Genèse, XXV), ancêtre des Édomites ou Iduméens. - *Pays d'Édom* : V. Idumée.

Édomites ou **Iduméens,** descendants d'Ésaü établis au S. de la mer Morte vers la fin du XIVe s. av. J.-C. Ils émigrèrent en Idumée vers 587 av. J.-C.

Édouard (lac), lac d'Afrique, à la frontière de l'Ouganda et du Zaïre; 2 150 km^2.

Édouard l'Ancien (m. à Farndon, Cheshire, 924), roi des Anglo-Saxons (899-924); fils et successeur d'Alfred le Grand. – **Édouard le Martyr** (saint) (?, v. 963 - Corfe Castle, Dorset, 978), roi des Anglo-Saxons (975-978); successeur d'Edgar le Pacifique. – **Édouard le Confesseur** (saint) (Islip, Oxfordshire, v. 1000 - Westminster, 1066), dernier souverain (1042-1066) de la dynastie anglo-saxonne.

Édouard (en anglais *Edward*), nom de plusieurs rois d'Angleterre. – **Édouard Ier** (Westminster, 1239 - Burgh by Sands, 1307), roi de 1272 à 1307; il soumit les Gallois (1282-1283) et établit sa suzeraineté sur l'Écosse. – **Édouard II** (Caernarvon Castle, 1284 - Berkeley Castle, Gloucestershire, 1327), roi de 1307 à 1327. Faible, dominé par ses amitiés masculines, il laissa l'Écosse recouvrer son indépendance (1314) et fut déposé, puis assassiné par ses barons. – **Édouard III** (Windsor, 1312 - Sheen, Richmond, 1377), roi de 1327 à 1377; il rétablit le pouvoir monarchique (1330), conquit l'Écosse et déclencha la guerre de Cent Ans. Il battit Philippe VI de Valois à Crécy (1346), prit Calais (1347) et, après la victoire de son fils, le Prince Noir, sur Jean II le Bon à Poitiers (1356), conclut le traité de Brétigny (1360). Mais, sous Charles V, il perdit presque toutes ses possessions françaises (trêve de Bruges), laissant l'Angleterre affaiblie. – **Édouard IV** (Rouen, 1442 - Westminster, 1483), roi de 1461 à 1483. Chef du parti de la Rose blanche, il triompha de son rival Henri VI de Lancastre (1471). – **Édouard V** (Westminster, 1470 - tour de Londres, 1483), fils du préc.; il fut assassiné peu après la mort de son père, sur ordre de son oncle, Richard de Gloucester, qui devint Richard III. – **Édouard VI** (Hampton Court, 1537 - Greenwich, 1553), fils d'Henri VIII et de Jeanne Seymour; roi de 1547 à 1553. Il laissa gouverner son oncle Somerset et le duc de Northumberland (V. Dudley) qui favorisèrent la propagation de la Réforme. – **Édouard VII** (Londres, 1841 - id., 1910), fils aîné de la reine Victoria; il régna sur la Grande-Bretagne et l'Irlande de 1901 à 1910. Libéral, habile diplomate, il promut l'Entente cordiale avec la France (1904). – **Édouard VIII** (Richmond Park, 1894 - Paris, 1972), fils de George V; roi en 1936, il abdiqua la même année en faveur de son frère George VI et reçut le titre de duc de Windsor.

Thomas **Edison**

Édouard VII

Édouard, dit *le Prince Noir* (Woodstock, 1330 - Westminster, 1376), prince de Galles; fils d'Édouard III. Il battit Jean II le Bon à Poitiers (1356).

Édouard (en portug. *Duarte*) (Lisbonne, 1391 - Tomar, 1438), roi de Portugal (1433-1438); fils de Jean Ier, auteur d'un code législatif.

-èdre. Élément, du gr. *hedra*, « siège, base », qui sert à former des termes de géométrie.

Edred ou **Eadred,** roi des Anglo-Saxons de 946 à 955. Fils d'Édouard l'Ancien, il vainquit les Danois et les Écossais.

édredon n. m. Couvre-pied(s) constitué d'une poche remplie de duvet (d'eider, à l'orig.).

Edrisi (el-). V. Idrisi (al-).

éducable adj. Qui peut être éduqué.

éducateur, trice n. et adj. **1.** n. Personne qui éduque, qui s'occupe d'éducation. *Éducateur spécialisé*, qui s'occupe d'enfants délinquants ou retardés. **2.** adj. Qui concerne l'éducation, qui la donne. *Le rôle éducateur que joue la pratique du sport d'équipe.*

éducatif, ive adj. **1.** Qui concerne l'éducation. *Théories éducatives.* **2.** Qui éduque. *Jeux éducatifs.*

éducation n. f. **1.** Action de développer les facultés morales, physiques et intellectuelles; son résultat. *L'éducation de cet enfant a été négligée. Avoir reçu une bonne éducation.* - *Éducation physique*, par la pratique d'exercices physiques appropriés au développement harmonieux du corps humain. *Éducation civique. Éducation musicale.* **2.** Connaissance et pratique des usages (politesse, bonnes manières, etc.) de la société. *Avoir de l'éducation. Un homme sans éducation.* **3.** Action de développer une faculté particulière de l'être humain. *L'éducation du goût.*

Éduens, peuple de la Gaule; puissant au temps de César, il occupait le pays entre la Loire et la Saône, avec pour cap. Bibracte puis Autun.

édulcorant, ante adj. et n. m. Se dit d'une substance donnant une saveur douce. ▷ n. m. PHARM Principe adoucissant d'un médicament, d'une potion, etc. – Substance naturelle ou synthétique présentant un pouvoir sucrant plus élevé (jusqu'à 200 fois) que le saccharose, utilisée comme succédané du sucre.

édulcorer v. tr. [1] **1.** PHARM Adoucir (un médicament, une potion) en ajoutant un édulcorant. **2.** Fig. Adoucir; affadir. *Transmettre des reproches à qqn, en les édulcorant.*

éduquer v. tr. [1] Donner une éducation à, élever, former (qqn). *Éduquer ses enfants.*

Edwin (saint) (?, 585 – Heathfield, près de Doncaster, 632), roi de Northumbrie. Il se fit baptiser en 627.

E.É.E. Sigle de *Espace économique européen.* Union des douze pays de la C.É.E. et des sept pays de l'A.E.L.É., entrée en vigueur le 1er janv. 1993, qui prévoit la libre circulation des marchandises, des capitaux, des services et des personnes.

E.E.G. n. m. MED Sigle pour *électro-encéphalogramme.*

Eekhoud (Georges) (Anvers, 1854 – Bruxelles, 1927), romancier belge d'expression française et d'inspiration réaliste et sociale : *Kees Doorik* (1883), *le Cycle patibulaire* (1895).

ef-. V. é-.

éfaufiler v. tr. [1] TECH Tirer les fils de la trame d'un tissu.

effaçable adj. Qui peut être effacé. Ant. ineffaçable, indélébile.

effacé, ée adj. **1.** (Choses) Dont l'image, les traits, les couleurs ont plus ou moins disparu. *Miniature effacée.* **2.** Fig. (Personnes) Qui se tient à l'écart, qui ne se fait pas remarquer. *Un garçon timide et effacé.*

effacement n. m. **1.** Fait d'effacer, action d'effacer; son résultat. *L'effacement des couleurs d'un tableau.* **2.** Fig. Action de s'effacer, attitude de celui qui est effacé.

effacer v. [12] **I.** v. tr. **1.** Enlever, faire disparaître toute trace de (ce qui est écrit, marqué). *Effacer une inscription sur un mur.* – Par ext. *Écolier qui efface son ardoise.* – *Effacer une bande magnétique,* faire disparaître ce qui y est enregistré. ▷ Supprimer (ce qui est écrit) en rayant, en raturant. **2.** Fig. Faire disparaître, faire oublier. *Le temps efface bien des souvenirs.* ▷ Éclipser, surpasser au point de faire oublier tous les autres. *Il a effacé tous ses contemporains.* **3.** *Effacer le corps,* le tenir de côté, en retrait. *Effacer la jambe.* **II.** v. pron. **1.** S'enlever, disparaître (en parlant d'une marque). *Une tache d'encre s'efface difficilement.* – Fig. *Des souvenirs qui s'effacent.* **2.** Se mettre de côté. *Il s'effaça pour la laisser passer.* ▷ Fig. *S'effacer devant qqn,* lui céder le pas.

effaceur n. m. Dispositif servant à effacer. *Effaceur d'encre.* – (En appos.) *Crayon effaceur.*

effarant, ante adj. Qui effare. – Cour., par exag. *Son ignorance est effarante.*

effaré, ée adj. Égaré, stupéfié par un trouble violent.

effarement n. m. État d'une personne effarée.

effarer v. tr. [1] Troubler vivement, stupéfier. *Cette nouvelle l'a effaré.*

effarouchement n. m. Action d'effaroucher; état d'une personne effarouchée.

effaroucher v. tr. [1] **1.** Faire fuir (un animal) en l'effrayant. *Effaroucher le gibier.* **2.** Fig. Mettre (qqn) en défiance; choquer (qqn) en alarmant. *Vos plaisanteries trop familières l'ont effarouchée.* Ant. rassurer. ▷ v. pron. *Personne timide qui s'effarouche facilement.*

effarvatte n. f. ORNITH Rousserolle (*Acrocephalus scirpaceus*), longue d'env. 12 cm, au plumage brunâtre, fréquente en France.

effecteur, trice n. m. et adj. PHYSIOL Organe qui agit sous l'influence d'une commande nerveuse ou hormonale, en réponse aux stimulations reçues par les organes récepteurs. – adj. *Organe effecteur.*

1. effectif, ive adj. **1.** Qui produit des effets, qui est efficace. *Une collaboration effective.* **2.** Qui est de fait; qui est tangible, réel. *La valeur officielle d'une monnaie et sa valeur effective sur le marché des changes.*

2. effectif n. m. Nombre des personnes qui composent un groupe, une collectivité. *L'effectif d'un régiment, d'une entreprise.*

effectivement adv. Réellement; en effet. *Ces paroles ont été effectivement prononcées.*

effectuer v. tr. [1] Faire (une action plus ou moins complexe); accomplir. *Effectuer une opération délicate. Effectuer un paiement.* ▷ v. pron. S'accomplir. *La rentrée des classes s'est effectuée normalement.*

Effel (François Lejeune, dit Jean) (Paris, 1908 – id., 1982), dessinateur et caricaturiste français, à l'humour poétique et satirique (*la Création du monde,* 1951).

efféminé, ée adj. Qui a des caractéristiques féminines. *Allure efféminée. Jeune homme efféminé.* Ant. masculin, viril.

efférent, ente adj. ANAT *Vaisseaux, conduits efférents,* qui sortent d'un organe. – *Nerfs efférents,* qui véhiculent l'influx nerveux du centre à la périphérie. Ant. afférent.

effervescence n. f. **1.** Bouillonnement de certaines substances au contact de certaines autres, dû à un dégagement de gaz. *Effervescence du calcaire mouillé d'acide.* **2.** Fig. Émotion vive, agitation. *La ville était en effervescence.*

effervescent, ente adj. **1.** Qui est en effervescence; qui peut entrer en effervescence. *Comprimés effervescents.* **2.** Fig. Qui est comme en ébullition; agité. *Une foule effervescente.*

1. effet n. m. **1.** Ce qui est produit par une cause. *Cette mesure a eu pour effet de mécontenter tout le monde. Ses promesses sont restées sans effet, n'ont pas été suivies d'effet,* il n'en est rien résulté. *Médicament qui commence à faire son effet,* à agir, à opérer. – DR Conséquences de l'application d'une loi, d'une décision administrative, etc. *En France, les lois n'ont pas d'effet rétroactif.* **2.** *Spécial.* TECH Effort transmis par un mécanisme. *Un mécanisme à double effet.* **3.** PHYS Phénomène particulier obéissant à des lois précises. *Effet Joule*. Effet photoélectrique.* **4.** Loc. adv. *En effet* : effectivement. *Vous n'y êtes pas allé, n'est-ce pas? – En effet, j'étais malade.* ▷ *À cet effet* : dans cette intention, pour obtenir ce résultat. *Prenez les dispositions à cet effet.* **5.** BX-A et LITTER Impression particulière produite par un procédé. *Un tableau tout en demi-teintes produisant un effet de grande douceur.* – Ce procédé. *Des effets de lumière.* ▷ Par anal. *Des effets de voix. Avocat qui fait des effets de manche.* – (Souv. péjor.) *Chercher l'effet* : chercher à impressionner (par des procédés qui traduisent souvent l'affectation). ▷ CINE, AUDIOV *Effets spéciaux* : procédés techniques ou trucages destinés à créer une illusion visuelle ou sonore. **6.** Cour. Impression que fait (une chose ou une personne sur qqn). *Cela m'a fait un effet pénible. Faire son effet* : produire une vive impression. ▷ *Faire l'effet de* : avoir l'air de, donner l'impression de. *Il m'a fait l'effet d'un incapable.* **7.** *Donner de l'effet à un ballon, une balle de tennis ou de tennis de table, une boule,* lui imprimer un mouvement de rotation qui lui donne une trajectoire non rectiligne ou un rebond anormal.

2. effet n. m. **1.** FIN, COMM *Effet de commerce* : titre portant engagement de payer une somme (lettre de change, billet à ordre, chèque, warrant). **2.** (Plur.) Objets qui sont à l'usage d'une personne. – *Spécial.* Linge et vêtements. *Ranger ses effets dans une malle.*

effeuillage n. m. **1.** AGRIC et ARBOR Action d'effeuiller un végétal. **2.** Fig. Syn. de *strip-tease.* (Terme officiellement recommandé.)

effeuillaison [efœjɛzɔ̃] n. f. BOT Chute naturelle des feuilles.

effeuillement n. m. Chute des feuilles.

effeuiller v. tr. [1] Dépouiller de ses feuilles. *Effeuiller un arbuste.* ▷ Par anal. *Effeuiller une fleur,* en arracher les pétales.

effeuilleuse [efœjøz] n. f. Fam. Strip-teaseuse.

Effiat (Antoine Coëffier de Ruzé, marquis d') (Effiat, 1581 – Lutzelbourg, Lorraine, 1632), maréchal de France, surintendant des Finances sous Richelieu. Il fut le père de Cinq-Mars.

efficace adj. **1.** (Choses) Qui produit l'effet attendu. *Un traitement efficace.* – (Personnes) Dont l'action produit l'effet attendu. *Il s'est montré très efficace dans son travail.* **2.** ELECTR *Intensité efficace d'un courant alternatif* : valeur de l'intensité du courant continu qui produirait le même dégagement de chaleur que le courant alternatif considéré dans les mêmes conditions.

efficacement adv. D'une manière efficace. *Travailler efficacement.*

efficacité n. f. **1.** Qualité de ce qui est efficace. **2.** Productivité, rendement. *Technologie d'une très haute efficacité.* ▷ ELECTR *Efficacité lumineuse d'un projecteur, d'une ampoule, etc.* : flux lumineux rapporté à la puissance consommée (elle s'exprime en lumens par watt).

efficience n. f. (Emploi critiqué.) **1.** PHILO Faculté de produire un effet. **2.** Qualité de ce qui est efficient (sens 2). *L'efficience d'une entreprise sur le marché européen.*

efficient, ente adj. **1.** PHILO *Cause efficiente,* qui produit un effet, une transformation. *En physique, l'énergie est la cause efficiente du travail.* **2.** (Anglicisme; emploi critiqué.) Qui a de l'efficacité du dynamisme. *Un jeune cadre efficient*

effigie n. f. **1.** Représentation d'un personnage sur une monnaie, une médaille. *Médaille frappée à l'effigie de Louis XIV.* **2.** Représentation, image de qqn. *Brûler qqn en effigie.*

effilage ou **effilement** n. m. Action d'effiler; son résultat.

effilé, ée adj. et n. m. Mince, fin, allongé. *Une lame effilée.* ▷ n. m. Frange faite de simples fils.

effiler v. tr. [1] **1.** Défaire (une étoffe) fil à fil. ▷ v. pron. *Tissu qui s'effile.* **2.** Rendre mince comme un fil; rendre effilé. *Effiler une lame.* ▷ v. pron. Aller en s'amincissant. *Ce cap s'effile à son extrémité.*

effilochage n. m. Action d'effilocher (du tissu et, partic., du chiffon pour la fabrication du papier de luxe); résultat de cette action.

effiloche n. f. Soie de rebut trop légère.

effiloché, ée adj. et n. m. **1.** adj. Séparé en brins (en parlant d'un tissu). *Un vêtement effiloché.* **2.** n. m. Charpie provenant de tissus effilochés.

effilocher v. tr. [1] Séparer (un tissu) en brins pour le réduire en charpie. – Fig. *Le vent effilochait les nuages.* ▷ v. pron. S'effiler par l'usure. *Couverture qui s'effiloche.*

efflanqué, ée adj. Qui a les flancs creux et décharnés. *Cheval efflanqué.* ▷ (Personnes) Maigre et sec. *Une femme grande et efflanquée.*

effleurage n. m. MED Massage léger.

effleurement n. m. Action d'effleurer; caresse légère.

effleurer v. tr. [1] **1.** Entamer superficiellement; érafler. *La balle n'a fait que l'effleurer.* ▷ *Par ext.* Toucher légèrement. *Elle a effleuré sa main.* ▷ Fig. Atteindre légèrement. *Sa réputation n'a même pas été effleurée.* **2.** Ne pas approfondir, examiner superficiellement (une question). *Il n'a fait qu'effleurer le sujet.*

effloraison n. f. BOT Fait de fleurir. *L'effloraison des arbres fruitiers.*

efflorescence n. f. **1.** CHIM Dépôt qui se forme à la surface des hydrates salins. ▷ MED Éruption cutanée. **2.** Fig., litt. Épanouissement, floraison. *L'efflorescence d'un grand nombre de jeunes talents.*

efflorescent, ente adj. **1.** CHIM Qui forme ou qui est susceptible de former une efflorescence. **2.** Fig., litt. Qui fleurit, s'épanouit. *Un art efflorescent.*

effluent, ente adj. et n. m. **1.** adj. Qui s'écoule d'une source, d'un lac, d'un glacier. **2.** n. m. Liquide qui s'écoule hors de qqch. *Les effluents radioactifs d'un réacteur nucléaire.* – Spécial. *Les effluents urbains* : l'ensemble des eaux usées.

effluve n. m. **1.** (Abus. au fém. plur.) Émanation qui s'exhale d'un corps organisé. *Plantes odoriférantes qui exhalent des effluves parfumés.* **2.** PHYS *Effluve électrique* : décharge électrique dans un gaz, accompagnée d'une faible émission de lumière.

effondrement n. m. **1.** AGRIC Action d'effondrer des terres. **2.** Fait de s'effondrer. *L'effondrement d'un toit.* ▷ GEOL Affaissement du sol. *Cratère d'effondrement. La Limagne est un fossé d'effondrement.* **3.** Fig. Écroulement, ruine. *L'effondrement d'une fortune.*

effondrer v. [1] **I.** v. tr. **1.** Briser, défoncer. *Effondrer un coffre.* **2.** AGRIC Labourer, remuer (le sol) très profondément. *Effondrer la terre pour y mêler l'engrais.* **II.** v. pron. S'écrouler. *Maison qui s'effondre.* – Fig. *L'Empire romain s'effondra sous les coups des Barbares.*

efforcer (s') v. pron. [12] Faire tous ses efforts pour, employer tous ses moyens à (faire qqch). *S'efforcer de courir. S'efforcer de comprendre les autres.*

effort n. m. **1.** Action énergique des forces physiques, intellectuelles ou morales. *L'ennemi fit un effort désespéré pour nous déloger. Faire un effort de compréhension envers qqn. Allons, faites un effort! – Sans effort* : sans peine, facilement. *Triompher sans effort.* ▷ Dépense, aide financière. *Faire un effort en faveur des déshérités.* **2.** Vieilli Vive douleur intramusculaire due à une contraction violente d'un muscle. – Fam. *Se faire un effort*, une hernie. ▷ MED VET Entorse. *Effort du boulet.* **3.** Force avec laquelle un corps tend à exercer son action. *L'effort de l'eau a rompu la digue.* ▷ MECA Force tendant à déformer ou à rompre un corps. *Effort tranchant.*

effraction n. f. DR Bris de clôture, fracture de serrure. *Vol avec effraction.*

effraie [efʀɛ] n. f. Chouette longue d'env. 35 cm (genre *Tyto*), aux ailes rousses, au ventre très clair tacheté de gris et aux yeux cernés d'une collerette de plumes blanches. *L'effraie loge dans les greniers, les clochers, les ruines et pousse un long cri aigu.*

effraie tenant en son bec un mulot

effranger v. tr. [13] Effiler (une étoffe) sur le bord pour constituer une frange. ▷ v. pron. S'effilocher.

effrayant, ante adj. Qui effraie, qui inspire l'effroi. *Un spectacle effrayant.* ▷ *Par exag.*, fam. Excessif, très pénible. *Une chaleur effrayante.*

effrayer [efʀɛje] v. tr. [21] Provoquer la frayeur de, épouvanter. ▷ v. pron. *Ne vous effrayez pas.*

effréné, ée adj. Qui est sans frein, sans retenue. *Ambition effrénée. Passion effrénée.* Ant. modéré, mesuré.

effritement n. m. Fait de s'effriter; état de ce qui est effrité. ▷ Fig. *Effritement des cours* (en parlant de la Bourse).

effriter v. tr. [1] Désagréger, mettre en morceaux. ▷ v. pron. Se désagréger, tomber en morceaux. *Le plâtre de ce plafond s'effrite.* – Fig. *Son crédit s'effrite.*

effroi n. m. Frayeur intense, épouvante. *Inspirer l'effroi. Avoir les yeux pleins d'effroi.*

effronté, ée adj. et n. Impudent, trop hardi. *Un regard effronté.* – Qui témoigne de l'effronterie. *Une mimique effrontée.* ▷ Subst. *Un(e) effronté(e).*

effrontément adv. D'une manière effrontée. *Mentir effrontément.*

effronterie n. f. Hardiesse excessive, impudence. *Parler avec beaucoup d'effronterie.*

effroyable adj. Qui cause de l'effroi, de l'horreur, de la répulsion. *Une scène effroyable.* ▷ *Par exag.*, fam. Excessif, pénible. *Il fait un temps effroyable.*

effroyablement adv. D'une manière effroyable. – Par exag., fam. *Elle est effroyablement laide.*

effusif, ive adj. PETROG *Roche effusive* : V. magmatique.

effusion n. f. **1.** Vx Épanchement d'un liquide. ▷ Mod. *Sans effusion de sang* : sans que le sang soit versé. **2.** Fig. Vive manifestation (d'un sentiment). *Effusion de tendresse.* – (S. comp.) *Accueillir qqn avec effusion.*

Égades. V. Ægates.

égaiement [egɛmɑ̃] ou **égayement** [egɛjmɑ̃] n. m. Rare Action d'égayer; fait de s'égayer.

égailler (s') v. pron. [1] Se disperser.

égal, ale, aux adj. (et n.) **1.** Pareil, semblable en nature, en quantité, en qualité, en droit. *Deux poids égaux. Tous les Français sont égaux devant la loi. L'équateur se trouve à égale distance des deux pôles.* – MATH *Ensembles égaux*, qui possèdent exactement les mêmes éléments. *Vecteurs égaux*, qui ont même grandeur, même sens et qui sont portés par des axes parallèles. – GEOM *Figures égales*, superposables. *Triangles égaux.* ▷ Subst. Personne qui est au même rang qu'une autre. *Traiter d'égal à égal. Considérer qqn comme son égal. – N'avoir pas d'égal, être sans égal* : être le premier, l'unique en son genre. – (Choses) *Une joie sans égale. Des rôles sans égal.* ▷ Loc. prép. *À l'égal de* : autant que, de la même manière que. *Elle l'admire à l'égal d'un dieu.* **2.** Qui ne varie pas. *Un mouvement toujours égal*, uniforme. – (Personnes) *Être en tout égal à soi-même. Être d'humeur égale.* **3.** Qui est uni, de niveau, régulier. *Un chemin bien égal.* **4.** Indifférent. *Tout lui est égal. Ça m'est égal.* ▷ Loc. *C'est égal* : cela ne change rien, peu importe. *Vous le déclarez honnête, c'est égal, je m'en méfie.*

égalable adj. Qui peut être égalé. Ant. inégalable.

également adv. **1.** De manière égale. *Partager également.* Ant. inégalement. **2.** Pareillement, aussi, de même. *Vous y allez? J'y vais également.*

égaler v. tr. [1] Être égal à. *Quatre multiplié par deux égale huit.* ▷ Atteindre le même degré, le même niveau que. *Égaler qqn en puissance. Égaler un champion.*

égalisateur, trice adj. Qui égalise. – SPORT *Marquer le point égalisateur.*

égalisation n. f. Action d'égaliser. – SPORT *But d'égalisation* (des scores).

égaliser v. [1] **I.** v. tr. **1.** Rendre égal. *Égaliser les lots dans un partage.* **2.** Rendre uni, plan. *Égaliser un terrain.* **II.** v. intr. SPORT Obtenir, en cours de partie, le même nombre de points, marquer le même nombre de buts que l'adversaire. *Réussir à égaliser quelques minutes avant la fin du match.*

égaliseur n. m. ELECTRON Appareil qui permet de modifier la courbe de réponse d'un système électro-acoustique d'enregistrement ou de reproduction (chaîne hi-fi, magnétophone, etc.).

égalitaire adj. Qui a pour but l'égalité. *Lois égalitaires.* ▷ Qui professe l'égalitarisme. *Théorie égalitaire.*

égalitarisme n. m. Doctrine professant l'égalité absolue de tous les hommes, sous tous les aspects (civil, politique, économique, social).

égalitariste n. et adj. **1.** n. Partisan de l'égalitarisme. **2.** adj. Qui professe l'égalitarisme. *Théorie égalitariste.*

égalité n. f. **1.** Rapport entre les choses égales; parité, conformité. *Égalité d'âge, de mérite. Rapport d'égalité.* – MATH Rapport entre des grandeurs égales; formule qui exprime ce rapport. *Une égalité algébrique.* – GEOM *Conditions d'égalité de deux triangles :* ensemble des règles qui permettent de déterminer si deux triangles sont égaux (par ex. : deux angles et un côté égaux, si le côté est compris entre les deux angles). **2.** Principe selon lequel tous les hommes, possédant une égale dignité, doivent être traités de manière égale. *Égalité civile* (mêmes droits, mêmes devoirs devant la loi), *égalité politique* (même droit de gouvernement de la cité). **3.** Uniformité (d'un mouvement); modération, mesure (du tempérament). *Égalité du pouls. Égalité d'humeur.* **4.** État de ce qui est plan, uni. *L'égalité d'un terrain.*

égard n. m. **1.** Attention, considération particulière (pour qqn ou qqch). *Il n'a eu aucun égard à ce que je lui ai dit.* ▷ Loc. prép. *Eu égard à :* en considération de. *Il a été condamné avec sursis eu égard à son jeune âge.* – *À l'égard de :* pour ce qui concerne, vis-à-vis de. *Il s'est mal conduit à mon égard.* – Par comparaison. *La Terre est bien petite à l'égard du Soleil.* ▷ Loc. adv. *À tous égards :* sous tous les rapports. *Il est parfait à tous égards.* – *À différents égards, à certains égards :* sous différents aspects, à certains points de vue. **2.** Déférence, estime. *Je ne le ferai pas, par égard pour vous.* – Plur. *Avoir des égards pour qqn.*

égaré, ée adj. **1.** Qui a perdu son chemin. *Voyageur égaré.* ▷ Fig. Trompé, abusé, jeté dans l'erreur. **2.** Qui dénote l'égarement, le trouble de l'esprit. *Des yeux égarés.*

égarement n. m. **1.** Fait d'avoir l'esprit égaré. **2.** (Surtout au pl.) Litt. Dérèglement, erreur. *Les égarements du cœur.*

égarer v. [1] **I.** v. tr. **1.** Détourner du bon chemin, fourvoyer. *Le plan était faux et m'a bel et bien égaré.* **2.** Ne plus savoir où l'on a mis, perdre momentanément (qqch). *Égarer ses lunettes.* **3.** Fig. Jeter dans l'erreur, détourner du droit chemin. *Ne vous laissez pas égarer par ces théories fallacieuses.* ▷ *Égarer l'esprit,* le troubler. *La suspicion égare l'esprit.* **II.** v. pron. Se fourvoyer, se perdre. *S'égarer dans une forêt.* ▷ Fig. *Débat qui s'égare.* – *Esprit qui s'égare.*

Égates. V. Ægates.

Égaux (conjuration des), conspiration dirigée par Babeuf, auteur du *Manifeste des Égaux* (3 nov. 1795), qui prônait la «communauté des biens et des travaux». Le 30 mars 1796, un comité insurrectionnel se prépare à soulever les masses populaires contre le Directoire, responsable de la famine ouvrière. Trahis, les conjurés sont arrêtés le 10 mai et exécutés le 26. V. Buonarroti.

égayement. V. égaiement.

égayer v. [21] **I.** v. tr. **1.** Réjouir, rendre gai. *Égayer des convives.* **2.** Donner quelque ornement agréable à (qqch). *Égayer un ouvrage par des broderies de couleur.* **3.** Rendre plus agréable, plus gai. *Le soleil égaie l'appartement.* **II.** v. pron. Devenir gai. *Ils commençaient à s'égayer.*

Egbert le Grand (v. 775 – 839), premier roi du Wessex. Il réunit les sept royaumes anglo-saxons (l'Heptarchie*).

Égée (mer), mer située entre la Grèce et la Turquie. Elle comprend une multitude d'îles dont la principale est la Crète, qui la borde au sud. – Lesbos, Chio et Samos forment la région de la Grèce et la région de la C.E. de l'*Égée septentrionale;* 3 836 km²; 198 240 hab; cap. *Mytilène.* Les Cyclades et le Dodécanèse (Rhodes) constituent la région de la Grèce et la région de la C.E. de l'*Égée méridionale;* 5 286 km²; 257 500 hab; cap. *Hermoupolis.* Agriculture et tourisme sont les ressources principales.

Égée, dans la myth. gr., roi d'Athènes. Son fils, Thésée, partit pour exterminer le Minotaure. Croyant, par méprise, à la mort de son fils, Égée se jeta dans la mer à laquelle fut donné son nom.

égéen, enne [eʒeɛ̃, ɛn] adj. Qui concerne, dans le monde antique, la mer Égée et ses îles. – HIST *La civilisation égéenne :* l'ensemble des faits culturels préhelléniques venus de Crète, qui, aux IIIe et IIe millénaires av. J.-C., ont constitué en Thessalie, dans les îles grecques et dans la zone N.-O. de l'Asie Mineure, la toute première manifestation des civilisations minoenne et mycénienne.

Eger, v. de Hongrie, au pied des monts Mátra; 63 000 hab.; ch.-l. de comté. Vins; tabac.

Eger. V. Ohře.

égérie n. f. Litt. Inspiratrice d'un artiste, d'un poète, d'un homme politique. *Juliette Drouet, l'égérie de Victor Hugo.*

Égérie, dans la myth. romaine, nymphe qui prodiguait ses conseils au roi Numa pour l'organisation de la vie religieuse.

égide n. f. **1.** MYTH Bouclier de Zeus et d'Athéna. **2.** Fig. Protection, sauvegarde. *Se placer sous l'égide de qqn.*

Égine, île grecque, face au Pirée *(golfe d'Égine,* dit aussi *golfe d'Athènes);* 85 km²; 10 000 hab.; ch.-l. *Égine,* qui concentre la majeure partie de la pop. – Elle s'imposa comme puissance commerciale et rivalisa longtemps avec Athènes, avant de tomber sous sa dépendance, en 456 av. J.-C. – Ruines de temples consacrés à Zeus, Aphrodite, etc. Nombr. statues (VIe-Ve s. av. J.-C.) dites *marbres d'Égine.*

Éginhard (Maingau, 770 – Selingenstadt, 840), historien franc. Il vécut à la cour de Charlemagne, dont il écrivit la vie.

Égisthe, dans la myth. gr., roi de Mycènes, de la famille des Atrides, fils incestueux de Thyeste et de Pélopia. Il séduisit Clytemnestre, femme d'Agamemnon, et assassina celui-ci à son retour de Troie; il fut lui-même tué par Oreste, fils d'Agamemnon.

églantier n. m. Nom vulg. des rosiers sauvages servant de porte-greffe aux variétés cultivées.

églantine n. f. Fleur de l'églantier.

églefin [egləfɛ̃] ou **aiglefin** [ɛgləfɛ̃] ou **aigrefin** [ɛgʀəfɛ̃] n. m. Poisson téléostéen *(Gadus æglefinus)* voisin de la morue, long d'env. 1 m, à la chair très estimée.

église n. f. **1.** (Avec une majuscule.) Communion de personnes unies par une même foi chrétienne. *L'Église de Corinthe. Les Églises d'Asie Mineure. L'Église d'Orient. Les Églises orthodoxes* (grecque, russe). *Les Églises réformées* ou *protestantes. L'Église apostolique arménienne,* évangélisée par les apôtres Thaddée et Barthélemy, selon la tradition. ▷ Absol. *L'Église :* l'Église catholique, apostolique et romaine. *Le pape est le chef visible de l'Église.* ▷ *Par ext.* Fig. Groupe dont les membres défendent la même doctrine. Syn. chapelle, clan. **2.** Édifice consacré, chez les chrétiens catholiques et orthodoxes, au culte divin. *Église paroissiale. Aller à l'église.* **3.** (Avec une majuscule.) État ecclésiastique; clergé en général. *Un homme d'Église.*

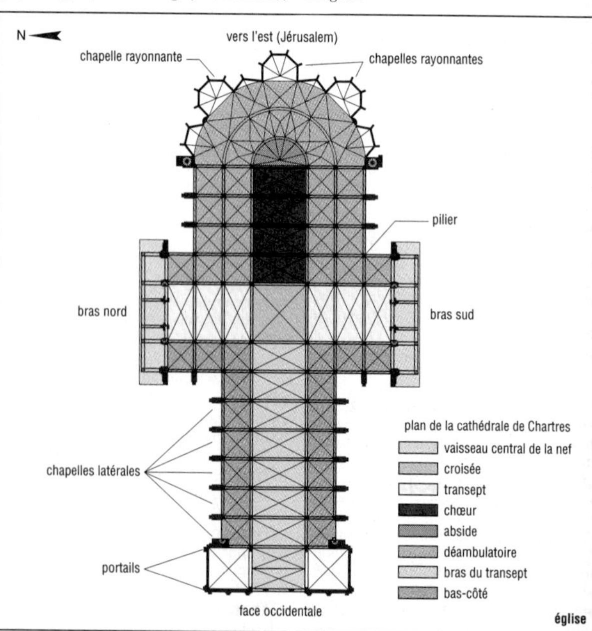

église

Église catholique, apostolique et romaine (l') ou absol. **l'Église,** communauté chrétienne qui reconnaît l'autorité du pape. La papauté siège à Rome depuis saint Pierre, qui, selon la tradition, fut le premier évêque de Rome, où il mourut martyr v. 64 ap. J.-C. Pendant 10 siècles (agités par de nombreux schismes*), la communauté chrétienne dans son ensemble reconnut pour chef spirituel (pape) l'évêque de Rome, mais en 1054, l'Église d'Orient, sous l'autorité du patriarche de Constantinople (V. byzantin [Empire]), rejeta l'autorité papale et au XVIe s., plusieurs Églises réformées se détachèrent de Rome (V. Réforme). Chef de l'Église, le pape est aussi le chef de l'État du Vatican*.

églogue n. f. LITTER Petit poème pastoral ou bucolique. *Les églogues de Virgile, de Ronsard, de Chénier.*

Egmont (Lamoral, prince de Gavre, comte d') (La Hamaide, Hainaut, 1522 – Bruxelles, 1568), seigneur des Pays-Bas. Il servit avec éclat Charles Quint. Capitaine général des Flandres sous Philippe II, il fut exécuté à la suite d'une révolte des Pays-Bas. Goethe fit de lui le héros d'une tragédie.

ego n. m. (Mot latin, «moi».) **1.** PHILO *L'ego :* le sujet transcendantal, le moi en tant que principe unificateur de l'expérience interne, depuis Kant. **2.** PSYCHAN *L'ego :* le moi.

égocentrique adj. et n. Qui manifeste de l'égocentrisme. *Comportement égocentrique. Personnage égocentrique.* ▷ Subst. *Un(e) égocentrique.*

égocentrisme n. m. Tendance à tout ramener à soi, à faire de soi le centre de tout.

égoïne n. f. Scie à main sans monture, munie d'une poignée. – (En appos.) *Scie égoïne.*

égoïsme n. m. Amour exclusif de soi; disposition à rechercher exclusivement son plaisir et son intérêt personnels. *«L'égoïsme est un poison de l'amitié» (Balzac).* Ant. altruisme, générosité.

égoïste adj. et n. Qui manifeste de l'égoïsme. *Des enfants égoïstes. Des sentiments égoïstes.* ▷ Subst. *Un(e) égoïste.*

égoïstement adv. D'une façon égoïste.

égorgement n. m. Action d'égorger.

égorger v. tr. [13] **1.** Couper la gorge à (un animal). *Égorger un mouton, un poulet.* ▷ *Par ext.* Tuer (qqn) en lui coupant la gorge. **2.** Vieilli, fig., fam. Exiger un prix exorbitant de (qqn). *Égorger le client.*

égorgeur, euse n. Meurtrier qui égorge ses victimes.

Égorov ou **Iegorov** (Dimitri Feodorovitch) (Moscou, 1869 – Kazan, 1931), mathématicien soviétique. Il est connu pour ses travaux sur les intégrales.

égosiller (s') v. pron. [1] **1.** Crier, parler jusqu'à s'en faire mal à la gorge. **2.** Crier ou chanter très fort.

égotisme n. m. **1.** Litt. Tendance marquée à s'analyser et à parler de soi. *«Souvenirs d'égotisme» (Stendhal).* **2.** Attitude de celui qui ramène tout à soi-même, qui cultive à l'excès ce qu'il a de personnel, d'original.

égotiste adj. et n. **1.** Litt. Qui manifeste de l'égotisme. *Attitude égotiste.* ▷ Subst. Personne qui pratique l'égotisme. **2.** Égocentrique.

égout n. m. **1.** Vx ou TECH Eau qui s'écoule. *L'égout des toits.* **2.** Mod. Canalisation souterraine servant à l'évacuation des eaux pluviales et usées (système du *tout-à-l'égout*). *Bouche, regard, plaque d'égout.* ▷ Fig., litt. Lieu souillé, cloaque.

égoutier n. m. Ouvrier chargé de l'entretien des égouts.

égouttage ou **égouttement** n. m. Action d'égoutter; fait de s'égoutter.

égoutter v. tr. [1] Faire écouler peu à peu l'eau ou l'humidité de. *Égoutter la vaisselle.* ▷ v. pron. *Laisser le linge s'égoutter.*

égouttoir n. m. Ustensile qui sert à faire s'égoutter qqch. – *Spécial.* Casier à claire-voie pour l'égouttage de la vaisselle.

égoutture n. f. Rare Liquide qui tombe de ce qu'on égoutte; les dernières gouttes que contient un récipient.

égrappage n. m. Action d'égrapper.

égrapper v. tr. [1] Détacher (les grains) de la grappe. *Égrapper des raisins, des groseilles.*

égratigner v. tr. [1] **1.** Blesser superficiellement la peau, écorcher. – v. pron. *S'égratigner avec une aiguille.* ▷ Par anal. *Égratigner la terre,* la labourer superficiellement. – *Égratigner un meuble,* y faire une éraflure. **2.** Fig. *Égratigner qqn,* le dénigrer, médire à son propos. *Il ne peut parler sans égratigner les gens.*

égratignure n. f. **1.** Légère blessure faite en (s')égratignant. *Ce n'est qu'une égratignure.* ▷ *Par anal.* Dégradation légère, éraflure (d'une chose). **2.** Fig. Légère blessure d'amour-propre.

égrenage ou **égrènement** n. m. Action d'égrener; fait de s'égrener.

égrener [egʀəne] v. tr. [16] **1.** Détacher le grain, les graines de (une plante, une grappe, une cosse). *Égrener du blé, du raisin. Égrener des petits pois.* **2.** Par anal. *Égrener un chapelet,* en faire passer un à un les grains entre ses doigts, à chaque prière. ▷ Fig. Faire entendre (des sons) l'un après l'autre en les détachant nettement. *La pendule égrena les douze coups de minuit.* **3.** v. pron. Se séparer, s'espacer (en parlant d'éléments disposés en rang, en file). *Colonne de fantassins qui s'égrène le long d'une route.*

égreneuse [egʀənøz] n. f. AGRIC Machine à égrener. *Égreneuse à maïs.*

égrillard, arde adj. Licencieux, grivois. *Chanson égrillarde. Prendre un air égrillard.*

égrotant, ante adj. Vx ou litt. Maladif, de santé fragile. *Vieillard égrotant.*

égueuler v. tr. [1] Rare Casser l'ouverture, le goulot de (un vase, une bouteille, etc.). – Pp. adj. GEOMORPH *Cratère (volcanique) égueulé,* dont une partie de la paroi a été détruite au cours d'une éruption.

Éguzon-Chantôme, ch.-l. de cant. de l'Indre (arr. de La Châtre); 1 396 hab. – Barrage hydroél. sur la Creuse, qui a formé le lac de retenue du Chambon.

Égypte (en arabe *Miṣr*) (République arabe d'), État d'Afrique du N.-E., limité par la mer Rouge à l'E., la Méditerranée au N. et la Libye à l'O.; 1 001 449 km^2 (dont 35 577 km^2 de terres cultivables); 61 900 000 hab. env. (Égyptiens); cap. *Le Caire.* Nature de l'État : rép. de type présidentiel. Langue off. : arabe. Monnaie : livre égyptienne. Relig. : islam (90 %), christianisme monophysite (Église copte). – Le territ. a vu se développer, notam., deux civilisations tout à fait distinctes : celle de l'Égypte antique et, à partir de 639 ap. J.-C., celle de l'Égypte arabe.

Géogr. phys. et hum. – L'Égypte aride (70 % du pays) comprend : à l'O., le désert de Libye, composé de plateaux calcaires ponctués de dépressions qu'occupent des oasis; à l'E., le désert Arabique, zone escarpée que surmontent parfois des volcans (région du Sinaï). L'Égypte fertile se limite à la vallée inondable du Nil (1 500 km de long, de 1 à 20 km de large), qui rassemble la majeure partie de la population (densité moyenne proche de 1 000 hab./km^2 le long du fleuve). La croissance démographique rapide, proche de 3 % par an, freine le développement et s'accompagne d'une explosion urbaine (près de 50 % de citadins).

Écon. – L'agric. emploie 36 % des actifs mais ne couvre que 60 % des besoins alimentaires du pays : la prod. agricole augmente en moyenne de 2 % par an, alors que celle de la consommation dépasse 3 %. Le pétrole (45 millions de t par an), représente 50 % des exportations, suivi par le coton et les articles textiles. Les importations sont dominées par les produits agricoles (céréales surtout) et les biens manufacturés, malgré une diversification de l'industrie nationale. Le lourd déficit commercial n'est que partiellement compensé par les recettes tirées du canal de Suez et du tourisme. En dépit d'une croissance soutenue, la situation économique reste difficile : inflation élevée, déficit budgétaire, fort endettement extérieur. L'exutoire de l'émigration ne fonctionne plus comme avant et les retours ont été nombreux, aggravant le sous-emploi. Des mesures d'assainissement économique sont en cours et la privatisation partielle des entreprises, contrôlées à 70 % par l'État, est amorcée.

Hist. – *L'Égypte ancienne.* Vers 10000 av. J.-C., deux foyers de civilisation néolithique se développèrent au N. et au S. de l'Égypte. Au Ve millénaire, le pays était partagé en deux grands royaumes. Ce fut Ménès qui, vers 3100, unifia l'Égypte et fonda la première dynastie pharaonique et la ville de Memphis, future cap. de l'Ancien Empire (2780-2260, IIIe-VIe dynastie). Symbolisé par les pyramides, cet empire apparaît comme l'âge d'or de l'Égypte anc. L'autorité du pouvoir central, très affaiblie durant la première période intermédiaire (2260-2065, VIIe-X^{e} dynastie), est rétablie par Mentouhotep Ier, dont le règne inaugure le Moyen Empire (2065-1785, XIe-XIIe dynastie) : renaissance de l'architecture sacrée et de la statuaire, mise en culture des terres du Fayoum, échanges commerciaux avec la Phénicie, etc. À cette période succède la deuxième période intermédiaire (1785-1580, XIIIe-XVIIe dynastie), marquée par l'invasion des Hyksos qui s'installent dans le delta et en Moyenne Égypte. Les envahisseurs sont expulsés par Ahmôsis, fondateur du Nouvel Empire (1580-1085, XVIIIe-XXe dynastie); c'est une époque d'impérialisme (conquête de la région du haut Nil et de la Syrie par Thoutmès Ier et Thoutmès III), de grands travaux (édifices de Thèbes et de Nubie), marquée par une grave crise religieuse (culte exclusif d'Aton institué par Aménophis IV). Les guerriers de la XIXe dynastie, Séthi Ier et Ramsès II, ceux de la XXe dynastie (Ramsès III), préservent l'indépendance du pays. Sous les derniers Ramsès, l'empire perd son unité et demeure morcelé durant la troisième période intermédiaire (1085-715, XXIe-XXIVe dynastie). Des dynasties étrangères (libyenne, XXIIe dynastie, puis éthiopienne, XXVe dynastie) réunifient momentanément le pays. La dernière grande dynas-

CULTURE DE L'ÉGYPTE ANCIENNE

ÉPOQUE		ARCHITECTURE	SCULPTURE, PEINTURE ARTS MINEURS	VIE SOCIALE ET INTELLECTUELLE
époque thinite 3000 av. J.-C.	*Ire-IIe dynastie* *unification de l'Égypte*	tombes royales de Saqqarah et Abydos	stèle du Roi serpent (Louvre) palette de Narmer (Le Caire) vases en pierre dure	à la base du Delta, Ménès construit la ville dite le Mur Blanc écriture hiéroglyphique
Ancien Empire 2780-2300	*IIIe dynastie*	à Saqqarah, pyramide à degrés et complexe funéraire de Djoser pyramides de Meïdoum et Dachour	statue de Djoser (Le Caire) emploi codifié des couleurs dans la peinture *(Oies de Meïdoum)* développement de l'orfèvrerie	la capitale de l'Égypte est fixée au Mur Blanc prééminence de Rê, dieu solaire
	IVe dynastie	à Gizeh, pyramides à faces lisses de Chéops, Chéphren, Mykérinos	statue de Chéphren (Le Caire) Sphinx de Gizeh le *Scribe accroupi* (Louvre)	dans la pyramide d'Ounas, textes funéraires dits *Textes des pyramides*
	Ve dynastie	à Saqqarah, pyramide d'Ounas; à Abousir, temple solaire apparition des obélisques	développement du bas-relief	le Mur Blanc prend le nom de Memphis écriture hiératique
1re période intermédiaire 2300-2065	*VIIe-Xe dynastie* *rupture de l'unité de l'Égypte*	hypogées d'Assiout	développement de la peinture sur les parois des tombeaux	littérature sapientiale : *Lamentations d'Ipouer, Complainte du désespéré Enseignements pour le roi Mérikaré* nouveaux textes funéraires : *Textes des sarcophages*
Moyen Empire 2065-1735	*XIe dynastie réunification de l'Égypte*	1er temple funéraire à Deir el-Bahari pour Mentouhotep Ier		Thèbes capitale essor du culte d'Amon
	XIIe dynastie	essor monumental du temple d'Amon à Karnak : la chapelle blanche	sculpture réaliste Sésostris III (Louvre), Amménémès III (Le Caire) peintures des tombes de Béni-Hasan	Licht capitale commerce avec l'Orient par Byblos : trésor d'argent de Tōd (Louvre) littérature romanesque : *le conte du Naufragé; Sinouhé*
2e période intermédiaire 1735-1580	*XIIIe-XVIIe dynastie rupture de l'unité domination des Hyksos*		scarabées gravés	Avaris capitale essor du culte du dieu Seth, identifié à Baal
Nouvel Empire 1580-1085	*XVIIIe dynastie* *réunification de l'Égypte* *politique de conqêtes*	architecture funéraire : tombeaux de la vallée des Rois (après 1500) temple fun. d'Hatshepsout à Deir el-Bahari, temple fun. d'Aménophis III, avec les colosses dits de Memnon pour le dieu Amon, constructions incessantes à Karnak, et temple de Louxor nouveaux temples solaires à Aton temples funéraires de Séthi Ier à Abydos, de Ramsès II à Abou Simbel et à Thèbes (Ramesseum)	apogée de la peinture murale dans les tombes thébaines (tombes de Ramosé, Khérouef) production d'objets de haute qualité : vases de verre coulé et moulé ; objets de toilette (boîtes, miroirs, cuillers à fard) le style « amarnien », d'un réalisme pathétique : bustes de Néfertiti (Le Caire et Berlin), bustes et statues d'Aménophis IV Akhenaton (1372-1354) tombe de Tout Ankh Amon	Thèbes, ville du dieu Amon, est capitale impériale v. 1450, rédaction du *Livre des morts* extension universelle du culte d'Osiris capitale éphémère de Tell el-Amarna Aton supplante Amon comme dieu suprême : *Hymne à Aton* nouvelle capitale dans le Delta : Pi Ramsès
	XIXe dynastie	achèvement de la salle hypostyle à Karnak	statuaire colossale : Ramsès II aux portes des temples décors polychromes des tombes de la vallée des Rois	*Poème de Pentaour, Conte d'Horus et de Seth*
	XXe dynastie *invasion des peuples de la mer*	temple funéraire de Ramsès III à Médinet Habou	extension de la pratique des sarcophages anthropoïdes, de bois stuqué et décoré de peintures	
3e période intermédiaire 1085-715	*XXIe-XXIIIe dynastie rupture de l'unité*	tombes royales de Tanis	statuaire en bronze : *La reine Karomama* (Louvre) de la dynastie libyenne (XXIIe)	Tanis, dans le Delta, devient la capitale du Nord, puis Boubastis
Basse Époque 715-332	*XXVe-XXXe dynastie dominations étrangères*	la dynastie saïte (XXVIe) élève de nombreux temples et reprend des travaux à Karnak	renouveau de la sculpture par la dyn. saïte, marquée par l'archaïsme et le réalisme art animalier	canal Nil-mer Rouge fondation de Naucratis, ville grecque, dans le Delta écriture démotique
Égypte ptolémaïque 332-30 av. J.-C. **et romaine** 30 av. J.-C.-395 apr. J.-C.		l'architecture traditionnelle est maintenue; temples de Philae et Edfou (IIIe s. av. J.-C.) Kōm-Ombo (IIe s. av. J.-C.) Dendérah et Esna (Ier s. av. J.-C.)	331 av. J.-C. : tombeau de Pétosiris, influencé par l'hellénisme la sculpture et les arts décoratifs traditionnels sont maintenus, parallèlement à l'art grec d'Alexandrie à p. du Ier s. ap. J.-C., portraits funéraires du Fayoum	Alexandrie, nouvelle capitale Sérapis, dieu gréco-égyptien 196 av. J.-C. : décret trilingue sur une pierre retrouvée à Rosette à partir du IIIe s. apr. J.-C. : extension du christianisme 394 apr. J.-C. : dernier emploi de l'écriture hiéroglyphique

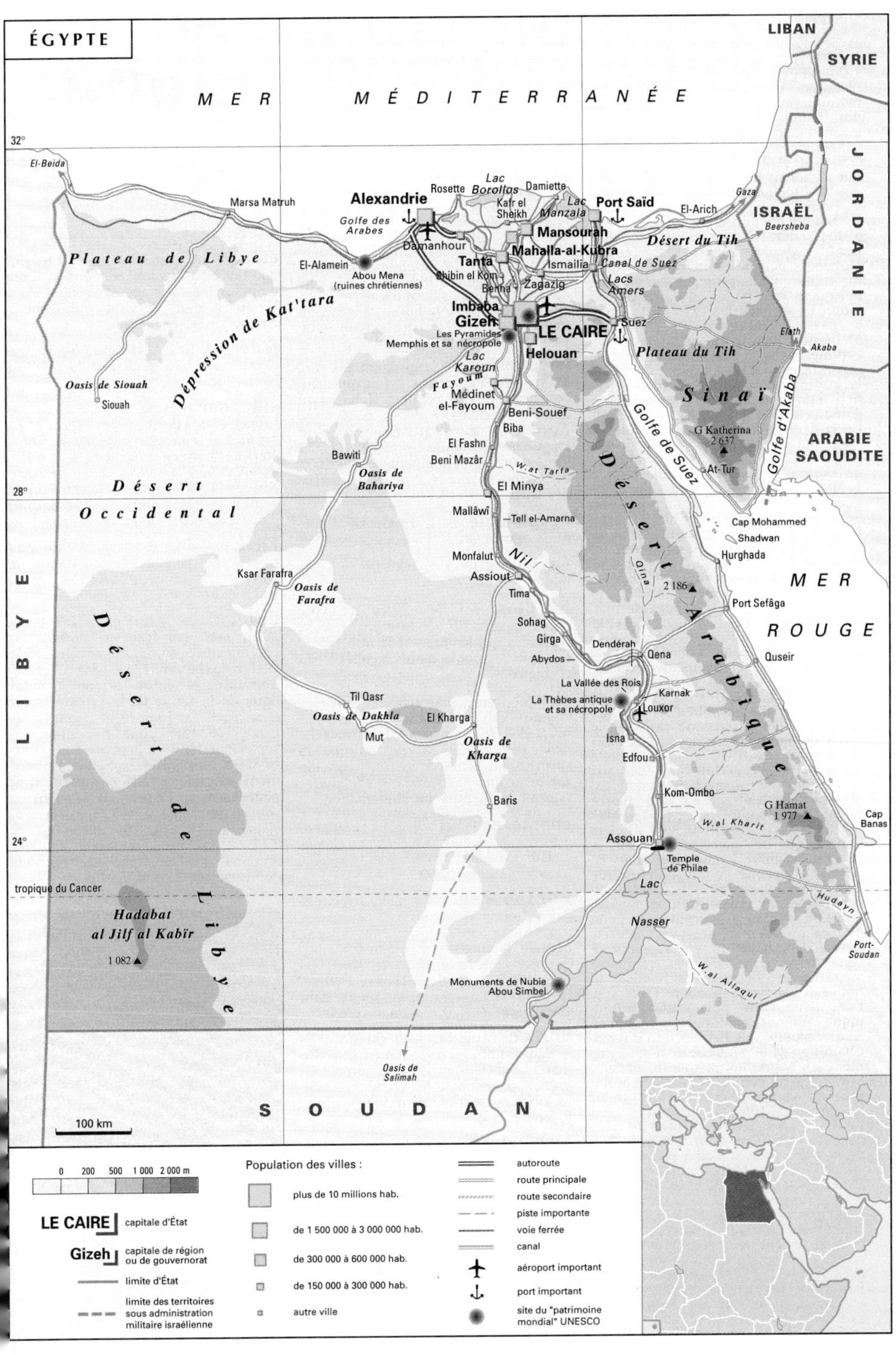
ÉGYPTE
MER MÉDITERRANÉE
LIBAN
SYRIE
JORDANIE
ISRAËL
ARABIE SAOUDITE
MER ROUGE
LIBYE
SOUDAN
Alexandrie
Port Saïd
Mansourah
Mahalla-al-Kubra
Tanta
Imbaba
Gizeh
LE CAIRE
Helouan
Plateau de Libye
Dépression de Kat'tara
Désert Occidental
Désert de Libye
Désert Arabique
Sinaï
Plateau du Tih
Désert du Tih
Golfe de Suez
Golfe d'Akaba
Nil
Lac Nasser
Oasis de Siouah
Oasis de Bahariya
Oasis de Farafra
Oasis de Dakhla
Oasis de Kharga
Oasis de Salimah
Hadabat al Jilf al Kabïr
1 082
G Katherina 2 637
G Hamat 1 977
2 186
tropique du Cancer
100 km
Population des villes :
plus de 10 millions hab.
de 1 500 000 à 3 000 000 hab.
de 300 000 à 600 000 hab.
de 150 000 à 300 000 hab.
autre ville
0 200 500 1 000 2 000 m
LE CAIRE capitale d'État
Gizeh capitale de région ou de gouvernorat
limite d'État
limite des territoires sous administration militaire israélienne
autoroute
route principale
route secondaire
piste importante
voie ferrée
canal
aéroport important
port important
site du "patrimoine mondial" UNESCO

tie du pays fut celle des Saïtes (XXVIe dynastie, 663-525). En 525, l'Égypte tombe sous le joug perse (525-332), puis sous celui d'Alexandre et des Lagides (dynastie ptolémaïque, 323-30). À la mort de Cléopâtre (30 av. J.-C.), l'Égypte devient une province romaine, qui entre dans l'Empire byzantin (395-639), avant de passer sous domination arabe (642). – *L'Égypte arabe.* Le pays est islamisé sous les Omeyyades (660-750), les Abbassides (750-973) et les Fatimides (973-1171), qui installent leur cap. au Caire. Saladin les supplante en 1171, cède ensuite le pouvoir aux Mamelouks, lesquels se maintiennent en Égypte de 1250 à 1517, date de l'invasion ottomane. Les Mamelouks préservent l'Égypte des Mongols; l'activité économique connaît un remarquable essor et de grandes mosquées sont bâties au Caire. L'expédition de Bonaparte (1798-1801) ouvre le pays à l'influence de l'Occident. Méhémet-Ali impose sa nomination comme pacha en 1805, entreprend de moderniser le pays (développement de la culture du coton et du riz, création d'une administration compétente, d'une armée et d'une flotte modernes). En 1840, le traité de Londres reconnaît l'hérédité de son titre; en 1867, son 3e successeur, Isma'il, devient khédive (souverain). Le canal de Suez, dû à F. de Lesseps, est inauguré en 1869, mais, en 1874, les Britanniques en deviennent les principaux actionnaires. En 1882, une révolte nationaliste xénophobe permet à la G.-B. d'imposer un protectorat de fait, qui n'est officiellement proclamé qu'en 1914. Dans la même période, l'Égypte, totalement remodelée sous la tutelle anglaise (barrages d'Assiout et d'Assouan, développement de la culture du coton, etc.), conquiert le Soudan. Cependant, à la suite d'un vaste mouvement d'émancipation, la G.-B. rend à l'Égypte son indépendance (1922), sous réserve de quelques privilèges militaires, qui permettent à l'Angleterre de protéger le canal de Suez contre les forces italo-allemandes, de 1940 à 1942. Le roi Farouk (1936-1952) doit faire face aux dissensions qui minent le parti national (le Wafd) et entreprend une guerre malheureuse contre Israël (1948-1949). Il est renversé (1952) par les «officiers libres», qui ont placé à leur tête le général Néguib; l'année suivante, ce dernier proclame la rép. puis est lui-même remplacé par le lieutenant-colonel Nasser (1954). Celui-ci impose une Constitution instaurant un régime de type présidentiel, prévoyant la création d'un parti unique, et nationalise le canal de Suez en 1956 pour répondre au refus de l'Occident de financer le nouveau barrage d'Assouan; l'intervention, israélienne puis franco-britannique, qui suit est stoppée par la pression conjointe des É.-U. et de l'U.R.S.S. Champion de la politique de non-alignement, en même temps que du panarabisme, Nasser crée la République arabe unie en s'unissant à la Syrie puis au Yémen (1958-1961) et se tourne vers l'U.R.S.S. (qui met en chantier le haut barrage d'Assouan). En 1967, la fermeture du golfe d'Akaba provoque la «guerre des Six Jours» qui permet aux Israéliens d'occuper la prov. du Sinaï; Nasser ne rouvre pas le canal (endommagé par la guerre); en 1970, il meurt subitement. Anouar el-Sadate lui succède et revient progressivement sur de nombr. principes de la politique de Nasser. En 1973, son attaque contre Israël lui permet de récupérer peu à peu la péninsule du Sinaï après une série d'accords de désengagement (1974-1975) qui facilitent la réouverture du canal de Suez. Dans le même temps, l'influence américaine tend à se substituer à l'influence soviétique. En 1977, de graves émeutes éclatent, provoquées par le faible niveau de vie de la population. La paix est devenue indispensable à l'Égypte; en nov., Sadate se rend à Jérusalem, puis conclut avec le Premier ministre israélien M. Begin les accords de Camp David, qui aboutissent à la signature d'un traité de paix avec Israël (1979) et à la rupture avec les autres pays arabes. Sadate, qui vient de frapper l'opposition religieuse fondamentaliste, est assassiné le 6 oct. 1981. Son successeur, Hosni Moubarak, s'efforce de poursuivre la politique d'ouverture tout en tentant de regagner la confiance des pays arabes (réintégration en 1989 au sein de la Ligue arabe). En 1991, l'Égypte participe à la coalition internationale contre l'Irak. Sur le plan intérieur, le régime doit faire face, à partir de 1992, à des attentats islamistes. L'État s'engage résolument dans la voie de la répression : s'il est jugulé, le terrorisme n'est pas éradiqué, comme en témoignent, en 1997, les attentats meurtriers du Caire et de Louxor.

égyptien, enne [eʒipsjɛ̃, ɛn] adj. et n. **1.** adj. Qui appartient à l'Égypte; qui concerne l'Égypte. ▷ Subst. Habitant ou personne originaire de ce pays. *Un(e) Égyptien(ne).* **2.** n. m. *L'égyptien* : la langue de l'ancienne Égypte. **3.** n. f. TYPO Caractère à empattement rectiligne et de même épaisseur que les jambages des lettres.

égyptologie n. f. Étude de l'Antiquité égyptienne.

égyptologue n. Spécialiste en égyptologie.

Égyptos, roi légendaire d'Égypte dont les 50 fils épousèrent les 50 Danaïdes qui les tuèrent la nuit même de leurs noces. Seul Lyncée* en réchappa.

eh! [e] interj. marquant la surprise, l'admiration, la douleur, etc. *Eh! nous voici! Eh! Quelle belle fille! Eh! vous me faites mal.* – *Eh bien!* : marque la surprise ou renforce ce que l'on dit. *Eh bien! que faites-vous? – Eh quoi!* : marque la surprise ou l'indignation.

éhonté, ée [eɔ̃te] adj. Sans vergogne; effronté, impudent. *Un menteur éhonté.* – Par ext. *Des affabulations éhontées,* incroyables, grossières.

Ehrenbourg (Ilia Grigorievitch) (Kiev, 1891 – Moscou, 1967), écrivain et journaliste soviétique. Après une période symboliste, il rejoint les rangs des écrivains officiels : *le Deuxième Jour* (1934), *la Tempête* (1947), *le Dégel* (1954), «Mémoires» (1962-1964), dont *Un écrivain dans la révolution* (1963).

Ehrlich (Paul) (Strehlen, Silésie, 1854 – Bad Homburg, 1915), médecin allemand. Spécialiste de sérothérapie, il préconisa en outre les composés arsenicaux dans le traitement de la syphilis. P. Nobel 1908.

Eichendorff (Joseph, baron von) (Lubowitz, Haute-Silésie, 1788 – Neisse, 1857), écrivain allemand; auteur de nouvelles (*Scènes de la vie d'un propre à rien,* 1826) et, surtout, d'un recueil poétique en trois parties : *Chansons de route, Vie des chanteurs, Printemps et Amour* (1837).

Eichmann (Adolf) (Solingen, 1906 – Ramla, Israël, 1962), fonctionnaire allemand nazi, d'abord chargé de l'extermination des Juifs en Pologne, il organisa la déportation et l'extermination des Juifs dans treize pays d'Europe. Enlevé en 1960 par les services secrets israéliens en Argentine où il s'était réfugié, il fut condamné à mort et pendu.

eider à duvet : mâle barbotant et tête de femelle

eider [edɛʀ] n. m. Gros canard marin, noir et blanc (genre *Somateria*), abondant sur les côtes scandinaves et dont le duvet était autrefois utilisé pour confectionner les édredons.

Eider (l'), fl. d'Allemagne (Schleswig-Holstein) qui se jette dans la mer du Nord; 188 km.

eidétique [ɛjdetik] adj. **1.** PHILO Qui se rapporte à l'essence des choses. *La «réduction eidétique» (Husserl, Sartre, Merleau-Ponty) est substitution de la considération des essences à l'expérience concrète.* **2.** PSYCHO *Image eidétique* : représentation imaginaire hallucinatoire d'une parfaite netteté.

Eifel, massif ancien, fragment du Massif schisteux rhénan situé en Allemagne entre l'Ardenne et le Rhin (746 m au Hohe Acht). Forêts. Élevage laitier.

Eiffel (Gustave) (Dijon, 1832 – Paris, 1923), ingénieur français, pionnier de l'architecture du fer. Il construisit le viaduc de Garabit (1882-1884), à Paris la tour Eiffel et réalisa l'armature métallique de la statue de la Liberté (1886, New York). – *Tour Eiffel* : tour construite (1887-1889) pour l'Exposition universelle de 1889 sur la partie du Champ-de-Mars qui borde la Seine. Entièrement métallique, elle comporte trois plates-formes : la prem. à 57,63 m du sol, la deuxième à 115,73 m, la troisième à 276,13 m. Sa masse est de 7 175 t; sa hauteur totale actuelle, antenne de l'émetteur de télévision comprise, est de 320,755 m.

illumination de la tour **Eiffel** lors de l'Exposition universelle de 1889; lithographie de G. Garen

Eigen (Manfred) (Bochum, 1927), chimiste allemand. Il a réalisé notam. des travaux sur les réactions chimiques extrêmement rapides. Prix Nobel 1967.

Eiger, sommet des Alpes bernoises (3 970 m). L'ascension de sa face N., haute de 1 600 m, constitue un classique de l'alpinisme.

Eijkman (Christiaan) (Nijkerk, 1858 - Utrecht, 1930), médecin et biologiste néerlandais. Ses études sur le béribéri sont à l'origine de la découverte des vitamines. P. Nobel de médecine 1929 avec Hopkins.

Eilat. V. Elath.

Eilenberg (Samuel) (Varsovie, 1913), mathématicien américain d'origine polonaise; auteur de travaux sur la théorie des groupes.

Einaudi (Luigi) (Carru, Piémont, 1874 - Rome, 1961), homme politique et économiste italien. Professeur d'économie politique, tenant du libéralisme, il s'opposa au fascisme naissant. Collaborateur de De Gasperi, il fut président de la République de 1948 à 1955.

Eindhoven, v. des Pays-Bas (Brabant-Septentrional), sur la Dommel; 191 000 hab. La ville a connu un essor industriel récent : industr. électr., électron., auto. et alimentaires. - Musée d'Art moderne.

Einsiedeln, v. de Suisse (Schwyz); 9 600 hab. - Égl. abbatiale (XVIIIe s.), l'un des plus import. édifices baroques de Suisse; pèlerinage.

Einstein (Albert) (Ulm, 1879 - Princeton, 1955), physicien et mathématicien allemand, naturalisé suisse en 1900, puis américain en 1940; la figure majeure de la science contemporaine. Il a édifié une théorie générale de l'Univers, la *relativité,* qui s'est imposée pour expliquer de nombreux phénomènes observés à l'échelle atomique ou astronomique : *relativité restreinte* (1905), *relativité généralisée* (1916). La relation d'Einstein, $E = mc^2$, qui donne l'équivalent E en énergie de la masse m d'un corps (c étant la vitesse de la lumière dans le vide), est à l'origine de la libération de l'énergie nucléaire. Les études d'Einstein sont à la base de la mécanique quantique et statistique (V. Bose [Satyendranath]). En 1949, il a travaillé à une théorie unitaire des champs, synthèse de la gravitation et de l'électromagnétisme. P. Nobel 1921.

einsteinium [ɛnstɛnjɔm] n. m. CHIM Élément radioactif artificiel appartenant à la famille des actinides, de numéro atomique Z = 99 et de masse atomique 254 (symbole Es).

Einthoven (Willem) (Semarang, Java, 1860 - Leyde, 1927), médecin néerlandais. Il réalisa les premières électrocardiographies. P. Nobel 1924.

Eire, nom gaélique de la rép. d'Irlande.

Eisen (Charles) (Valenciennes, 1720 - Bruxelles, 1778), peintre, dessinateur et graveur français : illustrations des *Contes* de La Fontaine (1762).

Eisenach, ville d'Allemagne (district d'Erfurt); 50 670 hab. Industr. text. (laine), chim., automobile. - Aux environs, chât. de la Wartburg, berceau de la Réforme. - Ville natale de J.-S. Bach.

Eisenhower (Dwight David) (Denison, Texas, 1890 - Washington, 1969), général et homme politique américain. Commandant en chef des armées alliées en Afrique du Nord (fév. 1943),

Albert **Einstein**

le général **Eisenhower**

puis en Europe (1944-1945), il reçut la capitulation de l'Allemagne (Reims, 7 mai 1945). Commandant en chef des forces de l'OTAN (1950), il fut élu en 1952 président (républicain) des États-Unis et réélu en 1956. Il conduisit (1953-1961) avec fermeté la politique étrangère de son pays face à l'U.R.S.S. et en Asie.

Eisenhüttenstadt, ville d'Allemagne (distr. de Francfort-sur-l'Oder); 48 000 hab. Important centre sidérurgique utilisant le charbon polonais.

Eisenstadt, v. d'Autriche; cap. du Burgenland; 10 500 hab. - Chât. des Esterházy (XVIIe s.).

Eisenstein (Sergueï Mikhaïlovitch) (Riga, 1898 - Moscou, 1948), cinéaste soviétique; l'un des plus grands créateurs du cinéma. Sa conception du montage comme construction plastique et musicale a révolutionné l'art cinématographique : *la Grève* (1924); *le Cuirassé Potemkine* (1925); *Octobre* (1927); *la Ligne générale* (1929); *Que viva Mexico!* (1931-1932), inachevé et mutilé; *Alexandre Nevski* (1938); *Ivan le Terrible* (1942-1944, prem. partie; 1945-1946, deuxième partie).

éjaculation n. f. Fait d'éjaculer.

éjaculer v. tr. [1] PHYSIOL Émettre avec force (une sécrétion) hors de l'organisme. - (S. comp.) Émettre du sperme lors de l'orgasme.

éjectable adj. AVIAT *Siège éjectable, cabine éjectable,* qui peuvent être éjectés hors de l'avion avec le pilote, en cas de danger.

éjecter v. tr. [1] **1.** Rejeter au-dehors avec une certaine force. **2.** Fam. Chasser, renvoyer.

éjecteur n. m. et adj. TECH **1.** Dispositif permettant d'évacuer un fluide (notam. au moyen d'un jet d'air comprimé). **2.** Pièce servant à éjecter les douilles vides d'une arme à feu automatique. **3.** Ensemble formé par la tuyère et la chambre de combustion d'un moteur-fusée. - adj. *Appareil éjecteur.*

S. M. **Eisenstein :** *Octobre,* 1927

éjection n. f. **1.** Action d'éjecter. *Éjection d'un fluide, d'une cartouche.* - AVIAT *Éjection d'un pilote,* hors de son appareil au moyen d'un siège, d'une cabine éjectable. **2.** PHYSIOL Syn. de *déjection.* **3.** Fam. Renvoi, expulsion.

Ekaterinbourg (*Sverdlovsk* de 1924 à 1991), v. de Russie, dans l'Oural; 1 351 000 hab. Centre industriel. - En juil. 1918, les bolcheviks y exécutèrent Nicolas II et toute sa famille.

Ekaterinoslav. V. Dniepropetrovsk.

Ekelöf (Gunnar) (Stockholm, 1907 - Sigtuna, 1968), poète suédois proche du surréalisme : *Tard sur la terre* (1932), *Dédicace* (1934), *Strountes* (1955).

Ekelund (Vilhelm) (Stehag, 1880 - Saltsjöbaden, 1949), poète suédois de tendance symboliste : *Sur le rivage de la mer* (1922).

Ekeren, com. de Belgique (dans l'aggl. d'Anvers); 30 100 hab. Import. port fluvial. Taille des diamants; appareils de précision.

Ekofisk, riche gisement sous-marin d'hydrocarbures de la mer du Nord (zone norvégienne).

ektachrome n. m. (Nom déposé.) PHOTO Film en couleurs inversible. (Abrév. Fam. : *des ektas*).

El, dieu du Ciel dans les langues sémitiques.

Ela (mort en 885 ou 876 av. J.-C.), roi d'Israël. Il fut assassiné par un de ses généraux, Zimri, qui usurpa le trône.

élaboration n. f. **1.** Action d'élaborer; son résultat. *L'élaboration d'une thèse.* **2.** Transformation ou production d'une substance organique. *L'élaboration de la bile par le foie.*

élaboré, ée adj. Perfectionné, recherché. *Une technique très élaborée.*

élaborer v. tr. [1] **1.** Préparer, produire par un long travail de réflexion. *Élaborer un modèle de voiture.* **2.** En parlant d'organismes vivants, de glandes, faire subir diverses modifications et transformations aux substances soumises à leur action, ou produire certaines sécrétions. *Les abeilles élaborent le miel.*

elæis ou **éléis** [eleis] n. m. Palmier à huile d'Afrique occidentale produisant des fruits dont la pulpe donne l'huile de palme, et la graine l'huile de palmiste.

Élagabal ou **Héliogabale** (Sextus Varius Avitus Bassianus) (?, 204 - Rome, 222), empereur romain (218-222); grand prêtre d'un culte du Soleil *(El Gebal)* d'orig. syrienne, il vécut dans la débauche et fut assassiné.

élagage n. m. Action d'élaguer; son résultat.

élaguer v. tr. [1] **1.** Débarrasser (un arbre) des branches nuisibles à son développement, à sa fructification, etc. **2.** Fig. Débarrasser (un texte) de ce qui l'allonge inutilement. *Il faudra élaguer cette scène.*

élagueur n. m. **1.** Celui qui élague les arbres. **2.** Émondoir.

Élam, anc. pays recouvrant le sud-ouest de l'Iran : la plaine (auj. le Khūzistān) où s'élevait Suse, la capitale et sa bordure montagneuse. Lieu d'une très ancienne civilisation (admirables poteries du IVe millénaire), l'histoire de ce pays est totalement liée à celle de la Mésopotamie, que les habitants d'Élam ont envahie et pillée (saccage de Babylone aux XVIIe et XIIe s. av. J.-C.) et d'où sont venues les invasions (les Kassites au XIVe s., Assurbanipal qui détruisit Suse en 639). Darius Ier rendit à l'Élam sa prospérité en faisant de Suse la capitale de l'empire des Achéménides.

1. élan n. m. Cervidé de grande taille (*Alces alces*, 2 m au garrot), à pelage brun, aux bois plats palmés, qui vit en Scandinavie, en Europe et Asie septentrionales et au Canada.
▸ illustr. **bois** de cervidés

2. élan n. m. **1.** Mouvement d'un être qui s'élance, d'une chose qui est lancée vigoureusement. *Prendre son élan pour franchir un obstacle. Donner de l'élan à une balançoire.* **2.** Fig. Mouvement affectif provoqué par un sentiment passionné. *Les élans du cœur. Avoir un élan vers qqn.*

élancé, ée adj. Grand et mince, svelte. *Une jeune fille élancée. Une colonne élancée.*

élancement n. m. **1.** Douleur vive et lancinante. *Un abcès qui provoque des élancements.* **2.** TECH Rapport entre la longueur et la plus petite dimension transversale d'une pièce, d'un matériau. **3.** Litt. Élan spirituel, mystique.

élancer v. [12] **1.** v. tr. Vx Pousser avec force. **2.** v. intr. Faire éprouver des élancements. *Une blessure qui élance douloureusement.* **3.** v. pron. Se porter en avant avec impétuosité. *S'élancer à l'assaut.* – Par anal. *Le pin s'élance vers le ciel.* ▷ Fig. *Son âme s'élançait vers Dieu.*

éland [elɑ̃] n. m. Très grande antilope africaine (genre *Taurotragus*, 1,75 m au garrot), dont les cornes droites sont ornées de côtes en hélice. *L'éland du Cap et l'éland de Derby sont les deux seules espèces d'élands.*

élapidés n. m. pl. ZOOL Famille de serpents venimeux comprenant les cobras et les serpents corail. – Sing. *Un élapidé.*

élaps [elaps] n. m. Genre de reptiles ophidiens venimeux *(Élapidés)* dont le plus remarquable est le serpent corail d'Amérique du Sud.

élargir v. tr. [3] **1.** Rendre plus large, plus vaste. *Élargir un vêtement, une rue.* ▷ v. pron. *Le fleuve s'élargit à cet endroit.* **2.** Fig. Donner plus d'ampleur, plus de champ à. *Élargir le débat.* ▷ v. pron. *Le domaine de la science s'est considérablement élargi.* **3.** DR Relaxer, faire sortir (de prison). *Élargir un prisonnier.*

élargissement n. m. **1.** Action de rendre plus large; son résultat. *L'élargissement d'une voie.* **2.** Fig. Développement, extension. *L'élargissement des connaissances.* **3.** DR Libération d'un prisonnier. *Il a obtenu son élargissement.*

El-Asnam. V. Cheliff (Ech-).

élasticimétrie n. f. PHYS Mesure des déformations élastiques des matériaux.

élasticité n. f. **1.** Propriété des corps qui tendent à reprendre leur forme première après avoir été déformés. *L'étude de l'élasticité des solides relève de la résistance des matériaux. Limite d'élasticité,* au-delà de laquelle le corps conserve la déformation qu'on lui a fait subir. ▷ *Par ext.* Qualité d'un objet fait de matière élastique. *L'élasticité d'un ressort.* – *L'élasticité de la peau, des muscles.* **2.** Souplesse. *L'élasticité des membres.* **3.** Fig. Faculté d'adaptation. *L'élasticité d'un programme, d'un règlement.* ▷ Péjor. *L'élasticité d'une conscience.*

élastine n. f. BIOCHIM Protéine fibreuse qui constitue l'essentiel des fibres élastiques du tissu conjonctif.

élastique adj. et n. m. **I.** adj. **1.** Qui possède de l'élasticité. *Le caoutchouc est élastique.* ▷ *Par ext.* Fait de tissu ou de matière élastique. *Des bretelles élastiques.* – ANAT *Fibres élastiques :* fibres du tissu conjonctif caractérisées par leur élasticité (elles constituent le *tissu élastique*). – PHYS *Corps parfaitement élastique,* qui reprend exactement la même forme quand l'agent de sa déformation a cessé son action. – *Déformation élastique,* qui n'est pas permanente (par oppos. à *déformation plastique*). – *Choc élastique,* au cours duquel l'énergie cinétique totale du projectile se conserve. **2.** Fig. Souple, que l'on peut adapter facilement. *Un horaire élastique.* ▷ Péjor. *Une conscience élastique,* qui manque de rigueur, de droiture. **3.** MILIT *Défense élastique,* qui consiste à se replier devant toute pression trop forte de l'ennemi afin d'éviter la percée. **II.** n. m. Tissu contenant des fibres de caoutchouc. – *Spécial.* Ruban circulaire de caoutchouc servant de lien. *Entourer un paquet d'un élastique.* ▷ Loc. fam. *Les lâcher avec un élastique :* se séparer difficilement de son argent.

élastiqué, ée adj. COUT Qui comporte une partie élastique. *Une jupe élastiquée à la taille.*

élastomère n. m. CHIM Polymère possédant des propriétés élastiques.

Élatée, v. de l'anc. Phocide. Ruines de plusieurs temples, dont l'un était consacré à Athéna Craneia.

Elath ou **Eilat,** port israélien, sur le golfe d'Akaba; 18 900 hab. Oléoduc vers Haïfa.

Elâzığ (anc. *Harput*), v. de Turquie (Anatolie orient.); ch.-l. de l'il du même nom; 182 300 hab. Industr. alim.

Elbasan, ville d'Albanie; ch.-l. de la rég. et du distr. du m. nom; 74 300 hab.

Elbe (en tchèque *Labe*), fl. d'Europe centrale (1 112 km); naît au mont des Géants (Bohême), coule en Rép. tchèque puis en Allemagne, où il arrose Dresde et Magdeburg; il se jette dans la mer du Nord à Hambourg. Réuni par canaux à la Weser et à l'Oder, c'est une grande voie navigable.

Elbe (île d'), île italienne située au large de la côte toscane (prov. de Livourne); 223 km²; 28 000 hab. Pyrites de fer. – Napoléon Ier y régna après sa première abdication (1814-1815).

Elbée (Maurice Gigost d') (Dresde, 1752 – Noirmoutier, 1794), général vendéen, successeur de Cathelineau. Blessé à la bataille de Cholet, il fut capturé et fusillé par les républicains.

Elbeuf, ch.-l. de cant. de la Seine-Maritime (arr. de Rouen), sur la Seine; 16 750 hab. (*Elbeuviens*). Anc. ville drapière, auj. centre industr. : chimie, automobiles, papeterie.

Elbląg, v. de Pologne, près de la Baltique; ch.-l. de la voïévodie du m. nom; 117 750 hab. Port fluvial. Industries méca., métall. et alim.

El-Boulaïda. V. Blida.

Elbourz, chaîne de montagnes de l'Iran, au S. de la mer Caspienne (5 671 m au Demāvend).

Elbrouz, volcan éteint d'Europe, aux confins de la Russie et de la Géorgie, le plus haut sommet du Caucase (5 642 m).

*la Dame d'***Elche ;**
Musée archéologique, Madrid

Elche, ville d'Espagne (province d'Alicante); 175 650 hab. Artisanat. Palmeraie. – *La Dame d'Elche :* buste de femme en grès (Ve-IIIe s. av. J.-C.) attribué tantôt à un sculpteur grec, tantôt à un artiste indigène influencé par la statuaire gréco-asiatique.

Elchingen, village de Bavière, sur le Danube. – Victoire (1805) sur les Autrichiens du maréchal Ney, fait duc d'Elchingen.

Eldjárn (Kristján) (Tjörn, 1916 – Chicago, 1982), homme politique islandais; président de la République de 1968 à 1980.

El-Djezaïr. V. Alger.

eldorado n. m. **1.** *L'Eldorado :* le pays imaginaire d'Amérique du Sud, où les conquistadores espagnols croyaient trouver en abondance or et pierres précieuses. **2.** Pays d'abondance, de délices.

Eldridge (David Roy, dit Roy) (Pittsburgh, 1911 – New York, 1989), trompettiste, chanteur et chef d'orchestre de jazz américain. Il est un trait d'union entre les styles middle jazz et be-bop.

éléate ou **éléatique** adj. et n. **1.** adj. Relatif à Élée ou à ses habitants. **2.** n. m. pl. *Les Éléates :* les philosophes de l'école d'Élée, fondée au VIe s. av. J.-C. par Xénophane de Colophon et dont les principaux représentants sont Parménide, Zénon d'Élée et Mélissos.

Éléazar (XXe s. av. J.-C.), personnage biblique; compagnon d'armes de David contre les Philistins.

Éléazar (IIIe s. av. J.-C.), personnage biblique; grand prêtre des Hébreux, fils et successeur d'Aaron.

Éléazar Maccabée (m. en 162 av. J.-C.), guerrier juif, frère de Judas Maccabée. Il se distingua contre Antiochos V Eupator, roi de Syrie.

électeur, trice n. **1.** Personne qui a le droit de participer à une élection. *Pour être électeur en France, il faut avoir 18 ans.* **2.** n. m. (Avec une majuscule.) HIST Chacun des sept princes ou évêques du Saint Empire romain germanique qui avaient le droit d'élire l'empereur. *Le Grand Électeur :* l'Électeur de Brandebourg.

électif, ive [elɛktif] adj. **1.** Choisi ou attribué par élection. *Président électif. Couronne élective.* **2.** Qui choisit de façon préférentielle. ▷ CHIM Anc. *Affinité* *élective* : propriété que possède un corps simple de décomposer un corps composé pour s'unir à l'un de ses éléments. – Fig. *Les affinités électives* : l'accord spontané et profond entre des personnes. ▷ MED Se dit d'une affection dont le siège est toujours le même.

élection n. f. **1.** Action d'élire une ou plusieurs personnes par un vote. *L'élection d'un député. Les élections municipales.* **2.** Vx Action de choisir. ▷ THEOL Choix fait par Dieu. *L'élection du peuple d'Israël.* ▷ DR *Élection de domicile* : choix d'un domicile légal. ▷ Cour. *Terre, patrie d'élection,* que l'on a choisie, pays d'adoption. **3.** DR ANC *Pays d'élection* : circonscription financière de l'Ancien Régime où la répartition de l'impôt était faite par des élus (par oppos. à *pays d'États,* où l'impôt était levé par les États provinciaux).

électivité n. f. **1.** Rare Caractère de ce qui est électif. **2.** BIOL Propriété des substances qui se fixent sur un élément cellulaire, un organe ou un tissu particulier et non sur d'autres.

électoral, ale, aux adj. **1.** Relatif aux élections. *Une liste, une campagne électorale.* ▷ *Collège électoral* : ensemble des électeurs d'une circonscription. **2.** HIST Relatif à un Électeur du Saint Empire romain germanique.

électoralisme n. m. Orientation dans un sens démagogique de la politique d'un parti ou d'un gouvernement à l'approche d'une élection.

électoraliste adj. et n. **1.** Qui a rapport à l'électoralisme. **2.** Qui pratique l'électoralisme. ▷ Subst. *Un(e) électoraliste.*

électorat n. m. **1.** Qualité, droit d'électeur; usage de ce droit. *Les conditions d'électorat.* **2.** Ensemble d'électeurs, des électeurs. *Électorat urbain. L'électorat d'un pays.* **3.** HIST Dignité d'Électeur, dans le Saint Empire romain germanique; territoire administré par un Électeur. *L'Électorat de Trèves.*

Électre, fille d'Agamemnon et de Clytemnestre; elle incita son frère Oreste à venger le meurtre de leur père en assassinant Clytemnestre et son amant Égisthe. ▷ LITT Tragédie de Sophocle (v. 425 av. J.-C.), d'Euripide (v. 413 av. J.-C.).

électret [elɛktʀɛ] n. m. TECH Matériau qui crée un champ électrique permanent. *Microphone à électret.*

électricien, enne n. Physicien, physicienne spécialiste de l'étude ou des applications de l'électricité. ▷ n. m. Ouvrier ou artisan spécialisé dans le montage d'installations électriques. – (En appos.) *Ouvrier électricien.*

électricité n. f. Une des propriétés fondamentales de la matière, caractéristique de certaines particules (électron, proton) qui exercent et subissent l'interaction électromagnétique. (V. encycl. électromagnétisme, interaction.) Courant électrique. *Faire poser l'électricité. Panne d'électricité.* ▷ Lumière électrique. *Allumer, éteindre l'électricité.* Loc. fig. *Il y a de l'électricité dans l'air,* une excitation, une animosité dans le comportement ou les paroles, qui laissent présager quelque éclat.
ENCYCL Dès le VIe s. av. J.-C., les Grecs constatèrent que l'ambre frotté attirait de nombreux corps légers. Au XVIIIe s., on montra qu'on peut faire apparaître par frottement deux sortes d'électricité, baptisées positive et négative, et on parvint ainsi au concept de *charge électrique* : des objets chargés se

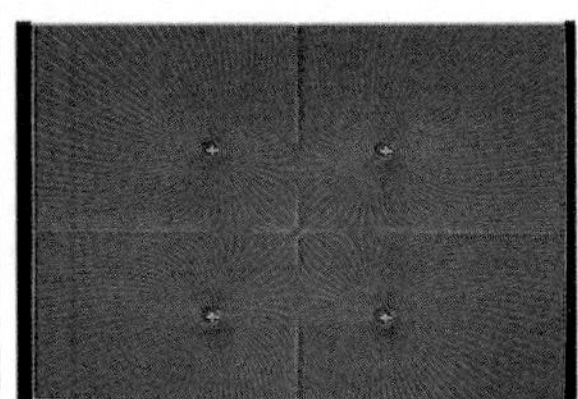
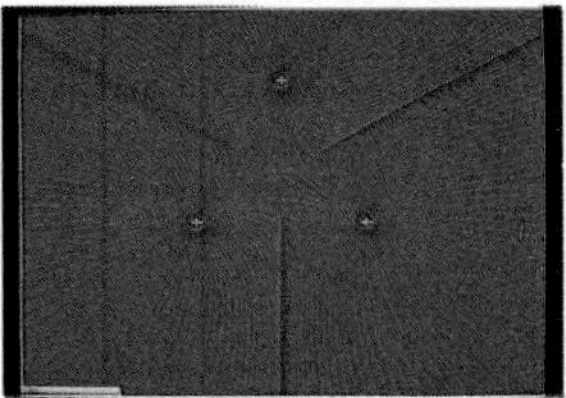
représentation du champ **électrique** de deux systèmes : à g., 4 charges identiques aux sommets d'un carré; à dr., 3 charges identiques aux sommets d'un triangle équilatéral

repoussent ou s'attirent selon qu'ils portent des charges de même signe ou de signes contraires. La loi fondamentale de cette interaction, dite *électrostatique,* homologue de la gravitation* universelle de Newton, fut établie en 1785 par Coulomb. À partir de 1800, la pile de Volta permit de réaliser les premiers *courants électriques.* À la suite de l'expérience réalisée en 1820 par Œrsted et analysée par Laplace et Ampère, on découvrit les actions dites *électrodynamiques* qui s'exercent entre les courants et on établit que le *champ magnétique* créé par un courant est proportionnel à l'*intensité* de celui-ci, c.-à-d. à la charge qu'il transporte par unité de temps. L'étude des courants électriques *(électrocinétique)* fut complétée en 1826 par Ohm, qui établit la relation entre l'intensité traversant un conducteur et la différence de potentiel aux bornes de celui-ci et définit ainsi la notion de résistance. En 1831, Faraday dégagea le concept de *force électromotrice** et établit les lois du phénomène d'*induction électromagnétique,* ouvrant ainsi la voie aux applications techniques de l'électricité (générateurs, dynamos, transformateurs, etc.) dont l'étude constitue l'*électrotechnique.* En 1841, Joule établit les lois régissant le dégagement de chaleur dans un conducteur *(effet Joule).* En 1864, Maxwell prédit l'existence des *ondes électromagnétiques* (mises en évidence expérimentalement en 1885 par Hertz) et montra l'unité profonde de l'électrostatique et du magnétisme, fondant ainsi l'*électromagnétisme**. À la fin du XIXe s., la découverte de l'électron ouvrit la voie aux réalisations ultérieures de l'*électronique**.

Électricité de France service national (É.D.F.), établissement public créé par la loi du 8 avril 1946 qui nationalisait la production et la distribution de l'énergie électrique, ainsi que celles du gaz (Gaz de France). Cet ensemble forme l'É.D.F.-G.D.F.

électrification n. f. Action d'électrifier; son résultat.

électrifier v. tr. [2] **1.** Alimenter en énergie électrique, par l'installation d'une ligne, d'un réseau de distribution. *Électrifier une vallée.* **2.** Équiper pour la traction électrique (une voie ferrée).– Pp. adj. *Ligne électrifiée.*

électrique adj. **1.** Qui a rapport à l'électricité. *Phénomène électrique. Énergie électrique.* – Qui produit de l'électricité. *Générateur électrique.* – Qui est mû par l'énergie électrique. *Moulin à café électrique.* ▷ PHYS *Charge électrique* : quantité d'électricité portée par un corps. *Les charges électriques se répartissent à la surface d'un conducteur et se localisent en un point d'un isolant.* ▷ *Courant électrique* : V. courant. ▷ *Poisson électrique* : poisson qui a la propriété de produire des décharges électriques contre ses proies ou ses agresseurs. **2.** Fig. Qui évoque par la vivacité, le contact, l'apparence, etc., les effets d'un courant électrique. *Tempérament électrique. Bleu électrique.*

électriquement adv. Au moyen du courant électrique.

électrisant, ante adj. **1.** Rare Qui électrise. **2.** Fig. Qui enthousiasme. *Un discours électrisant.*

électrisation n. f. Action d'électriser; état d'un corps électrisé. *Électrisation d'un bâton de verre.*

électriser v. tr. [1] **1.** Communiquer une charge électrique à (un corps). *Électriser par frottement, par contact.* **2.** Fig. Causer une vive impression à, saisir, enthousiasmer. *Discours qui électrise un auditoire.*

électro-. Élément, du rad. de *électricité.*

électroacoustique ou **électro-acoustique** n. f. et adj. Science et technique des applications de l'électricité à la production, à l'enregistrement et à la reproduction des sons. ▷ adj. *Techniques électroacoustiques* (ou *électro-acoustiques*). *Musique électroacoustique,* qui applique les méthodes de l'électroacoustique à la synthèse ou à la déformation des sons.

électroaimant ou **électro-aimant** n. m. Appareil constitué d'un noyau en fer doux ou en ferrosilicium (alliage de fer et de silicium) et d'un bobinage dans lequel on fait passer un courant électrique pour créer un champ magnétique. *Les électroaimants (ou électro-aimants) sont utilisés dans les accélérateurs de particules, les commandes par relais, les haut-parleurs, les appareils de levage.*

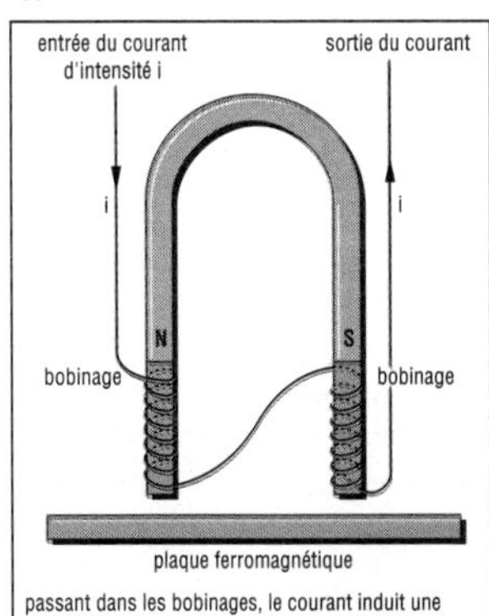

passant dans les bobinages, le courant induit une aimantation qui attire la plaque métallique

électroaimant

électrobiogenèse n. f. BIOL Production de phénomènes électriques par les tissus vivants.

électrobiologie n. f. Partie de la biologie qui étudie les relations entre les phénomènes électriques et les processus biologiques.

électrocardiogramme n. m. MED Tracé obtenu par l'enregistrement de l'activité électrique du cœur au moyen d'un électrocardiographe, permettant de déceler d'éventuelles affections : insuffisance cardiaque, infarctus du myocarde, péricardite. (Abrév. : E.C.G.)

électrocardiographe n. m. MED Appareil enregistrant les courants électriques qui accompagnent les contractions cardiaques.

électrocardiographie n. f. MED Étude de l'activité électrique du cœur par l'électrocardiogramme.

électrocautère n. m. MED Cautère constitué d'un conducteur porté au rouge par un courant électrique.

électrochimie n. f. Science et technique des applications de l'énergie électrique à la chimie (conversion de l'énergie chimique en énergie électrique dans les piles et les accumulateurs; conversion inverse dans l'électrolyse).

électrochimique adj. Qui concerne l'électrochimie.

électrochoc n. m. Procédé thérapeutique, utilisé parfois encore en psychiatrie (pour la schizophrénie, les états dépressifs, confusionnels, etc.), qui consiste à provoquer artificiellement une crise épileptique, par le passage d'un courant alternatif à travers la boîte crânienne.

électrochrome [elɛktʀokʀom] adj. PHYS Qui change de couleur lorsqu'il est soumis à une tension électrique. *Polymère électrochrome.*

électrocinétique n. f. ELECTR Étude des effets des courants électriques, sans tenir compte des phénomènes magnétiques qu'ils provoquent.

électrocoagulation n. f. MED Destruction des tissus par électrothermie.

électrocuter v. tr. [1] Tuer par électrocution. ▷ v. pron. *S'électrocuter en touchant une prise.*

électrocution n. f. **1.** Exécution des condamnés à mort par le courant électrique (aux États-Unis). **2.** Mort accidentelle causée par le courant électrique.

électrode n. f. **1.** Pièce conductrice permettant l'arrivée du courant électrique au point d'utilisation. **2.** Chacune des pièces (anode* ou cathode*) d'un dispositif électrochimique qui permettent le passage des électrons. **3.** MED Conducteur utilisé soit en électrothérapie, soit pour recueillir les courants électriques de l'organisme.

électrodiagnostic [elɛktʀodjagnɔstik] n. m. MED Diagnostic de certaines affections des nerfs ou des muscles par l'étude de leur réponse à l'action d'un courant électrique.

électrodialyse n. f. TECH Procédé de séparation des sels minéraux d'une solution par diffusion à travers une membrane semi-perméable de part et d'autre de laquelle la solution est portée à des potentiels électriques différents. *L'électrodialyse est utilisée pour le dessalement de l'eau de mer.*

électrodynamique n. f. et adj. Partie de la physique qui a pour objet l'étude des actions mécaniques s'exerçant entre des circuits parcourus par des courants électriques. ▷ adj. *Phénomènes électrodynamiques.*

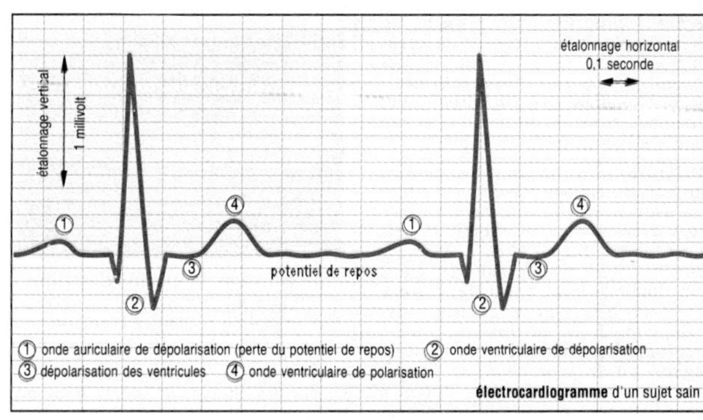

électrocardiogramme d'un sujet sain

électro-encéphalogramme n. m. MED Tracé obtenu par électro-encéphalographie. (Abrév. : E.E.G.) *Des électro-encéphalogrammes.*

électro-encéphalographie n. f. MED Enregistrement graphique, au moyen d'électrodes placées à la surface du crâne, des différences de potentiel électrique qui se produisent au niveau de l'écorce cérébrale. *L'électro-encéphalographie permet de diagnostiquer certaines affections (épilepsie, tumeurs, hémorragies). Des électro-encéphalographies.*

électrofaible adj. PHYS *Théorie électrofaible*, proposée en 1967 par Weinberg et Salam pour unifier dans une même description les interactions* électromagnétique et faible.

électrogène adj. Didac. Qui produit de l'électricité. *Appareil électrogène d'un poisson électrique.* ▷ *Groupe électrogène :* ensemble formé d'un moteur et d'une génératrice électrique.

électrologie n. f. Didac. Discipline concernant l'utilisation médicale de l'électricité (électrodiagnostic et thérapeutique).

électroluminescence n. f. PHYS Propriété de certains corps de devenir luminescents sous l'action d'une décharge électrique ou d'un champ électrique variable.

électroluminescent, ente adj. PHYS Se dit d'un corps doué de l'électroluminescence. *Le néon est électroluminescent.*

électrolysable adj. Qui peut être électrolysé.

électrolyse n. f. CHIM Décomposition chimique de certaines substances (électrolytes) sous l'effet d'un courant électrique. V. électrochimie.

électrolyser v. tr. [1] CHIM Faire l'électrolyse de.

électrolyte n. m. CHIM Composé qui, à l'état liquide ou en solution, permet le passage du courant électrique par déplacement d'ions.

électrolytique adj. Qui a rapport à un électrolyte ou à l'électrolyse; qui se fait par électrolyse.

électromagnétique adj. PHYS Qui a rapport à l'électromagnétisme. – *Rayonnement électromagnétique :* onde, constituée de photons, qui se propage dans l'espace.

électromagnétisme n. m. PHYS Partie de la physique dans laquelle interviennent toutes les notions liées à l'existence de charges électriques.

ENCYCL L'interaction* électromagnétique s'exerce entre toutes les particules possédant une charge électrique. Tout système de particules chargées est la source d'un *champ électromagnétique* qui peut être calculé à l'aide des *équations de Maxwell**. Ce champ est caractérisé par deux vecteurs notés E *(champ électrique)* et B *(champ magnétique)*. Dans le cas particulier de charges immobiles, B est nul et les propriétés du champ E sont celles de l'électrostatique (V. électricité). Toute charge en mouvement accéléré émet des *ondes électromagnétiques.* Ce phénomène est appelé *rayonnement électromagnétique* (V. encycl. rayonnement). Les applications de l'électromagnétisme ont joué un rôle croissant tout au long du XXe s. : communication à distance à l'aide d'ondes hertziennes* (V. radioélectricité), télévision, radar*, maser*, laser*, appareils à micro-ondes*.

électromécanicien, enne n. Spécialiste des machines et des mécanismes électriques.

électromécanique n. f. et adj. **1.** n. f. Ensemble des applications de l'électricité à la mécanique. **2.** adj. Se dit des mécanismes à commande électrique. *Contacteur électromécanique.*

électroménager adj. m. et n. m. *Appareil électroménager :* appareil à usage domestique fonctionnant à l'électricité. ▷ n. m. *Le secteur économique de l'électroménager.*

électrométallurgie n. f. Ensemble des techniques de préparation ou d'affinage des métaux, faisant appel à l'électricité (chauffage dans un four électrique ou à électrolyse).

électromètre n. m. Appareil servant à mesurer, par un procédé électrostatique, une différence de potentiel ou à vérifier qu'un corps est chargé électriquement.

électromoteur, trice adj. (et n. m.) Qui produit, mécaniquement ou chimiquement, de l'énergie électrique. *Les dynamos, les piles sont des appareils électromoteurs.* ▷ *Force électromotrice :* force caractéristique d'un générateur traduisant son aptitude à maintenir une différence de potentiel entre deux points d'un circuit ouvert, ou à entretenir un courant électrique dans un circuit fermé. (Abrév. : f.é.m.) – *Force contre-électromotrice :* force caractéristique des récepteurs transformant l'énergie électrique en énergie chimique ou mécanique. (Abrév. : f.c.é.m.) ▷ n. m. Générateur électrique.

électron n. m. Particule constitutive de la partie externe de l'atome, qui porte une charge électrique négative d

$1,602.10^{-19}$ coulomb et a une masse de $0,911.10^{-30}$ kg. (V. encycl. particule et électronique.) ▷ Loc. fig., fam. *Électron libre :* membre d'une organisation aux réactions imprévisibles.

électronégatif, ive adj. CHIM Se dit d'un élément qui a tendance à capter des électrons (particules négatives). Ant. électropositif.

électronicien, enne n. et adj. Spécialiste de l'électronique. – adj. *Ingénieur électronicien.*

électronique adj. et n. f. **I.** adj. **1.** Qui se rapporte ou qui est propre à l'électron. *Flux électronique.* **2.** Qui se rapporte à l'électronique; qui se fonde sur ses lois. *Microscope électronique.* – *Musique électronique,* qui utilise des sons musicaux créés à partir d'oscillations électriques amplifiées. **II.** n. f. Science ayant pour objet l'étude de la conduction électrique dans le vide, les gaz et les semi-conducteurs. ▷ Ensemble des techniques dérivées de cette science.

ENCYCL La découverte des rayons cathodiques par Hittorf (1869) puis leur étude par Crookes, Perrin et Thompson sont à l'origine de l'électronique, car ces rayons sont constitués d'électrons accélérés grâce à la forte différence de potentiel qui existe entre la cathode et l'anode des tubes qui les émettent. Les découvertes se succèdent rapidement à la fin du XIXe s. et au XXe s. : l'effet thermoélectronique par Edison en 1884, l'électron par Thompson en 1897, la lampe diode par Fleming en 1904, la diode à jonction par Shockley en 1948, découverte qui permettra la construction des transistors, puis des circuits intégrés (1966). Les électrons utilisés dans les tubes électroniques (diodes, triodes, etc.) sont extraits des atomes de certains corps (tungstène, oxydes alcalino-terreux). Selon la forme d'énergie utilisée pour rompre la liaison qui les unit au noyau atomique, on distingue divers types d'*émissions :* thermoélectronique ou thermoélectrique (énergie apportée sous forme de chaleur); photoélectrique ou photoélectronique (apport d'énergie par un rayonnement); par l'effet d'un champ électrique de haute intensité appliqué à la surface du corps émetteur; secondaire, lorsqu'on bombarde une surface par des électrons ou par des ions. Du fait de leur inertie à peu près nulle et de leur charge, ils peuvent être aisément accélérés et déviés sous l'action de champs magnétiques et électriques.

électroniquement adv. Didac. Par des moyens électroniques.

électronucléaire adj. et n. m. PHYS NUCL Qui concerne l'électricité produite par la fission nucléaire*. *Centrale électronucléaire.* ▷ n. m. *L'électronucléaire :* l'ensemble des techniques électronucléaires.

électronvolt n. m. PHYS NUCL Unité d'énergie égale à la variation d'énergie cinétique d'un électron qui subit une variation de potentiel de 1 volt (symbole eV).

électrophone n. m. Appareil électrique de reproduction des enregistrements sonores sur disques.

électrophorèse n. f. CHIM Séparation, sous l'action d'un champ électrique, de molécules protéiques ionisées dont les mobilités sont différentes. (L'électrophorèse est utilisée en biochimie pour certaines analyses – notam. l'analyse du sérum sanguin – ainsi que dans l'industrie, par ex. pour la peinture d'apprêt des pièces métalliques.)

électroportatif, ive adj. Se dit du petit outillage électrique, que l'on transporte facilement.

électropositif, ive adj. CHIM Se dit d'un élément qui a tendance à perdre des électrons. Ant. électronégatif.

électropuncture ou **électroponcture** n. f. MED Méthode thérapeutique reposant sur les principes de l'acupuncture et l'utilisation d'aiguilles dans lesquelles passe un courant électrique.

électroradiologie n. f. MED Ensemble des utilisations médicales (diagnostics et traitements) de l'électricité et de la radiologie.

électroscope n. m. Instrument qui sert à détecter et à mesurer les charges électriques.

électrostatique n. f. et adj. ELECTR Partie de la physique qui étudie les propriétés des corps porteurs de charges électriques en équilibre. ▷ adj. Relatif à l'électricité statique.

électrotechnicien, enne n. TECH Spécialiste de l'électrotechnique.

électrotechnique n. f. et adj. Ensemble des applications industrielles de l'électricité. ▷ adj. Qui concerne ces applications.

électrothérapie n. f. MED Utilisation thérapeutique de l'électricité.

électrothermie n. f. TECH Ensemble des techniques reposant sur la transformation de l'énergie électrique en chaleur.

électrovalence n. f. CHIM Valence d'un ion (égale à sa charge). ▷ *Liaison par électrovalence :* liaison forte entre deux atomes dont l'un cède à l'autre plusieurs électrons de sa couche externe.

électrum [elɛktʀɔm] n. m. Alliage naturel d'or et d'argent.

Élée, v. de l'Italie anc., en Grande-Grèce (auj. *Castellamare di Velia,* Lucanie), célèbre pour son école de philosophie. (V. éléate.)

élégamment adv. Avec élégance. *S'habiller, parler, marcher élégamment.*

élégance n. f. **1.** Qualité esthétique naturelle ou acquise alliant la grâce, la distinction et la simplicité. *L'élégance d'un mouvement. L'élégance de l'école florentine. Écrire avec élégance.* Ant. vulgarité, lourdeur. **2.** Raffinement de bon goût dans l'habillement, la parure, les manières. ▷ *Faire des élégances :* chercher à être élégant avec ostentation. **3.** Manières délicates et raffinées dans l'ordre moral. *Agir avec élégance.*

élégant, ante adj. (et n.) Qui a de l'élégance. *Un style élégant. Trouver une solution élégante à un problème.* ▷ Subst. Personne élégante.

élégiaque adj. **1.** LITTER Relatif à l'élégie. *Œuvre élégiaque.* ▷ *Poète élégiaque,* auteur d'élégies. **2.** METR ANC *Distique élégiaque,* composé d'un hexamètre et d'un pentamètre.

élégie n. f. Poème lyrique d'un ton mélancolique. *Les élégies de Ronsard. Les élégies des Grecs et des Latins étaient composées de distiques élégiaques*.*

éléis. V. elæis.

élément n. m. Chacune des choses qui, en combinaison avec d'autres, forme un tout. *Connaître tous les éléments d'un problème.* **1.** TECH Partie d'un ensemble constitué de pièces identiques. *Accumulateur de cinq éléments. Éléments d'un meuble de rangement.* **2.** MATH Être mathématique qui appartient à un ensemble (ou à plusieurs). *+2, +3, +4 sont des éléments de l'ensemble N des entiers naturels. Élément commun à plusieurs ensembles. 0 est l'élément neutre pour l'addition.* **3.** LING Constituant d'une unité linguistique de niveau supérieur, isolable par l'analyse. *L'élément vocalique d'une syllabe. Mot composé de plusieurs éléments (radical, affixe, désinence).* **4.** (Plur.) Principes fondamentaux d'une discipline. *Connaître les éléments de la grammaire anglaise.* **5.** Personne appartenant à un groupe. *Les bons éléments d'une classe.* **6.** *Les quatre éléments :* l'eau, l'air, la terre, le feu, considérés par les Anciens comme constitutifs de tous les corps dans l'Univers. ▷ *Les éléments :* les forces de la nature. *Lutter contre les éléments déchaînés.* **7.** Milieu dans lequel vit un animal. *L'eau est l'élément du poisson.* ▷ Fig. (Personnes) *Être dans son élément :* se sentir à l'aise en se trouvant dans un certain milieu, ou en évoquant des questions que l'on connaît bien. *En compagnie des artistes, il est dans son élément.* **8.** CHIM Configuration atomique caractérisée par son numéro atomique Z, qui représente le nombre de protons contenus dans le noyau. *La molécule d'oxygène O_2 et la molécule d'ozone O_3 comportent l'une deux atomes, l'autre trois atomes de l'élément oxygène O.* (V. atome.)

ENCYCL **Chim.** – Tous les corps qui existent à la surface de la Terre sont des combinaisons de 90 éléments naturels. Les chimistes les désignent chacun par un symbole, première lettre majuscule de leur nom actuel ou ancien, souvent suivie d'une seconde lettre minuscule pour éviter les confusions. En 1869, D. Mendeleïev proposa une classification des éléments par «poids atomiques» croissants, mais en plaçant les uns au-dessous des autres ceux qui possédaient des propriétés chimiques identiques. Le tableau périodique actuel dérive de celui de Mendeleïev, mais classe les éléments (naturels et artificiels) par numéros atomiques Z croissants; Z est le nombre des protons présents dans le noyau atomique. Le tableau périodique actuel comprend les 90 éléments naturels et 19 éléments artificiels : le technétium (Z = 43, créé en 1937), le prométhium (Z = 61, créé en 1945) et les transuraniens (Z = 93 à 109) dont le nombre n'a cessé de croître depuis la découverte du neptunium (Z = 93) en 1940. Il comporte sept périodes, représentées horizontalement et notées de I à VII. Chaque période correspond au nombre de couches électroniques des éléments qu'elle contient. La période I est réservée aux éléments qui comportent une seule couche électronique : l'hydrogène (H) et l'hélium (He); les périodes II et III sont réservées aux éléments ayant deux et trois couches électroniques, etc. Les diverses colonnes (verticales) notent le nombre d'électrons de la couche périphérique externe, celle dont l'énergie est la plus élevée; le chiffre romain qui les désigne indique ce nombre. Ainsi, tous les éléments de A I possèdent un seul électron périphérique; mis à part l'hydrogène, ce sont les métaux alcalins (lithium Li; sodium Na; etc.); perdant facilement cet électron, ils sont très réactifs. La colonne A II contient les métaux alcalino-terreux, qui possèdent deux électrons périphériques (beryllium Be, manganèse Mn, etc.). Ensuite, la régularité du tableau est rompue par la zone (A III à B II) qui contient les métaux de transi-

LISTE DES ÉLÉMENTS NATURELS ET ARTIFICIELS

Une configuration atomique de numéro atomique Z donné peut présenter des atomes ayant des masses atomiques différentes : ce sont les isotopes d'un élément considéré ; pour chaque élément nous avons indiqué leur nombre. Ces isotopes ont des masses différentes car leurs noyaux ne comportent pas le même nombre de neutrons ; ce nombre varie facilement et, par bombardement particulaire du noyau, on peut produire de nouveaux isotopes artificiels (en italique dans ce tableau, qui comporte les éléments de nombre atomique 1 à 105).

(*) Les nombres entre parenthèses sont relatifs au nombre de masse de l'isotope le plus stable.
(**) Nom non homologué.

NOM	SYMBOLE	Z	M	NOMBRE TOTAL D'ISOTOPES CONNUS
Actinium	Ac	89	(227)*	12
Aluminium	Al	13	26,981	7
Americium	Am	95	(243)	13
Antimoine	Sb	51	121,75	21
Argent	Ag	47	107,868	16
Argon	Ar	18	39,948	11
Arsenic	As	33	74,922	14
Astate	At	85	(210)	22
Azote	N	7	14,007	8
Baryum	Ba	56	137,34	26
Berkélium	Bk	97	(247)	11
Béryllium	Be	4	9,012	5
Bismuth	Bi	83	208,981	25
Bore	B	5	10,811	7
Brome	Br	35	79,904	17
Cadmium	Cd	48	112,41	23
Calcium	Ca	20	40,08	17
Californium	Cf	98	(251)	11
Carbone	C	6	12,011	8
Cérium	Ce	58	140,12	18
Césium	Cs	55	132,905	22
Chlore	Cl	17	35,453	11
Chrome	Cr	24	51,996	13
Cobalt	Co	27	58,933	11
Cuivre	Cu	29	63,55	13
Curium	Cm	96	(247)	12
Dysprosium	Dy	66	162,50	21
Einsteinium	Es	99	(254)	9
Erbium	Er	68	167,26	19
Etain	Sn	50	118,69	33
Europium	Eu	63	151,95	18
Fer	Fe	26	55,847	14
Fermium	Fm	100	(257)	9
Fluor	F	9	18,998	6
Francium	Fr	87	(223)	9
Gadolinium	Gd	64	157,25	21
Gallium	Ga	31	69,72	9
Germanium	Ge	32	72,59	18
Hafnium	Hf	72	178,49	17
*Hahnium***	Ha	105	(262)	
Hélium	He	2	4,003	6
Holmium	Ho	67	164,930	10
Hydrogène	H	1	1,008	5
Indium	In	49	114,82	16
Iode	I	53	126,904	22
Iridium	Ir	77	192,22	16
*Kourchatovium***	Ku	104	(261)	
Krypton	Kr	36	83,80	27
Lanthane	La	57	138,91	16
Lawrencium	Lr	103	(260)	
Lithium	Li	3	6,939	7
Lutécium	Lu	71	174,97	12
Magnésium	Mg	12	24,305	9
Manganèse	Mn	25	54,938	9
Mendélévium	Md	101	(258)	7
Mercure	Hg	80	200,59	26
Molybdène	Mo	42	95,94	21
Néodyme	Nd	60	144,24	21
Néon	Ne	10	20,17	10
Neptunium	Np	93	(237,048)	14 ou 15
Nickel	Ni	28	58,71	16
Niobium	Nb	41	92,906	12
Nobélium	No	102	(259)	1
Or	Au	79	196,967	14
Osmium	Os	76	190,2	20
Oxygène	O	8	15,999	9
Palladium	Pd	46	106,4	22
Phosphore	P	15	30,974	8
Platine	Pt	78	195,09	19
Plomb	Pb	82	207,19	25
Plutonium	Pu	94	(244)	15 ou 16
Polonium	Po	84	(209)	29
Potassium	K	19	39,102	11
Praséodyme	Pr	59	140,908	12
Prométhium	Pm	61	(145)	9
Protactinium	Pa	91	(231,036)	14
Radium	Ra	88	(226,025)	17
Radon	Rn	86	(222)	19
Rhénium	Re	75	186,2	13
Rhodium	Rh	45	102,906	14
Rubidium	Rb	37	85,47	19
Ruthénium	Ru	44	101,07	23
Samarium	Sm	62	150,35	21
Scandium	Sc	21	44,956	12
Sélénium	Se	34	78,96	20
Silicium	Si	14	28,086	10
Sodium	Na	11	22,990	7
Soufre	S	16	32,064	11
Strontium	Sr	38	87,62	20
Tantale	Ta	73	180,947	13
Technétium	Tc	43	(98,906)	13
Tellure	Te	52	127,60	27
Terbium	Tb	65	158,925	10
Thallium	Tl	81	204,37	22
Thorium	Th	90	232,038	19
Thulium	Tm	69	168,934	10
Titane	Ti	22	47,90	14
Tungstène	W	74	183,85	18
Uranium	U	92	238,03	17
Vanadium	V	23	50,941	12
Xénon	Xe	54	131,30	32
Ytterbium	Yb	70	173,04	23
Yttrium	Y	39	88,906	16
Zinc	Zn	30	65,38	18
Zirconium	Zr	40	91,22	17

M = masse atomique référence : $(^{12}_{6}C = 12)$.

Période	A I	A II	A III	A IV	A V	A VI	A VII	VIII	VIII	VIII	B I	B II	B III	B IV	B V	B VI	B VII	0
I	H 1																	He 2
II	Li 3	Be 4											B 5	C 6	N 7	O 8	F 9	Ne 10
III	Na 11	Mg 12											Al 13	Si 14	P 15	S 16	Cl 17	Ar 18
IV	K 19	Ca 20	Sc 21	Ti 22	V 23	Cr 24	Mn 25	Fe 26	Co 27	Ni 28	Cu 29	Zn 30	Ga 31	Ge 32	As 33	Se 34	Br 35	Kr 36
V	Rb 37	Sr 38	Y 39	Zr 40	Nb 41	Mo 42	* Tc 43	Ru 44	Rh 45	Pd 46	Ag 47	Cd 48	In 49	Sn 50	Sb 51	Te 52	I 53	Xe 54
VI	Cs 55	Ba 56	La 57	Hf 72	Ta 73	W 74	Re 75	Os 76	Ir 77	Pt 78	Au 79	Hg 80	Tl 81	Pb 82	Bi 83	* Po 84	* At 85	* Rn 86
VII	* Fr 87	* Ra 88	* Ac 89	Th 90	* Pa 91	U 92												

Ce 58	Pr 59	Nd 60	* Pm 61	Sm 62	Eu 63	Gd 64	Tb 65	Dy 66	Ho 67	Er 68	Tm 69	Yb 70	Lu 71			
* Np 93	* Pu 94	* Am 95	* Cm 96	* Bk 97	* Cf 98	* Es 99	* Fm 100	* Md 101	* No 102	* Lr 103	* Ku 104	* Ha 105	* 106	* 107	* 108	* 109

hydrogène
métaux vrais
métaux de transition
« métalloïdes »
non-métaux
gaz rares
lanthanides
transuraniens
* éléments radioactifs (ceux dont tous les isotopes ont une radioactivité détectable)

La nomenclature internationale préfère désigner les éléments dont le nombre atomique *Z* est supérieur à 100 par un nom numérique. Ainsi, le *mendelevium* (Z = 101) peut être nommé *Unnilunium* (1 donnant *un* ; 0, *nil* ; 1, *unium*); sont surtout utilisés les noms suivants : *unnilquadium* (Z = 104), *unnilpentium* (Z = 105), *unnilhexium* (Z = 106), *unnilseptium* (Z = 107), *unniloctium* (Z = 108), *unnilennium* (Z = 109).

tableau périodique des **éléments**

tion ; le numéro de chaque colonne ne représente pas le nombre d'électrons périphériques (lequel vaut en général deux et parfois un) mais provient de l'ancienne forme, dite « courte » du tableau périodique. Autres anomalies, la case du lanthane (La ; Z = 57) comprend cet élément et tous les lanthanides, et celle de l'uranium (U ; Z = 92) comprend cet élément et tous les transuraniens. De B III à B VII, le tableau retrouve sa régularité : le numéro d'une colonne représente à nouveau le nombre d'électrons périphériques. À l'extrême droite du tableau, une colonne notée 0 présente des éléments particulièrement stables, à cause du remplissage complet des couches électroniques ; leur couche externe comprend huit électrons ; ce sont les gaz rares, dits aussi inertes, car ils ne peuvent connaître d'état excité. B VII regroupe les halogènes, qui ont sept électrons périphériques ; tout halogène a tendance à gagner un électron afin d'acquérir la structure électronique du gaz rare qui le suit (dans la colonne 0). De nombreux éléments de la droite du tableau, dits non-métaux, se rencontrent dans la nature à l'état de combinaisons gazeuses. Quand on suit une période de la droite vers la gauche, le caractère métallique s'accentue. Des éléments (parfois appelés métalloïdes ou semi-métaux) font la transition entre métaux et non-métaux : arsenic (As), antimoine (Sb), etc. Une configuration atomique de numéro atomique Z donné peut présenter des atomes ayant des masses atomiques différentes : ce sont les isotopes d'un élément considéré ; pour chaque élément nous avons indiqué leur nombre dans la liste des éléments. Ces isotopes ont des masses différentes car leurs noyaux ne comportent pas le même nombre de neutrons ; ce nombre varie facilement et, par bombardement du noyau avec des particules accélérées, on peut produire de nouveaux isotopes artificiels.

élémentaire adj. **1.** Qui concerne les premiers éléments d'une discipline. *Cours d'anglais élémentaire. Notions élémentaires.* – *Ce problème est élémentaire,* facile à comprendre. ▷ *Cours élémentaire 1re et 2e année* : dans le cycle primaire, classes intermédiaires entre le cours préparatoire et le cours moyen. – Anc. *Classe de mathématiques élémentaires* (fam. *mathélem*), qui préparait au baccalauréat scientifique. **2.** Réduit à l'essentiel. *La plus élémentaire des politesses. C'est élémentaire de faire cela.* **3.** CHIM *Analyse élémentaire* : recherche des éléments présents dans un corps.

Éléonore de Habsbourg (Louvain, 1498 – Talavera, Espagne, 1558), archiduchesse d'Autriche, reine du Portugal puis de France ; fille de Philippe Ier, archiduc d'Autriche et roi de Castille, et sœur aînée de Charles Quint. Elle épousa (1519) Manuel Ier de Portugal (mort en 1521) puis François Ier (1530).

éléphant n. m. **1.** Mammifère proboscidien herbivore à peau rugueuse, muni d'une trompe et de défenses. *L'éléphant est le plus gros animal terrestre actuel. L'éléphant barrit.* V. mammouth, mastodonte. ▷ Loc. fig., fam. *Un éléphant dans un magasin de porcelaine* : une personne d'une grande maladresse. – *Avoir une mémoire d'éléphant* : avoir beaucoup de mémoire. **2.** *Éléphant de mer* : mammifère marin herbivore des îles Kerguelen (*Macrorhinus leoninus*), le plus grand des pinnipèdes, variété de phoques atteignant une masse de 5 tonnes et 5 mètres de long, munis d'une trompe. ▶ illustr. page **616**

Elephanta (île), îlot de la baie de Bombay (Inde), dont les collines sont creusées de sanctuaires hindouistes aux sculptures célèbres (VIIe-VIIIe s.).

éléphante n. f. Rare Éléphant femelle.

éléphanteau n. m. Petit de l'éléphant.

éléphantesque adj. Qui rappelle l'éléphant par sa taille, son aspect. *Des proportions éléphantesques.* – Iron. *Une grâce éléphantesque.*

éléphantiasis [elefɑ̃tjazis] n. m. MED Augmentation considérable du volume d'un membre ou d'une partie du corps, due à un œdème chronique des téguments, observée essentiellement dans certaines filarioses.

éléphantin, ine adj. Didac. **1.** Propre à l'éléphant ; qui ressemble à l'éléphant. **2.** Fait d'ivoire.

Éléphantine (île), île du Nil, à proximité d'Assouan (Haute-Égypte). Ruines pharaoniques.

Éleusis, v. de la Grèce anc. (Attique ; auj. *Elefsina ;* 23 040 hab.). Aciérie, cimenterie, pétrochim., chantier naval. – Ruines du temple de Déméter et de Perséphone, dans lequel on célébrait les *mystères d'Éleusis* (rites secrets attachés à un culte agraire primitif). – *Grand relief d'Éleusis* (attribué à Phidias.)

éléphant de mer paradant

éléphants : les genres, *Elephas* (en haut, à g.) et *Loxodonta* (*Africana africana* au centre et *Africana cyclotis* à dr.) correspondent aux appellations *Éléphant d'Asie* (en bas, à g.) et *Éléphant d'Afrique* (en bas, à dr.)

élevage n. m. Production et entretien (des animaux domestiques ou utiles). *Élevage des volailles, des abeilles.*

élévateur adj. et n. m. **1.** ANAT Se dit des muscles qui élèvent certaines parties du corps. ▷ n. m. *L'élévateur de la paupière.* **2.** TECH Qualifie les appareils de manutention capables de lever des charges. *Un chariot élévateur* ou, n. m., *un élévateur.*

élévation n. f. **1.** Action de lever, d'élever. *L'élévation de la main.* ▷ LITURG CATHOL Moment de la messe où le prêtre élève l'hostie et le vin consacrés. **2.** Construction ou rehaussement. *L'élévation d'un monument.* **3.** Hauteur. ▷ ASTRO Hauteur d'un astre au-dessus de l'horizon. ▷ TECH *Vue en élévation* ou *élévation :* dessin représentant la projection d'un objet sur un plan vertical. ▷ *Élévation de terrain* ou, *élévation :* terrain plus haut que ceux du voisinage. *Se cacher derrière une élévation.* **4.** Fait de s'élever (par rapport à une échelle de grandeur). *Élévation du niveau des eaux. Élévation de la température.* **5.** Action d'élever, de s'élever à un rang supérieur. *Élévation à une dignité.* **6.** Caractère élevé (de l'âme, de l'esprit). *L'élévation des sentiments.*

élévatoire adj. TECH Qui sert à lever, à élever. *Pompe élévatoire.*

élève n. **1.** Personne qui reçoit les leçons d'un maître, qui fréquente un établissement scolaire. *Les élèves du lycée. Un élève d'une grande école.* ▷ MILIT *Élève officier :* militaire qui suit des cours pour devenir officier. *Élève officier d'active, de réserve.* **2.** Personne qui, instruite dans un art ou dans une science par un maître, s'inspire de ses travaux. *Raphaël fut l'élève du Pérugin.*

élevé, ée adj. **1.** Haut. *Une montagne élevée. Des prix élevés.* **2.** D'un haut niveau intellectuel ou moral. *Des conversations élevées. Une âme élevée.* **3.** *Bien, mal élevé :* qui a reçu une bonne, une mauvaise éducation.

élever v. [16] **I.** v. tr. **1.** Mettre, porter plus haut. *Élever un fardeau. Élever les bras.* ▷ *Élever une maison d'un étage,* la surélever d'un étage. ▷ *Élever la voix, le ton :* parler plus fort pour être mieux entendu ou être obéi. – *Élever la voix en faveur de qqn, de qqch.* ▷ *Élever une critique, une protestation :* formuler une critique, etc. **2.** Construire (en hauteur). *Élever une statue, un monument.* **3.** Fig. Placer à un rang supérieur. *Élever qqn à la dignité d'officier de la Légion d'honneur.* ▷ Fig. *Lecture qui élève l'âme.* **4.** Porter à un degré supérieur. *Élever la température d'un local. Élever le taux de l'escompte.* Syn. relever. ▷ MATH *Élever un nombre à la puissance deux, trois, etc.,* calculer son carré, son cube, etc. **5.** *Élever des enfants,* subvenir à leurs besoins et assurer leur développement physique et moral. *C'est sa grand-mère qui l'a élevé.* ▷ *Spécial.* Éduquer. *Élever des enfants chrétiennement. Ne pas savoir élever ses enfants.* **6.** *Élever des animaux,* en faire l'élevage. *Elle élève des poules et des lapins.* **II.** v. pron. **1.** Monter. *Des oiseaux s'élevaient dans le ciel.* **2.** Se dresser. *Une statue s'élève au milieu de la place.* **3.** Surgir, naître. *Un cri s'élève. Des discussions, des doutes s'élèvent.* **4.** (Choses) Atteindre un degré supérieur. *La température s'élève.* ▷ *S'élever à... :* atteindre, se monter à... *La facture s'élève à 1 000 francs.* **5.** (Personnes) Parvenir à un rang supérieur. *S'élever dans la hiérarchie. S'élever au-dessus des préjugés,* les dépasser par la hauteur de son jugement. **6.** *S'élever contre :* s'opposer violemment à. *Il s'élevait contre l'injustice.*

éleveur, euse n. **1.** Personne qui élève des animaux. **2.** n. f. TECH Appareil protecteur, chauffé artificiellement, utilisé dans l'élevage des poussins. **3.** n. m. Celui qui surveille le vieillissement du vin. – (En appos.) *Vin mis en bouteilles chez le propriétaire éleveur, le négociant éleveur.*

élevure n. f. Vieilli Léger gonflement de la peau à la suite d'une irritation.

elfe n. m. Génie qui, dans la mythologie scandinave, symbolisait les forces de la nature.

Elgar (sir Edward) (Broadheath, 1857 – Worcester, 1934), compositeur anglais. Auteur d'une œuvre de tradition romantique illustrée notam. par un oratorio (*le Songe de Gerontius,* 1900) et par un poème symphonique (*Falstaff,* 1913).

Elgin (Thomas Bruce, comte d') (Londres, 1766 – Paris, 1841), diplomate et collectionneur anglais. Il prit en Grèce de nombr. objets d'art (frise du Parthénon), auj. au British Museum.

Éli. V. Héli.

Éliacim. V. Joachim Ier.

Eliade (Mircea) (Bucarest, 1907 – Chicago, 1986), historien et écrivain roumain (nombreuses œuvres écrites en français); professeur d'histoire des religions à Chicago : *le Mythe de l'éternel retour* (1949), *Traité d'histoire des religions* (1949), *Histoire des croyances et des idées religieuses* (1949-1983). Romans : *la Nuit bengali* (1933), *les Houligans* (1935), *le Vieil Homme et l'officier* (1968).

Élide, région de l'anc. Grèce (Péloponnèse) où se trouvait Olympie.

élider v. tr. [1] Effectuer l'élision de (une voyelle). ▷ v. pron. *L'article défini s'élide devant les mots commençant par une voyelle ou un h muet* (ex. *l'ami*). – Pp. adj. *Article élidé.*

Élie, prophète d'Israël (IXe s. av. J.-C.); sa vie est relatée dans la Bible (Livres des Rois).

Élie d'Assise ou **frère Élie** (Castel Britti, 1171 – Cortone, 1253), franciscain italien; l'un des prem. disciples de François d'Assise. Ses liens avec le parti gibelin lui valurent d'être excommunié par deux fois (1240 et 1245).

Élie de Beaumont (Léonce) (Canon, Calvados, 1798 – id., 1874), géologue français. Il publia (avec P.A. Petit-Dufrénoy) la première carte géologique de la France et étudia l'orogenèse française.

éligibilité n. f. Qualité d'une personne éligible.

éligible adj. Qui remplit les conditions nécessaires pour pouvoir être élu.

élimer v. tr. [1] User (un tissu) par frottement. – Pp. adj. *Veste élimée,* usée à force d'être portée. Syn. râper.

éliminable adj. Qui peut être éliminé.

éliminateur, trice adj. Qui élimine.

élimination n. f. Action d'éliminer; son résultat. *Élimination d'un candidat, d'une équipe sportive.* ▷ *Procéder par élimination :* aboutir à la vérité en montrant la fausseté de toutes les hypothèses possibles, moins une. ▷ Fait d'éliminer une substance de l'organisme. *Élimination urinaire. Élimination de toxines.*

éliminatoire adj. et n. f. **1.** adj. Qui a pour but ou résultat d'éliminer. *Épreuve éliminatoire. Note éliminatoire,* au-dessous de laquelle on est éliminé, dans un examen. **2.** n. f. SPORT Épreuve préliminaire permettant de sélectionner les concurrents les plus qualifiés. *Les éliminatoires d'un championnat.*

éliminer v. tr. [1] **1.** Écarter après sélection. *Éliminer un candidat. Cette équipe de football a été éliminée de la Coupe.* Ant. admettre. **2.** Chasser hors de l'organisme. *Éliminer un calcul.* **3.** MATH

Éliminer une inconnue dans un système d'équations, en formant un système qui compte une équation de moins et dans lequel cette inconnue n'apparaît plus.

élingue n. f. MAR Cordage dont on entoure un objet et qui, accroché à une grue ou à un palan, sert à le soulever.

Eliot (John) (Widford, Hertfordshire, 1604 - Roxbury, Massachusetts, 1690), missionnaire protestant anglais. Établi en 1631 en Nouvelle-Angleterre, il évangélisa les Indiens Algonquins.

Eliot (Mary Ann Evans, dite George) (Arbury Farm, près de Nuneaton, Warwickshire, 1819 - Londres, 1880), journaliste et femme de lettres anglaise. Son œuvre romanesque abonde en descriptions minutieuses, sans que jamais soient étouffées l'imagination et la sensibilité : *Adam Bede* (1859), *le Moulin sur la Floss* (1860), *Silas Marner* (1861).

Eliot (Thomas Stearns) (Saint Louis, Missouri, 1888 - Londres, 1965), écrivain anglais d'origine américaine. Il exprime le désespoir et la pauvreté spirituelle de son temps dans la poésie (*la Terre vaine,* 1922; *Mercredi des Cendres,* 1930; *Quatre Quatuors,* 1935-1942), la tragédie (*Meurtre dans la cathédrale,* 1935; *la Cocktail-Party,* 1950), l'essai (*le Bois sacré,* 1920) et la critique (*Poésie et Théâtre,* 1951). P. Nobel 1948.

élire v. tr. [66] **1.** Vx ou litt. Choisir. ▷ DR Mod. *Élire domicile quelque part* : V. élection* de domicile; *par ext.* s'installer quelque part. **2.** Nommer à une fonction par voie de suffrages. *Élire le président de la République au suffrage universel.*

Elisa, acronyme pour l'angl. *Enzyme Linked Immune System Assay,* «test de dosage d'une enzyme liée au système immunitaire». Test utilisé pour détecter notam. la présence de H.I.V.*

Élisabeth (sainte) (Ier s.), mère de Jean-Baptiste; la Vierge Marie, sa parente, lui rendit visite (Visitation) après l'Annonciation, pendant la grossesse d'Élisabeth, considérée comme miraculeuse (Luc, I).

Élisabeth de Hongrie (sainte) (Sáxospatak, 1207 - Marburg, 1231, fille d'André II de Hongrie; épouse de Louis IV, landgrave de Thuringe et de Hesse. Veuve en 1227, elle se retira dans l'hôpital qu'elle avait fondé à Marburg.

AUTRICHE

Élisabeth de Wittelsbach (dite *Sissi*) (Possenhofen, Bavière, 1837 - Genève, 1898), impératrice d'Autriche; épouse de François-Joseph Ier. Elle fut assassinée par un anarchiste italien.

BELGIQUE

Élisabeth (Possenhofen, 1876 - Bruxelles, 1965), duchesse en Bavière, reine des Belges; épouse d'Albert Ier (1900); elle fut musicienne et mécène (concours intern. de piano Reine-Élisabeth).

ESPAGNE

Élisabeth de France (Fontainebleau, 1545 - Madrid, 1568), reine d'Espagne; fille d'Henri II, roi de France, épouse (1559) de Philippe II, roi d'Espagne.

Élisabeth de France (Fontainebleau, 1602 - Madrid, 1644), reine d'Espagne; fille d'Henri IV et de Marie de Médicis, épouse (1615) du futur Philippe IV.

Élisabeth Farnèse (Parme, 1692 - Madrid, 1766), reine d'Espagne; seconde épouse de Philippe V.

sainte **Élisabeth de Hongrie** — **Élisabeth Ire** d'Angleterre

FRANCE

Élisabeth Charlotte d'Orléans (dite *Mademoiselle*) (Paris, 1676 - Commercy, 1744), fille de Philippe d'Orléans; épouse de Léopold, duc de Lorraine (1698). Régente du duché de 1729 à 1736.

Élisabeth de France (dite *Madame*) (Versailles, 1764 - Paris, 1794), sœur de Louis XVI. Elle partagea sa captivité et mourut sur l'échafaud.

GRANDE-BRETAGNE

Élisabeth Ire (en angl. *Elizabeth*) (Greenwich, 1533 - Richmond, 1603), reine d'Angleterre et d'Irlande (1558-1603). Fille d'Henri VIII et d'Anne Boleyn, elle succéda à sa demi-sœur Marie Tudor. Elle s'entoura d'hommes de valeur (Cecil, Bacon) et gouverna avec autorité. Elle rétablit l'anglicanisme, fit juger et décapiter Marie Stuart. Elle se tourna vers les États protestants et lutta contre l'Espagne (victoire sur l'Invincible Armada). Elle restaura les finances anglaises, favorisa le commerce maritime, protégea les arts et les lettres. Son règne éblouissant clôt la dynastie des Tudors : elle mourut célibataire et sans enfant.

Élisabeth II (Londres, 1926), fille de George VI, reine de Grande-Bretagne et chef du Commonwealth (1952); en 1947, elle épousa Philippe de Grèce et de Danemark (V. Mountbatten).

ROUMANIE

Élisabeth de Wied (Neuwied, 1843 - Bucarest, 1916), reine de Roumanie, épouse de Charles Ier; poétesse sous le pseudonyme de Carmen Sylva.

RUSSIE

Élisabeth Petrovna (Kolomenskoïe, près de Moscou, 1709 - Saint-Pétersbourg, 1762), fille de Pierre le Grand et de Catherine Ire. Impératrice de Russie de 1741 à 1762, elle poursuivit l'œuvre paternelle et protégea les arts et les lettres.

◊ ◊ ◊

élisabéthain, aine adj. Relatif à Élisabeth Ire d'Angleterre, à son règne. *Le théâtre élisabéthain.*

Élisabethville. V. Lubumbashi.

Élisée (IXe s. av. J.-C.), prophète juif, disciple d'Élie (Bible, II Livre des Rois).

élision n. f. Suppression d'une voyelle à la fin d'un mot, quand le mot suivant commence par une voyelle ou un h muet. *L'apostrophe est le signe de l'élision en français (ex. : l'amie, l'habit).*

Elissa. V. Didon.

élite n. f. **1.** Ensemble formé par les meilleurs éléments d'une communauté. *Œuvre qui ne peut être comprise que par une élite.* ▷ *D'élite* : parmi les meilleurs. *Un tireur d'élite,* particulièrement habile. **2.** Plur. *Les élites* : les membres des catégories sociales jouissant d'une position particulièrement élevée.

élitisme n. m. Système favorisant l'élite au détriment des autres membres d'une communauté.

élitiste adj. Inspiré par l'élitisme.

élixir n. m. **1.** Vx Substance la plus pure extraite d'un corps. ▷ Philtre magique. **2.** PHARM Préparation pharmaceutique qui résulte du mélange d'un sirop avec un alcoolat.

Elizavetgrad (*Kirovograd* de 1939 à 1991), v. d'Ukraine, au pied oriental de l'Oural; 263 000 hab. Centre agricole; industr. mécan. et alimentaires.

elle, elles pron. pers. f. de la troisième pers. sujet ou comp. *Elle viendra demain. Que font-elles?* (V. il.) - *On les condamna, elle et son complice. Il faut le lui dire, à elle.* (V. lui.) ▷ Fam. L'histoire que l'on raconte, l'incident que l'on relate. *Écoute, elle est fameuse celle-là! Oui, elle est bien bonne.*

ellébore ou **hellébore** [e(l)lebɔʀ] n. m. Renonculacée herbacée vivace dont les feuilles composées forment un éventail et dont les fleurs, faiblement colorées, sont généralement toxiques. *L'ellébore passait autrefois pour guérir la folie.*

Ellesmere (terre d'), île du Canada septent. (Territoires du Nord-Ouest); 200 445 km². Relief montagneux recouvert d'immenses glaciers.

Ellice. V. Tuvalu (îles).

Ellington (Edward Kennedy, dit Duke) (Washington, 1899 - New York, 1974), pianiste, chef d'orchestre et compositeur de jazz américain. Il créa une architecture sonore profondément originale par ses audaces et sa richesse harmonique (*Black and Tan Fantasy,* 1927; *Mood Indigo,* 1930; *Black, Brown and Beige,* 1944).

1. ellipse n. f. GRAM Procédé syntaxique ou stylistique consistant à omettre un ou plusieurs mots à l'intérieur d'une phrase, leur absence ne nuisant ni à la compréhension ni à la syntaxe. *Il y a ellipse du verbe dans la deuxième partie de la phrase «Pierre mange des cerises, Paul des fraises».*

2. ellipse n. f. GEOM Lieu des points dont la somme des distances à deux points fixes (foyers) est constante. *Une ellipse est une conique. Un cercle est une ellipse dont les foyers sont confondus. Un astre qui gravite autour d'un autre astre décrit une ellipse.* - *Grand axe d'une ellipse,* droite qui passe par ses foyers. - *Petit axe d'une ellipse,* droite perpendiculaire au grand axe qui passe par le milieu du segment reliant les foyers. ▷ Cour. Courbe fermée de forme ovale. *La fumée de sa cigarette dessinait des ellipses.* ► illustr. **courbes** et pl. **géométrie**

ellipsoïdal, ale, aux adj. GEOM Qui a la forme d'un ellipsoïde.

ellipsoïde n. m. et adj. **1.** n. m. GEOM Surface fermée dont le cône directeur est imaginaire et dont toute section est

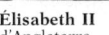

Élisabeth II d'Angleterre

Duke **Ellington**

une ellipse. *Ellipsoïde de révolution* : solide engendré par la révolution d'une ellipse autour de l'un de ses axes. **2.** adj. Qui a la forme d'une ellipse.
▸ pl. géométrie

1. elliptique adj. Qui contient une, des ellipses. *Un énoncé, un tour elliptique.* ▷ *Par ext.* Qui utilise l'ellipse, s'exprime par allusions, sous-entendus.

2. elliptique adj. GEOM Qui a la forme d'une ellipse.

elliptiquement adv. Par ellipse, d'une façon elliptique.

Ellison (Ralph Waldo) (Oklahoma City, 1914 - New York, 1994), écrivain américain. Son thème est la prise de conscience de la non-identité du Noir que les Blancs refusent de voir : *Homme invisible, pour qui chantes-tu ?* (1952).

Ellorā, village de l'Inde (État d'Āndhra Pradesh). - Site archéol. Nombr. temples souterrains (VIe-VIIIe s.).

Ellsworth (Lincoln) (Chicago, 1880 - New York, 1951), explorateur américain : survols du pôle Nord (1926) et de l'Antarctique (1935).

Elne, ch.-l. de cant. des Pyr.-Orient. (arr. de Perpignan); 6 292 hab. - Anc. cath. Ste-Eulalie (XIe-XVe s.); cloître roman (fin du XIIe-XIVe s.). - Anc. cap. du Roussillon fondée par les Celtibères (IIe s. av. J.-C.).

élocution n. f. Manière de s'exprimer oralement, d'organiser et d'articuler les mots, les phrases. *Élocution élégante, facile. Avoir des problèmes d'élocution.*

élodée ou **hélodée** [elɔde] n. f. Plante d'eau douce originaire du Canada, à petites fleurs blanches unisexuées, se reproduisant très facilement, souvent utilisée dans les aquariums.

éloge n. m. **1.** Litt. Discours à la louange de qqn, de qqch. *Éloge académique.* - *« L'Éloge de la folie » (Érasme).* **2.** Cour. Louange. *Faire l'éloge de qqn.*

élogieusement adv. D'une manière élogieuse.

élogieux, euse adj. Qui contient un éloge, des louanges. *Parler d'une œuvre en termes élogieux.*

Élohim ou **Éloïm** (mot hébreu), un des deux noms de Dieu dans la Bible (plur. de *El*, qui désigne la divinité dans l'ensemble du monde sémitique), *Yahvé* étant le nom de Dieu lorsqu'il s'est révélé à Israël.

Éloi (saint) (Chaptelat, v. 586 - Noyon, 660), orfèvre et trésorier du roi Dagobert Ier, puis évêque de Noyon (641-660).

éloigné, ée adj. **1.** Qui est loin dans l'espace, dans le temps. *Pays éloigné. En des temps fort éloignés.* ▷ *Cousin, parent éloigné,* avec qui l'on a des liens de parenté indirects. Ant. proche. **2.** Fig. Différent. *Un récit bien éloigné de la vérité.*

éloignement n. m. Action d'éloigner, fait de s'éloigner; son résultat. ▷ Distance (dans le temps ou dans l'espace). *L'éloignement entre le domicile et le lieu de travail.* ▷ Fig. Distance, écart. *L'éloignement entre la théorie et la pratique.*

éloigner v. [1] **I.** v. tr. **1.** Mettre, envoyer loin; écarter. *Éloigner sa chaise du feu. Ce détour nous éloigne de la maison.* **2.** Séparer dans le temps. *Chaque jour nous éloigne de ces événements.* ▷ Retarder, remettre à plus tard. *Ces incidents éloignent l'heure de la réalisation du projet.* **3.** Fig. Écarter. *Éloigner qqn de ses devoirs. Son intolérance a éloigné de lui tous ses amis.* **II.** v. pron. **1.** Aller loin, augmenter progressivement la distance qui sépare (d'un point fixe). *Le bateau s'éloigne de la rive.* ▷ Devenir de plus en plus lointain (dans le temps). *Le temps où il vécut s'éloigne de nous. L'espoir d'une paix prochaine s'éloigne chaque jour davantage.* **2.** Fig. (Personnes) Se détourner, se détacher. *Il s'éloigne de sa femme.* ▷ (Choses) S'écarter. *Cette doctrine s'éloigne de la nôtre.*

Éloïm. V. Élohim.

1. élongation n. f. MED **1.** Vieilli Entorse ligamentaire. **2.** Traction excessive exercée sur un organe (muscle, tendon, nerf, etc.). - Lésion résultant de cette traction. **3.** *Élongation vertébrale* : méthode thérapeutique consistant à exercer une traction sur la colonne vertébrale.

2. élongation n. f. **1.** ASTRO Angle maximal formé par la direction du Soleil et celle d'une planète inférieure, et dont le sommet est la Terre. **2.** PHYS Distance d'un point en vibration, par rapport à sa position au repos.

éloquemment [elɔkamɑ̃] adv. Avec éloquence. *Défendre éloquemment une cause.*

éloquence n. f. **1.** Aptitude à s'exprimer avec aisance; capacité d'émouvoir, de persuader par la parole. *Son éloquence a séduit l'auditoire.* **2.** *Par ext.* Qualité de ce qui est expressif, significatif. *L'éloquence d'un geste, d'un regard.*

éloquent, ente adj. **1.** Qui a de l'éloquence. *Orateur éloquent.* **2.** Qui est exprimé avec éloquence. *Plaidoirie, discours éloquent.* **3.** Qui touche, convainc, suscite l'émotion ou l'intérêt. *Des larmes éloquentes.* ▷ Qui est significatif, expressif. *Un silence éloquent.*

Élorn, fl. côtier de Bretagne (51 km); se jette dans la rade de Brest.

Eloy (Jean-Claude) (Rouen, 1938), compositeur français, influencé par la mus. traditionnelle du Japon : *Shânti* (1973), *Gaku-no-michi* (1978), *Yo-In* (1980), *Anâhata* (1986).

El Paso, v. des États-Unis (Texas), sur le Rio Grande; 515 300 hab. Marché agricole; métall. (métaux non ferreux, cuivre notam.); raff. de pétrole.

Elseneur (en danois *Helsingør*), v. et port du Danemark, sur l'Øresund; 57 000 hab. Chantiers navals. - Château de Kronborg (XVIe s.), bâti à l'emplacement de la forteresse où Shakespeare a situé l'action de *Hamlet.*

Elsevier. V. Elzévir.

Elskamp (Max) (Anvers, 1862 - id., 1931), poète symboliste belge d'expression française; chantre des humbles : *la Louange de la vie* (1898), *Délectations moroses* (1923).

Elssler (Franziska, dite Fanny) (Gumpendorf, près de Vienne, 1810 - Vienne, 1884), danseuse autrichienne (ballets romantiques).

elstar n. f. Variété (créée vers 1970) de pomme rouge et jaune, croquante et sucrée.

Elster, nom de deux riv. d'Allemagne (Saxe); l'*Elster Blanche* (195 km) arrose Leipzig et se jette dans la Saale (r. dr.), l'*Elster Noire* (188 km) dans l'Elbe (r. dr.).

Eltsine (Boris Nikolaevitch), (Sverdlovsk, 1931), homme politique russe. D'abord membre du parti communiste soviétique (suppléant au Bureau politique, exclu en 1987), il se fait élire député de Moscou (1989), puis président du Parlement de Russie (1990). Il devient le premier président de la République de Russie élu au suffrage universel (juin 1991). Après avoir contribué à l'échec d'un coup d'État en août, il obtient le transfert des pouvoirs de l'U.R.S.S. à la Russie et la démission de Gorbatchev en décembre. Confronté à une forte opposition, il dissout le Parlement et fait adopter une nouvelle Constitution renforçant les pouvoirs présidentiels (1993). Il est réélu en 1996.

Boris **Eltsine**

élu, ue n. et adj. **1.** THEOL *Les élus* : ceux que Dieu a admis à la béatitude. - Par ext. *Les élus de la gloire, de la fortune.* ▷ adj. *Le peuple élu* : les Hébreux. **2.** Personne choisie par élection. *Les élus du peuple.* ▷ adj. *Un délégué élu à l'unanimité.* **3.** Personne choisie par inclination, par amour. *Il va épouser l'élue de son cœur.*

Éluard (Eugène Grindel, dit Paul) (Saint-Denis, Seine, 1895 - Charenton-le-Pont, 1952), poète français. Ses œuvres surréalistes (1921-1938) célèbrent la révolte, l'amour, le rêve : *Capitale de la douleur* (1926), *l'Immaculée Conception* (en collab. avec A. Breton, 1930), *Donner à voir* (1939). Pendant et après la guerre de 1939-1945, rallié définitivement au parti communiste (1943), il subordonne les « éclairs » de l'inspiration poétique à l'éloge de la « vie commune » des hommes : *Au rendez-vous allemand* (1944), *Poésie ininterrompue* (1946).

élucidation n. f. Action d'élucider; éclaircissement.

élucider v. tr. [1] Rendre clair (ce qui est confus, embrouillé pour l'esprit). *Élucider un texte. Élucider une affaire criminelle.*

élucubration n. f. Péjor. Œuvre de l'esprit, réflexion laborieusement construite, absurde ou sans intérêt. *D'interminables élucubrations.*

élucubrer v. tr. [1] **1.** Vx Composer à force de veilles et avec peine. **2.** Mod., péjor. Élaborer, construire (une réflexion, un raisonnement, etc.) de manière compliquée et confuse. *Il passe son temps à élucubrer des théories sans intérêt.*

Paul **Éluard** et sa femme Nush

éluder v. tr. [1] Éviter avec adresse, esquiver; se soustraire à. *Éluder une difficulté, une question embarrassante.*

éluvial, ale, aux adj. GEOL Se dit d'une roche ou d'un terrain constitué, sur place, par la désagrégation d'une roche préexistante. *L'argile des sotchs est éluviale.* Ant. alluvial.

éluvion n. f. Roche éluviale. Ant. alluvion.

Ely, ville d'Angleterre, près de Cambridge; 10 270 hab. – Cath. Ste-Trinité (XIe-XVIe s.), une des plus belles et des plus anc. d'Angleterre.

Élysée (palais de l'), palais situé à Paris, non loin des Champs-Élysées, construit par Claude Mollet en 1718 pour le comte d'Évreux. Mme de Pompadour (1753), Nicolas Beaujon (1773) y habitèrent. La duchesse de Bourbon l'acheta (1788), Napoléon Ier le donna à sa sœur Caroline (1805), Joséphine l'occupa (1809), puis l'Empereur (1812). Il devint, en 1848, puis, à partir de 1873, la résidence du président de la République franç. – Par ext. *l'Élysée*, la présidence de la République; ses services.

le palais de l'**Élysée**

élyséen, enne adj. 1. MYTH Relatif aux champs Élysées. 2. Mod. Relatif au palais de l'Élysée, à la présidence de la République française. *Les milieux élyséens.*

Élysées (champs), lieu du séjour délicieux des âmes vertueuses dans l'empire des morts aux Enfers.

Elytis (Odhysséas Alepudhélis, dit Odysseus) (Hêraklion, 1911 – Athènes, 1996), poète grec. Le lyrisme solaire et dionysiaque de ses débuts se conjugue, dans les recueils de la maturité (*To Axion esti*, 1959; *Marie des brumes*, 1978), avec un engagement dans l'histoire de la Grèce. P. Nobel 1979.

élytre n. m. ENTOM Aile antérieure coriace, très rigide, inapte au vol, des coléoptères et des orthoptères. *La paire d'élytres protège les ailes postérieures membraneuses, seules aptes au vol.*

elzévir n. m. 1. Volume imprimé par l'un des Elzévir. 2. Caractère d'imprimerie, fin, net, à empattement triangulaire.

Elzévir, Elzevier ou **Elsevier,** famille de libraires et d'imprimeurs hollandais établis à Leyde, puis à La Haye, à Copenhague, à Utrecht et à Amsterdam aux XVIe et XVIIe s. Le plus ancien est **Lodewijk** (Louvain, v. 1540 – Leyde, 1617).

émail de Limoges peint sur cuivre doré, ciselé et repoussé : *Saint Étienne conduit hors des murs de Jérusalem*, XIIe s.; trésor de l'église de Gimel-les-Cascades, Corrèze

em-. V. en-.

émacié, ée adj. Qui est devenu extrêmement maigre. *Visage émacié.*

émacier v. tr. [2] Rare Rendre très maigre. *La faim a émacié ses joues.* ▷ v. pron. *Ses mains se sont émaciées.*

e-mail [imɛl] n. m. (Anglicisme) Courrier électronique ou adresse électronique.

émail, aux n. m. 1. Mélange composé de matières fusibles (silice, carbonate de potassium et fondant) qu'on applique sur les céramiques et les métaux, et qui, après passage au four, forme un enduit dur et brillant d'aspect vitreux. *Pièce d'orfèvrerie en émail cloisonné* (obtenu par coulage de l'enduit vitreux dans des alvéoles formés par de fines bandes d'or ou d'argent soudées sur une surface métallique), *en émail champlevé* (obtenu en logeant l'enduit vitreux dans des alvéoles creusés dans l'épaisseur même d'une plaque de métal). ▷ Cour. *Une cuisinière, un poêle en émail*, en tôle, en fonte émaillée. 2. (Surtout au plur.) Objet d'art émaillé. *Les émaux de Bernard Palissy.* 3. Substance transparente et dure qui recouvre la couronne des dents. 4. Fig., poét. Éclat et diversité des couleurs (partic., des fleurs). V. émailler, sens 2. 5. Plur. HERALD Couleurs, métaux et fourrures de l'écu.

émaillage n. m. Action d'émailler; travail ainsi obtenu.

émailler v. tr. [1] 1. Recouvrir d'émail. – Pp. *Casserole en fonte émaillée.* 2. Fig., poét. Orner, embellir (en parsemant de points colorés, lumineux). *Le printemps a émaillé les prairies de fleurs.* ▷ Cour. Parsemer pour embellir. *Émailler un discours de citations.*

émaillerie n. f. Art de l'émailleur.

émailleur, euse n. Personne qui travaille l'émail.

émaillure n. f. TECH 1. Art, travail de l'émailleur. 2. Ouvrage en émail.

émanation n. f. 1. Fait d'émaner; ce qui émane. ▷ Émission, production de particules, d'effluves, d'odeurs qui se dégagent de certains corps. *Émanations pestilentielles.* ▷ GEOL Dégagement de gaz ou jaillissement de liquides à la surface de la Terre. *Les fumerolles, les geysers sont des émanations du sol.* ▷ PHYS NUCL Corps simple provenant de la désintégration du radium, de l'actinium ou du thorium. 2. Fig. Ce qui émane, provient (de qqch, de qqn); manifestation. *Cette décision est une émanation de la volonté populaire.* 3. THEOL Manière dont le Fils procède du Père, et le Saint-Esprit du Père et du Fils. ▷ PHILO Doctrine selon laquelle tous les êtres de l'Univers ne sont qu'une extension de la substance divine.

émancipateur, trice adj. (et n.) Qui émancipe, incite à l'émancipation. *Doctrine émancipatrice.*

émancipation n. f. 1. DR Acte juridique qui, mettant un mineur hors de la puissance parentale ou de la tutelle, lui permet d'administrer ses biens et de toucher ses revenus. 2. Action d'émanciper, de s'émanciper.

émancipé, ée adj. et n. DR Mineur ayant fait l'objet d'une émancipation.

émanciper v. [1] I. v. tr. 1. DR Mettre hors de la puissance paternelle par l'acte juridique de l'émancipation. 2. Cour. Affranchir d'une autorité, d'une domination. *Émanciper un serf, un esclave. Émanciper un peuple, une colonie.* II. v. pron. 1. Devenir indépendant, se libérer (d'une autorité, d'une servitude, d'une contrainte intellectuelle ou morale). *Jeunes pays qui s'émancipent.* 2. (Souvent *péjor.*) Se donner trop de licence, abandonner les convenances.

émaner v. intr. [1] 1. S'exhaler, se dégager (d'un corps). *La chaleur qui émane d'un poêle. Marais d'où émanent des odeurs malsaines.* ▷ Fig. *La douceur qui émanait de son visage.* 2. Fig. Provenir, découler de. *Dans un régime démocratique, le pouvoir doit émaner du peuple. Une dépêche émanant du Premier ministre.* 3. THEOL et PHILO Être produit, provenir par émanation (sens 3).

émargement n. m. Action d'émarger. *Émargement d'un état de paiement.* ▷ *Feuille d'émargement* : feuille comportant une liste nominative qui doit être signée par chaque personne concernée (pour attester qu'elle est présente, qu'elle a perçu un traitement, etc.).

émarger v. tr. [13] 1. Mettre sa signature en marge (d'un compte, d'un état, etc.). *Émarger une circulaire.* ▷ (S. comp.) Toucher des appointements, un traitement. 2. TECH Rogner, diminuer la marge de. *Émarger une estampe.*

émasculation n. f. 1. Ablation des organes sexuels mâles. *Émasculation partielle* : ablation des testicules. V. aussi castration. *Émasculation totale* : ablation des testicules et du pénis. 2. Fig., litt. Affaiblissement, abâtardissement.

émasculer v. tr. [1] 1. Pratiquer l'émasculation de, châtrer. 2. Fig. Affaiblir, diminuer la force, la vigueur de. *Texte émasculé par la censure.*

Emba (l'), fl. du Kazakhstan (600 km); naît au S. de l'Oural, se jette dans la mer Caspienne, à l'embouchure du fl. Oural.

Embabèh. V. Imbaba.

embâcle n. f. Rare Amoncellement de glaçons sur un cours d'eau, gênant ou empêchant la navigation. Ant. débâcle.

emballage n. m. 1. Action d'emballer. *Expédier un paquet franco de port et d'emballage.* 2. Ce dans quoi on emballe un objet. *Emballage perdu*, non remboursé par le vendeur ou l'expéditeur. *Emballage consigné.* 3. SPORT Ultime effort fourni par un coureur à l'approche du but.

emballagiste n. m. Industriel de l'emballage.

emballement n. m. 1. Fait de s'emballer; enthousiasme, élan non contrôlé. *Montrer un grand emballement pour qqch, qqn.* 2. Action de s'emballer (cheval). ▷ *Par anal.* Fonctionnement d'un moteur à un régime trop élevé. – Fig. Hausse brusque (des cours, des prix).

emballer v. [1] **I.** v. tr. **1.** Empaqueter, mettre dans un emballage (un objet, une marchandise destinés à être rangés, transportés, vendus). – Pp. adj. *Des verres emballés.* **2.** Fig., fam. Arrêter, emprisonner. *Les flics l'ont emballé.* **3.** Fig., fam. Réprimander vertement. *Il s'est drôlement fait emballer.* **4.** *Emballer un moteur,* le faire tourner à un régime anormalement élevé. – Pp. adj. *Un moteur emballé.* **5.** Fig., fam. Enthousiasmer. *Ça ne m'emballe pas :* cela ne me plaît guère. – Pp. adj. *Des spectateurs emballés par le film.* **II.** v. pron. **1.** *Cheval qui s'emballe,* qui prend le mors aux dents, qui échappe au contrôle de son cavalier. ▷ Par anal. *Moteur qui s'emballe.* **2.** Fig., fam. Se laisser emporter par un mouvement de colère, d'impatience ou d'enthousiasme. *Il ne peut pas aborder ce sujet sans s'emballer.*

emballeur, euse n. Personne dont la profession est d'emballer des marchandises.

embarbouiller v. tr. [1] Fam. Faire perdre à (qqn) le fil de ses idées. ▷ v. pron. S'embarrasser, s'empêtrer (dans ce qu'on dit, ce qu'on fait). *S'embarbouiller dans des explications confuses.*

embarcadère n. m. Môle, jetée, appontement aménagé pour l'embarquement ou le débarquement des passagers ou des marchandises. Syn. débarcadère.

embarcation n. f. Petit bateau non ponté; tout petit bateau.

embardée n. f. **1.** MAR Brusque changement de cap d'un bateau, involontaire et momentané. **2.** Cour. Écart brusque que fait un véhicule.

embargo n. m. **1.** DR MARIT Défense faite aux navires marchands qui se trouvent dans un port d'en sortir. **2.** *Par ext.* Mesure administrative visant à empêcher la libre circulation d'une marchandise, d'un objet. *Mettre l'embargo sur les armes.*

embarquement n. m. Action d'embarquer, de s'embarquer. *Embarquement des troupes et des véhicules.*

embarquer v. [1] **I.** v. tr. **1.** Charger, faire monter dans un bateau. *Embarquer des passagers, des marchandises.* **2.** Recevoir par-dessus bord (de l'eau de mer). *Embarquer une déferlante.* **3.** *Par ext.* Charger dans un véhicule. *Embarquer des caisses dans un camion.* **4.** Fam. Emmener (qqn). *On a embarqué tous les enfants dans la voiture.* ▷ Fam. Arrêter, s'assurer de la personne de (qqn) en l'emmenant. *La police a embarqué quelques manifestants.* **5.** Fam. Emporter. *Vous embarquez la marchandise?* ▷ Voler. *Ils ont embarqué ma collection de timbres.* **6.** Fig., fam. Engager (qqn) dans une affaire difficile, compliquée ou malhonnête. *Il vous a embarqué dans une sale histoire.* **7.** Fam. (Surtout au pp.) Engager, mettre en train (qqch). *Cette affaire est plutôt mal embarquée.* **II.** v. intr. **1.** Monter à bord d'un bateau pour voyager. *Il embarque demain pour la Grèce.* ▷ *Par ext.* Monter à bord d'un avion (ou, fam., d'un véhicule) pour voyager. **2.** MAR *Vagues qui embarquent,* qui passent par-dessus bord et se répandent dans le bateau. **III.** v. pron. **1.** Embarquer (sens II, 1). *S'embarquer pour le Canada.* **2.** Fig., fam. S'engager (dans une entreprise difficile, hasardeuse ou malhonnête). *Il s'est embarqué dans une drôle d'affaire.*

embarras [ɑ̃baʀa] n. m. **1.** Vx Obstacle au passage, encombrement. *Un embarras de voitures.* **2.** Gêne, difficulté rencontrée dans la réalisation de qqch. *Causer de l'embarras, créer des embarras à qqn. Affronter les embarras et les complications.* **3.** *Embarras gastrique, digestif :* trouble gastro-intestinal, avec ou sans fièvre, d'origine toxique ou infectieuse. **4.** Position difficile, gênante. *Être dans l'embarras. Tirer qqn d'embarras.* ▷ *Spécial.* Pénurie d'argent. *Aider qqn dans l'embarras.* **5.** Perplexité, doute. *Éprouver, manifester de l'embarras devant un problème difficile.* **6.** Trouble, malaise, gêne (de qqn qui ne sait que dire, que faire). *Ma question l'avait mis dans l'embarras. Dissimuler son embarras.* ▷ Loc. *Faire de l'embarras, des embarras :* se donner de grands airs, faire des manières. ▷ *Avoir l'embarras du choix :* avoir un large choix, un choix plus que suffisant.

embarrassant, ante adj. Qui cause de l'embarras. *Bagages embarrassants. Question embarrassante.*

embarrassé, ée adj. **1.** Vieilli Encombré. *Rue embarrassée.* **2.** Compliqué, embrouillé. *Affaire embarrassée.* **3.** Gêné, perplexe. *Un air embarrassé.*

embarrasser v. [1] **I.** v. tr. **1.** Vieilli Obstruer, encombrer. *Voiture qui embarrasse le chemin.* **2.** Gêner, entraver la liberté de mouvement de (qqn). *Votre parapluie vous embarrasse.* **3.** Fig. Mettre (qqn) dans une situation difficile, gênante. *Ces complications m'embarrassent.* ▷ Troubler, rendre perplexe. *Cette question, visiblement, l'embarrassait.* **II.** v. pron. **1.** Entraver la liberté de ses gestes en se chargeant de. *S'embarrasser de colis.* **2.** Se préoccuper, se soucier à l'excès de. *S'embarrasser de tout et des autres. Ne pas s'embarrasser de scrupules.* **3.** S'empêtrer, s'emmêler dans. *S'embarrasser dans les plis de sa robe.* ▷ Fig. *S'embarrasser dans ses discours.*

embarrer 1. v. intr. [1] TECH Placer un levier sous un fardeau afin de le soulever. **2.** v. pron. *Cheval qui s'embarre,* qui s'empêtre en passant une jambe de l'autre côté du bat-flanc ou de la barre, à l'écurie. **3.** v. tr. (Canada) Enfermer dans un endroit d'où il est impossible de sortir. – v. pron. S'enfermer (dans une pièce, une maison, etc.) de sorte que les autres ne puissent y pénétrer. *S'embarrer dans sa chambre.*

embase n. f. TECH Pièce servant de support à une autre pièce. – Renfort à la base d'une pièce.

embasement n. m. ARCHI Base continue qui fait saillie au pied d'un bâtiment, et sur laquelle il repose.

embastiller v. tr. [1] **1.** Vx Fortifier en entourant de bastilles. *Embastiller une ville.* **2.** HIST Mettre à la Bastille. ▷ Mod., plaisant Mettre en prison.

embauchage n. m. Action d'embaucher; résultat de cette action.

embauche n. f. Possibilité d'embauchage.

embaucher v. tr. [1] Engager (un salarié). *Il a embauché un nouveau coursier.* ▷ Fam. *Embaucher tous ses amis pour déménager.*

embauchoir n. m. Instrument qui sert à élargir les chaussures ou à éviter qu'elles ne se déforment.

embaumement n. m. Action d'embaumer (un cadavre); son résultat. *L'embaumement de Ramsès II.*

embaumer v. tr. [1] **1.** Remplir (un cadavre) de substances balsamiques pour empêcher qu'il ne se corrompe. *Les Égyptiens embaumaient les corps des pharaons.* **2.** Remplir d'une odeur agréable, parfumer. *Ce bouquet embaume la chambre.* ▷ (S. comp.) *Ces roses embaument.*

embaumeur n. m. Spécialiste de l'embaumement.

embellie n. f. MAR Calme passager du temps, de la mer. ▷ Éclaircie. – Fig. Amélioration passagère d'une situation difficile.

embellir v. [3] **I.** v. tr. **1.** Rendre beau ou plus beau. *Embellir un appartement.* **2.** Fig. Orner aux dépens de l'exactitude; enjoliver. *Embellir un personnage, une situation dans un récit.* **II.** v. intr. Devenir beau, ou plus beau. *Un enfant qui embellit chaque jour.* ▷ Loc. *Ne faire que croître et embellir :* augmenter en bien ou, iron., en mal. *Sa méchanceté ne fait que croître et embellir.*

embellissement n. m. Action d'embellir; ce qui contribue à embellir qqch. *Les embellissements d'une ville.*

embellisseur adj. m. Qui embellit. *Agent embellisseur dans un shampooing.*

emberlificoter v. [1] Fam. **I.** v. tr. **1.** Embrouiller, emmêler, entortiller. *Emberlificoter une ficelle.* **2.** Fig. Enjôler, séduire (qqn) pour le tromper. *Il vous a emberlificoté avec de belles promesses.* **II.** v. pron. **1.** S'emmêler. *Ma ligne s'est emberlificotée.* **2.** S'empêtrer. *La bête s'était emberlificotée dans le filet.* – Fig. *S'emberlificoter dans ses explications.*

embêtant, ante adj. Fam. Qui embête. *Vous ne pourrez pas venir? Comme c'est embêtant!*

embêtement n. m. Fam. Ennui, souci. *Une vie pleine d'embêtements.*

embêter 1. v. tr. [1] Fam. Contrarier, ennuyer. *Ça m'embête, toutes ces histoires.* ▷ Déranger, importuner. *Cesse donc de m'embêter!* **2.** v. pron. Fam. S'ennuyer fortement. *Un citadin qui s'embête à la campagne.*

embeurrée n. f. CUIS Légumes sautés au beurre.

embiellage n. m. TECH Ensemble des bielles d'un moteur et de leurs liaisons avec le vilebrequin.

emblaver v. tr. [1] AGRIC Ensemencer (une terre) de blé ou d'une autre céréale.

emblavure n. f. AGRIC Terre emblavée.

emblée (d') Loc. adv. Du premier coup, sans difficulté. *Être reçu d'emblée. D'emblée, il avait dominé ses adversaires.*

emblématique adj. **1.** Qui sert d'emblème; relatif à un emblème. *Le croissant, figure emblématique de l'islam.* **2.** Fig. Exemplaire, très représentatif, qui sert de référence. *Une mesure emblématique de la lutte contre le chômage.*

emblème n. m. **1.** Figure symbolique, conventionnelle, le plus souvent accompagnée d'une devise. *La nef, emblème de Paris.* **2.** *Par ext.* Attribut, marque extérieure représentant une autorité, une corporation, une association, une ligue, un parti, etc. *La grenade, emblème de la gendarmerie.* **3.** Être ou objet devenu, par tradition, la représentation d'une chose abstraite. *Le coq, emblème de la vigilance.*

embobeliner v. tr. [1] **1.** Vx Envelopper (qqn, qqch) dans qqch, emmitoufler. ▷ v. pron. *S'embobeliner dans des châles.* **2.** Fig., fam. Enjôler par des paroles flatteuses.

embobiner v. tr. [1] **1.** Enrouler sur une bobine. *Embobiner du fil.* **2.** Fam. Enjôler, séduire, embobeliner.

emboîtable adj. Qui peut s'emboîter.

emboîtage n. m. **1.** TECH Action d'emboîter, de mettre en boîte. **2.** Cartonnage, étui qui protège un livre de luxe.

emboîtement n. m. Assemblage constitué par deux pièces qui s'emboîtent. ▷ ANAT Articulation dans laquelle la convexité d'un os est engagée dans la concavité de l'autre.

emboîter v. tr. [1] **1.** Faire pénétrer (une pièce dans une autre), assembler (plusieurs pièces) en les ajustant. *Emboîter des tuyaux.* ▷ v. pron. *Poupées gigognes qui s'emboîtent les unes dans les autres.* **2.** Envelopper très exactement. *Chaussure qui emboîte bien le pied.* **3.** Loc. *Emboîter le pas à qqn,* le suivre de près; fig. l'imiter. *Ils ont protesté, et nous leur avons emboîté le pas.*

emboîture n. f. TECH Endroit où deux pièces s'emboîtent; manière dont elles s'emboîtent.

embole n. m. MED Corps qui oblitère un vaisseau, provoquant l'embolie*.

embolie n. f. MED Oblitération d'un vaisseau par un corps (caillot, graisses, cellules malignes, bulle de gaz) qui provoque une thrombose du territoire vasculaire touché. *Embolie pulmonaire, cérébrale.*

embolisation n. f. MED Administration thérapeutique par des sondes intravasculaires d'emboles* dans le lieu précis où ils doivent agir.

embolisme n. m. ANTIQ GR Intercalation d'un mois lunaire destiné à rétablir la concordance de l'année lunaire avec l'année solaire, dans le calendrier athénien; ce mois.

embolismique adj. *Mois embolismique,* ajouté par embolisme. *Année embolismique,* où avait lieu l'embolisme.

embonpoint n. m. **1.** Vx État d'une personne en bonne santé. **2.** Mod. État d'une personne un peu grasse. *Prendre de l'embonpoint.*

embosser v. tr. [1] MAR Maintenir l'axe longitudinal d'un navire dans une direction fixe en amarrant le navire entre deux coffres ou en mouillant deux ancres, l'une par l'avant, l'autre par l'arrière. ▷ v. pron. *S'embosser dans un estuaire.*

embouche n. f. Prairie très fertile où l'on pratique l'engraissement des bestiaux; engraissement des bestiaux en prairie.

embouché, ée adj. (et n.) Loc. fig., fam. *Être mal embouché :* se conduire avec grossièreté; n'avoir à la bouche que des paroles grossières. – Subst. *Un(e) mal embouché(e).*

emboucher v. tr. [1] **1.** MUS Mettre à la bouche (un instrument à vent). *Emboucher un clairon.* **2.** *Emboucher un cheval,* lui mettre le mors dans la bouche.

embouchure n. f. **1.** Ouverture (d'un récipient, d'une canalisation). *« Un vase à long col et d'étroite embouchure » (La Fontaine).* **2.** Endroit où un cours d'eau se jette dans la mer, dans un lac. *Le Havre se trouve à l'embouchure de la Seine.* **3.** MUS Partie d'un instrument à vent qu'on place contre les lèvres ou dans la bouche. **4.** Partie du mors qui entre dans la bouche du cheval.

embouquer v. tr. [1] MAR Pénétrer dans (une passe étroite). *Embouquer un chenal.*

embourber v. tr. [1] Engager, enfoncer dans un bourbier. *Embourber un camion.* ▷ v. pron. *Le tombereau s'est embourbé.* – Fig. *Il s'embourbe dans des explications maladroites.*

embourgeoisement n. m. Fait de s'embourgeoiser.

embourgeoiser v. [1] **1.** v. tr. Donner un caractère bourgeois à. **2.** v. pron. Prendre le caractère, les habitudes, les modes de vie et de pensée bourgeois. *Un anticonformiste qui s'est embourgeoisé avec l'âge.*

embout [ɑ̃bu] n. m. Garniture fixée à l'extrémité d'un objet allongé (pour en éviter l'usure, notam.). *Un embout de parapluie. Embout isolant,* adapté au bout d'un conducteur électrique. *Embout d'une seringue,* où se fixe l'aiguille.

embouteillage n. m. **1.** Action de mettre en bouteilles. **2.** Encombrement qui arrête la circulation. *Être pris dans les embouteillages.*

embouteiller v. tr. [1] **1.** Mettre en bouteilles. *Embouteiller du vin.* **2.** Barrer (une voie) en y provoquant un encombrement. *Camion à l'arrêt qui embouteille une rue.*

emboutir v. tr. [3] **1.** TECH Donner une forme à (une tôle plane), par emboutissage. **2.** Heurter violemment, défoncer (partic. avec une automobile). *Il a embouti un mur.* **3.** TECH Garnir (un ornement) d'un revêtement de protection.

emboutissage n. m. TECH Action de donner, par compression, une forme à une pièce métallique initialement plane. *L'emboutissage s'effectue au moyen de presses, la pièce à emboutir étant placée sur une matrice où elle subit l'action d'un poinçon.*

emboutisseur, euse n. **1.** Ouvrier (ouvrière) spécialisé(e) dans l'emboutissage. **2.** n. f. TECH Machine-outil servant à l'emboutissage.

embranchement n. m. **1.** Division en branches, en rameaux, d'un tronc d'arbre, d'une branche et, par ext., d'une voie, d'une canalisation, etc. *Se trouver à un embranchement et ne pas savoir quelle voie suivre.* **2.** BIOL Unité systématique de division (des animaux, des bactéries, des végétaux), entre le règne et le sous-embranchement. *Dans le règne animal, l'embranchement des cordés comprend essentiellement le sous-embranchement des vertébrés.*

embrancher v. tr. [1] Opérer la jonction d'une conduite, d'une canalisation, d'une voie, etc., avec une autre. *Embrancher un tuyau à une canalisation plus importante.* ▷ v. pron. *Chemins forestiers qui s'embranchent sur une route départementale.*

embrasement n. m. **1.** Litt. Incendie vaste et violent. **2.** Litt. Illumination. *L'embrasement d'une cathédrale par le soleil qui passe à travers les vitraux.* **3.** Fig. Ardeur, exaltation.

embraser v. tr. [1] Litt. **1.** Mettre en feu, mettre le feu à. ▷ v. pron. *La paille s'embrasa en quelques instants.* **2.** *Par ext.* Échauffer extrêmement. – Pp. adj. *L'air embrasé par un soleil de plomb.* **3.** Fig. Illuminer, donner l'aspect d'un grand incendie à. *Le soleil embrasait le couchant.* **4.** Fig. Répandre sa violence destructrice, meurtrière sur (une région, une population). *La guerre a embrasé une partie du Moyen-Orient.* **5.** Fig. Exalter, remplir de ferveur. *L'amour embrasait son cœur.* ▷ v. pron. *Son cœur s'est embrasé.*

embrassade n. f. Action de deux personnes qui s'embrassent. *Leurs retrouvailles donnèrent lieu à des embrassades chaleureuses.*

embrasse n. f. Bande d'étoffe, passementerie, cordon servant à retenir un rideau.

embrassé, ée adj. **1.** HERALD Se dit d'un écu partagé en trois triangles, celui du milieu étant de couleur, les autres de métal, ou inversement. **2.** En versif. *Rimes embrassées,* groupées par quatre (deux masculines, deux féminines), la première rimant avec la quatrième, la deuxième avec la troisième.

embrassement n. m. Litt. Action d'embrasser, de s'embrasser.

embrasser v. tr. [1] **1.** Serrer, étreindre entre ses bras. ▷ Prov. *Qui trop embrasse mal étreint :* qui entreprend trop de choses à la fois s'expose à n'en réussir aucune. **2.** *Par ext.* Donner un baiser, des baisers à. *Embrasser un enfant.* ▷ v. pron. (récipr.) *Ils s'embrassèrent tendrement.* **3.** Fig. Saisir par la vue (une vaste étendue). *Un point de vue élevé d'où l'on embrasse toute la vallée.* ▷ Saisir par l'intelligence (des choses nombreuses et variées). *Vouloir embrasser tous les problèmes à la fois.* **4.** Fig. Contenir, englober. *Cette science embrasse bien des matières.* **5.** Fig. Choisir, prendre (un parti), adopter (une idée, une carrière). *Embrasser la cause des déshérités. Embrasser la carrière préfectorale.*

embrasure n. f. Ouverture pratiquée dans l'épaisseur d'un mur pour y placer une porte ou une fenêtre. ▷ *Spécial.* Ouverture pratiquée dans le mur d'un ouvrage fortifié pour permettre le tir.

embrayage n. m. Action d'embrayer. ▷ Dispositif permettant d'embrayer. *Embrayage à disque, à plateau, hydraulique.*

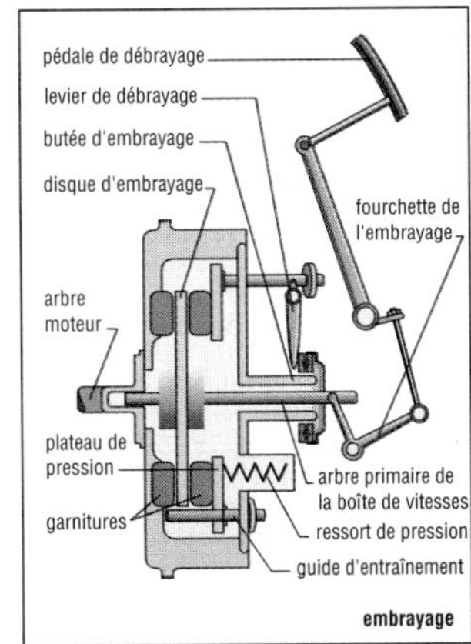

embrayage

embrayer v. [21] **I.** v. tr. Mettre en contact deux pièces dont l'une entraîne l'autre. ▷ *Absol.* Établir la communication entre un moteur et ce qu'il doit mettre en mouvement (partic. un véhicule automobile). Ant. débrayer. **II.** v. intr. **1.** Fam. Se mettre au travail (dans une usine). **2.** Fig., fam. *Embrayer sur :* commencer, attaquer. *Embrayer sur un numéro dès la fin du précédent, dans un spectacle.* – *Embrayer sur un autre sujet.*

embrigadement n. m. **1.** Vx Action d'embrigader (des régiments, des hommes). **2.** Mod. Action d'embrigader des gens; son résultat. *Travailler à l'embrigadement de tous les partisans disponibles.* ▷ Spécial. Péjor. *L'embrigadement* *des jeunes dans les mouvements de jeunesse de l'Italie fasciste.*

embrigader v. tr. [1] **1.** Vx Grouper (des régiments) en brigades; incorporer (des hommes) dans les cadres d'une brigade. **2.** Mod. Enrôler (des gens) sous une direction commune pour réaliser les mêmes desseins. ▷ *Spécial.* Péjor. Faire entrer (des gens) dans un mouvement dont la discipline réduit ou annihile la liberté individuelle. *Refuser de se laisser embrigader.*

embringuer v. tr. [1] Fam. Engager fâcheusement. ▷ v. pron. *Pourquoi est-il allé s'embringuer dans une affaire aussi douteuse ?* – Pp. *Une affaire mal embringuée,* mal engagée.

embrocation n. f. MED Application d'une préparation huileuse sur une partie du corps malade ou fatiguée. – Ce liquide. Syn. liniment.

embrochement n. m. Action d'embrocher.

embrocher v. tr. [1] **1.** Mettre à la broche (un morceau de viande, une volaille). **2.** *Par ext.* Fam. Blesser (qqn) avec une arme pointue. **3.** v. pron. Se blesser profondément, s'empaler, en heurtant violemment un objet pointu. *S'embrocher sur un piquet.*

embrouillage n. m. Rare, fam. Action d'embrouiller; confusion, état de ce qui est embrouillé.

embrouillamini n. m. Fam. Confusion, désordre.

embrouille n. f. Fam. Affaire confuse et emmêlée; embrouillement destiné à tromper. *J'en ai assez de vos embrouilles !*

embrouillé, ée adj. **1.** Emmêlé. *Écheveau embrouillé.* **2.** Fig. Extrêmement confus. *Un discours très embrouillé.*

embrouillement n. m. Action, fait d'embrouiller. ▷ Fig. État de ce qui est embrouillé.

embrouiller v. tr. [1] **1.** Mettre en désordre, emmêler (du fil). *Embrouiller un écheveau.* **2.** Fig. Rendre obscur, compliqué, confus. *Embrouiller une affaire.* ▷ Faire perdre le fil de ses idées à, troubler (qqn). *À force d'entrer dans les détails, il a fini par m'embrouiller.* ▷ v. pron. *S'embrouiller dans ses explications, dans ses comptes.*

embroussaillé, ée adj. Encombré de broussailles. *Un chemin tout embroussaillé.* ▷ Fig. Emmêlé comme des broussailles. *Cheveux embroussaillés.*

embruiné, ée adj. Litt. Enveloppé de bruine.

embrumer v. tr. [1] **1.** Couvrir, charger de brume. – Par ext. *La fumée des usines embrume le village.* – Pp. adj. *Paysage embrumé.* ▷ v. pron. *Le ciel s'embrume.* **2.** Fig., litt. Assombrir, attrister. *Les chagrins qui embrument la vie.*

embrun n. m. (Le plus souvent au plur.) Gouttelette d'eau arrachée par le vent à la surface d'une grande étendue d'eau (océan, lac), à la crête des vagues.

Embrun, ch.-l. de cant. des Hautes-Alpes (arr. de Gap); 6 227 hab. Stat. clim. – Égl. N.-D., anc. cath. romane (XIIe s.).

embryo-. Élément, du gr. *embruon,* « embryon ».

embryogenèse ou **embryogénie** n. f. BIOL Développement de l'embryon animal ou végétal.

ENCYCL L'embryogenèse animale peut se poursuivre jusqu'à un état larvaire (ex. : le têtard) ou aboutir à un jeune qui possède tous les organes de l'adulte, mais dont certains ne sont pas encore fonctionnels (ex. : l'appareil génital). Les divers stades de l'embryogenèse d'un vertébré sont : la *morula,* résultat de la segmentation initiale, la *blastula,* la *gastrula* et, enfin, la *neurula,* le dernier stade avant l'état de larve (lorsqu'il existe). Tous les animaux sont formés à partir de deux feuillets cellulaires : ectoderme et mésoderme (animaux dits pour cette raison *diploblastiques*) ou de trois feuillets cellulaires : ectoderme, mésoderme et endoderme (animaux supérieurs, dits *triploblastiques*).

embryologie n. f. BIOL Partie de la biologie qui étudie l'embryogenèse.

embryologique adj. Qui a rapport à l'embryologie.

embryologiste n. Spécialiste de l'embryologie.

embryon n. m. **1.** BIOL Vertébré aux premiers stades de son développement, qui suivent la fécondation. (Pour l'espèce humaine, on parle d'*embryon* pour les trois premiers mois, puis de *fœtus.*) – *Embryon congelé :* embryon obtenu par fécondation artificielle et conservé dans l'azote liquide en vue d'une implantation utérine et d'une gestation ultérieures. ▷ BOT Germe qui donne naissance à une plantule. **2.** Fig. Chose inachevée, à peine commencée; germe. *Un embryon de projet.*

embryonnaire adj. **1.** BIOL Relatif à l'embryon, à l'état de développement d'un embryon par rapport à celui d'un sujet adulte. *Stade embryonnaire.* **2.** Fig. Qui est au premier stade de son développement, en germe. *Projet embryonnaire.*

embryopathie n. f. MED Malformation congénitale due à une atteinte de l'embryon humain au cours de son développement dans l'utérus, d'origine infectieuse (rubéole, par ex.), toxique (médicamenteuse : thalidomide, par ex.) ou métabolique.

embryotomie n. f. CHIR Écrasement ou résection d'un fœtus mort, pour faciliter son extraction par les voies naturelles.

embûche n. f. (Le plus souvent au plur.) **1.** Ruse, machination destinée à nuire à qqn. *Dresser des embûches.* **2.** *Par extens.* Difficulté, obstacle. *Parcours plein d'embûches.*

embuer v. tr. [1] Couvrir de buée. – Pp. adj. *Vitres embuées.* ▷ v. pron. *Lunettes qui s'embuent.* – Fig. *Avoir les yeux qui s'embuent,* se remplissent de larmes.

embuscade n. f. Stratagème qui consiste à se cacher pour surprendre l'ennemi. *Se mettre en embuscade. Tendre une embuscade. Tomber dans une embuscade.*

embusqué, ée adj. et n. m. **1.** adj. En embuscade. **2.** n. m. Mobilisé affecté par faveur à un poste sans danger en temps de guerre. ▷ Militaire affecté à un poste facile en temps de paix.

embusquer v. tr. [1] **1.** Mettre en embuscade. *Embusquer quelques hommes derrière des taillis.* ▷ v. pron. *Le malfaiteur s'était embusqué dans un*

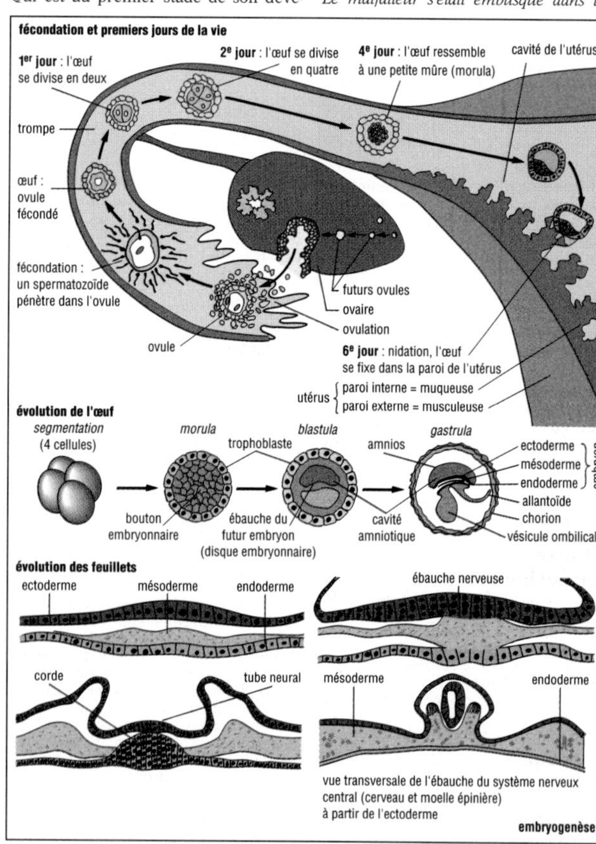

recoin. **2.** Rare Affecter par complaisance (un militaire) à un poste sans danger, en temps de guerre. *Il a pu faire embusquer son fils.* ▷ v. pron. Se cacher. – Se faire affecter à un poste ne présentant aucun danger.

Emden, v. et port d'Allemagne (Basse-Saxe), près de l'embouchure de l'Ems et sur l'Ems-Jade-Kanal ; 49 560 hab. Port de pêche et centre industr. important : constr. méca., chantiers navals, raff. de pétrole (terminal du gazoduc d'Ekofisk).

éméché, ée adj. Légèrement ivre.

émeraude n. f. Pierre précieuse translucide, de couleur vert bleuté, variété de béryl (silicate double d'aluminium et de bérylium). – (En appos.) *Vert émeraude* ou (adj. inv.) *émeraude* : vert clair un peu bleuté. *Des tissus vert émeraude.* ▷ Par ext. *Émeraude orientale* : corindon vert.

émergé, ée adj. Qui n'est pas plongé dans un liquide. *Les terres émergées ne couvrent pas la moitié du globe.*

émergence n. f. **1.** Action d'émerger ; état de ce qui émerge. – *Point d'émergence d'une source* : l'endroit par où elle sort. ▷ PHYS *Point d'émergence* (d'un rayon lumineux). ▷ ASTRO Émersion. **2.** Fig. Apparition soudaine de qqch, arrivée au premier plan de qqn.

émergent, ente adj. **1.** Qui émerge. ▷ PHYS Qui sort d'un milieu après l'avoir traversé. **2.** Qui commence à apparaître, à exister, à se manifester à un moment donné ; se dit en partic. des pays en cours de développement rapide. *Les marchés émergents du continent asiatique.*

émerger v. intr. [13] **1.** Se dégager, sortir d'un milieu après y avoir été plongé ; apparaître au-dessus du niveau de l'eau. *Émerger de la brume. Ce n'est qu'une petite partie des icebergs que l'on voit émerger.* **2.** ASTRO Réapparaître après avoir été occulté, en parlant d'un astre. **3.** Fig. Sortir de l'ombre, apparaître plus clairement. *Un espoir de solution commençait à émerger au fil des discussions.* **4.** Fig., fam. Sortir du sommeil, d'une situation difficile. *Avoir du mal à émerger.*

émeri n. m. Variété de corindon qui, réduit en poudre, est utilisé comme abrasif, antidérapant, etc. *Toile, papier (d')émeri,* sur lesquels est collée de la poudre d'émeri, et qui servent à poncer. ▷ *Bouchage à l'émeri* : bouchage hermétique obtenu en dépolissant à l'émeri les parties en contact (bouchon de verre et goulot, par ex.). – Fig., fam. *Bouché à l'émeri* : complètement borné.

émerillon n. m. **1.** ORNITH Petit faucon de Scandinavie *(Falco colombarius),* long d'env. 30 cm, qui hiverne en Europe occid. **2.** TECH Système de jonction de deux pièces, de deux chaînes, etc., permettant à chacune de tourner sur elle-même indépendamment de l'autre.

émerillonné, ée adj. Litt. Vif, éveillé.

éméritat n. m. Dignité de professeur émérite.

émérite adj. Vieilli Qui est à la retraite et jouit des honneurs de son titre. *Professeur émérite.* ▷ Qui a une longue pratique de qqch. *Un artisan émérite.* ▷ Mod. Qui a acquis une connaissance remarquable d'une science, d'un art, d'un métier. *Technicien émérite.*

émersion n. f. **1.** Didac. Action, fait d'émerger. *Émersion d'un sous-marin.* **2.** ASTRO Réapparition d'un astre après une éclipse ou une occultation.

Emerson (Ralph Waldo) (Boston, 1803 – Concord, Massachusetts, 1882), philosophe américain. Panthéiste à la recherche d'une révélation intérieure et immédiate, il est le principal représentant du transcendantalisme, dont il a exposé la doctrine dans ses conférences sur *la Nature* (1836).

émerveillement n. m. Fait de s'émerveiller.

émerveiller v. tr. [1] Frapper d'admiration. *Émerveiller l'auditoire par son savoir.* ▷ v. pron. Être frappé d'admiration, d'étonnement devant qqch que l'on trouve merveilleux. *S'émerveiller de peu de chose.*

Émery (Michel Particelli, sieur d') (Lyon, v. 1595 – Paris, 1650), financier français d'origine italienne ; surintendant des Finances (1647-1649). Ses expédients financiers provoquèrent l'opposition du Parlement et contribuèrent à la Fronde.

Émery (Jacques André) (Gex, 1732 – Issy-les-Moulineaux, 1811), prélat français ; supérieur général de la Compagnie de Saint-Sulpice. Il s'opposa à Napoléon qui voulait restreindre les pouvoirs du pape en France.

Émèse, anc. v. de Syrie (auj. *Homs*), sur l'Oronte ; célèbre temple du Soleil, dont Élagabal fut le grand prêtre.

émétique adj. MED Qui provoque le vomissement. *Substance émétique.* ▷ n. m. *Administrer un émétique.*

émetteur, trice adj. et n. **1.** Qui émet. *La banque émettrice.* ▷ Subst. *L'émetteur d'un chèque sans provision.* **2.** *Poste émetteur* ou, n. m., *émetteur* : appareil qui émet des ondes radioélectriques. ▷ Station émettrice de radiodiffusion ou de télévision.

émettre v. tr. [60] **1.** Mettre en circulation. *Émettre des billets de banque. Chèque émis à telle date.* **2.** Produire, envoyer vers l'extérieur. *Émettre un son.* ▷ *Émettre des ondes hertziennes.* – (S. comp.) *Cette station cesse d'émettre à 21 heures.* ▷ PHYS *Émettre un rayonnement.* **3.** Fig. Exprimer. *Émettre une opinion, un avis favorable. Émettre des vœux.*

émeu [emø] ou **émou** [emu] n. m. Grand oiseau (ordre des struthioniformes, sous-classe des ratites, genre *Dromiceius*), à plumage gris et brun, aux ailes réduites, vivant en bandes dans les plaines d'Australie. *L'émeu, qui peut atteindre 2 m, est incapable de voler.*

émeute n. f. **1.** Vieilli Tumulte séditieux dans la rue. **2.** Mod. Soulèvement populaire, le plus souvent spontané. *Manifestation qui tourne à l'émeute.*

émeutier, ère n. Personne qui fomente une émeute ou y prend part.

-émie. Élément, du gr. *haima,* « sang ».

émiettement n. m. Action d'émietter, fait de s'émietter. – Fig. *L'émiettement de l'autorité, du pouvoir.*

émietter v. tr. [1] Réduire en miettes, en petits morceaux. *Émietter du pain.* ▷ *Par anal.* Réduire en petites parcelles. *Émietter une terre en petites propriétés.* ▷ Fig. *Émietter ses forces, ses efforts,* les disperser. ▷ v. pron. Tomber en miettes. – Fig. Se disperser, s'éparpiller. *Le pouvoir s'émiette.*

émigrant, ante n. Personne qui émigre. *Convoi d'émigrants.*

émigration n. f. **1.** Action d'émigrer. *L'émigration russe en France après la révolution communiste de 1917.* ▷ Ensemble des personnes qui émigrent ou qui ont émigré. – *Spécial.* Ensemble des nobles émigrés, pendant la Révolution. **2.** ZOOL Migration.

émigré, ée adj. et n. Qui a émigré. *Travailleurs émigrés.* ▷ Subst. *Un émigré politique.* – HIST Personne qui partit à l'étranger, pendant la Révolution.

émigrer v. intr. [1] **1.** Quitter son pays pour aller s'établir dans un autre. *Beaucoup d'Italiens émigrèrent en Amérique, au début du XXe s.* **2.** Changer de contrée, en parlant des animaux.

Émilien (Scipion). V. Scipions (Publius Cornelius Scipio Aemilianus).

Émilienne (République), formée en 1796 à Modène, avec l'appui de Bonaparte. Elle se fondit ensuite dans la République Cisalpine.

Émilie-Romagne, rég. admin. d'Italie et rég. de la C.E., sur l'Adriatique, entre l'Apennin et le Pô inférieur, formée des prov. de Bologne, Ferrare, Forli, Modène, Parme, Plaisance, Ravenne, Reggio nell'Emilia ; 22 123 km^2 ; 3 931 000 hab. ; cap. *Bologne.* Forte expansion écon. : agric. intensive, hydrocarbures, industries dynamiques, tourisme.

émincé n. m. Mince tranche de viande cuite. *Un émincé de veau.*

émincer v. tr. [12] Couper en tranches minces.

éminemment [eminamɑ̃] adv. Excellemment, au plus haut degré.

éminence n. f. **1.** Élévation de terrain, hauteur, monticule. *Une éminence d'où l'on embrasse tout le paysage.* ▷ ANAT Saillie, protubérance. **2.** Titre d'honneur donné aux cardinaux. *Son Éminence le cardinal Untel.* ▷ HIST *Éminence grise* : surnom donné au père Joseph, conseiller de Richelieu. – Cour. Personne dont l'influence secrète inspire les actes et les décisions d'une autorité.

éminent, ente adj. **1.** Supérieur en mérite, en condition. *Personnage éminent. Occuper une position éminente.* **2.** Remarquable, considérable. *L'éminente connaissance qu'a de tel problème tel spécialiste.*

éminentissime adj. Très éminent (titre honorifique superl. réservé aux cardinaux en certaines occasions).

Eminescu (Mihaïl) (Ipoteşti, près de Botoşani, 1850 – Bucarest, 1889), écrivain roumain au romantisme exacerbé ; le plus grand poète de son pays : *l'Étoile du soir, Épître V, Dalila,* etc. Nouvelles : *le Pauvre Dionis* (1872), *Cesara* (1876).

Emin pacha (Eduard Schnitzer, dit Mehmet) (Oppeln, 1840 – Kinena, Congo, 1892), voyageur allemand. D'abord médecin de l'armée turque, il explora le Soudan, l'Ouganda ; il fut assassiné en Afrique équatoriale.

émir n. m. Titre attribué autref. aux descendants du Prophète, puis conféré par les califes aux titulaires des grands commandements. ▷ Nom donné à certains chefs, souverains ou princes, dans les pays musulmans. *L'émir du Koweït.*

émirat [emiʀa] n. m. **1.** Dignité d'émir. **2.** État gouverné par un émir.

émirati, ie adj. et n. Des Émirats arabes unis. ▷ Subst. *Un(e) Émirati(e).*

Émirats arabes unis (Fédération des), État du golfe Persique, issu de la réunion, le 3 déc. 1971, de sept émirats : Abu Dhabi, Dubaï, Chardja, Adjman, Umm al-Qaywayn, Fudjayra et Ra's al-Khaymah ; 83 600 km^2 ; 1 850 000 hab. env. ; cap. : *Abu Dhabi.* Langue off. : arabe. Monnaie : dirham. Relig. : islam.

Géogr. et écon. – Appartenant au désert arabique, les Émirats vivaient de l'élevage nomade, de la pêche et de la vente de perles avant de devenir, à partir des années 60, une des principales zones pétrolières du monde (10 % des réserves mondiales). La prod. de pétrole, qui approche 100 millions de t par an, est concentrée à Abu Dhabi (qui dispose aussi de la 4e réserve de gaz naturel du monde avec 5 200 milliards de m^3), à Dubaï et Chardja. La rente pétrolière a permis un développement accéléré : infrastructures de transport, équipements collectifs, aménagements urbains, industrialisation (raffinage et production d'aluminium), attirant dans le pays plus d'1 million de travailleurs étrangers (Pakistanais, Indiens et Arabes majoritairement). Les principaux pôles écon. sont Abu Dhabi, Dubaï et la zone franche de Djebel Ali. **Hist.** – La région est reconnue par les Portugais, qui y fondent des escales, puis par les Anglais (1622). À partir du XVIIe s., infestée par la piraterie, elle porte le nom de *Côte des Pirates*. En 1853, la G.-B. s'en empare et signe avec les Émirats une trêve inviolable (d'où le nom de *Trucial States*, ou États de la *Côte de la Trêve*), puis les soumet à son protectorat (1892). Après le retrait des Britanniques (1971), les Émirats arabes unis deviennent l'un des États les plus riches du monde. Le cheikh Zayed ibn Sultan an-Nahyan, souverain d'Abu Dhabi, est élu président de la Fédération en 1971. En 1996, il ordonne l'expulsion de tous les immigrés illégaux (10 % de la population du pays). En 1997, il est réélu à la tête de la Fédération. ► carte **Arabie**

1. émissaire n. m. Personne envoyée pour accomplir une mission, une mission secrète.

2. émissaire n. et adj. **1.** n. m. Cours d'eau par lequel s'évacue l'eau d'un lac. ▷ TRAV PUBL Collecteur principal d'un réseau d'assainissement. **2.** n. f. pl. Petites veines qui traversent le crâne.

émissif, ive adj. PHYS Qui a le pouvoir d'émettre (des radiations et, spécial., des radiations lumineuses). *Pouvoir émissif. Cathode émissive.*

émission n. f. **1.** PHYSIOL Action de lancer, de pousser (un liquide) hors du corps. *Émission d'urine.* **2.** Action de produire (un son articulé). *Émission de voix.* **3.** PHYS Production (d'électrons, de lumière). *Émission photoélectronique, thermoélectronique.* ▷ TELECOM Action de diffuser (un message, de la musique, etc.) au moyen d'ondes électromagnétiques. – *Par ext.* Programme (radiophonique, télévisé) ainsi diffusé. *Émission en direct, en différé. Une émission de télévision appréciée du public.* **4.** FIN Mise en circulation (de valeurs : monnaies, titres ou effets de commerce). *L'émission d'un emprunt par la S.N.C.F.*

émissole n. f. Petit requin des côtes françaises, appelé aussi *chien de mer.*

Emma de Waldeck-Pyrmont (Arolsen, 1858 – La Haye, 1934), reine des Pays-Bas par son mariage avec Guillaume III; elle fut régente de 1890 à 1898 (minorité de sa fille Wilhelmine).

emmagasinage n. m. Action d'emmagasiner; son résultat.

emmagasiner v. tr. [1] **1.** Mettre en magasin, stocker. *Emmagasiner des céréales.* **2.** Fig. Acquérir, accumuler. *Emmagasiner des connaissances.* ▷ Amasser, mettre en réserve. *Emmagasiner de la chaleur.*

emmaillotement n. m. Action, manière d'emmailloter.

emmailloter v. tr. [1] Vieilli Mettre (un bébé) dans un maillot, dans des langes. ▷ *Par ext.* Envelopper. *Emmailloter un doigt blessé.* – v. pron. *S'emmailloter dans une couverture.*

emmancher v. tr. [1] **1.** Mettre un manche à (un outil). *Emmancher une faux.* **2.** Fig., fam. Commencer, mettre en train. *Emmancher une affaire.* ▷ v. pron. *L'affaire s'emmanche mal.*

emmanchure n. f. Chacune des ouvertures d'un vêtement à laquelle est cousue une manche.

Emmanuel, nom donné au Messie par Isaïe et repris par Matthieu.

Emmanuel (Maurice) (Bar-sur-Aube, 1862 – Paris, 1938), compositeur (*Quatuor à cordes*, 1903; *Poème du Rhône*, 1938) et musicologue français. Il a ouvert la voie à la polyphonie modale.

Emmanuel (Noël Mathieu, dit Pierre) (Gan, Pyr.-Atl., 1916 – Paris, 1984), écrivain français d'inspiration chrétienne. Ses thèmes sont la poésie prophétique et la Résistance : *Tombeau d'Orphée* (1941), *Évangéliaire* (1961), *Jacob* (1970). Acad. fr. (1968, démissionnaire en 1976).

Emmanuel Ier de Portugal. V. Manuel Ier le Grand.

Emmanuel-Philibert, dit *Tête de Fer* (Chambéry, 1528 – Turin, 1580), duc de Savoie (1553-1580). Au service de Philippe II d'Espagne, il fut gouverneur des Pays-Bas et vainquit les troupes françaises à Saint-Quentin (1557). Après le traité de Cateau-Cambrésis (1559) il épousa Marguerite de France, fille de François Ier et obtint qu'on lui rendît ses États, qu'il administra avec talent depuis Turin (cap. en 1562).

emmarchement n. m. **1.** Disposition des marches d'un escalier. **2.** Escalier de quelques marches le long d'une terrasse, d'une rue.

Emmaüs (auj. *Al-Qubeiba*), anc. bourg de Judée, au N. de Jérusalem, où Jésus se manifesta après sa résurrection (Luc, XXIV, 13-32).

Emme, nom de deux riv. de Suisse : la *Grande Emme* (80 km), affl. de l'Aar (r. dr.), arrose l'Emmenthal; la *Petite Emme* se jette dans la Reuss, en aval de Lucerne.

emmêlement n. m. Action d'emmêler; fait de s'emmêler.

emmêler v. tr. [1] **1.** Mêler, enchevêtrer. *Emmêler des fils.* ▷ v. pron. *Écheveau qui s'est emmêlé.* **2.** Fig. Embrouiller. *Emmêler une affaire.* ▷ v. pron. *S'emmêler dans ses explications.*

Emmen, v. des Pays-Bas (Drenthe); 92 320 hab. Centre commercial; industr. textiles.

Emmen, v. de Suisse (cant. et faubourg de Lucerne); 22 500 hab. Industries textiles et mécaniques.

emménagement n. m. Action d'emménager.

emménager v. intr. [13] S'installer dans un nouveau logement. *Nous emménageons demain.* ▷ v. tr. *Emménager des meubles.*

emménagogue [ɑ̃menagɔg] adj. MED Se dit des substances qui provoquent ou favorisent l'écoulement menstruel. ▷ n. m. *Un emménagogue.*

emmener v. tr. [16] Mener avec soi (qqn) d'un lieu dans un autre. *Emmener ses enfants à la campagne.*

emment(h)al, als [emɛ̃tal] n. m. Fromage de vache cuit, fabriqué à l'origine dans la vallée de l'Emme (ou *Emmenthal*), en Suisse.

emmerdant, ante adj. Fam. Ennuyeux, embêtant, gênant.

emmerdement ou **emmerde** n. m. Fam. Ennui, tracas, contrariété. *Avoir des emmerdements.*

emmerder v. tr. [1] Fam. Agacer, contrarier, gêner à l'excès. *Il commence à m'emmerder, celui-là!* – Grossier Tenir pour méprisable. *De toute façon, je l'emmerde!* ▷ v. pron. S'ennuyer à l'excès. *Qu'est-ce qu'on s'emmerde, dans ce bled!*

emmerdeur, euse n. Fam. Personne qui ennuie ou qui gêne les autres. ▷ Personne pointilleuse ou chicanière à l'excès.

emmétrope [emetʀɔp] adj. et n. PHYSIOL Se dit d'un œil dont la vision est normale.

emmétropie [emetʀɔpi] n. f. PHYSIOL Qualité de l'œil emmétrope.

emmitoufler v. tr. [1] Envelopper chaudement, douillettement. ▷ v. pron. *Bien s'emmitoufler.*

emmurement n. m. **1.** HIST Emprisonnement à perpétuité que prononçait le tribunal d'Inquisition. **2.** Action d'emmurer; son résultat.

emmurer v. tr. [1] **1.** HIST Faire subir l'emmurement à. **2.** Enfermer en murant. *Emmurer un trésor.* – Par ext. *Spéléologue qu'un éboulement a emmuré.* ▷ v. pron. Fig. *S'emmurer dans sa douleur.*

émoi n. m. **1.** Vieilli Trouble, agitation suscitée par l'émotion ou l'inquiétude. *La population était en émoi.* **2.** Trouble intime, de nature affective ou sensuelle. *Émoi esthétique, amoureux.*

émollient, ente adj. et n. m. MED Qui relâche, qui ramollit les tissus. *Décoction émolliente.* ▷ n. m. *Un émollient.*

émolument n. m. **1.** DR Part d'actif qui revient à qqn par succession ou dans un partage de biens communs. **2.** n. m. pl. Honoraires d'un officier ministériel. ▷ *Par ext.* Rétribution fixe ou variable attachée à une place, un emploi.

émonction n. f. PHYSIOL Évacuation des déchets de l'organisme.

émondage n. m. Action d'émonder.

émonder v. tr. [1] Retrancher (d'un arbre) les branches nuisibles ou inutiles. Syn. élaguer. – Fig. *Émonder un texte,* en supprimer les développements inutiles.

émondes n. f. pl. ARBOR Branches coupées par émondage.

émondoir n. m. ARBOR Outil qui sert à l'émondage.

émotif, ive adj. et n. **1.** Relatif à l'émotion; qui est dû à l'émotion. *Un choc émotif.* **2.** Qui est sujet à des émotions intenses. *Une nature émotive.* ▷ Subst. *Un émotif, une émotive.*

émotion n. f. **1.** Trouble intense de l'affectivité, réaction immédiate, incontrôlée ou inadaptée à certaines impressions ou à certaines représentations. *L'émotion se traduit organiquement par des réactions neurovégétatives ou motrices* (rougeur, transpiration, tremblement, etc.). *Être paralysé par l'émotion.* – Fam. *Donner des émotions à qqn.* ▷ Réaction affective (agréable ou désagréable) éprouvée comme un trouble. *Réciter un poème avec émotion.* **2.** Agitation, trouble collectif. *L'émotion populaire était à son comble.*

émotionnel, elle adj. Qui appartient à l'émotion; qui en est le produit. *Tension, réaction émotionnelle.*

émotionner v. tr. [1] Fam. Causer de l'émotion, des émotions. ▷ v. pron. S'émouvoir. *Il ne s'émotionne pas facilement.*

émotivité n. f. Caractère d'une personne émotive. ▷ PSYCHO Un des éléments de l'affectivité, qui traduit l'aptitude plus ou moins prononcée de l'individu à réagir aux impressions perçues.

émotter v. tr. [1] AGRIC Briser les mottes de terre (d'un champ) après un labour afin d'ameublir la terre.

émou. V. émeu.

émouchet [emuʃɛ] n. m. Nom cour. de certains petits rapaces, notam. de la crécerelle.

émoulu, ue adj. **1.** Vx Aiguisé sur la meule. **2.** Fig. *Frais émoulu, fraîche émoulue* : récemment sorti(e) (d'une école). *Un jeune cadre frais émoulu d'H.E.C.*

émoussement n. m. Action d'émousser; état de ce qui est émoussé.

émousser v. tr. [1] **1.** Rendre mousse, moins tranchant, moins aigu. *Émousser un rasoir.* ▷ v. pron. *Lame qui s'émousse vite.* **2.** Fig. Rendre moins vif, atténuer, affaiblir. *L'habitude émousse le plaisir.* ▷ v. pron. *Il y a des rancunes qui ne s'émoussent pas.*

émoustillant, ante adj. Qui émoustille.

émoustiller v. tr. [1] Mettre en gaieté. ▷ Exciter, disposer aux plaisirs sensuels.

émouvant, ante adj. Qui émeut, qui suscite une émotion plus ou moins vive.

émouvoir v. tr. [43] **1.** Susciter l'émotion de. *Émouvoir qqn aux larmes.* ▷ v. pron. *Une personne lente à s'émouvoir.* **2.** Susciter l'intérêt ou la sympathie de; troubler, inquiéter. *Sa détresse nous a émus.* ▷ v. pron. *Les pouvoirs publics se sont émus de cette situation.*

empaillage n. m. Action d'empailler.

empaillement n. m. **1.** Empaillage. **2.** AGRIC Approvisionnement en paille. ▷ Action de nourrir le fumier avec des pailles usées.

empailler v. tr. [1] **1.** Emplir avec de la paille la peau d'un animal mort de manière à en conserver les formes naturelles. Syn. naturaliser. ▷ Pp. adj. *Un renard empaillé.* – Fig., fam. *Avoir l'air empaillé,* peu énergique, emprunté. **2.** *Empailler un siège,* le garnir de paille. V. rempailler. **3.** Envelopper, protéger avec de la paille. *Empailler un arbre.* – Pp. adj. *Des semis empaillés.*

empailleur, euse n. **1.** Personne qui empaille des animaux. V. taxidermiste. **2.** Rare Personne qui empaille des sièges. V. rempailleur.

empalement n. m. **1.** Supplice du pal. **2.** Fait d'empaler, d'être empalé ou de s'empaler.

empaler v. tr. [1] **1.** Infliger le supplice du pal à (qqn), en le transperçant d'un pieu introduit par l'anus. **2.** *Par ext.* Percer de part en part, embrocher. **3.** v. pron. Être transpercé par un objet pointu que l'on a heurté. *S'empaler sur un pieu en tombant.*

empan n. m. Anc. Mesure de longueur à peu près égale à l'intervalle entre l'extrémité du pouce et celle du petit doigt d'une main étendue.

empanacher v. tr. [1] Orner d'un panache. ▷ Fig. Orner à l'excès. *Empanacher son langage.* – v. pron. *S'empanacher de rubans.*

empanner v. intr. [1] MAR En parlant d'un voilier aux allures portantes, recevoir le vent du côté de la grand-voile opposé à celui qui le recevait jusqu'alors, à la suite d'une manœuvre volontaire, d'une faute de barre ou d'une saute de vent.

empaquetage n. m. Action d'empaqueter.

empaqueter v. tr. [20] Mettre en paquet. *Empaqueter des livres.*

emparer (s') v. pron. [1] **1.** Se saisir (d'une chose), s'en rendre maître par des moyens violents ou irréguliers. *S'emparer du pouvoir, d'un héritage, d'une ville.* **2.** Se saisir vivement (de qqch) pour tel ou tel usage. *Il s'est emparé de l'outil dont j'avais besoin.* **3.** Envahir, dominer (qqn) en parlant d'une sensation, d'un sentiment, etc. *Torpeur qui s'empare des sens. La colère s'empara de lui.*

empâtement n. m. **1.** État de ce qui est empâté ou pâteux. *L'empâtement de la langue, de la voix.* ▷ PEINT Superposition de couches de peinture ou étalement d'une couche épaisse sur un tableau. **2.** Engraissement d'une volaille. **3.** État d'un visage ou d'un corps empâté, bouffi.

empâter v. tr. [1] **1.** TECH Remplir, enduire de pâte, ou d'une matière pâteuse. ▷ Enduire (de plâtre par ex.) des éléments pour les unir. – Mêler à de l'eau (un produit solide) pour obtenir une pâte. **2.** Rendre pâteux. *Les liqueurs empâtent la bouche.* **3.** *Empâter une volaille,* l'engraisser. **4.** Gonfler, épaissir, alourdir. *Visage que l'éthylisme a empâté.* ▷ v. pron. *Il s'est empâté avec l'âge.*

empathie n. f. Didac. Identification affective à une personne ou à une chose. *La reconstitution de faits lointains demande souvent à l'historien de procéder par empathie.*

empattement n. m. **1.** CONSTR Massif de maçonnerie qui sert de pied, de base à un mur. **2.** BOT Base d'un tronc ou d'une branche d'arbre. **3.** TYPO Trait horizontal ou motif triangulaire qui souligne le haut et le bas du jambage d'une lettre. **4.** TECH Distance entre les essieux extrêmes d'un véhicule.

empatter v. tr. [1] TECH Fixer avec des pattes.

empaumer v. tr. [1] Recevoir (la balle) dans la paume, à certains jeux.

empêché, ée adj. **1.** Litt. Embarrassé, gêné. *Il se trouva fort empêché pour lui répondre.* **2.** Cour. Retenu par un empêchement. *Le ministre, empêché, n'a pu venir.*

empêchement n. m. Ce qui empêche d'agir, embarrasse, fait obstacle. *Je ne vois pas d'empêchement à ce projet. Un empêchement de dernière minute.*

empêcher v. tr. [1] **1.** Entraver (qqn) dans son action, ses projets; mettre dans l'impossibilité de (faire telle chose). *Il a voulu m'empêcher de parler. Il faudrait empêcher qu'ils s'associent.* ▷ v. pron. (Le plus souvent en tournure négative.) S'abstenir, se défendre de. *Il ne peut s'empêcher de médire. On ne peut s'empêcher de le trouver sympathique.* **2.** S'opposer, mettre un obstacle à. *Empêcher une mauvaise action.* ▷ Loc. impers. *Il n'empêche que, n'empêche que* : malgré cela, néanmoins, et pourtant. *Ces produits sont mauvais, n'empêche qu'ils se vendent.* – Fam. *Il est tard, n'empêche, il aurait pu venir.*

empêcheur, euse n. Vieilli Personne qui empêche. – Loc. *Empêcheur de danser (ou de tourner) en rond* : trouble-fête.

Empédocle (Agrigente, Sicile, v. 490 –?, v. 435 av. J.-C.), philosophe grec. Sa pensée est une synthèse du matérialisme ionien, des doctrines des Éléates et du devenir héraclitéen : tout changement a lieu par combinaison ou dissociation des quatre éléments (l'air, l'eau, la terre, le feu) sous l'influence cyclique de l'Amour et de la Haine. Il ne reste de ses œuvres que 400 vers env. du poème *Sur la nature de l'Univers* et 120 vers des *Purifications.* Selon une tradition, il se serait suicidé en se jetant dans le cratère de l'Etna.

empeigne n. f. Dessus d'un soulier, depuis le cou-de-pied jusqu'à la pointe. ▷ Loc. fig. Inj. *Gueule d'empeigne* : visage antipathique ou disgracieux.

empennage [ɑ̃pɛn(n)aʒ] n. m. **1.** Action d'empenner. **2.** AVIAT Ensemble des plans fixes placés à l'arrière d'un aéronef, d'un avion, pour assurer sa stabilité en vol.

empenne n. f. Ensemble des plumes qui garnissent le talon d'une flèche.

empennelage n. m. MAR Action d'empenneler; résultat de cette action.

empenneler v. intr. [19] MAR Mouiller avant l'ancre principale une ancre plus petite, pour assurer une meilleure tenue du mouillage.

empenner [ɑ̃pɛn(n)e] v. tr. [1] Didac. Garnir (une flèche) d'une empenne, de plumes.

empereur n. m. **1.** Titre porté, à partir d'Auguste, par le chef souverain de l'Empire romain, puis de l'Empire byzantin. **2.** Titre porté par Charlemagne, puis par les souverains du Saint-Empire romain germanique. **3.** Souverain de certains États. *L'empereur de toutes les Russies. L'empereur du Japon.* ▷ Absol. (en France). *L'Empereur* : Napoléon Ier.

emperler v. tr. [1] **1.** Rare Garnir de perles. **2.** Fig. Couvrir de gouttelettes. *La sueur emperlait son visage.* ▷ v. pron. *L'herbe s'emperle de rosée.*

empesage n. m. Action d'empeser; son résultat.

empesé, ée adj. **1.** Apprêté avec de l'empois. **2.** Fig. Guindé, compassé. *Personnage empesé. Air, style empesé.* Ant. aisé, naturel.

empeser v. tr. [16] Apprêter (du linge) avec de l'empois.

empester v. tr. [1] **1.** Vx Infecter de la peste ou de tout autre mal contagieux. ▷ Fig. Corrompre, vicier. *La crise économique empestait le climat social.* **2.** *Par ext.* Empuantir. *La fumée de l'usine empeste le voisinage.* ▷ Dégager (une odeur désagréable). *Son haleine empeste le vin.* – (S. comp.) *Va te laver, tu empestes.* Pp. adj. *Une atmosphère empestée.*

empêtrer v. tr. [1] **1.** Vx Entraver (un animal). **2.** Mod. Embarrasser par des liens, par qqch qui gêne, qui empêche les mouvements. *Empêtrer ses pieds dans* *un filet, dans des herbes.* ▷ v. pron. *S'empêtrer dans son vêtement.* **2.** Fig. Mettre dans des difficultés, dans une situation compliquée ou fâcheuse. *On l'a empêtré dans une affaire véreuse.* ▷ v. pron. *S'empêtrer dans ses contradictions.*

emphase n. f. **1.** Péjor. Exagération prétentieuse dans le ton, le geste, l'expression, le style. *Parler avec emphase. Une solennité pleine d'emphase.* Syn. enflure, grandiloquence. Ant. naturel, simplicité. **2.** LING Forme d'expression qui consiste à marquer d'une insistance particulière l'un des éléments de la phrase (ex. : *Nous, nous voulons bien*).

emphatique adj. **1.** Qui s'exprime avec emphase. *Orateur emphatique.* ▷ Boursouflé, guindé, ampoulé. *Un discours emphatique.* **2.** LING Relatif à l'emphase, employé par emphase. *Valeur emphatique.*

emphatiquement adv. De manière emphatique.

emphysémateux, euse adj. et n. MED Atteint d'emphysème.

emphysème n. m. MED Infiltration gazeuse diffuse du tissu cellulaire. *Emphysème pulmonaire* : affection pulmonaire caractérisée par la dilatation et la destruction des bronchioles respiratoires et du tissu conjonctif de la paroi alvéolaire. (Il peut être diffus ou localisé et se traduit par une insuffisance respiratoire, puis par une insuffisance cardiaque.)

emphytéose n. f. DR Contrat de longue durée (18 à 99 ans) par lequel un propriétaire concède la jouissance d'un immeuble moyennant une redevance annuelle, le preneur ayant un droit d'hypothèque et la charge d'exécuter les travaux destinés à améliorer le fonds.

emphytéotique adj. DR Qui appartient à l'emphytéose.

empiècement n. m. COUT Pièce rapportée en haut d'un vêtement.

empierrement n. m. **1.** Action d'empierrer; son résultat. **2.** Matériaux qui servent à empierrer.

empierrer v. tr. [1] Garnir de pierres. *Empierrer une chaussée.*

empiétement ou **empiètement** [ɑ̃pjɛtmɑ̃] n. m. **1.** Action d'empiéter; son résultat. **2.** Fig. Usurpation.

empiéter v. intr. [14] **1.** Gagner pied à pied, s'étendre partiellement (sur la terre d'autrui). *Empiéter sur le champ du voisin.* ▷ Par anal. *La mer empiète sur les côtes.* **2.** Fig. Usurper en partie (les droits, le pouvoir de qqn). *Vous empiétez sur ses attributions.*

empiffrer (s') v. pron. [1] Fam. Manger avec excès, gloutonnement. *S'empiffrer de gâteaux.*

empilable adj. Qui peut être empilé.

empilage ou **empilement** n. m. **1.** Action de mettre en piles. **2.** Action de serrer, d'entasser.

empiler v. tr. [1] **1.** Mettre en pile. *Empiler des caisses, des pièces de monnaie.* ▷ *Par anal.* Serrer, entasser. – v. pron. *S'empiler dans une voiture.* – Pp. adj. *Assiettes empilées.* **2.** Fam., vieilli Duper sur le prix ou la qualité d'une marchandise. *Se faire empiler.*

empire n. m. **1.** Domination souveraine. *Conquérir l'empire des mers.* ▷ Fig. Domination morale, ascendant. *Avoir de l'empire sur qqn, sur soi-même.* **2.** Régime où l'autorité politique est détenue par un empereur. *À Rome, l'empire* succéda à la république. ▷ Règne d'un empereur. ▷ BX-A *Style Empire*, celui des œuvres d'art, du mobilier du Premier Empire. **3.** État gouverné par un empereur; son territoire. *L'empire d'Orient. L'Empire latin de Constantinople* ou d'Orient. L'Empire byzantin*. Les frontières de l'Empire romain.* ▷ Loc. *Pour un empire* : d'aucune manière, pour rien au monde. *Je ne le ferais pas pour un empire!* **4.** HIST Ensemble de territoires placés sous l'autorité d'un gouvernement central. *L'Empire britannique.*

Empire (Premier), régime politique de la France de 1804 à 1814 (après le Consulat* : 1799-1804). Le 18 mai 1804, le Sénat proclama l'empire par un sénatus-consulte qu'un plébiscite ratifia. Le 2 déc., le pape Pie VII couronna empereur (Napoléon* Ier) l'anc. Premier consul. Le 6 avr. 1814, l'Empire s'acheva par l'abdication de Napoléon. Pendant les Cent-Jours (20 mars-22 juin 1815), Napoléon revint sur le trône, mais le régime polit. fut celui d'une monarchie constitutionnelle.

Empire (Second), régime politique de la France entre 1852 et 1870. Par le coup d'État du 2 décembre 1851, le prés. Louis Napoléon Bonaparte mettait fin à la IIe République. Le 7 nov. 1852, un sénatus-consulte le proclama empereur; un plébiscite ratifia cette loi; le 2 décembre 1852, le Second Empire est proclamé. En 1870, quand la défaite de Sedan fut connue (2 sept.), la foule parisienne réclama la république, proclamée par Gambetta* le 4 sept. : un gouvernement de la Défense nationale succédait au Second Empire.

empirer v. [1] **1.** v. intr. Devenir pire. *Sa situation a empiré.* **2.** v. tr. Rendre pire. *Les remèdes ont empiré son état.* Syn. aggraver. Ant. améliorer.

empiricité n. f. Caractère empirique.

Empiricus (Sextus). V. Sextus Empiricus.

empiriocriticisme n. m. PHILO Courant philosophique du XIXe s., issu du criticisme kantien, qui dénie toute valeur absolue à la science, et que Lénine a combattu dans *Matérialisme et Empiriocriticisme* (1909).

empirique adj. (et n. m.) **1.** Qui se fonde sur l'expérience et non sur un savoir théorique. *Des connaissances empiriques.* **2.** PHILO Relatif à l'empirisme.

empiriquement adv. D'une manière empirique.

empirisme n. m. **1.** Système, méthode qui se fonde sur la seule expérience sans recourir au raisonnement, à la théorie. **2.** PHILO Doctrine selon laquelle toute connaissance dérive de l'expérience (opposée au rationalisme et à la théorie des idées innées).

empiriste n. Partisan de l'empirisme. *Empiristes matérialistes* (Bacon, Hobbes, Locke), *idéalistes* (Berkeley, Hume).

emplacement n. m. Lieu qu'occupe, qu'occupait qqch ou qui convient pour placer ou édifier qqch. *L'emplacement d'un édifice, d'une cité disparue. Étudier l'emplacement d'un barrage. Louer un emplacement de parking.*

emplafonner v. tr. [1] Fam. Heurter avec violence. *Le camion a emplafonné le mur de la ferme.*

emplâtre n. m. **1.** MED Médicament à usage externe, pâteux, qui adhère bien à l'endroit où on l'applique. **2.** Fig., fam. Personne sans énergie, incapable.

emplette n. f. **1.** Achat (d'une marchandise courante). *Faire l'emplette d'un vase.* **2.** Chose achetée. *Montrez-moi vos emplettes.*

emplir v. tr. [3] **1.** Vieilli ou litt. (on emploie plutôt *remplir*). Rendre plein. *Emplir une bouteille.* – Par ext. *La pièce est emplie de gens.* **2.** Fig. Combler. *Une pensée qui emplit de joie.* ▷ v. pron. *La chambre s'emplissait de parfum.*

emploi n. m. **1.** Usage que l'on fait d'une chose; manière d'en faire usage. *L'emploi d'un outil, d'un mot. Faire mauvais emploi de sa fortune. Mode d'emploi. Une chose qui fait double emploi*, qui est superflue parce qu'elle a le même usage qu'une autre. **2.** Vx Activité, occupation quelconque. ▷ Mod. Travail rémunéré. *Une offre, une demande d'emploi. Agence nationale pour l'emploi* (A.N.P.E.). **3.** THEAT, CINE Rôle que l'on confie habituellement à un acteur. *Emploi de valet.*

employabilité n. f. Capacité d'adaptation de qqn à de nouvelles formes de travail.

employable adj. Qui peut être employé.

employé, ée n. Salarié non cadre, travaillant dans une administration, un bureau, dans le commerce ou chez un particulier (par oppos. à *ouvrier*).

employer v. [23] **I.** v. tr. **1.** Faire usage de. *Employer un produit. Bien employer son temps. Employer la douceur.* **2.** Faire travailler en échange d'un salaire. *Cette entreprise emploie deux mille personnes.* **II.** v. pron. **1.** Être utilisé (pour un usage quelconque). *Cette substance s'emploie en pharmacie.* ▷ Être usité, en parlant d'un mot, d'une tournure. *Ce terme ne s'emploie plus.* **2.** *S'employer à* : s'occuper activement de, s'appliquer à. *S'employer à soulager les misères d'autrui.*

employeur, euse n. Personne qui emploie un (des) salarié(s).

emplumé, ée adj. Garni de plumes.

empocher v. tr. [1] Toucher (de l'argent). *Empocher une grosse somme.* Ant. débourser.

empoignade n. f. Discussion violente.

empoigne n. f. **1.** Vx Action d'empoigner. **2.** Mod., fam. *Foire d'empoigne* : conflit tumultueux entre des personnes se disputant des biens ou des avantages.

empoigner v. tr. [1] **1.** Saisir avec les mains en serrant fortement. *Empoigner qqn au collet.* **2.** Fig. Émouvoir vivement. *Ce drame m'a empoigné.* **3.** v. pron. (Récipr.) Se colleter. ▷ Fig. S'injurier, se quereller.

empois [ɑ̃pwa] n. m. Colle légère d'amidon pour empeser le linge.

empoisonnant, ante adj. Fam. Embêtant, très ennuyeux.

empoisonnement n. m. **1.** Fait d'être empoisonné, intoxication. *Un empoisonnement dû à des denrées avariées.* **2.** Action d'empoisonner volontairement (qqn). *L'empoisonnement est un crime.* **3.** Fam. Ennui, contrariété. *Il n'a que des empoisonnements.*

empoisonner v. tr. [1] **1.** Faire absorber du poison à (qqn) dans le dessein de le tuer. *On dit qu'il a empoisonné sa femme.* **2.** Intoxiquer. *Être empoisonné par des champignons.* ▷ Fig. Pp. *Des louanges empoisonnées*, perfides. **3.** Infecter de poison. *Empoisonner une rivière.* – *Par ext.* Infecter (d'une odeur incommodante). *Puanteur qui empoisonne l'air.* **4.** Fig. Troubler, gâter. *Ce souvenir empoisonnait son existence.* **5.** Vx Corrompre moralement. *Des influences qui empoisonnent la jeunesse.* **6.** Fam. Importuner, ennuyer.

empoisonneur, euse n. **1.** Personne coupable d'empoisonnement. **2.** Fig. Personne qui corrompt moralement. **3.** Fam. Importun.

empoissonner v. tr. [1] Peupler de poissons. *Empoissonner un cours d'eau.*

emporium n. m. ANTIQ ROM Comptoir commercial créé à l'étranger.

emportement n. m. Mouvement violent inspiré par une passion. – *Spécial.* Accès de colère. *Parler avec emportement.*

emporte-pièce n. m. inv. **1.** TECH Instrument à tranchant servant à découper des pièces d'une forme déterminée dans le carton, le papier, le cuir, etc. **2.** Loc. fig. *Parler à l'emporte-pièce,* avec une franchise brutale. *Un mot à l'emporte-pièce,* mordant, acerbe.

emporter v. tr. [1] **1.** Prendre avec soi et porter ailleurs. *Emportez vos livres.* – Fig. *Emporter un agréable souvenir.* ▷ Loc. *Il ne l'emportera pas en paradis :* je me vengerai tôt ou tard. **2.** Pousser, entraîner. *Un nageur emporté par le courant.* – Fig. *L'ardeur qui nous emporte.* **3.** Enlever avec violence, arracher. *Un obus lui a emporté la jambe.* – Par ext. *La maladie l'a emporté très vite,* l'a fait mourir en peu de temps. **4.** Obtenir par un effort. *Emporter une position, une affaire.* – Loc. fam. *Emporter le morceau :* gagner, réussir. **5.** *L'emporter sur :* avoir la supériorité, prévaloir sur. **6.** v. pron. S'abandonner à la colère. *S'emporter contre qqn.*

empoté, ée adj. (et n.) Fam. Peu dégourdi.

empoter v. tr. [1] **1.** Planter (un végétal) dans un pot. **2.** TECH Charger (un liquide, notam. un hydrocarbure) dans un véhicule de transport. Ant. dépoter.

empourprer v. tr. [1] Colorer de pourpre, de rouge. *Le soleil couchant empourpre l'horizon.* ▷ v. pron. *Son visage s'empourpra.*

empoussiérer v. tr. [14] Couvrir de poussière.

empreindre v. tr. [55] (Rare à l'actif.) **1.** Imprimer en creux ou en relief par pression sur une surface. – Pp. *Un sceau empreint sur de la cire.* **2.** Fig. Marquer de certains traits de caractère. *Son visage est empreint de douceur. Un ton empreint d'autorité.*

empreinte n. f. **1.** Marque de ce qui est empreint. *Empreinte de pas.* ▷ (Plur.) *Empreintes digitales :* traces laissées sur une surface par les sillons de la peau des doigts. ▷ PALEONT Figures de plantes, d'animaux empreintes sur certaines pierres. **2.** *Empreinte génétique :* relevé des caractéristiques génétiques qui permettent de reconnaître un individu. *La technique de l'empreinte génétique est utilsée en criminologie à des fins d'identification.* **3.** *Empreinte vocale :* relevé des caractéristiques d'une voix qui permettent de l'identifier. **4.** Fig. Marque, trace caractéristique. *L'empreinte de l'éducation.*

empressé, ée adj. Zélé, ardent. *Un soupirant empressé.*

empressement n. m. **1.** Sollicitude, prévenance. *Accueillir qqn avec empressement.* **2.** Hâte, diligence. *Faire un travail avec empressement.*

empresser (s') v. pron. [1] **1.** *S'empresser de :* se hâter de. *S'empresser de partir.* **2.** Montrer du zèle, de la prévenance. *S'empresser auprès d'invités.*

emprésurer v. tr. [1] TECH Additionner de présure. *Emprésurer le lait pour qu'il caille.*

emprise n. f. **1.** Domination morale, intellectuelle, influence. *L'emprise de la presse sur l'opinion.* **2.** DR Action d'exproprier qqn d'une portion de terrain pour y faire des travaux d'intérêt public; ce terrain.

emprisonnement n. m. **1.** Action de mettre en prison; état d'une personne emprisonnée. **2.** Peine de prison.

emprisonner v. tr. [1] **1.** Mettre en prison. *Emprisonner un criminel.* **2.** *Par ext.* Tenir comme enfermé. *La tempête nous emprisonne dans l'île.* ▷ Fig. *Il est emprisonné dans son mensonge.*

emprunt [ɑ̃pʀœ̃] n. m. **1.** Action d'emprunter (spécial. de l'argent); chose ou somme empruntée. ▷ FIN Somme d'argent prêtée à une personne morale ou physique par une autre pour lui permettre de procéder à une dépense sans avoir à en posséder immédiatement le montant. **2.** Action de prendre à un auteur, à un artiste, un élément de son œuvre, pour l'inclure dans la sienne; cet élément. ▷ LING Intégration dans une langue d'un mot étranger; ce mot. **3.** TRAV PUBL Excavation faite pour se procurer des matériaux destinés à faire un remblai. **4.** Loc. adj. *D'emprunt :* que l'on ne possède pas en propre. *Un nom d'emprunt :* un faux nom.

emprunté, ée adj. **1.** Qui n'appartient pas en propre à qqn. *Un nom emprunté.* **2.** Qui manque de naturel, d'aisance. *Un air emprunté.*

emprunter v. tr. [1] **1.** Se faire prêter. *Emprunter des livres, de l'argent.* **2.** Fig. Prendre, s'approprier. *Corneille a emprunté le sujet d'« Horace » à Tite-Live.* **3.** Imiter. *Emprunter la voix de qqn.* – Fig. *Emprunter les apparences de la vérité.* **4.** Prendre (un chemin). *Emprunter un itinéraire.* **5.** Utiliser (un moyen de locomotion). *Emprunter sa voiture pour se déplacer.*

emprunteur, euse n. Personne qui emprunte (partic. de l'argent).

Empson (William) (Yokefleet, Yorkshire, 1906 – Londres, 1984), écrivain anglais. Critique, il analyse la signification multiple de la littérature, apte à susciter des lectures opposées, et applique ses recherches linguistiques à ses *Poèmes* (1935).

empuantir v. tr. [3] Infecter d'une mauvaise odeur. *Cet égout empuantit le quartier.*

empuse n. f. **1.** ENTOM Mante verdâtre *(Empusa egena)* du sud de la France, qui peut atteindre 60 mm de long et dont la larve est nommée *diablotin.* **2.** BOT Moisissure parasite de divers insectes.

empyème n. m. MED Collection purulente située dans une cavité naturelle. ▷ *Spécial.* Pleurésie purulente.

empyrée n. m. MYTH Sphère céleste la plus éloignée de la Terre, séjour des divinités supérieures. – *Par ext.,* litt. Séjour des bienheureux. ▷ Fig. Ciel, paradis.

Ems (l'), fl. d'Allemagne (370 km); arrose la Westphalie et la Basse-Saxe, se jette dans la mer du Nord.

Ems (auj. *Bad Ems*), v. d'Allemagne (Hesse); 9 810 hab. Stat. therm. – *Dépêche d'Ems :* télégramme envoyé, le 13 juillet 1870, à Bismarck par Guillaume Ier, qui relatait longuement son entrevue (concernant la candidature d'un prince prussien au trône d'Espagne) avec l'ambassadeur de France, Benedetti, et le refus du roi de poursuivre les entretiens. Le texte fut tronqué et diffusé par Bismarck, qui voulait blesser la France; il y suscita une indignation qui détermina Napoléon III à déclarer la guerre à l'Allemagne.

ému, ue adj. **1.** Qui est sous l'emprise d'une émotion. *Il fut ému à ce spectacle.* **2.** Qui s'accompagne d'émotion, qui marque l'émotion. *Un souvenir ému.*

émulation n. f. Sentiment qui pousse à égaler ou à surpasser qqn en mérite, en travail, en savoir. *Une saine émulation régnait au sein de cette équipe.*

émule n. Litt. Personne qui cherche à en égaler ou à en surpasser une autre sur le plan de certaines qualités. *Être l'émule d'un grand maître.*

émulseur n. m. TECH Appareil servant à préparer les émulsions.

émulsif, ive adj. PHARM Qui peut fournir de l'huile.

émulsifiant, ante adj. et n. m. **1.** adj. TECH Qui stabilise une émulsion. **2.** n. m. CHIM Produit tensio-actif qui stabilise une émulsion en enrobant d'un film les gouttelettes en suspension.

émulsifier v. tr. [2] Didac. Mettre en émulsion. – Pp. adj. *Lotion émulsifiée.*

émulsion n. f. Dispersion d'un liquide au sein d'un autre avec lequel il n'est pas miscible. *Une émulsion stable, instable. Une émulsion naturelle* (lait), *artificielle* (pommade). ▷ PHOTO Préparation, à base de gélatine et, généralement, d'un sel d'argent photosensible.

émulsionner v. tr. [1] **1.** PHARM Mêler une émulsion à (une boisson). **2.** Mettre en émulsion.

en- ou **em-** (devant p, b, m). Élément, du lat. *in-* et *im-*, de *in,* « dans », servant à la formation de verbes composés, avec le radical substantif qu'il précède (ex. *enterrer, emprisonner, encadrer*).

1. en prép. **I.** Marquant : **1.** Le lieu. *Vivre en France. Aller en Allemagne.* **2.** Le temps. *En hiver, en plein jour.* ▷ La durée. *Il a fait ce travail en dix jours.* **3.** Le cheminement, la progression, la répétition, l'intervalle *(de... en...). De temps en temps. De kilomètre en kilomètre.* **4.** L'état, la manière d'être. *Un arbre en fleur. Un terrain en jachère. Un pays en guerre.* ▷ La matière. *Une montre en or.* ▷ La forme. *Un escalier en colimaçon.* **5.** Le domaine, la spécialité, le point de vue. *Docteur en médecine. Idée fondamentale en droit français.* **6.** Le changement d'état, la mutation, la transformation. *Transmuer en or les métaux vils.* ▷ Le mode de division. *Ils se séparèrent en plusieurs groupes.* **7.** La manière dont se fait l'action. *S'épuiser en vains efforts.* ▷ (Introduisant un nom attribut.) *Se conduire en potentat. Offrir un cadeau en prime.* **II.** Dans la construction du gérondif, exprimant la cause, la simultanéité, la manière. *En tombant, il s'est démis le pied. Elle travaille en chantant. Partir en courant.* **III.** En loc. **1.** Loc. prép. *En cas de. En dépit de. En face de. En vue de. En qualité de. En comparaison de.* **2.** Loc. conj. *En sorte que. En tant que.* **3.** Loc. adv. *En arrière. En avant. En hâte. En vain.*

2. en pron. adverbial. **I.** Marquant la provenance, l'origine, l'extraction. *J'en* *viens. Il s'en sortira.* **II. 1.** Représentant une chose ou un animal, une idée ou un énoncé. *Cette affaire est délicate, le succès en est douteux. Cette idée lui plaît, il en parle sans cesse. Soyez-en convaincu. N'en doutez pas.* **2.** (Avec des adj. numéraux ou des adv. de quantité.) *Vous parlez de mes fils, mais je n'en ai qu'un.* **III.** Dans certains gallicismes. *Ne pas s'en faire. Savoir où l'on en est. C'en est fait. Quoi qu'il en soit. En être pour ses frais.*

ÉNA, acronyme pour *École nationale d'administration.* Établissement public français fondé en 1945, destiné à former les futurs dirigeants de la fonction publique.

enamourer (s') [ɑ̃namuʀe] ou **énamourer (s')** [enamuʀe] v. pron. [**1**] Litt. Tomber amoureux. *Elle s'est enamourée de lui.* – Pp. adj. *Un air enamouré,* amoureux.

énanthème n. m. MED Éruption siégeant sur les muqueuses.

énantiomère n. m. CHIM Une des formes de deux molécules chirales*.

énantiose n. f. PHILO Chacune des dix oppositions fondamentales, chez les pythagoriciens (le bien et le mal, l'un et le multiple, etc.).

énarque n. Élève, ancien élève de l'École nationale d'administration (V. É.N.A.).

énarthrose n. f. ANAT Articulation dont les deux surfaces sont des segments de sphère, l'un convexe, l'autre concave.

en-avant n. m. inv. SPORT Au rugby, faute commise par un joueur qui lance le ballon avec la main en direction du camp adverse ou qui le passe à un partenaire placé en avant de lui.

en-but [ɑ̃byt] n. m. inv. SPORT Au rugby, surface où les joueurs peuvent marquer un essai, derrière la ligne de but.

encabaner v. tr. [**1**] TECH Placer (les vers à soie) sur des claies garnies de branches de mûrier et de bruyère pour favoriser la formation des cocons.

encablure n. f. MAR Ancienne mesure de longueur valant environ 180 m, utilisée pour estimer les petites distances.

encadré, ée adj. Qui est encadré (V. encadrer, sens 1, 2 et 3).

encadrement n. m. **1.** Action d'entourer d'un cadre; son résultat. *Cet encadrement convient bien à ce portrait.* **2.** ARCHI Ornement en saillie qui entoure certains éléments (baie, panneaux). *Apparaître dans l'encadrement d'une porte.* **3.** MILIT *Tir d'encadrement,* de réglage. **4.** FIN *Encadrement du crédit :* sa limitation (par les pouvoirs publics). **5.** Ensemble des cadres (dans l'armée, dans une entreprise, une collectivité).

encadrer v. tr. [**1**] **1.** Placer dans un cadre. *Faire encadrer un pastel. Encadrer ses diplômes.* ▷ Loc. fig., fam., iron. *À encadrer :* grotesque, ridicule. *C'est une déclaration à encadrer.* ▷ Loc. fig., fam. *Ne pas pouvoir encadrer (qqn),* ne pas pouvoir le supporter. Syn. encaisser. **2.** Entourer à la manière d'un cadre. *Ses tresses encadraient son visage.* ▷ MATH Placer entre deux valeurs limites. ▷ MILIT *Encadrer un objectif,* régler sur lui un tir d'artillerie. **3.** Mettre (une formation militaire) sous la responsabilité de cadres. *Encadrer les nouveaux appelés.* ▷ Par ext. *De fortes personnalités encadrent cette formation politique.*

encadreur, euse n. Artisan spécialiste de l'encadrement des tableaux, gravures, etc.

encagement n. m. **1.** Rare Action d'encager. **2.** MILIT *Tir d'encagement,* qui isole l'objectif.

encager v. tr. [**13**] Mettre en cage (un animal). ▷ Fig., fam. Emprisonner.

encaissable adj. Qui peut être encaissé. *Une somme immédiatement encaissable.*

encaisse n. f. FIN Somme disponible qui se trouve dans la caisse d'un établissement financier ou commercial. *Encaisse métallique :* valeurs disponibles en métaux précieux. *Encaisse or de la Banque de France,* montant des espèces et des lingots en or qu'elle possède dans ses coffres en garantie des billets émis.

encaissé, ée adj. Resserré entre des bords élevés et escarpés. *Fleuve encaissé. Route encaissée.*

encaissement n. m. **1.** Rare Mise en caisse, emballage. **2.** État de ce qui est encaissé. *L'encaissement d'une vallée.* ▷ TRAV. PUBL Tranchée. **3.** FIN Action de recevoir de l'argent et de le mettre en caisse. – *Par ext.* Paiement effectif du montant d'un chèque, d'une traite. *Mettre un chèque à l'encaissement.* Syn. recouvrement.

encaisser v. tr. [**1**] **1.** Rare Mettre dans une caisse. *Encaisser une plante.* **2.** Toucher (de l'argent) en paiement. *Encaisser le montant d'une facture.* **3.** Fig., fam. Recevoir (un, des coups). *Il a encaissé un direct du droit.* ▷ (S. comp.) *Boxeur qui encaisse bien.* ▷ *Par ext.* Supporter sans protester. *Il a mal encaissé cette humiliation.* ▷ *Ne pas pouvoir encaisser qqn,* ne pas pouvoir le supporter. **4.** Resserrer entre deux versants abrupts. ▷ v. pron. *La vallée s'encaisse entre deux parois rocheuses.*

encaisseur n. m. Celui qui encaisse de l'argent. ▷ Garçon de recette d'une banque qui effectue des recouvrements à domicile.

encalminé, ée adj. MAR Se dit d'un voilier immobilisé par manque de vent.

encan n. m. **1.** Vx ou rég. (Canada) Vente aux enchères publiques. *Un encan d'animaux, d'antiquités. Vente par encan.* **2.** Loc. adv. *À l'encan :* aux enchères publiques. *Mettre, vendre des meubles à l'encan.* ▷ Fig., péjor. *Mettre à l'encan :* livrer de façon honteuse au plus offrant. *Mettre sa conscience à l'encan.*

encanaillement n. m. Fait de s'encanailler.

encanailler (s') v. pron. [**1**] Fréquenter ou imiter des gens vulgaires aux mœurs relâchées. *Bourgeois qui cherche à s'encanailler.*

encanteur n. m. (Canada) Celui qui, dans une vente à l'encan, mène la vente, propose les articles, fait monter les enchères et adjuge les objets au plus offrant.

encapuchonner **1.** v. tr. [**1**] Couvrir d'un capuchon. **2.** v. pron. Se couvrir la tête d'un capuchon.

encart [ɑ̃kaʀ] n. m. Feuillet mobile ou cahier tiré à part que l'on insère dans un ouvrage imprimé. *Un encart publicitaire.*

encartage n. m. Action d'encarter; résultat de cette action.

encarter v. tr. [**1**] **1.** Insérer (un encart) entre les feuillets d'un ouvrage imprimé. **2.** TECH Fixer sur un carton des articles pour la vente. *Encarter des agrafes, des boutons.*

en-cas ou **encas** [ɑ̃kɑ] n. m. inv. Repas sommaire tenu prêt en cas de besoin.

encaserner v. tr. [**1**] Mettre dans une caserne. – Fig. Soumettre à une discipline très stricte.

encastrable adj. (et n. m.) Qui peut être encastré. *Un lave-vaisselle encastrable.* ▷ n. m. Meuble, appareil qui peut être encastré.

encastrement n. m. Action d'encastrer; son résultat. ▷ TECH Cavité, creux destiné à recevoir une pièce encastrée.

encastrer v. tr. [**1**] Insérer, ajuster dans un espace spécialement ménagé, creusé. *Encastrer un coffre-fort.* ▷ v. pron. *Un lit qui se replie et s'encastre dans un placard.*

encaustique n. f. **1.** ANTIQ Peinture composée de couleurs délayées dans de la cire fondue. **2.** Produit à base de cire et d'essence, utilisé pour entretenir et faire briller les parquets, les meubles.

encaustiquer v. tr. [**1**] Étendre de l'encaustique sur.

encavement n. m. Action d'encaver.

encaver v. tr. [**1**] Mettre en cave (des vins, des alcools).

enceindre v. tr. [**55**] Rare Entourer d'une enceinte. *Enceindre une ville de murailles.*

1. enceinte n. f. **1.** Ce qui entoure, enclôt un espace et le protège. *Une enceinte de murailles. Mur d'enceinte d'une ville fortifiée.* **2.** Espace clos, dont l'accès est protégé. *L'enceinte d'un tribunal.* ▷ PHYS NUCL *Enceinte de confinement :* bâtiment fermé entourant un réacteur nucléaire pour empêcher la dispersion des matières radioactives en cas d'accident. **3.** *Enceinte acoustique :* ensemble composé d'une boîte rigide et de haut-parleurs disposés sur une ou plusieurs faces. *Les enceintes asservies améliorent la restitution des sons.*

2. enceinte adj. f. *Femme enceinte,* en état de grossesse. *Être enceinte de six mois.*

Encelade, dans la myth. gr., fils d'Ouranos (le Ciel) et de Gaia (la Terre); l'un des Géants révoltés contre les dieux de l'Olympe; enseveli sous l'Etna par Athéna.

encens [ɑ̃sɑ̃] n. m. **1.** Substance résineuse qui dégage un parfum pénétrant quand on la fait brûler. *Encens indien, encens d'Arabie ou d'Afrique. L'encens est utilisé dans certaines cérémonies religieuses. Faire brûler des bâtons d'encens.* **2.** Fig. Louanges excessives, flatteries, marques d'admiration.

encensement n. m. Action d'encenser.

encenser v. tr. [**1**] **1.** Honorer en balançant l'encensoir, en faisant brûler de l'encens. *Encenser l'autel. Encenser l'évêque.* **2.** EQUIT (S. comp.) *Cheval qui encense,* qui bouge sa tête de haut en bas. **3.** Fig. Flatter, rendre des hommages excessifs à. *Encenser qqn, les qualités de qqn.*

encensoir n. m. Cassolette suspendue à de petites chaînes dans laquelle on brûle l'encens, et dont on se sert pour encenser. ▷ Fig., fam., vieilli *Donner des coups d'encensoir :* flatter de manière excessive.

encépagement n. m. VITIC Ensemble des cépages formant un vignoble.

encéphalalgie n. f. MED Migraine, céphalée.

encéphale n. m. ANAT Masse nerveuse contenue dans la boîte crânienne, comprenant le cerveau, le cervelet et le tronc cérébral. ► pl. système **nerveux**

encéphalique adj. De l'encéphale.

encéphalite n. f. MED Inflammation plus ou moins étendue de l'encéphale, qui se manifeste par des symptômes multiples (troubles de la conscience, paralysies, crises convulsives, etc.), d'origine infectieuse, toxique, dégénérative, etc. *Encéphalite léthargique. Encéphalite traumatique.*

encéphalogramme n. m. MED Électro-encéphalogramme.

encéphalographie n. f. MED Examen de l'encéphale par radiographie.

encéphalomyélite n. f. MED Inflammation généralisée du système nerveux central, le plus souvent d'origine virale.

encéphalopathie n. f. MED Terme générique recouvrant les affections encéphaliques diffuses généralement d'origine toxique ou métabolique et qui se manifestent par la confusion mentale, le coma ou des crises comitiales. ▷ *Encéphalopathie spongiforme* : encéphalopathie causée par un prion, caractérisée par une longue période d'incubation et une dégénérescence du cerveau, qui prend l'aspect d'une éponge.

encerclement n. m. Action d'encercler; fait d'être encerclé.

encercler v. tr. [1] **1.** Entourer d'une ligne en forme de cercle. *Au tableau, le professeur avait encerclé, à la craie, chaque mot nouveau.* **2.** Entourer de toutes parts, cerner. *Un cordon de policiers encerclait la maison.*

enchaînement n. m. **1.** Suite, ensemble de choses qui s'enchaînent. *Un enchaînement de circonstances.* ▷ MUS Succession de deux accords selon les règles de l'harmonie. **2.** Dans certains sports (patinage, gymnastique, etc.), ensemble de gestes liés. ▷ CHOREGR Suite de pas formant une figure complète.

enchaîner v. [1] **I.** v. tr. **1.** Attacher avec une chaîne. *Enchaîner un animal dangereux.* **2.** Fig. Asservir, soumettre. *Enchaîner un peuple.* **3.** Fig., litt. Lier, retenir (par une obligation morale, par des sentiments, etc.). *Ses souvenirs l'enchaînent à cette maison. Être enchaîné par une promesse.* **II. 1.** v. tr. Lier, coordonner, mettre en mutuelle dépendance. *Enchaîner des preuves.* ▷ v. pron. *Propositions de géométrie qui s'enchaînent.* **2.** v. intr. THEAT Reprendre, après s'être arrêté, la suite des répliques. ▷ CINE Lier la dernière image d'une séquence à la première de la suivante. – Pp. adj. *Fondu* enchaîné.* ▷ Cour. Dans la conversation, passer d'un sujet à un autre sans interruption. *Il a parlé des conditions de travail puis il a enchaîné sur les salaires.*

enchanté, ée adj. **1.** Soumis à un enchantement. *Forêt enchantée.* **2.** Ravi, heureux. ▷ *Enchanté de vous connaître* (formule de politesse).

enchantement n. m. **1.** Action d'enchanter par un procédé magique; effet ainsi produit. *Rompre, briser un enchantement.* ▷ Loc. *Comme par enchantement* : avec une rapidité, une facilité qui semblent tenir de la magie. ▷ Fig. *Les enchantements de l'amour.* **2.** *Par ext.* État d'une personne qui est enchantée, ravissement profond. *Elle est dans l'enchantement.* **3.** Chose qui ravit, procure un vif plaisir. *Cette fête était un enchantement.*

enchanter v. tr. [1] **1.** Ensorceler par des opérations magiques. **2.** Fig. Séduire comme par un charme magique. *Une voix qui enchantait tous ceux qui l'entendaient.* ▷ *Par ext.* Causer un vif plaisir à, ravir. *Cette nouvelle m'enchante.*

enchanteur, teresse n. et adj. **1.** n. Personne qui enchante, magicien. *L'enchanteur Merlin.* ▷ Fig. Personne qui sait charmer, captiver. *Ce poète est un enchanteur.* **2.** adj. Qui enchante, ravit. *La beauté enchanteresse d'un paysage. Regard enchanteur.*

enchâssement n. m. Action d'enchâsser; état de ce qui est enchâssé.

enchâsser v. tr. [1] **1.** Mettre dans une châsse. *Enchâsser des reliques.* **2.** Fixer sur un support, dans un logement ménagé à cet effet. *Enchâsser une pierre précieuse.* **3.** Fig. Insérer, intercaler. *Enchâsser une citation dans un discours.*

enchâssure n. f. Monture, objet dans lequel une chose est enchâssée.

enchausser v. tr. [1] HORTIC Couvrir (des légumes) de paille pour les faire blanchir ou les préserver de la gelée.

enchère n. f. **1.** Offre d'un prix supérieur à la mise à prix ou aux offres déjà faites lors d'une adjudication. *Faire une enchère. Mettre aux enchères. Pousser aux enchères. Vente aux enchères volontaire* (consentie par le vendeur), *judiciaire* (par décision de justice). – Loc. *Folle enchère* : enchère faite témérairement et aux conditions de laquelle l'enchérisseur ne peut satisfaire. **2.** Dans certains jeux de cartes, annonce supérieure à la précédente.

enchérir v. intr. [3] **1.** Vx Devenir plus cher. *La viande enchérit.* **2.** *Enchérir sur qqn, sur un prix* : faire une offre supérieure à celle qui vient d'être faite par qqn, au prix proposé. Syn. renchérir. **3.** Fig., litt. *Enchérir sur (qqch)* : surpasser, aller au-delà de (ce qui a déjà été fait, proposé). *Théorie qui enchérit sur les hypothèses les plus audacieuses.*

enchérisseur, euse n. Personne qui fait une enchère.

enchevêtrement n. m. **1.** Action d'enchevêtrer; état de ce qui est enchevêtré. **2.** Ensemble, amas de choses enchevêtrées. **3.** Fig. Confusion, complication. *L'enchevêtrement d'un raisonnement sans rigueur.*

enchevêtrer v. [1] **I.** v. tr. **1.** Vx Mettre un licou à (un cheval). **2.** CONSTR Unir (des solives) par un chevêtre. **3.** Cour. Embrouiller, emmêler (une chose avec une autre, les différentes parties d'une chose). *Enchevêtrer des fils de plusieurs couleurs.* ▷ Fig. *Des affaires étroitement enchevêtrées.* **II.** v. pron. **1.** *Cheval qui s'enchevêtre,* qui se prend le paturon dans la longe de son licou. **2.** (Choses) S'emmêler, s'embrouiller. ▷ Fig. *Idées, phrases qui s'enchevêtrent.* **3.** (Personnes) S'embrouiller, s'empêtrer.

enchifrené, ée adj. Fam., vieilli Qui a les fosses nasales embarrassées par un rhume de cerveau.

Encina (Juan del) (La Encina, près de Salamanque, 1468 – Léon, v. 1529), poète, dramaturge et compositeur espagnol; premier représentant du théâtre profane dans son pays (*Églogues; Représentations,* 1496; farces).

Encke (Johann Franz) (Hambourg, 1791 – Spandau, 1865), astronome allemand. Il découvrit une comète périodique, qui porte son nom (période : 3,3 ans).

enclave n. f. **1.** Terrain entouré par une autre propriété, qui n'a aucune issue sur la voie publique, ou seulement une issue insuffisante pour permettre son exploitation. **2.** *Par ext.* Territoire enfermé dans un autre. *Le comtat Venaissin était une enclave des États pontificaux dans le territoire français.* **3.** GEOL Roche contenue à l'intérieur d'une autre roche et ayant une composition différente.

enclavement n. m. Action d'enclaver; état d'une terre, d'un territoire enclavé.

enclaver v. tr. [1] **1.** Enclore, entourer (une terre) comme enclave. *Le propriétaire dont les fonds sont enclavés peut réclamer un passage sur les fonds de ses voisins.* **2.** Engager, insérer (une chose, un élément dans un autre, entre deux autres).

enclenche n. f. TECH Évidement pratiqué dans une pièce mobile, servant à entraîner une autre pièce munie d'un ergot.

enclenchement n. m. **1.** Action d'enclencher; état d'une pièce enclenchée. **2.** TECH Organe mobile rendant deux pièces solidaires.

enclencher v. tr. [1] TECH Mettre en marche (un mécanisme) en rendant solidaires deux pièces par enclenchement. ▷ Fig. *L'affaire est enclenchée,* engagée, mise en train. ▷ v. pron. *Le mécanisme s'est enclenché tout seul.*

enclin, ine adj. *Enclin à* : qui a un penchant prononcé pour. *Être enclin à la paresse.*

encliquetage n. m. TECH Mécanisme destiné à empêcher une pièce de tourner dans le sens inverse de la rotation normale.

encliqueter v. tr. [20] TECH Faire fonctionner un encliquetage.

enclitique n. m. LING Mot atone qui a la propriété de prendre appui sur un mot précédent, porteur de ton, et qui s'unit avec lui dans la prononciation. (ex. *ce* dans *est-ce, je* dans *puis-je*).

enclore v. tr. [79] **1.** Entourer de murs, de fossés, de haies, etc. *Enclore un champ.* **2.** Former une clôture autour de. *Petites haies qui enclosent le jardin.*

enclos [ɑ̃klo] n. m. **1.** Terrain entouré d'une clôture. ▷ Petit domaine entouré de murs. **2.** *Par ext.* Ce qui clôt un terrain.

enclosure n. f. HIST Pratique qui se répandit du XVIe au XVIIIe s. en Angleterre, et qui consistait à clôturer les champs et pâturages jadis ouverts. (Cet usage entraîna la disparition des vieilles pratiques communautaires et appauvrit les paysans au profit des éleveurs de moutons.)

enclouage n. m. **1.** Action d'enclouer. **2.** CHIR Procédé consistant en l'emploi de clous ou de prothèses en forme de clous pour maintenir en bonne position les fragments d'un os fracturé.

enclouer v. tr. [1] **1.** Blesser avec un clou (une bête, en la ferrant). **2.** CHIR Maintenir par enclouage les fragments d'un os fracturé.

enclume n. f. **1.** Masse métallique sur laquelle on forge les métaux. ▷ *Par anal.* Pièce de l'outillage (d'un cordonnier, d'un couvreur) qui reçoit le choc lorsqu'on travaille les matériaux au marteau. ▷ Loc. fig. *Remettre un ouvrage sur l'enclume,* y travailler de nouveau pour l'améliorer. *Se trouver entre l'enclume et le marteau* : se trouver pris entre deux personnes, deux partis dont les intérêts sont contraires. **2.** ANAT Un des osselets de l'oreille moyenne. *Le marteau et l'enclume.*

encoche n. f. Petite entaille; logement pratiqué dans une pièce pour en recevoir une autre.

encochement ou **encochage** n. m. TECH Action d'encocher; résultat de cette action.

encocher v. tr. [1] **1.** Entailler, faire une encoche à. **2.** Par ext. *Encocher une flèche* : ajuster la coche de la flèche sur la corde de l'arc.

encodage n. m. Action d'encoder; résultat de cette action.

encoder v. tr. [1] Transcrire (qqch) selon un code.

encoignure [ɑ̃kwaɲyʀ; ɑ̃kɔɲyʀ] n. f. **1.** Angle rentrant formé par la jonction de deux pans de mur. **2.** Petit meuble destiné à être placé dans un coin, un angle.

encollage n. m. **1.** Action d'encoller; résultat de cette action. **2.** *Par ext.* Apprêt ou enduit pour encoller.

encoller v. tr. [1] Enduire (des tissus, du papier, etc.) de colle, d'apprêt ou de gomme. *Encoller le dos d'un livre que l'on broche.*

encolure n. f. **1.** Cou du cheval et de certains animaux. – *Par ext.* Longueur du cou du cheval. *Cheval qui a deux encolures d'avance sur les autres à l'arrivée.* **2.** Cou d'un homme. *Un gaillard à forte encolure.* **3.** Dimension du tour de cou, du col d'un vêtement (partic. d'une chemise). **4.** Partie du vêtement entourant le cou. *Une robe à l'encolure très dégagée.*

encombrant, ante adj. Qui tient beaucoup de place. *Un meuble encombrant.* ▷ Fig. Gênant, importun. *Un personnage encombrant.*

encombre (sans) loc. adv. Sans incident, sans rencontrer d'obstacle.

encombré, ée adj. Que des choses, des personnes encombrent. *Une rue encombrée.* ▷ Fig. *Carrière encombrée,* qui présente peu de débouchés du fait du nombre élevé de candidats.

encombrement n. m. **1.** Action d'encombrer; état qui en résulte. **2.** Accumulation d'un grand nombre de choses qui encombrent. ▷ *Spécial.* Embouteillage. **3.** Dimensions d'un objet, volume qu'il occupe. *Un meuble d'un faible encombrement.*

encombrer v. [1] **I.** v. tr. **1.** Embarrasser, obstruer. *Voitures en stationnement qui encombrent les trottoirs.* **2.** Fig. Gêner, embarrasser en occupant de manière excessive. *Les multiples obligations qui encombrent l'existence.* **II.** v. pron. S'embarrasser. *S'encombrer de bagages.* ▷ Fig. *Ne pas s'encombrer de scrupules.*

encontre (à l') loc. prép. *À l'encontre de* : dans le sens contraire de, à l'opposé de. *Aller à l'encontre de* : s'opposer à, être contraire à. *Théorie qui va à l'encontre des idées reçues.*

encorbellement n. m. ARCHI Construction en saillie du plan vertical d'un mur, soutenue par des consoles, des corbeaux ou un segment de voûte.

encorder (s') v. pron. [1] SPORT Se relier par une même corde par mesure de sécurité (alpinistes).

encore ou (poét.) **encor** adv. **1.** adv. de temps. Jusqu'à cette heure, jusqu'à ce moment. *Il est encore ici. Il était encore étudiant l'an dernier.* ▷ (Avec une nég.) Pas jusqu'à maintenant, pas jusqu'au moment dont on parle. *Elle n'est pas encore rentrée. Il n'était pas encore marié. Tu ne le connais pas encore.* **2.** (Marquant la répétition.) De nouveau, une fois de plus. *C'est encore vous? Il a encore gagné.* **3.** (Marquant l'idée d'une plus grande quantité.) *Donne-lui encore à boire! J'en veux encore,* une fois de plus, davantage. *Qu'est-ce qu'il te faut encore?,* de plus, en outre. *Non seulement il pleut, mais encore il fait froid.* ▷ (Renforçant un comparatif, un verbe marquant un changement de quantité, d'état.) *Elle est encore plus intelligente que belle. On peut raccourcir encore les manches.* **4.** (Marquant le doute, la restriction.) *Il a demandé un prêt; encore faut-il qu'on le lui accorde! Cette viande est tout au plus mangeable, et encore!* ▷ Loc. conj. *Encore si...! Si encore...!* : si seulement... *Encore s'il voulait travailler... Si encore il était généreux, mais il n'en est même pas capable!* **5.** Loc. conj. Litt. *Encore que* (+ subj.) : bien que, quoique. *Encore qu'il soit jeune, il ne laisse pas d'être sage.* – *Encore que* (+ cond.) : marquant une éventualité. *Encore qu'il guérirait difficilement.*

encorné, ée adj. **1.** Qui a des cornes. *Taureau bien encorné,* qui porte de belles cornes. **2.** VETER *Atteinte encornée* : blessure du cheval au boulet, sous la corne.

encorner v. tr. [1] Frapper, percer à coups de corne. *Le taureau a encorné le matador.*

encornet [ɑ̃kɔʀnɛ] n. m. Petit calmar comestible *(Loligo vulgaris)* abondant le long des côtes.

encornure n. f. Façon dont les cornes (d'un animal) sont implantées.

encourageant, ante adj. Qui encourage. *Paroles encourageantes.* ▷ Qui donne de l'espoir. *Les premiers résultats sont encourageants.*

encouragement n. m. **1.** Action d'encourager. ▷ *Société d'encouragement* : société fondée pour encourager une activité dans un domaine quelconque. **2.** Propos, acte par lequel on encourage (qqn, qqch). *Recevoir des encouragements de toute part.*

encourager v. tr. [13] **1.** Donner, inspirer du courage, de la volonté à (qqn). *Ce premier succès l'a encouragé. Encourager un enfant d'un sourire.* ▷ Inciter. *Encourager un débutant à persévérer.* **2.** Soutenir, favoriser l'essor, le développement de (qqch). *Encourager les arts.*

maison gothique à double **encorbellement**, Rouen

encourir v. tr. [26] Litt. S'exposer à, tomber sous le coup de (une sanction, un désagrément). *Encourir les rigueurs de la loi.*

en-cours ou **encours** [ɑ̃kuʀ] n. m. inv. FIN Montant de l'ensemble des titres représentant des engagements financiers en cours (dans une banque). *Encours de crédit.*

encrage n. m. Action d'enduire d'encre; son résultat.

encrassement n. m. Fait de s'encrasser; son résultat.

encrasser v. tr. [1] **1.** Recouvrir de crasse. **2.** Obstruer, recouvrir d'un dépôt nuisible au bon fonctionnement. ▷ v. pron. *Bougies d'allumage qui s'encrassent.* – Fig. *Il s'encrasse dans la médiocrité.*

encratisme n. m. Didac. Doctrine des encratites, disciples de Tatien (v. 170 apr. J.-C.), qui tenaient la matière pour abominable et s'abstenaient de tout plaisir charnel.

encre n. f. **1.** Substance liquide, noire ou colorée, servant à écrire, à dessiner, à imprimer. *Une bouteille d'encre. Une tache d'encre. Encre d'imprimerie.* ▷ Loc. *Noir comme de l'encre.* – *C'est la bouteille à l'encre* : c'est une affaire, une situation obscure, embrouillée, confuse. ▷ Fig. Manière dont on écrit, style. *Trois lettres de sa plus belle encre.* **2.** Liquide chargé de pigments noirs émis par les céphalopodes dibranchiaux lorsqu'ils sont menacés par un prédateur.

encrer v. tr. [1] IMPRIM Charger, enduire d'encre (un rouleau de presse, une pierre lithographique, etc.).

encreur, euse adj. Qui sert à encrer. *Rouleau encreur.*

encrier n. m. **1.** Petit récipient pour mettre l'encre. *Il trempa sa plume dans son encrier.* **2.** IMPRIM Réservoir qui alimente en encre les rouleaux encreurs d'une presse.

encroûtement n. m. **1.** Action d'encroûter, fait de s'encroûter. **2.** Fig. (Personnes) Fait de s'encroûter. *Se résigner à l'encroûtement d'une vie trop rangée.*

encroûter v. [1] **I.** v. tr. Recouvrir d'une croûte. *Gratter la terre qui encroûte des chaussures.* ▷ TECH Enduire (un mur) de mortier. **II.** v. pron. **1.** Se couvrir d'une croûte. **2.** Fig. S'abêtir, se cantonner dans des habitudes, des opinions figées. *S'encroûter dans un travail routinier.*

enculage n. m. Grossier Action d'enculer. – Loc. fam. *Enculage de mouches* : attachement excessif à des vétilles, à des points de détail.

enculé n. m. Grossier Injure de mépris (s'adressant à un homme).

enculer v. tr. [1] Grossier Pratiquer le coït anal, la sodomisation. ▷ Fig. Tromper, berner.

encuver v. tr. [1] Mettre dans une cuve.

encyclique n. f. Lettre adressée par un pape aux évêques, au clergé et aux fidèles de tous les pays ou d'un pays, à propos d'un problème de doctrine ou d'actualité. *Pie XI condamna le nazisme dans l'encyclique « Mit brennender Sorge »* (1937).

encyclopédie n. f. **1.** Vx Ensemble de toutes les connaissances humaines. **2.** Ouvrage où l'on traite de toute la connaissance humaine. *Encyclopédie alphabétique, thématique,* dont les articles sont rangés par ordre alphabétique, par thème. ▷ Spécial. *Encyclopédie* ou *Dictionnaire raisonné des sciences, des arts et des métiers,* ou cour. l'*Encyclopédie,* vaste ouvrage composé au XVIIIe s., essai de synthèse des connaissances de l'époque. *Diderot, aidé par D'Alembert, dirigea l'« Encyclopédie », qui fut rédigée, notamment, par Voltaire, Montesquieu, Rousseau, Turgot, Condillac.* **3.** *Par ext.* Ouvrage traitant d'une science, d'une technique ou d'un art de manière exhaustive. *Encyclopédie de la musique.* **4.** Fig. *Encyclopédie vivante* : personne qui possède des connaissances étendues et variées.

encyclopédique adj. **1.** Relatif à l'encyclopédie, à l'ensemble des connaissances. *Dictionnaire encyclopédique.* ▷ (Par oppos. à *lexicographique.*) Relatif aux objets, aux notions, considérés en tant que tels. *Développement encyclopédique complétant une description lexicographique, dans un dictionnaire encyclopédique.* V. dictionnaire. **2.** Fig. *Avoir un esprit, un savoir, un cerveau encyclopédique* : posséder des connaissances en tout genre.

encyclopédisme n. m. Tendance à accumuler toutes sortes de connaissances.

encyclopédiste n. **1.** n. m. HIST Collaborateur de l'*Encyclopédie* de Diderot et D'Alembert. **2.** Mod. n. Rédacteur, rédactrice d'articles d'encyclopédie.

endémicité n. f. MED Caractère d'une maladie endémique.

endémie n. f. Didac. Persistance dans une région d'une maladie qui frappe une partie importante de la population.

endémique adj. **1.** Didac. Qui a le caractère de l'endémie. *La peste fut longtemps endémique en Europe.* ▷ Cour. *Chômage endémique.* **2.** BIOL Se dit d'une espèce (animale ou végétale) dont l'aire de répartition est peu étendue et bien limitée.

endémisme n. m. BIOL Caractère d'une espèce endémique.

endettement n. m. Fait de s'endetter, d'être endetté.

endetter **1.** v. tr. [1] Engager dans des dettes. *Cet achat m'endettera pour plusieurs années.* **2.** v. pron. Faire des dettes. *S'endetter auprès de ses amis.*

endeuiller v. tr. [1] **1.** Plonger dans le deuil, dans la tristesse. *Sa mort a endeuillé toute la ville.* **2.** Fig. Donner un aspect de tristesse à. *Un paysage qu'endeuillent les cheminées d'usines.*

endiablé, ée adj. **1.** Extrêmement turbulent. *Un enfant endiablé.* **2.** Plein de fougue. *Un film au rythme endiablé.*

endiguement n. m. Action d'endiguer; son résultat.

endiguer v. tr. [1] **1.** Contenir au moyen de digues. *Endiguer un fleuve.* **2.** *Par anal.* Faire obstacle à, contenir. *Endiguer la foule des manifestants.* **3.** Fig. Réfréner, contenir dans des limites raisonnables. *Endiguer les passions.*

endimancher (s') v. pron. [1] Mettre ses plus beaux habits, ses habits du dimanche. *S'endimancher pour un mariage.* – Pp. adj. *Avoir l'air endimanché* : paraître mal à l'aise dans de beaux habits rarement portés.

endive n. f. Bourgeon hypertrophié de la witloof obtenu par forçage dans l'obscurité et consommé cru ou cuit.

endo-. Élément, du gr. *endon,* « au-dedans ».

endoblaste n. m. Syn. de *endoderme.*

endocarde n. m. ANAT Tunique interne du cœur, qui tapisse les cavités et les valvules.

endocardite n. f. MED Inflammation de l'endocarde.

endocarpe n. m. BOT Partie la plus interne du fruit, au contact de la graine, qui, dans les drupes, constitue la coque du noyau.

endocrine adj. f. ANAT Se dit d'une glande à sécrétion interne, dont le produit est déversé dans le sang. *L'hypophyse, la thyroïde, les gonades... sont des glandes endocrines.* Ant. exocrine.

endocrinien, enne adj. Qui concerne les glandes endocrines.

endocrinologie n. f. Discipline médicale étudiant la pathologie, la régulation et le mode d'action des glandes endocrines. V. hormone.

endocrinologue ou **endocrinologiste** n. Médecin spécialiste des glandes endocrines.

endoctrinement n. m. Action d'endoctriner; son résultat. *L'endoctrinement des masses.*

endoctriner v. tr. [1] Faire la leçon à (qqn) pour qu'il adhère à une doctrine, une idéologie. – Pp. *Le sectarisme d'un néophyte endoctriné.*

endocytose n. f. BIOL Mode de pénétration à l'intérieur d'une cellule dont la membrane enveloppe la particule à ingérer.

endoderme n. m. **1.** BOT Assise interne de l'écorce dans la racine et la tige. **2.** EMBRYOL Feuillet embryonnaire interne appelé à constituer la paroi du tube digestif, les glandes annexes (foie, par ex.) et, chez les mammifères, les poumons. Syn. endoblaste.

endodontie [ɑ̃dɔdɔ̃si] n. f. Étude de la pulpe et de la racine dentaires.

endogame adj. ETHNOL Qui pratique l'endogamie.

endogamie n. f. ETHNOL Obligation qu'ont les membres de certaines tribus de contracter mariage à l'intérieur de leur tribu. Ant. exogamie.

endogène adj. **1.** Didac Qui provient de l'intérieur. *Croissance économique endogène.* **2.** BOT Se dit d'un élément qui se forme à l'intérieur de l'organe qui l'engendre. **3.** MED Qui est produit dans l'organisme. *Intoxication endogène.* Ant. exogène. **4.** GEOL *Roches endogènes* : roches éruptives.

endolorir v. tr. [3] Rendre douloureux. – Pp. *Un membre endolori.*

endolorissement n. m. Rare État d'une partie du corps endolorie.

endomètre n. m. Muqueuse utérine.

endométrite n. f. MED Inflammation de l'endomètre.

endommagement n. m. Action d'endommager; son résultat.

endommager v. tr. [13] Causer du dommage à (qqch). *La grêle a endommagé les récoltes.*

endomorphine V. endorphine.

endomorphisme n. m. MATH Morphisme tel que l'ensemble d'arrivée et l'ensemble de départ soient confondus.

endoparasite n. m. BIOL Parasite qui vit à l'intérieur du corps de son hôte. *Les douves sont des endoparasites.*

endoplasme n. m. BIOL Partie centrale du cytoplasme.

endoplasmique adj. Relatif à l'endoplasme. *Reticulum* endoplasmique.*

endoproctes n. m. pl. ZOOL Classe de lophophoriens dont l'anus est situé en dedans de la couronne de tentacules. – Sing. *Un endoprocte.*

Endor, anc. v. de Galilée (auj. *Ein Dor,* Israël), près du mont Thabor. Une pythonisse y prédit à Saül sa mort, la veille de la bataille de Gelboé.

endoréique adj. GEOMORPH Se dit d'un réseau hydrographique, d'un cours d'eau qui se déverse dans un plan d'eau ou une dépression intérieure, sans rapport avec la mer. *Le Jourdain est un fleuve endoréique.* Ant. exoréique.

endormi, ie adj. (et n.) **1.** Qui dort. **2.** Fig. Lent, nonchalant, peu vif; qui a une activité réduite. *Un enfant endormi et paresseux. Une petite ville endormie.* ▷ Subst. *Bande d'endormis!*

endormir **I.** v. tr. [30] **1.** Faire dormir. *Endormir un enfant en le berçant. L'anesthésiste endort le patient qui va être opéré.* **2.** Provoquer le sommeil en ennuyant, lasser. *Ce conférencier endort son auditoire.* **3.** Tromper (qqn) pour l'empêcher d'agir. *Il l'endort par de belles paroles.* **4.** Atténuer (une sensation), rendre moins vif (un sentiment, une impression). *Endormir la douleur. Endormir la vigilance de ses gardiens.* **5.** Engourdir, enlever toute activité à. *Le froid endort la végétation.* **II.** v. pron. **1.** Commencer à dormir. **2.** Fig. *S'endormir du sommeil de la tombe, s'endormir dans le Seigneur* : mourir. **3.** Perdre de son activité, de sa vigilance, de sa vivacité. *Le succès le pousse à s'endormir dans l'autosatisfaction.*

endormissement n. m. Moment où l'on passe de l'état de veille au sommeil.

endorphine ou **endomorphine** n. f. BIOCHIM Peptide qui se forme naturellement dans le cerveau, constitué de nombreux acides aminés, présent notam. dans l'hypothalamus et qui a une action analgésique.

endos [ɑ̃do] n. m. FIN Endossement.

endoscope n. m. MED Instrument muni d'un système lumineux, destiné à explorer certains conduits, certaines cavités du corps (estomac, vessie, etc.).

endoscopie n. f. MED Technique d'observation, de prélèvement et d'exérèse chirurgicale (polypes, calculs, petites tumeurs) pratiquée en introduisant un endoscope* ou un fibroscope* à l'intérieur du corps à partir d'un orifice naturel ou à travers la paroi abdominale.

endoscopique adj. MED Qui se rapporte à l'endoscopie.

endosmose n. f. PHYS Passage, à travers une membrane semi-perméable séparant deux solutions, du solvant de la solution la moins concentrée vers la plus concentrée.

endossable adj. Que l'on peut endosser. *Chèque endossable.*

endossataire n. FIN Personne pour laquelle un effet est endossé.

endossement n. m. FIN Action de transférer la propriété d'un effet de commerce en l'endossant.

endosser v. tr. [1] **1.** Mettre sur son dos (un vêtement), revêtir (un habit). *Endosser son manteau avant de sortir.* **2.** Assumer, prendre sur soi, prendre la responsabilité de. *Endosser les conséquences d'une décision.* **3.** FIN Inscrire au dos d'un chèque, d'une traite, l'ordre de les payer. *Endosser une lettre de change.*

endosseur n. m. FIN Personne qui endosse un effet.

endothélial, ale, aux adj. HISTOL Qui appartient à l'endothélium. *Cellules endothéliales.*

endothélium [ɑ̃dɔteljɔm] n. m. HISTOL Tissu qui tapisse la paroi interne de l'appareil circulatoire.

endothermique adj. CHIM Qualifie une réaction qui absorbe de la chaleur. Ant. exothermique.

endotoxine n. f. MICROB Toxine qui n'est libérée que lors de la destruction de la bactérie qui la sécrète.

endroit [ɑ̃dʀwa] n. m. **I. 1.** Lieu, place, partie déterminée d'un espace. *Voici l'endroit où il veut bâtir sa maison. Habiter un endroit isolé.* – Par euph., fam. *Le petit endroit :* les cabinets. **2.** Place, partie déterminée d'une chose. *À quel endroit du corps a-t-il été blessé ?* **3.** Fig. Aspect de la personnalité. *Prendre qqn par son endroit faible, son endroit sensible.* **4.** Partie déterminée d'un ouvrage de l'esprit. *À cet endroit de son discours, il s'arrêta. Applaudir à l'endroit qu'il faut.* **5.** Côté sous lequel se présente habituellement un objet (par opposition à envers). *Remettre son chandail à l'endroit. L'endroit d'une étoffe.* **II.** Loc. **1.** Loc. prép. *À l'endroit de :* à l'égard de, envers (qqn). *Il a mal agi à votre endroit.* **2.** Loc. adv. *Par endroits :* çà et là, de place en place, à certains endroits. *Ce film est vulgaire par endroits.*

enduire v. tr. [69] Couvrir d'un enduit. *Enduire un mur de plâtre.* ▷ v. pron. *Elle s'est enduite de crème pour bronzer.*

enduit [ɑ̃dɥi] n. m. Matière molle dont on couvre la surface de certains objets. ▷ *Spécial.* Mélange utilisé pour la préparation, le lissage d'une surface avant l'application de la peinture.

endurable adj. Qui peut être enduré.

endurance n. f. **1.** Capacité de résister à la fatigue, aux souffrances. **2.** TECH *Épreuve d'endurance :* essai de fonctionnement de longue durée auquel sont soumis certains matériels pour vérifier leurs qualités mécaniques et leur résistance.

endurant, ante adj. Dur au mal, à la fatigue, aux souffrances.

endurci, ie adj. **1.** Devenu insensible. *Un cœur endurci.* **2.** Qui s'est fortifié dans son état, ses habitudes. *Un célibataire endurci. Un pécheur endurci.*

endurcir v. [3] **I.** v. tr. **1.** Rendre plus fort, plus robuste ; accoutumer à la fatigue, à la souffrance, etc. *Le sport endurcit le corps.* **2.** Rendre insensible, impitoyable. *Les déceptions répétées lui ont endurci le cœur.* **II.** v. pron. **1.** Devenir plus fort, plus résistant. **2.** Devenir insensible, impitoyable. *S'endurcir dans le vice, le crime.*

endurcissement n. m. État d'une personne devenue insensible. *L'endurcissement d'un criminel.*

endurer v. tr. [1] **1.** Souffrir, supporter (une épreuve pénible). *Les tourments qu'il endura pendant la guerre.* **2.** Tolérer, supporter. *Je ne peux pas endurer ça !*

enduro n. m. SPORT Épreuve motocycliste d'endurance tout-terrain.

Endymion, dans la myth. gr., berger aimé de Séléné (incarnation divine de la Lune). Beau et jeune, il dort d'un sommeil éternel que lui a accordé Zeus.

-ène. CHIM Suffixe désignant un hydrocarbure non saturé (ex. *benzène, toluène*).

Énée, prince troyen légendaire ; fils d'Aphrodite et d'Anchise. Il quitta l'Orient après la ruine de Troie et aborda en Italie, où il épousa Lavinia, fille du roi du Latium, Latinus ; fondant ainsi une nouvelle patrie, il devint le père de la race des Romains. Virgile en a fait le héros de son *Énéide,* lui donnant comme amante (délaissée par devoir) Didon, reine de Carthage.

*la Fuite d'***Énée** *portant son père Anchise,* terre cuite, Ve s. av. J.-C.

énéolithique n. m. et adj. Didac. Dernière période de la préhistoire. – adj. De cette période. Syn. chalcolithique.

énergétique adj. et n. f. **I.** adj. **1.** Qui se rapporte à l'énergie. *Les besoins énergétiques d'une nation.* ▷ PHYSIOL *Aliments énergétiques,* qui apportent beaucoup d'énergie à l'organisme. **2.** TECH *Bilan énergétique d'une réaction :* comparaison des apports et des pertes d'énergie dans cette réaction. **II.** n. f. PHYS Étude des manifestations de l'énergie sous ses diverses formes.

énergie n. f. **1.** Force, puissance d'action. *Il manque d'énergie pour persévérer.* **2.** Force, puissance physique. *Ce sportif a déployé toute son énergie pour gagner.* **3.** Fermeté, résolution (que l'on fait apparaître dans ses actes). *L'énergie des mesures prises sauva le pays.* **4.** PHYS Grandeur qui représente la capacité d'un corps ou d'un système à produire un travail, à élever une température, etc. *L'énergie électrique, nucléaire. Économies d'énergie.*

ENCYCL L'énergie se manifeste sous des formes très diverses : énergie calorifique, électromagnétique, électrique, nucléaire, mécanique, chimique, etc. L'équivalence des formes d'énergie implique que *l'énergie totale* (mise en jeu lors de la transformation d'une énergie en une autre) reste constante (premier principe de la thermodynamique). Il y a *irréversibilité* des échanges d'énergie ; ainsi, l'énergie mécanique peut se transformer entièrement en énergie calorifique. En revanche, la transformation inverse ne peut être totale, elle est toujours accompagnée de pertes de chaleur (second principe de la thermodynamique). Le *joule* (symbole J) est l'unité d'énergie du système SI. Elle correspond au travail d'une force de 1 newton dont le point d'application se déplace de 1 mètre dans sa propre direction. D'autres unités, hors système SI, sont également utilisées : le watt-heure (1 Wh = 3 600 J), l'électronvolt (1 eV = 1,6. 10^{-19} J) employé en physique nucléaire, la calorie. Sur la Terre, le Soleil est la source fondamentale d'énergie, car toutes les autres sources (charbon, gaz, pétrole, vent, etc.) en découlent. L'utilisation directe de l'énergie solaire semble donc être l'un des moyens de remédier à l'épuisement progressif des ressources actuelles en énergie.

énergique adj. **1.** (Personnes) Qui a de la force, de l'énergie, de la détermination. *Une femme énergique et courageuse.* **2.** (Choses) Strict, rigoureux. *Prendre des mesures énergiques contre l'inflation.*

énergiquement adv. D'une manière énergique.

énergisant, ante adj. et n. m. **1.** adj. Qui donne de l'énergie. **2.** n. m. MED Substance destinée à stimuler le tonus psychique.

énergumène n. **1.** Vx Possédé du démon. *Exorciser un énergumène.* **2.** Mod. Personne exaltée qui s'agite, qui crie.

énervant, ante adj. **1.** Vx Qui affaiblit. *Une température énervante.* **2.** Qui agace, qui porte sur les nerfs.

énervation n. f. **1.** MED Ablation ou section d'un nerf. **2.** HIST Supplice qui consistait à brûler les tendons (nommés *nerfs*) des jarrets et des genoux.

énervé, ée adj. (et n.) **1.** Agacé, irrité. *Un enfant énervé par la chaleur.* ▷ Subst. *Quels énervés !* **2.** Qui trahit l'énervement. *Un haussement d'épaules énervé.* **3.** HIST Qui a subi le supplice de l'énervation. *Les énervés de Jumièges :* les deux fils de Clovis II ayant subi ce supplice.

énervement n. m. État d'une personne énervée. *Elle s'est mise à sangloter d'énervement.*

énerver v. tr. [1] **1.** Vx Faire perdre sa force, sa vigueur à ; affaiblir. *Les voluptés énervent l'âme.* **2.** Agacer, irriter. *Tout ce bruit l'énerve.* **3.** v. pron. Perdre son calme, le contrôle de ses nerfs. *Du calme, ne nous énervons pas !*

Enesco ou **Enescu** (Georges) (Liveni, Moldavie, 1881 – Paris, 1955), violoniste et compositeur roumain d'inspiration romantique : trois sonates pour piano et violon, *Poème roumain* (pour orchestre, 1897), *Œdipe* (opéra, 1932).

enfaîtement n. m. CONSTR Ce qui couvre le faîte d'un toit.

enfance n. f. **1.** Période de la vie de l'être humain qui va de la naissance jusqu'à l'âge de la puberté. *Dès sa plus tendre enfance. Une enfance très malheureuse.* **2.** *L'enfance :* les enfants. *La cruauté de l'enfance.* **3.** Fig. Début, commencement, premier temps. *L'enfance du monde.* – Loc. fam. *C'est l'enfance de l'art :* c'est très facile à faire.

enfant n. (et adj.) **1.** Être humain, de la naissance jusqu'à l'âge de la puberté. *Un enfant sage, bruyant. Aménager une* *chambre d'enfant. Un spectacle pour enfants.* ▷ Fig. Adulte qui se comporte de façon puérile. *Ce sont de grands enfants. Elle fait l'enfant.* ▷ adj. *Vous êtes bien enfant de croire à ces balivernes. Rester très enfant.* **2.** *Enfant de chœur :* enfant qui sert la messe; fig. naïf. *Un malin qui veut se faire passer pour un enfant de chœur.* **3.** Fils ou fille, quel que soit son âge; personne, par rapport à ses parents. *Être l'aîné de six enfants. Attendre un enfant :* être enceinte. *Enfant naturel,* plaisant. *enfant de l'amour,* né hors mariage. **4.** Descendant. *D'après la Bible, nous sommes tous enfants d'Adam et Ève.* ▷ HIST *Les enfants de France :* les princes, enfants légitimes des rois de France, et ceux qui en descendent. ▷ Personne originaire d'un pays, d'une région, d'un milieu. *Un enfant de la Bretagne. Lui aussi est un enfant de la bourgeoisie.* ▷ *Enfant prodigue,* qui, ayant quitté la maison paternelle, revient au foyer où il est bien accueilli, selon une parabole de l'Évangile. ▷ *Enfant de Marie :* jeune fille appartenant à une congrégation catholique vouée à la Vierge; fig. (le plus souvent *iron.*) jeune fille vertueuse et naïve. ▷ *Enfant de troupe :* fils de militaire élevé aux frais de l'État, autref. dans une caserne, auj. dans une école militaire préparatoire. **5.** Terme de familiarité, d'affection. *Mon (cher) enfant,* en parlant à qqn de plus jeune que soi. *Il ne faut pas vous décourager, mon enfant.* **6.** Fig. Production, effet, résultat. *« Ressentiments jaloux, noirs enfants du dépit » (Corneille).*

enfantement n. m. **1.** Vieilli Accouchement. *Les douleurs de l'enfantement.* **2.** Fig. Création laborieuse (d'une œuvre).

enfanter v. tr. [1] **1.** Litt. Mettre un enfant au monde, accoucher. **2.** Fig. Produire, créer, faire naître. *Enfanter des projets, un ouvrage.*

enfantillage n. m. Comportement, discours puérils.

enfantin, ine adj. **1.** Qui a le caractère de l'enfance. *Les découvertes enfantines.* **2.** Qui est à la portée des enfants; très facile. *Ce problème est d'une simplicité enfantine.* **3.** Péjor. Qui relève de l'enfantillage. *Un babillage enfantin !*

Enfantin (Barthélemy Prosper), dit *le Père Enfantin* (Paris, 1796 - id., 1864), ingénieur et économiste socialiste français. Il devint, à la mort de Saint-Simon, le chef de l'école saint-simonienne, dont il fit une sorte de secte religieuse.

enfarger v. tr. (Canada) Fam. Faire trébucher qqn en lui mettant qqch dans les jambes, en lui heurtant les pieds. ▷ v. pron. Se prendre dans qqch qui fait trébucher. *S'enfarger dans sa robe.*

enfariner v. tr. [1] **1.** Saupoudrer de farine. **2.** v. pron. Fam. Se couvrir le visage de poudre. *Une vieille coquette qui s'enfarine.* **3.** Pp. Loc. fam. *Venir la bouche, la gueule, le bec enfariné,* avec la sotte confiance du quémandeur naïf (allus. aux personnages de niais des comédies bouffonnes, qui avaient le visage couvert de farine).

enfer [ɑ̃fɛʀ] n. m. **I.** Plur. **1.** (Avec une majuscule.) Lieu souterrain, séjour des âmes des morts, dans la mythologie gréco-latine. *La descente aux Enfers. Le Styx et l'Achéron, fleuves des Enfers.* **2.** (Bible) Séjour des morts. *Entre sa mort et sa résurrection le Christ est descendu aux enfers.* **II.** Sing. **1.** Dans le christianisme, lieu de supplice des damnés. *Le paradis, l'enfer et le purgatoire.* **2.** Fig. *Une vie d'enfer,* pleine de tourments. ▷ *Un feu, un bruit d'enfer,* extrêmement violents. **3.** Fig. Souffrance permanente. *Sa vie est devenue un enfer.* **4.** Partie d'une bibliothèque qui contient des ouvrages interdits au public. *Faire des recherches à l'enfer de la Bibliothèque nationale.*

enfermement n. m. Fait d'enfermer ou d'être enfermé.

enfermer v. tr. [1] **1.** Mettre dans un lieu clos, d'où l'on ne peut sortir. *Enfermer un enfant dans sa chambre.* ▷ v. pron. *S'enfermer pour travailler.* - Fig. *S'enfermer dans son chagrin.* **2.** Mettre (qqch) dans un lieu fermé, dans un meuble clos. *Enfermer des habits dans une armoire.*

enferrer v. tr. [1] **1.** Rare Percer avec une épée, une pique. *Enferrer son ennemi.* **2.** v. pron. Se jeter sur l'arme de son adversaire. - Fig., cour. Se nuire à soi-même; tomber dans son propre piège. *Il s'est enferré dans ses mensonges.*

enfeu n. m. ARCHEOL Niche funéraire en arcade, à fond plat, ménagée dans les murs d'une église.

enficher v. tr. [1] Insérer un élément électrique ou électronique dans un autre spécialement conçu pour le recevoir.

enfièvrement n. m. Action d'enfiévrer; état de ce qui est enfiévré.

enfiévrer v. tr. [14] **1.** Donner la fièvre à. **2.** Fig. Exciter, susciter l'ardeur de. *Une agitation qui enfiévrait les esprits.* Syn. passionner, exalter. ▷ v. pron. *Il s'est enfiévré à cette idée.*

enfilade n. f. Série de choses se suivant sur une même ligne, en file. *Pièces disposées en enfilade.* - Fig. *Une enfilade de phrases.* ▷ MILIT *Tir d'enfilade,* dirigé dans le sens de la longueur de l'objectif.

enfilage ou **enfilement** n. m. Action d'enfiler. *Enfilage de perles.*

enfiler v. tr. [1] **1.** Passer un fil à travers, par le trou de. *Enfiler une aiguille. Enfiler des perles pour faire un collier.* ▷ Fig., fam. *Enfiler des perles :* perdre son temps à des futilités. - Débiter, mettre à la suite. *Enfiler des phrases.* **2.** Fam. Passer, mettre (un vêtement). *Enfiler une robe.* **3.** S'engager dans. *Enfiler une rue.* ▷ v. pron. *S'enfiler dans un passage étroit.* **4.** Vx Percer de part en part. *Enfiler son adversaire au cours d'un combat.* **5.** Vulg. Posséder sexuellement. **6.** Vieilli, vulg. Duper. *Se laisser enfiler.* **7.** v. pron. Fam. Manger, avaler. *Il s'est enfilé tout le plat de légumes.* - Exécuter (une corvée). *J'ai dû m'enfiler toute la vaisselle.* Syn. s'envoyer, se taper.

enfileur, euse n. Personne qui enfile. *Enfileur de perles.*

enfin adv. **1.** À la fin, en dernier lieu, après avoir longtemps attendu. *« Enfin, Malherbe vint »* (Boileau). *Enfin, cette affaire est terminée.* **2.** (Marquant l'impatience, le désir d'être compris ou obéi.) *Vous tairez-vous enfin ! Mais enfin, laissez-moi donc !* **3.** (Pour résumer, conclure ou couper court quand on ne peut exprimer une idée plus complètement.) *« C'est un homme qui... Ah !... un homme... un homme enfin »* (Molière). **4.** (Introduisant une précision, un correctif à une affirmation.) *Il a plu tous les jours, enfin, presque.* **5.** (Marquant l'acceptation résignée.) *Enfin, puisque vous y tenez tellement.*

enflammer v. tr. [1] **1.** Mettre le feu à. *Enflammer une bûche.* ▷ v. pron. Prendre feu. *Ce bois humide s'enflamme mal.* **2.** Fig. Échauffer. *L'alcool enflamme le sang.* **3.** Colorer vivement, faire briller. *Des joues enflammées par la fièvre.* **4.** Litt. Emplir d'ardeur, de passion. *Ce discours enflamma leur courage. Des lettres enflammées.* ▷ v. pron. *S'enflammer pour une cause.* Syn. s'animer, s'exciter, s'exalter. **5.** Irriter, provoquer l'inflammation de.

enflé, ée adj. et n. **I.** adj. **1.** Gonflé. *Des jambes enflées.* **2.** Fig. Vain, fier. *Enflé de son succès.* - *Style enflé,* ampoulé. **II.** n. Très fam. Imbécile. *Espèce d'enflé !*

enfléchure n. f. MAR Cordage ou barreau de bois placé horizontalement entre les haubans et permettant de grimper dans la mâture.

enfler v. [1] **I.** v. tr. **1.** Vieilli Gonfler d'air. *Enfler les joues.* - Fig. *Son succès l'a enflé de vanité.* **2.** Augmenter le volume de. *Les pluies ont enflé la rivière.* Syn. grossir. - Fig. *Enfler la voix,* parler plus fort. **II.** v. intr. Augmenter de volume par suite d'un gonflement morbide. *Son œil meurtri commençait à enfler.*

enflure n. f. **1.** Gonflement d'une partie du corps; œdème. **2.** Fig. Exagération, emphase. *Enflure du style.* **3.** Pop. Imbécile, crétin.

enfoiré, ée n. (et adj.) Vulg. Idiot, abruti.

enfoncé, ée adj. Logé au fond, reculé. *Des yeux enfoncés dans leurs orbites.* Ant. saillant.

enfoncement n. m. **1.** Action d'enfoncer; son résultat. *Enfoncement d'une ligne de bataille.* **2.** Partie enfoncée ou reculée. *Enfoncement de terrain.* - ARCHI Partie en retrait d'une façade. Syn. renfoncement. Ant. saillie.

enfoncer v. [12] **I.** v. tr. **1.** Pousser vers le fond, faire pénétrer dans qqch. *Enfoncer un clou.* - Fig., fam. *Il a essayé de lui enfoncer quelques principes dans la tête.* ▷ *Enfoncer qqn,* l'accabler. *Loin de le défendre, ses complices l'ont enfoncé.* **2.** Rompre en poussant, en pesant sur. *Enfoncer une porte.* Syn. défoncer, forcer. ▷ Loc. fig., fam. *Enfoncer une porte ouverte,* découvrir une vérité évidente, triompher facilement. **3.** *Par anal.* Faire plier, rompre les rangs d'une troupe en les forçant. *Enfoncer un bataillon ennemi.* - *Par ext.* Vaincre, surpasser. *Enfoncer l'adversaire par des arguments de poids.* **II.** v. intr. Aller vers le fond. *On enfonçait dans la boue jusqu'aux chevilles.* **III.** v. pron. **1.** Aller vers le fond, s'affaisser. *Le navire commençait à s'enfoncer dans l'eau. Plancher qui s'enfonce.* - Fig. *Plus elle mentait et plus elle s'enfonçait.* **2.** Pénétrer bien avant (dans qqch). *S'enfoncer dans la forêt.* **3.** Fig. S'adonner tout entier à. *S'enfoncer dans l'étude.* Syn. s'absorber, se plonger.

enfonçure n. f. Rare Creux, cavité.

enfouir v. tr. [3] **1.** Mettre ou cacher en terre. *Enfouir du fumier. Enfouir un trésor.* Syn. enterrer. ▷ v. pron. *Poisson qui s'enfouit dans la vase.* **2.** Cacher sous d'autres objets. *Enfouir des documents.*

enfouissement n. m. Action d'enfouir; son résultat. *La loi prescrit l'enfouissement des animaux morts de maladies contagieuses.*

enfourchement n. m. TECH Assemblage par tenon et mortaise, sans épaulement.

enfourcher v. tr. [1] **1.** Vx Percer d'une fourche. **2.** Monter à califourchon sur. *Enfourcher un cheval, une bicyclette.*

enfourchure n. f. **1.** Vieilli Point où une branche forme une fourche. **2.** Partie interne des jambes au point où elles se joignent au tronc. **3.** EQUIT Partie du corps du cheval qui se trouve entre les cuisses du cavalier.

enfournage, **enfournement** n. m. ou **enfournée** n. f. Action d'enfourner.

enfourner v. tr. [1] 1. Mettre dans un four. *Enfourner le pain.* 2. Fig., fam. Mettre dans la bouche largement ouverte. *Il a enfourné le gâteau tout entier.* – Par ext. Introduire, mettre à la hâte (dans qqch). *Enfourner des vêtements dans une valise.* 3. TECH Mettre dans un creuset (les matières à fondre).

enfreindre v. tr. [55] Ne pas respecter (un règlement, une convention). *Enfreindre une loi, des ordres.* Syn. contrevenir (à), transgresser.

enfuir (s') v. pron. [29] Prendre la fuite. *S'enfuir de prison.* Syn. fuir, s'échapper, se sauver. ▷ Fig. *Les années qui se sont enfuies.*

enfumage n. m. Action d'enfumer les abeilles.

enfumer v. tr. [1] 1. Remplir, envelopper de fumée. ▷ Incommoder avec de la fumée. *Il nous a enfumés avec ses cigares. Enfumer un terrier.* – *Enfumer des abeilles,* les engourdir avec de la fumée (pour visiter la ruche). 2. Noircir de fumée. *Les lampes ont enfumé le plafond.*

enfûter ou **enfutailler** v. tr. [1] TECH Mettre en fût, en futaille. *Enfutailler du vin.*

Engadine, vallée sup. de l'Inn, en Suisse (cant. des Grisons), au climat exceptionnellement ensoleillé ; on y parle une langue romane qui ne subsiste plus que dans les Grisons, le *romanche.* Tourisme estival et hivernal.

engagé, ée adj. 1. Entrepris, commencé. *La partie est engagée.* 2. Qui s'est enrôlé dans l'armée. ▷ n. m. *Un engagé volontaire*.* 3. Qui prend ouvertement parti pour une cause. *Littérature, écrivain engagés.*

engageant, ante adj. Attirant, qui séduit. *Une offre assez engageante.*

engagement n. m. 1. Action de mettre en gage. *Engagement d'effets au Crédit municipal.* 2. Promesse, obligation. *Manquer à ses engagements.* 3. Obligation que l'on contracte de servir, de faire qqch ; acte qui en fait foi. *Acteur qui signe un engagement.* – Enrôlement volontaire d'un soldat. *Prime d'engagement.* 4. Attitude d'un intellectuel, d'un artiste, qui prend parti pour une cause en mettant son œuvre au service de celle-ci. 5. MILIT Combat de courte durée. *Engagement d'avant-gardes.* 6. MED Descente de la tête du fœtus dans l'excavation pelvienne, au début de l'accouchement. 7. SPORT Coup d'envoi d'une partie. – *Engagement physique* : fait de mettre toutes ses forces dans une action jusqu'aux limites permises par les règlements. 8. FIN *Engagement de dépenses* : décision d'engager des dépenses.

engager v. tr. [13] I. 1. Mettre, donner en gage. *Elle a engagé ses bijoux pour nourrir sa famille.* 2. Donner pour caution. *Engager sa foi, son honneur.* ▷ v. pron. *S'engager pour qqn,* le cautionner. 3. Lier par une promesse, une convention. *Cela n'engage à rien.* Syn. obliger, astreindre. ▷ v. pron. *Je m'engage à vous rembourser.* 4. Faire supporter une responsabilité à. *Ces paroles n'engagent que moi.* ▷ v. pron. Manifester son engagement. *Auteur, philosophe qui s'engage.* 5. Prendre à gages, prendre à son service. *Engager un employé de maison.* Syn. embaucher. ▷ v. pron. *S'engager comme bonne à tout faire.* – *S'engager dans la marine.* – Absol. *S'engager* : s'enrôler dans l'armée. II. Introduire. 1. Faire pénétrer (une chose dans une autre). *Engager une balle dans le canon d'une arme.* ▷ v. pron. *Le pied s'engage dans l'étrier.* 2. Diriger dans une voie. *Engager un bateau dans un chenal.* – v. pron. *La voiture s'est engagée dans l'avenue.* ▷ Fig. *C'est lui qui m'a engagé dans cette mauvaise affaire.* – v. pron. *Elle s'est engagée dans une entreprise hasardeuse.* 3. Faire entrer, mettre en jeu. *Engager des capitaux dans une affaire.* 4. Commencer, provoquer. *Engager un procès. Engager la conversation.* ▷ v. pron. *Le combat s'engagea à l'aube.* 5. Amener (qqn) à faire qqch. *C'est ce qui m'a engagé à vous parler.* Syn. inciter, exhorter, encourager.

engainant adj. BOT Se dit d'une feuille dont le pétiole constitue une gaine autour de la tige.

engainer v. tr. [1] BOT Envelopper comme dans une gaine. – Pp. adj. *Tige engainée.*

engamer v. intr. [1] PECHE Avaler complètement l'hameçon, en parlant d'un poisson.

engazonner v. tr. [1] Ensemencer de gazon.

engeance n. f. Péjor. Catégorie de personnes méprisables. *Quelle sotte engeance !*

Engelbrekt Engelbrektsson (?, v. 1390 – lac Hjälmar, 1436), patriote suédois. Il organisa la révolte contre la domination danoise.

Engelmann (Godefroi) (Mulhouse, 1788 – Paris, 1839), graveur français. Il introduisit en France la lithographie, inventée par Senefelder.

Engels. V. Pokrovsk.

Engels (Friedrich) (Barmen, auj. intégré à Wuppertal, 1820 – Londres, 1895), théoricien socialiste allemand. Ami et collaborateur de K. Marx, il rédigea avec lui *la Sainte Famille* (1845), *l'Idéologie allemande* (1845-1846) et le célèbre *Manifeste du parti communiste* (1848). Œuvres princ. : *l'Anti-Dühring* (1878), exposé des principes du matérialisme dialectique et historique ; *la Dialectique de la nature* (1873-1883, publiée en 1925) ; *l'Origine de la famille, de la propriété privée et de l'État* (1884), inspirée par les écrits de l'ethnologue L. Morgan ; *Ludwig Feuerbach et la fin de la philosophie classique allemande* (1888). Après la mort de Marx, il assura la rédaction définitive des tomes II et III du *Capital,* à partir des brouillons laissés par l'auteur. ▸ illustr. page **643**

engelure n. f. Lésion due au froid, siégeant habituellement aux extrémités et caractérisée par un œdème rouge, douloureux, dur, compliqué parfois d'ampoules et de crevasses.

engendrement n. m. Rare Action d'engendrer. Syn. génération.

engendrer v. tr. [1] 1. Procréer, en parlant des mâles. *Abraham engendra Isaac.* ▷ THEOL Produire, faire naître. *Le Père, dans la Trinité, engendre le Fils.* 2. Fig. Être la cause de, faire naître. *L'insalubrité engendre des maladies.* – Fam. *Ne pas engendrer la mélancolie* : être fort gai. Syn. causer, créer, provoquer. 3. GEOM Décrire, former une ligne, une surface. *La rotation d'un triangle autour d'une de ses hauteurs engendre un cône.*

engerber v. tr. [1] AGRIC Mettre en gerbes. *Engerber du blé.*

Enghien (duc d'), titre porté, du vivant de son père, par l'aîné des descendants des princes de Condé.

Enghien. V. Condé (Louis Antoine Henri).

Enghien-les-Bains, ch.-l. de cant. du Val-d'Oise (arr. de Montmorency), sur le *lac d'Enghien* ; 10 103 hab. Stat. therm. (eaux sulfureuses). Casino, hippodrome.

Engilbert. V. Angilbert.

engin n. m. 1. Appareil conçu pour remplir une fonction déterminée sans l'intervention ou avec une intervention réduite de la force musculaire de l'homme. *Engins de levage, de terrassement.* 2. MILIT, ESP Appareil équipé d'un système autonome de propulsion et de guidage, conçu pour évoluer dans l'atmosphère (engins-sondes, lanceurs spatiaux et missiles). 3. Instrument, outil quelconque. *Engins de guerre. Engins de pêche, de chasse.* – Par ext., fam. Objet que l'on ne peut nommer précisément. *Je ne sais pas me servir de cet engin-là.*

engineering [ɛnʒiniʀiŋ] n. m. TECH Terme anglo-saxon remplacé auj. par *ingénierie.*

englober v. tr. [1] Réunir, comprendre en un tout. *La même accusation vous englobe tous.*

engloutir v. tr. [3] 1. Avaler gloutonnement. Syn. dévorer, engouffrer. – Pp. adj. *Un poulet entier englouti par ce goinfre !* 2. Faire disparaître dans un gouffre. *La mer a englouti le navire et son équipage.* – Fig. Absorber, consumer. *Ces dépenses ont englouti toutes mes économies.* ▷ Pp. adj. *Une ville engloutie. Les réserves de trois mois englouties en une journée.*

engloutissement n. m. Action d'engloutir ; son résultat.

engluement ou **engluage** n. m. Rare Action d'engluer ; résultat de cette action.

engluer v. tr. [1] 1. Enduire de glu ou d'une matière gluante. *Engluer un piège.* – Pp. *Des doigts englués de confiture.* 2. Prendre à la glu. *Engluer des oiseaux.* ▷ Fig. *Se laisser engluer par de belles paroles.*

engommer v. tr. [1] TECH Enduire de gomme. *Engommer une toile.*

engoncement n. m. Fait d'être engoncé.

engoncer v. tr. [12] En parlant de vêtements, faire paraître le cou enfoncé dans les épaules. *Ce manteau vous engonce.*

engorgement n. m. 1. Obstruction formée dans un tuyau, un canal, etc. 2. MED Accumulation de sang, de sérosité ou de liquide dans un organe. *L'engorgement mammaire est très douloureux.*

engorger v. tr. [13] 1. Obstruer, boucher un conduit. *Saletés qui engorgent un tuyau.* ▷ v. pron. (Passif) *Ce canal s'est engorgé.* 2. MED Provoquer l'engorgement de.

engouement [ɑ̃gumɑ̃] n. m. 1. Fait de s'engouer. *Elle est coutumière de ces engouements.* Syn. emballement, toquade (fam.). 2. MED Arrêt des matières fécales dans l'anse intestinale herniée.

engouer (s') v. pron. [1] 1. Vx S'étrangler, s'étouffer. 2. Mod. *S'engouer de* : se prendre d'une passion excessive et passagère pour. *Il s'engoua subitement de peinture.* Syn. s'enticher.

engouffrement n. m. Rare Action d'engouffrer, de s'engouffrer.

engouffrer v. [1] **I.** v. tr. **1.** Litt. Faire disparaître dans un gouffre. *La mer engouffra le vaisseau.* **2.** Fig., fam. Dévorer, engloutir. *Il a engouffré tout un plateau de petits fours.* **II.** v. pron. **1.** Litt. Se perdre, tomber dans un gouffre. *Le radeau s'est engouffré au milieu du fleuve.* – Fig. *Des fortunes s'engouffrent dans les spéculations.* **2.** Entrer avec violence dans un lieu resserré. *Le vent s'engouffre dans la cheminée.* **3.** Pénétrer précipitamment dans. *Ils se sont engouffrés dans le couloir.*

engoulevent n. m. Oiseau au plumage roussâtre qui ressemble à un grand martinet (genre *Caprimulgus*). *L'engoulevent d'Europe hiverne en Afrique.*

engoulevent d'Europe

engourdir v. tr. [3] **1.** Causer l'engourdissement de. *Le froid lui engourdissait les mains.* **2.** Fig. Diminuer, ralentir l'activité, l'énergie de. *L'oisiveté engourdit le caractère.* Ant. dégourdir.

engourdissement n. m. **1.** Privation momentanée de la sensibilité ou de la mobilité. *Changer souvent de position pour lutter contre l'engourdissement.* **2.** Fig. État de torpeur, absence de vivacité.

engrais [ɑ̃gʀɛ] n. m. **1.** Action d'engraisser. *Mettre un bœuf, un porc à l'engrais.* **2.** AGRIC Toute matière qui augmente la fertilité du sol, en constituant un aliment supplémentaire pour les plantes (par oppos. à *amendement*).
ENCYCL On distingue les engrais *naturels* : fumier, eaux usées, guano, et les engrais *chimiques* : nitrates, phosphates, sels de potassium, calcium, etc. En ce qui concerne leur action, les engrais *plastiques*, qui fournissent des apports en grande quantité (azote, phosphore, etc.), s'opposent aux engrais *catalytiques*, qui fournissent des oligo-éléments (fer, manganèse, chrome, etc.). Enfin, les engrais *verts* ou *verdage*, plantes (légumineuses notam.) semées puis enfouies sur place par un labour, enrichissent le sol en matières organiques.

engraissement ou **engraissage** n. m. Action d'engraisser du bétail; son résultat.

engraisser v. [1] **I.** v. tr. **1.** Faire devenir gras. *Engraisser de la volaille.* ▷ v. pron. Devenir gras. *Laisser du bétail s'engraisser.* **2.** Améliorer par des engrais. *Engraisser les terres.* **3.** Fig., fam. Rendre riche, florissant. *La pénurie engraisse les trafiquants.* ▷ v. pron. *S'engraisser aux dépens de qqn.* **II.** v. intr. Devenir gras. *Elle a engraissé.* Syn. grossir, épaissir. Ant. maigrir.

engraisseur n. m. ELEV Personne qui engraisse les bestiaux.

engramme n. m. PSYCHO Trace laissée dans les centres nerveux par toute activité antérieure.

engrangement n. m. Action d'engranger.

engranger v. tr. [13] **1.** Mettre, déposer dans une grange. *Engranger du blé.* **2.** Fig. Faire provision de, accumuler. *Engranger des connaissances.*

engraver v. tr. [1] **1.** Engager dans la vase, le sable. *Engraver un bateau.* ▷ v. intr. ou pron. *Le bateau (s')engrava.* – Pp. adj. *Une embarcation engravée.* **2.** Recouvrir de gravier. *La rivière a engravé la plaine.*

engrenage n. m. **1.** TECH Dispositif composé de deux pièces munies de dents, permettant d'assurer une liaison mécanique entre deux arbres qui ne tournent généralement pas à la même vitesse. *Engrenages cylindriques, hélicoïdaux, coniques. Engrenages à vis sans fin.* **2.** Fig. Enchaînement de circonstances auquel il est difficile d'échapper. *Être pris dans un engrenage de difficultés. Mettre le doigt dans l'engrenage.*

1. engrènement n. m. Action d'engrener.

2. engrènement n. m. **1.** TECH Action d'engrener une roue. **2.** CHIR Pénétration réciproque des deux fragments d'un os fracturé.

1. engrener v. tr. [16] AGRIC **1.** Mettre (du grain) dans la trémie d'un moulin pour le moudre. ▷ *Engrener une batteuse,* l'alimenter en épis. **2.** Engraisser avec du grain. *Engrener des volailles, des chevaux.*

2. engrener v. tr. [16] TECH Faire entrer les dents d'une roue dans celles d'un pignon pour lui communiquer un mouvement. ▷ v. pron. *Roues qui s'engrènent.*

engrenure n. f. **1.** TECH Position de deux roues qui s'engrènent. **2.** ANAT Position de deux os à dentelures qui s'engrènent.

engrosser v. tr. [1] Fam. Rendre grosse, enceinte.

engrumeler v. tr. [19] Rare Rendre grumeleux. ▷ v. pron. Se mettre en grumeaux.

engueulade n. f. Fam. Action d'engueuler, de s'engueuler; violents reproches. *Prendre une engueulade.*

engueuler v. tr. [1] Fam. Faire des reproches véhéments à, invectiver. *Je l'ai drôlement engueulé.* ▷ v. pron. *Ils n'arrêtent pas de s'engueuler.*

Enguinegatte. V. Guinegatte.

enguirlander v. tr. [1] **1.** Rare Garnir de guirlandes. **2.** Fam. *Par euph.* Engueuler.

enhardir v. tr. [3] Donner de la hardiesse à. *Le succès l'a enhardi.* Ant. intimider, décourager. ▷ v. pron. Prendre de la hardiesse, de l'assurance.

enharmonie [ɑ̃naʀmɔni] n. f. MUS Rapport entre deux notes qui ne diffèrent que d'un comma (ex. : *do* dièse et *ré* bémol, *fa* et *mi* dièse).

enharnacher v. tr. [1] Rare Mettre un harnais à. *Enharnacher un cheval.* Syn. harnacher.

enhendée [ɑ̃ɑ̃de] adj. f. HERALD Se dit d'une croix dont les branches sont terminées par trois pointes.

enherber [ɑ̃nɛʀbe] v. tr. [1] Rare Mettre (un terrain) en pré, en herbe.

énième adj. num. ord. Qui est à un rang indéterminé. *Je te le dis pour la énième fois.*

énigmatique adj. Qui renferme une énigme, qui tient de l'énigme. *Paroles énigmatiques. Personnage énigmatique.* Syn. mystérieux. Ant. clair.

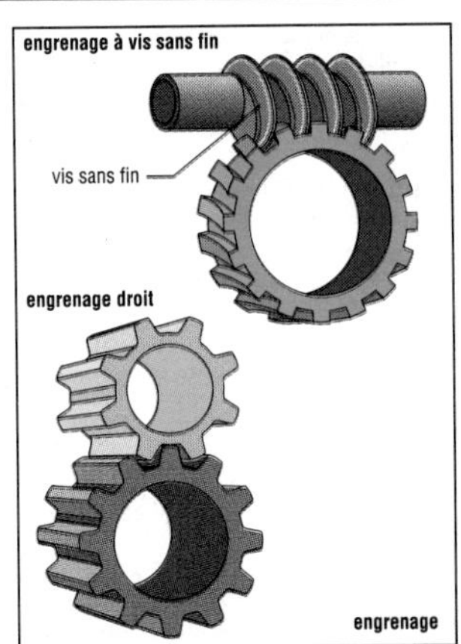

engrenage

énigme n. f. **1.** Chose à deviner d'après une description en termes obscurs et ambigus. *Trouver le mot de l'énigme,* le mot proposé par l'énigme; fig., l'explication de ce que l'on ne comprenait pas. **2.** Fig. Ce qui est difficile à comprendre. *Une énigme policière. Cette personne est une énigme pour moi.* Syn. mystère, problème. – Discours obscur, phrase ambiguë. *Parler par énigmes.*

enivrant, ante adj. **1.** Qui enivre. *Boisson enivrante. Parfums enivrants.* **2.** Fig. Qui trouble au plus haut point, qui transporte. *Une beauté enivrante.* Syn. grisant, troublant.

enivrement n. m. **1.** Vx Ivresse. **2.** Fig. Exaltation de l'âme, des passions. *L'enivrement de l'amour.* Syn. griserie, transport.

enivrer v. tr. [1] **1.** Rendre ivre. *Le vin enivre.* ▷ v. pron. *Il s'est enivré pour oublier.* Syn. griser, soûler. **2.** Fig. Étourdir, exalter. *Enivrer de louanges.* ▷ v. pron. *Il s'enivrait des senteurs printanières.*

enjambée n. f. **1.** Grand pas. *Marcher à grandes enjambées. D'une enjambée,* d'un seul pas; fig., d'un seul coup. *L'auteur décrit la naissance du héros, puis, d'une enjambée, passe à son adolescence.* **2.** Vieilli Espace parcouru en faisant un tel pas. *Distant de trois enjambées.*

enjambement n. m. **1.** Vx Action d'enjamber. **2.** BIOL *Enjambement des chromosomes* : entrecroisement des chromosomes homologues qui, au cours de la phase précédant la méiose, échangent certains fragments de chromatides après s'être appariés, opérant ainsi un mélange des gènes qu'ils portent. Syn. (anglicisme déconseillé) crossing-over. **3.** POET Rejet au vers suivant d'un ou de plusieurs mots qui complètent le sens du premier vers. Ex. : *« Du palais d'un jeune lapin, / Dame belette, un beau matin, / S'empara... »* (La Fontaine).

enjamber v. [1] **I.** v. tr. Franchir en étendant la jambe par-dessus. *Enjamber un ruisseau. Enjamber un parapet.* ▷ Par ext. *Viaduc qui enjambe la vallée.* **II.** v. intr. **1.** Se prolonger, avancer. *Cette poutre enjambe sur le mur.* **2.** Fig. Usurper, empiéter. *Enjamber sur le domaine de son voisin.*

enjaveler v. tr. [19] AGRIC Mettre en javelles. *Enjaveler du blé.*

enjeu n. m. **1.** Somme que l'on mise au jeu et qui revient au gagnant. *Garder les enjeux.* **2.** Fig. Ce qu'on risque de gagner ou de perdre dans une entreprise, une compétition. *Il engagea une* *bataille acharnée dont l'enjeu était la suprématie en Europe.*

enjoindre v. tr. [56] Ordonner, prescrire. *La loi enjoint de respecter le bien d'autrui.*

enjôler v. tr. [1] Vieilli ou litt. Séduire par des manières, des paroles flatteuses.

enjôleur, euse n. et adj. **1.** n. Personne qui enjôle. **2.** adj. Charmeur, séducteur.

enjolivement n. m. ou **enjolivure** n. f. Ornement, ajout qui enjolive. *Apporter des enjolivements à un jardin.*

enjoliver v. tr. [1] Rendre plus joli, orner. *Enjoliver sa maison.* – Fig. *Enjoliver un récit,* y ajouter des détails plus ou moins exacts pour l'embellir, l'agrémenter.

enjoliveur, euse n. **1.** n. Rare Personne qui a tendance à enjoliver ses récits. **2.** n. m. Cour. AUTO Garniture qui recouvre la partie centrale extérieure d'une roue.

enjoué, ée adj. Qui a ou qui dénote de la gaieté, de l'enjouement. *Un caractère enjoué. Conversation enjouée.* Syn. gai. Ant. grave, maussade, triste.

enjouement [ɑ̃ʒumɑ̃] n. m. Litt. Gaieté aimable, bonne humeur. *Elle répondit avec enjouement.* Syn. entrain. Ant. gravité, austérité.

enképhaline n. f. BIOCHIM Neuropeptide*, constitué de cinq acides aminés, présent dans le système nerveux central et qui a notam. une action analgésique. V. endorphines.

enkysté, ée adj. BIOL et MED Qui est enfermé dans un kyste.

enkystement n. m. BIOL et MED Formation d'un kyste.

enkyster (s') v. pron. [1] BIOL et MED S'entourer d'une couche de tissu conjonctif dense qui isole du tissu environnant. *Les cellules amibiennes s'enkystent parfois dans le côlon.*

enlacement n. m. Action d'enlacer; son résultat.

enlacer v. tr. [12] **1.** Passer des festons, des cordons, des lacets, etc., les uns dans les autres. *Enlacer des rubans, des branches.* – Par anal. *Enlacer des initiales.* ▷ v. pron. *Des rubans multicolores s'enlaçaient dans sa chevelure.* Syn. entremêler, entrelacer. **2.** (Choses) Entourer en serrant. *Des guirlandes de serpentins enlaçaient les tables et les chaises.* ▷ (Personnes) Étreindre, serrer dans ses bras. – Pp. adj. *Des couples enlacés.* ▷ v. pron. *Ils s'enlacèrent pour danser.*

enlaidir v. tr. [3] Rendre laid. *Ce chapeau vous enlaidit.* ▷ v. intr. Devenir laid. *Il enlaidit de jour en jour.* ▷ v. pron. Se rendre laid. *S'enlaidir à plaisir.* Ant. embellir.

enlaidissement n. m. Action, fait d'enlaidir. Ant. embellissement.

enlèvement n. m. **1.** Action d'emporter qqch d'un lieu. *Enlèvement des ordures ménagères.* **2.** Action d'enlever une personne. *Enlèvement d'enfant.* Syn. rapt. **3.** MILIT Action de s'emparer d'une position ennemie.

enlever v. tr. [16] **I. 1.** Soulever en l'air. *Enlever des pierres avec une grue.* **2.** Fig. Ravir, transporter d'admiration. *Enlever son auditoire.* **3.** Exécuter avec vivacité et brio. *Enlever un morceau de musique.* – Pp. *Un portrait enlevé.* **II. 1.** Déplacer, mettre plus loin. *Enlevez cette horreur de ma vue!* ▷ Retirer, ôter. *Enlève tes chaussures avant d'entrer.* **2.** Faire disparaître. *Enlever une tache.* – v. pron. *Cette tache s'enlève à l'eau chaude.* ▷ Fig. Soulager de, priver de. *Cette nouvelle m'enlève un grand souci. Cela n'enlève rien à ses qualités.* **III.** Prendre. **1.** Emporter. *Enlever des marchandises.* **2.** S'emparer de. *Enlever une place, une ville.* – Fig. *Enlever la première place. Son concurrent a enlevé le marché.* **3.** Ravir, emmener (qqn) de gré ou de force. *Enlever un enfant pour obtenir une rançon. Enlever une femme.* ▷ Litt. Faire mourir. *Le choléra l'a enlevé.* – Loc. *Être enlevé (*ou *ravi) à l'affection des siens :* mourir.

enliasser v. tr. [1] Rare Mettre en liasse.

enlisement n. m. Fait de s'enliser.

enliser 1. v. tr. [1] Enfoncer dans un sol mouvant. *Il a enlisé sa voiture en voulant passer la rivière à gué.* **2.** v. pron. Disparaître peu à peu dans un sol mouvant, s'enfoncer. *S'enliser dans la vase.* ▷ Fig. *S'enliser dans des difficultés, dans la routine.*

enluminer v. tr. [1] **1.** Orner d'enluminures. *Enluminer un livre.* ▷ Fig. *Enluminer son style.* **2.** Colorer vivement (la peau, le teint).

enlumineur, euse n. Artiste qui fait des enluminures. *Jean Fouquet, Bourdichon furent des enlumineurs célèbres au XVe s.*

enluminure n. f. **1.** Art d'enluminer. **2.** Lettre ornée, ou miniature, colorée, des anciens manuscrits. **3.** *Par ext.* Litt. Coloration très vive (du visage).

enluminure : étreinte mystique, manuscrit du XIVe s.; librairie de l'Université, Prague

Enna, v. de Sicile; 27710 hab.; ch.-l. de la prov. du m. nom. Gaz naturel, soufre. – Cath. (du XIVe au XVIIe s.), chât. médiéval.

É.N.N.A., sigle pour *École normale nationale d'apprentissage.* École qui forme des professeurs de l'enseignement technique.

ennéa-. Élément, du gr. *ennea,* « neuf ».

ennéagonal, ale, aux [eneagɔnal, o] adj. GEOM Qui a neuf angles.

ennéagone [eneagɔn] n. m. GEOM Polygone à neuf côtés. ▷ adj. *Pyramide ennéagone.*

ennéasyllabe n. m. (et adj.) VERSIF Vers de neuf syllabes.

enneigé, ée adj. Couvert de neige. *Route enneigée.*

enneigement n. m. État d'un sol enneigé. ▷ Épaisseur de la couche de neige en un lieu donné.

ennemi, ie [ɛnmi] n. et adj. **1.** Personne qui hait qqn, qui cherche à lui nuire. *Un ennemi juré. Se faire un ennemi de plus.* Ant. ami. ▷ adj. *Des frères ennemis.* ▷ *Ennemi public :* homme considéré comme dangereux pour la société. ▷ Chose opposée, nuisible à une autre. *Le mieux est l'ennemi du bien.* **2.** Personne qui éprouve de l'aversion pour (qqch). *Un ennemi de la contrainte.* **3.** (Sing. collect. ou plur.) Ceux contre qui on se bat, en période de guerre, leur État, leur armée. *L'ennemi a violé nos frontières. Être fait prisonnier par l'ennemi.* ▷ Loc. *Passer à l'ennemi :* se ranger aux côtés de ceux que l'on combattait jusqu'ici; fig. trahir son parti, ses engagements. ▷ adj. *Nation, armée ennemie. Mission en territoire ennemi.* Ant. allié.

Ennius (Quintus) (Rudiæ, Apulie, v. 239 – Rome, 169 av. J.-C.), poète latin : tragédies imitées des Grecs *(les Euménides); Annales,* poème épique sur l'histoire de Rome.

ennoblir v. tr. [3] Conférer de la noblesse, de la dignité à. *La vertu ennoblit l'homme.*

ennoblissement n. m. Rare Action d'ennoblir; état de ce qui est rendu noble.

Ennodius (Magnus Felix, saint) (Arles, 473 ou 474 – Pavie, 521), évêque de Pavie, l'un des Pères de l'Église latine : lettres, poésie *(Vie de saint Épiphane).*

ennoiement [ɑ̃nwamɑ̃] n. m. GEOL Invasion d'un littoral par les eaux marines, à la suite d'une transgression, ou de mouvements tectoniques.

ennoyage n. m. GEOL Disparition d'accidents tectoniques (reliefs, failles) sous une couverture sédimentaire.

Enns (l'), riv. d'Autriche (250 km); naît dans les Alpes et se jette dans le Danube (r. dr.).

ennuager v. tr. [13] Couvrir de nuages. – Fig. *Elle est apparue ennuagée de dentelles.* ▷ v. pron. *Ciel qui s'ennuage.*

ennui n. m. **1.** Vx Vif chagrin, grande tristesse. **2.** Lassitude morale, absence d'intérêt pour toute chose. *L'ennui naît de l'uniformité. Être rongé par l'ennui. Mourir d'ennui.* ▷ Absence de tout intérêt, sentiment de vide que produit qqch. *Il ne ressent que de l'ennui pour ce travail monotone.* **3.** Sentiment désagréable que provoque un souci, une contrariété; ce souci, cette contrariété. *Causer des ennuis à qqn. Avoir des ennuis d'argent.*

ennuyé, ée adj. Contrarié, soucieux. *Avoir l'air très ennuyé.*

ennuyer v. tr. [22] **1.** Causer de l'ennui à, contrarier (qqn). *Cet échec l'ennuie beaucoup.* **2.** Importuner, lasser. *Il ennuie tout le monde avec ses exigences.* ▷ Rebuter, susciter un ennui profond chez. *Un conférencier qui ennuie son auditoire.* **3.** v. pron. Éprouver un ennui profond, se morfondre. *Il est seul, il s'ennuie toute la journée.* ▷ *S'ennuyer de :* regretter ou être affecté par l'absence, l'éloignement de. *S'ennuyer de ses proches, de son pays.*

ennuyeux, euse adj. **1.** Qui est propre à ennuyer, à contrarier. *Ces événements sont ennuyeux pour l'avenir.* **2.** Qui ennuie, lasse l'intérêt. *Un livre ennuyeux. Un bavard ennuyeux.*

Énoch ou **Hénoch,** personnage biblique, père de Mathusalem. – *Livre d'Énoch* : livre apocryphe de l'Ancien Testament; sorte d'Apocalypse en plusieurs ouvrages des IIe et Ier s. av. J.-C.

énoncé n. m. **1.** Action d'énoncer; ce qui est énoncé. *L'énoncé des faits.* ▷ *L'énoncé d'un jugement, d'une loi.* ▷ MATH Ensemble de données à résoudre, de propositions à démontrer. **2.** LING Ensemble d'éléments de communication ayant une signification qui se suffit à elle-même.

énoncer v. tr. [**12**] Exprimer sa pensée, la rendre par des mots. *Énoncer une vérité.* ▷ v. pron. *« Ce que l'on conçoit bien s'énonce clairement »* (Boileau).

énonciatif, ive adj. Didac. Qui énonce.

énonciation n. f. **1.** Action, manière d'énoncer; fait d'être énoncé. **2.** LING Production d'un énoncé.

enorgueillir [ɑ̃nɔʀgœjiʀ] v. tr. [**3**] Rendre orgueilleux. *Tous ces succès l'enorgueillissent.* ▷ v. pron. *S'enorgueillir de* : tirer orgueil de. *S'enorgueillir de son savoir.*

énorme adj. Démesuré, extraordinairement grand ou gros. *Un énorme bloc.* – Fig. *Une dette énorme.* ▷ Fam. Remarquable, incroyable. *Un culot énorme.*

énormément adv. Beaucoup, infiniment. *Je l'aime énormément.* – D'une manière excessive, démesurément. *Il boit énormément.*

énormité n. f. **1.** Caractère de ce qui est énorme. *L'énormité d'un bâtiment, d'un paquebot.* ▷ Fig. *L'énormité de son crime.* **2.** Fam. Parole ou action d'une extravagance ou d'une stupidité énorme. *Dire des énormités.*

enquérir (s') v. pron. [**35**] *S'enquérir de* : se renseigner, s'informer, demander des renseignements sur. *S'enquérir du prix de qqch.*

enquête n. f. **1.** Étude d'une question, s'appuyant sur des témoignages, des informations. *Enquête journalistique, sociologique.* **2.** Recherche faite par une autorité judiciaire, administrative ou religieuse. *Ouvrir une enquête. Enquête parlementaire.*

enquêter v. intr. [**1**] Ouvrir, poursuivre une enquête. *Enquêter sur un crime.*

enquêteur, euse ou **trice** n. et adj. Personne qui mène une enquête, y participe. – adj. *Magistrat enquêteur.*

enquiquinant, ante adj. Fam. Qui enquiquine.

enquiquiner v. tr. [**1**] Fam. Ennuyer, agacer. *Il nous enquiquine.*

enquiquineur, euse n. et adj. Fam. Personne qui enquiquine, importun. ▷ adj. *Que tu es enquiquineur !*

enracinement n. m. Action d'enraciner, fait de s'enraciner.

enraciner v. [**1**] **I.** v. tr. **1.** Faire prendre racine à. *Enraciner un arbre.* **2.** Fig. Implanter profondément (dans l'esprit, les mœurs, etc.). *Enraciner un préjugé.* **II.** v. pron. **1.** Prendre racine. *Plante qui s'enracine dans un mur.* **2.** Fig. *S'enraciner dans un pays.*

enragé, ée adj. et n. **1.** Furieux. *La jalousie le rend enragé.* **2.** Passionné, acharné. *Un joueur enragé.* ▷ Subst. *Un enragé de la marche à pied.* **3.** HIST *Les enragés* : en 1793, révolutionnaires partisans de mesures sévères contre les riches et de la formation d'une armée du peuple, dont les idées inspirèrent en partie les Montagnards. **4.** Atteint de la rage. *Un chien enragé.* ▷ Loc. fam. *Manger de la vache enragée* : mener une vie de privations.

enrageant, ante adj. Qui met en rage, en colère.

enrager v. intr. [**13**] Éprouver un vif déplaisir; être en colère, en rage. *J'enrage de voir qu'il a gagné.* ▷ *Faire enrager* : irriter, taquiner.

enraiement [ɑ̃ʀɛmɑ̃] ou **enrayement** [ɑ̃ʀɛjmɑ̃] n. m. Action d'arrêter une extension fâcheuse. *L'enraiement d'un fléau.*

enrayage n. m. Blocage d'un mécanisme (notam. d'une arme à feu).

1. enrayer v. tr. [**21**] **I. 1.** Arrêter l'extension de (une chose fâcheuse). *Enrayer une épidémie.* **2.** v. pron. Se bloquer, en parlant d'un mécanisme (notam. d'une arme à feu). **II.** Garnir (une roue) de ses rayons.

2. enrayer v. tr. [**21**] AGRIC Tracer le premier sillon avec la charrue. *Enrayer un champ.*

enrégimentement n. m. Action d'enrégimenter; son résultat.

enrégimenter v. tr. [**1**] **1.** Incorporer dans un régiment. **2.** Péjor. Faire entrer dans un groupe, un parti qui exige une stricte discipline. *Être enrégimenté par une secte.* Syn. embrigader.

enregistrable adj. Qui peut être enregistré.

enregistrement n. m. **1.** Action d'enregistrer; son résultat. *L'enregistrement d'une transaction.* – Spécial. *L'enregistrement des bagages.* ▷ DR Inscription sur un registre public de certains actes, moyennant le paiement de droits. **2.** Opération consistant à recueillir sur un support matériel des informations (sons, images) qui peuvent être restituées par une lecture; informations ainsi recueillies. *Un enregistrement sur disque. Écouter un enregistrement.* **3.** INFORM Ensemble d'informations pouvant faire l'objet d'un transfert en bloc entre une mémoire centrale et un dispositif d'entrée/sortie.

enregistrer v. tr. [**1**] **1.** Inscrire sur un registre. *Enregistrer une plainte.* – Spécial. *Faire enregistrer des bagages.* ▷ DR Mentionner un acte sur un registre public. *Enregistrer une donation.* **2.** Consigner par écrit. *Enregistrer ses dépenses sur un cahier.* ▷ *Par ext.* Noter dans sa mémoire. *Enregistrer la physionomie de qqn.* **3.** Constater, observer. *Enregistrer une amélioration du temps.* **4.** Transférer des informations (sonores, visuelles, codées) sur un support matériel (disque, bande magnétique, etc.). *Enregistrer la voix de qqn, des images.* ▷ Par ext. *Un artiste qui a enregistré des chansons à succès.* **5.** PHYS Recueillir les variations d'une grandeur (température, pression, etc.). **6.** Pp. adj. *Malle enregistrée. – Acte enregistré. – Émission, chanson enregistrées.*

enregistreur, euse adj. et n. m. TECH Qualifie un appareil capable d'enregistrer les variations d'une grandeur (vitesse, température, etc.). – *Caisse enregistreuse,* qui effectue mécaniquement des calculs. ▷ n. m. Appareil enregistreur.

enrhumé, ée adj. Qui a un rhume.

enrhumer [ɑ̃ʀyme] **1.** v. tr. [**1**] Causer un rhume à. *Ce temps m'a enrhumé.* **2.** v. pron. Contracter un rhume.

enrichi, ie adj. **1.** Péjor. Dont la fortune est récente. *Un négociant enrichi.* **2.** PHYS Se dit d'un corps dont la teneur en l'un de ses constituants a été augmentée. *Un minerai enrichi.* ▷ PHYS NUCL Qualifie un combustible nucléaire dont la teneur en matière fissile est plus élevée qu'à l'état naturel. *Uranium enrichi.*

enrichir v. [**3**] **I.** v. tr. **1.** Rendre riche. *Le commerce l'a enrichi.* Ant. appauvrir. **2.** Apporter qqch de précieux ou de nouveau à. *Enrichir un musée d'une œuvre célèbre.* – Fig. *Enrichir son esprit.* ▷ METALL Augmenter la teneur en métal d'un minerai par élimination des éléments stériles. ▷ PHYS NUCL Augmenter la teneur isotopique d'un corps radioactif en éliminant les isotopes indésirables. **II.** v. pron. Devenir riche. – Fig. *Son vocabulaire s'est enrichi.*

enrichissant, ante adj. Qui enrichit. – Fig. *Une expérience enrichissante.*

enrichissement n. m. Action d'enrichir, de s'enrichir; son résultat. *L'enrichissement d'un pays.* – Fig. *L'enrichissement d'une pensée.* ▷ METALL Procédé qui consiste à enrichir un minerai (lavage, flottation).

enrichisseur n. m. Syn. (off recommandé) de *starter.*

Enright (Joseph Dennis) (Leamington, 1920), poète anglais. Il contemple la réalité d'un regard grave et ironique : *le Ricanement de l'hyène* (1953), *Certains hommes sont frères* (1962), *le Vieil Adam* (1965).

enrobage ou **enrobement** n. m. **1.** Action d'enrober. **2.** TECH Revêtement des électrodes de soudure servant à éviter l'oxydation du métal.

enrobé n. m. Granulat recouvert de bitume, servant à la construction des routes.

enrober v. tr. [**1**] **1.** Recouvrir (un produit, une denrée) d'une couche qui le protège ou en améliore le goût. *Enrober un médicament.* Fig., fam. *Il est enrobé,* grassouillet. **2.** Fig. Envelopper pour atténuer ou déguiser. *Enrober un reproche dans une phrase aimable.*

enrochement n. m. TECH Amoncellement de blocs de roche qui protège la base d'une digue, d'une jetée, etc., contre l'action des lames.

enrôlé, ée adj. et n. Inscrit sur les rôles de l'armée, *par ext.,* dans un groupe. ▷ Subst. *Les derniers enrôlés.*

enrôlement n. m. Action d'enrôler, de s'enrôler. *Un enrôlement forcé.* ▷ Document officiel attestant que l'on est enrôlé.

enrôler 1. v. tr. [**1**] Inscrire sur les rôles de l'armée. *Enrôler des soldats.* – *Par ext.* Faire entrer dans un groupe. *Enrôler qqn dans un parti.* **2.** v. pron. *S'enrôler dans la marine.*

enrouement n. m. Altération de la voix qui devient rauque et voilée.

enrouer v. tr. [**1**] Rendre rauque, sourde (la voix). *L'abus du rhum avait enroué sa voix.* ▷ v. pron. *S'enrouer à force de crier.*

enroulement n. m. **1.** Action d'enrouler; fait de s'enrouler. *L'enroulement d'un fil.* **2.** Ce qui forme une crosse, une spirale. *L'enroulement d'une volute.* **3.** ELECTR Bobinage obtenu en enroulant un fil conducteur.

enrouler v. tr. [**1**] Rouler plusieurs fois (une chose) sur elle-même ou autour d'une autre. *Enrouler une corde. Enrouler un câble sur un treuil.* Ant. dérouler. ▷ v. pron. *Câble qui s'enroule* *automatiquement.* – *Par ext.* S'envelopper dans. *S'enrouler dans une couverture.*

enrouleur, euse adj. et n. m. Qui sert à enrouler. ▷ n. m. TECH Tambour sur lequel s'enroule un câble.

enrubanner v. tr. [1] **1.** Garnir de rubans. **2.** AGRIC Maintenir par des rubans de plastique de la paille ou du fourrage en forme de balles cylindriques.

enrubanneuse n. f. Machine agricole servant à enrubanner.

ensablement n. m. Action de remplir de sable ; obstruction par le sable. ▷ Fait de s'ensabler.

ensabler v. [1] **I.** v. tr. Couvrir, remplir de sable. *Le vent a ensablé la route côtière.* – Pp. adj. *Une voie ensablée.* **II.** v. pron. **1.** Se recouvrir, se remplir de sable. *Le chenal s'ensable.* **2.** S'enfoncer dans le sable. *Véhicule qui s'est ensablé.*

ensachage n. m. TECH Action d'ensacher.

ensacher v. tr. [1] Mettre dans un sac, un sachet. *Ensacher des chocolats.*

ensanglanter v. tr. [1] **1.** Tacher, couvrir de sang. *Une blessure qui ensanglante le visage.* – Pp. adj. *Des mains ensanglantées.* **2.** Souiller par un acte meurtrier. *Les exactions qui ont ensanglanté le pays.*

Enschede, ville des Pays-Bas (Overijssel) ; 144 700 hab. Industr. text., méca., chimique.

enseignant, ante adj. et n. Qui enseigne. – *Le corps enseignant* : l'ensemble des personnes chargées d'enseigner. ▷ Subst. Membre du corps enseignant.

1. enseigne n. f. **1.** Inscription, emblème placé sur la façade d'un établissement commercial. *L'enseigne d'un parfumeur.* ▷ Fig. *Être logés à la même enseigne* : se trouver dans la même situation. **2.** Signe de ralliement militaire, drapeau. *Les enseignes romaines.* **3.** Vx Marque, indice. ▷ Loc. conj. Mod. *À telle enseigne que* : la preuve en est que.

2. enseigne n. m. Anc. Officier chargé de porter le drapeau. ▷ *Enseigne de vaisseau* : officier de marine dont le grade correspond à celui de lieutenant *(enseigne de 1re classe)* ou de sous-lieutenant *(enseigne de 2e classe).*

enseignement n. m. **1.** Action, manière d'enseigner ; son résultat. *L'enseignement de l'histoire. Un enseignement méthodique. Enseignement assisté par ordinateur (E.A.O.).* ▷ Organisation de l'instruction. *L'enseignement public ou privé.* – *Enseignement général* (par oppos. à *enseignement technique* ou *professionnel).* **2.** Profession des enseignants. *Faire carrière dans l'enseignement.* **3.** Leçon donnée par l'exemple, l'expérience. *Les malheurs d'autrui doivent servir d'enseignement.*

enseigner v. tr. [1] Transmettre (un savoir théorique ou pratique). *Enseigner le latin, la danse.* – Par anal. *L'expérience nous enseigne que...* ▷ (S. comp.) Exercer la profession d'enseignant.

ensellement n. m. GEOL Col peu marqué entre deux collines.

ensellure n. f. ANAT Concavité postérieure de la portion lombaire de la colonne vertébrale.

ensemble adv. et n. m. **I.** adv. **1.** L'un avec l'autre, les uns avec les autres.

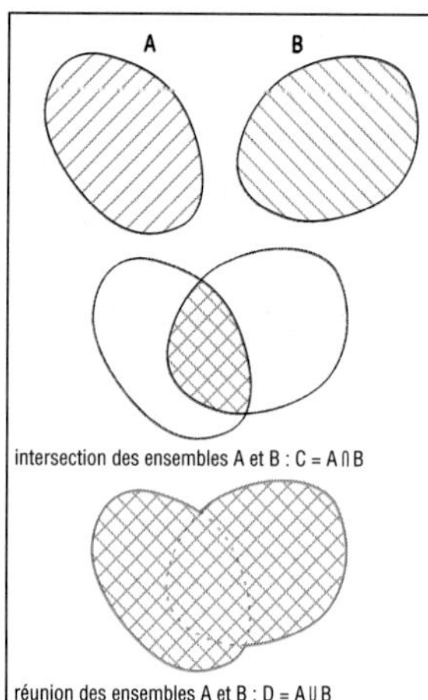

ensemble

Ils vivent ensemble. **2.** Simultanément. *Démarrer ensemble.* **II.** n. m. **1.** Groupe d'éléments considérés globalement. *L'ensemble des habitants d'un pays. Une vue d'ensemble.* ▷ MATH Collection d'objets ou d'identités (les éléments) désignés par le même mot ou la même expression. *Ensemble des entiers naturels* (0, + 1, + 2...). *Théorie des ensembles,* qui représente la partie des mathématiques consacrée à l'étude des propriétés des ensembles (V. encycl.). ▷ Loc. adv. *Dans l'ensemble* : d'une façon générale, en gros. **2.** Groupe d'éléments unis par des traits communs. *Un ensemble de chefs-d'œuvre. Un ensemble de musiciens.* ▷ Costume de femme composé de plusieurs pièces assorties. *Acheter un ensemble habillé.* ▷ *Grand ensemble* : vaste groupe de hauts immeubles, conçu comme une unité architecturale et destiné à abriter une population nombreuse. ▷ TECH Objet complexe constitué d'un grand nombre de composants. **3.** Accord, harmonie entre des éléments, concourant à un effet unique. *Des mouvements de gymnastique exécutés avec un ensemble irréprochable.*

ENCYCL **Math.** – Un ensemble peut être défini soit par la connaissance individuelle de ses éléments (ensemble des élèves d'une classe), soit par l'énoncé de propriétés restrictives caractérisant l'élément générique au sein d'un ensemble plus vaste (ensemble des Français nés entre le 1er janv. 1959 et le 31 déc. 1962). La *théorie des ensembles* est due au mathématicien Cantor (1880). Approfondie depuis, elle est devenue l'un des fondements des mathématiques en donnant à toutes ses branches une base commune de travail. On considère surtout les opérations portant sur les ensembles de nombres : ensemble N des entiers naturels, ensemble Z des entiers relatifs, Q des nombres rationnels, R des nombres réels. La *théorie des catégories,* introduite en 1945, est une généralisation de la théorie des ensembles. Une catégorie est formée d'une classe, notée *Ob*(ℂ), dont les éléments sont appelés *objets* de ℂ, et d'une classe, notée *Mor*(ℂ), dont les éléments sont appelés *morphismes.*

ensemblier, ère n. **1.** Artiste qui combine des ensembles décoratifs. **2.** Industriel capable de fournir des installations complexes.

ensembliste adj. MATH Qui concerne les ensembles.

ensemencement n. m. Action d'ensemencer.

ensemencer v. tr. [12] **1.** Mettre de la semence dans (la terre). **2.** Introduire des spores (bactéries, champignons, etc.) dans (un milieu de culture). ▷ *Ensemencer une rivière, un étang,* en les peuplant d'alevins.

Ensenada (Zenón de Somodevilla y Bengoechea, marquis de La) (Alesanco, près de Logroño, 1702 – Medina del Campo, 1781), homme politique espagnol. Ministre de Philippe V et de Ferdinand VI, il administra avec sagesse, redressant les finances, réformant le système des douanes et celui des taxes, protégeant l'industrie. Il fut également le rénovateur de la marine. Une cabale le fit tomber en disgrâce (1754).

enserrer v. tr. [1] Entourer en serrant. *Une large ceinture lui enserrait la taille.* – Par anal. *Un petit champ enserré par les bois.*

Ensérune (montagne d'), plateaux de l'Hérault, entre l'Orb et l'Aude, au S. de Béziers. – *Oppidum d'Ensérune* : site archéol. ibéro-grec (VIe-Ier s. av. J.-C.) sur l'un de ces plateaux. Musée sur le site même.

ensevelir v. [3] **I.** v. tr. **1.** Inhumer, enterrer. *Ensevelir un mort.* **2.** Recouvrir d'un amoncellement de matériaux. *La lave du volcan a enseveli le village tout entier.* ▷ Pp. adj. Fig. *Un souvenir enseveli au fond de la mémoire.* **II.** v. pron. Fig. S'enfoncer dans. *S'ensevelir dans la douleur, la solitude.*

ensevelissement n. m. Action d'ensevelir.

ensilage n. m. AGRIC Action d'ensiler.

ensiler v. tr. [1] AGRIC Mettre en silo. *Ensiler du fourrage.*

en-soi n. m. inv. PHILO Nature propre de la chose, au-delà de ce que nous en percevons ou connaissons. *Les existentialistes opposent l'en-soi au pour-soi.*

ensoleillement n. m. État de ce qui est ensoleillé. *L'ensoleillement des collines.* ▷ *Durée d'ensoleillement d'un lieu* : temps pendant lequel il demeure ensoleillé.

ensoleiller v. tr. [1] (Surtout au passif.) Éclairer, échauffer par la lumière du soleil. *Pièce ensoleillée.* ▷ Fig. Rendre radieux (par l'éclat de la beauté, de la grâce, du bonheur, etc.). *Ce souvenir ensoleille ma vie.*

ensommeillé, ée adj. Gagné ou engourdi par le sommeil. *Voix ensommeillée.*

Ensor (James) (Ostende, 1860 – id., 1949), peintre et graveur belge. Son œuvre mêle réalisme, expressionnisme et fantastique : *l'Entrée du Christ à Bruxelles* (1888, musée d'Anvers).

ensorcelant, ante adj. Fig. Qui ensorcelle. *Un sourire ensorcelant.*

ensorceler v. tr. [19] **1.** Mettre sous le pouvoir d'un sortilège. **2.** Fig. Exercer sur (qqn) un charme, une influence irrésistible.

ensorceleur, euse n. (et adj.) Personne qui ensorcelle (sens 2).

ensorcellement n. m. Fait d'ensorceler ou d'être ensorcelé.

ensuite adv. **1.** Après (dans le temps). *Réfléchissez d'abord, vous répondrez ensuite.* **2.** Après (dans l'espace). *Au premier plan se trouvaient les parterres, ensuite les bassins.* **3.** Loc. prép. Vx ou litt. *Ensuite de* : à la suite de. *Ensuite de son exposé, il s'offrit à répondre aux questions.*

– En conséquence de. *Ensuite de la réprimande, il obtempéra.*

ensuivre (s') v. pron. [62] (Usité seulement à l'inf. et aux 3e pers. du sing. et du plur.) Survenir, se produire par voie de conséquence; découler logiquement. *Frapper (qqn) jusqu'à ce que mort s'ensuive.* – Impers. *Il s'ensuit que...* ▷ Loc. *Et tout ce qui s'ensuit* : et tout ce qui vient après cela, se rattache à cela. *Nous avons connu la guerre, les privations, et tout ce qui s'ensuit.*

entablement n. m. **1.** ARCHI Partie supérieure d'un édifice au-dessus d'une colonnade, qui comprend l'architrave, la frise et la corniche. ▷ Partie (en saillie ou non) du sommet des murs d'un édifice, sur laquelle repose la charpente de la toiture. **2.** TECH Corniche ou saillie couronnant certains objets. *Entablement d'un meuble. Entablement d'un quai,* sa partie supérieure.

entacher v. tr. [1] **1.** Souiller, flétrir moralement. *Faute qui entache l'honneur.* **2.** Diminuer le mérite, la valeur de. *Lourdeurs de style qui entachent un ouvrage.* ▷ Pp. DR *Acte entaché de nullité,* contenant un vice de forme ou passé par un incapable (sens 2).

entaillage n. m. Action d'entailler.

entaille n. f. **1.** Coupure dans une pièce de bois, une pierre, etc., dont on enlève une partie. *Entailles à mi-bois, en sifflet,* pour ajuster deux pièces. **2.** Coupure profonde faite dans les chairs.

entailler v. tr. [1] Faire une entaille à. ▷ Par anal. *Un tesson lui a entaillé le pied.* ▷ v. pron. *Il s'est entaillé le visage.*

entame n. f. **1.** Premier morceau coupé d'un pain, d'un rôti, etc. *L'entame d'un jambon.* **2.** Première carte jouée dans une partie. **3.** Fam. Fait d'entamer, de commencer qqch. *L'entame du troisième set.*

entamer v. tr. [1] **I. 1.** Faire une incision, une coupure à. *Entamer la peau.* **2.** Couper un premier morceau dans. *Entamer un rôti.* ▷ Commencer d'employer ou de consommer. *Entamer son capital.* **3.** Commencer à détruire ou à désorganiser; ébranler. *Entamer la résistance d'un ennemi.* ▷ Fig. *Entamer la résolution, l'assurance, les convictions de qqn.* **4.** (Choses) Couper, attaquer, pénétrer dans. *L'acide entame certains métaux.* ▷ Fig. Porter atteinte à. *Ces rumeurs finiront par entamer son crédit.* **II.** Commencer, entreprendre. *Entamer un débat, un procès.* ▷ *Absol.* Au jeu de cartes, être le premier à jouer. **III.** Pp. adj. *Un sachet de bonbons entamé.* – *Les négociations entamées, le conflit sera vite réglé.*

entartrage ou **entartrement** n. m. TECH Formation d'un tartre, d'un dépôt calcaire (sur les parois d'un récipient, d'une chaudière, etc.).

entartrer v. tr. [1] Produire l'entartrage de. – Pp. *Une bouilloire entartrée.* ▷ v. pron. *Les canalisations s'entartrent.*

entassement n. m. **1.** Action d'entasser. *L'entassement de gerbes en meules.* ▷ Ensemble de choses mises en tas, amassées ou accumulées. *Un entassement de livres.* **2.** Fait de s'entasser, d'être entassé.

entasser v. tr. [1] **1.** Mettre en tas. *Entasser des fagots.* ▷ Amasser, accumuler. *Entasser de la paille dans une grange.* – Fig. *Entasser une fortune, des connaissances.* ▷ v. pron. *La neige s'entassait en congères.* **2.** Réunir, serrer dans un lieu étroit (des personnes). *Entasser des passagers dans une voiture.* ▷ v. pron. *Spectateurs qui s'entassent sur des gradins.*

ente n. f. ARBOR **1.** Greffe sur un arbre d'un scion pris à un autre arbre. ▷ Le scion lui-même. **2.** Arbre sur lequel on a fait une ente. **3.** *Prune d'ente,* dont on fait les pruneaux.

enté, ée adj. HERALD *Écu enté,* dont les partitions entrent les unes dans les autres à angles arrondis.

Entebbe, v. de l'Ouganda, sur la rive N. du lac Victoria; 40 000 hab. Aéroport international.

entéléchie [ɑ̃teleʃi] n. f. PHILO Chez Aristote, accomplissement suprême d'une chose, totalement réalisée dans son essence.

entelle n. m. Grand singe gris *(Semnopithecus entellus)* de l'Inde du N. Syn. langur.

entendant, ante adj. et n. Se dit d'une personne dont les facultés auditives ne sont pas atteintes.

entendement n. m. PHILO Faculté de concevoir et de comprendre. *Les philosophes ont opposé l'entendement tantôt à la volonté, tantôt à la sensibilité et à la raison (cartésiens et kantiens).* – Forme logique et discursive de la pensée. ▷ Cour. Intelligence, compréhension. *Voilà qui dépasse mon entendement.*

entendeur n. m. **1.** Vx Celui qui entend, comprend. **2.** Mod. Loc. *À bon entendeur, salut!* : que celui qui a compris ce que l'on vient de dire en fasse son profit (formule d'avertissement).

entendre v. tr. [6] **I. 1.** Litt. Percevoir le sens de, saisir par l'intelligence, comprendre. *Il n'entendra pas ces subtilités.* – *Ne pas entendre malice, moquerie à qqch* : ne pas y mettre (ou ne pas y voir) de malice, de moquerie. ▷ Cour. *Que faut-il entendre par...?* – *Faire, laisser, donner à entendre que* : insinuer que. **2.** (Personnes) Vouloir dire. *J'ai parlé de vertu, j'entendais le courage. Qu'entendez-vous par là?* **3.** Vx Être compétent ou habile dans (une chose). *Entendre l'économie ne dispose pas nécessairement à la politique.* **4.** Avoir l'intention, la volonté de. *J'entends qu'on me respecte,* ou *être respecté.* – *Que chacun fasse comme il l'entend,* selon sa manière, sa conviction ou sa convenance. **II. 1.** Percevoir (un, des sons), saisir par l'ouïe. *Entendre un bruit.* – (S. comp.) *Il n'entend pas de l'oreille droite.* ▷ *Entendre dire une chose, en entendre parler,* l'apprendre, en être informé par qqn ou par la rumeur publique. – *Ne pas vouloir entendre parler d'une chose* : se refuser à la connaître. – *On n'entend plus parler de lui* : on n'a plus de ses nouvelles. *Vous entendrez parler de moi* : je vous réserve un traitement de ma façon. ▷ *Faire entendre* : produire, émettre (un bruit, un son). *Une voix se fit entendre.* ▷ Loc. fig. *Ne pas l'entendre de cette oreille(-là)* : être d'un avis différent ou contraire. **2.** Prêter l'oreille, prêter attention à. *Entendez-moi, ensuite vous jugerez.* ▷ Écouter. *Aller entendre un conférencier.* – Par ext. *(Que) le Ciel vous entende!,* vous exauce! (ou : puissiez-vous dire vrai!). ▷ *À l'entendre* : à le croire. **III.** v. pron. **1.** (Passif) Être compris. *Cette phrase ne peut s'entendre que dans un sens.* – *(Cela) s'entend* : bien entendu, cela va de soi. **2.** (Récipr.) Se comprendre l'un l'autre. *S'entendre à demi-mot.* ▷ Être en bonne intelligence. *Nous nous entendons parfaitement. S'entendre avec qqn.* – Se mettre d'accord. *Ils se sont entendus sur la marche à suivre.* **3.** (Réfl.) *S'entendre à* : être compétent dans, habile à. *Il s'entend à la peinture, à peindre des paysages.* – Litt. *S'entendre en* : être versé dans. *Il s'entend bien en meubles anciens.* – Cour. *Il s'y entend* : il s'y connaît. **4.** (Passif) Être entendu, perçu par l'ouïe. *Sa voix s'entendait parmi toutes les autres.* – (Récipr.) *On ne s'entend plus dans ce vacarme.* – (Réfl.) *Vous ne vous entendez donc pas?*

entendu, ue adj. **1.** Compris, et, par ext., convenu, conclu. *L'affaire est entendue. C'est (bien) entendu.* – Ellipt. *Entendu!* ▷ (Par concession.) *J'ai manqué d'à-propos, c'est entendu, mais vous-même n'avez pas été plus prompt.* ▷ Loc. adv. *Bien entendu* : assurément, cela va de soi. – Fam. *Comme de bien entendu.* **2.** *Bien (mal) entendu* : (vx) avec (sans) art, intelligence, goût; (mod.) bien (mal) compris, conçu. *Un civisme bien entendu se conçoit-il sans justice sociale?* **3.** Vx Compétent ou habile dans (une chose). *On le dit entendu aux opérations boursières.* – Cour. *Air, sourire entendu,* de qqn qui sait, ou qui veut marquer sa complicité ou sa supériorité.

enténébrer v. tr. [14] Litt. Plonger dans les ténèbres, envelopper de ténèbres. – Fig. Assombrir, affliger. *Une existence enténébrée d'incessants malheurs.*

entente n. f. **1.** Vx Fait de comprendre. – Mod. *Mot, phrase à double entente,* que l'on peut comprendre, interpréter de deux façons. **2.** Fait d'être ou de se mettre d'accord; bonne intelligence. *Entente qui règne dans une famille.* ▷ Accord entre des groupes, des sociétés, des pays. *Entente commerciale.* ▷ DR Accord ou action concertée, en principe interdits, ayant pour but ou pour effet d'entraver ou d'annuler le jeu de la concurrence.

James **Ensor :** *les Masques et la Mort,* 1897; musée d'Art moderne, Liège

Entente (Triple-) ou, absol., **Entente (l')**, alliance conclue en 1907 entre la Russie, la France et la Grande-Bretagne contre l'Allemagne et l'Autriche-Hongrie. V. franco-russe (alliance).

Entente cordiale, convention de bons rapports entre la France et l'Angleterre (une première fois sous Louis-Philippe, ensuite par l'accord de 1904).

entér(o)-, -entère. Éléments, du gr. *enteron*, « intestin ».

enter v. tr. [1] **1.** ARBOR Greffer par ente. *Enter un prunier.* **2.** TECH Ajuster ou abouter deux pièces de bois.

entéralgie n. f. MED Douleur intestinale.

entérinement n. m. Action d'entériner; son résultat.

entériner v. tr. [1] **1.** DR Rendre valable en ratifiant juridiquement. *Entériner un jugement.* **2.** Fig. Établir ou admettre comme valable, assuré, définitif. *Entériner un projet, un usage.*

entérique adj. MED Qui a rapport aux intestins.

entérite n. f. MED Inflammation de la muqueuse intestinale, qui s'accompagne de diarrhée et parfois d'hémorragie.

entérobactéries n. f. pl. Famille de bactéries gram négatives, certaines pathogènes, qui se trouvent notam. dans le tube digestif de l'homme et des animaux. – Sing. *Le colibacille est une entérobactérie.*

entérocolite n. f. MED Inflammation simultanée des muqueuses de l'intestin grêle et du côlon.

entérocoque n. m. MICROB Streptocoque dont la présence, normale dans l'intestin, peut devenir pathogène pour d'autres organes.

entérokinase n. f. BIOCHIM Enzyme sécrétée par la muqueuse duodénale et qui contribue, par activation de la trypsine, au mécanisme de la digestion.

entéropathie n. f. MED Affection de l'intestin.

entéropneustes n. m. pl. ZOOL Classe d'hémicordés marins longs de 3 cm à 2,50 m, vermiformes, vivant enfouis dans le sable ou la vase, dont le type est le *balanoglosse*. – Sing. *Un entéropneuste.*

entérostomie n. f. CHIR Abouchement d'une anse intestinale à la paroi de l'abdomen, afin de réaliser un anus artificiel, temporaire ou permanent.

entérovaccin [ɑ̃teʀovaksɛ̃] n. m. MED Vaccin administré par voie buccale et absorbé par l'intestin.

enterrement n. m. **1.** Action de mettre un mort en terre. *Procéder à l'enterrement des cadavres.* Syn. inhumation. **2.** Ensemble des cérémonies funéraires qui accompagnent un enterrement. *Un enterrement civil, religieux.* ▷ Fig., fam. *Faire, avoir une tête d'enterrement* : avoir l'air triste. **3.** Convoi funèbre. *Regarder passer un enterrement.* **4.** Fig. Fait de laisser tomber dans l'oubli. *L'enterrement d'une affaire.*

enterrer v. tr. [1] **1.** Inhumer, mettre (un corps) en terre. *Après la bataille, il fallut enterrer les morts.* **2.** Assister aux obsèques de. *Je suis allé enterrer un ami.* ▷ Loc. fig. *Il nous enterrera tous* : il nous survivra. ▷ *Enterrer sa vie de garçon* : pour un jeune homme, passer une dernière soirée avant de se marier, en faisant la fête avec ses amis. **3.** Enfouir dans la terre. *Enterrer une canalisation.* ▷ *Par ext.* Recouvrir par amoncellement. *Les locataires ont été enterrés sous les décombres de l'immeuble.* **4.** Fig. Laisser tomber dans l'oubli. *Enterrer un projet.* **5.** v. pron. Se retirer. *Il est allé s'enterrer à la campagne.*

entêtant, ante adj. Qui entête. *Odeur entêtante.*

en-tête n. m. Inscription imprimée ou gravée, à la partie supérieure de papiers utilisés pour la correspondance. *Utiliser le papier à en-tête d'une administration. Des en-têtes.*

entêté, ée adj. et n. Qui a l'habitude de s'entêter, obstiné. *Un enfant entêté.* Syn. têtu. ▷ Subst. *C'est un entêté.*

entêtement n. m. Fait de s'entêter. *Faire preuve d'entêtement. Agir avec entêtement.* ▷ Caractère d'une personne entêtée.

entêter 1. v. tr. [1] Étourdir par des émanations qui montent à la tête. *Le parfum entête.* **2.** v. pron. Persister dans ses résolutions sans tenir compte des circonstances. *Malgré les conseils, il s'entête à partir.* Syn. s'obstiner.

enthalpie n. f. PHYS Grandeur thermodynamique (H), définie par la relation H = U + PV (U : énergie interne, P : pression, V : volume).

enthousiasmant, ante adj. Qui suscite l'enthousiasme. *Une nouvelle enthousiasmante.*

enthousiasme n. m. **1.** ANTIQ Exaltation extraordinaire que l'on croyait d'inspiration divine. *L'enthousiasme prophétique.* **2.** Litt. Exaltation des facultés de l'âme et de l'esprit, chez l'artiste, l'écrivain, le créateur, sous l'effet de l'inspiration. *Enthousiasme poétique.* ▷ Cour. *Travailler sans enthousiasme*, sans entrain. **3.** Émotion intense se traduisant par de grandes démonstrations de joie. *Mouvements, débordements d'enthousiasme.* **4.** Admiration manifestée avec ardeur. *Parler d'un auteur avec enthousiasme.*

enthousiasmer 1. v. tr. [1] Provoquer l'enthousiasme de. *Cette œuvre m'a enthousiasmé.* **2.** v. pron. Devenir enthousiaste. *S'enthousiasmer pour un projet.*

enthousiaste adj. et n. Qui ressent ou manifeste de l'enthousiasme. *Un accueil enthousiaste.*

enthymème n. m. LOG Syllogisme réduit à deux propositions. *« Je suis homme; je suis donc sujet à l'erreur » est un enthymème dans lequel la proposition « or tout homme est sujet à l'erreur » est sous-entendue.*

enticher 1. v. tr. [1] Litt. *Enticher qqn de*, lui inspirer un attachement déraisonnable pour. *Qui l'a entiché de cette opinion ?* – Cour. Pp. adj. *Entiché de* : immodérément attaché à. *Un jeune homme entiché de sport.* **2.** v. pron. *S'enticher de* : se prendre d'un grand attachement, d'un attachement excessif pour. *Elle s'est entichée de cet inconnu.*

entier, ère adj. et n. m. **1.** adj. (Après le nom.) À quoi rien ne manque. *Une boîte de gâteaux entière.* Syn. complet. Ant. entamé. – *Cheval entier*, qui n'a pas été castré. Ant. cheval hongre. ▷ MATH *Nombre entier* : nombre formé d'une somme d'unités (par oppos. à *nombre fractionnaire, décimal*, etc.). – *Partie entière d'un nombre*, celle qui se trouve à gauche de la virgule (par oppos. à la *partie décimale*). ▷ n. m. *Un entier* : un nombre entier. *L'ensemble des entiers naturels*, noté N (0, 1, 2, 3...). *L'ensemble des entiers relatifs*, noté Z (..., – 2, – 1, 0, + 1, + 2,...). – *Entier de Gauss* : nombre complexe Z = *a* + *bi*, dans lequel *a* et *b* sont des entiers rationnels. **2.** adj. (Après le nom.) Dans toute son étendue. *Connaître l'œuvre entière d'un auteur.* – Dans toute la durée. *Attendre une heure entière, une année entière.* – *Payer place entière*, sans réduction de prix. ▷ *Tout entier* : absolument entier. *La ville tout entière s'est déplacée pour voir la course.* – *Se donner tout entier à qqch*, y consacrer tout son temps, toute son ardeur. ▷ Loc. *Dans son (leur, etc.) entier* ou *en entier* : en totalité. *Traiter un problème en entier.* **3.** (Avant ou après le nom.) Absolu, sans réserve. *Laisser à qqn une entière liberté. Avoir en qqn une confiance pleine et entière.* **4.** (Après le nom.) D'un caractère tranché, peu enclin aux nuances. *C'est un homme entier.*

entièrement adv. Tout à fait, complètement. *Une maison entièrement détruite.* Syn. totalement.

entité n. f. PHILO **1.** Ce qui constitue l'essence d'un être, d'une chose. **2.** Objet de pensée qui existe en soi, en dehors de tout contexte.

entoilage n. m. **1.** Action d'entoiler. **2.** Toile ayant servi à entoiler.

entoiler v. tr. [1] **1.** Fixer sur une toile. *Entoiler une carte de géographie.* **2.** Garnir de toile. *Entoiler une brochure*, pour la relier.

entolome n. m. Champignon basidiomycète forestier (fam. agaricacées) à lamelles et spores roses, sans volve ni anneau (certaines espèces comestibles, une très toxique). *L'entolome livide est vénéneux.*

entomo-. Élément, du gr. *entomon*, « insecte ».

entomologie n. f. Partie de la zoologie qui traite des insectes.

entomologique adj. Qui a rapport à l'entomologie.

entomologiste n. Spécialiste de l'entomologie.

entomophage adj. Didac. Qui se nourrit d'insectes. *Oiseau entomophage.* Syn. insectivore. *Les plantes entomophages*, ou *plantes carnivores.*

entomophile adj. BOT Qualifie les plantes (orchidées, sauges, etc.) dont la pollinisation est assurée par les insectes.

entomostracés n. m. pl. ZOOL Sous-classe de crustacés, planctoniques pour la plupart, dépourvus d'appendices abdominaux, qui comprend notam. les branchiopodes, les cirripèdes et les copépodes. – Sing. *Un entomostracé.*

1. entonner v. tr. [1] Mettre en tonneau. ▷ Fig., fam. Manger goulûment. *Entonner la nourriture comme un goinfre.*

2. entonner v. tr. [1] Commencer à chanter. *Entonner la Marseillaise.* – Fig. *Entonner les louanges de qqn.*

entonnoir n. m. **1.** Instrument de forme conique servant à verser un liquide dans un récipient à goulot étroit. ▷ *En entonnoir* : en forme d'entonnoir. **2.** Excavation produite dans le sol par l'explosion d'une mine, d'un obus.

entorse n. f. **1.** Lésion douloureuse par élongation ou déchirure d'un ou des ligaments d'une articulation, due à un traumatisme et accompagnée d'un œdème. *Une entorse à la cheville.* **2.** Fig. *Faire une entorse à* : contrevenir exceptionnellement à. *Faire une entorse au règlement.*

entortillement ou **entortillage** n. m. Action de s'entortiller; état de ce qui est entortillé.

entortiller v. [1] **I.** v. tr. **1.** Envelopper dans qqch que l'on tortille. *Entortiller des bonbons dans du papier.* **2.** Enrouler (qqch) autour d'un objet. *Entortiller une ficelle autour d'un paquet.* **3.** Fig. *Entortiller qqn,* l'amener insidieusement à faire ce que l'on désire. **4.** Fig. Rendre obscur par l'emploi de circonlocutions, de périphrases. *Entortiller une réponse.* – Pp. adj. *Des phrases entortillées.* **II.** v. pron. **1.** S'enrouler. *Serpent qui s'entortille autour d'une branche.* ▷ Fam. S'envelopper. *S'entortiller dans son manteau.* **2.** Fig. S'embrouiller. *S'entortiller dans ses explications.*

entour n. m. Litt. Plur. *Les entours :* les environs. *Les entours d'une place.* ▷ Loc. adv. *À l'entour :* alentour. ▷ Loc. prép. *À l'entour de :* dans les environs de.

entourage n. m. **1.** Ce qui entoure pour protéger, orner, etc. *L'entourage d'un massif.* **2.** Ensemble des personnes qui vivent habituellement auprès de qqn. *Avoir de bons rapports avec son entourage.*

entouré, ée adj. Recherché, admiré ou aidé par de nombreuses personnes.

entourer v. tr. [1] **1.** Être autour de, enceindre. *Les murs qui entourent le jardin.* – *L'ennemi entoure la ville,* la cerne. **2.** Mettre, disposer autour de. *Entourer son cou d'une écharpe.* **3.** Former l'environnement, l'entourage de (qqn). *Les gens qui nous entourent.* **4.** Aider (qqn), être prévenant, attentionné envers lui. **5.** v. pron. *S'entourer de :* réunir autour de soi. *S'entourer d'amis.* – Fig. *S'entourer de précautions.*

entourloupette ou **entourloupe** n. f. Fam. Mauvais tour; tromperie. *Faire une entourloupette à qqn.*

entournure n. f. Emmanchure. *Veste qui gêne aux entournures.* ▷ Fig. *Être gêné aux entournures :* ne pouvoir agir à sa guise; avoir des difficultés financières.

entr(e)-. Préf., du lat. *inter.* **1.** Exprimant l'espace, l'intervalle qui sépare deux choses. Ex. : *entracte.* **2.** Exprimant la réciprocité. Ex. : *s'entraider, s'entrechoquer.* **3.** Exprimant une action qui ne se fait qu'incomplètement. Ex. : *entrebâiller, entrapercevoir.*

entracte n. m. Intervalle qui sépare un acte d'un autre dans la représentation d'une pièce de théâtre, une partie d'une autre dans un spectacle. ▷ Fig. Temps de repos, d'interruption. *Se ménager un entracte dans une journée de travail.*

Entragues (Henriette de Balzac d'), marquise de Verneuil (Orléans, 1579 – Paris, 1633), favorite d'Henri IV (1599-1608).

entraide n. f. Action de s'entraider; son résultat. *Comité d'entraide.*

entraider (s') v. pron. [1] S'aider mutuellement.

entrailles n. f. pl. **1.** Ensemble des viscères renfermés dans l'abdomen et dans la poitrine de l'homme et de l'animal; intestins, boyaux. *Les Anciens cherchaient des présages dans les entrailles de certains animaux.* **2.** Litt. Sein de la mère. *Le fruit de vos entrailles :* votre enfant. **3.** Litt. Lieux les plus profonds. *Les entrailles de la Terre.* **4.** Fig., litt. Cœur, siège de la sensibilité, de l'affection. *La nouvelle lui avait profondément remué les entrailles. Être sans entrailles,* sans cœur, incapable d'affection, de tendresse.

entrain n. m. **1.** Gaieté franche et communicative. *Avoir de l'entrain. Être plein d'entrain.* **2.** Zèle, ardeur. *Travailler avec entrain.* **3.** Vivacité, mouvement. *Comédie pleine d'entrain.*

entraînant, ante adj. Qui entraîne par sa vivacité communicative. *Musique entraînante.*

entraînement n. m. **1.** Action d'entraîner. *Céder à l'entraînement des passions.* **2.** MECA Communication du mouvement d'un mécanisme moteur. *Courroie d'entraînement du ventilateur d'une voiture.* **3.** Préparation (d'un homme, d'un animal) à une épreuve sportive. *L'entraînement d'un boxeur.* ▷ *Par ext.* Préparation à un exercice quelconque. *Manquer d'entraînement pour un travail.* **4.** ECON Fait, pour un secteur économique, de susciter le développement d'autres secteurs.

entraîner v. tr. [1] **I. 1.** Traîner avec soi (qqch). *Avalanche qui entraîne tout sur son passage.* **2.** Emmener, conduire (qqn) par la force. *Les agents l'entraînèrent au poste.* ▷ Conduire (qqn) avec soi. *Il l'avait entraîné un peu à l'écart et lui parlait à l'oreille.* – Fig. *Ce sont des escrocs qui l'ont entraîné dans cette affaire.* **3.** Pousser (qqn) à faire (qqch) en exerçant une pression sur son esprit, sur sa volonté. *Entraîner qqn au mal. Il s'est laissé entraîner par la colère.* **4.** Avoir pour résultat, pour conséquence nécessaire. *Les maux que la guerre entraîne. La proposition A entraîne la proposition B.* **II.** MECA Mettre en mouvement (qqch). *Moteur électrique qui entraîne un mécanisme.* – *Spécial.* Communiquer le mouvement d'un mécanisme moteur à. *Un galet entraîne le plateau de l'électrophone.* **III.** SPORT **1.** Préparer (un homme, un animal) à une compétition. *Entraîner un cheval.* – *Par ext.* Préparer (qqn) à un exercice quelconque. **2.** v. pron. Pratiquer un entraînement sportif. *Il s'est entraîné sérieusement avant le championnat.* ▷ *S'entraîner à :* s'exercer à. *S'entraîner au tir. S'entraîner à taper à la machine.*

entraîneur n. m. **1.** Celui qui entraîne des chevaux de course. ▷ Celui qui entraîne des sportifs. *L'entraîneur d'une équipe de football.* **2.** *Entraîneur d'hommes :* celui qui est apte à entraîner beaucoup de gens, à emporter leur adhésion. *Un orateur brillant, un remarquable entraîneur d'hommes.*

entraîneuse n. f. Femme qui, dans un cabaret, un dancing, entraîne les clients à consommer, à danser.

entrant, ante adj. et n. Qui entre (dans un corps, un groupe). *Les députés entrants :* ceux qui viennent d'être élus. ▷ Subst. (Surtout au plur.) *Les entrants et les sortants.*

entrapercevoir v. tr. [5] Apercevoir à peine, fugitivement. *Je l'ai entraperçu, il avait l'air pressé.* ▷ v. pron. *Ils se sont entraperçus de loin.*

entrave n. f. **1.** Lien que l'on attache aux jambes de certains animaux pour les empêcher de s'éloigner, de ruer. *Mettre des entraves à un cheval.* – Par ext. *Prisonnier chargé d'entraves.* **2.** Fig. Ce qui gêne, ce qui asservit. *Se libérer des entraves de la dictature.*

entravé, ée adj. **1.** À qui l'on a mis des entraves. *Cheval entravé.* – Fig. *Libertés entravées.* **2.** *Jupe entravée,* très resserrée dans le bas. **3.** PHON *Voyelle entravée,* suivie de deux consonnes dont la première forme syllabe avec elle (comme dans *par-tir*).

1. entraver v. tr. [1] **1.** Mettre des entraves à (un animal). *Entraver un cheval.* **2.** Fig. Gêner, retarder. *Entraver le cours de la justice.*

2. entraver v. tr. [1] Pop. Comprendre. *J'y entrave que dalle, à ton truc.*

entre-. V. entr(e)-.

entre prép. **1.** Dans l'espace qui s'étend d'un lieu à un autre. *Distance entre deux villes.* ▷ Dans l'espace qui sépare deux personnes, deux choses. *Le jardin s'étendait entre la maison et le chemin. Entre parenthèses.* **2.** Dans l'intervalle qui sépare deux états, deux situations. *Entre la vie et la mort. Flotter entre l'impatience et la crainte.* – Loc. *Entre deux âges :* à l'âge mûr. – *Entre chien et loup :* V. chien. **3.** Dans un intervalle de temps. *Venez entre midi et deux heures.* **4.** Parmi (les éléments d'un ensemble). *Quel est le meilleur d'entre eux ?* – Loc. *Entre autres, entre autres choses :* particulièrement, parmi d'autres personnes, d'autres choses que l'on évoque. *Il y a plusieurs responsables, vous, entre autres.* ▷ Au milieu de. *S'étendre entre les fleurs.* – Loc. *Entre nous :* de manière confidentielle; en tête à tête. *Entre nous, qu'en avez-vous fait ? Venez ce soir, nous en parlerons entre nous.* **5.** (Exprimant la réciprocité.) *Ils se livraient entre eux à des guerres sans merci.* **6.** (Exprimant une relation, un rapport de comparaison, d'opposition, etc.) *Comparer deux objets entre eux.*

entrebâillement n. m. Espace laissé par ce qui est entrebâillé. *Apercevoir qqn dans l'entrebâillement d'une porte.*

entrebâiller v. tr. [1] Ouvrir à demi. *Entrebâiller une porte.* – Pp. adj. *Une fenêtre entrebâillée.*

entrebâilleur n. m. Dispositif permettant d'entrebâiller une porte sans qu'il soit possible de l'ouvrir davantage.

Entrecasteaux (Joseph Antoine de Bruni, chevalier d') (Entrecasteaux, Provence, 1737 – au large de Java, 1793), amiral français; chef de l'expédition qui recherchait La Pérouse.

entrechat [ɑ̃tʀəʃa] n. m. CHOREGR Saut léger pendant lequel le danseur croise ou entrechoque les pieds rapidement et à plusieurs reprises. ▷ Cour. Saut. *Un enfant qui gambade et fait des entrechats.*

entrechoquement n. m. Choc réciproque.

entrechoquer v. tr. [1] Choquer, heurter l'un contre l'autre. ▷ v. pron. *Évitez que les verres ne s'entrechoquent.* – Fig. *Les souvenirs qui s'entrechoquaient dans sa tête.*

entrecôte n. f. Morceau de viande de bœuf coupé dans le train de côtes après désossage. *Une entrecôte grillée.*

entrecouper **1.** v. tr. [1] Couper, interrompre en divers endroits. – Pp. adj. *Un discours entrecoupé d'éclats de rire.* **2.** v. pron. Se couper mutuellement. *Lignes qui s'entrecoupent.*

entrecroisement n. m. Disposition de choses qui s'entrecroisent.

entrecroiser v. tr. [1] Croiser ensemble en divers sens. ▷ v. pron. *Lignes qui s'entrecroisent.*

entrecuisse n. m. Espace entre les cuisses.

entredéchirer (s') v. pron. [1] Litt. Se déchirer l'un l'autre.

entre-deux n. m. inv. **1.** Vx Partie, espace entre deux choses. *Dans l'entre-deux des fenêtres.* ▷ Mod., fig. Solution intermédiaire, terme entre deux extrêmes. *Ils ont réussi à négocier un entre-deux.* **2.** Fig. État ou période intermédiaire. **3.** SPORT Au basket-ball, remise en jeu du ballon par l'arbitre qui le lance verticalement entre deux adversaires. **4.** Console placée entre deux fenêtres. **5.** Bande de dentelle ou de broderie ornant la lingerie.

entre-deux-guerres n. m. inv. Période entre les deux guerres mondiales (1918-1939).

Entre-deux-Mers, région viticole du Bordelais, située entre la Dordogne et la Garonne.

entredévorer (s') v. pron. [1] Se dévorer mutuellement.

entrée n. f. **1.** Action d'entrer. *L'entrée d'une voiture dans un garage.* **2.** Lieu par où l'on entre. *Porte d'entrée. Entrée des artistes,* dans un théâtre. – *Par ext.* Vestibule. *Voulez-vous attendre dans l'entrée ?* ▷ Endroit où l'on entre qqch. *L'entrée d'une serrure.* ▷ (Canada) Partie d'une propriété qui fait le lien entre la rue et la maison, où l'on peut garer sa voiture. *Faire asphalter son entrée.* ▷ Fig. MATH *Tableau à double entrée,* donnant la valeur de chacun des éléments situés à l'intersection d'une ligne et d'une colonne. – Par anal. *Entrées d'un dictionnaire, d'une encyclopédie :* mots distingués typographiquement (caractère gras le plus souvent), qui, placés en tête des articles, leur servent d'adresse. *La liste des entrées d'un dictionnaire constitue sa nomenclature.* ▷ *Entrée d'un fichier informatique.* **3.** Accession d'une personne au sein d'une communauté, d'un corps, d'une collectivité, etc. *L'entrée d'un écrivain à l'Académie.* ▷ Accession à un titre, un rang, une charge. *Entrée en fonction.* **4.** Faculté, possibilité d'entrer. *Entrée interdite au public.* – *Par ext.* Faculté d'être admis. *Avoir ses entrées, ses petites et ses grandes entrées, quelque part* (ou *chez qqn*). **5.** Action de faire entrer, introduction. *L'entrée des marchandises étrangères sur le territoire national.* ▷ INFORM *Entrée/sortie :* transfert d'information entre une mémoire centrale et un périphérique. **6.** Droit d'accès à un spectacle. *Avoir des entrées gratuites pour l'Opéra.* **7.** Commencement d'une chose. *L'entrée de l'hiver.* ▷ Loc. adv. Vieilli *D'entrée.* – Mod. *D'entrée de jeu :* dès le début, d'emblée. ▷ CUIS Mets servi entre les hors-d'œuvre et les rôtis. – Cour. Ce que l'on sert au début du repas. *Prendre des crudités en entrée.*

entrefaites n. f. pl. Loc. *Sur ces entrefaites :* à ce moment-là.

entrefilet n. m. Court article de journal.

entregent [ɑ̃tʀəʒɑ̃] n. m. Manière habile de se conduire, de nouer des relations utiles.

entr'égorger (s') v. pron. [13] S'égorger mutuellement.

entrejambe n. m. **1.** Partie de la culotte ou du pantalon qui se trouve entre les jambes. **2.** TECH Espace compris entre les deux pieds d'un meuble.

entrelacement n. m. État de choses entrelacées.

entrelacer v. tr. [12] Enlacer l'un dans l'autre. ▷ v. pron. *Des branches qui s'entrelacent.*

entrelacs [ɑ̃tʀəlɑ] n. m. Ornement constitué de motifs entrelacés.

entrelarder v. tr. [1] **1.** CUIS Piquer (une viande) de lard. *Entrelarder un filet de bœuf.* **2.** Fig. *Entrelarder un discours de citations.*

entremêlement n. m. Action d'entremêler; état de choses entremêlées.

entremêler v. tr. [1] Mêler plusieurs choses. *Entremêler des fils de laine et de coton.* ▷ v. pron. *Motifs géométriques qui s'entremêlent.*

entremets [ɑ̃tʀəmɛ] n. m. Plat sucré que l'on sert avant le dessert ou qui, le plus souvent, en tient lieu.

entremetteur, euse n. (Surtout au fém.) Péjor. Personne qui sert d'intermédiaire dans une intrigue galante; proxénète.

entremettre (s') v. pron. [60] Intervenir dans une affaire intéressant d'autres personnes que soi afin de faciliter leur rapprochement. *S'entremettre dans une affaire délicate.*

entremise n. f. Action de s'entremettre. – Loc. prép. *Par l'entremise de :* par l'intervention, l'intermédiaire de.

Entremont (val d'), pittoresque vallée suisse (Valais), que domine le Grand-Saint-Bernard.

Entremont (plateau d'), site archéologique proche d'Aix-en-Provence. Anc. cap. des Salyens (IIIᵉ s. av. J.-C.), ruinée par les Romains, qui fondèrent Aix pour la remplacer (123 av. J.-C.).

entre-nœud n. m. BOT Portion de tige comprise entre deux nœuds. *Des entrenœuds.*

entrepont n. m. MAR Intervalle, étage compris entre deux ponts, dans un navire.

entreposage n. m. Action d'entreposer.

entreposer v. tr. [1] Déposer dans un entrepôt. *Entreposer des balles de coton.* – *Par ext.* Mettre en dépôt, déposer. *Entreposer du vin dans une cave.*

entreposeur n. m. Celui qui tient ou garde un entrepôt. ▷ *Spécial.* Agent chargé de garder ou de vendre des marchandises dont le gouvernement a le monopole. *Entreposeur de tabac.*

entrepositaire n. m. DR Celui qui entrepose des marchandises ou les reçoit en dépôt.

entrepôt [ɑ̃tʀəpo] n. m. Lieu, bâtiment où l'on dépose des marchandises. ▷ *Spécial.* Magasin public où des marchandises importées peuvent être déposées sans avoir à acquitter des droits de douane (perçus seulement lors de l'introduction de ces marchandises sur le marché intérieur).

entreprenant, ante adj. Hardi, audacieux dans ses projets. *Un commerçant fort entreprenant.* – *Spécial.* Hardi auprès des femmes. *Un garçon fort entreprenant.*

entreprendre v. tr. [52] **1.** Se décider à faire une chose et s'engager dans son exécution. *Entreprendre des travaux. Entreprendre de faire qqch.* **2.** Chercher à gagner, à séduire qqn. ▷ *Entreprendre qqn sur une question,* l'en entretenir.

entrepreneur, euse n. **1.** Celui qui se charge d'effectuer certains travaux pour autrui, et partic. des travaux de construction. *Un entrepreneur de plomberie, de travaux publics.* **2.** Chef d'entreprise. *Responsabilité dont la charge incombe à l'entrepreneur.*

entrepreneurial, ale, aux adj. Qui concerne l'entreprise, le chef d'entreprise.

entreprise n. f. **1.** Ce que l'on veut entreprendre; mise à exécution d'un projet. *Il faudra du temps pour mener à bien une telle entreprise.* **2.** DR Engagement à faire, à fournir qqch. *Contrat d'entreprise.* ▷ *Donner, mettre à l'entreprise,* en adjudication. **3.** ECON Cour. Unité économique de production à but commercial (biens et services). *Entreprise de transports. Entreprise privée, individuelle. Entreprise publique,* contrôlée par l'État ou les collectivités publiques. **4.** Attaque, action (contre qqn ou qqch). *Une entreprise inadmissible contre la liberté d'association.*

entrer v. [1] **I.** v. intr. **1.** Passer du dehors au dedans (d'un lieu). *Entrer dans une ville. Bateau qui entre dans le port.* ▷ Fam. (Se dit d'un véhicule.) *Entrer dans un arbre,* le percuter. **2.** (Choses) Pénétrer. *Clef qui n'entre pas dans la serrure.* **3.** Commencer à être dans (tel état, telle situation). – *Entrer en religion, en convalescence. Entrer en concurrence avec qqn.* **4.** Commencer à faire partie (d'un groupe, d'une collectivité). *Entrer dans une entreprise, une administration.* – *Entrer en religion, dans les ordres :* embrasser la vie religieuse, le sacerdoce. **5.** Être au commencement de. *Entrer dans l'hiver. Il entre dans sa cinquième année.* **6.** Être employé (dans la composition de). *Les produits qui entrent dans la formule de ce médicament.* – Fig. Être un élément de. *Cela n'entre en rien dans ma détermination.* **7.** Pénétrer par l'esprit; comprendre, partager. *Entrer dans les vues de qqn,* les partager, y adhérer. **II.** v. tr. **1.** Faire entrer (qqch). *Entrer du tabac en contrebande.* **2.** INFORM Introduire (des données) dans un ordinateur; les valider.

Entre Ríos, prov. d'Argentine, située dans la « Mésopotamie argentine », entre les cours inférieurs du Paraná et de l'Uruguay; 78 781 km²; 961 000 hab.; ch.-l. *Paraná.* Cultures et pâturages.

entresol n. m. Étage à plafond bas situé entre le rez-de-chaussée et le premier étage.

entre-temps loc. adv. Pendant ce temps, dans cet intervalle.

entretenir v. tr. [36] **I. 1.** Maintenir en bon état. *Entretenir un jardin.* ▷ Faire durer. *Petites attentions qui entretiennent l'amitié.* – *Entretenir une correspondance avec qqn.* ▷ v. pron. Prendre soin de soi. *Elle s'entretient en bonne santé.* **2.** Fournir de quoi subsister à, subvenir aux dépenses de. *Entretenir ses enfants.* – Spécial. *Entretenir une femme* (dont on est l'amant). **II.** *Entretenir qqn de,* avoir avec lui une conversation sur. ▷ v. pron. *Elle s'est entretenue de cette question avec moi.*

entretenu, ue adj. **1.** Maintenu dans tel état. *Maison bien, mal entretenue.* – *Absol.* Bien entretenu. *Jardin entretenu.* **2.** Maintenu dans le même état. – PHYS *Ondes entretenues,* que l'on soumet à des impulsions de même fréquence pour qu'elles conservent leur amplitude. **3.** Aux dépenses de qui qqn subvient. *Il est entretenu par sa famille. Femme entretenue* (par un amant).

entretien n. m. **I. 1.** Action de maintenir en bon état; dépense qu'exige cette conservation. *L'entretien d'un bâtiment.* **2.** Ce qui est nécessaire à la subsistance, à l'habillement. *Dépenses d'entretien.* **II.** Conversation, entrevue. *J'ai eu un entretien avec le directeur.*

entretoise n. f. TECH Pièce (d'une charpente, d'un meuble, etc.) qui relie deux autres pièces en les maintenant écartées l'une de l'autre.

entretuer (s') v. pron. [1] Se tuer l'un l'autre, les uns les autres.

entrevoir v. tr. [46] 1. Voir imparfaitement, en passant. ▷ v. pron. *Nous nous sommes entrevus une fois*, rencontrés fugitivement une fois. 2. Fig. Concevoir, prévoir de manière imprécise. *Entrevoir des difficultés.*

entrevue n. f. Rencontre concertée entre personnes qui doivent se parler, s'entretenir. *Entrevue diplomatique.* Syn. entretien.

entrisme n. m. Pratique politique consistant à introduire dans un groupe (parti, syndicat) de nouveaux militants en vue de modifier la ligne d'action.

entriste adj. et n. De l'entrisme, qui pratique l'entrisme.

entropie n. f. PHYS Grandeur thermodynamique S, fonction d'état d'un système, qui caractérise l'état de désordre de celui-ci. (S ne peut pas diminuer au cours d'une transformation d'un système qui n'échange pas de travail avec l'extérieur.)

entropion n. m. MED Renversement du bord de la paupière vers le globe oculaire.

entrouvrir v. tr. [32] Ouvrir à demi, un peu. *Entrouvrir la porte.* – Pp. adj. *Fenêtre entrouverte.* ▷ v. pron. *Ses yeux se sont entrouverts.*

entuber v. tr. [1] Fam. Voler, tromper, duper.

enturbanné, ée adj. Qui est coiffé d'un turban.

énucléation n. f. 1. CHIR Ablation totale de l'œil. 2. BIOL Fait d'enlever le noyau d'une cellule, d'un ovocyte.

énucléer v. tr. [11] Pratiquer l'énucléation de.

Enugu, v. du Nigeria ; 187 000 hab. ; cap. d'État (*Anambra*). À proximité, mines de charbon et de fer ; fonderie, aciérie, cimenterie.

énumératif, ive adj. Qui énumère.

énumération n. f. Action d'énumérer. ▷ Liste de ce qu'on énumère.

énumérer v. tr. [14] Énoncer un à un les éléments d'un ensemble. *Énumérer les affluents de la Seine.* Syn. dénombrer, détailler.

énurésie n. f. MED Incontinence d'urine, le plus souvent nocturne.

énurétique adj. et n. MED Qui souffre d'énurésie.

envahir v. tr. [3] 1. Entrer de force dans (un territoire). *Envahir une province.* 2. *Par ext.* Occuper entièrement, remplir. *Les eaux ont envahi les prés.* – Pp. adj. *Chambre envahie par le désordre.* ▷ Fig. *La crainte envahit son esprit.*

envahissant, ante adj. Qui envahit ; indiscret, importun. *Une personne envahissante.*

envahissement n. m. Action, fait d'envahir ; état d'une région envahie. – Fig. *L'envahissement de nos villes par l'automobile.*

envahisseur, euse n. et adj. Personne qui envahit. – adj. *Les troupes envahisseuses.*

Envalira (col ou port d'), col pyrénéen (2 407 m) qui permet d'accéder à Andorre.

envasement n. m. Fait de s'envaser. ▷ État de ce qui est envasé.

envaser v. tr. [1] Remplir de vase. ▷ v. pron. *La baie s'envase.*

enveloppant, ante adj. 1. Qui enveloppe. *Surface enveloppante.* 2. Fig. Qui cherche à séduire, à captiver. *Des manières enveloppantes.*

enveloppe n. f. 1. Ce qui sert à envelopper. ▷ ANAT Membrane qui engaine certains organes. ▷ MATH Courbe ou surface fixe à laquelle une courbe ou une surface mobile reste toujours tangente. ▷ TECH Pièce qui contient et protège une autre pièce. *Enveloppe de pneumatique.* 2. Fig. Forme extérieure, apparence. *De la bonté sous une enveloppe rude.* 3. Pochette de papier dans laquelle on place une lettre, un document, pour l'expédier. *Enveloppe timbrée.* ▷ Fig. *Recevoir une enveloppe*, un pot-de-vin. 4. Montant global maximal affecté à un poste budgétaire, à un financement.

enveloppé, ée n. m. et adj. 1. n. m. CHOREGR Rotation du corps vers le dedans sur l'une des jambes servant de pivot, l'autre jambe dessinant un mouvement enveloppant autour de la première. 2. adj. Fig. Qui a un peu d'embonpoint.

enveloppement n. m. Action d'envelopper ; état de ce qui est enveloppé.

envelopper v. tr. [1] 1. Entourer, emballer au moyen d'un objet souple et mince. *Envelopper un objet dans du papier.* 2. Environner, entourer, encercler. *Les blindés ennemis enveloppèrent notre aile gauche.* 3. Comprendre, inclure. *Envelopper qqn dans une accusation.* 4. Litt. Déguiser, dissimuler. *Envelopper sa pensée.*

envenimement n. m. Rare Action d'envenimer ; fait de s'envenimer.

envenimer v. tr. [1] 1. Infecter (une blessure, une plaie). 2. Fig. Aviver, rendre virulent. *Envenimer un conflit.* ▷ v. pron. *La discussion s'est envenimée.*

enverguer v. tr. [1] MAR Gréer (une voile) sur un espar (vergue, bôme ou mât). Ant. déverguer.

envergure n. f. 1. MAR Largeur d'une voile fixée sur la vergue. 2. Distance entre les deux extrémités des ailes déployées d'un oiseau. *Le condor atteint 4 m d'envergure.* ▷ Par ext. *Envergure d'un avion, d'un planeur.* 3. Fig. Valeur, capacité. *Un homme sans envergure.* – *D'envergure* : de grande ampleur. *Un projet d'envergure.*

Enver pacha (Istanbul, 1881 – près de Douchanbe, Turkestan russe, 1922), général et homme politique turc ; un des chefs du comité Union et Progrès qui dirigea le mouvement des Jeunes-Turcs. Ministre de la Guerre en 1914, il engagea la Turquie au côté de l'Allemagne. Après la défaite, il se réfugia dans le Caucase et se rapprocha des bolcheviks ; finalement, il rejoignit les musulmans anticommunistes et périt dans leurs rangs.

1. envers [ɑ̃vɛʀ] prép. 1. Vx En face de. ▷ Mod. *Envers et contre tous* : malgré l'opposition de tous. 2. Mod. À l'égard de. *Il a été très honnête envers moi.*

Friedrich **Engels**

Enver pacha

2. envers [ɑ̃vɛʀ] n. m. 1. Côté opposé à l'endroit. *L'envers d'une feuille de papier.* ▷ Fig. *L'envers du décor* : ce que cachent des apparences flatteuses. 2. Loc. adv. *À l'envers* : dans le sens contraire, inverse du sens normal. *Mettre un vêtement à l'envers.* ▷ En désordre, de travers. *Il fait tout à l'envers.*

envi (à l') loc. adv. À qui mieux mieux. *Ils s'appliquent à l'envi.*

enviable adj. Digne d'être convoité.

envie n. f. 1. Sentiment de frustration, d'irritation jalouse que suscite la possession par autrui d'un bien, d'un avantage dont on est soi-même dépourvu. *Succès qui déchaîne l'envie.* 2. Désir. *Avoir envie de voyager.* ▷ *Faire envie à* : être l'objet du désir de (qqn). *Ce bijou me fait envie.* 3. Besoin organique. *Envie de dormir, de boire.* 4. Cour. Tache congénitale sur la peau. Syn. nævus. 5. Cour. Pellicule qui se détache de l'épiderme autour de l'ongle.

envié, ée adj. Recherché, convoité. *Une place enviée.*

envier v. tr. [2] 1. *Envier qqn*, regretter de n'être pas à sa place, ou de ne pas posséder un bien, un avantage dont il jouit. 2. *Envier qqch à qqn* : désirer qqch qu'il possède. *On vous envie votre réussite.* ▷ *N'avoir rien à envier à* : n'être en rien inférieur à.

envieux, euse adj. Qui éprouve, dénote un sentiment d'envie (sens 1). ▷ Subst. *Les envieux.*

environ adv. et n. m. 1. adv. À peu près, approximativement. *Il y a environ deux heures.* 2. n. m. *Les environs* : les lieux d'alentour. *Paris et ses environs.* ▷ Loc. prép. *Aux environs de* : non loin de.

environnant, ante adj. Qui est dans les environs.

environnement n. m. 1. Ensemble des éléments constitutifs du milieu d'un être vivant. Syn. milieu. 2. Ensemble des éléments constitutifs du paysage naturel ou du paysage artificiellement créé par l'homme. 3. *Par ext.* Cadre, contexte, circonstances de qqch. *L'environnement politique, éconmique.* 4. INFORM Ensemble des moyens matériels et logiciels à la disposition de l'utilisateur d'un ordinateur. 5. Bx-A Syn. de *installation.*

environnemental, ale, aux adj. Didac. Relatif à l'environnement.

environnementalisme n. m. Défense de l'environnement.

environnementaliste n. et adj. 1. n. Défenseur de l'environnement. 2. adj. De l'environnementalisme.

environner v. tr. [1] Entourer, être aux environs de. *Les forêts qui environnent le château.* ▷ Fig. *Les courtisans qui environnaient le roi.*

envisageable adj. Qui peut être envisagé.

envisager v. tr. [13] 1. Examiner, prendre en considération. *Envisager les avantages d'une situation.* 2. *Envisager de* : avoir l'intention de, projeter de. *Il envisage de se marier.*

envoi n. m. 1. Action d'envoyer. *Envoi d'un paquet par la poste.* 2. *Par ext.* Ce qui est envoyé. *Réception d'un envoi.* 3. LITTER Dernière strophe d'une ballade. 4. SPORT *Coup d'envoi* : au football, premier coup de pied dans le ballon, marquant le début de la partie. 5. DR *Envoi en possession* : autorisation d'entrer en possession des biens d'un absent.

envol n. m. Action de s'envoler. *Piste d'envol d'un aéroport.*

envolée n. f. **1.** Envol. **2.** Fig. Mouvement lyrique ou oratoire plein d'élan. *Les envolées de Lamartine.*

envoler (s') v. pron. [1] **1.** Quitter le sol en s'élevant dans les airs par le vol. *L'oiseau, l'avion s'envolent.* **2.** *Par ext.* Être soulevé par le vent. *Les papiers s'envolent.* **3.** Fig., fam. S'enfuir. *Le prisonnier s'est envolé.* ▷ Fam. Disparaître. *Son argent s'est envolé.*

envoûtant, ante adj. Qui charme, séduit, subjugue.

envoûtement n. m. **1.** Pratique de magie par laquelle on cherche à exercer une action (en général maléfique) sur une personne en agissant sur une figurine qui la représente. **2.** Fig. Charme puissant et mystérieux. *L'envoûtement qu'exerce cette musique.* Syn. enchantement, fascination, séduction.

envoûter v. tr. [1] **1.** Pratiquer un envoûtement sur (qqn). **2.** Fig. Charmer comme par un effet magique, subjuguer. *Cette femme l'a envoûté.*

envoûteur, euse n. Personne qui pratique des envoûtements (sens 1).

envoyé, ée adj. et n. **1.** adj. Qui a été envoyé. **2.** n. Personne envoyée avec une mission, et partic. une mission diplomatique; messager. ▷ *Envoyé spécial :* journaliste que l'on envoie spécialement sur le lieu d'un événement pour en rendre compte.

envoyer v. [24] **I.** v. tr. **1.** Faire partir (qqn) pour une destination. *Envoyer un coursier porter un pli. Envoyer qqn en prison.* ▷ Loc. fam. *Envoyer promener (qqn) :* repousser, renvoyer (qqn) sans ménagements. ▷ v. pron. Vulg. *S'envoyer en l'air*.* **2.** Adresser, expédier. *Envoyer une carte postale à un ami.* **3.** Lancer, jeter. *Envoyer des pierres.* **II.** v. pron. Fam. S'offrir, ingérer. *S'envoyer un apéritif.*

envoyeur, euse n. (Rare au fém.) Personne qui fait un envoi, expéditeur. *Retour à l'envoyeur.*

Enz (l'), riv. d'Allemagne (100 km); naît en Forêt-Noire, se jette dans le Neckar (r. g.).

Enzensberger (Hans Magnus) (Kaufbeuren, 1929), écrivain allemand. Un des porte-parole des mouvements de contestation de l'Allemagne du «miracle économique», il est l'auteur d'une œuvre multiforme, poétique, critique et polémique (*Culture ou mise en condition ?,* 1963).

Enzio ou **Enzo** (?, v. 1220 - Bologne, 1272), roi de Sardaigne; fils naturel de l'empereur Frédéric II. Il vainquit les guelfes (opposés à l'empereur) à Montecristo en 1241, mais l'Italie s'unit contre Frédéric II et Enzio, battu à Fossalta (1249), fut emmené à Bologne. Captif, mais somptueusement traité, il y passa le reste de sa vie, écrivant des poèmes en langue populaire (école sicilienne).

enzymatique adj. BIOCHIM D'une enzyme.

enzyme n. f. BIOCHIM Biocatalyseur protéique qui active une réaction biochimique spécifique.

ENCYCL Les enzymes se caractérisent par leur très haute activité : une molécule de catalase, par ex., est capable de décomposer 100 000 molécules d'eau oxygénée en une seconde. Chaque enzyme est spécifique d'un substrat. Les réactions enzymatiques peuvent être classées en deux groupes : 1. Les réactions de dissociation de liaisons décomposent les grosses molécules organiques non assimilables par l'organisme en leurs molécules constitutives élémentaires; 2. Les réactions de synthèse, intracellulaires, reconstituent, à partir des molécules élémentaires, les macromolécules (protéines, par ex.) dont la cellule a besoin. La biosynthèse des enzymes est génétiquement contrôlée. Certaines enzymes, dites *constitutives,* existent dans les cellules à un taux constant; d'autres, les enzymes *adaptatives,* font l'objet d'une synthèse induite par leur substrat. Les anomalies enzymatiques *(enzymopathies),* quantitatives ou qualitatives, sont déterminées par des mutations génétiques. On distingue six principales classes d'enzymes : oxydoréductases, transférases, hydrolases, isomérases, lyases, ligases. Chaque classe comprend des milliers d'enzymes.

enzymologie n. f. Didac. Étude des enzymes.

enzymopathie n. f. MED Ensemble de dérèglements provoqués par l'absence ou le dysfonctionnement d'une ou de plusieurs enzymes indispensables pour qu'un processus métabolique aboutisse à son terme.

éocène n. m. (et adj.) GEOL Étage le plus ancien (− 65 à − 45 millions d'années) du tertiaire (avec le paléocène), où apparurent les divers types de mammifères. ▷ adj. *Fossile éocène.*

Éole, dans la myth. gr., dieu des Vents.

Éolie ou **Éolide,** anc. contrée de l'Asie Mineure, au N. de l'Ionie. (V. Éoliens.)

éolien, enne adj. et n. f. **1.** adj. Du vent, relatif au vent. *Érosion éolienne.* – Actionné par le vent. *Pompe éolienne.* **2.** n. f. Machine qui utilise la force motrice du vent.

champ d'**éoliennes**

Éoliennes ou **Lipari** (îles), archipel italien de la mer Tyrrhénienne, situé au N.-E. de la Sicile, formé de sept îles volcaniques, dont Stromboli, Vulcano et Lipari; 115 km²; 12 000 hab. Rattaché à la prov. de Messine.

Éoliens, une des principales familles de peuples de la Grèce anc. : l'invasion des Doriens les fit émigrer de Thessalie vers la Grèce centr. et la côte N.-O. de l'Asie Mineure (pays appelé, depuis, *Éolie*).

éolithe n. m. MINER, ANTHROP Petit fragment de roche naturellement érodé, et qui peut être confondu avec une pierre façonnée par l'homme.

éon n. m. PHILO Chacun des esprits émanés de Dieu et servant d'intermédiaire entre celui-ci et le monde, chez les gnostiques.

Éon (Charles de Beaumont, chevalier d') (Tonnerre, 1728 - Londres, 1810), espion de Louis XV. Célèbre pour l'équivoque à propos de la nature de son sexe; en habit de femme pendant une grande partie de sa vie, il effectua plusieurs missions diplomatiques en Russie et en Angleterre.

éosine n. f. TECH Matière colorante rouge tirée de la fluorescéine, utilisée en histologie.

éosinophile adj. et n. m. PHYSIOL Qui a une grande affinité pour l'éosine. *Leucocytes polynucléaires éosinophiles* ou, n. m., *les éosinophiles :* leucocytes particuliers, facilement colorés par l'éosine.

Éoué(s). V. Éwé(s).

épacte n. f. Didac. Âge de la Lune à la veille du premier janvier, variant entre 0 (si la lune est pleine) et 29. *L'épacte sert à déterminer la date des fêtes mobiles dans le comput ecclésiastique.*

épagneul, eule n. (et adj.) Chien d'arrêt au poil long et ondulé, aux oreilles pendantes, dont il existe plusieurs races. *Les cockers, les setters sont des épagneuls.* ▷ adj. *Un chien épagneul.*
▶ pl. **chiens**

épais, aisse adj. (et adv.) **1.** Qui a telle épaisseur. *Rempart épais de deux mètres.* ▷ *Absol.* Dont l'épaisseur est grande. *Du drap épais.* **2.** Gros, massif. *Avoir la taille épaisse.* **3.** Consistant, pâteux. *Sirop épais.* **4.** Serré, dense. *Herbe épaisse. Chevelure épaisse.* ▷ Opaque. *Brume, obscurité épaisse.* **5.** Fig. Obtus, lourd. *Intelligence épaisse.* **6.** adv. De manière serrée, dense. *Il a neigé épais.*

épaisseur n. f. **1.** Une des trois dimensions d'un corps (opposé à *longueur* et *largeur,* à *hauteur* et *profondeur*). *L'épaisseur d'un mur.* **2.** Caractère de ce qui est épais. *L'épaisseur d'une chevelure, des ténèbres.*

épaissir v. [3] **1.** v. tr. Rendre plus épais. *Épaissir un sirop.* **2.** v. intr. et pron. Devenir plus épais. *Sa taille a épaissi. L'ombre s'est épaissie.*

épaississant, ante adj. et n. m. Qui épaissit. ▷ n. m. *Une crème rendue plus onctueuse par un épaississant.*

épaississement n. m. Fait de s'épaissir.

épaississeur n. m. TECH Appareil qui sert à concentrer une solution.

Épaminondas (Thèbes, v. 418 - Mantinée, 362 av. J.-C.), général et homme politique béotien. Il vainquit les Spartiates à Leuctres (371) et à Mantinée (362), où il fut mortellement blessé. Il avait établi quelque temps, grâce à la valeur de son armée et à ses alliances, l'hégémonie de Thèbes sur la Grèce.

épamprer v. tr. [1] VITIC Ôter les pampres inutiles de la vigne.

épanchement n. m. **1.** Vx Écoulement. ▷ Mod. MED Présence anormale de gaz ou de liquide dans une région du corps. *Épanchement de synovie.* **2.** Fig Effusion de sentiments. *Les épanchements de l'amitié.*

le chevalier d'**Éon**

Épictète

épancher v. [1] **I.** v. tr. **1.** Vx Verser. ▷ Mod., fig. *Épancher sa bile* : exhaler sa colère. **2.** Exprimer librement. *Épancher ses sentiments.* **II.** v. pron. **1.** Vx Se déverser. ▷ Mod. MED Former un épanchement. **2.** Fig. Parler librement en confiant ses sentiments.

épandage n. m. AGRIC Action d'épandre les engrais, le fumier, etc. ▷ *Champs d'épandage* : terrains sur lesquels les eaux d'égout s'épurent tout en fertilisant le sol. ▷ GEOL *Nappe* ou *zone d'épandage* : zone où se déposent et s'étalent des sédiments.

épandeur n. m. AGRIC Machine servant à épandre les engrais, le fumier, etc.

épandeuse n. f. TRAV PUBL Engin servant à répartir sur le sol des matériaux liquides ou pâteux.

épandre v. tr. [6] Jeter çà et là, éparpiller. *Épandre du fumier.*

épanouir v. [3] **I.** v. tr. **1.** Faire ouvrir (une fleur). *Le soleil a épanoui les tulipes.* **2.** Fig. Rendre heureux, joyeux. *Le bonheur épanouit son visage.* **II.** v. pron. **1.** S'ouvrir, déployer ses pétales (en parlant de fleurs). **2.** Fig. Atteindre à sa plénitude. *Les arts s'épanouirent sous le règne de Louis XIV.*

épanouissement n. m. Action de s'épanouir, état de ce qui est épanoui. *L'épanouissement des fleurs, de la beauté.*

épar ou **épart** [epaʀ] n. m. TECH **1.** Traverse servant à maintenir l'écartement entre deux pièces. **2.** Barre servant à consolider, à fermer une porte.

éparchie n. f. **1.** HIST Division territoriale de l'Empire byzantin. **2.** Mod. Division administrative, en Grèce.

Éparges (Les), com. de la Meuse (arr. de Verdun); 57 hab. – Durs combats en 1914 et 1915.

épargnant, ante n. Personne qui s'est constitué un capital par l'épargne. *Les petits épargnants.*

épargne n. f. **1.** Action d'épargner (de l'argent); somme épargnée. *Encourager l'épargne.* ▷ *Caisses d'épargne* : établissements publics qui reçoivent les dépôts des épargnants, à qui sont versés des intérêts. ▷ *Épargne logement,* permettant une capitalisation en vue de l'acquisition d'une résidence principale et l'obtention à des taux préférentiels de crédits concernant ce projet. **2.** FIN Fraction d'un revenu qui n'est pas affectée à la consommation immédiate. **3.** TECH *Taille d'épargne* : taille, manière de graver dans laquelle les parties de la planche destinées à prendre l'encre sont *épargnées,* c.-à-d. laissées en relief.

épargner v. tr. [1] **I. 1.** Faire grâce à. *Épargner les vaincus.* ▷ Fig. *Ses critiques n'épargnent personne.* **2.** Ne pas endommager, ne pas détruire. *La guerre a épargné ce village.* **3.** Éviter de heurter. *Épargner la susceptibilité de qqn.* **II. 1.** Mettre de côté. *Il a épargné vingt mille francs.* ▷ Absol. *Épargner sur la nourriture.* **2.** (En général à la forme négative.) Employer avec modération. *L'architecte n'a pas épargné le marbre.* ▷ Fig. *Épargner sa peine, son temps.* **III.** *Épargner une chose à qqn,* lui permettre de l'éviter, de ne pas la subir. *Je veux vous épargner ce dérangement.*

éparpillement n. m. Action d'éparpiller; état de ce qui est éparpillé.

éparpiller v. tr. [1] Disperser, disséminer. *Éparpiller de la cendre.* – Fig. *Éparpiller ses idées.* ▷ v. pron. Avoir trop d'occupations différentes, passer sans cesse de l'une à l'autre.

éparque n. m. HIST Gouverneur d'une éparchie.

épars, arse adj. Dispersé. *Maisons éparses dans la campagne.* ▷ *Cheveux épars,* flottants, en désordre.

épart. V. épar.

épatant, ante adj. Fam. Remarquable, excellent.

épate n. f. Fam. *Faire de l'épate* : chercher à étonner.

épaté, ée adj. **1.** *Nez épaté,* large et court. **2.** Fam. Étonné.

épatement n. m. Forme d'un nez large et court.

épater v. tr. [1] **1.** Vieilli Élargir à la base. **2.** Fig., fam. Étonner, impressionner. – Loc. *Épater la galerie. Épater le bourgeois.* ▷ v. pron. S'étonner.

épaulard n. m. Orque (mammifère marin).

épaule n. f. **1.** Masse musculaire et partie du squelette assurant la liaison du membre supérieur avec le corps. *Articulation de l'épaule,* qui joint l'humérus à la ceinture scapulaire. ▷ Loc. *Avoir les épaules tombantes.* – *Hausser, lever les épaules,* en signe de dédain. – *Par-dessus l'épaule* : avec dédain, avec négligence. – *Donner un coup d'épaule à qqn,* l'aider. – *Avoir la tête sur les épaules* : être bien équilibré. **2.** (Animaux) Partie supérieure de chaque membre.

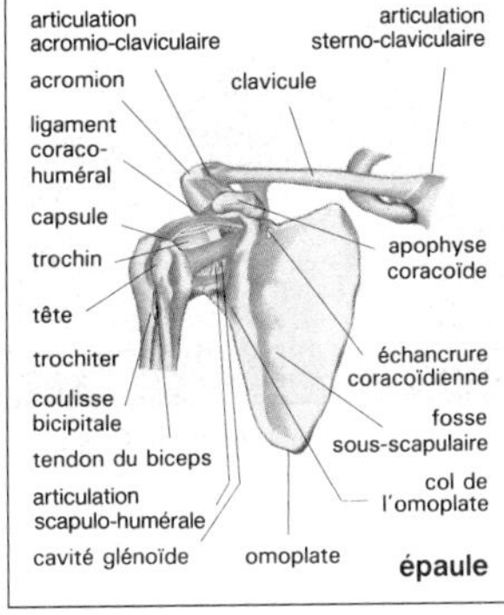

épaule

épaulé n. m. SPORT Mouvement dans lequel l'haltère est amené, en un seul temps, du sol à la hauteur des épaules. (Dans l'*épaulé-jeté,* il est amené, dans un deuxième temps, au-dessus de la tête.)

épaulement n. m. **1.** CONSTR Mur de soutènement. **2.** MILIT Rempart de protection fait de terre, de sacs de sable, etc. **3.** Relief formé par une pente raide qui aboutit à un replat, lui-même dominé par une pente. *Épaulement au flanc d'une vallée glaciaire.* **4.** TECH Saillie servant d'arrêt, de butée. ▷ Côté le plus large d'un tenon.

épauler v. tr. [1] **1.** Aider, soutenir. *Il a été épaulé efficacement par ses relations.* ▷ v. pron. *Entre amis, ils se sont épaulés.* **2.** Appuyer (une arme) contre son épaule pour viser, tirer. *Épauler un fusil.* ▷ Absol. *Épauler et tirer.* **3.** CONSTR Soutenir par un épaulement.

épaulette n. f. **1.** Bande rigide, garnie parfois de franges, qui orne les épaules de certains uniformes militaires (autref. insigne du grade d'officier). **2.** Bande étroite qui passe sur l'épaule pour soutenir certains vêtements féminins. *Épaulettes d'une robe d'été.* **3.** Rembourrage qui donne leur forme aux épaules d'un vêtement (veste, manteau, etc.).

épave n. f. **1.** DR Objet ou animal perdu sur la voie publique. **2.** Objet, débris provenant d'un navire naufragé. ▷ Navire désemparé, abandonné par l'équipage mais qui flotte encore. ▷ Navire coulé. *Le cargo a heurté une épave.* ▷ *Par ext.* Véhicule automobile hors d'usage. **3.** n. f. pl. Débris, restes. *Les épaves de sa fortune.* **4.** Fig. Personne déchue et misérable. *L'alcool a fait de lui une épave.*

épaviste n. m. Garagiste qui fait commerce des épaves et des pièces détachées.

épée n. f. **1.** Arme blanche constituée par une lame longue et droite, pointue, généralement tranchante, munie d'une poignée et d'une garde. ▷ Loc. *Passer au fil de l'épée* : tuer en masse avec une épée, massacrer. ▷ Loc. fig. *Mettre à qqn l'épée dans les reins,* le faire agir sous la menace ou en le harcelant. – *Épée de Damoclès** – *Un coup* d'épée dans l'eau.* **2.** Anc. Métier des armes. *Gens d'épée et gens d'Église.* **3.** Arme à lame triangulaire utilisée en escrime. *Tirer à l'épée.* – Sport pratiqué avec cette arme. ► illustr. **escrime**

Épée (Charles Michel, abbé de l') (Versailles, 1712 – Paris, 1789), ecclésiastique français. Il s'intéressa à l'éducation des sourds-muets, pour lesquels il fonda la première école française spécialisée.

épeiche [epɛʃ] n. f. Pic d'Europe *(Dendrocopos major),* noir et blanc, long de 22 cm.

épeichette n. m. ou f. Le plus petit (14 cm) pic vivant en Europe *(Dendrocopos minor),* noir et blanc, à calotte rouge.

épeire [epɛʀ] n. f. Araignée (genre *Epeira,* nombr. espèces), dont la toile est constituée de rayons et de spirales anguleuses. *Épeire diadème,* au dos marqué d'une croix blanche, longue de 10 à 15 mm (fréquente en France). ► illustr. **araignées**

épéiste n. SPORT Escrimeur, escrimeuse à l'épée.

épeler v. tr. [19] *Épeler un mot, un nom,* énoncer une à une, dans l'ordre, les lettres qui le composent.

épendyme n. m. ANAT Membrane qui tapisse les parois des ventricules cérébraux et celles du canal de la moelle épinière.

épépiner v. tr. [1] *Épépiner un fruit,* en ôter les pépins.

éperdu, ue adj. **1.** En proie à une émotion profonde. *Éperdu de douleur.* **2.** Vif, intense, violent. *Un désir éperdu de liberté.*

éperdument adv. D'une manière éperdue.

éperlan n. m. Poisson comestible des mers européennes (*Osmerus eperlanus,* fam. salmonidés), long de 25 cm, qui pond à l'embouchure des fleuves.

Épernay, ch.-l. d'arr. de la Marne, sur la Marne; 27 738 hab. (*Sparnaciens*). Princ. centre des vins de Champagne; industries annexes (bouchons, cartonnage); industries mécaniques.

Épernon, com. d'Eure-et-Loir (arr. de Chartres); 5 119 hab. Industr. du plastique, pharm. – Égl. (XVe-XVIe s.). Celliers du XIIIe s.

Épernon (Jean-Louis de Nogaret de La Valette, duc d') (château de Caumont, 1554 - Loches, 1642), favori d'Henri III; colonel général de l'infanterie française (1587). En 1610, Marie de Médicis lui dut la régence, mais lui préféra Concini. – **Bernard de Nogaret de la Valette de Foix,** duc d'Épernon (Angoulême, 1592 - Paris, 1661), fils du préc.; il succéda à son père à la tête de l'infanterie. Condamné à mort par Richelieu (1639) après ses échecs militaires, il s'exila en Angleterre jusqu'à la mort de Louis XIII.

éperon n. m. **1.** Pièce de métal fixée au talon du cavalier et qui sert à piquer les flancs du cheval pour l'exciter. **2.** MAR ANC Élément saillant de la proue de certains navires de guerre, avec lequel on heurtait la coque d'un navire ennemi pour la défoncer. **3.** Relief abrupt en pointe. *Éperon rocheux.* **4.** TRAV PUBL, ARCHI Ouvrage en saillie (en partic. à la base d'une pile de pont, pour briser le courant). ▷ MILIT Redan saillant (dans une fortification). **5.** BOT Prolongement, en cornet très fin, des pétales de certaines fleurs (ancolie, impatience, par ex.). **6.** Ergot du coq et du chien.

éperon de cavalier fleurdelisé, musée du Cheval, château de Saumur

éperonner v. tr. [1] **1.** Piquer (un cheval) avec les éperons pour l'exciter. *Éperonner sa monture.* ▷ Fig. Inciter vivement à agir. *Le désir de vengeance l'éperonnait.* Syn. aiguillonner, exciter, stimuler. **2.** Anc. Aborder (un navire ennemi) en défonçant sa coque avec un éperon. – *Par ext.*, mod. Aborder (un autre navire) en défonçant sa coque avec sa propre étrave. *Cargo qui éperonne un pétrolier.*

épervier n. m. **1.** Oiseau falconiforme dont une espèce européenne *(Accipiter nisus)*, longue d'environ 30 cm, a les ailes courtes, une longue queue et une poitrine rayée. **2.** Filet de pêche conique, lesté de plombs, qu'on lance à la main.

épervière n. f. Plante herbacée (fam. composées). *La piloselle est une épervière des prés à fleurs jaunes.*

éphèbe n. m. **1.** ANTIQ GR Jeune homme qui a atteint l'âge de la puberté. **2.** Iron. ou plaisant Jeune homme d'une grande beauté.

éphédra n. m. BOT Arbuste (genre *Ephedra*) fréquent sur les plages et les terrains secs méditerranéens, dont les rameaux sont chlorophylliens, mais dépourvus de feuilles.

épervier d'Europe

éphélide n. f. MED Syn. de *tache de rousseur**.

éphémère adj. et n. m. **I.** adj. **1.** Qui ne dure qu'un jour. *Insecte éphémère.* **2.** *Par ext.* Qui dure peu. *Amour, succès éphémère.* Syn. bref, passager. **II.** n. m. Insecte aux deux paires d'ailes membraneuses très délicates, et dont l'abdomen est prolongé par des appendices filiformes. (Les adultes vivent de un à deux jours; ils sont très fréquents au bord des eaux douces et calmes, dans lesquelles les larves se développent très lentement.) ▸ illustr. **branchies**

éphéméride n. f. **1.** Recueil d'événements remarquables arrivés le même jour de l'année à différentes époques. **2.** Calendrier dont on enlève chaque jour une feuille. **3.** (Plur.) Tables donnant la position des astres à une heure et en un lieu déterminés.

Éphèse, anc. v. d'Asie Mineure, sur la mer Égée (près de l'actuel village turc de Selçuk), célèbre par son temple d'Artémis, une des Sept Merveilles du monde, que brûla Érostrate en 356 av. J.-C. (reconstruit, il fut détruit par les Scythes puis servit de marbrière aux Byzantins). – En 54, l'apôtre Paul y fonda l'*Église d'Éphèse.* Saint Jean y a son tombeau, et, selon la tradition, la Vierge y serait morte. La ville fut le siège du IIIe concile œcuménique (431), qui déposa Nestorius et condamna ses thèses.

Éphèse : la bibliothèque de Celsus

éphésien, enne adj. et n. D'Éphèse. – *Lettres éphésiennes,* inscriptions sur la statue d'Artémis, à Éphèse; *par ext.* lettres magiques. ▷ Subst. Habitant ou personne originaire d'Éphèse. *L'Épître de Paul aux Éphésiens est l'un des textes majeurs du Nouveau Testament.*

Éphialtès (Athènes, v. 495 - id., v. 461 av. J.-C.), homme politique athénien. Il précéda Périclès à la tête du parti démocratique. Il fut assassiné par ses ennemis politiques.

éphod n. m. Ornement du culte (pagne, écharpe, tunique suivant les époques) porté par les prêtres hébreux.

éphore n. m. ANTIQ GR Chacun des cinq magistrats de Sparte élus annuellement pour exercer un contrôle absolu sur le roi et le sénat.

Éphraïm, personnage biblique, second fils de Joseph. Il donna son nom à une des tribus d'Israël.

Éphrem (saint) (Nisibis, auj. Nusaybin, Turquie, v. 306 - Édesse, 373), docteur de l'Église et écrivain syriaque; auteur d'hymnes et des *Commentaires bibliques.*

Ephrussi (Boris) (Moscou, 1901 - Gif-sur-Yvette, 1979), généticien français d'origine russe, un des fondateurs de la génétique moléculaire.

épi-. Préf., du gr. *epi,* «sur, dessus, à la surface de», et, au fig., «en plus de, à la suite de».

épi n. m. **1.** Inflorescence compacte dans laquelle les fleurs ou les graines sont insérées directement sur l'axe. *Les graminées (blé, notam.) ont un épi d'épillets.* **2.** *Par anal.* Mèche rebelle de cheveux formant une touffe. **3.** ARCHI Assemblage de chevrons autour d'un comble pyramidal. **4.** Ouvrage, généralement en pieux, disposé presque perpendiculairement à un courant pour retenir les matériaux et stabiliser une berge ou une côte. **5.** *En épi :* selon une diagonale, ou une perpendiculaire. *Voitures garées en épi.*

Épi (l') ou **Spica,** système double d'étoiles de la Vierge dont la composante principale est une étoile bleue (magnitude visuelle apparente du système 1,0).

épiage n. m. ou **épiaison** n. f. BOT Formation de l'épi; époque à laquelle l'épi se forme.

épicanthis [epikɑ̃tis] ou **épicanthus** [epikɑ̃tys] n. f. ANAT Repli de la peau au-devant de l'angle interne de l'œil.

épicarde n. m. ANAT Feuillet viscéral du péricarde.

épicarpe n. m. BOT Feuillet le plus externe du péricarpe. *La «peau» de la pomme, de la prune, de la tomate est un épicarpe.*

épice n. f. **I.** Substance aromatique ou piquante d'origine végétale utilisée pour assaisonner les mets. *La cannelle, le clou de girofle sont des épices.* ▷ *Pain d'épice(s) :* gâteau sucré au miel et parfumé de diverses épices. **II.** Plur. Vx **1.** Confitures, dragées orientales. **2.** Cadeaux en nature (épices, à l'origine) que les plaideurs offraient aux juges pour se concilier leur bienveillance, sous l'Ancien Régime.

épicéa n. m. Conifère, le plus courant des forêts françaises, qui doit être différencié des vrais sapins. (Il peut atteindre 50 m de haut et fournit un bois blanc très apprécié en menuiserie.) Syn. cour. sapin de Noël. ▸ illustr. **conifères**

épicène adj. GRAM **1.** Se dit d'un nom qui désigne indifféremment l'un ou l'autre sexe d'une espèce animale (ex. *grenouille, crapaud*). **2.** Qui ne varie pas morphologiquement au masculin et au féminin (ex. *je, enfant*).

épicentre n. m. GEOPH Point de la surface terrestre, situé à l'aplomb de l'hypocentre (à l'intérieur de la Terre) où un séisme atteint son intensité maximale.

épicer v. tr. [12] **1.** Assaisonner, relever avec des épices. *Épicer un plat.* **2.** Fig. Relever d'expressions plus ou moins libres, de détails licencieux. *Épicer un récit.* – Pp. *Une histoire épicée,* salée, grivoise.

épicerie n. f. **1.** Produits d'alimentation générale, et en partic. ceux qui se conservent. *Faire un stock d'épicerie.* **2.** Commerce de ces produits. *Épicerie en gros.* – Magasin où on les vend. *L'épicerie du coin.*

Épicharme (?, v. 525 - Syracuse, v. 450 av. J.-C.), poète comique grec, auteur de nombr. comédies dont il ne reste que des fragments.

épicier, ère n. **1.** Personne tenant un commerce d'épicerie. **2.** Fam., péjor. Personne aux idées étroites et vulgaires.

personne intéressée, préoccupée uniquement par le gain. *Cet écrivain n'est qu'un épicier.*

épicontinental, ale, aux adj. Se dit des océans ou des mers qui se trouvent en bordure d'un continent.

épicrâne n. m. ANAT Membrane qui recouvre le crâne.

épicrânien, enne adj. ANAT Situé sur le crâne.

Épictète (Hiérapolis, Phrygie, v. 50 - Nicopolis, Épire, v. 125-130 apr. J.-C.), philosophe stoïcien. Amené comme esclave à Rome, il fut acheté par un nommé Épaphrodite, puis affranchi. Chassé de Rome, il se réfugia en Épire. Son austérité, son mépris de la douleur, la rigueur de sa morale (« Supporte et abstiens-toi ! ») sont restés célèbres. L'enseignement d'Épictète est contenu dans les *Entretiens* et le *Manuel*, tous deux rédigés par Flavius Arrien, l'un de ses disciples. ► illustr. page **644**

Épicure (Samos ou Athènes, 341 - Athènes, 270 av. J.-C.), philosophe grec. Il fréquenta les écoles platoniciennes avant de fonder la sienne à Mytilène (310), à Lampsaque, puis à Athènes (l'École du jardin). En tant que physicien, il reprend, en le modifiant, l'*atomisme* de Démocrite. Sa morale, qui n'est pas une morale du plaisir brut, revêt les formes de la sagesse : l'homme atteint au vrai plaisir dans le repos, l'*ataraxie* (absence de trouble), mais pour y parvenir il doit s'affranchir de la crainte des dieux et de la mort. Épicure est l'auteur de nombreux ouvrages, mais nous ne possédons de lui que trois lettres et des fragments de son traité *De la nature.*

Épicure Érasme

épicurien, enne adj. et n. **I.** adj. Relatif à la philosophie d'Épicure. *Morale épicurienne.* **II.** n. **1.** Adepte de l'épicurisme. **2.** *Par ext.* Personne adonnée aux plaisirs.

épicurisme n. m. **1.** PHILO Système philosophique d'Épicure et de ses disciples. *L'épicurisme de Lucrèce.* **2.** *Par ext.* Attitude de ceux qui s'adonnent aux plaisirs.

épicycle n. m. ASTRO Anc. Petit cercle décrit par un astre) dont le centre parcourt un autre cercle. *L'épicycle permit aux Grecs d'expliquer le mouvement des planètes.*

épicycloïde n. f. GEOM Courbe décrite par un point d'un cercle qui roule sans glisser sur un autre cercle, à l'extérieur de celui-ci. V. hypocycloïde.

Épidaure, anc. v. de la Grèce (Argolide), célèbre par son temple d'Asclépios (auj. en ruine), lieu de pèlerinage des malades jusqu'à l'époque chrétienne. À proximité du temple se trouve un des plus beaux théâtres grecs antiques.

épidémicité n. f. MED Caractère épidémique d'une maladie.

épidémie n. f. **1.** Développement rapide d'une maladie contagieuse chez un grand nombre d'individus d'une région donnée. *Épidémie de choléra.* **2.** Fig. Propagation d'un phénomène, évoquant celle d'une maladie contagieuse. *Épidémie de cambriolages.*

épidémiologie n. f. MED Étude des différents facteurs qui conditionnent l'apparition, la fréquence, la répartition et l'évolution des maladies et des phénomènes morbides. *Épidémiologie de la variole, du cancer, du suicide.*

épidémiologique adj. MED Qui se rapporte à l'épidémiologie.

épidémiologiste n. Didac. Spécialiste de l'épidémiologie.

épidémiosurveillance n. f. MED Surveillance des phénomènes morbides, de leur répartition, de leur diffusion.

épidémique adj. De la nature de l'épidémie.

épiderme n. m. **1.** Couche superficielle de la peau, qui assure la protection du derme des vertébrés. *L'épiderme sécrète les phanères* (poils, cornes, sabots, etc.). ▷ Fig. *Avoir l'épiderme sensible, chatouilleux* : être susceptible. **2.** BOT Couche unicellulaire externe imperméable qui protège les organes aériens des végétaux supérieurs.

épidermique adj. Relatif à l'épiderme ; de la nature de l'épiderme. *Tissu épidermique.* ▷ Fig. *Une sensibilité épidermique,* extrême.

épididyme n. m. ANAT Organe allongé d'avant en arrière, qui coiffe le bord supérieur du testicule.

épidote n. f. GEOL Silicate d'aluminium et de calcium, caractéristique des roches cristallines.

épidural, ale, aux adj. ANAT Qui appartient à la partie du canal sacré située entre les vertèbres et les méninges.

épier v. tr. [2] **1.** Observer attentivement et secrètement. *Épier qqn.* **2.** Attendre en guettant. *Épier l'occasion.*

épierrage ou **épierrement** n. m. Action d'épierrer.

épierrer v. tr. [1] Ôter les pierres de. *Épierrer un jardin.*

épieu n. m. Arme à manche de bois, terminée par un fer plat et pointu.

épigastre n. m. ANAT Région de l'abdomen située entre les cartilages costaux et l'ombilic.

épigastrique adj. ANAT De l'épigastre.

épigénie n. f. **1.** MINER Phénomène qui change la nature chimique d'un minéral, sans changer sa forme cristalline. **2.** GEOL Creusement transversal des vallées, indépendant de la résistance des roches.

épiglotte n. f. ANAT Opercule fibrocartilagineux situé à la partie supérieure du larynx, et assurant l'occlusion des voies respiratoires au moment de la déglutition.

théâtre d'**Épidaure**, IVe s. av. J.-C.

épiglottique adj. De l'épiglotte.

épigone n. m. **1.** MYTH *Les Épigones* : les fils des sept chefs morts devant Thèbes, qui prirent la ville lors d'une seconde expédition. **2.** Litt. Imitateur, successeur.

1. épigramme n. f. **1.** ANTIQ Petite pièce de vers. **2.** Petit poème terminé par un trait satirique ou mordant. - *Par ext.* Trait satirique ou mordant.

2. épigramme n. m. ou f. CUIS *Épigramme d'agneau* : haut de côtelette ou poitrine d'agneau grillés.

épigraphe n. f. **1.** Inscription placée sur un édifice pour en indiquer la destination. **2.** Courte sentence, citation placée en tête d'un livre, d'un chapitre, pour en indiquer l'esprit ou l'objet.

épigraphie n. f. Didac. Étude des inscriptions sur pierre, bois, métal.

épigraphique adj. Didac. Relatif à l'épigraphie, aux inscriptions.

épigraphiste n. Didac. Spécialiste de l'épigraphie.

épigyne adj. BOT Se dit de toute pièce florale insérée au-dessus de l'ovaire. V. infère.

épilateur n. m. Appareil servant à l'épilation.

épilation n. f. Action d'épiler. *Épilation à la cire.*

épilatoire adj. et n. m. Qui sert à épiler. *Pâte épilatoire.* ▷ n. m. *Un épilatoire.* Syn. dépilatoire.

épilepsie n. f. Affection caractérisée par la survenue plus ou moins fréquente de crises convulsives motrices ou de troubles sensoriels, sensitifs ou psychiques. Syn. maladie comitiale.

épileptique adj. **1.** Relatif à l'épilepsie. **2.** Atteint d'épilepsie. ▷ Subst. *Un(e) épileptique.*

épiler v. tr. [1] Arracher les poils de. *Pince à épiler.* ▷ v. pron. *S'épiler les jambes.*

épillet [epijɛ] n. m. BOT Petit épi constitutif d'une inflorescence composée.

épilogue n. m. **1.** Conclusion d'un ouvrage littéraire. Ant. prologue. **2.** *Par ext.* Conclusion, dénouement. *L'épilogue d'une affaire.*

épiloguer v. intr. [1] Faire de longs commentaires. *Nous n'allons pas passer notre temps à épiloguer sur cet échec.* Syn. discourir.

Épiméthée, dans la myth. gr., frère de Prométhée ; en dépit des avertissements de celui-ci, il épousa Pandore*, qui ouvrit la fameuse jarre.

Épinal, ch.-l. du dép. des Vosges, sur la Moselle ; 39 480 hab. (*Spinaliens*). Située au pied des Vosges, la ville s'est développée grâce à l'immigration de l'industr. text. alsacienne après 1871. Industr. méca., métall. et text. ; pneumatiques ; papeterie. - École supérieure de filature et de tissage. Musée (consacré surtout à l'imagerie populaire). Basilique (XIe-XIVe s.).

épinard n. m. **1.** Plante potagère (fam. des chénopodiacées), originaire d'Iran. **2.** (Plur.) Feuilles de cette plante, que l'on mange en général cuites. ▷ (En appos.) *Vert épinard* : vert foncé.

Épinay (Louise Tardieu d'Esclavelles, dame de La Live d') (Valenciennes, 1726 - Paris, 1783), femme de lettres française ; célèbre pour ses amitiés avec J.-J. Rousseau et Diderot, et sa liaison avec Grimm. Elle a laissé deux ouvrages d'éducation : *Lettres à mon fils* (1758), *Conversations d'Émilie* (1774), et des *Mémoires* romancés.

Épinay-sous-Sénart, ch.-l. de cant. de l'Essonne (arr. d'Évry) ; 13 399 hab.

Épinay-sur-Seine, ch.-l. de cant. de la Seine-St-Denis (arr. de Bobigny), au N. de Paris ; 48 551 hab. (*Spinassiens*). Mat. de constr. Studios de cinéma.

épincer v. tr. [12] ou **épinceter** v. tr. [20] AGRIC Ôter du tronc d'un arbre, lors d'un arrêt de la végétation, les bourgeons qui ont poussé au printemps.

épine n. f. **I. 1.** Arbuste dont les branches portent des piquants. *Haie d'épines.* – *Épine blanche* : aubépine sauvage. – *Épine noire* : prunellier. **2.** Organe acéré et dur de certains végétaux, provenant de la transformation de feuilles, rameaux, etc., et traduisant généralement une adaptation de la plante à un climat sec. ▷ Loc. fig. *Tirer une épine du pied de qqn,* le délivrer d'un grand embarras. **II.** *Par anal.* **1.** (Au plur.) Excroissances pointues sur certains animaux (poissons, en partic.). **2.** ANAT Éminence osseuse. *Épine nasale.* – *Épine dorsale* : colonne vertébrale.

épiner v. tr. [1] ARBOR Protéger (les tiges des jeunes arbres) avec des branches épineuses.

épinette n. f. **1.** Instrument de musique à clavier et à cordes pincées, petit clavecin en usage aux XVIe et XVIIe s. **2.** Vieilli Cage de bois ou d'osier où l'on engraisse les volailles. **3.** Nom canadien et régional de divers épicéas.

épineux, euse adj. **1.** Qui porte des épines. *Buisson épineux.* ▷ n. m. Arbuste épineux. *Une haie d'épineux.* **2.** Fig. Plein de difficultés. *Une affaire épineuse.* Syn. délicat. ▷ D'humeur difficile. *Caractère épineux.*

épine-vinette n. f. Arbuste buissonnant épineux (fam. berbéridacées) dont les grappes de fleurs jaunes donnent des baies rouges. (Elle a été systématiquement arrachée, car la rouille du blé s'y développait.) *Des épines-vinettes.*

épinglage n. m. TECH Action d'épingler.

épingle n. f. **1.** Petite tige métallique, pointue à une extrémité, et pourvue d'une tête à l'autre, servant à attacher. *Une pelote d'épingles.* ▷ Loc. fig. *Coups d'épingle* : petites méchancetés, railleries. – *Tiré à quatre épingles* : habillé avec un soin minutieux. – *Tirer son épingle du jeu* : se dégager adroitement d'une affaire délicate. **2.** Objet servant à attacher, à fixer, dont la forme varie selon sa destination. *Épingle à chapeau.* ▷ *Épingle à cheveux* : mince tige pliée par son milieu, qui sert à fixer les cheveux. – *Virage en épingle à cheveux* : virage très accentué entre deux segments parallèles d'une route. ▷ *Épingle à linge* : pince* à linge. ▷ *Épingle de cravate* : bijou en forme d'épingle, parfois orné d'une pierre précieuse, porté sur la cravate. – Fig. *Monter en épingle* : mettre en valeur. ▷ *Épingle double, de nourrice, de sûreté* : épingle recourbée dont l'extrémité pointue est maintenue par un crochet. **3.** CONSTR Armature en forme d'épingle double.

épinglé, ée adj. **1.** Attaché avec une épingle. **2.** Se dit d'un tissu à petites côtes. *Velours épinglé.* **3.** Fig., fam. Pris, pincé, attrapé. *Il a été épinglé au premier vol.*

épingler v. tr. [1] **1.** Fixer avec une ou plusieurs épingles. *Épingler une décoration. Épingler un vêtement.* **2.** Fig., fam. Arrêter, prendre. *Il s'est fait épingler à la sortie.*

épinglette n. f. **1.** Tige qui servait autref. à déboucher le canon d'une arme à feu. **2.** Vx ou rég. Broche. **2.** Syn. de *pin's.*

épinière adj. f. *Moelle épinière* : V. moelle.

épinoche n. f. Petit poisson téléostéen d'eau douce dont la nageoire dorsale est munie d'épines. (Au moment du frai, le mâle se pare de vives couleurs rouges et bleues et construit un nid où la femelle pond.)

épipaléolithique n. m. PREHIST Période postglaciaire dont l'industrie lithique est encore proche de celle du paléolithique supérieur.

Épiphane (saint) (Éleuthéropolis, Palestine, auj. Bet Guvrin, Israël, v. 315 – en mer, 403), évêque de Constantia (île de Chypre), adversaire d'Origène. Docteur de l'Église grecque.

épiphanie n. f. **1.** Manifestation de la divinité, de Dieu. **2.** (Avec une majuscule.) Fête chrétienne célébrant la visite des Rois mages à Jésus nouveau-né (le 6 janvier) ; elle est également nommée *jour des Rois.* **3.** Litt. Manifestation de ce qui est caché.

épiphénomène n. m. **1.** MED Symptôme accessoire. **2.** *Par ext.* Didac. Phénomène secondaire, lié à un autre dont il découle.

épiphénoménisme n. m. PHILO Théorie due aux Anglais Maudsley et J. Huxley, selon laquelle la conscience n'est qu'un épiphénomène.

épiphénoméniste adj. et n. PHILO **1.** adj. Lié à l'épiphénoménisme. *Théories épiphénoménistes.* **2.** n. Partisan de l'épiphénoménisme.

épiphyse n. f. ANAT **1.** Extrémité des os longs. **2.** Glande située dans le cerveau à la partie postérieure du 3e ventricule, dont le rôle est mal connu. *L'épiphyse sécrète de la sérotonine.* Syn. (anc.) glande pinéale.

épiphyte adj. et n. m. BOT Se dit des végétaux poussant sur d'autres végétaux sans en être les parasites. ▷ n. m. *Les lianes sont des épiphytes.*

épiphytie [epifiti] n. f. BOT Maladie qui atteint rapidement un grand nombre de végétaux de la même espèce. *L'oïdium, la rouille, le mildiou sont des épiphyties.*

épiploon [epiplɔɔ̃] n. m. ANAT Large expansion du péritoine, composée d'un double feuillet qui maintient les organes abdominaux en place.

épique adj. **1.** LITTER Se dit d'une grande composition en vers qui décrit des actions héroïques. *La poésie épique est un des genres littéraires les plus anciens.* **2.** Propre à l'épopée. *Ton épique.* **3.** Digne d'une épopée. *Mener un combat épique.* ▷ Plaisant *Il lui arrive toujours des aventures épiques !*

Épire, rég. de la Grèce et de la C.E. ; 9 203 km² ; 339 200 hab. ; cap. *Ioánnina.* Région montagneuse des Balkans : agric., élevage, pêche et tourisme. – Longtemps indépendante, l'Épire jouit d'une certaine puissance sous le règne de Pyrrhus, puis passa successivement sous la domination de la Macédoine, de Rome, de Byzance et des Turcs auxquels elle fut enlevée en 1913.

épirote adj. Didac. De l'Épire. ▷ Subst. *Un(e) Épirote.*

épiscopal, ale, aux adj. **1.** De l'évêque. *Dignité épiscopale. Palais épiscopal.* **2.** *Église épiscopale* ou *épiscopalienne* : Église anglicane des États-Unis.

épiscopat [episkɔpa] n. m. **1.** Dignité d'évêque. **2.** Durée des fonctions de l'évêque. **3.** Corps des évêques. *L'épiscopat français.*

épiscope n. m. Appareil destiné à projeter des documents par réflexion.

épisiotomie n. f. CHIR Incision du périnée, pratiquée pour éviter une rupture traumatique lors de l'accouchement.

épisode n. m. **1.** Action incidente, liée à l'action principale, dans une œuvre littéraire, artistique. *Ce personnage n'apparaît que dans un épisode du roman.* **2.** Chacune des parties d'un film projeté en plusieurs séances. *Les épisodes d'un feuilleton télévisé.* **3.** Événement particulier lié à des faits d'ordre plus général. *Un épisode de la dernière guerre.*

épisodique adj. **1.** Qui appartient à un épisode. *Personnage épisodique d'un roman.* **2.** Secondaire. *Elle n'a joué qu'un rôle épisodique dans sa vie.*

épisodiquement adv. D'une manière épisodique.

épisome n. m. MICROB Morceau d'A.D.N. intracellulaire, capable de se répliquer de façon autonome et de s'incorporer au matériel génétique de la cellule hôte sans perdre son individualité.

épisser v. tr. [1] MAR Faire une épissure à (un cordage).

épissure n. f. **1.** MAR Jonction des bouts de deux cordages par l'entrelacement des torons. *Épissure longue, carrée.* **2.** ELECTR Jonction de deux conducteurs par soudure ou entrelacement.

épistaxis [epistaksis] n. f. MED Saignement de nez.

épistémologie n. f. PHILO Étude critique des sciences, de la formation et des conditions de la connaissance scientifique.

épistémologique adj. PHILO Relati[f] à l'épistémologie.

épistolaire adj. Qui concerne le fai[t] d'écrire des lettres, la manière de le[s] écrire. *Style épistolaire. Nous avons de[s] relations purement épistolaires.*

épistolier, ère n. **1.** LITTER Écrivai[n] connu par ses lettres. *Guez de Bal[zac] fut surnommé « le grand épistolie[r] de France ».* **2.** Plaisant Personne qui écri[t] beaucoup de lettres. *C'est un épistolie[r] intarissable.*

épistyle n. m. ARCHI Architrave.

épitaphe n. f. **1.** Inscription sur un[e] sépulture. **2.** Tablette portant cette in[s]cription.

épitaxie n. f. ELECTRON Technique d[e] fabrication de dispositifs semicondu[c]teurs, permettant notam. la réalisatio[n] de circuits intégrés.

épithalame n. m. LITTER Chant, poèm[e] nuptial.

épithélial, ale, aux adj. BIOL Rel[a]tif à l'épithélium.

épithélioma ou **épithéliome** [n.] m. MED Syn. de *carcinome.*

épithélium [epiteljɔm] n. m. AN[AT] Membrane ou tissu formé de cellul[es] juxtaposées. *Épithélium cylindriqu[e], simple, stratifié.*

épithète n. f. et adj. **1.** GRAM Mot ou groupe de mots que l'on ajoute à un nom, à un pronom, pour le qualifier. *Dans «le chat noir», «un homme intelligent» et «la dame qui porte un chapeau», «noir», «intelligent» et «qui porte un chapeau» sont des épithètes.* ▷ adj. GRAM Se dit d'un adjectif qualificatif qui n'est pas relié au nom par un verbe. – n. f. Fonction d'un tel adjectif; cet adjectif lui-même. **2.** *Par ext.* Qualification attribuée à qqn. *Elle le gratifia de l'aimable épithète de «malappris».*

épitoge n. f. **1.** ANTIQ Manteau que les Romains portaient par-dessus la toge. **2.** Anc. Chaperon de fourrure que portaient les présidents à mortier lors des cérémonies au parlement. **3.** Ornement que les professeurs de faculté, les magistrats, les avocats portent sur la robe, attaché sur l'épaule gauche.

épitomé n. m. LITTER Abrégé d'un livre d'histoire antique. *Épitomé de l'histoire romaine.*

épître n. f. **1.** Lettre missive, chez les Anciens. *Les épîtres de Cicéron. L'Épître de saint Paul aux Corinthiens.* **2.** Par ext., plaisant *J'ai reçu une longue épître de mes parents.* **3.** LITTER Pièce de vers adressée à qqn en personne, comme une lettre. *Horace, Ovide, Marot, La Fontaine et Voltaire ont écrit des épîtres.* ▷ *Épître dédicatoire,* pour dédier une œuvre à qqn. **4.** LITURG Texte du Nouveau Testament, souvent tiré des épîtres de saint Paul ou des autres apôtres, lu (parfois chanté) à la messe, un peu avant l'Évangile. *Chanter l'épître.*

épizootie [epizɔɔti] n. f. ZOOL Épidémie frappant, dans une région, une espèce animale (notam. domestique) dans son ensemble.

épizootique adj. ZOOL Qui tient de l'épizootie.

éploré, ée adj. (et n.) Qui est tout en pleurs. *Consoler une mère éplorée.* – Subst. Litt. *Un éploré.*

éployer v. tr. [23] Rare Étendre. *Éployer ses ailes.*

épluchage n. m. **1.** Action d'éplucher. *Épluchage des légumes.* **2.** Nettoyage (des étoffes). *Épluchage de la laine.* **3.** Fig. Examen minutieux. *Se livrer à l'épluchage d'une traduction.*

épluche-légumes n. m. inv. Petit couteau, dont la lame comporte en général deux fentes, pour l'épluchage des légumes.

éplucher v. tr. [1] **1.** Nettoyer, enlever les corps étrangers (ou ce qui n'est pas bon) de. *Éplucher des pommes de terre, des oranges,* les peler. *Éplucher la laine.* **2.** Fig. Rechercher minutieusement les défauts, les erreurs dans. *Éplucher un compte.*

épluchette n. f. (Canada) Fête de groupe, en plein air, au cours de laquelle on décortique des épis de blé* d'Inde que l'on mange par la suite après les avoir fait bouillir. *Une épluchette de blé d'Inde.*

éplucheur, euse n. **1.** Personne qui épluche. *Éplucheur de coton.* **2.** *Éplucheur* ou *couteau-éplucheur.* Syn. épluche-légumes. *Éplucheur électrique.*

épluchure n. f. Déchet qu'on enlève d'une chose en l'épluchant. *Épluchures de pommes de terre.*

E.P.O n. f. Abrév. de *érythropoïétine,* protéine utilisée comme produit dopant.

épode n. f. **1.** LITTER Dans la poésie grecque, la troisième partie de l'ode, après la strophe et l'antistrophe. **2.** Dans la poésie latine, distique composé de vers inégaux. – *Par ext.* Pièce de vers écrite en épodes. *Les «Épodes» d'Horace.* **3.** Pièce lyrique où se succèdent alternativement un vers long et un vers court.

épointage n. m. Action d'épointer.

épointement n. m. TECH État de ce qui est épointé.

épointer 1. v. tr. [1] TECH Émousser la pointe de. *Épointer un couteau.* **2.** v. pron. S'émousser, perdre sa pointe.

époisses n. m. Fromage bourguignon, au lait de vache et à croûte lavée.

éponge n. f. **1.** Nom courant de tous les spongiaires. **2.** Squelette corné, fibreux et souple de divers spongiaires, utilisé pour son aptitude à retenir l'eau. *Pêcheur d'éponges. Presser une éponge.* ▷ Objet fabriqué industriellement pour le même usage. *Une éponge synthétique.* **3.** Loc. fig. *Passer l'éponge* : pardonner, oublier. *Passons l'éponge sur cette erreur de jeunesse.* – *Boire comme une éponge* : boire beaucoup trop. **4.** *Tissu-éponge*.* *De l'éponge* : du tissu-éponge.
▶ illustr. **spongiaire**

épongeage n. m. Action d'éponger.

éponger v. tr. [13] **1.** Essuyer, enlever (un liquide) avec une éponge. *Éponger de l'encre.* **2.** Fig. Résorber (un excédent, une inflation). *Éponger la dette.* **3.** v. pron. S'essuyer. *S'éponger le front.*

Éponine (m. à Rome en 79 apr. J.-C.), héroïne gauloise; célèbre pour son dévouement à son mari, Julius Sabinus, qui participa à la tentative de soulèvement des Gaules contre Vespasien.

éponyme adj. Didac. Qui donne son nom à. *Séleucos, ancêtre éponyme des Séleucides.* – ANTIQ GR *Magistrat éponyme* : magistrat qui, dans une cité grecque, donnait son nom à l'année. *L'archonte éponyme d'Athènes.*

éponymie n. f. ANTIQ GR **1.** Fonction du magistrat éponyme. ▷ Temps pendant lequel il occupait ses fonctions. **2.** Liste des magistrats éponymes.

épopée n. f. **1.** Long poème empreint de merveilleux et racontant des aventures héroïques. *«La Légende des siècles», épopée écrite par Victor Hugo.* **2.** Suite d'actions réellement accomplies et pleines d'héroïsme. *L'épopée napoléonienne.*

époque n. f. **1.** Période déterminée dans l'histoire, marquée par des événements importants. *L'époque de la Révolution française. La Belle Époque* : les années proches de 1900, jugées rétrospectivement agréables et sans soucis. **2.** *Par ext.* Temps où l'on vit; ensemble de ceux qui vivent dans la même période. *Les grands philosophes de l'époque, de notre époque. Quelle drôle d'époque!* **3.** Loc. *Faire époque* : faire date. *L'œuvre de James Joyce a fait époque dans la littérature du XX*[e] *s.* **4.** Moment où se passe un événement déterminé. *À l'époque de notre rencontre. À pareille époque, à la même époque l'an prochain, je serai en vacances.* **5.** Période que caractérise un style artistique défini (notam. un style de mobilier). *Une bergère d'époque Louis XV.* – Loc. *D'époque* : authentiquement ancien, exécuté à une époque déterminée. *Un meuble d'époque se distingue d'une copie, d'un meuble de style. Une bergère d'époque.*

épouillage n. m. Action d'épouiller.

épouiller v. tr. [1] Ôter des poux à. *Épouiller un chien, un enfant.* ▷ v. pron. *Singes qui s'épouillent.*

époumoner (s') v. pron. [1] Crier à tue-tête jusqu'à s'essouffler. *Cela ne sert à rien de s'époumoner au milieu d'un tel vacarme.*

épousailles n. f. pl. Vieilli ou plaisant Célébration du mariage.

épouse. V. époux.

épouser v. tr. [1] **1.** Prendre en mariage. *Elle a épousé son cousin. Épouser une Anglaise.* ▷ Par ext. *Épouser une grosse fortune,* qqn qui possède une grosse fortune. **2.** Fig. S'attacher à (qqch), embrasser (une cause). *Épouser le parti, les intérêts, les idées d'un camarade. Épouser la querelle de qqn,* prendre parti pour lui dans une querelle. **3.** Se modeler sur. *Cette robe épouse parfaitement la forme du corps.*

époussetage n. m. Action d'épousseter.

épousseter v. tr. [20] Nettoyer en chassant la poussière. *Épousseter une bibliothèque.*

époustouflant, ante adj. Fam. Très étonnant. *Une révélation époustouflante.*

époustoufler v. tr. [1] Fam. Jeter (qqn) dans l'étonnement.

épouvantable adj. **1.** Qui épouvante, effrayant, terrifiant. *Pousser des cris épouvantables. Un épouvantable forfait.* **2.** *Par exag.* Très mauvais. *Ce film est épouvantable.* **3.** Qui choque par son excès. *Une bêtise épouvantable.*

épouvantablement adv. **1.** De manière effroyable. **2.** *Par exag.* À l'extrême. *Il est épouvantablement bavard.*

épouvantail n. m. **1.** Objet destiné à effrayer les oiseaux dans un champ, un verger, un jardin. *Placer un épouvantail dans un cerisier. Un mannequin grossier, des haillons sur une perche peuvent servir d'épouvantail.* **2.** Fig. Personne très laide, très mal habillée. **3.** Fig. Objet, personne qui effraie sans cause réelle.

épouvante n. f. **1.** Effroi violent, peur soudaine, panique. *Être glacé d'épouvante. Film d'épouvante.* **2.** Vive inquiétude, appréhension. *Elle voit avec épouvante les dettes s'accumuler.*

épouvanter v. tr. [1] Effrayer vivement, remplir d'épouvante (qqn). *Attila épouvantait ses ennemis.* – Pp. *Épouvanté par une vision d'horreur.* ▷ v. pron. *Il s'épouvante pour un rien.*

époux, épouse n. **1.** Personne unie à une autre par le mariage. *Prendre pour époux, pour épouse. Les époux,* le mari et la femme. *Une épouse fidèle.* ▷ Fam. (Avec le possessif.) *Il vient de perdre son épouse. Bien le bonjour à votre époux.* **2.** RELIG CATHOL *L'Époux* : le Christ. *L'Épouse* : l'Église.

époxy adj. inv. et n. f. **1.** adj. inv. CHIM Qui contient un époxyde. *La résine époxy est une matière plastique thermodurcissable utilisée comme vernis ou comme colle.* **2.** n. f. *Coller à l'époxy,* à la résine époxy.

époxyde n. m. CHIM Groupement constitué par deux atomes de carbone que relie un atome d'oxygène.

éprendre (s') v. pron. [52] *S'éprendre de.* **1.** Se passionner pour (qqch). *S'éprendre d'un idéal.* **2.** Tomber amoureux de (qqn). *Alceste s'est épris de Célimène.* **3.** Se mettre à aimer (qqch).

épreuve n. f. **1.** Événement pénible, malheur, souffrance, qui éprouve le courage, qui fait apparaître les qualités morales. *Passer par de rudes épreuves.* **2.** Action d'éprouver qqch ou qqn; action, opération permettant de le juger. *Faire l'épreuve d'une arme. Mettre qqn à l'épreuve.* ▷ *À l'épreuve de* : qui résiste à. *Cloison à l'épreuve du feu.* ▷ *À toute épreuve* : très solide, résistant. **3.** HIST *Épreuves judiciaires* : épreuves destinées, au Moyen Âge, à faire apparaître l'innocence ou la culpabilité d'un accusé. V. ordalie. **4.** Partie d'un examen. *Épreuves écrites. Une épreuve d'anglais.* **5.** SPORT Compétition. *Suivre les épreuves de ski à la télévision.* **6.** IMPRIM Chacun des exemplaires tirés à partir d'une planche gravée. *Épreuve avant la lettre,* tirée avant que le graveur ait ajouté un titre, une dédicace, etc. **7.** IMPRIM Feuille imprimée utilisée pour la correction. **8.** PHOTO Image (le plus souvent positive) tirée d'un cliché photographique (le plus souvent négatif). **9.** AUDIOV Film brut après développement et avant montage. **10.** MED *Épreuve d'effort* : travail musculaire imposé pour juger de la valeur fonctionnelle des poumons et du cœur.

épris, ise adj. Animé d'une grande passion (pour qqch, qqn). *Être épris de justice. Être épris d'une femme.* ▷ (S. comp.) *Des amants fort épris.*

éprouvant, ante adj. Dur à supporter. *Cette chaleur est éprouvante.*

éprouvé, ée adj. **1.** Qui a résisté aux épreuves, sûr. *Valeur éprouvée.* **2.** Qui a subi des épreuves, des malheurs. *Elle est très éprouvée.*

éprouver v. tr. [1] **1.** Essayer (qqch) pour s'assurer de ses qualités. *Éprouver un remède. Éprouver la fidélité d'un ami.* **2.** Vieilli Mettre (qqn) à l'épreuve. *Titus hésite à éprouver Bérénice.* ▷ Soumettre à une épreuve pénible. *La guerre a éprouvé ces régions.* **3.** Ressentir, connaître par expérience. *Éprouver une sensation agréable. Éprouver de la joie. Éprouver de l'amour pour qqn.* **4.** *Éprouver que* : découvrir que.

éprouvette n. f. **1.** CHIM Vase ou tube de verre qui sert à manipuler des liquides ou des gaz en laboratoire. **2.** METALL Échantillon de métal que l'on soumet à des essais mécaniques.

epsilon [ɛpsilɔn] n. m. **1.** Cinquième lettre [ɛ, E] de l'alphabet grec. **2.** MATH Symbole d'une quantité infinitésimale.

Epsom and Ewell, v. d'Angleterre (Surrey); 69 230 hab. Stat. therm. – Célèbre pour ses courses de chevaux *(derby d'Epsom).*

Epstein (sir Jacob) (New York, 1880 – Londres, 1959), sculpteur anglais d'origine américaine; expressionniste dans ses œuvres monumentales (*Ecce homo,* 1935), réaliste dans ses portraits (bustes d'Einstein, de Nehru, etc.).

Epstein (Jean) (Varsovie, 1897 – Paris, 1953), cinéaste français : *la Chute de la maison Usher* (1928), *Finis Terræ* (1929). Écrits théoriques : *Bonjour cinéma* (1921), *le Cinéma du diable* (1947).

Epte, riv. de France (100 km), affl. de la Seine (r. dr.); sépare les Vexin français et normand; arrose Forges-les-Eaux, Gournay-en-Bray et Gisors.

épucer v. tr. [12] Ôter des puces à. ▷ v. pron. *Singes qui s'épucent.*

épuisable adj. Rare Qui peut être épuisé.

épuisant, ante adj. Très fatigant.

épuisé, ée adj. **1.** Devenu improductif. *Des terres épuisées.* **2.** *Par ext.* (En parlant d'un livre, d'une publication.) Dont toute l'édition a été vendue. *Une première édition épuisée en quelques jours.* **3.** À bout de forces. *Un sportif épuisé par l'effort.*

épuisement n. m. **1.** Action de mettre à sec. *L'épuisement d'une mine inondée.* **2.** État de qqch qu'on a épuisé. *Épuisement d'un sol.* **3.** Perte des forces, faiblesse physique ou morale.

épuiser v. tr. [1] **1.** Tarir, mettre à sec. *Épuiser une source.* ▷ *Épuiser un sol,* par la culture répétée d'un même végétal, qui en absorbe les éléments nutritifs et le rend improductif. **2.** Utiliser complètement (qqch), consommer entièrement. *Épuiser ses provisions.* **3.** User complètement. *Il a épuisé tous les plaisirs.* ▷ *Épuiser un sujet,* le traiter complètement, à fond. **4.** Affaiblir à l'extrême. *La maladie l'épuise.* – *Par exag.* Fatiguer. *Ses jérémiades m'épuisent.* **5.** v. pron. Se tarir (choses); s'affaiblir à l'extrême (personnes). *Nos ressources s'épuisent. Il s'épuise en efforts exténuants.*

épuisette n. f. **1.** Petit filet de pêche monté sur un cerceau, attaché à un long manche. *L'épuisette sert à tirer de l'eau le poisson pris à l'hameçon.* **2.** MAR Syn. de *écope.*

épurateur n. m. TECH Appareil servant à épurer les liquides ou les gaz.

épuratif, ive ou **épuratoire** adj. Rare Qui sert à épurer.

épuration n. f. **1.** Action de rendre pur. ▷ TECH *Station d'épuration* : installation destinée à traiter les eaux usées avant de les rejeter dans un cours d'eau ou dans la mer. ▷ MED *Épuration extrarénale* : procédé d'extraction des substances toxiques contenues dans le sang dans les cas d'insuffisance rénale. *Épuration par rein artificiel.* **2.** Élimination des membres jugés indésirables (d'un corps social, spécial. en politique). *L'épuration des collaborateurs en France, en 1944.*

épure n. f. **1.** Représentation d'un objet par sa projection sur trois plans perpendiculaires. **2.** Fig. Ébauche (d'une œuvre).

épurement n. m. Litt. Action d'épurer. *L'épurement d'un texte.*

épurer v. tr. [1] **1.** Rendre pur, plus pur. *Épurer l'eau,* afin de la rendre potable. **2.** Fig. Débarrasser de ses impuretés, de ses défauts. *Épurer le goût. Épurer un auteur* : retrancher de son œuvre les passages jugés trop libres. **3.** Éliminer les éléments jugés indésirables de (un corps social). **4.** v. pron. Devenir plus pur, meilleur.

épurge n. f. Euphorbe aux propriétés purgatives violentes.

équanimité [ekwanimite] n. f. Litt. Égalité d'humeur, sérénité.

équarrir v. tr. [3] **1.** TECH Tailler à angle droit, rendre carré. *Équarrir une glace,* la découper avec un diamant et des pinces. *Équarrir une poutre. Équarrir un tronc d'arbre,* afin d'en tirer des planches pour la construction. *Équarrir un massif,* le tailler avec un sécateur. ▷ Fig. *Mal équarri* : mal dégrossi. **2.** Écorcher, dépecer (un animal mort).

équarrissage n. m. **1.** TECH Action d'équarrir. *Équarrissage du bois.* **2.** Action d'abattre et de dépecer des animaux pour en tirer des produits utilisés dans l'industrie (peau, os, graisses).

équarrisseur n. m. Celui qui équarrit les animaux.

équateur [ekwatœʀ] n. m. Grand cercle imaginaire du globe terrestre, perpendiculaire à l'axe des pôles. ▷ *Équateur céleste* : grand cercle de la sphère céleste déterminé par l'équateur terrestre.

Équateur (en esp. *Ecuador*) (république de l'), État d'Amérique du Sud, baigné à l'O. par le Pacifique, traversé par l'équateur et limité au N. par la Colombie, à l'E. et au S. par le Pérou; 283 561 km² (les îles Galápagos comprises); 11 500 000 hab.; cap. : *Quito.* Nature de l'État : rép. de type présidentiel. Langue off. : esp. Monnaie : sucre. Pop. : créoles (10 %), Amérindiens (40 %), métis (40 %), Noirs et mulâtres (10 %). Relig. : catholique (90 %).

Géogr. phys. et hum. – Trois zones, orientées N.-S., se partagent le pays. À l'O., la région côtière du Pacifique, la *Costa,* chaude et humide au N., semi-aride au S., est en plein essor démographique et groupe désormais plus de 50 % des habitants. Au centre, les Andes (6 272 m au Chimborazo) se divisent en deux chaînes volcaniques isolant un haut plateau tempéré; longtemps la plus peuplée, cette zone reste un axe vital du pays. À l'E., l'*Oriente* est une immense plaine forestière et insalubre, au peuplement embryonnaire. La population, urbaine à 55 %, s'accroît de 2,2 % par an.

Écon. – L'agric. emploie le tiers des actifs; banane, cacao, café sont les principales cultures d'exportation, alors que le riz, le maïs et la pomme de terre sont les cultures vivrières de base. La pêche côtière est très active. Le pétrole, produit sur la plaine littorale dans la région de Guayaquil et dans le Nord-Est amazonien, assure 40 % des recettes commerciales du pays. La prod. est d'environ 15 millions de tonnes par an. L'activité pétrolière (en partie nationalisée en 1989) fut à la base du décollage économique dans les années 70; elle a permis la diversification d'une

industrie auparavant fondée sur l'agroalimentaire et le textile : raffinage, chimie, métallurgie, constructions mécaniques. L'endettement du pays est excessif ; l'inflation élevée et les mesures de rigueur adoptées en 1989 ont provoqué des troubles sociaux.

Hist. – Partie de l'Empire inca, l'Équateur fut conquis par un officier de Pizarro (1534) et intégré au vice-royaume du Pérou puis à la Nouvelle-Grenade. Libéré de la tutelle esp. par le général Sucre (1822), il constitua, avec la Colombie et le Venezuela, la *Fédération de Grande-Colombie,* qu'il quitta en 1830 pour devenir une rép. indép. L'État vécut alors une période troublée, les conservateurs, grands propriétaires fonciers, et les libéraux, bourgeoisie d'affaires du port de Guayaquil, exerçant tour à tour le pouvoir. En 1861, Gabriel García Moreno institua une dictature théocratique. Après son assassinat (1875) et le règne des conservateurs libéraux, le pouvoir revint aux libéraux radicaux, après la révolution de 1895. Pays de monoculture du cacao dont il était devenu premier exportateur mondial, l'Équateur fut partic. touché par la crise écon. de 1929 : au chaos politique qui s'ensuivit s'ajouta un conflit avec le Pérou (1941-1942) à l'issue duquel l'Équateur, déjà vaincu par le Brésil (1904) et la Colombie (1916), céda encore une partie de son territoire amazonien. Le pays, en une quarantaine d'années, perdit ainsi les deux tiers de son territoire. Les tensions traditionnelles avec le Pérou reprendront en 1995. En 1944, une révolution porta au pouvoir José María Velasco Ibarra, dont la personnalité domina longtemps la vie polit. du pays malgré de nombreux coups d'État militaires. Durant la décennie 1970, la manne pétrolière a permis à l'Équateur de connaître un décollage économique, mais après dix ans de croissance ininterrompue, le pays n'a pas échappé à la crise et a connu des troubles sociaux (1983). Depuis que les militaires ont rendu le pouvoir aux civils (1978), on a assisté à une alternance des conservateurs, des sociaux-démocrates et des libéraux. Élu en juillet 1996, le populiste Abdalá Bucaram a été déposé en fév. 1997 et le démocrate Jamil Mahuad a été élu en juillet 1998 à la présidence de la République.

équation n. f. **1.** MATH Égalité qui n'est vérifiée que pour certaines valeurs attribuées aux inconnues. *Résoudre une équation. Une équation différentielle :* V. différentielle. **2.** Fig., fam. Problème difficile. *Une équation financière quasi insoluble.* **3.** PSYCHO fig. *Équation personnelle :* manière particulière, propre à chaque individu, de concevoir certaines choses.
ENCYCL Une relation de la forme f(x) = b est appelée équation si f est une application d'un ensemble E dans un ensemble F, b étant un élément de F ; x est appelée *l'inconnue.* Résoudre une équation, c'est trouver les éléments x_0 de E, appelés *solutions* ou *racines* de l'équation, qui satisfont à cette relation. Les équations algébriques sont de la forme P(x) = 0 dans laquelle P(x) est un polynôme. On distingue les équations du premier degré ($ax + b = 0$), du second degré ($ax^2 + bx + c = 0$), du troisième degré ($ax^3 + bx^2 + cx + d = 0$), etc.

équatoguinéen, enne adj. et n. De la république de Guinée équatoriale. ▷ Subst. *Un(e) Équatoguinéen(ne).*

équatorial, ale, aux adj. et n. m. **I.** adj. **1.** Relatif à l'équateur. *Climat équatorial :* climat extrêmement chaud qui règne entre les deux zones tropicales et où la pluviosité, fort élevée, atteint son maximum lors des équinoxes. **2.** ASTRO *Coordonnées équatoriales :* ascension droite et déclinaison. **II.** n. m. ASTRO Lunette qui se déplace dans un plan tournant autour de l'axe du monde et qui permet de suivre facilement un astre dans son mouvement diurne.

équatorien, enne adj. et n. De la république de l'Équateur. ▷ Subst. *Un(e) Équatorien(ne).*

équerre [ekɛʀ] n. f. **1.** Instrument qui sert à tracer des angles plans droits, des perpendiculaires. ▷ *Équerre d'arpenteur :* prisme à base octogonale muni de fentes et monté sur pied, servant à repérer des perpendiculaires sur le terrain. ▷ *Fausse équerre,* à branches mobiles, servant à tracer ou à mesurer un angle quelconque. ▷ Loc. *D'équerre :* à angle droit. **2.** TECH Pièce métallique en T ou en L utilisée pour renforcer des assemblages.

équerrer v. tr. [1] TECH Donner l'angle voulu entre deux parties d'une pièce de bois, de métal.

Èques, anc. peuple du Latium, soumis par les Romains à la fin du IVe s. av. J.-C.

équestre adj. **1.** Relatif à l'équitation. *Exercices équestres.* **2.** Qui représente un personnage à cheval. *Statue équestre.* **3.** ANTIQ *Ordre équestre :* ordre des chevaliers chez les Romains.

Équeurdreville - Hainneville, ch.-l. de cant. de la Manche (arr. de Cherbourg) ; 18 503 hab.

équeutage n. m. Action d'équeuter ; son résultat.

équeuter v. tr. [1] Ôter la queue de (un fruit). – Pp. adj. *Cerises équeutées.*

équi-. Élément, du lat. *æqui-,* préf., de *æquus,* « égal ».

équiangle [ekɥiɑ̃gl] adj. GEOM Dont les angles sont égaux. *Figures équiangles.*

équidés [ekide] n. m. pl. ZOOL Famille de mammifères ongulés périssodactyles apparue à l'éocène, dont l'évolution s'est caractérisée par une augmentation de la taille des doigts et par une réduction de leur nombre. *Les chevaux, les zèbres, les ânes et les onagres sont des équidés.* – Sing. *Un équidé.*

équidistance [ekɥidistɑ̃s] n. f. GEOM Qualité de ce qui est équidistant.

équidistant, ante adj. GEOM Situé à une distance égale de deux points ou de deux droites ou d'un point et d'une droite, etc.

équilatéral, ale, aux adj. GEOM Dont tous les côtés sont égaux. *Triangle équilatéral.*

équilatère [ekɥilatɛʀ] adj. GEOM *Hyperbole équilatère,* dont les asymptotes sont perpendiculaires.

équilibrage n. m. Action d'équilibrer ; son résultat. ▷ TECH Répartition des masses sur la zone périphérique d'un organe tournant, pour régulariser sa rotation. *Équilibrage d'un rotor.*

équilibrant, ante adj. Qui établit, rétablit l'équilibre.

équilibration n. f. Maintien ou mise en équilibre. *Équilibration du corps humain par le cervelet.*

équilibre n. m. **1.** État d'un corps en repos, sollicité par des forces qui se contrebalancent. ▷ CHIM Mélange de plusieurs corps dont la composition ne varie pas, par absence de réaction ou du fait de la présence de deux réactions inverses de même vitesse. ▷ GEOMORPH *Profil d'équilibre :* courbe de descente définitivement décrite, de la source à l'embouchure, par un fleuve qui n'alluvionne pas. *Tous les fleuves tendent vers leur profil d'équilibre.* ▷ ECON, FIN *Équilibre entre la production et la consommation. Équilibre des échanges extérieurs. Équilibre budgétaire.* **2.** Position d'une personne qui se maintient sans tomber. *Se tenir en équilibre sur les mains. Perdre l'équilibre.* **3.** Fig. Disposition, arrangement de choses différentes ou opposées, harmonieusement combinées. *L'équilibre d'une composition artistique.* **4.** Harmonie psychique, santé mentale.

équilibré, ée adj. **1.** En bon équilibre, stable. *Budget équilibré.* **2.** Dont les facultés s'associent harmonieusement, sans trouble. *Une femme équilibrée.*

équilibrer v. tr. [1] Mettre en équilibre. ▷ v. pron. Être d'importance égale. *Les avantages et les inconvénients de cette situation s'équilibrent.*

équilibriste n. Artiste qui fait des tours d'équilibre (sens 2).

équille [ekij] n. f. Poisson téléostéen marin (genre *Ammodytes*), à tête pointue, long de 15 à 30 cm. *Le lançon perce-sable est une équille des côtes françaises.*

équimolaire [ekɥimɔlɛʀ] adj. CHIM Se dit d'un mélange qui contient un nombre égal de moles de chacun de ses constituants.

équimoléculaire adj. CHIM Se dit d'un mélange qui contient un nombre égal de molécules pour chacun de ses constituants.

équimultiple adj. et n. m. MATH Se dit des nombres qui résultent du produit d'autres nombres par le même facteur. *15 et 6 sont équimultiples de 5 et 2, car* $3 \times 5 = 15$, *et* $3 \times 2 = 6$.

équin, ine [ekɛ̃, in] adj. Didac. **1.** Du cheval. *Variole équine.* **2.** MED *Pied équin :* variété de pied-bot.

équinoxe n. m. Époque de l'année marquant le début du printemps ou celui de l'automne, où la durée du jour est égale à celle de la nuit. *Marée d'équinoxe.*
ENCYCL Le Soleil, dans son mouvement apparent sur la sphère céleste, se trouve exactement dans le plan de l'équateur à l'*équinoxe de printemps* (le 21 mars, à un jour près) et à l'*équinoxe d'automne* (le 23 septembre, à un jour près). ► illustr. **Terre**

équinoxial, ale, aux adj. Didac. Relatif à l'équinoxe. ▷ ASTRO *Points équinoxiaux :* points d'intersection de l'équateur céleste et de l'écliptique.

équipage n. m. **1.** MAR Ensemble du personnel à bord d'un navire. – Par ext. *L'équipage d'un avion.* **2.** MILIT Vx Ensemble du matériel d'une armée en campagne. **3.** Anc. Ensemble des voitures, des chevaux et du personnel qui s'en occupe. *Équipage du roi. Équipage de chasse.* ▷ MILIT, anc. *Train des équipages :* nom porté par le train* jusqu'en 1928. **4.** Vx Habillement. **5.** PHYS Organe mobile d'un appareil de mesure.

équipe n. f. **1.** Groupe de personnes collaborant à un même travail. *Homme, chef d'équipe. Travailler en équipe.* **2.** SPORT Ensemble de joueurs associés pour disputer un match, une compétition. *Équipe de football.*

équipée n. f. **1.** Plaisant Promenade, sortie. **2.** Fig. Entreprise irréfléchie, escapade aux suites fâcheuses.

équipement n. m. Action d'équiper; ce qui sert à équiper (qqn ou qqch). *Équipement d'un navire. L'équipement du fantassin. Équipement de ski.* ▷ TECH Ensemble des outillages et des installations (d'une usine, d'une région). ▷ URBAN *Équipements collectifs* : ensemble des installations mises à la disposition des collectivités. *Équipements scolaires, sportifs, sanitaires, sociaux, culturels.* ▷ *Équipements spéciaux* : accessoires automobiles utilisés en cas de neige ou de verglas.

équipementier n. m. Fabricant, marchand d'équipements. *Équipementier d'automobiles.*

équiper v. [1] **I.** v. tr. **1.** Pourvoir de ce qui est nécessaire au fonctionnement. *Équiper une machine. Équiper un hôpital.* – *Équiper industriellement un pays.* **2.** Munir de ce qui est nécessaire à une activité. *Équiper une troupe.* **II.** v. pron. Se pourvoir d'un équipement; revêtir un équipement.

équipier, ère n. Membre d'une équipe (spécial. sportive).

équipollent, ente adj. MATH *Vecteurs équipollents* : syn. anc. de *vecteurs égaux.*

équipotent [ekɥipɔtɑ̃] adj. m. MATH *Ensembles équipotents,* qui ont la même puissance, c.-à-d. entre lesquels existe une bijection.

équipotentiel, elle adj. PHYS De même potentiel.

équiprobable adj. MATH De même probabilité.

équitable adj. **1.** Qui a de l'équité. *Un juge équitable.* **2.** Conforme à l'équité, à la justice naturelle. *Jugement équitable.*

équitablement adv. De manière équitable.

équitant, ante adj. BOT Se dit d'organes végétaux identiques et emboîtés l'un dans l'autre.

équitation n. f. Art, action de monter à cheval. *Faire de l'équitation.*

équité n. f. Justice naturelle fondée sur la reconnaissance des droits de chacun; vertu qui consiste à régler sa conduite sur elle. *Juger avec équité et non selon les règles du droit positif.* ▷ Caractère de ce qui est équitable.

équivalence n. f. Qualité de ce qui est équivalent. ▷ Correspondance admise officiellement entre certains diplômes. *Avoir l'équivalence de la licence.* ▷ MATH *Relation d'équivalence,* à la fois réflexive, symétrique et transitive. ▷ PHYS *Principe d'équivalence,* selon lequel, lorsqu'un système qui subit une transformation cyclique n'échange avec le milieu extérieur que du travail et de la chaleur, le travail fourni (ou reçu) est égal à la quantité de chaleur reçue (ou fournie).

1. équivalent, ente adj. Qui a la même valeur. ▷ MATH *Équations équivalentes,* qui ont les mêmes racines. – *Éléments équivalents* (modulo R), qui vérifient la relation d'équivalence R. – GEOM *Figures équivalentes,* de même surface bien que de formes différentes.

2. équivalent n. m. Ce qui est équivalent. ▷ *L'équivalent d'un mot, d'une expression,* son synonyme. ▷ PHYS *Équivalent mécanique de la calorie* : travail (égal à 4,185 J) produit par une quantité de chaleur de 1 calorie. ▷ CHIM *Équivalent-gramme* : valence-gramme.

équivaloir v. tr. indir. [45] *Équivaloir à.* **1.** Valoir autant en quantité que. *Le mille marin équivaut à 1 852 m.* **2.** Avoir la même valeur que. *Cette réponse équivaut à un refus.*

équivoque adj. et n. f. **I.** adj. **1.** Susceptible de plusieurs interprétations. *Termes équivoques. Comportement équivoque.* **2.** Péjor. Qui n'inspire pas confiance. *Réputation, allure équivoque.* Syn. louche, suspect. **II.** n. f. Expression, situation laissant dans l'incertitude. *Parler, agir sans équivoque.* Syn. ambiguïté.

Er CHIM Symbole de l'erbium.

érable n. m. Grand arbre à feuilles opposées et palmées (fam. acéracées), dont le fruit est un akène ailé et dont le bois est utilisé en ébénisterie. *L'érable ou faux platane (Acer pseudoplatanus), dit sycomore, et l'érable (Acer platanoides), dit faux sycomore, sont très courants en France. Érable du Canada,* dont la sève donne le sirop d'érable. *La feuille d'érable,* emblème du Canada.

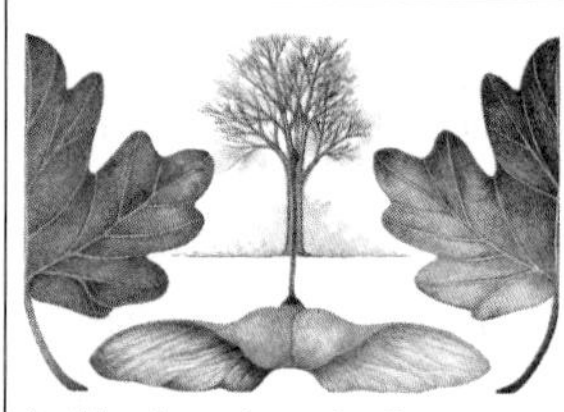

érable champêtre : feuilles (été, à g. et automne, à dr.); silhouette et fruit (au centre)

érablière n. f. (Canada) Peuplement d'érables à sucre.

éradication n. f. MED Action de déraciner, d'extirper. *Éradication des amygdales.* ▷ Fig. Suppression totale. *Éradication du paludisme.*

éradiquer v. tr. [1] MED Supprimer totalement, faire disparaître (une maladie). ▷ Fig. Supprimer totalement, extirper. *Éradiquer l'illettrisme.*

éraflement n. m. Rare Action d'érafler.

érafler v. tr. [1] Écorcher légèrement. *Cette ronce m'a éraflé.* – Par anal. *Érafler la peinture d'un mur.* ▷ v. pron. *Je me suis éraflé le genou.*

éraflure n. f. Écorchure légère.

éraillement n. m. Fait d'être éraillé.

érailler v. tr. [1] **1.** Érafler, entamer la surface de. – Pp. adj. *Une peinture éraillée.* ▷ v. pron. *Le fauteuil de cuir commence à s'érailler.* **2.** Rendre rauque (la voix). – Pp. adj. *Voix éraillée.*

éraillure n. f. Légère écorchure; rayure.

Érard (Sébastien) (Strasbourg, 1752 – Passy, 1831), facteur d'instruments de musique. Il est l'inventeur de la harpe à double mouvement et du piano à double échappement.

Érasme (Didier), en lat. *Desiderius Erasmus Roterodamus* (Rotterdam, v. 1469 – Bâle, 1536), humaniste hollandais. Érudit pénétré de l'étude des moralistes de l'Antiquité et de l'Évangile, il défendit contre Luther la tolérance et le libre arbitre, associant dans un même idéal la raison et la foi. Princ. ouvrages (écrits dans un latin d'une grande élégance) : *Adages* (1508), *l'Éloge de la folie* (1511), *Colloques* (1518).
▸ illustr. page **647**

érathème n. m. GEOL Syn. de *ère.*

Érato, muse de la Poésie lyrique.

Ératosthène (Cyrène, v. 284 – Alexandrie, v. 192 av. J.-C.), mathématicien, géographe et astronome grec. Il mesure l'amplitude d'un arc de méridien (entre Syène et Alexandrie) et fut le premier à évaluer avec précision la circonférence de la Terre.

Erbakan (Necmettin) (Sinop, 1926), homme politique turc. Chef du parti islamiste de la Prospérité *(Refah),* Premier ministre (1996-1997), il est interdit d'activité politique pour cinq ans et son parti est dissous en 1998.

Erbil (en ar. *Arbīl*), v. d'Irak, dans le Kurdistān méridional; 108 000 hab.; ch.-l. de rég. auton. Carrefour routier et ferroviaire; centre comm. et agric. – Erbil est l'antique *Arbèles.*

erbium [ɛʀbjɔm] n. m. CHIM Élément de la famille des lanthanides de numéro atomique Z = 68 et de masse atomique 167,28 (symbole Er). – Métal appartenant au groupe des terres rares : il fond à 1 530 °C et bout vers 2 860 °C.

Ercilla y Zúñiga (Alonso de) (Madrid, 1533 – id., 1594), poète espagnol. Il prit part à une campagne contre les Araucans du Chili, qu'il relata dans *La Araucana* (1569-1589), sorte de poème épique.

Erckmann-Chatrian, nom collectif de deux romanciers français. – **Émile Erckmann** (Phalsbourg, 1822 – Lunéville, 1899) et **Alexandre Chatrian** (Le Grand-Soldat, Moselle, 1826 – Villemomble, 1890), auteurs de romans qui évoquent les guerres impériales (*Histoire d'un conscrit de 1813,* 1864; *Waterloo,* 1865) et la vie rustique alsacienne (*l'Ami Fritz,* 1864).

Erdre, riv. de Bretagne (105 km); conflue avec la Loire (r. dr.) à Nantes.

ère n. f. **1.** Époque fixe à partir de laquelle on commence à compter les années; la suite des années comptées à partir de cette période. *L'ère de la fondation de Rome* (753 av. J.-C.). *L'ère chrétienne.* **2.** Fig. Époque où commence un nouvel ordre de choses. *Pays qui entre dans une ère de prospérité.* **3.** GEOL Chacune des grandes divisions du temps (entre – 570 millions d'années et l'époque actuelle), elles-mêmes divisées en périodes puis en étages. *L'ère primaire, secondaire,* etc. Syn. érathème.

Érèbe, dans la myth. gr., la partie la plus ténébreuse des Enfers, personnifiée en tant que fils de Chaos et frère de la Nuit.

Erebus, volcan actif de l'Antarctique, dans l'île de Ross (3 794 m). Il fut découvert par l'explorateur britan. sir James Clarke Ross, qui lui donna le nom de son navire.

Érechthée, dans la myth. gr., roi d'Athènes; fils de Pandion.

Érechthéion, temple, en ruine, situé sur l'acropole d'Athènes; chef-d'œuvre de l'art attique (style ionique); dédié à Érechthée. Sa partie la plus récente fut édifiée de 421 à 406 av. J.-C.; le toit du portique de la façade sud est soutenu par de célèbres cariatides.
▸ illustr. **Acropole**

érecteur, trice adj. et n. m. PHYSIOL Qui provoque l'érection. *Un muscle érecteur* ou, n. m., *un érecteur.*

érectile adj. **1.** Qui peut se gonfler et durcir par afflux de sang. *Tissus érectiles.* **2.** Qui peut se dresser. *Poils érectiles.*

érection n. f. **1.** Action d'élever, de construire. *L'érection d'un monument.* **2.** PHYSIOL État d'un organe, d'un tissu mou qui devient raide par suite de l'afflux de sang. – (S. comp.) Érection du pénis

éreintage n. m. Critique sévère et malveillante. Syn. éreintement.

éreintant, ante adj. Épuisant, harassant. *Un travail éreintant.*

éreintement n. m. **1.** État d'une personne éreintée. **2.** Critique sévère et malveillante. Syn. éreintage.

éreinter v. tr. [**1**] **1.** Excéder de fatigue. *Ce travail l'éreinte.* – Pp. adj. *Elle est éreintée.* ▷ v. pron. *S'éreinter.* – Par exag., cour. *S'éreinter à faire une chose,* se donner beaucoup de peine pour l'accomplir. **2.** Critiquer violemment et méchamment. *Il a éreinté son contradicteur.* – Pp. adj. *Un livre éreinté par la critique.*

éreinteur, euse n. et adj. Rare Se dit d'une personne qui critique avec violence et sévérité.

érémitique adj. Litt. Propre aux ermites. *Vie érémitique.*

érésipèle. V. érysipèle.

éréthisme n. m. MED État d'excitation d'un organe. *Éréthisme cardiaque.*

Érétrie, anc. v. grecque, dans l'île d'Eubée, détruite par les Perses lors de la première guerre médique (490 av. J.-C.). Ruines de l'acropole, d'un théâtre, de temples et de nombreux édifices.

Erevan ou **Erivan,** cap. de l'Arménie, située à env. 1 000 m d'altitude, dans un bassin dominé par le massif volcanique de l'Aragats (Petit Caucase); 1 186 000 hab. Au centre d'une riche région agricole (coton, vignobles, vergers), la ville a été très éprouvée par un tremblement de terre en 1988. Elle bénéficie de l'aménagement hydroél. de la vallée du Razdan. – Nombr. industr. (agro-alim., textile, chim., électrométallurgie, constr. méca.). – Centre universitaire et scientifique. Nombr. musées archéologiques et historiques. Bibliothèque nationale.

Erfurt, v. d'Allemagne, sur la Gera; 212 010 hab.; cap. admin. du Land de Thuringe, la ville est un centre industr. mport. : constr. méca., industr. métall., chim., text. – *Entrevue d'Erfurt* : du 27 sept. au 14 oct. 1808, Napoléon et le tsar Alexandre Ier se rencontrèrent dans a ville pour tenter de resserrer les iens franco-russes.

1. erg n. m. PHYS Unité de travail du ystème C.G.S. (remplacé auj. par le oule, unité SI). *1 erg équivaut à* 10^{-7} *oules.*

2. erg n. m. GEOMORPH Dans un désert, égion couverte de dunes.

ergie, ergo-. Éléments, du gr. *ergon,* action, travail ».

rgographe n. m. Appareil servant à a mesure, à l'étude du travail musulaire.

rgol n. m. CHIM Constituant (oxydant u réducteur) d'un propergol.

rgonome ou **ergonomiste** n. idac. Spécialiste d'ergonomie.

rgonomie n. f. Didac. Science de adaptation du travail à l'homme. (Elle orte sur l'amélioration des postes et e l'ambiance de travail, sur la dimiution de la fatigue physique et nereuse, sur l'enrichissement des tâches, tc.)

rgonomique adj. Didac. **1.** Relatif à ergonomie. **2.** Se dit d'un objet spéciament adapté aux conditions du travail uquel il est destiné. *Siège ergonomique e dactylo.*

rgostérol n. m. BIOCHIM Stérol très épandu dans le règne végétal et qui peut, sous l'effet des rayons ultraviolets, acquérir les propriétés de la vitamine D.

ergot [ɛʀgo] n. m. **1.** Éperon osseux placé sur la face postérieure de la patte des galliformes mâles. *Les ergots du coq.* – Loc. fig. *Se dresser sur ses ergots* (comme fait le coq) : prendre un ton fier et menaçant. ▷ Saillie cornée en arrière du boulet de certains mammifères (cheval, chien). **2.** BOT Maladie de certaines céréales (partic. du seigle) provoquée par un champignon ascomycète qui produit sur les épis des fructifications ayant grossièrement la forme d'un ergot de coq. – Cette fructification. **3.** TECH Saillie sur une pièce de bois ou de fer.

ergotage n. m. Action d'ergoter; chicane.

ergotamine n. f. BIOCHIM Dérivé de l'acide lysergique, extrait de l'ergot de seigle, dont l'action est antagoniste de celle du système nerveux sympathique.

ergoté, ée adj. **1.** ZOOL Qui a des ergots. *Mammifère ergoté.* **2.** BOT Atteint par l'ergot. *Seigle ergoté.*

ergoter v. intr. [**1**] Chicaner, contester, trouver à redire sur tout. *Ergoter sur des vétilles.*

ergoteur, euse n. et adj. Personne qui a la manie d'ergoter.

ergothérapie n. f. PSYCHIAT Utilisation du travail manuel dans le traitement de certaines affections mentales.

ergotisme n. m. MED Ensemble des accidents (convulsifs ou gangréneux) provoqués par la consommation répétée de seigle ergoté.

Erhard (Ludwig) (Fürth, 1897 – Bonn, 1977), homme politique allemand. Chrétien-démocrate, ministre de l'Économie (1949-1963) puis chancelier fédéral (oct. 1963 - nov. 1966), il a fortement contribué à l'essor écon. de la R.F.A.

Eric. V. Erik.

éricacées n. f. pl. BOT Famille de dicotylédones gamopétales superovariées comprenant des arbustes et des arbrisseaux tels que la bruyère, le rhododendron, la myrtille, etc. – Sing. *Une éricacée.*

Érichthonios, dans la myth. gr., roi d'Athènes, fils d'Héphaïstos et de Gaia (la Terre); il aurait institué les fêtes qui donneront naissance aux panathénées. On distingue mal sa légende de celle d'Érechthée.

Ericsson (John) (Långbanshyttan, 1803 – New York, 1889), ingénieur américain d'origine suédoise; inventeur d'une machine à vapeur, d'un propulseur à hélice et d'une machine à air chaud.

Éridan, nom donné au Pô dans l'Antiquité.

Éridan, constellation australe, à l'ouest d'Orion.

Eridou ou **Eridu,** v. anc. du S. de la Mésopotamie (auj. *Abu-Shar-ain,* Irak); un des premiers centres de la civilisation sumérienne (fin du IVe millénaire av. J.-C.).

Erie, v. et port des États-Unis (Pennsylvanie), sur le lac Érié; 108 700 hab. Insérée dans la conurbation Toledo-Buffalo, la ville s'est orientée vers la sidérurgie et les constr. électr. et méca. (matériel ferroviaire).

Érié (lac), le plus méridional des Grands Lacs américains (25 800 km²). Ses eaux se jettent dans le lac Ontario par les chutes du Niagara. – Le *canal de l'Érié* (590 km) relie depuis 1825 l'Hudson au lac Érié. Il a permis l'essor du port de New York.

ériger v. tr. [**13**] **1.** Dresser, élever (un monument). *Ériger une statue, un autel.* **2.** Établir, instituer. *Ériger un tribunal.* **3.** Élever à la qualité de. *Ériger une terre en comté, une église en cathédrale.* – Fig. *Ériger en principe que...* ▷ v. pron. *S'ériger en* : s'attribuer le rôle de, se poser en. *S'ériger en défenseur des bonnes causes. S'ériger en censeur.*

érigne [eʀiɲ] ou **érine** [eʀin] n. f. CHIR Petit instrument terminé par des crochets et qui sert, pendant une opération, à maintenir certaines parties écartées.

Erik ou **Eric,** nom de sept rois de Danemark, de deux rois de Norvège et de quatorze rois de Suède. – **Erik Jedvardsson,** dit *le Saint* (m. à Uppsala, 1160), roi de Suède (1156-1160); patron de la Suède, fêté le 18 mai. – **Erik de Poméranie** (?, 1382 – Rügenwalde, 1459), roi de Danemark, de Suède (1396-1439) et de Norvège (1389-1442); il fit proclamer l'union des trois royaumes à Kalmar (1397).

Erik le Rouge (Jaeren, v. 940 –?, v. 1010), explorateur norvégien. Il découvrit le Groenland (v. 981).

Érin, nom poétique de l'Irlande : *la verte Érin.*

Érinnyes ou **Érinyes,** dans la myth. gr., déesses de la Vengeance, dites aussi, par antiphrase, Euménides (« bienveillantes »). Les Romains les assimilèrent aux Furies.

éristique adj. et n. PHILO Qui appartient à la controverse. ▷ n. f. Art de la controverse. ▷ n. m. Philosophe de l'école philosophique grecque créée par Euclide à la fin du Ve s. av. J.-C. à Mégare.

Erivan. V. Erevan.

Erlach (von), famille suisse qui a donné, du XIIIe au XVIIIe s., plusieurs hommes de guerre. – **Jean Louis** (Berne, 1595 – Brisach, 1650), officier au service de Gustave Adolphe, puis de Bernard de Saxe-Weimar, enfin du roi de France, qui le fit maréchal (1650). – **Charles Louis** (Berne, 1746 – id., 1798), d'abord au service de la France, commanda les troupes helvétiques lors de l'invasion française de 1798.

Erlangen, v. d'Allemagne (Bavière), sur la Regnitz; 100 200 hab. Constr. électriques; industr. chimiques, textiles.

Erlanger (Joseph) (San Francisco, 1874 – Saint Louis, 1965), neurophysiologiste américain. Il étudia le rôle des différentes fibres nerveuses. P. Nobel de médecine 1944.

Ermenonville, com. de l'Oise (arr. de Senlis); 787 hab. – Chât. (XVIIIe s.). Au milieu du parc, une île conserve le tombeau (vide) de J.-J. Rousseau, mort dans un pavillon du domaine. – Le *désert d'Ermenonville,* au N. de la commune, est un site composé de dunes (la *Mer de sable*) et de collines couvertes de pins et de bruyères.

erminette. V. herminette.

ermitage n. m. **1.** Vx Lieu où vit un ermite. **2.** Litt. Lieu écarté et solitaire.

Ermitage (musée de l'), palais construit par Vallin de La Mothe sur l'ordre de Catherine II à Saint-Pétersbourg, et agrandi par Nicolas Ier. Ses coll. de peintures et d'antiquités en font l'un

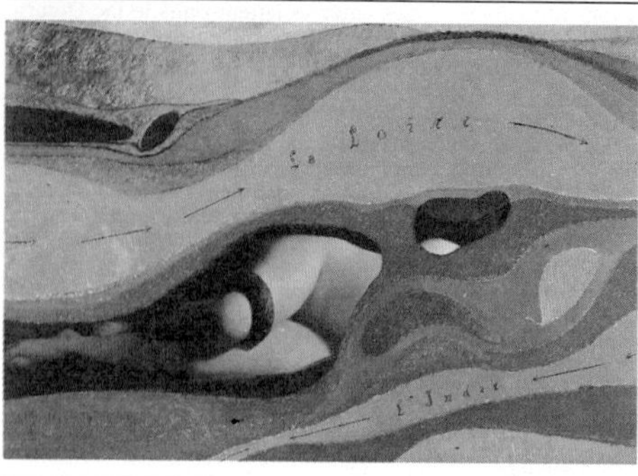

Max **Ernst :** *le Jardin de la France,* 1962 ; MNAM

des plus riches musées du monde. V. Saint-Pétersbourg.
► illustr. **Saint-Pétersbourg**

ermite n. m. **1.** Religieux qui vit retiré dans un lieu désert. **2.** Fig. Personne qui vit seule et retirée. *Vivre en ermite.*

Ermont, ch.-l. de cant. du Val-d'Oise (arr. de Pontoise) ; 28 073 hab.

Ermoúpolis. V. Hermoupolis.

Erne, fl. d'Irlande (103 km) ; naît en rép. d'Irlande ; traverse le S.-O. de l'Ulster, où il s'élargit en deux lacs, l'*Upper Lough Erne* et le *Lower Lough Erne,* coule de nouveau sur le territoire de l'Eire et se jette dans l'Atlantique.

Ernest-Auguste de Brunswick-Lunebourg (Herzberg, 1629 - Herrenhausen, 1698), premier Électeur de Hanovre (pour son rôle actif dans la guerre contre Louis XIV). Il légua ce titre à son fils, le futur George Ier d'Angleterre.

Ernest-Auguste Ier (Londres, 1771 - Hanovre, 1851), cinquième fils de George III d'Angleterre. Il régna sur le Hanovre à la mort de Guillaume IV (1837-1851).

Ernst (Max) (Brühl, Rhénanie, 1891 - Paris, 1976), peintre français d'origine allemande ; l'un des fondateurs du groupe dadaïste de Cologne, puis l'un des principaux représentants du surréalisme, auquel il apporta notam. la technique du « frottage ». Il est également l'inventeur du roman-collage : *la Femme 100 têtes* (1929), *Une semaine de bonté* (1934).

éroder v. tr. [1] Ronger par une action lente. *L'eau érode les montagnes.*

érogène adj. Qui est la source d'une excitation sexuelle. *Zone érogène.*

éros [eʀos] n. m. PSYCHAN Terme utilisé par Freud, dans sa dernière théorie des pulsions, pour désigner l'ensemble des pulsions de vie (par oppos. à *thanatos*). ▷ Terme utilisé par certains auteurs (en partic. Bachelard) pour symboliser le désir et ses manifestations sublimées.

Éros, dieu de l'Amour chez les Grecs, qui le considérèrent d'abord comme une des forces constitutives du cosmos. Il est généralement représenté par un enfant, ailé ou non, tenant une torche ou un arc. V. Psyché.

Éros, astéroïde à orbite très excentrique, gravitant entre Mars et Jupiter.

érosif, ive adj. GEOL Qui produit l'érosion ; qui s'érode.

érosion n. f. **1.** Action, effet d'une substance qui érode ; son résultat. ▷ GEOL Ensemble des phénomènes physiques et chimiques d'altération ou de dégradation des reliefs. **2.** Fig. Altération. - FIN *Érosion monétaire :* diminution du pouvoir d'achat d'une monnaie (due en partic. à l'inflation).
ENCYCL **Géol.** - L'érosion tend à aplanir les reliefs. Les écarts de température font éclater les roches *(cryoclastie)* ; les eaux de pluie dissolvent les calcaires, notam. ; les particules solides transportées par le vent érodent les roches *(érosion éolienne).* On distingue généralement les effets physiques (érosions proprement dites) des effets chimiques, que l'on nomme *altération.*

Érostrate, Éphésien qui, pour assurer à son nom l'immortalité, incendia le célèbre temple d'Artémis à Éphèse (356 av. J.-C.).

érotique adj. **1.** Qui a rapport à l'amour, et partic. à l'amour sensuel, à la sexualité. **2.** Qui excite la sensualité, l'appétit sexuel. *Film érotique.*

érotiquement adv. D'une manière érotique.

érotiser v. tr. [1] Donner un caractère érotique à. *Érotiser une forme de littérature dans un but commercial.*

Éros : statuette en bronze, IIIe s. ; musée de Solçuk, près d'Éphèse

aiguille de l'île de Hoy (*The Old Man*), détachée de la falaise de grès rouge par l'**érosion,** pendant le dévonien ; Orcades

érotisme n. m. **1.** Caractère de ce qui est érotique. *L'érotisme d'un roman.* **2.** L'amour et la sexualité pris comme objets d'étude ou comme thèmes artistiques, littéraires.

érotologie n. f. Didac. Étude de l'érotisme.

érotomane adj. et n. PSYCHOPATHOL Atteint d'érotomanie. ▷ adj. Qui a rapport à l'érotomanie. *Délire érotomane.* (On dit aussi *érotomaniaque.*)

érotomanie n. f. PSYCHOPATHOL **1.** Illusion délirante d'être aimé. **2.** Affection mentale caractérisée par des préoccupations sexuelles obsessionnelles.

erpétologie n. f. ZOOL Partie de la zoologie qui étudie les reptiles. (Anc. orthographe : *herpétologie.*)

erpétologiste n. Didac. Spécialiste d'erpétologie.

errance n. f. Action d'errer, de marcher longuement sans destination préétablie.

1. errant, ante adj. Qui voyage sans cesse. - *Le chevalier errant,* traditionnellement défenseur des pauvres et des opprimés. - *Le Juif* errant.*

2. errant, ante adj. Qui erre, qui ne se fixe nulle part. *Peuplades errantes,* nomades. *Mener une vie errante.* ▷ Fig. *Une imagination errante et vagabonde,* qui se laisse aller librement.

errata [eʀata] n. m. inv. et **erratum** [eʀatɔm] n. m. sing. **1.** *Errata :* liste des erreurs contenues dans un texte et décelées après son impression. *Un errata est joint à cet ouvrage.* **2.** *Erratum :* faute décelée après impression, que l'on signale.

erratique adj. Didac. Qui n'est pas fixe. - MED *Fièvre erratique,* irrégulière. - GEOL *Bloc erratique :* bloc rocheux qu'un glacier a arraché à son site d'origine et qu'il a transporté dans des régions parfois très éloignées.

erre n. f. MAR Vitesse d'un navire. *Prendre de l'erre.* - *Spécial.* Vitesse due à l'inertie, lorsque le système de propulsion n'agit plus. *Courir sur son erre.*

errements n. m. pl. Manière habituelle et néfaste d'agir, de se conduire. *Ne pas suivre ses anciens errements.*

errer v. intr. [1] **1.** Marcher longuement, au hasard, sans but précis. *Errer dans une forêt.* ▷ Fig. *Laisser errer ses pensées.* **2.** Vx ou litt. Se tromper, être dans l'erreur. *L'homme est sujet à errer.*

erreur n. f. **1.** Action de se tromper ; faute, méprise. *Faire une erreur de calcul, une erreur de date. Sauf erreur.* - Loc. *Faire erreur :* se tromper. **2.** État de celui qui se trompe. *Être dans l'erreur. Tirer qqn de l'erreur.* ▷ Fausseté, partic. en matière de dogme religieux. **3.** Ce qui est inexact (par rapport au réel ou à une norme définie). ▷ PHILO *Erreur des sens :* illusion produite par les sens. - *Erreur de raisonnement,* causée par l'équivoque, la généralisation hâtive. ▷ PHYS *Erreur de mesure d'une grandeur. Erreur absolue :* différence entre la mesure d'une grandeur et sa valeur réelle. *Erreur relative :* rapport entre l'erreur absolue et la valeur réelle. *Calcul d'erreurs :* estimation de la limite supérieure des erreurs de mesure. ▷ DR *Erreur de droit,* qui porte sur ce que la loi permet ou défend. *Erreur de fait :* appréciation inexacte d'un fait matériel ou ignorance de son existence. *Erreur judiciaire :* condamnation d'un innocent à la suite d'une erreur de fait. **4.** Action inconsidérée, regrettable, maladroite.

a commis une grossière erreur en me parlant sur ce ton.

erroné, ée adj. Entaché d'erreur, inexact, contraire à la vérité. *Une interprétation erronée des faits.*

ers [ɛʀ] n. m. Vesce utilisée comme fourrage.

ersatz [ɛʀzats] n. m. Produit de remplacement, succédané. *La saccharine est un ersatz du sucre.* ▷ *Spécial.* Produit de remplacement de qualité inférieure, de mauvaise qualité.

Ershad (Hussein Mohammed) (Rangpur, 1930), homme politique et général du Bangladesh. Auteur du coup d'État qui renversa le prés. Abdus Sattar, en 1982, il fut prés. de la République de 1983 à 1990.

Erté (Romain de Tirtoff, dit) (Saint-Pétersbourg, 1892 - Paris, 1990), peintre et décorateur français d'origine russe (décors et costumes des Folies-Bergère).

érubescent, ente adj. Didac. Qui devient rouge.

éructation n. f. **1.** Litt. ou plaisant Émission sonore, par la bouche, de gaz provenant de l'estomac. **2.** Fig. Manifestation grossière et à voix forte (de sentiments, d'idées).

éructer v. **[1] 1.** v. intr. Rejeter avec bruit par la bouche les gaz venant de l'estomac. Syn. roter. **2.** v. tr. Fig. *Éructer des injures.*

érudit, ite adj. et n. Qui possède un savoir particulièrement approfondi dans une science, un domaine quelconque. *Un auteur érudit. Un ouvrage érudit,* qui dénote une grande érudition.

érudition n. f. Savoir de l'érudit. *Avoir une grande érudition. Un ouvrage d'érudition.*

éruptif, ive adj. **1.** Qui a rapport aux éruptions volcaniques. ▷ *Roche éruptive,* syn. anc. de *roche magmatique.* **2.** MED Qui caractérise ou accompagne une éruption. *Fièvre éruptive.*

éruption n. f. **1.** Projection plus ou moins violente, par un volcan, de divers matériaux : scories, cendres, blocs rocheux, gaz, etc.; état d'un volcan qui projette ces matériaux. *Éruption volcanique. Volcan en éruption.* **2.** MED Évacuation subite et abondante d'un liquide contenu dans un organe ou un abcès. ▷ Apparition sur la peau de taches, de boutons, etc. ▷ *Éruption des dents :* apparition des dents chez l'enfant. **3.** *Éruption solaire :* bref dégagement d'énergie dans l'atmosphère solaire, qui se manifeste par une augmentation très localisée de la brillance, une émission d'ondes électromagnétiques, une accélération de particules et des mouvements de matière. **4.** Fig. Production soudaine et abondante. *Une éruption de colère.*

Erwin de Steinbach (Erwin, dit) (Steinbach, v. 1244 - Strasbourg, 1318 ?), architecte alsacien; longtemps considéré comme le principal maître d'œuvre de la cathédrale de Strasbourg. On lui attribue auj. la construction de la façade occid.

Érymanthe (l'), rivière et dieu-fleuve de l'anc. Arcadie (Péloponnèse). - Montagne boisée, repaire d'un sanglier redoutable que tua Héraclès*.

érysipèle ou **érésipèle** n. m. MED Dermite due à un streptocoque, qui se manifeste notam. par des plaques éruptives sur la face.

érythémateux, euse adj. MED Qui a les caractères de l'érythème.

érythème n. m. MED Rougeur de la peau, due à la congestion des capillaires. *Érythème fessier du bébé.*

Érythrée (mer), nom donné dans l'Antiquité à l'océan Indien, à la mer Rouge et au golfe Persique.

Érythrée (Rép. d'), État d'Afrique orientale, bordant la mer Rouge; 119 000 km²; 3,5 millions d'hab. (*Érythréens*); cap. *Asmara.* Nature de l'État : régime présidentiel. Langues : tigrinya, arabe. Monnaie : nakfa.
Géogr. phys. et hum. - Le pays s'étend sur le rebord septentrional du massif éthiopien, bordé par la mer Rouge et par une étroite plaine qui s'élargit au sud pour former le désert Danakil. La pop. est musulmane sur le littoral, chrétienne à l'intérieur.
Hist. - Anc. dépendance du royaume copte d'Axoum, l'Érythrée, après la destruction de celui-ci, fut réunie à l'Empire éthiopien. Annexée par l'Italie en 1890, l'Érythrée connut un certain développement dans les années 30, lorsque l'Italie fasciste voulut en faire la vitrine de son empire d'outre-mer. Occupé en 1941 par les forces britan., le pays resta sous administration anglaise jusqu'en 1952, date à laquelle l'O.N.U. décida de le fédérer avec l'Éthiopie, tout en lui accordant un statut d'entité autonome. Mais l'Éthiopie annexa le territoire en 1962, ce qui engendra un mouvement de guérilla qui entama une guerre de libération nationale : celle-ci dura trente ans. La capitale, Asmara, étant conquise en mai 1991, un gouv. provisoire fut mis en place en juil., dirigé par Issayas Afeworki, le chef du Front populaire de libération de l'Érythrée (F.P.L.E.). À l'issue d'un référendum d'autodétermination, le pays devint indépendant le 24 mai 1993. Les dirigeants ont établi un programme politique faisant une large place au multipartisme. Mais le F.P.L.E., devenu Front populaire pour la démocratie et la justice (F.P.D.J.) en fév. 1994, a radicalisé sa politique pour faire face aux difficultés économiques. En effet, ce pays, extrêmement pauvre, n'a pas reçu l'aide internationale qu'il attendait. À ce défi économique est venue s'ajouter l'expansion, depuis 1990, de la mouvance islamiste. En mai 1998, un désaccord frontalier avec l'Éthiopie s'est transformé en conflit armé. ▶ carte **Éthiopie**.

érythréen, enne adj. et n. De l'Érythrée.

érythro-. Élément, du gr. *eruthros,* « rouge ».

érythroblaste n. m. BIOL Cellule nucléée de la moelle osseuse, précurseur des hématies.

érythrocyte n. m. BIOL Globule rouge.

érythropoïèse n. f. PHYSIOL Formation des globules rouges.

érythropoïétine n. f. Protéine qui stimule l'érythropoïèse. - Abrév. cour. E.P.O.

érythrosine n. f. CHIM Dérivé iodé de la fluorescéine servant notam. de colorant alimentaire rouge.

Éryx, anc. v. de Sicile (auj. *Erice*), au pied du *mont Éryx,* où se déroulèrent des combats de la première guerre punique. Temple d'Aphrodite.

Erzberg, montagne d'Autriche (Styrie), riche en minerai de fer.

Erzberger (Matthias) (Buttenhausen, Wurtemberg, 1875 - près de Griesbach, Bade, 1921), homme politique allemand. Partisan, avant 1914, de la polit. d'armement, puis pacifiste pendant la guerre, il fit voter par le Reichstag une résolution de paix (19 juil. 1917). Chef de la délégation allemande à Rethondes (nov. 1918), il œuvra pour une paix loyale entre l'Allemagne et la France; il fut assassiné par des nationalistes.

Erzeroum ou **Erzurum,** v. de Turquie orient.; ch.-l. de l'il du m. nom; 246 050 hab. Centre comm. et industr.; constr. méca., text. - Ruines de l'anc. citadelle; mosquée (XIIe s.), medersa (XIIIe s.). - Erzeroum est la *Theodosiopolis* byzantine, devenue arménienne sous le nom de *Karin* (Xe s.).

Erzgebirge. V. Métallifères (monts).

Erzincan, v. de Turquie orient.; ch.-l. de l'il du m. nom; 82 620 hab. Métall. du cuivre, industr. text. - Ce fut, au début de l'ère chrétienne, la ville princ. de l'Arménie. Elle fut en partie détruite par un tremblement de terre en 1992.

es-. V. é-.

ès prép. En, dans les, en matière de. *Docteur ès sciences. Licencié ès lettres.* (N.B. Toujours suivi d'un plur. dans la dénomination de certains diplômes.)

Es CHIM Symbole de l'einsteinium.

Ésaïe. V. Isaïe.

Esaki (Leo) (Ōsaka, 1925), physicien américain d'origine japonaise. Il découvrit l'effet « tunnel » dans les semi-conducteurs. P. Nobel 1973.

Ésaü, personnage biblique, fils d'Isaac et de Rébecca; considéré comme l'aîné, il vendit son droit d'aînesse à son frère jumeau Jacob pour un plat de lentilles. Surnommé Édom, il est l'ancêtre éponyme des Édomites.

E.S.B. n. f. Abrév. de *encéphalopathie spongiforme bovine,* appelée couramment « maladie de la vache folle ».

esbaudir (s'). V. ébaudir (s').

esbigner (s') v. pron. [1] Arg., vieilli S'enfuir, s'en aller subrepticement.

Esbjerg, v. et port du Danemark (Jylland occid.); 81 600 hab. Conserveries, chantiers navals.

esbroufe n. f. Fam. Air important, comportement fanfaron par lequel on cherche à impressionner qqn. *Faire de l'esbroufe. À l'esbroufe :* au bluff.

escabeau n. m. **1.** Siège de bois à une place, sans bras ni dossier. **2.** Petit meuble d'intérieur muni de marches, utilisé comme échelle.

escadre n. f. **1.** MAR Flotte de guerre. **2.** AVIAT Formation constituée de trente à soixante-quinze avions identiques.

escadrille n. f. **1.** MAR Ensemble de bâtiments légers, sous-marins, torpilleurs ou dragueurs. **2.** Anc. AVIAT Unité constituée d'avions de même type (remplacée depuis 1945 par l'escadron).

escadron n. m. **I.** MILIT **1.** Anc. Troupe de cavaliers en armes. **2.** Mod. Unité d'un régiment de cavalerie, de blindés ou de gendarmerie. *Escadron de reconnaissance motorisé. Chef d'escadron :* commandant. ▷ Formation du train. ▷ AVIAT Subdivision d'une escadre.

escalade n. f. **1.** Vx Assaut d'une place à l'aide d'échelles. *Emporter une place par escalade.* **2.** Mod. Action de franchir (un mur, une clôture) en grimpant. ▷ DR Action de s'introduire dans une maison ou un lieu clos en utilisant des ouvertures qui ne sont pas destinées à servir d'entrée. *L'escalade est une circonstance aggravante du vol.* **3.** SPORT Ascension d'une paroi rocheuse. *Escalade* *libre*, utilisant uniquement des prises et points d'appui naturels. *Escalade artificielle*, utilisant des pitons spécialement posés par le grimpeur. *Mur d'escalade*, aménagé pour la pratique de ce sport. **4.** Fig. Augmentation rapide comme par surenchère, aggravation. *Escalade de la violence. Escalade des prix.* ▷ Accroissement rapide des offensives, des opérations militaires dans un conflit.

escalader v. tr. [1] **1.** Vx Prendre (une fortification) par escalade. **2.** Franchir par escalade. *Escalader un mur.* **3.** Faire l'ascension de. *Escalader une paroi rocheuse.*

escalator n. m. (Nom déposé, anglicisme.) Escalier* mécanique.

escale n. f. **1.** Action de relâcher pour embarquer ou débarquer des passagers, se ravitailler, etc. *Port, quai d'escale. Escale technique.* **2.** Lieu de cette relâche. *Singapour est une escale importante.*

escalier n. m. Suite de degrés pour monter et descendre. *Marches, cage d'escalier. Escalier de service*, réservé aux employés et aux fournisseurs. *Escalier dérobé*, secret. *Escalier roulant, mécanique*, dont les marches articulées sont entraînées mécaniquement. ▷ Fig. *Avoir l'esprit de l'escalier* : comprendre toujours trop tard, manquer de repartie.

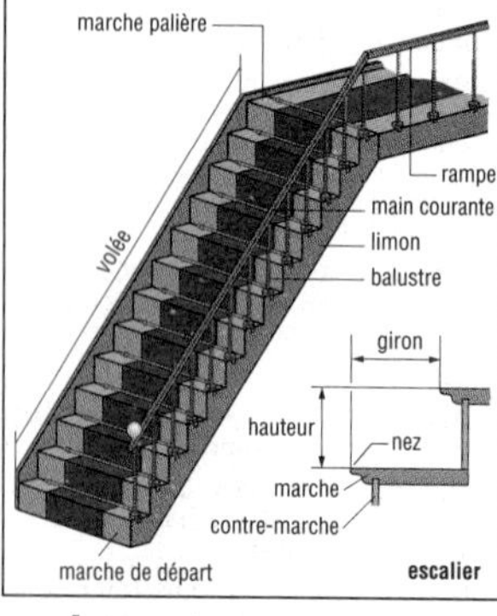

escalier

escalope n. f. CUIS Mince tranche de viande ou de poisson. *Escalope de dinde.* ▷ *Spécial.* Escalope de veau.

escaloper v. tr. [1] Couper sous forme d'escalope.

escamotable adj. Qui peut être escamoté (sens 3).

escamotage n. m. Action d'escamoter.

escamoter v. tr. [1] **1.** Faire disparaître adroitement sans que l'on s'en aperçoive. *Prestidigitateur qui escamote des cartes.* **2.** Faire disparaître frauduleusement. *Escamoter un portefeuille.* **3.** TECH Faire rentrer automatiquement l'organe saillant d'une machine, d'un appareil, dans un logement ménagé à cet effet. *Escamoter le train d'atterrissage d'un avion en vol.* **4.** Fig. Esquiver (ce qui embarrasse). *Escamoter une difficulté, une question gênante.*

escamoteur, euse n. Vieilli Illusionniste.

escampette n. f. Seulement dans la loc. fam. *prendre la poudre d'escampette* : s'enfuir, déguerpir.

escapade n. f. Action de s'échapper d'un lieu pour se dérober à ses obligations, pour se divertir. *Collégien qui fait des escapades. Homme marié qui fait une escapade.*

escape n. f. ARCHI Partie inférieure du fût d'une colonne ; le fût lui-même.

escarbille n. f. Morceau de charbon incomplètement brûlé, mêlé avec les cendres, ou qui s'échappe avec la fumée par la cheminée d'une machine à vapeur.

escarbot n. m. Vx ou rég. Nom de nombreux coléoptères.

escarboucle n. f. **1.** Vx Grenat rouge foncé d'un éclat très vif. ▷ Loc. *Briller comme une escarboucle.* **2.** HERALD Pièce formée de huit rais fleurdelisés rayonnant autour d'un cercle.

escarcelle n. f. Anc. Grande bourse que l'on portait suspendue à la ceinture. ▷ Mod., plaisant Bourse. *Avoir l'escarcelle bien garnie.*

escargot [ɛskaʀgo] n. m. Mollusque gastéropode pulmoné (ordre des stylommatophores) herbivore, à coquille hélicoïdale globuleuse, et aux cornes rétractiles munies d'yeux. *Les escargots sont hermaphrodites, mais doivent s'accoupler car ils ne peuvent s'autoféconder. Escargot de Bourgogne (Helix pomatia), petit-gris (Helix aspersa).* ▷ Fig. *Marcher, conduire comme un escargot*, très lentement.

escarmouche n. f. Combat entre tirailleurs isolés, entre petits détachements de deux armées. *Guerre d'escarmouches.* ▷ Fig. Petite lutte, engagement préliminaire. *Escarmouches d'avocats.*

escarole. V. scarole.

escarpe n. f. FORTIF Talus intérieur du fossé d'un ouvrage fortifié, opposé à la contrescarpe.

escarpé, ée adj. Qui a une pente raide. *Chemin escarpé.* ▷ Fig., litt. Ardu, difficile d'accès.

escarpement n. m. **1.** Rare État de ce qui est escarpé, abrupt. **2.** Pente raide, abrupte. *Côte terminée par un escarpement.*

escarpin n. m. Chaussure découverte et légère, à semelle fine, auj. toujours à talon.

escarpolette n. f. Vieilli Siège suspendu par des cordes, servant de balançoire.

1. escarre ou **eschare** [ɛskaʀ] n. f. MED Nécrose cutanée dans laquelle les tissus mortifiés forment une croûte noirâtre qui se détache spontanément. *Les malades longtemps alités souffrent souvent d'escarres.*

2. escarre ou **esquarre** [ɛskaʀ] n. f. HERALD Pièce en forme d'équerre.

Escaut (en néerl. *Schelde*), fl. de France, de Belgique et des Pays-Bas (430 km) ; naît dans le dép. de l'Aisne, arrose Cambrai, Valenciennes et draine toute la rég. houillère et industr. du Nord grâce à ses affl. (Scarpe, Lys) et à un réseau de canaux. En Belgique, il arrose Tournai et Anvers puis entre aux Pays-Bas, où il se jette dans la mer du Nord par un vaste estuaire *(bouches de l'Escaut)* qui baigne les îles de Zélande et dont le bras principal est le *Honte* ou *Escaut occidental.* C'est une des artères fluviales essentielles de l'Europe ; elle est presque entièrement canalisée.

eschatologie [ɛskatɔlɔʒi] n. f. THEOL Doctrine relative aux fins dernières de l'homme *(eschatologie individuelle)* et à la transformation ultime du monde *(eschatologie collective).*

eschatologique [ɛskatɔlɔʒik] adj. THEOL Relatif à l'eschatologie.

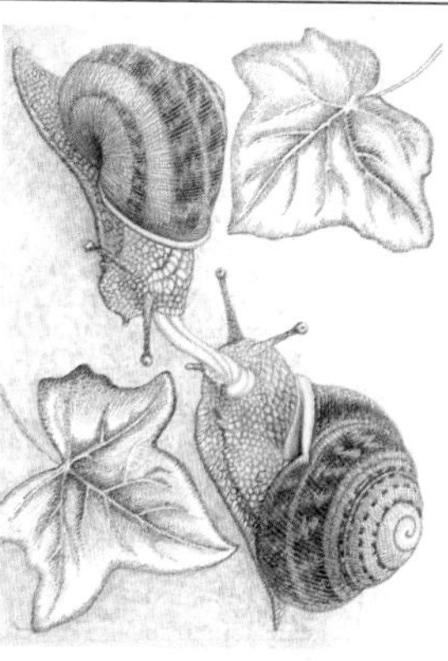
accouplement d'**escargots** petits-gris

esche, èche ou **aiche** [ɛʃ] n. f. PECHE Appât accroché à l'hameçon.

Eschenbach (Wolfram von). V. Wolfram von Eschenbach.

Eschine (Athènes, v. 390 – Rhodes [?], v. 314 av. J.-C.), orateur athénien, rival de Démosthène. D'abord ennemi de Philippe de Macédoine, il se laissa gagner à la cause du roi (paix de Philocratès, 346 av. J.-C.) et devint chef du parti macédonien à Athènes. Vaincu par Démosthène dans le procès de la Couronne (330 av. J.-C.), il dut s'exiler.

Esch-sur-Alzette, ch.-l. de cant. du grand-duché de Luxembourg, sur l'*Alzette* ; 25 140 hab. Grâce au minerai de fer, cette ville est devenue le princ. centre industr. du Luxembourg : sidérurgie, métall., prod. chim., cimenterie.

Eschyle (Éleusis, v. 525 – Gela, Sicile, 456 av. J.-C.), le plus ancien des trois grands poètes tragiques grecs. Des quelque 90 pièces qu'il a composées, il ne nous reste que des fragments et sept tragédies : *les Suppliantes, les Perses, les Sept contre Thèbes, Prométhée enchaîné, Agamemnon, les Choéphores* et *les Euménides*, ces trois dernières formant la trilogie de *l'Orestie*. Animé de profonds sentiments religieux et patriotiques, Eschyle représente avec lyrisme et réalisme les hommes luttant contre la fatalité. Il est le véritable créateur de la tragédie grecque. ► illustr. page 665

escient n. m. Vx *À mon, à ton*, etc. *escient* : en connaissance de cause sciemment. ▷ Mod. *À bon escient* : avec discernement, avec raison.

esclaffer (s') v. pron. [1] Éclater d'un rire bruyant.

esclandre n. m. Incident fâcheux bruyant qui cause du scandale. *Faire causer un esclandre.*

Esclangon (Ernest) (Mison, Alpes-de-Haute-Provence, 1876 – Eyrenville, Dordogne, 1954), astronome français ; créateur des horloges parlantes (1932).

esclavage n. m. **1.** Condition, état d'esclave. **2.** *Par ext.* État de dépendance, de soumission (à un pouvoir autoritaire). ▷ Fig. État d'une personne entièrement dominée (par une passion, un besoin). **3.** Ce qui rend esclave (sens 2). *La toxicomanie est un véritable esclavage.*

esclavagisme n. m. **1.** Théorie, doctrine, méthode des esclavagistes. **2.** Organisation sociale fondée sur l'esclavage.

esclavagiste adj. et n. Partisan de l'esclavage. *Les États esclavagistes du sud des États-Unis, avant la guerre de Sécession.*

esclave n. et adj. **1.** Personne qui est sous la dépendance absolue d'un maître qui peut en disposer comme de tout autre bien. ▷ adj. *Un peuple esclave.* **2.** *Par ext.* Personne qui subit la domination, l'emprise de (qqn, qqch). *Devenir l'esclave de l'habitude.* ▷ adj. *Être esclave de son devoir.*

Esclaves ou **Esclave** (Grand Lac des ou de l'), lac du Canada (Territ. du Nord-Ouest); 28 438 km²; se déverse dans l'océan Arctique par le fl. Mackenzie. Mines d'uranium dans la région.

Esclaves (Côte des). V. Côte des Esclaves.

esclavon, onne n. et adj. HIST **1.** Habitant de l'Esclavonie (anc. nom de la Slavonie, rég. hist. des Balkans, auj. en Croatie). *Le quai des Esclavons, à Venise.* ▷ adj. De l'Esclavonie. **2.** n. m. Nom donné autref. aux dialectes slaves auj. englobés dans le groupe serbocroate.

Escoffier (Auguste) (Villeneuve-Loubet, Alpes-Maritimes, 1847 - Monte-Carlo, 1935), cuisinier français, surnommé «l'Empereur des cuisiniers». Ouvrages gastronomiques : *le Guide culinaire, le Carnet d'Épicure.*

escogriffe n. m. Fam. *Un grand escogriffe :* un homme grand et dégingandé.

escomptable adj. Qui peut être escompté.

escompte [ɛskɔ̃t] n. m. FIN **1.** Forme d'avance à court terme consistant dans le paiement, par l'escompteur, d'une traite avant l'échéance, moyennant la retenue d'un agio (calculé suivant le taux d'escompte, qui varie en fonction des directives de la Banque de France). ▷ Somme retenue par l'escompteur. **2.** Prime accordée au débiteur qui paie avant l'échéance, ou à l'acheteur au comptant. **3.** En Bourse, faculté laissée à l'acheteur à terme de se faire livrer les valeurs avant l'échéance, moyennant le paiement du prix fixé.

escompter [ɛskɔ̃te] v. tr. [1] **1.** FIN Prélever l'escompte sur (une traite payée avant l'échéance). *Escompter un billet à ordre.* **2.** Fig., VX Jouir par avance de. ▷ Mod. Compter sur, s'attendre à (qqch). *Escompter la réussite à un examen.*

escompteur, euse n. m. (et adj.) Celui qui fait l'escompte. ▷ adj. *Un banquier escompteur.*

escopette n. f. Anc. Petite arme à feu portative, à bouche évasée.

Escorial (el) (en fr. *l'Escurial*), anc. résidence des rois d'Espagne, près du village de San Lorenzo del Escorial (prov. de Madrid), construite de 1563 à 1584 par Francisco de Mora, G. Castello, Juan Bautista de Toledo et Juan de Herrera, sur ordre de Philippe II, pour commémorer la victoire de Saint-Quentin (le 10 août 1557, jour de la Saint-Laurent). Palais, couvent et nécropole, el Escorial, quadrilatère sévère, de style italianisant, a la forme d'un gril, en souvenir du supplice de saint Laurent. Bâti en granit gris-bleu, l'ensemble architectural (208 m sur 162 m) est entouré d'un immense parc. El Escorial abrite d'importantes collections de peintures (Zurbarán, Titien, le Greco, Véronèse, Vélasquez, etc.) et une très riche bibliothèque.

el Escorial

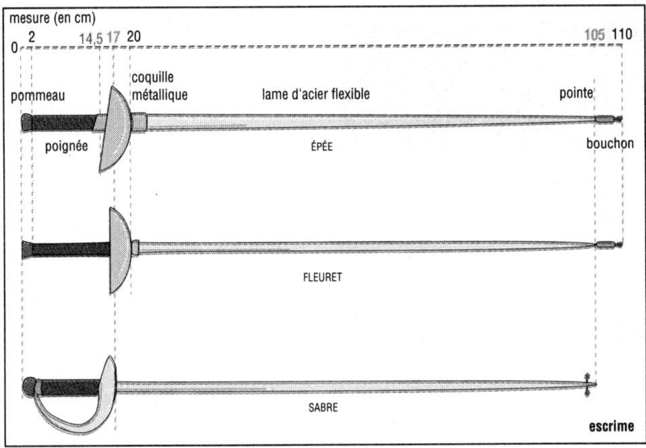

escrime

escorte n. f. **1.** Troupe armée qui accompagne (qqn, un convoi, etc.) pour assurer une protection, exercer une surveillance. *Marcher sous bonne escorte.* **2.** Ensemble de bâtiments de guerre, d'avions de chasse accompagnant des navires, des avions pour assurer leur protection. **3.** Cortège, suite. *Escorte d'honneur. Faire escorte à qqn.* ▷ Fig. Série, suite de choses, d'événements qui accompagnent qqch. *La guerre et son escorte de deuils.*

escorter v. tr. [1] Accompagner (qqn) pour le protéger, le surveiller ou lui faire honneur. *Escorter un prince, un prisonnier.*

escorteur n. m. MAR Bâtiment de guerre spécialisé dans la protection des forces navales ou des convois, contre les attaques sous-marines ou aériennes.

escouade n. f. Anc. Fraction d'une compagnie ou d'un peloton commandée par un caporal ou un brigadier. ▷ *Par ext.* Groupe (de quelques personnes).

escourgeon [ɛskuʀʒɔ̃] ou **écourgeon** [ekuʀʒɔ̃] n. m. AGRIC Orge commune, appelée aussi *orge d'hiver.*

escrime n. f. Art du maniement du fleuret, de l'épée, du sabre.

escrimer (s') v. pron. [1] S'évertuer, faire de grands efforts. *S'escrimer à faire qqch, sur qqch.*

escrimeur, euse n. Personne qui pratique l'escrime.

Escrivá de Balaguer (José María) (Barbastro, 1902 - Rome, 1975), prélat espagnol, fondateur de l'Opus* Dei. Béatifié par Jean-Paul II en 1992.

escroc [ɛskʀo] n. m. Filou, personne qui commet des escroqueries.

escroquer v. tr. [1] Voler, soutirer (qqch à qqn) en usant de manœuvres frauduleuses, de fourberies. *Escroquer de l'argent à qqn.* ▷ Par ext. *Escroquer qqn.*

escroquerie n. f. Action d'escroquer; son résultat. ▷ DR Délit consistant à faire usage d'un faux nom, d'une fausse qualité ou à employer toute manœuvre frauduleuse pour se faire remettre indûment des valeurs, de l'argent, des objets mobiliers. - Par ext. *Escroquerie morale :* abus de confiance.

escudo [ɛskydo] n. m. Unité monétaire du Portugal et du Cap-Vert.

Escuintla, v. du Guatemala; 75 000 hab.; ch.-l. du dép. du m. nom. Raff. de pétrole.

Esculape, dieu de la Médecine chez les Romains. (V. Asclépios).

Escurial (l'). V. Escorial (el).

Esdras ou **Ezra** (Ve s. av. J.-C.), personnage biblique. Il réorganisa la communauté juive en Palestine après l'exil de Babylone.

Esdras (livre d'), livre historique de la Bible (fin du IVe s. av. J.-C.) qui relate le retour d'exil des Juifs, puis la restauration du pays de Juda et de Jérusalem.

esgourde n. f. Arg. Oreille.

Eskilstuna, v. de Suède, à l'O. de Stockholm; 88 600 hab. Coutellerie; aciérie.

eskimo. V. esquimau.

Eskişehir, v. de Turquie (Anatolie occid.), ch.-l. de l'il du m. nom; 366 770 hab. Industr. alim. et artisanat.

Esmeraldas, ville et port de l'Équateur; 105 150 hab.; ch.-l. de la prov. du m. nom. Exportation de bananes.

Esnault-Pelterie (Robert) (Paris, 1881 - Nice, 1957), ingénieur français. Il conçut les premiers monoplans, inventa le dispositif de commande appelé «manche à balai» et posa les fondements de l'astronautique.

ESO (European Southern Observatory), organisme créé en 1962 par plus. États européens (dont la France) pour coordonner les recherches astronomiques dans l'hémisphère Sud; observatoire dans le S. du Chili (mont La Silla).

Ésope (VIIe-VIe s. av. J.-C.), fabuliste grec. Pour Plutarque, c'était un esclave affranchi, laid, boiteux (son nom signifie «pieds inégaux»), bossu et bègue, qui contait avec esprit des apologues et des récits familiers. Il n'a probablement écrit aucune des *Fables,* recueillies par Démétrios de Phalère v. 325 av. J.-C., puis versifiées par Babrias (IIe s. av. J.-C.). Planude, un moine byzantin du

Ésope et le renard, peinture sur coupe attique; Musée national étrusque, Rome

XIVe s., auteur d'une *Vie d'Ésope,* a compilé ces fables qui devaient inspirer La Fontaine.

ésotérique adj. **1.** Se dit d'une doctrine, d'un enseignement réservé aux seuls initiés. – Ant. exotérique. **2.** Cour. Difficile à comprendre, obscur pour qui n'est pas initié. *Un poète, une poésie ésotérique.*

ésotérisme n. m. Didac. Ensemble des principes rigoureux qui régissent la transmission d'une doctrine ésotérique ou de la partie ésotérique d'une doctrine. ▷ Cour. Caractère ésotérique, hermétique (d'une œuvre, d'une science, etc.).

1. espace n. m. **I. 1.** Étendue indéfinie contenant, englobant tous les objets, toutes les étendues finies. *Le temps et l'espace.* **2.** Étendue dans laquelle se meuvent les astres. ▷ *Spécial.* Milieu extra-terrestre. *Les cosmonautes sont restés plusieurs semaines dans l'espace. Science de l'espace, techniques de l'espace. Conquête de l'espace.* – *Espace lointain,* au-delà de la distance de la Terre à la Lune. **3.** MATH *Géométrie dans l'espace,* qui étudie les figures dans un espace à trois dimensions. ▷ *Espace à n dimensions,* dans lequel les coordonnées d'un point sont définies par n valeurs. ▷ *Espace vectoriel :* V. vectoriel et vecteur (encycl.). ▷ *Espace topologique :* V. topologie. **II.** Surface, étendue limitée. **1.** Surface, volume, place déterminée. *Manquer d'espace. Occuper trop d'espace.* ▷ *Espace vital* (trad. de l'all. *Lebensraum*) : territoire dont un État veut faire la conquête parce qu'il le juge nécessaire au développement économique et démographique de son peuple. ▷ *Espace aérien :* partie de l'atmosphère située au-dessus d'un territoire, dans laquelle la circulation des avions est réglementée. ▷ *Espace vert :* surface réservée aux parcs, aux jardins, dans une agglomération. **2.** Intervalle, distance entre deux points. **3.** TECH Distance parcourue par un point mobile. **III.** Intervalle de temps. *En l'espace d'une journée.*

ENCYCL La conquête de l'espace a débuté par le lancement et la mise en orbite terrestre de satellites artificiels (*Spoutnik 1* le 4 octobre 1957) puis par l'envoi d'hommes dans des satellites capables de revenir sur terre (Youri Gagarine dans *Vostok 1* le 12 avril 1961, John Glenn dans la capsule *Mercury* le 20 février 1962). La conquête de la Lune a commencé en 1968 par l'envoi de l'engin soviétique *Zond 5,* qui réalisa la première boucle Terre-Lune-Terre, et s'est poursuivie par le programme américain *Apollo* (le 21 juillet 1969, Neil Armstrong, suivi d'Edwin Aldrin, posait le pied sur la Lune). Les programmes *Saliout* (soviétique) et *Skylab* (américain) permirent à partir de 1971 et de 1973 de mettre au point les techniques de travail dans l'espace et d'accouplement de vaisseaux spatiaux. La conquête de l'espace s'orienta alors dans deux directions : la poursuite de l'exploration du système solaire par des sondes de plus en plus perfectionnées (programme *Voyager** vers les planètes extérieures à partir de 1977), capables de pratiquer des analyses in situ (missions *Viking* sur Mars en 1975-1976, *Venera* sur Vénus à partir de 1970, *Giotto* vers la comète de Halley en 1986); l'exploitation de l'espace à des fins scientifiques (astronomie, expériences en impesanteur) et pratiques (télécommunications, météorologie, recensement des ressources terrestres). Si la conquête de l'espace s'appuie toujours sur les lanceurs traditionnels (fusée *Ariane,* notam.), depuis 1981 on utilise aussi des engins d'une nouvelle génération, les navettes* spatiales, destinées en particulier à la mise en œuvre des grandes stations spatiales. V. aussi satellite.

2. espace n. f. TYPO Lamelle de métal servant à séparer deux mots, deux caractères. *Une espace fine.*

espacement n. m. **1.** Action d'espacer. **2.** Intervalle entre deux points, deux moments.

espacer v. tr. [**12**] **1.** Mettre, ménager une distance entre (des choses). *Espacer des arbres.* ▷ TYPO Séparer par une (des) espace(s). **2.** Mettre un intervalle de temps entre (des actions). *Espacer ses visites.* ▷ v. pron. *Ses malaises s'espacent peu à peu.*

espace-temps n. m. PHYS Espace non euclidien à quatre dimensions, utilisé dans la théorie de la relativité générale d'Einstein pour tenir compte de la déformation de l'espace par les champs de gravitation. *Des espaces-temps.*

espadon n. m. **1.** Vx Grande épée à large lame que l'on maniait à deux mains. **2.** ICHTYOL Poisson téléostéen (*Xiphias gladius*) des mers tempérées et chaudes, atteignant 4 m, dont la mâchoire supérieure est pourvue d'un rostre en forme d'épée.

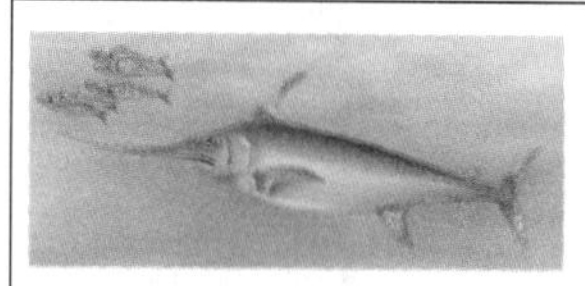

espadon pourchassant des maquereaux

espadrille n. f. Chaussure à empeigne de grosse toile et à semelle de corde.

Espagne (royaume d'Espagne) (*Reino de España*), État de la péninsule Ibérique, bordé au N.-E. par la France, à l'O. par le Portugal, au N.-O. et au S.-O. par l'Atlant., à l'E. et au S.-E. par la Médit.; 504 790 km²; 39 100 000 hab.; cap. *Madrid.* Nature de l'État : monarchie constitutionnelle. Langue nationale off. : espagnol. Monnaie : peseta. Relig. : catholicisme.

Géogr. phys. et hum. – Le centre de la péninsule est occupé par la Meseta, vieux plateau hercynien situé entre 700 m et 1 000 m et séparé en deux ensembles par la sierra de Guadarrama : au N., la Castille-León; au S. la Castille-la Manche. Flanquée de hauteurs sur sa périphérie (cordillère Cantabrique, monts Ibériques, sierra Morena), la Meseta est encadrée par deux grands bassins tertiaires largement ouverts sur la mer : celui de l'Èbre, dominé au N. par les Pyrénées (3 404 m au pic d'Aneto), et celui du Guadalquivir, que bordent au S. les chaînes Bétiques (3 478 m au Mulhacén, point culminant du pays, dans la sierra Nevada). Ces reliefs sont surtout drainés vers l'Atlantique par le Douro, le Tage, la Guadiana et le Guadalquivir; l'Èbre est le seul grand fleuve tourné vers la Méditerranée. Le climat est méditerranéen dans l'ensemble, marqué par un été chaud et sec, mais l'intérieur, continental, connaît des hivers rudes alors que le N.-O. atlantique a des caractères océaniques. La population se groupe le long des grandes vallées, dans les bassins intérieurs et sur les plaines côtières, les densités moyennes approchant 80 hab. au km². Le taux d'urbanisation atteint 78 %, et 40 % des Espagnols vivent dans des agglomérations de plus de 100 000 hab.; Madrid et Barcelone sont en tête de la hiérarchie urbaine du pays. Longtemps terre de départ, le pays enregistre désormais un solde migratoire excédentaire, ce qui compense en partie une croissance naturelle ralentie (moins de 0,5 % par an).

Écon. – L'entrée dans la C.É.E., en 1986, a renforcé un cycle de croissance écon. amorcé auparavant et qui transforme l'Espagne, réputée agricole et touristique, en une puissance économique moderne et diversifiée. L'agric., qui emploie 12 % des actifs, est fondée sur trois systèmes distincts. Les régions du Nord-Ouest atlantique sont spécialisées dans l'élevage bovin; sur les plateaux intérieurs dominent la céréaliculture traditionnelle et l'élevage extensif des moutons; on y trouve aussi d'importantes oliveraies et de vastes vignobles, comme celui de la Manche. Dans les plaines littorales et les basses vallées méditerranéennes irriguées s'impose la polyculture intensive des huertas, tournée vers l'export. de primeurs, d'agrumes et de fruits variés. L'Espagne est un des grand pays de pêche d'Europe, les ports atlantiques de Vigo et La Corogne concentrant les grands armements industriels. Le boom du tourisme balnéaire des années 60-70 a fait oublier que l'Espagne disposait de bases industrielles notables : charbonnage, sidérurgie, constr. navale des Asturies et du Pays basque, pôles d'industries diversifiées de Barcelone (1er pôle national) et de Madrid (2e pôle); l'industrialisation avait aussi gagné, plus tardivement, les régions méridionales, avec le développement de foyers pétrochimiques à Carthagène et Huelva. L'automobile, la chimie, l'agroalimentaire, l'aéronautique et l'électronique informatique (qui fait l'objet d'un plan national de développement) sont les branches clés de l'industrie actuelle. Le retard des infrastructures a imposé la mise en œuvre d'un plan énergétique, fondé sur l'hydroélectricité et le gaz, et d'un vaste programme concernant les transports (construction d'une ligne TGV Barcelone-Madrid). L'essor des activités tertiaires, qui emploient 55 % des actifs, et le dynamisme des banques témoignent aussi de la modernisation de l'écon. espagnole. L'Espagne aborde la décennie 90 en état de surchauffe économique : croissance de la consommation privée, baisse de l'épargne, développement du crédit; la reprise de l'inflation, l'aggravation du déficit extérieur (en liaison en particulier avec la stagnation des recettes touristiques), le maintien d'un chômage élevé ont conduit les autorités à dévaluer quatre fois la peseta (17 et 23 sept. 1992, 1993, 1995).

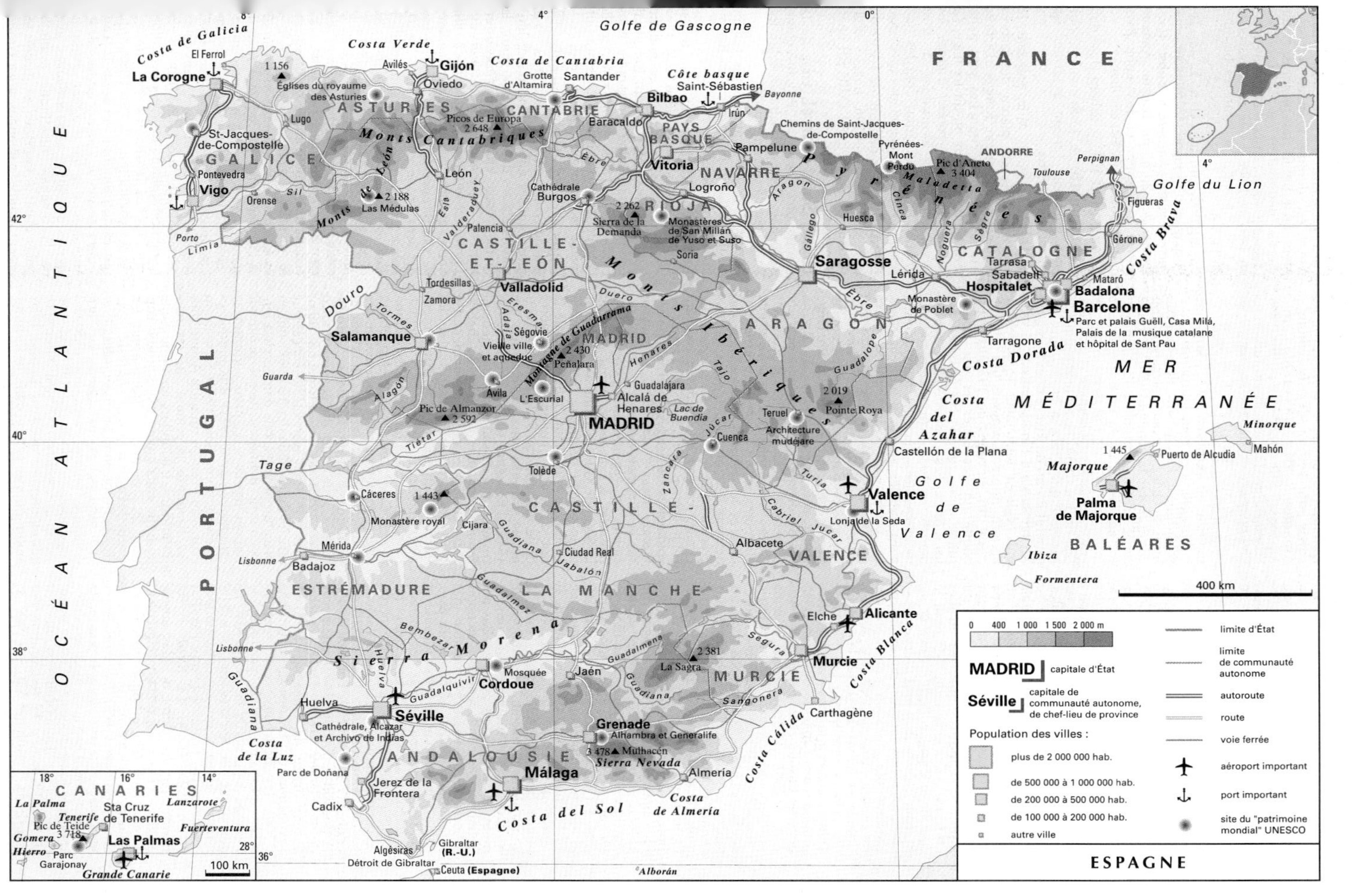

ESPAGNE
FRANCE
PORTUGAL
OCÉAN ATLANTIQUE
MER MÉDITERRANÉE
Golfe de Gascogne
Golfe du Lion
Golfe de Valence
Costa de Galicia
Costa Verde
Costa de Cantabria
Côte basque
Costa Brava
Costa Dorada
Costa del Azahar
Costa Blanca
Costa Cálida
Costa de Almería
Costa del Sol
Costa de la Luz
GALICE
ASTURIES
CANTABRIE
PAYS BASQUE
NAVARRE
RIOJA
ARAGON
CATALOGNE
CASTILLE-ET-LEÓN
MADRID
CASTILLE-LA MANCHE
ESTRÉMADURE
VALENCE
MURCIE
ANDALOUSIE
BALÉARES
CANARIES
Monts Cantabriques
Monts de León
Pyrénées
Maladetta
Monts Ibériques
Montagne de Guadarrama
Sierra Morena
Sierra Nevada
La Corogne
El Ferrol
St-Jacques-de-Compostelle
Pontevedra
Vigo
Lugo
Orense
Gijón
Avilés
Oviedo
Églises du royaume des Asturies
León
Las Médulas
Picos de Europa 2 648
Grotte d'Altamira
Santander
Bilbao
Baracaldo
Saint-Sébastien
Irún
Bayonne
Vitoria
Pampelune
Logroño
Burgos
Cathédrale
Sierra de la Demanda 2 262
Monastères de San Millán de Yuso et Suso
Soria
Chemins de Saint-Jacques-de-Compostelle
Pyrénées-Mont Perdu
Pic d'Aneto 3 404
ANDORRE
Toulouse
Perpignan
Figueras
Gérone
Huesca
Saragosse
Lérida
Tarrasa
Sabadell
Hospitalet
Mataró
Badalona
Barcelone
Parc et palais Güell, Casa Milá, Palais de la musique catalane et hôpital de Sant Pau
Monastère de Poblet
Tarragone
Palencia
Valladolid
Tordesillas
Zamora
Salamanque
Ségovie
Vieille ville et aqueduc
Ávila
L'Escurial
Peñalara 2 430
Pic de Almanzor 2 592
Guadalajara
Alcalá de Henares
MADRID
Lac de Buendía
Cuenca
Teruel
Architecture mudéjare
Pointe Roya 2 019
Tolède
Castellón de la Plana
Valence
Lonja de la Seda
Albacete
Alicante
Elche
Murcie
Carthagène
La Sagra 2 381
Cáceres
Monastère royal
1 443
Mérida
Badajoz
Ciudad Real
Cordoue
Mosquée
Jaén
Grenade
Alhambra et Generalife
Mulhacén 3 478
Almería
Málaga
Séville
Cathédrale, Alcazar et Archivo de Indias
Huelva
Parc de Doñana
Jerez de la Frontera
Cadix
Algésiras
Gibraltar (R.-U.)
Détroit de Gibraltar
Ceuta (Espagne)
Alborán
Porto
Guarda
Lisbonne
Minorque
Mahón
Majorque
Puerto de Alcudia
1 445
Palma de Majorque
Ibiza
Formentera
Douro
Duero
Ebre
Tage
Tajo
Guadiana
Guadalquivir
Júcar
Turia
Segura
Miño
Sil
Esla
Limia
Tormes
Tiétar
Alagón
Eresma
Adaja
Henares
Valderaduey
Gállego
Cinca
Segre
Noguera
Guadalope
Cabriel
Zancara
Cijara
Jabalón
Guadalmez
Bembezar
Guadalmena
Sangonera
La Palma
Tenerife
Pic de Teide 3 718
Sta Cruz de Tenerife
Gomera
Hierro
Parc Garajonay
Las Palmas
Grande Canarie
Lanzarote
Fuerteventura
100 km
400 km
0 400 1 000 1 500 2 000 m
MADRID capitale d'État
Séville capitale de communauté autonome, de chef-lieu de province
Population des villes :
plus de 2 000 000 hab.
de 500 000 à 1 000 000 hab.
de 200 000 à 500 000 hab.
de 100 000 à 200 000 hab.
autre ville
limite d'État
limite de communauté autonome
autoroute
route
voie ferrée
aéroport important
port important
site du "patrimoine mondial" UNESCO

L'Espagne possède la première flotte de pêche de la Communauté ; elle est le deuxième consommateur mondial de poisson.

Hist. – Peuplée par les Ibères au IIe mill. av. J.-C., l'Espagne a vu s'installer sur ses côtes des établissements phéniciens (puis puniques) et grecs au Ier mill., tandis que des Celtes s'installaient en Castille, formant un peuplement celtibère. La seconde guerre punique fut l'occasion pour Rome de commencer la conquête de l'Espagne, qu'elle devait mettre deux siècles à dominer totalement (218-19 av. J.-C.). Patrie de deux empereurs (Hadrien, Trajan), fortement urbanisée (Tarragone, Cordoue), l'Espagne fut une des provinces les plus riches de l'Empire romain. Atteinte au Ve s. apr. J.-C. par les invasions germaniques (Vandales, Alains, Suèves), elle fut réunifiée par les Wisigoths, qui établirent leur capitale à Tolède (554) et se convertirent au catholicisme (589). Affaiblie par la puissance du clergé et la ruine du commerce méditerranéen, l'Espagne fut aisément conquise par les Arabes (711-714), à l'exception du N.-O. et de la marche d'Espagne entre l'Èbre et les Pyrénées. Un brillant État musulman se constitua alors autour du califat de Cordoue qui entra en lutte avec des royaumes chrétiens (Navarre, Aragon, Castille et Léon). En 1212, la victoire des princes chrétiens à Las Navas de Tolosa consacra la *Reconquista*. Unifiée provisoirement par le mariage d'Isabelle de Castille et de Ferdinand d'Aragon (1469), l'Espagne chrétienne s'empara de Grenade, dernier territ. musulman (1492), et chassa les Maures de la péninsule. Christophe Colomb, grâce à Isabelle, ouvrit la voie aux conquistadors (Cortés, Pizarro, Almagro), qui donnèrent à l'Espagne toute l'Amérique du Sud, excepté le Brésil. Dotée d'un pouvoir royal fort, l'Espagne atteignit son apogée (le « Siècle d'or ») avec Charles Quint (Charles Ier en Espagne, 1516-1556) et Philippe II (1556-1598). Charles Quint réalisa l'union du royaume d'Espagne et devint empereur germanique en 1519. Charles Quint comme Philippe II tentèrent d'établir à leur profit la monarchie universelle. Mais, sous le gouvernement absolu de Philippe II, les difficultés se multiplièrent (soulèvement des protestants aux Pays-Bas qui obtiennent leur indépendance, dépopulation de l'Espagne, expulsion des morisques, déclin économique du pays, ruiné par le recul de son industrie et l'inflation provoquée par les métaux précieux rapportés d'Amérique). Au XVIIe et au XVIIIe s., l'Espagne perdit son rôle dominant en Europe. Vaincue successivement par Louis XIII et Louis XIV, elle perdit le Portugal (1640), le Roussillon, l'Artois (1659), une partie de la Flandre (1668) et la Franche-Comté (traité de Nimègue, 1678). À l'extinction de la maison d'Autriche (1700), les Bourbons accédèrent au trône d'Espagne en la personne de Philippe V, petit-fils de Louis XIV. La guerre de la Succession (1701-1713) affaiblit le pays, qui dut abandonner ses dernières possessions aux Pays-Bas et en Italie (1714). Le XVIIIe s. fut marqué par un régime de « despotisme éclairé » et par un certain relèvement économique. Allié à Napoléon, le faible Charles IV d'Espagne vit sa flotte écrasée à Trafalgar (1805). En 1808, Napoléon plaça son frère Joseph Bonaparte sur le trône d'Espagne. Mais le peuple refusa le joug étranger : c'est le début de la guerre d'indépendance, qui prit fin en 1814 avec la restauration des Bourbons (Ferdinand VII). Au XIXe s., l'histoire de l'Espagne, qui perdit la plupart de ses colonies d'Amérique latine entre 1820 et 1826, fut fertile en guerres civiles et en pronunciamientos. En 1833, Isabelle II monta sur le trône, malgré l'opposition de don Carlos, frère du roi défunt, ce qui provoqua les interminables guerres « carlistes ». Une éphémère république (1873-1874) fut suivie du retour des Bourbons : Alphonse XII (1874-1885) puis Alphonse XIII (1885-1931). En 1898, l'Espagne perdit Cuba, Porto Rico et les Philippines dans la guerre contre les É.-U., ce qui provoqua une crise de conscience des élites espagnoles. Au moment où l'Espagne entrait dans l'ère industrielle, elle était lourdement handicapée par l'archaïsme de ses structures sociales (grande propriété foncière) et par la combativité d'un prolétariat urbain favorable à l'anarchisme. Au lendemain de la Première Guerre mondiale, le pays fut secoué par de graves troubles politiques et sociaux. De 1923 à 1930, la monarchie ne se maintint que grâce à la dictature du général Primo de Rivera dont le régime fut favorable à l'industrialisation, mais qui négligea totalement le problème agraire. Après la victoire des républicains aux élections de 1931, la république fut proclamée et une constitution démocratique fut élaborée par les Cortes. Les centristes, au gouvernement en 1934, réprimèrent tous les mouvements sociaux et autonomistes, ainsi que les violences antireligieuses. Les élections de 1936 virent le succès du Front populaire. Une insurrection militaire éclata alors au Maroc et l'opposition nationaliste, animée notam. par le mouvement de la Phalange fondé par José A. Primo de Rivera, fils du dictateur, se regroupa derrière le général Franco. Pendant trois ans (1936-1939), une guerre civile sanglante allait opposer les armées gouvernementales et les rebelles nationalistes. Ces derniers conquirent peu à peu le pays grâce à l'aide milit. de l'Allemagne et de l'Italie, les gouvernementaux recevant l'aide limitée de l'U.R.S.S. et l'appui de volontaires (Brigades internationales). Franco (*caudillo* dès 1937), s'appuyant sur la Phalange, devenue parti unique, établit un régime autoritaire et corporatiste. L'Espagne pratiqua pendant la Seconde Guerre mondiale une politique d'habile neutralité, mais, jusqu'en 1950, la communauté internationale la tint à l'écart. Épuisée par la guerre civile, qui avait fait 500 000 morts, l'économie traversa une crise grave. En 1947, l'Espagne reprit le statut de royaume (loi de succession) ; le général Franco cumula les fonctions de chef de l'État et de chef du gouvernement. En 1953, les accords militaires avec les É.-U. rangèrent définitivement l'Espagne dans le camp occidental. L'Espagne chercha une association avec la C.É.E., mais son développement écon. provoqua une recrudescence des troubles sociaux (grèves en 1966) et politiques (revendications autonomistes). À la mort du général Franco (nov. 1975), le roi d'Espagne, Juan Carlos Ier (qui avait été le successeur officiel du caudillo depuis 1969), mit en place un processus de démocratisation. Les partis politiques furent progressivement légalisés (le parti communiste espagnol en avril 1977). Aux premières élections libres (juin 1977), l'Union du centre du Premier ministre Adolfo Suárez l'emporta largement sur les néofranquistes. L'adoption, en 1978, d'une nouvelle constitution marqua une rupture décisive avec le franquisme. Un statut d'autonomie, contesté par l'E.T.A., fut reconnu aux nationalités (basque, catalane) et aux régions. Le Parti socialiste ouvrier espagnol (P.S.O.E.) remporta les élections (1982) et son secrétaire général, Felipe González, devint Premier ministre. Depuis 1986, année de son entrée dans la Communauté européenne, l'Espagne a connu un essor (4,5 % de croissance moyenne entre 1986 et 1990), mais aussi, à partir de 1992, une crise profonde qui lui a valu des dévaluations et le chômage le plus élevé de l'Union européenne (22,5 % en 1994). Les élections législatives de mars 1996 ont vu le succès du Parti populaire (P.P.) et José María Aznar est devenu Premier ministre. Alors qu'il prend les mesures financières nécessaires à l'entrée de l'Espagne dans l'euro, il doit faire face, en 1997 et 1998, à une recrudescence des attentats des séparatistes basques de l'E.T.A.

espagnol, ole adj. et n. **1.** adj. De l'Espagne, d'Espagne. *La frontière espagnole. Guitare espagnole.* ▷ Subst. *Un(e) Espagnol(e).* **2.** n. m. Langue romane parlée en Espagne et de nombr. pays d'Amérique latine. Syn. castillan.

Espagnolet (l'). V. Ribera (José de).

espagnolette n. f. Système à poignée tournante servant à fermer les châssis de fenêtre.

espalier n. m. **1.** Mur, palissade le long desquels on plante des arbres fruitiers. ▷ *Par méton.* Rangée d'arbres fruitiers dont les branches sont palissées contre un mur ou un treillage. *La culture en espalier permet d'abriter les arbres contre les intempéries.* **2.** SPORT Échelle fixée à un mur, dont les barreaux servent à exécuter des exercices.

Espalion, ch.-l. de cant. de l'Aveyron (arr. de Rodez) ; 4 796 hab. – Égl. romane de Perse ; pont (XIIIe s.) ; chât. Renaissance.

Espaly-Saint-Marcel, com. de la Haute-Loire (arr. du Puy-en-Velay) ; 3 890 hab. Coulée basaltique solidifiée en prismes *(orgues d'Espaly).*

espar n. m. MAR Longue pièce de bois ou de métal du gréement d'un bateau (mât, bôme, tangon, etc.).

Espartero (Baldomero, duc de la Victoire) (Granátula, Ciudad Real, 1793 – Logroño, 1879), général et homme politique espagnol. Il soutint Isabelle II contre son oncle don Carlos et battit les carlistes en 1838. Ayant renversé la régente Marie-Christine, il assura lui-même la régence de 1841 à 1843.

espèce n. f. **I. 1.** BIOL Ensemble des individus offrant des caractères communs qui les différencient d'individus voisins classés dans le même genre, la même famille, etc. *Espèces d'oiseaux en voie de disparition. L'espèce humaine. L'orme est une espèce menacée.* **2.** Cour. Sorte, qualité, catégorie. *Marchandises de toute(s) espèce(s). – Il ne connaît que des gens de son espèce,* comme lui. *De même espèce,* proche, comparable. ▷ *Une espèce de... :* une personne, une chose difficile à décrire et que l'on assimile à une autre qui lui est comparable. *Ce n'est pas de la prose, mais une espèce de poème libre.* – Péjor., fam. (Précédant un terme d'injure ou marquant le mépris.) *Espèce d'imbécile ! Elle a épousé une espèce d'artiste méconnu.* **3.** DR Cas particulier sur lequel il s'agit de statuer. ▷ *Cas d'espèce,* qui rend nécessaire une interprétation de la loi. – Cou[illegible] Cas spécial, à examiner à part. ▷ *En l'espèce :* en la circonstance, dans ce cas particulier. **II.** Plur. **1.** PHILO Dans les philosophies scolastiques, représentations intelligibles abstraites des images reçues par les sens. **2.** RELIG CATHOL Apparences du pain et du vin après la transsubstantiation. *Les saintes espèces.* **3.** An[illegible] Monnaies d'or et d'argent. *Payer en espèces sonnantes et trébuchantes,* avec de la monnaie métallique ayant [illegible] poids légal. ▷ Mod. *Payer en espèces,* en argent liquide (par oppos. à *par chèque,* etc.).

ENCYCL **Biol.** – Pour définir l'espèce, on considère généralement comme critère la fécondité des hybrides : des individus de la même espèce mais appartenant des variétés différentes donnent des hybrides qui sont féconds entre eux, alors qu'un croisement entre individus d'espèces différentes donne des hybrides stériles; par ex., le mulet, hybride issu d'un âne et d'une jument, est stérile. On désigne l'espèce par deux noms (nomenclature binominale); par ex., *Panthera leo*, le lion, appartient au genre *Panthera*, à l'intérieur duquel *leo* désigne l'espèce par rapport à *Panthera tigris*, le tigre. Une espèce est caractérisée par un nombre constant de chromosomes, aux formes également constantes, qui constituent le matériel génétique de l'espèce, ou génome.

espérance n. f. **1.** Attente confiante de qqch que l'on désire. *Dans le christianisme, l'espérance est l'une des trois vertus théologales.* ▷ Loc. *Contre toute espérance* : alors qu'il n'y avait plus rien à espérer. ▷ *Par ext.* Personne, chose sur laquelle on fonde cette attente, cette confiance. *Ce garçon est l'espérance de sa famille.* ▷ *Avoir des espérances* : compter sur un héritage; Loc. fam., être enceinte. **2.** Probabilité établie par une statistique. *Au jeu de pile ou face, si je joue pile, mon espérance mathématique est de 0,5.* – *Espérance de vie* : durée de vie moyenne des individus d'une population donnée.

Espérandieu (Jacques Henri) (Nîmes, 1829 – Marseille, 1874), architecte français : basilique N.-D.-de-la-Garde (1853-1864) et palais de Longchamp (1862-1869) à Marseille.

espéranto n. m. Langue internationale conventionnelle, créée vers 1887 par le Polonais Zamenhof, au vocabulaire simplifié (formé à partir des racines communes aux langues romanes) et à la grammaire réduite.

espérer v. [14] **I.** v. tr. **1.** Vx ou dial. Attendre. *Venez, on vous espère.* ▷ Mod. Loc. *On ne vous espérait plus* : on ne vous attendait plus. **2.** Compter sur, s'attendre à. *Espérer la victoire. J'espérais plus d'enthousiasme de sa part.* **3.** Aimer à penser, souhaiter. *J'espère que tu n'as rien de cassé.* **II.** v. intr. ou tr. indir. Avoir confiance. *Espérer en Dieu.*

Espérou (mont de l'), massif granitique (1 422 m) et stat. clim. (1 230 m) des Cévennes, au S. de l'Aigoual.

espiègle adj. et n. Malicieux sans méchanceté; vif et éveillé. *Un enfant espiègle.* ▷ Subst. *Une bande d'espiègles.*

espièglerie n. f. **1.** Caractère espiègle; malice. **2.** Action espiègle.

Espinasse (Charles Esprit) (Saissac, Aude, 1815 – Magenta, 1859), général français; l'un des auteurs du coup d'État du 2 déc. 1851. Ministre de l'Intérieur, il fit voter la loi de sûreté générale (1858). Il fut tué à l'attaque de Magenta.

Espinel (Vicente) (Ronda, 1550 – Madrid, 1624), musicien et écrivain espagnol. Il ajouta une cinquième corde à la guitare, écrivit des poésies et des compositions musicales, appelées *Rimes* (1591), et un roman picaresque, *Marcos de Obregón* (1618).

Espinouse (monts de l'), massif primaire du S. du Massif central (Hérault), entre les vallées de l'Agout et de l'Orb (1 126 m).

espion, onne n. **1.** Personne chargée de recueillir clandestinement des renseignements sur une puissance étrangère. **2.** *Par anal.* n. m. Miroir incliné placé au-dehors d'une fenêtre, et permettant de surveiller la rue.

espionnage n. m. Action d'espionner; métier d'espion. *Espionnage industriel*, exercé par une firme qui cherche à acquérir les secrets technologiques d'autres firmes.

espionner v. tr. [1] Épier autrui par intérêt ou par curiosité malveillante. *Espionner les ennemis. Espionner ses camarades.*

espionnite n. f. Obsession de l'espionnage, peur maladive des espions.

Espírito Santo, État de l'E. du Brésil, sur l'océan Atlantique; 45 597 km²; 2 429 000 hab.; cap. *Vitória*. Cette rég., au relief peu accentué, produit du café et divers produits tropicaux. Sous-sol riche en minéraux (or, houille, cuivre, fer, pierres précieuses).

esplanade n. f. Espace uni et découvert devant un édifice important. *L'esplanade des Invalides.*

espoir n. m. **1.** Fait d'espérer. *L'espoir fait vivre. Il part sans espoir de retour.* – (En parlant d'un malade.) *Il n'y a plus d'espoir* : il va mourir. **2.** Chose, personne en qui on espère. *Il est notre seul espoir.* – *Spécial.* Personne sur qui on fonde des espérances dans une discipline quelconque. *Un espoir du cyclisme.*

espressivo [ɛspʀesivo] adj. inv. et adv. MUS **1.** adj. inv. Expressif. **2.** adv. Avec sentiment.

esprit n. m. **I. 1.** Substance incorporelle consciente d'elle-même. *Dieu est un pur esprit. Le Saint-Esprit.* ▷ *Esprit malin, esprit des ténèbres* : Satan. **2.** Litt. Âme. *Rendre l'esprit* : mourir. **3.** Être désincarné (lutin, revenant, etc.). *Croire aux esprits. Esprits frappeurs.* **4.** Souffle, inspiration divine. *Dieu répandit sur eux son esprit.* **II. 1.** Ensemble des facultés intellectuelles et psychiques. *Cultiver son esprit. Présence d'esprit. Simple* d'esprit.* – Loc. *Perdre l'esprit* : devenir fou. ▷ *En esprit* : mentalement. ▷ Imagination, pensée. *Vue de l'esprit.* ▷ Attention. *Cela m'est sorti de l'esprit.* ▷ Personne, considérée en tant qu'être pensant. *Un bel esprit. Un esprit fort.* **2.** Manière de penser, de se comporter. *Avoir l'esprit large, étroit.* ▷ Disposition, aptitude intellectuelle. *Avoir l'esprit de suite, l'esprit d'à-propos.* **3.** Sens profond, intention. *La lettre et l'esprit* : la forme et le fond. *«L'Esprit des lois», de Montesquieu.* **4.** Finesse intellectuelle; humour. *Avoir de l'esprit. Faire de l'esprit.* ▷ *D'esprit* : spirituel, brillant. *Homme, femme d'esprit.* **III.** GRAM GR Signe graphique. *Esprit rude* (ʽ), placé sur une voyelle initiale pour marquer l'aspiration. *Esprit doux* (ʼ), marquant l'absence d'aspiration. **IV.** CHIM Anc. Produit liquide volatil, et partic. alcool chargé de principes aromatiques ou médicamenteux. ▷ *Esprit-de-bois* : alcool méthylique dilué. ▷ *Esprit-de-sel* : acide chlorhydrique. ▷ *Esprit-de-vin* : alcool éthylique.

Esprit-Saint. V. Saint-Esprit.

Espriu (Salvador) (Santa Coloma de Farnés, 1913 – Barcelone, 1985), écrivain espagnol d'expression catalane. Nouvelliste (*Mirage à Cythère*, 1935), poète (*Mrs. Death*, 1952; *la Peau de taureau*, 1960; *Semaine sainte*, 1971) et dramaturge, il développe les thèmes de la mort et de l'histoire tragique du peuple espagnol.

Espronceda y Delgado (José de) (Almendralejo, Estrémadure, 1808 – Madrid, 1842), écrivain espagnol, représentant type du romantisme : *Poésies lyriques* (1840), *l'Étudiant de Salamanque* (1840). Il écrivit aussi des drames : *Blanche de Bourbon; L'amour venge ses offenses* (1836).

esquarre. V. escarre.

-esque. Suffixe, de l'ital. *-esco*, «à la manière de» (ex. : gigantesque, dantesque).

esquiche n. f. TECH Injection forcée de liquides ou de laitiers de ciment dans un sondage pétrolier.

esquicher v. tr. [1] **1.** Dial. Presser, écraser (qqn). **2.** TECH Procéder à une esquiche.

esquif n. m. Litt. Embarcation légère. *Frêle esquif.* ▷ MYTH *Le noir esquif* : la barque de Charon.

Esquilin (mont), une des sept collines de l'anc. Rome, à l'E. de la ville.

esquille n. f. MED Petit fragment d'un os fracturé ou carié.

esquimau, aude, plur. **aux** adj. et n. **I. 1.** Qui a rapport aux autochtones habitant le Nord canadien et les autres terres arctiques (Alaska, Groenland, Sibérie). *Villages esquimaux. Sculptures esquimaudes.* ▷ Subst. *Les Esquimaux* ou *Eskimos*. (Les autochtones du Canada rejettent cette appellation et ont adopté celle d'*Inuit* : V. ce mot.) – *La langue esquimaude* ou, n. m., *l'esquimau* ou *l'eskimo* : V. inuktitut. **2.** n. m. Chien de forte taille, à robe fournie, utilisé pour le trait. **II.** n. m. **1.** Vieilli Costume d'enfant en laine combinant veste et culotte formant guêtres. **2.** *Esquimau* (Nom déposé.) Glace généralement enrobée de chocolat, qu'on tient par un bâton comme une sucette.

ENCYCL L'économie des Esquimaux est fondée sur la pêche, la chasse (phoque, caribou, bœuf musqué, ours) et, depuis peu, sur l'artisanat. L'animisme et le polythéisme sont, pour l'essentiel, le fondement de leurs croyances traditionnelles, dont la forme extérieure est le chamanisme, mais de nombreux Esquimaux sont auj. christianisés. Ils possèdent différents idiomes, constituant l'ensemble ling. esquimau-aléoute. Sur l'ensemble des territoires qu'ils occupent, les Esquimaux ne représentent auj. qu'une communauté d'env. 60 000 personnes. Cette communauté, de plus en plus touchée par l'influence occidentale, voit s'anéantir progressivement les structures sociales d'une civilisation originale (aucune autorité politique constituée, en raison de l'absence quasi totale de formation tribale; pas de droit de propriété du sol; etc.). Les plus belles pièces répertoriées de l'art esquimau (représentations humaines et animales taillées dans l'ivoire, masques de danse en os de baleine ou en bois) proviennent de l'Alaska.

esquimautage n. m. SPORT Mouvement par lequel on retourne un kayak sens dessus dessous et le redresse, lui faisant effectuer un tour complet.

Esquimaux

esquinter v. [1] **I.** v. tr. Fam. **1.** Abîmer, détériorer. *Esquinter du matériel.* – Pp. adj. (Personnes) *Il est sorti très esquinté de la bagarre.* Syn. fam. amocher. **2.** Fig. Critiquer durement. *Esquinter un roman.* **II.** v. pron. S'éreinter, se surmener. *S'esquinter à travailler.*

esquire [ɛskwajəʀ] n. m. Mot employé, en Grande-Bretagne, dans la suscription d'une lettre à un homme qu'on veut honorer, après son nom (non précédé de «Mister»). Abrév. : esq.

Esquirol (Jean Étienne Dominique) (Toulouse, 1772 – Paris, 1840), aliéniste français. Il contribua, après Pinel, à humaniser le traitement des malades mentaux et fut un des fondateurs de la psychiatrie moderne.

esquisse n. f. **1.** Ébauche d'un dessin et, par ext., d'une sculpture. *Tracer une esquisse.* Syn. Croquis, schéma. **2.** Fig. Plan sommaire, indication générale. *Esquisse d'un roman, d'un projet de loi.* Syn. canevas, projet. **3.** Fig. Amorce. *L'esquisse d'un geste.*

esquisser v. tr. [1] **1.** Faire l'esquisse de. **2.** Fig. Commencer à faire. *Esquisser un sourire.*

esquive n. f. SPORT Mouvement du corps pour esquiver un coup, dans les sports de combat.

esquiver **1.** v. tr. [1] Éviter adroitement. *Esquiver un coup.* – Fig. *Esquiver une corvée.* **2.** v. pron. S'échapper discrètement. *Le coup fait, il s'esquiva.*

Essad pacha (Tirana, v. 1863 – Paris, 1920), général et homme politique albanais. Ministre du prince Guillaume de Wied après la création d'un État albanais (mars 1914), il dirigea la délégation albanaise à la conférence de la paix (1919). Il mourut assassiné.

essai n. m. **1.** Série d'épreuves auxquelles on soumet qqch ou qqn. *Les essais mécaniques sur les matériaux servent à tester leur résistance à diverses contraintes. Banc d'essai. Pilote d'essai. Prendre, engager qqn à l'essai.* ▷ CINE *Bout d'essai* : essai filmé pour juger un acteur. **2.** Tentative. *Dans cette épreuve, les athlètes ont droit à trois essais.* **3.** Première production d'un auteur, d'un artiste. ▷ LITTER Ouvrage où un auteur traite un sujet sans prétendre l'épuiser. *Essai de morale. Les «Essais» de Montaigne.* **4.** CHIM Analyse sommaire d'un minéral pour déterminer ses composants. *Tube à essai.* **5.** SPORT Au rugby, action d'aplatir le ballon derrière la ligne de but adverse.

essaim n. m. **1.** Colonie d'abeilles composée d'une reine, de mâles et de milliers d'ouvrières qui quittent la ruche mère surpeuplée pour fonder une nouvelle ruche. **2.** Fig. Troupe nombreuse. *Un essaim de jeunes gens.*

essaimage n. m. **1.** Action d'essaimer. **2.** Période où les abeilles essaiment.

essaimer v. intr. [1] **1.** Former un essaim. *Ruche qui va essaimer.* **2.** Fig. Émigrer en se dispersant. *Famille qui essaime.* – Fig. Pour un groupe, se scinder et aller constituer de nouveaux groupes.

Essaouira (anc. *Mogador*), v. et port du Maroc; ch.-l. de la prov. du m. nom; 42 040 hab. Conserveries (sardines).

essart [esaʀ] n. m. AGRIC Terre que l'on a déboisée et défrichée pour la cultiver.

essarter v. tr. [1] AGRIC Défricher en arrachant les arbres, les broussailles.

essayage n. m. Action d'essayer un vêtement. *Cabine d'essayage.*

essayer v. [21] **I.** v. tr. **1.** Faire l'essai de (une chose) pour vérifier si elle convient. *Essayer une voiture.* Syn. tester, expérimenter. *Essayer un vêtement*, le revêtir pour voir s'il va bien. ▷ TECH *Essayer de l'or*, en examiner, en déterminer le titre. ▷ v. pron. *S'essayer à* : voir si l'on est capable de, s'exercer à. *S'essayer à faire des vers.* **2.** Tenter. *J'ai tout essayé pour le convaincre.* **II.** v. intr. *Essayer de* : s'efforcer de, tâcher de. *Essaie d'être aimable avec lui.*

essayeur, euse n. **1.** Fonctionnaire préposé aux essais des métaux précieux. **2.** Technicien chargé des essais industriels. **3.** Personne qui, chez un tailleur ou un couturier, fait essayer les vêtements.

essayiste n. m. Auteur d'essais littéraires.

1. esse n. f. TECH Cheville de fer qui maintient la roue sur l'essieu.

2. esse n. f. **1.** TECH Crochet en forme de S. **2.** MUS Ouverture en S de la table du violon et des instruments de la même famille. Syn. ouïe.

ESSEC, acronyme pour *École supérieure des sciences économiques et commerciales.* Établissement privé, fondé en 1907, chargé de former les cadres supérieurs du commerce et de l'industrie, admis sur concours (installé depuis 1973 à Cergy-Pontoise).

Essen, ville d'Allemagne (Rhén.-du-N.-Westphalie); 615 420 hab. Princ. centre houiller et de métallurgie lourde de la Ruhr, berceau des usines Krupp (armement, locomotives, rails, etc.). L'industrie de transformation connaît un fort développement : métall., quincaillerie, appareils électroménagers, prod. chim. Siège de nombr. sociétés, Essen exerce une fonction de métropole régionale.

essence n. f. **I.** PHILO **1.** Ce qui constitue la nature d'une substance, sans tenir compte des modifications superficielles (accidents*) pouvant l'affecter. **2.** Nature d'un être (par oppos. à *existence*). ▷ *Par essence* : par nature. **II.** Espèce, pour les arbres. *Une forêt aux essences variées.* **III. 1.** Composé liquide volatil et odorant extrait d'une plante. *Essence de rose.* **2.** *Essence minérale* ou *essence de pétrole* ou, par abrév., *essence* : mélange d'hydrocarbures provenant de la distillation et du raffinage du pétrole, employé comme carburant, comme solvant ou pour divers usages industriels. *Pompe à essence. Essence sans plomb.*

essencerie n. f. (Afrique) Au Sénégal, syn. de *station-service.*

essénien, enne adj. et n. HIST Relatif à une secte juive du temps du Christ, dont les membres, au nombre de quelques milliers, menaient une vie ascétique de type monacal. *Textes esséniens.* ▷ Subst. Membre de cette secte. *C'est aux esséniens que l'on attribue aujourd'hui avec certitude les manuscrits de la mer Morte. Les esséniens, les pharisiens et les sadducéens.*

Essenine ou **Iessenine** (Sergheï Alexandrovitch) (Konstantinovo, gouv. de Riazan, 1895 – Leningrad, 1925), poète russe. Il célébra la révolution (*Inonia*, 1918), la paysannerie (*l'Accordéon*, 1920), la bohème (*Confession d'un voyou*, 1921). Déprimé, notam. par la politique du parti communiste soviétique, il se suicida.

essentialisme [esɑ̃sjalism] n. m. PHILO Doctrine philosophique qui privilégie l'essence (et non l'existence, comme le fait l'existentialisme).

essentiel, elle [esɑ̃sjɛl] adj. et n. m. **1.** PHILO Qui appartient à l'essence d'un être, d'une chose. *La raison est essentielle à l'homme.* Syn. intrinsèque. **2.** Nécessaire, très important. *Il est essentiel que vous me compreniez.* Syn. capital, fondamental, primordial. ▷ n. m. Chose principale, point capital. *L'essentiel est que nous nous entendions.* **3.** MED Syn. de *idiopathique.* **4.** CHIM *Huile essentielle* : essence végétale.

essentiellement adv. **1.** Par essence. **2.** Principalement, absolument. *Une culture essentiellement livresque.*

Essequibo, fl. de Guyana (750 km); se jette dans l'Atlantique par un delta. Importante exploitation de bauxite dans son bassin.

esseulé, ée adj. Délaissé, abandonné.

Essex, royaume saxon fondé en 526 et annexé par le roi de Mercie au VIIIe s.; cap. *Lunden* (Londres). – Comté du S.-E. de l'Angleterre, sur l'estuaire de la Tamise; 3 674 km^2; 1 495 600 hab.; ch.-l. *Chelmsford.* Élevage. Cult. maraîchères.

Essex (Robert Devereux, comte d') (Netherwood, 1566 – Londres, 1601), courtisan et général anglais. Il participa aux opérations contre les Pays-Bas, le Portugal et l'Espagne. Favori d'Élisabeth Ire, disgracié (1600) après sa défaite dans l'Ulster, il se rebella contre elle et fut décapité. – **Robert Devereux** (Londres, 1591 – id., 1646), fils du préc.; d'abord chambellan de Charles Ier, il prit parti contre lui en faveur du Parlement.

essieu n. m. Pièce transversale d'un véhicule, axe portant une roue à chaque extrémité.

Essling, village d'Autriche, à 10 km à l'E. de Vienne. – Bataille de Napoléon contre les Autrichiens (20-22 mai 1809). Masséna fut fait *prince d'Essling.*

Esslingen, v. d'Allemagne (Bade-Wurtemberg); 86 890 hab. – Hôtel de ville (XVe s.); égl. gothique Ste-Marie (XIIIe-XVe s.).

Essonne (l'), riv. de l'Île-de-France (90 km), affl. de la Seine (r. g.); arrose Pithiviers, conflue à Corbeil-Essonnes.

Essonne, dép. franç. (91); 1 804 km^2; 1 084 824 hab.; 601,3 hab./km^2; ch.-l. *Évry;* V. Île-de-France (Rég.).

essor n. m. **1.** Action de s'envoler. *L'oiseau prend son essor.* – Fig. *Jeune homme qui prend son essor*, qui s'émancipe. *Libre essor.* Syn. envol, élan. **2.** Fig. Développement, progrès, extension. *Une entreprise en plein essor.*

essorage n. m. Action d'essorer.

essorer v. tr. [1] Débarrasser de son eau par torsion, compression, centrifugation, etc. *Essorer du linge.*

essoreuse n. f. Machine à essorer. *Essoreuse centrifuge.*

essoriller v. tr. [1] Couper les oreilles de. *Essoriller un chien.*

essoucher v. tr. [1] TECH Arracher les souches d'arbres abattus de (un terrain).

essoufflement n. m. État de celui qui est essoufflé.

essouffler v. tr. [1] **1.** Mettre hors d'haleine, à bout de souffle. *Cette course m'a essoufflé.* ▷ v. pron. *S'essouffler à courir.* **2.** v. pron. Fig. Peiner, avoir du mal à suivre un certain rythme. *Après avoir eu quelque succès, cet humoriste s'essouffle.*

essuie-glace n. m. Appareil servant à balayer mécaniquement les gouttes de pluie sur le pare-brise d'un véhicule. *Des essuie-glaces.*

essuie-mains n. m. inv. Linge servant à s'essuyer les mains.

essuie-pieds n. m. inv. Paillasson servant à essuyer la semelle de ses souliers.

essuie-tout n. m. inv. Papier résistant et absorbant, à usage domestique, présenté en rouleau le plus souvent. – (En appos.) *Papier essuie-tout.*

essuyage n. m. Action d'essuyer.

essuyer v. tr. [**22**] **1.** Sécher ou nettoyer en frottant avec un linge sec. *Essuyer la vaisselle, les meubles.* ▷ (Faux pron.) *S'essuyer les lèvres.* **2.** Fig. Supporter, subir. *Essuyer un échec, un affront.* ▷ Loc. fig., fam. *Essuyer les plâtres* : être le premier à supporter les conséquences fâcheuses d'une situation.

est [ɛst] n. m. et adj. inv. **I.** n. m. **1.** Un des quatre points cardinaux, situé au soleil levant. (Abrév. : E.). **2.** Région située vers l'orient, par rapport à un lieu donné. *À l'est de Paris.* ▷ *L'Est* : la région de l'est de la France. – La région de l'est de l'Europe. *Les pays de l'Est.* **II.** adj. inv. Situé à l'est. *L'aile est du château. La Côte Est (des États-Unis).*

Est (canal de l'), canal reliant la Meuse et la Moselle à la Saône (419 km).

establishment [establiʃmənt] n. m. (Anglicisme) Ensemble de ceux qui détiennent le pouvoir, l'autorité dans la société et qui ont intérêt au maintien de l'ordre établi.

estacade n. f. **1.** Ouvrage constitué d'un tablier supporté par des pilotis, servant de brise-lames ou d'appontement. **2.** MINES Engin servant à charger les berlines.

estafette n. f. Militaire porteur de dépêches. *Estafette motocycliste.*

estafier n. m. Litt., péjor. Garde du corps, spadassin.

estafilade n. f. Grande coupure faite avec un instrument tranchant. *Estafilade au visage.*

Estaing (Jean-Baptiste, comte d') (chât. de Ravel, Auvergne, 1729 – Paris, 1794), amiral français. Il participa à la guerre de l'indépendance des États-Unis. Commandant général de la garde nationale à Versailles (1789) et amiral de France (1792), il fut guillotiné sous la Terreur.

est-allemand, ande adj. De l'Allemagne de l'Est (anc. R.D.A.).

estaminet [ɛstaminɛ] n. m. Vieilli ou rég. Petit café populaire.

estampage n. m. TECH Action d'estamper; résultat de cette action.

1. estampe n. f. TECH **1.** Pièce servant à produire une empreinte. **2.** Machine, outil servant à estamper.

2. estampe n. f. Image imprimée au moyen d'une planche gravée de bois, de cuivre ou de pierre calcaire. *Collection d'estampes. Cabinet des Estampes de la Bibliothèque nationale de Paris.*

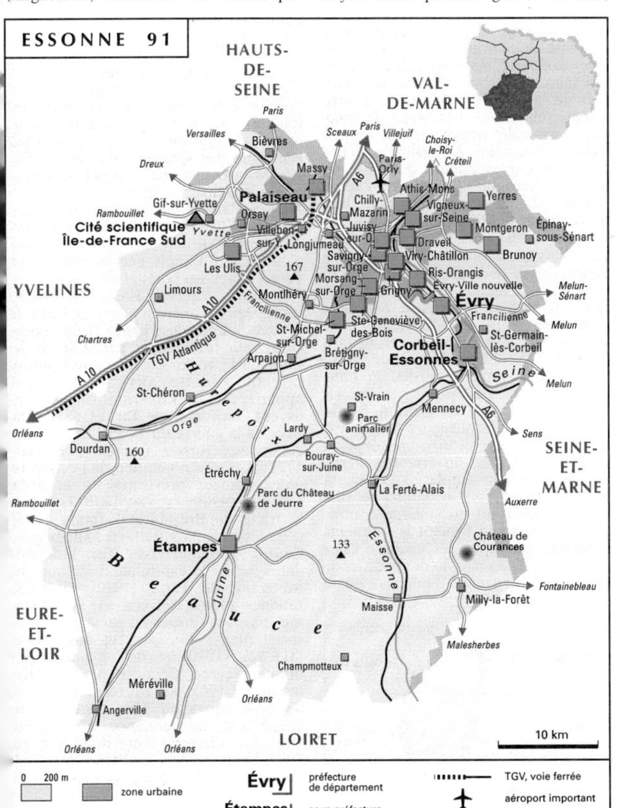

estamper v. tr. [**1**] **1.** TECH Façonner (une matière, une surface) à l'aide de presses, de matrices et de moules. **2.** Fig., pop. Soutirer de l'argent, faire payer trop cher à (qqn). *Commerçant qui estampe ses clients.*

estampeur, euse n. TECH Spécialiste de l'estampage.

estampillage n. m. Action d'estampiller.

estampille n. f. **1.** Marque attestant l'authenticité d'une marchandise, d'une œuvre d'art, d'un brevet, etc., ou constatant l'acquittement d'un droit fiscal. *Estampille à la production.* **2.** *Par méton.* Instrument servant à faire cette marque.

estampiller v. tr. [**1**] TECH Marquer d'une estampille.

Est-Anglie (en angl. *East Anglia*), rég. du Royaume-Uni et de la C.E., située au N. de Londres; 12 573 km²; 2 013 600 hab.; ville princ. *Norwich.* – Un des royaumes de l'anc. Heptarchie anglo-saxonne, fondé en 571 et annexé par le roi de Mercie au VIIIe siècle.

Estaque (l'), chaînon calcaire à l'O. de Marseille, traversé par le tunnel de la Nerthe et par celui du Rove. – Faubourg de Marseille.

este n. m. LING Syn. de *estonien.*

Este (maison d'), famille princière italienne qui régna sur les duchés de Ferrare, Modène et Reggio, et sur le comté de Rovigo; elle protégea l'Arioste et le Tasse. – *Villa d'Este* : villa de style Renaissance construite à Tivoli, dans un grand parc, par Pirro Ligorio (1550).

1. ester v. intr. [**1**] DR *Ester en justice* : poursuivre une action en justice comme demandeur ou comme défenseur.

2. ester [ɛstɛʀ] n. m. CHIM Composé résultant de l'action d'un acide carboxylique sur un alcool ou un phénol avec élimination d'eau. *Les esters, utilisés comme solvants ou comme matières premières dans l'industrie des parfums et en pharmacie, sont caractérisés par le groupement R–COO–R'.*

Esterel ou **Estérel** (monts de l'), chaîne primaire du S. de la France (616 m au mont Vinaigre). À l'intérieur, le massif du Tanneron est composé de roches granitiques et de roches dont les minéraux sont disposés en couches; sur la côte, l'Esterel proprement dit est formé de roches volcaniques (andésites, basaltes et, surtout, porphyre rouge). Vastes pinèdes. Tourisme.

Esterhazy (Marie Charles Ferdinand Walsin) (Autriche, 1847 – Harpenden, Hertfordshire, 1923), officier français d'origine hongroise. Espion au service de l'Allemagne, il fut l'auteur du bordereau qui fit condamner Alfred Dreyfus*.

estérification n. f. CHIM Conversion d'un alcool ou d'un phénol en ester par l'action d'un acide carboxylique.

estérifier v. tr. [**2**] CHIM Transformer en ester.

esterlin [ɛstɛʀlɛ̃] n. m. Ancienne monnaie d'origine anglaise employée en France aux XIIe et XIIIe s.

Estève (Maurice) (Culan, Cher, 1904), peintre français aux œuvres non figuratives, d'une grande luminosité : *Trophée* (1952), *Belasse* (1966).

Esther, personnage biblique. Juive de la tribu de Benjamin, née à Babylone pendant la Captivité, elle épousa le roi de Perse Assuérus et sauva les Juifs, que le ministre du roi voulait faire massacrer. – Le *Livre d'Esther*, un des livres de la Bible (10 chap.), fut rédigé en hébreu, probabl. au déb. du IIe s. av. J.-C. ▷ LITT Tragédie de Racine.

esthési-, -esthésie. Éléments, du gr. *aisthêsis*, «sensibilité, sensation».

esthète n. et adj. **1.** Personne qui sent et goûte la beauté, l'art. *Juger d'une œuvre en esthète.* ▷ adj. *Il est très esthète.* **2.** Péjor. Personne qui, affichant des prétentions esthétiques, place la beauté formelle au-dessus de tout.

esthéticien, enne n. **1.** Personne qui s'occupe d'esthétique. **2.** Personne spécialiste des soins de beauté.

esthétique adj. et n. f. **I.** adj. **1.** Relatif au sentiment du beau. **2.** Conforme au sens du beau. *Ce monument n'est guère esthétique.* ▷ *Chirurgie esthétique*, qui vise à embellir, à remodeler les formes du corps, les traits du visage. **II.** n. f. **1.** Science, théorie du beau. *L'esthétique de Hegel.* **2.** Caractère esthétique d'un être, d'une chose. *L'esthétique d'un drapé.* Syn. beauté, harmonie. – *Esthétique industrielle* : design.

esthétiquement adv. D'une manière esthétique.

esthétisant, ante adj. Qui accorde une importance excessive à la beauté formelle.

esthétisation n. f. Action d'esthétiser qqch.

esthétiser v. [1] **1.** v. tr. Rendre esthétique, plaisant. **2.** v. intr. Privilégier abusivement le souci de l'esthétique.

esthétisme n. m. Attitude, doctrine des esthètes.

Estienne, famille d'imprimeurs-éditeurs et humanistes français. – **Robert** (Paris, 1503 – Genève, 1559) a publié une Bible et composé un important *Dictionnaire latin-français* (1539). – **Henri** (Paris, v. 1531 – Lyon, 1598), fils aîné du préc.; helléniste, auteur d'une *Apologie pour Hérodote* (pamphlet pour la défense du protestantisme, 1566), d'un *Thesaurus græcæ linguæ* (1572) et du *Projet du livre intitulé «De la précellence du langage français»* (1579).

Estienne (Jean-Baptiste) (Condé-en-Barrois, 1860 – Paris, 1936), général français. Il fut le principal créateur du char d'assaut.

Estienne d'Orves (Honoré d') (Verrières-le-Buisson, 1901 – mont Valérien, 1941), résistant français. Officier de marine rallié au général de Gaulle, il fut envoyé en mission en France dès déc. 1940. Trahi, il est arrêté par la Gestapo en janv. 1941, condamné à mort et fusillé le 29 août.

estimable adj. Digne d'estime.

estimatif, ive adj. Qui a pour objet une estimation. *Devis estimatif.*

estimation n. f. **1.** Évaluation exacte. *Estimation d'expert.* **2.** Approximation. *Ce chiffre n'est qu'une estimation.*

estimatoire adj. De l'estimation.

estime n. f. **1.** Vx Évaluation. ▷ Mod. *À l'estime* : au jugé. – *Navigation à l'estime*, prenant en compte, pour déterminer la position d'un navire ou d'un avion, l'heure, la route suivie et la vitesse. **2.** Opinion favorable, cas que l'on fait de qqn ou de qqch. *Digne d'estime. Tenir qqn en grande estime.* Syn. considération, respect. ▷ Loc. *Succès d'estime* : se dit d'une œuvre bien accueillie par la critique, dont la qualité est reconnue, mais qui n'a pas les faveurs du public.

estimer v. tr. [1] **I. 1.** Déterminer la valeur exacte de. *Estimer un bijou.* Syn. apprécier, évaluer. **2.** Calculer approximativement. *Les dégâts sont estimés à plusieurs millions de francs.* **3.** Juger, considérer. *J'estime que tu devais le savoir.* ▷ v. pron. *Estimez-vous heureux de n'être que blessé.* **II.** Tenir en considération, faire cas de. *Son patron l'estime beaucoup.* Syn. apprécier.

estivage n. m. AGRIC Action d'estiver.

estival, ale, aux adj. D'été. *Station estivale. Des tenues estivales.* Ant. hivernal.

estivant, ante n. Personne qui passe l'été en villégiature.

estivation n. f. **1.** BOT Syn. de *préfloraison*. **2.** ZOOL Engourdissement de certains poïkilothermes (serpents, sauriens, etc.) pendant l'été.

estiver v. [1] **1.** v. tr. AGRIC Mettre (des animaux) dans les pâturages pendant l'été. **2.** v. intr. Rare Séjourner en été dans un endroit.

estoc [ɛstɔk] n. m. Anc. Épée longue, étroite et très pointue. ▷ Mod. *Frapper d'estoc et de taille*, de la pointe et du tranchant.

estocade n. f. Coup donné avec la pointe de l'épée. ▷ *Spécial.* Coup de pointe par lequel le matador tue le taureau. *Donner, porter l'estocade.* ▷ Fig. Attaque imprévue et décisive.

Estoile (Pierre de L'). V. L'Estoile.

estomac [ɛstɔma] n. m. **1.** Segment dilaté du tube digestif reliant l'œsophage au duodénum. ▷ Loc. fam. *Avoir l'estomac creux, dans les talons* : avoir très faim. – *Rester sur l'estomac* : être difficile à digérer; fig. ne pas être accepté (choses). – Loc. *Avoir de l'estomac* : avoir du ventre. – Loc. fam. *À l'estomac* : au culot. **2.** Partie extérieure du corps correspondant à l'emplacement de l'estomac. *Recevoir un coup à l'estomac.* **3.** Fig., fam. Courage, cran, hardiesse. *Avoir de l'estomac.*

ENCYCL Chez l'homme, l'estomac occupe, dans la région cœliaque, un espace compris entre le diaphragme en haut et le côlon en bas. Le foie vient s'appliquer sur sa face antérieure. Ses deux faces, antérieure et postérieure, sont séparées par les courbures : en dedans la petite, en dehors la grande. Il se remplit en haut par le cardia, qui communique avec l'œsophage, et en bas il s'évacue dans le duodénum par le pylore. Il possède plusieurs fonctions : réservoir, digestion, absorption (minime). Chez les invertébrés, l'estomac peut être un simple élargissement du tube digestif ou, au contraire, une poche comportant un système compliqué de pièces qui broient les aliments (moulinet gastrique des crabes). Chez les oiseaux, l'absence de dents est compensée par l'existence d'un jabot où se ramollissent les aliments; ensuite, un renflement de l'œsophage, qui sécrète des enzymes digestives, est lui-même accolé au gésier, très musculeux et empli de graviers, avalés par l'animal, qui aident au broyage des aliments. L'estomac des herbivores est toujours très volumineux; en effet, la digestion difficile de la cellulose est un phénomène lent et peu «rentable»; chez les ruminants, il est divisé en 4 poches : la panse, où l'herbe fermente sous des actions bactériennes avant d'être remastiquée; le bonnet; le feuillet; la caillette qui, sécrétant des enzymes, correspond à l'estomac de l'homme.

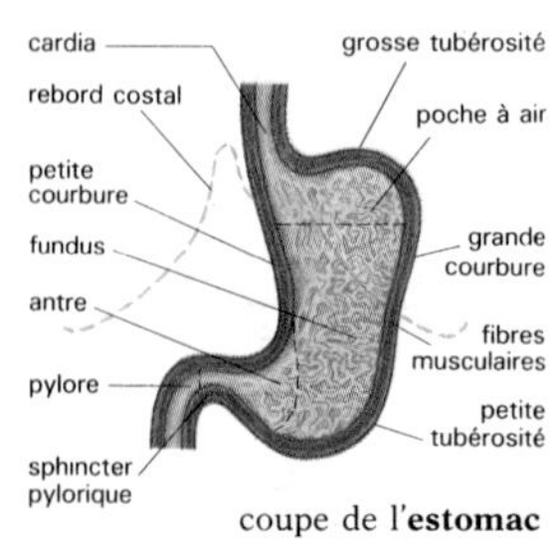

coupe de l'**estomac**

estomaquer v. tr. [1] Fam. Frapper, saisir d'étonnement.

estompe n. f. **1.** TECH Petit rouleau pointu de peau, de papier, etc., servant à étendre le pastel ou le crayon sur un dessin. *Passer un dessin à l'estompe.* **2.** *Par méton.* Dessin fait à l'estompe.

estomper v. tr. [1] **1.** Passer à l'estompe, ombrer. **2.** *Par anal.* Voiler, rendre flou. *L'ombre estompait les cimes.* – Fig. Atténuer, adoucir. *Estomper un récit.* ▷ v. pron. *Ses souvenirs s'estompaient.*

Estonie (Rép. d') *(Eesti Vabariik)*, État d'Europe (le plus septentrional des pays Baltes), sur les bords de la Baltique; 45 100 km²; 1,6 million d'hab. (dont 33 % de Russes et d'Ukrainiens); cap. *Tallin*. Nature de l'État : régime parlementaire. Langue off. : estonien. Monnaie : couronne. Relig. : luthérianisme.

Géogr. et écon. – Le N.-O. du pays est composé de bas plateaux. L'E. présente un relief plus accidenté. La rég. a subi l'empreinte glaciaire (nombr. lacs). Le climat, tempéré, favorise la forêt. L'écon. repose sur l'élevage bovin et porcin, dont dépendent les cultures (plantes fourragères, pommes de terre), et sur la culture du lin. Le sous-sol renferme des schistes bitumineux. De nombr. installations hydroél. ont suscité une industr. active.

Hist. – Habitée par les Estes, d'origine finnoise, l'Estonie a été évangélisée tardivement (XIIe s.). En 1346, elle fut achetée aux Danois par les chevaliers Teutoniques, les ports étant placés sous l'administration de la Hanse. Au XVIe s., les Russes occupèrent Narva et Tartu. À la dissolution de l'ordre Teutonique (1561), elle fut occupée par la Suède, le Danemark et la Pologne, puis entièrement soumise aux Suédois, qui apportèrent le luthéranisme et fondèrent l'université de Tartu (1632). À la suite de la guerre du Nord, l'Estonie fut cédée aux Russes (traité de Nystad, 1721). Après la révolution de Février, le gouvernement provisoire lui accorda son indépendance (avril 1917). Mais le traité de Brest-Litovsk (mars 1918) céda les trois pays Baltes à l'Allemagne. Ceux-ci proclamèrent leur indépendance après la capitulation allemande. Au traité de Tartu (1920), l'U.R.S.S. renonça à toute souveraineté sur l'Estonie, mais aux termes du pacte germano-soviétique (1939), elle fut annexée à l'U.R.S.S. (1940) et devint une république fédérée. Occupée par les Allemands en 1941, elle fut reconquise par les Soviétiques en 1944. Elle a proclamé son indépendance le 20 août 1991. Élu à la présidence de la Rép. en 1992, Lennart Meri a obtenu le retrait des dernières troupes russes en 1994. Il a été réélu en 1996.

► carte pays **Baltes**

estonien, enne adj. et n. De l'Estonie. – Subst. *Un(e) Estonien(ne).* ▷ n. m. Langue finno-ougrienne parlée en Estonie. Syn. este.

estoquer v. tr. [1] Porter à (qqn) un coup avec la pointe de l'épée. ▷ *Spécial.* Porter l'estocade à (un taureau).

estouffade ou **étouffade** n. f. CUIS Mets cuit en récipient clos, à feu doux, sans adjonction de liquide.

estourbir v. tr. [3] Fam. Étourdir, assommer.

Estouteville (Guillaume d') (?, v. 1403 - Rome, 1483), cardinal français, archevêque de Rouen. Légat du pape en France, il prépara le procès de réhabilitation de Jeanne d'Arc.

estrade n. f. Plancher légèrement surélevé par rapport au niveau du sol.

Estrades (Godefroy, comte d') (Agen, 1607 - Paris, 1686), maréchal et diplomate français; un des négociateurs du traité de Nimègue (1678-1679).

estragon n. m. Armoise dont on utilise les feuilles comme condiment.

estramaçon n. m. Anc. Épée large à deux tranchants.

estran n. m. Rég. Espace littoral compris entre le niveau de la haute mer et celui de la basse mer.

estrapade n. f. HIST Supplice qui consistait à hisser le condamné à l'aide d'une corde à une certaine hauteur, puis à le laisser retomber. *Donner l'estrapade.* - Lieu et instrument de ce supplice.

Estrées (maison d'), famille originaire d'Artois qui donna à la France des généraux, des maréchaux, des amiraux. – **Gabrielle** (chât. de Cœuvres, Picardie, 1573 - Paris, 1599), maîtresse d'Henri IV; elle donna au roi trois enfants, légitimés, et mourut en couches. – **Victor Marie** (Paris, 1660 - id., 1737), marquis de Cœuvres puis duc d'Estrées; vice-amiral (1684), vice-roi d'Amérique et ministre (1715). Acad. fr. (1715). – **Louis Charles César Le Tellier** (Paris, 1695 - id., 1771), marquis de Courtanvaux puis duc d'Estrées; petit-fils de Louvois, fils de Marie-Catherine d'Estrées (sœur de Victor Marie), maréchal de France (1757), il s'illustra pendant la guerre de Sept Ans.

Eschyle

G. d'**Estrées**

Estrela (serra da), chaîne granitique du Portugal central (1 981 m au Malhão da Estrela).

Estrémadure, nom de deux régions de la péninsule Ibérique. - L'*Estrémadure espagnole*, communauté autonome et région de la C.E., formée des prov. de Badajoz et de Cáceres; 41 602 km²; 1 102 300 hab. Cap. *Mérida.* Occupant le rebord S. de la Meseta, c'est une région sèche, d'agriculture extensive à l'exception du bassin irrigué de Badajoz, sur le Guadiana. - L'*Estrémadure portugaise*, dont Lisbonne est le grand pôle écon., occupe une position côtière, au N. de la capitale et appartient à la région Lisbonne-Vallée-du-Tage : polyculture intensive, pêche, industr., tourisme.

Estrie ou **Cantons de l'Est,** cant. du Québec, à l'E. de Montréal et limitrophe des É.-U.

estropié, ée adj. et n. Qui a été estropié (V. estropier, sens 1 et 2). ▷ Subst. *Les estropiés de la guerre.*

estropier v. tr. [2] **1.** Faire perdre l'usage d'un membre à. ▷ v. pron. *Elle s'est estropiée.* **2.** Fig. Altérer, déformer. *Estropier un mot.*

estuaire n. m. Embouchure d'un fleuve, formant un golfe profond.

estudiantin, ine adj. Litt. ou plaisant Relatif, propre aux étudiants. Syn. étudiant.

esturgeon n. m. Poisson chondrostéen (genre *Acipenser*), parfois long de 8 m, qui vit quelque temps en mer et va pondre dans les grands fleuves. *Les œufs d'esturgeon (trois à quatre millions par femelle) conservés dans de la saumure constituent le caviar.*

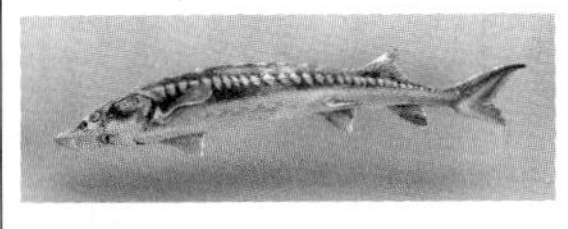

esturgeon

Ésus, dieu celte de la Guerre.

Esztergom, ville de Hongrie, sur le Danube; 31 000 hab. Archevêché (l'archevêque d'Esztergom est primat de Hongrie). - Basilique (XIXᵉ s.).

et conj. **1.** Conjonction de coordination liant des parties du discours de même nature. *Bon et beau. Soixante et un. Vous avez tort et vous le regretterez.* ▷ (Marquant l'opposition.) «*Je plie et ne romps pas*» (La Fontaine). **2.** Conjonction de coordination liant des parties du discours de nature différente. *Un garçon courageux et qui ne se vante pas de l'être.* **3.** Dans une énumération, pour insister. *Et le riche et le pauvre, et le fort et le faible.* **4.** Conjonction à valeur emphatique, en début de phrase. *Et tous de rire!*

êta n. m. **1.** Septième lettre (η, H) de l'alphabet grec. **2.** PHYS NUCL Particule de la famille des mésons.

E.T.A. V. Euzkadi ta Askatasuna.

étable n. f. Lieu couvert, bâtiment où l'on abrite les bœufs, les vaches.

1. établi n. m. Table robuste, en général sur quatre pieds, qui sert de plan de travail dans divers métiers manuels. *Établi d'ébéniste.*

2. établi, ie adj. Fixé, instauré. *Des usages établis.* ▷ *Par ext.* En place. *L'ordre établi. Le gouvernement établi.*

établir v. [3] **I.** v. tr. **1.** Placer de manière stable en un endroit choisi. *Établir les fondements d'un édifice. Établir sa résidence à Paris.* **2.** Instituer. *Établir un gouvernement. Établir des règlements.* **3.** Vieilli Donner une condition stable, un emploi à (qqn). *Établir ses enfants.* - *Établir une fille,* la marier. **4.** Prouver, démontrer. *Établir la réalité d'un fait. Il est établi que...* **II.** v. pron. **1.** S'installer. *Il va s'établir en province.* **2.** Commencer à exercer (tel métier). *S'établir antiquaire.* **3.** (Avec un sujet de personne et un attribut.) Se donner la fonction de. *Il s'est établi censeur de la vertu d'autrui.* **4.** (Avec un sujet de chose.) Être fondé, s'instaurer. *Des relations s'établissent entre ces deux pays.*

établissement n. m. **1.** Action de construire. *Établissement d'une voie ferrée.* **2.** Action d'établir, de fonder. *Établissement de la monarchie.* ▷ ECON *Droit d'établissement :* droit de fonder une entreprise, un commerce, ou de commencer à exercer une profession libérale. *Le droit d'établissement est progressivement accordé, au sein de la Communauté économique européenne, à tous les ressortissants des pays membres.* **3.** Vieilli Action de procurer une position à (qqn). - *L'établissement d'une fille,* son mariage. **4.** Fait d'établir, d'instaurer, de mettre en place (qqch d'abstrait). *Travailler à l'établissement de relations entre deux pays.* **5.** Installation établie pour l'exercice d'un commerce, d'une industrie, pour l'enseignement, etc. ▷ DR *Établissement public :* institution administrative qui gère un service public. ▷ FIN *Établissement financier :* entreprise qui, sans être une banque, accomplit des opérations financières.

Établissements français de l'Inde, ensemble de territoires indiens laissés par le traité de Paris* (1763) à la France, qui en fit des colonies (autonomes en 1939) : Pondichéry, Chandernagor, Mahé, etc. Ils furent restitués à l'Inde entre 1952 et 1956.

étage n. m. **1.** Division formée par les planchers dans la hauteur d'un édifice. *Maison de six étages. Habiter au premier étage.* **2.** Chacun des niveaux, dans une disposition selon des plans superposés. *Jardin en étages. Coiffure à étages.* ▷ Loc. *De bas étage :* peu recommandable, médiocre. **3.** BOT Zone de végétation définie par une association d'espèces dont les aires de répartition sont comprises entre deux altitudes caractéristiques. *Étage du chêne vert, du mélèze.* **4.** GEOL Subdivision d'une période géologique correspondant à des terrains contenant divers fossiles caractéristiques. **5.** ELECTRON Ensemble de composants ayant une fonction déterminée ou fonctionnant dans un domaine de fréquences donné. *Étage amplificateur. Étage basse fréquence.* **6.** TECH Partie d'un moteur correspondant à un niveau d'énergie donné. *Étage basse pression d'une turbine.* **7.** MINES Niveau à l'intérieur duquel s'effectue l'extraction.

étagement n. m. Disposition par étages.

étager v. [13] **1.** v. tr. Disposer par étages. *Étager des maisons sur une pente. Étager des objets dans une vitrine.* **2.** v. pron. Être disposé en étages. **3.** Pp. adj. *Rizières étagées sur une colline.*

étagère n. f. **1.** Planche, tablette fixée horizontalement sur un mur. **2.** Meuble à tablettes superposées.

1. étai n. m. **1.** CONSTR Pièce servant à soutenir un mur, un plancher. **2.** Fig. Soutien.

2. étai n. m. MAR Hauban ridé entre la tête de mât et l'avant du bateau.

étaiement. V. étayage.

étain n. m. **1.** Élément métallique de numéro atomique Z = 50 et de masse atomique 118,69 (symbole Sn). - Métal blanc, très malléable, de densité 7,28, qui fond à 232 °C et bout à 2 250 °C, surtout utilisé dans des alliages. **2.** Objet en étain. *Collectionner les étains.*

étal, als ou **aux** n. m. **1.** Table servant à débiter de la viande de boucherie. **2.** Table servant à exposer des marchandises dans un marché. *Fromages disposés sur des étals* (ce pluriel est plus souvent usité que *étaux*).

étalage n. m. **1.** Exposition de marchandises à vendre. **2.** Lieu où sont exposées ces marchandises; ensemble de marchandises exposées. **3.** *Faire étalage de :* montrer avec ostentation. *Faire étalage de son esprit, de sa vertu, de* *richesses.* **4.** METALL (Plur.) Partie du haut-fourneau, située entre le ventre et le creuset, en forme de tronc de cône évasé vers le haut.

étalagiste n. Personne qui dispose les marchandises dans les vitrines.

étale adj. et n. m. **1.** adj. Dont le niveau est stationnaire. *Mer étale. Vent étale,* modéré et continu. *Navire étale,* immobile. **2.** n. m. Moment où la mer est stationnaire, entre le flot et le jusant ou entre le jusant et le flot.

étalement n. m. **1.** Action d'étaler qqch sur une surface. **2.** Action d'étaler qqch dans le temps; son résultat. *L'étalement des vacances.*

1. étaler v. [1] **I.** v. tr. **1.** Exposer des marchandises, des denrées à vendre. *Étaler des soieries.* **2.** Étendre, déployer. *Étaler une carte routière. Étaler son jeu :* montrer toutes ses cartes; fig. ne rien cacher de ses projets. **3.** Étendre. *Étaler de la peinture sur une toile.* **4.** Fam. Projeter à terre. *Il l'a étalé d'une bourrade.* **5.** Péjor. Montrer avec ostentation. *Étaler ses charmes.* **6.** Répartir (dans le temps). *Étaler les vacances annuelles.* **II.** v. pron. **1.** S'étendre. *Le village s'étale sur la colline.* ▷ Fam. En parlant de qqn, s'avachir. *Elle s'étalait sur le sofa.* **2.** En parlant de choses abstraites, se montrer avec ostentation. *Sa vanité s'étale.* ▷ En parlant de personnes, V. sens I, 5. *Elle s'étale sans pudeur.* **3.** Fam. Tomber de tout son long. *S'étaler dans la boue.* **4.** Se répartir (dans le temps). *Ses vacances s'étalent sur plusieurs semaines.*

2. étaler v. tr. [1] MAR *Étaler le vent, le courant :* parvenir à faire route malgré le vent, le courant.

1. étalon n. m. **1.** Cheval entier destiné à la reproduction. **2.** Fig., fam. Homme aux capacités sexuelles importantes.

2. étalon n. m. **1.** Objet, appareil qui matérialise une unité de mesure légale, ou qui permet de la définir. – (En appos.) *Mètre-étalon.* **2.** ECON Métal ou monnaie de référence qui fonde la valeur d'une unité monétaire. *Étalon-or. Étalon-devise.*

étalonnage n. m. **1.** Vérification de la conformité des indications d'un appareil de mesure à celles de l'étalon. **2.** Opération qui consiste à graduer un instrument conformément à l'étalon.

étalonner v. tr. [1] Procéder à l'étalonnage de (un instrument).

étamage n. m. TECH Action d'étamer; son résultat.

étambot [etɑ̃bo] n. m. MAR Forte pièce de la charpente du navire reliée à la quille, et qui supporte le gouvernail.

étamer v. tr. [1] TECH Revêtir d'étain (un métal). ▷ Revêtir de tain la face arrière d'une glace.

étameur n. m. TECH Ouvrier qui étame.

1. étamine n. f. **1.** Étoffe mince non croisée. *Étamine de soie.* **2.** Tissu peu serré, qui sert à filtrer, à tamiser. *Passer une décoction à l'étamine.*

2. étamine n. f. BOT Organe mâle des phanérogames, constitué d'une partie grêle, le filet, qui porte à son extrémité l'anthère, où s'élabore le pollen. *Les étamines sont insérées entre les pétales et les carpelles.*

étampe n. f. TECH **1.** Matrice qui sert à produire une empreinte sur le métal. ▷ *Par méton.* Marque produite par cette matrice. **2.** Outil pour étamper.

étamper v. tr. [1] **1.** TECH *Étamper un fer à cheval,* y faire les trous. **2.** Produire une empreinte avec une étampe.

Étampes, ch.-l. d'arr. de l'Essonne, au N.-E. de la Beauce, sur la *Juine* et la *Chalouette*; 21 547 hab. Constr. méca. – Quatre égl. (XIe-XVIe s.) : St-Basile, N.-D.-du-Fort, St-Gilles, St-Martin. Tour Guinette (donjon royal du XIIe s.). Maisons anciennes.

Étampes (Anne de Pisseleu, duchesse d') (Fontaine-Lavaganne, Picardie, 1508 – Heilly, 1580), maîtresse de François Ier. Elle fut mariée à Jean de Brosses (1533), créé duc d'Étampes et fait gouverneur de Bretagne.

étamure n. f. TECH Alliage qui sert à étamer. ▷ Couche de cet alliage étendue sur un objet.

étanche adj. **1.** Imperméable aux liquides, aux gaz. **2.** Fig. *Cloison étanche :* séparation complète. *Cloisons étanches entre les services d'une administration.*

étanchéité n. f. Nature de ce qui est étanche. *Étanchéité d'une citerne.*

étancher v. tr. [1] **1.** Arrêter l'écoulement de (un liquide). *Étancher le sang d'une blessure.* – *Étancher les larmes,* les faire cesser. – *Étancher la soif,* l'apaiser. – MAR *Étancher une voie d'eau,* la boucher. **2.** TECH Rendre étanche.

étançon n. m. TECH Pilier, poteau de soutènement d'un mur, d'un toit de galerie de mine, etc.

étang [etɑ̃] n. m. Étendue d'eau peu profonde et stagnante, généralement de dimensions inférieures à celles d'un lac. *Étang artificiel. Étang de pêche.*

Étangs (canal des), partie du canal du Midi, du Rhône à Sète, le long ou à travers des étangs côtiers (Hérault); 38 km.

étant n. m. PHILO Ce qui est, par rapport au fait d'être.

étape n. f. **1.** Endroit où s'arrête un voyageur. *Faire étape à Angers.* **2.** Endroit où s'arrête une troupe en marche, pour passer la nuit. **3.** Distance à parcourir pour atteindre l'étape. *Une longue étape à parcourir avant la nuit.* ▷ SPORT *Le Tour de France est une course par étapes. Établir le classement par étapes. Étape contre la montre.* **4.** Loc. *Brûler une, l'étape :* ne pas s'arrêter au moment prévu pour l'étape. – Fig. *Brûler les étapes :* progresser très rapidement. *Brûler les étapes vers le succès.* **5.** Fig. Période envisagée dans une succession. *Se rappeler les étapes de sa vie. Procéder par étapes.*

Étaples, ch.-l. de cant. du Pas-de-Calais (arr. de Montreuil), sur l'estuaire de la Canche; 11 366 hab. Port de pêche. – Important port de comm. romain *(Stapulæ).* Traité entre Charles VIII et Henri VII d'Angleterre (1492).

étarquer v. tr. [1] MAR Raidir le guindant ou la bordure de (une voile).

état n. m. **I. 1.** Situation, disposition dans laquelle se trouve une personne. *Son état général, son état de santé restent excellents. État d'esprit, de conscience, d'âme.* **2.** Situation, disposition dans laquelle se trouve une chose, un ensemble de choses. *Cette voiture est en bon, en mauvais état, en état de marche. Laisser qqch en l'état,* tel quel. ▷ Loc. *Être en état (de),* capable (de), en état de fonctionnement; *être hors d'état (de),* incapable (de), hors d'usage. ▷ METEO *État du ciel :* ensemble des phénomènes météorologiques visibles en un lieu et à un moment donnés. **3.** PHYS Condition particulière dans laquelle se trouve un corps. *État solide, liquide, gazeux. État ionisé. Eau à l'état de vapeur.* – *Équation d'état d'un fluide :* relation entre la pression P du fluide, son volume V et sa température absolue T. (Pour *n* moles d'un gaz parfait, on a PV = *n*RT.) – *Fonction d'état :* fonction dont la variation ne dépend que des états initial et final d'un système (ex. : entropie). **4.** INFORM Situation dans laquelle se trouve un organe, un système caractérisés par un certain nombre de variables. **5.** MED *État de mal :* série de crises successives sans intervalles normaux. *État de mal asthmatique, épileptique. Période d'état :* durée pendant laquelle les symptômes ont une intensité maximale, la maladie restant stationnaire. **6.** BX-A Chacun des stades de la confection d'une planche, en gravure. **7.** Écrit descriptif (liste, tableau, registre, inventaire, etc.). *État de frais.* – *État des lieux :* description d'un local à l'entrée ou au départ d'un occupant; fig. bilan d'une situation à un moment donné. **8.** *État civil :* ensemble des éléments permettant d'individualiser une personne dans l'organisation sociale, administrative. *Les actes de l'état civil sont l'acte de naissance, de mariage et de décès. Officier d'état civil.* **9.** (En loc.) Fam. *Être dans tous ses états :* être bouleversé, affolé. ▷ *En tout état de cause :* quoi qu'il en soit. ▷ *Faire état de :* mettre en avant, faire valoir. ▷ *De son état :* de son métier. *Il est menuisier de son état.* **II.** HIST Sous l'Ancien Régime, chacune des trois grandes catégories sociales : noblesse, clergé, tiers état (tout sujet du royaume appartenait à l'une d'elles). Syn. ordre. ▷ *États généraux* (V. encycl.). **III.** (Toujours avec une majuscule.) **1.** Personne morale de droit public qui personnifie la nation à l'intérieur et à l'extérieur du pays dont elle assure l'administration. *État monarchique. Passer un contrat avec l'État.* – *État providence,* qui a un rôle d'assistance particulièrement important (aide aux défavorisés, fourniture de biens collectifs). – HIST *État français :* gouvernement du maréchal Pétain sous l'occupation allemande, de 1940 à 1944, et dont le siège était à Vichy. ▷ *Par ext.* Ensemble des organismes et des services qui assurent l'administration d'un pays. ▷ *Homme d'État :* celui qui a une charge, un rôle dans le gouvernement de l'État. ▷ *Chef d'État :* personne exerçant l'autorité souveraine dans un État. ▷ *Coup d'État :* conquête, ou tentative de conquête du pouvoir d'État par des moyens illégaux, souvent violents. ▷ *Raison d'État :* motif d'intérêt public invoqué pour justifier une action illégale, injuste, en matière politique. **2.** Étendue de territoire sur laquelle s'exerce l'autorité de l'État (sens 1). *Reconnaître les frontières d'un nouvel État.* ▷ Chacun des territoires qui constituent une fédération. *Les États-Unis réunissent 50 États.*

ENCYCL *États généraux.* Avant la Révolution, on appelait *assemblée des états,* ou simplement *états,* des assemblées politiques qui se tenaient à des époques plus ou moins régulières pour délibérer sur les questions d'intérêt public et qui se composaient des députés envoyés par les trois ordres, ou états, de la nation : la noblesse, le clergé et, regroupant tous les autres sujets du royaume, le tiers état. On distinguait les *états généraux,* représentant tout le royaume ou au moins des groupes importants des provinces (états généraux de langue d'oïl, ou de langue d'oc), et les *états provinciaux,* formés de délégués d'une seule province. Lors de

états généraux de 1789, réunis le 2 mai, le nombre des députés du tiers état fut doublé, ce qui lui permit d'imposer la délibération commune et le vote par tête. Par le serment du Jeu de paume, le 20 juin 1789, le tiers état se proclama Assemblée nationale; le 27 juin, les autres ordres se joignaient à lui et, le 9 juillet, l'Assemblée* nationale se déclarait *constituante.* La Révolution française commençait, dont le déclenchement effectif devait se produire le 14 juillet.
▶ phys. illustr. **matière**

séance d'ouverture des derniers **états généraux,** le 5 mai 1789, dans la salle des Menus-Plaisirs, château de Versailles, gravure; musée des Arts décoratifs, Paris

étatique adj. De l'État. *Organisme étatique.*

étatisation n. f. Action d'étatiser. *Étatisation progressive.*

étatiser v. tr. [1] Placer sous l'administration de l'État. *Étatiser certains secteurs industriels.*

étatisme n. m. Système politique caractérisé par l'intervention directe de l'État sur le plan économique et social.

état-major n. m. **1.** MILIT Corps d'officiers attachés à un chef militaire; lieu où ces officiers se réunissent. *L'état-major du général.* **2.** MAR Ensemble des officiers d'un navire. **3.** *Par anal.* Ensemble des dirigeants d'un groupement. *État-major d'un parti politique.* – *Des états-majors.*

États de l'Église ou **États pontificaux.** V. Vatican.

États-Unis d'Amérique *(United States of America),* État fédéral d'Amérique du Nord, situé entre l'Atlantique à l'E., le Pacifique à l'O., le Canada au N., le Mexique au S. S'y ajoutent l'Alaska et les îles Hawaii. Au total, cinquante États (plus le district de Columbia) couvrant 9 363 124 km², auxquels il faut adjoindre les possessions extérieures (Porto Rico, îles Vierges, Samoa orientales et Guam); 248 710 000 hab.; cap. *Washington.* Nature de l'État : rép. fédérale de type présidentiel. Langue off. : anglais. Monnaie : dollar américain. Pop. : Blancs (85,2 % dont plus de 5 % d'origine hispano-mexicaine), Noirs (13 %), Asiatiques (1,2 %), Indiens (0,6 %). Relig. : christianisme (catholiques, protestants, orthodoxes), judaïsme, etc.
Géogr. phys. et hum. – Le relief s'ordonne en trois ensembles méridiens. À l'E., le massif ancien des Appalaches, rajeuni au tertiaire, présente une succession de sillons et de crêtes (relief appalachien), qui ne dépassent 2 000 m que dans le S. Son piémont oriental surplombe l'étroite plaine atlantique. Au centre s'étendent de vastes plaines sédimentaires, drainées par l'axe Mississippi-Missouri (6 300 km, 3e artère fluviale du monde), largement ouvertes sur le golfe du Mexique où elles rejoignent les bas pays du S.-E. atlantique et de la péninsule de Floride. Au N. des plaines centrales, les Grands Lacs, d'origine glaciaire (246 300 km²), ont un rôle capital dans l'hydrologie du pays. À l'O. se dresse un puissant système montagneux, jalonné de volcans (mont Saint Helens) et affecté de séismes (San Francisco). Sa bordure orient. est constituée des Rocheuses (4 398 m au mont Elbert) et de leur piémont; elles dominent une zone centrale de plateaux découpés de profondes vallées (plateaux de la Columbia et du Colorado) et de bassins fermés (Grand Bassin avec le Grand Lac Salé). Sur la bordure du Pacifique, les chaînes côtières à l'O., la chaîne des Cascades et la sierra Nevada (point culminant au mont Whitney, à 4 418 m) plus à l'E., encadrent des dépressions longitudinales : Puget Sound et vallée de Californie. L'étendue du pays et le dispositif du relief expliquent la trame des climats. À l'E., le climat continental humide, aux hivers rudes dans le N. et aux étés subtropicaux dans le S., est propice aux forêts. Le Centre, au climat continental assez sec, est le domaine de la prairie. L'O. présente des milieux contrastés : la façade du Pacifique est océanique au N., méditerranéenne au S., alors que le désert couvre les dépressions intérieures méridionales et que les climats montagnards dominent en altitude. Les Blancs d'origine européenne (WASP, White Anglo-Saxon Protestant) constituent 70 % de la population actuelle et sont surtout issus des migrations qui ont eu lieu avant 1925. Les Noirs (13 % de la population) descendent des esclaves amenés d'Afrique aux XVIIe et XVIIIe s.; les «Ethnics» (17 % du total) sont essentiellement des Latino-Américains et des Asiatiques issus de vagues d'immigration récentes. Les Indiens ne sont plus qu'une infime minorité vivant dans des réserves. Le peuplement est inégal : le N.-E., la région des Grands Lacs, le pourtour du golfe du Mexique, le littoral du Pacifique et la vallée californienne concentrent la majorité des habitants, alors que le peuplement des Grandes Plaines est discontinu et que les montagnes occidentales sont presque inhabitées. L'urbanisation est forte (75 %) et on compte plus de 30 villes de plus d'un million d'hab.; la croissance naturelle se ralentit (0,7 % par an) mais les migrations internes restent intenses et profitent surtout au S. et à l'O. (régions du «Sun Belt»).
Écon. – Avec un P.N.B. annuel dépassant largement 5 000 milliards de dollars, les États-Unis sont, de très loin, la première puissance écon. du monde : comptant moins de 5 % de la population mondiale, le pays produit, chaque année, plus de 30 % des richesses de la planète. D'abondantes ressources et d'excellentes infrastructures sont à la base de cette puissance. Le pays, qui consomme 25 % de l'énergie mondiale, occupe le 1er rang pour la prod. d'électricité (dont 70 % revient au thermique conventionnnel) et le 2e rang pour le charbon (Appalaches, piémont des Rocheuses), le pétrole (Texas, golfe du Mexique, Alaska, Californie) et le gaz

LES 50 ÉTATS DES ÉTATS-UNIS

ÉTAT	CAPITALE	ÉTAT	CAPITALE	ÉTAT	CAPITALE
Alabama	Montgomery	**Illinois**	Springfield	**New Jersey**	Trenton
Alaska	Juneau	**Indiana**	Indianapolis	**Nouveau-Mexique**	Santa Fe
Arizona	Phoenix	**Iowa**	Des Moines	**New York**	Albany
Arkansas	Little Rock	**Kansas**	Topeka	**Ohio**	Columbus
Californie	Sacramento	**Kentucky**	Frankfort	**Oklahoma**	Oklahoma City
Caroline du Nord	Raleigh	**Louisiane**	Baton Rouge	**Oregon**	Salem
Caroline du Sud	Columbia	**Maine**	Augusta	**Pennsylvanie**	Harrisburg
Colorado	Denver	**Maryland**	Annapolis	**Rhode Island**	Providence
(District of Columbia)	Washington	**Massachusetts**	Boston	**Tennessee**	Nashville-Davidson
Connecticut	Hartford	**Michigan**	Lansing	**Texas**	Austin
Dakota du Nord	Bismarck	**Minnesota**	Saint Paul	**Utah**	Salt Lake City
Dakota du Sud	Pierre	**Mississippi**	Jackson	**Vermont**	Montpelier
Delaware	Dover	**Missouri**	Jefferson City	**Virginie**	Richmond
Floride	Tallahassee	**Montana**	Helena	**Virginie-Occidentale**	Charleston
Géorgie	Atlanta	**Nebraska**	Lincoln	**Washington**	Olympia
Hawaii	Honolulu	**Nevada**	Carson City	**Wisconsin**	Madison
Idaho	Boise City	**New Hampshire**	Concord	**Wyoming**	Cheyenne

(Louisiane, Texas). Les réserves d'hydrocarbures sont cependant faibles (4 % du gaz et 3 % du pétrole de la planète) et l'extraction coûteuse, ce qui conduit le pays à s'approvisionner aux meilleurs prix sur le marché mondial, préservant ainsi ses ressources nationales. L'activité minière fournit la plupart des métaux (Rocheuses, région des Grands Lacs), toutefois les importations de fer et de bauxite sont nécessaires, et la dépendance est forte pour le manganèse, le chrome, le nickel, le tantale, le cobalt et le titane. Le réseau de transports est le plus étendu et le plus complet du monde. Le rail et les voies d'eau (Grands Lacs - Saint-Laurent, bassin du Mississippi, cabotage atlantique) se partagent le trafic marchand de pondéreux, alors que la route règne en maîtresse pour les déplacements individuels et les biens de consommation. Le réseau aérien intérieur, le plus complet du monde, assure le trafic national de passagers à longue distance. En matière de transports, les États-Unis occupent la meilleure place dans de nombreux domaines : 1er réseau ferroviaire, autoroutier et routier du monde, parc automobile le plus important (25 % des véhicules particuliers de la planète) et 7 des 10 plus grands aéroports mondiaux. L'agriculture n'emploie que 2,5 % des actifs mais occupe la première place mondiale et dégage un excédent commercial moyen de l'ordre de 10 milliards de dollars par an. Très moderne, elle est au centre d'un puissant complexe agro-industriel qui emploie près de 9 millions de personnes à la production, à la transformation, au conditionnement, au transport, à la distribution et à l'exportation des produits agricoles. L'éventail des productions est très vaste et le pays occupe les meilleurs rangs pour nombre d'entre elles (1er pour le maïs et le soja); les seules dépendances concernent les produits tropicaux comme le café, le cacao, les bananes, etc. Autrefois organisée en « belts », ceintures régionales dominées par une activité de monoculture (*Dairy Belt*, ceinture du lait; *Wheat Belt*, du blé; *Corn Belt*, du maïs; *Tobacco Belt*, du tabac; *Cotton Belt*, du coton), la géographie agricole s'est diversifiée. L'Est et la région des Grands Lacs ont vu se développer un élevage et des cultures variés destinés au marché urbain, tandis que, dans le Sud, le coton et le tabac ont reculé devant le soja, les fruits et légumes, l'arachide et les fourrages. La culture des céréales prédomine toujours dans le Middle West mais le système maïs-soja-élevage (engraissement des bovins et des porcs) s'y impose. L'Ouest aride reste le domaine privilégié des ranchs, avec un élevage extensif lié aux grands espaces, mais l'accroissement des périmètres irrigués a permis le développement de cultures à haute valeur ajoutée pour les villes. Ces succès ont pourtant des revers : l'aide de l'État à l'agriculture est onéreuse, beaucoup d'exploitants sont surendettés et les plus petits sont dans une situation critique; la conjoncture internationale pèse lourdement sur les équilibres agricoles (exportations de blé en partic.) et la décision de mise en jachère des terres est souvent le seul moyen de lutter contre la surproduction. Les États-Unis, bien qu'ils occupent aussi le 1er rang mondial pour la sylviculture et les activités du bois, et le 6e rang pour la pêche, ne couvrent que la moitié de leurs besoins dans ces deux domaines. Le poids mondial de l'industrie américaine a diminué : moins de 20 % aujourd'hui contre plus de 50 % en 1946. Tout en gardant le 1er rang pour la valeur de la production, le pays n'est plus que le 3e exportateur industriel mondial, après l'Allemagne et le Japon. Les industries de base (sidérurgie, métallurgie, chimie) ont connu un important repli qui a gravement affecté le vieux *Manufacturing Belt* du Nord-Est et des Grands Lacs, alors que des branches importantes comme l'automobile et le textile connaissent de sévères restructurations. Les États-Unis restent en bonne place dans des branches d'avenir comme l'aéronautique, les produits chimiques, la pharmacie, les constr. électriques et l'électronique professionnelle; ils possèdent également la première industrie d'armements. Leurs positions sont plus fragiles pour les composants électroniques et l'électronique grand public, ainsi que pour l'électroménager et l'audiovisuel. Le pays conserve cependant de nombreux atouts : un important réseau de multinationales (General Motors, Ford et Exxon sont les trois premières entreprises mondiales), la maîtrise de technologies avancées et une recherche de premier plan. Le développement massif du tertiaire (70 % de la main-d'œuvre) a donné aux États-Unis un rôle dirigeant en matière de collecte, de stockage et de diffusion du savoir et de l'information, éléments clés de la « force de frappe culturelle » américaine. Le développement d'activités nouvelles et d'industries de haute technologie, l'essor du tourisme et la recherche d'un meilleur environnement favorisent le dynamisme des régions du *Sun Belt* (Floride, Texas, Californie), alors que le renforcement des échanges avec le Mexique se traduit par une forte croissance écon. de la zone frontalière. Les États-Unis abordent toutefois la décennie 1990 avec des handicaps : endettement, déficit commercial et budgétaire considérables, paupérisation d'une partie de la population. La C.E.E., seul marché comparable dans le monde, se pose en rivale alors que la concurrence industrielle et financière du Japon est vive et que l'Allemagne dispute au pays la place de premier exportateur mondial. Dep. le 1er janv. 1994, une zone de libre-échange (ALENA*) réunit les É.-U., le Canada et le Mexique.

Hist. – Peuplée d'Amérindiens, l'Amérique du Nord a été colonisée par les Européens à partir du XVIe s. seulement. Tandis que S. de Champlain organise la Nouvelle-France (fondation de Québec, 1608), les Anglais fondent treize colonies le long de la côte atlant. : Virginie (1607), Massachusetts (*Mayflower**, 1620), New Hampshire, Maryland, Connecticut, Rhode Island, les deux Carolines, New York, Delaware, New Jersey (ces trois dernières obtenues des Pays-Bas en 1664), Pennsylvanie, Georgie. Toutes disposent d'une assemblée élue et décident de leur budget. La mise en valeur de ces colonies (par des plantations de coton et de tabac dans le Centre et le S., par le commerce dans le N.) est assez rapide. Les Français possèdent le Canada et la Louisiane (qui s'étend alors jusqu'au golfe du Mexique), les Espagnols la Floride et le Mexique. Au terme de la guerre de Sept Ans, la France est presque totalement éliminée de l'Amérique (traité de Paris, 1763). Bientôt, un conflit éclate entre les treize colonies anglaises et leur métropole, qui entend les imposer directement : impôt du timbre (1765-1766), taxe sur le thé (1767). Ce conflit, d'abord juridique, prend une forme violente (massacre de Boston, 1770; *Boston Tea Party*, 1773, où des colons déguisés en Indiens jettent à la mer les cargaisons de thé). Réunis en congrès à Philadelphie à l'initiative de B. Franklin, les députés des colonies rédigent une déclaration des droits du contribuable américain (1774), puis, après un premier succès des miliciens du Massachusetts, la *Déclaration d'indépendance* des États-Unis (4 juillet 1776). Les Américains, commandés par George Washington et bientôt appuyés par la France (volontaires de La Fayette, troupes régulières de Rochambeau), vainquent à Yorktown (1781) le général anglais Cornwallis. Par le traité de Versailles (1783), l'Angleterre reconnaît l'indépendance des É.-U.; elle leur cède tous les territoires qu'elle possède à l'E. du Mississippi, mais conserve le Canada. La Convention de Philadelphie élabore la Constitution de la République fédérale des États-Unis (17 sept. 1787), dont le premier président, G. Washington, entre en fonctions le 4 mars 1789. Une série d'accroissements territoriaux vont donner aux É.-U. leur étendue actuelle : achat de la Louisiane à la France (1803), de la Floride à l'Espagne (1819); entrée dans l'Union du Texas, qui s'est détaché du Mexique (1845); guerre contre le Mexique, qui, menée de 1846 à 1848, en dépit de la doctrine neutraliste de Monroe (1823), se solde par l'acquisition du Nouveau-Mexique, de l'Arizona et de la Californie; accord avec l'Angleterre, qui aboutit à la formation du territoire de l'Oregon (1848). Le peuplement de ces terres résulte d'abord d'une immigration intérieure qui se propage d'E. en O., puis, surtout, d'une immigration européenne d'orig. anglaise, irlandaise et allemande. D'importants intérêts écon. sont en jeu : le Sud, agricole et esclavagiste, est partisan du libre-échange, tandis que le Nord, en voie d'industrialisation, est protectionniste. Lorsque Lincoln, après une campagne antiesclavagiste, est élu président, les États du Sud se retirent de l'Union (1861) et forment les *États confédérés d'Amérique* (cap. Richmond), que préside Jefferson Davis. La guerre de Sécession (1861-1865) oppose sudistes, ou confédérés, et nordistes, ou fédéraux. Mieux préparés, mieux commandés, les sudistes prennent d'abord l'avantage, mais les nordistes, plus nombreux et qui disposent de la puissante industrie du Nord, l'emportent finalement. L'Union est maintenue, l'esclavage aboli. Les 14e et 15e amendements (1866-1869) accordent aux Noirs l'égalité civile et interdisent toute discrimination. Cependant, le Sud empêche les Noirs de voter (apparition du Ku Klux Klan en 1866) puis instaure la ségrégation raciale après 1874. La politique intérieure est dominée par les questions écon. Les démocrates, décentralisateurs, partisans du bimétallisme, de tarifs douaniers modérés et d'une politique pacifiste, s'opposent aux républicains, dont le programme est diamétralement opposé; ces derniers, au pouvoir, pratiquent l'expansion armée et économique en Amérique du Sud et dans le Pacifique. La doctrine de Monroe (1823) avait établi le principe de la non-ingérence européenne en Amérique. Devenus impérialistes, les É.-U. l'emportent sur les Espagnols : cession de Porto Rico et de Cuba, érigé en une rép. indép. (1901); protectorat sur Haïti et Saint-Domingue; intervention à Panamá (le canal est inauguré en 1914); acquisition des Philippines. Devenus une grande puissance écon., les É.-U. ne sont pas touchés par l'idéologie révolutionnaire, malgré la création d'une *Fédération américaine du travail* (1886). Au début de la guerre de 1914-1918, la neutralité répond aux tendances pacifistes du prés. démocrate Wilson (1913-1921), mais la guerre sous-marine allemande le décide à intervenir aux côtés des Alliés (avril 1917). En 1918-1919, il joue un rôle important dans l'élaboration des traités de paix et dans la création de la Société des Nations. Revenus au pouvoir, les républicains désavouent l'œuvre de Wilson : les É.-U. n'entrent pas à la S.D.N. et prônent le retour à l'isolationnisme et au protectionnisme. Devenus les créanciers du monde, les É.-U. connaissent l'euphorie de la prospérité, engendrée par l'expansion d'une industr. « taylo-

ÉTATS-UNIS D'AMÉRIQUE
CANADA
MEXIQUE
OCÉAN PACIFIQUE
OCÉAN ATLANTIQUE
Golfe du Mexique
MONTAGNES ROCHEUSES
APPALACHES
Grand Bassin
Sierra Nevada
WASHINGTON
OREGON
CALIFORNIE
NEVADA
IDAHO
MONTANA
WYOMING
UTAH
COLORADO
ARIZONA
NOUVEAU-MEXIQUE
DAKOTA DU NORD
DAKOTA DU SUD
NEBRASKA
KANSAS
OKLAHOMA
TEXAS
MINNESOTA
IOWA
MISSOURI
ARKANSAS
LOUISIANE
WISCONSIN
ILLINOIS
MICHIGAN
INDIANA
OHIO
KENTUCKY
TENNESSEE
MISSISSIPPI
ALABAMA
GÉORGIE
FLORIDE
CAROLINE DU SUD
CAROLINE DU NORD
VIRGINIE
VIRGINIE OCCIDENTALE
PENNSYLVANIE
NEW YORK
VERMONT
NEW HAMPSHIRE
MAINE
MASSACHUSETTS
RHODE ISLAND
CONNECTICUT
NEW JERSEY
DELAWARE
MARYLAND
DISTRICT DE COLUMBIA
WASHINGTON
Seattle
Olympia
Spokane
Portland
Salem
Boise City
Sacramento
San Francisco-Oakland
San Jose
Reno
Carson City
Las Vegas
Los Angeles
Long Beach
San Bernardino
Santa Barbara
San Diego
Phoenix
Tucson
Salt Lake City
Denver
Colorado Springs
Pueblo
Santa Fe
Albuquerque
El Paso
Helena
Missoula
Butte
Billings
Casper
Cheyenne
Rapid City
Bismarck
Fargo
Pierre
Sioux Falls
Omaha
Lincoln
Topeka
Kansas City
Oklahoma City
Tulsa
Amarillo
Lubbock
Fort Worth
Dallas
Austin
San Antonio
Houston
Corpus Christi
Shreveport
Baton Rouge
La Nouvelle-Orléans
Little Rock
Duluth
Minneapolis
St Paul
Des Moines
Davenport
Madison
Milwaukee
Green Bay
Rockford
Chicago
Springfield
St Louis
Jefferson City
Memphis
Jackson
Mobile
Birmingham
Montgomery
Nashville-Davidson
Louisville
Frankfort
Indianapolis
Detroit
Grand Rapids
Lansing
Toledo
Cleveland
Dayton
Columbus
Cincinnati
Pittsburgh
Charleston
Knoxville
Atlanta
Columbus
Macon
Albany
Tallahassee
Savannah
Jacksonville
Orlando
Cap Canaveral
Tampa
St Petersburg
Miami
Key West
Columbia
Charlotte
Raleigh
Richmond
Norfolk
Hampton Roads
Baltimore
Annapolis
Dover
Philadelphie
Independance Hall
Trenton
Harrisburg
Newark
New York
Statue de la Liberté
Hartford
Providence
Boston
Concord
Montpelier
Augusta
Albany
Syracuse
Buffalo
Parc Olympic
Glacier Waterton
Mont Rainier 4 392
Mont St-Helens 2 549
Parc Redwood
Parc Yosemite
Mont Whitney 4 418
Vallée de la Mort
Parc de Yellowstone
Grand Lac Salé
Grand Canyon
Mesa Verde
Mont Elbert 4 401
Parc historique de Chaco
Pueblo de Taos
Sierra Blanca 3 652
Parc national des grottes de Carlsbad
Site des Cahokia Mounds
Parc de Mammoth Cave
Mont Mitchell 2 037
Parc des Great Smoky Mountains
Monticello et Université de Virginie
Parc des Everglades
Détroit de Floride
BAHAMAS
Chutes du Niagara
Lac Supérieur
Lac Michigan
Lac Huron
Lac Érié
Lac Ontario
St-Laurent
Columbia
Snake
Missouri
Yellowstone River
Platte River
Arkansas
Red River
Rio Grande
Mississippi
Ohio
Tennessee
Colorado
Sacramento
Calgary
Winnipeg
Thunder Bay
Sudbury
Toronto
Hamilton
London
Montréal
Halifax
Hermosillo
Golfe de Californie
Chihuahua
Monterrey
120°
100°
80°
50°
40°
30°
500 km
FÉDÉRATION DE RUSSIE
Détroit de Béring
ALASKA
CANADA
Prudhoe Bay
Chaîne de Brooks
3 060
Mont Doonerak
Yukon
Fairbanks
Mont McKinley 6 187
Chaîne d'Alaska
Anchorage
Valdez
Whitehorse
Juneau
Parcs de Kluane et Wrangell-St Elias
Île St-Laurent
Île Nunivak
Presqu'île d'Alaska
Kodiak
OCÉAN PACIFIQUE
140°
66°
500 km
HAWAII
Kauai
Oahu
Molokai
Maui
Hawaii
Pearl Harbor
Honolulu
Maunakea 4 206
Hilo
Parc des Volcans
OCÉAN PACIFIQUE
21°
158°
250 km
0 200 1 000 2 000 4 000 m
WASHINGTON capitale fédérale
Lansing capitale d'État
Population des villes :
plus de 5 000 000 hab.
de 1 à 5 000 000 hab.
de 100 000 à 1 000 000 hab.
de 10 000 à 100 000 hab.
autre ville
limite d'État extérieur
limite d'État
autoroute
route secondaire
port important
aéroport important
site du "patrimoine mondial" UNESCO

risée», rationalisée, alimentant les marchés intérieurs et mondiaux. La crise de 1929, due à la surproduction et à la fragilité du marché financier où sévit une spéculation effrénée, provoque un chômage massif et atteint la solidité du dollar. Le démocrate Franklin Delano Roosevelt (1933-1945) prend une série de mesures contre la crise *(New Deal)* et dote l'Union d'une législation sociale. Les É.-U. pratiquent désormais le bon voisinage avec les Sud-Américains : évacuation d'Haïti et du Nicaragua (1933), fin du protectorat sur Cuba (1934). Leur isolationnisme s'émiette, et ils acceptent de vendre des armes aux démocraties occid. Soucieuse, peu à peu, de coopérer avec les puissances démocratiques contre les puissances totalitaires, l'opinion américaine finit par approuver la guerre contre l'Allemagne, l'Italie, le Japon (qui avait détruit la flotte amér. basée à Pearl Harbor, le 7 déc. 1941). Grâce à leur formidable puissance industr. et militaire, les É.-U. interviennent de manière décisive dans la guerre de 1939-1945; seuls, ils contraignent le Japon à capituler, notam. après le lancement de deux bombes atomiques (Hiroshima, 6 août 1945; Nagasaki, 9 août). Succédant à Roosevelt, le démocrate H. Truman organise l'«après-guerre» : reconversion de l'industrie et reclassement de 9 millions de démobilisés (loi Taft-Hartley, *Fair Deal*); établissement des fondements de l'ONU. Pour lutter contre la menace soviétique (guerre froide), les É.-U., qui sont maintenant engagés dans la politique mondiale, créent un système d'assistance économique aux États ruinés par la guerre *(plan Marshall*)* et apportent une aide militaire aux États signataires du pacte de l'Atlantique Nord (1949). La présidence du général Eisenhower (1953-1961), un républicain, est marquée par la mise hors la loi du parti communiste (1954) et la crise du maccarthysme et par des incidents raciaux dans le S., où l'interdiction de la ségrégation scolaire (1957) est mal accueillie par les Blancs. Après la guerre de Corée (1950-1953), où les É.-U. sont mandatés par l'ONU, et après l'abandon de l'Indochine par la France (1954), ils veulent renforcer la défense du S.-E. asiatique par la signature du pacte de Manille (8 sept. 1954), par l'appui à la Chine nationaliste, par leur opposition à l'admission de la Chine communiste à l'ONU; la crise de Suez (nov.-déc. 1956) montre les désaccords entre les É.-U. et leurs alliés français et britanniques, ainsi que la rivalité avec l'U.R.S.S. au Proche-Orient. À un besoin de détente que ressentent les deux superpuissances, lancées dans la course à l'armement nucléaire, succède une nouvelle période de tension, due notam. à la révolution castriste à Cuba (1959). Le président John F. Kennedy (1961-1963), démocrate, oblige les Soviétiques à retirer les fusées nucléaires installées à Cuba (juillet 1962). À l'intérieur, il doit faire face au problème racial (dans le S.) et à la récession écon. Il conçoit l'aide aux États sous-développés comme une lutte contre le communisme, et les É.-U. étendent leur influence sur l'Amérique du S., séduite par le castrisme («Alliance pour le progrès»). Les relations avec l'U.R.S.S. s'améliorent (accords de Moscou, 1963), mais J. F. Kennedy engage les É.-U. dans la guerre du Viêt-nam. Lyndon B. Johnson, qui a succédé à Kennedy (assassiné à Dallas le 22 nov. 1963), poursuit l'œuvre sociale et économique de son prédécesseur et maintient l'engagement américain au Viêt-nam. Réélu en nov. 1964, il appuie avec force le gouvernement de Saigon contre le Vietcong et contre Hanoi, soutenus par Moscou et Pékin. Devant l'impossibilité d'imposer une solution armée, devant les problèmes économiques et moraux posés aux Américains, et tandis que d'interminables pourparlers se poursuivent à Paris en vue de négociations, le président Nixon, qui a succédé à Johnson en 1969, propose la «vietnamisation» du conflit, c.-à-d. le retrait progressif des soldats américains. En outre, il négocie avec Moscou la réduction de l'armement stratégique, alors que les É.-U. ont gagné la course à la Lune (20 juil. 1969, Armstrong et Aldrin). À partir de 1971, la politique extérieure américaine, menée par Kissinger jusqu'en 1976, est axée sur la détente avec les «grands» (admission de la république populaire de Chine à l'ONU, 25 oct. 1971, visite de Nixon à Pékin, février 1972, puis à Moscou, juin 1972) et sur l'intervention dans les affaires des petits États (Chili, Chypre, Grèce, Proche-Orient, Rhodésie, etc.). Toutefois, le déficit de la balance des paiements et la spéculation sur les monnaies fortes (deutsche Mark, notam.) entraînent la dévaluation du dollar (1973 et 1975). Réélu en nov. 1972, Nixon entérine le cessez-le-feu au Viêt-nam (janv. 1973). En août 1974, impliqué dans le scandale politique du «Watergate», il est contraint de démissionner. Le vice-président Gerald Ford, qui lui succède, doit faire face à une grave crise écon. et sociale (8,5 millions de chômeurs), tandis que les institutions américaines sont ébranlées par la révélation de nouveaux scandales (retombées du Watergate, scandale de la C.I.A., affaire Lockheed). La présidence du démocrate Jimmy Carter (1977-1981) est marquée par un plan de lutte contre les effets de la crise et par une politique étrangère ambitieuse. Mais les succès remportés (accords de Camp David, 1978; limitation de la consommation de pétrole) pèsent moins, aux yeux d'une majorité d'Américains, que les échecs (maintien de l'inflation et du taux de chômage) et que la prise d'otages de l'ambassade américaine de Téhéran (1979). L'électorat aspire à un changement, que traduit le succès du républicain «dur» Ronald Reagan, élu en 1980 et réélu en 1984. L'orientation libérale de l'administration Reagan relance l'économie, mais ne peut maîtriser le déficit commercial et budgétaire; la volonté de renouer avec une politique extérieure ferme se traduit par l'intervention à la Grenade en 1983, le soutien à la guérilla antisandiniste du Nicaragua et par le bombardement de la Libye en 1986. R. Reagan négocie avec M. Gorbatchev et aboutit, en déc. 1987, au premier accord de désarmement nucléaire avec l'U.R.S.S., à propos des euromissiles. Le républicain George Bush emporte l'élection prés. (nov. 1988). Sa politique extérieure est très souple en Europe, où les É.-U. n'ont pas tenté d'intervenir dans la décomposition du système communiste. Les É.-U. prennent la tête de l'intervention alliée au Koweït (1990-1991) (V. guerre du Golfe*) et en Somalie (1992-1993), débarquent à Haïti (1994). Parallèlement, le pays, qui a subi une grave récession de 1989 à 1992, a mis fin à douze ans de mandat républicain, avec l'élection, en nov. 1992, du démocrate Bill Clinton. Profitant d'une reprise économique à partir de 1993, ce dernier a concentré ses efforts sur les affaires intérieures (réduction du déficit budgétaire, réforme du système de santé), et les échanges commerciaux (A.L.E.N.A., G.A.T.T.). En 1996, Bill Clinton est réélu à la présidence, tandis que le Congrès reste majoritairement républicain. Le président doit faire face en 1998 au blocage du processus de paix entre Israël et les Palestiniens et à de nouvelles crises avec l'Irak, ainsi qu'à sa mise en cause par les républicains dans une procédure d'impeachment très médiatisée (affaire Monica Lewinsky).

étau n. m. Instrument composé de deux mâchoires pouvant être rapprochées au moyen d'une vis et qui sert à maintenir un objet que l'on façonne. *Serrer un étau.* ▷ Loc. fig. *Être pris dans un étau* : être soumis à la pression de deux forces antagonistes sans pouvoir s'y soustraire; être cerné de toute part.

étau-limeur n. m. TECH Machine-outil qui sert à raboter les surfaces métalliques. *Des étaux-limeurs.*

étayage, **étayement** ou **étaiement** n. m. Action d'étayer; son résultat.

étayer v. tr. [**21**] **1.** Soutenir avec des étais. *Étayer une maison.* **2.** Fig. Soutenir. *Étayer de preuves une théorie.*

et cætera ou **et cetera** [ɛtseteʀa] loc. adv. (lat.) Et le reste. (Abrév. : etc.)

Etchegaray (Roger) (Espelette, 1922), prélat français. Archevêque de Marseille, cardinal en 1980, il devint l'année suivante président de la commission Justice et Paix au Vatican.

Etchmiadzine, v. sainte d'Arménie, au S.-O. d'Erevan; 50 000 hab. Siège du patriarcat de l'Église arménienne.

été n. m. Saison la plus chaude de l'année, qui va du 21 ou 22 juin (solstice) au 22 ou 23 septembre (équinoxe), dans l'hémisphère Nord. *Prendre des vacances en été. Un bel été. «Adieu, vive clarté de nos étés trop courts»* (Baudelaire). – *Été de la Saint-Martin* (en Europe), *été indien* (en Amérique du Nord), *été des Indiens* ou vieilli *été des sauvages* (au Canada) : période de chaleur qui, en automne, rappelle les beaux jours d'été.

éteignoir n. m. **1.** Anc. Petit cône creux pour éteindre une chandelle. **2.** Fig., fam. Rabat-joie. **3.** Fig. Lieu, situation peu propices à la spontanéité, à l'enthousiasme.

éteindre v. [**55**] **I.** v. tr. **1.** Faire cesser de brûler ou d'éclairer. *Éteindre un feu. Éteindre la lumière.* **2.** Fig. Tempérer, amortir. *Éteindre l'ardeur de la fièvre. Éteindre sa soif.* **3.** Fig. Adoucir. *Éteindre les couleurs.* **4.** DR Annuler. *Éteindre une dette, une action judiciaire.* **II.** v. pron. **1.** Cesser de brûler ou d'éclairer. *Le feu s'éteint peu à peu.* **2.** Fig. Diminuer. *Son ardeur s'éteint.* **3.** Disparaître. *Sans descendance, cette famille va s'éteindre.* **4.** Mourir doucement. *Elle s'éteint peu à peu.*

éteint, éteinte adj. **1.** Qui a cessé de brûler, d'éclairer. *Feu éteint.* **2.** Qui a perdu son éclat, sa force. *Voix éteinte. Un regard éteint.* **3.** Disparu. *Famille éteinte.*

Étel (rivière d'), ria débouchant sur l'Atlantique, à l'O. de la presqu'île de Quiberon, par un étroit goulet que barre un banc de sable *(barre d'Étel)*.

étendage n. m. **1.** Action d'étendre. *Étendage du linge.* **2.** Cordes et perches servant à étendre des objets à sécher.

étendard n. m. **1.** Anc. Enseigne de guerre. *Déployer un étendard.* ▷ Mod. Signe de ralliement d'une cause, d'un parti. – Loc. fig. *L'étendard de la révolte. Se ranger sous l'étendard de...* : embrasser le parti de... **2.** BOT Pétale supérieur de la corolle des papilionacées (pois, par ex.).

étendoir n. m. **1.** Endroit où l'on étend ce qui doit sécher. **2.** Étendage (sens 2).

étendre v. [**6**] **I.** v. tr. **1.** Allonger (un membre). *Étendre le bras.* – Allonger (qqn). *Étendre un blessé sur le sol.* ▷ *Étendre un homme sur le carreau,* le blesser gravement, l'assommer, le tuer. – Fig., fam. *Étendre qqn, se faire étendre à un examen* : refuser qqn, se faire refuser à un examen. **2.** Déployer (qqch) en surface. *Étendre du linge pour le faire sécher.* **3.** Additionner d'eau, diluer. *Étendre du vin.* **4.** Agrandir, accroître. *Étendre sa domination sur un pays.* **II.** v. pron. **1.** Occuper un certain espace. *La Gaule s'étendait jusqu'au Rhin.* **2.** Augmenter, se développer. *Le royaume s'étendit peu à peu.* **3.** Fig. Aller jusqu'à. *Son crédit ne s'étend pas jusque-là.* **4.** S'allonger. *S'étendre sur l'herbe.* **5.** Loc. fig. *S'étendre sur un sujet,* en parler longuement.

étendu, ue adj. **1.** Vaste. *Une province étendue.* **2.** Déployé. *Oiseau aux ailes étendues.* **3.** Fig. Qui possède une grande extension, un grand développement. *Une voie étendue. Avoir une culture étendue.*

étendue n. f. **1.** PHILO Propriété des corps d'être situés dans l'espace, d'en occuper une partie. **2.** *Par ext.* Espace, superficie, durée. *Dans toute l'étendue du pays.* **3.** Fig. Développement, importance. **4.** MUS Écart entre les deux sons extrêmes que peut émettre une voix, un instrument. Syn. registre.

Étéocle, dans la myth. gr., fils aîné d'Œdipe et de Jocaste, frère de Polynice avec qui il devait régner sur Thèbes par alternance d'un an. Il refusa de céder le trône au terme de son année de règne. Polynice s'allia à six autres chefs, ce qui entraîna la guerre des Sept Chefs (les « Sept contre Thèbes »), au cours de laquelle les deux frères s'entre-tuèrent.

éternel, elle adj. et n. m. **I.** adj. **1.** Sans commencement ni fin. ▷ n. m. *L'Éternel* : Dieu. **2.** Immuable. *Vérité éternelle.* **3.** Sans fin. *La béatitude éternelle.* **4.** Dont on ne prévoit pas la fin. *Une reconnaissance éternelle.* – *La Ville éternelle* : Rome. **5.** Continuel. *Il fatigue tout le monde par son éternel bavardage.* **II.** n. m. Ce qui a valeur d'éternité.

éternellement adv. **1.** Dans l'éternité, pour toujours. *Dieu existe éternellement.* **2.** Toujours, continuellement. *Être éternellement malade. Il raconte éternellement la même histoire.*

éterniser v. [1] **I.** v. tr. **1.** Litt. Rendre éternel. *Éterniser le nom d'un poète.* **2.** Prolonger indéfiniment. *Éterniser une discussion oiseuse.* **II.** v. pron. Se prolonger indéfiniment. *La polémique s'éternise.* – Fam. *S'éterniser quelque part,* y rester trop longtemps.

éternité n. f. **1.** Durée sans commencement ni fin. *Le temps se perd dans l'éternité.* **2.** Durée sans fin, ayant eu un commencement. – *Songer à l'éternité,* à la vie éternelle, à l'au-delà. **3.** Fig. Temps très long. – *De toute éternité* : depuis toujours. – Fam. *Il y a une éternité que...* : il y a longtemps que... **4.** Caractère de ce qui est éternel, immuable. *L'éternité de ces vérités.*

éternuement [etɛʀnymɑ̃] n. m. Expiration brusque et bruyante par le nez et la bouche due à un effort convulsif des muscles expirateurs et provoquée par une irritation des muqueuses nasales.

éternuer v. intr. [1] Avoir un éternuement.

étésien adj. m. Didac. *Vents étésiens* : vents du nord qui soufflent en été en Méditerranée orientale.

étêtage ou **étêtement** n. m. SYLVIC Action d'étêter.

étêter v. tr. [1] SYLVIC Couper la cime de (un arbre). ▷ Par ext. *Étêter des poissons.* – *Étêter un clou.*

éteule n. f. AGRIC Partie du chaume qui reste en place après la moisson.

Étex (Antoine) (Paris, 1808 – Chaville, 1888), peintre, graveur et sculpteur français. Ses hauts-reliefs, *la Résistance de la France à la coalition de 1814* et *la Paix,* décorent l'arc de triomphe de l'Étoile à Paris.

éthane n. m. CHIM Hydrocarbure saturé, de formule C_2H_6, gaz appartenant à la famille des paraffines, qui se transforme à haute température en éthylène ou en acétylène.

éthanol n. m. CHIM Alcool* éthylique.

étheirologie n. f. Didac. Science qui étudie le cheveu, ses maladies.

éther n. m. **1.** PHYS Fluide hypothétique grâce auquel on expliquait, aux XVIIIe et XIXe s., la propagation de la lumière. **2.** Poét. Air le plus pur. – *Par ext.* Ciel, espaces célestes. **3.** CHIM Composé, de formule R–O–R', résultant de la déshydratation de deux molécules d'alcool ou de phénol. (Le plus important est l'éther ordinaire ou éther sulfurique, de formule $(C_2H_5)_2O$, liquide très volatil utilisé comme solvant et comme anesthésique.)

éthéré, ée adj. **1.** Fluide et subtil comme l'éther. **2.** Fig. Très noble, très élevé, très pur. *Les préraphaélites ont peint des personnages éthérés.* ▷ Délicat, vaporeux. *Une créature éthérée.*

éthérifier v. tr. [2] CHIM Transformer en éther.

éthéromane n. (et adj.) Personne atteinte d'éthéromanie.

éthéromanie n. f. MED Toxicomanie à l'éther.

éthicien, enne n. Spécialiste d'éthique, en partic. d'éthique médicale.

Éthiopie (république démocratique populaire d') (anc. *Abyssinie*), État d'Afrique du N.-E., sur la mer Rouge, à l'E. du Soudan, au N. et à l'O. de la rép. de Somalie, au N. du Kenya ; 1 221 900 km² ; env. 50 millions d'hab. ; cap. *Addis-Abeba.* Nature de l'État : rép. socialiste. Langue : amharique (off.), anglais. Monnaie : birr. Relig. : christianisme monophysite, islam.
Géogr. phys. et hum. – Un haut plateau montagneux et volcanique, coupé d'un profond rift N.-E. - S.-O., constitue l'essentiel du relief. Frais et arrosé, il est l'un des châteaux d'eau de l'Afrique orientale et les vallées du Nil Bleu et de l'Omo s'y encaissent fortement. À partir de 1 800 m, mais surtout au-dessus de 2 500 m, quand disparaît la forêt dense, se fixent le peuplement et les cultures. Les plaines périphériques appartiennent pour l'essentiel aux déserts de la Corne de l'Afrique : plaine des Somalis à l'E., plaine des Danakils au N., désert de Nubie au N.-O. et à l'O. Le pays compte une quarantaine d'ethnies, 70 langues et près de 200 dialectes. Les chrétiens amharas, agriculteurs sédentaires du plateau, sont le groupe dominant ; les musulmans, pasteurs des plaines arides, représentent plus de 30 % de la population : Oromos, Danakils, Somalis. Au S.-O. vivent des minorités noires soudanaises animistes. Près

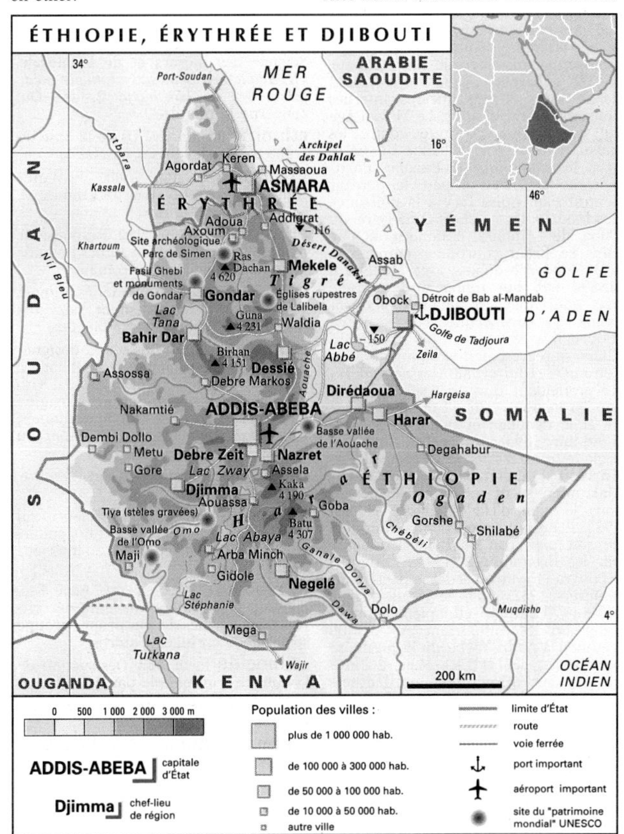

de 90 % des Éthiopiens sont des ruraux; la croissance démographique dépasse 2,5 % par an, en dépit d'une mortalité élevée.
Écon. – Malgré des potentialités importantes, l'Éthiopie est l'un des États les plus pauvres du monde (revenu annuel par hab. inférieur à 150 dollars) et appartient aux pays les moins avancés. Les trois quarts des habitants vivent d'une culture peu productive, le sorgho, l'orge et le maïs étant les principales plantes vivrières. L'élevage est important sur les pâturages d'altitude et dans les plaines littorales. Le café, cultivé entre 1 800 et 2 500 m, est le principal produit d'exportation, avec les cuirs et peaux. Les activités industrielles sont embryonnaires : textile et agro-alimentaire. La guerre civile et la collectivisation de l'économie ont ruiné le pays : délabrement du réseau de transport, regroupement de 2 700 000 familles dans de nouveaux villages et déportation en masse d'habitants du Nord vers l'Ouest sous-peuplé. Après l'abandon du marxisme et le retour à l'économie de marché en 1990, l'Éthiopie est confrontée à la lourde tâche de la reconstruction.
Hist. – L'Éthiopie fut peuplée dès la plus lointaine préhist. (V. Omo.) La légende veut que les monarques qui se sont succédé sur le trône de l'Empire jusqu'en 1974 descendent d'un fils de Salomon et de la reine de Saba : Ménélik Ier. Avant l'ère chrétienne, un grand royaume s'organisa autour de la ville d'Axoum à la suite d'un afflux de populations sémites parlant le guèze*. Ce royaume fut christianisé au IVe s., sous le règne du *negusa nagast* (roi des rois) Aezanas. La nouvelle Église fut rattachée à l'Église copte d'Alexandrie qui l'entraîna dans l'hérésie monophysite. Au VIIe s., l'avance arabe coupa Axoum de la mer, et des guerres internes consommèrent sa ruine. Le Moyen Âge fut marqué par la lutte contre les musulmans et par l'alliance du *négus* avec les catholiques d'Europe (Portugais, notam.). Peu à peu, le pouvoir central s'amenuisa face à la puissance des féodaux (*ras*, «chefs», du Tigré, du Choa, de l'Amhara, notam.), dont certains se firent couronner empereurs. L'ère moderne débuta avec Ménélik II (1889-1909), qui fonda une nouvelle cap., Addis-Abeba, projeta une modernisation à l'européenne. Par le traité d'Uccialli (1889), le négus confiait à l'Italie sa représentation diplomatique à l'étranger et lui cédait Massaoua. L'Italie prétendant que ce traité signifiait son protectorat sur l'Éthiopie, Ménélik II le dénonça et battit les Italiens à Adoua (1896); un accord financier régla le transfert de l'Érythrée à l'Italie. En 1930, un dignitaire éthiopien, Tafari Makonnen, se fit couronner empereur sous le nom d'Hailé Sélassié Ier. En 1935, il ne put empêcher la conquête de son pays par les Italiens. Libérée par les Britanniques (1941), l'Éthiopie recouvra l'Érythrée, fédérée (1952) puis annexée (1962). Sous le règne d'Hailé Sélassié, l'Empire éthiopien entendit jouer un rôle important en Afrique (réunion à Addis-Abeba de la première conférence de l'O.U.A.). Mais, à l'intérieur, l'irritation des intellectuels devant l'évolution trop lente de la société, la révolte de l'Érythrée (en lutte armée depuis 1961), les tensions en Ogaden* et, enfin, la famine minèrent le régime du vieil empereur. L'armée s'empara du pouvoir (mars 1974) et déposa Hailé Sélassié (sept. 1974). Un comité de direction des forces armées (Derg) fut constitué sous la direction du commandant Hailé Mariam Mengistu. La rép. opta pour un socialisme doctrinaire et entreprit une réforme agraire radicale (mars 1975), qui plongea l'État dans le chaos. Coupé du pays, divisé par les rivalités internes, le Derg dut, en outre, combattre un soulèvement au Tigré et, en 1977, arrêter l'invasion du Harar et de l'Ogaden par la Somalie. Massivement aidés par les Soviétiques et les Cubains, qui lui déversèrent armements et instructeurs, le nouveau pouvoir se convertit au marxisme-léninisme. Mais le régime s'épuisa dans les opérations militaires en Érythrée, au Tigré et en pays oromo contre les soulèvements provoqués par la misère paysanne née d'une fiscalité croissante et du poids d'une semi-collectivisation combinées aux revendications autonomistes, tandis que famines et déplacements de populations ravagèrent le pays. Le désengagement du bloc communiste et la coordination des mouvements armés aboutirent à la chute de Mengistu en mai 1991, et à la perte de l'Érythrée. Le nouveau régime, dominé par une ethnie minoritaire, celle des Tigréens, tente de gouverner le pays en privilégiant une façade démocratique. Le gouvernement de Meles Zenawi, chef du Front démocratique révolutionnaire du peuple éthiopien (F.D.R.P.E.), essaye de mettre en place une politique fédérale. En 1998, un différend frontalier avec l'Érythrée se transforme en conflit armé.

éthiopien, enne adj. et n. D'Éthiopie. ▷ *Langues éthiopiennes :* V. amharique et guèze. – Subst. *Un(e) Éthiopien(ne).*

éthique n. f. et adj. **1.** n. f. PHILO Science des mœurs et de la morale. *«L'Éthique» de Spinoza. – Éthique médicale :* Syn. de *bioéthique.* **2.** adj. Qui concerne la morale.

ethmoïde n. m. ANAT Os de la base du crâne, voûte des fosses nasales.

ethnarchie n. f. ANTIQ Province romaine gouvernée par un ethnarque. – Dignité d'ethnarque.

ethnarque n. m. ANTIQ Responsable d'un peuple dans les royaumes hellénistiques et dans l'Empire romain.

ethnie n. f. Groupement humain caractérisé principalement par une même culture, une même langue.

ethnique adj. **1.** Qui sert à désigner un peuple. *Nom ethnique.* **2.** Relatif à l'ethnie. *Groupe ethnique.* **3.** Qui concerne une population d'origine étrangère et groupée en communautés. *Un quartier ethnique.* **4.** LING *Nom* ou *adjectif ethnique :* ethnonyme.

ethno-. Élément, du gr. *ethnos,* «peuple».

ethnobiologie n. f. Didac. Science qui étudie l'interaction des faits biologiques et des faits culturels à l'intérieur d'une ethnie.

ethnocentrisme n. m. Didac. Tendance à prendre comme base de référence les normes de son propre groupe social pour en juger d'autres.

ethnocide n. m. Didac. Destruction de la culture d'un peuple par un autre.

ethnographe n. Spécialiste d'ethnographie.

ethnographie n. f. Science descriptive des origines, des mœurs, des coutumes des peuples, de leur développement économique et social.

ethnographique adj. Relatif à l'ethnographie. *Mission ethnographique.*

ethnolinguistique n. f. (et adj.) **1.** Didac. Étude des langues et du langage des civilisations sans écriture. **2.** adj. Se dit d'une classification ethnique reposant sur des critères linguistiques.

ethnologie n. f. Branche de l'anthropologie qui analyse et interprète les similitudes et les différences entre les sociétés et entre les cultures.

ethnologique adj. De l'ethnologie.

ethnologue n. Spécialiste d'ethnologie.

ethnomusicologie n. f. Didac. Étude de la musique des sociétés, des faits musicaux de caractère traditionnel.

ethnonyme n. m. LING Nom ou adjectif dérivé d'un nom de pays, de région, de ville.

ethnopsychiatrie n. f. Didac. Étude des maladies mentales à la lumière des facteurs ethniques.

éthogramme n. m. Catalogue des comportements caractéristiques d'un animal, d'une espèce.

éthologie n. f. BIOL Science des mœurs et du comportement des animaux dans leur milieu naturel.

éthologiste ou **éthologue** n. Spécialiste d'éthologie.

éthyle n. m. CHIM Radical monovalent de formule C_2H_5–.

éthylène n. m. CHIM Gaz incolore, très réactif, de formule C_2H_4, premier terme de la série des hydrocarbures éthyléniques (ou alcènes), utilisé en pétrochimie pour fabriquer le polyéthylène, le polystyrène, les polyesters, le chlorure de vinyle.

éthylénique adj. CHIM Qualifie la double liaison carbone-carbone existant dans l'éthylène et dans de nombreux hydrocarbures.

éthylique adj. (et n.) **1.** CHIM Qui contient le radical éthyle. *Alcool éthylique* ou *éthanol :* alcool de formule CH_3–CH_2–OH. **2.** MED Relatif à l'éthylisme. ▷ Subst. *Un(e) éthylique :* un(e) alcoolique.

éthylisme n. m. Syn. de *alcoolisme.*

éthylomètre n. m. Appareil permettant de relever avec une grande précision le taux d'alcoolémie dans le sang.

éthylotest n. m. Test pratiqué avec un éthylomètre.

étiage n. m. Niveau le plus bas atteint par un cours d'eau.

Étiemble (René) (Mayenne, 1909), écrivain français; spécialiste de littérature comparée : *le Mythe de Rimbaud* (1952-1961), *Parlez-vous franglais?* (1964).

Étienne (saint), Juif helléniste converti au christianisme et consacré diacre, lapidé v. 35 à Jérusalem. Il fut le premier martyr.

Étienne II, pape de 752 à 757; il sacra Pépin le Bref et reçut de lui l'exarchat de Ravenne et la Pentapole, qui fut à l'orig. de l'État pontifical.

ANGLETERRE

Étienne de Blois (Blois, 1097 – Douvres, 1154), fils d'Étienne, comte de Blois et de Chartres, et petit-fils, par sa mère, de Guillaume le Conquérant. Roi d'Angleterre (1135-1154) à la mort de Henri Ier, il ne sut contenir l'opposition que cette succession avait fait naître.

HONGRIE

Étienne Ier (Esztergom, v. 969 – Buda, 1038), saint; roi de Hongrie de 1000 à 1038. Il travailla efficacement à la christianisation de ses États et fut le prem. à porter le titre de roi, grâce au pape Sylvestre II qui lui envoya une couronne.

MOLDAVIE

Étienne III le Grand (Borzeşti, 1433 - Suceava, 1504), prince de Moldavie. Il lutta avec succès contre les Turcs (Rahova, 1475) et reçut du pape le nom d'*athlète du Christ*; on lui doit de nombr. monastères.

POLOGNE

Étienne Ier Báthory (?, 1533 - Grodno, 1586), prince de Transylvanie (1571-1576), roi de Pologne (1576-1586). Il fut vainqueur d'Ivan IV le Terrible et fut l'artisan du triomphe de la Contre-Réforme.

SERBIE

Étienne, nom de plusieurs rois de Serbie. – **Étienne Nemanja** (Ribnica, auj. Titograd, v. 1114 - mont Athos, 1200), grand joupan (préfet) de Rascie (rég. de Serbie, au S. de Belgrade), étendit son pouvoir (v. 1170) sur tous les territoires peuplés de Serbes. – **Étienne Ier Nemanjić** (m. en 1228), fils du préc.; il érigea en royaume (1217) la principauté de son père, d'où son nom d'*Étienne le Premier Couronné* (par un légat du pape). – **Étienne IX Uroš IV Dušan** (?, 1308 - Diavoli, 1355), roi des Serbes (1331-1345), tsar (1345-1355) des Serbes et des Grecs; il restaura l'autorité serbe sur la Bulgarie, puis conquit l'Albanie, l'Épire, la Thessalie, l'Étolie et presque toute la Macédoine. Il promulgua une importante constitution (1349) et mourut alors qu'il projetait de délivrer Constantinople des Turcs.

◊ ◊ ◊

Étienne-Martin (Étienne Martin, dit) (Loriol-sur-Drôme, 1913 - Paris, 1995), sculpteur français. Ses *Demeures*, «sculptures-habitacles» en bronze ou en bois, témoignent de sa prédilection pour les formes baroques, expressionnistes, proches des formes organiques de la nature (souches d'arbres).

étier n. m. TECH Canal alimentant en eau de mer les marais salants.

étincelant, ante adj. Qui étincelle. *Vaisselle étincelante.* ▷ Fig. Éclatant, brillant. *Une conversation étincelante de drôlerie.*

étinceler v. intr. [19] Briller, jeter des éclats de lumière. *Bijoux qui étincellent au soleil.* ▷ Fig., vieilli *Son génie étincelle à toutes les pages.*

étincelle n. f. **1.** Petite parcelle de substance incandescente qui se détache d'un corps qui brûle ou d'un corps qui subit un choc. *Faire jaillir des étincelles.* ▷ Loc. fig. *Faire des étincelles :* briller, éblouir par ses aptitudes, se faire remarquer. **2.** ELECTR *Étincelle électrique :* phénomène lumineux de courte durée qui évacue l'énergie lors d'une décharge. **3.** Fig. Petite lueur, petite quantité. *Il retrouve une étincelle de courage.*

étincellement n. m. Éclat de ce qui étincelle.

étiolement n. m. **1.** BOT Désordre physiologique généralisé provoqué chez une plante verte par le manque de lumière (décoloration par perte de chlorophylle, croissance en longueur excessive). *Le blanchiment des endives est un étiolement volontaire.* **2.** Affaiblissement (d'une personne). **3.** Fig. Appauvrissement. *Étiolement d'une intelligence inactive.*

étioler v. tr. [1] **1.** Provoquer l'étiolement de. *Étioler une plante.* ▷ v. pron. *Des jeunes pousses qui s'étiolent.* **2.** *Par ext.* Affaiblir, rendre pâle et malingre (une personne). ▷ v. pron. *Cet enfant s'étiole.* – Fig. *L'esprit s'étiole à ces occupations vaines.*

étiologie n. f. MED Étude des causes d'une maladie; ensemble de ces causes. *Les symptômes de cette maladie sont connus, mais non son étiologie.*

étiologique adj. De l'étiologie.

étique adj. Très maigre, décharné. *Poulet étique.*

étiquetage n. m. Action d'étiqueter.

étiqueter v. tr. [20] **1.** Mettre une, des étiquettes sur. *Étiqueter des paquets.* **2.** Fig. Ranger (qqn) sous une étiquette, considérer (qqn) de façon arbitraire. *On l'a étiqueté comme fantaisiste.*

étiqueteur, euse n. **1.** Personne qui met des étiquettes. **2.** n. f. TECH Appareil servant à poser des étiquettes.

étiquette n. f. **1.** Petit morceau de bois, de papier, que l'on attache ou que l'on colle à un objet pour en indiquer le contenu, le prix, le possesseur, etc. *Des étiquettes à bagages.* ▷ Fig. *Homme politique qui porte l'étiquette de libéral.* **2.** Cérémonial en usage dans une cour, chez un chef d'État. *Saint-Simon décrit l'étiquette en vigueur à la cour de Louis XIV.* ▷ Formes cérémonieuses. *Bannir toute étiquette.*

étirable adj. Qui peut être étiré.

étirage n. m. **1.** Action d'étirer. **2.** METALL Opération qui consiste à réduire la section d'un fil, d'une barre, en les faisant passer à froid à travers une filière ou à chaud dans un laminoir.

étirement n. m. Fait de s'étirer.

étirer v. [1] **I.** v. tr. **1.** Étendre, allonger en exerçant une traction. *Étirer une étoffe.* **2.** METALL Procéder à l'étirage de (une barre, un fil). **II.** v. pron. **1.** S'allonger (en parlant de qqch). *Ce chandail va s'étirer à l'usage.* **2.** Se détendre en allongeant les membres. *S'étirer en bâillant.*

Etna, volcan actif du N.-E. de la Sicile (3 295 m). Le massif de l'Etna borde l'effondrement de la fosse de la mer Tyrrhénienne. Malgré ses ravages (éruptions triennales), ses pentes sont activement cultivées.

Etna : cratère de la Voragine

étoffe n. f. **1.** Tissu servant pour l'habillement, l'ameublement. *Étoffe de laine, de soie. Mesurer de l'étoffe.* **2.** Loc. fig. *Avoir de l'étoffe :* être doué d'une personnalité forte, prometteuse. – *Avoir l'étoffe de... :* posséder les dispositions pour devenir... *Il a l'étoffe d'un musicien.* **3.** TECH Réunion de plaques de fer et d'acier, forgées ensemble pour fabriquer des instruments tranchants. **4.** IMPRIM Marge bénéficiaire prise par l'imprimeur sur les fournitures.

étoffé, ée adj. **1.** (Personnes) Qui a un corps gros et fort. **2.** *Voix étoffée,* puissante.

étoffer 1. v. tr. [1] Développer, donner de l'ampleur à. *Étoffer une argumentation.* **2.** v. pron. (Personnes) Devenir plus fort, plus robuste. *Adolescent qui s'est étoffé.*

étoile n. f. **1.** ASTRO Astre qui brille d'une lumière propre et dont le mouvement apparent est imperceptible sur une courte durée d'observation. ▷ Cour. Tout astre autre que le Soleil et la Lune. *L'étoile du berger, du soir, du matin :* la planète Vénus. ▷ Loc. *À la belle étoile,* dehors. **2.** Loc. *Étoile filante :* météorite. **3.** ASTROL et fig. Astre considéré du point de vue de son influence supposée sur la destinée de quelqu'un. *Croire à son étoile.* – Loc. fig. *Être né sous une bonne étoile.* **4.** Figure géométrique rayonnante représentant une étoile. *Étoile à cinq, à six branches. Les étoiles du drapeau des États-Unis.* ▷ Insigne du grade des officiers généraux. *Un général à cinq étoiles.* ▷ HIST *L'étoile jaune :* insigne que les Juifs d'Allemagne et des territoires occupés furent obligés de porter sous le régime nazi. **5.** Rond-point où aboutissent des allées, des avenues. *L'ancienne place de l'Étoile.* **6.** Artiste célèbre. *Une étoile du cinéma français.* – (En appos.) *Danseur, danseuse étoile,* échelon suprême dans la hiérarchie des solistes de corps de ballet. **7.** Nom cour. de divers animaux et de diverses fleurs dont la forme est celle d'une étoile. *Étoile de mer :* nom cour. des astéries. *Étoile-d'argent :* edelweiss. *Étoile-de-Noël :* poinsettia. **8.** Distinction qualitative donnée à certains établissements hôteliers. *Un restaurant, un hôtel trois étoiles.*

ENCYCL **Astro.** – Les étoiles sont le constituant principal de l'Univers visible. Comme le Soleil, qui est une étoile d'un type très courant, elles produisent elles-mêmes leur énergie. Les distances qui nous séparent des étoiles sont exprimées en *années de lumière* ou en *parsecs.* L'étoile la plus proche de la Terre, *Proxima* Centauri,* se trouve à 1,3 parsec. En première approximation, la forme des *constellations,* figures apparentes que les étoiles dessinent dans le ciel, est invariante. Mais les mesures astrométriques montrent que certaines étoiles se déplacent très légèrement : un tel *mouvement propre* peut atteindre quelques secondes d'arc par an. Beaucoup d'étoiles (plus de 50 %) sont des systèmes doubles *(étoiles doubles)* ou multiples; l'étude des étoiles doubles permet d'estimer la masse relative de chacune des deux composantes. La *magnitude apparente* d'une étoile, grandeur qui caractérise son éclat vu de la Terre, est liée à sa luminosité absolue et à sa distance; le nombre qui l'exprime est d'autant plus grand que l'éclat de l'astre est faible. Dans les meilleures conditions, un observateur entraîné peut détecter les étoiles jusqu'à la magnitude visuelle apparente 6 : moins de 6 000 étoiles sont visibles à l'œil nu. Les télescopes les plus puissants permettent de détecter des astres de magnitude 24 à 25. Les étoiles *variables* présentent des fluctuations d'éclat irrégulières ou périodiques. Dans le cas des étoiles doubles, cette variation peut résulter de l'occultation d'une étoile par l'autre (*variables à éclipse*). Pour comparer les étoiles entre elles, on utilise la notion de *magnitude absolue* (magnitude apparente qu'aurait une étoile si elle se trouvait à 10 parsecs de la Terre). Les étoiles ont chacune une couleur caractéristique, qui dépend de

leur température de surface, bleue pour les étoiles les plus chaudes (plus de 10 000 K), rouge pour les plus froides (3 000 K). Le Soleil, dont la température est légèrement inférieure à 6 000 K, rayonne essentiellement dans le jaune. Le diagramme de Hertzsprung-Russel (H.-R.), où l'on porte la magnitude absolue des étoiles en fonction de leur température de surface, est un outil essentiel pour les étudier.
L'évolution des étoiles. Une étoile se forme par contraction d'un fragment de matière interstellaire devenu instable. Le premier stade d'évolution apparaît quand l'effondrement de la matière est contrebalancé par l'accroissement de température et de pression qui en résulte. La nouvelle étoile née ainsi continue plus lentement à se contracter, ce qui fait croître la température centrale de l'astre jusqu'au point (quelques millions de K) où peuvent s'amorcer les réactions de fusion de l'hydrogène. Il s'établit alors un équilibre entre le flux d'énergie qu'elles produisent et la force de gravitation. Les phases de contraction ont une durée d'autant plus grande que la masse de l'étoile est faible : 50 millions d'années pour une étoile de 1 masse solaire (c.-à-d. de même masse que le Soleil), 100 000 ans pour une étoile de 10 masses solaires. Quand la masse de l'étoile est inférieure à 0,05 masse solaire, les réactions de fusion ne peuvent pas s'amorcer et l'étoile continue à se contracter jusqu'à ce qu'elle ne rayonne plus, devenant une *naine noire.* Dans le cas contraire, l'étoile entame le plus long stade de son évolution, celui de la combustion de l'hydrogène. Il dure un temps de l'ordre de 10 milliards d'années pour une étoile de 1 masse solaire où dominent les réactions nucléaires du *cycle proton-proton.* Dans les étoiles massives, la température centrale la plus élevée favorise le *cycle du carbone* (ou *cycle de Bethe*) et accélère fortement les réactions : pour une étoile de 15 masses solaires, la phase de combustion de l'hydrogène dure seulement 10 millions d'années. Sur le diagramme H.-R., les étoiles dans la phase de combustion de l'hydrogène (90 % de toutes les étoiles) se répartissent le long d'une ligne en forme de S déformé, la série principale, les étoiles étant d'autant plus massives que leur température de surface est élevée. L'évolution ultérieure d'une étoile ayant épuisé ses réserves d'hydrogène dépend essentiellement de sa masse. Une étoile de 1 masse solaire commence par se dilater (phase *géante*), puis, après une période d'instabilité, les couches les plus externes sont expulsées, donnant naissance à une *nébuleuse planétaire.* Le noyau de l'étoile devient une *naine blanche,* astre de quelques milliers de kilomètres de rayon et d'une masse volumique moyenne de l'ordre de 500 kg/cm³. Les étoiles massives passent aussi par des stades de dilatation des couches externes (phase *supergéante*) et, devenues des *supernovæ,* elles explosent : ayant complètement épuisé les combustibles nucléaires, le noyau stellaire subit un brutal effondrement gravitationnel ; il en résulte un considérable dégagement d'énergie qui provoque l'éjection violente de l'enveloppe. L'implosion d'un noyau de moins de 3 masses solaires conduit à la formation d'une *étoile à neutrons,* astre de 10 km de rayon et d'une masse volumique moyenne de l'ordre de 1 milliard de tonnes/cm³. Lors de l'effondrement d'un noyau de plus de 3 masses solaires, la force de gravité dépasse les limites de résistance de la matière ; un *trou noir* se forme, toute la masse du noyau est contenue dans une sphère de quelques kilomètres de rayon.

Étoile (place de l'), anc. nom d'une place de Paris (rebaptisée *place Charles-de-Gaulle* en 1970), au centre de laquelle s'élève l'arc de triomphe de Chalgrin. Aménagée de 1768 à 1774 par Perronet et, à partir de 1854 par Hittorff, qui lui donna sa forme actuelle, elle devait son nom aux douze avenues qui rayonnent autour de l'Arc (Champs-Élysées, Grande-Armée, etc.).

étoilé, ée adj. **1.** Parsemé d'étoiles. *La voûte étoilée :* le ciel nocturne. **2.** Qui porte des étoiles, décoré d'étoiles. *La bannière étoilée :* le drapeau des États-Unis. *Le bâton étoilé,* celui des maréchaux de France.

étoilement n. m. **1.** Action d'étoiler, de s'étoiler. **2.** État de ce qui rayonne en étoile.

étoiler v. tr. [1] **1.** Parsemer d'étoiles. ▷ v. pron. Se couvrir d'étoiles. **2.** Marquer, fêler en étoile.

étole n. f. **1.** Ornement sacerdotal, large bande ornée de croix, que le prêtre officiant porte autour du cou. **2.** Large écharpe en fourrure. *Étole de vison.*

Étolie, région montagneuse de la Grèce, au N. du golfe de Corinthe ; v. princ. *Missolonghi.* – La *Ligue étolienne* (IVᵉ-IIᵉ s. av. J.-C.), rivale de la *Ligue achéenne* pour l'hégémonie sur la Grèce, perdit la guerre contre cette dernière (221-217 av. J.-C.). Elle fut démantelée par les Romains en 167 av. J.-C. – Centre de la résistance grecque pendant la guerre d'indépendance (1820-1827).

Eton, v. d'Angleterre (Buckinghamshire), sur la Tamise ; 3 520 hab. – Collège renommé, fondé en 1440 par Henri VI.

étonnamment adv. D'une manière étonnante. *Cet enfant est étonnamment sage.*

étonnant, ante adj. **1.** Vx Qui frappe d'une commotion violente. **2.** Qui étonne, surprend, déconcerte. *Voilà une nouvelle bien étonnante !* **3.** Remarquable. *C'est un homme étonnant.*

étonné, ée adj. **1.** Vx Frappé d'une violente commotion. **2.** Saisi d'étonnement. *Il est étonné de ce changement brusque.*

étonnement n. m. **1.** Vx Violente commotion. **2.** Stupéfaction, surprise devant qqch d'extraordinaire, d'inhabituel. *L'étonnement des premiers spectateurs du cinématographe. – À mon grand étonnement...*

étonner v. tr. [1] **1.** Vx Frapper d'une commotion violente. **2.** Causer de l'étonnement, de la surprise à (qqn). *Son silence m'étonne un peu. Je n'en suis pas étonné.* **3.** v. pron. Trouver étrange, singulier. *Elle ne s'étonne de rien. – S'étonner de* (+ inf.). *Il s'étonne de vous voir. – S'étonner que* (+ subj.). *Il s'étonne qu'elle ne vienne pas. – S'étonner de ce que* (+ indic. ou subj.). *Il s'étonne de ce qu'elle ne vient pas* ou *ne vienne pas.*

étouffade. V. estouffade.

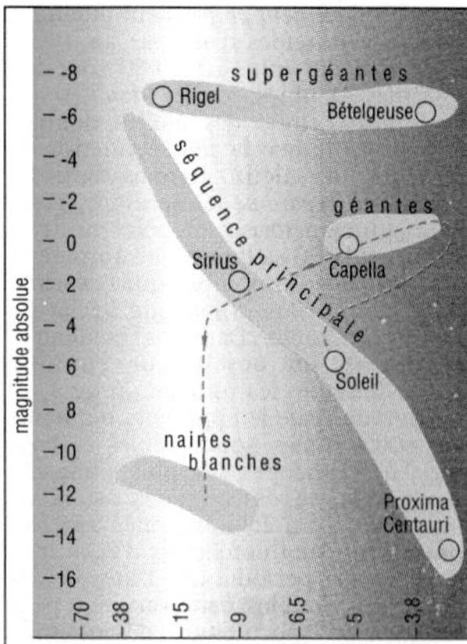

le diagramme de **Hertzsprung-Russel**
on distingue le chemin évolutif du Soleil quand il quittera la séquence principale (dans plus de 5 milliards d'années), où la phase géante rouge précède le stade naine blanche

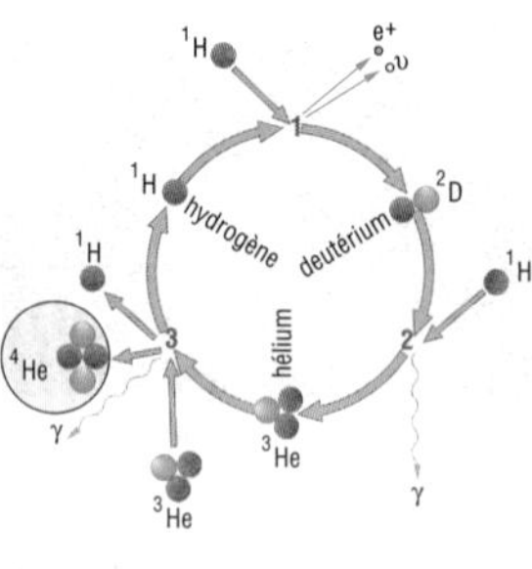

le **cycle proton-proton**
la collision de deux noyaux ¹H libère un positon e⁺, un neutrino υ produit un noyau de deutérium ²D (hydrogène lourd), qui heurte ensuite un noyau ¹H ; l'interaction génère un rayon gamma (γ) et un noyau ³He, isotope de l'hélium, qui heurte ensuite un noyau ³He, avec émission d'un rayon gamma et création de deux noyaux ¹H et d'un noyau ⁴He

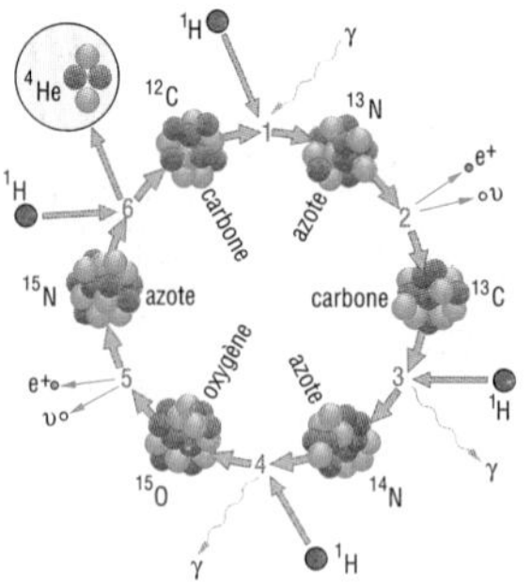

le **cycle du carbone** (cycle de Bethe) assure également la fusion de noyaux d'hydrogène ¹H en hélium ⁴He, mais il comprend six étapes et utilise comme catalyseur un noyau de carbone régénéré en fin de cycle

étoile

étouffant, ante adj. **1.** Qui gêne la respiration. *Une chaleur étouffante.* **2.** Fig. Qui crée un malaise, pesant. *Une ambiance étouffante.*

étouffé, ée adj. **1.** Asphyxié. **2.** Assourdi. *Rire, cris, sanglots étouffés.* **3.** Loc. adv. CUIS *À l'étouffée* : cuit dans un récipient clos, à feu doux. Syn. à l'étuvée.

étouffe-chrétien n. m. inv. Fam. Mets difficile à avaler à cause de sa consistance.

étouffement n. m. **1.** Action d'étouffer ; le fait d'être étouffé. ▷ Fig. Action d'empêcher d'éclater, de se développer. *L'étouffement d'un son, d'un complot.* **2.** Difficulté à respirer, suffocation. *Il a été pris d'un étouffement.*

étouffer v. [1] **I.** v. tr. **1.** Faire mourir en privant d'air. **2.** *Par ext.* Gêner la respiration de (qqn). *La chaleur m'étouffe.* ▷ Fam., iron. Gêner. *La politesse ne l'étouffe pas :* il n'a aucune politesse. **3.** Priver (une plante) de l'air nécessaire à la vie. *Les mauvaises herbes étouffent le blé.* **4.** Éteindre en privant d'air. *Étouffer un incendie.* **5.** Fig. Amortir (les sons). *Tapis qui étouffe les bruits des pas.* **6.** Réprimer, retenir. *Étouffer des cris.* **7.** Arrêter dans son développement. *Étouffer un complot.* **II.** v. intr. **1.** Avoir du mal à respirer. *Étouffer à force de tousser.* **2.** *Étouffer de rire, de colère :* perdre la respiration en riant, en se mettant en colère. **3.** Fig. Se sentir oppressé, être mal à l'aise ; s'ennuyer. *Il étouffe en province.* **III.** v. pron. **1.** Perdre la respiration. **2.** Se presser les uns contre les autres dans une foule trop dense. *Aux heures de pointe, on s'étouffe dans le métro.*

étouffoir n. m. **1.** MUS Mécanisme servant à faire cesser les vibrations des cordes d'un piano, d'un clavecin. **2.** Fig., fam. Lieu mal aéré.

étoupe n. f. Partie la plus grossière de la filasse de chanvre ou de lin.

étouper v. tr. [1] TECH Boucher avec de l'étoupe. *Étouper une fente.*

étourderie n. f. **1.** Habitude d'agir sans réflexion. *L'étourderie d'un savant absorbé par ses recherches.* **2.** Oubli ; erreur due à l'inadvertance. *Ce travail est rempli d'étourderies.*

étourdi, ie adj. (et n.) **1.** adj. Qui agit sans réflexion, sans attention. *Un élève étourdi.* ▷ Subst. *Un(e) étourdi(e).* – *«L'Étourdi»,* comédie de Molière (1655). **2.** Loc. adv. *À l'étourdie :* inconsidérément.

étourdiment adv. Sans réfléchir. *Répondre étourdiment.*

étourdir v. tr. [3] **1.** Assommer, amener au bord de l'évanouissement. *Ce coup l'a étourdi.* **2.** Fatiguer, importuner. *Étourdir qqn par son bavardage.* **3.** v. pron. Se distraire, perdre la pleine conscience de soi-même. *Chercher à s'étourdir pour oublier un chagrin.*

étourdissant, ante adj. **1.** Qui étourdit. *Bruit étourdissant.* **2.** Fig. Très surprenant, étonnant. *Elle a un talent étourdissant.*

étourdissement n. m. **1.** Vertige, perte de conscience momentanée ; sensation d'évanouissement. *Être pris d'un étourdissement.* **2.** Griserie. *L'étourdissement que lui procure sa gloire subite.* **3.** Action de se distraire, de perdre la pleine conscience de soi-même. *Rechercher les étourdissements des mondanités.*

étourneau n. m. **1.** Oiseau passériforme, au plumage noirâtre, essentiellement insectivore, et dont le type commun est l'étourneau sansonnet *(Sturnus vulgaris).* **2.** Nom cour. d'oiseaux d'Amérique du Nord possédant certains traits caractéristiques de l'étourneau européen (bec pointu, plumage noir ou noirâtre), comme le mainate. Syn. oiseau noir. **3.** Fig., fam. Personne étourdie, écervelée.

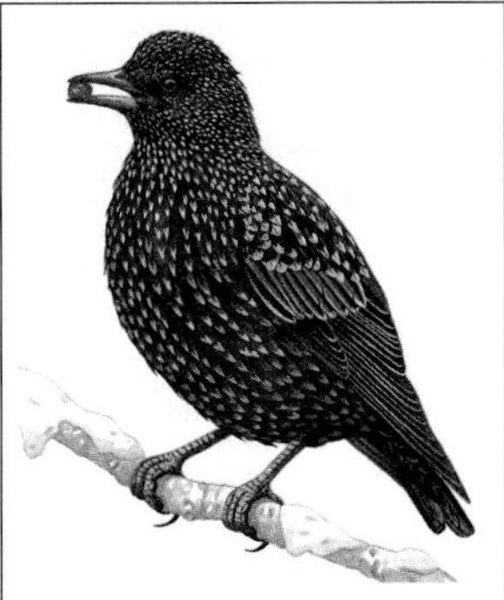

étourneau sansonnet revêtu de son plumage d'hiver

étrange adj. et n. m. **1.** Qui étonne, intrigue comme différent de ce qui est habituel ou ordinaire. *Objet, animal étrange. D'étranges coïncidences.* – (Personnes) Singulier, bizarre. *C'est qqn d'étrange.* ▷ n. m. Ce qui est ou paraît étrange. *Le plus étrange de l'histoire est que...* **2.** PHYS NUCL *Particule étrange,* dont le nombre quantique *(étrangeté)* n'est pas nul.

étrangement adv. D'une manière étrange.

étranger, ère adj. et n. **I.** adj. **1.** Qui est d'une autre nation ; qui a rapport à un autre pays. *Touristes étrangers. Coutumes étrangères.* ▷ Qui concerne les relations avec les autres États. *Les Affaires étrangères.* **2.** Qui ne fait pas partie (d'un groupe ou d'une famille). **3.** *Étranger à* (qqch, avec sujet n. de pers.). *Être étranger à une affaire,* n'y être pas mêlé. *Être étranger à une science,* n'en avoir aucune notion. – *Il est étranger aux malheurs d'autrui,* il y est insensible. ▷ *Étranger à* (qqn, avec sujet n. de chose). *Ces idées me sont étrangères,* inconnues, indifférentes ou inaccessibles. *Un comportement étranger à qqn,* qui n'est pas propre ou naturel à qqn. – Qui n'est pas connu ou familier. *Cette voix ne m'est pas étrangère.* **4.** Sans rapport ou sans conformité avec la chose dont il s'agit. *Des raisons étrangères au vrai mobile.* **5.** MED *Corps étranger,* qui se trouve de façon anormale (projectile, écharde, etc.) dans l'organisme. **II.** n. **1.** Ressortissant d'un autre pays que celui où il se trouve, ou que celui auquel on se réfère. *Pays hospitalier aux étrangers.* ▷ Personne d'un autre groupe social ou familial. *Elle est devenue une étrangère pour les siens.* **2.** n. m. *L'étranger :* toute communauté, toute puissance étrangère. ▷ Tout pays étranger. *Partir pour l'étranger.*

étrangeté n. f. **1.** Caractère de ce qui est ou paraît étrange. *L'étrangeté d'une situation, d'un comportement.* **2.** Litt. Chose étrange. *Relever des étrangetés dans un témoignage.* **3.** PHYS NUCL Nombre quantique caractéristique du troisième quark*.

étranglé, ée adj. **1.** Qui a le cou serré. **2.** Qui est pris à la gorge. **3.** Qui est comprimé, resserré.

étranglement n. m. **1.** Action d'étrangler. ▷ SPORT Au judo, à la lutte, prise qui, effectuée au cou de l'adversaire, l'étranglerait s'il tentait de bouger. **2.** Fait d'être étranglé, de s'étrangler. *Étranglement de la voix, du rire.* **3.** Resserrement, rétrécissement. – MED Constriction d'un organe avec arrêt de la circulation. *Étranglement herniaire.* – TECH Endroit où la section d'un conduit a été rétrécie. – ECON *Goulet* (ou, moins corr., *goulot*) *d'étranglement :* secteur d'activité dont l'insuffisance, relativement aux autres secteurs, constitue pour l'ensemble économique considéré un facteur d'entrave ou de désorganisation. – *Par ext.* Ce qui fait entrave à un écoulement, un débit.

étrangler v. tr. [1] **1.** Serrer jusqu'à l'étouffement le cou de. ▷ Par exag. *Ce col m'étrangle.* **2.** Prendre à la gorge, étouffer, faire perdre la respiration à. *La colère l'étranglait.* – v. pron. *S'étrangler de rire.* ▷ Fig. *Usurier qui étrangle ses débiteurs.* **3.** Comprimer, resserrer. *Vêtement qui étrangle la taille.*

étrangleur, euse n. **1.** Celui, celle qui étrangle. **2.** n. m. AUTO Dispositif réglant le mélange gazeux dans un carburateur.

étrave n. f. Forte pièce qui termine à l'avant la charpente d'un navire. – *Par ext.* Extrême avant d'un navire.

1. être v. intr. [7] **I.** Verbe marquant la relation de l'attribut au sujet (V. copule). *Le ciel est bleu. «J'étais père et sujet, je suis amant et roi» (Racine).* **II.** *Absol.* **1.** Exprime ou postule l'existence, la réalité. (Personnes) *«Je pense donc je suis»* (Descartes). (Choses) *«Les choses extrêmes sont pour nous comme si elles n'étaient point» (Pascal). «Cet heureux temps n'est plus» (Racine).* – (Au subj.) *Ainsi soit-il :* vœu conclusif d'une prière. *Soit! :* interj. marquant l'assentiment. ▷ Didac. *Soient* (ou *soit*) *deux droites parallèles,* considérons, posons (comme hypothèse, point de départ, etc.)... **2.** Litt. *Il est :* il y a. *Il est des heureux à qui tout sourit.* – *«Il n'est bon bec que de Paris» (Villon).* – *Il n'est que de :* il suffit de. – *Toujours est-il que :* en tout cas. – *S'il en est, s'il en fut* (pour insister sur le qualificatif). *Un homme juste s'il en est.* – (Dans div. loc. impers.) *Il est vrai que, il serait bon de.* ▷ Cour. *Quelle heure est-il? Il était temps de réagir.* **III.** **1.** Suivi d'un adverbe indiquant un état. *Être bien, mal :* se sentir bien, mal. **2.** Suivi d'une préposition ou d'un adverbe régissant un complément de lieu ou de temps. *Le train est en gare.* – Fig. *Être ailleurs :* être distrait. *Être au-dessus de tout soupçon.* – *Y être :* être là, être présent ; fig., être dans le vrai. *Vous prévoyez deux heures de route ? Vous n'y êtes pas!* – Fig. *J'y suis :* je comprends, je devine. ▷ *On était à la fin de l'hiver. Nous sommes le 10 juin.* **3.** Aller (sans demeurer). *J'ai été au concert.* – Litt. *«Elle fut ensuite trouver Madame» (J. Green).* **4.** Suivi d'une préposition introduisant une idée de possession, d'obligation, de provenance, etc. ▷ *Être à. Ce livre est à moi.* – *Il est tout à son ouvrage,* il y est entièrement occupé. – *Être à plaindre, à blâmer :* être digne de compassion, de blâme. – Fig. *Nous sommes à vous,* à votre disposition. ▷ *Être de. Cette arme est de Tolède,* elle en provient. – Faire partie de. *Être de l'Académie.* – *Être d'avis que :* penser que. *Être de l'avis de :* partager l'opinion de. – Être conforme à. *Cela est de bon goût. Cela est bien de lui.* – *Comme si de rien n'était :* avec une apparente indifférence pour ce qui s'est passé, ce qui s'est fait ou dit. *Après son éclat, il a repris la conversation comme si de rien n'était.* ▷

En être à : être arrivé à. – Fig. *Où en sommes-nous ?,* à quel point de la discussion, du travail, etc. ? – *Il en est à mendier :* il est réduit à mendier. – *Il ne sait pas* (ou *plus*) *où il en est :* il est troublé, il perd la tête. – *En être pour son argent, sa peine,* etc. : dépenser son argent, sa peine, etc., sans en retirer d'avantages. – *Il n'en est rien :* cela est faux. – *Être du nombre :* faire partie de. *Il y a eu complot, mais il n'en était pas,* il n'en faisait pas partie. ▷ *Être en* (telle tenue vestimentaire). *Être en habit.* ▷ *Être sans :* être privé de. *Être sans argent.* – *Vous n'êtes pas sans savoir que :* vous n'ignorez pas que. ▷ *Être pour :* préférer, adopter le parti de. *Être pour les faibles.* – *N'être pour rien dans une affaire,* n'y avoir aucune part. ▷ *Être sur. Être sur une affaire,* y être occupé, ou en escompter quelque profit. *Être sur le point de* (marquant un futur très proche). **IV.** *C'est* (*ce sont, c'était, c'étaient,* etc.). **1.** (En parlant d'une personne, d'une chose, d'une action déterminée.) *Qui est-ce ? C'est faux.* **2.** (En parlant d'une personne, d'une chose, d'une action indiquée dans la suite de la phrase.) *C'est à lui de répondre. Ce sera une joie de vous accueillir.* ▷ *C'est à qui* (marquant l'émulation). *C'est à qui sautera le plus loin.* ▷ *Si ce n'était* ou, ellipt., *n'était :* sans cela, s'il n'y avait cela. *N'étaient ces arbres dénudés, on se croirait au printemps.* ▷ Loc. interrog. directe. *Est-ce que ? Est-ce que vous viendrez ce soir ?* ▷ Loc. adv. interrog. (Marquant une affirmation, ou pour prendre qqn à témoin.) *N'est-ce pas ? Vous me croyez, n'est-ce pas ?* **V.** Verbe auxiliaire. **1.** De la voix passive. *Je suis compris.* **2.** De certains v. intr. *Elle est sortie.* **3.** De la conjugaison pronominale. *Il s'est repenti.* **4.** De certains verbes impersonnels. *Il en est résulté.*

2. être n. m. **1.** PHILO État, qualité de ce qui est ; essence. *L'être et le non-être.* **2.** Tout ce qui est par l'existence, par la vie. *Les êtres animés. L'être humain.* ▷ RELIG *L'Être éternel, l'Être suprême* ou, absol., *l'Être :* Dieu, ou toute transcendance. **3.** Personne humaine, individu. *Un être cher.* **4.** PHILO *Être de raison :* ce qui n'a de réalité, d'existence que dans la pensée. Ant. réalité. – Péjor. *Qu'est-ce que c'est que cet être ?* ▷ Nature intime d'une personne. *Atteindre qqn dans son être.*

étreindre v. tr. [55] **1.** Presser dans ses bras ; serrer, saisir fortement. *Étreindre un ami.* ▷ v. pron. *Adversaires qui s'étreignent dans la lutte.* **2.** Fig. Oppresser. *L'émotion l'étreignait.*

étreinte n. f. **1.** Action d'étreindre ; la pression qui en résulte. *Assiégeants qui resserrent leur étreinte.* ▷ Fig. *L'étreinte du remords.* **2.** Action de presser (qqn) dans ses bras. *Étreinte amoureuse.*

étrenne n. f. **1.** (Surtout au plur.) Présent fait à l'occasion du jour de l'an. *Recevoir des étrennes.* ▷ Gratification d'usage, en fin d'année, pour certains services. *Étrennes du facteur.* **2.** *Avoir, faire l'étrenne d'une chose,* en avoir, en faire le premier usage.

étrenner v. tr. [1] Faire usage le premier ou pour la première fois de. *Étrenner un habit.* ▷ v. intr. Fam. Subir le premier (qqch de fâcheux). *Il fallait sévir, il a étrenné.*

Étretat, com. de la Seine-Maritime (arr. du Havre) ; 1 579 hab. Petit port de pêche et stat. baln. Falaises hautes (110 m au cap d'Antifer) et pittoresques (arches, Aiguille creuse). – Égl. romane et gothique (XIIe-XIIIe s.).

étrier n. m. **1.** Anneau suspendu de chaque côté de la selle, et qui sert d'appui au pied du cavalier. *Vider les étriers :* tomber de cheval. *Avoir le pied à l'étrier :* être prêt à partir ; fig., être bien introduit dans une carrière. *Mettre (à qqn) le pied à l'étrier.* – *Le coup de l'étrier :* le dernier verre, que l'on boit au moment du départ. **2.** *Par anal.* Nom de divers appareils servant à soutenir ou à maintenir le pied. *Étrier de ski.* **3.** TECH Armature transversale d'une poutre en béton armé. ▷ Pièce coudée servant à supporter un élément de charpente, à renforcer ou à réunir certaines pièces. **4.** ANAT Osselet de l'oreille moyenne.

étrille n. f. **1.** Brosse en fer à lames dentelées servant à nettoyer le poil de quelques gros animaux (notam. des chevaux). **2.** ZOOL Crabe comestible *(Portunus puber)* aux pattes postérieures en forme de palettes, qui lui permettent de nager.

étriller v. tr. [1] **1.** Nettoyer avec l'étrille. **2.** Fig., fam., vieilli Malmener. ▷ (Passif) SPORT *Se faire étriller :* à certains jeux, se faire totalement battre. ▷ Critiquer vertement (qqn). **3.** Fig. Faire payer trop cher. *Le restaurateur nous a étrillés.*

étripage n. m. Action d'étriper.

étriper v. tr. [1] **1.** Ôter les tripes à. *Étriper un porc.* **2.** Fig., fam. Éventrer, mettre à mal. ▷ v. pron. (Récipr.) Se battre avec une grande violence, s'entretuer.

étriqué, ée adj. **1.** Qui manque d'ampleur. *Veste étriquée.* ▷ Fig. *Des conditions de vie étriquées.* **2.** Fig. Sans ouverture, sans largeur de vues ; mesquin. *Un esprit étriqué.*

étrivière n. f. Courroie qui porte l'étrier.

étroit, oite adj. **1.** Qui a peu de largeur. *Chemin étroit. Torse étroit.* ▷ Fig. Limité, restreint. *Un cercle étroit d'amis.* – *Le sens étroit d'un mot,* son sens littéral. **2.** Péjor. Borné, intolérant, mesquin. *Une morale, des idées étroites.* **3.** Intime. *Entretenir des rapports étroits avec qqn.* ▷ Rigoureux, strict. *L'observation étroite d'une règle.* **4.** Loc. adv. *À l'étroit :* dans un espace trop resserré, exigu. *Vivre à l'étroit. Être à l'étroit dans ses chaussures.* – Fig. Dans la gêne, mal à l'aise. *Existence où l'on se sent à l'étroit.*

étroitement adv. **1.** D'une manière étroite ; intimement. *Ces questions sont étroitement liées.* – Par ext. *Surveiller étroitement* (une personne, son comportement), de très près. **2.** D'une manière rigoureuse, stricte. *Consigne étroitement suivie.* **3.** À l'étroit. *Être logé étroitement.*

étroitesse n. f. **1.** Caractère de ce qui est étroit. *L'étroitesse d'un sentier.* – Exiguïté. *L'étroitesse d'un cachot.* **2.** Fig. Caractère de ce qui est borné, mesquin. *Étroitesse d'esprit, de cœur.*

étron n. m. Matière fécale moulée de l'homme et de certains animaux.

Étretat : l'Aiguille et la porte de la falaise d'Aval

étronçonner v. tr. [1] SYLVIC Tailler (un arbre), en ne lui laissant que les branches hautes.

Étrurie, région de l'Italie ancienne (actuelle Toscane).

étrusque adj. et n. **1.** De l'Étrurie. ▷ Subst. *La civilisation des Étrusques.* **2.** n. m. Langue indo-européenne parlée par les Étrusques.

Étrusques, peuple de l'Italie centr. apparu dans l'histoire à la fin du VIIIe s. av. J.-C., soumis par les Romains vers le milieu du IIIe s. et définitivement absorbé par eux au Ier s. av. J.-C. L'origine des Étrusques a suscité plusieurs hypothèses ; leur langue n'a pas encore pu être décodée. Ils fondèrent une civilisation qui se situe géographiquement entre l'Arno et le Tibre, mais qui, à son apogée (VIe s. av. J.-C.), essaima vers le N. jusqu'à la plaine du Pô. Les Étrusques ne constituèrent jamais un véritable État ; leurs villes princ. (Tarquinia, Vulci, Vetulonia, Cerveteri, Arezzo, Chiusi, Volterra, Cortona, Pérouse, Orvieto, Véies, Fiesole) composaient une sorte de fédération aux liens politiques très lâches. – D'abord influencé par l'art grec archaïque, l'art étrusque, dont la découverte est assez récente, fut longtemps confondu avec les premières manifestations de l'art romain. Les objets trouvés dans les tombes et les fresques funéraires (tombes des Léopards, des Taureaux, du Triclinium, toutes à Tarquinia, prov. de Viterbe) témoignent de sa richesse, les édifices construits en brique crue et en bois ayant presque totalement disparu. Les sarcophages, en pierre sculptée, en céramique naturelle ou polychrome, ont parfois la forme d'un triclinium (lit de banquet), comme l'admirable sarcophage « des époux » de Cerveteri (Louvre), dont les figures à demi allongées sont représentatives de la sculpture en terre cuite. La *Chimère d'Arezzo* (Florence) et la *Louve du Capitole* illustrent la statuaire en bronze. De nombr. pièces nous révèlent une céramique soit de couleur noire à décor incisé ou en relief, soit peinte (cruches, amphores, etc.). Les bijoux dénotent une prédilection marquée pour les matières précieuses (or, argent, ivoire) et une technique très avancée, que les Étrusques doivent sans doute à leurs contacts avec l'Orient.

Etterbeek, com. de Belgique (arr. et aggl. de Bruxelles) ; 44 220 hab. Industries auto., chim., métall. et alim. – Musées et parc du Cinquantenaire (de l'indépendance belge).

étude n. f. **I.** Activité intellectuelle par laquelle on s'applique à apprendre, à connaître. *Une vie consacrée à l'étude.* **1.** Cette activité en tant qu'effort particulier d'observation, d'analyse, de compréhension. *Étude des mœurs.* – *Voyage d'études.* ▷ Ensemble des tâches de conception et de préparation préalables à la réalisation d'un ouvrage, d'une installation, etc. *Étude préliminaire. Bureau d'études.* – *Le projet est à l'étude,* est examiné. **2.** Effort intellectuel appliqué à l'acquisition ou à l'approfondissement de telles ou telles connaissances. *L'étude du solfège, des mathématiques.* ▷ Plur. *Les études :* les degrés successifs de l'enseignement scolaire, universitaire. *Faire ses études.* **II. 1.** Ouvrage littéraire ou scientifique sur un sujet que l'on a étudié. *Publier une étude sur tel sujet.* **2.** Dessin, peinture, sculpture préparatoires, ou exécutés en manière d'exercice. *Études de visage.* **3.** MUS Exercice de difficulté graduée, pour la formation des élèves. – Composition appropriée aux particularités techniques d'un instrument. *Les études pour piano de Chopin.* **III. 1.** *Salle d'étude* ou, ellipt., *étude,* où les élèves travaillent en dehors des heures de cours. – Temps réservé au travail en salle d'étude. *Avoir deux heures d'étude.* **2.** Lieu de travail d'un officier ministériel ou public. *Étude de notaire, d'huissier.* – Charge de cet officier, à quoi s'attachent les dossiers, la clientèle. *Vendre son étude.*

étudiant, ante n. et adj. Celui, celle qui suit les cours d'une université, d'une grande école. ▷ adj. Des étudiants. *Des manifestations étudiantes.*

étudié, ée adj. **1.** Préparé, médité, conçu avec soin. *Un dispositif bien étudié. Des prix étudiés,* calculés au plus juste. **2.** Sans naturel, affecté. *Geste, sourire étudié.*

étudier v. [2] **I.** v. tr. **1.** (S. comp.) S'appliquer à l'étude, prendre pour objet d'étude (sens I). *Étudier jour et nuit.* – Faire des études. **2.** Faire par l'observation, l'analyse, l'étude de. *Étudier un phénomène.* ▷ Soumettre à examen. *Étudier un projet.* – Préparer, méditer. *Il a bien étudié son affaire.* **3.** S'appliquer à acquérir (telle connaissance). *Étudier le droit.* **II.** v. pron. **1.** (Réfl.) S'observer, s'examiner soi-même. *Connaître les autres, c'est d'abord s'étudier.* – Péjor. *Il s'étudie* : il porte une attention trop complaisante à sa personne. **2.** (Récipr.) S'observer mutuellement. *Les joueurs s'étudiaient avant de combattre.*

étui n. m. Boîte ou enveloppe dont la forme est adaptée à l'objet qu'elle doit contenir. *Étui à violon, à lunettes.*

étuvage ou **étuvement** n. m. TECH Action d'étuver.

étuve n. f. **1.** Chambre close où l'on élève la température pour provoquer la sudation. – *Par exag.* Lieu où règne une température élevée. *Cette pièce est une étuve.* **2.** Appareil destiné à obtenir une température déterminée. *Étuve à désinfection, à stérilisation,* qui produit une chaleur supérieure à 140 °C. *Étuve à incubation,* où la température constante et voisine de 37 °C permet le développement de certaines bactéries. ▷ TECH Petit four servant à sécher ou nettoyer certaines matières. *Étuve de chapelier.*

étuvée n. f. CUIS Surtout dans la loc. adv. *À l'étuvée* : syn. de *à l'étouffée*. Cuit à l'étuvée.* – *Par ext.* Mets cuit de cette façon. *Une étuvée de légumes.*

étuver v. tr. [1] Mettre à l'étuve (sens 2); chauffer ou sécher dans une étuve. *Étuver des fruits.* ▷ Faire cuire les aliments en vase clos, dans leur vapeur.

étuveur n. m. ou **étuveuse** n. f. Appareil à étuver.

étymologie n. f. **1.** Science qui a pour objet l'origine et la filiation des mots, fondée sur des lois phonétiques et sémantiques, et tenant compte de l'environnement historique, géographique et social. **2.** Origine ou évolution d'un mot. *Étymologie grecque d'un mot.*

étymologique adj. Qui concerne l'étymologie ou les étymologies. *Sens étymologique d'un mot. Dictionnaire étymologique.*

étymologiquement adv. Selon l'étymologie, selon ses règles.

étymologiste n. Spécialiste de l'étymologie.

étymon n. m. LING Mot considéré comme étant à l'origine d'un autre mot. *Le mot latin « filia » est l'étymon de « fille ».*

eu-. Élément, du gr. *eu,* « bien ».

eu, eue Pp. du verbe avoir.

Eu CHIM Symbole de l'europium.

Eu, ch.-l. de cant. de la Seine-Maritime (arr. de Dieppe); 8 412 hab. Industr. radioélectrique. – Chât. des princes d'Orléans (XVIe s., restauré). Égl. St-Laurent, anc. collégiale des XIIe et XIIIe s.

Eu (Gaston, comte d'), duc d'Orléans. V. Orléans.

É.-U. Abrév. de *États-Unis* (d'Amérique).

Eubée (au Moyen Âge *Nègrepont*), la plus vaste île grecque, dans la mer Égée, au N. de l'Attique, séparée du continent par le détroit de l'Euripe; 3 908 km^2; 209 130 hab.; ch.-l. *Chalcis.* – Ruines de la ville anc. d'Érétrie (fin du VIe s. av. J.-C.). – La rivalité entre ces deux cités favorisa la colonisation de l'île par les Athéniens en 506 av. J.-C.

eucalyptus [økaliptys] n. m. Grand arbre originaire d'Australie (fam. myrtacées), aux feuilles odorantes dont on extrait une huile médicinale (*eucalyptol*). – Cour. Les feuilles de cet arbre. *Cigarettes d'eucalyptus.*

feuilles juvéniles de l'**eucalyptus** *gunnii Hook* (à g.); fleur et fruits de l'eucalyptus bleu (au centre); écorce (à dr.)

eucaryote adj. et n. m. BIOL Qualifie les êtres vivants dont les cellules possèdent un noyau limité par une enveloppe, qui contient le matériel génétique (A.D.N.). ▷ n. m. *Les eucaryotes.* Ant. procaryote.

eucharistie [økaʀisti] n. f. Pour les chrétiens, sacrement par lequel se continue le sacrifice du Christ. (Pour les catholiques et les orthodoxes, le pain et le vin du sacrifice sont le corps et le sang du Christ; la théologie des Églises réformées est différente.) V. transsubstantiation et consubstantiation.

eucharistique [økaʀistik] adj. Relatif à l'eucharistie.

Eucken (Rudolf) (Aurich, Frise-Orientale, 1846 – Iéna, 1926), philosophe allemand; défenseur du spiritualisme contre les diverses formes du naturalisme : *la Part de vérité contenue dans la religion* (1901). P. Nobel de littérature 1908.

Euclide

l'impératrice **Eugénie**

Euclide (IVe-IIIe s. av. J.-C.), mathématicien grec. Fondateur de l'école d'Alexandrie, il rassembla en un seul ouvrage *(Éléments de géométrie)* toutes les connaissances acquises en géométrie plane à son époque, ainsi que ses propres découvertes. Il a développé la méthode axiomatique, fondée sur la nécessité d'admettre certaines propositions, les axiomes, pour pouvoir en démontrer d'autres; par ex. : « Par un point extérieur à une droite, on ne peut mener qu'une seule parallèle à cette droite. »

euclidien, enne adj. GEOM Relatif à la géométrie d'Euclide, qui admet le postulat des parallèles (par oppos. aux géométries non euclidiennes). ▷ Qui traite des problèmes d'angles et de distance (par oppos. à la géométrie affine).

eudémonisme n. m. PHILO Nom donné aux doctrines morales fondées sur le bonheur en tant qu'il détermine toute conduite humaine ou en constitue la fin.

Eudes (saint Jean). V. Jean Eudes (saint).

Eudes (?, v. 860 – La Fère, 898), comte de Paris, puis roi de France (888-898). Fils de Robert le Fort, il s'illustra par sa défense de Paris contre les Normands (886) et fut élu roi après la déposition de Charles le Gros. Après s'être débarrassé des Normands (vaincus à Montfaucon-en-Argonne), il dut lutter contre Charles le Simple, puis traita avec lui, partagea la couronne avec son adversaire (897) et en fit son successeur.

Eudes de Montreuil (v. 1220 – 1289), architecte et sculpteur français. Il édifia, à Paris, l'hospice et l'égl. des Quinze-Vingts (auj. détruits).

Eudes (Émile François) (Roncey, Manche, 1843 – Paris, 1888), révolutionnaire français. Disciple de Blanqui, il commanda les troupes de la Commune de Paris en 1871.

eudiste n. m. et adj. RELIG Membre de la congrégation religieuse fondée en 1643 par saint Jean Eudes. ▷ adj. *Un père eudiste.*

Eudoxe de Cnide (Cnide, Asie Mineure, v. 405 – ?, v. 355 av. J.-C.), mathématicien, astronome et philosophe grec; auteur d'une théorie géocentrique de l'Univers.

Eudoxie (m. à Constantinople en 404), impératrice d'Orient, épouse de l'empereur Arcadius. Elle fit exiler saint Jean Chrysostome, qui l'avait blâmée publiquement.

Eudoxie (Athènes, ? – Jérusalem, 460), impératrice d'Orient, épouse de l'empereur Théodose II. Elle exerça une grande influence intellectuelle (restauration de l'université, 425) mais, calomniée à la cour, elle s'exila (443) à Jérusalem, où elle se consacra à la poésie et à la théologie (*Vie du Christ*, de tendance monophysite).

Eugène III (Bernardo Paganelli di Montemagno, dit *le Bienheureux*) (Pise, ? - Tivoli, 1153), pape de 1145 à 1153; élève de saint Bernard, qui, sous son pontificat, prêcha la 2e croisade.

Eugène (François Eugène de Savoie-Carignan, dit le Prince) (Paris, 1663 - Vienne, 1736), fils du comte de Soissons et d'Olympe Mancini, nièce de Mazarin. Passé au service de l'Autriche, il en dirigea les armées contre la France (guerres de la Ligue d'Augsbourg et de la Succession d'Espagne) et contre les Turcs (victoire de Zenta, 1697; prise de Belgrade, 1717).

Eugénie (Eugenia María de Montijo de Guzmán, comtesse de Teba) (Grenade, 1826 - Madrid, 1920), impératrice des Français par son mariage (1853) avec Napoléon III. Catholique convaincue, elle eut un certain rôle politique en apportant son soutien au camp ultramontain et aux partisans de la guerre contre la Prusse. Régente du 23 juil. au 4 sept. 1870, elle se retira ensuite en Angleterre.
▸ illustr. page **677**

eugénique adj. Didac. Relatif à l'eugénisme. *Stérilisation eugénique.*

eugénisme n. m. ou **eugénique** n. f. Didac. **1.** Partie de la génétique appliquée qui vise à l'amélioration de l'espèce humaine. **2.** Attitude philosophique qui accorde une valeur essentielle à l'amélioration génétique de l'espèce humaine et entend s'en donner les moyens quels qu'ils soient. *L'eugénisme se heurte à des obstacles d'ordre moral, religieux et social.*

eugéniste n. Didac. **1.** Spécialiste de l'eugénisme. **2.** Partisan de l'eugénisme (sens 2).

euglène n. f. BIOL Protiste chlorophyllien flagellé, très abondant dans les mares riches en matière organique.

euh! [ø] interj. marquant l'hésitation, le doute, l'embarras. *Euh! voyons...*

Eulalie (sainte) (m. en 304 à Mérida), martyre espagnole. - *Séquence* (ou *Cantilène*) *de sainte Eulalie* : poème composé à l'abbaye de Saint-Amand (Nord), en l'honneur de la sainte, v. 880, le plus ancien texte poétique connu en langue d'oïl.

Euler (Leonhard) (Bâle, 1707 - Saint-Pétersbourg, 1783), mathématicien suisse. Savant universel, il publia de nombr. mémoires sur le calcul différentiel, l'astronomie, la navigation, la mécanique et la physique. ▷ GEOM *Cercle* d'Euler* ou *cercle des neuf points.* ▷ *Droite d'Euler* : droite joignant l'orthocentre d'un triangle, le centre de gravité, le centre du cercle circonscrit et le centre du cercle d'Euler.

Euler (Ulf Svante von) (Stockholm, 1905 - id., 1983), physiologiste suédois qui étudia en partic. le comportement de la noradrénaline. P. Nobel 1970.

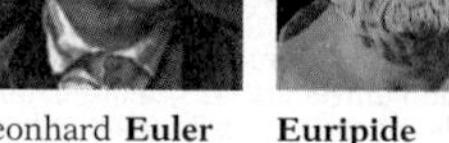

Leonhard **Euler** **Euripide**

Eumène ou **Eumenês de Cardia** (Cardia, Chersonèse de Thrace [auj. Baklar-Burnu, Turquie], v. 360 - Gadamarta, 316 av. J.-C.), général grec; un des officiers d'Alexandre le Grand. Satrape de Cappadoce et de Paphlagonie, il fut vaincu par Antigonos, qui le fit mettre à mort.

Eumène ou **Eumenês Ier** (m. à Pergame en 241 av. J.-C.), fondateur de l'État de Pergame qu'il gouverna (sans le titre royal) de 263 à sa mort.

Eumène ou **Eumenês II** (?, v. 197 - Pergame, v. 159 av. J.-C.), roi de Pergame, successeur d'Attale Ier. Son alliance avec les Romains fit de lui le plus puissant souverain d'Asie Mineure au IIe s. av. J.-C.

Euménides (mot grec : « bienveillantes »), nom donné, par antiphrase, aux Érinnyes.

eunecte n. m. ZOOL Anaconda (boa d'Amazonie).

eunuque n. m. **1.** HIST Homme castré auquel était confiée la garde des femmes dans les harems. **2.** MED Homme castré. - Fig. Homme mou, sans virilité.

Eupalinos de Mégare (seconde moitié du VIe s. av. J.-C.), architecte et ingénieur grec. Il aménagea, v. 530 av. J.-C., les installations hydrauliques de l'anc. ville de Samos.

Eupatoria (auj. *Ievpatoria*), port de l'Ukraine, sur la côte O. de la Crimée; 57 000 hab. - Les Français et leurs alliés y débarquèrent pendant l'expédition de Crimée.

Eupatrides, membres de l'aristocratie à Athènes; grands propriétaires et maîtres du gouv. avant les réformes de Solon (déb. du VIe s. av. J.-C.).

Eupen, ville de Belgique (prov. de Liège), au confl. de la Helle et de la Vesdre; 17 850 hab. Industr. text. - Réuni à la Prusse en 1815, restitué, ainsi que Malmédy, à la Belgique en 1920, après un plébiscite, le cant. d'Eupen fut annexé de nouveau à l'Allemagne de 1940 à 1944.

euphémique adj. Didac. Qui appartient à l'euphémisme. *Tour euphémique.*

euphémisme n. m. Façon de présenter une réalité brutale ou blessante en atténuant son expression pour éviter de choquer. *C'est par euphémisme que l'on dit « s'en aller » pour « mourir ».*

euphonie n. f. **1.** LING Succession harmonieuse de sons dans un mot, une phrase. *Dans « m'aime-t-il ? », le « t » est ajouté pour l'euphonie.* **2.** MUS Syn. de *eurythmie.*

euphonique adj. Didac. Employé pour l'euphonie. *Un ajout euphonique.*

euphorbe n. f. Plante contenant un latex âcre et caustique, dont il existe de nombr. espèces. *L'euphorbe, appelée aussi réveille-matin, est commune en France.*

euphorbiacées n. f. pl. BOT Famille de dicotylédones dont l'euphorbe est le type, et qui comprend notam. l'hévéa, la mercuriale, le ricin. - Sing. *Une euphorbiacée.*

euphorie n. f. Sentiment de profond bien-être, de joie. *Ils étaient en pleine euphorie.*

euphorique adj. Relatif à l'euphorie. *Un état euphorique.*

euphorisant, ante adj. et n. m. Qui provoque l'euphorie. *Une boisson euphorisante.* - Fig. *Succès euphorisant.* ▷ n. m. Produit qui provoque l'euphorie.

Euphrate (l'), fleuve du Proche-Orient (2 760 km); naît à 2 800 m d'alt. dans les monts de l'Arménie turque et traverse la Syrie. En Irak, il limite, avec le Tigre, la Mésopotamie. Les deux fl. unissent leurs eaux à 80 km au N. de Bassorah pour former le Chatt al-Arab, qui se jette dans le golfe Persique. L'Euphrate baignait l'antique Babylone.

Euphrosyne, dans la myth. gr., une des trois Grâces.

euploïde adj. BIOL Se dit d'une cellule dont le nombre des chromosomes est normal (c.-à-d. diploïde).

eurafricain, aine adj. Qui concerne à la fois l'Europe et l'Afrique.

Eurafrique, ensemble géographique formé par l'Europe et l'Afrique.

eurasiatique adj. De l'Eurasie.

Eurasie, ensemble continental formé par l'Europe et l'Asie.

eurasien, enne adj. et n. Se dit d'un métis dont l'un des parents est européen et l'autre asiatique.

Euratom, Communauté européenne de l'énergie atomique (instituée par le traité de Rome en 1957).

Eure, riv. du Bassin parisien (225 km), affl. de la Seine (r. g.); naît dans le Perche, arrose Chartres.

Eure, dép. franç. (27); 6 039 km²; 513 818 hab.; 85,1 hab./km²; ch.-l. *Évreux.* V. Normandie (Haute-) [Rég.].

Eure-et-Loir, dép. franç. (28); 5 880 km²; 396 073 hab.; 67,3 hab./km²; ch.-l. *Chartres.* V. Centre (Rég.).
▸ carte page **680**

eurêka interj. (mot grec signifiant « j'ai trouvé », attribué à Archimède lorsqu'il découvrit la pesanteur) exprimant que l'on vient de trouver subitement une solution, que l'on a une inspiration soudaine. *Eurêka, voilà l'astuce !*

Euripe (détroit de l'), passage étroit qui sépare l'île d'Eubée de la Grèce continentale.

Euripide (Salamine, 480 - Macédoine, 406 av. J.-C.), poète tragique grec. Il écrivit de nombr. pièces, 78 ou 92 selon les spécialistes de l'Antiquité. Dix-sept tragédies et un drame satyrique (*le Cyclope*) nous sont parvenus, aux dates de composition rarement certaines : *Alceste* (438), *Médée* (431), *Hippolyte* (428), *les Héraclides* (v. 427), *Andromaque* (v. 426), *Hécube* (v. 424), *Héraklès*

euphorbe

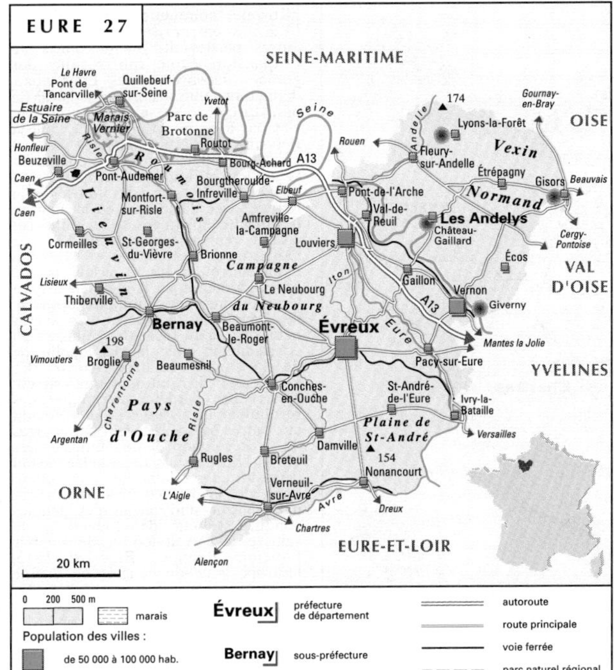

furieux (v. 424), *les Suppliantes* (v. 422), *Ion* (v. 418), *les Troyennes* (415), *Iphigénie en Tauride* (414), *Électre* (413), *Hélène* (412), *les Phéniciennes* (v. 409), *Oreste* (408), *Iphigénie à Aulis*, *les Bacchantes* (représentées en 405). Euripide utilise les anc. légendes, mais, contrairement à Eschyle et à Sophocle, il les juge et les critique. Ses héros ne sont plus le jouet d'une fatalité inéluctable, mais les victimes de passions violentes. Ses pièces révèlent une conception nouvelle de la tragédie, où prime le développement de l'intrigue.

euristique. V. heuristique.

euro-. Élément, du rad. de *Europe*.

euro n. m. Unité monétaire de l'Union européenne, qui a succédé à l'écu et qui a remplacé les monnaies nationales comme unité de compte en 1999 et doit entrer en circulation en 2002. *Le centième de l'euro est le cent.*

eurobanque n. f. Banque spécialisée dans le marché des eurodevises.

eurocrate n. Fam. Fonctionnaire des institutions européennes.

eurodéputé, ée ou **europarlementaire** n. Membre du Parlement européen.

eurodevise ou **euromonnaie** n. f. FIN Devise, détenue par un non-résident, placée dans un pays européen différent du pays d'émission de cette devise.

eurodollar n. m. FIN Eurodevise libellée en dollars.

Euroland(e), ensemble des pays ayant l'euro pour monnaie.

euromarché n. m. FIN Marché des émissions en eurodevises ou en écu.

euromissile n. m. Missile nucléaire basé en Europe.

euroobligation n. f. FIN Obligation libellée en eurodevises ou en euros émise sur le marché international.

Europe, une des cinq parties du monde, qui forme avec l'Asie le continent de l'Eurasie. Elle est comprise entre l'océan Arctique, au N., l'océan Atlantique, à l'O., la Méditerranée et la chaîne du Caucase, au S., la mer Caspienne et les monts Oural, à l'E. ; 10 519 793 km², 704 000 000 hab.

Géogr. phys. – L'Europe doit la grande diversité de ses reliefs à une histoire géologique complexe : au primaire, plissements scandinave, calédonien et hercynien, réduits ensuite à l'état de pénéplaine ; au secondaire, transgression marine et intense sédimentation ; au tertiaire, surrection des hautes chaînes alpines, des Pyrénées au Caucase ; au quaternaire, érosion des hauteurs, refroidissements et extension de glaciers. On peut distinguer deux ensembles : 1° L'Europe des vieux socles se compose, de l'Angleterre méridionale à la Russie, de vastes plaines recouvertes de limon fertile et de mers peu profondes (Manche, mer du Nord, Baltique). Au nord se dressent les massifs rabotés par les glaciers (Écosse, Scandinavie). Au sud, les vieux massifs du primaire, rajeunis au tertiaire mais peu élevés et fragmentés (Massif armoricain, Massif central, Vosges, Massif schisteux rhénan, monts de Bohême, Łysa Góra, massifs ukrainiens), sont séparés par des zones d'effondrement (Bohême, Alsace) ou des bassins sédimentaires (en France). 2° L'Europe alpine, au S., comprend de grands arcs montagneux : Carpates, Alpes (avec leurs rameaux : Balkans, Alpes Dinariques, Apennins et cordillère Bétique) et Pyrénées. L'Europe a des côtes découpées et développées (43 000 km), que flanquent des centaines d'îles, parfois d'une étendue considérable (Grande-Bretagne, Irlande, Sicile). Située entre 35° et 71° de latitude N., elle jouit d'un climat dans l'ensemble tempéré (moyennes annuelles entre 10 °C et 20 °C), avec quatre saisons bien marquées, à l'exception du N. (climat subpolaire, avec toundra) et du S. (climat méditerranéen, dont l'extension au N. est bloquée par le système alpin). Le climat océanique règne sur l'O. : faible amplitude thermique et forte humidité ; forêts de feuillus et prairies. Le climat continental règne sur le Centre et l'E., éloignés de l'Océan : hivers froids et enneigés, étés chauds et orageux ; au N. pousse la taïga, au Centre la forêt de feuillus, au S. la steppe herbeuse. Les fleuves des plaines orientales, longs et à fort débit, sont aisément navigables en dehors de la période de gel (Volga, Don, Danube, etc.). Les fleuves atlant., plus modestes, ont un régime plus régulier (Rhin, Escaut, Tamise, Seine, Tage, etc.). Les fleuves méditerranéens, peu navigables, sont utilisés pour l'irrigation. Les liaisons maritimes bénéficient de l'interpénétration de la terre et de la mer ; les ports du littoral, nombr. et importants, sont en relation directe avec les grandes voies d'eau, mais à l'O. l'essentiel du trafic s'effectue auj. par chemin de fer. Chaque État possède un réseau ferroviaire complet et bien raccordé aux réseaux voisins (de l'Atlantique à l'Oural). Le réseau routier est particulièrement dense à l'O., mais la croissance du parc automobile est trop dynamique. Partout, le réseau aérien est efficace.

Géogr. hum. – Les Européens présentent quatre grands types : nordique, slave (à l'E.), alpin (O. et Centre), méditerranéen ; ils parlent 120 langues et dialectes d'origine indo-européenne (sauf le groupe finno-ougrien et le basque) : latines et grecque au S. ; germaniques au N. et au N.-O. ; slaves à l'E. et en Europe centrale. L'Europe entière a été touchée par la baisse radicale de la natalité, plus forte à l'Ouest qu'à l'Est. Le remplacement des générations n'est plus assuré, sinon par une immigration issue d'Afrique du Nord et de Turquie, et le vieillissement de la population va poser d'énormes problèmes : en 2000, un cinquième de la pop. d'Europe occid. aura atteint l'âge de la retraite.

Écon. – Aux XVIIIe et XIXe s., l'Europe a été le berceau des révolutions industrielle et agricole grâce à la richesse des sols et du sous-sol, à la modération du climat et, surtout, à la puissance démographique, culturelle, commerciale (et donc à l'accumulation des capitaux). Mais, alors que de nouveaux empires écon. naissaient (É.-U., surtout), elle fut affaiblie par deux guerres mondiales, la seconde ayant entraîné son partage jusqu'aux événements qui ont bouleversé sa partie orientale à partir de 1989. – L'*Europe de l'Ouest* regroupe la majorité des États européens unis par leur adhésion au système économique de la libre entreprise. Leur système est celui d'un capitalisme atténué, avec intervention de l'État. Quinze d'entre eux constituent aujourd'hui l'Union européenne (U.E.). L'agriculture bénéficie d'un vaste espace, conquis sur la forêt, la lande, le marais, la mer, depuis le néolithique ; auj., plus de la moitié de la superficie est cultivée : polyculture intensive et élevage. L'industrie est partout présente. Au XIXe s., elle s'est concentrée essentiellement autour des bassins houillers. Le pétrole ayant largement concurrencé le charbon comme source d'énergie dans le courant du XXe s., l'Europe de l'O. doit acheter à l'extérieur la majeure partie de son « or noir » ; cependant, la production d'hydrocarbures (pétrole et gaz naturel) est en progression, partic. grâce à l'extraction off shore en mer du Nord (Norvège, Royaume-Uni). La production d'énergie électrique (d'origine thermique, hydraulique ou nucléaire) est considérable. Le minerai de fer local a généralement une faible teneur et son coût d'extraction est élevé ; aussi importe-t-on de plus en plus de minerai

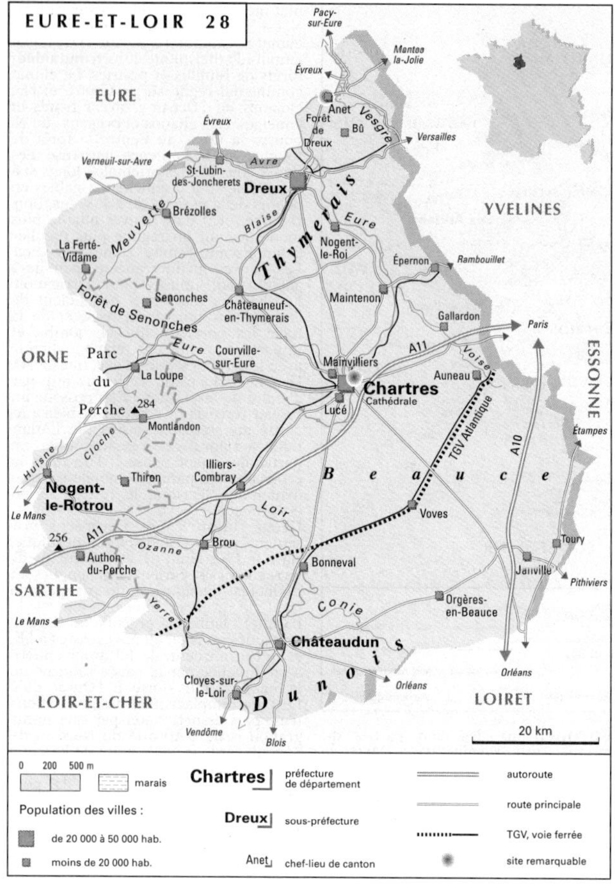

d'Amérique ou d'Afrique : hauts fourneaux et aciéries sont auj. édifiés dans les ports («sidérurgie sur l'eau»). L'Europe de l'Ouest dispose encore de quelques ressources minérales abondantes (bauxite, soufre, mercure, potasse), mais, soit par manque de produits ou production insuffisante, soit du fait des coûts trop élevés, elle doit importer charbon, pétrole, fer, cuivre, plomb, zinc, chrome, nickel, cobalt, molybdène, antimoine, ainsi que le coton et le caoutchouc. L'industr. textile, fort ancienne, est concurrencée par celle des autres continents, malgré l'essor des textiles artificiels, dû aux progrès considérables de l'industr. chim. Dans les techniques «de pointe», l'Europe occid. rivalise avec les É.-U. et le Japon (industr. automobile, aérospatiale, électrique, électronique). En 1984 a été lancé le programme Esprit, programme européen de recherche et de développement dans le domaine des nouvelles technologies de l'information. Cette initiative tend à rapprocher la recherche fondamentale du secteur industriel. Le programme Eurêka, qui vise à une coopération européenne pour la technologie civile de pointe, a été élaboré en 1985. Après plusieurs années d'expérimentation, le lanceur de satellites Ariane est opérationnel. Un programme commun de recherche dans les domaines stratégiques des nouveaux matériaux et des matières premières a été établi pour la période 1986-1990. – L'*Europe de l'Est* s'est engagée jusqu'en 1989 dans une voie de développement socialiste : l'U.R.S.S. à partir de 1928, les démocraties populaires après 1945. La collectivisation agric. a été moins complète (voire nulle : Pologne) que celle de l'industrie, sauf en U.R.S.S. Les pays de l'Est étaient, à l'origine, surtout agricoles (à l'exception de la R.D.A. et de la Tchécoslovaquie); ils se sont regroupés au sein du Comecon* qui a vainement tenté d'organiser une spécialisation des cultures. Actuellement, la production agricole ne peut satisfaire les besoins nationaux. La planification et la collectivisation ont permis la création d'une industrie lourde à partir de ressources minérales locales ou de produits importés de l'ex-U.R.S.S. La production électr. a connu un essor rapide. Depuis la libéralisation politique, l'économie de cette partie de l'Europe est frappée d'une grave crise.

Hist. – Les grandes civilisations de l'Antiquité ont été tournées vers la Méditerranée, et même quand Rome s'intéressa aux régions septentrionales de l'Europe (dont la totalité fut découverte à la fin de l'Empire), ce fut pour les lier au système méditerranéen. L'empire d'Occident (disparu à Rome en 476) fut reconstitué, d'abord par Charlemagne (800) puis par Otton Ier le Grand (962). Mais ces créations politiques, elles-mêmes handicapées par des défauts de structure (partages de l'Empire carolingien), ne créèrent pas d'unité durable, d'autant moins possible que la lutte entre l'empereur et le pape dura près de deux siècles. La conscience de la chrétienté prévalait alors sur celle de l'Europe. Mais, tandis que s'éloignait l'image d'une chrétienté unie, du XIe au XVe s., l'essor de l'Europe commença. Au XVIe s., l'Europe entreprit de dominer les autres parties du monde. Forts de l'expansion écon. qui résulta des grandes découvertes, les États abandonnèrent l'universalisme médiéval (le péril turc, aux XVe et XVIe s., ne parvint pas à réunir la chrétienté, que la Réforme divisa plus encore). Face à Charles Quint, les souverains conçurent la notion d'équilibre européen, qui s'épanouit au cours des luttes de la France avec l'Espagne et la maison d'Autriche jusqu'en 1659. Elle fut ensuite reprise contre Louis XIV par l'Angleterre, la Hollande et l'Empire. L'Angleterre en fut la princ. bénéficiaire : protégée par la mer, elle inspira les coalitions pour l'équilibre européen. Les prétentions des États à la souveraineté fortifièrent l'idée de nation, et, en contradiction avec le cosmopolitisme de la classe éclairée (siècle des Lumières), le nationalisme surgit. Nourri par l'ardeur patriotique des révolutionnaires français, il s'étendit aux autres pays, à la faveur des guerres de la Révolution et de l'Empire. Dès 1793, l'Europe s'était scindée, selon trois attitudes : adhésion aux convictions de la France révolutionnaire; nationalisme antifrançais des peuples conquis; volonté des souverains de vaincre la Révolution et de rétablir l'Ancien Régime. En 1814-1815, l'Europe issue du congrès de Vienne ignorait ces aspirations nationales. En 1848, les succès de la révolution permirent d'envisager une Europe des nations fraternellement unies; l'échec du mouvement balaya cet espoir; dans les vingt années qui suivirent, les formes agressives du nationalisme s'imposèrent, notam. en Allemagne et en Italie qui réalisèrent leur unité. La longue paix armée qui suivit la victoire allemande de 1871 sur la France reposait toujours sur la notion d'équilibre, mais la place croissante des facteurs économiques dans la puissance des États, la rivalité des impérialismes dans un monde où l'Europe poursuivait son expansion et l'affaiblissement intérieur des vieux Empires (russe, autrichien et turc) engendrèrent des crises incessantes. À l'issue de la guerre de 1914-1918, après la disparition des trois Empires, les vainqueurs organisèrent l'Europe sur le principe des nationalités face à une Allemagne qui n'admettait ni sa défaite ni le traité imposé; la Russie révolutionnaire semblait reléguée à l'Est. Le fascisme naquit en Italie; la crise de 1929 favorisa l'établissement du national-socialisme (1933), qui rêvait d'une Europe unie par le racisme, l'antibolchevisme, la victoire sur les Anglo-Saxons. Au lendemain de la guerre de 1939-1945, partic. à la suite de la conférence de Yalta*, l'Europe fut partagée en deux zones d'influence (américaine et soviétique), divisant en deux le territoire allemand. Depuis 1950, la construction européenne, d'abord à Six (1957), puis à Neuf (1973), à Dix (1981), à Douze (1986) et à Quinze (1995), a acquis, à travers ces étapes successives, des traits particuliers, une identité composite et constamment refaçonnée. La réunification de l'Allemagne (1990), la désintégration de l'U.R.S.S. (1991) et la conversion des pays de l'Europe centrale et orientale aux règles démocratiques et à l'économie de marché ont pu faire croire à un retour de l'Europe. Mais il faut redécouvrir les clivages que la chape de plomb soviétique avait dissimulés sans les abolir : l'Occident latin et l'Orient grec, l'influence de l'islam turc à l'Est et, à un moindre degré, de l'islam arabe au Sud, la Réforme. Bien plus que les problèmes de nationalité hérités de l'Empire austro-hongrois, les déplacements de population et de frontières opérés durant le XXe s., la tragédie yougoslave, et plus spécifiquement bos-

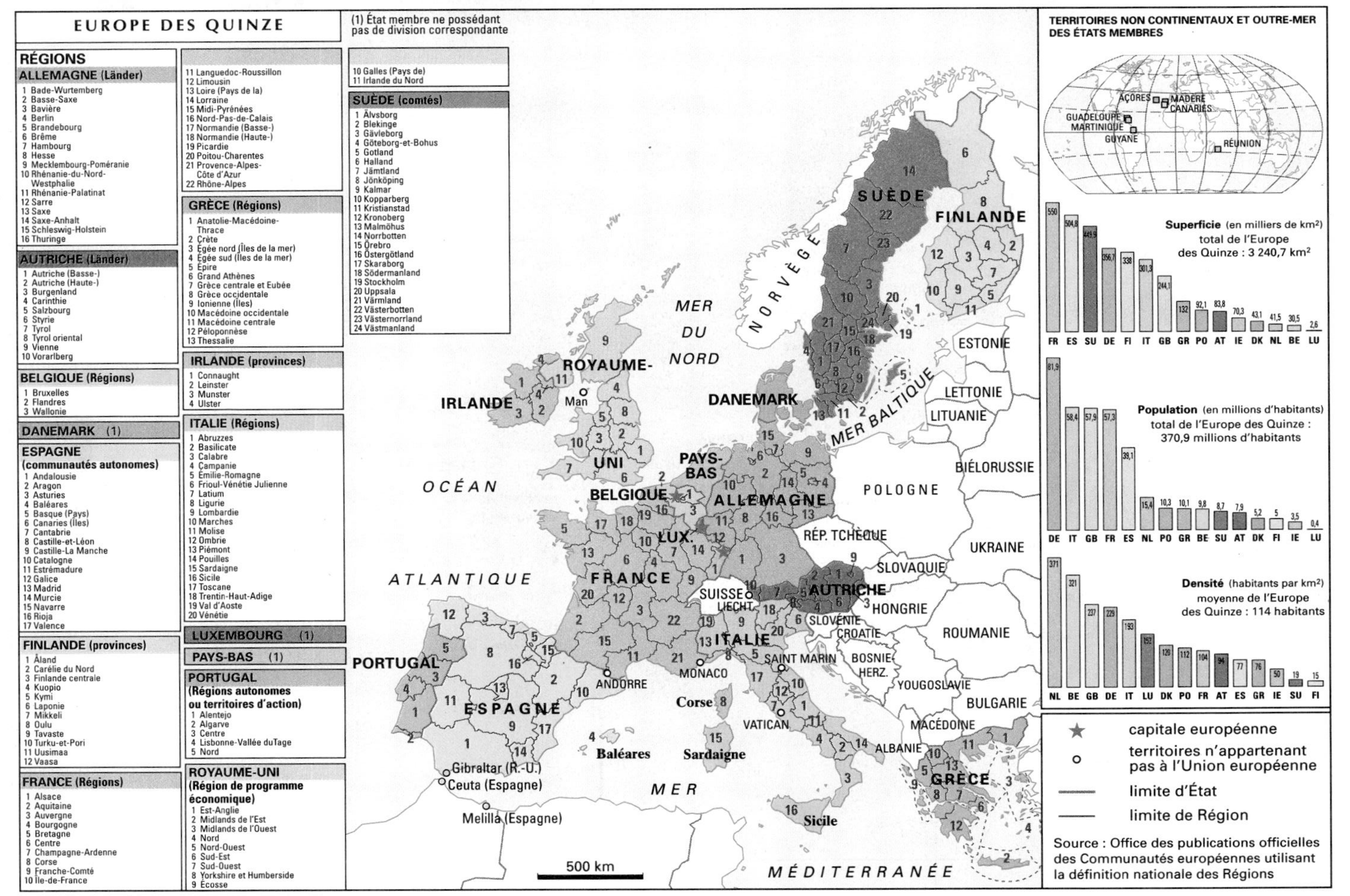
EUROPE DES QUINZE
(1) État membre ne possédant pas de division correspondante
RÉGIONS
ALLEMAGNE (Länder)
1 Bade-Wurtemberg
2 Basse-Saxe
3 Bavière
4 Berlin
5 Brandebourg
6 Brême
7 Hambourg
8 Hesse
9 Mecklembourg-Poméranie
10 Rhénanie-du-Nord-Westphalie
11 Rhénanie-Palatinat
12 Sarre
13 Saxe
14 Saxe-Anhalt
15 Schleswig-Holstein
16 Thuringe
AUTRICHE (Länder)
1 Autriche (Basse-)
2 Autriche (Haute-)
3 Burgenland
4 Carinthie
5 Salzbourg
6 Styrie
7 Tyrol
8 Tyrol oriental
9 Vienne
10 Vorarlberg
BELGIQUE (Régions)
1 Bruxelles
2 Flandres
3 Wallonie
DANEMARK (1)
ESPAGNE (communautés autonomes)
1 Andalousie
2 Aragon
3 Asturies
4 Baléares
5 Basque (Pays)
6 Canaries (Îles)
7 Cantabrie
8 Castille-et-Léon
9 Castille-La Manche
10 Catalogne
11 Estrémadure
12 Galice
13 Madrid
14 Murcie
15 Navarre
16 Rioja
17 Valence
FINLANDE (provinces)
1 Åland
2 Carélie du Nord
3 Finlande centrale
4 Kuopio
5 Kymi
6 Laponie
7 Mikkeli
8 Oulu
9 Tavaste
10 Turku-et-Pori
11 Uusimaa
12 Vaasa
FRANCE (Régions)
1 Alsace
2 Aquitaine
3 Auvergne
4 Bourgogne
5 Bretagne
6 Centre
7 Champagne-Ardenne
8 Corse
9 Franche-Comté
10 Île-de-France
11 Languedoc-Roussillon
12 Limousin
13 Loire (Pays de la)
14 Lorraine
15 Midi-Pyrénées
16 Nord-Pas-de-Calais
17 Normandie (Basse-)
18 Normandie (Haute-)
19 Picardie
20 Poitou-Charentes
21 Provence-Alpes-Côte d'Azur
22 Rhône-Alpes
GRÈCE (Régions)
1 Anatolie-Macédoine-Thrace
2 Crète
3 Égée nord (Îles de la mer)
4 Égée sud (Îles de la mer)
5 Épire
6 Grand Athènes
7 Grèce centrale et Eubée
8 Grèce occidentale
9 Ionienne (Îles)
10 Macédoine occidentale
11 Macédoine centrale
12 Péloponnèse
13 Thessalie
IRLANDE (provinces)
1 Connaught
2 Leinster
3 Munster
4 Ulster
ITALIE (Régions)
1 Abruzzes
2 Basilicate
3 Calabre
4 Campanie
5 Émilie-Romagne
6 Frioul-Vénétie Julienne
7 Latium
8 Ligurie
9 Lombardie
10 Marches
11 Molise
12 Ombrie
13 Piémont
14 Pouilles
15 Sardaigne
16 Sicile
17 Toscane
18 Trentin-Haut-Adige
19 Val d'Aoste
20 Vénétie
LUXEMBOURG (1)
PAYS-BAS (1)
PORTUGAL (Régions autonomes ou territoires d'action)
1 Alentejo
2 Algarve
3 Centre
4 Lisbonne-Vallée du Tage
5 Nord
ROYAUME-UNI (Région de programme économique)
1 Est-Anglie
2 Midlands de l'Est
3 Midlands de l'Ouest
4 Nord
5 Nord-Ouest
6 Sud-Est
7 Sud-Ouest
8 Yorkshire et Humberside
9 Écosse
10 Galles (Pays de)
11 Irlande du Nord
SUÈDE (comtés)
1 Älvsborg
2 Blekinge
3 Gävleborg
4 Göteborg-et-Bohus
5 Gotland
6 Halland
7 Jämtland
8 Jönköping
9 Kalmar
10 Kopparberg
11 Kristianstad
12 Kronoberg
13 Malmöhus
14 Norrbotten
15 Örebro
16 Östergötland
17 Skaraborg
18 Södermanland
19 Stockholm
20 Uppsala
21 Värmland
22 Västerbotten
23 Västernorrland
24 Västmanland
IRLANDE
ROYAUME-UNI
Man
DANEMARK
PAYS-BAS
BELGIQUE
ALLEMAGNE
LUX.
FRANCE
SUÈDE
FINLANDE
NORVÈGE
MER DU NORD
MER BALTIQUE
OCÉAN ATLANTIQUE
ESTONIE
LETTONIE
LITUANIE
BIÉLORUSSIE
POLOGNE
RÉP. TCHÈQUE
SLOVAQUIE
UKRAINE
AUTRICHE
HONGRIE
SUISSE
LIECHT.
SLOVÉNIE
CROATIE
BOSNIE-HERZ.
ROUMANIE
YOUGOSLAVIE
BULGARIE
MACÉDOINE
ALBANIE
GRÈCE
ITALIE
SAINT MARIN
VATICAN
MONACO
ANDORRE
PORTUGAL
ESPAGNE
Corse
Sardaigne
Sicile
Baléares
Gibraltar (R.-U.)
Ceuta (Espagne)
Melilla (Espagne)
MER MÉDITERRANÉE
500 km
TERRITOIRES NON CONTINENTAUX ET OUTRE-MER DES ÉTATS MEMBRES
AÇORES
MADÈRE
CANARIES
GUADELOUPE
MARTINIQUE
GUYANE
RÉUNION
Superficie (en milliers de km²) total de l'Europe des Quinze : 3 240,7 km²
FR 550 · ES 504,8 · SU 449,9 · DE 356,7 · FI 338 · IT 301,3 · GB 244,1 · GR 132 · PO 92,1 · AT 83,8 · IE 70,3 · DK 43,1 · NL 41,5 · BE 30,5 · LU 2,6
Population (en millions d'habitants) total de l'Europe des Quinze : 370,9 millions d'habitants
DE 81,9 · IT 58,4 · GB 57,9 · FR 57,3 · ES 39,1 · NL 15,4 · PO 10,3 · GR 10,1 · BE 9,8 · SU 8,7 · AT 7,9 · DK 5,2 · FI 5 · IE 3,5 · LU 0,4
Densité (habitants par km²) moyenne de l'Europe des Quinze : 114 habitants
NL 371 · BE 321 · GB 237 · DE 229 · IT 193 · LU 152 · DK 120 · PO 112 · FR 104 · AT 94 · ES 77 · GR 76 · IE 50 · SU 19 · FI 15
capitale européenne
territoires n'appartenant pas à l'Union européenne
limite d'État
limite de Région
Source : Office des publications officielles des Communautés européennes utilisant la définition nationale des Régions

EUROPE
OCÉAN GLACIAL ARCTIQUE
MER DE BARENTS
OCÉAN ATLANTIQUE
MER DE NORVÈGE
MER DU NORD
MER BALTIQUE
MER MÉDITERRANÉE
MER NOIRE
MER CASPIENNE
MER D'AZOV
MER ADRIATIQUE
MER TYRRHÉNIENNE
MER IONIENNE
MER ÉGÉE
MANCHE
cercle polaire arctique
Cap Nord
Golfe de Botnie
Détroit de Gibraltar
Bosphore
Dardanelles
MASSIF SCANDINAVE
MONTS OURAL
ALPES
CAUCASE
Massif Central
ISLANDE
REYKJAVÍK
2 119
Îles Féroé
Îles Shetland
Îles Hébrides
Ben Nevis
1 343
ROYAUME-UNI
IRLANDE
DUBLIN
Manchester
Birmingham
LONDRES
NORVÈGE
2 469
OSLO
SUÈDE
STOCKHOLM
FINLANDE
HELSINKI
DANEMARK
COPENHAGUE
Hambourg
PAYS-BAS
AMSTERDAM
Rotterdam
BELGIQUE
BRUXELLES
LUXEMBOURG
LUXEMBOURG
ALLEMAGNE
BERLIN
POLOGNE
VARSOVIE
Katowice
PRAGUE
RÉPUBLIQUE TCHÈQUE
SLOVAQUIE
BRATISLAVA
2 655
VIENNE
AUTRICHE
Munich
SUISSE
BERNE
Mt Blanc
4 808
FRANCE
PARIS
Bretagne
Lyon
Marseille
ANDORRE
Barcelone
Catalogne
P. d'Aneto
3 404
ESPAGNE
MADRID
Castille
Galice
Andalousie
Mulhacén
3 478
PORTUGAL
LISBONNE
Baléares
Corse
Sardaigne
ITALIE
Turin
Milan
ROME
2 912
Naples
Vésuve
1 267
Sicile
Mt Etna
3 323
LA VALETTE
MALTE
SLOVÉNIE
LJUBLJANA
CROATIE
ZAGREB
HONGRIE
BUDAPEST
BOSNIE-HERZÉGOVINE
SARAJEVO
YOUGOSLAVIE
BELGRADE
ROUMANIE
2 543
BUCAREST
MOLDAVIE
CHISINAU
(ex-Kichinev)
BULGARIE
SOFIA
SKOPJE
MACÉDOINE
TIRANA
ALBANIE
GRÈCE
Mt Olympe
2 911
ATHÈNES
Crète
Rhodes
Chypre
Istanbul
Proche-Orient
ESTONIE
TALLINN
LETTONIE
RIGA
LITUANIE
VILNIUS
RUSSIE
BIÉLORUSSIE
MINSK
UKRAINE
KIEV
Kharkov
Donetsk
Dniepropetrovsk
Odessa
FÉDÉRATION DE RUSSIE
St-Pétersbourg
(ex-Leningrad)
MOSCOU
Nijni-Novgorod
(ex-Gorki)
Kazan
Perm
Oufa
Samara
(ex-Kouïbychev)
Lac Ladoga
Lac Onega
Réservoir de Rybinsk
5 642
Elbrouz
ASIE
AFRIQUE
Loire
Seine
Garonne
Rhône
Rhin
Danube
Èbre
Duero
Niémen
Dniepr
Pripet
Don
Volga
Onega
Dvina septent.
Petchora
Oural
Emba
Ob
Irtych
Tobol
70°
60°
50°
40°
30°
20°
10°
0°
glacier
2 000 m
1 500
500
200
100
0
dépression
marécage
limite d'État
ROME
capitale d'État
Population des villes :
plus de 5 000 000 hab.
de 1 à 5 000 000 hab.
de 500 000 à 1 000 000 hab.
autre ville
500 km

L'EUROPE VERS L'AN MILLE

domaine royal capétien
limites du Saint Empire romain germanique

L'EUROPE EN 1492

possessions de l'Aragon
possessions vénitiennes
possessions génoises
limites du Saint Empire
Grands électeurs du Saint Empire :
① archevêque de Mayence
② archevêque de Trèves
③ archevêque de Cologne
④ roi de Bohême
⑤ comte palatin
⑥ duc de Saxe
⑦ marquis de Brandebourg

niaque, expriment la quintessence de l'alchimie européenne. L'équilibre des Balkans implique certaines composantes de l'ex-Fédération yougoslave, comme la Serbie, la Bosnie-Herzégovine, le Kosovo et la Macédoine, mais également la Bulgarie et l'Albanie, ainsi que la Grèce et la Turquie.

Organisations européennes. – Les premières étapes ont été : – la création du *Benelux* (1944), union douanière de la Belgique, du Luxembourg et des Pays-Bas (en vigueur à partir de 1948); – le congrès de La Haye, qui a donné le jour à l'*Organisation européenne de coopération économique* (O.E.C.E., 16 avril 1948), chargée à l'origine (1948-1959) de répartir l'aide amér. (plan Marshall) et devenue l'O.C.D.E. (V. ci-dessous) en 1961, et au *Conseil de l'Europe* (5 mai 1949) qui agit pour la coopération entre ses membres, veille à l'application des droits de l'homme et des libertés fondamentales; – la création (18 avril 1951) de la *Communauté européenne du charbon et de l'acier* (C.E.C.A.), qui instituait, pour ces deux produits, une intégration et une rationalisation de la production entre six États : R.F.A., France, Italie, Benelux; – le *traité de Rome* (25 mars 1957), qui devait engager les Six dans une union douanière progressive, puis, à partir de 1970, dans une union écon., en instituant la *Communauté économique européenne* (C.E.E. ou Marché commun), dotée d'un Conseil, d'une Commission, d'un Parlement (élu depuis 1979 au suffrage universel) et d'une Cour de justice, ainsi que d'un Conseil économique et social, d'une Banque européenne d'investissement, d'un Fonds social européen, d'un Fonds européen d'orientation et de garantie agricole, d'une Communauté européenne de l'énergie nucléaire (nommée cour. Euratom), d'un Fonds européen de développement. Le 1er juil. 1968, l'union douanière est achevée. Le traité d'adhésion de la Grande-Bretagne, du Danemark, de l'Irlande et de la Nor-

vège, signé le 22 janv. 1972 (mais qui ne sera pas ratifié par le peuple norvégien), entre en vigueur le 1er janv. 1973. Un système monétaire européen (S.M.E.), visant à réaliser la stabilité des taux de change entre les monnaies européennes, est établi en 1979 et crée l'*écu (European Currency Unit)* comme unité monétaire. La Grèce en 1981, l'Espagne et le Portugal en 1986 adhèrent à la C.É.E, et l'ex-R.D.A. y entre de fait en 1990 par la réunification de l'Allemagne. Une *Banque européenne pour la reconstruction et le développement* (B.E.R.D.) est créée en 1990 pour aider les pays de l'Europe centrale et orientale. La circulation des personnes et les limites du droit d'asile en Europe sont définies par l'*accord de Schengen* (Belgique, Luxembourg, France, Pays-Bas, Allemagne), tandis que, avec la mise en vigueur de l'*Acte unique* (1993), les capitaux sont autorisés à circuler librement dans le cadre de la *C.É.E.* Les accords de Maastricht, signés en fév. 1992, et dont la ratification par les pays membres sera souvent difficile (rejet, puis, après modification, ratification par le Danemark en 1993, réticences britanniques), ont fait que la C.É.E. est devenue le 1er nov. 1993 l'*Union européenne* (U.E.). Ce traité met en place une *Union économique et monétaire* (U.E.M.), qui a vu le jour le 1er janvier 1999, et une monnaie unique, l'*euro*, dont la mise en circulation est prévue pour le 1er janv. 2002. L'Institut monétaire européen, créé à Francfort le 1er janv. 1994, prépare au passage de la troisième étape : le système européen de Banques centrales, avec en son sein la Banque centrale européenne. Le traité développe également une union politique reposant sur une citoyenneté européenne. La politique étrangère et de sécurité commune (P.E.S.C.), qui constitue, avec l'Union économique et monétaire, l'un des deux axes majeurs du traité de Maastricht, élargit et approfondit le dispositif de la coopération politique en prévoyant la concertation des États membres de la Communauté sur des dossiers de politique étrangère. Le 1er janv. 1995, l'Union européenne accueille l'Autriche, la Finlande et la Suède (les Norvégiens ont refusé une nouvelle fois leur adhésion en nov. 1994).
L'*Union de l'Europe occidentale* (U.E.O.) est une organisation politique et militaire créée par les accords de Paris (1954). Composée, en 1995, de dix États membres, l'U.E.O. est constituée d'un Conseil des ministres et d'une Assemblée. Ses compétences ayant été renforcées avec le traité de Maastricht, elle doit devenir une structure autonome de défense de l'Union européenne, intégrée à l'OTAN.
L'*Organisation pour la sécurité et la coopération en Europe* (O.S.C.E.) (anc. C.S.C.E.) rassemble 53 États membres en 1994 (les États européens, le Canada et les États-Unis) afin d'établir un système de sécurité et de coopération en Europe. En 1990, la conférence de Paris avait permis la signature d'un traité de désarmement, la Charte de Paris, qui entérinait la fin de la division de l'Europe en deux blocs. À présent, elle a désormais vocation à planifier et à conduire des opérations de maintien de la paix. À cet égard, elle peut bénéficier de l'expérience et des compétences d'organisations spécialisées, comme l'OTAN et l'U.E.O., qui constituent avec l'O.S.C.E. les principales composantes d'une architecture globale de sécurité dans l'espace « euro-atlantique ».
L'*Association européenne de libre-échange* (A.E.L.É.) est un groupement de pays constitué en 1960 pour favoriser entre eux la libre circulation des marchandises. L'adoption de l'Acte unique en 1986 a incité les pays de l'A.E.L.É. à rechercher une meilleure intégration avec la Communauté européenne : cela a abouti à la signature du traité de Porto en mai 1992, qui créée l'*Espace économique européen* (E.É.E.). Celui-ci constitue une zone de libre-échange de plus de 380 millions de consommateurs en rassemblant quinze États de l'Union européenne et de trois pays de l'A.E.L.É. : la Norvège, l'Islande et le Liechtenstein.

Europe, satellite de Jupiter (3 130 km de diamètre), découvert par Galilée en 1610. Il parcourt en 3,6 jours une orbite de 670 900 km de rayon.

Europe, dans la myth. gr., fille d'Agénor, roi de Phénicie ; enlevée par Zeus, qui avait pris la forme d'un taureau, elle fut emmenée par lui en Crète, où elle enfanta Minos, Sarpédon et Rhadamanthe.

européanisation n. f. Action d'européaniser ; état de ce qui est européanisé. *Européanisation de la défense militaire.*

européaniser v. tr. [1] **1.** Soumettre à l'influence de la civilisation européenne. **2.** Élargir à l'Europe une notion, une caractéristique, un problème, considérés jusque-là du seul point de vue local.

européen, enne adj. et n. **1.** De l'Europe. *Le continent européen.* ▷ Subst. *Les Européens.* **2.** Relatif à la communauté économique et politique de l'Europe. ▷ Subst. Personne favorable à ce projet. *Un Européen convaincu.* **3.** Se dit du chat domestique commun (appelé aussi *chat de gouttière*).

europium [øʀɔpjɔm] n. m. CHIM Élément appartenant à la famille des lanthanides, de numéro atomique Z = 63 et de masse atomique 151,96 (symbole Eu). – Métal appartenant à la famille des terres rares, qui fond à 822 °C et bout à 1 600 °C.

Europoort, avant-port de Rotterdam. Vaste zone industr. spécialisée dans le traitement du pétrole (raffinage, pétrochim.) et la sidér. Chantiers navals.

eurostratégie n. f. Stratégie liée à la situation géographique et politique des pays de l'Europe de l'Ouest.

Eurovision, organisation chargée des échanges d'émissions de télévision entre les divers pays d'Europe.

Eurydice, dans la myth. gr., épouse d'Orphée. (V. ce nom.)

Eurymédon (l'), fleuve côtier d'Asie Mineure (Pamphylie), auj. le *Köprü*. Le général athénien Cimon battit les Perses sur ses rives (468 av. J.-C.).

Eurysthée, dans la myth. gr., roi de Mycènes pour qui Héraclès dut accomplir ses douze travaux.

eurythmie n. f. Didac. Harmonie dans la composition d'une œuvre artistique. ▷ MUS Ensemble harmonieux de sons. Syn. euphonie. ▷ MED Régularité du pouls.

euscarien ou **euskarien, enne** adj. et n. Didac. Basque.

Eusèbe de Césarée (Palestine, v. 265 – id., 340), écrivain de langue grecque. Évêque de Césarée, il fixa par ses *Chroniques* la chronologie jusqu'en 313 apr. J.-C. Son *Histoire ecclésiastique* traite des trois premiers siècles du christianisme.

euskara n. m. La langue basque.

eusociété n. f. ZOOL Société organisée caractérisée par la répartition des tâches (reproduction, travaux divers), la coopération pour l'élevage des jeunes et la coexistence des générations.

Eustache de Saint-Pierre (Saint-Pierre, près de Calais, 1287 – ?, 1371), un des six bourgeois de Calais qui se dévouèrent pour le salut de leur ville, prise par Édouard III d'Angleterre (1347).

eustatique adj. GEOL Qui se rapporte à l'eustatisme. *Mouvements eustatiques.*

eustatisme n. m. GEOL Variation du niveau général des mers.

Euterpe, dans la myth. gr., muse de la Musique.

euthanasie n. f. Mort provoquée dans le dessein d'abréger les souffrances d'un malade incurable. *L'euthanasie active consiste à administrer une substance destinée à mettre fin à la vie, tandis que l'euthanasie passive revient à faire cesser de prodiguer des soins qui maintiennent artificiellement en vie. La législation française condamne l'euthanasie active, qui est assimilée à un homicide.*

euthanasier v. tr. [1] Provoquer la mort par euthanasie.

euthanasique adj. Didac. Qui se rapporte à l'euthanasie.

euthériens n. m. pl. ZOOL Syn. de *placentaires.*

eutrophe adj. Syn. de *eutrophique.*

eutrophie n. f. PHYSIOL État normal de développement, de vitalité, de nutrition d'un organisme ou d'une partie d'un organisme.

eutrophique adj. 1. PHYSIOL Relatif à l'eutrophie. – 2. ECOL Relatif à l'eutrophisation. Syn. eutrophe.

eutrophisation n. f. ECOL Accroissement anarchique de la quantité de sels nutritifs d'un milieu, partic. d'une eau stagnante polluée par les résidus d'engrais ou par les rejets d'eau chaude (centrales électriques, etc.), et qui permet la pullulation maximale d'êtres vivants.

eutrophiser (s') v. pron. [1] ECOL Pour un lac, devenir eutrophique.

eutypiose n. f. VITIC Maladie cryptogamique de la vigne, identifiée en 1977.

Eutychès (av. 378 – v. 454), hérésiarque byzantin. Monophysite, condamné au concile de Chalcédoine (451).

eux pron. pers. de la 3e pers. m. pl. Forme tonique du pronom complément prépositionnel. *Je pense à eux. L'un d'eux.* ▷ (Dans les comparaisons.) *Elles sont plus sages qu'eux.* ▷ (Pron. de renforcement ou d'insistance.) *Je les aime, eux. Si vous partez, vous, eux resteront. Ils l'ont réalisé eux-mêmes.*

Euzkadi ta Askatasuna (E.T.A.), nom basque (signifiant « le Pays basque et sa liberté ») du mouvement nationaliste basque, fondé en 1959.

eV PHYS NUCL Symbole de l'électronvolt.

évacuateur, trice adj. et n. m. 1. adj. Qui sert à l'évacuation. 2. n. m. TECH Dispositif à vannes servant à évacuer les eaux.

évacuation n. f. 1. MED Élimination des déchets organiques du corps. *Évacuation de la sueur.* 2. Dispositif d'écoulement par gravité. *Évacuation des eaux usées.* 3. MILIT Action d'évacuer un lieu. *Évacuation d'une place forte.* ▷ Par ext. *Évacuation d'une salle de spectacle.* 4. Action d'évacuer des personnes. *Évacuation des blessés.*

évacuer v. tr. [1] 1. MED Cour. Expulser de l'organisme. 2. Déverser (un liquide) hors d'un lieu. *Évacuer les eaux usées.* 3. Cesser d'occuper militairement (un lieu). – Pp. adj. *Zone évacuée.* ▷ *Par ext.* Quitter en masse (un lieu). *Faites évacuer le navire.* 4. Transporter hors de la zone des combats. *Évacuer la population civile.* ▷ *Par ext.* Transporter hors d'une zone dangereuse ou sinistrée. *Évacuer la population d'une région inondée.*

évadé, ée adj. et n. Qui s'est échappé, en parlant d'un prisonnier. ▷ Subst. *Un(e) évadé(e).*

évader (s') v. pron. [1] 1. S'échapper (d'un lieu où l'on était prisonnier). *S'évader de prison.* – (Avec ellipse du pronom.) *Faire évader un prisonnier.* 2. Fig. Se libérer de (ce qui contraint, embarrasse). *S'évader de la réalité.*

évagination n. f. PATHOL Sortie anormale (d'un organe) hors de sa gaine.

évaluable adj. Qui peut être évalué.

évaluatif, ive adj. Didac. Qui concerne l'évaluation. *Des calculs évaluatifs.*

évaluation n. f. Action d'évaluer; son résultat. – FISC *Évaluation administrative* : mode d'imposition forfaitaire applicable, dans certains cas, aux bénéfices non commerciaux.

évaluer v. tr. [1] Déterminer la valeur marchande de (qqch). *Faire évaluer un terrain. Évaluer un tableau un million.* ▷ Déterminer approximativement (une quantité, une qualité). *Évaluer les avantages d'une situation.* – Pp. *Une foule évaluée à 20 000 personnes.*

évanescence n. f. Litt. Caractère de ce qui est évanescent.

évanescent, ente adj. Litt. 1. Qui disparaît, s'efface. *Impression évanescente.* 2. Qui apparaît fugitivement; dont l'apparence est floue. *Forme évanescente.* 3. (Personnes) Qui semble indéfinissable.

évangéliaire n. m. LITURG CATHOL Livre contenant les parties des Évangiles lues ou chantées à chacune des messes de l'année.

évangélique adj. 1. Relatif, conforme à l'Évangile. *Vie évangélique.* 2. Qui est de religion réformée. *Hors de France, on appelle évangéliques la plupart des Églises réformées.*

évangélisateur, trice adj. et n. Qui évangélise. *Une mission évangélisatrice.* ▷ Subst. Personne qui évangélise.

évangélisation n. f. Action d'évangéliser; son résultat.

évangéliser v. tr. [1] Diffuser la doctrine de l'Évangile auprès de. *Évangéliser de nouveaux peuples.*

évangélisme n. m. 1. Caractère des enseignements évangéliques. 2. Doctrine des Églises évangéliques; protestantisme.

évangéliste n. m. 1. Chacun des quatre apôtres auteurs des Évangiles. 2. Évangélisateur. 3. Prédicateur de l'Église réformée.

emblèmes des quatre **évangélistes :** l'homme (Matthieu), l'aigle (Jean), le bœuf (Luc), le lion (Marc); enluminure d'un rituel, XIIe s.; bibliothèque de Poitiers

évangile n. m. 1. Message de Jésus-Christ. *Prêcher l'évangile.* ▷ (Avec une majuscule.) Chacun des livres qui exposent le message du Christ. *L'Évangile selon saint Jean. Les Évangiles.* ▷ Partie des Évangiles lue à la messe. *Se lever à l'évangile.* 2. Fig. Ouvrage servant de base à un message philosophique, une doctrine. 3. Loc. *Parole d'évangile,* qu'il faut croire sans discuter. *Tout ce qu'il dit n'est pas parole d'évangile.*

ENCYCL Les Évangiles (au plur.), livres de saint Matthieu, saint Marc, saint Luc et saint Jean, racontent la vie et, donc, exposent la doctrine de Jésus-Christ. Ils ont tous les quatre été rédigés en grec, sauf, probablement, une version primitive de l'Évangile de saint Matthieu, écrite en araméen. L'Église n'a reconnu que ces quatre Évangiles comme *canoniques* et les trois premiers sont dits *synoptiques**. D'autres textes, dont l'authenticité n'a pas été suffisamment établie, ont été qualifiés d'*Évangiles apocryphes.*

évanouir (s') v. pron. [3] 1. Perdre connaissance. *S'évanouir de peur.* 2. Disparaître entièrement. *Le brouillard s'est évanoui.* Syn. se dissiper. – (Personnes) *Il s'est évanoui dans la nature.*

évanouissement n. m. 1. Perte de connaissance. *Revenir de son évanouis-*

sement. **2.** Disparition totale. *L'évanouissement d'un espoir.* ▷ TELECOM Diminution momentanée de la puissance d'une onde radioélectrique lors de la réception. (Terme off. recommandé pour remplacer *fading.*)

Evans, lac du Canada (Nouveau-Québec); 468 km².

Evans (Oliver) (Newport, Delaware, 1755 - New York, 1819), ingénieur américain; inventeur de machines à vapeur à haute pression.

Evans (Mary Ann). V. Eliot (George).

Evans (sir Arthur John) (Nash Mills, Hertfordshire, 1851 - Boar's Hill, Oxfordshire, 1941), archéologue anglais; célèbre par ses fouilles en Crète, notam. à Cnossos.

Evans (Walker) (Saint Louis, Missouri, 1903 - New Haven, Connecticut, 1975), photographe américain. Maître de la photographie documentaire, il a participé à la vaste enquête commandée par l'Administration fédérale sur le monde rural aux É.-U. pendant la crise des années 30.

Evans (William John, dit Bill) (Plainfield, New Jersey, 1929 - New York, 1980), pianiste de jazz américain. Il a fondé dans les années 60 un trio (piano, basse, batterie) qui innovait par l'autonomie accordée à la basse.

Evans-Pritchard (Edward) (Crowborough, Sussex, 1902 - Oxford, 1973), ethnologue britannique : *les Nuers* (1940), description des modes de vie et des institutions politiques d'un peuple nilotique; *Anthropologie sociale* (1951).

évaporable adj. Susceptible d'évaporation.

évaporateur n. m. TECH **1.** Appareil servant à la dessiccation des fruits, des légumes, etc. **2.** Partie d'une installation frigorifique à compression où se vaporise le fluide frigorigène. **3.** Appareil permettant de distiller l'eau de mer.

évaporation n. f. Vaporisation d'un liquide au niveau de sa surface libre, qui se produit à toute température. *Séchage par évaporation.*
ENCYCL L'évaporation (qui s'effectue à la surface d'un liquide) se distingue de l'ébullition (qui se produit à l'intérieur d'un liquide) et de la sublimation (passage direct de l'état solide à l'état gazeux). La vitesse d'évaporation (masse de liquide qui se vaporise par unité de temps) augmente avec la température; elle est proportionnelle à la surface d'évaporation, à la différence (p - f) entre la pression p de vapeur maximale (à la température considérée) et la pression f de sa vapeur dans le gaz extérieur, et inversement proportionnelle à la pression totale au-dessus du liquide. Les phénomènes d'évaporation jouent un rôle primordial dans le cycle de l'eau.

évaporé, ée adj. (et n.) **1.** Qui est transformé en vapeur. **2.** Fig. Qui se dissipe en futilités; qui a un caractère vain et léger. *Un esprit évaporé.* ▷ Subst. *Un(e) jeune évaporé(e).*

évaporer 1. v. tr. [1] TECH Soumettre (un liquide) à l'évaporation. **2.** v. pron. Se transformer en vapeur. *L'éther s'évapore facilement.* ▷ Fig., fam. Disparaître, s'éclipser. *Il s'est évaporé au début de la soirée.*

évapotranspiration n. f. Didac. Quantité de vapeur d'eau qu'évapore un sol et que transpire la végétation qu'il porte.

évasement n. m. Action d'évaser; état de ce qui est évasé. *L'évasement d'un trou.*

évaser v. tr. [1] **1.** Élargir l'ouverture de. *Évaser un tuyau. Évaser une manche au poignet.* **2.** v. pron. Aller en s'élargissant. *Un chapeau qui s'évase.* - Pp. adj. *Une jupe évasée.*

évasif, ive adj. Qui reste dans le vague, qui élude. *Il a été très évasif. Un geste évasif.*

évasion n. f. **1.** Action de s'évader, de s'échapper d'un lieu où l'on était retenu prisonnier. *Une tentative d'évasion. Une évasion manquée.* **2.** Fig. Fait d'échapper aux contraintes de la vie quotidienne. *L'évasion des vacances. Besoin d'évasion.* - *Évasion fiscale* : action par laquelle un contribuable réduit sa charge fiscale de façon licite.

évasivement adv. D'une manière évasive.

Ève, nom attribué dans la Bible à la première femme, la mère du genre humain, formée par Dieu à partir d'une côte d'Adam. S'étant laissé séduire par le Démon, qui avait pris la forme du serpent, elle cueillit le fruit défendu et fut, avec Adam, chassée du Paradis terrestre et condamnée à enfanter dans la douleur.

évêché n. m. **1.** Territoire soumis à l'autorité d'un évêque. Syn. diocèse. **2.** Demeure, siège de l'évêque. *Se rendre à l'évêché.*

Évêchés (les Trois-). V. Trois-Évêchés (les).

évection n. f. ASTRO Irrégularité périodique du mouvement de la Lune, due à l'attraction du Soleil.

éveil n. m. **1.** Rare Réveil; fait d'être éveillé. **2.** Action de sortir de l'état de repos, de latence; fait d'apparaître, de se manifester (sentiment, idée). *L'éveil de la passion.* ▷ *Activités, disciplines d'éveil,* destinées à développer l'intelligence, la créativité des enfants. **3.** Loc. *Donner l'éveil* : attirer l'attention en mettant en alerte. *Des bruits suspects ont donné l'éveil.* ▷ *En éveil* : attentif.

éveillé, ée adj. **1.** Qui ne dort pas. *Rester éveillé.* ▷ *Un rêve éveillé,* fait sans dormir. **2.** Plein de vivacité. *Enfant éveillé. C'est un esprit éveillé.*

éveiller v. [1] **I.** v. tr. **1.** Litt. Tirer du sommeil. *Le bruit l'éveilla.* Syn. réveiller. ▷ Fig. Faire se manifester ce qui était à l'état latent, virtuel. *Activités qui éveillent l'intelligence d'un enfant.* **2.** Faire naître, provoquer (un sentiment, une attitude). *Éveiller l'attention, la sympathie, la méfiance.* Syn. susciter. **II.** v. pron. **1.** (Personnes) Sortir du sommeil. - Par ext., litt. *La nature s'éveille.* ▷ *S'éveiller à* : commencer à être sensible à. **2.** Apparaître, se développer (sentiments, idées). *Son attention s'éveille.*

éveilleur, euse n. Fig. Celui, celle qui éveille. *Un éveilleur de talents.*

éveinage n. m. CHIR Syn. (off. recommandé) de *stripping.*

événement ou **évènement** [evɛnmɑ̃] n. m. **1.** Ce qui arrive. *Événement inattendu, heureux, malheureux. Les événements du jour.* ▷ MATH En théorie des probabilités, résultat espéré ou effectif (parmi tous les résultats possibles) lors d'un tirage au sort. *Tirer le 4, lors d'un jet de dé, est un événement.* **2.** Fait important. *L'événement littéraire de l'année.* - Plaisant *Il travaille, c'est un événement!*

événementiel ou **évènementiel, elle** [evɛnmɑ̃sjɛl] adj. Qui s'en tient à la description des événements, des faits. *Histoire événementielle.*

évent [evɑ̃] n. m. **1.** ZOOL Narine située sur la face supérieure de la tête de certains cétacés. *La baleine rejette de l'eau finement pulvérisée par ses évents.* **2.** TECH Organe mettant en communication un circuit, un réservoir, avec l'atmosphère libre.

éventail n. m. **1.** Petit écran portatif que l'on agite pour s'éventer, le plus souvent monté sur des baguettes rivetées et pouvant se déployer et se fermer. *Des éventails.* ▷ Loc. adv. *En éventail* : en forme d'éventail déployé. *Disposer des marchandises en éventail. Voûte en éventail.* **2.** Fig. Ensemble de choses d'une même catégorie, diversifiées à l'intérieur de certaines limites. *Proposer un large éventail d'articles. L'éventail des salaires.*

éventaire n. m. **1.** Rare Plateau que certains marchands ambulants portent à l'aide d'une sangle passée derrière le cou et où ils placent leur marchandise. *Éventaire d'un fleuriste.* **2.** Cour. Étalage de marchandises à l'extérieur d'une boutique.

éventer v. tr. [1] **1.** Agiter l'air pour rafraîchir (qqn). ▷ v. pron. *S'éventer avec un journal.* **2.** Exposer à l'air. *Éventer des vêtements. Éventer le grain,* l'aérer en le remuant pour empêcher la fermentation. - Pp. adj. *Un balcon éventé.* ▷ v. pron. S'altérer au contact de l'air. *Ce parfum s'est éventé.* - Pp. adj. *Un vin éventé.* **3.** Loc. fig. *Éventer un piège,* le découvrir, en empêcher l'effet. *Éventer un complot.* - Pp. adj. *Un truc éventé.*

éventration n. f. **1.** MED Hernie qui se forme dans la région antérieure de l'abdomen, spontanément ou à la suite d'un traumatisme. **2.** Fait d'être éventré. **3.** Fig. Action d'éventrer (sens 2).

éventrer v. tr. [1] **1.** Blesser en ouvrant le ventre. **2.** *Par ext.* Fendre, déchirer (un objet). *Éventrer une valise, un matelas.* **3.** Défoncer. *Éventrer un mur.*

éventreur n. m. Celui qui éventre. *Jack l'Éventreur* : célèbre criminel anglais de la fin du XIXᵉ s.

éventualité n. f. **1.** Caractère de ce qui est éventuel. *L'éventualité d'une rupture. Dans l'éventualité de* : en cas de. **2.** Fait, événement qui peut ou non se produire. - Loc. *Parer à toute éventualité.*

éventuel, elle adj. (et n. m.) **1.** DR Subordonné à la réalisation de certaines conditions. *Condition, droits éventuels.* **2.** Qui peut survenir ou non, selon les circonstances. *Profits éventuels.* - (Personnes) *Successeur éventuel.* ▷ n. m. *Conditionnel exprimant l'éventuel, l'irréel du présent.*

éventuellement adv. D'une manière éventuelle, le cas échéant.

évêque n. m. Dignitaire de l'Église qui a reçu la plénitude du sacerdoce et qui dirige un diocèse. *Dans l'Église catholique les évêques ont le pouvoir d'ordre. L'évêque des évêques* ou *l'évêque de Rome* : le pape. - Loc. prov. Fam. *Un chien regarde bien un évêque* (s'adressant à qqn qui s'étonne qu'on le regarde).

Everest (mont), sommet culminant du globe (8 846 m) dans l'Himalaya, à la frontière népalo-tibétaine; vaincu en 1953 par le Néo-Zélandais E. Hillary et le sherpa Tensing. Il doit son nom à sir George Everest.

Everest (sir George) (Greenwich, 1790 - Londres, 1866), savant anglais; directeur (1823) du Service géodésique des Indes.

Evert (Christine, dite Chris) (Fort Lauderdale, Floride, 1954), joueuse de tennis américaine. Elle a régné sur le tennis féminin mondial à la fin des années 70 et au début des années 80.

évertuer (s') v. pron. [1] Faire beaucoup d'efforts. *S'évertuer à expliquer qqch.*

Évian-les-Bains, ch.-l. de cant. de la Haute-Savoie (arr. de Thonon-les-Bains), sur le lac Léman; 7 027 hab. Stat. thermale, l'une des plus import. de France. - *Accords d'Évian,* conclus à la suite d'une conférence entre la France et le Gouvernement provisoire de la Rép. algérienne (G.P.R.A.), qui établirent les modalités du cessez-le-feu en Algérie (19 mars 1962).

éviction n. f. Action d'évincer. ▷ DR Dépossession d'une chose acquise au bénéfice d'un tiers qui avait des droits antérieurs sur celle-ci.

évidage ou **évidement** n. m. TECH Action d'évider; état de ce qui est évidé.

évidemment [evidamɑ̃] adv. **1.** De façon évidente, certaine. **2.** (Pour acquiescer en affirmant.) *Viendrez-vous ? - Évidemment !*

évidence n. f. **1.** Caractère de ce qui s'impose à l'esprit et que l'on ne peut mettre en doute. *Se rendre à l'évidence.* - Loc. adv. *À l'évidence, de toute évidence :* sûrement, sans conteste. **2.** Chose évidente. *C'est une évidence. Débiter des évidences.* **3.** *Mettre une chose en évidence,* la disposer de façon qu'elle attire le regard, l'attention.

évident, ente adj. Clair, manifeste. *Une erreur évidente.* - Loc. fam. *C'est pas évident :* c'est discutable, ou malaisé.

évider v. tr. [1] **1.** Creuser intérieurement. *Évider un fruit.* **2.** Pratiquer des vides dans (qqch); échancrer.

évier n. m. Bac fermé par une bonde et alimenté en eau par un robinet, dans une cuisine.

évincement n. m. Action d'évincer; résultat de cette action.

évincer v. tr. [12] **1.** Écarter par intrigue (qqn) d'une position avantageuse. *Évincer ses concurrents.* **2.** DR Déposséder d'un droit. *Évincer un locataire.*

évitable adj. Qui peut être évité.

évitage n. m. MAR Mouvement du navire qui évite; espace nécessaire pour ce mouvement.

évitement n. m. **1.** Rare Action d'éviter. ▷ PSYCHOL *Réaction d'évitement :* en expérimentation, réaction acquise par un être vivant pour éviter un stimulus pénible. **2.** CH de F *Voie d'évitement,* servant à garer un train pour laisser la voie à un autre.

le mont **Everest**

éviter v. [1] **I.** v. tr. **1.** Faire en sorte de ne pas heurter (qqn, qqch) ou d'échapper à (une chose fâcheuse). *Éviter un écueil. Éviter un malheur.* ▷ *Éviter un importun,* le fuir. **2.** S'abstenir. *Éviter de regarder qqn.* **3.** Épargner (qqch à qqn). *Éviter une démarche à qqn.* **II.** v. intr. MAR Tourner autour de son ancre sous l'action du vent ou du courant, en parlant d'un navire.

évocable adj. DR Qui peut être évoqué devant un tribunal.

évocateur, trice adj. Qui est propre à évoquer. *Des mots évocateurs.*

évocation n. f. **1.** Action d'évoquer, de rendre présent à la mémoire ou à l'esprit. *Évocation d'un souvenir. Évocation d'un problème social.* **2.** Action de faire apparaître par des procédés magiques. *Évocation de démons.* **3.** DR Action d'évoquer une cause.

évocatoire adj. DR ou litt. Qui donne lieu à une évocation.

évoé ! ou **évohé !** [evɔe] interj. Cri des bacchantes en l'honneur de Dionysos.

évolué, ée adj. **1.** Parvenu à un haut degré de culture, de civilisation. **2.** BIOL Qui a atteint un certain stade d'évolution (sens I, 2).

évoluer v. intr. [1] **1.** Se transformer progressivement. *Homme politique qui évolue. Situation qui évolue.* **2.** Exécuter des évolutions, des manœuvres. *Troupes, avions qui évoluent.* ▷ Par ext. *Les patineurs évoluaient sur la glace.* **3.** Progresser dans sa carrière professionnelle. *Stage destiné à faire évoluer les employés.*

évolutif, ive adj. Qui peut évoluer ou produire l'évolution. ▷ MED Se dit d'une affection ou d'une lésion qui s'aggrave.

évolution n. f. **I. 1.** Transformation graduelle, développement progressif. *Évolution des mœurs, d'une personne. Évolution d'une maladie, d'une affection.* **2.** BIOL *Évolution des êtres vivants,* ensemble de leurs transformations élémentaires dues aux mutations génétiques, en liaison avec la sélection qu'opère le milieu de vie. **II.** Mouvement d'ensemble. *Évolution d'une armée, d'une formation aérienne.* - (Plur.) Série de mouvements divers. *Évolutions d'un cheval de cirque.*

ENCYCL **Biol.** - La théorie de l'évolution s'appuie sur : - La *paléontologie :* elle fournit des séries d'animaux d'époques géologiques différentes dont les transformations montrent avec netteté que la forme la plus récente dérive de la plus ancienne. - L'*embryologie* et l'*anatomie comparée :* elles établissent qu'au cours de l'embryogenèse, un animal passe par des stades comportant des organes et formations transitoires que l'on retrouve chez des animaux beaucoup plus primitifs. - La *génétique :* en étudiant les mutations elle a prouvé que les mécanismes fondamentaux des diverses transformations des espèces sont aléatoires; la modification, la création ou la perte de gènes donnent le jour à des individus nouveaux qui sont ensuite sélectionnés par le milieu, les formes non viables étant rejetées.

▸ pl. page **689**

évolutionnisme n. m. **1.** BIOL Théorie suivant laquelle les espèces actuelles dérivent de formes anciennes, selon des modalités que les lamarckiens et les darwiniens apprécient différemment. **2.** PHILO Théorie, doctrine fondée sur la notion d'évolution (sens I, 2).

évolutionniste adj. Didac. Relatif à l'évolutionnisme. ▷ Subst. Partisan de l'évolutionnisme.

évolutivité n. f. **1.** Caractère évolutif d'une maladie. **2.** Potentiel d'évolution d'un matériel informatique.

évoquer v. tr. [1] **1.** (Personnes) Rendre (une chose) présente à la mémoire, à l'esprit en en parlant, en y faisant allusion. *Évoquer son enfance. Évoquer une question.* **2.** (Choses) Faire songer à. *Une odeur qui évoque la mer.* **3.** Faire apparaître par des procédés magiques. *Évoquer les esprits.* **4.** DR *Évoquer une cause :* appeler à soi une affaire de la compétence d'un tribunal inférieur (en parlant d'un tribunal supérieur).

Évora, v. du Portugal, ch.-l. du district du même nom et cap. de la région Alentejo; 34 000 hab. - Archevêché. Temple de Diane (IIe s.); cathédrale (XIIe-fin XIIIe s.); monastère mudéjar de São Francisco (XVe s.).

Évreux, ch.-l. du dép. de l'Eure, sur l'Iton; 51 452 hab. (*Ebroïciens*). L'implantation d'industr. venues de la Région parisienne a donné à cette ville historique un nouvel essor : métall.; constr. méca. et métall.; électron.; imprimerie. - Évêché. Cath. N.-D. (XIIe-XVIIe s.); égl. St-Taurin (XIe-XVe s.) qui conserve la grande châsse de saint Taurin (XIIIe s.).

Évry (anc. *Évry-Petit-Bourg*), ch.-l. du dép. de l'Essonne, sur la Seine; 45 854 hab. Ville nouvelle. Industr. aéron., informatique, alim., etc. - Cathédrale (1995). - Université.

Evtouchenko (Ievgueni Alexandrovitch) (Zima, Sibérie, 1933), poète soviétique. Chantre de la déstalinisation, il fut très populaire auprès de la jeunesse intellectuelle de l'U.R.S.S. lors du « dégel » littéraire des années 1954-1963 : *la Troisième Neige* (1955), *Babi Iar* (1961), *les Héritiers de Staline* (1963). Il a publié ensuite *la Centrale hydroélectrique de Bratsk* (1965), *les Baies sauvages de Sibérie* (1980).

evzone [ɛvzɔn] n. m. Fantassin grec portant la fustanelle.

Ewald (Johannes) (Copenhague, 1743 - id., 1781), poète lyrique danois : *les Félicités de Rungsted* (1773), *le Pénitent* (1777). L'hymne national danois provient de ses *Pêcheurs* (1779).

éwé n. m. Langue du groupe kwa parlée par les Éwés.

Éwé(s) ou **Éoué(s),** groupe ethnique que l'on rencontre principalement au Togo, au Ghana et au Bénin.

ex-. Élément, du lat. *ex-,* « hors de ».

ex- Particule qui, placée devant un nom, implique l'état révolu de la qualité exprimée par le nom. *L'ex-président. Mon ex-mari* ou, ellipt., fam., *mon ex.*

exa-. PHYS Élément (symbole E) qui, placé devant le nom d'une unité, indique que celle-ci est multipliée par un milliard de milliards (10^{18}).

ex abrupto [ɛksabʀypto] loc. adv. (Mots lat.) Brusquement, sans préambule. *Aborder une question ex abrupto.*

exacerbation n. f. MED Exagération transitoire des symptômes d'une maladie. ▷ Fig., litt. Exaspération, paroxysme (d'une sensation, d'un sentiment).

exacerber v. tr. [1] Rendre plus aigu, plus intolérable (une douleur, un sentiment).

exact, acte [egza(kt), akt] adj. **1.** (Personnes) Qui arrive à l'heure fixée. *Il* *était exact au rendez-vous.* **2.** Rigoureusement conforme à la réalité, à la logique. *Récit exact des événements. Calcul exact.* ▷ *Les sciences exactes :* les sciences mathématiques et physiques.

exactement adv. **1.** D'une manière exacte, précise, conforme à la réalité. **2.** Tout à fait.

exaction n. f. **1.** Didac. Action d'exiger plus qu'il n'est dû. *Les exactions d'un collecteur d'impôts, d'un prince.* **2.** (Surtout au plur.) Sévices, violences exercées sur qqn.

exactitude n. f. **1.** Qualité d'une personne exacte. *Exactitude militaire.* **2.** Conformité rigoureuse, précision. *Exactitude d'un raisonnement.*

ex æquo [egzeko] loc. adv. (Mots lat.) À égalité (en parlant de concurrents). *Un premier prix ex æquo.* ▷ n. inv. *Plusieurs ex æquo.*

exagération n. f. Action d'exagérer ; son résultat.

exagéré, ée adj. Outré, excessif.

exagérément adv. D'une façon exagérée.

exagérer v. tr. [14] **1.** Présenter (qqch) comme plus grand, plus important qu'il n'est en réalité. *Exagérer les proportions dans un dessin. Exagérer l'importance d'un événement.* ▷ v. pron. *Il s'exagère les embarras de sa situation.* **2.** (S. comp.) Aller au-delà de ce qui est convenable. *Il exagère !*

exaltant, ante adj. Qui exalte, qui suscite l'enthousiasme.

exaltation n. f. **1.** Litt. Action d'exalter, de glorifier. **2.** Vive excitation de l'esprit. *Parler avec exaltation.*

exalté, ée adj. et n. Qui nourrit de l'exaltation (sens 2), enthousiaste. *Un tempérament exalté.* – Subst. *Calmez-moi ces exaltés !*

exalter v. tr. [1] **1.** Litt. Louer hautement (une qualité, une personne). *Exalter les vertus d'un saint. Exalter un homme illustre.* **2.** Élever (l'esprit) par la passion, l'enthousiasme. *Exalter l'imagination.* – Par ext. *Exalter son auditoire.* ▷ v. pron. *S'exalter.*

examen n. m. **1.** Considération attentive ; observation minutieuse. *L'examen d'un dossier. Un examen médical.* ▷ RELIG CATHOL *Examen de conscience :* recherche des fautes que l'on doit confesser ; *par ext.,* cour., action de considérer ses actes sous l'angle de la morale. ▷ *Libre examen :* fait de ne croire que ce qui est contrôlé par la raison. ▷ DR *Mise en examen :* ouverture d'une procédure d'instruction à l'encontre d'une personne présumée être l'auteur d'un crime ou d'un délit. *L'expression « mise en examen » a remplacé officiellement le mot « inculpation » en 1993.* **2.** Épreuve ou ensemble d'épreuves que subit un candidat afin que l'on puisse juger de ses connaissances, de ses compétences. *Être reçu à un examen.* (Abrév. fam. : exam).

examinateur, trice n. Personne qui fait passer un examen à des candidats.

examiner v. tr. [1] **1.** Considérer, observer attentivement. *Examiner un tableau.* – Spécial. *Examiner un patient.* ▷ v. pron. (Passif). *Une telle proposition s'examine de près.* – (Réfl.) *Il s'examine de la tête aux pieds.* **2.** Faire passer un examen à (un candidat).

exanthème n. m. MED Rougeur cutanée sans papules ni vésicules, observée dans des maladies infectieuses, telles la scarlatine, la rougeole, la rubéole, etc.

exarchat [egzaʀka] n. m. **1.** HIST Région commandée par un exarque. **2.** Dignité d'exarque. **3.** Circonscription ecclésiastique d'une Église orthodoxe ou d'une Église catholique de rite oriental.

exarque n. m. **1.** HIST Chef civil ou ecclésiastique, dans l'Empire romain d'Orient. **2.** Chef religieux d'un exarchat (sens 3).

exaspérant, ante adj. Qui exaspère.

exaspération n. f. **1.** Vive irritation. **2.** Litt. ou VX Augmentation d'une souffrance à un degré extrême.

exaspérer v. tr. [14] **1.** Irriter violemment (qqn). *Son attitude m'exaspère.* **2.** Augmenter l'intensité de (une douleur physique, un sentiment pénible). *Exaspérer la haine de qqn.*

exaucement n. m. Litt. Action d'exaucer ; son résultat.

exaucer v. tr. [12] **1.** Accueillir favorablement (un vœu, une prière). **2.** Satisfaire (qqn) dans sa demande. *Le ciel nous a exaucés.*

ex cathedra [ɛkskatedʀa] loc. adv. (lat. ecclés. mod.) Du haut de la chaire, avec l'autorité de son titre. *Le pape a parlé ex cathedra.*

excavateur n. m. ou **excavatrice** n. f. TRAV PUBL Engin de terrassement sur chenilles, équipé de godets à bords tranchants montés sur une chaîne sans fin, permettant l'extraction de terres ou de matériaux.

excavation n. f. **1.** Rare Action d'excaver. **2.** *Par méton.* Cavité dans le sol. *Une excavation produite par l'eau.*

excaver v. tr. [1] Creuser (le sol).

excédent n. m. Ce qui dépasse le nombre, la quantité prévus. *Un excédent de bagages. Excédent de la balance commerciale.* – *En excédent :* en surnombre.

excédentaire adj. Qui est en excédent.

excéder v. tr. [14] **I.** (Comp. n. de chose.) **1.** Dépasser en quantité, en valeur. *Les frais excèdent les bénéfices.* **2.** Outrepasser (certaines limites). *Excéder son autorité.* **II.** (Comp. n. de personne.) Lasser, importuner à l'excès. *Son bavardage m'excède.*

excellemment [ɛksɛlamɑ̃] adv. D'une manière excellente.

excellence n. f. **1.** Haut degré de perfection. *L'excellence d'un repas. Prix d'excellence :* prix décerné naguère au meilleur élève d'une classe. ▷ Loc. adv. *Par excellence :* au plus haut degré dans son genre. **2.** (Avec une majuscule.) Titre honorifique donné à un ministre, un archevêque, un évêque ou un ambassadeur. *Son Excellence.* (Abrév. : S.E.)

excellent, ente adj. Qui excelle dans son genre. *Un vin excellent.* – *Un homme excellent,* très bon.

exceller v. intr. [1] Montrer des qualités supérieures, se montrer excellent (personnes). *Exceller à faire un travail.*

excentration n. f. TECH Action d'excentrer. ▷ Non-coïncidence du centre d'une pièce et d'un axe de rotation.

excentrer v. tr. [1] **1.** TECH Déplacer le centre, l'axe de rotation de. – Pp. adj. *Une roue excentrée.* **2.** Cour. Centrer en un point qui n'est pas le centre géométrique. – Pp. adj. *Territoire excentré.*

excentricité n. f. **I.** **1.** TECH Éloignement du centre. ▷ GEOM Rapport entre la distance des deux foyers d'une ellipse et la longueur du grand axe. – ASTRO *Excentricité de l'orbite d'une planète.* **2.** *Excentricité d'une zone d'habitation,* son éloignement du centre de la ville. **II.** **1.** Manière d'être, d'agir qui s'éloigne des manières usuelles. *Se conduire avec excentricité.* **2.** Action excentrique. *Se livrer à des excentricités.*

excentrique adj. et n. **I.** adj. **1.** GEOM Dont les centres ne coïncident pas. *Cercles excentriques.* **2.** *Quartier excentrique,* éloigné du centre de la ville. **3.** Qui a ou dénote de l'excentricité, de la bizarrerie. *Personne, robe excentrique.* ▷ Subst. *Un(e) excentrique.* **II.** n. m. MECA Pièce dont l'axe de rotation ne passe pas par le centre, qui permet de transformer un mouvement circulaire continu en un mouvement linéaire alternatif.

excentriquement adv. D'une façon excentrique.

excepté, ée prép. et adj. **1.** prép. inv. (placé devant le nom). Sauf, en excluant. *Ouvert tous les jours excepté le dimanche.* **2.** adj. (placé après le nom). Non compris, mis à part. *L'aînée exceptée, ses enfants sont roux.*

excepter v. tr. [1] Ne pas comprendre dans (un ensemble). *Énumérez tous les noms sans en excepter un seul.*

exception [ɛksɛpsjɔ̃] n. f. **1.** Action d'excepter. *Sans exception.* ▷ DR Moyen de défense consistant à établir qu'une demande ne peut être accueillie pour des raisons de forme, sans que le bien-fondé en soit contesté. ▷ *D'exception :* exceptionnel. – DR Qui est hors du droit commun. *Juridiction d'exception.* **2.** Ce qui n'est pas soumis à la règle. *Une exception grammaticale.* ▷ *Faire exception :* sortir de la règle générale. **3.** Loc. prép. *À l'exception de :* hormis. *À l'exception d'un seul.*

exceptionnel, elle adj. **1.** Qui fait exception. *Des mesures exceptionnelles.* **2.** Extraordinaire, remarquable. *Un cas exceptionnel.*

exceptionnellement adv. D'une manière exceptionnelle, par extraordinaire.

excès [ɛksɛ] n. m. **1.** Ce qui dépasse la mesure. *Un excès de zèle.* Ant. manque, défaut. ▷ DR *Excès de pouvoir :* dépassement de ses attributions légales par un tribunal. **2.** Acte dénotant la démesure, l'outrance, le dérèglement. *Faire des excès.* **3.** Loc. adv. *À l'excès, jusqu'à l'excès :* excessivement, à l'extrême. *Être économe à l'excès.*

excessif, ive adj. **1.** Qui excède la juste mesure. *Un prix excessif. Être excessif dans ses sentiments.* **2.** (Emploi critiqué.) Très grand, extrême. *Une excessive gentillesse.*

excessivement adv. **1.** Beaucoup trop. *Boire excessivement.* **2.** (Emploi critiqué.) Très, extrêmement. *Elle est excessivement jolie.*

exciper v. tr. indir. [1] Litt. *Exciper de :* étayer sa défense sur ; faire état de. *Exciper de sa bonne foi.* ▷ DR Alléguer une exception en justice. *Exciper de l'autorité de la chose jugée.*

excipient n. m. PHARM Substance à laquelle on incorpore un médicament pour en faciliter l'absorption.

exciser v. tr. [1] **1.** Ôter en coupant (une partie d'organe, une tuméfaction

phylogénie des métazoaires

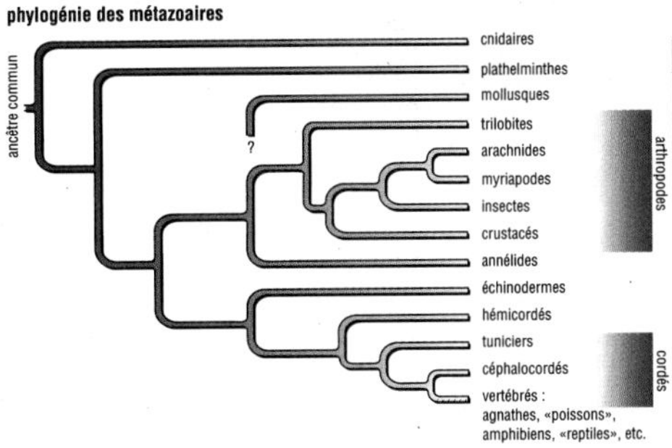

ancêtre commun
cnidaires
plathelminthes
mollusques
trilobites
?
arachnides
myriapodes
insectes
crustacés
annélides
échinodermes
hémicordés
tuniciers
céphalocordés
vertébrés : agnathes, «poissons», amphibiens, «reptiles», etc.
arthropodes
cordés

relation phylogénétique entre les «poissons» actuels

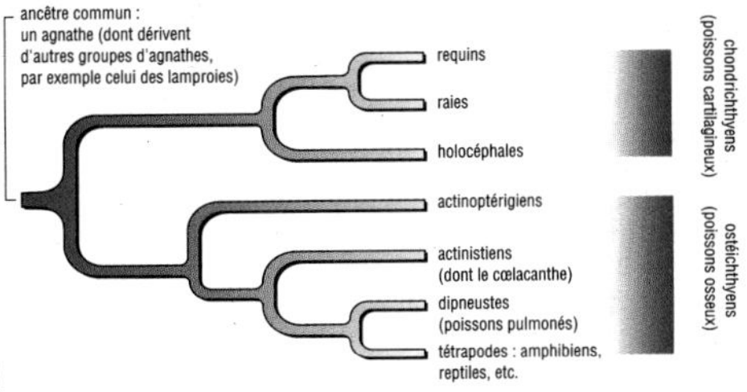

ancêtre commun : un agnathe (dont dérivent d'autres groupes d'agnathes, par exemple celui des lamproies)
requins
raies
holocéphales
actinoptérigiens
actinistiens (dont le cœlacanthe)
dipneustes (poissons pulmonés)
tétrapodes : amphibiens, reptiles, etc.
chondrichthyens (poissons cartilagineux)
ostéichthyens (poissons osseux)

relations phylogénétiques entre les «reptiles» actuels (en gras dans l'image), les oiseaux, les mammifères et de nombreux groupes fossiles

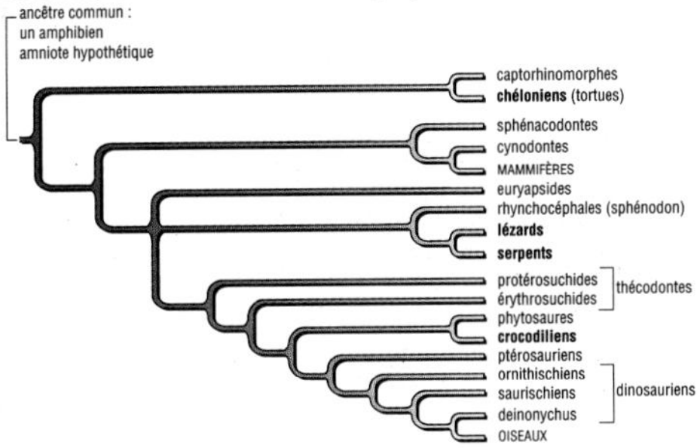

ancêtre commun : un amphibien amniote hypothétique
captorhinomorphes
chéloniens (tortues)
sphénacodontes
cynodontes
MAMMIFÈRES
euryapsides
rhynchocéphales (sphénodon)
lézards
serpents
protérosuchides
érythrosuchides
thécodontes
phytosaures
crocodiliens
ptérosauriens
ornithischiens
saurischiens
deinonychus
OISEAUX
dinosauriens

relation phylogénétique des primates

souche : un primate primitif
plésiadapiforme †
adapiforme †
?
lémuriens
tarsiens
platyrhiniens
pliopithecus †
cercopithèques
gibbon
sivapithecus †
orang-outan
gorille
chimpanzé
hominiens
?
?
haplorhiniens
simiens
catarhiniens
hominoïdes
hominidés
hominés

MA : millions d'années
période plausible d'existence
synthèse extrêmement simplifiée des filiations supposées entre les différents hominiens dont on a retrouvé des restes; exemple de controverse : l'Homo habilis donne t-il naissance à l'Homo erectus et celui-ci à l'Homo sapiens (divisé en 2 sous-espèces, celà est sûr), ou bien s'agit-il de 3 lignées voisines ?
5 MA
4 MA
3 MA
2 MA
1,5 MA
1 MA
500 000
0
?
?
Australopithecus afarensis ("Lucy")
Homo habilis
Australopithecus africanus
Australopithecus robustus
Homo erectus
Homo sapiens neanderthalensis
Homo sapiens sapiens (l'homme actuel)
genre Homo
genre Australopithecus

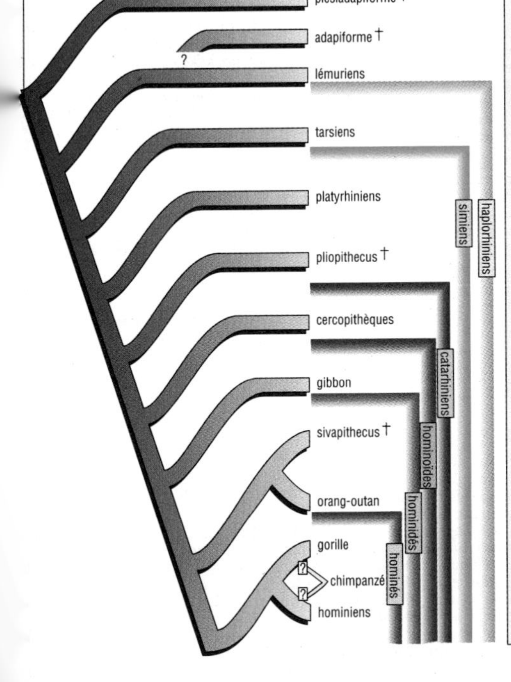

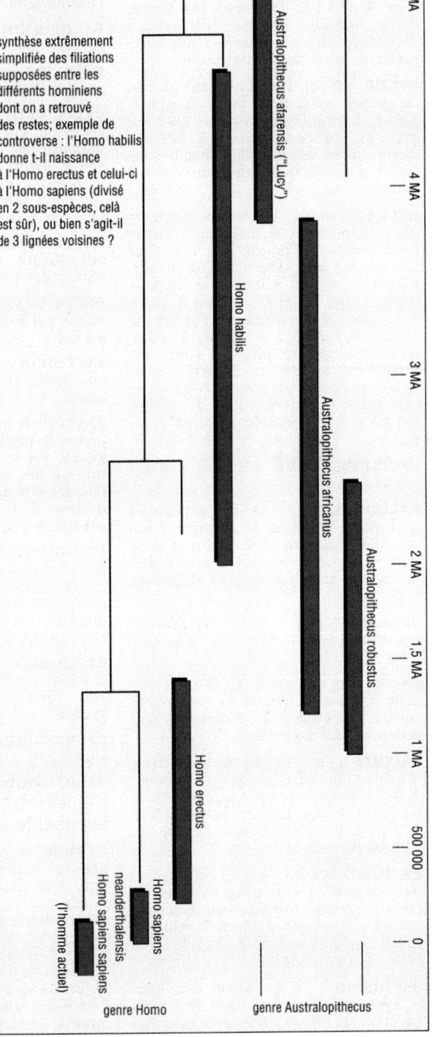

de petit volume). **2.** ANTHROP Pratiquer l'excision sur.

excision n. f. **1.** Action d'exciser. **2.** ANTHROP Ablation rituelle du clitoris et, parfois, des petites lèvres pratiquée dans l'enfance.

excitabilité n. f. PHYSIOL Propriété d'un organisme de répondre ou de réagir à l'action de stimulants.

excitable adj. Qui peut être excité; facile à exciter.

excitant, ante adj. Qui excite, stimule. *Une histoire excitante.* ▷ n. m. *Le café est un excitant.*

excitation n. f. **1.** Action d'exciter (l'esprit, une personne); son résultat. *Excitation à la violence. Son excitation est extrême.* **2.** PHYSIOL État d'activité d'un élément nerveux ou musculaire, s'accompagnant de phénomènes électriques et physico-chimiques. **3.** ELECTR Production d'un champ magnétique dans un moteur ou un générateur au moyen des électro-aimants du circuit inducteur. **4.** PHYS NUCL *Excitation d'un atome, d'une molécule,* passage du niveau d'énergie de cet atome, de cette molécule à un autre, plus élevé.

excité, ée adj. **1.** Qui est dans un état de grande excitation; agité, énervé. ▷ Subst. *Une poignée d'excités. Qu'est-ce que c'est que cette excitée ?* **2.** PHYS NUCL *Atome excité,* devenu plus réactif sous l'effet d'une action extérieure (rayonnement, etc.).

exciter v. tr. [**1**] **1.** Stimuler l'activité (du système nerveux, de l'esprit). *Exciter l'imagination.* – Par ext. *Être excité par une drogue, une idée.* ▷ *Spécial.* Irriter. *Exciter un animal.* – Provoquer le désir sensuel chez (qqn). ▷ v. pron. *S'exciter.* **2.** *Exciter à :* entraîner, pousser à. *Exciter le peuple à la révolte.* **3.** Faire naître ou rendre plus vif (une sensation, un sentiment). *Exciter l'appétit. Exciter la rage de qqn.* **4.** ELECTR Envoyer un courant continu dans le circuit inducteur d'un moteur ou d'un générateur.

exclamatif, ive adj. Qui marque l'exclamation.

exclamation n. f. **1.** Cri, expression traduisant l'émotion, la surprise. *Pousser une exclamation.* **2.** *Point d'exclamation :* signe de ponctuation (!) utilisé après une exclamation ou une phrase exclamative.

exclamer (s') v. pron. [**1**] Pousser des exclamations. *S'exclamer d'admiration.*

exclu, ue adj. et n. **1.** Qui est mis dehors, renvoyé. *Personnes exclues* ou, subst., *les exclus.* **2.** Repoussé, non accepté. *Vous laisser seul, c'est exclu !*

exclure v. tr. [**78**] **1.** Mettre dehors, renvoyer (qqn). *Exclure qqn d'un groupe.* **2.** Ne pas admettre (qqn, qqch). *Exclure qqn d'un partage. Exclure une hypothèse.* **3.** Être incompatible avec. *La pauvreté n'exclut pas la fierté.*

exclusif, ive adj. **1.** Qui est le privilège de qqn à l'exclusion des autres. *Pouvoir exclusif. Une interview exclusive.* ▷ COMM *Un produit exclusif.* **2.** Qui ne s'intéresse qu'à son objet en excluant le reste. *Amour exclusif.*

exclusion n. f. **1.** Action d'exclure. ▷ Loc. prép. *À l'exclusion de... :* en excluant. **2.** PHYS NUCL *Principe d'exclusion de Pauli-Fermi,* selon lequel deux particules ne peuvent être dans le même état (de position, de spin, d'énergie).

exclusive n. f. Mesure d'exclusion. *Prononcer, jeter l'exclusive contre qqn.*

exclusivement adv. **1.** Uniquement. *Étudier exclusivement la chimie.* **2.** En n'incluant pas. *De janvier à juillet exclusivement.*

exclusivité n. f. Droit exclusif de vendre un produit. – Spécial. *Journal qui a l'exclusivité d'un reportage, d'une photo.* ▷ Loc. adv. *En exclusivité. Film qui passe en exclusivité.* ▷ *Par ext.* Produit vendu, exploité par une seule firme. *C'est une exclusivité de notre maison.* – *Spécial.* Information importante donnée par un média.

excommunication n. f. **1.** Sanction par laquelle l'autorité ecclésiastique sépare un chrétien de la communauté des fidèles. **2.** *Par ext.* Exclusion d'une société, d'un groupe.

excommunié, ée adj. et n. Se dit d'une personne qui a fait l'objet d'une excommunication.

excommunier v. tr. [**2**] Prononcer l'excommunication de.

excoriation n. f. Didac. Écorchure superficielle.

excorier v. tr. [**2**] Didac. Écorcher légèrement (la peau).

excrément n. m. Toute matière évacuée du corps de l'homme ou des animaux par les voies naturelles (urine, sueur, matières fécales). – Spécial. *Les excréments :* les matières fécales. ▷ Fig., vx Chose ou personne vile, déchet. *« Excrément de la terre » (La Fontaine).*

excrémentiel, elle [ekskʀemɑ̃sjɛl] adj. Relatif aux excréments; de la nature des excréments.

excréter v. tr. [**14**] PHYSIOL Évacuer, éliminer par excrétion. – Pp. adj. *Matières excrétées.*

excréteur, trice ou **excrétoire** adj. PHYSIOL Qui excrète. *Canaux excréteurs.*

excrétion n. f. **1.** PHYSIOL Processus par lequel le produit de la sécrétion d'une glande est rejeté hors de celle-ci (par un ou des canaux). – *Spécial.* Rejet des déchets de l'organisme (partic. des déchets de la nutrition). **2.** (Plur.) Les substances excrétées elles-mêmes.

excroissance n. f. Tumeur de la peau ou des muqueuses, formant une proéminence superficielle (verrue, polype, etc.). ▷ BOT Boursouflure produite par un parasite, une cicatrisation, etc., sur un végétal.

excursion n. f. Parcours et visite d'une région dans un but touristique. *Faire une excursion au Mont-Saint-Michel.*

excursionner v. intr. [**1**] Faire une excursion.

excursionniste n. Vieilli Personne qui fait une excursion.

excusable adj. Qui peut être excusé.

excuse n. f. **1.** Raison que l'on apporte pour se disculper ou disculper qqn. ▷ DR *Excuses légales :* faits déterminés par la loi, qui entraînent une diminution *(excuses atténuantes)* ou une exemption *(excuses absolutoires)* de la peine. **2.** Raison alléguée pour se soustraire à une obligation ou pour justifier le fait de s'y être soustrait. *Il a toujours de bonnes excuses pour ne pas faire son travail.* ▷ DR Motif légal allégué pour être dispensé de siéger comme juré, d'être tuteur. **3.** (Surtout au plur.) Témoignage des regrets que l'on a d'avoir offensé qqn, de lui avoir causé du tort. *Faire des excuses à qqn.* **4.** Au jeu de tarot, carte imprenable jouée pour ne pas avoir à fournir de l'atout ou de la couleur demandée.

excuser v. [**1**] **I.** v. tr. **1.** Pardonner (une personne, une action); ne pas tenir rigueur à qqn de (qqch). *Nous ne pouvons excuser une telle erreur. Excusez-moi de vous avoir dérangé.* – *Veuillez m'excuser* (formule de politesse). **2.** Servir d'excuse à. *Sa jeunesse excuse son impertinence.* **3.** Dispenser (qqn) d'une obligation. *À l'assemblée générale étaient excusés les représentants suivants...* **II.** v. pron. **1.** Présenter ses excuses. *Il s'excuse de ne pas venir.* **2.** (Passif) Être tolérable, pardonnable. *C'est une erreur qui ne peut s'excuser.*

exeat [egzeat] n. m. inv. RELIG CATHOL Permission de quitter son diocèse donnée par un évêque à un ecclésiastique.

exécrable adj. **1.** Vx Dont on doit avoir horreur. *Un crime exécrable.* **2.** Mod. Très mauvais. *Un vin exécrable.*

exécrablement adv. D'une façon exécrable.

exécration n. f. **1.** Litt. Horreur extrême, dégoût, aversion. *Être voué à l'exécration des siens.* **2.** Personne, chose que l'on exècre.

exécrer v. tr. [**14**] Abhorrer, haïr; avoir une vive répugnance pour.

exécutable adj. Susceptible d'être exécuté. *Projet facilement exécutable.*

exécutant, ante n. **1.** Personne qui exécute une chose (par oppos. à celui qui la commande ou la conçoit). *Ce ne sont que des exécutants, c'est leur chef qu'il faut punir.* **2.** MUS Musicien, qui joue sa partie dans un ensemble musical. *Un orchestre de cinquante exécutants.*

exécuter A. v. tr. [**1**] **I.** (Compl. n. de chose.) **1.** Mettre à effet, accomplir. *Exécuter un projet, une mission.* – Pp. *Ordres mal exécutés.* ▷ DR Rendre effectif (un acte). *Exécuter un traité, une sentence.* **2.** Faire, réaliser (un ouvrage). *Exécuter un tableau, une fresque.* **3.** MUS Jouer, chanter, représenter (une œuvre musicale). *Exécuter un opéra.* – Pp. *Sonate magistralement exécutée.* **4.** Faire (un mouvement réglé d'avance). *Exécuter un pas de danse.* **II.** (Compl. n. de personne.) **1.** Mettre à mort par autorité de justice. *Exécuter un condamné à mort.* ▷ *Par ext.* Tuer, abattre (avec préméditation, de sang-froid). *Les gangsters ont exécuté tous leurs otages.* **2.** DR *Exécuter un débiteur,* le saisir par autorité de justice. **B.** v. pron. Se déterminer à faire une chose (partic. une chose pénible). *On le menaçait de saisie s'il ne payait pas, il s'est exécuté sur-le-champ.*

exécuteur, trice n. Personne qui exécute. **1.** DR *Exécuteur testamentaire* chargé par le testateur de l'exécution du testament. **2.** Anc. *L'exécuteur des hautes œuvres* ou, absol., *l'exécuteur* le bourreau.

exécutif, ive adj. et n. m. Chargé de faire exécuter les lois; relatif à leur exécution. *Le pouvoir exécutif* ou, n. m., *l'exécutif.*

exécution n. f. **1.** Action d'exécuter, d'accomplir (qqch). *L'exécution d'une promesse.* ▷ DR Action de mettre à effet son résultat. *Exécution d'une sentence, d'une peine.* **2.** Action de réaliser (ce qui a été conçu). *L'exécution des travaux a été confiée à cette entreprise.* **3.** MUS Réalisation vocale ou instrumentale d'une œuvre. *Une symphonie grandiose gâchée par une exécution déplorable.* **4.** Action d'exécuter (qqn). *L'exécution d'un condamné à mort,* ou *exécution capitale.*

exécutoire adj. DR Qui doit être mis à exécution; qui permet de mettre à exécution. *Les lois sont exécutoires à partir du lendemain de leur promulgation.* – *Formule exécutoire :* formule figurant sur les décisions de justice et les actes notariés, par laquelle il est ordonné aux agents de la force publique de prêter main-forte à leur exécution (ces actes et décisions ont ainsi *force exécutoire*).

exèdre n. f. **1.** ANTIQ Salle de réunion munie de sièges. **2.** ARCHI Partie du fond d'une basilique chrétienne munie d'un banc en demi-cercle; ce banc lui-même.

exégèse n. f. Didac. Critique et interprétation (philologique, historique, etc.), des textes, en partic. de la Bible. *L'exégèse biblique moderne s'attache à l'étude des textes les plus anciens.*

exégète n. m. **1.** ANTIQ GR Interprète officiel des rites, des oracles. **2.** Didac. Personne qui se consacre à l'exégèse.

Exelmans (Rémi Joseph Isidore, comte) (Bar-le-Duc, 1775 - Paris, 1852), général de cavalerie des armées napoléoniennes. Prisonnier des Anglais, évadé (1812), il se distingua à Rocquencourt (1815). Grand chancelier de la Légion d'honneur en 1850, et maréchal de France en 1851.

1. exemplaire n. m. Chacun des objets (livre, gravure, médaille, etc.) tirés en série d'après un type commun. *Roman tiré à dix mille exemplaires.* – *Contrat en trois exemplaires.*

2. exemplaire adj. **1.** Qui peut servir d'exemple, de modèle. *Une conduite exemplaire.* **2.** Dont la rigueur doit servir de leçon. *Une sanction exemplaire.*

exemplairement adv. D'une manière exemplaire.

exemplarité n. f. Caractère de ce qui est exemplaire. ▷ DR *L'exemplarité de la peine.*

exemple n. m. **1.** Action que l'on considère comme pouvant ou devant être imitée. *Donner l'exemple, le bon exemple. Suivre l'exemple de ses aînés.* ▷ Loc. prép. *À l'exemple de :* en se conformant à l'exemple donné par, en imitant. *À l'exemple des Anciens.* ▷ Personne servant de modèle, digne d'en servir. *Un exemple pour les jeunes gens.* **2.** Peine, châtiment qui peut servir de leçon. *Punir qqn pour l'exemple. Faire un exemple.* **3.** Acte, événement, personnage analogue à celui dont on parle et auquel on se réfère pour appuyer son propos. *L'Histoire est pleine de pareils exemples.* ▷ *Spécial.* Texte, phrase, expérience cités comme cas particulier illustrant une règle générale, une théorie, etc. *Un exemple vous aidera à comprendre.* **4.** Loc. adv. *Par exemple* (pour introduire un exemple). *Prenez, par exemple, le produit de 2 par 3. Dans une opération quelconque, une multiplication, par exemple...* **5.** Loc. exclam. *Par exemple!* (marquant la surprise, l'incrédulité). *Ah ça, par exemple!*

exempt, empte [ɛgzɑ̃, ɑ̃t] adj. **1.** Dispensé de, non assujetti à. *Exempt de service. Exempt d'impôts.* **2.** Garanti, préservé. *Exempt d'infirmité.* **3.** Dépourvu, sans. *Un compte exempt d'erreurs.*

exempter v. tr. [1] Dispenser de, affranchir de (une charge, une obligation). *Exempter d'impôts.* – Pp. adj. *Jeune homme exempté (du service militaire).*

exemption n. f. Dispense, affranchissement. *Demander une exemption de service.*

exequatur [egzekwatyʀ] n. m. inv. (Mot lat.) DR **1.** Ordonnance par laquelle les tribunaux donnent force exécutoire à une sentence rendue par un arbitre ou à l'étranger. **2.** Décret par lequel le chef de l'État autorise un consul étranger à exercer ses fonctions dans le pays où il réside.

exercer v. [12] **I.** v. tr. **1.** Dresser, former par une pratique fréquente. *Exercer des soldats à tirer. Exercer un cheval.* **2.** Mettre fréquemment en activité (une faculté) pour la développer. *Exercer sa mémoire, son intelligence.* ▷ Par ext. *Exercer la patience de qqn,* la mettre à l'épreuve. **3.** Pratiquer (une profession). *Exercer un métier. Exercer la médecine.* ▷ (S. comp.) *Il exerce déjà.* **4.** Faire usage de. *Exercer un droit. Exercer ses talents.* **5.** Produire, faire (un effet). *Exercer de l'influence sur qqn.* **II.** v. pron. **1.** S'entraîner par la pratique. *S'exercer à chanter.* **2.** (Passif) Se faire sentir. *Force qui s'exerce sur un corps.*

exercice n. m. **1.** Action d'exercer, de s'exercer. *Apprendre qqch par un long exercice.* **2.** Action d'user de qqch. *L'exercice d'un droit.* **3.** Action de remplir des fonctions. *Dans l'exercice de sa profession.* **4.** Travail propre à exercer (un organe, une faculté). *Exercices pour la voix. Exercices de rééducation d'un membre malade.* ▷ Devoir donné aux élèves pour qu'ils s'exercent à faire ce qu'ils ont appris. *Exercice grammatical.* **5.** Mouvement pour exercer le corps. *Vous ne faites pas assez d'exercice.* ▷ MILIT Action de s'exercer au maniement des armes, à la pratique militaire. *Faire faire l'exercice aux jeunes recrues.* **6.** FIN Période (généralement de 12 mois) comprise entre deux inventaires, entre deux budgets consécutifs. *Bilan de fin d'exercice.*

exerciseur n. m. SPORT Appareil de gymnastique servant à développer les muscles.

exérèse n. f. CHIR Ablation chirurgicale d'un organe, d'un tissu, ou extraction d'un corps étranger.

exergue n. m. **1.** Espace réservé sur une médaille pour y graver une date, une devise; cette inscription. **2.** Fig. Avertissement, citation, placés avant le début d'un texte et nettement séparés de lui, destinés à en éclairer le sens ou à l'appuyer. *Mettre un proverbe en exergue.* Syn. épigraphe.

Exeter, v. et port d'Angleterre; ch.-l. du Devonshire; 101 100 hab. Constr. méca., papeterie, brasserie. – Cathédrale (XIIe-XIVe s.).

exfoliation n. f. **1.** Didac. Chute des parties mortes de l'écorce d'un arbre. ▷ Fait, pour une roche, de se détacher naturellement en plaques (ex. : les lauzes) ou en bancs (ex. : les schistes). **2.** MED Séparation par lamelles des parties mortes d'un os, d'un tendon, etc. – Destruction des couches superficielles de l'épiderme.

exfolier v. tr. [2] TECH Séparer en lames fines, en plaques. *Exfolier de l'ardoise, du schiste. Exfolier un tronc d'arbre,* le débarrasser de son écorce. – v. pron. *Tronc d'un bouleau qui s'exfolie.*

exhalaison [egzalɛzɔ̃] n. f. Gaz, odeur, vapeur qui s'exhale d'un corps. *Des exhalaisons pestilentielles.*

exhalation n. f. Action d'exhaler. ▷ PHYSIOL Évaporation qui se produit continuellement à la surface de la peau du fait de la transpiration.

exhaler [egzale] v. tr. [1] **1.** Répandre (une odeur, un gaz, des vapeurs, etc.). *Bouquet qui exhale un parfum lourd.* ▷ v. pron. *Odeur qui s'exhale.* ▷ Par anal. *Exhaler un soupir.* **2.** Fig., litt. Exprimer avec force. *Exhaler sa rage, sa colère.*

exhaussement [egzosmɑ̃] n. m. Élévation. *Exhaussement d'un sol, d'une construction.*

exhausser [egzose] v. tr. [1] Rendre plus haut. *Exhausser le sol. Exhausser un mur.*

exhaustif, ive [egzostif, iv] adj. Qui épuise une matière, un sujet. *Cette liste n'est pas exhaustive.*

exhaustivement adv. D'une manière exhaustive.

exhaustivité n. f. Didac. Caractère de ce qui est exhaustif.

exhiber v. tr. [1] **1.** DR Produire en justice. *Exhiber un titre de propriété.* **2.** Montrer, faire étalage de. *Exhiber ses décorations.* ▷ Fig. *Exhiber son adresse au tir à l'arc.* ▷ v. pron. Se produire, s'afficher en public. **3.** Cour. Montrer, mettre en évidence. *Exhiber des animaux dressés.*

exhibition n. f. **1.** DR Action de produire en justice. *L'exhibition d'un contrat.* **2.** Action de faire étalage de (qqch) avec ostentation. *Exhibition pédante de savoir.* **3.** Exposition en public. *Exhibition de fauves.*

exhibitionnisme n. m. **1.** Comportement morbide des sujets pathologiquement poussés à exhiber leurs organes génitaux. **2.** Fig. Goût de faire état sans pudeur de sentiments ou de faits personnels et intimes.

exhibitionniste n. et adj. **1.** Personne atteinte d'exhibitionnisme. ▷ adj. *Comportement exhibitionniste.* **2.** Fig. Personne qui aime à faire état de choses personnelles et intimes. ▷ adj. *Elle est trop exhibitionniste.*

exhortation n. f. Discours par lequel on exhorte.

exhorter v. tr. [1] Encourager, exciter (qqn) par un discours. *Exhorter les troupes.* ▷ Engager vivement (qqn à faire une chose) par un discours persuasif. *L'avocat exhorta les jurés à la clémence.* ▷ v. pron. (Réfl.) *S'exhorter au calme.* – (Récipr.) *Ils s'exhortent au courage.*

exhumation n. f. Action d'exhumer un cadavre; son résultat. ▷ Fig. *L'exhumation du passé.*

exhumer v. tr. [1] **1.** Tirer (un cadavre) de sa sépulture, de la terre. Ant. inhumer. ▷ *Par ext.* Retirer de la terre (ce qui y était enfoui). *Les fouilles ont permis d'exhumer les ruines d'un rempart.* **2.** Fig. Tirer de l'oubli, retrouver. *Exhumer de vieux parchemins.*

exigeant, ante adj. Qui a l'habitude d'exiger beaucoup. *Un chef exigeant.* ▷ (Choses) *Un sport exigeant,* qui demande beaucoup de qualités, de persévérance.

exigence n. f. **1.** Caractère d'une personne exigeante. *Il est d'une grande exigence.* **2.** Ce qui est exigé (par qqn, par les circonstances, etc.). *Des exigences intolérables.* ▷ *Spécial.* (plur.) Somme d'argent que l'on demande pour salaire. *Vos exigences sont trop élevées.*

exiger v. tr. [13] **1.** Réclamer, en vertu d'un droit réel ou que l'on s'arroge. *Exiger le paiement de réparations.* – *Exiger que* (+ subj.) *Il exige qu'on vienne.* **2.** (Sujet nom de chose.) Imposer comme obligation. *Allez-y, le devoir l'exige. Les circonstances exigent que vous* *refusiez.* ▷ Nécessiter. *Construction qui exige beaucoup de main-d'œuvre.*

exigibilité n. f. **1.** DR Caractère de ce qui est exigible. *L'exigibilité d'une dette.* **2.** FIN *Les exigibilités :* les sommes dont les créanciers peuvent demander le remboursement immédiat.

exigible adj. Qui peut être exigé. – DR *Dette exigible,* dont on peut exiger sur-le-champ le remboursement.

exigu, uë [egzigy] adj. Restreint, insuffisant, très petit. *Logement exigu.*

exiguïté n. f. Caractère de ce qui est exigu.

exil n. m. **1.** Action d'expulser qqn hors de sa patrie sans possibilité de retour; condition de celui qui est ainsi banni. *Il a été condamné à l'exil. Vivre en exil.* – Absol. *L'Exil :* la déportation des juifs à Babylone par Nabuchodonosor. ▷ Lieu où vit l'exilé. *L'Angleterre fut, sous la Révolution, l'exil privilégié des émigrés.* **2.** Fig. Séjour obligé et pénible loin de ses proches, de ce à quoi l'on est attaché. *La vie si loin de vous m'est un dur exil.*

Exil (l'), la *Captivité* des Juifs *à Babylone* au VIe s. av. J.-C.

exilé, ée adj. et n. Condamné à l'exil; qui vit en exil. *Un opposant exilé.* ▷ Subst. *Les exilés politiques.*

exiler 1. v. tr. [1] Condamner (qqn) à l'exil. *Exiler un opposant.* – Fig. Éloigner. *Exiler en province un fonctionnaire.* **2.** v. pron. (Réfl.) S'expatrier, partir loin de son pays. *Il a décidé de s'exiler outre-Atlantique.*

exinscrit, ite [egzɛ̃skʀi, it] adj. GEOM *Cercle exinscrit,* tangent à l'un des côtés d'un polygone et aux prolongements des autres côtés. *Le triangle possède un cercle inscrit et trois cercles exinscrits.*

existant, ante adj. et n. m. **1.** adj. Qui existe, a une réalité; actuel. **2.** n. m. Ensemble de ce qui appartient à une entreprise à une date donnée.

existence n. f. **1.** Fait d'être, d'exister. *L'existence d'un peuple, d'un fait.* **2.** PHILO *L'existence :* la réalité de l'être (par oppos. à *essence*). **3.** État de ce qui existe. *Existence d'une institution.* ▷ Durée de ce qui existe. *Notre association a deux ans d'existence.* **4.** Vie et manière de vivre de l'homme. *Arriver au bout de son existence. Existence heureuse, pénible.*

existentialisme n. m. PHILO Mouvement philosophique moderne, ensemble de doctrines qui ont en commun le fait de placer au point de départ de leur réflexion l'existence vécue de l'individu, de l'homme dans le monde, et la primauté de l'existence sur l'essence. *« L'existentialisme est un humanisme » (J.-P. Sartre).*

existentialiste adj. et n. Qui a rapport à l'existentialisme, qui y adhère. *Philosophe existentialiste.* ▷ Subst. *Un(e) existentialiste.*

existentiel, elle adj. **1.** Qui ressortit à l'existence en tant que réalité vécue. **2.** MATH *Quantificateur existentiel :* symbole, noté $\exists$, qui signifie « il existe au moins un objet tel que... ».

exister v. tr. [1] **1.** PHILO Être en réalité, effectivement. *« Celui qui n'est pas ne peut pas se tromper; et j'existe par le fait même que je me trompe » (saint Augustin).* – Cour. *« Si Dieu n'existait pas, il faudrait l'inventer » (Voltaire). Une chose pareille ne saurait exister.* ▷ v. impers. *Il existe :* il y a (insistant sur la réalité du fait). *Il existe un maire par commune.* **2.** Être actuellement, subsister. *Ce monument n'existe plus.* ▷ Vivre. *Il a cessé d'exister :* il est mort. **3.** Avoir de l'importance, compter. *Elle avait l'impression de ne plus exister à ses yeux.*

exit [egzit] mot lat. inv. THEAT Dans une pièce, indication scénique signifiant « il sort ». ▷ Fig., fam. Indique ironiquement que l'action de qqn ou qu'un processus touche à sa fin. *Exit la baisse des impôts.*

exitance n. f. PHYS Quotient, exprimé en watts par m² *(exitance énergétique),* de la puissance que rayonne une surface émettrice et de l'aire de celle-ci. *L'exitance lumineuse s'exprime en lumens par m².*

ex-libris [ɛkslibʀis] n. m. inv. (Mot lat.) Vignette que l'on colle à l'intérieur d'un livre, sur laquelle est inscrit le nom du propriétaire; cette inscription.

ex nihilo [ɛksniilo] loc. adv. ou adj. (Mots lat.). À partir de rien. *Une œuvre ex nihilo.*

exo-. Élément, du gr. *exô,* « hors de ».

exobiologie n. f. ASTRO Branche de l'astronomie qui étudie la possibilité d'une vie hors de la planète Terre.

exocet [egzɔsɛ] n. m. ICHTYOL Poisson téléostéen des mers chaudes, long de 20 à 30 cm, qui accomplit des sauts de plusieurs mètres hors de l'eau grâce à des nageoires pectorales extrêmement développées. *L'exocet est couramment appelé « poisson volant ».*

exocet en vol

exocet [egzɔsɛt] n. m. inv. (Nom déposé.) MILIT Nom donné à un missile français automatique.

exocrine adj. PHYSIOL *Glandes exocrines,* à sécrétion externe, soit directement en milieu extérieur (par la peau, par un canal excréteur), soit au niveau d'une muqueuse. Ant. endocrine.

exocytose n. f. BIOL Rejet des déchets cellulaires dans les espaces intercellulaires.

exode n. m. **1.** Émigration de tout un peuple. *L'exode des Hébreux hors d'Égypte* ou, absol. et avec une majuscule, *l'Exode.* ▷ *Par anal.* HIST *L'exode :* la fuite des populations hors des villes devant l'arrivée des armées allemandes en France, en mai-juin 1940. **2.** *Par ext.* Départ en masse d'une population, d'un lieu vers un autre. *L'exode des vacanciers. L'exode rural,* des campagnes vers les villes. ▷ Par anal. *L'exode des capitaux,* leur fuite en masse vers l'étranger.

Exode (l'), deuxième livre de la Bible* et du Pentateuque* qui relate la sortie d'Égypte des Hébreux, renvoyés par le pharaon et conduits par Moïse* (v. 1250 av. J.-C.). Princ. épisodes : le buisson* ardent, les dix plaies* d'Égypte, la pâque, le passage de la mer Rouge*, la manne céleste, les Dix Commandements, le veau d'or, la construction du Tabernacle.

exogamie n. f. ETHNOL Coutume, règle qui contraint les membres d'un clan à se marier hors de la famille ou de la tribu. Ant. endogamie.

exogène adj. **1.** Didac Qui provient de l'extérieur. *Facteurs exogènes de la crise économique.* **2.** BOT Qui se forme à la périphérie de l'organe. **3.** MED Dont la cause est extérieure. *Intoxication exogène.* **4.** GEOL Produit à la surface du globe terrestre, ou affectant cette surface. Ant. endogène.

exonération n. f. Action d'exonérer; son résultat.

exonérer v. tr. [14] Décharger, libérer (qqn) d'une obligation de paiement. *Exonérer un contribuable,* le dispenser du paiement de tout ou partie de l'impôt. ▷ *Par ext.* Pp. *Marchandise exonérée de taxes.*

exophtalmie n. f. MED Saillie du globe oculaire hors de l'orbite.

exophtalmique adj. MED De l'exophtalmie. *Goitre exophtalmique.*

exorbitant, ante adj. **1.** Excessif, démesuré. *Prix exorbitant. Exigences exorbitantes.* **2.** DR *Disposition, clause exorbitante du droit commun,* qui fait exception au droit commun.

exorbité, ée adj. *Yeux exorbités,* qui semblent sortir de leurs orbites (sous l'effet de la peur, de la surprise, etc.).

exorcisation n. f. Action d'exorciser.

exorciser v. tr. [1] Chasser (les démons) par des prières, par des cérémonies. – Délivrer (un possédé) des démons qui l'habitent.

exorcisme n. m. Cérémonie par laquelle on exorcise.

exorciste n. m. **1.** Celui qui exorcise. **2.** RELIG CATHOL Anc. Clerc qui a reçu de l'évêque le troisième ordre mineur (conférant le droit d'exorciser, auj. réservé à l'évêque du diocèse et à un prêtre délégué par lui).

exorde n. m. RHET Première partie d'un discours. – *Par ext.,* cour. Entrée en matière.

exoréique adj. GEOMORPH Se dit d'un réseau hydrographique, d'un cours

exode de la population civile française en mai et juin 1940 devant la progression des armées allemandes

d'eau en relation directe avec une mer ou un océan. Ant. endoréique.

exosphère n. f. ASTRO Couche extrême de l'atmosphère terrestre, au-delà de la thermosphère (au-dessus de 1 000 km env.).

exosquelette n. m. ZOOL Squelette chitineux externe des arthropodes.

exostose n. f. MED Tumeur osseuse bénigne se développant à la surface d'un os.

exotérique adj. Didac. Se dit d'une doctrine enseignée ouvertement et sous une forme accessible à tous. Ant. ésotérique, secret (1).

exothermique adj. CHIM Qualifie les réactions qui se produisent avec un dégagement de chaleur. Ant. endothermique.

exotique adj. **1.** Qui n'est pas originaire du pays dont il est question; étranger (par oppos. à *indigène*). *Coutumes exotiques.* **2.** Qui provient de contrées lointaines, et notam. des régions équatoriales et tropicales. *Plantes exotiques.*

exotisme n. m. **1.** Caractère de ce qui est exotique. **2.** Goût pour les choses exotiques.

exotoxine n. f. MICROB Toxine libérée dans le milieu extérieur par une bactérie sans qu'il y ait eu lyse bactérienne. Ant. endotoxine.

expansé, ée adj. TECH Se dit de certains matériaux cellulaires à base de matières plastiques ayant subi une expansion. *Polystyrène expansé.*

expansibilité n. f. PHYS Tendance d'un corps à occuper un plus grand espace.

expansible adj. PHYS Susceptible d'expansion.

expansif, ive adj. et n. **1.** TECH Qui tend à se dilater. **2.** Fig Ouvert de caractère, qui aime à communiquer ses sentiments. *Personne expansive.* – Par ext. *Caractère expansif.* ▷ Subst. *Ce n'est pas un expansif!*

expansion n. f. **I. 1.** Augmentation de volume ou de surface. **2.** PHYS Dilatation d'un fluide. *Expansion d'un gaz.* **3.** BOT, ZOOL Développement d'un organe. *Expansion membraneuse.* **4.** ECON Phase, souvent accompagnée d'inflation, dans laquelle l'activité économique et le pouvoir d'achat augmentent. *Politique d'expansion économique.* **5.** GEOGR *Expansion démographique* : accroissement de la population. **6.** ASTRO *Théorie de l'expansion de l'Univers,* suggérée par W. de Sitter dès 1919, vérifiée par Hubble (1929), selon laquelle l'Univers serait dans une phase de dilatation qui s'exprime par la fuite des galaxies. **II.** **1.** Action de s'étendre au-dehors. *L'expansion d'une doctrine,* sa propagation. **2.** Litt. Épanchement de l'âme, des sentiments.

expansionnisme n. m. Politique d'un État qui préconise pour lui-même l'expansion (territoriale, économique).

expansionniste n. et adj. **1.** Partisan de l'expansionnisme. ▷ adj. *La politique expansionniste d'un pays.* **2.** ECON Partisan de l'expansion économique. ▷ adj. Qui a rapport à l'expansion économique.

expansivité n. f. Didac. Caractère expansif.

expatriation n. f. **1.** Action d'expatrier; son résultat. **2.** Fait de s'expatrier.

expatrié, ée adj. et n. Qui a quitté son pays pour vivre dans un autre. ▷ Subst. *Les expatriés.*

expatrier **1.** v. tr. [**2**] Rare Obliger (qqn) à quitter sa patrie. **2.** v. pron. Quitter sa patrie. *Être obligé de s'expatrier pour trouver du travail.*

expectatif, ive n. f. et adj. **1.** Espérance, attente fondée sur des probabilités, des promesses. **2.** Attitude qui consiste à attendre prudemment qu'une solution se dessine avant d'agir. *Être, rester dans l'expectative.* **3.** adj. Attentiste. *Avoir une attitude expectative.*

expectorant, ante adj. et n. m. MED Qui facilite l'expectoration. *Médicament expectorant.* ▷ n. m. *Un expectorant.*

expectoration n. f. MED Action d'expectorer; substances expectorées.

expectorer v. tr. [**1**] MED Expulser par la bouche (les substances qui encombrent les voies respiratoires, les bronches).

1. expédient adj. m. Litt. (Dans la tournure impers.) *Il est expédient de* (faire une chose) : il est utile, à propos de...

2. expédient n. m. (Souvent péjor.) Moyen de résoudre momentanément une difficulté, de se tirer d'embarras par quelque artifice. *Chercher à tout prix un expédient. Vivre d'expédients* : recourir, pour assurer sa subsistance, à toutes sortes de moyens, y compris les plus indélicats.

expédier v. tr. [**2**] **I. 1.** Vieilli ou ADMIN Mener, terminer avec diligence. *Le président par intérim expédiera toutes les affaires courantes.* **2.** Mod., cour. Faire rapidement, bâcler (qqch) pour s'en débarrasser. *Expédier son travail.* – Fam. *Expédier qqn,* se débarrasser promptement de lui. *Expédier un importun.* **II.** Envoyer, faire partir. *Expédier une lettre, un colis.*

expéditeur, trice adj. Qui expédie (sens II). *Gare expéditrice.* ▷ Subst. *Retour à l'expéditeur.*

expéditif, ive adj. Qui mène les choses rondement ou qui les bâcle. *Il est très expéditif en affaires.* – Par ext. *Jugement expéditif.*

expédition n. f. **1.** Vieilli ou ADMIN Action d'exécuter avec diligence. *Expédition des affaires courantes.* **2.** Action d'envoyer, de faire partir. *Expédition d'un colis.* **3.** Entreprise de guerre hors des frontières. *L'expédition de Bonaparte en Égypte.* ▷ Par ext. *Expédition scientifique au pôle Nord.* – Iron. ou plaisant *Quelle expédition!* **4.** DR Copie littérale d'un acte judiciaire ou notarié.

expéditionnaire adj. et n. **I.** adj. **1.** DR Qui a pour tâche de faire les expéditions, les copies. *Commis expéditionnaire.* ▷ Subst. *Un(e) expéditionnaire.* **2.** Chargé d'une expédition militaire. *Le corps expéditionnaire.* **II.** n. Personne employée à l'expédition de marchandises.

expéditivement adv. D'une manière expéditive.

expérience n. f. **1.** Fait d'éprouver personnellement la réalité d'une chose. *Savoir par expérience que...* ▷ Spécial. *La philosophie classique oppose l'expérience et l'entendement.* **2.** Connaissance acquise par une longue pratique. *Avoir une grande expérience des affaires.* – (Absol.) *Il a de l'expérience.* **3.** Fait de provoquer un phénomène pour l'étudier. *Chercher par l'expérience la confirmation d'une hypothèse.* ▷ Par ext., cour. *Faire une chose à titre d'expérience. Tenter l'expérience.*

expérimental, ale, aux adj. **1.** Fondé sur l'expérience scientifique. *Claude Bernard a posé les fondements de la méthode expérimentale. Sciences expérimentales,* fondées sur l'expérimentation (par oppos. à *sciences exactes*) : physique, chimie, sciences naturelles. **2.** Qui sert d'expérience pour vérifier, améliorer (une technique, un appareil). *Vol expérimental d'un avion prototype.*

expérimentalement adv. De manière expérimentale.

expérimentateur, trice n. Personne qui fait des expériences scientifiques.

expérimentation n. f. Action d'expérimenter; usage méthodique de l'expérience scientifique.

expérimenté, ée adj. Instruit par l'expérience. ▷ *Par ext.* Exercé.

expérimenter v. tr. [**1**] Soumettre à des expériences pour vérifier, contrôler, juger, etc. *Expérimenter une nouvelle technique.* ▷ (S. comp.) Faire des expériences (dans les sciences expérimentales).

expert, erte adj. et n. m. **I.** adj. **1.** Qui a acquis une grande habileté par la pratique. *Un chirurgien expert. Il est expert en la matière.* ▷ n. m. *C'est un expert dans son domaine.* **2.** *Par ext.* Exercé. *Une oreille experte.* **II.** n. m. **1.** DR Spécialiste requis par une juridiction pour l'éclairer de ses avis, effectuer des vérifications ou appréciations techniques. *Liste des experts auprès des tribunaux. Médecin expert.* **2.** Spécialiste chargé d'apprécier la valeur et l'authenticité de certains objets. *Expert en tableaux.* **3.** INFORM (En appos.) *Système expert* : logiciel d'aide à la décision ou au diagnostic simulant le comportement d'un spécialiste par l'exploitation de connaissances explicites à un domaine particulier (médecine, géologie, etc.).

Expert (Henry) (Bordeaux, 1863 – Tourettes-sur-Loup, Alpes-Maritimes, 1952), musicologue français; il fut un pionnier de la redécouverte des compositeurs anciens en France.

expert-comptable n. Personne dont la profession consiste à établir et à vérifier les comptabilités et qui agit en engageant sa responsabilité. *Des experts-comptables.*

expertise n. f. Examen et rapport techniques effectués par un expert. *Procéder à une expertise.*

expertiser v. tr. [**1**] Soumettre à une expertise. *Expertiser un tableau.*

expiable adj. Qui peut être expié.

expiateur, trice adj. Litt. Propre à expier. *Peine expiatrice.*

expiation n. f. **1.** HIST, SOCIOL Cérémonie religieuse, rite destinés à apaiser la colère divine. **2.** Peine, souffrance par laquelle on expie une faute, un crime. ▷ RELIG CATHOL Rachat du péché par la pénitence.

expiatoire adj. Qui sert à expier. *Victime expiatoire.*

expier v. tr. [**2**] Réparer (un crime, une faute) par la peine qu'on subit. *Expier ses crimes par la prison.* ▷ Spécial. *Expier ses péchés.*

expirateur n. m. et adj. ANAT *Muscles expirateurs,* qui contribuent à l'expiration.

expiration n. f. **1.** Action par laquelle les poumons expulsent l'air qu'ils ont inspiré. **2.** Fig. Échéance d'un terme prescrit ou convenu. *Expiration d'un contrat.*

expiratoire adj. Qui se rapporte à l'expiration.

expirer v. [1] **I.** v. tr. Rejeter (l'air inspiré dans les poumons). **II.** v. intr. **1.** Rendre le dernier soupir, mourir. *Il a expiré dans la nuit.* ▷ *Par ext.* S'évanouir, disparaître. *La lueur expira peu à peu.* **2.** Arriver à son terme. *Votre bail expire à la fin du mois.*

explétif, ive adj. et n. m. GRAM Se dit des mots qui entrent dans une phrase sans être nécessaires pour le sens. *Dans « il a peur que je ne parte », « ne » est explétif.* ▷ n. m. *Un explétif.*

explicable adj. Qui peut être expliqué.

explicatif, ive adj. Qui sert à expliquer. *Notice explicative.*

explication n. f. **1.** Développement destiné à faire comprendre qqch, à en éclaircir le sens. *L'explication d'un point difficile.* **2.** Motif, raison d'une chose. *On ne trouve pas d'explication à cette panne subite.* **3.** Justification, éclaircissement sur la conduite (de qqn). *Demander des explications à qqn.* ▷ Discussion pour justifier, éclaircir. *Avoir une explication avec qqn.*

explicitation n. f. Didac. Action de rendre explicite.

explicite adj. Énoncé clairement et complètement, sans ambiguïté. *S'exprimer en termes explicites.* – Par ext. *Il a été tout à fait explicite.*

explicitement adv. De façon explicite.

expliciter v. tr. [1] Énoncer clairement, formellement. – Pp. adj. *Clause explicitée dans le contrat.*

expliquer v. [1] **I.** v. tr. **1.** Éclaircir, faire comprendre (ce qui est obscur). *Expliquer un phénomène, un point difficile.* **2.** Faire connaître, développer en détail. *Expliquer ses projets.* – Donner les raisons de, justifier. *Comment expliquerez-vous votre retard ?* **II.** v. pron. **1.** Faire connaître sa pensée. *S'expliquer clairement.* **2.** Avoir une explication (sens 3). *Nous nous sommes expliqués, et maintenant tout est clair.* ▷ Fam. Se battre (pour vider une querelle). *On va aller s'expliquer dehors !* **3.** (Choses) Devenir clair; être aisément compréhensible. *Tout s'explique ! Une attitude qui s'explique difficilement.* **4.** (Personnes) Comprendre les raisons de. *Je m'explique mal votre hésitation.*

1. exploit n. m. Action d'éclat, prouesse. *De brillants exploits sportifs.* – Iron. (Par antiphr.) *Quel bel exploit !* ▷ Vx ou litt. Action d'éclat à la guerre.

2. exploit n. m. DR Acte de procédure signifié par un huissier. *Dresser un exploit.*

exploitable adj. **1.** Qui peut être cultivé, façonné, mis en valeur, etc. *Terres exploitables. Matériau exploitable. Documents exploitables.* **2.** Fig., péjor. Que l'on peut exploiter (1, sens II). *Un naïf exploitable.*

exploitant, ante adj. et n. Qui se livre à une exploitation. *Industriel exploitant.* ▷ Subst. *Un exploitant agricole.* – *Spécial.* Propriétaire ou directeur d'une salle de cinéma.

exploitation n. f. **1.** Action d'exploiter, de tirer profit d'une chose que l'on fait produire. *L'exploitation d'un domaine.* ▷ Action de faire fonctionner un réseau, une ligne aérienne, routière, ferroviaire, etc. *Service, agent d'exploitation.* **2.** Ce que l'on met en valeur, ce que l'on fait produire pour en tirer profit. *Une vaste exploitation agricole.* **3.** (Abstrait) Action de tirer parti (de qqch). *L'exploitation des résultats d'une enquête.* **4.** Péjor. Action d'utiliser à son seul profit (une personne, un sentiment, etc.). *Exploitation de la crédulité de qqn.* ▷ *Exploitation de l'homme par l'homme* : fait, pour une classe sociale, d'accaparer le profit tiré du travail d'autres classes sociales.

exploité, ée adj. (et n.) **1.** Dont on tire partie, mis en valeur. *Une mine exploitée.* **2.** (Abstrait) *Situation économique exploitée par certains profiteurs.* **3.** Dont on profite abusivement. *Groupe social exploité* ou, subst. *les exploités.*

1. exploiter v. tr. [1] **I.** **1.** Faire valoir, tirer parti de (qqch). *Exploiter une terre. Exploiter une usine.* **2.** (Abstrait) Tirer tout le bénéfice de (une situation). *Exploiter un succès, une victoire.* **II.** Péjor. Utiliser abusivement (qqn) pour son profit. *Exploiter les travailleurs.* ▷ Par ext. *Exploiter la sensibilité de qqn.*

2. exploiter v. intr. [1] DR Faire, signifier des exploits (2).

exploiteur, euse n. Péjor. Personne qui abuse de l'ignorance, de la position des autres, pour en tirer profit. *Un vil exploiteur de la crédulité publique.*

explorateur, trice n. et adj. **1.** Personne qui explore une région inconnue ou difficile d'accès. *Les grands explorateurs du XIX*^e^ *s.* **2.** n. m. MED Instrument qui sert à explorer l'organisme. ▷ adj. *Sonde exploratrice.*

exploration n. f. **1.** Action d'explorer (une région). *Exploration polaire.* **2.** MED Action d'explorer (un organe, une plaie, etc.).

exploratoire adj. Qui sert à préparer (une négociation, une recherche). *Réunion exploratoire. Phase exploratoire d'une enquête.*

explorer v. tr. [1] **1.** Visiter (une région inconnue ou difficile d'accès). *Explorer l'Amazonie. Explorer les environs.* ▷ Fig. Visiter en détail. *Explorer une bibliothèque.* **2.** MED Examiner (un organe, une région de l'organisme) par des méthodes spéciales : radiologie, sondage, cathétérisme, etc.

Explorer, nom générique d'une série de satellites américains chargés d'explorer l'espace dans un rayon de 60 000 km env. autour de la Terre (découverte des ceintures de Van Allen, étude de l'ionosphère, etc.).

exploser v. intr. [1] **1.** Faire explosion. *Obus qui explose.* **2.** Fig. Se manifester soudainement avec violence. *Sa colère explosa.* **3.** Fam. Augmenter brusquement. *Les prix explosent.* **4.** Fam. Manifester brusquement l'ensemble de ses qualités. *Un sportif qui explose.*

explosible adj. Susceptible de faire explosion.

explosif, ive adj. et n. **I.** adj. **1.** D'une explosion, relatif à une explosion. *Onde explosive.* **2.** Qui peut faire explosion. *Mélange explosif.* ▷ Fig. *Une situation explosive.* **3.** PHON *Consonne explosive* ou, n. f., *une explosive* : consonne que l'on prononce en arrêtant l'air chassé du larynx et en lui donnant brusquement passage. [p] et [b] sont des explosives. **4.** Se dit d'un sportif capable d'un effort intense et soudain. **II.** n. m. Substance susceptible de faire explosion.

ENCYCL Dans les explosifs proprement dits – les explosifs brisants (à la différence des poudres) – la vitesse de propagation est très élevée. La déflagration peut être provoquée par un choc, par une étincelle ou par l'intermédiaire d'un détonateur. L'expansion brutale des gaz dégagés donne lieu à une onde de choc dont les effets peuvent être considérables. Citons parmi les explosifs : l'acide nitrique et les nitrates, les chlorates et perchlorates, l'oxygène liquide, la nitroglycérine (matière première des dynamites) et les dérivés nitrés (trinitrotoluène, par ex.). Les corps susceptibles de fission ou de fusion nucléaire sont également appelés explosifs (nucléaires ou thermonucléaires). En temps de paix, les explosifs sont surtout utilisés dans les travaux publics (terrassements, exploitation minière, etc.). On utilise auj. les explosifs en vrac (bouillies, mélanges nitrates-fuel), de préférence aux explosifs à base de dynamite, du fait de leurs plus grandes sécurité et facilité de mise en œuvre. En France, la vente, la détention, le transport des explosifs sont réglementés par l'État.

explosion n. f. **1.** Action d'éclater avec violence. *L'explosion d'une mine, d'une chaudière.* ▷ CHIM Réaction violente accompagnée d'un dégagement d'énergie très élevé. *L'explosion est l'une des trois formes de la combustion.* ▷ PHYS NUCL *Explosion nucléaire,* due à la fission ou à la fusion nucléaire. ▷ *Moteur à explosion,* dans lequel l'énergie motrice est fournie par la combustion d'un mélange d'air et de combustible. **2.** Fig. Manifestation soudaine et violente. *L'explosion d'une révolte.*

exponentiation n. f. MATH Élévation à une puissance.

exponentiel, elle adj. **1.** MATH Où la variable, l'inconnue figure en exposant. *Une fonction exponentielle,* ou, n. f., *une exponentielle,* inverse de la fonction logarithme. *L'équation exponentielle* $e^x = a$ *correspond à* $x = \text{Log}\ a$. **2.** Didac. Qui croît ou décroît selon un taux de plus en plus fort. *Croissance démographique exponentielle.*

exponentiellement adv. De façon exponentielle, très rapidement.

exportable adj. Que l'on peut exporter.

exportateur, trice adj. et n. Qui exporte.

exportation n. f. **1.** Action d'exporter. **2.** Ensemble des marchandises exportées. Ant. importation.

exporter v. tr. [1] **1.** Vendre et transporter à l'étranger (des produits nationaux). *La France exporte des parfums.* Ant. importer. ▷ *Exporter des capitaux,* les placer à l'étranger. **2.** INFORM Sauvegarder des données sous un autre format ou vers un autre support.

exposant, ante n. **1.** Personne, entreprise qui fait une exposition de ses œuvres, de ses produits. **2.** n. m. MATH Indice que l'on porte en haut et à droite d'un nombre pour exprimer la puissance à laquelle il est porté. *L'exposant est 3 dans* 6^3 *qui égale* $6 \times 6 \times 6$.

exposé n. m. **1.** Développement présentant des faits, des idées. *Exposé d'une théorie.* **2.** Bref discours didactique.

exposer v. tr. [1] **I.** **1.** Mettre (qqch) en vue. *Exposer un tableau.* **2.** Fig. Présenter, faire connaître (des faits, des idées). *Exposer une thèse.* **II.** **1.** Placer (qqn, qqch) de manière à le soumettre à l'action de. *Exposer des plantes à la* *lumière. Maison bien exposée,* bien orientée par rapport au soleil et aux vents dominants. – PHOTO Soumettre (une surface sensible) à l'action de rayons lumineux. ▷ v. pron. *S'exposer au soleil.* **2.** Fig. Faire courir un risque à (qqn, qqch). *Exposer qqn à un danger. Exposer sa vie.* ▷ DR *Exposer un enfant,* l'abandonner. ▷ v. pron. *S'exposer à la mort.*

exposition n. f. **I. 1.** Action de mettre en vue. *Exposition de marchandises.* ▷ DR ANC Peine qui consistait à exposer un condamné sur la place publique. **2.** Présentation au public de produits commerciaux, d'œuvres d'art; lieu où on les expose. *Exposition des arts ménagers. Exposition de peinture.* **3.** Fig. Action d'exposer (des faits, des idées). *Exposition d'une doctrine.* ▷ LITTER Première partie d'une œuvre dans laquelle l'auteur expose le sujet, les caractères des personnages, etc. ▷ MUS Première partie d'une œuvre instrumentale (fugue, sonate), où les thèmes à développer sont présentés. **II. 1.** Orientation (d'une maison, d'un terrain). *Exposition au nord.* **2.** Action de soumettre à l'effet de. *Exposition au soleil.* – PHOTO Fait d'exposer une surface sensible à la lumière. **3.** DR *Exposition d'un enfant,* son abandon.

1. exprès, esse [ɛksprɛs] adj. et n. m. **1.** Énoncé de manière précise et formelle. *Défense expresse.* **2.** adj. inv. *Lettre, colis exprès,* confié, à son arrivée au bureau distributeur, à un préposé qui se déplace exprès pour le remettre au destinataire.– n. m. *Un exprès.*

2. exprès [ɛksprɛ] adv. **1.** Avec intention formelle. *Il l'a fait exprès.* **2.** Loc. *Un fait exprès :* une coïncidence, généralement fâcheuse, qui semble produite spécialement pour contrarier.

1. express adj. inv. et n. m. inv. Qui permet une liaison rapide. *Voie express. Train express :* train rapide qui ne s'arrête qu'à un petit nombre de stations. ▷ n. m. inv. *Un express.*

2. express adj. inv. et n. m. inv. *Café express,* fait dans un percolateur. ▷ n. m. inv. *Un express bien serré.*

expressément adv. D'une manière expresse. *Je l'ai dit expressément.*

expressif, ive adj. **1.** Qui exprime bien ce qu'on veut dire. *Terme expressif.* **2.** Qui a de l'expression. *Visage expressif.*

expression n. f. **1.** Manifestation d'une pensée, d'un sentiment, par le langage, le corps, le visage, l'art. *Expression par le dessin. Regard sans expression.* **2.** Mot, groupe de mots employés pour rendre la pensée. *Expression impropre.* ▷ *Au-delà de toute expression :* plus qu'on ne saurait dire. **3.** MATH *Expression algébrique :* ensemble de nombres et de lettres que relient des signes représentant les opérations à effectuer. ▷ *Réduire une fraction à sa plus simple expression,* la remplacer par une fraction égale dont les termes sont les plus petits possible. – Fig. *Réduire (qqch) à sa plus simple expression,* à son état le plus rudimentaire.

expressionnisme n. m. Forme d'art qui s'efforce de donner à une œuvre le maximum d'intensité expressive.

ENCYCL L'expressionnisme, dans le sens le plus large du terme, est une tendance permanente de l'art mais il s'est surtout manifesté au XXe s. dans les pays occidentaux qui connaissent une crise de civilisation. Angoisse, sens du tragique et volonté outrancière de les dire, de les crier, caractérisent l'expressionnisme; à la violence de l'intention correspond un goût avoué pour la recherche de l'effet. Van Gogh et Gauguin, puis Ensor, Munch et Matisse sont à l'origine des poussées expressionnistes contemp. : le mouvement allemand *Die Brücke* (1905-1913), qui réunit princ. Kirchner, Schmidt-Rottluff, Heckel, Pechstein et Nolde; le groupe munichois *Der Blaue Reiter* (1910/1911-1914), avec W. Kandinsky, F. Marc et A. Macke; les Viennois Schiele et Kokoschka; le groupe dit « de la Nouvelle Objectivité » (les Allemands Grosz, Dix, Beckmann); le groupe belge de Laethem-Saint-Martin (Permeke, de Smet, Van der Berghe). En France, les expressionnistes sont des isolés (Rouault, Pascin, Soutine, etc.), tandis qu'en Amérique latine (au Brésil, et plus encore au Mexique) ils lient leur violence à la conscience politique (Diego Rivera, Orozco, Siqueiros, Tamayo). À partir de 1945, la notion d'expressionnisme recouvre les recherches picturales abstraites et gestuelles tentées aux É.-U. (*Action painting* de Pollock, œuvres de De Kooning, Motherwell, etc.). En sculpture, le courant expressionniste est représenté par Lehmbruck, Barlach, Zadkine, Couturier et Germaine Richier. Dans le domaine de la littérature, l'expressionnisme se manifeste surtout à travers l'école allemande des années 1910-1920 (poèmes de G. Trakl, Heym, Stadler, Benn, Lasker-Schüler; pièces de théâtre de F. Wedekind, F. von Unruh, G. Kaiser, E. Toller). Le cinéma expressionniste a, lui aussi, voulu récuser l'objectivité. Ses recherches très poussées d'éclairage et de cadrage s'inscrivent dans un découpage en tableaux qui donne une nouvelle violence à l'espace et à l'action scéniques : R. Wiene (*le Cabinet du docteur Caligari,* 1919); P. Wegener (*le Golem,* 1920); F. Lang (*les Trois Lumières,* 1921); Murnau (*Nosferatu le vampire,* 1922); P. Leni (*le Cabinet des figures de cire,* 1924).

expressionniste adj. Relatif à l'expressionnisme. ▷ Subst. *Les expressionnistes allemands.*

expressivement adv. D'une manière expressive.

expressivité n. f. Caractère de ce qui est expressif.

exprimable adj. Qui peut être exprimé.

exprimer v. [1] **I.** v. tr. **1.** Manifester (une pensée, un sentiment) par le langage, par la mimique ou l'attitude, par des moyens artistiques. *Exprimer le fond de sa pensée. Exprimer son dédain par une moue. Musique qui exprime la joie.* **2.** Extraire par pression. *Exprimer le jus d'un fruit.* **II.** v. pron. *Il s'exprime mal en anglais. S'exprimer par gestes.*

expropriation n. f. DR Action d'exproprier. *Expropriation pour cause d'utilité publique, moyennant une indemnité. Expropriation par suite de saisie.*

exproprié, ée adj. et n. Qui est dépouillé légalement d'une propriété. *Personne expropriée.* – Subst. *Les expropriés ont fait appel.*

exproprier v. tr. [2] DR Dépouiller (qqn) de la propriété d'un bien par voie légale.

expulsé, ée n. Personne victime d'une expulsion.

expulser v. tr. [1] **1.** Chasser (qqn) du lieu où il était établi. *Expulser un locataire.* ▷ Par ext. *Expulser qqn d'une assemblée.* **2.** Évacuer (qqch) de l'organisme. *Expulser un calcul.*

expulsion n. f. **1.** Action d'expulser. *Expulsion d'un indésirable.* **2.** Action d'expulser de l'organisme. *L'expulsion des selles.* – Absol. MED Stade de l'accouchement où l'enfant est expulsé du corps maternel.

expurger v. tr. [13] Débarrasser (un texte) des passages jugés choquants, répréhensibles.

exquis, ise adj. **1.** Qui est très agréable aux sens, spécial. au goût ou à l'odorat, par sa délicatesse. *Un mets exquis. Un parfum exquis.* **2.** Qui a ou dénote du raffinement, de la délicatesse morale ou intellectuelle. *Courtoisie exquise. Personne exquise.*

exsangue [ɛgzɑ̃g] adj. **1.** D'une pâleur extrême (personne, visage). *Un malade exsangue.* **2.** MED Qui est privé de sang. *Tissus exsangues.* **3.** Fig. Privé de toute son énergie. *Un pays exsangue.*

exsanguino-transfusion n. f. MED Remplacement total du sang d'un malade, d'un nouveau-né, par transfusion sanguine massive et soustraction d'une quantité de sang équivalente. *Des exsanguino-transfusions.*

exsudat [ɛksyda] n. m. MED Liquide organique qui suinte au niveau d'une surface enflammée.

exsudation n. f. MED Suintement pathologique d'un liquide organique.

exsuder v. [1] **1.** v. intr. Suinter. **2.** v. tr. MED Émettre par exsudation.

extase n. f. **1.** Ravissement de l'esprit absorbé dans la contemplation au point d'être détaché du monde sensible. *Extase mystique.* **2.** *Par ext.* État d'une personne transportée par un sentiment de joie ou d'admiration extrême. *Tomber en extase devant un tableau.* **3.** MED État d'exaltation pathologique accompagné d'une perte de la sensibilité.

extasier (s') v. pron. [2] Manifester une admiration, un plaisir extrême.

extatique adj. **1.** Qui tient de l'extase. *Contemplation extatique.* **2.** Qui est en extase.

extemporané, ée adj. **1.** PHARM *Médicament extemporané,* destiné à être administré immédiatement. **2.** MED *Examen histologique extemporané,* pratiqué pendant une intervention chirurgicale.

extenseur adj. m. et n. m. **1.** adj. m. ANAT Qui assure l'extension (par oppos. à *fléchisseur*). *Les muscles extenseurs.* ▷ n. m. *L'extenseur de l'avant-bras.* **2.** n. m. Appareil de gymnastique utilisé pour développer les muscles.

extensibilité n. f. Didac. Caractère de ce qui est extensible.

extensible adj. Susceptible de s'étendre.

extensif, ive adj. **1.** Qui détermine l'extension. *Force extensive.* **2.** LING *Signification extensive d'un mot,* celle qu'il a prise par extension. **3.** AGRIC *Culture extensive,* effectuée sur des grandes surfaces, sans apport d'engrais, et dont le rendement est assez faible. **4.** ELEV *Élevage extensif,* pratiqué sur de vastes étendues. **5.** PHYS *Propriétés extensives,* qui dépendent de la quantité de matière.

extensifier v. tr. [1] Rendre plus extensive l'utilisation d'une terre.

extension n. f. **1.** Action d'étendre, de s'étendre; son résultat. ▷ PHYSIOL Mouvement déterminant l'ouverture de l'angle formé par deux os articulés. ▷ MED *Mise en extension :* méthode d'immobilisation des fractures. **2.** Augmentation de dimension. *Extension en largeur.* **3.** Fig. Développement, accroissement. *Extension d'une industrie.* ▷ LING Acception plus générale donnée au sens d'un mot. *C'est par extension que l'on dit d'un son qu'il est éclatant.* **4.** LOG *Extension d'un concept,* ensemble des objets auxquels il s'applique (par oppos. à *compréhension*). *L'extension de « vertébré » est plus grande que celle de « mammifère » et plus petite que celle de « animal ».* **5.** INFORM Tout périphérique ajouté à l'unité centrale d'un ordinateur.

exténuant adj. Très fatigant.

exténuation n. f. Litt. Action d'exténuer, de s'exténuer; son résultat.

exténuer v. tr. [1] Causer un grand affaiblissement à (qqn); épuiser. *Le voyage l'a exténué.* ▷ v. pron. *S'exténuer à travailler.*

extérieur, eure adj. et n. m. **I.** adj. **1.** Qui est au-dehors. *Côté extérieur.* – *Boulevards extérieurs,* situés à la périphérie d'une ville. – *Politique extérieure,* qui concerne les pays étrangers. ▷ GEOM *Angle extérieur d'un polygone,* formé par l'un de ses côtés et le prolongement d'un côté voisin. **2.** Apparent, visible. *Signes extérieurs de richesse.* **3.** Qui existe en dehors de l'individu. *Le monde extérieur.* **II.** n. m. **1.** Partie d'une chose visible du dehors. *L'extérieur d'une maison.* **2.** *L'extérieur :* les pays étrangers. *Nouvelles de l'extérieur.* **3.** Vieilli Apparence d'une personne. *Extérieur modeste.* **4.** CINE Scènes filmées en dehors des studios. **III.** Loc. adv. *À l'extérieur :* dans l'espace situé au-dehors.

extérieurement adv. **1.** À l'extérieur. **2.** Fig. En apparence.

extériorisation n. f. Action d'extérioriser.

extérioriser v. tr. [1] **1.** Manifester (un sentiment, une émotion). *Il a extériorisé son chagrin.* ▷ v. pron. *Joie qui s'extériorise.* **2.** PSYCHO Situer à l'extérieur de soi (ce qui n'existe que dans la conscience).

extériorité n. f. Didac. Caractère de ce qui est extérieur.

exterminateur, trice adj. et n. Qui extermine. ▷ *L'ange exterminateur,* qui, dans la Bible, reçut la mission de faire périr les premiers-nés des Égyptiens.

extermination n. f. Action d'exterminer. *Guerre d'extermination.*

exterminer v. tr. [1] Détruire en totalité (des êtres vivants), massacrer.

externalisation n. f. Action d'externaliser.

externaliser v. tr. [1] ECON Transférer à l'extérieur certaines activités de l'entreprise.

externalités n. f. pl. Facteurs externes (sociaux, écologiques, etc.) qui influent sur l'économie.

externat n. m. **1.** École où l'on ne reçoit que des élèves externes; régime de ces élèves. **2.** Fonction d'externe dans les hôpitaux.

externe adj. et n. **I.** adj. Situé au-dehors, tourné vers l'extérieur. *Face externe.* – *Médicament pour l'usage externe,* à ne pas absorber. ▷ GEOM *Angle externe :* angle supplémentaire de l'un des angles du triangle formé par trois droites qui se coupent. ▷ MATH *Loi de composition externe sur un ensemble E :* application du produit d'un ensemble E par un autre ensemble F à l'intérieur du premier ensemble E. **II.** n. **1.** Élève qui n'est ni logé ni nourri dans l'établissement scolaire qu'il fréquente. **2.** *Externe des hôpitaux :* étudiant en médecine assistant les internes, dans un service hospitalier.

exterritorialité n. f. DR Immunité exemptant les agents diplomatiques de la juridiction de l'État où ils se trouvent, les laissant soumis aux lois de l'État dont ils dépendent.

extincteur, trice adj. Destiné à éteindre. ▷ n. m. Appareil servant à éteindre un foyer d'incendie par projection de mousse, d'eau pulvérisée, de dioxyde de carbone, etc.

extinction n. f. **1.** Action d'éteindre; état de ce qui est éteint. *Extinction du feu.* – MILIT *Extinction des feux :* moment où toutes les lumières doivent être éteintes. ▷ TECH Arrêt de la combustion dans un propulseur. **2.** Fig. Cessation de l'existence. *Extinction de voix.* – *Extinction d'une dynastie.*

extirpable adj. Que l'on peut extirper.

extirpation n. f. Action d'extirper (une plante, une tumeur).

extirper v. tr. [1] **1.** Arracher (un végétal) avec sa racine. *Extirper des mauvaises herbes.* ▷ CHIR Enlever totalement. *Extirper une tumeur.* **2.** Fig., litt. *Extirper les abus.* **3.** Faire sortir avec difficulté. *Extirper qqn de son sommeil.* ▷ v. pron. *S'extirper d'une voiture.*

extorquer v. tr. [1] Obtenir (qqch) par la violence, la menace, la duplicité.

extorqueur, euse n. Litt. Personne qui extorque.

extorsion n. f. Action d'extorquer. *Extorsion de fonds.*

1. extra-. Préfixe (attaché au radical ou joint à lui par un trait d'union). **1.** Exprime l'extériorité. *Un acte extrajudiciaire.* **2.** Marque une valeur superlative de l'adjectif. *Extra-fin.*

2. extra n. inv. et adj. inv. **I.** n. m. inv. **1.** Ce que l'on fait en plus de l'ordinaire, spécial. en parlant des repas. **2.** Service exceptionnel en dehors des horaires de travail habituels; personne qui fait ce service. **II.** adj. inv. Fam. Supérieur par la qualité. *Vin extra.*

extraconjugal, ale, aux adj. Qui a lieu hors mariage.

extracorporel, elle adj. CHIR *Circulation extracorporelle,* réalisée par le cœur-poumon artificiel, en chirurgie cardiaque, et permettant l'arrêt et l'assèchement du cœur.

extracourant n. m. ELECTR Courant d'induction qui se produit lors de la mise en fonctionnement ou de la coupure d'un circuit.

extracteur n. m. TECH Organe qui extrait d'une arme à feu les douilles percutées.

extractible adj. Qu'on peut extraire.

extractif, ive adj. TECH Qui se rapporte à l'extraction. *Machine extractive.*

extraction n. f. **I.** **1.** Action d'extraire. ▷ CHIR Opération qui consiste à retirer (qqch d'une partie du corps). *Extraction d'un corps étranger, d'une dent.* **2.** MATH Action d'extraire la racine d'un nombre. **3.** CHIM Transfert de constituants d'une phase solide ou liquide dans une autre phase liquide appelée *solvant.* **4.** TECH *Extraction électrolytique :* récupération, par électrolyse, des métaux contenus dans une solution. **5.** DR Procédure de sortie de prison d'un détenu que l'on amène chez le juge d'instruction, à l'hôpital, etc. **II.** Fig., litt. Ascendance, origine. *Être de noble extraction.*

extrader v. tr. [1] DR Soumettre à l'extradition.

extradition n. f. DR Acte par lequel un gouvernement livre un individu prévenu d'un crime ou d'un délit au gouvernement sur le territoire duquel ce crime ou ce délit a été commis.

extrados [ɛkstʀado] n. m. **1.** ARCHI Surface extérieure d'une voûte ou d'un arc. **2.** AVIAT Face supérieure d'un plan d'avion. Ant. intrados.

extra-dry [ɛkstʀadʀaj] adj. inv. (Anglicisme) Très sec, en parlant d'une boisson alcoolisée, d'un alcool. *Champagne extra-dry. Vermouth extra-dry.*

extra-fin ou **extrafin, fine** adj. **1.** Très fin. *Petits pois extra-fins.* **2.** De qualité supérieure. *Café extra-fin.*

extra-fort ou **extrafort** n. m. Ganse pour border les ourlets, les coutures. *Des extra-forts.*

extragalactique adj. ASTRO Situé en dehors de notre galaxie. *Nébuleuse extragalactique.*

extra-hospitalier adj. Qui a lieu, qui est aménagé en dehors de l'hôpital.

extraire v. tr. [58] **1.** Tirer avec une certaine difficulté (une chose) de ce qui la contient. *Extraire une balle d'une plaie.* **2.** Séparer (une substance) d'une autre. *Extraire l'aluminium de la bauxite.* **3.** Tirer (un passage) d'une œuvre. *Extraire une citation.* **4.** MATH *Extraire la racine carrée, la racine $n^{ième}$ d'un nombre,* la calculer. ▷ *Extraire les entiers dans un nombre fractionnaire,* chercher combien de fois ce nombre contient l'unité.

extrait n. m. **1.** Substance extraite d'un corps par une opération physique ou chimique, et concentrée. *Extrait de café.* **2.** Passage tiré d'un texte. *Un extrait de la Bible.* ▷ *Spécial.* Copie conforme d'une partie d'un registre officiel. *Extrait de naissance.*

extrajudiciaire adj. DR Qui est hors de la procédure d'une instance judiciaire.

extralégal, ale, aux adj. Didac. En dehors de la légalité.

extralinguistique adj. Qui est extérieur au champ de la linguistique.

extralucide adj. Qui perçoit ce qui échappe à la conscience normale (l'avenir, les pensées d'autrui, etc.). *Des voyantes extralucides.*

extra-muros [ɛkstʀamyʀos] adv. En dehors de la ville. – adj. inv. *Quartier extra-muros.*

extranéité n. f. DR Qualité, statut d'étranger.

extraordinaire adj. et n. m. **I.** **1.** Qui étonne par sa singularité, sa bizarrerie. *Une aventure extraordinaire.* ▷ n. m. *Il est toujours attiré par l'extraordinaire.* **2.** Bien au-dessus de la moyenne. *Mémoire extraordinaire.* **II.** Qui fait exception. *Moyens extraordinaires.* – *Ambassadeur extraordinaire,* envoyé pour une circonstance particulière. ▷ FIN *Budget extraordinaire.*

extraordinairement adv. **1.** D'une façon extraordinaire. **2.** Extrêmement.

extraparlementaire adj. Qui se fait, qui existe en dehors du Parlement *Commission extraparlementaire.*

extrapatrimonial, ale, aux adj DR Qui est hors du patrimoine.

extrapolation n. f. **1.** Action de tirer une conclusion générale à partir de données partielles. **2.** MATH Action de calculer les valeurs d'une fonction en dehors de l'intervalle à l'intérieur duquel ces valeurs sont connues.

extrapoler v. tr. [1] **1.** Faire une extrapolation. **2.** MATH Calculer (des valeurs) par extrapolation. ▷ *Par ext.* Déduire des valeurs prévisibles d'une série de valeurs connues.

extrapyramidal, ale, aux adj. ANAT *Système extrapyramidal :* ensemble des structures nerveuses formées par les noyaux gris moteurs et par les fibres afférentes et efférentes situées sous le cortex et le thalamus, à l'exclusion de la voie pyramidale et du cervelet. ▷ MED *Syndrome extrapyramidal :* ensemble des troubles moteurs résultant d'une atteinte du système extrapyramidal. *Le syndrome parkinsonien est un syndrome extrapyramidal.*

extrascolaire adj. Qui se déroule en dehors du cadre scolaire.

extrasensible adj. Didac. Qui ne peut être perçu par les sens.

extrasensoriel, elle adj. Qui est perçu sans l'intermédiaire des récepteurs sensoriels.

extrasystole n. f. MED Contraction supplémentaire du cœur, suivie d'une pause, qui s'intercale entre les contractions normales.

extra-terrestre ou **extraterrestre** adj. et n. D'une autre planète, d'un autre monde que la Terre. *Des extra-terrestres* ou *des extraterrestres.*

extraterritorial, ale, aux adj. DR Qui est hors du territoire, à l'étranger.

extraterritorialité n. f. DR Fiction juridique selon laquelle les ambassades en pays étrangers sont considérées comme faisant partie du territoire du pays qu'elles représentent.

extra-utérin, ine adj. MED *Grossesse extra-utérine,* résultant de la fixation et du développement de l'œuf fécondé en dehors de la cavité utérine (trompe, péritoine).

extravagance n. f. **1.** Caractère d'une personne, d'une chose extravagante. *L'extravagance de son costume.* **2.** Acte, parole extravagante, bizarre. *Faire des extravagances.*

extravagant, ante adj. Qui s'écarte du sens commun, de la norme; bizarre, grotesque. *Un discours extravagant.*

extravaguer v. intr. [1] Rare Dire ou faire des choses ineptes.

extravaser (s') v. pron. [1] S'épancher hors de ses vaisseaux (sang, sève).

extravéhiculaire adj. ESP Qui se fait, qui a lieu hors des engins spatiaux, dans l'espace. *Les premiers travaux extravéhiculaires ont été accomplis en 1973 au cours de la mission américaine Skylab.*

extraversion n. f. PSYCHO Comportement d'un individu ouvert au monde extérieur. Ant. introversion.

extraverti, ie adj. Qui a tendance à l'extraversion.

extrême adj. et n. m. **I.** adj. **1.** Qui est tout à fait au bout, à la fin. *L'extrême limite.* **2.** Au plus haut degré. *Extrême plaisir.* **3.** (Après le nom.) Qui s'écarte considérablement de ce qui est modéré, mesuré. *Climat extrême. Caractère extrême.* **4.** adj. et n. m. Se dit d'une pratique sportive effectuée dans des conditions de danger, de difficultés particulièrement dures. **II.** **1.** n. m. *Les extrêmes :* les choses, les personnes totalement opposées. *Aller d'un extrême à l'autre.* ▷ MATH Premier et dernier terme d'une proportion (par oppos. à *moyens*). ▷ PHYS La plus petite et la plus grande des valeurs observées. **2.** Loc. adv. *À l'extrême :* au dernier point.

extrêmement adv. D'une manière extrême, très.

extrême-onction. V. onction.

Extrême-Orient, ensemble des pays d'Asie situés à l'E. du détroit de Malacca. – *Question d'Extrême-Orient :* ensemble des problèmes diplomatiques et militaires que rencontrèrent les puissances européennes en Chine, en Indochine, en Mandchourie, dans leurs rapports avec le Japon, de 1840 au début du XXe s. – *École française d'Extrême-Orient :* institution qui s'attache à l'étude des civilisations et des arts extrême-orientaux; fondée à Hanoi en 1898, elle a son siège à Paris depuis 1956.

extrême-oriental, ale, aux adj. et n. De l'Extrême-Orient. ▷ Subst. *Les Extrême-Orientaux.*

extrémisme n. m. Tendance à adopter des idées, partic. des idées politiques, extrêmes.

extrémiste adj. et n. Favorable à l'extrémisme.

extrémité n. f. **1.** Partie qui termine une chose. *Les deux extrémités d'une corde.* ▷ *Les extrémités :* les pieds et les mains. **2.** État, situation critique. *Être réduit à une pénible extrémité.* ▷ *Être à la dernière extrémité :* être près de mourir. **3.** Idée, acte extrême, violent. *Se porter à des extrémités.*

extremum [ɛkstʀemɔm] n. m. MATH Point qui correspond à la valeur minimale ou maximale d'une fonction.

extrinsèque adj. Didac. Qui vient du dehors, dépend de circonstances extérieures. *Valeur extrinsèque d'une monnaie.* Ant. intrinsèque.

extrudé n. m. Produit alimentaire soufflé obtenu par extrusion.

extruder v. tr. [1] TECH Opérer l'extrusion d'une matière plastique ou d'un produit alimentaire.

extrudeuse n. f. TECH Machine servant à l'extrusion.

extrusion n. f. **1.** TECH Transformation des matières plastiques par passage dans une extrudeuse. **2.** Technique de transformation d'un produit agricole par soufflage à chaud, utilisée dans l'industrie agroalimentaire. **3.** GEOMORPH Éruption de roches volcaniques; configuration rocheuse résultant de cette éruption.

exubérance n. f. **1.** Caractère d'une personne, d'un sentiment exubérant. *Parler avec exubérance.* **2.** Surabondance. *Exubérance de certaines plantes.* ▷ Fig. *Exubérance d'idées.*

exubérant, ante adj. **1.** Qui exprime un débordement de vie par ses actes, ses paroles. *Une fille exubérante.* ▷ Par ext. *Une joie exubérante.* **2.** Surabondant. *Végétation exubérante.*

exultation n. f. Litt. Transport de joie.

exulter v. intr. [1] Être transporté de joie.

exutoire n. m. **1.** Moyen de se débarrasser d'une chose; dérivatif à un sentiment violent. *Trouver un exutoire à sa colère.* **2.** TRAV PUBL Endroit où s'évacuent les eaux d'un réseau d'assainissement.

ex vivo loc. adv. Didac. Hors de l'organisme vivant. *Intervention chirurgicale ex vivo,* dans laquelle un organe est opéré hors du corps auquel il reste relié par des éléments circulatoires essentiels.

ex-voto [ɛksvoto] n. m. inv. (Mots lat.) Inscription, objet placé dans un sanctuaire en remerciement pour un vœu exaucé.

Eyadema (Étienne, puis Gnassingbé) (Pya, 1935), général et homme politique togolais. Ayant renversé N. Grunitzky en 1967, il devint chef du gouvernement et président de la République (élu par référendum en 1972, réélu en 1979, 1986 et 1993).

Eyck (Van). V. Van Eyck.

eye-liner [ajlajnœʀ] n. m. (Anglicisme) Cosmétique fluide destiné à souligner d'un trait le bord de la paupière. *Des eye-liners.*

Eylau (auj. *Bagrationovsk*), v. de Russie; 7 500 hab. – Autref. prussienne, la ville est célèbre pour la bataille que Napoléon livra contre les Russes et les Prussiens le 8 fév. 1807, et qui s'acheva par une victoire incertaine.

eyra [ɛʀa] n. m. Petit puma d'Amérique du Sud.

Eyre (lac), vaste lagune (8 900 km²), située au S. de l'Australie.

Eyre (l'). V. Leyre.

Eysines, com. de la Gironde (arr. de Bordeaux); 16 727 hab.

Eyskens (Gaston) (Lierre, 1905 – Louvain, 1988), homme politique belge. Député social-chrétien (1939-1973), il fut Premier ministre à trois reprises (1949, 1958-1961 et 1968-1972). Préoccupé par le problème linguistique, il prépara la réforme constitutionnelle qui, le 10 décembre 1970, fit de la Belgique un État communautaire et décentralisé.

ex-voto à sainte Menehould après une épidémie de peste, XVIIIe s.; église du château, Sainte-Menehould

Eyzies-de-Tayac-Sireuil (Les), com. de Dordogne (arr. de Sarlat-la Canéda), sur la Vézère ; 858 hab. – Site de Cro-Magnon. Musée nat. de Préhistoire. Dans les environs, nombr. grottes et abris-sous-roche préhistoriques (vallées de la Vézère et de la Beune).

Èze, com. des Alpes-Maritimes (arr. de Nice) ; 2 453 hab. Pittoresque village construit au sommet d'un rocher.

Ézéchias, roi de Juda (probabl. de 715 à 687 av. J.-C.), fils et successeur d'Achaz ; il empêcha Sennachérib de prendre Jérusalem et fortifia la ville, qu'il alimenta en eau *(canal d'Ézéchias).*

Ézéchiel (v. 627 – v. 570 av. J.-C.), le troisième des quatre grands prophètes de la Bible : il prédit la prise de Jérusalem par Nabuchodonosor et la renaissance d'Israël. – *Livre d'Ézéchiel* : livre biblique (48 chapitres), recueil des oracles et visions du prophète.

Ezra V. Esdras.

Les Eyzies-de-Tayac-Sireuil : sépulture magdalénienne ; musée du site de Cro-Magnon

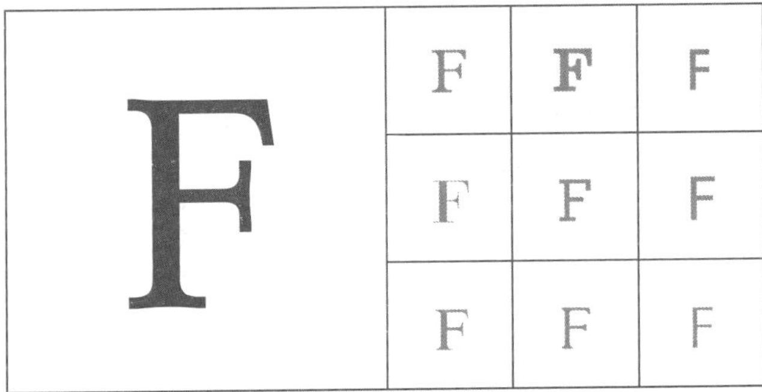

f [ɛf] n. m. et f. **1.** Sixième lettre (f, F) et quatrième consonne de l'alphabet, notant la fricative labiodentale sourde [f], qui s'amuït dans certains mots en position finale (ex. *clef, nerf; œufs, bœufs*). **2.** F : symbole du franc. **3.** CHIM F : symbole du fluor. ▷ PHYS F : symbole de force. – F : symbole de farad. – °F : symbole du degré Fahrenheit. – f : symbole de fréquence. – f : symbole de femto-. **4.** MUS Sixième degré de l'échelle *(fa)* dans la notation alphabétique.

fa n. m. inv. Quatrième note de la gamme d'*ut.* ▷ *Clé de fa*, représentée par un C retourné suivi de deux points, et indiquant que la note placée sur la ligne passant entre les deux points est un *fa.*

Fabert (Abraham de) (Metz, 1599 – Sedan, 1662), maréchal de France (1658). Gouverneur de Sedan en 1642, il s'illustra pendant la guerre de Trente Ans et assiégea Stenay (1654).

Fabian Society, mouvement socialiste anglais qui, par l'éducation des masses, la libération de la femme, etc., voulait réformer profondément la société moderne. Ce groupement d'intellectuels (qui compta notam. G.B. Shaw et H.G. Wells) avait pris le nom de *Fabian*, en 1883-1884, par allusion à Fabius Maximus Verrucosus dit le Temporisateur. Elle eut, et exerce encore, une grande influence sur le parti travailliste anglais.

Fabien (Pierre Georges, dit le colonel) (Paris, 1919 – Habsheim, Haut-Rhin, 1944), résistant français. Membre du parti communiste, auteur du premier attentat qui coûta la vie à un officier allemand (1941), il fut chef de la brigade F.F.I. de l'Île-de-France (1944).

Fabiola de Mora y Aragón (Madrid, 1928), reine des Belges par son mariage avec Baudouin Ier (1960). ▶ illustr. **Baudouin**

Fabius (Laurent) (Paris, 1946), homme politique français. Ministre des gouvernements Mauroy, de 1981 à 1984, Premier ministre de juillet 1984 à mars 1986, président de l'Assemblée nationale de 1988 à 1992, il fut secrétaire général du Parti socialiste de janv. 1992 à avril 1993.

Fabius Maximus Verrucosus (Quintus), dit *Cunctator,* « le Temporisateur » (Rome, v. 275 – id., 203 av. J.-C.), homme politique romain; cinq fois consul, dictateur en 217 av. J.-C. Il arrêta les succès d'Hannibal en menant contre lui une guerre d'usure. Après la désastreuse bataille de Cannes, livrée sans son assentiment, il reprit Tarente.

fable n. f. **1.** Récit imaginaire didactique; mythe, légende. *La fable de Psyché.* – *La Fable* : la mythologie. ▷ *Spécial.* Court récit, apologue, généralement en vers, dont on tire une moralité. *Fables de La Fontaine.* **2.** Litt. Récit mensonger. *C'est une fable que l'on fait courir.* **3.** Sujet de risée. *Il est la fable du village.*

fabliau n. m. Conte en vers divertissant ou édifiant (Moyen Âge).

fablier n. m. Didac. Recueil de fables.

Fabre (Jean Henri) (Saint-Léons, Aveyron, 1823 – Sérignan-du-Comtat, Vaucluse, 1915), entomologiste français, « l'Homère des insectes », auteur de *Souvenirs entomologiques* (10 vol., 1879-1907).

J. H. **Fabre**

Manuel de **Falla**

Fabre (Émile) (Metz, 1869 – Paris, 1955), dramaturge français. Il fut administrateur de la Comédie-Française et soutint le Théâtre-Libre d'Antoine. Ses pièces évoquent de manière réaliste les milieux politiques et financiers : *l'Argent* (1895), *la Vie publique* (1901).

Fabre (Henri) (Marseille, 1882 – Le Touvet, 1984), ingénieur français. Il mit au point le premier hydravion (1909).

Fabre d'Églantine (Philippe Fabre, dit) (Carcassonne, 1750 – Paris, 1794), écrivain et homme politique français. Conventionnel, secrétaire de Danton, il périt avec lui sur l'échafaud. Auteur de la chanson *Il pleut, il pleut, bergère.* Il donna leurs noms aux mois du calendrier révolutionnaire (1793).

Fabre d'Olivet (Antoine) (Ganges, Hérault, 1768 – Paris, 1825), érudit, auteur dramatique et poète français. Auteur d'ouvrages ésotériques, il fut surtout un précurseur du félibrige : *Azalaïs et le gentil Amar* (roman, 1794), *le Troubadour, poésies occitaniques du XIIIe siècle* (1803), en langue d'oc.

Fabriano (Francesco di Gentile da). V. Gentile da Fabriano.

fabricable adj. Qui peut être fabriqué.

fabricant, ante n. **1.** Personne qui possède ou dirige une fabrique. **2.** Personne qui fabrique elle-même des objets de consommation.

fabrication n. f. **1.** Art, action, manière de fabriquer des produits de consommation. *La fabrication des tapis.* – *C'est un gâteau de ma fabrication.* **2.** Action de fabriquer des choses trompeuses. *Fabrication de faux.* ▷ Fig. *Fabrication d'une excuse.*

fabrique n. f. **1.** Établissement de moyenne importance ou peu mécanisé dans lequel des matières premières ou des produits semi-finis sont transformés en produits de consommation. *Une fabrique de porcelaine.* – *Marque de fabrique,* placée sur un objet pour en indiquer la provenance. **2.** BX-A Construction (château, pont, etc.) entrant dans la composition d'un tableau. **3.** Anc. *Conseil de fabrique* ou *fabrique* : groupe de clercs ou de laïcs chargés de l'administration financière d'une église.

fabriquer v. tr. [1] **1.** Faire (un objet) en transformant une matière. *Entreprise qui fabrique du papier.* **2.** Confectionner (une chose destinée à tromper). *Fabriquer une fausse pièce d'identité.* ▷ Fig. *Fabriquer un mensonge.*

Fabry (Charles) (Marseille, 1867 – Paris, 1945), physicien français. Il est connu pour ses travaux sur les interférences lumineuses et leurs applications en astronomie et en spectroscopie (découverte de l'ozone atmosphérique en 1913).

fabulateur, trice adj. et n. PSYCHO Qui a tendance à la fabulation.

fabulation n. f. PSYCHO Fait de présenter comme une réalité vécue ce qui est purement imaginaire. *La fabulation, fréquente et normale chez les enfants, est caractéristique de certaines maladies mentales des adultes.*

fabuler v. tr. [1] PSYCHO Se livrer à la fabulation.

fabuleusement adv. Prodigieusement.

fabuleux, euse adj. **1.** Litt. Qui appartient à la Fable, à la légende. *Les temps fabuleux.* **2.** Invraisemblable quoique vrai. *Un prix fabuleux.*

fabuliste n. m. Auteur de fables.

Fabvier (Charles Nicolas, baron) (Pont-à-Mousson, 1782 - Paris, 1855), général français. Officier des armées napoléoniennes, il se rallia à Louis XVIII. Il s'illustra au service de l'insurrection grecque (1823-1827). Pair de France en 1845.

fac n. f. Fam. Abrév. de *faculté* (sens II).

façade n. f. **1.** Chacun des côtés d'une construction, *spécial.* celui où est située l'entrée principale. *La façade d'un palais.* **2.** Fig. Apparence masquant une piètre réalité. *Une façade d'honnêteté.*

face n. f. **A. 1.** Partie antérieure de la tête de l'homme. *Une face blême.* - *Sainte Face :* visage du Christ souffrant tel que, selon la Tradition, il se serait imprimé sur le voile de sainte Véronique. ▷ Loc. fig. *Perdre la face :* perdre sa dignité. - *Sauver la face :* sauver les apparences. **2.** Par anal. *La face d'une monnaie, d'une médaille :* le côté qui porte la figure. Syn. avers. Ant. pile, revers. ▷ *Une étoffe à double face,* dont l'envers est travaillé comme l'endroit. **3.** Chacune des surfaces présentées par une chose. *Les faces d'un cristal.* ▷ GEOM Chacun des plans qui délimitent un polyèdre. **4.** Aspect d'une chose. *La face des lieux a bien changé.* ▷ Fig. *Une affaire qui présente plusieurs faces.* **5.** *Faire face à :* être tourné du côté de. *Maison qui fait face à l'église.* ▷ *Faire face à l'ennemi,* lui présenter le front. - Fig. *Faire face à ses obligations,* les remplir. **B. I.** Loc. adv. **1.** *En face :* par-devant. *Regarder qqn en face.* ▷ Fig. *Regarder la mort en face :* courir sans crainte le risque de mourir, envisager sans s'en effrayer sa propre mort. **2.** *De face :* du côté où l'on voit toute la face. *Portrait de face.* Ant. de dos. **3.** *Face à face :* chacun ayant le visage tourné vers l'autre. *Ils se sont retrouvés face à face.* **II.** Loc. prép. **1.** *En face de :* vis-à-vis de. *S'asseoir en face de qqn.* - Fig. En présence de. *Rester insensible en face de la misère.* **2.** *À la face de :* en présence de, à la vue de. *À la face de l'univers.*

face-à-face n. m. inv. Confrontation de deux personnalités, le plus souvent devant un vaste public.

face-à-main n. m. Binocle à manche. *Des faces-à-main.*

facétie [fasesi] n. f. Plaisanterie, farce. *Faire des facéties.*

facétieusement adv. Litt. D'une manière facétieuse.

facétieux, euse adj. **1.** Enclin à la facétie. *Personnage facétieux.* **2.** Litt. Qui se présente comme une facétie. *Fabliau facétieux.*

facette n. f. **1.** Petite face. *Diamant taillé à facettes.* ▷ ZOOL *Yeux à facettes :* yeux composés de petites lentilles chez les insectes et les crustacés. **2.** Fig. *Style à facettes,* plein de traits brillants. - *Homme à facettes,* qui présente des aspects divers.

fâché, ée adj. **1.** Mécontent, irrité. *Un air fâché.* **2.** Brouillé. *Il est fâché avec moi.*

fâcher v. [1] **I.** v. tr. Mettre en colère, irriter. **II.** v. pron. **1.** Se mettre en colère. *Se fâcher contre des enfants insupportables.* **2.** *Se fâcher avec qqn,* se brouiller avec lui.

fâcherie n. f. Brouille, mésentente.

Faches-Thumesnil, com. du Nord (arr. de Lille); 15 817 hab. Constr. mécaniques.

fâcheusement adv. D'une manière fâcheuse.

fâcheux, euse adj. et n. **1.** adj. Qui amène des désagréments. *Un contretemps fâcheux.* **2.** n. (et adj.) Litt. Qui importune, dérange. *« Les Fâcheux », comédie-ballet de Molière (1661).*

facho adj. et n. inv. en genre Fam., péjor. Fasciste.

Fachoda (auj. *Kodok*), local. du Soudan, sur le Nil. - En 1898, alors que la colonne française du capitaine Marchand avait atteint le haut Nil dès juillet, elle y fut rejointe en sept. par une troupe anglo-égyptienne, que commandait Kitchener et qui avait conquis toute la région des mahdistes. Après un premier refus d'évacuer Fachoda, les Franç. durent s'incliner, sur l'ordre du ministre des Affaires étrangères, Théophile Delcassé. Le 21 mars 1899, un accord colonial concédait la totalité du bassin du Nil à la Grande-Bretagne.

facial, ale, als ou **aux** adj. **1.** Qui appartient, qui a rapport à la face. *Névralgie faciale.* - *Angle facial,* formé par la droite joignant le front à la mâchoire inférieure avec la droite passant par les oreilles et la base du nez. **2.** Fig. *Valeur faciale d'un timbre,* sa valeur d'affranchissement (par oppos. à sa *valeur marchande*).

facies ou mod. **faciès** [fasjɛs] n. m. **1.** Aspect du visage. ▷ Type de physionomie caractéristique de telle ou telle population. ▷ PREHIST Ensemble des caractères prépondérants dans une culture, une industrie, une technique. *Facies culturel.* ▷ MED Expression, aspect du visage, caractéristique d'une maladie. **2.** Aspect général. ▷ BOT *Faciès d'une plante.* ▷ GEOL Ensemble des caractères pétrographiques et paléontologiques d'une roche qui renseignent sur ses conditions de dépôt et de formation.

facile adj. **1.** Qui se fait sans peine. *Un exercice facile.* **2.** Qui paraît avoir été fait, obtenu, sans difficulté. *Avoir la parole facile.* ▷ Péjor. *Une plaisanterie facile.* **3.** Qui se laisse mener aisément. *Un enfant facile.* - Par ext. *Un caractère facile.* ▷ Spécial. *Une femme facile,* dont on obtient sans peine les faveurs.

facilement adv. Avec facilité, aisément. *Vous en viendrez facilement à bout.*

facilitation n. f. Didac. Action de faciliter.

facilité n. f. **1.** Qualité d'une chose facile à faire. *La facilité d'une tâche.* **2.** (Souvent plur.) Moyen de faire, de se procurer une chose sans difficulté. *Avoir la facilité de se voir.* ▷ FIN *Facilités de paiement :* délais, ou conditions avantageuses de règlement. - *Facilités de caisse :* crédits temporaires (ouverts à un commerçant, à un industriel). **3.** Aptitude à faire une chose sans effort. *Écrire avec facilité.* ▷ *Absol.* Don pour l'étude, pour la création. *Cet enfant a de la facilité.* ▷ Péjor. Médiocrité. *Écrivain qui tombe dans la facilité.* **4.** Disposition de l'esprit à s'accommoder de tout. *Facilité d'humeur.*

faciliter v. tr. [1] Rendre facile ou plus facile. *Faciliter un travail.*

façon n. f. **I. 1.** Manière d'être, d'agir. *Une bonne façon d'écrire, de parler.* - Spécial. *C'est une façon de parler :* cela ne doit pas être pris à la lettre. **2.** Loc. adv. *De toute façon :* quelles que soient les circonstances. **3.** Loc. prép. *De façon à* (marquant la conséquence, le but). *Se conduire de façon à se faire remarquer.* **4.** Loc. conj. *De (telle) façon que :* de telle sorte que. *S'arranger de façon que tout soit prêt.* **II.** n. f. pl. **1.** Manières propres à une personne. *Avoir des façons engageantes.* **2.** Péjor. Démonstrations de politesse affectée. ▷ Loc. adv. *Sans façon(s) :* en toute simplicité, sans vaines cérémonies. **III. 1.** Action de façonner qqch; son résultat. *Payer la façon d'un costume.* ▷ *Travailler à façon,* sur une matière qui a été fournie. **2.** AGRIC Travail, labour d'un sol. *Donner une seconde façon à un champ.*

faconde n. f. Litt., souv. péjor. Trop grande abondance de paroles. *Quelle ennuyeuse faconde !* Syn. volubilité.

façonnage ou **façonnement** n. m. Action, art de façonner qqch.

façonner v. tr. [1] **1.** Travailler (une matière) pour lui donner une forme. *Façonner de l'argile.* - Pp. adj. *De la pâte à papier façonnée.* **2.** Faire (un objet). *Façonner une clef.* **3.** Fig. Former (qqn) par l'instruction, par l'usage. *Être façonné par l'expérience.* **4.** Vx ou litt. Accoutumer. *Façonner qqn à une vie rude.* ▷ v. pron. *Se façonner à un travail,* en faire l'apprentissage.

façonnier, ère n. Personne qui travaille à façon.

fac-similé [faksimile] n. m. Reproduction exacte d'un écrit, d'un dessin, etc. *Des fac-similés de documents.*

factage n. m. Transport de marchandises à domicile ou au dépôt de consignation. *Entreprise de factage.* - *Par ext.* Prix de ce transport. ▷ Distribution par le préposé des lettres, des dépêches, etc., à domicile.

facteur, trice n. **I.** n. m. Fabricant d'instruments de musique (instruments à clavier, à vent et harpes). *Facteur d'orgues.* **II.** n. Personne chargée de remettre à leurs destinataires les lettres, les paquets, etc., confiés au service postal. (La dénomination officielle est auj. *préposé.*) **III.** n. m. **1.** Élément qui conditionne un résultat. *Les facteurs de l'hérédité. Compter avec le facteur chance. Facteur de production.* ▷ BIOL *Facteur rhésus :* V. rhésus. - *Facteur de croissance :* substance qui détermine la croissance et la maturation des cellules et des tissus vivants. **2.** MATH Chacun des termes d'un produit. ▷ *Facteur commun :* terme divisant exactement plusieurs expressions. ▷ *Facteur premier :* chacun des termes résultant de la décomposition d'un nombre entier en un produit de nombres premiers. ▷ *Mise en facteurs :* décomposition en produits de facteurs. **3.** PHYS Rapport entre deux grandeurs de même nature. *Facteur d'absorption.* - ELECTR *Facteur de puissance :* rapport entre la puissance active (fournie ou consommée) et la puissance apparente.

factice adj. (et n. m.) **1.** Artificiel. *Grotte factice.* **2.** Imité. *Bouteille factice.* **3.** Fig. Qui manque de naturel. *Enthousiasme, beauté factice.* Syn. artificiel, affecté. Ant. sincère, vrai. ▷ n. m. Ce qui est factice.

facticité n. f. **1.** Didac. Caractère de ce qui est factice. **2.** PHILO Caractère de ce qui constitue un fait contingent.

factieux, euse [faksjø, øz] adj. et n. Qui fomente des troubles politiques dans un État.

faction n. f. **1.** Parti, cabale exerçant une activité factieuse dans un État. *Un État déchiré par les factions.* **2.** MILIT Mission dont est chargée une sentinelle. - *Par ext.* Position de guet, d'attente. *Je me suis mis en faction devant chez lui.* **3.** TECH Dans une entreprise travaillant en continu, chacune des trois tranches de huit heures.

factionnaire n. m. MILIT Soldat en faction.

factitif, ive adj. GRAM Qui indique que le sujet du verbe fait faire l'action. Syn. causatif.

factorerie n. f. Vx Comptoir, bureau d'une agence commerciale à l'étranger ou dans une colonie.

factoriel, elle adj. et n. f. **1.** adj. Relatif à un facteur (sens II). *Psychologie factorielle.* ▷ MATH *Analyse factorielle :* méthode permettant de déterminer les relations de corrélation existant entre plusieurs variables. **2.** n. f. MATH Produit des *n* premiers nombres entiers, noté *n!* (Ex. : 4! = 1 × 2 × 3 × 4 = 24.)

factoring [faktoʀiŋ] n. m. (Anglicisme) Syn. off. déconseillé de *affacturage.*

factorisation n. f. MATH Mise en facteurs.

factoriser v. tr. [**1**] MATH Mettre en facteurs.

factotum [faktɔtɔm] n. m. Vieilli Celui qui s'occupe de tout dans une maison, homme à tout faire. *Des factotums.*

factuel, elle adj. Didac. Relevant d'un fait, de faits. *Données factuelles.*

facturation n. f. Action d'établir des factures. ▷ Service où l'on établit les factures.

1. facture n. f. **1.** Manière dont est traitée, réalisée une œuvre de création. *Ce portrait est d'une facture énergique.* **2.** TECH Fabrication des instruments de musique.

2. facture n. f. Pièce comptable détaillant la quantité, la nature et le prix de marchandises livrées ou de services, afin d'en demander ou d'en attester le règlement. ▷ *Facture pro forma,* établie à titre indicatif avant la livraison. ▷ *Prix de facture :* prix d'achat en fabrique.

facturer v. tr. [**1**] Établir la facture de. *Facturer une marchandise.*

facturette n. f. Reçu délivré lors d'un paiement par carte de crédit.

facturier, ère n. **1.** Personne chargée de la facturation. **2.** n. m. Livre dans lequel les factures sont enregistrées. **3.** n. f. TECH Machine comptable servant aux travaux de facturation.

facule n. f. ASTRO Zone brillante du disque solaire.

facultatif, ive adj. Qu'on peut faire ou non, utiliser ou non. *Devoir facultatif. Arrêt facultatif.*

facultativement adv. D'une manière facultative.

faculté n. f. **I. 1.** PHILO ANC Fonction psychique. *Les facultés de l'âme.* **2.** Aptitude, disposition naturelle d'un individu. *Il possède une faculté de concentration étonnante. Ne pas jouir de toutes ses facultés :* ne pas avoir toute sa raison. **3.** Propriété que possède une chose. *Les facultés productives de la terre.* **4.** DR Pouvoir, autorisation, droit de faire une chose. *Vendre avec faculté de rachat.* **II. 1.** Corps des professeurs chargés d'une partie de l'enseignement au sein de l'Université; cet enseignement. *Faculté de droit, des sciences. Les facultés ont été remplacées par des unités d'enseignement et de recherche (U.E.R.) en 1968, puis par des unités de formation et de recherche (U.F.R.).* **2.** Ensemble des bâtiments où se fait cet enseignement. **3.** Absol. *La Faculté :* la faculté de médecine, les médecins. *L'avis de la Faculté.* (Abrév. Fam., sens II, 1 et 2 : fac.)

fada adj. et n. m. Rég. (Midi) Cinglé, un peu fou. – n. m. *Espèce de fada!*

fadaise n. f. (Surtout au plur.) Niaiserie; chose inutile et frivole. *Débiter des fadaises.*

fadasse adj. Péjor. D'une fadeur déplaisante. *Des cheveux blond fadasse. Une boisson fadasse.*

fade adj. **1.** Qui manque de saveur. *Un mets fade.* Syn. insipide. **2.** Fig. Qui manque de caractère, de piquant. *Beauté, style fade.* Syn. plat.

Fadeïev (Alexandre Alexandrovitch) (Kimry, rég. de Tver, 1901 – Moscou, 1956), romancier soviétique : *la Défaite* (1927) a pour thème la guerre civile, *la Jeune Garde* (1945) la guerre de 1941-1945.

Fades (viaduc des), le plus haut viaduc métallique de France (Puy-de-Dôme). Construit de 1901 à 1908, il est long de 470 m et surplombe la Sioule de 132 m. Barrage hydroél. sur la Sioule.

fadeur n. f. **1.** Caractère de ce qui est fade. **2.** (Plur.) Compliments, propos fades.

fading [fadiŋ] n. m. TELECOM Diminution momentanée de la puissance d'une onde radioélectrique au point de réception. Syn. (officiellement recommandé) évanouissement.

fado n. m. Chant populaire portugais évoquant le destin de celui qui vit les tourments de l'amour.

Faenza, v. d'Italie, en Émilie (prov. de Ravenne), sur le Lamone; 55 200 hab. Faïences, industr. alim., raff. de soufre. – Ville renommée, surtout aux XVe et XVIe s., pour ses poteries (le mot *faïence* vient de Faenza). Musée international de la céramique.

majolique de **Faenza,** vase en faïence, « à la lettre gothique », musée nat. de Céramique, Sèvres

Faeroe. V. Féroé.

fafiot [fafjo] n. m. Arg. Billet de banque.

fagacées n. f. pl. BOT Famille d'arbres amentifères dont le hêtre est le type. – Sing. *Une fagacée.*

fagales n. f. pl. BOT Ordre de végétaux amentifères dont le fruit entier est un akène, et qui comprend les *fagacées* et les *bétulacées* (bouleaux). – Sing. *Une fagale.*

Fàgàraş (monts de), chaîne des Carpates méridionales (2 543 m au Moldoveanul).

Fagnano dei Toschi e di Sant' Onofrio (Giulio Cesare) (Senigallia, 1682 – id., 1766), mathématicien italien; l'un des pionniers du calcul infinitésimal.

fagne n. f. Rég. Marais tourbeux des Ardennes.

Fagnes (Hautes), plateau de l'Ardenne belge (692 m au *signal de Botrange*). Sol marécageux couvert de landes.

fagot [fago] n. m. Faisceau de menues branches. *Un fagot de sarments.* ▷ Loc. *Sentir le fagot :* être suspect d'hérésie (parce que l'on condamnait les hérétiques au supplice du feu). – *De derrière les fagots. Vin de derrière les fagots,* excellent, vieilli en cave. – *Par ext.,* fam. Se dit d'une chose excellente ou remarquable en son genre. *Il nous a sorti un projet de derrière les fagots.*

fagoter v. tr. [**1**] **1.** Vx ou rég. Mettre en fagots. **2.** Fig., fam. Habiller mal, sans goût. – Pp. adj. *Individu (mal) fagoté,* mal habillé. ▷ v. pron. *Elle se fagote bizarrement.* Syn. accoutrer.

Fahd ibn Abd al-Aziz *(Fahd ibn 'Abd al-'Azīz)* (Riyad, 1923), roi d'Arabie Saoudite. Fils d'Ibn Séoud, il devint premier vice-président du Conseil à la mort du roi Faysal (1975). En 1982, il succéda à son demi-frère Khalid.

Fahrenheit (Gabriel Daniel) (Dantzig, 1686 – La Haye, 1736), physicien allemand. Il donna son nom à une échelle de température : au 0 °C correspond le 32 °F et au 100 °C le 212 °F; les équivalences de température *(t)* se calculent, à partir de l'échelle centésimale, selon la formule : $\frac{5}{9}(t\ F - 32)$; inversement : $t_F = \frac{9}{5}\ t_C + 32$. Cette échelle est encore cour. employée en G.-B., aux É.-U. et au Canada.

Faial. V. Fayal.

faiblard, arde adj. Fam. Assez faible.

faible adj. et n. **1.** Qui manque de force, de vigueur physique. *Le malade est encore faible. Avoir le cœur faible.* Syn. fragile. **2.** Qui manque de résistance, de solidité. *Cette poutre est trop faible.* **3.** Qui n'a pas la puissance, les moyens nécessaires pour se défendre. *Nous étions trop faibles pour résister à l'ennemi.* Syn. impuissant, désarmé. ▷ n. m. *Défendre le faible contre le fort.* **4.** Insuffisant en valeur, en intensité. *Une voix faible. Une faible consolation. Une monnaie faible.* **5.** Peu important. *Une faible quantité suffira.* **6.** Dont la valeur, les capacités intellectuelles sont insuffisantes. *Avoir le jugement faible. Un raisonnement faible.* ▷ Subst. (Surtout au masc.) *Un faible d'esprit.* **7.** Qui manque de fermeté, d'énergie. *Être trop faible avec ses enfants.* Syn. indulgent, veule. ▷ n. m. *On ne peut se fier aux faibles.* **8.** *Le point faible* ou, n. m., *le faible :* ce qu'il y a de moins fort, de moins solide, de moins résistant. *Le faible d'une place.* ▷ *Par ext.* Ce qu'il y a de défectueux en qqch, faille. *Le faible d'une argumentation.* – Principal défaut de qqn; passion dominante. *Prendre qqn par son faible.* ▷ *Avoir un faible pour,* une préférence marquée pour. **9.** CHIM Qualifie un acide ou une base partiellement dissociés. **10.** PHYS NUCL *Interaction faible :* interaction* qui intervient notam. dans les désintégrations radioactives.

faiblement adv. Avec faiblesse, à peine.

faiblesse n. f. **1.** Caractère de ce qui est faible, insuffisant. **2.** Défaut qui dénote cette insuffisance. *Votre raisonnement présente des faiblesses.* ▷ *Avoir une faiblesse pour,* une préférence, un goût particulier pour. **3.** Défaillance, syncope.

faiblir v. intr. [**3**] Perdre de sa force, de son courage, de son intensité, de sa fermeté, etc. *Ce vieillard faiblit. Devant ses pleurs, il faiblit.* Syn. fléchir.

faiblissant, ante adj. Qui devient faible. *Un vieillard faiblissant. Une lumière faiblissante.*

Faidherbe (Louis Léon César) (Lille, 1818 – Paris, 1889), général français. Gouverneur du Sénégal (1854-1861 et 1863-1865), il en fit la base de l'expansion française en Afrique occid., avec la construction du port de Dakar. Commandant de l'armée du Nord en 1870-1871, il résista vaillamment aux Allemands.

faïence [fajɑ̃s] n. f. Poterie à pâte poreuse, opaque, vernissée ou émaillée.

faïencé, ée adj. Qui imite la faïence.

faïencerie n. f. **1.** Fabrique de faïence. **2.** Poteries de faïence.

faïencier, ère n. Personne qui fait ou vend de la faïence.

1. faille n. f. **1.** GEOL Cassure plus ou moins plane affectant des couches géologiques, avec rejet ou non des deux blocs situés de part et d'autre de la cassure. (Les failles sont fréquemment associées en champs de fractures, avec constitution de horsts et de grabens.) **2.** Fig. Défaut, lacune. *Il y a une faille dans son raisonnement.*

faille de San Andreas, plaine du Carrizo, Nouveau-Mexique

2. faille n. f. Étoffe de soie à gros grain.

faillé, ée adj. Qui présente des failles. *Relief faillé.*

failli, ie adj. et n. Qui a fait faillite.

faillibilité n. f. Didac. Fait d'être susceptible de commettre une erreur. *La faillibilité humaine.*

faillible adj. Qui peut commettre une erreur ou une faute. *Tout homme est faillible.*

faillir v. intr. [28] (Le présent, *je faux, tu faux, il faut, nous faillons, vous faillez, ils faillent,* et l'imparfait, *je faillais,* etc., sont pratiquement inusités.) **I.** Litt. **1.** Manquer à (un devoir). *Faillir à une promesse.* **2.** Rare Céder, faire défaut. *Cet édifice a failli par la base. La mémoire lui faillit tout à coup.* **II.** *Faillir* (+ inf.) : manquer de, risquer de, être sur le point de. *J'ai failli mourir. Cela a failli arriver.*

faillite n. f. **1.** DR Anc. Situation, constatée par un tribunal, d'un commerçant qui a cessé ses paiements. *Faire faillite. Faillite frauduleuse.* – Règlement judiciaire d'une telle situation. ▷ Mod. *Faillite (personnelle)* : situation du dirigeant d'une entreprise en cessation de paiement, reconnu par un tribunal coupable d'une gestion imprudente ou d'agissements malhonnêtes. *La faillite est passible d'un ensemble de sanctions.* **2.** Fig. Échec complet, insuccès. *La faillite d'une politique, d'un système.*

faim n. f. **1.** Besoin, désir de manger. *Avoir faim. Mourir, crever de faim. Ne pas manger à sa faim.* ▷ *Rester sur sa faim* : ne pas être rassasié ; fig. être insatisfait. ▷ *Un meurt-de-faim, un crève-la-faim* : une personne qui ne mange pas à sa faim, un miséreux. **2.** *Par ext.* Malnutrition, sous-alimentation. *Problèmes de la faim dans le monde.* **3.** Fig. Besoin, désir. *Avoir faim de richesses.* Syn. soif.

faîne ou **faine** [fɛn] n. f. Fruit du hêtre. ► illustr. **hêtre**

fainéant, ante adj. et n. Qui ne veut rien faire, qui ne veut pas travailler. – Subst. *Un fainéant, une fainéante.* Syn. paresseux. ▷ HIST *Les rois fainéants* : les derniers rois mérovingiens, qui laissèrent gouverner les maires du palais.

fainéanter v. intr. [1] Ne rien faire par paresse.

fainéantise n. f. Caractère, attitude du fainéant.

Fairbanks, v. des É.-U. (Alaska); 30 800 hab. Terminus de la route de l'Alaska. – Ville créée par les chercheurs d'or en 1902. Base militaire.

Fairbanks (Douglas Elton Ulman, dit Douglas) (Denver, 1883 – Santa Monica, 1939), acteur de cinéma américain. Il fut le héros bondissant des films d'aventures de Hollywood à l'époque du muet *(le Signe de Zorro, Robin des Bois).*

Fairchild (Sherman Mills) (Oneonta, État de New York, 1896 – id., 1971), photographe américain. Pionnier de la photographie aérienne, pour le développement de laquelle il fonda en 1920 une société industrielle.

1. faire v. tr. [10] **I.** Créer, produire. **1.** Créer, fabriquer. *Dieu a fait le ciel et la terre. Faire une maison.* – (Abstrait) *Faire des vers, un discours.* **2.** Produire (de soi). *Le bébé fait ses dents. La chatte a fait ses petits.* – Évacuer. *Faire du sang.* – *Absol.* Déféquer. – Avoir, présenter (un trouble). *Faire de la fièvre.* **3.** Former, façonner, produire. *Ce professeur a fait de bons élèves. Faire des heureux.* – Nommer, proclamer. *Faire un maréchal de France.* **4.** Constituer. *L'union fait la force. Deux et deux font quatre.* ▷ GRAM Prendre telle terminaison. *« Cheval » fait « chevaux » au pluriel.* **5.** Prendre, s'approvisionner en. *Faire de l'eau. Faire du bois dans la forêt.* **6.** Vendre, produire. *Faites-vous cet article ? Ce cultivateur fait des céréales.* – Fam. Vendre à un certain prix (une marchandise). *À combien faites-vous le kilo ?* **7.** *Faire à* : accoutumer à. *Il l'a faite à cette idée. Je suis fait à la fatigue.* **8.** *Faire (qqch) de* : utiliser, tirer parti de. *Il ne sait que faire de son argent.* ▷ *N'avoir que faire de* : n'avoir aucun besoin de, ne faire aucun cas de. *Je n'ai que faire de vos conseils.* **II.** Exécuter physiquement ou moralement. **1.** Effectuer (un mouvement). *Faire une grimace.* – Prendre (une attitude). *Faire la mauvaise tête. Faire grise mine. Faire bonne contenance.* **2.** Exécuter (une action). *Faire des bêtises. Faire un achat. Ne rien faire. Volcan qui fait éruption.* ▷ *Absol.* Agir. *Il a fait de son mieux.* **3.** Exécuter (une opération). *Faire la moisson.* ▷ *Absol.* Travailler. *Avoir à faire.* – S'occuper de. *Faire de la musique, de la politique.* – Occuper un emploi. *Que fait-il dans la vie ?* – Jouer le rôle de. *Faire tel personnage dans une pièce.* – Chercher à paraître (tel). *Faire le grand seigneur. Faire l'idiot.* **4.** Exécuter (une chose qu'on s'impose ou qui est prescrite). *Faire pénitence. Faire le ramadan.* **5.** Causer, être l'occasion de. *Ces pilules m'ont fait du bien. Faire plaisir. Faire du tort à qqn.* **6.** Avoir de l'importance. *Cela ne fait rien.* **7.** Parcourir (une distance, une région). *Il a fait le chemin sans s'arrêter.* – Fam. *Touristes qui font l'Espagne.* **8.** Dire, répliquer. *Je croyais, fit-elle...* **III.** Suivi d'un adj., d'un adv. ou d'un n. exprimant une mesure, un prix, une vitesse, etc. **1.** Avoir l'air, produire un certain effet. *Il fait vieux avant l'âge. Ce chapeau fait bien avec cette robe.* **2.** Donner pour. *On le fait plus riche qu'il n'est.* **3.** Avoir pour (taille, poids, vitesse, etc.). *Cette voiture fait (du) 160 à l'heure. Il fait du 42 de pointure. Ce colis fait trois kilos.* **4.** v. impers. (dans certaines loc.). *Il fait beau. Il fait de l'orage. Il fait bon vivre chez vous.* **IV.** v. pron. **1.** Se créer. *C'est ainsi que se font les réputations.* – Prov. *Paris ne s'est pas fait en un jour.* – Se produire, se réaliser. *Si cela peut se faire, j'en serais heureux.* ▷ v. impers. Arriver. *Comment se fait-il que vous soyez ici ?* **2.** (Suivi d'un adj.) Devenir. *Mon père se fait vieux.* ▷ v. impers. *Il se fait tard.* **3.** S'améliorer. *Ce vin se fera.* **4.** Être d'actualité. *Ce modèle ne se fait plus.* ▷ Être conforme aux bons usages. *Cela ne se fait pas.* **5.** Fam. *Se faire du mauvais sang* ou, ellipt., *s'en faire* : s'inquiéter. **6.** Pop., fam. *Se faire qqch, qqn* : V. se taper (sens III, 3 et 4). **V.** Auxil. de mode. **1.** Suivi d'un inf. (marquant que l'action est ordonnée par le sujet, mais non exécutée par lui). *Faire construire un pont.* – Être la cause de l'action indiquée par le verbe. *L'opium fait dormir.* – Permettre de. *Cela nous a fait patienter.* – Obliger à. *Je ne vous le fais pas dire.* **2.** (Employé comme substitut du verbe qui précède.) *Il s'exprime mieux que vous ne le faites.* **3.** Loc. *Ne faire que* (indiquant une action très brève). *Je n'ai fait que l'apercevoir.* ▷ *Ne faire que* : ne pas cesser de, ne pas faire autre chose que. *Il ne fait que chanter.*

2. faire n. m. **1.** Action de faire. *Il y a loin du vouloir au faire.* **2.** BX-A Manière d'exécuter une œuvre artistique. *Le faire d'un peintre.*

faire-part n. m. inv. Lettre, billet, par lequel on annonce une nouvelle. *Faire-part de mariage, de décès.*

faire-valoir n. m. inv. **1.** Action de faire produire des revenus à une terre. *Le faire-valoir direct s'oppose au fermage et au métayage.* **2.** Personne qui fait valoir qqn, qui met en valeur les actions ou le jeu de qqn (acteurs). *Ce personnage est dans la pièce le faire-valoir du jeune premier.*

Fairfax (Thomas) (Denton, 1612 – Nunappleton, Yorkshire, 1671), général anglais. Il servit le Parlement contre Charles Ier, qu'il battit à Naseby (1645), puis favorisa la restauration de Charles II Stuart.

fair-play [fɛʀplɛ] n. m. inv. et adj. inv. (Anglicisme) Respect loyal des règles (d'un jeu, d'un sport, des affaires). *Le fair-play veut qu'il s'incline.* – adj. inv. *Il s'est montré très fair-play.* Syn. (off. recommandé) franc-jeu.

Fairweather (mont), pic de l'Alaska (4 663 m), à la frontière canadienne.

faisabilité [fəzabilite] n. f. Caractère de ce qui est faisable. *Étude de faisabilité technique et financière d'un projet.*

faisable [fəzabl] adj. Qui peut se faire, qui n'est pas impossible.

Faisalabad (anc. *Lyallpur*), ville du Pākistān, dans le Pendjab; env. 1 100 000 hab. Industries alimentaires, textiles.

faisan, ane [fəzɑ̃, an] n. **1.** Oiseau galliforme originaire d'Asie, aux longues plumes rectrices. (*Phasianus colchicus,* acclimaté en Europe, es

faisan doré mâle

devenu un gibier de choix ; le mâle, très coloré, mesure plus de 80 cm de long ; la *faisane* ou *poule faisane* a le plumage brun terne.) **2.** n. m. Fam. Homme d'une probité douteuse, aigrefin.

faisandage [fəzɑ̃daʒ] n. m. Action de faisander ; fait de se faisander.

faisandé, ée adj. **1.** Qui s'est faisandé. *Gibier faisandé.* **2.** Fig. Corrompu. *Système faisandé.*

faisandeau [fəzɑ̃do] n. m. ZOOL Jeune faisan.

faisander [fəzɑ̃de] v. tr. [1] En parlant du gibier, le laisser se mortifier un certain temps pour qu'il prenne un fumet spécial. - v. pron. *Laisser se faisander une bécasse.*

faisanderie n. f. ZOOL Lieu où l'on élève les faisans.

Faisans (île des), petite île de la Bidassoa où fut signé le traité des Pyrénées (1659).

faisceau n. m. **I.** Assemblage d'objets oblongs liés ensemble. *Un faisceau de roseaux.* **1.** ANTIQ ROM *Faisceaux de verges :* paquets de verges liées autour d'une hache, que les licteurs portaient comme symbole de l'autorité des magistrats. ▷ Emblème du fascisme italien. - *Faisceau de combat :* V. encycl. fascisme. **2.** Assemblage de fusils disposés crosse au sol et se soutenant mutuellement. *Former les faisceaux.* **3.** ARCHI *Colonne en faisceau,* composée d'un ensemble de colonnettes. **II.** *Par compar.* Ensemble dont les parties sont groupées ou liées, ou forment un tout homogène. **1.** ANAT Ensemble des fibres formant un muscle ou un nerf. **2.** BOT *Faisceaux libéro-ligneux :* ensemble des vaisseaux servant à la circulation de la sève brute. **3.** GEOM *Faisceau harmonique :* ensemble de quatre droites issues d'un même point, divisant harmoniquement toute sécante. **4.** PHYS *Faisceau lumineux :* ensemble de rayons lumineux issus d'une même source. **5.** TELECOM *Faisceau hertzien :* liaison hertzienne entre deux stations. **6.** Fig. *Un faisceau d'amitiés. Un faisceau de preuves.*

faiseur, euse n. **1.** *Faiseur de :* personne qui fabrique (telle chose). *Faiseur de malles.* - Par dénigr. *Faiseur de phrases, d'embarras.* ▷ *Bon faiseur :* personne qui ne fabrique que des choses parfaites. *Un habit de chez le bon faiseur.* ▷ Vieilli, fam. *Faiseuse d'anges :* avorteuse. **2.** n. m. *Absol.* Péjor. Homme qui fait l'important ; habile intrigant.

faisselle n. f. Ustensile pour faire égoutter les fromages.

1. fait [fɛ] n. m. **I. 1.** Action de faire. *Le fait de pleurer n'y changera rien. L'intention vaut le fait. Prendre qqn sur le fait.* ▷ DR Action qui produit un effet juridique. **2.** Ce que l'on fait, ce que l'on a fait. *C'est le fait d'Untel. Surveiller les faits et gestes de qqn.* - Exploit. *Haut fait. Faits d'armes. Faits de guerre.* **II. 1.** Ce qui existe réellement. *S'appuyer sur des faits et non sur des suppositions. C'est un fait. Le fait est que vous avez raison. Mettre, poser en fait.* ▷ Loc. adv. *De fait, en fait, par le fait :* véritablement, effectivement. *Il n'était roi que de nom, le maire du palais l'était de fait. Je vous avais prédit un échec, et, de fait, vous n'avez pas réussi.* - *Si fait :* oui, assurément. - *Tout à fait :* entièrement, complètement. *L'ouvrage est tout à fait terminé.* **2.** Ce qui arrive, est arrivé. *C'est un fait unique dans l'histoire. Rapporter des faits.* Syn. événement. **3.** Essentiel d'un sujet. *En venir au fait.* - *Mettre au fait :* mettre au courant, instruire (qqn). ▷ Loc. adv. *Au fait :* à propos. *Au fait, que vouliez-vous ?* **4.** Ce qui revient à qqn, ce qui le concerne. *Dans cette succession, chacun a eu son fait.* - *Dire son fait à qqn,* lui dire ses vérités. - *Être sûr de son fait,* de ce que l'on avance. ▷ Loc. adv. *En fait de :* en matière de. *En fait de métaphysique...* **5.** PHILO Donnée de l'expérience. *Fait brut,* qui s'impose comme un fait immédiat dû à la perception sensible. *Fait scientifique :* résultat de l'élaboration critique du fait brut.

2. fait, faite [fɛ, fɛt] adj. **1.** Fabriqué. *Des vêtements faits sur mesure.* ▷ *Phrase toute faite :* locution banale, aphorisme. - *Être fait pour :* être propre, destiné à. *Les lois sont faites pour protéger les citoyens.* **2.** Conformé (de telle ou telle manière). *Cette femme est faite à ravir.* - Fig. *Une tête bien faite.* **3.** Réalisé, exécuté. *Aussitôt dit, aussitôt fait.* ▷ Fam. *C'est bien fait :* c'est mérité. **4.** Accompli. *Ce qui est fait est fait. C'en est fait :* c'est irrévocable. **5.** *Fait à :* habitué, endurci à. *Fait à la fatigue.* **6.** Qui est à maturité. *Un homme fait.* - (Choses) À point pour être consommé. *Ce fromage est fait.* **7.** Fam. Sur le point d'être découvert, arrêté. *Il m'a vu, je suis fait (comme un rat).*

faîtage n. m. CONSTR Partie la plus élevée d'une charpente. - Arête supérieure d'une couverture.

fait divers ou **fait-divers** n. m. Information qui relate un événement (crime, vol, accident, etc.) touchant des particuliers ; cet événement lui-même. ▷ n. m. pl. Rubrique regroupant l'ensemble de ces événements, dans un journal. *La page des faits divers.*

fait-diversier n. m. Journaliste spécialiste des faits divers. *Des faits-diversiers.*

faîte n. m. **1.** Partie la plus élevée d'un bâtiment. *Le faîte d'une maison.* **2.** *Par ext.* Sommet, cime. *Le faîte d'une montagne, d'un arbre.* ▷ GEOMORPH *Ligne de faîte :* ligne de crête*. **3.** Fig. Le plus haut degré (de la gloire, des honneurs, etc.).

faîteau n. m. ARCHI Ornement placé aux extrémités d'un faîtage.

faîtière adj. et n. f. CONSTR **1.** adj. *Tuile faîtière :* tuile courbe recouvrant un faîtage. **2.** n. f. Lucarne en haut d'un comble.

fait-tout ou **faitout** n. m. Récipient profond muni de deux anses et d'un couvercle, dans lequel on peut faire cuire toutes sortes d'aliments. *Des fait-tout* ou *faitouts.*

Faivre (Abel) (Lyon, 1867 - Nice, 1945), peintre et caricaturiste français. Il collabora notam. aux magazines *l'Assiette au beurre* et *le Rire.*

faix [fɛ] n. m. **1.** Vx ou litt. Charge, fardeau pesant. *Plier sous le faix.* - Fig. *Le faix des impôts, des ans.* **2.** TECH Tassement dans une maison récemment construite. **3.** MED Fœtus et ce qui l'accompagne.

Fakhr ad-Din II *(Fahr ad-Dīn)* (?, 1572 - Istanbul, 1635), émir du Liban (1585-1633). Il le soumit et s'avança en Palestine et en Syrie. Contre les Ottomans, il sollicita, sans succès, l'appui des princes d'Europe (qui le nommèrent *Facardin*). Capturé au cours d'une expédition menée par le sultan Murat IV, il fut exécuté.

fakir n. m. **1.** Ascète musulman ou hindou se livrant à des mortifications publiques et vivant d'aumônes. **2.** Homme qui se livre publiquement à des exercices et des tours de magie ; prestidigitateur. - *Par ext.* Thaumaturge.

falafel n. m. CUIS (Proche-Orient) Petit beignet de pois chiches ; pita fourré de ces beignets et de légumes.

falaise n. f. Côte abrupte et très élevée, dont la formation est due au travail de sape de la mer à la base d'une couche cohérente horizontale ou peu inclinée. - *Par ext.* Abrupt, spécial. dans un relief de côte.

Falaise, ch.-l. de cant. du Calvados (arr. de Caen), sur l'Ante ; 8 387 hab. Électroménager ; abattoirs. - Nombr. monuments (remparts, égl., chât.) des XIe, XIIe et XIIIe s. - Guillaume le Conquérant y serait né. - En juil. 1944, la ville fut ravagée par les bombardements alliés.

Falashas ou **Falachas,** population, dont l'origine est discutée, du N. de l'Éthiopie (leur nom, en amharique, signifie « différent »). Professant un judaïsme archaïque, ils ont été reconnus comme juifs par le rabbinat d'Israël (1973) et une partie d'entre eux ont émigré dans ce pays en 1985 et 1991.

falbala n. m. **1.** Anc. Bande d'étoffe plissée au bas d'un rideau, d'une jupe. **2.** (Plur.) Ornements prétentieux et de mauvais goût. *Une toilette à falbalas.*

falciforme adj. ANAT Qui a la forme d'une faucille. *Ligament falciforme.*

Falcon (Marie Cornélie) (Paris, 1814 - id., 1897), cantatrice française. Son nom a été donné au type vocal de la soprano dramatique.

Falconet (Étienne) (Paris, 1716 - id., 1791), sculpteur français. Son style est d'abord baroque (*Milon de Crotone dévoré par un lion,* 1754), puis plus classique (statue équestre de *Pierre le Grand* à Saint-Pétersbourg).

falconidés n. m. pl. ORNITH Famille de falconiformes comprenant les faucons, aigles, buses, etc. - Sing. *Un falconidé.*

falconiformes n. m. pl. ORNITH Ordre d'oiseaux réunissant tous les rapaces diurnes. - Sing. *Un falconiforme.*

Falémé (la), riv. navigable d'Afrique occid. (650 km), affl. du Sénégal ; frontière entre le Mali et le Sénégal.

Falérïes, anc. v. d'Étrurie (auj. *Civita Castellana*), près de Véies ; cap. des Falisques, anc. peuple d'Italie, qui résista à Rome jusqu'en 241 av. J.-C.

Falguière (Alexandre) (Toulouse, 1831 - Paris, 1900), sculpteur français, réaliste, sensuel et pourtant académique (série des *Diane*).

Faliero ou **Falier,** famille de Venise qui donna plusieurs doges à la ville. - **Marino Faliero** (1274 - 1355) fut décapité pour avoir voulu renverser le gouvernement aristocratique. Son histoire a notam. inspiré Byron (1820).

Falk (Adalbert) (Metschkau, Silésie, 1827 - Hamm, 1900), homme politique allemand. Ministre (1872-1879) de l'Instruction publique de Bismarck, il appliqua la politique du Kulturkampf.

Falkenhayn (Erich von) (Burg Belchau, 1861 - Schlosshindstedt, 1922), général allemand. Pangermaniste, ministre de la Guerre (1913-1914), chef d'état-major (1914-1916), il commanda (après son échec à Verdun, en 1916) les armées de l'Entente sur les fronts d'Europe orient. et du Proche-Orient de 1916 à 1918.

Falkland (îles) (en fr. *Malouines*, en esp. *Malvinas*), archipel de l'Atlantique Sud (à l'E. du détroit de Magellan), occupé par la G.-B. et revendiqué par l'Argentine; 11 718 km²; 2 000 hab.; ch.-l. *Port Stanley* (1 230 hab.; 3 000 soldats brit.). La pêche et l'élevage ovin sont les princ. ressources. – Victoire de l'amiral britannique Sturdee sur l'escadre allemande de von Spee (8 décembre 1914). En 1982, conflit argentino-britannique qui se conclut par la défaite des Argentins.

Falla (Manuel de) (Cadix, 1876 – Alta Gracia, Argentine, 1946), compositeur espagnol. Élève de Tragó et de Pedrell, il rénova la musique espagnole : *la Vie brève* (opéra, 1905), *l'Amour sorcier* (ballet, 1915), *Nuits dans les jardins d'Espagne* (pièce pour piano et orchestre, 1916), *le Tricorne* (ballet, 1919). ► illustr. page **699**

fallacieusement adv. Litt. D'une façon fallacieuse.

fallacieux, euse adj. Litt. **1.** Trompeur, perfide. *Serments fallacieux.* **2.** Spécieux. *Argument, raisonnement fallacieux.*

Fallada (Rudolf Ditzen, dit Hans) (Greifswald, Mecklembourg, 1893 – Berlin, 1947), romancier naturaliste allemand : *Petit bonhomme, et maintenant?* (1932), *Qui a bu boira* (1934).

Fallières (Armand) (Mézin, Lot-et-Garonne, 1841 – id., 1931), homme politique français. Président du Conseil en 1883, puis président du Sénat (1899-1906), il fut élu président de la République comme candidat des gauches contre Doumer (1906-1913).

falloir v. impers. [**50**] **I.** *S'en falloir de* : manquer. *Il s'en faut de 100 F que la somme y soit. Tant, peu s'en faut que* : il s'en faut de beaucoup, de peu que. – (Au passé.) *Il s'en est fallu de peu que* ou *peu s'en est fallu que* : il a failli arriver que. **II. 1.** Être nécessaire. *Il faut 100 cl pour faire un litre. Il vous faut partir. Il faut que vous y alliez.* ▷ Fam. *Il faut voir* : il serait curieux ou intéressant de voir, de réfléchir. *Il faut voir ce que cela donnera. Il lui parle il faut voir comme!* **2.** Être bienséant. *Il ne faut pas montrer du doigt.* ▷ Fam. *Comme il faut* : convenablement. *Tiens-toi comme il faut.* Par ext. *Des gens comme il faut*, très convenables. **III. 1.** (Marquant une probabilité.) *Il faut qu'il soit fou pour refuser.* Fam. *Faut-il être borné pour ne pas comprendre!* **2.** (Exprimant la répétition.) *Il faut toujours qu'il ergote.* **3.** (Exprimant l'idée d'une fatalité.) *Il a fallu qu'il pleuve ce jour-là.* **4.** (Au passé, exprimant une condition non réalisée.) *Il fallait vous dépêcher, vous l'auriez vu.*

Fallope (Gabriele Fallopia ou Fallopio, dit en fr. Gabriel) (Modène, 1523 – Padoue, 1562), médecin italien. Il étudia l'oreille interne et les organes génitaux féminins. ▷ ANAT *Trompes de Fallope* : V. trompe.

Fallot (Étienne Louis, dit Arthur) (Sète, 1850 – Marseille, 1911), médecin légiste français. ▷ MED *Tétralogie de Fallot* : malformation cardiaque congénitale associant une sténose pulmonaire, une déviation de l'aorte vers la droite, une communication entre les ventricules et une hypertrophie ventriculaire droite. – *Trilogie de Fallot* : malformation cardiaque congénitale associant un rétrécissement pulmonaire, une communication interauriculaire et une hypertrophie ventriculaire droite. Ces deux malformations cardiaques s'accompagnent d'une cyanose (maladie bleue). Elles sont actuellement opérables : dérivation ou réparation complète.

Falloux (Frédéric, comte de) (Angers, 1811 – id., 1886), écrivain (*Mémoires d'un royaliste éclairé*, posth., 1888) et homme politique français, un des chefs du parti cathol. libéral. Il fut ministre de l'Instruction publique en 1848-1849 et prépara la loi Falloux, votée en 1850, qui autorisa l'enseignement libre et assujettit l'Université au contrôle des autorités admin. et relig. Acad. fr. (1856).

1. falot [falo] n. m. **1.** Grosse lanterne, fanal. **2.** Arg. Tribunal militaire. *Passer au falot.*

2. falot, ote [falo, ɔt] adj. Terne, effacé. *Un être falot.*

falsifiable adj. Susceptible d'être falsifié. *Un document facilement falsifiable.*

falsificateur, trice n. Personne qui falsifie.

falsification n. f. Action de falsifier; état d'une chose falsifiée.

falsifier v. tr. [**2**] Altérer volontairement (qqch) dans l'intention de tromper, de frauder. *Falsifier du vin. Falsifier de la monnaie. Falsifier un contrat.* Syn. dénaturer, contrefaire.

Falstaff, déformation de *Fastolf* (sir John) (?, v. 1379 – Caister, 1459), capitaine anglais, régent de Normandie et gouverneur du Maine et de l'Anjou. Shakespeare (*Henry IV, les Joyeuses Commères de Windsor*) fait de lui un personnage débauché, cynique et grotesque.

Falster, île danoise de la mer Baltique, au S. de Sjælland; 514 km²; ch.-l. *Nykøbing*; 45 000 hab.

falun [falœ̃] n. m. Sable très riche en coquilles fossiles du tertiaire (lamellibranches, gastéropodes, etc.), utilisé comme amendement calcique. *Les faluns de Touraine.*

Falun, v. de Suède; ch.-l. de län; 51 640 hab. Mines de cuivre; industr. métallurgiques et chimiques.

falzar n. m. Arg. ou fam. Pantalon.

Famagouste, v. et port de pêche de la côte E. de Chypre; ch.-l. du distr. du m. nom; 44 200 hab. – Églises goth. : St-Georges-des-Latins (fin XIIIe s.), St-Nicolas-de-Nicosie (XIVe s.). – Cap. sous le règne des Lusignan, disputée entre Génois et Vénitiens, elle fut prise par les Turcs en 1571.

famé, ée adj. *Mal famé* ou *malfamé* : se dit d'un lieu qui a mauvaise réputation. *Quartier mal famé.*

Fameck, ch.-l. de cant. de la Moselle (arr. de Thionville-Ouest); 14 022 hab. Aciéries.

famélique adj. **1.** Qui n'assouvit pas sa faim. *Des animaux faméliques.* **2.** *Par ext.* Maigre, émacié. *Visage famélique.*

Famenne (la), petit pays de l'Ardenne belge, entre la Lesse et l'Ourthe. Région de forêts (feuillus) et de landes.

fameusement adv. Vieilli, fam. Extrêmement. *C'est fameusement bon.* Syn. rudement, très.

fameux, euse adj. **1.** Renommé, célèbre. *Des héros fameux.* ▷ Dont on a beaucoup parlé. *C'est le fameux chemin où nous sommes tombés en panne.* **2.** Fam. Excellent, parfait. *Ce vin est fameux. Pas fameux* : médiocre. **3.** Fam. Très grand, remarquable. *C'est un fameux imbécile.*

familial, ale, aux adj. Relatif à la famille. *Patrimoine familial. Allocations familiales.* ▷ MED *Maladie familiale* : affection héréditaire qui frappe plusieurs membres d'une même famille.

familialement adv. **1.** Relativement à la famille. **2.** D'une manière familiale.

familiarisation n. f. Action de familiariser; son résultat.

familiariser **1.** v. tr. [**1**] Rendre familier à (qqn), accoutumer, habituer. *Familiariser qqn avec le travail.* – Pp. *Un enfant familiarisé avec la discipline scolaire.* **2.** v. pron. Se rendre familier. *Il se familiarise avec tout le monde. Se familiariser avec une langue étrangère.*

familiarité n. f. **1.** Manière simple, familière, de se comporter. *Traiter qqn avec familiarité.* Syn. intimité. **2.** Manière de s'exprimer qui a le ton simple de la conversation ordinaire. *Familiarité du style.* **3.** (Plur.) Façon très ou trop familière. *Se permettre des familiarités déplacées.*

familier, ère adj. et n. **1.** Qui fait partie de la famille. – *Animal familier,* qui vit en compagnie de l'homme. ▷ Subst. Personne qui vit dans l'intimité d'une autre, la fréquente assidûment. *C'est un familier du prince.* **2.** Qui se comporte librement, sans façons (avec qqn). *Être familier avec qqn.* ▷ Qui se dit, se fait sans façons, sans gêne. *Discours, langage familier. Expression familière.* ▷ *Par ext.* Péjor. Qui manque de déférence. *Manières un peu familières.* Syn. irrespectueux, désinvolte. **3.** Que l'on connaît bien, que l'on utilise couramment. *Ce terme lui est familier.* Syn. ordinaire, habituel. **4.** Qui rappelle qqch ou qqn que l'on connaît. *Ce visage m'est familier.*

familièrement adv. D'une manière familière. *S'entretenir familièrement avec des amis.*

familistère n. m. **1.** Dans le système de Fourier, communauté réunissant plusieurs familles. **2.** Entreprise organisée en coopérative ouvrière de production dans plusieurs régions françaises.

famille n. f. **I. 1.** Ensemble de personnes formé par le père, la mère et les enfants. *Chef de famille.* ▷ Ensemble des enfants issus d'un mariage. *Famille nombreuse. Mère de famille. Soutien de famille* : fils, fille, frère, sœur subvenant aux besoins des siens. **2.** (Sens large.) Ensemble de toutes les personnes ayant un lien de parenté. *Réunir toute la famille. Avoir un air de famille.* – Par ext. *La famille humaine* : l'humanité tout entière. **3.** Race, lignée, descendance. *Famille royale. La famille des Bourbons. Jeune fille de bonne famille,* d'une famille honorable et aisée. Ellipt. *Fille, fils de famille.* **II. 1.** *Par anal.* Ensemble formé de choses ou d'êtres présentant des points communs. *Famille de mots. Famille d'esprit.* ▷ CHIM Ensemble d'éléments ayant des propriétés voisines. *Famille des halogènes.* ▷ MATH *Famille d'éléments indexée* : application faisant correspondre un ensemble d'éléments x à un ensemble d'indices i. – *Famille de courbes,* qui se déduisent les unes des autres par modification d'un paramètre. ▷ PHYS NUCL *Famille radioactive* : ensemble des éléments dérivant d'un même élément par désintégration radioactive. **2.** BIOL Unité systématique moins importante que l'ordre et plus importante que le genre, dont le nom dérive généralement du genre type. *Genre Felis* (*felis* : «chat», en latin), *famille des félidés.*

Famille (pacte de), traité d'alliance négocié par Choiseul (1761) entre les branches régnantes de la maison de Bourbon (France, Espagne, Naples et Parme) pour résister à la puissance navale anglaise.

famine n. f. Disette de vivres dans un pays, une ville. *Prendre une ville par la famine.* ▷ Loc. *Crier* famine.* ▷ *Salaire de famine,* très bas.

Famine (pacte de), nom donné par l'opinion au contrat conclu, au nom de Louis XV, par le contrôleur général des Finances avec des spéculateurs en blé et dont le but aurait été de provoquer des disettes factices à Paris pour faire hausser le prix du pain (1765). La libération du comm. des grains fit renaître cette croyance en 1774. (V. Farines, guerre des.)

fan [fan] n. et adj. (Anglicisme) Fam. Admirateur enthousiaste (d'une vedette, *par ext.,* de qqn ou de qqch).

Fan(s). V. Fang(s).

fana adj. et n. Fam. Abrév. de *fanatique. Être (un, une) fana de football. Des fanas.*

fanage n. m. Action de faner; résultat de cette action.

fanal, aux n. m. Grosse lanterne portative ou fixe, servant à baliser, à signaler la présence d'un véhicule, d'un navire, d'un individu, ou à éclairer sa marche.

fanatique adj. et n. **1.** Animé d'une exaltation outrée et intransigeante pour qqch ou qqn. *Les partisans fanatiques de telle tendance politique.* **2.** Qualifie une passion, un sentiment, un comportement excessif. *Amour fanatique.* ▷ Subst. *Un fanatique de cinéma.*

fanatiquement adv. D'une manière fanatique.

fanatisation n. f. Action de fanatiser.

fanatiser v. tr. [1] Rendre fanatique. *Ses discours fanatisent les foules.*

fanatisme n. m. Zèle, enthousiasme excessif, exalté. *Fanatisme religieux.*

fan-club [fanklœb] n. m. (Anglicisme) Association des fans d'une vedette. *Des fan-clubs.*

fandango [fɑ̃dɑ̃go] n. m. Danse populaire espagnole, exécutée au son de la guitare et des castagnettes; air sur lequel on la danse.

fane n. f. Feuille ou tige feuillue de certaines plantes herbacées dont une autre partie est consommée. *Fanes de carottes.*

fané, ée adj. Flétri. *Jeter des fleurs fanées.* – Fig. *Visage fané. Couleur fanée.*

faner v. tr. [1] **I.** AGRIC Épandre et retourner (l'herbe coupée) pour qu'elle sèche. *Faner de la luzerne.* **II. 1.** Détruire la fraîcheur de (une plante). *La sécheresse a fané la végétation.* Syn. flétrir. ▷ v. pron. *Les roses se fanent vite.* **2.** Fig. Altérer l'éclat de. *La fatigue a fané son beau visage.* ▷ v. pron. *Sa beauté se fane.*

faneur, euse n. **1.** Personne qui fane. **2.** n. f. AGRIC Machine servant à faner.

Fanfani (Amintore) (Pieve San Stefano, Arezzo, 1908), homme politique italien. Secrétaire général de la Démocratie chrétienne de 1954 à 1959 et de 1973 à 1975, président du parti en 1976, il fut président du Conseil (1958-1959, 1960-1963, 1982-1983, 1987).

fanfare n. f. **1.** Air généralement vif et entraînant exécuté par des instruments de cuivre. ▷ Fig., fam. *Un réveil en fanfare,* brutal. **2.** Orchestre de cuivres et de percussions exécutant de tels airs.

fanfaron, onne adj. et n. Se dit d'une personne qui exalte exagérément sa valeur, sa bravoure, ses mérites; vantard. – Qui dénote la vantardise.

fanfaronnade n. f. Propos, action, attitude du fanfaron.

fanfaronner v. intr. [1] Faire le fanfaron.

fanfreluche n. f. (Souv. péjor.) Ornement frivole et de peu de valeur.

fang [fɑ̃g] adj. (inv. en genre) Des Fangs. *Statuette fang.*

Fang(s), Fan(s) ou **Pahouins,** peuple du Gabon, de la Guinée équat. et du Cameroun (mérid.). L'art des Fangs est princ. représenté par des statuettes sculptées en ronde bosse (les *bieri*), associées au culte des ancêtres.

Fangataufa, atoll de la Polynésie fr., dans l'archipel des Tuamotu, site des expérimentations nucléaires de 1968 à 1996.

fange n. f. **1.** Boue souillée, bourbe. **2.** Fig. Ce qui salit, souille, avilit. *Couvrir qqn de fange,* l'injurier bassement.

fangeux, euse adj. **1.** Plein de fange. **2.** Fig. Abject.

Fangio (Juan Manuel) (Balcarce, 1911 – Buenos Aires, 1995), pilote de course argentin. Il domina la compétition automobile de 1951 à 1958.

Fangio au volant d'une Alfa-Roméo

fanion n. m. Petit drapeau. *Fanion d'une ambulance. Fanion de signalisation.*

fanny adj. inv. Fam. À la pétanque, se dit d'un concurrent battu sans avoir marqué un seul point.

Fano, v. et port d'Italie (prov. de Pesaro-et-Urbino), sur l'Adriatique; 52 260 hab. Station balnéaire.

fanon n. m. **1.** LITURG CATHOL Chacune des deux bandes de soie au bas de la mitre épiscopale. **2.** Peau pendant sous le cou de certains animaux (bœuf, chien, etc.). **3.** Chacune des lames cornées du palais des mysticètes, servant à filtrer le plancton.

fantaisie n. f. **1.** Vx Imagination créatrice. **2.** Originalité dans le comportement qui dénote un caractère imaginatif. *Une personne pleine de fantaisie.* – Par ext. *Cette vie manque de fantaisie.* Ant. banalité, monotonie. **3.** Pensée, idée, goût capricieux. *Il faudrait satisfaire toutes ses fantaisies.* Syn. extravagance, lubie. **4.** Humeur, goût propre à qqn. *Vivre, juger selon sa fantaisie.* **5.** Objet généralement dépourvu d'utilité et de valeur mais qui plaît par son originalité. – (En appos.) *Un bijou fantaisie.* **6.** Œuvre d'imagination. ▷ MUS Composition de forme libre. *Fantaisie pour violon.*

fantaisiste adj. et n. **I.** adj. **1.** Qui vit à sa guise, de façon originale. ▷ Subst. *C'est un(e) fantaisiste.* Syn. original, farfelu. **2.** Qui n'est pas sérieux. *Information, interprétation fantaisiste.* Syn. faux. **II.** n. Artiste de music-hall qui présente un numéro comique.

fantasia n. f. Chez les Arabes, sorte de carrousel au cours duquel les cavaliers s'élancent au galop en tirant des coups de fusil.

fantasmagorie n. f. **1.** Anc. Spectacle qui consistait à faire apparaître des fantômes par illusion d'optique, à la mode au siècle dernier. ▷ Mod., litt. Spectacle étrange, fantastique. **2.** Abus d'effets fantastiques ou surnaturels.

fantasmagorique adj. Litt. Qui tient de la fantasmagorie.

fantasmatique adj. Didac. De la nature du fantasme.

fantasme ou (vieilli) **phantasme** n. m. PSYCHAN Ensemble de représentations imagées mettant en scène le sujet et traduisant, à travers les déformations de la censure imposée par le surmoi, les désirs inconscients de celui qui l'élabore. – Cour. Représentation imaginaire de la réalisation d'un désir, qui ne tient pas compte de la réalité.

fantasmer v. intr. [1] Élaborer des fantasmes.

fantasque adj. **1.** Sujet à des sautes d'humeur, à des fantaisies bizarres. *Caractère fantasque.* **2.** Litt. Bizarre, extraordinaire dans son genre. *Opinion fantasque.*

fantassin n. m. Soldat d'infanterie.

fantastique adj. et n. m. sing. **1.** Chimérique, né de l'imagination, irréel. *Une vision fantastique.* **2.** Bizarre, surnaturel. *Une histoire fantastique.* ▷ n. m. sing. Ce qui est fantastique. – Genre fantastique en art, en littérature. **3.** Qui sort de l'ordinaire, étonnant, incroyable. *Le spectacle fantastique d'un volcan en éruption. Ce qui m'arrive est fantastique.*

ENCYCL **Littér.** – La littérature fantastique se caractérise par l'irruption d'un objet insolite dans le champ du réel, d'abord perturbé puis transformé. Aux légendes que le Moyen Âge exalte à l'aide du *merveilleux,* et aux contes du XVIIe s. (Perrault) succèdent les livres «noirs» du siècle des Lumières, notam. *le Diable amoureux* de Cazotte (1772). L'épanouissement du genre est contemporain du romantisme : en Angleterre et en Irlande, avec le roman noir (Maturin, Lewis, Mary Shelley); en Allemagne, avec les contes d'Hoffmann et d'Arnim. Bientôt, toute la littér. occid. est gagnée par le fantastique : en France, Nodier (l'«école frénétique», v. 1820), Balzac, Mérimée, Gautier, Nerval; en Russie, Gogol et Dostoïevski; aux É.-U., Poe, Irving et Hawthorne; en Pologne, Potocki. Auj., le fantastique revêt souvent la forme de la science-fiction (Ray Bradbury, Lovecraft); en outre, il inspire largement l'art cinématographique.

Bx-A. – La variété des thèmes fantastiques ressortit au versant nocturne des choses, sous-jacent à la plupart des représentations : la forêt (Grünewald, Dürer, Cranach, Altdorfer, Baldung-Grien), les monstres (bestiaires du Moyen Âge, Deutsch, Bosch, etc.), les scènes oniriques (Zuccari, Füssli, Moreau, Redon, Ensor, Kubin, De Chirico, Delvaux, Dalí), les lieux d'ombre et

Fantin-Latour : *Nature morte;* fondation Gulbenkian, Lisbonne

de ténèbres (Seghers, Monsu Desiderio, Piranèse, Goya, Hugo, Böcklin).

fantastiquement adv. De façon fantastique.

Fantin-Latour (Henri) (Grenoble, 1836 – Buré, Orne, 1904), peintre français, le princ. représentant du réalisme intimiste au XIXe s. : *Hommage à Delacroix* (1864), *l'Atelier des Batignolles* (1870).

fantoche n. m. **1.** Marionnette. **2.** Fig. Personne sans personnalité qui se laisse manœuvrer et qu'on ne prend pas au sérieux. – (En appos.) *Un gouvernement fantoche.*

Fantômas, personnage créé par P. Souvestre et M. Allain (1911), criminel capable de prendre toutes les apparences et toutes les identités, qui devint très populaire et fut apprécié des surréalistes.

fantomatique adj. Qui a l'apparence d'un fantôme.

fantôme n. m. **1.** Apparition surnaturelle d'un défunt, spectre. **2.** Fig. Apparence vaine, sans réalité. *C'est un fantôme de roi. Jouir d'un fantôme de liberté.* Syn. simulacre. ▷ (En appos.) *Gouvernement fantôme,* dépourvu d'existence juridique. **3.** (En appos.) MED *Membre fantôme :* chez l'amputé, membre absent perçu comme toujours présent et parfois siège de fortes douleurs, phénomène neurologique habituel. **4.** TECH Marque (fiche, planchette, etc.) laissée sur un rayon de bibliothèque à la place d'un document sorti.

fanzine n. m. ou f. Magazine imprimé le plus souvent de façon artisanale, à faible tirage et de périodicité variable, consacré à la bande dessinée.

F.A.O. Sigle de *Food and Agriculture Organization,* « Organisation des Nations unies pour l'alimentation et l'agriculture ». Institution créée en 1945 par l'ONU en vue de mieux répartir les produits agricoles et de lutter contre la faim dans le monde. Son siège est à Rome.

faon [fɑ̃] n. m. Petit du cerf, du chevreuil ou du daim.

faquin n. m. Vx Individu méprisable. *Vil faquin.* Syn. coquin, maraud.

far n. m. CUIS Sorte de flan aux pruneaux. *Far breton.*

Farabi (Abu Nasr Al-) *(Abū n-Naṣr al-Fārābī)* (près de Fārāb, Turkestan, 872 – Damas, 950), philosophe arabe, surnommé *le Second Maître* (après Aristote). Commentateur de Platon et d'Aristote, il influença à son tour Avicenne et Averroès.

farad n. m. PHYS Unité de capacité électrique du système SI (symbole F). *Le farad est la capacité d'un condensateur qui possède une charge de 1 coulomb pour une différence de potentiel de 1 volt entre ses armatures.*

faraday [faʀadɛ] n. m. PHYS Charge électrique, d'une valeur de 96 486 coulombs, transportée par chaque mole d'ion monovalent dans l'électrolyse.

Faraday (Michael) (Newington, Surrey, 1791 – Hampton Court, 1867), physicien et chimiste anglais. Il découvrit les phénomènes d'induction électromagnétique, étudia l'électrolyse et réalisa la liquéfaction de nombreux gaz. ▷ PHYS *Cage de Faraday :* enceinte métallique qui permet de protéger des appareils de l'influence de champs électriques extérieurs.

Michael **Faraday**

William **Faulkner**

faramineux, euse ou **pharamineux, euse** adj. Fam. Extraordinaire, fantastique. *Des sommes faramineuses.*

farandole n. f. Danse provençale sur un rythme à 6/8, dans laquelle danseurs et danseuses forment une chaîne en se tenant par la main. – Air de cette danse.

Farasan. V. Farsan.

faraud, aude adj. et n. Vx ou rég. Fat et fanfaron. *Être tout faraud. Faire le faraud.*

Farazdaq (Al-) (Bassora, Irak, v. 640 – id., v. 730), poète arabe, auteur d'œuvres panégyriques et satiriques. Considéré comme l'héritier de la tradition bédouine, il est célèbre pour son conflit avec son confrère Djarir. Son *diwan* renferme 7 630 vers.

1. farce n. f. Hachis de viandes, d'épices, etc., servant à farcir.

2. farce n. f. et adj. **I.** n. f. **1.** LITTER Pièce de théâtre bouffonne. « *La Farce de Maître Pathelin.* » **2.** Comique bas et grossier. *Cet auteur tombe souvent dans la farce.* **3.** Tromperie amusante faite par plaisanterie. *Faire une farce à qqn.* Syn. tour, (fam.) niche. **II.** adj. Vieilli Comique. *C'est farce !*

farceur, euse n. et adj. **1.** Vx Acteur comique burlesque. **2.** Personne qui aime plaisanter, faire des farces, jouer des tours. Syn. plaisantin. ▷ adj. *Un enfant farceur.* **3.** Personne peu sérieuse sur laquelle on ne peut compter. *Votre homme d'affaires me semble un sinistre farceur.*

farci, ie adj. **1.** Rempli de farce. *Dinde farcie.* **2.** *Par ext.* Fig., péjor. *Farci de :* rempli de. *Un texte farci d'erreurs.*

farcir v. [3] **I.** v. tr. **1.** Remplir de farce. *Farcir une volaille, des aubergines.* **2.** Fig., péjor. Bourrer, remplir avec excès. *Farcir un discours de citations.* **II.** v. pron. Fam. Supporter, endurer. *J'ai dû me farcir cet énergumène. Ils se sont farci deux heures d'attente.* ▷ Vulg. *Se farcir une nana,* coucher avec elle.

fard [faʀ] n. m. Composition cosmétique destinée à embellir le teint. ▷ Loc. fam. *Piquer un fard :* rougir subitement. ▷ Fig. *Parler sans fard,* sans feinte, sans dissimulation.

fardeau n. m. Lourde charge. *Soulever un fardeau.* – Fig. *Le fardeau des ans.*

fardelage n. m. COMM, TECH Groupage de petits paquets sous forme de lots emballés.

farder v. tr. [1] **1.** Mettre du fard à. *Farder son visage.* – Pp. adj. *Une femme trop fardée.* ▷ v. pron. *Se farder outrageusement.* **2.** Fig. Déguiser, dissimuler pour embellir. *Farder la vérité.* ▷ COMM Dissimuler des produits défectueux sous des produits de bonne qualité pour tromper l'acheteur.

fardier n. m. Anc. Chariot à petites roues servant au transport de lourdes charges.

faré n. m. Rég. Maison traditionnelle à Tahiti.

Fareham, v. et port de G.-B. (Hampshire); 97 300 hab.

Farel (Guillaume) (Les Fareaux, com. de Gap, 1489 – Neuchâtel, 1565), réformateur français. Membre du cercle de Meaux, disciple de Lefèvre d'Étaples (1521), il adhéra à la Réforme et dut se réfugier à Bâle (1523). Il fonda l'Église réformée de Genève (1535) et fit appel à Calvin (1536); expulsés par leurs adversaires (1538), ils regagnèrent Genève en 1541, et Farel se retira à Neuchâtel.

Faremoutiers, com. de Seine-et-Marne (arr. de Meaux); 1 861 hab. – Abbaye de bénédictines fondée au

le **fardier** de Cugnot, première expérience dans la cour de l'Arsenal

VIIe s. par sainte Fare, détruite en 1792, restaurée en 1931.

Faret (Nicolas) (Bourg-en-Bresse, v. 1596 - Paris, 1646), poète et moraliste français. Il collabora, en 1634, à la rédaction des statuts de l'Académie française, dont il fut membre.

Farewell (en danois *Farvel*), cap situé à l'extrémité S. du Groenland.

farfadet n. m. Esprit follet, lutin.

farfelu, ue adj. et n. Fam. D'une fantaisie un peu extravagante et folle. - Subst. *Une farfelue sympathique.*

farfouiller v. intr. [1] Fam. Fouiller en bouleversant tout. *Farfouiller dans un tiroir.*

Fargue (Léon-Paul) (Paris, 1876 - id., 1947), poète français. Son œuvre lyrique, imprégnée du climat parisien, montre un souci de l'atmosphère et du détail : *Tancrède* (1895; en vol., 1911), recueil de proses poétiques et de vers libres, *Poèmes* (1912), *Pour la musique* (1914), *Espaces* (1929), *D'après Paris* (1932), *le Piéton de Paris* (1939).

faribole n. f. (Surtout au plur.) Propos, chose frivole. *Dire des fariboles.* Syn. baliverne.

farigoule n. f. Dial. (provenç.) Thym.

Farina (Jean-Marie) (Crana, prov. de Novare, 1685 - Cologne, 1766), chimiste italien. Il mit au point et fabriqua l'*eau de Cologne.*

farine n. f. **1.** Poudre résultant du broyage de graines de céréales ou de divers autres végétaux. *Farine de blé, de maïs. Farine de lin, de moutarde.* **2.** *Spécial.* Farine de froment. *Un sac de farine.* - Fig., péjor. *Gens, choses de la même farine,* du même acabit. - Loc. fam., fig. *Se faire rouler dans la farine* : être trompé dans une affaire.

Farinelli (Carlo Broschi, dit) (Naples, 1705 - Bologne, 1782), chanteur italien (castrat); l'un des plus célèbres sopranos de son temps.

fariner v. [1] **1.** v. tr. Poudrer de farine. **2.** v. intr. Prendre un aspect farineux. *Dartre qui farine.*

Farines (guerre des), ensemble d'émeutes que provoqua dans plus. régions de France, en avr. 1775, l'augmentation du prix du blé et donc du pain. Au début mai, à Paris, Turgot réprima sévèrement ces insurrections spontanées.

farineux, euse adj. et n. m. **1.** Qui contient de la fécule. *Les fèves, le riz sont des aliments farineux.* ▷ n. m. *N'abusez pas des farineux.* **2.** Qui a l'aspect, la texture, le goût de la farine. *Une pomme farineuse.* **3.** Qui est ou qui semble couvert de farine. *Peau farineuse.*

farlouse n. f. Pipit *(Anthus pratensis)* à plumage gris olive, courant en Europe, appelé aussi *pipit des prés* et *pipit farlouse.*

Farman (Henri) (Paris, 1874 - id., 1958) et son frère **Maurice** (Paris, 1877 - id., 1964), aviateurs et constructeurs d'avions français, d'origine brit. Ils contribuèrent au développement de l'aviation. Henri effectua en 1908 le premier vol avec passager.

Farnborough, ville de G.-B. (Hampshire); 45 450 hab. - Siège d'une exposition aéronautique bisannuelle. - Tombeaux de Napoléon III, de l'impératrice Eugénie et de leur fils.

Farnèse, maison princière d'Italie, originaire des environs d'Orvieto, qui régna à Parme après 1545. – **Alessandro.** V. Paul III (pape). – **Pier Luigi** (v. 1490 - Plaisance, 1547), fils de Paul III, reçut de lui les duchés de Plaisance et de Parme; il mourut assassiné. – **Ottavio** (v. 1524 - 1586), fils du préc.; il épousa Marguerite d'Autriche. – **Alessandro** (Rome, 1545 - Saint-Vaast, près d'Arras, 1592), fils du préc.; duc de Parme, général au service de Philippe II, gouverneur des Pays-Bas et adversaire d'Henri IV. – **Élisabeth.** V. Élisabeth Farnèse.

façade du palais **Farnèse**

Farnèse (palais), palais construit à Rome pour le cardinal Farnèse (le futur pape Paul III). Commencée v. 1515 sur les plans de Sangallo le Jeune, la construction fut ensuite dirigée par Michel-Ange; les Carrache et le Dominiquin décorèrent le palais de fresques. Depuis 1874, il est le siège de l'ambassade de France.

Farnésine (villa), célèbre palais de Rome qui appartint aux Farnèse (construction 1509-1511); fresques de Raphaël.

farniente [faʀnjɛnte; faʀnjɑ̃t] n. m. Douce oisiveté.

Faro, v. et port du Portugal, sur l'Atlantique; ch.-l. du distr. du m. nom et cap. de la région d'Algarve; 27 970 hab. Pêche, industr. text. et alim. Centre tourist. - Évêché.

farouche adj. **1.** Qui s'enfuit quand on l'approche. *Animal farouche.* ▷ (Personnes) Peu sociable, méfiant. *Un enfant farouche.* Syn. sauvage. - *Une femme peu farouche,* qui se laisse volontiers courtiser et séduire. **2.** Fier et ardent. *Caractère, cœur farouche.* **3.** Cruel, violent, implacable. *Une haine farouche. Un tyran farouche.* ▷ (Choses) *Un regard farouche.*

farouchement adv. D'une manière farouche.

Farouk Ier ou **Faruq Ier** *(Fārūq)* (Le Caire, 1920 - Rome, 1965), roi d'Égypte (1936-1952), fils et successeur de Fouad Ier. Dès 1937, il tenta d'écarter le parti Wafd, mais en 1942 les Britanniques lui imposèrent Nahhas pacha comme ministre. En 1952, le coup d'État des « officiers libres » le conduisit à abdiquer et à s'exiler en Europe.

Farquhar (George) (Londonderry, Irlande, 1678 - Londres, 1707), auteur dramatique anglais; remarquable par sa verve : *le Sergent recruteur* (1706), *le Stratagème des roués* (1707).

Farragut (David Glasgow) (près de Knoxville, Tennessee, 1801 - Portsmouth, New Hampshire, 1870), amiral américain. Il combattit aux côtés des nordistes pendant la guerre de Sécession.

Farrell (James Thomas) (Chicago, 1904 - New York, 1979), écrivain américain. Ses romans rendent compte de la réalité sociale, notam. de la misère et de la déchéance : *Studs Lonigan* (trilogie, 1932-1935), *Un monde que je n'ai jamais fait* (autobiographie, 1936-1943).

Farrère (Frédéric Bargone, dit Claude) (Lyon, 1876 - Paris, 1957), officier de marine et écrivain français : *Fumée d'opium* (1904), *les Civilisés* (prix Goncourt 1906), *la Bataille* (1909). Acad. fr. (1935).

Fārs, prov. d'Iran, à l'O. du Khūzistān et en bordure du golfe Persique; 133 000 km²; 3 200 000 hab.; cap. *Chirāz.* Cultures, pâturages. Artisanat (tapis). Nomadisme. - Berceau des dynasties achéménide et sassanide, et du farsi, devenu langue off. de la Perse puis de l'Iran. Nombr. sites archéologiques (Persépolis, Pasargades, Chirāz).

Farsan ou **Farasan** (îles), petit archipel de la mer Rouge, face à la côte méridionale de l'Arabie Saoudite, dont il dépend. Pétrole.

farsi n. m. LING Syn. de *persan.*

fart [faʀt] n. m. Matière dont on enduit la semelle des skis pour les rendre plus glissants.

fartage n. m. SPORT Action de farter; son résultat.

farter v. tr. [1] SPORT Enduire de fart.

Faruq Ier. V. Farouk Ier.

Far West (« Ouest lointain »), immenses étendues herbeuses situées aux É.-U., à l'O. du Mississippi, et colonisées au cours du XIXe s.

fasce n. f. HERALD Pièce qui coupe l'écu par le milieu et en occupe le tiers horizontalement.

fascia [fasja] n. m. MED Membrane conjonctive qui enveloppe muscles et organes.

fasciathérapie n. f. MED Thérapie manuelle destinée à rétablir une bonne irrigation sanguine des muscles en relâchant leurs fascias.

fasciation [fasjasjɔ̃] n. f. BOT Aplatissement pathologique des rameaux d'une plante, s'accompagnant d'une diminution de la croissance en longueur, symptôme de diverses maladies.

fascicule [fasikyl] n. m. **1.** Petite brochure. **2.** Partie d'un ouvrage publié par livraisons. *Encyclopédie qui paraît par fascicules.*

fasciculé, ée adj. **1.** Didac. Disposé en faisceaux. **2.** BOT *Racines fasciculées,* qui sont formées de nombreuses racines fines. **3.** ARCHI *Colonne fasciculée,* composée d'un faisceau de petites colonnes.

fascinant, ante ou **fascinateur, trice** adj. Qui fascine. *Beauté fascinante. Regard fascinateur.*

fascination [fasinasjɔ̃] n. f. **1.** Action de fasciner; fait d'être fasciné. **2.** Fig. Enchantement, attrait irrésistible. *La fascination de la gloire.*

fascine n. f. Fagot de branchages fortement liés, utilisé pour des travaux de fortification ou de terrassement.

fasciner [fasine] v. tr. [1] **1.** Immobiliser par la seule force du regard. *La vipère passait pour fasciner les oiseaux.* **2.** Fig. Attirer irrésistiblement le regard de; charmer, éblouir. *Cette grande poupée fascinait toutes les fillettes.*

fascisant, ante adj. Qui manifeste des tendances au fascisme. *Groupuscule fascisant.*

fascisme [faʃism; fasism] n. m. **1.** Doctrine du parti fondé par B. Mussolini (nationalisme, culte du chef, corporatisme, anticommunisme); régime politique totalitaire que ce parti instaura en Italie de 1922 à 1943-1945. **2.** Doctrine ou système politique qui se réclame du modèle mussolinien. **3.** (Employé péjorativement, avec une intention polémique.) Idéologie conservatrice, réactionnaire.

ENCYCL Le premier «Faisceau de combat» fut créé par Mussolini, le 23 mars 1919, alors qu'une crise politique et économique paralysait le pays. Les Faisceaux affichaient un programme social, mais leurs militants, «les chemises noires», s'en prirent aux coopératives agricoles puis aux syndicats ouvriers. Leurs violences les rendirent d'abord impopulaires. En nov. 1921, Mussolini regroupa les Faisceaux en un parti national fasciste (300 000 membres) qui prônait l'ordre et s'opposait au communisme (le P.C.I. avait été fondé en janv.). Exerçant une forte attraction sur l'armée, la police, une partie des masses populaires (petite bourgeoisie, surtout), le parti brisa en 1922 une grève générale. Le 28 oct., Mussolini organisa une marche sur Rome de quelque 40 000 militants venus de l'Italie tout entière. Malgré ce nombre relativement peu élevé de manifestants, Victor-Emmanuel III, sous la pression notam. du grand patronat, demanda à Mussolini de former un gouvernement (4 ministres fascistes sur 14). Le 25 nov., la Chambre lui accorda les pleins pouvoirs et progressivement il instaura un État totalitaire, proclamé le 3 janv. 1925. Le régime fasciste ainsi établi reposait sur quatre principes : culte du chef («Le *Duce* – c.-à-d. Mussolini, le *Guide* – a toujours raison»); primauté du parti fasciste, qui s'identifie à l'État; consensus de la nation, embrigadée grâce à une intense propagande; primauté de l'Italie, à l'intérieur par une politique favorisant la natalité et les «batailles économiques», à l'extérieur par les conquêtes en Éthiopie (1935) et en Albanie (1939). Mussolini suivit Hitler dans la guerre mondiale en 1940; il subit de graves défaites, notam. en Afrique. Il fut évincé du pouvoir en juil. 1943; incarcéré puis libéré par les All., il installa dans le N. de l'Italie une République sociale italienne fantoche, dite «de Salo» (1943-1944). Sa défaite, son exécution marquèrent la fin du fascisme en Italie, mais la violence fasciste avait inauguré dans l'histoire un «modèle de droite populaire» que certains pays reprirent après 1922 (Portugal, Espagne, etc.) et après 1945 (dans le tiers monde, surtout).

fasciste [faʃist; fasist] n. et adj. **1.** Partisan du fascisme. **2.** adj. Relatif au fascisme. **3.** Partisan d'une doctrine ou d'un régime totalitaire, nationaliste. ▷ Péjor. (correspondant à l'emploi de *fascisme*, sens 3) Réactionnaire.

faseyer [faseje] ou **faseiller** [faseje] [1] v. intr. MAR Battre, en parlant d'une voile qui reçoit mal le vent. Syn. ralinguer.

Fassbinder (Rainer Werner) (Bad Wörishofen, 1946 – Munich, 1982), cinéaste allemand. Dans ses drames réalistes, où cinéma-vérité et influence de B. Brecht se combinent, il s'attacha à montrer que la culture définit la notion de classe : *le Droit du plus fort* (1975), *le Mariage de Maria Braun* (1978), *Lili Marleen* (1980).

1. faste n. m. (En général, au sing. seulement.) Pompe, magnificence, déploiement de luxe. *Le faste de la cour de Louis XIV.*

2. faste adj. **1.** ANTIQ ROM *Jour faste*, où il était permis de s'occuper des affaires publiques, les auspices étant favorables. Ant. néfaste. **2.** Par ext. *Jour faste*, où il s'est produit un événement heureux.

fast food ou **fast-food** [fastfud] n. m. (Américanisme) **1.** Restaurant où l'on peut acheter pour les consommer sur place ou pour les emporter des aliments préemballés (hamburgers, viennoiserie, salades, frites, etc.). **2.** Restauration proposée par ce type d'établissement. Syn. restauration rapide. *Des fast foods* ou *fast-foods.*

fastidieusement adv. D'une manière fastidieuse.

fastidieux, euse adj. Qui ennuie, qui lasse. *Quel travail fastidieux!* Syn. ennuyeux. Ant. intéressant.

fastigié, ée adj. BOT Se dit des rameaux dirigés vers le haut (peuplier d'Italie, cyprès, par ex.).

Fastolf. V. Falstaff.

fastueusement adv. Avec faste.

fastueux, euse adj. Plein de faste. *Une cérémonie fastueuse.* Syn. somptueux. Ant. pauvre, simple.

fat [fa(t)] adj. m. Prétentieux et vain. *Jeune homme fat. Un air fat.* ▷ n. m. *Ce n'est qu'un fat.*

Fatah (El-) ou **Fath (El-),** mouvement politique palestinien, fondé en 1965. Dirigé par Yasser Arafat, il est la principale composante de l'Organisation de libération de la Palestine (O.L.P.).

fatal, ale, als adj. **1.** Litt. Fixé par le destin. **2.** Litt. Voué inexorablement à un destin tragique. *Le héros fatal des romantiques.* ▷ *Femme fatale*, à la beauté envoûtante, et qui semble désignée par le destin pour entraîner les hommes à leur perte. **3.** Qui entraîne la perte, la ruine, la mort. *Ce coup lui fut fatal.* **4.** Inévitable. *Il a fini par se faire prendre, c'était fatal.*

fatalement adv. Inévitablement.

fatalisme n. m. Attitude de ceux qui pensent qu'il est vain de chercher à modifier le cours des événements fixés par le destin.

fataliste adj. et n. Enclin au fatalisme. *Un caractère fataliste.*

fatalité n. f. **1.** Destin, destinée. *La soumission à la fatalité.* **2.** Détermination toute-puissante. *La fatalité de l'hérédité.* **3.** Enchaînement fâcheux des événements, coïncidence malencontreuse. *Accident dû à la fatalité.*

Fathy ou **Fathi** (Hasan) *(Ḥasan Fatḥī)* (Le Caire, 1900 – id., 1989), architecte égyptien. Il est l'inspirateur d'un mouvement qui, dans les pays en voie de développement, prône le retour aux matériaux et aux conceptions architecturales traditionnelles (*Construire avec le peuple*, 1970).

fatidique adj. Qui semble désigné par le destin, qui semble indiquer un arrêt du destin. *Moment fatidique.*

fatigabilité n. f. MED Disposition d'un organisme à se fatiguer.

fatigable adj. Dont l'organisme se fatigue rapidement.

fatigant, ante adj. **1.** Qui cause de la fatigue. *Une course fatigante.* **2.** (Personnes) Qui importune, qui lasse. *Ce qu'il peut être fatigant!*

fatigue n. f. **1.** Sensation résultant d'un travail excessif, d'un effort ou d'un état pathologique; lassitude. *J'ai trop marché, je tombe de fatigue. La fatigue de* : la fatigue causée par. *Je veux vous épargner la fatigue de ces démarches.* **2.** TECH Déformation, changement d'état, diminution de résistance d'une pièce au bout d'un certain temps de fonctionnement.

fatigué, ée adj. **1.** Qui manifeste la fatigue. *Visage fatigué.* – *Par euph.* Souffrant, faible. *Avoir la vue fatiguée.* **2.** Défraîchi, déformé par l'usage. *Costume fatigué.*

fatiguer v. [1] **I.** v. tr. **1.** Causer de la fatigue à (qqn). *Ce déplacement m'a fatigué.* ▷ *Par ext.* Affecter de manière fâcheuse (le corps, un organe). *Les épices fatiguent l'estomac.* **2.** Importuner; lasser. *Il me fatigue par ses récriminations.* **3.** AGRIC *Fatiguer la terre*, l'épuiser par la répétition d'une même culture. **4.** Fam. *Fatiguer la salade*, la remuer pour l'imprégner de son assaisonnement. **II.** v. intr. (Choses) Supporter un trop grand effort. *Charpente, moteur qui fatigue.* **III.** v. pron. **1.** Se donner de la fatigue. **2.** Se donner du mal. *Je me suis fatigué à lui expliquer cela!*

Fátima, v. du Portugal (Estrémadure); 6 500 hab. – Lieu de pèlerinage depuis 1917, date de l'apparition de la Vierge à trois enfants.

Fatima *(Fāṭima)* (La Mecque, v. 606 – Médine, 632 ou 633), fille de Mahomet et de Khadidjah, épouse de Ali, cousin du Prophète et quatrième calife, mère de Hassan et de Husayn. Fatima, vénérée par tous les musulmans, fut idéalisée par les chiites.

fatimide adj. Relatif aux Fatimides.

Fatimides, dynastie chiite ismaélienne qui fait remonter ses origines à Fatima. Fondée par Ubaydallah al-Mahdi, qui se proclama calife à Kairouan en 910, la dynastie étendit son autorité sur tout le Maghreb et conquit la Sicile. La capitale fut transférée peu après à Mahdia, en Tunisie. Les Fatimides régnèrent en Afrique du Nord, en Égypte, où ils fondèrent Le Caire (969), et en Palestine. Ils devinrent alors la puissance la plus importante du monde musulman. Leur règne (909-1171) eut un rayonnement culturel et artistique considérable.

fatras [fatʀa] n. m. Péjor. Amas hétéroclite et désordonné. *Un fatras de vieux papiers. Un fatras de formules creuses.*

fatrasie n. f. Composition littéraire du Moyen Âge, formée de proverbes, de phrases sans suite, etc., qui avait souvent un caractère satirique.

fatuité n. f. Caractère, manière de se conduire du fat. Syn. infatuation, prétention, suffisance, vanité. Ant. modestie, simplicité.

fatum [fatɔm] n. m. Litt. Destin.

faubourg [fobuʀ] n. m. **1.** Vx Quartier situé hors de l'enceinte fortifiée d'une ville. ▷ Mod. Quartier excentrique. **2.** *Par ext.* Population d'un tel quartier. *Les faubourgs exigeaient la proclamation de la république.*

faubourien, enne adj. et n. Des faubourgs. *Un accent faubourien.* ▷ Subst. Habitant d'un faubourg, généralement populaire, de Paris.

faucard n. m. AGRIC Faux à long manche qui sert à faucher les herbes aquatiques.

fauchage n. m. Action de faucher.

fauchaison n. f. AGRIC Action de faucher. ▷ Époque de l'année où l'on fauche le foin.

fauchard ou **faussart** n. m. **1.** Anc. Hallebarde à deux tranchants en usage du XIIIe au XVe s. **2.** AGRIC Serpe à deux tranchants et à long manche qui sert à élaguer.

fauche n. f. **1.** Vx Action de faucher (le foin). **2.** Fam. Action de voler.

fauché, ée adj. (et n.) **1.** Qui a été fauché. *Blé fauché.* **2.** Fig., fam. Qui est sans argent. *Être fauché comme les blés.* ▷ Subst. *Encore un fauché!*

faucher v. tr. [1] **1.** Couper à la faux, avec une faucheuse. *Faucher les foins.* **2.** Abattre, renverser, tuer d'un seul coup. *Le tir de la mitrailleuse faucha les assaillants.* – Par ext. SPORT Faire tomber brutalement un joueur par un moyen contraire au règlement. **3.** Fam. Voler. *On lui a fauché son vélo.*

Faucher (César et Constantin) (La Réole, 1760 – Bordeaux, 1815), généraux français, frères jumeaux. Ils s'illustrèrent sous la Révolution et l'Empire. Accusés d'avoir constitué un dépôt d'armes, ils furent fusillés sous la Restauration.

faucheur, euse n. **1.** Personne qui fauche (le foin, les blés, etc.). ▷ Litt. *La Faucheuse* : la mort. **2.** n. m. Syn. de *faucheux.*

faucheuse n. f. Machine qui sert à faucher le foin.

faucheux ou **faucheur** n. m. Arachnide carnassier aux longues pattes grêles fréquent dans les prés et les bois.

Faucigny (le), région des Préalpes françaises du N., en Haute-Savoie, drainée par l'Arve et le Giffre.

faucille n. f. Instrument pour couper les céréales, l'herbe, etc., constitué d'une lame emmanchée recourbée en demi-cercle. ▷ *La faucille et le marteau* : emblème communiste (symbole de l'alliance de la classe ouvrière et de la classe paysanne).

Faucille (col de la), col du Jura oriental, entre Gex et Morez; 1 323 m. Stat. de sports d'hiver.

faucillon n. m. AGRIC Serpette.

faucon n. m. Oiseau falconiforme (genre *Falco*), rapace aux ailes pointues, au vol rapide, excellent chasseur. (*Falco peregrinus* ou faucon pèlerin, le gerfaut, le hobereau, l'émerillon, la crécerelle sont des faucons, autrefois utilisés pour la chasse.)

faucon pèlerin sur sa proie

fauconnerie n. f. **1.** Art de dresser pour la chasse les faucons, les rapaces. **2.** Lieu où on les élève.

fauconnier n. m. Celui qui dresse des faucons pour la chasse.

faufil n. m. COUT **1.** Fil utilisé pour faufiler. **2.** Bâti à longs points.

faufiler 1. v. tr. [1] COUT Coudre provisoirement à grands points. *Faufiler une manche avant le premier essayage.* **2.** v. pron. Se glisser adroitement ou en tentant de passer inaperçu. *Il s'était faufilé parmi les invités.*

Faulkner (William Harrison Falkner, dit William) (New Albany, Mississippi, 1897 – Oxford, Mississippi, 1962), romancier américain. Les thèmes de son œuvre que domine le Sud (l'emprise du passé, la purification du monde, les préjugés raciaux, le crime, l'inceste, la guerre de Sécession) sont orchestrés par une technique qui doit beaucoup à Joyce : monologue intérieur, retours en arrière, éclatement du temps et de l'événement, narrateurs successifs. Princ. œuvres : *le Bruit et la Fureur* (1929), *Sartoris* (1929), *Tandis que j'agonise* (1930), *Sanctuaire* (1931), *Lumière d'août* (1932), *Pylône* (1935), *Absalon! Absalon!* (1936), *l'Invaincu* (1938), *les Palmiers sauvages* (1939), *l'Intrus* (1949), *Requiem pour une nonne* (1951). P. Nobel 1949. ▶ illustr. page **706**

1. faune n. m. Divinité champêtre, chez les Latins. *Les faunes étaient représentés à l'image du dieu Faunus.*

2. faune n. f. **1.** Ensemble des animaux habitant une région, un milieu de vie particulier. *La faune asiatique. La faune des lacs, du sol.* **2.** Fig., péjor. Groupe de gens aux habitudes particulières, qui fréquentent un même lieu. *La faune de Saint-Germain-des-Prés.*

faunesque adj. Qui tient du faune. *Visage faunesque.*

faunesse n. f. Litt. Faune femelle.

faunique adj. ZOOL Qui concerne la faune.

faunistique n. f. et adj. ZOOL Science étudiant la faune d'une région donnée et les facteurs de ses variations. *Faunistique africaine.* ▷ adj. Qui a rapport à la faune.

Faunus ou **Faune,** dans la myth. lat., dieu protecteur des bergers et des troupeaux; assimilé au dieu grec Pan. Il est en général figuré par un personnage cornu à pieds de chèvre.

Faure (Félix) (Paris, 1841 – id., 1899), homme politique français. Élu président de la République en 1895, il tenta de conférer un lustre nouveau à la fonction présidentielle et fut un des artisans de l'alliance franco-russe.

Faure (Élie) (Sainte-Foy-la-Grande, 1873 – Paris, 1937), médecin, essayiste et historien d'art français, auteur d'une monumentale *Histoire de l'art* (1909-1921) que suivit *l'Esprit des formes* (1927).

Faure (Edgar) (Béziers, 1908 – Paris, 1988), juriste, historien (*la Banqueroute de Law,* 1977) et homme politique français. Radical-socialiste, il fit partie sous la IVe République de divers gouvernements et fut par deux fois président du Conseil (1952 et 1955-1956). Sous la Ve République, s'étant rapproché du courant gaulliste, il fut trois fois ministre, notam. de l'Éducation nationale (1968-1969), puis président de l'Assemblée nationale (1973-1978). Acad. fr. (1978).

Fauré (Gabriel) (Pamiers, 1845 – Paris, 1924), compositeur français; élève de Saint-Saëns. Son style, influencé par Chopin et Wagner, se dépouilla progressivement pour opposer au romantisme un lyrisme plein de retenue, caractéristique de la musique de chambre française, dont il fut le véritable créateur : *Requiem* (1887-1888), nombr. mélodies (cycle de *la Bonne Chanson,* 1892-1893), musiques de scène (*Pelléas et Mélisande,* 1898), tragédies lyriques (*Pénélope,* 1913), pièces pour piano (13 nocturnes, 13 barcarolles). Directeur du Conservatoire de Paris (1905-1920).

faussaire n. Personne qui commet un faux ou qui altère la vérité.

faussart. V. fauchard.

fausse couche ou **fausse-couche** n. f. Avortement spontané. *Des fausses-couches.*

faussement adv. **1.** De manière fausse, à tort. *On l'accuse faussement.* **2.** De manière simulée. *Un ton faussement soumis.*

fausser v. tr. [1] **1.** Rendre faux, altérer la vérité, l'exactitude de. *Préjugés qui faussent un raisonnement.* **2.** Altérer, falsifier. *Fausser un bilan. Fausser le sens d'un texte.* **3.** Déformer (un corps) par flexion, pression ou torsion. *Fausser un axe, une clé.* ▷ *Par ext.* Détériorer (un objet, un mécanisme). *Fausser une serrure.* **4.** Loc. *Fausser compagnie à qqn,* le quitter sans le prévenir.

1. fausset n. m. *Voix de fausset* ou *voix de tête* : voix aiguë. – Absol. *Fausset :* cette voix.

2. fausset n. m. TECH Cheville de bois pour boucher le trou percé dans un tonneau.

fausseté n. f. **1.** Caractère de ce qui est faux, contraire à la vérité ou à l'exactitude. *Fausseté d'un argument.* **2.** Duplicité, hypocrisie. *Soupçonner qqn de fausseté.*

Faust, humaniste et thaumaturge allemand de la fin du XVe et du déb. du XVIe s. dont on ne sait à peu près rien qui ne soit légendaire (il aurait vendu son âme au diable). De nombr. œuvres littéraires et artistiques ont été inspirées par son destin, notam. le drame que Goethe élabora de 1773 à 1832.

Fausta (Flavia Maxima) (v. 289 – 326), femme de l'empereur romain Constantin Ier. Belle, influente, intrigante, elle fut accusée d'adultère. Condamnée à mort, elle périt étouffée dans un bain chaud.

Faustin Ier. V. Soulouque.

faute n. f. **I. 1.** Manquement au devoir, à la morale ou à la loi. *Commettre une faute. Prendre qqn en faute.* – DR *Faute pénale* : contravention, délit ou crime. *Faute civile,* qui engage la responsabilité civile. **2.** Action maladroite ou préjudiciable; erreur. *Dans votre position, on ne vous passera aucune faute.* **3.** Manquement à certaines règles. *Faute de calcul, d'orthographe, de jeu.* **II.** Absence, manque, défaut. – Vx *Le courage nous a fait faute.* Mod., en loc. *On ne s'est pas fait faute de le contredire,* on n'y a pas manqué, on ne s'en est pas privé. ▷ Loc. prép. *Faute de :* par manque de, à défaut de. *Relâcher un inculpé faute de preuves.* ▷ Loc. adv. *Sans faute :* sans faillir (à l'engagement, à l'obligation). *Vous serez reçu demain sans faute.*

Gabriel **Fauré**

portrait du **Fayoum**

fauter v. intr. [1] Vieilli ou plaisant Se laisser séduire, en parlant d'une jeune fille, d'une femme.

fauteuil n. m. **1.** Siège à bras et à dossier. – Fig. Place de membre dans une assemblée (partic. à l'Académie française). *Briguer un fauteuil vacant.* **2.** Loc. fam. *Arriver dans un fauteuil :* remporter sans peine la victoire, dans une compétition.

fauteur, trice n. Péjor. *Fauteur de troubles, de désordre, etc. :* personne qui fait naître les troubles, le désordre, etc., ou les favorise.

fautif, ive adj. **1.** Qui a commis une faute, qui est en faute. *Se sentir fautif.* ▷ Subst. *Un fautif, une fautive.* **2.** Qui contient des fautes; erroné, incorrect. *Édition fautive. Référence fautive.*

fautivement adv. D'une manière fautive.

Fautrier (Jean) (Paris, 1898 – Châtenay-Malabry, 1964), peintre français. Figuratif jusqu'en 1940-1943 env., son art devint «informel» : séries des *Otages* (1945), des *Nus* (1945-1955), des *Objets* (1955), des *Partisans* (1957), à la matière empâtée, triturée.

fauve adj. et n. m. **I.** adj. **1.** De couleur rousse ou tirant sur le roux. ▷ n. m. *Un fauve presque rouge.* **2.** *Bête fauve :* animal féroce, spécial. grand félin. – n. m. *Un grand fauve.* **3.** *Odeur fauve :* odeur très forte rappelant celle des fauves. **II.** n. m. BX-A *Les fauves :* nom donné, d'abord par dénigrement, aux peintres (Vlaminck, Derain, Matisse, etc.) qui, entre 1901 et 1907, tentèrent de créer un expressionnisme de la couleur pure. V. encycl. fauvisme.

fauverie n. f. Quartier des fauves dans un zoo ou une ménagerie.

fauvette n. f. **1.** Oiseau passériforme (genre *Sylvia*) long de 12 à 15 cm, au plumage le plus souvent terne. (Les espèces européennes, migratrices, hivernent en Afrique.) **2.** Oiseau passériforme d'Amérique du Nord (fam. embérizidés), insectivore, d'une quinzaine de genres différents (*Vermivora, Dendroica,* etc.), au bec effilé et pointu, dont le plumage est souvent coloré de jaune. *Fauvette jaune. Fauvette couronnée, masquée, rayée. Fauvette du Canada. Fauvette à calotte noire.* Syn. (scientifique) paruline.

fauvisme n. m. Art des peintres dits fauves.

ENCYCL Le fauvisme fut, à l'origine, la réaction de divers peintres (Matisse, Rouault, Manguin, Van Dongen, etc.) contre leur formation académique : ils prônèrent l'emploi généralisé des tons purs. Ils furent rejoints par Marquet, Derain et Vlaminck (dont les œuvres fauves, exécutées à Chatou, comptent parmi les plus audacieuses de la tendance). Othon Friesz, Raoul Dufy et Georges Braque optèrent aussi pour cette manière dont les œuvres les plus représentatives furent peintes au cours de l'année 1906.

fauviste adj. et n. Qui se rapporte au fauvisme. ▷ Subst. Artiste dont l'œuvre relève du fauvisme.

1. faux, fausse adj. et adv. **1.** Qui n'est pas conforme à la vérité, à la réalité. *Ce que vous dites est faux. Faux sens*.* **2.** Mal fondé, vain. *Fausse joie. Fausse alerte. Faux problème,* qu'il n'y a pas lieu de poser. **3.** Inexact. *Calcul faux.* **4.** Qui manque de justesse. *Un esprit faux.* ▷ adv. *Raisonner faux.* **5.** Qui s'écarte du naturel, du vrai. *Fausse éloquence.* **6.** MUS Discordant, qui n'est pas dans le ton. *Fausse note.* ▷ adv. *Chanter faux.* **7.** Altéré volontairement ou par erreur. *Fausse monnaie. Fausse nouvelle.* **8.** Fait à l'imitation d'une chose vraie; postiche. *Faux bijoux, faux cheveux. Fausse fenêtre,* peinte en trompe l'œil. **9.** (Personnes) Qui n'est pas ce qu'il semble, ce qu'il prétend être. *Faux dévot. Faux ami. C'est qqn de faux,* d'hypocrite, de fourbe. *Faux prophète :* imposteur. – Par ext. *Avoir l'air faux.* **10.** Qui n'est pas tel qu'il doit être. *Faire un faux mouvement, une fausse manœuvre. Faire fausse route.* **11.** (Devant un nom.) Qui n'est pas en réalité ce dont il porte le nom; faussement nommé. Ex. : *faux acacia :* robinier; *faux platane :* sycomore; *faux bourdon :* mâle de l'abeille mellifère. **12.** Loc. adv. *À faux :* à tort, injustement. *Accuser à faux.* ▷ *Porter à faux :* ne pas reposer d'aplomb ou de façon stable sur un point d'appui. *Cette poutre porte à faux* (V. porte-à-faux). – Fig. *Raisonnement qui porte à faux.*

2. faux n. m. **1.** Ce qui est faux. *Séparer le vrai du faux. Plaider le faux pour savoir le vrai.* **2.** DR Altération, contrefaçon frauduleuse d'actes, d'écritures. *Commettre un faux. Faux en écriture authentique.* ▷ *S'inscrire en faux :* soutenir qu'une pièce produite en justice est fausse et s'engager à le prouver. – Fig. *S'inscrire en faux contre une assertion,* lui opposer un démenti. **3.** Imitation frauduleuse d'une œuvre d'art. *Ce Renoir est un faux.* ▷ Imitation donnée pour telle d'un matériau précieux, d'un objet de style, etc.

3. faux n. f. **1.** Outil constitué d'une forte lame d'acier légèrement courbe, fixée à un long manche, qui sert à couper l'herbe, les céréales. **2.** *Par métaph.* Attribut allégorique de la mort et du temps. **3.** ANAT Nom donné, par similitude de forme, à divers replis membraneux. *Faux du cerveau.*

faux-bourdon n. m. MUS Plain-chant où la basse, transposée, forme le chant principal. *Des faux-bourdons.*

faux-filet n. m. Morceau de viande de bœuf, qui se lève le long de l'échine. *Des faux-filets.*

faux-fuyant n. m. Subterfuge pour éviter de s'expliquer, de s'engager. *User de faux-fuyants.*

faux-monnayeur n. m. Personne qui fabrique de la fausse monnaie. *Des faux-monnayeurs.*

faux-semblant n. m. Apparence trompeuse. *Des faux-semblants d'humanité.*

Favart (Charles Simon) (Paris, 1710 – Belleville, 1792), auteur dramatique français. Il est considéré comme le créateur de la comédie chantée : *la Chercheuse d'esprit* (1741), *les Trois Sultanes* (1761). Directeur de l'Opéra-Comique (1757). Son nom fut donné à la nouvelle salle du Théâtre-Italien. – **Marie Justine Duronceray,** dite *Mme Favart* (Avignon, 1727 – Belleville, 1772), femme du préc.; cantatrice et actrice, elle eut une liaison mouvementée avec le maréchal de Saxe.

favela [favela] n. f. Bidonville, au Brésil.

faverole. V. féverole.

faveur n. f. **I. 1.** Bienveillance, protection, appui d'une personne influente. *«La faveur du prince n'exclut pas le mérite»* (La Bruyère). **2.** Considération, préférence dont on jouit auprès de qqn, d'un public. *Être en faveur. Ce candidat a la faveur des pronostics.* **3.** Avantage procuré par bienveillance, par préférence. *Demander, faire une faveur.* – *De faveur :* privilégié. *Bénéficier d'un régime, d'un traitement de faveur.* ▷ Plur. Litt. *Accorder ses faveurs :* se dit d'une femme qui accepte des relations sexuelles. ▷ Bienfait. *Combler qqn de faveurs.* **4.** Loc. prép. *En faveur de :* en considération de. *Ses torts sont oubliés en faveur de sa compétence.* Au profit de, dans l'intérêt de. *Intervenir en faveur de qqn.* ▷ *À la faveur de :* grâce à, en profitant de. *S'échapper à la faveur de la nuit.* **II.** Petit ruban. *Un paquet noué d'une faveur bleue.*

favorable adj. **1.** Bien disposé (à l'égard de qqn, de qqch); approbateur. *Il vous est favorable. Être favorable à une réforme.* **2.** Qui est à l'avantage (de qqn, qqch). *Se montrer sous un jour favorable. Bénéficier d'un préjugé favorable.*

favorablement adv. De façon favorable.

favori, ite adj. et n. **I.** adj. **1.** Qui est l'objet d'une préférence habituelle. *C'est l'un de mes auteurs favoris.* **2.** SPORT, TURF Donné comme gagnant. *Cheval favori. Partir favori dans une course.* **II.** n. **1.** Personne pour laquelle on marque une prédilection. *Être la favorite d'un public.* **2.** HIST Celui, celle qui tenait le premier rang dans la faveur d'un roi, d'un prince. ▷ *Spécial.* n. f. Maîtresse attitrée d'un souverain. *Agnès Sorel fut la favorite de Charles VII.* **3.** SPORT, TURF Concurrent donné comme gagnant. *Miser sur le favori.* **III.** n. m. pl. Partie de la barbe qu'on laisse pousser de chaque côté du visage. *Porter des favoris.* Syn. pattes, (fam.) rouflaquettes.

favorisant, ante adj. Qui favorise qqch, contribue à son développement.

favoriser v. tr. [1] **1.** Traiter (qqn ou qqch) avec faveur, pour le soutenir ou l'avantager. *Favoriser un ami.* ▷ (Sujet n. de chose.) *Les circonstances l'ont favorisé,* lui ont été favorables. **2.** Apporter son appui, sa contribution, son encouragement à (qqn ou qqch). *Favoriser une entreprise.* ▷ (Sujet n. de chose.) *Le progrès des communications favorise les échanges.*

Favorite (la), château d'Italie, près duquel Bonaparte remporta sur les Autrichiens la victoire qui lui donna Mantoue (16 janv. 1797).

favoritisme n. m. Tendance à accorder des avantages par faveur, au mépris de la règle ou du mérite.

Favre (Antoine), dit *le Président Faber* (Bourg-en-Bresse, 1557 – Chambéry, 1624), jurisconsulte français (droit romain). – **Claude.** V. Vaugelas.

Favre (Jules) (Lyon, 1809 – Versailles, 1880), avocat et homme politique français. Chef de l'opposition républicaine sous le Second Empire, à la chute duquel il contribua, il devint ministre des Affaires étrangères du gouv. de la Défense nationale; à ce titre, il signa avec Bismarck le traité de Francfort (10 mai 1871).

Fawkes (Guy) (York, 1570 – Londres, 1606), catholique anglais. Principal agent de la conspiration des Poudres, il tenta de faire sauter le Parlement. Il fut décapité.

fax n. m. Fam. Abrév. de *téléfax.* Syn. télécopie.

faxer v. tr. [1] Envoyer un fax, une télécopie. *Il a faxé la réponse hier.* Syn. télécopier.

Fayal ou **Faial,** une des îles de l'archipel des Açores; 180 km^2; ch.-l. *Horta.*

Faya-Largeau, v. du Tchad, ch.-l. de la préfecture du Borkou-Ennedi-Tibesti; 5 200 hab. – De 1978 à 1987, elle fut l'enjeu d'affrontements armés entre factions tchadiennes (V. Tchad).

Faydherbe ou **Fayd'herbe** (Luc) (Malines, 1617 – id., 1697), sculpteur et architecte flamand. Élève de Rubens, il fut le princ. représentant du style baroque en Flandre au XVIIe s. : égl. N.-D.-d'Hanswijck et tombeau de l'archevêque A. Cruesen, dans la cath. St-Rombaut (Malines).

Faye (Jean-Pierre) (Paris, 1925), écrivain français. Son refus de la communication mensongère lui inspire une réflexion sur le problème des langages. Poèmes (*Fleuve renversé*, 1959), romans (*l'Hexagramme*, 1959-1970; *Inferno, versions*, 1975; *Yumi*, 1983).

Fayolle (Marie Émile) (Le Puy, 1852 – Paris, 1928), maréchal de France. Pendant la Première Guerre mondiale, il s'illustra notam. sur la Somme (1916), en Italie (1917) et dans la contre-offensive victorieuse de 1918.

fayot [fajo] n. m. **1.** Fam. Haricot sec. **2.** Arg. (des militaires), péjor. Sous-officier rengagé; militaire qui fait du zèle. – *Par ext.* Arg. (des écoles) Personne servile.

fayot(t)er v. intr. [1] Arg. Faire du zèle.

Fayoum (le) (en ar. *al-Fayyūm*), oasis d'Égypte, au S.-O. du Caire, gouvernorat de la Haute-Égypte; 1 827 km^2; 1 544 050 hab.; ch.-l. *Medinet el-Fayoum*. Le Fayoum est une vaste dépression située à 40 m au-dessous du niveau marin et reliée au Nil par le Bahr Youssef, un canal qu'alimentent les eaux du fleuve lors des crues. Agrumes, fruits, légumes, céréales. – Les pharaons de la XIIe dynastie aménagèrent la région (digues, barrages), où l'on trouve également de nombr. vest. de l'époque gréco-romaine (Crocodilopolis, Magdola, Bacchias, etc.). – Les *portraits du Fayoum* sont des portraits funéraires découverts v. 1820 par Champollion dans les tombes égyptiennes de la rég. du Fayoum. Ils furent peints par des artistes grecs et romains (entre le Ier et le IVe s.) sur des plaquettes de bois, à la détrempe ou avec des couleurs à la cire d'abeille. ► illustr. page **709**

Faysal ibn Abd al-Aziz *(Fayṣāl ibn 'Abd al-'Azīz)* (Riyad, 1906 – id., 1975), roi d'Arabie Saoudite (1964-1975). En 1964, il fit déposer son frère Sa'ud IV. Il appliqua de nombr. réformes tout en se révélant un défenseur de la foi islamique. Il mourut assassiné.

Faysal Ier *(Fayṣāl)* (Taïf, 1883 – Berne, 1933), premier roi d'Irak (1921-1933). Troisième fils de Husayn, chérif de La Mecque, il prit avec Lawrence la tête des Arabes soulevés contre les Turcs et s'empara de Damas (1918). Élu roi de Syrie (1920), il se heurta à la France et dut renoncer à son trône; les Anglais lui firent attribuer celui d'Irak (1921). Avec habileté, Faysal sut ménager les intérêts financiers de la G.-B. et échapper à son protectorat (proclamation de l'indépendance de l'Irak, 1930). – **Faysal II** (Bagdad, 1935 – id., 1958), petit-fils du préc.; roi d'Irak (1939-1958). Âgé de quatre ans lors de son accession au trône, il laissa la régence à son oncle Abd al-Ilah jusqu'en 1953. Il venait d'être désigné chef de l'Union arabe, fédérant les royaumes hachémites d'Irak et de Jordanie, lorsqu'il fut assassiné (coup d'État de Kassem).

Faysal **Ier**

Lucien **Febvre**

fazenda [fazɛnda] n. f. Grand domaine agricole, au Brésil.

F.B.I. Sigle de *Federal Bureau of Investigation*, service de police fédérale des É.-U.

F'Derick (anc. *Fort-Gouraud*), v. de Mauritanie; 20 000 hab. Import. mines de fer reliées au port de Nouadhibu par voie ferrée.

Fe CHIM Symbole du fer.

féal, ale, aux adj. et n. m. **1.** adj. Vx Fidèle, loyal. *Un féal serviteur du roi.* **2.** n. m. Litt. ou plaisant Ami fidèle.

fébrifuge adj. MED Qui fait baisser la fièvre. ▷ n. m. *Un fébrifuge.*

fébrile adj. **1.** MED Qui marque la fièvre. *Pouls, chaleur fébrile.* ▷ Qui a de la fièvre. *Être fébrile.* **2.** Qui manifeste une excitation, une agitation excessive. *Une hâte fébrile.* ▷ FIN *Capitaux fébriles* : capitaux spéculatifs qui passent d'une place financière à l'autre.

fébrilement adv. D'une manière fébrile.

fébrilité n. f. État d'agitation extrême.

Febvre (Lucien) (Nancy, 1878 – Saint-Amour, Jura, 1956), historien français spécialisé dans l'histoire des mentalités : *Un destin, Martin Luther* (1928); *Combats pour l'histoire* (1953). En 1929, il fonda avec Marc Bloch* les *Annales d'histoire économique et sociale.* Collège de France (1933).

fécal, ale, aux adj. Qui a rapport aux fèces.

Fécamp, ch.-l. de cant. de la Seine-Maritime (arr. du Havre), sur la Manche; 21 143 hab. Princ. port franç. de la pêche lointaine (morue, hareng), qui fait vivre de nombr. industr. : séchage des morues, congélation, conserveries, chantiers navals. Distillerie. – Égl. goth. de la Trinité (XIIe-XIIIe et XIVe s.).

fèces [fɛs] n. f. pl. Didac. Résidus solides de la digestion évacués par les intestins, excréments.

Fechner (Gustav Theodor) (Gross-Särchen, 1801 – Leipzig, 1887), philosophe et psychologue allemand. L'un des fondateurs de la psychophysique contemporaine, dont il a énoncé une des lois fondamentales : la sensation varie comme le logarithme de l'excitation.

fécond, onde adj. **1.** Qui peut se reproduire, en parlant des êtres animés, des plantes. *Le mulet, de race hybride, n'est pas fécond.* Ant. stérile. **2.** Qui peut avoir beaucoup d'enfants, de petits. *Femme très féconde. Race animale féconde.* ▷ Qui peut produire beaucoup (terre). *Sol fécond.* Syn. fertile. ▷ Fig. *Année féconde en événements. Écrivain fécond.*

fécondable adj. Qui peut être fécondé.

fécondant, ante adj. Qui féconde. *Pluie fécondante.*

fécondateur, trice adj. et n. Qui a la capacité de féconder.

fécondation n. f. Action de féconder; son résultat. ▷ BIOL Fusion de deux gamètes (cellules sexuelles) qui forment un œuf (ou *zygote*), point de départ d'un ou de plusieurs individus nouveaux. *Fécondation in vitro*, obtenue en laboratoire, hors de l'organisme maternel. ► illustr. **embryogenèse**

féconder v. tr. [1] **1.** Produire la fécondation de. *Le spermatozoïde féconde l'ovule.* **2.** Rendre enceinte (une femme), gravide (une femelle). **3.** Rendre fécond. *Un cours d'eau féconde le sol.* ▷ Fig. *Lectures qui fécondent l'esprit.*

fécondité n. f. Qualité de ce qui est fécond. *La fécondité d'un sol*, sa fertilité. ▷ *Une femme d'une grande fécondité*, qui a beaucoup d'enfants. – Fig. *La fécondité d'un esprit, d'une idée.*

fécule n. f. Matière amylacée pulvérulente, extraite de divers organes végétaux (tubercules, rhizomes, etc.). *Fécule de pomme de terre, de céréale.*

féculent, ente adj. Qui contient de la fécule. ▷ n. m. *Les haricots, les pois, les pommes de terre sont des féculents.*

fedayin ou **feddayin** [fedajin] n. m. Combattant palestinien engagé dans la lutte armée pour récupérer les territoires occupés par Israël et défendre la cause d'un État palestinien. *Des fedayin* ou *des fedayins.*

fédéral, ale, aux adj. **1.** Qui concerne une fédération d'États. *Organisation fédérale.* **2.** Qui constitue une fédération. *État fédéral.* **3.** Qui émane du gouvernement central d'un État fédéral. *Pouvoirs fédéraux.* **4.** HIST *Les fédéraux* : les nordistes*.

fédéraliser v. tr. [1] Faire adopter le système ou le gouvernement fédéral à. ▷ v. pron. *Un pays qui se fédéralise.*

fédéralisme n. m. Système politique fondé sur le partage des compétences législatives, juridiques et administratives entre le gouvernement central de l'État et les gouvernements des États fédérés.

fédéraliste adj. et n. Relatif au fédéralisme. ▷ Subst. Partisan du fédéralisme. *C'est une fédéraliste convaincue.*

fédérateur, trice adj. et n. Qui fédère ou favorise une fédération. *Des tendances fédératrices.* – Subst. *Un fédérateur d'entreprises.*

fédératif, ive adj. Constitué en fédération.

fédération n. f. **1.** Association de plusieurs États en un État unique. **2.** HIST Mouvement qui, au début de la Révolution française, se proposait de renforcer l'union des provinces de France. *Fête de la Fédération.* ▷ Association des gardes nationaux en 1790, en 1815, pendant les Cent-Jours et en 1871. **3.** Regroupement, sous une autorité commune, de plusieurs sociétés, syndicats, clubs sportifs, etc. *Fédération protestante de France. Fédération française de voile.*

Fédération (fête de la), fête célébrée à Paris (Champ-de-Mars) le 14 juillet 1790, pour le premier anniversaire de la prise de la Bastille et en l'honneur des fédérations (associations révolutionnaires de gardes nationaux de Paris et de province). Une messe fut dite par Talleyrand. La Fayette prêta serment à la Constitution au nom des gardes nationales de France, dont il était le chef (chef de la Fédération). (V. Garde nationale.)

Fédération syndicale mondiale (F.S.M.), organisation syndicale internationale créée en 1945.

fédéré, ée adj. Qui fait partie d'une fédération. *États fédérés.* ▷ n. m. HIST Délégué des fédérations en 1790-1791. – Garde national pendant les Cent-Jours. – Partisan armé de la Commune de Paris, en 1871. *Mur des Fédérés :* mur, au cimetière du Père-Lachaise, devant lequel les 147 derniers combattants de la Commune de Paris furent fusillés.

fédérer v. tr. [14] **1.** Grouper en fédération. **2.** Fig. Rassembler, réunir. *Un institut de recherches destiné à fédérer les compétences.* **3.** v. pron. S'unir en fédération. *Associations qui se fédèrent.*

Fedine (Konstantine Alexandrovitch) (Saratov, 1892 – Moscou, 1977), écrivain soviétique; représentant du réalisme socialiste : *Un été extraordinaire* (1947-1948).

Fédor ou **Feodor** ou **Fiodor,** nom de trois tsars de Russie. – **Fédor Ier** (1557 – 1598), tsar en 1584, fils d'Ivan IV le Terrible; malade et faible d'esprit, il laissa le pouvoir au boyard Boris Godounov, qui fut régent en 1588. – **Fédor II** (1589 – Moscou, 1605), fils de Boris Godounov; il fut assassiné l'année de son avènement. – **Fédor III** (1661-1682), tsar en 1676; demi-frère de Pierre le Grand, humaniste et libéral, mais faible de santé et de caractère. Il abolit le système *(mestnitchestvo)* qui réservait les charges de l'État aux aristocrates en fonction de leur rang.

fée n. f. **1.** Être féminin imaginaire, le plus souvent bienveillant, doué d'un pouvoir magique. *La baguette d'une fée.* ▷ *Conte de fées,* dans lequel les fées, le merveilleux tiennent une grande place; fig. situation heureuse, extraordinaire et inattendue. ▷ *Avoir des doigts de fée :* être d'une grande adresse. **2.** Fig. Femme qui charme par ses qualités. *C'est une fée.* – Loc. *La fée du logis.*

feed-back [fidbak] n. m. inv. (Anglicisme) Syn. (off. déconseillé) de *rétroaction.*

feeder [fidœʀ] n. m. (Anglicisme) Canalisation d'alimentation (gaz, vapeur, électricité).

feeling [filiŋ] n. m. (Mot angl.) Fam. Sentiment spontané de plein accord. *Avoir le feeling avec qqn, pour qqch.* – *Au feeling :* intuitivement, d'instinct.

féerie n. f. **1.** Genre littéraire, théâtral, etc., qui fait appel au merveilleux, à l'intervention des fées. **2.** Pièce de théâtre à grand spectacle fondée sur le merveilleux, en vogue au XIXe s. **3.** Fig. Spectacle merveilleusement beau.

féerique adj. **1.** Qui appartient au monde des fées. **2.** D'une beauté merveilleuse. *Un paysage féerique.*

Fehling (Hermann) (Lübeck, 1811 – Stuttgart, 1885), chimiste allemand. Il donna son nom à une liqueur destinée à doser le glucose.

feignant, ante adj. et n. Pop. Fainéant (V. ce mot).

Feijoo y Montenegro (Benito Jerónimo) (Casdemiro, 1676 – Oviedo, 1764), bénédictin et écrivain espagnol. Critique et essayiste, il fit connaître en Espagne l'activité intellectuelle internationale : *Théâtre critique universel* (1726-1739), *Lettres érudites* (1742-1760).

feindre v. tr. [55] Faire semblant d'éprouver (un sentiment). *Feindre la joie.* – *Feindre de* (+ inf.) : faire semblant de. *Feindre de sortir.* ▷ (S. comp.) Tromper en dissimulant ses sentiments. *Savoir feindre.*

Feininger (Lyonel) (New York, 1871 – id., 1956), peintre américain d'origine allemande; professeur au Bauhaus (1919-1933). À l'inspiration cubiste, il a associé un traitement poétique de la lumière.

feinte n. f. **1.** Vieilli Fait de déguiser ses véritables sentiments. *S'exprimer sans feinte.* **2.** Action destinée à tromper, à donner le change. ▷ SPORT Mouvement simulé destiné à provoquer chez l'adversaire une réaction dont on espère tirer profit. *Faire une feinte.*

feinter v. intr. [1] SPORT Faire une feinte. ▷ v. tr. Fam. *Feinter qqn,* le tromper.

Feira de Santana, v. du Brésil (État de Bahia); 356 660 hab. Centre minier et marché agricole.

Feldberg, point culminant (1 493 m) de la Forêt-Noire, au S.-E. de Fribourg.

feld-maréchal, aux n. m. Grade le plus élevé dans la hiérarchie militaire, en Allemagne et en Autriche.

feldspath [fɛldspat] n. m. MINER Silicate double d'aluminium et de potassium, sodium ou calcium.

feldwebel [fɛldvebɛl] n. m. Dans l'armée allemande, sous-officier, adjudant.

fêlé, ée adj. (et n.) *Voix fêlée,* qui a le son mat d'un objet fêlé. ▷ Fam. Un peu fou. – Subst. *C'est un fêlé.*

fêler v. tr. [1] Fendre (une matière, un objet cassant) sans que les morceaux se disjoignent. ▷ v. pron. Devenir fêlé.

félibre n. m. Écrivain de langue d'oc.

félibrige n. m. Mouvement littéraire fondé en Provence en 1854 par Mistral, Aubanel, Brunet, Mathieu, Roumanille, Tavan et Giera, pour faire renaître la littérature de langue d'oc.

félicitations n. f. pl. **1.** Compliments adressés à qqn pour un événement heureux. *Lettre de félicitations.* **2.** Éloges, louanges adressés à qqn. *Reçu avec les félicitations du jury.*

félicité n. f. **1.** Litt. Bonheur suprême. *Être au comble de la félicité.* Syn. béatitude. **2.** (Plur.) Litt. Choses qui contribuent au bonheur. *Les félicités de ce monde sont éphémères.*

féliciter v. tr. [1] **1.** Faire compliment à (qqn) au sujet d'un événement agréable. *Féliciter qqn de son mariage.* **2.** Témoigner sa satisfaction à (qqn), complimenter. *Il l'a félicité pour son travail.* **3.** v. pron. S'estimer heureux. *Je me félicite d'avoir fait ce choix.*

félidés n. m. pl. ZOOL Famille de mammifères carnivores fissipèdes dont le chat *(Felis domesticus)* est le type, et qui comprend le lion, la panthère, le tigre, le jaguar, etc. (Les félidés sont des digitigrades à griffes rétractiles dont les mâchoires portent de courtes incisives, des molaires, dites *carnassières,* et des canines ou crocs très développées.) – Sing. *Un félidé.*

félin, ine adj. **1.** Qui appartient au type chat. *La race féline.* ▷ n. m. Carnassier de la famille des félidés. **2.** Fig. Qui rappelle le chat. *Une grâce féline.*

fellag(h)a [fɛl(l)aga] n. m. Partisan armé qui, au temps de la présence française en Tunisie et en Algérie, combattait pour l'indépendance.

fellah (en ar. *fallāḥ*) [fɛla] n. m. Paysan, au Maghreb et en Égypte.

fellation n. f. Pratique sexuelle consistant à exciter avec la bouche le sexe de l'homme.

Fellini (Federico) (Rimini, 1920 – Rome, 1993), cinéaste italien. Alliant d'abord réalisme et moralisme (*I Vitelloni,* 1953; *la Strada,* 1954; *Il Bidone,* 1955), son œuvre prend, dès *la Dolce Vita* (1960), un caractère luxueusement baroque : *Huit et demi* (1962), *Juliette des esprits* (1965), *le Satyricon* (1969), *les Clowns* (1970), *Fellini-Roma* (1972), *Amarcord* (1973), *Casanova* (1977), *la Cité des femmes* (1980), *Et vogue le navire* (1983), *Ginger et Fred* (1985), *la Voce della luna* (1990).

Federico **Fellini :** *la Strada,* 1954, avec Anthony Quinn et Giulietta Masina

félon, onne adj. et n. FEOD Qui manque à la foi due à son seigneur. *Un chevalier félon.* ▷ Subst. Mod. Traître. *Un acte de félon.*

félonie n. f. FEOD Déloyauté envers son seigneur. ▷ *Par ext.* Litt. Acte déloyal.

felouque n. f. Petit navire à une ou deux voiles, long et étroit, de la Méditerranée et du Nil.

fêlure n. f. Fente d'une chose fêlée. ▷ Fig. *Il y a une fêlure dans leur union.* Syn. faille.

FEM, acronyme pour *Fonds pour l'environnement mondial.*

f.é.m. PHYS Abrév. de *force électromotrice.*

femelle n. f. et adj. **I.** n. f. Animal du sexe qui reproduit l'espèce après fécondation. *La biche est la femelle du cerf.* **II.** adj. **1.** Propre à être fécondé (en parlant des animaux, des plantes). *Un serin femelle. L'organe femelle d'une plante.* ▷ BOT *Fleur femelle,* pourvue uniquement de carpelles et d'un pistil. **2.** TECH Qualifie une pièce présentant un évidement dans lequel vient s'insérer la saillie, le relief de la pièce mâle. *Fiche femelle.*

féminin, ine adj. et n. m. **1.** Qui est propre à la femme ou considéré comme tel. *Intuition féminine.* Ant. masculin. ▷ n. m. Loc. *L'éternel féminin :* ce qui est traditionnellement considéré comme permanent dans la psychologie de la femme. **2.** Des femmes, qui a rapport aux femmes. *Revendications féminines.* **3.** Qui est caractéristique de la femme. *Une allure très féminine.* **4.** GRAM *Genre féminin :* celui des deux genres grammaticaux qui est le genre marqué (présence d'un *e* final dans l'écriture, d'une consonne finale dans la prononciation, par ex.) (par oppos. au *genre* *masculin). Article, pronom, adjectif, nom féminin,* du genre féminin. – n. m. *« Belle » est le féminin de « beau ».* ▷ *Rime féminine,* terminée par une syllabe comportant un *e* muet.

féminisant, ante adj. MED Qui détermine la féminisation. *Tumeur féminisante.*

féminisation n. f. **1.** Action de féminiser; son résultat. ▷ MED Apparition chez l'homme de caractères sexuels secondaires féminins, due à l'arrêt de la sécrétion hormonale mâle ou à un traitement par les œstrogènes. – Par ext. *Féminisation d'un animal.* **2.** Afflux de femmes dans une branche d'activité. *La féminisation de l'enseignement.*

féminiser v. tr. [1] **1.** Donner le type, le caractère féminin à. Ant. masculiniser, viriliser. ▷ v. pron. Prendre des caractères féminins. **2.** Faire accéder un plus grand nombre de femmes à (une catégorie sociale). – Pp. adj. *C'est une profession très féminisée.* ▷ v. pron. *La profession médicale s'est féminisée.* **3.** GRAM Attribuer le genre féminin à. *L'usage a féminisé les mots épitaphe, idylle, etc.*

féminisme n. m. Doctrine, attitude favorable à la défense des intérêts propres aux femmes et à l'extension de leurs droits.

féministe adj. Qui a rapport au féminisme. *Littérature féministe.* ▷ Subst. Partisan du féminisme.

féminité n. f. Ensemble des qualités propres à la femme ou considérées comme telles.

FEMIS, acronyme pour *Fondation européenne des métiers de l'image et du son.* Organisme qui a remplacé l'IDHEC* en 1986.

femme [fam] n. f. **I.** Être humain du sexe féminin, qui met au monde des enfants. **1.** *La femme,* dans ce qu'elle a de spécifique, qui l'oppose à l'homme. *Psychologie de la femme. Aliénation, émancipation de la femme.* ▷ (Attribut) *Être femme,* féminine (sens 3). **2.** Personne adulte de sexe féminin. **3.** Vieilli *Bonne femme :* femme simple, assez âgée. ▷ Loc. mod. *Conte, remède de bonne femme,* transmis par une tradition populaire naïve. ▷ Mod., fam. *Bonne femme :* femme (avec une intention péjorative ou affective). *Une sale bonne femme. Une bonne femme courageuse.* **4.** (Avec un comp. de nom.) – (Pour indiquer certaines aptitudes.) *Femme de tête. Femme d'esprit. Femme d'intérieur,* qui aime et sait diriger son ménage. – (Pour indiquer la condition sociale, la profession, etc.) *Femme du peuple, du monde. Femme au foyer. Femme de lettres.* ▷ *Femme de ménage :* personne rétribuée pour faire le ménage dans une maison. – *Femme de chambre :* employée attachée au service particulier d'une dame ou chargée du service des chambres dans un hôtel. ▷ (Avec, en appos., un nom de métier qui n'a pas de féminin marqué.) *Femme peintre, sculpteur, médecin, ingénieur.* – (En appos.) *Un professeur femme.* **II.** Épouse. *La femme de Jean. Il y est allé avec sa femme.* ▷ Vieilli *Prendre femme :* se marier.

femmelette [famlɛt] n. f. Péjor. **1.** Vieilli Femme sans énergie ni caractère. **2.** Fig., fam. Homme faible et sans courage.

fémoral, ale, aux adj. ANAT De la cuisse. *Artère fémorale.* – Du fémur.

femto-. PHYS Préfixe (symbole f) qui, placé devant le nom d'une unité, indique que celle-ci est divisée par un million de milliards (10^{15}).

fémur n. m. **1.** Unique os de la cuisse, qui s'articule en haut avec l'os iliaque (hanche), en bas avec l'extrémité supérieure du tibia et avec la rotule (genou). *Fracture du col du fémur.* **2.** ENTOM Partie de la patte des insectes entre la hanche et le trochanter.

FÉN, acronyme pour *Fédération de l'Éducation nationale.* Organisation syndicale française, issue de la C.G.T., dont elle se sépara en 1948. Groupant plusieurs dizaines de syndicats, c'était la plus importante organisation d'enseignants, mais depuis sa scission (1992), elle a subi un net déclin.

fenaison n. f. AGRIC Action de couper et de faner les foins. – Époque où ce travail est effectué.

1. fendant n. m. Vin blanc réputé de Suisse romande, fait avec un raisin dont la peau se fend.

2. fendant, ante adj. Fam. Drôle, comique. *Il est fendant avec son pantalon trop court.*

fendillement n. m. Action de fendiller, de se fendiller; résultat de cette action.

fendiller v. tr. [1] Produire de petites fentes à. *La sécheresse a fendillé la terre.* – Pp. adj. *Lèvres fendillées par les gerçures.* ▷ v. pron. *Émail qui se fendille.*

fendre v. [6] **I.** v. tr. **1.** Couper, diviser (un corps solide), généralement dans le sens longitudinal. *Fendre du bois.* **2.** Ouvrir un sillon, un chemin dans (le sol, un fluide). *La charrue fend la terre. Frégate qui fend l'air et les eaux.* – Par anal. Loc. *Fendre la foule.* **3.** Loc. fig. *Fendre le cœur, l'âme :* faire ressentir un grand chagrin. *Cela me fend le cœur de l'abandonner.* **II.** v. pron. **1.** Se diviser, se couvrir de fentes. *Le sol se fend sous l'action de la sécheresse.* **2.** SPORT En escrime, se porter en avant par déplacement du pied avant et extension de la jambe opposée. **3.** Pop. *Se fendre de :* accepter de faire (telle dépense). *Il s'est fendu de cent francs, d'une invitation.*

fendu, ue adj. **1.** Qui présente une fente. *Jupe fendue.* **2.** En forme de fente allongée. *Bouche bien fendue. Yeux fendus.*

Fénelon (François de Salignac de La Mothe-) (chât. de Fénelon, Périgord, 1651 – Cambrai, 1715), prélat, orateur et écrivain français. Auteur d'un *Traité de l'éducation des filles* (1687), il devint, en 1689, le précepteur du duc de Bourgogne, à l'intention duquel il écrivit des *Fables* en prose (1690), *les Aventures de Télémaque* (publiées en 1699) et les *Dialogues des morts* (1700-1712). Archevêque de Cambrai en 1695, il défendit le quiétisme dans son *Explication des maximes des saints* (1697). En désaccord avec Bossuet et à la suite de la condamnation de son livre par le pape, il fut exilé dans son diocèse. La publication du *Télémaque,* œuvre didactique inspirée de l'*Odyssée,* parut une critique du gouvernement de Louis XIV, ce qui aggrava sa disgrâce. Acad. fr. (1693).

Fénelon

P. de **Fermat**

Fénéon (Félix) (Turin, 1861 – Châtenay-Malabry, 1944), critique littéraire et d'art français; fondateur en 1883 de *la Revue indépendante.* Il défendit les écrivains symbolistes et les peintres divisionnistes.

fenêtrage ou **fenestrage** n. m. ARCHI **1.** Action de percer des fenêtres. **2.** Ensemble des fenêtres d'un édifice; leur disposition.

fenêtre n. f. **1.** Ouverture ménagée dans le mur d'une construction pour donner du jour et de l'air à l'intérieur. – *Par ext.* Châssis vitré servant à clore une telle ouverture. *L'appui, les montants, le linteau d'une fenêtre. L'embrasure, le chambranle d'une fenêtre. Une fenêtre à deux battants.* ▷ Loc. fig. *Jeter son argent par les fenêtres,* le dépenser inconsidérément. **2.** Ouverture. *Pratiquer une fenêtre dans un carton. Enveloppe à fenêtre.* ▷ ANAT *Fenêtre ronde* et *fenêtre ovale :* ouvertures séparant l'oreille interne de l'oreille moyenne. ▷ CHIR Ouverture pratiquée pour surveiller une plaie. **3.** Fig. *Ouvrir une fenêtre sur :* rendre possibles de nouveaux points de vue sur.

fenêtré, ée [fənetʀe] ou **fenestré, ée** [fənɛstʀe] adj. Percé de jours. ▷ BOT *Feuille fenestrée,* ajourée.

fenêtrer v. tr. [1] CONSTR Munir de fenêtres. *Fenêtrer un édifice.*

Fenhe (le), riv. de Chine (Shanxi), affl. du Huanghe (r. g.); 800 km.

fenian n. m. HIST Membre d'une société secrète fondée vers 1860, parmi les Irlandais émigrés au Canada et aux É.-U., pour libérer l'Irlande de la domination britannique.

Fenice (théâtre de la), Opéra de Venise, ouvert en 1792. *La Traviata* de Verdi (1853), *The Rake's Progress* de Stravinski (1951), *Intolleranza 1960* de Nono (1961) y furent notam. créés.

fenil [fənil] n. m. Bâtiment où l'on entrepose les foins.

fennec [fenɛk] n. m. Petit renard du Sahara (genre *Fennecus*), à longues oreilles, appelé aussi *renard des sables.*

fennec avalant un scorpion

fenouil n. m. Plante ombellifère vivace des pays méditerranéens (genre *Fœniculum*), potagère (pétioles charnus, au parfum anisé) et aromatique (tiges et graines).

Fenris, dans la myth. scandinave, divinité qui revêt la forme d'un loup féroce.

Fens, rég. d'Angleterre située autour de l'estuaire du Wash. Autref. zone marécageuse, c'est auj. une riche région de cultures maraîchères et florales.

fente n. f. **1.** Ouverture étroite et longue. **2.** SPORT En escrime, action de se fendre.

Fenton (Roger) (Crimble Hall, Lancashire, 1819 – Londres, 1869), peintre et photographe anglais; le premier photographe « correspondant de guerre » (guerre de Crimée).

féodal, ale, aux adj et n. m. Qui a rapport à un fief, aux fiefs. *Droits féodaux.* ▷ Relatif à la féodalité. *Régime féodal.* – n. m. *Les grands féodaux* : les grands seigneurs.

féodalisme n. m. Système féodal.

féodalité n. f. **1.** Forme d'organisation politique et sociale répandue en Europe au Moyen Âge, dans laquelle des fiefs étaient concédés par des seigneurs à des vassaux contre certaines obligations. – Par ext. *Féodalité musulmane, japonaise.* **2.** Fig., péjor. Système social, politique, qui rappelle la féodalité (sens 1). *La féodalité financière, industrielle.*

Feodor. V. Fédor.

fer n. m. **I. 1.** Élément métallique de numéro atomique Z = 26 et de masse atomique 55,85 (symbole Fe). – Métal (Fe) gris-blanc, ductile, ferromagnétique, de densité 7,86, qui fond à 1 535 °C et bout à 2 750 °C. (V. encycl.) *Fer électrolytique* : fer pur obtenu par électrolyse. *Fer doux* : fer pur servant à fabriquer les noyaux d'électroaimants. *Fer forgé,* mis en forme par forgeage. *Une grille en fer forgé.* – *Âge du fer* : période, succédant à l'âge du bronze, où se répandit l'usage du fer (v. 850 av. J.-C. en Europe). **2.** Fig. *De fer* : qui a la résistance ou la dureté du fer. *Il a une santé de fer* : il est robuste, il n'est jamais malade. *Une volonté de fer,* inébranlable. *Une discipline de fer,* extrêmement rigoureuse. – Loc. *Une main de fer dans un gant de velours* : une autorité rigoureuse sous une apparente douceur. ▷ *Bois de fer* : bois extrêmement dur provenant de divers arbres. **II.** Objet en fer, en métal. **1.** Partie métallique, acérée ou coupante, d'un outil, d'une arme. *Fer d'un rabot, d'un harpon.* **2.** Lame d'un fleuret, d'une épée, d'un sabre. *Croiser le fer.* **3.** *Fer à cheval* : bande de métal recourbée en U, qui sert à protéger le dessous des sabots des chevaux, des mulets, etc. – *Tomber les quatre fers en l'air* : tomber sur le dos, en parlant d'un cheval ou, fam., d'une personne. ▷ Loc. adj. *En fer à cheval* : en U, en demi-cercle. *Table en fer à cheval.* **4.** Profilé métallique utilisé en construction. *Fer en U.* **5.** Instrument, outil en fer, en métal. *Fer à friser, à repasser, à souder.* ▷ (S. comp.) *Fer* : fer à repasser. *Donner un coup de fer à une jupe.* **6.** n. m. pl. *Les fers* : les entraves qui enchaînent un prisonnier. *Mettre un forçat aux fers.* – Fig., litt. *Être dans les fers,* en esclavage. **7.** n. m. pl. Vieilli *Les fers* : le forceps.

ENCYCL Le fer a une importance industrielle considérable : il est le principal constituant des aciers et des fontes. Avec le nickel, il constitue en grande partie le noyau de la Terre. L'élément fer joue un rôle important dans les organismes vivants (V. hémoglobine et cytochrome).

Fer (île de) (en esp. *Hierro*), la plus occidentale des îles Canaries ; 312 km^2 ; 6 000 hab.

fer-blanc n. m. Tôle d'acier doux recouverte d'une mince couche d'étain. *Une boîte en fer-blanc. Des fers-blancs.*

ferblanterie n. f. **1.** Industrie, commerce d'objets en fer-blanc. **2.** Objets en fer-blanc.

ferblantier n. m. Celui qui fabrique ou qui vend des objets en fer-blanc.

Ferdinand III (saint). V. Ferdinand III (Castille).

ALLEMAGNE

Ferdinand Ier de Habsbourg (Alcala de Henares, Espagne, 1503 – Vienne, 1564), fils de Philippe le Beau et de Jeanne la Folle. Époux d'Anne de Hongrie, il fut élu, à la mort de Louis II, roi de Bohême et de Hongrie (1526). Roi des Romains en 1531, il devint empereur du Saint Empire romain germanique après l'abdication de son frère Charles Quint (1556). Il lutta contre le protestantisme, mais, soucieux d'éviter un conflit religieux, il négocia la paix d'Augsbourg (1555). À l'extérieur, il écarta le péril turc en signant une trêve de huit ans (1562). – **Ferdinand II de Habsbourg** (Graz, 1578 – Vienne, 1637), petit-fils du préc. ; roi de Bohême (1617) et de Hongrie (1618), élu empereur du Saint Empire en 1619. Il chercha à établir l'unité religieuse dans ses États, mais son catholicisme intransigeant fut considéré par les Tchèques comme une menace pour leurs libertés religieuses ; leur révolte (1618) marqua le début de la guerre de Trente Ans. D'abord victorieux des Tchèques (1620), puis des Danois (1625-1629), il connut ensuite de sérieuses difficultés à cause de l'entrée en guerre de la Suède (1631), puis de la France et de l'Espagne (1635). – **Ferdinand III de Habsbourg** (Graz, 1608 – Vienne, 1657), fils du préc. ; roi de Hongrie (1625) et de Bohême (1627), roi des Romains (1637), empereur du Saint Empire (1637). Il poursuivit la guerre de Trente Ans ; les victoires de la France et de la Suède l'obligèrent à signer les traités de Westphalie (1648).

ARAGON ET SICILE

Ferdinand Ier le Juste (Medina del Campo, v. 1380 – Igualada, 1416), roi d'Aragon et de Sicile (1412-1416). – **Ferdinand II le Catholique** (Sos, Aragon, 1452 – Madrigalejo, 1516), roi d'Aragon et de Sicile (1479-1516), roi de Naples (sous le nom de Ferdinand III, 1504-1516), époux (1469) d'Isabelle la Catholique, reine de Castille de 1474 à sa mort (1504) : l'union « conjugale » des roy. d'Aragon et de Castille préfigura l'unification de l'Espagne. Le règne des Rois Catholiques fut marqué par l'effondrement du dernier roy. musulman d'Espagne (prise de Grenade, 1492), par un accroissement territorial : acquisition du Roussillon et de la Cerdagne cédés par la France, conquête de Naples (1502-1504), des *présides* d'Afrique (1509-1511) et de la Navarre (1512), par la recherche de l'unité religieuse (établissement de l'Inquisition), par la soumission de la noblesse et l'acheminement de la royauté vers l'absolutisme, et par la découverte de l'Amérique, due à Colomb, en 1492. À la mort d'Isabelle, les Castillans appelèrent au pouvoir Philippe le Beau, qui mourut en 1506. Ferdinand assura alors le gouvernement des deux royaumes.

AUTRICHE

Ferdinand Ier d'Autriche (Vienne, 1793 – Prague, 1875), empereur d'Autriche (1835-1848), roi de Bohême et de Hongrie (1830-1848). Faible, il laissa gouverner à sa place l'archiduc Louis et le chancelier Metternich. La révolution de 1848 le chassa de Vienne, et il abdiqua en faveur de son neveu François-Joseph.

BULGARIE

Ferdinand Ier de Bulgarie (Vienne, 1861 – Cobourg, 1948), prince de Saxe-Cobourg-Gotha, élu prince de Bulgarie en 1887. Il profita de la crise balkanique pour se proclamer indépendant du sultan et prit le titre de tsar des Bulgares (1908-1918). Allié en 1915 aux Empires centraux, il dut abdiquer en faveur de son fils Boris après la défaite (1918).

CASTILLE ET ESPAGNE

Ferdinand Ier le Grand (?, 1017 – en Léon, 1065), roi de Castille (1035-1065). Il réunit à ses États les royaumes de Léon et de Navarre, et combattit victorieusement les émirs de Tolède et de Séville, mais son domaine fut partagé, à sa mort, entre ses cinq enfants. – **Ferdinand III** (saint) (?, v. 1199 – Séville, 1252), fils du roi de Léon, Alphonse IX, et de Bérengère de Castille ; il devint roi de Castille en 1217 et réunit définitivement le Léon (1230) à ce royaume. Il repoussa les Maures au S. de l'Espagne. – **Ferdinand IV l'Ajourné** (Séville, 1285 – Jaén, 1312), roi de Léon et de Castille (1295-1312) ; il enleva Gibraltar aux Maures (1310). – **Ferdinand V de Castille.** V. Ferdinand II le Catholique (Aragon et Sicile). – **Ferdinand VI le Sage** (Madrid, 1713 – Villaviciosa, 1759), fils de Philippe V d'Espagne et de Marie-Louise de Savoie ; roi d'Espagne de 1746 à 1759, il signa en 1748 la paix d'Aix-la-Chapelle. – **Ferdinand VII** (San Ildefonso, 1784 – Madrid, 1833), fils de Charles IV. Porté au pouvoir par l'insurrection d'Aranjuez (mars 1808), il fut contraint par Napoléon Ier d'abdiquer avec son père (juil. 1808). Interné au château de Valençay (Indre), il rentra en Espagne en 1814 et abolit la Constitution libérale votée en 1812. Son gouvernement autoritaire provoqua la révolution de 1820, qui lui imposa le retour à la Constitution de 1812. Rétabli dans son pouvoir absolu par l'armée française (1823), il effectua de sanglantes représailles. Il ne put empêcher l'émancipation des colonies américaines. Il abrogea la loi salique (introduite en Espagne par Philippe V) pour permettre à sa fille Isabelle de lui succéder.

DEUX-SICILES

Ferdinand Ier de Bourbon (Naples, 1751 – id., 1825), troisième fils de Charles III d'Espagne. Les Français l'ayant chassé en 1798 et en 1806 du royaume de Naples, où il régnait sous le nom de Ferdinand IV, il se réfugia en Sicile. Rétabli en 1815 dans ses domaines continentaux, il prit en 1816 le titre de roi des Deux-Siciles. Soutenu par la Sainte-Alliance, il triompha du mouvement révolutionnaire de 1820. – **Ferdinand II de Bourbon** (Palerme, 1810 – Caserte, 1859), roi des Deux-Siciles (de 1830 à 1859), fils de François-Xavier Ier. Il triompha du mouvement révolutionnaire de 1848 à Naples et en Sicile.

FLANDRE

Ferdinand de Portugal, dit *Ferrand* (?, 1186 – Douai, 1233), comte de Flandre et de Hainaut par son mariage avec Jeanne de Flandre. Il s'allia à Jean sans Terre et à Otton IV contre Philippe Auguste, qui le captura à Bouvines.

PORTUGAL

Ferdinand Ier (Coimbra, 1345 – Lisbonne, 1383), roi de Portugal (1367-1383). Il revendiqua sans succès la couronne de Castille.

ROUMANIE

Ferdinand Ier (Sigmaringen, 1865 – Sinaia, 1927), roi de Roumanie (1914-1927) ; fils du prince Léopold

Hohenzollern-Sigmaringen, il succéda à son oncle Charles Ier. En 1916, il se rangea aux côtés des Alliés, dont la victoire lui permit d'agrandir considérablement son royaume.

SICILE PÉNINSULAIRE

Ferdinand Ier ou **Ferrante** (1423 - 1494), fils naturel d'Alphonse V le Grand, roi d'Aragon; roi de Sicile péninsulaire (Naples) de 1458 à 1494. – **Ferdinand II,** dit *Ferrandino* (Naples, 1467 - id., 1496), roi de Sicile péninsulaire de 1495 à 1496. – **Ferdinand III.** V. Ferdinand II le Catholique. – **Ferdinand IV.** V. Ferdinand Ier de Bourbon.

TOSCANE

Ferdinand Ier et **Ferdinand II,** grands-ducs de Toscane. (V. Médicis.) – **Ferdinand III** (Florence, 1769 - id., 1824), archiduc d'Autriche, grand-duc de Toscane de 1790 à 1801 et de 1814 à 1824. Ayant participé à la deuxième coalition contre la France, il fut chassé de ses États par le traité de Lunéville (1801) conclu entre l'Autriche et Bonaparte.

◊ ◊ ◊

Ferdousī, Ferdūsī, Firdousī ou **Firdūsī** (Abū al-Qāsim Mansūr, près de Tūs, Khorāsān, v. 930 - id., 1020), l'un des plus grands poètes épiques persans, auteur de la célèbre et considérable épopée *Chāh-nāmè* («le Livre des rois»).

-fère. Élément, du lat. *ferre,* «porter».

Ferenczi (Sándor) (Miskolc, 1873 - Budapest, 1933), médecin et psychanalyste hongrois. Il fut un des disciples les plus proches de Freud. La publication de *Thalassa, psychanalyse des origines de la vie sexuelle* (1924), où il tente d'étendre le champ de la psychanalyse à la biologie, entraîna leur rupture.

Fergana ou **Ferghana,** v. d'Ouzbékistan; 199 000 hab. Pétrole. Industr. text. (coton, soie).

Fergana ou **Ferghana,** région de l'Ouzbékistan, au N. du plateau du Pamir, arrosée par le haut Syr-Daria. Riche région de cultures irriguées (coton, mûriers, fruits). Pétrole.

feria [feʀija] n. f. En Espagne et dans le sud de la France, fête annuelle comportant des courses de taureaux.

férie n. f. **1.** ANTIQ ROM Jour consacré aux dieux, pendant lequel le travail était interdit. **2.** LITURG Chacun des jours de la semaine, du lundi au vendredi.

férié, ée adj. *Jour férié* : jour où l'on ne travaille pas à l'occasion d'une fête civile ou religieuse (par oppos. à *ouvrable*). *Magasin fermé les dimanches et jours fériés.*

féringien, enne adj. et n. Des îles Féroé.

férir v. tr. Seulement dans la loc. *sans coup férir* : vx sans combattre; mod., litt. sans difficulté, sans rencontrer de résistance.

ferler v. tr. [1] MAR Plier (une voile ou un pavillon) et (la, le) serrer avec des rabans, l'écoute, etc.

Ferlinghetti (Lawrence) (New York, 1919), éditeur et poète américain de la «beat generation» : *Pictures of the Gone World* (1955), *Her* (1960).

fermage n. m. **1.** Loyer payé pour un domaine dans le bail à ferme. **2.** Mode d'exploitation agricole dans lequel, par oppos. au faire-valoir direct et au métayage, le cultivateur prend une terre à bail contre un loyer indépendant des revenus qu'il tire du travail de la terre.

fermant, ante adj. Se dit d'un couteau dont la lame se replie.

Fermat (Pierre de) (Beaumont-de-Lomagne, 1601 - Castres, 1665), mathématicien français. Il établit les bases du calcul infinitésimal et du calcul des probabilités. Il fut conseiller au parlement de Toulouse. ► illustr. page 713

1. ferme adj. et adv. **I.** adj. **1.** Qui offre une certaine résistance. *Un fromage à pâte ferme. La terre* ferme.* **2.** Qui se tient de façon stable. *Être ferme sur ses pieds.* - Loc. *De pied ferme* : sans reculer, résolument. ▷ FIN Dont les cours en Bourse ne baissent pas. *Valeur ferme.* **3.** Qui n'hésite pas. *Marcher d'un pas ferme. Une voix ferme.* **4.** Fig. Qui ne se laisse pas ébranler. *Être ferme dans ses résolutions.* - Par ext. *Avoir la ferme intention de faire qqch.* ▷ Qui fait preuve d'autorité. *Être ferme avec les enfants.* **5.** Sans sursis, en parlant d'une condamnation. *Prison ferme.* **II.** adv. Avec ardeur. *Discuter ferme. Travailler ferme,* beaucoup. - Loc. *Tenir ferme* : résister vigoureusement.

2. ferme n. f. **I. 1.** DR Convention par laquelle le propriétaire d'un fonds de terre, d'une rente, d'un droit, en abandonne la jouissance pour un certain temps et moyennant un prix fixé. *Bail à ferme. Prendre à ferme.* **2.** HIST Système où le droit de percevoir certains impôts était délégué par l'État à des particuliers moyennant une redevance forfaitaire. - *Par ext.* Administration chargée de cette perception. *La ferme générale des gabelles.* **II. 1.** Exploitation agricole louée à ferme. - *Par ext.* Toute exploitation agricole. *Des produits de ferme.* **2.** Ensemble constitué par l'habitation de l'agriculteur et les bâtiments y attenant. *Une cour de ferme.*

3. ferme n. f. **1.** CONSTR Assemblage d'éléments de charpente disposé verticalement pour servir de support à une couverture. *L'ossature d'un comble est formée de fermes reliées par des pannes.* **2.** SPECT Décor monté sur des châssis, qui s'élève des dessous de la scène, en avant de la toile de fond.

fermé, ée adj. **1.** Qui ne présente pas d'ouverture; qui n'est pas ouvert, clos. *Une caisse fermée. Une pièce fermée à clé.* ▷ Fig. *Société fermée,* où il est difficile de pénétrer. - *Visage fermé,* impénétrable. **2.** ELECTR *Circuit fermé* : circuit électrique ou magnétique ne présentant pas d'interruption. ▷ PHYS *Transformation fermée* : transformation thermodynamique dans laquelle l'état final est identique à l'état initial. Syn. cycle. ▷ MATH *Disque fermé, boule fermée* : ensemble des points dont la distance au centre est inférieure ou égale au rayon. (Cet ensemble comprend les points du cercle ou de la sphère qui limitent le disque ou la boule.) **3.** Fig. *Esprit fermé,* qui est volontairement incompréhensif ou borné. ▷ *Fermé à* : inaccessible, insensible à. *Être fermé à toute pitié.* **4.** LING *Voyelle fermée,* prononcée avec resserrement du canal vocal. *Les e fermés de «été».* - *Syllabe fermée,* terminée par une consonne prononcée.

ferme-auberge n. f. Exploitation agricole qui sert des repas élaborés avec ses propres produits. *Des fermes-auberges.*

fermement adv. **1.** D'une manière ferme. *Tenir très fermement qqch.* **2.** Avec assurance, constance. *Croire fermement qqch.*

ferment n. m. **1.** Agent (micro-organisme ou enzyme) d'une fermentation. **2.** Fig. Ce qui détermine ou entretient les idées ou les passions. *Un ferment de discorde, de haine, d'indiscipline.*

fermentable adj. Rare Syn. de *fermentescible.*

fermentation n. f. **1.** Dégradation enzymatique (anaérobie) d'une substance par un microorganisme (levure, bactérie, etc.). V. enzyme. *L'homme utilise les produits finals de nombreuses fermentations. Fermentations alcoolique, lactique, butyrique,* produisant de l'alcool éthylique, de l'acide lactique, de l'acide butyrique. **2.** Fig. Effervescence des esprits.

fermenter v. intr. [1] **1.** Être en fermentation. **2.** Fig. Être dans un état d'agitation morale contenue.

fermentescible adj. Didac. Qui peut fermenter.

fermenteur n. m. Appareil dans lequel on effectue des fermentations.

fermer v. [1] **I.** v. tr. **1.** Appliquer (un objet) sur une ouverture pour la boucher. *Fermer une porte.* **2.** Isoler de l'extérieur. *Fermer une chambre, un placard.* **3.** Rapprocher l'une contre l'autre les parties de (qqch). *Fermer les yeux, la bouche.* - Loc. fig. *Fermer les yeux sur (qqch)* : refuser de voir (qqch). ▷ Fam. *La fermer* : se taire. ▷ ELECTR *Fermer un circuit* : établir les connexions permettant le passage du courant dans un circuit. **4.** Interdire l'accès de. *Fermer un port, un établissement.* ▷ Fig. *Fermer son cœur à la pitié.* ▷ CH de F *Fermer la voie,* faire fonctionner le signal indiquant qu'elle ne doit pas être utilisée. ▷ SPORT *Fermer le jeu* : ne pas laisser une offensive se développer. **5.** Arrêter la circulation de (un fluide, une énergie). *Fermer l'eau, l'électricité.* - Par ext. *Fermer le robinet.* **6.** *Fermer la marche* : être le dernier d'un groupe en marche. **II.** v. pron. Être, devenir fermé; pouvoir être fermé. *Ses yeux se ferment. La porte se ferme de l'intérieur.* **III.** v. intr. **1.** Être fermé. *Les guichets ferment à midi.* **2.** Pouvoir être fermé. *Cette boîte ferme mal.*

fermeté n. f. **1.** État de ce qui est ferme, compact, résistant. *La fermeté des chairs.* **2.** État de ce qui a de la sûreté, de la vigueur. *La fermeté du style. La fermeté d'une touche en peinture.* **3.** Énergie morale. *Fermeté d'âme, de caractère.* **4.** Autorité, assurance. *Parler avec fermeté.* **5.** FIN *Fermeté des cours* : maintien des cours de la Bourse à un taux élevé.

1. fermette n. f. Petite ferme aménagée pour servir de résidence secondaire.

2. fermette n. f. CONSTR Petite ferme (V. ferme 3).

fermeture n. f. **1.** Dispositif servant à fermer. *La fermeture s'est coincée.* ▷ *Fermeture Éclair* : fermeture souple à glissière*. (Nom déposé.) **2.** Action de fermer. **3.** État d'un établissement fermé. *Fermeture annuelle.*

Fermi (Enrico) (Rome, 1901 - Chicago, 1954), physicien italien; auteur de nombr. travaux de physique nucléaire (mécanique statistique des particules, notam.). Établi aux É.-U. à partir de 1938, il réalisa à Chicago en 1942 la première pile atomique. P. Nobel 1938. ▷ PHYS NUCL *Statistique de Fermi-Dirac* : loi définissant la probabilité de répartition sur divers niveaux d'énergie des particules de spin «demi-entier» (1/2, 3/2, 5/2...). ► illustr. page 716

fermier, ère n. et adj. **1.** Personne qui prend à ferme un droit. – (En appos.) *Compagnie fermière.* ▷ *Fermier général,* qui, sous l'Ancien Régime, prenait à ferme la perception de certains impôts. **2.** Personne qui tient une exploitation agricole avec un bail à ferme, ou, par ext., en tant que propriétaire. **3.** adj. De ferme. *Poule fermière. Beurre fermier.*

fermion n. m. PHYS NUCL Particule obéissant à la statistique de Fermi*-Dirac, dont le comportement statistique s'oppose à celui des bosons*. *L'électron, le proton et le neutron sont des fermions.* V. encycl. particule.

fermium [fɛʀmjɔm] n. m. CHIM Élément radioactif artificiel appartenant à la famille des actinides, de numéro atomique Z = 100, de masse atomique 257 (symbole Fm).

Fermo, ville d'Italie (prov. d'Ascoli Piceno, dans les Marches); 34 340 hab. – Archevêché. – Colonie romaine dès le début de la première guerre punique (264 av. J.-C.).

fermoir n. m. Agrafe ou attache qui sert à tenir fermé un livre, un sac, un collier, etc.

Fernandel (Fernand Contandin, dit) (Marseille, 1903 – Paris, 1971), acteur et chanteur français. Comique troupier au café-concert puis au music-hall à ses débuts, il devint, notam. grâce à Pagnol, une des grandes figures du cinéma français (*Angèle, Ignace,* la série des *Don Camillo*).

Enrico **Fermi**

Fernandel

Fernandes (Mateus) (m. à Batalha en 1515), architecte portugais. Il fut le maître d'œuvre du monastère de Batalha, où il exécuta le portail de la rotonde des *Chapelles inachevées,* chef-d'œuvre de l'art manuélin.

Fernández (Juan) (Carthagène, v. 1536 – ?, v. 1599), navigateur espagnol. Il explora les rivages de l'Amérique du Sud et découvrit l'archipel qui porte son nom.

Fernández de Córdoba (Gonzalo). V. Gonzalve de Cordoue.

Fernando de Noronha (îles), archipel brésilien situé au large de la côte atlantique; 26 km^2; 1 300 hab. Ces îles ont formé un territ. fédéral jusqu'en 1988; depuis, elles sont rattachées à l'État de Pernambouc. – Base militaire.

Fernando Poo ou **Pó.** V. Bioco.

Ferneyhough (Brian) (Coventry, 1943), compositeur anglais. Employant un vocabulaire post-sériel d'une extrême complexité, il demande à l'énergie créatrice de l'interprète de pousser l'instrument aux limites de ses possibilités : *Unity Capsule* pour flûte seule (1976), *Carceri d'invenzione* pour 16 instruments (1982-1986).

Ferney-Voltaire, ch.-l. de cant. de l'Ain (arr. de Gex); 6 437 hab. – Chât. du XVIIe s. où Voltaire (le «patriarche de Ferney») vécut les vingt dernières années de sa vie.

féroce adj. **1.** (Animaux) Cruel, qui tue par instinct. *Le tigre est un animal féroce.* **2.** (Personnes) Cruel, qui est sans pitié. *Un tyran féroce.* ▷ Par ext. *Un regard féroce.* – Par exag. *Un appétit féroce.*

férocement adv. D'une manière féroce.

férocité n. f. Caractère féroce. *La férocité du lion.*

Féroé ou **Faeroe** (en danois *Faerøerne*), archipel danois (18 îles), à 350 km env. au N. de l'Écosse; 1 399 km^2; 46 000 hab. (Féringiens ou Féroïens); ch.-l. *Thorshavn.* Malgré la latitude, le climat est tempéré, mais l'humidité est constante. La pêche (morue, hareng) est, avec une agriculture et un élevage d'appoint (pommes de terre, moutons), la princ. ressource. – Réunies en 1380 à la Norvège et au Danemark, occupées par les Anglais de 1807 à 1814, date à laquelle elles furent données au Danemark, les îles Féroé forment depuis 1948 une communauté auton. au sein du Danemark.

ferrade n. f. Rég. Action de marquer les bestiaux au fer rouge. – Fête provençale célébrée à cette occasion.

ferrage n. m. Action de ferrer. *Ferrage d'un cheval, d'une roue.*

ferraillage n. m. CONSTR Ensemble des armatures qui entrent dans un ouvrage en béton armé.

ferraille n. f. **1.** Déchets de métaux ferreux; pièces hors d'usage en fer, en acier, en fonte. *Un tas de ferraille.* **2.** Fam. Petite monnaie.

ferraillement n. m. **1.** Action de ferrailler (sens 2). **2.** Bruit de ferraille.

ferrailler v. [1] **1.** v. intr. Péjor. Se battre au sabre ou à l'épée. ▷ Fig. *Ferrailler avec (qqn),* se disputer avec lui. **2.** v. tr. CONSTR Munir d'un ferraillage.

ferrailleur n. m. **1.** Péjor., vx Homme qui aime se battre à l'épée. ▷ adj. Fig. Qui aime se quereller. **2.** Marchand de ferraille. **3.** CONSTR Ouvrier spécialisé dans le ferraillage.

Ferrante. V. Ferdinand Ier (Sicile péninsulaire).

Ferrare, v. d'Italie (Émilie-Romagne), ch.-l. de prov., sur un bras du Pô; 146 740 hab. Import. marché agric. sur le delta du Pô. Industr. alim., chim. et méca. (matériel agric.). – Archevêché. Université. Cath. de style lombard (XIIe-XVe s.). Chât. d'Este (XIVe-XVIe s.). Musée gréco-étrusque. Cosme Tura, Lorenzo Costa l'Ancien et G. Dosso Dossi sont les princ. peintres de l'*école ferraraise* (XVe s.). – Possession de l'Église, Ferrare appartint, à partir de 1240, à la famille d'Este; érigée en duché (1471), elle connut un grand essor artistique et littéraire, mais elle perdit son éclat lorsqu'elle revint à la papauté (1598). Elle fut occupée par l'Autriche de 1814 à 1860.

Ferrari (Enzo) (Modène, 1898 – id., 1988), constructeur automobile italien. Il fonda en 1929 la société, portant son nom, qui a produit des voitures de compétition (formule 1), de sport et de grand tourisme parmi les plus prestigieuses.

Ferrari (Luc) (Paris, 1926), compositeur français, membre du «Groupe de recherches musicales» créé par Pierre Schaeffer. Il se consacre à la musique

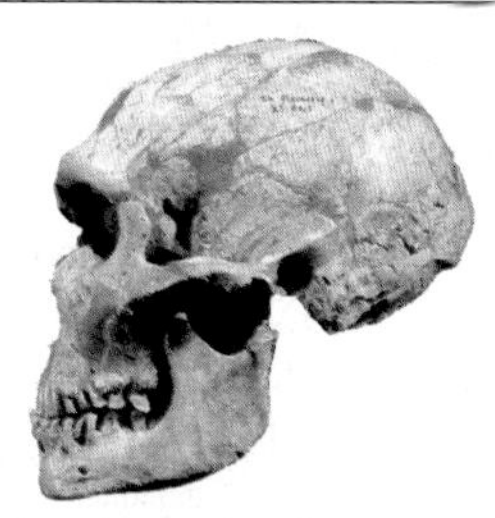
crâne néandertalien découvert en 1909 à **La Ferrassie**

électroacoustique, au théâtre musical et, depuis quelques années, à la création radiophonique : *Presque rien* (1970-1973), *Journal intime* (1982).

Ferrassie (la), écart de la com. de Savignac-de-Miremont (Dordogne). – Ensemble de grottes et abris-sous-roche, très riches en industrie lithique, de la période moustérienne.

Ferrat (cap), cap à l'E. de Nice.

Ferrat (Jean Tenenbaum, dit Jean) (Vaucresson, 1930), chanteur français. À partir de 1963, il s'impose comme un des principaux auteurs-compositeurs et interprètes de chansons poétiques (*Que serais-je sans toi ?*) et «engagées» (*Nuit et Brouillard; Potemkine*).

ferré, ée adj. **1.** Garni de fer. *Bâton ferré. Souliers ferrés.* ▷ Fig., fam. *Être ferré en, sur un sujet,* le connaître parfaitement. **2.** *Voie ferrée* : voie de roulement constituée par deux rails reliés par des traverses.

Ferré, dit *le Grand Ferré,* paysan français de Rivecourt (Beauvaisis) dont la lutte et la mort (1358) symbolisèrent la résistance populaire à l'envahisseur anglais.

Ferré (Léo) (Monte-Carlo, 1916 – Castelli di Chianti, Toscane, 1993), auteur-compositeur et chanteur français. Son œuvre puise dans le patrimoine poétique (mise en musique de textes écrits par Baudelaire, Verlaine, Rimbaud, Aragon, Apollinaire), dans la tradition de la chanson pamphlétaire, d'inspiration anarchiste *(l'Homme, les Temps difficiles),* et dans la veine populiste *(Paris-Canaille, C'est extra).*

Léo **Ferré**

Francisco **Ferrer Guardia**

ferrement n. m. TECH Ensemble des pièces métalliques servant à équiper un ouvrage en bois. – Chacune de ces pièces. Syn. ferrure.

ferrer v. tr. [1] **1.** Garnir d'un fer, de ferrures. *Ferrer un bâton, une porte.* ▷ Garnir les sabots d'une bête de fers destinés à en éviter l'usure. *Ferrer un mulet.* **2.** *Ferrer le poisson,* bien l'accrocher à l'hameçon en tirant d'un coup sec, après qu'il a mordu.

Ferrer Guardia (Francisco) (Alella, 1859 – Barcelone, 1909), révolutionnaire, pédagogue et éditeur espagnol. Anarchiste et anticlérical, il fut tenu pour responsable des émeutes de juin 1909 à Barcelone, condamné et fusillé. Ses conceptions pédagogiques inspirèrent Célestin Freinet.

Ferreri (Marco) (Milan, 1928 – Paris, 1997), cinéaste italien. Ses films, à forte composante symbolique, forment une parabole du monde moderne et de son avenir possible (*la Grande Bouffe*, 1973; *la Dernière Femme*, 1976; *Contes de la folie ordinaire*, 1981).

Ferrero (Guglielmo) (Portici, 1871 – Mont-Pèlerin, Genève, 1943), historien italien; analyste des facteurs socio-économiques du développement des sociétés anc. et mod. : *Grandeur et décadence de Rome* (1902-1907), *Bonaparte en Italie* (1936).

ferret n. m. **1.** Extrémité en métal (ou plastifiée) d'un lacet, d'une aiguillette. ▷ Spécial. *Ferrets de diamants*, ornés de diamants. **2.** TECH Noyau dur dans une pierre de taille. **3.** MINÉR *Ferret d'Espagne* : hématite rouge.

Ferret (col), col alpin (2 543 m) situé entre la Suisse et l'Italie.

ferreux, euse adj. **1.** Qui contient du fer. *Métaux ferreux*. **2.** CHIM *Composé, sel ferreux*, qui contient du fer au degré d'oxydation +2 (oxyde de fer FeO, par ex.). ▷ *Ion ferreux* : ion Fe^{2+}.

ferri-. CHIM Préfixe indiquant la présence du fer au degré d'oxydation +3.

Ferri (Enrico) (San Benedetto Po, prov. de Mantoue, 1856 – Rome, 1929), criminaliste et homme politique italien; un des fondateurs de la criminologie moderne.

Ferrié (Gustave) (Saint-Michel-de-Maurienne, 1868 – Paris, 1932), général et savant français. Pionnier de la télégraphie sans fil, il fit de la tour Eiffel un émetteur radioélectrique (1903).

Ferrier (Kathleen) (Higher Walton, Lancashire, 1912 – Londres, 1953), cantatrice anglaise. Contralto au timbre exceptionnellement profond, elle a donné à la scène, et surtout au concert, des interprétations restées célèbres d'œuvres du répertoire, de Gluck à Mahler.

Ferrières, com. de Seine-et-Marne (arr. de Meaux); 1 449 hab. – Égl. du XIIIe s. – J. Favre et Bismarck s'y rencontrèrent les 19 et 20 sept. 1870, dans le chât. des Rothschild, sans parvenir à un accord d'armistice.

ferrimagnétique adj. PHYS Qui a les propriétés du ferrimagnétisme.

ferrimagnétisme n. m. PHYS Propriété des corps qui ont un comportement magnétique analogue à celui des ferrites tout en étant le plus souvent des isolants.

ferrique adj. CHIM *Composé, sel ferrique*, qui contient du fer au degré d'oxydation + 3 (oxyde ferrique Fe_2O_3, par ex.). ▷ *Ion ferrique* : ion Fe^{3+}.

ferrite n. **1.** n. m. CHIM Céramique ferrimagnétique, composée de mélanges d'oxydes, dont l'oxyde ferrique Fe_2O_3. *Les tores de ferrites sont utilisés notam. dans la fabrication des mémoires d'ordinateurs et des antennes des récepteurs radio.* **2.** n. f. METALL Solution solide de carbone dans le fer α (l'un des constituants de l'acier).

ferro-. **1.** METALL Préfixe indiquant la présence de fer dans un alliage. **2.** CHIM Préfixe indiquant la présence du fer au degré d'oxydation + 2.

ferro n. m. TECH Épreuve photographique sur papier au ferrocyanure.

ferrocyanure n. m. CHIM Ion complexe du fer à l'état d'oxydation + 2 : $[Fe(CN)_6]^{4-}$.

Ferrol (El) (anc. *El Ferrol del Caudillo*), ville d'Espagne (en Galice, prov. de La Corogne), port sur l'Atlantique; 87 700 hab. Chantiers navals. Arsenal. – Patrie du général Franco (le Caudillo).

ferromagnésien, enne adj. GEOL Se dit de minéraux riches en fer et en magnésium (micas, péridots, amphiboles, pyroxènes).

ferromagnétique adj. PHYS Qui possède la propriété de s'aimanter sous l'action d'un champ magnétique.

ferromagnétisme n. m. PHYS Propriété de certaines substances (fer, cobalt, nickel) d'acquérir une forte aimantation lorsqu'on les place dans un champ magnétique extérieur. (On les utilise pour constituer des aimants, des électroaimants et des circuits magnétiques.)

ferronnerie n. f. **1.** TECH Fabrique où l'on façonne de grosses pièces de fer. **2.** TECH Ensemble des éléments métalliques d'un édifice. **3.** Art du fer forgé. ▷ *Par ext.* Objets en fer forgé (grilles, rampes, lustres, etc.).

ferronnier, ère n. Celui, celle qui fabrique ou vend de la ferronnerie d'art. *Ferronnier d'art.*

ferronnière n. f. Bijou formé d'une pierre précieuse maintenue sur le front par un bandeau de métal ou un ruban.

Ferronnière (la Belle) (m. v. 1540), femme (d'origine castillane) d'un bourgeois de Paris nommé Le Ferron, maîtresse de François Ier.

ferroutage n. m. TRANSP Transport combiné par remorques routières acheminées sur des wagons de chemin de fer. Syn. transport rail-route.

ferroviaire adj. Relatif aux chemins de fer. *Trafic ferroviaire.*

ferrugineux, euse adj. Qui contient un oxyde ou un sel de fer. *Eaux ferrugineuses.*

ferrure n. f. **1.** Garniture de fer, de métal. *Ferrures d'une porte, d'un gouvernail.* **2.** Action de ferrer un cheval.

Ferry (Jules) (Saint-Dié, 1832 – Paris, 1893), homme politique français. Député républicain sous Napoléon III, il fit partie du gouvernement de la Défense nationale (1871). Plusieurs fois ministre de l'Instruction publique (de 1879 à 1883) et président du Conseil (notam. de fév. 1883 à mars 1885), il fit voter les lois (1881 et 1882) instituant la gratuité, la laïcité et l'obligation de l'enseignement primaire, ainsi que des lois sur la liberté de réunion et la liberté de la presse. Engageant la France dans des entreprises coloniales, il établit le protectorat sur la Tunisie, fit occuper Madagascar et fit voter des crédits pour la conquête du Tonkin. Cette dernière entreprise suscita, après l'incident de Lang Son, une vive opposition à la Chambre, qui entraîna la chute du ministère Ferry.

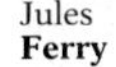

Jules **Ferry**

Georges **Feydeau**

ferry-boat [feRibot] n. m. (Anglicisme) Navire spécialement construit pour le transport des rames de wagons et des automobiles. *Des ferry-boats.* (Abrév. cour. *ferry, des ferries* ou *ferrys.*) Syn. transbordeur.

Fersen (Hans Axel, comte de) (Stockholm, 1755 – id., 1810), maréchal suédois. Colonel du régiment français de Royal-Bavière, il s'attacha à Marie-Antoinette et aida la famille royale lors de sa fuite à Varennes, en 1791.

ferté n. f. Vx Endroit fortifié. (Ce mot est resté dans certains noms de villes : *La Ferté-Alais, La Ferté-Bernard.*)

Ferté-Bernard (La), ch.-l. de cant. de la Sarthe (arr. de Mamers), sur l'Huisne; 9 819 hab. I.A.A. Constr. méca. – Égl. N.-D.-des-Marais (XVe-XVIe s.). Halles en charpente (XVIe s.).

Ferté-Milon (La), com. de l'Aisne (arr. de Château-Thierry), près de Villers-Cotterêts; 2 544 hab. Château (XIVe s.). Église Notre-Dame (XIIe-XVIe s.).

Ferté-Saint-Aubin (La), ch.-l. de cant. du Loiret (arr. d'Orléans), en Sologne; 6 437 hab. Armement. – Église (XIIe et XVIe s.). Château du XVIIe s.

Ferté-sous-Jouarre (La), ch.-l. de cant. de Seine-et-Marne (arr. de Meaux), au confl. de la Marne et du Petit Morin; 8 274 hab. Industr. bioméd.

fertile adj. **1.** Qui fournit des récoltes abondantes. *Terre, sol, champ, pays fertile.* Syn. fécond. Ant. stérile. **2.** Fig. *Fertile en* : riche en. *Voyage fertile en incidents.* **3.** Fig. Qui produit beaucoup (d'idées, d'œuvres, etc.). *Imagination fertile. Écrivain fertile.*

fertilisable adj. Qui peut être fertilisé.

fertilisant, ante adj. Qui fertilise. – n. m. Produit qui fertilise.

fertilisateur, trice adj. Litt. Qui fertilise. *Un climat fertilisateur.*

fertilisation n. f. Action de fertiliser.

fertiliser v. tr. [1] Rendre fertile.

fertilité n. f. Qualité de ce qui est fertile. *La fertilité d'un terrain.* ▷ Fig. *La fertilité d'un romancier.*

féru, ue adj. Litt. *Féru de* : passionné de. *Il est féru d'archéologie.*

férule n. f. **1.** Ombellifère à hampe florale très élevée, dont diverses espèces fournissent des gommes. **2.** Palette de bois ou de cuir dont on se servait pour frapper les écoliers afin de les punir. ▷ Loc. fig. *Être sous la férule de qqn*, sous son autorité.

fervent, ente adj. **1.** Qui éprouve ou manifeste de la ferveur. ▷ Subst. Personne qui aime (qqn, qqch) avec ferveur. *Les fervents de Mozart, de la musique.* **2.** Qui comporte de la ferveur. *Oraison fervente. Amour fervent.*

ferveur n. f. Ardeur des sentiments religieux. *Prier avec ferveur.* ▷ Enthousiasme et amour venant du fond du cœur. *Que de ferveur dans cette étude sur Ronsard !*

Fès (*Fãs*), v. du Maroc, sur l'oued Fès; ch.-l. de la prov. du m. nom; env. 450 000 hab. (Fassis). Cap. religieuse et intellectuelle du Maroc, centre touristique import., la ville compte aussi quelques industr. modernes, notam. dans les secteurs alim. et text. – Universités (coranique et moderne). – Remparts de la vieille ville *(Fès al-Bali)* pourvus de portes monumentales (Bab Bujlud). Mosquée des Andalous, mosquée Qarawiyyin (IXe-XIIe s.), medersas (al-Attarin, Bu Inaniyyah), quartiers d'artisans (tannerie, teinturerie, dinanderie, etc.).

Fesch (Joseph) (Ajaccio, 1763 – Rome, 1839), prélat français; oncle maternel de Napoléon Ier. Il fut archevêque de Lyon (1801), puis cardinal (1803). L'Empereur (qui lui devait son sacre par Pie VII) le disgracia en 1812.

fesse n. f. **1.** Chacune des deux parties charnues qui forment le derrière de l'homme et de certains animaux. **2.** MAR Partie arrondie de l'arrière des anciens voiliers.

fessée n. f. Correction donnée sur les fesses. ▷ Fig. Défaite humiliante.

fesse-mathieu n. m. Vx ou litt. Usurier, avare. *Des fesse-mathieux.*

Fessenheim, com. du Haut-Rhin (arr. de Guebwiller); 2 012 hab. Usine hydroél. sur le grand canal d'Alsace; centrale nucléaire.

fesser v. tr. [1] Corriger (qqn) en le frappant sur les fesses.

fessier, ère adj. et n. m. **1.** adj. ANAT Des fesses. *Les muscles fessiers forment la saillie de la fesse et assurent l'extension de la cuisse sur le tronc.* – n. m. *Le grand, le moyen, le petit fessier.* **2.** n. m. Fam. Les deux fesses, le derrière.

fessu, ue adj. Fam. Qui a de grosses fesses.

festif, ive adj. Relatif à la fête; qui a le caractère de la fête. *Une commémoration festive.*

festin n. m. Repas de fête; repas somptueux, excellent.

festival, als n. m. **1.** Manifestation musicale organisée à époque fixe. *Festival Wagner à Bayreuth, Mozart à Salzbourg.* ▷ Série de rencontres internationales au cours desquelles différents pays présentent leurs meilleures productions cinématographiques. *Le festival de Venise, de Cannes.* ▷ Réunion internationale consacrée au théâtre. *Le festival d'Avignon.* **2.** Fig. Manifestation éclatante. *Cette comédie, quel festival d'esprit!*

festivalier, ère n. et adj. Celui, celle qui fréquente un festival. – adj. *La saison festivalière.*

festivités n. f. pl. Fêtes, cérémonies.

fest-noz [festnɔz] n. m. Rég. Fête de nuit bretonne accompagnée de musique et de danses régionales. *Des fest-noz* ou (plur. breton) *des festoù-noz.*

feston n. m. **1.** Ornement fait de guirlandes de feuilles et de fleurs suspendues. ▷ ARCHI Ornement sculpté imitant ces guirlandes. **2.** COUT Bordure brodée formée de dents arrondies.

festonner v. tr. [1] Orner de festons. – Pp. adj. *Nappe festonnée.*

festoyer v. intr. [23] Faire la fête, faire bonne chère.

feta n. f. Fromage de brebis grec.

fêtard, arde n. Fam. Personne qui aime à faire la fête.

fête n. f. **1.** Jour consacré à commémorer un fait religieux, historique, etc. *La fête de Noël. Fête nationale. Fête légale,* obligatoirement chômée. *Fête fixe,* ayant lieu toujours à la même date. *Fête mobile,* dont la date varie chaque année ▷ *La fête de qqn,* le jour consacré au saint dont la personne porte le nom. **2.** Réjouissances publiques ou familiales. *Programme de la fête. Une fête de famille.* **3.** Fig. *Fête pour... :* grand plaisir pour. *Ces couleurs, quelle fête pour les yeux!* **4.** Loc. *En fête :* gai, joyeux. *Avoir le cœur en fête.* ▷ *Faire fête à qqn,* lui réserver un accueil très chaleureux. ▷ *Faire la fête :* mener joyeuse vie. ▷ *N'être pas à la fête :* être dans une situation très désagréable. ▷ Fam. *Ça va être ta fête! :* formule de menace.

Fête-Dieu, fête instituée par le pape Urbain IV, en 1264, pour glorifier la présence de Jésus dans l'hostie; elle est célébrée le dimanche qui suit la Trinité. Hors de France, on la nomme en général Corpus Christi.

fêter v. tr. [1] **1.** Célébrer (une fête). *Fêter Pâques.* **2.** Célébrer par une fête. *Fêter un succès.* **3.** Accueillir (qqn) chaleureusement.

fétiche n. m. **1.** ETHNOL Objet magique, substitut visible d'un esprit auquel s'adresse un culte, dans les civilisations archaïques. **2.** Cour. Objet porte-bonheur. **3.** PSYCHOPATHOL Objet érotisé par certaines personnes atteintes de perversions* sexuelles. – PSYCHO *Objet-fétiche* ou *fétiche,* qui représente pour l'enfant un substitut du corps maternel.

féticheur n. m. ETHNOL Celui qui est censé disposer d'un pouvoir magique, dans les religions animistes.

fétichisme n. m. **1.** ETHNOL Culte des fétiches. **2.** Attachement, admiration excessifs à l'égard de qqch ou de qqn. *Avoir le fétichisme des titres universitaires.* **3.** PSYCHOPATHOL Perversion sexuelle qui confère à un objet particulier (vêtement, etc.) ou à une partie du corps du partenaire le pouvoir exclusif de susciter l'excitation érotique.

fétichiste adj. et n. **1.** Qui pratique le fétichisme (sens 1). **2.** PSYCHOPATHOL Atteint de fétichisme (sens 3).

fétide adj. Qui sent très mauvais.

fétidité n. f. Caractère de ce qui est fétide.

fettucine [fetutʃine] ou **fettucini** [fetutʃini] n. f. pl. Pâtes alimentaires d'Italie coupées en forme de rubans.

fétu n. m. Brin (de paille).

fétuque n. f. Graminée (genre *Festuca*) qui forme la base des prairies naturelles.

1. feu, feue adj. Litt. Défunt. (Ne s'accorde que placé entre le déterminant et le nom.) *La feue reine. Feu la reine.*

2. feu n. m. (et adj.) **I.** Flamme. **1.** Flamme qui accompagne une combustion. ▷ *Le feu sacré,* objet d'un culte dans certaines religions. – Loc. fig. *Avoir le feu sacré :* éprouver un grand enthousiasme pour qqch (notam. pour ce que l'on fait, pour son métier). ▷ Loc. fig. *Jouer avec le feu :* prendre de grands risques. **2.** Fig. Chaleur intense. *Les feux de la canicule.* ▷ Brûlure. *Le feu du rasoir.* ▷ Loc. *En feu :* irrité. *Avoir la gorge en feu.* **3.** Fig. Ardeur. *Dans le feu de l'action.* ▷ Passion. *Un discours plein de feu.* ▷ Loc. *De feu :* ardent. *Une âme de feu.* ▷ Fam. *Être tout feu tout flamme,* plein d'enthousiasme. **4.** adj. inv. Rouge orangé. *Des rubans feu.* **5.** Corps en combustion, allumés pour chauffer, pour cuire. *Un feu de bois. Faire un feu, du feu.* – *S'asseoir au coin du feu,* au coin de la cheminée. ▷ *Feu de joie,* allumé en plein air en signe de réjouissance. *Les feux de joie de la Saint-Jean.* ▷ Chaleur dégagée par la combustion. *Cuire à feu doux. Plat qui va au feu,* qui supporte une température élevée. *Céramique de grand feu,* cuite à haute température. ▷ Loc. *Coup de feu :* action brutale du feu; fig. moment d'activité intense. *Le coup de feu de midi, dans un restaurant.* – TECH *Coup de feu :* défaut d'une pièce cuite au four, dû à une température trop élevée. **6.** Fig., vieilli Foyer, famille. *Un village de vingt feux.* ▷ Loc. Mod. *Sans feu ni lieu :* sans foyer, sans domicile. **7.** Brûleur ou plaque chauffante d'une cuisinière. *Cuisinière à quatre feux.* ▷ *Les feux :* la source de chaleur d'une chaudière industrielle. *Pousser les feux.* **8.** Supplice ancien consistant à brûler vif un condamné. *Hérétique condamné au feu.* ▷ Fig. *Faire mourir qqn à petit feu,* lentement et cruellement. **9.** Ce qui sert à allumer une cigarette, une pipe, etc. *Avez-vous du feu?* **II.** Incendie. *Feu de forêt. Feu de cheminée.* ▷ Loc. *Au feu!* – *En feu :* en train de brûler. – *Mettre à feu et à sang :* ravager par l'incendie et le massacre. – *Faire la part du feu :* vider une partie de terrain, de bâtiment de ce qui peut y brûler pour empêcher un incendie de s'étendre; fig. sacrifier ce qui, de toute manière, est perdu, afin de sauver l'essentiel. **III.** Explosion qui, dans le tube d'une arme, propulse le projectile. **1.** Loc. *Armes à feu :* fusils, mitrailleuses, mitraillettes, pistolets, revolvers, etc. – *Bouches à feu :* canons, obusiers, mortiers, etc. ▷ *Coup de feu :* décharge d'une arme à feu, détonation. ▷ *Le coup a fait long feu :* l'amorce a brûlé trop lentement et le coup n'est pas parti. – Fig. *Faire long feu :* ne pas réussir. *Sa tentative a fait long feu.* ▷ *Ne pas faire long feu :* ne pas durer bien longtemps. **2.** Tir. *Ouvrir le feu. Feu! Faire feu :* tirer. **3.** *Le feu :* le combat. *Aller au feu pour la première fois. Baptême du feu.* **IV.** Lumière. **1.** Lumière d'éclairage. *Sous les feux des projecteurs.* **2.** Signal lumineux. *Phare à feu tournant. Feux de position d'un navire, d'un avion* (vert à droite, rouge à gauche). ▷ Chacun des dispositifs lumineux d'un véhicule. *Feux de position, clignotants, de gabarit. Feux de route, de croisement.* ▷ Signal lumineux réglant la circulation des voitures, des trains. *Feu rouge, vert, orange.* – Loc. fig. *Donner le feu vert à qqn,* lui donner l'autorisation de faire telle ou telle chose. **3.** *Feu follet*.* ▷ *Feu Saint-Elme :* aigrette lumineuse d'origine électrique qui apparaît quelquefois pendant un orage au sommet d'un corps élevé et terminé en pointe. ▷ *Feu d'artifice*.* – *Feu de Bengale :* pièce d'artifice qui brûle avec une flamme colorée. **4.** Éclat très vif. *Les feux d'une pierre précieuse. Un regard de feu.* ▷ Loc. fig., fam. *N'y voir que du feu :* ne rien voir, ne rien comprendre (comme une personne éblouie).

Feu (Terre de). V. Terre de Feu.

feudataire n. FEOD Personne qui possédait un fief et devait foi et hommage à son suzerain.

Feuerbach (Ludwig) (Landshut, 1804 – Rechenberg, près de Nuremberg, 1872), philosophe allemand. Parti de l'hégélianisme, il se rallia au matérialisme. Dans *l'Essence du christianisme* (1841), il analyse l'aliénation religieuse : l'homme, conscient de sa faiblesse, projette en Dieu, sublimés, ses propres attributs. Marx et Engels se sont inspirés du matérialisme de Feuerbach avant de le critiquer.

Feuillade (Louis) (Lunel, 1874 – Nice, 1925), cinéaste français. Ses films d'aventures à épisodes (*Fantômas*, 1913-1914; *les Vampires*, 1915; *Judex*, 1917) sont empreints d'une poésie fantastique présurréaliste.

feuillage n. m. **1.** Ensemble des feuilles d'un arbre, d'un arbuste ou d'une grande plante. **2.** (Plur.) Branches coupées garnies de feuilles. *Disposer des feuillages dans un vase.* **3.** Ornement représentant des feuilles.

feuillaison n. f. Développement des jeunes feuilles; époque où elles apparaissent.

feuillant n. m. Religieux membre d'un ancien ordre détaché des cisterciens, réformé par Jean de La Barrière en 1577 et dissous en 1791.

feuillantine n. f. Religieuse membre d'un ancien ordre féminin qui suivait la règle des feuillants.

Feuillants (Club des), club politique (Sieyès, La Fayette, Barnave) qui siégea à partir de juil. 1791 dans le couvent des Feuillants, rue Saint-Honoré (Paris 1er). Modéré, il domina l'Assemblée nationale législative, en alternance avec les Girondins, mais, débordé par les révolutionnaires, le club cessa ses activités après le 10 août 1792.

feuillard n. m. **1.** TECH Branche souple fendue en deux, servant à cercler un tonneau. **2.** TECH Bande de fer plate.

feuille n. f. **I.** (Plantes) **1.** Partie d'un végétal, généralement verte, plate et mince, qui naît des tiges et des rameaux. ▷ *Feuilles mortes :* feuilles jaunies et desséchées. **2.** *Feuille de chêne :* laitue brune à feuilles très découpées. **3.** Bractée de l'artichaut, portant à sa base une partie comestible. **4.** *Par ext.* Pétale. *Feuilles de rose.* **II.** (Papier) **1.** Morceau de papier quadrangulaire. *Une feuille de papier à lettres.* ▷ *Bonnes feuilles :* feuilles d'un livre tirées définitivement (avant la reliure et la publication). **2.** Document portant des indications manuscrites ou imprimées. *Feuille de paie. Feuille de route.* **3.** Journal. *Une feuille de province.* ▷ Fam. *Feuille de chou :* journal médiocre. **III.** Plaque très mince. *Feuille de tôle.*

ENCYCL **Bot.** – La feuille est présente chez tous les végétaux supérieurs. Celle des angiospermes dicotylédones comprend 4 parties : la base foliaire, partie intégrante de la tige; le limbe, vaste et mince surface exposée à la lumière; le pétiole, étroit support du limbe; les nervures, faisceaux conducteurs de la sève. La feuille des monocotylédones a rarement un pétiole et toujours des nervures parallèles. ▶ pl. page 721

feuillée n. f. **1.** Vx ou litt. Feuillage des arbres formant abri. **2.** Plur. MILIT Tranchée servant de latrines.

feuille-morte adj. inv. Qui a la couleur brun-roux des feuilles mortes.

feuillet n. m. **1.** Chacune des feuilles d'un livre, d'un cahier, etc. *Un feuillet comporte deux pages, le recto et le verso.* **2.** Troisième poche de l'estomac des ruminants. **3.** ANAT Une des membranes constituantes des séreuses. *Feuillet pariétal, viscéral.* **4.** BIOL Couche cellulaire, unie ou stratifiée. *Ectoderme, mésoderme et endoderme sont les trois feuillets constitutifs des cœlomates.* **5.** TECH Planche mince utilisée en menuiserie. **6.** ELECTR *Feuillet magnétique :* tranche mince, aimantée perpendiculairement à sa surface.

feuilletage n. m. CUIS Action de feuilleter la pâte. ▷ Pâte feuilletée.

feuilleté, ée adj. Formé de minces couches superposées. ▷ Spécial. *Pâte feuilletée :* pâte à gâteaux travaillée pour se diviser à la cuisson en fines feuilles superposées. – n. m. Pâtisserie faite avec cette pâte. *Feuilleté aux amandes.*

feuilleter v. tr. [20] **1.** Tourner les feuilles d'un livre, d'un cahier, etc., que l'on parcourt. ▷ *Par ext.* Parcourir, lire hâtivement. **2.** TECH Diviser en feuilles minces. **3.** CUIS *Feuilleter la pâte,* la travailler en la pliant plusieurs fois pour obtenir de la pâte feuilletée.

feuilleton n. m. **1.** Chronique régulière dans un journal. *Feuilleton littéraire.* **2.** Chacun des fragments d'un roman publié dans un périodique. ▷ *Par ext.* Roman ainsi publié. *Un roman-feuilleton.* ▷ Par anal. *Feuilleton radiophonique, feuilleton télévisé.*

feuilletoniste n. Personne qui écrit des feuilletons.

feuilletement n. m. Action de feuilleter.

feuillu, ue adj. et n. m. **1.** adj. Qui a une grande quantité de feuilles. *Buisson feuillu.* **2.** n. m. Arbre à feuilles typiques, généralement caduques, par oppos. aux arbres à feuilles aciculaires (conifères, par ex.).

feuillure n. f. TECH Entaille pratiquée dans un panneau pour recevoir une autre pièce. *Feuillure d'une glace. Feuillure dans le montant d'une baie ou dans une huisserie, destinée à recevoir un bâti fixe, une porte.*

feulement n. m. Cri du tigre, du chat.

feuler v. intr. [1] Pousser un cri, en parlant de certains félins (tigre, notam.); gronder, en parlant du chat.

feutrage n. m. Action de feutrer. ▷ État de ce qui s'est feutré accidentellement.

feutre n. m. **1.** Étoffe non tissée faite de poils ou de laines agglutinés et foulés. **2.** *Par ext.* Chapeau de feutre. **3.** TECH Étoupe servant à boucher. ▷ Bourre (pour rembourrer les selles). **4.** Stylo, crayon dont la pointe est faite de feutre ou de fibres synthétiques. (On dit aussi *stylo-feutre, crayon-feutre.*)

feutré, ée adj. **1.** Garni de feutre (pour insonoriser, amortir les chocs). ▷ Fig. Silencieux, discret. *Atmosphère feutrée.* **2.** *Étoffe feutrée,* à laquelle on a donné l'aspect du feutre ou qui a pris accidentellement cet aspect. *Lainage feutré.*

feutrer v. tr. [1] **1.** Garnir de feutre. **2.** Transformer du poil ou de la laine en feutre. ▷ TECH Agglomérer les fibres (du papier). **3.** *Feutrer une étoffe,* lui donner accidentellement l'aspect du feutre. *Un lavage fait sans précaution peut feutrer les lainages.* ▷ v. pron. et intr. *Ce lainage se feutre* (ou *feutre*) *au lavage.* **4.** Amortir (les sons). *Tapis qui feutre le bruit des pas.* – Pp. adj. *Marcher à pas feutrés,* sans faire de bruit.

feutrine n. f. Tissu de laine feutré, léger mais de bonne tenue.

Féval (Paul) (Rennes, 1817 – Paris, 1887), écrivain français; auteur de nombr. romans d'aventures, notam. *les Mystères de Londres* (1844) et *le Bossu* (1858), dont le héros est Lagardère.

fève n. f. **1.** Plante potagère (fam. papilionacées). **2.** Graine de cette plante, semblable à un gros haricot plat, de goût plus fort, légèrement amer. ▷ Figurine de porcelaine, de matière plastique, etc. (autrefois : fève) qu'on cache dans une galette pour tirer les rois le jour de l'Épiphanie. ▷ *Par ext.* Nom cour. des graines de divers végétaux.

féverole, fèverole [fɛvʀɔl] ou **faverole** [favʀɔl] n. f. Plante fourragère (fam. papilionacées), à tige plus longue et à grains plus petits que ceux de la fève.

févier n. m. Arbre ornemental à graines comestibles (fam. césalpiniacées), originaire d'Amérique du N. et acclimaté en France.

février n. m. Second mois de l'année, qui compte 28 jours les années ordinaires et 29 jours les années bissextiles. ▷ HIST *Journées de février 1848, journée du 6 février 1934, révolution de Février (1917)* (V. encycl.).

ENCYCL **Hist.** – *Les journées des 22, 23 et 24 février 1848,* qui virent, à Paris, de nombreuses manifestations durement réprimées (52 morts), marquent la fin de la monarchie de Juillet. Louis-Philippe abdique et la IIe République est proclamée. – *Les émeutes du 6 février 1934* constituent le point culminant, en France, de l'agitation antiparlementaire menée par les ligues de droite pour protester contre la politique du gouvernement Daladier. Les manifestants s'étant heurtés aux forces de police qui défendaient la Chambre des députés, une fusillade éclata, qui fit une vingtaine de morts et plus de 2 000 blessés. La gauche organisa une contre-manifestation le 9 février (il y eut encore des morts), puis une grève générale le 12; ces actions préfigurent le rapprochement entre partis de gauche qui aboutit plus tard à la formation du Front populaire. – En Russie, *la révolution de Février* (1917) commença à Petrograd par une grève et la mutinerie des régiments chargés de la répression; un gouvernement provisoire et un soviet des ouvriers et des soldats s'installèrent dans la ville; le 15 mars Nicolas II abdiqua, la monarchie fut suspendue.

Feydeau (Georges) (Paris, 1862 – Rueil, 1921), auteur français de vaudevilles qui, sont des chefs-d'œuvre du genre : *Un fil à la patte* (1894), *le Dindon* (1896), *la Dame de chez Maxim* (1899), *la Puce à l'oreille* (1907), *Occupe-toi d'Amélie!* (1908), *On purge bébé* (1910), *Mais n'te promène donc pas toute nue* (1911). ▶ illustr. page 717

Feyder (Jacques Frédérix, dit Jacques) (Ixelles, 1888 – Rives-de-Prangins, Suisse, 1948), cinéaste français : *l'Atlantide* (1921), *le Grand Jeu* (1934), *Pension Mimosas* (1935), *la Kermesse héroïque* (1935), *la Loi du Nord* (1942).

Feynman (Richard Phillips) (New York, 1918 – Los Angeles, 1988), physicien américain. Ses travaux en électrodynamique quantique (théorie quantique des champs) lui valurent le P. Nobel 1965. Il est l'auteur d'une méthode de représentation graphique des processus élémentaires *(diagrammes de Feynman).*

Feyzin, com. du Rhône (arr. de Lyon); 8 567 hab. Import. centre de raffinage du pétrole; pétrochimie, chaudronnerie.

fez [fɛz] n. m. Coiffure de forme tronconique parfois portée par les hommes dans certains pays musulmans.

Fezzan, vaste plateau ancien (550 000 km²), au S.-O. de la Libye, recouvert par des calcaires et des sables (ergs d'Oubari, de Mourzouk), en grande partie désertique; la pop., formée d'Arabes, de Touareg et de Toubous, se regroupe dans quelques oasis (Ghadamès, Ghat, Djerma, Mourzouk); ville princ. *Sebha.* - Incorporé à l'Empire romain (19 av. J.-C.), christianisé, conquis par les Arabes, le Fezzan fut annexé à l'Empire ottoman (1842), occupé par les Italiens (1930) puis par les Français (1941-1942), qui le cédèrent à la Libye en 1955.

F.F.I. Sigle de *Forces françaises de l'intérieur.* Forces combattantes qui regroupèrent en 1944 tous les résistants et partisans en lutte contre l'occupant allemand.

F.F.L. Sigle de *Forces françaises libres* (terrestres, maritimes, aériennes). Ralliées au général de Gaulle, elles continuèrent la lutte après l'armistice de juin 1940.

F.G.D.S. Sigle de *Fédération de la gauche démocrate et socialiste.* Organisation politique française qui regroupa, de 1965 à 1968, la majorité des partis et des clubs de la gauche non communiste.

fi interj. Vx Exprime le dégoût, le mépris. ▷ Mod., litt. *Faire fi de :* mépriser, dédaigner.

fiabiliser v. tr. [1] Rendre fiable ou plus fiable.

fiabilité n. f. TECH Probabilité de bon fonctionnement d'un composant ou d'un appareil pendant un temps donné. ▷ *Par ext.* Degré de confiance que l'on peut accorder à une chose, à une personne.

fiable adj. TECH Qualifie un appareil possédant une fiabilité élevée. ▷ *Par ext.* Chose, personne à laquelle on peut se fier.

fiacre n. m. Voiture hippomobile, de louage, à l'heure ou à la course.

Fianarantsoa, v. de Madagascar, sur les hauts plateaux, au S.-E. de l'île; 130 000 hab.; ch.-l. de la prov. du m. nom. Centre commercial.

fiançailles n. f. pl. **1.** Cérémonie familiale qui accompagne une promesse mutuelle de mariage. *Bague de fiançailles.* **2.** Temps qui s'écoule entre cette cérémonie et le mariage.

fiancé, ée n. Personne qui s'est engagée au mariage par les fiançailles.

fiancer 1. v. tr. [12] Promettre (son fils, sa fille) en mariage par la cérémonie des fiançailles. *Il a fiancé son fils hier.* **2.** v. pron. S'engager au mariage par la cérémonie des fiançailles. *Il s'est fiancé avec la fille d'Untel.* ▷ (Récipr.) *Marc et Monique se sont fiancés il y a un mois.*

Fianna Fáil («guerriers du destin»), parti politique irlandais, nationaliste et républicain. Fondé par Eamon De Valera (1927), il demeure le plus important parti de l'Eire.

fiasco n. m. **1.** Défaillance sexuelle. **2.** Cour. Échec complet. ▷ *Faire fiasco :* échouer.

fiasque n. f. Bouteille à long col et à large panse, entourée de paille tressée, en usage en Italie.

fibranne n. f. (Nom déposé) TECH Tissu artificiel formé de fibres courtes (rayonne, par ex.).

fibre n. f. **1.** Expansion cellulaire allongée et fine, isolée ou groupée avec d'autres en faisceau. *Fibres musculaires, nerveuses et conjonctives.* ▷ Fig., litt. (Par allus. à la fibre nerveuse.) Disposition à éprouver certains sentiments. *Faire vibrer la fibre poétique.* **2.** BOT Cellule très longue dont la paroi cellulosique épaisse, imprégnée ou non de lignine, constitue un élément de soutien de la plante. ▷ Cour. Filament constitué par les parois cellulosiques des cellules de certaines plantes, que l'on utilise dans l'industrie textile. *Fibre du chanvre, du lin, du coton.* ▷ Par anal. *Fibre synthétique,* fabriquée à partir de produits chimiques (nylon, par ex.). ▷ *Fibre artificielle,* fabriquée à partir de matières naturelles (fibranne, rayonne). ▷ *Fibre minérale,* provenant des roches (amiante, par ex.). ▷ *Fibre de bore, fibre de carbone :* fibres à résistance très élevée utilisées, notam. dans l'industrie aérospatiale, pour la réalisation de matériaux composites. **3.** BIOL Constituant alimentaire formé essentiellement par les résidus cellulosiques (généralement fibreux) des végétaux. *Le tube digestif humain ne digère pas les fibres, mais leur présence stimule le transit intestinal.* **4.** CHIM *Fibres de verre :* filaments obtenus par étirage de verre fondu, qui entrent notam. dans la fabrication des matériaux composites (tissus de verre, plastiques renforcés, etc.). **5.** PHYS *Fibre optique :* fibre de verre ou de matière plastique utilisée pour la transmission d'informations. (Composée d'une âme et d'un revêtement dont les indices de réfraction sont différents, elle permet le transport de signaux lumineux sur des trajets non rectilignes.)

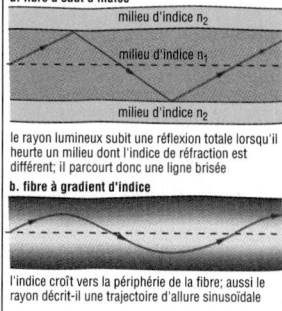

a. fibre à saut d'indice

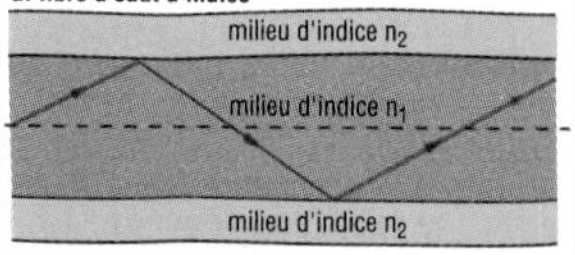

milieu d'indice n_2

milieu d'indice n_1

milieu d'indice n_2

le rayon lumineux subit une réflexion totale lorsqu'il heurte un milieu dont l'indice de réfraction est différent; il parcourt donc une ligne brisée

b. fibre à gradient d'indice

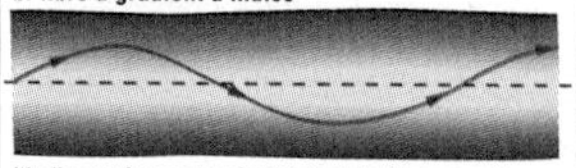

l'indice croît vers la périphérie de la fibre; aussi le rayon décrit-il une trajectoire d'allure sinusoïdale

fibre optique

fibreux, euse adj. Qui contient des fibres, qui est formé de fibres. ▷ ANAT *Tissu fibreux :* tissu conjonctif, ni élastique ni contractile, qui forme les tendons, les ligaments et les aponévroses.

fibrillation [fibʀijasjɔ̃] n. f. MED *Fibrillation cardiaque :* trémulation désordonnée des fibres musculaires cardiaques, avec paralysie des cavités intéressées. (La *fibrillation auriculaire,* la plus fréquente, est curable. La *fibrillation ventriculaire,* si elle n'est pas réduite, provoque la mort en quelques minutes.)

fibrille n. f. **1.** Petite fibre. ▷ ANAT Petite fibre, composante d'une fibre musculaire. **2.** ASTRO Chacun des filaments sombres que l'on observe dans la chromosphère autour d'une tache solaire.

fibrine n. f. BIOCHIM Protéine insoluble qui forme la majeure partie du caillot sanguin. (Elle provient de la scission du fibrinogène sous l'action de la thrombine, au cours de la coagulation. L'absence de fibrine est responsable de syndromes hémorragiques graves.)

fibrinogène n. m. BIOCHIM Précurseur protéique de la fibrine, synthétisé par le foie.

fibrinolyse n. f. BIOCHIM Dissolution du caillot de fibrine.

fibrinolysine n. f. BIOCHIM Ferment capable d'activer la prothrombine et de dissoudre la fibrine et le fibrinogène.

fibro-. Élément, de *fibre.*

fibroblaste n. m. BIOL Cellule fusiforme du tissu conjonctif, participant à l'élaboration du collagène et d'un grand nombre de composants de la substance fondamentale.

fibrociment n. m. (Nom déposé.) CONSTR Matériau constitué de ciment et autrefois d'amiante, remplacée auj. par d'autres fibres.

fibrokystique adj. MED Qui contient des kystes. *Tumeur fibrokystique.*

fibromateux, euse adj. MED Relatif au fibrome. - Relatif à la fibromatose. ▷ Atteint d'un fibrome, de fibromatose. *Un utérus fibromateux.*

fibromatose n. f. MED Développement de tumeurs fibreuses, de fibromes en certains points de l'organisme. *Fibromatose cutanée. Fibromatose diffuse de l'utérus.*

fibrome n. m. Tumeur bénigne formée de tissu fibreux. - *Spécial.* Fibrome de l'utérus. *Elle a un fibrome.*

fibroscope n. m. MED Endoscope souple, de faible diamètre, constitué par des fibres optiques.

fibroscopie n. f. MED Endoscopie au moyen d'un fibroscope. *Fibroscopie gastrique.*

fibrose n. f. MED Transformation fibreuse de certaines formations pathologiques (caverne pulmonaire, par ex.).

fibule n. f. ARCHEOL Agrafe, boucle ou broche servant à fixer un vêtement.

ficaire n. f. BOT Renonculacée tubéreuse vivace, dont les fleurs jaune d'or apparaissent au printemps et qui est très répandue dans les sous-bois.

ficelage n. m. Action de ficeler; son résultat.

ficelé, ée adj. **1.** Attaché avec de la ficelle. **2.** Fig., fam. Habillé. *Être mal ficelé.* **3.** Fam. Fabriqué, conçu, écrit. *Un roman bien ficelé.*

ficeler v. tr. [19] Lier avec de la ficelle. *Ficeler un paquet.*

ficelle n. f. (et adj. inv.) **I. 1.** n. f. Corde très mince. **2.** (Plur.) *Tirer les ficelles :* faire mouvoir des marionnettes par des fils invisibles; fig. faire agir les autres sans être connu. ▷ Par ext. *Les ficelles du métier,* ses astuces, ses trucs. **3.** adj. inv. Fam. Rusé, astucieux. *Il est ficelle.* **II.** n. f. **1.** Arg. (des milit.) Galon d'officier. **2.** Baguette de pain très mince.

fichage n. m. Action de ficher (2); son résultat.

fiche n. f. **1.** Feuille de papier ou de carton sur laquelle on inscrit des renseignements destinés à être classés. *Remplir une fiche.* **2.** TECH Cheville. ▷ ELECTR Broche ou paire de broches protégée par un isolant et servant à raccorder deux conducteurs. ▷ TRAV PUBL Partie d'un pieu ou d'un profilé métallique enfoncée dans le sol. **3.** JEU Jeton servant de monnaie conventionnelle dans un jeu.

1. ficher ou **fiche** v. tr. [1] **I.** Enfoncer par la pointe. *Ficher un pieu.* - Pp. adj. Fig. *Avoir les yeux fichés sur quelque chose.* **II.** Infinitif cour. *fiche*; pp. cour. *fichu.* Fam. (Employé par euph. pour *foutre.*) **1.** (En loc.) Mettre, donner (avec force). *Ficher qqn dehors.* - *Ficher une claque.* ▷ *Fichez le camp! :* déguerpissez! ▷ *Ficher (qqn) dedans,* le tromper. **2.**

feuilles

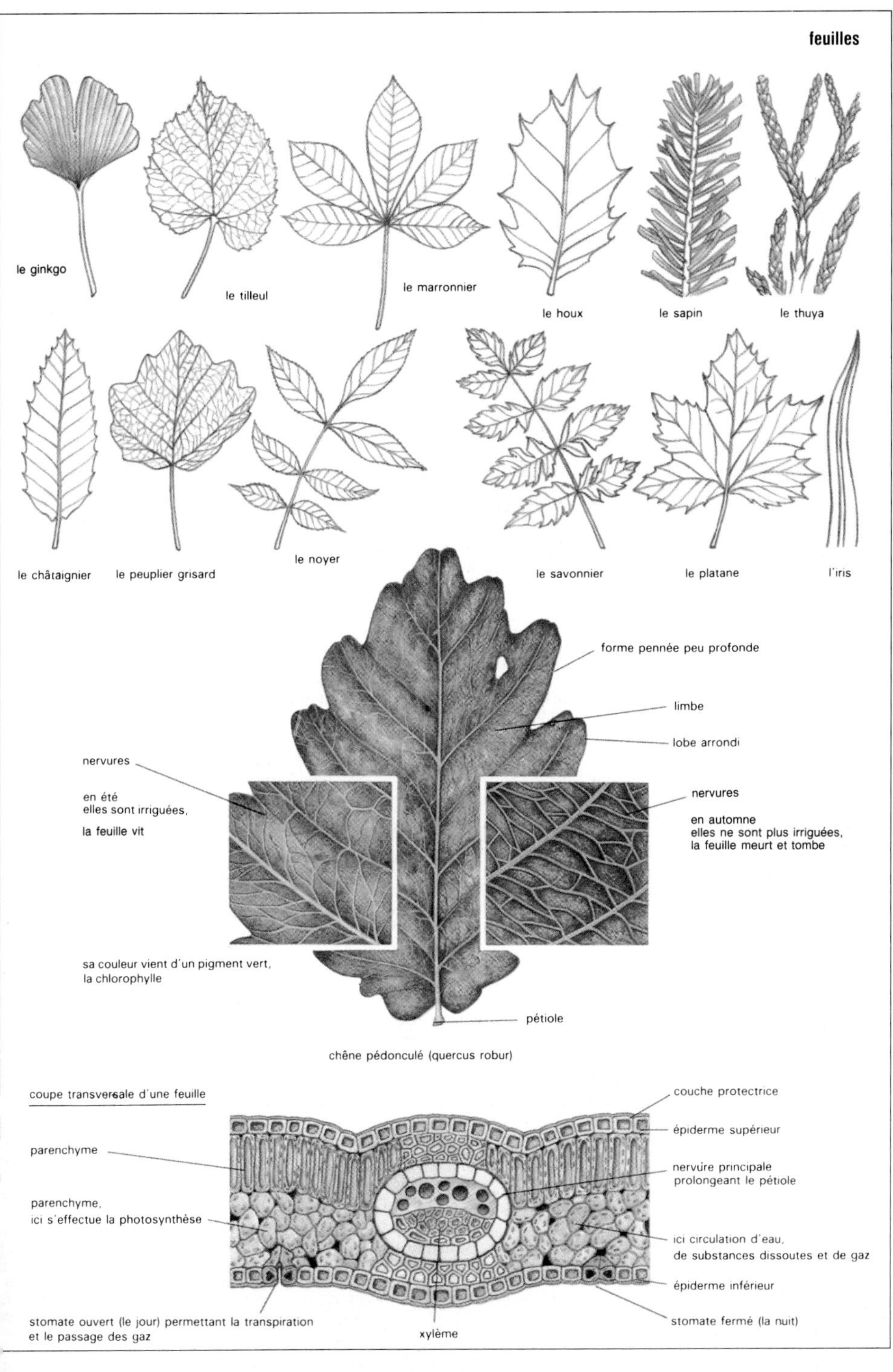

le ginkgo
le tilleul
le marronnier
le houx
le sapin
le thuya
le châtaignier
le peuplier grisard
le noyer
le savonnier
le platane
l'iris
forme pennée peu profonde
limbe
lobe arrondi
nervures
en été
elles sont irriguées,
la feuille vit
nervures
en automne
elles ne sont plus irriguées,
la feuille meurt et tombe
sa couleur vient d'un pigment vert,
la chlorophylle
pétiole
chêne pédonculé (quercus robur)
coupe transversale d'une feuille
couche protectrice
épiderme supérieur
parenchyme
nervure principale
prolongeant le pétiole
parenchyme,
ici s'effectue la photosynthèse
ici circulation d'eau,
de substances dissoutes et de gaz
épiderme inférieur
stomate ouvert (le jour) permettant la transpiration
et le passage des gaz
xylème
stomate fermé (la nuit)

Faire. *Il n'a rien fichu cette année.* **III.** v. pron. Fam. Se moquer. *Se ficher de qqn. – Je m'en fiche !*

2. ficher v. tr. [1] Noter (un renseignement) sur une fiche. ▷ *Spécial.* Faire figurer (qqn) dans un fichier (documentaire, de police, etc.).

Fiches (affaire des), scandale qui passionna l'opinion au début du XXe s. Le général André, ministre de la Guerre (1901-1904), avait établi pour chaque officier, par l'entremise du Grand Orient de France, une fiche, sur laquelle étaient consignés ses opinions politiques et son comportement religieux et dont dépendait tout avancement.

Fichet (Guillaume) (Le Petit-Bornand, Savoie, 1433 – Rome, v. 1480), théologien et érudit français. Recteur de la Sorbonne (1467), il y installa la première imprimerie française.

fichier n. m. Ensemble de fiches. – Meuble où elles sont classées. ▷ INFORM Ensemble d'informations de même nature destinées à être traitées par l'ordinateur. – Support sur lequel ces informations sont enregistrées.

Fichte (Johann Gottlieb) (Rammenau, Saxe, 1762 – Berlin, 1814), philosophe allemand. Son « idéalisme subjectif » est avant tout une « doctrine de la liberté » (spirituelle et morale) ; dépassant Kant et annonçant Hegel, Fichte affirme que la pensée universelle, à savoir la raison, se crée elle-même et crée la Nature, et que la volonté humaine de conquête de la liberté est le moteur du progrès moral. Princ. œuvres : *Doctrine de la science* (1794), *Fondements du droit naturel* (1796), *Système de la morale* (1798), *l'État commercial fermé* (1800), *Discours à la nation allemande* (1807-1808).

Fichtelgebirge (« monts aux épicéas »), massif boisé de Bavière ; 1 051 m au Schneeberg.

fichtre ! [fiʃtʀ] interj. Fam. Marque l'admiration, l'étonnement, le mécontentement. *Fichtre ! Quel beau cadeau !* Syn. vulg. foutre !

fichtrement adv. Fam. Extrêmement.

1. fichu, ue adj. Fam. **1.** (Épithète) Mauvais, détestable, désagréable. *Un fichu caractère. Quel fichu métier !* **2.** Mis dans un certain état. ▷ Loc. *Mal fichu* : mal habillé, mal conformé ou un peu souffrant. **3.** (Attribut) *Être fichu* : être dans un état désespéré (personnes) ; être manqué, raté, inutilisable (choses). ▷ *Être fichu de* : être capable de.

2. fichu n. m. Petite pièce d'étoffe triangulaire que les femmes se mettent sur les épaules ou sur la tête.

Ficin (Marsile) (Figline, Toscane, 1433 – Careggi, Florence, 1499), humaniste et philosophe spiritualiste italien ; traducteur de Platon et de Plotin.

fictif, ive adj. **1.** Imaginaire, inventé. *Personnage fictif.* **2.** ECON, FIN Qui n'existe qu'en vertu d'une convention (valeurs).

fiction n. f. **1.** Tout ce qui relève de l'imaginaire. *Parfois la réalité dépasse la fiction.* ▷ Œuvre, genre littéraire dans lesquels l'imagination a une place prépondérante. **2.** DR *Fiction légale,* introduite par la loi pour produire certains effets juridiques.

fictionnel, elle adj. Didac. Qui se rapporte à la fiction.

fictivement adv. D'une manière fictive.

ficus [fikys] n. m. BOT Figuier. *Ficus elastica* : caoutchouc.

fidéicommis [fideikɔmi] n. m. DR Disposition testamentaire selon laquelle une personne reçoit une chose qu'elle doit transmettre à une autre.

fidéisme n. m. THEOL Doctrine selon laquelle la connaissance des vérités premières ne peut être fondée que sur la foi ou la révélation divine.

fidéiste adj. et n. THEOL Qui a rapport au fidéisme ou en est partisan.

fidèle adj. et n. **I.** adj. **1.** Qui remplit ses engagements. *Fidèle à sa parole. – Serviteur fidèle.* **2.** Constant dans son attachement (pour qqn, qqch). *Chien fidèle. Être fidèle à ses principes.* ▷ Qui n'a de relations amoureuses qu'avec une seule personne. *Mari fidèle.* **3.** Qui respecte la vérité. *Historien fidèle.* – Par ext. *Portrait fidèle.* ▷ *Mémoire fidèle,* sûre. **4.** PHYS Se dit d'un appareil qui donne de la même grandeur la même valeur, quel que soit l'instant de la mesure. **II.** n. **1.** Personne qui professe une religion. *Église pleine de fidèles.* **2.** Personne qui montre de la fidélité pour qqch. *C'est un fidèle de nos réunions.*

fidèlement adv. D'une manière fidèle.

fidélisation n. f. Fait de fidéliser. *La fidélisation d'une clientèle.*

fidéliser v. tr. [1] Rendre fidèle (une clientèle, un auditoire).

fidélité n. f. **1.** Qualité d'une personne fidèle à ses engagements. *Douter de la fidélité de qqn.* **2.** Attachement constant (à qqn, qqch). *Fidélité d'un ami. Fidélité conjugale. – Fidélité à ses idées.* **3.** Respect de la vérité. *Fidélité d'un narrateur.* – Par ext. *Fidélité d'un récit.* **4.** PHYS Qualité d'un appareil de mesure fidèle. ▷ ELECTROACOUST *Haute fidélité* (abrév. : hi-fi) : dénomination d'un matériel qui restitue très fidèlement les sons. – (En appos.) *Chaîne haute fidélité.*

Fidènes, anc. v. de l'Italie centrale, alliée de Véies contre Rome, qui la soumit en 425 av. J.-C.

Fidji ou **Fiji** (îles), État du Pacifique S. situé au N.-N.-E. de la Nouvelle-Calédonie ; archipel composé de 326 îles, dont les princ. sont *Viti Levu* (10 500 km^2), *Vanua Levu* (5 500 km^2) et *Taveuni* (562 km^2). Au total : 18 272 km^2 et 725 000 hab. ; cap. *Suva* (Viti Levu). Langue off. : anglais. Monnaie : dollar fidjien. Pop. : Fidjiens d'origine mélano-polynésienne (45 %), Indiens (50 %), Européens, métis d'Européens, Chinois. Relig. : hindouisme, égl. méthodiste, catholicisme, islam.

Géogr. – Montagneuses, volcaniques ou coralliennes, les îles Fidji ont un climat tropical soumis aux alizés, très humide sur les côtes E., et sont parfois balayées par de violents cyclones. La population, majoritairement rurale (57 %), s'accroît de près de 2 % par an. Près de la moitié des habitants sont des Indiens, introduits à la fin du XIXe s. par les Britanniques ; ils contrôlent l'essentiel de l'économie. L'agriculture d'exportation occupe le premier rang (canne à sucre, riz, manioc, noix de coco, igname) ; la pêche traditionnelle reste active. Les industries agro-alimentaires et textiles se développent et le tourisme est en plein essor. L'université du Pacifique-Sud, financée par les États de la région, se trouve à Suva.

Hist. – Découvertes par A. Tasman (1643), explorées par Cook (1774) et Dumont d'Urville (1827), colonie britannique en 1874, les îles Fidji forment un État indépendant depuis 1970. Les Indiens, descendants des travailleurs venus avec les Britanniques pour cultiver la canne à sucre, contrôlent le pouvoir économique, les Fidjiens possèdant les terres. Le parti de l'Alliance (fidjien) qui détenait le pouvoir depuis 1970 fut mis en minorité aux élections de 1987 par le Parti national fédéral (indien), mais le colonel Rabuka, soutenu par les chefs traditionnels fidjiens, prit le pouvoir (1987). Il suspendit la Constitution et proclama la république (sortie du Commonwealth). Après avoir dirigé un gouvernement militaire provisoire, Rabuka, devenu général, rendit le pouvoir aux civils du parti de l'Alliance. Après la victoire de son parti aux législatives, Rabuka est nommé Premier ministre en 1992, et reconduit en 1994.

▶ carte **Océanie**

fidjien, enne [fidʒjɛ̃, ɛn] adj. et n. **1.** Des îles Fidji. ▷ Subst. *Les Fidjiens sont d'origine mélano-polynésienne.* **2.** n. m. *Le fidjien* : la langue mélanésienne parlée aux îles Fidji.

fiduciaire adj. (et n. m.) **1.** ECON Se dit de valeurs fondées sur la confiance que le public accorde à l'organisme émetteur. *Le billet de banque est une monnaie fiduciaire.* **2.** *Société fiduciaire* : société s'occupant de la comptabilité, du contentieux et des impôts pour le compte de personnes morales ou physiques. **3.** DR Chargé d'un fidéicommis. *Héritier fiduciaire.* ▷ n. m. *Un fiduciaire.*

fief n. m. FEOD Domaine possédé par un vassal qui reconnaissait la suzeraineté du seigneur qui le lui avait donné en échange de services. ▷ Fig. Domaine exclusif de qqn. *Fief électoral.*

fieffé, ée adj. Péjor. Qui a tel vice, tel défaut au suprême degré. *Un fieffé coquin.*

fiel n. m. **1.** Vx Bile. – Mod. Bile de certains animaux. **2.** Fig. Animosité engendrée par l'amertume. *Des propos pleins de fiel.*

Field (John) (Dublin, 1782 – Moscou, 1837), pianiste et compositeur irlandais ; auteur de concertos et de nocturnes pour piano, qui annoncent ceux de Chopin.

Field (Cyrus) (Stockbridge, Massachusetts, 1819 – New York, 1892), industriel américain. Il posa le premier câble télégraphique sous-marin entre l'Amérique du Nord et l'Europe (1858-1866).

Fielding (Henry) (Sharpham Park, près de Glastonbury, Somersetshire, 1707 – Lisbonne, 1754), écrivain anglais. Auteur prolifique de comédies, il se tourna vers le roman : *les Aventures de Joseph Andrews* (1742) ; *Histoire de Tom Jones, enfant trouvé* (1749), chef-d'œuvre de la littérature picaresque, récit d'un réalisme impitoyable, qui fait de lui le père du roman anglais ; *Amelia* (1751).

Fields (John Charles) (Hamilton, 1863 – Toronto, 1932), mathématicien canadien. – *Médaille Fields* : prix international décerné tous les quatre ans, depuis 1936, à un ou plusieurs jeunes mathématiciens.

Fields (William Claude Dukinfield, dit W.C.) (Philadelphie, 1879 – Pasadena, Californie, 1946), acteur américain. Son personnage burlesque d'ivrogne nihiliste marqua le music-hall (1900-1921) puis le cinéma américain (*David Copperfield,* 1935 ; *Mon petit poussin chéri,* 1940).

fielleux, euse adj. Rempli de fiel (sens 2). *Langage fielleux.*

fiente [fjɑ̃t] n. f. Excrément d'oiseau et de certains animaux.

fienter v. intr. [1] Expulser de la fiente.

-fier. Suffixe verbal, du lat. *ficare,* de *facere,* « faire ».

1. fier, fière [fjɛʀ] adj. et n. **1.** Hautain, méprisant. *Fier comme un paon.* – Loc. *Fier comme Artaban* : très fier. ▷ Subst. *Faire le fier, la fière.* **2.** Qui tire un certain orgueil (de qqn, qqch). *Être fier de son fils, de son œuvre.* **3.** Qui a ou dénote des sentiments nobles, élevés. *Âme fière. Réponse fière.* **4.** Fam. (Avant le nom.) Grand, considérable dans son genre. *Un fier imbécile.*

2. fier (se) [fje] v. pron. [2] *Se fier à* : mettre sa confiance en. *Se fier à un ami.*

Fier (le), riv. des Préalpes du N., en Haute-Savoie (66 km); naît dans la chaîne des Aravis, reçoit le Thiou (émissaire du lac d'Annecy), traverse des gorges étroites et se jette dans le Rhône, à Seyssel (r. g.).

fier-à-bras n. m. Fanfaron. *Des fier(s)-à-bras.*

fièrement adv. D'une manière fière (sens 1 et 3).

fiérot, ote adj. et n. Vieilli Qui montre une fatuité puérile.

fierté n. f. **1.** Caractère d'une personne fière. *Souffrir dans sa fierté.* **2.** *Tirer fierté de qqch,* en tirer une satisfaction teintée d'orgueil.

Fieschi (Giuseppe) (Murato, Corse, 1790 – Paris, 1836), conspirateur français. Il tenta de tuer le roi Louis-Philippe au moyen d'une machine infernale, le 28 juil. 1835, et fut exécuté avec ses deux complices (Pépin et Morey).

Fiesole, com. d'Italie (Toscane); 14 500 hab. – Vestiges étrusques. Cath. (XIe-XIVe s.). Couvent de San Domenico (peintures de Fra Angelico).

Fiesque (en ital. *Fieschi*), famille du parti des guelfes de Gênes. Deux papes en sont issus : Innocent IV et Adrien V. – **Jean Louis** (en ital. *Gian Luigi*) (Gênes, v. 1522 – id., 1547), comte de Lavagna, fut appuyé par François Ier pour conspirer contre Andrea Doria, conjuration qui inspira Retz (1637) et Schiller (1783).

fiesta n. f. Fam. Fête. *Faire la fiesta. Une fiesta entre amis.*

fièvre n. f. **1.** Élévation de la température centrale du corps, symptôme de nombreuses maladies (infectieuses, allergiques, inflammatoires, tumorales) s'accompagnant en général d'une accélération du pouls et de la respiration, d'une sécheresse de la bouche et d'une diminution des urines. (L'évolution spontanée de la fièvre est spécifique de diverses maladies auxquelles elle a donné son nom : fièvre typhoïde, fièvre de Malte, fièvre jaune.) Syn. hyperthermie. **2.** Fig. Agitation provoquée par la passion. *La fièvre du combat. La fièvre politique.*

fiévreusement adv. Fig. D'une manière fiévreuse.

fiévreux, euse adj. **1.** Qui présente de la fièvre, qui dénote la fièvre. *Malade fiévreux. Pouls fiévreux.* **2.** Fig. Qui dénote une agitation intense et désordonnée. *Activité fiévreuse.*

Fife ou **Fifeshire,** rég. d'Écosse; 1 319 km^2; 345 900 hab.; ch.-l. *Glenrothes.*

fifre n. m. **1.** Petite flûte en bois au son aigu. **2.** *Par méton.* Celui qui joue du fifre.

fifrelin n. m. Vieilli Loc. *Ne pas valoir un fifrelin* : ne rien valoir.

figaro n. m. Fam., vx Coiffeur.

Figaro, personnage créé par Beaumarchais (*le Barbier de Séville, le Mariage de Figaro, la Mère coupable*), incarnant un frondeur qui raille les injustices sociales et l'insolence des nobles.

Figaro (Le), à l'origine (1854) hebdomadaire satirique, quotidien en 1866. Après un arrêt de parution de nov. 1942 à août 1944, il devient un des premiers quotidiens de la presse française sous la direction de Pierre Brisson. En 1965, le groupe Prouvost l'achète et le vend dix ans plus tard à Robert Hersant.

Figeac, ch.-l. d'arr. du Lot, sur le Célé; 10 380 hab. Industr. alim. et aéron. – Église abbatiale St-Sauveur (XIIe-XIIIe s.). Hôtel de la Monnaie (XIIIe s.). Maisons anciennes (XIIIe s.).

figer v. tr. [13] **1.** Rendre compact, solide (un liquide gras) par le froid. *Le froid fige l'huile.* ▷ v. pron. *La sauce s'est figée.* **2.** Immobiliser (qqn, une expression du visage). *La peur le figea sur place.* ▷ v. pron. *Sourire qui se fige.* ▷ Pp. adj. Fig. Qui n'évolue pas. *Personne figée dans ses principes.* – LING *Expression, locution figée,* dont les termes, originellement distincts, forment, restant indissociables, une unité sémantique complexe.

fignolage n. m. Action de fignoler.

fignoler v. tr. [1] Apporter un soin très minutieux à. *Fignoler un travail.*

figue n. f. **1.** Réceptacle charnu, comestible, de l'inflorescence du figuier, contenant des petits « grains » (akènes) qui sont les fruits proprement dits de cet arbre. ▷ *Figue de Barbarie* : fruit comestible de l'opuntia. **2.** ZOOL *Figue de mer* : ascidie méditerranéenne (genre *Microcosmus*), comestible. **3.** Loc. adj. *Mi-figue, mi-raisin* : plaisant d'un côté et désagréable de l'autre, ambigu. *Un compliment mi-figue, mi-raisin.*

figuier n. m. Arbre (fam. moracées) à grandes feuilles lobées, qui produit les figues et que l'on cultive dans les régions méditerranéennes. ▷ *Figuier de Barbarie* : nom cour. de l'opuntia ou du nopal (fam. cactacées).

Figuig, oasis saharienne du Maroc oriental, au pied du djebel Grouz, près de la frontière algérienne; ch.-l. de la prov. du m. nom; 14 540 hab. Palmeraies.

figuier commun : à g., feuille et fruit vert; à dr., figue mûre (en haut) et vue de l'écorce

figurant, ante n. **1.** Acteur de complément tenant un rôle muet, au théâtre, au cinéma. **2.** Personne qui joue un rôle secondaire dans une affaire.

figuratif, ive adj. **1.** Qui est la représentation, la figure de qqch. *Plan figuratif.* **2.** *Art figuratif,* qui représente les formes des objets (par oppos. à *art non figuratif* ou *abstrait*).

figuration n. f. **1.** Action de représenter (qqch) sous une forme visible. **2.** Ensemble des figurants (au théâtre, au cinéma). ▷ Métier de figurant. – Fig. *Faire de la figuration* : ne pas compter (dans une entreprise, un débat, etc.).

figure n. f. **I. 1.** Vx Forme extérieure d'un corps. – Mod. *Figure humaine.* ▷ *Spécial.* Visage. *Se laver la figure.* **2.** Mine, contenance. ▷ Loc. *Faire bonne figure.* – *Faire triste figure* : avoir l'air triste; fig. se montrer au-dessous de sa tâche. ▷ Loc. fig. *Faire figure de* : présenter les apparences de. *Faire figure de vainqueur.* **3.** Personnalité marquante. *Les grandes figures de l'Histoire.* **II.** Représentation visuelle. **1.** BX-A Gravure, image. *Livre illustré de figures.* ▷ *Spécial.* Représentation d'un être humain, d'un animal par le dessin, la sculpture. *Une figure en cire.* – JEU Roi, dame, valet et cavalier des cartes. – *Figure de proue* : sculpture qui ornait la proue, l'étrave des navires. **2.** GEOM Ensemble de lignes ou de surfaces. **3.** Combinaison de déplacements, de pas ou de gestes d'un danseur, d'un patineur, d'un plongeur, etc. **4.** MUS *Figure de note,* forme graphique exprimant sa durée sonore (ronde, blanche, noire, croche, etc.). **III. 1.** Forme d'expression dans le discours. ▷ *Figure de rhétorique* : procédé de langage destiné à rendre la pensée plus frappante. (On distingue traditionnellement les figures entraînant un changement de sens, ou *tropes* – métaphore, ironie, litote, etc. –, de celles qui jouent sur la forme ou l'ordre des mots – allitération, répétition, etc.) **2.** LOG *Figure du syllogisme* : chacune des trois formes que peut prendre un syllogisme suivant que le moyen terme est soit sujet, soit prédicat, dans la majeure et dans la mineure.

figuré, ée adj. (et n. m.) **1.** Représenté par une figure, un dessin. *Plan figuré d'une maison.* ▷ ARCHI *Pierre figurée,* qui porte une figure d'animal, de plante, etc. **2.** *Sens figuré,* attribué à un mot, une expression détournés de leur sens littéral. ▷ n. m. *Un mot au figuré.*

figurer v. [1] **I.** v. tr. **1.** Représenter (qqn, qqch) de façon conforme à la réalité ou schématique. *Figurer des fenêtres sur un mur. Figurer une tête par un rond.* **2.** Avoir la figure, l'aspect de. *Le décor figure une place publique.* **3.** Représenter (une chose abstraite) par un symbole. *On figure la justice par un glaive et une balance.* **II.** v. intr. **1.** Apparaître, se trouver. *Son nom figure sur la liste.* **2.** Tenir un rôle de figurant. **III.** v. pron. Se représenter par l'imagination. *Figurez-vous son chagrin !*

figurine n. f. Statuette. *Figurines de Tanagra.*

Fiji. V. Fidji.

fil n. m. **I. 1.** Brin mince et long de matière végétale, animale ou synthétique, tordu sur lui-même et servant principalement à fabriquer les tissus ou à coudre. *Fil de coton.* – COUT *Couper (de) droit fil,* en suivant un fil. ▷ Loc. fig. *De fil en aiguille*.* – *Cousu de fil blanc* : trop apparent pour qu'on puisse s'y tromper. – *Ne tenir qu'à un fil* : être précaire, instable. – *Fil d'Ariane, fil conducteur,* qui permet de se guider dans des recherches difficiles. **2.** *Fil à plomb :* fil tendu par un poids et donnant la verticale. **3.** Métal étiré, de section circulaire et de faible diamètre. *Fil de fer.* – Loc. fig., fam. *Ne pas avoir inventé le fil à couper le beurre :* n'être pas très malin. ▷ ELECTR Conducteur du courant électrique. *Fil électrique. Fil téléphonique.* – Fam. *Passer un coup de fil à qqn,* lui téléphoner. **4.** *Fils de la vierge :* fils tendus entre herbes et buissons par certaines araignées. **II. 1.** Direction des fibres (de la viande, du bois). **2.** Défaut de continuité dans le marbre, la pierre. **3.** Courant (d'un cours d'eau). *Suivre le fil de l'eau.* **4.** Fig. Liaison, enchaînement. *Perdre le fil de ses idées.* **III.** Tranchant d'une arme, d'un outil. *Le fil d'un rasoir.*

fil-à-fil n. m. inv. Tissu de coton ou de laine, mêlant un fil clair et un autre plus foncé.

filage n. m. **1.** Action de filer des fibres textiles; son résultat. **2.** TECH *Filage par choc :* procédé permettant d'obtenir des pièces creuses de forme cylindrique (pompes à bicyclette, capuchons de stylo, etc.) ou des étuis d'emballage (bombes aérosols, tubes de dentifrice, etc.) à l'aide d'une presse.

filaire n. f. Ver nématode filiforme (genre *Filaria*), parasite de divers vertébrés dont l'homme. (Les diverses espèces des pays chauds, dont la filaire du sang, se logent sous la peau, dans le cristallin ou dans les vaisseaux lymphatiques provoquant des troubles et accidents variés.)

filament n. m. **1.** Brin long et fin, généralement de matière organique (animale ou végétale). *Filaments nerveux.* **2.** ELECTR Fil très fin que le passage du courant porte à incandescence dans une ampoule électrique.

filamenteux, euse adj. Qui a des filaments; qui est formé de filaments.

filandreux, euse adj. **1.** Rempli de fibres longues. *Viande filandreuse.* **2.** Fig. *Discours, style filandreux,* long, embrouillé, confus.

filant, ante adj. **1.** Qui file, coule doucement, sans se diviser. *Liquide filant.* **2.** MED *Pouls filant :* pouls très faible. **3.** *Étoile filante :* météorite que les forces de frottement portent à incandescence lors de sa pénétration dans l'atmosphère terrestre.

Filarete (Antonio Averlino, dit il), en fr. *le Filarète* (Florence, 1400 – Rome, apr. 1465), architecte et sculpteur italien : porte de bronze de St-Pierre de Rome (1433-1445); hôpital Majeur de Milan (1456-1465).

filariose n. f. MED Maladie due à la filaire du sang (inoculée par un moustique).

filasse n. f. (et adj. inv.) **1.** Amas de filaments tirés de l'écorce du chanvre, du lin, etc., que l'on utilise notam. pour assurer l'étanchéité des tuyauteries raccordées par filetage. **2.** Fig., fam. *Blond filasse :* blond pâle et terne. – adj. inv. *Des cheveux filasse.*

filateur, trice n. Personne qui dirige ou exploite une filature.

filature n. f. **I. 1.** Ensemble des opérations de transformation des matières textiles en fil. **2.** Usine, atelier où se font ces opérations. **II.** Action de filer qqn (pour le surveiller). *Prendre en filature.*

file n. f. **1.** Suite de personnes ou de choses placées sur une même ligne, l'une derrière l'autre. *Une file de voitures. File d'attente.* **2.** MILIT Colonne de soldats. *Chef de file :* premier soldat d'une colonne; fig. personne (groupe, ou entreprise) qui dirige, qui entraîne, qui est à la tête d'un groupe, d'une entreprise, etc. **3.** Loc. adv. *À la file, en file :* l'un derrière l'autre. *Marcher en file indienne.*

filé n. m. **1.** TECH Fil destiné à être tissé. **2.** *Filé d'or, d'argent :* fil d'or, d'argent dont on entoure un fil ordinaire.

filer v. [1] **I.** v. tr. **1.** Amener une matière textile à l'état de fil. *Filer de la laine.* ▷ (En parlant de certains animaux qui sécrètent des fils.) *L'araignée file sa toile.* ▷ *Filer du verre,* en étirer la pâte. *Filer un métal,* le tirer à la filière. **2.** MUS *Filer une note,* la tenir et en varier l'intensité sans à-coups. ▷ LITTER Poursuivre, développer de manière progressive, soutenue. *Filer une métaphore. Filer une intrigue.* ▷ Loc. fig., fam. *Filer le parfait amour :* vivre la période parfaitement heureuse d'un amour partagé. – *Filer des jours heureux.* **3.** MAR Larguer, mollir. *Filer un cordage, une chaîne.* ▷ *Filer tant de nœuds,* se dit d'un navire dont la vitesse est de tant de milles à l'heure. **4.** Suivre (qqn) discrètement pour le surveiller. **5.** Pop. Donner. *File-moi vingt balles.* **II.** v. intr. **1.** Couler en filet (en parlant de liquides visqueux). *Le miel file.* **2.** Se dérouler. *Cordage qui file.* ▷ Se défaire, se dénouer (en parlant d'une maille de tricot). – Par ext. *Bas qui file.* **3.** Aller rapidement. *Filer à toute allure.* ▷ Fam. Se retirer sur-le-champ ou en toute hâte. *Ils ont filé comme des voleurs.* – *Filer à l'anglaise :* s'esquiver, partir sans être vu. **4.** *Filer doux :* se soumettre, devenir docile. *J'ai fini par me fâcher, il a filé doux.*

1. filet n. m. **I. 1.** ANAT Frein membraneux de certains organes. *Filet de la langue, du prépuce.* **2.** BOT Partie de l'étamine qui supporte l'anthère. **3.** TYPO Trait mince qui sert à séparer les chapitres, les colonnes, etc. **4.** Trait fin, moulure mince qui sert d'ornement. **5.** TECH Rainure en saillie hélicoïdale à l'intérieur d'un écrou ou à l'extérieur d'un boulon, d'une vis. **6.** Écoulement ténu. *Un filet d'eau.* – Fig. *Un filet de voix :* une voix très faible. ▷ *Filet d'air :* composante élémentaire d'un écoulement d'air, en aérodynamique. **II.** En boucherie, morceau charnu qu'on lève le long de l'épine du dos de certains animaux. *Filet de bœuf, de cerf.* ▷ Par ext. *Filets de volaille, de sole.*

2. filet n. m. **1.** Réseau à mailles nouées qui sert à la capture de certains animaux. *Filet de pêche, de chasse. Filet à papillons.* ▷ Fig. (Surtout au plur.) Piège pour capturer, circonvenir, séduire. *Attirer, prendre qqn dans ses filets. La police a réalisé un beau coup de filet,* elle a arrêté plusieurs malfaiteurs à la fois. **2.** Ouvrage à mailles servant à différents usages. *Filet à cheveux. Filet à provisions. Filet à bagages.* ▷ SPORT *Filet de tennis, de volley-ball, etc.,* au-dessus duquel doit passer la balle que se renvoient les joueurs. – *Filet! :* syn. (off. recommandé) de *let!* ▷ *Filet de protection,* disposé au-dessous d'ouvriers du bâtiment, d'acrobates, etc., dans l'éventualité d'une chute. – Fig. *Travailler sans filet :* agir en prenant de grands risques. **3.** Réseau, texture dont sont faits les filets. *Hamac en filet.* ▷ Réseau à mailles de fil, généralement destiné à être brodé. *Bourse en filet.*

filetage n. m. TECH Opération qui consiste à exécuter les filets d'une vis, d'une tige. ▷ Ensemble des filets d'une pièce mâle ou femelle.

fileté n. m. Tissu dans lequel ressortent des rayures formées de fils de chaîne plus gros que les autres.

fileter v. tr. [18] TECH Exécuter le filetage (d'une pièce mâle). *Tour à fileter.* V. tarauder.

fileur, euse n. Personne qui file une matière textile. ▷ Personne qui file l'or, l'argent.

filial, ale, aux adj. et n. f. **1.** adj. Propre au fils, à la fille (relativement aux parents). *Amour filial.* **2.** n. f. Société contrôlée et dirigée par une société plus importante, mais jouissant de la capacité juridique, à la différence de la succursale.

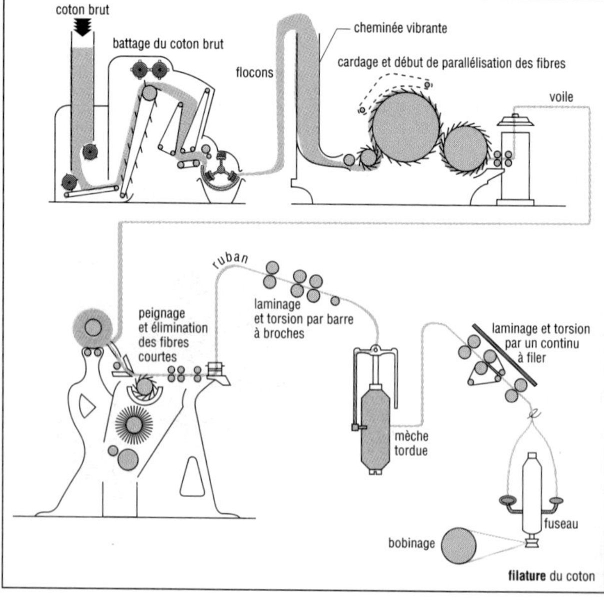

filature du coton

filialement adv. D'une manière filiale.

filialisation n. f. DR, ECON Action de filialiser; résultat de cette action.

filialiser v. tr. [1] DR, ECON **1.** Transformer (une société) en filiale par le rachat d'une part du capital. **2.** Transférer (une activité) à une ou des filiales.

filiation n. f. **1.** Lien de parenté qui unit l'enfant à ses parents. **2.** Descendance directe de générations successives. *Filiation matrilinéaire.* **3.** Fig. Liaison, enchaînement de choses qui naissent ou dérivent de certaines autres. *La filiation des mots.*

filière n. f. **1.** TECH Pièce percée d'un ou de plusieurs trous de dimensions différentes, à travers lesquels on fait passer un matériau pour l'étirer en fil. ▷ Outil, machine servant au filetage. **2.** Fig. Suite obligée (de formalités, d'épreuves, etc.) pour obtenir un résultat, accomplir une carrière, etc. *Passer par la filière administrative.* ▷ Suite d'intermédiaires. *La filière du coton. La filière d'un trafic de drogue.* **3.** PHYS NUCL Ensemble de réacteurs fonctionnant selon le même principe. *Filière uranium-graphite-gaz.* **4.** ZOOL Orifice par lequel certains insectes (araignée, chenille, etc.) sécrètent leur fil. **5.** COMM Ordre écrit de livraison d'un lot de marchandises, négociable en Bourse et transmissible par endossement.

filiforme adj. Délié comme un fil, mince, grêle.

filigrane n. m. **1.** TECH Ouvrage d'orfèvrerie en fils de métal précieux travaillés à jour. ▷ Ornement de verrerie en fils d'émail ou de verre pris dans la masse ou appliqués en relief sur l'ouvrage. **2.** TECH Lettres ou figures introduites dans la forme à fabriquer le papier; leur empreinte dans le corps du papier. *Filigrane d'un billet de banque.* **3.** Fig. Loc. adv. *En filigrane* : par transparence, à l'arrière-plan.

filigraner v. tr. [1] (Surtout pp. adj.) TECH **1.** Travailler en filigrane (sens 1). *Vase en cristal filigrané.* **2.** Marquer d'un filigrane (sens 2). *Papier filigrané.*

filin n. m. MAR Cordage. ▷ Câble.

Filitosa, site archéologique de Corse, au N.-O. d'Olmeto : statues-menhirs de l'âge du bronze et bastions cyclopéens de la civilisation *torréenne* (bronze final, 1200-800 av. J.-C.).

Fillastre (Guillaume) (La Suze-sur-Sarthe, Maine, v. 1348 - Rome, 1428), prélat et savant français. Il contribua à l'extinction du grand schisme d'Occident en faisant élire Martin V. Sa carte d'Europe est la première à mentionner le Groenland.

ppidum de **Filitosa :** statue-menhir

fille n. f. **I.** (Lien de parenté.) **1.** Personne de sexe féminin, par rapport à ceux qui l'ont procréée. *Fille légitime, naturelle.* - Par ext. *Fille adoptive.* ▷ Fam. *Ma fille :* terme d'affection ou de bienveillance (à l'adresse d'une pers. quelconque du sexe féminin). **2.** Litt. Celle qui est issue, originaire de. *Les filles de Sion.* - Plaisant *Fille d'Ève :* femme. ▷ Fig. *La superstition, fille de l'ignorance.* **II.** (Par oppos. à *garçon.*) **1.** Enfant de sexe féminin. *Dans cette classe il y a plus de filles que de garçons. Une grande fille,* qui a passé l'enfance. **2.** Jeune personne du sexe féminin. *Un beau brin de fille.* ▷ *Jeune fille* (moins fam. que *fille*) : adolescente, ou femme jeune qui n'est pas mariée. **3.** Vieilli Femme qui n'est pas mariée. *Rester fille.* ▷ Cour. *Vieille fille,* qui s'est installée, avec l'âge, dans son célibat (souvent péjor.). - *Fille mère :* mère célibataire. **4.** *Fille perdue, soumise, publique, de joie,* ou, absol., *fille :* prostituée. **5.** Nom pris par les religieuses de certaines communautés. *Filles de la Charité :* V. Saint-Vincent-de-Paul (Sœurs de). *Filles du Calvaire.* **6.** *Fille de... :* jeune fille, jeune femme employée (à tel travail). *Fille de ferme. Fille de salle :* serveuse, dans un restaurant; chargée du ménage dans un hôpital.

1. fillette n. f. Petite fille, jusqu'à l'adolescence.

2. fillette n. f. Fam. Demi-bouteille à long col et à grosse panse.

filleul, eule n. Personne tenue sur les fonts baptismaux, par rapport à ses parrain et marraine.

Fillmore (Millard) (Locke, État de New York, 1800 - Buffalo, 1874), homme politique américain. Élu vice-président des É.-U. (1848), il assuma la présidence (1850-1852) après le décès de Taylor. Abolitionniste, il tenta vainement d'enrayer les dissensions entre les États du Nord et ceux du Sud.

film n. m. **1.** TECH Pellicule, couche très mince d'une substance. *Film d'huile. Emballage sous film plastique.* **2.** Bande mince d'une matière souple (acétate de cellulose ou polyester) recouverte d'une couche sensible (émulsion), servant à fixer des vues photographiques ou cinématographiques. **3.** *Par ext.* Œuvre cinématographique que l'on enregistre sur film. *Film de court, moyen, long métrage. Tourner un film. Film classé X,* classé, par la Commission de contrôle chargée de la censure, comme pornographique ou susceptible d'inciter à la violence et soumis à une réglementation spéciale. ▷ Fig. *Le film des événements :* l'enchaînement des événements, des faits.

filmable adj. Qui peut être filmé.

filmer v. tr. [1] Enregistrer sur film. *Filmer une scène, une manifestation.*

filmique adj. Didac. Relatif au film, au cinéma.

filmographie n. f. Ensemble des films réalisés par un cinéaste, rattachés à un genre, interprétés par un acteur, etc.

filon n. m. **1.** Masse longue et étroite de roches éruptives, de dépôts minéraux, différente par sa nature des roches qui l'entourent. *Filon de roches aurifères, de quartz.* **2.** Fig. Source d'inspiration, de renseignements, etc. **3.** Fam. Source facile d'avantages divers; aubaine.

filoselle n. f. Vx Bourre de soie; fil que l'on en tire, mélangé à du coton.

filou n. m. et adj. m. **1.** Voleur adroit, rusé. **2.** *Par ext.* Personne malhonnête, qui use de supercheries. ▷ adj. m. *Il est un peu filou.*

filouter v. tr. [1] Vieilli Voler avec adresse. ▷ v. intr. Tricher au jeu.

filouterie n. f. Vieilli Action de filouter; tour de filou.

fils [fis] n. m. **1.** Personne du sexe masculin, par rapport à ceux qui l'ont procréé. *Fils légitime, naturel.* - *Fils de famille,* d'une famille fortunée. - Péjor. *Fils à papa,* privilégié par l'influence ou la richesse de son père. ▷ Par ext. *Fils adoptif.* **2.** (Surtout au plur.) Litt. Celui qui est issu, originaire de. *Être fils du peuple. Les fils d'Apollon :* les poètes. **3.** RELIG *Le fils de Dieu, de l'homme :* le Christ. - Absol. *Le Père, le Fils et le Saint-Esprit.* **4.** Fig. *Fils spirituel :* disciple ou continuateur d'un maître, d'une pensée, d'une œuvre, etc. *Malebranche est le fils spirituel de Descartes.* **5.** *Être (le) fils de ses œuvres :* ne devoir qu'à soi-même la position où l'on est arrivé.

filtrage n. m. **1.** Action de filtrer (un liquide, un courant électrique, etc.); son résultat. **2.** Fig. *Le filtrage de l'information.*

filtrant, ante adj. **1.** Qui sert à filtrer. *Verres filtrants.* **2.** MICROB *Virus filtrants,* qui traversent tous les filtres.

filtrat [filtʀa] n. m. CHIM Produit résultant de la filtration (liquide épuré ou matières retenues, suivant l'objet de la filtration).

filtration n. f. Didac. Opération qui consiste à filtrer. ▷ Passage à travers un corps poreux ou perméable. *Eaux de filtration.*

filtre n. m. **1.** Corps poreux (papier, toile, charbon, etc.) ou appareil servant à purifier un liquide ou un gaz, à retenir les matières auxquelles il se trouve mélangé ou à travers lesquelles on veut le faire passer. *Filtre à café. Filtre à air, à huile.* - (En appos.) *Bout filtre :* embout qui sert à filtrer la nicotine et les goudrons d'une cigarette. **2.** Corps ou appareil qui absorbe une partie du rayonnement qui le traverse. *Filtre solaire :* substance appliquée sur la peau, qui filtre les rayonnements solaires nocifs. ▷ ELECTR Montage permettant d'éliminer certaines composantes d'une tension ou d'un courant.

filtrer v. [1] **I.** v. tr. **1.** Faire passer par un filtre (un liquide, un gaz, un rayonnement, un courant électrique, etc.). ▷ Par anal. *Filtrer les sons. Rideau qui filtre la lumière.* **2.** Fig. Soumettre à un contrôle, un tri, une censure (des personnes, des informations). - Pp. adj. *Un public filtré par le service d'ordre.* **II.** v. intr. **1.** (Liquide, gaz.) Passer par un filtre. *Ce café met longtemps à filtrer.* - Pp. adj. *Eau filtrée.* ▷ Traverser un corps poreux ou perméable. *L'eau a filtré à travers le mur.* **2.** (Lumière, sons.) *Le soleil filtre à travers le feuillage.* ▷ Apparaître, se manifester en dépit d'empêchements. *La vérité commence à filtrer.*

1. fin n. f. **I.** (Par oppos. à *commencement.*) **1.** Point ultime d'une durée; moment où une chose cesse ou a cessé. *Fin d'un délai. La fin du jour.* ▷ Période où une chose se termine. *Une belle fin de saison. Être en fin de carrière.* ▷ (Canada) *Fin de semaine :* week-end. *Des fins de semaine. Une longue fin de* *semaine*, à laquelle s'ajoute une journée de plus (le vendredi ou le lundi). **2.** Cessation provisoire ou définitive (d'une action, d'un phénomène, de l'existence d'une chose). *La fin du travail, des hostilités.* – *Prendre fin* : cesser, s'achever. – *Mettre fin à* : faire cesser. *Mettre fin aux abus.* ▷ *En fin de droits* : qui a épuisé ses droits à l'allocation chômage. – Subst. *Un(e) fin de droits.* ▷ Loc. adv. et adj. *Sans fin* : sans arrêt. *Palabrer sans fin. Ruban sans fin.* – TECH *Vis, courroie sans fin*, qui permet un mouvement continu. **3.** Partie, stade, point, sur quoi s'achève une chose, un processus. *La fin d'un roman, d'un film.* ▷ *Mener un projet à bonne fin*, le réaliser. ▷ Fam. *Faire une fin* : s'établir, et, partic., se marier. ▷ Loc. *En fin de compte* : en dernier lieu, en définitive. – *À la fin* : enfin. *Il hésitait, à la fin il a donné son accord.* – (Marquant l'impatience.) *Vous m'embêtez, à la fin!* ▷ *Tirer, toucher à sa fin* : s'épuiser, être près de se terminer. **4.** Mort. *Une fin tragique.* **5.** Extrémité, bout. *La fin d'un chemin.* **II.** (Ce qui est à atteindre.) **1.** (Sing. ou plur.) But, résultat que l'on poursuit. *Parvenir à ses fins.* – Loc. prov. *La fin justifie les moyens* : tous les moyens sont bons pour atteindre un but. ▷ Loc. *À toutes fins utiles* : pour tout usage éventuel. **2.** But, terme auquel un être ou une chose sont conduits, auquel ils tendent par nature. *« Tout étant fait pour une fin »* (Voltaire). **3.** DR Objet explicite ou implicite d'une demande, d'une exception. *Fins civiles.* ▷ *Fin de non-recevoir* : moyen de défense tendant à établir que la partie adverse n'est pas recevable dans sa demande; cour. refus. *Opposer à qqn une fin de non-recevoir.*

2. fin, fine adj., n. m. et adv. **I. 1.** D'une qualité extrême par le degré de pureté, de perfection, etc. *Or fin.* – *Fines herbes* (ciboulette, marjolaine, etc.), utilisées en cuisine pour leur odeur ou leur saveur subtile. ▷ n. m. *Le fin* : la proportion de métal précieux qui se trouve dans un alliage. *Une bague d'or à 90 % de fin.* **2.** D'une qualité supérieure. *Linge fin. Épicerie fine.* ▷ Recherché. *Un souper fin.* – *Partie fine* : partie de plaisir. ▷ n. m. Loc. *Le fin du fin* : ce qu'il y a de mieux dans le genre. **II. 1.** D'une grande sensibilité (en parlant des sens). *Avoir l'ouïe fine.* – Fig. *Avoir le nez fin* : être sagace, intuitif. **2.** Doué ou marqué de perspicacité, de subtilité, de délicatesse. *Une remarque fine. Des gestes fins.* ▷ n. m. *Jouer au plus fin avec qqn*, rivaliser d'adresse, de ruse avec lui. **3.** (Canada) Fam. Gentil, aimable. *C'est fin d'être passé me voir.* **III. 1.** Constitué d'éléments très petits. *Sel fin. Une pluie fine.* **2.** Qui est menu, ténu. *Fil fin. Trait fin.* – adv. *Écrire fin.* ▷ Effilé. *Pointe fine.* **3.** Dont la forme élancée, le dessin délié donnent une impression d'élégance, de délicatesse. *Visage aux traits fins.* ▷ Délicatement formé, ouvragé. *Dentelle fine.* **4.** De très faible épaisseur. *Verre fin.* **IV. 1.** Qui est à l'extrême, au plus secret. *Habiter le fin fond du pays.* – *Le fin mot d'une chose*, son motif véritable ou caché; ce qui en donne enfin toute l'explication. **2.** adv. Tout à fait. *Nous voici fin prêts.*

1. final, ale, als ou, rare, **aux** adj. et n. f. **I.** adj. **1.** Qui finit, qui est à la fin. *Consonne finale.* ▷ *Point final*, qui marque la fin d'une phrase. – Fig. *Mettre le point final à une discussion*, la terminer, la conclure. ▷ HIST *Solution finale* : politique d'extermination nazie concernant les Juifs et certaines populations (Tsiganes, Slaves). **2.** PHILO Qui tend vers un but. *Cause finale* : destination dernière des choses, fin qui est leur raison d'être. **3.** GRAM Qui marque l'idée de but, d'intention. *Conjonction finale* (*pour que, afin que*, etc.). *Proposition finale*, introduite par une conjonction finale. **4.** PHYS *État final* : état d'équilibre à la fin d'une transformation thermodynamique. **II.** n. f. **1.** LING Syllabe ou lettre finale d'un mot. *Finale brève, accentuée.* **2.** SPORT Dernière épreuve d'une compétition.

2. final ou **finale** n. m. MUS Dernière partie d'une symphonie, d'une sonate, d'un opéra.

finalement adv. À la fin, pour en terminer. *Nous nous sommes finalement décidés.* – En définitive, tout compte fait. *Finalement, c'est lui qui avait raison.*

finalisation n. f. Action de finaliser qqch.

finaliser v. tr. [1] **1.** Orienter vers un but précis. *Finaliser une recherche.* **2.** Mettre au point dans les moindres détails. *Finaliser une maquette.*

finalisme n. m. PHILO Doctrine qui explique les phénomènes et le système de l'univers par la finalité.

finaliste n. et adj. **1.** PHILO Partisan du finalisme. – adj. *Théorie finaliste.* **2.** SPORT Concurrent ou équipe qualifiés pour une finale.

finalité n. f. Caractère de ce qui tend à une fin, vers un but.

finançable adj. Qu'on peut financer. *Investissement finançable.*

finance n. f. **1.** Vx Ressources pécuniaires. – Loc. mod. *Moyennant finance* : contre paiement d'une certaine somme d'argent. **2.** Plur. Mod. Argent de l'État; ensemble des activités propres au mouvement de cet argent. *Loi de finances* : loi d'autorisation des dépenses et de recouvrement des recettes. ▷ Par ext. *Les Finances* : l'administration des Finances. **3.** Ressources pécuniaires d'une société, d'un groupe de sociétés ou, fam., d'une personne. **4.** (Sing.) Ensemble des grandes affaires d'argent; activité, profession qui leur est liée. *Un homme de finance.* ▷ Ensemble des financiers, de ceux qui ont ou manient de grandes affaires d'argent. *La haute finance.*

financement n. m. Action de fournir à une affaire, une entreprise, les fonds nécessaires à sa mise en route, son fonctionnement.

financer v. tr. [12] Fournir l'argent nécessaire à. *Financer une expédition.* ▷ v. intr. Vx ou fam. Payer. *Servez-vous, c'est moi qui finance.*

financiarisation n. f. ECON Domination de l'économie par les organismes financiers.

financier, ère adj. (et n. m.) **1.** Relatif à l'argent dont dispose une personne, un groupe, une société. *Embarras financiers.* **2.** Relatif à l'argent public. *Équilibre financier.* **3.** Relatif aux affaires ou aux gens de la finance. *Opération financière. Aristocratie financière.* ▷ n. m. Celui qui dirige ou fait des opérations de banque, de grandes affaires d'argent; spécialiste en matière de finance. **4.** adj. et n. f. CUIS Se dit d'une sauce ou d'une garniture à base de roux blond, quenelles, ris de veau, champignons, etc. **5.** n. m. Petit gâteau rectangulaire à base de poudre d'amandes.

financièrement adv. En ce qui concerne les finances.

finasser v. intr. [1] Péjor. User de finesse hors de propos, de subterfuges.

finasserie n. f. Péjor. Acte ou parole d'une personne qui finasse.

finaud, aude adj. (et n.) Rusé sous des dehors simples. ▷ Subst. *Un(e) petit(e) finaud(e).*

finauderie n. f. Caractère du finaud; procédé finaud.

fine n. f. Eau-de-vie naturelle supérieure. *Fine champagne*, d'une région proche de Cognac.

Fine Gael (« famille gaëlique »), parti politique fondé en 1923 et qui gouverne l'Irlande en alternance avec le Fianna* Fáil, fondé en 1927.

finement adv. **1.** D'une manière fine. *Un mouchoir finement brodé.* **2.** Avec finesse. *Une allusion finement amenée.*

finesse n. f. **I. 1.** Qualité de ce qui est fin, délicat par la forme ou la matière. *Finesse d'un tissu. Finesse d'une couleur.* **2.** Qualité de ce qui est exécuté avec délicatesse. *Finesse d'un ouvrage.* **3.** Aptitude à discerner les moindres nuances dans la pensée, les sensations, les sentiments. *La finesse de l'ouïe. Finesse d'esprit.* **4.** (Plur.) Subtilités. *Les finesses d'un art, d'un métier.* **II. 1.** AVIAT Rapport entre le coefficient de portance et le coefficient de traînée. **2.** PHYS Propriété qui caractérise le degré de monochromatisme d'une radiation.

finette n. f. Étoffe de coton à envers pelucheux.

Fingal (grotte de), grotte marine à orgues basaltiques, dans l'île de Staffa (côte S.-O. de l'Écosse). La mer fait un bruit musical en pénétrant jusqu'au fond. (Mendelssohn s'en inspira pour composer son poème symphonique *la Grotte de Fingal.*)

fini, ie adj. et n. m. **I.** adj. **1.** Terminé. ▷ Porté à son point de perfection. *Vêtement bien fini.* **2.** Péjor. Parfait en son genre. *Une canaille finie.* **3.** *Un homme fini*, usé physiquement, moralement, intellectuellement, ou qui a perdu tout son crédit. **4.** PHILO Qui a des bornes. *Un être fini.* Ant. infini. ▷ MATH Qualifie une grandeur qui n'est ni infiniment grande, ni infiniment petite. **II.** n. m. **1.** Qualité d'un ouvrage porté à la perfection jusque dans les détails. *Manquer de fini.* **2.** PHILO Ce qui a des bornes. *Le fini* (par oppos. à *l'infini*).

Fini (Léonor) (Buenos Aires, 1908 – Aubervilliers, 1996), peintre et décoratrice italienne, d'inspiration fantastique et onirique.

Finiguerra (Maso) (Florence, 1426 – id., 1464), sculpteur et orfèvre italien, élève de Ghiberti. Il fut un remarquable graveur de nielles. Vasari lui attribue, à tort, l'invention de la gravure sur métal.

finir v. [3] **I.** v. tr. (Personnes) **1.** Mener à son terme. *Finir un ouvrage, ses études.* – *Finir de* (+ inf.) *Ils ont fini de déjeuner.* **2.** Mener à épuisement (une quantité). *Finir son pain.* **3.** Mettre un terme à (qqch). *Finissez vos querelles.* **II.** v. intr. **1.** Arriver à son terme dans le temps ou dans l'espace. *Le spectacle finit tard. Cette rue finit à une place.* **2.** Avoir telle issue, telle fin. *Un film qui finit bien.* ▷ (Personnes) *Je crois qu'il finira mal.* **3.** Mourir. *Finir dans la misère.* **4.** *Finir par* (+ inf.) (Marquant le terme, le résultat.) *Il a fini par céder.* **5.** *En finir* : mettre un terme à ce qui a trop duré, arriver à une solution.

finish [finiʃ] n. m. **1.** SPORT Lutte en fin d'épreuve. *L'emporter au finish.* **2.** Fig., fam. *Au finish* : à l'usure. *L'emporter au finish.*

finissage n. m. Parachèvement d'un ouvrage.

finissant, ante adj. Qui se termine.

finisseur, euse n. **1.** Rare Personne chargée de la finition d'un ouvrage. **2.** n. m. SPORT Concurrent qui a une bonne pointe de vitesse pour terminer les courses. **3.** n. m. TECH Appareil destiné à terminer une séquence d'opérations. **4.** n. m. ou n. f. Engin de travaux publics servant à construire les routes.

Finistère, dép. franç. (29); 6 785 km^2; 838 687 hab.; 123,6 hab./km^2; ch.-l. *Quimper.* V. Bretagne (Rég.).

finistérien, enne adj. et n. Du Finistère. ▷ Subst. *Un(e) Finistérien(ne).*

Finisterre (cap), promontoire de la côte espagnole, au N.-O. de la Galice.

finition n. f. **1.** Opération ultime destinée à parfaire une exécution ou une fabrication. *Finition d'une robe.* – Spécial. *Finitions d'un immeuble* : travaux de parachèvement. **2.** Qualité d'une pièce, d'un produit qui est plus ou moins bien fini. *Manque de finition.*

finitisme n. m. PHILO. et MATH. Doctrine selon laquelle toute réalité doit être considérée comme finie.

finitude n. f. Didac. Caractère de ce qui est fini, limité, destiné à la mort.

finlandais, aise adj. et n. De Finlande. V. aussi finnois. ▷ Subst. *Un(e) Finlandais(e)* : un(e) habitant(e) de la Finlande, sans distinction de langue ni d'origine.

Finlande (golfe de), golfe formé par la mer Baltique entre les côtes de Finlande, au nord, et d'Estonie, au sud.

Finlande (république de), État d'Europe septentrionale, bordé par la mer Baltique à l'O. et au S., limitrophe de la Suède au N.-O., de la Norvège au N. et de la Russie à l'E.; 337 032 km^2; 5 100 000 hab., dont quelques milliers de Lapons; cap. *Helsinki.* Nature de l'État : rép. parlementaire. Langues off. : finnois, suédois. Monnaie : markka. Relig. : protestantisme.
Géogr. phys. et hum. – Bouclier granitique modelé par les glaciers, la Finlande est un plateau lacustre (plus de 60 000 lacs couvrant 10 % de la superficie), jalonné de collines morainiques et bordé d'un littoral d'émersion très découpé (1 100 km). Le milieu dominant est la forêt boréale de conifères, correspondant à un climat continental froid, aux hivers longs et rigoureux et aux étés brefs et humides. La majorité des habitants vit dans les régions littorales du S. Le taux d'urbanisation est de 62 % et la croissance démographique est presque nulle.
Écon. – La forêt, qui couvre les deux tiers du territoire, est la première ressource du pays (40 % des exportations) et a permis le développement d'une importante filière d'activités : papeteries, industries du bois et de l'ameublement. Cantonnée aux littoraux du sud, l'agriculture n'occupe qu'une place modeste (10 % du territoire) : orge, avoine, bovins et porcs, rennes de Laponie, pêche intérieure et côtière, sont loin de couvrir les besoins du pays qui importe la plupart de ses produits alimentaires. Malgré la faiblesse des ressources minérales (prod. de fer, de zinc, de cuivre, de nickel, de vanadium mais en petites quantités) et une dépendance extérieure de 70 % pour l'énergie, l'industrie finlandaise est efficace, diversifiée, et s'internationalise. Cependant, entre 1991 et 1993, la Finlande, seul pays de l'Ouest à avoir souffert de l'effondrement de l'Union soviétique (elle y avait un marché de troc pour ses productions non compétitives), a réorganisé ses échanges commerciaux au profit de l'Allemagne et de la Suède. Depuis le 1er janvier 1995, la Finlande est membre de l'Union européenne.
Hist. – Jusqu'au XIIe s., les Finnois, peuple ouralo-altaïque, vécurent isolés dans la forêt, pratiquant le comm. des fourrures. Vers 1150, les Suédois menèrent une première croisade contre les Finnois païens, qui aboutit à leur christianisation et à leur soumission au royaume de Suède. Du XIIe au XVIe s., la Finlande, organisée en duché suédois autonome, adopta peu à peu les institutions suédoises, participa à la vie polit. de ce royaume et adhéra à la réforme luthérienne. Aux XVIIe et XVIIIe s., au cours de guerres successives avec la Russie, la Suède perdit la plupart de ses possessions finlandaises (paix de Nystad, 1721; paix de Turku, 1743); en 1809, tout le territ. fut cédé à la Russie, qui l'érigea en grand-duché autonome. À partir de 1881, la russification entreprise par Alexandre III et Nicolas II déclencha une vaste opposition. Nicolas II dut accorder l'élection d'une Chambre au suffrage universel, auquel les femmes furent associées pour la première fois au monde (1906); la Finlande profita de la révolution russe de 1917 pour proclamer son indépendance (6 déc.). La guerre civile qui opposa « rouges », partisans des bolcheviks, et « blancs » se termina, en avril 1918, par la victoire, à Tampere, du maréchal Mannerheim, qui, avec l'aide des Allemands, l'emporta sur les troupes soviétiques. Le traité de Tartou (1920) reconnaît la Rép. finlandaise. En nov. 1939, la Finlande fut envahie par l'U.R.S.S., à qui elle infligea plusieurs défaites. La disproportion des forces l'obligea à céder (traité de Moscou, 12 mars 1940) l'isthme de Carélie et, à bail pour trente ans, la presqu'île de Hanko. Le 25 juin 1941, aux côtés des Allemands, elle déclara la guerre à l'U.R.S.S.; vaincue en 1944 (armistice du 19 sept.), elle dut céder à l'U.R.S.S., au traité de Paris (1947), les régions de Petsamo (auj. *Petchenga*) et de Salla, la Carélie, et lui verser une lourde indemnité. Adepte du neutralisme, elle signa, dès 1948, un traité d'assistance, d'amitié et de collaboration avec l'U.R.S.S., puis se tourna vers les autres États scandinaves (adhésion en 1955 au Conseil nordique) et vers l'Europe (elle est associée à la C.É.E. par un accord de libre-échange dep. 1973, est membre de l'Association européenne de libre-échange dep. 1986, et a adhéré au Conseil de l'Europe en 1989). En 1956, Uhro Kekkonen, chef du parti agrarien, devint président de la République; il fut constamment réélu jusqu'à sa démission (pour raison de santé) en 1981. Pendant sa magistrature, il dut faire face à de nombreux problèmes sociaux et financiers, expliquant, en partie, l'instabilité des coalitions gouvernementales. En polit. étrangère, U. Kekkonen affirma la neutralité de son pays; il maintint de bons rapports avec l'U.R.S.S. En 1982, le social-démocrate Mauno Koivisto fut élu président de la République et réélu en 1988. Les clauses du pacte d'amitié finno-soviétique ont été dénoncées unilatéralement par la Finlande en 1990. En 1994, Martti Ahtisaari a été élu, pour la prem. fois au suffrage universel, président de la République. La Finlande est membre de l'Union européenne depuis 1995. À Esko Aho, président d'un gouvernement de centre droit (1991-1995), a succédé le social-démocrate Paavo Lipponen.
▶ carte page **728**

finlandisation n. f. POLIT, HIST Ensemble des relations imposées par l'U.R.S.S., à la fin de la Seconde Guerre

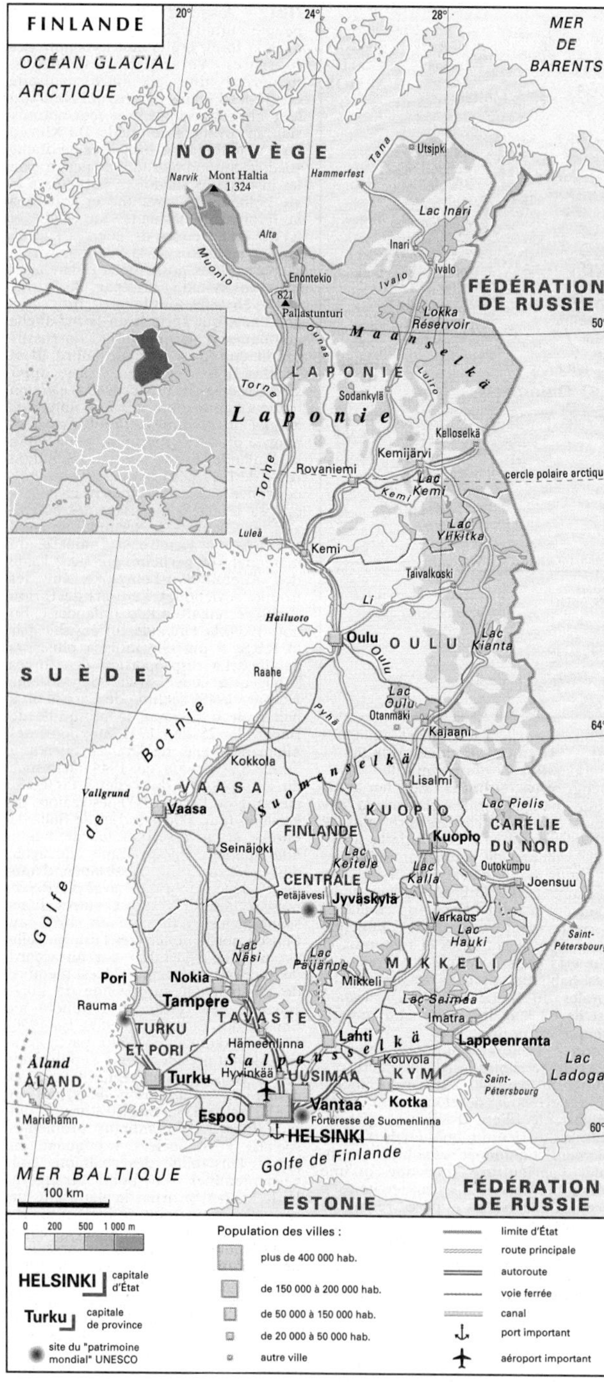

mondiale, à la Finlande, qui ne conserva son indépendance qu'au prix d'abandons importants dans l'exercice de sa souveraineté. ▷ *Par ext.* Situation analogue d'un pays dominé par un autre.

finlandiser v. tr. [1] POLIT (En parlant d'un État.) Instaurer la finlandisation.

Finlay (Carlos Juan) (Puerto Príncipe, auj. Camagüey, 1833 – La Havane, 1915), médecin cubain. Il découvrit que la fièvre jaune était transmise par les moustiques, ce qui développa les études sur les vecteurs des maladies.

Finnmark (le), région septentrionale de Norvège; 48 649 km²; 75 250 hab.

finnois, oise n. et adj. **1.** n. m. Langue finno-ougrienne apparentée à l'estonien, parlée en Finlande par la plus grande partie de la population, ainsi qu'en Russie septentrionale. **2.** adj. Relatif au peuple parlant le finnois ou à cette langue. ▷ Subst. *Un(e) Finnois(e).*

finno-ougrien, enne adj. LING *Langues finno-ougriennes* : famille de langues agglutinantes qui comprend le finnois, le hongrois, les langues samoyèdes, le lapon, l'ostiak, l'estonien, etc., et que l'on rattache aux langues ouralo-altaïques.

Finsen (Niels) (îles Féroé, 1860 – Copenhague, 1904), médecin danois; promoteur de la photothérapie *(finsenthérapie).* P. Nobel 1903.

Fiodor. V. Fédor.

fiole n. f. **1.** Petite bouteille de verre à col étroit. **2.** Fig., pop. Tête, visage.

Fionie (en danois *Fyn*), île danoise, séparée du Jylland (à l'O.) par le Petit-Belt, et de l'île Sjælland (à l'E.) par le Grand-Belt : 3 486 km²; 461 200 hab.; ch.-l. *Odense.* Cult. céréalières; exploit. forest.; pêche.

fiord. V. fjord.

Fiorenzo di Lorenzo (Pérouse, v. 1440 – id., v. 1525), peintre italien de l'école ombrienne. Sa manière est souvent voisine de celle du Pérugin.

fioriture n. f. **1.** MUS Ornement ajouté à la composition écrite pour varier la mélodie. **2.** Ornement. *Les fioritures d'un dessin.* – Péjor. *Des fioritures de style.*

fioul n. m. Distillat lourd du pétrole, utilisé comme combustible. *Fioul domestique* (de densité comprise entre 0,86 et 0,89). *Fioul léger* (0,89 à 0,92). *Fioul lourd* (0,92 à 0,95). Syn. mazout, fuel.

-fique. Élément servant à former des adjectifs, du lat *ficus,* de *facere,* « faire ».

Firdousī ou **Firdūsī.** V. Ferdousī.

firmament n. m. Litt. Voûte céleste.

firman n. m. HIST **1.** Rescrit du shah d'Iran. **2.** Pièce officielle en Turquie ottomane.

firme n. f. Entreprise commerciale ou industrielle désignée sous un nom, une raison sociale, un sigle. *Une grosse firme.*

Firminy, ch.-l. de cant. de la Loire (arr. de Saint-Étienne); 23 367 hab. (*Appelous*). La présence d'un petit bassin houiller a permis le développement d'industr. métall. – Égl. (XIIe et XVIe s.). Maison de la culture due à Le Corbusier (1960-1965).

firth [fœrs] n. m. Fjord, en Écosse.

FIS Sigle de *Front* islamique du salut.*

fisc [fisk] n. m. FIN Trésor public. ▷ Cou Administration chargée du recouvrement des taxes et des impôts publics.

fiscal, ale, aux adj. **1.** Du fisc. *Agent fiscal.* **2.** Relatif au fisc, à l'impôt. *Fraude fiscale. Agrément* fiscal.*

fiscalement adv. Du point de vue du fisc.

fiscalisation n. f. FIN Action de fiscaliser; son résultat.

fiscaliser v. tr. [1] FIN Soumettre à l'impôt.

fiscaliste n. FIN Spécialiste des problèmes fiscaux.

fiscalité n. f. FIN Ensemble des lois et des mesures destinées à financer, par l'impôt, le Trésor d'un État. *Réforme d*

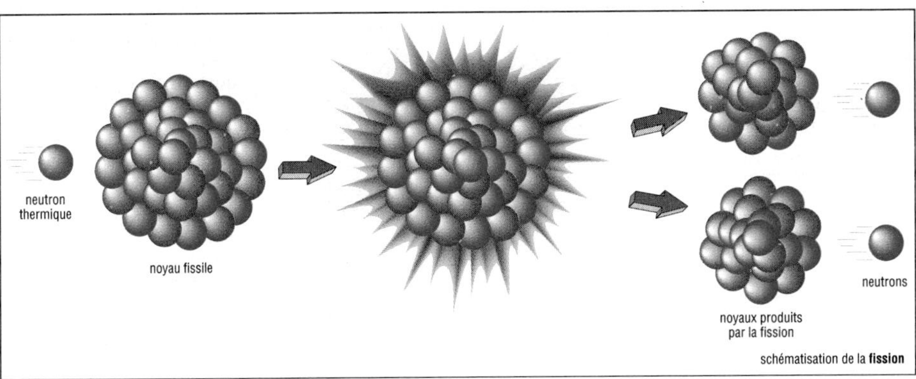

schématisation de la **fission**

la *fiscalité.* ▷ *Par ext.* Les impôts eux-mêmes. *Fiscalité trop lourde.*

Fischart (Johann) (Strasbourg, 1546 - Forbach, 1590), humaniste de langue allemande. Ses pamphlets visent l'Église cathol. et les jésuites.

Fischer von Erlach (Johann Bernhard) (Graz, 1656 - Vienne, 1723), architecte autrichien. Baroque à la façon de Borromini (égl. de la Trinité à Salzbourg, 1694-1702), il évolua vers le classicisme sous l'influence de l'antiq. rom. et de Mansart : égl. St-Charles-Borromée à Vienne (1716-1737).

Fischer (Johann Michael) (Burglengenfeld, Haut-Palatinat, 1692 - Munich, 1766), architecte allemand; l'un des plus grands constructeurs de la Bavière baroque : égl. à Osterhofen, Diessen, abbat. d'Ottobeuren et de Zwiefalten.

Fischer (Emil) (Euskirchen, Prusse-Rhénane, 1852 - Berlin, 1919), chimiste allemand. Il se spécialisa dans l'étude des glucides et de leur fermentation. P. Nobel 1902.

Fischer (Franz) (Fribourg-en-Brisgau, 1877 - Munich, 1948), chimiste allemand. Il mit au point un procédé de synthèse des carburants.

Fischer (Hans) (Höchst am Main, 1881 - Munich, 1945), chimiste allemand. Il étudia les colorants et leur synthèse. P. Nobel 1930.

Fischer (Ernest Otto) (Munich, 1918), chimiste allemand; spécialiste des métaux de transition. (V. organométallique.) P. Nobel 1973.

Fischer-Dieskau (Dietrich) (Berlin, 1925), chanteur lyrique allemand; baryton interprète de Mozart, de Wagner et des lieder de Schubert, Schumann ou Hugo Wolf.

Fisher (saint John). V. Jean Fisher (saint).

Fisher (Irving) (Saugerties, État de New York, 1867 - id., 1947), mathématicien et économiste américain. Il a donné une formulation moderne à la théorie quantitative de la monnaie.

Fisher of Kilverstone (lord John Arbuthnot) (Ramboda, Ceylan, 1841 - Londres, 1920), amiral britannique. Il participa à la réorganisation de la marine, qu'il commanda en 1914, avant de démissionner (mai 1915) à cause de son hostilité à l'expédition des Dardanelles.

fish-eye [fiʃaj] n. m. (Anglicisme) Objectif photographique couvrant un champ de plus de 180°. *Des fish-eyes.* Syn. grand-angle, grand-angulaire.

fissibilité n. f. PHYS NUCL Aptitude à subir une fission.

fissible adj. PHYS NUCL Susceptible de subir une fission.

fissile adj. **1.** Rare Qui a tendance à se diviser en feuillets. *L'ardoise est fissile.* **2.** PHYS NUCL Fissible.

fission n. f. PHYS NUCL Division d'un noyau atomique lourd en noyaux plus légers.

ENCYCL Le processus de fission a été découvert en 1938 par Hahn et Strassmann. Un noyau lourd est divisé en noyaux plus légers sous l'influence d'un bombardement corpusculaire (neutrons lents, par ex.). La masse des noyaux obtenus étant inférieure à celle du noyau initial, la fission s'accompagne d'une libération énorme d'énergie, due à cet écart de masse. Cette libération d'énergie (chaleur et rayonnement) est brutale dans le cas des explosions nucléaires, contrôlée et progressive dans les centrales nucléaires.

fissipède adj. (et n. m.) ZOOL Se dit des mammifères carnivores aux doigts libres. ▷ n. m. *L'ours est un fissipède.*

fissuration n. f. Formation d'une fissure; état de ce qui est fissuré.

fissure n. f. **1.** Petite fente. *Les fissures d'un mur.* ▷ Fig. *Les fissures d'un raisonnement,* ses faiblesses, ce qu'il a de spécieux. **2.** ANAT Sillon séparant les parties d'un organe. **3.** MED *Fissure anale :* ulcération allongée et superficielle, très douloureuse, siégeant dans les plis radiés de l'anus.

fissurer v. tr. [1] Diviser par fissures. *Les trépidations ont fissuré le sol.*

fiston n. m. Fam. Fils. - (Pour appeler un jeune garçon.) *Dis donc, fiston!*

fistule n. f. MED Voie anormale, congénitale ou accidentelle, suivie par un liquide physiologique ou pathologique. *Fistule gastrique. Fistule anale.*

fistuline n. f. Champignon très commun en France, du groupe des polypores, dont une variété comestible *(Fistulina hepatica)* est appelée cour. *foie-de-bœuf* ou *langue-de-bœuf,* en raison de la couleur rouge de son chapeau.

Fitch (Val Logsdon) (Merriman, Nebraska, 1923), physicien américain. Il est l'auteur de travaux sur la physique des particules (mesure du rayon du noyau de l'atome). P. Nobel 1980.

fitness [fitnɛs] n. m. (Anglicisme) Ensemble des activités sportives visant à la remise en forme.

Fitzgerald (lord Edward) (Carton House, près de Dublin, 1763 - Newgate, 1798), homme politique irlandais. Nationaliste, il tenta un soulèvement populaire en 1798.

Fitzgerald (Francis Scott) (Saint Paul, Minnesota, 1896 - Los Angeles, 1940), romancier américain. Son œuvre, celle d'un « désenchanté », décrit la décomposition des valeurs du monde occidental : *De ce côté du paradis* (1920), *Gatsby le Magnifique* (1925), *Tendre est la nuit* (1934), *le Dernier Nabab* (inachevé, posth., 1941). Sa vie excentrique et son alcoolisme défrayèrent la chronique. **– Zelda Sayre** (Montgomery, Alabama, 1900 - Asheville, Caroline du Nord, 1948), son épouse, écrivain et peintre, fut intimement liée à son œuvre; elle mourut dans l'incendie de l'hôpital psychiatrique où elle était soignée.

Fitzgerald (Ella) (Newport News, Virginie, 1917 - Los Angeles, 1996), chanteuse de jazz américaine, célèbre pour l'étendue de sa voix et pour sa virtuosité dans l'improvisation. Enregistrements célèbres : *Lady be Good* (1946), *Porgy and Bess* (avec L. Armstrong, 1958), *Mister Paganini* (1961).

F. S. **Fitzgerald**

Ella **Fitzgerald**

Fitz-James, famille française issue de James Fitzjames, maréchal de Berwick, fils naturel de Jacques II d'Angleterre, que Louis XIV fit duc de Fitz-James pour le récompenser des services rendus à la France.

Fiume. V. Rijeka.

Fiumi (Lionello) (Rovereto, 1894 - Vérone, 1973), poète, romancier et critique italien. Il tenta de concilier les thèses futuristes et crépusculaires : *Pollen* (1914), *Survivances* (1930), *Séjour comblé* (1943).

fivete [fivɛt] n. f. MED (Acronyme pour *fécondation in vitro et transfert d'embryon.*) Technique qui combine la fécondation* in vitro et le transfert de l'embryon dans l'utérus de la femme chez laquelle a été prélevé l'ovule.

fixable adj. Qui peut être fixé.

fixage n. m. **1.** Action de rendre fixe. **2.** TECH Opération qui consiste à fixer un cliché photographique. **3.** FIN Procédure de cotation par laquelle est fixé le cours d'une valeur (valeur mobilière, or, devise). Syn. (off. déconseillé) fixing.

fixant, ante adj. Syn. de *fixateur. Un spray fixant pour les cheveux.*

fixateur, trice adj. et n. m. TECH Produit qui a la propriété de fixer. *Employer un fixateur pour empêcher un vernis de s'écailler.* ▷ Produit servant à rendre un cliché photographique inaltérable à la lumière. ▷ Vaporisateur servant à fixer un dessin (au fusain, au pastel) au moyen d'un fixatif.

fixatif n. m. TECH Produit servant à fixer un dessin.

fixation n. f. **1.** Action d'établir dans une position ou un état fixe. **2.** Action de déterminer. *Fixation d'une date, d'un prix.* **3.** Ce qui sert à fixer. *Les fixations de skis.* ▷ MED *Abcès de fixation* : V. abcès. **4.** Fait de se fixer. ▷ PSYCHAN Attachement exagéré à des personnes, à des images, à des modes de satisfaction caractéristiques d'un des stades évolutifs de la libido, qui freine ou empêche le développement affectif adulte. *Le fétichisme est une fixation.*

fixe adj. et n. m. **I.** adj. **1.** Qui ne se meut pas, qui garde toujours la même position. ▷ interj. MILIT Commandement enjoignant de se mettre au garde-à-vous à l'arrivée d'un supérieur. *À vos rangs. Fixe!* **2.** Qui est certain, déterminé, qui ne varie pas. *Venir à heure fixe. Restaurant à prix fixe. Beau fixe* : beau temps stable. – *Idée fixe,* qui obsède l'esprit. **II.** n. m. Traitement régulier assuré. *Il n'a pas de fixe, il travaille au pourcentage.*

fixe-chaussette n. m. Bande élastique qui maintient la chaussette. *Des fixe-chaussettes.*

fixement adv. D'une manière fixe. *Regarder fixement.*

fixer v. tr. [1] **1.** Rendre fixe; assujettir. *Fixer un cadre au mur.* **2.** Établir de façon durable. *Fixer sa résidence dans telle ville.* ▷ *Fixer qqch sur le papier,* le noter pour ne pas l'oublier. ▷ v. pron. (Personnes) *Se fixer quelque part,* s'y établir. **3.** Appliquer de façon constante, arrêter longuement. *Fixer son attention, ses regards sur qqch.* ▷ *Fixer qqn,* le regarder fixement. **4.** Rendre stable. ▷ TECH *Fixer un cliché photographique,* le traiter pour le rendre inaltérable à la lumière. – *Fixer un dessin au fusain, au pastel,* vaporiser un fixatif protecteur qui l'empêche de s'effacer et de s'altérer à la lumière. **5.** Régler, arrêter, déterminer. *Fixer un prix, un rendez-vous.* **6.** Faire qu'une personne ne soit plus incertaine, indécise. *Fixer qqn sur,* le renseigner exactement sur. – Pp. adj. *Maintenant, je suis fixé sur ses intentions.*

fixette n. f. Fam. Idée fixe, obsession.

fixing [fiksiŋ] n. m. (Anglicisme) Syn. (off. déconseillé) de *fixage.*

fixisme n. m. Théorie biologique, auj. périmée, selon laquelle les espèces vivantes ne subissent aucune évolution à dater de leur création. Ant. transformisme, évolutionnisme.

fixité n. f. Caractère de ce qui est fixe. *La fixité du regard.* – *Théorie de la fixité des espèces* : fixisme.

Fizeau (Hippolyte Louis) (Paris, 1819 – La Ferté-sous-Jouarre, 1896), physicien français; auteur de travaux sur la propagation de la lumière. ▷ PHYS *Effet Doppler-Fizeau* (V. Doppler).

fjeld [fjɛld] n. m. GEOGR Plateau rocheux érodé par un glacier continental.

fjord en Norvège

fjord ou **fiord** [fjɔʀd] n. m. Vallée glaciaire envahie par la mer, formant un golfe étroit, sinueux, aux rives abruptes, pénétrant très loin dans les terres. *Les fjords norvégiens, écossais* (V. firth).

flabellum [flabɛlɔm] n. m. inv. **1.** ANTIQ. Grand évantail destiné à être agité par un esclave. **2.** LITURG. Éventail porté, au Moyen Âge, au-dessus de la tête de certains prélats et, auj. parfois, du pape.

flac! interj. Onomatopée imitant le bruit d'un choc à plat ou sur une surface liquide.

flaccidité [flasidite] n. f. Didac. ou litt. État de ce qui est flasque. *La flaccidité des chairs.*

Flachat (Eugène) (Nîmes, 1802 – Arcachon, 1873), ingénieur français. Avec son demi-frère Stéphane Mony, il construisit la première ligne ferroviaire française : Paris-Le Pecq (près de Saint-Germain-en-Laye), en 1837, puis Paris-Rouen (1840) et Rouen-Le Havre (1842).

Flacius Illyricus (Mathias Francović Vlacić, dit) (Albona, auj. Labin, Istrie, 1520 – Francfort-sur-le-Main, 1575), théologien luthérien; l'un des princ. auteurs des *Centuries de Magdebourg* (première histoire de l'Église rédigée par des protestants).

flacon n. m. Petite bouteille fermée par un bouchon de verre ou de métal. ▷ *Par méton.* Contenu d'un flacon. *Vider un flacon de vin.*

flaconnage n. m. Présentation d'un produit en flacon. *Flaconnage de luxe.*

Flacourt (Étienne de) (Orléans, 1607 – dans l'Atlantique, 1660), colonisateur français. Administrateur de Madagascar pour le compte de la Compagnie des Indes orientales, il est l'auteur d'une *Histoire de la grande isle de Madagascar* (1653).

flagada adj. inv. Fam. Sans vigueur, sans force; flageolant. *Être complètement flagada.*

flagellaire adj. Relatif au flagelle.

flagellant n. m. HIST Membre d'une secte de fanatiques religieux des XIIIe et XIVe s., qui, par pénitence, se flagellaient en public.

flagellation n. f. Action de flageller. *Le supplice de la flagellation.* – Action de se flageller.

flagelle n. m. BIOL Organe filiforme contractile qui assure la locomotion (traction ou propulsion) de divers organismes unicellulaires (flagellés, gamètes mâles, etc.).

flageller v. tr. [1] Donner des coups de fouet, de verges à (qqn). *Ponce Pilate fit flageller Jésus.* ▷ Fig., litt. Fustiger.

flagellé, ée n. m. et adj. BIOL *Les flagellés* : superclasse de protistes pourvus de flagelles, comprenant les *phytoflagellés,* végétaux chlorophylliens (*euglènes,* par ex.), et les *zooflagellés,* animaux dont certains sont de dangereux parasites (trypanosome de la maladie du sommeil, par ex.). – Sing. *Un flagellé.* ▷ adj. *Un protozoaire flagellé.*

flageolant, ante adj. Qui flageole; dont les jambes flageolent.

flageoler v. intr. [1] Fam. En parlant des jambes, trembler (de fatigue, d'émotion, d'ivresse). *Avoir les jambes qui flageolent.* – (Personnes) *Il flageole sur ses jambes.*

1. flageolet n. m. **1.** Flûte à bec. **2.** Le plus aigu des jeux d'orgue.

2. flageolet n. m. Variété très estimée de petits haricots, qu'on sert en grains.

flagorner v. tr. [1] Flatter bassement, servilement. *Flagorner les notables.*

flagornerie n. f. Flatterie basse et servile.

flagorneur, euse n. (et adj.) Personne qui flagorne.

flagrance n. f. DR Caractère flagrant d'un délit. *Enquête de flagrance.*

flagrant, ante adj. **1.** DR Loc. *Flagrant délit* : délit commis sous les yeux mêmes de celui qui le constate. *Arrêter un malfaiteur en flagrant délit de vol.* **2.** Évident, indéniable, patent. *C'est un mensonge flagrant.*

Flahaut de La Billarderie (Auguste, comte de) (Paris, 1785 – id., 1870), officier et diplomate français, fils de Talleyrand et de la comtesse de Flahaut. Amant de la reine Hortense, il est le père du duc de Morny.

Flaherty (Robert) (Iron Mountain, Michigan, 1884 – Dummerston, Vermont, 1951), cinéaste américain; auteur de documentaires poétiques : *Nanouk l'Esquimau* (1922), *Tabou* (à Tahiti, avec Murnau, 1931), *l'Homme d'Aran* (1934), *Louisiana Story* (1948).

flair n. m. **1.** Faculté de discerner par l'odeur; finesse de l'odorat. *Ce chien a du flair.* **2.** Fig. Sagacité, perspicacité. *Le flair d'un policier.*

flairer v. tr. [1] **1.** Discerner par l'odorat. *Le chien a flairé une piste.* ▷ S'appliquer avec insistance à sentir (une odeur, un objet). *Flairer un melon pour s'assurer qu'il est bien mûr.* **2.** Fig. Pressentir. *Flairer un piège.*

flamand, ande adj. et n. **1.** adj. De Flandre. *Les peintres flamands, l'école flamande.* ▷ Subst. Habitant ou personne originaire de Flandre. *Un(e) Flamand(e).* – Spécial. *Les Flamands* : les peintres de l'école flamande. *Art flamand* : V. tableau Belgique. **2.** n. m. Parler sud-néerlandais, utilisé dans le nord de la Belgique, l'une des trois langues officielles de la Belgique (avec l'allemand et le français).

flamant n. m. Grand oiseau (ordre des ansériformes) aux pattes et au cou très longs, pourvu d'un bec lamelleux recourbé qui filtre les eaux vaseuses, douces et saumâtres. (Le flamant rose, *Phœnicopterus ruber,* haut d'env. 1,50 m, vit principalement en Camargue; d'autres espèces, de couleur noire ou écarlate, nichent en Afrique, et en Amérique du S., autour des lacs andins, notam.)

Flamanville, com. de la Manche (arr. de Cherbourg); 1 627 hab. – Centrale nucléaire.

flambage n. m. **1.** Action de flamber, de passer au feu. *Le flambage d'un poulet. Le flambage est un moyen d'asepsie.* **2.** TECH Flambement.)

flambant, ante adj. 1. Qui flambe. *Charbon flambant* ou, n. m., *flambant :* charbon produisant surtout des flammes en brûlant. 2. Fig. *Des yeux flambants de colère, de haine.* ▷ Loc. *Flambant neuf :* tout neuf. *Une voiture flambant neuve* ou *flambant neuf.*

flambard ou **flambart** [flɑ̃baʀ] n. m. Fam., vieilli Fanfaron.

flambé, ée adj. 1. Arrosé d'alcool que l'on fait brûler. *Crêpe flambée.* 2. Fig., fam. Ruiné, perdu, que l'on ne peut plus sauver. *Il est flambé. L'affaire est flambée.*

flambeau n. m. 1. Torche, chandelle, bougie qu'on porte à la main et qui sert à s'éclairer. *Retraite aux flambeaux.* ▷ ANTIQ *Course au flambeau :* course de relais où les coureurs se transmettaient de main en main un flambeau allumé. – Fig. *Se passer, se transmettre le flambeau :* continuer une œuvre, une tradition. 2. *Par méton.* Chandelier, candélabre. *Un flambeau en argent.* 3. *Par métaph.* Ce qui éclaire, ce qui sert de guide à l'esprit. *Le flambeau de la raison, de la vérité, de la science.*

flambée n. f. 1. Feu vif et de courte durée, de petit bois sec, de paille, etc. *Faire une flambée.* 2. Fig. Forte poussée subite mais brève. *Une flambée de violence. Une flambée de fièvre.* – *La flambée des cours, des prix,* leur hausse brutale.

flambement. TECHN Déformation affectant une pièce longue soumise dans le sens de la longueur à un effort de compression trop important.

flamber v. [1] I. v. intr. 1. Brûler d'un feu vif, en émettant beaucoup de lumière. *Le bois très sec flambe bien.* 2. Arg., fam. Jouer gros. II. v. tr. 1. Passer au feu, à la flamme. *Flamber une volaille.* ▷ Arroser d'alcool que l'on fait brûler. *Flamber une banane.* 2. Vieilli Dilapider, dépenser follement. *Flamber sa fortune au jeu.* 3. CONSTR Se déformer par flambage.

flambeur, euse n. Fam. Personne qui dilapide son argent au jeu.

flamboiement [flɑ̃bwamɑ̃] n. m. Éclat de ce qui flamboie.

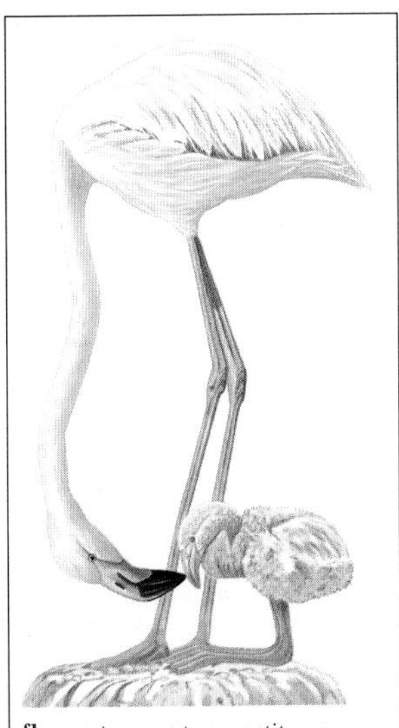

flamant rose et son petit

gothique **flamboyant :** façade sud de l'église Notre-Dame de Louviers

flamboyant, ante adj. et n. m. I. adj. 1. Qui flamboie; qui brille comme une flamme. *Astre flamboyant. Regard flamboyant.* 2. ARCHI *Style gothique flamboyant :* style gothique de la dernière période (XVe s.), aux ornements contournés en forme de flamme. – Par ext. *Cathédrale flamboyante,* de style flamboyant. II. n. m. BOT Arbre tropical à floraison rouge.

flamboyer v. intr. [23] Jeter, par intervalles, des flammes vives. ▷ *Par ext.* Briller comme une flamme.

Flamel (Nicolas) (Pontoise, v. 1330 – Paris, 1418), écrivain juré de l'université de Paris. Il acquit, dans des conditions restées mystérieuses, une immense fortune qui accrédita l'opinion qu'il avait découvert le secret de la transmutation des métaux.

flamenco [flamɛnko] n. m. et adj. Genre musical originaire d'Andalousie, qui combine généralement le chant et la danse sur un accompagnement de guitare. ▷ adj. *Guitare flamenco.*

flamiche n. f. Tarte aux poireaux.

flamingant, ante adj. et n. Se dit, en Belgique, des nationalistes flamands.

Flamininus (Titus Quinctius) (m. en 174 av. J.-C.), général romain, consul en 198 av. J.-C. Victorieux de Philippe V de Macédoine à Cynoscéphales (197), il proclama la liberté des cités grecques aux jeux Isthmiques de 196 av. J.-C.

Flaminius Nepos (Caius) (m. en 217 av. J.-C.), général romain, consul en 223 et 217 av. J.-C. Il fut vaincu et tué par Hannibal à proximité du lac Trasimène.

Flammarion (Camille) (Montigny-le-Roi, Hte-Marne, 1842 – Juvisy-sur-Orge, 1925), astronome français. Autodidacte, admis à l'Observatoire de Paris (1859), fondateur, en 1887, de la Société astronomique de France, il vulgarisa, avec un grand talent de pédagogue, les connaissances astronomiques de son temps : *la Pluralité des mondes habités* (1862), *Astronomie populaire* (1879). – **Ernest** (Montigny-le-Roi, 1846 – Paris, 1936), frère du préc.; il fonda en 1875 la maison d'édition qui porte son nom.

flamme n. f. I. 1. Produit gazeux et incandescent d'une combustion, plus ou moins lumineux et de couleur variable selon la nature du combustible. ▷ *Les flammes :* le feu destructeur, l'incendie. *La maison fut rapidement la proie des flammes.* – Supplice du feu, bûcher. *Jeanne d'Arc périt par les flammes.* 2. Fig. Passion ardente, enthousiasme. *Un discours plein de flamme.* ▷ Litt. Passion amoureuse. *Brûler d'une flamme secrète pour qqn.* II. Ce qui a la forme d'une flamme, telle qu'on la représente. 1. Autref., petite banderole qui ornait la lance des cavaliers. ▷ Mod. Pavillon long et étroit, de forme triangulaire. 2. Marque postale apposée à côté du cachet d'oblitération.

flammé, ée adj. TECH *Grès flammé,* coloré irrégulièrement par le feu.

flammèche n. f. Parcelle de matière enflammée qui s'envole, qui s'échappe d'un foyer.

Flamsteed (John) (Derby, 1646 – Greenwich, 1719), astronome anglais. Il fut le premier directeur de l'observatoire de Greenwich.

1. flan n. m. 1. Crème prise au four, à base de lait sucré, d'œufs et de farine. 2. TECH Disque destiné à recevoir une empreinte par pression. *Les flans d'une pièce de monnaie.* ▷ IMPRIM Pièce en carton ou en plastique avec laquelle on prend l'empreinte d'une page de composition typographique. 3. Loc. fam. *En être, en rester comme deux ronds de flan :* être stupéfait, rester muet d'étonnement, de surprise.

2. flan n. m. Fam. 1. *C'est du flan!,* du bluff, du vent. *Je l'ai eu au flan.* 2. Loc. *À la flan :* sans soin. *Travail fait à la flan.*

flanc [flɑ̃] n. m. 1. Région latérale du corps de l'homme et de certains animaux, comprenant les côtes et la hanche. *Cheval qui se couche sur le flanc.* ▷ Loc. fig. *Être sur le flanc :* être très fatigué, exténué. – *Mettre qqn sur le flanc.* – Loc. fam. *Tirer au flanc :* chercher à échapper à un travail, à une corvée. ▷ *Des tire-au-flanc.* 2. *Par ext.* Vx ou litt. Entrailles, sein. *Porter un enfant dans ses flancs.* 3. Côté de diverses choses. *Le flanc d'une montagne. Le flanc d'un navire.* ▷ Loc. *À flanc de :* sur la pente de. *À flanc de coteau.* 4. MILIT (Par oppos. à *front.*) Côté droit ou gauche d'une formation. *Prêter le flanc :* découvrir un de ses flancs. – Fig. *Prêter le flanc à la critique,* s'y exposer.

flancher v. intr. [1] Fam. 1. Céder, faiblir; cesser de résister. *Son cœur a flanché au cours de l'opération.* 2. Abandonner un projet, une entreprise; cesser de persévérer. *Il n'y est pas arrivé, il a flanché au dernier moment.*

flanchet n. m. En boucherie, morceau du bœuf situé entre la tranche et la poitrine. ▷ Partie de la morue voisine des filets.

Flandre, plaine maritime de l'Europe du N.-O. qui s'étend de la France du N.

Camille
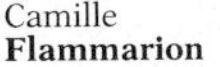
Flammarion

Gustave **Flaubert**

aux Pays-Bas, le long de la mer du Nord, des collines de l'Artois au S. à l'estuaire de l'Escaut au N. La *Flandre maritime* est une plaine argilo-sableuse, d'altitude inférieure au niveau des plus hautes mers, dont elle est protégée par un bourrelet sableux. Le sol, fertilisé par un effort intense et continu depuis le Moyen Âge (création de polders), permet une polyculture intensive et l'élevage des bovins. Bien qu'inhospitalière (bancs de sable, tempêtes), la côte flam. doit à sa remarquable situation un import. trafic marit. (Dunkerque, Anvers). Dep. le recul des industries traditionnelles, c'est là que se développent sidérurgie, industrie du pétrole, industrie chimique. La *Flandre intérieure*, argileuse, est accidentée de buttes sableuses : mont Cassel (173 m), mont Kemmel (151 m). Les forêts et les prairies cèdent la place aux produits recherchés par l'industrie agro-alim. : blé, betterave à sucre, lin, houblon, endives, etc. L'industrie textile, héritée du Moyen Âge, a été dominante (Roubaix, Tourcoing, Gand, Courtrai), mais elle connaît auj. une crise grave. Au XIXe s., la Flandre française a été stimulée par l'exploitation houillère : le recul de l'extraction du charbon et des industries traditionnelles impose aujourd'hui un gros effort de reconversion.

Hist. – Habitée par des Celtes Belges, la Flandre fut conquise par les Romains et connut une ère de paix avant de subir les invasions barbares au Ve s. et l'installation des Francs Saliens. La première dynastie flamande fut fondée en 862 par Baudouin Ier Bras de Fer, gendre de Charles le Chauve. Baudouin II le Chauve (879-918) et Arnoul Ier (918-965) étendirent le comté, qui par la suite s'agrandit (notam. du Hainaut) ou se rétrécit (cession de l'Artois à la France, 1185) au gré de fortunes diverses. Liée à l'Angleterre (qui lui vendait la laine dont ses drapiers avaient besoin), elle se rangea à ses côtés pendant la guerre de Cent Ans à l'instigation du Gantois Van Artevelde (1338), après un siècle de domination et d'ingérence françaises; vainqueurs à Courtrai (1302), les miliciens flamands avaient été écrasés par les chevaliers français en 1328 au mont Cassel. En 1384, Philippe le Hardi la réunit à la Bourgogne; à la mort de Charles le Téméraire (1477), la Flandre appartint aux Habsbourg. Au cours du XVIIe s., elle fut l'un des champs de bataille où s'affrontèrent Louis XIV et la puissance espagnole; la partie S. fut annexée par la France (traités d'Aix-la-Chapelle, 1668; de Nimègue, 1678). Ce qui en restait fut donné à l'Autriche par le traité d'Utrecht (1713). La Flandre et le Hainaut français formèrent en 1790 le dép. du Nord; Pichegru lui adjoignit en 1795 les dép. de la Lys et de l'Escaut, donnés aux Pays-Bas en 1814, puis attribués au nouveau royaume de Belgique (1831). Pendant la guerre de 1914-1918, les Flandres (franç. et belge) ont été le théâtre de durs combats (*batailles des Flandres* : oct.-nov. 1914, juil.-oct. 1917, avril-juin 1918). En 1940, du 20 mai au 4 juin, les armées française et anglaise y furent encerclées par les Allemands et s'échappèrent par Dunkerque. Dep. la révision de la Constitution belge en 1988, une *communauté flamande* a été créée, régie par un Conseil composé des députés et sénateurs flamands représentant la communauté linguistique néerlandaise.

Flandre, rég. de Belgique et de la C.E., formée des prov. de langue néerlandaise de Flandre-Occidentale, de Flandre-Orientale, d'Anvers, de Limbourg et du N. du Brabant; 13 512 km²; 5 690 900 hab.; ville princ. *Anvers*.

Flandre-Occidentale, province de Belgique s'étendant, le long de la mer du Nord, entre la frontière française, au S.-O., et la Flandre-Orientale, à l'E.; 3 134 km²; 1 089 000 hab.; ch.-l. *Bruges*.

Flandre-Orientale, prov. de Belgique, comprise entre la Flandre-Occidentale et la prov. d'Anvers; 2 982 km²; 1 332 300 hab.; ch.-l. *Gand*.

flandrien, enne adj. et n. m. GEOL *Transgression flandrienne* : dernière transgression marine du quaternaire européen, qui se termina v. 6000 av. J.-C. ▷ n. m. Période pendant laquelle se produisit cette transgression.

Flandrin (Hippolyte) (Lyon, 1809 – Rome, 1864), peintre français, élève d'Ingres. Ses grandes compositions murales, d'inspiration religieuse, sont conventionnelles (égl. St-Germain-des-Prés, Paris).

flanelle n. f. Étoffe légère, douce et chaude, en laine peignée ou cardée. *Pantalon de flanelle.* – Loc. fig., fam. *Avoir les jambes en flanelle*, molles, flageolantes.

flanellette n. f. (Canada) Finette. *Un pyjama, des draps en flanellette.*

flâner v. intr. [1] Se promener sans but. *Flâner dans les rues.* – *Par ext.* Perdre du temps par indolence. *Travaillez, au lieu de flâner!*

flânerie n. f. Action de flâner.

flâneur, euse n. et adj. Qui aime à flâner; qui flâne.

1. flanquer v. tr. [1] **1.** MILIT Protéger, défendre (le flanc d'une troupe) en plaçant des troupes, des armes, etc. *Flanquer son aile droite d'un rideau de cavalerie, d'un nid de mitrailleuses.* **2.** Être disposé de part et d'autre pour protéger. *Mitrailleuses qui flanquent la compagnie.* **3.** ARCHI Être construit de part et d'autre. *Deux tourelles flanquaient un bâtiment central.* **4.** (Surtout au pp.) Péjor. Accompagner. *Un petit chef flanqué de ses acolytes.*

2. flanquer v. tr. [1] Fam. **1.** Lancer, jeter, appliquer brutalement. *Flanquer un coup de poing à qqn.* – *Flanquer qqn dehors*, le congédier rudement, ou le faire sortir par force. **2.** Donner. *Il m'a flanqué une peur bleue.* **3.** v. pron. *Se flanquer par terre* : tomber rudement.

flapi, ie adj. Fam. Abattu, épuisé, éreinté.

flaque n. f. Petite mare de liquide stagnant. *Flaque d'eau.*

flash [flaʃ] n. m. **1.** Projecteur pour la photographie, qui émet un bref éclat de lumière intense lorsque l'on prend un instantané; cet éclat de lumière. **2.** CINE Plan très court. **3.** Annonce brève sur les télétypes, à la radio ou à la télévision. *Un flash publicitaire. Des flashes d'information.*

flashage n. m. TECH Action de flasher (sens 2); résultat de cette action.

flashant, ante adj. Fam. Qui éblouit, séduit.

flash-back [flaʃbak] n. m. inv. (Anglicisme) Séquence cinématographique qui évoque une période antérieure à celle de l'action; syn. (off. déconseillé) de *retour en arrière*. ▷ Par ext. *Emploi du flash-back dans l'écriture romanesque.*

flasher [flaʃe] v. intr. [1] **1.** Se déclencher, en parlant d'un flash. ▷ Prendre une photographie au flash. **2.** TECH Produire des films et des bromures de textes et d'illustrations composés et mis en page par ordinateur. **3.** Fig., fam. *Flasher sur* : avoir un coup de cœur pour.

flasheuse n. f. TECH Photocomposeuse à laser servant à flasher (sens 2).

1. flasque adj. Mou, dépourvu de fermeté, d'élasticité. *Des chairs flasques.*

2. flasque n. f. Petit flacon plat.

3. flasque n. m. **1.** Chacune des deux pièces latérales de l'affût d'un canon. **2.** TECH Chacune des deux plaques, généralement parallèles, constitutives de certaines pièces mécaniques. *Flasques de roue d'automobile.*

flatter **I.** v. tr. [1] **1.** Louer exagérément ou mensongèrement (qqn) pour lui plaire, le séduire. ▷ Présenter (qqn) avantageusement dans un portrait, une peinture. *La photographie, prise sous cet angle, la flattait.* **2.** Caresser (un animal) de la main. *Flatter un cheval.* **3.** (Sujet nom de choses.) Causer de la fierté à. *Cette préférence me flatte.* **4.** Être agréable (aux sens). *Un vin qui flatte le palais.* **5.** Encourager, favoriser (qqch de nuisible ou de répréhensible). *Flatter le vice, les manies de qqn.* **II.** v. pron. **1.** *Se flatter de* (+ inf.) ou, litt., *que* (+ ind. futur ou subj.). Se faire fort de, être persuadé (parfois présomptueusement) que. *Il se flatte de réussir. Elle se flatte qu'il vienne* (ou *qu'il viendra*). **2.** Avoir, ou vouloir donner une trop haute opinion de soi. *Je crois que vous vous flattez, quand vous dites cela.*

flatterie n. f. Action de flatter; louange fausse ou exagérée dans l'intention d'être agréable, de séduire, de corrompre.

flatteur, euse n. et adj. **I.** n. Personne qui flatte, qui cherche à séduire par des flatteries. *« Tout flatteur vit aux dépens de celui qui l'écoute »* (La Fontaine). **II.** adj. **1.** Qui loue avec exagération et par calcul. *Des amis flatteurs.* – Par ext. *Des manières flatteuses.* **2.** Favorable, élogieux; qui marque l'approbation. *Un murmure flatteur accueillit son discours.* **3.** Qui avantage, qui embellit. *Un portrait flatteur.*

flatteusement adv. D'une manière flatteuse.

flatulence n. f. Accumulation de gaz gastro-intestinaux provoquant un ballonnement abdominal et l'émission de gaz.

flatulent, ente adj. MED Qui s'accompagne de flatulence. *Colique flatulente.*

Flaubert (Gustave) (Rouen, 1821 – Croisset, près de Rouen, 1880), écrivain français. Homme double, oscillant sans cesse entre le romantisme et le réalisme, tiraillé à la fois par un immense besoin de lyrisme et par le désir de restituer « presque matériellement » ce qu'il voit, Flaubert trouve dans la recherche de la perfection formelle du style (dans le travail sur l'« écriture », comme disent les critiques modernes) son unité d'« artiste » fasciné par le vrai et le beau. Romans : *Madame Bovary* (1857), *Salammbô* (1862), *l'Éducation sentimentale* (1869; prem. version, non publiée : 1843-1845), *Bouvard et Pécuchet* (inachevé, 1881). *Dictionnaire des idées reçues* (posth., 1911). Drame philosophique : *la Tentation de saint Antoine* (trois versions; dernière version, 1874). Récits : *Trois Contes* (1877).
▸ illustr. page **731**

flaveur n. f. Didac., litt. Goût et odeur (d'un aliment) considérés conjointement.

Flaviens (les), nom donné à deux familles d'empereurs romains : la première comprend Vespasien (69-79) et ses deux fils, Titus (79-81) et Domitien (81-96); la seconde, Constance Ier Chlore (mort en 306), Constantin le Grand (306-337) ainsi que les fils et neveux de ce dernier.

flavine n. f. BIOCHIM Coenzyme de plusieurs déshydrogénases se présentant notam. sous la forme de vitamine B2 (riboflavine). *Certaines flavines interviennent dans le transport d'hydrogène qui accompagne les phénomènes respiratoires de la cellule.*

Flavius Josèphe (Jérusalem, 37 – Rome, v. 100), historien juif romanisé. Il écrivit, en grec, notam. *la Guerre juive* et *Antiquités judaïques.*

flavoprotéine n. f. BIOCHIM Déshydrogénase dont la coenzyme est une flavine.

Flaxman (John) (York, 1755 – Londres, 1826), sculpteur néo-classique anglais : tombeau de J. Reynolds (cathédrale Saint Paul, Londres).

fléau n. m. **I. 1.** Instrument pour battre les céréales, constitué d'un manche et d'un battoir en bois reliés par une courroie. ▷ *Fléau d'armes* : arme en usage au Moyen Âge, formée d'une masse hérissée de pointes reliée par une chaîne à un manche. **2.** Barre horizontale qui supporte les plateaux d'une balance. **II.** Fig. **1.** Grande calamité. *La peste et le choléra, fléaux de l'Europe médiévale.* – Par ext. (À propos d'une personne.) *Attila, fléau de Dieu.* **2.** Ce qui est redoutablement nuisible, dangereux. *Les criquets, fléau des récoltes. La corruption, fléau d'une société.*

fléchage n. m. Action de flécher un itinéraire; son résultat.

1. flèche n. f. **I. 1.** Trait qu'on lance avec un arc ou une arbalète et dont l'extrémité est ordinairement en forme de fer de lance. *Tirer, décocher une flèche.* ▷ Loc. *Partir comme une flèche*, très rapidement. – *Monter en flèche*, à toute vitesse et presque à la verticale. Fig. *Les prix grimpent en flèche depuis un mois.* – Loc. fig. *Faire flèche de tout bois* : recourir à tous les moyens pour arriver à ses fins. **2.** Fig. Trait piquant, ironique. – Loc. Litt. *La flèche du Parthe* : trait d'esprit amer ou sarcastique qu'on lance à qqn en se retirant (comme les Parthes décochaient leurs flèches en fuyant). **3.** *Par anal.* Signe en forme de flèche pour indiquer une direction. *Suivez la flèche.* **II.** *Par anal.* **1.** Partie de forme effilée, pyramidale ou conique, qui surmonte un clocher. **2.** BOT Pousse terminale d'un arbre, spécial. d'un conifère. **3.** Timon unique d'une voiture à chevaux. ▷ ARTILL Partie arrière de l'affût d'un canon. **4.** *Flèche d'une grue* : partie en porte à faux, mobile autour du mât et qui supporte les organes de levage. **5.** GEOM Perpendiculaire abaissée du milieu d'un arc de cercle sur la corde qui sous-tend cet arc. ▷ ARCHI Hauteur verticale de la clef de voûte à partir du plan de la base de cette voûte. ▷ CONSTR Déplacement vertical maximal de la fibre neutre d'une pièce horizontale (dalle, tablier de pont, poutre) sous l'effet des charges et de son poids propre. **6.** AVIAT Angle formé par le bord d'attaque de l'aile d'un avion par rapport au fuselage. **III.** BOT *Flèche d'eau* : nom cour. de la sagittaire.

2. flèche n. f. Partie du lard d'un porc, de l'épaule à la cuisse.

Flèche (La), ch.-l. d'arr. de la Sarthe, sur le Loir; 16 581 hab. Centre comm. Imprimerie, emballage. – Prytanée militaire (1808), anc. collège des jésuites fondé par Henri IV et dans lequel Descartes fit ses études.

flécher v. tr. [14] Jalonner avec des flèches. – Pp. adj. *Itinéraire fléché.*

fléchette n. f. Projectile en forme de petite flèche garnie d'une empenne, qu'on lance à la main sur une cible. *Jouer aux fléchettes.*

fléchir v. [3] **I.** v. tr. **1.** Ployer, courber. *Fléchir les genoux.* **2.** Fig. Faire céder; émouvoir, attendrir. *Fléchir qqn à force de prières.* – Litt. *Fléchir la colère de qqn.* **II.** v. intr. **1.** Se courber, ployer sous une charge. *Cette poutre fléchit.* **2.** Céder, faiblir. *L'ennemi fléchissait et perdait peu à peu du terrain.* **3.** Perdre de son intensité, diminuer, baisser. *Sa voix fléchissait à cause de la fatigue.*

fléchissement n. m. **1.** Action de fléchir; état d'un corps qui fléchit. *Le fléchissement du bras.* – *Le fléchissement d'une poutre.* **2.** Fait de céder, de faiblir. *Le fléchissement des lignes ennemies.* **3.** Fait de baisser, de diminuer. *Le fléchissement des prix.*

fléchisseur n. m. et adj. m. ANAT Muscle qui détermine la flexion d'un membre (par oppos. à *extenseur*).

Fleetwood (Charles) (dans le Northamptonshire, ? – Londres, 1692), général anglais. Gendre de Cromwell, et son auxiliaire dans les campagnes contre les royalistes, il fut gouverneur de l'Irlande (1652-1655).

Fleg (Edmond Flegenheimer, dit Edmond) (Genève, 1874 – Paris, 1963), écrivain français; chantre du peuple juif, de sa culture, de ses traditions : *Écoute, Israël* (1913 et 1921, 2 vol. remaniés en 1954).

flegmatique [flɛgmatik] adj. Qui maîtrise ses sentiments, qui ne se départ pas facilement de son calme. *Une personne flegmatique.* – Par ext. *Un caractère flegmatique.*

flegmatiquement adv. Avec flegme.

flegme [flɛgm] n. m. **1.** Cour. Caractère d'un individu maître de ses sentiments, qui ne se départ pas de son calme. **2.** CHIM Alcool brut résultant d'une première distillation.

Flémalle (le Maître de), nom donné à un peintre flamand du début du XVe s., dit aussi *le Maître de Mérode*, et qu'on a identifié à Robert Campin*. Influencé par Van Eyck, il sut passer du style gothique international à une représentation plus réaliste (*Annonciation de Mérode*, triptyque, v. 1420-1430).

le Maître de **Flémalle :** *la Nativité*, v. 1425; musée des Beaux-Arts, Dijon

Fleming (sir John Ambrose) (Lancaster, 1849 – Sidmouth, Devonshire, 1945), physicien anglais. Il réalisa en 1904 la première diode *(valve de Fleming)*, composant électronique qui permet la détection des ondes radioélectriques.

Fleming (sir Alexander) (Darvel, Ayrshire, 1881 – Londres, 1955), microbiologiste anglais. Il découvrit en 1928 la pénicilline. Cette découverte, qui allait être celle des antibiotiques, fut mise à profit à partir de 1940 et connut, du fait de l'effort de guerre, une extension considérable. P. Nobel 1945.

sir Alexander **Fleming**

le maréchal **Foch**

Fleming (Victor) (Pasadena, 1883 – Phoenix, 1949), cinéaste américain. De 1919 à 1948, il tourna plusieurs films qui furent de grands succès : *l'Île au trésor* (1934), *le Magicien d'Oz* (1939), *Docteur Jekyll et M. Hyde* (1941), et surtout *Autant en emporte le vent* (1939), qu'il signa seul, bien que d'autres réalisateurs (Cukor en partic.) aient participé au tournage.

flemmard, arde adj. et n. Fam. Qui aime à rester sans rien faire, paresseux. *Elle est assez flemmarde.* ▷ Subst. *Quel flemmard !*

flemmarder v. intr. [1] Fam. Paresser. *Flemmarder au lit jusqu'à midi.*

flemme n. f. Fam. Paresse, tendance à rester sans rien faire. *J'ai la flemme d'aller les rejoindre.* – *Tirer (traîner) sa flemme* : paresser.

Flemming (Jakob Heinrich, comte von) (Hoff, près de Greiffenberg, Brandebourg, 1667 – Vienne, 1728), général saxon d'origine suédoise. Il servit Frédéric-Auguste II, Électeur de Saxe, et le fit couronner roi de Pologne.

Flensburg, v. et port d'Allemagne (Schleswig-Holstein) situé au fond d'un fjord *(baie de Flensburg)*, sur la Baltique; 85 710 hab. Cette ville, au brillant passé (grande activité comm.), est auj. un petit centre industr. (métallurgie et textiles).

fléole ou **phléole** [fleɔl] n. f. Graminée fourragère des prés.

Flers, ch.-l. de cant. de l'Orne (arr. d'Argentan); 18 467 hab. Fonderie, textile, prod. chim. – Château (XVIe-XVIIIe s.).

Flers (Robert Pellevé de La Motte-Ango, marquis de) (Pont-l'Évêque, 1872 – Vittel, 1927), dramaturge français; auteur de comédies et de vaudevilles : *l'Habit vert* (en collab. avec G. A. de Caillavet, 1912), *les Vignes du Seigneur* (en collab. avec Fr. de Croisset, 1923). Acad. fr. (1920).

Flesselles (Jacques de) (Paris, 1721 – id., 1789), dernier prévôt des marchands de Paris; massacré le 14 juillet 1789.

Flessingue (en néerl. *Vlissingen*), v. et port des Pays-Bas (Zélande), près de l'estuaire de l'Escaut; 44 500 hab. Port de pêche et de voyageurs. Chantiers navals. – Les Britanniques y débarquèrent en 1940 et 1944.

flet [flɛt] n. m. Poisson pleuronectidé *(Flesus flesus)*, long d'une cinquantaine de cm, très courant dans les estuaires et sur les côtes atlantiques.

flétan n. m. Poisson pleuronectidé *(Hippoglossus hippoglossus)* de grande taille (il peut atteindre 4 m de long et 300 kg), fréquent dans les mers froides, dont le foie fournit une huile riche en vitamines A et D.

Fletcher (John) (Rye, Sussex, 1579 – Southwark, 1625), auteur dramatique anglais de la période élisabéthaine. Il écrivit, avec Fr. Beaumont, un grand nombre de pièces qui obtinrent un succès considérable : *Roi et pas roi* (tragédie, 1611), *le Chevalier du pilon ardent* (comédie, 1611).

Fletcher (John Gould) (Little Rock, Arkansas, 1886 – id., 1950), poète américain. Il célèbre le Sud en vers lyriques et mystiques, de forme classique : *Irradiations* (1915), *Étoile du sud* (1941).

flétri, ie adj. Qui a perdu son éclat, sa fraîcheur. *Fleur flétrie.* ▷ Fig. *Teint flétri.*

1. flétrir v. tr. [3] **1.** Faire perdre sa couleur, sa forme, sa fraîcheur à (une plante, une fleur). *La sécheresse a flétri toutes les fleurs.* ▷ v. pron. *Plantes qui se flétrissent.* **2.** *Par anal.* Ternir, altérer. *Le soleil a flétri les couleurs de cette étoffe.* ▷ Fig. *Le temps a flétri son visage.*

2. flétrir v. tr. [3] **1.** Anc. Marquer (un criminel) d'une empreinte infamante au fer rouge. **2.** Mod. Stigmatiser, vouer au déshonneur. *Flétrir les traîtres. Flétrir la mémoire de qqn.*

flétrissement n. m. **1.** État d'une plante flétrie. **2.** Litt. Fait de se flétrir (1, sens 2). *Le flétrissement des chairs.*

1. flétrissure n. f. Altération de l'éclat, de la fraîcheur d'une plante qui se flétrit. ▷ Fig. *Son visage marqué des flétrissures de l'âge.*

2. flétrissure n. f. **1.** Anc. Marque au fer rouge imprimée sur l'épaule d'un criminel. **2.** Mod., litt. Atteinte grave à l'honneur, à la réputation.

fleur n. f. **I. 1.** Partie des végétaux phanérogames qui porte les organes de la reproduction. *Les fleurs du pêcher. Un pommier en fleur,* dont les fleurs sont écloses. **2.** Cour. Plante qui produit des fleurs. *Arroser des fleurs.* **3.** Figure ou représentation d'une fleur. *Papier, tissu à fleurs.* – *Fleurs artificielles,* en tissu, en papier, en matière plastique, etc. ▷ (Plur.) Fig. Ornements de style. *Les fleurs de la rhétorique.* **4.** Fig. Ce qui embellit, rend agréable et plaisant. *Une vie semée de fleurs.* ▷ Loc. *Couvrir qqn de fleurs,* lui faire toutes sortes de compliments. **5.** Fig. Le plus beau moment, l'apogée d'une chose périssable. – Loc. *La fleur de l'âge* : la jeunesse. *Mourir à la fleur de l'âge.* **6.** Ce qu'il y a de meilleur en son genre; l'élite. *La fine fleur de l'aristocratie.* ▷ *La fleur de farine* : la partie la plus fine, la meilleure, de la farine. **7.** Loc. fig., fam. *Faire une fleur à qqn,* lui accorder une faveur, un avantage. ▷ *Être fleur bleue* : être d'une sentimentalité naïve et un peu mièvre. ▷ Loc. fig., fam. *Comme une fleur* : sans aucune difficulté, très facilement. *Il est arrivé premier comme une fleur.* **II.** Loc. prép. *À fleur de* : presque au niveau de. *Rochers à fleur d'eau. Avoir les yeux à fleur de tête,* saillants. ▷ Fig. *Avoir les nerfs à fleur de*

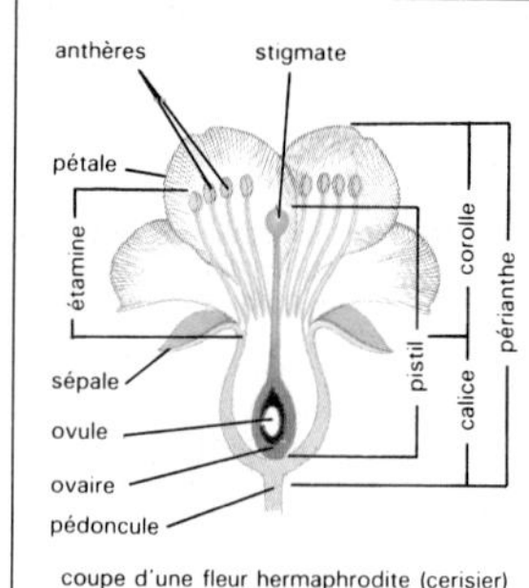

coupe d'une fleur hermaphrodite (cerisier)

fleur

peau : être très nerveux, facilement irritable. – *Sensibilité à fleur de peau.* **III.** *Par anal.* **1.** TECH *La fleur du cuir* : le côté de la peau où se trouvent les poils (par oppos. au côté *croûte*). **2.** (Plur.) *Fleurs de vin, de vinaigre, de bière* : moisissures qui se développent à la surface du vin, du vinaigre, de la bière. **3.** CHIM Substance provenant d'une sublimation. *Fleur de soufre.*

ENCYCL **Bot.** – Une fleur complète est hermaphrodite et comprend un pédoncule floral, dont l'extrémité, renflée, est le réceptacle floral où s'insèrent : le périanthe, constitué du calice, formé de sépales généralement verts, et de la corolle, formée de pétales souvent de couleur vive; la partie sexuée contenant les ovules, lesquels seront fécondés par le pollen et donneront les graines.

fleuraison n. f. Rare, litt. Floraison.

fleurdelisé, ée adj. Orné de fleurs de lis. *Le drapeau fleurdelisé de la province de Québec.*

fleurer v. tr. et intr. [1] Litt. Sentir, exhaler une odeur. *Cela fleure bon. Un plat qui fleure les épices.*

fleuret n. m. **1.** Arme d'escrime composée d'une lame à section quadrangulaire et d'une poignée que protège une coquille. **2.** TECH Tige d'acier équipant les perforatrices et les marteaux pneumatiques. ► illustr. **escrime**

fleurette n. f. Vx ou litt. Petite fleur. ▷ Fig., vx (langue classique) Parole tendre, amoureuse. – Loc. mod. *Conter fleurette à une femme,* la courtiser.

fleurettiste n. Escrimeur, escrimeuse spécialiste du fleuret.

fleuri, ie adj. **1.** En fleur(s); couvert de fleurs. *Arbre fleuri. Jardin fleuri. Pâques fleuries* : le dimanche des Rameaux. **2.** Fig. *Teint fleuri,* qui a de l'éclat, de la fraîcheur. ▷ Vx et litt. *Barbe fleurie,* blanche (au sens de l'a. fr. *flori,* « blanc de poil »). *Charlemagne, l'empereur à la barbe fleurie.* **3.** Fig. Orné. *Discours, style fleuri.* **4.** Fig. Moisi. *Fromage à croûte fleurie,* à moisissures extérieures.

fleurir v. [3] **I.** v. intr. **1.** Produire des fleurs; être en fleur(s). *Les rosiers commencent à fleurir.* **2.** Fig. Être en état de prospérité, de splendeur; être en crédit, en honneur (en ce sens, *florissait* ou *fleurissait* à l'imparfait). *La Renaissance fut une époque où fleurissaient (florissaient) tous les arts.* **3.** *Par anal.* Se couvrir de poils, de boutons, etc. *Menton, visage qui fleurit.* **II.** v. tr. Orner (qqch) de fleurs, d'une fleur. *Fleurir une tombe. Fleurir sa boutonnière.*

fleuriste n. **1.** Personne qui cultive les fleurs pour les vendre; personne qui fait le commerce des fleurs. **2.** Personne qui confectionne des fleurs artificielles ou en fait le commerce.

fleuron n. m. **1.** Ornement figurant une feuille ou une fleur. *Les fleurons d'une couronne.* ▷ Fig. *Le plus beau fleuron de... :* ce qu'il y a de mieux, de plus remarquable dans... *« L'Énéide » est le plus beau fleuron de la littérature latine.* **2.** BOT Chacune des fleurs régulières qui forment le capitule chez les composées.

Fleurus, com. de Belgique (Hainaut), sur la Sambre; 23 000 hab. Houille, industr. métall. – En 1690, le maréchal de Luxembourg y vainquit les impériaux. Jourdan y battit les Austro-Hollandais en 1794.

Fleury (André Hercule, cardinal de) (Lodève, 1653 – Issy, 1743), prélat et homme d'État français. Précepteur de Louis XV (1714), il fut Premier ministre (sans le titre) de 1726 à sa mort. Habile gestionnaire, il assainit les finances, mais fut entraîné dans deux guerres de Succession : celle de Pologne (1733-1737 et 1738) et, surtout, celle d'Autriche (1740-1748).

Fleury (Émile Félix, comte) (Paris, 1815 – id., 1884), général français. Il prit une part active au coup d'État du 2 déc. 1851. Aide de camp de Napoléon III (1856), il accomplit d'importantes missions diplomatiques.

Fleury-les-Aubrais, ch.-l. de cant. du Loiret (arr. d'Orléans); 20 730 hab. Nœud ferroviaire. Constr. méca., mat. agric., meubles.

Fleury-Mérogis, com. de l'Essonne (arr. d'Évry); 9 939 hab. Import. centre pénitentiaire (ouvert en 1968).

fleuve n. m. **1.** Cour. Grand cours d'eau aux multiples affluents, qui se jette dans la mer. ▷ GEOGR Tout cours d'eau qui se jette dans une mer. *Fleuve côtier.* ▷ Par anal. *Fleuve de boue, de glace, de lave,* etc. **2.** Fig. Ce qui s'écoule, semble s'écouler de manière continue. *Le fleuve de la vie.* ▷ (Avec une idée d'abondance.) *Roman-fleuve,* très long, dont les multiples péripéties couvrent en général plusieurs générations de personnages. – Par ext. *Discours-fleuve,* très long.

Flevoland, prov. néerlandaise formée par la réunion de trois polders du lac d'Ijsel; 1 412 km²; 211 500 hab.; ch.-l. *Lelystad.* Pêche, agriculture.

flexibilité n. f. Caractère de ce qui est flexible. *La flexibilité du roseau.* – Fig. *La flexibilité de son esprit.* ▷ ECON *Flexibilité de l'emploi* : répartition du temps de travail en fonction des variations de la production.

flexible adj. et n. m. **1.** Souple, qui plie aisément sans se rompre. *L'osier est flexible.* ▷ n. m. TECH Dispositif souple de transmission d'un mouvement de rotation. *Flexible de compte-tours.* **2.** Fig. Qui se laisse fléchir facilement; qui s'adapte aisément aux circonstances. *Caractère flexible.* **3.** *Atelier flexible* : unité de production dans une usine, qui fait appel à la productique et s'oppose, par sa décentralisation, au travail à la chaîne.

flexion n. f. **1.** Fait de fléchir; état de ce qui fléchit. – MECA Déformation que subit une pièce longue (poutre, barre) soumise à une force appliquée perpendiculairement à son axe longitudinal, en des points où elle n'est pas soutenue. **2.** Mouvement par lequel l'angle que forment deux segments osseux articulés se ferme (par oppos. à *extension*). *Flexion du genou, de l'avant-bras.* **3.**

LING Phénomène morphologique caractéristique des langues dites *flexionnelles*, dans lesquelles le mot se décompose en un radical et en des marques morphologiques (indices de genre, nombre, personne, cas), variables selon ses rapports avec les autres unités de la phrase.

flexionnel, elle adj. LING Qui a rapport aux flexions. *Langues flexionnelles.*

flexographie n. f. TECH Procédé d'impression en relief sur des supports souples.

flibuste n. f. Anc. Piraterie des flibustiers; ensemble des flibustiers.

flibustier n. m. **1.** Anc. Pirate des mers américaines, aux XVIIe et XVIIIe s. *Les flibustiers étaient principalement établis dans l'île de la Tortue, au N.-O. d'Haïti.* **2.** *Par ext.* Voleur, filou audacieux.

flic n. m. Fam. Policier.

flicage n. m. Fam. Action de fliquer, surveillance policière.

flic flac interj. Fam. Onomatopée évoquant un claquement, le bruit d'un liquide qui s'égoutte. ▷ n. m. *Les flics-flacs des semelles sur le pavé mouillé.*

Fliess (Wilhelm) (Arnswalde, auj. Choszczno, Pologne, 1858 - Berlin, 1928), médecin allemand, ami de S. Freud : leur correspondance (1887-1904) est un élément important dans la biographie de ce dernier.

flingue n. m. Arg. Fusil ou pistolet.

flinguer v. [1] Fam. **1.** v. tr. Tirer sur qqn avec une arme à feu. ▷ v. pron. Se suicider avec une arme à feu. **2.** Abîmer, détruire. *Il a flingué sa bécane dans un virage.* **3.** Critiquer durement. *Le ministre s'est fait flinguer par un député.* **4.** v. intr. Attaquer rudement, chercher à s'imposer dans une compétition.

Flins-sur-Seine, com. des Yvelines (arr. de Mantes-la-Jolie); 2 139 hab. Import. usine Renault.

Flint, v. des É.-U. (Michigan), au N.-O. de Detroit; 140 700 hab. (aggl. urb. 434 100 hab.). Centre industr. : automobiles (en crise) et industr. chimiques.

flint-glass [flintglas] n. m. inv. ou **flint** [flint] n. m. TECH Verre d'optique à base de plomb et d'indice de réfraction élevé, à faible dispersion.

flip n. m. Arg. Dépression consécutive à la prise de stupéfiants; fait de flipper.

flippant, ante adj. Fam. Qui fait flipper, angoissant, terrifiant.

1. flipper [flipœʀ] n. m. (Anglicisme) **1.** Petit levier qui, dans un billard électrique, sert à renvoyer la bille vers le haut. **2.** Jeu électrique composé d'une table inclinée sur laquelle des billes déclenchent un mécanisme totalisateur de points en rebondissant contre des plots. Syn. billard électrique.

2. flipper v. intr. [1] **1.** Arg. Se sentir abattu, par suite du manque de drogue. **2.** Fam. Être déprimé, angoissé.

fliquer v. tr. [1] Fam., péjor. Pratiquer une surveillance policière sur (qqn). ▷ *Par ext.* Contrôler, surveiller (qqn).

flirt [flœʀt] n. m. **1.** Vieilli Échange de galanteries, jeu de séduction entre un homme et une femme. ▷ Fig., mod. Rapprochement passager. *Un flirt entre deux partis politiques.* **2.** Mod. Jeu amoureux, échange de baisers, de caresses plus ou moins libres. **3.** Personne avec qui l'on flirte. *Elle nous a présenté son flirt.*

flirter [flœʀte] v. intr. [1] Avoir un flirt (avec qqn). ▷ Fig. *Flirter avec la politique.*

F.L.N. Sigle de *Front* de libération nationale.*

F.L.N.C. Sigle de *Front de libération nationale corse.* Mouvement indépendantiste créé en 1976 et dissous en 1983.

F.L.N.K.S. Sigle de *Front de libération nationale kanak socialiste.* Mouvement de coalition indépendantiste créé en 1984 en Nouvelle-Calédonie.

1. floc interj. Onomatopée évoquant le bruit d'une chute dans l'eau.

2. floc n. m. Vin de liqueur, mélange d'armagnac et de jus de raisin.

flocage n. m. TECH Application de fibres textiles, synthétiques, etc., sur une surface enduite d'adhésif.

floche adj. TECH *Soie floche,* qui n'est que légèrement torse.

flocon n. m. **1.** Petite touffe de laine, de soie, etc. **2.** Petite masse de cristaux de neige agglomérés. *La neige tombe à gros flocons.* **3.** (Plur.) Lamelles de graines de céréales. *Flocons d'avoine.*

floconner v. intr. [1] Litt. S'agglomérer en flocons.

floconneux, euse adj. Qui affecte l'aspect de flocons. *Nuages floconneux.*

floculation n. f. **1.** TECH Précipitation de substances en solution sous forme colloïdale. *On épure les eaux usées par floculation.* **2.** MED *Réaction de floculation :* réaction de précipitation qui permet le diagnostic de certaines maladies, essentiellement en hépatologie.

Floirac, com. de la Gironde (arr. de Bordeaux), sur la Garonne; 16 868 hab. Vignobles. Industr. du bois.

flonflons n. m. pl. Fam. Accents bruyants d'un air de musique populaire. *Les flonflons d'une valse musette.*

flood [flœd] adj. inv. TECH *Lampe flood,* à ampoule survoltée servant aux prises de vue d'intérieur.

flop [flɔp] onomat. et n. m. (Anglicisme) **1.** Onomatopée imitant le bruit de la chute d'un corps mou. **2.** n. m. Fam. Échec d'un spectacle, d'un livre.

flopée n. f. Fam. Grande quantité.

floquer v. tr. [1] Couvrir une surface par flocage.

Floquet (Charles) (Saint-Jean-Pied-de-Port, 1828 - Paris, 1896), homme politique français. Député républicain, président du Conseil en 1888-1889, il fut un farouche adversaire du général Boulanger (qu'il blessa en duel en 1888).

Florac, ch.-l. d'arr. de la Lozère, sur le Tarnon; 2 104 hab. Siège de l'administration du parc national des Cévennes.

floraison n. f. **1.** Épanouissement des fleurs; époque où les fleurs s'épanouissent. Syn. litt. fleuraison. **2.** Fig. Développement, épanouissement.

floral, ale, aux adj. Qui a rapport, qui appartient à la fleur, aux fleurs. *Les verticilles floraux. Exposition florale.* ▷ HIST *Jeux* Floraux.*

floralies n. f. pl. Grande exposition florale.

Florange, ch.-l. de cant. de la Moselle (arr. de Thionville-Ouest); 11 366 hab. La présence de minerai de fer a favorisé l'implantation d'industr. sidérurgiques (matériel de chemins de fer).

-flore. Élément, du lat. *flos, floris,* «fleur».

flore n. f. **I. 1.** Ensemble des espèces végétales d'une région, d'un pays. *La flore alpestre.* **2.** Ouvrage qui fait l'étude de la flore. **II.** BIOL Ensemble des bactéries qui vivent normalement dans les cavités naturelles de l'organisme. *Flore digestive, flore vaginale.*

Flore, déesse italique et romaine de la Végétation; identifiée par Ovide à la nymphe grecque Chloris, épouse de Zéphyr et mère du Printemps.

floréal n. m. HIST Huitième mois du calendrier républicain (du 20 ou 21 avril au 19 ou 20 mai).

Florence (ital. *Firenze*), v. d'Italie, sur l'Arno; 438 300 hab.; ch.-l. de la province du m. nom et cap. de la Toscane. Centre d'une riche région agric., carrefour ferroviaire et routier, la ville connaît une rapide extension. Étant donné l'importance de sa fonction touristique, la com. a favorisé l'établissement d'industr. «non polluantes» (métall. de l'aluminium, industr. de transformation, mécanique de précision) et a maintenu de nombreuses activités artisanales (maroquinerie, reliure). - Archevêché. Université. - Foyer culturel et artistique d'une exceptionnelle richesse, la ville conserve de nombr. monuments. Les édifices principaux de l'architecture religieuse sont : la cath. (*Duomo* : Dôme) Santa Maria del Fiore (1296-1436, coupole de Brunelleschi), avec son campanile, commencé par Giotto en 1334, et son baptistère (XIe s., portes de bronze ornées de bas-reliefs dus à Ghiberti et Pisano); les égl. d'Orsammichele (1337-1404), Santa Croce et San Lorenzo (tombeaux des Médicis par Michel-Ange); le couvent San Marco (fresques de Fra Angelico). L'archi. civile comprend essentiellement : le palais du Bargello (XIIIe s., auj. musée national de sculpture); le Palazzo Vecchio ou palazzo della Signoria (Palais-Vieux ou palais de la Seigneurie, 1298-1314), la loggia des Lanzi (XIVe s.) et la galerie des Offices (1560-1580), où l'Administration avait ses bureaux et qui est auj. l'un des plus riches musées du monde; le Ponte Vecchio (fin XIVe s.), sur l'Arno; les palais édifiés à l'époque de la Renaissance : Pitti (musée), Medici-Riccardi, Rucellai, Strozzi.

florentin, ine adj. et n. **1.** De Florence. ▷ Subst. *Un(e) Florentin(e).* **2.** Fig., fam. Qui évoque les intrigues politiciennes.

Florence : la cathédrale Santa Maria del Fiore et l'Arno

Flores, île de l'archipel portugais des Açores, la plus occidentale; 143 km^2; 10 000 hab. Base militaire française.

Flores, une des îles de la rép. d'Indonésie, dans l'archipel de la Sonde, à l'E. de Java; 15 000 km^2. – *Mer de Flores :* mer comprise entre l'île de Flores, au sud, et les Célèbes, au nord.

Flores (Juan José) (Puerto Cabello, Venezuela, 1800 – Puná, Guayas, 1864), homme politique équatorien, fondateur (1830) et premier président de la république de l'Équateur.

florès [flɔʀɛs] (En loc.) Vieilli ou litt. *Faire florès :* avoir de grands succès, réussir brillamment.

Florey (sir Howard) (Adélaïde, 1898 – Oxford, 1968), médecin anglais. Ayant quitté son pays natal, l'Australie, pour la Grande-Bretagne, il mit au point, avec Abraham et Chain, la fabrication de la pénicilline (découverte par Fleming). P. Nobel 1945.

Florian (Jean-Pierre Claris de) (chât. de Florian, Sauve, 1755 – Sceaux, 1794), écrivain français. Petit-neveu de Voltaire, il écrivit notam. des chansons (dont le célèbre *Plaisir d'amour*), mais reste surtout connu pour ses *Fables* (1792), à la morale simple et claire. Acad. fr. (1788).

Florianópolis, v. du Brésil méridional; cap. de l'État de Santa Catarina, dans l'île de Santa Catarina; 218 160 hab.

floriculture n. f. AGRIC Culture des plantes pour leurs fleurs (ornement, essences).

Floridablanca (José Moñino, comte de) (Murcie, 1728 – Séville, 1808), homme d'État espagnol. Ministre des rois Charles III et Charles IV, il fut l'artisan d'une vaste œuvre de redressement (instruction publique, marine, industrie).

Floride (en angl. *Florida*), État du S.-E. des États-Unis, formé d'une péninsule qui sépare l'océan Atlantique du golfe du Mexique et d'une bande de terre (la «queue de la poêle») qui longe ce dernier au N.-O.; 151 670 km^2; 12 938 000 hab.; cap. *Tallahassee*; v. princ. : *Miami, Tampa.* – Vaste plaine trouée de lacs (env. 30 000) et marécageuse (le marais des Everglades couvre un million d'ha à la pointe mérid. de la péninsule), la Floride est prolongée au S. par un chapelet d'îles *(Florida Keys).* Le climat tropical, chaud l'été et doux l'hiver, attire de nombr. touristes et retraités. L'extraction de phosphates et le développement des bases militaires et spatiales (cap Canaveral) sont les princ. ressources de cette région en plein essor démographique. L'urbanisation a entraîné le développement des cult. maraîchères, fruitières (agrumes) et de l'élevage laitier. Les problèmes de pollution sont graves.

florifère adj. BOT Qui porte des fleurs. *Rameau florifère.*

florilège n. m. Litt. **1.** Recueil de pièces choisies. **2.** Fig. Choix de choses remarquables.

florin n. m. Unité monétaire des Pays-Bas, du Surinam et des Antilles néerlandaises.

florissant, ante adj. **1.** Qui est dans un état brillant, prospère. *Commerce florissant.* **2.** Qui dénote la santé, le bon état physique. *Un visage florissant.*

floristique adj. et n. f. BOT **1.** adj. Qui concerne la flore (sens I, 1). **2.** n. f. Science des flores (sens I, 1). ▷ Inventaire des flores. Syn. phytogéographie.

flot n. m. **I.** Sing. **1.** Ondulation formée par l'eau agitée. **2.** Eau en mouvement. *Le flot de la Seine.* ▷ Par anal. (sing. ou plur.) *Flot (flots) de cheveux, de larmes, de rubans.* **3.** Marée montante. Ant. jusant. **4.** Fig. *Un flot de :* une grande quantité de. *Un flot de paroles.* **II.** Plur. **1.** Litt. *Les flots :* la mer. *Navire voguant sur les flots.* **2.** Loc. adv. *À flots :* en grande quantité, abondamment. *Le vin coulait à flots.* **III.** Loc. adj. *À flot :* qui flotte. *Navire à flot.* ▷ Fig. *Être à flot :* avoir suffisamment d'argent, ne pas être gêné matériellement. *Remettre qqn à flot,* le renflouer.

Flotow (Friedrich von) (Teutendorf, Mecklembourg, 1812 – Darmstadt, 1883), compositeur allemand; influencé lors de ses longs séjours à Paris par l'opéra-comique français, il a laissé de nombreux ouvrages lyriques bouffes ou légers : *Martha* (1847).

flottabilité n. f. Didac. Qualité de ce qui peut flotter; insubmersibilité.

flottable adj. **1.** TECH Qui permet le flottage du bois. *Rivière flottable.* **2.** Qui peut flotter. *Matière flottable.*

flottage n. m. TECH Transport par eau du bois que l'on fait flotter. *Flottage à bûches perdues, en trains.*

flottaison n. f. MAR Intersection de la surface extérieure d'un navire droit et immobile avec la surface d'une eau tranquille dans laquelle il flotte. *Ligne de flottaison,* séparant les œuvres* vives des œuvres mortes.

flottant, ante adj. **1.** Qui flotte. *Glaces flottantes.* **2.** Qui flotte dans l'air; ample et ondoyant. *Une robe flottante.* **3.** Fig. Incertain, irrésolu. *Esprit flottant.* **4.** FIN *Dette flottante :* partie de la dette publique qui n'est pas consolidée et dont les titres (bons du Trésor, par ex.) peuvent être remboursés à court terme ou à vue. *Capitaux flottants :* capitaux non investis et donnant lieu à la spéculation. *Monnaie flottante,* dont la parité n'est pas déterminée par un taux de change fixe. **5.** INFORM *Virgule flottante,* dont la position dans le nombre n'est pas précisée, le nombre étant représenté par sa mantisse et sa caractéristique. **6.** TECH *Moteur flottant,* monté sur supports élastiques.

flottation n. f. TECH Procédé de triage des matières pulvérulentes fondé sur les différences de réaction des corps dans l'eau. *Séparation par flottation du minerai et de la gangue.*

1. flotte n. f. **1.** Groupe de navires naviguant ensemble. *La flotte espagnole fut dispersée par la tempête.* **2.** Ensemble des bâtiments de guerre d'une nation. *Amiral de la flotte.* **3.** Ensemble des bâtiments de commerce d'une nation, d'une compagnie, d'un port, etc. *La flotte de Boulogne.* **4.** Par anal. *Flotte aérienne.*

2. flotte n. f. Fam. Eau. – Pluie.

Flotte ou **Flote** (Pierre) (en Languedoc, apr. 1250 – Courtrai, 1302), chancelier de Philippe le Bel. Adversaire de Boniface VIII, il fut le premier laïc nommé chancelier.

flottement n. m. **1.** Mouvement d'ondulation qui vient déranger l'alignement d'une troupe en marche. **2.** Manque de stabilité d'un véhicule. **3.** Fig. Hésitation, irrésolution. ▷ *Spécial.* État d'une monnaie flottante*.

1. flotter v. [1] **I.** v. intr. **1.** Être porté par un liquide. *Des épaves flottaient encore à la surface.* Ant. couler, sombrer. **2.** Onduler, voltiger en ondoyant. *Des drapeaux flottaient au vent.* **3.** Fig. Être hésitant, irrésolu, incertain. **II.** v. tr. *Flotter du bois,* assurer son transport par flottage.

2. flotter v. impers. [1] Fam. Pleuvoir.

flotteur n. m. Objet flottant destiné à soutenir un corps à la surface d'un liquide, à marquer un niveau, à régler un écoulement, etc. *Robinet à flotteur. Flotteur d'un hydravion.*

flottille n. f. Réunion de petits bateaux.

flou, oue adj. et n. m. **1.** BX-A Dont les contours sont adoucis, peu nets. *Nu flou.* ▷ n. m. Par ext. *Le flou artistique.* **2.** Dont les détails sont peu nets et comme brouillés. *Une photo floue.* ▷ Par ext. *Vêtement flou,* en étoffe légère, aux contours vagues et vaporeux. **3.** Fig. Qui manque de précision, de netteté. *Une pensée qui reste floue.*

flouer v. tr. [1] Fam., vieilli Voler, duper.

Flourens (Pierre Jean-Marie) (Maureilhan, 1794 – Montgeron, 1867), physiologiste français; il mit en évidence les fonctions du cervelet et le contrôle nerveux réflexe de la respiration. Acad. fr. (1840). – **Gustave** (Paris, 1838 – Chatou, 1871), fils du préc.; révolutionnaire français, il participa au soulèvement de la Crète contre les Turcs en 1866. Membre de la Commune, il fut tué par les Versaillais.

flouse ou **flouze** [fluz] n. m. Arg. Argent.

fluctuant, ante adj. Sujet à des fluctuations, des changements fréquents.

fluctuation n. f. **1.** Mouvement alternatif d'un liquide. **2.** (Surtout au plur.) Variations fréquentes, défaut de fixité. *Prix soumis à des fluctuations.*

fluctuer v. intr. [1] Être sujet à des fluctuations, varier. *Les prix fluctuent. Son esprit fluctue.*

fluent, ente adj. **1.** Vx ou litt. Qui coule. ▷ Qui peut couler comme un liquide. *Le sable est fluent.* **2.** MED Qui donne lieu à un écoulement. *Hémorroïdes fluentes.* **3.** PHILO Qui s'écoule, qui passe (temps).

fluer v. intr. [1] Vx ou litt. Couler. *La lumière fluait à travers les persiennes entrouvertes.* ▷ MED S'écouler, en parlant d'une humeur. – Par ext. *Plaie qui flue.*

fluet, ette adj. Mince, d'apparence grêle et délicate. *Des bras fluets.* – Par ext. *Une voix fluette.*

fluide adj. et n. m. **I.** adj. **1.** Qui coule facilement. *Un liquide fluide.* ▷ Fig. *Une circulation fluide.* **2.** Fig. Coulant et limpide. *Un style très fluide.* **II.** n. m. **1.** Corps qui n'a pas de forme propre. *Les gaz et les liquides sont des fluides.* Ant. solide. (V. encycl.). **2.** PHYS Anc. Agent physique hypothétique responsable des phénomènes calorifiques, électriques, etc. **3.** Émanation d'une force indéfinie qu'on prête aux médiums, aux magnétiseurs, etc.

ENCYCL Les molécules d'un fluide sont relativement libres : de ce fait il n'a pas de forme propre et est élastique. Un fluide est d'autant plus visqueux que les forces de frottement qui s'opposent au mouvement des molécules sont plus grandes. La *mécanique des fluides* est une science qui a reçu de nombreuses applications, notamment lors des études sur maquettes préalables à la réalisation de navires *(hydrodynamique),* d'avions, d'automobiles ou d'aéroglisseurs *(aérodynamique)*. La *statique des fluides* étudie les phénomènes qui se produisent lorsque le fluide est en état d'équilibre. La *dynamique des fluides* permet de prévoir les efforts exercés sur un corps en mouvement par le fluide qui l'entoure suivant la nature de l'écoulement (laminaire, turbulent, transsonique, supersonique ou hypersonique).

fluidifiant, ante adj. et n. m. Didac. Qui a la propriété de fluidifier. ▷ n. m. *Un fluidifiant des sécrétions bronchiques.*

fluidifier v. tr. [2] Transformer en fluide ; rendre plus liquide.

fluidique adj. et n. f. Didac. **1.** adj. Qui est de la nature du fluide ; qui concerne le fluide (sens II, 3). *Effluve fluidique. Déperdition fluidique.* **2.** n. f. Technique de la commande et du contrôle des automatismes au moyen de fluides.

fluidité n. f. Caractère de ce qui est fluide. *Fluidité d'une pâte.* ▷ Fig. *La fluidité du style.*

fluo-, fluor-, fluori-, fluoro-. Éléments de préfixation tirés de *fluor.*

fluo adj. inv. FAM Fluorescent. *Une tenue de ski fluo.*

fluocompact, acte adj. et n. f. Se dit d'un type de lampe à consommation réduite d'électricité.

fluor n. m. CHIM Élément appartenant à la famille des halogènes, de numéro atomique Z = 9 et de masse atomique 19 (symbole F). – Gaz (F_2 : difluor) qui se liquéfie à – 188 °C et se solidifie à – 219 °C.

ENCYCL Le fluor est le plus électronégatif et le plus réactif de tous les éléments ; oxydant très énergique, il se combine avec presque tous les éléments, donnant notam. des *fluorures*. Les *fréons* sont des composés du fluor : V. fluorocarboné. Le *téflon* est une matière plastique fluorée. Enfin, le fluor est un oligo-élément de l'organisme. Une intoxication aiguë par le fluor ou ses dérivés peut entraîner des troubles extrêmement graves.

fluoration n. f. **1.** TECH Adjonction de fluor à l'eau. **2.** MED Application protectrice de fluor sur les dents.

fluoré, ée adj. Qui contient du fluor. *Un dentifrice fluoré.*

fluorescéine [flyɔʀesein] n. f. CHIM Matière colorante dont les sels alcalins communiquent à l'eau, même à très faible dose, une couleur verte intense.

fluorescence [flyɔʀesɑ̃s] n. f. PHYS Émission de lumière par une substance soumise à l'action d'un rayonnement.

fluorescent, ente adj. PHYS Qui produit une fluorescence. ▷ Cour. *Tube fluorescent. Lampe fluorescente.*

fluorhydrique adj. CHIM *Acide fluorhydrique* : fluorure d'hydrogène (HF), le seul acide qui attaque le verre.

fluorine n. f. MINER Fluorure naturel de calcium (CaF_2). Syn. spath fluor.

fluorocarboné, ée adj. et n. m. CHIM Se dit d'un composé dérivant du méthane et de l'éthane par substitution des atomes d'hydrogène par des atomes de fluor et de chlore. Syn. chlorofluorocarbone.

ENCYCL Certains fluorocarbonés, dont le fréon, sont utilisés comme fluides frigorigènes ; d'autres, comme gaz propulseurs dans les bombes aérosols. En remontant dans la haute atmosphère en quantité importante, ils pourraient détruire la couche protectrice d'ozone.

fluorose n. f. MED Intoxication par le fluor et ses dérivés.

fluoruration n. f. OPT Opération qui consiste à déposer à la surface d'une lentille une mince couche de fluorure pour atténuer les réflexions nuisibles.

fluorure n. m. CHIM Sel ou ester de l'acide fluorhydrique.

flush [flœʃ] n. m. JEU Au poker, réunion de cinq cartes de même couleur.

Flushing Meadow-Corona Park, parc situé dans le *borough* (commune) de Queens, à New York, où se tiennent, depuis 1978, les Internationaux de tennis des États-Unis (en remplacement de Forest Hills, situé également dans le Queens).

flûte n. f. (et interj.) **I. 1.** Instrument de musique à vent composé d'un tube creux percé de trous. *Flûte traversière*, à embouchure latérale. *Flûte à bec.* ▷ *Jeu de flûte* : un des registres de l'orgue. **2.** *Flûte de Pan*, faite de tuyaux d'inégales longueurs juxtaposés par rang de taille. **3.** *Par ext.* Pain long et fin. **4.** Verre à pied, long et fin. *Flûte à champagne.* **5.** (Plur.) Fam. Longues jambes grêles. – *Se tirer des flûtes* : se sauver. **II.** Fam. Interjection marquant le mécontentement, l'agacement, etc. *Flûte alors !*
▶ pl. instruments de **musique**

flûté, ée adj. Dont le son rappelle celui de la flûte. *Une voix flûtée.*

flûteau ou **flûtiau** n. m. Jouet d'enfant en forme de flûte ; mirliton.

flûtiste n. Joueur (euse) de flûte.

fluvial, ale, aux adj. Des fleuves, des cours d'eau. *Navigation fluviale.*

fluviatile adj. **1.** SC NAT Se dit des organismes vivant dans les eaux douces ou près d'elles. **2.** GEOL *Dépôts fluviatiles*, dus à un cours d'eau.

fluvioglaciaire ou **fluvio-glaciaire** adj. GEOMORPH Se dit d'un terrain d'origine glaciaire remanié par un cours d'eau. *Des cônes fluvio-glaciaires.*

fluviographe ou **fluviomètre** n. m. TECH Appareil mesurant le niveau d'un cours d'eau.

flux [fly] n. m. **1.** Action de couler, écoulement. **2.** MED Écoulement d'un liquide organique. *Flux menstruel.* **3.** Fig. Affluence, grande abondance, débordement. *Un flux de paroles.* **4.** Marée montante. *Le flux et le reflux.* **5.** PHYS Courant, intensité, énergie traversant une surface. ▷ *Flux d'un champ à travers un élément de surface* : produit de la composante normale du champ par l'aire de l'élément. ▷ *Flux magnétique* : flux (exprimé en webers) du champ magnétique. ▷ *Flux énergétique d'un faisceau lumineux*, puissance qui est transportée par ce faisceau. ▷ *Flux lumineux* : grandeur photométrique traduisant l'impression produite sur l'œil par le faisceau (exprimé en lumens). **6.** FIN Mouvement. *Flux financiers.* ▷ ECON *Flux tendu* : politique de gestion visant à réduire les stocks au minimum.

fluxion n. f. **I. 1.** Vieilli *Fluxion de poitrine* : congestion pulmonaire. **2.** *Fluxion dentaire* : tuméfaction inflammatoire des joues et des gencives. **II.** MATH *Méthode des fluxions* : méthode de calcul due à Newton, très proche du *calcul différentiel.*

Fluxus (groupe), mouvement artistique international créé vers 1960 par George Brecht, Robert Filliou, George Maciunas, Ben, Erik Dietmann, Tetsumi Kudo, etc., pour abolir les frontières entre l'art et *le flux* de la vie, et produire un « art du comportement ».

Flynn (Errol) (Hobart, Tasmanie, 1909 – Hollywood, 1959), acteur de cinéma américain. Il s'imposa dans des rôles d'aventuriers intrépides : *Capitaine Blood* (1935), *la Charge de la brigade légère* (1936), *les Aventures de Robin des Bois* (1938), *Gentleman Jim* (1942), *Aventures en Birmanie* (1945).

flysch [fliʃ] n. m. GEOL Sédiment argilo-sableux, caractéristique des montagnes jeunes.

Fm CHIM Symbole du fermium.

1. F.M. Abrév. de *franchise (postale) militaire.*

2. F.M. Abrév. de l'angl. *Frequency Modulation*, « modulation* de fréquence ».

3. F.-M. Abrév. de *fusil-mitrailleur.*

F.M.I. Sigle de *Fonds* monétaire international.*

F.N.L. Sigle de *Front* national de libération.*

F.N.S.E.A. Sigle de *Fédération nationale des syndicats d'exploitants agricoles.* Organisation syndicale française fondée en 1946. Première organisation professionnelle du monde agricole, elle défend l'exploitation familiale tout en apportant son appui à la modernisation de l'agriculture menée par l'État.

F.O. Sigle de *Force ouvrière* (Confédération* générale du travail).

Fo (Dario) (Leggiuno, Varèse, 1926), auteur dramatique, acteur et metteur en scène italien. Son théâtre comique, profondément engagé dans l'action politique, puise aux sources des farces médiévales, du rire populaire, du cirque. (Prix Nobel de litt. 1998).

F.O.B. ou **fob** adj. inv. (Sigle de l'angl. *free on board*, « franco à bord ».) DR MARIT *Vente fob*, dans laquelle le prix de la marchandise inclut tous les frais jusqu'à la livraison à bord du navire transporteur.

foc [fɔk] n. m. Voile triangulaire à l'avant d'un navire.

focal, ale, aux adj. et n. f. **I.** adj. **1.** Didac Qui est le plus important. *Moment focal d'un processus.* Syn. central. **2.** GEOM Qui se rapporte à un ou plusieurs foyers. ▷ *Distance focale*, qui sépare les deux foyers d'une ellipse ou d'une hyperbole. **3.** OPT Qui se rapporte au foyer d'un système optique. – *Distance focale*, qui sépare le foyer d'un système optique et le plan principal de celui-ci. **II.** n. f. **1.** GEOM Courbe ou surface jouant par rapport à un lieu géométrique de l'espace un rôle analogue à celui des foyers par rapport aux courbes planes. **2.** OPT Distance focale. *Focale variable.* ▷ *Focale de Sturm* : segment de droite sur lequel convergent des rayons lumineux.

focalisation n. f. Action de focaliser ; son résultat.

focaliser v. tr. [1] PHYS Concentrer (un rayonnement) sur une très petite surface. ▷ Fig., cour. *Les récents événements ont focalisé l'attention du public sur ce problème.*

Foch (Ferdinand) (Tarbes, 1851 – Paris, 1929), maréchal de France. Professeur à l'École supérieure de guerre, il en devint commandant en 1907. En 1914, il participa, d'une façon décisive, à la victoire de la Marne, à la tête de la IXe armée. Adjoint au général en chef Joffre (oct. 1914), il coordonna les opé-

rations des armées françaises, belges et britanniques, et arrêta les Allemands sur l'Yser, puis sur la Somme (1916). Chef d'état-major en 1917, il fut porté au commandement suprême des armées alliées à partir de mars 1918. Il tint alors tête à l'offensive allemande, passa à la contre-attaque le 18 juil. 1918; en août, nommé maréchal de France, il libéra le territoire, contraignant le gouvernement allemand à signer l'armistice du 11 novembre 1918. Acad. fr. (1918).
► illustr. page **733**

Focillon (Henri) (Dijon, 1881 - New Haven, Connecticut, 1943), historien d'art français; l'un des grands spécialistes du Moyen Âge, professeur au Collège de France : *Vie des formes* (1934), *Art d'Occident* (1938).

Focşani, v. de Roumanie (Moldavie), ch.-l. de distr.; 56 250 hab. Industr. text. et alim. - Armistice entre la Roumanie et les Empires centraux (1918).

fœhn ou **föhn** [føn] n. m. Vent chaud et sec soufflant au printemps et en automne des sommets des Alpes suisses et autrichiennes.

foëne, foène, **fouëne** ou **foine** n. f. Harpon à plusieurs dents.

fœtal, ale, aux [fetal, o] adj. Qui a rapport au fœtus. ▷ *Membranes fœtales*, qui enveloppent le fœtus dans l'utérus. - *Tissus fœtaux :* tissus embryonnaires humains obtenus à la suite d'un avortement, destinés à la recherche médicale ou à l'industrie pharmaceutique. *L'utilisation des tissus fœtaux pose un grave problème éthique.*

fœtologie [fetɔlɔʒi] n. f. Didac. Étude du développement du fœtus humain.

fœtus [fetys] n. m. Embryon d'animal vivipare qui commence à présenter les caractères distinctifs de l'espèce. ▷ *Spécial.* Embryon humain de plus de trois mois. ► illustr. **embryogenèse**

fofolle. V. foufou.

Fogazzaro (Antonio) (Vicence, 1842 - id., 1911), écrivain italien d'inspiration catholique : *Daniele Cortis* (1884), roman; *Petit Monde d'autrefois* (1895), *Petit Monde d'aujourd'hui* (1900), *le Saint* (1905), trilogie romanesque.

Foggia, v. d'Italie (Pouilles); 157 600 hab.; ch.-l. de la prov. du m. nom. Pétrole, gaz naturel.

foi n. f. **I. 1.** Vx Fidélité à tenir sa parole, ses engagements. **2.** Litt. Assurance de tenir ce qu'on a promis. *Engager sa foi.* ▷ Loc. *Sur ma foi, par ma foi, ma foi :* assurément, certainement. **3.** Cour. *Bonne foi :* sincérité, droiture dans la manière d'agir, fondée sur la certitude d'être dans son bon droit (opposé à *mauvaise foi*). **II.** Croyance, confiance. *Avoir foi en qqn.* ▷ *Sous la foi de :* sous la garantie morale de. *Sous la foi du serment.* ▷ *Faire foi :* administrer la preuve, témoigner. *Cet acte fait foi de nos conventions. Le cachet de la poste faisant foi.* **III. 1.** THEOL Adhésion ferme de l'esprit à une vérité révélée. *La foi est la première des trois vertus théologales.* **2.** Objet de la foi, religion. *Mourir pour sa foi.* ▷ *Par ext.* Ensemble des principes, des idées auxquelles on adhère. *La foi républicaine.* **IV.** TECH *Ligne de foi :* axe d'une lunette, passant par le centre optique de l'objectif et le point de croisée des fils du réticule; trait tracé dans la cuvette d'un compas et parallèle à l'axe longitudinal du navire ou de l'aéronef.

foie n. m. **1.** Volumineux viscère de la partie droite de l'abdomen, de couleur

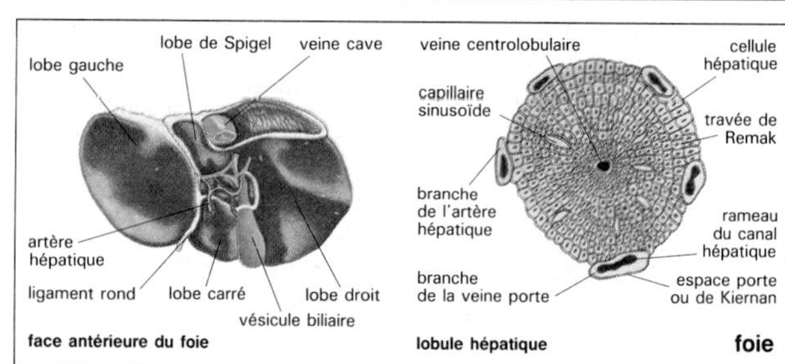

foie

brun-rouge, à la fois glande digestive et organe de réserve et d'excrétion. **2.** En boucherie, cet organe, chez certains animaux. *Foie de veau, de génisse.* ▷ *Foie gras :* foie d'oie ou de canard engraissés par gavage.
ENCYCL Le foie humain, de consistance assez ferme, mais friable et fragile, pèse de 1,5 à 2 kg chez l'adulte. Sa surface, lisse, divisée en 3 faces (supérieure, postérieure, inférieure), est parcourue par deux sillons antéropostérieurs et par un sillon transversal, le hile, qu'occupent les organes afférents et efférents au foie : artère hépatique, veine porte, voies biliaires. Le foie se compose d'une multitude de petits segments appelés *lobules hépatiques.* Cet organe vital a de multiples fonctions : synthèse et sécrétion de la bile, synthèse des protéines (albumine, fibrinogène, facteurs de coagulation, etc.), métabolisme des sucres et synthèse du glycogène, stockage de la vitamine B12 et du fer, neutralisation des toxines des produits ammoniaqués, métabolisme des lipides, etc.

foie-de-bœuf n. m. Nom cour. de la fistuline. *Des foies-de-bœuf.*

1. foin n. m. **1.** Herbe fauchée et séchée, destinée à nourrir le bétail. **2.** Cette herbe avant qu'elle soit fauchée. - Par ext. *Faire les foins,* la fenaison. ▷ Loc. *Avoir du foin dans ses bottes :* être riche. - *Être bête à manger du foin,* très bête. ▷ *Rhume des foins :* catarrhe aigu des muqueuses nasales survenant chez certains sujets allergiques lors de la floraison des graminées. **3.** *Par anal.* Poils qui tapissent le fond d'un artichaut. **4.** Fam. *Faire du foin :* faire du bruit, du tapage; protester bruyamment.

2. foin! interj. Vieilli, litt. (Marquant le dépit, la colère, le mépris.) *Foin de tous ces gens-là!*

foirail, ails ou **foiral, als** n. m. Rég. Champ de foire (dans le centre et le sud de la France).

foire n. f. **1.** Grand marché public qui se tient régulièrement en certains lieux, une ou plusieurs fois dans l'année. *Foire aux bestiaux, à la ferraille.* **2.** Fête foraine. *La foire du Trône.* **3.** Exposition commerciale périodique. *La Foire de Paris.* **4.** Fam., péjor. Lieu très bruyant, où règnent le désordre et la confusion. *Qu'est-ce que c'est que cette foire?* ▷ Loc. *Faire la foire :* se débaucher, faire la noce.

foirer v. intr. [1] **1.** Vulg., vieilli Évacuer des selles liquides. **2.** Fig., fam. Faire long feu; ne pas fonctionner. *Pétard qui foire.* ▷ *Vis qui foire,* qui tourne sans s'enfoncer. **3.** Fam. Échouer. *Sa combine a foiré.*

foireux, euse adj. **1.** Vulg., vieilli Qui a la diarrhée. **2.** Fam. Poltron, couard. **3.** Fam. Qui a toutes les chances d'échouer. *Une affaire foireuse.*

fois n. f. **1.** Moment où un fait, un événement se produit ou se reproduit. *Une fois par mois. C'est la deuxième fois que je le vois.* ▷ Loc. *Ne pas se le faire dire deux fois :* se le tenir pour dit. - *Y regarder à deux fois :* mûrement réfléchir avant d'entreprendre qqch. **2.** (Marquant la multiplication ou la division.) *Trois fois deux six. Je vais quatre fois moins vite que vous.* **3.** Loc. *Une bonne fois, une fois pour toutes :* définitivement, sans qu'il y ait à y revenir. - *Pour une fois,* marque l'exception. *Vous êtes à l'heure, pour une fois!* - *Une fois :* à une certaine époque, jadis. *Il était une fois...* - *Cette fois :* dans cette circonstance-ci, désormais. *Cette fois c'est bien fini.* - *Une autre fois :* quand l'occasion s'en représentera. *Une autre fois, vous réfléchirez avant d'agir.* - *À la fois :* en même temps. *Il en arrive trois à la fois.* - Fam. *Des fois :* parfois, éventuellement. *Si, des fois, vous le rencontrez...* - Fam. Absol. *Non, mais des fois!,* formule de mise en garde. - *Une fois que :* dès que, dès l'instant que, quand.

foison n. f. Vx ou litt. Très grande quantité. ▷ Loc. adv. Mod. *À foison :* en abondance.

foisonnant, ante adj. Qui foisonne.

foisonnement n. m. **1.** Fait de foisonner. **2.** Augmentation de volume. *Le foisonnement apparent des terres extraites d'un sol.*

foisonner v. intr. [1] **1.** Abonder, pulluler. *Garenne où les lapins foisonnent.* **2.** Augmenter de volume (en parlant de certains corps). *Chaux vive qui foisonne sous l'action de l'eau.*

Foix, ch.-l. du dép. de l'Ariège, au confl. de l'Arget et de l'Ariège; 10 446 hab. (*Fuxéens*). Industr. métall. et text. - Égl. St-Volusien (XIVe-XVIIe s.). Chât. fort (XIIe-XVe s.). Maisons anc. - Le *comté de Foix,* ancienne province française, fut apporté en dot par Catherine de Foix à Jean d'Albret (1484); il fit ensuite partie des domaines d'Antoine de Bourbon (1548) et fut réuni par Henri IV à la Couronne (1589).

Foix (Gaston III, comte de). V. Gaston de Foix.

Fokine (Michel) (Saint-Pétersbourg, 1880 - New York, 1942), danseur et chorégraphe russe. Il créa chez Diaghilev *l'Oiseau de feu* (1910), *Petrouchka* (1911), *Daphnis et Chloé* (1912), etc.

Fokker (Anthony) (Kediri, Java, 1890 - New York, 1939), aviateur et constructeur d'avions néerlandais. Il fonda, en 1913, l'une des plus importantes usines aéronautiques allemandes, qui fournit l'armée du IIe Reich en appareils de chasse pendant la Première Guerre mondiale.

fol. V. fou.

folâtre adj. Vieilli Qui aime à badiner, à jouer. *Caractère folâtre.* Syn. gai, enjoué.

folâtrer v. intr. [1] Vieilli S'ébattre avec une gaieté un peu folle et enfantine.

Folengo (Girolamo, dit Teofilo), connu également sous le pseudonyme de *Merlin Coccaie* (Mantoue, 1491 - Campese di Bassano, 1544), poète burlesque italien. *Baldus* (poème macaronique, 1517) est une des sources de Rabelais.

foliacé, ée adj. BOT Qui a l'aspect d'une feuille.

foliaire adj. BOT **1.** Qui appartient à une feuille. **2.** Qui dérive d'une feuille. *Vrille foliaire,* formée par une feuille.

foliation n. f. BOT Syn. de *feuillaison.*

folichon, onne adj. Fam. (Le plus souvent négatif.) Gai, badin. *Ce n'est pas très folichon, votre histoire.*

folie n. f. **I. 1.** Cour. Dérangement de l'esprit associé à un comportement étrange. (Ce mot n'appartient plus au vocabulaire médical.) **2.** Extravagance, manque de jugement. *Vous n'allez pas faire cela, ce serait de la folie.* ▷ Acte, propos peu raisonnable. *Faire, dire des folies.* - Dépense exagérée. *Faire une folie.* ▷ Écart de conduite. *Folies de jeunesse.* **3.** loc. adv. *À la folie :* extrêmement, éperdument. *Il l'aime à la folie.* **II.** Anc. Maison de plaisance (a subsisté dans certains noms de lieux).

folié, ée adj. **1.** BOT Garni de feuilles. **2.** Didac. Qui ressemble à une feuille.

Foligno, v. d'Italie (Ombrie, prov. de Pérouse); 52 500 hab. Import. industr. du livre, très ancienne.

folio n. m. Feuillet numéroté de registres, de manuscrits. ▷ TYPO Chiffre numérotant les pages d'un livre.

foliole n. f. BOT Chaque partie du limbe d'une feuille composée.

foliotage n. m. TYPO Action de folioter; son résultat.

folioter v. tr. [1] TYPO Numéroter les pages d'un ouvrage.

folique adj. BIOCHIM *Acide folique :* vitamine contenue dans le foie, les épinards et divers autres aliments.

Folkestone, v. et port d'Angleterre (Kent), sur la Manche; 43 740 hab. Stat. baln., port de voyageurs et terminal du tunnel sous la Manche.

folklore n. m. **1.** Ensemble des arts, usages et traditions populaires. ▷ Didac. Science qui les étudie. **2.** Fam., péjor. Ensemble de choses, de faits, de comportements que l'on juge amusants ou pittoresques mais que l'on ne saurait prendre au sérieux. *C'est du folklore, votre organisation!*

folklorique adj. **1.** Du folklore (sens 1). *Chanson folklorique.* **2.** Fam., péjor. Qui participe du folklore (sens 2); pittoresque et peu sérieux. *Il est très folklorique.* (Abrév. : folklo).

folkloriste n. Spécialiste du folklore.

folksong [fɔlksɔ̃g] n. m. ou **folk** [fɔlk] n. m. et adj. (Anglicisme) MUS Genre de musique chantée s'inspirant du folklore nord-américain. ▷ adj. (inv. en genre) *Des chanteuses folks.*

Follain (Jean) (Canisy, Manche, 1903 - Paris, 1971), poète français. Son œuvre, intimiste, évoque le quotidien des êtres et l'histoire des choses : *Usage du temps* (1943), *Chef-lieu* (1950), *Espaces d'instant* (1971), *Présent jour* (posth., 1978).

1. folle. V. fou.

2. folle n. f. Rég. Filet de pêche fixe à larges mailles.

folle-avoine n. f. Graminée sauvage (*Avena fatua*), nuisible aux cultures. *Des folles-avoines.*

follement adv. **1.** D'une manière folle, excessive. *Aimer follement.* **2.** Extrêmement. *C'est follement drôle.*

follet, ette adj. **1.** Vx Qui n'est pas très raisonnable, écervelé. - *Esprit follet :* lutin. ▷ Mod., fig. *Poils follets :* duvet qui apparaît avant la barbe. **2.** *Feu follet :* petite lueur apparaissant au-dessus de certains terrains d'où se dégage de l'hydrure de phosphore ou du méthane; fig., plaisant personne insaisissable.

1. folliculaire n. m. Litt., péjor. Mauvais journaliste. - Journaliste véreux.

2. folliculaire adj. Didac. Relatif aux follicules. ▷ PHYSIOL *Liquide folliculaire,* contenu dans les follicules ovariens et baignant l'ovule.

follicule n. m. **I.** BOT Fruit sec de l'ellébore, de l'ancolie, etc., constitué d'un seul carpelle qui, à maturité, s'ouvre suivant une seule fente. **II. 1.** ANAT Prolongement en cul-de-sac d'une muqueuse. *Follicule dentaire, pileux.* **2.** ANAT *Follicule ovarien* ou *de De Graaf :* cavité liquidienne située à l'intérieur de l'ovaire, dans laquelle se développe l'ovule et dont la rupture correspond à la ponte ovulaire. **3.** MED *Follicule tuberculeux :* lésion tuberculeuse élémentaire.

folliculine n. f. BIOCHIM Une des hormones œstrogènes*. Syn. œstrone.

folliculite n. f. MED Inflammation des follicules, spécial. des follicules pileux.

folliculostimuline n. f. BIOCHIM Hormone de l'antéhypophyse qui, chez l'homme, stimule la spermatogenèse et, chez la femme, stimule la croissance du follicule de De Graaf. (Abrév. angl. : F.S.H.).

Folon (Jean-Michel) (Bruxelles, 1934), dessinateur belge; peintre humoriste et poétique d'un monde déshumanisé (dessins publiés dans la presse, affiches, films d'animation, peintures murales dans le métro de Bruxelles et celui de Londres).

Jean-Michel **Folon** devant le personnage qu'il a créé

fomentateur, trice n. Litt. Personne qui fomente des troubles.

fomentation n. f. Litt. Action de fomenter. *La fomentation d'une discorde.*

fomenter v. tr. [1] Provoquer ou entretenir en secret (des actes d'hostilité). *Fomenter un complot.*

foncé, ée adj. Sombre (en parlant d'une couleur). *Bleu foncé.* Ant. clair.

foncer v. [12] **I.** v. intr. **1.** Se précipiter (sur qqn, qqch). *Foncer sur l'obstacle.* **2.** Fam. Se déplacer à grande vitesse. *Voiture qui fonce.* - Fig. Agir avec vigueur en ignorant les difficultés. *Il n'hésite pas, il fonce.* **II. 1.** v. tr. Rendre plus sombre (une couleur). **2.** v. intr. Devenir plus sombre. *Son teint a foncé.* **III.** v. tr. **1.** TECH Mettre un fond à. *Foncer un tonneau.* **2.** Creuser. *Foncer un puits.* **3.** CUIS Garnir le fond de (un récipient) avec de la pâte, du lard. *Foncer une tourtière.*

fonceur, euse adj. et n. Fam. Énergique et entreprenant, qui fonce. - Subst. *C'est un fonceur.*

foncier, ère adj. et n. m. **I. 1.** Se dit d'un bien constitué par un fonds de terre, de la personne à qui il appartient et du revenu qui en est tiré. *Propriété foncière. Propriétaire foncier. Rentes foncières.* **2.** Relatif aux biens-fonds en général. *Impôt foncier.* ▷ *Crédit foncier,* destiné à faciliter l'acquisition ou la mise en valeur de biens immeubles. **3.** n. m. Propriété foncière et tout ce qui s'y rapporte. **II.** Fig. Qui est au fond de la nature de qqn. *Qualité foncière.*

foncièrement adv. Dans le fond, profondément. *Un être foncièrement bon.*

Fonck (René) (Saulcy-sur-Meurthe, 1894 - Paris, 1953), aviateur français; pilote de chasse, héros de la Première Guerre mondiale (75 victoires homologuées).

fonction n. f. **I. 1.** Activité imposée par un emploi, une charge. *S'acquitter de sa (ses) fonction(s).* **2.** L'emploi, la charge elle-même. *Être dans l'exercice de ses fonctions. Être en fonction(s).* ▷ *Fonction publique :* ensemble des charges exercées par les agents de la puissance publique; ensemble des fonctionnaires. **3.** *Faire fonction de :* jouer le rôle de, servir de (personnes ou choses). **4.** ECON Ensemble des opérations qui permettent d'atteindre les objectifs (dans un secteur donné d'une entreprise). *Fonction de la production. Fonction commerciale.* **II. 1.** Ce à quoi sert une chose dans l'ensemble dont elle fait partie. *Une fenêtre a pour fonctions principales d'éclairer et d'aérer un local.* **2.** PHYSIOL Rôle d'un organe, d'une cellule, dans une opération nécessaire au maintien de la vie d'un être. *Les fonctions digestives.* **3.** CHIM Mode de réaction commun à plusieurs corps. - Ensemble des propriétés caractéristiques de ce mode de réaction, dues à un radical (groupement fonctionnel) donné; ce radical. *La fonction alcool.* **4.** GRAM *Fonction syntaxique d'un mot,* sa relation avec les autres mots d'une phrase, d'une proposition, d'un groupe de mots. *Fonction sujet.* - LING *Fonctions dénotative, expressive, poétique,* etc. **5.** MATH Toute application où l'ensemble d'arrivée est le corps des nombres réels ou des nombres complexes. (Cette application, dite aussi *fonction algébrique,* se note f (x), «fonction x» ou «f de x», x étant la variable.) *Fonctions numériques :* fonctions qui assignent aux variables des valeurs numériques (c.-à-d. exprimées par des nombres réels ou complexes). *Fonction (y) linéaire ou du premier degré,* de la forme $y = ax + b$. *Fonction du deuxième degré,* de la forme $y = ax^2 + bx + c$. *Fonction logarithmique :* V. logarithme. *Fonction périodique,* qui reprend la même valeur lorsque la variable augmente d'une période. - *Fonction transcendante,* qui n'est pas algébrique. **6.** LOG *Fonction propositionnelle :* prédicat. **III.** *Être fonction de :* dépendre de. *La vitesse de pointe d'une voiture est fonction de la puissance de son moteur.* ▷ Loc. prép. *En fonction de :* en corrélation, en rapport avec.

fonctionnaire n. Personne qui exerce une fonction permanente dans une administration publique.

fonctionnaliser v. tr. [1] Didac. Rendre fonctionnel. - Pp. adj. *Cuisine fonctionnalisée.*

fonctionnalisme n. m. **1.** Principe esthétique selon lequel la forme d'un objet doit résulter d'une adaptation parfaitement rationnelle à son usage. **2.** ETHNOL Théorie selon laquelle une société représente un tout organique dont les différentes composantes, culturelles, économiques, etc., s'expliquent par leur fonction (Malinowski, Radcliffe-Brown). **3.** LING Démarche qui consiste à analyser la langue avant tout comme un outil de communication.

fonctionnaliste adj. et n. Relatif au fonctionnalisme. ▷ Partisan du fonctionnalisme.

fonctionnalité n. f. **1.** Caractère de ce qui est fonctionnel, de ce qui répond à une fonction donnée. **2.** (au plur.) INFORM Possibilités de traitement offertes par un ordinateur.

fonctionnariat n. m. État, qualité de fonctionnaire.

fonctionnarisation n. f. Action d'assimiler aux fonctionnaires, de transférer dans le service public.

fonctionnariser v. tr. [1] Opérer la fonctionnarisation.

fonctionnarisme n. m. Rôle important des fonctionnaires dans l'État, jugé néfaste.

fonctionnel, elle adj. **1.** Qui a rapport à une fonction (organique, mathématique, chimique, etc.). *Calcul fonctionnel.* ▷ MED *Maladie fonctionnelle* : due à un défaut de fonctionnement d'un organe, et non à une lésion. **2.** Rationnellement adapté à la fonction à remplir. *Architecture fonctionnelle.*

fonctionnellement adv. Par rapport à une fonction.

fonctionnement n. m. Fait, manière de fonctionner.

fonctionner v. intr. [1] Remplir sa fonction (machine, organe). *Estomac qui fonctionne bien.* ▷ Fig. *Système qui fonctionne au ralenti.*

fond n. m. **I. 1.** Partie la plus basse d'une chose creuse. *Le fond d'une casserole. Le fond d'une vallée.* ▷ Par ext. *Laisser un fond de bouteille* : laisser une petite quantité de liquide au fond d'une bouteille. **2.** Partie solide située à l'opposé de la surface des eaux. *Le fond d'une rivière.* - Loc. *Envoyer par le fond* : couler. ▷ MAR *Haut-fond** - *Bas-fond**. ▷ *Par ext.* Hauteur de l'eau. *Il y a vingt mètres de fond.* - (Plur.) Eaux profondes. *Les grands fonds.* **3.** Partie la plus éloignée de l'entrée, de l'ouverture. *Le fond d'un placard.* ▷ Par anal. *Le fond de l'oreille, de la gorge, de l'œil.* - MED *Fond d'œil* : examen de la rétine et de ses vaisseaux, pratiqué au moyen d'un ophtalmoscope. **4.** Surface sur laquelle se détachent des dessins, des objets, des personnages. *Une étoffe imprimée à fond clair. Le fond d'un tableau.* ▷ Par ext. *Fond de teint* : crème colorée que l'on applique sur le visage comme maquillage. ▷ *Fond de robe* : doublure indépendante que l'on porte sous une robe transparente. ▷ *Fond sonore* ou *musique, bruit de fond* : musique, bruitages, qui accompagnent un spectacle; musique d'ambiance diffusée dans un lieu public. **5.** Ce qui est essentiel, fondamental. *Le fond du problème.* - (Personnes) Ce qui constitue l'essentiel du caractère, de la personnalité. *Enfant qui a bon fond.* ▷ Spécial. *Le fond d'une œuvre littéraire,* son contenu, sa matière (par oppos. à *forme*). - *Article de fond,* qui traite d'un sujet en profondeur. ▷ DR Matière d'un procès (par oppos. à ce qui est exception ou pure forme). ▷ *Faire fond sur une personne, une chose,* compter sur elle. ▷ Ce qui est le plus intime, le plus secret. *Le fond de sa pensée.* **6.** SPORT *Course de fond,* qui se dispute sur une grande distance. **II.** loc. adv. **1.** *À fond* : entièrement. *Étudier une question à fond.* ▷ Fam. *À fond de train, à fond la caisse* : à toute vitesse. **2.** *Au fond, dans le fond* : en réalité, à juger des choses en elles-mêmes. *Au fond il a raison.* **3.** *De fond en comble* : V. comble.

Fonda (Henry) (Grand Island, Nebraska, 1905 - Los Angeles, 1982), acteur américain; sa grande taille et son regard clair firent de lui l'incarnation du héros juste et intègre : *J'ai le droit de vivre* (1937); *la Poursuite infernale* (1946). - **Jane** (New York, 1937), fille du préc., actrice américaine; «femme-objet» au début de sa carrière (*les Félins,* 1964), elle triomphe dans des films engagés : *On achève bien les chevaux* (1969); *Old Gringo* (1990).

fondamental, ale, aux adj. et n. **1.** Qui sert de fondement, essentiel. *Loi fondamentale.* - *Insatisfaction fondamentale.* ▷ *Recherche fondamentale,* qui traite de notions théoriques, par oppos. à *recherche appliquée.* **2.** MATH, PHYS *Terme fondamental,* premier terme d'une série de Fourier*. - *Fréquence fondamentale d'une vibration,* correspondant au terme fondamental. **3.** MUS *Note fondamentale* ou, n. f., *une fondamentale* : note qui sert de base à un accord. **4.** n. m. pl. Éléments de base. *Les fondamentaux dans le domaine des sciences.* ▷ ECON Indices servant à évaluer l'état d'une économie, d'une entreprise (P.N.B., taux d'inflation, endettement, etc.).

fondamentalement adv. D'une manière fondamentale.

fondamentalisme n. m. RELIG Tendance conservatrice de certains milieux protestants attachés à une interprétation littérale des dogmes. ▷ *Par ext.* Tendance religieuse conservatrice.

fondamentaliste n. et adj. Didac. **1.** Spécialiste en recherche fondamentale. **2.** Qui adhère au fondamentalisme.

fondant, ante adj. et n. m. **I.** adj. **1.** Qui fond. *Neige fondante.* **2.** Qui fond dans la bouche. *Poire fondante.* ▷ n. m. Bonbon en pâte de sucre. **II.** n. m. TECH Produit que l'on ajoute à un autre pour le faire fondre plus facilement.

fondateur, trice n. (et adj.) **1.** Personne qui a fondé qqch d'important et de durable. *Richelieu, fondateur de l'Académie française.* ▷ adj. *Membre fondateur.* **2.** Personne qui a subventionné une œuvre philanthropique, religieuse. *Le fondateur d'un prix.* **3.** adj. Qui sert de fondement à qqch, en établit les bases. *Textes fondateurs d'une doctrine.*

fondation n. f. **1.** (Le plus souvent au plur.) Ensemble des travaux destinés à répartir sur le sol et le sous-sol les charges d'une construction; ouvrage ainsi réalisé. *Fondations sur pieux.* **2.** Fig. Action de créer (qqch). *Fondation d'une cité, d'une institution.* **3.** Don ou legs d'un capital pour un usage déterminé. - Établissement créé à la suite d'un tel don, d'un tel legs.

fondé, ée adj. et n. **1.** Qui repose sur des bases rationnelles. *Une crainte fondée.* **2.** *Être fondé à* : avoir des motifs légitimes pour. *Être fondé à croire...* **3.** n. *Fondé(e) de pouvoir,* personne qui a reçu de qqn (ou d'une société) le pouvoir d'agir en son nom. *Des fondés de pouvoir(s).*

fondement n. m. **I. 1.** Vx Syn. de *fondation* (sens 1). ▷ Mod. *Jeter les fondements d'un empire.* **2.** Motif, raison. *Rumeur sans fondement.* **3.** PHILO Principe général servant de base à un système, à une théorie. *Kant, dans «le Fondement de la métaphysique des mœurs», a voulu «rechercher et établir exactement le principe suprême de la moralité».* **II.** Fam. *Par euph.* Fesses; anus.

fonder v. tr. [1] **1.** Vx Établir les fondements de. *Fonder un bâtiment.* ▷ Mod. Créer (une chose durable) en posant ses bases. *Fonder une ville. Fonder une dynastie.* ▷ *Fonder une famille* : se marier et avoir des enfants. **2.** Donner les fonds nécessaires pour (une fondation d'intérêt public). *Fonder une bourse.* **3.** *Fonder (qqch) sur* : faire reposer (qqch) sur. ▷ Pp. *Une opinion fondée sur des faits.* - adj. *Une réputation fondée.* ▷ v. pron. *Se fonder sur le code civil.*

fonderie n. f. TECH Art de fabriquer des objets métalliques par moulage du métal en fusion. ▷ Usine dans laquelle on fabrique ces objets.

1. fondeur n. m. Ouvrier spécialisé dans la coulée du métal. ▷ Exploitant d'une fonderie.

2. fondeur, euse n. SPORT En ski, spécialiste de la course de fond.

fondouk n. m. Entrepôt et gîte d'étape pour les marchands, dans les pays arabes.

fondre v. [6] **I.** v. tr. **1.** Rendre liquide (une matière solide) par l'action de la chaleur. *Fondre du métal.* **2.** Fabriquer (un objet) avec du métal fondu et moulé. *Fondre un canon.* **3.** Fig. Combiner (des éléments) en un tout. *Fondre deux ouvrages en un seul. Fondre des couleurs.* **II.** v. intr. **1.** Entrer en fusion, devenir liquide, sous l'effet de la chaleur (corps solide). *La neige fond.* **2.** Se dissoudre. *Le sucre fond dans l'eau.* ▷ Fig. *Fondre en larmes* : se mettre à pleurer très fort. **3.** Disparaître rapidement (biens). *Sa fortune a fondu en quelques années.* - Par ext. *Sa colère a fondu bien vite.* **4.** Fam. (Personnes) Maigrir. *Son régime l'a fait fondre.* **5.** *Fondre sur une proie,* se précipiter sur elle. ▷ Fig. *Le malheur a fondu sur nous.*

fondrière n. f. Nid-de-poule plein d'eau sur un chemin.

fonds [fɔ̃] n. m. **I. 1.** Terre considérée comme un bien immeuble. *Cultiver son fonds.* **2.** *Fonds de commerce* : ensemble du matériel, des marchandises et des éléments incorporels (clientèle, notoriété, etc.) qui font la valeur d'un établissement commercial; fig. thèmes les plus couramment développés par un parti politique, à cause de leur retentissement dans l'opinion publique. **3.** Capital placé (par oppos. aux *revenus*). - Capital nécessaire au financement d'une entreprise. *Bailleur de fonds.* - *Fonds de roulement* : ensemble des capitaux et des valeurs dont dispose une entreprise pour son exploitation courante. - *Fonds propres* ou *capitaux propres* : V. capital. ▷ *Fonds publics* : capital des sommes empruntées par un État. ▷ *Fonds de pension* : dépôts effectués par des particuliers en vue de leur retraite; organisme qui gère ces dépôts. ▷ DR *Fonds dominant*. Fonds servant**. **4.** FIN Prélèvement opéré sur certaines recettes fiscales en vue d'une action précise des pouvoirs publics. *Fonds routier. Fonds national de solidarité. Fonds de prévoyance.* **5.** Fig. Richesse particulière (à qqch). *Le fonds d'une bibliothèque.* - Ensemble de richesses de même provenance. *Le fonds «Untel» est dans ce musée.* **6.** Vieilli Ensemble des qualités physiques ou morales de qqn, considéré comme un capital. *Un fonds d'érudition.* **II.** (Plur.) Somme d'argent. *Fonds secrets.* – Fam. *Être en fonds :* avoir de l'argent.

Fonds monétaire international (F.M.I.), organisme international, dépendant de l'O.N.U., créé en 1944 (accords de Bretton Woods, dans le New Hampshire) pour assurer le fonctionnement du système monétaire (stabilité des changes) et la coopération commerciale entre États.

fondu, ue adj. et n. **I.** adj. Devenu liquide. *Plomb fondu.* **II. 1.** adj. PEINT *Couleurs fondues,* qui sont mêlées les unes aux autres par des nuances graduées. ▷ n. m. *Le fondu d'un tableau.* **2.** n. m. CINE Apparition ou disparition progressive d'une image. ▷ *Fondu enchaîné :* passage progressif d'une image à une autre. **III.** n. f. Mets préparé avec du gruyère fondu dans du vin blanc. ▷ (Canada) *Fondue parmesan :* plat constitué de petits carrés à base de sauce béchamel et de parmesan qu'on a recouverts de chapelure et frits dans l'huile. ▷ *Fondue bourguignonne :* plat constitué de petits morceaux de viande de bœuf que l'on plonge dans l'huile bouillante et que l'on accompagne de diverses sauces.

fongibilité n. f. DR Caractère de ce qui est fongible. *La fongibilité de l'argent.*

fongible adj. DR Se dit des choses qui se consomment par l'usage et peuvent être remplacées par d'autres identiques.

fongicide n. m. et adj. Didac. Pesticide propre à détruire les champignons et les moisissures. – adj. *Produit fongicide.*

fongiforme adj. BIOL Qui a la forme d'un champignon.

fongique adj. Didac. Relatif aux champignons; qui est provoqué par un champignon. *Parasite fongique. Dégradation fongique.*

fongus [fɔ̃gys] n. m. MED Tumeur qui a l'aspect d'une éponge ou d'un champignon.

Fons, groupe ethnique du sud du Bénin.

Fonseca (Manuel Deodoro da) (Alagoas, auj. Marechal Deodoro, 1827 – Rio de Janeiro, 1892), général et homme politique brésilien. Après avoir contribué à chasser l'empereur Pedro II (1889), il fit proclamer la république, dont il fut le premier président (1890-1891).

fontaine n. f. **1.** Eau vive sortant de terre. *Fontaine jaillissante, intermittente.* **2.** Construction comportant une alimentation en eau et, généralement, un bassin. *Fontaine publique.* **3.** Récipient pour garder l'eau. *Une fontaine de grès.*

Fontaine, ch.-l. de cant. de l'Isère (arr. de Grenoble); 23 089 hab. Ville industr. en forte expansion : industr. métallurgiques, mécaniques et électriques.

Fontaine (Pierre François Léonard) (Pontoise, 1762 – Paris, 1853), architecte français. Il fut, avec Percier, le plus important architecte du Premier Empire : percement de la rue de Rivoli, plans de l'arc de triomphe du Carrousel, etc.

Fontaine (Hippolyte) (Dijon, 1833 – Paris, 1917), ingénieur français. Il réalisa en 1873 la première ligne de transport d'énergie électrique.

Fontaine (Just) (Marrakech, 1933), footballeur français. Avant-centre du Stade de Reims (1956-1960), il devint, en 1958, le meilleur buteur de la coupe du monde.

fontainebleau n. m. Fromage blanc additionné de crème fouettée.

Fontainebleau, ch.-l. d'arr. de Seine-et-Marne; 18 037 hab. (*Bellifontains*). La ville, née du château et située au centre d'une magnifique forêt (16 855 ha), est surtout une station résidentielle et touristique. – Château célèbre, un des plus beaux monuments français de la Renaissance, bien qu'il se compose d'un grand nombre de bâtiments distincts édifiés sans plan d'ensemble sous François Ier (véritable promoteur du palais, mis en chantier par Gilles Le Breton en 1527), Henri II, François II, Charles IX et Henri IV. Sa très riche décoration intérieure est due aux artistes maniéristes dits de l'*école de Fontainebleau* (le Rosso, le Primatice, Luca Penni, Antoine Caron, Pierre Bontemps, Nicolo Dell'Abbate) ainsi qu'à leurs successeurs franco-flamands de la période Henri IV (Hieronymus Francken, Ambroise Dubois, Fréminet, Bunel). – Le *traité de Fontainebleau,* signé après la première abdication de Napoléon Ier (11 avril 1814), attribuait l'île d'Elbe à l'Empereur et les duchés de Parme et Plaisance à l'impératrice Marie-Louise. – Musée Napoléon Ier.

Fontainebleau : escalier en fer à cheval, 1634, conçu par Jean Ier Androuet du Cerceau

Fontaine-de-Vaucluse, com. du Vaucluse (arr. d'Avignon); 580 hab. – Église romane; musée Pétrarque, sur le lieu où le poète aurait vécu. – À proximité, la *fontaine de Vaucluse* est une résurgence de la Sorgue.

fontainier n. m. **1.** Anc. Celui qui fabriquait et vendait des fontaines domestiques. **2.** Mod. Technicien spécialisé dans la pose et l'entretien des canalisations de distribution d'eau.

Fontana (Domenico) (Melide, Lugano, 1543 – Naples, 1607), architecte et urbaniste italien; précurseur du style baroque : à Rome, façade du palais du Latran (1587), Bibliothèque vaticane; à Naples, palais royal (1600-1602). – **Carlo** (Brusata, 1634 – Rome, 1714), cousin du préc.; architecte baroque, élève de P. de Cortone et collaborateur du Bernin : à Rome, façade de San Marcello del Corso, chapelle Cybo de Santa Maria del Popolo, portique de Santa Cecilia in Trastevere.

Fontana (Lucio) (Rosario, prov. de Santa Fe, Argentine, 1899 – Comabbio, Italie, 1968), peintre et sculpteur italien. Il fonda le «spatialisme» en pratiquant de larges incisions dans la toile, souvent monochrome.

Fontane (Theodor) (Neuruppin, Brandebourg, 1819 – Berlin, 1898), écrivain allemand. Il est surtout connu pour ses romans d'inspiration réaliste : *Dédales* (1887), *Effi Briest* (1895), etc.

fontanelle n. f. Espace membraneux compris entre les os du crâne du nouveau-né et du nourrisson, qui s'ossifie progressivement.

Fontanges (Marie-Angélique de Scoraille de Roussille, duchesse de) (chât. de Cropières [?], Cantal, 1661 – Port-Royal, 1681), maîtresse de Louis XIV après la disgrâce de Mme de Montespan.

Fontarabie (en esp. *Fuenterrabía;* en basque *Ondarribia,* «fleuve plein de sable»), petit port d'Espagne, à l'embouchure de la Bidassoa; 11 380 hab. Ville forte médiév. Station balnéaire.

Font-de-Gaume (grotte de), site archéol. de la com. des Eyzies-de-Tayac-Sireuil (Dordogne). Grotte ornée de nombr. peintures et gravures pariétales magdaléniennes.

fonte n. f. **I. 1.** Fait de fondre. *Fonte des neiges.* **2.** TECH Opération consistant à fondre une matière (verre, métal, etc.). **3.** Fabrication d'un objet avec du métal en fusion. *Fonte d'une statue.* **II.** Alliage de fer et de carbone, dont la teneur en carbone est comprise entre 2,5 et 6 %. *L'affinage de la fonte conduit à l'acier.* ▷ Par ext. *Fonte d'aluminium.* **III.** TYPO Ensemble des caractères d'un même type.

Fontenay, écart de la com. de Marmagne (Côte-d'Or, arr. de Montbard), où se trouve une abbaye cistercienne surnommée la «Seconde Fille» de Clairvaux, fondée par saint Bernard en 1119 (restaurée en 1906).

Fontenay-aux-Roses, ch.-l. de cant. des Hauts-de-Seine (arr. d'Antony); 23 534 hab. Horticulture; industries diverses. – Centre d'études nucléaires. École normale supérieure.

Fontenay-le-Comte, ch.-l. d'arr. de la Vendée, sur la Vendée; 16 053 hab. Industr. métall. et méca. – Anc. place forte des ducs d'Aquitaine, métropole artistique du Poitou aux XVe et XVIe s. – Égl. N.-D. (XVe-XVIe s.); égl. St-Jean (XVIe-XVIIe s.).

Fontenay-le-Fleury, com. des Yvelines (arr. de Versailles); 12 874 hab. Ville résidentielle en rapide expansion.

Fontenay-sous-Bois, ch.-l. de cant. du Val-de-Marne (arr. de Nogent-sur-Marne), en bordure du bois de Vincennes; 52 105 hab. Ville résidentielle de la banlieue parisienne. Industr. méca., chim., électron. Emballage.

Fontenelle (Bernard Le Bovier de) (Rouen, 1657 – Paris, 1757), écrivain

abbaye de **Fontenay :** église et scriptorium (salle de travail)

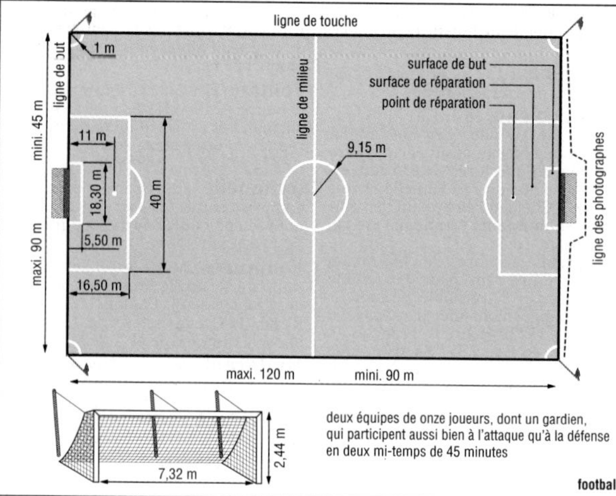

football

français; neveu de P. Corneille. Il fut un vulgarisateur scientifique de grand talent (*Entretiens sur la pluralité des mondes*, 1686). Sa foi dans le progrès fait de lui un précurseur des philosophes des Lumières. Acad. fr. (1691). Acad. des sc. (1697).

Fontenoy, com. de Belgique (Hainaut), sur l'Escaut. – Victoire des Français, commandés par le maréchal de Saxe, sur les Anglais, les Autrichiens, les Hanovriens et les Hollandais coalisés, à laquelle assista Louis XV (1745).

Fontevrault-l'Abbaye, com. de Maine-et-Loire (arr. de Saumur); 1 850 hab. – Restes de l'abb. de bénédictines, l'une des plus import. de France par ses dimensions, fondée v. la fin du XIe s. par Robert d'Arbrissel et transformée en prison de 1804 à 1963 : égl. abbat. (XIIe s.) renfermant les tombeaux des Plantagenêts, cloître (XVIe s.), etc.

Fontfroide (abbaye de Sainte-Marie de), abbaye située dans l'Aude, à 14 km env. au S.-O. de Narbonne. Fondée en 1093, sécularisée en 1791, de nouveau occupée par les cisterciens, qui l'abandonnèrent, presque en ruine, en 1903. Devenue propriété privée, elle a été restaurée; O. Redon l'a décorée (peint. murales sur toile, 1910-1911).

Font-Romeu-Odeillo-Via, com. des Pyrénées-Orientales (arr. de Prades), sur l'Eyne et la Sègre; 2 327 hab. Stat. clim., estivale et de sports d'hiver (1 800-2 210 m). Lycée sportif et centre d'entraînement sportif en altitude. Four solaire à Odeillo.

fonts [fɔ̃] n. m. pl. *Fonts baptismaux*, ou *fonts* : cuve qui contient l'eau du baptême. – Loc. fig. *Porter (qqch) sur les fonts baptismaux* : parrainer, participer à la fondation de.

Fontvieille, com. des Bouches-du-Rhône (arr. d'Arles); 3 659 hab. – Moulin qui a inspiré Alphonse Daudet (auj. musée).

Fonvizine (Denis Ivanovitch) (Moscou, 1745 – Saint-Pétersbourg, 1792), dramaturge russe. *Le Brigadier* (1766), *le Mineur* (1782) sont les premières grandes œuvres comiques du théâtre russe.

football [futbol] n. m. Jeu opposant deux équipes de onze joueurs, en principe, et consistant à envoyer le ballon dans les buts adverses sans se servir des mains. *Dans le football en salle, l'équipe peut se composer de sept joueurs.* (Abrév. fam. : foot). ▷ *Football américain* (au Canada) *football*) : sport dérivant du rugby qui oppose deux équipes de onze joueurs (douze au Canada).

footballeur, euse [futbolœʀ, øz] n. Joueur, joueuse de football.

footing [futiŋ] n. m. (Anglicisme) Promenade sportive à pied. ▷ SPORT Exercice de course plus ou moins lente servant d'entraînement.

Foottit (Tudor Hall, dit George) (Manchester, 1864 – Paris, 1921), clown anglais installé en France. Il forma avec Chocolat un duo célèbre.

for-. Préfixe d'origine germ., du lat. *foris*, « dehors ».

for n. m. Vx ou litt. *Le for intérieur* : le jugement de la conscience morale; la conscience elle-même. ▷ Mod. *Dans* (ou *en*) *mon* (*ton*, *son*, etc.) *for intérieur* : au plus profond de moi (toi, soi)-même. *Il le pensa dans son for intérieur, mais n'en souffla mot.*

forage n. m. Action de forer, de creuser. *Plate-forme de forage.*
▶ pl. **pétrole**

forain, aine adj. et n. **1.** *Marchand forain*, qui parcourt les foires, les marchés. ▷ Subst. *Les forains.* **2.** Relatif aux foires, aux forains. *Fête foraine.*

Forain (Jean-Louis) (Reims, 1852 – Paris, 1931), peintre, dessinateur et graveur français; chroniqueur satirique de la vie parisienne.

foraminifères n. m. pl. ZOOL Ordre de protistes rhizopodes, actuels et fossiles, des eaux marines et saumâtres, dont le test calcaire comprend plusieurs loges plus ou moins perforées. – Sing. *Un foraminifère.* V. globigérine, nummulite.

Forbach, ch.-l. d'arr. de la Moselle, 27 357 hab., sur le bassin houiller de Lorraine. Constr. méca. – Défaite du général Frossard le 6 août 1870.

forban n. m. **1.** MAR Aventurier qui, naviguant sans lettre de marque, était assimilé à un pirate. **2.** *Par ext.* Individu sans scrupules, bandit.

Forbin (Claude, chevalier, puis comte de) (Gardanne, 1656 – Marseille, 1733), amiral français. Il combattit en Méditerranée, dans les Antilles, etc. Il fut fait prisonnier par les Anglais avec Jean Bart en 1689.

Forbin (Louis Nicolas Philippe Auguste, comte de) (La Roque-d'Anthéron, 1777 – Paris, 1841), peintre, archéologue et administrateur français. Il réorganisa le Louvre et créa le musée du Luxembourg (1808).

forçage n. m. **1.** VEN Action de forcer une bête. **2.** HORTIC Ensemble des opérations visant à accélérer le développement d'une plante. **3.** Fig. Fait de soumettre (qqn) à une contrainte.

Forcalquier, ch.-l. d'arr. des Alpes-de-Haute-Provence; 4 039 hab. Industr. alimentaires. – Anc. cath. romane et goth. Ruines d'un château fort.

forçat [fɔʀsa] n. m. **1.** Condamné aux galères ou aux travaux forcés. – Fig. *Un travail de forçat*, très pénible. **2.** Fig. Homme qui a une vie particulièrement pénible.

force n. f. et adv. **I. 1.** PHYS Cause capable de modifier le mouvement d'un corps ou de provoquer sa déformation. *Force d'attraction. Force d'inertie**. *Force centrifuge, centripète.* (V. encycl.) **2.** Fig. Toute cause provoquant un mouvement, un effet. *Forces occultes.* **II.** Puissance d'action. **1.** Puissance physique. *Un homme d'une force herculéenne.* ▷ *Être dans la force de l'âge*, à

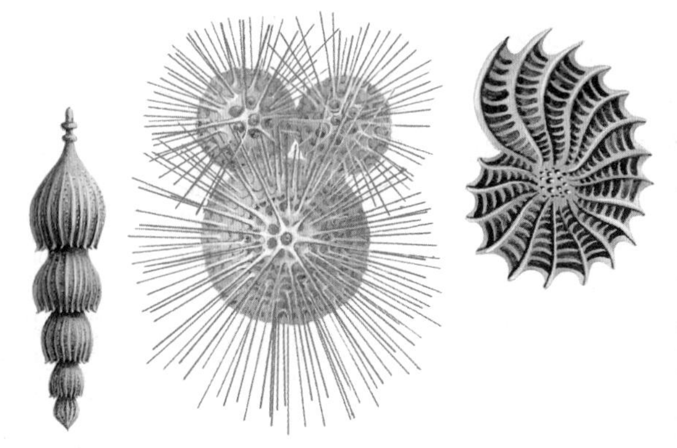
foraminifères : à g. *nodosaria spinocosta*; au centre, *globigerino*; à dr. *polystomella aculeate*

l'âge où un adulte est en pleine possession de ses moyens physiques et intellectuels. ▷ *Travailleur de force*, qui doit fournir de gros efforts physiques. – *Tour de force* : V. tour 1, sens II, 1. **2.** Puissance des facultés intellectuelles ou morales. *Une grande force de travail. Force d'âme. Force de caractère.* ▷ *Par ext.* Habileté, talent. *Ces deux joueurs sont de force égale. Être de force, n'être pas de force à* : être, n'être pas capable de. **3.** Pouvoir, intensité d'action d'une chose. *Force d'un poison. Vent de force 5.* – (Abstrait) *La force d'un sentiment. Style qui manque de force.* – Fig. Pouvoir sur l'esprit. *La force d'un argument.* ▷ CHIM *Force d'un acide, d'une base, d'un sel*, leur aptitude à se dissocier en solution. **4.** Autorité. *La force de la chose jugée. Usage qui fait force de loi*, qui a le même pouvoir de contraindre qu'une loi. **5.** Solidité, résistance. *Force d'une digue.* ▷ TECH *Jambes de force* : poutres, perches, etc., inclinées servant à soutenir un appareil, une construction. **III.** Puissance d'un groupe, d'un État, etc.; ce qui contribue à cette puissance. *La force publique.* ▷ *Force de frappe* ou *de dissuasion* : ensemble des moyens (arme nucléaire, notam.) permettant de porter une attaque rapide et puissante contre un adversaire éventuel. ▷ (Plur.) Ensemble des troupes d'un État. *Forces aériennes, navales, terrestres.* ▷ *La force armée* : la troupe, en tant qu'on la requiert pour faire exécuter la loi. – *En force* : en nombre. **IV.** Contrainte et pouvoir de contraindre. *Cas de force majeure* : contrainte à laquelle on ne peut résister, due à un événement indépendant de la volonté. ▷ *Force m'est de* : je suis obligé de. ▷ Loc. *À toute force* : à tout prix. *Vouloir à toute force faire qqch.* ▷ *De gré ou de force* : volontairement ou par contrainte. **V.** adv. **1.** Vx Beaucoup. *Manger force moutons.* **2.** Loc. prép. *À force de* : grâce à, à cause de beaucoup de. *Il réussit à force de travail.*

ENCYCL **Phys.** – En mécanique newtonienne, comme en mécanique relativiste (V. mécanique), on considère les forces comme des grandeurs vectorielles. Lorsque plusieurs forces ayant un même *point d'application* (sur un corps) se composent, la force qui en résulte, nommée *résultante*, est donnée par le calcul vectoriel. Lorsque le point d'application d'une force se déplace, il en résulte un *travail*. Dans le système international (SI), une force s'exprime en *newtons* (symbole N).

Force (prison de la), anc. prison de Paris, située dans le Marais; théâtre des massacres de Septembre (1792). Détruite en 1845.

forcé, ée adj. **1.** Qui est réalisé sous la contrainte; qui est fait contre la volonté (de qqn). *«Le Mariage forcé»*, comédie de Molière. ▷ MILIT *Marche forcée* : V. marche. **2.** Fam. Obligatoire, inévitable. *C'est forcé qu'il le voie.* **3.** Détérioré sous l'action d'une force trop importante. *Serrure forcée.* **4.** Qui manque de naturel, affecté. *Sourire forcé. Style forcé.* **5.** *Culture forcée*, dans laquelle on utilise le forçage (sens 2).

forcement n. m. Action de forcer. *Forcement d'une serrure.*

forcément adv. Nécessairement, inévitablement.

forcené, ée adj. et n. **1.** Emporté par la rage, hors de soi. ▷ Subst. *Se débattre comme un forcené.* **2.** Qui marque une ardeur furieuse, obstinée. *Une lutte forcenée.* Syn. acharné, enragé.

Force ouvrière. V. Confédération générale du travail-Force ouvrière.

forceps [fɔʀsɛps] n. m. Instrument formé de deux branches séparables (cuillers) servant à saisir la tête de l'enfant, en cas d'accouchement difficile. ▷ Fig. *Au forceps* : difficilement, péniblement, à l'arraché.

forcer v. [12] **I.** v. tr. **1.** Prendre, faire céder par force. *Forcer des obstacles. Forcer une porte.* – Fig. *Forcer la porte de qqn*, entrer chez lui malgré lui. **2.** Contraindre, obliger. *Forcer un enfant à manger.* – Par anal. *Forcer la main à qqn*, l'obliger à agir contre son gré. *Forcer le respect, l'admiration* : obliger au respect, à l'admiration. **3.** Pousser au-delà de ses limites, de ses forces naturelles. *Forcer un cheval*, le faire galoper trop vite. *Forcer une plante*, en hâter la végétation. ▷ VEN *Forcer une bête*, la poursuivre jusqu'à l'épuisement. **4.** Outrepasser (ce qui est normal, permis). *Forcer la dose* : l'augmenter exagérément; fig., fam. exagérer. **5.** Dénaturer, altérer. *Forcer le sens d'un mot.* **II.** v. intr. **1.** (Choses) Supporter, fournir un effort excessif. *Charnière qui force.* **2.** SPORT Fournir un gros effort physique. *Ne force pas pendant l'échauffement.* ▷ Cour., fam. Fournir un effort, se fatiguer. *Ça va, vous ne forcez pas trop?* **3.** Fam. *Forcer sur* : abuser de. *Il a tendance à forcer sur l'alcool.* **III.** v. pron. Faire effort sur soi-même, se contraindre. *Je me suis forcé à l'avaler.*

forcing [fɔʀsiŋ] n. m. (Anglicisme) Augmentation de l'intensité de l'effort au cours d'une épreuve sportive. – *Faire le forcing* : accentuer ses efforts pour l'emporter rapidement sur son (ses) adversaire(s) ou, fig., fam. pour en avoir vite terminé avec une tâche.

forcir v. intr. [3] **1.** (Choses) Augmenter de force, d'intensité. *Vent qui forcit.* **2.** (Personnes) Devenir plus fort, grossir.

Forclaz (col de la), col des Alpes valaisannes (1 523 m d'alt.), entre Martigny (Suisse) et Chamonix (France).

forclore v. tr. [79] (Seulement à l'inf. et au pp.) DR Débouter, exclure d'un acte, d'un droit en raison de l'expiration du délai imparti.

forclusion n. f. **1.** DR Péremption d'un droit non exercé dans le délai imparti. **2.** PSYCHAN Mécanisme de défense propre à la psychose, consistant en un rejet d'une représentation insupportable qui n'est pas intégrée à l'inconscient et fait retour au réel en particulier sous forme d'hallucination.

Ford (John) (Ilsington, Devonshire, 1586 – Devon, v. 1639), dramaturge anglais; l'un des maîtres du théâtre élisabéthain : *Dommage qu'elle soit une putain* (1626), *le Cœur brisé* (1629), *Sacrifice d'amour* (1630).

Ford (Henry) (Wayne County, Michigan, 1863 – Dearborn, 1947), industriel américain. Fondateur de la Ford Motor Company (1903), il organisa le premier la production en série des voitures automobiles. Son influence sur l'expansion de l'industrie automobile fut considérable.

John **Ford** : *les Raisins de la colère*, 1940

Henry **Ford** dans sa première automobile, le *Quadricycle*, 1896

Ford (Sean O'Fearna, dit John) (Cape Elizabeth, Maine, 1895 – Los Angeles, 1973), cinéaste américain. Il donna la primauté au développement de l'action (tragique ou héroïque) sur la psychologie des pers. : *la Patrouille perdue* (1934), *le Mouchard* (1935), *la Chevauchée fantastique* (1939), *les Raisins de la colère* (1940), *Rio Grande* (1950), *l'Homme tranquille* (1952), *L'homme qui tua Liberty Valance* (1962).

Ford (Aleksander) (Łódź, 1908 – Los Angeles, 1980), cinéaste polonais. Ses films réalistes et engagés firent du cinéma polonais un art : *la Légion de la rue* (1932), *les Chevaliers teutoniques* (1960), *le Premier Cercle* (1972).

Ford (Gerald) (Omaha, 1913), homme politique américain. Vice-président (républicain) de Richard Nixon (1973), il accéda à la présidence des É.-U. après la démission de celui-ci (août 1974) et fut battu aux élections de 1976.

Foreign Office, ministère des Affaires étrangères de Grande-Bretagne.

forer v. tr. [1] **1.** Percer à l'aide d'un outil animé d'un mouvement de rotation. *Forer un canon.* ▷ *Clé forée*, dont la tige est percée. **2.** Creuser. *Forer un puits de pétrole.*

Forest (Fernand) (Clermont-Ferrand, 1851 – Monaco, 1914), mécanicien français. Il inventa le moteur à explosion à quatre temps avec allumage électrique (breveté en 1881).

Forest (Jean-Claude) (Paris, 1930 – Le Perreux-sur-Marne, 1998), dessinateur et scénariste de bandes dessinées français. Il est l'auteur, notamment, de *Barbarella* (1962) et du texte des *Naufragés du temps* (1964).

foresterie n. f. Didac. Ensemble des activités concernant les forêts.

Forest Hills, quartier de New York dont le stade abritait les championnats internationaux de tennis des É.-U. qui, depuis 1978, se disputent dans le parc de Flushing* Meadow.

forestier, ère adj. et n. **1.** adj. Relatif aux forêts. *Code forestier. Chemin* *forestier.* **2.** n. Personne qui a une fonction dans l'administration forestière; garde forestier. ▷ adj. (Canada) *Ingénieur forestier :* ingénieur spécialiste de la forêt et de son exploitation.

foret n. m. Outil servant à forer.

forêt n. f. **1.** Grande étendue plantée d'arbres; l'ensemble des arbres qui croissent sur cette étendue. *Forêt de sapins, de hêtres. Forêt-galerie :* forêt des pays chauds et arides constituée d'arbres très rapprochés qui forment une sorte de galerie le long des cours d'eau. *Forêt dense :* forêt équatoriale superposant plusieurs étages de végétation. *Forêt vierge,* qui n'a pas été modifiée par l'homme. *Forêt sempervirente,* aux arbres toujours verts. **2.** Fig. Grande quantité de longs objets disposés verticalement. *Une forêt de lances.*

Forêt-Noire (en all. *Schwarzwald*), massif hercynien du S. de l'Allemagne (Bade) qui formait avec les Vosges un ensemble dont la partie centrale s'effondra au tertiaire (fossé rhénan). Cristallin au S., il devient gréseux au N. (Odenwald). Couvert de sapins, il culmine au Feldberg (1 493 m). Son climat, assez rude, n'a pas découragé une pop. nombr., qui vit du tourisme et de l'industr., implantée dans les vallées méridionales (travail du bois, textiles, horlogerie, électronique).

foreur n. m. Ouvrier qui fore.

foreuse n. f. MINES, TECH Machine qui sert à forer.

Forey (Élie Frédéric) (Paris, 1804 – id., 1872), maréchal de France. Il participa au coup d'État du 2 déc. 1851 et se distingua durant les campagnes de Crimée, d'Italie et du Mexique.

Forez (le), région du Massif central formée, à l'O., des *monts du Forez* (1 640 m à Pierre-sur-Haute) et, à l'E., du *bassin du Forez;* ce dernier, emprunté par la Loire, est situé entre les monts du Forez et les monts du Lyonnais. Gisements d'uranium.

forfaire v. tr. indir. [10] Vx ou litt. Faillir gravement à son devoir. *Forfaire à l'honneur.*

1. forfait n. m. Litt. Crime abominable. *Commettre un forfait.*

2. forfait n. m. **1.** Convention par laquelle on s'engage à fournir une marchandise, un service, pour un prix invariable fixé à l'avance. *Traiter, vendre à forfait.* **2.** Régime fiscal particulier qui permet d'être imposé sur un revenu évalué par accord entre le contribuable et le fisc.

3. forfait n. m. TURF Somme que le propriétaire d'un cheval engagé dans une course doit payer s'il ne le fait pas courir. ▷ SPORT *Déclarer forfait :* se retirer avant l'épreuve. – Fig. Renoncer à poursuivre une entreprise.

forfaitaire adj. Qui se conclut à forfait. *Prix forfaitaire.*

forfaitairement adv. À forfait.

forfaitiste n. Personne employée par un organisateur de voyages ou de séjours pour concevoir des forfaits.

forfaiture n. f. **1.** DR FEOD Injure grave commise par un vassal envers son suzerain. **2.** DR Crime commis par un fonctionnaire public dans l'exercice de ses fonctions.

forfanterie n. f. Vantardise, hâblerie.

forficule n. f. ENTOM Perce-oreille.

forge n. f. **1.** Atelier ou établissement industriel où l'on produit, où l'on travaille le métal, spécial. le fer. **2.** Fourneau où l'on chauffe le métal à travailler. *Soufflet de forge.*

forgeage n. m. Action de forger.

forger v. tr. [13] **1.** Mettre en forme une pièce métallique, généralement à chaud, par martelage (au marteau, à la presse, au marteau-pilon). – Pp. adj. *Fer forgé.* ▷ Prov. *C'est en forgeant qu'on devient forgeron :* on n'apprend bien qu'en s'exerçant. **2.** Fig. Inventer, fabriquer. *Forger un mot.* ▷ *Forger un caractère,* le fortifier par des épreuves.

forgeron n. m. Ouvrier qui chauffe le fer à la forge et le travaille au marteau.

Forges-les-Eaux, ch.-l. de cant. de la Seine-Maritime (arr. de Dieppe), entre l'Andelle et l'Epte; 3 644 hab. Stat. thermale (eaux ferrugineuses). Casino, hippodrome, atelier de reliure.

forgeur n. m. Celui qui forge. *Forgeur d'épées.*

forint [fɔʀint] n. m. Unité monétaire de Hongrie.

Forli, v. d'Italie (Émilie-Romagne), ch.-l. de la prov. du m. nom, sur le Montone; 110 880 hab. Industr. chimiques, textiles, alimentaires.

formage n. m. TECH Mise en forme d'un objet (par martelage, emboutissage, forgeage, estampage, etc.).

formalisable adj. Didac. Qui peut être formalisé.

formalisation n. f. Didac. Opération qui consiste à formaliser, à mettre sous forme de signes logiques ou mathématiques rigoureusement définis (une axiomatique, un énoncé, etc.).

formaliser 1. v. tr. [1] Didac. Donner un caractère formel à (un énoncé, un système, une théorie). *Formaliser un langage.* **2.** v. pron. S'offusquer d'un manque de respect des formes, des convenances.

formalisme n. m. **1.** Attachement excessif aux formes, aux formalités. **2.** PHILO Système métaphysique selon lequel l'expérience est soumise à des conditions universelles a priori. *Formalisme kantien.* **3.** MATH, LOG Développement de systèmes formels. **4.** BX-A, LITTER Recherche de la beauté formelle. – Théorie qui privilégie la forme.

formaliste adj. (et n.) **1.** Qui s'attache scrupuleusement aux formes. *Justice formaliste.* ▷ *Par ext.* Péjor. Cérémonieux, protocolaire. **2.** Didac. Relatif au formalisme, qui est partisan du formalisme (en philosophie, en art, en littérature). – Adepte du formalisme en sciences humaines. ▷ Subst. *Les formalistes russes.*

formalité n. f. **1.** (Souvent plur.) Formule prescrite ou consacrée; procédure obligatoire. *Remplir les formalités requises.* **2.** Règle de l'étiquette; acte de civilité. *Les formalités d'usage.* **3.** Acte auquel on attache peu d'importance ou qui ne présente aucune difficulté. *Pour un garçon comme lui, le bac n'est qu'une formalité.*

Forman (Miloš), (Čáslav, près de Pardubice, Bohême-Orientale, 1932), cinéaste tchécoslovaque. *L'As de pique* (1963) et *les Amours d'une blonde* (1965), comédies illustrant la jeunesse de son pays, le révélèrent. Après 1968, il s'exila aux États-Unis : *Vol au-dessus d'un nid de coucou* (1975), *Hair* (1979), *Amadeus* (1984).

formant n. m. PHON Fréquence caractérisant un son du langage.

format n. m. **1.** Ensemble des dimensions d'un ouvrage imprimé. *Format in-octavo.* **2.** Dimension de cette feuille. *Format carré, raisin.* **3.** *Par ext.* Dimension, taille. *Grand, petit format.* **4.** Largeur d'un film, exprimée en millimètres. **5.** Organisation générale (forme et contenu) d'une émission de radio ou de télévision, visant tel ou tel public. **6.** INFORM Modèle qui définit la présentation des informations au sein d'un ordinateur; disposition de ces informations.

formatage n. m. INFORM Opération par laquelle on formate.

formater v. tr. [1] INFORM Soumettre des informations à un format*.

formateur, trice adj. et n. **1.** Rare Qui donne une forme. **2.** Qui forme. *Des expériences formatrices.* ▷ Subst. Personne chargée d'assurer une formation (sens 2). *C'est un excellent formateur.*

formatif, ive adj. Didac. Qui sert à former. *Élément formatif,* qui forme un mot.

formation n. f. **1.** Action de former, de se former; résultat de cette action. *Formation d'un abcès.* **2.** Action d'instruire, d'éduquer; son résultat. *Formation professionnelle.* – *Formation permanente* ou *continue :* formation complémentaire dispensée aux salariés en activité. **3.** BOT *Formation végétale :* groupement de végétaux dont la physionomie caractéristique est due à des conditions spécifiques (sol, climat, etc.). **4.** GEOL Nature, origine d'une couche de terrain. *Formation quaternaire.* – Cette couche. *Formation fluviale.* **5.** MILI Ensemble des éléments constituant une troupe, une escadre. – Mouvement exécuté par un corps de troupe qui se dispose d'une manière particulière. *Formation en carré.* **6.** Groupe, parti. *Les formations politiques de la majorité, de l'opposition.* **7.** Puberté.

-forme. Élément, du lat. *formis,* de *forma,* « forme ».

forme n. f. **I.** État sous lequel nous percevons une chose. **1.** Figure extérieure, configuration des choses. *La Terre a presque une forme sphérique.* ▷ GEOM Configuration extérieure d'une surface. **2.** Contour d'un objet ou du corps d'une personne. *La forme d'une table.* ▷ *Absol.* (Plur.) *Les formes :* le contour du corps humain (surtout en parlant des femmes). *Cette robe dessine les formes.* **3** Chacun des différents aspects qu'une chose abstraite peut présenter. *Aimer la musique sous toutes ses formes.* – *E forme de :* avec les apparences, l'aspect de. – *Prendre forme :* commencer avoir une apparence reconnaissable. **4** GRAM Variante d'une entité grammatical ou de la construction d'un énoncé *Forme interrogative. Forme du masculi singulier.* **5.** Constitution d'une chose manière dont elle est organisée. *Poème à forme fixe.* **6.** Manière d'exprimer, d présenter qqch. *La forme et le fond. Vic de forme.* ▷ DR *Formes judiciaires,* pa oppos. au *fond* d'un procès. ▷ Loc. *E forme, en bonne forme, en bonne et du forme :* toutes les règles de présen tation étant observées. *Mettre un texte e forme.* – *Pour la forme :* pour se confo mer aux usages. **7.** (Plur.) Manières d s'exprimer, d'agir. *Avoir des formes u peu rudes.* ▷ *Absol.* Manières polie conformes aux usages. *Faire un demande en y mettant les formes.* **8** Loc. *Être en forme, en pleine form* en bonne condition physique, intelle tuelle ou morale. **II. 1.** TECH Gabari moule qui sert à former certains objets. *Forme de chapelier, de cordonnier.* **2.** CONSTR Couche préparatoire destinée à recevoir un revêtement, une chape. **3.** TYPO Châssis où l'on fixe une composition typographique en plomb. **4.** MAR Bassin de construction ou de réparation. *Forme de radoub.* **5.** VETER Tumeur osseuse qui se développe sur la phalange du cheval. **III. 1.** PHILO Idée, essence, modèle et principe d'action, dans la tradition issue de l'Antiquité. ▷ Figure, portion d'espace limitée par les contours de l'objet, chez Descartes, qui identifie la matière à l'étendue (*res extensa :* « chose étendue ») ▷ *Formes a priori :* pour Kant, cadres de notre sensibilité qui rendent possible l'intuition sensible (la sensation donnant la matière qui « remplira » ces formes). *Le temps et l'espace sont des formes a priori.* **2.** PSYCHO *Théorie* ou *psychologie de la forme* (en all. *Gestalttheorie*), ou *gestaltisme,* qui définit la forme comme une structure organique (notes d'une mélodie, figure géométrique, etc.) s'individualisant dans un champ perceptif. *La psychologie de la forme, soutenant (depuis le début du XXe s. en Allemagne) que le tout est autre chose que la somme de ses parties, a révolutionné la psychologie traditionnelle.*

formé, ée adj. Qui a pris sa forme ; qui a atteint sa maturité. – Qui a reçu une formation.

formel, elle adj. **1.** Qui est clairement déterminé, qui ne peut être discuté. *Ordre, démenti formel.* Syn. exprès. Ant. ambigu, équivoque. **2.** Relatif à la forme. *Beauté formelle.* ▷ PHILO Qui concerne la forme, qui a une réalité actuelle (opposé à *virtuel,* à *matériel*). *Cause formelle :* ce qui constitue l'essence*. ▷ *Logique formelle,* qui opère sur des formes de raisonnement, indépendamment du contenu de ceux-ci. *Langages formels.*

formellement adv. En termes exprès. *C'est formellement interdit.*

Formentera, la plus méridionale et la plus petite des îles Baléares ; 115 km^2 ; 5 500 hab. Agrumes, céréales, vigne.

former **I.** v. tr. [1] **1.** Donner l'être et la forme à. *Dieu forma l'homme à son image.* **2.** Tracer, façonner. *Former des lettres.* **3.** Arranger les éléments de (un ensemble). *Le Premier ministre forme le gouvernement.* **4.** Fig. Concevoir. *Former l'idée de...* **5.** Constituer, faire partie de. *Nous formons une famille très unie.* **6.** Instruire, éduquer. *Former des soldats. Former le caractère.* **II.** v. pron. **1.** Se constituer, se créer. *Orage en train de se former.* **2.** S'instruire, acquérir un certain savoir, une certaine expérience. *Il s'est formé à l'école de la vie.* **3.** MILIT Prendre telle ou telle formation (troupes). *Se former en carré.*

formeret [fɔʀməʀɛ] n. m. ARCHI Arc latéral, parallèle à l'axe de la voûte dont il reçoit la retombée.

formica n. m. (Nom déposé.) Matériau stratifié recouvert de résine artificielle.

formidable adj. **1.** Vx ou litt. Qui inspire la crainte, l'effroi. *L'aspect formidable d'une armée en marche.* **2.** Important, considérable. *Un déploiement formidable de moyens.* **3.** Fam. (Sens atténué.) Qui inspire l'admiration, l'étonnement, la sympathie, etc. *Un type formidable.*

formidablement adv. Fam. D'une manière formidable (sens 3). *Il est formidablement gentil.*

Formigny, com. du Calvados (arr. de Bayeux) ; 234 hab. – Victoire du connétable de Richemont sur les Anglais (1450), qui rendit la Normandie à la France.

formique adj. CHIM *Acide formique :* acide de formule H–COOH, sécrété notam. par les fourmis.

formol n. m. Solution aqueuse de l'aldéhyde formique, utilisée en partic. pour ses propriétés désinfectantes et dans la fabrication des colles.

formoler v. tr. [1] Didac. Soumettre à l'action du formol.

Formosa, prov. du N. de l'Argentine, dans le Chaco, bordée à l'E. par le Paraguay et recouverte de forêts denses ; 72 066 km^2 ; 331 000 hab. ; ch.-l. *Formosa* (93 600 hab.).

Formose, nom donné par les Occidentaux à l'île de Taiwan (en portug. *Formosa :* « la Belle »). V. Taiwan.

formulable adj. Qui peut être formulé.

formulaire n. m. **1.** Recueil de formules. *Formulaires de notaires.* **2.** Imprimé comportant des questions auxquelles les intéressés doivent répondre.

formulation n. f. Action de formuler ; manière dont qqch est exprimé. *Une formulation maladroite.*

formule n. f. **I. 1.** DR Modèle contenant les termes exprès et formels dans lesquels un acte doit être rédigé. **2.** Façon de s'exprimer, parole, consacrée par l'usage social. *Formule de politesse.* **3.** Suite de mots qui, dans certaines pratiques magico-religieuses, est censée être chargée de tel pouvoir, de telle vertu propitiatoire, etc. *Formule rituelle.* **4.** Phrase précise, concise, qui dit beaucoup en peu de mots. *Une heureuse formule.* **II.** Écriture symbolique représentant des relations, des opérations sur des grandeurs, etc. *Formule chimique,* indiquant la composition élémentaire d'un corps composé. *Formule algébrique :* expression qui permet de calculer la solution d'un problème. *Formule florale,* indiquant le nombre et la disposition des pièces d'une fleur. *Formule sanguine :* V. sang. *En physique, en astronomie, en mécanique, une formule peut exprimer une loi.* **III.** Façon d'agir, mode d'action. *Curieuse formule pour réussir.* **IV.** Document imprimé comportant des espaces laissés en blanc que l'on doit compléter. **V.** SPORT Catégorie de voitures de course. *Courir en formule 1.* – Ellipt. *Une formule 1.*

formuler v. tr. [1] **1.** DR Rédiger dans la forme requise. *Formuler un jugement.* **2.** MATH Exprimer au moyen de formules. *Formuler un problème.* **3.** Exprimer. *Formuler une réclamation. Formuler un vœu.*

Fornarina (Margherita Luti, dite la), Romaine du XVIe s. d'une grande beauté ; modèle de Raphaël (*la Fornarina,* 1518-1519), dont elle devint la maîtresse.

fornicateur, trice n. RELIG ou plaisant Personne qui se livre à la fornication.

fornication n. f. RELIG Péché de la chair. ▷ Plaisant Relations sexuelles.

forniquer v. intr. [1] RELIG Commettre le péché de fornication. ▷ Plaisant Avoir des relations sexuelles.

Fornoue (en ital. *Fornovo di Taro*), com. d'Italie (prov. de Parme) ; 5 870 hab. – Victoire de Charles VIII, qui revenait de Naples, sur les Italiens coalisés (6 juil. 1495).

FORPRONU, acronyme pour *Force de protection des Nations unies.*

Forqueray (Antoine) (Paris, 1672 – Mantes, 1745), violiste et compositeur français ; il a laissé plusieurs centaines de pièces pour son instrument, la basse de viole, dont il était un virtuose accompli.

fors [fɔʀ] prép. Vx ou litt. Excepté, hormis, hors de. *« Tout est perdu, fors l'honneur », aurait dit François Ier après le désastre de Pavie.*

Forster (Edward Morgan) (Londres, 1879 – Coventry, 1970), romancier et critique anglais. Ses œuvres évoquent le désir, la tristesse et les mutilations du cœur, ainsi que le gouffre qui sépare les cultures : *Avec vue sur l'Arno* (1908), *Maurice* (1914), *Route des Indes* (1924).

forsythia [fɔʀsisja] n. m. Arbrisseau ornemental (fam. oléacées), dont les fleurs jaune d'or s'épanouissent avant la feuillaison.

1. fort, forte adj. **I.** (Personnes) **1.** Qui a de la force physique. *Homme grand et fort.* – Loc. *Fort comme un Turc :* très fort. **2.** *Par euph.* Qui a de l'embonpoint. *Une dame un peu forte.* **3.** Qui a des capacités intellectuelles, des connaissances. *Être fort en maths.* – Subst. *Un(e) fort(e) en thème*.* **4.** Qui a de la résistance morale. *Être fort devant l'adversité.* Syn. ferme. **5.** (En loc.) *Se faire fort de :* s'estimer capable de. – *Forte tête :* personne qui résiste obstinément à toute influence. – *Esprit fort :* personne qui refuse toute croyance religieuse. **II.** (Choses) **1.** Solide, résistant. *Carton fort. Colle forte.* **2.** Capable de résister aux attaques. *Ville forte. Château fort.* **3.** Plus important que la moyenne en intensité, en quantité. *Un fort vent. Une forte somme. Payer le prix fort,* maximal. ▷ (Abstrait) *Une forte envie. À plus forte raison :* avec d'autant plus de raisons. ▷ *Temps fort :* en musique, temps d'une mesure sur lequel porte l'accent ; fig. moment d'une grande intensité (au cours d'une action, d'un spectacle). **4.** Qui est difficile, en parlant d'une action. – Fam. Exagéré, difficile à admettre. *Ça, c'est un peu fort! C'est fort de café!* **5.** Qui impressionne vivement le goût, l'odorat. *Moutarde forte. Café fort.* **6.** Qui agit efficacement. *Un remède fort.* ▷ CHIM *Acide fort, base forte,* capable de se dissocier complètement en solution. ▷ PHYS NUCL *Liaison forte :* liaison due aux forces nucléaires, caractéristique des mésons et des baryons. – *Interaction forte :* interaction* attractive qui s'exerce notam. entre les particules constituant le noyau de l'atome.

2. fort adv. **1.** Avec énergie, intensité. *Frappez fort. Parler fort.* **2.** Litt. Très. *Vous êtes fort aimable.* – Beaucoup. *Elle lui plaît fort.*

3. fort n. m. **I. 1.** Celui qui a la force, la puissance. *Le fort et le faible.* – Prov. *La raison du plus fort est toujours la meilleure (La Fontaine) :* le plus fort impose toujours sa façon de voir. **2.** *Fort de la Halle, des Halles :* débardeur qui était chargé de la manutention des fardeaux lourds, aux anc. Halles de Paris. **3.** Vx Partie la plus solide, la plus épaisse d'une chose. ▷ Loc. fig. Mod. *Au fort de :* au moment de la plus grande intensité. *Au fort de la lutte.* **4.** (Canada) Fam. Alcool, boisson très alcoolisée. *Boire du fort.* **5.** (Après un possessif.) Domaine où qqn excelle. *Le français n'est pas son fort.* **II.** Ouvrage militaire puissamment armé et défendu.

Fort (Paul) (Reims, 1872 – Argenlieu, près de Montlhéry, 1960), poète français. Auteur de ballades lyriques, pleines de fantaisie, et de ballades dialoguées : *Ballades françaises* (éd. définitive, 17 vol., 1922-1958), *Louis XI, curieux homme* (drame historique, 1921), *Mémoires* (1944). «Prince des poètes» de 1912 à sa mort.

Fortaleza, v. et port du N.-E. du Brésil; cap. de l'État de Ceará; 1 588 710 hab. Industr. alim. (sucreries), chim. (asphalte) et électriques; tanneries. Université. Tourisme.

fort Chabrol. V. Chabrol.

Fort-de-France, ch.-l. du dép. de la Martinique, sur la baie du m. nom; 101 540 hab. (env. 134 000 hab. dans l'aggl.). Centre admin. Import. port de comm. et de voyageurs. Aéroport. – Archevêché. – Mat. de constr., électr. Horlogerie.

Fort-de-France : la ville basse

forte adv. (et n. m. inv.) MUS Fort, en renforçant l'intensité du son. ▷ n. m. inv. Passage joué forte.

fortement adv. **1.** Avec force. *Tenir fortement.* **2.** Fig. Avec intensité. *Désirer fortement qqch.* **3.** *Par ext.* Beaucoup. *Une histoire qui ressemble fortement à une escroquerie.*

forteresse n. f. **1.** Ouvrage fortifié protégeant une étendue de territoire. ▷ *Forteresse volante* : bombardier lourd américain (1943-1945). **2.** Fig. Ce qui est inaccessible aux influences extérieures. *La forteresse des traditions.*

Fort-Gouraud. V. F'Derick.

Forth (le), riv. de l'E. de l'Écosse (106 km); se jette dans la mer du Nord par un vaste estuaire *(Firth of Forth)*, au S. duquel se trouve Édimbourg et que franchit un pont suspendu long de 2 400 m.

fortiche adj. Fam. Fort, vigoureux. – Fig. Calé, astucieux.

fortifiant, ante adj. et n. m. **1.** Qui donne des forces. *Sirop, aliment fortifiant.* ▷ n. m. Médicament, aliment fortifiant. *Prendre un fortifiant.* **2.** Fig., vieilli Qui fortifie l'âme, l'esprit. *Lecture fortifiante.*

fortification n. f. Action de fortifier un lieu. ▷ (Souv. au plur.) Ensemble d'ouvrages destinés à défendre une ville, un point stratégique.

fortifier v. [2] **I.** v. tr. **1.** Donner plus de force à. *Fortifier le corps et l'âme.* **2.** Rendre plus fort, plus assuré. *Son attitude fortifie mes soupçons.* Syn. renforcer. **3.** Entourer d'ouvrages défensifs. – Pp. *Ville fortifiée.* **II.** v. pron. **1.** Devenir plus fort. **2.** Se protéger par des fortifications. *Se fortifier dans un village.*

fortin n. m. Petit ouvrage fortifié.

fortissimo [fɔʀtisimo] adv. et n. m. MUS Très fort. ▷ n. m. Passage joué fortissimo. *Des fortissimo(s).*

Fort Knox, camp militaire des É.-U. (Kentucky) où se trouve un fort construit en 1936 pour abriter la réserve d'or nationale.

Fort-Lamy. V. N'Djamena.

fortran n. m. INFORM Langage de programmation surtout destiné à la formulation scientifique ou technique.

fortuit, uite adj. Qui arrive par hasard, de manière imprévue. *Rencontre fortuite.*

fortuitement adv. De façon fortuite, par hasard.

fortune n. f. **I. 1.** Litt. Puissance qui est censée décider du bonheur ou du malheur des humains. *Les caprices de la fortune.* – MYTH (Avec une capitale.) Divinité des Anciens (la Tyché grecque) souvent représentée sous les traits d'une femme aux yeux bandés tenant une corne d'abondance. **2.** Événement heureux ou malheureux dépendant du hasard. *Une bonne fortune* : une aventure galante. – Loc. *Faire contre mauvaise fortune bon cœur* : accepter sans se plaindre un événement désagréable. ▷ *Tenter, chercher fortune* : chercher les occasions qui peuvent procurer ce que l'on désire. ▷ *Inviter à la fortune du pot* : inviter à un repas sans apprêts. ▷ *De fortune* : improvisé. *Utiliser des moyens de fortune.* – MAR *Voile de fortune* ou *fortune* : voile carrée sur certains types de bateaux. **3.** Litt. Chance favorable. *J'ai eu la fortune de le rencontrer.* **4.** Litt. Destinée. *Il connut une fortune brillante.* **5.** Litt. Position sociale élevée. *Parvenir à une haute fortune.* – Cour. *Revers de fortune* : changement accidentel et malheureux dans la situation d'une personne, souvent lié à une perte d'argent. **II. 1.** Ensemble des biens que possède une personne, une collectivité. **2.** Grande richesse. *Avoir de la fortune. Faire fortune* : devenir très riche.

fortuné, ée adj. **1.** Litt. Favorisé par la chance. **2.** Qui a de la fortune, riche. *Personne fortunée.*

Fortunées (îles), anc. nom des îles Canaries.

Fort Worth, v. des É.-U. (Texas), sur un bras de la Trinity River; 447 600 hab. Le pétrole et le gaz naturel ont favorisé l'expansion d'une ville vouée naguère aux industr. textiles et alimentaires.

forum [fɔʀɔm] n. m. **1.** n. m. (Parfois considéré comme inv.) ANTIQ ROM Place où pouvaient se tenir un marché, une assemblée du peuple, un tribunal. – *Le Forum romain, le Forum* : place de Rome au pied du Capitole et du Palatin, centre de la vie politique romaine sous la république. **2.** Mod. Place réservée aux piétons, entourée d'équipements, de commerces. *Le Forum des Halles, à Paris.* **3.** Réunion avec débat autour d'un thème. *Un forum sur la condition féminine.* Syn. colloque. **4.** TELECOM Groupe de discussion dans le cadre d'un système de messagerie électronique (par ex. Internet).

le **Forum** romain

Fos (golfe de), golfe situé à l'E. du delta du Rhône et qui communique par un canal avec l'étang de Berre. Un centre industr. puissant y a été créé, comprenant notam. un port, une centrale thermique, une raff. de pétrole et une usine sidérurgique. Mais la crise de la sidérurgie et la conjoncture économique limitèrent l'expansion de ce complexe industriel.

Fosbury (Richard, dit Dick) (Portland, Oregon, 1947), athlète américain; médaille d'or (saut en hauteur) aux jeux Olympiques de Mexico (1968). ▷ SPORT *Fosbury flop* : technique de saut en hauteur qui consiste à attaquer la barre de dos, nuque la première.

Dick **Fosbury**

Foscari (Francesco) (Venise, 1373 - id., 1457), doge de Venise de 1423 à 1457. Son fils, accusé de trahison, fu banni en 1457; lui-même fut immédi tement déposé et mourut le lendemain

Foscolo (Ugo) (Zante, îles Ionienne 1778 – Turnham Green, près d Londres, 1827), poète italien, préroma tique et patriote : *Dernières Lettres d Iacopo Ortis* (1802 et 1816), bref roma qui inspira les partisans du Risorg mento; *les Tombeaux* (1807); *les Grâce* (posth., 1848).

fosse n. f. **1.** Excavation généralemen profonde, creusée par l'homme. *Creuse une fosse.* **2.** Trou creusé pour enterre un mort. *Fosse commune,* où son inhumés plusieurs cadavres. **3.** GÉC *Fosse océanique* : dépression du fond d l'océan, étroite, allongée, aux paro très abruptes et de grande profondeu **4.** ANAT Cavité ou dépression de certaine parties de l'organisme. *Fosses nasales.* **5** *Fosse d'orchestre* : dans un théâtre, pa tie en contrebas de la scène et de l salle, où se tient l'orchestre. **6.** MIN Dar une houillère, puits d'extraction; insta lation aménagée pour le chargement.

Fosse (Bob) (Chicago, 1927 – W shington, 1987), danseur, chorégraphe cinéaste américain. Après des débuts Broadway comme danseur puis me teur en scène, il réalisa notam. deu grands succès internationaux : *Cabar* (1972) et *Que le spectacle commen* (1979).

fossé n. m. **1.** Cavité creusée e long pour limiter un terrain, pour fai écouler les eaux, pour défendre u citadelle, etc. **2.** Fig. Ce qui sépare pr fondément des personnes. *Il y a un fos entre nous.* **3.** GEOMORPH *Fossé d'effondr ment* : dépression tectonique longue étroite correspondant au compartime affaissé d'un champ de failles. *La plai d'Alsace est un fossé d'effondrement.* S limagne, graben.

fossette n. f. Petit creux du menton, des joues de certaines personnes. *Sourire à fossettes.*

fossile adj. et n. m. **1.** adj. Vx Se dit des substances tirées du sous-sol. *Le charbon est un combustible fossile.* **2.** n. m. PALEONT Restes, ou empreinte, d'un être vivant dont l'espèce a disparu, dans une roche sédimentaire ou très peu métamorphisée. *Fossile vivant :* être vivant dont l'organisation est proche de celle des fossiles appartenant au même groupe. ▷ adj. *Des animaux, des végétaux fossiles.* **3.** Fig., fam., péjor. Suranné, désuet. *Il a des idées fossiles.* ▷ n. m. (En parlant d'une personne.) *Quel vieux fossile !*

fossilifère adj. PALEONT Qui contient des fossiles.

fossilisation n. f. PALEONT Passage d'un corps organisé à l'état de fossile avec désagrégation des matières organiques et conservation des parties dures.

fossiliser v. tr. [1] Amener à l'état de fossile. ▷ v. pron. Devenir fossile. ▷ Pp. adj. *Fougères fossilisées.* – Fig., fam., péjor. *Un bureaucrate fossilisé.*

fossoyeur, euse n. **1.** n. m. Celui qui creuse les fosses pour enterrer les morts. ▷ Fig., litt. Personne qui travaille à la ruine de qqch. *Les fossoyeurs de la République.* **2.** n. f. Par métaph., litt. *La fossoyeuse :* la mort.

Fos-sur-Mer, com. des Bouches-du-Rhône (arr. d'Istres), sur le golfe de Fos*; 12 204 hab. – Port pétrolier. Raff. du pétrole. Sidérurgie. – Enceinte fortifiée (XIIe-XIVe s.). Égl. Saint-Sauveur (XIe s.). Chapelle Notre-Dame-de-la-Mer (XIIe s.). – La *ville nouvelle de Fos-sur-Mer* regroupe Istres, Miramas et la com. de Fos-sur-Mer.

Foster (Norman) (Manchester, 1935), architecte anglais. Ancien collab. de Buckminster Fuller (1968 à 1983), il a élaboré un style « haute technologie » qui utilise notam. le vocabulaire de l'aéron. : *usine Renault* à Swindon, G.-B. (1983), *tour des Télécommunications* pour les jeux Olympiques de Barcelone (1992).

1. fou ou **fol** (devant voyelle ou h non aspiré), **folle** adj. et n. **I.** adj. **1.** (Ce mot n'appartient plus au vocabulaire médical.) Qui présente des troubles mentaux. *Fou à lier. Fou furieux.* **2.** Qui paraît déraisonnable dans son comportement. *Il est fou d'agir ainsi.* **3.** Qui est hors de son état normal. *Fou de joie, de colère.* ▷ Fig. *Être fou de :* aimer passionnément. *Il est fou de sport. Elle est folle de lui.* **4.** (Choses) Qui est l'indice de la folie. *Un regard fou.* ▷ Contraire à la raison, à la prudence. *Un fol amour. Une tentative folle.* ▷ Peu raisonnable, immodéré. *Une folle gaieté. Une course folle. Un fou rire,* qu'on ne peut maîtriser. **5.** Qui a un mouvement imprévisible et désordonné. – *Herbes folles,* qui croissent en tous sens. ▷ TECH Se dit d'une poulie, d'une roue qui tourne autour d'un axe, sans en être solidaire. **6.** Fam. Considérable. *Un monde fou. Un succès fou.* **II.** n. **1.** Personne atteinte de démence. *Maison de fous :* anc. hôpital psychiatrique; mod., fam. lieu où les gens ont une conduite étrange. *C'est une vraie maison de fous, cette boîte !* – *Histoire de fou(s) :* aventure absurde. – n. f. Fam., péjor. Homme homosexuel au comportement féminin maniéré. **2.** Personne qui fait des extravagances, pour s'amuser, pour faire rire. *Ne faites pas les fous.* Prov. *Plus on est de fous, plus on rit.* **3.** Bouffon, amuseur, autref. attaché à la personne des rois. ▷ JEU Pièce du jeu d'échecs se déplaçant selon les diagonales.

fou de Bassan

2. fou n. m. Nom cour. des oiseaux palmipèdes (ordre des pélécaniformes). – *Fou de Bassan (Sula bassana) :* oiseau blanc des côtes bretonnes, gros comme une oie, dont la pointe des ailes, la queue et la base du bec sont noires.

fouace ou **fougasse** n. f. Rég. **1.** Galette de froment, cuite primitivement sous la cendre. **2.** Pâtisserie rustique (brioche ou génoise) à la fleur d'oranger.

Fouad ou **Fu'ad Ier** *(Fu'ād)* (Le Caire, 1868 – id., 1936), sultan (1917) puis roi d'Égypte (1922). Formé en Suisse et en Italie, il encouragea les lettres et les arts, et fonda l'Université égyptienne sur le modèle européen. À sa mort, son fils Farouk lui succéda.

foucade n. f. Vx ou litt. Élan subit et passager, caprice.

Foucauld (Charles Eugène, vicomte de, puis le père de) (Strasbourg, 1858 – Tamanrasset, 1916), explorateur puis religieux français. Officier, il explora les régions sud-marocaines. Il quitta l'armée (1886), entra à la Trappe (1890), fut ordonné prêtre (1901), puis alla partager la vie des Touareg du Hoggar (1905). Le père de Foucauld fut assassiné par des pillards Senousis.

Foucault (Jean Bernard Léon) (Paris, 1819 – id., 1868), physicien français. Il mesura la vitesse de la lumière (à l'aide d'un miroir tournant), inventa le gyroscope et réalisa, à l'aide d'un pendule, une expérience démontrant la rotation de la Terre.

Foucault (Michel) (Poitiers, 1926 – Paris, 1984), philosophe français, professeur au Collège de France. Il fonda, dans une perspective structuraliste, une « archéologie du savoir », c.-à-d. une mise au jour du système cohérent de toutes les opérations intellectuelles sous-jacentes à la culture d'une époque donnée : *Histoire de la folie à l'âge classique* (1961), *les Mots et les Choses* (1966), *l'Archéologie du savoir* (1969), *Surveiller et punir, naissance de la prison* (1975), *Histoire de la sexualité* (3 vol., 1976-1984).

Fouché (Joseph), duc d'Otrante (Le Pellerin, près de Nantes, 1759 – Trieste, 1820), homme politique français. Député à la Convention (Montagne), il fut envoyé en mission dans l'Ouest et le Centre, puis à Lyon, où il réprima férocement l'insurrection (1793), organisant la déchristianisation de la région. Opposé à Robespierre lors de la crise du 9 Thermidor, il fut ministre de la Police sous le Directoire et de 1804 à 1810. Rallié à la Restauration (1814), il fut exilé comme régicide en 1815 et se retira, richissime, à Trieste, où il écrivit ses *Mémoires.*

Charles de **Foucauld**

Michel **Foucault**

Foucquet. V. Fouquet.

1. foudre n. **I.** n. f. **1.** Décharge électrique intense qui se produit par temps d'orage, accompagnée d'un éclair et d'une violente détonation (tonnerre). ▷ Fig. *Coup de foudre :* amour subit et immédiat pour qqn. – Par ext. *Acheter un meuble ancien sur un coup de foudre.* **2.** (Plur.) *Les foudres de :* le courroux de. *Encourir les foudres du pouvoir.* **II.** n. m. **1.** Didac. Faisceau de traits enflammés en zigzag, attribut de Jupiter. **2.** Iron. *Un foudre de guerre :* un redoutable combattant.

2. foudre n. m. Grand tonneau (de 50 à 300 hl).

foudroiement [fudʀwamɑ̃] n. m. Litt. Action de foudroyer; fait d'être foudroyé.

foudroyant, ante adj. **1.** Qui frappe avec la brutalité et la violence de la foudre. *Apoplexie foudroyante.* **2.** Qui a la soudaineté et la rapidité de la foudre. *Succès foudroyant.* **3.** Par métaph. *Regards foudroyants.*

foudroyer v. tr. [23] **1.** Frapper de la foudre. *Zeus foudroya les Titans.* ▷ Fig. *Foudroyer qqn du regard.* **2.** Tuer soudainement, terrasser. *Une crise cardiaque l'a foudroyé.*

Fouesnant, ch.-l. de cant. du Finistère (arr. de Quimper), sur la baie de la Forêt; 6 683 hab. La com. comprend les îles Glénan et les stat. baln. de *Beg-Meil* et *Cap-Coz.* – Église (XIe-XIIe s.).

fouet n. m. **1.** Instrument formé d'une corde (ou de lanières de cuir tressées), attachée au bout d'un manche. *Le cocher fit claquer son fouet pour exciter les chevaux. Cingler qqn d'un coup de fouet.* **2.** Châtiment donné avec le fouet ou avec des verges. **3.** Fig. *Coup de fouet :* stimulation vigoureuse et instantanée. *Cette potion leur a donné un coup de fouet.* ▷ MED *Coup de fouet :* douleur vive et subite due à une déchirure musculaire. **4.** Loc. *De plein fouet :* directement sur l'obstacle ou l'objectif, perpendiculairement à lui. *Tir de plein fouet.* – *Collision de plein fouet,* de face et très violente. **5.** CUIS Ustensile qui sert à battre les œufs et les sauces. **6.** ZOOL Segment terminal de l'aile des oiseaux. ▷ Queue d'un chien.

fouettard, arde adj. Rare Qui fouette. – Loc. fam. *Père fouettard :* personnage imaginaire, armé d'un fouet, dont on menaçait les enfants.

1. fouetté, ée adj. CUIS Battu avec un fouet. *Crème fouettée.*

2. fouetté n. m. **1.** CHOREGR Rotation du corps sur une pointe ou une demi-pointe, entretenue par le mouvement des bras et de la jambe opposée à la jambe d'appui. **2.** JEU Au billard, coup très vif donné en retirant immédiatement la queue.

fouettement n. m. Action de fouetter.

fouetter v. [1] **I.** v. tr. **1.** Donner le fouet, des coups de fouet à. ▷ Loc. fam.

fougères : à g., capillaires (à dr. plante avec spores et rhizome); au centre, ophioglosse; à dr. polypode (à g. plante avec rhizome; à dr., plante avec spores)

Il n'y a pas de quoi fouetter un chat : ce n'est qu'une faute légère. – *Il a d'autres chats à fouetter :* il a bien d'autres choses à faire. **2.** Cingler. *La pluie nous fouettait le visage.* ▷ v. intr. *La pluie qui fouette contre les vitres.* **3.** CUIS Battre vivement (avec un fouet). *Fouetter de la crème.* **II.** v. intr. Pop. Sentir mauvais, puer. *Ça fouette, ici !*

foufou , fofolle adj. et n. Fam. Un peu fou, écervelé, farfelu. ▷ Subst. *Une bande de fofolles.*

fougasse. V. fouace.

fougère n. f. Plante aux grandes feuilles, généralement pennées, dont les très nombreuses espèces (9 000) constituent la plus importante classe de cryptogames vasculaires.

ENCYCL Les fougères sont apparues au dévonien et ont constitué une partie importante de la végétation du carbonifère. Elles vivent dans les endroits ombragés et humides; leur taille varie de quelques centimètres à quelques mètres pour certaines fougères tropicales arborescentes.

Fougères, chef-lieu d'arr. d'Ille-et-Vilaine; 23 138 hab. Marché aux bestiaux; chaussures; industr. text. et méca. – Chât. fort (XIIIe-XVe s.); remparts (XVe s.). Égl. goth. St-Sulpice (XVe, XVIe et XVIIIe s.). Maisons anciennes.

fougue n. f. Impétuosité, ardeur naturelle.

fougueusement adv. Avec fougue.

fougueux, euse adj. Plein de fougue, ardent, impétueux.

Fou-hi. V. Fuxi.

fouille n. f. **1.** Action de fouiller la terre, spécial. (plur.) pour retrouver des vestiges archéologiques. *Les fouilles de Delphes, d'Herculanum.* **2.** Fig. Action d'explorer minutieusement. *La fouille d'un tiroir.* ▷ Action de fouiller qqn. *La fouille d'un détenu.* **3.** CONSTR Excavation pratiquée dans le sol, avant de procéder à la construction des fondations d'un ouvrage. *Fouilles en rigole, en déblai, en puits.* **4.** Arg. Poche.

fouiller v. [1] **I.** v. tr. **1.** Creuser. *Fouiller le sol, la terre.* **2.** Explorer soigneusement (un lieu) pour trouver qqch que l'on cherche. – *Fouiller qqn :* chercher dans ses poches, ses habits, etc. **3.** SCULP Travailler avec le ciseau pour pratiquer des enfoncements. *Fouiller le marbre.* ▷ Fig. *Fouiller son style,* le travailler. **II.** v. intr. **1.** Creuser. *Fouiller dans la terre.* **2.** Chercher une chose en remuant tout ce qui pourrait la cacher. *Fouiller dans une armoire, dans sa poche.* ▷ Fig. *Fouiller dans sa mémoire.* **III.** v. pron. Loc. fam. *Tu peux te fouiller :* il n'y a rien pour toi; il n'en est pas question.

fouillis [fuji] n. m. Fam. Amas de choses hétéroclites. *Un fouillis de paperasses.*

fouine n. f. Martre d'Europe et d'Asie centrale (*Martes foina,* fam. mustélidés), petit carnivore bas sur pattes au corps très allongé, au pelage brun et blanc.

fouiner v. intr. [1] Fam. Fureter, épier indiscrètement.

fouineur, euse ou **fouinard, arde** adj. et n. Fam. Qui furète partout; indiscret.

fouir v. tr. [3] Creuser (le sol). *Une taupe qui fouit la terre.* – ETHNOL *Bâton à fouir :* instrument primitif servant à ameublir.

fouisseur, euse adj. et n. m. Didac. **1.** Qui fouit la terre. *Animal fouisseur.* – n. m. *Le lombric est un fouisseur.* **2.** Qui sert à fouir. *Des pattes fouisseuses.*

Foujita (Tsugouharu, Léonard apr. son baptême) (Tōkyō, 1886 – Zurich, 1968), peintre français d'origine japonaise. Il tenta, avec un grand raffinement du trait, une synthèse entre l'art oriental et l'art occidental.

foulage n. m. Action de fouler. *Le foulage du raisin. Le foulage de la pâte à papier.*

foulant, ante adj. **1.** TECH *Pompe foulante,* qui élève un liquide par la pression qu'elle exerce. **2.** Fig., fam. Fatigant. *Un boulot pas foulant.*

foulard n. m. **1.** Étoffe légère servant à faire des mouchoirs, des cravates, des robes, etc. **2.** Écharpe en tissu léger pour protéger le cou, pour servir de coiffure. *Mettre un foulard.* **3.** (Canada) Cache-nez. *Un foulard de laine.*

Foulbés. V. Peuls.

Fould (Achille) (Paris, 1800 – La Loubère, Hautes-Pyrénées, 1867), financier et homme politique français. Ministre des Finances de 1849 à 1852 et de 1861 à 1867, il créa les Caisses de retraite et de secours pour la vieillesse.

foule n. f. **1.** Multitude de gens réunis. ▷ *Une foule de :* une grande quantité (de gens ou de choses). *Avoir une foule d'idées.* **2.** *La foule :* le commun des hommes, le vulgaire. *Ne plaire qu'à la foule, être méprisé de l'élite.* **3.** *En foule :* en grand nombre, en grande quantité.

foulée n. f. **1.** EQUIT Temps pendant lequel le pied du cheval pose sur le sol. – *Par ext.* Espace parcouru par un cheval à chaque temps de trot, de galop. **2.** Longueur de l'enjambée d'un coureur.

fouler v. tr. [1] **1.** Presser (un corps, une substance) avec les pieds, les mains ou un outil. *Fouler du raisin, des cuirs, du drap.* **2.** Litt. Marcher sur (le sol). *Fouler le sol natal.* ▷ *Fouler aux pieds :* piétiner, et, *par ext.,* fig., traiter avec mépris. *Fouler aux pieds la Constitution.* **3.** v. pron. Se blesser par foulure. *Se fouler le pied.* ▷ Fig., fam. Se donner de la peine. *Elle ne s'est pas foulée.*

Foullon (Joseph François) (Saumur, 1717 – Paris, 1789), administrateur français. Adjoint au ministre de la Guerre dans le ministère contre-révolutionnaire du 12 juil. 1789, il fut accusé d'affamer Paris et pendu par la foule après la prise de la Bastille.

fouloir n. m. TECH Appareil servant à fouler.

foulon n. m. Vx Artisan qui foulait les draps. ▷ *Moulin à foulon,* ou *foulon :* autref., moulin servant à fouler. ▷ *Terre à foulon :* argile servant à dégraisser les étoffes.

foulque n. f. Gros oiseau ralliforme (genre *fulica*), au plumage sombre, vivant dans un milieu aux eaux douces et calmes.

Foulques ou **Foulque** (v. 840 – 900), prélat français; archevêque de Reims, chancelier de Charles le Simple. Baudouin, comte de Flandre, le fit assassiner.

Foulques, nom de cinq comtes d'Anjou. – **Foulques V le Jeune** (1095 – Ptolémaïs, auj. Acre ou Akko, en Israël, 1143), comte d'Anjou et du Maine, roi de Jérusalem (1131-1143); il abandonna l'Anjou à son fils aîné, Geoffroy Plantagenêt, marié à Mathilde, fille d'Henri Ier d'Angleterre.

Foulques de Neuilly (m. à Neuilly-sur-Marne, 1202), religieux français. Il prêcha la 4e croisade.

foultitude n. f. Fam. Grand nombre. *Avoir une foultitude de choses à faire.*

foulure n. f. MED Légère entorse.

Fouquet ou **Foucquet** (Jean) (Tours, v. 1420 – id., entre 1477 et 1481), peintre et miniaturiste français. Il fit siennes les lois italiennes de la perspective, mais ses portraits témoignent de l'influence flamande : *la Vierge et l'Enfant* (portrait présumé d'Agnès Sorel), enluminures des *Heures d'Étienne Chevalier.*

Fouquet ou **Foucquet** (Nicolas) (Paris, 1615 – Pignerol, 1680), vicomte de Vaux, marquis de Belle-Isle. Il acheta en 1650 la charge de procureur général au parlement de Paris, administra les biens de Mazarin et devint surintendant général des Finances en 1653. Ambitieux, avide (nombreuses malver sations), il amoncela une fortune considérable. Mécène des plus illustres écrivains et artistes de son temps, il fit construire (sur des plans de Le Vau) le magnifique château de Vaux, où il reçut Louis XIV. La jalousie du roi, excitée par la haine de Colbert, qui aspirait à diriger les finances, aboutit à son arrestation (5 sept. 1661) après la mort de Mazarin. Accusé d'avoir dilapidé les finances publiques, il fut condamné (1664) au bannissement (peine commuée en prison à vie), et ses biens furent confisqués.

Fouquier-Tinville (Antoine Quentin) (Hérouël, Picardie, 1746 – Paris, 1795), homme politique français. Accusateur public auprès du Tribunal révolutionnaire, il se montra impitoyable. Il fut guillotiné au cours de la réaction thermidorienne.

four n. m. **1.** Ouvrage de maçonnerie, souvent en forme de voûte, ouvert par-devant, pour faire cuire le pain, la pâtisserie. ▷ *Petit four :* pâtisserie sucrée ou salée de la taille d'une bouchée. ▷ Appareil ménager dans lequel on fait rôtir les aliments. *Poulet cuit au four. Four à micro-ondes*. Four électrique. Four à catalyse*. Four à pyrolyse*.* **2.** SPECT Loc. fig. *Faire un four :* échouer, en parlant d'une pièce, d'un spectacle. **3.** TECH Appareil dans lequel on chauffe une matière pour lui faire subir une transformation physique ou chimique. *Four à réverbère,* dans lequel la chaleur des flammes échauffe la voûte qui rayonne sur le métal à fondre. – *Four Martin,* servant à élaborer l'acier. ▷ *Four solaire,* concentrant, au moyen de miroirs paraboliques, l'énergie du rayonnement solaire sur la zone à chauffer.

Fourastié (Jean Joseph Hubert) (Saint-Benin d'Azy, Nièvre, 1907 – Douelle, Lot, 1990), sociologue et économiste français : *le Grand Espoir du XXe siècle* (1949), *Machinisme et Bien-être* (1951), *les Trente Glorieuses* (1979), *Pourquoi les prix baissent* (1984).

fourbe adj. et n. Qui trompe avec une adresse maligne, une ruse perfide.

fourberie n. f. **1.** Caractère du fourbe. **2.** Tromperie basse, ruse perfide.

fourbi n. m. **1.** Pop. Tâche compliquée ; affaire douteuse. *Un sacré fourbi, votre histoire.* **2.** Fam. Tout l'équipement du soldat. – *Par ext.* Les affaires de qqn. *Il a débarqué chez eux avec tout son fourbi.* **3.** Ensemble hétéroclite de choses diverses.

Jean **Fouquet :** *la Vierge et l'Enfant entourés d'anges rouges ;* musée royal des Beaux-Arts, Anvers

fourbir v. tr. [3] Polir (un objet de métal). *Fourbir un chandelier.* ▷ Fig. *Fourbir ses armes :* se préparer à un combat.

fourbissage n. m. Action de fourbir.

fourbu, ue adj. **1.** MED VET Atteint de fourbure. **2.** Très fatigué, harassé.

fourbure n. f. MED VET Congestion des extrémités des pattes des ongulés (cheval, notam.) qui les fait boiter.

fourche n. f. **1.** Instrument à long manche terminé par plusieurs dents. *Remuer du foin avec une fourche.* **2.** Objet en forme de fourche. – TECH Dans un engin à deux roues, organe reliant l'axe de la roue avant au guidon. *Fourche de bicyclette. Fourche télescopique.* **3.** Disposition en deux ou plusieurs branches. *Prenez ce chemin jusqu'à la fourche,* jusqu'à la bifurcation. ▷ Loc. fig. *Passer sous les fourches Caudines :* subir des conditions humiliantes (par allus. à l'humiliation qu'endurèrent les Romains lors de leur passage sous un joug, après leur défaite [321 av. J.-C.] devant les Samnites à *Caudium*).

fourche-bêche n. f. Fourche à dents plates utilisée par le jardinier. *Des fourches-bêches.*

fourcher v. [1] **I.** v. intr. **1.** Se diviser en deux ou plusieurs branches. *Avoir les cheveux qui fourchent.* **2.** Fig. *Sa langue a fourché :* il a prononcé un mot pour un autre. **II.** v. tr. Remuer ou enlever à la fourche. *Fourcher de la terre, du fumier.*

fourchette n. f. **1.** Ustensile de table terminé par plusieurs pointes ou dents. ▷ Fam. *Avoir un sacré coup de fourchette :* avoir bon appétit. **2.** TECH Organe en forme de petite fourche. *Fourchette d'embrayage,* qui sert à désaccoupler les plateaux d'un embrayage. **3.** ZOOL Partie cornée située à la face inférieure du sabot du cheval et qui a l'aspect d'une fourchette à deux branches. ▷ Os formé par les clavicules soudées de l'oiseau. **4.** MILIT Intervalle probable de dispersion d'un projectile. *Fourchette de tir.* ▷ STATIS Intervalle entre deux valeurs extrêmes. – Cour. *Produit qui se situe dans une fourchette de prix raisonnable.* **5.** *Prendre en fourchette :* aux cartes, coincer son adversaire en détenant la carte supérieure et la carte inférieure à celle qu'il va jouer.

fourchu, ue adj. **1.** Qui a l'aspect d'une fourche. *Pied fourchu* (des ruminants), à sabot divisé en deux. **2.** Qui fourche. *Arbre fourchu.*

Fourcroy (Antoine François, comte de) (Paris, 1755 – id., 1809), homme politique, chimiste et naturaliste français. Conventionnel modéré, il participa à l'organisation de l'enseignement public et à l'adoption d'une nomenclature rationnelle en chimie (1787).

Foureau (Fernand) (Saint-Barbant, Hte-Vienne, 1850 – Paris, 1914), explorateur français. Il dirigea de nombr. expéditions scientifiques au Sahara puis participa à plusieurs missions, effectuant notam. la liaison entre le Sud algérien et le lac Tchad.

1. fourgon n. m. TECH Instrument servant à remuer le bois, le charbon, dans un four.

2. fourgon n. m. Véhicule, wagon, servant au transport des bagages, du courrier, des munitions, des marchandises. ▷ *Fourgon mortuaire :* corbillard.

fourgonner v. intr. [1] **1.** Remuer la braise, le feu, avec un fourgon. **2.** Fig., fam. Fouiller en mettant du désordre.

fourgonnette n. f. Petite camionnette.

le baron Joseph **Fourier** — Charles **Fourier**

fourguer v. tr. [1] **1.** Arg. Écouler, vendre (une marchandise illégalement détenue, volée). **2.** Fam. Vendre (une marchandise en mauvais état).

Fourier (saint Pierre). V. Pierre Fourier (saint).

Fourier (Joseph, baron) (Auxerre, 1768 – Paris, 1830), mathématicien et physicien français. Il est connu pour ses travaux sur les séries. Il accompagna Monge et Berthollet en Égypte. Acad. fr. (1826). ▷ MATH *Théorème de Fourier :* une fonction périodique non sinusoïdale peut être considérée comme la somme algébrique d'un terme constant et de fonctions sinusoïdales dont les fréquences sont des multiples entiers de la fréquence de la première fonction *(série de Fourier).*

Fourier (Charles) (Besançon, 1772 – Paris, 1837), philosophe et économiste français. Parti d'une critique de l'inégalité dans la répartition des richesses, il en vint à dresser, de façon détaillée, poétique et savoureuse, le plan d'une cité harmonieuse (le phalanstère) où l'homme s'épanouirait dans le travail, devenu l'expression profonde de chacun. Princ. œuvres : *Théorie des quatre mouvements et des destinées générales* (1808), *Traité de l'association domestique agricole* (1822), devenu *Théorie de l'unité universelle* (posth., 1841).

fouriérisme n. m. Didac. Système philosophique et social de Charles Fourier et de ses disciples.

fouriériste adj. Didac. Relatif au fouriérisme. ▷ Subst. Partisan du fouriérisme.

fourme n. f. Fromage de lait de vache, à pâte ferme, fabriqué dans les régions du centre de la France (Cantal, Puy-de-Dôme, notam.). *La fourme d'Ambert est un bleu.*

fourmi n. f. **1.** Petit insecte vivant en sociétés, ou *fourmilières,* et dont il existe de très nombreuses espèces (près de 12 000). *Les fourmis sont des hyméno-*

fourmi construisant son nid avec des brindilles

ptères aculéates. **2.** Fig. Personne travailleuse et économe (par allus. à *la Cigale et la Fourmi,* fable de La Fontaine). *C'est une vraie fourmi!* **3.** Loc. fig. *Avoir des fourmis dans les jambes, dans les bras :* éprouver une sensation de picotements multiples.

Fourmies, com. du Nord (arr. d'Avesnes-sur-Helpe); 14 852 hab. Industr. diverses. – En 1891, la troupe tira sur des ouvriers en grève, faisant neuf morts.

fourmilier n. m. Nom général des mammifères xénarthres (tamanoir, tamandua, etc.) qui se nourrissent de fourmis (leur langue filiforme et visqueuse les attrape en s'enfonçant dans les galeries des fourmilières).

fourmilière n. f. **1.** Lieu où vit une colonie de fourmis. L'ensemble des fourmis d'une colonie. **2.** Fig. Lieu où s'agite une grande foule. *La Bourse, à l'heure des cotations, est une fourmilière.*

fourmi-lion ou **fourmilion** n. m. Insecte néoptère (*Myrmeleon formicarius*) dont la larve creuse dans le sable un entonnoir au fond duquel elle vit, et qui lui sert à capturer les insectes dont elle se nourrit. *Des fourmis-lions.*

fourmillant, ante adj. Qui grouille; qui s'agite en tous sens. *Des eaux fourmillantes de poissons.*

fourmillement n. m. **1.** Agitation en tous sens d'une multitude d'êtres. **2.** Picotement accompagnant l'engourdissement d'un membre.

fourmiller v. intr. [1] **1.** S'agiter vivement et en grand nombre. *D'avion on voyait la multitude fourmiller sur le quai.* **2.** *Par ext.* Être en grand nombre, abonder. *Les fautes fourmillaient dans cet ouvrage.* ▷ *Fourmiller de :* être rempli de. *La garenne fourmille de lapins.* **3.** Être le siège de picotements. *La main me fourmille.*

fournaise n. f. **1.** Grand four embrasé; feu très vif. ▷ (Canada, emploi critiqué.) Appareil à combustion servant au chauffage domestique. *Fournaise à l'huile,* alimentée au mazout. **2.** Fig. Lieu très chaud. *La ville, à midi, était une fournaise.*

fourneau n. m. **1.** Appareil pour cuire les aliments. *Le foyer, la grille d'un fourneau. Fourneau électrique, à gaz.* **2.** TECH Appareil servant à soumettre une substance à l'action du feu. *Haut-fourneau :* V. ce mot. **3.** *Fourneau de pipe :* partie d'une pipe où brûle le tabac. ▷ *Fourneau de mine :* excavation dans laquelle on place une charge explosive.

fournée n. f. **1.** Quantité que l'on fait cuire en même temps dans un four. *Fournée de pain, de briques.* **2.** Fig., fam. Groupe de gens entrant en même temps dans un lieu, nommés aux mêmes fonctions, promis à un même sort, etc. *Entrer par fournées.*

Fourneyron (Benoît) (Saint-Étienne, 1802 – Paris, 1867), ingénieur français. Il inventa la turbine hydraulique (1827).

fourni, ie adj. **1.** Garni, pourvu, approvisionné. *Table bien fournie.* **2.** *Barbe, chevelure fournie,* abondante.

Fournier (Henri). V. Alain-Fournier.

Fournier (Pierre) (Paris, 1906 – Genève, 1985), violoncelliste français. Il fit une brillante carrière internationale de soliste et d'interprète du répertoire romantique de la musique de chambre.

fournil [fuʀni] n. m. Pièce où se trouve le four du boulanger, où l'on pétrit la pâte.

fourniment n. m. Ensemble des objets qui composent l'équipement du soldat. ▷ *Par ext.,* fam. Attirail, ensemble d'objets, de bagages, etc. *Il arrive avec tout son fourniment.*

fournir v. [3] **I.** v. tr. **1.** Pourvoir, approvisionner habituellement. *Fournir l'armée en vivres.* ▷ v. pron. *Se fournir en café chez tel épicier.* **2.** Livrer, donner. *Fournir du blé aux moulins.* **3.** Apporter, procurer. *Fournir des preuves, des idées.* **4.** JEU Jouer une carte de la couleur demandée. *Fournir à cœur.* **5.** Accomplir. *Fournir un effort.* **II.** v. tr. indir. Vieilli Subvenir, contribuer. *Fournir aux frais. Fournir à tout.*

fournisseur, euse n. Personne, entreprise qui fournit habituellement une marchandise. – Par ext. *Ce pays est notre principal fournisseur de pétrole.*

fourniture n. f. **1.** Action de fournir; provision fournie ou à fournir. *L'usine a pris en charge la fourniture des pièces de rechange.* **2.** (Surtout au plur.) Ce qui est fourni pour l'exercice d'une activité particulière. *Fournitures de bureau.* ▷ Matériel, accessoires nécessaires à l'exécution d'un travail à façon, fournis par un artisan. *Fournitures et main-d'œuvre.*

Fourons (les), région du N.-E. de la Belgique (prov. de Limbourg), à majorité francophone, point chaud des querelles linguistiques entre Flamands et Wallons.

fourrage n. m. Substance végétale fraîche, séchée ou fermentée, que l'on destine à l'alimentation du bétail.

1. fourrager, ère adj. et n. f. **1.** adj. Propre à être employé comme fourrage. *Plantes fourragères.* **2.** n. f. AGRIC Pièce de terre où l'on cultive des plantes fourragères. ▷ Charrette servant au transport du fourrage.

2. fourrager v. intr. [13] **1.** Vx Couper et amasser du fourrage. **2.** Fig., fam. Fouiller sans méthode, en mettant du désordre. *Fourrager dans une armoire.* ▷ v. tr. *Fourrager des papiers.*

fourragère n. f. Ornement militaire formé d'une tresse que l'on porte autour de l'épaule, conféré aux corps qui se sont particulièrement distingués devant l'ennemi.

1. fourré n. m. Endroit épais, touffu, d'un bois. *Se frayer un chemin dans un fourré.*

2. fourré, ée adj. **1.** Doublé de fourrure. *Gants fourrés.* **2.** Garni à l'intérieur. *Bonbons fourrés au chocolat.* **3.** *Coup fourré :* en escr., coup par lequel chacun des adversaires touche l'autre; *par ext.,* fig. coup bas, piège tendu à qqn.

fourreau n. m. **1.** Gaine, étui. ▷ *Spécial.* Étui d'une épée. **2.** Robe droite moulant le corps.

fourrer v. tr. [1] **I.** **1.** Doubler de fourrure. *Fourrer un manteau.* **2.** Garnir à l'intérieur. *Fourrer des bonbons.* **II.** Fam. **1.** Mettre comme dans un fourreau. *Fourrer ses mains dans ses poches.* **2.** Placer, mettre. *Où ai-je pu fourrer cela?* **3.** v. pron. Se mettre, se placer, se cacher. *Où est-il encore allé se fourrer?*

fourre-tout n. m. inv. Fam. Lieu, meuble, sac où l'on entasse les objets qui encombrent.

fourreur n. m. Personne qui façonne ou vend des peaux, des vêtements de fourrure.

fourrier n. m. **1.** Sous-officier chargé du logement des troupes, de la nourriture et du couchage des hommes de la compagnie. – (En appos.) *Sergent, caporal(-)fourrier.* **2.** Fig., litt. Personne ou chose qui prépare, qui annonce qqch. *Les colchiques, fourriers de l'automne.*

fourrière n. f. **1.** Dépôt municipal où sont placés les animaux trouvés sur la voie publique. **2.** Lieu où sont consignées les voitures enlevées de la voie publique sur ordre de la police.

fourrure n. f. **I.** **1.** Peau garnie de son poil et préparée pour la confection de vêtements, de parures, etc. ▷ Vêtement de fourrure. **2.** HERALD Émail de l'écu représentant de la fourrure. **3.** Peau d'un animal vivant, à poils touffus. *La fourrure d'un chat.* **II.** TECH Pièce rapportée servant à remplir un vide, à masquer un joint.

Fourvière, colline dominant la r. dr. de la Saône, à Lyon. La basilique de N.-D. de Fourvière fut édifiée de 1872 à 1894 dans un style pseudo-byzantin.

fourvoiement [fuʀvwamɑ̃] n. m. Litt. Fait de se fourvoyer, de s'égarer, de se tromper.

fourvoyer **I.** v. tr. [23] Rare Égarer (qqn). *Un guide incompétent les avai fourvoyés.* ▷ Fig. *Les mauvais exemples l'ont fourvoyé.* **II.** v. pron. **1.** Se perdre, s'égarer. *Se fourvoyer dans des ruelles.* ▷ Fig. *Se fourvoyer dans une affaire douteuse.* **2.** Se tromper grossièrement, complètement.

Fouta-Djalon, massif montagneu (grès et granit) de la rép. de Guinée culminant à 1 515 m. Ce massif est une région d'agric. et d'élevage.

foutaise n. f. Fam. Chose sans valeur sans intérêt. *Sa proposition, c'est de la foutaise!*

fouteur, euse n. Très fam. *Fouteur de* personne qui met (la pagaille), cause (le trouble). *Fouteur de merde.*

foutoir n. m. Fam. Lieu où règne un grand désordre.

1. foutre v. [6] **I.** v. tr. **1.** Vulg., vieilli Posséder sexuellement, forniquer. **2.** Fig., fam (Plus fam. que *ficher.*) Faire. *Qu'est-ce que vous foutez là? Je n'ai rien à foutre en ce moment.* ▷ Flanquer (un coup) *Foutre une gifle à qqn.* ▷ Mettre. *Foutre qqch à la poubelle.* ▷ Loc. *Foutre le camp :* s'en aller. *Foutez-moi la paix* laissez-moi tranquille. – Fig. *Va te faire foutre! :* va-t'en! **II.** v. pron. Fam. *Se foutre de :* se moquer de, être indifférent à. *Il se fout du monde,* des autres. *Il se fout de tout.*

2. foutre! interj. Très fam. Pour exprimer la surprise, la colère, etc.

3. foutre n. m. Vulg. Sperme.

foutrement adv. Très fam. Extrêmement; bigrement.

foutriquet n. m. Vieilli, péjor. Individ prétentieux et incapable.

foutu, ue adj. Fam. **1.** Fait, exécuté *Ouvrage mal foutu.* **2.** Perdu, ruiné cassé. *Un homme foutu. Il est foutu, votre instrument.* **3.** (Avant le nom.) Sacré sale. *Quel foutu temps!*

fovéa n. f. ANAT Point de la rétine marqué par une dépression au milieu de la tache jaune.

fox. V. fox-terrier.

Fox (George) (Drayton, 1624 Londres, 1691), prédicateur mystique anglais; fondateur de la Société des Amis, dont les adeptes sont généralement appelés *quakers**.

Fox (Charles James) (Londres, 1749 id., 1806), orateur et homme politique anglais. Chef des whigs, il combattit âprement la politique de lord North l'égard des colons d'Amérique et soutint, contre le Second Pitt, la cause de la Révolution française. À la mort de Pitt (1806), il devint secrétaire d'État aux Affaires étrangères.

Foxe, détroit, bassin et péninsule du Canada septent. (Territoires du Nord-Ouest.)

fox-hound [fɔksawnd] n. m. Chien courant qui ressemble au beagle, utilisé en Grande-Bretagne pour la chasse à courre du renard. *Des fox-hounds.*

fox-terrier ou, abrév., **fox** n. m. Chien de petite taille (une trentaine de cm au garrot), à poil ras, raide ou frisé, que l'on utilise pour la chasse au renard en terrier. *Des fox-terriers. Des fox.*

fox-trot [fɔkstʀɔt] n. m. inv. Danse à quatre temps, caractérisée par une marche saccadée en avant, en arrière, ou sur le côté.

Foy (Maximilien Sébastien) (Ham, Picardie, 1775 - Paris, 1825), général et homme politique français; un des chefs, très populaire, de l'opposition libérale sous la Restauration.

foyer n. m. **I. 1.** Partie de l'âtre d'une cheminée où se fait le feu. - Dalle de pierre ou de marbre devant une cheminée pour séparer le plancher du feu. **2.** *Par ext.* Feu qui brûle dans une cheminée. *Les cendres du foyer.* ▷ Endroit où le feu a pris, où il est le plus ardent. *Foyer d'un incendie.* **3.** TECH Partie d'un appareil, d'une machine où a lieu la combustion. *Le foyer d'une chaudière.* **II.** *Par ext.* **1.** Domicile familial; la famille elle-même. *Le foyer conjugal. Rester au foyer. Mère, femme au foyer,* qui ne travaille pas à l'extérieur. - (Plur.) *Rentrer dans ses foyers :* regagner son domicile, son pays, partic. en parlant d'un soldat démobilisé, d'un appelé qui a terminé son service militaire. ▷ *Fonder un foyer,* une famille. *Foyer fiscal,* représenté par le contribuable au nom duquel est établie la déclaration d'impôt. **2.** Lieu où l'on se réunit pour se distraire, discuter, etc., dans certains établissements. *Le foyer d'une caserne.* ▷ *Foyer socioculturel :* équipement collectif mis à la disposition des habitants d'un secteur géographique, animé par des éducateurs et des psychologues. ▷ THEAT Endroit, dans un théâtre, où le public peut boire et fumer pendant les entractes. *Le foyer de l'Opéra.* **3.** Établissement destiné à l'accueil et au logement de certaines catégories de personnes. *Foyer de jeunes travailleurs.* **III.** *Par anal.* Centre de rayonnement. **1.** Point central d'où qqch provient. *Foyer de résistance, d'intrigues.* ▷ MED Siège principal d'une maladie. *Foyer infectieux, cancéreux.* **2.** OPT Point de convergence des rayons lumineux après réflexion sur un miroir ou après passage à travers une lentille (le faisceau initial étant formé de rayons parallèles). *Lunettes à double foyer.* **3.** GEOM *Foyer d'une conique :* point tel que le rapport (nommé excentricité) des distances d'un point de la conique à ce foyer, d'une part, et à une droite fixe (appelée directrice), d'autre part, soit constant. GEOPH Syn. de *hypocentre.*

Fr CHIM Symbole du francium.

Fra Angelico. V. Angelico (Fra).

frac n. m. Habit de cérémonie pour les hommes, noir, à basques.

fracas [fʀaka] n. m. Bruit très violent. *Le fracas d'une chute d'eau.* Syn. tumulte, vacarme. ▷ Loc. *Avec perte et fracas :* brutalement. *Renvoyer qqn avec perte et fracas.*

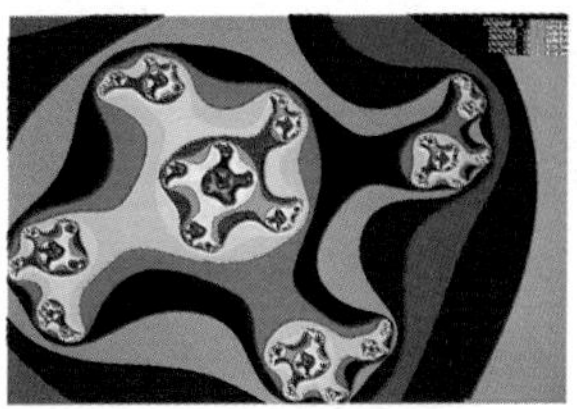
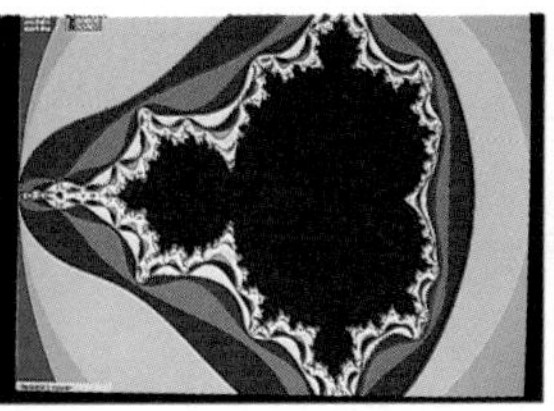

dans les **fractales** (où les couleurs représentent diverses vitesses de convergence de suites), un même motif se répète à de nombreuses échelles : « botte italienne » dans l'ensemble de Julia, à g.; « fraction de boule » dans la fractale de Mandelbrojt, à dr.

fracassant, ante adj. **1.** Qui fait du fracas. *Un bruit fracassant.* **2.** Fig. Qui fait grand bruit, qui a un grand éclat. *Une déclaration fracassante.*

fracassement n. m. Fait de se fracasser; son résultat. *Le fracassement de branches.*

fracasser v. tr. [1] Briser, rompre en plusieurs pièces. ▷ v. pron. Se briser. *Le navire alla se fracasser contre les rochers.*

Frachon (Benoît) (Le Chambon-Feugerolles, Loire, 1892 - Les Bordes, Loiret, 1975). Syndicaliste et homme politique français. Secrétaire (1936-1939), puis secrétaire général (1944-1967) de la C.G.T.; il dirigea, avec Jacques Duclos, le parti communiste de 1939 à 1944.

fractal, ale, als adj. et n. f. **1.** adj. Se dit d'un ensemble géométrique ou d'un objet naturel dont les parties ont la même structure (irrégulière et fragmentée) que le tout, mais à des échelles différentes. **2.** n. f. Ensemble fractal ou objet fractal.

fraction n. f. **I. 1.** MATH Expression indiquant quel nombre de parties égales de l'unité l'on considère. *Dans la fraction* $\frac{2}{3}$ (deux tiers), *2 est le numérateur, 3 le dénominateur; ils sont séparés par une barre de fraction.* (La notation $\frac{a}{b}$ est équivalente à $a \times \frac{1}{b}$.) **2.** Partie d'un tout. *Une petite fraction de l'assemblée.* **II.** Vx Action de rompre, de diviser. - LITURG *La fraction du pain eucharistique.*

Fraction armée rouge. V. Baader.

fractionnaire adj. MATH Qui est sous forme de fraction. *Nombre fractionnaire.* - *Expression fractionnaire :* fraction plus grande que l'unité.

fractionnel, elle adj. POLIT Qui tend à désunir, à diviser (un groupe, un parti).

fractionnement n. m. **1.** Action de fractionner; son résultat. **2.** CHIM Opération qui consiste à séparer les constituants d'un mélange (par flottaison, dissolution, décantation, filtration, centrifugation, distillation, etc.).

fractionner v. tr. [1] Diviser (un tout) en plusieurs parties.

fractionnisme n. m. POLIT Activité, attitude fractionniste.

fractionniste adj. et n. POLIT Qui tend à rompre l'unité d'un parti. ▷ Subst. *Des fractionnistes.*

fracture n. f. **1.** Vx Rupture brutale; état de ce qui est ainsi rompu. *La fracture d'une porte.* - GEOL Cassure (du sol). *Les fractures de l'écorce terrestre.* **2.** Rupture (d'un os). *Fracture du tibia. Fracture du crâne. Fracture spontanée,* sans traumatisme. *Fracture ouverte,* dont le foyer est ouvert vers l'extérieur par une lésion des parties molles. **3.** Fig. Graves dissensions au sein d'un groupe. *Fracture dans la majorité gouvernementale.*

fracturer v. tr. [1] **1.** Rompre en forçant. *Fracturer un coffre-fort.* **2.** Briser (un os). ▷ v. pron. *Se fracturer la jambe.*

Fra Diavolo (Michele Pezza, dit) (Itri, près de Naples, 1771 - Naples, 1806), célèbre brigand napolitain (« frère Diable ») qui lutta contre l'occupation franç. à Naples. Trahi, il fut pris et pendu.

Fraenkel (Adolf Abraham) (Munich, 1891 - Jérusalem, 1965), mathématicien israélien d'origine allemande. Il contribua à l'élaboration de la théorie des ensembles.

fragile adj. **1.** Aisé à rompre; sujet à se briser. *Porcelaines fragiles.* **2.** Mal assuré, instable. *Le fragile équilibre des forces politiques dans telle région.* **3.** (Personnes) Dont la santé (physique ou mentale) est précaire. *Une personne fragile,* très émotive. *Un enfant fragile et chétif.* ▷ Par ext. *Avoir le cœur fragile.*

fragilisant, ante adj. Qui fragilise.

fragilisation n. f. Action de fragiliser; fait de fragiliser.

fragiliser v. tr. [1] Rendre fragile. *L'âge a fragilisé son organisme.* ▷ v. pron. Devenir fragile. *Les cheveux se fragilisent si les décolorations sont trop fréquentes.*

fragilité n. f. **1.** Aptitude à se briser facilement. *La fragilité du verre.* **2.** Aptitude à s'altérer facilement. *La fragilité de sa santé.* **3.** Instabilité, précarité. *La fragilité des choses humaines.*

fragment n. m. **1.** Morceau d'une chose brisée. *Fragment d'os.* **2.** Extrait ou partie d'une œuvre littéraire, artistique, d'un discours, etc.

fragmentable adj. Didac. Qui peut être fragmenté.

fragmentaire adj. Qui est par fragments; partiel, incomplet. *Des informations fragmentaires.*

fragmentairement adv. D'une manière fragmentaire; partiellement.

fragmentation n. f. Action de fragmenter, de se fragmenter.

fragmenter v. tr. [1] Séparer, diviser en fragments.

Fragonard (Jean Honoré) (Grasse, 1732 - Paris, 1806), peintre et graveur français. Il explora tous les genres, mais excella dans les scènes libertines (*la Chemise enlevée*) et les portraits (*l'Abbé de Saint-Non*). ► illustr. page **752**

fragrance n. f. Litt. Odeur agréable.

fragrant, ante adj. Litt. Qui dégage une odeur agréable.

Jean Honoré **Fragonard :** *la Gimblette ;* coll. part., Paris

frai n. m. **1.** Ponte des œufs, chez les poissons ; leur fécondation par le mâle. *Le temps du frai.* ▷ Œufs fécondés des poissons et des amphibiens. *Du frai de carpe.* **2.** Très jeune poisson ; alevin.

fraîche. V. frais 1.

fraîchement adv. **1.** Rare De façon à être au frais. *Vêtu fraîchement.* **2.** Froidement, sans courtoisie. *Fraîchement reçu.* **3.** Récemment. *Fraîchement débarqué.*

fraîcheur n. f. **1.** Froid modéré et agréable. *La fraîcheur de la forêt, de l'eau.* **2.** Qualité d'un produit frais, non altéré. *La fraîcheur d'un œuf.* **3.** Fig. Qualité caractéristique de la jeunesse, de la nouveauté. *Fraîcheur du teint, des couleurs. – Fraîcheur d'une pensée.*

fraîchir v. intr. [3] **1.** Devenir plus frais. ▷ v. impers. *Il fraîchit :* l'air est plus frais. **2.** MAR Souffler plus fort (vent).

1. frais, fraîche adj. et n. **I. 1.** Modérément froid, caractérisé par la fraîcheur. *Eau fraîche. Les nuits sont fraîches.* ▷ n. m. Air frais. – Loc. *Prendre le frais. – Mettre au frais,* dans un endroit frais ; fig. fam. en prison. – Loc. adv. *À la fraîche :* à l'heure où il fait frais. **2.** Fig. Peu chaleureux. *Accueil frais.* **3.** METEO Vent de force 6 dans l'échelle de Beaufort. **II. 1.** Nouvellement produit (à propos de denrées périssables). *Du pain, des œufs frais.* ▷ Qui n'a pas été traité pour la conservation (par oppos. à *fumé, en conserve, séché,* etc.). *Petits pois frais. Sardines fraîches.* **2.** Récent. *Nouvelles fraîches.* ▷ *Peinture fraîche,* qui n'a pas encore séché. ▷ Loc. adv. *De frais :* depuis peu de temps. *Rasé de frais.* ▷ Emploi adverbial (devant pp.). Litt. Nouvellement. *Fleurs fraîches écloses. Frais émoulu.* **3.** Qui a l'éclat de la jeunesse. *Un teint frais.* ▷ Qui n'est pas fatigué. *Frais et dispos. Troupes fraîches.* **4.** Fam., iron. *Le voilà frais,* dans une situation fâcheuse.

2. frais n. m. pl. **1.** Dépenses liées à certaines circonstances. *Frais de voyage.* ▷ Loc. adv. et prép. *À grands frais, à peu de frais :* en dépensant beaucoup, peu d'argent ; fig. en se donnant beaucoup, peu de peine. ▷ *En être pour ses frais :* faire des dépenses sans rien obtenir en contrepartie ; fig. ne pas être récompensé de ses peines. ▷ *Faire les frais de qqch :* assumer la dépense que nécessite qqch ; fig. subir les conséquences fâcheuses de. *Faire les frais de la conversation,* en être le principal sujet ou le principal participant. ▷ *Se mettre en frais :* dépenser plus que de coutume ; fig. faire un effort inhabituel. **2.** DR *Frais de justice :* frais entraînés par un procès, à l'exclusion des honoraires des avocats. **3.** *Faux frais :* frais justifiés mais occasionnels qui s'ajoutent aux frais ordinaires ; cour. frais accessoires. **4.** FIN Charges et dépenses de toutes sortes nécessaires à la bonne marche d'une entreprise. *Frais fixes :* frais permanents indépendants des variations de production. *Frais généraux :* ensemble des dépenses de fonctionnement. *Frais financiers :* charge représentée par les intérêts des emprunts. **5.** Somme allouée pour certaines dépenses. *Frais de déplacement, de représentation.* **6.** (Canada) *Appel à frais virés :* communication téléphonique payée par le destinataire. *Téléphoner à frais virés.*

fraisage n. m. TECH **1.** Travail à la fraise (4) du dentiste. **2.** Usinage au moyen de fraises (4).

1. fraise n. f. Faux fruit du fraisier, formé d'un réceptacle floral charnu, rouge à maturité et comestible, portant les akènes (petits grains qui sont les vrais fruits). ▷ Loc. fig., fam. *Sucrer les fraises :* avoir les mains qui tremblent.

2. fraise n. f. **1.** Membrane qui enveloppe les intestins du veau et de l'agneau. **2.** Masse charnue plissée qui pend sous le cou du dindon.

3. fraise n. f. Collerette plissée portée au XVIe s. et au début du XVIIe s.

4. fraise n. f. TECH Outil rotatif muni d'arêtes tranchantes, servant à usiner des pièces. ▷ *Fraise de dentiste,* servant à enlever les parties cariées des dents.

fraiser v. tr. [1] TECH Usiner (une pièce) avec une fraise.

fraiseur, euse n. TECH Ouvrier, ouvrière spécialiste du fraisage.

fraiseuse n. f. TECH Machine-outil servant à fraiser.

fraisier n. m. **1.** Petite plante basse (fam. rosacées) qui produit les fraises. **2.** Gâteau constitué de génoise fourrée de fraises et de crème légère, recouvert de pâte d'amande.

framboise n. f. Fruit comestible du framboisier, composé d'une grappe de petites drupes le plus généralement rouges. ▷ *Liqueur, alcool de framboise.*

framboiser v. tr. [1] Parfumer à la framboise. – Pp. adj. *Alcool framboisé.*

framboisier n. m. Ronce (fam. rosacées) dont le fruit est la framboise.

framée n. f. HIST Long javelot des Francs.

1. franc, franche [fʀɑ̃, fʀɑ̃ʃ] adj. **I.** Vx Libre (par oppos. à *esclave, serf,* etc.). **1.** Mod. (Dans certaines loc.) Libre de ses mouvements, de son action. *Avoir les coudées* franches.* ▷ MILIT Anc. *Corps* francs.* ▷ SPORT *Coup* franc.* **2.** Exempt d'imposition, de charges. *Marchandise franche de taxes.* – HIST *Villes franches.* **II. 1.** Sincère, loyal. *Être franc comme l'or.* ▷ Qui indique la sincérité. *Un regard franc. – Jouer franc jeu :* agir en toute loyauté. ▷ adv. *Parlons franc.* **2.** Net. *Une situation franche. Nourrir pour qqn une franche aversion.* ▷ PHYS *Fusion franche :* passage brusque de l'état solide à l'état liquide (par oppos. à *fusion pâteuse*). ▷ Plein, entier. *Huit jours francs :* huit jours complets. **3.** Naturel, sans mélange. *Vin franc. Couleur franche.* ▷ ARBOR *Arbre franc,* né de la graine d'un arbre venu déjà par culture (V. sauvageon). **4.** (Devant le nom.) *Un franc... :* un vrai... *Un franc imbécile. Une franche sottise.*

2. franc, franque [fʀɑ̃, fʀɑ̃k] n. et adj. **1.** Membre d'un peuple germanique dont les tribus s'établirent définitivement en Gaule à partir du Ve s. *Francs Ripuaires, Francs Saliens.* V. Francs. ▷ adj. *Période franque. – La langue franque :* le francique. **2.** Nom donné autrefois aux Européens du Levant. ▷ adj. *L'ancien quartier franc de Constantinople.*

3. franc [fʀɑ̃] n. m. **1.** HIST Nom de plusieurs monnaies françaises réelles ou de compte, qui, depuis 1360, équivalaient à la livre (20 sols). **2.** Unité monétaire légale de la France. V. encycl. **3** Unité monétaire de plusieurs pays (V monnaie). – *Franc C.F.A. :* franc de la Communauté financière africaine. – *Franc constant,* d'une valeur fictive calculée pour effacer les effets de l'inflation et permettre des comparaisons entre deux périodes (par oppos. à *franc courant*).

ENCYCL Les premières pièces d'un franc furent frappées en 1360. C'est la Convention qui, en avril 1795, décida que le franc serait l'unité monétaire officielle de la France (5 g d'argent). La loi du 17 germinal an XI (7 avril 1803) institua la frappe de l'or sur la base d'un rapport de 15,5 avec l'argent (*franc germinal*). Le bimétallisme complet devait durer jusqu'en 1864 ; des pièces d'or et d'argent furent également mises en circulation. De 1879 à 1928, le franc or de 0,3225 g constituait l'unité monétaire nationale (le bimétallisme incomplet, par l'arrêt de la frappe des pièces d'argent de 5 francs, avait transformé en fait le régime monétaire en monométallisme or), bien qu'en 1914 le gouvernement eût institué le cours forcé des billets. Le 25 juin 1928, le gouvernement Poincaré procédait à une dévaluation de 80 % du franc germinal et instituait un nouveau régime monétaire d'étalon-or. Le franc Auriol en 1936, le franc Bonnet en 1938 et le franc Reynaud en 1940 consacraient la dépréciation continuelle du franc, dont la définition par rapport à l'or était, à la veille de la guerre, tombée à 0,023 g. Cette dévalorisation du franc s'exprimait dans sa parité avec le dollar (1 dollar = 43,8 francs), devenu monnaie étalon dans le cadre du système du *gold exchange standard.* Cette dévalorisation s'est accentuée pendant et après la guerre. Le 1er janvier 1960, un nouveau franc (NF), ou « franc lourd », était créé, égal au centuple de l'ancien et défini par rapport au dollar américain (1 dollar = 4,93 NF). Après une période de stabilité, le franc subit une première dévaluation de 11,1 % en 1969. Depuis cette période le franc se trouve, comme toutes les monnaies, soumis à un flottement général des taux de change.

français, aise adj. et n. **1.** adj. Qui est relatif ou propre à la France, à s nationaux. ▷ Relatif à la langue française. **2.** Subst. Personne de nationalité française. *Un(e) Français(e).* **3.** n. m. *Le français* : la langue française. ▷ adv. *Parler français.*

ENCYCL Le français est une langue *romane.* Il est issu du latin populaire, qui, sur le territoire de la Gaule, avait peu à peu éliminé le *gaulois* (langue celtique). Celui-ci disparut vers le Ve ou le VIe s. apr. J.-C. À partir de cette époque, l'influence du substrat gaulois et du germanique et le déclin de la vie culturelle provoquèrent une altération profonde et rapide de ce latin populaire de Gaule. Cette transformation s'effectua de manière autonome dans chaque région du pays, d'où, au Moyen Âge, un grand nombre de dialectes : dans la moitié nord, les dialectes d'*oïl* (constituant l'*ancien français* au sens large); dans la moitié sud, les dialectes d'*oc.* Beaucoup de ces dialectes furent des langues littéraires brillantes. Le dialecte de l'Île-de-France, le *francien* (ou *ancien français* au sens strict), devint, aux XIVe et XVe s., le *moyen français.* C'est de lui que dérive directement la langue du XVIe s., qui, épurée, fixée et codifiée, devint le *français classique* (XVIIe s.), qui, déjà, est presque du *français moderne.* Depuis le Moyen Âge, une double évolution a caractérisé l'histoire du français, langue d'un État de plus en plus centralisé et puissant : 1° enrichissement, épurement et codification de la langue par une élite sociale et culturelle, le français, d'abord langue officielle de l'administration royale, devenant une langue littéraire et diplomatique prestigieuse (XVIIe s.), puis une langue internationale répandue dans tous les milieux cultivés (XVIIIe s.); 2° refoulement des dialectes et des langues régionales, que les progrès du français confinèrent dans les milieux populaires des provinces, puis dans les milieux strictement ruraux. Auj. la langue française est parlée dans le monde par près de 120 millions de personnes. Elle l'est sur tout le territoire français (métropole, DOM-TOM et collectivités territoriales françaises). Elle est la langue officielle d'une partie de la Suisse (2 500 000 personnes), d'une partie de la Belgique (5 450 000), d'une partie du Canada et de Nouvelle-Angleterre (5 500 000), du Luxembourg (300 000), de Haïti (750 000). Elle est parlée dans l'île Maurice (340 000) et dans une partie de la Louisiane (7 250 000). Qu'elle soit ou non langue officielle (cela dépend des pays), elle est aussi la langue de culture commune à de nombreux États d'Afrique. Le français a, théoriquement, un statut égal à celui de l'anglais dans les institutions internationales. Il demeure l'une des grandes langues internationales de communication, après l'anglais, mais concurremment avec l'espagnol et l'allemand.

franc-alleu [fʀɑ̃kalø] n. m. DR FEOD Terre possédée en toute propriété, franche de toute redevance. *Des francs-alleux.*

Francastel (Pierre) (Paris, 1900 – id., 1970), historien d'art français. Il appréhenda les œuvres plastiques en tant que faits sociaux : *Peinture et société* (1951 et 1965), *Art et technique aux XIXe et XXe siècles* (1956), *la Réalité figurative* (1965), *la Figure et le Lieu* (1967).

franc-bord n. m. **1.** Terrain laissé libre en bordure d'une rivière ou d'un canal. **2.** MAR *Hauteur de franc-bord* : hauteur du pont au-dessus de la flottaison. *Des francs-bords.*

franc-bourgeois n. m. Au Moyen Âge, citadin exempt de charges municipales. *Des francs-bourgeois.*

franc-canton n. m. HERALD Franc-quartier diminué. *Des francs-cantons.*

franc-comtois, oise adj. et n. De la Franche-Comté. ▷ Subst. *Des Francs-Comtois. Des Franc-Comtoises.* Syn. comtois.

France (République française), État d'Europe occidentale limité au N.-O. par la mer du Nord et la Manche, à l'O. par l'Atlantique, au S.-O. par l'Espagne, au S. par la Méditerranée, au S.-E. par l'Italie, à l'E. par la Suisse, au N.-E. par l'Allemagne, le Luxembourg et la Belgique; 543 965 km²; 56 614 493 hab. pour la France métropolitaine, 58 543 000 avec les DOM-TOM; cap. *Paris.* – Le nom *France,* qui apparaît au IVe s. ap. J.-C. (*Francia,* le «pays des Francs», à l'E. de Cologne), s'applique au VIe s. à une partie de la Gaule et, après le traité de Verdun (843), la *Francia occidentalis* correspond à peu près à la France actuelle jusqu'au Rhône et à la Meuse. – Nature de l'État : rép. de type à la fois présidentiel et parlementaire. Langue off. : français. Monnaie : franc. Relig. : cathol.; env. 950 000 protestants; entre 400 000 et 700 000 juifs; 3 millions de musulmans env. (dont plus de 2 millions d'immigrés). Divisions admin. : la France métropolitaine compte 96 dép., regroupés en 22 Régions, auxquels s'ajoutent 4 dép. et divers territ. d'outre-mer. (V. ci-dessous administrations et institutions.)

Géographie. – De forme compacte, limitée par 5 500 km de côtes et près de 3 000 km de frontières terrestres, traversée par le méridien d'origine et le 45e parallèle, la France est un carrefour continental et maritime de premier ordre. Seul pays d'Europe à s'ouvrir à la fois sur la mer du Nord, l'Atlantique et la Méditerranée, située au cœur de la Communauté des Douze, la France occupe une position clé dans l'Europe en construction. L'Hexagone est un condensé des grandes unités de relief de l'Europe occidentale : bas pays du N. et bassins sédimentaires qui prolongent la grande plaine septentrionale européenne, vieux massifs, formant le bâti hercynien du pays et qui se rattachent à l'Europe moyenne, chaînes récentes du S. et du S.-E., caractéristiques de l'Europe alpine. Modelé par les grands aplanissements de la fin de l'ère primaire, par l'érosion tertiaire, puissante et variée, marqué par les influences froides glaciaires et périglaciaires du quaternaire, le relief français porte les héritages d'une évolution longue de 300 millions d'années.

Unités de relief. – Quatre grands types de reliefs se partagent le territoire du pays.

– Les massifs anciens hercyniens, surtout cristallins, ont été transformés en pénéplaines à la fin du primaire. Leur allure actuelle dépend de l'ampleur du rajeunissement qu'ils ont subi au tertiaire. L'Ardenne et le Massif armoricain ont des formes émoussées, alors que les Maures et l'Estérel sont plus élevés et accidentés. Quant aux Vosges et au Massif central, ce sont des montagnes moyennes, le Massif central offrant même une riche variété de formes : blocs cristallins soulevés, volcans, puissants escarpements, fossés d'effondrement (Limagne).

– Les bassins sédimentaires de Paris et d'Aquitaine couvrent plus de la moitié du pays. Constitués de couches dures (calcaires, grès), ou tendres (marnes, argiles, sables), déposées dans les mers secondaires et tertiaires, ils présentent des horizons de plateaux et de plaines dans lesquels s'inscrivent les vallées alluviales des grands fleuves et de leurs affluents. Des dépôts de surface comme les limons du Bassin parisien ou les sables d'Aquitaine déterminent la qualité des sols.

– Les chaînes récentes, Jura, Pyrénées, Alpes, édifiées à la fin du secondaire et au tertiaire, sont constituées de massifs cristallins (massifs centraux alpins, zone axiale pyrénéenne) et de sédiments plissés (Jura, Préalpes, Pré-Pyrénées). Si le Jura n'est qu'une montagne moyenne aux formes lourdes, les Alpes et les Pyrénées sont de hautes chaînes (mont Blanc 4 808 m, Vignemale 3 298 m), aux formes escarpées, sculptées par les glaciers quarternaires qui ont ouvert de larges vallées en auge. Différente par sa structure hercynienne et alpine, la Corse se rattache pourtant à cet ensemble par ses formes et ses altitudes.

– Les plaines de remblaiement, formées de dépôts détritiques et alluviaux, occupent des fossés tectoniques comme l'Alsace, la Limagne ou le couloir Saône-Rhône, ou sont en position littorale comme le Roussillon, la plaine du Languedoc et la plaine du bas Rhône. À des reliefs aussi diversifiés correspondent des littoraux variés et rarement inhospitaliers : rocheux et découpés comme en Bretagne et en Provence, rectilignes et sableux comme en Languedoc et dans les Landes.

Caractères climatiques. – La France de l'O., du N. et du centre connaît un climat tempéré océanique nuancé par la latitude, l'E. du pays enregistrant des nuances un peu plus continentales : ces conditions sont propices à la forêt de feuillus où dominent chênes, charmes et hêtres. Le S. méditerranéen a des caractères spécifiques (hivers doux, étés chauds et arides) qui se traduisent par une végétation adaptée : forêts de chênes verts, de chênes-lièges, de pins, d'oliviers dont la dégradation donne le maquis sur sol cristallin et la garrigue sur sol calcaire. Les montagnes, plus fraîches et arrosées, sont marquées par l'étagement de la végétation : feuillus sur les basses pentes, conifères en altitude que surmonte la pelouse alpine dans les zones les plus élevées. Les régimes fluviaux traduisent cette variété : régime pluvial des rivières océaniques (crue d'hiver, étiage d'été), régime méditerranéen au S. (crue d'automne, étiage d'été), régime nivo-glaciaire des montagnes (crue de printemps, étiage d'hiver).

Peuplement. – Peuplée dès le paléolithique supérieur par des chasseurs de bisons et de rennes, réfugiés lors de la dernière glaciation dans le Bassin aquitain, la France abrite, à partir du néolithique, des pop. sédentaires qui pratiquent l'agriculture et l'élevage, et travaillent les métaux. La mise en place du fonds de peuplement s'achève, vers 450 av. J.-C., par l'arrivée des Celtes, envahisseurs venus de l'E.; avec eux naît et s'épanouit l'originale civilisation de la Gaule. Cette civilisation subit l'empreinte romaine après les conquêtes de César : les parlers celtes s'effacent devant le latin. S'y mêlent également les apports des envahisseurs germains, notam. ceux des Francs, qui reconstituent l'unité de la Gaule à l'époque mérovingienne, et ceux des Scandinaves, qui occupent, au Xe s., la Normandie actuelle. Ces apports variés, auxquels se sont ajoutés aux siècles suivants divers courants d'immigration étrangère, n'ont pas empêché la formation précoce d'une nation au pouvoir centralisateur, à la forte unité politique et linguistique, à laquelle la Révolution de 1789 a donné une impulsion décisive, souvent préjudiciable aux particularismes régionaux (basque, catalan, occitan, corse, breton).

Administration et institutions. – La France métropolitaine comprend 96 départements. La France d'outre-

RÉGIONS ADMINISTRATIVES

* Chefs-lieux de Région

Région	département	chef-lieu	chefs-lieux d'arrondissement
ALSACE	**Bas-Rhin** (67)	*Strasbourg	Haguenau, Molsheim, Saverne, Sélestat, Wissembourg
	Haut-Rhin (68)	Colmar	Altkirch, Guebwiller, Mulhouse, Ribeauvillé,Thann
AQUITAINE	**Dordogne** (24)	Périgueux	Bergerac, Nontron, Sarlat-la-Canéda
	Gironde (33)	*Bordeaux	Blaye, Langon, Lesparre-Médoc, Libourne
	Landes (40)	Mont-de-Marsan	Dax
	Lot-et-Garonne (47)	Agen	Marmande, Nérac, Villeneuve-sur-Lot
	Pyrénées-Atlantiques (64)	Pau	Bayonne, Oloron-Sainte-Marie
AUVERGNE	**Allier** (03)	Moulins	Montluçon, Vichy
	Cantal (15)	Aurillac	Mauriac, Saint-Flour
	Haute-Loire (43)	Le Puy-en-Velay	Brioude, Yssingeaux
	Puy-de-Dôme (63)	*Clermont-Ferrand	Ambert, Issoire, Riom, Thiers
BOURGOGNE	**Côte-d'Or** (21)	*Dijon	Beaune, Montbard
	Nièvre (58)	Nevers	Château-Chinon, Clamecy, Cosne-Cours-sur-Loire
	Saône-Et-Loire (71)	Mâcon	Autun, Chalon-sur-Saône, Charolles, Louhans
	Yonne (89)	Auxerre	Avallon, Sens
BRETAGNE	**Côtes-d'Armor** (22)	Saint-Brieuc	Dinan, Guingamp, Lannion
	Finistère (29)	Quimper	Brest, Châteaulin, Morlaix
	Ille-Et-Vilaine (35)	*Rennes	Fougères, Redon, Saint-Malo
	Morbihan (56)	Vannes	Lorient, Pontivy
CENTRE	**Cher** (18)	Bourges	Saint-Amand-Montrond, Vierzon
	Eure-Et-Loir (28)	Chartres	Châteaudun, Dreux, Nogent-le-Rotrou
	Indre (36)	Châteauroux	Issoudun, La Châtre, Le Blanc
	Indre-et-Loire (37)	Tours	Chinon, Loches
	Loir-et-Cher (41)	Blois	Romorantin-Lanthenay, Vendôme
	Loiret (45)	*Orléans	Montargis, Pithiviers

Région	département	chef-lieu	chefs-lieux d'arrondissement
CHAMPAGNE-ARDENNE	**Ardennes** (08)	Charleville-Mézières	Rethel, Sedan, Vouziers
	Aube (10)	Troyes	Bar-sur-Aube, Nogent-sur-Seine
	Marne (51)	*Châlons-en-Champagne	Épernay, Reims, Sainte-Menehould, Vitry-le-François
	Haute-Marne (52)	Chaumont	Langres, Saint-Dizier
CORSE (Collectivité territoriale de la Rép.)	**Corse-du-Sud** (2A)	*Ajaccio	Sartène
	Haute-Corse (2B)	Bastia	Calvi, Corte
FRANCHE-COMTÉ	**Doubs** (25)	*Besançon	Montbéliard, Pontarlier
	Jura (39)	Lons-le-Saunier	Dole, Saint-Claude
	Haute-Saône (70)	Vesoul	Lure
	Territoire de Belfort (90)	Belfort	
ÎLE-DE-FRANCE	**Paris (Ville de)** (75)	*Paris	
	Seine-et-Marne (77)	Melun	Meaux, Provins, Fontainebleau
	Yvelines (78)	Versailles	Mantes-la-Jolie, Rambouillet, Saint-Germain-en-Laye
	Essonne (91)	Évry	Étampes, Palaiseau
	Hauts-de-Seine (92)	Nanterre	Antony, Boulogne-Billancourt
	Seine-Saint-Denis (93)	Bobigny	Le Raincy
	Val-de-Marne (94)	Créteil	L'Haÿ-les-Roses, Nogent-sur-Marne
	Val-d'Oise (95)	Pontoise	Argenteuil, Montmorency
LANGUEDOC-ROUSSILLON	**Aude** (11)	Carcassonne	Limoux, Narbonne
	Gard (30)	Nîmes	Alès, Le Vigan
	Hérault (34)	*Montpellier	Béziers, Lodève
	Lozère (48)	Mende	Florac
	Pyrénées-Orientales (66)	Perpignan	Céret, Prades
LIMOUSIN	**Corrèze** (19)	Tulle	Brive-la-Gaillarde, Ussel
	Creuse (23)	Guéret	Aubusson
	Haute-Vienne (87)	*Limoges	Bellac, Rochechouart

RÉGIONS ADMINISTRATIVES *(suite)*

** Chefs-lieux de Région*

Région	département	chef-lieu	chefs-lieux d'arrondissement
LOIRE (PAYS DE LA)	**Loire-Atlantique** (44)	*Nantes	Ancenis, Châteaubriant, Saint-Nazaire
	Maine-et-Loire (49)	Angers	Cholet, Saumur, Segré
	Mayenne (53)	Laval	Château-Gontier, Mayenne
	Sarthe (72)	Le Mans	La Flèche, Mamers
	Vendée (85)	La Roche-sur-Yon	Fontenay-le-Comte, Les Sables-d'Olonne
LORRAINE	**Meurthe-et-Moselle** (54)	Nancy	Briey, Lunéville, Toul
	Meuse (55)	Bar-le-Duc	Commercy, Verdun
	Moselle (57)	*Metz	Boulay-Moselle, Château-Salins, Forbach, Sarrebourg, Sarreguemines, Thionville
	Vosges (88)	Épinal	Neufchâteau, Saint-Dié
MIDI-PYRÉNÉES	**Ariège** (09)	Foix	Pamiers, Saint-Girons
	Aveyron (12)	Rodez	Millau, Villefranche-de-Rouergue
	Haute-Garonne (31)	*Toulouse	Muret, Saint-Gaudens
	Gers (32)	Auch	Condom, Mirande
	Lot (46)	Cahors	Figeac, Gourdon
	Hautes-Pyrénées (65)	Tarbes	Argelès-Gazost, Bagnères-de-Bigorre
	Tarn (81)	Albi	Castres
	Tarn-et-Garonne (82)	Montauban	Castelsarrasin
NORD-PAS-DE-CALAIS	**Nord** (59)	*Lille	Avesnes-sur-Helpe, Cambrai, Douai, Dunkerque, Valenciennes
	Pas-de-Calais (62)	Arras	Béthune, Boulogne-sur-Mer, Calais, Lens, Montreuil, Saint-Omer
NORMANDIE (HAUTE-)	**Eure** (27)	Évreux	Les Andelys, Bernay
	Seine-Maritime (76)	*Rouen	Dieppe, Le Havre

Région	département	chef-lieu	chefs-lieux d'arrondissement
NORMANDIE (BASSE-)	**Calvados** (14)	*Caen	Bayeux, Lisieux, Vire
	Manche (50)	Saint-Lô	Avranches, Cherbourg, Coutances
	Orne (61)	Alençon	Argentan, Mortagne-au-Perche
PICARDIE	**Aisne** (02)	Laon	Château-Thierry, Saint-Quentin, Soissons, Vervins
	Oise (60)	Beauvais	Clermont, Compiègne, Senlis
	Somme (80)	*Amiens	Abbeville, Montdidier, Péronne
POITOU-CHARENTES	**Charente** (16)	Angoulême	Cognac, Confolens
	Charente-Maritime (17)	La Rochelle	Jonzac, Rochefort, Saint-Jean-d'Angély, Saintes
	Deux-Sèvres (79)	Niort	Bressuire, Parthenay
	Vienne (86)	*Poitiers	Châtellerault, Montmorillon
PROVENCE-ALPES-CÔTE-D'AZUR	**Alpes-de-Haute-Provence** (04)	Digne-les-Bains	Barcelonnette, Castellane, Forcalquier
	Hautes-Alpes (05)	Gap	Briançon
	Alpes-Maritimes (06)	Nice	Grasse
	Bouches-du-Rhône (13)	*Marseille	Aix-en-Provence, Arles, Istres
	Var (83)	Toulon	Brignoles, Draguignan
	Vaucluse (84)	Avignon	Apt, Carpentras
RHÔNE-ALPES	**Ain** (01)	Bourg-en-Bresse	Belley, Gex, Nantua
	Ardèche (07)	Privas	Largentière, Tournon-sur-Rhône
	Drôme (26)	Valence	Die, Nyons
	Isère (38)	Grenoble	La Tour-du-Pin, Vienne
	Loire (42)	Saint-Étienne	Montbrison, Roanne
	Rhône (69)	*Lyon	Villefranche-sur-Saône
	Savoie (73)	Chambéry	Albertville, Saint-Jean-de-Maurienne
	Haute-Savoie (74)	Annecy	Bonneville, Saint-Julien-en-Genevois, Thonon-les-Bains

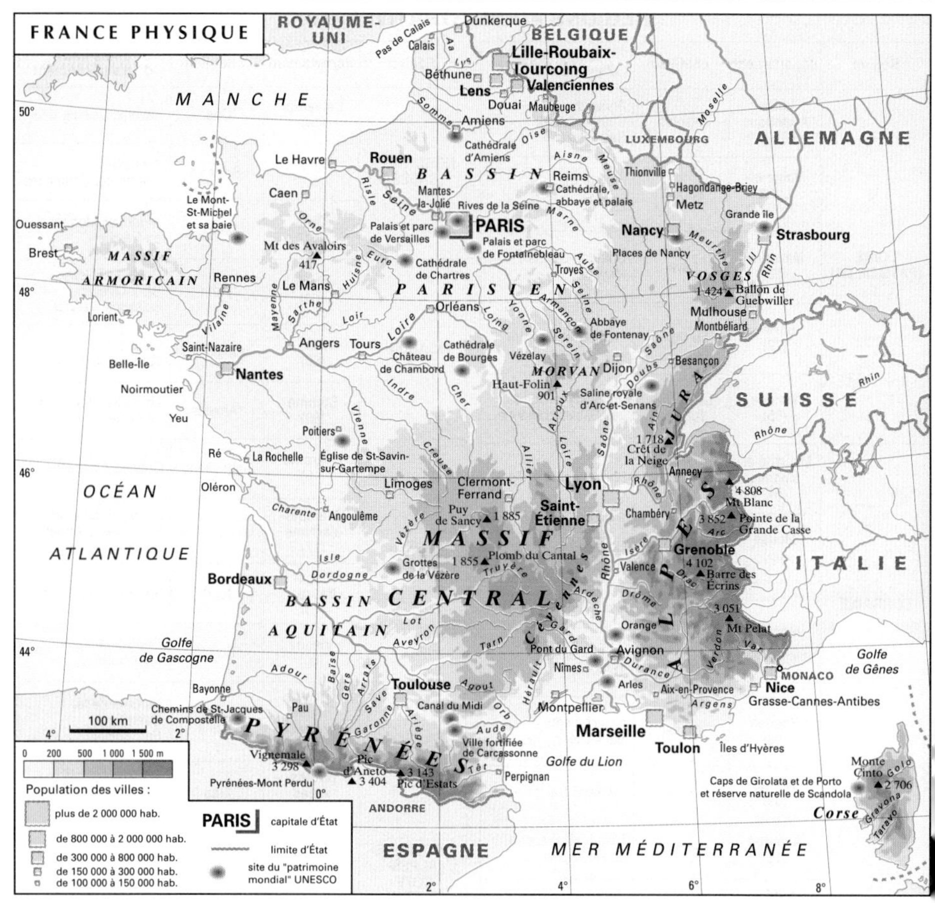

mer compte quatre départements d'outre-mer (DOM) : Guadeloupe, Martinique, Guyane française, Réunion, deux collectivités territoriales : Saint-Pierre-et-Miquelon et Mayotte, et des territoires d'outre-mer (TOM) : Nouvelle-Calédonie, Wallis-et-Futuna, Polynésie française, terres australes et antarctiques. Chaque dép. a à sa tête un président du conseil général (dont les membres sont élus au suffrage universel lors des élections cantonales); un préfet y représente l'État. En 1964, la politique d'aménagement du territoire a conduit les pouvoirs publics à regrouper les dép. métropolitains en 21 puis 22 Régions, dont les limites sont plus administratives que géographiques; elles sont dirigées par un président du conseil régional (dont les membres sont également élus au suffrage universel); un conseil économique, social et régional, qui a un rôle consultatif, assiste le conseil régional; l'État est représenté par un préfet de Région. L'hypertrophie de l'aggl. parisienne a amené également à promouvoir huit *métropoles d'équilibre*, destinées à devenir autant de pôles de développement régional. La Constitution de la Ve République (4 oct. 1958) donne le rôle principal au président de la République, qui, depuis le référendum de 1962, est élu pour sept ans au suffrage universel. Il possède des pouvoirs très étendus (organisation de référendums, dissolution de l'Assemblée, droit de grâce, etc.), exceptionnels en cas de crise grave (article 16). Chef des armées, chef de l'exécutif, il nomme le Premier ministre et, sur proposition de ce dernier, les ministres. Le pouvoir législatif est exercé par le Parlement, composé de l'Assemblée nationale (élue pour cinq ans au suffrage universel) et du Sénat (élu pour neuf ans et renouvelable tous les trois ans par tiers au suffrage indirect).

Problèmes démographiques actuels. – Avec 104 hab./km², la France est moins peuplée que ses partenaires européens : Royaume-Uni 235 hab./km², Allemagne 219, Italie 191. Les zones de fortes densités de l'Île-de-France, du Nord, des vallées et littoraux en général (axes rhodanien, de la Loire, de la Garonne, côtes atlantiques et méditerranéennes), s'opposent aux vides relatifs du Massif central et des montagnes périphériques. Le taux d'urbanisation s'est stabilisé à 75 %; les campagnes proches des villes accroissent leurs effectifs, alors que celles du «rural profond», dépeuplées par l'exode passé, ne connaissent pas de véritable reprise. Le réseau urbain, déséquilibré, souffre de l'hypertrophie parisienne et le pays manque de grandes métropoles de second rang, capables d'équilibrer le poids de la capitale. La forte croissance démographique des années 1945-1965, liée à une reprise de la natalité et à une immigration soutenue, s'est ralentie : la population augmente de 0,4 % par an en moyenne et l'immigration, contrôlée, est désormais modeste. La fécondité plus élevée de la pop. étrangère ne permet pas d'infléchir la tendance. Les étrangers sont env. 4 millions, ce qui pose de difficiles problèmes d'intégration. La population française vieillit : les moins de 20 ans représentent 28 % de l'ensemble et les plus de 65 ans 14 %, ce qui pose, à terme, la question du maintien de la couverture sociale et des retraites à leur niveau actuel. Les actifs (43 % de la population) sont caractérisés par une prédominance absolue de l'emploi tertiaire (64 %), signe d'une économie et d'une société avancées. L'emploi agricole (6 %) poursuit son repli de manière ralentie alors que le bâtiment et l'industrie (29 %) ont perdu près de 5 millions d'actifs en 20 ans.

Économie. – La France offre l'exemple d'une économie mixte où les entreprises privées côtoient un secteur public puissant. Plus qu'à ses ressources naturelles, elle doit sa place de 5e puissance économique mondiale et de 2e puissance européenne à l'ancienneté de ses traditions agricoles, industrielles et marchandes, au long e patient aménagement de son territoire au savoir-faire de ses hommes, et aux relations commerciales qu'elle a tissées avec la plupart des pays du monde. Les dernières décennies ont été marquées par d'importants bouleversements dan le domaine de l'énergie et des trans ports. La prod. de charbon s'est effon drée et les dernières mines du Nord on fermé en 1990. En dépit d'une prospec tion active, la production de pétrol reste très modeste, tandis que celle d gaz de Lacq décline irrémédiablemen L'équipement hydroélectrique s'est ren forcé mais atteint aujourd'hui so niveau plafond, alors que les centrale thermiques au charbon, au fioul et a gaz ne jouent plus qu'un rôle d'appoin En revanche, le nucléaire est devenu l première source d'énergie national

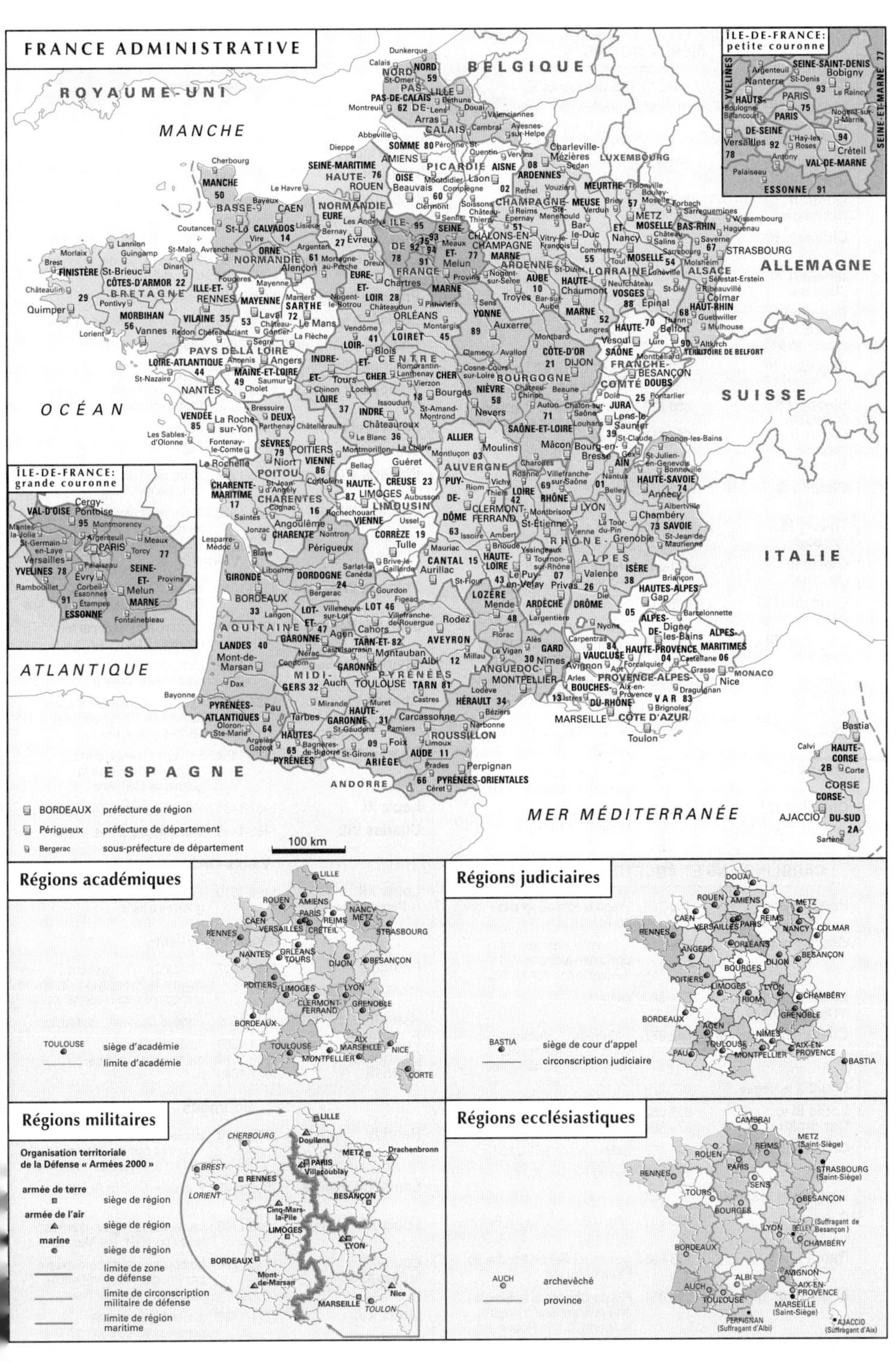

FRANCE ADMINISTRATIVE
ÎLE-DE-FRANCE: petite couronne
ÎLE-DE-FRANCE: grande couronne
ROYAUME-UNI
MANCHE
BELGIQUE
LUXEMBOURG
ALLEMAGNE
SUISSE
ITALIE
MONACO
ANDORRE
ESPAGNE
OCÉAN
ATLANTIQUE
MER MÉDITERRANÉE
NORD-PAS-DE-CALAIS
PICARDIE
HAUTE-NORMANDIE
BASSE-NORMANDIE
BRETAGNE
PAYS DE LA LOIRE
CENTRE
ÎLE-DE-FRANCE
CHAMPAGNE-ARDENNE
LORRAINE
ALSACE
FRANCHE-COMTÉ
BOURGOGNE
POITOU-CHARENTES
LIMOUSIN
AUVERGNE
RHÔNE-ALPES
AQUITAINE
MIDI-PYRÉNÉES
LANGUEDOC-ROUSSILLON
PROVENCE-ALPES-CÔTE D'AZUR
CORSE
BORDEAUX préfecture de région
Périgueux préfecture de département
Bergerac sous-préfecture de département
100 km
Régions académiques
TOULOUSE siège d'académie
limite d'académie
Régions judiciaires
BASTIA siège de cour d'appel
circonscription judiciaire
Régions militaires
Organisation territoriale de la Défense « Armées 2000 »
armée de terre siège de région
armée de l'air siège de région
marine siège de région
limite de zone de défense
limite de circonscription militaire de défense
limite de région maritime
Régions ecclésiastiques
AUCH archevêché
province

CHEFS D'ÉTATS ET RÉGIMES

MÉROVINGIENS

Clovis	481-511	Roi des Francs
Clotaire Ier *(roi de Soissons; seul roi à partir de 558)*	511-561	Jusqu'en 558, partage avec ses frères le royaume de Clovis (agrandi)
Caribert *(Paris)*	561-567	
Gontran *(Bourgogne)*	561-593	
Chilpéric Ier *(Neustrie)*	561-584	
Sigebert Ier *(Austrasie)*	561-575	
Clotaire II *(Neustrie ; seul roi à partir de 613)*	584-629	Fils de Chilpéric Ier
Dagobert Ier	629-639	Fils de Clotaire II ; réunifie un royaume affaibli
Sigebert II *(Austrasie)*	639-656	Ces deux fils de Dagobert laissent gouverner des maires du palais
Clovis II *(Neustrie-Bourgogne)*	639-657	
Clotaire III *(Neustrie)*	657-673	
Thierry III *(Neustrie)*	673-691	
Clovis III *(Neustrie)*	691-695	Thierry III et Clovis III, les premiers « rois fainéants »
Childebert III *(Neustrie)*	695-711	
Dagobert III *(Neustrie)*	711-715	Pépin de Herstal, maire du palais d'Austrasie, gouverne
Chilpéric II *(choisi par la Neustrie)*	715-721	Vaincu par Ch. Martel, fils de Pépin de Herstal
Clotaire IV *(Neustrie)*	717-719	Fils de Chilpéric II ; désigné par Ch. Martel contre son père
Thierry IV	721-737	Ch. Martel gouverne (jusqu'à sa mort, en 741)
Childéric III	743-751	Pépin le Bref gouverne (à partir de 741)

CAROLINGIENS ET ANCÊTRES DES CAPÉTIENS

Pépin le Bref	751-768	Prend le titre de roi des Francs en 751
Charlemagne	768-814	Gouverne avec son frère Carloman jusqu'en 771; devient empereur en 800
Louis Ier le Pieux ou **le Débonnaire**	814-840	empereur
Charles II le Chauve	840-877	843 (traité de Verdun avec Louis le Germanique) : l'empire est divisé en trois
Louis II le Bègue	877-879	
Louis III et	879-882	
Carloman	879-884	(frère du préc.)
Charles III le Gros	884-887	(empereur de 881 à 887)
Eudes	888-898	duc de France, élu roi
Charles III le Simple	898-923	
Robert Ier	922-923	frère d'Eudes ; duc de France, élu roi
Raoul	923-936	gendre de Robert Ier ; duc de France, élu roi
Louis IV d'Outremer	936-954	Fils de Charles III le Simple ; allié puis ennemi d'Hugues le Grand (fils de Robert 1er)
Lothaire	954-986	Fils de Louis IV ; allié puis ennemi d'Hugues Capet
Louis V le Fainéant	986-987	Fils de Lothaire

CAPÉTIENS

Capétiens directs

Hugues Capet	987-996	Fils d'Hugues le Grand ; élu roi en 987
Robert II le Pieux	996-1031	
Henri Ier	1031-1060	
Philippe Ier	1060-1108	
Louis VI le Gros	1108-1137	Le premier Capétien qui dispose d'un solide domaine royal
Louis VII le Jeune	1137-1180	Épouse et répudie Éléonore d'Aquitaine
Philippe II Auguste	1180-1223	Bouvines (1214)
Louis VIII le Lion	1223-1226	Épouse Blanche de Castille
Louis IX (Saint Louis)	1226-1270	Canonisé en 1297
Philippe III le Hardi	1270-1285	
Philippe IV le Bel	1285-1314	Avec ses légistes, perfectionne l'administration
Louis X le Hutin	1314-1316	Fils aîné de Philippe le Bel
Jean Ier	4 jours en 1316	Fils posth. de Louis X
Philippe V le Long	1316-1322	2e fils de Philippe le Bel, mort sans héritier mâle
Charles IV le Bel	1322-1328	3e fils de Philippe le Bel ; mort sans héritier mâle

Valois

Philippe VI de Valois	1328-1350	Neveu de Philippe le Bel. Début de la guerre de Cent Ans
Jean II le Bon	1350-1364	Capturé à Poitiers par les Anglais (1356)
Charles V le Sage	1364-1380	L'emporte sur les Anglais, notamment grâce à Du Guesclin
Charles VI le Bien-Aimé ou **le Fol**	1380-1422	Épouse Isabeau de Bavière ; devient fou. Puissance des princes « apanagés »
Charles VII	1422-1461	Servi par Jeanne d'Arc (1429-1430). Fin de la guerre de Cent Ans
Louis XI	1461-1483	Vainc Charles le Téméraire
Charles VIII	1483-1498	Entame les guerres d'Italie

Valois-Orléans

Louis XII le Père du peuple	1498-1515	Fils du duc Ch. d'Orléans ; guerres d'Italie

Valois-Angoulême

François Ier	1515-1547	Fils de Ch. d'Angoulême ; incarne la Renaissance française et instaure l'absolutisme royal
Henri II	1547-1559	Épouse Catherine de Médicis
François II	1559-1560	Trois fils d'Henri II, morts sans postérité
Charles IX	1560-1574	
Henri III	1574-1589	

Bourbons

Henri IV	1589-1610	Beau-frère d'Henri III, qui le reconnut comme héritier, met fin aux guerres de Religion
Louis XIII le Juste	1610-1643	Eut pour ministre Richelieu (1624-1642)
Louis XIV le Grand	1643-1715	Le plus long règne ; dominé, jusqu'en 1661, par Mazarin
Louis XV le Bien-Aimé	1715-1774	Le pouvoir est d'abord exercé par Ph. d'Orléans (régence), puis par le cardinal Fleury
Louis XVI	1774-1792	Assemblée nationale constituante du 9 juil. 1789 à sept. 1791; Assemblée législative d'oct. 1791 à sept. 1792. Suspendu le 10 août 1792 ; guillotiné le 21 janv. 1793

CHEFS D'ÉTATS ET RÉGIMES *(suite)*

Ire RÉPUBLIQUE

Convention nationale	sept. 1792-1795	Chute de Robespierre le 9 thermidor an II (27 juil. 1794), fin de la Terreur
Directoire	1795-1799	Cinq Directeurs. Coup d'État de Bonaparte le 18 brumaire an VIII (9 nov. 1799)
Consulat	1799-1804	Bonaparte Premier consul, puis consul à vie (1802)

Ier EMPIRE

Napoléon Ier	1804-1814	Sacré empereur le 2 déc. 1804 ; première abdication (à Fontainebleau) le 6 avr. 1814
	1815	Cent-Jours : du 20 mars (Waterloo le 18 juin) au 22 juin (seconde abdication)
Napoléon II	1814	Proclamé, ne règne pas

BOURBONS

Restauration

Louis XVIII	1814-1815 1815-1824	Première Restauration, coupée par les Cent-Jours
Charles X	1824-1830	Renversé par la révolution de Juillet (27, 28 et 29)

Bourbons-Orléans

Louis-Philippe Ier *roi des Français*	1830-1848	Fils de Philippe d'Orléans (dit « Philippe Égalité ») ; abdique le 24 fév. 1848

IIe RÉPUBLIQUE

Louis Napoléon Bonaparte	1848-1852	Élu président le 10 déc. 1848 ; accomplit un coup d'État le 2 déc. 1851

SECOND EMPIRE

Napoléon III	1852-1870	Empereur le 2 déc. 1852 ; capitule à Sedan le 1er sept. 1870 ; déchu le 4 sept.

IIIe RÉPUBLIQUE

Gouvernement de la Défense nationale		(4 sept. 1870-8 fév. 1871)
Adolphe **Thiers**	1871-1873	Élu président par acclamation de l'Assemblée nationale le 17 fév. 1871 ; se démet le 24 mai 1873
La Commune		(18 mars-28 mai 1871)
Mac-Mahon	1873-1879	Contraint par les républicains de « se soumettre ou se démettre », se démet le 30 janv. 1879
Jules **Grévy**	1879-1887	Réélu en déc. 1885 ; démissionne le 1er déc. 1887
Sadi **Carnot**	1887-1894	Assassiné à Lyon le 24 juin 1894
Jean **Casimir-Perier**	1894-1895	Démissionne le 15 janv. 1895 face à l'opposition de gauche
Félix **Faure**	1895-1899	Meurt le 16 fév. 1899. Sous son septennat : affaire Dreyfus
Émile **Loubet**	1899-1906	Séparation de l'Église et de l'État en 1905

IIIe RÉPUBLIQUE *(suite)*

Armand **Fallières**	1906-1913	
Raymond **Poincaré**	1913-1920	Clemenceau président du Conseil de 1917 à 1920
Paul **Deschanel**	1920	Élu en janv., démissionne en sept. pour raisons de santé
Alexandre **Millerand**	1920-1924	Hostile au Cartel des gauches, doit démissionner en juin 1924
Gaston **Doumergue**	1924-1931	
Paul **Doumer**	1931-1932	Assassiné le 6 mai 1932
Albert **Lebrun**	1932-1940	Réélu en avril 1939, s'efface devant Pétain en juil. 1940

ÉTAT FRANÇAIS

Philippe **Pétain**	1940-1944	Chef du gouv., le 16 juin 1940, il conclut l'armistice le 17 ; chef de l'État français du 11 juil. 1940 au 20 août 1944

GOUVERNEMENT PROVISOIRE DE LA RÉPUBLIQUE FRANÇAISE

(Proclamé en juin 1944 à Alger, reconnu par les Alliés en oct. 1944)

Charles **de Gaulle**	1944-1946	Préside le G.P.R.F. de juin 1944 au 20 janv. 1946 (démission)
Félix **Gouin**	janv.-juin 1946	
Georges **Bidault**	juin-nov. 1946	En oct. 1946, la Constitution de la IVe République est adoptée par référendum.
Léon **Blum**	déc. 1946-janv. 1947	

IVe RÉPUBLIQUE

Vincent **Auriol**	1947-1954	
René **Coty**	1954-1958	Émeutes à Alger le 13 mai 1958. Le 1er juin,Ch. de Gaulle constitue un gouv. d'Union nationale qui fait adopter une nouvelle Constitution, par référendum, en sept.

Ve RÉPUBLIQUE

Charles **de Gaulle**	1958-1965	Élu en déc., entre en fonctions le 5 janv. 1959
	1965-1969	Élu au suffrage universel (au 2e tour) le 19 déc. 1965 avec 55,19 % des voix, contre 44,81 % à Fr. Mitterrand ; démissionne le 28 avr. 1969
Georges **Pompidou**	1969-1974	Élu (au 2e tour) en juin 1969 par 58,21 % des voix, contre 41,78 % à A. Poher ; meurt le 2 avr. 1974
Valéry **Giscard d'Estaing**	1974-1981	Élu (au 2e tour) en mai 1974 par 50,8 % des voix, contre 49,2 % à Fr. Mitterrand
François **Mitterrand**	1981-1995	Élu (au 2e tour) en mai 1981 par 51,75 % des voix, contre 48,25 % à V. Giscard d'Estaing; réélu (au 2e tour) en mai 1988 par 54 % des voix contre 46 % à J. Chirac
Jacques **Chirac**		Élu (au 2e tour) le 7 mai 1995 par 52,59 % des voix contre 47,41 % à L. Jospin.

avec une prod. annuelle qui dépasse 300 milliards de kWh (l'équivalent de 70 millions de t de pétrole). Depuis la mise en œuvre du programme électronucléaire de 1974, la France est devenue le 2e producteur derrière les É.-U. et le 1er par habitant. La dépendance énergétique nationale s'est ainsi réduite, passant de 75 % au début des années 70 à un peu plus de 50 % vingt ans plus tard. La France doit cependant importer l'essentiel de son pétrole, de son gaz et une bonne partie de son charbon, la facture énergétique cumulée sur la période 1981-1990 approche ainsi 1 300 milliards de francs. Le système de transport a aussi connu d'importantes évolutions : le réseau ferroviaire s'est restreint, passant de plus de 40 000 à 34 000 km. La S.N.C.F. a cependant ouvert de nouvelles lignes pour les TGV. Les réseaux Sud-Est et atlantique fonctionnent et près de 4 000 km de lignes seront construites au cours des 20 prochaines années, mettant l'Hexagone au cœur du futur système ferroviaire européen (dont la liaison à travers la Manche est un axe majeur). La route domine en assurant 90 % de la circulation des passagers et 65 % de la circulation des marchandises; le réseau routier s'étend sur 800 000 km et celui des autoroutes est proche de 11 000 km de voies. La desserte aérienne est dense et la France dispose de plusieurs grands ports internationaux bien équipés : Marseille, Le Havre, Dunkerque, Nantes, Rouen et Bordeaux. La navigation fluviale reste le point faible surtout depuis que l'on sait que la liaison Rhin-Rhône ne sera pas réalisée. Bien que sa part dans l'emploi soit devenue négligeable, l'agriculture continue à jouer un rôle clé; elle a dégagé, en 1990, un excédent commercial record de plus de 50 milliards de francs. Première puissance agricole d'Europe, avec le quart de la production communautaire, 2e exportateur mondial de céréales (après les États-Unis), la France occupe les meilleurs rangs pour de nombreuses productions. Il existe un million d'exploitations en France, leur superficie moyenne approchant 30 ha. Les paysages agraires traditionnels (campagnes ouvertes des grands plaines du nord de la Loire, bocages de l'Ouest atlantique et du Massif central, paysages composites des Midis aquitain et méditerranéen) restent une réalité, mais les spécialités régionales se sont renforcées : lait, fourrages, élevages hors sols et cultures légumières de l'Ouest, céréales, plantes sarclées, oléagineux du Bassin parisien et du Centre, élevage bovin et ovin plus traditionnel des montagnes, polyculture intensive de fruits et légumes, et viticulture des plaines méridionales, des vallées de la Loire et du Rhône, et de l'Alsace. Malgré leurs difficultés spécifiques, la pêche et la filière bois restent des activités essentielles et qui s'adaptent sans cesse pour répondre aux nouveaux besoins. Les industries héritées du XIXe s., sidérurgie, métallurgie, chimie lourde, textile, construction navale ont connu une profonde restructuration qui a durement affecté la moitié nord-est du pays : concentration des sites, modernisation technique, réduction massive d'emplois. À leur tour, les industries de la deuxième génération, pétrochimie, sidérurgie (développées dans les ports importateurs comme Fos, Dunkerque, la basse Loire et la basse Seine), automobile (qui avait servi à la reconversion des régions en crise et à la décentralisation industrielle), ont dû s'adapter aux nouvelles conditions du marché : les usines les moins productives ont été fermées alors que le progrès technique réduisait les effectifs. La France a développé des industries d'avenir (chimie fine, pharmacie, aéronautique, électronique) mais elle doit souvent ses meilleures performances aux petites et moyennes entreprises travaillant dans des segments très précis et concurrentiels tels les matériaux nouveaux, la micromécanique, le matériel de sport... Les industries de luxe restent un fleuron réputé dans le monde entier. Ces évolutions ont modifié la géographie industrielle. Si Paris reste le premier pôle national, le Nord et l'Est ont perdu de leur prééminence mais présentent un tissu industriel rénové et qui ne manque pas d'atouts. L'Ouest et les régions méridionales ont bénéficié de la décentralisation industrielle et de l'implantation de productions de pointe : les technopoles y fleurissent, signe du renouveau régional. Comme dans toutes les économies évoluées, les activités tertiaires sont devenues motrices : commerce et distribution, services publics et privés, banques, communication, information, culture, recherche ont été les grandes branches créatrices d'emploi de ces dernières années. Le tourisme, qui dégage les excédents commerciaux les plus importants après l'agriculture, les activités de loisir et d'accueil ont pris une part importante à cet essor et emploient aujourd'hui près de 2 millions d'actifs. Si ses performances sont indéniables, l'économie française affiche aussi diverses faiblesses, notamment l'augmentation des déficits publics, un chômage élevé (12,5 % des actifs), une compétitivité encore trop faible face à l'Allemagne et au Japon. Cependant, la maîtrise de l'inflation, l'importance de l'investissement productif au cours de ces dernières années, l'effort considérable d'équipement en cours ont permis à l'économie française de retrouver une légère croissance à partir de 1995.

Les transports.– Cette activité se développe rapidement. Le réseau ferré, encore fortement centré sur Paris, fait en permanence l'objet de modernisations. Le trafic voyageurs reste important, tandis que le trafic marchandises diminue au profit de la route; le lancement du train à grande vitesse (TGV, 1981) a contribué à rapprocher la capitale des grandes métropoles régionales. Le réseau routier dense et bien entretenu n'est pas toujours adapté au nombre croissant des voitures particulières ni à la taille des poids lourds, malgré l'extension du réseau d'autoroutes. Le réseau des voies navigables, utilisé pour le transport des matières très lourdes, se limite aux régions du N. et du N.-E.; leur gabarit est souvent insuffisant, et les écluses trop nombreuses. Le trafic aérien se développe rapidement : Paris dispose de trois aéroports; Air France Europe dessert les lignes intérieures; Air France le monde entier.

Le commerce. – Dans les échanges extérieurs, l'évolution récente fait ressortir l'importance prise par les partenaires du Marché commun, aux dépens de ceux de la «zone franc». En outre, la part des produits manufacturés, à l'importation comme à l'exportation, a fortement augmenté. La France importe des denrées tropicales, des primeurs, mais surtout des produits énergétiques, des matières premières et des produits industr. nécessaires à son équipement. Ses ports principaux sont Marseille, Le Havre, Dunkerque, Nantes-Saint-Nazaire, Rouen et Bordeaux. Depuis l'entrée de la France dans la C.E.E. et la disparition des barrières douanières entre elle et les autres pays membres, ses pouvoirs de décision dans certains secteurs (l'agriculture, notam.) se sont vus limités. Ses entreprises ont donc à affronter une sévère concurrence. En 1997, le commerce extérieur a réalisé un excédent record.

Histoire. – L'hist. anc. – Les traces d'occupation humaine remontent à un million d'années. L'agric. et l'élevage se sont étendus, au néolithique, à partir de la région du Danube et, d'autre part, de celle de la Méditerranée. Au Ve millénaire la civilisation mégalithique marque fortement les régions de l'Ouest. À l'âge du bronze (IIe mill.), un commerce des métaux, reliant l'Europe continentale et l'Angleterre aux pays méditerranéens, traverse la Gaule. Le fer est utilisé dans l'outillage agric. par les Celtes, derniers créateurs d'un paysage agraire qui subsiste jusqu'au haut Moyen Âge. Un commerce actif anime le sillon rhodanien (colonie gr. de Marseille) et la Seine. Rome s'empare de la Gaule mérid. et l'intègre à son système économique (routes), social (colonies) et politique (la future Narbonnaise). Exploitant les conflits qui opposent les diverses cités gauloises, César conquiert l'ensemble du territoire gaulois de 58 à 51 av. J.-C. et vainc Vercingétorix (52 av. J.-C.). Pendant quatre siècles, la Gaule connaît la *Pax romana* (paix romaine); les Gallo-Romains développent une civilisation originale : urbanisation et réseau routier favorisent la romanisation; le latin s'impose aux dépens du gaulois. Au IIIe s., la Gaule subit les premiers ravages des peuples germaniques, qui franchissent le Rhin. La Gaule est dévastée au Ve s., définitivement envahie par les Germains dont une part gagne la Méditerranée (Vandales, Suèves); d'autres (Burgondes, Francs, Wisigoths) se partagent la Gaule et fondent des royaumes barbares. L'expansion inattendue des Francs aboutit à une stabilisation sous le règne de Clovis (481-511); il unifie la Gaule franque et fonde la dynastie mérovingienne; sa conversion au catholicisme assure aux Mérovingiens une place prépondérante en Occident. Leur effacement est mis à profit par les maires du palais, dont le dernier, Pépin le Bref, fonde la dynastie carolingienne en prenant le titre royal en 751. Après des siècles de désordre politique, ces maires du palais réunifient la Gaule franque; Charles Martel, père de Pépin, refoule les Sarrasins à Poitiers en 732. Le rétablissement de l'Empire (V. Europe), en 800, par Charlemagne n'empêche pas le maintien de particularismes régionaux. La *Francia occidentalis* s'individualise et le traité de Verdun (843) fixe les traits politiques de l'Occident médiéval en établissant la base des trois grands États : la France, l'Allemagne, l'Italie. Le parler vulgaire se détache du latin : c'est le roman, ancêtre du français. L'Empire carolingien se désagrège en principautés auton. au moment où de nouvelles invasions (Hongrois, Sarrasins et surtout Normands) menacent l'Occident; les institutions féodales se mettent en place, les seigneurs imposant, à partir de leur château, leur protection et leur ordre aux paysans d'alentour. À partir du XIe s., un monde nouveau va naître : répondant à l'accroissement de la pop., les défrichements façonnent un nouveau paysage; le commerce renaît; les villes se développent et s'émancipent de la tutelle seigneuriale en constituant des communes. C'est l'époque du triomphe de la foi; la chevalerie, exaltée par l'Église, fournit des troupes nombreuses à la 1re croisade, qui se termina par la prise de Jérusalem (1099). La royauté, affaiblie, n'a toutefois pas sombré; Hugues Capet (987-996) fonde la dynastie capétienne. L'unité et le renforcement du royaume sont l'œuvre de Philippe Auguste (1180-1223), qui confisque les fiefs français des Plantagenêts, rois d'Angleterre, à l'exception de la Guyenne; le premier, il se nomme roi de France et fixe la cap. à Paris; ses successeurs profitent de la croisade contre les albigeois (1208) pour annexer le Languedoc (traité de Paris, 1229) qui passe entièrement à la cou-

ronne en 1271. Au XIIIe s., le royaume apparaît riche, peuplé, puissant; la dynastie capétienne, auréolée de la sainteté de Louis IX (1226-1270), n'a pas son égale en Europe. Philippe le Bel (1285-1314) affirme l'hégémonie du pouvoir royal et des intérêts de l'État. Les XIVe et XVe s. sont caractérisés par des difficultés écon. nées de la stagnation de la production agricole pour une pop. en accroissement continu. La terrible «peste noire» (1347-1351) qui tue le tiers de la population et les guerres jettent l'Occident dans une crise interminable. La guerre dite de Cent Ans (1337-1453) oppose les rois d'Angleterre, qui prétendent soustraire la Guyenne à l'autorité française et revendiquent, en outre, le trône de France à la dynastie des Valois. Défaites (Crécy, 1346; Poitiers, 1356), guerre civile entre Armagnacs et Bourguignons jettent le pays au fond de l'abîme : Henri V d'Angleterre l'emporte encore à Azincourt (1415), puis le traité de Troyes (1420) le désigne comme héritier de la couronne de France. Le sursaut vient de Bourges, où Charles VII (1422-1461), obéissant au mouvement de réaction nationale qu'incarne Jeanne d'Arc, reprend l'initiative, conclut la paix avec la Bourgogne, restaure, par des réformes importantes, l'autorité monarchique et entreprend de chasser les Anglais du royaume; en 1453, les Anglais ne possèdent plus que Calais. Louis XI (1461-1483) achève l'œuvre de son père et réussit à vaincre Charles le Téméraire (défait et tué en 1477) dont l'État bourguignon disparaît. Cette deuxième moitié du XVe s. est marquée par la reconstruction du pays; les campagnes s'animent à nouveau; Lyon, grâce à ses foires, devient l'une des grandes places financières et commerciales d'Europe.

Les Temps modernes (fin XVe-XVIIIe s.). – Au XVIe s. l'économie française est en plein essor; la hausse des prix, due à l'afflux des métaux précieux, amplifie la demande. La remarquable croissance de la pop. est cependant freinée par une très forte mortalité infantile. La prospérité agric. ne profite pas à tous : beaucoup de nobles, dont les revenus sont des rentes fixes, et le peuple des villes subissent la hausse des prix, alors que les bourgeois, enrichis par le grand commerce, étalent leur luxe. Les grands fiefs sont peu à peu absorbés par la royauté : l'Orléanais, en 1498; la Bretagne, en 1532; le Bourbonnais, l'Auvergne, la Marche sont confisqués par François Ier (1527) à la suite de la trahison du connétable de Bourbon. Cette unification territoriale confirme le pouvoir royal : «Un roi, une loi.» Sous François Ier (1515-1547), l'administration centrale (quatre secrétaires d'État sont institués en 1547) et la justice royale s'affirment face aux prétentions des seigneurs et des ecclésiastiques; dans les provinces, on adjoint parfois aux gouverneurs des «commissaires départis» (les futurs intendants); l'ordonnance de Villers-Cotterêts (1539) ordonne que tous les actes de justice soient rédigés en français et crée l'état civil. Le déficit endémique des finances, dû au luxe de la cour et à une politique belliqueuse (guerres d'Italie, lutte de François Ier puis d'Henri II contre Charles Quint), oblige à augmenter la taille, à recourir à de nombreux emprunts, à vendre les charges de l'État (offices); la noblesse, touchée dans ses intérêts matériels et troublée par la Réforme, accepte mal la diminution de son rôle politique. L'impuissance du pouvoir royal devant le conflit entre catholiques et protestants (conjuration d'Amboise, 1560), va donner force et hardiesse aux oppositions. Les guerres de Religion commencent en 1562, sous la régence de Catherine de Médicis, et sont marquées par des atro-

cités (massacre de la Saint-Barthélemy, le 24 août 1572). À Henri III, assassiné en 1589, succède Henri de Bourbon, roi de Navarre, qui prend le nom de Henri IV. Il doit abjurer la confession protestante pour regrouper les Français autour de lui (1594) et combattre les partisans de la Ligue que soutiennent les Espagnols. Il rétablit la paix religieuse (édit de Nantes, 1598) et l'autorité de l'État et conclut la paix de Vervins*; il apporte au royaume son vaste apanage de Navarre. Mais la France est ruinée et l'œuvre de Sully, son surintendant des Finances, est brutalement interrompue par l'assassinat du roi en 1610. Après la période d'impuissance que fut la régence de Marie de Médicis, Richelieu s'impose en 1624, affirme avec force la prééminence de l'État sur les groupes ou les individus, si grands soient-ils, et impose la volonté française en Europe (intervention dans la guerre de Trente Ans, conclue par la signature des traités de Westphalie en 1648). La mort de Louis XIII (1643), six mois après celle de Richelieu, laisse une régence difficile à Anne d'Autriche et à Mazarin. Les désordres de la Fronde marquent profondément le jeune Louis XIV, qui, après la mort de Mazarin (1661), prend personnellement le pouvoir. En lui imposant une vie dispendieuse à la cour, Louis XIV domestique la grande noblesse. La centralisation administrative se renforce encore; les états généraux ne sont plus convoqués; le Parlement, qui avait joué un grand rôle pendant la Fronde, ne se rebelle plus. Cet absolutisme est aussi religieux : la Contre-Réforme triomphe en France. Richelieu avait déjà réduit la rebellion des protestants de La Rochelle (1628), et retiré aux protestants leurs places de sûreté par l'édit de grâce d'Alès (1629); Louis XIV, que Mme de Maintenon amène à sous-estimer l'importance du protestantisme, révoque l'édit de Nantes (1685); l'insurrection des camisards (1702) et l'émigration des huguenots mettent en évidence son erreur. Le jansénisme est également réprimé (Port-Royal). La politique étrangère demande une armée nombreuse, que Louvois s'attache à organiser, tandis que Vauban fortifie les frontières. À la suite des guerres de Dévolution, de Hollande, de la Ligue d'Augsbourg, de la Succession d'Espagne, la France s'agrandit de l'Artois, du Roussillon, de la Franche-Comté, d'une partie du Hainaut et de Strasbourg. Contrastant avec la prospérité du XVIe s., l'économie connaît une régression, due à la diminution de l'arrivée des métaux précieux américains après 1630 et aux guerres interminables. Les tentatives de Colbert pour mettre de l'ordre dans les finances échouent face aux dépenses (guerre, fastes de la cour, construction de Versailles). Baisse des prix agricoles, mauvaises récoltes dues notam. à de mauvaises conditions météorologiques (hiver de 1709), épidémies frappant le peuple, dont les révoltes sont réprimées sans pitié. La pop. française diminue. Malgré les encouragements prodigués par Colbert à l'industrie et au commerce, les produits français ne concurrencent pas les produits anglais et hollandais : le colbertisme est un échec. La fin du règne de Louis XIV, dont le rayonnement européen fut considérable, est assombrie par les guerres, les famines, les deuils dans la famille royale. L'opposition se développe; l'esprit critique reprend ses droits. Louis XIV disparu, la Régence (1715-1720) est exercée par Philippe d'Orléans; l'expérience financière de Law en est l'événement le plus marquant. Le long règne de Louis XV (m. en 1774) est marqué par les difficultés financières (à la suite de la guerre de la Succession d'Autriche et de la guerre de Sept Ans), par la querelle jansé niste, par l'opposition du parlement, que suivra la crise de la monarchie. La noblesse, exaspérée par l'ascension de la bourgeoisie, cherche à monopoliser les charges. La bourgeoisie se heurte à la barrière de la naissance ; riche (partic. dans les ports de l'Atlantique qui négocient avec les « Îles »), instruite, ouverte aux idées des philosophes, aux Lumières, elle critique âprement le régime. La noblesse de robe rêve de participer au pouvoir. Le petit peuple, souvent en conflit avec la noblesse qui restaure âprement les droits féodaux et s'empare des terres et pâtures communales, est touché par des crises cycliques (1770-1775, 1788-1789) qui jettent sur les routes des milliers d'indigents, en quête de nourriture ; toutefois l'essor démographique (recul de la mortalité) est important (28 millions de Français en 1789). À la crise sociale s'ajoutent une crise industr., née du traité de commerce avec l'Angleterre (1786), et une crise financière (aggravée par le financement de la guerre d'Indépendance américaine). La crise politique n'est pas moins grave. Louis XVI, au début de son règne, n'ose pas en 1776 soutenir Turgot contre les privilégiés ; par la suite, il renvoie Necker (1781), Calonne et Loménie de Brienne (1787) quand ils proposent des réformes profondes pour rétablir les finances. La conjonction des oppositions a créé une situation révolutionnaire. Le roi est contraint de rappeler Necker (1788) et de promettre la réunion des états généraux.

La Révolution et l'Empire. – La réunion des états généraux, rendue inévitable par l'ampleur de la crise, aboutit à l'explosion révolutionnaire de 1789 : transformation des états généraux en Assemblée nationale constituante ; prise de la Bastille, symbole de l'absolutisme, le 14 juillet 1789 ; révolution des campagnes, qui contraint l'Assemblée à abolir le régime féodal au cours de la nuit du 4 août 1789. Ayant exposé ses principes démocratiques et bourgeois dans la *Déclaration des droits de l'homme et du citoyen*, la Constituante (1789-1791) organise la France nouvelle et lui donne une Constitution (1791) : la monarchie devient constitutionnelle. La fuite du roi à Varennes, le 20 juin 1791, la déclaration de guerre à l'Autriche menaçante (20 avril 1792), suivie de défaites, l'aggravation de la situation économique et sociale conduisent à la journée du 10 août 1792, qui provoque la chute de la monarchie, puis aux massacres de Septembre. L'Assemblée législative (1791-1792) cède la place à la Convention (1792-1795), élue pour donner une nouvelle Constitution au pays ; la première séance se tient le 20 sept. 1792, le jour même où la victoire de Valmy écarte le danger d'invasion. La république est proclamée le 21, l'ère révolutionnaire part de cette date : le nouveau calendrier est demeuré en usage jusqu'en mai 1804. La condamnation et l'exécution de Louis XVI, le 21 janv. 1793, servent de prétexte à la formation de la première coalition. La Convention, après l'élimination des Girondins, le 2 juin 1793, prend des mesures de salut public, sous l'impulsion des Montagnards, et gouverne par la terreur. Les insurrections vendéenne, fédéraliste et royaliste sont écrasées ; le ravitaillement est assuré par l'application du « maximum général » tandis que les émissions d'assignats provoquent une inflation croissante ; l'invasion étrangère est repoussée. La victoire de Fleurus, le 26 juin 1794, a rendu inutile le maintien de la Terreur, que Robespierre entend néanmoins ne pas abandonner. Il est renversé par la Convention, le 9 thermidor an II (27 juil. 1794), et guillotiné. Une période de réaction s'ouvre, avec le Directoire (1795-1799). Incapable de surmonter ses contradictions intérieures autrement que par des coups d'État, engagé dans une politique impérialiste à l'extérieur, le régime est emporté par le coup d'État du 18 brumaire an VIII (9 nov. 1799), qui donne le pouvoir à Bonaparte. Immédiatement doté de pouvoirs considérables par la Constitution de l'an VIII, Bonaparte, Premier consul, édifie des institutions durables qui renforcent la société bourgeoise, notam. le Code civil. La conclusion du concordat de 1801 avec la papauté contribue à la pacification des esprits. Le passage du Consulat (1799-1804) à l'Empire, ratifié par plébiscite, donne un tour despotique à cette stabilisation : Napoléon, sacré le 2 déc. 1804, gouverne en despote éclairé, mais sa politique intérieure est compromise par un état de guerre permanent. Malgré la paix d'Amiens (1802), le conflit avec l'Angleterre reprend dès 1803 ; vainqueur sur terre, mais battu sur mer à Trafalgar (1805), l'Empereur, qui a conquis l'Europe et créé une France de 130 départements, forge l'arme économique du Blocus continental. La logique du système le pousse à contrôler tout le continent, mais le grave échec de la campagne de Russie (1812) donne le signal de la coalition générale qui l'abat en 1814 et, après l'épisode des Cent-Jours, en 1815 (le 18 juin à Waterloo).

Hist. contemp. – La tentative de *restauration* de l'ordre ancien se solde par un échec en 1830 (révolution de Juillet), la monarchie de Louis XVIII (1814-1815, puis 1815-1824) et celle de Charles X (1824-1830) ayant fait la preuve de leur inadaptation aux aspirations libérales du moment. Sous la monarchie de Juillet (Louis-Philippe, « roi des Français » de 1830 à 1848) s'affirme le pouvoir politique de la bourgeoisie. Avec une génération de retard sur l'Angleterre, la France entre dans l'ère de la révolution industrielle. La révolution de 1848 ramène la rép. (IIe République), mais, après l'écrasement d'une révolte ouvrière (journées de juin 1848), le régime, devenu conservateur, est emporté par le coup d'État que le président de la République, Louis-Napoléon Bonaparte, accomplit le 2 déc. 1851. Le 2 déc. 1852, il restaure l'empire et prend le nom de Napoléon III. Autoritaire, mais évoluant dans un sens libéral à partir de 1860, le Second Empire assure à la France une brillante expansion économique, la fait entrer dans l'ère industrielle et restaure sa situation diplomatique et milit. (réunion de Nice et de la Savoie). Mais, inconsidérément engagée, la guerre franco-allemande de 1870 aboutit au désastre de Sedan et à la chute du régime (sept.). Secouée par l'épisode de la Commune parisienne de 1871, contrainte de signer une paix désastreuse (traité de Francfort, mai 1871, où la France cède l'Alsace et une partie de la Lorraine à l'Allemagne), dominée par une majorité monarchiste qui ne rêve que de restauration, la IIIe République, proclamée en 1875, n'est vraiment républicaine qu'en 1879. Majoritaires, les républicains modérés, ou « opportunistes » (mot de Gambetta), la dirigent jusqu'en 1899 : de leur œuvre législative, considérable, émergent notam. les lois scolaires et, en fait, toute une idéologie (laïcité, expansion coloniale, liberté de la presse et de réunion, etc.). De 1899 à 1911, le pouvoir passe aux radicaux, qui votent notam. la loi de séparation de l'Église et de l'État en 1905. En 1911, le retour des modérés montre que les changements de majorité ne compromettent pas la cohésion du régime. Au sortir de la grande commotion que constitua la guerre de 1914-1918, qui a rendu l'Alsace-Lorraine à la France, s'ouvre une période d'instabilité ministérielle et écon., à laquelle se substitue, v. 1925, une phase de prospérité. La crise mondiale de 1929 y met fin ; frappant la France tardivement, elle y favorise divers troubles, tels que l'émeute fascisante du 6 février 1934. En mai 1936, c'est le succès électoral du Front populaire, qui introduit des réformes d'ordre social, avant d'échouer à son tour (juin 1937). Le gouvernement Daladier, qui maîtrise mal la situation intérieure, mène une politique extérieure timorée (accords de Munich avec Hitler en sept. 1938) ; quand l'Allemagne envahit la Pologne (1er sept. 1939), la France lui déclare la guerre (3 sept.). La défaite française de juin 1940 amène l'écroulement de la IIIe République et son remplacement par l'État français, que préside le maréchal Pétain à Vichy. Le nouveau régime, qui prétend réaliser la révolution nationale, à caractère rétrograde, se disqualifie par sa collaboration avec l'occupant. Balayé en 1944, il cède la place au Gouvernement provisoire de la République française du général de Gaulle, qui avait restauré la république à Alger le 3 juin 1944, trois jours avant le débarquement allié en Normandie. La IVe République (1946-1958), au régime d'Assemblée, a à son actif la reconstruction du pays, l'essor économique, la réconciliation franco-allemande (et donc la « construction de l'Europe »). Mais l'instabilité ministérielle est chronique et le pouvoir se révèle incapable de mener à bien la décolonisation, d'abord en Indochine (1946-1954), en Algérie ensuite. Le retour du général de Gaulle au pouvoir (qu'il avait quitté le 20 janv. 1946) à la suite de l'émeute d'Alger (13 mai 1958) aboutit à la mise en place de la Ve République (oct. 1958), de type à la fois parlementaire et présidentiel. De Gaulle met fin à la guerre d'Algérie (1954-1962), assure la décolonisation, prône l'indépendance nationale ; la croissance écon. est considérable. Toutefois, l'inégale répartition des richesses et surtout de nouvelles aspirations morales donnent à la « contestation » étudiante de mai 1968 une ampleur nationale (10 millions de grévistes) qui affaiblit l'autorité du chef de l'État. Mis en échec au référendum de 1969 (sur la régionalisation et la réforme du Sénat), de Gaulle démissionne. Georges Pompidou lui succède. À la mort de ce dernier (1974), Valéry Giscard d'Estaing est élu président. Premier président non gaulliste de la Ve République, il se heurte à la crise écon. et monétaire (surtout sensible à partir de 1973) et aux problèmes nés de la division politique de la France en deux blocs d'égale importance. Ayant brigué un nouveau mandat en 1981, il est battu par François Mitterrand. L'élection de ce dernier à la prés. de la République, puis celle d'une majorité de députés socialistes à l'Assemblée nationale entraînent un changement de cap, marqué par l'entrée de ministres communistes dans le gouvernement Mauroy (1981-1984) et par de nombreuses réformes. Mais, dès 1982, une politique de « rigueur » monétaire et écon. est adoptée. En 1984, Laurent Fabius remplace Pierre Mauroy à la tête du gouvernement. L'élection d'une majorité de droite à l'Assemblée nationale, en mars 1986, amène Fr. Mitterrand à désigner J. Chirac comme Premier ministre, inaugurant une nouvelle phase, dite de « cohabitation », où la droite peut appliquer son programme libéral. Le 8 mai 1988, Fr. Mitterrand est réélu président de la République (54 % des suffrages) et les socialistes remportent les législatives anticipées de juin. M. Rocard est nommé Premier ministre ; les socialistes sortent renforcés des municipales de mars 1989. Aux élections européennes de juin 1989, la liste d'opposition unie autour de V. Giscard d'Estaing arrive en tête ; les écologistes, en nette progression, et le Front national confirment leur implantation. Le gouvernement Rocard a consolidé le

LA FRANCOPHONIE DANS LE MONDE

franc et maîtrisé l'inflation, sans réduire le chômage. Après la guerre du Golfe, M. Rocard démissionne en mai 1991. É. Cresson lui succède jusqu'en avril 1992 où P. Bérégovoy la remplace. En sept. 1992, la France ratifie le traité de Maastricht. En mars 1993, la victoire de la coalition R.P.R.-U.D.F. provoque une deuxième cohabitation : É. Balladur devient Premier ministre. En mai 1995, Jacques Chirac, élu président de la République nomme A. Juppé Premier ministre, mais en avril 1997, il dissout l'Assemblée nationale. Après la victoire de la coalition de gauche, il nomme L. Jospin Premier ministre. C'est la troisième cohabitation de la Ve République.

Culture. – Des origines au Moyen Âge. – *L'art* de la France a moins de dix siècles. En effet, Lascaux (V. préhistoire), la Gaule, le monde gallo-romain ne peuvent être considérés comme «français» et, du IVe au Xe s., les Barbares qui envahirent le territoire nommé auj. *France* ne nous ont laissé qu'une production ornementale. On parle d'art «français» avec l'avènement de l'art roman, qui s'est développé d'abord au S. de la Loire et en Bourgogne. Les grands monastères de Cluny (910) et de Cîteaux (1098) jouent un rôle prépondérant dans l'élaboration du nouveau style architectural. St-Philibert de Tournus (X^{e}-XIe s.), la basilique de Paray-le-Monial (1109), la cath. d'Autun (1120-1132) et la basilique de Vézelay (XIIe s.) témoignent de la prédilection des maîtres d'œuvre et sculpteurs romans pour les formes austères, et expressives. Avec l'art gothique, le vocabulaire ornemental s'enrichit dans tous les domaines : sculpture, tapisserie, miniature, etc. Les cath. (Reims, N.-D. de Paris, Le Mans) s'éclairent grâce aux vitraux (Chartres, Bourges). Mais l'élan des bâtisseurs de cath. est brisé par la guerre de Cent Ans (1337-1453). Au déb. du XVe s., l'archi. civile l'emporte sur l'archi. religieuse; les hôtels de ville, palais de justice (Rouen), hospices (Beaune), les hôtels particuliers (Jacques-Cœur à Bourges) annoncent une laïcisation qui mènera à la Renaissance. L'intrusion de la manière italienne révèle un univers de formes plus classiques, où les raffinements de l'humanisme commencent à l'emporter sur l'idéologie médiévale, à tendance exclusivement religieuse.

Littérature et musique. Les chansons de geste (*Chanson de Roland*, déb. XIIe s.) sont la forme la plus anc. de la littérature française, dominée à ses débuts par la vie chevaleresque. Entre le XIIe et le XIVe s., le chevalier des romans (où priment aventures et amour courtois, dans les romans arthuriens de Chrétien de Troyes, notam.) se substitue au guerrier des chansons de geste et, lorsque le roman s'attache à des faits contemp. (croisades), il donne naissance à l'histoire, telle que la retracent les chroniqueurs : Villehardouin, Joinville (*Mémoires*, chronique du règne de Saint Louis). Trouvères et troubadours sont les représentants de la poésie lyrique. Vers la fin du XIIe s. se développe une littérature bourgeoise à caractère satirique; les conceptions féodales de l'honneur et de l'amour chevaleresque y sont tournées en dérision *(Roman de Renart)*. Rutebeuf (XIIIe s.), dans l'évocation des vicissitudes de sa vie misérable, s'affirme comme le plus grand poète d'une époque riche également d'une poésie allégorique et didactique, dont le *Roman de la Rose* (XIIIe s.) est un des meilleurs exemples. Le théâtre apparaît avec les drames liturgiques (en latin) et les miracles (*le Jeu d'Adam*, anonyme; *le Jeu de saint Nicolas*, de Jean Bodel, etc.); il fait une large place à la musique aussi bien religieuse que profane : *Jeu de Robin et de Marion*, d'Adam de la Halle (XIIIe s.). Aux XIVe et XVe s., la crise de la société se révèle dans les chroniques de Froissart et de Commynes. Poésies historiques (E. Deschamps, Christine de Pisan), poèmes courtois (A. Chartier), ballades et rondeaux (Ch. d'Orléans) foisonnent, mais le poète le plus marquant est Fr. Villon. L'art dramatique prospère à travers mystères, soties, moralités et farces (*Farce de maître Pathelin*, v. 1464). G. de Machaut (XIVe s.) et G. Dufay (XVe s.) incarnent partic. la musique de cette époque. Josquin des Prés, avec un sens exceptionnel de la polyphonie, est donné comme modèle jusqu'à la fin du XVIe s.

Les Temps modernes (fin XVe-XVIIIe s.) – Au cours de son expédition à Naples en 1495, Charles VIII découvre les raffinements d'une autre civilisation, et ramène à Amboise des artistes italiens. Cet événement constitue non seulement la première introduction de nouveaux éléments d'architecture dans la vallée de la Loire, mais les débuts d'un changement d'orientation de l'art français, qui, de nordique, va devenir méditerranéen à travers le maniérisme de la première école de Fontainebleau et l'esprit classique des peintres et architectes de Versailles. À la cour des Valois, de 1515 à 1572, les Clouet créent une technique du portrait spécifiquement française. Initiateurs d'un art fondé sur l'équilibre et la symétrie, P. Lescot et Philibert Delorme réalisent, celui-ci les premiers bâtiments du Louvre (1546), celui-là le palais des Tuileries (1564 à 1567). La sculpture de la Renaissance franç. est représentée par J. Goujon, G. Pilon et P. Bontemps. Sous Louis XIII (1610-1643), le classicisme l'emporte sur le maniérisme de la seconde école de Fontainebleau (règne d'Henri IV). En peinture, les maîtres de la nouvelle esthétique s'appellent N. Poussin, Cl. Lorrain, P. de Champaigne et les frères Le Nain. Mais l'idéal classique va triompher sous le règne de Louis XIV (1643-1715), dans la réalisation par Le Vau, puis J. Hardouin-Mansart, du chât. de Versailles; Le Nôtre en trace les jardins, que l'on orne des sculptures de Girardon, Coysevox, Puget, etc. À cette époque, la peinture est dominée par Le Brun, auteur de la décoration intérieure de Versailles et directeur de la manufacture des Gobelins de 1663 à 1690. L'architecture classique compte bien d'autres monuments admirables : chapelle du Val-de-Grâce de Mansart, grande colonnade du Louvre de Cl. Perrault, hôtel des Invalides de L. Bruant, etc. Au XVIIIe s., les arts plastiques s'épanouissent dans tous les genres : théâtre champêtre de Watteau, scènes intimistes de Fragonard, natures mortes de Chardin, pastels de Quentin de La Tour, peinture galante de Fr. Boucher. L'architecture reste dans son ensemble fidèle aux principes du classicisme (œuvres de Gabriel), les motifs rococo se déployant surtout à l'intérieur des édifices (salon ovale de l'hôtel Soubise), où Fr. Boucher exerce son talent. Les peintres J.-B. Greuze, H. Robert, le sculpteur Falconet, les architectes G. Soufflot et Cl. N. Ledoux sont les princ. représentants de l'art français de la fin de ce siècle, dans lequel l'homme religieux a définitivement fait place à l'homme «sensible».

Littérature et musique. Au déb. du XVIe s., humanisme et Réforme ne se distinguent pas encore très nettement, et les érudits de toutes origines collaborent souvent. Les deux mouvements se distinguent progressivement après 1534, lorsque François Ier commence à persécuter les réformés. Rabelais (qui n'a pas adhéré à la Réforme), dont les récits au réalisme truculent opèrent une révolution du langage, se cache. Calvin s'établit à Genève (1541). La poésie du siècle s'affirme d'abord avec Cl. Marot, qui introduit en France le sonnet italien, et l'école de Lyon (Louise Labé, Maurice Scève). Puis elle est l'œuvre du groupe de la Pléiade (Ronsard, du Bellay, etc.), enfin celle de Malherbe, qui s'attache à purifier la langue et prépare le classicisme. Montaigne, prenant tour à tour appui sur le stoïcisme et sur le scepticisme, clôt l'humanisme du XVIe s. dans une langue qui n'appartient qu'à lui. Le théâtre abandonne peu à peu la tradition des mystères du Moyen Âge pour imiter l'Antiquité (tragédies de Jodelle et de R. Garnier). Les formes musicales polyphoniques sont portées à la perfection : grande liberté du contrepoint chez C. Janequin, G. Costeley et R. de Lassus. A. de Baïf et Th. de Courville fondent une académie de poésie et de musique (1570), qui influencera heureusement la musique française. Au commencement du XVIIe s., la langue, enrichie par l'œuvre des humanistes, s'épure et s'affine (Vaugelas, Guez de Balzac, Voiture). Richelieu fonde l'Académie française (1635). Descartes écrit le *Discours de la méthode* (1637), qui marque l'avènement du rationalisme. Dans le même temps, P. Corneille fonde le théâtre class. (*le Cid,* 1636). N. Boileau résume dans son *Art poétique* (1674) les théories du classicisme, dont les tragédies de Racine s'approchent au plus près. Le talent de Molière porte à sa perfection le théâtre comique. Avec ses *Fables,* La Fontaine crée un univers poétique d'une originalité sans égale. Le XVIIe s. est également marqué par le jansénisme (singulièrement par le génie de Pascal) et par le triomphe de l'éloquence sacrée (Bossuet, auquel se heurte Fénelon). La maxime (La Rochefoucauld), la réflexion morale (La Bruyère), l'analyse politique et psychologique (Retz, puis Saint-Simon) créent des chefs-d'œuvre. Au genre romanesque foisonnant de *l'Astrée* (H. d'Urfi) s'oppose la rigueur de Mme de La Fayette *(La Princesse de Clèves).* C'est à Lully que revient le mérite de créer un opéra français différent de l'opéra italien. Le clavecin (les Couperin) achève de supplanter le luth. De la mort de Louis XIV (1715) à la Révolution, rationalisme et christianisme se séparent définitivement pour entrer en conflit. L'essai historique et le conte s'ajoutent au traité (*L'Esprit des lois,* 1748) pour l'expression de la pensée philosophique de Montesquieu et de Voltaire. Diderot, animateur de l'*Encyclopédie,* soutient le mouvement philosophique antireligieux et matérialiste (Helvétius, Holbach), tandis que Buffon se consacre à son *Histoire naturelle;* J.-J. Rousseau renouvelle la pensée politique (*le Contrat social,* 1762) et se montre «à nu» dans ses *Confessions* (1765-1770). Le roman connaît un essor sans égal (Lesage, Marivaux, Restif de La Bretonne, l'abbé Prévost, Choderlos de Laclos). Les pièces de Marivaux et de Beaumarchais, satires ironiques de la société du temps, sont le produit théâtral le plus original d'un siècle que domine, dans le domaine musical, Rameau avec notam. l'opéra-ballet et, sur le plan de la théorie musicale, son *Traité de l'harmonie réduite à ses principes naturels* (1722).

La Révolution et l'Empire. – Cinq ans avant la Révolution et vingt ans avant le sacre de Napoléon, David jeta les bases du néo-classicisme. Isabey, Girodet, Gros, Gérard, Guérin, Ingres luimême passèrent par son atelier. En sculpture (Canova) et en architecture, on revient au modèle de l'Antiquité : Chalgrin (arc de triomphe de l'Étoile), Percier et Fontaine.

Littérature et musique. À partir de 1789, l'influence des cours princières et des salons aristocratiques cesse de s'exercer sur la littérature. Le journalisme se développe. A. Chénier rêve de restaurer la poésie philosophique, tandis que le marquis de Sade écrit *Justine ou les Malheurs de la vertu* (1791). Durant le règne de Napoléon, Mme de Staël et Chateaubriand ouvrent les voies au romantisme, qui s'affirme lorsque l'Empire s'effondre. La musique est dominée par les artistes étrangers (Gluck notam.).

De 1815 à nos jours. – L'école de David déclinant, les peintres du romantisme (Géricault, Ingres, Delacroix) et quelques sculpteurs (Rude, Barye, Carpeaux) rompent avec l'académisme. Courbet puise dans la vie quotidienne son inspiration, et le reproche qu'on lui adresse («l'art n'a point à imposer des idées») vise en fait le réalisme, cette «erreur d'esthétique» dont Daumier, Millet et Corot furent également accusés. Très violemment critiqué lui aussi, Manet, dès 1865, fait «éclater» la peinture, précurseur immédiat des impressionnistes (Monet, Renoir, Pissarro, Sisley). Dès 1905, Cézanne géométrise les formes, brise la perspective classique et systématise l'emploi de la couleur. L'art divisionniste de Seurat anticipe sur les recherches des futuristes; la violence chromatique de Gauguin et Van Gogh annonce le fauvisme (Matisse, Vlaminck, Derain). L'architecture métallique (Baltard, Eiffel) a pris son essor. Alors que les deux derniers grands peintres du siècle (Degas, Toulouse-Lautrec) et son plus grand sculpteur (Rodin) vivent encore, Picasso vient à Paris pour la première fois (1900); Braque et lui créeront le cubisme (1907). En dix ans (1904-1914), de révolution formelle en révolution formelle (fauvisme, cubisme, futurisme, orphisme de R. Delaunay, art abstrait), l'œuvre d'art conquiert une sorte d'autonomie dans le libre assemblage des formes qui la constituent, et le travail de l'artiste perd tout caractère spécifiquement national. Le mouvement Dada (Arp, Picabia, Duchamp), le surréalisme (Masson, Tanguy, Ernst, etc.), l'abstraction d'après 1945 (Hartung, Fautrier, N. de Stael, etc.) contribuent puissamment à l'internationalisation des arts. Par ailleurs, de grands marginaux (français ou d'orig. étrangère), le Douanier Rousseau, Maillol, Bonnard, Rouault, Léger, Chagall, Giacometti, des rénovateurs comme Le Corbusier, Brancusi, J. Gonzalez, fixent les contradictoires images de l'art qui se crée en France et qui va auj. de l'abstrait (Soulages, Debré) et de la gestualité (Mathieu) à l'art cinétique (Vasarely, N. Schöffer, Agam), de l'art brut (Dubuffet, Chaissac) à l'art naïf (Bauchant, Vivin), des «nouveaux réalistes» (Klein, Arman, Raysse, Tinguely) à la «nouvelle figuration» (Rancillac, Klasen, Monory), tandis que de fortes personnalités, comme par le passé, se situent en marge de tous les mouvements existants : les sculpteurs César, Étienne-Martin, Stahly, Hajdu, Ipoustéguy; les peintres Estève, Dado, Szafran.

Littérature et musique. Entre 1820 et 1830, le romantisme va conquérir tous les genres littéraires, et la poésie lyrique va connaître au XIXe s. un éclat exceptionnel grâce à Lamartine, Musset, Vigny et surtout Victor Hugo, qui emplit tout le siècle de sa colossale activité. Dumas père écrit des romans à succès. Nerval explore la correspondance entre le rêve et la réalité. B. Constant s'illustre dans le roman autobiographique. Mérimée compose des nouvelles, G. Sand écrit de nombreux romans au thème populaire. Mais à l'époque même du romantisme, les plus grands romanciers français, Balzac et Stendhal, se situent ailleurs. Avec A. Thierry, Michelet et Tocqueville, l'histoire s'écrit à la lumière de l'expérience des luttes nées de la Révolution. En réaction contre le romantisme, l'école parnassienne, issue de Th. Gautier et de sa théorie de «l'art pour l'art», se soucie avant tout de perfection plastique (Leconte de Lisle, J. M. de Heredia). Avec *les Fleurs du mal* (1857), Baudelaire s'affirme comme le premier des grands poètes précurseurs de la modernité : Lautréamont, Rimbaud, Mallarmé. Après la parution de son *Art poétique* (1884), Verlaine fait figure de chef de file du symbolisme (Villiers de l'Isle-Adam, Rémy de Gourmont, J. Laforgue, Maeterlinck, etc.), mouvement qui suscitera les œuvres, très différentes, de Saint-Pol Roux et Jarry. Dans le domaine du roman, la seconde moitié du XIXe s. est marquée par Flaubert (*Madame Bovary,* 1857), dont l'œuvre annonce le roman moderne, et par les naturalistes : les Goncourt, A. Daudet, Zola, Huysmans, Maupassant. Après Taine et Renan, Fustel de Coulanges s'efforce de faire de l'histoire une discipline scientifique. La philosophie, d'abord dominée par le positivisme d'A. Comte, est profondément marquée par l'œuvre de H. Bergson. De Rameau à Gounod, la France compte un seul grand musicien, le romantique Berlioz; mais un renouveau de la musique française s'opère au cours du dernier tiers du XIXe s., grâce à C. Franck, Lalo, Saint-Saëns, Bizet, Chabrier et G. Fauré. Les tendances de la littérature du déb. du XXe s. sont multiples, les unes suivent les canons classiques (A. France, Barrès, Valéry, Gide, Claudel, R. Rolland), les autres des impulsions novatrices (Proust, R. Roussel, Apollinaire, Reverdy). En 1916-1917, le mouvement Dada, né d'une réaction contre la guerre et le patriotisme, rallie autour de Tr. Tzara de jeunes intellectuels (Breton, Aragon, Soupault, Éluard), que l'on retrouve, dès 1923, dans les rangs du surréalisme. Riches, à l'origine, des expériences extrêmement fécondes du groupe surréaliste, plusieurs poètes élaborent leurs œuvres en toute indépendance doctrinale : Artaud, Jouve, Ponge, Michaux, Char. Au cours des années 20 et 30, les thèmes romanesques s'étaient élargis (Colette, Giraudoux, Mauriac, Giono, J. Green, etc.), mais c'est avec Céline que le roman franç. commence véritablement à contester son propre langage. Peu à peu, et malgré la réussite d'œuvres à caractère traditionnel (romans de Bernanos, Aragon, Malraux, Camus), un certain éclatement des genres apparaît avec *la Nausée* de Sartre, *l'Innommable* de Beckett, *l'Expérience intérieure* de Bataille, *l'Âge d'homme* de Leiris, *l'Arrêt de mort* de

Blanchot, qui relèvent à la fois du roman, du récit, de l'essai et du journal. En 1960, toutes les œuvres maîtresses du « théâtre de l'absurde » (Beckett, Adamov, Ionesco) et du « nouveau roman » (Cl. Simon, Butor, A. Robbe-Grillet, N. Sarraute) ont été publiées. La décennie qui commence va être dominée par un courant de réflexion critique (fondation en 1960 de la revue *Tel Quel*), bientôt marquée par l'influence conjuguée de la philosophie (Foucault, Derrida, Althusser), de la psychanalyse (Lacan) et de la linguistique (recherches sémiologiques de Barthes, de Kristeva). Cette période est suivie d'un retour à une écriture plus « subjective », qu'annonçaient les écrits de Barthes et de M. Duras. À la fin du XIXe et au déb. du XXe s., Debussy crée de nouveaux moyens d'expression musicale. Ravel, proche de lui, s'en éloigne toutefois par sa rythmique et le caractère moins fluide de son orchestration. Parallèlement, une réaction antidebussyste s'amorce (Satie, groupe des Six). Des compositeurs comme Dukas et Roussel présentent encore une personnalité originale, mais peu à peu la musique française s'installe dans un conformisme de qualité dont la sortiront Varèse (émigré aux É.-U. en 1916), Messiaen, Boulez et Pierre Schaeffer, et Pierre Henry dans le domaine de la musique électroacoustique.
Cinéma. Le cinéma (premières projections de L. Lumière en 1895), la mise en scène de cinéma (Méliès, 1896), le comique cinématographique (Max Linder, 1907) et le dessin animé (Émile Cohl, 1906) sont nés en France. Avec L. Feuillade (série des *Fantomas*, 1913-1914) s'affirme déjà le pouvoir de fascination du septième art sur un vaste public. Après la guerre de 1914-1918, Louis Delluc suscite une école spécifiquement française, qu'on appelle impressionniste : films de G. Dulac, M. L'Herbier, J. Epstein et surtout Abel Gance (*Napoléon*, 1926). L'avant-garde s'inspire du dadaïsme (*Entr'acte*, René Clair, 1924). Durant la période 1930-1940 se développe l'école « réaliste poétique » : J. Vigo réalise *l'Atalante* (1934), J. Feyder *Pension Mimosas* (1935), S. Guitry *le Roman d'un tricheur* (1935), J. Renoir *Toni* (1934), *la Grande Illusion* (1937), *la Règle du jeu* (1939), J. Duvivier *Pépé le Moko* (1937), M. Carné, sur un scénario de J. Prévert, *Drôle de drame* (1937) et *Quai des brumes* (1938), J. Grémillon *Gueule d'amour* (1937), M. Pagnol *Regain* (1937). C'est la plus grande époque du cinéma français. Malgré la censure, la production, entre 1940 et 1945, est abondante et d'une extrême qualité. Carné tourne *les Visiteurs du soir* (1942) et *les Enfants du paradis* (sorti en 1944) et dont J. Prévert a écrit les dialogues. L'après-guerre voit se confirmer de grands talents : J. Becker, H.-G. Clouzot, R. Clément, M. Ophuls. Alors que R. Bresson continue son œuvre (*les Dames du bois de Boulogne*, 1945 ; *Un condamné à mort s'est échappé*, 1956), A. Resnais (*Nuit et brouillard*, 1956), J.-P. Melville et J. Tati apparaissent comme des novateurs. En 1958 éclate le phénomène dit de la « nouvelle vague » : *le Beau Serge* de Cl. Chabrol, *Hiroshima mon amour* d'A. Resnais (1959), *les 400 Coups* de Fr. Truffaut (1958), *À bout de souffle* de J.-L. Godard (1959) ; en retrait de ce courant, L. Malle donne *les Amants* (1958) et Agnès Varda *Cléo de 5 à 7* (1961). Depuis, le cinéma français voit coexister en son sein le courant traditionnel, où excellent Cl. Sautet, B. Tavernier, P. Granier-Deferre, M. Deville, L. Besson, et un « cinéma d'auteur », principalement représenté par J.-L. Godard, J. Rivette, J. Eustache, J. Doillon, E. Rohmer, M. Duras, J. Demy, B. Blier, J.-P. Mocky, M. Pialat, L. Carax, etc.

France (île de), anc. nom de l'île Maurice.

France (Anatole François Thibault, dit Anatole) (Paris, 1844 – Saint-Cyr-sur-Loire, 1924), écrivain français. Après le succès du *Crime de Sylvestre Bonnard* (1881), il en connut beaucoup d'autres : *Thaïs* (1890), *le Lys rouge* (1894), *Les dieux ont soif* (1912), etc. Mieux que la perfection froide de sa prose, trop travaillée, son esprit épicurien (« Je suis socialiste par plaisir »), sceptique et ironique (mais « habité par l'ardente charité du genre humain »), fait auj. encore le charme de plusieurs récits : *la Rôtisserie de la reine Pédauque* (1893), *les Opinions de Jérôme Coignard* (1893), *Histoire contemporaine* (4 vol., 1897-1901). Acad. fr. (1896). P. Nobel 1921.

Anatole **France**

César **Franck**

France (Henri de) (Paris, 1911 – id., 1986), inventeur français. Il a mis au point un système de télévision à haute définition d'image (819 lignes) adopté par le gouvernement français en 1948. Il est également l'inventeur du procédé SECAM de télévision en couleurs.

France 2, chaîne publique de télévision française créée (sous le nom de « deuxième chaîne ») en 1963 ; sa première émission eut lieu le 21 déc. Elle devint *Antenne 2* le 1er janv. 1975 quand l'O.R.T.F. éclata (loi du 7 juillet 1974) et que cette chaîne acquit son autonomie et son statut actuel, puis adopta le nom de *France 2* le 7 sept. 1992.

France libre (la), ensemble de volontaires rassemblés à Londres dès juin 1940 par le général de Gaulle, qui, en juil. 1942, nomma cette organisation *La France combattante* (comprenant des troupes et disposant de bases en Afrique).

Francesca (Piero della). V. Piero della Francesca.

France Télécom, organisme qui en France gère les télécommunications. Initialement unies en une administration des Postes et Télécommunications, la Poste et France Télécom ont reçu le statut d'exploitant autonome de droit public le 1er janv. 1991.

France 3, chaîne publique de télévision créée en 1972 (première émission le 31 déc.), sous le nom de « troisième chaîne ». Elle devint *FR3* le 1er janv. 1975, quand l'O.R.T.F. fut dissoute (loi du 7 août 1974) et que cette chaîne acquit son autonomie et son statut actuel, puis adopta le nom de *France 3* le 7 sept. 1992. Elle dispose de 12 stations régionales correspondant à des régions (Alsace, Aquitaine, par ex.) ou à des regroupements de régions (Rhône-Alpes-Auvergne, par ex.).

Francfort-sur-le-Main

Francfort-sur-le-Main (en all. *Frankfurt am Main*), v. d'Allemagne (Hesse), au confl. du Main et de la Kinzig ; 592 410 hab. Carrefour routier, ferroviaire et aérien (son aéroport est le premier d'Europe pour le trafic voyageurs, le deuxième pour le fret), la ville est une place commerciale et financière renommée, et un centre industr. important (chim., métall. et méca.) ; édition (foire internationale du livre). Siège de l'Institut monétaire européen (I.M.E.). – Université. Cath. gothique (XIIIe-XIVe s., restaurée). Maisons anc. (XVe s.) et maison natale de Goethe (restaurées). Musée des Bx-A. – Le *traité de Francfort*, signé le 10 mai 1871, entre la France et l'Allemagne, cédait à cette dernière l'Alsace ainsi qu'une partie de la Lorraine. – *École de Francfort* : mouvement philosophique allemand, d'inspiration néo-marxiste, qui rassembla dans la ville, autour de l'*Institut de recherches sociales* (fondé en 1924), M. Horkheimer, Fr. Pollock, Th. Adorno, W. Benjamin et H. Marcuse. Contraints à l'exil face à la montée du nazisme, ils reformèrent l'« école » à New York (Columbia University) en 1934. Après la Seconde Guerre mondiale, Horkheimer et Adorno, revenus à Francfort (1950), furent rejoints par une nouv. génération de chercheurs en sciences sociales, dont Jürgen Habermas est la figure principale. Héritière du marxisme et du freudisme, l'école de Francfort a développé une théorie critique de la société moderne, centrant sa réflexion sur les formes contemporaines de domination sociale et sur les idéologies. Mais la critique d'extrême gauche, qui récusait en partic. le manque d'engagement politique de ses membres, a précipité la dissolution de l'école à la fin des années soixante.

Francfort-sur-l'Oder (en all. *Frankfurt an der Oder*), v. d'Allemagne (Brandebourg) ; 81 000 hab. Les activités comm., autref. importantes, déclinent au profit de l'industr. (métallurgie, chimie, mécanique de précision).

Franche-Comté, anc. province de France, couvrant les départements actuels de la Haute-Saône, du Doubs et du Jura. Au IIe s. av. J.-C., la région correspondant à la Franche-Comté fut habitée par les Séquanes, qui, au Ier s. av. J.-C., firent, avec les Éduens, appel à Rome contre les Germains. Au Ve s., les Burgondes s'y installèrent ; ils subirent, au VIe s., la domination des Francs Ripuaires. En 1032, la région entra dans le Saint Empire romain germanique, mais fut, en fait, gouvernée par ses comtes (d'où le terme de franc- ou franche-comté en usage à partir du XIVe s.). En 1384, le duché et le comté de Bourgogne furent réunis par le mariage de Marguerite de Flandre (qui avait hérité du comté en 1361) avec Philippe le Hardi, duc de Bourgogne. La Franche-Comté entra dans les domaines des Habsbourg à la suite du mariage de Marie, fille de Charles le Téméraire, avec Maximilien d'Autriche (1477). En 1678, le traité de Nimègue la réunit définitivement à la France, après deux campagnes (1668 et 1674) qui éprouvèrent le pays, déjà ravagé par la guerre de Trente Ans.

Franche-Comté, Région admin. française et rég. de la C.E., formée des dép. du Doubs, du Jura, de la Haute-Saône et le Territoire de Belfort; 16 232 km²; 1 130 241 hab. ; cap. *Besançon.*
Géogr. phys. et hum. – Drainée par le Doubs, l'Ognon et l'Ain, la Franche-Comté juxtapose des unités naturelles variées. Au N. s'étendent les plateaux de la Vôge et de la Haute-Saône, qui s'ouvrent sur la plaine d'Alsace par la trouée de Belfort, qu'encadrent la retombée des Vosges au N. et les chaînons préjurassiens au S. Les deux tiers méridionaux de la région se partagent entre le Jura plissé à l'E., où alternent les chaînes calcaires (1 498 m à la Serra), percées de rares cluses et les dépressions argileuses; à l'O. s'étagent des plateaux calcaires (400 à 950 m), qui retombent sur les plaines de la Saône et la Bresse par les collines du Vignoble et du Revermont. Climat et végétation font l'unité d'une région aux hivers rudes et enneigés et aux étés ensoleillés; la forêt (sapins et épicéas dominants) couvre 43% du territoire, devant les herbages, 31%. Surtout concentrée dans le N. (Belfort-Montbéliard) et sur l'axe Besançon-Pontarlier, la pop. s'accroît modestement mais le solde migratoire est négatif.
Écon. – La prod. de lait et de fromage (comté surtout) domine l'agriculture régional, complétée par la polyculture des vallées et la viticulture des abords occidentaux (Arbois); les exploitations pratiquent largement la coopération agricole et beaucoup perçoivent des aides à l'agriculture de montagne. Le bois est l'autre grande richesse de la région (7% de la prod. française) et fait vivre de nombr. communes. Tourisme et thermalisme s'affirment comme des activités d'appoint importantes. Forte de traditions manufacturières anciennes, la Franche-Comté a développé une industrie diversifiée et a mieux résisté à la crise que bien des régions françaises; les restructurations ont cependant été sévères dans les industries de base et de biens d'équipement, alors que les activités traditionnelles comme l'horlogerie voyaient fondre leurs effectifs. Pourtant, les atouts sont nombreux et la région reste l'une des plus industrialisées du pays, s'appuyant sur des branches comme l'automobile (Peugeot), le matériel ferroviaire, la chimie, les constr. électriques et électroniques, l'agroalim. L'horlogerie, restructurée, exporte la moitié de sa prod., alors que l'optique, la lunetterie, la taille des pierres précieuses, la méca. de précision restent des activités réputées. Le triangle Belfort-Montbéliard-Héricourt est le principal pôle industriel régional, devant Besançon. La Franche-Comté a connu une amélioration considérable de son réseau de transports : autoroute Mulhouse – Besançon – Beaune, TGV Paris – Besançon (le TGV-Est est programmé). Elle s'affirme comme un trait d'union essentiel entre la France et la Suisse (où travaillent 16 000 frontaliers) et entre les régions rhénane et alpine de l'Union européenne.

franchement adv. **1.** D'une manière résolue, sans réticence. *Opter franchement pour un parti.* **2.** Ouvertement, sincèrement. *Agir, parler franchement.*

Franchet d'Esperey (Louis Félix Marie François) (Mostaganem, Algérie, 1856 – chât. d'Amancet, Tarn, 1942), maréchal de France. Après avoir servi en Algérie, en Tunisie, en Chine, puis au Maroc (1912-1914) , il contribua à la victoire de la Marne (1914) et commanda les armées de l'Est (1916) et du Nord (1917). À la tête des armées alliées à Salonique (1918), il força les Bulgares à l'armistice. Acad. fr. (1934).

franchir v. tr. [3] **1.** Passer (un obstacle). *Franchir un mur, un fossé.* – Fig. *Il a franchi toutes les difficultés.* **2.** Traverser de bout en bout (un passage, un espace). *Franchir un pont. Franchir l'océan.* ▷ (Temps) *Franchir les siècles.* **3.** Passer en allant au-delà. *Franchir le seuil d'une maison.* – Fig. *Franchir les limites, les bornes de la décence.*

franchisage n. m. COMM Contrat par lequel une entreprise concède à des entreprises indépendantes, en contrepartie d'une redevance, le droit de se présenter sous sa raison sociale et sa marque pour vendre des produits ou services. (Terme off. recommandé pour remplacer *franchising.*)

franchise n. f. **I. 1.** DR Anc. Immunité, privilège, exemption accordés autrefois à certaines personnes, à certaines collectivités. *Franchises d'une ville.* ▷ Mod. Exemption légale ou réglementaire de taxes, d'impositions. *Franchise douanière, postale. Admission en franchise :* franchise, lors de l'entrée dans un pays, pour des marchandises contenues dans les bagages personnels, sous certaines conditions. **2.** Somme laissée à la charge d'un assuré en cas de dommages. **3.** COMM Exercice d'un commerce dans le cadre d'un contrat de franchisage. **II. 1.** Qualité d'une personne qui parle ou agit ouvertement, sincèrement. **2.** (Choses) Qualité de rigueur, de netteté ou de hardiesse (surtout en art). *Franchise du trait, de la couleur.*

franchisé, ée adj. et n. Se dit du commerçant qui a contracté un franchisage.

franchiser v. tr. [1] COMM Lier par un contrat de franchisage.

franchiseur, euse adj. et n. Se dit de la société qui concède un franchisage.

franchissable adj. Qui peut être franchi.

franchissement n. m. Action de franchir. *Le franchissement d'un fleuve.*

franchouillard, arde adj. Fam., péjor. Qui a les défauts traditionnellement attribués au Français moyen.

Francia (Francesco Raibolini, dit il) (Bologne, v. 1460 – id., 1517), peintre italien; l'un des princ. représentants de l'école de Bologne à la fin du XVe s. : *Crucifixion.*

francien n. m. LING Dialecte de l'Île-de-France parlé au Moyen Âge, distinct des autres parlers d'oïl, et qui est à l'origine du français.

francilien, enne adj. et n. De la région Île-de-France. ▷ Subst. Habitant de cette région. *Un(e) Francilien(ne).*

Francini (en fr. *Francin, Francine, Franchine*), famille d'ingénieurs hydrauliciens d'origine florentine. Ils aménagèrent au XVIIe s. les jets d'eau des châteaux de Saint-Germain et de Versailles.

francique n. m. Langue germanique qui était parlée par les Francs. ▷ adj. *Étymologie francique.*

Francis (Sam) (San Mateo, Californie, 1923 – Santa Monica, id., 1994), peintre américain. Représentant du tachisme : *In Lovely Blueness* (1955-1957), triptyque mural pour la Kunsthalle de Bâle (1956), décoration murale pour la Chase Manhattan Bank de New York (1959), série des *Blue Balls* (1960).

francisation n. f. Action de franciser. *La francisation du vocabulaire de l'informatique.*

franciscain, aine n. et adj. Religieux, religieuse de l'ordre de saint François d'Assise. ▷ adj. Relatif aux franciscains ou à leur ordre.
ENCYCL L'ordre franciscain a été fondé probabl. en 1209 par saint François d'Assise, avec l'approbation du pape Innocent III (1210). Il est auj. formé de trois branches indépendantes : les frères mineurs de l'observance (franciscains proprement dits), les frères mineurs capucins et les frères mineurs conventuels.

franciser v. tr. [1] **1.** Donner une forme française à (un mot). *Il Caravaggio a été francisé en « le Caravage ».* **2.** Donner un caractère français à. *Franciser son mode de vie.*

francisque n. f. Hache de guerre à double lame des Germains et des Francs. ▷ Emblème du gouvernement de Vichy (1940-1944).

francium [fʀɑ̃sjɔm] n. m. CHIM Élément alcalin radioactif de numéro atomique Z = 87 et de masse atomique 223 (symbole Fr).

franc-jeu n. m. et adj. Terme proposé pour remplacer l'anglicisme *fair-play.* (V. ce mot.) *Des francs-jeux.*

Franck (César) (Liège, 1822 – Paris, 1890), compositeur et organiste français d'orig. belge. Sa musique, d'inspiration germanique (Bach, Beethoven), vaut par sa liberté d'expression et ses qualités mélodiques : *les Béatitudes* (oratorio en huit cantates, 1869-1879), *Prélude, choral et fugue* (pour piano, 1884), *Variations symphoniques* (pour piano et orchestre, 1885), *Symphonie en ré mineur* (1886-1888).

Franck (James) (Hambourg, 1882 – Göttingen, 1964), physicien américain d'origine allemande. Il réalisa des travaux sur la cinétique des électrons et sur la luminescence. P. Nobel 1925.

franc-maçon, onne n. Membre de la franc-maçonnerie. *Des francs-maçons, des franc-maçonnes.* ▷ adj. *Éthique franc-maçonne.*

franc-maçonnerie n. f. Association, autref. secrète, de personnes qu'unit un idéal de fraternité et de solidarité, et qui pratiquent un certain nombre de rites symboliques. ▷ Fig. (Souvent péjor.) Entente ou alliance tacite entre des personnes qui ont les mêmes origines, les mêmes intérêts, etc. *La franc-maçonnerie des anciens élèves d'une grande école. Des franc-maçonneries.*
ENCYCL L'institution maçonnique doit, pense-t-on, son existence à une confrérie de maçons constructeurs qui voyagèrent en Europe dès le VIIIe s. Peu à peu ces associations se transformèrent en sociétés purement mutualistes et philanthropiques, mais conservèrent en souvenir du passé des signes et des emblèmes comme le tablier, l'équerre et le compas. C'est en Grande-Bretagne, et surtout en Écosse, que l'on trouve, au XVIIe s., les premières traces de la franc-maçonnerie moderne. En France, le 26 juin 1773, sont adoptés les statuts de l'ordre royal de la franc-maçonnerie, connu sous le nom de Grand Orient de France. Les idées républicaines et la philosophie positiviste gagnent le Grand Orient de France dans la seconde moitié du XIXe s. L'abandon de l'obligation de croire au Grand Architecte de l'Univers provoque la

rupture de la maçonnerie anglaise avec la maçonnerie française au début du XXe s. En France, la franc-maçonnerie compte trois obédiences principales : le Grand Orient de France, la Grande Loge de France, la Grande Loge nationale française. Cette dernière se scinda en 1959, en : Grande Loge nationale française Bineau et Grande Loge nationale Opéra. Il faut encore citer la Grande Loge féminine de France fondée en 1945 (env. 3000 «sœurs») et le Droit humain, ordre mixte international.

franc-maçonnique adj. Relatif à la franc-maçonnerie. (Plus cour. : *maçonnique.*) *Des traditions franc-maçonniques.*

Franc-Nohain (Maurice Legrand, dit) (Corbigny, Nièvre, 1872 - Paris, 1934), écrivain français. Auteur de poésies, de pièces et de récits pleins de fantaisie satirique et humoristique : *le Kiosque à musique* (poèmes, 1922), *Fables* (éditées de 1921 à 1936), *l'Art de vivre* (théâtre, 1929).

franco-. Élément, du rad. de *français,* utilisé : **1.** Pour exprimer un rapport entre la France et un autre pays. *Une coproduction franco-italienne.* **2.** Pour désigner les membres de communautés d'ascendance ou d'expression française. *Les Franco-Américains. Un chanteur franco-québécois.* **3.** Pour désigner des variétés géographiques du français. *Franco-canadien, franco-québécois* : V. canadien, québécois.

1. franco adv. Sans frais. *Marchandise franco de port* (ou, ellipt., *franco*), dont le destinataire n'a pas à payer le port.

2. franco adv. Fam. Franchement, carrément, sans hésiter. *Y aller franco.*

franco-allemande (guerre) de 1870-1871, guerre née d'une vive tension diplomatique entre la France et la Prusse à la suite de la candidature d'un prince Hohenzollern au trône d'Espagne. Après la publication de la dépêche d'Ems (V. ce nom), Napoléon III déclara, à la hâte, la guerre à la Prusse, qui reçut aussitôt l'appui des princes allemands (19 juil. 1870). Les désastres se succédèrent dès le mois d'août en Alsace et en Lorraine. Le 2 septembre 1870, l'armée française capitulait à Sedan, tandis qu'à Paris, le 4 sept., la révolution renversait l'Empire. Le gouvernement de la Défense nationale (V. Gambetta), malgré des efforts parfois héroïques, dut signer l'armistice le 28 janvier 1871. La paix fut conclue à Francfort-sur-le-Main le 10 mai 1871 : la France perdait l'Alsace (moins Belfort) et une partie de la Lorraine; Bismarck (V. ce nom) avait achevé l'unité politique de l'Allemagne, avec Guillaume de Prusse comme empereur (18 janv. 1871).

franco-américain, aine adj. et n. **1.** adj. Qui concerne la France et les États-Unis. *Les rapports franco-américains.* **2.** n. En Nouvelle-Angleterre, personne d'origine canadienne française, qui parle encore parfois le français. *Les Franco-Américains* ou, fam., *les Francos.*

Franco Bahamonde (Francisco) (El Ferrol, 1892 - Madrid, 1975), général et homme politique espagnol. Après avoir participé aux campagnes du Maroc, il fut nommé chef d'état-major des armées (1935). Éloigné aux Canaries (1936), il prit la tête du soulèvement (Maroc, 18 juillet 1936) contre le gouvernement républicain et fut nommé, par la junte de Burgos, généralissime (29 sept. 1936). Il l'emporta dans la guerre civile (1936-1939), et devint en oct. 1939 le chef unique *(caudillo)* de l'Espagne, où il instaura un gouvernement totalitaire et corporatiste, appuyé sur la Phalange, seul parti autorisé. En 1947, il rétablit la monarchie et s'institua «protecteur-régent» à vie. Neutre pendant la Seconde Guerre mondiale, isolé ensuite, il se rapprocha, à partir de 1952, des É.-U. et de la France. Alors que diverses oppositions se manifestaient et étaient durement réprimées, Franco désigna en juil. 1969 le prince Juan Carlos comme son successeur à la tête de l'État espagnol. Il exerça le pouvoir jusqu'à sa mort, survenue le 20 nov. 1975, après une longue agonie.

franco-canadien, enne adj. et n. **1.** Relatif ou propre aux Canadiens de descendance française, spécial. de ceux de la province de Québec. ▷ Subst. *Les Franco-Canadiens* : les Canadiens français. **2.** n. m. Variété de français parlé par ce groupe. Syn. français canadien.

Francœur (Louis) (Paris, v. 1692 - id., 1745), violoniste et compositeur français, auteur de sonates pour son instrument. – **François** (Paris, v. 1698 - id., 1787), frère du préc., également violoniste et compositeur, fut directeur de l'Opéra de Paris de 1757 à 1767 au côté de F. Rebel.

franco-français, aise adj. Fam. **1.** Qui concerne les rapports, le plus souvent conflictuels, entre deux catégories de Français. *Un différend franco-français.* **2.** Qui ne concerne que les Français, qui est typiquement français. *Une habitude franco-française.*

François (Le), com. de la Martinique, arr. de Fort-de-France; 17065 hab.

SAINTS

François d'Assise (saint) (Assise, Ombrie, v. 1182 - id., 1226), religieux italien. Riche et insouciant, il mena jusque v. 1206 une vie de plaisirs. Une illumination mystique lui fit adopter une existence de pauvreté, de prière et de charité. Il réunit quelques compagnons qui furent à l'origine (1219) de l'ordre mendiant des Frères mineurs (V. franciscain). À la fin de sa vie, malade, aveugle, il écrivit le *Cantique du frère Soleil.*

saint **François d'Assise** *recevant les stigmates,* XVe s.; galerie nationale de l'Ombrie, Pérouse

François de Paule (saint) (Paola, Calabre, v. 1416 - Plessis-lez-Tours, v. 1507), religieux italien. Il fonda v. 1435 l'ordre des Minimes. Appelé par Louis XI, qu'il assista au moment de sa mort, il demeura en France, où il créa le monastère des Montils-lès-Tours.

François de Sales (saint) (château de Sales, près de Thorens, Savoie, 1567 - Lyon, 1622), évêque *in partibus* de Genève. Docteur de l'Église, il fonda avec Jeanne de Chantal l'ordre de la Visitation (1610). Princ. œuvres : *Introduction à la vie dévote* (1604), *Traité de l'amour de Dieu* (1616).

François Xavier (saint) (François de Jassu) (chât. de Xavier, Navarre, 1506 - près de Canton, 1552), jésuite espagnol; fondateur de missions chrétiennes en Inde portugaise, à Malacca et au Japon.

ALLEMAGNE

François Ier de Habsbourg (Nancy, 1708 - Innsbruck, 1765), empereur du Saint Empire (1745-1765); époux de Marie-Thérèse d'Autriche (1736), père de Marie-Antoinette, reine de France. – **François II** (Florence, 1768 - Vienne, 1835), dernier empereur germanique (1792-1806); il perdit ce titre lors de la destruction du Saint Empire par Napoléon et prit (1804) celui d'empereur héréditaire d'Autriche (François Ier). Il fut le père de l'impératrice Marie-Louise.

DEUX-SICILES

François Ier (Naples, 1777 - id., 1830), roi des Deux-Siciles (1825-1830); il dut lutter contre l'insurrection des carbonari. – **François II** (Naples, 1836 - Arco, 1894), dernier roi des Deux-Siciles (1859-1860); il dut capituler sous la pression de Garibaldi et de ses «Mille».

FRANCE

François Ier (Cognac, 1494 - Rambouillet, 1547), roi de France de 1515 à 1547. Fils de Charles d'Angoulême et de Louise de Savoie, il succéda à son beau-père, Louis XII. Reprenant la politique ital. de ses prédécesseurs, il occupa le Milanais (après la victoire de Marignan, 1515), puis signa avec les cantons suisses la *Paix perpétuelle* et avec le pape le concordat de Bologne (1516). À partir de 1521, il affronta Charles Quint, son rival victorieux à l'élection impériale de 1519. D'abord mal engagée (défaite de Pavie, 1525; traité de Madrid, 1526, par lequel François perdait le Milanais et la Bourgogne), la lutte reprit, plus favorable, grâce aux adroites alliances que le roi avait conclues, notam. avec les princes protestants allemands et avec le sultan Soliman le Magnifique. Cette lutte confuse, coupée de trêves, aboutit à la *paix de Crépy* (1544) : François Ier abandonnait la Savoie, le Piémont et sa suzeraineté sur l'Artois et les Flandres, mais recouvrait la Bourgogne. Son règne fit progresser l'absolutisme royal et assura

François Ier

B. Franklin

le développement de l'économie. Par l'*ordonnance de Villers-Cotterêts* (1539), le roi substitua le français au latin dans les jugements et actes notariés. Tolérant avec les protestants, il fut un grand mécène, favorisa l'épanouissement de la Renaissance française, fondant le Collège royal (1530) et l'Imprimerie royale (1539), protégeant les savants, les écrivains (Marot, Rabelais), faisant construire ou modifier de nombr. châteaux (Chambord, Fontainebleau, Louvre) et attirant en France d'illustres artistes italiens (notam. Léonard de Vinci). – **François II** (Fontainebleau, 1544 – Orléans, 1560), roi de France (1559-1560); fils aîné d'Henri II et de Catherine de Médicis. Il se laissa dominer par sa mère et par les Guise, dont il avait épousé la nièce, Marie Stuart. Son court règne fut marqué par les rivalités entre chefs catholiques et protestants (conjuration d'Amboise, 1560).

François, duc d'Alençon puis d'Anjou (Saint-Germain-en-Laye, 1554 – Château-Thierry, 1584), quatrième fils d'Henri II et de Catherine de Médicis. Après la Saint-Barthélemy (1572) se regroupa autour de lui, contre Charles IX puis contre Henri III (roi en 1574), le parti des *politiques*, catholiques modérés. En mai 1576, François négocia à Étigny (Yonne) un accord entre catholiques et protestants, à qui diverses concessions étaient faites; cet accord fut sanctionné par l'édit de Beaulieu (près de Loches), édit nommé aussi *paix de Loches* ou *paix de Monsieur;* de son côté, Monsieur (c.-à-d. François d'Alençon en tant que frère d'Henri III) obtenait le duché d'Anjou. Sa mort, sans héritier, laissa la couronne, après la mort d'Henri III, revenir de droit à un protestant : Henri de Navarre (V. Henri IV).

◊ ◊ ◊

François (André Farkas, dit André) (Timişoara, 1915), dessinateur, peintre et sculpteur français d'origine roumaine. Il a travaillé dans l'atelier de Cassandre, est l'auteur d'illustrations, d'affiches, de décors de théâtre.

François (Samson) (Francfort, 1924 – Paris, 1970), pianiste français, élève d'Alfred Cortot et de Marguerite Long, célèbre pour ses interprétations de Chopin, Ravel et Debussy.

François-Ferdinand de Habsbourg (Graz, 1863 – Sarajevo, 1914), archiduc d'Autriche; neveu et héritier de l'empereur François-Joseph. Son assassinat à Sarajevo (28 juin 1914) précipita le conflit de 1914-1918.

François-Joseph (terre), archipel de Russie, dans l'océan Glacial arctique nommé ainsi par les marins (autrichiens) qui le découvrirent (1872); 20 000 km².

François-Joseph Ier (chât. de Schönbrunn, 1830 – Vienne, 1916), empereur d'Autriche (1848-1916) et roi de Hongrie (1867-1916). Il succéda à son oncle Ferdinand Ier. Il fut vaincu par Napoléon III (perte de la Lombardie, 1859), puis par la Prusse (en 1866, après la défaite de Sadowa : perte de la Vénétie et fin de la Confédération germanique, créée en 1815 sous la présidence de l'Autriche). Sa politique balkanique l'amena à se rapprocher de l'Allemagne (alliance défensive, ou *Duplice*, 1879, transformée en *Triplice* par accord avec l'Italie, 1882) et à annexer la Bosnie-Herzégovine (1908). À l'intérieur, son gouvernement fut contradictoire, tantôt centraliste, tantôt fédéraliste, tantôt autoritaire, tantôt libéral. Contre la montée des nationalismes, l'empereur institua (compromis de 1867) une monarchie austro-hongroise (bicéphale) qui ne donna satisfaction qu'aux Magyars. L'irritation des minorités précipita la guerre de 1914-1918, durant laquelle il mourut, après un règne de soixante-huit ans que marquèrent de nombr. drames familiaux.

francolin n. m. Oiseau galliforme des savanes africaines, voisin de la perdrix.

Franconie (en all. *Franken*), anc. région historique de l'Empire germanique, dont elle fut l'un des premiers duchés (840). Située (dans la Bavière actuelle) entre le Main et le Danube, elle est constituée de plateaux consacrés à l'agric. (céréales, fourrage, betteraves sucrières, vigne). Nuremberg, la cap. historique, possède quelques industr. textiles et mécaniques.

Franconville, ch.-l. de cant. du Val-d'Oise (arr. de Pontoise); 33 874 hab. Équipement industriel.

francophile adj. et n. Qui éprouve ou marque de l'amitié pour la France et les Français.

francophilie n. f. État d'esprit, attitude du francophile.

francophobe adj. et n. Qui éprouve ou marque de l'hostilité à l'égard de la France et des Français.

francophobie n. f. État d'esprit, attitude du francophobe.

francophone adj. et n. Dont le français est la langue maternelle ou officielle. – Subst. *Les francophones belges.* ▷ Où la langue française est en usage. *Pays francophone.*

francophonie n. f. Ensemble politico-culturel des peuples qui parlent le français.

franco-provençal, ale, aux adj. et n. m. Se dit des dialectes parlés du Lyonnais au Val d'Aoste et à la Suisse romande, intermédiaires entre les dialectes d'oc et les dialectes d'oïl. – n. m. Ensemble formé par ces dialectes.

franco-russe (alliance), alliance militaire et économique négociée entre 1891 et 1893 par la France et la Russie (jusqu'alors membre d'une Triple-Alliance* dirigée par l'Allemagne). En 1893, le tsar la ratifia. En 1907, elle entra dans la Triple-Entente* et de 1914 à 1917 combattit aux côtés de ses alliés, la France et la Grande-Bretagne.

franc-parler n. m. Franchise de langage (de celui qui dit tout haut et sans ménagement ce qu'il pense). *Avoir son franc-parler. Des francs-parlers.*

franc-quartier n. m. HERALD Premier quartier de l'écu. *Des francs-quartiers.*

Francs, peuplade germanique et païenne qui envahit la Gaule aux IIIe et IVe s. (Francs Saliens). Ils furent réunis en un seul État par Clovis, qui étendit la domination franque en Gaule, où, s'étant converti (496), il propagea le christianisme. Les Francs Ripuaires, c.-à-d. «de la rive» (droite du Rhin), vécurent sur la Moselle et retraversèrent le Rhin aux VIe et VIIe s., pour peupler notam. la Flandre.

franc-tireur n. m. **1.** Combattant qui n'appartient pas à une unité régulière. **2.** Fig. Personne agissant de façon indépendante, sans observer les règles d'un groupe. *Des francs-tireurs.*

frange n. f. **1.** Bande d'étoffe à filets retombants qui sert d'ornement. *Frange de soie.* ▷ Fig. *Frange d'écume des vagues.* **2.** Cheveux retombant sur le front et coupés en ligne droite. **3.** PHYS *Franges d'interférence :* bandes alternativement brillantes et sombres qui résultent de l'interférence de rayons lumineux provenant de sources distinctes. **4.** Fig. Ce qui est au bord ou marginal, et, par ext., indistinct, vague. *Frange du souvenir.* **5.** Petite minorité, petit groupe marginal. *Une frange de séditieux.*

frangeant adj. m. GEOGR Qui borde la côte à peu de distance, en parlant d'une chaîne de récifs coralliens.

franger v. tr. [13] **1.** COUT Garnir d'une frange. *Franger une robe.* **2.** Border. *Récifs qui frangent une côte.*

frangin, ine n. Fam. **1.** Frère, sœur. **2.** Fille ou femme.

frangipane n. f. **1.** Cour. Crème aux amandes; pâtisserie garnie de cette crème. **2.** BOT Fruit du frangipanier.

frangipanier n. m. Arbuste tropical (fam. apocynacées) dont les fleurs groupées en cyme sont très odoriférantes.

franglais n. m. Français mêlé d'anglicismes. *«Parlez-vous franglais?», ouvrage de René Étiemble* (1964).

Franju (Georges) (Fougères, 1912 – Paris, 1987), cinéaste français. Cofondateur, avec H. Langlois et P.-A. Herlé, de la Cinémathèque française (1936), il fut l'un des maîtres du court métrage (*le Sang des bêtes*, 1948; *Hôtel des Invalides*, 1951) avant de réaliser des longs métrages où domine le constat de la souffrance : *la Tête contre les murs* (1959), *Thérèse Desqueyroux* (1962).

Frank (Anne) (Francfort-sur-le-Main, 1929 – camp de concentration de Bergen-Belsen, 1945), jeune Juive allemande émigrée aux Pays-Bas en 1933. Elle écrivit, de 1942 à 1944, alors que sa famille et elle-même se cachaient pour échapper aux nazis, un journal, que son père retrouva après la Libération. Le *Journal d'Anne Frank* a été publié en 1947 et une version intégrale en 1989.

Frankfort, v. des États-Unis, cap. de l'État du Kentucky; 25 900 hab.

Frankland (sir Edward) (Churchtown, Lancashire, 1825 – Golaa, Norvège, 1899), chimiste anglais; l'un des créateurs du concept de valence. En 1868, comme Lockyer et Janssen, il attribua la raie jaune du spectre solaire à l'existence de l'hélium.

Franklin (Benjamin) (Boston, 1706 – Philadelphie, 1790), physicien, philosophe et homme politique américain. Spécialiste d'électrostatique, il inventa le paratonnerre en 1752. Élu au premier Congrès des É.-U., il participa à la rédaction de la *Déclaration d'indépendance* (1776), puis il prit une part active, comme ambassadeur, à la conclusion du traité d'alliance avec la France (1778). Il est l'auteur d'essais et de *Mémoires* (1771).

Franklin (sir John) (Spilsby, Lincolnshire, 1786 – dans l'Arctique, 1847), navigateur et explorateur anglais. Il périt en recherchant le «passage du nord-ouest» (au N. du Canada).

franquette (à la bonne) loc. adv. Fam. Sans faire de façons, simplement.

Franquin (André) (Bruxelles, 1924 – Saint-Laurent-du-Var, 1997), dessinateur belge; créateur de *Spirou* et de *Gaston Lagaffe.*

franquisme n. m. Doctrine politique du général Franco et des partisans du régime politique qu'il fonda en 1939 en Espagne.

franquiste n. et adj. Partisan du général Franco, pendant la guerre civile espagnole (1936-1939). – Partisan de la doctrine de Franco.

frappant, ante adj. **1.** Qui fait une vive impression. *Une ressemblance frappante.* **2.** Qui est d'une évidence incontestable. *Une coïncidence frappante.*

1. frappe n. f. **1.** TECH Action de frapper les monnaies. ▷ Empreinte effectuée sur les monnaies. ▷ Assortiment de matrices pour fondre les caractères d'imprimerie en plomb. ▷ Action de dactylographier. *Faute de frappe.* ▷ INFORM *Frappe en lacet* : méthode d'impression utilisée par certaines imprimantes, qui consiste à frapper de gauche à droite, puis de droite à gauche afin de gagner du temps. **2.** SPORT Manière de frapper. *La frappe d'un boxeur.* **3.** MILIT Bombardement. *Frappe aérienne. Frappe nucléaire. Force* de frappe.*

2. frappe n. f. Fam. Voyou.

frappement n. m. Action de frapper.

frapper v. tr. [1] **1.** Donner un ou plusieurs coups. *Son père l'a frappé. Le marteau frappe l'enclume.* ▷ v. intr. *Frapper dans ses mains. Frapper à la porte,* pour se faire ouvrir. **2.** Blesser. *Frapper qqn à mort,* le blesser mortellement. **3.** Tomber sur. *Lumière qui frappe un objet.* **4.** TECH Marquer d'une empreinte. *Frapper des médailles. Frapper la monnaie.* ▷ Pp. adj. *Frappé* : rafraîchi par de la glace. *Café frappé.* **5.** Atteindre d'un mal. *Malheur qui frappe une famille. Être frappé d'apoplexie.* ▷ Soumettre à une taxe, etc. *Frapper une marchandise de droits d'entrée.* **6.** Atteindre d'une impression vive. *Frapper la vue, l'esprit.* – Étonner, saisir. *J'ai été frappé de leur ressemblance.* **7.** v. pron. Fam. S'inquiéter exagérément.

frappeur, euse adj. Qui frappe. ▷ *Esprit frappeur,* qui, selon les spirites, se manifeste en frappant des coups.

Frascati, v. d'Italie (prov. de Rome), au pied des monts Albains; 18 730 hab. Vignoble renommé. Centre nucl. Nombr. et riches villas (villa Aldobrandini, XVe-XVIe s.).

Fraser (le), fl. du Canada (Colombie britannique), nommé ainsi en l'honneur de Simon Fraser (1776 – 1862), explorateur canadien; 1 200 km. Né dans les montagnes Rocheuses, il coule dans des gorges sauvages en direction du Pacifique, où il se jette au S. de Vancouver.

Fraser (Dawn) (Sydney, 1937), nageuse australienne. Première femme à parcourir le 100 m nage libre en moins d'une minute (en 1962), elle fut trois fois championne olympique de cette épreuve (1956, 1960, 1964).

frasque n. f. Écart de conduite. *Frasques de jeunesse.*

Fratellini (les), famille de clowns d'origine italienne. – **Louis** (Florence, 1868 – Varsovie, 1909). – **Paul** (Catane, 1877 – Le Perreux, 1940), **François** (Paris, 1879 – id., 1951), **Albert** (Moscou, 1885 – Épinay-sur-Seine, 1961), tous fils de **Gustave** (Florence, 1842 – Paris, 1902). Paul, François et Albert formèrent l'un des plus célèbres trios de clowns de l'histoire du cirque. – **Annie** (Alger, 1932 – Paris, 1997), petite-fille de Paul; femme clown et chanteuse, elle fonda avec P. Étaix, en 1972, l'École nationale du cirque (Paris).

fraternel, elle adj. **1.** Qui a rapport aux liens unissant des frères, des sœurs. *Amour fraternel.* **2.** Qui rappelle les sentiments unissant des frères. *Amitié fraternelle.* ▷ (Personnes) *Il a été très fraternel avec moi.*

fraternellement adv. De façon fraternelle.

fraternisation n. f. Action de fraterniser.

fraterniser v. intr. [1] **1.** Adopter un comportement fraternel. *Ils ont tout de suite fraternisé.* **2.** Faire acte de fraternité, de solidarité, en cessant toute hostilité. *Fraterniser avec l'ennemi.*

fraternité n. f. **1.** Rare Lien de parenté entre frères et sœurs. **2.** Union fraternelle entre les hommes, sentiment de solidarité qui les unit. *Liberté, égalité, fraternité* : devise de la République française.

1. fratricide n. m. Meurtre du frère ou de la sœur.

2. fratricide n. et adj. **1.** n. Personne qui tue son frère ou sa sœur. **2.** adj. *Lutte, guerre fratricide,* entre membres d'une communauté que devrait unir une fraternité (concitoyens, etc.).

fratrie n. f. Didac. Groupe formé par les frères et les sœurs d'une même famille.

fraude n. f. **1.** Action faite de mauvaise foi, pour tromper. **2.** Falsification punie par la loi. *Fraude en œuvres d'art, dans la vente de marchandises. Service de répression des fraudes.* – Par ext. *Fraude fiscale, électorale.* **3.** Action de soustraire des marchandises aux droits de douane. *Passer des cigarettes en fraude.*

frauder v. [1] **1.** v. tr. Tromper par la fraude. *Frauder la douane, le fisc.* **2.** v. intr. Commettre une fraude. *Frauder sur une marchandise.*

fraudeur, euse n. Personne qui fraude.

frauduleusement adv. De façon frauduleuse; en fraude.

frauduleux, euse adj. Entaché de fraude. *Contrat frauduleux.* – *Banqueroutier frauduleux,* qui a fait une banqueroute frauduleuse.

Frauenfeld, v. de Suisse; ch.-l. du cant. de Thurgovie; 18 800 hab. Industr. mécaniques et textiles.

Annie **Fratellini** et sa fille Valérie

Fraunhofer (Josef von) (Straubing, Bavière, 1787 – Munich, 1826), physicien allemand; connu pour ses travaux d'optique, notam. sur les raies sombres du spectre solaire. L'ensemble de ces raies porte auj. son nom.

frayer v. [21] **I.** v. tr. **1.** VEN Frotter. *Le cerf fraie ses bois aux branches.* **2.** Ouvrir, tracer (un chemin). *Frayer un passage dans la foule.* ▷ v. pron. (Réfl. indirect.) *Se frayer un chemin.* **II.** v. intr. **1.** En parlant des poissons, pondre les œufs ou les féconder. **2.** Fréquenter, avoir des relations suivies. *Il fraie avec la canaille.*

frayère n. f. ZOOL Lieu de ponte des poissons. – *Par ext.* Lieu de reproduction de diverses espèces animales.

frayeur n. f. Crainte vive et passagère, en général sans fondement.

Frazer (sir James George) (Glasgow, 1854 – Cambridge, 1941), ethnologue écossais; auteur de travaux sur le folklore et les religions comparées : *le Rameau d'or* (12 vol., 1890-1915), *le Folklore dans l'Ancien Testament* (1918).

Fréchet (Maurice) (Maligny, Yonne, 1878 – Paris, 1973), mathématicien français; connu pour ses travaux sur les ensembles.

Fréchette (Louis) (Lévis, Québec, 1839 – Montréal, 1908), écrivain canadien d'expression française et d'inspiration romantique. Poésie : *Pêle-Mêle* (1877), *la Légende d'un peuple* (1887), etc. Prose : *Originaux et Détraqués* (contes, 1892), *Mémoires intimes* (posth., 1961).

fredaine n. f. (Surtout plur.) Écart de conduite sans gravité.

Frédégonde (545 – 597), troisième femme de Chilpéric Ier, roi des Francs de Neustrie. Elle ne recula devant rien pour détenir le pouvoir (notam. meurtre de la deuxième épouse et de deux fils de Chilpéric). Sa rivalité avec Brunehaut, reine d'Austrasie, est restée célèbre.

ALLEMAGNE

Frédéric Ier Barberousse (Waiblingen, 1122 – dans les eaux du Cydnus [auj. Tarsus Çayi], en Cilicie, 1190), empereur du Saint Empire romain germanique (1152-1190). Ambitieux, il nourrit le projet de tenir sous sa seule autorité ses États allemands et le royaume de Bourgogne, de dominer l'Italie et d'exercer une autorité universelle, ce qui impliquait la soumission de l'Église à ses volontés, la victoire sur la féodalité allemande et sur les villes italiennes. Il se fit couronner empereur à Rome (1155), assujettit Milan et la Lombardie, mais se heurta au pape Alexandre III, qui obtint l'alliance de toutes les villes de l'Italie du Nord. Vaincu à Legnano (1177), il dut reconnaître l'autonomie des villes ital. (paix de Constance, 1183). En Allemagne, il brisa son princ. ennemi, Henri le Lion, duc de Saxe et de Bavière (1180), dont il confisqua les domaines. Il prit la tête de la 3e croisade, mais se noya en Turquie d'Asie. – **Frédéric II** (Iesi, marche d'Ancône, 1194 – chât. de Fiorentino, Pouilles, 1250), roi de Sicile (1197-1250), empereur du Saint Empire (1220-1250). Cultivé, sceptique, il fut un adversaire redoutable de la papauté, qui l'excommunia deux fois (1227 et 1239) pour avoir combattu l'alliance des villes lombardes. Il participa néanmoins à une croisade et se fit proclamer roi de Jérusalem (1229). Innocent IV le déposa

Frédéric Ier Barberousse, enluminure du XIIe s. ; Bibliothèque vaticane, Rome

officiellement au concile de Lyon (1245). – **Frédéric III** (Innsbruck, 1415 – Linz, 1493), empereur germanique de 1440 à 1493. Son règne fut marqué par la perte de la Bohême et de la Hongrie.

DANEMARK ET NORVÈGE

Frédéric Ier (Copenhague, 1471 – Gottorp, 1533), roi de Danemark (1523-1533) et de Norvège (1524-1533). Il favorisa le luthéranisme. – **Frédéric II** (Haderslev, 1534 – Antvorskov, 1588), roi de Danemark et de Norvège (1559-1588). Il lutta longuement contre la Suède. – **Frédéric III** (Haderslev, 1609 – Copenhague, 1670), roi de Danemark et de Norvège (1648-1670). À l'issue d'une nouvelle guerre contre la Suède, il perdit la Scanie et le Halland. À l'intérieur, il renforça l'absolutisme. – **Frédéric IV** (Copenhague, 1671 – Odense, 1730), roi de Danemark et de Norvège (1699-1730). Il prit au Holstein le Slesvig (Schleswig) du Sud. – **Frédéric V** (Copenhague, 1723 – id., 1766), roi de Danemark et de Norvège (1746-1766). Il se fit le protecteur des lettres et des arts. – **Frédéric VI** (Copenhague, 1768 – id., 1839), roi de Danemark (1808-1839). Il perdit la Norvège, dont il fut roi de 1808 à 1814. – **Frédéric VII** (Copenhague, 1808 – Glücksborg, 1863), roi de Danemark de 1848 à 1863. – **Frédéric VIII** (Copenhague, 1843 – Hambourg, 1912), roi de Danemark de 1906 à 1912. – **Frédéric IX** (chât. de Sorgenfri, 1899 – Copenhague, 1972), roi de Danemark de 1947 à 1972. Sa fille Marghrete lui a succédé.

PALATINAT

Frédéric V (Amberg, 1596 – Mayence, 1632), Électeur palatin (1610-1623) et roi de Bohême (1619-1620). Chef de l'Union évangélique, il accepta des Tchèques, révoltés contre Ferdinand II, la couronne de Bohême. Vaincu à la Montagne Blanche (1620), il fut dépouillé de l'électorat.

PRUSSE

Frédéric Ier (Königsberg, 1657 – Berlin, 1713), fils du Grand Électeur Frédéric-Guillaume ; Électeur de Brandebourg (1688), puis premier roi en Prusse (1701-1713). Il poursuivit la politique de son père en prenant part aux guerres contre la France et la Suède. – **Frédéric II le Grand** ou **l'Unique** (Berlin, 1712 – Potsdam, 1786), fils de Frédéric-Guillaume Ier ; roi de Prusse (1740-1786). Esprit éclairé, ami des philosophes, mais élevé militairement par son père, il agrandit et modernisa la Prusse. Entraîné dans la guerre de la Succession d'Autriche (1740-1748), il occupa la Silésie (1741), que reconnut sienne le traité de Dresde (1745). Il prit part, allié à l'Angleterre, à la guerre de Sept Ans (1756-1763). En 1772, il eut l'initiative du premier démembrement de la Pologne et gagna la Prusse occidentale (moins Toruń et Dantzig). À l'intérieur, il poursuivit avec succès l'œuvre d'unification, d'enrichissement (essor de l'industrie) et de développement de l'armée qu'avait entreprise son père. – **Frédéric III** (Potsdam, 1831 – id., 1888), fils de Guillaume Ier ; empereur allemand et roi de Prusse (1888, peu de temps avant sa mort). Il s'était illustré dans les guerres contre l'Autriche et la France (1870-1871).

SICILE

Frédéric Ier Roger roi de Sicile. V. Frédéric II, empereur du Saint Empire. – **Frédéric II** ([?] 1272 – Palerme, 1337), fils du roi d'Aragon Pierre III, roi de Sicile en 1296. Il lutta contre la maison d'Anjou. – **Frédéric III le Simple** (Catane, 1342 – Messine, 1377), roi de l'île de Sicile (1355-1377). Il lutta contre Jeanne de Naples, qui lui prit Messine et Palerme.
– **Frédéric Ier** (Naples, 1452 – Tours, 1504), roi de Sicile péninsulaire (1496-1501). Détrôné par Louis XII, il dut céder à la France le royaume de Naples en échange du comté du Maine (1501).

◊ ◊ ◊

Frédéric-Auguste Ier le Juste (Dresde, 1750 – id., 1827), Électeur (1763-1806) puis premier roi de Saxe (1806-1827). Allié de Napoléon, dont il obtint le titre royal et le grand-duché de Varsovie, il fut dépossédé d'une partie de ses États en 1815. – **Frédéric-Auguste II** (Dresde, 1797 – dans le Tyrol, 1854), roi de Saxe (1836-1854). – **Frédéric-Auguste III** (Dresde, 1865 – chât. de Sibyllenort, Silésie, 1932), roi de Saxe de 1904 à 1918.

Frédéric-Guillaume, dit *le Grand Électeur* (Berlin, 1620 – Potsdam, 1688), Électeur de Brandebourg (1640) et duc de Prusse. Bénéficiaire des traités de Westphalie, il créa l'État prussien, qu'il peupla, unifia et dota d'une bonne armée. Il vainquit les Suédois à Fehrbellin (1675).

Frédéric-Guillaume Ier, dit *le Roi-Sergent* (Berlin, 1688 – Potsdam, 1740), fils de Frédéric Ier de Prusse ; roi de Prusse (1713-1740). Il accrut la puissance de l'armée et la centralisation de l'administration du royaume. – **Frédéric-Guillaume II** (Berlin, 1744 – id., 1797), neveu de Frédéric II le Grand ; roi de Prusse (1786-1797). Il combattit la Révolution française, mais, vaincu à Valmy, il céda à la France ses possessions de la rive gauche du Rhin (traité de Bâle, 1795). Il bénéficia du deuxième (1793) puis du troisième (1795) partage de la Pologne, annexant Dantzig et Varsovie. – **Frédéric-Guillaume III** (Potsdam, 1770 – Berlin, 1840), fils du préc. ; roi de Prusse (1797-1840). Vaincu par Napoléon Ier, il perdit la moitié de ses États (paix de Tilsit, 1807), que lui restitua le traité de Vienne (1815). – **Frédéric-Guillaume IV** (Berlin, 1795 – chât. de Sans-Souci, 1861), fils du préc. ; roi de Prusse (1840-1861). Il accorda une Constitution sous la pression des révolutionnaires (1848). Atteint de démence, il laissa la régence à son frère Guillaume Ier (1857).

Frédéric II le Grand

Augustin Jean **Fresnel**

Frédéric-Guillaume, dit le *Kronprinz* (Potsdam, 1882 – Hechingen, 1951), fils aîné de l'empereur Guillaume II ; prince de Prusse. Il joua un rôle militaire important pendant la Première Guerre mondiale.

Frédéric-Henri, prince d'Orange-Nassau (Delft, 1584 – id., 1647), stathouder des Provinces-Unies en 1625. Il lutta contre les Espagnols et accrut la marine de son pays.

Fredericton, v. du Canada, sur la riv. Saint-Jean ; 46 460 hab. ; cap. du Nouveau-Brunswick. Marché agricole ; commerce des bois.

Frederiksberg, v. du Danemark, fbg de Copenhague ; 85 800 hab.

Frederiksborg, château royal, dans l'île de Sjælland (Danemark), en bordure du lac Slotssø.

Fredholm (Ivar) (Stockholm, 1866 – Mörby, 1927), mathématicien suédois ; travaux sur les intégrales.

fredonnement n. m. Action de fredonner un air.

fredonner v. tr. et intr. [1] Chanter à mi-voix, sans ouvrir la bouche.

free-jazz [fʀidʒaz] n. m. inv. Courant de la musique de jazz qui s'est développé aux É.-U. depuis 1958 et qui rejette la trame harmonique et le tempo au profit de l'improvisation.

free-lance [fʀilɑ̃s] adj. et n. (Anglicisme) Qui travaille de façon indépendante dans les médias surtout. *Une journaliste free-lance.* ▷ Subst. *C'est un(e) free-lance. Des free-lances.* – *Le free-lance,* ce type de travail. *Il est en free-lance.*

free-shop [fʀiʃɔp] n. m. (Anglicisme) Syn. de *boutique* franche.*

freesia [fʀezja] n. m. Plante bulbeuse (fam. iridacées) aux fleurs odorantes, diversement colorées.

Freetown, cap. et port de la rép. de Sierra Leone, sur l'Atlantique ; 469 780 hab. Travail du diamant.

freeware [fʀiwɛʀ] n. m. (Anglicisme) INFORM Logiciel mis gratuitement à la disposition du public. Syn. logiciel public.

freezer [fʀizœʀ] n. m. (Anglicisme) Compartiment à glace d'un réfrigérateur.

frégate n. f. **1.** Anc. Bâtiment de guerre à trois mâts. ▷ Mod. Bâtiment de guerre rapide, armé d'engins antiaériens et anti-sous-marins, doté de moyens de détection très perfectionnés et destiné à l'escorte des porte-avions. **2.** ORNITH Oiseau pélécaniforme des mers tropicales (genre *Fregata*), au plumage sombre, possédant un sac gonflable rouge vif sous le bec.
▸ illustr. page **772**

frégate : mâle en parade

Frege (Gottlob) (Wismar, 1848 - Bad Kleinen, Meklembourg, 1925), mathématicien et logicien allemand. Reconnu tardivement, il est considéré auj. comme le père de la logique moderne.

Fregoli (Leopoldo) (Rome, 1867 - Viareggio, 1936), acteur, chanteur, et surtout mime et illusionniste italien.

Fregoso, célèbre famille plébéienne de Gênes (XIVe-XVIe s.), qui dirigea le parti guelfe et fournit de nombreux doges.

Fréhel (cap), promontoire situé au N.-E. de la baie de Saint-Brieuc (Côtes-d'Armor); doté de falaises de grès et de schiste. - Phare.

Fréhel (Marguerite Boulch, dite) (Paris, 1891 - id., 1951), chanteuse française. Enfant de la rue, elle s'imposa par sa gouaille et sa sincérité sur les planches des caf'conc' parisiens. Parmi ses succès : *la Java bleue; Tel qu'il est; Où sont tous mes amants?*

Freiberg, v. d'Allemagne (distr. de Chemnitz); 51 400 hab. La présence de mines de zinc, d'argent et de plomb a entraîné l'installation d'industr. métall. et chim. - École des mines.

Frei Montalva (Eduardo) (Santiago du Chili, 1911 - id., 1982), homme politique chilien. Démocrate-chrétien, il fut prés. de la République (1964-1975). - **Eduardo** (Santiago, 1942), fils du préc. Prés. de la République depuis 1994.

frein n. m. **1.** Vx Mors. ▷ Loc. fig. *Ronger son frein* : contenir difficilement son ressentiment, son impatience. **2.** Fig., litt. Ce qui retient un élan excessif. *Mettre un frein à ses passions.* **3.** ANAT Membrane qui bride ou retient certains organes. *Frein de la langue.* **4.** Organe servant à réduire ou à annuler l'énergie cinétique d'un véhicule, d'un corps en mouvement. *La pédale de frein, le frein à main d'une automobile.* ▷ *Frein moteur* : action du moteur ralenti qui diminue la vitesse de rotation des roues. ▷ *Le frein d'une arme à feu,* limitant son recul.

freinage n. m. **1.** Action des freins sur un véhicule, une machine. *Freinage puissant.* **2.** Fig. Ralentissement. *Le freinage de l'expansion économique.*

freiner v. [1] **1.** v. intr. Se servir des freins pour ralentir ou arrêter un véhicule. **2.** v. tr. Fig. Ralentir (une progression, une évolution); modérer (un élan). *Freiner la hausse des prix. Rien ne peut freiner leur enthousiasme.* ▷ v. pron. Fam. Se modérer.

Freinet (Célestin) (Gars, Alpes-Maritimes, 1896 - Vence, 1966), pédagogue français; inventeur de techniques éducatives fondées sur l'expression libre, le travail par groupes, etc.

Fréjus (col de), passage des Alpes reliant Modane et la Maurienne (France) à la vallée de Bardonnèche (Italie); 2 542 m. Sous le col passe un tunnel ferroviaire (13 655 m), appelé à tort «tunnel du Mont-Cenis»; un tunnel routier parallèle au premier a été ouvert en 1980 (12 800 m).

Fréjus, ch.-l. de cant. du Var (arr. de Draguignan), à l'embouchure de l'Argens; 42 613 hab. Matériaux de constr., industr. métall. - Cité en partie sinistrée après la rupture du barrage de Malpasset (déc. 1959). - Ruines romaines (aqueduc, enceinte, théâtre). Cath. (XIe-XIIe s.); baptistère (Ve s.). Évêché de Fréjus et de Toulon.

frelatage n. m. Rare Action de frelater; son résultat.

frelaté, ée adj. Altéré par des substances étrangères. *Alcool frelaté.* ▷ Fig. Qui a perdu son naturel, corrompu. *Vie, société frelatée.*

frelater v. tr. [1] Altérer (un produit) en y mêlant des substances étrangères. *Frelater du vin.*

frêle adj. Qui semble manquer de force, de résistance ou de vitalité. *Une frêle jeune fille.* ▷ Faible. *Parler d'une voix frêle.*

frelon n. m. Grosse guêpe *(Vespa crabro)* dont les piqûres, très douloureuses, peuvent être dangereuses.

freluquet n. m. Péjor. Petit jeune homme vaniteux. - Homme petit et mal bâti.

Frémiet (Emmanuel) (Paris, 1824 - id., 1910), sculpteur français; neveu et élève de Rude : *Jeanne d'Arc,* statue équestre (Paris, place des Pyramides).

Fréminville (Charles de La Poix de) (Lorient, 1856 - Paris, 1936), ingénieur métallurgiste français. Il mit au point des tests de résistance des métaux; il fut également le promoteur, en France, du taylorisme.

frémir v. intr. [3] **1.** (Choses) Être agité par des vibrations accompagnées d'un bruissement léger. *Feuillage qui frémit au vent. L'eau frémit avant de bouillir.* **2.** (Personnes) Trembler; avoir une réaction physique trahissant l'émotion. *Frémir d'horreur.*

frémissant, ante adj. Qui frémit. ▷ Qui s'émeut facilement. *Une sensibilité frémissante.*

frémissement n. m. **1.** Léger mouvement accompagné de bruissement. *Frémissement de l'eau qui va bouillir.* **2.** Tremblement léger dû à l'émotion. *Un frémissement d'indignation.* **3.** Fig. Début d'évolution, à peine marqué, d'une courbe statistique, d'un sondage.

frênaie n. f. Lieu planté de frênes.

Frenay (Henri) (Lyon, 1905 - Porto-Vecchio, 1988), officier et homme politique français. Résistant, il contribua à la création du réseau «Combat» et fonda le journal du même nom (1941). Membre du Comité français de libé-

frelon

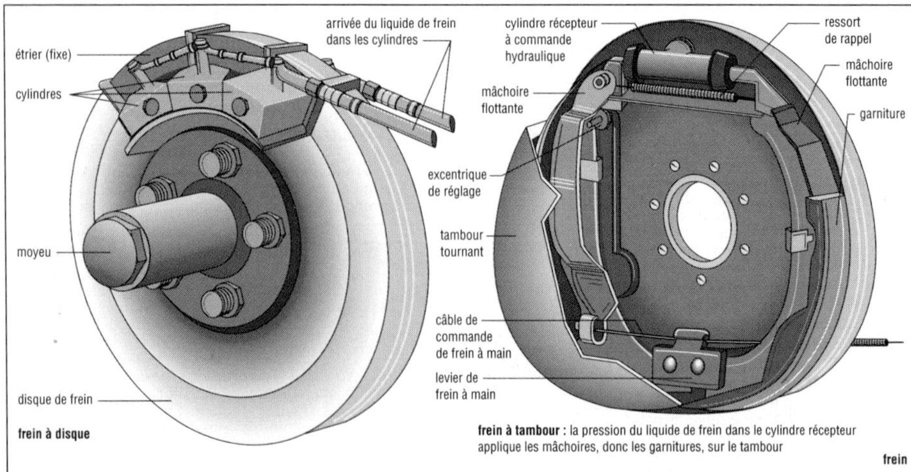

frein à disque

frein à tambour : la pression du liquide de frein dans le cylindre récepteur applique les mâchoires, donc les garnitures, sur le tambour

frein

ration nationale, il fut ministre dans le Gouvernement provisoire (1944-1945).

French (John Denton Pinkstone), 1er comte d'Ypres (Ripple Vale, Kent, 1852 – Deal Castle, Kent, 1925), maréchal anglais. Après s'être distingué durant la guerre des Boers (1899-1901), il commanda les troupes britanniques en France (1914). Vice-roi d'Irlande de 1918 à 1921.

french cancan [fʀɛnʃkɑ̃kɑ̃] n. m. V. cancan.

French Shore (mot angl. : « rivage français »), côte O. de Terre-Neuve près de laquelle les Français avaient le droit de pêcher la morue, mais non de descendre à terre pour la sécher. Le droit de séchage, accordé en 1713 (traité d'Utrecht), fut vendu par la France en 1904.

frêne n. m. Grand arbre (fam. oléacées) reconnaissable à son écorce gris-vert et à ses feuilles composées, et dont le bois, blanc et dur, est utilisé notam. pour la fabrication de manches d'outils; le bois de cet arbre.

feuilles du **frêne** élevé (à g.) et fruits en automne (en haut, à dr.); écorce (en bas)

frénésie n. f. État d'exaltation violente; ardeur extrême. *Aimer avec frénésie.*

frénétique adj. Qui manifeste de la frénésie. *Applaudissements frénétiques.*

frénétiquement adv. D'une façon frénétique.

fréon n. m. (Nom déposé.) Dérivé de composés fluorocarbonés*.

fréquemment [fʀekamɑ̃] adv. De manière fréquente, souvent.

fréquence n. f. **1.** Caractère de ce qui se répète souvent, ou de ce qui se reproduit périodiquement. *La fréquence du passage des autobus de nuit.* **2.** TECH Nombre d'observations statistiques correspondant à un événement donné. ▷ Nombre d'observations statistiques pour une classe donnée. **3.** PHYS Nombre de répétitions d'un phénomène périodique dans l'unité de temps. *La fréquence s'exprime en hertz, de symbole Hz; 1 Hz = 1 cycle/seconde. Basses fréquences,* entre 30 et 300 kHz. *Hautes fréquences,* entre 3 et 30 MHz. **4.** TELECOM *Modulation* de fréquence.*

fréquencemètre n. m. TECH Appareil servant à la mesure des fréquences acoustiques.

fréquent, ente adj. Qui arrive souvent, se répète. *Un usage fréquent.*

fréquentable adj. Que l'on peut fréquenter.

fréquentatif, ive adj. LING Qui exprime une idée de répétition. *Verbe fréquentatif.* ▷ n. m. *Criailler est le fréquentatif de crier.* Syn. itératif.

fréquentation n. f. **1.** Action de fréquenter un lieu. *La fréquentation d'un club.* **2.** Relation sociale habituelle; personne fréquentée. *De mauvaises fréquentations.*

fréquenté, ée adj. Où il y a habituellement beaucoup de monde. *Un restaurant très fréquenté.* ▷ *Un endroit bien, mal fréquenté,* que fréquentent des gens convenables, peu recommandables.

fréquenter v. tr. [1] **1.** Aller souvent dans (un lieu). *Fréquenter les cafés.* **2.** Avoir de fréquentes relations avec (qqn). *Fréquenter des artistes.* ▷ Pop. Avoir pour flirt, pour ami de cœur (une personne). *Elle fréquente un garçon qu'elle a connu au bal.*

frère n. m. **1.** Celui qui est né du même père et de la même mère *(frère germain)* ou seulement du même père *(frère consanguin)* ou de la même mère *(frère utérin).* ▷ *Frères jumeaux,* nés d'un même accouchement. ▷ *Frères de lait :* l'enfant de la nourrice et celui qu'elle nourrit du même lait. **2.** Plur. Fig. Les êtres humains, considérés comme créés par le même Dieu, comme ayant la même origine. *Tous les hommes sont frères.* **3.** Personne unie à une autre par des liens étroits. *Frères d'armes :* compagnons de combat. – *Faux frère :* celui qui trahit ses compagnons, ses amis. ▷ Membre de certains ordres religieux. *Frère prêcheur :* dominicain. – *Spécial.* Religieux non prêtre. *Frère lai, frère convers.* ▷ *Les frères maçons, les frères trois-points :* les francs-maçons. **4.** Fig. Chose considérée comme naturellement unie à une autre. *Des pays frères.*

Frère (Aubert) (Grévillers, Pas-de-Calais, 1881 – camp du Struthof, Bas-Rhin, 1944), général français. Entré dans la Résistance peu après l'armistice de 1940, il fut l'un des fondateurs de l'Organisation de résistance de l'armée (O.R.A.); mort en déportation.

Frères musulmans (les), mouvement islamiste sunnite créé en 1928 par Hassan al-Banna, à Ismaïlia (Égypte). Panarabe, anti-occidental, anticolonialiste et anticommuniste, le mouvement, qui s'était donné pour objectif la création d'un État musulman fondé sur la tradition, bénéficia rapidement d'une forte assise populaire. À partir de 1943, les Frères musulmans ont perpétré des attentats contre des officiels égyptiens et n'ont cessé d'avoir des démêlés avec le pouvoir; en oct. 1981, ripostant à une vague de répression, ils assassinèrent le président Anouar el-Sadate. Dans le monde arabe, le mouvement dispose auj. d'un vaste réseau d'adeptes, souvent aux prises avec le régime en place, notam. en Syrie.

Fréron (Élie) (Quimper, 1718 – Paris, 1776), critique littéraire français; adversaire des encyclopédistes et de Voltaire, qui l'attaqua avec mordant.

frérot n. m. Fam. Petit frère.

Frescobaldi (Girolamo) (Ferrare, 1583 – Rome, 1643), compositeur italien, le plus grand organiste (à St-Pierre de Rome) du XVIIe s.; son œuvre, trait d'union entre l'école instrumentale ital. de la fin du XVIe s. *(ricercari, canzoni)* et les prédécesseurs immédiats de Bach, annonce l'art de la fugue et de la variation. Nombr. pièces pour orgue et pour clavecin.

Fresnay (Pierre Laudenbach, dit Pierre) (Paris, 1897 – Neuilly-sur-Seine, 1975), acteur français. Sa carrière est aussi riche au théâtre, où il joue classiques et modernes, qu'au cinéma, où sa diction incisive donne aux personnages qu'il incarne élégance et ironie : *Marius* (1931), *Fanny* (1932), *César* (1936), *la Grande Illusion* (1937).

Fresneau (François) (Marennes, 1703 – id., 1770), ingénieur français. Il découvrit, en Guyane, l'hévéa et parvint à dissoudre le caoutchouc qu'il contient en utilisant de la térébenthine.

Fresnel (Augustin Jean) (Chambrais, auj. Broglie, Normandie, 1788 – Ville-d'Avray, 1827), physicien français, auteur de travaux sur la polarisation et la diffraction de la lumière. Il parvint, en partic., à obtenir des franges d'interférence à partir d'un système de miroirs formant entre eux un angle très faible. ▷ OPT *Lentille de Fresnel :* lentille à échelons permettant d'augmenter considérablement la puissance lumineuse des phares; elle fut mise au point par A. Fresnel en 1821.
▸ illustr. page **771**

Fresnes, ch.-l. de cant. du Val-de-Marne (arr. de L'Haÿ-les-Roses); 27 032 hab. Industr. radioélectr., aéron.; électroménager. Prison centrale.

Fresno, v. des É.-U. (Californie); 354 200 hab. Marché agric. (vins, fruits, coton).

fresque n. f. **1.** Manière de peindre sur des murs enduits de mortier frais, à l'aide de couleurs délayées à l'eau. *Peindre à fresque.* ▷ Peinture murale exécutée de cette manière. **2.** Fig. Œuvre littéraire de grande envergure présentant le tableau d'une époque, d'une société. – Par ext. *Fresque cinématographique.*

fresquiste n. PEINT Peintre de fresques.

fressure n. f. Ensemble des viscères de certains animaux (mouton, bœuf, etc.).

fret [fʀɛt] n. m. **1.** Coût de location d'un navire. ▷ *Par ext.* Coût du transport de marchandises par mer, par air ou par route. **2.** Cargaison transportée par un navire, un avion. *Fret aérien.*

fréter v. tr. [14] **1.** Donner (un navire, un avion, une voiture) en location. **2.** Prendre en location.

fréteur n. m. Celui qui donne en location (à l'*affréteur*).

Fréteval, com. de Loir-et-Cher (arr. de Vendôme), sur le Loir; 860 hab. – Victoire de Richard Cœur de Lion sur Philippe Auguste (1194).

frétillant, ante adj. Qui frétille.

frétillement n. m. Mouvement de ce qui frétille.

frétiller v. intr. [1] (Être vivant.) S'agiter par de petits mouvements vifs. *Ces poissons frétillent encore.*

fretin n. m. **1.** Menu poisson négligé du pêcheur. **2.** Fig. Personnes ou choses de peu d'intérêt, négligeables. *C'est du menu fretin.*

Freud (Sigmund) (Freiberg, Moravie, auj. Příbor, Rép. tchèque, 1856 – Londres, 1939), psychiatre autrichien; fondateur de la psychanalyse. Il fit des études médicales à Vienne de 1873 à 1881, puis s'orienta vers la neurologie, qu'il pratiqua jusqu'en 1885. À cette date il obtint une bourse pour Paris, où Charcot l'initia à l'emploi de la méthode hypnotique : en 1889, il fit un

Sigmund **Freud** Karl von **Frisch**

stage à Nancy, dans le service de Bernheim. En 1891, après avoir ouvert un cabinet médical à Vienne, il travailla avec Breuer qui lui avait fait connaître la *méthode cathartique* ou « cure par la parole », qu'il appliqua à l'analyse des images du rêve (1895) et à l'explication des actes manqués (1898). Puis Freud fut conduit à pratiquer sur lui-même une longue analyse, au cours de laquelle il découvrit le *complexe d'Œdipe* (1897-1902). À partir de 1902 se joignirent à Freud quelques disciples fervents : Federn, Steckel, Adler, Abraham, Bleuler, Ferenczi, Rank, Jung, qui répandirent la psychanalyse dans le monde entier. Freud continua ses recherches, étendit le domaine de l'investigation psychanalytique à l'art, à l'ethnologie, à l'histoire de la civilisation. La fin de sa vie fut assombrie par des dissensions au sein de son équipe et par la montée du nazisme. Princ. œuvres : *l'Interprétation des rêves* (1900), *Psychopathologie de la vie quotidienne* (1901), *Trois Essais sur la théorie de la sexualité* (1905), *Totem et Tabou* (1913), *Introduction à la psychanalyse* (1916), *Au-delà du principe de plaisir* (1920), *Ma vie et la psychanalyse* (1925), *Malaise dans la civilisation* (1930), *Moïse et le monothéisme* (posth., 1939). – **Anna** (Vienne, 1895 – Londres, 1982), fille du préc., collabora aux travaux de son père et l'accompagna (1938) en exil en G.-B., où elle prit la nationalité anglaise ; auteur de nombr. ouvrages relatifs notam. à l'enfance.

Freud (Lucian) (Berlin, 1922), peintre britannique, petit-fils de S. Freud. Ses portraits et ses nus, d'inspiration naturaliste, atteignent, au-delà de leur cruauté, une humanité poignante.

freudien, enne adj. Relatif à S. Freud, à ses théories, à la psychanalyse. ▷ Subst. Adepte du freudisme.

freudisme n. m. Ensemble des conceptions et des méthodes psychanalytiques de S. Freud et de son école.

Freund (Gisèle) (Berlin, 1912), photographe française d'origine allemande. Célèbre pour ses portraits d'écrivains (Colette, Joyce, Cocteau, Sartre, Malraux, etc.), elle a publié plusieurs essais sur l'histoire et la fonction sociale de la photographie : *le Monde et ma caméra* (1970), *Photographie et société* (1974).

freux n. m. et adj. *Corbeau freux* ou *freux (Corvus frugilegus)* : corbeau commun en Europe, long de 45 cm.

Freycinet (Louis Claude de Saulses de) (Montélimar, 1779 – Freycinet, Drôme, 1842), explorateur français ; compagnon de Duperrey et d'Arago (expédition de 1817-1820). – **Charles Louis de Saulses de Freycinet** (Foix, 1828 – Paris, 1923), neveu du préc. ; ingénieur et homme politique français ; auteur d'un import. programme de travaux publics. Président du Conseil en 1879-1880, 1882, 1886, 1890-1892. Acad. fr. (1891).

Freyming-Merlebach, ch.-l. de cant. de la Moselle (arr. de Forbach) ; 15 272 hab. Houillères.

Freyssinet (Eugène) (Objat, Corrèze, 1879 – Saint-Martin-Vésubie, Alpes-Maritimes, 1962), ingénieur français. Il mit au point la technique de précontrainte du béton armé.

Fria, v. de Guinée, au nord de Conakry, sur le fl. Konkouré ; ch.-l. de rég. ; 20 000 hab. Import. usine transformant en alumine la bauxite du gisement (tout proche) de Kimbo.

friabilité n. f. Caractère friable.

friable adj. Qui se réduit aisément en poudre, en menus fragments. *Terre friable.*

friand, ande adj. et n. m. **I.** adj. **1.** *Friand de :* qui a un goût particulier pour. *Les enfants sont friands de sucreries.* ▷ Fig. *Il est friand de louanges.* **2.** Vx Qui aime la chère fine. **II.** n. m. Petit pâté fait avec de la chair à saucisse entourée de pâte feuilletée. ▷ Petit gâteau frais en pâte d'amandes.

friandise n. f. Sucrerie ou pâtisserie délicate.

Fribourg, v. de l'O. de la Suisse ; 37 400 hab. ; ch.-l. du cant. du m. nom. Vieille cité catholique, la ville est aussi un centre industr. (alim. et méca.). – Évêché. Université cathol. fondée en 1889. Cath. goth. St-Nicolas (XIIIe-XVe s.). – Le *canton de Fribourg* (1 670 km^2 ; 194 600 hab.) a surtout une vocation agric. et alim. (fromages, chocolat).

Fribourg-en-Brisgau, v. d'Allemagne (Bade-Wurtemberg) ; 186 160 hab. Vieille ville située au pied de la Forêt-Noire (fonctions universitaires et commerciales), Fribourg a auj. une grande importance industr. (text., méca., chim.). – Université. Archevêché. Cath. gothique en grès rose (XIIe-XVe s.).

fric n. m. Fam. Argent.

fricandeau n. m. Tranche de veau lardée, braisée ou poêlée. ▷ *Par ext.* Darne ou filet de poisson lardé.

fricassée n. f. **1.** Viande de volaille fricassée. **2.** Fig., fam. *Fricassée de museaux :* embrassade générale.

fricasser v. tr. [1] Couper (une volaille) en morceaux et la faire cuire avec du beurre ou en sauce.

fricatif, ive adj. et n. f. PHON *Une consonne fricative* ou, n. f., *une fricative,* articulée en resserrant le chenal expiratoire et caractérisée par un bruit de frottement ([f, s], par ex.).

fric-frac n. m. inv. Fam., vieilli Cambriolage.

friche n. f. Terrain non cultivé. ▷ Loc. adv. ou adj. *En friche :* inculte (terre). – Fig. *Esprit en friche.*

frichti [fʀiʃti] n. m. Fam. Fricot, repas.

fricot [fʀiko] n. m. Fam. Plat grossièrement cuisiné.

fricotage n. m. Fam. Trafic, combinaisons malhonnêtes.

fricoter v. tr. [1] Fam. **1.** Cuisiner (un fricot). **2.** Manigancer, tramer (qqch). ▷ v. intr. Avoir des activités suspectes. *Il fricote dans l'immobilier.*

friction n. f. **1.** Action de frotter vigoureusement une partie du corps. *Une friction avec un gant de crin.* ▷ *Spécial.* Massage du cuir chevelu avec une lotion. **2.** TECH Frottement dur dans un mécanisme. **3.** Fig. Heurt, désaccord. *Il y a des points de friction entre le père et le fils.*

frictionnel, elle adj. Relatif à la friction.

frictionner v. tr. [1] Faire une friction à (qqn, une partie du corps).

Friedel (Charles) (Strasbourg, 1832 – Montauban, 1899), chimiste et minéralogiste français ; connu pour ses travaux de chimie organique. – **Georges** (Mulhouse, 1865 – Strasbourg, 1933), fils du préc. ; chimiste et minéralogiste, auteur de travaux sur les cristaux liquides.

Friedland (auj. *Pravdinsk*), localité de l'ancienne Prusse, au S.-E. de Kaliningrad, sur l'Alle ; 18 000 hab. – Victoire de Napoléon sur les Russes (14 juin 1807).

Friedlingen, localité allemande au N. de Bâle, où Villars vainquit les forces impériales (14 oct. 1702).

Friedman (Milton) (New York, 1912), économiste américain ; chef de l'« école de Chicago ». Sa théorie néo-libérale rattache les fluctuations de l'économie aux variations de l'offre de la monnaie. P. Nobel de sciences économiques 1976.

Friedmann (Georges) (Paris, 1902 – id., 1977), sociologue français du travail : *Problèmes humains du machinisme industriel* (1947), *le Travail en miettes* (1956), *la Puissance et la Sagesse* (1970).

Friedrich (Caspar David) (Greifswald, 1774 – Dresde, 1840), peintre et graveur romantique allemand.

Caspar David **Friedrich :** *l'Arbre aux corbeaux,* v. 1822 ; musée du Louvre

Friedrichshafen, ville d'Allemagne (Bade-Wurtemberg), port et stat. baln. sur le lac de Constance; 52 060 hab. Autref. célèbre par la fabrication des zeppelins, la ville se consacre auj. à l'industr. automobile et aéronautique.

Friesz (Othon) (Le Havre, 1879 - Paris, 1949), peintre français. Fauve de 1903 à 1907, il a ensuite utilisé des coloris plus discrets et insisté sur les volumes.

Frigg, champ d'exploitation de gaz naturel situé en mer du Nord, princ. dans la zone norvégienne.

Frigg ou **Frigga,** divinité de la myth. scandinave; épouse d'Odin, protectrice du foyer.

frigidaire n. m. (Nom déposé.) Réfrigérateur de cette marque. - *Abus.* Réfrigérateur (quelle qu'en soit la marque).

frigide adj. Se dit d'une femme incapable d'éprouver du désir sexuel ou de parvenir à l'orgasme lors du coït.

frigidité n. f. État d'une femme frigide.

frigo n. m. Fam. Abréviation de *(appareil) frigorifique.*

frigorifier v. tr. [2] **1.** Soumettre au froid pour conserver (les denrées alimentaires périssables). **2.** Pp. adj. Fam. (par exag.) *Être frigorifié,* transi de froid.

frigorifique adj. et n. m. **1.** adj. Qui produit du froid. *Installation frigorifique.* ⊳ Réfrigéré par une installation qui produit du froid. **2.** n. m. TECH Installation servant à conserver par le froid.

frigorigène adj. TECH Se dit des fluides qui produisent du froid.

frigoriste n. m. TECH Technicien spécialisé dans les installations frigorifiques. - (En appos.) *Ingénieur frigoriste.*

frileusement adv. D'une manière frileuse (sens 2).

frileux, euse adj. **1.** Qui craint le froid. *Un vieillard frileux.* **2.** Qui dénote la sensibilité au froid. *Un geste frileux.* **3.** *Par métaph.* Craintif, qui dénote un manque de caractère. *Une attitude frileuse.*

frilosité n. f. Litt. Sensibilité au froid. ⊳ *Par métaph.* Timidité, modération trop grande dans une décision.

frimaire n. m. HIST Troisième mois du calendrier républicain (du 21/23 nov. au 20/22 déc.).

frimas [fʀimɑ] n. m. Litt. Brouillard épais qui se transforme en glace en tombant (appelé plus cour. *brouillard givrant*).

frime n. f. **1.** Fam. Simulation, faux-semblant. *C'est de la frime.* **2.** Arg. ou fam. Visage. **3.** Arg. (du spectacle) Figuration. *Faire de la frime.*

frimer v. intr. [1] Fam. Chercher à épater; faire l'avantageux.

frimeur, euse adj. et n. Fam. Se dit d'une personne qui frime.

frimousse n. f. Fam. Visage d'un enfant ou d'une personne jeune.

fringale n. f. Fam. Faim subite et irrésistible. ⊳ Fig. *Une fringale de voyages.*

fringant, ante adj. **1.** Très vif. *Cheval fringant.* **2.** Se dit d'une personne alerte, de belle humeur et de mise élégante. *Jeune homme fringant.*

fringillidés [fʀɛ̃ʒilide] n. m. pl. ORNITH Famille d'oiseaux passériformes à bec conique et à plumage coloré (pinson, chardonneret). - Sing. *Un fringillidé.*

fringuer (se) v. pron. [1] Fam. S'habiller. - Pp. adj. *Être mal fringué.*

fringues n. f. pl. Fam. Vêtements.

Frioul, rég. alpine du N.-E. de l'Italie. - Anc. prov. vénitienne, le Frioul appartint à l'Autriche qui le restitua à l'Italie, partie en 1866, partie en 1919. L'E. de la prov. de Gorizia fut cédé à la Yougoslavie en 1947.

Frioul-Vénétie Julienne, rég. admin. d'Italie et rég. de la C.E., au N. de Venise, frontalière avec l'Autriche et la Slovénie, formée des prov. de Gorizia, Pordenone, Trieste et Udine; 7 845 km^2; 1 210 240 hab.; cap. *Trieste.*

fripe n. f. Vieilli, souvent péjor. Vêtement usagé, d'occasion.

friper v. tr. [1] Chiffonner, froisser. *Friper sa robe en s'asseyant.* ⊳ Pp. adj. Fig. *Un visage fripé.*

friperie n. f. Vieux habits, chiffons. ⊳ Commerce, boutique de fripier.

fripier, ère n. Personne qui fait commerce de vêtements d'occasion.

fripon, onne n. **1.** Fam. Enfant malicieux, polisson. *Un petit fripon.* ⊳ adj. Qui dénote la malice, l'espièglerie. *Un air fripon.* **2.** Vx Escroc, voleur.

friponnerie n. f. Vx ou plaisant Acte de fripon.

fripouille n. f. Fam. Individu malhonnête, canaille.

friqué, ée adj. Fam. Riche.

friquet n. m. Moineau des haies et des bosquets *(Passer montanus).*

frire v. tr. défect. [64] Faire cuire dans un corps gras bouillant. *Frire du poisson.* ⊳ v. intr. *Mettre des beignets à frire.*

frisant, ante adj. **1.** Qui frise (sens 1). **2.** *Lumière frisante,* rasante, qui effleure une surface avec un angle d'incidence très faible. Syn. rasant.

frisbee [fʀizbi] n. m. (Nom déposé.) Jeu pratiqué avec un disque concave en matière plastique que les joueurs se lancent en le faisant tourner sur lui-même; ce disque.

Frisch (Karl von) (Vienne, 1886 - Munich, 1982), entomologiste autrichien. Il a «décodé» la danse des abeilles, par laquelle elles se communiquent des informations. P. Nobel de médecine 1973.

Frisch (Ragnar) (Oslo, 1895 - id., 1973), économiste norvégien; auteur de travaux d'économétrie. P. Nobel de sciences économiques (avec Tinbergen) 1969.

Frisch (Max) (Zurich, 1911 - id., 1991), écrivain suisse d'expression allemande, romancier (*Homo faber,* 1957) et dramaturge (*Don Juan ou l'Amour de la géométrie,* 1953; *Biedermann et les incendiaires,* 1958). Il a élaboré son œuvre dans un esprit qui s'apparente à celui de Brecht.

1. frise n. f. **1.** ARCHI Partie de l'entablement entre l'architrave et la corniche. **2.** Surface plane formant un bandeau continu, qui comporte le plus souvent des motifs décoratifs. ⊳ THEAT Bande de décor fixée au cintre, figurant le ciel ou le plafond. **3.** TECH Planche rainée et rabotée servant à constituer le plancher.

2. frise n. f. **1.** Toile de Hollande. **2.** MILIT *Chevaux de frise* : V. cheval.

Frise (en néerl. et en all. *Friesland*), plaine côtière de la mer du Nord partagée entre l'Allemagne et les Pays-Bas, où elle forme la province de *la Frise* (3 339 km^2; 595 250 hab.; ch.-l. *Leeuwarden*). Située le plus souvent au-dessous du niveau de la mer, la Frise est protégée par des digues; c'est une rég. d'élevage bovin (race frisonne renommée). Elle est bordée par les *îles Frisonnes,* partagées elles aussi entre l'Allemagne et les Pays-Bas.

frisé, ée adj. et n. f. **1.** Qui forme des boucles fines et serrées. *Cheveux frisés.* **2.** *Par ext.* Dont le bord des feuilles est ondulé et découpé. *Chicorée frisée* ou, n. f., *une frisée. Une frisée aux lardons.*

friselis [fʀizli] n. m. Litt. Très léger frémissement. *Friselis de l'eau.*

friser v. [1] **I.** v. tr. **1.** Donner la forme de boucles fines et serrées à. *Friser des cheveux, une moustache.* Syn. boucler. ⊳ Par ext. *Friser qqn.* **2.** Passer au ras de (sans toucher ou en effleurant à peine). *Hirondelle qui frise le sol.* Syn. frôler, raser. ⊳ Fig. Être très près de, s'approcher de. *Friser la quarantaine. Procédés qui frisent l'indélicatesse.* **II.** v. intr. Se mettre en boucles. *Cheveux qui frisent.*

frisette n. f. **1.** Petite boucle de cheveux. **2.** TECH Petite frise.

frison, onne adj. et n. De la Frise. ⊳ Subst. *Un(e) Frison(ne).* ⊳ adj. *Race frisonne* : race bovine qui donne de bonnes laitières.

frisotter v. tr. et intr. [1] Friser par menues boucles.

frisquet, ette adj. Fam. Vif et piquant (en parlant du vent, du temps). ⊳ adv. *Il fait frisquet.*

frisson n. m. **1.** Tremblement convulsif et passager provoqué par une sensation plus ou moins intense de froid ou par la fièvre. *Être pris de frissons.* **2.** *Par ext.* Contraction involontaire, crispation provoquée par une émotion, une sensation vive, désagréable ou non. *Frisson de dégoût.*

frissonnant, ante adj. Qui frissonne.

frissonnement n. m. Litt. **1.** Léger frisson. **2.** Tremblement léger accompagné d'un faible bruit. *Frissonnement des feuilles des arbres.*

frissonner v. intr. [1] **1.** Avoir des frissons. *Frissonner de froid, de fièvre.* **2.** *Par ext.* Trembler légèrement sous l'effet d'une émotion intense. *Frissonner d'horreur.* ⊳ *Par anal.* (Choses) Poét. *Eau, arbre qui frissonne sous le vent.*

frisure n. f. Façon de friser; état d'une chevelure frisée.

frit, frite adj. **1.** Cuit dans un corps gras bouillant. **2.** Fig., fam., vieilli Qui est dans une situation désespérée et sans issue. *Il est frit.* Syn. cuit, fichu.

frite n. f. **1.** (Surtout au plur.) Morceau de pomme de terre, généralement fin et allongé, que l'on a fait frire. **2.** Loc. fam. *Avoir la frite* : être en forme.

friterie n. f. Rare Boutique, baraque où l'on fait, où l'on vend des frites, des fritures.

friteuse n. f. Ustensile creux pourvu d'un couvercle et d'un panier égouttoir qui sert à frire les aliments. *Friteuse électrique.*

fritillaire [fʀitil(l)ɛʀ] n. f. Plante liliacée dont une espèce, la fritillaire pintade, présente une fleur en forme de cloche tachetée violet sombre.

Fritsch (baron Werner von) (Benrath, 1880 - Varsovie, 1939), général allemand. Commandant des forces terrestres en 1934, il fut destitué par Hitler en 1938.

frittage n. m. TECH Procédé qui consiste à chauffer des poudres mélangées à un liant, sous une température élevée mais inférieure au point de fusion, et qui permet notam. la mise en forme des matériaux réfractaires.

friture n. f. **1.** Action, manière de frire un aliment. *Friture à l'huile.* ▷ Par anal. *Bruit de friture* ou, ellipt., *friture* : grésillement qui se produit parfois dans un appareil téléphonique ou un récepteur de radio. **2.** Matière grasse (huile, graisse animale ou végétale) qui sert à frire. *Changer souvent sa friture.* **3.** Aliments frits. *Friture de poissons.* ▷ (S. comp.) *Une friture* : des petits poissons frits.

fritz [fʀits] n. m. inv. Fam., péjor., vieilli Allemand.

frivole adj. Vain et léger, qui s'occupe de choses sans importance; futile. *Discours, esprit frivole.*

frivolement adv. Litt. D'une manière frivole.

frivolité n. f. **1.** Caractère de ce qui est frivole. *Frivolité de l'esprit.* **2.** Chose, occupation, propos sans importance. *S'occuper de frivolités.* **3.** (Plur.) Article de mode, parure féminine. *Magasin de frivolités.*

Fröbel (Friedrich) (Oberweissbach, Thuringe, 1782 – Marienthal, 1852), pédagogue allemand, fondateur du premier jardin d'enfants (1837).

Frobenius (Leo) (Berlin, 1873 – Biganzalo, lac Majeur, 1938), ethnologue allemand; pionnier de la découverte des arts de l'Afrique noire : *Histoire de la civilisation africaine* (1936).

Froberger (Johann Jacob) (Stuttgart, 1616 – château d'Héricourt, près de Montbéliard, 1667), compositeur allemand; il réalisa, dans l'écriture pour orgue, la première synthèse des styles italien, français et allemand.

Frobisher (sir Martin) (Altofts, Yorkshire, v. 1535 – Plymouth, 1594), navigateur anglais. Il explora l'Arctique canadien puis se rendit aux Indes (1585). Il prit part à la lutte contre l'Invincible Armada (1588).

Frobisher Bay. V. Iqaluit.

froc n. m. **1.** Vx Partie de l'habit des moines qui couvre la tête et tombe sur les épaules et sur la poitrine. ▷ Loc. fig. *Jeter le froc aux orties* : abandonner la vie monacale après avoir prononcé ses vœux, se défroquer. **2.** Arg. ou fam. Pantalon.

Frœschwiller, com. du Bas-Rhin (arr. de Wissembourg); 520 hab. – Victoire des Prussiens sur Mac-Mahon (6 août 1870).

Frohsdorf, chât. d'Autriche près de Wiener-Neustadt; résidence du comte de Chambord. – *Entrevue de Frohsdorf* : entrevue au cours de laquelle, le 5 août 1873, le comte de Paris, prétendant orléaniste au trône de France, reconnut le comte de Chambord, prétendant légitimiste, comme «représentant du principe monarchique en France». Le comte de Chambord n'ayant pas d'héritier, cet entretien assurait aux princes d'Orléans la succession du petit-fils de Charles X.

froid, froide adj. et n. m. **I.** adj. **1.** Qui est à une température plus basse que celle du corps humain. *Un climat, un temps froid.* **2.** Refroidi ou non chauffé. *Le dîner sera froid.* **3.** *Animaux à sang froid,* dont la température varie en fonction du milieu ambiant (poïkilothermes). **4.** Fig. Qui semble indifférent, insensible; qui garde toujours la maîtrise de soi et s'extériorise peu. *Rester froid devant le malheur des autres.* ▷ Spécial. *Femme froide,* qui manque de sensualité. ▷ *Garder la tête froide* : rester calme, maître de soi. ▷ (En art.) *Peinture froide, style froid,* qui n'éveille aucune émotion, qui manque de sensibilité. **5.** Fig. Qui ne se manifeste pas par les signes extérieurs habituels d'agitation, de violence. *Colère froide.* **6.** Fig. Qui est le signe d'une certaine réserve, d'une certaine hostilité. *Accueil, ton froid.* ▷ *Battre froid à qqn.* V. battre. **7.** *Coloris, tons froids,* qui évoquent l'eau (bleu, vert, etc.). **8.** Loc. adv. *À froid* : sans chauffe préalable. *Laminer à froid.* ▷ MED *Opérer à froid,* en dehors d'une crise aiguë. ▷ Fig. Sans que les passions interviennent. *Prendre une décision à froid.* **II.** n. m. **1.** État de ce qui est à une température inférieure à celle du corps humain; de ce qui donne une sensation de privation de chaleur; de l'atmosphère lorsqu'elle a subi un abaissement de température. *Le froid de la glace, du marbre. Une vague de froid.* **2.** *Avoir froid* : éprouver une sensation de froid, souffrir du froid. ▷ Loc. fig. *N'avoir pas froid aux yeux* : être courageux, hardi. ▷ *Prendre, attraper froid* : être malade après un brusque refroidissement. **3.** *Froid industriel, artificiel,* produit par divers procédés frigorifiques. *La technique du froid. Chaîne du froid,* qui assure aux produits congelés un état de congélation constant jusqu'à la vente au consommateur. **4.** *Par ext.,* fig. Sensation morale pénible (comparée à celle que procure le froid au plan physique). *Le froid de l'âge, de la solitude.* ▷ Loc. *Jeter un froid* : provoquer un sentiment de malaise, de gêne. **5.** Fig. Absence d'amitié, de sympathie dans les relations humaines. *Il y a un certain froid entre eux.* ▷ Loc. *Être en froid avec qqn,* être plus ou moins brouillé avec lui.

froidement adv. **1.** Plaisant *Ça va froidement aujourd'hui* : il fait froid. **2.** Fig. Sans passion, en gardant la tête froide. *Envisager froidement une situation.* Sans émotion, sans scrupule. *Assassiner qqn froidement.* **3.** Fig. Sans chaleur, avec réserve. *Recevoir qqn froidement.* Syn. fraîchement.

froideur n. f. **1.** Rare État de ce qui est froid. **2.** Insensibilité, sécheresse des sentiments; indifférence marquée. *Recevoir qqn avec froideur.*

froidure n. f. **1.** Litt. Froid du temps, de l'air. **2.** MED Forme atténuée de la gelure.

froissable adj. Qui se froisse facilement. *Étoffe froissable.*

froissant, ante adj. Qui froisse (sens 3). *Cela n'a rien de froissant pour vous.*

Froissart (Jean) (Valenciennes, 1333 ou 1337 – Chimay, apr. 1400), poète et chroniqueur français. Dans ses *Chroniques,* il raconte les événements de son temps, en nous donnant une vision partiale et incomplète, mais haute en couleur. Poète, il a écrit, notam., *Méliador* (roman courtois).

froissement n. m. **1.** Action de froisser; fait d'être froissé. **2.** *Par ext.* Bruit léger que font certaines étoffes, le papier en se froissant. **3.** Fig. Blessure d'amour-propre, de sensibilité.

Jean **Froissart,** écrivant ses *Chroniques,* frontispice; bibliothèque de l'Arsenal

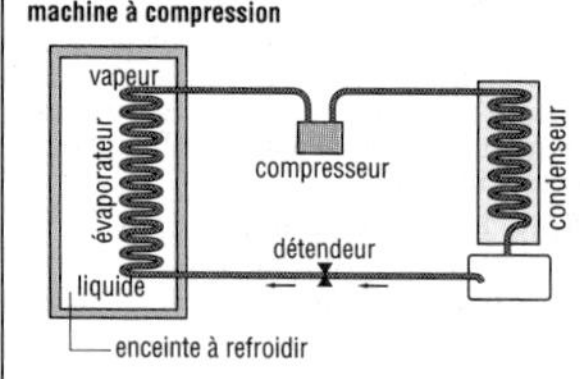

dans l'évaporateur, un fluide frigorifique (fréon, p. ex.) emprunte de la chaleur à l'enceinte pour se vaporiser ; le compresseur aspire la vapeur et le condenseur la transforme en un liquide que le détendeur réinjecte dans l'évaporateur

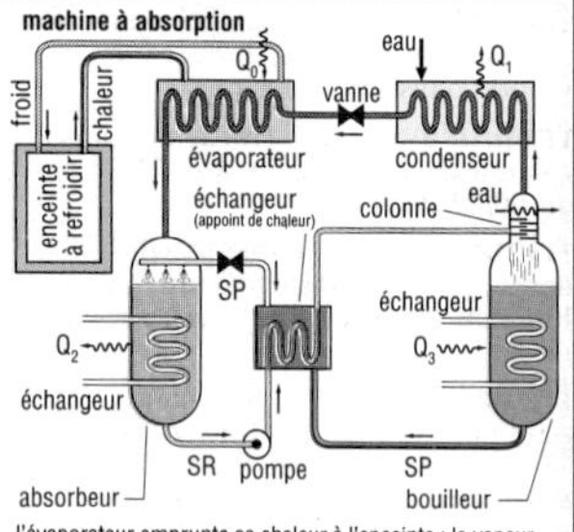

l'évaporateur emprunte sa chaleur à l'enceinte ; la vapeur cède sa chaleur à l'eau de l'absorbeur dans laquelle elle se dissout (solution riche : SR) ; solutions riche et pauvre (SP) gagnent le bouilleur ; dans la colonne, vapeur et liquide se séparent ; la vapeur condensée est réinjectée dans le circuit

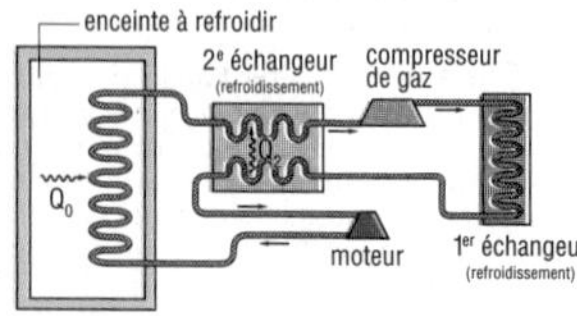

comprimé dans un compresseur, le gaz est refroidi dans 2 échangeurs successifs, puis il se détend dans un moteur, où, fournissant un travail, il subit un fort abaissement de température grâce à un 3e échangeur réfroidissant une enceinte

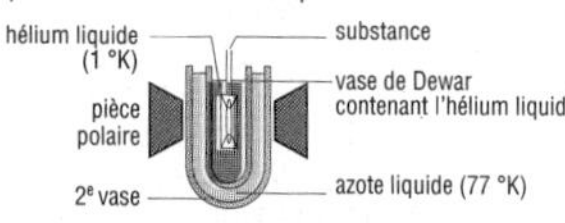

une substance aimantée par des pièces polaires cède sa chaleur à de l'hélium liquide que protège de l'azote liquide ; on fait le vide dans le 1er récipient et on désaimante la substance dont la température s'abaisse alors (par détente adiabatique) jusqu'aux environs du zéro absolu (–273,15 °C)

techniques de production du **froid**

froisser v. tr. [1] **1.** Faire prendre des plis irréguliers, nombreux et plus ou moins marqués. *Froisser une robe.* – Pp. adj. *Un chemisier tout froissé.* Syn. friper. *Froisser du papier.* Syn. chiffonner. **2.** Blesser par un choc ou une pression violente. *Froisser un muscle, une articulation.* **3.** Fig. Choquer, blesser (qqn) par manque de délicatesse. *Froisser qqn dans son amour-propre.* ▷ v. pron. *Personne qui se froisse d'un rien.*

froissure n. f. Rare Trace laissée sur ce qui a été froissé. *Froissure d'une étoffe.*

frôlement n. m. Contact léger et rapide d'un objet passant le long d'un autre. *Frôlement d'une robe, d'une main.* ▷ Léger bruit qui en résulte.

frôler v. tr. [1] **1.** Toucher légèrement en passant. *La balle a frôlé le filet.* Syn. effleurer. **2.** *Par ext.* Passer très près de. *Frôler les murs.* – v. pron. (Récipr.) *Les voitures se sont frôlées.* ▷ Fig. *Frôler la faillite.* Syn. friser.

frôleur, euse adj. et n. **1.** adj. Qui frôle. **2.** n. Personne qui a tendance à toucher, à frôler d'autres personnes dans la recherche d'un plaisir érotique.

fromage n. m. **1.** Pâte comestible au goût caractéristique faite de lait caillé, fermenté ou non; masse mise en forme de cette pâte. *Fromage frais. Fromage à pâte molle, à pâte dure. Fromage de brebis, de chèvre.* ▷ Loc. *Entre la poire et le fromage* : à la fin du repas, quand les propos sont plus familiers, plus libres. **2.** Fig., fam. Situation, place qui procure sans fatigue de multiples avantages. **3.** *Fromage de tête* : pâté de tête de porc en gelée.

1. fromager, ère n. et adj. **1.** n. Fabricant(e), marchand(e) de fromages. **2.** adj. Qui a trait au fromage. *Industrie fromagère.*

2. fromager n. m. Grand arbre des régions chaudes (fam. bombacacées). (Les fruits de *Ceiba pentandra*, arbre d'Afrique, produisent le kapok, et ses graines une huile industrielle.)

fromagerie n. f. Lieu où l'on fait, où l'on vend des fromages.

froment n. m. et adj. **1.** n. m. Blé cultivé. – Grain de blé séparé de la tige par le battage. *Farine de froment.* **2.** adj. De la couleur du froment (en parlant de la robe de certains bovidés). *Robe froment clair, foncé.*

Froment (Nicolas) (Uzès, v. 1435 – Avignon, 1484), peintre français; éminent représentant de l'école provençale du XVe s. : triptyque du *Buisson ardent* (1475-1476, cath. d'Aix-en-Provence).

Fromentin (Eugène) (La Rochelle, 1820 – Saint-Maurice, 1876), peintre et écrivain français. Voyageur et mémorialiste (paysages, scènes de genre, deux ouvrages de souvenirs sur l'Algérie), romancier (*Dominique*, 1863), il fut aussi critique d'art (*les Maîtres d'autrefois*, 1876).

Fromentine (goulet de), détroit entre l'île de Noirmoutier et la côte de Vendée, franchi depuis 1972 par un pont routier (700 m).

Fromm (Erich) (Francfort-sur-le-Main, 1900 – Muralto, Tessin, 1980), philosophe et psychanalyste américain d'origine allemande. Ayant participé aux recherches de l'école de Francfort, il a tenté de concilier marxisme et freudisme dans sa théorie critique de la société moderne : *la Peur de la liberté* (1941), *la Passion de détruire* (1975).

fronce n. f. Chacun des petits plis serrés obtenus par le resserrement d'un fil coulissé, destinés à diminuer la largeur d'un tissu tout en conservant son ampleur. *Jupe à fronces.*

froncement n. m. Action de froncer (le front, les sourcils).

froncer v. tr. [12] **1.** Rider en contractant, en resserrant, plisser. *Froncer les sourcils, le front, le nez.* **2.** *Par anal.* Resserrer (une étoffe) par des fronces.

frondaison n. f. **1.** BOT Apparition du feuillage aux arbres. *Époque de la frondaison.* **2.** Litt. Feuillage. *Se promener sous les frondaisons.*

1. fronde n. f. BOT Feuille fertile (portant les spores) des fougères. ▷ *Par ext.* Partie foliacée, de grande taille, du thalle de certaines algues. *Une fronde de laminaire.*

2. fronde n. f. **1.** Arme de jet utilisant la force centrifuge, constituée de deux liens réunis par un gousset contenant le projectile (pierre, balle d'argile, etc.). **2.** *Par anal.* Jouet d'enfant utilisant la détente d'un élastique, destiné au même usage; lance-pierres.

Fronde (la), troubles politiques graves qui eurent lieu en France, de 1648 à 1653, durant la régence d'Anne d'Autriche et le gouvernement de Mazarin. Les expédients fiscaux de Mazarin, les ambitions politiques du parlement de Paris et celles des nobles furent à l'origine de la Fronde, qui se divisa en deux temps. La *Fronde parlementaire* (1648-1649) fut parisienne. Refusant les édits financiers, le parlement présenta un projet de limitation du pouvoir monarchique (Déclaration des vingt-sept articles) et vit d'un œil favorable l'émeute provoquée par l'arrestation du conseiller Broussel, l'un de ses membres les plus populaires (journée des Barricades, le 26 août 1648). En janv. 1649, la régente et le roi durent quitter Paris pour Saint-Germain, mais les parlementaires, inquiets, acceptèrent les promesses d'Anne d'Autriche (paix de Rueil, le 30 mars). La *Fronde des princes* (1651-1653) vit le réveil de l'agitation parlementaire à l'instigation des nobles (Condé, Conti, les duchesses de Chevreuse et de Longueville, notam.), qui étendirent la révolte aux provinces, allèrent traiter avec l'Espagne et luttèrent contre les troupes royales de Turenne. Condé parvint à entrer dans Paris grâce à l'intervention de Mlle de Montpensier (juil. 1652). Mais le peuple, lassé par les dissensions entre les nobles et ruiné par cette guerre civile, l'en chassa et rappela le roi, qui rentra à Paris (oct. 1652), suivi de Mazarin (fév. 1653). La Fronde vaincue, il n'y eut plus d'obstacle au développement de la monarchie absolue, mais Louis XIV n'oublia pas cet épisode : pendant son règne, il s'employa à réduire l'influence de la noblesse.

fronder v. [1] **1.** v. intr. Vx Lancer des projectiles avec une fronde. **2.** v. tr. Critiquer, railler (ce qui est habituellement respecté). *Fronder le gouvernement.*

frondeur, euse n. **1.** ANTIQ Soldat armé d'une fronde. **2.** HIST Celui, celle qui participait à la Fronde. – *Par ext.* Personne qui a tendance à critiquer l'autorité, quelle qu'elle soit. ▷ adj. *Humeur frondeuse.*

front n. m. **1.** Partie supérieure du visage comprise entre la racine des cheveux et les sourcils. **2.** Litt. Tête, visage. *Le rouge au front.* ▷ Fig. *Courber le front* : se soumettre. **3.** *Front de mer* : bande de terrain, avenue en bordure de la mer. – *Par ext.* Ensemble de bâtiments construits le long d'une voie longeant la mer ou un fleuve. *Front de Seine.* **4.** Étendue que présente, devant l'ennemi, une armée déployée. ▷ *Le front* : la zone des combats (par oppos. à *l'arrière*). *Monter au front, mourir au front.* ▷ Loc. *Faire front* : résister. **5.** Alliance entre des mouvements armés, des partis, des syndicats, etc. *Front populaire* : V. ce mot. **6.** TECH *Front de taille* : face verticale selon laquelle progresse un chantier dans les mines. ▷ METEO Surface de discontinuité séparant deux masses d'air de pression et de température différentes. *Front froid, chaud. Front climatique. Front occlus,* résultant de la rencontre d'un front froid et d'un front chaud rejeté en altitude. ▷ GEOM *De front* : parallèlement au plan vertical de projection. **7.** Loc. *Avoir le front de,* l'audace de, l'insolence de. ▷ Loc. adv. *De front* : par-devant. *Les voitures se sont heurtées de plein front.* – Fig. Sans détour, sans biaiser. *Attaquer de front un problème.* – Sur un même rang. *Marcher de front.* – Fig. En même temps. *Mener de front plusieurs affaires.*

frontal, ale, aux n. m. et adj. **I.** n. m. Bandeau, ornement qui se porte sur le front. **II.** adj. **1.** ANAT *Os frontal* ou, n. m., *le frontal* : os impair et médian situé à la partie antérieure du crâne, soudé en arrière avec les deux pariétaux et formant une partie des cavités orbitaires. *Lobe, muscle, sinus frontal.* **2.** GEOM Qui est parallèle au plan vertical de projection. *Plan frontal.* **3.** Qui se produit de front. *Choc frontal.*

frontalier, ère adj. Qui est proche d'une frontière. *Ville, région frontalière.* ▷ Subst. Habitant d'une région frontalière.

frontalité n. f. BX-A *Loi de frontalité* : règle de la statuaire archaïque (Égypte, Grèce préclassique) qui exigeait une symétrie absolue du corps humain, l'impression de mouvement ne pouvant provenir que d'une flexion avant ou arrière, jamais latérale.

Front de libération nationale (F.L.N.), rassemblement (1954) des mouvements nationalistes algériens (à l'exclusion du M.N.A. de Messali Hadj) qui mena la lutte armée contre la France. Après l'indépendance, le F.L.N. est devenu le parti unique au pouvoir (jusqu'en fév. 1989).

Frontenac (Louis de Buade, comte de) (Saint-Germain-en-Laye, 1620 – Québec, 1698), gouverneur de la Nouvelle-France (Canada) en 1672-1682, puis en 1689-1698. Il organisa la colonie, luttant victorieusement contre les Anglais et les Indiens.

frontière n. f. **1.** Limite séparant deux États. *Frontière naturelle,* tracée par un obstacle géographique (fleuve, montagne, etc.). ▷ (En appos.) *Poste, ville frontière.* – Par ext. *Les frontières linguistiques.* **2.** Fig. Limite, borne. *Faire reculer les frontières du savoir.*

frontignan n. m. Vin blanc muscat.

Frontignan, ch.-l. de cant. de l'Hérault (arr. de Montpellier), sur l'étang d'Ingril et le canal du Rhône à Sète; 16 315 hab. Port fluvial. Vin muscat renommé.

Front islamique du salut (FIS), mouvement politique et religieux créé en Algérie en 1989 et officiellement dissous en mars 1992.

frontispice n. m. **1.** Vx Façade principale d'un édifice. **2.** IMPRIM Titre d'un ouvrage imprimé, souvent entouré de vignettes. **3.** Planche illustrée en regard du titre.

frontiste adj. et n. Qui concerne le Front national.

Front national, le plus important des groupes de résistance à l'occupant allemand pendant la Seconde Guerre mondiale. Créé sur l'initiative du parti communiste, il comprit de nombreux non-communistes. Ses troupes d'action furent les *Francs-Tireurs et Partisans français* (F.T.P.F.). Pierre Villon le représenta au sein du C.N.R. (Conseil national de la Résistance).

Front national, formation politique française, autonome depuis 1973 sous l'impulsion de J.-M. Le Pen et des militants issus de divers mouvements d'extrême droite. Le Front national préconise une politique dite «de préférence nationale» et véhicule des thèses qui ont été jugées racistes et xénophobes.

Front national de libération (F.N.L.), rassemblement (1960) des forces sud-vietnamiennes hostiles au gouvernement de Ngô Dinh Diêm puis de ses successeurs, sur lesquels il l'emporta en 1975; nommé *Vietcong* par la presse occidentale.

fronton n. m. **1.** Ornement généralement triangulaire couronnant la partie supérieure d'un édifice. *Fronton à jour, à pans, circulaire, brisé.* **2.** Mur contre lequel on joue à la pelote basque ou contre lequel on s'entraîne au tennis. *Faire des balles au fronton.*

front Polisario. V. Polisario.

Front populaire, gouvernement de gauche qui dirigea la France en 1936-1937. Les séquelles de la crise mondiale des années 30, l'accession au pouvoir de Hitler (janv. 1933), le soulèvement à caractère fasciste du 6 février 1934 avaient suscité en France un vaste mouvement d'inquiétude et favorisé le rapprochement des partis de gauche. En oct. 1934, Thorez proposa la constitution d'un «front populaire de la liberté, du travail et de la paix». Les élections de mai 1936 furent favorables au Front, qui réunissait les partis de gauche; L. Blum, chef de la S.F.I.O., constitua un gouvernement d'où le parti communiste était absent. Hormis quelques réformes de structure touchant à la Banque de France ou aux chemins de fer (nationalisés en 1937), l'œuvre du Front populaire fut surtout sociale; les *accords Matignon* (juin 1936), entre la C.G.T. et le patronat, instituèrent les *conventions collectives*, la reconnaissance de délégués ouvriers, la semaine de quarante heures, les congés payés. Mais les difficultés financières et l'opposition des conservateurs eurent raison du premier gouvernement Blum, qui fut remplacé par un ministère Chautemps (juin 1937). À ces problèmes s'ajoutèrent les exigences puis l'opposition des communistes, qui, d'une part, prônaient la lutte «contre les riches», d'autre part, dénonçaient la politique extérieure menée par Blum puis par Daladier. L'échec de la grève générale de nov. 1938 annonça la fin du Front populaire. Depuis lors, celui-ci a servi de référence à la gauche et au mouvement ouvrier français.

Front populaire : occupation d'usine en juin 1936

Frost (Robert Lee) (San Francisco, 1874 - Boston, 1963), poète américain des beautés naturelles et des rêveries romantiques : *Un arbre témoin* (1942), *Susdit* (1954).

frottage n. m. **1.** Action de frotter. **2.** TECH Procédé de reproduction d'une surface présentant un léger relief, par application d'un support mince (papier, tissu, etc.) qu'on frotte à la couleur (ou à la mine de plomb) de manière que les reliefs accrochent la couleur.

Frotté (Marie Pierre Louis, comte de) (Alençon, 1755 - Verneuil, Eure, 1800), chef de la chouannerie normande (1795-1796). Après la victoire des républicains, il partit pour l'Angleterre, d'où il revint en 1800 pour négocier sa soumission. Malgré son sauf-conduit, Bonaparte le fit arrêter et fusiller.

frottement n. m. **1.** Action de frotter. **2.** Contact entre deux surfaces dont l'une au moins se déplace, friction; le bruit qui en résulte. ▷ *Forces de frottement*, qui s'opposent au glissement de deux corps en contact. ▷ MED Bruit qui donne à l'auscultation l'impression que deux surfaces glissent rudement l'une sur l'autre et qui se produit en cas d'inflammation de la plèvre ou du péricarde. *Frottement pleural, péricardique.* **3.** Fig. Heurt entre des personnes, désaccord.

frotter v. [1] **I.** v. tr. Presser, appuyer sur (un corps) tout en faisant un mouvement (spécial. pour nettoyer, pour faire briller). *Frotter un meuble avec un chiffon.* ▷ Loc. fig., fam. *Frotter les oreilles à qqn*, le battre, le corriger. **II.** v. intr. Produire une friction, une résistance (en parlant d'un corps en mouvement). *La roue frotte contre le garde-boue.* Ant. glisser. **III.** v. pron. **1.** Frotter son corps. *Se frotter vigoureusement au gant de crin.* ▷ (Faux pron.) *Se frotter les mains*, les frotter l'une contre l'autre; fig. se réjouir, se féliciter (de qqch). **2.** *Se frotter à* : avoir commerce avec. *Se frotter à la bonne société.* **3.** *Se frotter à qqn*, l'attaquer. ▷ Prov. *Qui s'y frotte s'y pique.*

frottis [fʀɔti] n. m. **1.** PEINT Légère couche de couleur transparente appliquée sur une toile. **2.** MED Étalement sur une lame, pour examen au microscope, d'une sécrétion, d'un liquide. *Frottis de sang. Frottis vaginal.*

frottoir n. m. Face d'une boîte d'allumettes enduite d'un produit qui permet d'enflammer l'allumette par frottement.

frou-frou ou **froufrou** n. m. **1.** Bruit produit par un froissement léger. **2.** (Plur.) Ornements de tissu légers et flottants d'un vêtement féminin. *Des frous-frous* ou *des froufrous.*

froufrouter v. intr. [1] Produire des froufrous. - P. pr. *Jupon froufroutant.*

Frounzé. V. Bichkek.

Frounzé (Mikhaïl Vassilievitch) (Pichpek, 1885 - Moscou, 1925), officier révolutionnaire qui lutta contre Wrangel et commanda l'Académie militaire de Moscou.

froussard, arde adj. Fam. Qui a la frousse. ▷ Subst. *Un(e) froussard(e).*

frousse n. f. Fam. Peur. *Avoir la frousse.*

FR3. V. France 3.

fructidor n. m. HIST Douzième et dernier mois du calendrier républicain (du 18/19 août au 21/23 septembre).

fructifère adj. BOT Qui donnera ou qui porte des fruits. *Rameau fructifère.*

fructification n. f. **1.** BOT Chez les phanérogames, ensemble des phénomènes qui, après la floraison et la fécondation, conduisent à la formation des fruits. **2.** BOT Chez toutes les autres plantes (algues, champignons, fougères), ensemble des organes impliqués dans la reproduction sexuée. **3.** Ensemble des fruits portés par un phanérogame. - Période où les fruits se forment.

fructifier v. intr. [2] **1.** Produire des fruits, des récoltes. **2.** Avoir des résultats avantageux; produire des bénéfices. *Faire fructifier une idée. Capital qui fructifie.*

fructose n. m. BIOCHIM Sucre (hexose, de formule $C_6H_{12}O_6$, possédant une fonction cétone) qui existe dans l'organisme sous forme libre et dans divers holosides (saccharose, etc.).

fructueusement adv. De manière fructueuse.

fructueux, euse adj. Qui produit des résultats avantageux. *Recherches fructueuses.*

frugal, ale, aux adj. **1.** Qui se satisfait d'une nourriture simple et peu abondante; qui vit simplement. *Homme frugal. Vie, habitudes frugales.* **2.** Qui est composé d'aliments simples, peu abondants. *Table frugale.*

frugalement adv. Avec frugalité.

frugalité n. f. Sobriété, simplicité. *Frugalité d'un repas. Vivre avec frugalité.*

frugivore adj. ZOOL Qui se nourrit de fruits. *Oiseau frugivore.*

fruit n. m. **I. 1.** Production des plantes phanérogames qui succède à la fleur après fécondation et qui renferme les graines. *Fruit charnu, à pépins, à noyau. Fruit comestible.* ▷ *Spécial.* Produit de l'arbre fruitier. *Fruit mûr, juteux. Coupe de fruits.* ▷ Loc. RELIG *Fruit défendu*, celui de l'arbre de la science du bien et du mal, auquel Adam et Ève ne devaient pas toucher; fig. chose dont il est interdit de jouir et qui en est d'autant plus désirée. *L'attrait du fruit défendu.* **2.** (Plur.) Produits de la nature, en tant qu'ils servent aux hommes; les produits de la chasse, de la pêche. *Les fruits de la terre. Vivre des fruits de sa chasse.* ▷ Loc. *Fruits de mer* : nom donné à divers crustacés et mollusques comestibles. *Une assiette de fruits de mer.* **II.** Fig. **1.** Litt. *Le fruit d'une union, d'un mariage* : l'enfant né de cette union, de ce mariage. **2.** Avantage, bénéfice tiré d'une activité. *Recueillir le fruit de son travail.* ▷ *Avec fruit* : avec profit, utilement. *Lire avec fruit.*

ENCYCL **Bot.** - Le fruit, résultat de l'évolution d'un carpelle ou du pistil, est spécifique des «plantes à fleurs» (phanéro-

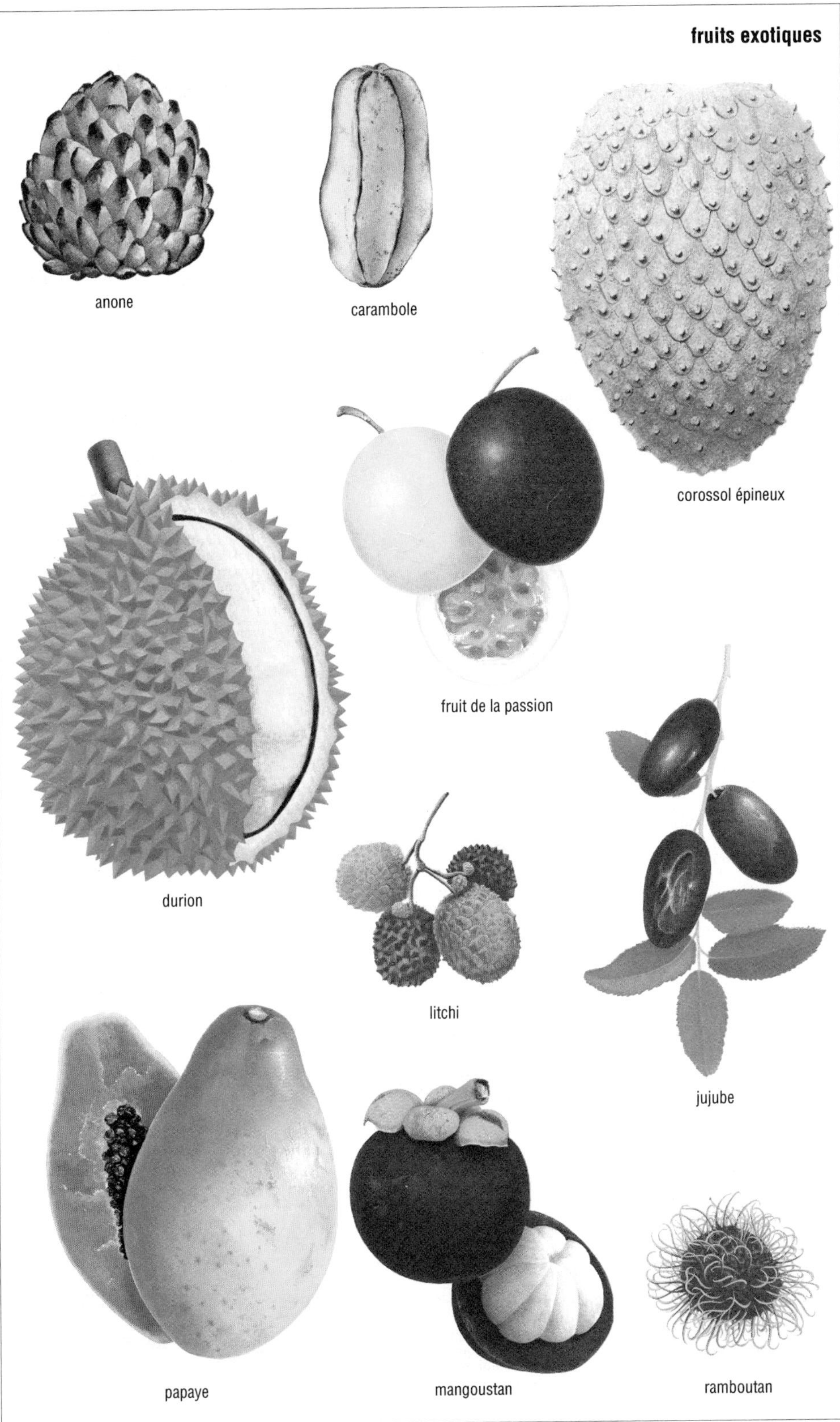
anone
carambole
corossol épineux
fruit de la passion
durion
litchi
jujube
papaye
mangoustan
ramboutan

games); il contient les graines résultant de l'évolution des ovules. On classe les fruits en 3 catégories : *fruits secs indéhiscents* (akènes, caryopse des graminées); *fruits secs déhiscents* (follicule, gousse, silique, etc.); *fruits charnus* (baies et drupes). Les *faux fruits* (ananas, fraise, etc.) sont des fruits auxquels se sont incorporées des parties de la fleur ou de l'inflorescence autres qu'un carpelle ou que le pistil. Les *fruits composés* résultent de la soudure de plusieurs fruits (une framboise résulte de la soudure de petites baies).

fruité, ée adj. et n. m. **1.** adj. Qui a un goût de fruit. *Vin fruité.* **2.** n. m. Caractère fruité d'un vin. *Un chardonay au fruité intense.*

fruiterie n. f. Vieilli Boutique où l'on vend au détail des fruits et légumes frais et parfois des laitages.

fruitier, ère adj. et n. **I.** adj. Qui produit des fruits comestibles. *Arbre fruitier.* ▷ Par ext. *Jardin fruitier.* **II.** n. **1.** Marchand, marchande de fruits au détail. **2.** n. m. Local où l'on conserve les fruits frais.

fruitière n. f. En Savoie et dans le Jura, petite fromagerie coopérative.

frusques n. f. pl. Fam. Habits en plus ou moins bon état. *Vieilles frusques.* Syn. fringues, nippes.

fruste adj. **1.** Grossier, sans raffinement (personne, comportement, art). *Homme fruste. Style fruste.* **2.** Non poli, rugueux au toucher. *Pierre encore fruste.* **3.** TECH Effacé, au relief usé (sculpture, médaille).

frustrant, ante adj. Qui frustre; susceptible de frustrer.

frustration n. f. **1.** Action de frustrer. **2.** PSYCHAN Situation d'un sujet qui est dans l'impossibilité de satisfaire une pulsion. (Le lien entre la frustration et l'agressivité a été souvent souligné.)

frustré, ée adj. et n. Fam. Qui se sent perpétuellement frustré, insatisfait.

frustrer v. tr. [**1**] **1.** Priver (qqn) de ce qui lui est dû. **2.** Décevoir (qqn) dans son attente. – Pp. adj. *Se sentir frustré.*

frustule n. m. BOT Enveloppe siliceuse des diatomées, constituée de deux valves s'emboîtant parfaitement.

fruticuleux, euse adj. BOT Qui a la forme d'un petit arbre. *Lichen fruticuleux,* à thalle ramifié.

Fry (Christopher) (Bristol, 1907), auteur dramatique anglais. Il s'est fait connaître surtout par des comédies poétiques : *La dame ne brûlera pas* (1948), *Vénus au zénith* (1950).

F.S.H. n. f. BIOCHIM (Sigle de l'angl. *follicle stimulating hormone.*) Folliculostimuline.

F.T.P.F. ou **F.T.P.** Sigle de *Francs-Tireurs et Partisans français.* Organisation de résistance créée par le Front national (1942-1944) et composée en majorité de groupes communistes.

F.T.P.-M.O.I. Sigle de *Francs-Tireurs et Partisans-Main-d'œuvre immigrée.*

Fu'ad Ier. V. Fouad.

Fualdès (Jean-Baptiste Antoine) (Mur-de-Barrez, Rouergue, 1761 – Rodez, 1817), magistrat français assassiné dans des conditions mystérieuses. *L'affaire Fualdès* passionna l'opinion.

fucacées n. f. pl. BOT Phéophycées (algues brunes) dont le genre *Fucus* est le type. (Les thalles donnent directement des gamètes mâles et femelles,

fuchsia

sans que des sporophytes se soient individualisés.) – Sing. *Une fucacée.*

Fuchs (Lazarus) (Moschin, près de Poznań, 1833 – Berlin, 1902), mathématicien allemand. Il étudia les équations différentielles.

fuchsia [fyʃja] n. m. et adj. inv. Arbrisseau ornemental (fam. œnothéracées) originaire d'Amérique centrale, cultivé en Europe pour ses fleurs diversement colorées, en forme de clochettes. ▷ adj. inv. Couleur rose violacé, pourpre.

fuchsine [fyksin] n. f. CHIM Colorant rouge qui a donné naissance, à la fin du XIXe s., à l'industrie des colorants organiques.

Fucini (Neri Tanfucio, dit Renato) (Monterotondo, Pise 1843 – Empoli, 1922), écrivain vériste italien; chantre de la vie rurale en Toscane : *les Veillées de Neri* (1889).

fucus [fykys] n. m. Algue brune au thalle rubanné et ramifié. (C'est l'« algue » par excellence des plages atlantiques, un des constituants du goémon.) ► illustr. **algues**

fuégien, enne adj. et n. De la Terre de Feu, extrémité méridionale de l'Amérique du Sud.

fuel [fjul] n. m (Anglicisme déconseillé) Syn. de *fioul.*

Fuentes (Carlos) (Mexico, 1928), écrivain mexicain. Il a subi l'influence de Joyce : *la Plus Limpide Région* (1958), *la Mort d'Artemio Cruz* (1962), *Peau neuve* (1967), *la Tête de l'hydre* (1978), *les Eaux brûlées* (1983).

Fuerteventura, île de l'archipel des Canaries; 1 659 km²; 18 000 hab., ch.-l. *Puerto de Cabras.* Montagneuse et sèche, elle est très peu cultivée.

fugace adj. Qui disparaît rapidement, ne dure pas. *Ombre, souvenir fugace.*

fugacité n. f. Nature de ce qui est fugace. *La fugacité d'une vision.*

1. -fuge. Élément, du lat. *fugere,* « fuir ».

2. -fuge. Élément, du lat. *fugare,* « faire fuir ».

Fugger, famille de riches marchands et de banquiers d'Augsbourg, célèbres pour leur soutien financier aux Habsbourg, notam. à Charles Quint.

fugitif, ive adj. et n. **1.** Qui s'est échappé, qui a pris la fuite. *Un prisonnier fugitif.* ▷ Subst. *Poursuivre des fugitifs.* **2.** (Choses) Qui dure peu, fugace.

fugitivement adv. D'une manière fugitive.

fugitivité n. f. Didac. Caractère fugitif.

fugue n. f. **1.** Forme musicale, basée sur l'écriture contrapuntique et dont les parties semblent se fuir dans les reprises du motif. (Elle est généralement construite en trois parties : exposition qui présente l'élément thématique principal; développement; strette.) *« L'Art de la fugue », recueil de J.-S. Bach.* **2.** Abandon subit du domicile habituel (familial, conjugal) pendant une courte période. *Faire une fugue.*

fugué, ée adj. MUS Qui est dans le style de la fugue. *Partie fuguée.*

fuguer v. intr. [**1**] Faire une fugue (sens 2).

fugueur, euse adj. et n. Qui fait des fugues (sens 2). *Adolescent fugueur.* ▷ Subst. *Un fugueur, une fugueuse.*

Führer n. m. Titre (signifiant « guide » en all.) que prit Hitler en 1934.

fuir v. [**29**] **I.** v. intr. **1.** S'éloigner rapidement pour échapper à un danger. *Fuir de son pays. Fuir devant l'ennemi.* ▷ Fig. Se dérober, s'esquiver. *Fuir devant ses responsabilités.* **2.** Litt. (Choses) S'éloigner très vite. *Les nuages fuient.* ▷ *Par anal.* S'écouler avec rapidité (temps). *L'hiver a fui.* **3.** S'échapper par un trou, une fente (liquide, gaz). *Vin qui fuit d'un tonneau.* ▷ *Par ext.* Laisser passer un fluide. *Tuyau, toit qui fuit.* **II.** v. tr. Chercher à éviter (qqn, qqch de menaçant, de désagréable). *Fuir un danger, un importun. Fuir les questions.* ▷ v. pron. Refuser d'affronter ses problèmes, ses peines intérieures.

fuite n. f. **1.** (Êtres vivants.) Action de fuir. *La fuite d'une armée. Prendre la fuite.* – *Mettre en fuite :* faire fuir. ▷ DR *Délit de fuite,* dont se rend coupable le conducteur d'un véhicule qui, se sachant responsable d'un accident, continue sa route. **2.** Fig. Action de se dérober, de se soustraire à (qqch). *Fuite devant ses obligations.* ▷ Fig. *Fuite en avant :* fait d'accompagner une évolution qu'on ne peut contrôler. **3.** (Choses) Éloignement rapide. *La fuite des nuages.* ▷ *Par anal.* Écoulement (temps). *La fuite des années.* **4.** *Point de fuite :* dans un dessin en perspective, point situé sur la ligne d'horizon, vers lequel convergent les projections des droites horizontales. **5.** AVIAT *Bord de fuite :* arête arrière d'une aile d'avion. **6.** Action de s'échapper par une fissure (fluides); la fissure elle-même. *Fuite de gaz. Boucher une fuite.* – *Fuite électrique, magnétique :* perte d'énergie électrique, de flux magnétique. ▷ Fig. Indiscrétion, communication illicite de documents. *Fuites relatives à des sujets d'examen.*

Fuji, v. du Japon (île de Honshū); 214 450 hab. Port de pêche; stat. baln.

Fujian, prov. maritime du S.-E. de la Chine, séparée de Taiwan par le *détroit de Fujian* (ou *de Formose*); 120 000 km²; 27 130 000 hab.; ch.-l. *Fuzhou.*

Fujimori (Alberto) (Lima, 1937), homme politique péruvien, président de la République dep. juin 1990. En avril 1992, il suspend les droits constitutionnels et dissout le Parlement.

Fujiwara no Sadaie ou **no Teika** (1162 – 1241), homme politique, poète et calligraphe japonais; auteur présumé d'un célèbre *Hyakunin-isshū* (« Choix de cent poèmes d'auteurs différents »).

le **Fuji-Yama** et le lac Kawaguchiko

Fuji-Yama ou **Fuji-San** («mont Fuji»), célèbre volcan éteint du Japon (Honshū) dont le cône neigeux culmine à 3 778 m.

Fukui (Kenishi) (Nara, 1918 - Kyoto, 1998), chimiste japonais; auteur de travaux sur la réactivité chimique et d'une méthode d'approximation des *orbitales frontières* des molécules. P. Nobel 1981.

Fukuoka, v. et port du Japon (île de Kyūshū), sur une baie du détroit de Corée; 1 160 000 hab.; ch.-l. du ken du m. nom. Centre de transformation et d'exportation des produits agricoles.

Fukuyama, v. et port du Japon, à l'E. d'Hiroshima; 360 260 hab. Sidér.; industr. textile.

Fulbert de Chartres (saint) (en Italie, v. 960 - Chartres, 1028), prélat français. Évêque de Chartres, il en fit reconstruire la cath., qui avait été incendiée. Rénovateur de l'école théologique de Chartres, très brillante au XIe s., il a laissé de nombreuses *Lettres.*

Fulda, v. d'Allemagne (Hesse), sur la *Fulda;* 54 130 hab. - Cath. et chât. baroques. - L'abbaye bénédictine de Fulda, fondée en 744, fut un important foyer religieux et culturel.

fulgurance n. f. Litt. Caractère de ce qui est fulgurant.

fulgurant, ante adj. **1.** Rapide comme l'éclair. *Démarrage fulgurant.* **2.** Qui brille comme l'éclair. *Regard fulgurant.* **3.** Fig. Qui illumine soudainement l'esprit. *Intuition fulgurante.* **4.** MED *Douleur fulgurante,* aiguë et fugace.

fulguration n. f. **1.** PHYS Lueur électrique, non accompagnée de tonnerre, qui se produit dans la haute atmosphère, appelée cour. *éclair de chaleur.* **2.** MED Action destructrice de la foudre (ou de l'électricité) sur l'organisme.

fulgurer v. intr. [1] Rare Briller comme l'éclair, avec éclat.

fuligineux, euse adj. **1.** Qui produit de la suie. *Flamme fuligineuse.* **2.** Qui évoque la suie. *Couleur fuligineuse.* **3.** Fig. Obscur et monotone. *Style fuligineux.*

fuligule n. m. Canard plongeur.

full [ful] n. m. Au poker, réunion dans une même main d'un brelan et d'une paire.

full-contact [fulkɔ̃takt] n. m. (Américanisme) Se dit d'un sport de combat dans lequel les coups sont portés jusqu'au bout, avec un équipement spécial. - (En appos.) *Karaté full-contact.*

Fuller (Marie-Louise Fuller, dite Loïe) (Fullersburg, près de Chicago, 1862 - Paris, 1928), danseuse américaine. Elle agitait de longs voiles sous des éclairages divers (danse du feu, du papillon).

Fuller (Richard Buckminster) (Milton, Massachusetts, 1895 - Los Angeles, 1983), ingénieur et architecte américain. Il inventa la *coupole géodésique,* structure constituée d'un réseau polyédrique de montants d'acier qui supportent des éléments standard légers (en plastique, en aluminium ou en carton-feutre).

Fuller (Roy) (Oldham, 1912), poète anglais. Ses œuvres sont une analyse des pulsions du moi profond et des illusions d'une génération : *Poèmes,* 1939.

Fuller (Samuel) (Worcester, 1912 - Los Angeles, 1997), cinéaste américain; auteur de films violents, il pourfend l'hypocrisie, le conformisme, le racisme. *Shock Corridor* (1963), *Au-delà de la gloire* (1979).

fullerène n. f. CHIM Molécule constituée d'atomes de carbone qui forment des cristaux et dont les propriétés (notam. supraconductrices) offrent des possibilités d'application remarquables.

fulminant, ante adj. **1.** Vx Qui lance la foudre. *Jupiter fulminant.* ▷ Mod. Qui est dans une colère menaçante; qui dénote cette colère. *Regard fulminant.* **2.** CHIM Détonant. *Composé fulminant.*

fulminate n. m. CHIM Sel de l'acide fulminique. *Les fulminates détonent par percussion ou par friction.*

fulminer v. [1] **I.** v. intr. **1.** S'emporter violemment en proférant des menaces. *Fulminer contre les mœurs du siècle.* **2.** CHIM Détoner. **II.** v. tr. **1.** DR CANON Publier dans les formes (une condamnation). **2.** Formuler avec emportement. *Fulminer des accusations.*

Fulton (Robert) (Little Britain, auj. Fulton, Pennsylvanie, 1765 - New York, 1815), ingénieur américain. Il construisit en 1798 le premier sous-marin à hélice, puis mit au point la propulsion des navires par la vapeur.

Fulvie (m. à Sicyone, Grèce, 40 av. J.-C.), femme du tribun Clodius, puis de Marc Antoine; elle contribua à faire assassiner Cicéron.

1. fumage n. m. Action d'amender la terre par le fumier.

2. fumage n. m. Action de fumer de la viande, du poisson.

fumagine n. f. ARBOR Maladie des arbres fruitiers due à divers champignons de couleur sombre qui poussent sur les exsudats sucrés émis par différents insectes parasites.

fumaison n. f. Syn. de *fumage.*

fumant, ante adj. **1.** Qui dégage de la fumée, de la vapeur. *Cendres fumantes. Potage fumant.* ▷ CHIM *Acide fumant,* dont les vapeurs forment un brouillard au contact de la vapeur d'eau. **2.** Fig. Dans une violente colère. *Fumant de rage.* **3.** Fig., fam. Sensationnel, formidable. *Un coup fumant.*

fumariacées n. f. pl. BOT Famille de dialypétales, très proches des papavéracées (pavots), à fleur très zygomorphe. - Sing. *Une fumariacée.*

fumé, ée adj. et n. m. **I.** adj. **1.** Qu'on a fumé (produit comestible). *Jambon fumé. Truite fumée.* **2.** *Verre fumé,* de couleur foncée. ▷ *Des verres fumés :* des lunettes à verres foncés. **II.** n. m. Épreuve d'essai tirée d'une gravure.

fume-cigare, fume-cigarette n. m. inv. Petit tube de bois, d'ambre, etc., pour fumer un cigare, une cigarette.

fumée n. f. **1.** Mélange de produits gazeux et de particules solides se dégageant de corps qui brûlent ou qui sont chauffés. *La fumée d'un volcan. La fumée de cigarette.* ▷ *Noir de fumée :* produit obtenu par combustion incomplète de corps riches en carbone. ▷ CONSTR *Conduit de fumée :* canalisation ou ouvrage maçonné par lequel on évacue les fumées (d'une chaudière ou d'un foyer). **2.** Loc. fig. *S'en aller en fumée :* ne rien produire. ▷ (Prov.) *Il n'y a pas de fumée sans feu :* il ne court pas de bruit qui n'ait quelque fondement. **3.** Vapeur. *Fumée qui monte d'une soupière.* **4.** (Plur.) Fig., litt. *Fumées du vin, de l'ivresse :* troubles de l'esprit provoqués par l'alcool. **5.** (Plur.) VEN Excréments des cerfs et autres animaux sauvages.

Fumel, ch.-l. de cant. du Lot-et-Garonne (arr. de Villeneuve-sur-Lot); 6 028 hab. - Fumel forme une aggl. de 14 900 hab. avec les com. de Monsempron-Libos, Condezaygues, Montayral et Saint-Vite.

1. fumer v. tr. [1] Épandre du fumier sur (un sol) pour l'amender.

2. fumer v. [1] **I.** v. intr. **1.** (Choses) Répandre de la fumée. *Bois qui fume en brûlant. Cette cheminée fume.* **2.** Dégager de la vapeur d'eau. *Soupe qui fume.* **3.** Fig. Être dans une violente colère. **II.** v. tr. **1.** Faire brûler (du tabac ou une autre substance) pour en aspirer la fumée. *Fumer un cigare. Fumer du haschisch.* ▷ Absol. *Défense de fumer.* **2.** Exposer (de la viande, du poisson) à la fumée pour les conserver.

fumerie n. f. Lieu où l'on fume (l'opium).

fumerolle n. f. Émanation gazeuse sortant à haute température de crevasses du sol, dans les régions à forte activité volcanique.

fumerollien, enne adj. Des fumerolles. *Activité fumerollienne.*

fumet n. m. **1.** Arôme qui s'exhale des viandes à la cuisson. **2.** Bouquet d'un vin. **3.** Odeur que dégagent certains animaux. *Le fumet du gibier.* **4.** CUIS Jus ou bouillon, de viande ou de poisson, qui sert de base à une sauce.

fumeterre n. f. Plante herbacée basse aux petites fleurs roses aux propriétés dépuratives.

fumeur, euse n. **1.** Personne qui a l'habitude de fumer, spécial. du tabac. **2.** Spécialiste du fumage des viandes, des poissons. **3.** n. m. GEOL Édifice en forme de cheminée construit sur les fonds océaniques par des émissions de fluides hydrothermaux qui précipitent des sulfures polymétalliques.

fumeux, euse adj. **1.** Qui répand de la fumée; qui baigne dans la fumée. **2.** Fig. Obscur, confus. *Des explications fumeuses.*

fumier n. m. **1.** Mélange de la litière et des déjections des bestiaux qu'on laisse fermenter et qu'on utilise comme engrais. **2.** Fig., fam., inj. Homme vil, abject.

fumigateur n. m. MED, AGRIC Appareil servant aux fumigations.

fumigation n. f. **1.** MED Inhalation de vapeurs médicamenteuses à des fins thérapeutiques. ▷ Production de vapeurs désinfectantes pour assainir un local. **2.** AGRIC Utilisation de fumées ou de vapeurs insecticides pour débarrasser des végétaux de leurs parasites.

fumigatoire adj. MED, AGRIC Qui sert à faire des fumigations.

fumigène adj. TECH Qui produit de la fumée. ▷ n. m. MILIT *Les fumigènes permettent de se soustraire à la vue de l'ennemi.* - AGRIC *Les fumigènes servent à protéger les cultures fragiles contre les gelées matinales.*

fumiste n. et adj. **1.** n. m. Celui qui entretient les appareils de chauffage et ramone les conduits de fumée. **2.** n. et adj. Fam. Personne peu sérieuse.

fumisterie n. f. **1.** Profession du fumiste. ▷ Ensemble des appareils servant à l'évacuation des fumées. **2.** Fam. Action, chose qui manque totalement de sérieux. *Une vaste fumisterie.*

fumoir n. m. **1.** Lieu où l'on fume les viandes, les poissons. **2.** Local destiné aux fumeurs.

fumure n. f. AGRIC **1.** Action de fumer une terre; son résultat. **2.** Quantité de fumier ou d'engrais nécessaire pour obtenir un bon rendement d'une terre.

fun [fœn] adj. et n. m. (Anglicisme) Fam. Bien, amusant. *Un film très fun.* – n. m. Amusement, plaisir, joie. (Mot très usuel au Québec.)

funaire n. f. BOT Mousse poussant en touffes, dont le pédoncule est filiforme et la capsule globuleuse.
▸ illustr. **mousses**

funambule n. Acrobate qui marche, danse sur une corde au-dessus du sol.

funambulesque adj. **1.** Relatif au funambule, à son art. **2.** Fig. Excentrique.

funboard [fœnbɔʀd] n. m. (Anglicisme) SPORT Planche à voile courte permettant de sauter. ▷ Ce sport.

Funchal, v. et port de l'île portugaise de Madère, ch.-l. de la rég. auton. de Madère; 44 110 hab. Artisanat (broderies), industr. alimentaire. Tourisme.

Fundy (baie de), golfe profond de la côte atlantique du Canada et des É.-U. (séparant le N. du Maine et le Nouveau-Brunswick de la Nouvelle-Écosse). Les marées y sont très puissantes.

funèbre adj. **1.** Qui a rapport aux funérailles. *Oraison funèbre.* ▷ *Service des pompes funèbres,* qui règle tout ce qui concerne les funérailles. **2.** Fig. Qui fait penser à la mort, suscite la tristesse. *Une voix, une image funèbre.*

funérailles n. f. pl. Ensemble des cérémonies accompagnant les enterrements. *Funérailles nationales.*

funéraire adj. Qui concerne les funérailles. *Frais funéraires.* ▷ *Urne funéraire,* qui contient les cendres d'un mort.

funérarium [fyneʀaʀjɔm] n. m. Bâtiment ou pièce près d'un cimetière, où peuvent se réunir les personnes qui vont assister à des obsèques.

Funès (Louis de) (Courbevoie, 1914 – Nantes, 1983), acteur de cinéma français. Son physique caractéristique allié à son talent burlesque assurèrent le succès de plus de cent films : *Ni vu ni connu* (1957), *le Gendarme de Saint-Tropez* (1964), *la Grande Vadrouille* (1967), *l'Avare* (1979).

funeste adj. Litt. **1.** Qui apporte la mort. *Coup, maladie funeste.* **2.** *Par ext.* Qui est source de malheur, a des conséquences désastreuses. *Erreur funeste.*

funiculaire n. et adj. **I.** n. m. Chemin de fer à câble ou à crémaillère. *Le funiculaire de Montmartre.* **II.** adj. **1.** MECA *Courbe funiculaire* ou, n. f., *funiculaire :* courbe utilisée en statistique graphique. (Sa forme est celle d'une corde flexible et inextensible, suspendue à ses deux extrémités.) **2.** ANAT Qui se rapporte au cordon spermatique ou au cordon ombilical.

funicule n. m. BOT Cordon contenant le faisceau libéro-ligneux nourricier de l'ovule et reliant celui-ci au placenta.

funk [fœnk] n. m. et adj. inv. MUS Style de musique issu du funky vers 1970.

funky [fœnki] n. m. et adj. inv. MUS Style de musique des Noirs américains, mélange de rock et de jazz.

fur n. m. (Seulement en loc.) Loc. adv. *Au fur et à mesure :* simultanément et proportionnellement ou successivement. *Apportez-moi les outils, je les rangerai au fur et à mesure.* ▷ Loc. conj. *Au fur et à mesure que. Il s'assagit au fur et à mesure que les années passent.* ▷ Loc. prép. *Au fur et à mesure de. Au fur et à mesure de ses échecs, il perdait confiance.*

Furan (le), riv. du Massif central (36 km), affl. de la Loire (r. dr.).

furax adj. inv. Fam. Furieux.

furet n. m. **1.** Mammifère carnivore mustélidé *(Mustela putorius furo),* variété de putois albinos ou semi-albinos, originaire d'Afrique du N., souvent dressé autref. pour la chasse au lapin. **2.** TECH Outil de plomberie servant à déboucher les canalisations. **3.** Jeu de société dans lequel des joueurs se passent un objet de main en main, un autre tentant de deviner dans quelle main il se trouve. **4.** PHYS NUCL Petit conteneur propulsé à travers le cœur d'un réacteur pour soumettre un échantillon à une irradiation courte.

Furet (François) (Paris, 1927 – Toulouse, 1997), historien français. Spécialiste de la Révolution française (*Penser la Révolution française,* 1978; *Dictionnaire historique et critique de la Révolution*), avec Mona Ozouf, 1988), il a aussi publié *le Passé d'une illusion. Essai sur l'idée communiste au XX*[e] *s.* (1995). Acad. fr. (1997).

fureter v. intr. **[18]** **1.** CHASSE Chasser au furet. **2.** Fouiller, chercher avec soin pour découvrir qqch. *Fureter partout.*

fureteur, euse adj. et n. Qui furète pour trouver qqch.

Furetière (Antoine) (Paris, 1619 – id., 1688), écrivain français. Outre son *Roman bourgeois* (1666), il entreprit en 1684 un *Dictionnaire universel* (posth., 1690), qui le fit exclure de l'Acad. fr. (1685), où il avait été élu en 1662.

fureur n. f. **1.** Colère très violente. *Entrer en fureur.* ▷ Fig. *La fureur des flots.* **2.** Passion excessive. *Aimer avec fureur.* ▷ Loc. verb. *Faire fureur :* être fort en vogue. *Disque qui fait fureur.* ▷ Loc. adv. *À la fureur :* à la folie. **3.** Litt. Délire inspiré. *Fureur poétique.*

furia n. f. Litt. Ardeur impétueuse.

furibard, arde adj. Fam. Furibond.

furibond, onde adj. En proie à une fureur généralement outrée et un peu ridicule. ▷ *Par ext.* Qui exprime cette fureur. *Regards furibonds.*

furie n. f. **1.** Colère démesurée. *Être en furie.* **2.** Ardeur impétueuse. *Combattre avec furie.* ▷ Fig. *La furie de la tempête.* **3.** MYTH *Les Furies :* les trois déesses de la Vengeance (Alecto, Mégère, Tisiphone). ▷ Fig. Femme très méchante et violente. *C'est une vraie furie!*

furieusement adv. Avec furie.

furieux, euse adj. **1.** Qui ressent une violente colère. **2.** Qui dénote une profonde colère. *Air furieux.* **3.** Extrêmement véhément, impétueux. *Assaut furieux.* ▷ Fig. *Mer furieuse.*

furioso [fyʀjozo] adj. MUS Plein d'impétuosité. *Allegro furioso.* ▷ adv. *Exécuter un morceau furioso.*

Furka (col de la), col des Alpes suisses, entre les hautes vallées du Rhône (Valais) et de la Reuss; 2 431 m.

Furnes (en flam. *Veurne*), com. de Belgique (Flandre-Occidentale); ch.-l. d'arr.; 11 200 hab. Centre agric. – Égl. du XIVe s. Hôtel de ville Renaissance. Palais de justice (XVIIe s.). – Cap. de la *Belgique libre* en 1914-1918.

furoncle n. m. Infection, au niveau de la peau, d'un appareil pilo-sébacé, due au staphylocoque doré, et caractérisée par une inflammation ayant en son centre un bourbillon. *Plusieurs furoncles forment un anthrax.*

furonculose n. f. Éruption d'une série de furoncles.

Fürst (Walter), héros suisse. Il aurait prêté, pour le cant. d'Uri, le serment de Grütli (1291).

Fürth, v. d'Allemagne (Bavière) près de Nuremberg; 98 200 hab. Industr. métallurgiques, mécan. et chim.

furtif, ive adj. **1.** Qui se fait à la dérobée, de façon à n'être pas remarqué. *Signe, regard furtif.* **2.** *Avion furtif,* que les radars ne peuvent détecter.

furtivement adv. De façon furtive.

furtivité n. f. Caractère d'un engin furtif.

Furtwängler (Wilhelm) (Berlin, 1886 – Baden-Baden, 1954), chef d'orchestre allemand de réputation mondiale (œuvres de Beethoven, Brahms, Wagner, Schönberg).

fusain n. m. **1.** Arbrisseau dicotylédone à fleurs dialypétales. (Le fusain d'Europe, *Evonymus europæus,* est appelé cour. *bonnet carré* ou *bonnet de prêtre* à cause de ses fruits rouges.) **2.** Crayon fait avec le charbon de fusain. ▷ *Par ext.* Dessin exécuté avec ce crayon.

Fusan. V. Pusan.

fusant, ante adj. TECH Qui fuse. *Poudre fusante.* ▷ Qui explose en l'air (par oppos. à *percutant*).

fusariose n. f. Maladie des plantes causée par un champignon parasite.

fuseau n. m. **1.** Anc. Petit instrument de bois, renflé en son milieu et terminé en pointe, utilisé pour tordre et enrouler le fil lorsqu'on file à la quenouille. – Instrument de forme analogue servant à faire de la dentelle. ▷ *En fuseau :* en forme de fuseau. *Arbre en fuseau.* ▷ (En appos.) *Pantalon fuseau* ou *fuseau,* dont les jambes se rétrécissent vers le bas et se terminent par un sous-pied. **2.** GEOM Portion de la surface d'une sphère comprise entre deux méridiens. ▷ *Fuseau horaire :* chacune des 24 zones de la surface terrestre à l'intérieur desquelles le temps civil est en principe égal au temps civil local du méridien central. (Le méridien de Greenwich est au centre du fuseau n° 0, dont la France dépend.) **3.** ZOOL Mollusque gastéropode (genre *Fusus*) à coquille très longue en forme de fuseau. **4.** BIOL *Fuseau achromatique :* ensemble des fibres protéiques qui, au cours d'une mitose ou d'une méiose, joignent les deux asters et sur certaines desquelles s'accrochent les chromosomes.

fusée n. f. **I. 1.** Engin propulsé par la force d'expansion de gaz résultant de la combustion d'un combustible et d'un comburant. ▷ Engin spatial muni d'un

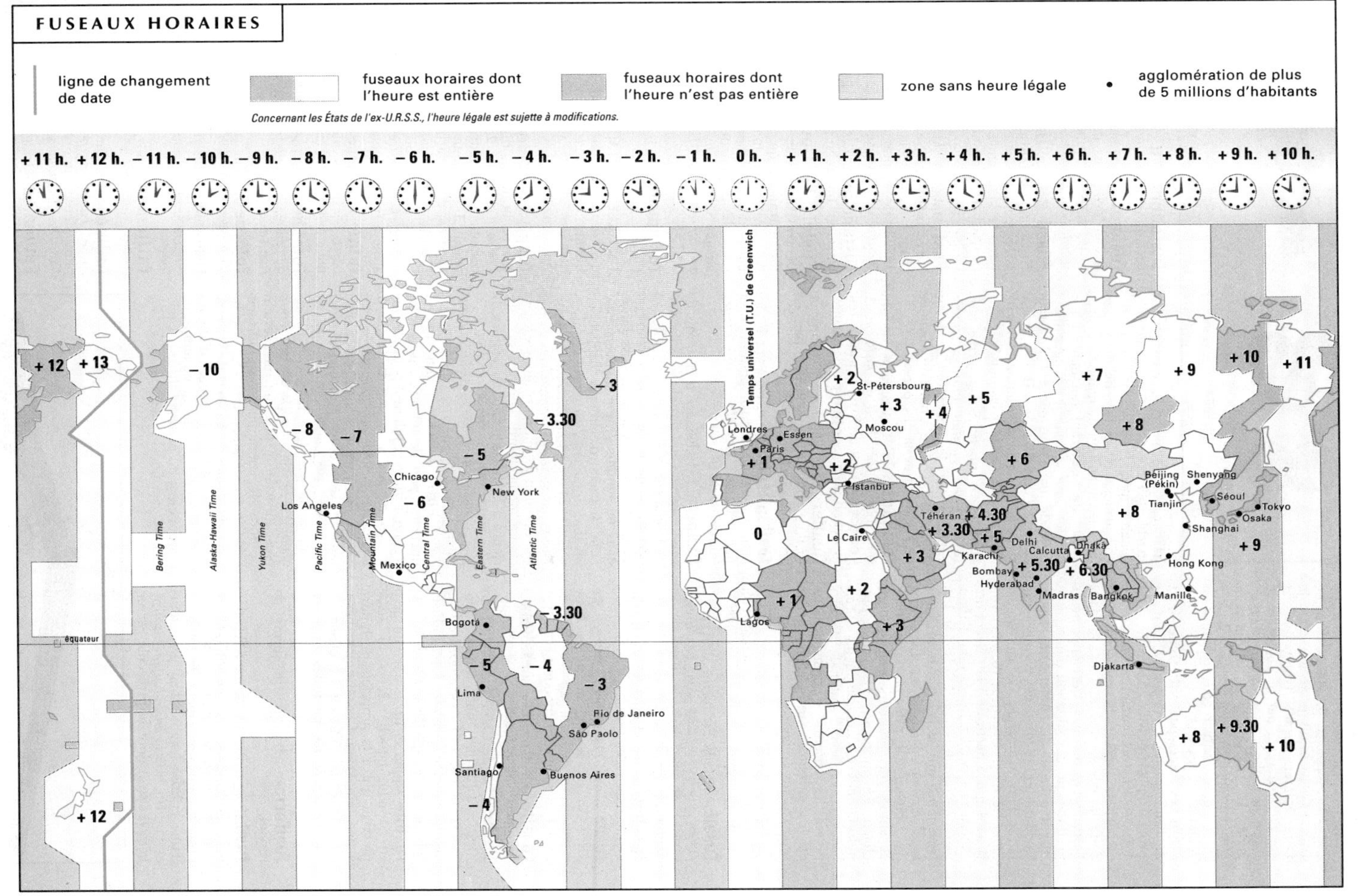
FUSEAUX HORAIRES
ligne de changement de date
fuseaux horaires dont l'heure est entière
fuseaux horaires dont l'heure n'est pas entière
zone sans heure légale
agglomération de plus de 5 millions d'habitants
Concernant les États de l'ex-U.R.S.S., l'heure légale est sujette à modifications.
+ 11 h. + 12 h. – 11 h. – 10 h. – 9 h. – 8 h. – 7 h. – 6 h. – 5 h. – 4 h. – 3 h. – 2 h. – 1 h. 0 h. + 1 h. + 2 h. + 3 h. + 4 h. + 5 h. + 6 h. + 7 h. + 8 h. + 9 h. + 10 h.
Temps universel (T.U.) de Greenwich
Bering Time
Alaska-Hawaii Time
Yukon Time
Pacific Time
Mountain Time
Central Time
Eastern Time
Atlantic Time
équateur
Los Angeles
Chicago
New York
Mexico
Bogotá
Lima
Rio de Janeiro
São Paolo
Santiago
Buenos Aires
Londres
Essen
Paris
St-Pétersbourg
Moscou
Istanbul
Le Caire
Lagos
Téhéran
Karachi
Delhi
Bombay
Hyderabad
Madras
Calcutta
Dhaka
Bangkok
Djakarta
Beijing (Pékin)
Tianjin
Shenyang
Séoul
Shanghai
Tokyo
Osaka
Hong Kong
Manille
+ 12
+ 13
– 10
– 8
– 7
– 6
– 5
– 3.30
– 3
– 4
+ 1
0
+ 2
+ 3
+ 4
+ 5
+ 3.30
+ 4.30
+ 5.30
+ 6.30
+ 6
+ 7
+ 8
+ 9
+ 9.30
+ 10
+ 11

moteur-fusée. **2.** Pièce d'artifice composée de poudre mélangée à des matières colorantes. *Fusées de feu d'artifice. Fusées-signaux.* **3.** MILIT Mécanisme fixé à l'ogive d'un projectile pour le faire éclater. **4.** MED Trajet long et sinueux parcouru par le pus entre le foyer de l'abcès et le point d'émergence. **II. 1.** Quantité de fil qui peut être enroulée sur un fuseau. **2.** AUTO Pièce conique qui reçoit la roue d'un véhicule.

ENCYCL Les fusées peuvent évoluer hors de l'atmosphère, car elles utilisent un processus propulsif anaérobie. Dès 1903, le Russe Constantin Tsiolkovsky élabora la théorie du vol des fusées dans la perspective du voyage dans l'espace. Les premiers développements pratiques de la réalisation d'une fusée furent à l'actif de l'Américain Robert Goddard (en 1926) et des membres de la Société allemande de vol spatial (dont Hermann Oberth et Wernher von Braun), qui, à partir de 1930, firent des expériences sur les fusées dont l'aboutissement conduisit au V2 (1944). Les recherches qui se poursuivirent après la guerre, en U.R.S.S. et aux États-Unis, déterminèrent le principe d'une fusée constituée de plusieurs étages, dont chacun est équipé d'un système de propulsion indépendant, de façon à réaliser une économie optimale de propergol ; les lanceurs* d'engins spatiaux et les missiles* intercontinentaux reposent sur ce concept.
▶ illustr. **lanceur**

fuselage n. m. Corps principal d'un avion, sur lequel est fixée la voilure.

fuselé, ée adj. En forme de fuseau. *Doigts fuselés.* ▷ ARCHI *Colonne fuselée*, renflée en bas, vers le tiers de sa hauteur.

fuseler v. tr. **[19]** TECH Donner la forme d'un fuseau à.

fuser v. intr. [**1**] **1.** Jaillir. *Liquide qui fuse.* – Fig. *Acclamations qui fusent.* **2.** Se répandre en fondant. *La cire fuse.* **3.** Brûler sans détoner (poudre).

fusette n. f. Petit tube sur lequel est enroulé du fil à coudre.

Fushun, v. de Chine (prov. de Liaoning) ; 1 330 000 hab. (aggl. urb. 2 045 150 hab.). L'extraction de la houille a donné naissance à des industr. sidérurgiques et carbochimiques.

fusible adj. et n. m. **1.** adj. Qui peut être fondu, liquéfié. **2.** n. m. ELECTR Élément qui a la propriété de fondre à une température relativement basse (env. 250 °C), et servant à protéger un circuit contre les intensités trop élevées.

fusiforme adj. Didac. En forme de fuseau.

fusil [fyzi] n. m. **I. 1.** Arme à feu portative, constituée d'un canon (généralement pourvu de rayures donnant au projectile un mouvement de rotation), d'une culasse (munie d'un percuteur) et d'un fût. – *Fusil lance-harpon* ou *fusil-harpon* : fusil dont le projectile est un harpon, utilisé pour la chasse sous-marine. ▷ Pièce d'acier contre laquelle venait frapper le silex de la batterie des anc. armes à feu. ▷ Loc. fig., fam. *Coup de fusil* : note d'un montant excessif (à l'hôtel, au restaurant, notam.). – *Changer son fusil d'épaule* : changer d'opinion, de manière d'agir, etc. **2.** Tireur au fusil. *Être un bon fusil.* **II.** Instrument en acier servant à aiguiser les couteaux. ▷ Pierre pour affûter les faux.

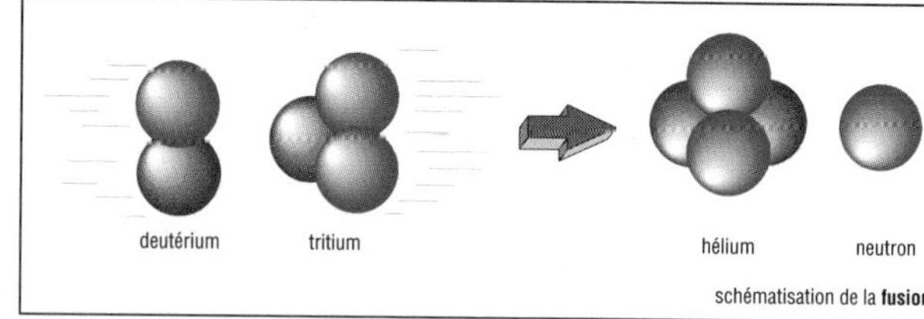

schématisation de la **fusion**

fusilier n. m. Anc. Soldat armé d'un fusil. – Mod. *Fusilier marin* : marin entraîné pour les opérations de débarquement et chargé à bord du maintien de l'ordre et de la discipline.

fusillade n. f. **1.** Décharge de plusieurs fusils. *Un bruit de fusillade.* **2.** Combat à coups de fusil, d'arme à feu. **3.** Action de passer qqn par les armes.

fusiller v. tr. [**1**] Tuer à coups de fusil. – (Plus cour.) Passer par les armes. *Fusiller un espion.*

fusil-mitrailleur n. m. Arme légère à tir automatique, fusil pouvant tirer par rafales. *Des fusils-mitrailleurs.* (Abrév. : F.-M.)

fusion n. f. **1.** Passage d'un corps de l'état solide à l'état liquide sous l'action de la chaleur. ▷ *En fusion* : liquéfié (en parlant d'une matière habituellement solide). *Métal en fusion.* **2.** Dissolution dans un liquide. *Fusion du sucre dans l'eau.* **3.** Union d'éléments distincts en un tout homogène. *La fusion des divers peuples qui ont formé la nation française. Fusion de sociétés commerciales.* ▷ PHYS NUCL Réunion de plusieurs atomes légers en un atome lourd d'une masse inférieure à la masse totale des atomes de départ. *Le défaut de masse résultant de la fusion libère une très grande quantité d'énergie.*

ENCYCL **Phys. nucl.** – La fusion nucléaire part de noyaux légers (deutérium, tritium et lithium) pour aboutir à des noyaux plus lourds (hélium). L'énergie de fusion caractérise les étoiles (V. encycl. étoile). La fusion nucléaire a été obtenue artificiellement en octobre 1952 aux États-Unis (explosion de la première bombe à hydrogène). La *fusion contrôlée* est beaucoup plus difficile à obtenir ; un certain nombre de conditions sont indispensables : température très élevée (plusieurs centaines de millions de kelvins), densité du plasma (mélange d'atomes et d'électrons) suffisante et temps de confinement du plasma (durée des premières réactions) assez long. V. les encycl. fission et noyau.

fusionnement n. m. Action de fusionner.

fusionner **1.** v. tr. [**1**] Regrouper par fusion (des partis, des sociétés, etc.). **2.** v. intr. Se regrouper par fusion. *Ces sociétés ont fusionné.*

Füssli (Johann Heinrich), dit *Henry Fuseli* en G.-B. (Zurich, 1741 – Londres, 1825), peintre suisse. Il théâtralisa l'histoire et la légende, le rêve, le démoniaque et l'érotisme : *le Cauchemar* (1782).

Fust (Johann) (Mayence, v. 1400 – Paris, 1466), orfèvre et imprimeur allemand. Il s'associa à Gutenberg (v. 1450-1455), et publia avec Schöffer le *Psautier* de Mayence (1457).

fustanelle n. f. Court jupon évasé, vêtement masculin grec traditionnel.

Fustel de Coulanges (Numa Denis) (Paris, 1830 – Massy, 1889), historien français qui s'attacha à fonder l'histoire comme matière scientifique à partir d'une méthode d'analyse rigoureuse des documents originaux : *la Cité antique* (1864) ; *Histoire des institutions politiques de l'ancienne France* (1875-1892).

fustigation n. f. Litt. Action de fustiger.

fustiger v. tr. [**13**] **1.** Vx Battre à coups de bâton, de fouet, flageller. **2.** Fig. Blâmer, stigmatiser par la parole. *Fustiger les abus.* ▷ v. pron. Se battre soi-même.

fût [fy] n. m. **1.** Partie droite et dépourvue de branches du tronc d'un arbre. *Le fût d'un hêtre.* **2.** ARCHI Partie d'une colonne, située entre la base et le chapiteau. **3.** TECH Élément cylindrique d'un appareil, d'un instrument, etc. *Fût d'un candélabre. Fût d'un tambour.* **4.** Monture de certains outils. *Fût de rabot, de varlope.* ▷ Monture du canon d'une arme à feu. **5.** Tonneau.

futaie n. f. Partie d'une forêt où on laisse les arbres atteindre une grande taille avant de les exploiter.

futaille n. f. **1.** Tonneau. **2.** Ensemble de tonneaux. *Rouler toute la futaille dans une cave.*

futé, ée adj. Fin, rusé, malin. ▷ Subst. *C'est un(e) petit(e) futé(e).*

futile adj. **1.** Insignifiant, sans importance. **2.** Léger, vain. *Une personne futile.*

futilement adv. D'une manière futile.

futilité n. f. **1.** Caractère de ce qui est futile. *Futilité d'esprit.* **2.** (Surtout au plur.) Chose futile. *S'attacher à des futilités. Dire des futilités.*

Futuna, île française de l'Océanie (Mélanésie) ; 115 km² avec Alofi ; 4 100 hab. Elle forme un TOM avec Alofi (Futuna et Alofi, qui est inhabitée, constituent les îles de Horn) et les Wallis (V. Wallis-et-Futuna). Cult. tropicales (coprah).

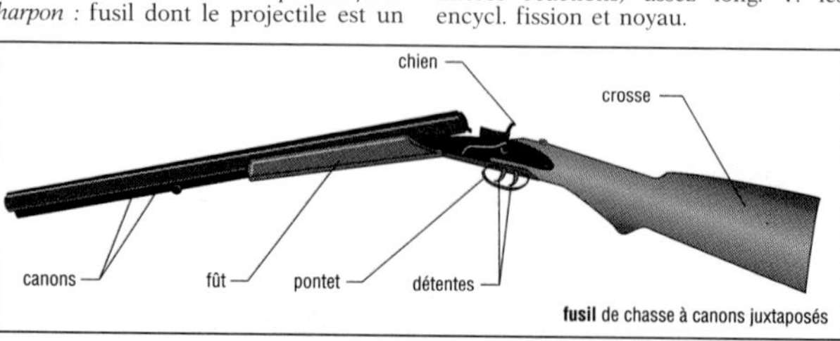

fusil de chasse à canons juxtaposés

futur, ure adj. et n. **I.** adj. **1.** Qui est à venir. *Les jours futurs. La vie future,* celle qui doit suivre la vie terrestre. **2.** (Le plus souvent avant le nom.) Qui sera ultérieurement tel. *Les futurs époux.* ▷ Subst. Vieilli ou plaisant *Le futur, la future* : le futur conjoint. **II.** n. m. **1.** Temps à venir (par oppos. à *passé* et à *présent*). **2.** GRAM Ensemble de formes verbales indiquant que l'action ou l'état se situe dans l'avenir. *Le futur est un temps de l'indicatif. Futur simple* (ex. : *je chanterai*). *Futur antérieur,* exprimant l'antériorité d'une action future par rapport à une autre (ex. : *je serai partie quand il viendra*). ▷ Par ext. *Futur proche,* construit avec le verbe aller (ex. : *il va partir*).

futurisme n. m. **1.** BX-A Doctrine esthétique due (1909) à l'écrivain italien Marinetti, exaltant la beauté de la machine en mouvement, la vitesse, la violence (œuvres de Balla, Boccioni, Carra, Severini). **2.** Qualité de ce qui est futuriste (sens 2).

futuriste adj. et n. **1.** Didac. Relatif au futurisme. ▷ Subst. Adepte du futurisme. **2.** Qui semble préfigurer l'état futur de la civilisation (notam. sous ses aspects techniques). *Une esthétique futuriste.*

futurologie n. f. Didac. Discipline visant à prévoir l'avenir dans une perspective globale. Syn. prospective.

futurologue n. Didac. Spécialiste de futurologie.

Fux (Johann Joseph) (Hirtenfeld, Styrie, 1660 - Vienne, 1741), compositeur autrichien (messes, oratorios, opéras, motets, etc.), auteur d'un important traité de contrepoint, le *Gradus ad Parnassum* (1725).

Fuxi ou **Fou-hi,** figure mythique des premiers âges de la Chine ; héros civilisateur, inventeur, avec *Nugua,* des rites du mariage.

fuyant, ante adj. Qui fuit. **1.** Litt. Qui s'enfuit, s'échappe. *La fuyante proie.* **2.** Qui n'agit pas de manière franche, directe ; insaisissable. *Caractère fuyant. Regard fuyant.* **3.** Qui semble s'enfoncer vers l'arrière-plan. *Ligne fuyante.* ▷ *Front, menton fuyant,* en retrait de la face, effacé vers l'arrière.

fuyard, arde adj. et n. Qui s'enfuit. *Soldat fuyard.* ▷ Subst. *Rallier les fuyards.*

Fuzhou, v. et port de la Chine du S.-E. sur le Minjiang ; 1 270 000 hab. (aggl. urb. 1 651 500 hab.) ; ch.-l. de la prov. de Fujian. Industr. diverses. Arsenal maritime.

Fuzuli (Mehmed Süleyman) *(Fuzūlī)* (Karbala [?], Irak, v. 1490 - Karbala, 1556), le plus célèbre poète turc, d'origine kurde. Son œuvre est riche et diversifiée (plus de quinze titres, en arabe, en persan et en turc). Il chante l'amour, la souffrance, la mort.

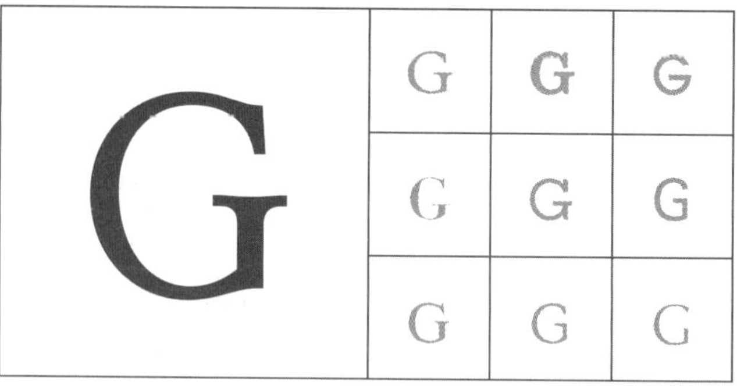

g [ʒe] n. m. **1.** Septième lettre (g, G) et cinquième consonne de l'alphabet notant l'occlusive vélaire sonore [g] devant a, o, u (ex. *gare, gondole, guêpe*) et la fricative prépalatale sonore [ʒ] devant e, i, y (ex. *gelée, gifle, gypse*); en composition, la consonne médiopalatale nasale [ɲ], dite *n mouillé*, écrite *gn* (ex. *vigne*). **2.** PHYS g : symbole du gramme. – g : symbole de l'accélération de la pesanteur (à Paris, g = 9,81 m/s²). ▷ G : symbole de giga- (un milliard de fois). – PHYS G : symbole du gauss. **3.** MUS G : notation alphabétique de la note *sol*.

G7 (groupe des 7). Voir sept.

Ga CHIM Symbole du gallium.

gaba n. m. (Abrév. de *gamma-amino-butyric acid*) Aminoacide, neuromédiateur important.

Gabaon, anc. v. de Palestine (tribu de Benjamin), auj. *Al-Ǧīb*. Selon la Bible, ses habitants se rallièrent à Josué.

gabardine n. f. **1.** Tissu de laine sergé, très serré. **2.** Manteau imperméable fait de ce tissu.

gabare ou **gabarre** n. f. **1.** MAR Ancienne embarcation de servitude utilisée pour décharger les navires. **2.** Grand filet de pêche semblable à la senne.

gabarit [gabaʀi] n. m. **1.** TECH Modèle servant à produire des séries de pièces de mêmes dimensions. **2.** TECH Dispositif, outil utilisé pour contrôler une mesure. ▷ CH de F *Gabarit de voie*, qui sert à contrôler l'écartement des rails. ▷ TRANSP Portique destiné à vérifier que les dimensions extérieures d'un véhicule ne dépassent pas certaines valeurs. **3.** Dimension réglementée d'un objet. *Dépasser le gabarit.* **4.** *Par ext.* Taille, stature d'une personne, dimension physique ou morale.

gabbro n. m. PETROG Roche plutonique grenue, sombre, très dense. *Le gabbro et le basalte sont le support des continents.*

gabegie [gabʒi] n. f. Gaspillage, désorganisation qui peut être dû à une mauvaise gestion.

gabelle n. f. Anc. **1.** Impôt sur le sel, en France sous l'Ancien Régime. **2.** Administration chargée de recouvrer cet impôt.

gabelou n. m. **1.** Anc. Commis de la gabelle. **2.** Péjor. Douanier, employé de l'octroi.

Gaberones. V. Gaborone.

Gabès, v. de Tunisie, sur l'*oued Gabès* et au fond du *golfe de Gabès*; 92 260 hab.; ch.-l. du gouvernorat du m. nom. Palmeraie, pêche (thon), conserveries. Engrais.

gabier n. m. Anc. Marin chargé de l'entretien et de la manœuvre des voiles et du gréement.

Gabin (Jean Alexis Moncorgé, dit Jean) (Mériel, Seine-et-Oise, 1904 – Neuilly-sur-Seine, 1976), acteur français. Il incarna des personnages tragiques ou simplement humains (*Pépé le Moko*, 1935; *la Grande Illusion*, 1937; *Quai des brumes*, 1938), puis des hommes mûrs, révoltés ou nantis : *Touchez pas au grisbi* (1954), *En cas de malheur* (1958). ▸ illustr. **Carné**

gable ou **gâble** [gɑbl] n. m. ARCHI Fronton triangulaire généralement ajouré et sculpté, qui couronne un portail ou une fenêtre. *Gâble gothique.*

Gable (Clark) (Cadiz, Ohio, 1901 – Hollywood, 1960), acteur de cinéma américain. Il connut le succès dans des rôles de séducteur et d'aventurier : *New York-Miami* (1934), *Autant en emporte le vent* (1939), *The Misfits* (1961). ▸ illustr. **Huston**

Gabo (Naoum Neemia Pevsner, dit Naum) (Briansk, 1890 – Waterbury, Connecticut, 1977), sculpteur américain d'origine russe. Son œuvre fondamentale, comme celle de son frère Antoine Pevsner, procède du constructivisme et se trouve à l'origine de l'art cinétique.

Gabon (le), estuaire d'Afrique occid., débouché de plusieurs riv. Il a donné son nom à la rép. du Gabon. Sur sa rive dr. se situe Libreville.

Gabon (république du), État d'Afrique équatoriale, sur l'Atlantique; 267 667 km²; env. 1 million d'hab.; cap. *Libreville*. Nature de l'État : rép. de type présidentiel. Langue off. : français. Monnaie : franc C.F.A. Ethnies princ. : Fangs, Eshiras, Mpongwés, Batékés. Relig. : animisme, christianisme, islam. **Géogr. phys. et hum.** – Traversé par l'équateur, centré sur le bassin de l'Ogooué, le Gabon est constitué d'une plaine côtière que domine un arrière-pays de plateaux jalonnés de hauteurs (monts de Cristal, monts du Chaillu). Couvert à 75 % par la forêt dense humide, le pays est sous-peuplé malgré les 100 000 étrangers qu'il accueille (4 hab./km²). La population augmente de 2 % par an; l'exode rural est important mais les villes ne groupent encore que 45 % des habitants. **Écon.** – Le Gabon est le pays d'Afrique noire qui dispose du revenu le plus élevé par hab. Pétrole, gaz, manganèse, uranium constituent l'essentiel des exportations. La France est le principal partenaire du pays. Le chemin de fer transgabonais (Libreville-Franceville) a été inauguré en 1986. Depuis 1995, l'inflation ne dépasse pas 5 % par an, pour une croissance de l'ordre de 3 %. **Hist.** – Découvert au XVᵉ s. par les Portugais, le pays, un des centres de la traite des Noirs, fut colonisé au XIXᵉ s. par les Français (notam. action de Savorgnan de Brazza). Rattaché au Congo français (1888), le Gabon fut inclus, en 1910, dans l'A.-É.F. Rallié à la France libre en 1940, territoire d'outre-mer en 1946, république autonome en 1958, il accéda à l'indép. en 1960. Au président Léon M'Ba, élu en 1961, succéda en 1967 Albert Bongo (ce dernier adopta, en 1973, après sa conversion à l'islam, le nom d'El-Hadj Omar Bongo). Les baisses conjuguées des prix du pétrole brut et du dollar ont provoqué des troubles en 1990. Le prés. Bongo n'a pu rétablir l'ordre qu'avec un renfort de troupes françaises et a dû consentir à l'abolition du régime de parti unique. Réélu en 1993, il a vu son parti remporter les élections législatives de 1996, tandis que la situation économique marquait une nette amélioration. Une révision de la Constitution en fév. 1997 a institué un vice-président de la République.

gabonais, aise adj. et n. Relatif au Gabon; du Gabon. ▷ Subst. *Un(e) Gabonais(e).*

Gabor (Dennis) (Budapest, 1900 – Londres, 1979), physicien britannique d'origine hongroise. Ses travaux ont porté sur la microscopie électronique, l'optique physique et la théorie de l'information. Il inventa en 1948 l'holographie. P. Nobel 1971.

Gaboriau (Émile) (Saujon, 1832 – Paris, 1873), écrivain français, le « père du roman policier » : *l'Affaire Lerouge* (1866), *le Crime d'Orcival* et *le Dossier nº 113* (1867).

Gaborone (anc. *Gaberones*), cap. du Botswana, à la frontière du Transvaal; 94 710 hab.

Gabriel (en hébr., « homme de Dieu »), archange qui, d'après saint Luc apparut à la Vierge pour lui annoncer qu'elle serait la mère du Sauveur

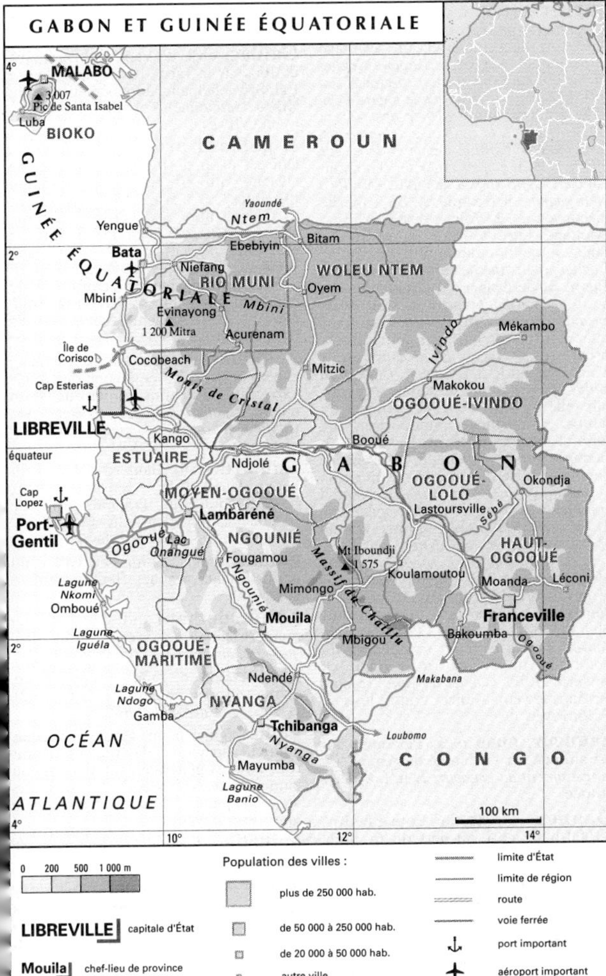

Selon l'islam, l'ange Gabriel révéla le Coran à Mahomet.

Gabriel, famille d'architectes français. – **Jacques III** (Paris, 1667 – id., 1742), prem. architecte du roi, construisit avec Jean Aubert l'hôtel Biron (auj. musée Rodin) à Paris, l'hôtel de ville de Lyon, etc. – **Jacques IV Ange** (Paris, 1698 – id., 1782), fils du préc.; il reprit en 1742 la charge de prem. architecte du roi. On lui doit, notam., l'actuelle place de la Concorde et les édifices qui la bordent (auj. hôtel Crillon et ministère de la Marine), l'École militaire (1751-1753), le chât. de Compiègne (1752-1780), l'Opéra de Versailles (1753), le Petit Trianon (1762-1764), chefs-d'œuvre de l'architecture française du XVIIIe s.

Gabrieli (Andrea) (Venise, v. 1510 – id., 1586), compositeur et organiste italien. Andrea et son neveu **Giovanni** (Venise, v. 1555 – id., 1612) comptent parmi les maîtres vénitiens de la musique sacrée *(Sacræ Cantiones, Psalmi Davidici, Concerti)* et profane *(Madrigali e ricercari, Greghesche e Giustiniane, Canzoni alla francese).*

Gabriel Lalemant (saint) (Paris, 1610 – Saint-Ignace, Canada, 1649), jésuite français; missionnaire au Canada, un des « martyrs de la Nouvelle-France ».

Gabrielle d'Estrées. V. Estrées (d').

Gabrovo, v. de Bulgarie, au N. du Balkan; 90 000 hab. Industr. chimiques, textiles et mécaniques.

gâchage n. m. **1.** CONSTR Action de gâcher. **2.** Fig. Fait de gâcher, de gaspiller.

1. gâche n. f. TECH Boîtier métallique dans lequel s'engage le pêne d'une serrure.

2. gâche n. f. CONSTR Outil servant à gâcher (le mortier, le plâtre).

gâcher v. tr. [1] **1.** CONSTR Délayer (du mortier, du plâtre). **2.** Fig. Faire (un travail) sans soin. *Gâcher l'ouvrage.* **3.** Abîmer, gâter par maladresse. *Elle a gâché pas mal de tissu pour faire cette robe.* ▷ Dissiper, gaspiller. *Gâcher de l'argent.* – Loc. *Gâcher le métier* : travailler pour un prix trop bas. **4.** Gâter, attrister, assombrir. *Sa maladie a gâché nos vacances.*

gâchette n. f. **1.** TECH Arrêt de pêne d'une serrure. **2.** Pièce du mécanisme d'une arme à feu, maintenant le percuteur ou le chien par l'intermédiaire d'un ressort, et actionnée par la détente. – Cour. *Abusiv.* Détente. *Appuyer sur la gâchette.*

gâcheur, euse n. **1.** n. m. CONSTR Ouvrier qui gâche le plâtre. **2.** Fig. Personne qui travaille mal. – Personne qui gâte, qui gaspille.

gâchis [gɑʃi] n. m. **1.** CONSTR Mortier bâtard. **2.** Boue, saleté liquide. **3.** Accumulation de choses gâchées, détériorées. ▷ Gaspillage. **4.** Fig. Situation embrouillée; désordre, gabegie.

Gadda (Carlo Emilio) (Milan, 1893 – Rome, 1973), écrivain italien. Ses romans, satire de la haute société milanaise (*la Madone des philosophes*, 1931; *la Connaissance de la douleur*, 1938-1963) ou peinture pittoresque du petit peuple de Rome (*l'Affreux Pastis de la rue des Merles*, 1957), sont le produit de recherches verbales fondées sur l'emploi de dialectes.

Gaddi, famille de peintres primitifs florentins. – **Gaddo** (déb. du XIVe s.), peintre mosaïste, assista Giotto, dont **Taddeo** (Florence, v. 1300 – id., 1366), fils du préc., fresquiste, fut l'élève et **Agnolo** (Florence, v. 1333 – id., 1396), fils de Taddeo, le continuateur.

gadget [gadʒɛt] n. m. Objet ingénieux, utile ou non, amusant par sa nouveauté. ▷ Péjor. Objet sans réelle utilité pratique. – Fig. *Prétendues réformes qui sont autant de gadgets.*

gadgétiser v. tr. [1] **1.** Équiper de gadgets. **2.** Donner le caractère de gadget à.

gadidés n. m. pl. ICHTYOL Famille de poissons téléostéens (morue, merlan, lieu, etc.), tous marins, à l'exception de la lotte de rivière. – Sing. *Un gadidé.*

gadiformes n. m. pl. ICHTYOL Sous-ordre de poissons téléostéens malacoptérygiens comprenant notam. les gadidés. – Sing. *Un gadiforme.*

gadin n. m. Fam. *Prendre, ramasser un gadin* : tomber (en parlant d'une personne).

gadolinium [gadɔlinjɔm] n. m. CHIM Élément appartenant à la famille des lanthanides, de numéro atomique Z = 64 et de masse atomique 157,25 (symbole Gd). – Métal (Gd) qui fond à 1 310 °C et bout vers 3 200 °C.

gadoue n. f. **1.** Mélange de déchets organiques utilisé comme engrais. **2.** *Par ext.* Boue.

gaélique adj. et n. m. Qui se rapporte aux Gaëls. ▷ n. m. Groupe de parlers celtiques d'Écosse et d'Irlande.

Gaëls, peuple d'origine proto-celte dont l'implantation à l'O. et au N.-O. des îles Britanniques remonte au Ier millénaire av. J.-C.

Gaeta (Francesco) (Naples, 1879 – id., 1927), poète élégiaque et crépusculaire italien : *Chants de liberté* (1902), *Poésies d'amour* (1920).

Gaète (en ital. *Gaeta*), v. d'Italie (Latium), sur le *golfe de Gaète*; 22 610 hab. Raff. de pétrole. Port milit., port de pêche. Archevêché. – Au XIIe s., la ville entra dans le royaume de Sicile. Pie IX s'y réfugia en 1848. François II y capitula en 1861, ce qui mit fin au royaume des Deux-Siciles.

1. gaffe n. f. **1.** MAR Perche munie d'un croc à une extrémité, utilisée pour accrocher, attirer à soi, repousser, etc. – Loc. fig. *Tenir à longueur de gaffe,* à distance. **2.** Fam. Lourde maladresse, faute de tact. *Faire une gaffe.*

2. gaffe n. f. Fam. *Faire gaffe :* faire attention.

gaffer v. [1] **1.** v. tr. Accrocher avec une gaffe (1, sens 1). **2.** v. intr. Fam. Commettre une gaffe (1, sens 2).

gaffeur, euse n. Fam. Personne qui a tendance à commettre des gaffes.

Gafsa, v. du S.-O. de la Tunisie méridionale; 60 970 hab.; ch.-l. du gouvernorat du m. nom. Oasis. Centre d'une rég. riche en phosphates.

gag [gag] n. m. (Anglicisme) Effet comique, dans un film. – *Par ext.* Incident amusant (dans la vie).

gaga adj. et n. Fam. Gâteux.

gagaku [gagaku] n. m. Musique de cour de l'ancien Japon.

Gagarine (Youri Alexeïevitch) (Klouchino, distr. de Gjatsk, 1934 – rég. de Vladimir, 1968), aviateur et cosmonaute soviétique. Il fut le premier homme à effectuer un vol spatial (1 h 48 min, à bord du Vostok 1, en avril 1961).

Gagarine dans la cabine de Vostok 1

gage n. m. **I. 1.** Objet, bien mobilier que l'on dépose en garantie entre les mains d'un créancier. *Prêteur sur gages.* **2.** DR et cour. Bien mobilier qui constitue la garantie d'une dette. **3.** Ce que l'on consigne auprès d'un tiers jusqu'à ce qu'une contestation soit définitivement réglée. **4.** À certains jeux, objet que les joueurs déposent à chaque faute et qu'ils ne peuvent retirer qu'après avoir subi une pénitence; cette pénitence. **5.** Fig. Garantie, preuve, témoignage. *Gage d'amitié.* **II.** n. m. pl. **1.** Rétribution d'un employé de maison. **2.** Loc. adj. (Après le nom.) *À gages :* rétribué pour un service. *Tueur à gages.*

gager v. tr. [13] **1.** Vieilli ou litt. Parier. *Je gage que vous avez tort.* **2.** FIN Garantir par un gage. *Gager un emprunt.*

gageure [gaʒyʀ] n. f. **1.** Vieilli ou litt. Pari. **2.** Mod., litt. Action si étrange, si difficile qu'elle semble relever d'un défi.

gagiste n. m. DR Personne dont la créance est garantie par un gage.

gagman [gagman] (Anglicisme) Scénariste spécialisé dans les gags.

gagnable adj. Qui peut-être gagné.

gagnant, ante adj. et n. **1.** adj. Qui gagne. *Cheval gagnant.* **2.** n. Celui, celle qui gagne. *L'heureux gagnant.*

gagne n. f. Fam. Volonté de gagner. *Être animé par la gagne.*

gagne-pain n. m. inv. Ce qui permet de gagner sa vie (instrument de travail ou métier).

gagne-petit n. inv. (Rare au fém.) Personne qui a des revenus modestes, qui fait de petits bénéfices.

gagner v. [1] **A.** v. tr. **I.** *Gagner qqch.* **1.** Acquérir par son travail ou ses activités (un bien matériel, un avantage quelconque). *Gagner de l'argent. Gagner sa vie, son pain;* fam., *gagner sa croûte, son bifteck. Gagner le gros lot à la loterie. Candidat qui cherche à gagner des voix.* – *Gagner l'amitié, la confiance de qqn.* – Iron. *Il n'y a que des ennuis à gagner dans cette affaire.* ▷ *Bien gagner :* mériter d'obtenir. *J'ai bien gagné un peu de repos.* – Iron. *Il l'a bien gagné :* il n'a que ce qu'il mérite (déconvenue). **2.** Voir se terminer à son avantage, faire tourner en sa faveur (une compétition, un conflit, une lutte). *Gagner une partie de cartes, un procès, la guerre.* **3.** Se diriger vers, rejoindre (un lieu). *Gagner la frontière.* ▷ *Gagner du terrain :* prendre de l'avance ou diminuer son retard, dans une poursuite; fig. progresser. ▷ *Gagner les devants :* partir avant qqn, ou le dépasser. **4.** *Gagner du temps :* passer moins de temps à accomplir telle ou telle tâche, économiser du temps. – Atermoyer, temporiser, différer l'accomplissement de qqch. **5.** Occuper progressivement; se propager dans, s'étendre à. *L'incendie avait gagné la maison voisine.* – Par anal. *Le sommeil commençait à me gagner.* **II.** *Gagner qqn.* **1.** Se rendre favorable, séduire. *Il avait gagné son geôlier.* ▷ *Gagner qqn à...,* le rendre favorable à... *Gagner qqn à une idée, à sa cause.* **2.** *Gagner qqn de vitesse,* le devancer. **B.** v. intr. **I. 1.** *Gagner à être* (+ adj.) : apparaître sous un jour plus favorable en étant... *Il gagne à être connu.* **2.** *Gagner en :* s'améliorer du point de vue de. *Ce vin a gagné en bouquet.* **II.** MAR *Gagner au vent :* remonter dans le vent, avancer contre le vent. V. louvoyer.

gagneur, euse n. **1.** Personne qui est animée par la volonté de gagner. *Un tempérament de gagneur.* **2.** n. f. Arg. Prostituée.

Gagnoa, v. de la Côte-d'Ivoire; 70 000 hab.; ch.-l. du dép. du m. nom. Comm. du café et du cacao.

Gagny, ch.-l. de cant. de la Seine-St-Denis (arr. du Raincy); 36 151 hab.

gai, gaie adj. (et n. m.) **1.** Qui a de la gaieté, qui est enclin à la bonne humeur. *Avoir un caractère gai. Être gai comme un pinson.* ▷ Mis en gaieté par la boisson. *Nous n'étions pas ivres, simplement un peu gais.* **2.** Qui marque, qui exprime, qui inspire la gaieté. *Un visage gai. Une chanson gaie. Une couleur gaie,* claire et fraîche, vive. ▷ *Par antiphr.* Contrariant, désagréable. *C'est gai!* **3.** n. m. V. gay.

Gaia ou **Gê,** dans la myth. gr., divinité fondamentale (la «Terre») qui a enfanté les premiers êtres divins et de nombreuses divinités monstrueuses (Titans, Géants, Cyclopes, etc.).

gaïac [gajak] n. m. Arbuste d'Amérique centrale, dont une espèce fournit un bois très dur, ainsi qu'une résine dont on tire un éther (le gaïacol).

gaïacol [gajakɔl] n. m. CHIM, MED Ester méthylique utilisé comme antiseptique respiratoire.

gaiement ou **gaîment** [gemɑ̃] adv. Avec gaieté, joyeusement. *Chanter, siffler gaiement.*

gaieté ou vieilli **gaîté** [gete] n. f. **1.** État d'esprit qui porte à la joie et à la bonne humeur. *Être plein de gaieté.* ▷ Loc. adv. *De gaieté de cœur :* sans contrainte et avec un certain plaisir (le plus souvent en tournure négative). *Je ne l'ai pas fait de gaieté de cœur.* **2.** Caractère de ce qui porte à la bonne humeur, à la joie. *Gaieté d'une pièce, d'un tableau, d'un livre.*

Gaillac, ch.-l. de cant. du Tarn (arr. d'Albi), sur le Tarn; 10 667 hab. Vins. – Égl. St-Michel, anc. abb. bénédictine du XIIe s. (remaniée). Fontaine du Griffon (XVe-XVIIe s.).

1. gaillard, arde adj. et n. **I.** adj. **1.** Qui est plein de force, de santé et de vivacité, qui est en bonne condition physique. Syn. alerte, solide, vigoureux. **2.** Un peu libre, leste, grivois. *Chanson gaillarde.* **II.** n. **1.** Personne vigoureuse et pleine d'allant, décidée. *Un grand gaillard. Une solide gaillarde.* ▷ n. f. *Spécial.* Femme pleine d'entrain et de conduite assez libre. *Une sacrée gaillarde.* **2.** n. f. Ancienne danse à trois temps (XVIe s.).

2. gaillard n. m. MAR ANC Château, superstructure élevée à l'une ou l'autre extrémité du pont supérieur d'un navire. *Gaillard d'avant, d'arrière.* ▷ Mod. *Gaillard d'avant.* – *Gaillard d'arrière :* V. dunette.

Gaillard (Félix Gaillard d'Aymé, dit Félix) (Paris, 1919 – en mer, 1970), homme politique français (radical-socialiste), président du Conseil de novembre 1957 à avril 1958.

gaillarde n. f. Composée vivace ou annuelle, aux grandes fleurs vivement colorées.

gaillardement adv. Vieilli D'une manière gaillarde, avec entrain. *Attaquer gaillardement.*

gaillardise n. f. Vieilli Propos, geste, comportement gaillard (1, sens I, 2), grivois. *Dire des gaillardises.*

gaillet [gajɛ] n. m. Plante herbacée, annuelle ou vivace, des régions tempérées, à fleurs généralement blanches ou jaunes (fam. rubiacées). *Les sommités du gaillet jaune, ou caille-lait, renferment une sorte de présure.*

gaillette n. f. Houille en morceaux de moyenne grosseur.

gaîment. V. gaiement.

gain n. m. **1.** Fait de gagner. *Gain d'un procès, d'une bataille.* ▷ *Obtenir, avoir gain de cause :* l'emporter dans un litige. **2.** Ce que l'on gagne; salaire, profit, bénéfice. *L'appât du gain.* – *Gain de place, de temps.* ▷ RADIOELECTR *Gain d'un amplificateur :* rapport entre la grandeur caractéristique du signal de sortie et celle du signal d'entrée.

gainage n. f. TECH Action de gainer. *Le gainage d'une tuyauterie.*

gaine n. f. **1.** Étui épousant étroitement la forme de l'objet qu'il contient et protège. *Gaine d'un couteau, d'un peigne.* – TECH *Gaine d'un câble conducteur.* **2.** Sous-vêtement féminin en tissu élastique enserrant les hanches et la taille. **3.** ANAT Enveloppe souple d'un nerf, d'un muscle. *Gaine tendineuse.* **4.** Piédestal en forme de pyramide tronquée renversée. **5.** BOT Base élargie du pétiole de certaines feuilles, qui entoure la tige. **6.** CONSTR *Gaine de ventilation :* conduit destiné à assurer la circulation de l'air. – *Gaine d'ascenseur :* espace dans lequel se déplace la cabine, cage.

gainer v. tr. [1] **1.** TECH Mettre une gaine à. **2.** Mouler étroitement. *Robe qui gaine un corps. Jambes gainées de soie.* **3.** Recouvrir (un objet) d'un matériau souple (cuir, plastique, etc.).

gainerie n. f. Artisanat, commerce des gaines, des étuis.

Gainsborough (Thomas) (Sudbury, Suffolk, 1727 – Londres, 1788), peintre

Thomas **Gainsborough :** *Portrait de Mrs. Lowndes-Stone;* fondation Gulbenkian, Lisbonne

et dessinateur anglais. Portraitiste marqué par l'influence de Van Dyck, il s'affirma dans des paysages préromantiques.

Gainsbourg (Lucien Ginsburg, dit Serge) (Paris, 1928 – id., 1991), chanteur, auteur-compositeur et cinéaste français. Il fut un des créateurs les plus féconds de la chanson française, à l'humour grinçant et aux talents multiples *(le Poinçonneur des Lilas, Je t'aime, moi non plus, Aux armes et cætera).*
▸ illustr. page **790**

gaîté. V. gaieté.

gala-, galact-, galacto-. Élément, du gr. *gala, galaktos,* « lait ».

gala n. m. Réception, ensemble de réjouissances, généralement de caractère officiel. – *Spécial.* Représentation artistique de grande qualité, à laquelle sont conviées des personnalités. *Gala de l'Union des artistes.* ▷ *De gala :* qui a lieu, qui sert lors des cérémonies, lors d'événements officiels. *Repas, habit de gala.*

Galaad, pays de l'anc. Judée, la partie N.-O. de la Jordanie actuelle.

galactique adj. ASTRO De la Galaxie. *Disque galactique.* V. galaxie. ▷ D'une galaxie. *Amas galactique.*

galactogène adj. PHYSIOL Qui détermine la sécrétion lactée. *L'hormone galactogène est la prolactine.*

galactomètre n. m. TECH Appareil qui sert à mesurer la densité du lait.

galactophore adj. ANAT *Canaux galactophores :* canaux de la glande mammaire qui amènent le lait au mamelon.

galactose n. m. BIOCHIM Sucre (hexose cyclique) isomère du glucose, avec lequel il se combine pour former le lactose. *Le galactose est transformé en glucose par le foie.*

galalithe n. f. (Nom déposé.) Première matière plastique, obtenue (1879) à partir de la caséine traitée par le formol.

galamment adv. Avec galanterie, courtoisie, délicatesse.

galandage n. m. TECH Cloison de briques posées de chant. – *Par ext.* Remplissage en matériaux légers d'une cloison en pan de bois.

galant, ante adj. et n. m. **I.** adj. **1.** Qui fait preuve de galanterie (sens 1). *Un homme galant.* – Qui dénote la galanterie. *Geste galant.* **2.** Vieilli Civil, obligeant, délicat. *Agir en galant homme.* **3.** Litt. Qui a trait à la vie amoureuse. *Rendez-vous galant, intrigue galante.* – Péjor. *Fille, femme galante,* qui fait commerce de ses charmes. **II.** n. m. **1.** Vx Loc. *Vert galant :* voleur qui se tenait dans les bois; homme auprès de qui la vertu des femmes était en péril. – *Le Vert-Galant,* surnom donné à Henri IV. **2.** Vieilli ou plaisant Amoureux, bon ami. *Son galant lui a envoyé des fleurs.*

galanterie n. f. **1.** Délicatesse, prévenance envers les femmes. ▷ Empressement dicté par la volonté de séduire. **2.** Vieilli Parole flatteuse, compliment adressé à une femme. *Dire des galanteries.*

galantine n. f. Charcuterie composée de viandes désossées et coupées (porc, veau, volaille, gibier, etc.), servies froides dans de la gelée. *Galantine de volaille.*

Galápagos (îles) (off. *Archipiélago de Colón*), archipel volcanique du Pacifique, à 900 km env. à l'O. de l'Équateur, dont il dépend; 7 812 km²; 10 000 hab.; ch.-l. *Puerto Baquerizo* (1 300 hab.) – Faune remarquable (tortues géantes, iguanes, etc.), qu'étudia Darwin. – Parc naturel dep. 1959.

archipel des **Galápagos :** au premier plan, l'île Bartolomé

galapiat [galapja] n. m. Fam., rég. (Midi) Vaurien, malappris.

Galata, célèbre quartier d'Istanbul, au N. de la Corne d'Or.

Galatée, dans la myth. gr., une des Néréides (fille de Nérée et de Doris). Elle préféra le berger sicilien Acis au cyclope Polyphème, dont, selon une autre version du mythe, elle aurait eu trois fils : Galos, Celtos et Illyrios.

galathée ou **galatée** n. f. ZOOL Crustacé décapode des côtes françaises, dont l'abdomen atrophié se replie sous le thorax.

Galaţi, v. et port de Roumanie orientale, sur le Danube (r. g.); 286 110 hab.; ch.-l. du district du m. nom. Grand centre sidérurgique, constr. navales.

Galatie, anc. pays au centre de l'Asie Mineure occupé par des peuplades gauloises (les *Galates*) au IIIe s. av. J.-C. et soumis par Rome en 25 av. J.-C.

galaxie n. f. Vaste ensemble d'étoiles, dont la taille et la morphologie varient d'un spécimen à l'autre, et que l'on détecte jusqu'aux confins de l'Univers visible. – *La Galaxie* : la galaxie à laquelle appartient le Soleil et dont la trace, dans le ciel nocturne, est la Voie lactée.

ENCYCL En 1925, l'astronome américain Hubble a distingué quatre classes principales de galaxies, dont l'étude n'a cessé de progresser. 1. Les *spirales,* les plus nombreuses (environ 63 % des galaxies), sont formées d'un bulbe central ellipsoïdal et d'un disque plat, structuré en bras spiraux, riche en matière interstellaire (environ 10 % de la masse visible de la galaxie) et en étoiles bleues (donc jeunes). La structure en bras se développe parfois aux extrémités d'une barre d'étoiles traversant le bulbe de la galaxie (sous-classe de *spirales barrées*). 2. Les *lenticulaires* (environ 21 % des galaxies) sont également constituées d'un bulbe central ellipsoïdal et d'un disque aplati, mais celui-ci est dépourvu de structure et pauvre en matière interstellaire. 3. Les *elliptiques* (environ 13 % des galaxies), dont la forme générale est un ellipsoïde plus ou moins aplati, ne contiennent quasiment pas de matière interstellaire ni d'étoiles bleues. 4. Les *irrégulières* (environ 3 % des galaxies) n'ont pas de structures bien définies; elles sont riches en matière interstellaire et en étoiles bleues. Les différents types de galaxies ne s'expliquent pas en terme d'évolution (les galaxies, formées tôt dans l'histoire de l'Univers*, pourraient toutes avoir environ le même âge), mais témoignent plutôt de différences entre les rythmes d'évolution, les galaxies les plus pauvres en matière interstellaire ayant connu très tôt un rythme très élevé de formation d'étoiles. Les distances entre les galaxies sont considérables; la galaxie la plus proche de la nôtre est le Grand Nuage de Magellan, à environ 165 000 années de lumière; la grande galaxie spirale d'Andromède, la galaxie la plus lointaine visible à l'œil nu, est à environ 2,2 millions d'années de lumière. Les galaxies présentent une large gamme de dimensions et de masses : les elliptiques géantes renferment plus de 10 000 milliards de masses solaires dans un diamètre de plus de 300 000 années de lumière; les elliptiques naines, quelques millions de masses solaires sur 5 000 années de lumière. La distribution des galaxies dans l'Univers suggère une concentration en *amas,* eux-mêmes associés en *superamas,* qui semblent se répartir sur les faces et les arêtes d'immenses polyèdres dont l'intérieur serait presque vide.
La Galaxie. Notre propre galaxie est très certainement une galaxie spirale, dont le disque mesure environ 100 000 années de lumière de diamètre et 1 000 années de lumière d'épaisseur; la trace du disque galactique dans le ciel nocturne est la *Voie lactée*; le Soleil occupe à l'intérieur du disque une position excentrée, à 28 000 années de lumière du centre. On estime que la Galaxie renferme 100 milliards d'étoiles; les étoiles les plus jeunes (en particulier les étoiles bleues) sont concentrées dans des amas (*amas ouverts*) répartis préférentiellement le long des bras spiraux du disque galactique. La Galaxie est entourée d'un halo sphérique qui renferme des étoiles vieilles (généralement

structure de notre **galaxie** vue par la tranche

la structure de notre propre **galaxie**, déduite d'observations pratiquées dans le domaine des ondes radio

rouges), souvent groupées en amas sphériques (*amas globulaires*), contenant de 10 000 à 1 million d'étoiles. Les étoiles de la Galaxie sont animées d'un mouvement orbital autour du centre de masse de la Galaxie (*centre galactique*); au niveau du Soleil, une révolution complète s'effectue en 200 millions d'années. En raison de la *poussière interstellaire**, qui interdit pratiquement aux télescopes travaillant en lumière visible d'observer au travers du disque galactique au-delà de 10 000 années de lumière, le centre galactique est encore très mal connu. Les observations pratiquées dans les ondes radio, l'infrarouge, les rayonnements X et gamma, n'ont pas encore permis de vérifier si le centre galactique renfermait un trou noir géant, à l'instar des noyaux des galaxies actives.

Galba (Servius Sulpicius) (Terracina, v. 5 av. J.-C. – Rome, 69 apr. J.-C.), empereur romain, successeur de Néron en 68 apr. J.-C.; il resta sept mois au pouvoir et fut assassiné par les prétoriens.

galbe n. m. Profil, contour arrondi d'un objet d'art, d'une partie du corps humain. *Le galbe d'un vase. Une jambe d'un galbe très pur.* ▷ TECH Partie galbée. – Profil chantourné d'une pièce de menuiserie.

galbé, ée adj. Qui présente un galbe, un contour arrondi. – ARCHI *Colonne galbée*, dont le fût est renflé au tiers de sa hauteur.

galber v. tr. [1] Donner du galbe à (qqch).

Galbraith (John Kenneth) (Iona Station, Ontario, 1908), économiste américain; analyste sans complaisance des sociétés industrielles : *l'Ère de l'opulence* (1958), *le Nouvel État industriel* (1967), *la Science économique et l'intérêt général* (1974), *l'Argent* (1977), *Anatomie du pouvoir* (1985).

Galdós (Benito Pérez). V. Pérez Galdós.

gale n. f. **1.** Maladie cutanée due à un acarien (*Acarus scabiei*, ou *sarcopte*), caractérisée par une lésion spécifique (sillon) et une vive démangeaison. ▷ *Gale du ciment* : dermatose professionnelle des ouvriers cimentiers, caractérisée par des papules et un prurit. ▷ *Gale filarienne* : dermatose parasitaire, observée en Afrique, due à une filaire (*Onchocerca volvulus*). **2.** Loc. fig., fam. *Mauvais comme la gale, comme une gale* : très méchant. – *C'est une gale* : il est méchant. – *Je n'ai pas la gale* : je ne suis pas contagieux.

Serge **Gainsbourg** John Kenneth **Galbraith**

galéjade n. f. Rég. (Midi) Plaisanterie destinée à mystifier qqn.

galéjer v. intr. [14] Rég. (Midi) Dire des galéjades.

galène n. f. MINER Sulfure naturel de plomb, principal minerai de ce métal. – Vx *Poste à galène* : récepteur radiophonique rudimentaire comportant un détecteur d'ondes radioélectriques en galène.

galénique adj. Didac. Relatif à Galien, à sa doctrine.

galénisme n. m. Didac. Doctrine médicale de Galien.

galéopithèque n. m. ZOOL Mammifère (genre *Galeopithecus*) d'Asie du S.-E., appelé aussi écureuil volant, caractérisé par une membrane joignant les pattes et la queue, qui lui permet de planer.

galère n. f. **1.** Anc. Navire long et bas sur l'eau, allant ordinairement à rames et quelquefois à voiles, dont l'origine remonte à l'Antiquité et qui fut utilisé jusqu'au XVIIIe s. comme bâtiment de guerre, princ. en Méditerranée. ▷ Fig. *Vogue la galère!* : advienne que pourra! – Fam. *C'est une galère* : c'est une situation, une condition excessivement pénible. **2.** Plur. Anc. *Les galères* : la peine de ceux qui étaient condamnés à ramer sur les galères.

Galère (en lat. *Caius Galerius Valerius Maximianus*) (Illyrie, v. 250 – Rome, 311), empereur romain de 305 à 311, après l'abdication de Dioclétien, qui l'avait adopté. Il persécuta les chrétiens.

galérer v. intr. [14] Fam. **1.** Éprouver de graves difficultés personnelles ou professionnelles; s'ennuyer. **2.** Chercher du travail sans en trouver; faire un travail pénible et mal payé. *Sans diplôme, tout ce que tu peux espérer, c'est galérer pendant cent sept ans.*

galerie n. f. **1.** Passage couvert situé à l'intérieur d'un bâtiment ou, à l'extérieur, le long de la façade, et servant à la communication, à la promenade, etc. *La galerie des Glaces du château de Versailles. Les galeries à arcades du Palais-Royal, à Paris. Galerie marchande.* ▷ *Spécial.* Balcons les plus élevés, dans un théâtre. *Premières, secondes galeries.* **2.** Lieu où est exposée une collection artistique ou scientifique; la collection elle-même. *Les galeries du Louvre, du Muséum.* – *Par ext.* Magasin spécialisé dans la vente d'objets d'art. *Galerie de peinture.* **3.** *La galerie* : le monde, les hommes considérés comme spectateurs, critiques. *Poser, parler pour la galerie.* – Loc. *Amuser la galerie.* **4.** Passage, couloir souterrain. ▷ MINES Ouvrage souterrain servant à la circulation du matériel. ▷ MILIT Chemin souterrain creusé pour s'approcher d'une place ennemie. ▷ Petit chemin que creusent sous terre divers animaux. *Une galerie de taupe.* **5.** Porte-bagages fixé au toit d'une automobile.

galérien n. m. Forçat qui était condamné à ramer sur une galère. ▷ Loc. fig. *Mener une vie de galérien* : mener une vie très dure.

galet n. m. **1.** Caillou arrondi et poli par le frottement dû à l'action des eaux (mer, rivière, etc.). **2.** TECH Cylindre, disque de roulement de métal, de bois, etc. **3.** PREHIST *Galet aménagé* : galet rendu acéré ou tranchant par enlèvement de matière. *Avant l'acheuléen, les galets aménagés constituaient les outils principaux.*

galetas [galta] n. m. Vx **1.** Logement pratiqué sous les combles. **2.** Logement exigu et misérable.

galette n. f. **1.** Gâteau rond et plat, cuit au four. *Galette des Rois*, dans laquelle on glisse une fève et que l'on mange à l'occasion de l'Épiphanie. ▷ (Canada) Petite pâtisserie ronde et plate dont la pâte est moins sèche que celle du biscuit. *Des galettes à la mélasse.* ▷ Crêpe à base de farine de sarrasin. **2.** Objet quelconque plat et circulaire en forme de galette. *La galette d'un siège.* **3.** Fam. Argent.

galeux, euse adj. et n. **1.** Qui a la gale. *Chien galeux.* – Subst. *Un galeux.* – De la gale. *Croûtes galeuses.* ▷ Fig. *Brebis galeuse* : personne dont la mauvaise réputation ou la mauvaise conduite risque de discréditer ou de corrompre le groupe auquel elle appartient. **2.** Sordide, misérable. *Rue galeuse.*

Galgala ou **Gilgal,** anc. v. de Judée, non loin de Jéricho; son site exact n'est pas identifié.

Galibier (col du), col des Hautes-Alpes (2 645 m), qui unit le Briançonnais à la Maurienne; la route passe sous un tunnel, à 2 556 m d'altitude.

galibot [galibo] n. m. Vx MINES Jeune manœuvre employé au service des voies dans les houillères.

Galice (en esp. *Galicia*), communauté auton. du N.-O. de l'Espagne, et région de la C.E., sur l'Atlantique, formée des prov. de La Corogne, Lugo, Orense et Pontevedra; 29 434 km²; 2 914 500 hab.; cap. *Saint-Jacques-de-Compostelle.* Le climat océanique doux favorise l'élevage bovin et la polyculture; première région de pêche de la C.É.E.; industr. portuaires; tourisme.

Galicie, rég. d'Europe orientale située au N. des Carpates. – Elle fut souvent disputée et démembrée, en raison de sa position géogr., entre la Russie, la Pologne et l'Autriche. À partir de 1867, elle fit partie de la Cisleithanie; en 1919, la partie occidentale revint à la Pologne, qui plaça sous son protectorat la partie orientale, laquelle lui fut attribuée en 1923. De durs combats s'y déroulèrent pendant les deux guerres mondiales. En 1945, la Pologne garda la Galicie occid. (v. princ. *Cracovie*), et l'U.R.S.S. reçut la Galicie orient. (v. princ. *Lvov*), qu'elle intégra à l'Ukraine.

galicien, enne adj. et n. **1.** De la Galice, en Espagne. ▷ Subst. *Un(e) Galicien(ne).* ▷ n. m. Parler d'origine latine employé dans le N.-O. de l'Espagne proche du portugais. **2.** De Galicie, en Pologne. ▷ Subst. *Un(e) Galicien(ne).*

Galien (Claude) (Pergame, v. 131 – Rome ou Pergame, v. 201), médecin grec, anatomiste et thérapeute. Sa théorie des humeurs exerça une influence considérable jusqu'au XVIIe s.

Galigaï (Eleonora Dori, dite) (Florence, v. 1576 – Paris, 1617), favorite de Marie de Médicis, sur qui elle exerça une grande emprise. Elle tomba en disgrâce après l'assassinat de son époux Concini, et fut exécutée comme sorcière.

Galilée

Évariste **Galois**

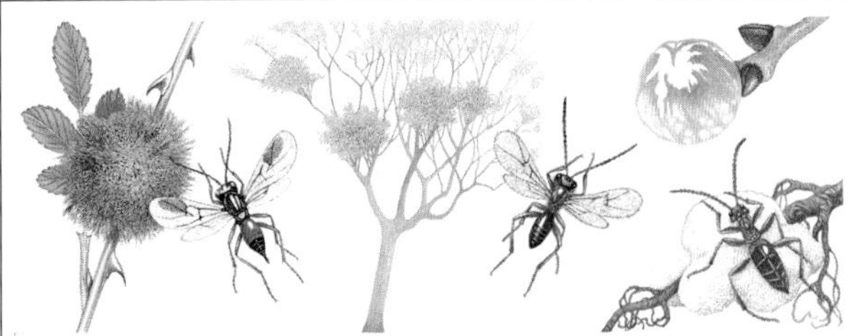
galles : de g. à dr., bédégar, « balais de sorcier », galles du chêne et leurs parasites respectifs

Galilée, région du N. de la Palestine, entre le lac de Tibériade et la Méditerranée, auj. dans l'État d'Israël. Jésus y passa sa jeunesse et une partie de sa vie publique. Villes princ. : Capharnaüm, Nazareth, Naïm, Magdala.

Galilée (Galileo Galilei, dit) (Pise, 1564 - Arcetri, 1642), physicien, mathématicien et astronome italien; fondateur de la science expérimentale. Il établit les lois du pendule, découvrit grâce à une lunette perfectionnée par lui les anneaux de Saturne et les satellites de Jupiter, inventa le thermomètre. Il proclama que la Terre tournait autour du Soleil, en contradiction avec la théorie géocentrique de son époque. Poursuivi par le Saint-Office, il dut se rétracter devant l'Inquisition en 1633. L'abjuration de sa théorie (qu'il ne pouvait étayer de preuves tangibles) aurait été suivie par sa célèbre affirmation : « Et pourtant, elle tourne. » Il a publié notam. : *le Messager astral* (1610) et *Discours sur deux sciences nouvelles* (1638).

1. galiléen, enne adj. et n. De la Galilée. ▷ *Le Galiléen* : Jésus-Christ, élevé à Nazareth, en Galilée.

2. galiléen, enne adj. Didac. Qui se rapporte à Galilée. ▷ *Repères galiléens* : systèmes de points animés les uns par rapport aux autres d'un mouvement de translation rectiligne et uniforme.

galimatias [galimatja] n. m. Vieilli ou litt. Discours, écrit confus et embrouillé, peu intelligible.

galion n. m. MAR ANC Grand bâtiment de charge armé en guerre, que les Espagnols utilisaient autrefois pour le transport de l'or et de l'argent provenant de leurs colonies d'Amérique.

galiote n. f. MAR ANC Caboteur à voiles, de forme arrondie à l'avant et à l'arrière, à fond plat et dérives latérales, utilisé autrefois par les Hollandais.

galipette n. f. Fam. Culbute, cabriole. *Faire des galipettes.*

Galitzine ou **Golitsyn,** famille princière russe d'origine lituanienne. Elle donna des hommes politiques, des généraux et des écrivains. – **Alexandre Mikhaïlovitch** (1718 - 1783) se distingua contre les Turcs.

gall(i)-, gallo-. Élément, du lat. *gallus,* « coq ».

Gall (Franz Josef) (Tiefenbronn, Bade, 1758 - Montrouge, 1828), médecin allemand. Fondateur de la phrénologie, il étudia les fonctions du cerveau et leurs localisations.

Galla Placidia (?, v. 390 - Rome, 450), princesse romaine, fille de Théodose Ier le Grand. Elle gouverna l'empire d'Occident pendant la minorité de son fils Valentinien III. Son mausolée est à Ravenne.

Gallas (Matthias) (Trente, 1584 - Vienne, 1647), général autrichien. Il succéda à Wallenstein. Vainqueur des Suédois en Bavière, à Nördlingen (1634) au cours de la guerre de Trente Ans.

galle n. f. BOT Hypertrophie, excroissance d'un tissu végétal provoquée par la présence d'un parasite (champignon, bactérie, larve d'insecte, etc.). Syn. cécidie. ▷ *Noix de galle :* galle des feuilles de chêne produite par la larve d'un cynips et dont on extrait du tanin.

Galle, v. et port de Sri Lanka; 80 000 hab.; ch.-l. de prov. Industr. chimique.

Galle (André) (Saint-Étienne, 1761 - Paris, 1844), créateur de médailles français; inventeur de la chaîne sans fin à maillons articulés qui porte son nom.

Galle (Johann Gottfried) (Pabsthaus, Prusse, 1812 - Potsdam, 1910), astronome allemand. Il observa le premier, en 1846, la planète Neptune, dont Le Verrier avait prévu l'existence par le calcul.

Gallé (Émile) (Nancy, 1846 - id., 1904), verrier, céramiste et ébéniste français; promoteur de l'art dit « 1900 ». Son influence, à la tête de l'école de Nancy, fut considérable.

gallec. V. gallo.

Gállego (río), riv. d'Espagne (190 km), affl. de l'Èbre (r. g.). Centr. hydroélectrique.

Gallegos (Rómulo) (Caracas, 1884 - id., 1969), romancier vénézuélien. Son œuvre est une analyse lucide des pays d'Amérique latine (*Doña Barbara,* 1929). Il situa aussi quelques romans dans ses pays d'exil. Élu président de la République en 1947, il fut renversé, l'année suivante, par un coup d'État.

Galles (pays de) (en angl. *Wales*), rég. de l'O. de la G.-B. et de la C.E.; 20 768 km^2; 2 749 640 hab.; v. princ. *Cardiff.* C'est une rég. de plateaux (alt. max. 1 085 m), aux côtes rocheuses très découpées. Le climat est océanique. L'élevage, ovin notam., prédomine. Le S., industrialisé (métallurgie) dès le XIXe s. grâce à la houille, s'oriente auj. vers la pétrochimie et l'électrométall. Tourisme import. – De peuplement celtique, le pays de Galles résista à la pression anglo-saxonne. Conquis par Édouard Ier (1277-1284), il fut réuni définitivement à l'Angleterre par les statuts de Henri VIII (1536 et 1542). Il conserve une forte originalité.

Galles (prince de), titre porté par le fils aîné du roi ou de la reine d'Angleterre depuis 1301.

Galles du Sud (Nouvelle-). V. Nouvelle-Galles du Sud.

galli-. V. gall(i)-.

gallican, ane adj. et n. Relatif à l'Église catholique de France considérée dans sa spécificité vis-à-vis du Saint-Siège. *Les rites gallicans.* ▷ Subst. Partisan de l'indépendance et des libertés de l'Église de France.

gallicanisme n. m. RELIG CATHOL Doctrine politico-religieuse, exprimée d'abord en France sous Louis XIV et fortement appuyée par lui, qui, tout en reconnaissant au pape la primauté d'honneur et de juridiction, conteste sa toute-puissance au bénéfice des conciles généraux dans l'Église et des souverains dans leurs États.

gallicisme n. m. LING Idiotisme, forme de construction particulière à la langue française (ex. *en être de sa poche*).

gallicole adj. ZOOL Se dit d'un insecte qui vit dans une galle, qui provoque la formation d'une galle.

Gallien (en lat. *Publius Licinius Egnatius Gallienus*) (?, v. 218 - Milan, 268), empereur romain. Fils de Valérien, il lui succéda en 260. Poète et philosophe, mais de caractère faible, il ne sut pas refréner l'ambition de ses généraux, qui complotèrent son assassinat.

Gallieni (Joseph Simon) (Saint-Béat, Haute-Garonne, 1849 - Versailles, 1916), général français. Il servit au Soudan, au Tonkin, puis à Madagascar (1896-1905), administrant avec habileté les territ. conquis. Gouverneur de Paris, en 1914, il contribua à la victoire de la Marne. Ministre de la Guerre en 1915-1916, il fut promu maréchal à titre posthume en 1921.

Galliera (palais), hôtel construit en 1878-1888 par Ginain, offert à la Ville de Paris par la duchesse de Galliera (1811 - 1888). Conçu pour devenir un musée, le palais abrite auj. expositions et ventes aux enchères.

Galliffet (Gaston Auguste, marquis de) (Paris, 1830 - id., 1909), général français. Il se distingua dans les guerres du Second Empire. En 1871, il réprima durement la Commune. Ministre de la Guerre (1899-1900), il contribua à la révision du procès de Dreyfus.

galliformes n. m. pl. ORNITH Ordre d'oiseaux aux ailes courtes, aux pattes et au bec puissants, de mœurs terrestres, le plus souvent granivores, et, pour la plupart, sédentaires (tétras, faisan, dindon, poulet, pintade, etc.). – Sing. *Un galliforme.*

Gallimard (Gaston) (Paris, 1881 - id., 1976), éditeur français. Fondateur, avec Gide et Schlumberger, de la *Nouvelle Revue française* (1908), puis directeur de la maison d'édition qui en est issue (devenue Librairie Gallimard en 1919).

gallinacés n. m. pl. ORNITH Syn. anc. de *galliformes.*

Gallipoli (en turc *Gelibolu*), v. de Turquie, en Europe, dans la *presqu'île* *de Gallipoli* qui limite à l'O. les Dardanelles; 22 000 hab. – En 1915, les Alliés tentèrent en vain de l'atteindre.

gallium [galjɔm] n. m. CHIM Élément métallique de numéro atomique Z = 31 et de masse atomique 69,72 (symbole Ga). – Métal (Ga) gris clair, qui fond à 30 °C et bout à 2 400 °C. *L'alliage d'arsenic et de gallium est utilisé comme semiconducteur.*

gallo-. V. gall(i)-.

gallo, gallot [galo] ou **gallec** [galɛk] n. m. Parler de langue d'oïl de l'E. de la Bretagne. ▷ adj. *Pays gallo.*

gallois, oise adj. et n. Du pays de Galles. *Langue galloise.* ▷ Subst. *Un(e) Gallois(e).* ▷ n. m. Langue celtique du pays de Galles.

gallon n. m. Unité de capacité anglo-saxonne, qui vaut 4,54 l en G.-B. et au Canada, et 3,785 l aux É.-U.

gallo-romain, aine adj. et n. Qui appartient à la fois aux Gaulois et aux Romains. *Période gallo-romaine* : période qui s'étend traditionnellement de la conquête de la Gaule par César (58-52 av. J.-C.) à l'avènement de Clovis (481). ▷ Subst. *Les Gallo-Romains* : les habitants de la Gaule romaine.

gallo-roman, ane adj. et n. m. Se dit des dialectes romans parlés dans l'ancienne Gaule. ▷ n. m. *Le gallo-roman.*

Gallup (George Horace) (Jefferson, Iowa, 1901 – Tschingel, Suisse, 1984), statisticien américain. Il est le promoteur des sondages d'opinion (longtemps nommés *gallups*).

Gallus (Caius Vibius Trebonianus) (m. en Ombrie en 253 apr. J.-C.), empereur romain (251-253). Il lutta contre les Goths.

galoche n. f. Grosse chaussure de cuir à semelle de bois. ▷ Fig. *Menton en galoche,* fortement accusé et relevé vers l'avant.

Galois (Évariste) (Bourg-la-Reine, 1811 – Paris, 1832), mathématicien français, tué en duel à vingt et un ans (dans des circonstances obscures), qui appliqua la théorie des groupes à la résolution des équations algébriques.

▸ illustr. page **791**

galon n. m. **1.** Ruban tissé serré, pour border ou orner. **2.** Marque portée sur l'uniforme, qui, dans l'armée, sert à distinguer différents grades. *Les galons de sergent, de commandant.* ▷ Fam. *Prendre du galon* : monter en grade.

galonner v. tr. [1] Border, orner d'un galon. – Pp. adj. *Un képi galonné.*

galop n. m. **1.** La plus enlevée et la plus rapide des allures des mammifères quadrupèdes (du cheval, notam.), comportant un temps de suspension pendant lequel l'animal perd tout contact avec le sol. *Galop de chasse, de manège, de course.* ▷ Loc. fig. *Au galop* : en courant; très vite. ▷ Loc. *Galop d'essai,* qui sert à tester un cheval; fig. entraînement. **2.** MED *Bruit de galop* : troisième bruit cardiaque (surajouté aux deux bruits normaux) donnant un rythme à trois temps et témoignant d'une insuffisance ventriculaire. **3.** Ancienne danse à deux temps, d'un mouvement très vif; air qui accompagnait cette danse.

galopade n. f. **1.** Action de galoper. **2.** *Par ext.* Course précipitée (d'une personne).

galopant, ante adj. **1.** Qui s'accroît très rapidement, en parlant de certains phénomènes. *Inflation galopante.* **2.** MED Vx *Phtisie galopante* : tuberculose pulmonaire à évolution très rapide.

galoper v. intr. [1] **1.** Aller au galop (animaux, chevaux). **2.** *Par ext.* (Personnes) Courir, se précipiter.

galopeur, euse n. Cheval, jument qui a des aptitudes pour le galop, ou spécialisé(e) dans les courses de galop (par oppos. à *trotteur*).

galopin n. m. Fam. Garnement, jeune garçon turbulent et effronté.

galoubet [galubɛ] n. m. Flûte provençale à trois trous. *Danser la farandole au son du galoubet et du tambourin.*

Galswinthe (v. 540 – 568), fille d'Athanagild, roi des Wisigoths; sœur de Brunehaut. Elle fut reine de Neustrie par son mariage avec Chilpéric Ier (567). Frédégonde la fit étrangler.

Galsworthy (John) (Coombe, Surrey, 1867 – Londres, 1933), écrivain anglais. Ses romans (*la Saga des Forsyte,* 1906-1928) et ses pièces de théâtre (*Justice,* 1910; *Loyautés,* 1922) critiquent la riche bourgeoisie anglaise. P. Nobel 1932.

Galtier-Boissière (Jean) (Paris, 1891 – id., 1966), journaliste et dessinateur français. Il fonda en 1915, pour les soldats des tranchées, *le Crapouillot,* qui devint une revue littéraire et artistique (1919), puis satirique et polémique (1930 à nos jours).

Galton (sir Francis) (Birmingham, 1822 – Haslemere, 1911), naturaliste anglais; cousin de Darwin, grand voyageur (Afrique du Sud). Il a appliqué des méthodes statistiques à la physiologie, à l'hérédité, etc.

galuchat [galyʃa] n. m. Peau de raie ou de requin, tannée et préparée pour la reliure, la maroquinerie, etc.

Galuppi (Baldassare) (Venise, 1706 – id., 1785), compositeur italien d'opéras bouffes dont plusieurs furent écrits en collaboration avec C. Goldoni.

galurin ou **galure** n. m. Fam. Chapeau.

Galvani (Luigi) (Bologne, 1737 – id., 1798), physicien et médecin italien. Il découvrit (sur des grenouilles décérébrées) les phénomènes connus sous le nom de *galvanisme.*

galvanique adj. Didac. Relatif au galvanisme, aux effets électriques découverts par Galvani.

galvanisation n. f. **1.** Action de galvaniser. **2.** MED Utilisation thérapeutique de courants électriques continus de faible intensité.

galvaniser v. tr. [1] **1.** Vx PHYS Soumettre à l'action du courant électrique. ▷ Mod., fig. Enthousiasmer, remplir d'ardeur. *Son discours galvanisa la foule.* Syn. électriser. **2.** TECH Recouvrir (une pièce métallique) d'une couche protectrice de zinc (à l'origine par dépôt électrolytique).

galvanisme n. m. BIOL Ensemble des effets produits par le courant électrique continu sur les organes (muscles, nerfs).

galvano-. Élément, tiré du nom de *L. Galvani,* impliquant l'idée d'une action du courant électrique.

galvanomètre n. m. ELECTR Appareil servant à mesurer l'intensité des courants faibles.

galvanoplastie n. f. TECH Opération qui consiste à déposer par électrolyse une couche de métal sur un support conducteur (protection contre l'oxydation notam.).

Vasco de **Gama** Léon **Gambetta**

galvaudage n. m. Rare Action de galvauder.

galvauder v. tr. [1] Gâcher, avilir par un mauvais usage. *Galvauder son génie, sa réputation.*

Galway, port de la côte O. de l'Eire, sur la *baie de Galway;* 47 100 hab.; ch.-l. du comté du m. nom. Constr. automobiles et navales.

Gama (Vasco de) (Sines, Alentejo, v. 1469 – Cochin, Inde, 1524), navigateur portugais. Il fut le premier à atteindre les Indes par voie marit. (1498) en doublant le cap de Bonne-Espérance. Lors d'un deuxième voyage (1502), il créa des comptoirs sur les côtes du Mozambique et du Dekkan. En 1524, il devint vice-roi des Indes portugaises.

gamay [gamɛ] n. m. Cépage noir du Beaujolais et de Touraine.

gamba, plur. **gambas** [gɑ̃ba, gɑ̃bas] n. f. Grosse crevette.

gambade n. f. Mouvement vif et désordonné des jambes ou des pattes, cabriole d'un enfant ou d'un jeune animal qui s'ébat.

gambader v. intr. [1] Faire des gambades.

gambe n. f. MUS *Viole de gambe* : instrument à cordes frottées, ancêtre du violoncelle. – Un des jeux de l'orgue, qui sonne comme cet instrument.

gamberge n. f. Arg., fam. Rêverie, imagination. ▷ Réflexion.

gamberger v. [13] Arg., fam. **1.** v. tr. Réfléchir à, combiner. *Gamberger un bon plan.* **2.** v. intr. Réfléchir. *Arrête de gamberger, tu t'en fais trop!*

Gambetta (Léon) (Cahors, 1838 – Ville-d'Avray, 1882), avocat et homme politique français; un des fondateurs

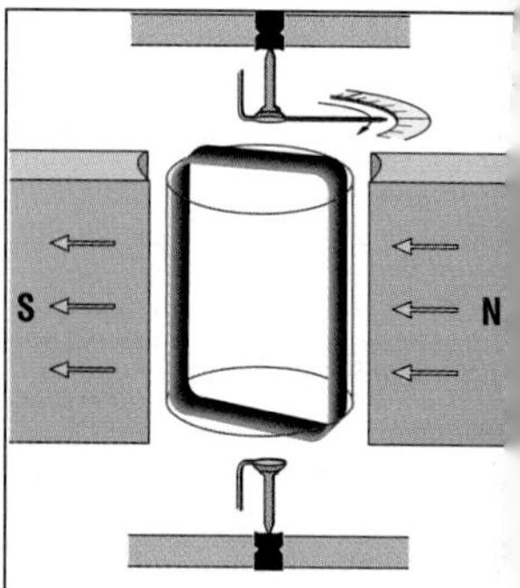

placé entre les pôles N (nord) et S (sud) d'un aimant, le cadre (rectangulaire) subit un couple proportionnel à l'intensité qui le traverse

galvanomètre à cadre mobile

de la IIIe République. Député en 1869, il contribua à la chute de l'Empire (sept. 1870) et fut ministre de l'Intérieur et de la Guerre dans le gouv. de la Défense nationale, organisant la lutte en province. Partisan de la guerre à outrance, il démissionna (fév. 1871) après l'armistice et l'abandon de l'Alsace (dont il était devenu député). Élu à l'Assemblée nationale, chef du parti républicain, il pratiqua une polit. dite « opportuniste ». Celle-ci permit l'adoption des lois constitutionnelles de 1875 qui instaurèrent la république. Gambetta fut président du Conseil de nov. 1881 à janv. 1882.

1. gambette n. m. *Gambette* ou *chevalier gambette (Tringa totanus)* : oiseau migrateur (ordre des charadriiformes), commun en France, aux pattes et au bec rouges, long de 30 cm.

2. gambette n. f. Fam. Jambe. - *Tricoter des gambettes* : danser; s'enfuir.

Gambie (la), fl. d'Afrique occid. (1 130 km); naît dans le Fouta-Djalon, se jette dans l'Atlant. par un vaste estuaire. Son cours inférieur est navigable (en Gambie).

Gambie (république de) *(Republic of the Gambia)*, État d'Afrique occidentale, sur l'Atlantique, enclavé dans la rép. du Sénégal; 11 295 km²; 815 000 hab.; cap. *Banjul*. Nature de l'État : république membre du Commonwealth. Langue off. : angl. Monnaie : dalasi. Princ. ethnies : Mandingues, Foulas, Wolofs. Relig. : islam. - Le pays est une étroite plaine tropicale qui encadre l'embouchure de la Gambie sur 330 km de profondeur. Le peuplement est dense, rural aux trois quarts, et la croissance démographique rapide. La Gambie vit de l'arachide, du tourisme et d'une contrebande active; très pauvre, elle fait partie des pays les moins avancés. - Le comm. à l'embouchure de la Gambie attira les Portugais (XVe s.), puis les Anglais, solidement installés au XVIIIe s. Colonie britannique en 1843, la Gambie, indép. en 1965, se constitua en république sous la présidence de D.K. Jawara (1970-1994). Après deux interventions sénégalaises pour rétablir l'ordre, elle entra, en 1982, dans la Sénégambie, confédération constituée avec le Sénégal. Cette confédération fut dénoncée par le Sénégal en 1989.
► carte **Sénégal**

gambien, enne adj. et n. De Gambie. ▷ Subst. *Un(e) Gambien(ne)*.

Gambier (îles), archipel de la Polynésie française; 36 km²; 600 hab.; ch.-l. *Rikitea* (dans l'île Mangareva). Elles dépendent administrativement des îles Tuamotu dep. 1986. - Découvertes par les Anglais en 1797, ces îles sont françaises depuis 1881.

gambiller v. intr. [1] Vieilli, fam. Danser.

gambit n. m. Aux échecs, sacrifice volontaire d'une pièce.

-game, -gamie. Éléments, du gr. *gamos*, « union, mariage ».

Gamelin (Maurice Gustave) (Paris, 1872 - id., 1958), général français. Chef d'état-major de la Défense nationale en 1938, il commanda les forces franco-britanniques de sept. 1939 à mai 1940; échec de son plan entraîna son limogeage et son remplacement par Weygand (19 mai).

gamelle n. f. **1.** Anc. Grande écuelle dans laquelle plusieurs soldats mangeaient ensemble. - Mod., fig. et fam. *Manger à la gamelle* : prendre ses repas à l'ordinaire des hommes de troupe. **2.** Récipient individuel dans lequel les soldats en campagne reçoivent leur ration. **3.** Récipient métallique à couvercle dans lequel on peut transporter, et éventuellement réchauffer, un repas tout préparé. **4.** Arg., THEAT, CINE Projecteur. **5.** Fam. *Ramasser une gamelle* : faire une chute; fig. subir un échec.

gamète n. m. BIOL Cellule reproductrice mâle ou femelle (le spermatozoïde et l'ovule chez les animaux).

gamétogenèse n. f. BIOL Élaboration des gamètes.

gamétophyte n. m. BOT Individu haploïde, sexué ou hermaphrodite, se développant à partir de spores et spécialisé dans la production de gamètes.

-gamie. V. -game.

gamin, ine n. et adj. **1.** n. Fam. Enfant, adolescent(e). ▷ Fam., péjor. Homme, femme très jeune. **2.** adj. Qui a l'espièglerie de l'enfance. *Un comportement gamin.*

gaminerie n. f. Fam. Action de gamin, digne d'un gamin; enfantillage.

gamma n. m. **1.** Troisième lettre de l'alphabet grec (Γ, γ). *En physique,* γ *est le symbole de l'accélération.* **2.** PHYS NUCL *Rayons gamma* : rayons très pénétrants émis lors de la désintégration des corps radioactifs. **3.** ASTRO *Point gamma* (dit aussi *point vernal*) : point de la sphère céleste occupé par le Soleil à l'équinoxe de printemps. *Astronomie gamma* : étude des ondes électromagnétiques d'origine cosmique dont la longueur d'onde est inférieure à 0,02 nanomètre et dont le but est de découvrir les sites de l'Univers (pulsars, trous noirs) où se produisent des phénomènes violents correspondant à de grands transferts d'énergie.

gammaglobuline n. f. BIOCHIM Nom donné aux protéines sériques qui migrent le plus lentement lors d'une électrophorèse. (Le groupe a pour uniques représentants les *immunoglobulines*, c.-à-d. les anticorps.)

gammagraphie n. f. TECH Radiographie industrielle utilisant les différences d'absorption des rayons gamma par les matériaux à tester.

gammare n. m. ZOOL Crustacé très commun dans les ruisseaux, appelé aussi *crevette d'eau douce*.

gamme n. f. **1.** Suite ascendante ou descendante de notes conjointes, disposées selon les lois de la tonalité sur l'étendue d'une octave. (La musique occidentale connaît les gammes *diatoniques* et *chromatiques*. Les gammes diatoniques se divisent en deux séries : *majeures* et *mineures*, dont le septième degré est augmenté d'un demi-ton.) ▷ Loc. fig., fam. Vieilli *Changer de gamme* : changer de ton, de manière d'agir. **2.** Fig. Ensemble de couleurs, d'états, d'objets, etc., qui s'ordonnent comme une gradation. *La gamme des bleus. La gamme complète des voitures produites par une firme.* - Loc. *Haut de gamme* : de luxe, de prestige. *Bas de gamme* : de mauvaise qualité. **3.** *Toute la gamme des* : l'ensemble complet des. *Utiliser toute la gamme des antibiotiques. Passer par toute la gamme des sentiments.*

gammée adj. f. *Croix gammée* : croix symbolique dont chaque branche a la forme d'un gamma majuscule (Γ). *La croix gammée, emblème de l'Allemagne nazie.* V. svastika.

gamo-. Élément, du gr. *gamos*, « union, mariage ».

gamone n. f. BIOL Nom générique des substances dites *hormones de fécondation*. (Les *androgamones* sont sécrétées par les gamètes mâles; les *gynogamones*, par les gamètes femelles. Leur rôle est d'accroître les chances de rencontre des gamètes mâles et femelles.)

gamopétale adj. et n. f. BOT Se dit d'une fleur dont les pétales sont soudés entre eux. Ant. dialypétale. ▷ n. f. pl. Classe de plantes dicotylédones réunissant les familles à fleurs gamopétales (notam. les primulacées, les labiées, les solanacées). - Sing. *Une gamopétale.*

gamosépale adj. BOT Se dit d'une fleur dont les sépales sont soudés. Ant. dialysépale.

Gamow (George Anthony) (Odessa, 1904 - Boulder, Colorado, 1968), physicien américain d'origine russe. Élève de N. Bohr et de E. Rutherford of Nelson, il est l'auteur de travaux sur les noyaux atomiques (barrière de potentiel en partic.).

ganache n. f. **1.** Région postérieure de la mâchoire inférieure du cheval. **2.** Fig., fam. Personne incapable, peu intelligente. *Nous ne voulons pas être commandés par une vieille ganache !* **3.** Crème au chocolat et à la crème fraîche. - (En appos.) *Crème ganache.*

Gance (Abel) (Paris, 1889 - id., 1981), cinéaste français. Inventeur de techniques nouvelles (notam. projection multiple, perspective sonore), il a réalisé des films muets remarquables par leur sens épique et leur lyrisme torrentueux : *J'accuse* (1918, refait en 1937), *la Roue* (1923), *Napoléon* (1927, sonorisé et complété en 1934).

Gand (en néerl. *Gent*), v. et port de Belgique, au confl. de l'Escaut et de la Lys, relié à la mer du Nord par le canal de Terneuzen; 239 260 hab.; ch.-l. de la Flandre-Orientale. Industries text., métall., méca. (automobile), chim., pétrochim. Centrale thermo-électrique. - Université. Évêché. Cath. St-Bavon (XIIe-XIVe s., renferme *l'Agneau mystique*, retable de Van Eyck). Égl. St-Nicolas (XIe-XIVe s., portail roman). Maisons médiévales dites des *corporations*. Riche musée des Beaux-Arts. - La ville fut un grand centre de l'industr. drapière dès le XIIe s.

Gand : le quai aux herbes

Gander, v. du Canada (Terre-Neuve); 10 300 hab. Import. aéroport.

Gāndhāra, anc. province de l'Inde, auj. au Pākistān (district de Peshāwar). Vestiges des Ier au IVe s., à forte empreinte hellénistique.

Gandhi (Mohandas Karamchand), dit *le Mahātmā*, *« la Grande Âme »* (Porbandar, 1869 - New Delhi, 1948), philosophe, ascète et homme politique indien. Il fut le principal artisan de l'indépendance de l'Inde, qu'il entreprit d'obtenir de la G.-B. par la non-violence active : boycottage des denrées importées de G.-B., grève de la faim, etc. Il ne put cependant empêcher la partition du sous-continent indien en 1947 ni le

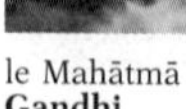
le Mahātmā **Gandhi**

Indira **Gandhi**

déchaînement des violences entre hindous et musulmans qui suivit l'indépendance, et mourut assassiné par un fanatique hindou. Autobiographie : *Mes expériences avec la vérité* (1927).

Gandhi (Indira) (Allahābad, 1917 – New Delhi, 1984), femme politique indienne, fille de Nehru. Premier ministre de 1966 à 1977, elle entreprit des réformes à l'intérieur («révolution verte»), se lança dans une politique de grandeur (guerre contre le Pākistān, annexion du Sikkim, développement de la force nucléaire, etc.) et s'octroya des pouvoirs d'exception (état d'urgence, 1975-1977) pour lutter contre une opposition grandissante. Battue aux élections de 1977, elle remporta celles de 1980 et reprit son poste de Premier ministre. Elle fut assassinée par des fanatiques sikhs. – **Rajiv** (Bombay, 1944 – Sriperumbudur, près de Madras, 1991), fils de la préc., Premier ministre en 1984, à la mort de sa mère, jusqu'en déc. 1989. Il fut assassiné lors de la campagne électorale de mai 1991.

gandin n. m. Vieilli ou iron. Jeune homme d'une élégance affectée et quelque peu ridicule.

Gandja (anc. *Kirovabad*), v. d'Azerbaïdjan, sur le *Gandja*, dans la dépression de la Transcaucasie; 261 000 hab. Minerai de cuivre, aluminium; industr. textiles et alimentaires.

Gandois (Jean) (Nieul, 1930), industriel français, prés. du C.N.P.F. de 1994 à 1997.

gandoura n. f. Longue tunique sans manches des pays d'Afrique du Nord et du Proche-Orient.

Ganelon, personnage de *la Chanson de Roland;* beau-père du héros, il le trahit, et cet acte, demeuré proverbial, provoqua la mort de Roland.

Ganesha, divinité hindoue, fils de Çiva et de Pārvatī; dieu destructeur des obstacles, représenté avec une tête d'éléphant.

gang [gɑ̃g] n. m. Association de malfaiteurs.

Gange (le), fl. de l'Inde et du Bangladesh (2 700 km), drainant une immense plaine fortement peuplée; naît dans l'Himalaya v. 4 200 m d'alt. et pénètre aussitôt dans la plaine; arrose Bénarès, Allahābad et Patnā; se jette dans le golfe du Bengale par un vaste delta. C'est le grand fl. sacré de l'Inde.

gangétique [gɑ̃ʒetik] adj. Didac. Du Gange.

ganglion n. m. Petit corps arrondi situé sur le trajet d'un vaisseau lymphatique ou d'un nerf. (C'est dans les *ganglions lymphatiques*, gonflés, que se forment les lymphocytes et les plasmocytes en cas d'infection. Un *ganglion nerveux* est formé par la réunion de nombreuses synapses.)

ganglionnaire adj. Didac. Qui concerne les ganglions. *Tuméfaction ganglionnaire.*

gangrène n. f. **1.** Nécrose et putréfaction des tissus. *Gangrène sèche*, due à une insuffisance circulatoire. *Gangrène humide*, où les phénomènes de putréfaction dominent. *Gangrène gazeuse*, due au développement de bactéries anaérobies dans une plaie profonde et caractérisée par une mortification des tissus, s'accompagnant d'une production de gaz. **2.** Fig. Ce qui corrompt, désorganise, détruit. *La gangrène du mauvais exemple.*

gangrener v. tr. [16] **1.** Atteindre de gangrène. ▷ v. pron. *Membre qui se gangrène.* **2.** Fig. Corrompre, pourrir. ▷ v. pron. *Société qui se gangrène.*

gangreneux, euse adj. MED Qui a les caractères de la gangrène.

gangster [gɑ̃gstɛʀ] n. m. Membre d'un gang, malfaiteur. ▷ Fig. Individu malhonnête, escroc.

gangstérisme n. m. Banditisme.

Gangtok, v. de l'Inde, dans l'Himalaya, cap. du Sikkim; 37 000 hab. – À proximité, monastère bouddhiste de Rumtek.

gangue n. f. **1.** Enveloppe rocheuse des pierres précieuses, des minerais. **2.** Fig. Ce qui est de peu de valeur et qui enveloppe, cache qqch de précieux.

Ganivet (Ángel) (Grenade, 1865 – Riga, 1898), écrivain espagnol. Ses romans (*la Conquête du royaume maya par Pio Cid*, 1897) et ses drames (*le Sculpteur de son âme*, 1906), réalistes et humoristiques, mais surtout ses essais philosophiques (*Idearium español*, 1897) ont préparé une renaissance littéraire en Espagne.

ganja [gɑ̃ʒa] n. f. Cannabis.

Gannat, ch.-l. de cant. de l'Allier (arr. de Vichy); 6 126 hab. – Égl. romanes (XIe et XIIe s.).

ganse n. f. Cordonnet ou ruban qui sert d'ornement, de bordure dans le costume, l'ameublement.

ganser v. tr. [1] TECH Orner, border d'une ganse.

Gansu, prov. de la Chine du N.-O., arrosée par le Huanghe; 530 000 km²; 20 410 000 hab.; ch.-l. *Lanzhou.*

gant [gɑ̃] n. m. **1.** Pièce d'habillement qui couvre la main et chaque doigt séparément. *Gants de fil, de laine, de cuir, de caoutchouc. Gants de chirurgien.* ▷ Loc. fig. *Être souple comme un gant*, très souple, très accommodant. – *Cela me va comme un gant*, me convient parfaitement. – *Une main de fer dans un gant de velours :* V. main. – *Prendre, mettre des gants :* agir ou parler en prenant des précautions. – *Se donner les gants de :* s'attribuer le mérite de. – *Jeter le gant :* lancer un défi. *Relever le gant :* relever le défi. **2.** *Par ext.* Objet qui couvre la main et qui sert à divers usages. *Gants de boxe :* moufles en cuir rembourré des boxeurs. – *Gant de toilette*, en tissu-éponge. – *Gant de crin*, en crin tricoté, pour les frictions. – *Gant de données :* dispositif en forme de gant, relié à un micro-ordinateur, qui permet d'avoir la sensation tactile d'objets virtuels et de les manipuler.

ganté, ée adj. Qui porte des gants. *Motocycliste ganté de cuir.*

gantelet n. m. **1.** Anc. Pièce de l'armure qui protégeait la main. **2.** Pièce de cuir qui protège la main, dans certains métiers.

ganter v. [1] **I.** v. tr. **1.** Mettre des gants à (qqn). ▷ v. pron. *Se ganter de cuir.* **2.** S'adapter à la main de (qqn). *Ce modèle vous gante parfaitement.* **II.** v. intr. Avoir comme pointure de gants. *Je gante du 7.*

ganterie n. f. Fabrication ou commerce des gants.

gantier, ère n. Personne qui fabrique ou qui vend des gants.

gantois, oise adj. et n. De Gand.

Ganymède, dans la myth. gr., fils de Tros (fondateur de Troie) et de la nymphe Callirrhoé; le plus beau de tous les mortels. Zeus, qui en tomba amoureux, se métamorphosa en aigle pour l'emmener sur l'Olympe.

Ganymède, le plus gros satellite de Jupiter (5 276 km de diamètre), découvert par Galilée en 1610. Il parcourt en 7,2 jours une orbite dont le rayon mesure 1,1 million de km.

Gao, v. du Mali, sur le Niger; 43 000 hab.; ch.-l. de la rég. du m. nom. Centre comm. import. – Cap. de l'Empire des Songhaïs (XIe-XVIe s.). – Tombeau (XVIe s.) des Askias, dynastie qui régna de 1492 à 1591.

Gaoxiong ou **Kaosiung,** v. et port de Taiwan, sur la côte S.-O.; 828 190 hab. Raff. de pétrole; industr. métallurgiques (aluminium) et textiles.

gap [gap] n. m. (Anglicisme) ECON Différence, écart, sur le plan social, économique ou technique (entre des personnes, des pays, des choses). Syn. (off. recommandé) écart.

Gap, ch.-l. du dép. des Hautes-Alpes, à 740 m d'alt., sur la Luye, affl. de la Durance; 35 647 hab. (*Gapençais*). Industr. alimentaire. – Évêché.

Gapençais, pays du Dauphiné, autour de Gap.

gaperon n. m. Fromage auvergnat au lait de vache, aromatisé à l'ail.

Garabit (viaduc de), pont en fer franchissant la Truyère (Cantal), conçu par Boyer et construit par Eiffel (1882-1884); longueur : 564 m; hauteur max. : 122 m. Il est utilisé par la ligne ferroviaire Béziers-Clermont-Ferrand.

garage n. m. **1.** Action de garer un véhicule. ▷ Loc. *Voie de garage :* voie où l'on gare les trains, les wagons, à l'écart de la voie principale; fig., fam. situation, fonction sans avenir dans laquelle qqn est relégué. *Diplomate mis sur une voie de garage.* **2.** Construction, local destiné au remisage des véhicules. *Villa avec garage.* ▷ Établissement commercial où l'on peut remiser les automobiles, les faire entretenir et réparer.

garagiste n. Personne qui tient un garage.

Garamond (Claude) (Paris, 1499 – id., 1561), fondeur et graveur français, créateur d'un caractère d'imprimerie.

garance n. f. et adj. inv. **1.** n. f. Plante de la famille des rubiacées dont une espèce, la garance des teinturiers, était autrefois cultivée pour le colorant rouge tiré de ses racines. – *Par ext.* Ce colorant rouge. **2.** adj. inv. De la couleur rouge vif de la garance. *Des pantalons garance.* ► illustr. **teinture** végétale

garant, ante n. (et adj.) **1.** DR Personne qui cautionne une dette, une obligation. *Prendre un ami pour garant d'une dette.* ▷ adj. Fig. *Être, se porter garant de :* répondre de qqn ou de qqch. **2.** n. m. Indice sûr, preuve. *Sa conduite passée vous est un sûr garant de sa fidélité.* **3.** n. m. MAR Cordage d'un palan.

garantie n. f. **1.** DR Obligation légale en vertu de laquelle une personne doit en défendre une autre d'un dommage éventuel, ou l'indemniser d'un dommage éprouvé. *Passer un acte, un contrat de garantie.* – *Garanties individuelles*, qui assurent au citoyen, par des moyens légaux, une protection contre les actes arbitraires du pouvoir. ▷ Cour. Engagement pris par le fabricant ou le vendeur de prendre à sa charge les frais de réparation ou le remplacement d'une marchandise défectueuse. *Montre vendue avec une garantie de deux ans.* ▷ *Breveté sans garantie du gouvernement* (abrév. : S.G.D.G.), sans que l'État garantisse la valeur de l'invention ou du produit breveté. **2.** Fig. Ce qui donne une assurance pour le présent ou l'avenir, ce qui protège contre l'imprévu. *L'expérience professionnelle de ce garçon est la meilleure des garanties.*

garantir v. tr. [3] **1.** DR S'engager à payer à la place du débiteur, dans le cas où celui-ci serait défaillant. *Garantir une dette.* – Pp. *Emprunt garanti par l'État.* Syn. cautionner. **2.** Assurer (un droit, un avantage) à. *Cette législation garantit à tous les salariés le droit à la retraite.* **3.** Donner pour vrai, pour certain. *Je vous garantis que je l'ai.* Syn. affirmer, certifier. **4.** S'engager à prendre à sa charge la réparation ou le remplacement d'une marchandise défectueuse. *Le constructeur garantit tous ces appareils pour un an.* **5.** Protéger (qqn, qqch). *La digue garantit la ville de (ou contre) l'inondation.* Syn. défendre, préserver. – *Garantir un risque* : s'engager par un contrat d'assurance à couvrir le souscripteur en cas d'accident (dont la nature est préalablement définie). ▷ v. pron. *Se garantir du soleil*, s'en protéger.

Garbo (Greta Gustafson, dite Greta) (Stockholm, 1905 – New York, 1990), actrice de cinéma suédoise naturalisée américaine. Découverte par le cinéaste Mauritz Stiller (*la Légende de Gösta Berling*, 1924), elle devint une star à Hollywood. Elle fut surnommée « la Divine » en raison de sa grande beauté : *Grand Hôtel* (1932), *la Reine Christine* (1933), *le Roman de Marguerite Gautier* (1937), *Ninotchka* (1939).

Greta **Garbo**

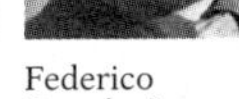

Federico **García Lorca**

garce n. f. **1.** Vx Jeune fille. **2.** Fam., péjor. Fille ou femme sans moralité ou méchante (équivalent masculin : salaud). ▷ Fam. *Cette garce de...* : cette maudite... – Par anal. *Garce de pluie !*

garcette n. f. MAR Petit cordage tressé servant notam. à réduire la surface d'une voile. *Garcette de ris.*

Garches, ch.-l. de cant. des Hauts-de-Seine (arr. de Nanterre); 18 091 hab. Import. centre hospitalier.

Garchine (Vsevolod Mikhaïlovitch) (Voronej, 1855 – Saint-Pétersbourg, 1888), écrivain russe; nouvelliste précurseur de Tchekhov : *les Quatre Jours* (1877), *la Fleur rouge* (1883).

García, nom de cinq rois de Navarre (IXe-XIIe s.). – **García V Ramirez,** dit *le Restaurateur* petit-fils du Cid, roi de 1134 à 1150, lutta pour conserver l'indépendance navarraise proclamée en 1134 (à la mort d'Alphonse le Batailleur, roi d'Aragon et de Navarre) et combattit les Maures (prise d'Almería, 1147).

García Calderón (Ventura) (Lima, Pérou, 1886 – Paris, 1959), diplomate et écrivain péruvien de culture espagnole et française : *la Vengeance du condor* (contes, 1924).

García Gutiérrez (Antonio) (Chiclana, prov. de Cadix, 1813 – Madrid, 1884), auteur espagnol de drames romantiques : *le Trouvère* (1836), dont s'inspira le librettiste de Verdi, *les Noces de Doña Sancha* (1843), *Juan Lorenzo* (1865).

García Lorca (Federico) (Fuente Vaqueros, Grenade, 1898 – Viznar, 1936), poète et auteur dramatique espagnol. Empruntant de nombr. thèmes au folklore andalou, il introduisit un lyrisme nouveau dans la poésie contemporaine : *Romancero gitan* (1928). Au théâtre : *Noces de sang* (1933), *Yerma* (1934), *la Maison de Bernarda* (1936). Il fut fusillé par les franquistes.

García Márquez (Gabriel) (Aracataca, dép. de Magdalena, 1928), journaliste et écrivain colombien. Il a imaginé un lieu, le village de Macondo, où, pleine des réminiscences et fantasmes de son enfance, se déroule l'action de tous ses récits : *Cent Ans de solitude* (1967), *l'Automne du patriarche* (1975), *Chronique d'une mort annoncée* (1982). P. Nobel 1982. ► illustr. page **797**

Garcilaso ou **García Laso de la Vega** (Tolède, 1503 – Nice, 1536), soldat (il combattit en Italie, à Vienne, à Tunis, et fut mortellement blessé au siège de Fréjus) et poète espagnol (sonnets, *canciones* dans le goût italien).

Garcilaso de la Vega, dit *l'Inca* (Cuzco, 1539 – Cordoue, 1616), historien péruvien; fils d'un conquistador et d'une princesse inca, il recueillit les traditions indigènes pour écrire *Florida del Inca* (1605) et l'*Histoire générale du Pérou* (1609).

garçon n. m. **1.** Enfant mâle. *Accoucher d'un garçon.* ▷ *Petit garçon*, âgé de deux à douze ans environ. **2.** Adolescent, jeune homme. *Un garçon de vingt-deux ans.* **3.** Homme jeune. *Son mari est un brave garçon.* ▷ Loc. *Mauvais garçon* : mauvais sujet, voyou. **4.** Homme célibataire. *Rester garçon.* ▷ Loc. *Enterrer sa vie de garçon.* – *Vieux garçon* : célibataire d'un certain âge. **5.** Employé d'un artisan, d'un commerçant, etc. *Garçon coiffeur. Garçon de café.* ▷ *Absol.* Serveur dans un café, un restaurant. *Garçon, l'addition !*

Garçon (Maurice) (Paris, 1889 – id., 1967), avocat et écrivain français; auteur d'ouvrages historiques, juridiques et sur la sorcellerie : *le Diable* (1926), *Lettre ouverte à la justice* (1966). Acad. fr. (1946).

garçonne n. f. Vx Jeune fille à la vie très libre. ▷ *Coiffure à la garçonne* : cheveux courts et nuque rasée, coiffure féminine de l'époque 1925.

garçonnet n. m. Petit garçon. ▷ *Taille garçonnet*, au-dessus de la taille « enfant » (en confection).

garçonnier, ère adj. Vieilli Qui conviendrait plutôt à un garçon, en parlant du langage, des manières, de l'allure d'une fille.

garçonnière n. f. **1.** Logement de garçon célibataire. **2.** *Par ext.* Petit

le pont du **Gard**

appartement (pour une personne seule).

Gard (le), rivière de France (133 km), affluent du Rhône (r. dr.), formée par la réunion des torrents d'Anduze et d'Alès, et franchie par un pont-aqueduc romain, le *pont du Gard* (Ier s. ap. J.-C.).

Gard, dép. franç. (30); 5 848 km^2; 585 049 hab.; 100 hab./km^2; ch.-l. *Nîmes.* V. Languedoc-Roussillon (Rég.). ► carte page **796**

Gardafui. V. Guardafui (cap).

Gardanne, ch.-l. de cant. des Bouches-du-Rhône (arr. d'Aix-en-Provence); 18 113 hab. Métallurgie.

1. garde n. f. **I. 1.** Action de surveiller, de protéger, d'interdire l'accès à un lieu, ou la sortie d'un lieu. *Laisser qqch à la garde de qqn. La garde des frontières. Chien de garde.* ▷ *Garde à vue* : mesure qui permet à un officier de police judiciaire de retenir un temps réglementé, dans les locaux de la police, tout individu pour les nécessités d'une enquête. **2.** Guet, surveillance en vue de prévenir un danger. *Monter la garde.* **3.** Permanence, service de surveillance ou de sécurité. *La garde de nuit est assurée par un interne.* – *De garde* : affecté, à son tour, à un tel service. *Pharmacie de garde.* **4.** SPORT Position d'attente qui permet aussi bien l'attaque que la défense ou la riposte (boxe, escrime, etc.). *Se mettre en garde.* **II. 1.** Groupe de personnes qui gardent. **2.** Groupe de soldats en faction. *Relever la garde. Corps de garde* : troupe chargée d'une garde. *Garde montante*. Garde descendante*.* – *Par ext.* Local où se tient cette troupe. *Chanson, plaisanterie, histoire de corps de garde*, très grossière. **3.** Corps de troupe chargé de la protection d'un chef d'État ou du maintien de l'ordre. *Garde royale, impériale. Garde républicaine. Garde nationale.* ▷ Fig. *Vieille garde* : partisans les plus fidèles et les plus anciens d'un homme politique, d'un régime. – *Garde rapprochée* : les plus proches collaborateurs d'un leader politique. **III.** TECH **1.** Partie d'une arme blanche qui forme saillie entre la poignée et la lame et qui protège la main. **2.** *Pages de garde* : pages au début et à la fin d'un livre cartonné qui assurent le maintien du corps de l'ouvrage dans la couverture. **3.** *Garde au sol* : distance entre le plancher d'un véhicule et le sol. **4.** (Plur.) Pièces d'une serrure qui empêchent qu'on fasse jouer le mécanisme avec une autre clé que celle prévue à cet effet. **IV.** (En loc.) **1.** *Prendre garde à* : faire attention à. *Prenez garde à la peinture.* ▷ Litt. *Prendre garde de* : prendre les précautions pour ne pas... *Prenez garde de tomber !* – Litt. *Prendre garde que* : s'assurer que. *Prenez garde que la porte soit bien fermée.* **2.** Plur. *Être, se mettre, se tenir sur ses gardes* : faire attention, se méfier.

2. garde n. **1.** Celui qui garde, surveillant. ▷ *Garde champêtre**. ▷ *Garde forestier*, chargé de surveiller les bois et les forêts. ▷ *Garde du corps*. Anc. Soldat appartenant à une garde (sens II, 2) chargée de la sécurité d'un souverain. – Mod. Personne qui en escorte une autre et veille à sa sécurité. **2.** *Garde des Sceaux* : en France, ministre de la Justice (à qui sont confiés les sceaux de l'État). **3.** Soldat d'une garde (sens II, 2) chargée de la sécurité publique, du maintien de l'ordre, etc. **4.** Personne dont le métier est de garder les malades, les enfants.

garde-. Élément, de *garde* ou de *garder*.

Garde (lac de), lac du N.-E. de l'Italie, ayant pour exutoire le Mincio ; 370 km^2 (le plus grand lac ital.). Tourisme.

Garde (La), com. du Var (arr. de Toulon) ; 22 662 hab.

garde-à-vous n. m. inv. Position réglementaire (debout, immobile, tête droite, bras le long du corps, talons joints) prise sur commandement militaire (*Garde-à-vous !*). *Se mettre au garde-à-vous*.

garde-barrière n. Personne chargée de la manœuvre d'un passage à niveau non automatisé. *Des gardes-barrière(s)*.

garde-boue n. m. inv. Pièce incurvée qui couvre partiellement la roue d'une bicyclette, d'une motocyclette, etc., et qui protège des éclaboussures.

garde champêtre. V. champêtre.

garde-chasse n. m. Gardien d'une chasse privée. *Des gardes-chasse(s)*.

garde-chiourme n. m. Anc. Gardien des galériens, puis des forçats. ▷ Fig. Personne autoritaire, brutale. *Des gardes-chiourme(s)*.

garde-corps n. m. inv. **1.** Parapet, balustrade empêchant de tomber dans le vide. Syn. garde-fou. **2.** MAR Corde tendue sur le pont d'un navire servant d'appui aux matelots, aux passagers.

garde-côte n. m. **1.** Anc. Soldat qui était chargé de surveiller le littoral. *Des gardes-côtes*. **2.** Petit navire affecté à la surveillance des côtes. *Des garde-côtes*.

Garde de fer, parti politique roumain de caractère fasciste, fondé en 1931 par Codreanu. Interdit en 1936 par le roi Charles II (Carol), qui emprisonna ses dirigeants et les fit exécuter. Il reparut en 1940, et soutint le général Antonescu, qui l'interdit en janv. 1941.

garde du corps. V. garde 2.

garde-fou n. m. Balustrade, parapet destiné à empêcher de tomber dans le vide. ▷ Fig. Ce qui sert de guide, ce qui empêche les erreurs. *Des garde-fous*.

garde-française n. m. HIST Soldat du *régiment des gardes françaises*, chargé de la garde des édifices royaux de Paris (1563-1789). *Des gardes-françaises*.

garde-frontière n. m. Militaire installé dans un poste frontalier pour contrôler ou interdire le franchissement de la frontière. *Des gardes-frontière(s)*.

Gardel (Maximilien), dit *Gardel l'Aîné* (Mannheim, 1741 – Paris, 1787), danseur et chorégraphe français ; interprète de Rameau.

Gardel (Charles Gardés, dit Carlos) (Toulouse, 1890 – Medellín, Colombie, 1935), chanteur et auteur-compositeur argentin d'origine française. Il fut le plus grand interprète du tango *(Mano a mano, la Cumparsita)*.

garde-magasin n. m. Magasinier militaire. Syn. fam. garde-mites. *Des gardes-magasin(s)*.

garde-malade n. Personne qui garde et soigne les malades. *Des gardes-malades*. V. garde 2, sens II.

garde-manger n. m. inv. Petite armoire mobile ou petit placard aéré où l'on conserve les aliments.

garde-meuble n. m. Lieu où l'on peut laisser des meubles en garde. *Des garde-meuble(s)*.

gardénal n. m. (Nom déposé.) Médicament utilisé comme anticonvulsif, somnifère et sédatif, toxique à fortes doses. Syn. phénobarbital.

Garde nationale, milice civique bourgeoise créée le 13 juil. 1789 en vue du maintien de l'ordre dans Paris. Le 14, elle prit part à la prise de la Bastille ; le 15, La Fayette en fut nommé commandant en chef ; en déc., dans tous les dép., les milices se généralisèrent et formèrent une fédération. Elle joua un rôle important pendant la Révolution jusqu'à son écrasement, en 1795 (journée du 13 vendémiaire), par Bonaparte. Cette institution, restaurée par Napoléon (1805), demeura vivace, et la Restauration ne put la faire disparaître. Elle participa à la révolution de juillet 1830, puis soutint Louis-Philippe. Lors de la révolution de 1848, qui voulut lui faire perdre son caractère bourgeois, elle fut animée par des tendances contradictoires. Ensuite, le Second Empire sut la contrôler, mais en 1871 elle rejoignit la Commune et fut dissoute le 30 août de la même année.

garden-center [gaʀdɛnsɛntœʀ] n. m. (Anglicisme) Syn. de *jardinerie*. *Des garden-centers*.

gardénia n. m. Arbrisseau à grandes fleurs ornementales (fam. rubiacées), originaire de Chine.

garden-party [gaʀdɛnpaʀti] n. f. (Anglicisme) Réception élégante donnée dans un jardin. *Des garden-parties*.

garde-pêche n. m. **1.** Agent qui surveille les cours d'eau et les étangs et assure la protection contre le braconnage. *Des gardes-pêche(s)*. **2.** Petit navire de guerre qui assure la protection des zones de pêche côtières, dans certaines mers. *Des garde-pêche*. ▷ (En appos.) *Des vedettes garde-pêche*.

garde-port n. m. ADMIN Agent chargé de la surveillance des ports fluviaux ainsi que de la réception et du placement des marchandises déchargées. *Des gardes-port(s)*.

garder v. tr. [1] **I.** Surveiller, protéger. **1.** Rester près de qqn (ou d'un animal, d'une plante) pour en prendre soin. *Garder un malade. Garder les chèvres. Gardez mes plantes vertes pendant les vacances*. **2.** Surveiller pour empêcher de s'enfuir. *Garder à vue un suspect*. V. garde (I, sens 1). Syn. détenir. **3.** Surveiller, veiller à la protection, à la sécurité de. *Des gendarmes gardent l'arsenal*. – Pp. adj. *Chasse, pêche gardée*. **4.** Préserver. *Dieu vous garde d'un tel malheur !* Syn. protéger, sauver. **II.** Conserver. **1.** Ne pas se dessaisir de. *Gardez bien ces papiers*. ▷ Continuer de posséder. *Garder sa fortune*. Ant. perdre. ▷ Continuer d'avoir (une attitude). *Garder son sérieux*. ▷ Continuer d'avoir à son service. *Garder un employé*. Ant. licencier, renvoyer. ▷ (Avec un attribut.) Conserver (dans tel état). *Garder intact son patrimoine*. ▷ Continuer de porter, d'avoir sur soi. *Garder son chapeau*. **2.** *Garder la chambre, garder le lit* : rester chez soi, rester au lit, quand on est malade. **3.** Réserver, mettre de côté. *Je vous ai gardé cette chambre*. **4.** Ne pas divulguer. *Savoir garder un secret*. Ant. dévoiler, répéter. **III.** Se soumettre à (une obligation), observer avec rigueur. *Garder le jeûne*. **IV.** v. pron. **1.** *Se garder de* : se prémunir contre. *Gardez-vous du froid*. Syn. se défendre, se protéger. **2.** *Se garder de* (+ inf.) : s'abstenir de. *Gardez-vous de parler*.

garderie n. f. 1. SYLVIC Étendue de bois surveillée par un garde forestier. 2. Garde des enfants en dehors des heures de classe, dans une école maternelle. – *Une halte-garderie*.*

garde-robe n. f. 1. Armoire, placard où l'on garde les vêtements. Syn. penderie. 2. *Par ext.* Ensemble des vêtements que possède une personne. *Renouveler sa garde-robe.* 3. Vx Cabinet d'aisances; chaise percée. *Aller à la garde-robe. Des garde-robes.*

Gardes rouges, mouvement politique chinois, comprenant surtout des jeunes gens, qui joua un grand rôle dans la révolution culturelle (1966-1967).

gardeur, euse n. Personne qui garde (des animaux).

garde-voie n. m. CH de F Agent chargé de la surveillance d'un secteur de voie ferrée. *Des gardes-voies.*

gardian [gaʀdjɑ̃] n. m. Gardien de taureaux ou de chevaux, en Camargue.

gardien, enne n. 1. Celui, celle qui garde, qui surveille. *Gardien de prison, de musée, de square. Gardien de nuit.* Syn. garde, surveillant. ▷ *Gardien d'immeuble* : concierge. ▷ SPORT *Gardien* ou, loc., *gardien de but* : joueur qui garde le but au football, au hockey, au water-polo, etc. Syn. goal. 2. Fig. Celui, celle qui défend, qui maintient. *Les gardiens de la tradition.* Syn. défenseur, protecteur. ▷ Loc. *Gardien de la paix* (terme officiel) : agent de police. – Fig. *Gardien du temple* : personne qui garantit par son autorité l'intégrité d'une doctrine, d'une institution.

gardiennage n. m. Service de garde et de surveillance assuré par des gardiens professionnels.

Gardiner (Stephen) (Bury Saint Edmunds, v. 1483 – Whitehall, 1555), prélat et homme politique anglais; chancelier d'Angleterre sous Marie Tudor, adversaire de l'Église romaine puis des protestants.

Gardner (Ava) (Smithfield, Caroline du Nord, 1922 – Londres, 1990), actrice de cinéma américaine. Beauté brune et sculpturale, elle fascina par sa voix grave et son regard rayonnant : *Pandora* (1951), *la Comtesse aux pieds nus* (1955), *la Nuit de l'iguane* (1964).

Ava **Gardner**

gardois, oise adj. et n. Du Gard.

1. gardon n. m. Petit poisson d'eau douce (genre *Gardonus,* fam. cyprinidés), commun en Europe, à la chair appréciée.

2. gardon n. m. Rég. (Cévennes) Petit torrent.

1. gare n. f. 1. Sur une ligne de chemin de fer, ensemble des installations et des bâtiments destinés au trafic des voyageurs et des marchandises, ainsi qu'au triage des wagons, à la régulation du trafic. *Gare de marchandises. Gare de triage. Gare régulatrice. Chef de gare.* – *Gare maritime,* située, dans un port, sur le quai où accostent les navires. 2. Par anal. *Gare routière,* pour le trafic des autocars et des camions. – *Gare aérienne* : aéroport. 3. Sur une voie navigable, endroit élargi où les bateaux peuvent se garer, se croiser.

2. gare! interj. S'emploie pour avertir d'avoir à se ranger et, par ext., d'avoir à faire attention. *Gare à la pluie! Gare à toi si tu désobéis.* ▷ *Sans crier gare* : sans prévenir.

garenne n. f. 1. Zone boisée où les lapins sauvages sont abondants. ▷ *Lapin de garenne* ou, *n. m., un garenne* : lapin sauvage. 2. Réserve de pêche.

Garenne-Colombes (La), ch.-l. de cant. des Hauts-de-Seine (arr. de Nanterre), au N.-O. de Paris; 21 831 hab. Prod. chimiques.

garer v. tr. [1] 1. Ranger (un véhicule) à l'abri, ou à l'écart de la circulation. *Garer sa voiture le long du trottoir.* ▷ v. pron. *Le car s'est garé devant l'école.* – Par ext. *Je me suis garé sur le terre-plein.* 2. Fam. Mettre à l'abri, hors d'atteinte. *Garer son bien.* – Loc. *Garer ses meubles.* ▷ v. pron. *Se garer des calomnies.*

Garfield (James Abram) (Orange, Ohio, 1831 – Long Branch, New Jersey, 1881), homme politique américain; leader des républicains (1876). Élu président des É.-U. en 1880, il fut assassiné au début de son mandat par un solliciteur éconduit.

Gargallo (Pablo) (Maella, Saragosse, 1881 – Reus, Tarragone, 1934), sculpteur espagnol. Ses œuvres les plus marquantes, réalisées en métal, relèvent de l'esthétique cubiste.

Gargano, massif calcaire du S.-E. de l'Italie (1 056 m), sur l'Adriatique. Il forme l'« éperon de la Botte ».

Gargantua, personnage créé par Rabelais, géant d'un appétit démesuré, héros de la *Vie inestimable du grand Gargantua, père de Pantagruel* (1534).

gargantuesque adj. Digne de Gargantua. *Un repas gargantuesque.*

gargariser (se) v. pron. [1] 1. Se rincer l'arrière-bouche et la gorge avec un gargarisme. 2. Fig., fam. *Se gargariser de* : se délecter de. *Se gargariser de louanges.* – Se complaire à (ses propres paroles). *Se gargariser de phrases.*

gargarisme n. m. Action de se rincer la gorge avec un liquide médicamenteux; ce liquide lui-même.

Garges-lès-Gonesse, ch.-l. de cant. du Val-d'Oise (arr. de Montmorency), au N. de Paris; 42 236 hab. Papeterie. L'augmentation de la pop. est due à la nouvelle cité de la Dame-Blanche.

gargote n. f. Fam., péjor. Restaurant médiocre où l'on mange à bas prix.

gargotier, ère n. Fam., péjor., vieilli Personne qui tient une gargote.

gargouille n. f. Conduite horizontale, autref. ornée d'un motif architectural, servant à rejeter les eaux pluviales en avant d'un mur. *Formes fantastiques des gargouilles gothiques.*

gargouillement n. m. Bruit analogue à celui d'un liquide qui s'écoule irrégulièrement. – Borborygme.

gargouiller v. intr. [1] Faire entendre un gargouillement.

gargouillis [gaʀguji] n. m. Syn. de *gargouillement.*

gargoulette n. f. Récipient poreux dans lequel le liquide se rafraîchit par évaporation. ▷ Loc. adv. Rég. *À la gargoulette* : à la régalade.

gari n. m. En Afrique noire, farine ou semoule de manioc.

Garibaldi (Giuseppe) (Nice, 1807 – Caprera, 1882), révolutionnaire italien; l'un des artisans de l'unité ital. Il combattit contre l'Autriche (1859), puis contre le royaume de Naples (expédition des *Mille* ou des *Chemises rouges* en 1860). Voulant faire de Rome la cap. d'une Italie républicaine (d'où son opposition à Cavour, qui parvint cependant à endiguer ses actions), il lutta en vain contre la papauté (1867). Il servit la France en 1870-1871. – **Ricciotti** (Montevideo, 1847 – Rome, 1924), fils du préc.; général ital., il combattit aux côtés des Grecs contre les Turcs, et forma en 1914 la *Légion garibaldienne,* au service de la France.

Gabriel **García Marquez** — Giuseppe **Garibaldi**

garibaldien, enne adj. et n. m. HIST I. adj. Relatif à Garibaldi et à son épopée révolutionnaire. II. n. m. 1. Partisan de Garibaldi; soldat de Garibaldi. 2. Soldat qui combattit en France sous les ordres de Garibaldi ou de son fils.

Garigliano (le), petit fl. d'Italie, à l'E. de Gaète. – Bayard y défendit seul un pont contre une avant-garde espagnole, lors de la retraite des Français, battus par Gonzalve de Cordoue (1503). En 1944, le corps expéditionnaire français, sous les ordres du général Juin, y opéra la percée du front allemand (ligne Gustav).

gariguette n. f. Variété de fraise allongée et parfumée.

garimpeiro n. m. Au Brésil, chercheur d'or, orpailleur.

Garizim, mont de Palestine, non loin de l'anc. Sichem, souvent cité dans la Bible. – Les Samaritains, au IVe s. av. J.-C., y élevèrent un temple, concurrent de celui de Jérusalem.

Garmisch-Partenkirchen, v. d'Allemagne (Bavière); 27 700 hab. Grande stat. clim. et de sports d'hiver (alt. 708-2 963 m).

Garneau (François-Xavier) (Québec, 1809 – id., 1866), historien canadien : *Histoire du Canada* (1845-1852).

Garneau (Hector de Saint-Denys) (Montréal, 1912 – Sainte-Catherine, 1943), poète canadien d'expression française : *Regards et jeux dans l'espace* (1937); *Solitudes* (réunies aux *Poésies complètes,* 1949); *Journal* (1954).

garnement n. m. 1. Vx Libertin, vaurien. 2. Enfant turbulent, galopin.

Garner (Erroll) (Pittsburgh, Pennsylvanie, 1921 – Los Angeles, 1977), pianiste et arrangeur de jazz américain.

Garnerin (Jean-Baptiste) (Paris, 1766 – id., 1845) et son frère **André Jacques** (Paris, 1769 – id., 1823), aéronautes français qui perfectionnèrent le parachute. La première descente en parachute fut effectuée en 1797 par André Jacques, qui sauta d'un ballon situé à 1 000 m d'alt. – Son épouse **Jeanne Geneviève Labrosse** (1775 – 1847) et sa nièce **Élisa** (1791 – apr. 1836) furent les premières championnes de parachutisme.

garni, ie adj. et n. m. **1.** Rempli. *Une corbeille garnie.* – Loc. fig. *Avoir la bourse bien garnie.* **2.** Servi avec une garniture (sens 2). *Escalope garnie. Choucroute garnie.* **3.** Vieilli Loué avec des meubles. *Chambre garnie.* ⊳ n. m. *Un garni :* un logement garni, un meublé.

Garnier (Robert) (La Ferté-Bernard, 1544 – Le Mans, 1590), poète dramatique français; le plus important précurseur de la tragédie classique : *Antigone* (1580), *Sédécie ou les Juives* (1583).

Garnier (Charles) (Paris, 1825 – id., 1898), architecte français. Il construisit notam. l'Opéra de Paris (1875) et le casino de Monte-Carlo.

Garnier (Marie Joseph François, dit Francis) (Saint-Étienne, 1839 – Hanoi, 1873), officier de marine français. Il participa à l'exploration du Mékong (1869) et prépara l'implantation française au Tonkin. Il fut tué par les Pavillons-Noirs (mercenaires chinois).

Garnier (Tony) (Lyon, 1869 – Carnoux-en-Provence, 1948), architecte français; pionnier de l'architecture contemporaine (projet de cité industrielle, 1901-1904) et de la construction par éléments standardisés. Il réalisa à Lyon le stade olympique (1913-1916) et l'hôpital de Grange-Blanche (1915-1930), auj. Édouard-Herriot.

Garnier-Pagès (Étienne Joseph Louis) (Marseille, 1801 – Paris, 1841), homme politique français; l'un des chefs du parti républicain sous Louis-Philippe. – **Louis Antoine** (Marseille, 1803 – Paris, 1878), frère du préc.; il fut membre du gouv. provisoire en 1848 et du gouv. de la Défense nationale en 1870. Auteur d'une *Histoire de la révolution de 1848.*

garnir v. tr. [3] **1.** Munir de ce qui protège ou de ce qui orne. *Garnir de cuir les coudes d'une veste.* – Rembourrer. *Garnir un fauteuil.* ⊳ Couvrir en servant d'ornement, décorer. *Des tapisseries garnissent les murs.* **2.** Pourvoir de choses nécessaires. *Garnir une bibliothèque de livres.* Syn. munir. ⊳ Remplir, occuper (un espace). *Les spectateurs qui garnissent les tribunes du stade.* – v. pron. *La salle se garnissait de spectateurs.*

garnison n. f. Troupe casernée dans une ville, une place forte. *Le général commandant la garnison de X.* ⊳ *Par ext.* Ville où sont casernées des troupes. *Une garnison agréable.* – *Le régiment tenait garnison, était en garnison, à Lunéville.*

garnissage n. m. Action de garnir; son résultat. ⊳ Ce qui garnit. *Garnissage réfractaire d'un four.*

garniture n. f. **1.** Ce qui garnit (pour protéger, renforcer ou orner). ⊳ *Garniture de cheminée,* composée d'une pendule, de chandeliers, etc., assortis. **2.** CUIS Ce que l'on sert avec un mets, ce qui l'accompagne. *Plat de viande servi avec une garniture de légumes. Garniture d'une choucroute* (jambon, saucisses, etc.). **3.** MECA Élément à fort coefficient de frottement qui garnit une pièce transmettant des forces par friction. *Garniture de frein, d'embrayage.* ⊳ Pièce assurant l'étanchéité autour d'un organe mobile.

Garofalo (Benvenuto Tisi, dit il) (Garofalo, près de Ferrare, 1481 – Ferrare, 1559), peintre italien; ami de Raphaël, dont il subit l'influence.

Garonne (la), fl., naît dans la Maladetta (Pyrénées espagnoles), à 1 872 m d'alt.; draine le S.-O. de la France; 647 km (avec la Gironde); elle arrose Saint-Gaudens, Toulouse, Agen, Tonneins, Marmande, Langon, Castets-en-Dorthe et Bordeaux, confluant au bec d'Ambès avec la Dordogne pour former la Gironde (75 km). La Garonne reçoit les torrents des Pyrénées centrales : la Pique (r. g.), la Neste (r. g.) et le Salat (r. dr.), puis l'Ariège (r. dr.) et les maigres riv. du plateau de Lannemezan sur sa rive gauche (la Save, le Gers, la Baïse). Ses princ. affl. (r. dr.) sont issus du Massif central : le Tarn, grossi de l'Aveyron, le Lot et la Dordogne, grossie de l'Isle. Son régime est irrégulier et elle connaît des crues brutales. Son aménagement hydroél. est faible. Navigable jusqu'à Castets-en-Dorthe, elle est longée ensuite, jusqu'à Toulouse, par un canal latéral (193 km) seulement accessible à la petite batellerie.

Garonne (Haute-), dép. franç. (31); 6 309 km²; 925 962 hab.; 146,7 hab./km²; ch.-l. *Toulouse.* V. Midi-Pyrénées (Rég.).

1. garou. V. loup-garou.

2. garou n. m. Arbrisseau à fleurs blanches odorantes du sud de la France, dont les graines et l'écorce sont utilisées respectivement comme purgatif et comme révulsif. Syn. sainbois.

Garoua, ville du Cameroun, sur la Bénoué; 77 860 hab.; ch.-l. de prov. Import. centre commercial.

Garouste (Gérard) (Paris, 1946), peintre français. Principal représentant du renouveau de la peinture française depuis les années 70, il affirme un style fait d'images suggérées et de réminiscences littéraires. Rideau de scène du théâtre du Châtelet (1989).

Garrett (Almeida). V. Almeida Garrett.

Garrick (David) (Hereford, 1717 – Londres, 1779), comédien anglais. Il excella dans l'interprétation de Shakespeare; auteur de la comédie *le Valet menteur* (1740). Inhumé à Westminster.

garrigue n. f. Formation végétale discontinue et buissonneuse (chênes verts, cistes, romarins notam.) des régions méditerranéennes, forme dégradée de la forêt. *À la différence du maquis, la garrigue apparaît sur des sols calcaires.* ⊳ Terrain couvert par la garrigue. *Chasser dans les garrigues.*

Garros (Roland) (Saint-Denis, la Réunion, 1888 – près de Vouziers, 1918), aviateur français. Pionnier de l'aviation, il réussit la traversée de la Méditerranée (1913). Il mourut dans un combat aérien.

1. garrot n. m. Saillie des vertèbres dorsales à l'aplomb des membres antérieurs, chez les grands quadrupèdes (cheval, bœuf, tigre, etc.).

2. garrot n. m. **1.** TECH Morceau de bois que l'on passe dans une corde pour la serrer en tordant. *Garrot d'une scie.* **2.** Lien dont on entoure un membre blessé pour comprimer l'artère et arrêter l'hémorragie. *Poser un garrot. Un garrot ne doit être maintenu qu'un court laps de temps.* **3.** Instrument de supplice composé d'un collier de fer se serrant au moyen d'une vis, avec lequel on étranglait les condamnés à mort, en Espagne.

garrotter v. tr. [1] Attacher, lier fortement et étroitement. *On garrotta le prisonnier.*

gars [ga] n. m. Fam. Garçon, jeune homme. *Un beau gars.* – Par ext. Homme. *Qu'est-ce que c'est que ce gars-là ?* ▷ Gaillard, homme vigoureux et résolu.

Gartempe (la), riv. de France (190 km), affl. de la Creuse (r. g.); arrose Montmorillon.

Gary, v. des É.-U. (Indiana), sur le lac Michigan, à l'E. de Chicago; 116 600 hab. Grande aciérie.

Gary (Romain Kacew, dit Romain) (Vilna, auj. Vilnious, Lituanie, 1914 – Paris, 1980), écrivain français. Son œuvre romanesque est marquée par un refus du mensonge social et du déclin, associé à une quête angoissée de l'identité (*les Racines du ciel,* 1956; *la Promesse de l'aube,* 1960). Sous le pseudonyme d'Émile Ajar, il publia trois romans, dont *la Vie devant soi* (1975).

Gascar (Pierre Fournier, dit Pierre) (Paris, 1916 – Paris, 1997), écrivain français. De l'écriture quasi clinique de ses débuts (*le Temps des morts* et *les Bêtes,* 1953), il est progressivement passé à une approche métaphorique du monde (*le Règne végétal,* 1981).

Gascogne (golfe de), autref. *golfe de Biscaye,* golfe de l'Atlantique, entre la France et l'Espagne.

Gascogne, anc. rég. de France, entre les Pyrénées, la Garonne et l'Atlantique; cap. *Auch.* – Au VIe s., elle fut envahie par les Vasconii (Basques), d'où son nom. Le duché qu'elle forma v. le VIIe s. fut réuni à l'Aquitaine en 1036.

Gascoigne (George) (Cardington, v. 1535 – Bernack, 1577), poète et dramaturge anglais. *Les Supposés* (1566) est la prem. comédie anglaise en prose.

gascon, onne adj. et n. **I.** adj. De la Gascogne. *La campagne gasconne.* ▷ Subst. Personne originaire de la Gascogne. *Un(e) Gascon(ne).* **II.** n. **1.** Fig., péjor., vieilli Fanfaron, hâbleur. ▷ Loc. *Promesse de Gascon,* qu'on ne peut pas tenir. **2.** n. m. Ensemble des parlers d'oc de Gascogne.

gasconnade n. f. Litt. Vanterie, hâblerie, fanfaronnade.

Gascoyne (David) (Harrow, 1916), écrivain anglais. Introducteur du surréalisme en Angleterre, influencé par Joyce et Freud, il chante dans ses poèmes un univers angoissé et dérisoire avant d'approfondir sa pensée religieuse : *Bref Exposé du surréalisme* (1935), *La vie de l'homme est cette chair* (1936), *Pensées nocturnes* (1956).

Gaskell (Elizabeth) (Chelsea, 1810 – Holyburn, 1865), romancière anglaise; peintre de la classe ouvrière (*Mary Barton,* 1848) et de la vie de province (*les Dames de Cranford,* 1853).

Gasnier (Louis J.) (Paris, 1882 – Hollywood, 1963), cinéaste français. Il mit en scène les premiers films de Max Linder, puis tourna des feuilletons aux États-Unis : *les Mystères de New York* (1914-1917).

gas-oil, gasoil [gazɔjl] V. gazole.

gaspacho [gaspatʃo] n. m. Potage espagnol fait avec des concombres, des tomates, des piments et de l'ail, et servi froid.

Gaspard, un des trois mages qui, selon la tradition, vinrent à la crèche de Bethléem, lors de la naissance de Jésus.

Gasparini (Francesco) (Camaiore, 1668 – Rome, 1727), compositeur italien. Fécond (60 opéras, mus. relig., etc.), il est surtout connu pour son livre *l'Armonico pratico al cembalo* (traité de basse continue, 1708).

Gasparri (Pietro) (Capovalloza de Ussita, 1852 – Rome, 1934), prélat italien. Cardinal, il fut secrétaire d'État de Benoît XV et de Pie XI. Il participa aux négociations du traité du Latran, qu'il signa (1929).

Gaspé, port du Québec (Gaspésie-Îles-de-la-Madeleine), au fond de la *baie de Gaspé,* à l'O. de la Gaspésie; 16 400 hab. Travail du bois. – Jacques Cartier y débarqua en 1534, prenant possession de la Nouvelle-France au nom de François Ier.

Gasperi (Alcide De). V. De Gasperi.

Gaspésie ou **Gaspé,** péninsule du Canada (Québec), entre l'estuaire du Saint-Laurent et la baie des Chaleurs. Pêche; tourisme.

Gaspésie-Îles-de-la-Madeleine, rég. admin. du Québec qui comprend la Gaspésie et l'archipel des îles de la Madeleine; 113 416 hab. V. princ. : Gaspé.

gaspillage n. m. Action de gaspiller.

gaspiller v. tr. [1] Consommer, dépenser sans utilité et avec excès; dilapider. *Gaspiller sa fortune.* – Fig. *Gaspiller son temps, son talent.* Ant. conserver, économiser, épargner.

gaspilleur, euse adj. et n. Qui gaspille.

Gassendi (Pierre Gassend, dit) (Champtercier, près de Digne, 1592 – Paris, 1655), philosophe, astronome et mathématicien français. Adversaire du cartésianisme, de tendance sensualiste, il adopta les principes essentiels de la doctrine d'Épicure, notam. l'hypothèse de l'atomisme, mais écarta ce qui pouvait paraître contraire au dogme chrétien. Après sa rencontre avec Galilée, il admit la rotation de la Terre. Princ. œuvres : *De vita et moribus Epicuri* (1647), *Syntagma philosophiæ Epicuri* (1649).

Gasser (Herbert Spencer) (Platteville, Wisconsin, 1888 – New York, 1963), physiologiste américain. P. Nobel 1944 pour ses recherches sur les fibres nerveuses.

Gassier (Paul Deyvaux-Gassier, dit H.P.) (Paris, 1883 – id., 1951), caricaturiste français, notam. dans *l'Humanité* (1908-1926) et *le Canard enchaîné.*

gastéro-, gastr(o)-, -gastre, -gastrie. Éléments, du gr. *gastêr, gastros,* « ventre, estomac ».

gastéropodes n. m. pl. ZOOL Classe de mollusques qui se déplacent par reptation au moyen de leur pied, organe musculeux qui sécrète un mucus abondant. – Sing. *Un gastéropode.*

Gaston de Foix (Gaston III, dit Phébus, comte de Foix) (1331 – Orthez, 1391), brillant chevalier, habile politique, mais violent et rapace. Il lutta contre le comte d'Armagnac. À sa cour d'Orthez, il protégea les arts et les lettres. Il légua ses territoires à la couronne de France dès 1390.

gastr(o)-, -gastre. V. gastéro-.

gastralgie n. f. MED Douleur localisée à l'estomac.

gastrectomie n. f. CHIR Ablation totale ou partielle de l'estomac.

-gastrie. V. gastéro-.

gastrique adj. De l'estomac. *Artère gastrique. Embarras gastrique.* – *Suc gastrique :* substance liquide sécrétée par l'estomac. *Le suc gastrique contient de l'acide chlorhydrique.*

gastrite n. f. MED Inflammation aiguë ou chronique de la muqueuse de l'estomac, aux causes variées (ulcère, alcoolisme, carences alimentaires).

gastro-entérite n. f. MED Inflammation aiguë des muqueuses gastrique et intestinale, caractérisée par des vomissements et une diarrhée, d'origine essentiellement infectieuse (« grippe intestinale »). *Des gastro-entérites.*

gastro-entérologie n. f. Médecine du tube digestif.

gastro-entérologue n. Médecin spécialiste de gastro-entérologie. *Des gastro-entérologues.*

gastrofibroscopie n. f. Fibroscopie de la cavité gastrique.

gastro-intestinal, ale, aux adj. MED De l'estomac et de l'intestin. *Les maladies gastro-intestinales.*

gastromycètes n. m. pl. BOT Sous-classe de champignons basidiomycètes dont l'hyménium se transforme en glèbe*. – Sing. *Un gastromycète.*

gastronome n. m. Amateur de bonne chère.

gastronomie n. f. Art de bien manger, de la bonne chère.

gastronomique adj. Qui a trait à la gastronomie.

gastrorésistant, ante adj. Se dit d'un médicament dont l'enveloppe résiste à l'acidité gastrique et qui ne se dissout que dans l'intestin.

gastroscope n. m. MED Sonde œsophagienne munie d'une source lumineuse et d'un appareil optique, qui sert à examiner la paroi interne de l'estomac.

gastroscopie n. f. MED Examen de l'estomac au moyen du gastroscope.

gastrula n. f. EMBRYOL Embryon animal chez lequel les feuillets fondamentaux, ectoblaste et endoblaste, sont en train de se mettre en place (processus de la *gastrulation*). V. encycl. embryogenèse.

Gatchina (*Krasnogvardeisk* de 1929 à 1944), v. de Russie, au S.-O. de Saint-Pétersbourg; 74 000 hab. – Anc. château d'Orlov (XVIIIe s.), transformé en musée.

1. gâteau n. m. **1.** Pâtisserie, généralement sucrée, faite le plus souvent avec de la farine, du beurre et des œufs. *Gâteau à la crème. Gâteaux secs.* – Par ext. *Gâteau de riz.* ▷ Fig., fam. *Partager le gâteau, avoir sa part du gâteau :* partager le profit, l'aubaine. ▷ Fam. *C'est du gâteau :* c'est facile. **2.** *Par anal.* Masse aplatie d'une matière compacte. *Gâteau de plomb.* ▷ Masse constituée par les alvéoles d'une ruche. *Gâteau de cire, de miel.*

2. gâteau adj. inv. Fam. *Papa, grand-mère*, etc., *gâteau*, qui gâte beaucoup les jeunes enfants.

gâter A. v. tr. [1] **I.** Mettre en mauvais état. **1.** Vieilli ou litt. Endommager. *La grêle a gâté les vignes.* ▷ Salir, tacher. *Gâter ses vêtements.* **2.** Corrompre, pourrir. *Un fruit pourri gâte tous les autres.* **3.** Altérer, troubler. *Cet incident a gâté notre plaisir.* **4.** Vieilli ou litt. Priver de ses vertus, de ses qualités. *Ses échecs lui ont gâté le caractère.* **II. 1.** Traiter avec trop de complaisance, d'indulgence (un enfant). **2.** Combler de cadeaux, d'attentions; choyer. *Il gâte beaucoup sa femme.* **B.** v. pron. **1.** S'altérer, se corrompre. *Ces raisins se gâtent.* **2.** Mal tourner. *Ça se gâte :* la situation se détériore.

gâterie n. f. **1.** Menu cadeau; attention gentille. **2.** Friandise.

gâte-sauce n. m. **1.** Vx Mauvais cuisinier. **2.** Mod. Marmiton. *Des gâte-sauce(s).*

Gates (William, dit Bill) (Seattle, 1955), informaticien américain, fondateur avec Paul Allen de la société Microsoft en 1975.

Gateshead, v. de G.-B. (Tyne and Wear), sur la Tyne, fbg de Newcastle; 196 500 hab. Constr. navales. Métall. Pétrochimie.

gâteux, euse adj. et n. **1.** Dont les facultés, notam. les facultés mentales, sont amoindries par l'âge ou la maladie. *Elle est un peu gâteuse.* – Subst. *Un vieux gâteux.* **2.** Rendu comme bête. *Il est gâteux devant son petit-fils.*

gâtifier v. intr. [2] **1.** Fam. Se comporter en gâteux. **2.** Bêtifier.

Gâtinais, rég. du Bassin parisien, drainée par le Loing, comprenant le *Gâtinais orléanais* (v. princ. *Nemours*) et le *Gâtinais français* (v. princ. *Montargis*). Polyculture, élevage, apiculture.

Gatineau, v. du Canada (Québec), sur la *Gatineau* (440 km), affluent de l'Outaouais (r. g.); 74 940 hab. Import. papeterie.

gâtisme n. m. État d'une personne gâteuse.

GATT, acronyme pour *General Agreement on Tariffs and Trade*, « Accord général sur les tarifs douaniers et le commerce ». Accord signé en 1947 à Genève pour harmoniser les politiques douanières. Plusieurs cycles de négociations eurent lieu sous son autorité, dont le *Kennedy Round* (1964-1968), le *Tokyo Round* (1973-1979) et l'*Uruguay Round* (1986-1994). Depuis 1995, il est remplacé par l'O.M.C.

Gatti (Armand) (Monaco, 1924), dramaturge et cinéaste français : *la Vie imaginaire de l'éboueur Auguste G.* (1962), *V comme Vietnam* (1967).

Gaubert (Philippe) (Cahors, 1879 – Paris, 1941), flûtiste, chef d'orchestre et compositeur français : *Alexandre le Grand* (1937), *le Chevalier et la Damoiselle* (1941).

gauche adj. et n. **I.** adj. **1.** Qui n'est pas plan; déformé. *Cadre, poutre gauche.* – n. m. *Pièce qui a du gauche.* ▷ GEOM Dont tous les points ne sont pas contenus dans le même plan. *L'hélice est une courbe gauche.* – *Surface gauche*, engendrée par une droite, non développable sur un plan. **2.** Fig. Qui manque d'aisance, d'adresse. *Un garçon timide et gauche. Des manières gauches. Un style gauche.* Syn. embarrassé, malhabile. Ant. gracieux, habile. **II.** adj. Qui est situé du côté du corps de l'homme où se trouve le cœur. *La main gauche. Le pied, l'œil gauche.* – n. m. *Frapper du gauche*, du poing gauche, en boxe. – *Mariage de la main gauche :* concubinage. – Loc. fig. *Se lever du pied gauche :* s'éveiller de mauvaise humeur. ▷ Se dit du côté correspondant au côté gauche d'un être ou d'une chose conçue comme ayant face et dos, avant et arrière. *L'aile gauche d'un bâtiment*, celle qui est à main gauche pour une personne adossée à la façade. *L'aile gauche d'une armée. Côté gauche d'un bateau :* bâbord. ▷ Qui est situé du côté de la main gauche, pour un observateur tourné dans une direction déterminée. *La rive gauche d'un fleuve*, celle qui est à main gauche en descendant le courant. Ant. droit. **III.** n. f. *La gauche.* **1.** Le côté gauche. *Sur la gauche, à votre gauche, vous voyez la mairie. La gauche d'une armée*, son aile gauche. – *Jusqu'à la gauche :* jusqu'à l'extrême limite, complètement. ▷ Loc. adv. *À gauche :* du côté gauche, à main gauche. *Tournez à gauche.* – Loc. fam. *Mettre de l'argent à gauche :* épargner. **2.** Ensemble des députés et des sénateurs qui, traditionnellement en France, siègent à la gauche du président de l'Assemblée et qui représentent les partis désireux de changements politiques et sociaux en faveur des classes sociales les plus modestes; ensemble des partis et des citoyens qui veulent ces changements. ▷ Loc. *De gauche, à gauche. Il est plutôt de gauche.*

gauchement adv. De façon gauche, maladroite.

gaucher, ère adj. et n. Qui se sert habituellement de sa main gauche. *Un boxeur gaucher est dit « fausse garde ».*

gaucherie n. f. **1.** Manque d'aisance ou d'adresse. **2.** Action, parole maladroite.

gauchir v. [3] **1.** v. intr. Se déformer, se voiler. *Panneau qui gauchit.* **2.** v. tr. Déformer (une surface plane). *L'humidité a gauchi cette planche.* ▷ Fig. Altérer, fausser. *Gauchir le sens d'un texte.*

gauchisant, ante adj. Qui a des opinions politiques proches de celles de la gauche, du gauchisme.

gauchisme n. m. Attitude des partisans des solutions extrêmes, dans un parti de gauche.

gauchissement n. m. Action, fait de gauchir. ▷ Fig. *Gauchissement tendancieux de l'information.*

gauchiste n. et adj. **1.** n. Partisan du gauchisme. **2.** adj. Relatif au gauchisme.

gaucho [goʃo] n. m. Gardien de troupeaux des pampas, en Amérique du S.

Gaudin (Martin Michel Charles), duc de Gaète (Saint-Denis, 1756 – Gennevilliers, 1841), financier et homme politique français. Ministre des Finances (1799-1814), il réorganisa le système fiscal et créa le cadastre. Gouverneur de la Banque de France (1820-1834).

Gaudí y Cornet (Antonio) (Reus, 1852 – Barcelone, 1926), architecte espagnol. Sa prédilection pour l'Orient, pour Venise, pour les styles goth. catalan et mudéjar s'affirme dès la Casa Vicens (1878-1880) et la Casa Güell (1885-1889) de Barcelone. Il a consacré la majeure partie de sa vie à la construction de l'égl. de la Sagrada Familia, à Barcelone (commencée en 1884, inachevée).

gaudriole n. f. Fam. **1.** Propos gai et frivole; plaisanterie un peu leste. **2.** *La gaudriole :* le libertinage, la débauche.

Antonio **Gaudí y Cornet :** église de la Sagrada Familia, Barcelone

gaufrage n. m. TECH Action de gaufrer.

gaufre n. f. **1.** Pâtisserie mince et légère, cuite entre deux fers qui lui impriment un relief alvéolé. **2.** Gâteau de cire fabriqué par les abeilles.

gaufrer v. tr. [1] TECH Imprimer des dessins en relief ou en creux sur (du cuir, des étoffes, etc.).

gaufrette n. f. Petit biscuit sec, souvent fourré.

gaufrier n. m. Moule composé de deux plaques quadrillées entre lesquelles on fait cuire les gaufres.

gaufrure n. f. TECH Empreinte laissée par le gaufrage.

Gauguin (Paul) (Paris, 1848 – Atuona, îles Marquises, 1903), peintre français. À Pont-Aven d'abord (1886 et 1888), à Arles ensuite, avec Van Gogh (1888), en Polynésie enfin (à Tahiti, de 1895 à 1901, puis aux Marquises), il élabora le synthétisme (qui tend à représenter non la réalité, mais la recréation de cette réalité) et supprima la troisième dimension par le « cloisonnement » des taches bien délimitées par des cernes.

Paul **Gauguin :** *Vahine no te vi (la Femme au mango)*, 1892; museum of Art, Baltimore

Gauhati, v. de l'Inde (Assam), sur le Brahmapoutre; 150 000 hab. Import. centre commercial.

gaulage n. m. Action de gauler. *Gaulage des noix.*

gaule n. f. **1.** Grande perche. **2.** Canne à pêche.

Gaule, nom que les Romains donnèrent au territoire limité par la Méditerranée et les Pyrénées au S., les Alpes et le cours du Rhin jusqu'à son embouchure à l'E. et au N., l'océan Atlantique à l'O. *(Gaule transalpine).* – *Gaule cisalpine* (en deçà des Alpes, par rapport à Rome) : nom donné à la partie de l'Italie septent. (plaine du Pô) occupée par les Celtes (v. 400 av. J.-C.) et soumise par Rome au IIIe s. av. J.-C.
Hist. – À l'aube des temps historiques s'installèrent successivement en Gaule les Ibères et les Ligures. Les Celtes, qui

art de la Gaule

1, 2 et 3. Monnaies gauloises; musée des Antiquités nationales, Saint-Germain-en-Laye
4. Dieu au sanglier d'Euffigneix (Haute-Marne) portant le torque (collier), période de la Tène; musée des Antiquités nationales, Saint-Germain-en-Laye
5. Casque d'Amfreville (cuivre, fer, or, décoré de spirales); musée des Antiquités nationales, Saint-Germain-en-Laye
6. Tête en chêne sculpté d'une divinité gauloise portant le torque, v. le Ier s.; découverte à Luxeuil-les-Bains; musée des Beaux-Arts et d'Archéologie, Besançon

commencent à s'infiltrer dans le N. du pays au Ier millénaire av. J.-C., se répandent dans le centre à l'époque de La Tène (VIe-Ve s. av. J.-C.), puis, v. la fin du IIIe s. av. J.-C., s'établissent solidement sur les rives de la Méditerranée et chez les Vénètes du Morbihan, imposant leur domination et leur civilisation aux populations autochtones. Tous ces peuples, essentiellement agriculteurs, furent englobés par les Romains sous l'appellation de *Gaulois*. À cette époque, le commerce, déjà ancien, se développe, avec la mise en valeur de l'axe Rhône-Saône. Tout un réseau de pistes, voire de routes, double les itinéraires fluviaux ou les relie. Des cités se forment, soit par alliance, soit par la mainmise d'une tribu plus forte sur d'autres, les divisions constituant la trame de la vie politique gauloise. À partir du IIe s. av. J.-C., la Gaule est menacée par les peuples germaniques au N., par les Romains au S. Vers 150 av. J.-C., les Arvernes imposent leur hégémonie aux autres peuples gaulois voisins. Au même moment, Rome, installée en Espagne depuis les guerres puniques, intervient fréquemment contre les pop. celtes et ligures de Provence, et finalement entreprend la conquête de l'ensemble de la région méditerranéenne (121 av. J.-C.) aux dépens des Arvernes, dont l'hégémonie s'effondre. César, par la suite, exploite les rivalités entre Gaulois (notam. entre les Arvernes et les Éduens) et s'empare de la Gaule qu'il appelait *libre* ou *chevelue* (par oppos. à la *Provincia* de Méditerranée, ou *Gaule en braies*). Entre 58 et 51 av. J.-C., il vient à bout de toute résistance, en dépit de Vercingétorix, qui était parvenu à soulever le pays contre lui (52 av. J.-C.). La conquête achevée, César s'engage dans une politique d'assimilation, poursuivie après sa mort par Auguste (division du territ. en quatre prov. : la Narbonnaise, c.-à-d. l'anc. Provincia, l'Aquitaine, la Lyonnaise ou Celtique, la Gaule Belgique) et par les empereurs du Ier s. Les conditions de l'intégration du peuple gaulois à l'Empire sont réalisées v. 50 apr. J.-C. (V. gallo-romain.)

gauleiter [gawlajtœʀ; golɛtɛʀ] n. m. HIST Administrateur d'un district, dans l'Allemagne nazie.

gauler v. tr. [1] Battre (un arbre, ses branches) avec une gaule pour en faire tomber les fruits. ▷ *Gauler un pommier.* ▷ Par ext. *Gauler des noix.* ▷ Loc. fig., fam. *Se faire gauler* : se faire prendre.

gaulis [goli] n. m. SYLVIC Taillis dont les jets sont devenus des gaules (tiges très hautes mais de faible diamètre). ▷ Chacun de ces jets.

Gaulle (Charles de) (Lille, 1890 – Colombey-les-Deux-Églises, 1970), général, homme politique français. À la tête d'une division cuirassée en 1940, puis sous-secrétaire d'État à la Guerre dans le cabinet P. Reynaud, il refusa l'armistice et partit pour Londres, d'où il lança un appel à la résistance le 18 juin 1940. Ayant dirigé la résistance franç. contre l'occupant allemand, il assuma le pouvoir après son entrée à Paris, le 25 août 1944, puis démissionna de la présidence du gouv. provisoire (juin 1944-janv. 1946). Il fonda en 1947 le Rassemblement du peuple français (R.P.F.), au sein duquel il développa les thèmes de l'indépendance et de l'unité nationales, mais l'échec du mouvement l'amena, en 1953, à se retirer de la vie politique («traversée du désert»). En 1958 (événements d'Algérie), il fut appelé par le président Coty à former un gouv. (1er juin) et fit approuver par référendum (28 sept.) une Constitution qui instaurait la Ve République, dont il fut élu en déc. le premier président; il mit fin à la guerre d'Algérie (accords d'Évian, 1962), impulsa une action diplomatique audacieuse et fit réviser la Constitution (élection du président de la République au suffrage universel, 1962). Réélu en 1965, il dut faire face à la crise de mai 1968 et démissionna en 1969 après l'échec subi par le référendum portant sur la «régionalisation» et la réforme du Sénat. Écrivain, il est l'auteur d'ouvrages militaires (*Vers l'armée de métier*, 1934) et de *Mémoires* (publication 1954-1959 et 1970-1971).

Charles de **Gaulle**

Théophile **Gautier**

gaullien, enne adj. Marqué par la doctrine, la personne du général de Gaulle, par l'esprit du gaullisme. *Une vue gaullienne de la politique étrangère.*

gaullisme n. m. Ensemble des conceptions et des attitudes politiques des gaullistes.

gaulliste n. et adj. **1.** Partisan du général de Gaulle au temps de l'occupation de la France par les Allemands au cours de la Seconde Guerre mondiale. *Les gaullistes.* ▷ adj. *Les réseaux gaullistes.* **2.** Celui, celle qui adopte les idées politiques du général de Gaulle, exprimées et mises en œuvre soit au gouvernement (1945-1947, puis 1958-1969), soit pendant les années (1947-1958) où le général de Gaulle, tenu hors des affaires publiques, a fondé et animé le R.P.F. (Rassemblement du peuple français). ▷ adj. Du gaullisme. *Les idéaux gaullistes.*

gaulois, oise adj. et n. **I.** adj. **1.** De la Gaule, des Gaulois. **2.** Caractéristique de la France, de ses traditions (dans la continuité des Gaulois). ▷ *Coq gaulois*, symbole de la fierté nationale. ▷ Qui a une gaieté gaillarde, un peu licencieuse. *Plaisanterie gauloise.* **II.** n. **1.** Habitant de la Gaule. **2.** n. m. Langue celtique parlée par les Gaulois. **3.** n. f. Cigarette brune très courante de la Régie française des tabacs.

gauloiserie n. f. Parole un peu leste, gaillarde.

gaultheria ou **gaulthérie** n. f. BOT Arbrisseau (fam. éricacées) d'Amérique du Nord, aux feuilles odorantes.

Gaultier de Laguionie (Jules Achille de, dit *Jules de Gaultier*) (Paris, 1858 - Boulogne-sur-Seine, 1942), philosophe et essayiste français : *De Kant à Nietzsche* (1900), *le Bovarysme* (1902).

Gaultier-Garguille (Hugues Guéru, dit) (Sées, v. 1573 - Paris, 1634), comédien français. Membre du théâtre de l'Hôtel de Bourgogne, il composa avec Gros-Guillaume et Turlupin un célèbre trio spécialisé dans la farce.

Gaumont (Léon) (Paris, 1864 - Sainte-Maxime, 1946), industriel français; fondateur avec Charles Pathé de l'industrie cinématographique française. Il mit au point en 1902 un ancêtre du cinéma parlant (synchronisation de l'image et d'un disque).

Gaurisankar, un des sommets de l'Himalaya (7 145 m), au Népal.

gauss [gos] n. m. PHYS Unité C.G.S. de champ magnétique (symbole G, préférable à Gs), remplacée auj. par le tesla (symbole T), unité SI (1 G = 10^{-4}T).

Gauss (Carl Friedrich) (Brunswick, 1777 - Göttingen, 1855), mathématicien, physicien et astronome allemand. Il inventa la méthode des moindres carrés, eut l'idée de géométries non euclidiennes, travailla à la théorie des nombres (nombres congrus, partic.), détermina le fonctionnement de systèmes optiques sous les faibles incidences (méthode d'approximation de Gauss), calcula les orbites de planètes et de comètes. - *Entier de Gauss :* nombre complexe Z = *a* + *bi*, dans lequel *a* et *b* sont des entiers rationnels. ▷ STATIS *Loi de Gauss* ou *loi de Laplace-Gauss* ou *loi normale :* loi donnant la probabilité d'une variable aléatoire continue et dont la courbe représentative a la forme d'une cloche *(courbe de Gauss en cloche).*

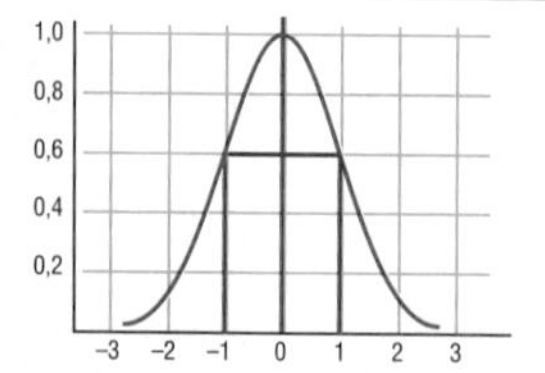

courbe de **Gauss**, dite « en cloche »; courbe d'équation $y = \exp(-x^2/2\sigma^2)$; dans le cas où $y(x)$ est une loi de probabilité, σ est appelé déviation standard

gausser (se) v. pron. [1] Litt. Se moquer de (qqn), railler (qqn). *On se gaussait de lui.*

Gautama. V. Bouddha.

Gautier Sans Avoir (Boissy-Sans-Avoir, près de Montfort-l'Amaury,? - Civitot, près de Nicée, 1096 ou 1097), chevalier français qui dirigea une fraction de la 1re croisade.

Gautier de Coincy (Coincy, 1177 ou 1178 - Soissons, 1236), bénédictin et poète français : *Miracles de Notre-Dame*, recueil de légendes mariales (30 000 vers).

Gautier (Théophile) (Tarbes, 1811 - Neuilly-sur-Seine, 1872), écrivain français. Après le romantisme échevelé de ses poèmes de jeunesse (*Albertus*, 1833), son chef-d'œuvre poétique, *Émaux et Camées* (1852), illustre la théorie de «l'art pour l'art», déjà exposée dans la préface de son prem. roman (*Mademoiselle de Maupin*, 1835). Son roman le plus célèbre, *le Capitaine Fracasse* (1863), s'inspire du *Roman comique* de Scarron. Baudelaire lui a dédié *les Fleurs du mal.* ► illustr. page **801**

Gautier (Armand) (Narbonne, 1837 - Cannes, 1920), chimiste et médecin français. Il étudia notam. les alcaloïdes et préconisa l'emploi, comme médicaments, des composés organiques arsenicaux.

gavage n. m. **1.** Action de gaver; son résultat. **2.** MED Introduction d'aliments dans l'estomac à l'aide d'une sonde.

Gavarni (Sulpice Guillaume Chevalier, dit Paul) (Paris, 1804 - id., 1866), dessinateur, lithographe et aquarelliste français. Il fut collaborateur du *Charivari.* Ses œuvres font la satire de l'époque Louis-Philippe.

Gavarnie (cirque de), vaste site en forme d'amphithéâtre des Hautes-Pyrénées, au S. de la com. de Gavarnie, ceint de hauts rochers en gradins. De nombr. cascades alimentent le gave de Pau, qui s'en échappe.

gave n. m. Rég. (Pyrénées) Torrent, cours d'eau.

Gaveau (Joseph) (Romorantin, 1824 - Paris, 1903), facteur de pianos français (*maison Gaveau*, fondée en 1847; la marque a été concédée au facteur allemand Schimmel en 1971).

gaver v. tr. [1] **1.** Faire manger (qqn) de façon excessive. - Faire manger beaucoup et de force (des animaux) pour les engraisser. *Gaver des oies, des poulets.* ▷ Fig. Combler, rassasier, emplir à l'excès. *Gaver de connaissances.* **2.** v. pron. Se gorger de nourriture.

gavial, als n. m. Reptile crocodilien d'Inde et d'Asie du Sud-Est, aux mâchoires longues et étroites. ► illustr. **crocodiliens**

Gävle (anc. *Gefle*), port de Suède, sur le golfe de Botnie; 87 850 hab.; ch.-l. de län. Métall., constr. navales. Papeteries.

gavotte n. f. Ancienne danse française; musique à deux temps sur laquelle on la dansait.

Gavrinis, île du golfe du Morbihan sur laquelle s'élève un tumulus préhistorique de grandes dimensions qui abrite plusieurs blocs de pierre gravés.

gavroche n. m. Gamin de Paris frondeur et moqueur (du nom d'un personnage des *Misérables* de V. Hugo). ▷ adj. *Une allure gavroche.*

Gaxotte (Pierre) (Revigny-sur-Ornain, Meuse, 1895 - Paris, 1982), journaliste et historien français. Disciple de Jacques Bainville, il fut membre du groupe Action française : *le Siècle de Louis XV* (1933), *Histoire des Français* (1951). Acad. fr. (1953).

gay ou **gai** [gɛ] n. m. (Américanisme) Homosexuel masculin. - adj. (inv. en genre) *La communauté gay de New York.*

Gay (John) (Barnstaple, 1685 - Londres, 1732), poète anglais; auteur d'une comédie satirique, *l'Opéra du gueux* (1728), dont Brecht a tiré son *Opéra de quat' sous.*

Gay (Delphine). V. Girardin (Mme Émile de).

Gay (Francisque) (Roanne, 1885 - Paris, 1963), journaliste, éditeur et homme politique français. Disciple de Marc Sangnier et fondateur du quotidien *l'Aube* (1932), il fut l'un des dirigeants du courant démocrate-chrétien.

Gayā, v. de l'Inde (Bihār); 291 000 hab. Lieu de pèlerinage (une des villes sacrées de l'Inde).

Gay-Lussac (Louis Joseph) (Saint-Léonard-de-Noblat, 1778 - Paris, 1850), physicien et chimiste français. Il établit la loi de dilatation des gaz et la loi des combinaisons gazeuses. Il découvrit le bore et mit au point l'analyse élémentaire de substances organiques. ▷ PHYS *Loi de Gay-Lussac :* le coefficient de dilatation des gaz parfaits est indépendant de la température et de la pression. ▷ CHIM *Loi de Gay-Lussac :* lorsque deux gaz se combinent pour former un composé, leurs volumes, mesurés sous une même pression et à une même température, sont dans un rapport simple.- *Degré Gay-Lussac :* V. degré.

Louis Joseph **Gay-Lussac**

Jean **Genet**

gaz n. m. inv. **1.** Substance impalpable qui tend à occuper la totalité de l'enceinte qui la contient; fluide expansible et compressible dont les molécules, n'exerçant entre elles que des forces très faibles, peuvent se déplacer librement les unes par rapport aux autres. *L'oxygène est un gaz dans les conditions habituelles de température et de pression.* ▷ *Gaz parfait :* gaz idéal dans lequel on suppose nulles les interactions moléculaires. ▷ *Gaz rare :* chacun des gaz de la dernière colonne de la classification périodique des éléments : hélium, néon, argon, krypton, xénon et radon. (Ils possèdent une structure électronique externe d'une très grande stabilité, ce qui leur confère une remarquable inertie chimique.) V. loi de Mariotte* et loi de Gay-Lussac*. **2.** Gaz à usage industriel ou domestique. *Gaz de ville*, distribué aux usagers par canalisations (naguère obtenu par distillation de la houille, appelé aussi *gaz d'éclairage*, progressivement remplacé auj. par le *gaz naturel*, extrait de gisements et constitué essentiellement de méthane). ▷ *Gaz de pétrole liquéfié (G.P.L.)* : mélange de butane et de propane liquéfiés, utilisé comme carburant. ▷ *Gaz naturel véhicules (G.N.V.)* : gaz de ville utilisé comme carburant automobile. ▷ *Gaz pauvre* ou *gaz à l'air* : mélange combustible d'azote et d'oxyde de carbone. ▷ *Gaz à l'eau* : mélange combustible d'hydrogène et d'oxyde de carbone obtenu en décomposant la vapeur d'eau par le coke porté à température élevée. ▷ Absol. *Le gaz* : le gaz à usage domestique. *Cuisinière à gaz. Allumer, fermer, couper le gaz.* ▷ Loc. fig., fam. *Il y a de l'eau dans le gaz* : l'atmosphère est tendue, la discorde s'installe. **3.** Plur. *Les gaz* : le mélange détonant d'air et de vapeurs de combustible brûlé dans les cylindres d'un moteur à explosion. *Mettre, donner les gaz. À pleins gaz* : à pleine puissance (fam. au fig.). **4.** Toute substance toxique, gazeuse, liquide ou solide utilisée comme arme chimique. *Gaz de combat.* – *Chambre* à gaz.* **5.** (Plur.) Substances gazeuses se formant dans l'intestin ou l'estomac et provoquant une douleur.

Gaza (district de), territ. de Palestine; 363 km²; 630 000 hab.; ch.-l. *Gaza* (120 000 hab.). Objet de litiges entre l'Égypte et Israël, il est sous contrôle israélien depuis 1967. Après les émeutes anti-israéliennes de 1987, la *bande de Gaza* fut une zone de colonisation. L'accord conclu en sept. 1993 entre Israël et l'O.L.P. concède aux Palestiniens l'autonomie de Gaza et de Jéricho.

gazage n. m. **1.** TECH Action de passer les fils de certains tissus à la flamme pour les débarrasser de leur duvet. **2.** Action d'intoxiquer par un gaz.

gazania n. m. Plante vivace (fam. composées) à grandes fleurs très colorées.

Gazankulu, anc. bantoustan de l'Afrique du Sud (1959-1994).

Gaz de France (G.D.F.), établissement public, créé en 1946 et chargé de la distribution, de l'importation et de l'exportation du gaz naturel et du gaz manufacturé. Auj. G.D.F. n'a plus de fonction de production.

gaze n. f. Étoffe légère et transparente de laine, de soie ou de coton. ▷ Cette étoffe (de coton), stérilisée, utilisée pour nettoyer ou panser une plaie.

gazé, ée adj. et n. Qui a été soumis à l'action d'un gaz nocif.

gazéification n. f. Action de gazéifier.

gazéifier v. tr. [2] **1.** TECH Transformer en gaz. **2.** Gazéifier un liquide, y dissoudre du dioxyde de carbone.

gazelle n. f. Petite antilope au pelage beige des zones désertiques d'Afrique et d'Asie (nombr. espèces).

gazer v. [1] **1.** v. tr. Intoxiquer, exterminer par un gaz nocif. **2.** v. intr. Fam. Aller vite, à pleins gaz. ▷ Fig. *Ça gaze* : ça marche bien.

gazette n. f. **1.** Vx (Sauf dans un titre.) Publication périodique, journal contenant diverses nouvelles. **2.** Vieilli Personne qui se plaît à répandre les nouvelles.

gazeux, euse adj. **1.** De la nature des gaz, à l'état de gaz. **2.** Qui contient du gaz. *Eau gazeuse.* ▷ ZOOL *Vessie gazeuse* ou *natatoire* : V. vessie.

Gaziantep, v. de Turquie, proche de la Syrie; 478 640 hab.; ch.-l. de l'il du m. nom. Comm. de pistaches. Textiles.

gazier, ère n. m. et adj. **I.** n. m. **1.** Personne qui travaille dans une usine à gaz, une compagnie du gaz. **2.** Pop., vieilli Individu. *Qu'est-ce que c'est que ce gazier-là ?* Syn. fam. gars, loustic. **II.** adj. Relatif au gaz. *Industrie gazière.*

gazinière n. f. Cuisinière à gaz.

gazoduc [gazodyk] n. m. TECH Canalisation servant au transport du gaz.

gazogène n. m. TECH Appareil servant à fabriquer un gaz combustible à partir du bois ou du charbon.

gazole n. m. Produit de la distillation du pétrole, utilisé comme carburant (diesels) et comme combustible. Syn. gas-oil, gasoil.

gazoline n. f. TECH Produit le plus volatil tiré du pétrole brut.

gazomètre n. m. Anc. Réservoir de stockage du gaz de ville.

gazométrie n. f. MED Mesure des taux de gaz dans le sang (oxygène, gaz carbonique).

gazon n. m. Herbe courte et menue. *Semer du gazon.* ▷ Terre plantée, couverte de cette herbe.

gazonnant, ante adj. Rare Qui pousse en formant un gazon.

gazonner v. [1] **1.** v. tr. Revêtir de gazon. **2.** v. intr. Pousser en gazon, se couvrir de gazon.

gazonnière n. f. Entreprise qui produit du gazon en plaques ou en rouleaux.

gazouillement n. m. Action de gazouiller; bruit ainsi produit.

gazouiller v. intr. [1] **1.** Faire entendre un petit bruit doux et agréable, en parlant des oiseaux. – Par anal. *Le ruisseau gazouillait.* **2.** Babiller (en parlant des petits enfants).

gazouillis [gazuji] n. m. Petit gazouillement; suite de légers gazouillements.

Gd CHIM Symbole du gadolinium.

Gdańsk (anc., en all., *Dantzig* ou *Danzig*), princ. port de Pologne, sur la *baie de Gdańsk*; 468 000 hab.; ch.-l. de la voïévodie du m. nom. Constr. navales. Centre industr., scientif. et culturel.

Gdynia, port de Pologne, sur la baie de Gdańsk; 245 400 hab. Constr. navales. – Port créé, à partir de 1924, pour servir de débouché marit. à la Pologne, à l'extrémité du « couloir » délimité par le traité de Versailles (1919).

gazelle

Ge CHIM Symbole du germanium.

Gê. V. Gaia.

geai [ʒɛ] n. m. Oiseau passériforme (fam. corvidés) à plumage beige tacheté de blanc, de bleu et de noir. *Le geai jase* ou *cajole.*

géant, ante n. et adj. **1.** MYTH Être fabuleux, de taille colossale, fils de la Terre et du Ciel. *Les Géants tentèrent de détrôner Jupiter.* ▷ Être colossal des contes et des légendes. **2.** Personne très grande. ▷ Loc. *Aller à pas de géant*, à grandes enjambées, très vite; fig. faire des progrès rapides. **3.** Fig. Personne qui se distingue par des dons exceptionnels, par une destinée hors du commun. *Les géants de l'art, de la politique.* **4.** adj. Dont la taille surpasse de beaucoup celle des êtres ou des choses comparables. *Raie géante.* – *Étoile géante*, de très grand rayon et de forte luminosité. Ant. nain.

géantiste n. Skieur spécialiste du slalom géant.

Géants (monts des) (en tchèque *Krkonoše*, en polonais *Karkonosze*, en all. *Riesengebirge*), massif du N.-E. de la Bohême, formant frontière entre la Rép. tchèque et la Pologne; culmine à 1 603 m.

géaster [ʒeastɛʀ] n. m. BOT Champignon gastromycète non comestible, qui s'ouvre en étoile.

Geber (*Djābir ibn Ḥayyān aṣ-Ṣūfī*, connu sous le nom de) (Kufah, Irak, fin VIIIe s. – Tūs, Iran, déb. IXe s.), alchimiste et philosophe arabe. Sa *Summa perfectionis* est le plus anc. traité de chimie. Adepte d'Aristote, Geber s'intéressa à la nature, à la transmutation des métaux, découvrit les acides sulfurique et nitrique, exerçant ainsi une immense influence sur les alchimistes.

Gébides. V. Gépides.

gecko [ʒeko] n. m. Reptile saurien des régions chaudes, aux doigts munis de lamelles adhésives.

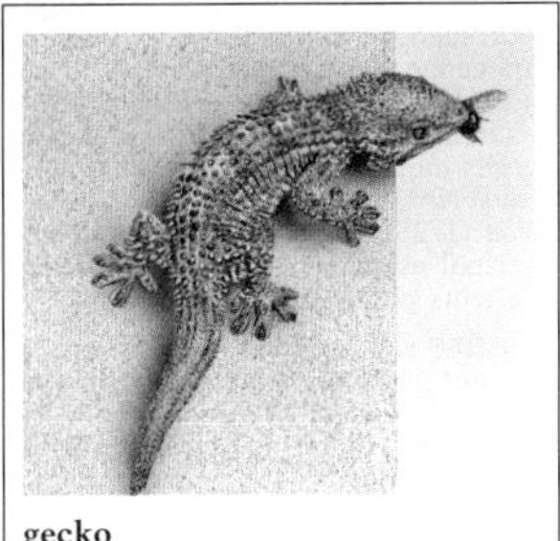

gecko

Gédéon (XIIe-XIe s. av. J.-C.), cinquième juge d'Israël; il délivra les Hébreux du joug des Madianites (Bible : Juges, VI-VIII).

Geel, v. de Belgique (Anvers), sur la Nèthe; 31 460 hab. Centre agric. Textiles. Industrie électrique.

Geelong, v. et port d'Australie (État de Victoria); 147 100 hab. Raff. de pétrole, centre pétrochim.; laine.

Geertgen tot Sint Jans (en fr. *Gérard de Saint-Jean*) (Leyde, v. 1465 – Haarlem, v. 1495), peintre néerlandais. À la fois réaliste et expressionniste : *Légende de saint Jean-Baptiste.*

Geffroy (Gustave) (Paris, 1855 – id., 1926), romancier et critique d'art français; auteur de nombr. chroniques favorables aux naturalistes et aux impressionnistes : *Vie artistique* (8 vol., 1892-1903).

Gefle. V. Gävle.

géhenne n. f. **1.** Didac. Enfer, dans la Bible. **2.** Vx Torture, question. **3.** Vieilli, litt. Souffrance intense.

Gehry (Franck Owen) (Toronto, 1929), architecte américain : musée d'Art contemporain, Californie, 1983 ; Vitra Museum (musée du design), Weil-am-Rhein, Suisse, 1990. Lauréat du Pritzter Architecture Prize, 1989.

Geiger (Hans) (Neustadt, Rhénanie-Palatinat, 1882 - Berlin, 1945), physicien allemand ; inventeur d'un compteur de particules (1913), qu'il perfectionna avec Müller (1928). ▷ PHYS NUCL *Compteur de Geiger-Müller* : instrument composé d'un tube rempli d'un gaz ionisable et d'un compteur d'impulsions, et utilisé pour dénombrer les particules électrisées d'un rayonnement.

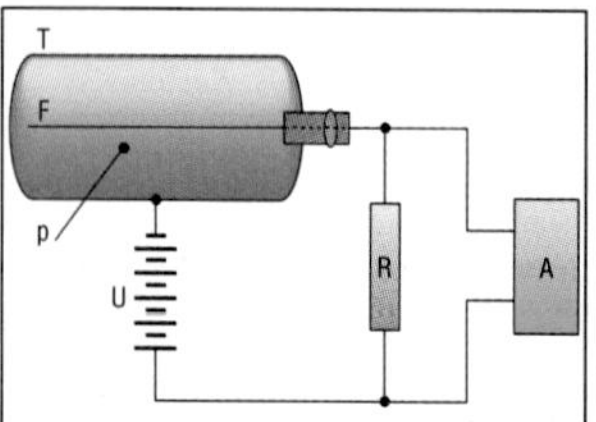

compteur **Geiger-Müller**

geignard, arde [ʒɛɲaʀ, aʀd] adj. (et n.) Fam. Qui se plaint sans cesse et sans raison. *Ton geignard. Personne geignarde.*

geignement [ʒɛɲmɑ̃] n. m. Rare Plainte, gémissement d'une personne qui geint.

Geijer (Erik Gustav) (Ransäter, 1783 - Stockholm, 1847), écrivain et compositeur suédois. Romantique, il fit valoir l'innocence de l'homme primitif. Il fut poète (*le Viking*, 1811 ; *le Paysan*, 1811) et surtout historien : *l'Histoire et ses rapports avec la religion, la légende et la mythologie* (1811), *Annales de l'histoire de Suède* (1825). En musique, son mérite principal est d'avoir publié un recueil de chants populaires.

geindre v. intr. [**55**] **1.** Se plaindre en émettant des sons faibles et inarticulés. *Geindre de douleur.* Syn. gémir. **2.** Fam. Se plaindre à tout propos et sans raison. Syn. pleurnicher.

Geiséric ou **Genséric** (m. en 477), premier souverain vandale d'Afrique (428-477). Il pilla de nombr. régions de l'Empire romain et prit Rome en 455.

geisha [gɛjʃa] n. f. Au Japon, danseuse, musicienne et chanteuse traditionnelle, qui joue le rôle d'hôtesse, de dame de compagnie, dans certaines occasions de la vie sociale.

Geissler (Heinrich) (Igelshieb, Thuringe, 1814 - Bonn, 1879), physicien allemand. ▷ PHYS *Tube de Geissler* : tube contenant un gaz raréfié qui s'illumine lorsque l'on fait jaillir une étincelle entre les électrodes dont il est muni.

gel n. m. **1.** Abaissement de la température atmosphérique entraînant la congélation de l'eau. *Le gel a fait éclater les tuyaux.* ▷ Eau gelée ; verglas, givre. *Une couche de gel.* **2.** CHIM Précipité gélatineux colloïdal. *Gel de silice.* ▷ Cour. Préparation translucide pharmaceutique ou cosmétique, à base d'eau. *Gel après-rasage.* - Absol. Préparation qui aide à modeler la coiffure. **3.** Fig. Blocage, suspension. *Gel des crédits, des négociations.*

Gela, v. et port d'Italie (Sicile), sur la Méditerranée ; 74 800 hab. Gisements de pétrole. - La ville antique fut détruite au IIIe s. av. J.-C. En 1230 fut édifiée une nouvelle ville, Terranova, qui reprit le nom de Gela en 1927.

gélatine n. f. Matière albuminoïde à l'aspect de gelée, obtenue en faisant bouillir dans de l'eau certaines substances animales (os) ou végétales (algues). *On utilise la gélatine dans l'industrie alimentaire, dans la préparation des colles, en photographie, en microbiologie.*

gélatiné, ée adj. Enduit de gélatine.

gélatineux, euse adj. **1.** Qui a la consistance, l'aspect de la gélatine. **2.** Qui contient de la gélatine. *Os gélatineux.*

gélatino-bromure n. m. TECH Préparation utilisée en photographie, contenant du bromure d'argent en suspension dans de la gélatine.

Gelboé (auj. *Djebel Fuqu'a*), mont de Palestine à l'O. du Jourdain, où périrent Saül et ses fils, vaincus par les Philistins (Bible : I Samuel, XXXI).

gelée n. f. **1.** Gel. *Gelées de printemps, d'automne.* ▷ *Gelée blanche* : mince couche de cristaux de glace provenant de la congélation de la rosée, qui recouvre le sol et la végétation avant le lever du soleil, au printemps et en automne. **2.** Bouillon de viande qui se solidifie en refroidissant et qui sert à chemiser un moule, à glacer ou à napper une viande, une volaille, etc. *Poulet, jambon en gelée.* ▷ *Par anal.* Jus de fruits cuits avec du sucre, qui se solidifie en refroidissant. *Gelée de groseille.* **3.** *Par ext.* Substance d'aspect gélatineux. - Loc. *Gelée royale*, avec laquelle les abeilles nourrissent les larves de reines.

Gelée ou **Gellée** (Claude). V. Lorrain (le).

geler v. [**17**] **I.** v. tr. **1.** Transformer en glace, faire passer à l'état solide par l'abaissement de la température. *Le froid a gelé l'étang.* ▷ Durcir par le froid. *L'hiver a gelé la terre.* **2.** Faire mourir ou nécroser par un froid excessif (un être vivant, un organe, un tissu). *Un froid trop vif gèle les bourgeons. Geler les pieds, les mains.* **3.** *Par ext.* Causer une impression de froid à (qqn). *Ce petit vent me gèle.* ▷ v. pron. *Je me suis gelé à l'attendre.* **4.** Fig. Bloquer. *Geler les négociations, les prix, les salaires.* ▷ GEST *Geler des capitaux*, les engager dans des investissements qui les rendent indisponibles. **II.** v. intr. **1.** Se transformer en glace, devenir dur sous l'action du froid. *Le mercure gèle à -39°C.* **2.** Être perturbé dans ses fonctions vitales, mourir, se nécroser sous l'action du froid. *Les oliviers ont gelé.* ▷ *Par ext.* Avoir très froid. *On gèle, ici !* **III.** v. impers. *Il gèle.*

gélif, ive adj. Didac. Qui est susceptible de se fendre sous l'effet de la gelée. *Arbre gélif. Roche gélive.*

gélifiant, ante adj. et n. m. CHIM Se dit d'une substance qui permet de gélifier. *Certains additifs alimentaires sont des gélifiants.*

gélifier v. tr. [**2**] CHIM Transformer en gel. ▷ v. pron. *Substance qui se gélifie.*

Gélimer, dernier roi vandale d'Afrique (530-534) ; vaincu par Bélisaire, à qui il se livra.

gélinotte ou **gelinotte** n. f. Oiseau galliforme d'Europe et d'Asie, voisin de la perdrix. (*Tetrastes bonasia*, la gélinotte des bois, au plumage roux, vit en Europe dans les forêts de montagne.)

Gell-Mann (Murray) (New York, 1929), physicien américain. Il postula l'existence des quarks, constituants élémentaires des particules, dans le cadre de sa théorie de la *symétrie unitaire.* P. Nobel 1969.

Gélon (Gela, 540 - Syracuse, 478 av. J.-C.), tyran de Gela et de Syracuse de 485 à 478 av. J.-C. ; maître de toute la Sicile après sa victoire sur les Carthaginois à Himère (480).

gélose n. f. TECH Syn. de *agar-agar.*

Gelsenkirchen, ville d'Allemagne (Rhén.-du-N.-Westphalie), dans la Ruhr ; 283 560 hab. Grand centre houiller. Industr. métallurgiques, mécaniques et chimiques. Verrerie.

gélule n. f. Petite capsule en gélatine durcie contenant une substance médicamenteuse.

gelure n. f. Lésion des tissus due au froid.

Gemayel (Pierre) (Bikfaya, 1905 - id., 1984), homme politique libanais. Il fonda en 1936 les *Kataeb*, parti des Phalanges libanaises ; au début de la guerre civile, il fut le principal dirigeant du Front libanais (regroupement de la droite chrétienne). – **Amine** (Bikfaya, 1942), fils du préc., président de la République de 1982 à 1988. – **Bachir** (Beyrouth, 1947 - id., 1982), frère du préc., chef des Forces libanaises (regroupement des milices chrétiennes) à partir de 1976 ; élu président de la République en août 1982, il fut assassiné avant son entrée en fonctions.

Gembloux-sur-Orneau, com. de Belgique (Namur) ; 17 000 hab. Faculté des sciences agronomiques de l'État. - Victoire des Français sur les Autrichiens (1794).

gémeaux n. m. pl. ASTRO *Constellation des Gémeaux*, dont les deux plus brillantes étoiles sont nommées Castor et Pollux. ▷ ASTROL Signe du zodiaque* (22 mai - 21 juin). - Ellipt. *Elle est gémeaux.*

gémellaire adj. Didac. Qui a trait aux jumeaux. *Grossesse gémellaire.*

gémellipare adj. BIOL Qui donne naissance à des jumeaux.

gémellité n. f. **1.** État, situation de jumeaux. **2.** Caractère de deux choses semblables.

Gémier (Firmin Tonnerre, dit Firmin) (Aubervilliers, 1869 - Paris, 1933), acteur et directeur de théâtre français. Il renouvela l'art de la mise en scène et tenta de créer un théâtre populaire. Il dirigea le Théâtre Antoine (1909-1919), puis l'Odéon (1922-1930) et le Théâtre national populaire (1920-1933), qu'il avait fondé.

gémination n. f. Didac. État de ce qui est disposé par paires. *Gémination des pistils.* ▷ RHET Répétition d'un mot. ▷ LIN Doublement d'une syllabe ou d'un phonème dans des formations familières. *« Mémère » est une gémination.*

géminé, ée adj. Didac. Double, groupé par paire. *Feuilles géminées.* ▷ ARC *Arcades, baies géminées.* ▷ PHON *Consonnes géminées*, se dit de deux consonnes su cessives identiques que l'on prononce (ex. *ll* dans *illumination*).

Geminiani (Francesco) (Lucques, 1687 - Dublin, 1762), violoniste et compositeur italien; élève de Corelli (sonates pour violon, concertos, trios).

gémir v. intr. [3] **1.** Exprimer la douleur par des plaintes faibles et inarticulées. *Blessé qui gémit.* ▷ Fig. *Gémir sous le poids des malheurs. Gémir sur (de) son sort.* **2.** Donner de la voix, en parlant de certains oiseaux au cri plaintif. *La colombe gémit.* **3.** *Par ext.* Produire un son comparable à un gémissement. *Le vent gémit dans la cheminée.*

gémissant, ante adj. Qui gémit.

gémissement n. m. **1.** Cri, plainte faible et inarticulée. **2.** Cri plaintif de certains oiseaux. *Le gémissement du ramier.* **3.** *Par ext.* Bruit comparable à une plainte. *Les gémissements de la tempête.*

gemmail, aux n. m. Assemblage artistique de fragments de verre translucide de couleurs différentes, noyés dans un liant incolore vitrifié. *Les gemmaux font penser à la fois aux vitraux et aux mosaïques.*

gemmation n. f. **1.** BOT Développement des gemmes, des bourgeons. ▷ Époque où se produit ce développement. ▷ Ensemble des bourgeons. **2.** ZOOL, BOT Gemmiparité.

gemme n. f. (et adj.) **1.** Pierre précieuse ou pierre fine transparente. ▷ adj. *Sel gemme :* sel de terre, chlorure de sodium cristallisé qui se trouve dans le sous-sol. **2.** SYLVIC Suc résineux qui s'écoule des entailles faites aux pins. **3.** BOT Partie d'un végétal qui, séparée de la plante mère, est susceptible de redonner un végétal complet par multiplication végétative. ▷ ZOOL Chez certains animaux inférieurs, partie de l'organisme qui est à l'origine d'un phénomène de multiplication végétative (par bourgeonnement, notam.).

Gemmi (la), col des Alpes bernoises (2 314 m), près de Loèche-les-Bains.

gemmifère adj. **1.** MINER Contenant des pierres précieuses. **2.** BOT Qui produit des bourgeons. ▷ Qui produit de la gemme.

gemmiparité n. f. BOT, ZOOL Multiplication végétative par gemmes.

gemmologie n. f. Didac. Science concernant les gemmes.

gemmule n. f. BOT **1.** Bourgeon de la plantule. **2.** Embryon d'une graine.

gémonies n. f. pl. Loc. *Vouer qqn aux gémonies,* le vouer au désastre, l'accabler de mépris.

gênant, ante adj. Qui gêne, importune, encombre.

gencive n. f. Muqueuse buccale qui recouvre les mâchoires et enserre chaque dent au collet.

gendarme n. m. **1.** Militaire appartenant au corps de la gendarmerie. ▷ Fig. Personne autoritaire. *C'est un vrai gendarme.* - *Spécial.* Organisme qui remet de l'ordre dans une situation trouble. ▷ Loc. *La peur du gendarme :* la crainte du châtiment. **2.** Fig., fam. Hareng saur. ▷ Saucisse de section rectangulaire. **3.** TECH Défaut dans un diamant. **4.** Nom cour. de *Purrhocoris apterus,* punaise rouge et noire très fréquente en France. **5.** ALPIN Pointe rocheuse difficile à escalader.

gendarmer (se) v. pron. [1] Litt. S'emporter avec excès pour une cause légère. ▷ Cour. Se fâcher. *J'ai dû me gendarmer pour le faire obéir.*

gendarmerie n. f. Corps militaire spécialement chargé du maintien de l'ordre et de la sécurité publique, de la recherche et de la constatation de certaines infractions à la loi et de l'exécution des décisions judiciaires. *Gendarmerie départementale,* implantée de manière stable dans des communes. *Gendarmerie mobile,* qui représente des forces de réserve à l'échelon national. *Gendarmerie maritime, de l'air. Brigadier, commandant de gendarmerie.* ▷ *Par ext.* Caserne et bureaux de chacune des différentes unités de ce corps. *Faire viser un passeport à la gendarmerie.*

gendre n. m. Mari de la fille, par rapport au père et à la mère de celle-ci.

-gène. Élément, du gr. *genês,* de *genos,* « naissance, origine ».

gène n. m. BIOL Unité constituée d'A.D.N., qui, portée par les chromosomes, conserve et transmet les propriétés héréditaires des êtres vivants. *Gène opérateur, gène régulateur.*
ENCYCL Au cours des divisions cellulaires (mitose ou méiose) les molécules d'A.D.N. sont reproduites, semblables à elles-mêmes; chaque molécule d'A.D.N. gagne l'une des nouvelles cellules, ce qui confère aux gènes leur caractère héréditaire et leur constance; une *mutation* correspond donc à une anomalie dans la reproduction de l'A.D.N. initial. Les organismes diploïdes comprennent deux exemplaires de chaque gène; chaque exemplaire est porté par un des deux chromosomes homologues; ces deux gènes sont des *allèles.* Lorsque les deux allèles sont semblables, l'individu est dit *homozygote* (pour ce gène); s'ils sont dissemblables (l'un des deux étant « muté »), il est dit *hétérozygote;* dans ce cas, ou bien les deux allèles sont *équivalents,* et le caractère gouverné prend alors une forme hybride, ou bien l'un des deux allèles est *récessif,* l'autre étant *dominant* et s'exprimant seul dans le *phénotype.*

gêne n. f. **1.** Vx Torture (V. géhenne). ▷ Souffrance extrême. **2.** Mod. Souffrance légère, malaise ressenti dans l'accomplissement d'un mouvement, d'une fonction. *Sentir de la gêne dans la respiration.* **3.** Embarras, contrainte désagréable. *Nous vous prions d'excuser la gêne occasionnée par les travaux.* ▷ Loc. pop. *Où (il) y a de la gêne, (il n')y a pas de plaisir.* **4.** Confusion, trouble. *Allusion qui cause de la gêne.* **5.** Manque d'argent. *Une famille dans la gêne.*

généalogie n. f. Suite d'ancêtres qui établit une filiation. *Dresser la généalogie d'une famille.* ▷ *Par ext.* Science qui a pour objet l'étude, la recherche des filiations.

généalogique adj. Qui concerne la généalogie. *Arbre généalogique :* tableau de filiation en forme d'arbre, dont le tronc figure la ligne directe, et les branches et les rameaux les lignes collatérales.

généalogiste n. Personne qui s'occupe de généalogie, qui dresse des généalogies.

genépi ou **génépi** n. m. Armoise montagnarde aromatique, utilisée pour parfumer des eaux-de-vie. - Boisson faite avec ces plantes.

gêner v. tr. [1] **1.** Causer une gêne (sens 2), un malaise à. *Mes souliers me gênent.* - Pp. *Personne gênée par un bruit, une odeur.* ▷ Entraver, faire obstacle au mouvement, à l'action de. *Gêner la circulation.* **2.** Créer de la difficulté, causer de l'embarras à. *Gêner qqn dans ses projets.* **3.** Troubler, mettre mal à l'aise. *Son regard me gêne.* - Pp. adj. *Un air gêné.* **4.** Réduire à une certaine pénurie d'argent. *Cette dépense risque de nous gêner.* - Pp. adj. *Il est momentanément gêné.* **5.** v. pron. Se contraindre par discrétion ou par timidité. *Entre amis, on ne va pas se gêner!* - Iron. *Ne vous gênez pas!,* se dit à une personne qui prend des libertés excessives.

1. général, ale, aux adj. (et n.) **1.** Qui est commun, qui s'applique, convient à un grand nombre de cas ou d'individus. *Caractères, traits généraux. Idée générale.* Ant. individuel, particulier, singulier. - *D'une manière générale :* sans application à un cas particulier. ▷ n. m. *L'induction va du particulier au général.* **2.** Qui concerne la totalité ou la plus grande part des éléments d'un ensemble, des personnes d'un groupe. *Agir, œuvrer dans l'intérêt général.* **3.** Qui concerne sans aucune exception chacun des éléments d'un ensemble, des personnes d'un groupe, etc. *Mobilisation générale.* ▷ THEAT *La répétition générale* ou, n. f., *la générale :* la dernière répétition avant la première séance publique, réservée à la presse et à des spectateurs admis sur invitation. *Assister à la générale d'une pièce.* ▷ Qui intéresse l'organisme entier. *État général. Médecine générale.* **4.** Qui embrasse l'ensemble d'une administration, d'un service public, d'un commandement. *Direction générale. État-major général.* ▷ (Avec un nom de charge, de dignité, indique un rang supérieur.) *Procureur général. Officier général* (V. général 2). **5.** Loc. adv. *En général :* en ne considérant que les caractères généraux, en négligeant les cas particuliers. *Étudier l'homme en général. Parler en général.* ▷ Le plus souvent, dans la plupart des cas. Syn. généralement.

2. général, ale, aux n. **I.** n. m. **1.** Chef militaire. *Alexandre fut un grand général.* **2.** Officier des plus hauts grades dans les armées de terre et de l'air. *Général de brigade, de division, de corps d'armée, d'armée.* **3.** Supérieur de certaines congrégations religieuses. *Le général des jésuites.* **II.** n. f. **1.** Rare Supérieure de certains ordres religieux féminins. **2.** Femme d'un général. **3.** Femme ayant le grade de général.

généralement adv. D'une manière générale, en général. ▷ Ordinairement, communément.

Generalife (le), anc. palais des rois maures, à Grenade, décoré au XIVe s. Jardins célèbres. (Hispanisation de l'ar. *Djennat al-'Arīf,* « Paradis de l'émir ».)

généralisable adj. Qui peut être généralisé.

généralisateur, trice adj. Rare Qui a tendance à généraliser. *Esprit généralisateur.*

généralisation n. f. **1.** Action de généraliser, fait de se généraliser (sens 1). *Généralisation d'une opinion.* **2.** Opération intellectuelle par laquelle on généralise (sens 2).

généraliser v. tr. [1] **1.** Étendre à l'ensemble ou à la majorité des individus, des cas; rendre général. *Généraliser une méthode, des pratiques, des usages.* Syn. universaliser. - Pp. adj. *Une réglementation généralisée.* - v. pron. Devenir commun, se répandre. *Opinion qui se généralise.* ▷ S'étendre par étapes, d'une partie à l'ensemble d'un organisme. *Infection qui se généralise.* - Pp. adj. *Cancer généralisé.* **2.** Étendre à toute une classe ce qui a été observé sur un nombre limité d'éléments ou d'individus appartenant à cette classe. *Généraliser des idées.* ▷ (S. comp.) Raisonner en allant du particulier au général. *C'est un cas d'espèce, ne généralisons pas.* – Pp. *Une remarque qui peut être généralisée.*

généralissime n. m. Général commandant en chef toutes les troupes d'un pays ou de pays alliés en temps de guerre.

généraliste n. Médecin qui soigne toutes les maladies et sollicite, si besoin est, l'intervention d'un spécialiste. Syn. omnipraticien.

1. généralité n. f. **1.** Caractère de ce qui est général (aux différents sens du terme). *Donner trop de généralité à un principe, une affirmation.* **2.** (Surtout au plur.) Péjor. Propos, discours qui apparaissent banals, sans originalité par leur caractère général et trop vague. *Se perdre dans des généralités.*

2. généralité n. f. **1.** HIST Circonscription financière placée sous l'autorité d'un intendant, sous l'Ancien Régime. **2.** Circonscription administrative, en Espagne. *La généralité de Catalogne.*

générateur, trice adj. et n. **I.** adj. **1.** Qui concerne la génération, la reproduction. *Organe générateur. Fonction génératrice.* **2.** Fig. Qui produit certains effets. *Situation économique génératrice de chômage.* **3.** GEOM Qui engendre par son mouvement une ligne, une surface, un volume. *Ligne génératrice d'une surface.* ▷ n. f. *Une génératrice.* **II.** n. TECH **1.** n. f. Machine servant à produire du courant continu. **2.** n. m. Appareil qui transforme une énergie quelconque en un autre type d'énergie, spécial. en énergie électrique.

génératif, ive adj. Didac. Qui a rapport à la génération. ▷ LING *Grammaire générative* : ensemble fini de règles permettant d'engendrer toutes (et rien que) les phrases grammaticales d'une langue et de leur associer une description formalisée.

génération n. f. **1.** Fonction par laquelle les êtres vivants se reproduisent (de manière sexuée ou asexuée). *Organes de la génération.* ▷ *Théorie de la génération spontanée* : théorie antérieure aux travaux de Pasteur, selon laquelle des êtres vivants peuvent naître à partir de matières organiques ou minérales en l'absence de tout germe bactérien ou d'embryon. ▷ GEOM Formation (d'une ligne, d'une surface, d'un volume) par le mouvement (respectivement : d'un point, d'une ligne, d'une surface). ▷ LING Production de phrases par un locuteur. **2.** Chacun des degrés de filiation successifs dans une même famille. *La suite de générations.* ▷ *Par ext.* Espace de temps qui sépare, en moyenne, chaque degré de filiation (environ 30 ans). ▷ *Par anal.* Stade d'évolution technologique. *Une nouvelle génération de navettes spatiales.* **3.** Ensemble d'individus ayant approximativement le même âge en même temps. *La jeune, la nouvelle génération.*

générationnel, elle adj. Qui concerne les générations, les rapports entre les générations.

générer v. tr. [14] Faire naître, produire, engendrer. ▷ LING *Système de règles qui génèrent les phrases dans une langue.*

généreusement adv. **1.** D'une manière noble et généreuse. *Pardonner généreusement.* **2.** Largement, libéralement. *Récompenser généreusement un service.*

généreux, euse adj. **1.** Vx Qui est de race noble. *Un sang généreux.* **2.** Vieilli Qui a un caractère noble et magnanime. *Un cœur généreux.* – Qui dénote un tel caractère. *Parole généreuse.* Ant. mesquin. **3.** Cour. Qui donne volontiers et largement. *Avoir la main généreuse.* Syn. charitable, libéral. ▷ Subst. *Faire le généreux* : être généreux, libéral, par ostentation. ▷ Fig. (Surtout pour une femme.) *Avoir des formes généreuses* : être bien en chair, avoir des formes arrondies. **4.** *Terre généreuse,* qui produit beaucoup. ▷ *Vin généreux,* capiteux et ayant du corps.

1. générique adj. **1.** Didac. Qui appartient au genre. *Appellation générique. Caractère générique.* Ant. individuel, spécifique. **2.** PHARM *Médicament générique,* dont la formule est tombée dans le domaine public, et qui est vendu à un prix plus bas que le médicament de référence.

2. générique n. m. CINE, AUDIOV Séquence d'un film, d'une émission où sont indiqués le titre et les noms des auteurs, des producteurs, des acteurs et des techniciens qui y ont collaboré. – Par ext. *Générique d'une émission de radio.*

générosité n. f. **1.** Noblesse de caractère. *Agir avec générosité.* **2.** Disposition à donner largement, sans compter. *Il abuse de ma générosité.* **3.** (Plur.) Dons, bienfaits. *Il vit de mes générosités.*

Gênes (en ital. *Genova*), v. et princ. port d'Italie ; ch.-l. de la Ligurie, sur le *golfe de Gênes* ; 742 440 hab. ; ch.-l. de la prov. du m. nom. Industr. alim., sidérurgie, métall., constr. navales et méca. Raff. de pétrole, industries chim. – Université. Nombr. palais, notam. San Giorgio (1260-1571) et Bianco (XVIIe-XVIIIe s.). Cath. (XIe-XVIIIe s.). Le *Campo santo* (cimetière à la statuaire exceptionnelle). – Indépendante en 1100 (rép. de Saint-George), la cité devint un grand centre du comm. européen et supplanta Pise qui, en 1284, lui céda la Corse et la Sardaigne. Ses nombr. possessions en Méditerranée orient., acquises à partir du XIIIe s., lui furent disputées par Venise (XIVe s.) et par les Turcs (XVe s.). Cap. de la république Ligurienne (1797), puis ch.-l. d'un dép. franç. (1805), elle fut rattachée au royaume de Sardaigne en 1815.

Génésareth (lac de), nom donné dans les Évangiles synoptiques au lac de Tibériade.

genèse [ʒənɛz] n. f. **1.** (Avec une majuscule.) Premier livre de l'Ancien Testament. **2.** Par ext., rare Cosmogonie. **3.** Ensemble des processus donnant naissance à qqch. *La genèse d'un livre, d'un crime.* ▷ BIOL Formation, développement d'un organe, d'un être vivant.

-génèse, -genèse, -génésie. Élément, du grec *genesis,* « naissance, formation, production ».

génésique adj. Relatif à la génération, à la procréation.

genêt [ʒənɛ] n. m. Arbrisseau à fleurs jaunes (fam. papilionacées). *Genêt à balais. Genêt des teinturiers.*

Genet (Jean) (Paris, 1910 – id., 1986), écrivain français. Révolté, exclu par la société, il a transfiguré l'expérience du mal et de l'abjection (« aspiration fondamentale à la sainteté » selon Bataille ; cf. *Saint Genet, comédien et martyr,* 1952, par Sartre). Romans : *Notre-Dame-des-Fleurs* (1948), *Miracle de la Rose* (1946), *Pompes funèbres* (1947). Récit : *Journal du voleur* (1949). Théâtre : *les Bonnes* (1947), *le Balcon* (1956), *les Nègres* (1958), *les Paravents* (1961).

▶ illustr. page **802**

généticien, enne n. Didac. Spécialiste de génétique.

génétique adj. et n. f. **I.** adj. **1.** Qui concerne la genèse (de qqch). *Psychologie génétique,* qui étudie le développement mental de l'enfant. **2.** BIOL Relatif aux gènes et à l'hérédité. *Code* génétique. Génie* génétique. Manipulation* génétique.* ▷ *Empreinte génétique* : caryotype utilisé aux fins d'identification. **3.** Didac. *Critique génétique* : analyse d'un texte à partir des brouillons et du manuscrit. **II.** n. f. Didac. Science qui concerne les lois de l'hérédité. *Génétique moléculaire.*

génétiquement adv. **1.** D'un point de vue génétique. **2.** Par transmission génétique.

genette n. f. Mammifère carnivore d'Europe et d'Afrique du N. (genre *Genetta,* fam. viverridés), long de 50 cm environ, au pelage clair taché de noir.

Genette (Gérard) (Paris, 1930), essayiste français ; un des principaux représentants de l'école dite de la « nouvelle critique » (*Figures,* 1966-1972 ; *Palimpsestes,* 1982 ; *Fiction et Diction,* 1991).

gêneur, euse n. Personne qui gêne, importun.

Genève (lac de), autre nom du lac Léman, utilisé notam. du XVIe au XVIIIe s.

Genève, v. de Suisse, sur le Rhône et sur le lac Léman ; 164 400 hab. (aggl. urb. 384 510 hab.) ; ch.-l. du cant. du m. nom. Industr. de précision et de luxe (horlogerie, orfèvrerie). Banques. Tourisme. – Université. Cath. St-Pierre (XIIe s., auj. *temple St-Pierre*). Musée d'Art et d'Histoire. Jardin anglais. – S'étant libérée de la tutelle épiscopale et savoyarde, la ville adopta la Réforme (1536) et fut gouvernée par Calvin. Foyer du calvinisme, elle acquit une audience internationale. En 1814, elle entra dans la Confédération helvétique. Centre du protestantisme et de l'œcuménisme, elle abrite aussi de nombr. institutions de l'O.N.U., après avoir été le siège de la S.D.N. La Croix-Rouge y a ses instances sup., qui établirent les diverses *conventions de Genève* (1864, 1906, 1929 et 1949), relatives aux blessés et aux prisonniers de guerre. – La *conférence de Genève* (1954) aboutit aux accords d'armistice en Indochine et au partage du Viêtnam en deux républiques.

Genève

Geneviève (sainte) (Nanterre, v. 422 – Paris, v. 502), patronne de Paris. Elle fit construire la première église Saint-Denis et soutint le courage des Parisiens à l'approche des Huns d'Attila.

Geneviève de Brabant, héroïne de récits populaires du Moyen Âge et de la Légende dorée. Épouse injustement accusée d'adultère, elle prouve son innocence après une longue suite d'épreuves.

rameau de **genévrier** commun : feuilles piquantes et baies

genevois, oise adj. et n. De Genève. ▷ Subst. *Un(e) Genevois(e).*

Genevoix (Maurice) (Decize, Nièvre, 1890 - près de Jávea, prov. d'Alicante, 1980), écrivain français. Il décrit la vie du terroir (*Raboliot,* prix Goncourt 1925), la guerre (*la Boue,* 1921), les inquiétudes des hommes (*Un jour,* 1976). Acad. fr. (1946).

genévrier n. m. Petit conifère (genre *Juniperus*) à feuilles persistantes épineuses, dont les cônes femelles se développent en fausses baies de couleur sombre utilisées pour parfumer diverses eaux-de-vie (le gin et le genièvre, notam.).

Gengis khān, titre signif. «le puissant khān», porté par *Temüjin* (v. 1162 - 1227), fondateur du premier Empire mongol. Après avoir unifié les tribus mongoles (v. 1206), il conquit la Chine du N. (1211-1215), l'Iran, le S. de la Russie et l'Afghānistān.

Gengis khān sur son trône, enluminure (détail), XIVe s.; B.N.

génial, ale, aux adj. **1.** Inspiré par le génie. *Idée, découverte géniale.* - Fam. *C'est génial!* **2.** Qui a du génie. *Artiste génial.*

génialement adv. D'une manière géniale.

-génie. Élément, du gr. *geneia,* «formation».

1. génie n. m. **I. 1.** ANTIQ Esprit bon ou mauvais qui présidait à la destinée de chaque homme, ou protégeait certains lieux. *Le génie familier de Socrate. Génie tutélaire.* ▷ Fig. *Être le bon, le mauvais génie de qqn,* exercer une bonne, une mauvaise influence sur lui. **2.** Être imaginaire, féerique. *Les génies des eaux.* Syn. lutin, gnome, sylphe. **3.** Figure allégorique, personnification d'une idée abstraite. *Le génie de la liberté.* **II. 1.** Vx Disposition naturelle. - Mod. Talent, aptitude particulière pour une chose. *Avoir le génie des affaires.* - (En mauv. part.) *Avoir le génie du mal.* **2.** Caractère propre et distinctif. *Le génie d'une langue. Le génie d'un peuple.* **3.** Aptitude créatrice extraordinaire, surpassant l'intelligence humaine normale. *Trait, idée de génie. Le génie d'Archimède, de Newton.* **4.** Personne géniale. - Iron. *Ce n'est pas un génie :* il est d'une intelligence médiocre.

2. génie n. m. **1.** Dans l'armée, arme et service dont le rôle est de faciliter la progression des troupes alliées, d'entraver celle de l'ennemi, de créer et de fournir des installations et des équipements. **2.** Ensemble des connaissances et des techniques de l'ingénieur. ▷ *Génie civil :* ensemble des techniques et des procédés de construction d'infrastructures, de superstructures et d'ouvrages d'art. ▷ *Génie rural :* service responsable de l'aménagement des voies d'eau non navigables et de l'espace rural. ▷ *Génie maritime :* ancien nom du corps des ingénieurs militaires chargés de la construction des navires de la marine nationale. ▷ *Génie génétique* ou *ingénierie génétique :* ensemble des techniques visant à transformer les caractères héréditaires d'une cellule en modifiant son génome par l'introduction d'A.D.N. provenant d'une autre cellule.

genièvre n. m. **1.** Genévrier commun. ▷ Fausse baie de cet arbrisseau utilisée comme condiment. **2.** Eau-de-vie de grain aromatisée avec les fausses baies du genévrier.

Genil (le), riv. d'Espagne (211 km), en Andalousie; affl. du Guadalquivir (r. g.); traverse Grenade.

génique adj. BIOL Relatif aux gènes.

génisse n. f. Jeune vache qui n'a pas encore vêlé.

Génissiat, écart de la com. d'Injoux-Génissiat (Ain), sur le Rhône, à 7 km au S. de Bellegarde. Barrage et usine hydroélectrique. (V. Bellegarde-sur-Valserine.)

génital, ale, aux adj. ANAT, PHYSIOL Qui sert à la génération ou qui s'y rapporte. *Organes génitaux.* ▷ PSYCHAN *Stade génital :* stade du développement caractérisé par le primat des organes génitaux en tant que zone érogène.

ENCYCL *L'appareil génital* est constitué, chez l'homme, par les testicules, le pénis, les vésicules séminales, la prostate; chez la femme, par les ovaires, les trompes, l'utérus, le vagin. Il a pour fonction l'élaboration des gamètes : spermatozoïdes ou ovules. Son développement est sous la dépendance des hormones mâles ou femelles.

géniteur, trice n. Celui, celle qui a engendré. ▷ n. m. ZOOL Mâle destiné à la reproduction.

génitif n. m. LING Cas exprimant l'appartenance ou la dépendance, dans les langues à flexion.

génito-. Élément, de *génital.*

génito-urinaire adj. ANAT Relatif aux fonctions génitales et à l'excrétion de l'urine. *Appareil génito-urinaire. Des troubles génito-urinaires.* Syn. urogénital.

Genk, com. de Belgique (Limbourg), près du canal Albert; 61 500 hab. Houillères, sidérurgie, industr. auto.

Genlis (Stéphanie Félicité du Crest de Saint-Aubin, comtesse de) (Champcéri, Bourgogne, 1746 - Paris, 1830), femme de lettres française; préceptrice, notam., du futur Louis-Philippe. Nombr. ouvrages sur l'éducation : *Théâtre d'éducation* (1779), *Veillées du château* (contes, 1784).

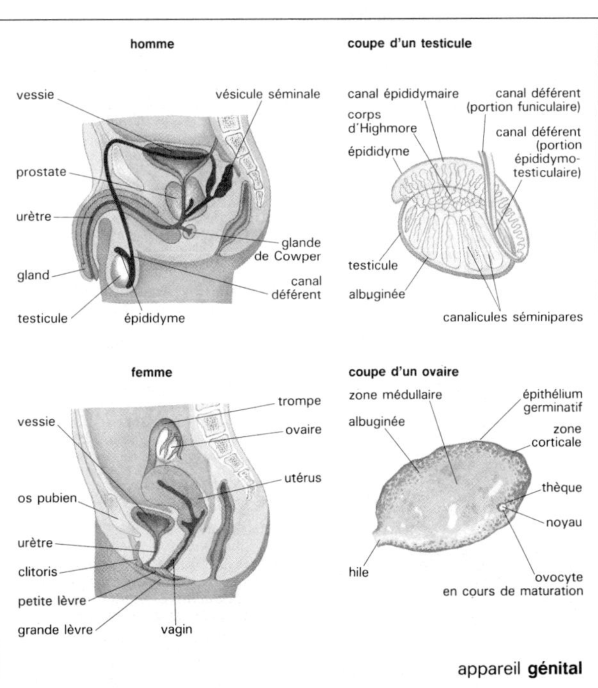

appareil **génital**

Gennes (Pierre-Gilles de) (Paris, 1932), physicien français. Spécialiste de la physique des milieux condensés, professeur au Collège de France, sa contribution concerne des domaines divers (magnétisme, supraconductivité, polymères, cristaux liquides, hydrodynamique). P. Nobel 1991.

Gennevilliers, ch.-l. de canton des Hauts-de-Seine (arr. de Nanterre), sur la Seine, au N. de Paris; 45 052 hab. Grand port. Centre industriel (constr. auto., aéron.; industr. chim., méca.).

géno-. Élément, du gr. *genos,* « origine, race ».

génocidaire adj. et n. **1.** Relatif à un génocide. *Une fureur génocidaire.* **2.** n. Personne qui participe à un génocide.

génocide n. m. Extermination systématique d'un groupe ethnique.

génois, oise adj. et n. **1.** adj. De Gênes. **2.** n. m. MAR Grand foc à bordure basse. **3.** n. f. Pâte à biscuits servant de base à de nombreux gâteaux. **4.** n. f. ARCHI Frise de tuiles rondes formant corniche, sur la façade des maisons (Provence, Auvergne).

génome n. m. BIOL Ensemble des chromosomes d'un gamète mâle ou femelle.

génomique adj. Relatif au génome.

génotoxique adj. Qui est toxique au niveau du gène.

génotypage n. m. BIOL Établissement d'un génotype.

génotype n. m. BIOL Ensemble des gènes portés par l'A.D.N. chromosomique d'une cellule vivante. *Le génotype constitue le patrimoine génétique, héréditaire, de tout individu.* V. phénotype.

genou, oux n. m. **1.** Articulation unissant la jambe et la cuisse. ▷ Loc. adv. *À genoux* : les genoux posés à terre. *Être, se mettre, tomber à genoux.* – Fig., fam. *Être à genoux devant une personne,* avoir pour elle une admiration immodérée. – Fig. *Demander qqch à genoux,* avec instance et en suppliant. ▷ Fig., fam. *Être sur les genoux* : très fatigué. ▷ Par ext. *Sur les genoux* : sur les cuisses d'une personne assise. *Tenir un enfant sur ses genoux.* ▷ *Faire du genou à qqn,* toucher son genou avec son propre genou en signe de connivence, spécial. d'invite amoureuse. **2.** ZOOL Chez le cheval, articulation du membre antérieur reliant le radius aux os carpiens et métacarpiens. **3.** *Par anal.* TECH Articulation constituée d'une sphère se déplaçant dans une cavité hémisphérique.

genouillère n. f. **1.** Partie de l'armure qui servait à protéger le genou. – *Par ext.* Morceau de cuir, d'étoffe servant à protéger ou à maintenir le genou. **2.** TECH Joint articulé.

fémur
bourse séreuse
aileron rotulien
articulation fémoro-rotulienne
articulation fémoro-tibiale
tendon du quadriceps
rotule
condyle externe
paquet adipeux
ligament latéral externe
ménisque externe
plateau tibial
ligaments croisés (postérieur) (antérieur)
tendon rotulien
tibia
ligament péronéo-tibial
capsule articulaire
articulation tibio-péronière
péroné

(profil)
face externe du **genou**

genre n. m. **I. 1.** Ensemble d'éléments présentant des caractères communs; espèce, sorte. *Personne unique en son genre. Travaux en tout (tous) genre(s).* ▷ *Le genre humain* : l'ensemble des êtres humains, l'espèce humaine. **2.** BIOL Unité de taxinomie inférieure à la famille et supérieure à l'espèce. *Le chat domestique, famille des félidés, genre* Felis, *espèce* domesticus. *Le nom courant « genévrier » désigne plusieurs espèces du genre* Juniperus. **3.** LITTER, BX-A Sorte d'œuvres caractérisées par leur sujet, leur style, etc. *Genre épique, épistolaire, dramatique.* ▷ *Tableaux de genre,* représentant une scène de la vie familière, une nature morte, un animal. ▷ Fig *Confusion, mélange des genres* : action de faire intervenir des considérations inopportunes. **4.** *Genre de vie* : ensemble des comportements d'une personne ou d'un groupe social. **5.** Façon de se tenir, de se comporter, de s'habiller; manières. *Avoir bon genre, mauvais genre.* – *Ce garçon n'est pas mon genre,* ne me plaît pas. – *Agir ainsi n'est pas mon genre,* n'est pas dans mes habitudes. ▷ *Faire du genre* : avoir des manières affectées. **II.** LING Classification morphologique de certaines catégories grammaticales (nom, pronom, etc.) réparties, en français, en masculin et féminin. *Accord en genre et en nombre.*

1. gens [ʒɑ̃] n. m. pl. **1.** Personnes, individus en nombre indéterminé. *Peu de gens. Beaucoup de gens. Une foule de gens. Les gens du village.* (Rem. : l'adj. qui précède immédiatement *gens* prend la forme du féminin, sauf lorsque *gens* est suivi de *de* et d'un nom exprimant l'état, la qualité, etc. *Ces gens sont bien vieux. De vieilles gens. De durs gens de mer.*) ▷ *Les gens* : les personnes qui nous entourent, les hommes pris en général. ▷ (À propos de personnes déterminées, d'une seule personne.) *On ne se moque pas des gens comme ça!* **2.** *Jeunes gens* : personnes jeunes et célibataires (garçons et filles). ▷ Plur. de *jeune homme. Jeunes filles et jeunes gens.* **3.** *Gens de* (suivi d'un nom indiquant une profession, un état). *Gens d'affaires. Gens d'Église. Gens de lettres* : écrivains. **4.** Vx Domestique. *Appelez vos gens.* **5.** *Droit des gens* : V. gent (1).

2. gens [ʒɛ̃s] n. f. ANTIQ ROM Groupe de familles dont les chefs étaient issus d'un ancêtre commun de condition libre. *La gens Julia. Des gentes.*

Genséric. V. Geiséric.

Gensonné (Armand) (Bordeaux, 1758 – Paris, 1793), un des chefs du parti girondin à la Législative, il fut président de la Convention; périt sur l'échafaud avec les Girondins.

1. gent, plur. **gens** [ʒɑ̃] n. f. **1.** Vx Peuple, nation. ▷ Mod. *Droit des gens* : droit qui règle les rapports des nations entre elles. **2.** Vx ou litt. ou plaisant Race, espèce. *« La gent trotte-menu »* : les souris.

2. gent, gente [ʒɑ̃, ʒɑ̃t] adj. Vx ou plaisant Gentil, joli. *Gentes dames.*

gentiane [ʒɑ̃sjan] n. f. **1.** Plante de montagne à fleurs bleues, jaunes ou violettes. *La racine de la gentiane jaune est utilisée pour préparer des liqueurs et des médicaments.* **2.** Liqueur amère préparée à partir de cette plante.

1. gentil [ʒɑ̃ti] n. m. **1.** Non-juif, chez les anciens Hébreux. **2.** Païen, chez les premiers chrétiens. *L'apôtre des gentils* : saint Paul.

2. gentil, ille [ʒɑ̃ti, ij] adj. **1.** Vx Noble de naissance. **2.** Joli, gracieux, d'une fraîcheur plaisante. *Elle n'est pas vraiment belle, mais elle est gentille.* – (Choses) Charmant, coquet. *Un gentil petit studio.* ▷ Agréable, mais sans grande portée, sans grande profondeur. *Peintre qui a un gentil coup de pinceau.* **3.** Qui a des dispositions à être agréable à autrui, sociable, obligeant, attentionné. *Un homme très gentil.* – (Choses) *Dire un mot gentil.* **4.** Sage, tranquille, docile, en parlant d'un enfant. **5.** De quelque importance. *C'est une somme encore assez gentille.*

Gentil (Émile) (Volmunster, Moselle, 1866 – Bordeaux, 1914), explorateur français des territoires compris entre le Chari et le lac Tchad (1895-1898); fondateur de Port-Gentil.

gentilé n. m. Didac. Nom que portent les habitants d'une ville, d'une région, d'un pays, etc. *Stéphanois est le gentilé des habitants de Saint-Étienne.*

Gentile da Fabriano (Francisco di) (Fabriano, rég. d'Ancône, v. 1370 – Rome, 1427), peintre italien, maître de J. Bellini; l'un des plus grands artisans du renouveau goth. au déb. du XVe s. (*Adoration des Mages,* galerie des Offices, Florence).

Gentile (Giovanni) (Castelvetrano, Sicile, 1875 – Florence, 1944), philosophe et homme politique italien. Son système néo-hégélien (*Théorie générale de l'Esprit comme acte pur,* 1916) devint la doctrine officielle du fascisme. Il fut exécuté par les partisans.

gentilhomme, gentilshommes [ʒɑ̃tijɔm, ʒɑ̃tizɔm] n. m. Homme de naissance noble.

gentilhommière n. f. Petit château à la campagne.

gentillesse n. f. **1.** Qualité d'une personne gentille, obligeante. **2.** Action, parole gentille. *Faire, dire des gentillesses.*

gentillet, ette adj. **1.** Assez gentil. – Coquet, mignon. **2.** Agréable mais sans portée. *Un livre gentillet.*

Gentilly, com. du Val-de-Marne (arr. de L'Haÿ-les-Roses), sur la Bièvre; 17 145 hab. Parachimie.

gentiment adv. De manière gentille. *Recevoir gentiment qqn.* Syn. aimablement.

gentleman [dʒɛntləman] n. m. Homme parfaitement bien élevé, qui se conduit en toutes circonstances avec tact et élégance. *Des gentlemans* ou *des gentlemen.*

gentianes bleues

gentleman-farmer [dʒɛntləman faʀmœʀ] n. m. (Anglicisme) Propriétaire foncier qui vit sur ses terres, du revenu de leur exploitation. *Des gentlemen-farmers.*

gentleman-rider [dʒɛntləmanʀajdœʀ] n. m. (Anglicisme) TURF Cavalier amateur montant en course. *Des gentlemen-riders.*

gentleman's agreement [dʒɛntləmanzagʀimɑ̃t] n. m. (Anglicisme) Accord diplomatique entre deux peuples, ayant la valeur d'un engagement de principe conclu entre gens d'honneur. ▷ *Par ext.* Accord verbal, ne reposant que sur la bonne foi des parties. *Des gentlemen's agreements.*

gentry [dʒɛntʀi] n. f. (Anglicisme) Petite noblesse anglaise.

génuflexion n. f. Flexion d'un genou, des genoux en signe d'adoration ou de respect. ▷ Fig., litt. Marque de déférence obséquieuse, servile.

géo-. Élément, du gr. *gê,* « terre ».

géobotanique n. f. (et adj.) Didac. Partie de la biogéographie consacrée plus particulièrement aux végétaux.

géocentrique adj. ASTRO Qui a la Terre pour centre. *Mouvement géocentrique d'une planète,* son mouvement apparent, vu de la Terre. ▷ *Conception géocentrique de l'Univers :* géocentrisme.

géocentrisme n. m. Anc. conception cosmologique (progressivement abandonnée à partir du XVIe s.) qui plaçait la Terre au centre de l'Univers.

géochimie n. f. Didac. Étude des éléments chimiques constitutifs de l'écorce terrestre.

géochimiste n. Spécialiste de géochimie.

géochronologie n. f. Didac. Branche de la géologie consacrée à la détermination de l'âge des roches et à la chronologie des événements marquants de l'histoire de la géologie.

géode n. f. **1.** PETROG Masse minérale sphérique ou ovoïde, creuse, dont l'intérieur est tapissé de cristaux. **2.** MED Cavité pathologique dans un tissu (osseux, pulmonaire, etc.).

géodésie n. f. Didac. Science qui a pour objet de déterminer la forme et les dimensions de la Terre *(géodésie géométrique),* ainsi que son champ de gravité *(géodésie dynamique).*

géodésique adj. et n. f. **1.** adj. Didac. Relatif à la géodésie. *Satellite géodésique,* mis en orbite pour effectuer des mesures géodésiques. **2.** n. f. GEOM Ligne la plus courte entre deux points d'une surface.

géodynamique n. f. et adj. Didac. Géologie dynamique, étude des modifications du globe terrestre dues aux agents externes (érosion) ou internes (volcanisme, séismes, etc.). ▷ adj. Relatif à la géodynamique.

Geoffrin (Marie-Thérèse Rodet, Mme) (Paris, 1699 - id., 1777), riche bourgeoise qui tint un salon à partir de 1749 et subventionna la publication de l'*Encyclopédie.*

Geoffroi, nom de six comtes d'Anjou (X[e]-XIIe s.). – **Geoffroi V le Bel,** dit *Plantagenêt* (1113-1151), époux de Mathilde, fille de Henri Ier d'Angleterre, confia, en 1150, la Normandie à son fils Henri, futur Henri II d'Angleterre.

Geoffroi de Montmouth (Montmouth, v. 1100 - Saint-Asaph, 1155), prélat et écrivain gallois. Son *Histoire des rois de* [Grande-]*Bretagne* montre notam. la décadence des Celtes et leur gloire passée ; elle est à l'origine du roman breton.

Geoffroi Ier de Villehardouin, prince d'Achaïe (v. 1209-v. 1228), neveu du chroniqueur G. de Villehardouin ; il succéda à Hugues, neveu de Guillaume Ier de Champagne. – **Geoffroi II,** prince d'Achaïe (v. 1228-v. 1246), fils du préc. ; il tenta, comme son père, d'asseoir fermement l'indépendance de l'Achaïe.

Geoffroy Saint-Hilaire (Étienne) (Étampes, 1772 - Paris, 1844), naturaliste français ; fondateur en 1793 de la ménagerie du Jardin des Plantes de Paris. Pratiquant l'anatomie comparée, il montra l'étroite parenté des squelettes de tous les vertébrés, ouvrant ainsi la voie au transformisme. Il participa en 1798 à l'expédition d'Égypte et collabora avec Cuvier à l'*Histoire des mammifères.*

géographe n. Personne qui étudie ou qui enseigne la géographie. ▷ (En appos.) *Ingénieur géographe.*

géographie n. f. **1.** Science qui a pour objet l'observation, la description et l'explication des phénomènes physiques, biologiques et humains à la surface du globe, et l'étude de leur répartition. *Géographie générale, humaine, économique, régionale.* **2.** Ensemble des réalités complexes (physiques et humaines) qui font l'objet de l'étude du géographe. *La géographie du Massif central.* **3.** Répartition spatiale d'un phénomène. *Géographie linguistique. La géographie du capital d'un groupe.*

géographique adj. Relatif à la géographie. *Institut géographique national.*

géographiquement adv. Du point de vue géographique.

géoïde n. m. Didac. Volume théorique (très proche d'un ellipsoïde de révolution) dont la surface, perpendiculaire à la verticale en chaque point du globe terrestre, passe par le niveau moyen des mers.

geôle [ʒol] n. f. Litt. Prison. ▷ Fig. Lieu dans lequel on se sent comme en prison.

geôlier, ère [ʒolje, ɛʀ] n. Litt. Personne qui garde un prisonnier ; gardien de prison.

géologie n. f. **1.** Science qui étudie l'écorce terrestre, ses constituants, son histoire et sa genèse. **2.** Ensemble des terrains étudiés par la géologie. *La géologie de la Bretagne.*

ENCYCL La géologie est l'ensemble des *sciences de la Terre.* Considérant la Terre en tant que réalité minérale, elle utilise et comprend : la *pétrographie,* la *minéralogie,* la *géochimie,* etc., et, à l'échelle des continents et de la planète entière, la *tectonique,* la *géodynamique,* la *géophysique,* etc. Considérant la Terre comme le milieu où vivent et ont vécu des êtres vivants, dont elle contient certains restes *(fossiles),* la géologie est en rapport, de façon générale, avec la *biologie,* et de façon étroite avec la *paléontologie animale et végétale,* dont les acquis ont conduit à la théorie de l'évolution (que confirma la génétique). Pour situer dans le temps les grands événements de l'histoire du globe, le géologue recourt aux méthodes de *datation absolue* (par le carbone 14, notam.) et de *chronologie relative* (par la stratigraphie). Les *temps géologiques* sont divisés en ères (primaire, secondaire, etc.), elles-mêmes divisées en périodes, puis en étages.

géologique adj. Qui a rapport à la géologie.

géologiquement adv. Didac. Du point de vue géologique.

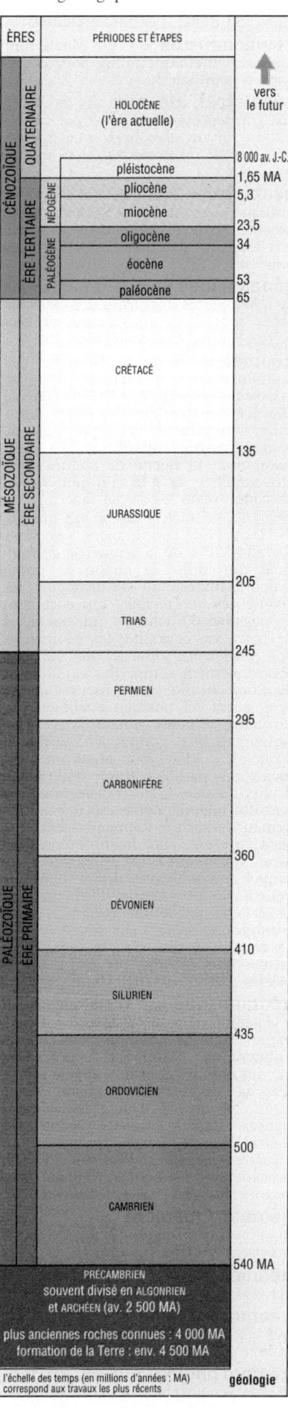

géologie

géologue n. Spécialiste de géologie.

géomagnétique adj. Didac. Relatif au géomagnétisme.

géomagnétisme n. m. Didac. Magnétisme terrestre.

géomancie n. f. Didac. Divination au moyen de figures formées par de la terre jetée au hasard sur une surface plane (on utilise aussi des cailloux).

géomembrane n. f. TECH Mince film isolant synthéthique utilisé pour empêcher la pollution du sous-sol.

géométral, ale, aux adj. (et n. m.) Didac. Qui représente un objet par sa projection sur un plan horizontal ou vertical. *Un dessin géométral.* ▷ n. m. *Un géométral.*

géomètre n. Personne qui étudie et pratique la géométrie. ▷ Spécialiste qui exécute des levers de plans, établit des nivellements, détermine des surfaces foncières. ▷ ENTOM V. géométridés.

géométridés n. m. pl. ENTOM Famille de lépidoptères nocturnes dont les chenilles sont dites *arpenteuses*, ou *géomètres*. – Sing. *Un géométridé.*

géométrie n. f. **1.** Branche des mathématiques qui étudie les propriétés de l'espace. **2.** AUTO *Géométrie de direction* : disposition des roues directrices d'un véhicule par rapport au sol. ▷ *À géométrie variable*, se dit d'un avion dont la flèche de voilure peut être modifiée; fig. et fam. qui peut varier, s'adapter, selon les circonstances.

ENCYCL La géométrie *algébrique*, qui utilise les axes de coordonnées, s'est séparée au XVIIe s. de la géométrie *différentielle*, qui utilise la notion de limite (calcul infinitésimal). On distingue : les géométries *euclidiennes*, qui acceptent les postulats d'Euclide et qui sont celles de notre vie courante; les géométries *non euclidiennes* (dont les plus connues historiquement sont celles, au XIXe s., de Lobatchevski et de Riemann), qui remplacent tel postulat euclidien par un autre axiome, notam. (cas historiquement bien connu) le 5e postulat d'Euclide : «Par tout point on peut mener une parallèle et une seule à une droite donnée»; en transformant ce postulat (auquel notre esprit pratique demeure attaché), Riemann a bâti une géométrie non euclidienne qu'on peut dire «systémique». La géométrie a été rattachée à la théorie des groupes par Felix Klein (programme d'Erlangen) en 1872; elle se définit comme l'étude d'un groupe opérant sur des ensembles et conduit à dissocier les propriétés affines (parallélisme, par ex.) des propriétés métriques (angles et distances).

géométrique adj. **1.** Qui appartient à la géométrie. ▷ MATH *Progression géométrique* : suite de nombres dont chacun s'obtient en multipliant le précédent par un nombre constant, appelé *raison*. (Ex. de progression de raison 3 : 2, 6, 18, 54, etc.) **2.** Qui a l'aspect des figures simples étudiées par la géométrie (cercle, carré, triangle, etc.). *Motifs géométriques d'un tissu.* **3.** Qui procède avec méthode et rigueur. *Esprit géométrique. Précision géométrique.*

géométriquement adv. **1.** D'une manière géométrique. **2.** Fig. De façon précise, régulière, rigoureuse.

géométrisme n. m. Tendance d'un art vers des formes géométriques.

géomorphologie n. f. GEOL Science qui étudie les reliefs terrestres actuels et leur évolution.

géomorphologique adj. GEOL Relatif à la géomorphologie.

géophagie n. f. PSYCHOPATHOL Pratique qui consiste à manger de la terre.

géophysicien, enne n. Didac. Spécialiste de géophysique.

géophysique n. f. et adj. GEOL Étude des phénomènes physiques naturels qui affectent le globe terrestre et son atmosphère. ▷ adj. *Phénomènes géophysiques.* (V. dérive* des continents, encycl. plaque et encycl. terre.)

géophyte n. m. BOT Plante dont les bourgeons passent la saison froide dans le sol.

géopolitique n. f. et adj. Didac. Étude de l'influence des facteurs géographiques sur la politique internationale. ▷ adj. *Facteurs géopolitiques.*

George Ier (Osnabrück, 1660 – id., 1727), roi de Grande-Bretagne et d'Irlande (1714-1727), Électeur de Hanovre (1698-1727); il succéda à la reine Anne Stuart en 1714 en vertu de l'Acte d'établissement (1701). – **George II** (Herrenhausen, Hanovre, 1683 – Kensington, 1760), fils du préc.; roi de G.-B. et d'Irlande, Électeur de Hanovre (1727-1760); sous son règne, la monarchie constitutionnelle se renforça, avec Walpole et Pitt, et la G.-B. acquit le Canada et l'Inde française. – **George III** (Londres, 1738 – Windsor, 1820), petit-fils du préc.; roi de G.-B. et d'Irlande (1760-1820), Électeur puis roi de Hanovre (1815-1820). Son règne fut marqué par les débuts de la révolution industr. et agric., par la perte des colonies d'Amérique et par les guerres contre la France. – **George IV** (Londres, 1762 – Windsor, 1830), fils du préc.; régent en 1811 (son père étant devenu fou), roi de G.-B. et d'Irlande, roi de Hanovre (1820-1830). Il émancipa les cathol. d'Irlande. – **George V** (Londres, 1865 – Sandringham, 1936), fils d'Édouard VII; roi de G.-B. et empereur des Indes (1910-1936). Son règne fut marqué par la Première Guerre mondiale et par l'indép. de l'Irlande (sauf l'Ulster). – **George VI** (Sandringham, 1895 – id., 1952), fils du préc.; roi de G.-B. (1936-1952), frère et successeur d'Édouard VIII.

George (Marguerite Weimer, dite Mlle) (Bayeux, 1787 – Passy, 1867), actrice française célèbre à partir de l'Empire. Elle interpréta la tragédie classique et le drame romantique.

George (Stefan) (Büdesheim, Rhénanie, 1868 – Minusio, près de Locarno, 1933), poète allemand. Romantique, puis symboliste (*Hymnes*, 1891; *Algabal*, 1892), il renforça son humanisme (*le Tapis de la vie*, 1900; *le Septième Anneau*, 1907) d'un spiritualisme prophétique : *l'Étoile d'alliance* (1914), *le Nouveau Règne* (1928).

Georges (saint), martyr au IVe s. Selon l'une des nombr. légendes dont sa vie est l'objet, il était prince de Cappadoce, soldat dans les armées de Dioclétien et fut décapité comme chrétien v. 303, à Lydda, en Palestine (auj. *Lod*, en Israël). Patron de l'Angleterre et des cavaliers, il est souvent représenté terrassant un dragon.

Georges de Podĕbrady (Podĕbrady, 1420 – Prague, 1471), roi de Bohême de 1458 à 1471. Hussite, de petite noblesse, il prit Prague aux catholiques en 1448 et fut élu roi à la mort de Ladislas le Posthume.

Georges Ier (Copenhague, 1845 – Thessalonique, 1913), roi de Grèce (1863-1913); fils de Christian IX de Danemark. Il fut assassiné. – **Georges II** (Athènes, 1890 – id., 1947), petit-fils du préc., fils de Constantin Ier. Roi de Grèce en 1922, détrôné en 1923, rappelé en 1935, il s'exila en 1941; son pouvoir fut restauré en 1946. Son frère Paul lui succéda.

Georgetown, cap. de la Guyana, sur l'Atlantique; 188 000 hab. Exportation de sucre, de bauxite.

George Town. V. Penang.

Géorgie (détroit de), bras de mer qui sépare l'île de Vancouver et la Colombie britannique (Canada).

Géorgie (en angl. *Georgia*), État du S.-E. des É.-U., sur l'Atlantique; 152 488 km^2; 6 478 000 hab.; cap. *Atlanta.* – Une vaste plaine, au climat chaud et humide, est dominée au N. par les Appalaches. La cult. du coton est supplantée auj. par celle de l'arachide, du maïs et du tabac, et par l'élevage, notam. porcin. À l'industr. text. se sont ajoutées les industr. du bois et du papier. – L'État, colonie britannique en 1732, ratifia la Constitution fédérale en 1788. Il fit sécession en 1861.

Géorgie (*Sakartvelos Respublika*), État du Caucase, sur la mer Noire, entouré de la Turquie au S., de l'Arménie et de l'Azerbaïdjan à l'E., de la Russie au N.; 69 700 km^2; 5 500 000 hab.; cap. *Tbilissi.* Langue off. : géorgien. Pop. : Géorgiens (70 %), Arméniens (8 %), Azéris (5,7 %), minorités ossète et abkhaze. Langues off. : géorgien et abkhase. Monnaie : lari. Relig. : orthodoxes (rite géorgien) 65 %; orthodoxes 10 %; musulmans 11 %.

Géogr. – Pays du Caucase, la Géorgie comporte une dépression orientée O.-E. que drainent le Rion (Colchide) et la Koura à l'O. La Géorgie cultive : riz, coton, tabac, vigne, agrumes, thé, grâce à son climat chaud et humide; elle a également quelques ressources énergétiques et minérales (charbon, hydroél., manganèse) qui ont permis son développement industriel.

Hist. – Entre le VIe et le IVe s. av. J.-C., le territoire de l'actuelle Géorgie abritait deux royaumes : la Colchide et l'Ibérie. Les Géorgiens se sont soumis à Alexandre le Grand, et, après son règne, ont acquis leur indépendance. Au Ier s. av. J.-C., la Colchide est tombée sous la

saint **Georges**, bois polychrome, XVIIe s.; galerie Tretiakov, Moscou

géométrie

Les surfaces ou aires planes. S = surface à calculer

parallélogramme

$S = B \times h$

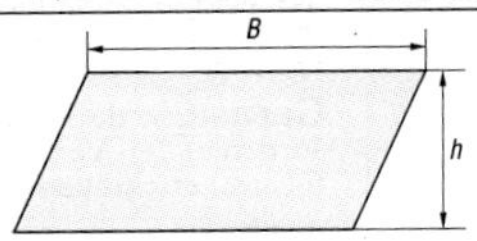

polygone régulier de *n* côtés

$S = \frac{n \times c \times a}{2}$

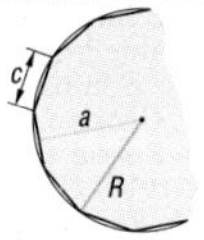

trapèze

$S = \frac{B + b}{2} \times h$

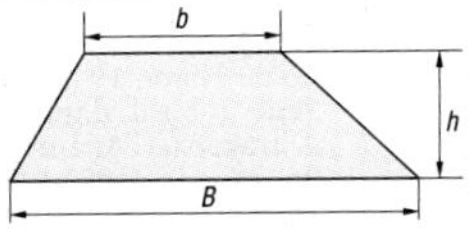

cercle

$S = \pi R^2 = \frac{\pi D^2}{4}$

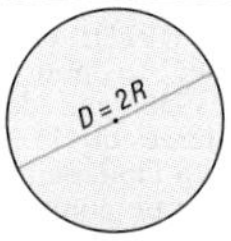

triangle rectangle

$S = \frac{b \times h}{2}$

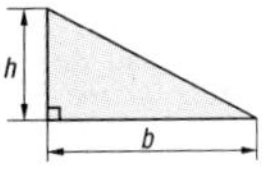

triangle isocèle

$S = \frac{b \times h}{2}$

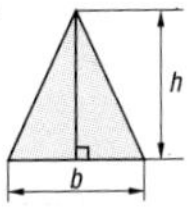

secteurs circulaires de α degrés

$S = \pi R^2 \frac{\alpha}{360}$

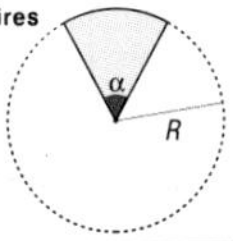

secteurs circulaires de α radians

$S = \frac{1}{2} R^2 (\alpha - \sin \alpha)$

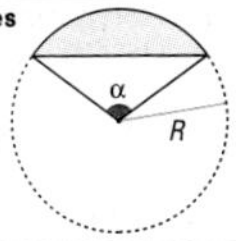

triangles quelconques

$S = \frac{b \times h}{2}$

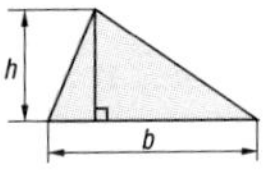

$S = \frac{b \times h}{2}$

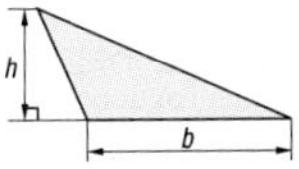

$S = \frac{a \times h}{2}$

$Sp = \sqrt{p(p-a)(p-b)(p-c)}$ avec $p = \frac{a + b + c}{2}$

$S = p \times r$

$S = \frac{a \times b \times c}{4R}$

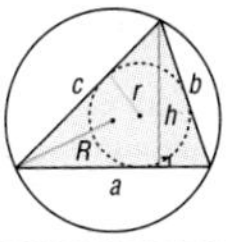

couronne circulaire

$S = \pi (R^2 - r^2) = \pi \frac{(D^2 - d^2)}{4}$

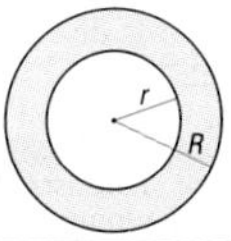

ellipse

$S = \pi a b$

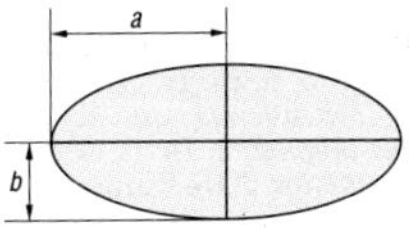

Les volumes et surfaces non planes. V = volume à calculer ; S = surface à calculer

parallélépipède rectangle

$S = 2(Ll + lh + Lh)$

$V = Llh$

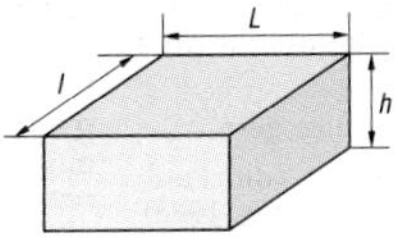

sphère

$S = 4\pi R^2 = \pi D^2$

$V = \frac{4}{3} \pi R^3$

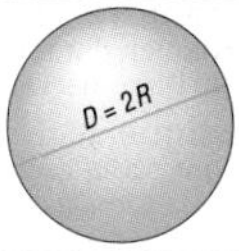

pyramide régulière à *n* faces

$S \text{ latérale} = \frac{c \times a \times n}{2}$

S totale = S latérale + B

$V = B \frac{h}{3}$

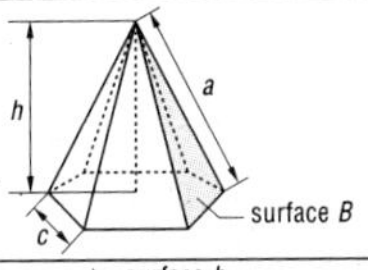

zone sphérique

$S = 2\pi R h$

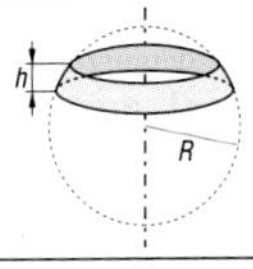

tronc de pyramide régulière à *n* faces

$S \text{ latérale} = \frac{(C + c) a \times n}{2}$

S totale = S latérale + $B + b$

$V = \frac{h}{3} (B + b + \sqrt{bB})$

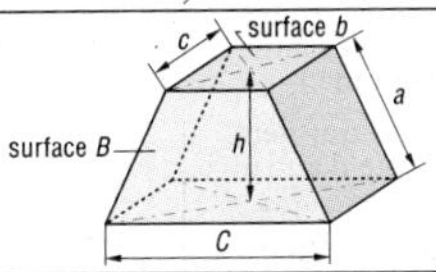

fuseau

$S = \pi R^2 \frac{\alpha}{90}$

(α en degrés)

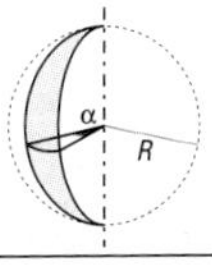

cylindre

$S \text{ latérale} = 2\pi R h$

$S \text{ totale} = 2\pi R (R + h)$

$V = \pi R^2 h$

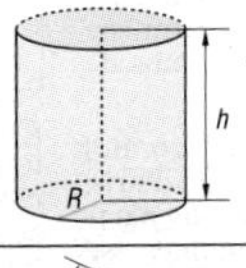

tore de révolution

$S = 4\pi^2 R r = \pi^2 D d$

$V = 2\pi^2 r^2 R$

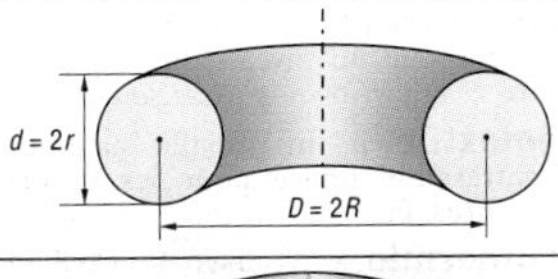

cône

$S \text{ latérale} = \pi R a$

$S \text{ totale} = \pi R (a + R)$

$V = \frac{1}{3} \pi R^2 h$

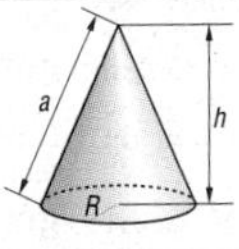

ellipsoïde de révolution

$V = \frac{4}{3} \pi a b c$

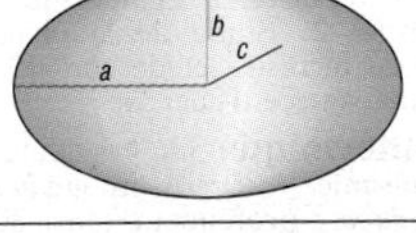

domination romaine et l'Ibérie sous la domination perse. Elle a adopté le christianisme au IVe s. Unifiée à la fin du Xe s., la Géorgie a eu son apogée sous le règne de la reine Thamar (1184-1213). Elle a eu à subir une invasion mongole au XIVe s. Soumise au joug turc en 1736, la Géorgie sollicita la protection de la Russie (1783), qui l'annexa (1801). En 1918, elle proclama son indépendance. Réintégrée à la Russie au sein de la Fédération de la Transcaucasie (1921); elle voit une résistance armée se poursuivre jusqu'en 1924. En 1936, elle devient une république fédérée de l'U.R.S.S. Depuis son accession à l'indépendance, le 9 avril 1991, la Géorgie connaît une remise en cause virulente de son intégrité territoriale (menaces de sécession en Ossétie du Sud, et, dans une moindre mesure, en Adjarie; conflit séparatiste en Abkhazie en 1992-1993). Le régime, dirigé par Edouard Chevarnadzé, a dû se résigner à adopter une politique pro-russe, conduisant à l'entrée dans la C.E.I. (1993) et à la signature d'un accord de défense (1995). ► carte **U.R.S.S. (ex-)**

Géorgie du Sud, île brit. de l'Atlantique Sud, dépendant des Falkland; 3 756 km². Le centre d'industr. baleinière de Leith a été abandonné en 1966 et il n'y a plus de pop. permanente.

1. géorgien, enne adj. et n. **1.** De la rép. de Géorgie. ▷ n. m. *Le géorgien est une langue caucasienne, qui s'écrit avec un alphabet original.* **2.** De la Georgie, État des États-Unis d'Amérique.

2. géorgien et n. m. GEOL Étage inférieur du cambrien.

Géorgienne (baie), baie du lac Huron (partie orient.), au Canada.

géorgique adj. Litt. Relatif aux travaux champêtres. *Poème géorgique.* ▷ Les *Géorgiques*, œuvre de Virgile.

géosciences n. f. pl. Ensemble des sciences de la Terre.

géostationnaire adj. ESP Se dit d'un satellite artificiel dont la position par rapport à la Terre ne varie pas.

géostatistique n. f. et adj. Statistique appliquée à la recherche minière – adj. *Données géostatistiques.*

géostratégie n. f. MILIT Données générales de la stratégie (terrain, climat, météorologie, démographie, économie).

géosynclinal, aux n. m. GEOL Vaste dépression de l'écorce terrestre, dont le fond s'enfonce sous le poids des sédiments. (La notion de géosynclinal est auj. remplacée par la tectonique des plaques.)

géotechnique n. f. et adj. Géologie appliquée. *La géotechnique s'applique principalement dans le domaine de la construction* (étude du terrain, prévision du comportement des sols bâtis, etc.). ▷ adj. *Étude géotechnique.*

géotectonique n. f. et adj. Étude de la tectonique au niveau du globe terrestre. – adj. *Évolution géotectonique.*

géotextile n. m. Textile artificiel imputrescible utilisé pour les drains, armatures, etc.

géothermie n. f. Didac. **1.** Chaleur interne de la Terre; chaleur de l'écorce terrestre. **2.** Étude de la chaleur de l'écorce terrestre et de son utilisation comme source d'énergie.

géothermique adj. Didac. Relatif à la géothermie. – *Degré* ou *gradient géothermique* : profondeur (env. 30 m) à

géotrupe

laquelle on doit s'enfoncer dans le sol pour constater une élévation de température de 1 °C.

géotropisme n. m. BOT, ZOOL Orientation de la croissance sous l'action de la pesanteur. V. tropisme.

géotrupe n. m. ENTOM Coléoptère scarabéidé noirâtre (groupe des bousiers), long de 10 à 16 mm.

géotype n. m. (Nom déposé.) Système de classification, par communes, de toute la population française, reposant sur un ensemble de paramètres démographiques, géographiques, et socio-économiques provenant de l'INSÉÉ.

Gépides ou **Gébides,** peuple germ. qui se rendit indép. des Huns au Ve s. et se fixa en Dacie. Les Lombards et les Avares l'exterminèrent (v. 567).

Ger (pic de), sommet des Pyrénées-Atlantiques (2 612 m), entre l'Aubisque et la frontière espagnole.

Gera, v. d'Allemagne, sur l'Elster Blanche; 126 790 hab. Industr. textiles et mécaniques.

gérable adj. Qui peut être géré.

Géraldy (Paul Le Fèvre, dit Paul) (Paris, 1885 – Neuilly-sur-Seine, 1983), poète français. Auteur de vers intimistes et de tragédies légères : *Toi et Moi* (1913) a connu un vif succès.

gérance n. f. Fonction de gérant; temps que dure cette fonction.

géranium [ʒeʀanjɔm] n. m. Plante dicotylédone sauvage, aux feuilles très découpées et aux fleurs roses, rouges ou blanches régulières. (Le géranium ornemental est un pélargonium*.)

gérant, ante n. Personne qui gère, qui administre pour le compte d'autrui. *Gérant d'un magasin, d'un portefeuille.*

Gérard (François, baron) (Rome, 1770 – Paris, 1837), peintre français. Élève de David, il fut le portraitiste officiel de la famille impériale, puis de Louis XVIII et de Charles X.

Gérard (Étienne Maurice, comte) (Damvillers, Lorraine, 1773 – Paris, 1852), maréchal de France. Il participa aux guerres napoléoniennes, se distinguant à Ligny (1815). Ministre de la Guerre sous Louis-Philippe (1830), il prit part à l'expédition de Belgique en 1832 (siège d'Anvers); président du Conseil en 1834.

Gérard de Saint-Jean. V. Geertgen Tot Sint Jans.

Gérardmer, ch.-l. de cant des Vosges (arr. de Saint-Dié), à l'E. du *lac de Gérardmer* (122 ha, le plus grand lac des Vosges); 9 543 hab. Stat. clim. et de sports d'hiver. Industr. text. et du bois. Fromages (le *géromé* et le *munster*).

Gerasa, v. de Palestine (auj. *Djarach*, Jordanie). – Vest. romains (temple, théâtre) et chrétiens des Ve et VIe s.

gerbage n. m. AGRIC Action de gerber (mettre en gerbes ou empiler).

Gerbault (Alain) (Laval, 1893 – Dili, île de Timor, 1941), navigateur français. Seul à bord d'un voilier, le *Firecrest*, il traversa l'Atlantique et fit le tour du monde (1923-1929), extraordinaire exploit à l'époque.

gerbe n. f. **1.** Faisceau de tiges de céréales coupées et liées. *Lier une gerbe.* – Par ext. *Gerbe de fleurs.* **2.** *Par anal.* Assemblage en faisceau de choses, de formes allongées. *Gerbe d'eau. Les gerbes d'un feu d'artifice.* ▷ MILIT Ensemble des trajectoires parcourues par des projectiles. ▷ PHYS NUCL Faisceau de particules électrisées.

gerber v. [1] **I.** v. tr. **1.** Mettre en gerbe. **2.** TECH Disposer en tas, empiler. *Gerber des tôles.* **II.** v. intr. Vulg. Vomir.

gerbera [ʒɛʀbeʀa] n. m. BOT Plante de la famille des composées, à grandes fleurs allant du jaune au pourpre, d'origine sud-américaine, dont de nombreuses espèces sont ornementales.

Gerbert d'Aurillac (en Auvergne, v. 938 – Rome, 1003), moine clunisien; théologien, archevêque de Reims (981) et pape de 999 à 1003 sous le nom de Sylvestre II. Célèbre par l'étendue de son érudition.

gerbeur, euse adj. et n. **1.** AGRIC adj. Qui sert à gerber. *Un chariot gerbeur.* **2.** n. f. TECH Engin de manutention servant au gerbage des marchandises. **3.** n. m. *Gerbeur* ou, en appos., *ouvrier gerbeur*, qui empile les charges.

Gerbier-de-Jonc (mont), sommet arrondi du Vivarais (1 551 m), où la Loire prend sa source.

gerbille n. f. ZOOL Petit rongeur muridé (genre *Gerbillus*, env. 8 cm) des régions arides d'Afrique et d'Asie.

gerboise n. f. ZOOL Petit rongeur d'Afrique et d'Asie (genre *Dipus*), au pelage brun, qui progresse par bonds sur ses pattes postérieures très allongées.

gerboise d'Égypte

gercer v. [12] **1.** v. tr. Faire de petites fentes ou crevasses à. *Le froid gerce les lèvres.* **2.** v. intr. et pron. Se fendiller, se crevasser. *Les mains (se) gercent en hiver.*

gerçure n. f. **1.** Crevasse douloureuse sur la peau ou les muqueuses. **2.** Fente dans le bois d'un arbre, dans la terre.

gérer v. tr. [14] Administrer, diriger pour son propre compte ou pour le compte d'autrui. *Gérer ses affaires, un domaine.* ▷ Fig. Dominer au mieux une situation difficile. *Gérer sa maladie. Gérer une crise.*

gerfaut [ʒɛʀfo] n. m. Grand faucon des régions septentrionales *(Falco rusticolus)*, long d'environ 50 cm, au plumage clair, quelquefois blanc.

Gergovie, anc. cap. des Arvernes, située sur une hauteur, à 6 km de Clermont-Ferrand. Victoire de Vercingétorix sur César, qui dut lever le siège après une rude bataille (52 av. J.-C.).

Gerhardt (Charles) (Strasbourg, 1816 - id., 1856), chimiste français. Il fut le promoteur de la notation atomique.

gériatre n. MED Médecin spécialisé en gériatrie.

gériatrie n. f. MED Branche de la médecine qui s'occupe des maladies des personnes âgées.

gériatrique adj. Relatif à la gériatrie.

Géricault (Théodore) (Rouen, 1791 - Paris, 1824), peintre français. Il abandonna le néo-classicisme en 1812 et jeta les bases du romantisme pictural. *Le Radeau de la Méduse* (1819, Louvre) suscita de violentes polémiques.

Théodore **Géricault :** *Officier de chasseurs à cheval de la garde impériale chargeant*, 1812 ; musée du Louvre

Gerlach (Walther) (Biebrich, 1889 - Munich, 1979), physicien allemand, auteur de travaux de physique quantique, notam., en 1921, de l'*expérience de Stern et Gerlach.*

Gerlache de Gomery (Adrien de) (Hasselt, 1866 - Bruxelles, 1934), navigateur belge ; chef de l'expédition de la *Belgica* en Antarctique (1897-1899).

Gerlachovka, point culminant des Carpates (2 663 m), dans les Tatras (Slovaquie).

1. germain, aine adj. (et n.) **1.** DR Né du même père et de la même mère. *Frère germain. Sœur germaine.* ▷ Subst. *Les germains :* les frères germains, les sœurs germaines. **2.** Loc. *Cousins germains*, dont le père ou la mère de l'un a pour frère ou sœur le père ou la mère de l'autre. - *Cousins issus de germains*, dont les parents sont cousins germains.

2. germain, aine adj. et n. De la Germanie.

Germain d'Auxerre (saint) (Auxerre, v. 378 - Ravenne, 448), évêque d'Auxerre (418). Il fut envoyé en Grande-Bretagne pour combattre le pélagianisme.

Germain (les), famille d'orfèvres parisiens. – **Pierre** (Paris, 1647 - id., 1684), orfèvre à la cour de Louis XIV. – **Thomas** (?, 1673 - Paris, 1748), fils du préc., exécuta une toilette d'or pour Marie Leczinska. – **François Thomas** (Paris, 1726 - id., 1791), fils du préc., enrichit d'un admirable service de table le trésor des rois du Portugal.

Germain (Sophie) (Paris, 1776 - id., 1831), mathématicienne française. Elle mit au point une théorie de la vibration des surfaces élastiques.

Germains, nom par lequel les Romains du Ier s. av. J.-C. désignaient les peuples indo-européens installés à l'E. du Rhin et au N. du Danube. Au cours du IIe millénaire av. J.-C., l'habitat primitif des Germains paraît s'être situé en Scandinavie du S. De là, ils essaimèrent, occupant, entre 1000 et 500 av. J.-C., les plaines de l'Allemagne du N., entre le Rhin et la Vistule. En 102-101 av. J.-C., ils pénétrèrent en terre romaine, mais, vaincus par Marius et César, ils furent contenus hors des frontières de l'Empire, qu'ils ne débordèrent qu'au IIIe s. apr. J.-C. Aurélien refoula alors les Vandales et les Alamans ; puis Probus, les Francs, les Vandales et les Sarmates. Aux IVe et Ve s. apr. J.-C., les invasions germaniques s'étendirent sur toute l'Europe occid. romanisée ; divers États barbares, notam. celui des Francs en Gaule, se constituèrent ; une civilisation nouvelle prenait naissance.

Germanicus (Julius Caesar) (Rome, 15 av. J.-C. - près d'Antioche, 19 apr. J.-C.), général romain, petit-neveu d'Auguste qui le fit adopter par Tibère. Vainqueur en Pannonie, puis sur le Rhin, il reçut le nom de Germanicus. Tibère qui voyait en lui un rival l'envoya en Orient où il mourut, peut-être empoisonné. Époux d'Agrippine l'aînée, il fut le père de Caligula.

Germanie, anc. région de l'Europe du N., qui fut occupée, à la fin du Ier millénaire av. J.-C. et au début de l'ère chrétienne, par les Germains ; extérieure à l'Empire romain, elle était limitée à l'O. par le Rhin, au N. par la mer du Nord et la Baltique, au S. par les Alpes et les Carpates, à l'E. par la Vistule. - *Germanie supérieure* et *Germanie inférieure :* noms de deux provinces romaines constituées par Auguste, sur la rive gauche du Rhin, v. 7 av. J.-C.

Germanie (royaume de), État formé en 843 (traité de Verdun) et comprenant les territ. carolingiens situés à l'E. du Rhin. Ses limites varièrent. Au XIe s., l'expression tomba en désuétude. (V. Allemagne.)

germanique adj. **1.** Relatif aux Germains. *Saint Empire romain germanique. Langues germaniques.* **2.** Relatif à l'Allemagne et aux Allemands.

germanisant, ante adj. et n. Qui étudie les langues, la littérature, la civilisation germaniques.

germaniser v. tr. [1] **1.** Rendre germanique. ▷ Imposer le caractère germanique à. **2.** Donner une forme allemande à (un mot, un nom propre).

germanisme n. m. Didac. **1.** Mot, tour ou expression propre à la langue allemande. ▷ Mot ou tour emprunté à l'allemand ou introduit dans une autre langue. **2.** Esprit germanique, allemand ; culture, civilisation ou influence allemande.

germaniste n. Didac. Spécialiste des langues, de la civilisation germaniques.

germanium n. m. CHIM Élément de numéro atomique Z = 32 et de masse atomique 72,59 (symbole Ge). - Métalloïde* (Ge) qui fond à 937 °C et bout à 2 830 °C, et qui est utilisé comme semi-conducteur.

germano-. Élément, du lat. *Germanus*, « Germain ».

germanophile adj. et n. Qui aime, admire l'Allemagne, les Allemands.

germanophobe adj. et n. Qui n'aime pas l'Allemagne, les Allemands.

germanophone adj. et n. Qui est de langue allemande. *Les pays germanophones.*

germano-soviétique (pacte), pacte de non-agression signé le 23 août 1939 entre l'Allemagne hitlérienne et l'U.R.S.S. après l'échec des négociations de Moscou avec Londres et Paris. Il prévoyait le partage de l'Europe nord-orientale (Pologne notam.) entre les deux puissances. Hitler, pour qui le traité présentait le seul intérêt d'éviter l'ouverture d'un deuxième front, à l'est, prépara dès 1940 l'invasion de l'U.R.S.S., déclenchée en juin 1941.

germe n. m. **1.** Rudiment d'un être vivant (œuf, embryon, plantule, etc.). *Le germe d'un œuf :* l'embryon. *Germe dentaire :* ébauche d'une dent. ▷ *Spécial.* Première pousse issue de la graine, du tubercule, etc. *Germes de soja.* **2.** (Le plus souv. au plur.) Bactérie, virus, spore, etc. *Germes pathogènes.* **3.** PHYS Substance qui provoque la cristallisation d'un liquide sursaturé, ou la solidification d'un liquide surfondu. *Les germes sont à l'origine de la formation du verglas.* **4.** Fig. Principe, élément à l'origine de qqch. *Les germes d'une révolution.* Syn. cause, source.

germen [ʒɛʀmɛn] n. m. BIOL Ensemble des cellules reproductrices d'un être vivant (par oppos. à *soma*). *Le germen transmet les caractères héréditaires.*

germer v. intr. [1] **1.** En parlant des semences, des bulbes, etc., commencer à se développer pour produire un nouvel individu. *Le blé commence à germer. Des pommes de terre germées*, dont les germes commencent à pousser. **2.** Fig. Se former, commencer à se développer. *Un projet a germé dans son esprit.*

Germer (Lester Halbert) (Chicago, Illinois, 1896 - Gardiner, État de New York, 1971), physicien américain. Il réalisa en 1927, avec C.J. Davisson, la diffraction d'un faisceau d'électrons par un cristal de nickel.

germicide adj. MICROB Qui tue les germes microbiens. *Les ultraviolets sont germicides.* Syn. bactéricide.

1. germinal, ale, aux adj. BIOL Relatif au germe.

2. germinal n. m. HIST Septième mois (du 21/22 mars au 19/20 avril) du calendrier républicain. ▷ *Journée du 12 germinal an III* (1er avril 1795), qui vit le soulèvement, dû à la misère, des faubourgs parisiens contre la Convention thermidorienne.

germinatif, ive adj. BOT **1.** Qui a le pouvoir de faire germer. **2.** Relatif à la germination. *Pouvoir germinatif d'un lot de graines.*

germination n. f. BOT Ensemble des phénomènes qui se produisent quand la plantule passe de la vie ralentie à la vie active, et qui aboutissent à la formation de la jeune plante. ▷ Période pendant laquelle ont lieu ces phénomènes.

Germiston, v. d'Afrique du Sud (Transvaal); 155 740 hab. Mines d'or; industr. chim., méca. et text.

germoir n. m. TECH **1.** Local dans lequel on fait germer des semences. **2.** Caisse où l'on fait germer des graines avant de les semer.

germon n. m. Thon blanc *(Germo alalunga)* de l'Atlantique (entre Madère et l'Irlande).

Gernsback (Hugo) (Luxembourg, 1884 - New York, 1967), ingénieur et écrivain américain d'origine luxembourgeoise. Il énonça le premier le principe du radar et de la triode à cristal. On lui doit le terme *science-fiction* (1911).

gérondif n. m. GRAM **1.** Mode latin, déclinaison de l'infinitif. **2.** En français, forme verbale en *-ant,* précédée le plus souvent de la prép. *en,* et qui sert à exprimer des compléments de circonstance (ex. Il parle en dormant).

Gérone (en esp. *Gerona*), v. d'Espagne (Catalogne); 70 870 hab.; ch.-l. de la prov. du m. nom. Fonderies. - Cath. gothique reconstruite aux XIVe et XVe s.

Geronimo (cañon No-Doyohn, auj. Clifton, Arizona, 1829 - Fort Sill, près de Lawton, Oklahoma, 1908), chef indien de la tribu apache des Chiricahuas. Il opposa, de 1860 à 1886, une farouche résistance aux troupes des É.-U. chargées de contenir son peuple dans les réserves.

géronto-. Élément, du gr. *gerôn, gerontos,* « vieillard ».

gérontocratie [ʒeʀɔ̃tɔkʀasi] n. f. Didac. Gouvernement, prépondérance politique des vieillards.

gérontologie n. f. MED Étude du vieillard, de ses conditions de vie normales et pathologiques.

gérontologue n. MED Spécialiste de gérontologie.

Gers (le), riv. de Gascogne (178 km), affl. de la Garonne (r. g.); naît sur le plateau de Lannemezan, arrose Auch.

Gers, dép. franç. (32); 6 291 km^2; 174 587 hab.; 27,7 hab./km^2; ch.-l. *Auch.* V. Midi-Pyrénées (Rég.).

Gershwin (George) (Brooklyn, 1898 - Los Angeles, 1937), compositeur américain. Il tenta de créer, notam. par des emprunts au jazz, une forme musicale moderne : *Rhapsody in Blue* (1924), *Un Américain à Paris* (1928), *Porgy and Bess* (opéra, 1935).

gersois, oise adj. et n. Du Gers. - Subst. *Un(e) Gersois(e).*

Gertrude la Grande (sainte) (Eisleben, 1256 - Helfta, Saxe, v. 1302), moniale et mystique allemande. Elle a laissé le récit de ses *Révélations* dans un ouvrage intitulé *Héraut de l'amour divin.*

George **Gershwin** André **Gide**

Géryon, dans la myth. gr., monstre à trois têtes et à trois troncs; Héraclès le tua et s'empara de ses troupeaux.

Gesell (Arnold) (Alma, Wisconsin, 1880 - New Haven, Connecticut, 1961), psychopédiatre américain; spécialiste du développement du très jeune enfant.

gésier n. m. Seconde poche de l'estomac des oiseaux, aux parois musculeuses très dures, qui broient les aliments.

gésine n. f. Vx *En gésine* : qui est sur le point d'accoucher.

gésir v. intr. défect. **[37]** (Usité seulement au présent, à l'imparfait de l'indicatif et au participe présent.) **1.** Être étendu (malade, blessé, mort). *Il gisait dans la poussière.* ▷ Spécial. *Ci-gît :* formule d'épitaphe. **2.** (Choses) Être tombé, abandonné sur le sol. *Des débris gisaient çà et là.* **3.** Fig. Se trouver. *C'est là que gît la difficulté.*

gesse n. f. Plante fourragère (fam. papilionacées) dont les stipules se sont transformées en vrilles. - *Gesse odorante :* pois de senteur.

Gessler (Hermann), bailli au service des Habsbourg, personnage légendaire qui persécuta Guillaume Tell, lequel le tua.

Gessner (Salomon) (Zurich, 1730 - id., 1788), peintre et poète bucolique suisse d'expression allemande : *Idylles* (1756; second vol., 1772).

gestalt [geʃtalt] n. f. PSYCHO Ensemble structuré dans lequel les parties, les processus partiels, dépendent du tout. (V. forme, III, sens 2).

gestaltisme [gɛʃtaltism] n. m. PSYCHO Psychologie de la forme*.

Gestapo (la), abrév. de *Geheime Staatspolizei,* « police secrète d'État ». Police politique du IIIe Reich, créée en 1933, réorganisée en 1936 par H. Himmler et R. Heydrich (chef S.S., « protecteur du Reich » en Bohême-Moravie). Elle sévit non seulement en Allemagne, mais aussi dans tous les territoires occupés par les forces nazies, dont elle incarne toutes les horreurs.

gestation n. f. **1.** État des femelles des mammifères qui portent leurs petits. *Être en gestation.* ▷ Durée de cet état, variable selon les espèces. **2.** Fig. Élaboration, genèse d'un ouvrage de l'esprit. *Roman en gestation.*

1. geste n. m. **1.** Mouvement volontaire ou instinctif d'une partie du corps, notam. des bras et des mains, pour faire ou exprimer qqch. *Faire des grands gestes.* **2.** Action (au sens symbolique et moral). *Avoir, faire un beau geste.*

2. geste n. f. **1.** LITTER Groupe de poèmes épiques du Moyen Âge, consacrés aux exploits d'un héros. La *Geste de Charlemagne.* ▷ *Chanson de geste :* l'un des poèmes appartenant à cet ensemble. **2.** Plur. Cour. *Faits et gestes d'une personne,* ses actions, sa conduite.

gesticulant, ante adj. Qui gesticule. *Un acteur à l'éloquence gesticulante.*

gesticulation n. f. Action de gesticuler.

gesticuler v. intr. **[1]** Faire de grands gestes dans tous les sens.

gestion n. f. **1.** Action d'administrer, d'assurer la rentabilité (d'une entreprise). *Cette société a une bonne gestion financière.* **2.** FIN *Gestion de portefeuille :* activité d'une banque ou d'un agent de change qui gère les valeurs d'un client.

gestionnaire adj. et n. **1.** adj. Qui concerne la gestion. **2.** n. Spécialiste de la gestion. *Tout chef d'entreprise doit être un bon gestionnaire.* ▷ MILIT n. m. Officier ou gradé chargé de l'administration d'un hôpital, d'un magasin, etc.

gestualité n. f. Didac. **1.** Caractère gestuel. **2.** Ensemble des gestes (d'une personne).

gestuel, elle adj. et n. f. **1.** adj. Qui a rapport aux gestes, aux mouvements du corps. **2.** n. f. Ensemble de gestes signifiants. ▷ Par ext. Manière de s'exprimer par les gestes, par le corps, caractéristique d'un acteur, d'un danseur.

Gesualdo (Carlo), prince de Venosa (Naples, v. 1560 - id., 1614), luthiste et compositeur italien, auteur de *Madrigaux* à cinq et six voix.

Geta (Publius Septimius) (189 - 212), empereur romain de 211 à 212, fils de Septime Sévère. Il fut assassiné sur l'ordre de son frère aîné Caracalla, avec qui il partageait le pouvoir.

Gethsémani, jardin à l'E. de Jérusalem, au pied du mont des Oliviers. Jésus y fut arrêté, ce qui marqua le début de sa Passion.

Getty Center, musée et centre culturel construit en 1997 à Los Angeles par Richard Meier (né en 1934) pour la fondation Jean-Paul Getty (1892-1976) industriel, mécène et collectionneur américain. C'est le musée privé le plus grand du monde.

Gettysburg, v. des É.-U. (Pennsylvanie); 7 000 hab. - Importante victoire des nordistes sur les sudistes du général Lee (1er-3 juil. 1863).

Gétules, anc. peuple berbère qui nomadisait dans le S. du Maghreb, à la lisière du Sahara, et qui combattit les Romains au Ier s. av. J.-C.

Gétulie, anc. rég. de l'Afrique du Nord, pays des Gétules.

Getz (Stanley, dit Stan) (Philadelphie, 1927 - Los Angeles, 1991), saxophoniste de jazz américain. Son album *Jazz Samba* (compositions à base d'emprunts aux rythmes sud-américains, 1961) le rendit célèbre.

Geulincx (Arnold) (Anvers, 1624 - Leyde, 1669), philosophe flamand néocartésien : *Ethica, Physica vera.*

Gévaudan, ensemble de plateaux cristallins du Massif central (alt. max. 1 500 m), entre la Margeride et l'Aubrac. Élevage ovin et bovin; forêts. - Cet anc. pays (hab. Gabalitains), dont la cap. était *Mende,* a formé une partie des dép. de la Lozère et de la Haute-Loire. - Entre 1765 et 1768, la *bête du Gévaudan* (sans doute un loup) tua une cinquantaine de personnes.

Gevrey-Chambertin, ch.-l. de cant. de la Côte-d'Or (arr. de Dijon); 2 835 hab. Vins réputés *(chambertin).*

gewurztraminer [gevyʀstʀa minœʀ] n. m. VITIC Cépage blanc d'Alsace. ▷ Vin fruité issu de ce cépage.

Gex, ch.-l. d'arr. de l'Ain, au pied du Jura, à 650 m d'alt.; 6 678 hab. - Cap. du petit *pays de Gex,* qui appartint tantôt à Genève, tantôt à la Savoie et qui fut réuni à la France en 1601. L'écon. de cette rég. (statut de zone franche) est liée à celle de la Suisse.

geyser [ʒezɛʀ] n. m. Source chaude caractérisée par une projection d'eau intermittente et turbulente, accompagnée de dégagement de vapeur. *L'eau des geysers contient des silicates dissous.*

Gezelle (Guido) (Bruges, 1830 - id., 1899), prêtre et poète belge d'expression flamande : *Collier de rimes* (1897).

Gezireh (la) (en ar. *Al-Djazīrah*), région du Soudan, entre le Nil Blanc et le Nil Bleu. Import. rég. agric. (notam. coton), fertilisée par irrigation.

Ghab, dépression synclinale de Syrie, drainée par l'Oronte.

Ghadamès ou **Rhadamès** *(Ġadāmis),* oasis de Libye, dans le Fezzan occid., près de la Tunisie et de l'Algérie; 7 500 hab.

Ghāghra. V. Gogra.

Ghālib (Mirza Asad ullah Khān) (Āgra, 1796 - Delhi, 1869), un des plus importants poètes musulmans de l'Inde. Il a écrit des poèmes d'inspiration mystique et lyrique, en persan et en urdu. Sa *Correspondance* (1869), chef-d'œuvre en prose, a été à l'orig. du développement d'une littérature en urdu.

Ghāna, anc. empire d'Afrique occid., formé au IIIe s. À son apogée (IXe-XIe s.), il s'étendait sur le Soudan occid. Sa richesse lui venait du comm. de l'or. Il s'écroula au XIe s. après les attaques des Almoravides. Son nom a été repris par la Côte-de-l'Or, devenue indépendante en 1957.

Ghana (république du) *(Republic of Ghana),* anc. *Côte-de-l'Or* (en angl. *Gold Coast*), État d'Afrique occid., sur le golfe de Guinée; 238 538 km²; 13 700 000 hab., croissance démographique : 3 % par an; cap. *Accra.* Nature de l'État : république membre du Commonwealth. Langue off. : angl. Monnaie : cedi. Princ. ethnies : Achantis, Dagombas, Éwés. Relig. : christianisme (43 %), animisme (38 %), islam (15 à 19 %).
Géogr. phys. et hum. - Le relief, peu accusé, est formé de plateaux qui dominent les plaines littorales du S. et la cuvette de l'E., aujourd'hui occupée par le lac Volta (le plus grand lac artificiel du monde), qui collecte les eaux des Volta noire, rouge, blanche, retenues par le barrage d'Akosombo. Au S.-O., le plateau Achanti, humide et forestier, concentre la majorité des habitants, alors que le S.-E. et le N., au climat tropical plus sec (forêt claire et savane), ont un peuplement clairsemé. Les deux tiers des Ghanéens sont encore des ruraux; la croissance démographique contraint une partie de la main-d'œuvre à s'expatrier.
Écon. - Pays en développement, le Ghana présente une économie relativement diversifiée; l'agriculture et

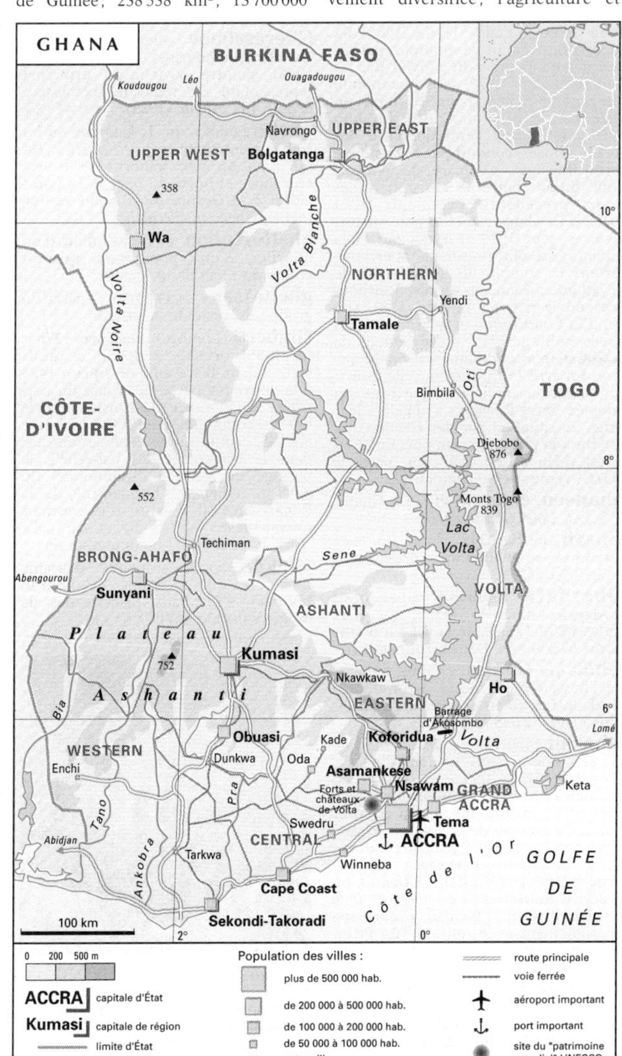

l'industrie sont en progrès et le tourisme en essor. Aux exportations traditionnelles de cacao, d'or et de bois, s'ajoutent désormais des fruits, du maïs et de l'aluminium. Depuis l'adoption, en 1983, du programme d'ajustement structurel du F.M.I., la croissance du P.N.B. a été forte et la situation s'est assainie. La dette reste élevée et le déficit extérieur notable mais le pays fait figure d'exemple à suivre dans la région. **Hist.** – Après les Portugais (XVe s.), Hollandais, Danois, Prussiens et Anglais s'installent, dès le XVIe s. La rég. est une grande base de la traite des Noirs et devient colonie britannique en 1874; les populations achantis ne sont soumises qu'en 1901. La Côte-de-l'Or est la première colonie africaine qui obtient son indépendance, en 1957, sous le nom de Ghana. Leader du pays dep. 1951, K. Nkrumah se fait le champion du panafricanisme et de l'indépendance de tous les États africains (conférence d'Accra, déc. 1958). Il proclame la république en 1960, tout en demeurant dans le Commonwealth. Le régime autoritaire qu'il instaure et la détérioration de l'économie provoquent un coup d'État militaire (février 1966). Sa succession connaît de multiples péripéties, jusqu'à la prise du pouvoir par les militaires (janv. 1972) sous la conduite du général Acheampong, renversé en 1978 par le général Akuffo. En juin 1979, un Conseil révolutionnaire des forces armées, conduit par le capitaine Jerry Rawlings, s'empare du pouvoir pour lutter contre la corruption; les deux précédents présidents sont fusillés. Rawlings remet le pouvoir aux civils en sept. 1979 et le docteur Hilla Limann est élu président. Mais, prétextant la continuelle dégradation de la situation écon. et sociale, Rawlings reprend le pouvoir en déc. 1981, suspend la Constitution et interdit tous les partis politiques. Le redressement de la situation économique est en bonne voie. En avril 1992, une nouvelle Constitution instaurant le multipartisme est adoptée. Jerry Rawlings a appelé à légitimer sa situation par des élections : il est élu à la présidence en nov. En 1996, il est réélu et, en 1997, son parti, le N.D.C., remporte les législatives.

ghanéen, enne adj. et n. Du Ghana. – Subst. *Un(e) Ghanéen(ne).*

Gharb ou **Rharb,** plaine du N.-O. du Maroc, sur l'Atlantique, drainée par l'oued Sebou.

Ghardaïa *(Ġardāya),* v. et oasis d'Algérie, dans le Mzab, au S.-E. d'Hassi-R'Mel; ch.-l. de la wil. du même nom; 62 250 hab. Dattes. Tourisme.

Ghāts ou **Ghātes,** chaînes côtières de l'Inde, rebords occid. et orient. du Dekkan. Les *Ghāts occidentaux* sont les plus élevés (2 695 m).

Ghazali *(Abū Ḥāmid Muḥammad al-Ġazālī),* connu sous le nom d'*Algazel* (Tūs, Khorāsān, 1058 – id., 1111), l'un des plus importants penseurs de l'islam. Philosophe, juriste, théologien, il enseigna à l'université de Bagdad, mais une crise mystique le plongea dans le doute et le désespoir. Il voyagea dans le Proche-Orient et s'installa à Damas, où il écrivit *Revivification des sciences de la religion.* Il revint à Bagdad, y reprit son enseignement et se retira à Tūs. Princ. œuvres : *Incohérence des philosophes; Ce qui délivre de l'erreur, ô jeune homme!*

Ghazawet *(al-Ġazawāt)* (anc. *Gazaouet*), v. d'Algérie (wilaya de Tlemcen); 29 790 hab. Port de pêche et de comm. Métallurgie. – La ville s'appela *Nemours* de 1844 à 1962.

Ghaznévides ou **Rhaznévides,** dynastie musulmane turque (X^e-XIIe s.) qui eut pour cap. *Ghaznī* (Afghānistān) et étendit, au XIe s., sa domination jusqu'en Iran et en Inde (Pendjab). Elle disparut au XIIe s.

Ghelderode (Adhemar Martens, dit Michel de) (Ixelles, 1898 – Bruxelles, 1962), dramaturge belge d'expression française. Sa richesse verbale, sa truculence évoquent certains aspects bouffons de la peinture flamande (Bruegel) : *la Mort du docteur Faust* (1924), *Don Juan* (1928), *Barabbas* (1931), *Fastes d'enfer* (1942), *la Farce des ténébreux* (1952).

Gheorghiu-Dej (Gheorghe) (Bîrlad, 1901 – Bucarest, 1965), homme politique roumain. Il adhéra dès 1930 au parti communiste, dont il devint secrétaire général en 1949. Chef de l'État de 1961 à sa mort.

Gherardesca (Ugolino della), dit Ugolin (m. à Pise en 1289), chef des gibelins de Pise qui régna par la terreur. Renversé par un soulèvement populaire, il mourut de faim en prison, avec ses enfants, qu'il aurait tenté de dévorer (cet épisode inspira Dante).

Gherassimov (Alexandre Mikhaïlovitch) (Mitchourinsk, 1881 – Moscou, 1963), peintre soviétique; principal représentant du réalisme socialiste : *Lénine à la tribune* (1932).

ghetto [geto] n. m. **1.** Quartier où les Juifs étaient contraints de résider. ▷ *Par ext.* Lieu où une minorité se trouve regroupée et isolée du reste de la population. **2.** Fig. Groupe social replié sur lui-même. *Ghetto intellectuel.*

ghettoïsation n. f. Évolution d'un quartier, d'une population, qui est coupé du reste de la société.

ghettoïser v. tr. **[1]** SOCIOL Séparer un groupe du reste de la société.

Ghiberti (Lorenzo) (Florence, 1378 – id., 1455), orfèvre, sculpteur et architecte italien. Il travailla de 1403 à 1424 à la deuxième porte en bronze du baptistère de Florence; la troisième porte lui fut commandée en 1425; achevée en 1452, cette œuvre capitale marque, dans le traitement des bas-reliefs, le passage du gothique traditionnel du XIVe s. italien à l'humanisme de la Renaissance. Il a laissé d'intéressants *Commentaires* sur sa vie et sur celle d'artistes disparus ou contemporains.

Ghika, famille princière d'origine albanaise qui a donné de nombr. hommes d'État aux principautés de Moldo-Valachie (XVIIe-XXe s.).

Lorenzo **Ghiberti :** Salomon et la reine de Saba, bas-relief de la porte orientale du baptistère de Santa Maria del Fiore, bronze doré (1425-1450), Florence

ghilde. V. guilde.

Ghilizane *(Ġlīzān)* (anc. *Relizane*), v. d'Algérie; ch.-l. de la wilaya du même nom; 84 460 hab. Centre agricole.

Ghirlandaio ou **Ghirlandajo** (Domenico di Tommaso Bigordi, dit Domenico) (Florence, 1449 – id., 1494), peintre italien. Ses œuvres témoignent de recherches sur la perspective : *Vies de la Vierge et de saint Jean-Baptiste* (Santa Maria Novella, Florence).

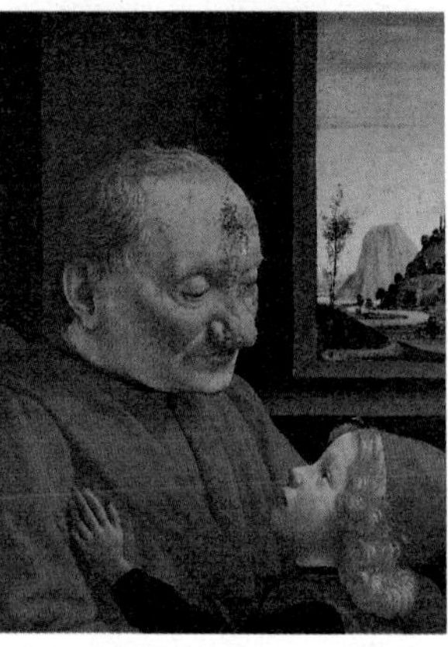

Domenico **Ghirlandaio :** *Portrait d'un vieillard et d'un jeune garçon,* 1488; musée du Louvre

Ghor (le), dépression de Palestine, où coule le Jourdain et où se trouvent le lac de Tibériade (au N.) et la mer Morte (au S.).

Ghourides ou **Ghurides,** dynastie musulmane (XIIe-XIIIe s.) qui supplanta les Ghaznévides après un demi-siècle de lutte, prenant Ghaznī en 1151.

Ghrívas (Ghéorghios). V. Grivas.

GHz PHYS Symbole du gigahertz.

G.I. [dʒiaj] n. m. Fam. (Sigle de l'expr. angl. *Government Issue,* «fourniture du gouvernement».) Nom donné depuis la guerre de 1939-1945 aux soldats américains. *Des G.I.* ou *des G.I.s.*

G.I.A. Sigle de *Groupe islamique armé,* en Algérie.

Giacometti (Alberto) (Stampa, Grisons, 1901 – Coire, 1966), sculpteur et peintre suisse. En France à partir de 1921, il fut un temps surréaliste (*l'Objet invisible,* 1934). Ses personnages de bronze sont filiformes et tourmentés.

Gia Long (Huê, 1762 – id., 1820), empereur d'Annam (1802-1820). Prince de la dynastie de Nguyên, Nguyên Anh (nom initial de Gia Long) réussit, avec l'appui de la France, à conquérir la majeure partie de l'actuel Viêt-nam, fondant un nouvel empire en 1802.

Giambologna (Giovanni da Bologna ou), en fr. *Jean de Bologne* ou *de Boullongne* (Douai [?], 1529 – Florence, 1608), sculpteur et architecte d'origine flamande; élève présumé de Michel-Ange. Il vécut à la cour des Médicis de Florence. Sa statuaire est teintée de maniérisme : *Mercure volant.*

Giap (Vô Nguyên) (An Xa, 1912), général et homme politique vietnamien. Il lutta contre les Français, qu'il vainquit à Diên Biên Phu (1954), puis contre les troupes de Saigon et les Américains.

Alberto **Giacometti**

Ministre de la Défense nationale de 1960 à 1980 (de la Rép. dém. du Viêt-nam, puis du Viêt-nam unifié). Vice-Premier ministre dep. 1989.

giardia. V. lamblia.

Giauque (William Francis) (Niagara Falls, Canada, 1895 - Oakland, Californie, 1982), chimiste et physicien américain. Sa méthode de démagnétisation, qui permet d'obtenir de très basses températures, l'amena à découvrir en 1929 les deux isotopes lourds de l'oxygène. P. Nobel de chimie 1949.

gibbeux, euse adj. Didac. Qui a une bosse (êtres vivants). ▷ En forme de bosse. *Échine gibbeuse.*

gibbon n. m. Singe anthropoïde dépourvu de queue, dont les diverses espèces habitent l'Indochine et la Malaisie. *Les gibbons utilisent leurs grands bras pour se déplacer dans les arbres.*

Gibbon (Edward) (Putney, 1737 - Londres, 1794), historien anglais. Auteur d'une *Histoire de la décadence et de la chute de l'Empire romain* qui fut une des premières tentatives de travail historique scientifique.

Gibbons, famille de musiciens anglais des XVIe et XVIIe s. – **Orlando** (Oxford, 1583 - Canterbury, 1625), organiste, créa un style de clavier purement instrumental. Il a composé des motets, des madrigaux, des pavanes, des gaillardes, etc.

gibbon

gibbosité n. f. Didac. Bosse produite par une convexité anormale de la colonne vertébrale. ▷ *Par ext.* Saillie en forme de bosse.

Gibbs (James) (Aberdeen, 1682 - Londres, 1754), architecte anglais. Élève de Carlo Fontana, son style procède du baroque italien et de l'esthétique de Wren : bibliothèque Radcliffe à Oxford (1739-1749).

Gibbs (Josiah Willard) (New Haven, Connecticut, 1839 - id., 1903), physicien américain; père de la thermodynamique.

gibecière n. f. **1.** Sac que les chasseurs portent généralement en bandoulière et où ils placent le menu gibier. Syn. carnier, carnassière. **2.** Vieilli Cartable que les écoliers portent sur l'épaule.

gibelin, ine n. (et adj.) HIST Dans l'Italie du XIIIe au XVe s., partisan de l'empereur romain germanique (par oppos. à *guelfe**). ▷ adj. *Le parti gibelin.*

gibelotte n. f. Fricassée de lapin au vin blanc.

giberne n. f. Anc. Boîte de cuir dans laquelle les soldats mettaient leurs cartouches. ▷ Loc. fig. *Avoir dans sa giberne un bâton de maréchal :* pouvoir, par sa valeur, accéder aux plus hauts grades, en parlant d'un soldat.

gibet [ʒibɛ] n. m. Potence servant à la pendaison.

gibier n. m. **1.** Ensemble des animaux susceptibles d'être chassés. *Région où le gibier abonde. Gibier à plume, à poil.* ▷ *Gros gibier :* sangliers, cerfs, etc. **2.** Viande d'animal tué à la chasse. *Il y a du gibier au menu.* **3.** Loc. fig. *Gibier de potence :* individu malhonnête, digne de la potence.

giboulée n. f. Pluie soudaine et brève, souvent mêlée de grêle ou de neige. *Les giboulées de mars.*

giboyeux, euse adj. Qui abonde en gibier. *Landes giboyeuses.*

Gibraltar (détroit de), détroit qui unit l'Atlantique à la Méditerranée et sépare l'Espagne du Maroc; largeur, 15 km env.; profondeur, 350 m. – Nommé *colonnes d'Hercule* dans l'Antiquité.

Gibraltar, territ. britannique, à l'extrémité mérid. de l'Espagne, sur le détroit du même nom; 6 km^2; 29 000 hab. Port de guerre (import. base aéronavale) et de comm. Tourisme important. Paradis fiscal. – Un rocher haut de 423 m surplombe la ville, le *djabal al-Tariq* (la « montagne de Tariq »), du nom du conquérant berbère Tariq ibn Ziyad, dont la prononciation altérée a donné *Gibraltar.* – Cette place stratégique, brit. depuis 1704, est revendiquée par l'Espagne.

Gibran (Khalil Jubran), en ar. *Djubrān Khālīl Djubrān* (Bécharré, Liban, 1883 - New York, 1931), poète libanais. Sa prose poétique, en arabe et en angl., mélancolique et colorée, rappelle la Bible : *Tempêtes; Larmes et Sourire; les Ailes brisées; les Âmes rebelles* et, surtout, *le Prophète* (en angl., 1923). Son œuvre de peintre est importante.

Gibraltar

gibus [ʒibys] n. m. Chapeau haut de forme à ressorts, que l'on peut aplatir. Syn. claque.

giclée n. f. Jet de liquide qui gicle. *Une giclée de sang.*

giclement n. m. Action de gicler.

gicler v. intr. [1] Jaillir soudainement ou avec force. *Eau qui gicle d'une canalisation crevée.*

gicleur n. m. TECH Organe muni d'un dispositif spécial à un ou plusieurs trous, calibré, destiné à régler le débit d'un combustible liquide.

Gide (Charles) (Uzès, 1847 - Paris, 1932), économiste français; un des principaux théoriciens du coopératisme.

Gide (André) (Paris, 1869 - id., 1951), écrivain français, neveu de Charles Gide. Il a d'abord subi l'influence symboliste : *les Cahiers d'André Walter* (1891). Dans *Paludes* (1895), *les Nourritures terrestres* (1897) et *Prométhée mal enchaîné* (1899), son esprit, disponible, non conformiste, cultive l'inquiétude. Il parla avec véracité de son homosexualité : *Si le grain ne meurt* (1920-1924), *Journal* (tenu de 1889 à 1949), *Et nunc manet in te* (posth., 1951). Dans un style très travaillé et classique, il a abordé le récit (*l'Immoraliste,* 1902; *la Porte étroite,* 1909), le roman (*les Caves du Vatican,* « sotie », 1914; *la Symphonie pastorale,* 1919; *les Faux-Monnayeurs,* 1926), l'étude critique (*Prétextes,* 1903; *Nouveaux Prétextes,* 1911), le théâtre (*Œdipe,* 1931). P. Nobel 1947. ► illustr. page **814**

G.I.E. Sigle de *groupement d'intérêt économique.* (V. groupement.)

Gié (Pierre de Rohan, sire de) (chât. de Mortier-Crolles, près de Craon, 1451 - Paris, 1513), maréchal de France. Il s'illustra sous Louis XI (défense des frontières du N.) et sous Charles VIII (bataille de Fornoue, 1495).

Gien, ch.-l. de cant. du Loiret (arr. de Montargis), sur la Loire; 17 166 hab. Vins; faïencerie réputée; industr. méca. – Chât. du XVe s. (musée de la chasse à tir et de la fauconnerie).

Giens (presqu'île de), presqu'île du Var, liée au continent par deux langues de sable.

Gier (le), riv. de France (44 km), affl. du Rhône (r. dr.); conflue à Givors.

Gierek (Edward) (Porąbka, 1913), homme politique polonais; chef du P.O.U.P. (Parti ouvrier unifié polonais) de 1970 à 1980. Apprécié pour son humanisme et ses qualités de technicien, il succéda à Gomułka, mais dut faire face à une révolte ouvrière grandissante; destitué en 1980, exclu du P.O.U.P. en 1981, il fut emprisonné lors de la proclamation de l'état de guerre (déc. 1981) et libéré un an plus tard.

Gieseking (Walter) (Lyon, 1895 - Londres, 1956), pianiste allemand, virtuose international; interprète de Bach, Debussy, Ravel, etc.

Giessen, v. d'Allemagne (Hesse); 71 100 hab. Centre d'une région minière (fer, manganèse). – Université.

Giffard (Henry) (Paris, 1825 - id., 1882), ingénieur et aéronaute français.

Il construisit en 1852 le premier dirigeable (propulsé par une hélice qu'entraînait un moteur à vapeur).

gifle n. f. **1.** Coup donné sur la joue avec le plat ou le revers de la main. *Donner une gifle.* Syn. claque, soufflet. **2.** Fig. Affront. *Ce refus a été pour lui une gifle.*

gifler v. tr. [1] Donner une gifle à (qqn). – Frapper sur la joue. *Un vent qui gifle le visage.*

Gif-sur-Yvette, ch.-l. de cant. de l'Essonne (arr. de Palaiseau), dans la vallée de Chevreuse; 19 818 hab. Prod. pharm. Laboratoires du C.N.R.S. École supérieure d'électricité.

Gifu, v. du Japon (Honshū); 411 740 hab.; ch.-l. du ken du m. nom. Célèbres fabriques de lanternes transparentes. Textiles.

giga-, gigan-. Élément, du gr. *gigas, gigantos,* « géant ». Placé devant une unité, il indique sa multiplication par un milliard (symbole : G).

gigahertz [ʒigaɛʀts] n. m. PHYS Unité de fréquence valant 1 milliard de hertz (symbole : GHz).

gigantesque adj. **1.** Qui tient du géant. *Taille gigantesque.* ▷ Par ext. *Paquebot gigantesque.* Ant. minuscule. **2.** Fig. Qui dépasse de beaucoup la moyenne. *Entreprise gigantesque.* – n. m. *Aimer le gigantesque.*

gigantisme n. m. **1.** MED Affection caractérisée par un accroissement exagéré du squelette. *Le gigantisme est dû à une hypersécrétion de l'hypophyse.* **2.** Caractère de ce qui est gigantesque, démesuré. *Le gigantisme des villes américaines.*

gigantomachie n. f. MYTH Combat fabuleux des Géants contre les dieux de l'Olympe.

gigantostracés n. m. pl. PALEONT Sous-classe d'arthropodes mérostomes fossiles (de l'ordovicien au permien), d'abord marins, puis d'eau douce, ressemblant à de gros scorpions (jusqu'à 3 m de long). – Sing. *Un gigantostracé.*

Gignoux (Maurice) (Lyon, 1881 – Grenoble, 1955), géologue français; spécialiste de la stratigraphie des Alpes.

gigogne adj. Se dit de meubles, d'objets qui s'emboîtent les uns dans les autres. *Tables, poupées gigognes.*

gigolo n. m. Fam. Jeune amant d'une femme plus âgée qui l'entretient.

gigot [ʒigo] n. m. **1.** Cuisse de mouton, d'agneau, de chevreuil, coupée pour la table. ▷ *Manche du gigot :* partie de l'os par laquelle on peut prendre le gigot. ▷ *Manche à gigot :* instrument que l'on adapte au manche du gigot pour pouvoir découper plus facilement la viande. **2.** *Manches gigot :* manches longues de robe, de corsage, qui bouffent sur le haut du bras.

gigotement n. m. Fam. Action de gigoter; mouvement qui en résulte.

gigoter v. intr. [1] Fam. Remuer en tous sens les jambes, le corps.

1. gigue n. f. **1.** VEN, CUIS Cuisse de chevreuil. ▷ Fam. Jambe. *Des grandes gigues.* **2.** Fam., péjor. *Une grande gigue :* une grande fille dégingandée.

2. gigue n. f. Danse au rythme vif, binaire ou ternaire, probabl. d'orig. anglaise (XVIe s.), caractérisée par un mouvement rapide des jambes et des pieds. – Air sur lequel on exécute cette danse. ▷ Par ext. *Danser la gigue :* danser en sautant de façon désordonnée.

Gijón, port import. d'Espagne (Asturies), sur le golfe de Gascogne; 256 000 hab. Sidérurgie, constr. navales.

Gilbert (îles). V. Kiribati.

Gilbert (William) (Colchester, 1544 – Londres, 1603), physicien et médecin anglais. Il développa la méthode expérimentale et fit faire des progrès marquants à l'électricité et au magnétisme.

Gilbert (Walter) (Boston, 1932), chimiste américain; prix Nobel 1980 pour ses travaux sur les gènes.

Gilbreth (Frank Bunker) (Fairfield, Maine, 1868 – Montclair, New Jersey, 1924), ingénieur américain; promoteur de l'étude des mouvements de l'homme au travail et de l'organisation du travail.

Gildas (saint), dit *le Sage* (Dumbarton, Écosse, v. 500 – île d'Houat, Morbihan, 570), missionnaire et historien britannique (*De excidio et conquestu Britanniæ,* premier ouvrage historique sur la Grande-Bretagne). Retiré à Houat, il fonda le monastère de Rhuis (sur le continent).

gilde. V. guilde.

gilet n. m. **1.** Veste courte et sans manches que les hommes portent sous un veston. **2.** Veste à manches longues, en tricot. **3.** Sous-vêtement couvrant le torse. *Gilet de flanelle.* **4.** *Gilet de sauvetage :* brassière de sécurité permettant de maintenir hors de l'eau la tête d'une personne immergée. ▷ *Gilet pare-balles :* gilet de protection à l'épreuve des balles. **5.** Loc. fig. *Pleurer dans le gilet de qqn,* se lamenter auprès de lui.

Gilgal. V. Galgala.

Gilgamesh, roi sumérien du IIIe millénaire; l'un des principaux héros de la myth. mésopotamienne. Son épopée (où se trouve le premier récit du Déluge) a d'abord été connue par les tablettes de la bibliothèque d'Assurbanipal à Ninive. Depuis, de nombreux fragments de toutes les époques ont complété ce texte.

Gilioli (Émile) (Paris, 1911 – id., 1977), sculpteur français. Les surfaces polies de ses œuvres, non figuratives, mêlent leurs effets de lumière au contenu expressif des formes.

Gillebert. V. Gislebert.

Gilles (Jean), dit *de Tarascon* (Tarascon, 1669 – Avignon, 1705), compositeur français. Sa *Messe des morts* fut donnée aux obsèques de Rameau et à celles de Louis XV.

Gilles ou **Gille,** personnage du théâtre de foire, au cœur tendre et naïf (du nom de l'acteur *Gilles le Niais,* qui créa le rôle au XVIIe s.).

Gillespie (John, dit Dizzy) (Cheraw, Caroline du Sud, 1917 – Englewood, New Jersey, 1993), trompettiste, chanteur et chef d'orchestre de jazz américain (école « be-bop »).

Gillet (Guillaume) (Fontaine-Chaalis, Oise, 1912 – Paris, 1987), architecte français : N.-D. de Royan (1954-1959), palais des Congrès de la porte Maillot, à Paris (1970).

Gilolo. V. Halmahera.

Gilson (Étienne) (Paris, 1884 – Cravant, Yonne, 1978), philosophe français. Il a démontré que le cartésianisme était influencé par la scolastique, et que le thomisme était une pensée de l'existence créatrice : *le Thomisme* (1922), *la Philosophie au Moyen Âge* (1925). Il a publié également des essais sur les rapports de l'art, de la philosophie et de la littérature : *Introduction aux arts du beau* (1963). Acad. fr. (1946).

Gimone (la), riv. du Bassin aquitain, issue du plateau de Lannemezan (122 km), affl. de la Garonne (r. g.).

gin [dʒin] n. m. Eau-de-vie de grain aromatisée au genièvre, fabriquée notam. en Grande-Bretagne.

gin-fizz [dʒinfiz] n. m. inv. Cocktail au gin et au jus de citron, plus ou moins sucré et additionné d'eau gazeuse.

gingembre n. m. Plante herbacée originaire d'Asie tropicale, dont le rhizome globuleux donne un condiment à la saveur piquante. ▷ *Par ext.* Ce condiment lui-même.

gingival, ale, aux adj. ANAT Relatif aux gencives.

gingivite n. f. MED Inflammation des gencives.

ginkgo [ʒinko; ʒɛ̃ko] n. m. Arbre originaire de Chine, appelé aussi *arbre aux quarante écus,* dont les feuilles en éventail deviennent jaune d'or en automne.

ginkgo : tige avec feuillage d'été; en haut, feuille d'automne et fruit

Ginsberg (Allen) (Newark, New Jersey, 1926 – New York, 1997), poète américain de la « beat generation » : *Howl* (1956), *Kaddish* (1958-1960), *The Empty Mirror* (1961 et 1963), *Planet News* (1971), *Mind Breaths* (1978).

ginseng [ʒinsɑ̃g; dʒinsɛŋ] n. m. **1.** Plante originaire de Chine (genre *Panax*). **2.** *Par ext.* Racine de cette plante. – Médicament, drogue que l'on tire de cette racine. *Les propriétés toniques du ginseng.*

Gioberti (Vincenzo) (Turin, 1801 – Paris, 1852), philosophe et homme politique italien; partisan d'une fédération italienne placée sous l'autorité du pape (*De la primauté morale et politique des Italiens,* 1843).

Giolitti (Giovanni) (Mondovi, 1842 – Cavour, 1928), homme politique italien. Premier ministre (1892-1893), président du Conseil (1903-1905, 1906-1909, 1911-1914, 1920-1921), il se montra habile tacticien (« dictature larvée ») et se retira devant la montée du fascisme.

Giono (Jean) (Manosque, 1895 – id., 1970), romancier français. Chantre populiste de la haute Provence : *Colline* (1929), *Un de Baumugnes* (1929), *Regain* (1930), il a ensuite renouvelé sa

Jean **Giono** **Goethe**

manière : *Un roi sans divertissement* (1947), *le Hussard sur le toit* (1951), *Angelo* (1958). Acad. Goncourt (1954).

Giordano (Luca) (Naples, 1634 - id., 1705), peintre italien de tendance baroque; surnommé *Fa presto* en raison de son extrême rapidité d'exécution : plafond du palais Medici-Riccardi (Florence), décorations à l'Escurial.

Giorgi (Giovanni) (Lucques, 1871 - Castiglioncello, 1950), physicien italien. Créateur de dispositifs électroniques, il préconisa, le premier, l'emploi d'un système d'unités fondamentales M.K.S.A. (mètre, kilogramme, seconde, ampère), adopté en 1935 et rationalisé en 1950 par la Commission électrotechnique internationale.

Giorgione (Giorgio da Castelfranco, dit) (Castelfranco Veneto, v. 1477 - Venise, 1510), peintre italien; élève de Bellini et maître de Titien. Ses formes se diluent dans une atmosphère fluide créant d'admirables effets de lumière (*le Concert champêtre*, Louvre).

Giorgione : *la Tempête*, v. 1507; galerie de l'Académie, Venise

giorno (a). V. a giorno.

Giotto di Bondone (Colle di Vespignano, Mugello, v. 1266 - Florence, 1337), peintre, mosaïste et architecte italien; le premier des grands peintres florentins. Élève de Cimabue, il s'éloigna du hiératisme byzantin en créant l'espace pictural en trois dimensions, en conférant le réalisme à ses personnages et en peignant en coloriste, renonçant aux fonds d'or. Fresque de *la Vie de saint François* (Assise, v. 1296-1299), *Scènes de la vie du Christ et de la Vierge* (Arena, Padoue, 1303-1305), *Scènes de la vie de saint François* (Santa Croce, Florence, apr. 1317).

Giovanni Pisano (Pise, v. 1245 - Sienne [?], apr. 1314), sculpteur et architecte italien. Fils de Nicola Pisano, il fut le maître d'œuvre du dôme de Sienne (façade décorée dans le style gothique français) et du baptistère de

Giotto di Bondone : *le Baptême de Jésus*, fresque, 1303-1305; chapelle des Scrovegni, Padoue

Pise. Il a sculpté les chaires de Sant'Andrea de Pistoia et du dôme de Pise.

Giovanni da Udine (en fr. *Jean d'Udine*) (Udine, 1487 - Rome, 1564), peintre et stucateur italien. Il aida Raphaël dans ses travaux (décoration des Loges du Vatican, 1517-1520).

gir(o)-. V. gyr(o)-.

girafe n. f. **1.** Mammifère ruminant des savanes africaines (genre *Giraffa*), ongulé artiodactyle, au pelage roux réticulé ou tacheté de jaune, au long cou (la girafe peut atteindre 5,5 m de haut). ▷ Loc. fig., fam. *Peigner la girafe :* faire un travail long et absurde; ne rien faire, être inutile. **2.** Arg. (de l'audiovisuel) Perche munie d'un microphone, servant aux prises de son.

girafe

girafeau ou **girafon** n. m. Petit de la girafe.

Giralda (la), tour de Séville (94 m), minaret d'une mosquée du XIIe s., surmontée d'une statue (XVIe s.) formant girouette.

girandole n. f. **1.** Vx Faisceau de jets d'eau, de fusées d'artifice. **2.** Chandelier à plusieurs branches. **3.** Assemblage de diamants porté en pendant d'oreille. **4.** Guirlande de lanternes, d'ampoules électriques.

Girard (Philippe de) (Lourmarin, Provence, 1775 - Paris, 1845), industriel français. Inventeur d'une machine à filer le lin (1810) qui s'imposa dans toute l'Europe, il fut appelé par le tsar Alexandre Ier en Pologne; il y monta une filature (1833) et y dirigea l'industrialisation.

Girard (René) (Avignon, 1923), philosophe et anthropologue français. Ses travaux sur le genre romanesque et sur les mythes le conduisirent à formuler une nouvelle anthropologie, mettant au jour le rôle fondateur, dans toute culture, de la violence : *la Violence et le Sacré* (1972), *Des choses cachées depuis la fondation du monde* (1978).

Girardin (Émile de) (Paris, 1806 - id., 1881), journaliste et homme politique français. Il fut l'un des fondateurs de la presse moderne (idée du roman-feuilleton et de la publicité).

Girardon (François) (Troyes, 1628 - Paris, 1715), sculpteur français, collaborateur de Le Brun à Versailles; l'un des maîtres du classicisme : *Enlèvement de Proserpine* (Versailles), tombeau de Richelieu (chap. de la Sorbonne, Paris).

giration n. f. Didac. Mouvement giratoire.

giratoire adj. et n. m. **1.** adj. *Mouvement giratoire*, circulaire. ▷ *Sens giratoire*, selon lequel la circulation doit s'effectuer à un rond-point. **2.** n. m. Carrefour aménagé en rond-point. *L'automobiliste arrivant à un giratoire n'a pas la priorité.*

Giraud (Henri) (Paris, 1879 - Dijon, 1949), général français. Fait prisonnier par les Allemands en 1940, il s'évada (1942) et partit pour Alger où, en déc., il succéda à Darlan comme commandant de l'Afrique française. Coprésident du Comité français de libération nationale (juin-oct. 1943) avec le général de Gaulle, il fut évincé par celui-ci.

Giraudoux (Jean) (Bellac, 1882 - Paris, 1944), écrivain et diplomate français. Le style précieux, élégant, de ses récits s'anime d'images vives et d'humour : *Suzanne et le Pacifique* (1921), *Siegfried et le Limousin* (1922), *Bella* (1926), etc. Il aborda le théâtre en 1928 avec *Siegfried*, suivi de : *Intermezzo* (1933), *La guerre de Troie n'aura pas lieu* (1935), *Électre* (1937), *Ondine* (1939), *la Folle de Chaillot* (posth., 1945).

giraumon ou **giraumont** n. m. Variété de courge.

girelle n. f. Poisson téléostéen *(Coris julis)* de Méditerranée, long d'env. 25 cm, dont le mâle se distingue par des couleurs vives.

girl [gœʀl] n. f. (Anglicisme) Danseuse d'un ballet, d'une troupe, au music-hall.

Girod (Paul) (Fribourg, Suisse, 1878 - Cannes, 1951), industriel français d'origine suisse; pionnier de l'électrométallurgie (aciérie fondée à Ugine en 1908).

Girodet-Trioson (Anne Louis Girodet de Roucy, dit) (Montargis, 1767 - Paris, 1824), peintre français. Élève de David, il illustra des thèmes romantiques dans un style néo-classique : *Atala au tombeau* (1808, Louvre).

la **Giralda**, Séville

girofle

girofle n. m. Bouton floral du giroflier, appelé plus souvent *clou de girofle* et employé comme épice. *Essence de girofle.*

giroflée n. f. Plante vivace (fam. crucifères), à grappes de fleurs très odorantes, cultivée pour l'ornement.

giroflier n. m. Arbre toujours vert (fam. myrtacées), originaire des îles Moluques, qui produit le girofle.

girolle n. f. Champignon basidiomycète comestible très recherché, de couleur jaune orangé. *La girolle est une chanterelle.* ► pl. **champignons**

giron n. m. **1.** Partie du corps allant de la ceinture aux genoux, quand on est assis. ⊳ Fig. *Se réfugier dans le giron maternel.* ⊳ Fig. *Le giron de l'Église* : la communion des fidèles. **2.** CONSTR Profondeur d'une marche d'escalier, mesurée au milieu de la marche. **3.** HERALD Pièce triangulaire dont la pointe aboutit au centre de l'écu.

girond, onde adj. Fam. Joli, bien fait (en parlant d'une personne, le plus souvent d'une femme). ⊳ (Par attraction de *rond.*) Bien en chair.

Gironde (la), estuaire formé par la Garonne et la Dordogne, après leur confl. au bec d'Ambès; long. 75 km.

Gironde, dép. franç. (33); 10 000 km²; 1 213 499 hab.; 121,3 hab./km²; ch.-l. *Bordeaux.* V. Aquitaine (Rég.).

Gironde (la), nom général donné au parti des Girondins.

girondin, ine adj. et n. **1.** Du département de la Gironde. **2.** HIST Du parti des Girondins. – n. m. *Les Girondins* : groupe de députés formé durant la Révolution (1791), dont certains étaient des élus de la Gironde (Vergniaud, Guadet, Gensonné).

ENCYCL **Hist.** – Les Girondins siégèrent à gauche à l'Assemblée législ., s'opposant aux monarchistes constitutionnels. Ils comptaient parmi eux Pétion, Isnard, Roland, et s'appuyaient sur la bourgeoisie d'affaires. Certains figurèrent dans le ministère Dumouriez (constitué en mars 1792), mais ils entrèrent en conflit avec Louis XVI et appelèrent le peuple à manifester le 20 juin 1792. Après le 10 Août, leur action révolutionnaire s'émoussa (crainte de l'égalitarisme, des excès populaires et de la prédominance polit. de Paris). À la Convention (dite d'abord *girondine*), où ils siégèrent à droite, ils furent combattus par les Montagnards, qui les tinrent responsables des défaites du printemps 1793. Les émeutes parisiennes des 31 mai-2 juin 1793, dirigées contre eux, aboutirent à leur mise hors la loi : 21 Girondins furent exécutés le 31 octobre.

Girotte (la), lac des Alpes (Hte-Savoie), à 1 720 m d'alt. Import. réservoir hydroélectrique.

girouette n. f. **1.** Plaque mobile autour d'un axe vertical servant à indiquer la direction du vent. **2.** Fig., fam. Personne versatile.

Gisah. V. Gizeh.

gisant, ante adj. et n. m. **1.** adj. Litt. Qui gît. *Un blessé gisant sur la route.* **2.** n. m. BX-A Effigie couchée, sculptée sur un tombeau.

Giscard d'Estaing (Valéry) (Coblence, 1926), homme politique français. Député dès 1956, il fut ministre de l'Économie et des Finances de 1962 à 1966 et de 1969 à 1974. En 1962, il fonda le parti des Républicains indépendants qui, bien qu'affilié à la majorité, prôna le *non* au référendum que de Gaulle perdit en avril 1969. Élu président de la République en 1974 (après la mort de G. Pompidou), notam. grâce au ralliement de J. Chirac, il choisit celui-ci pour Premier ministre puis, en août 1976, appela Raymond Barre à ce poste. Candidat à un second septennat, il fut battu par Fr. Mitterrand en mai 1981. Membre du bureau de l'Union pour la démocratie française (U.D.F.), il redevint député en 1986. En 1989, il fut élu prés. du groupe libéral au Parlement européen.

Giscon (IIIᵉ s. av. J.-C.), général carthaginois tué v. 239 av. J.-C. lors d'une révolte de mercenaires.

gisement n. m. **1.** GEOL Disposition d'un amas minéral, d'un filon dans le sol. ⊳ Filon, amas minéral. *Gisement de phosphate.* Syn. gîte. – Par ext. *Gisement préhistorique.* **2.** MAR, AVIAT Angle formé par l'axe du navire ou de l'avion et une direction donnée. **3.** Fig. Public visé par un média, clientèle visée par une entreprise.

Gislebert, Gillebert ou **Gislebertus** (XIIᵉ s.), sculpteur de l'école romane bourguignonne; auteur du tympan et de la majorité des chapiteaux de la cath. d'Autun.

Gisors, ch.-l. de cant. de l'Eure (arr. des Andelys), sur l'Epte; 9 673 hab. Industr. du plastique. – Vest. d'un château fort (XIᵉ-XIIᵉ s.). Église St-Gervais-et-St-Protais (XIIIᵉ-XVIᵉ s.).

Gissing (George Robert) (Wakefield, 1857 – Saint-Jean-de-Luz, 1903), écrivain anglais. Ses romans décrivent l'opposition des classes sociales, la vie dans les taudis. *Démos* (1886), *la Rue des meurt-de-faim* (1891).

gitan, ane n. et adj. Bohémien, bohémienne d'Espagne. – *Par ext.* Tout bohémien. ⊳ adj. *La musique gitane.*

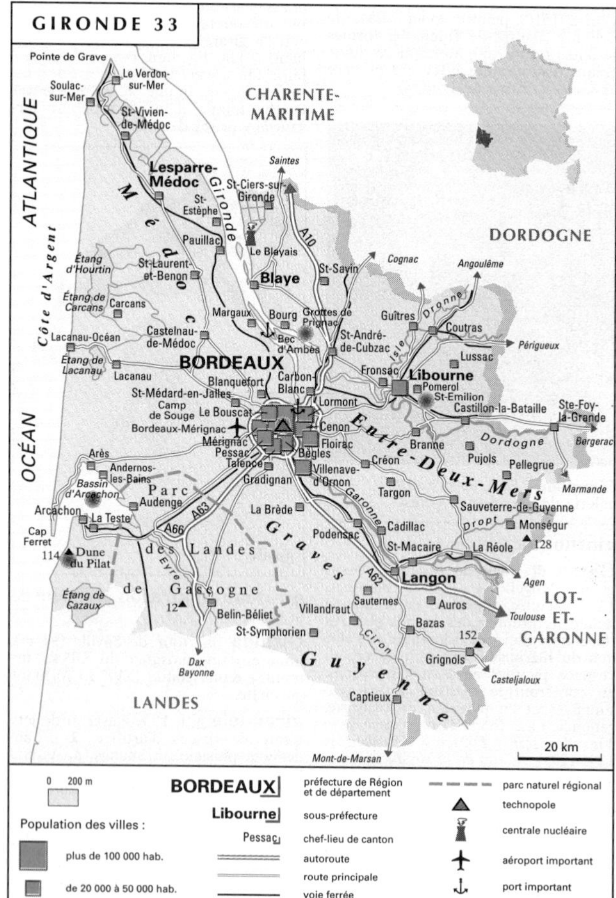

gîte n. **I.** n. m. **1.** Lieu où l'on demeure, où l'on couche. *Être de retour au gîte. Gîte familial. Gîte rural.* ▷ MILIT *Gîte d'étape* : lieu aménagé pour le stationnement des troupes en déplacement. **2.** Lieu où se retirent certains animaux. *Surprendre un lièvre au gîte.* **3.** En boucherie, morceau de bœuf correspondant à la partie inférieure de la cuisse. **4.** GEOL Syn. de *gisement.* **II.** n. f. MAR Inclinaison d'un navire sur le côté. *Prendre, donner de la gîte.*

gîter v. intr. [1] **1.** Vieilli ou litt. Demeurer, trouver refuge. *Le lièvre gîte dans les buissons.* **2.** MAR En parlant d'un navire, s'incliner sur un bord.

giton n. m. Litt. Jeune homosexuel.

Giuliano da Maiano (Maiano, 1432 - Naples, 1490), architecte et sculpteur italien. Successeur de Brunelleschi, il contribua à répandre l'architecture toscane (palais Spannochi, Sienne; cathédrale de Faenza; villa de Poggio Reale, Naples).

Giulini (Carlo Maria) (Barletta, 1914), chef d'orchestre italien, interprète du grand répertoire symphonique et lyrique. Il a collaboré avec Lucchino Visconti à la Scala de Milan et au Covent Garden de Londres, avant d'assurer la direction musicale des orchestres de Chicago, Vienne et Los Angeles.

Giusti (Giuseppe) (Monsummano, 1809 - Florence, 1850), poète satirique italien. Il prôna la révolution contre l'Autriche : *la Botte* (1836), *la Terre des morts* (1841).

Givet, ch.-l. de cant. des Ardennes (arr. de Charleville-Mézières), sur la Meuse; 7 932 hab. Port fluv. Métall. (cuivre), emballage; carrières.

Givors, ch.-l. de cant. du Rhône (arr. de Lyon), sur le Rhône; 19 833 hab. (*Givordins*). Métallurgie.

givrage n. m. Formation de givre sur les ailes d'un avion, sur le pare-brise d'un véhicule, etc.

givrant, ante adj. METEO *Brouillard givrant,* qui conduit à la formation de givre.

givre n. m. **1.** Couche constituée de minces lamelles de glace que forment, par condensation, les gouttelettes de brouillard sur les objets exposés à l'air par temps froid. *Arbres couverts de givre.* **2.** Couche de glace qui se produit à la surface des récipients à la suite d'un refroidissement dû à l'évaporation d'un liquide ou à la détente d'un gaz.

givré, ée adj. **1.** Couvert de givre. *Buissons givrés.* **2.** Couvert d'une substance ayant l'aspect du givre. *Verres givrés avec du sucre glace.* **3.** Fam. Fou.

givrer v. [1] **I.** v. tr. **1.** Couvrir de givre. **2.** Couvrir d'une substance ayant l'aspect du givre. **II.** v. intr. Se couvrir de givre. *Le carburateur a givré.*

givreux, euse adj. TECH Se dit d'une pierre précieuse qui porte une givrure.

givrure n. f. TECH Glace (sens II, 3), défaut d'une pierre précieuse.

Gizeh ou **Gisah** (en ar. *El-Djīzah*), v. d'Égypte, sur la rive gauche du Nil, banlieue résidentielle du Caire; 1 870 510 hab.; ch.-l. du gouvernorat du m. nom. - Au sortir de la ville s'élèvent les grandes pyramides (Chéops, Chéphren, Mykérinos) et le grand sphinx.

Gjellerup (Karl) (Roholte, 1857 - Klotzsche, près de Dresde, 1919), écrivain danois. Son spiritualisme (*le Moulin,* 1896) l'amena à rompre avec le christianisme (*le Pèlerin Kamanita,* 1906), auquel il fit retour dans ses dernières œuvres : *les Amis de Dieu* (1916), *la Branche d'or* (1917). P. Nobel 1917.

la **mer de Glace**

glabre adj. Dépourvu de poils, de duvet. *Visage glabre. Feuille glabre.*

glaçage n. m. **1.** TECH Opération consistant à donner du poli, du lustre (aux tissus, aux épreuves photographiques, etc.). **2.** CUIS En pâtisserie, opération qui consiste à recouvrir d'une glace (sens I, 5).

glaçant, ante adj. Fig. Qui glace (sens 3). *Un ton glaçant.*

glace n. f. **I. 1.** Eau solidifiée par l'action du froid. *La densité de la glace est égale à 0,917 à 0 °C.* ▷ (Canada) Cour. Glaçon. *Rajouter de la glace dans la glacière. Servir de l'eau avec de la glace.* ▷ *Glace sèche* : anhydride carbonique solide. **2.** Surface recouverte de glace sur laquelle on pratique certains sports, notam. le hockey. *Glisser, patiner sur la glace. La glace de la patinoire* ou, ellipt., *la glace. Tous les joueurs sont sur la glace.* **3.** Loc. fig. *De glace* : très froid, très réservé. *Rester de glace. Un accueil de glace.* - *Rompre la glace* : faire cesser la réserve, la gêne. **4.** Crème aromatisée servie congelée comme rafraîchissement ou comme dessert. *Glace à la vanille.* **5.** CUIS En pâtisserie, mélange de sucre glace et de blanc d'œuf dont on recouvre certains gâteaux et friandises. ▷ (En appos.) *Sucre glace,* en poudre très fine. - Jus de viande réduit. **II. 1.** Plaque de verre épaisse. *Laver les glaces d'une voiture. Glace de sécurité,* qui se brise sans donner d'éclats coupants. **2.** Miroir. *Se regarder dans une glace.* **3.** En joaillerie, tache mate dans une pierre.

Glace (mer de), grand glacier du massif du Mont-Blanc (Haute-Savoie), long de 14 km.

glacé, ée adj. **1.** Congelé. *Rivière glacée.* **2.** Très froid. *Avoir les mains glacées.* **3.** Fig. Qui dénote une grande froideur de sentiments. *Politesse glacée.* Ant. chaleureux. **4.** TECH Brillant. *Papier glacé.* **5.** CUIS Recouvert d'une couche de glace (sens I, 5). *Marrons glacés.*

glacer v. tr. [12] **1.** Convertir en glace, congeler. **2.** Causer une vive sensation de froid à. *La bise nous glaçait le visage.* **3.** Fig. Paralyser, décourager par sa froideur. *Son abord vous glace.* - Frapper de stupeur. *Glacer d'horreur, d'effroi.* Syn. pétrifier. **4.** TECH Rendre brillant (du papier, une étoffe). **5.** CUIS Recouvrir d'une glace (sens I, 5).

le grand sphinx et la pyramide de Chéphren, IVe dyn., **Gizeh**

glaceuse n. f. TECH Appareil servant à glacer les épreuves photographiques.

glaciaire adj. Relatif à un glacier, à une glaciation. *Calotte glaciaire. Période glaciaire.* V. encycl. glaciation.

glacial, ale, als ou rare **aux** adj. **1.** Extrêmement froid, glacé. *Vent glacial.* **2.** Fig. *Accueil glacial.* Syn. distant, hostile, réservé. Ant. chaleureux, enthousiaste.

Glacial (océan). V. Arctique et Antarctique.

glaciation n. f. GEOL Période pendant laquelle les glaciers ont recouvert une région.

ENCYCL L'étude des sédiments glaciaires alpins a permis d'établir l'existence de quatre glaciations durant le quaternaire. Ce sont, pour l'Europe occidentale et centrale et de la plus ancienne à la plus récente : le *Günz,* le *Mindel,* le *Riss,* le *Würm* (des noms de quatre affluents du Danube). Ces glaciations sont séparées par trois périodes interglaciaires que caractérise un très fort retrait des glaciers, accompagné d'un réchauffement accentué du climat.

1. glacier n. m. Vaste masse de glace formée en montagne ou dans les régions polaires par l'accumulation de la neige. *Glacier continental* ou *inlandsis. Glacier de montagne, de vallée, de cirque.*

2. glacier n. m. Personne qui confectionne, qui vend des glaces, des sorbets.

glacière n. f. **1.** Appareil refroidi par de la glace, servant à conserver des denrées. **2.** Fig., fam. Lieu où il fait très froid. *Cette salle, quelle glacière !*

glaciologie n. f. Didac. Science des glaciers.

1. glacis [glasi] n. m. **1.** FORTIF Pente douce allant de la crête d'une fortification jusqu'au sol. ▷ Fig. POLIT Zone de protection (constituée par des pays liés à une puissance). **2.** GEOL Pente douce et unie. *Le glacis d'un talus d'éboulis au pied d'une cuesta.* **3.** ARCHI Pente prévue dans une corniche pour l'écoulement des eaux.

2. glacis [glasi] n. m. BX-A Très mince couche de peinture, destinée à jouer par transparence avec la couleur sèche du fond sur laquelle on la pose.

glaçon n. m. **1.** Morceau de glace. *La rivière charrie des glaçons. Rafraîchir une boisson avec des glaçons.* ▷ (Canada) Accumulation de glace en forme de stalactite sur le bord d'un toit, d'une surface quelconque. - *Par anal.* Petit fil brillant, traditionnellement argenté, servant à décorer l'arbre de Noël. **2.** Fig. Personne froide, sans enthousiasme, ou sans tempérament.

glaçure n. f. TECH Enduit vitrifié recouvrant les poteries.

Gladbeck, v. d'Allemagne (Rhénanie-du-N.-Westphalie), dans la Ruhr; 76 630 hab. Houille, métallurgie, constructions électriques.

gladiateur n. m. ANTIQ ROM Homme qui combattait dans l'amphithéâtre, pour le divertissement du peuple.

Gladstone (William Ewart) (Liverpool, 1809 - Hawarden, Flintshire, 1898), homme politique britannique;

chef du parti libéral (1865), Premier ministre (1868-1874, 1880-1885, 1886, 1892-1894). Épris de justice, il mena une politique réformatrice (lois sur le système électoral et sur l'enseignement, sur la reconnaissance officielle des *trade-unions*), mais ne put établir le Home Rule pour l'Irlande. Il défendit le libre-échange. Sa polit. extérieure, fondée sur le pacifisme et la neutralité, l'opposait à Disraeli.

glaïeul [glajœl] n. m. Plante ornementale (fam. iridacées), à longues feuilles pointues, dont les fleurs sont disposées d'un seul côté d'un épi.

glaire n. f. **1.** Blanc d'œuf cru. **2.** MED Liquide incolore filant que sécrètent les muqueuses dans certains états pathologiques. *Glaires intestinales.*

glaireux, euse adj. Qui a la nature ou l'aspect de la glaire.

glaise n. f. et adj. Nom cour. des argiles et des terres contenant une forte proportion d'argile. ▷ adj. *Terre glaise.*

glaiseux, euse adj. De la nature de la glaise. *Terre glaiseuse.*

glaive n. m. Courte épée à deux tranchants. *Le glaive et la balance, emblèmes de la justice.*

Glåma (la). V. Glommen.

glamour n. m. et adj. (Anglicisme) Charme sensuel caractéristique de certaines actrices hollywoodiennes. ▷ adj. Fam. Séduisant. *Un film glamour.*

glanage n. m. Action de glaner.

gland [glɑ̃] n. m. **1.** Fruit du chêne, akène très riche en fécule, enchâssé dans une cupule. ▷ *Par anal.* Passementerie, morceau de bois ou de métal en forme de gland. **2.** ANAT Portion terminale du pénis. **3.** Fam. Sot. *Tu as vu ce qu'il a fait, ce gland!*

glande n. f. **1.** ANAT Organe sécréteur. *Glandes exocrines*, dont le produit est excrété à l'extérieur du corps par un canal (glandes salivaires, lacrymales, etc.). *Glandes endocrines*, qui sécrètent leur produit (ou hormones) dans le sang (thyroïde, surrénales). *Glandes mixtes*, à sécrétion double : exocrine et endocrine (foie, pancréas). **2.** Cour. *Abusiv.* Ganglion lymphatique enflammé.

glander ou **glandouiller** v. intr. [1] Pop. Ne rien faire, traîner, perdre son temps. *Dépêche-toi au lieu de glander!*

glandeur, euse n. Pop. Celui ou celle qui glande, qui se plaît à glander.

glandulaire adj. **1.** ANAT Qui a la nature ou la forme d'une glande. **2.** Relatif à une glande.

glaner v. tr. [1] **1.** Ramasser dans les champs, après l'enlèvement des récoltes, les produits du sol abandonnés ou négligés par le propriétaire. **2.** Fig. Ramasser, recueillir de-ci, de-là. *Glaner des renseignements.* – *Absol.* Trouver encore un profit là où un autre a déjà gagné ou trouvé. *Il reste encore beaucoup à glaner.*

glaneur, euse n. Personne qui glane.

Glanum, cité gauloise de l'époque hellénistique, puis ville gallo-romaine (détruite au Ve s.); ruines près de Saint-Rémy-de-Provence.

glanure n. f. AGRIC Ce que l'on glane.

Glaoui ou **Glawi** (Madani Al-) (?, v. 1860 – Marrakech, 1918), seigneur de la tribu berbère des Glaoua (plus de 50 000 individus). Il favorisa la pénétration française au Maroc. D'abord caïd de l'Atlas, il devint chef de l'armée de Taza. – **Al Hadj Thami-l-Glawi,** dit *le Glaoui* (Telouet, v. 1875 – Marrakech, 1956), frère du préc.; pacha de Marrakech, il soutint la polit. française au Maroc. En 1953, il fit déposer le sultan du Maroc Mohammed V.

glapir v. intr. [3] **1.** Émettre des jappements aigus et répétés (renard, jeunes chiens, etc.). **2.** Fig. Parler, chanter d'une voix aigre et criarde.

glapissant, ante adj. Aigu, criard. *Voix glapissante.*

glapissement n. m. Cri aigu. *Le glapissement d'un jeune chien.*

glaréole n. f. Oiseau charadriiforme (genre *Glareola*) aux longues ailes et à la queue fourchue, long de 20 cm env., qui vit dans les marais du sud de la France. Syn. perdrix de mer.

Glaris (en all. *Glarus*), com. de Suisse, sur la Linth, dans les *Alpes de Glaris*; 5 800 hab.; ch.-l. du cant. du m. nom (684 km^2; 36 400 hab.). Textiles.

glas [glɑ] n. m. **1.** Tintement lent et répété des cloches pour annoncer des funérailles. **2.** Loc. fig. *Sonner le glas de :* annoncer la fin imminente de.

Glaser (Donald Arthur) (Cleveland, 1926), physicien américain. Il mit au point la chambre à bulles*. P. Nobel 1960.

Glasgow, v. et port d'Écosse (rég. de Strathclyde), sur la Clyde; 696 570 hab. Princ. centre industr. et comm. de l'Écosse. Constr. navales (en crise). Métall., industr. text., chim. – Université. Archevêché cathol. Cath. goth. Saint-Mungo (XIVe s.). Riche musée des beaux-arts.

Glashow (Sheldon Lee) (New York, 1932), physicien américain. Il a introduit en 1970 le concept de charme* d'une particule. P. Nobel 1979.

glasnost n. f. POLIT Transparence de la vie politique voulue par M. Gorbatchev en U.R.S.S.

glatir v. intr. [3] Pousser son cri, en parlant de l'aigle.

Glauber (Johann Rudolph) (Karlstadt, 1604 – Amsterdam, 1670), médecin et alchimiste allemand. Il donna son nom au sulfate de sodium hydraté *(sel de Glauber).*

glaucome n. m. MED Affection oculaire, caractérisée par l'augmentation de la pression intra-oculaire, qui se traduit par une diminution de l'acuité visuelle pouvant amener la cécité en l'absence de traitement.

glaucophane n. m. MINER Silicate naturel du groupe des amphiboles.

cité antique de **Glanum :** maison des Antes, près de Saint-Rémy-de-Provence, époque hellénistique

glauque adj. **1.** De couleur vert bleuâtre. *Yeux glauques.* **2.** Sans éclat, terne. *Petit matin glauque.* ▷ Par ext. Fam. Triste, sordide.

glaviot n. m. Très fam. Crachat.

Glazounov (Alexandre Konstantinovitch) (Saint-Pétersbourg, 1865 – Neuilly-sur-Seine, 1936), compositeur russe : poèmes symphoniques (*Stenka Razine*, 1885), symphonies, ouvertures, etc. Il aida Rimski-Korsakov à terminer *le Prince Igor* de Borodine.

glèbe n. f. **1.** Litt. Terre cultivée. ▷ FEOD *Serfs de la glèbe,* qui étaient attachés à un fonds de terre. **2.** BOT Tissu superficiel (par oppos. à *hyménium*), producteur de spores de certains champignons supérieurs.

gléchome ou **glécome** n. m. BOT Petite plante (fam. labiées) à fleurs violettes, appelée aussi *lierre terrestre,* très commune en France.

Glé-Glé (Badou, dit) (m. en 1889), roi d'Abomey à partir de 1858. Il céda Cotonou à la France. Son fils Béhanzin lui succéda.

Gleizes (Albert) (Paris, 1881 – Saint-Rémy-de-Provence, 1953), peintre français; théoricien du cubisme : *Du cubisme et des moyens de le comprendre* (en collab. avec J. Metzinger, 1912), *Tradition et Cubisme* (1926).

Glénan (îles), groupe de neuf îlots de l'Atlantique, au S.-O. du Finistère (com. de Fouesnant). École de voile.

glène n. f. Cavité de l'extrémité d'un os dans laquelle s'articule un autre os.

Glenn (John) (Cambridge, Ohio, 1921), astronaute américain. Il fut le premier Américain à effectuer un vol spatial (fév. 1962, à bord d'une capsule Mercury).

Glenrothes, v. d'Écosse, ch.-l. de la rég. de Fife; 32 700 hab.

glial, ale, aux adj. ANAT *Tissu glial :* névroglie.

glie n. f. ANAT Névroglie.

Glière ou **Glier** (Reïngold Moritsevitch) (Kiev, 1875 – Moscou, 1956), compositeur soviétique : opéras, symphonies, ballets (*le Pavot rouge,* 1927).

Glières (plateau des), plateau du Chablais (Haute-Savoie), théâtre de la résistance acharnée d'un groupe de maquisards, qu'anéantirent les Allemands et la milice du gouvernement de Vichy (février-mars 1944).

Glinka (Mikhaïl Ivanovitch) (Novospasskoïe, 1804 – Berlin, 1857), compositeur russe. Il fonda l'opéra national russe : dans *la Vie pour le tsar* (1836) et *Rouslan et Lioudmila* (1842), il utilisa le folklore vocal de son pays.

gliome n. m. MED Tumeur molle du système nerveux central.

glissade n. f. **1.** Action de glisser; mouvement que l'on fait en glissant. *Faire des glissades.* **2.** AVIAT Mouvement de descente latérale, en vol acrobatique.

glissage n. m. Action de faire descendre par des couloirs *(glissoirs)* les troncs abattus en montagne.

glissando n. m. MUS Technique de passage d'un intervalle à un autre en glissant sur les micro-intervalles intermédiaires.

glissant, ante adj. **1.** Où l'on glisse facilement. *Chaussée glissante.* – Fig. *Terrain glissant :* situation où il est difficile de se maintenir. **2.** MATH *Vecteur glissant*, qui se déplace sur son support.

Glissant (Édouard) (Sainte-Marie, Martinique, 1928), écrivain français. Son œuvre, poétique, romanesque et politique, est une analyse de la situation des Antilles et une contribution à une culture antillaise : *la Lézarde* (1958), *le Quatrième Siècle* (1964), romans; *le Sel noir* (1960), poèmes; *le Discours antillais* (1981), essai.

glisse n. f. **1.** Capacité de glisser (d'un matériau, d'une surface). *Ces skis ont une bonne glisse.* **2.** Fam. Le fait de glisser sur l'eau, la neige, le macadam, etc., avec des engins appropriés. *Les sports de glisse.*

glissement n. m. **1.** Action de glisser; son résultat. *Glissement de terrain.* ▷ Fig. Action de tendre insensiblement vers. *La majorité a opéré un glissement vers la gauche.* **2.** ELECTR Variation relative de la vitesse angulaire d'un champ induit d'un moteur synchrone par rapport à celle du champ inducteur. **3.** TELECOM Variation de la fréquence d'un signal radioélectrique. **4.** STATIS *En glissement :* se dit de l'évolution d'un salaire, d'un prix, etc., mesurée par la comparaison de son niveau à deux dates de référence (généralement une année).

glisser v. [1] **I.** v. intr. **1.** Se déplacer d'un mouvement continu sur une surface lisse. *Glisser sur la glace. La périssoire glisse sur l'eau. Le plat mouillé lui a glissé des mains.* ▷ Loc fig. *Glisser entre les mains de qqn*, lui échapper. **2.** Fig. Se diriger insensiblement vers. *Glisser vers l'extrémisme politique. Glisser sur la mauvaise pente.* **3.** Passer sans pénétrer sur une surface. *La balle a glissé sur la boîte crânienne.* ▷ Fig. *Mes remontrances ont glissé sur lui*, n'ont produit aucune impression, aucun effet. **4.** Fig. *Glisser sur (un sujet)*, ne pas y insister. *Glissons là-dessus, voulez-vous?* Syn. passer. **5.** Présenter une surface glissante. *Après la pluie, la chaussée glisse.* **II.** v. tr. Mettre, introduire, transmettre adroitement ou furtivement. *Glisser une pièce dans la main de qqn.* **III.** v. pron. **1.** Se couler doucement, se faufiler. *Les serpents se glissent dans les herbes.* **2.** Pénétrer, s'introduire habilement ou subrepticement. *Les voleurs s'étaient glissés parmi les invités.* – (Choses) *Une erreur s'est glissée dans le texte.*

glissière n. f. **1.** Ce qui sert à guider un mouvement de glissement. *Glissière d'une porte à coulisse. Fermeture à glissière :* fermeture à dentures qui s'emboîtent à l'aide d'un curseur. **2.** *Glissières de sécurité*, disposées le long d'une route ou d'une autoroute pour retenir et guider les véhicules qui viendraient à quitter la chaussée.

glissoire n. f. Chemin ménagé sur la glace, où l'on s'amuse à glisser.

Gliwice (en all. *Gleiwitz*), v. de Pologne (Silésie); 213 080 hab. Centre culturel, minier (houille) et industriel (métallurgie, carbochimie).

global, ale, aux adj. Pris dans son ensemble, en bloc; considéré dans sa totalité. *Chiffre global.* Ant. partiel. ▷ PEDAG *Méthode globale*, qui consiste à apprendre aux enfants à reconnaître d'abord l'ensemble du mot avant de le décomposer en syllabes et en lettres.

globalement adv. D'une façon globale, en bloc.

globalisation n. f. Didac. Action de globaliser; son résultat.

globaliser v. tr. [1] Didac. Rendre global; prendre, présenter dans sa totalité.

globalisme n. m. Doctrine qui attribue à un ensemble des qualités que ne possèdent pas ses éléments constituants.

globalité n. f. Caractère global. *Un problème considéré dans sa globalité.*

globe n. m. **1.** Corps sphérique ou à peu près sphérique. *Le globe de l'œil.* **2.** *Le globe terrestre* ou, absol., *le globe :* la Terre. *Faire le tour du globe.* – *Globe terrestre, céleste :* sphère sur laquelle figure la représentation de la Terre, du Ciel. **3.** Sphère creuse, ou calotte sphérique en verre. *Le globe d'une lampe. Une pendule sous globe.* ▷ Fig. *Mettre sous globe :* conserver précieusement.

globe-trotter [glɔbtʀɔtɛʀ; glɔbtʀɔtœʀ] n. (Anglicisme) Vieilli Voyageur qui parcourt le monde. *Des globe-trotters.*

globicéphale n. m. Cétacé odontocète (genre *Globicephala*, fam. delphinidés) long de 4 à 8 m, presque entièrement noir, à la tête très bombée, qui vit en troupeaux nombreux.

globigérine n. f. ZOOL Foraminifère perforé, caractérisé par une coquille calcaire composée de loges sphériques disposées en spirale, constituant de nombreux calcaires et boues abyssales.

globine n. f. BIOCHIM Constituant protéique de l'hémoglobine.

globulaire adj. **1.** Qui a la forme d'un globe. ▷ ASTRO *Amas globulaire :* amas d'étoiles d'aspect sphérique, généralement situé dans le halo des galaxies. **2.** BIOL Relatif aux globules. *Numération globulaire :* compte des éléments figurés du sang par mm^3.

globule n. m. **1.** Vx Petit globe. **2.** BIOL *Globule rouge :* V. hématie. *Globule blanc :* V. leucocyte.

globuleux, euse adj. Qui a la forme d'une petite sphère. – *Yeux globuleux*, saillants.

globuline n. f. BIOCHIM Protéine globulaire du sérum, de poids moléculaire élevé.

gloire n. f. **1.** Grande renommée, réputation illustre acquise par des actes remarquables. *Se couvrir de gloire. La gloire militaire, littéraire.* ▷ Loc. *Dire, publier qqch à la gloire de qqn*, qqch qui exalte sa valeur, ses mérites. – *Se faire gloire de, tirer gloire de :* tirer vanité, fierté de. – *Travailler pour la gloire*, sans profit, pour le seul prestige. **2.** Personne célèbre, illustre. *Il est l'une des gloires de son pays.* **3.** Éclat, splendeur. *La gloire de Dieu. La cour royale dans toute sa gloire.* **4.** Honneur, hommage de respect. *Rendre gloire à Dieu.* **5.** BX-A Auréole lumineuse enveloppant le corps du Christ dans sa totalité (à la différence du nimbe, autour de la tête seulement). ▷ Couronne de rayons émanant du triangle symbolisant la Trinité, de la colombe symbolisant le Saint-Esprit. **6.** THEOL Béatitude des élus. *La gloire éternelle.*

glomérule n. m. **1.** ANAT Petit amas glandulaire ou vasculaire. *Glomérule de Malpighi :* petit amas de capillaires du rein, qui assure la filtration du sang. **2.** BOT Type d'inflorescence, cyme où les pédoncules floraux sont très courts et insérés très près les uns des autres.

glomérulonéphrite n. f. MED Atteinte des glomérules rénaux.

Glommen ou **Glåma** (le), le plus long fl. de Norvège (570 km), tributaire du Skagerrak. Usines hydroélectriques.

gloria [glɔʀja] n. m. inv. (lat.) Hymne de la messe en latin, qui commence par les mots *Gloria in excelsis Deo* (« gloire à Dieu dans les cieux »).

glorieusement adv. De manière glorieuse.

glorieux, euse adj. **1.** Qui donne, procure de la gloire. *Combat glorieux, succès glorieux.* **2.** Qui est empreint de gloire, de splendeur. *Nom glorieux. Période glorieuse de l'histoire.* ▷ n. f. pl. HIST *Les Trois Glorieuses :* les journées révolutionnaires des 27, 28 et 29 juillet 1830, qui virent la chute de Charles X. (V. juillet.) **3.** Qui s'est acquis de la gloire. *Combattants glorieux.* **4.** Vieilli Qui est plein de vanité, de gloriole. – *Être glorieux de (qqch) :* tirer vanité de (qqch) de manière injustifiée, excessive. **5.** RELIG Qui participe de la gloire divine. *Mystères glorieux.*

glorification n. f. Action de glorifier; son résultat. ▷ RELIG Élévation à la gloire éternelle. *Glorification des élus.*

glorifier v. [2] **I.** v. tr. **1.** Rendre gloire à, honorer, célébrer. *Glorifier les grands hommes, les belles actions.* Ant. flétrir. **2.** RELIG Appeler à partager la béatitude céleste. *Dieu glorifie les saints.* **II.** v. pron. Se faire gloire de, tirer vanité de. *Se glorifier de ses richesses.*

gloriole n. f. Vanité qui a pour objet de petites choses; gloire vaine. *Lancer un défi par gloriole.*

glose n. f. **1.** Note explicative destinée à éclaircir le sens d'un mot, d'un passage dans un texte (partic. dans un manuscrit ancien). *Glose marginale.* ▷ Explication d'un terme rare ou spécialisé d'une langue par des termes appartenant à l'usage courant. **2.** (Surtout au plur.) Commentaire critique ou malveillant.

gloser v. [1] **1.** v. tr. Éclaircir par une glose. *Gloser un texte.* **2.** v. tr. indir. Faire de longs commentaires stériles. *Gloser interminablement sur des détails.* – Absol. *Ne pas en finir de gloser.* ▷ Fig., vieilli Critiquer qqn, médire de lui.

glossaire n. m. **1.** Dictionnaire des termes anciens, rares ou spécialisés d'une langue, d'un texte. ▷ Ensemble des mots d'une langue, d'un dialecte. **2.** Lexique, à la fin d'un ouvrage.

-glosse, gloss(o)-. Éléments, du gr. *glôssa*, « langue ».

glossématique n. f. LING Théorie linguistique élaborée par L. Hjelmslev dans laquelle les unités linguistiques sont étudiées et classées de façon strictement fonctionnelle.

glossème n. m. LING La plus petite des unités linguistiques signifiantes.

glossine n. f. ENTOM Mouche africaine (genre *Glossina*, fam. muscidés) appelée cour. *mouche tsé-tsé.*

glossite n. f. MED Inflammation de la langue.

glossolalie n. f. **1.** PSYCHIAT Trouble du langage chez certains malades mentaux qui croient inventer un nouveau langage. **2.** THEOL Émission, dans un état extatique, de sons inintelligibles pour tous ceux qui n'ont pas le charisme de l'interprétation. ▷ Cour. Faculté, accordée, à la Pentecôte, aux apôtres par le Saint-Esprit, de parler dans toutes les langues.

glottal, ale, aux adj. PHON Qui met en jeu la glotte en tant qu'organe de la phonation. *Consonne glottale.*

glotte n. f. Orifice du larynx, compris entre les bords libres des cordes vocales, qui joue un rôle essentiel dans l'émission de la voix. *Œdème, spasmes de la glotte. Coup de glotte.*

glottique adj. Didac. Relatif à la glotte.

Gloucester, v. et port de G.-B., sur la Severn; 91 800 hab.; ch.-l. de comté *(Gloucestershire)*. Constr. méca. et aéron. – Cath. en partie romane (XIe s.) et en partie goth. (XIIIe-XVe s.).

glouglou n. m. **1.** Fam. Bruit intermittent fait par un liquide qui s'écoule d'un orifice étroit, partic. du goulot d'une bouteille. **2.** Cri du dindon, de la dinde.

glouglouter v. intr. [1] **1.** Fam. Produire un glouglou. *Bouteille qui glougloute.* **2.** Pousser son cri, en parlant de la dinde, du dindon.

gloussement n. m. Cri de la poule. ▷ *Par anal.* Petit cri humain, rire étouffé. *Gloussement de plaisir.*

glousser v. intr. [1] Pousser des gloussements. *La poule glousse pour appeler ses petits.* ▷ *Par anal.* (Personnes) Pousser de petits cris, rire en émettant des petits cris. *Glousser d'aise.*

glouton, onne adj. et n. **1.** adj. Qui mange avec excès et avidité. ▷ Subst. *C'est un glouton.* **2.** n. m. Mammifère carnivore (*Gulo gulo*, fam. mustélidés) des régions arctiques, massif, à queue courte et à pelage brun. *Le glouton s'attaque à de gros animaux comme l'élan.*

gloutonnement adv. De manière gloutonne. *Manger gloutonnement.* ▷ Fig. Avec avidité. *Lire gloutonnement toutes sortes d'ouvrages.*

gloutonnerie n. f. Avidité qui caractérise une personne gloutonne.

gloxinia n. m. BOT Plante bulbeuse originaire du Brésil, à grandes feuilles et à fleurs très colorées en forme de cloche. *Offrir des gloxinias.*

glu n. f. Matière visqueuse, molle et tenace, extraite de l'écorce du houx épineux, du gui. *Prendre des oiseaux à la glu.* ▷ Fig., fam. Personne dont il est difficile de se débarrasser.

gluant, ante adj. **1.** Qui a l'aspect, la consistance de la glu. ▷ Qui est recouvert d'une matière visqueuse et collante comme de la glu. **2.** Mod., fig., péjor. D'une bassesse répugnante. *Un mec gluant.*

Glubb pacha (sir John Bagot Glubb, dit) (Preston, Lancashire, 1897 – Mayfield, Sussex, 1986), général britannique; successeur (1939) de Peake à la tête de la Légion arabe (V. ce nom). Sujet jordanien (1946), il fut limogé par le roi Hussein en 1956.

glucagon n. m. BIOCHIM Hormone sécrétée par une partie du pancréas et dont l'action fait augmenter la glycémie.

glucide n. m. BIOCHIM Nom générique de composés organiques ternaires qui constituent une partie importante de l'alimentation.

ENCYCL Les glucides, nommés plus cour. *sucres*, se divisent en deux groupes. 1° Les *oses*, composés non ramifiés dont tous les carbones sauf un portent une fonction alcool, le dernier carbone portant une fonction aldéhyde ou cétone, comprennent notam. le glucose, le fructose, le galactose. 2° Les *osides* comprennent les *holosides*, formés par la réunion d'un petit nombre d'oses (lactose, saccharose, etc.), et les *polyosides*, formés par la réunion de nombr. oses (glycogène, amidon, etc.). Les glucides, qui constituent un facteur énergétique important, sont utilisés immédiatement, ou bien stockés dans le foie sous forme de glycogène. Le sucre ordinaire est le saccharose (extrait de la canne à sucre et de la betterave).

glucidique adj. BIOCHIM Relatif aux glucides ou au glucose; de la nature des glucides ou du glucose.

Gluck (Christoph Willibald, chevalier von) (Erasbach, Haut-Palatinat, 1714 – Vienne, 1787), compositeur allemand. Ayant étudié le drame lyrique à Milan (1736), il se dégagea à Vienne de l'influence italienne : *Orphée et Eurydice* (1762), *Alceste* (1767), *Hélène et Pâris* (1770). À Paris, il triompha lors de la querelle qui opposa ses partisans à ceux de la musique italienne, dont le champion était Piccinni : *Iphigénie en Aulide* (1774), *Orphée* (1774, adaptation franç.), *Armide* (1777).

gluco-, glycé-, glyci-, glyco-. Éléments, du gr. *glukus*, « doux ».

glucomètre n. m. Instrument destiné à mesurer la concentration en sucre d'un moût.

glucose n. m. BIOCHIM Sucre simple *(ose)* de formule $C_6H_{12}O_6$ *(hexose)* possédant un radical aldéhyde dont la forme stable est représentée par une structure cyclique de six atomes de carbone.

glucosé, ée adj. Didac. Additionné de glucose. *Sérum glucosé.*

glucoside n. m. BIOCHIM Nom générique des hétérosides qui peuvent, par hydrolyse, donner naissance à du glucose.

glume n. f. BOT Bractée stérile située à la base de chaque épillet d'un épi de graminée ou de cypéracée. *Les glumes sont les enveloppes des grains des céréales et constituent la balle.*

gluon n. m. PHYS NUCL Boson médiateur de l'interaction* qui lie les quarks.

glutamate n. m. BIOCHIM Sel de l'acide glutamique utilisé comme condiment, notam. dans la cuisine du Sud-Est asiatique.

glutamique adj. BIOCHIM *Acide glutamique* : diacide aminé, stimulant de la cellule nerveuse.

gluten [glytɛn] n. m. Protéine végétale constituant, avec l'amidon, l'essentiel des graines de céréales. *Le gluten forme avec l'eau une masse épaisse, caoutchouteuse, qui permet de le séparer de l'amidon.*

glycé-. V. gluco-.

glycémie n. f. PHYSIOL Concentration en glucose du sérum sanguin (normalement entre 0,8 et 1 g par litre, à jeun).

glycéride n. m. CHIM Ester résultant de la réaction du glycérol avec un ou plusieurs acides gras. *Les glycérides constituent la majeure partie des lipides simples contenus dans les tissus animaux.*

glycérine n. f. ou **glycérol** n. m. CHIM Liquide sirupeux de saveur sucrée, trialcool de formule CH_2OH – CHOH – CH_2OH. *La glycérine, qui entre dans la composition des corps gras, est utilisée dans l'industrie pharmaceutique, la chimie des matières plastiques et la fabrication des explosifs* (V. nitroglycérine).

glycériné, ée adj. Qui comporte de la glycérine. *Lotion glycérinée.*

glycérique adj. CHIM Qui est dérivé de la glycérine. *Acide aldéhyde glycérique.*

glycérophosphate n. m. CHIM, PHARM Sel de l'acide glycérophosphorique, largement utilisé en thérapeutique comme tonique du système nerveux.

glycérophosphorique adj. CHIM *Acide glycérophosphorique*, obtenu par combinaison de l'acide phosphorique et de la glycérine.

glycérophtalique adj. CHIM Se dit des résines artificielles à base de glycérine et d'anhydride phtalique, utilisées notam. dans la fabrication des objets moulés et comme constituants des peintures laques.

glyci-. V. gluco-.

glycine n. f. Plante originaire de Chine, sarmenteuse et grimpante (fam. papilionacées), qui produit de longues grappes de fleurs odorantes blanches ou mauves.

glyco-. V. gluco-.

glycocolle n. m. BIOCHIM Le plus simple des acides aminés, indispensable au métabolisme cellulaire (constituant des acides nucléiques).

glycogène n. m. BIOCHIM Polyoside (V. glucide) de très grand poids moléculaire, formé de chaînes ramifiées de glucose. (Il constitue dans le foie une réserve générale de glucose et dans le muscle une réserve locale. Son hydrolyse par l'acide chlorhydrique ou par des enzymes spécifiques libère uniquement des molécules de glucose.)

glycogenèse ou **glycogénie** n. f. PHYSIOL Production de glucose dans le foie à partir du glycogène.

glycol n. m. CHIM Nom générique des dialcools. ▷ *Glycol ordinaire* (ou *glycol*) : dialcool de formule CH_2OH – CH_2OH, employé comme solvant et antigel, et dans la fabrication du tergal.

glycolyse n. f. BIOCHIM Dégradation métabolique du glucose. (En présence d'oxygène, elle aboutit à l'acide pyruvique qui peut subir ensuite les réactions du cycle de Krebs. En l'absence d'oxygène, elle conduit à la formation d'acide lactique et d'éthanol.)

glycoprotéine n. f. BIOCHIM Protéine comprenant un groupement glucidique (lié à la protéine par covalence).

glycosurie n. f. MED Présence anormale de sucre dans les urines, l'un des signes du diabète sucré.

glyphe [glif] n. m. ARCHI Trait gravé en creux dans une moulure.

glyptique n. f. Didac. Art de la gravure sur pierres fines.

glypto-. Élément, du gr. *gluptos*, « gravé ».

glyptographie n. f. Didac. Étude des pierres gravées de l'Antiquité.

glyptothèque n. f. Didac. Lieu, musée où l'on conserve des collections de pierres gravées ou de sculptures.

G.M.T. Sigle de l'anglais *Greenwich Mean Time*, « temps moyen de Greenwich ». Mesure astronomique prise à partir du méridien de Greenwich et calculée sur midi.

Gmünd. V. Schwäbisch Gmünd.

gnangnan [ɲɑ̃ɲɑ̃] adj. (inv. en genre) Fam. Mou et geignard. *Elles sont très gnangnans.* ▷ Subst. *Des gnangnans.*

-gnathe, gnatho-. Éléments, du gr. *gnathos*, « mâchoire ».

gnaule. V. gnôle.

Gneisenau (August, comte Neidhardt von) (Schildau, Saxe, 1760 – Posen, auj. Poznań, 1831), maréchal prussien. Chef d'état-major de Blücher (1813-1814), il contribua à la défaite française de Waterloo.

gneiss [gnɛs] n. m. Roche métamorphique de même composition que le granite, constituée de lits parallèles de quartz, de feldspath et de mica.

gneissique adj. Relatif au gneiss.

Gniezno, v. de Pologne, au N.-E. de Poznań; 61 000 hab. Industr. méca. et chim. – Siège des primats de Pologne depuis le XVe s.

gnocchi [ɲɔki] n. m. Petite quenelle à base de purée de pommes de terre, de pâte à choux ou de semoule, pochée puis gratinée au four.

gnognote ou **gnognotte** [ɲɔɲɔt] n. f. Fam. *De la gnognote :* une chose de peu de valeur, de peu d'intérêt ou de mauvaise qualité. (Fréquemment en tournure négative.) *C'est pas de la gnognote !*

gnôle, gniole, gnaule ou **niôle** [njol] n. f. Fam. Eau-de-vie.

gnome [gnom] n. m. Génie souterrain que la tradition représente sous la forme d'un nain contrefait. ▷ *Par ext.* Homme petit et difforme.

gnomique adj. Didac. Qui est, s'exprime sous forme de sentences. ▷ *Poètes gnomiques :* poètes grecs dont les œuvres se composent de sentences, préceptes et réflexions morales.

gnomon [gnɔmɔ̃] n. m. Cadran solaire horizontal, utilisé depuis l'Antiquité.

gnon [ɲɔ̃] n. m. Fam. Coup; marque laissée par un coup. *Donner un gnon à qqn. Il a fait un gnon à sa voiture.*

gnose [gnoz] n. f. **1.** HIST Syncrétisme religieux qui se répandit dans les derniers siècles de l'Antiquité et qui prétendait donner accès, par l'initiation, à la connaissance suprême. V. gnosticisme. **2.** Didac. Tout savoir qui se pose comme connaissance suprême.

-gnose, -gnosie, -gnostique. Éléments, du gr. *gnôsis,* « connaissance ».

gnoséologie n. f. PHILO Théorie de la connaissance.

gnosticisme [gnɔstisism] n. m. Didac. **1.** Ensemble des différentes doctrines gnostiques. **2.** Type de religiosité spécifique des gnostiques.

ENCYCL Les origines du gnosticisme, ou plutôt des gnosticismes (on trouve, à côté des différentes gnoses chrétiennes, des gnoses juives et islamiques), sont mal connues. Il semble qu'on puisse parler d'une lointaine gnose irano-babylonienne, mais le foyer le plus important fut Alexandrie au déb. du IIe s. apr. J.-C. Princ. gnostiques : Clément d'Alexandrie, Origène (gnose chrétienne dite « orthodoxe »), Simon le Magicien, Basilide, Carpocrate, Valentin, Marcion, Bardesane (gnose chrétienne hérétique).

gnostique n. et adj. Didac. **1.** n. Adepte de la gnose. **2.** adj. Relatif à la gnose, au gnosticisme.

-gnostique. V. -gnose.

gnou n. m. Bovidé africain *(Connochætes gnu)* bossu, aux cornes très recourbées, mesurant 1,20 m au garrot. *Le gnou tient du buffle, des équidés et des antilopes.*

G.N.V. n. m. Abrév. de *gaz* naturel véhicules.*

go [go] n. m. Jeu japonais très ancien, d'origine chinoise, qui se joue à deux, avec des pions noirs et blancs que l'on pose sur les intersections d'un quadrillage tracé sur un plateau, dans le but de former des territoires aussi vastes que possible.

go (tout de) loc. adv. Fam. Sans façon, d'une manière abrupte. *Il lui a dit tout de go sa façon de penser.*

Goa, État de l'Inde (créé en 1987), sur la côte de Malabar; 3 702 km^2; 1 168 600 hab.; ch.-l. *Panaji.* – Cette rég., colonie portugaise (avec Damān et Diu) depuis le XVIe s. (v. princ. *Nova Goa*), fut occupée par l'Inde en 1961, et annexée en mars 1962.

goal [gol] n. m. (Anglicisme) SPORT Gardien de but (football, hockey sur glace, etc.). Syn. gardien de but.

goal average [golavʀɛdʒ; golaveʀaʒ] n. m. (Anglicisme) Au football, différence des buts marqués et des buts encaissés par chaque équipe au cours d'une saison, servant à départager deux ex-æquo au classement d'un championnat. *Des goal averages.*

goan, ane adj. et n. De Goa.

gobelet n. m. **1.** Récipient pour boire, plus haut que large, sans anse et sans pied. **2.** Ustensile de même forme utilisé pour les tours de prestidigitation. **3.** JEU Cornet à dés.

Gobelins (Manufacture nationale des), manufacture de tapisseries fondée à Paris par Colbert, qui acheta, en 1662, la fabrique des frères Gobelins (teinturiers chez qui, en 1601, Henri IV avait placé des tapissiers flamands) pour en faire la *Manufacture royale des meubles de la Couronne.* Le Brun, Coypel, Boucher, Watteau lui fournirent des cartons de tapisseries. Auj. les ateliers des Gobelins travaillent princ. pour l'État.

gobe-mouches n. m. inv. Oiseau passériforme (genre *Muscicapa*), à bec fin, qui chasse les insectes au vol et dont les espèces européennes hivernent en Afrique.

gober v. tr. [1] **1.** Avaler rapidement en aspirant et sans mâcher. *Gober un œuf, une huître.* **2.** Fig., fam. Croire sans discernement. *On lui fait gober tout ce qu'on veut.* **3.** Loc. fig., fam. *Ne pas gober qqn, qqch,* ne pas le supporter, le détester. *Il ne peut pas me gober.*

goberger (se) v. pron. [13] Fam., vieilli Faire bonne chère, se donner ses aises.

gobeur, euse n. **1.** Personne qui gobe. **2.** Fig., fam., vieilli Personne naïve.

Gobi, vaste désert d'Asie centrale, s'étendant en Mongolie (prov. de Mongolie-Intérieure) et en Chine (Xinjiang et Gansu).

gobie n. m. Poisson téléostéen (genre *Gobius*) dont les diverses espèces, longues de 10 à 30 cm, vivent près des côtes, fixées sur les rochers par leurs nageoires pectorales en forme de ventouse.

tête et poitrail de **gnou** bleu

Gobineau (Joseph Arthur, comte de) (Ville-d'Avray, 1816 – Turin, 1882), diplomate et écrivain français. Sa thèse de la race germanique « pure » (*Essai sur l'inégalité des races humaines,* 1853-1855) a été exploitée par les pangermanistes (H. S. Chamberlain) et les nazis. Ses romans (*le Prisonnier chanceux,* 1847; *les Pléiades,* 1874), ses *Nouvelles asiatiques* (1876), témoignent de son sens aigu de l'observation comme de son pessimisme foncier.

godailler v. intr. [1] Syn. de *goder.*

Godard (Eugène) (Clichy, 1827 – Bruxelles, 1890), et son frère **Louis** (Clichy, 1829 – Paris, 1885), aéronautes français. Ils organisèrent la poste aérienne pendant le siège de Paris (1870-1871).

Godard (Jean-Luc) (Paris, 1930), cinéaste français; la plus forte personnalité de la « nouvelle vague ». Son œuvre, au discours haché, agressif, empruntant à tous les genres, vise à « briser avec l'illusion cinématographique » (J. Collet) : *À bout de souffle* (1959), *Pierrot le fou* (1965), *la Chinoise* (1967), *Week-End* (1967), *Sauve qui peut (la vie)* (1979), *Prénom Carmen* (1983), *Je vous salue Marie* (1985), *Nouvelle Vague* (1990).

J.-L. **Godard :** *À bout de souffle,* 1959, avec J.-P. Belmondo et Jean Seberg

godasse n. f. Fam. Chaussure.

Godāvari ou **Godavéry** (la), fl. sacré de l'Inde (1 500 km); naît dans les Ghātes occid.; se jette dans le golfe du Bengale par un grand delta.

Godbout (Adélard) (Saint-Éloi, Québec, 1892 – Montréal, 1956), homme politique québécois, Premier ministre (libéral) du Québec de 1939 à 1944.

Godbout (Jacques) (Montréal, 1933), écrivain et cinéaste québécois. Romans : *l'Aquarium* (1962); *D'amour, P. Q.* (1972).

Goddard (Robert Hutchings) (Worcester, Massachusetts, 1882 – Baltimore, 1945), physicien américain. L'un des pionniers de l'astronautique, il élabora la théorie des fusées à étages.

Godefroi de Bouillon (Baisy, Brabant, v. 1061 – Jérusalem, 1100), duc de Basse-Lorraine (1089-1095). Il vendit ses domaines et partit pour la 1re croisade, dont il fut l'un des chefs. Élu roi de Jérusalem (1099) après la prise de cette ville, il préféra le simple titre d'« avoué du Saint-Sépulcre ». Son enthousiasme et son humilité inspirèrent de nombreuses légendes.

Godeheu de Zaimont (Charles) (né en Bretagne, XVIIIe s.), administrateur français. Successeur de Dupleix aux Indes, il signa en 1754, conjointement avec les Britanniques, un traité désastreux (abandon de toute terre et prérogative en dehors des comptoirs).

Gödel (Kurt) (Brünn, auj. Brno, 1906 – Princeton, New Jersey, 1978), mathématicien et logicien américain d'origine autrichienne ; auteur d'un procédé d'arithmétisation de la syntaxe « qui permet de formuler la syntaxe logique de l'arithmétique à l'intérieur même de l'arithmétique ».

godelureau n. m. Fam., péjor. Jeune homme qui fait le galant.

godemiché n. m. Instrument de forme phallique destiné au plaisir sexuel.

goder v. intr. [1] Faire des faux plis, en parlant d'un vêtement. Syn. fam. godailler.

godet [gɔdɛ] n. m. **1.** Vieilli Petit verre à boire sans pied ni anse. ▷ *Par ext.* Fam. *Boire un godet*, un verre (cf. *boire un pot*). **2.** Petit récipient de forme analogue servant à divers usages (délayer les couleurs, recueillir la résine, etc.). ▷ TECH Petite auge (d'une roue hydraulique, d'une noria, etc.). **3.** COUT *Jupe à godets*, formée de lés taillés dans le biais et très évasée dans le bas. **4.** MED Empreinte que laisse la pression du doigt sur un tégument cutané qu'infiltre un œdème cardiaque ou rénal.

godiche adj. et n. f. Fam. Empoté, maladroit. *Avoir l'air godiche.*

godille n. f. **1.** Aviron placé à l'arrière d'une embarcation, auquel on imprime un mouvement hélicoïdal qui permet la propulsion. **2.** SPORT À skis, enchaînement de petits virages dans la ligne de plus grande pente. **3.** Loc. adj. Fig., fam. *À la godille* : mal agencé, inefficace.

godiller v. intr. [1] **1.** Faire avancer une embarcation à l'aide de la godille (sens 1). **2.** SPORT À skis, pratiquer la godille (sens 2).

godillot n. m. **1.** Soulier de soldat à tige courte. ▷ *Par ext.* Fam. Grosse chaussure. **2.** Fam., péjor. Personne qui suit un chef sans discuter.

Godin (Jean-Baptiste André) (Esquéhéries, 1817 – Guise, 1888), industriel français. Il créa une fabrique d'appareils de chauffage (*poêles Godin*, notam.). Disciple de Fourier, il légua son usine à ses ouvriers (Familistère de Guise).

Godoy Álvarez de Faria (Manuel) (Castuera, 1767 – Paris, 1851), homme politique espagnol ; amant de la reine Marie-Louise et Premier ministre sous Charles IV (1792-1798, 1800-1808). Son rôle lors de la signature du traité de Bâle (1795) lui valut le titre de « prince de la paix ».

Godthåb. V. Nuuk.

Godwin (William) (Wisbech, Cambridgeshire, 1756 – Londres, 1836), écrivain et philosophe anglais ; il entreprit une critique rationaliste des institutions de son temps (*Recherches sur la justice politique*, 1793 ; *Aventures de Caleb Williams*, roman, 1794), puis des théories de Malthus (*Recherches sur la population*, 1820). – **Mary Wollstonecraft Godwin** (Hoxton, près de Londres, 1759 – Londres, 1797), épouse du préc., fut une des prem. féministes : *Revendications des droits de la femme* (1792) ; elle mourut en donnant le jour à Mary, future épouse de Shelley.

Godwin Austen. V. K2.

Goebbels (Joseph Paul) (Rheydt, 1897 – Berlin, 1945), homme politique allemand ; un des princ. chefs nazis. Ministre de la Propagande et de l'Information à partir de 1933, il régenta toutes les formes d'expression et organisa la propagation systématique de l'idéologie nazie, notam. de l'antisémitisme (dirigeant lui-même, en 1938, le sac des lieux juifs, privés et sacrés). Il se suicida, avec sa famille, dans Berlin assiégé.

goéland n. m. Grand oiseau (genre *Larus*, ordre des lariformes) au cri rauque caractéristique, piscivore, vivant sur les côtes, dont le plumage varie, selon les espèces, du gris très clair au noir.

goélette n. f. Navire à deux mâts (mât de misaine et grand mât).

goémon n. m. Nom cour. des algues marines telles que les fucus et les laminaires. Syn. varech.

goémonier, ère adj. et n. m. **1.** adj. Relatif au goémon. **2.** n. m. Personne ou bateau qui ramasse des algues en mer.

Goeppert-Mayer (Maria) (Katowice, 1906 – San Diego, Californie, 1972), physicienne américaine d'origine allemande. Elle étudia notam. la structure en couches des noyaux atomiques. P. Nobel 1963.

Goerg (Édouard) (Sydney, Australie, 1893 – Callian, Var, 1969), peintre, dessinateur et graveur français. Une grande partie de son œuvre est vouée à la figure féminine. Illustrateur des *Contes* d'Hoffmann et des *Fleurs du mal* de Baudelaire.

Goering ou **Göring** (Hermann) (Rosenheim, 1893 – Nuremberg, 1946), maréchal et homme politique allemand. Aviateur durant la guerre de 1914-1918, membre du parti nazi dès 1922, ministre de l'Air en 1933, il devint le deuxième personnage du Reich. Condamné à mort à Nuremberg (1946), il se suicida.

Goes (Hugo Van der). V. Van der Goes.

Goethe (Johann Wolfgang von) (Francfort-sur-le-Main, 1749 – Weimar, 1832), écrivain allemand. Par l'étendue et la variété de ses connaissances, par ses dons de poète, de romancier, de critique, il rappelle les grands génies de la Renaissance. Son prem. drame, *Götz von Berlichingen* (1774), et son roman épistolaire, *les Souffrances du jeune Werther* (1774), portent la marque du « Sturm und Drang » : le héros romantique se révolte contre les dieux et contre l'ordre social. Installé à la cour de Weimar en 1775, Goethe, sans négliger les forces « démoniaques », exprime une sorte de consentement à l'ordre universel ; *Egmont* (1787) marque notam. ce tournant. Il donne ensuite un roman, *les Années d'apprentissage de Wilhelm Meister* (version définitive, 1796), une épopée bourgeoise en hexamètres (*Hermann et Dorothée*, 1797) et une suite de ballades (*la Fiancée de Corinthe, l'Apprenti sorcier*, etc.), écrites sur l'encouragement de Schiller. En 1808, il publie la prem. partie de son *Faust*, pièce qui rend sa célébrité universelle, et en 1809 *les Affinités électives*, roman autobiographique. Des travaux scientifiques, *les Années de voyage de Wilhelm Meister* (1821-1829), ses mémoires (*Poésie et Vérité*, posth., 1833), le second *Faust* (1832) achèvent l'essentiel de son œuvre. ▸ illustr. page **819**

Gog et Magog, puissances ennemies de Dieu mentionnées par la Bible (Ézéchiel et Apocalypse).

gogo n. m. Fam. Personne naïve, jobarde. *Un gogo qui se fait rouler.*

gogo (à) loc. adv. Fam. En abondance.

Gogol (Nikolaï Vassilievitch) (Sorotchintsy, prov. de Poltava, 1809 – Moscou, 1852), écrivain russe. Il obtint rapidement le succès avec trois recueils de nouvelles : *les Veillées du hameau près de Dikanka* (1831-1832) ; *Mirgorod* (1835), qui contient le récit historique « Tarass Boulba », et *Arabesques* qui, outre des nouvelles (notam. le « Journal d'un fou », 1835), contient des essais divers. En 1836, il donna une comédie acerbe, *le Revizor*. Son chef-d'œuvre, *le Manteau* (1841), court récit réaliste et fantastique, exerça une influence considérable. Dans *les Âmes mortes* (1842), il révélait au lecteur « l'homme russe tout entier » et l'absurdité de la situation humaine. Il publie *le Nez* en 1843. Parti en 1848 pour la Terre sainte et Jérusalem, il finit sa vie dans l'ascétisme.

N. V. **Gogol**

Felipe **González**

Gogra ou **Ghāghra** (la), riv. de l'Inde (1 030 km) ; naît dans l'Himalaya ; affl. du Gange (r. g.).

goguenard, arde adj. Qui a une expression moqueuse, narquoise ; qui dénote la moquerie. *Un air goguenard.*

goguenardise n. f. Vieilli Attitude d'une personne goguenarde ; moquerie.

goguenots [gɔgno] n. m. pl. Très fam. Cabinets, latrines. (Abrév. : gogues).

goguette (en) loc. adj. Fam. *En goguette* : mis de belle humeur par la boisson ; bien décidé à faire la fête.

goï, goïm. V. goy.

Goiânia, v. du Brésil, cap. de l'État de Goiás ; 928 050 hab. Centre admin. – Archevêché.

Goiás, État du centre du Brésil ; 355 386 km² ; 4 659 000 hab. ; cap. *Goiânia*. Élevage ; grands gisements de nickel. En 1988, une partie de l'État de Goiás devint l'État de Tocantins*.

goinfre n. et adj. Personne qui mange voracement et avec excès.

goinfrer v. intr. [1] Vx, rég. Manger comme un goinfre. ▷ v. pron. Mod. Se gaver.

goinfrerie n. f. Caractère du goinfre ; fait de goinfrer.

Gois (passage du), route (3 km) qui, à marée basse, mène du continent à l'île de Noirmoutier.

Goito, com. d'Italie, au N.-O. de Mantoue ; 9 100 hab. – Victoire des Piémontais sur les Autrichiens (mai 1848).

goitre n. m. Grosseur siégeant à la face antérieure de la base du cou, due à une tuméfaction du corps thyroïde. *Le goitre exophtalmique porte aussi le nom de maladie de Basedow.*

goitreux, euse adj. et n. **1.** De la nature du goitre. **2.** Qui est atteint d'un goitre. ▷ Subst. *Un goitreux.*

Gökçeada ou **Imroz** (grec *Imbros*), île de Turquie, gardant le détroit des Dardanelles; 225 km^2; 15 000 hab.; ch.-l. *Gökçe*.

Golan (plateau du), rég. du S.-O. de la Syrie; occupée par Israël de 1967 à 1974, théâtre de violents combats en 1973. La partie du territoire non évacuée en 1974 fut unilatéralement annexée par Israël en 1981.

Golconde, v. forte du Dekkan (Inde), auj. en ruine; célèbre par ses richesses fabuleuses *(trésors de Golconde)*; pillée et détruite au XVIIe s. par Aurangzeb.

golden [gɔldɛn] n. f. Variété de pomme à peau jaune.

goldenboy [gɔldənbɔj] n. m. (Américanisme) Jeune et talentueux agent de change.

Golden Gate («Porte d'Or»), détroit faisant communiquer la baie de San Francisco et l'océan Pacifique, et franchi par un pont de 2 530 m.

Golding (William) (Saint Columb Minor, Cornouailles, 1911 - près de Falmouth, id., 1993), écrivain anglais. Romancier moraliste dont le pessimisme foncier est contrebalancé par une profonde exigence éthique : *Sa Majesté des Mouches* (1954), *la Nef* (1964). P. Nobel 1983.

Goldmann (Nahum) (Wiszniew, Lituanie, 1895 - Bad Reichenhall, R.F.A., 1982), dirigeant sioniste. Il participa au plan de partage de la Palestine (1947). Président du Congrès juif mondial de 1951 à 1977 et de l'Organisation mondiale sioniste de 1956 à 1968.

Goldmann (Lucien) (Bucarest, 1913 - Paris, 1970), philosophe français. Marxiste, disciple de Lukács, il a appliqué à l'étude de la littérature une méthode de sociologie dialectique : *le Dieu caché* (sur Pascal, Racine et le jansénisme, 1956), *Pour une sociologie du roman* (1964).

Goldoni (Carlo) (Venise, 1707 - Paris, 1793), auteur dramatique italien. Il a rénové la scène italienne en substituant à la farce à canevas la comédie de mœurs où l'intérêt dramatique est soutenu par la vivacité d'un dialogue préalablement écrit : *la Locandiera* (1753), *Barouf à Chioggia* (1762), *le Bourru bienfaisant* (en français, 1771). On lui doit *Mémoires*, en français (1784-1787).

Goldsmith (Oliver) (Pallasmore, Irlande, 1728 - Londres, 1774), écrivain anglais : *le Vicaire de Wakefield* (1766), roman sentimental préromantique, lui valut la célébrité; *le Village abandonné* (1770), poème pastoral; *Elle s'abaisse pour vaincre* (1773), comédie.

Goléa (El-). V. Menia (Al-).

golem [gɔlɛm] n. m. Créature artificielle à forme humaine de la tradition magique juive et des légendes d'Europe centrale.

golf n. m. **1.** Sport qui consiste à placer successivement, au moyen d'une crosse nommée *club*, une balle dans une série de trous répartis le long d'un parcours *(fair way)* plus ou moins accidenté. **2.** Terrain sur lequel on pratique ce sport. **3.** *Golf miniature* : jeu imité du golf qui se déroule sur un petit parcours jalonné d'obstacles. Syn. mini-golf.

golfe n. m. Vaste échancrure d'une côte. *Le golfe du Lion*. V. baie 2. ▷ Absol. *Le Golfe* : le golfe Persique.

Golfe (guerre du), nom donné à la guerre qui a opposé l'Iran* et l'Irak*, dans le golfe Persique, de l'offensive irakienne en sept. 1980 au cessez-le-feu de juil. 1988. - Conflit armé qui débuta en janv. 1991 à la suite de la crise internationale *(crise du Golfe)* déclenchée par l'invasion du Koweït par l'Irak, en août 1990. L'Irak se trouva opposé à une coalition de 30 pays (Arabie Saoudite, Argentine, Australie, Bahreïn, Bangladesh, Belgique, Canada, Danemark, Égypte, Émirats arabes unis, Espagne, États-Unis, France, Grèce, Honduras, Italie, Koweït, Maroc, Niger, Norvège, Oman, Pākistān, Pays-Bas, Portugal, Royaume-Uni, Sénégal, Sierra Leone, Syrie, Tchécoslovaquie, Turquie). Le conflit fut interrompu par un cessez-le-feu le 3 mars 1991.

Golfech, com. du Tarn-et-Garonne (arr. de Castelsarrasin); 440 hab. - Centrale nucléaire.

Golfe-Juan, stat. baln. des Alpes-Maritimes (com. de Vallauris). - Napoléon y débarqua à son retour de l'île d'Elbe (1er mars 1815).

golfeur, euse n. Personne qui joue au golf.

Golgi (Camillo) (Corteno, près de Brescia, 1843 ou 1844 - Pavie, 1926), médecin italien; auteur de travaux histologiques et sur le paludisme. P. Nobel 1906 (avec S. Ramón y Cajal). ▷ *Appareil de Golgi* : dictyosome.

Golgotha (forme gr. du mot araméen *gulgolta*, «lieu du crâne»), nom initial de la colline où Jésus fut crucifié.

Goliath, personnage biblique; géant philistin tué d'un coup de fronde par David. ► illustr. **Caravage**

Golitsyn. V. Galitzine.

Golo (le), princ. fl. de Corse (75 km); se jette dans la Méditerranée, au S. de Bastia.

Gomar ou **Gomarus** (François) (Bruges, 1563 - Groningue, 1641), théologien néerlandais. Pasteur calviniste, il entra en conflit avec Arminius sur l'absolue prédestination humaine et contribua à le faire condamner au synode de Dordrecht (1618-1619).

Gombaud. V. Gondebaud.

Gombert (Nicolas) (Bruges, v. 1490 - ?, v. 1560), musicien franco-flamand; le plus important compositeur de mus. religieuse entre Josquin Des Prés et R. de Lassus : messes, motets, magnificat, chansons.

gombo n. m. Plante des régions chaudes (fam. malvacées) dont on consomme le fruit comme légume.

Gombrowicz (Witold) (Małoszyce, près de Radom, 1904 - Vence, 1969), écrivain polonais. Son écriture complexe et sa thématique procèdent de l'angoisse (psychologique, sociale). Romans : *Ferdydurke* (1938), *la Pornographie* (1960), *Cosmos* (1961). Théâtre : *Yvonne, princesse de Bourgogne* (1938), *Opérette* (1966). Auteur d'un *Journal* (1953-1969).

Gomel, v. de Biélorussie; ch.-l. de la prov. du m. nom; 465 000 hab. Centre agric. et industr.

goménol n. m. (Nom déposé.) Huile végétale tirée d'une myrtacée exotique, antiseptique des voies respiratoires.

goménolé, ée adj. Qui contient du goménol. *Huile goménolée*.

Gomera (île de), île de l'archipel des Canaries; 378 km^2; 28 000 hab.

Gómez de la Serna (Ramón) (Madrid, 1888 - Buenos Aires, 1963), écrivain espagnol. Il excella dans le roman, où, sous forme d'aphorismes, il caricatura avec humour les êtres et les situations : *le Rastro* (1915-1931), *la Veuve blanche et noire* (1917), *les Trois Grâces* (1949). Il créa les «greguerías», associations cocasses d'idées et d'images en une seule courte phrase.

gominé, ée adj. Vx (En parlant des cheveux.) Pommadé.

gommage n. m. **1.** Action de gommer; son résultat. **2.** Action d'éliminer de la peau les impuretés et les peaux mortes, par frottement avec un produit cosmétique granuleux. **3.** TECH Altération d'une huile lubrifiante qui prend la consistance d'une gomme, notam. sous l'action du froid.

gomme n. f. **1.** Substance visqueuse qui s'écoule de certains arbres. *Les gommes diffèrent des résines et des latex par leur solubilité dans l'eau.* ▷ *Gomme arabique*, provenant de divers acacias d'Arabie. ▷ *Gomme adragante*, tirée de certains astragales. **2.** (Canada) Gomme à mâcher. *Boule de gomme. Mâcher de la gomme.* **3.** Petit bloc de caoutchouc ou de matière synthétique servant à effacer. *Gomme à encre.* **4.** MED Nodosité siégeant dans l'hypoderme, aux causes diverses (syphilis, tuberculose) et dont l'ouverture donne lieu à un ulcère profond. **5.** Loc. adj. Fam. *À la gomme* : sans intérêt, sans valeur (personne ou chose). *Une invention à la gomme.* **6.** Loc. fam. *Mettre la gomme, toute la gomme* : augmenter au maximum la vitesse d'un véhicule, la puissance d'un moteur.

gomme-gutte n. f. Résine de couleur jaune, produite par divers arbres d'Asie et utilisée dans la fabrication des vernis et des peintures. *Des gommes-guttes.*

gomme-laque ou **gomme laque** n. f. Résine exsudée par divers arbres, employée dans la fabrication des vernis à l'alcool. *Des gommes-laques* ou *des gommes laques.*

gommer v. tr. [1] **1.** Enduire de gomme (du papier, du tissu). - Pp. adj. *Papier gommé.* ▷ Vx ou litt. Spécial. *Gommer ses cheveux*, les enduire d'une pommade spéciale qui les fixe et les rend brillants. **2.** Effacer avec une gomme. **3.** Fig. Atténuer, faire disparaître. *Gommer un détail gênant.*

gommette n. f. Petit morceau de papier coloré autocollant.

gommeux, euse adj. et n. m. **1.** adj. Qui produit de la gomme; qui est de la nature de la gomme. **2.** n. m. Fam., vieilli Jeune homme poseur, d'une élégance outrée.

Gomorrhe, anc. ville de Palestine, au S.-E. de la mer Morte. Elle aurait été détruite par le feu du ciel en même temps que Sodome (Genèse, XIX).

Gompers (Samuel) (Londres, 1850 - San Antonio, Texas, 1924), syndicaliste américain. Il créa en 1881 une fédération de syndicats de métiers, qui devint en 1886 l'A.F.L. (American Federation of Labor).

gomphide n. m. BOT Champignon basidiomycète à lamelles, voisin du bolet, comestible.

Gomułka (Władysław) (Krosno, Galicie, 1905 - Varsovie, 1982), homme politique polonais. Secrétaire général du Parti ouvrier unifié polonais de 1943 à 1948, il fut victime du stalinisme et ne retrouva son poste qu'en 1956, après plus de quatre années d'emprisonnement. Partisan d'une certaine libéralisation, il ne sut la réaliser et dut démissionner en 1970 à la suite des émeutes des ports de la Baltique.

gonade n. f. ANAT Glande génitale (testicule ou ovaire).

gonadostimuline ou **gonadotrophine** n. f. PHYSIOL Hormone qui stimule l'activité fonctionnelle des gonades. *Les gonadostimulines sont sécrétées par l'hypophyse et par le placenta de la femme enceinte.*

gonadotrope adj. PHYSIOL Qui agit sur les gonades. *Hormones gonadotropes.*

Gonçalves (Nuno) (mort v. 1480), peintre portugais; il fut au service d'Alphonse V : *Polyptyque de saint Vincent* (Lisbonne).

Goncourt (Edmond Huot de) (Nancy, 1822 - Champrosay, 1896) et son frère **Jules Huot de Goncourt** (Paris, 1830 - id., 1870), écrivains français. Stylistes de l'école naturaliste (leur langue est pleine de recherche, de traits : «écriture artiste»), ils ont écrit en collab. des romans (*Germinie Lacerteux*, 1865; *Madame Gervaisais*, 1869) et *l'Art du XVIIIe siècle* (1859-1875). Après la mort de Jules, Edmond a publié : *la Fille Élisa* (1877), *Hokusaï* (1896), etc., ainsi que le *Journal des Goncourt* dans une éd. incomplète. Par testament, il créa l'*académie Goncourt*. V. encycl. académie.

E. et J. **Goncourt**

Göncz (Árpád) (Budapest, 1922), homme politique hongrois, président de la Rép. depuis 1990.

gond n. m. **1.** Pièce métallique autour de laquelle pivotent les pentures d'une porte ou d'une fenêtre. **2.** Loc. fig., fam. *Sortir de ses gonds :* s'emporter.

Gondar, v. d'Éthiopie; ch.-l. de prov.; 95 000 hab. - Elle eut rang de cap. du XVIe au XIXe s.

Gondebaud, Gondobald ou **Gombaud** (m. à Genève, 516), roi des Burgondes (v. 480-516).

Gondi, famille florentine dont une branche s'installa en France au XVIe s. (V. Retz, cardinal de.)

gondolage ou **gondolement** n. m. Action de gondoler; fait de se gondoler; aspect gondolé.

gondolant, ante adj. Fam. Très drôle.

gondole n. f. **1.** Barque vénitienne longue et plate à un seul aviron, dont les extrémités sont relevées et recourbées. **2.** *Siège en gondole,* au dossier incurvé et enveloppant, descendant sur les côtés jusqu'à l'avant du siège. - (En appos.) *Chaise gondole.* **3.** Meuble à rayonnages superposés servant de présentoir dans les libres-services.

gondoler 1. v. intr. [1] Se gonfler, se déjeter, se gauchir. *Bois, carton qui gondole.* ▷ v. pron. *Papier qui se gondole.* **2.** v. pron. Fig., fam. Se tordre de rire.

gondolier, ère n. Batelier, batelière qui conduit une gondole.

Gondwana (le), continent austral du paléozoïque, regroupant l'Amérique du Sud, l'Afrique, l'Arabie, Madagascar, l'Inde, l'Australie et l'Antarctique. Sa dislocation, sous l'effet de la tectonique des plaques, a donné naissance aux continents actuels.

-gone. V. gonio-.

Gonesse, ch.-l. de cant. du Val-d'Oise (arr. de Montmorency); 23 346 hab. Cult. florales. Industr. alim.; textile.

gonfanon ou **gonfalon** n. m. HIST Étendard de guerre à deux ou trois pointes, au Moyen Âge.

gonfanonier ou **gonfalonier** n. m. HIST Celui qui portait le gonfanon. ▷ *Gonfalonier de justice :* chef de certaines républiques italiennes, au Moyen Âge.

gonflable adj. Qui peut être gonflé avec de l'air ou un gaz.

gonflage n. m. Action de gonfler.

gonflant, ante adj. **1.** Qui gonfle; qui fait gonfler. **2.** Fig., fam. Qui ennuie, énerve.

gonflé, ée adj. **1.** Enflé. *Ventre gonflé.* **2.** Loc. fam. *Gonflé à bloc :* rempli d'ardeur. - *Être gonflé :* montrer une assurance exagérée, avoir du culot.

gonflement n. m. **1.** Action de gonfler. **2.** Enflure (d'une partie du corps). **3.** Fig. Exagération; augmentation trop importante. *Le gonflement des effectifs.*

gonfler v. [1] **I.** v. tr. **1.** Distendre, augmenter le volume d'un corps en l'emplissant d'air, de gaz. *Gonfler un ballon. Le vent gonfle les voiles du navire.* **2.** Enfler. - Pp. *Avoir les yeux gonflés de sommeil.* **3.** Fig. Remplir, combler. *Son cœur est gonflé de joie.* - Absol. Fam. Remplir d'exaspération. *Tu commences à me gonfler.* **4.** Fig. Exagérer, grossir. *La presse a gonflé cette histoire insignifiante. Gonfler une facture.* **5.** TECH Augmenter la puissance d'un moteur. **II.** v. intr. Augmenter de volume. *Cette pâte gonfle à la cuisson.* **III.** v. pron. Devenir enflé. *Veines qui se gonflent sous l'effort.* ▷ Fig. Être empli. *Il se gonfle d'orgueil.*

gonflette n. f. Fam. **1.** Méthode de musculation visant à obtenir des muscles volumineux. **2.** Musculation des animaux de boucherie obtenue grâce à des anabolisants.

gonfleur n. m. TECH Appareil servant à gonfler (les pneus, les ballons, etc.).

Gonfreville-l'Orcher, ch.-l. de cant. de la Seine-Maritime (arr. du Havre), sur le canal de Tancarville; 10 227 hab. Import. raff. de pétrole.

gong [gɔ̃g] n. m. **1.** Instrument de percussion formé d'un plateau de métal sonore sur lequel on frappe avec une baguette à tampon. **2.** Timbre utilisé pour donner un signal. *Coup de gong annonçant la fin et le début d'une reprise.*

Góngora y Argote (Luis de) (Cordoue, 1561 - id., 1627), poète et ecclésiastique espagnol. Aumônier de Philippe III (1617), il est l'auteur de la *Fable de Polyphème et Galatée* (1612) et des *Solitudes* (1613). Il écrivit dans un style recherché qui donna naissance à un genre précieux *(gongorisme).*

gongorisme n. m. Didac. Préciosité, maniérisme de l'écriture; affectation de style. V. Góngora y Argote.

Gong Xian ou **Kong Hien** (actif à Nankin de 1652 à 1682), peintre chinois de l'époque des Qing; auteur de paysages de montagnes exclusivement exécutés au lavis d'encre noire.

gonio-, -gone. Éléments, du gr. *gônia,* «angle».

goniomètre n. m. **1.** TECH Appareil servant à la mesure des angles. **2.** RADIO Appareil récepteur servant à déterminer la direction d'une émission radioélectrique. (On dit aussi *radiogoniomètre* ou, par abrév., *gonio*).

goniométrie n. f. TECH **1.** Ensemble des procédés de mesure des angles. **2.** Syn. de *radiogoniométrie.*

gonochorisme [gɔnokɔRism] n. m. BIOL État d'une espèce animale dans laquelle il existe des individus exclusivement mâles et des individus exclusivement femelles. Ant. hermaphrodisme.

gonococcie [gɔnɔkɔksi] n. f. MED Infection due au gonocoque.

gonocoque n. m. MED Diplocoque agent de la blennorragie.

gonocyte n. m. BIOL Cellule sexuelle primitive donnant naissance aux gamètes.

gonorrhée [gɔnɔRe] n. f. MED Blennorragie.

Gontcharov (Ivan Alexandrovitch) (Simbirsk, 1812 - Saint-Pétersbourg, 1891), romancier réaliste russe : *Une simple histoire* (1847); *Oblomov* (1859), qui devint un classique de la littérature russe; *la Falaise* (1869).

Gontcharova (Natalia Sergheïevna) (Ladychkino, près de Toula, 1881 - Paris, 1962), peintre russe; créatrice, avec son mari Larionov*, d'un mouvement pictural. Elle réalisa plus. décors pour les Ballets russes de Diaghilev.

Gontran (saint) (?, v. 545 - Chalon-sur-Saône, 592), deuxième fils de Clotaire Ier; roi de Bourgogne de 561 à 592.

Gonzague, famille princière d'Italie, qui régna à Mantoue (1328-1708). - **Anne** (Paris, 1616 - id., 1684), dite *la Princesse Palatine,* fut célèbre pour son esprit et son rôle dans la Fronde.

González (Julio) (Barcelone, 1876 - Arcueil, 1942), peintre, orfèvre et sculpteur espagnol. Ses œuvres linéaires en fer sont une libre interprétation du réel, seulement évoqué par des signes allusifs : *l'Ange* (1933).

González Márquez (Felipe) (Séville, 1942), homme politique espagnol, il fut élu secrétaire général du Parti socialiste ouvrier espagnol (P.S.O.E.) dès 1974. Premier ministre de 1982 à 1996, il mit en œuvre une politique modérée, qui permit à l'Espagne de se moderniser et de s'intégrer à l'Europe.

▸ illustr. page **826**

Gonzalo de Berceo (Berceo, v. 1198 - mort apr. 1264), premier poète espagnol de langue castillane connu. Auteur de vies de saints et de poèmes religieux.

Gonzalve de Cordoue (Gonzalo Fernández de Córdoba, en esp.) (Montilla, 1453 - Grenade, 1515), général espagnol. Il combattit les Français en Italie, donnant à l'Espagne le royaume de Naples (1503), dont il fut vice-roi (disgracié en 1506).

gonze, gonzesse n. **1.** n. m. Arg., vieilli Homme, individu. **2.** n. f. Fam. Femme, jeune femme. ▷ *Par ext.* Homme lâche.

Goodman (Benjamin David, dit Benny) (Chicago, 1909 - New York, 1986), clarinettiste et chef d'orchestre de jazz américain. Il lança le style « swing » (1935).

Goodyear (Charles) (New Haven, Connecticut, 1800 - New York, 1860), inventeur américain. Il découvrit en 1839 la vulcanisation du caoutchouc.

Goose Bay, v. du Canada (Labrador), au S. du lac Melville; 3 000 hab. Anc. base aérienne.

Göppingen, v. d'Allemagne (Bade-Wurtemberg); 51 420 hab. Industr. mécaniques, chimiques et textiles.

Gorakhpur, ville de l'Inde (Uttar Pradesh); 490 000 hab. Cité industrielle et universitaire.

Gorbatchev (Mikhaïl Sergeïevitch) (Privolnoï, territoire de Stavropol, 1931), homme politique soviétique. Membre du comité central du P.C.U.S. depuis 1971, et du bureau politique depuis 1980, il a succédé en mars 1985 à K.O. Tchernenko au poste de secrétaire général. Il a donné l'impulsion à de profondes réformes et est parvenu au premier accord de désarmement avec les États-Unis, en déc. 1987. Il a été nommé président du Præsidium du Soviet suprême en oct. 1988, élu à la tête de l'État par le Congrès du Peuple en 1989 et réélu secrétaire général du P.C.U.S. en 1990. Après l'échec d'un coup d'État des communistes conservateurs, en août 1991, il abandonna ses fonctions à la tête du P.C.U.S. et resta prés. de l'Union jusqu'au 25 déc. 1991. P. Nobel de la paix 1990.

Mikhaïl **Gorbatchev**

Maxime **Gorki**

Gordes, ch.-l. de cant. du Vaucluse (arr. d'Apt); 2 045 hab. - L'anc. château (XVIe s.) abrite le musée Vasarely. À 4 km au N. : abb. de Sénanque*.

Gordias (VIIIe s. av. J.-C.), nom présumé d'une dynastie de Phrygie, alternant au pouvoir avec celle de Midas*; la mythologie grecque en a fait deux personnages.

gordien adj. m. MYTH *Nœud gordien* : lien qui fixait le joug au timon du char de Gordias; un oracle ayant promis l'empire d'Asie à qui le dénouerait, ce fut Alexandre le Grand qui le trancha d'un coup d'épée (334 av. J.-C.). - Fig. Difficulté presque impossible à résoudre. *Trancher le nœud gordien* : mettre fin, par une décision brutale, à une situation de crise apparemment insoluble.

Gordien Ier (en lat. *Marcus Antonius Gordianus Sempronianus*) (Rome, v. 157 - Carthage, 238), empereur romain (238) durant huit semaines. Il se tua après avoir vu périr son fils **Gordien II** (?, v. 192 - Carthage, 238), empereur en même temps que lui. – **Gordien III le Pieux** (Rome, v. 224 - Zaïtha, près de l'Euphrate, 244), petit-fils de Gordien Ier; empereur de 238 à 244, il combattit les Perses (242). Détrôné par Philippe l'Arabe, il fut mis à mort.

Gordimer (Nadine) (Springs, 1923), écrivain sud-africain d'expression anglaise. Ses romans et ses contes ont pour thème la vie au Transvaal. *Un monde d'étrangers* (1979), *Fille de Burger* (1982), *Un caprice de la nature* (1990). P. Nobel 1991.

Gordion, anc. v. d'Asie Mineure, cap. de la Phrygie. Dans son temple de Zeus se trouvait le nœud gordien*.

Gordon (Charles) (Woolwich, 1833 - Khartoum, 1885), officier et administrateur britannique. Il servit le gouv. chinois contre les Taiping (1860). Gouverneur du Soudan égyptien (où il reçut le nom de *Gordon pacha*), il fut tué par les adeptes du mahdi lors de la prise de Khartoum.

Gordon Bennett. V. Bennett (James Gordon).

gore n. m. et adj. (Anglicisme) Type de fiction (littérature, cinéma) se signalant par des scènes sanglantes et horribles. - adj. *Film gore.*

Gorée, îlot côtier du Sénégal, à 4 km de Dakar. Comptoir franç. import. au XVIIIe s. - Vieille ville pittoresque. - Témoignages du comm. des esclaves.

goret n. m. **1.** Jeune porc. **2.** Fig., fam. Enfant malpropre.

gorge n. f. **1.** Partie antérieure du cou. *Couper la gorge à qqn.* - Loc. fig. *Tenir, mettre le couteau sur la gorge à qqn*, chercher à obtenir de lui qqch par la menace. *Avoir le couteau sur (sous) la gorge.* **2.** Gosier, cavité située en arrière de la bouche. *Avoir mal à la gorge.* ▷ Loc. *Avoir la gorge sèche* : avoir soif. *Rire à gorge déployée*, très fort. *Prendre à la gorge* : produire une sensation d'étouffement. - Fig. *Faire rentrer à qqn ses paroles (ses mots) dans la gorge*, l'obliger à se taire ou à se rétracter. **3.** Loc. fig. *Rendre gorge* : restituer sous la contrainte ce qui avait été pris injustement. - *Faire des gorges chaudes de qqch*, s'en moquer ostensiblement. **4.** *Par euph.* Partie supérieure de la poitrine, seins d'une femme. *Découvrir sa gorge.* **5.** GEOMORPH Vallée étroite et très profonde. *Les gorges du Verdon.* **6.** ARCHI Moulure concave. **7.** MILIT Entrée d'une fortification, du côté des défenseurs. **8.** TECH Orifice ou cannelure.

gorge-de-pigeon adj. inv. D'une couleur à reflets changeants. *Des étoffes gorge-de-pigeon.*

gorgée n. f. Quantité de liquide avalée en une seule fois. *Boire à petites gorgées.*

gorger v. tr. [**13**] **1.** Faire manger avec excès. ▷ *Gorger des volailles*, les gaver. **2.** Imprégner, saturer. ▷ Pp. *Un terrain gorgé d'eau.* - Fig. *Un pays gorgé de richesses.* **3.** v. pron. Absorber en quantité. *Se gorger de café.*

Gorgias (Leontium, Sicile, v. 487 - Larissa, v. 380 av. J.-C.), sophiste grec : *Sur le non-être et la nature.* Il fut le maître de Thucydide. Dans le dialogue de Platon, *Gorgias ou De la rhétorique* (v. 395-v. 391 av. J.-C.), Socrate reproche à Gorgias et à ses deux disciples leur art superficiel.

gorgone n. f. ZOOL Cnidaire octocoralliaire des mers chaudes, à squelette calcaire, arborescent ou en éventail, d'un blanc très pur.

Gorgones, dans la myth. gr., monstres à la tête effroyable, à la chevelure faite de serpents. Elles étaient trois sœurs : Sthéno, Euryale et Méduse (la plus redoutable), filles du dieu marin Phorcys et de Céto.

gorgonzola [gɔʀgɔ̃zɔla] n. m. Fromage de vache italien, sorte de bleu moelleux et crémeux fabriqué spécialement à Gorgonzola et à Novare.

Gorgulov (Pavel, dit Paul) (Labinskaïa, 1895 - Paris, 1932), extrémiste russe qui assassina Paul Doumer pour protester contre la reconnaissance de l'U.R.S.S. par la France. Il fut condamné et exécuté.

gorille n. m. **1.** Le plus grand des singes pongidés *(Gorilla gorilla)*, au pelage noir, très puissant. (Certains gorilles du Zaïre atteignent 2 m de haut, 2,70 m d'envergure et 250 kg; frugivores, assez peu belliqueux, polygames, les gorilles vivent en troupes dans les forêts.) **2.** Fig., fam. Garde du corps.

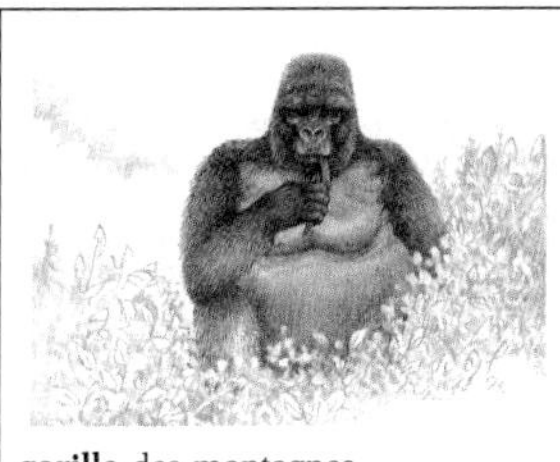

gorille des montagnes

Göring. V. Goering.

Gorizia (en all. *Görz*, en serbe *Gorica*), v. d'Italie (Frioul-Vénétie Julienne), sur l'Isonzo, à la frontière de la Slovénie; ch.-l. de la prov. du m. nom; 41 330 hab. Text. Archevêché. - Victoire ital. en 1916. Le traité de paix italo-yougoslave de 1947 partagea la ville en deux, la partie yougoslave prit le nom de *Nova Gorica.*

Gorki, v. de Russie. V. Nijni-Novgorod.

Gorki (Alexeï Maximovitch Pechkov, dit Maxime) (Nijni-Novgorod, 1868 - Moscou, 1936), écrivain russe. Son existence mouvementée d'orphelin vagabond, qu'il rapporte dans une trilogie (*Ma vie d'enfant*, 1913-1914; *En gagnant mon pain*, 1915-1916; *Mes universités*, 1923), inspira son œuvre, fort abondante. Il connut le succès (*Foma Gordeïev*, roman, 1899) et se montra favorable aux idées révolutionnaires (*la Mère*, roman, 1907), mais non à la violence. Il fut salué comme le promoteur du réalisme socialiste (*Vie de Klim Samguine*, 1927-1936). Théâtre (populiste et tchékhovien) : *les Petits-Bourgeois* (1902), *les Bas-Fonds* (1902).

Gorky (Vosdanig Adoian, dit Arshile) (Hayotz Dzore, Arménie turque, 1904 - New York, 1948), peintre américain. L'influence de Miró et de Matta le mena à un style non figuratif qui annonce l'expressionnisme gestuel de l'abstraction lyrique.

Görlitz, v. d'Allemagne, sur la Neisse; 80 830 hab. Constr. mécaniques.

Gorlovka, v. d'Ukraine, dans le Donbass; 342 000 hab. Houille. Sidérurgie.

Gorostiza (José) (Villahermosa, 1901 - Mexico, 1973), diplomate et poète mexicain. Orienté vers les recherches formelles, il se préoccupa aussi d'introduire des thèmes nouveaux dans la poésie : *Chants pour les marins* (1925), *Mort sans fin* (1939).

Gort (John Vereker, vicomte) (Londres, 1886 - id., 1946), maréchal britannique (1943). Il commanda les forces britanniques en France (1939-1940), fut gouverneur de Malte (1942-1943) et haut-commissaire en Palestine et en Transjordanie (1944-1945).

Gortchakov (Alexandre Mikhaïlovitch, prince) (Haspal, 1798 - Baden-Baden, 1883), homme politique russe. Ministre des Affaires étrangères (1856-1882), il favorisa l'entente avec la Prusse jusqu'en 1878 (congrès de Berlin).

Gortyne, v. de la Crète anc. fondée à l'époque minoenne; rivale de Cnossos aux IVe et IIIe s. av. J.-C. Nombr. ruines dans la Messara. - *Lois de Gortyne* (sur pierre), retrouvées en 1884, précieuses pour l'histoire du droit grec.

Gorzów Wielkopolski, v. de Pologne, sur la Warta; 116 130 hab.; ch.-l. de voïévodie. Textiles synthétiques.

Goscinny (René) (Paris, 1926 - id., 1978), dessinateur et scénariste français. Il fut un maître de la bande dessinée humoristique, créateur de séries à grand succès : *Astérix* (avec Uderzo), *Lucky Luke* (avec Morris), *Iznogoud.*

gosier n. m. **1.** Arrière-gorge et pharynx. - Fam. *Avoir le gosier (à) sec* : avoir soif. **2.** Organe vocal. *À plein gosier* : à pleine voix.

Gosier (Le), ch.-l. de cant. de la Guadeloupe (arr. de Pointe-à-Pitre); 20 708 hab. - Tourisme.

Goslar, v. d'Allemagne (Basse-Saxe); 49 030 hab. Constr. méca. Tourisme. - Remparts. Tours du XVIe s. Églises goth. Maisons anciennes.

gospel n. m. MUS Chant religieux des Noirs d'Amérique du Nord.

Gosplan, organisme gouvernemental qui déterminait et organisait la planification en Union soviétique.

Gossaert ou **Gossart** (Jan, dit Mabuse) (Maubeuge, v. 1478 - Middelburg, v. 1535), peintre flamand; il introduisit la Renaissance romaine en Flandre : *Danaé* (Pinacothèque, Munich).

gosse n. Fam. **1.** Enfant. *Sa femme et ses gosses.* **2.** Adolescent(e). - Loc. *Un beau gosse, une belle gosse* : un beau garçon, une belle fille.

Gossec (François Joseph Gossé, dit) (Vergnies, Hainaut, 1734 - Paris, 1829), compositeur français (opéras, messes, oratorios, hymnes révolutionnaires, etc.); l'un des créateurs de la forme symphonique et l'un des premiers directeurs du Conservatoire.

Göta älv (le), fl. de Suède (93 km); émissaire du lac Vänern; se jette dans le Kattégat.

Götaland ou **Gothie,** région mérid. de Suède, la plus fertile; v. princ. *Göteborg.*

Göteborg, v. et port de Suède, à l'embouchure du Göta älv; 425 500 hab. (aggl. urb. 704 050 hab.); ch.-l. du län de Göteborg-och-Bohus. Grand centre industr. (métall., constr. navales et auto., etc.). - Université. Musées.

gotha n. m. **1.** (Avec majuscule.) *Almanach de Gotha* : annuaire généalogique, diplomatique et statistique qui a paru de 1764 à 1944. *Être dans le Gotha* ▷ *Par méton.* Ensemble des familles et des personnes de la noblesse. *Faire partie du gotha.* **2.** Par anal. *Le gotha de l'industrie. Le gotha du sport.*

Gotha, v. d'Allemagne, au N. du Thüringerwald; 57 570 hab. Constr. méca. Porcelaine. - Cath. (XIVe et XVe s.). Chât. des Friedenstein (XVIIe s.). - Anc. cap. du duché de Saxe-Cobourg-Gotha. - Le *congrès de Gotha* (mai 1875) créa le parti social-démocrate allemand en rapprochant marxistes et partisans de Lassalle.

Gothie. V. Götaland.

gothique adj. et n. **1.** Des Goths, qui a rapport aux Goths. ▷ n. m. LING V. gotique. **2.** *Écriture gothique* ou, n. f., *la gothique* : écriture à caractères droits, à angles et à crochets, qui remplaça l'écriture romaine vers le XIIe s. et fut abandonnée au XVe s. **3.** BX-A *Style gothique* ou, n. m., *le gothique* : style architectural qui s'est répandu en Europe du XIIe au XVIe s.

ENCYCL **BX-A.** - Le nom de gothique a été d'abord donné, de manière péjorative, à l'art *ogival.* L'architecture gothique, née en France et en Angleterre au début du XIIe s., s'impose dans presque toute l'Europe jusqu'au XVIe s. Son essor est dû à l'emploi, pour les voûtes des édifices religieux, de la croisée d'ogives. Le style gothique se substitue progressivement au style roman : l'arc brisé se généralise, les supports gagnent en hauteur, les vides (ouvertures garnies de vitraux) l'emportent sur les pleins. Le *gothique primitif* va de 1140 à 1200 : cath. de Noyon, de Sens, basilique de Saint-Denis; le *gothique à lancettes* va de 1200 à 1250 : cath. de Paris, Reims, Chartres, Bourges, et Sainte-Chapelle de Paris. Le *gothique rayonnant* (XIVe s.) éclaire l'édifice d'immenses «roses» : cath. de Strasbourg, Metz, Cologne. Dans le *gothique flamboyant* (XVe-XVIe s.), la décoration l'emporte : cath. de Beauvais, égl. St-Maclou à Rouen, St-Gervais, St-Merri à Paris, St-Pierre à Avignon. L'architecture civile adopte le style ogival : maison de Jacques Cœur à Bourges, hôtel de Cluny à Paris. Les châteaux forts de Falaise, d'Angers, de Combourg, le palais des Papes à Avignon, les enceintes fortifiées de Carcassonne, Saint-Malo, Aigues-Mortes sont de beaux spécimens d'architecture gothique militaire.

Goths, peuple germanique installé au Ier s. av. J.-C. sur les rives de la Vistule. Vers 230 apr. J.-C., leur domination s'étend des Carpates au Don, le bas Dniepr constituant l'axe principal de leur État. En 375, l'invasion des Huns poussa la plus grande partie des Goths à se réfugier dans l'Empire romain. Ils y menèrent de ravageuses incursions (IIIe s.) avant de s'installer sur ses marches. À la fin du IIIe s., ils se divisèrent en Ostrogoths («Goths brillants») et en Wisigoths («Goths sages»).

gotique ou **gothique** [gɔtik] n. m. LING Langue germanique ancienne, appartenant au groupe oriental, parlée par les Goths.

Gotland, prov. et île suédoise de la Baltique; 3 173 km^2; 56 170 hab.; ch.-l. *Visby.*

Gottfried de Strasbourg (fin du XIIe s. - déb. du XIIIe s.), poète épique allemand : *Tristan,* grand poème inachevé (20 000 vers).

Göttingen, v. d'Allemagne (Basse-Saxe), sur la Leine; 130 800 hab. Instruments de précision, métallurgie de l'aluminium. - Université célèbre, fondée en 1737.

Gottwald (Klement) (Dědice, 1896 - Prague, 1953), homme politique tchécoslovaque, chef du parti communiste tchécoslovaque (1929). Président du Conseil (1946), il organisa le «coup de Prague» (fév. 1948) puis succéda à Beneš comme président de la République.

Gottwaldov. V. Zlín.

gouache n. f. Peinture préparée à l'aide de couleurs délayées dans de l'eau avec de la gomme et rendues pâteuses par du miel ou une autre substance. ▷ Œuvre peinte à la gouache.

gouacher v. tr. [1] Peindre ou retoucher à la gouache. - Pp. adj. *Miniature gouachée.*

gouaille n. f. **1.** Moquerie insolente teintée de vulgarité. **2.** Syn. de *gouaillerie.*

gouailler v. tr. et intr. [1] Vieilli Manifester de la gouaille.

gouaillerie n. f. Vieilli Action de gouailler; attitude d'une personne qui manifeste de la gouaille.

gouailleur, euse adj. Qui manifeste de la gouaille. *Une voix gouailleuse.*

goualante n. f. Arg. ou fam., vieilli Rengaine, refrain populaire.

gouape n. f. Vieilli, fam. Voyou. *Une bande de gouapes.*

gouda n. m. Fromage de Hollande au lait de vache, à pâte plus ou moins étuvée.

Gouda, v. des Pays-Bas (Hollande-Méridionale), sur l'IJsel; 62 320 hab. Fromages. Faïences. - Égl. St-Jean (XVe s., vitraux). Hôtel de ville (XVe s.).

Goude (Jean-Paul) (Saint-Mandé, 1941), réalisateur français de films publicitaires. Il organisa le défilé des fêtes du Bicentenaire de la Révolution française en 1989.

Goudéa (XXIe s. av. J.-C.), *ensi* (gouverneur) sumérien de Lagash à l'apogée de la civilisation sumérienne. Statues le représentant au Louvre.

Goudimel (Claude) (Besançon, v. 1520 - Lyon, 1572), compositeur français. Il écrivit deux versions musicales du psautier huguenot (style contrapuntique orné et style harmonique), des messes, des motets. Il fut assassiné lors de la Saint-Barthélemy.

Goudjerate. V. Gujerāt.

goudron n. m. Émulsion épaisse et noirâtre qui provient de la pyrogénation de la houille ou du bois, de la distillation du pétrole brut, etc. *Les goudrons servent à fabriquer les huiles et le brai utilisés dans le revêtement des chaussées, et entrent dans la préparation de colorants, de parfums et de carburants.*

goudronnage n. m. Action de goudronner. *Goudronnage des routes.*

goudronner v. tr. [1] Enduire de goudron.

goudronneux, euse adj. et n. f. Didac. De la nature du goudron. ▷ n. f. TECH Véhicule servant au goudronnage des routes.

Goudsmit (Samuel Abraham) (La Haye, 1902 - Reno, Nevada, 1978), physicien américain d'origine néerlandaise. Il établit, avec Uhlenbeck, la théorie du spin de l'électron (1925).

Gouffé (Jules) (Paris, 1807 - Neuilly-sur-Seine, 1877), cuisinier français : *le Livre de cuisine* (1872).

gouffre n. m. **1.** Dépression naturelle très profonde aux parois abruptes. - *Spécial.* GEOMORPH Vaste puits naturel, typique du relief karstique. *Le gouffre de Padirac.* Syn. abîme, aven. **2.** Fig. Catastrophe. *Le pays est au bord du gouffre.* **3.** Fig. Ce dans quoi l'on engloutit beaucoup d'argent. *Cette voiture est un gouffre !*

gouge n. f. TECH Ciseau droit ou coudé à tranchant semi-circulaire.

gougère n. f. Gâteau salé soufflé au fromage.

Gouges (Marie Olympe Gouze, dame Aubry, dite Olympe de) (Montauban, 1748 - Paris, 1793), féministe et révolutionnaire française (*Déclaration des droits de la femme et de la citoyenne*, 1791). Elle prit cependant la défense de Louis XVI et fut guillotinée.

gougnafier n. m. Fam. Bon à rien.

Gouin (sir Lomer) (Grondines, Québec, 1861 - Québec, 1929), homme politique québécois, Premier ministre (libéral) du Québec de 1905 à 1920.

Gouin (Félix) (Peypin, Bouches-du-Rhône, 1884 - Nice, 1977), homme politique français. Socialiste, il fut le chef du Gouvernement provisoire de la Rép. française de janv. à juin 1946.

gouine adj. et n. f. Vulg., péjor. Femme homosexuelle.

goujat, ate [guʒa, at] n. (Rare au fém.) Personne grossière, mufle.

goujaterie n. f. Grossièreté, muflerie.

1. goujon n. m. Poisson cyprinidé *(Gobio gobio)* comestible des eaux courantes, qui atteint 15 cm de long et porte deux barbillons.

2. goujon n. m. TECH Pièce cylindrique aux extrémités taraudées, servant à assembler deux éléments.

Goujon (Jean) (en Normandie [?], v. 1510 - Bologne, v. 1564 ou 1569), sculpteur et architecte français; une des plus grandes figures de la Renaissance en France. Son style inaugure le retour aux normes de l'art grec classique : bas-reliefs des *Saisons* (façade de l'hôtel de Ligneris, auj. musée Carnavalet, v. 1544), fontaine des Innocents à Paris (1549), cariatides de la tribune des Musiciens (1550, Louvre).

goulag [gulag] n. m. Camp de travail forcé, en U.R.S.S.

Goulart (João) (São Borja, 1918 - Mercedes, Argentine, 1976), homme politique brésilien. Président de la République de 1961 à 1964.

goulasch ou **goulache** [gulaʃ] n. m. ou f. CUIS Plat hongrois, fait de bœuf mijoté avec des oignons et des épices (paprika, notam.).

Gould (Glenn) (Toronto, 1932 - id., 1982), pianiste canadien. Après une brillante carrière de concertiste, il se consacra à l'enregistrement de disques. Il s'imposa dans l'interprétation d'un répertoire allant de Bach à Schönberg.

Gould (Stephen Jay) (New York, 1941), paléontologue américain. Il est, avec Niles Eldredge, l'auteur de la théorie des *équilibres ponctués*, qui conçoit l'évolution comme procédant par bonds, les espèces nouvelles apparaissant au cours de périodes relativement courtes séparées par de longs paliers au cours desquels se maintiennent les caractères morphologiques.

goule n. f. Vampire féminin des légendes orientales.

goulée n. f. Fam. Gorgée. - Par ext. *Une goulée d'air.*

goulet n. m. **1.** Vx Goulot. **2.** GEOGR Défilé. **3.** Chenal. **4.** *Goulet (goulot) d'étranglement :* ce qui limite un écoulement, un débit (rue trop étroite dans un réseau routier, machine au débit insuffisant dans un circuit de fabrication, etc.).

Goulette (La) (auj. *Halq el-Oued*), v. de Tunisie, à l'entrée du canal maritime de Tunis; 61 610 hab. Port de comm. Stat. baln. populaire.

gouleyant, ante adj. Qui se boit facilement, frais et léger (en parlant d'un vin). ▷ Fig. Agréable.

goulot n. m. **1.** Col d'un vase, d'une bouteille à orifice étroit. *Goulot de bouteille. Boire au goulot.* **2.** *Goulot d'étranglement :* V. goulet.

goulu, ue adj. (et n.) **1.** Vorace, glouton. *Un enfant goulu.* ▷ Subst. *Un(e) goulu(e).* - n. f. *La Goulue :* danseuse du Moulin-Rouge, qui inspira Toulouse-Lautrec. **2.** HORTIC *Pois goulus* ou *gourmands*, que l'on mange avec les cosses.

goulûment adv. Avec avidité.

goum n. m. HIST Formation auxiliaire recrutée, de 1908 à 1956, parmi les indigènes d'Afrique du N. et encadrée par des gradés français.

goumier n. m. HIST Cavalier appartenant à un goum.

Goumiliev (Nikolaï Stepanovitch) (Cronstadt, 1886 - Petrograd, 1921), poète russe. En réaction contre le symbolisme, il fonda un mouvement (l'*acméisme*) qui réclamait plus de clarté et d'harmonie. Accusé de complot contre la révolution, il fut fusillé. *Fleurs romantiques* (1908), *la Colonne de feu* (1921).

Gounod (Charles) (Paris, 1818 - Saint-Cloud, 1893), compositeur français. Grand Prix de Rome à vingt et un ans, il composa d'abord de la musique religieuse (*Requiem, Te Deum*, etc.). Si ses premiers essais lyriques furent mal accueillis, son *Faust* (1859) obtint un succès considérable. *Mireille* (1864) et *Roméo et Juliette* (1867) ont également établi sa réputation d'auteur lyrique et de fin mélodiste.

Charles **Gounod** Julien **Gracq**

goupil [gupi(l)] n. m. Vx Renard.

goupille n. f. TECH Tige métallique conique, ou constituée par deux branches que l'on rabat *(goupille fendue)*, servant à immobiliser une pièce.

goupiller v. tr. [1] **1.** TECH Fixer avec une goupille. **2.** Fam. Arranger, manigancer. *C'est lui qui a goupillé tout ça.*

goupillon n. m. **1.** Tige garnie de poils pour nettoyer un corps cylindrique creux (bouteille, par ex.). **2.** Tige garnie de poils ou surmontée d'une boule creuse à trous, qui sert à asperger d'eau bénite. - Fam., péjor. *Alliance du sabre et du goupillon*, de l'armée et du clergé, en politique.

Goupta. V. Gupta.

gour [guʀ] n. m. GEOL Butte rocheuse isolée par l'érosion, typique de certains reliefs désertiques (Sahara).

gourance ou **gourante** n. f. Fam. Fait de se gourer, erreur.

Gourara, groupe d'oasis d'Algérie, au S. du Grand Erg occidental.

Gouraud (Henri Eugène) (Paris, 1867 - id., 1946), général français. Il se distingua au Soudan (capture de Samory, 1898) et seconda Lyautey au Maroc (1912-1914). Il commanda le corps des Dardanelles, puis la IVe armée en Champagne. Haut-commissaire en Syrie et au Liban (1919-1923), où il réprima les révoltes de Damas et de Cilicie, il fut gouverneur militaire de Paris (1923-1937).

gourbi n. m. **1.** Tente, hutte, en Afrique du Nord. **2.** Vx Abri de tranchée. **3.** Fam. Logement sale et exigu.

gourd, gourde [guʀ, guʀd] adj. Engourdi, paralysé par le froid. *Avoir les doigts gourds.*

1. gourde n. f. **1.** Plante grimpante (fam. cucurbitacées) originaire de l'Inde, dont le fruit, comestible, est la calebasse. **2.** *Par ext.* Récipient fait d'une calebasse séchée. **3.** Bouteille conçue pour résister aux chocs (en verre, en métal, en matière plastique, etc.), fermant hermétiquement, que l'on porte avec soi en déplacement.

2. gourde n. f. et adj. Fam. Fille, femme stupide. *Une grande gourde.* ▷ adj. *Ce qu'elle peut être gourde ! Il est un peu gourde.*

3. gourde n. f. Monnaie d'Haïti.

gourdin n. m. Gros bâton noueux, servant à frapper.

Gourdon, ch.-l. d'arr. du Lot; 5 073 hab. Industries alimentaires. - Égl. fortifiée (XIVe-XVe s.). Maisons anciennes.

Gourdon de Genouillac (Nicolas) (Paris, 1826 - id., 1898), héraldiste, journaliste et romancier français : *l'Art héraldique* (1890).

gouren [guʀɛ̃] n. m. Variété de lutte pratiquée en Bretagne.

gourer (se) v. pron. [1] Fam. Se tromper.

gourgandine n. f. **1.** Fam., vieilli Femme facile et dévergondée. **2.** Corsage souple lacé sur le devant (XVIIe s.).

gourgane n. f. (Canada) Légumineuse cultivée pour ses grosses fèves rouges.

Gourgaud (Gaspard, baron) (Versailles, 1783 - Paris, 1852), général français; aide de camp de Napoléon Ier, puis de Louis-Philippe. Auteur, avec Montholon, des *Mémoires pour servir à l'histoire de France sous Napoléon* (1822-1825).

Gouriev. V. Atyraou.

Gourkha. V. Gurkha.

gourmand, ande adj. et n. **I.** adj. **1.** Qui aime la bonne chère. *Il est très gourmand. Être gourmand de fruits.* ▷ Subst. *Un(e) gourmand(e).* **2.** Fig. Avide, exigeant. *Il réclame mille francs, il est trop gourmand.* **II.** n. m. BOT **1.** Stolon du fraisier. **2.** Branche inutile qui, poussant au-dessous d'une greffe ou d'une branche à fruits, tire la sève à elle. **3.** *Pois gourmands :* pois goulus*.

gourmander v. tr. [1] Litt. Réprimander sévèrement. *Gourmander un enfant.*

gourmandise n. f. **1.** Caractère, défaut d'une personne gourmande. **2.** (Souvent plur.) Friandise.

gourme n. f. **1.** Nom cour. donné à l'impétigo et à l'eczéma du visage et du cuir chevelu qui atteignent les enfants mal soignés. ▷ Loc. fig., vieilli *Jeter sa gourme :* se dit d'un jeune homme qui fait ses premières frasques. **2.** MED VET Maladie infectieuse des équidés, due à *Streptococcus equi* et se traduisant par une inflammation des voies respiratoires.

gourmé, ée adj. Litt. Guindé, qui affecte la gravité. *Un air gourmé.*

gourmet n. m. Connaisseur en vins, en bonne chère. *Un fin gourmet.*

gourmette n. f. **1.** TECH Chaîne réunissant les deux branches du mors de la bride d'un cheval. **2.** Bracelet formé d'une chaîne à mailles aplaties.

Gourmont (Remy de) (Bazoches-au-Houlme, Orne, 1858 - Paris, 1915), écrivain français : romancier (*Sixtine*, 1890), polémiste (*le Joujou patriotisme*, 1891), critique du mouvement symboliste (*le Livre des masques*, 2 vol., 1896 et 1898), essayiste (*les Promenades littéraires*, 1904-1913).

Gournay (Jean-Claude Marie Vincent, seigneur de) (Saint-Malo, 1712 - Cadix, 1759), économiste français; partisan de la liberté de l'industrie et du commerce («laissez faire, laissez passer»).

gourou ou **guru** [guʀu] n. m. **1.** Guide spirituel, en Inde. **2.** Fig., iron. Maître à penser.

Goursat (Édouard Jean-Baptiste) (Lanzac, Lot, 1858 - Paris, 1936), mathématicien français. Il est connu pour ses travaux sur les fonctions algébriques et leurs intégrales.

Goussainville, ch.-l. de canton du Val-d'Oise (arr. de Montmorency); 24 971 hab.

gousse n. f. Fruit sec, typique des légumineuses, dérivant d'un seul carpelle, contenant de nombreuses graines, et s'ouvrant à maturité par deux fentes de déhiscence. *Une gousse de pois.* - Abusiv. *Gousse d'ail :* chacune des parties d'une tête d'ail.

gousset [gusɛ] n. m. **1.** Petite poche de pantalon ou de gilet. *Tirer une montre de son gousset.* **2.** TECH Pièce triangulaire plane servant à renforcer un assemblage de profilés, à supporter une tablette, etc. **3.** HERALD Pièce triangulaire qui se termine en pal à la pointe de l'écu.

goût [gu] n. m. **I. 1.** Sens par lequel on perçoit les saveurs. **2.** Saveur. *Un dessert au goût sucré.* **3.** Appétit. *Il n'a de goût pour rien.* - Fig. *Faire passer à qqn le goût du pain,* le tuer, le faire disparaître. **II.** Fig. **1.** Faculté de discerner et d'apprécier les qualités et les défauts d'une œuvre. *Se fier à son propre goût. Avoir le goût sûr. Il n'a aucun goût.* **2.** Absol. Bon goût. *Un intérieur décoré avec goût.* **3.** Inclination pour qqch, plaisir éprouvé à faire qqch. *Avoir le goût de la lecture.* - *Prendre goût à qqch,* commencer à l'aimer. ▷ (Plur.) Loc. prov. *Chacun ses goûts. Tous les goûts sont dans la nature.* **4.** (Avec un qualificatif.) Manière dont on juge qqch. *Une plaisanterie de mauvais goût. Une œuvre d'un goût raffiné.* **5.** Loc. *Dans le goût (de) :* à la manière (de). *Un tableau dans le goût de Raphaël.* ▷ *Au goût du jour :* conforme à la mode du moment.

Goutéens. V. Goutis.

1. goûter v. [1] **I.** v. tr. **1.** Apprécier par le sens du goût. *Goûter une sauce, un vin.* ▷ (Canada) v. tr. Présenter un goût de. *La sauce goûte un peu trop l'ail. Ça goûte le brûlé.* - v. intr. Fam. *Goûter bon, goûter mauvais.* **2.** Fig. Apprécier. *Ne pas goûter une plaisanterie.* **3.** Fig. Savourer, jouir de. *Goûter les charmes de la campagne.* **II.** v. tr. indir. Boire ou manger un peu de (une chose) pour juger de sa saveur. *Goûter à un plat.* - Fig. Tâter de. *Il a goûté d'un peu tous les métiers.* **III.** v. intr. Prendre une collation au milieu de l'après-midi. *Inviter des enfants à goûter.*

2. goûter n. m. Collation prise au milieu de l'après-midi. *Tartines pour le goûter.*

Goûter, nom de deux sommets, voisins, du massif du Mont-Blanc : le *dôme du Goûter* (4 304 m) et l'*aiguille du Goûter* (3 838 m).

goûteux, euse adj. Rég. Qui a du goût, savoureux.

Gouthière (Pierre) (Bar-sur-Aube, 1732 - Paris, 1813 ou 1814), ciseleur-doreur français; ornemaniste célèbre de l'époque de Louis XVI.

Goutis ou **Goutéens,** peuple de l'Asie occidentale ancienne, originaire des montagnes du Zagros, qui ravagea le royaume d'Akkad au IIIe millénaire av. J.-C.

1. goutte n. f. **1.** Toute petite quantité de liquide, de forme arrondie. *Des gouttes de pluie.* - Loc. fam. *Avoir la goutte au nez,* des mucosités qui coulent du nez. **2.** Loc. adv. *Goutte à goutte :* goutte après goutte. **3.** Très petite quantité de liquide. *Une goutte de liqueur.* - Pop. *Boire la goutte :* prendre un petit verre d'alcool. **4.** Loc. prov. *C'est la goutte d'eau qui a fait déborder le vase,* le petit incident qui, ajouté à d'autres, a déclenché la colère. - *Une goutte (d'eau) dans l'océan, la mer :* une quantité infime par rapport au reste. **5.** (Plur.) Médicaments qui s'administrent par gouttes. *Prendre ses gouttes à heure fixe.* **6.** ARCHI Ornement en forme de tronc de cône sur une corniche ou à la base d'un triglyphe dans l'entablement dorique. **7.** Loc. adv. *Ne... goutte :* ne... rien, ne... pas. *On n'y voit goutte ici.*

2. goutte n. f. Maladie métabolique caractérisée par l'accumulation d'acide urique dans l'organisme, qui se traduit par des atteintes articulaires, partic. du gros orteil, et parfois par une lithiase rénale. *Avoir une attaque de goutte.*

goutte-à-goutte n. m. inv. MED Appareil qui sert à la perfusion du sérum ou de liquides médicamenteux. - Perfusion avec cet appareil.

gouttelette n. f. Petite goutte.

goutter v. intr. [1] Laisser tomber des gouttes; couler goutte à goutte. *Robinet mal fermé qui goutte. Eau qui goutte.*

goutteux, euse adj. et n. **1.** Qui est atteint de la goutte. ▷ Subst. *Un goutteux. Une goutteuse.* **2.** Qui est dû à la goutte.

gouttière n. f. **1.** Conduit de section semi-circulaire, souvent en zinc, qui sert à recueillir les eaux de pluie le long d'une toiture. Syn. chéneau. ▷ Loc. *Chat de gouttière :* chat de race indéfinie. **2.** CHIR Appareil qui sert à immobiliser un membre fracturé.

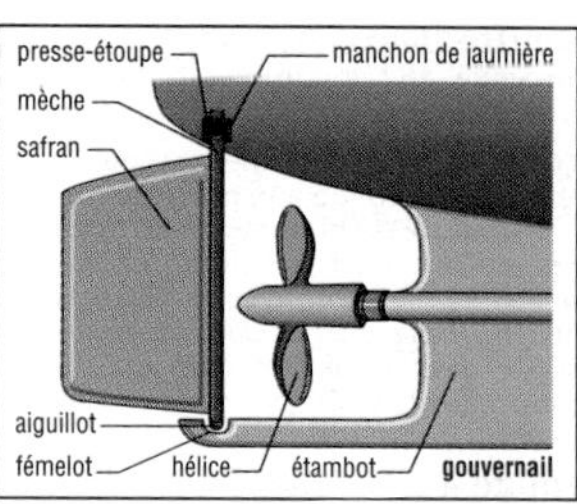

gouvernable adj. Qui peut être gouverné.

gouvernail n. m. **1.** Dispositif à l'arrière d'un navire, d'un avion, etc., permettant de les diriger. **2.** Fig. Direction, conduite. *Tenir le gouvernail de l'État.*

gouvernant, ante adj. et n. Qui gouverne.

gouvernante n. f. **1.** Femme chargée de garder, d'éduquer des enfants. *Elle a eu une gouvernante anglaise.* **2.** Femme qui tient la maison d'une personne seule, partic. d'un homme seul. *Mme Denis, nièce de Voltaire, fut sa gouvernante.* - Femme responsable d'une domesticité nombreuse, dans une grande maison.

gouverne n. f. **1.** Vx Ce qui sert de règle de conduite. - Loc. mod. *Pour votre gouverne... :* pour votre information... **2.** n. f. pl. AVIAT Plans mobiles situés sur la voilure d'un avion et servant à modifier sa position par rapport à ses axes de tangage, de lacet et de roulis. *Gouvernes de profondeur, de direction.*

gouvernement n. m. **1.** Action de gouverner, d'administrer. *Le gouvernement d'une province.* **2.** Régime politique d'un État. *Gouvernement monarchique, démocratique.* **3.** Pouvoir qui dirige un État. ▷ Ensemble des ministres. *La formation du nouveau gouvernement. Renverser le gouvernement.* **4.** Territoire, ville placés sous l'autorité d'un gouverneur. *Gouvernement militaire de Paris.*

gouvernemental, ale, aux adj. **1.** Du gouvernement. *Projet gouvernemental.* **2.** Partisan du gouvernement. *La presse gouvernementale.*

Gouvernement provisoire de la République française (G.P.R.F.), gouvernement issu à Alger, en mai 1944, du Comité français de libération nationale et présidé par de Gaulle (jusqu'en janv. 1946).

gouverner v. tr. [1] **1.** MAR Conduire (un navire) à l'aide du gouvernail. **2.** Diriger, régir. *Gouverner un pays, un peuple.* **3.** Absol. Diriger l'État. *Régner sans gouverner.* **4.** Vieilli Dominer, exercer un pouvoir sur. *Gouverner un enfant.* - Litt. *Gouverner les esprits. Gouverner ses passions.* **5.** GRAM Vx Régir. *Ce verbe gouverne l'accusatif.* **6.** v. pron. Gérer ses affaires politiques. *Le droit des peuples à se gouverner eux-mêmes.*

gouverneur n. m. **1.** Anc. Chef d'une province. **2.** MILIT Chef de place. *Le gouverneur militaire de Paris.* **3.** FIN Directeur d'une grande institution financière. *Gouverneur de la Banque de France, du Crédit foncier.* **4.** Représentant de l'État dans les anciennes colonies françaises. *Le gouverneur général de l'Afrique-Occidentale française.* ▷ *Gouverneur général (du Canada) :* chef officiel de l'État canadien, représentant du souverain britannique. **5.** Aux États-Unis, chef du pouvoir exécutif d'un État de l'Union. **6.** HIST Précepteur. *Gouverneur du Dauphin.*

gouvernorat n. m. **1.** Circonscription administrative d'un gouverneur. **2.** Fonction, dignité de gouverneur. **3.** Division administrative, en Égypte et en Tunisie.

Gouvion-Saint-Cyr (Laurent, marquis de) (Toul, 1764 - Hyères, 1830), maréchal de France en 1812, ministre de la Guerre (1817-1819). En 1818, il fit voter la loi, qui porte son nom, réorganisant l'armée (recrutement, collation des grades).

Govoni (Corrado) (Tamara, Ferrare, 1884 - Rome, 1965), poète italien. D'abord influencé par les crépusculaires, il évolue vers le futurisme (*Poésies électriques*, 1911), puis le surréalisme. *Feux d'artifice* (1905), *Pèlerinage d'amour* (1941), *le Manuscrit dans une bouteille* (1954).

Gowon (Yakubu) (Jos, 1934), général et homme politique nigérian. Chef de l'État fédéral en 1966, il réduisit la sécession du Biafra (1967-1970); il fut renversé par un coup d'État en 1975.

goy, (plur.) **goyim** ou **goï,** (plur.) **goïm** [gɔj, gɔ(j)im] n. m. Pour les israélites, non-juif, et, par ext., chrétien.

goyave n. f. Fruit comestible du goyavier, baie jaune piriforme à chair blanche ou rose parfumée.

goyavier n. m. Arbre (fam. myrtacées) originaire d'Amérique centrale, dont une espèce produit les goyaves.

rameau de **goyavier** avec fruit

Goya y Lucientes (Francisco de) (Fuendetodos, Saragosse, 1746 - Bordeaux, 1828), peintre et graveur espagnol. Peintre officiel de Charles III et de Charles IV. Son œuvre est tantôt violente (*l'Enterrement de la Sardine*, 1808), dramatique (*le Deux Mai 1808*, *le Trois Mai 1808*, 1814), tantôt raffinée, pour évoquer la grâce féminine (*la Maja nue*, v. 1804). Il protesta contre l'invasion des Français (*les Désastres de la guerre*, 1810-1814), puis composa avec eux et fut exilé en 1814. Par leur liberté de facture, les 14 peintures murales dites «de la maison du Sourd» (1819) sont considérées comme étant à l'origine de la modernité (Malraux).

Goytisolo (Juan) (Barcelone, 1931), écrivain espagnol, surtout connu pour son œuvre romanesque qui mêle critique sociale et recherches formelles : *Jeux de mains* (1954), *Danses d'été* (1964), *Pièces d'identité* (1968), *Makkara* (1980).

Goya : *le Trois Mai 1808*, v. 1814; musée du Prado

Gozo ou **Gozzo,** île proche de Malte, dont elle dépend; 67 km^2; 24 000 hab.; ch.-l. *Victoria.*

Gozzano (Guido) (Aglie Canavese, Turin, 1883 - id., 1916), poète italien crépusculaire, lyrique et spontané : *la Voie du refuge* (1907), *Colloques* (1911).

Gozzi (Carlo) (Venise, 1720 - id., 1806), écrivain italien, rival de Goldoni, auteur de «fiabe» (fables transcrites pour la scène) : *l'Amour des trois oranges*, *Turandot.*

Gozzoli (Benozzo di Lese, dit Benozzo) (Florence, 1420 - Pistoia, 1497), peintre italien. Il travailla avec Ghiberti à Florence et avec Fra Angelico au Vatican. *Le Cortège des Rois mages* (1449, fresques du palais Medici-Riccardi, Florence).

G.P.S. [zepeɛs] n. m. (Anglicisme) (Abrév. de *global positioning system*) Appareil connecté à un ensemble de satellites et permettant de se positionner précisément sur la Terre.

gr GEOM Symbole de grade (unité d'angle).

Graal (le), vase mystérieux qui apparaît dans le *Perceval* de Chrétien de Troyes (fin du XIIe s.) : à la cour du Roi Pêcheur, le Graal stupéfie Perceval, qui n'ose demander aucune explication et par la suite ne cessera de s'interroger sur ce vase étincelant. Peu après (fin du XIIe s.-déb. du XIIIe s.), la légende affirme son sens chrétien; dans *l'Estoire dou Graal*, Robert de Boron donne une version que des continuateurs propageront : Jésus, lors de la dernière pâque, se serait servi de ce vase, dans lequel, plus tard, Joseph d'Arimathie recueillit le sang coulant du flanc du Christ percé par le centurion.

grabat [gʀaba] n. m. Très mauvais lit.

grabataire adj. et n. Se dit d'un malade qui ne peut quitter son lit.

grabatisation n. f. Didac. Fait de devenir grabataire.

Grabbe (Christian Dietrich) (Detmold, 1801 - id., 1836), écrivain allemand. Il voulut créer un théâtre dramatique allemand libre de toute influence, notamment de celle de Shakespeare (*l'Empereur Frédéric Barberousse*, 1830; *Napoléon ou les Cent-Jours*, 1831), mais poussa ses héros nihilistes vers l'ironie (*Don Juan et Faust*, 1829).

graben n. m. GEOMORPH Fossé d'effondrement, limagne (par oppos. à *horst*).

grabuge n. m. Fam. Dispute, bagarre; chahut très bruyant.

Gracchus, famille plébéienne de la gens Sempronia parvenue à la noblesse par les magistratures. – **Tiberius Sempronius Gracchus** (v. 210 - 150 av. J.-C.), tribun du peuple (v. 187), eut de Cornelia, fille de Scipion l'Africain, deux fils, dits en fr. *les Gracques* : – **Tiberius Sempronius Gracchus** (Rome, 162 - id., 133 av. J.-C.) et **Caius Sempronius Gracchus** (Rome, 154 - id., 121 av. J.-C.), qui entreprirent, par leurs lois agraires, une vaste réforme des bases économiques et politiques de la société romaine. La noblesse, atteinte dans ses privilèges, fomenta des troubles, et la réforme échoua. Tiberius périt assassiné; Caius fut massacré avec 3 000 de ses partisans.

grâce n. f. **1.** Faveur accordée volontairement. *Solliciter, accorder, obtenir une grâce.* – Loc. (Termes de politesse.) *Faites-moi la grâce de venir.* – *De grâce* : s'il vous plaît. – *Trouver grâce auprès de qqn*, lui plaire, gagner sa bienveillance. – *Être dans les bonnes grâces de qqn*, jouir de sa faveur. – *Rendre grâce(s)* : reconnaître une faveur accordée. – *Action de grâces* : remerciements à Dieu. – (Plur.) Prière faite après un repas. *Dire les grâces.* **2.** Loc. prép. *Grâce à* : avec l'aide de. *Grâce à vous. Grâce à Dieu.* – Par le moyen de. *Le projet a réussi grâce à son intervention.* **3.** Remise de peine, pardon accordé volontairement. *Faire grâce à qqn.* – *Droit de grâce* : droit, que détient le chef de l'État, de réduire ou de commuer une peine. – Loc. *Faire grâce à qqn d'une obligation*, l'en dispenser. – Iron. *Faites-moi grâce de vos conseils.* – *Grâce!* : pitié! (dans une imploration). ▷ *Coup* de grâce.* **4.** THEOL Don surnaturel que Dieu accorde aux créatures pour les conduire au salut. *État de grâce.* – Fig. *Avoir la grâce, être en état de grâce* : être inspiré d'une manière particulièrement heureuse (se dit en partic. de la création artistique). **5.** Attrait, agrément, charme. *Cette danseuse a de la grâce. Grâce naturelle.* – (Plur.) Attraits. *Les grâces de l'esprit.* ▷ *De bonne grâce* : de bon gré. – *De mauvaise grâce* : à contrecœur. – *Avoir mauvaise grâce à* ou *de* : être mal placé pour. **6.** Titre d'honneur donné en Angleterre aux ducs et aux évêques anglicans. *Sa Grâce le duc de... Votre Grâce.*

Grâces (les trois), déesses romaines (*Gratiæ*) de la Beauté. Appelées *Charites* par les Grecs, qui les considéraient comme filles de Zeus, elles s'appelaient : Aglaé, Euphrosyne et Thalie.

Gracián y Morales (Baltasar) (Belmonte, près de Calatayud, 1601 - Tarazona, 1658), écrivain et jésuite espagnol, tenant du cultisme (V. Góngora) : *Finesse et art du bel esprit* (1642-1648); *l'Homme de Cour* (1647).

gracier v. tr. [2] Remettre ou commuer la peine de (un condamné). *Le président de la République l'a gracié.*

gracieusement adv. **1.** Aimablement. *Remercier gracieusement qqn.* **2.** Avec de la grâce, du charme. *Danser gracieusement.* **3.** Gratuitement. *Cet échantillon vous est fourni gracieusement.*

gracieuseté n. f. (Souvent iron.) Action, parole aimable.

gracieux, euse adj. **1.** Qui a de la grâce, du charme. *Une gracieuse comédienne.* **2.** Aimable. *Avoir des manières gracieuses.* **3.** Accordé bénévolement. *Offre gracieuse. À titre gracieux :* gratuitement. **4.** DR *Recours gracieux :* recours non contentieux auprès d'une autorité administrative. **5.** (Terme de respect.) *Fournisseur de Sa Gracieuse Majesté.*

gracile adj. Litt. Élancé et délicat. *Une adolescente gracile.*

gracilité n. f. Litt. Caractère de ce qui est gracile.

Gracq (Louis Poirier, dit Julien) (Saint-Florent-le-Vieil, Maine-et-Loire, 1910), écrivain français. Son œuvre romanesque a une parenté avec l'esthétique du surréalisme : *Au château d'Argol* (1938), *Un beau ténébreux* (1945), *le Rivage des Syrtes* (1951, prix Goncourt, refusé), *Un balcon en forêt* (1958), *la Presqu'île* (1970). Essais : *André Breton* (1948), *la Littérature à l'estomac* (1950), *Autour des Sept Collines* (1988).
▸ illustr. page **831**

Gracques (les). V. Gracchus.

gradation n. f. **1.** Augmentation ou diminution par degrés. *Procéder par gradations.* **2.** MUS Changement de ton progressif et ascendant. **3.** RHET Figure de style consistant en une succession d'expressions allant par progression croissante ou décroissante. **4.** PEINT Passage insensible d'une couleur à une autre. **5.** TECH Caractéristique de sensibilité d'une émulsion photographique.

-grade. Élément, du lat. *gradi,* « marcher ».

grade n. m. **1.** Degré dans la hiérarchie. *Monter en grade.* ▷ *Spécial.* Degré dans la hiérarchie militaire. *Le grade de sergent.* – Loc. fam. *En prendre pour son grade :* se faire réprimander. **2.** *Grade universitaire :* titre, diplôme décerné par l'Université. **3.** GEOM Unité d'arc et d'angle (symbole gr). *La circonférence est divisée en 400 grades. 1 grade = 0,9 degré.* **4.** TECH Degré de viscosité d'une huile de graissage.

gradé, ée adj. (et n.) Qui a un grade dans l'armée.

grader n. m. (Anglicisme) TECH Engin de terrassement qui sert à niveler les terrains. Syn. (off. recommandé) niveleuse.

gradient [gʀadjɑ̃] n. m. **1.** PHYS Taux de variation d'une grandeur en fonction d'un paramètre (par ex. : température par unité de longueur, *gradient géothermique*). **2.** BIOL Variation biochimique ou physiologique le long d'un axe d'un organisme. **3.** MATH *Gradient d'une fonction,* vecteur ayant pour composantes les dérivées partielles de la fonction par rapport à chacune des coordonnées.

Gradignan, ch.-l. de cant. de la Gironde (arr. de Bordeaux); 22 115 hab. Célèbres vins des Graves.

gradin n. m. **1.** Banc étagé avec d'autres. *Les gradins d'un amphithéâtre.* ▷ (Plur.) *Jardin en gradins,* étagé. **2.** TECH Petit degré formant étagère sur un meuble.

gradualisme n. m. **1.** Attitude de celui qui préconise des changements graduels. **2.** Dans la théorie de l'évolution, hypothèse darwinienne qui voit dans les variations génétiques un processus lent et progressif.

graduation n. f. TECH Division en degrés, en repères. ▷ Action de graduer.

gradué, ée adj. **1.** Progressif. *Exercices gradués.* **2.** TECH Muni d'une graduation.

1. graduel n. m. LITURG CATHOL Chant exécuté avant l'évangile pendant la messe. – *Par ext.* Livre qui renferme les parties chantées de la messe.

2. graduel, elle adj. Qui va par degrés, progressif.

graduellement adv. Par degrés, progressivement. *Diminuer graduellement les doses d'un médicament.*

graduer v. tr. [1] **1.** Augmenter par degrés, par étapes. *Graduer les problèmes.* **2.** TECH Diviser au moyen de repères l'échelle d'un instrument de mesure. *Graduer un thermomètre.*

Graf (Urs) (Soleure, v. 1485 – Bâle, v. 1527), peintre et graveur suisse, influencé par Dürer.

graff n. m. Grande fresque de rue, composée de graffitis, de tags.

graffiter v. tr. [1] Faire des graffiti sur. *Ils ont graffité la palissade.* – (S. comp.) *Elle graffite dans le métro.*

graffiteur, euse n. Personne qui fait des graffiti. – *Spécial.* Artiste dont le mode d'expression est le graffiti.

graffiti n. m. **1.** ARCHEOL Dessin, inscription, etc., tracé notam. sur les murs des édifices des villes antiques. *Les graffitis de Pompéi.* **2.** Dessin, inscription, slogan, etc., tracé sur les murs. *Les graffitis du métro.*

Graham (terre de), **Palmer** (terre de) ou **O'Higgins** (terre de), péninsule de l'Antarctique, au S. du cap Horn, revendiquée par la G.-B., l'Argentine et le Chili.

Graham (Thomas) (Glasgow, 1805 – Londres, 1869), chimiste écossais. Il est connu pour ses études sur les colloïdes et sur la diffusion gazeuse. ▷ PHYS *Loi de Graham :* la vitesse de diffusion d'un gaz à travers une cloison poreuse est, à pression et température données, inversement proportionnelle à la racine carrée de sa masse volumique.

Graham (Martha) (Pittsburgh, 1894 – New York, 1991), danseuse et chorégraphe américaine. Rompant avec la technique du ballet classique, elle fonda la danse moderne sur l'expression corporelle.

graille n. f. Arg. Nourriture.

1. grailler v. intr. [1] Émettre un son rauque.

2. grailler v. tr. [1] Fam. Manger.

1. graillon n. m. Pop. Crachat.

2. graillon n. m. Péjor. *Odeur de graillon,* de graisse ou de viande brûlée.

1. graillonner v. intr. [1] Pop. Tousser en crachant.

2. graillonner v. intr. [1] Péjor. Prendre un goût, une odeur de graillon.

Grailly (Jean III de), captal (seigneur) de Buch (?, 1343 – Paris, 1377), homme de guerre au service des Anglais. Il fut vaincu par Du Guesclin à Cocherel (1364) et fait prisonnier en 1372.

grain n. m. **1.** Toute graine ou fruit de petite taille, plus ou moins globuleux. *Un grain de riz, de raisin.* – *Poulet de grain,* nourri avec du grain (blé, maïs, etc.). ▷ *Le grain, les grains :* les grains de céréales. *Commerce des grains.* **2.** Corps très petit en forme de grain. *Grain de chapelet. Grain de sel.* **3.** Loc. fam. *Mettre son grain de sel :* intervenir sans en avoir été prié. – *Un grain de bon sens, de folie :* un peu de bon sens, de folie. – *Avoir un grain :* être un peu fou, excentrique. – *Avoir, donner du grain à moudre :* de quoi occuper son temps, son activité, son agressivité. **4.** Aspect d'une surface qui présente de petites aspérités. *Le grain d'un cuir.* **5.** Anc. unité de poids, correspondant à 54 mg. **6.** TECH Dimension des particules d'une émulsion photographique. **7.** Bref coup de vent accompagné d'averses, qui se produit souvent au passage d'un cumulonimbus. – Fig. *Veiller au grain :* se tenir sur ses gardes. **8.** *Grain de beauté :* petite tache ou saillie foncée sur la peau. Syn. nævus, lentigo.

1. graine n. f. **1.** Organe de reproduction des plantes phanérogames, enfermé dans leur fruit (cosse, capsule, etc.). **2.** Loc. fig. *Mauvaise graine :* mauvais sujet, en parlant d'un enfant. *Graine de chenapan!* – Vieilli *Fille montée en graine,* qui tarde à se marier. – *En prendre de la graine :* prendre en exemple (ce qui est digne d'admiration). **3.** Œufs de *Bombyx mori,* dont la chenille est le ver à soie, destinés à la reproduction. **4.** GEOPH Partie interne du noyau de la Terre, de même composition que celui-ci mais plus condensée en raison de la pression élevée (V. encycl. terre et géophysique).

2. graine n. f. (En loc.) Fam. *Casser la graine :* manger.

grainer [1] ou **grener** [16] **1.** v. intr. AGRIC Produire des graines. **2.** v. tr. TECH Soumettre (un cuir) à l'opération du grainage (ou grenage).

graineterie n. f. Magasin où l'on vend des graines.

grainetier, ère n. Personne qui vend des graines.

Graisivaudan ou **Grésivaudan,** rég. du Dauphiné, partie du sillon alpin, formée par la vallée de l'Isère, dominée par les massifs de la Grande-Chartreuse (à l'O.) et de Belledonne (à l'E.). Pays fertile (vigne, arboriculture, élevage).

graissage n. m. TECH Action de graisser, de lubrifier. *Graissage d'un moteur.*

graisse n. f. **1.** Substance onctueuse d'origine animale, végétale ou minérale, fondant entre 25 et 50 °C. *La vaseline est une graisse minérale.* **2.** PHYSIOL Tissu adipeux. – Cour. Embonpoint. *Il prend de la graisse.* **3.** Altération de certaines boissons alcoolisées, qui deviennent huileuses et filantes. *Graisse du cidre.* **4.** IMPRIM Épaisseur des pleins de la lettre d'un caractère d'imprimerie.

graisser v. [1] **I.** v. tr. **1.** Frotter de graisse, d'une substance grasse. *Graisser ses bottes.* **2.** Loc. fig. et fam. *Graisser la patte à qqn,* le soudoyer. **3.** Souiller de graisse. *Cette poêle graisse les mains.* **II** v. intr. Devenir huileux. *Ce vin graisse.*

graisseur, euse adj. (et n. m.) Qui graisse. ▷ n. m. Ouvrier préposé au graissage. – Appareil servant à répartir un lubrifiant dans un mécanisme.

graisseux, euse adj. **1.** De la nature de la graisse. *Corps graisseux.* **2.** Tache de graisse. *Vêtement graisseux.*

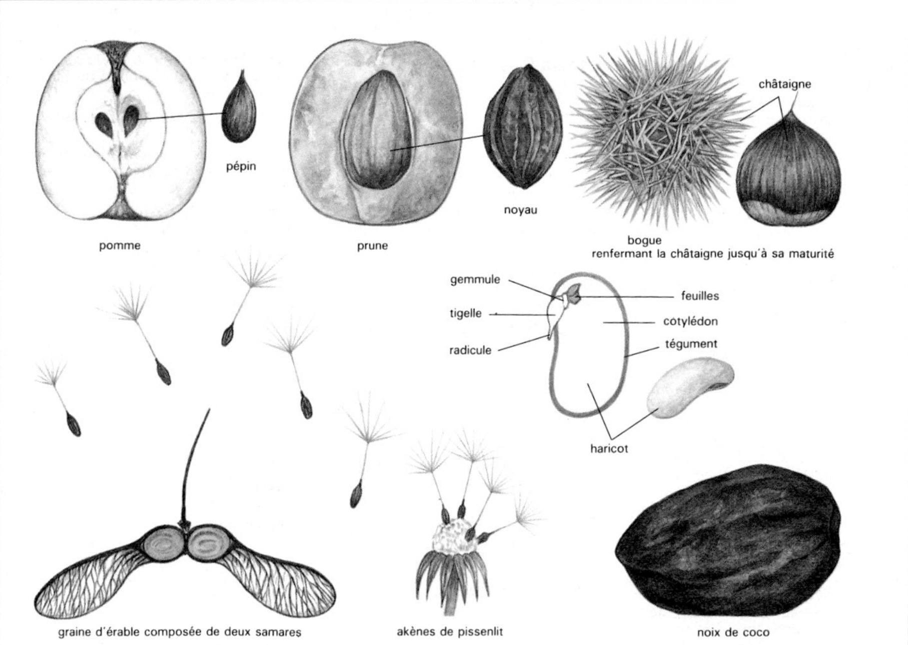
pépin
pomme
prune
noyau
châtaigne
bogue
renfermant la châtaigne jusqu'à sa maturité
gemmule
tigelle
radicule
feuilles
cotylédon
tégument
haricot
graine d'érable composée de deux samares
akènes de pissenlit
noix de coco
graines

gram n. m. inv. *Méthode* ou *colo-ration de Gram :* méthode d'analyse bactérienne qui consiste à colorer les microbes par l'iode et le violet de gentiane, puis à laver la préparation à l'alcool, de manière à pouvoir faire une distinction entre les microbes qui restent colorés, dits *gram positifs* (gram +), et ceux qui se décolorent, dits *gram négatifs* (gram −), et qui sont ensuite teintés en rouge par une solu-tion de fuchsine.

Gram (Hans Christian Joachim) (Copenhague, 1853 - id., 1938), bacté-riologiste danois. Il mit au point, en 1884, une méthode de coloration des bactéries (V. gram).

Gramat, ch.-l. de cant. du Lot (arr. de Gourdon); 3 640 hab. - Le *causse de Gramat,* au N. du Lot.

graminacées ou **graminées** n. f. pl. BOT Très vaste famille de plantes monocotylédones (plusieurs centaines de genres réunissant des milliers d'espèces), comprenant des herbes, annuelles ou vivaces, dont la tige, aérienne et cylindrique, est creuse (chaume), emplie de pulpe (maïs, canne à sucre) ou ligneuse et haute (bambou). - Sing. *Une graminacée* ou *graminée.*

grammaire n. f. **1.** Cour. Ensemble des règles d'usage qu'il faut suivre pour parler et écrire correctement une langue. *Respecter la grammaire.* **2.** Cour. Étude descriptive de la morphologie d'une langue et de sa syntaxe. *Grammaire de l'ancien français. Grammaire historique, comparée.* **3.** LING Ensemble des règles et des structures qui per-mettent de générer, de produire tous les énoncés grammaticaux (et seule-ment ceux-là) dans une langue donnée. *Grammaire générative.* **4.** Livre qui traite de la grammaire.

grammairien, enne n. Personne spécialiste de la grammaire.

grammatical, ale, aux adj. **1.** Qui appartient à la grammaire. *Analyse grammaticale.* **2.** Qui suit les règles de la grammaire. *Cette phrase n'est pas grammaticale.*

grammaticalement adv. Selon les règles de la grammaire. *Une phrase grammaticalement correcte.*

grammaticaliser v. tr. [1] LING Transformer une unité lexicale en unité grammaticale. - Pp. adj. *Forme grammaticalisée.* ▷ v. pron. *Le nom « goutte » s'est grammaticalisé dans l'expression « ne...goutte » (il n'y voit goutte).*

grammaticalité n. f. LING Caractère d'une phrase qui est conforme aux règles syntaxiques de formation des énoncés dans une langue, que cette phrase soit pourvue d'un sens ou non.

-gramme. Élément, du gr. *gramma,* « lettre, écriture ». Suffixe de mots : dans le sens de *lettre* (ex. *télégramme*); dans le sens de *graphie, graphique* (ex. *encéphalogramme, cardiogramme*).

gramme n. m. **1.** Unité de masse (symbole g), valant un millième de la masse du kilogramme-étalon interna-tional. **2.** Fig. Quantité minime. *Pas un gramme d'imagination.*

Gramme (Zénobe) (Jehay-Bodegnée, prov. de Liège, 1826 - Bois-Colombes, 1901), électricien belge. Il inventa en 1871 la première dynamo (appelée *machine de Gramme*).

Grammont (Jacques Delmas de) (La Sauvetat, 1796 - Miramont, 1862), géné-ral et homme politique français. Il fit voter la loi sur la protection des ani-maux (1850).

Gramont (maison de), famille fran-çaise d'origine navarraise. — **Antoine III,** duc de Gramont (Hagetmau, 1604 - Bayonne, 1678), maréchal de France, prit part à la guerre de Trente Ans. Auteur de *Mémoires.* — **Philibert,** comte de Gramont (?, 1621 - Paris, 1707), frère du préc., fut célèbre à la cour de Louis XIV et à celle de Charles II d'Angleterre pour son esprit et comme type de libertin. Hamilton, son beau-frère, a écrit ses *Mémoires.* — **Armand,** comte de Guiche (?, 1638 - Kreuznach, 1673), fils d'Antoine III; général, il est connu pour ses exploits et ses aven-tures galantes. — **Antoine Agénor,** duc de Gramont (Paris, 1819 - id., 1880), diplomate; ministre des Affaires étran-gères en 1870, il contribua à entraîner la France dans la guerre contre la Prusse.

gramophone n. m. (Nom déposé.) Vx Syn. de *phonographe.*

Grampian, rég. d'Écosse; 8 704 km²; 502 600 hab.; ch.-l. *Aberdeen.*

Grampians (monts), massif cristal-lin d'Écosse; 1 340 m au Ben Nevis, point culminant de la Grande-Bretagne.

Gramsci (Antonio) (Ales, Sardaigne, 1891 - Rome, 1937), philosophe et homme politique italien. Il participa à la création du parti communiste italien (1921), dont il devint premier secrétaire en 1926. Arrêté par la police fasciste en nov. de la même année, condamné à vingt ans de prison, il mourut dans une infirmerie pénitentiaire. Ses *Cahiers de prison,* ses *Lettres de prison* et ses *Écrits*

Antonio **Gramsci**

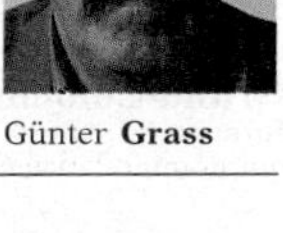
Günter **Grass**

politiques constituent un apport essentiel au marxisme.

Granados y Campiña (Enrique) (Lérida, 1867 – en mer, 1916), compositeur espagnol. Dans son œuvre, d'inspiration romantique, il utilisa largement le folklore de son pays : douze *Danses espagnoles* pour piano (1892-1900), *Goyescas* (deux suites pianistiques, 1911 ; un opéra, 1916), *Tonadillas* (mélodies de style populaire, 1913).

Granby, v. du Canada (Québec); 42 800 hab. Célèbre jardin zoologique.

Gran Chaco. V. Chaco.

grand, grande ou devant une voyelle ou un *h* muet, fém. adj. et n. **1.** De taille élevée. *Un grand arbre. Un homme grand. Cet enfant est grand pour son âge.* – Qui a atteint la taille adulte. *Les grandes personnes* : les adultes (par oppos. aux *enfants*). ▷ n. m. *Les grands et les petits* : ceux qui sont de grande taille et ceux qui sont de petite taille; les enfants plus âgés par rapport à de jeunes enfants. **2.** Qui occupe beaucoup d'espace. *Une grande ville.* **3.** D'une longueur au-dessus de la moyenne. *Marcher à grands pas.* – Loc. *Une grande heure* : un peu plus d'une heure. **4.** Abondant, intense, qui dépasse la mesure. *Un grand bruit. Un grand froid.* – Loc. *Les grandes eaux* : la crue d'un fleuve. – *Grand jour* : plein jour. *Grand air* : air libre. ▷ Extrême. *Le Grand Nord.* **5.** Important. *Un grand jour. Les grandes dates de l'histoire de France.* – Loc. *Le grand soir,* celui d'une révolution à venir. **6.** Qui surpasse d'autres choses, d'autres personnes comparables. *Un grand amour. Les grands écrivains contemporains. Un grand homme.* **7.** (Personnes) Important par le rang social, le pouvoir politique, la force économique. *Un grand seigneur. La grande bourgeoisie.* ▷ n. m. pl. *Les Grands* : les grandes puissances (États-Unis, Chine, etc.). **8.** (Dans les surnoms de personnages illustres, les titres attribués à des dignitaires.) *Alexandre le Grand. Grand officier de la Légion d'honneur.* **9.** adv. Avec grandeur. *Voir grand.* – *En grand* : sur une grande échelle, en grande quantité. *Il veut faire de l'apiculture, mais en grand.* **10.** (En loc., au masculin se rapportant à un mot féminin.) *Grand-route. Grand-messe. Avoir grand-peur. Je n'y comprends pas grand-chose.*

grand-angle ou **grand-angulaire** n. m. Objectif à courte distance focale, qui couvre un angle très important. *Des grands-angles, des grands-angulaires.*

Grand Bassin, rég. semi-désertique des É.-U., entre la sierra Nevada et les monts Wasatch. Riche sous-sol : cuivre, zinc, plomb, etc.

Grandbois (Alain) (Saint-Casimir-de-Porneuf, 1900 – Québec, 1975), écrivain canadien d'expression française : *les Îles de la nuit* (poèmes, 1944), *Avant le chaos* (nouvelles, 1945), *l'Étoile pourpre* (1957).

Grand Canyon, gorges du Colorado, dans l'Arizona (É.-U.). Parc national.

grand-chose [gʀɑ̃ʃoz] pron. indéf. Vx Beaucoup. ▷ Mod. *Pas grand-chose* : peu de chose, presque rien. ▷ Subst. (inv.) Fam. *Un(e) pas grand-chose* : une personne qui n'est guère recommandable, un(e) propre-à-rien.

Grand-Colombier, sommet du Jura mérid. (1 534 m), dans le Bugey, qui domine la vallée du Rhône.

Grand-Combe (La), ch.-l. de cant. du Gard (arr. d'Alès); 7 206 hab. Anc. centre houiller.

Grand-Couronné (le), plateau, à l'E. de Nancy, où le général de Castelnau arrêta l'avance des troupes allemandes (5-12 sept. 1914).

grand-croix **1.** n. f. inv. Grade le plus élevé dans les principaux ordres de chevalerie. *La grand-croix de la Légion d'honneur.* **2.** n. m. Dignitaire qui est arrivé à ce grade. *Des grands-croix.*

grand-duc n. m. **1.** Prince souverain d'un grand-duché. **2.** Anc. Prince du sang, en Russie. ▷ Fam. *Faire la tournée des grands-ducs,* des restaurants, des bars, des cabarets.

grand-ducal, ale, aux adj. Qui appartient à un grand-duc, à un grand-duché. *Des titres grand-ducaux.*

grand-duché n. m. Pays dont le souverain est un grand-duc, une grande-duchesse. *Grand-duché de Luxembourg. Des grands-duchés.*

Grande (Rio), ou **Grande del Norte** (Rio), ou **Bravo** (Río), fl. des É.-U. (2 900 km); naît dans les montagnes Rocheuses, traverse du N. au S. l'État du Nouveau-Mexique; sépare le Texas et le Mexique d'El Paso à l'Atlantique; se jette dans le golfe du Mexique.

Grande-Bretagne et Irlande du Nord. V. Royaume-Uni de Grande-Bretagne et d'Irlande du Nord.

Grande Brière. V. Brière.

Grande-Comore. V. Ngazidja.

Grande del Norte (Rio). V. Grande (Rio).

grande-duchesse n. f. **1.** Femme, fille d'un grand-duc. **2.** Souveraine d'un grand-duché. *Des grandes-duchesses.*

Grande-Grèce, ensemble des établissements fondés par les Grecs en Italie du S. et en Sicile à partir du VIIIe s. av. J.-C.

Grande Mademoiselle (la). V. Montpensier (Anne Marie Louise d'Orléans duchesse de).

grandement adv. **1.** Beaucoup, tout à fait. *Avoir grandement raison.* **2.** Avec grandeur, générosité. *Agir grandement.*

Grande-Motte (La), com. de l'Hérault (arr. de Montpellier), au fond du golfe d'Aigues-Mortes; 5 067 hab. Stat. balnéaire.

Grande Neste. V. Neste d'Aure.

Grande Nive. V. Nive.

Grande-Synthe, ch.-l. de cant. du Nord (arr. de Dunkerque); 24 489 hab. Constr. métalliques.

Grande-Terre, une des deux îles de la Guadeloupe; ch.-l. *Pointe-à-Pitre.*

grandeur n. f. **1.** Caractère de ce qui est grand dans les diverses dimensions. *La grandeur d'un palais.* – Loc. fig. *Regarder qqn du haut de sa grandeur,* avec dédain. **2.** Importance. *Grandeur d'un forfait.* **3.** Importance dans la société, puissance. ▷ Loc. *La folie des grandeurs* : une ambition démesurée. **4.** Titre honorifique donné autrefois aux grands seigneurs, aux évêques. *Votre Grandeur.* **5.** Dignité, noblesse morale, élévation. *Grandeur d'âme.* – *« Servitude et grandeur militaires »,* d'Alfred de Vigny (1835). **6.** Loc. *Grandeur nature* : aux dimensions réelles. *Un portrait grandeur nature.* **7.** MATH Tout ce à quoi on peut affecter une valeur, dans un système d'unités de mesure. ▷ *Grandeur scalaire* : V. scalaire. ▷ *Grandeur vectorielle* : V. vectorielle. **8.** PHYS *Grandeur périodique,* dont la valeur ne change pas si l'on ajoute à la valeur de la variable celle de la période. **9.** ASTRO *Étoile de première grandeur,* très brillante (de faible magnitude).

Grand-Guignol (le), théâtre parisien (1897-1962, rue Chaptal) spécialisé dans la représentation de pièces où alternaient la gaieté et l'épouvante, cette dernière prédominant.

grand-guignolesque ou **grandguignolesque** adj. Digne du Grand-Guignol. – *Par ext.* Outrancier. *Ces propos sont grand-guignolesques, on a peine à y croire.*

grandiloquence n. f. Éloquence pompeuse, emphase.

grandiloquent, ente adj. Pompeux, emphatique. *Orateur, style grandiloquent.*

grandiose adj. et n. m. Imposant, majestueux, sublime. *Paysage grandiose.* – n. m. *Le grandiose chez les peintres romantiques.*

grandiosement adv. Litt. D'une manière grandiose.

grandir v. [3] **I.** v. intr. **1.** Devenir plus grand, croître en hauteur. *Cet enfant a bien grandi. Arbre qui grandit vite.* **2.** Augmenter, s'intensifier. *La foule grandit à vue d'œil. La rumeur grandit.* **3.** Fig. Croître. *Grandir en sagesse* : devenir plus sage. **II.** v. tr. **1.** Rendre plus grand. *Dans l'Antiquité, les acteurs tragiques étaient chaussés de cothurnes qui les grandissaient.* **2.** Faire paraître plus grand. *Cette coiffure la grandit.* **3.** Fig. Élever moralement, ennoblir. *Les épreuves l'ont grandi.* **III.** v. pron. Se hausser. *Se grandir en portant des talons hauts.* – Fig. *Abaisser autrui pour se grandir.*

grandissant, ante adj. Qui va en augmentant, en croissant. *Une humidité grandissante. Un pouvoir grandissant.*

Grand Lac Salé (en angl. *Great Salt Lake*), nappe d'eau salée (4 690 km^2 env.) des É.-U., au N. de l'Utah. Sur ses rives s'est établie, au XIXe s., la secte des mormons.

Grand-Lieu (lac de), marais à 12 km au S. de Nantes; 70 km^2. Réserve ornithologique.

grand-livre n. m. **1.** FIN Liste de tous les créanciers de l'État. (On dit aussi sans trait d'union dans cet emploi : *grand livre de la Dette publique.*) **2.** COMPTA Registre groupant tous les comptes d'une comptabilité, sur lequel on reporte toutes les opérations du journal. *Des grands-livres.*

Grand Londres (*Greater London*), comté du S.-E. de l'Angleterre; 1 579 km^2; 6 767 500 hab.; ch.-l. *Londres.*

Grand Manchester (*Greater Manchester*), comté du N.-O. de l'Angleterre; 1 287 km^2; 2 454 800 hab.; ch.-l. *Manchester.*

grand-mère n. f. **1.** Mère du père ou de la mère (de qqn). *Grand-mère paternelle, maternelle.* **2.** Fam. Vieille femme. *Des grand(s)-mères.*

grand-messe n. f. **1.** Messe chantée solennelle. **2.** Fig. Manifestation destinée à affirmer et à consolider la cohésion sociale d'un groupe. *Des grand(s)-messes.*

grand-oncle [gʀɑ̃tɔ̃kl] n. m. Frère (ou mari de la sœur) du grand-père ou de la grand-mère (de qqn). *Des grands-oncles.*

Grand Orient de France. V. orient.

Grand-Paradis. V. Paradis (Grand-).

grand-peine (à) loc. adv. Avec beaucoup de peine, très difficilement.

grand-père n. m. **1.** Père du père ou de la mère (de qqn). **2.** Fam. Vieillard. *Un bon grand-père. Des grands-pères.*

Grand-Pressigny (Le), ch.-l. de cant. d'Indre-et-Loire (arr. de Loches); 1 128 hab. – Station préhist. du néolithique final (lames de silex).

Grand-Quevilly (Le), ch.-l. de cant. de la Seine-Maritime (arr. de Rouen), sur la Seine; 27 909 hab. Prod. chim., électron., électroménager.

Grand Rapids, ville des É.-U. (Michigan); 189 100 hab. (aggl. urb. 626 400 hab.). Industr. du meuble. Minoteries. Conserveries.

Grands Lacs (les), nom donné à cinq vastes lacs d'Amérique du Nord, les lacs Supérieur, Huron, Michigan, Érié, Ontario, qui couvrent 246 300 km^2.

Grandson ou **Granson,** v. de Suisse (Vaud), sur le lac de Neuchâtel; 1 900 hab. – Victoire des Suisses sur Charles le Téméraire (1476).

grands-parents n. m. pl. Le grand-père et la grand-mère.

grand-tante n. f. Sœur (ou femme du frère) du grand-père ou de la grand-mère (de qqn). *Des grand(s)-tantes.*

Grandville (Jean Ignace Isidore Gérard, dit) (Nancy, 1803 – Paris, 1847), dessinateur et graveur français. Ses dessins fantastiques et satiriques annoncent le surréalisme : *Un autre monde* (1844).

grand-voile n. f. Voile principale du grand mât. *Des grand(s)-voiles.*

Granet (François) (Aix-en-Provence, 1775 – id., 1849), peintre français; élève de David, il préfigure Corot.

Granet (Marcel) (Luc-en-Diois, Drôme, 1884 – Paris, 1940), sinologue français : *la Civilisation chinoise* (1929), *la Pensée chinoise* (1934).

grange n. f. Bâtiment où l'on abrite les gerbes de blé, le grain, la paille, le foin. *Mettre le foin dans la grange.*

Grangemouth, port de G.-B. (Écosse), sur le Forth; 25 000 hab. Grande raffinerie de pétrole, pétrochimie.

Granges (en all. *Grenchen*), ville de Suisse (Soleure); 17 000 hab. Centre horloger.

Granique (le), petit fleuve de Mysie (Asie Mineure), parfois identifié au Kocabaş (Turquie). Célèbre par la victoire d'Alexandre le Grand sur l'armée perse de Darius III (*bataille du Granique*, 334 av. J.-C.).

granite ou **granit** [gʀanit] n. m. Roche cristalline, métamorphique, composée de quartz, de feldspath et de mica, répartis uniformément (à la différence du gneiss). *De densité élevée, le granit constitue le soubassement de tous les continents.*

granité, ée adj. et n. m. **I.** adj. Qui présente un aspect grenu. **II.** n. m. **1.** Tissu à gros grains. **2.** Sorte de sorbet granuleux.

graniter v. tr. [1] TECH Peindre en imitant le granit.

graniteux, euse adj. Qui contient du granit. *Roche graniteuse.*

granitique adj. **1.** De la nature du granit; formé de granit. **2.** Fig., litt. Dur, massif.

granivore adj. et n. m. ZOOL Se dit des oiseaux qui se nourrissent de graines, notam. de graminées. ▷ n. m. *Les granivores.*

Granja (palais de la), palais construit par Philippe V au S.-E. de Ségovie; résidence des rois d'Espagne. Ses jardins rappellent ceux de Versailles.

granny-smith [gʀanismis] n. f. inv. Variété de pomme à peau verte, à la chair ferme.

Gran Sasso d'Italia, massif des Abruzzes, où culmine l'Apennin (2 914 m au Corno Grande).

Granson. V. Grandson.

Grant (Ulysses Simpson) (Point Pleasant, Ohio, 1822 – Mount McGregor, État de New York, 1885), général et homme politique américain. Chef des armées nordistes durant la guerre de Sécession (1861-1865), il fut président (républicain) des É.-U. de 1869 à 1877.

Grant (Archibald Alexander Leach, dit Cary) (Bristol, 1904 – Davenport, Iowa, 1986), acteur américain d'origine anglaise, séduisant interprète de comédies (*Indiscrétions*, 1941; *Arsenic et vieilles dentelles*, 1944) et de films policiers (*Soupçons*, 1941; *la Mort aux trousses*, 1959). ► illustr. **Capra**

granulaire adj. Composé de petits grains. *Roche granulaire.*

granulat n. m. CONSTR Ensemble des matériaux inertes (sable, gravier, etc.) d'un mortier, d'un béton. Syn. agrégat.

granulation n. f. **1.** TECH Fragmentation ou agglomération d'une substance en petits grains. **2.** Cour. Petit grain, petite nodosité, sur une surface, dans une masse. *Les granulations d'un crépi.* **3.** MED Nodosité de petite taille, habituellement d'origine tuberculeuse.

granule n. m. Corps ressemblant à un petit grain. *Médicament administré en granules.* – *Par ext.* Chaque grain d'un tel médicament.

granulé, ée adj. et n. m. **1.** adj. Qui présente une granulation. **2.** n. m. Médicament présenté en petits grains. – *Par ext.* Chaque grain d'un tel médicament.

granuler v. tr. [1] TECH Réduire en petits grains.

granuleux, euse adj. **1.** Formé de petits grains. *Terre granuleuse.* **2.** MED *Lignée granuleuse* ou *granulocytaire*, regroupant les globules blancs qui possèdent des granulations.

granulocytaire adj. MED *Lignée granulocytaire* : V. granuleux.

granulocyte n. m. BIOL, HISTOL Leucocyte polynucléaire.

granulome n. m. MED Formation tumorale d'origine inflammatoire aux causes variées (tuberculose, syphilis, etc.).

granulométrie n. f. Didac. Mesure de la taille et étude de la répartition statistique, selon leur grosseur, des éléments d'une substance pulvérulente.

Granvelle (Nicolas Perrenot de) (Ornans, Franche-Comté, 1486 – Augsbourg, 1550), diplomate franc-comtois, ministre de Charles Quint (1530). – **Antoine Perrenot de** (Besançon, 1517 – Madrid, 1586), fils du préc.; cardinal, il fut ministre de Charles Quint et de Philippe II. Il ne parvint pas à rétablir l'unité religieuse aux Pays-Bas, qu'il dut quitter (1563). Vice-roi de Naples (1571-1575).

Granville, ch.-l. de cant. de la Manche (arr. d'Avranches); 13 340 hab. Port de pêche et de commerce. Mat. radioélectrique. Stat. balnéaire.

Granville (George Leveson-Gower, 2e comte) (Londres, 1815 – id., 1891), homme politique britannique; ministre des Affaires étrangères de Gladstone (1870-1874 et 1880-1885).

Granville-Barker (Harley) (Londres, 1887 – id., 1946), acteur et auteur dramatique anglais. *Préfaces à Shakespeare* (1927-1948).

grape-fruit ou **grapefruit** n. m. Espèce de pamplemousse *(Citrus paradisi)* qui pousse en grappes. *Des grape-fruits.*

graph(o)-, -graphe, -graphie, -graphique. Éléments, du gr. *graphein*, « écrire ».

graphe n. m. MATH **1.** Partie du produit cartésien de deux ensembles, dans la théorie des ensembles. *Graphe d'une application f d'un ensemble X dans un ensemble Y :* ensemble des couples [x, f (x)] pour x appartenant à X. **2.** Figure constituée d'arcs reliés entre eux et représentant un parcours, un ensemble de tâches à accomplir (successives ou simultanées), etc. *La théorie des graphes est indispensable à la recherche opérationnelle.*

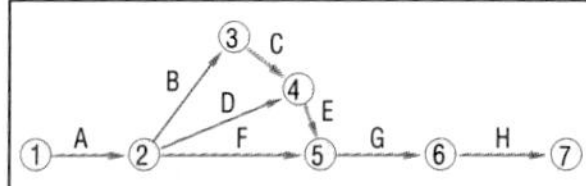

les sommets 1 à 7 représentent des événements, les arcs A à H qui les lient représentent des tâches successives ou simultanées qui mènent d'un événement à un autre

graphe

graphème n. m. LING La plus petite unité distinctive du code écrit.

grapheur n. m. INFORM Logiciel de gestion de graphiques.

graphie n. f. LING Manière d'écrire un mot, en ce qui concerne l'emploi des caractères.

graphiose n. f. BOT Maladie cryptogamique qui détruit les vaisseaux des plantes (notam. de l'orme).

graphique adj. et n. m. **I.** adj. **1.** Qui décrit, représente par des figures. *Arts graphiques :* le dessin, et, par ext., tous les arts où il intervient (arts du livre et de l'impression, affiches, bandes dessinées, etc.). **2.** MATH *Procédé graphique :* résolution d'équations par intersection de courbes représentatives. **II.** n. m. TECH Tracé d'un diagramme, d'un plan, d'une coupe, etc.

graphiquement adv. À l'aide de figures (du dessin, de l'écriture).

graphisme n. m. **1.** Façon d'écrire de qqn, considérée du point de vue de la graphologie. **2.** BX-A Manière de dessiner particulière à un artiste. *Le graphisme de Picasso.*

graphiste n. Dessinateur spécialisé dans les arts graphiques.

graphite n. m. Carbone naturel, presque pur, cristallisant dans le système hexagonal. Syn. plombagine.

ENCYCL Le graphite est bon conducteur du courant électrique et difficilement fusible; pour sa résistance à la chaleur il est ajouté à certains lubrifiants;

il entre aussi dans la fabrication des fours électriques. L'industrie en consomme de grandes quantités dans la fabrication des crayons. On l'utilise comme ralentisseur de neutrons dans les réacteurs nucléaires (filière uranium-gaz-graphite).

graphiter v. tr. [1] TECH Incorporer du graphite dans. – Pp. adj. *Huiles et graisses graphitées.*

graphiteux, euse ou **graphitique** adj. TECH Qui contient du graphite.

graphologie n. f. Technique de l'examen scientifique de l'écriture manuscrite, qui a pour but soit d'identifier l'auteur d'un texte, soit d'analyser sa personnalité.

graphologique adj. Relatif à la graphologie, relevant de la graphologie. *Une analyse graphologique.*

graphologue n. Personne spécialiste de la graphologie. *Les experts-graphologues étudient les documents pour déceler les faux et interviennent dans les affaires de justice.*

grappa n. f. Eau-de-vie italienne fabriquée avec du marc de raisin.

grappe n. f. **1.** Inflorescence dans laquelle chaque fleur (et, après développement, chaque fruit) est portée par un pédoncule distinct, inséré le long d'un axe principal. (Ex. : le lilas, la vigne, le cytise.) – *Absol.* Grappe de raisin. *Récolter les grappes.* **2.** Choses ou personnes serrées en forme de grappe. *Grappes d'oignons.*

Grappelli (Stéphane) (Paris, 1908 – id., 1997), violoniste de jazz français, créateur, avec Django Reinhardt, du quintette du Hot Club de France (1934).

grappillage n. m. Action de grappiller.

grappiller v. [1] **I.** v. intr. Cueillir les grappes de raisin qui restent après la vendange. **II.** v. tr. **1.** Cueillir de-ci, de-là, par petites quantités. **2.** Fig. Récolter au hasard. *Grappiller quelques informations.* **3.** Fig. Réaliser de petits profits, licites ou non. *Grappiller quelques dizaines de francs.*

grappillon n. m. Petite grappe de raisin; partie de grappe.

grappin n. m. **1.** MAR Petite ancre d'embarcation à branches recourbées. **2.** Fig., fam. *Jeter, mettre le grappin sur qqch,* s'en emparer. *Mettre le grappin sur qqn,* l'empoigner, l'accaparer. **3.** TECH Benne preneuse pour la manutention des matériaux.

graptolites n. m. pl. Groupe d'animaux fossiles classés dans les hémicordés. (Marins, ils vécurent en colonies flottantes du cambrien au carbonifère.)

gras, grasse [gʀɑ, gʀɑs] adj. et n. m. **1.** Qui est constitué de graisse, en contient ou en est imprégné. *Viande grasse.* ▷ n. m. Partie grasse de la viande. *Le gras et le maigre.* ▷ CHIM *Les corps gras :* esters du glycérol et des *acides gras,* acides non ramifiés, comportant un nombre pair d'atomes de carbone et qui se forment, chez les végétaux et les animaux, à partir d'un dérivé de l'acide acétique (acides stéarique, oléique, palmitique, butyrique). **2.** Se dit d'un aliment préparé avec de la viande ou de la graisse. *Bouillon gras.* – Par ext. *Jour gras,* où les catholiques étaient autorisés à manger de la viande (par oppos. à *jour maigre*). *Mardi gras.* ▷ adv. *Manger gras.* **3.** Se dit d'un être vivant qui a beaucoup de graisse. *Porc gras. Personne grosse et grasse.* ▷ Par anal. Loc. *Plantes grasses,* à tige ou à feuilles succulentes*. ▷ n. m. *Le gras de la jambe, du bras,* la partie charnue, musculeuse. **4.** Souillé, maculé de graisse. *Eaux grasses. Papiers gras.* **5.** Dont l'aspect, la consistance fait penser à la graisse. *Terre grasse. Encre grasse.* – *Crayon gras,* à mine grasse. ▷ *Par ext.* Épais. *Trait, caractère (typographique) gras.* **6.** (Placé le plus souvent avant le n.) Fig. Abondant, riche. *Gras pâturages. Grasse récompense.* ▷ *Faire la grasse matinée :* se lever tard. **7.** *Toux grasse,* accompagnée d'expectorations abondantes et épaisses. ▷ *Voix grasse,* grasseyante, pâteuse, peu nette. ▷ *Parler gras,* grasseyer. **8.** Fig. Graveleux, obscène. *Plaisanterie grasse.* **9.** Se dit d'un vin qui a du corps, de la puissance.

Gras (Félix) (Malemort, Vaucluse, 1844 – Avignon, 1901), poète français de langue d'oc. Il succéda à Roumanille à la tête du félibrige en 1891.

gras-double n. m. Membrane comestible de l'estomac du bœuf. *Gras-double à la lyonnaise. Des gras-doubles.*

Grass (Günter) (Dantzig, 1927), écrivain allemand. *Le Tambour* (1959) et *les Années de chien* (1963), romans picaresques et fantastiques, riches d'images et de symboles, l'ont placé parmi les grands romanciers actuels. Il a publié également *le Turbot* (1977), *Une rencontre en Westphalie* (1979), *les Enfants par la tête* (1980). Théâtre : *les Méchants Cuisiniers* (1957). ► illustr. page **835**

Grasse, ch.-l. d'arr. des Alpes-Maritimes; 42 077 hab. Cap. de la parfumerie. Stat. climatique. – Anc. cathédrale (XIIe s., gothique provençal).

Grasse (François Joseph Paul, comte de) (Le Bar, Provence, 1722 – Paris, 1788), marin français. Chef d'escadre en 1779, il participa à la guerre d'Indépendance amér., contribuant à la victoire de Yorktown (1781).

Grassé (Pierre Paul) (Périgueux, 1895 – Carlux, Dordogne, 1985), zoologiste français; auteur de nombr. travaux de biologie animale et d'éthologie, et d'ouvrages de vulgarisation.

grassement adv. Largement, généreusement. *Payer grassement.* – *Vivre grassement,* sans souci matériel. – *Rire grassement,* grossièrement.

grasset [gʀasɛ] n. m. Articulation du membre postérieur des mammifères, correspondant au genou de l'homme.

Grasset (Joseph) (Montpellier, 1849 – id., 1918), médecin français. Il s'intéressa aux maladies nerveuses, à la pathologie générale et à la déontologie médicale. Il fut un adepte du vitalisme* : *les Limites de la biologie* (1902).

Grasset (Bernard) (Chambéry, 1881 – Paris, 1955), éditeur français. À partir de 1907, il publia des auteurs contemporains (Proust, Mauriac, Giraudoux).

grassette n. f. Petite plante carnivore vivace des marais.

grasseyant, ante adj. Qui grasseye.

grasseyement n. m. Fait de grasseyer.

grasseyer v. intr. [1] Prononcer la lettre *r* de la gorge, comme à Paris (par oppos. à *rouler les « r »*).

grassouillet, ette adj. Un peu gras, dodu. *Bébé grassouillet.*

grateron. V. gratteron.

Gratien (en lat. *Flavius Gratianus*) (Sirmium, Pannonie [auj. Sremska Mitrovica, Serbie], 359 – Lyon, 383), fils de Valentinien Ier; empereur d'Occident de 375 à 383.

Gratien (Chiusi, Toscane, fin XIe s. – Bologne, v. 1160), moine italien de l'ordre de Saint-Romuald, auteur de la première compilation raisonnée de textes canoniques : *Concordia discordantium canonum* (v. 1140), connue sous le nom de *Décret de Gratien.*

gratifiant, ante adj. Qui gratifie (sens 2). *Un travail gratifiant.*

gratification n. f. **1.** Somme d'argent accordée à qqn en plus de son salaire. *Gratification annuelle.* **2.** PSYCHO Sentiment de satisfaction, de valorisation du sujet à ses propres yeux.

gratifier v. tr. [2] **1.** *Gratifier de :* faire don, nantir de. *Gratifier qqn d'une pension.* ▷ Par antiph., iron. *On l'a gratifié d'une punition.* **2.** Donner psychologiquement satisfaction à. – Pp. *Se sentir gratifié par une réussite.*

gratin n. m. **1.** Croûte grillée faite de chapelure ou de fromage râpé, qui recouvre certains plats passés au four. *Macaronis au gratin.* ▷ *Par ext.* Mets ainsi préparé. *Gratin de pommes de terre.* **2.** Fig., fam. *Le gratin :* la haute société, l'élite.

gratiné, ée adj. et n. f. **1.** Couvert de gratin. ▷ n. f. Soupe à l'oignon gratinée. **2.** Fig., fam. Qui sort de la norme, surprend par son côté singulier ou excessif; osé, licencieux, graveleux. *C'est gratiné, cette affaire! Une histoire gratinée.*

gratiner v. [1] **1.** v. intr. Se former en gratin. *Plat qui gratine au four.* **2.** v. tr. Accommoder au gratin. *Gratiner des soles.*

gratis [gʀatis] adv. et adj. Gratuitement. *Entrer gratis.* ▷ adj. inv. Gratuit. *Des places gratis.*

gratitude n. f. Reconnaissance pour une aide, un service rendu. *Témoigner sa gratitude.*

gratouiller ou **grattouiller** v. tr. [1] Fam. **1.** Gratter légèrement. *Gratouiller la terre.* ▷ Caresser, chatouiller légèrement. *Le chat aime qu'on lui gratouille le ventre.* ▷ Jouer médiocrement et de temps en temps d'un instrument à cordes sans archet. *Gratouiller de la guitare.* **2.** Démanger. *Ce tissu me gratouille.*

Gratry (Alphonse) (Lille, 1805 – Montreux, Suisse, 1872), oratorien français. Il s'opposa au dogme de l'infaillibilité pontificale. Philosophe, il combattit l'hégélianisme. Acad. fr. (1867).

grattage n. m. Action de gratter; son résultat.

gratte n. f. **1.** AGRIC Sarcloir. **2.** Fam. Petit profit illicite. **3.** Fam. Guitare.

gratte-ciel n. m. inv. Immeuble d'une très grande hauteur, tour.

gratte-cul n. m. Fam. Nom cour. du *cynorhodon,* fruit de l'églantier. *Des gratte-cul(s).*

grattement n. m. **1.** Action de gratter. **2.** Bruit produit par ce qui gratte.

gratte-papier n. m. inv. Péjor. Petit employé de bureau.

gratter v. [1] **I.** v. tr. **1.** Racler de manière à entamer la surface de. *Gratter un meuble.* **2.** Faire disparaître en raclant. *Gratter un mot, une inscription.* **3.** Frotter (une partie du corps) avec les ongles pour calmer une démangeaison. *Gratter le dos de qqn.* ▷ v. pron. *Se gratter le bras.* ▷ *Par ext.,* fam. Causer des démangeaisons. *Un vêtement qui gratte. Ç* *me gratte.* **4.** Fam. Distancer à la course, dépasser. **5.** Fig., fam. Faire de menus profits, souvent illicites. *Gratter quelques sous.* **II.** v. intr. **1.** *Gratter à une porte*, pour qu'on l'ouvre. **2.** *Gratter de la guitare*, en jouer de temps en temps, en amateur, ou en jouer mal. **3.** Pop. Travailler.

gratteron ou **grateron** [gʀatʀɔ̃] n. m. Gaillet *(Galium aparine)* très répandu, dont la tige et les fruits sont couverts de poils en forme de crochet.

gratteux, euse adj. (Canada) Fam. Avare, radin. ▷ Subst. *Les gratteux.*

grattoir n. m. **1.** Outil servant à gratter. **2.** Instrument qui sert à gratter le papier pour y effacer une inscription, une tache.

gratton n. m. (Souvent plur.) Rég. Petit morceau de viande de porc, d'oie, etc., cuit lors de l'extraction de la graisse, que l'on sert salé après égouttage.

gratuit, uite [gʀatɥi, ɥit] adj. **1.** Qu'on donne sans faire payer; qu'on reçoit sans payer. *Billet gratuit.* ▷ Loc. adv. *À titre gratuit* : sans contrepartie. **2.** Fig. Qui n'a pas de fondement, de motif. *Supposition, méchanceté gratuite. Acte gratuit*, qui semble échapper à tout mobile logique.

gratuité n. f. Caractère de ce qui est gratuit. *La gratuité de l'enseignement.*

gratuitement adv. **1.** Sans payer. **2.** Sans motif.

grau n. m. Rég. Chenal traversant un cordon littoral, dans le bas Languedoc. *Des graus.*

Grau Delgado (Jacinto) (Barcelone, 1877 - Buenos Aires, 1958), écrivain espagnol. Poète, romancier, mais surtout dramaturge, il s'inspira des légendes et de la tradition littéraire de l'Espagne. Romans : *Pris sur le vif* (1899); théâtre : *les Noces de Gamache* (1903), *Don Juan de Carillana* (1913), *le Trompeur qui ne trompe pas* (1930).

Graufesenque (la), site archéologique proche de Millau (Aveyron) : ateliers de céramique gauloise et gallo-romaine.

Graulhet, ch.-l. de canton du Tarn (arr. de Castres); 13 665 hab. Centre important de l'industrie du cuir.

gravats [gʀava] n. m. pl. **1.** Débris provenant de démolitions. **2.** TECH Résidu du plâtre après criblage.

grave adj. et n. m. **I. 1.** Qui peut avoir des conséquences funestes. *Grave maladie. Situation grave.* ▷ Par ext. *Un blessé grave.* **2.** Qui a de l'importance, qui ne peut être négligé. *Question, motif grave.* **3.** Sérieux, digne; qui dénote le sérieux, la dignité. *De graves magistrats. Une figure grave.* **II. 1.** D'une fréquence peu élevée, bas dans l'échelle tonale (sons). *Un son grave, une voix grave.* Ant. aigu. ▷ n. m. MUS *Le grave* : le registre grave. *Passer du grave à l'aigu.* **2.** *Accent grave.* V. accent.

Grave (pointe de), petit cap situé, face à Royan, sur la rive gauche de la Gironde (com. du Verdon-sur-Mer). Débarcadère du bac de Royan.

graveleux, euse adj. **1.** GEOL Mêlé de gravier. *Terre graveleuse.* **2.** BOT Se dit d'un fruit dont la pulpe contient des cellules pierreuses formant des petits grains très durs. *Poire graveleuse.* **3.** Fig. Licencieux et vulgaire. *Chanson graveleuse.*

Gravelines, ch.-l. de cant. du Nord (arr. de Dunkerque), sur l'Aa; 12 650 hab. Port de pêche et de comm. Centre de production nucléaire. - Victoire des Esp. sur les Français (1558).

gravelle n. f. MED Vx Lithiase rénale.

Gravelot (Hubert François Bourguignon, dit) (Paris, 1699 - id., 1773), peintre, dessinateur et graveur français. Il s'établit à Londres en 1732. Illustrateur de Shakespeare, Corneille, Racine, Rousseau; auteur d'un *Traité de perspective.*

Gravelotte, com. de Moselle (arr. de Metz-Campagne); 534 hab. - Violents combats en 1870 (16 et 18 août).

gravement adv. **1.** Avec dignité. **2.** D'une manière sérieuse, dangereuse. *Il est gravement malade.*

graver v. tr. [1] **1.** Tracer en creux sur une surface dure. *Graver une épitaphe dans le marbre.* **2.** Tracer des traits, des caractères, des figures sur une surface dure pour les reproduire. *Graver au burin, à l'eau-forte, à la pointe sèche. Graver en creux.* ▷ *Graver une médaille* : graver le poinçon destiné à sa frappe. ▷ *Graver un disque* : graver la matrice qui servira à la reproduction de l'enregistrement sur un disque (V. pressage). **3.** Fig. Rendre durable. *Ses paroles sont gravées dans ma mémoire.*

graves n. **1.** n. f. pl. GEOL Terrain formé de sable, de gravier alluvionnaire et d'argile, dans le Bordelais. **2.** n. m. Vin provenant des vignes qui poussent sur les graves.

Graves (les), région du Bordelais (r. g. de la Garonne), formée de graves et consacrée à la viticulture.

Graves (Robert Ranke-Graves, dit Robert) (Wimbledon, 1895 - Deya, Majorque, 1985), écrivain anglais. Dans ses *Poèmes* lyriques (1938-1945), ses ouvrages historiques (*Moi, Claude, Empereur*, 1934; *la Toison d'or*, 1944), ses ouvrages de critique (*la Poésie anglaise ancienne*, 1922) et ses essais (*l'Asphodèle commun*, 1949), il se montre en quête d'un autre principe de civilisation.

Gravesande (Willem Jacob'S) (Bois-le-Duc, 1688 - Leyde, 1742), physicien et philosophe néerlandais, adepte du sensualisme anglais; il fit connaître les idées de Newton. ▷ PHYS *Anneau de'S Gravesande* : dispositif qui permet d'observer la dilatation des solides dans les trois dimensions.

gravettien, enne adj. et n. m. PREHIST Se dit de l'industrie du paléolithique supérieur (entre l'aurignacien et le solutréen, de 27 000 à 20 000 ans avant notre ère).

graveur, euse n. Personne dont la profession est de graver.

gravide adj. Didac. En état de gestation. *Femelle gravide. Utérus gravide.*

gravidique adj. MED Qui se rapporte à la grossesse.

gravier n. m. **1.** GEOL Roche détritique constituée de petits galets et de sable grossier. **2.** Ensemble de très petits cailloux. *Le gravier d'une cour. Des graviers.*

gravière n. f. Lieu d'extraction du gravier.

gravillon n. m. Gravier fin et anguleux obtenu par concassage. *Recouvrir une route de gravillon.* - Chacun des cailloux constituant le gravillon.

gravillonnage n. m. TRAV PUBL Action de recouvrir de gravillon un liant épandu sur une chaussée.

gravillonner v. tr. [1] Couvrir de gravillon.

gravimètre n. m. PHYS Appareil de précision utilisé en gravimétrie.

gravimétrie n. f. **1.** PHYS Mesure de l'intensité du champ de la pesanteur. **2.** CHIM Méthode d'analyse par pesée d'un précipité.

Gravina (Federico Carlos, duc de) (Palerme, 1756 - Cadix, 1806), amiral espagnol. Il fut blessé mortellement à Trafalgar.

gravir v. tr. [3] Parcourir en montant avec effort. *Gravir un escalier.* - Monter sur, escalader. *Gravir une montagne.* ▷ Fig. *Gravir les échelons*, les degrés de la hiérarchie.

gravissime adj. Extrêmement grave.

gravitation n. f. PHYS Attraction universelle, qui s'exerce entre tous les corps.

ENCYCL La gravitation est l'une des forces fondamentales qui régissent l'Univers. Elle s'exerce à l'intérieur des noyaux des atomes et en assure la cohésion au même titre, mais à un degré toutefois beaucoup plus faible, que les trois autres *interactions** (forte, électromagnétique et faible). C'est en étudiant les effets de la gravitation (chute des corps, mouvement des planètes) que Galilée, Kepler et Newton ont fondé la mécanique classique. La loi de Newton, vérifiée expérimentalement en 1798 par Cavendish, s'énonce ainsi : *deux particules de masses M et M', placées à une distance d, s'attirent avec une force f proportionnelle aux masses et inversement proportionnelle au carré de la distance* : $f = G\frac{MM'}{d^2}$; la constante G de gravitation est d'environ $6{,}67.10^{-11}$(dans le système SI). Dans la théorie de la *relativité générale*, énoncée par Einstein en 1916, la gravitation est une propriété de l'espace-temps, qui se déforme sous l'action des masses matérielles. (V. relativité.)

gravitationnel, elle adj. PHYS Relatif à la gravitation; dû à la gravitation. *Force gravitationnelle.*

gravité n. f. **1.** Pesanteur. ▷ *Centre de gravité d'un corps* : point d'application de la résultante des forces de pesanteur s'exerçant en chaque point de ce corps. Syn. barycentre. **2.** Caractère d'une personne grave, sérieuse; attitude grave, réservée. *La gravité des fidèles pendant l'office.* ▷ Importance, sérieux. *La gravité de la conversation.* **3.** Caractère de ce qui peut avoir des conséquences graves, fâcheuses ou dangereuses. *La gravité de la situation. Gravité d'une blessure, d'une maladie.*

graviter v. intr. [1] Être soumis à la force de gravitation. - *Graviter autour de* : décrire une orbite autour de. *Les planètes qui gravitent autour du Soleil.* ▷ Par anal. *Les électrons gravitent autour du noyau de l'atome.* ▷ Fig. *Les courtisans gravitaient autour du roi.*

graviton n. m. PHYS NUCL Particule hypothétique de masse nulle, associée aux ondes de gravitation.

gravois n. m. pl. TECH Gravats.

gravure n. f. **1.** Action de graver. *La gravure d'une initiale.* **2.** Art de graver; procédé employé pour graver. *La gravure au burin. Gravure sur bois* (V. xylograhie), *sur métal* (V. chalcographie), *sur pierre* (V. lithographie). **3.** Ouvrage, travail du graveur; estampe. *Les gravures de Jacques Callot.* **4.** *Par ext.* Image, illustration. *Livre orné de gravures.* **5.** Action de graver un disque; son résultat.

gray [gʀɛ] n. m. PHYS Unité SI d'absorption des rayonnements ionisants, communication d'une énergie de 1 joule à une masse de 1 kg (symbole Gy).

Gray, ch.-l. de cant. de la Haute-Saône (arr. de Vesoul), sur la Saône; 7 525 hab. Port fluv. Industr. text. et méca. – Égl. de style goth. flamboyant (XVe s.). Chât. (XVIIe s.).

Gray (Stephen) (Londres, 1670 – id., 1736), physicien anglais. Il découvrit l'électrisation par influence et révéla l'existence de corps conducteurs et isolants.

Gray (Thomas) (Londres, 1716 – Cambridge, 1771), poète anglais; précurseur du romantisme : *Élégie écrite dans un cimetière de campagne* (1751).

Graz (autref. *Gratz* en fr.), v. d'Autriche, cap. de la Styrie, sur la Mur; 232 150 hab. Centre industr. (aciéries, constr. méca., prod. chim., etc.). – Université (depuis 1586). Cath. goth. (XVe s.). Tour de l'Horloge (XVIe s.), sur le Schlossberg.

Graziani (Rodolfo), marquis de Neghelli (Filettino, prov. de Frosinone, 1882 – Rome, 1955), maréchal italien, vice-roi d'Éthiopie (1936-1937), battu par les Britanniques en Libye (1940).

gré n. m. (En loc.) **I.** (Au sens de *goût.*) **1.** *Au gré de qqn,* à son goût. *Trouver qqch à son gré.* ▷ *Faire qqch à son gré,* selon son bon plaisir. – *Par ext.* Suivant l'avis, l'opinion de. *Au gré de tous.* **2.** Fig. *Au gré des événements, des circonstances :* sans pouvoir modifier le cours des choses ou sans chercher à le faire. **II.** (Au sens de *volonté.*) **1.** *De son plein gré, de bon gré :* sans être contraint, de sa propre volonté. *Il est venu de son plein gré.* ▷ *De gré à gré :* à l'amiable, par entente mutuelle. *Affaire conclue de gré à gré.* **2.** *Contre le gré de :* en s'opposant à, contre la volonté de. *Il a fait cela contre mon gré.* ▷ *De gré ou de force :* volontairement ou sous la contrainte. – *Bon gré, mal gré :* qu'on le veuille ou non, malgré soi. **III.** (Au sens de *gratitude, reconnaissance.*) *Savoir gré, savoir bon gré à qqn de qqch,* lui en être reconnaissant. *Savoir mauvais gré à qqn de qqch,* lui en tenir rigueur.

Great Eastern, nom du paquebot à vapeur britannique, aux dimensions colossales pour l'époque (210 m de long), qui posa le premier câble sous-marin entre l'Europe et les É.-U. (1865-1866).

Great Yarmouth. V. Yarmouth.

Gréban (Arnoul) (Le Mans, v. 1420 – id., 1471), poète dramatique français. Son admirable *Mystère de la Passion* (représenté v. 1450) est divisé en quatre journées et compte près de 35 000 vers.

grèbe n. m. Oiseau aquatique piscivore (genre *Podiceps*), très bon nageur, dont les pattes sont garnies de lobes festonnés formant une palmure incomplète. *Les grèbes construisent des nids flottants.*

grec, grecque adj. et n. **I.** adj. Qui a trait à la Grèce, à sa civilisation, à sa langue. *Lettres grecques. Tragédie grecque.* ▷ Vx (et abusiv.) *Église grecque,* orthodoxe*. ▷ *Profil grec,* dans lequel l'arête du nez prolonge la ligne du front. **II.** n. **1.** Habitant ou personne originaire de Grèce. *Un(e) Grec(que).* **2.** n. m. Langue parlée en Grèce. *Grec ancien, moderne.* **3.** n. f. CUIS Loc. adj. *À la grecque :* cuit dans une sauce à base d'huile, de vin blanc, de tomates et d'aromates (coriandre, notam.). *Artichauts, champignons à la grecque.*

Grèce (république de) *(Hellênikê Dêmokratia),* État d'Europe méridionale, occupant le S. de la péninsule balkanique; 131 990 km^2; 10 046 000 hab.; cap. *Athènes.* Nature de l'État : rép. parlementaire. Langue off. : grec. Monnaie : drachme. Relig. : Église orthodoxe grecque (off., 97 %).

Géogr. phys. et hum. – Le territoire se partage entre une Grèce continentale, prolongée par la péninsule du Péloponnèse, montagneuse (2 911 m au mont Olympe), au climat méditerranéen tempéré par l'altitude, et une Grèce des îles (20 % de la superficie) : îles Ioniennes, Cyclades, Sporades, Dodécanèse, Crète. 70 % des Grecs vivent sur les littoraux et dans les plaines, torrides en été (Thrace, Macédoine, Thessalie, Attique). L'agglomération d'Athènes-Le Pirée groupe 35 % des habitants; l'exode rural reste important (60 % de citadins). Terre d'émigration jusqu'en 1975, la Grèce enregistre depuis un solde migratoire régulièrement excédentaire.

Écon. – La Grèce n'assure que 1 % de la prod. économique de la C.É.E. L'agriculture occupe le quart des actifs et reste, assez largement, une polyculture traditionnelle fondée sur les céréales, la vigne, les fruits et légumes et l'élevage ovin, huile d'olive et tabac étant les produits d'exportation. Les principales ressources du sous-sol sont le lignite et la bauxite. L'industrie est peu compétitive : chimie, métallurgie, textile, agroalim. La Grèce tire d'importants revenus du tourisme, de sa flotte marchande et du rapatriement de fonds des Grecs de l'étranger. Après une période de crise aiguë (1981-1993), où le remboursement de la dette absorbait 60 % des recettes fiscales, sur un fond d'inflation élevée et de sous-emploi chronique, le gouvernement de C. Simitis a entrepris de répondre aux critères de Maastricht : l'inflation en 1997 a été limitée à 8 % et la croissance a atteint 3 %. Mais la dévaluation de mars 1998 (14 %) provoque un fort malaise social.

Hist. – À partir du XIXe s. av. J.-C., alors que la civilisation minoenne est déjà en plein essor, pénètrent en Grèce continentale des peuples indo-européens, Ioniens et Achéens, qui, peu à peu, occupent la Grèce dans sa totalité. Au XVe s., les royaumes achéens (Pylos, Mycènes, Tirynthe, etc.) dominent la Crète et s'étendent vers l'Asie Mineure. La légendaire guerre de Troie est sans doute l'écho d'une de ces expéditions guerrières menées en Asie Mineure au XIIIe s. av. J.-C. Au XIIe s., d'autres peuples venus du N., les Doriens, font leur apparition. Sous

grèbe huppé

la poussée dorienne, les Achéens se réfugient en Ionie (littoral de l'Asie Mineure), en Arcadie, dans les îles médit. Les deux siècles qui suivent l'invasion dorienne (XIIe-IXe s. av. J.-C.) représentent une période obscure, souvent nommée « Moyen Âge grec », qu'on ne connaît qu'à travers les poèmes homériques et l'archéologie. Au IXe s. av. J.-C. (siècle d'Homère), la Grèce apparaît découpée en un nombre important de *polis,* cités qui prirent naissance au terme d'un long processus de regroupement, puis de neutralisation des structures de clans *(génè).* Dès leur naissance, les cités entament des relations conflictuelles qui vont durer aussi longtemps que la civilisation antique. À partir du VIIIe s. av. J.-C., les cités d'Asie Mineure, développant une vive activité industrielle et commerciale, se lancent sur les mers, suivies par les cités de Grèce (Corinthe). Cette expansion marit., qui refoule les Phéniciens, se traduit par la fondation de nombr. colonies en Sicile, Italie du Sud, mer Noire, etc. Corinthe, Chalcis, Égine sont peu à peu concurrencées et dépassées par Athènes à partir du VIe s. Cependant, dans le Péloponnèse, Sparte assure son hégémonie après les difficiles guerres de Messénie et sa victoire sur Argos. La révolte de l'Ionie contre Darius Ier est à l'origine des *guerres médiques* (Ve s.). Après les défaites perses de Marathon (490), Salamine (480) et Platées (479), Athènes, par les alliances solides qu'elle s'assure au sein de la *ligue de Délos,* devient la première puissance de la Méditerranée orientale et développe une politique impérialiste fondée sur une hégémonie maritime. Entre la fin de la seconde guerre médique (479) et le déb. de la guerre du Péloponnèse (431), Athènes achève de devenir une cité démocratique (élection ou tirage au sort des magistrats, accessibilité de tous les citoyens aux charges politiques et aux fonctions milit.), la figure de Périclès (qui dirige Athènes de 457 à 429) dominant cette époque. Ce que l'on a nommé le « siècle de Périclès » est cette période où Athènes manifeste un génie éclatant dans la vie intellectuelle et artistique, en même temps qu'elle domine le reste de la Grèce. Mais les excès de cet impérialisme finissent par entraîner la ville, et avec elle toute la Grèce, dans les désastres de la guerre du Péloponnèse (431-404). La victoire du Spartiate Lysandre près de l'embouchure de l'Ægos-Potamos (405) met fin à la suprématie d'Athènes, mais Sparte doit à son tour s'incliner devant Thèbes (victoire d'Épaminondas à Leuctres, 371). L'axe politique et militaire de la Grèce se déplace ainsi vers le N. La Grèce des cités, affaiblie par ses impitoyables rivalités, est bientôt à la merci de la Macédoine; en écrasant les armées athénienne et thébaine (alliées) à Chéronée (338), Philippe II de Macédoine s'impose comme l'arbitre des cités qu'il tente de fédérer, sous la tutelle macédonienne. Après l'assassinat de Philippe (336), son fils, Alexandre le Grand, part conquérir l'Asie (334). En moins de dix ans, il soumet l'Égypte et l'Asie Mineure; il atteint les Indes en 327. La création de plus de 70 villes, la mise en circulation d'une monnaie abondante répondant aux étalons grecs, etc., contribuent alors à l'hellénisation de l'Orient, le monde grec prenant des dimensions gigantesques. À la mort d'Alexandre (323), les rivalités des successeurs du conquérant (les

diadoques) entraînent le partage de l'empire : la Thrace et l'Asie reviennent à Lysimaque, la Macédoine à Cassandre, l'Égypte à Ptolémée, le reste (Syrie, Mésopotamie, Perse, Inde) à Séleucos. Cette rivalité politique, qui va durer trois siècles, s'accompagne pourtant de l'essor remarquable d'une nouvelle civilisation, dite hellénistique, qui, à partir des cités nouvelles (Alexandrie, Antioche, Pergame), étend la culture et la langue grecques sur tout l'Orient. En Grèce même, les cités ne cessent de contester l'autorité de la Macédoine, mais seules les Ligues étolienne et achéenne représentent une puissance suffisante pour l'affronter. Pourtant, la Macédoine parvient à maintenir la Grèce sous sa tutelle jusqu'au IIe s. av. J.-C.; les Romains, intervenant dans cette partie du monde au lendemain de la deuxième guerre punique (208-201 av. J.-C.), réduisent la Macédoine à l'état de province romaine (148 av. J.-C.) et imposent leur autorité à l'ensemble de la Grèce (146 av. J.-C.). Désormais, l'histoire de la Grèce se confond avec celle de l'Empire romain. La conversion de la Grèce au christianisme à partir du Ier s. est un événement capital; en effet, le christianisme va être profondément marqué par la civilisation grecque hellénistique. À partir de 250 env., les cités grecques sont pillées par les Barbares (raid des Goths contre Athènes en 267). Avec l'installation, au IVe s., d'un empire chrétien à Byzance (ville anc. sur l'emplacement de laquelle Constantin fonde Constantinople en 330) commence le déclin de la culture antique. En 395, la Grèce est intégrée à l'empire d'Orient (V. byzantin). La Grèce byzantine est soumise aux invasions barbares (Ve-VIe s.). Dès le VIIe s., les Arabes prennent certaines îles (Chypre, 649; Rhodes, 654). Aux Bulgares, aux Normands (Xe-XIe s.), aux Vénitiens, aux Latins (venus à la suite des croisades) et aux Génois succèdent les Turcs, qui conquièrent la Grèce de 1391 (prise de Gallipoli) à 1461. Jusqu'au XVIIIe s., les Grecs s'accommodèrent de l'occupation turque, parfois très dure. Ils ne purent la rejeter qu'au XIXe s., avec l'aide de la France, de la G.-B. et de la Russie (victoire navale de Navarin, 1827), après une guerre sanglante, commencée en 1821. Le sultan est contraint d'accorder l'auton. au pays en 1829 (traité d'Andrinople). L'indép. est acquise en 1832. La Grèce, érigée en royaume, ne cesse de connaître une grande instabilité politique. Othon Ier (1833-1862), prince allemand, est remplacé par un prince danois, Georges Ier (1863-1913). La Grèce s'agrandit du S. de l'Épire et de la Thessalie (1881) à la suite de la guerre russo-turque. Sa participation aux guerres balkaniques (1912-1913) lui permet d'incorporer la Crète, les Sporades du N., une grande partie de la Macédoine et de l'Épire. En 1917, Venizélos, partisan des Alliés, triomphe de Constantin Ier, partisan des empires centraux. Le roi doit abdiquer en faveur de son second fils, qui devient Alexandre Ier. Par les traités de Sèvres (1919) et de Neuilly (1920), la Grèce reçoit la Thrace et la côte d'Ionie, mais la guerre qu'elle mène contre la Turquie (1920-1922), qui rejette ces traités, est désastreuse; en outre, le pays doit accueillir un million et demi de réfugiés d'Asie Mineure. Constantin Ier, rappelé en 1920, après la mort d'Alexandre Ier, doit abdiquer de nouveau, en 1922, en faveur de son fils aîné Georges II. Puis la république est proclamée, en 1924, provoquant une grande instabilité polit. et écon.; Georges II est rappelé en 1935, mais le pouvoir est en fait exercé par le général Metaxás (1936-1941). La Grèce, envahie par les Italiens (1940) qu'elle met en déroute, puis occupée par les Allemands (1941) et libérée en 1944 par les partisans de l'E.L.A.S., armée populaire grecque de libération, connaît une période de guerre civile intermittente (1944-1949) qui se termine par la victoire des gouvernementaux sur les anciens partisans communistes. Paul Ier succède en 1947 à son frère Georges II

CULTURE DE LA GRÈCE ANTIQUE

ÉPOQUE	ARCHITECTURE	SCULPTURE, PEINTURE ARTS MINEURS	VIE SOCIALE ET INTELLECTUELLE
civilisation minoenne *2400-1400 av. J.-C.* arrivée des Grecs v. 1800-1700	2100-1700 : premiers palais crétois (Cnossos, Phaïstos) 1700-1400 : seconds palais	statuettes, céramique à décor végétal et animalier (vase au poulpe) ; glyptique fresques murales, notam. à Cnossos (*La Parisienne, l'Oiseau bleu*) et à Théra	l'écriture syllabique, dite linéaire A, n'est pas déchiffrée
civilisation mycénienne *1500-1150 av. J.-C.*	palais et villes fortifiées : Mycènes, Tirynthe, Pylos; tombes à coupole (trésor d'Atrée) ; apparition du mégaron : pièce à foyer central	fresques murales; ivoires travail du métal : masques funéraires en or armes à incrustations	l'écriture syllabique, dite linéaire B, est à usage administratif. Elle sert à noter la langue grecque
«Moyen Âge» grec ou **« temps obscurs »** *XIIe-VIIIe s. av. J.-C.*	multiplication des demeures seigneuriales avec mégaron	statues de culte en bois (xoana) statuettes de bronze ivoires céramique à décor géométrique	organisation du monde grec en cités *l'Iliade* et *l'Odyssée* sont rédigées en écriture alphabétique v. 800-750 Hésiode (après 750): *la Théogonie, les Travaux et les Jours*
époque archaïque *VIIIe-Ve s. av. J.-C.* les Grecs fondent des colonies, de la mer Noire à l'Espagne	*en Grèce d'Asie :* temple d'Artémis à Éphèse, d'Héra à Samos *en Grèce :* aménagement des grands sanctuaires: temple d'Héra à Olympie ; temple d'Apollon à Delphes ; les «trésors» des cités	statuaire de pierre : *Dame d'Auxerre* (v. 650), *Héra de Samos* (v. 580), série des kouros et korès technique de la fonte à cire perdue pour les statues de bronze céramique orientalisante (VIIIe-VIe s.) à Rhodes, Corinthe, Athènes ; céramique à figures noires à Corinthe et Athènes (VIIe-VIe s.), puis à figures rouges à Athènes (fin du VIe s.)	usage de la monnaie après 650 *littérature:* Ésope et Sappho (VIIe-VIe s.) Anacréon (VIe s.) *science et philosophie:* Thalès de Milet (VIIe-VIe s.) Pythagore Héraclite d'Éphèse (VIe s.) Parménide (VIe-Ve s.)
époque classique *V^e-IVe s. av. J.-C.* confédération maritime athénienne, dite de Délos (477-404) conquête de la Grèce par le royaume de Macédoine (356-338)	temple de Zeus à Olympie (468-456) travaux de l'Acropole d'Athènes dirigés par Phidias: Parthénon (447-438) Propylées (437-432) Érechthéion (421-406) temple d'Apollon à Bassæ (fin du Ve s.) théâtre d'Épidaure (IVe s.) tholos de Delphes (IVe s.) reconstr. du temple d'Apollon à Delphes (après 366)	*Aurige* de Delphes, en bronze (v. 475), *Discobole* de Myron (1re moitié du Ve s.), *Doryphore* de Polyclète (id.), statue de Poséidon, en bronze, dite de l'Artémision (v. 450) Phidias décore l'Acropole d'Athènes (frise et frontons du Parthénon, 438-432) et réalise les statues chryséléphantines de Zeus à Olympie et d'Athéna pour le Parthénon la céramique attique à figures rouges s'impose au monde méditerranéen après 460, la décoration peinte est dite de «style libre» puis de «style fleuri» sculpture et peinture (notam. sur vases) évoluent vers un art expressionniste, voire passionné : frise du mausolée d'Halicarnasse (Scopas et d'autres), *Aphrodite de Cnide* de Praxitèle (390-330), *Apoxyomène* de Lysippe (390-310)	*littérature :* Pindare (518-438), Eschyle (525-456) Sophocle (495-406), Euripide (480-406) Aristophane (455-386), Hérodote (484-420), Thucydide (465-395), Xénophon (430-355), Isocrate (436-338), Démosthène (384-322) *médecine :* Hippocrate (460-377) *philosophie :* Zénon d'Élée Empédocle d'Agrigente (Ve s.) les sophistes (Protagoras, Gorgias, etc.), Socrate (470-399) Démocrite d'Abdère (460-370) Platon (428-347) Diogène le Cynique (413-327) Aristote (334-322)
période hellénistique *fin du IVe-Ier s. av. J.-C.* conquête de l'Empire perse par Alexandre le Grand (334-323) nombreuses fondations de villes intervention puis conquête romaine (212-30 av. J.-C.)	fondation d'Alexandrie d'Égypte (332) construction du phare et du musée d'Alexandrie d'Égypte (v. 290-280) travaux d'urbanisme dans toutes les grandes villes des royaumes : Alexandrie, Antioche, Séleucie, Pergame, etc. reconstruction des temples anciens : d'Artémis à Magnésie et à Éphèse, d'Apollon à Didymes embellissement des villes anciennes : Athènes (Agora, Olympieion), sanctuaires de Délos	nombreux portraits d'Alexandre le Grand par Lysippe et le peintre Apelle ; le *Colosse de Rhodes*, en bronze, par Charès de Lindos (v. 300) ; production des figurines en terre cuite de Tanagra la multiplication des cités grecques entraîne une production abondante d'œuvres d'art, réalisées parfois en série ; quelques œuvres majeures en émergent : *Victoire de Samothrace* (v. 200), *Vénus de Milo* (v. 125-100) Alexandrie impose ses modèles dans les arts mineurs : orfèvrerie, verrerie, objets décoratifs dans les palais (Pella) et les demeures bourgeoises (Délos), développement de la mosaïque sculpture décorative qui accompagne les grandes réalisations urbaines : bas-reliefs de l'autel de Zeus à Pergame (197-159)	*littérature :* Ménandre (342-292) Callimaque (310-235) Théocrite (315-250) Apollonios de Rhodes (295-230) Polybe (200-120) *philosophie :* Théophraste (372-287) Épicure (341-270) Zénon de Cittium (335-264) Arcésilas (316-241) mécénat des souverains : le musée d'Alexandrie *sciences :* Euclide (IVe-IIIe s.) Aristarque de Samos (310-230) Archimède (287-212) Ératosthène (284-192)
période gréco-romaine *Ier s. av. J.-C.-IIIe s. apr. J.-C.*	Rome poursuit la politique d'urbanisme des rois hellénistiques ; la plupart des monuments sont restaurés ou bâtis à l'époque romaine : Éphèse par ex. Hadrien (117-138) donne à Athènes de nouveaux monuments et un nouveau quartier	Alexandrie demeure un centre international de production d'objets d'art en Égypte et en Phénicie, développement de l'industrie du verre partout des ateliers de sculpture multiplient copies et répliques demandées par l'Occident quelques créations majeures : le groupe de *Laocoon* (v. 50 av. J.-C.) généralisation du décor de fresques et de mosaïques	*littérature :* Plutarque (50-125) Lucien (125-192) *sciences :* Ptolémée (90-168) *philosophie :* Épictète (50-125) Marc Aurèle (121-180) Plotin (205-270)

LA GRÈCE EN 432 AV. J.-C.

Athènes et cités entrant dans sa confédération
Sparte et ses alliés
sanctuaire avec jeux panhelléniques
sanctuaire à l'oracle

100 km

(qui s'est exilé de 1941 à 1946). La Grèce s'accroît en 1947 (traité de Paris) de Rhodes et des autres îles du Dodécanèse perdues par l'Italie. Constantin II, successeur de Paul Ier en 1964, accepte d'abord le coup d'État militaire d'avril 1967 qui fonde le «régime des colonels» mené par Papadopoulos. Puis Constantin II s'exile à la fin de 1967 et, en juillet 1973, la république est proclamée. En 1974, à la suite du conflit chypriote, de la déroute financière et sans doute de pressions extérieures, Caramanlis, appelé au pouvoir, rétablit les libertés et fait approuver la république (référendum de déc.). La consolidation de la démocratie est marquée par une nouvelle Constitution (1975) et l'entrée dans la C.É.E. (1er janv. 1981). En oct. 1981, le PASOK, mouvement socialiste panhellénique, remporte la victoire aux élections législatives, et Andhréas Papandhréou, son leader, devient Premier ministre. Le PASOK est confirmé (élections de juin 1985). Le gouvernement de Papandhréou, compromis par des scandales financiers, perd les élections de 1989 au profit de la Nouvelle Démocratie : son leader, C. Mitsotakis, forme un gouvernement conservateur (1990). De 1991 à 1995, la vie politique grecque est dominée par l'exacerbation de l'hellénisme (problèmes de minorités avec l'Albanie, griefs contre l'ex-république yougoslave sur le droit de porter le nom de Macédoine, regain d'influence turque dans l'aire balkanique). Fondant sa campagne électorale sur ces thèmes, le PASOK remporte les législatives (1993) et A. Papandhréou redevient Premier ministre (1993-1996). Costis Stefanopoulos, élu président de la République (1995), fait appel à Costas Simitis comme Premier ministre (1996).

Grèce centrale, rég. de la Grèce et rég. de la C.E., au N. d'Athènes; 15 549 km²; 563 000 hab.; cap. *Lamía*.

Grèce occidentale, rég. de la Grèce et rég. de la C.E., formée du S.-O. de la Grèce continentale et du N.-O. du Péloponnèse; 11 350 km²; 651 700 hab.; cap. *Patras*.

gréciser v. tr. [1] Didac. Donner une forme grecque à (un mot, un nom).

grécité n. f. Didac. Caractère de ce qui est grec.

gréco-. Élément, du latin *græcus*, «grec».

Greco (Dhominikos Theotokópoulos, dit le) (Candie, auj. Hêraklion, 1541 - Tolède, 1614), peintre espagnol d'origine crétoise. Formé en Italie par Titien et le Tintoret, il travailla à l'Escurial de Madrid puis se fixa à Tolède. Sa peinture est caractérisée par un allongement maniériste des formes; mysticisme et fièvre contemplative animent ses personnages. *L'Enterrement du comte d'Orgaz* (1586, égl. Santo Tomé, Tolède).

le **Greco :** l'*Annonciation*, v. 1575; musée du Prado

Gréco (Juliette) (Montpellier, 1927), chanteuse et actrice française. Interprète, elle fut la «muse» de Saint-Germain-des-Prés après la guerre, avant de triompher au music-hall.

gréco-bouddhique adj. Se dit d'un art de l'Inde (art du Gāndhāra, milieu du Ier s. av. J.-C.) fortement influencé par l'art grec. *Des statues gréco-bouddhiques.*

gréco-latin, ine adj. **1.** Qui tire son origine du grec et du latin. *Mot hybride, d'origine gréco-latine.* **2.** Qui tient des peuples grec et latin. *Les langues gréco-latines.*

gréco-romain, aine adj. **1.** Qui est commun aux Grecs et aux Romains. *Les arts gréco-romains.* **2.** SPORT *Lutte gréco-romaine,* qui n'admet que les prises portées au-dessus de la ceinture et exclut les clés et les coups.

grecque n. f. **1.** ARCHI Ornement formé d'une suite de lignes brisées à angle droit, rentrant sur elles-mêmes et décrivant des portions de carrés ou de rectangles. **2.** TECH En reliure, scie servant à faire des encoches au dos des volumes à coudre; chacune des encoches ainsi pratiquées.

gredin, ine n. **1.** Personne malhonnête, crapule. **2.** (Sens atténué.) Vaurien, fripon. *Petit gredin!*

gredinerie n. f. Vieilli Conduite, action de gredin.

gréement [gʀemɑ̃] n. m. **1.** Ensemble de ce qui est nécessaire pour mettre un navire en état de naviguer. ▷ *Spécial.* Ensemble des voiles, de la mâture et du haubanage d'un voilier. **2.** Disposition des mâts et des voiles. *Gréement de goélette, de yawl. Gréement marconi.*

green [gʀin] n. m. (Anglicisme) Aire gazonnée qui entoure un trou, au golf.

Green (Julien) (Paris, 1900 – *id.*, 1998), écrivain américain d'expression française. Romancier cathol., analyste des conflits entre les passions et la foi : *Mont-Cinère* (1926), *Adrienne Mesurat* (1927), *Léviathan* (1929), *Moïra* (1950) Théâtre : *Sud* (1953). Son *Journal*, entrepris en 1919, a été publié à partir de 1938. Acad. fr. (1971).

Greenberg (Joseph) (New York, 1915), linguiste américain. Il a renouvelé profondément la typologie des langues africaines et amérindiennes ainsi que la réflexion sur les universaux du langage et l'origine des langues.

Greene (Robert) (Norwich, v. 1558 – Londres, 1592), dramaturge et romancier anglais. Son œuvre dramatique (*Frère Bacon et frère Bungay*, v. 1589) se rattache au théâtre élisabéthain.

Greene (Graham) (Great Berkhamstead, 1904 – Vevey, 1991), écrivain anglais. Ses romans mettent en scène des personnages en quête d'absolu : *le Rocher de Brighton* (1938), *la Puissance et la Gloire* (1940), *les Comédiens* (1966).

Greenpeace (« paix verte »), mouvement pacifiste et écologiste international, créé à Vancouver en 1971.

Greenwich, fbg S.-O. de Londres; 200 800 hab. – Anc. observatoire dont le méridien a été adopté comme méridien zéro. En Europe occidentale, le temps légal est le temps civil du méridien de Greenwich (V. encycl. temps). – École navale, dans l'ancien hôpital (XVIIe-XVIIIe s.); musée de la Marine; clipper *Cutty Sark* et voilier *Gipsy Moth IV* (de sir Francis Chichester [1901 – 1972], vainqueur de la première course transatlantique en solitaire en 1960).

gréer [gʀee] v. tr. [11] **1.** Munir (un bateau) de son gréement. ▷ Disposer, mettre en place (un élément du gréement). *Gréer le spinnaker.* – Par ext. *Gréer une ligne de pêche.* **2.** Avoir pour gréement, en parlant d'un bateau. *Un cotre grée une trinquette.*

Grées (Alpes), province romaine, créée au IIe s., aux frontières de la France et de l'Italie, entre le mont Blanc et le mont Thabor.

greffage n. m. Action de greffer; ensemble des opérations effectuées au cours d'une greffe.

1. greffe n. m. Lieu où sont conservées les archives des tribunaux et des cours, où sont déposées les minutes de jugements et où se font les déclarations concernant les procédures.

2. greffe n. f. **1.** Opération qui consiste à insérer une partie vivante d'une plante (œil, branche, bourgeon), appelée *greffon*, dans une autre plante (le *porte-greffe* ou *sujet*) de manière telle que le greffon puisse se développer normalement. *Greffe en fente, par bourgeons.* ▷ La partie insérée, le greffon. **2.** CHIR Transplantation (d'un tissu, d'un organe). ▷ Tissu, organe transplanté.

greffé, ée n. Personne qui a subi une greffe.

greffer 1. v. tr. [1] Insérer (un greffon) sur (un porte-greffe). *Greffer un amandier sur un prunier.* ▷ MED *Greffer un rein, un cœur.* **2.** v. pron. Fig. *Nouvelles lois qui se greffent sur les anciennes.*

greffier, ère n. **1.** Fonctionnaire préposé au greffe. *Les greffiers assistent les magistrats.* **2.** Arg. Chat.

greffon n. m. **1.** Partie d'une plante destinée à être greffée sur une autre. **2.** CHIR Tissu, organe transplanté ou destiné à être transplanté. *Les greffons sont conservés au froid.*

grégaire adj. Qui vit ou se développe en groupe. *Animaux, plantes grégaires.* ▷ *Instinct grégaire* : instinct qui pousse les animaux à former des groupes; fig. instinct qui pousse les individus à adopter les conduites, les opinions du groupe auquel ils appartiennent.

grégarisé, ée adj. Didac. Qui est passé de la phase solitaire à la phase grégaire.

grégarisme n. m. Didac. Tendance à vivre en groupe. ▷ Instinct grégaire.

grège adj. et n. *Soie grège,* brute, telle qu'elle sort du cocon. – n. f. *Des grèges.* ▷ *Par ext.* De la couleur de cette soie (beige clair). – n. m. *Un beau grège.*

grégeois adj. m. HIST *Feu grégeois* : mélange incendiaire composé de soufre, de substances grasses ou résineuses mêlées à du salpêtre, utilisé d'abord par les Byzantins, puis dans tout l'Occident dans les sièges et les combats navals.

Grégoire le Thaumaturge (saint) (Néo-Césarée, Pont, auj. *Niksar,* Turquie, v. 213 – id., 270), évêque de Néo-Césarée. On lui attribue de nombreux miracles.

Grégoire l'Illuminateur (saint) (?, v. 260 – mont Sébon, v. 328), premier patriarche officiel de l'Église d'Arménie (dite *grégorienne*).

Grégoire de Nazianze (saint) (Arianze, Cappadoce, près de l'actuel Gelveri, Turquie, v. 330 – id., v. 390), Père et docteur de l'Église. Il présida le concile œcuménique de Constantinople (381), où il défendit l'orthodoxie contre l'arianisme, puis démissionna.

Grégoire de Nysse (saint) (Césarée de Cappadoce, auj. Kayseri, Turquie, v. 335 – Nysse, auj. Sultanhisar, Turquie, v. 395), Père et docteur de l'Église d'Orient. Son frère, saint Basile, le nomma évêque de Nysse (371). Adversaire de l'arianisme.

Grégoire de Tours (Georges Florent, saint) (Clermont, v. 538 – Tours, v. 594), historien et théologien français; évêque de Tours en 573. Auteur d'une très importante *Histoire des Francs.*

Grégoire, nom porté par plusieurs papes dont : – **Grégoire Ier le Grand** (saint) (Rome, v. 540 – id., 604), pape de 590 à 604, docteur de l'Église. Il s'imposa à Rome comme un souverain; le premier, il fit de l'évêque de Rome celui de toute la chrétienté, supérieur donc aux patriarches orientaux, et s'opposa à la création d'Églises nationales chez les Barbares. – **Grégoire VII** (saint) (Soana, Toscane, v. 1020 – Salerne, 1085), pape de 1073 à 1085, d'abord moine à Cluny sous le nom de Hildebrand. Ouvrant la querelle des Investitures*, il s'opposa à l'empereur Henri IV, qu'il excommunia (1076) et dont il obtint la soumission à Canossa (1077). Mais la lutte reprit et il s'exila à Salerne (1084). – **Grégoire IX** (Ugolino de Segni) (Anagni, v. 1170 – Rome, 1241), pape de 1227 à 1241; il lutta contre l'empereur Frédéric II. Il est auteur d'ordonnances importantes en droit canon. – **Grégoire XIII** (Ugo Boncompagni) (Bologne, 1502 – Rome, 1585), pape de 1572 à 1585; il réforma le calendrier.

Grégoire (Henri dit l'Abbé) (Vého, près de Lunéville, 1750 – Paris, 1831), ecclésiastique et homme politique français. Député aux états généraux de 1789 puis de toutes les assemblées révolutionnaires, évêque constitutionnel de Blois (1791), promoteur de l'abolition de l'esclavage (1794), il s'opposa à l'Empire. Ses cendres ont été transférées au Panthéon en 1989.

Gregori (Johann Gottfried) (XVIIe s.), écrivain russe d'origine allemande. Avec ses drames religieux (*Judith, le Jeune Tobie*) et sa comédie (*Action d'Artaxerxès,* 1672), il est un précurseur du théâtre russe.

grégorien, enne adj. et n. m. Se dit des réformes liturgiques introduites au VIe s. par Grégoire Ier. *Rite grégorien.* ▷ *Chant grégorien* ou, n. m., *le grégorien* : musique liturgique de l'Église romaine, strictement monodique, et utilisant une échelle tonale à six degrés. *Traditionnellement attribuée à Grégoire Ier le Grand, la codification du chant grégorien fut, en fait, beaucoup plus tardive* (entre 680 et 730 env.). ▷ *Calendrier grégorien* : calendrier julien réformé par le pape Grégoire XIII.

Gregory (James) (Aberdeen, 1638 – Édimbourg, 1675), mathématicien et opticien écossais, inventeur d'un télescope à réflexion, qui porte son nom.

Greifswald, v. d'Allemagne, sur la Baltique; 61 390 hab. Centre industr. – Import. université, fondée en 1456.

Greimas (Algirdas Julien) (Toula, Lituanie, 1917 – Paris, 1992), linguiste français d'origine lituanienne. Il est un des fondateurs de l'école sémiotique française : *Du sens* (1970), *Du sens II* (1983).

1. grêle adj. (et n. m.) **1.** Long et menu. *Jambes grêles.* Ant. trapu. **2.** *Par ext.* Aigu et faible (sons). *Voix grêle.* **3.** ANAT *Intestin grêle* ou, n. m., *le grêle* : partie longue et mince de l'intestin, comprise entre le duodénum et le cæcum.

2. grêle n. f. Pluie de petits glaçons (grêlons) de forme arrondie; ces glaçons eux-mêmes. *Récoltes dévastées par la grêle.* ▷ Fig. *Grêle de pierres, de coups, d'injures.*

grêlé, ée adj. **1.** Vieilli Gâté, abîmé par la grêle. *Vigne grêlée.* **2.** Marqué par la variole. *Visage tout grêlé.*

grêler v. impers. [1] *Il grêle* : il tombe de la grêle.

grêlon n. m. Glaçon constitutif de la grêle, formé de couches de glace concentriques.

grelot [gʀəlo] n. m. **1.** Petite boule métallique creuse et percée contenant un morceau de métal libre qui la fait tinter à chaque mouvement. *Collier de chien à grelots.* **2.** Fam. Téléphone. *Donner un coup de grelot.* **3.** Loc. *Attacher le grelot* : prendre l'initiative. ▷ Fam. *Avoir les grelots* : avoir peur, trembler de peur.

grelottant, ante adj. Qui grelotte.

grelottement n. m. **1.** Tremblement. **2.** Tintement de ce qui grelotte (sens 2).

grelotter v. intr. [1] **1.** Trembler. *Grelotter de froid, de fièvre, de peur.* **2.** Tinter comme un grelot.

greluche n. f. Fam. **1.** Vieilli Jeune femme de mœurs légères. **2.** Mod., péjor. Jeune femme sans intérêt, sotte.

greluchon n. m. Fam. Petit jeune homme fade, freluquet.

grémille n. f. Poisson voisin de la perche, appelé aussi *perche goujonnière,* qui habite les rivières à fond de gravier.

Grémillon (Jean) (Bayeux, 1902 - Paris, 1959), cinéaste français. Peintre pudique de destins et de drames « ordinaires » : *Remorques* (1941), *Le ciel est à vous* (1944), *Pattes blanches* (1948), *l'Amour d'une femme* (1953).

grenache n. m. VITIC Cépage noir de Provence et de la vallée du Rhône. ▷ Vin doux issu de ce cépage.

1. grenade n. f. Fruit du grenadier, comestible, globuleux et coriace, renfermant de nombreux grains à pulpe rouge, aigrelets et sucrés.

2. grenade n. f. Projectile explosif, incendiaire, fumigène ou lacrymogène, lancé à la main ou avec un fusil muni d'un tube lance-grenades. *Grenade offensive*, ne projetant pas d'éclats et efficace par effet d'explosion dans un rayon de 8 à 10 m. *Grenade défensive*, quadrillée, projetant des éclats meurtriers à plus de 100 m. ▷ *Grenade sous-marine :* engin explosif utilisé contre les submersibles en plongée. ▷ Insigne de certains corps, figurant une grenade sphérique avec sa mèche allumée stylisée.

Grenade (en esp. *Granada*), v. d'Espagne (Andalousie), sur le Genil; 268 670 hab.; ch.-l. de la prov. du m. nom. Centre agric. et industr. (text., métall., etc.). Tourisme. - Université. Cath. baroque (XVIe et XVIIIe s.) renfermant les tombeaux de Ferdinand II d'Aragon et d'Isabelle la Catholique. Églises du XVIIIe s. (baroques). Palais de Charles Quint (XVIe-XVIIe s.); palais mauresque de l'Alhambra (XIIIe-XIVe s.) et jardins du Generalife. - La ville fut la cap. (1235-1492) d'un royaume arabe fondé au XIe s. Sa conquête par les Rois Catholiques, en 1492, marqua la fin de la Reconquista. ► illustr. **Alhambra**

Grenade (la), État des Petites Antilles, membre du Commonwealth; il est formé de l'île de Grenade et d'une partie des Grenadines mérid.; 344 km²; 115 000 hab.; cap. *Saint George's*. Nature de l'État : république. Langue off. : anglais. Monnaie : dollar des Caraïbes orient. Population : Noirs, métis. Relig. : protestantisme, cathol. L'agriculture (noix de muscade, banane, cacao), la pêche et le tourisme sont les seules ressources du pays. - Découverte par Christophe Colomb (1498), qui la baptisa *Concepción*, l'île de Grenade fut française (1650) puis brit. (de 1762 à 1779 et à partir de 1783). Indépendante en 1974, elle a connu, de 1979 à 1983, une expérience de type castriste, interrompue par une intervention militaire des États-Unis. ► carte **Antilles**

Grenade (Nouvelle-), nom de la Colombie de 1538 à 1819.

1. grenadier n. m. Arbre (*Punica granatum*, fam. punicacées) des pays méditerranéens, à fleurs rouge vif et dont le fruit est la grenade.

2. grenadier n. m. **1.** Soldat spécial. entraîné au lancement des grenades. ▷ *Par ext.* Soldat de corps d'élite de l'infanterie. **2.** Fig., fam., vieilli Homme de grande taille; grande femme d'allure masculine.

grenadille n. f. Fruit d'une liane tropicale (passiflore). Syn. fruit de la Passion.

grenadin, ine adj. et n. De Grenade. ▷ Subst. *Un(e) Grenadin(e).*

grenadine n. f. Sirop à base de jus de grenade.

Grenadines, îlots des Petites Antilles, dépendant de la Grenade et de Saint-Vincent.

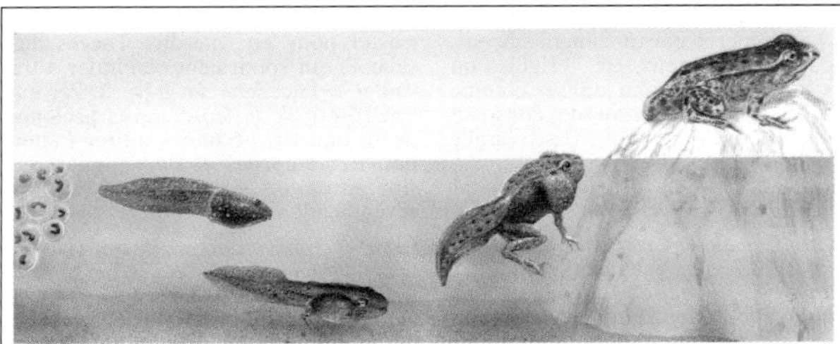

métamorphoses de la **grenouille :** de g.à dr., œufs embryonnés, têtard à branchies externes, têtard à branchies internes, têtard à quatre pattes, grenouille adulte respirant à l'air libre

grenaille n. f. **1.** TECH Métal réduit en menus grains. **2.** Rebut de grain donné aux volailles.

grenaison n. f. AGRIC Formation des graines. *Grenaison du blé.*

grenat [gʀəna] n. m. et adj. inv. **1.** n. m. MINER Silicate métallique double naturel cristallisant dans le système cubique, d'une grande dureté. ▷ Cour. Pierre semi-précieuse recherchée en joaillerie pour sa belle couleur pourpre. **2.** adj. inv. Qui a la couleur rouge sombre du grenat. *Soie grenat.*

Grenchen. V. Granges.

grené, ée adj. (et n. m.) **1.** Rare Réduit en grains. *Tabac grené.* **2.** TECH Qui présente des petits points rapprochés. *Gravure grenée.* ▷ n. m. *Le grené d'un cuir.*

Grenelle, anc. com. de la Seine; réunie à Paris en 1860, elle constitue actuellement un quartier du XVe arrondissement.

grener. V. grainer.

grenier n. m. **1.** Lieu où l'on conserve le grain, et, par ext., le fourrage, le sel. *Les greniers sur pilotis des villages sahéliens.* - Fig. Région fertile en céréales. *La Sicile fut le grenier de Rome.* **2.** Étage le plus élevé d'une maison, sous les combles. ▷ Loc. *De la cave au grenier :* dans toute la maison.

Grenier (Roger) (Caen, 1919), écrivain et journaliste français. Existentialiste, il considère l'aspect dérisoire du destin des individus ou de l'histoire (romans : *les Monstres*, 1953; *le Palais d'Hiver*, 1965). Dans ses drames (*le Silence*, 1961; *la Fiancée de Fragonard*, 1982), il exprime la nostalgie de l'enfance.

grenadier : feuilles, fleur et fruit mûr (grenade)

Grenoble, ch.-l. du dép. de l'Isère, sur l'Isère et le Drac; 153 973 hab. (env. 404 700 hab. dans l'aggl.). Aéroport (*Saint-Geoirs*). - Centre industriel important (métall., constr. méca. et électr., électron., etc.). Centres de recherche nucléaire, électronique et informatique. Marché (MIN). - Évêché. Université. Écoles et institut de recherche scientif. Cath. Notre-Dame (XIIe-XIIIe s., remaniée). Égl. St-André (XIIe s.) et St-Laurent (XIe-XIIe s., avec crypte du VIIIe s.). Hôtel de ville (XVIe s.). Riche musée des Beaux-Arts. Musée Stendhal. Installations des jeux Olympiques d'hiver de 1968.

Grenoble

grenoblois, oise adj. et n. De Grenoble. - Subst. *Un(e) Grenoblois(e).*

grenouillage n. m. Fam., péjor. Lutte d'influence, manœuvres douteuses, combines.

grenouille n. f. **1.** Nom courant de nombreux amphibiens anoures du genre *Rana* (fam. ranidés), animaux sauteurs et nageurs, à peau lisse, tous insectivores. *La grenouille coasse.* **2.** Fig., fam. Tirelire; fonds communs. ▷ Loc. fam. *Manger la grenouille :* s'approprier les fonds qui vous ont été confiés.

grenouiller v. intr. [1] Fam., péjor. Se livrer à des grenouillages.

grenouillère n. f. **1.** Rare Marécage peuplé de grenouilles. **2.** Combinaison pour bébé, dont les chaussons sont solidaires des jambes.

grenu, ue adj. (et n. m.) **1.** BOT Qui porte beaucoup de graines. *Épi grenu.* **2.** PETROG *Roches grenues*, à cristaux visibles (granite notam.). **3.** Marqué de grains, d'aspérités. *Cuir grenu.* - n. m. *Le grenu d'un cuir.*

Grenville (George) (Wotton Hall, Buckinghamshire, 1712 - Londres, 1770), homme politique britannique. Premier ministre (1763-1765), il fit voter la loi du timbre (1765), cause directe de la révolte des colonies américaines.

grès [gʀɛ] n. m. **1.** PETROG Roche détritique formée de grains de nature variable (quartz, feldspath, calcaire, etc.) agglomérés par un ciment siliceux, calcaire, ferrugineux, etc. (Friables ou très durs, les grès sont utilisés comme meules, pavés, matériau de construction.) **2.** Céramique dure à base d'argile et d'un élément siliceux. *Grès flammé*, coloré au feu par des oxydes métalliques. *Grès cérame**.

Grès (Germaine Czerekow, dite Mme) (Paris, 1903 – La Valette-du-Var, 1993), couturière française, elle acquit une grande réputation pour son art du drapé.

gréseux, euse adj. Didac. De la nature du grès. *Terrain gréseux.*

Gresham (sir Thomas) (Londres, 1519 – id., 1579), financier anglais au service d'Élisabeth Ire. Il fonda la Bourse de Londres (Royal Exchange) en 1571.

grésil n. m. Pluie de petits granules formés de glace et de neige.

grésillement n. m. Léger crépitement.

1. grésiller v. impers. [**1**] *Il grésille :* il tombe du grésil.

2. grésiller v. [**1**] **1.** v. tr. Vieilli Faire se racornir, se rétrécir. *Le feu grésille le parchemin.* **2.** v. intr. Crépiter légèrement. *La friture grésille.*

Grésivaudan. V. Graisivaudan.

gressin n. m. Petit pain allongé et croquant.

Gretchaninov (Alexandre Tikhonovitch) (Moscou, 1864 – New York, 1956), compositeur russe à l'œuvre abondante, influencé par le groupe des Cinq (opéras, symphonies, pièces pour piano, musiques de scène).

Gretchko (Andreï Antonovitch) (Godolaïevsk, près de Rostov, 1903 – Moscou, 1976), maréchal soviétique. Commandant en chef des troupes du pacte de Varsovie, il organisa en 1968 l'intervention armée en Tchécoslovaquie. Il fut ensuite nommé ministre de la Défense.

Grétry (André Modeste) (Liège, 1741 – Montmorency, 1813), compositeur français d'origine belge; auteur d'opéras-comiques qui rompirent avec la manière italienne (*Richard Cœur de Lion*, 1784). Il a publié ses *Mémoires* (1789-1797).

Greuze (Jean-Baptiste) (Tournus, 1725 – Paris, 1805), peintre français. Auteur de scènes de genre d'un moralisme pesant *(le Fils puni)*, mais de portraits d'une grande vigueur expressive *(Sophie Arnould)*.

1. grève n. f. **1.** Plage de gravier, de sable, le long de la mer ou d'un cours d'eau. **2.** Banc de sable qui se déplace.

2. grève n. f. **1.** Cessation de travail concertée pour la défense d'intérêts communs à un groupe professionnel, à des salariés. *Grève générale. Grève surprise*, sans préavis. *Grève sauvage*, décidée directement par les salariés sans mot d'ordre syndical. *Grève tournante*, qui affecte successivement les divers ateliers d'une usine, les divers départements d'une grande entreprise. *Grève sur le tas*, qui s'accompagne de l'occupation des lieux de travail par les grévistes. *Grève du zèle*, qui consiste à faire son travail en appliquant tous les règlements à la lettre, pour en ralentir le plus possible l'exécution. *Grève perlée :* succession concertée d'interruptions ou de ralentissements de l'activité d'une entreprise à un stade de la production. ▷ *Piquet de grève :* groupe de grévistes placé à l'entrée d'un lieu de travail pour en interdire l'accès aux salariés qui voudraient continuer à travailler. ▷ Loc. *Faire (la) grève.* **2.** Par ext. Loc. *Grève de la faim :* refus prolongé de se nourrir, destiné à attirer l'attention des autorités et de l'opinion sur une situation dramatique, sur des revendications, etc.

Grève (place de), nom que portait avant 1806 (par allusion à la berge de la Seine) une partie de l'actuelle place de l'Hôtel-de-Ville de Paris, où avaient lieu les exécutions capitales et où se réunissaient les ouvriers à la recherche de travail.

grever v. tr. [**16**] Soumettre à des charges financières, à des servitudes. *Frais de fonctionnement qui grèvent un budget. Maison grevée d'hypothèques.*

Grévin (musée), galerie de figures de cire (personnages historiques et de l'actualité) créée en 1882 par le caricaturiste *Alfred Grévin* (Épineuil, Yonne, 1827 – Saint-Mandé, 1892), située boulevard Montmartre, à Paris.

Grevisse (Maurice) (Rulles-en-Gaume, Hainaut, 1895 – La Louvière, 1980), grammairien belge; auteur d'une grammaire normative et descriptive du français : *le Bon Usage* (1936, nombr. éditions).

gréviste n. et adj. Personne qui fait grève.

Grévy (Jules) (Mont-sous-Vaudrey, Jura, 1807 – id., 1891), homme politique français. Président de l'Assemblée nationale (1871-1873), président de la République en 1879, réélu en 1885, il dut se démettre en 1887 («scandale des décorations», dont son gendre, Wilson, avait fait trafic).

Grey (lady Jane). V. Jeanne Grey.

Grey (Charles, comte) (Fallodon, Northumberland, 1764 – Howick House, Northumberland, 1845), homme politique britannique. Premier ministre (1830-1834), il fit voter la réforme électorale de 1832 et l'abolition de l'esclavage dans les colonies de la Couronne.

Griaule (Marcel) (Aisy-sur-Armançon, 1898 – Paris, 1956), ethnologue français. Il dirigea notam. la mission Dakar-Djibouti (1931-1933) et se spécialisa dans l'étude des Dogons : *Masques dogons* (1938), *Dieu d'eau* (1948).

Gribeauval (Jean-Baptiste Vaquette de) (Amiens, 1715 – Paris, 1789), ingénieur et général français. Il fit de l'artillerie française la première d'Europe. Il mit au point de nouveaux canons, utilisés de 1792 à 1815.

gribiche adj. CUIS *Sauce gribiche :* sauce vinaigrette additionnée d'œuf dur écrasé, de fines herbes, de câpres et de cornichons.

Griboïedov (Alexandre Sergueïevitch) (Moscou, 1795 – Téhéran, 1829), diplomate et écrivain russe. Dans ses vers et ses marivaudages, il dénonce la triste réalité russe. Sa comédie satirique *le Malheur d'avoir trop d'esprit* (1824) est considérée comme l'ancêtre du grand théâtre russe.

gribouillage ou **gribouillis** n. m. **1.** Dessin informe fait de lignes tracées au hasard. ▷ Par ext. Péjor. Dessin grossier, maladroit. **2.** Écriture mal formée.

Gribouille, personnage imaginaire, symbole de la maladresse brouillonne. ▷ Prov. *Il fait comme Gribouille, il se jette à l'eau par peur de la pluie.* ▷ Loc. fam. *La politique de Gribouille*, qui aboutit à *la situation catastrophique qu'elle prétend éviter.*

gribouiller v. [**1**] **1.** v. intr. Faire des gribouillages (sens 1). **2.** v. tr. Dessiner ou écrire grossièrement. *Gribouiller une caricature.* Syn. griffonner.

gribouilleur, euse n. Personne qui gribouille. – Mauvais écrivain, mauvais peintre.

gribouillis. V. gribouillage.

grièche. V. pie-grièche.

grief [gʀijɛf] n. m. Motif de plainte. *Exposer ses griefs.* ▷ Loc. *Faire grief de qqch à qqn*, le lui reprocher.

Grieg (Edvard) (Bergen, 1843 – id., 1907), compositeur norvégien. Il subit l'influence de Mendelssohn et s'inspira des airs populaires de son pays : *Danses et chansons norvégiennes* (1870), *Pièces lyriques* pour piano (1867-1901), musique de scène pour *Peer Gynt* d'Ibsen (1876).

grièvement adv. Gravement. *Être grièvement blessé.*

griffe n. f. **1.** Ongle acéré et crochu de certains animaux (reptiles, oiseaux, mammifères). *Les griffes rétractiles du chat. Coup de griffe :* griffure; fig. critique blessante. ▷ Loc. fig. *Tomber dans les griffes de qqn.* – *Rogner les griffes de qqn*, l'empêcher de nuire. ▷ MED *Maladie des griffes du chat :* maladie infectieuse consécutive à une griffure de chat, caractérisée par une atteinte ganglionnaire (*lymphoréticulose*). **2.** BOT Souche fasciculée composée de racines courtes et charnues. *Griffes d'asperge.* **3.** TECH Outil, ustensile en forme de griffe. *Griffe de tapissier.* **4.** ARCHI Ornement reliant la base d'une colonne à son socle. **5.** Empreinte imitant une signature; instrument pour exécuter cette empreinte. – Marque commerciale apposée sur un objet. *La griffe d'un grand couturier.* – Fig. Marque caractéristique de qqn. *Ce tableau porte la griffe du maître.*

griffé, ée adj. Qui porte la griffe du créateur ou du vendeur. *Vêtement griffé.*

griffer v. tr. [**1**] Égratigner avec les griffes ou les ongles. *Le chat l'a griffé.* – Pp. adj. *Sortir des ronces les jambes griffées.*

Griffith (Arthur) (Dublin, 1872 – id., 1922), homme politique irlandais. Il fonda le mouvement Sinn Fein (1902) et participa à la lutte nationaliste jusqu'à sa mort.

Griffith (David Wark) (Floydsfork, auj. Crestwood, Kentucky, 1875 – Los Angeles, 1948), cinéaste américain. Il contribua puissamment (travelling, retour en arrière, lumière artificielle) à libérer l'art cinématographique des

David Wark **Griffith :** *la Chute de Babylone*, un des quatre épisodes d'*Intolérance*, 1916

conventions théâtrales. Ses chefs-d'œuvre, *Naissance d'une nation* (1915) et *Intolérance* (1916), qui décidèrent de la vocation d'Eisenstein, furent suivis de nombr. œuvres : *le Lys brisé* (1919) et *la Rue des rêves* (1921), mais il ne fit que deux films parlants.

griffon n. m. **1.** Animal fabuleux, lion ailé à bec et à serres d'aigle. **2.** Endroit où jaillit une source d'eau minérale (par allus. aux robinets des sources, ornés de figures de griffons). **3.** Chien de chasse ou d'agrément à poil long. **4.** Vautour fauve. ► pl. **chiens**

griffonnage n. m. **1.** Écriture difficile à lire. **2.** Écrit hâtif et maladroit.

griffonner v. tr. [**1**] **1.** Écrire mal, peu lisiblement. – Dessiner grossièrement. *Griffonner un schéma.* Syn. gribouiller. **2.** Rédiger à la hâte. *Griffonner quelques lignes.*

griffu, ue adj. Armé de griffes. *Doigts griffus.* – Fig *Arbres griffus.*

griffure n. f. **1.** Blessure, éraflure causée par une griffe. **2.** Égratignure.

Grignan, ch.-l. de cant. de la Drôme (arr. de Nyons); 1 304 hab. – Église du XVIe s. renfermant le tombeau de Mme de Sévigné. Château (XVIe s., restauré déb. XXe s.) où elle mourut; résidence de sa fille Françoise Marguerite (Paris, 1646 – Mazargues, 1705), épouse (1669) du comte de Grignan.

Grignard (Victor) (Cherbourg, 1871 – Lyon, 1935), chimiste français. Il découvrit les composés organiques contenant au moins une liaison carbone-magnésium, importants réactifs en chimie organique. P. Nobel 1912.

grigner v. intr. [**1**] TECH Goder, faire des faux plis (étoffes).

Grignion de Montfort. V. Louis-Marie Grignion de Montfort (saint).

Grignon (école de), École nationale supérieure agronomique fondée à Thiverval-Grignon (Yvelines) en 1826; le plus ancien établissement d'enseignement supérieur agricole.

Grignon (Claude Henri) (Sainte-Adèle, Québec, 1894 – id., 1976), écrivain canadien d'expression française; pamphlétaire et romancier réaliste : *Un homme et son péché* (1933).

grignotage n. m. **1.** Syn. de *grignotement.* **2.** POLIT Action d'attaquer, de prendre du terrain par usure.

grignotement n. m. Action de grignoter; bruit produit par cette action. Syn. grignotage.

grignoter v. tr. [**1**] **1.** Manger en rongeant. ▷ Manger par très petites quantités, lentement. *Grignoter un sandwich.* ▷ (Sans compl.) *Elle grignote sans arrêt.* **2.** Fig. Diminuer, détruire peu à peu. *Grignoter son héritage.* **3.** Fig., fam. Rattraper, gagner peu à peu. *Ce coureur a réussi à grignoter quelques secondes à son adversaire.*

Grigny, com. du Rhône (arr. de Lyon), sur le Rhône; 7 537 hab. Industr. alim. Mat. de construction.

Grigny, ch.-l. de cant. de l'Essonne (arr. d'Évry); 24 969 hab. – Grand ensemble de La Grande-Borne, par l'architecte É. Aillaud.

Grigny (Nicolas de) (Reims, 1672 – id., 1703), organiste et compositeur français; le plus grand maître d'orgue du règne de Louis XIV.

grigou n. m. Fam. Avare. *Vieux grigou.*

gri-gri, grigri ou **gris-gris** n. m. Amulette, talisman, en Afrique noire. – *Par ext.* Porte-bonheur quelconque. *Des gris-gris* ou *des grigris.*

Grijalva (Juan de) (Cuéllar, Vieille-Castille, fin XVe s. – en Amérique centrale, 1527), navigateur espagnol. Il explora la côte du Yucatán (1518).

gril [gʀil] n. m. **1.** Ustensile de cuisine composé de tiges de métal parallèles ou d'une plaque en fonte striée sur lesquelles on fait rôtir la viande, le poisson. *Côtelettes sur le gril.* **2.** Anc. Grille de fer sur laquelle on étendait un condamné pour le brûler. – Loc. fig., fam. *Être sur le gril :* être angoissé, anxieux. **3.** TECH Claire-voie en amont d'une vanne d'écluse. **4.** Plafond de théâtre à claire-voie pour le passage des décors. **5.** MAR Plate-forme de carénage à claire-voie.

grill [gʀil] n. m. Abrév. de *grill-room.*

grillade n. f. **1.** Manière d'apprêter la viande ou le poisson en les grillant. **2.** Viande grillée.

1. grillage n. m. Treillis métallique. *Clôturer un jardin avec du grillage.*

2. grillage n. m. **1.** Action de griller. *Grillage du café.* **2.** METALL Opération consistant à chauffer un minerai en présence d'air sans le fondre. **3.** TECH Action de passer une étoffe à la flamme pour en éliminer le duvet.

grillager v. tr. [**13**] Garnir d'un grillage.

grille n. f. **1.** Assemblage à claire-voie de barreaux servant de clôture, de séparation dans un édifice, etc. *La grille du parloir, d'un couvent, d'une prison. Ouvrir la grille.* ▷ Loc. *Être derrière les grilles :* être en prison. **2.** Châssis métallique à claire-voie sur lequel on dispose le combustible d'un foyer de fourneau, de chaudière, etc. **3.** ELECTRON Électrode d'un tube électronique qui, placée entre l'anode et la cathode, permet de régler le flux d'électrons. **4.** Carton ajouré et, par ext., document de référence (tableau, etc.) servant à coder ou à décoder un message, à exploiter les résultats d'un test. **5.** Support, tableau quadrillé. *Grille de mots croisés.* ▷ *Grille des programmes de radio, de télévision,* tableau représentant le détail, heure par heure, des programmes. ▷ *Grille de salaires :* tableau des salaires des différentes catégories de personnel d'une entreprise.

grille-pain n. m. inv. Appareil servant à faire griller des tranches de pain.

1. griller v. tr. [**1**] CONSTR Protéger, fermer au moyen d'une grille. *Griller des fenêtres.*

2. griller v. [**1**] **I.** v. tr. **1.** Rôtir sur le gril. *Griller du poisson.* – Cuire sur la braise. *Griller des marrons.* – Torréfier. *Griller du café.* – TECH Soumettre au grillage. *Griller du minerai.* **2.** Chauffer vivement. *Le soleil lui grillait la peau.* – Dessécher. *Les vents grillaient la végétation.* Syn. brûler. **3.** Fam. *Griller une cigarette,* la fumer. **4.** Mettre hors d'usage (un appareil électrique) en l'utilisant sous une tension trop forte, en l'utilisant trop longtemps, etc. *Griller une lampe.* – Par ext. Fam. *Griller un moteur.* **5.** Fig., fam. Dépasser sans s'arrêter. *Griller un feu rouge. Griller les étapes.* – Supplanter. *Griller un adversaire.* **6.** Démasquer. Syn. brûler (sens I, 5). **II.** v. intr. **1.** Cuire, rôtir sur un gril. *Les marrons grillent.* ▷ Fig. Avoir très chaud. *On grille ici.* **2.** Fam. Être mis hors d'usage après avoir été utilisé sous une tension trop forte (appareil électrique) ou trop longtemps. *Le fer électrique a grillé.* **3.** Fig. *Griller de :* être très désireux, impatient de. *Il grillait de tout lui raconter. Griller d'impatience.* Syn. brûler (sens II, 3).

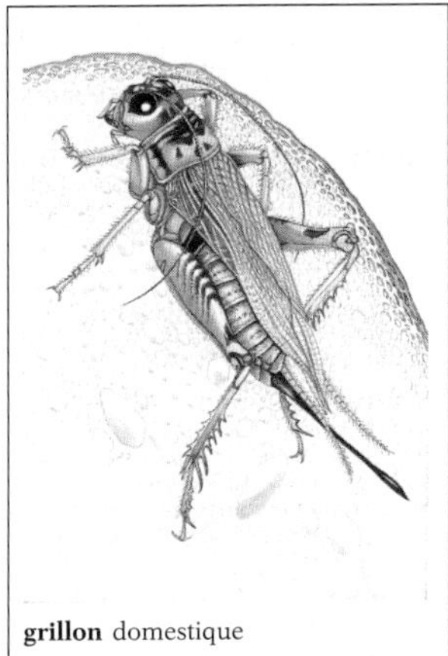

grillon domestique

grillon n. m. Insecte orthoptère (genre *Gryllus*), carnivore, sauteur, long de 3 cm, à grosse tête. *Le grillon mâle stridule en frottant ses élytres l'un contre l'autre.*

Grillparzer (Franz) (Vienne, 1791 – id., 1872), écrivain autrichien. Il fut influencé par Goethe et Schiller : *la Toison d'or* (trilogie, 1818-1821), *les Vagues de la mer et de l'amour* (1831), *la Juive de Tolède* (1855).

grill-room [gʀilʀum] n. m. (Anglicisme) Vieilli Restaurant, salle d'un restaurant où l'on sert des grillades, généralement préparées sous les yeux des clients. *Des grill-rooms.* (Abrév. : grill).

grimaçant, ante adj. Qui grimace. *Un visage grimaçant.*

grimace n. f. **1.** Contorsion du visage. – Loc. fig. *Faire la grimace :* marquer du déplaisir. **2.** Faux pli d'une étoffe, d'un habit. **3.** Plur. Fig. Manières feintes, affectées. *Les grimaces de la politesse.*

grimacer v. [**12**] **I.** v. intr. **1.** Faire des grimaces. **2.** Faire des faux plis. *Corsage qui grimace.* **II.** v. tr. *Grimacer un sourire :* sourire de mauvaise grâce.

grimacier, ère adj. et n. **1.** Qui fait des grimaces. **2.** Fig., vieilli Qui minaude.

grimage n. m. Action de grimer; son résultat.

Grimaldi, grottes italiennes voisines de Menton, site préhistorique. ▷ PREHIST *Type de Grimaldi : Homo sapiens* trouvé en ce lieu, dont le crâne, très dolichocéphale, a un prognathisme marqué.

Grimaldi, famille génoise apparue au XIIe s. et dont descendent les princes de Monaco.

Grimault (Paul) (Neuilly-sur-Seine, 1905 – Le Mesnil-Saint-Denis, Yvelines, 1994), réalisateur français de dessins animés poétiques : *la Bergère et le Ramoneur* (1947-1953), *le Petit Soldat* (1949), *le Roi et l'Oiseau* (1979).

Grimbergen, com. de Belgique (Brabant), dans la banlieue de Bruxelles; 32 040 hab. Industr. chim. – Abb. de prémontrés, égl. baroque.

grimer v. tr. [**1**] Maquiller, farder (un acteur).

Grimm (Melchior, baron de) (Ratisbonne, 1723 – Gotha, 1807), écrivain allemand; ami de Diderot, de

Mme d'Épinay et de J.-J. Rousseau, avec lequel il se brouilla. Sa *Correspondance littéraire* (1754-1773) informait les souverains étrangers sur la vie intellectuelle à Paris.

Grimm (Jacob) (Hanau, 1785 - Berlin, 1863), philologue et écrivain allemand. En collab. avec son frère **Wilhelm** (Hanau, 1786 - Berlin, 1859), il étudia les vieilles légendes allemandes et publia un recueil de *Contes d'enfants et du foyer* (1812), ainsi qu'une très importante *Histoire de la langue allemande* (1848).

Grimmelshausen (Hans Jakob Christofell von) (Gelnhausen, v. 1620 - Renchen, Bade, 1676), écrivain allemand. *La Vie de l'aventurier Simplicius Simplicissimus* (1669) est une sorte de roman picaresque sur la guerre de Trente Ans.

Grimoald (m. à Paris, 656), maire du palais d'Austrasie à partir de 642, fils de Pépin de Landen.

Grimod de La Reynière (Alexandre) (Paris, 1758 - Villiers-sur-Orge, 1838), gastronome français, éditeur de l'*Almanach des gourmands ou Calendrier nutritif* (1803-1812), fondateur du *Jury dégustateur.*

grimoire n. m. **1.** Livre de sorcellerie. *Consulter les antiques grimoires.* **2.** Ouvrage confus et illisible. *Comment déchiffrer ce grimoire ?*

grimpant, ante adj. (et n. m.) **1.** adj. Qui grimpe. *Les animaux grimpants.* ▷ *Plante grimpante,* dont la tige grêle, très longue, s'appuie sur divers supports auxquels elle s'accroche par des vrilles, des crampons, des racines, etc. *Le lierre, la vigne, les liserons sont des plantes grimpantes.* **2.** n. m. Arg. Pantalon.

grimpe n. f. Arg. (des sportifs) Escalade.

grimpée n. f. **1.** Montée d'une côte. **2.** Route, chemin, rue très en pente.

1. grimper v. [1] **I.** v. intr. **1.** Monter en s'aidant des pieds et des mains. *Grimper dans un arbre.* **2.** Monter (jusqu'en un lieu élevé). *Il grimpa au sommet de la colline.* ▷ Se jucher, monter. *Il grimpa sur une chaise pour atteindre le placard.* **3.** (En parlant de certaines plantes.) *Lierre qui grimpe le long d'un mur.* **4.** (Choses) Présenter une pente raide. *Rues qui grimpent.* **5.** Fig. Augmenter rapidement et fortement. *Les cours ont grimpé au maximum en une journée.* **II.** v. tr. Gravir. *Il grimpa les étages en courant.* ▷ Fig., fam. *Grimper au rideau :* se mettre en colère, prendre la mouche.

2. grimper n. m. Exercice par lequel on grimpe à la corde ou aux agrès.

grimpette n. f. **1.** Chemin court qui grimpe fort. **2.** Fam. Action de grimper.

grimpeur, euse adj. et n. **1.** adj. Qui grimpe. **2.** n. m. pl. ORNITH Vx *Les grimpeurs :* ordre d'oiseaux ayant à chaque patte deux doigts vers l'avant et deux vers l'arrière, leur permettant de grimper aux arbres. (Ils sont divisés auj. en psittaciformes, piciformes et cuculiformes.) **3.** n. SPORT Personne qui pratique l'escalade. - Coureur cycliste qui monte bien les côtes dures et longues, en montagne.

Grimsby, v. et princ. port de pêche de la G.-B. (Humberside), sur l'estuaire de la Humber; 92 150 hab. Constr. navales, raff. de pétrole.

Grimsel, col des Alpes bernoises (2 164 m), entre les hautes vallées du Rhône et de l'Aar.

grinçant, ante adj. Qui grince. ▷ Fig. Amer, irrité. *Un ton grinçant.*

grincement n. m. Fait de grincer; bruit ainsi produit. *« Il y aura des pleurs et des grincements de dents »* (allusion à l'enfer, Évangile selon saint Matthieu).

grincer v. intr. [12] Produire par frottement un bruit strident et désagréable. *La porte grince. Grincer des dents :* faire frotter ses dents du bas contre celles du haut (par rage, douleur ou nervosité).

grincher v. intr. [1] Fam., vieilli Se plaindre avec mauvaise humeur.

grincheux, euse adj. et n. Fam. Grognon, revêche. *Enfant grincheux.* - n. *Un perpétuel grincheux.*

Grindelwald, com. de Suisse (Berne); 3 500 hab. Tourisme.

gringalet n. m. Péjor. Homme petit et fluet. - adj. D'aspect chétif.

gringo [gʀingo] n. m. Péjor. En Amérique latine, Nord-Américain.

Gringore (Pierre) (Thury-Harcourt, Normandie, v. 1475 - en Lorraine, v. 1538), poète dramatique français : *le Jeu du prince des Sots et de la mère Sotte* (sotie, 1512). Gringore a inspiré le personnage de Gringoire de *Notre-Dame de Paris* de Victor Hugo.

gringue n. m. (En loc.) Fam. *Faire du gringue à :* faire la cour à, tenter de séduire par des galanteries.

griot, ote n. Membre de la caste des poètes musiciens, dépositaires des traditions orales, en Afrique de l'Ouest.

griotte n. f. **1.** Petite cerise noire aigre. **2.** PETROG Marbre rouge cerise tacheté de brun.

grip n. m. **1.** Revêtement antiglisse d'une partie d'un ustensile, d'un appareil. **2.** Position des mains sur un club de golf.

grippage n. m. **1.** TECH Adhérence anormale de surfaces métalliques. **2.** Fig. Défectuosité d'un mécanisme, d'un fonctionnement.

grippal, ale, aux adj. MED Relatif à la grippe. *Virus grippal.*

grippe n. f. **1.** Vx Caprice. ▷ Loc. mod. *Prendre en grippe :* avoir de l'aversion, de l'antipathie pour. **2.** Maladie infectieuse, épidémique, contagieuse, caractérisée par de la fatigue, de la fièvre, des douleurs musculaires, des troubles pulmonaires et parfois digestifs. ▶ illustr. **virus**

gripper v. intr. [1] TECH Adhérer, se bloquer, en parlant des pièces d'une machine. *Le moteur grippe* (ou, v. pron., *se grippe*).

grippe-sou adj. et n. m. Fam. Se dit d'un avare qui fait de petits gains sordides; ladre. - n. m. *Des grippe-sou(s).*

gris, grise [gʀi, gʀiz] adj. et n. m. **I.** adj. **1.** D'une couleur résultant d'un mélange de blanc et de noir. *Cheveux gris.* ▷ *Temps gris,* brumeux, couvert. *Il fait gris.* ▷ ANAT *Substance grise,* constituant notam. l'écorce cérébrale et la partie centrale de la moelle épinière. - Par ext. Fig., fam. *Matière grise :* intelligence, réflexion. *Faire travailler sa matière grise.* **2.** Fig. Terne, triste, maussade. - Loc. *Faire grise mine. Voir tout en gris.* **3.** Fig. *Être gris :* être à moitié ivre. **II.** n. m. Couleur grise. *Le gris clair est salissant. Gris fer. Gris perle. Gris souris.*

Gris (José Victoriano González, dit Juan) (Madrid, 1887 - Boulogne-sur-Seine, 1927), peintre espagnol; un des principaux représentants du cubisme avec Braque et Picasso.

grisaille n. f. **1.** Bx-A Peinture ne comprenant que des tons gris. **2.** Fig. Caractère de ce qui est gris, terne, morne. *La grisaille quotidienne.*

grisant, ante adj. Qui grise. *Parfum, succès grisant.*

grisâtre adj. Qui tire sur le gris.

grisbi n. m. Arg. vieilli Argent.

grisé n. m. TECH Teinte grise donnée à un dessin, une gravure, etc.

griser v. tr. [1] **1.** Rendre gris, colorer de gris. **2.** Enivrer. *Ce vin m'a grisé.* ▷ v. pron. *Se griser au champagne.* **3.** Fig. Étourdir ou exciter. *Le succès l'a grisé.* ▷ v. pron. S'exalter. *Se griser de paroles.*

griserie n. f. **1.** État comparable à une légère ivresse. *La griserie provoquée par la vitesse.* **2.** Fig. Exaltation qui émousse la faculté de juger. *La griserie de la gloire.*

grisette n. f. **1.** Vx Étoffe ordinaire de couleur grise. **2.** Vieilli Jeune ouvrière coquette et galante, mais non vénale. **3.** BOT Amanite dépourvue d'anneau, au pied mince et long, à chapeau gris, comestible cuit.

gris-gris. V. gri-gri.

Grisi (Giuditta) (Milan, 1805 - Robecco d'Oglio, 1840), cantatrice italienne, célèbre à l'égal de sa sœur **Giulia** (Milan, 1811 - Berlin, 1869). - **Carlotta** (Visinada, Istrie [auj. Višnada, Croatie], 1819 - Saint-Jean, près de Genève, 1899), cousine des préc.; danseuse, elle s'illustra dans le ballet romantique (création de *Giselle,* 1841).

Gris-Nez (cap), cap du Pas-de-Calais, à 34 km des côtes anglaises. Falaises. Phare.

grisoller v. intr. [1] Chanter (en parlant de l'alouette).

1. grison, onne adj. et n. **1.** adj. Du canton suisse des Grisons. ▷ Subst. *Un(e) Grison(ne).* **2.** n. m. Langue romanche parlée dans les Grisons.

2. grison n. m. Litt. Âne. *Monté sur un grison.*

grisonnant, ante adj. Qui grisonne. *Tempes grisonnantes.*

grisonner v. intr. [1] Devenir gris (en parlant de la barbe, des cheveux). - Avoir la barbe, les cheveux qui deviennent gris. *Commencer à grisonner.*

Grisons (les) (en all. *Graubünden*), le plus grand des cantons suisses (entré

Juan **Gris** : *Arlequin à la guitare,* 1919; MNAM

dans la Confédération en 1803 seulement), au S.-E. du pays; 7 109 km²; 172 560 hab.; ch.-l. *Coire*. Langues : all., ital., romanche. Cette rég. de montagnes et de hautes vallées a pour princ. ressources le tourisme (Saint-Moritz, Davos, etc.), ainsi que la production hydroélectrique. ▷ *Viande des Grisons* : viande séchée, servie en tranches très fines.

grisou n. m. Méthane libéré par la houille. – Loc. *Coup de grisou* : explosion du grisou.

Grivas (Georgios) ou **Ghrívas** (Ghéorghios) (Trikomo, Chypre, 1898 – Limassol, Chypre, 1974), général et homme politique grec. Ses actions de terrorisme ont aidé à l'indépendance de Chypre; après 1959, il lutta pour l'*enôsis* (ou « union » avec la Grèce) et s'opposa souvent à Mgr Makários III.

grive n. f. Oiseau passériforme long d'environ 25 cm, aux ailes brunes, à la poitrine blanche tachetée de noir, qui appartient au même genre *(Turdus)* que le merle. – Prov. *Faute de grives, on mange des merles* : faute d'avoir ce que l'on aime le mieux, on se contente de ce que l'on a.

grive draine capturant un ver

Grivegnée, anc. com. de Belgique (auj. intégrée à Liège), sur l'Ourthe. Sidérurgie.

grivelé, ée adj. Rare Tacheté de noir et de blanc, comme le poitrail de la grive.

grivèlerie n. f. DR Délit consistant à se faire servir par un restaurateur, un cafetier que l'on ne pourra pas payer.

grivois, oise adj. Jovial et licencieux. *Humeur grivoise. Conte grivois.* Syn. égrillard.

grivoiserie n. f. Caractère de ce qui est grivois; propos, acte grivois.

grizzly ou **grizzli** [grizli] n. m. Grand ours gris *(Ursus horribilis)* des montagnes Rocheuses.

Grock (Adrien Wettach, dit) (Loveresse, près de Reconvilier, 1880 – Imperia, Italie, 1959), clown suisse de renommée internationale, excellent musicien.

Groddeck (Walter Georg, dit Georg) (Bad Kösen, 1866 – Zurich, 1934), médecin et psychanalyste allemand. Un des précurseurs de la médecine psychosomatique, il mit en évidence le rôle des facteurs psychiques dans les maladies organiques (*le Livre du Ça*, 1923).

Grodno, v. de Biélorussie, sur le Niémen; 247 000 hab.; ch.-l. de la prov. du m. nom. – En 1793, la Diète polonaise y signa un traité avec la Russie (second partage de la Pologne).

grœnendael [grœnɛndal] n. m. Chien de berger belge à poil long.

Groenland (en danois *Grønland*, « pays vert »; en esquimau *Kalaallit Munaat*), État autonome dépendant du Danemark, situé au N.-E. de l'Amérique; 2 175 600 km² (2 650 km de long, 1 200 km de large), la plus grande île du monde après l'Australie; 49 630 hab. (Esquimaux, en grande partie métissés, et Danois); cap. *Nuuk* (anc. *Godthåb*). C'est un vaste plateau, couvert, sauf au S. et au S.-O., de glace (inlandsis) d'une épaisseur moyenne de 1 500 m. Princ. ressource : la pêche; le sous-sol est riche notam. en zinc, en plomb, et sans doute en uranium et en pétrole. – L'île fut découverte en 982 par l'Islandais Erik le Rouge et colonisée dans le S.-O. par les Norvégiens, tandis que les Esquimaux l'abordaient par le N.-O. « Oubliée » et redécouverte en 1578 par l'Anglais Martin Frobisher, explorée après 1721 par le missionnaire danois Hans Egede, elle devint une colonie danoise en 1814. Explorée scientifiquement depuis 1870, elle est le siège de deux bases américaines, dont la principale est Thulé (accord de 1951 entre les É.-U. et le Danemark). En 1953, le statut colonial fut aboli, le Groenland devenant alors une prov. danoise. Le pays a ensuite demandé à bénéficier de l'autonomie interne, laquelle lui fut accordée le 1er mai 1979, à l'issue d'un référendum (la défense et la politique extérieure restent du ressort du Danemark). Le premier Parlement groenlandais a été élu en juin 1984. Après référendum (1982), le pays s'est retiré de la C.É.E. en fév. 1985.

groenlandais, aise adj. et n. **1.** adj. Du Groenland. *Esquimaux groenlandais.* **2.** n. m. Langue esquimaude parlée au Groenland.

grog [grɔg] n. m. Boisson composée de rhum ou d'eau-de-vie, d'eau chaude sucrée et de citron.

groggy [grɔgi] adj. inv. (Anglicisme) Se dit d'un boxeur qui a perdu en partie conscience. – *Par ext.*, fam. Ébranlé par un choc physique ou moral; très fatigué.

grognard, arde adj. et n. m. **1.** Vieilli Bougon. **2.** n. m. HIST Soldat de la Vieille Garde sous le Premier Empire.

grognasse n. f. Vulg., péjor. Femme vulgaire, laide et acariâtre. ▷ *Par ext.* Femme.

grogne n. f. Fam. Mauvaise humeur, mécontentement.

grognement n. m. **1.** Cri du porc, du sanglier, de l'ours, etc. **2.** Grondement indistinct que fait entendre une personne qui grogne. *Des grognements de colère.* – Protestation, paroles de mécontentement.

grogner v. intr. [1] **1.** Pousser son cri (en parlant du porc, du sanglier, de l'ours, etc.). ▷ Par ext. *Chien qui grogne*, qui fait entendre un grondement sourd. **2.** Exprimer son mécontentement par des paroles plus ou moins désagréables. *Il grogne, mais il obéit.*

grognon, onne adj. et n. (Rare au fém.) Qui a l'habitude de grogner, maussade. *Enfant grognon.* ▷ n. *Un(e) grognon.*

groin n. m. Museau du porc, du sanglier.

Groix (île de), île de Bretagne (Morbihan, arr. de Lorient), constituant un cant. d'une seule com. (Groix); 15 km²; 2 485 hab. Pêche au thon. Tourisme.

grole ou **grolle** n. f. Arg. Chaussure.

Gromaire (Marcel) (Noyelles-sur-Sambre, 1892 – Paris, 1971), peintre français. Son œuvre est marquée par les influences cubiste et expressionniste (*la Guerre*, 1925; *Nu au balcon*).

grommeler v. [19] **1.** v. intr. Se plaindre, murmurer entre ses dents. **2.** v. tr. *Grommeler des injures.*

grommellement n. m. Action de grommeler; bruit que fait entendre une personne qui grommelle.

Gromyko (Andreï Andreïevitch) (Minsk, 1909 – Moscou, 1989), homme politique soviétique, ministre des Affaires étrangères de 1957 à 1985, puis président du Présidium du Soviet suprême de 1985 à 1988.

Gronchi (Giovanni) (Pontedera, prov. de Pise, 1887 – Rome, 1978), homme politique italien. Cofondateur du Parti populaire (1919), antifasciste, résistant, il fut président de la République de 1955 à 1962.

grondement n. m. Bruit sourd et prolongé. *Le grondement du tonnerre, du canon.*

gronder v. [1] **I.** v. intr. **1.** Faire entendre un son sourd et menaçant. *Le chien gronde.* **2.** Faire entendre un son prolongé sourd et grave. *La mer grondait.* **3.** Fig. Menacer. *La révolte gronde.* **II.** v. tr. Réprimander (un enfant). *Gronder un enfant dissipé.*

gronderie n. f. Vieilli Réprimande.

grondeur, euse adj. Qui a l'habitude de gronder, de réprimander. – Par ext. *Humeur grondeuse*, bougonne.

grondin n. m. Poisson téléostéen (genre *Trigla*) gris ou rose *(rouget)*, à tête volumineuse, vivant près des côtes. ▸ illustr. **rouget**

Groningue (en néerl. *Groningen*), v. du N.-E. des Pays-Bas; 168 000 hab.; ch.-l. de la prov. du m. nom (2 337 km²; 560 000 hab.). Centre comm. et industr. Gaz naturel à Slochteren. – Célèbre univ. fondée en 1614.

groom [grum] n. m. (Anglicisme) Jeune commis en livrée d'un hôtel.

groove [gruv] n. m. (Anglicisme) MUS Dans le rap et la techno, rythme qui revient de manière répétitive.

Gropius (Walter) (Berlin, 1883 – Boston, 1969), architecte et urbaniste américain d'origine allemande; fondateur du Bauhaus à Weimar (1919). Émigré aux É.-U. en 1937, il dirigea la section d'architecture de l'université Harvard (1938-1945). Ses réalisations (Back Bay Center, Boston, 1953) prouvèrent la vitalité du fonctionnalisme moderne.

Walter **Gropius** Che **Guevara**

gros, grosse adj., adv. et n. **I.** adj. **1.** Dont la surface ou le volume est supérieur à la moyenne. *Un gros chat. Faire de grosses taches. Imprimé en gros caractères.* **2.** (Personnes) Corpulent. *Un gros garçon.* – Subst. *Un gros, une grosse.* ▷ (Parties du corps.) *Avoir de grosses mains.* **3.** Loc. fig. *Avoir le cœur gros*, de la peine. – Vieilli *Être grosse* : être enceinte.

– *Grosse voix :* voix forte. – *Faire les gros yeux :* froncer les sourcils (pour intimider un enfant). – Fam. *Avoir la grosse tête* : être imbu de soi-même, vaniteux. **4.** MAR *Mer grosse,* dont les vagues atteignent en moyenne 6 à 9 m (*très grosse,* 9 à 14 m). *Gros temps :* mauvais temps. **5.** Important. *Jouer gros jeu. Un gros entrepreneur. Décrocher, gagner le gros lot.* Fam. *Un gros bonnet, une grosse légume :* un personnage important. **6.** *Gros œuvre :* V. œuvre. **7.** Grossier, sans finesse. *Du gros vin,* (fam.) *du gros rouge. Gros rire,* vulgaire. *Grosses vérités :* évidences. *Cet argument est un peu gros. Cette histoire est un peu grosse,* peu crédible. ▷ *Gros mot :* mot grossier. **II.** adv. **1.** Beaucoup. *Gagner gros. Il y a gros à parier que...* **2.** En grand. *Écrire gros.* **3.** Loc. adv. *En gros :* par grandes quantités (par oppos. à *au détail*). *Vendre en gros et au détail.* – Sans donner de détails. *Racontez l'histoire en gros.* **III.** n. m. **1.** Partie la plus importante de qqch. *Le gros des troupes. Le gros de l'affaire.* **2.** (Par oppos. à *détail.*) *Commerce de gros. Faire un prix de gros.* **3.** *Gros de Naples, de Tours :* étoffe à gros grain. **4.** Poisson de grande taille. *Pêche au gros.*

Gros (Antoine, baron) (Paris, 1771 – Meudon, 1835), peintre français; élève de David, précurseur du romantisme (*les Pestiférés de Jaffa,* 1804, Louvre).

Grosbois, localité du Val-de-Marne (com. de Boissy-Saint-Léger). – Chât. du XVIe s. (transformé au XVIIe s.) qui appartint au maréchal Berthier.

groseille n. f. Petite baie rouge ou blanche, comestible, fruit du groseillier. *Gelée, sirop de groseille. Groseille à maquereau :* fruit du groseillier épineux, plus gros et moins acide que la groseille.

groseillier n. m. Arbuste dont les fleurs en grappes donnent les groseilles. *Le groseillier à maquereau a de gros fruits globuleux.*

groseillier

Groseilliers (Médard Chouart, sieur des) (Charly-sur-Marne, 1618 – ?, entre 1685 et 1690), explorateur français des territoires canadiens.

gros-grain n. m. **1.** Tissu soyeux à grosses côtes. **2.** Ruban de ce tissu. *Des gros-grains.*

Gros-Guillaume (Robert Guérin, dit) (?, v. 1554 – Paris, 1634), comédien français. Dans de nombr. farces, il fut le partenaire de Gaultier-Garguille et de Turlupin à l'Hôtel de Bourgogne.

Gros-Jean ou **gros-Jean** n. m. Surtout usité dans la loc. *être Gros-Jean comme devant :* ne pas être plus avancé qu'auparavant.

Gros-Morne, com. de la Martinique (arr. de Fort-de-France); 10 197 hab.

gros-plant n. m. Cépage blanc de la région de Nantes. – Vin blanc, léger et parfumé, issu de ce cépage. *Des gros-plants.*

gros-porteur n. m. Avion de grande capacité. *Des gros-porteurs.*

grosse n. f. **1.** DR Copie d'une décision judiciaire ou d'un acte notarié qui comporte la formule exécutoire. **2.** COMM Douze douzaines. *Une grosse de boutons.*

grossesse n. f. État de la femme enceinte, qui dure neuf mois, de la conception à l'accouchement. ▷ *Grossesse gémellaire :* présence de deux fœtus dans l'utérus. *Grossesse extra-utérine :* développement anormal de l'ovule hors de la cavité utérine. *Grossesse nerveuse :* état morbide présentant des signes de grossesse en l'absence de fécondation. ▷ *Interruption volontaire de grossesse :* V. avortement.

Grosseto, v. d'Italie (Toscane); 69 560 hab.; ch.-l. de la prov. du m. nom. Centre agricole. – Cath. (XIIIe s.).

grosseur n. f. **1.** Corpulence. **2.** Circonférence, volume. *Des ballons de grosseurs différentes.* **3.** Enflure sous la peau.

Grossglockner, point culminant des Alpes autrichiennes (3 796 m), dans le massif des Hohe Tauern.

grossier, ère adj. **1.** Sans raffinement, de fabrication rudimentaire. *Des vêtements grossiers.* **2.** Sommaire, imparfait. *Nettoyage grossier.* **3.** Rude, inculte. *Une population grossière.* **4.** Qui relève d'une certaine ignorance; flagrant. *Des fautes grossières.* **5.** Qui choque en contrevenant à la bienséance. *Vocabulaire grossier.*

grossièrement adv. **1.** Imparfaitement. *Pierre grossièrement travaillée.* **2.** Avec rudesse, impolitesse. *Répondre grossièrement.* **3.** *Se tromper grossièrement,* lourdement.

grossièreté n. f. **1.** Caractère de ce qui est grossier, rudimentaire. *Grossièreté d'une étoffe.* **2.** Indélicatesse, impolitesse. *Répondre avec grossièreté.* **3.** Parole grossière (sens 5).

grossir v. [3] **I.** v. intr. **1.** Devenir plus gros, prendre de l'embonpoint. *Elle a peur de grossir.* **2.** Devenir plus gros, plus important; augmenter. *Le troupeau grossit.* ▷ Fig. *Rumeur qui grossit.* **II.** v. tr. **1.** Rendre plus gros. *Les pluies grossissent le torrent.* **2.** Faire paraître plus gros. *Ce manteau de fourrure la grossit.* Absol. *Le microscope grossit.* **3.** Accroître le nombre, l'importance de. *Les agneaux vont grossir le troupeau.* – Fig. *Grossir les faits,* exagérer leur importance.

grossissant, ante adj. **1.** Qui devient plus gros. **2.** Qui fait paraître plus gros. *Verre grossissant.*

grossissement n. m. **1.** Action de grossir. **2.** Fig. Exagération. *Un grossissement des faits qui permet d'obtenir un effet comique.* **3.** *Grossissement d'un instrument d'optique,* rapport entre le diamètre apparent de l'image vue à travers l'instrument et le diamètre apparent de l'objet vu sans instrument. *Le grossissement des microscopes électroniques a permis de photographier les atomes.*

grossiste n. Commerçant en gros (par oppos. à *détaillant*).

grosso modo loc. adv. (lat.) Approximativement, sans faire le détail. *Examiner grosso modo une question.*

Grosz (Georg) (Berlin, 1893 – id., 1959), peintre et caricaturiste américain d'origine allemande; membre du groupe dada de Berlin en 1918.

grotesque n. et adj. **1.** n. f. pl. Motifs ornementaux comprenant des figures bizarres, découverts aux XVe et XVIe s. dans les ruines romaines, appelées *grottes.* ▷ *Par ext.* Figures bizarres, fantastiques. *Les grotesques de Callot.* **2.** adj. Ridicule, bizarre, extravagant. *Costume grotesque.* ▷ n. m. Genre grotesque, burlesque. *Mêler le grotesque au sublime.*

grotesquement adv. De manière extravagante, ridicule.

Grotewohl (Otto) (Brunswick, 1894 – Berlin, 1964), homme politique allemand. Fondateur du parti socialiste unifié (S.E.D., 1946), chef du gouvernement de 1949 à sa mort, il dirigea la R.D.A. avec W. Ulbricht.

Grothendieck (Alexander) (Berlin, 1928), mathématicien français d'origine allemande; connu pour ses travaux sur les espaces vectoriels et sur la géométrie algébrique (théorie des schémas).

Grotius (Hugo de Groot, dit) (Delft, 1583 – Rostock, 1645), juriste et historien néerlandais, apôtre de la liberté des mers. Son *De jure belli ac pacis* (« Du droit de guerre et de paix », 1625) a fondé le droit international.

Grotowski (Jerzy) (Rzeszów, 1933 – Pontedera, Toscane, 1999), metteur en scène et directeur de théâtre polonais. Dans le cadre de son Théâtre-Laboratoire de Wrocław, il met en œuvre ses théories (*Vers un théâtre pauvre,* 1971) visant, à travers le dépouillement scénique, à rendre plus directe la communication entre acteurs et spectateurs.

grotte n. f. Excavation profonde, naturelle ou creusée par l'homme, dans la roche.

Grouchy (Emmanuel, marquis de) (chât. de Villette, Île-de-France, 1766 – Paris, 1847), maréchal français. Il ne sut empêcher la jonction des Prussiens et des Anglais à Waterloo.

grouillant, ante adj. Qui grouille. *Une rue grouillante de passants.*

grouillement n. m. Mouvement, bruissement de ce qui grouille.

grouiller v. [1] **I.** v. intr. **1.** S'agiter en tous sens de façon confuse, et en grand nombre. *Abeilles qui grouillent dans la ruche.* **2.** *Grouiller de :* fourmiller, être plein de. *Ce fromage grouille de vers.* – Fam. *Ça grouille de gens ici.* **II.** v. pron. Fam. Se hâter. *Grouille-toi !*

grouillot [gʀujo] n. m. Jeune employé à la Bourse. ▷ *Par ext.* Fam., péjor. Garçon de courses; employé subalterne.

groupage n. m. **1.** TRANSP Action de réunir des colis envoyés par un expéditeur à un même destinataire. **2.** MED Détermination du groupe sanguin ou tissulaire de qqn.

groupal, ale, aux adj. SOCIO D'un groupe. *Tendances groupales.*

groupe n. m. Réunion d'objets ou d'êtres formant un ensemble. **1.** Ensemble de personnes réunies au même endroit. *Un groupe de curieux. Marcher en groupe.* ▷ SOCIOL Ensemble d'individus ayant un certain nombre de caractères communs et dont les rapports (sociaux, psychologiques, etc.) obéissent à une dynamique spécifique. *Dynamique de groupe.* – *Groupe parle-*

mentaire, formé par les membres d'une assemblée parlementaire ayant les mêmes options politiques. – *Groupe financier,* regroupant des banques d'affaires. ▷ MED *Groupe sanguin* : catégorie où l'on range tous les individus selon la variété d'antigènes ou d'anticorps que portent leurs hématies et leur sérum. **2.** MILIT *Groupe de combat* : unité d'infanterie d'une douzaine d'hommes. ▷ Anc. Unité de l'armée de terre ou de l'air. *Groupe d'artillerie.* **3.** Réunion de choses qui forment un ensemble. *Un groupe de sapins.* ▷ BX-A Ensemble d'êtres ou d'objets considérés comme le sujet d'une œuvre d'art. *Groupe de Laocoon.* **4.** MATH Ensemble muni d'une loi de composition interne associative, admettant un élément neutre et dont tout élément possède son symétrique. *Les entiers relatifs (..., −1, 0, +1,...) munis de l'addition forment un groupe.* **5.** TECH Ensemble monobloc formé de machines accouplées mécaniquement. *Groupe électrogène, groupe motopompe.*

groupement n. m. **1.** Action de grouper (des choses, des personnes). **2.** Réunion de personnes ayant un but, un intérêt commun. *Groupement politique.* ▷ DR *Groupement d'intérêt économique (G.I.E.)* : personne morale permettant à plusieurs sociétés de développer en commun leurs activités économiques. **3.** MILIT *Groupement tactique,* constitué en vue d'une opération. ▷ *Tir de groupement,* servant à régler une arme.

grouper v. [**1**] **I.** v. tr. **1.** Disposer en groupe. **2.** Réunir, assembler. **II.** v. pron. **1.** S'assembler. *Se grouper en association.* **2.** Avoir le corps ramassé en boule, dans la pratique d'un sport.

groupie n. (Américanisme) Personne qui admire fanatiquement un chanteur de pop music et qui le suit partout. ▷ *Par ext.* Partisan fanatique d'un homme politique, d'un écrivain.

groupusculaire adj. D'un groupuscule. *Évolution groupusculaire d'un parti.*

groupuscule n. m. Péjor. Groupement politique qui ne compte qu'un très petit nombre d'adhérents.

groupware [gʀupwɛʀ] n. m. (Anglicisme) INFORM Travail de groupe réalisé grâce à l'informatique et aux télécommunications.

grouse n. f. Lagopède d'Écosse.

Grousset (René) (Aubais, Gard, 1885 – Paris, 1952), historien français : *Histoire de l'Extrême-Orient* (1928-1929), *Histoire des croisades et du royaume franc de Jérusalem* (1934-1936). Acad. fr. (1946).

growler [grolœr] n. m. (Anglicisme) MAR Bloc de glace détaché d'un iceberg, dangereux pour la navigation.

Groznyï, v. de Russie, en Ciscaucasie ; 393 000 hab. Capitale de la République autonome de Tchétchénie. La ville a été éprouvée par les bombardements russes (1994-1995). Centre d'une région pétrolifère.

gruau n. m. **1.** Grain de céréale débarrassé du péricarpe par une mouture grossière. **2.** *Farine de gruau* : fine fleur de farine. **3.** (Canada) Épaisse bouillie de flocons d'avoine.

Grudziądz, v. de Pologne, sur la Vistule ; 92 000 hab. Métallurgie.

grue n. f. **1.** Oiseau migrateur de grande taille (1,20 m de haut), à longues pattes, au long cou et au bec pointu, vivant dans les marais (genres *Grus* et voisins, ordre des gruiformes). *La grue cendrée hivernant en Afrique traverse l'Europe deux fois par an.* **2.** Loc. fig., fam. *Faire le pied de grue* : attendre longtemps debout. ▷ *Grue* : prostituée ; fille légère. **3.** TECH Engin de levage de grande dimension comportant un bâti et une flèche. **4.** AUDIOV Appareil assurant le déplacement d'une caméra.

grue cendrée

Gruel (Henri) (Mâcon, 1923), réalisateur français de films d'animation à partir de bandes dessinées : *Astérix et Cléopâtre* (1968), *Lucky Luke* (1970).

gruger v. tr. [**13**] **1.** Vx Briser avec les dents, croquer. *Gruger du sucre.* **2.** Débiter (des tôles, des profilés). **3.** Fig. Tromper (qqn) pour le dépouiller ; duper.

gruiformes n. m. pl. ORNITH Ordre très diversifié d'oiseaux, comprenant les grues, les râles, les poules d'eau, les outardes, etc. – Sing. *Un gruiforme.*

grume n. f. **1.** Tronc d'arbre abattu et ébranché mais non écorcé. *Bois en grume.* **2.** Rég. Grain de raisin.

grumeau n. m. Petite masse solide coagulée. *Grumeaux d'une crème.*

grumeler (se) v. pron. [**19**] Se former en grumeaux.

grumeleux, euse adj. **1.** Plein de grumeaux. *Crème grumeleuse.* **2.** Qui a des granulations. *Bois grumeleux.*

grumier n. m. Camion ou bateau conçu pour transporter du bois en grumes.

Grundtvig (Nikolai) (Udby, 1783 – Copenhague, 1872), pasteur et écrivain romantique danois ; auteur d'ouvrages historiques et poétiques : *Mythologie des pays nordiques* (1808-1832), *Cantiques* (réunis dans *Chants pour l'Église danoise,* 1837-1841).

Grünewald (Mathis Nithart ou Gothardt, dit Matthias) (Würzburg, entre 1460 et 1470 – Halle, 1528), peintre allemand. Il ne fut pas touché par la Renaissance ital. et fut un des maîtres du réalisme gothique : le *Polyptyque d'Issenheim* (v. 1512-1515).

grunge [grœndʒ] n. m. et adj. (Anglicisme) Mouvement de mode antimode, se manifestant dans l'aspect vestimentaire et dans un style de musique rock. – adj. *Un groupe grunge.*

Grunwald, village de l'anc. Prusse-Orientale, auj. en Pologne. – En 1410, les Polonais et les Lituaniens, sous les ordres de Ladislas II Jagellon, y vainquirent les chevaliers Teutoniques. Cette bataille est dite aussi « de Tannenberg » (nom d'une localité proche).

gruppetto [gʀupɛtto] n. m. MUS Ornement de trois ou quatre notes brèves, suivant la note principale. *Des gruppettos* ou *des gruppetti.*

gruter v. tr. [**1**] Déplacer au moyen d'une grue.

grutier, ère n. Conducteur de grue.

Grütli ou **Rütli** (le), prairie de Suisse (cant. d'Uri), sur la rive S.-E. du lac des Quatre-Cantons. – Selon la légende, le 1er août 1291, les patriotes de Schwyz, d'Uri et d'Unterwalden y prêtèrent le serment de délivrer leur pays du joug autrichien *(serment de Grütli).*

gruyère n. m. **1.** Fromage cuit, au lait de vache, à pâte ferme à trous et à croûte lavée, fabriqué dans la Gruyère. **2.** Nom générique donné en France aux fromages de ce type (emmenthal, comté, beaufort, etc.).

Gruyère (la), pays des Préalpes suisses (cant. de Fribourg), drainé par la Sarine, autour de la com. de *Gruyères* (1 250 hab.), réputé pour ses fromages.

gryphée n. f. ZOOL Huître aux valves inégales. *La portugaise est une gryphée.*

Gryphius (Andreas Greif, dit Andreas) (Glogau, Silésie, 1616 – id., 1664), écrivain allemand. Ses *Sonnets* expriment son pessimisme religieux, mais il est surtout connu comme un maître de la tragédie baroque : *Catherine de Géorgie* (1651), *Charles Stuart ou le Roi assassiné* (1657).

Gsell (Stéphane) (Paris, 1864 – id., 1932), historien et archéologue français : *Histoire ancienne de l'Afrique du Nord* (1913-1929) ; fouilles en Algérie.

G7 Abrév. de *groupe des Sept.* V. sept.

G. S. M. n. m. (Abrév. de *groupes systèmes mobiles,* norme européenne de radiotéléphonie numérique, commercialisée en 1992). Téléphone sans fil.

Gstaad, com. de Suisse (Berne) ; 1 700 hab. Stat. de sports d'hiver (alt. 1 100-3 000 m).

guacamole n. m. Mets mexicain, purée d'avocats, d'oignons et de piments assaisonnée au citron.

Guadalajara, v. d'Espagne (Castille-la Manche) ; 63 570 hab. ; ch.-l. de prov. – Palais de l'Infantado (XVe s.). Églises. – Victoire des républicains sur les Italiens en 1937.

Guadalajara, v. du Mexique, à 1 600 m d'alt. ; 2 846 700 hab. pour l'aggl. ; cap. de l'État de Jalisco. Métall.

Matthias **Grünewald :** retable d'Issenheim (1512-1516) ; musée Unterlinden, Colmar

Industr. text. et alim. – Université. Archevêché. Cath. de style colonial (XVIe-XVIIe s.). Musées.

Guadalcanal, une des îles Salomon; 35 000 hab. Les Japonais l'occupèrent en juil. 1942 et durent l'abandonner aux Américains en fév. 1943, après de durs combats.

Guadalquivir (le) (altération de l'ar. *Wādi-Kebīr,* «le Grand Fleuve»), fl. du S.-O. de l'Espagne, en Andalousie (680 km); arrose Cordoue, Séville et rejoint l'Atlantique.

Guadalupe (sierra de), chaîne montagneuse du centre de l'Espagne (Estrémadure); 1 740 m.

Guadarrama (sierra de), chaîne montagneuse d'Espagne, entre la Castille et Léon et la Castille-la Manche; 2 405 m.

Guadeloupe, groupe d'îles des Antilles françaises (Petites Antilles) formant un dép. franç. d'outre-mer (971) depuis 1946 et une Rég. depuis 1982; 1 704 km^2; 386 987 hab. : mulâtres (plus de deux tiers), Noirs (plus de 25 %), créoles (moins de 8 %); 227,1 hab./km^2; ch.-l. *Basse-Terre;* ch.-l. d'arr. *Pointe-à-Pitre, Saint-Martin, Saint-Barthélemy.*
Géogr. et écon. – Ce dép. comprend deux îles principales, Basse-Terre (ou Guadeloupe proprement dite, 848 km^2) et Grande-Terre (588 km^2), séparées par un étroit bras de mer, la *rivière Salée,* franchi par un pont, et de petites îles : la Désirade, Marie-Galante, les archipels des Saintes et de la Petite-Terre, Saint-Barthélemy, Saint-Martin (partie N.; la partie S. est néerl.). Les îles princ. s'opposent par leur relief, montagneux dans la Basse-Terre (volcan de la Soufrière, 1 484 m), très peu élevé (alt. max. 100 m) dans la Grande-Terre. Le climat, tropical, est plus humide sur les reliefs «au vent». L'île est exposée à de violents cyclones (cyclone Hugo en 1989). La cult. de la canne à sucre et des bananes étant en régression, les cult. vivrières insuffisantes et les industr. alim. (surtout sucre et rhum) peu nombr., le dép. est de plus en plus dépendant de la métropole. La couverture des importations par les exportations n'est que de 15 %. L'émigration, très forte, a stabilisé la croissance de la pop. Les échanges se font par Pointe-à-Pitre. Le tourisme est en expansion.
Hist. – L'île de la Guadeloupe, découverte par Christophe Colomb en 1493, colonisée par les Français (1635), occupée à plusieurs reprises par les Anglais, revint à la France en 1816. Auj., l'île souffre de l'«état d'assistance», et des courants séparatistes se manifestent.

guadeloupéen, enne adj. et n. De la Guadeloupe.

Guadet (Marguerite Élie) (Saint-Émilion, 1758 – Bordeaux, 1794), homme politique français, un des chefs girondins à l'Assemblée législative et à la Convention. Proscrit le 2 juin 1793, il tenta en vain de soulever la Normandie et fut guillotiné.

Guadiana (le), fl. d'Espagne et du Portugal (801 km); draine l'Estrémadure espagnole, se jette dans l'Atlantique.

Guaira (La), v. du Venezuela (District fédéral), port de Caracas; 25 000 hab. Aéroport important.

Guam, île princ. de l'archipel des Mariannes, possession américaine depuis 1898; 541 km^2; 146 000 hab.; ch.-l. *Agaña.* Import. base aéronavale. –

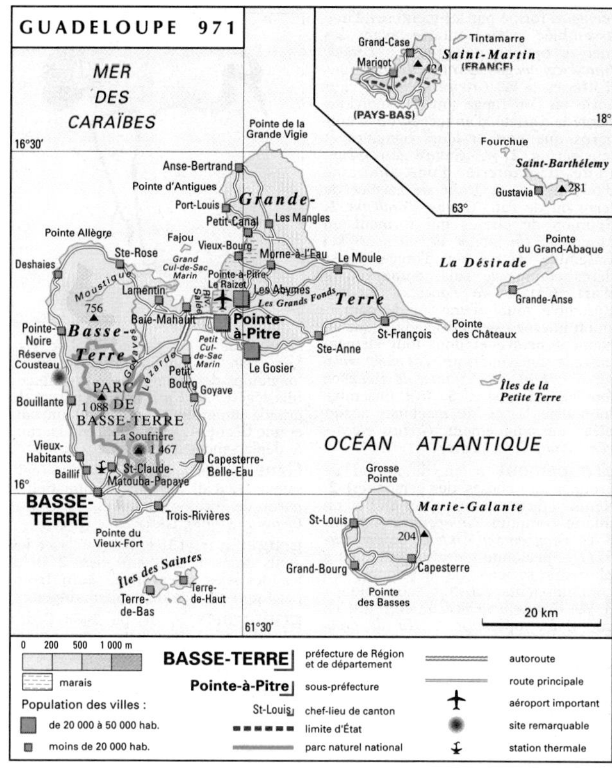

L'île fut occupée par les Japonais de déc. 1941 à août 1944.

Guanabara, baie du Brésil, sur laquelle est situé Rio de Janeiro. – *L'État de Guanabara* a fusionné en 1975 avec celui de Rio de Janeiro.

guanaco [gwanako] n. m. Variété de lama sauvage, au pelage roux.

Guangdong, province maritime de la Chine méridionale; 197 100 km^2; 63 500 000 hab.; cap. *Canton.* Riche rég. agricole (canne à sucre) arrosée par de nombr. fleuves. Sidér. Un des princ. centres de la libéralisation écon. chinoise (plus de la moitié des investissements étrangers en Chine).

Guangxi, région autonome de la Chine méridionale; 220 400 km^2; 42 500 000 hab.; ch.-l. *Nanning.* Province montagneuse arrosée par le Xijiang et ses affl., le Guangxi produit thé, riz, canne à sucre; gisements d'antimoine et de manganèse.

Guangzhou. V. Canton.

Guangzhouwan, baie de la Chine méridionale (E. de la presqu'île de Leizhou), cédée à bail à la France en 1899 et restituée à la Chine en 1943.

guanine [gwanin] n. f. BIOCHIM Base purique des acides nucléiques.

guano [gwano] n. m. Engrais constitué par les excréments d'oiseaux marins très riches en phosphates et en azote. – *Par ext.* Engrais d'origine animale. *Guano de poisson, de viande.*

Guantánamo, v. du S.-E. de Cuba, près de la *baie de Guantánamo;* ch.-l. de la prov. du m. nom; 199 990 hab. Sucreries. – Sur la baie, la base navale (américaine depuis 1903) fut un centre de lutte anti-sous-marine pendant la Seconde Guerre mondiale. Cuba revendique cette base.

guarani [gwaʀani] adj. et n. **1.** Relatif aux Guaranis. ▷ Subst. *Un(e) Guarani.* **2.** n. m. Langue de cette population. **3.** n. m. Unité monétaire du Paraguay.

Guarani(s), Indiens d'Amérique du Sud (groupe linguistique tupi-guarani) vivant principalement au Paraguay.

Guardafui ou **Gardafui** (cap), cap d'Afrique orientale, sur la côte de la Somalie, à l'entrée du golfe d'Aden.

Guardi (Francesco) (Venise, 1712 – id., 1793), peintre italien; élève de Canaletto, surtout connu pour ses *vedute* (vues) des bords de la lagune à Venise (*la Salute,* Louvre).

Guarini (Gian Battista) (Ferrare, 1538 – Venise, 1612), diplomate et écrivain italien. Auteur notam. d'une comédie en prose (*l'Hydropique,* 1609), d'un essai sur l'art dramatique (*Compendium de la poésie tragi-comique*), d'un recueil poétique (*Rimes,* 1958). Son chef-d'œuvre est *le Pasteur fidèle* (1580), tragi-comédie imitée dans toute l'Europe.

Guarini (Guarino) (Modène, 1624 – Milan, 1683), religieux, architecte, mathématicien et philosophe italien; le plus éminent représentant du style baroque en Italie du Nord : égl. St-Laurent-des-Théatins (v. 1670, Turin), palais Carignano (1680, Turin).

Guarnerius ou **Guarneri,** famille de luthiers de Crémone. – **Giuseppe Antonio,** dit *del Gesù* (Crémone, v. 1698 – id., v. 1744) fut aussi célèbre que Stradivarius.

Guatemala ou **Ciudad de Guatemala,** cap. du Guatemala, à 1 480 m d'alt. ; 754 240 hab. (aggl. urb. 1 311 190 hab.). Princ. centre économique du pays. Industr. alimentaires et textiles. Manufactures de tabac.

Guatemala (république du) *(República de Guatemala)*, État de l'Amérique centrale, au sud du Mexique ; 108 889 km^2 ; env. 9 millions d'hab. (en 1958, 3 545 000 hab.) ; croissance démographique : 3 % par an ; cap. *Guatemala*. Nature de l'État : rép. de type présidentiel. Langue off. : esp. Monnaie : quetzal. Population : Amérindiens (env. 50 %), Ladinos (métis d'Indiens et d'Espagnols et Indiens urbanisés, de langue esp.), très peu de Blancs. Relig. : catholique (officielle, 75 %).
Géogr. phys. et hum. – Les hautes terres constituent l'armature du relief et groupent encore la majorité des habitants : chaîne volcanique du S.-O. (4 210 m au Tajumulco), ponctuée de bassins fertiles mais sujette à de violents séismes (22 000 morts en 1976), massifs et hauts plateaux étagés *(altos)* autour de 2 000 m un peu plus au N. ; ces régions élevées dominent, au S., les plaines tropicales humides et fertiles du littoral du Pacifique où règnent les grandes plantations. Au N. du pays, le Petén, vaste plateau tropical couvert de forêts denses, est encore presque vide mais les autorités encouragent sa colonisation depuis 1970. La population compte encore 60 % de ruraux.
Écon. – L'agriculture, qui emploie plus de 50 % des actifs, oppose un secteur vivrier traditionnel, constitué de petites exploitations (surtout indiennes) des hautes terres et qui produit maïs, haricots et piments, aux grandes plantations des plaines et vallées fertiles (aux mains de grands propriétaires, Ladinos et étrangers) dont les produits, canne à sucre, café, banane, coton, avocat, ananas, sont destinés à l'exportation. L'industrie, embryonnaire, concerne l'agro-alimentaire et le textile ; le tourisme est un complément notable. La guérilla et la violence politique qui règnent dans le pays compromettent tout redressement économique et la situation est critique : chute des cours des produits exportés, inflation élevée.
Hist. – Pays de civilisation maya, le Guatemala fut conquis par Pedro de Alvarado, lieutenant de Cortés (1523-1524), et dépendit, à partir de 1544, de la capitainerie générale de Guatemala. Indépendant de l'Espagne en 1821, inclus dans l'Empire mexicain (1822-1823), puis centre des Provinces-Unies d'Amérique centrale, il forma un État indépendant en 1839. L'emprise écon. des É.-U. s'exerça dès la fin du XIXe s., et notam. sous les dictatures de M. Estrada Cabrera (1898-1920) et de J. Ubico (1931-1944). Un gouv. démocratique lui succéda, présidé par J.J. Arévalo (1945-1951) puis par J. Arbenz Guzmán, qui promulgua la réforme agraire (distribution de 900 000 ha à 100 000 familles), mais il fut chassé par un coup d'État militaire organisé à Washington (1954). Depuis 1963, les militaires se sont succédé au pouvoir ; une guérilla d'origine castriste, rurale et urbaine, s'est développée, parallèlement à la répression et à la violence d'extrême droite (assassinats de leaders démocrates, massacres de paysans), avec une nette recrudescence après 1978. Au début des années 80, le gouv. organise avec succès une vaste offensive contre la rébellion (enrôlement forcé dans les patrouilles d'autodéfense civile ; concentration des Indiens dans les « pôles de développement »). Une Assemblée constituante est formée en juil. 1984. Malgré une baisse d'intensité des combats et le retour des civils à la tête de l'État, les problèmes sociaux restent aigus (analphabétisme, redistribution des terres). L'évangéliste Jorge Serrano, élu à la présidence de la République en 1991, est destitué en 1993. Ramiro de León Carpio lui succède (1994-1995), puis Alvaro Arzu Irigoyen (1996).
▸ carte **Amérique centrale**

guatémaltèque [gwatemaltɛk] adj. et n. Du Guatemala.

Guattari (Félix) (Villeneuve-les-Sablons, Oise, 1930 – Cour-Cheverny, Loir-et-Cher, 1992), psychanalyste français. À partir de 1968, il a reproché à la psychanalyse d'ignorer la dimension sociale et politique du sujet, ce qui l'a rapproché de Deleuze* ; tous deux ont écrit plus. essais en collaboration.

Guayaquil, princ. port de l'Équateur, au fond du *golfe de Guayaquil ;* 1 387 820 hab. ; ch.-l. de prov. Import. centre comm. et bancaire. Industr. chim. et text. Raff. de pétrole.

Gubbio, v. d'Italie (Ombrie) ; 31 990 hab. – Anc. *Iguvium*, ville étrusque et romaine (tables de bronze, dites *cugubina*, textes religieux écrits en étrusque et en latin). Cath. (XIIIe s.). Palais (XVe s.). Faïence (majolique).

Guderian (Heinz) (Kulm, auj. Chełmno, 1888 – Schwangau, Bavière, 1954), général allemand. Il créa les divisions blindées allemandes à partir de 1935 et enfonça le front français à Sedan (13 mai 1940).

Gudule (sainte) (m. 712). Sainte patronne de Bruxelles.

1. gué n. m. Endroit d'une rivière où l'eau est assez basse pour qu'on puisse passer à pied. *Traverser à gué.* ▷ Fig., fam. *Au milieu du gué* : dans le cours d'un processus. *Réforme abandonnée au milieu du gué.*

2. gué ! interj. Expression de gaieté dans des refrains de chansons. *J'aime mieux ma mie, ô gué !*

guéable adj. Qu'on peut passer à gué. *Rivière guéable.*

guèbre adj. Des Guèbres.

Guèbres, populations iraniennes qui refusèrent au VIIe s. d'embrasser l'islam (d'où leur nom : en persan *gabr*, « infidèles »), conservant la religion de Zoroastre. Beaucoup durent émigrer, notam. vers l'Inde, au IXe s. Auj., leurs descendants, nommés Parsis, vivent dans la région de Bombay, en Inde (env. 200 000 individus). Le nom de Guèbres est resté à ceux qui vivent dans les prov. de Yezd et de Kermān, en Iran (env. 30 000 individus).

Guebwiller (ballon de), dit aussi le Grand Ballon, point culminant des Vosges ; 1 424 m.

Guebwiller, ch.-l. d'arr. du Haut-Rhin, sur la Lauch ; 11 280 hab. Vin. Industr. text. et méca. – Égl. St-Léger (XIIe et XIVe s.).

guéguerre n. f. Fam. Petite guerre.

Guéhenno (Marcel, dit Jean) (Fougères, 1890 – Paris, 1978), universitaire et essayiste français : *Caliban parle* (1929), *Journal d'un homme de quarante ans* (1934), *Journal des années noires* (1946), *Dernières Lumières, derniers plaisirs* (1977). Acad. fr. (1962).

Gueldre (en néerl. *Gelderland*), prov. orient. des Pays-Bas ; 5 012 km^2 ; 1 783 600 hab. ; ch.-l. *Arnhem*. Le S. de la prov., drainé par le Rhin et la Meuse, est fertile (houblon, colza, élevage).

Guelfand (Izraïl Moisseïevitch) (Krasnyé Okny, Ukraine, 1913), mathématicien soviétique. Connu pour ses travaux d'analyse fonctionnelle, il est l'un des fondateurs de la théorie des distributions (formes linéaires d'un espace vectoriel).

guelfe n. m. HIST Partisan des papes dans l'Italie du XIIIe au XVe s.
ENCYCL La rivalité des guelfes et des gibelins (partisans de l'empereur) ensanglanta les cités ital. Les guelfes triomphèrent, notam. à Florence et à Milan, et se divisèrent.

Guelma, v. d'Algérie orientale ; ch.-l. de la wilaya du m. nom ; 85 210 hab. Centre d'une riche rég. agricole. Constr. méca. – Ruines romaines de l'antique *Calama*.

Guelph, v. du Canada (Ontario) ; 87 970 hab. Métallurgie, textiles.

guelte n. f. Prime accordée à un vendeur en fonction du montant de ses ventes.

Guénégaud (Henri de), marquis de Plessis-Belleville (1609 – Paris, 1676), financier et homme d'État français ; secrétaire (1643) de la Maison du roi, remplacé (1669) par Colbert.

guenille n. f. **1.** (Plur.) Haillons, vieilles hardes. **2.** Fig., vieilli Chose de peu de valeur. *« Le corps, cette guenille » (Molière).*

guenon n. f. **1.** Vx Cercopithèque d'Afrique. **2.** Femelle du singe. – Fig., fam., péjor. Femme très laide.

Guénon (René) (Blois, 1886 – Le Caire, 1951), écrivain et philosophe français naturalisé égyptien. Son œuvre, abondante et variée, soutient la thèse qu'une tradition unique et fondamentale a donné le jour aux diverses croyances, religions, pratiques ésotériques, etc.

guépard n. m. Félidé d'Afrique tropicale *(Acinonyx jubatus)*, long de 80 cm sans la queue, svelte et rapide (il atteint 95 km/h), au pelage tacheté et aux longues pattes, ayant divers caractères des canidés.

guêpe n. f. **1.** Insecte hyménoptère porte-aiguillon (genres *Vespa* et voisins), à l'abdomen jaune rayé de noir, mesurant 1 à 2 cm. *La plupart des guêpes vivent en société sous terre ou dans des nids faits de fibres de bois mâchées.*

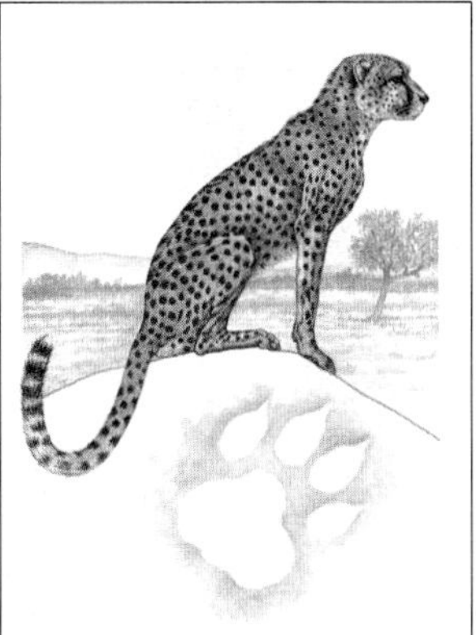
guépard et empreinte de sa griffe

guêpe commune

Quelques espèces de guêpes sont solitaires. **2.** Fig. *Taille de guêpe* : taille très fine.

Guépéou (la), police politique soviétique, créée en 1922 (pour succéder à la Tcheka) et absorbée en 1934 par le N.K.V.D.

guêpier n. m. **1.** ORNITH Oiseau du genre *Merops*, au bec arqué, long d'environ 25 cm, au plumage de couleurs vives, qui se nourrit d'hyménoptères (guêpes, abeilles, bourdons). **2.** Nid de guêpes. ▷ Fig. *Se fourrer, tomber dans un guêpier* : s'engager dans une mauvaise affaire.

guêpière n. f. Corset très étroit qui étrangle la taille.

Guérande, ch.-l. de cant. de la Loire-Atlantique (arr. de Saint-Nazaire); 12 001 hab. – Enceinte bien conservée (XIVe-XVe s.), percée de quatre portes (notamment la porte St-Michel). Église St-Aubin (XIIe-XVIe s.).

Guéranger (dom Prosper) (Sablé, 1805 – Solesmes, 1875), bénédictin français. Il restaura l'ordre de Saint-Benoît à Solesmes, dont il fut l'abbé (1837).

Guerchin (Giovanni Francesco Barbieri, dit en fr. le) (Cento, près de Bologne, 1591 – Bologne, 1666), peintre italien. Élève de L. Carrache, il en

guêpier

Guernica, de Pablo Picasso, 1937 ; musée du Prado

retint la leçon luministe, puis subit l'influence du Caravage : *l'Aurore* (plafond du Casino Ludovisi, Rome, 1621).

guère adv. **1.** *Ne... guère* : peu, pas beaucoup. *Il n'a guère d'argent. Je n'ai guère dormi.* **2.** *Ne... plus guère* : presque plus. *Je ne le vois plus guère ces temps-ci.* **3.** *Ne... guère que* : presque. *Il n'y a guère que toi à le savoir.*

guéret n. m. Terre labourée et non ensemencée.

Guéret, ch.-l. du dép. de la Creuse; 15 718 hab. Meubles; mat. de constr. – Anc. capitale de la Marche.

Guericke (Otto von) (Magdeburg, 1602 – Hambourg, 1686), physicien allemand; connu pour ses expériences sur le vide *(hémisphères de Magdebourg)*. Il inventa une machine pneumatique.

guéridon n. m. Petite table ronde à un seul pied.

guérilla n. f. Guerre de partisans.

guérillero ou **guerillero** [geʀijeʀo] n. m. Partisan, franc-tireur. *Les guerilleros cubains.*

Guérin (Robert). V. Gros-Guillaume.

Guérin (Gilles) (Paris, 1606 – id., 1678), sculpteur français : *les Chevaux du Soleil abreuvés par les Tritons* (parc du chât. de Versailles).

Guérin (Pierre Narcisse, baron) (Paris, 1774 – Rome, 1833), peintre français néo-classique : *le Retour de Marcus Sextus* (1799, Louvre).

Guérin (Maurice de) (chât. du Cayla, près d'Albi, 1810 – id., 1839), poète romantique français : *le Centaure* (poème en prose, 1840), *Journal.*

Guérin (Camille) (Poitiers, 1872 – Paris, 1961), vétérinaire et biologiste français. Il mit au point, avec Albert Calmette, un vaccin antituberculeux (B.C.G.).

guérir v. [3] **I.** v. tr. **1.** Redonner la santé à (qqn), délivrer (qqn) d'une maladie. *Guérir un malade.* **2.** Fig. Délivrer d'un mal moral. *Guérir qqn de ses préjugés, de sa passion.* **II.** v. intr. **1.** Recouvrer la santé. *Il guérira.* **2.** Disparaître, en parlant d'un mal physique. *Sa blessure guérit.* **III.** v. pron. **1.** Recouvrer la santé par ses efforts. *Se guérir en se soignant énergiquement.* **2.** Disparaître, en parlant d'un mal physique. *Cette plaie se guérit vite.* **3.** Fig. Se délivrer de. *Se guérir de ses préjugés.*

guérison n. f. Recouvrement de la santé. *Il doit garder la chambre jusqu'à complète guérison.* ▷ Disparition. *La guérison d'une peine.*

guérissable adj. Qui peut être guéri.

guérisseur, euse n. Personne qui traite, sans avoir le titre de médecin, par des méthodes extramédicales. *Les guérisseurs peuvent tomber sous le coup de la loi punissant l'exercice illégal de la médecine.*

guérite n. f. **1.** Abri d'une sentinelle. **2.** Petite loge qui sert d'abri. *La guérite de la vendeuse de billets de loterie.*

Guernesey (en angl. *Guernsey*), une des îles Anglo-Normandes; 63 km^2; 58 860 hab.; ch.-l. *Saint-Pierre.* Primeurs. Tourisme. – De 1855 à 1870, Victor Hugo y vécut en exil, dans sa maison de Hauteville House, auj. musée. – Le *bailliage de Guernesey* comprend les îles de Guernesey, Aurigny (en angl. *Alderney*) et Sercq (en angl. *Sark*); il possède une administration autonome.

Guernica y Luno, v. d'Espagne (Biscaye), à l'E. de Bilbao; 18 130 hab. – Cité sainte du Pays basque espagnol, ravagée en 1937 par l'aviation allemande au service des franquistes, horreur que Picasso a exprimée dans un vaste tableau allégorique *(Guernica).*

guerre n. f. **1.** Conflit armé entre des nations, des États, des groupes humains. *Déclarer, faire la guerre. Être en guerre avec tel pays. Guerre d'invasion. Guerre offensive, défensive, de tranchées, aérienne, maritime.* – Loc. *Guerre civile, intestine,* entre citoyens d'un même pays. *Guerre de religion,* causée par des dissensions religieuses. *Guerres puniques* : V. punique. *Guerre des Farines**. *Guerre d'extermination. Conseil de guerre.* – *Première Guerre mondiale* : guerre de 1914 à 1918. *Seconde Guerre mondiale* : guerre de 1939 à 1945. V. encycl. – *L'entre-deux-guerres,* entre 1918 et 1939. *La drôle de guerre* : la période qui précéda l'invasion allemande, de septembre 1939 à mai 1940. *Guerre N.B.C.,* qui utilise les armes *n*ucléaires, *b*actériologiques et *c*himiques. **2.** Par ext. *Petite guerre* : manœuvres simulant un combat, une guerre; jeu d'enfants qui simule la guerre, les combats. – *Guerre économique. Guerre des nerfs,* psychologique. *Guerre froide* : crise, tension entre États (spécial., dans les années 1950, entre les É.-U. et l'U.R.S.S.). ▷ *Nom de guerre* : pseudonyme. **3.** Hostilité, lutte. *C'est entre eux une guerre permanente. Faire la guerre à qqn sur qqch, à propos de qqch,* s'opposer à lui à propos de qqch. *Faire la guerre à une chose,* la combattre. – *De guerre lasse,* après une longue résistance. *Il y a consenti de guerre lasse.* – *De bonne guerre* : conformément aux usages du combat; fig. conformément aux usages de la compétition, de la polémique. – Prov. *Qui terre a, guerre a* : toute possession expose à des inimitiés. – *À la guerre comme à la guerre* : il faut s'adapter aux circonstances.

ENCYCL **La Première Guerre mondiale** (1914-1918) éclate en été 1914 (V. Sarajevo). Née de la compétition des grandes puissances européennes (rivalités écon., course aux armements), elle voit l'Allemagne, l'Autriche, la Bulgarie et la Turquie affronter les Alliés* : la Russie, la France, la Belgique, l'Angleterre, le Japon (1914), l'Italie (1915) et les États-Unis (1917). En France même, à la *guerre de mouvement* (V. Marne,

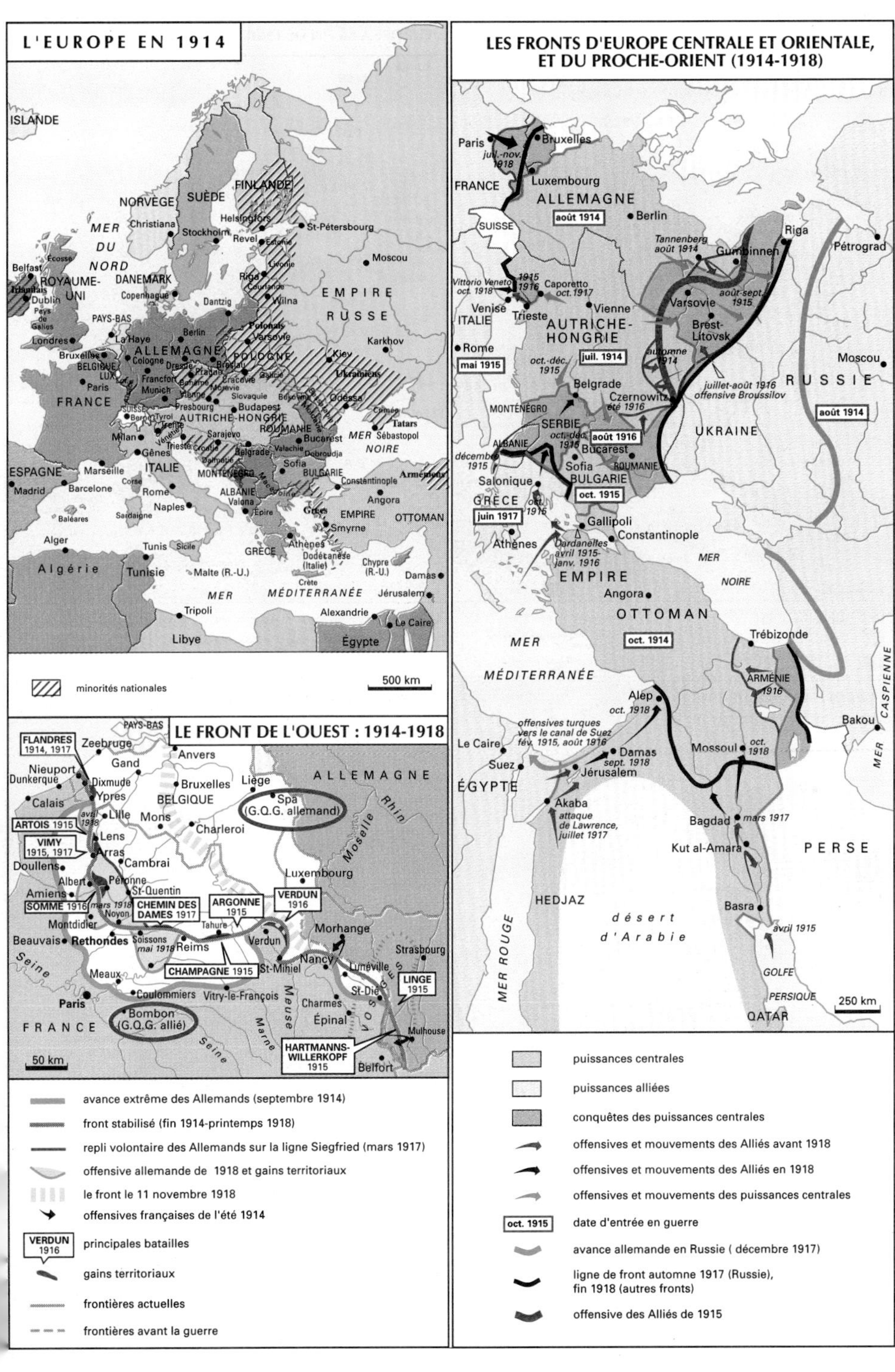

L'EUROPE EN 1914
minorités nationales
500 km
LES FRONTS D'EUROPE CENTRALE ET ORIENTALE, ET DU PROCHE-ORIENT (1914-1918)
puissances centrales
puissances alliées
conquêtes des puissances centrales
offensives et mouvements des Alliés avant 1918
offensives et mouvements des Alliés en 1918
offensives et mouvements des puissances centrales
date d'entrée en guerre
avance allemande en Russie (décembre 1917)
ligne de front automne 1917 (Russie), fin 1918 (autres fronts)
offensive des Alliés de 1915
250 km
LE FRONT DE L'OUEST : 1914-1918
avance extrême des Allemands (septembre 1914)
front stabilisé (fin 1914-printemps 1918)
repli volontaire des Allemands sur la ligne Siegfried (mars 1917)
offensive allemande de 1918 et gains territoriaux
le front le 11 novembre 1918
offensives françaises de l'été 1914
principales batailles
gains territoriaux
frontières actuelles
frontières avant la guerre
50 km

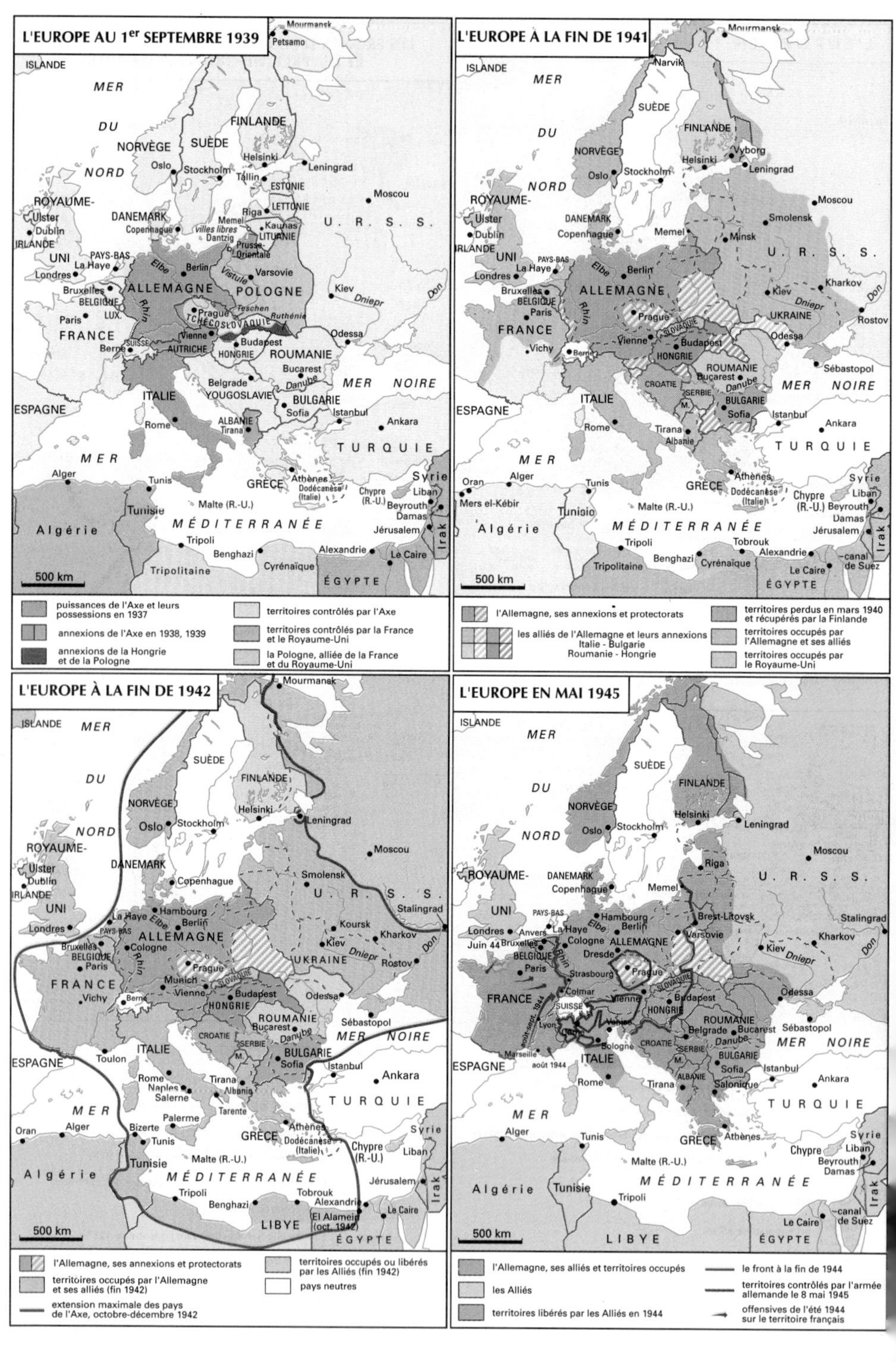
L'EUROPE AU 1er SEPTEMBRE 1939
Mourmansk
Petsamo
ISLANDE
MER
DU
NORD
FINLANDE
NORVÈGE
SUÈDE
Oslo
Stockholm
Helsinki
Leningrad
Tallin
ESTONIE
Moscou
ROYAUME-UNI
Ulster
Dublin
IRLANDE
DANEMARK
Copenhague
Riga
LETTONIE
Memel
villes libres
Dantzig
Kaunas
LITUANIE
Prusse-Orientale
U. R. S. S.
PAYS-BAS
La Haye
Londres
Berlin
Varsovie
Elbe
Vistule
ALLEMAGNE
POLOGNE
Kiev
Dniepr
Don
Bruxelles
BELGIQUE
Rhin
Paris
LUX.
Prague
Teschen
TCHÉCOSLOVAQUIE
Ruthénie
FRANCE
SUISSE
Berne
Vienne
AUTRICHE
Budapest
HONGRIE
Odessa
ROUMANIE
Bucarest
Danube
Belgrade
YOUGOSLAVIE
MER NOIRE
ITALIE
BULGARIE
Sofia
Istanbul
ESPAGNE
ALBANIE
Tirana
Ankara
Rome
TURQUIE
MER
Alger
Tunis
GRÈCE
Athènes
Dodécanèse (Italie)
Chypre (R.-U.)
Syrie
Liban
Beyrouth
Damas
Tunisie
Malte (R.-U.)
MÉDITERRANÉE
Algérie
Jérusalem
Tripoli
Benghazi
Alexandrie
Le Caire
Irak
Tripolitaine
Cyrénaïque
ÉGYPTE
500 km
puissances de l'Axe et leurs possessions en 1937
annexions de l'Axe en 1938, 1939
annexions de la Hongrie et de la Pologne
territoires contrôlés par l'Axe
territoires contrôlés par la France et le Royaume-Uni
la Pologne, alliée de la France et du Royaume-Uni

L'EUROPE À LA FIN DE 1941
Mourmansk
Narvik
ISLANDE
MER
DU
NORD
SUÈDE
FINLANDE
NORVÈGE
Vyborg
Helsinki
Leningrad
Oslo
Stockholm
ROYAUME-UNI
Moscou
Ulster
Dublin
IRLANDE
DANEMARK
Copenhague
Smolensk
Memel
Minsk
U. R. S. S.
PAYS-BAS
La Haye
Berlin
Londres
Elbe
ALLEMAGNE
Kharkov
Bruxelles
BELGIQUE
Kiev
Dniepr
Don
Paris
Rhin
Prague
UKRAINE
Rostov
FRANCE
SLOVAQUIE
Vienne
Odessa
Vichy
Berne
Budapest
HONGRIE
ROUMANIE
Bucarest
Sébastopol
CROATIE
Danube
MER NOIRE
ITALIE
SERBIE
BULGARIE
ESPAGNE
M.
Sofia
Istanbul
Rome
Ankara
Tirana
Albanie
TURQUIE
MER
Alger
Oran
Mers el-Kébir
Tunis
GRÈCE
Athènes
Dodécanèse (Italie)
Chypre (R.-U.)
Syrie
Liban
Beyrouth
Damas
Tunisie
Malte (R.-U.)
MÉDITERRANÉE
Algérie
Jérusalem
Irak
Tripoli
Tobrouk
Benghazi
Alexandrie
canal de Suez
Tripolitaine
Cyrénaïque
Le Caire
500 km
ÉGYPTE
l'Allemagne, ses annexions et protectorats
les alliés de l'Allemagne et leurs annexions
Italie - Bulgarie
Roumanie - Hongrie
territoires perdus en mars 1940 et récupérés par la Finlande
territoires occupés par l'Allemagne et ses alliés
territoires occupés par le Royaume-Uni

L'EUROPE À LA FIN DE 1942
Mourmansk
ISLANDE
MER
DU
NORD
SUÈDE
FINLANDE
NORVÈGE
Helsinki
Leningrad
Oslo
Stockholm
ROYAUME-UNI
Moscou
Ulster
Dublin
IRLANDE
DANEMARK
Copenhague
Smolensk
U. R. S. S.
Stalingrad
Hambourg
La Haye
PAYS-BAS
Elbe
Berlin
Koursk
Londres
ALLEMAGNE
Kharkov
Bruxelles
Cologne
Kiev
Dniepr
BELGIQUE
Rhin
Don
Paris
UKRAINE
Rostov
Prague
FRANCE
Munich
SLOVAQUIE
Vichy
Berne
Vienne
Odessa
Budapest
HONGRIE
Sébastopol
ROUMANIE
Bucarest
CROATIE
SERBIE
Danube
MER NOIRE
ITALIE
ESPAGNE
Toulon
BULGARIE
Sofia
Istanbul
Rome
Tirana
Ankara
Naples
Albania
Salerne
TURQUIE
Tarente
MER
Palerme
Alger
Bizerte
Oran
Tunis
GRÈCE
Athènes
Dodécanèse (Italie)
Chypre (R.-U.)
Syrie
Liban
Malte (R.-U.)
Tunisie
Algérie
MÉDITERRANÉE
Jérusalem
Irak
Tripoli
Tobrouk
Benghazi
Alexandrie
Le Caire
LIBYE
El Alamein (oct. 1942)
500 km
ÉGYPTE
l'Allemagne, ses annexions et protectorats
territoires occupés par l'Allemagne et ses alliés (fin 1942)
extension maximale des pays de l'Axe, octobre-décembre 1942
territoires occupés ou libérés par les Alliés (fin 1942)
pays neutres

L'EUROPE EN MAI 1945
ISLANDE
MER
DU
NORD
SUÈDE
FINLANDE
NORVÈGE
Helsinki
Leningrad
Oslo
Stockholm
Moscou
Riga
ROYAUME-UNI
DANEMARK
Copenhague
Memel
U. R. S. S.
PAYS-BAS
Hambourg
Stalingrad
Londres
Anvers
La Haye
Elbe
Berlin
Brest-Litovsk
Juin 44
Bruxelles
Cologne
ALLEMAGNE
Varsovie
Kharkov
BELGIQUE
Dresde
Kiev
Dniepr
Don
Paris
Rhin
Prague
Strasbourg
SLOVAQUIE
FRANCE
Colmar
Vienne
Odessa
SUISSE
Budapest
août-sept. 1944
HONGRIE
Lyon
ROUMANIE
Venise
Belgrade
Bucarest
Sébastopol
Bologne
CROATIE
SERBIE
Danube
MER NOIRE
Marseille
août 1944
ITALIE
BULGARIE
ESPAGNE
Sofia
Istanbul
ALBANIE
Rome
Tirana
Salonique
Ankara
TURQUIE
MER
Alger
Tunis
GRÈCE
Athènes
Syrie
Chypre
Liban
Beyrouth
Damas
Malte (R.-U.)
MÉDITERRANÉE
Algérie
Tunisie
Tripoli
Irak
canal de Suez
Le Caire
500 km
LIBYE
ÉGYPTE
l'Allemagne, ses alliés et territoires occupés
les Alliés
territoires libérés par les Alliés en 1944
le front à la fin de 1944
territoires contrôlés par l'armée allemande le 8 mai 1945
offensives de l'été 1944 sur le territoire français

bataille de la) (1914), succède la *guerre de position*, avec l'apparition des tranchées; les deux armées mènent une *guerre d'usure* (V. Verdun, bataille de) qui prend fin avec les dernières offensives allemandes et la contre-offensive de Foch (mars-oct. 1918). L'importance du matériel ne cesse de s'affirmer : avions, sous-marins et, dans les rangs alliés, après 1916, tanks. Quand la guerre s'achève (11 nov. 1918 sur le front de l'Ouest, armistice signé à Rethondes*), 10 millions d'hommes sont morts. À Versailles* est signé le plus important des traités de paix. L'Europe, ravagée, est bouleversée par l'effondrement des Empires russe, allemand et austro-hongrois.
La Seconde Guerre mondiale (1939-1945) est déclenchée par l'Allemagne. Ruinée par la crise économique de 1929-1930, humiliée par le traité de Versailles, elle suit A. Hitler* qui lui promet la revanche. Il écrase la Pologne (sept. 1939) puis la France (mai-juin 1940), soumet l'Europe centrale et les Balkans. Pendant trois ans, l'Allemagne nazie domine l'Europe (occupation de la France, 1940-1944), en dépit des mouvements de résistance (V. Résistance), exterminant 10 % de la pop. tsigane et 6 millions de Juifs au nom de la supériorité d'une pseudo-race aryenne*. L'invasion de l'U.R.S.S. (21 juin 1941) et l'entrée en guerre des É.-U. après Pearl Harbor* (7 déc. 1941) brisent l'isolement de l'Angleterre. L'acharnement des armées russes, l'enlisement du Japon dans ses conquêtes (Chine et Sud-Est asiatique), l'énorme production de guerre des É.-U., « l'arsenal des démocraties », provoquent le reflux des puissances de l'Axe* (V. Stalingrad). Après le débarquement anglo-américain de Normandie (6 juin 1944), l'Allemagne, ravagée par les bombardements aériens, est envahie par l'Est et par l'Ouest. Elle capitule le 8 mai 1945. Le Japon capitule à son tour après l'explosion des bombes atomiques à Hiroshima et Nagasaki (6 et 9 août 1945). La guerre s'est étendue à tous les continents, sauf l'Amérique, et à tous les océans. Guerre totale, elle a tué 50 millions de personnes, civiles et militaires. Guerre idéologique, elle a opposé les puissances de l'Axe (Allemagne nazie, Italie fasciste et Japon expansionniste) aux démocraties occidentales (France, Angleterre, É.-U.) et à l'U.R.S.S. de Staline; guerre industrielle, elle a été menée avec des centaines de milliers de tanks et d'avions, a provoqué l'essor de l'aviation à réaction et l'apparition de la bombe atomique. Quand elle s'achève, en 1945, la plupart des pays d'Europe sont en ruine; É.-U. et U.R.S.S. se partagent l'hégémonie mondiale.

guerrier, ère n. et adj. **I.** n. Personne qui fait la guerre. *Vaillant guerrier.* **II.** adj. **1.** De la guerre. *« Les travaux guerriers » (Corneille).* **2.** Belliqueux, martial. *Humeur, mine guerrière.*

guerroyer v. intr. [**23**] Faire la guerre (contre qqn) sporadiquement. – Fig. Se battre contre (qqch). *Guerroyer contre les injustices.*

Guesclin (Du). V. Du Guesclin.

Guesde (Jules Bazile, dit Jules) (Paris, 1845 – Saint-Mandé, 1922), homme politique français. Propagateur du marxisme, princ. fondateur du parti ouvrier socialiste français (1879), il s'opposa à Jaurès en rejetant toute

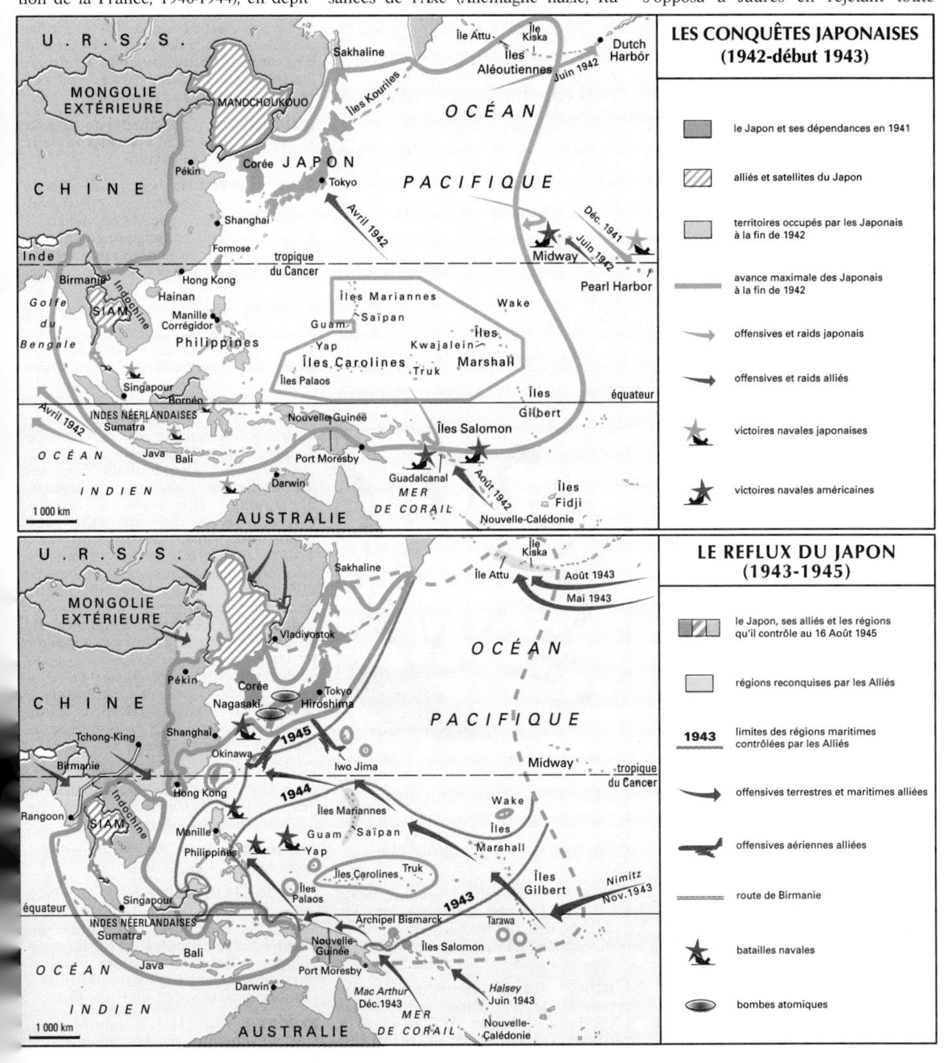

alliance avec les partis bourgeois. La guerre venue, il se rallia à l'Union sacrée et fut ministre d'État de 1914 à 1916.

guest-star [gɛststaʀ] n. f. (Anglicisme) Artiste ou personnalité invitée à une manifestation. *Des guest-stars.*

guet n. m. **1.** Action de guetter, d'épier. *Faire le guet.* **2.** ANC. Surveillance exercée la nuit dans une ville. *Chevalier du guet* : chef des archers qui exerçaient cette surveillance.

guet-apens [gɛtapɑ̃] n. m. Embûche préméditée pour voler, tuer qqn. *Tomber dans un guet-apens.* – FIG. Machination. *Des guets-apens.*

guêtre n. f. Jambière d'étoffe ou de cuir, à boutons ou crochets. *Mettre des guêtres. Un bouton de guêtre.* – Loc. fig., fam. *Traîner ses guêtres* : flâner.

guetter v. tr. [1] **1.** Épier. *Le chat guette sa proie.* **2.** Attendre avec impatience. *Guetter un signal.* ▷ Attendre (qqn) dans une intention hostile. *Guetter l'ennemi.* – FIG. *Être guetté par la maladie.* **3.** Être à l'affût de (qqch). *Guetter l'occasion, le moment d'agir.*

guetteur, euse n. Personne qui guette. – n. m. ANC. Celui qui sonnait l'alarme, dans un beffroi, en cas d'attaque, d'incendie, etc.

Gueugnon, ch.-l. de cant. de Saône-et-Loire (arr. de Charolles), sur l'Arroux ; 9 697 hab. Métallurgie.

gueulante n. f. POP. et ARG. Cri de colère, de protestation. – Loc. *Pousser une gueulante* : protester bruyamment.

1. gueulard n. m. METALL Orifice par où s'effectue le chargement d'un haut-fourneau.

2. gueulard, arde adj. et n. **1.** RÉG. Gourmand. **2.** POP. Braillard.

gueule n. f. **1.** Bouche des animaux carnivores, des poissons. *Gueule d'un chien, d'un crocodile, d'un requin.* ▷ Loc. fig. *Se jeter dans la gueule du loup* : se mettre dans une situation dangereuse, par imprudence. **2.** FAM. Bouche, et, *par ext.,* visage humain. *Une belle gueule. Une sale, une vilaine gueule.* ▷ Loc. *Faire la gueule* : bouder. *Casser la gueule à qqn,* le battre. *Se casser la gueule* : tomber. *Gueule cassée* : nom donné aux anciens combattants blessés de la face. *Gueule noire* : mineur, dans le Nord. *Fermer la (sa) gueule* : se taire. *Ta gueule ! vos gueules !* : silence ! *Coup* de gueule. Grande gueule, fort en gueule* : personne qui a l'habitude de parler très fort, de crier, ou qui parle avec assurance mais sans agir efficacement. *Fine gueule* : gourmet. *Avoir la gueule de bois,* la gorge sèche et la bouche pâteuse après s'être enivré. *Avoir de la gueule* (en parlant des choses) : avoir de l'allure. **3.** Ouverture. *Canon chargé jusqu'à la gueule.*

gueule-de-loup n. f. Muflier (fam. scrofulariacées). *Des gueules-de-loup.*

gueulement n. m. FAM. Cri.

gueuler v. tr. et intr. [1] FAM. Crier très fort. *Gueuler des injures.*

gueules n. m. HERALD Couleur rouge de l'écu.

gueuleton n. m. FAM. Bon repas.

gueuletonner v. intr. [1] FAM. Faire un gueuleton.

1. gueuse [gøz] n. f. METALL Lingot de fonte brute.

2. gueuse ou **gueuze** [gøz] n. f. Bière belge. V. lambic.

gueux, gueuse [gø, gøz] n. **1.** VX Mendiant, pauvre. **2.** Coquin, fripon. **3.** n. f. VX Prostituée. ▷ Loc. mod. *Courir la gueuse* : mener une vie de débauche. **4.** HIST n. m. pl. *Les gueux* : les révoltés des Pays-Bas espagnols, en lutte (1566-1573) contre Philippe II d'Espagne.

Guevara. V. Vélez de Guevara.

Guevara (Ernesto, dit Che) (Rosario, 1928 – en Bolivie, 1967), révolutionnaire cubain d'origine argentine. En 1956, il gagna le maquis de F. Castro. De 1961 à 1965, il fut ministre de l'Industrie à Cuba, puis il quitta le pays pour organiser la guérilla en Amérique latine. Il fut tué dans la région de Valle Grande lors d'un affrontement avec l'armée bolivienne. Ses restes ont été inhumés à Santa Clara, à Cuba, en oct. 1997. ► illustr. page **849**

Guèvremont (Germaine) (Saint-Jérôme, Québec, 1893 – Montréal, 1968), écrivain québécois : *le Survenant* (1945), *Marie-Didace* (1947).

Guez de Balzac. V. Balzac (Jean-Louis Guez, seigneur de).

guèze n. m. LING Langue chamito-sémitique de l'Éthiopie (du royaume d'Aksoum, IVe-Xe s.) dont dérive l'amharique, et qui demeure la langue liturgique des chrétiens éthiopiens.

Guggenheim (musée), musée d'art contemporain construit à New York par F.L. Wright (1956-1959) sur une commande de Solomon Guggenheim (1861-1949), homme d'affaires et mécène américain. – La *fondation Guggenheim* gère également le musée Peggy Guggenheim à Venise et le musée Guggenheim de Bilbao.

gugusse n. m. **1.** VIEILLI Clown qui joue les naïfs. **2.** FAM., PÉJOR. Personne quelconque.

gui [gi] n. m. Plante parasite de certains arbres, dont les baies blanches, toxiques, étaient utilisées pour la confection de la glu, et les feuilles en médecine. *Le gui de chêne était sacré chez les Gaulois.*

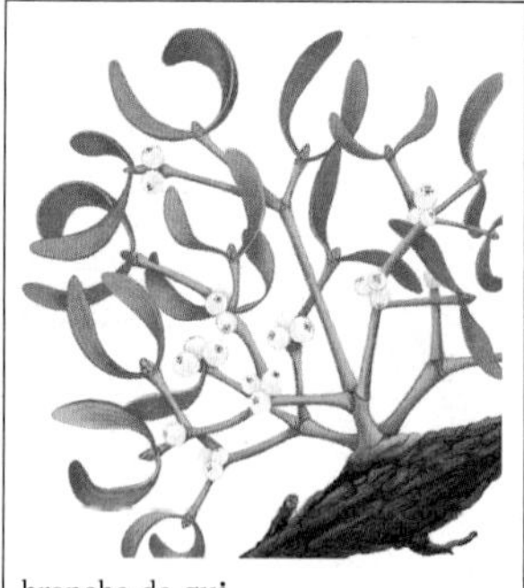

branche de **gui**

Gui ou **Guy** (saint) (m. en 303), martyr en Lucanie (Italie mérid.) ; on invoquait son aide, au Moyen Âge, contre la maladie nerveuse appelée *danse de Saint-Guy* (chorée).

Guibert de Nogent (Clermont, Beauvaisis, 1053 – Nogent-sous-Coucy, v. 1124), bénédictin, théologien et historien français ; auteur d'une histoire des croisades *(Gesta Dei per Francos).*

Guibert (Joseph Hippolyte) (Aix-en-Provence, 1802 – Paris, 1886), prélat français. Archevêque de Paris (1871), cardinal (1873), il fonda en 1876 l'Université catholique, devenue l'Institut catholique en 1880.

guibole ou **guibolle** n. f. FAM. Jambe.

Guichardin (François), en ital. *Francesco Guicciardini* (Florence, 1483 – Arcetri, 1540), écrivain et homme politique italien ; auteur d'une importante *Histoire d'Italie* (1537-1540).

guiche n. f. Mèche de cheveux frisés sur le front en accroche-cœur.

guichet n. m. **1.** Petite ouverture pratiquée dans une porte, un mur. *Parler au guichet,* dans une prison. ▷ *Scie à guichet,* à lame très étroite. **2.** Petite ouverture derrière laquelle se tiennent les employés, dans une poste, une banque, etc. – *Guichet de location,* où sont délivrés les billets d'entrée pour un spectacle. **3.** Spécial. *Les guichets du Louvre,* les passages sous les galeries qui donnent accès aux cours intérieures.

guichetier, ère n. Personne préposée à un guichet.

guidage n. m. **1.** Action de guider. **2.** TECH Ensemble des pièces qui, dans un puits de mine, guident le mouvement de la cage d'extraction. **3.** TECH Ensemble des pièces qui guident le mouvement d'un organe de machine. **4.** Action de guider (un avion, une fusée, etc.) par radio ou par un autre procédé.

guidance n. f. Méthode destinée à aider les enfants à s'adapter à leur milieu. *Centre de guidance.*

Gui d'Arezzo (en ital. *Guido d'Arezzo*) (Arezzo, v. 990 – Fonte d'Avellana [?], v. 1050), bénédictin italien. Il a révolutionné l'enseignement de la musique en créant la notation musicale (portée musicale, clés d'*ut* et de *fa,* bémol à la clé).

guide n. **I.** n. m. **1.** Personne qui montre le chemin. *Guide de haute montagne. Guide de musée.* ▷ MILIT Soldat sur lequel les autres doivent régler leurs mouvements. *Corps des guides* : corps de cavalerie d'élite sous la Révolution, le Premier et le Second Empire. **2.** FIG. Personne qui en dirige, en conseille d'autres. *Un guide spirituel.* – *Par ext.* Ce qui dirige un être humain dans ses actions. *Sa conscience est son seul guide.* **3.** Ouvrage didactique. ▷ *Spécial.* Ouvrage décrivant une ville, une région, etc. *Guide des rues de Paris.* **4.** TECH Organe qui permet d'imposer une trajectoire à un organe mobile. **5.** TELECOM *Guide d'ondes* : tuyau métallique servant à transporter des ondes radioélectriques de très haute fréquence. **II.** n. f. pl. Longue rêne servant à diriger les chevaux attelés. *Conduire à grandes guides,* très vite. ▷ FIG. *Mener la vie à grandes guides* : vivre sur un grand pied, se montrer prodigue. **III.** n. f. Jeune fille faisant partie d'un groupe de scoutisme. *Cheftaine de guides.*

Guide (Guido Reni, dit le) (Calvenzano, 1575 – Bologne, 1642), peintre italien ; disciple des Carrache : fresque de *l'Aurore* (1613-1614, Rome).

guide-âne n. m. FAM. Aide-mémoire, pense-bête. *Des guide-ânes.*

Gui de Dampierre (?, 1225 – Pontoise, 1305), comte de Namur (1263), auquel sa mère légua le comté de Flandre (1278). Il entra en conflit avec Philippe le Bel, dont il était le vassal, et se rapprocha de l'Angleterre. De 1300 à sa mort, il vécut captif en Île-de-France.

guider I. v. tr. [1] **1.** Conduire, montrer le chemin à. *Le chien guide* *l'aveugle.* – Fig. *Guider un élève dans ses études.* **2.** Mettre sur la bonne voie. *Les traces guident les chasseurs.* **3.** Fig. Diriger, mener, faire agir. *C'est son ambition qui le guide.* **II.** v. pron. *Se guider sur :* se diriger d'après. *Se guider sur l'étoile polaire.* – Fig. *Se guider sur l'exemple de ses prédécesseurs.*

guidon n. m. **1.** Vx Étendard. **2.** MAR Pavillon à deux pointes ou triangulaire. **3.** Organe (tube métallique cintré) servant à orienter la roue avant d'un véhicule à deux ou trois roues. *Lâcher le guidon de sa bicyclette.* **4.** TECH Pièce saillante située à l'extrémité du canon d'une arme et servant à prendre la ligne de mire.

Guignard (Léon) (Mont-sous-Vaudrey, Jura, 1852 – Paris, 1928), pharmacien et botaniste français. Il découvrit, en même temps que le Russe Navachine, la double fécondation chez les angiospermes, phénomène capital en botanique.

1. guigne n. f. Cerise noirâtre à chair ferme. ▷ Loc. fam. *Se soucier de qqch, de qqn comme d'une guigne,* n'y prêter aucune attention.

2. guigne n. f. Fam. Malchance.

guigner v. tr. [1] **1.** Regarder du coin de l'œil. *Guigner le jeu du voisin.* **2.** Fig., fam. Convoiter. *Guigner un emploi.*

guignol n. m. **1.** Marionnette à gaine. **2.** Théâtre de marionnettes. *Mener les enfants au guignol.* **3.** Fig., fam. Individu grotesque, fantoche. *Faire le guignol :* faire l'idiot.

guignolade n. f. Fam. Affaire peu sérieuse, situation grotesque.

guignolet n. m. Liqueur de guigne.

guignon n. m. Fam., vieilli Malchance.

Guignon (Jean-Pierre) (Turin, 1702 – Paris, 1774), compositeur et violoniste français d'origine italienne ; il fit partie de la musique du roi Louis XV comme « roi des violons ».

Guilbert (Yvette) (Paris, 1867 – Aix-en-Provence, 1944), chanteuse française d'esprit « canaille » *(le Fiacre, Madame Arthur)* qui renoua avec les vieilles traditions populaires.

Guilboa (Amir) (Radzivilov, auj. Tchernonoarmeisk, Ukraine, 1917), poète israélien inspiré par la guerre : *les Sept Autorités* (1949), *Chant du matin* (1953).

guilde, ghilde ou **gilde** [gild] n. f. **1.** HIST Au Moyen Âge, association entre corporations d'artisans, de commerçants, etc. **2.** Mod. Association commerciale offrant à ses adhérents des avantages particuliers.

Guildford, v. d'Angleterre, au S.-O. de Londres (Surrey) ; 121 500 hab. Marché agric. – Vestiges d'un château normand du XIIe s. Église Saint Mary (XIIIe s.).

Guildhall (en fr. *salle des Guildes* ou *Gildes*), hôtel de ville de la Cité de Londres, bâti de 1411 à 1435 (restauré).

Guillain (Simon) (Paris, 1581 – id., 1658), sculpteur français. Bronzier (*Monument du Pont-au-Change,* Louvre), il décora de nombreuses églises parisiennes (notamment St-Joseph-des-Carmes et St-Eustache).

Guillaumat (Pierre) (La Flèche, 1909 – Paris, 1991), ingénieur français, grand artisan de l'indépendance énergétique en France (1944-1977, notam. créateur d'Elf-Aquitaine).

Guillaume II d'Allemagne

François **Guizot**

guillaume n. m. TECH Rabot de menuisier dont le fer, très étroit, a la largeur du fût.

Guillaume le Grand (saint) (?, v. 755 – Gellone, Languedoc, 812), comte de Toulouse. Il combattit les Sarrasins en Espagne, fonda le monastère qui devint, au XIIe s., Saint-Guilhem-le-Désert. Il a fourni le modèle historique de Guillaume d'Orange, héros d'un cycle de chansons de geste.

ACHAÏE (PRINCIPAUTÉ D')

Guillaume Ier de Champagne, sire de Champlitte (1174-1209), fonda la principauté d'Achaïe, qu'il gouverna de 1205 à 1208. – **Guillaume II de Villehardouin** (m. en 1278), prince d'Achaïe (1246-1278), fils de Geoffroi Ier ; il porta à son apogée la principauté, qu'il dut placer sous la suzeraineté de Byzance (1261).

ALLEMAGNE

Guillaume de Hollande (Leyde, 1227 – en Frise, 1256), empereur germanique (1254-1256). Comte de Hollande, élu roi des Romains dès 1247 par les adversaires de Frédéric II, il dut attendre la mort de Conrad IV (1254), fils de ce dernier, pour être définitivement reconnu empereur.

Guillaume Ier (Berlin, 1797 – id., 1888), roi de Prusse (1861-1888), il succéda à son frère Frédéric-Guillaume IV et fut empereur des Allemands (1871-1888). Bismarck, qu'il prit pour ministre en 1862, dirigea les affaires et réalisa sous son règne l'unité allemande, marquée par la guerre des Duchés (1864-1865), la victoire de Sadowa sur l'Autriche (1866) et la guerre franco-allemande de 1870-1871. Au sortir de ce conflit, le roi de Prusse fut proclamé empereur d'Allemagne, à Versailles. – **Guillaume II** (chât. de Potsdam, 1859 – Doorn, Pays-Bas, 1941), petit-fils du préc., fils de Frédéric III ; empereur des Allemands (1888-1918). Dès 1890, il se sépara de Bismarck. Il favorisa l'essor écon. de son pays, renforça sa puissance militaire et l'engagea dans l'expansion coloniale. Il porte une part de responsabilité dans le déclenchement de la guerre de 1914-1918 et dut abdiquer (9 nov. 1918).

ANGLETERRE ET GRANDE-BRETAGNE

Guillaume Ier le Conquérant ou **le Bâtard** (Falaise, v. 1027 – Rouen, 1087), duc de Normandie (1035-1087), roi d'Angleterre (1066-1087). Successeur désigné du roi d'Angleterre, Édouard le Confesseur, il vainquit et tua l'usurpateur Harold II à Hastings (1066). Il fortifia le pouvoir royal (contrôle étroit des féodaux). Afin de connaître les ressources, notam. fiscales, de son royaume, il fit entreprendre la gigantesque enquête du « Domesday Book » (livre cadastral achevé en 1090). – **Guillaume II le Roux** (?, v. 1056 – New Forest, 1100), deuxième fils du préc. ; roi d'Angleterre

couronnement de **Guillaume Ier le Conquérant** à Westminster (1066), extrait d'un manuscrit de 1470-1480 ; British Museum

(1087-1100). – **Guillaume III** (La Haye, 1650 – Kensington, 1702), stathouder des Provinces-Unies (1672-1702), roi d'Angleterre, d'Écosse et d'Irlande (1689-1702), fils posth. de Guillaume II de Nassau et d'Henriette Stuart. Il s'opposa avec succès à Louis XIV lors de la guerre de Hollande (1672-1678). En 1677, il épousa sa cousine Marie, fille du futur Jacques II. Prince protestant, il fut proclamé roi d'Angleterre conjointement avec sa femme en 1689, évinçant du trône son beau-père, catholique. – **Guillaume IV** (Londres, 1765 – Windsor, 1837), roi de G.-B., d'Irlande et de Hanovre (1830-1837), fils de George III. Sa nièce, Victoria, lui succéda.

ÉCOSSE

Guillaume Ier le Lion (?, 1143 – Stirling, 1214), roi d'Écosse (1165-1214). Vaincu par Henri II d'Angleterre, il dut se reconnaître son vassal (1174). Il racheta en 1189 l'indép. de l'Écosse.

HOLLANDE ET PAYS-BAS

Guillaume Ier de Nassau, dit *le Taciturne* (chât. de Dillenburg, 1533 – Delft, 1584), stathouder des Provinces-Unies (1572-1584). Il dirigea dès 1566 la lutte des révoltés des Pays-Bas contre Philippe II d'Espagne et fut assassiné. Fondateur de la branche d'Orange-Nassau. – **Guillaume II de Nassau** (La Haye, 1626 – id., 1650), stathouder de Hollande (1647-1650), fils de Frédéric-Henri et gendre de Charles Ier d'Angleterre ; il signa la paix de Münster, qui reconnaissait l'indépendance des Provinces-Unies, en 1648. – **Guillaume III de Nassau,** fils du préc. V. Guillaume III, roi d'Angleterre.

Guillaume Ier (La Haye, 1772 – Berlin, 1843), roi des Pays-Bas et grand-duc de Luxembourg (1815-1840), désigné par le congrès de Vienne. La Belgique fit sécession en 1830. Il ne reconnut son indépendance qu'en 1839 et dut abdiquer. – **Guillaume II** (La Haye, 1792 – Tilburg, 1849), fils du préc. ; roi des Pays-Bas et grand-duc de Luxembourg (1840-1849), il accorda une Constitution parlementaire (1848). – **Guillaume III** (Bruxelles, 1817 – chât. de Loo, 1890), fils du préc. ; roi des Pays-Bas et grand-duc de Luxembourg (1849-1890) ; il appliqua le régime parlementaire.

SICILE

Guillaume Ier le Mauvais (1120 – 1166), roi de Sicile (1154-1166), fils de Roger II. Il lutta victorieusement contre l'empereur d'Orient, Manuel Ier Comnène. Reconnu en 1156 par le pape Adrien IV, il ajouta les Abruzzes au royaume normand de Sicile. – **Guillaume II le Bon** (1154 – 1189), fils du préc.; roi de Sicile (1166-1189). Malgré de multiples expéditions, il ne put conquérir l'Égypte.

◊ ◊ ◊

Guillaume de Champeaux (Champeaux, près de Melun, v. 1070 – ?, 1121), théologien et philosophe français. Son école compta de nombr. disciples; le plus illustre, Abélard, devint son adversaire.

Guillaume de Tyr (Syrie, v. 1130 – ?, v. 1185), prélat et chroniqueur de Terre sainte; auteur d'une volumineuse histoire de l'Orient latin au XIIe s. *(Gesta Orientalium principum).*

Guillaume de Lorris (Lorris-en-Gâtinais, v. 1200 – ?, v. 1238), poète français; auteur de la première partie du *Roman de la Rose* (env. 4 000 vers).

Guillaume de Saint-Amour (Saint-Amour, Franche-Comté, 1202 – id., 1272), théologien français; maître à la Sorbonne, adversaire des ordres mendiants.

Guillaume de Nangis (m. v. 1300), chroniqueur français, moine de Saint-Denis. Sa *Chronique universelle* (en lat. *Chronicon*) va des débuts de l'humanité à 1301 (après sa mort, d'autres moines de Saint-Denis poursuivirent son travail jusqu'en 1368).

Guillaume d'Occam ou **d'Ockham** (Ockham, Surrey, fin XIIIe s. – Munich, v. 1349), théologien et philosophe scolastique anglais; le plus grand penseur nominaliste du Moyen Âge. Ses thèses *(Commentaires sur les Sentences)* annoncent l'empirisme de Locke et de Hume.

Guillaume de Machaut ou **de Machault** (Machault, Champagne, v. 1300 – Reims, 1377), musicien et poète français, chanoine de Reims. Il composa la première messe polyphonique (*À Notre-Dame*). Auteur de messes, ballades, rondeaux et virelais.

enluminure (1584) d'un poème d'amour de **Guillaume de Machaut**, illustrant le thème de la Dame enfermée dans une tour; B.N.

Guillaume (Charles Édouard) (Fleurier, 1861 – Sèvres, 1938), physicien suisse qui créa l'*invar* et l'*élinvar* (alliages de nickel et d'acier à coefficient de dilatation presque nul). P. Nobel 1920.

Guillaume (Gustave) (Paris, 1883 – id., 1960), linguiste français. Refusant une conception descriptive et formelle de la langue, il fonda la psychosystématique (étude des rapports de la langue et de la pensée).

Guillaume (Paul) (Paris, 1893 – id., 1934), marchand de tableaux, critique d'art et collectionneur français; un des premiers amateurs d'« art nègre ». Il fit connaître Modigliani, Soutine, Derain.

Guillaume Tell, héros légendaire de l'indép. suisse (XIVe s.), popularisé par la tragédie de Schiller (1804). La légende (probabl. d'orig. scandinave) veut que les autorités habsbourgeoises l'aient contraint, parce qu'il n'avait pas salué le chapeau du bailli Gessler, à percer d'une flèche une pomme posée sur la tête de son fils, ce qu'il parvint à faire. Par la suite, il tua Gessler.

Guillaumin (Armand) (Paris, 1841 – id., 1927), peintre français. Il fit partie du groupe des impressionnistes (*Péniches sur la Seine à Bercy,* 1871; *Neiges fondantes dans la Creuse,* 1898).

guilledou n. m. Loc. fam. *Courir le guilledou :* aller à la recherche d'aventures amoureuses.

guillemet n. m. (Le plus souv. au plur.) Signe typographique (« ») ou (" ") qu'on utilise pour mettre en valeur un mot ou un groupe de mots en citation. *Passage entre guillemets. Ouvrir les guillemets.*

guillemeter v. tr. [**20**] Rare Mettre entre guillemets. *Guillemeter une citation.*

Guillemin (Roger) (Dijon, 1924), médecin endocrinologue américain d'origine française. Il a effectué des travaux sur les hormones sécrétées par le cerveau. P. Nobel 1977.

guillemot [gijmo] n. m. Oiseau marin (genre *Uria,* fam. alcidés) voisin du pingouin.

Guillén Álvarez (Jorge) (Valladolid, 1893 – Málaga, 1984), poète espagnol; traducteur de Valéry. Princ. recueils : *Cantico* (1928), *Clamor* (1957-1963).

Guillén y Battista (Nicolás) (Camagüey, 1902 – La Havane, 1989), poète cubain. Il est au prem. rang des poètes afro-américains d'expression espagnole : *Motifs de bruit* (1930), *Espagne, poème en quatre angoisses et une espérance* (1937), *J'ai* (1964).

Guilleragues (Gabriel de Lavergne, sieur de) (Bordeaux, 1628 – Constantinople, 1685), magistrat et écrivain français, considéré auj. comme l'auteur des *Lettres portugaises* (1669) attribuées à Mariana Alcoforado.

guilleret, ette adj. Plein de vivacité, de gaieté. *L'air guilleret.* – Libre, leste. *Conte guilleret.*

Guillet (Léon) (Saint-Nazaire, 1873 – Paris, 1946), ingénieur français; connu pour ses travaux sur la métallurgie des alliages.

Guillevic (Eugène) (Carnac, 1907 – Paris, 1997), poète français. Dans ses textes, l'économie verbale et le matérialisme n'excluent pas le lyrisme profond : *Terraqué* (1942), *Carnac* (1961), *Sphère* (1963), *Avec* (1966).

guillochage n. m. TECH Action de guillocher; résultat de cette action.

guillocher v. tr. [**1**] TECH Orner de guillochis.

guillochis [gijɔʃi] n. m. TECH Ornement formé par des traits gravés entrecroisés de manière régulière.

guillochure n. f. TECH Chacun des traits qui composent un guillochis.

Guillotière (La), quartier de Lyon, très peuplé, sur la r. g. du Rhône.

Guillotin (Joseph Ignace) (Saintes, 1738 – Paris, 1814), homme politique et médecin français (professeur d'anatomie). Député aux états généraux en 1789, il fit approuver le principe de la peine unique pour tous (nobles ou roturiers), exécutée par l'instrument (qu'il n'avait pas inventé) qu'on nomma ensuite *guillotine.*

guillotine n. f. **1.** Instrument de supplice destiné à trancher la tête des condamnés à mort au moyen d'un couperet glissant le long de deux montants verticaux. **2.** *Fenêtre à guillotine,* dont le châssis glisse verticalement entre deux rainures.

guillotiner v. tr. [**1**] Décapiter au moyen de la guillotine.

Guilloux (Louis) (Saint-Brieuc, 1899 – id., 1980), écrivain français. Il a décrit le peuple et la bourgeoisie de Bretagne entre les deux guerres, non sans idéalisme et considérations socialistes : *la Maison du peuple* (1927), *le Sang noir* (1935, adapté pour le théâtre : *Cripure*), *le Jeu de patience* (1949).

Guilvinec, ch.-l. de cant. du Finistère (arr. de Quimper), sur l'Atlantique; 3 393 hab. Pêche. Stat. balnéaire.

Guimarães, v. du Portugal (Braga); 21 950 hab. Textiles. Coutellerie. – Première cap. du Portugal. Chât. du Xe s.

Guimarães Rosa (João) (Cordisburgo, 1906 – Rio de Janeiro, 1967), écrivain et diplomate brésilien. *Les Nuits sur Sertão* (1956), *Diadorim* (1964).

Guimard (Hector) (Lyon, 1867 – New York, 1942), architecte (« Castel Béranger », rue La Fontaine, à Paris, 1898) et décorateur français; promoteur de l'*art nouveau :* ses entrées du métropolitain (1899-1904), si caractéristiques de l'usage décoratif de la fonte, ont fait nommer « style métro » le style de l'époque.

guimauve n. f. **1.** Plante herbacée (fam. malvacées) dont les racines, les tiges et les feuilles ont des propriétés émollientes et sédatives. – *Pâte, sirop de guimauve,* faits avec la racine d'*Althæa officinalis,* la guimauve officinale. **2.** Fig., péjor. *À la guimauve :* d'une sentimentalité outrée, d'une grande mièvrerie. *Romans à la guimauve.*

guimbarde n. f. **1.** Instrument de musique composé d'une branche de fer recourbée et d'une languette d'acier. **2.** TECH Petit rabot de menuisier, d'ébéniste, de sculpteur, servant à égaliser le fond des creux. **3.** Péjor., fam. Vieille voiture; mauvaise voiture.

Guimet (musée) (auj. dép. des Arts asiatiques des Musées nationaux), musée des religions et des arts de l'Extrême-Orient, fondé d'abord à Lyon (1879) par le collectionneur Émile Guimet (Lyon, 1836 – Fleurieu-sur-Saône, 1918), qui le transféra à Paris (1884) et en fit don à l'État.

guimpe n. f. **1.** Anc. Pièce d'étoffe encadrant le visage des religieuses. **2.** Plastron qui masque en partie le décolleté d'une robe. **3.** Chemisette sans manches à col haut.

guincher v. intr. [**1**] Fam. Danser.

guindant n. m. MAR *Guindant d'un pavillon,* sa dimension verticale (par oppos. à *battant*). – *Guindant d'une voile,* longueur de sa ralingue d'envergure (voiles auriques et triangulaires).

guindé, ée adj. Qui manque de naturel, gêné. *Avoir l'air guindé dans des vêtements neufs.* – Fig. Affecté et solennel. *Style guindé.*

guinder v. tr. [1] **1.** TECH Élever au moyen d'un engin de levage. **2.** Fig., litt. Donner une rigueur affectée à. *Guinder son style.* ▷ v. pron. Adopter une rigueur affectée, se raidir.

guinée n. f. Ancienne monnaie anglaise, dont les premières pièces furent frappées avec de l'or de Guinée. *La guinée valait 21 shillings.*

Guinée, nom donné autref. à la rég. côtière d'Afrique comprise entre l'estuaire de la Casamance et celui du Gabon. Cette rég. est baignée en partie par le *golfe de Guinée,* qui s'étend de la Côte-d'Ivoire à l'Ogooué (Gabon).

Guinée (république de), État d'Afrique occid., sur l'Atlantique; 245 857 km^2; 6 400 000 hab.; croissance démographique : 2,5 % par an; cap. *Conakry.* Nature de l'État : rép. de type présidentiel. Langue off. : français. Monnaie : franc guinéen. Princ. groupes ethniques : Foulbés (40 %), Malinkés, Soussous, Kissis, Bagas. Relig. : islam (85 %), animisme (14 %). **Géogr. phys. et hum.** – La plaine côtière humide est dominée par le massif du Fouta-Djalon, château d'eau de l'Afrique de l'O. (sources de la Gambie, du Sénégal). Ces régions à forte densité de population sont prolongées d'ensembles moins peuplés : à l'E. un haut plateau couvert de savane, au S.-E. des massifs élevés, domaines de la forêt dense (1 752 m au mont Nimba). La population est à 75 % rurale. **Écon.** – L'agriculture occupe deux tiers des actifs. Manioc, riz et maïs sont les principales productions vivrières, alors que café, palmiste, arachide et ananas sont destinés à l'exportation. La bauxite est la grande ressource nationale (2e rang mondial, 60 % du P.I.B., 90 % des exportations, ce qui rend le pays très dépendant des cours mondiaux). La production hydroélectrique a permis la création d'une usine d'alumine à Fria. Le port de Conakry est le principal pôle économique du pays. Les relations écon. et polit. reprises avec l'Occident, notam. avec la France depuis 1978, font espérer un redressement économique. La Guinée appartient aux pays les moins avancés et l'endettement du pays est énorme (80 % du P.N.B.). **Hist.** – Occupée par les Français au cours du XIXe s., constituée en colonie en 1893, territoire d'outre-mer en 1946, la Guinée fut le premier pays de l'A.-O.F. à accéder à l'indép. (seul à dire non au référendum de 1958 qui instituait la Communauté française). Sékou Touré, champion du panafricanisme, très lié à K. Nkrumah, prés. du Ghana, instaura un sanglant régime dictatorial; ses options socialistes créèrent des tensions avec les pays voisins (complots déjoués, procès). Le décès de Sékou Touré (mars 1984) entraîna l'effondrement du régime et, à la suite d'un coup d'État milit., la proclamation d'une «deuxième république», sous la prés. du colonel Lansana Conté. En 1991, une réforme constitutionnelle fut approuvée par référendum et la prem. élection présidentielle pluraliste (déc. 1993) a été remportée par L. Conté.

Guinée (Nouvelle-). V. Nouvelle-Guinée.

Guinée-Bissau (république de) *(República de Guiné-Bissau),* État d'Afrique occid., sur l'Atlantique, indép. depuis 1974; 36 125 km^2 à marée basse (28 000 km^2 à marée haute); env. 900 000 hab. (Bissauguinéens); cap. *Bissau.* Langue off. : portug. Monnaie : peso. Pop. : Noirs, répartis en un grand nombre d'ethnies (Balantes, Peuls, Mandjaks, Mandingues). Relig. : animisme (55 %), islam (30 %). – Une plaine littorale densément peuplée, au climat tropical humide et forestier, s'adosse aux bas plateaux de l'intérieur. Les cultures vivrières et la pêche sont les princ. ressources d'une pop. qui aug-

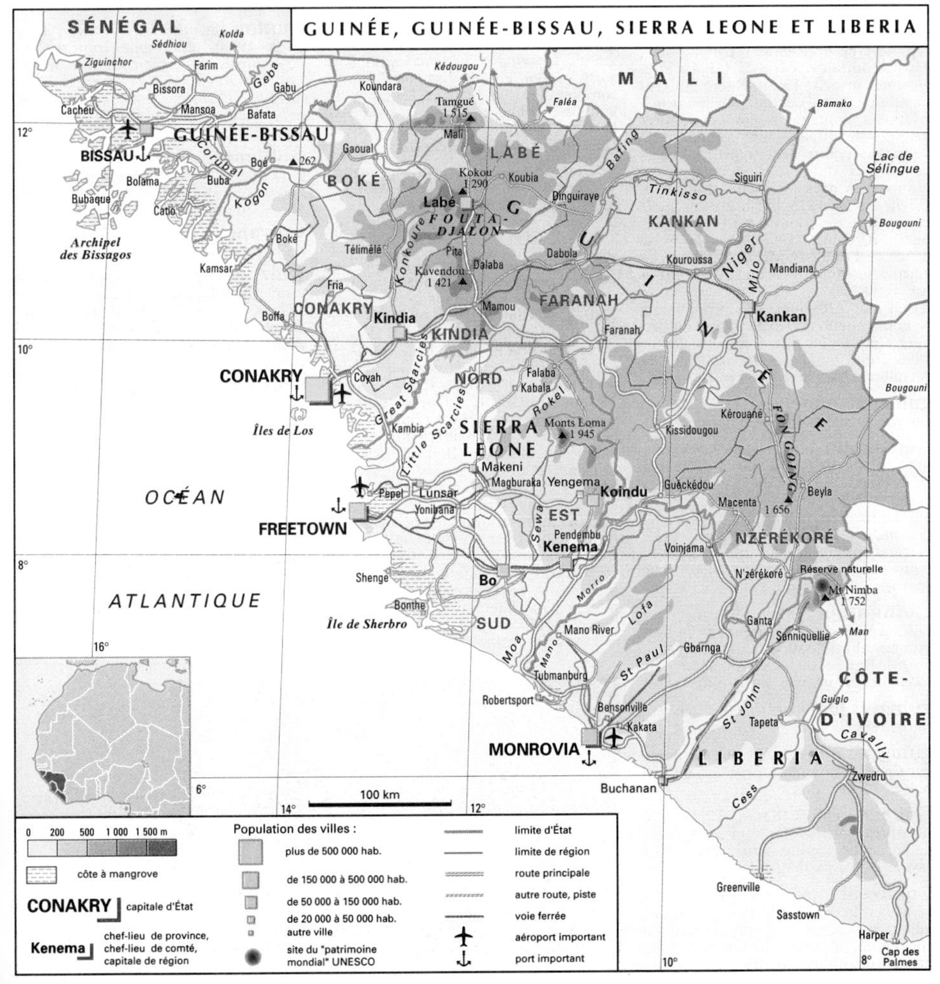

mente de 2 % par an. Arachide, noix de cajou, palmiste et bois sont destinés à l'export. La Guinée-Bissau fait partie des pays les moins avancés et applique, depuis 1986, un programme de redressement du F.M.I. – Territ., portug. depuis le XVe s., colonie séparée du Cap-Vert en 1879, la *Guinée portugaise* acquit son indép. en 1974 après une lutte armée menée par le parti africain pour l'indép. de la Guinée et des îles du Cap-Vert (P.A.I.G.C.), que dirigea Amilcar Cabral de 1959 à sa mort (assassiné en 1973). Son demi-frère Luis, qui lui succéda, négocia l'indépendance avec le Portugal révolutionnaire et devint président de la République. Son renversement en 1980 par un coup d'État militaire entraîna la rupture de la Guinée-Bissau avec le Cap-Vert (dont les frères Cabral étaient originaires). Le nouveau chef de l'État, le g^{al} J. Bernardo Vieira, suit une politique beaucoup plus libérale et a rapproché son pays de l'ancienne métropole portugaise et de la France. ► carte **Guinée**

Guinée équatoriale (république de) *(República de Guinea ecuatorial)*, État d'Afrique, sur le golfe de Guinée, formé d'une partie continentale, le Mbini (anc. *Rio Muni*), et d'une partie insulaire, les îles princ. étant Bioko (anc. *Fernando Pó*) et Annobón (anc. *Pagalu*); 28 051 km^2; env. 350 000 hab. (Équatoguinéens); cap. *Malabo*. Nature de l'État : rép. de type présidentiel. Langue off. : esp. Monnaie : franc C.F.A. Pop. (groupes princ.) : Fangs, Bubis, émigrés nigérians. Relig. : cathol. (en majorité). – Le pays montagneux, couvert de forêt dense, isolé et faiblement peuplé, vit de cultures vivrières et d'export. de cacao, de café et de bois. Il appartient au groupe des pays les moins avancés. – Territ. esp. en 1778, la *Guinée espagnole* devint une rép. autonome (1964), puis une rép. indép. (1968), sous la présidence de Francisco Macías Nguema; ce dernier institua un régime de terreur et fut renversé en 1979 par un coup d'État. Le président Teodoro Obiang Nguema attend de l'exploitation du premier champ pétrolifère du pays, depuis 1996, une amélioration radicale de l'économie. ► carte **Gabon**

guinéen, enne adj. et n. De la Guinée. ▷ Subst. *Un(e) Guinéen(ne).*

Guinegatte (auj. *Enguinegatte*), localité du Pas-de-Calais (arr. de Saint-Omer) qui fut le théâtre de deux défaites françaises : en 1479, Louis XI est battu par Maximilien d'Autriche *(journée des Démanchés)*; en 1513, déroute française devant Henri VIII d'Angleterre et Maximilien d'Autriche *(journée des Éperons)*.

Guingamp, ch.-l. d'arr. des Côtes-d'Armor, sur le Trieux; 8 774 hab. Industr. alim. Abattoirs. – Basilique de N.-D.-de-Bon-Secours (XIVe-XVIe s.). Maisons anc. – Anc. cap. du Penthièvre.

guingois (de) [dəgɛ̃gwa] loc. adv. Fam. De travers. *Une maison de guingois.*

guinguette n. f. Vieilli Petit café populaire, généralement en plein air, où l'on boit et où l'on danse.

Guinier (André) (Nancy, 1911), physicien français; connu pour ses travaux de cristallographie (diffraction des rayons X, en particulier).

Guinizelli (Guido) (Bologne, v. 1235 – Monselice, 1276), poète italien; auteur de *canzoni* et de sonnets. Sa conception idéaliste de l'amour *(dolce stil nuovo)* annonce Dante.

Guinness (sir Alec) (Londres, 1914), acteur anglais. À l'écran, il fut l'interprète de nombr. comédies déployant le célèbre humour britannique : *Noblesse oblige* (1949), *De l'or en barres* (1951), *Tueur de dames* (1955); il s'illustra par la suite dans les superproductions de D. Lean, notam. *le Pont de la rivière Kwai* (1957).

Guipavas, ch.-l. de cant. du Finistère (arr. de Brest); 12 076 hab. – Aéroport de Brest-Guipavas.

guipure n. f. Dentelle sans fond représentant des fleurs, des arabesques.

Guipúzcoa, prov. basque d'Espagne; 1 997 km^2; 697 900 hab.; ch.-l. *Saint-Sébastien*. Région de montagne aux ressources agricoles (élevage bovin) et hydroélectriques.

guirlande n. f. **1.** Couronne, feston de fleurs et de feuilles naturelles ou artificielles servant à décorer. ▷ Dessin, sculpture représentant une guirlande. *Papier peint à guirlandes.* **2.** Ce qui présente l'aspect d'une guirlande. *Disposer des guirlandes de lampes colorées.*

Guisan (Henri) (Mézières, cant. de Vaud, 1874 – Pully, près de Lausanne, 1960), général suisse, chef de l'armée helvétique de 1939 à 1945.

Guiscard (Robert). V. Robert Guiscard.

guise n. f. (Seulement en loc.) **1.** *À sa guise* : à son gré. *Ici, chacun vit à sa guise.* – *N'en faire qu'à sa guise* : suivre son bon plaisir. – *À ta guise!* : comme tu voudras! **2.** Loc. prép. *En guise de* : au lieu de, comme, pour. *Il a reçu de l'argent en guise de récompense.*

Guise, ch.-l. de cant. de l'Aisne (arr. de Vervins), sur l'Oise; 6 039 hab. Mobilier métall.; électroménager. – Anc. cap. de la Thiérache. Victoires françaises en 1914 et en 1918.

Guise (maison de), branche de la maison de Lorraine. Ses membres jouèrent un grand rôle polit. dans la France du XVIe s. – **Claude Ier** (Condé, 1496 – Joinville, 1550), fils de René II de Lorraine, reçut de François Ier le comté de Guise, que le roi érigea en duché. – **François Ier** (Bar, 1519 – Saint-Mesmin, 1563), fils du préc., s'illustra dans les guerres contre Charles Quint et par la prise de Calais (1558). Chef des cathol. sous François II, il fut assassiné. – **Henri Ier**, dit *le Balafré* (?, 1550 – Blois, 1588), fils aîné du préc., participa aux luttes contre les protestants (Jarnac, Moncontour, etc.) et à la Saint-Barthélemy. Chef de la Ligue en 1576, très populaire à Paris, il prétendit au trône après sa victoire d'Auneau sur les protestants (1587) et entra dans la cap. malgré l'interdiction d'Henri III, qui l'attira à Blois, où il le fit assassiner. – **Louis II** (Dampierre, 1555 – Blois, 1588), frère du préc.; cardinal de Lorraine, un des princ. ligueurs, il fut assassiné le lendemain de la mort d'Henri le Balafré.

Guisui. V. Hohhot.

guitare n. f. Instrument de musique à cordes pincées, à manche et à corps aplati des deux côtés. *D'origine orientale, la guitare fut introduite par les Maures en Espagne.* – *Guitare électrique*, munie de micros magnétiques reliés à un amplificateur. ► pl. instruments de **musique**

guitariste n. Personne qui joue de la guitare.

Guiton (Jean) (La Rochelle, 1585 – id., 1654), armateur français. Maire de La Rochelle assiégée par Richelieu (1628), il dirigea avec énergie la résistance de la ville.

guitoune n. f. Fam. Abri de fortune, cabane, tente.

Guitry (Lucien) (Paris, 1860 – id., 1925), acteur français; il créa le rôle de Flambeau dans *l'Aiglon* (1900). – **Sacha** (Saint-Pétersbourg, 1885 – Paris, 1957), fils du préc.; acteur, cinéaste et auteur dramatique français : *Faisons un rêve* (1916), *Mon père avait raison* (1919), *N'écoutez pas, mesdames* (1943), etc. Nombr. films : *le Roman d'un tricheur* (1935), *Si Versailles m'était conté* (1953).

Guitton (Jean) (Saint-Étienne, 1901 – Paris, 1999), philosophe français; un des maîtres de l'école contemp. de philosophie chrétienne : *le Temps et l'Éternité chez Plotin et saint Augustin* (1933), *Siloé, heures de méditation en Terre sainte* (1965). Acad. fr. (1961).

Guittone d'Arezzo (Santa Firmina, v. 1230 – Florence, 1294), poète italien; auteur de *canzoni* moraux et didactiques que critiqua Guinizelli.

Guiyang, v. de la Chine du S.-O.; cap. de la prov. de Guizhou; 1 490 000 hab.

Guizhou, prov. autonome de la Chine du S.-O., arrosée par le Wujiang; 174 000 km^2; 29 680 000 hab.; cap. *Guiyang*. Rég. agricole (cult. tropicales) riche en minéraux (houille, fer, mercure).

Guizot (François) (Nîmes, 1787 – Val-Richer, Calvados, 1874), homme politique et historien français. Adversaire de la monarchie absolutiste, il participa à la révolution de 1830. Ministre de l'Intérieur (1830), de l'Instruction publique (1832-1837), il fut chef effectif du gouvernement à partir de 1840, comme ministre des Affaires étrangères (1840-1847), puis président du Conseil (1847-1848), s'appuyant sur la grande bourgeoisie d'affaires. Il chercha l'alliance avec la G.-B., puis avec l'Autriche (1847). Sa polit. conservatrice provoqua la révolution de 1848. On lui doit la *loi Guizot* (1833) sur l'ensei-

portrait des trois ducs de **Guise :** (de g. à dr.) Claude Ier, Henri Ier et François Ier, école française du XVIe s.; musée des Beaux-Arts, château de Blois

gnement primaire : liberté de l'enseignement, obligation pour chaque com. d'ouvrir une école. Auteur d'une *Histoire de la révolution d'Angleterre* (1826-1827) et de *Mémoires pour servir à l'histoire de mon temps* (1858-1867). Acad. fr. (1836). ► illustr. page **859**

Gujan-Mestras, com. de la Gironde (arr. de Bordeaux), sur le bassin d'Arcachon; 11 484 hab. Ostréiculture; plastique.

Gujerāt ou **Goudjerate,** État du N.-O. de l'Inde, sur la mer d'Oman; 195 984 km^2; 41 174 060 hab.; cap. *Gāndhīnagar* (62 500 hab.). C'est une rég. de plaines fertiles, produisant des céréales et, surtout, du coton.

Gujrānwāla, v. du Pākistān, au N. de Lahore; 597 000 hab. dans l'aggl. Text. (coton, laine).

Gu Kaizhi ou **Kou K'ai-tche** (Wuxi, v. 344 – v. 406), peintre chinois de l'époque des Six Dynasties. On lui attribue le célèbre rouleau *Conseils d'une monitrice aux dames de la cour* (copie au British Museum).

Guldberg (Cato) (Christiania, 1836 – id., 1902), chimiste et mathématicien norvégien. En collab. avec Waage, il formula la loi d'action de masse (1864); leur théorie sur *la vitesse de réaction* est à la base de la cinétique chimique.

Gulf Stream («Courant du golfe»), courant chaud de l'Atlantique N. qui naît dans la mer des Antilles, où il reçoit l'apport du courant sud-équatorial, entre dans le golfe du Mexique et sort par le détroit de Floride avec un débit proche de 26 000 000 de m^3/s. Longeant les côtes amér., incorporant d'autres courants, il éclate au niveau de Terre-Neuve en plusieurs branches, dont certaines viennent réchauffer, sous l'influence des vents d'O., les côtes européennes (dérive nord-atlantique).

Gullstrand (Allvar) (Landskrona, 1862 – Stockholm, 1930), médecin suédois; spécialiste d'optique. P. Nobel 1911.

gummifère adj. BOT Qui produit de la gomme. *Arbre gummifère.*

Gundulić (Ivan) (Raguse, auj. Dubrovnik, v. 1589 – id., 1638), poète croate. Son épopée en 20 chants, *Osman*, est inspirée par *la Jérusalem délivrée* du Tasse.

Güney (Yilmaz) (Adana, 1937 – Paris, 1984), acteur, scénariste et cinéaste turc. Opposant au régime, il fut condamné, en 1974, à dix-huit ans de prison; depuis sa cellule, il dirigea véritablement trois films dont il avait écrit le scénario : *le Troupeau* (1978), *l'Ennemi* (1979), *Yol* (1980, palme d'or au Festival de Cannes 1982). Il s'évada en 1981 et se réfugia en France. *Le Mur* (1983).

Guntūr, ville de l'Inde (Āndhra Pradesh); 471 000 hab. Cotonnades; tabac.

günz [gyntz] n. m. GEOL Première des quatre glaciations d'Europe au quaternaire. *Le günz est notam. caractérisé par des épandages de graviers sur des plateaux.*

Günz (le), riv. d'Allemagne (75 km), affl. (r. dr.) du Danube.

Guomindang ou **Kouo-min-tang** (en fr., «Parti national du peuple»), parti nationaliste chinois fondé par Sun Zhongshan (Sun Yat-sen) en 1900. Sun Zhongshan le rénova en 1923 sur le modèle du parti communiste soviétique. Après la mort de son fondateur (1925), Jiang Jieshi (Tchang Kaï-chek) regroupa l'aile modérée anticommuniste (1927); néanmoins, le parti communiste soutint son action de 1937 à 1946. Depuis la défaite de Jiang Jieshi et la création de la rép. pop. de Chine (1949), l'action du Guomindang se limite à Taiwan.

Guo Moruo ou **Kouo Mo-jo** (Guo Kaizhen, dit) (prov. de Sichuan, 1892 – Pékin, 1978), écrivain et homme politique chinois, un des maîtres à penser de la révolution prolétarienne en Chine : *Feuilles mortes* (poèmes, 1928), *la Vague* (récit, 1932). Attaqué lors de la révolution culturelle, il fit son autocritique en 1966. Réhabilité après 1976.

Gupta ou **Goupta,** dynastie indienne (IIIe-VIe s. ap. J.-C.) qui fonda v. 320 un grand empire dans l'Inde du N. et l'Inde centrale. C'est sous les Gupta que se situe l'âge d'or de la peinture et de la sculpture hindoues et bouddhistes (site d'Ajantā).

Gurdjieff (George Ivanovitch) (Alexandropol, 1877 – Paris, 1949), ésotériste et écrivain russe qui, en France notam., eut de nombr. adeptes (*Rencontres avec des hommes remarquables*, éd. fr., 1956).

Gurkha ou **Gourkha,** caste militaire du Népal qui a donné des soldats d'élite à l'armée britannique.

Gürsel (Cemal) (Erzurum, 1895 – Ankara, 1966), général et homme politique turc; auteur du coup d'État de 1960, élu président de la République (1961-1966).

guru. V. gourou.

Gurvitch (Georges) (Novorossisk, 1894 – Paris, 1965), sociologue français d'origine russe. Ses méthodes s'apparentent à celles du structuralisme : *Traité de sociologie* (1960), *les Cadres sociaux de la connaissance* (posth., 1966).

gus [gys] n. m. Fam. Type, gars.

gustatif, ive adj. Qui concerne le goût. *Sensation gustative.* – *Papilles gustatives*, situées sur la langue et sur le palais, innervées par les nerfs glossopharyngien et lingual.

gustation n. f. Didac. Perception des saveurs par le goût.

Gustave Ier Vasa (Lindholm, 1496 – Stockholm, 1560), roi de Suède (1523-1560). Il souleva son pays contre les Danois (1520-1523), brisa l'Union de Kalmar et fut proclamé roi. Ayant introduit le luthéranisme, il sécularisa les biens du clergé. Son œuvre de réorganisation, marquée notam. par un renouveau de l'écon., fit de la Suède un pays puissant. Il rendit la couronne héréditaire. – **Gustave II Adolphe** (Stockholm, 1594 – Lützen, 1632), petit-fils du préc.; roi de 1611 à 1632. Soutenu par Oxenstierna, il s'attacha à moderniser la Suède (écon., enseignement). Brillant stratège, il fit de son armée une des meilleures d'Europe, et de la Baltique un «lac suédois». Aidé de Richelieu, il lutta avec succès contre les Habsbourg (1631-1632) durant la guerre de Trente Ans, s'affirmant comme le défenseur du protestantisme allemand. Il vainquit Tilly à Breitenfeld, et Wallenstein à Lützen, où il fut tué. – **Gustave III** (Stockholm, 1746 – id., 1792), roi de Suède (1771-1792). Il accrut ses pouvoirs en 1772 par une nouvelle Constitution et gouverna en despote éclairé (liberté de la presse, tolérance religieuse). Il fut assassiné. – **Gustave IV Adolphe** (Stockholm, 1778 – Saint-Gall, Suisse, 1837), fils du préc.; roi de 1792 à 1809, il lutta contre la France et fut déchu après un coup d'État militaire. – **Gustave V** (chât. de Drottningholm, 1858 – id., 1950), fils d'Oscar II; roi de 1907 à 1950. – **Gustave VI Adolphe** (Stockholm, 1882 – Helsingborg, 1973), fils du préc.; roi de 1950 à 1973.

Gutenberg (Johannes Gensfleisch, dit) (Mayence, entre 1394 et 1399 – id., 1468), imprimeur allemand. Il perfectionna l'imprimerie en mettant au point les caractères typographiques de métal mobiles. Il travailla à Strasbourg entre 1430 et 1444 avant de regagner Mayence. Gutenberg aurait imprimé des feuilles mobiles qui marquent le début de la presse, un *Calendrier astronomique*, une Bible dite «à quarante-deux lignes» ou «Bible de Gutenberg», une Bible «à trente-six lignes» et des *Lettres d'indulgence.* Protégé par Adolphe de Nassau, archevêque de Mayence, il put y fonder, en 1465, une nouvelle imprimerie.

Gutenberg

Guterres (Antonio) (Lisbonne, 1949), homme politique portugais. Chef du parti socialiste (1992), Premier ministre depuis 1995.

Guth (Paul) (Ossun, Htes-Pyrénées, 1910 – Ville-d'Avray, 1997), journaliste et écrivain français. Il est l'auteur de séries de romans humoristiques (*le Naïf aux quarante enfants*, 1955; *Jeanne la Mince*, 1960).

Gutland (le), rég. mérid. du Luxembourg.

gutta-percha [gytapɛʀka] n. f. Substance chimiquement proche du caoutchouc, extraite du latex de *Palaquium gutta*, arbre d'Asie tropicale. *La gutta-percha protège les câbles téléphoniques sous-marins. Des guttas-perchas.*

guttural, ale, aux adj. **1.** Du gosier. *Fosse, artère gutturale.* **2.** Qui part du gosier. *Voix gutturale.* **3.** PHON *Consonne gutturale*, qui se prononce depuis le gosier (ex. [g, k]).

Guy. V. Gui (saint).

Guyana (république de) *(Republic of Guyana)*, État du N.-E. de l'Amérique du Sud, sur l'Atlant. (anc. *Guyane britannique*); 214 970 km^2; env. un million d'hab.; croissance démographique : 2 % par an; cap. *Georgetown.* Nature de l'État : rép. parlementaire. Langue off. : angl. Monnaie : dollar de la Guyana. Pop. : Indiens originaires de l'Inde (50 %), Noirs (30 %), métis (11 %), Amérindiens (4 %), Européens et Chinois. Relig. : protestantisme, hindouisme. – La plaine côtière, où débouche le fleuve Essequibo, concentre 90 % de la population et la plupart des cultures. Plateaux et montagnes de l'intérieur (2 810 m au Roraima) sont faiblement peuplés et couverts de forêt dense équat. Le pays, qui exporte de la bauxite, du sucre, du riz, de l'or et des diamants, connaît une grave crise écon. et a dû accepter, en 1989, un plan de redressement du F.M.I., qui a provoqué d'importants troubles sociaux. – Britannique depuis 1803, colonie en 1831, le territ. acquit son indép. en 1966

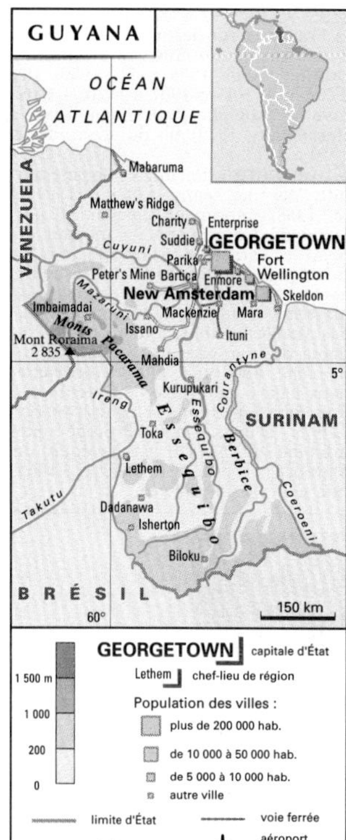

et forme depuis 1970 une rép. dont la vie politique est marquée par la division entre Indiens et Noirs ; le P.N.C. *(People National Congress)*, parti des Noirs se réclamant du marxisme au pouvoir à partir de 1970, engage à la fin des années 80 des réformes écon. En oct. 1992, le candidat de l'oppos. de gauche, Cheddi Jagan, remporte l'élection présidentielle. À sa mort, en 1997, sa veuve Janet Jagan lui succède.

guyanais, aise [gɥijanɛ, ɛz] adj. et n. De la Guyane ou de la Guyana. ▷ Subst. *Un(e) Guyanais(e).*

Guyancourt, com. des Yvelines (arr. de Versailles) ; 18 540 hab. Agroalim.

Guyane (la) ou **Guyanes** (les), rég. du N.-E. de l'Amérique du Sud, sur l'Atlantique, partagée entre le Venezuela, la Guyana (anc. *Guyane britannique*), le Surinam (anc. *Guyane néerlandaise*), la France et le Brésil. Son climat est équat. et elle s'étend en grande partie sur un massif anc., le *massif des Guyanes*, qui renferme de nombr. richesses minérales, inégalement exploitées. – Reconnue dès 1500 par les Européens, colonisée au XVIIe s., cette rég. fut très disputée au XVIIIe s. entre Hollandais, Britanniques et Français. Un partage fut conclu en 1814. Les frontières ont fait et font encore l'objet de litiges avec le Venezuela et le Brésil.

Guyane française, dép. franç. d'outre-mer (973) depuis 1946 et Rég. depuis 1982, entre le Surinam et le Brésil ; 90 000 km^2 ; 114 678 hab., dont plus de la moitié sont d'orig. étrangère ; 1,3 hab./km^2 ; ch.-l. *Cayenne* (45 892 hab.) ; ch.-l. d'arr. *Saint-Laurent-du-Maroni*. La population, qui compte 80 % de Noirs et de métis, se concentre sur la plaine côtière ; l'intérieur correspond à des bas plateaux couverts par la forêt équatoriale. C'est une région agricole et forestière, mais les ressources naturelles sont peu exploitées (forêt, pêche, or, bauxite). L'écon. est très dépendante de la métropole et du centre spatial installé en 1967 à Kourou, lieu de lancement de la fusée Ariane depuis 1982. – Définitivement française depuis 1817, la Guyane a été un lieu de déportation polit. (1794-1805), puis on y installa le bagne de Cayenne (1852-1945).

Guyane néerlandaise. V. Surinam.

Guy-Blaché (Alice Guy, Mme Herbert Blaché, dite Alice) (Saint-Mandé, 1873 – Washington, 1968), cinéaste française ; première femme metteur en scène : *la Fée aux choux* (1896 ou 1902), *les Méfaits de la tête de veau* (1898).

Guye (Charles Eugène) (Saint-Christophe, cant. de Vaud, 1866 – Genève, 1942), physicien suisse. Il mesura la variation de la masse des électrons en fonction de leur vitesse.

Guyenne, nom qui désigna les possessions des rois d'Angleterre en Aquitaine, de 1258 à 1453. Employé par la suite pour désigner l'Aquitaine, il est récemment tombé en désuétude.

Guynemer (Georges) (Paris, 1894 – en combat aérien au-dessus de Poelkapelle, Belgique, 1917), aviateur français, membre de l'escadrille des « Cigognes », héros de la guerre de 1914-1918, titulaire de 53 victoires.

Guyon (Félix) (Saint-Denis, la Réunion, 1831 – Paris, 1920), chirurgien français. Il fit progresser l'urologie.

Guyon du Chesnoy (Jeanne-Marie Bouvier de La Motte, Mme) (Montargis, 1648 – Blois, 1717), mystique française. Elle professa le quiétisme. Fénelon chercha à la défendre dans ses *Maximes des saints* (1697).

1. guyot n. m. GEOL Volcan sous-marin, à sommet plat.

2. guyot [gɥijo] n. f. Variété de poire.

Guys (Constantin) (Flessingue, Pays-Bas, 1802 – Paris, 1892), dessinateur et aquarelliste français, auteur de scènes de guerre et de la vie quotidienne. Baudelaire lui a consacré un essai : *le Peintre de la vie moderne* (1863).

GUYANE 973
OCÉAN ATLANTIQUE
Pointe Isère
Mana
Sinnamary
Iracoubo
Île du Diable
Îles du Salut
St-Laurent-du-Maroni
Kourou
Centre aérospatial
CAYENNE
5°
Montsinéry
Rémire
St-Élie
Tonnégrande
Rochambeau
Roura
Pointe Béhague
Maroni
Mana
Sinnamary
Comté
Kaw
Abounamy
Régina
Grand-Santi
326
Approuague
Oyapock
SURINAM
Maripasoula
Saül
Saint-Georges
Gd Inini
Ouaqui
830
Camopi
Tampoc
Wanapi
Camopi
Marouini
BRÉSIL
635
Mont-St-Marcel
100 km
54°
0 200 500 m
Cayenne préfecture de département
St-Laurent-du-Maroni sous-préfecture
Population des villes :
Kourou chef-lieu de canton
de 20 000 à 50 000 hab.
aéroport
moins de 20 000 hab.
route principale
limite d'État
site remarquable

Guyton de Morveau (Louis Bernard, baron) (Dijon, 1737 – Paris, 1816), chimiste français. Conventionnel, membre du Comité de salut public, il est l'initiateur d'une réforme radicale de la nomenclature chimique.

guzla [gyzla] n. f. Violon monocorde des Balkans.

Guzmán y Franco (Martín Luis) (Chihuahua, 1887 – Mexico, 1976), romancier mexicain. Il s'inspira des épisodes révolutionnaires auxquels il fut mêlé : *l'Aigle et le Serpent* (1928), *Mémoires de Pancho Villa* (1938-1939).

Gwālior, v. de l'Inde (Madhya Pradesh), au S. d'Āgra ; 693 000 hab. Centre industr. – Nécropole royale.

Gwent, comté du pays de Galles ; 1 376 km^2 ; 432 300 hab. ; ch.-l. *Cwmbran.*

gwerz n. m. Chant traditionnel breton, sans accompagnement musical.

Gwynedd, comté du pays de Galles ; 3 869 km^2 ; 238 600 hab. ; ch.-l. *Carnarvon.*

Gy PHYS Symbole du gray.

Gygès (v. 687 – v. 652 av. J.-C.), berger devenu roi de Lydie grâce, dit la légende, à un anneau d'or qui lui permettait de se rendre invisible. Il fonda la dynastie des Mermnades.

Gylippos (Ve s. av. J.-C.), général spartiate ; vainqueur des Athéniens en Sicile (413).

gym n. f. Fam. Gymnastique.

gymkhana [ʒimkana] n. m. Fête en plein air comportant des épreuves d'adresse, et notam. des courses d'obstacles. *Gymkhana automobile.*

gymn(o)-. Élément, du gr. *gumnos*, « nu ».

gymnase n. m. **1.** ANTIQ GR Lieu où les athlètes s'entraînaient. **2.** Vaste salle aménagée et équipée pour la pratique des sports. **3.** École secondaire, en Suisse et en Allemagne.

gymnaste n. **1.** ANTIQ GR Instructeur des athlètes. **2.** Mod. Athlète pratiquant la gymnastique. *Une jeune gymnaste.*

gymnastique adj. et n. f. **1.** adj. *Pas gymnastique* : pas de course cadencé. **2.** n. f. Discipline de compétition qui comprend, pour les hommes, des exercices au sol, aux barres parallèles, à la barre fixe, aux anneaux, au cheval d'arçon, et, pour les femmes, des exercices au sol, aux barres inégales, à la barre fixe, à la poutre d'équilibre. ▷ Éducation physique. *Moniteur de gymnastique.* – Abrév. fam. : gym. *Le prof de gym.* – *Gymnastique corrective*, exercée sous contrôle médical et destinée à corriger un maintien défectueux. – *Gymnastique rythmique et sportive (G.R.S.)* : discipline olympique féminine, constituée d'enchaînements utilisant des ballons, des rubans, des massues, des cerceaux et des cordes, avec accompagnement musical. ▷ Fig. *Gymnastique intellectuelle.*

gymnique adj. et n. **1.** adj. ANTIQ GR *Jeux gymniques*, où les athlètes combattaient nus. **2.** n. f. Didac. Art des exercices athlétiques.

gymnosophiste n. m. Didac. Ascète hindou qui vivait nu.

gymnospermes n. f. pl. et adj. BOT Sous-embranchement de phanérogames dont les ovules, non enfermés dans des carpelles clos (V. angiospermes), sont à nu et dont les graines ne sont donc pas enfermées dans un fruit. – Sing. *Le sapin est une gymnosperme.* ▷ adj. *Les plantes gymnospermes.*

gymnote n. m. Poisson téléostéen (genre *Electrophorus*) allongé comme une anguille et dépourvu de nageoire dorsale. (L'espèce la plus connue est l'« anguille électrique » des rivières d'Amérique du S., le plus puissant des poissons électriques.)

gynandrie n. f. **1.** BOT Disposition de la fleur dont les étamines sont soudées au pistil. **2.** PHYSIOL Traits morphologiques masculins chez certaines femmes.

gynécée n. m. **1.** ANTIQ GR Appartement des femmes. **2.** BOT Ensemble des carpelles d'une fleur, organisés en pistil ou libres.

gynéco-, gyn(é)- ou **-gyne.** Éléments, du gr. *gunê, gunaïkos,* « femme ».

gynécologie n. f. MED Étude de l'anatomie, de la physiologie, de la pathologie des organes génitaux féminins.

gynécologique adj. Qui relève de la gynécologie.

gynécologue n. Médecin spécialiste de gynécologie.

gynérium ou **gynerium** [ʒineʀjɔm] n. m. BOT Graminée ornementale dont les épis très velus, en panache, sont nommés cour. *herbe des pampas.*

gynogamone n. f. BIOL Groupe de substances chimiques sécrétées par les ovules pour favoriser la fécondation. (Les gynogamones G1 stimulent et orientent les mouvements des spermatozoïdes; les gynogamones G2 provoquent, par une réaction de type immunitaire, l'agglutination des spermatozoïdes sur la surface de l'ovule.) V. gamone.

Györ (en all. *Raab*), v. de Hongrie, sur un bras du Danube; 102 350 hab.; ch.-l. de comté. Industr. textiles et méca. – Nombr. mon. baroques.

Gyp (Sibylle de Riqueti de Mirabeau, comtesse de Martel de Janville, dite) (chât. de Koëtsal, Morbihan, 1849 – Neuilly-sur-Seine, 1932), femme de lettres française. Elle connut un grand succès mondain (*le Mariage de chiffon,* 1894).

gypaète n. m. ORNITH Très grand vautour (*Gypætus barbatus,* 3 m d'envergure), dit aussi *vautour des agneaux,* dont la tête est garnie d'un plumage beige et noir. *Le gypaète, qui se nourrit de charognes, vit dans les montagnes d'Eurasie et d'Afrique.*

gypaète barbu

gypse n. m. Roche saline constituée de sulfate naturel hydraté de calcium ($CaSO_4$, $2H_2O$). *Chauffé vers 200 °C, le gypse perd de l'eau et donne du plâtre.*

gypseux, euse adj. MINER De la nature du gypse.

gypsophile n. f. BOT Plante herbacée dont les tiges très fines portent de nombreuses petites fleurs blanches (utilisées pour les bouquets séchés).

gyr(o)-, gir(o)-, -gyre. Éléments, du gr. *guros,* « cercle ».

gyrocompas n. m. TECH Compas qui indique la direction du nord géographique au moyen d'un gyroscope électrique.

gyromagnétique adj. PHYS NUCL Se dit du rayonnement électromagnétique produit par le mouvement des électrons à l'intérieur d'un accélérateur de particules.

gyromètre n. m. AVIAT Instrument mesurant les changements de direction d'un avion.

gyromitre n. m. BOT Ascomycète voisin de la morille, au chapeau contourné comme des replis de cervelle (mortel consommé cru).

gyrophare n. m. TECH Phare rotatif à éclats équipant le toit de certains véhicules (ambulances, voitures de dépannage, de pompiers, de police, etc.).

gyroscope n. m. TECH Appareil constitué essentiellement d'un volant monté dans une armature, dont l'axe de rotation, placé dans une direction quelconque, s'y maintient indéfiniment si aucune force supplémentaire ne lui est appliquée. *Le gyroscope, qui permet de conserver une direction invariable par rapport à un repère absolu, est notamment utilisé en navigation aérienne et spatiale.* ▷ *Gyroscope à laser :* appareil utilisant les phénomènes d'interférence de faisceaux laser pour mesurer des angles et des vitesses de rotation.

gyroscopique adj. TECH Relatif aux propriétés du gyroscope et à ses applications.

gyrostat [ʒiʀɔsta] n. m. Didac. Tout solide animé d'un mouvement de rotation lui conférant les propriétés de stabilité directionnelle du gyroscope.

gyrovague n. m. et adj. HIST Moine errant, des premiers siècles de la chrétienté, qui n'appartenait à aucune communauté. *L'Occident a durement traité les gyrovagues, qui ont été plus facilement tolérés en Orient.* ▷ adj. *Un moine gyrovague.*

Gythio, v. et port de Grèce (Péloponnèse); 4 050 hab. – Port maritime de l'anc. Sparte.

Gyulai (Ferencz), comte de Maros-Németh et Nádaska (Pest, 1798 – Vienne, 1868), général hongrois, ministre de la Guerre (1849-1850), commandant de l'armée autrichienne vaincue à Magenta (1859).

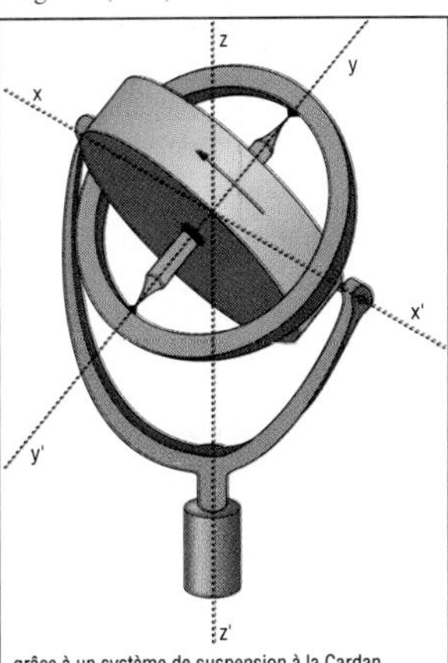

grâce à un système de suspension à la Cardan, le volant du gyroscope possède trois degrés de liberté (autour des axes x, y et z)
gyroscope

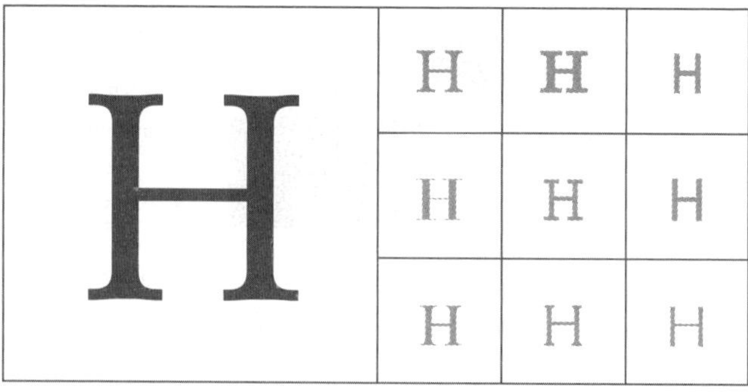

h [aʃ] n. m. ou f. **1.** Huitième lettre (h, H) et sixième consonne de l'alphabet, ne se prononçant pas, l'*h* dit abusiv. « aspiré » (['] en phonétique) notant un hiatus (ex. *des heaumes* [de'om]), l'*h* muet n'empêchant ni l'élision ni la liaison (ex. *l'homme; les hommes* [lezɔm]), ou se combinant avec les consonnes *c* et *p* dans les groupes *ch* [ʃ ou k] et *ph* [f]. **2.** PHYS h : symbole de hecto (« cent »). ▷ h : symbole de l'heure. ▷ h ou ℏ : constante de Planck. ▷ H : symbole du champ magnétique. **3.** ELECTR H : symbole du henry (unité d'inductance). **4.** CHIM H : symbole de l'hydrogène. **5.** MILIT *Heure* H; bombe H :* bombe à hydrogène ou thermonucléaire.

ha Symbole de l'hectare.

ha ! ['a; ha] interj. Var. de *ah!* **1.** (Marquant la surprise.) *Ha! vous voilà!* ▷ n. m. inv. *Pousser un grand ha!* **2.** (Répété, figurant le rire.) *Ha, ha, ha!*

Haakon, nom de six rois de Norvège du Xe au XXe s. – **Haakon VII** (Charlottenlund, Danemark, 1872 – Oslo, 1957), roi de Norvège (1905-1957). Fils cadet de Frédéric VIII de Danemark, il fut élu roi après la séparation de la Suède et de la Norvège. Lors de l'invasion de son pays par les Allemands, refusant d'être un otage entre les mains de Quisling, il se réfugia en G.-B. de 1940 à 1945, où il organisa la résistance norvégienne. À son retour, il fit évoluer la monarchie dans le sens du libéralisme.

Haardt. V. Hardt.

Haarlem, v. des Pays-Bas, ch.-l. de la Hollande-Septentrionale; 148 740 hab. Cultures florales. Industries text., alim., chim. et méca. – Musée Frans Hals. – Federico, fils du duc d'Albe, assiégea la ville et s'en empara (1572-1573).

Haarlemmermeer, vaste com. des Pays-Bas (Hollande-Septentrionale), sur le polder du m. nom, asséché de 1837 à 1840; 91 370 hab.

Habacuc (fin du VIe s. av. J.-C.), le huitième des douze petits prophètes juifs.

habanera ['abaneʀa] n. f. Danse d'origine espagnole ou cubaine. ▷ Musique qui accompagne cette danse, exécutée assez lentement sur un rythme à 2/4. *La habanera de « Carmen ».*

habeas corpus [abeaskɔʀpys] n. m. (Mots lat.) Loi anglaise (1679) qui garantit la liberté individuelle. (Tout accusé a le droit d'être entendu dans les 24 heures qui suivent son arrestation et d'attendre en liberté son jugement, moyennant caution.)

Haber (Fritz) (Breslau, 1868 – Bâle, 1934), chimiste allemand. Il réalisa la synthèse industrielle de l'ammoniac; auteur de travaux sur la thermodynamique des gaz. P. Nobel 1918.

Habermas (Jürgen) (Düsseldorf, 1929), sociologue et philosophe allemand. Continuateur de l'école de Francfort*, il entend intégrer la théorie critique dans une théorie de l'action, orientée vers un réformisme radical (*la Technique et la Science comme idéologie,* 1968; *Morale et Communication,* 1986).

habile adj. **1.** Qui sait bien exécuter qqch; adroit, expert. *Un mécanicien habile. Il est habile dans cet art, habile à manier le pinceau. Être habile en affaires.* **2.** Qui témoigne d'une certaine adresse, d'une certaine ingéniosité. *Une décision habile. Un film habile et sans prétentions.* **3.** DR Qui remplit les conditions juridiques requises pour l'exercice d'un acte. *Habile à hériter.*

habilement adv. Avec adresse, habileté, finesse. *Se tirer habilement d'une affaire délicate.*

habileté n. f. **1.** Qualité d'une personne habile. *Une broderie exécutée avec habileté. L'ambassadeur possède une habileté diabolique.* **2.** Manière d'agir, procédé habile. *Ce metteur en scène connaît à fond toutes les habiletés du métier.*

habilitation n. f. DR Action d'habiliter qqn.

habilité n. f. DR Vx Aptitude légale à faire qqch.

habiliter v. tr. [1] DR Rendre (qqn) légalement habile, apte à accomplir un acte juridique. *Habiliter un mineur.*

habillage n. m. **1.** Action d'habiller (qqn). *S'occuper de l'habillage d'un enfant.* ▷ TECH Action d'habiller une montre (on dit aussi *rhabillage*). ▷ TYPO Disposition d'un texte autour des illustrations. **2.** CONSTR Revêtement décoratif destiné à masquer un radiateur, des tuyauteries, des poutres, etc.

habillé, ée adj. **1.** Vêtu. *Il a dormi tout habillé. Un homme habillé de noir.* **2.** Qui porte des habits de cérémonie, de soirée. *Être très habillé.* – Par ext. *Une tenue habillée, trop habillée. Une soirée habillée,* pour laquelle les vêtements de cérémonie sont de rigueur.

habillement n. m. **1.** Action d'habiller (qqn). *Habillement des recrues.* **2.** Ensemble des vêtements que l'on porte. *Un habillement somptueux, ridicule.*

habiller v. [1] **I.** v. tr. **1.** Mettre des vêtements à (qqn). *Habiller une mariée. Habiller un enfant en costume de Pierrot. Quel est le grand couturier qui habille cette comédienne ?* ▷ Pp. *Être habillé de neuf. Être bien, mal habillé.* – Absol. *Être habillé,* élégamment vêtu. **2.** Aller (en parlant des vêtements que l'on porte). *Cette robe l'habille à ravir. Un rien l'habille :* même un vêtement très simple lui sied. **3.** Couvrir, envelopper (qqch). *Habiller un meuble d'une housse.* ▷ *Habiller des bouteilles de champagne,* les revêtir d'une coiffe de papier métallique. **4.** AGRIC Raccourcir les racines et la partie aérienne d'une plante que l'on transplante pour éliminer les blessures dues à l'arrachage. **5.** TECH Ajouter des accessoires à (une pièce). ▷ TYPO Disposer le texte autour des illustrations. ▷ *Habiller une montre,* disposer dans le boîtier les pièces du mécanisme. **6.** TECH Préparer (telle ou telle marchandise) pour la vendre. *Habiller une volaille.* **II.** v. pron. **1.** Se vêtir. *Un enfant trop petit pour s'habiller tout seul. S'habiller chaudement, légèrement. Il s'habille n'importe comment.* – *Savoir s'habiller,* avec goût. **2.** *Absol.* Revêtir des vêtements de cérémonie. *S'habiller pour l'Opéra.*

habilleur, euse n. **1.** n. m. PECHE Ouvrier qui prépare les morues avant de les saler. **2.** (Surtout au fém.) Femme qui aide les acteurs à s'habiller et qui s'occupe de leurs costumes. *Cette vedette a son habilleuse personnelle.*

habit [abi] n. m. **1.** Costume. *« Le méchant petit habit bleu du bal »* (H. de Balzac). *Habit vert :* costume officiel des membres de l'Institut. *Habit à la française :* sous Louis XIV, tunique à collet droit et à manches garnies de parements. *Des laquais en habit à la française.* ▷ Loc. *Prendre l'habit :* se faire religieux, religieuse. *Prise d'habit :* entrée en religion. – Prov. *L'habit ne fait pas le moine :* il ne faut pas juger les gens sur l'apparence. **2.** *Absol.* Vêtement de cérémonie masculin, noir, à basques et revers de soie. *Un homme en habit.* **3.** (Plur.) Vêtements. *Des habits de deuil. Elle achète ses habits à tel endroit.*

habitabilité n. f. **1.** Qualité de ce qui est habitable. **2.** Place qu'offre à ses occupants un logement, un véhicule, etc.

habitable adj. **1.** Qui peut être habité. *Logement habitable immédiatement.* **2.** Où l'on peut vivre. *La région n'est pas habitable.*

habitacle n. m. **1.** Poét. Demeure. **2.** Partie d'un avion ou d'un vaisseau spatial, réservée au pilote et à l'équipage. **3.** MAR *Habitacle du compas :* logement qui abrite le compas de route à bord d'un navire.

habitant, ante n. **I. 1.** Personne qui a sa demeure en un endroit. *Cette ville a 100 000 habitants.* **2.** Poét. *Les habitants de l'air, des forêts, des eaux :* les oiseaux, les bêtes sauvages, les poissons. – *Les habitants de l'Olympe :* les dieux mythologiques de la Grèce ancienne. **II.** (Canada) **1.** HIST Particulier établi à demeure sur une terre qui lui a été léguée par le roi pour qu'il en assure le défrichement et la culture. *À partir de 1686, les soldats venus en Nouvelle-France qui se mariaient et se faisaient habitants continuaient de recevoir leur solde pendant un an.* **2.** *Par ext.*, vieilli Personne qui cultive, exploite une terre. – *Un gros habitant :* un cultivateur à l'aise. ▷ Fig., péjor. Rustre. *Avoir l'air habitant.*

habitat [abita] n. m. **1.** SC NAT Lieu où l'on rencontre une espèce animale ou végétale. **2.** Mode de peuplement d'une région par l'homme. *Habitat urbain.* **3.** Façon dont sont logés les habitants d'une ville, d'une région, etc. *Habitat collectif, individuel.*

habitation n. f. **1.** Action d'habiter en un lieu; séjour qu'on y fait habituellement. *L'humidité de cette maison s'oppose à son habitation.* **2.** Lieu où l'on habite; maison, logis, demeure. *Une habitation bien située. Habitation à loyer modéré (H.L.M.).*

habité, ée adj. **1.** Où il y a des habitants. *Une région habitée. Une mansarde habitée.* **2.** Fig. Qui exprime une vie intérieure intense. *Une expression habitée.*

habiter v. [1] **I.** v. tr. **1.** Être installé en (un endroit). *Il habite la province.* **2.** Avoir son logement habituel dans. *Habiter une maison au bord de la mer.* **3.** Fig. Résider dans. *La paix habite son âme.* **II.** v. intr. Demeurer, séjourner, vivre (en un endroit). *Elle habite chez ses parents.* ▷ Fig. *L'esprit de vengeance habite en lui.*

habituation n. f. BIOL Affaiblissement d'une réponse à un stimulus donné, résultant d'une accoutumance à ce dernier. *L'habituation peut concerner aussi bien un comportement biologique qu'une réaction sensorielle ou psychologique.*

habitude n. f. **1.** Manière d'agir, état d'esprit acquis par la répétition fréquente des mêmes actes, des mêmes faits. *Avoir l'habitude de fumer, de faire du sport, de se coucher tôt.* – *Il n'a pas l'habitude d'être contredit.* – Prov. *L'habitude est une seconde nature.* **2.** Coutume. *Les habitudes de la maison. Les habitudes d'une province.* **3.** Loc. adv. *D'habitude :* ordinairement, le plus souvent. *D'habitude, je le vois tous les jeudis.*

habitué, ée n. Personne qui va habituellement, souvent, en un endroit. *Un habitué de la maison. Les habitués de l'Opéra.*

habituel, elle adj. **1.** Passé à l'état d'habitude. *C'est son défaut habituel.* **2.** Fréquent, ordinaire, normal. *Cette réaction n'est pas habituelle chez lui.*

habituellement adv. **1.** Ordinairement. *Il sort habituellement à cinq heures.* **2.** Fréquemment, le plus souvent. *Je le rencontre habituellement au café.*

habituer v. tr. [1] **1.** Entraîner, endurcir. *Habituer le corps à la fatigue.* **2.** Accoutumer. *Habituer un enfant à dire la vérité.* **3.** v. pron. S'accoutumer. *Il s'habitue à son nouvel appartement. S'habituer à travailler méthodiquement.*

habitus [abitys] n. m. **1.** MED Aspect général du corps, tel qu'il manifeste l'état de santé d'un individu. **2.** SOCIOL Manière d'être socialement codée, qui se manifeste principalement dans l'apparence.

hâbleur, euse [ɑblœʀ, øz] n. et adj. Litt. Personne qui a l'habitude de parler beaucoup, avec exagération et vantardise. – adj. *Marius et Olive, types des Méridionaux hâbleurs.*

Habré (Hissène) (Faya-Largeau, 1936), homme politique tchadien. Ancien rebelle (1972) puis Premier ministre (1978), il renverse le Gouvernement d'union nationale de transition (GUNT), présidé par son rival Goukouni Oueddeï, et devient chef de l'État (1982). Face à l'offensive lancée par le GUNT, puissamment appuyé par les forces libyennes, il fait appel à l'armée française (1983). Vainqueur des Libyens en 1987, sa légitimité est reconnue par Kadhafi en 1988.

Habsbourg, dynastie qui régna sur l'Autriche de 1278 à 1918 (fin de l'Empire austro-hongrois). Elle tirait son nom du chât. de Habichtsburg, situé en Argovie (Suisse), et assit sa domination en Suisse et en Alsace au XIIe s. Rodolphe Ier, roi des Romains en 1273, acquit en 1278 l'Autriche, la Styrie et la Carniole, fondant ainsi la *maison d'Autriche,* qui donna tous les empereurs du Saint Empire à partir de 1440, hormis entre 1741 et 1745. Des conquêtes et surtout une habile polit. de mariages (*Tu, felix Austria, nube,* «Toi, heureuse Autriche, épouse») agrandirent ses territ., immenses sous Charles Quint. (V. Autriche.) En 1556, la maison d'Autriche se scinda en deux branches régnantes, l'une en Espagne, qui s'éteignit en 1700, l'autre en Autriche. Celle-ci se transforma en maison de Habsbourg-Lorraine par le mariage (1736) de Marie-Thérèse d'Autriche, héritière de l'empereur Charles VI, avec François de Lorraine, empereur en 1745.

Haceldama (mot hébr. : «champ du sang»), champ proche de Jérusalem, où l'on enterrait les étrangers, qui aurait été acheté avec les 30 deniers rendus aux Juifs par Judas après la condamnation de Jésus.

Hácha (Emil) (Trhové Sviny, 1872 – Prague, 1945), homme politique tchécoslovaque. Président de la République à la démission de Beneš (nov. 1938), il dut, après que la Slovaquie se fut proclamée «indépendante» (mars 1939), signer avec Hitler le traité qui plaçait le peuple tchèque sous la domination allemande et devint président d'État du protectorat de Bohême-Moravie.

hachage [aʃaʒ] n. m. Action de hacher; résultat de cette action.

hache [aʃ] n. f. Instrument pour couper et fendre, composé d'une lame épaisse et lourde, et d'un manche. *Hache de bûcheron. Hache d'abordage,* employée jusqu'au XIXe s. dans les attaques de navires. *Hache de guerre,* que les Indiens d'Amérique du N. enterraient en période de paix. *Enterrer (déterrer) la hache de guerre :* faire la paix (la guerre). ▷ Loc. fig. *Fait, taillé à la hache, à coups de hache,* grossièrement. – *Porter la hache dans qqch,* y faire de profondes réformes.

haché, ée [aʃe] adj. **1.** Coupé en menus morceaux. *Un steak haché.* ▷ n. m. *Du haché :* de la viande hachée. **2.** Fig. Entrecoupé. *Style haché. Un discours haché d'applaudissements.*

Hache (défilé de la), défilé, au S. de Carthage, où Hamilcar extermina les mercenaires révoltés (237 av. J.-C.).

hache-légumes n. m. inv. Instrument servant à hacher les légumes.

hachémite ou **hachimite** adj. Des Hachémites.

Hachémites ou **Hachimites,** famille arabe émanant de *Hāšim ibn 'Abd Manāf,* l'aïeul de Mahomet. Les descendants de cette famille furent, jusqu'en 1924, les gardiens des lieux saints de l'islam. La dynastie régna sur l'Irak de 1920 à 1958 et règne sur la Jordanie (anc. *Transjordanie*) depuis 1921.

hacher [aʃe] v. tr. [1] **1.** Couper en petits morceaux. *Hacher menu,* très fin. **2.** Découper maladroitement et grossièrement. *Vous hachez ce gigot.* **3.** Endommager, détruire en déchiquetant. *La grêle a haché les blés.* – *Le régiment s'est fait hacher par la mitraille.* **4.** Fig. Couper, interrompre sans cesse. *Hacher un discours d'interruptions.* **5.** ARTS GRAPH Faire des hachures sur. **6.** TECH Entailler à la hache. *Hacher une planche.*

hachette [aʃɛt] n. f. Petite hache.

Hachette (Jeanne Laisné ou Fourquet, dite Jeanne) (Beauvais, v. 1456 – id., ?), héroïne française qui, armée d'une hache, défendit Beauvais, que Charles le Téméraire assiégeait (1472).

Hachette (Louis Christophe) (Rethel, 1800 – chât. du Plessis-Piquet, auj. Le Plessis-Robinson, 1864), éditeur français qui, à partir du fonds de la librairie Brédif, acheté en 1826, créa la Librairie Hachette, qui allait constituer la plus importante maison française d'édition et de distribution de livres, puis le premier groupe de communication français.

hacheur [aʃœʀ] n. m. Dispositif électronique servant à contrôler le courant délivré par une source.

hache-viande n. m. inv. Appareil servant à hacher la viande.

hachich ou **hachisch.** V. haschisch.

hachichin ou **hachischin.** V. haschischin.

Hachinoe ou **Hachinohe,** v. et port du Japon, sur le Pacifique; 241 430 hab. Cimenterie; industr. chim. Gisements de charbon et de pétrole (au large du port).

hachis [aʃi] n. m. CUIS Mets préparé avec de la viande ou du poisson haché. – Persil, oignon, etc., haché menu.

hachoir [aʃwaʀ] n. m. **1.** Grand couteau à lame très large, servant à hacher la viande, les légumes, les fines herbes,

Haakon VII

Louis **Hachette**

etc. ▷ Appareil pour hacher la viande. *Hachoir électrique.* **2.** *Par méton.* Table ou planche épaisse sur lesquelles on hache la viande.

hachure ['aʃyʀ] n. f. Chacun des traits parallèles ou croisés servant à ombrer une partie d'un dessin, à faire ressortir un relief sur une carte géographique, etc. *Dans le dessin industriel, les hachures permettent de distinguer la nature des pièces dessinées.*

hachurer ['aʃyʀe] v. tr. [1] Tracer des hachures sur. *Hachurer un dessin.*

hacienda ['asjɛnda] n. f. Grande exploitation agricole, en Amérique du Sud.

Hacks (Peter) (Breslau, 1928), dramaturge allemand. Il démystifie des sujets historiques et contemporains selon une démarche qui rappelle celle de Brecht : *l'Ouverture de l'ère indienne* (1955), *la Bataille de Lobositz* (1956).

Hadamard (Jacques) (Versailles, 1865 – Paris, 1963), mathématicien français ; connu pour ses travaux sur l'analyse, les nombres premiers et la théorie des ensembles.

Hadar, système double d'étoiles de la constellation du Centaure dont la composante principale est une géante bleue (magnitude visuelle apparente du système 0,6).

haddock ['adɔk] n. m. Églefin fumé.

Hadès, dans la myth. gr., fils de Cronos et de Rhéa, dieu des Enfers ; identifié ensuite avec le Pluton des Romains.

hadith ['adit] n. m. Didac. Récit relatif à la vie de Mahomet, à ses paroles, à ses actes. *L'ensemble des hadiths constitue la Tradition, qui, dans l'islam, fait autorité immédiatement après le Coran.*

hadj ['adʒ] n. m. Didac. **1.** Musulman qui a accompli le pèlerinage à La Mecque. **2.** Ce pèlerinage lui-même. *Des hadjs ou hadjis.*

Hadramaout, rég. montagneuse de l'Arabie méridionale (rép. du Yémen), sur le golfe d'Aden et la mer d'Oman.

Hadrien ou **Adrien** (en lat. *Publius Aelius Hadrianus*) (Italica, v. auj. en ruine près de Séville, 76 – Baïes, Campanie, 138), empereur romain (117-138), successeur de Trajan, qui l'avait adopté. Il s'en tint à une politique défensive à l'égard des Barbares et renonça aux conquêtes au-delà de l'Euphrate, mais il fit fortifier les frontières. De culture grecque, il embellit Rome et le territ. de l'Empire de nombr. monuments. Sa réforme de l'administration fut profonde : l'Édit perpétuel (131) est le prem. code de lois applicables à tout l'Empire. Le *mausolée d'Hadrien,* à Rome, est l'actuel chât. Saint-Ange.

hadron ['adʀɔ̃] n. m. PHYS NUCL Particule caractérisée par des interactions fortes. (Les hadrons comprennent les mésons et les baryons.)

Hadrien

Haendel

Hadrumète ou **Adrumète,** anc. v. d'Afrique du Nord, romaine après la chute de Carthage. Elle fut détruite par les Vandales. – Ruines près de Sousse.

Haeckel (Ernst) (Potsdam, 1834 – Iéna, 1919), biologiste allemand. Il lutta pour imposer le transformisme de Darwin (*Morphologie générale des organismes,* 1866). On lui doit le terme « écologie ».

Haendel ou **Händel** (Georg Friedrich) (Halle, 1685 – Londres, 1759), compositeur allemand, naturalisé anglais. Son œuvre, entreprise tardivement mais très abondante, comporte des pièces pour orgue, clavecin, des pièces orchestrales (*The Water Music,* 1715), des opéras (*Giulio Cesare,* 1724 ; *Alcina,* 1734) et des oratorios : *le Messie* (1742), *Judas Maccabée* (1746), *Josué* (1747), *Salomon* (1748), *Jephté* (1751).

Ha'erbin. V. Harbin.

Hāfiz (Chams al-Dīn Muhammad, dit) (Chirāz, 1320 – id., 1389), le plus grand poète lyrique et auteur de panégyriques persan, avec Khayyām. Son diwan (recueil) renouvelle tous les genres classiques et développe le *ghazal* (poème d'amour). Hāfiz fut vénéré aussi bien en Orient qu'en Occident, pour son raffinement et sa fraîcheur.

Hafiz *(Mawlāya 'Abd al-Ḥafīẓ)* (Fès, 1875 – Enghien-les-Bains, 1937), sultan alaouite du Maroc (1907-1912). Fervent défenseur de la tradition, il se rebella contre son frère Abd al-Aziz. En 1912, il abdiqua en faveur de son frère Youssef.

hafnium ['afnjɔm] n. m. CHIM Élément métallique de numéro atomique Z = 72 et de masse atomique 178,49 (symbole Hf). – Métal (Hf) de densité 13,3, qui fond à 2 230 °C et bout à 4 600 °C, utilisé dans des alliages spéciaux (barres de contrôle des réacteurs nucléaires, en partic.).

Hafsides, dynastie berbère qui gouverna l'Ifriqiyya de 1228 à 1574. Elle tire son nom d'Abu Hafs Omar, artisan de la grandeur des Almohades. Les Hafsides développèrent une civilisation brillante, mais furent vaincus par les Turcs, qui prirent Tunis en 1574.

Haganah, organisation paramilitaire juive de Palestine. Lors de la fondation de l'État d'Israël (1948), elle constitua le noyau de ses forces armées.

hagard, arde ['agaʀ, aʀd] adj. **1.** Vx *Faucon hagard,* pris trop vieux pour être apprivoisé, et resté trop farouche. **2.** Qui a une expression farouche, effarée, égarée. *Un air, des yeux hagards.*

Hagedorn (Friedrich von) (Hambourg, 1708 – id., 1754), poète allemand. Il subit fortement l'influence de La Fontaine dans ses *Fables et Contes* (1738).

Hagen, v. d'Allemagne (Rhén.-du-N.-Westphalie), dans la Ruhr ; 206 070 hab. Industr. métall., mécan. et chim.

haggadah ['ag(g)ada] n. f. Partie de la littérature didactique rabbinique qui développe les textes narratifs, historiques et prophétiques de la Bible.

Haggaï. V. Aggée.

hagiographe adj. et n. Didac. **I.** adj. Vx *Livres hagiographes* : les livres de l'Ancien Testament autres que le Pentateuque et les Prophètes. **II.** n. **1.** Vx Auteur d'un livre hagiographe. **2.** Mod. Auteur d'une hagiographie.

hagiographie n. f. Didac. **1.** Branche du savoir qui a pour objet la biographie des saints. **2.** Biographie d'un saint, des saints. **3.** *Par ext.* Récit biographique qui embellit la réalité.

hagiographique adj. Didac. Qui concerne l'hagiographie.

Hagondange, com. de la Moselle (arr. de Metz-Campagne) ; 8 252 hab.

Hague (la), cap à l'extrémité N.-O. du Cotentin. Usine de retraitement du plutonium et de l'uranium.

Haguenau, ch.-l. d'arr. du Bas-Rhin, sur la Moder, au S. de la *forêt de Haguenau* ; 30 384 hab. Constr. mécaniques. Textiles. Industr. alim. – Ch.-l. de la Décapole (XIVe-XVIIe s.). – Égl. St-Georges (XIIe-XIIIe s.) et St-Nicolas (XIVe-XVe s.).

Hahn (Reynaldo) (Caracas, 1875 – Paris, 1947), compositeur français : *Ciboulette* (opérette, 1923), *Chansons grises* (mélodies sur des vers de Verlaine).

Hahn (Otto) (Francfort-sur-le-Main, 1879 – Göttingen, 1968), chimiste allemand. Il découvrit en 1938 la fission de l'uranium. P. Nobel 1944.

Hahnemann (Christian Friedrich Samuel) (Meissen, Saxe, 1755 – Paris, 1843), médecin allemand, fondateur de l'homéopathie. Œuvre princ. : *Organon de l'art de guérir* (1810).

hahnium ['anjɔm] n. m. PHYS Un des noms proposés pour l'élément artificiel de numéro atomique Z = 105, obtenu en 1970.

Haïda(s), Amérindiens du N. de la Colombie britannique et de l'île du Prince-de-Galles (Canada). Ils ont laissé d'admirables témoignages artistiques : masques, figures de proue, mâts totémiques, etc.

Haidarābād. V. Hyderābād (Inde).

Haïder-Ali. V. Haydar Alī khān Bahādur.

haïdouk ['ajduk] n. m. HIST **1.** Boyard hongrois qui faisait partie d'une milice. **2.** Hors-la-loi chrétien qui, en Bulgarie, en Roumanie et en Serbie, faisait partie des bandes qui luttèrent contre les Turcs du XVIIe au XIXe s.

haie ['ɛ] n. f. **1.** Clôture faite d'arbustes, d'épines ou de branchages entrelacés. ▷ SPORT *Course de haies,* où les concurrents (chevaux ou athlètes) doivent franchir un certain nombre de haies artificielles. *Un coureur vainqueur au 110 mètres haies.* **2.** Suite d'obstacles disposés en ligne. *Haie de pieux, de rochers.* **3.** Série de personnes disposées selon une ligne droite. *Une double haie de soldats. Faire la haie, une haie d'honneur.*

Haïfa ou **Haiffa** (anc. *Caïffa*), princ. port d'Israël ; ch.-l. du distr. du m. nom ; 224 600 hab. (aggl. urb. 392 700 hab.). Centre culturel et industriel (notam. raff. de pétrole).

Haig (Douglas, 1er comte) (Édimbourg, 1861 – Londres, 1928), maréchal britannique. Il commanda l'armée britannique sur le front français (1915-1918).

Haihe, fl. de la Chine du N. (450 km) qui passe près de Pékin et se jette dans le golfe de Bohai.

haïk ['aik] n. m. Grande pièce de tissu rectangulaire que portent les femmes musulmanes d'Afrique du Nord par-dessus leurs vêtements.

Haikou, v. de Chine, ch.-l. de l'île de Hainan ; 263 280 hab.

Hailé Sélassié Ier Johnny **Hallyday**

haïku ou **haïkaï** n. m. Didac. Court poème japonais de trois vers, le premier et le dernier de cinq syllabes, le deuxième de sept. *Bashō est le maître du haïku.*

Hailé Sélassié Ier (Tafari Makonnen, empereur sous le nom de) (Harar, 1892 - Addis-Abeba, 1975), empereur d'Éthiopie à partir de 1930 (régent dès 1917). L'Italie ayant envahi son royaume, il fut détrôné (1935), puis rétabli après l'offensive britannique de 1941. Il œuvra pour l'unité africaine, mais ne sut pas sortir son pays du sous-développement ni de la division (guerre d'Érythrée). L'armée le déposa en 1974.

haillon ['ajɔ̃] n. m. Vêtement usé, déchiré; vieux lambeau d'étoffe. *Être en haillons.*

Hainan, île chinoise du golfe du Tonkin; prov. de Chine; 34 000 km²; env. 6 millions d'hab.; ch.-l. *Haikou.* Fer, uranium.

Hainaut, comté de l'Empire germanique. Fondé au IXe s., il s'étendait en Belgique et en France. En 1428, il fit partie des États bourguignons, dont il suivit le sort. En 1659 et en 1678 (traités des Pyrénées et de Nimègue), la France acquit le S. du comté : *Hainaut français* (v. princ. : Valenciennes, Le Quesnoy, Maubeuge, Avesnes-sur-Helpe). - Cette rég. doit son nom à la *Haine,* affl. de l'Escaut (r. dr.); 72 km.

Hainaut, prov. de Belgique, limitrophe de la France; 3 790 km²; 1 277 940 hab.; ch.-l. *Mons.* - Bas plateau souvent limoneux (riche agric. : céréales, betterave à sucre, chicorée, tabac, lin, élevage, etc.), le Hainaut possède de nombr. industr., basées sur les cult. industr. et les ressources minérales : granit, marbre, fer et houille. Mais la fermeture des houillères du Borinage et le déclin de l'industr. lourde ont entraîné une grave crise de l'emploi.

haine ['ɛn] n. f. **1.** Sentiment violent qui pousse à désirer le malheur de qqn ou à lui faire du mal. *Éprouver, avoir, nourrir de la haine pour qqn. Prendre qqn en haine.* **2.** Aversion violente, dégoût profond que l'on éprouve à l'égard de qqch. *Avoir de la haine pour, avoir la haine de l'hypocrisie.* **3.** Loc. prép. *En haine de, par haine de* : à cause de la haine ressentie à l'endroit de (qqch, qqn).

haineusement ['ɛnøzmɑ̃] adv. D'une manière haineuse, par haine.

haineux, euse ['ɛnø, øz] adj. **1.** Qui est naturellement porté à la haine. *Caractère haineux.* **2.** Inspiré par la haine; rempli de haine. *Paroles haineuses.*

Haiphong, port du Viêt-nam, au N. du delta du fleuve Rouge; env. 1 279 000 hab. Premier centre industriel du pays (métall., constr. navales, etc.). - Ce fut l'une des princ. cibles des bombardements amér. pendant la guerre du Viêt-nam (1966-1972).

haïr ['aiʀ] v. tr. [25] **1.** Éprouver de la haine pour (qqn). *Haïr ses ennemis.* ▷ v. pron. (réfl.). *Il se hait lui-même de sa lâcheté.* (Récipr.) *Ces deux élèves se haïssent.* **2.** Éprouver de l'aversion, du dégoût pour (qqch). *Haïr le vice.* ▷ Litt. *Haïr de* (+ inf.), *haïr que* (+ subj.) : détester, détester que.

haire ['ɛʀ] n. f. Anc. Vêtement de crin ou de poil de chèvre, que l'on portait à même la peau par esprit de mortification et de pénitence.

haïssable ['aisabl] adj. Qui mérite d'être haï; odieux, détestable. *« Le moi est haïssable »* (Pascal).

Haïti (anc. *Hispaniola* ou *Saint-Domingue*), île montagneuse partagée entre Haïti (à l'O.) et la rép. Dominicaine (à l'E.), séparée de Cuba par le canal au Vent.

Haïti (république d'), État d'Amérique centrale, dans l'île d'Haïti (partie O.); 27 750 km²; env. 5 500 000 hab.; cap. *Port-au-Prince.* Nature de l'État : rép. de type présidentiel. Langue off. : français et créole. Monnaie : gourde. Pop. : Noirs (95 %), mulâtres (5 %). Relig. : catholicisme (off.), vaudou.
Géogr. et écon. - Deux axes montagneux, culminant à 2 680 m, encadrent le golfe de Gonaïves qui baigne la façade occidentale de l'île. La population se groupe dans les vallées et les plaines intérieures et sur le littoral. Le climat est tropical, humide et les cyclones sont fréquents. Les densités sont fortes (plus de 230 hab./km²), 70 % des habitants sont ruraux et la population augmente de plus de 2 % par an, ce qui entretient une émigration d'autant plus importante que le niveau de vie est très faible (1 million d'Haïtiens à l'étranger). Les cultures vivrières et la pêche restent les bases de l'économie, café, cacao et canne à sucre étant exportés. L'exploitation minière a cessé et l'industrialisation reste médiocre (usines de sous-traitance travaillant pour l'étranger); malgré les recettes provenant du tourisme, les échanges extérieurs sont déficitaires. Troubles politiques, crise économique et sociale, absence d'aide extérieure ont créé une situation tragique.
Hist. - Découverte en 1492 par C. Colomb, qui l'appela Hispaniola, l'île fut colonisée par les Espagnols (Saint-Domingue) dans sa partie orientale. Les Français s'implantèrent à l'O. au cours du XVIIe s. et acquirent cette rég. en 1697 (traité de Ryswick). La colonie française fut remarquablement prospère; au XVIIIe s., elle comptait 600 000 hab., dont 500 000 esclaves noirs. Suivant la décision de l'Assemblée constituante de donner aux Noirs des droits politiques, Toussaint Louverture mena à la victoire la révolte des anciens esclaves (1791-1794). Une période troublée s'ensuivit, marquée par la cession à la France de la partie espagnole (1795-1808), par la proclamation de l'indépendance de l'île (1804), due au général noir Dessalines, par la réunification de l'île (1822) et par sa scission en deux États (1844). De 1849 à 1859, la partie nommée Haïti fut un empire (dirigé par Faustin Ier). En 1915, les É.-U. intervinrent dans la rép. d'Haïti; l'occupation militaire cessa en 1934. L'armée porta au pouvoir le colonel P. Magloire (1950-1956), à qui succéda en 1957 le docteur Fr. Duvalier, nommé président à vie en 1964. Celui-ci (« Papa Doc ») instaura un régime dictatorial s'appuyant sur des hommes de main (les « tontons macoutes »); il désigna comme successeur son fils, J.-C. Duvalier, qui fut « président à vie » de 1971 à 1986, quand un soulèvement pop. le contraignit à l'exil. Après quatre ans de tribulations électorales et de coups de force militaires, le candidat de gauche, le père J. B. Aristide, fut élu prés. de la République à une très large majorité en déc. 1990. En sept. 1991, l'armée reprit le pouvoir par un putsch sanglant, suivi d'une violente répression. Un embargo écon. fut alors instauré par l'O.É.A. Pour mettre un terme à l'afflux des réfugiés haïtiens sur le sol américain, les forces américaines ont débarqué en sept. 1994 pour réinstaller J.-B. Aristide dans ses fonctions. René Préval lui succède en 1996.

haïtien, enne adj. et n. De Haïti. ▷ Subst. *Un(e) Haïtien(ne).*

Hakim *(Tawfīq al-Ḥakīm)* (Alexandrie, 1898 - Le Caire, 1987), écrivain égyptien. Il puise ses sujets dans la mythologie *(Œdipe-Roi, Pygmalion, les Hommes de la caverne)* aussi bien que dans la vie quotidienne *(Journal d'un substitut de campagne).* Il a introduit dans la littérature arabe le théâtre, presque inexistant avant lui.

Hakodate, port du Japon, au S. de l'île de Hokkaidō; 319 190 hab. Constr. navales. Pêche.

Hal (en néerl. *Halle*), com. de Belgique (Brabant), sur la Senne; 32 300 hab.

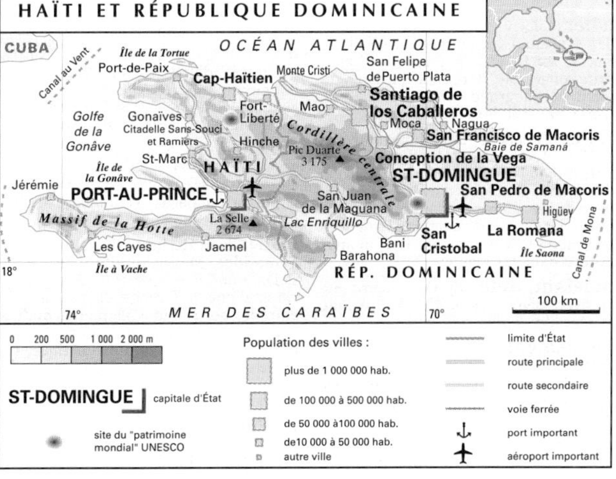

Industr. textiles et chimiques. – Basilique goth. (pèlerinage).

halage ['alaʒ] n. m. Action de haler un bateau. *Chemin de halage.*

halal ['alal] adj. inv. Didac. Se dit de la viande des animaux abattus selon les rites musulmans.

Halberstadt, v. d'Allemagne, au pied septentrional du Harz ; 47 300 hab. Industr. chim., méca. et alimentaires.

halbran ['albʀɑ̃] n. m. Jeune canard sauvage.

Halbwachs (Maurice) (Reims, 1877 – Buchenwald, 1945), sociologue et statisticien français (*la Classe ouvrière et les niveaux de vie*, 1913).

hâle ['ɑl] n. m. **1.** Vx Action combinée du soleil et du grand air qui brunit la peau, flétrit les végétaux. **2.** Cour. Teinte brune que prend la peau sous l'effet du soleil et du grand air.

Hale (George Ellery) (Chicago, 1868 – Pasadena, 1938), astronome américain, spécialiste du Soleil, inventeur (en même temps que le Français Deslandres) du spectrohéliographe.

Hale-Bopp, comète découverte, le 23 juillet 1995, indépendamment par deux astronomes amateurs américains, Alan Hale et Thomas Bopp. Elle a frôlé la Terre en 2213 av. J.-C. et repassera au-dessus de la planète dans 2 380 ans.

haleine n. f. **1.** Air qui sort des poumons pendant l'expiration. *Avoir l'haleine forte* : avoir une haleine d'odeur désagréable. ▷ Fig., poét. *L'haleine des fleurs, du zéphir.* **2.** Faculté de respirer, souffle. *Être hors d'haleine*, très essoufflé. ▷ Loc. adv. *À perdre haleine. Courir à perdre haleine.* **3.** Temps écoulé entre deux inspirations. *Avoir l'haleine courte* : avoir la respiration difficile et rapide. ▷ Fig. *Ouvrage de longue haleine*, qui demande beaucoup de temps et d'efforts. ▷ Litt. *D'une haleine, tout d'une haleine* : sans interruption, sans reprendre haleine. ▷ Cour., fig. *Tenir qqn en haleine*, le laisser dans un état d'incertitude mêlé d'espérance et de crainte ; l'intéresser si bien qu'il ne relâche pas son attention.

halener v. tr. [**17**] CHASSE Flairer, pour un chien, l'odeur du gibier.

haler ['ale] v. tr. [**1**] **1.** MAR Tirer à soi avec force (sur). *Haler un cordage, sur un cordage.* **2.** Faire avancer (un bateau) en le tirant. *Haler une barque sur la plage.*

hâler ['ɑle] v. tr. [**1**] **1.** Vx Dessécher (les végétaux), en parlant du soleil, de l'air. **2.** Mod. Rendre (le teint) plus foncé, brun-rouge ou doré, en parlant du soleil et du grand air. – Pp. adj. *Un visage hâlé.* Syn. bronzer.

Hales (Stephen) (Bekesbourne, Kent, 1677 – Teddington, Middlesex, 1761), naturaliste et physicien anglais. Il découvrit le sulfure d'hydrogène et le dioxyde de carbone. Il mesura, le premier, la pression sanguine (sur des chevaux) et les forces qui font monter la sève dans les plantes.

haletant, ante adj. Qui respire vite et avec peine ; essoufflé. ▷ Précipité et saccadé. *Respiration haletante.*

halètement ['alɛtmɑ̃] n. m. Action de haleter ; état d'une personne ou d'un animal qui est haletant. ▷ *Par anal.* Bruit saccadé de souffle. *Le halètement d'une locomotive.*

haleter ['alte] v. intr. [**18**] Respirer bruyamment et à un rythme précipité, être hors d'haleine. *Haleter après un effort prolongé, une émotion violente.* ▷ *Par anal.* Produire des bruits de souffle saccadé.

haleur, euse ['alœʀ, øz] n. Personne qui hale un bateau.

Halévy (Élias Lévy, dit Jacques Fromental) (Paris, 1799 – Nice, 1862), compositeur français ; auteur notam. de *la Juive* (opéra, 1835). – **Ludovic** (Paris, 1834 – id., 1908), neveu du préc., écrivain français, auteur de comédies, en collab. avec H. Meilhac, d'opéras-comiques (*Carmen* de Bizet, 1875) et d'opérettes (mus. d'Offenbach) : *la Belle Hélène* (1864), *la Vie parisienne* (1866), *la Périchole* (1868). Acad. fr. (1884).

Haley (William, dit Bill) (Highland Park, Michigan, 1925 – Harlingen, Texas, 1981), chanteur américain. Le succès de *Rock Around the Clock* (1954) lança la vogue du rock and roll.

halfcourt ['alfkuʀt] n. m. Variante du tennis pratiquée sur un terrain plus petit.

half-track ['alftʀak] n. m. MILIT Véhicule blindé et équipé de chenilles à l'arrière. *Des half-tracks.*

Halicarnasse (auj. *Bodrum*, Turquie), anc. v. de Carie (Asie Mineure), capitale du roi Mausole.

halieutique adj. et n. f. Didac. **1.** adj. Qui concerne la pêche. *Géographie halieutique.* **2.** n. f. Art de la pêche.

Halifax, v. du Canada, cap. de la Nouvelle-Écosse, sur l'Atlantique ; 113 570 hab. (aggl. urb. 292 700 hab.). Grand port de comm. et de voyageurs. Métall. Constr. navales.

Halifax, v. de G.-B. (West Yorkshire) ; 87 500 hab. Centre textile.

Halifax (George Savile, marquis de) (Thornhill, 1633 – Londres, 1695), homme politique et écrivain anglais, au service de Charles II puis de Jacques II, qui le disgracia. Il favorisa l'accession au trône de Guillaume III de Nassau.

Halifax (Edward Frederick Lindley Wood, comte de) (Powderham Castle, Devonshire, 1881 – Garrowby Hall, près de York, 1959), homme politique britannique ; vice-roi des Indes (1926-1931), ministre des Affaires étrangères (1938-1940), ambassadeur aux É.-U. (1941-1946).

haligonien, enne adj. et n. De Halifax (Canada).

haliotide n. f. ZOOL Ormeau (mollusque gastéropode).

hall ['ol] n. m. **1.** Vaste salle située à l'entrée d'une maison privée, d'un bâtiment public. *Le hall d'un hôtel, d'une gare.* **2.** Vaste atelier. *Hall d'assemblage d'une usine de construction aéronautique.*

Hall (Granville Stanley) (Ashfield, Massachusetts, 1844 – Worcester, Massachusetts, 1924), psychologue américain. Il étudia en partic. l'enfance, l'adolescence, l'éducation.

Hall (Edwin Herbert) (Gorham, 1855 – Cambridge, Massachusetts, 1938), physicien américain. ▷ PHYS *Effet Hall* : apparition d'une différence de potentiel U entre les bords d'une plaquette conductrice traversée par un courant I et placée dans un champ magnétique. La *résistance de Hall* (R = U/I) varie de manière discontinue *(effet Hall quantique).*

Halladj (*al-Ḥusayn ibn Manṣūr al-Ḥallāǧ*) (Tūr, près d'Al-Beyda, S. de l'Iran, 858 – Bagdad, 922), poète mystique musulman. Il fut torturé et supplicié pour sa théorie selon laquelle l'âme et Dieu sont unis.

hallali [alali] n. m. VEN Cri de chasse ou sonnerie du cor annonçant que la bête poursuivie est près de succomber.

halle ['al] n. f. **1.** Lieu public, le plus souvent fermé et couvert, où se tient un marché, un commerce en gros de marchandises. *La halle aux vins.* **2.** (Plur.) Bâtiment, endroit réservé au marché principal des produits alimentaires d'une ville. – *Absol.* Les halles de Paris. V. Halles (les).

Halle, v. d'Allemagne (Saxe-Anhalt), sur la Saale ; 232 620 hab. Centre culturel (université fondée en 1694) et industriel. Mines de lignite, de sel et de potasse à proximité.

Halle. V. Hal.

hallebarde ['albaʀd] n. f. Anc. Arme d'hast* dont la pointe porte d'un côté un fer en forme de hache, de l'autre un fer en forme de crochet. ▷ Loc. fig. *Il tombe des hallebardes* : il pleut à verse.

hallebardier ['albaʀdje] n. m. Anc. Soldat portant une hallebarde.

Haller (Józef) (Jurczyce, près de Cracovie, 1873 – Londres, 1960), général polonais ; chef des forces polonaises qui combattirent en France (1918). Il participa à la guerre contre la Russie (1920) et fut ministre du gouv. polonais de Londres durant la Seconde Guerre mondiale.

Halles (les), autref., marché central principal de Paris (Ier arr.). Décidé en 1962 par décret, le transfert de leurs activités à Rungis a été effectué en 1969. Les halles de Baltard (V. ce nom) ont donc été démolies. Auj., le quartier des Halles, rénové, est devenu un des grands centres commerciaux et culturels de Paris.

Halley (Edmund) (Haggerston, 1656 – Greenwich, 1742), astronome anglais. Il découvrit la périodicité des comètes et en 1682, prévit le retour pour 1758 de la comète qui porte son nom (période d'env. soixante-seize ans).

hallier ['alje] n. m. Ensemble de buissons très épais.

Halloween, fête annuelle célébrée aux États-Unis et au Canada le soir du 31 octobre, à l'occasion de laquelle les enfants, déguisés et masqués, font la tournée des maisons de leur quartier pour quêter des friandises. *Passer l'Halloween*, faire cette tournée.

Hallstatt ou **Hallstadt,** bourg de Haute-Autriche, dans le Salzkammergut, célèbre par sa station protohistorique. Le nom de la localité a été donné à la prem. période de l'âge du fer (Hallstatt I, env. 800 à 600 av. J.-C. ; Hallstatt II, env. 600 à 500 av. J.-C.).

époque de **Hallstatt :** glaive court et fers de lance en bronze, poterie

hallstattien, enne adj. PROTOHIST Qui se rapporte à la période de Hallstatt.

Hallström (Per) (Stockholm, 1866 - id., 1960), écrivain suédois d'inspiration symboliste : *Lyrisme et Fantaisies* (poèmes, 1891), *Oiseaux égarés* (nouvelles, 1894).

hallucinant, ante adj. Qui produit des hallucinations. ▷ Fig. *Un récit hallucinant*, d'une grande puissance évocatrice. ▷ Mod., fam. Très étonnant.

hallucination n. f. Perception dont le sujet a l'intime conviction qu'elle correspond à un objet réel alors que nul objet extérieur n'est propre à déclencher cette sensation. *Hallucination visuelle, auditive.*

hallucinatoire adj. Relatif à l'hallucination.

halluciné, ée adj. et n. Qui a des hallucinations. *Un malade mental halluciné.* - Par ext. *Un regard halluciné.*

halluciner v. tr. [1] Provoquer des hallucinations chez (qqn).

hallucinogène n. m. (et adj.) Toute substance qui perturbe le psychisme et provoque des manifestations hallucinatoires et oniriques. *Le L.S.D., la mescaline sont des hallucinogènes.*

Halluin, com. du Nord (arr. de Lille), à la frontière belge; 17 687 hab. Industr. textile.

Hallyday (Jean-Philippe Smet, dit Johnny) (Paris, 1943), chanteur et acteur de cinéma français. Il contribua à populariser en France, à partir de 1959, le rock and roll et s'imposa comme une des meilleures vedettes de show de sa génération *(Souvenirs, souvenirs, l'Idole des jeunes, Oh! ma jolie Sarah).* ► illustr. page **869**

Halmahera ou **Gilolo,** princ. île des Moluques (Indonésie); 16 000 km²; 60 000 hab.; v. princ. *Gilolo.*

Halmstad, v. et port de Suède, sur le Kattégat; ch.-l. de län; 77 210 hab. Pêche (saumon), constr. mécaniques.

halo-. Élément, du gr. *hals, halos,* «sel».

halo ['alo] n. m. **1.** Cercle lumineux que l'on observe autour du Soleil et de la Lune lorsque ceux-ci sont voilés par des nuages constitués de cristaux de glace (cirrus ou cirrostratus). - Par ext. *Le halo des phares dans le brouillard.* ▷ Fig. Ce qui semble émaner de qqn, de qqch. *Un halo de mystère.* **2.** PHOTO Auréole qui entoure l'image photographique d'un point lumineux, due à un phénomène de diffusion de la lumière. **3.** ASTRO *Halo galactique :* ensemble sphérique autour des galaxies, composé d'étoiles groupées en amas globulaires*.

halobios [alobjos] n. m. BIOL Ensemble des organismes vivant dans les mers.

halogène n. m. (et adj.) CHIM Se dit du fluor, du chlore, du brome, de l'iode et de l'astate, éléments possédant des propriétés communes. *Famille des halogènes. - Lampe* (à) halogène.*

halogéné, ée adj. CHIM Qui contient un ou plusieurs halogènes.

halographie n. f. Didac. Étude des sels.

halopéridol n. m. Neuroleptique utilisé pour ses propriétés antihallucinatoires et sédatives.

halophile adj. BIOL Se dit des organismes qui vivent dans des sols riches en sels (chlorure de sodium, notam.).

halophyte n. f. BOT Plante halophile.

Frans **Hals :** *la Bohémienne,* 1628-1630; musée du Louvre

Halpern (Bernard) (Tarnos-Ruda, Ukraine, 1904 - Paris, 1978), médecin français d'origine russe; auteur de travaux sur les maladies allergiques.

Hals (Frans) (Anvers, v. 1580 - Haarlem, 1666), peintre hollandais; le prem. grand nom de la peint. hollandaise, qu'il libéra de l'art italien et de l'art flamand. Il a surtout peint des portraits individuels (*Descartes,* Louvre) et des portraits collectifs (*les Régentes de l'hospice des vieillards,* 1664, Haarlem).

Hälsingborg ou **Helsingborg,** v. et port de Suède, face à Elseneur (Helsingør) et au N. de Malmö; 109 267 hab. Centre industr. import. aux activités diversifiées. - Égl. XIIIᵉ s. Ville fortifiée.

halte ['alt] n. f. et interj. **I.** n. f. **1.** Moment d'arrêt au cours d'une marche, d'un voyage, etc. - Loc. verb. *Faire halte :* s'arrêter. **2.** Lieu fixé pour la halte. *Arriver en retard à la halte.* ▷ CH de F Point d'arrêt entre deux gares, réservé aux seuls trains de voyageurs. **II.** interj. *Halte!, halte-là! :* arrêtez!, n'avancez plus! ▷ Fig. *Halte-là! :* taisez-vous! - *Halte aux scandales!*

halte-garderie n. f. Crèche admettant des enfants pour un court temps et occasionnellement. *Des haltes-garderies.*

haltère n. m. Instrument de culture physique constitué de deux sphères ou disques métalliques plus ou moins lourds, réunis par une barre permettant de les soulever. - Par méton. *Pratiquer les haltères,* l'haltérophilie.

haltérophile n. m. Athlète pratiquant l'haltérophilie.

haltérophilie n. f. Sport des poids et haltères. *Les épreuves d'haltérophilie comprennent l'arraché et l'épaulé-jeté.*

halva ['alva] n. m. Confiserie turque à base de graines de sésame broyées et de sucre (ou de miel).

Ham, ch.-l. de cant. de la Somme (arr. de Péronne), sur la Somme; 5 868 hab. - Égl. abbat. (XIIᵉ-XIIIᵉ s.). Ruines d'un chât. fort du XVᵉ s., où furent détenus, entre autres, Louis de Condé, le prince de Polignac, Cavaignac et Louis Napoléon Bonaparte (qui, enfermé en 1840, s'en évada en 1846).

Hama *(Ḥamāh),* v. de Syrie, sur l'Oronte, dans une oasis; ch.-l. du distr. du m. nom; 198 160 hab. Artisanat (text.), centre commercial.

hamac ['amak] n. m. Toile ou filet suspendu par ses deux extrémités, qui sert de lit.

hamada ['amada] n. f. Plateau rocheux dans les régions désertiques du Sahara et de l'Arabie (par oppos. à *erg* et à *reg*).

Hamadhan *(Hamadān),* v. d'Iran, à 1 650 m d'alt., au S.-O. de Téhéran; 234 000 hab. ; ch.-l. de la prov. du m. n. (19 784 km²; 1 534 000 hab.). Text. (tapis). Vins réputés. - Anc. *Ecbatane.*

Hamadhani (Al-) (*Ahmad Badi'al-Zamān al-Hamadhānī,* dit) (Hamadhan, 967 - Harāt, Afghānistān, 1008), écrivain et philologue arabo-iranien. Il inventa la *maqāma* («séance» ou «entretien»), prose rimée imitant le style du Coran.

hamadryade n. f. MYTH Nymphe des bois, identifiée à un arbre, vivant en lui, naissant et mourant avec lui.

hamadryas [amadrijas] n. m. ZOOL Babouin *(Papio hamadryas)* d'Éthiopie et d'Arabie, à l'épaisse crinière, long de 70 cm sans la queue.

Hamamatsu, v. du Japon, sur la côte E. de Honshū; 540 000 hab. Industr. chimiques et textiles.

hamadryas

hamamélis n. m. BOT Plante dicotylédone arbustive des régions tropicales, dont l'écorce et les feuilles ont des propriétés vasoconstrictrices.

Hamann (Johann Georg) (Königsberg, 1730 - Münster, 1788), écrivain et philosophe allemand de tendance mystique : *Métacritique du purisme de la raison pure* (1784).

Hamas, mouvement politico-religieux palestinien crée en 1987. Non membre de l'O.L.P.*, il rejette l'accord signé à Washington en 1993 entre Yasser Arafat et Israël.

Hambourg (en all. *Hamburg*), deuxième v. et princ. port d'All., au fond de l'estuaire de l'Elbe, à 130 km de la mer du Nord; cap. du Land et de la région de la C.E. du même nom; (755 km²); 1 592 800 hab. C'est un des plus grands ports européens, bien relié à son arrière-pays et bénéficiant d'un avant-port, *Cuxhaven.* Une forte industr. s'est développée (métall., constr. navales, raff. de pétrole, etc.), liée aux activités portuaires. - Université. Musée de peinture et de sculpture. - Principal centre, avec Lübeck, de la Hanse teutonique, Hambourg, ville libre en 1510, connut son apogée au XVIIᵉ s. (premier port européen). Son commerce fut compromis par le Blocus continental. Très endommagée par les bombardements alliés de 1943 et handicapée par le partage de l'Allemagne, elle se releva rapidement.

hamburger [ɑ̃buʀgœʀ] n. m. Bifteck haché assaisonné généralement servi dans un petit pain et parfois surmonté d'un œuf au plat. *Hamburger avec œuf à cheval.*

Hamburger (Jean) (Paris, 1909 - id., 1992), médecin et écrivain français. Il s'est consacré à la néphrologie et aux transplantations rénales. Il a publié *la Puissance et la Fragilité*, 1972; *l'Homme et les hommes*, 1976. Acad. fr. (1986).

hameau [ˈamo] n. m. Petit groupe isolé d'habitations rurales, ne formant pas une commune.

hameçon n. m. Petit crochet se terminant par une ou plusieurs pointes acérées, qu'on fixe au bout d'une ligne et qu'on garnit d'un appât pour prendre du poisson. ▷ Loc. fig. *Mordre à l'hameçon* : se laisser séduire.

hameçonner v. tr. [1] PÊCHE **1.** Garnir d'hameçons. **2.** Prendre avec un hameçon.

Hamelin (Ferdinand Alphonse) (Pont-l'Évêque, 1796 - Paris, 1864), amiral français. Il commanda l'escadre de la mer Noire pendant la guerre de Crimée. Ministre de la Marine de 1855 à 1860.

Hamelin (Octave) (Le Lion-d'Angers, Maine-et-Loire, 1856 - Hucket, Landes, 1907), philosophe français. Sa doctrine, spiritualiste, est apparentée au néo-criticisme de Renouvier : *Essai sur les éléments principaux de la représentation* (1907).

Hamerling (Rupert Hammerling, dit Robert) (Kirchberg am Walde, 1830 - Graz, 1889), poète autrichien : *Ahasvérus à Rome* (1866) et *le Roi de Sion* (1869), poèmes épiques.

Hamhŭng-Hŭngnam, conurbation de la Corée du Nord; 775 000 hab. Prod. chim.; métallurgie.

Hamilcar ou **Amilcar Barca** («l'Éclair») (?, v. 290 - Elche, 229 av. J.-C.), général carthaginois, père d'Hannibal. Il fut battu par les Romains en Sicile (241 av. J.-C.), mais, après avoir écrasé les mercenaires révoltés contre Carthage (240-237), il conquit pour Carthage une partie de la péninsule Ibérique (237-229), où il fonda un État.

Hamilton, v. du Canada (Ontario), à l'extrémité O. du lac Ontario; 318 490 hab. (aggl. 564 000 hab.). Port très actif. Centre métall., constr. méca. et électr. Prod. chim. - Université.

Hamilton, v. de Nouvelle-Zélande (île du Nord); ch.-l. de province; 101 810 hab. Industr. alimentaires (région d'élevage).

Hamilton (Alexander) (Nevis, Antilles, 1755 - New York, 1804), homme politique américain. Collaborateur de Washington, il fut l'un des princ. rédacteurs de la Constitution américaine et fonda le parti fédéraliste.

Hamilton (Antoine, comte de) (Roscrea, Tipperary, 1646 - Saint-Germain-en-Laye, 1720), écrivain irlandais d'expression française. Ayant suivi Jacques II dans son exil, il brilla à la cour de la duchesse du Maine et écrivit, en 1713, une œuvre étincelante, les *Mémoires du comte de Gramont*.

Hamilton (sir William) (Glasgow, 1788 - Édimbourg, 1856), philosophe écossais. Sa pensée tente de combiner la théorie de Reid et les thèses de Kant.

Hamilton (sir William Rowan) (Dublin, 1805 - Dunsink, 1865), mathématicien et astronome irlandais, inventeur d'un système de quantités complexes exprimées à l'aide de quatre unités : les *quaternions*.

sir William **Hamilton**

Hannibal

Hamites ou **Chamites** («Fils de Cham»), nom sous lequel on désignait autref. des peuples de la Corne de l'Afrique (Éthiopiens, Somalis, etc.), d'Afrique du Nord (Berbères et Touareg) et des Canaries (Guanches), au teint en général sombre et au physique proche de celui des Européens. Cette classification, auj. abandonnée en anthropologie, ne s'applique plus qu'à certaines langues, dites *chamito* (ou *hamito*)-*sémitiques*.

Hamlet, prince légendaire du Jutland, qui feignit la folie pour venger son père empoisonné par son propre frère. Ce prince a été immortalisé par Shakespeare*.

Hamm, v. d'All. (Rhén.-du-N.-Westphalie), dans la Ruhr; 165 960 hab. Grand centre ferroviaire. Industr. métall., mécaniques et chimiques.

hammam [ˈamam] n. m. Établissement où l'on prend des bains de chaleur ou de vapeur à la façon turque.

Hammamet, v. de Tunisie, sur le *golfe d'Hammamet* (au S. du cap Bon); 12 000 hab. Stat. baln. Vieux village pittoresque.

Hammam-Lif (*Ḥammā al-Anf*) v. de Tunisie (gouvernorat de Tunis); 73 580 hab. Stat. therm. et balnéaire.

Hammarskjöld (Dag) (Jönköping, 1905 - Ndola, Zambie, 1961), homme politique suédois. Secrétaire général de l'O.N.U. à partir de 1953, il trouva la mort dans un accident d'avion lors d'une mission. P. Nobel de la paix 1961, à titre posthume.

Hamme, com. de Belgique (Flandre-Orientale); 30 440 hab. Industr. textile.

Hammerfest, port de Norvège, v. la plus septentrionale d'Europe; 7 000 hab. Pêche (hareng). Industr. alim.; armement.

Hammett (Dashiell) (Saint Mary's County, Maryland, 1894 - New York, 1961), écrivain et scénariste américain. Il fut l'un des initiateurs du roman noir américain : *la Moisson rouge* (1929), *le Faucon maltais* (1930), *la Clé de verre* (1931).

Hammourabi ou **Hammourapi** (chronologie controversée : 1792, 1750 ou 1730 - 1686 av. J.-C.), roi de Babylone. Il créa l'Empire babylonien en soumettant Sumer et Akkad, puis l'Assyrie. Son célèbre *Code*, gravé sur la stèle trouvée à Suse en 1901-1902 (Louvre), témoigne de l'importance de l'œuvre législative accomplie sous son règne.

Hampâté Bâ (Amadou) (Bandiagara, Mali, v. 1901 - Abidjan 1991), ethnologue et poète malien. On lui doit la publication de grands textes de la littérature orale peule (*Kaïdara*, 1944; *Petit Bodiel*, etc.). Son œuvre personnelle est également importante (*l'Empire peul du Macina*, 1957; *Jésus vu par un musulman*; *l'Étrange Destin de Wangrin*, 1973; *Amkoullel l'enfant peul*, 1991; œuvre poétique de plusieurs dizaines de milliers de vers).

Hampden (John) (Londres, v. 1595 - Thame, Oxfordshire, 1643), homme politique anglais; adversaire de l'absolutisme royal. Son arrestation (1642) précipita la guerre civile.

1. hampe [ˈɑ̃p] n. f. **1.** Longue tige par laquelle on saisit certaines armes, certains outils, ou qui sert de support à un drapeau. *Hampe d'une hallebarde, d'un écouvillon, d'un pinceau, d'un drapeau.* **2.** BOT Tige dépourvue de feuilles et qui porte des fleurs à son sommet. **3.** Partie de certaines lettres (p, b, h, etc.) qui dépasse vers le haut ou le bas.

2. hampe [ˈɑ̃p] n. f. **1.** VEN Poitrine du cerf. **2.** En boucherie, partie latérale supérieure du ventre du bœuf, vers la cuisse.

Hampshire, comté du S. de l'Angleterre, sur la Manche; 3 772 km^2; 1 511 900 hab.; ch.-l. *Winchester*. C'est une rég. de collines vouée à l'élevage ovin et porcin. La grande industrie (métall., pétrochim.) est concentrée dans les v. côtières : Southampton, Portsmouth, Fawley.

Hampton, aggl. du S.-O. de Londres. - *Hampton Court Palace* : château qui appartint au cardinal Wolsey puis à Henri VIII; ce dernier en fit une résidence royale. - Riche musée : Clouet, Dürer, Holbein, etc. En mars 1986, un incendie endommagea le château, provoquant de sérieux dégâts notam. dans la galerie des Cartons.

Hampton, port des É.-U. (Virginie), formant avec Newport News, Norfolk et Portsmouth un ensemble portuaire actif, à l'abri de *Hampton Roads*, rade qui débouche dans la baie de Chesapeake; 133 790 hab.

Hampton (Lionel) (Louisville, Kentucky, 1913), vibraphoniste et chef d'orchestre de jazz américain. Il introduisit le vibraphone dans l'instrumentation du jazz, et obtint un grand succès grâce à son jeu exubérant et plein de swing (*Flyin' Home*, 1942 et 1944).

hamster [ˈamstɛʀ] n. m. Rongeur (genres *Cricetus* et voisins) pourvu de vastes abajoues, à queue courte et velue, qui creuse à l'état sauvage un terrier compliqué et dont une espèce, le hamster doré (*Mesocricetus auratus*), au pelage fauve et blanc, est un animal familier.

code de **Hammourabi :** le roi adorant le dieu Shamash, stèle en basalte noir, XVIIIe s. av. J.-C.; musée du Louvre

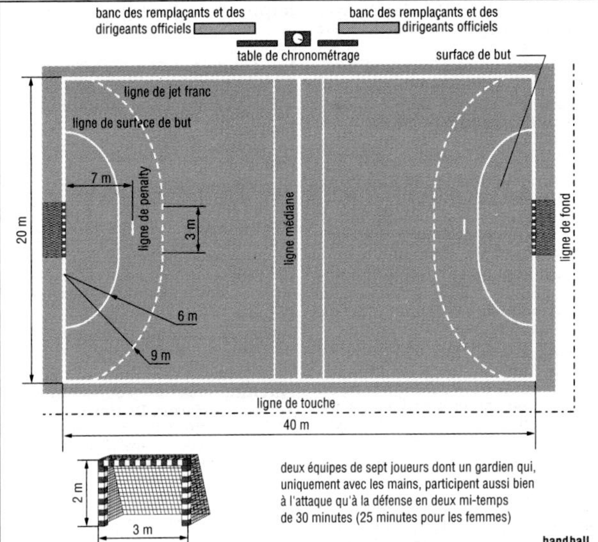

handball

Hamsun (Knut Pedersen, dit Knut) (Garmostraeet, 1859 - Nörholm, 1952), écrivain norvégien. Ce romancier poète cherche à évoquer, au-delà du monde réel, un monde surréel fait de mystérieuses correspondances. Son œuvre exprime aussi une révolte contre le matérialisme : *la Faim* (1890), *Pan* (1894), *Victoria* (1898), *les Fruits de la terre* (1917). P. Nobel 1920.

Hamy (Ernest) (Boulogne-sur-Mer, 1842 - Paris, 1908), anthropologue et ethnologue français; fondateur du musée d'ethnographie du Trocadéro (1880, auj. musée de l'Homme).

han ['ɑ̃] interj. Onomatopée imitant le cri sourd et guttural d'une personne qui fait un effort. ▷ n. m. inv. *Pousser des han de bûcheron.*

Han (grottes de), réseau (3 km) de cavernes souterraines creusées dans le calcaire du massif ardennais (Belgique, com. de Han-sur-Lesse).

Han (dynastie des), la deuxième et la plus longue dynastie de la Chine impériale (206 av. J.-C. - 220 ap. J.-C.). On distingue les *Han antérieurs* ou *occidentaux* (206 av. J.-C. - 8 ap. J.-C.) et les *Han postérieurs* ou *orientaux* (23 - 220 ap. J.-C.).

hanafite. V. hanéfite.

hanap ['anap] n. m. Anc. Grand vase à boire, en usage au Moyen Âge.

Hanau, v. d'Allemagne (Hesse), sur le Main; 85 220 hab. Centre import. de la taille du diamant et de l'orfèvrerie. - Victoire de Napoléon sur les Austro-Bavarois (1813).

hanbalite adj. RELIG *École hanbalite :* école d'interprétation des textes sacrés musulmans, stricte et formaliste, propre à l'islam sunnite, née au IXe s. et remise en honneur au XVIIIe s. par les Wahhabites.

hanche ['ɑ̃ʃ] n. f. **I. 1.** Partie latérale du corps, entre la taille et le haut de la cuisse. ▷ *Articulation de la hanche :* articulation unissant la tête du fémur à une cavité de l'os iliaque. ▷ *Mettre les poings sur les hanches,* pour exprimer la résolution ou le défi. **2.** EQUIT Partie de l'arrière-train du cheval, allant des reins au jarret. **3.** ENTOM Chez les insectes, segment des pattes s'articulant avec le corselet. **II.** MAR Partie supérieure de la coque d'un navire, à proximité de l'arrière.

hanché, ée adj. *Position hanchée,* dans laquelle, le poids du corps étant supporté par une seule jambe, la hanche correspondante est en saillie et l'autre effacée.

handball ou **hand-ball** ['ɑ̃dbal] n. m. Sport opposant deux équipes de 7 joueurs (anc. 11) qui doivent, en se servant uniquement de leurs mains, faire pénétrer un ballon rond dans les buts adverses. *Des handballs* ou *handballs.*

handballeur, euse n. Joueur de handball.

Händel. V. Haendel.

handicap ['ɑ̃dikap] n. m. **1.** TURF Épreuve dans laquelle on équilibre les chances de victoire de chevaux de valeurs inégales, soit en obligeant les meilleurs à porter un poids supplémentaire (courses de galop), soit en faisant bénéficier les moins bons d'une certaine avance au départ (courses de trot). ▷ SPORT Compétition dans laquelle les chances de concurrents de valeurs différentes sont rendues égales par le jeu d'avantages ou de désavantages portant sur le point de départ, le temps de parcours, les points attribués, etc. **2.** Désavantage imposé à un concurrent, à un cheval, pour équilibrer les chances de victoire. **3.** Ce qui défavorise, met en position d'infériorité. ▷ Infirmité physique; déficience mentale.

handicapant, ante adj. Qui handicape, qui constitue un handicap. *Des symptômes handicapants.*

handicapé, ée adj. et n. **1.** SPORT, TURF Désavantagé par un handicap (sens 2). **2.** Qui est atteint d'un handicap physique ou mental. ▷ Subst. *L'insertion professionnelle des handicapés.*

handicaper ['ɑ̃dikape] v. tr. [1] **1.** SPORT, TURF Imposer un handicap (sens 2) à (un concurrent, un cheval). **2.** Fig. Mettre en état d'infériorité, désavantager. *Sa timidité l'a handicapé.*

handisport adj. inv. Qui concerne les sports pratiqués par les handicapés physiques. *Un équipement handisport.*

Handke (Peter) (Griffen, Carinthie, 1942), écrivain autrichien. Il exprime avec force une forme de l'angoisse contemp. dans des romans (*le Colporteur,* 1967), au théâtre (*le Malheur indifférent,* 1972) et au cinéma (*la Femme gauchère,* 1978, *le Recommencement,* 1986).

hanéfite ['anefit] ou **hanafite** ['anafit] ou **hanifite** ['anifit] adj. RELIG *École hanéfite :* école d'interprétation de la loi islamique qui fait largement appel au raisonnement individuel et qui occupe une place de premier plan dans les pays de l'ancien Empire ottoman et en Inde.

Han Gan ou **Han Kan** (actif v. 750), peintre chinois de la dynastie des Tang, célèbre pour ses représentations de chevaux : *le Vacher* (Taibei).

hangar ['ɑ̃gaʀ] n. m. Construction ouverte formée d'un toit élevé sur des piliers; entrepôt. ▷ Vaste abri fermé destiné à recevoir des avions, des hélicoptères, etc.

Hangzhou, grand port de Chine, cap. du Zhejiang, au S.-O. de Shanghai; 1 330 000 hab. (aggl. urb. 5 234 150 hab.). - Cap. des Song du Sud (1127-1276).

Hankou, v. de Chine (Hubei), dans l'aggl. de Wuhan, au confl. du Hanshui et du Yangzijiang, à 1 000 km de la mer. Port fluv. actif, grand centre industr. (textiles, métall., etc.).

hanneton ['antɔ̃] n. m. Insecte coléoptère *(Melolontha melolontha),* aux élytres bruns, au vol lourd, aux antennes se terminant en massue, très commun en Europe. *La larve du hanneton, ou ver blanc, vit trois ans dans le sol et cause de grands dégâts aux cultures.*

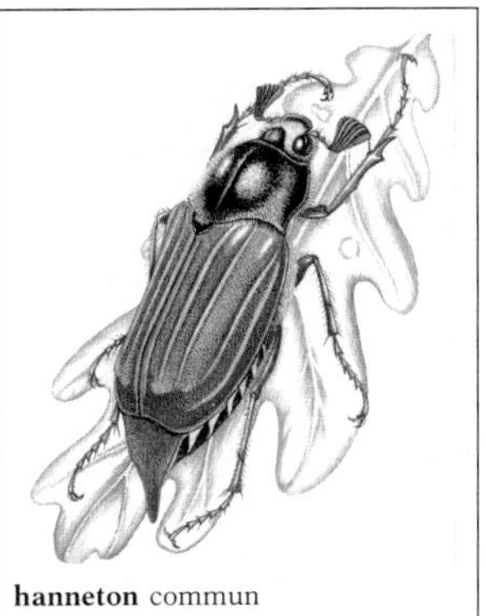
hanneton commun

hannetonnage n. m. AGRIC Recherche et destruction des hannetons.

hannetonner ['antɔne] v. intr. [1] AGRIC Pratiquer le hannetonnage. ▷ v. tr. *Hannetonner un verger.*

Hannibal ou **Annibal** (Carthage, v. 247 - Bithynie, 183 av. J.-C.), général et homme d'État carthaginois. Fils d'Hamilcar Barca, élu chef de l'armée (221 av. J.-C.) après l'assassinat de son beau-frère Hasdrubal, il jura la perte de Rome (deuxième guerre punique : 219-201 av. J.-C.). Parti d'Espagne, il traversa les Pyrénées puis les Alpes; vainqueur sur le Tessin et sur la Trébie (218), sur les bords du lac Trasimène

(217) et enfin à Cannes et en Apulie (Pouilles actuelles, 216), il hésita à marcher sur Rome et se retira dans le S. de l'Italie. Il fut vaincu par Scipion à Zama, en Numidie (probabl. l'actuelle Jema, au sud du Kef), en 202. Il s'empoisonna. ► illustr. page **872**

Hannon (VIe ou Ve s. av. J.-C.), navigateur carthaginois. Il aurait exploré les côtes d'Afrique occidentale; le *Périple d'Hannon*, connu par une trad. en grec, relate cette expédition.

Hannon le Grand (IIIe s. av. J.-C.), général et homme d'État carthaginois. Chef du parti aristocratique, opposé à Hannibal, il traita avec Scipion.

Hanoi, cap. du Viêt-nam, port sur le delta du fleuve Rouge; env. 2 878 000 hab. Centre industr. (industr. métall., text., alim., etc.). - Université. - Fondée en 599, cap. du royaume d'Annam jusqu'en 1802, la ville fut prise par Fr. Garnier en 1873. Cap. de l'Indochine française (1887-1954), puis du Viêt-nam du Nord, jusqu'en 1976, Hanoi subit de terribles bombardements amér. entre 1966 et 1972.

Hanotaux (Gabriel) (Beaurevoir, 1853 - Paris, 1944), historien et homme politique français : *Histoire de la France contemporaine* (1903-1908), *Histoire illustrée de la guerre de 1914* (17 vol., 1915-1926); ministre des Affaires étrangères de 1894 à 1898. Acad. fr. (1897).

Hanoukka ['anuka] n. f. Fête juive («fête des Lumières»), célébrée en décembre.

Hanovre (en all. *Hannover*), anc. État d'Allemagne du N. inclus en 1945 dans le Land de Basse-Saxe. - L'électorat de Hanovre, créé en 1692, occupé par les Franç. (1803-1814), devint un royaume (1814) que la Prusse annexa en 1866. - La *dynastie de Hanovre* régna sur la G.-B. à partir de 1714; les souverains actuels descendent, par les femmes, de cette dynastie. (V. Windsor.)

Hanovre (en all. *Hannover*), v. d'Allemagne, cap. de la Basse-Saxe, sur la Leine; 505 720 hab. Métallurgie, constr. automobiles, prod. chimiques. Centre commercial (foires).

Hanriot (François) (Nanterre, 1761 - Paris, 1794), révolutionnaire français. Chef de l'armée révolutionnaire parisienne, il participa aux massacres de sept. 1792 et commanda la force armée de Paris (1793). Il ne put sauver Robespierre et fut exécuté.

hanse ['ɑ̃s] n. f. HIST Ligue de marchands, au Moyen Âge. *La hanse parisienne avait le monopole des transports entre Paris et Mantes.* ▷ *Hanse teutonique* ou, absol., *la Hanse* (V. ci-après).
ENCYCL La plus célèbre des hanses fut la *Hanse teutonique*, formée à partir de 1241 par Lübeck, Hambourg, Minden et d'autres villes. Elle se donnait deux objectifs principaux : défendre les villes associées contre toute entreprise extérieure, étendre les relations commerciales. Forte de 85 villes, la Hanse acquit une importance considérable aux XIVe et XVe s., mais elle ne fut jamais reconnue par l'Empire germanique. Elle déclina et disparut dans la seconde moitié du XVIIe s.

hanséatique ['ɑ̃seatik] adj. Didac. De la Hanse teutonique. *Hambourg, ville hanséatique.*

Hansen (Gerhard Armauer) (Bergen, 1841 - id., 1912), médecin norvégien. Il isola en 1874 le bacille de la lèpre *(bacille de Hansen).*

Hanshui (le) (anc. *Han Kiang*), riv. de Chine (env. 1 700 km), affl. du Yangzijiang (r. g.).

Hansi (Jean-Jacques Waltz, dit) (Colmar, 1873 - id., 1951), dessinateur et caricaturiste français; auteur d'ouvrages illustrés, tableaux de l'occupation allemande en Alsace (1871-1914).

Hanska (Eveline Rzewuska, comtesse) (près de Kiev, 1800 - Paris, 1882), aristocrate polonaise. Elle devint en 1832 la correspondante de Balzac, que, devenue veuve, elle épousa en 1850.

Hanslick (Eduard) (Prague, 1825 - Baden, près de Vienne, 1904), critique musical autrichien, célèbre pour son opposition à Wagner.

Hantaï (Simon) (Bia, 1922), peintre français d'origine hongroise. D'inspiration surréaliste à ses débuts, il a expérimenté de nombreuses techniques picturales pour en arriver à une démarche de plus en plus ascétique.

hantavirus n. m. Virus à A.R.N., isolé en 1976, responsable d'une fièvre hémorragique.

hanter ['ɑ̃te] v. tr. [1] **1.** Vx ou litt. Fréquenter (une personne, un lieu). - Prov. *Dis-moi qui tu hantes, je te dirai qui tu es.* ▷ Mod. (En parlant des spectres, des fantômes.) *Des esprits hantent ce vieux château.* **2.** Fig. Obséder. *La crainte de la maladie le hante.*

hantise ['ɑ̃tiz] n. f. **1.** Vx Action de fréquenter. **2.** Fig. Inquiétude obsédante. *Il a la hantise d'échouer.*

haoussa n. m. LING Une des grandes langues de communication en Afrique de l'Ouest.

Haoussa(s), peuple noir d'Afrique occid., fortement islamisé, habitant la région de contact Niger-Nigeria.

Haouz, plaine du S.-O. du Maroc, au pied du Haut Atlas; v. princ. *Marrakech.* Céréales, arboriculture, ovins.

hapax n. m. LING Mot, forme, expression dont on ne possède qu'un exemple à une époque donnée.

haplo-. Élément, du gr. *haploûs,* «simple»

haploïde adj. (et n. m.) BIOL Qui ne possède que la moitié du nombre de chromosomes propre à l'espèce. *Les gamètes sont haploïdes et leur union donne naissance à un zygote diploïde* (à $2n$ chromosomes). - n. m. *Un haploïde.* Ant. diploïde.

haplologie n. f. PHON Omission de l'une de deux articulations semblables qui se suivent (ex. *philogie* au lieu de *philologie*).

happe ['ap] n. f. TECH Crampon métallique servant à assembler deux pièces.

happement ['apmɑ̃] n. m. Action de happer.

happening ['ap(ə)niŋ] n. m. (Anglicisme) **1.** Manifestation artistique qui tient du théâtre et de la fête, et dont l'improvisation implique une participation physique du public. **2.** *Par ext.* Événement qui tient du happening.

happer ['ape] v. tr. [1] **1.** Saisir avidement d'un coup de gueule ou de bec. *Les hirondelles happent les insectes.* **2.** Fig. Attraper, saisir soudainement, avec violence. *La machine a happé son bras.*

happy end ['apiɛnd] n. m. ou f. (Anglicisme) Conclusion heureuse d'une œuvre. *Des happy ends.*

happy few ['apifju] n. pl. Litt Les quelques privilégiés qui ont accès à qqch.

haptonomie n. f. PSYCHO Méthode qui privilégie le contact tactile dans la construction de la relation affective.

haquenée ['ak(ə)ne] n. f. Vx Cheval ou jument facile à monter et allant l'amble.

hara-kiri ['aʀakiʀi] n. m. Mode de suicide rituel, particulier aux Japonais, consistant à s'ouvrir le ventre. (En japonais, *hara-kiri* est un mot vulgaire; le terme correct est *seppuku.*) ▷ Par ext. *(Se) faire hara-kiri :* se suicider; abandonner qqch, se sacrifier. *Des hara-kiris.*

Harald, nom de plusieurs rois de Danemark. – **Harald II Blåtand** (v. 910 - v. 986), roi v. 936; il favorisa l'implantation du christianisme.

Harald, nom de plusieurs rois de Norvège. – **Harald III Hårdråde** (?, v. 1015 - Stamford Bridge, 1066), roi en 1047; il tenta de conquérir l'Angleterre, mais échoua. – **Harald V** (Asker, près d'Oslo, 1937), roi dep. 1991, à la mort de son père Olav V.

harangue ['aʀɑ̃g] n. f. **1.** Discours solennel prononcé à l'intention d'un personnage officiel, d'une assemblée, d'une troupe. **2.** Péjor. Discours ennuyeux, admonestation interminable.

haranguer ['aʀɑ̃ge] v. tr. [1] Adresser une harangue. *Haranguer la foule.*

Harar ou **Harrar,** v. d'Éthiopie orientale; 62 160 hab.; ch.-l. de la prov. du m. nom. Centre comm. (café).

Harare (anc. *Salisbury*), cap. du Zimbabwe; 681 000 hab. Industr. variées.

haras ['aʀa] n. m. Lieu, établissement où l'on élève des juments et des étalons sélectionnés, destinés à la reproduction et à l'amélioration de l'espèce.

harassant, ante adj. Qui harasse.

harassement ['aʀasmɑ̃] n. m. Fait d'être harassé; lassitude extrême.

harasser ['aʀase] v. tr. [1] Fatiguer à l'excès. *Cette longue route m'a harassé.* Syn. épuiser.

Harbin, **Ha'erbin** ou **Kharbine,** v. de la Chine du N.-E., ch.-l. du Heilongjiang; 2 800 000 hab. Sidérurgie, métall.; industr. chim. et text.

harcelant, ante adj. Qui harcèle.

harcèlement ['aʀsɛlmɑ̃] n. m. Action de harceler. *Tir de harcèlement.* ▷ Loc. *Harcèlement sexuel :* invite amoureuse insistante et répétée, pratiquée par un supérieur qui abuse de son pouvoir.

harceler ['aʀsəle] v. tr. [17] Fig. Importuner sans cesse; fatiguer par des demandes, des sollicitations réitérées; soumettre à des moqueries, à des désagréments répétés. - *Le remord le harcèle,* le tourmente. ▷ MILIT *Harceler l'ennemi,* l'épuiser par une poursuite sans relâche.

Harcourt (maison d'), famille de Normandie, connue dès le IXe s. – **Henri de Lorraine**, comte d'Harcourt, dit *Cadet la Perle* (?, 1601 - Royaumont, 1666), défit les Espagnols à Valenciennes et captura Condé (1649).

Harcourt (Robert, comte d') (Lumigny, Seine-et-Marne, 1881 - Pargny-lès-Reims, 1965), littérateur et germaniste français : *les Allemands d'aujourd'hui* (1948). Acad. fr. (1946).

hard adj. inv. (Anglicisme) Dur. ▷ *Porno hard* ou *hard* (n. m.) : film pornographique dans lequel les acteurs pratiquent réellement des actes sexuels. ▷ Fam. Très pénible. *Il est hard, ce mec!*

1. hard discounter ['aʀdiskauntœʀ] n. m. (Anglicisme) COMM Grande surface pratiquant des prix très bas.

1. harde ['aʀd] n. f. VEN Troupeau de bêtes sauvages. *Harde de sangliers.*

2. harde ['aʀd] n. f. VEN Lien attachant les chiens quatre à quatre ou six à six. ▷ *Harde de chiens :* réunion de plusieurs couples de chiens attachés ainsi.

Hardenberg (Karl August, prince von) (Essenrode, Hanovre, 1750 – Gênes, 1822), homme d'État prussien. Chancelier en 1810, il fit abolir le servage (1811) et réorganisa la Prusse sur le modèle napoléonien. Il représenta son pays au congrès de Vienne.

hardes ['aʀd] n. f. pl. **1.** Vx Effets personnels. **2.** Litt. Vieux vêtements.

hardi, ie ['aʀdi] adj. et interj. **I.** adj. **1.** Audacieux, entreprenant, intrépide. Ant. craintif, timide, timoré. ▷ Qui dénote de l'assurance, de l'audace. *Une entreprise hardie. Une mine hardie.* **2.** Vieilli Qui heurte par sa trop grande liberté d'allures; insolent, effronté. Ant. réservé, modeste. **3.** Qui est d'une originalité audacieuse. *Proposition hardie.* **4.** Libre, franc, aisé. *Coup de pinceau hardi.* **II.** interj. (Employée pour encourager.) *Hardi, les gars!*

hardiesse ['aʀdjɛs] n. f. Litt. **1.** Caractère d'une personne hardie, de ce qui est hardi. **2.** Vieilli Insolence, impudence, effronterie. *Il a eu la hardiesse de me répondre.* **3.** Franchise, originalité (se dit surtout à propos d'une œuvre d'art). *Tableau d'une grande hardiesse de coloris.* **4.** (Souv. plur.) Parole, action hardie.

hardiment ['aʀdimɑ̃] adv. **1.** Avec hardiesse, courage. *Marcher hardiment au combat.* **2.** Nettement, sans détours. *Énoncer hardiment son opinion.*

Harding (Warren Gamaliel) (Caledonia, Ohio, 1865 – San Francisco, 1923), homme politique américain; président (républicain) des É.-U. à partir de 1921, successeur de T.W. Wilson. Il défendit l'isolationnisme et le protectionnisme.

Hardouin-Mansart. V. Mansart.

hard rock ['aʀdʀɔk] n. m. inv. Courant très violent de la musique rock, apparu v. 1970. Syn. heavy metal.

Hardt ou **Haardt** (la), massif forestier de France (Alsace et Lorraine) et d'Allemagne (Palatinat), au N. des Vosges; 687 m au Donnersberg.

hard-top ['aʀdtɔp] n. m. (Anglicisme) Toit en tôle, amovible, d'une voiture décapotable. *Cabriolet vendu avec hard-top en option. Des hard-tops.*

hardware ['aʀdwɛʀ] n. m. (Américanisme) INFORM Matériel (par oppos. à *software*).

Hardy (Alexandre) (Paris, v. 1570 – id., v. 1632), poète dramatique français. Il a préparé l'avènement de la tragédie classique : *Didon se sacrifiant* (1603).

Hardy (Thomas) (Upper Bockhampton, Dorset, 1840 – Max Gate, Dorchester, 1928), écrivain anglais; auteur de *Tess d'Urberville* (1891) et *Jude l'Obscur* (1895), romans d'atmosphère fondamentalement pessimistes.

Hardy (Oliver) (Harlem, Georgie, 1892 – Hollywood, 1957), acteur comique américain dont l'association cinématographique avec Stan Laurel débuta en 1927. (V. Laurel.)

harem ['aʀɛm] n. m. **1.** Appartement propre aux femmes, chez les peuples musulmans. **2.** *Par ext.* Ensemble des femmes qui y habitent.

hareng ['aʀɑ̃] n. m. Poisson téléostéen clupéiforme (*Clupea harengus*), long de 20 à 30 cm, au dos bleu-vert et au ventre argenté, que l'on pêche sur toutes les côtes européennes de l'Atlantique. – *Hareng saur :* hareng salé, séché et fumé. ▷ Loc. fam. *Sec comme un hareng :* maigre et dégingandé. – *Serrés comme des harengs :* très serrés.

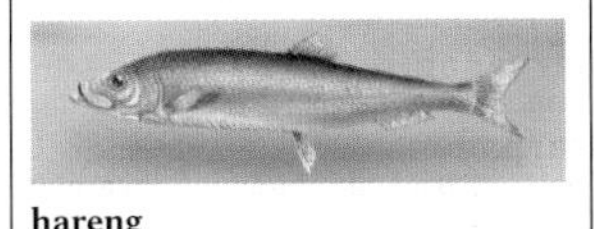

hareng

harengère ['aʀɑ̃ʒɛʀ] n. f. **1.** Vx Marchande de harengs; poissonnière. **2.** Fig., fam., vieilli Femme grossière, poissarde.

haret ['aʀɛ] adj. m. et n. m. *Chat haret :* chat domestique qui est retourné à l'état sauvage. ▷ n. m. *Un haret.*

harfang ['aʀfɑ̃] n. m. Grande chouette (*Nyctea scandiaca*) des régions arctiques, au plumage blanc.

Harfleur, com. de Seine-Mar. (arr. du Havre); 9 221 hab. – Le plus important port de Normandie jusqu'au XVIe s.

Hargeisa, v. de Somalie, ch.-l. de région; détruite à 80 % par la guerre civile somalienne. – Anc. cap. de la Somalie britannique.

hargne ['aʀɲ] n. f. Mauvaise humeur qui se manifeste par un comportement agressif. *Répondre avec hargne.*

hargneusement adv. D'une manière hargneuse.

hargneux, euse ['aʀɲø, øz] adj. (et n.) **1.** Qui manifeste de la hargne. – n. *Une insupportable hargneuse.* ▷ (Animaux) *Chien hargneux.* **2.** Qui dénote de la hargne. *Propos hargneux.*

1. haricot ['aʀiko] n. m. *Haricot de mouton :* ragoût de mouton accompagné de divers légumes.

2. haricot ['aʀiko] n. m. **1.** Plante potagère (fam. papilionacées), à tige herbacée, en général volubile, dont on consomme les gousses vertes et les graines. *Haricots nains* (soissons nain, flageolet, suisse rouge, marbré nain) et *haricots à rames* (soissons montant, mangetout, haricot beurre). *Haricot d'Espagne,* ornemental. **2.** Gousse verte *(haricots verts)* ou graine *(haricots blancs, rouges),* comestibles, de cette plante. Syn. fam. fayots. ▷ Loc. fam. *Être maigre comme un haricot,* très maigre. – Fam. *Des haricots :* rien du tout. *C'est la fin des haricots,* la fin de tout.

haridelle ['aʀidɛl] n. f. Cheval maigre et sans force.

harira n. f. Dans les pays musulmans, soupe de lentilles, pois chiches et mouton servie pendant le ramadan.

Hariri (*al-Qāsim ibn 'Alī al-Ḥarīrī*) (Bassorah, Irak, 1054 – id., 1122), écrivain et philologue arabe, auteur de cinquante *maqāmāt,* sortes de saynètes de la vie arabe (V. Hamadhani).

Hariri (Rafiq) (Sidon, 1944), industriel et homme politique libanais, Premier ministre depuis 1992.

Harī Rūd. V. Héri Roud.

harissa [(')aʀisa] n. f. Condiment fait de piment rouge broyé dans l'huile d'olive, employé dans la cuisine d'Afrique du Nord.

harki ['aʀki] n. m. Militaire algérien qui combattait comme supplétif dans l'armée française pendant la guerre d'Algérie.

Harlay (Achille de), comte de Beaumont (Paris, 1536 – id., 1619), premier président du parlement de Paris, un des princ. adversaires des ligueurs durant les guerres de Religion.

Harlay de Champvallon (François de) (Paris, 1625 – Conflans, 1695), prélat français, archevêque de Paris (1671); un des promoteurs de la révocation de l'édit de Nantes et des persécutions contre Port-Royal. Acad. fr. (1671).

harle ['aʀl] n. m. Oiseau plongeur (fam. anatidés) au corps fuselé, au plumage noir et blanc.

Harlem, quartier de New York (N.-E. de Manhattan), habité presque exclusivement par des Noirs.

Harlow, v. de G.-B. (Essex), au N.-E. de Londres; 73 500 hab. – Ville créée en 1947.

harmattan ['aʀmatɑ̃] n. m. Vent chaud et sec de l'E. ou du N.-E. qui souffle en hiver sur l'Afrique occid.

Harmodios (m. à Athènes en 514 av. J.-C.), jeune Athénien qui, avec son ami Aristogiton, tua le tyran Hipparque (514 av. J.-C.) et fut exécuté.

harmonica n. m. Instrument de musique composé d'un petit boîtier métallique renfermant une série d'anches libres mises en résonance par le souffle.

harmoniciste n. Joueur, joueuse d'harmonica.

harmonie n. f. **I. 1.** Vx, litt. Ensemble de sons sonnant agréablement à l'oreille. **2.** En parlant du langage et du style, concours heureux de sons, de mots, de rythmes, etc. *L'harmonie des vers de Racine.* **3.** MUS Science de la formation et de l'enchaînement des accords. *Lois de l'harmonie.* **4.** MUS Orchestre composé d'instruments à vent (bois ou cuivre), à anche et à embouchure. *L'harmonie municipale donne un concert.* **II. 1.** Effet produit par un ensemble dont on juge que les parties s'accordent, s'équilibrent bien entre elles. *Harmonie du corps humain. Harmonie de couleurs.* **2.** Concordance, correspondance entre différentes choses. *Harmonie de points de vue. Vivre en harmonie avec ses principes.* Syn.

haricot mangetout : feuilles, fleurs et gousses

conformité. **3.** Bonnes relations entre des personnes. Syn. entente.

harmonieusement adv. Avec harmonie. *Jardin harmonieusement agencé.*

harmonieux, euse adj. **1.** Qui sonne agréablement, qui flatte l'ouïe. *Musique harmonieuse.* **2.** Qui a de l'harmonie. *Mélange harmonieux.*

harmonique adj. et n. m. **1.** Relatif à l'harmonie. **2.** GEOM *Division harmonique :* position, sur une même droite, de quatre points A, B, M et N telle que $\frac{MA}{MB} = -\frac{NA}{NB}$. **3.** MUS *Son harmonique* ou, n. m., *harmonique :* son musical dont la fréquence est un multiple d'une fréquence de base, appelée *fréquence fondamentale.*

harmonisation n. f. Action d'harmoniser.

harmoniser v. tr. [1] **1.** Mettre en harmonie. *Harmoniser des tons.* ▷ v. pron. Se mettre, se trouver en harmonie. *Leurs caractères s'harmonisent fort bien.* **2.** MUS Composer, sur l'air d'une mélodie, une ou plusieurs parties vocales ou instrumentales.

harmoniste n. MUS Personne qui connaît et applique les lois de l'harmonie.

harmonium [aʀmɔnjɔm] n. m. Instrument de musique à soufflerie, sans tuyaux, à anches libres et à clavier, d'une étendue de cinq octaves pleines.

harnachement [ˈaʀnaʃmɑ̃] n. m. **1.** Action de harnacher. **2.** Ensemble des harnais d'un cheval. **3.** Fig. Accoutrement lourd et ridicule.

harnacher [ˈaʀnaʃe] v. tr. [1] **1.** Mettre un harnais à (un cheval). **2.** Fig. Accoutrer ridiculement, comme d'un harnais. ▷ v. pron. *Il s'était harnaché comme pour aller chasser le fauve.*

harnais [ˈaʀnɛ] n. m. **1.** Anc. *Harnais* ou *harnois :* armure complète d'un homme d'armes. ▷ Loc. fig. *Blanchir sous le harnois :* vieillir dans un métier, et partic. dans le métier des armes. **2.** Équipement d'un cheval de selle ou d'attelage, et, par ext., de tout animal de trait. **3.** *Par anal.* Dispositif formé de sangles entourant le corps, qui répartit en plusieurs points le choc occasionné par une chute ou par une projection violente vers l'avant. *Harnais de parachutiste, d'alpiniste. Harnais de sécurité* (sur une automobile). **4.** TECH Ensemble des organes d'un métier à tisser.

Harnes, ch.-l. de cant. du Pas-de-Calais (arr. de Lens), sur la Deûle; 14 353 hab. Textiles.

harnois. V. harnais (sens 1).

Harnoncourt (Nikolaus) (Berlin, 1929), violoncelliste et chef d'orchestre autrichien. À la tête de l'ensemble qu'il fonda en 1953, il a été l'un des pionniers du retour aux instruments anciens pour l'interprétation du répertoire baroque, notamment de Monteverdi et Bach.

haro [ˈaʀo] interj. et n. m. **1.** DR FEOD Cri que le témoin d'une atteinte à la personne ou aux biens pouvait pousser, au Moyen Âge, pour requérir l'assistance de ceux qui étaient présents et arrêter le coupable. **2.** Loc. fig. *Crier haro sur (qqn) :* se dresser avec indignation contre (qqn). ▷ *Crier haro sur le baudet :* rendre responsable de qqch celui qui en est innocent et qui ne peut se défendre.

Harold Ier, dit *Harefoot* («Pied de Lièvre») (m. à Oxford, 1040), roi d'Angleterre (1037-1040), fils illégitime de Knud le Grand. – **Harold II** (?, v. 1022 – Hastings, 1066) usurpa la couronne d'Angleterre (1066); il fut défait et tué par Guillaume le Conquérant à Hastings.

Haroun al-Rachid. V. Harun ar-Rachid.

Haro y Sotomayor (Luis Méndez de) (Valladolid, 1598 – Madrid, 1661), homme d'État espagnol, Premier ministre de 1643 à 1651, il négocia la paix des Pyrénées (1659).

harpagon n. m. Litt. Individu extrêmement avare. *Vieil harpagon.*

Harpagon, personnage princ. de *l'Avare* (1668) de Molière, incarnant l'avarice.

harpe [ˈaʀp] n. f. **1.** Instrument à cordes pincées, de forme triangulaire. *La harpe classique possède 47 cordes et 7 pédales, qui permettent de jouer dans tous les tons.* **2.** ZOOL Genre de mollusque gastéropode.

▸ pl. instruments de **musique**

harpie [ˈaʀpi] n. f. **1.** MYTH Monstre ailé à visage de femme, au corps d'oiseau de proie. **2.** *Par ext.* Personne avide et rapace. – Femme acariâtre et criarde. **3.** ORNITH Grand aigle (*Harpia*, ordre des falconiformes) à tête huppée, d'Amérique du S., aux serres puissantes.

harpie

Harpignies (Henri) (Valenciennes, 1819 – Saint-Privé, Yonne, 1916), peintre français, paysagiste qui fréquenta l'école de Barbizon.

harpiste [ˈaʀpist] n. Personne qui joue de la harpe.

Harpocrate, divinité égyptienne (Har-pekhrad) assimilée par les Grecs et les Romains au dieu du Silence.

harpon [ˈaʀpɔ̃] n. m. **1.** TECH Crochet, instrument muni d'un dard pour accrocher, piquer. ▷ Large fer de flèche barbelé fixé à une hampe, servant à prendre les gros poissons ou les cétacés. *Pêcher la baleine au harpon.* **2.** MAR Grappin tranchant utilisé autref. pour couper les cordages d'un navire ennemi.

harponnage [ˈaʀpɔnaʒ] n. m. Action de harponner.

harponner [ˈaʀpɔne] v. tr. [1] **1.** Accrocher avec un harpon. **2.** Fig., fam. Saisir, arrêter par surprise. *Il s'est fait harponner à la sortie.*

harponneur, euse n. Personne qui lance le harpon, qui harponne.

Harrar. V. Harar.

Harris (Zellig Sabbetai) (Balta, Ukraine, 1909), linguiste américain. Il formalisa les méthodes d'analyse distributionnelle puis créa, avant Chomsky, une linguistique transformationnelle.

Harrisburg, v. des É.-U., cap. de la Pennsylvanie, sur la Susquehanna; 52 300 hab. (aggl. urb. 570 200 hab.). Métallurgie.

Harrison (John) (Foulby, Yorkshire, 1693 – Londres, 1776), horloger anglais; inventeur d'un pendule compensateur.

Harrison (William Henry) (Berkeley, Virginie, 1773 – Washington, 1841), homme politique américain; élu président (républicain) des É.-U. en 1840. – **Benjamin** (North Bend, Ohio, 1833 – Indianapolis, 1901), petit-fils du préc.; homme politique américain, président (républicain) des É.-U. (1889-1893).

Harrogate, v. de G.-B. (North Yorkshire); 141 000 hab. Stat. balnéaire.

Harrow, fbg N.-O. de Londres; 194 300 hab. – Célèbre collège fondé en 1571.

Harte (Francis Brett, dit Bret) (Albany, 1836 – Camberley, Surrey, 1902), écrivain américain. Son œuvre évoque le quotidien et la couleur locale : *la Chance d'un coup joyeux* (1868), *Récits des Argonautes* (nouvelles, 1875), *Maruja* (1885).

Hartford, v. des É.-U., cap. du Connecticut, sur le Connecticut; 139 700 hab. (aggl. urb. 1 030 400 hab.). Centre industriel et financier.

Harth (la), forêt domaniale (14 000 ha) de la plaine d'Alsace, dans le Haut-Rhin.

Härtling (Peter) (Chemnitz, 1933), écrivain allemand. Ses poésies lyriques traitent du passé vu à travers des fragments de souvenirs et des évocations historiques considérées sous un angle personnel : *Niembsch* (1964).

Hartmannswillerkopf, sommet des Vosges mérid. (956 m). Théâtre de violents combats en 1915, il fut surnommé le *Vieil-Armand* par les soldats français.

Hartmann von Aue (Souabe, v. 1168 – v. 1210), chevalier et écrivain allemand. Il fut le premier à écrire des poésies courtoises en allemand; il est aussi auteur de deux romans : *Erec* (v. 1185), *Iwein* (v. 1205, inspiré de Chrétien de Troyes).

Hartung (Hans) (Leipzig, 1904 – Antibes, 1989), peintre français d'origine allemande; l'un des principaux représentants de l'abstraction lyrique en France.

Hartzenbusch (Juan Eugenio) (Madrid, 1806 – id., 1880), auteur dramatique espagnol d'inspiration romantique : *les Amants de Teruel* (1837).

Harun ar-Rachid ou **Haroun al-Rachid** *(Hārūn ar-Rašīd)* (Al-Rayy, Perse, 766 – Tūs, Khorāsān, 809), cinquième calife abbasside (786-809). Sous son règne, Bagdad devint un centre florissant (arts, lettres, sciences). Célèbre pour ses victoires contre Byzance, Harun ar-Rachid aurait eu des échanges diplomatiques avec Charlemagne. – Ses deux fils lui succédèrent : *Al-Amīn* (809-814) et *Al-Ma'mun* (814-833). V. Ma'mun (Al-).

Harunobu (Hozumi Jihei, dit Suzuki) (Tōkyō, 1725 – id., 1770), peintre japonais de l'ukiyo-e, un des grands maîtres de l'estampe au XVIIIe s. Il bénéficia de l'invention de la technique d'impression en polychromie.

haruspice. V. aruspice.

Harvard (université), université américaine fondée en 1636 à Cambridge (Massachusetts). ▷ ASTRO *Classification de Harvard* : classification spectrale effectuée en fonction de la température des étoiles.

Harvey (William) (Folkestone, 1578 - Hampstead, 1657), médecin anglais. Physiologiste, il affirma le premier, et démontra, l'existence de la circulation sanguine.

William **Harvey**

Hassan II

Haryana, État du N.-O. de l'Inde, formé en 1966 par détachement du Pendjab; 44 222 km²; 16 317 700 hab.; cap. *Chandigarh*. Céréales, coton.

Harz, massif anc. d'Allemagne centr. (1 142 m au Brocken). Mines de plomb, de zinc, de cuivre, etc., exploitées depuis le Moyen Âge. Tourisme.

Hasan *(Ḥasan)* (v. 625 - 670), fils aîné de Ali et Fatima, 2e imam des chiites.

hasard [azaʀ] n. m. **I. 1.** Vx Ancien jeu de dés. ▷ Coup gagnant à ce jeu. ▷ Par anal. *Jeu de hasard*, où l'intelligence, le calcul n'ont aucune part. **2.** Vx Risque, péril. *Courir le hasard de...* ▷ Mod. *Les hasards de la guerre.* **3.** Concours de circonstances imprévu et inexplicable; événement fortuit. *Quel heureux hasard! Un hasard malheureux. Coup de hasard* : événement inattendu. **4.** Ce qui échappe à l'homme et qu'il ne peut ni prévoir ni expliquer rationnellement. *Le hasard a fait que... Le hasard et le déterminisme.* ▷ Cause personnifiée d'événements apparemment fortuits. *Le hasard a voulu qu'une tuile se détache du toit au moment où elle passait.* **II.** Loc. adv. **1.** *Par hasard* : fortuitement, accidentellement. *Si, par hasard, tu le rencontres... - Comme par hasard* : comme si c'était par hasard. **2.** *Au hasard* : à l'aventure, sans but. *Marcher au hasard.* ▷ *Répondre au hasard*, inconsidérément, sans méthode. ▷ *À tout hasard* : en prévision de tout ce qui pourrait arriver. **III.** Loc. prép. *Au hasard de* : selon les hasards, les aléas de. *Au hasard des jours.*

hasardé, ée adj. Litt. **1.** À la merci du hasard, risqué. *Entreprise hasardée.* **2.** Sans fondement, difficile à justifier. *Proposition hasardée.*

hasarder [azaʀde] v. [1] **I.** v. tr. **1.** Litt. Exposer, livrer au hasard, et aux risques qu'il implique. *Hasarder sa fortune.* **2.** Se risquer à dire, à exprimer. *Hasarder une plaisanterie, une hypothèse.* **II.** v. pron. **1.** Vieilli S'exposer à un risque, à un péril. **2.** Se risquer (dans une entreprise, un lieu dangereux). *Se hasarder dans une contrée déserte.* ▷ Fig. *Se hasarder à dire, à faire qqch.*

hasardeux, euse adj. **1.** Vx Qui s'expose au hasard. **2.** Qui comporte des risques. *Entreprise hasardeuse.*

has been [azbin] n. inv. (Anglicisme) Fam. Personnalité dont la notoriété appartient désormais au passé.

haschisch, hachisch ou **hachich** [aʃiʃ] ou fam. **hasch** [aʃ] n. m. Stupéfiant tiré du chanvre indien. *Fumer du haschich.*

haschischin, hachischin ou **hachichin** [aʃiʃɛ̃] n. m. HIST Membre d'une secte musulmane aux mœurs sanguinaires, fondée en 1090 par Hassan ibn as-Sabbah. (On dit également secte des Assassins.)

Hasdrubal ou **Asdrubal,** nom de plus. généraux carthaginois. – **Hasdrubal le Beau** (v. 270 - 221 av. J.-C.), beau-frère d'Hannibal; fondateur de Carthagène. – **Hasdrubal Barca** (v. 245 - 207 av. J.-C.), frère d'Hannibal; vaincu et tué au Métaure. – **Hasdrubal Haedus** («le Bouc») (seconde moitié du IIIe s. av. J.-C.) négocia la paix entre Rome et Carthage après Zama (202 av. J.-C.). – **Hasdrubal** (IIe s. av. J.-C.) défendit Carthage contre Scipion Émilien (149 av. J.-C.), auquel il finit par se rendre.

hase [az] n. f. CHASSE Femelle du lièvre, du lapin de garenne.

Hašek (Jaroslav) (Prague, 1883 - Lipnice, 1923), journaliste et écrivain tchèque. Il collabora à la presse anarchiste et écrivit *les Aventures du brave soldat Chveik au temps de la Grande Guerre* (1921-1923), symbole de la résistance passive et rusée à l'oppression.

Hashimoto (Ryutaro) (né en 1937), homme politique japonais. Chef du parti libéral démocratique (P.L.D.) en 1995, il est devenu Premier ministre en 1996.

Haskil (Clara) (Bucarest, 1895 - Bruxelles, 1960), pianiste roumaine naturalisée suisse. La sensibilité et la finesse de son jeu, servi par une grande assurance technique, firent d'elle une des grandes interprètes de Mozart.

Haskovo, v. de Bulgarie, dans le bassin de la Maritza; 87 600 hab.; ch.-l. du distr. du m. nom. Industr. text.

Hassan Ier ou **Hasan Ier** *(Ḥasan)* (v. 1830 - 1894), souverain alaouite du Maroc de 1873 à 1894. – **Hassan II** ou **Hasan II** (Rabat, 1929), arrière-petit-fils du préc.; roi du Maroc depuis 1961. Il a succédé à son père, Mohammed V.

Hassan II (la Grande Mosquée), la plus grande mosquée du monde, élevée à Casablanca de 1986 à 1993.

Hassan ibn as-Sabbah *(al-Ḥassan ibn as-Ṣabbāḥ)* (m. à Alamūt, Iran, 1124), fondateur de la secte des Haschischins, surnommé *le Vieux de la montagne.*

Hasse (Johann Adolf) (Bergedorf, près de Hambourg, 1699 - Venise, 1783), compositeur allemand; auteur d'opéras dans le style baroque napolitain : *Ezio* (1730), *l'Asilo d'amore* (1742).

Hassel (Odd) (Oslo, 1897 - id., 1981), chimiste norvégien; connu pour ses travaux sur l'analyse conformationnelle des molécules et sur la diffraction électronique. P. Nobel 1969.

Hasselt, v. de Belgique, ch.-l. du Limbourg, sur la Demer, affl. de la Dyle; 65 100 hab. Eau-de-vie réputée.

hassid, plur. **hassidim** [asid,'asidim] n. m. Adepte du hassidisme.

hassidique adj. Du hassidisme.

hassidisme n. m. Courant mystique et ascétique du judaïsme traditionnel qui se développa principalement aux XIIe et XIIIe s. et fut restauré par le Ba'al Shem Tov (1700 - env. 1760).

Hassi-Messaoud *(Ḥāsi Mas'ūd)*, centre pétrolier du Sahara algérien, au S.-E. d'Ouargla, relié par oléoducs aux ports de Bejaia, de Skikda et d'Arzew.

Hassi-R'Mel *(Ḥāsi-r-Raml)*, gisement de gaz naturel du Sahara algérien, au N.-O. de Ghardaïa, relié par gazoducs à Arzew, Oran (auj. *Wahrān*) et Alger.

Hassler (Hans Leo) (Nuremberg, 1564 - Francfort-sur-le-Main, 1612), compositeur allemand : musique chorale, messes, psaumes, motets.

hast n. m. ou **haste** [ast] n. f. **1.** ANTIQ ROM Javelot, longue pique des soldats. **2.** *Arme d'hast* : toute arme offensive montée sur une hampe.

Hastings, v. et port de G.-B. (Sussex), sur le pas de Calais; 78 100 hab. Pêche. Stat. baln. réputée. - Victoire de Guillaume le Conquérant sur Harold II (14 oct. 1066).

Hastings (Warren) (Churchill, Oxfordshire, 1732 - Daylesford, 1818), administrateur britannique. Gouverneur général de l'Inde (1773-1785). Accusé de malversations, il sortit acquitté d'un retentissant procès (1788-1795).

Hatay V. Antioche.

Hatchepsout. V. Hatshepsout.

hâte ['ɑt] n. f. **1.** Promptitude, diligence dans l'action. *Mettre trop de hâte à se préparer.* ▷ *Avoir hâte (de, que)* : être pressé, impatient (de, que). **2.** Loc. adv. *En hâte* : avec une grande promptitude. *Accourir en hâte, en grande hâte, en toute hâte.* ▷ *À la hâte* : avec précipitation et sans soin. *Travail fait à la hâte.*

hâtelet ['ɑtəlɛ] n. m. Petite tige ornementée que l'on pique sur une préparation culinaire pour la décorer.

hâter ['ɑte] v. [1] **I.** v. tr. **1.** Accélérer, rendre plus rapide. *Hâter le pas.* ▷ *Hâter des fruits*, les faire mûrir vite. **2.** Litt. Presser, faire arriver plus vite. *Hâter son départ.* **II.** v. pron. Aller vite, faire diligence. *Hâte-toi, tu es en retard.* ▷ Maxime. *Hâte-toi lentement.* ▷ *Se hâter de* (+ inf.) : se dépêcher de.

Hathaway (Henri Léopold de Fiennes, dit Henry) (Sacramento, 1898 - Los Angeles, 1985), cinéaste américain. Il s'illustra dans les principaux genres hollywoodiens : *les Trois Lanciers du Bengale* (1935), *Peter Ibbetson* (1935), *Niagara* (1953), *Nevada Smith* (1966).

Hathor, déesse égyptienne symbolisant la demeure du dieu Horus (le Soleil); elle a l'aspect d'une vache. Temple princ. à Dendérah.

hâtier ['ɑtje] n. m. Grand chenet de cuisine muni de crochets pour appuyer les broches.

hâtif, ive ['ɑtif, iv] adj. **1.** Qui vient avant la date normale. *Saison hâtive.* **2.** Qui est en avance par rapport au développement normal. *Fruit hâtif. Croissance hâtive.* **3.** Fait trop vite, à la hâte. *Un devoir hâtif.*

hâtivement ['ɑtivmɑ̃] adv. **1.** D'une manière hâtive, prématurément. **2.** À la hâte.

Hatshepsout ou **Hatchepsout** (m. en 1483 av. J.-C.), reine de la XVIIIe dyn. Succédant à Thoutmès II, son demi-frère et époux, elle régna de 1504 env. à 1483. Elle fit construire le temple de Deir el-Bahari (voué au culte d'Amon).

Hatteras (cap), cap de la côte atlantique des É.-U. (Caroline du Nord).

hattéria. V. sphénodon.

Hatti, royaume d'Anatolie centrale, soumis au IIe millénaire av. J.-C. par les Hittites.

Hattousa. V. Boğazkale.

Hatzfeld (Adolphe) (Paris, 1824 - id., 1900), lexicographe français : *Dictionnaire général de la langue française* (1890-1900, en collab. avec Darmesteter et Thomas).

hauban ['obɑ̃] n. m. **1.** MAR Chacun des câbles métalliques (autref., textiles) qui assujettissent le mât d'un navire. ▷ *Spécial.* Chacun des câbles métalliques assujettissant le mât par le travers. **2.** TECH Barre ou câble servant à assurer la rigidité d'une construction, d'un appareil.

haubanage ['obanaʒ] n. m. **1.** MAR, AVIAT Ensemble des haubans d'un navire, d'un avion. **2.** TECH Action de haubaner.

haubaner ['obane] v. tr. [1] **1.** MAR, AVIAT Consolider à l'aide de haubans. **2.** TECH Assujettir à l'aide de haubans.

haubert ['obɛʀ] n. m. Anc. Longue tunique de mailles portée au Moyen Âge par les hommes d'armes.

Haubourdin, ch.-l. de cant. du Nord (arr. de Lille), sur la Deûle ; 14 403 hab. Informatique ; savonnerie.

Haughey (Charles James) (Castlebar, 1925), homme politique irlandais. Premier ministre de 1979 à 1981, de mars à déc. 1982, et de fév. 1987 à mars 1992.

Haugwitz (Christian, comte von) (Peuke, Silésie, 1752 - Venise, 1832), diplomate prussien. Il négocia avec la France le traité de Bâle (1795).

Hauptmann (Gerhart) (Obersalzbrunn, Silésie, 1862 - Agnetendorf, 1946), écrivain allemand ; dramaturge d'inspiration naturaliste (*Avant le lever du soleil,* 1889 ; *les Tisserands,* 1893), romancier panthéiste (*l'Hérétique de Soana,* 1918) et poète épique (*le Grand Rêve,* 1942). P. Nobel 1912.

Hausdorff (Felix) (Breslau, 1868 - Bonn, 1942), mathématicien allemand. Il est connu pour ses travaux sur la topologie et la théorie des groupes.

Hauser (Kaspar) (?, v. 1812 - Ansbach, 1833), énigmatique personnage considéré par l'opinion comme le bâtard de divers grands personnages et dont l'existence mystérieuse a inspiré écrivains et cinéastes.

hausse ['os] n. f. **1.** Ce qui sert à hausser. *Mettre une hausse aux pieds d'une table.* ▷ TECH Appareil servant à prendre la ligne de mire et à régler le tir d'une arme à feu. ▷ CONSTR Montant servant à soutenir un remblai. **2.** Action de hausser ; son résultat. ▷ Augmentation de prix, de valeur. *Hausse des matières premières.* - *Spécial.* Augmentation du cours des valeurs boursières. *Jouer à la hausse.*

haussement ['osmɑ̃] n. m. Action de hausser. *Haussement d'épaules :* mouvement marquant le mépris, le dédain, l'indifférence.

hausser ['ose] v. [1] **I.** v. tr. **1.** Élever, augmenter la hauteur de. *Hausser un mur.* **2.** Mettre en position plus élevée, soulever. *Hausser une charge. Hausser les épaules.* ▷ v. pron. *Se hausser sur la pointe des pieds.* **3.** Augmenter l'intensité de. *Hausser la voix.* ▷ Fig. *Hausser le ton :* parler plus fort, pour manifester sa colère, son impatience. **4.** Augmenter. *Hausser le prix du pain.* - *Hausser les exigences.* **5.** Fig. Élever, rendre plus grand (qqn). *Un acte qui l'a haussé dans l'opinion de ses concitoyens.* ▷ v. pron. Parvenir, arriver à. *Se hausser jusqu'aux plus hautes dignités.* **II.** v. intr. Aller en augmentant (de hauteur, d'intensité). *Les eaux ont haussé d'un mètre. Hausser d'un ton.*

haussier ['osje] n. m. FIN Spéculateur qui joue à la hausse sur les valeurs boursières.

Haussmann (Georges Eugène, baron) (Paris, 1809 - id., 1891), administrateur et homme politique français. Préfet de la Seine (1853-1870), il transforma Paris par d'importants travaux d'urbanisme : création de gares, de parcs (notam. le parc Montsouris) et de boulevards (agrandissement des Grands Boulevards) ; destruction de vieux quartiers ; réalisation de réseaux d'eau, de gaz et d'assainissement ; il agrandit la capitale en lui rattachant les communes suburbaines d'Auteuil, Passy, Grenelle, Vaugirard et Montmartre.

haut, haute ['o,'ot] adj., n. m. et adv. **A.** adj. **I. 1.** D'une certaine dimension dans le sens vertical. *Un arbre haut de six mètres.* **2.** De dimension verticale élevée. *Une haute montagne.* **3.** Situé, placé à un niveau supérieur à celui qui est habituel. *Les eaux du fleuve sont hautes.* ▷ Fig. *Aller la tête haute,* sans avoir à craindre aucun reproche. - *Avoir la haute main sur une chose,* exercer sur elle une autorité absolue. ▷ MAR *Pavillon haut,* hissé au sommet du mât. **4.** Situé au-dessus de choses semblables. *Les hauts plateaux et la plaine. La ville haute et la ville basse.* **5.** Se dit de la région d'un pays la plus éloignée de la mer et de la partie d'un cours d'eau la plus voisine de sa source. *La haute Loire. La haute Normandie.* ▷ *La haute mer :* la pleine mer, le grand large. **6.** Très éloigné dans le temps. *La haute antiquité.* **7.** Plus élevé, plus important (en intensité, en valeur). *Notes hautes, ton haut,* élevés dans la gamme. *Parler à voix haute.* ▷ Loc. fig. *Avoir le verbe haut,* un ton arrogant. ▷ *Haut en couleur,* qui a des couleurs vives et soutenues. - Fig. *Un récit haut en couleur,* plein de notations pittoresques. ▷ JEU *Les hautes cartes,* celles qui ont le plus de valeur. ▷ PHYS NUCL *Hautes énergies :* énergies supérieures à 1 MeV. **8.** (En loc., avec une valeur adverbiale.) *Haut les mains! :* ordre de lever les mains en l'air, donné à qqn que l'on veut mettre hors d'état d'agir. - *Haut la main :* avec autorité, sans difficulté. ▷ Vieilli *Haut le pied :* se disait d'une bête de somme non chargée, non montée. - CH de F *Locomotive haut le pied,* qui circule sans être attelée à un train. **II.** Fig. **1.** Qui possède la prééminence, la supériorité (dans la hiérarchie, dans l'échelle des valeurs sociales). *La haute finance. La haute magistrature. Un haut fonctionnaire.* - *La haute société* (ou, n. f., fam., *la haute*). ▷ Loc. adv. *En haut lieu :* chez ceux qui détiennent l'autorité, le pouvoir. ▷ *Haute* Cour de justice* (ou *Haute Cour*) **2.** D'une grande valeur, d'une valeur supérieure à la moyenne. *Des recherches de la plus haute importance. Les hauts faits d'un général.* **3.** Excellent. *Avoir une haute opinion de qqn. Ouvrage de haute qualité. La haute couture.* ▷ n. m. *Le Très-Haut :* Dieu. **B.** n. m. **1.** Dimension verticale, hauteur, altitude. *Le mont Blanc a 4 808 mètres de haut. Monter à 2 000 mètres de haut.* ▷ *Tomber de son haut :* tomber de toute sa hauteur ; fig. éprouver une surprise désagréable. **2.** Partie élevée de qqch. *Le haut du mur.* **3.** Sommet, partie la plus élevée d'une chose. *Le haut d'une tour.* ▷ Fig. *Tenir le haut du pavé :* jouir d'une situation de premier plan. **4.** Fig., fam. *Connaître des hauts et des bas,* des périodes favorables et des périodes difficiles qui alternent. **C.** adv. **I. 1.** À une très grande hauteur. *L'aigle s'élève très haut.* **2.** Précédemment, plus loin en reculant dans le temps. *Revenir plus haut.* ▷ (Dans un texte.) *Voir plus haut :* voir ci-dessus, dans ce qui précède. **3.** Fort, à haute voix. *Parlez moins haut!* ▷ Fig. *Parler haut,* avec assurance, autorité. - *Dire bien haut ce que l'on pense,* le dire clairement, de manière que cela se sache. **4.** Fig. À un degré très élevé sur l'échelle des valeurs sociales, morales, etc. *Un monsieur très haut placé. Estimer très haut ses collaborateurs.* **5.** D'une manière importante (en matière de prix, de valeurs). *L'or est monté très haut.* **II.** Loc. adv. **1.** *En haut :* dans la partie la plus haute, au-dessus. *Mur repeint jusqu'en haut. Il y a deux pièces en haut et trois au rez-de-chaussée. Le bruit vient d'en haut.* ▷ Fig. Du ciel. *C'est une inspiration d'en haut.* **2.** *Là-haut :* au-dessus, dans cette partie élevée. *Il habite là-haut.* ▷ Fig. Au ciel. **3.** *De haut :* d'un point, d'une partie élevée. *Un torrent qui tombe de haut.* ▷ Fig. *Le prendre de haut :* répondre avec arrogance. - *Voir les choses de haut,* dans leur ensemble et sans s'arrêter aux détails. - *Regarder qqn de haut en bas,* avec mépris et arrogance. **III.** Loc. prép. *En haut de :* dans la partie la plus haute de. *Être assis en haut d'un mur.*

hautain, aine ['otɛ̃, ɛn] adj. **1.** Vx Qui va haut. *Faucon hautain.* **2.** Arrogant, dédaigneux. *Un homme hautain.* - Par ext. *Paroles hautaines.*

hautbois ['obwa] n. m. **1.** Instrument de musique à vent, en bois, à tuyau conique et à anche double. **2.** Hautboïste. ▶ pl. instruments de **musique**

hautboïste [oboist] n. Instrumentiste qui joue du hautbois.

haut-de-chausse(s) n. m. Anc. Partie du vêtement masculin qui allait de la ceinture aux genoux. *Des hauts-de-chausses.*

haut-de-forme n. m. Haut chapeau d'homme, cylindrique, qui se porte avec l'habit, la redingote. *Des hauts-de-forme.*

Hautecombe, abbaye bénédictine, dite *royale,* d'orig. cistercienne (XIIe s.), sépulture de la maison de Savoie. Elle est située sur la com. de Saint-Pierre-de-Curtille (Savoie), en bordure du lac du Bourget.

haute-contre n. MUS **1.** n. f. Voix masculine, la plus aiguë des voix de ténor. **2.** n. m. ou f. Celui qui a cette voix. *Des hautes-contre.*

Haute-Corse. V. Corse (Haute-).

Haute Cour de justice ou **Haute Cour,** juridiction politique française, seule compétente pour juger le président de la République, s'il est accusé par le Parlement de haute trahison, et les membres du gouv. accusés de crimes ou de délits commis dans l'exercice de leurs fonctions - et leurs complices s'il s'agit d'un complot contre la sûreté de l'État. Elle est composée de députés et de sénateurs élus par chaque assemblée.

Haute-Égypte. V. Thébaïde.

haute-fidélité ou **haute fidélité** n. f. (Employé généralement en appos.) Qualité des appareils électro-acoustiques qui assure une restitution très fidèle des sons. *Des chaînes haute-fidélité.* (Abrév. : hi-fi.) ▷ Ensemble des techniques ayant pour but d'obtenir une telle qualité.

Hautefort, ch.-l. de cant. de la Dordogne (arr. de Périgueux); 1 057 hab. – Chât. des XVIe et XVIIe s., partiellement détruit par un incendie en 1968 et restauré.

Hautefort (Marie de) (Hautefort, 1616 – Paris, 1691), fille d'honneur d'Anne d'Autriche, qui inspira une violente passion à Louis XIII. Elle épousa le duc de Schomberg-Halluin (1646).

Haute-Garonne. V. Garonne (Haute-).

Haute-Loire. V. Loire (Haute-).

Haute-Marne. V. Marne (Haute-).

hautement adv. **1.** Vx À haute voix. **2.** Fig. Ouvertement, de manière que cela se sache. *Proclamer hautement son innocence.* **3.** Fortement, supérieurement. *Un ouvrier hautement qualifié.*

Haute-Normandie. V. Normandie (Haute-).

Hauterives, com. de la Drôme (arr. de Valence); 1 218 hab. – *Palais idéal* (1879-1912) du facteur Cheval.

Hautes-Alpes. V. Alpes (Hautes-).

Haute-Saône. V. Saône (Haute-).

Haute-Savoie. V. Savoie (Haute-).

Hautes-Pyrénées. V. Pyrénées (Hautes-).

hauteur ['otœʀ] n. f. **I. 1.** Dimension verticale (d'un corps), de bas en haut. *La hauteur d'un arbre. La tour Eiffel a 320 m de hauteur.* ▷ Vieilli (Personnes) Taille. – *Tomber de sa hauteur,* de tout son long; fig. être très surpris. **2.** GEOM Distance d'un point à une droite ou à un plan. ▷ Segment de droite perpendiculaire au côté d'un triangle et passant par le sommet opposé. **3.** Profondeur. *Hauteur de l'eau d'une rivière.* ▷ METEO *Hauteur des précipitations :* épaisseur de la couche d'eau, exprimée en millimètres, recueillie dans un pluviomètre. **II. 1.** Caractère de ce qui est très haut. *Une tour aisément repérable par sa hauteur.* **2.** Distance qui sépare un corps de la surface de la terre. *Nuages situés à une grande hauteur.* ▷ ASTRO Angle que fait la direction d'un astre avec le plan horizontal en un lieu et à un moment donnés. **3.** Lieu élevé, éminence. *Habiter sur les hauteurs.* **4.** PHYS *Hauteur d'un son,* sa fréquence moyenne. **III.** Loc. prép. *À la hauteur de.* **1.** Au niveau de. *Accrocher un tableau à la hauteur des autres.* ▷ Par ext. *Sa maison se trouve à la hauteur du prochain carrefour.* **2.** Fig. *Être à la hauteur de qqn,* avoir les mêmes capacités, la même valeur que lui. *Un fils qui est à la hauteur de son père.* ▷ *Être à la hauteur de sa tâche, de ses fonctions,* être capable de les remplir. – *Être à la hauteur de la situation,* être à même d'y faire face. – Fam. *Ne pas être à la hauteur :* être incapable, médiocre. **IV. 1.** Caractère supérieur, élévation (d'une personne, d'un acte considérés sous l'angle des qualités morales). *Une grande hauteur de vues.* **2.** Péjor. Arrogance, dédain, attitude orgueilleuse. *Traiter ses subordonnés avec hauteur.*

Haute-Vienne. V. Vienne (Haute-).

Haute-Volta. V. Burkina Faso.

haut-fond n. m. Éminence rocheuse ou sableuse du fond marin, recouverte de très peu d'eau, et qui rend dangereuse la navigation. *Des hauts-fonds.*

haut-fourneau ou **haut fourneau** n. m. Four à cuve de très grandes dimensions (plusieurs dizaines de mètres de hauteur) destiné à l'élaboration de la fonte par fusion et réduction du minerai de fer. *Des hauts-fourneaux* ou *des hauts fourneaux.*
ENCYCL Un *haut-fourneau* se compose de deux troncs de cône accolés par leur base : la *cuve* en partie haute, les *étalages* en partie basse. On introduit dans la partie supérieure de la cuve, appelée le *gueulard,* du minerai de fer, du coke métallurgique et un fondant (castine ou carbonate de calcium) destiné à rendre la gangue fusible et à l'éliminer dans le *laitier.* De l'air chaud est soufflé à la partie inférieure des étalages, à une température de 600 à 900 °C, par des *tuyères* qu'alimente une boîte à vent. Dans la cuve s'effectuent successivement la dessiccation de la charge, la décomposition des carbonates et la réduction des oxydes de fer. Dans le *ventre,* partie centrale située entre les étalages et la cuve, s'effectue la fusion. Les laitiers sont élaborés dans l'*ouvrage* et se rassemblent dans le *creuset.* La chaleur des gaz est récupérée dans des *cowpers,* qui réchauffent le vent avant son introduction dans le haut-fourneau.

Haut-Karabakh. V. Karabakh (Haut-).

Haut-Kœnigsbourg, château du Bas-Rhin, à Orschwiller, sur un piton. Forteresse du XVe s., partiellement détruite pendant la guerre de Trente Ans, que Guillaume II fit « reconstituer » (1900-1908), à la mode de Pierrefonds, par l'architecte Bodo Ebhardt.

haut-le-cœur n. m. inv. Nausée. ▷ Fig. Dégoût.

haut-le-corps n. m. inv. Brusque mouvement, réflexe du haut du corps marquant l'indignation, la surprise, la répulsion.

Hautmont, ch.-l. de canton du Nord (arr. d'Avesnes-sur-Helpe), sur la Sambre; 17 556 hab. Grand centre sidérurgique. Constr. métall.; industr. chim.

Haut-Rhin. V. Rhin (Haut-).

haut-parleur n. m. Appareil qui transforme en ondes sonores les signaux électriques modulés que lui envoie un amplificateur. *Des haut-parleurs.*

haut-relief n. m. BX-A Sculpture où les figures, presque entièrement détachées du fond, sont vues dans la quasi-totalité de leur épaisseur (par oppos. à *bas-relief*). *Des hauts-reliefs.*

Hauts-de-Seine, dép. franç. (92); 175 km²; 1 391 658 hab.; 7 952,3 hab./km²; ch.-l. *Nanterre.* V. Île-de-France (Rég.). ► carte page **880**

hauturier, ère [otyʀje, ɛʀ] adj. MAR Qui se pratique en haute mer. *Pêche hauturière.* ▷ Qui navigue au large. *Navire hauturier.*

Haüy (abbé René Just) (Saint-Just-en-Chaussée, Picardie, 1743 – Paris, 1822), minéralogiste français; le créateur de la cristallographie. — **Valentin** (Saint-Just-en-Chaussée, 1745 – Paris, 1822), frère du préc., inventa des caractères en relief à l'usage des aveugles et fonda (1784) la maison devenue l'Institution nationale des jeunes aveugles.

havage ['avaʒ] n. m. TECH Abattage du minerai effectué en pratiquant une saignée le long de la taille. ▷ La saignée elle-même.

havanais, aise ['avanɛ, ɛz] adj. et n. **1.** De La Havane. ▷ Subst. *Un(e) Havanais(e).* **2.** n. m. Chien de petite taille au poil long et soyeux.

havane ['avan] n. m. et adj. inv. **1.** n. m. Tabac de La Havane. *Fumer du havane.* ▷ Cigare fait avec ce tabac. *Fumer un havane.* **2.** adj. inv. De la couleur brun-roux du tabac cubain. *Robe havane.*

Havane (La) (en esp. *La Habana*), cap. de Cuba, port sur le détroit de Floride; 2 014 810 hab. (pour l'aggl.). Centre industr. et comm. de Cuba, après avoir été (jusqu'en 1958) une des villes de plaisir les plus célèbres du monde. Industr. alimentaires (sucreries, rhum). Cigares renommés.

Havas (Charles) (Rouen, 1783 – Paris, 1858), publiciste français; fondateur de l'agence parisienne d'informations appelée *Bureau Havas,* avant de devenir l'*Agence Havas.*

hâve ['ɑv] adj. Litt. Pâli, émacié par la faim, la souffrance.

Havel (la), riv. d'Allemagne (341 km), affl. de l'Elbe (r. dr.); arrose l'O. de Berlin et Potsdam; est navigable sur 328 km.

Havel (Václav) (Prague, 1936), écrivain, dramaturge et homme politique tchèque. Militant pour la libéralisation du régime tchécoslovaque dès le « printemps de Prague » en 1968, il fonda la *Charte 77,* mouvement de défense des droits de l'homme, au lendemain des accords d'Helsinki, et fut plusieurs fois emprisonné. Il fut nommé prés. de la République en 1989, après le renversement du pouvoir communiste. Il démissionna en juillet 1992 lors de la déclaration de souveraineté de la Slovaquie et redevint prés. de la nouv. République tchèque en janv. 1993. Il a été réélu en janv. 1998. Il écrivit notamment *la Garden-party* (1963), *Le rapport dont vous faites l'objet* (1965), *Difficulté accrue de se concentrer,* (1967) et une trilogie théâtrale : *Audience, Vernissage, Pétition* (1979-1981).

Václav **Havel**

Joseph **Haydn**

haveneau ou **havenet** n. m. PÊCHE Filet à crevettes.

haver ['ave] v. tr. [**1**] TECH Abattre (le minerai) par havage. ▷ (S. comp.) Exécuter le havage.

Havers, médecin anglais du XVIIe s. ▷ HISTOL *Canaux de Havers :* fins canaux traversant le tissu osseux et parcourus par les vaisseaux sanguins et les nerfs; autour de ces canaux s'organise le *système de Havers,* fait de lamelles osseuses concentriques.

haveur ['avœʀ] n. m. TECH Mineur qui pratique le havage.

haveuse ['avøz] n. f. TECH Machine servant à haver.

havrais, aise adj. et n. Du Havre. ▷ Subst. *Un(e) Havrais(e).*

Havran. V. Hawran.

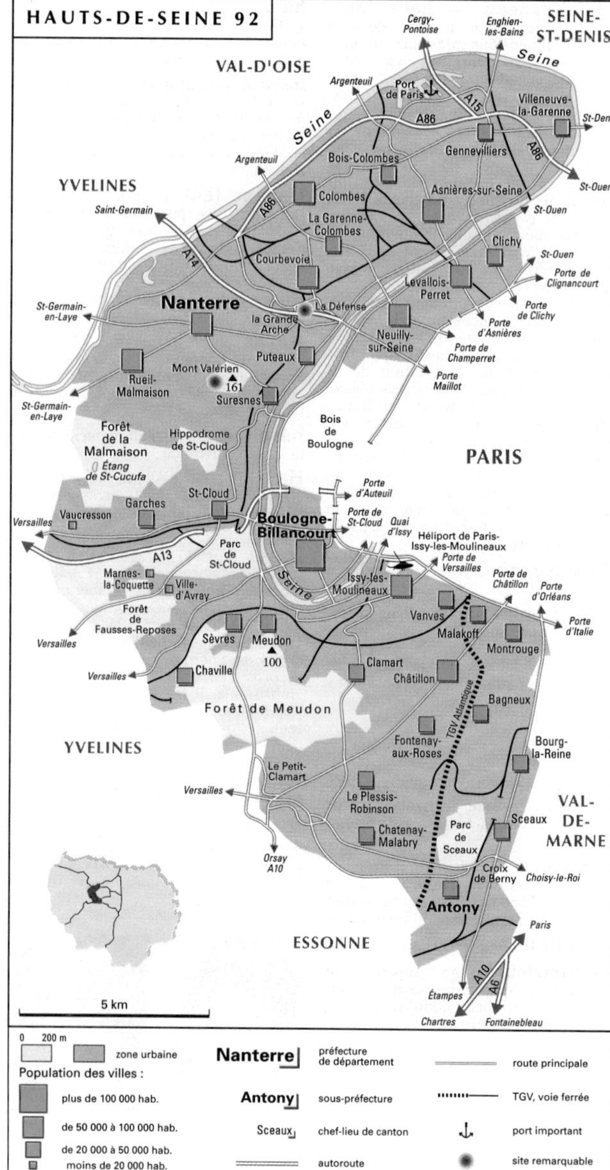

havre ['avʀ] n. m. **1.** Vx ou rég. Petit port naturel ou artificiel bien abrité. **2.** Fig., litt. Lieu calme et protégé, refuge. *Un havre de paix, de bonheur.*

Havre (Le), ch.-l. d'arr. de la Seine-Maritime, à l'embouchure de la Seine (r. dr.); 197 219 hab. (env. 253 600 hab. dans l'aggl.). Débouché marit. de la région parisienne, accessible aux plus gros cargos et complété par Antifer pour les pétroliers géants. Le Havre est le 2ᵉ port franç. de comm.; le pétrole constitue les 4/5 de son trafic. Anc. port transatlantique, il reste un grand port de voyageurs. Ses industries sont liées à l'activité portuaire : constr. navales et mécaniques; pétrochimie; centrale thermique; industr. alimentaires et électr. – Fondée en 1517 (sous le nom de *Havre-de-Grâce*), la ville prit son essor au XIXᵉ s. et fut ravagée lors de la Seconde Guerre mondiale. – Musée des beaux-arts.

havresac ['avʀəsak] n. m. Vieilli Sac à bretelles, porté sur le dos, pour transporter des outils, des effets, des provisions, etc. ▷ *Spécial.* Sac du fantassin.

Hawaii ou **Hawaï** (îles) (anc. *Sandwich*), archipel volcanique du Pacifique (Polynésie), État des É.-U., formé de vingt îles, dont Hawaii, la plus grande (10 400 km², 92 200 hab.); 16 705 km²; 1 108 000 hab.; cap. *Honolulu*, dans l'île Oahu. – La pop. est formée en majorité de métis (brassage des Polynésiens autochtones avec des Japonais, des Chinois, des Philippins, des Nord-Américains). Princ. ressources : canne à sucre, ananas et, surtout, tourisme (le revenu des Hawaiiens est plus élevé que celui de la moyenne des Américains). Bases militaires, dont Pearl Harbor, la plus importante du Pacifique. – Découvert par Cook en 1778, l'archipel devint territ. amér. en 1898 et le 50ᵉ État de l'Union en 1959. – Les sculptures monumentales en bois (découvertes au XVIIIᵉ s.), représentation du dieu de la Guerre Ku, sont des chefs-d'œuvre de l'art dit primitif (British Museum, Londres).
▶ carte **Océanie**

hawaiien ou **hawaïen, enne** [awajɛ̃, ɛn] adj. et n. Des îles Hawaii. *Guitare hawaiienne.* – Subst. *Les Hawaiiens.* ▷ GEOL *Volcan de type hawaiien,* dont les éruptions se font sans projections, par débordement d'une lave basaltique très fluide qui s'étale largement et constitue un cône très aplati.

Hawkes (John) (Stamford, Connecticut, 1925 – Providence, 1998), écrivain américain. Son œuvre romanesque, sombre et violente, compose un univers baroque, au comique cruel : *le Cannibale* (1949), *les Oranges de sang* (1972), *l'Homme aux louves* (1981).

Hawkins ou **Hawkyns** (sir John) (Plymouth, 1532 – dans la mer des Antilles, 1595), amiral anglais. Il contribua à renforcer la puissance maritime et coloniale de son pays, notam. en organisant la traite des Noirs.

Hawkins (Coleman) (Saint Joseph, Missouri, 1904 – New York, 1969), saxophoniste de jazz américain. Il imposa au cours des années 30 l'usage du saxophone ténor, jusque-là mésestimé (*Body and Soul,* 1939).

Hawks (Howard) (Goshen, Indiana, 1896 – Palm Springs, Californie, 1977), cinéaste américain. Il excella dans les films d'action (policiers, westerns, films de guerre) et signa de savoureuses comédies : *Scarface* (1932), *l'Impossible M. Bébé* (1938), *Air Force* (1943), *le Grand Sommeil* (1946), *Rio Bravo* (1958), *Hatari* (1961), etc.

Haworth (sir Walter Norman) (Chorley, Lancashire, 1883 – Barnt Green, Worcestershire, 1950), biochimiste anglais. Il réalisa la synthèse de la vitamine C, ou acide ascorbique. P. Nobel 1937.

Hawran ou **Havran** (*Ḥawrān*), plateau de Syrie (alt. max. 1 839 m) dont les terres, souvent fertiles, sont occupées par les Druzes. Céréales.

Hawthorne (Nathaniel) (Salem, Massachusetts, 1804 – Plymouth, New Hampshire, 1864), romancier américain. La hantise du mal (il descendait d'une famille puritaine calviniste) est au centre de son œuvre : *la Lettre écarlate* (1850), *la Maison aux sept pignons* (1851).

Haxo (François Nicolas Benoît) (Lunéville, 1774 – Paris, 1838), général et ingénieur militaire français. Il dirigea le siège d'Anvers (1832).

Hayange, ch.-l. de cant. de la Moselle (arr. de Thionville-Ouest), sur la Fensch; 15 795 hab. Sidérurgie.

Haydar Alī khān Bahādur ou **Haïder-Ali** (Devanhalli, 1717 – Arcot, 1782), chef musulman de l'État de Mysore (Inde), allié aux Français contre les Anglais et les Mahrattes (hindouistes), qui finalement le vainquirent.

Haydn (Joseph) (Rohrau, Basse-Autriche, 1732 – Vienne, 1809), compositeur autrichien. Il a donné leurs lettres de noblesse au quatuor à cordes (dont s'inspireront Mozart et Beethoven), à la sonate et à la symphonie ; il dégagea notam. la structure en quatre mouvements, qui allait devenir celle de la symphonie classique. On lui doit des concertos pour piano, pour violon, pour violoncelle, etc. ; une soixantaine de sonates pour piano ; des trios ; 77 quatuors à cordes *(Quatuor de l'Alouette, du Cavalier, des Quintes)* ; 108 symphonies (*l'Horloge, l'Ours, la Cloche, les Jouets*, etc.) ; des oratorios (*la Création du monde*, 1798 ; *les Saisons*, 1801) ; des messes ; des lieder ; des cantates ; des opéras (*Il Mondo della luna*, livret de C. Goldoni, 1779).

► illustr. page **879**

Haye (La) (en néerl. *Den Haag*, anc. *'s Gravenhage*), v. des Pays-Bas, près de la mer du Nord ; ch.-l. de la Hollande-Méridionale et cap. administrative de l'État (résidence du souverain) ; 444 310 hab. Ville résidentielle où siègent des organismes internationaux (notam. la Cour internationale de justice). - Grande Église (XVe s.) ; palais royaux Huis ten Bosch (XVIIe-XVIIIe s.) et Voorhout (XVIIIe s.) ; palais de la Paix (déb. XXe s., siège de la Cour internationale de justice) ; Cabinet royal de peinture (palais Mauritshuis : Hals, Rembrandt, Vermeer, etc.). - Le *traité de La Haye*, signé entre la France et la Hollande (1795), permit, avec les traités de Bâle, de défaire la première coalition contre la Révolution française.

Hayek (Friedrich August von) (Vienne, 1899 - Fribourg, 1992), économiste britannique d'origine autrichienne. Spécialiste des questions monétaires, il étudia notam. le problème de l'inflation (*Prix et Production*, 1931). P. Nobel 1974.

Hayes (Rutherford Birchard) (Delaware, Ohio, 1822 - Fremont, Ohio, 1893), homme politique américain. Dix-neuvième président (républicain) des États-Unis (1877-1881).

Haykal (Muhammad Hussein) (Tantah, 1888 - Le Caire, 1956), écrivain égyptien ; auteur du premier roman reconnu de la littérature arabe : *Zaynab* (1914), sur la vie paysanne en Égypte.

Haÿ-les-Roses (L'), ch.-l. d'arr. du Val-de-Marne, au sud de Paris ; 29 841 hab. (*Layssiens*). Célèbre roseraie.

hayon [ajɔ̃] n. m. **1.** TECH Claie amovible disposée à chacune des extrémités d'une charrette. **2.** Porte pivotant autour d'un axe horizontal et fermant l'arrière de certains véhicules automobiles (camionnettes, breaks, etc.).

Hayworth (Margarita Carmen Cansino, dite Rita) (New York, 1918 - id., 1987), actrice de cinéma américaine. *Gilda* (1946) fit de cette rousse flamboyante une star (*la Dame de Shanghai*, 1948 ; *la Blonde ou la Rousse*, 1957).

Hazard (Paul) (Noordpeene, 1878 - Paris, 1944), universitaire français ; historien de la littérature du XVIIIe s. : *la Crise de la conscience européenne, 1680-1715* (1935). Acad. fr. (1940).

Hazebrouck, ch.-l. de cant. du Nord (arr. de Dunkerque) ; 21 115 hab. Industr. alim. et textile.

Hazin *(Ibn al-Haytam al-Ḥazīn)*, parfois francisé en *Alhazen* (Bassorah, 965 - Le Caire, 1039), mathématicien et astronome arabe. Il aurait inventé la preuve par neuf. Son *Optique* (sur l'œil, les miroirs, les lentilles, la réfraction) et son *Traité des courbes géométriques* (relatif notam. aux lieux géométriques) font de lui l'un des princ. savants arabes.

Hazlitt (William) (Maidstone, Kent, 1778 - Londres, 1830), essayiste et critique anglais : *les Personnages des pièces de Shakespeare* (1817).

He CHIM Symbole de l'hélium.

hé ! ['e, he] interj. Fam. (Pour appeler, interpeller.) *Hé ! toi, viens ici !* ▷ (Marquant la surprise, l'approbation, l'ironie.) *Hé ! vous voilà bien pressé !*

Heaney (Seamus) (Castledawson, comté de Derry, 1939), poète irlandais. Inspiré par le monde paysan, son œuvre est dominée par le rapport à la terre, à l'histoire d'un territoire violent et divisé : *Mort d'un naturaliste* (1966), *Endurer l'hiver* (1972), *Nord* (1979). P. Nobel 1995.

Hearst (William Randolph) (San Francisco, 1863 - Beverly Hills, 1951), homme d'affaires américain. Il fut l'un des créateurs de la presse à sensation.

Heartfield (Helmut Herzfeld, dit John) (Berlin-Schmargendorf, 1891 - Berlin, 1968), photographe allemand. Ses montages dénoncent avec violence le nazisme (*Photomontages antinazis*, recueil posth., 1979).

Heath (Edward) (Broadstairs, Kent, 1916), homme politique britannique. Premier ministre conservateur (1970-1974), il fit entrer la G.-B. dans le Marché commun (1972).

Heathrow, fbg de l'ouest de Londres. Principal aéroport de l'agglomération londonienne.

heaume ['om] n. m. Casque cylindrique ou pointu, couvrant la tête et le visage, muni d'une ouverture pour les yeux, porté au Moyen Âge par les hommes d'armes.

heaumier, ère ['omje, ɛʀ] n. Vx Fabricant, marchand de heaumes. ▷ *Les Regrets de la Belle Heaumière*, ballade célèbre de Villon.

Heaviside (Oliver) (Londres, 1850 - Torquay, 1925), mathématicien et physicien anglais. Il étudia la propagation des ondes électromagnétiques ; il a donné son nom à la couche ionisée de l'atmosphère.

heavy metal ['evimetal] n. m. Syn. de *hard rock*.

Hebbel (Friedrich) (Wesselburen, Holstein, 1813 - Vienne, 1863), poète dramatique allemand d'inspiration romantique : *Judith* (1839), trilogie des *Nibelungen* (1861).

hebdo n. m. Fam. Hebdomadaire.

hebdomadaire adj. et n. m. **1.** Qui a lieu une fois par semaine. *Une réunion hebdomadaire.* **2.** Qui s'effectue pendant une semaine. *La production hebdomadaire d'une usine.* **3.** Qui paraît chaque semaine. *Revue hebdomadaire.* ▷ n. m. Publication paraissant chaque semaine (Abrév. *hebdo*).

hebdomadairement adv. Par semaine, chaque semaine.

Hébé, dans la myth. gr., déesse de la Jeunesse ; fille de Zeus et d'Héra.

Hebei, prov. de Chine septent., sur le golfe du Bohai, qui englobe notam. la municipalité de Pékin ; 190 000 km^2 ; 55 480 000 hab. (Pékin exclu) ; ch.-l. *Shijiazhuang*. La plaine, à l'E., produit des céréales, du coton ; l'arboriculture est import. à l'O. (talus du Shanxi). Les plateaux du N., fertiles mais élevés (2 000 m), recèlent de la houille et du fer. Nombreuses industries.

hébéphrénie n. f. PSYCHOPATHOL Trouble mental schizophrénique touchant surtout les adolescents.

hébergement n. m. **1.** Action d'héberger. **2.** Logement.

héberger v. tr. [**13**] **1.** Recevoir, loger chez soi. *Héberger des amis.* ▷ Par ext. *Pays qui héberge des réfugiés.* **2.** INFORM Réserver à qqn un espace de mémoire afin qu'il stocke et distribue des données informatiques (ordinateur, serveur).

Hébert (Jacques René) (Alençon, 1757 - Paris, 1794), journaliste et homme politique français. Fondateur du *Père Duchesne* (1790), journal des révolutionnaires extrémistes, il contribua à la chute de la royauté (1792) et des Girondins (1793). Avec ses partisans, les *hébertistes* (Chaumette, Chabot, Collot d'Herbois, etc.), il eut une grande influence au sein du club des Cordeliers et de la Commune insurrectionnelle de Paris. Robespierre, dont il avait dénoncé la modération, le fit arrêter et guillotiner ainsi que ses partisans.

Hébert (Anne) (Sainte-Catherine-de-Portneuf, 1916), écrivain québécois. Ses poèmes (*les Songes en équilibre*, 1942 ; *Mystère de la parole*, 1960) et ses nouvelles (*le Torrent*, 1950) expriment l'angoisse de la solitude. Ses romans (*Kamouraska*, 1970 ; *les Fous de Bassan*, 1982) tendent vers le fantastique.

hébétement [ebɛtmɑ̃] n. m. Litt. État d'une personne hébétée, stupide.

hébéter v. tr. [**14**] Rendre stupide, ahuri. *Il a été hébété par la douleur.*

hébétude n. f. **1.** MED Engourdissement des facultés intellectuelles, sans modification des perceptions sensorielles. **2.** Hébétement.

hébraïque adj. Qui appartient aux Hébreux, partic. à leur langue. - *La langue hébraïque* : l'hébreu.

hébraïsant, ante ou **hébraïste** n. Didac. Spécialiste de l'hébreu.

hébraïser v. [**1**] **I.** v. intr. Didac. **1.** Se servir d'hébraïsmes. **2.** Adopter l'idéologie, le mode de vie, les coutumes hébraïques. **3.** Connaître, étudier l'hébreu. **II.** v. tr. Marquer, revêtir des caractères de la culture hébraïque.

hébraïsme n. m. Didac. Expression, tournure propre à l'hébreu.

hébreu n. m. **1.** *Les Hébreux* : nom donné dans la Bible aux Araméens de Harran qui traversèrent l'Euphrate et s'installèrent en terre de Canaan. *Le judaïsme, religion des Hébreux.* **2.** Langue des Hébreux. *L'hébreu est une langue sémitique.* ▷ Loc. fig., fam. *C'est de l'hébreu* : c'est incompréhensible.
ENCYCL Au IIe mill. av. J.-C., des tribus araméennes sédentarisées en Syrie depuis le XIXe ou le XVIIIe s. traversèrent l'Euphrate (XVIIe ou XVIe s. av. J.-C.), dont les Hébreux qui parvinrent en terre de Canaan (la Palestine). Cet épisode fait l'objet du chapitre XII de la Genèse, dans lequel apparaît, à la tête de ce mouvement, le patriarche Abraham. Les vicissitudes que connut, à partir de ce moment, le peuple hébreu (peuple de Dieu, selon la tradition biblique) sont relatées dans la Bible.

hébreu, fém. **hébraïque** adj. **1.** Relatif aux Hébreux. *Le peuple hébreu.* **2.** Relatif à la langue des Hébreux. *L'alphabet hébreu comporte 22 lettres.*

Hébrides (îles) ou **Western Islands**, archipel de G.-B., formé d'env. 500 îles ou îlots, proche de la côte N.-O. de l'Écosse ; 2 898 km^2 ; 31 600 hab. ; îles principales : *Lewis, Skye*. Élevage ovin, pêche, tourisme.

Hébron (auj. *Al-Khalīl*), v. de Palestine (Cisjordanie), au S. de Jérusalem; 43 000 hab. – Occupée par Israël depuis 1967, elle a obtenu un statut d'autonomie partielle en 1997.

H.E.C. Sigle de *École des hautes études commerciales*. Institution fondée en 1881 et administrée par la Chambre de commerce de Paris. Installée à Jouy-en-Josas.

Hécate, dans la myth. gr., divinité lunaire et infernale; assimilée à la déesse Trivia par les Romains. Elle est souvent représentée avec trois têtes.

hécatombe n. f. **1.** ANTIQ Sacrifice de cent bœufs. ▷ *Par ext.* Immolation d'un grand nombre d'animaux. **2.** Cour. Massacre, tuerie d'êtres humains. ▷ Fig. Nombre important d'échecs. *Seulement dix pour cent de reçus au concours, quelle hécatombe !*

Heckel (Erich) (Döbeln, 1883 – Bonn, 1970), peintre et graveur expressionniste allemand; l'un des fondateurs du mouvement Die Brücke.

hect(o)-. Élément, du gr. *hekaton*, « cent ».

hectare n. m. Unité de superficie valant 100 ares (10 000 m^2) (symbole ha).

hecto n. m. Abrév. de *hectolitre* ou, rare, de *hectogramme*.

hectogramme n. m. Unité de masse valant 100 grammes (symbole hg).

hectolitre n. m. Unité de mesure de capacité valant 100 litres (symbole hl).

hectomètre n. m. Unité de mesure de longueur valant 100 mètres (symbole hm).

hectométrique adj. Didac. Relatif à l'hectomètre; qui délimite une distance d'un hectomètre. *Bornes hectométriques d'une route.*

hectopascal n. m. PHYS Unité de mesure de pression valant 100 Pa (symbole hPa).

Hector, héros de l'*Iliade*; fils aîné de Priam et d'Hécube, époux d'Andromaque. Vaillant défenseur de Troie, il tua Patrocle, mais fut tué par Achille.

hectowatt n. m. PHYS Unité de mesure de puissance équivalant à 100 watts (symbole hW).

Hécube, personnage de la myth. gr. célèbre pour sa fécondité. Seconde femme du roi de Troie Priam, elle lui aurait donné 19 enfants, dont Hector, Pâris, Cassandre et Polyxène. Symbole de la douleur maternelle dans la légende et la littérature grecques.

héder ['edɛʀ] n. m. Didac. École juive traditionnelle dispensant une éducation religieuse aux jeunes enfants.

Hedjaz *(al-Ḥiğāz)*, prov. occid. d'Arabie Saoudite, formant un escarpement qui domine la mer Rouge; 400 000 km^2; 1 754 000 hab.; ch.-l. *La Mecque*; v. princ. *Médine, Djedda*. Élevage de chameaux; dattes. Le pèlerinage de La Mecque favorise le comm. et le tourisme. – Autrefois sous domination ottomane, le Hedjaz fut, de 1916 à 1926, un royaume indép. qui s'unit au Nadjd pour constituer l'Arabie Saoudite.

hédonisme n. m. **1.** PHILO Doctrine qui fait de la recherche du plaisir le fondement de la morale. *L'hédonisme d'Aristippe de Cyrène.* **2.** PSYCHAN Recherche du plaisir orientée vers une partie du corps, au cours du développement de la sexualité. *Hédonisme oral, anal, génital.* **3.** ECON Doctrine qui fait de la recherche du maximum de satisfactions le moteur de l'activité économique.

hédoniste n. et adj. **1.** n. Adepte de l'hédonisme. ▷ adj. *Moraliste hédoniste.* **2.** adj. De l'hédonisme. *Principes hédonistes.*

Heerlen, v. des Pays-Bas (Limbourg); 94 320 hab. Anc. centre houiller; métallurgie; constructions mécaniques.

Hefei, v. de Chine, ch.-l. de la prov. de Anhui, sur le Yangzijiang; 795 420 hab. (aggl. urb. 1 541 250 hab.). Textiles (coton).

Hegel (Georg Wilhem Friedrich) (Stuttgart, 1770 – Berlin, 1831), philosophe allemand. Il étudia la philosophie au séminaire de théologie protestante de Tübingen (1788-1790), où il se lia avec Schelling et Hölderlin, enseigna ensuite à Iéna (1805-1807), dans un modeste gymnasium de Nuremberg après le démantèlement de l'université all. par Napoléon (1809-1815), à Heidelberg (1816-1818), puis à Berlin, où il mourut du choléra. Princ. œuvres : *Phénoménologie de l'esprit* (1807), *Science de la logique* (1812-1816), *Principes de la philosophie du droit* (1821).

Friedrich **Hegel**

Martin **Heidegger**

hégélianisme n. m. PHILO Doctrine de Hegel. – Mouvement de pensée issu de la philosophie de Hegel.

ENCYCL S'opposant au dualisme de Kant, pour qui l'esprit et la nature sont extérieurs l'un à l'autre, Hegel cherche à montrer que l'esprit est intérieur, immanent à la nature et à l'histoire, laquelle est l'histoire de la réalisation de l'esprit : *« Tout ce qui est rationnel est réel et, réciproquement, tout ce qui est réel est rationnel. »* L'esprit, principe moteur du monde, se manifeste historiquement, selon un processus dialectique : tour à tour, il se nie dans ce qui est autre que lui (la matière, par ex.) et s'affirme; il se dépasse en se conservant *(aufheben)*. La dialectique hégélienne est souvent représentée comme la réalisation par l'esprit de la triade : *thèse* (toute réalité se pose d'abord en soi), *antithèse* (elle se développe ensuite hors de soi), *synthèse* (elle retourne en soi comme négation de la négation, réconciliant les contraires au sein d'une réalité plus haute); mais elle ne se limite pas au processus de cette triade, elle se veut une saisie progressive de la totalité des choses : une réalité quelconque ne se comprend que dans sa liaison avec toutes les autres (on ne peut séparer la logique de la science, la forme du contenu, etc.); en outre, elle doit rentrer dans *« le cercle du savoir absolu »*, qui est à la fois le recensement de tout le savoir humain et la représentation de l'ultime vérité : *« La philosophie a le même contenu et la même fin que l'art et la religion; mais elle est la façon la plus haute d'appréhender l'idée absolue, parce que son mode de saisie : le concept, est le plus élevé »* *(Science de la logique)*. Princ. œuvres : *Phénoménologie de l'esprit* (1807), *Science de la logique* (1812-1816), *Principes de la philosophie du droit* (1821). Ses cours ont été publiés après sa mort : *Philosophie de l'histoire, Esthétique, Philosophie de la religion, Histoire de la philosophie.*Parmi les diverses interprétations qui ont été données du système de Hegel, on distingue celle des hégéliens dits *orthodoxes* (Rosenkranz, Biedermann, Fischer, Zeller, etc.), celle des hégéliens « de gauche », ou *jeunes hégéliens* (Feuerbach, Strauss, Bauer), celle des *néo-hégéliens*, « de droite » (Spaventa, Croce, Gentile, Stirling, etc.). La pensée de Marx et, après lui, tout le matérialisme dialectique, dans leur opposition même à l'idéalisme hégélien, peuvent néanmoins être considérés comme les héritiers directs de Hegel.

hégélien, enne adj. et n. PHILO Qui appartient à la doctrine hégélienne. *L'idéalisme hégélien.* ▷ Subst. Partisan de Hegel. *Un(e) hégélien(ne).*

hégémonie n. f. **1.** ANTIQ GR Suprématie exercée par une cité sur un groupe d'autres cités. *Athènes, Sparte, puis Thèbes luttèrent pour conquérir l'hégémonie de la Grèce.* **2.** Mod., didac. Suprématie, domination. *L'hégémonie des grandes puissances.*

hégémonique adj. Didac. Qui a rapport à l'hégémonie.

hégémonisme n. m. POLIT Système reposant sur l'hégémonie; tendance à l'hégémonie.

hégire n. f. Ère des musulmans, qui commence en 622 de l'ère chrétienne, date du départ de Mahomet de La Mecque pour Médine.

Heiberg (Peter Andreas) (Vordingborg, 1758 – Paris, 1841), écrivain danois. Il critiqua, dans ses pamphlets et ses satires, tous les milieux sociaux, notam. la noblesse : *les Aventures d'un billet de banque* (roman-feuilleton, 1787-1793, *les « Van » et les « Von »* (1793). Installé à Paris, il fut, sous l'Empire, le secrétaire de Talleyrand. – **Johan Ludvig** (Copenhague, 1791 – Bonderup, 1860), fils du préc.; critique (influencé par Hegel) et auteur de vaudevilles et de pièces romantiques : *les Inséparables* (1827), *la Colline aux elfes* (1828).

Heidegger (Martin) (Messkirch, Bade, 1889 – id., 1976), philosophe allemand. Dans *l'Être et le Temps* (1927), son ouvrage princ., il a développé les thèmes de l'angoisse, du néant, de l'engagement dans le monde, en rejetant la perspective philosophique « humaniste ». Pour lui, l'objet essentiel de la philosophie n'est pas l'homme, mais l'Être, notion malaisée à définir, mais qui ne peut, semble-t-il, être ramenée à l'idée de Dieu. Le questionnement central de Heidegger est : que signifie, pour une chose qui est, pour l'« étant » (homme, animal, plante, idée), le fait d'être? Son œuvre, difficile d'accès, a exercé une très grande influence sur la philosophie contemp. (Sartre), voire sur la poésie (cf. ses commentaires sur Hölderlin). Son adhésion momentanée au nazisme a provoqué des polémiques.

Heidelberg, v. résidentielle d'Allemagne (Bade-Wurtemberg), sur le Neckar; 136 230 hab. – Université célèbre, fondée en 1386, haut lieu de la Réforme au XVIe s. Chât. (XVe, XVIe et XVIIe s.). Maisons anciennes.

Heidenstam (Verner von) (Olshammar, près d'Örebro, 1859 – Stockholm, 1940), écrivain suédois d'inspiration romantique (*Hans Alienus*, roman en vers, 1890) et patriotique (*les Carolins*, nouvelles, 1897-1898). P. Nobel 1916.

Heifetz (Jascha) (Vilna, auj. Vilnius, 1899 - Los Angeles, 1987), violoniste américain d'origine russe. Enfant prodige (il donna ses premiers concerts à dix ans, à Saint-Pétersbourg), interprète à la technique exceptionnelle, il mena, à partir de 1917, une carrière internationale.

Heilbronn, v. d'Allemagne (Bade-Wurtemberg), port sur le Neckar; 111 710 hab. Constr. mécaniques; produits chimiques.

Heilongjiang. V. Amour.

Heilongjiang, prov. de la Chine du N.-E., limitrophe de la Russie, dont elle est séparée par l'Amour (*Heilongjiang* en chinois), et de la Mongolie; 463 600 km^2; 33 110 000 hab.; ch.-l. *Harbin*. - Montagneuse au N. et à l'O. (Petit Khingan, Grand Khingan), plaine fertile à l'E. (soja, céréales), cette prov. a un sous-sol riche en houille et en fer (sidérurgie). - Partie de l'anc. Mandchourie, la rég., occupée par les Japonais de 1932 à 1945, fut incluse dans le Mandchoukouo.

hein interj. Fam. **1.** (Pour signifier à un interlocuteur que l'on n'a pas, que l'on a mal compris ses propos, ou pour manifester une certaine impatience.) *Hein? qu'est-ce que tu dis?* **2.** (Renforçant une interrogation.) *Qu'est-ce que tu veux, hein?* **3.** (Accompagnant un énoncé exclamatif ou interrogatif et renforçant un ordre, une menace ou l'expression d'un sentiment tel que l'étonnement, la colère, la joie, le désir d'être approuvé, etc.) *Et ne recommence pas, hein!*

Heine (Heinrich) (Düsseldorf, 1797 - Paris, 1856), poète lyrique allemand. Il publia, en 1826, son *Voyage dans le Harz* et, en 1827, *le Livre des chants*, qui établirent sa réputation. En 1831, il s'installa à Paris où il devint le correspondant de *la Gazette d'Augsbourg*. Nourri du rationalisme français, il a donné une forme classique au romantisme. Ses lieder et ballades comptent parmi les plus beaux poèmes de la langue allemande (*la Lorelei, les Tisserands de Silésie*, etc.).

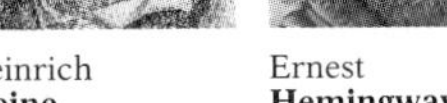

Heinrich **Heine**

Ernest **Hemingway**

Heinemann (Gustav) (Schwelm, Westphalie, 1899 - Essen, 1976), homme politique allemand. Militant protestant antinazi, chrétien-démocrate puis social-démocrate, il fut président de la R.F.A. de 1969 à 1974.

Heinkel (Ernst) (Grunbach, Wurtemberg, 1888 - Stuttgart, 1958), ingénieur et industriel allemand; constructeur d'avions utilisés notam. pendant la Seconde Guerre mondiale.

Heinsius (Anthonie) (Delft, 1641 - La Haye, 1720), grand pensionnaire de Hollande (1689-1720). Hostile à Louis XIV, il fut l'âme de la grande alliance de La Haye (1701), lors de la guerre de la Succession d'Espagne.

Heisenberg (Werner) (Würzburg, 1901 - Munich, 1976), physicien allemand; connu pour ses travaux sur la mécanique quantique de l'atome. P. Nobel 1932. ▷ PHYS NUCL *Principe d'incertitude de Heisenberg* : il n'est pas possible de mesurer simultanément avec précision la position et la vitesse (donc la quantité de mouvement) d'une particule atomique; la même indétermination existe à propos de l'énergie et de la durée de l'expérience.

Hekla, volcan actif du sud de l'Islande, à l'E. de Reykjavik; 1 447 m.

Hel, petit port de pêche polonais, au bout de la *presqu'île de Hel*, près de Gdańsk. Ce fut le dernier foyer de la résistance polonaise à l'invasion allemande en sept. 1939.

hélas! [elas] interj. (Exprime la plainte, la tristesse, le désespoir, la commisération, le regret ou le déplaisir.) *Il a, hélas! perdu toute sa famille. - Hélas! il ne lui reste plus rien!*

Helder (Le) (en néerl. *Den Helder*), v. des Pays-Bas (Hollande-Septentrionale), sur le détroit de Marsdiep, à l'entrée de la mer des Wadden; 62 370 hab. Pêche. Constr. navales. Base navale militaire.

Helena, v. des É.-U., cap. du Montana, dans les Rocheuses, à 1 400 m d'alt.; 24 500 hab.

Hélène (sainte), en lat. *Flavia Julia Helena* (Drepanum, près de Nicomédie, en Bithynie [auj. Izmit, en Turquie], v. 247 - Nicomédie [?], v. 328), mère de l'empereur Constantin le Grand. Convertie au christianisme, elle fit effectuer à Jérusalem des fouilles qui auraient permis de retrouver la vraie Croix.

Hélène, dans la myth. gr., fille de Léda, sœur de Castor et de Pollux. Épouse de Ménélas, célèbre par sa beauté, elle fut enlevée par le Troyen Pâris, ce qui provoqua la guerre de Troie. Immortalisée par l'*Iliade* d'Homère.

hélépole n. f. ANTIQ Grande tour mobile, machine de guerre utilisée pour s'élever à la hauteur des remparts ennemis.

héler ['ele] v. tr. [**14**] **1.** MAR Vx Appeler à l'aide d'un porte-voix. **2.** *Par ext.* Appeler de loin. *Héler un taxi.*

Helgoland ou **Héligoland,** îlot allemand, au large de l'estuaire de l'Elbe. Import. base de sous-marins pendant les deux guerres mondiales, démantelée après 1945. - D'abord danois (1714-1807), l'îlot fut annexé par la G.-B. (1807-1890), qui le céda ensuite à l'Allemagne.

Héli ou **Éli** (XIe s. av. J.-C.), personnage biblique. Grand prêtre des Juifs, il éleva Samuel enfant.

hélianthe n. m. Plante originaire d'Amérique (fam. composées), à grands capitules jaunes. *Le tournesol et le topinambour sont des hélianthes.*

hélianthème n. m. Plante ornementale à tige grêle et à grandes fleurs blanches ou jaunes.

hélianthine n. f. CHIM Colorant synthétique utilisé comme indicateur en acidimétrie. (L'hélianthine vire au rose pour des valeurs de pH inférieures à 3,7, au jaune orangé pour des valeurs supérieures.) Syn. méthylorange.

Hélias (Pierre Jakez) (Pouldreuzic, 1914 - Quimper, 1995), écrivain français, d'expression française et bretonne. Le récit de son enfance en pays bigouden (*le Cheval d'orgueil*, 1975) rencontra un écho considérable et popularisa le genre de l'« histoire de vie ».

hélicase n. f. BIOL Enzyme qui ouvre la double hélice d'A.D.N. en séparant de façon transitoire les deux chaînes qui la forment.

hélice n. f. **1.** GEOM Courbe engendrée par une droite s'enroulant régulièrement sur un cylindre. *Pas, spires d'une hélice.* **2.** ARCHI Petite volute d'un chapiteau corinthien. **3.** Organe de propulsion ou de traction constitué par deux, trois ou quatre pales en forme d'hélicoïde, fixées sur un élément moteur. *Hélice de navire, d'avion. Hélice à pas variable.* ▷ Cour. Élément constitué de pales reliées à un axe. *Hélice d'un ventilateur. Hélice et grille d'un presse-purée.* ▷ *Escalier en hélice*, en spirale.

héliciculture n. f. Didac. Élevage des escargots.

hélicoïdal, ale, aux adj. **1.** Didac. En forme d'hélice ou d'hélicoïde. **2.** MECA *Mouvement hélicoïdal* : mouvement d'un solide qui tourne autour d'un axe avec une vitesse angulaire constante, tout en étant animé d'un mouvement de translation uniforme parallèlement à cet axe.

hélicoïde adj. et n. m. **1.** adj. Didac. En forme d'hélice. **2.** n. m. Surface engendrée par une ligne animée d'un mouvement hélicoïdal.

hélicon n. m. MUS Volumineux instrument à vent de la famille des cuivres, à embouchure et à pistons, constituée d'un tube conique enroulé en spirale que l'on peut passer autour du tronc et appuyer sur l'épaule.

► pl. instruments de **musique**

Hélicon, montagne de Grèce (1 748 m), en Béotie. - Dans l'Antiquité, le mont était consacré au culte d'Apollon et des Muses.

hélicoptère n. m. Appareil plus lourd que l'air dont la sustentation et la propulsion sont assurées par une ou plusieurs voilures tournantes (ou *rotors*).

ENCYCL La voilure d'un hélicoptère est mise en mouvement par un moteur (à explosion ou à turbine). L'effet de réaction de la voilure sur le fuselage est compensé par un rotor de queue, par un gouvernail de direction ou par la présence de deux voilures *contrarotatives* (« qui tournent en sens inverse »). Le pilotage s'effectue grâce à trois commandes : la commande cyclique de variation de pas, pour le vol en translation; la commande collective de variation de pas, pour le vol vertical; le palonnier, qui agit sur le rotor de queue ou le gouvernail. La fabrication des hélicoptères fait de plus en plus appel aux matériaux composites.

hélicoptère de type Alouette

-hélie, hélio-. Éléments, du gr. *hêlios*, « soleil ».

héliée n. f. ANTIQ GR Tribunal populaire qui, dans l'anc. Athènes, était ouvert à tous, en plein air, et jugeait la plupart des procès, excepté les affaires relevant de l'Aréopage.

héligare n. f. Rare Aérogare pour hélicoptères.

Héligoland. V. Helgoland.

Hélinand de Froidmont (Pronleroy, v. 1170 - abb. de Froidmont, près de Beauvais, v. 1230), moine et trouvère picard *(les Vers de la mort)*.

hélio-. V. -hélie.

hélio n. f. Abrév. de *héliogravure*.

héliocentrique adj. ASTRO Qui prend le Soleil comme centre de référence (par oppos. à *géocentrique*).

héliocentrisme n. m. ASTRO Système cosmologique qui prend le Soleil, et non la Terre, comme centre de référence (opposé à *géocentrisme*). *Copernic fut l'initiateur de l'héliocentrisme.*

héliodore n. m. MINER Pierre fine, variété de béryl jaune.

Héliodore (m. v. 175 av. J.-C.), ministre du roi de Syrie Séleucos IV Philopator. Il voulut piller le temple de Jérusalem (Bible, IIe livre des Maccabées), mais en fut miraculeusement empêché.

Héliodore (Émèse, Syrie, IIIe ou IVe s. apr. J.-C.), romancier grec : *les Éthiopiques* ou *Théagène et Chariclée* (en 10 livres).

Héliogabale. V. Élagabal.

héliographie n. f. IMPRIM Procédé photographique de gravure.

héliograveur, euse n. TECH Personne qui pratique l'héliogravure.

héliogravure n. f. TECH **1.** Procédé d'impression utilisant des plaques ou des cylindres gravés en creux. - Gravure photomécanique en creux. **2.** Illustration, image obtenue par ce procédé. (Abrév. : hélio). ► illustr. **imprimerie**

héliomarin, ine adj. MED Qui utilise simultanément l'action thérapeutique des rayons du soleil et de l'air marin.

hélion n. m. PHYS NUCL Noyau de l'atome d'hélium, appelé aussi *particule alpha*. (V. encycl. hélium.)

Hélion (Jean) (Couterne, Orne, 1904 - Paris, 1987), peintre français. Il participa à la création du groupe « Abstraction-Création » (1931), avant d'évoluer vers une représentation figurative de la nature et de la vie quotidienne. Série des *Journaliers* (1948), des *Marchés* (1973-1976).

héliophysique n. f. Étude des phénomènes physiques liés à l'énergie solaire.

héliophyte n. f. BOT Plante qui ne se développe qu'au soleil.

Héliopolis. V. Baalbek.

Héliopolis, fbg N.-E. du Caire. - Dans l'Antiquité, grand centre religieux consacré aux cultes d'Aton et de Rê ; obélisque de Sésostris Ier. - Victoire de Kléber sur les Turcs en 1800.

Hélios ou **Hêlios,** dans la myth. gr., dieu du Soleil ; fils d'Hypérion et de Théia.

héliosphère n. f. ASTRO Domaine magnétique du Soleil, dont le champ s'excerce sur le système solaire avec une intensité supérieure à celle du champ interstellaire.

héliostat [eljɔsta] n. m. **1.** ASTRO Appareil, servant à l'observation du Soleil, formé d'un miroir mobile mû par un mécanisme d'horlogerie et qui maintient invariable la direction des rayons solaires qu'il réfléchit sur une lunette fixe. *Héliostat de Silbermann, de Foucault.* **2.** TECH Miroir mobile qui capte l'énergie solaire. *Héliostats plans, focalisants.*

héliosynchrone adj. ESP Se dit d'un satellite de la Terre qui décrit une orbite à ensoleillement constant (le plan de l'orbite fait un angle constant avec la droite Terre-Soleil).

héliothérapie n. f. MED Traitement de certaines maladies par exposition aux rayons ultraviolets solaires ou artificiels.

héliothermie n. f. TECH Utilisation de la chaleur produite par l'énergie solaire.

héliothermique adj. TECH Qui capte, utilise l'énergie solaire. *Centrale, usine héliothermique.*

héliotrope n. m. et adj. **1.** Plante vivace (fam. borraginacées) à fleurs odorantes, commune dans les régions chaudes et tempérées. ▷ adj. *Plante héliotrope,* dont la fleur se tourne vers le soleil. **2.** MINER Calcédoine verte veinée de rouge.

héliotropine n. f. CHIM Composé obtenu à partir de l'essence de sassafras, utilisé en parfumerie pour son odeur d'héliotrope. Syn. pipéronal.

héliotropique adj. Didac. Relatif à l'héliotropisme.

héliotropisme n. m. Syn. de *phototropisme*. V. ce mot et tropisme.

héliport n. m. Aéroport ou partie d'aéroport qui reçoit des hélicoptères effectuant des vols commerciaux.

héliportage n. m. Transport par hélicoptère.

héliporté, ée adj. Qui est transporté par hélicoptère ; qui est réalisé grâce au concours d'un hélicoptère. *Troupes héliportées. Secours héliportés.*

hélitreuillage n. m. TECH Levage, par hélicoptère, d'une charge ou d'une personne au moyen d'un treuil.

hélitreuiller v. tr. [1] TECH Lever par hélitreuillage.

hélium [eljɔm] n. m. CHIM Élément de numéro atomique Z = 2 et de masse atomique 4,0026 (symbole He). - Gaz rare (He) de l'air, qui se liquéfie à - 268,93 °C et se solidifie à - 272,2 °C sous 26 bars.

ENCYCL L'existence de l'hélium a été découverte en 1868, lors d'une éclipse, par Lockyer qui étudiait les raies du spectre solaire. Auj., l'hélium est principalement utilisé, comme fluide produisant une très basse température, dans la fabrication de mélanges respiratoires à la place de l'azote, comme agent de transfert de chaleur, dans les réacteurs nucléaires et, en tant que gaz inerte, dans la métallurgie. Les rayons α obtenus dans les transmutations radioactives sont des noyaux d'hélium, ou *hélions*.

hélix n. m. **1.** ANAT Repli bordant le pavillon de l'oreille externe. **2.** ZOOL Nom scientif. de l'escargot.

Hellade (en gr. *Hellas, Hellados*), nom anc. d'une région de la Grèce (le sud de la Thessalie chez Homère), qui s'est ensuite étendu à la Grèce tout entière.

hellébore. V. ellébore.

Hellemmes-Lille, anc. com. du Nord, annexée à Lille en 1977.

Hellen, dans la myth. gr., fils de Deucalion et de Pyrrha ; ancêtre éponyme des Hellènes ou Grecs. Ses fils auraient été à l'origine des princ. tribus de la Grèce antique (Doriens, Éoliens, Achéens, Ioniens).

hellène n. et adj. **1.** Habitant ou personne originaire de la Grèce ancienne *(Hellade* ou *Hellas)* ou moderne. *Les Hellènes.* ▷ adj. *Tribu, peuple hellène.* **2.** Vx Païen, pour les Pères de l'Église.

hellénique adj. Qui appartient, qui a rapport à la Grèce, à sa civilisation, à sa langue. *Cité hellénique. Études helléniques.*

hellénisant, ante n. et adj. **1.** Didac. Personne qui s'occupe d'études grecques, qui étudie la langue grecque. ▷ adj. *Érudit hellénisant.* **2.** HIST Juif de la diaspora qui pratiquait la langue grecque et non l'araméen. - *Par ext.* Juif qui avait adopté la culture grecque.

hellénisation n. f. Didac. Action d'helléniser.

helléniser v. [1] **1.** v. tr. Didac. Donner le caractère grec à. *Helléniser une contrée.* **2.** v. intr. Rare Se livrer à l'étude du grec.

hellénisme n. m. **1.** HIST Civilisation de la Grèce ancienne. - Influence que cette civilisation a exercée sur les peuples non grecs, particulièrement après la mort d'Alexandre (323 av. J.-C.). **2.** LING Forme particulière à la langue grecque.

helléniste n. Didac. **1.** Érudit qui étudie la langue, la culture et la civilisation de la Grèce ancienne. **2.** Personne de langue grecque, faisant partie des premiers chrétiens.

hellénistique adj. Didac. **1.** Relatif aux Juifs hellénisants, à leur langue. *Dialecte hellénistique* : grec mêlé d'hébraïsmes. **2.** Se dit de tout ce qui concerne l'histoire grecque (langue, art, civilisation), depuis la mort d'Alexandre jusqu'à la conquête romaine.

ENCYCL À partir de 338 av. J.-C. (victoire de Philippe de Macédoine à Chéronée), la Grèce perd son importance politique par rapport à la Macédoine puis aux royaumes orientaux, de culture grecque, fondés après les conquêtes d'Alexandre. La civilisation grecque se diffuse alors du golfe de Ligurie à l'Inde, de l'Ister (Danube) à l'Égypte. Par le contact des éléments grecs et indigènes, l'hellénisme se transforme et donne naissance à une forme de civilisation complexe que les historiens modernes appellent la civilisation hellénistique. Athènes demeure la capitale spirituelle de la Grèce, mais la Grèce a été dévastée par les guerres des cités, et l'axe économique du monde grec se déplace vers l'Orient : Rhodes, Byzance, Éphèse, Antioche, Séleucie du Tigre, Pergame et singulièrement Alexandrie d'Égypte deviennent les foyers de la vie écon. et intel. On voit s'épanouir un art naturaliste parfois violent. La doctrine d'Épicure de Samos et celle de Zénon de Cittium, fondateur du stoïcisme, s'imposent aux esprits cultivés. Les progrès des sciences exactes, en mathématiques avec Euclide et Archimède de Syracuse, en astronomie avec Aristarque de Samos et Hipparque de Nicée, en médecine avec Hérophile et Érasistrate, sont considérables. L'architecture et l'urbanisme connaissent également un grand épanouissement.

Hellens (Frédéric Van Ermenghem, dit Franz) (Bruxelles, 1881 - id., 1972), écrivain belge d'expression française; cofondateur de la revue *le Disque vert* (1920). Romans : *la Femme partagée* (1929), *Naître et Mourir* (1946), etc. Poèmes : *Miroirs conjugués* (1950), *Fabulaire* (1964).

Hellespont, nom donné par les Anciens aux Dardanelles*.

Hellman (Lillian) (La Nouvelle-Orléans, 1905 - Vineyard Haven, Massachusetts, 1984), écrivain américain. Son œuvre dramatique pose un regard critique sur la «face cachée de l'Amérique» (*les Petits Renards*, 1939).

Helmholtz (Hermann Ludwig Ferdinand von) (Potsdam, 1821 - Charlottenburg, 1894), physiologiste et physicien allemand; connu pour ses travaux sur la vue, l'ouïe, les muscles et les fibres nerveuses. Il expliqua l'origine du timbre des sons et élabora la théorie de la réversibilité des piles électriques.

helminthe n. m. ZOOL, MED Ver parasite de l'intestin de l'homme et des animaux.

helminthiase n. f. MED Maladie causée par la présence d'helminthes dans l'intestin.

Helmond, v. des Pays-Bas (Brabant-Septentrional); 65 310 hab. Textiles. - Chât. du XIIIe s.

hélobiales ou **hélobiées** n. f. pl. BOT Ordre de plantes monocotylédones aquatiques proches des polycarpiques (renoncules). *L'ordre des hélobiales constitue la charnière entre les dicotylédones et les monocotylédones.* - Sing. *Une hélobiale* ou *hélobiée.*

hélodée. V. élodée.

héloderme n. m. ZOOL Saurien d'Amérique (genre *Heloderma*), long de 70 cm, marbré, le seul lézard venimeux. Syn. monstre de Gila.

héloderme à queue courte

Héloïse (Paris, 1101 - couvent du Paraclet, près de Nogent-sur-Seine, 1164), nièce du chanoine Fulbert, célèbre par son amour pour son précepteur Abélard, qu'elle épousa en secret et dont elle eut un fils. Après leur séparation, elle entra au couvent. La correspondance en latin d'Héloïse et d'Abélard fut traduite en 1870.

hélophyte n. f. BOT Nom générique des plantes des marécages dont les bourgeons restent enfouis dans la vase pendant la mauvaise saison.

Helouan (en ar. *Ḥulwān*), v. d'Égypte, près du Caire; 204 000 hab. Industr. sidér. et auto.; superphosphates. Stat. thermale.

Helsingborg. V. Hälsingborg.

Helsingør. V. Elseneur.

Helsinki (en suédois *Helsingfors*), cap. de la Finlande, port sur le golfe de Finlande; 497 640 hab. Princ. centre écon. du pays : constr. mécaniques; industr. chimiques et alimentaires, etc. - Évêché cathol. Université. Musées. Stade olympique. - *Accords d'Helsinki* : accords signés en 1975, au terme d'une conférence sur la sécurité et la coopération en Europe, et portant notam. sur la libre circulation des hommes et des idées dans toute l'Europe, U.R.S.S. et démocraties populaires comprises.

helvelle n. f. Champignon des bois comestible dont le chapeau membraneux, très ondulé, a des lobes irrégulièrement rabattus sur le pied.

helvète adj. De l'Helvétie, des Helvètes.

Helvètes, anc. habitants de l'Helvétie. Vers 58 av. J.-C., sous la pression des Germains, ils voulurent s'installer en Gaule celtique. Ce fut le prétexte saisi par J. César pour intervenir en Gaule.

Helvétie, prov. de l'anc. Gaule, correspondant à peu près à la Suisse actuelle.

helvétique adj. De la Suisse.

helvétisme n. m. LING Manière de s'exprimer, tournure propres aux Suisses de langue française.

Helvétius (Claude Adrien) (Paris, 1715 - Versailles, 1771), philosophe français; mécène des encyclopédistes. Son ouvrage *De l'esprit* (1758), qui défend une philosophie matérialiste, un athéisme radical, une morale utilitariste et l'égalité naturelle des hommes, fut condamné par le Conseil du roi et le parlement de Paris. *De l'homme, de ses facultés intellectuelles et de son éducation* fut publié après sa mort, en 1772.

hem ! [ʼɛm, hɛm] interj. (Employée pour attirer l'attention ou pour exprimer le doute, l'embarras, la défiance.)

Hem, com. du Nord (arr. de Lille), dans la banlieue S. de Roubaix; 20 254 hab.

héma-, hémat(o)-, hémo-. Éléments, du gr. *haima, haimatos,* «sang».

hémarthrose n. f. MED Épanchement de sang dans une cavité articulaire.

hémat(o)-. V. héma-.

hématémèse n. f. MED Vomissement de sang provenant des voies digestives, d'origine diverse (ulcère gastro-duodénal, cirrhose, gastrite hémorragique).

hématie n. f. PHYSIOL Globule rouge du sang, cellule dépourvue de noyau, dérivant de l'érythroblaste médullaire, et dont la fonction essentielle est d'assurer le transport de l'oxygène. *La durée de vie de l'hématie est de 120 jours.* (V. encycl. sang.) ► illustr. **sang**

hématine n. f. BIOCHIM Partie de l'hémoglobine qui renferme du fer à l'état de fer trivalent. (V. hème et porphyrine.)

hématique adj. PHYSIOL Qui a rapport au sang.

hématite n. f. MINER Oxyde de fer trivalent naturel brun-rouge. (L'hématite anhydre Fe_2O_3, ou *oligiste,* et l'hématite hydratée $2Fe_2O_3, 3H_2O$, ou *limonite,* sont exploitées comme minerais de fer.)

Helsinki : la cathédrale Saint-Nicolas

hématoblaste n. m. PHYSIOL Cellule jeune, médullaire, de la lignée sanguine.

hématocrite n. m. MED Pourcentage des volumes globulaires par rapport au volume sanguin total, qui s'abaisse en cas d'anémie.

hématogène adj. PHYSIOL Qui est d'origine sanguine.

hématologie n. f. MED Branche de la médecine qui étudie le sang sur le plan histologique, fonctionnel et pathologique.

hématologique adj. MED Relatif à l'hématologie.

hématologiste ou **hématologue** n. Didac. Médecin spécialiste d'hématologie.

hématome n. m. MED Collection sanguine bien délimitée, consécutive à la rupture d'un vaisseau. *Hématome cutané, intracérébral.*

hématopoïèse [ematopɔjɛz] n. f. PHYSIOL Formation des cellules sanguines (hématies, leucocytes, plaquettes), qui s'opère dans la moelle osseuse (et dans les ganglions, pour certains lymphocytes).

hématopoïétique adj. PHYSIOL Relatif à la production des cellules sanguines. *Organes hématopoïétiques.*

hématose n. f. PHYSIOL Conversion du sang veineux en sang artériel oxygéné, par échange gazeux au niveau des alvéoles pulmonaires.

hématozoaire n. m. ZOOL, MED Parasite animal vivant dans le sang. - *Spécial.* Plasmodium du paludisme.

hématurie n. f. MED Présence de sang dans les urines en quantité macroscopique ou microscopique, pouvant témoigner d'une affection du bas appareil urinaire (vessie, urètre) ou des reins (lithiase, tumeur, atteinte des glomérules rénaux).

hème n. m. BIOCHIM Partie de l'hémoglobine, formée par la porphyrine cyclique et par du fer bivalent, au niveau duquel se fixe l'oxygène. Syn. hématine réduite.

Hemel Hempstead, v. de G.-B. (Hertfordshire), au N.-O. de Londres, récemment développée; 77 580 hab. Constr. électriques. - Égl. romane.

héméralopie n. f. MED Baisse anormalement forte de la vision lorsque la lumière diminue.

hémérocalle n. f. BOT Plante ornementale à bulbe (fam. liliacées), cultivée pour ses fleurs diversement colorées.

hémi-. Élément, du gr. *hêmi,* «à moitié».

hémianopie ou **hémianopsie** ou **hémiopie** n. f. MED Diminution ou perte totale de la vue affectant une moitié du champ visuel.

hémicordés n. m. pl. ZOOL Embranchement d'animaux proches des procordés, au corps divisé en trois segments, qui présentent des ouvertures branchiales et un rudiment de corde dorsale. *Les entéropneustes sont des hémicordés.* - Sing. *Un hémicordé.*

hémicycle n. m. Salle, espace semi-circulaire généralement entouré de gradins. *L'hémicycle de l'Assemblée nationale.*

hémicylindrique adj. Didac. Qui a la forme d'un demi-cylindre.

hémièdre ou **hémiédrique** adj. MINER Qui présente les caractères de l'hémiédrie.

hémiédrie n. f. MINER Caractère de certains cristaux qui ne présentent de modifications que sur la moitié des arêtes ou des angles semblables, et non sur tous, par exception à la loi de symétrie cristalline.

Hemingway (Ernest Miller) (Oak Park, Illinois, 1899 - Ketchum, Idaho, 1961), romancier américain. Son œuvre, dont l'efficacité procède d'un style immédiat, journalistique, transpose sur un mode héroïque l'expérience intime de l'échec, de la fugacité du bonheur et de la certitude de la mort : *Le soleil se lève aussi* (1926); *l'Adieu aux armes* (1929); *Mort dans l'après-midi* (1932); *Pour qui sonne le glas* (1940); *le Vieil Homme et la mer* (1952). P. Nobel 1954. ► illustr. page **883**

hémione n. f. ZOOL Équidé asiatique sauvage *(Equus hemionus)* qui ressemble à la fois au cheval et à l'âne. *Les hémiones ont une robe isabelle et atteignent 1,25 m au garrot.*

hémiopie. V. hémianopie.

hémiparasite n. m. et adj. BOT Plante parasite qui effectue sa propre photosynthèse. - adj. *Le gui est hémiparasite.*

hémiplégie n. f. MED Paralysie, complète ou incomplète, frappant une moitié du corps à la suite d'une lésion des centres moteurs ou du faisceau pyramidal, et dont les causes peuvent être fort diverses (vasculaires, tumorales, infectieuses, etc.).

hémiplégique adj. et n. MED **1.** adj. Qui se rapporte à l'hémiplégie. **2.** n. Personne atteinte d'hémiplégie.

hémiptères n. m. pl. ENTOM Anc. nom des hétéroptères.

hémisphère n. m. **1.** Moitié d'une sphère. ▷ ASTRO Moitié du globe d'une planète, en partic. de la Terre. *L'hémisphère Nord* (ou *boréal*). *L'hémisphère Sud* (ou *austral*). ▷ PHYS *Hémisphères de Magdeburg* : hémisphères creux à l'intérieur desquels on fait le vide avant de mesurer la force d'arrachement (expérience réalisée à Magdeburg en 1654 par Otto von Guericke pour prouver l'existence de la pression atmosphérique). **2.** ANAT *Hémisphères cérébraux* : les deux moitiés symétriques, droite et gauche, du cerveau.

hémisphérique adj. Qui a la forme d'une moitié de sphère.

hémistiche n. m. VERSIF Chacune des deux moitiés d'un vers (spécial. d'un alexandrin) coupé par une césure. ▷ *Par ext.* Césure du milieu du vers, entre deux mots. *Césure à l'hémistiche.*

hémo-. V. héma-.

hémocompatible adj. MED **1.** Qui n'altère pas le sang. **2.** Dont le groupe sanguin est compatible avec un autre.

hémoculture n. f. MED Culture bactériologique d'une certaine quantité de sang prélevée chez un sujet, en vue de déterminer les microbes susceptibles de s'y trouver.

hémocytoblaste n. m. BIOL Grande cellule de la moelle osseuse aux fonctions hématopoïétiques. *Les érythroblastes, les leucoblastes, etc., sont des hémocytoblastes.*

hémodialyse n. f. MED Méthode thérapeutique de purification du sang permettant d'éliminer les déchets toxiques (urée) qu'il renferme en le filtrant à travers une membrane sélective.

hémodilution n. f. MED Dilution du sang circulant, qui se produit en cas d'afflux des liquides interstitiels vers le sang ou de perfusion d'une quantité importante de plasma.

hémodynamique n. f. PHYSIOL Étude de l'écoulement du sang dans les vaisseaux en fonction du débit cardiaque.

hémoglobine n. f. BIOCHIM Pigment rouge des hématies des vertébrés qui transporte l'oxygène des alvéoles pulmonaires vers les tissus.

ENCYCL L'hémoglobine est une hétéroprotéine synthétisée par les érythroblastes; elle est constituée d'une partie protéique, la *globine*, et de l'*hème*. La globine est formée de quatre chaînes polypeptidiques identiques deux à deux; chaque chaîne est combinée à une molécule d'hème. La structure spatiale de l'hémoglobine, globuleuse, présente des régions hélicoïdales séparées par des sillons. Les hèmes sont dans des poches situées à la surface de la molécule où se fixe l'oxygène. L'hémoglobine chargée d'oxygène, ou oxyhémoglobine, délivre l'oxygène dans les tissus lorsque la pression partielle d'oxygène est faible.

hémogramme n. m. MED Étude qualitative et quantitative des éléments figurés du sang (globules rouges, globules blancs, plaquettes).

hémolyse n. f. MED Destruction normale ou pathologique des globules rouges.

hémolytique adj. MED **1.** En rapport avec l'hémolyse. *Anémie hémolytique.* **2.** Qui provoque l'hémolyse.

Hémon (Louis) (Brest, 1880 - Chapleau, Canada, 1913), romancier français. Il séjourna au Québec : *Maria Chapdelaine, récit du Canada français* (posth., 1916), *Monsieur Ripois et la Némésis* (posth., 1950).

hémopathie n. f. MED Terme générique désignant toutes les maladies du sang (anémies, leucémies, etc.).

hémophile adj. et n. MED Atteint d'hémophilie. - Subst. *Un(e) hémophile.*

hémophilie n. f. MED Maladie héréditaire, transmise par les femmes mais n'atteignant que les hommes, due à l'absence de certains facteurs plasmatiques de la coagulation et caractérisée par une tendance aux hémorragies répétées et abondantes.

hémoptysie n. f. MED Expectoration de sang rouge, aéré, venant des voies respiratoires, causée par une tuberculose pulmonaire, une pneumonie, une tumeur, etc.

hémoptysique adj. et n. MED **1.** adj. Qui concerne l'hémoptysie. **2.** n. Malade qui a des hémoptysies.

hémorragie n. f. **1.** Écoulement d'une quantité plus ou moins importante de sang hors d'un vaisseau sanguin. *Hémorragie externe* (hémoptysie, épistaxis), *interne.* **2.** Fig. Déperdition importante. *Hémorragie de capitaux.*

hémorragique adj. MED De l'hémorragie.

hémorroïdaire adj. et n. MED **1.** Qui concerne les hémorroïdes. **2.** Affecté d'hémorroïdes.

hémorroïdal, ale, aux adj. **1.** MED Relatif aux hémorroïdes. **2.** ANAT Se dit des vaisseaux de l'anus ou du rectum.

hémorroïde n. f. (souvent plur.) MED Varice formée par la dilatation des veines de l'anus ou du rectum.

hémostase n. f. MED, CHIR Arrêt spontané ou provoqué d'une hémorragie.

hémostatique adj. et n. m. MED Qui arrête l'hémorragie. *Un médicament hémostatique.* - n. m. *Un hémostatique.*

hémothorax n. m. MED Épanchement de sang dans la plèvre, membrane qui enveloppe les poumons.

hémovigilance n. f. MED Surveillance du sang destiné à la transfusion.

Henan, prov. de Chine, au sud du Huanghe (bassin inférieur); 167 000 km^2; 77 130 000 hab. env.; ch.-l. *Zhengzhou.* - L'O., montagneux (Qinling), s'oppose à l'E., où s'étend une plaine très fertile : céréales, coton, etc. Exploitation de houille et de fer. Sidérurgie.

Hench (Philip Showalter) (Pittsburgh, 1896 - Ocho Rios, Jamaïque, 1965), médecin américain : recherches sur les rhumatismes, l'arthrite et leur traitement par la cortisone. P. Nobel 1950.

Hendaye, ch.-l. de cant. des Pyrénées-Atlantiques (arr. de Bayonne), sur la Bidassoa, à la frontière espagnole; 11 744 hab. Stat. balnéaire à *Hendaye-Plage.* - Église St-Vincent (XVIe-XVIIe s.).

hendéca-. Élément, du gr. *hendeka,* « onze ».

hendécagone n. m. GEOM Polygone qui a onze angles et onze côtés.

hendécasyllabe n. m. VERSIF Vers de onze syllabes.

hendiadyin [ɛ̃djadin] ou **hendiadys** [ɛ̃djadis] n. m. GRAM Figure de rhétorique consistant à exprimer une idée par deux noms reliés par *et,* au lieu de l'exprimer au moyen d'un nom suivi d'un adjectif ou d'un complément déterminatif (ex. *Par la haine et par la jalousie,* au lieu de : *par une haine jalouse*).

Hengelo, v. des Pays-Bas (Overijssel), proche de la frontière allemande; 76 720 hab. Sel gemme.

Hénin-Beaumont, ch.-l. de cant. du Pas-de-Calais (arr. de Lens); 26 494 hab. Anc. centre houiller; Constr. méca. - Résulte de la fusion, en 1970, d'Hénin-Liétard et de Beaumont.

Henlein (Konrad) (Maffersdorf, 1898 - Pilsen [?], 1945), homme politique allemand. Inféodé à Hitler, chef des Allemands des Sudètes (Bohême), il facilita la réunion de cette rég. au Reich (1938). Capturé par les Alliés, il se donna la mort.

Henley (William Ernest) (Gloucester, 1849 - Woking, Londres, 1903), écrivain et journaliste anglais. Dans ses poèmes (*Livres de vers,* 1888; *les Volontaires de Londres,* 1893) et ses ouvrages de critique (*Vers et revues*), il se fit le chantre de l'impérialisme britannique. En 1904, il publia un *Dictionnaire d'argot.*

henné [ʼene] n. m. **1.** Arbuste exotique dont les feuilles fournissent une teinture jaune ou rouge. **2.** Cette teinture, utilisée notam. pour les cheveux.

Hennebique (François) (Neuville-Saint-Vaast, 1842 - Paris, 1921), ingénieur français. Il réalisa en 1898 le premier immeuble en béton armé, à Paris (1, rue Danton, VIe arr.).

Hennebont, ch.-l. de cant. du Morbihan (arr. de Lorient), sur le Blavet; 13 103 hab. Métal.; industr. alim. Haras. - Église N.-D.-du-Paradis (XVe-XVIe s., goth. flamboyant).

Henne-Morte (la), gouffre profond de 446 m, près d'Arbas (Haute-Garonne), exploré pour la première fois par Norbert Casteret en 1940.

Hennig (Willi) (Dürrenhersdorf, Saxe, 1913 - Ludwigsburg, 1976), biologiste allemand. Il est le père du cladisme, méthode comparative de classification développée dans sa *Théorie de la systématique phylogénétique* (1950).

hennin ['ɛnɛ̃] n. m. Anc. Coiffure de femme des XIVe et XVe s., formée d'un haut cône tendu d'étoffe.

hennir ['eniʀ] v. intr. [**3**] Pousser son cri en parlant du cheval.

hennissement n. m. Cri du cheval.

Hénoch. V. Énoch.

ALLEMAGNE

Henri Ier l'Oiseleur (?, v. 876 - Memleben, 936), roi de Germanie (919-936); il combattit les Slaves, les Hongrois et les Danois. Il fonda la dynastie saxonne. – **Henri II le Saint** ou **le Boiteux** (Abbach, Bavière, 973 - Grona, 1024), arrière-petit-fils du préc.; empereur germanique de 1002 à 1024, protecteur du monachisme; canonisé en 1146. – **Henri III le Noir** (?, 1017 - Bodfeld, 1056), empereur de 1039 à 1056; il imposa son autorité et intervint dans les élections pontificales. – **Henri IV** (Goslar [?], v. 1050 - Liège, 1106), fils du préc.; empereur de 1056 à 1106, il fut entraîné dans la *querelle des Investitures** contre Grégoire VII, qui l'excommunia (1076). Il obtint son pardon à Canossa* (1077), puis reprit la lutte contre la papauté. Il fut déposé par son fils. – **Henri V** (?, 1081 - Utrecht, 1125), fils du préc.; empereur de 1106 à 1125, il mit fin à la querelle des Investitures en signant avec Calixte II le concordat de Worms (1122). – **Henri VI le Sévère** ou **le Cruel** (Nimègue, 1165 - Messine, 1197), fils de Frédéric Barberousse; empereur de 1190 à 1197, il poursuivit la polit. de son père. Roi de Sicile (1194) par son mariage avec Constance de Sicile (1186), il dut imposer par la force son autorité sur l'île. – **Henri VII de Luxembourg** (Valenciennes [?], v. 1275 - près de Sienne, 1313), empereur de 1308 à 1313, restaura l'ordre en Allemagne.

ANGLETERRE

Henri Ier Beauclerc (Selby, Yorkshire, 1068 - près de Gisors, 1135), roi d'Angleterre de 1100 à 1135, duc de Normandie (1106-1135); quatrième fils de Guillaume le Conquérant, il succéda à son frère Guillaume le Roux. – **Henri II** (Le Mans, 1133 - Chinon, 1189), roi de 1154 à 1189, duc de Normandie (1150-1189), comte d'Anjou (1151-1189) et duc d'Aquitaine (1152-1189) par son mariage avec Éléonore; fils de Geoffroi Plantagenêt et de Mathilde, fille d'Henri Ier. Il tenta de donner une certaine unité admin. à ses vastes domaines et affirma son autorité sur l'Église, malgré l'opposition de Thomas Becket (assassiné en 1170). Ses fils se révoltèrent contre lui (1173, 1183 et 1186), notam. Jean sans Terre (1188-1189), soutenu par le roi de France. – **Henri III** (Winchester, 1207 - Westminster, 1272), roi de 1216 à 1272, duc d'Aquitaine; fils aîné de Jean sans Terre. Ses barons révoltés, que dirigeait Simon de Montfort, lui imposèrent les *Provisions d'Oxford* (1258). La guerre contre Saint Louis se solda par la perte du Poitou, de la Saintonge et de l'Auvergne (1259). – **Henri IV** (Bolingbroke, 1367 - Westminster, 1413), roi de 1399 à 1413; petit-fils d'Édouard III; fondateur de la dynastie des Lancastres, il détrôna Richard II. – **Henri V** (Monmouth, 1387 - Vincennes, 1422), fils du préc.; roi de 1413 à 1422, il battit les Français à Azincourt (1415). Le traité de Troyes (1420) le fit régent de France et héritier de Charles VI, dont il épousa la fille. – **Henri VI** (Windsor, 1421 - Londres, 1471), fils du préc.; roi de 1422 à 1461. Il perdit toutes ses possessions en France (sauf Calais), ce qui le discrédita, et l'anarchie se développa en Angleterre. Le début de la guerre des Deux-Roses (1455) entraîna sa chute, son incarcération (1466), puis son assassinat. – **Henri VII** (Pembroke, 1457 - Richmond, 1509), roi de 1485 à 1509, le premier souverain de la dynastie des Tudors. Vainqueur de Richard III à Bosworth (1485), il mit fin à la guerre des Deux-Roses et restaura l'ordre et la prospérité. – **Henri VIII** (Greenwich, 1491 - Westminster, 1547), fils du préc.; roi de 1509 à 1547, un des grands princes de la Renaissance. Il suivit une polit. de bascule dans la lutte entre Charles Quint et François Ier. Après avoir rattaché définitivement le pays de Galles au royaume (1536), il se fit proclamer roi d'Irlande (1541). Son règne vit les débuts de l'expansion marit. Rompant avec Rome (le pape refusait d'annuler son mariage avec Catherine d'Aragon, dont il n'avait qu'une fille, alors que le roi voulait un héritier mâle, d'une part, et qu'il désirait, d'autre part, épouser Anne Boleyn, dont il s'était épris), il provoqua un schisme d'où allait naître l'Église anglicane : l'Acte de suprématie (1534) le fit chef de l'Église d'Angleterre. Il épousa successivement six femmes : Catherine d'Aragon, Anne Boleyn, Jane Seymour, Anne de Clèves, Catherine Howard, Catherine Parr. Il fit décapiter Anne Boleyn et Catherine Howard.

Henri VIII

Henri II roi de France

CASTILLE ET LÉON

Henri Ier (?, 1204 - Palencia, 1217), roi de Castille et de Léon de 1214 à 1217; fils d'Alphonse VIII. – **Henri II le Magnifique** (Séville, 1333 - Burgos, 1379), comte de Trastamare, roi de 1369 à 1379. Fils naturel d'Alphonse XI, il battit et tua son frère et rival Pierre le Cruel (vaincu à Montiel en 1369 grâce au soutien de Du Guesclin). – **Henri III le Maladif** (Burgos, 1379 - Tolède, 1406), roi de 1390 à 1406, fils de Jean Ier. – **Henri IV l'Impuissant** (Valladolid, 1425 - Madrid, 1474), roi de 1454 à 1474, fils de Jean II; il dut reconnaître comme héritière sa sœur, Isabelle Ire la Catholique.

CONSTANTINOPLE

Henri de Flandre et Hainaut (Valenciennes, 1174 - Thessalonique, 1216), second empereur latin d'Orient (1206-1216). Il succéda à son frère Baudouin et assura la domination latine.

FRANCE

Henri Ier (?, 1008 - Vitry-aux-Loges, 1060), roi de France (1031-1060), fils de Robert II le Pieux. Il dut donner la Bourgogne en apanage à son frère Robert (1032), qui lui contestait la couronne. Allié, puis adversaire de Guillaume le Conquérant, il fut vaincu par ce dernier (1054 et 1058). Il épousa, en secondes noces, Anne de Kiev (v. 1051). – **Henri II** (Saint-Germain-en-Laye, 1519 - Paris, 1559), roi de 1547 à 1559, fils de François Ier et de Claude de France. Catherine de Médicis, qu'il épousa en 1533, eut peu d'influence sur lui, contrairement à Diane de Poitiers et aux Guises. Il combattit les progrès du calvinisme (édit de Châteaubriant, 1551) et accrut l'autorité royale en affermissant l'admin. de l'État. Poursuivant la lutte contre les Habsbourg, il s'allia aux princes protestants allemands et put ainsi s'emparer des Trois-Évêchés : Metz, Toul et Verdun (1552). Charles Quint essaya en vain de reprendre Metz (1553), mais son fils Philippe II, allié aux Anglais, fut vainqueur à Saint-Quentin (1557). En 1558, les Français prirent Calais, que la paix du Cateau-Cambrésis (1559) leur laissa, ainsi que Saint-Quentin et les Trois-Évêchés; en échange, les Valois renonçaient à leurs prétentions sur l'Italie. Henri II mourut accidentellement, blessé à l'œil par Montgomery dans un tournoi. Son règne vit s'épanouir la Renaissance française. – **Henri III** (Fontainebleau, 1551 - Saint-Cloud, 1589), roi de 1574 à 1589, fils du préc. Élu roi de Pologne (1573), il quitta ce pays pour succéder, en France, à Charles IX. En 1575, il épousa Louise de Lorraine, dont il n'eut aucun enfant. Les guerres de Religion marquèrent le règne de ce prince intelligent et cultivé, entouré de favoris, les «mignons». La paix de Monsieur (1576), signée avec les protestants et suggérée par le parti des *politiques*, cathol. conciliants, provoqua dès 1576 la formation de la Ligue, que mena Henri de Guise. Dès lors, le roi louvoya entre les partis (Henri de Navarre, le futur Henri IV, dirigeait celui des calvinistes), sans réussir à les dominer. L'opposition de la Ligue s'accentua après la mort du frère d'Henri III, le duc d'Alençon (1584), car Henri de Navarre devenait l'héritier présomptif du trône de France; les Guises soutinrent un autre prétendant à la couronne, le cardinal Charles de Bourbon, oncle d'Henri de Navarre. Avec l'appui des Espagnols, ils obligèrent le roi à quitter Paris (journée des Barricades, 1588). Henri III fit assassiner le duc de Guise à Blois (1588) et se rapprocha d'Henri de Navarre, avec qui il assiégea Paris; il fut alors tué par un moine fanatique, Jacques Clément. – **Henri IV** (Pau, 1553 - Paris, 1610), roi de France (1589-1610) et roi de Navarre sous le nom de Henri III (1572-1610); fils d'Antoine de Bourbon et de Jeanne d'Albret. Il reprit la direction de l'Union calviniste après une abjuration forcée lors de la Saint-Barthélemy (1572). Héritier légitime, mais contesté, du trône de France à la mort d'Henri III, il dut conquérir son royaume sur les ligueurs, vaincus à

Henri III roi de France

Henri IV roi de France

Arques (1589) et à Ivry (1590), et sur les Espagnols, vaincus à Fontaine-Française (1595). Après avoir solennellement abjuré le protestantisme (1593), Henri IV put se faire sacrer roi à Chartres, le 27 fév. 1594, et entrer dans Paris le 22 mars suivant. Le pape Clément VIII lui accorda l'absolution en sept. 1595. Le 13 avril 1598, le souverain proclama l'édit de Nantes, qui consacrait la paix religieuse en France ; le 2 mai 1598, il signa la paix de Vervins avec les Espagnols. Roi énergique et habile, Henri IV s'attacha dès lors à affermir son autorité et à donner au pays, ruiné, une économie saine (finances, agric., industr., comm.), aidé en cela par Sully, Laffemas et O. de Serres. En 1601, pour protéger les frontières, il prit à la Savoie la Bresse, le Bugey, le Valromey et le pays de Gex. S'étant allié aux princes allemands protestants, il allait reprendre la lutte (impopulaire) contre les Habsbourg, lorsqu'il fut assassiné par Ravaillac. Il avait épousé en 1572 Marguerite de Valois et en 1600, après annulation de ce mariage, Marie de Médicis, la vie sentimentale du « Vert Galant » demeurant aussi mouvementée que par le passé. – **Henri V.** V. Chambord (comte de).

PORTUGAL

Henri de Bourgogne (Dijon, v. 1057 – Astorga, 1114), comte de Portugal (1097-1114) ; prince capétien de la maison de Bourgogne. S'étant mis au service d'Alphonse VI de Castille, il combattit les Maures. Gendre du roi, il reçut le comté de Portugal (1097), qu'il déclara indépendant en 1109.

Henri le Navigateur (Porto, 1394 – Sagres, 1460), infant de Portugal ; fils du roi Jean Ier, il favorisa les voyages d'exploration des côtes d'Afrique occid. dès 1417.

Henri le Cardinal (Lisbonne, 1512 – Almeirim, 1580), roi de Portugal (1578-1580) ; fils de Manuel Ier le Grand. Après sa mort, comme il n'avait pas désigné de successeur, la couronne de Portugal revint au roi d'Espagne, Philippe II.

SAXE

Henri le Lion (Ravensburg, 1129 – Brunswick, 1195), duc de Saxe (1142-1180) et de Bavière (1156-1180). Frédéric Barberousse lui confisqua presque toutes ses possessions.

◊ ◊ ◊

Henriette-Anne d'Angleterre (Exeter, 1644 – Saint-Cloud, 1670), fille de Charles Ier Stuart et d'Henriette-Marie de France ; *Madame* par son mariage (1661) avec Philippe d'Orléans *(Monsieur)*, frère de Louis XIV. Sa mort soudaine a inspiré à Bossuet la célèbre *Oraison funèbre de Madame, duchesse d'Orléans.*

Henriette-Anne de France (Versailles, 1727 – id., 1752), fille aînée de Louis XV et de Marie Leczinska.

Henriette-Marie de France (Paris, 1609 – Bois-Colombes, 1669), fille d'Henri IV et de Marie de Médicis ; reine d'Angleterre par son mariage (1625) avec Charles Ier, dont elle soutint la polit. absolutiste avec d'autant plus de maladresse que son catholicisme la discréditait.

Henriot (Émile) (Paris, 1889 – id., 1961), écrivain français, critique littéraire du *Temps*, puis du *Monde : Courrier littéraire* (10 vol., 1922-1959). Acad. fr. (1945).

henry n. m. ELECTR Unité d'inductance du système SI, égale à l'inductance d'un circuit fermé dans lequel une force électromotrice de 1 volt est produite lorsque l'intensité du courant électrique varie de 1 ampère par seconde (symbole H).

Henry (William) (Manchester, 1775 – Pendlebury, 1836), chimiste et physicien anglais. ▷ PHYS *Loi de Henry :* à température donnée, la solubilité d'un gaz dans un liquide est proportionnelle à la pression de ce gaz au-dessus du liquide.

Henry (Joseph) (Albany, État de New York, 1797 – Washington, 1878), physicien américain. Connu pour ses travaux sur l'auto-induction, il a donné son nom à l'unité d'inductance (le *henry*).

Henry (Pierre) (Paris, 1927), compositeur français, l'un des pères de la musique électroacoustique : *Symphonie pour un homme seul* (1950), *l'Apocalypse de Jean* (1968), *Dieu* (1977), *Hugosymphonie* (1984). Il a collaboré à plusieurs ballets de Maurice Béjart : *le Voyage* (1962), *Messe pour le temps présent* (1967).

Henze (Hans Werner) (Gütersloh, 1926), compositeur allemand, auteur de sept symphonies et de nombreux opéras : *Boulevard Solitude* (1951), *le Prince de Hombourg* (1958), *la Chatte anglaise* (1983). Il a composé également des musiques de ballet *(Undine,* 1958) et des musiques de film *(Muriel,* d'A. Resnais, 1964).

hep ! [ˈɛp, hɛp] interj. (Employée pour appeler, pour héler.) *Hep! taxi!*

héparine n. f. BIOCHIM Substance anticoagulante d'origine hépatique qui peut être obtenue par synthèse. *L'héparine est utilisée pour le traitement des phlébites et des embolies pulmonaires.*

1. hépatique adj. et n. **1.** ANAT, MED Relatif au foie. *Artère, canal hépatique. Colique hépatique.* **2.** Qui souffre d'une maladie du foie. ▷ Subst. *Un(e) hépatique.*

2. hépatique n. f. BOT Renonculacée autref. employée comme remède contre les maladies du foie.

hépatite n. f. MED Affection inflammatoire du foie. *Hépatite d'origine infectieuse, d'origine allergique. Hépatite virale. Hépatite A,* à virus à A.R.N., bénigne, dont la contamination se fait par les selles du sujet contaminé. *Hépatite B,* à virus à A.D.N., la plus grave des hépatites, transmise par le sang, la salive et le sperme. *Hépatite non-A non-B,* ou *hépatite C,* souvent transmise par du sang contaminé.

hépatique *nobilis :* feuilles trilobées et fleurs

hépato-. Élément, du gr. *hêpar, hêpatos,* « foie ».

hépatocyte n. m. BIOL Volumineuse cellule du foie, qui joue un rôle essentiel dans ses fonctions.

hépatologie n. f. MED Étude de la physiologie et des maladies du foie.

hépatomégalie n. f. MED Augmentation du volume du foie.

Héphaïstos, dans la myth. gr., dieu du Feu et des Forgerons ; fils d'Héra. Assimilé par les Romains à Vulcain.

hepta-. Élément, du gr. *hepta,* « sept ».

heptacorde adj. et n. m. MUS **1.** adj. Qui a sept cordes. *Lyre heptacorde.* **2.** n. m. Échelle musicale à sept tons.

heptaèdre n. m. GEOM Polyèdre à sept faces.

heptagonal, ale adj. GEOM Qui a sept faces.

heptagone n. m. GEOM Polygone qui a sept angles et sept côtés.

heptamètre n. m. et adj. VERSIF Vers, grec ou latin, de sept pieds. ▷ adj. *Des vers heptamètres.*

Heptarchie, nom donné depuis le XVIe s. aux sept royaumes anglo-saxons de Kent, Sussex, Wessex, Essex, Northumbrie, Est-Anglie et Mercie, qui se formèrent du VIe au IXe s. mais qui n'eurent pas d'existence simultanée.

heptathlon [ɛptatlɔ̃] n. m. SPORT Discipline et épreuve féminine qui a remplacé le pentathlon* en 1980, et qui combine trois courses (100 m haies, 200 m et 800 m) et quatre concours (poids, hauteur, longueur, javelot).

Hepworth (Barbara) (Wakefield, 1903 – Saint Ives, Cornouailles, 1975), sculpteur anglais. L'originalité de son œuvre, non figurative, au style dépouillé, réside dans la tension lyrique des formes.

Héra, dans la myth. gr., déesse du Mariage et de la Maternité ; identifiée à Junon par les Romains.

Héraclée, nom de plusieurs villes de l'Antiquité. – **Héraclée du Pont,** auj. *Ereğli* (Turquie), v. de Bithynie, sur la mer Noire, partic. prospère au IVe s. av.

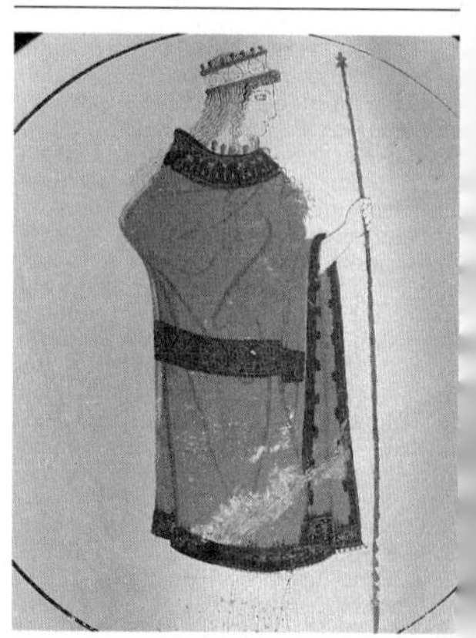

Héra, représentée avec son sceptre (symbole de la souveraineté dans le mariage), détail d'une coupe à vin attique ; coll. des Antiques, Munich

J.-C. – **Héraclée de Lucanie,** auj. *Policoro* (Italie du S.), ville de la Grande-Grèce près de laquelle Pyrrhus défit les Romains en 280 av. J.-C.

Héraclès ou **Héraklès,** héros de la myth. gr. que les Latins ont nommé Hercule*. Né, à Thèbes, de Zeus et d'Alcmène, il est doué d'une force surhumaine mise au service d'exploits dévoilant ce qui, pour les Grecs, était considéré comme le monde sauvage qu'ils ressentaient encore en eux (chasse, anthropophagie, peur de l'élément féminin, etc.). Homère (*l'Iliade,* VIIIe s. av. J.-C.), Hésiode (*le Bouclier d'Héraclès,* VIIIe-VIIe s. av. J.-C.), Stésichore, Pindare (*Épinicies,* Ve s. av. J.-C.) voient donc en lui l'un des grands constructeurs du monde civilisé. Sophocle (*les Trachiniennes,* v. 455 av. J.-C.) le décrit mourant stoïquement sur le bûcher du mont Œta. Euripide (*Héraclès furieux,* v. 424 av. J.-C.) tourne à son avantage l'épisode de la crise de folie qui l'amène à tuer sa prem. femme, Mégara, et les enfants qu'elle lui avait donnés. Aristophane, en revanche, le transforme en géant aux manières de goinfre dans *les Oiseaux* (414 av. J.-C.) et *les Grenouilles* (405 av. J.-C.).

Héraclès tuant l'hydre de Lerne, vase attique, Ve s. av. J.-C.; musée du Louvre

Héraclides, héros grecs, descendants légendaires d'Héraclès; historiquement, on a donné ce nom aux conquérants doriens du Péloponnèse.

Héraclides, dynastie d'empereurs d'Orient qui régna sur Byzance aux VIIe et VIIIe s.

Héraclite (Éphèse, v. 540 – id., v. 480 av. J.-C.), philosophe grec. Sa doctrine, assez hermétique, met l'accent sur le conflit irréductible entre l'*être* et le *devenir,* et sur le perpétuel écoulement des choses : « On ne se baigne jamais deux fois dans le même fleuve. » Nous ne possédons de son œuvre que des fragments dont la puissance poétique exerce auj. encore une influence considérable.

Héraclius Ier (en Cappadoce, v. 575 – Constantinople, 641), empereur byzantin (610-641); fondateur de la dynastie des Héraclides (610-711), vainqueur du roi des Perses Khosrô (Chosroès) II. À la fin de son règne, les Arabes envahirent la Syrie, la Palestine, la Mésopotamie et l'Égypte. – **Héraclius II** (618 – 645), fils du préc.; empereur d'Orient pendant trois mois (641). Un soulèvement le contraignit à abdiquer.

Héraklès. V. Héraclès.

Héraklion ou **Hêraklion** (en gr. mod. *Iraklion;* anc. *Candie*), port de l'île de Crète (Grèce); ch.-l. du nome du m. nom; 101 630 hab. – Ce port, très actif au Moyen Âge, fut vénitien de 1204 à 1669.

héraldique adj. et n. f. Didac. **1.** adj. Qui a rapport au blason. *Art héraldique.* **2.** n. f. Science du blason, des armoiries. ▶ pl. page **891**

héraldiste n. Didac. Spécialiste de l'héraldique.

Herāt, v. d'Afghānistān, sur le Héri Roud, proche du Turkménistan et du Khorāsān; ch.-l. de la prov. du m. nom; 155 890 hab. Centre commercial; industries textiles.

Hérault (l'), fl. de France (160 km); il naît au pied de l'Aigoual, arrose Pézenas et se jette dans la Méditerranée, près d'Agde.

Hérault, dép. franç. (34); 6 224 km^2; 794 603 hab.; 127,6 hab./km^2; ch.-l. *Montpellier.* V. Languedoc-Roussillon (Rég.).

Hérault de Séchelles (Marie Jean) (Paris, 1759 – id., 1794), homme politique français. Il siégea à l'Assemblée législative et à la Convention parmi les Montagnards. Il rédigea la Constitution de 1793. Membre du Comité de salut public, il fut exécuté avec Danton.

héraultais, aise adj. et n. De l'Hérault. ▷ Subst. *Un(e) Héraultais(e).*

héraut ['eʀo] n. m. **1.** HIST *Héraut d'armes* ou *héraut :* au Moyen Âge, officier qui était chargé de faire des proclamations solennelles, de signifier les déclarations de guerre, etc. **2.** Fig., litt. Messager, annonciateur.

herbacé, ée adj. BOT Qui a l'apparence ou la structure de l'herbe. *Plantes herbacées* (par oppos. à *plantes ligneuses*).

herbage n. m. **1.** (Sing. collect.) Herbe des pâturages. **2.** Prairie destinée au pâturage des troupeaux.

1. herbager, ère n. et adj. **1.** ELEV n. Éleveur, éleveuse qui engraisse les bestiaux sur des herbages. **2.** adj. Qui est caractérisé par des herbages. *Région herbagère.*

2. herbager v. tr. [**13**] ELEV Mettre à l'herbage (des bestiaux).

herbe n. f. **1.** Plante fine, verte, non ligneuse, à tige molle, qui s'élève relativement peu au-dessus du sol et dont les parties aériennes meurent chaque année. *Une herbe; des, les herbes.* – Loc. *Fines herbes :* herbes aromatiques employées comme assaisonnement (ciboule, estragon, etc.). – *Herbes médicinales, officinales,* utilisées pour leurs propriétés thérapeutiques. ▷ *Mauvaises herbes :* plantes herbacées nuisibles aux cultures. Syn. adventice. ▷ Arg. ou fam. *L'herbe :* le haschisch, la marihuana. **2.** (Sing. collect.) Végétation peu élevée formée par la réunion de plantes herbacées. *Se coucher dans l'herbe. Faucher l'herbe d'un pré. Un brin d'herbe.* ▷ Loc. fig. *Couper l'herbe sous le pied de qqn :* V. couper. ▷ *De la mauvaise herbe :* un vaurien, un voyou. **3.** Loc. adj. *En herbe :* qui est encore vert, qui n'est pas arrivé à maturité, en parlant d'une céréale. *Blé en herbe.* – Fig. *Manger son blé en herbe :* dépenser son capital sans attendre qu'il ait rapporté. ▷ Qui montre des dispositions pour une activité, qui s'y destine (spécial. en parlant des enfants). *Un musicien en herbe.*

Herbert (George) (Montgomery, 1593 – Bemerton, 1633), poète anglais d'inspiration religieuse : *le Temple* (posth., 1634).

Herbert (Frank) (Tacoma, 1920 – Madison, 1986), écrivain américain de science-fiction; auteur d'une des œuvres maîtresses du genre : *Dune* (trilogie, 1965-1976).

herbeux, euse adj. Où il pousse de l'herbe. *Plateau herbeux.*

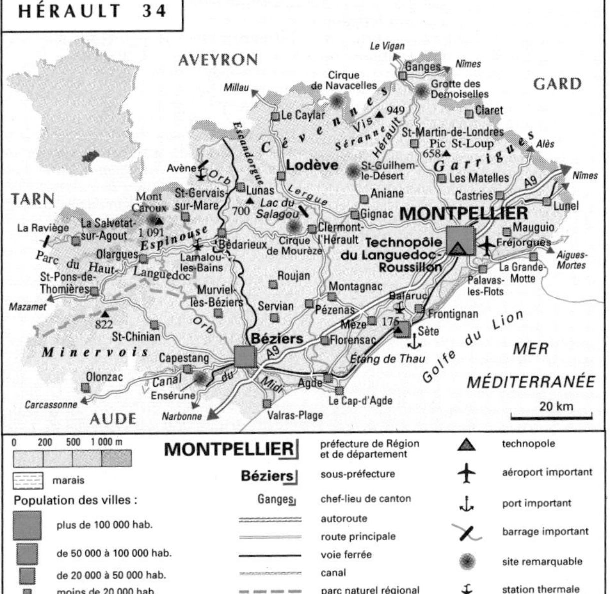

herbicide adj. et n. m. Didac. Qui détruit les mauvaises herbes. *Un produit herbicide.* ▷ n. m. *Le chlorate de sodium est un herbicide.*

herbier n. m. **1.** Collection de plantes séchées où chaque spécimen est conservé entre des feuillets de papier. ▷ Collection de planches représentant des plantes. **2.** Banc d'herbes aquatiques dans un cours d'eau, un lac, etc. ▷ Prairie sous-marine.

Herbiers (Les), ch.-l. de cant. de la Vendée (arr. de La Roche-sur-Yon); 13 688 hab. Constr. navales. Meubles.

Herbin (Auguste) (Quiévy, Nord, 1882 - Paris, 1960), peintre français; représentant de l'abstraction géométrique.

herbivore adj. et n. m. Qui se nourrit d'herbes, de végétaux verts. *Les animaux herbivores.* ▷ n. m. *Les ruminants sont des herbivores.*

Herblay, ch.-l. de cant. du Val-d'Oise (arr. d'Argenteuil), sur la Seine; 22 435 hab. Mat. électr.; électroménager.

herborisation n. f. Action d'herboriser; promenade faite dans l'intention d'herboriser.

herboriser v. intr. [1] Cueillir des plantes pour les étudier, constituer un herbier ou les employer en herboristerie.

herboriste n. Personne qui vend des plantes médicinales. *La loi du 11 septembre 1941 a supprimé le diplôme d'herboriste.*

herboristerie n. f. Commerce, boutique de l'herboriste.

herbu, ue adj. Où l'herbe est épaisse, où elle foisonne.

hercher ou **herscher** ['ɛʀʃe] v. intr. [1] MINES Pousser à bras des wagonnets chargés de houille ou de minerai.

Herculano (Alexandre) (Lisbonne, 1810 - près de Santarém, 1877), poète romantique portugais : *la Voix du prophète* (1836), *la Harpe du croyant* (1838); auteur d'une import. *Histoire du Portugal* (1846-1853).

Herculanum, v. de la Campanie antique, près de Pompéi, ensevelie, en 79 apr. J.-C., lors d'une éruption du Vésuve. Ses ruines furent découvertes en 1711. Les fouilles scientif. qui permirent la mise au jour partielle du site d'Herculanum commencèrent en 1738; menées au hasard, souvent interrompues, elles ne furent méthodiquement poursuivies qu'après 1927.
▸ illustr. **atrium**

hercule n. m. Homme d'une force exceptionnelle. *Être bâti en hercule :* avoir une stature particulièrement imposante. ▷ *Hercule de foire, hercule forain,* qui montre des exercices de force (lever de poids, bris de chaînes, etc.).

Hercule (Colonnes d'), le mont Calpé, européen, et le rocher Abyla, africain, qui marquent l'entrée orientale du détroit de Gibraltar et constituaient, pour les Anciens, les bornes du monde (posées par Hercule).

Hercule, demi-dieu de la myth. latine assimilé à l'Héraclès* grec. Pour les Romains, il veille à la protection du sol, garantit les transactions commerciales et symbolise la puissance militaire. Provenant de la myth. grecque, les *Douze Travaux d'Hercule,* imposés par l'oracle de Delphes et exécutés sur l'ordre d'Eurysthée, cousin du héros, consistèrent à : étrangler le lion de Némée; tuer l'hydre de Lerne; capturer le sanglier d'Érymanthe; capturer la biche de Cérynie, aux pieds d'airain, qu'il blesse; abattre les oiseaux du lac Stymphale; dompter un taureau furieux qui désolait la Crète; s'emparer des juments du roi de Thrace, Diomède; prendre sa ceinture à Hippolyte, reine des Amazones; nettoyer les écuries d'Augias, en y détournant un fleuve; capturer les bœufs de Géryon; s'emparer des pommes d'or du jardin des Hespérides; descendre aux Enfers pour capturer Cerbère (il libère Thésée au passage). Virgile raconte dans l'*Énéide* (19 av. J.-C.) le combat d'Hercule contre un héros local de Rome, Cacus, monstre à deux têtes qui lui avait volé plusieurs bêtes.

herculéen, enne adj. Digne d'Hercule. *Force herculéenne.*

hercynien, enne adj. GEOL Se dit des plissements géologiques de la fin de l'ère primaire (carbonifère), qui constituent la *chaîne hercynienne,* aujourd'hui érodée et dont les vestiges forment les «massifs anciens». (En Europe : le Massif armoricain, le Massif central, les Ardennes, les Vosges et la Forêt-Noire, le Massif schisteux rhénan et les monts de Bohême.)

herd-book ['ɛʀdbuk] n. m. (Anglicisme) ELEV Registre généalogique officiel des races bovines, qui atteste la filiation des individus de bonne race, utilisé pour la reproduction et l'amélioration du cheptel. *Des herd-books.*

Herder (Johann Gottfried) (Mohrungen, Prusse-Orientale, 1744 - Weimar, 1803), écrivain allemand. Théologien, philosophe, poète et critique. Il exerça une grande influence sur la littérature allemande (formation du Sturm* und Drang) et sur Goethe en particulier : *Idées sur la philosophie de l'histoire de l'humanité* (1784-1791), *Essai sur l'origine du langage* (1770).

1. hère ['ɛʀ] n. m. Vx Homme misérable. - Mod. Loc. *Un pauvre hère.*

2. hère ['ɛʀ] n. m. VEN Jeune cerf âgé de six mois à un an, qui ne porte pas de bois.

Heredia (José Maria de) (La Fortuna, Cuba, 1842 - chât. de Bourdonné, près de Houdan, 1905), poète parnassien français : *les Trophées* (recueil de sonnets, 1893). Acad. fr. (1894).

héréditaire adj. **1.** DR Qui se transmet par droit de succession. *Titre héréditaire.* ▷ *Prince héréditaire,* qui doit hériter de la couronne. **2.** BIOL Transmis par hérédité. *Maladie héréditaire.* **3.** Qui se transmet de génération en génération. *Une haine héréditaire de la dictature.*

héréditairement adv. **1.** DR Par droit d'hérédité. **2.** BIOL Par transmission héréditaire.

hérédité n. f. **I.** DR **1.** Caractère de ce qui se transmet par droit de succession (possession, charge). *L'hérédité des charges, sous l'Ancien Régime. Le principe de l'hérédité du trône.* **2.** Vx Qualité d'héritier. *Refuser l'hérédité de qqn.* **II.** Transmission de certains caractères dans la reproduction des êtres vivants. **1.** BIOL Transmission, sans modification, de certains caractères (physiques, physiologiques, etc.) non acquis (couleur des yeux), parfois pathologiques (malformations squelettiques, hémophilie, etc.), des ascendants aux descendants par la voie de la reproduction sexuée. *Les lois de l'hérédité. Le problème de l'hérédité de l'acquis.* **2.** *Par ext.* Chez l'homme, transmission de certaines dispositions (partic. morales et psychologiques) des parents aux enfants. - Ensemble des prédispositions (physiques, morales, mentales) héritées des parents. *Une hérédité chargée :* un héritage génétique présentant des tares évidentes. **3.** Caractère particulier qui se transmet d'une génération à l'autre dans un milieu, une région, etc. *Le bon sens qui lui vient, sans doute, de son hérédité paysanne.*

Hereford, v. de G.-B., sur la Wye, affl. de la Severn (Hereford-and-Worcester); 49 800 hab. Centre agricole. - Cathédrale (XIe-XIIe s.).

Hereford and Worcester, comté d'Angleterre (Midlands de l'Ouest); 3 926 km²; 667 800 hab.; ch.-l. *Worcester.*

hérésiarque n. m. Didac. Auteur d'une hérésie; chef d'une secte hérétique.

hérésie n. f. **1.** RELIG CATHOL Doctrine contraire à la foi, condamnée par l'Église catholique. *L'hérésie arienne.* ▷ Toute doctrine contraire aux dogmes établis, au sein d'une religion quelconque. V. encycl. **2.** Opinion, doctrine, pratique en opposition avec les idées communément admises. *Cette théorie fut d'abord considérée comme une hérésie scientifique.* ▷ Plaisant *Ce mélange de couleurs est une hérésie.*

ENCYCL **Relig.** - Dès les temps apostoliques, le christianisme connaît des hérésies «judaïsantes» ou «hellénisantes», qui portent sur la nature de Jésus, homme pour les uns, dieu pour les autres. Aux IVe et Ve s. apparaissent les hérésies trinitaires, dont la plus connue est l'*arianisme,* monothéisme simple qui insiste sur la seule nature divine du Père. Suivent les hérésies *christologiques* des Ve et VIe s. : *nestorianisme* et *monophysisme,* qui, contrairement à l'arianisme, demeurent exclusivement orientales. À partir du XIe s., les hérésies ne portent plus sur la doctrine, désormais fixée, mais sur la pratique religieuse et sur l'organisation de l'Église. Elles sont populaires, évangéliques et s'élèvent contre l'existence du sacerdoce. Certaines, évangéliques et ecclésiastiques, voulurent réformer l'Église de l'intérieur, sans détruire sa continuité ni son unité, notam. avec Wyclif (Angleterre) et Hus (Bohême) aux XIVe et XVe s. Le courant des hérésies manichéennes ou dualistes est représenté en Orient par les *bogomiles,* en Occident par les *cathares* (V. albigeois). Les religions réformées du XVIe s. («protestantisme»), considérées par Rome comme hérétiques, ont consommé un schisme qu'elles ne souhaitaient pas; quant au jansénisme des XVIIe et XVIIIe s., il ne peut davantage être assimilé à une hérésie. Auj., si les définitions théoriques concernant l'hérésie demeurent les mêmes, l'attitude de l'Église (autref. violemment répressive), sauf cas d'espèce, est bien différente. L'heure est au dialogue, à l'œcuménisme.

hérétique adj. et n. **1.** Entaché d'hérésie. *Doctrine hérétique.* **2.** Qui professe, qui soutient une hérésie. *Secte hérétique.* - Subst. *Les hérétiques luthériens.* ▷ *Par ext.* Qui soutient une opinion qui va contre les idées communément admises. *Cet auteur, hérétique aux yeux des autorités, fut contraint à s'exiler.*

Herford, v. d'Allemagne (Rhénanie-du-Nord-Westphalie); 59 500 hab. Constr. mécaniques. - Égl. gothique (XVe s.).

DIVISIONS DE L'ÉCU

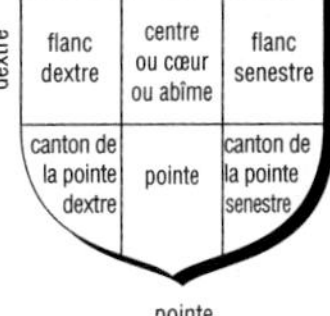

DIFFÉRENTES FORMES DE L'ÉCU

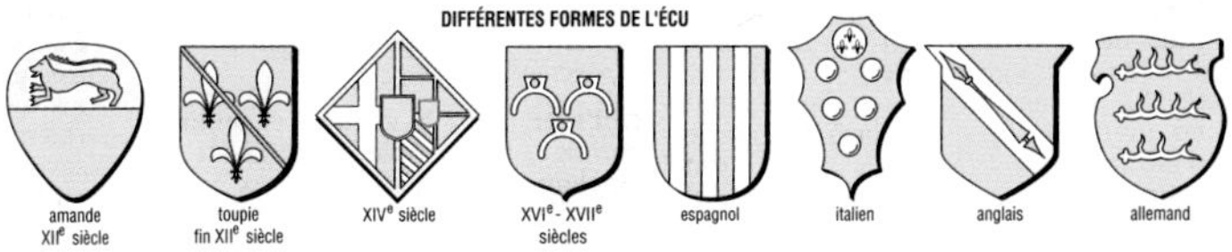

amande XIe siècle · toupie fin XIe siècle · XIVe siècle · XVIe - XVIIe siècles · espagnol · italien · anglais · allemand

ÉMAUX

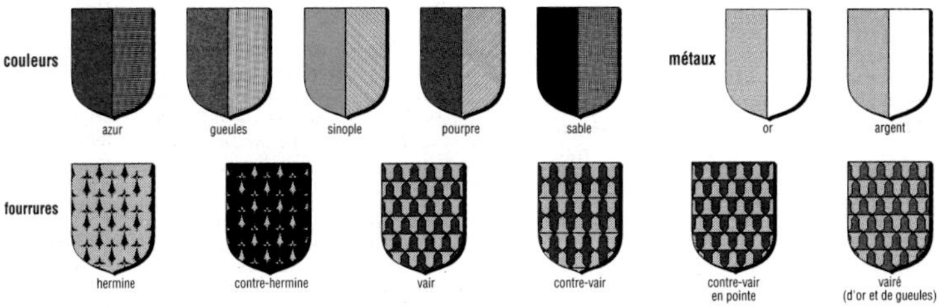

couleurs

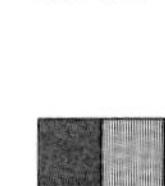
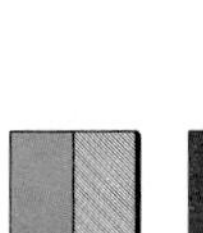

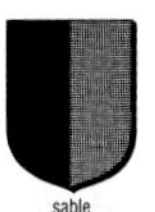

azur · gueules · sinople · pourpre · sable

métaux

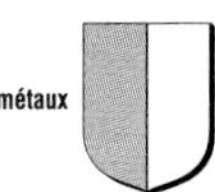

or · argent

fourrures

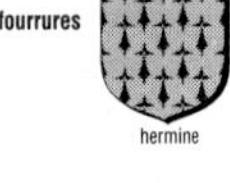

hermine · contre-hermine · vair · contre-vair · contre-vair en pointe · vairé (d'or et de gueules)

PARTITIONS

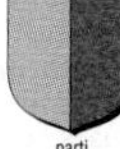

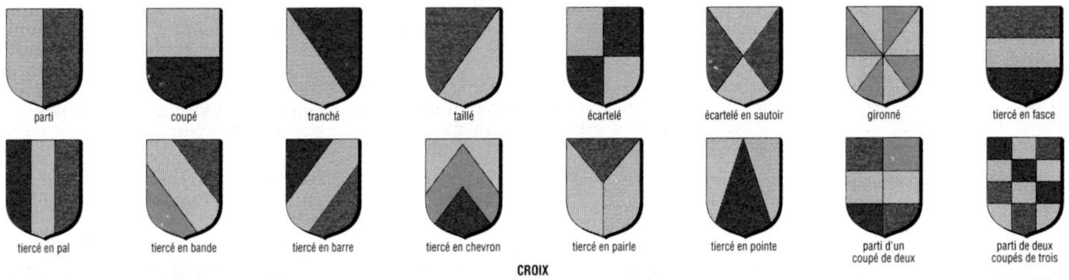

parti · coupé · tranché · taillé · écartelé · écartelé en sautoir · gironné · tiercé en fasce

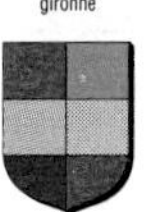

tiercé en pal · tiercé en bande · tiercé en barre · tiercé en chevron · tiercé en pairle · tiercé en pointe · parti d'un coupé de deux · parti de deux coupés de trois

CROIX

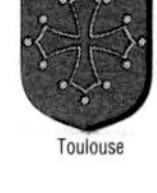

fleurdelysée · pommetée · enhendée · écotée · fourchetée · pattée · Jérusalem · Alcantara · Toulouse

PIÈCES ET REBATTEMENTS

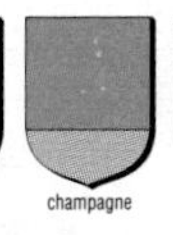
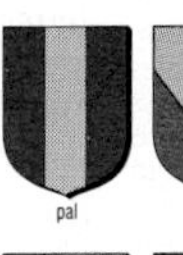

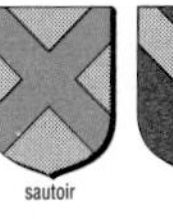

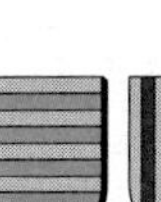

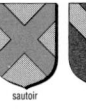

chef · fasce · champagne · pal · bande · barre · croix · sautoir · pairle · burelé · vergeté · giron

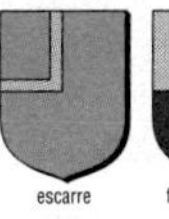
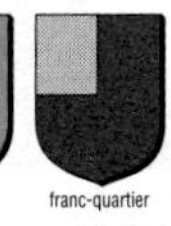

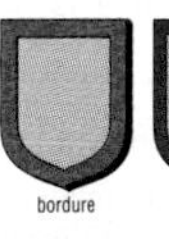

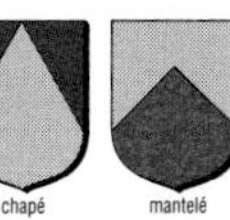

gousset · escarre · franc-quartier · franc-canton · bordure · orle · pal fiché · cotice · coticé · fasce bretessée · chapé · mantelé

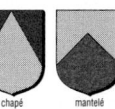

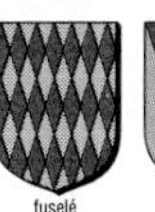
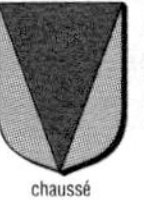

chevron · vêtu · trois chevrons · chevron ployé · chevron hérissé flammé · échiqueté · losangé · fuselé · chaussé · embrassé · emmanché · bordure componée

MEUBLES

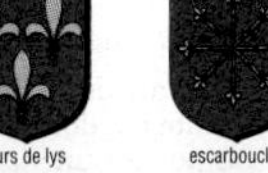

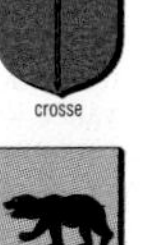
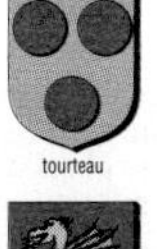

fleurs de lys · escarboucle · crosse · tourteau · besant · étoiles · aigle bicéphale · alérion · lion

léopard · cerf · ours · dragon · griffon · couleuvre · dauphin · château · clef

Hergé (Georges Rémi, dit) (Etterbeek, près de Bruxelles, 1907 – Bruxelles, 1983), dessinateur belge; créateur (1929) du personnage de Tintin, dont les aventures, narrées dans une série d'albums de bandes dessinées, ont connu un immense succès européen puis mondial.

Hériat (Raymond Payelle, dit Philippe) (Paris, 1898 – id., 1971), acteur et écrivain français. Dans ses romans, qu'il portait volontiers à la scène, il se livre à une analyse détaillée de la bourgeoisie : *l'Innocent* (1931), *les Enfants gâtés* (1939), *la Famille Boussardel* (1946).

Héricourt, ch.-l. de cant. de la Haute-Saône (arr. de Lure); 9 937 hab. Abattoirs; métall. – Victoire des Suisses sur les Bourguignons (1474). Victoire allemande sur l'armée de Bourbaki (janv. 1871).

Héri Roud ou **Harī Rūd** (le), fl. d'Afghānistān (env. 1 000 km), qui irrigue de nombr. oasis, arrose Harāt et se perd dans le S. du Kara-Koum.

Herisau, v. de Suisse (Appenzell), ch.-l. des Rhodes-Extérieures; 14 500 hab. Industr. text., chim. et méca.

hérissement n. m. Fait de se hérisser; état de ce qui est hérissé.

hérisser ['eʀise] v. [1] **I.** v. tr. **1.** Dresser (ses poils, ses plumes) en parlant d'un animal. **2.** Se dresser sur (en parlant de choses saillantes). *Des rochers hérissent la côte.* **3.** Garnir de choses pointues, saillantes. *Hérisser de tessons de bouteilles le haut d'un mur.* **4.** Fig. Horripiler, faire réagir (qqn) vivement sous le coup de l'irritation. *Ces propos le hérissaient.* **II.** v. pron. **1.** Se dresser (en parlant des poils ou des plumes). *Ses cheveux se hérissèrent d'horreur.* ▷ Dresser ses poils ou ses plumes (en parlant d'un animal). *Le chat s'est hérissé devant le chien.* **2.** Fig. Réagir vivement, avoir une réaction de défiance ou de défense. *Il se hérisse quand on lui parle de cela.* **III.** Pp. adj. *Cheveux, poils hérissés.* – Fig. *Il est hérissé chaque fois qu'il rencontre son frère.*

hérisson ['eʀisɔ̃] n. m. **1.** Mammifère insectivore au corps couvert de piquants. (*Erinaceus europæus*, le hérisson d'Europe, aux mœurs crépusculaires, mesure env. 25 cm de long; il se nourrit de petits animaux et de serpents.) ▷ *Par anal.* Nom donné à divers animaux couverts de piquants. *Hérisson de mer* : oursin. **2.** TECH Brosse métallique circulaire pour le ramonage des conduits de cheminée. ▷ Rouleau garni de pointes pour écraser les mottes de terre dans un champ labouré. **3.** TRAV PUBL Fondation de chaussée réalisée avec des moellons posés de chant. **4.** MILIT Point d'appui isolé susceptible d'être défendu de tous côtés.

Héristal. V. Herstal.

héritage n. m. **1.** Action d'hériter; biens transmis par succession. *Faire un héritage. L'héritage se montait à plusieurs millions de francs.* **2.** Fig. Ce qui est transmis de génération en génération. *Un lourd héritage de croyances et de superstitions.*

hérisson

hériter v. [1] **1.** v. intr. Recueillir par héritage. *Je suis riche, j'ai hérité.* ▷ v. tr. (Seulement lorsqu'il y a deux compléments.) *Il a hérité cinq mille francs de sa tante.* ▷ v. tr. indir. *Hériter d'une maison.* – (Suivi d'un comp. de personne.) *Hériter de son père.* **2.** v. tr. indir. Fig. Recevoir de ses parents, de ses ancêtres. *Il a hérité du bon sens de ses parents.*

héritier, ère n. **1.** DR Personne qui est appelée de droit à recueillir une succession. **2.** Cour. Personne qui hérite des biens d'une personne décédée. *Ses héritiers sont en désaccord sur l'évaluation de sa fortune.* ▷ Fig. *Les héritiers d'une longue tradition.*

Hermandad (« Fraternité ») ou **Sainte-Hermandad,** ligue armée créée au XVe s. pour purger l'Espagne de ses brigands.

Hermann. V. Arminius.

hermaphrodisme n. m. BIOL Réunion chez le même individu des caractères des deux sexes. *Hermaphrodisme vrai des espèces peu évoluées. Pseudo-hermaphrodisme des vertébrés, des humains.*

ENCYCL L'hermaphrodisme est très répandu dans le monde vivant, notam. chez les espèces les moins évoluées; cependant, les cas d'autofécondation (entre les gamètes mâles et femelles provenant d'un même individu) sont extrêmement rares, et il existe de nombreux dispositifs anatomiques et physiologiques, aussi bien chez les végétaux que chez les animaux, qui favorisent la fécondation des ovules par des gamètes mâles d'un autre individu. On distingue l'*hermaphrodisme simultané,* où il y a production synchrone de gamètes mâles et femelles (escargot), et l'*hermaphrodisme alterné,* où l'individu est alternativement mâle et femelle (huître).

hermaphrodite n. m. et adj. **1.** n. m. pl. ZOOL Animaux qui possèdent normalement des glandes génitales mâles et femelles fonctionnelles. ▷ BOT Plantes dont les fleurs possèdent simultanément étamines et pistil. – adj. *Fleur hermaphrodite.* **2.** n. m. Sujet (animal, humain) qui, contrairement à la normale, présente des caractères apparents des deux sexes. ▷ adj. *Un adolescent hermaphrodite.* Cf. androgyne, intersexué. Syn. bisexué. Ant. unisexué.

Hermaphrodite, dans la myth. gr., fils d'Hermès (Mercure) et d'Aphrodite (Vénus). Les dieux confondirent son corps et celui d'une nymphe, donnant naissance à un être à la fois masculin et féminin.

herméneutique adj. et n. f. Didac. **1.** adj. Qui interprète les livres sacrés et, en général, tous les textes anciens. *L'art herméneutique* ou, n. f., *l'herméneutique.* **2.** n. f. Théorie de l'interprétation des symboles en action dans l'inconscient, dans le rêve, dans tout discours humain, écrit ou non.

hermès [ɛʀmɛs] n. m. **1.** SCULP Statue, tête d'Hermès ou de Mercure. **2.** *Buste en hermès,* coupé par des plans verticaux aux épaules et à la poitrine.

Hermès, dans la myth. gr., fils de Zeus et de Maia; messager et interprète des dieux; il protège le commerce, les marchands, les voyageurs, mais également les voleurs. Assimilé à Mercure dans la myth. latine. ▶ illustr. **Orphée**

Hermès Trismégiste (en gr. *Hermês trismegistos*, « Hermès trois fois très grand »), nom donné par les Grecs au dieu égyptien Thot, qu'ils considéraient comme l'initiateur de tout le savoir humain. Les alchimistes voyaient en Hermès Trismégiste le fondateur de leur art.

herméticité n. f. Didac. Qualité de ce qui est hermétiquement clos.

hermétique adj. et n. f. **I.** Vx **1.** adj. Relatif à l'alchimie. *Philosophie hermétique.* ▷ *Livres hermétiques,* attribués à Hermès Trismégiste. **2.** n. f. Science et doctrine ésotériques de l'alchimie. **II.** adj. **1.** Qui ferme parfaitement; qui assure une fermeture parfaitement étanche. *Récipient hermétique. Joint hermétique.* **2.** Fig. Obscur, difficile à comprendre. *Poésie hermétique.*

hermétiquement adv. De façon hermétique (sens II, 1). *Volets hermétiquement clos.*

hermétisme n. m. **1.** Didac. Ensemble des doctrines occultes des alchimistes. **2.** Caractère de ce qui est obscur, impénétrable. *L'hermétisme des écrits d'un philosophe.* **3.** LITTER École italienne (1914-1945) qui se développa notam. autour de D. Campana, E. Montale et U. Saba, et qui privilégia toutes formes d'expression personnelle de l'auteur (allégories, tournures précieuses, etc.), puissent-elles paraître obscures au profane, pour parvenir à la « poésie pure ».

hermétiste n. Didac. **1.** Personne qui étudie l'hermétisme. **2.** Adepte de l'hermétisme.

hermine n. f. **1.** Carnivore mustélidé *(Mustella erminea)* d'Europe et d'Asie, long d'env. 25 cm, dont la fourrure, fauve en été, devient blanche en hiver, à l'exception de l'extrémité de la queue, toujours noire. *La blanche hermine, symbole de pureté.* **2.** Fourrure blanche de l'hermine. *Manteau d'hermine.* ▷ Bande de fourrure que portent certains magistrats et professeurs. **3.** HERALD Fourrure blanche à mouchetures de sable en forme de petites croix.

hermine en été et en hiver (en haut)

herminette ou **erminette** [ɛʀminɛt] n. f. TECH Hachette à tranchant recourbé (comme le museau de l'hermine) et perpendiculaire à l'axe du manche.

Hermione, dans la myth. gr., fille de Ménélas et d'Hélène, épouse de Pyrrhus (dit aussi Néoptolème), jalouse d'Andromaque, car celle-ci eut un enfant de lui; elle s'enfuit avec Oreste.

Hermitage (l'), coteau de la Drôme (com. de Tain-l'Hermitage), dominant la vallée du Rhône où pousse un vignoble renommé.

Hermite (Charles) (Dieuze, 1822 – Paris, 1901), mathématicien français. Le premier, il a apporté une solution à l'équation du cinquième degré. Ses travaux ont surtout porté sur les espaces vectoriels.

Hermon, massif montagneux qui prolonge, au S., l'Anti-Liban (2 814 m au djebel al-Chaykh), aux confins du Liban, de la Syrie et d'Israël.

Hermopolis la Grande (auj. *El-Achmounein,* prov. d'Assiout), v. de l'anc. Égypte où l'on adorait le dieu de l'Écriture et des Scribes, Thot. (V. Hermès Trismégiste.)

Hermosillo, v. du Mexique septentrional; cap. de l'État de *Sonora;* 449 470 hab. Centre minier (cuivre, or).

Hermoupolis ou **Ermoúpolis,** port de Grèce (île de Syros); ch.-l. du nome des Cyclades; 14 000 hab. Tourisme.

Hernández (José) (San Martín, 1834 - Buenos Aires, 1886), poète argentin; auteur de *Martín Fierro* (1872-1879), épopée à la gloire des gauchos, l'un des grands classiques argentins.

Hernani (bataille d'), empoignade entre classiques et romantiques, au parterre du Théâtre-Français, le 25 février 1830, à l'occasion de la première représentation de la pièce de Victor Hugo *Hernani ou l'Honneur castillan.*

Herne, ville d'Allemagne (Rhénanie-du-Nord-Westphalie), dans la Ruhr; 171 270 hab. Houille, métall., chimie.

herniaire [ˈɛʀnjɛʀ] adj. MED Qui a rapport à une hernie, aux hernies. *Sac herniaire. Bandage herniaire.*

hernie [ˈɛʀni] n. f. **1.** Masse circonscrite formée par un organe ou une partie d'organe, le plus souvent l'intestin, sorti de la cavité qui le contient normalement. *Une hernie peut être congénitale ou acquise* (défaut de la paroi abdominale). *Hernie inguinale. Hernie discale,* susceptible de comprimer douloureusement le nerf sciatique. *Hernie hiatale**. *Hernie étranglée,* dans laquelle s'exerce une constriction qui entraîne une ischémie de l'organe. **2.** *Par anal.* TECH Excroissance à la surface d'une chambre à air, due à l'usure ou à un défaut dans l'épaisseur du caoutchouc.

Herniques, peuple du Latium, soumis par Rome en 306 av. J.-C.

Hérode Ier le Grand (Ascalon, 73 - Jéricho, 4 av. J.-C.), roi des Juifs de 37 à 4 av. J.-C., fils d'Antipatros l'Iduméen; il régna en s'appuyant sur les Romains, auxquels il devait son titre. Grand bâtisseur, il entreprit la restauration du temple de Jérusalem, mais l'histoire lui impute de nombr. crimes, et surtout le « massacre des Innocents » (V. innocent), destiné à faire disparaître Jésus nouveau-né. **– Hérode Philippe** (m. à Julias en 34 ap. J.-C.), fils du préc.; tétrarque juif de 4 av. J.-C. à 34 ap. J.-C., premier époux de sa nièce Hérodiade, père de Salomé, fondateur de Césarée de Philippe. **– Hérode Antipas** (v. 20 av. J.-C. - v. 39 apr. J.-C.), frère du préc.; tétrarque de Galilée de 4 à 39 apr. J.-C., il fit mettre à mort Jean-Baptiste. Pilate lui envoya Jésus pour qu'il le jugeât. **- Hérode Agrippa Ier** (10 av. J.-C. - 44 apr. J.-C.), roi des Juifs de 41 à 44; selon les Actes des Apôtres, il fit exécuter saint Jacques le Majeur et emprisonner saint Pierre. **– Hérode Agrippa II** (?, 27 - Rome, v. 100), roi de Chalcis (50); il se rangea du côté des Romains en 66-70 et se retira à Rome après la chute de Jérusalem.

Hérode Atticus (Tiberius Claudius) (Marathon, v. 101 - ?, v. 177), administrateur athénien. Grâce à ses fabuleuses richesses, il dota la Grèce d'importants monuments, notam. le théâtre (ou odéon) d'Hérode au pied de l'Acropole. Surnommé *Atticus* parce qu'il professait le retour à la langue attique la plus pure.

Hérodiade ou **Hérodias** (7 av. J.-C. - 39 ap. J.-C.), princesse juive, épouse d'Hérode (dit Philippe) puis d'Hérode Antipas. Avec la complicité de sa fille Salomé, elle obtint d'Antipas la mise à mort de Jean-Baptiste, qui avait condamné son union, adultérine et incestueuse.

Hérodote (Halicarnasse, v. 484 - Thourioi, v. auj. disparue, au S.-E. de la Calabre actuelle, v. 420 av. J.-C.), historien grec, surnommé « le Père de l'Histoire ». Parmi les œuvres de l'Antiquité écrites en prose qui nous sont parvenues, la sienne est la première en date. Ses neuf livres d'*Histoires* constituent une épopée (comparable aux récits des chroniqueurs du Moyen Âge) dont le thème central est la rencontre des civilisations grecque et perse. On retrouve chez Hérodote un esprit religieux analogue à celui qui domine les poèmes d'Homère.

Hérodote

sir William **Herschel**

héroï-comique adj. LITTER Qui tient à la fois du genre héroïque et du genre comique. *« Le Lutrin », poème héroï-comique de Boileau. Des pièces de théâtre héroï-comiques.*

1. héroïne n. f. Stupéfiant dérivé de la morphine *(diacétyl-morphine),* qui se présente sous forme de poudre blanche. *Puissant analgésique, l'héroïne est une drogue plus active mais surtout plus toxique que la morphine.*

2. héroïne n. f. **1.** Femme douée d'un courage hors du commun, de vertus exceptionnelles. *Jeanne d'Arc, héroïne nationale.* **2.** Femme qui tient le rôle principal dans l'action d'une œuvre littéraire, dramatique ou cinématographique. *L'héroïne d'un roman.* **3.** Femme qui joue le principal rôle dans une aventure réelle. *L'héroïne de cette affaire.*

héroïnomane n. Toxicomane qui utilise l'héroïne.

héroïnomanie n. f. MED Toxicomanie à l'héroïne.

héroïque adj. **1.** Relatif aux héros mythologiques. *Les temps héroïques.* - Loc., plaisant *Remonter aux temps héroïques,* à une époque très reculée. **2.** LITTER Qui chante les hauts faits des héros. *Poésie héroïque.* **3.** Qui montre de l'héroïsme, valeureux. *Femme héroïque.* - Qui dénote l'héroïsme. *Une décision héroïque.*

héroïquement adv. D'une manière héroïque (sens 3). *Se battre, souffrir héroïquement.*

héroïsme n. m. **1.** Vertu, courage exceptionnels, qui sont propres au héros. *Pousser le dévouement jusqu'à l'héroïsme.* **2.** Caractère de ce qui est héroïque. *L'héroïsme de son geste.*

Hérold (Louis Joseph Ferdinand) (Paris, 1791 - id., 1833), compositeur français d'opéras-comiques : *Zampa ou la Fiancée de marbre* (1831), *le Pré-aux-Clercs* (1832).

héron cendré

Hérold (Jacques) (Piatra, 1910 - Paris, 1987), peintre et sculpteur roumain naturalisé français ayant longtemps appartenu au groupe surréaliste. *Les Têtes* (1933); *le Grand Transparent* (bronze).

héron [ˈeʀɔ̃] n. m. Grand oiseau ciconiiforme vivant au bord des eaux et se nourrissant de petits animaux aquatiques (poissons, escargots, grenouilles, etc.). *Héron cendré :* héron d'Europe *(Ardea cinerea)* au plumage gris, long d'env. 1 m, dont le cou et les pattes sont longs et grêles. ▷ n. m. pl. ZOOL Nom générique des oiseaux ciconiiformes (appelés autref. « échassiers ») du genre *Ardea* et des genres voisins (butor, aigrette, etc.).

Héron l'Ancien ou **d'Alexandrie** (Ier s. apr. J.-C.), mathématicien grec; inventeur d'automates et d'une machine à réaction utilisant la pression de la vapeur d'eau.

héronnière [ˈeʀɔnjɛʀ] n. f. Lieu où nichent des hérons; lieu destiné à l'élevage des hérons.

héros [ˈeʀo] n. m. **1.** MYTH Demi-dieu. *Achille, Hercule sont des héros.* **2.** Celui qui s'est rendu célèbre par son courage et son succès dans les faits d'armes. *Un héros de la guerre de 14.* **3.** Celui qui se distingue par sa grandeur d'âme exceptionnelle, son dévouement total, etc. *Les héros de la science.* **4.** Personnage principal d'une œuvre littéraire, dramatique ou cinématographique. *Le héros d'un film.* - Par ext. *Le héros d'une aventure,* celui à qui elle est arrivée. - *Le héros de la fête,* celui en l'honneur de qui elle est donnée.

Héroult (Paul Louis Toussaint) (Thury-Harcourt, Calvados, 1863 - Antibes, 1914), ingénieur métallurgiste français. Il inventa le four électrique à arc *(four Héroult),* contribuant ainsi au développement de l'électrométallurgie.

Hérouville-Saint-Clair, ch.-l. de cant. du Calvados (arr. de Caen); 25 061 hab.

herpès [ɛʀpɛs] n. m. Éruption de la peau ou des muqueuses due à un virus et formée de vésicules groupées qui siègent le plus souvent au pourtour des orifices et sur les organes génitaux. ▶ illustr. **virus**

herpestidés n. m. pl. ZOOL Famille de mammifères carnivores qui comprend notam. les mangoustes d'Afrique et d'Asie. – Sing. *Un herpestidé.*

herpétique adj. et n. **1.** adj. De la nature de l'herpès. **2.** Personne atteinte d'un herpès génital.

herpétologie. V. erpétologie.

Herrade de Landsberg (?, v. 1125 – Sainte-Odile, 1195), abbesse et érudite allemande : *Hortus deliciarum* («le Jardin des délices»), ouvrage encyclopédique éducatif.

Herrera (Juan de) (Mobellán, Santander, 1530 – Madrid, 1597), architecte espagnol; collab. de Juan Bautista de Toledo dans la construction de l'Escurial.

Herrera (Fernando de) (Séville, 1534 – id., 1597), poète lyrique espagnol, surnommé *«El Divino»;* auteur de poèmes héroïques sur les faits militaires et politiques de son temps (*la Bataille de Lépante,* 1571).

Herrera (Francisco), dit *Herrera le Vieux* (Séville [?], v. 1576 – Madrid, 1657), peintre espagnol; grand représentant de la peinture baroque sévillane. – **Francisco,** dit *Herrera le Jeune* (Séville, 1622 – Madrid, 1685), fils du préc.; peintre et architecte espagnol (plan de l'église Nuestra Señora del Pilar à Saragosse).

Herriot (Édouard) (Troyes, 1872 – Saint-Genis-Laval, Rhône, 1957), homme politique et écrivain français. Président du parti radical (1919-1957), il fut chef du gouv. en 1924-1925 (Cartel des gauches) et en 1932, puis président de la Chambre des députés (1936-1940) et de l'Assemblée nationale (1947-1955). Maire de Lyon (1905-1955), il réalisa de grands travaux d'urbanisme. Auteur notam. d'œuvres de critique littéraire et musicale. *Dans la forêt normande* (1925), *la Porte océane* (1932), *Lyon n'est plus* (1937-1940), *Jadis* (mémoires, 1948-1952). Acad. fr. (1946).

Hers, nom de deux riv. d'Aquitaine : l'*Hers-Vif,* affl. de l'Ariège (120 km), et l'*Hers-Mort,* affl. de la Garonne (90 km).

hersage [ˈɛʀsaʒ] n. m. AGRIC Opération qui consiste à herser la terre.

Herschel (sir William) (Hanovre, 1738 – Slough, Buckinghamshire, 1822), astronome anglais d'origine allemande. Il découvrit en 1781 la planète Uranus et en 1789 deux satellites de Saturne, grâce aux télescopes qu'il construisit lui-même. Il montra que le Soleil se déplaçait en direction de l'apex. – **Caroline Lucrèce** (Hanovre, 1750 – id., 1848), sœur du préc., qu'elle aida dans ses travaux. – **John Frederick William** (Slough, 1792 – Collingwood, Kent, 1871), fils de sir William, astronome, étudia les nébuleuses. ▶ illustr. page **893**

herscher. V. hercher.

herse [ˈɛʀs] n. f. **1.** AGRIC Instrument aratoire formé d'un châssis muni de fortes dents et qui sert, après le labour, à briser les mottes. *Herse à dents. Herse à disques* (sur lesquels sont fixées les dents). **2.** Anc. Grille mobile armée de pointes, à l'entrée d'un château ou d'une forteresse, qui pouvait être abaissée pour en défendre l'accès. **3.** TECH Grille servant à arrêter les corps flottants sur un cours d'eau. **4.** LITURG Chandelier triangulaire hérissé de pointes sur lesquelles on pique des cierges. **5.** THEAT Appareil d'éclairage dissimulé dans les cintres.

herser [ˈɛʀse] v. tr. [1] AGRIC Passer la herse sur (un sol). *Herser un champ.*

Hersey (John) (T'ien-tsin, 1914 – Key West, 1993), journaliste et écrivain américain. Ses romans sont inspirés par la guerre : *Une cloche pour Adano* (1944), *la Muraille* (1950).

Hershey (Alfred) (Owosso, Michigan, 1908 – New York, 1997), biologiste américain; auteur de recherches sur la génétique des virus et leurs rapports avec la cellule parasitée. P. Nobel de physiologie et médecine 1969.

Herstal, com. de Belgique (Liège), sur la Meuse; 38 590 hab. Sidérurgie; manufactures d'armes. – Anc. *Héristal,* domaine de Pépin, maire d'Austrasie et bisaïeul de Charlemagne.

Hertel (Rodolphe Dubé, dit François) (Rivière-Ouelle, 1905), écrivain canadien d'expression française : *Un Canadien errant* (récit, 1953). Poèmes : *Cosmos* (1945), *Poèmes européens* (1961).

Hertford, v. de G.-B.; ch.-l. du comté de Hertfordshire; 21 410 hab.

Hertfordshire, comté de G.-B., au nord de Londres; 1 634 km²; 951 500 hab.; ch.-l. *Hertford.* Céréales.

Hertogenbosch ('s-). V. Bois-le-Duc.

hertz n. m. PHYS Unité de fréquence (symbole Hz). *1 Hz est la fréquence d'un phénomène dont la période est de 1 seconde.*

Hertz (Heinrich Rudolf) (Hambourg, 1857 – Bonn, 1894), physicien allemand. Il détermina (1887) la vitesse de propagation des ondes électromagnétiques, qui est celle de la lumière, prouvant ainsi le caractère électromagnétique de la lumière pressenti par Maxwell. Ses travaux ouvrirent la voie aux télécommunications. – **Gustav** (Hambourg, 1887 – Berlin-Est, 1975), neveu du préc.; physicien allemand, connu pour ses travaux sur la luminescence. P. Nobel 1925.

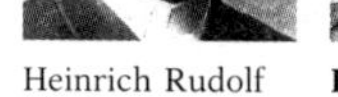

Heinrich Rudolf **Hertz**

Hippocrate

hertzien, enne adj. TELECOM *Ondes hertziennes :* ondes électromagnétiques utilisées dans les télécommunications. – *Relais hertzien :* installation permettant la réception et la réémission d'ondes hertziennes. *Les relais hertziens permettent d'assurer la couverture du territoire en émissions de télévision.* Syn. réémetteur. – *Câble hertzien :* faisceau d'ondes hertziennes.

Hertzsprung (Ejnar) (Frederiksberg, 1873 – Tølløse, 1967), astronome danois; connu pour ses travaux sur la Galaxie et sur l'évolution des étoiles. ▷ ASTRO *Diagramme de Hertzsprung-Russell* (par abrév. *H.-R.*) : diagramme sur lequel on porte en abscisse le type spectral d'une étoile (ou sa température de surface) et en ordonnée sa magnitude absolue, pour étudier son évolution. ▶ illustr. **étoile**

Hérules, peuple de la Germanie. Les Hérules prirent Rome, sous la conduite d'Odoacre, en 476.

Hervé (Florimond Ronger, dit) (Houdain, 1825 – Paris, 1892), compositeur français; auteur d'opérettes : *le Petit Faust* (1869), *Mam'zelle Nitouche* (1883).

Hervieu (Paul) (Neuilly-sur-Seine, 1857 – Paris, 1915), écrivain français. Il se livra à une étude sévère des milieux mondains parisiens dans ses romans (*la Bêtise,* 1884; *Diogène le chien,* 1888) et ses pièces moralisantes (*Théroigne de Méricourt,* 1902, écrite pour Sarah Bernhardt).

Herzberg (Gerhard) (Hambourg, 1904), physicien et chimiste canadien d'origine allemande; connu pour ses recherches sur la structure électronique des molécules et l'application de ces travaux à la chimie cosmique. P. Nobel 1971.

Herzégovine, rég. de Bosnie-Herzégovine; v. princ. *Mostar.* – Conquise par les Turcs (1465), rattachée à la Bosnie (1482), elle fut le foyer de la révolte de 1875-1878 contre le pouvoir ottoman.

Herzen (en russe *Ghertsen*) (Alexandre Ivanovitch) (Moscou, 1812 – Paris, 1870), écrivain russe, connu sous le pseudonyme d'Iskander. Émigré à Paris puis à Londres, il se fit le propagandiste d'un «socialisme russe». *À qui la faute?* (1847), *Passé et pensées* (textes politiques, 1852-1868), *la Pie voleuse* (contre le servage, 1848).

Herzl (Theodor) (Budapest, 1860 – Edlach, Autriche, 1904), écrivain juif autrichien d'expression allemande; fondateur du mouvement sioniste (1897). Il a exposé ses thèses dans *l'État juif* (1896).

Herzog (Maurice) (Lyon, 1919), alpiniste et homme politique français. Il vainquit l'Annapūrnā (1950), avec Lachenal; successivement haut-commissaire et secrétaire d'État à la Jeunesse et aux Sports de 1958 à 1966.

Herzog (Werner Stipetic, dit Werner) (Munich, 1942), cinéaste allemand. Ses films, romantiques, baroques, relatent le destin exceptionnel de personnages marqués par la démesure, la folie, l'étrangeté : *Aguirre, la colère de Dieu* (1972), *l'Énigme de Kaspar Hauser* (1974), *Woyzeck* (1979), *Fitzcarraldo* (1982).

Hesbaye (la) (en flam. *Haspengouw*), plaine fertile de Belgique, entre la Campine et la Meuse.

Hésiode (mil. du VIIIe s. av. J.-C.), poète grec; le premier des trois grands poètes didactiques de l'Antiquité. Virgile et Lucrèce se sont librement inspirés de son œuvre : *les Travaux et les Jours, la Théogonie.*

hésitant, ante adj. et n. **1.** Qui hésite, qui montre de l'indécision. *Un caractère hésitant.* ▷ Subst. *Persuader les hésitants.* **2.** Mal assuré. *Un pas hésitant.*

hésitation n. f. **1.** Fait d'hésiter. *Se décider après bien des hésitations.* **2.** Temps d'arrêt dans l'action, qui manifeste l'indécision. *Parler sans hésitations.*

hésiter v. intr. [1] **1.** Être dans un état d'irrésolution quant au parti que l'on doit prendre. *Il a longtemps hésité avant de partir. Hésiter sur le choix d'une couleur, entre deux couleurs.* – *Hésiter* [...]

(+ inf.). *Hésiter à venir.* **2.** Marquer son irrésolution, son indécision par un temps d'arrêt dans l'action. *Hésiter dans ses réponses.*

Hespérides (îles), îles que les Anciens situaient « au bout du monde », précisément au couchant (en gr. *hesperis, hesperidos*); identifiées tantôt aux Canaries, tantôt aux îles du Cap-Vert.

Hespérides, dans la myth. gr., surnom des trois (ou sept) filles d'Atlas et d'Hespéris, gardiennes, avec le dragon Ladon, d'un jardin où poussaient des pommiers aux fruits d'or. La cueillette de ces fruits, qui procuraient l'immortalité, constitua l'un des douze travaux d'Héraclès.

Hess (Walter Rudolf) (Frauenfeld, 1881 – Zurich, 1973), physiologiste suisse. Ses travaux de neurologie lui valurent le P. Nobel de médecine 1949.

Hess (Victor Franz) (Waldstein, Styrie, 1883 – New York, 1964), physicien autrichien naturalisé américain en 1944; connu pour ses travaux sur les rayons cosmiques. P. Nobel 1936.

Hess (Rudolf) (Alexandrie, Égypte, 1894 – prison de Spandau, Berlin, 1987), homme politique allemand; adjoint de Hitler (1933), qu'il soutint dès 1920. En 1941, il gagna la G.-B., où il fut interné. Au procès de Nuremberg, il fut condamné à la prison à vie.

Hesse (en all. *Hessen*), Land d'All. et région de la C.E.; 21 114 km^2; 5 565 000 hab.; cap. *Wiesbaden.* Située entre le Rhin et la Weser et drainée par le Main, c'est une rég. boisée, de plateaux et de massifs (Taunus, Vogelsberg), coupée de bassins fertiles. Francfort-sur-le-Main, carrefour de communications et première place bancaire et financière du pays, est le grand pôle écon. régional. – Dirigée par un landgrave à partir de 1292, la Hesse fut très souvent divisée. Au XIXe s., elle comprenait : la *Hesse-Darmstadt* (grand-duché de Hesse et du Rhin en 1815, rép. en 1919), la *Hesse-Cassel* (gouvernée par un électeur) et la *Hesse-Hombourg* (gouvernée par un landgrave), qui, annexées par la Prusse en 1866, formèrent en 1868, avec le duché de Nassau et la ville de Francfort-sur-le-Main, la prov. de Hesse-Nassau. Le Land, formé en 1945, recouvre la majeure partie de ces territoires.

Hesse (Hermann) (Calw, Wurtemberg, 1877 – Montagnola, Tessin, 1962), romancier allemand naturalisé suisse : *Demian* (1919), *le Loup des steppes* (1927), *Narcisse et Goldmund* (1930), *le Jeu des perles de verre* (1943). P. Nobel 1946.

Hestia, dans la myth. gr., fille de Cronos et de Rhéa, déesse du Foyer domestique; même divinité que la Vesta des Romains.

hétaïre [etaiʀ] n. f. Didac. Courtisane, chez les anc. Grecs. ▷ Par ext. Litt. ou plaisant Prostituée.

hétairie ou **hétérie** [eteʀi] n. f. **1.** ANTIQ GR Société politique à caractère plus ou moins occulte. ▷ Au XIXe s., en Grèce, société culturelle aux tendances nationalistes (lutte contre les Turcs). **2.** Mod. Société politique ou littéraire, en Grèce.

hétér(o)-. Préfixe, du gr. *heteros,* « autre ».

hétérochromosome n. m. BIOL Chromosome sexuel, ou allosome*. (V. encycl. chromosome.)

hétéroclite adj. **1.** Rare Qui s'écarte des règles de l'art. *Une construction hétéroclite.* **2.** Cour. Fait d'un assemblage de pièces et de morceaux disparates. *Un fatras hétéroclite d'objets.* – (Personne) *Une clientèle hétéroclite.*

hétérodoxe adj. Didac. Qui s'écarte de la doctrine, des idées reçues, spécial. en matière de religion. *Exégèse, opinion hétérodoxe.* Ant. orthodoxe.

hétérodoxie n. f. Didac. Doctrine, opinion hétérodoxe; caractère de ce qui est hétérodoxe. Ant. orthodoxie.

hétérodyne n. f. RADIOELECTR Oscillateur local utilisé dans un récepteur superhétérodyne (V. ce mot) pour améliorer la sélectivité. (On mélange les signaux fournis par l'amplificateur H.F. et ceux que fournit l'hétérodyne pour réduire la fréquence de l'onde porteuse, modulée en amplitude.)

hétérogamie n. f. BIOL Fécondation dans laquelle le gamète mâle est très différent du gamète femelle. Ant. isogamie.

hétérogène adj. **1.** Qui est formé d'éléments ou de parties de nature différente. *Corps composé de parties hétérogènes. Roche hétérogène.* **2.** Fig. Qui n'a pas d'unité, qui est composé d'éléments fort dissemblables. *Une nation hétérogène. Œuvre hétérogène.* Ant. homogène.

hétérogénéité n. f. Caractère de ce qui est hétérogène.

hétérogenèse ou **hétérogénie** n. f. **1.** HIST Production d'êtres vivants due à la décomposition de matières organiques, sans le concours d'individus préexistants de même espèce (théorie de la « génération spontanée », que les travaux de Pasteur firent abandonner). **2.** BIOL Apparition brutale, par mutation, de types nouveaux et stables.

hétérogreffe n. f. BIOL Greffe pratiquée entre sujets d'espèces différentes. Ant. homogreffe.

hétérologue adj. MED, BIOL **1.** Se dit des tissus, des sérums, des cellules provenant d'un individu d'une espèce différente. **2.** Qui est différent de l'ensemble tissulaire auquel il appartient.

hétéromorphe adj. **1.** BIOL Se dit d'une espèce à l'intérieur de laquelle les différences morphologiques sont très marquées. **2.** MINER Se dit des minéraux de même nature chimique mais de structures différentes. *La calcédoine, l'opale, le quartz sont hétéromorphes.*

hétéromorphie n. f. ou **hétéromorphisme** n. m. Didac. Caractère de ce qui est hétéromorphe.

hétéronome adj. Didac. Dont la conduite est régie par des lois reçues de l'extérieur. Ant. autonome.

hétéronomie n. f. Didac. État d'un individu, d'un groupe qui se soumet à des lois venues de l'extérieur.

hétéronyme n. m. LITTER Pseudonyme auquel l'écrivain s'est efforcé de donner une existence (biographie, œuvre, etc.).

hétérophorie n. f. MED Déviation des axes visuels, due à des causes musculaires.

hétéroptères n. m. pl. ENTOM Sous-ordre d'insectes piqueurs pourvus de deux paires d'ailes (dont l'antérieure est en partie cornée). – Sing. *La punaise est un hétéroptère.*

hétérosexualité n. f. Sexualité des hétérosexuels. Ant. homosexualité.

hétérosexuel, elle adj. et n. Qui trouve la satisfaction de ses désirs sexuels avec des sujets du sexe opposé. (Abrév. Fam. : hétéro.) Ant. homosexuel.

hétérotopie n. f. MED Présence d'un élément anatomique à un endroit où il n'existe pas normalement.

hétérotrophe adj. BIOL Qui ne peut se nourrir qu'à partir d'aliments organiques déjà synthétisés par d'autres organismes et non directement à partir des composés minéraux. *Tous les animaux et tous les végétaux non chlorophylliens sont hétérotrophes.* Ant. autotrophe.

hétéroxène n. m. BIOL Parasite dont le cycle requiert plusieurs hôtes.

hétérozygote adj. et n. m. BIOL Se dit d'un être vivant diploïde dont au moins un des couples de gènes allèles est constitué par deux gènes non identiques, l'un des deux allèles ayant muté. Ant. homozygote.

hêtre ['ɛtʀ] n. m. Grand arbre dont le fruit est enchassé dans une cupule (fam. fagacées), à écorce lisse, à tronc droit, à bois blanc, dur et cassant des zones tempérées humides. ▷ Bois de cet arbre. *Établi en hêtre.*

hêtre : en haut, feuilles en automne (à g.) et en été (à dr.); en bas, faînes (à g.) et écorce (à dr.)

Hetzel (Jules) (Chartres, 1814 – Monte-Carlo, 1886), écrivain et éditeur français. Républicain, il fut proscrit après le coup d'État de 1851. À son retour d'exil, il fonda *le Magasin d'éducation et de récréation,* publia presque tous les grands écrivains de son temps (Hugo et Stendhal, notam.) et, surtout, découvrit le génie de Jules Verne qu'il ne cessa jamais d'encourager. Sous le pseudonyme de P.-J. Stahl, il écrivit notam. *Voyage où il vous plaira,* avec A. de Musset (1842-1843), et *Maroussia* (1878).

heu ! [ø] interj. marquant le doute, l'hésitation, la gêne, ou une difficulté d'élocution. « *Je vous cède la place, mon cher duc. – Heu !... heu !... c'est que je n'y tiens plus tant que ça* » (Maupassant).

heur n. m. Vx Chance favorable. ▷ Mod., litt. *Avoir, ne pas avoir l'heur de plaire à qqn.*

heure n. f. **I. 1.** Division du temps d'une durée égale à la vingt-quatrième partie du jour (soixante minutes). *Revenez dans quarante-huit heures,* dans deux jours. – *La semaine de quarante heures* (de travail). *Heures supplémentaires :* heures de travail effectuées en plus de la durée de travail hebdomadaire légale. – *Être payé soixante francs l'heure* (ou, fam., *de l'heure*). – *Une grande, une petite heure :* un peu plus, un peu moins d'une heure. – *Un quart d'heure.* – Par exag. *Il y a une, deux heures que je vous attends!* **2.** ASTRO Unité de mesure d'angle, égale au 1/24 de la circonférence, soit 15°. **3.** Poét. *La fuite des heures,* du temps. **II. 1.** Moment déterminé du jour exprimé par un chiffre de 0 à 12 ou de 0 à 23 (symbole : h). *0 heure :* minuit. *12 heures :* midi. – *Quelle heure est-il? Il est une heure moins cinq. Deux heures quinze, deux heures et quart* ou *deux heures un quart. Vingt heures trente ou huit heures et demie du soir.* – *À six heures juste, à six heures tapantes, sonnantes.* ▷ *L'heure :* l'heure fixée, convenue. *Soyez à l'heure. Partir avant l'heure. Ne pas avoir d'heure :* ne pas respecter un horaire, un emploi du temps régulier. – Ellipt. *De sept à huit* (heures). – *L'heure H,* celle prévue pour le déclenchement d'opérations militaires; *par ext.,* cour. l'heure fixée pour entreprendre qqch, l'heure décisive. **2.** Moment déterminé de la journée (dont on évoque certaines caractéristiques). *L'heure du déjeuner. C'est une mauvaise heure pour circuler en ville.* ▷ *À la première heure :* très tôt le matin, le plus tôt possible. – Loc. adj. *De la première heure :* qui a été tel depuis le commencement. *Résistants de la première heure.* ▷ LITURG *Heures canoniales* ou *heures,* celles où l'on récite les diverses parties de l'office divin. – *Livre d'heures* ou *heures :* livre qui renferme les prières de l'office divin. *Les Très Riches Heures du duc de Berry.* ▷ (Avec un poss.) Moment habituellement consacré à une activité précise. *Il doit être sur le chemin du retour, c'est son heure.* **3.** Moment, période de la vie (d'une personne, d'une société donnée). *Il a traversé des heures difficiles.* – *Les problèmes de l'heure :* les problèmes actuels, du présent. ▷ (Avec un poss.) Moment de faire une chose, moment décisif. *Son heure, sa dernière heure est venue :* il va mourir. – *Son heure viendra :* il sera enfin récompensé de ses efforts. – *Écrivain qui a eu son heure de gloire.* **III.** Loc. adv. **1.** *À l'heure qu'il est :* au moment où nous parlons; dans la situation actuelle. **2.** Vieilli *À cette heure :* présentement, en ce moment-ci. **3.** *À la bonne heure :* au moment propice. ▷ (Exclam.) *À la bonne heure! :* c'est parfait, voilà qui est très bien. **4.** *Sur l'heure :* aussitôt, immédiatement. *Les condamnés furent exécutés sur l'heure.* **5.** *Tout à l'heure :* dans un moment, un peu plus tard. *Je vous répondrai tout à l'heure.* ▷ Il y a quelques instants. *Il est passé vous voir tout à l'heure.* **6.** *De bonne heure :* tôt. *Se lever de bonne heure, de très bonne heure.* ▷ Avant l'heure, avant le moment prévu. *Enfant qui marche de bonne heure.* **7.** *À toute heure :* à n'importe quel moment de la journée, sans interruption. *Repas servis à toute heure.*

ENCYCL *L'heure, unité de temps.* On distingue l'heure *sidérale* et l'heure *solaire,* respectivement égales à la vingt-quatrième partie du jour sidéral et du jour solaire. L'heure sidérale est un peu plus brève que l'heure solaire. Dans la vie courante, lorsqu'on exprime une durée en heures, il s'agit d'heures solaires moyennes. Le jour solaire moyen est le temps qui s'écoulerait entre deux passages du Soleil au méridien, s'il parcourait l'écliptique d'un mouvement uniforme. – *L'heure, mesure du temps écoulé.* Le jour solaire utilisé en astronomie commence à midi. Dans la vie pratique, on calcule l'heure à partir de minuit (heure *civile*). L'heure civile *locale* changeant avec la longitude du lieu (à cause de la rotation de la Terre), on a été amené à définir une heure *légale,* qui reste la même à un instant donné sur toute l'étendue d'un pays. Cette heure légale est généralement définie par rapport à l'heure locale du méridien situé au centre d'un fuseau horaire. En France, l'heure légale est celle du fuseau d'Europe centrale; elle est en avance d'une heure sur l'*heure de temps universel* (T.U.), heure locale du méridien de Greenwich (anciennement appelée heure G.M.T.); l'*heure d'été* est en avance d'une heure sur l'heure légale, et donc de deux heures sur l'heure T.U., elle a été instituée pour économiser de l'énergie électrique (la nuit tombant une heure plus tard).

heureusement adv. **1.** D'une manière avantageuse; avec succès. *Régler heureusement un conflit.* **2.** D'une manière ingénieuse. **3.** Par bonheur. *Heureusement il avait pris ses précautions.*

heureux, euse adj. (et n.) **I. 1.** Favorisé par le sort. *Être heureux au jeu. Estimez-vous heureux d'être encore en vie!* **2.** Opportun, favorable, propice. *Un heureux hasard.* ▷ Qui réussit, qui trouve une issue favorable. *Une heureuse décision.* – Loc. *Avoir la main heureuse :* avoir de la chance dans les choix que l'on fait, réussir ce que l'on entreprend. ▷ Qui laisse prévoir une issue favorable. *Heureux présage.* **3.** Impers. *Il est heureux pour lui que... :* c'est une chance pour lui que... – Ellipt. *Encore heureux qu'il ne soit pas blessé!* **II.** Ingénieux, justement choisi. *Une heureuse combinaison de couleurs.* **III. 1.** Qui jouit du bonheur. *Rendre qqn heureux.* – *Être heureux comme un roi,* très heureux. – «... *deux amants jusqu'alors heureux et légers* » *(R. Vailland).* ▷ *Heureux de, que.* « *Elle s'attendrissait sur elle-même, heureuse de devenir une sorte d'héroïne de livre...* » *(Maupassant).* ▷ Subst. *Faire un heureux.* **2.** Qui marque, exprime le bonheur. *Air, visage heureux.* **3.** Rempli de bonheur. *Une existence heureuse.* ▷ Qui apporte le bonheur. *Souhaiter une heureuse année à qqn.*

heuristique ou **euristique** [øʀistik] adj. et n. f. Didac. **I.** adj. **1.** Qui favorise la découverte (de faits, de théories). *Méthode heuristique.* **2.** HIST Relatif à la collecte des documents. **II.** n. f. **1.** Partie du savoir scientifique qui étudie les procédures de découverte. **2.** HIST Collecte des documents.

heurt [ˈœʀ] n. m. **1.** Coup, choc brutal (de corps qui se rencontrent). *Heurt des volets qui battaient au vent.* **2.** (Abstrait) Friction entre des personnes, désaccord. *Leur voisinage ne va pas sans heurts.* **3.** Fig. Contraste violent (entre des sons, des couleurs, etc.).

heurté, ée adj. PEINT Dont les teintes ne sont pas fondues. *Tons heurtés.* ▷ Fig. *Exécution heurtée d'un morceau de musique,* brutale dans le rythme et l'opposition des nuances. *Style heurté.*

heurter [ˈœʀte] v. [1] **I.** v. tr. **1.** Cogner contre, rencontrer rudement. *Son front a heurté le pare-brise.* **2.** Fig. Contrarier, blesser, offenser. *Vos refus successifs l'ont heurté. Heurter de front l'opinion publique,* aller à l'encontre. **II.** v. intr. **1.** Vieilli *Heurter contre. Le bateau heurta contre un écueil.* **2.** *Heurter à :* donner intentionnellement des coups contre, sur. *Heurter au carreau, à la porte.* **III.** v. pron. **1.** Réfl. *Se heurter à un meuble.* ▷ Fig. *Se heurter aux préjugés.* **2.** Récipr. *Les deux véhicules se sont heurtés en haut d'une côte.* ▷ Fig. Être en violente opposition. *Leurs caractères se heurtent.* – *Des tons qui se heurtent.*

heurtoir [ˈœʀtwaʀ] n. m. **1.** Marteau fixé au vantail de la porte d'entrée d'une maison, et qui sert à frapper pour s'annoncer. **2.** CH de F Butoir.

Heuss (Theodor) (Brackenheim, Wurtemberg, 1884 – Stuttgart, 1963), homme politique allemand; premier président de la R.F.A. (1949-1959).

Heuyer (Georges) (Pacy-sur-Eure, 1884 – Paris, 1977), psychiatre français, premier titulaire de la chaire de psychiatrie infantile en France, l'un des promoteurs de cette discipline.

Hève (cap de la), cap crayeux au N. de l'estuaire de la Seine (Seine-Maritime).

hévéa n. m. Arbre de grande taille (fam. euphorbiacées) originaire d'Amérique du Sud, cultivé (surtout en Asie du S.-E.) pour son latex, dont on tire le caoutchouc.

Heverlee, localité de Belgique (Brabant), dans l'aggl. de Louvain, sur la Dyle. – Anc. résidence des comtes de Brabant.

Hevesy de Heves (Georg) (Budapest, 1885 – Fribourg-en-Brisgau, 1966), chimiste suédois d'origine hongroise; connu pour ses travaux sur la séparation des isotopes. Il découvrit le hafnium. P. Nobel 1943.

Hewish (Antony) (Fowey, Cornouailles, 1924), physicien britannique; connu pour ses travaux de radioastronomie. P. Nobel 1974.

hex(a)-. Élément, du gr. *heks,* « six ».

hexachlorophène n. m. PHARM Di(hydroxy-2 trichloro-3,5,6 phényl)-méthane, antiseptique à usage externe.

hexachlorure n. m. CHIM Chlorure dont la molécule contient six atomes de chlore.

hexacoralliaires n. m. pl. ZOOL Cnidaires anthozoaires caractérisés par un grand nombre (six ou multiple de six) de tentacules. *Les hexacoralliaires solitaires sont les actinies, ou anémones de mer; les autres, vivant en colonies, sont les madréporaires, qui constituent les récifs coralliens.* – Sing. *Un hexacoralliaire.*

hexacorde n. m. MUS Gamme du plain-chant, composée de six notes, utilisée jusqu'au XVIIe s.

hexadécimal, ale, aux adj. INFORM Se dit d'un système de numération à base 16 qui utilise 10 chiffres (de 0 à 9) et 6 lettres (de A à F).

hexaèdre adj. et n. m. GEOM Qui a six faces planes. ▷ n. m. Polyèdre à six faces. *L'hexaèdre régulier est le cube.*

hexaédrique adj. GEOM Qui a la forme d'un hexaèdre.

hexagonal, ale, aux adj. **1.** GEOM Qui a la forme d'un hexagone. ▷ Qui a pour base un hexagone. *Solide hexagonal.* **2.** Qui concerne la France, l'Hexagone. V. hexagone.

hexagone n. m. **1.** GEOM Polygone à six angles et à six côtés. **2.** *L'Hexagone :* la France métropolitaine (dont le territoire est approximativement de forme hexagonale).

hexamètre n. m. VERSIF Vers de six pieds, ou de six mesures.

hexapode adj. ZOOL Qui a six pattes. ▷ n. m. pl. Anc. nom de la classe des insectes.

hexose n. m. CHIM Sucre simple (ose) à six atomes de carbone. *Le glucose et le fructose sont des hexoses.*

Heymans (Cornelius) (Gand, 1892 – Knokke-le-Zoute, 1968), médecin et pharmacologue belge. P. Nobel 1938 pour ses travaux sur la régulation du fonctionnement de l'appareil respiratoire.

Heyrovský (Jaroslav) (Prague, 1890 – id., 1967), chimiste tchèque. Il découvrit une méthode d'analyse des métaux (1922). P. Nobel de chimie 1959.

Hezbollah (le) (en ar. *ḥizbullāh*, «parti de Dieu»), mouvement chiite libanais fondé en 1982. Ses partisans, qui se désignent aussi comme le *Djihad islamique*, luttent contre l'occupation israélienne (attentats, prises d'otages) et veulent créer un État islamique mondial.

H.F. ELECTR Sigle de *haute fréquence**.

Hf CHIM Symbole du hafnium.

Hg CHIM Symbole du mercure (abrév. du lat. *hydrargyrum*, «eau d'argent»).

hg Symbole d'hectogramme.

hi! ['i; hi] interj. dont la répétition note le rire ou les pleurs.

Hia. V. Xia.

Hia Kouei. V. Xia Gui.

hiatal, ale, aux [(')jatal, o] adj. MED *Hernie hiatale* : hernie de l'estomac à travers l'hiatus œsophagien du diaphragme.

hiatus [jatys] n. m. **1.** Suite de deux voyelles contiguës appartenant à des syllabes différentes, soit à l'intérieur d'un mot (ar*éo*page), soit entre deux mots (il *a é*té). *L'hiatus* (ou, abusiv., *le hiatus*). **2.** Fig. Discontinuité, coupure (dans une suite de choses, dans une chose). **3.** ANAT Orifice anatomique. *Hiatus œsophagien du diaphragme.*

hibernal, ale, aux adj. Didac. De l'hibernation. *Sommeil hibernal.* ▷ Qui a lieu pendant l'hiver. *Plante à floraison hibernale.*

hibernation n. f. État de torpeur et d'insensibilité dans lequel demeurent certains animaux, soit en hiver, soit au cours de périodes défavorables (sécheresse, excès de chaleur, etc.). ▷ MED *Hibernation artificielle* : état de vie ralentie de l'organisme, obtenu par l'emploi conjugué de médicaments paralysant le système nerveux végétatif et une réfrigération totale du corps, qui facilite certaines interventions chirurgicales prolongées et difficiles.

Hibernatus, homme momifié, découvert en 1991 dans le glacier Similaun, qui vivait vers 3300 av. J.-C. Les objets de l'âge du bronze (arcs, couteaux, haches, etc.) associés à cette découverte feraient reculer les dates habituellement admises (extrême fin du IIIe millénaire) du début de l'âge du bronze en Europe continentale.

hiberner v. intr. [1] Passer la saison froide en hibernation. *Le loir, le hamster hibernent.*

hibiscus ou **ibiscus** [ibiskys] n. m. Plante des régions tropicales (fam. malvacées), à grosses fleurs, utilisée notam. comme plante ornementale.

Hibernatus

hibiscus *syriacus*

hibou, oux ['ibu] n. m. **1.** Oiseau rapace nocturne (ordre des strigiformes), dont la tête est pourvue de deux aigrettes (contrairement aux chouettes, qui en sont dépourvues). *La plupart des hiboux sont également nommés ducs. Les hiboux huent, ululent.* **2.** Fig., fam., vieilli Homme mélancolique qui fuit la société. *Un vieux hibou.*

hic ['ik] n. m. inv. Fam., vieilli Point délicat, difficile d'une question. *Voilà le hic.*

hic et nunc loc. adv. (Mots lat.) Litt. Ici et maintenant.

hickory ['ikɔʀi] n. m. BOT Grand arbre proche du noyer (noyer blanc d'Amérique) au bois élastique.

Hicks (sir John Richard) (Leamington Spa, Warwickshire, 1904 – Blockley, Gloucestershire, 1989), économiste britannique. Il a renouvelé la théorie de Walras sur la valeur et les prix : *Valeur et capital* (1939). P. Nobel 1972.

hidalgo n. m. Noble espagnol.

Hidalgo y Costilla (Miguel) (Corralejo, 1753 – Chihuahua, 1811), prêtre mexicain. Instigateur, en 1810, de la lutte pour l'indép., il fut fusillé par les Espagnols.

Hidden Peak, sommet de l'Himalaya (8 068 m), dans le Karakoram.

hideur ['idœʀ] n. f. Vieilli Aspect de ce qui est hideux; grande laideur.

hideusement ['idøzmɑ̃] adv. D'une manière hideuse. *Être hideusement défiguré.*

hideux, euse ['idø, øz] adj. Dont la laideur est horrible, repoussante. *Visage, spectacle hideux.* ▷ (Abstrait) *Vices hideux.*

Hideyoshi (Toyotomi) (Nakamura, 1536 – Fushimi, 1598), homme politique japonais. Premier ministre de 1581 à sa mort, il pacifia et organisa le pays, réduisant les féodaux. Il tenta de conquérir la Chine, mais échoua face à la Corée (1592-1598).

hidjab ['idʒab] n. m. Foulard porté par les femmes musulmanes.

hidro(s)-. Élément, du gr. *hidrôs*, «sueur».

hie ['i] n. f. TECH Masse qui sert à enfoncer les pavés. Syn. dame, demoiselle.

hibou grand duc

hièble ou **yèble** [jɛbl] n. f. BOT Herbe voisine du sureau atteignant 2 à 3 m de haut, aux propriétés médicinales.

hier [(i)jɛʀ] adv. et n. m. **1.** Jour qui précède immédiatement celui où l'on est, où l'on parle. *Il est parti hier, hier matin, hier soir, hier au soir.* ▷ n. m. *Je l'ai cherché tout hier.* **2.** Dans un passé récent, à une date récente. ▷ *N'être pas né d'hier* : avoir déjà beaucoup d'expérience.

hiér(o)-. Élément, du gr. *hieros*, «sacré, saint».

Hiérapolis, anc. v. d'Asie Mineure, en Phrygie, près du Méandre, non loin de Laodicée. Import. ruines romaines (près de *Pamukkale*, en Turquie). – L'apôtre Philippe y fut crucifié.

hiérarchie ['jeʀaʀʃi] n. f. **1.** RELIG Ordre et subordination des divers degrés de l'état ecclésiastique. ▷ Ordre et subordination des neuf chœurs des anges (séraphins, chérubins, trônes, pour la première hiérarchie; dominations, vertus, puissances, pour la deuxième; principautés, archanges et anges pour la troisième). **2.** Organisation d'un groupe, d'un corps social, telle que chacun de ses éléments se trouve subordonné à celui qu'il suit. *La hiérarchie militaire. – Être en haut, en bas de la hiérarchie.* **3.** Répartition des éléments d'une série selon une gradation établie en fonction de normes déterminées. *Hiérarchie des valeurs sociales, morales.*

hiérarchique ['jeʀaʀʃik] adj. Qui appartient à la hiérarchie; de la hiérarchie. *Passer par la voie hiérarchique.*

hiérarchiquement adv. Selon une, la hiérarchie. *Il vous est hiérarchiquement supérieur.*

hiérarchisation n. f. Action de hiérarchiser; son résultat.

hiérarchiser ['jeʀaʀʃize] v. tr. [1] Organiser en établissant une hiérarchie.

hiérarque ['jeʀaʀk] n. m. Didac. Haut dignitaire de l'Église orthodoxe.

hiératique [jeʀatik] adj. (et n. f.) **1.** Didac. Qui concerne les choses sacrées; qui a le caractère formel des traditions liturgiques. ▷ LING *Écriture hiératique* ou, n. f., *la hiératique* : la plus ancienne des deux écritures cursives des anciens Égyptiens. **2.** Cour. Majestueux, d'une raideur figée, comme réglé par une tradition sacrée. *Pose hiératique.*

hiératisme [jeʀatism] n. m. Didac. Caractère, attitude hiératique.

hiéro-. V. hiér(o)-.

hiérogamie ['jeʀogami] n. f. Didac. Union de deux divinités; union d'un dieu ou d'un humain divinisé avec une déesse.

hiéroglyphe ['jeʀoglif] n. m. **1.** Signe, caractère fondamental de l'écriture des anciens Égyptiens. **2.** Plur. Fig. Écriture illisible, signes très difficiles à déchiffrer.

ENCYCL Utilisant non pas des lettres mais des dessins stylisés d'hommes, d'oiseaux, de mammifères, de végétaux et d'objets, ainsi que des signes, les hiéroglyphes peuvent avoir deux fonctions : l'*idéogramme*, représentation d'objets matériels et d'actions physiques, évoque l'idée signifiée; le *phonogramme*, hiéroglyphe, évoque un son. Le phonogramme permet de transcrire phonétiquement tous les sons et donc d'écrire tous les mots. Champollion (1790-1832), le premier, déchiffra les hiéroglyphes.

hiéroglyphes en relief, calcaire polychrome, hypogée de Séthi Ier, XIVe-XIIIe s. av. J.-C., Vallée des Rois

hiéroglyphique ['jeʀoglifik] adj. **1.** Qui se compose d'hiéroglyphes. *« Précis du système hiéroglyphique des anciens Égyptiens », ouvrage de Champollion.* – Qui forme un hiéroglyphe. *Signe hiéroglyphique.* **2.** Fig., litt. Énigmatique, très difficile à déchiffrer.

Hiéron Ier (m. v. 466 av. J.-C.), tyran de Syracuse de 478 à 466 av. J.-C.; vainqueur des Étrusques et des Carthaginois; ami des lettres. – **Hiéron II** (Syracuse, v. 306 - id., 215 av. J.-C.), roi de Syracuse de 265 à 215 av. J.-C.; ennemi puis allié fidèle des Romains; souverain éclairé.

hiéronymite ['jeʀonimit] n. m. Didac. Religieux d'un des ordres qui ont pris pour patron saint Jérôme (désigné aussi sous le nom d'*ermite de saint Jérôme*).

hi-fi ['ifi] n. f. inv. Abrév. de l'angl. *high fidelity,* « haute-fidélité* ». ▷ En appos. *Chaîne hi-fi.*

Highland, rég. d'Écosse; 25 391 km²; 196 000 hab.; ch.-l. *Inverness.*

Highlands (« Hautes Terres »), partie septentrionale et montagneuse de l'Écosse. Économie pauvre. Tourisme.

Highsmith (Patricia) (Fort Worth, Texas, 1921 - Locarno, 1995), romancière américaine. Maître du suspense, elle met l'accent sur la psychologie des criminels et sur les effets pervers de la vie quotidienne : *l'Inconnu du Nord-Express* (1950), *Monsieur Ripley* (1955), *le Rat de Venise* (1975), *le Journal d'Édith* (1977), *Catastrophe* (1988).

high-tech [ajtɛk] adj. inv. et n. m. inv. (Anglicisme) Se dit de tout ce qui relève d'une technique de pointe. *Une cuisine high-tech.*

higoumène n. m. Didac. Supérieur d'un monastère d'hommes orthodoxe.

hi-han ['iɑ̃] interj. et n. m. Onomatopée imitant le cri de l'âne. ▷ n. m. *Les hi-hans du baudet.*

Hikmet (Nâsim Hikmet Ran, dit Nazim) (Salonique, 1902 - Moscou, 1963), écrivain et militant communiste turc. Son œuvre (romans, pièces de théâtre et, surtout, poèmes) dénonce l'injustice sociale et chante l'espoir révolutionnaire : *Paysages humains* (1942-1950), *C'est un dur métier que l'exil* (1957), *Lettres de prison* (posth., 1968).

hilaire ['ilɛʀ] adj. BOT, ANAT Relatif au hile.

Hilaire (saint) (Poitiers, v. 315 - id., v. 367), évêque de Poitiers (v. 350), Père et docteur de l'Église. Il lutta contre l'arianisme.

Hilaliens, tribu arabe qui fut envoyée en Afrique du Nord par le calife fatimide Al-Mustansir v. 1050 pour y rétablir l'ordre lorsque les Zirides échappèrent à sa tutelle. Les historiens arabes accusent cette tribu d'avoir commis un grand nombre de massacres et de destructions.

hilarant, ante adj. Qui excite la gaieté, provoque le rire. ▷ Vieilli *Gaz hilarant :* oxyde azoteux N_2O.

hilare adj. Qui est dans un état de parfait contentement, d'euphorie. *Homme hilare.* ▷ *Par méton.* Qui exprime cet état. *Visage hilare.*

Hilarion (saint) (près de Gaza, v. 291 - Chypre, v. 371), anachorète. Il fonda la vie monastique en Palestine.

hilarité n. f. Accès brusque de gaieté qui se manifeste par le rire. *Ses mimiques provoquèrent l'hilarité générale.*

Hilbert (David) (Königsberg, 1862 - Göttingen, 1943), mathématicien allemand. L'un des fondateurs de l'axiomatique moderne, il décrivit rigoureusement la géométrie euclidienne à l'aide de vingt axiomes. Il donna son nom à l'*espace hilbertien :* espace vectoriel euclidien.

Hildebrand. V. Grégoire VII.

Hildebrandt (Johann Lukas von) (Gênes, 1668 - Vienne, 1745), architecte autrichien; l'un des plus grands représentants de l'archi. baroque en Autriche : palais du Belvédère (1714-1724, Vienne).

Hildegarde (sainte) (Bermersheim, près d'Alzey, 1098 - Rupertsberg, près de Bingen, 1179), abbesse bénédictine de Disibodenberg, réformatrice et mystique.

Hildesheim, ville d'Allemagne (Basse-Saxe); 100 560 hab. Industr. métall., méca., chim. - Cath. avec parties du XIe s. Hôtel de ville (XIVe s.). Maisons anciennes.

hile ['il] n. m. **1.** BOT Zone où le cordon nourricier se soude aux téguments de l'ovule. ▷ Cicatrice laissée sur la graine par cette soudure. **2.** ANAT Zone, généralement déprimée, de pénétration des vaisseaux et des nerfs dans un viscère. *Hile du poumon, du foie.*

Hilferding ou **Hilverding** (Franz) (Vienne, 1710 - id., 1768), danseur et chorégraphe autrichien; un des créateurs du ballet-pantomime.

Hillary (sir Edmund) (Auckland, 1919), alpiniste néo-zélandais; vainqueur de l'Everest (1953), avec le sherpa Tensing.

Hilmend ou **Hilmand** (le), fl. d'Afghānistān (1 200 km), tributaire du lac Hāmūn (Séistan).

Hilsz (Maryse) (Levallois-Perret, 1903 - Moulin-des-Ponts, Ain, 1946), aviatrice et parachutiste française. Elle effectua des raids à longue distance et périt en service commandé.

Hilverding. V. Hilferding.

Hilversum, v. des Pays-Bas (Hollande-Septentrionale), au S.-E. d'Amsterdam; 85 150 hab. Constr. électr. Stat. de radiodiffusion et de radiotélévision.

Himāchal Pradesh, État du N. de l'Inde; 55 673 km²; 5 111 070 hab.; cap. *Simla.* État montagneux (Himalaya). Thé, céréales (dans les vallées).

Himalaya (en sanskrit, « Séjour des neiges »), puissante chaîne montagneuse d'Asie, au N. de l'Inde; longue de 2 800 km; large de 250 à 500 km; 8 848 m à l'Everest (point culminant du globe), au Népal, État où se situent les princ. sommets. Cette chaîne très élevée (plus de cent sommets dépassent 7 000 m), plissée au tertiaire et au quaternaire, est précédée au S. par une zone de collines, les Siwāliks; le haut plateau du Tibet la limite au N.; l'ensemble compris entre le Zangbo et le Tibet porte le nom de *Transhimalaya.* Au-dessus de 5 000 m commencent les neiges éternelles. Le relief est fragmenté par de profondes et nombr. vallées (Indus, Gange, Zangbo ou Brahmapoutre, etc.), lieux de peuplement. Difficilement franchissable en raison de l'alt. de ses cols (4 000 m), concentrés surtout dans sa partie occid., l'Himalaya joue le rôle de barrière entre l'Inde et l'Asie du Nord, et comporte des régions encore peu connues.

chaînes tibétaines de l'**Himalaya**

himalayen, enne adj. De l'Himalaya.

Himeji, v. du Japon (Honshū); 453 000 hab. Sidérurgie, textile. - Château dit du *Héron blanc,* XVIIe siècle.

Himère, anc. v. de Sicile, sur la mer Tyrrhénienne, à l'embouchure du fleuve Himera. Fondée au VIIe s. av. J.-C. par des Grecs, elle fut détruite par les Carthaginois en 409 av. J.-C. - Ruines d'un temple dorique.

Himes (Chester Bomar) (Jefferson City, Missouri, 1909 - Alicante, 1984), écrivain américain. Ses romans policiers, d'un réalisme savoureux, dénoncent le racisme blanc et décrivent sans complaisance la communauté noire américaine : *la Reine des pommes* (1958), *Dare-dare* (1959), *l'Aveugle au pistolet* (1969).

Himilcon (prem. moitié du Ve s. av. J.-C.), navigateur carthaginois. Il explora la côte atlantique et les îles Britanniques, à la recherche de plomb, d'étain et autres métaux.

Himmler (Heinrich) (Munich, 1900 - Lunebourg, 1945), homme politique allemand. Chef de la Gestapo (1934), puis de toutes les forces de police all.

(1938), ministre de l'Intérieur (1943), il organisa méthodiquement la répression contre les adversaires du Reich et l'extermination des Juifs. Il se suicida peu après son arrestation.

Himyarites, anc. peuple d'Arabie du Sud dont les souverains, parmi lesquels certains furent chrétiens, d'autres adeptes du judaïsme, gouvernèrent le pays qui allait devenir le Yémen (Ier s. av. J.-C. – 525 apr. J.-C. env.).

Hinault (Bernard) (Yffiniac, Côtes-d'Armor, 1954), coureur cycliste français. Il a remporté cinq fois le Tour de France (1978, 1979, 1981, 1982, 1985) et a été champion du monde sur route en 1980.

Bernard **Hinault**

Hincmar (?, v. 806 – Épernay, 882), archevêque de Reims en 845, conseiller de Charles le Chauve, qu'il couronna empereur d'Occident (869). Théologien, moraliste, il accomplit une importante œuvre de réformateur (morale du mariage, notam.).

Hindemith (Paul) (Hanau, Hesse, 1895 – Francfort-sur-le-Main, 1963), compositeur allemand, naturalisé américain en 1946. Il fut d'abord un symbole du modernisme musical, puis du néo-classicisme : *Mathis le peintre* (symphonie, 1934-1935), sonates, trios, quatuors, concertos.

Hindenburg (Paul von Beneckendorff und von) (Posen, 1847 – Neudeck, Prusse-Orientale, 1934), maréchal et homme politique allemand. Après avoir battu les Russes à Tannenberg (1914), il commanda le front de l'Est. De 1916 à 1918, il fut le chef des forces all. et autrich. Président de la République en 1925, il prit Hitler comme chancelier (1933).

hindi ['indi] n. m. et adj. Langue de l'Inde du Nord, devenue en 1949 la langue officielle de l'Inde. ▷ adj. (inv. en genre) *La littérature hindi.*

hindou, oue adj. et n. **1.** adj. Qui concerne l'hindouisme. **2.** n. Personne qui pratique l'hindouisme.

hindouisme n. m. **1.** Vieilli Ensemble des croyances et des institutions traditionnelles de l'Inde brahmanique. **2.** Ensemble de courants religieux surtout répandu en Inde, reposant sur les *Vedas* et une organisation sociale particulière (système des castes).

hindouiste adj. et n. **1.** adj. Relatif à l'hindouisme. *Rites hindouistes.* **2.** n. Personne qui professe ou étudie l'hindouisme.

Hindou Kouch, chaîne montagneuse au N. de l'Afghānistān, prolongement occid. de l'Himalaya ; 7 680 m au Tirich Mir.

Hindoustan, nom donné à la plaine indo-gangétique.

Hinshelwood (sir Cyril Norman) (Londres, 1897 – id., 1967), chimiste anglais ; spécialiste de cinétique chimique. P. Nobel 1956.

hinterland ['intɛʀlɑ̃d] n. m. (Mot all.) GEOGR Arrière-pays.

hip-hop n. m. et adj. inv. Mouvement répandu dans la jeunesse des banlieues qui s'exprime par la danse (smurf), la musique (rap), les tags, la tenue vestimentaire (casquette, sneakers).

hipp(o)-. Élément, du gr. *hippos,* « cheval ».

hipparion n. m. PALEONT Équidé fossile dont les pattes étaient munies de trois doigts et qui vécut en Eurasie au pliocène et au pléistocène.

hipparque n. m. ANTIQ GR Commandant de cavalerie.

Hipparque (VIe s. av. J.-C.), tyran d'Athènes de 527 à 514 av. J.-C. Il partagea le pouvoir avec son frère Hippias ; il fut assassiné par Harmodios et Aristogiton.

Hipparque de Nicée (en Bithynie, IIe s. av. J.-C.), astronome et mathématicien grec. Il calcula les éclipses de la Lune et du Soleil.

Hippias (m. en 490 av. J.-C.), tyran d'Athènes de 527 à 510 av. J.-C. ; fils et successeur (avec son frère cadet Hipparque) du tyran Pisistrate. Après le meurtre d'Hipparque, il exerça un despotisme cruel.

hippie ou **hippy** ['ipi], plur. **hippies** n. et adj. (Mot américain.) **1.** À l'origine, membre d'un mouvement informel non violent né aux États-Unis sur la côte californienne, dont les adeptes tentaient de remettre en question, par leur conduite, leurs vêtements, leur mode de vie (retour à la nature, vie communautaire, liberté des mœurs), la « société de consommation » américaine et son conformisme. **2.** *Par ext.* Jeune homme, jeune fille imitant les hippies californiens dans sa façon de vivre ou dans sa mise. **3.** adj. *Le phénomène hippie. La mode hippie.*

hippique adj. Qui a rapport aux chevaux, aux courses de chevaux.

hippisme n. m. Ensemble des activités relatives aux courses de chevaux. ▷ Sport équestre.

hippocampe n. m. **1.** MYTH Animal fabuleux qui avait un corps de cheval et une queue recourbée de poisson. **2.** Poisson marin (genre *Hippocampus*), long d'env. 15 cm, dont la tête est perpendiculaire à l'axe du corps, et qui est doté d'une queue préhensile lui permettant de s'accrocher verticalement dans les algues. *L'hippocampe femelle dépose ses œufs dans une poche ventrale du mâle, où ils se développent.* **3.** ANAT *Circonvolution de l'hippocampe :* cinquième circonvolution du lobe temporal de l'encéphale.

hippocampe

Hippocrate (île de Cos, 460 av. J.-C. – Larissa, Thessalie, 377 av. J.-C.), le plus grand médecin de l'Antiquité, le maître de la médecine occidentale, fondateur de l'observation clinique. Il a composé un grand nombre de traités (traduits en fr. par Littré, 1839-1861). Soucieux de dégager l'unité profonde, fonctionnelle, du corps humain, il a fait intervenir la notion d'*humeurs.* ▷ *Serment* d'Hippocrate.* ▶ illustr. page **894**

hippocratique adj. MED Qui concerne Hippocrate et sa doctrine.

Hippodamos de Milet (seconde moitié du Ve s. av. J.-C.), architecte grec ; il passe pour avoir été le premier à concevoir de manière systématique le plan des villes (plan en damier).

hippodrome n. m. **1.** ANTIQ Lieu aménagé pour les courses de chevaux et de chars. **2.** Champ de courses. *L'hippodrome de Longchamp.*

hippogriffe n. m. Litt. Animal fantastique, cheval ailé à tête de griffon.

hippologie n. f. Didac. Étude du cheval.

Hippolyte, dans la myth. gr., reine des Amazones, vaincue par Héraclès, qui la tua ou (autre version) qui la donna comme épouse à Thésée.

Hippolyte, dans la myth. gr., fils de Thésée et d'une Amazone (Antiope). Sa belle-mère, Phèdre, qui l'aimait et qu'il avait repoussée, l'accusa d'avoir voulu la séduire. Il périt, emporté sur les rochers par ses chevaux qu'avait effrayés un monstre marin.

Hippolyte (saint) (?, v. 170 – en Sardaigne, 235), prêtre et théologien romain ; l'un des premiers commentateurs chrétiens de la Bible.

hippomobile adj. Vieilli Qui est mû par un cheval, par oppos. à *automobile. Véhicule hippomobile.*

Hippone, anc. v. de Numidie, dont saint Augustin fut évêque de 396 à 430. Ruines aux environs d'Annaba (Algérie).

hippophaé n. m. BOT Arbrisseau épineux, utilisé pour fixer les dunes. – Syn. argousier.

hippophagie n. f. Didac. Utilisation de la viande de cheval comme aliment.

hippophagique adj. Didac. *Boucherie hippophagique,* où l'on vend de la viande de cheval.

hippopotame n. m. Mammifère herbivore d'Afrique tropicale *(Hippopotamus amphibius),* long de 3 à 4 m, pesant de 2,5 à 3 tonnes, qui passe la plus grande partie de sa vie dans les fleuves. – *Hippopotame nain du Liberia (Choeropsis liberiensis),* mesurant 0,90 m au garrot et 1,60 m de long, très peu amphibie.

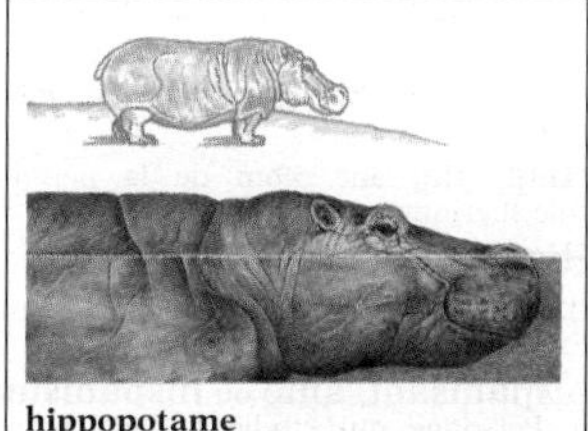

hippopotame

hippy. V. hippie.

Hiram Ier, roi de Tyr (969-935 av. J.-C.). Il procura à son allié Salomon les matériaux indispensables à la construction du Temple de Jérusalem.

Hirohito (après sa mort, *Shōwa tennō*) (Tōkyō, 1901 – id., 1989), empereur du Japon à partir de 1926. Il accepta et incarna la politique expansionniste du clan militaire jusqu'en 1944. Après la capitulation du Japon (1945), il renonça à ses prérogatives « divines » et accepta une constitution d'esprit démocratique qui instituait une monarchie parlementaire.

hirondeau n. m. Vieilli Petit de l'hirondelle.

hirondelle n. f. **1.** Oiseau passériforme (fam. hirundinidés), migrateur, au vol léger et rapide, à la queue fendue en V caractéristique. ▷ *Hirondelle de mer* : sterne. ▷ CUIS *Nid d'hirondelle* : V. salangane. ▷ Prov. *Une hirondelle ne fait pas le printemps* : un fait isolé ne suffit pas à établir une règle générale. **2.** Fam., vieilli Agent de police circulant à bicyclette.

hirondelle bâtissant son nid

Hiroshige (Tokutarō, dit Andō) (Edo, auj. Tōkyō, 1797 – id., 1858), peintre japonais de l'ukiyo-e; paysagiste, grand maître de l'estampe au XIXe s.

Hiroshima, v. et port du Japon, au S.-E. de l'île de Honshū; 1 052 500 hab.; ch.-l. du ken du m. nom. Industr. méca., chim., text. et alim. – Le 6 août 1945, l'aviation américaine lança la première bombe atomique, qui détruisit la ville, faisant plus de 100 000 victimes.

Hirson, ch.-l. de cant. de l'Aisne (arr. de Vervins), sur l'Oise, près de la frontière belge; 10 604 hab. Nœud ferroviaire. Métallurgie.

hirsute ['iʀsyt] adj. **1.** Didac. Garni de poils longs et fournis. **2.** Cour. Ébouriffé, échevelé, hérissé. *Une barbe hirsute. Un enfant hirsute.*

hirsutisme ['iʀsytism] n. m. MED Développement exubérant du système pileux, associé à des troubles génitaux et lié à un mauvais fonctionnement des surrénales.

hirudinées n. f. pl. ZOOL Syn. de *achètes*. – Sing. *Une hirudinée.*

hispan(o)-. Élément, du latin *hispanus*, « espagnol ».

Hispanie, anc. nom de la péninsule Ibérique.

Hispaniola. V. Haïti.

hispanique adj. De l'Espagne, des Espagnols.

hispanisant, ante ou **hispaniste** n. Personne qui étudie la langue, la culture espagnoles.

hispanisme n. m. LING Locution, tournure propre à la langue espagnole.

hispanité n. f. Didac. Fait d'être espagnol; caractère de ce qui est propre aux Espagnols.

hispano-américain, aine adj. et n. **1.** adj. Qui concerne l'Espagne et l'Amérique, ou l'Amérique espagnole. – *Guerre hispano-américaine,* entre l'Espagne et les É.-U., provoquée par la révolte des Cubains en 1898. **2.** adj. et n. Relatif aux citoyens des États-Unis originaires d'Espagne ou des pays hispanophones d'Amérique. ▷ Subst. *Les Hispano-Américains.*

hispano-arabe ou **hispano-mauresque** ou **hispano-moresque** adj. Didac. Qui concerne la période de la domination arabe sur l'Espagne. *Art des faïences hispano-moresques.*

hispanophone adj. Dont l'espagnol est la langue; qui parle l'espagnol.

hisse! (ho!) ['ois] interj. Cri que poussent des personnes en train de hisser, de tirer qqch, pour rythmer et coordonner leurs efforts. *Ho! hisse! Matelots!*

hisser ['ise] v. [1] **I.** v. tr. **1.** Élever au moyen d'un cordage, d'un filin. *Hisser une voile.* **2.** Faire monter, en tirant ou en poussant. *Hisser un enfant sur ses épaules.* **II.** v. pron. S'élever avec effort, grimper. *Se hisser au sommet du mur.* ▷ Fig. *Il se hissa au faîte du pouvoir.*

hista-, histio-, histo-. Éléments, du gr. *histos,* « tissu ».

histamine n. f. BIOCHIM Amine dérivée de l'histidine, qui, présente dans les divers tissus animaux, provoque la sécrétion du suc gastrique, contracte les artères, dilate les capillaires et joue aussi un rôle de médiateur chimique dans les réactions allergiques.

histaminique adj. BIOCHIM Qui se rapporte à l'histamine.

histidine n. f. BIOCHIM Acide aminé cyclique rencontré en petite quantité dans toutes les protéines et relativement abondant dans l'hémoglobine.

histocompatibilité n. f. Didac. Compatibilité entre les tissus d'un greffon et ceux d'un hôte, étroitement liée à leur appartenance à des groupes tissulaires caractérisés par des antigènes génétiquement définis. *La similitude des antigènes d'histocompatibilité chez deux individus est la condition requise pour qu'une greffe pratiquée de l'un à l'autre réussisse.*

histogenèse n. f. BIOL **1.** Formation de tissus divers à partir de cellules indifférenciées, au cours du développement embryonnaire. **2.** Partie de l'embryologie qui étudie le développement des tissus. **3.** Étude de la formation des tissus malades (néoplasmes, notam.).

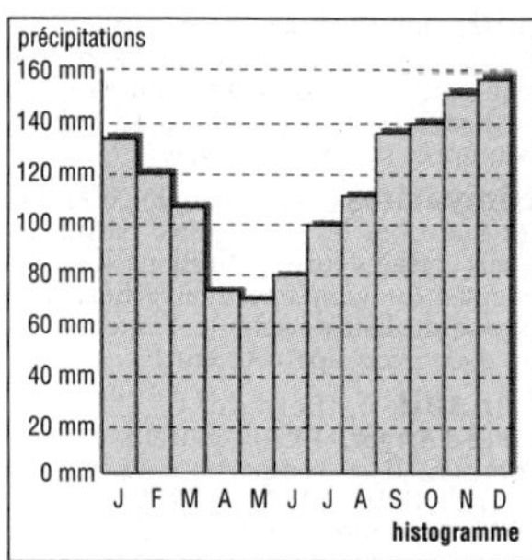

histogramme

histogramme n. m. STATIS Représentation graphique, par des bandes rectangulaires juxtaposées, d'une série statistique.

histoire n. f. **1.** Récit d'actions, d'événements relatifs à une époque, à une nation, à une branche de l'esprit humain, qui sont jugés dignes de mémoire. *Histoire moderne. Histoire de France. Histoire événementielle. Histoire sociale, économique, politique, diplomatique, littéraire, philosophique, religieuse, des idées. Histoire de l'Antiquité,* ou *histoire ancienne,* jusqu'à la fin du Ve s. apr. J.-C.; *histoire du Moyen Âge,* jusqu'à la fin du XVe siècle; *histoire des Temps modernes,* des XVIe, XVIIe et XVIIIe s. jusqu'à la Révolution; *histoire contemporaine,* commençant à la Révolution et englobant notre époque. **2.** Science de la connaissance du passé. *L'histoire s'appuie sur des documents : fossiles, monuments, monnaies, œuvres d'art, chroniques, mémoires. Cours, professeur d'histoire.* **3.** *Par ext.* Suite des événements (vus rétrospectivement). *Les enseignements de l'histoire. – L'histoire jugera. Le sens de l'histoire,* jugé inéluctable. *L'accélération de l'histoire.* **4.** BX-A *Peinture d'histoire,* représentant des sujets empruntés à l'histoire. **5.** Vieilli *Histoire naturelle* : sciences naturelles. **6.** Relation d'actions, d'événements, d'aventures réelles ou inventées. *Raconter une histoire à un enfant. L'histoire d'un voyage.* – Loc. fam. *Le plus beau de l'histoire* : le fait le plus remarquable. *C'est toute une histoire* : ce serait long à raconter, ou à obtenir, à réaliser. *C'est une autre histoire* : il s'agit d'autre chose. *En voilà une histoire,* en parlant d'une nouvelle fâcheuse. *C'est de l'histoire ancienne,* se dit de qqch qu'on veut oublier. **7.** Récit inventé pour tromper, mensonge. *Ce sont des histoires. Une histoire à dormir debout,* invraisemblable. –

Hiroshima, deux mois après l'explosion de la bombe atomique

Par ext. *Faire des histoires :* faire des embarras. – *S'attirer des histoires,* des désagréments, des querelles. **8.** Loc. fam. *Histoire de* (+ inf.) : pour. «*Histoire de rire*» (A. Salacrou). *J'ai dit ça, c'était histoire de plaisanter.*

histologie n. f. BIOL Étude des tissus de l'organisme par la microscopie optique et électronique, et par des méthodes de coloration qui permettent d'identifier leur structure, leur morphologie, leur mode de formation et leur rôle.

histologique adj. MED Qui a rapport à l'histologie.

histolyse n. f. BIOL Destruction des tissus.

histone n. f. BIOCHIM Protéine qui, liée à l'acide désoxyribonucléique des noyaux cellulaires, joue un rôle important dans la synthèse des protéines.

historicisme n. m. Tendance à privilégier l'histoire dans l'explication globale du monde.

historicité n. f. Didac. Caractère de ce qui est historique. *L'historicité d'un fait.*

historié, ée adj. BX-A Orné d'enjolivures, de figurines. *Bible historiée.*

historien, enne n. Personne qui écrit des ouvrages d'histoire, qui enseigne ou étudie l'histoire. *Le premier historien fut Hérodote. Les historiens et les géographes.*

historier v. tr. [2] BX-A Enjoliver de divers petits ornements. *Historier un manuscrit.*

historiette n. f. Courte histoire, anecdote. *Récit parsemé d'historiettes piquantes.*

historiographe n. Didac. Écrivain nommé officiellement pour écrire l'histoire de son temps. *Les historiographes de Louis XIV. Les institutions (académies, ministères) et les grandes entreprises ont parfois leurs historiographes.*

historiographie n. f. Didac. **1.** Art, travail de l'historiographe. **2.** Ensemble des ouvrages des historiographes d'une période donnée.

historique adj. et n. m. **I.** adj. **1.** Qui concerne l'histoire. *Recherches historiques.* – *Pièce, roman, film historique,* dont le sujet est tiré de l'histoire. – *Monument historique,* classé par l'État, qui en garantit la conservation en raison de son intérêt. **2.** Qui appartient à l'histoire (et non à la légende). *Des faits historiques. Homère n'est pas un personnage historique.* **3.** Se dit d'un moment ou d'un fait particulièrement important dans l'évolution d'un processus. *Le dollar a atteint un cours historique.* **II.** n. m. Exposé chronologique de faits, d'événements. *Faire l'historique des débats. L'historique d'un mot,* rappel de ses formes et de ses sens successifs.

historiquement adv. Du point de vue de l'histoire. *Des faits historiquement vérifiables.*

histrion n. m. **1.** ANTIQ Acteur comique. **2.** Péjor., litt. Mauvais comédien, cabotin.

Hitachi, v. du Japon, dans l'île de Honshū; 206 070 hab. Gisements de cuivre, soufre, zinc, or. Industr. chim. Berceau de la grande firme métall. du même nom.

Hitchcock (Alfred) (Londres, 1899 – Hollywood, 1980), cinéaste anglais naturalisé américain; maître du film à suspense. En G.-B. : *l'Homme qui en savait trop* (1934), *les 39 Marches* (1935), *Une femme disparaît* (1938). Aux É.-U. : *Rebecca* (1940), *les Enchaînés* (1946), *l'Inconnu du Nord-Express* (1951), *Fenêtre sur cour* (1954), *Mais qui a tué Harry?* (1955), *Sueurs froides* (1958), *la Mort aux trousses* (1959), *Psychose* (1960), *les Oiseaux* (1963), *Frenzy* (1971).

Adolf **Hitler**

Thomas **Hobbes**

Hitler (Adolf) (Braunau, Haute-Autriche, 1889 – Berlin, 1945), homme politique allemand. Caporal durant la guerre de 1914-1918, il devint chef (1921) du Parti national-socialiste allemand des travailleurs, doté d'une formation paramilitaire. Après le putsch manqué de Munich (1923), il passa neuf mois en prison, y écrivit *Mein Kampf* («Mon combat»), exposé des théories du nazisme qu'il mit en application après 1933 : suprématie de la «race aryenne», extermination des Juifs, nécessité de l'«espace vital» pour le peuple allemand, dont le «destin» serait de dominer l'Europe (V. nazisme et encycl. guerre). Servi par la crise écon. de 1929 et par la division des partis de gauche, le parti nazi devint prépondérant, et Hitler accéda à la chancellerie en janv. 1933. Par la violence et la ruse, il assura sa dictature, le plébiscite de 1934 le reconnaissant Führer de l'État allemand. Sa polit. d'annexion déclencha la guerre de 1939-1945. À partir de 1944, il s'acharna à poursuivre une guerre sans espoir et se suicida le 30 avril 1945, mais son corps ne fut pas retrouvé.

hitlérien, enne adj. et n. Relatif à Hitler, à l'hitlérisme, à ses partisans.

hitlérisme n. m. Doctrine et action d'Hitler. Syn. nazisme (ou national-socialisme).

hit-parade [ʼitpaʀad] n. m. (Anglicisme) Classement, par ordre de popularité, des chansons, des films, etc., récemment sortis. *Des hit-parades.* Syn. (officiellement recommandé) palmarès.

hittite [ʼitit] adj. et n. ANTIQ Des Hittites. *La civilisation hittite.* ▷ n. m. Langue indo-européenne qui était parlée par les Hittites.

Hittites, peuple d'Anatolie centrale qui exerça sa domination sur l'Asie Mineure du XVIe au XIIIe s. av. J.-C. Il s'est formé à partir d'une fusion entre certains éléments autochtones du bassin du Halys (fleuve nommé auj. *Kizil Irmak*) : les Hattis, ou Proto-Hittites, et les peuplades indo-européennes qui pénétrèrent en Anatolie par vagues successives au déb. du IIe millénaire. De nombr. objets et vestiges architecturaux, découverts depuis 1893, permettent d'apprécier la richesse de l'art hittite.

Alfred **Hitchcock** dans son film *les Oiseaux,* 1962

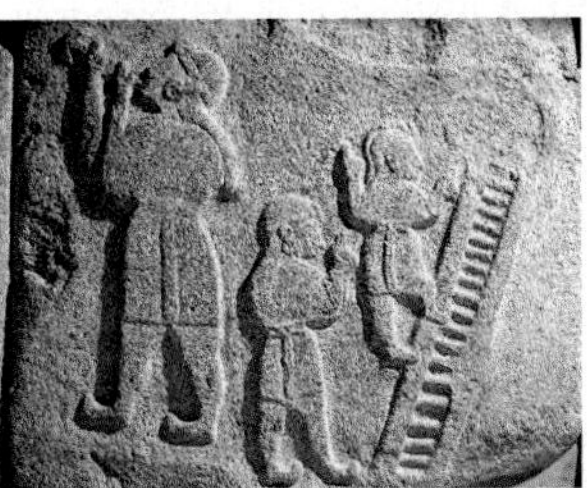

art des **Hittites :** assaut d'une place forte, pierre de fondation sculptée, XIIIe s. av. J.-C., prov. d'Alaca Höyük, basalte; musée des Civilisations anatoliennes, Ankara

Hittorf (Johann Wilhelm) (Bonn, 1824 – Münster, 1914), physicien et chimiste allemand. Il découvrit les rayons cathodiques (1869) et étudia également la migration des ions pendant l'électrolyse.

Hittorff (Jacques) (Cologne, 1792 – Paris, 1867), architecte français d'origine allemande : égl. St-Vincent-de-Paul (en collab. avec Lepère, 1830-1834), fontaines de la place de la Concorde (1846) et gare du Nord (1861-1863), cirque Napoléon (1848-1851, démoli), à Paris; aménagement du bois de Boulogne.

H.I.V. n. m. MED (Sigle pour l'angl. *Human Immunodeficiency Virus.*) Syn. de *V.I.H.*

hiver n. m. Saison la plus froide de l'année dans l'hémisphère boréal, du 22 décembre (solstice d'hiver) au 20 mars (équinoxe de printemps). *Les rigueurs de l'hiver. L'hiver a été doux cette année.* ▷ Poét. Vieillesse. *L'hiver de la vie.*

hivernage n. m. **1.** MAR Temps de relâche pendant la mauvaise saison. *Un hivernage au pôle.* **2.** Saison des orages et des pluies dans les régions tropicales. **3.** AGRIC Labour effectué avant ou pendant l'hiver. **4.** Séjour du bétail à l'étable, des abeilles dans la ruche, pendant l'hiver.

hivernal, ale, aux adj. et n. f. **1.** adj. D'hiver. *Station hivernale.* **2.** n. f. ALPIN Ascension en haute montagne pendant l'hiver.

hivernant, ante adj. et n. **1.** adj. Qui hiverne. **2.** n. Plaisant Personne qui passe l'hiver dans un endroit dont le climat est doux. *Il y a beaucoup d'hivernants à Nice.*

hiverner v. [1] **1.** v. intr. Passer la mauvaise saison à l'abri ou dans des régions tempérées. – (Animaux) *Les hirondelles hivernent en Afrique.* **2.** v. tr. Rentrer (le bétail) à l'étable, protéger (les ruches) avant l'hiver.

Hjelmslev (Louis Trolle) (Copenhague, 1899 – id., 1965), linguiste danois. Il élabora, v. 1935, la glossématique, ou distributionalisme : *Prolégomènes à une théorie du langage* (1943), *Langage* (1943).

hl Symbole d'hectolitre.

HL-A (système) n. m. MED (Sigle pour l'angl. *Human Leucocyte Antigens.*) Principal système d'histocompatibilité* connu chez l'homme.

H.L.M. n. m. ou f. (Sigle de *habitation à loyer modéré.*) Grand immeuble d'habitation aux loyers peu coûteux, construit sous l'impulsion des pouvoirs publics et réservé aux personnes qui ont un revenu relativement peu élevé.

hm Symbole d'hectomètre.

Hmong(s). V. Méo(s).

Ho CHIM Symbole de l'holmium.

ho! ['o; ho] Interjection qui sert à appeler, à témoigner de l'étonnement, de l'indignation, de la douleur, etc. *Ho! venez par ici! Ho! quel malheur!*

hoazin [ɔazɛ̃] n. m. ORNITH Oiseau d'Amazonie (*Opisthocomus hoazin*, ordre des galliformes), qui évoque un faisan et dont le jeune a des ailes comportant des crochets (comme l'archéoptéryx).

Hobart, v. d'Australie, cap. et princ. port de la Tasmanie; 178 100 hab. Industries alim., textiles et métallurgiques.

Hobbema (Meindert) (Amsterdam, 1638 - id., 1709), peintre hollandais; paysagiste disciple de Ruysdael, auteur de la célèbre *Allée de Middelharnis.*

Hobbes (Thomas) (Westport, Malmesbury, 1588 - Hardwick, 1679), philosophe anglais. Sa pensée politique (*De cive*, 1642; *Léviathan*, 1651), qui découle d'un empirisme nominaliste et rationaliste et d'une morale utilitaire, prône le despotisme. Il a fait des «objections» aux *Méditations* de Descartes.
▶ illustr. page **901**

hobby ['ɔbi] n. m. (Anglicisme) Violon d'Ingres, passe-temps. *Des hobbies.*

hobereau ['ɔbʀo] n. m. **1.** ORNITH Petit faucon *(Falco subbuteo)* d'Europe, long de 35 cm. **2.** Fig. Gentilhomme campagnard de la petite noblesse.

Hoboken, anc. com. de Belgique, rattachée à Anvers en 1983. Constr. navales et métallurgiques.

Hoceima (Al-) *(al-Ḥusayma)*, v. du Maroc, sur la Méditerranée; 41 660 hab.; ch.-l. de la prov. du m. nom. Centre touristique.

Hoche (Lazare) (Versailles, 1768 - Wetzlar, Prusse, 1797), général français. Commandant l'armée de Moselle (1793), il repoussa les Autrichiens et les Prussiens. Incarcéré comme suspect, il fut libéré après le 9 Thermidor. De 1794 à 1796, il pacifia la Vendée, mettant fin à l'ultime tentative des royalistes à Quiberon. Après l'échec de l'expédition d'Irlande (1796), il commanda l'armée de Sambre-et-Meuse.

Hochelaga, village indien sur l'emplacement duquel fut bâtie la ville canadienne de Montréal.

hochement ['ɔʃmɑ̃] n. m. Action de hocher (la tête).

Lazare **Hoche**

Hô Chi Minh

hochepot ['ɔʃpo] n. m. Vx, rég. Ragoût, longuement mijoté, de viande et de légumes. *Queue de bœuf en hochepot.*

hochequeue ou **hoche-queue** n. m. Rég. Syn. de *bergeronnette. Les hochequeues remuent sans arrêt la queue.*

hocher ['ɔʃe] v. tr. [1] **1.** Vx Secouer. **2.** *Hocher la tête*, la remuer, en signe d'assentiment, de dénégation, de doute. *Hocher la tête de haut en bas pour dire «oui», de gauche à droite pour dire «non».*

hochet ['ɔʃɛ] n. m. **1.** Jouet que les enfants en bas âge peuvent secouer et qui fait du bruit. **2.** Fig. Chose futile qui flatte ou qui distrait. *Les hochets de la vanité.*

Hochhuth (Rolf) (Eschwegge, Hesse, 1931), dramaturge allemand. Son œuvre soulève la question de la culpabilité collective dans les grands conflits du siècle : *le Vicaire* (1963), *Soldats* (1967), *Guérillas* (1970).

Hô Chi Minh, «le Lumineux» (Ngûyên Ai Quoc, dit) (Kiem Lem, prov. de Nghê An, 1890 - Hanoi, 1969), homme politique vietnamien; fondateur du parti communiste indochinois (1930) et du Viêt-minh (1941). Président de la République vietnamienne (1946), il dirigea la lutte contre les Français. Président, à partir de 1954, de la République démocratique du Viêt-nam du Nord, il soutint les forces opposées au régime de Saigon. Son testament politique insiste sur la nécessité de restaurer l'union Moscou-Pékin. Le 30 avril 1975, son nom a été donné à la ville de Saigon.

Hô Chi Minh-Ville (*Saigon* jusqu'en 1975), la plus grande ville de la république socialiste du Viêt-nam, à 80 km de la mer de Chine, port import. sur la rivière de Saigon, bras du Mékong; env. 3 500 000 hab. avec Cholon, cité adjacente très peuplée (Chinois en majorité). Centre administratif, commercial et industriel. - La ville prit son essor sous Gia Long, à la fin du XVIIIe s. Occupée par les Français en 1859, capitale de la Cochinchine, puis du Sud-Viêt-nam (de 1954 à 1975), Saigon connut un afflux massif de réfugiés pendant la guerre du Viêt-nam. Après l'entrée des troupes communistes (avril 1975), la ville fut rebaptisée, et le nouveau pouvoir mit en œuvre une politique de déflation de la population et d'intégration progressive à l'économie du pays.

Höchstädt, localité d'Allemagne (Bavière), sur le Danube. - Victoires de Villars sur les Autrichiens (1703), de Marlborough et du Prince Eugène sur les Français (1704) et de Moreau sur les Autrichiens (1800).

hockey ['ɔkɛ] n. m. Jeu et sport d'équipe pratiqué sur gazon ou sur glace. ▷ *Hockey sur glace* : sport pratiqué sur une patinoire par deux équipes de six joueurs chaussés de patins, qui consiste à s'emparer d'un disque de caoutchouc épais (*palet* ou, au Canada, *rondelle*) à l'aide d'une crosse (*bâton* au Canada) et à le faire pénétrer dans le but adverse. ▷ *Hockey sur gazon*, pratiqué sur gazon par deux équipes de onze joueurs et dont les règles dérivent en grande partie du football.

hockeyeur, euse ['ɔkɛjœʀ, øz] n. Joueur, joueuse de hockey.

Hockney (David) (Bradford, 1937), peintre et dessinateur anglais. Il a participé au mouvement du pop'art brit. avant de peindre des toiles d'inspiration naturaliste mêlant le style naïf à une grande sophistication : *Deux garçons dans une piscine* (1965).

Hocquart (Gilles) (Mortagne-sur-Sèvre, 1695 - Brest, 1783), intendant de la Nouvelle-France (1731-1748), qu'il fit prospérer avec sagesse et habileté.

Hodeïda, port du Yémen, sur la mer Rouge; ch.-l. de la prov. du m. nom; 155 110 hab. Centre commercial.

Hodgkin (Thomas) (Tottenham, 1798 - Jaffa, 1866), médecin anglais. ▷ MED *Maladie de Hodgkin* : lymphogranulomatose maligne, d'abord localisée, dont l'extension se fait par contiguïté. (La radiothérapie et la chimiothérapie permettent actuellement de guérir les formes dépistées à temps.)

Hodgkin (Dorothy Crowfoot, Mrs.) (Le Caire, 1910 - Shipston-on-Stour, Warwickshire, 1994), chimiste britannique. Elle a déterminé, par les rayons X, la structure de la pénicilline et de la vitamine B12. P. Nobel 1964.

Hodgkin (Alan Lloyd) (Banbury, Oxfordshire, 1914 - Cambridge, 1998), neurologue anglais. Il a étudié les processus ioniques régissant l'excitation et l'inhibition de la cellule nerveuse. P. Nobel 1963 avec Eccles et Huxley.

Hodja ou **Hoxha** (Enver) (Gjirokastër, 1908 - Tirana, 1985), homme politique albanais. Fondateur du Parti du travail (communiste) en 1941, il lutta contre l'occupation italo-allemande. Secrétaire général du parti communiste albanais de 1948 à sa mort, chef du gouv. de 1945 à 1954, il instaura, d'une main de fer, une politique d'indépendance et d'autarcie qui le mena successivement à la rupture avec Moscou (1961) et avec Pékin (1978).

hodjatoleslam n. m. Dans l'islam chiite, théologien ou juriste.

Hodler (Ferdinand) (Berne, 1853 - Genève, 1918), peintre suisse; surtout connu pour ses paysages alpestres.

Hodna (chott el-) *(Šaṭṭ al-Hudna)*, chott des hauts plateaux d'Algérie orient., au S. des *monts du Hodna* (1 890 m au djebel Bou-Taleb).

hodomètre n. m. Syn. de *podomètre.*

Hoel (Sigurd) (Nord-Odal, 1890 - Oslo, 1960), écrivain norvégien. Ses romans portent sur le retour en arrière, le cercle vicieux de l'enchaînement des fautes : *Quinze jours avant les nuits de gel* (1935), *le Cercle magique* (1958).

Hoffmann (Friedrich) (Halle, 1660 - id., 1742), médecin et chimiste allemand; fondateur de l'organicisme. ▷ PHARM *Liqueur d'Hoffmann* : éther officinal alcoolisé.

Hoffmann (Ernst Theodor Wilhelm, puis Amadeus) (Königsberg, 1776 - Berlin, 1822), écrivain et compositeur romantique allemand; maître de la littérature fantastique dans de nombreux contes et romans : *Kreisleriana* (1814), *les Élixirs du diable* (1815-1816), *Contes des frères Sérapion* (1819-1821), *le Chat Murr* (1820-1822). Princ. œuvres musicales : *Ondine* (opéra, 1814), sonates pour piano, lieder.

Hoffmann (Josef) (Pirnitz, auj. Brtnice, Rép. tchèque, 1870 - Vienne, 1956), architecte autrichien, disciple d'Otto Wagner. Il participa à la fondation d'un mouvement artistique viennois, l'Art nouveau *(Sezessionstil)*; son œuvre annonce le fonctionnalisme (*palais Stoclet*, 1905-1911, Bruxelles).

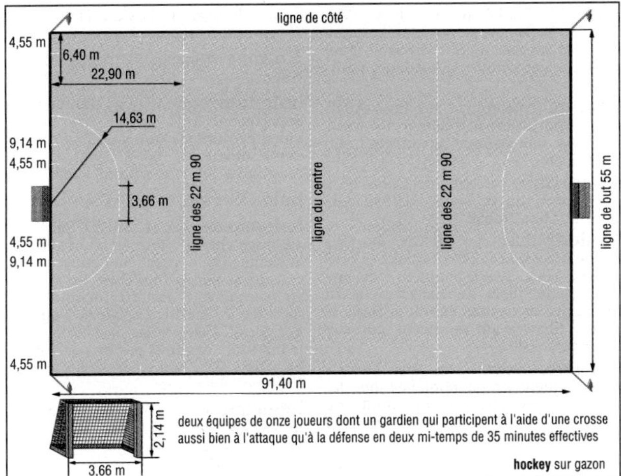

hockey sur gazon

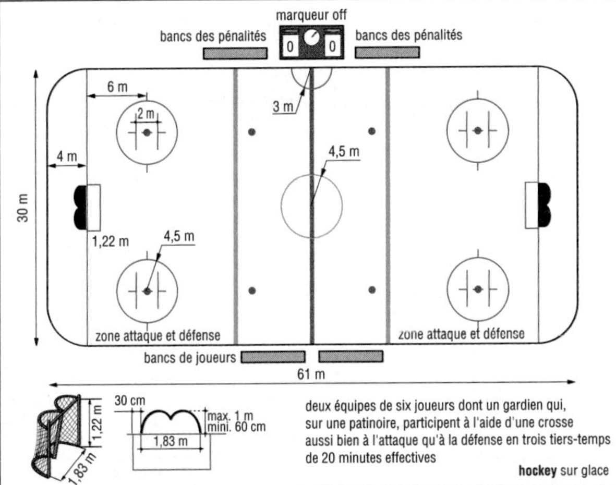

hockey sur glace

Hoffmann (Roald) (Zlázow, Pologne, 1937), chimiste américain d'origine polonaise. Connu pour ses travaux sur la réactivité chimique, il a forgé (avec R.B. Woodward) le concept de « conservation de la symétrie des orbitales moléculaires ». P. Nobel 1981 (avec K. Fukui).

Hofmannsthal (Hugo von) (Vienne, 1874 - Rodaun, près de Vienne, 1929), poète et dramaturge autrichien d'inspiration néo-romantique. Poèmes : *la Mine de Falun* (1899). Drames : *Électre* (1903), *Ariane à Naxos* (1910), *le Chevalier à la rose* (1911), *la Femme sans ombre* (1919); tous ont été mis en musique par R. Strauss.

Hofstadter (Robert) (New York, 1915 - Stanford, Californie, 1990), physicien américain. Il étudia la distribution des charges électriques dans les particules. P. Nobel 1961.

Hogarth (William) (Londres, 1697 - id., 1764), peintre et graveur anglais. Portraitiste plein de verve *(la Marchande de crevettes)*, il excelle dans la scène de genre satirique (*la Carrière d'une prostituée*, 1731).

Hoggar ou **Ahaggar,** massif du Sahara central (Algérie), habité par les Touareg (2 918 m au Tahat); ville principale : *Tamanrasset.*

Hohenlinden, localité d'Allemagne (Bavière) où Moreau battit les Autrichiens de l'archiduc Jean (3 décembre 1800).

Hohenlohe (Chlodwig), prince von Hohenlohe-Schillingsfürst (Rotenburg, 1819 - Ragaz, Suisse, 1901), homme politique allemand. Statthalter d'Alsace-Lorraine (1885-1894), chancelier d'Empire en 1894, il fut remplacé par von Bülow en 1900.

Hohenstaufen, maison allemande, originaire de Souabe, qui apparut au XIe s. et qui donna cinq empereurs (1138-1254) dont Frédéric Ier Barberousse. Elle s'éteignit avec Conrad V (1268).

Hohenzollern, maison allemande, originaire de Souabe, connue dès le XIe s. En 1227, elle se divisa en deux branches, de Souabe et de Franconie. Cette dernière acquit le duché de Prusse (XVIe s.), royaume en 1701, et fonda l'Empire allemand (1871-1918). L'autre tint les principautés de *Hohenzollern-Hechingen* et *Hohenzollern-Sigmaringen*, réunies à la Prusse en 1849.

Hohhot, Houhehot ou **Guisui,** v. de Chine, ch.-l. de la Mongolie-Intérieure; 754 120 hab. (aggl. urb. 1 206 290 hab.). Textiles.

Hohneck, sommet des Vosges (1 361 m), qui domine le col de la Schlucht.

hoirie n. f. DR Anc. Héritage, succession. - Mod. *Avancement* d'hoirie.*

Hokkaidō (anc. *Yeso*), île septent. du Japon; 78 515 km^2; 5 679 000 hab.; ch.-l. *Sapporo.* L'île, montagneuse (alt. max. 2 290 m), aux trois quarts recouverte de forêts, a un climat rude. Sa mise en valeur a débuté à la fin du XIXe s. Princ. ressources : pêche, céréales, bois, hydroélectricité. Un tunnel ferroviaire sous-marin, reliant Hokkaidō à Honshū, a été inauguré en 1988 (il était alors le plus grand du monde : 23,3 km).

Hokusai (Katsushika) (Edo, auj. Tōkyō, 1760 - id., 1849), peintre et dessinateur japonais. Il s'évade peu à peu du répertoire habituel de ses prédécesseurs (portraits de femmes, d'acteurs) et crée v. 1812 le « paysage réaliste », traité dans un style débordant de vie, qui fait de lui l'un des plus grands maîtres de l'estampe : *Cent vues du mont Fuji* (1834-1835). ► illustr. page **904**

holà [ɔla; hɔla] interj. et n. m. **I.** interj. **1.** Servant à appeler. *Holà! quelqu'un!* **2.** Servant à arrêter qqn, à le modérer. *Holà! pas tant de bruit!* **II.** n. m. *Mettre le holà à* : mettre fin à (qqch de fâcheux). *Mettre le holà à une entreprise trop risquée.*

Holan (Vladimir) (Prague, 1905 - id., 1980), poète tchèque : *Triomphe de la mort* (1930), *la Ronde nocturne du cœur* (1963).

William **Hogarth :** *l'Élection;* Soane Museum, Londres

Katsushika **Hokusai :** portrait de Sei Shōnagon ; coll. part., Paris

Holbach (Paul Henri Dietrich, baron d') (Edesheim, Palatinat, 1723 - Paris, 1789), philosophe français d'origine all. ; ami de Diderot, l'un des princ. collaborateurs de l'*Encyclopédie*, illustre représentant du matérialisme au XVIIIe s. : *le Christianisme dévoilé* (1761), *Système de la nature* (1770).

Holbein (Hans), dit *le Vieux* ou *l'Ancien* (Augsbourg, v. 1465 - Issenheim, Alsace, 1524), peintre allemand ; auteur de retables, à la transition entre le gothique et la Renaissance. – **Hans,** dit *Holbein le Jeune* (Augsbourg, 1497 - Londres, 1543), fils du préc. ; peintre et graveur, portraitiste de la cour d'Angleterre. Marqué par la Renaissance, il conserve la rigueur gothique : *Érasme, Anne de Clèves,* planches pour l'*Éloge de la folie* d'Érasme.

Holberg (Ludvig, baron) (Bergen, 1684 - Copenhague, 1754), écrivain danois d'origine norvégienne ; auteur de comédies inspirées notam. de Molière : *Jeppe de la montagne, la Ruelle de l'accouchée,* etc. Il créa le roman danois avec *le Voyage souterrain de Niels Klim* (1741).

Hölderlin (Friedrich) (Lauffen, Wurtemberg, 1770 - Tübingen, 1843), poète allemand. Précepteur chez le banquier Gontard à Francfort (1795-1798), il s'éprit de Suzanne Gontard, la mère de ses élèves, qui devint la Diotima de son roman épistolaire *Hyperion* (1797 et 1799). Il laissa inachevée une tragédie, *la Mort d'Empédocle* (1798-1799), puis composa les *Odes* et les *Élégies* qui consacrent le génie de sa « parole poétique ». Vivant définitivement retranché du monde à partir de 1804 (les premières manifestations de sa folie apparurent dès 1802), Hölderlin a créé un univers mythique, essentiellement riche du pressentiment que la nature, la vérité grecque et le divin formaient « l'équilibre premier de l'humanité », harmonie originelle que l'homme a perdue.

holding [ɔldiŋ] n. m. ou f. (Mot anglais.) FIN Société de portefeuilles dont l'activité consiste à gérer un avoir constitué par des actions, des valeurs mobilières.

hold-up [ɔldœp] n. m. inv. (Anglicisme) Agression à main armée pour dévaliser une banque, un magasin, un convoi, etc.

Holguín, v. du N.-O. de Cuba, ch.-l. de la prov. du m. nom ; 216 580 hab. Industr. alim. ; tabac.

Holiday (Eleonora McKoy, dite Billie), dite aussi *Lady Day* (Baltimore, 1915 - New York, 1959), chanteuse de jazz américaine. Idole de Harlem, elle fit partie des orchestres de Count Basie et d'Artie Shaw avant de mener une carrière de soliste.

holisme [ɔlism] n. m. Didac. Théorie selon laquelle les phénomènes sont des totalités irréductibles à la somme ou même à l'association structurelle de leurs composantes.

holistique adj. et n. Didac. **1.** adj. Qui a rapport à l'holisme. **2.** n. *Holiste :* partisan de l'holisme.

hollandais, aise adj. et n. **1.** De Hollande (n. cour. des Pays-Bas). *Vermeer est un des grands peintres hollandais.* ▷ Subst. *Un(e) Hollandais(e).* **2.** *Race hollandaise* ou *frisonne :* race de vaches pie-noire ou pie-rouge d'origine hollandaise, excellentes laitières.

hollande n. **I.** n. f. **1.** Toile très fine fabriquée en Hollande. **2.** Porcelaine de Hollande. **3.** Variété de pomme de terre à chair jaune très farineuse. **II.** n. m. **1.** Fromage de vache à pâte cuite dure recouvert d'une croûte cireuse rouge. **2.** Papier de luxe.

Hollande, rég. des Pays-Bas, sur la mer du Nord. Située en grande partie au-dessous du niveau de la mer, elle possède de nombr. polders et des voies fluviales denses. Sa forte agric., des industr. diversifiées et son comm. actif en font la rég. la plus riche et la plus peuplée du pays (961 hab./km^2). Elle est divisée en deux prov. : *Hollande-Méridionale* (2 907 km^2 ; 3 208 000 hab. ; ch.-l. *La Haye* ; v. princ. *Rotterdam*) et *Hollande-Septentrionale* (2 657 km^2 ; 2 353 000 hab. ; ch.-l. *Haarlem* ; v. princ. *Amsterdam*). – La Hollande, possession des Habsbourg en 1482, fut à l'origine de la formation des Provinces-Unies (1579) dans lesquelles elle eut une place essentielle. Sa capitale, La Haye, fut celle de la République, et son stathouder le commandant des armées.

Hollande (François) (Rouen, 1954), homme politique français, Premier secrétaire du parti socialiste depuis 1997.

Hollerith (Hermann) (Buffalo, 1860 - Washington, 1929), ingénieur américain. Inventeur de la machine à cartes perforées (1889), il a donné son nom au code utilisé pour les perforations.

Holley (Robert) (Urbana, Illinois, 1922 - Los Gatos, Californie, 1993), biochimiste américain. Il détermina les structures de l'A.R.N. Ses travaux sur le code génétique lui valurent le P. Nobel de médecine 1968.

Hollywood, fbg N.-E. de Los Angeles (Californie), princ. centre de l'industr. du cinéma et de la télévision des É.-U., auj. concurrencé par d'autres villes (New York notam.).

hollywoodien, enne [ɔliwudjɛ̃, ɛn] adj. **1.** De Hollywood ; de la grande période du cinéma à Hollywood. *Une star hollywoodienne.* **2.** *Par ext.* Qui évoque le faste de la vie à Hollywood. *Un bungalow au décor hollywoodien.*

Holmes (Sherlock). V. Sherlock Holmes.

holmium [ɔlmjɔm] n. m. CHIM Élément appartenant à la famille des lanthanides, de numéro atomique Z = 67 et de masse atomique 164,93 (symbole Ho), qui fond à 1 474 °C et bout à 2 695 °C.

holo-. Élément, du gr. *holos,* « entier ».

holocauste n. m. **1.** HIST RELIG Sacrifice en usage chez les juifs, au cours duquel la victime (un animal) était entièrement consumée par le feu. *Offrir un mouton en holocauste.* ▷ *Par ext.* Victime ainsi sacrifiée. **2.** Sacrifice religieux sanglant. **3.** Spécial. *L'Holocauste* ou *l'holocauste :* le massacre des Juifs par les nazis. **4.** Fig. Sacrifice. *Offrir son cœur en holocauste. S'offrir en holocauste.*

holocène n. m. et adj. GEOL Étage le plus récent du quaternaire qui succède au paléolithique supérieur (de 8 000 ou 7 000 av. J.-C. à nos jours).

holocéphales n. m. pl. ICHTYOL Sous-classe de poissons cartilagineux des grandes profondeurs, aux nageoires très développées, comprenant notam. les chimères (sens 3). – Sing. *Un holocéphale.*

holocrine adj. BIOL Qualifie les glandes (sébacées, mammaires, etc.) dont la sécrétion résulte d'une fonte cellulaire.

holocristallin, ine adj. GEOL Se dit d'une roche dont tous les minéraux sont cristallisés.

hologramme n. m. TECH Cliché photographique transparent qui donne l'illusion du relief lorsqu'il est illuminé sous un certain angle. *Le laser a permis de réaliser les premiers hologrammes.*

holographie n. f. TECH Ensemble des techniques de réalisation et d'utilisation des hologrammes.

ENCYCL Le principe de l'holographie consiste en l'enregistrement sur une surface photosensible de deux ondes issues d'une même source : une onde directe et une onde diffractée par l'objet photographié, ces deux ondes produisant un système d'interférences. En éclairant avec une source laser *(holographie optique)* la photographie obtenue, on a une image à trois dimensions. Si l'on utilise une source ultrasonore *(holographie acoustique),* l'hologramme se forme sur un cristal piézoélectrique qui transforme les ondes sonores en signaux électriques, et l'image est visualisée sur un écran cathodique.

holographique adj. Qui a rapport à l'holographie.

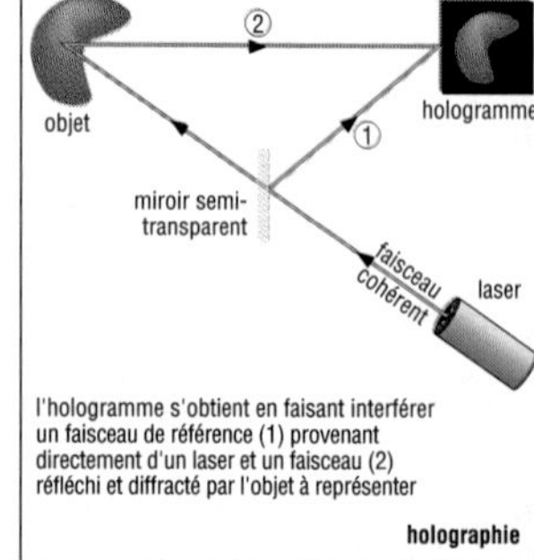
②
objet
hologramme
①
miroir semi-transparent
faisceau cohérent
laser
l'hologramme s'obtient en faisant interférer un faisceau de référence (1) provenant directement d'un laser et un faisceau (2) réfléchi et diffracté par l'objet à représenter
holographie

holomorphe adj. MATH *Fonction holomorphe :* fonction d'une variable complexe, dérivable en tout point de son domaine de définition.

Holopherne, personnage biblique; général de Nabuchodonosor, il fut décapité pendant son sommeil par Judith lors du siège de Béthulie.

holoprotéine n. f. BIOCHIM Protéine constituée uniquement d'acides aminés.

holoside n. m. BIOCHIM Glucide dont l'hydrolyse complète fournit exclusivement des oses.

holothurie n. f. ZOOL Échinoderme au corps mou, plus ou moins cylindrique, recouvert de spicules calcaires rugueux et appelé aussi *concombre de mer.*

Holstein, anc. État d'Allemagne du Nord, comté (1110), puis duché (1474), possession personnelle du roi de Danemark en 1460. La Prusse l'annexa avec le Schleswig en 1866, après la guerre dite des Duchés (1864). Auj., il forme, avec le sud du Schleswig, le Land de Schleswig-Holstein*.

holster ['ɔlstɛʀ] n. m. (Anglicisme) Étui d'une arme de poing, qui se porte sous l'aisselle.

holter [ɔltɛʀ] n. m. MED Électrocardiogramme enregistré en continu pendant 24 heures, permettant de déceler certains troubles passagers.

Holweck (Fernand) (Paris, 1890 - id., 1941), physicien français. Il établit la liaison entre les rayons optiques et les rayons X (1920). Arrêté par la Gestapo, il mourut à la prison de la Santé.

homard ['ɔmaʀ] n. m. Crustacé marin aux énormes pinces (genre *Homarus*), dont le corps, à la carapace bleue parfois veinée de jaune, peut atteindre 50 cm, et dont la chair est très estimée. *Pinces de homard.*

homard américain

Hombourg-Haut, com. de la Moselle (arr. de Forbach); 9 614 hab. - Égl. (XIIIe s.); fortifications du XVIIe s.

hombre ['ɔ̃bʀ] n. m. Anc. jeu de cartes espagnol.

home ['om] n. m. (Anglicisme) **1.** Vieilli Foyer, chez-soi. *L'intimité du home.* **2.** *Home d'enfants :* maison qui accueille des enfants en pension ou en vacances.

Homécourt, ch.-l. de canton de Meurthe-et-Moselle (arr. de Briey), sur l'Orne; 7 134 hab. Sidérurgie.

homélie n. f. **1.** Leçon simple sur un point de doctrine religieuse. - Sermon fait sur un ton familier. **2.** Péjor. Discours moralisant et ennuyeux.

homéo-. Élément, du gr. *homoios,* « semblable ».

homéogène n. m. GENET Gène homéotique.

homéopathe n. Médecin pratiquant l'homéopathie.

homéopathie n. f. Méthode thérapeutique qui consiste à traiter les maladies par des doses infinitésimales de produits capables (à plus fortes doses) de déterminer des symptômes identiques aux troubles que l'on veut supprimer. Ant. allopathie.
ENCYCL En 1790, Hahnemann énonça les trois lois de l'homéopathie : - Loi de similitude : analogie entre les symptômes du malade et ceux qui apparaissent chez un sujet sain auquel est administrée une substance médicamenteuse donnée. - Loi des doses infinitésimales : on prépare des dilutions successives au 1/100 (centésimales hahnemanniennes, par abrév. CH) ou au 1/10 (décimales notées X); en outre, l'agitation du flacon *(dynamisation)* est capitale. - Loi concernant le «terrain morbide» : il n'y a pas des malades (tous identiques s'ils sont frappés d'un même mal), mais un malade, global et fortement individualisé, dont il convient de stimuler le système de défense.

homéopathique adj. **1.** Qui a rapport à l'homéopathie. **2.** Fig. Se dit d'une quantité très faible. *Une baisse homéopathique des taux d'intérêt.*

homéostasie n. f. BIOL Faculté qu'ont les êtres vivants de maintenir ou de rétablir certaines constantes physiologiques (concentration du sang, pression artérielle, etc.) quelles que soient les variations du milieu extérieur.

homéostatique adj. BIOL Relatif à l'homéostasie.

homéotherme adj. et n. m. ZOOL Qualifie les animaux, dits aussi «à sang chaud», qui maintiennent la température de leur corps constante, quelle que soit la température ambiante. Ant. poïkilotherme.

homéothermie n. f. Caractère des animaux homéothermes.

homéotique adj. GENET Se dit de gènes qui contrôlent le plan d'organisation du corps des animaux, assurant que les organes sont formés à la bonne place.

Homère, nom donné au plus célèbre des poètes grecs, considéré comme l'auteur de l'*Iliade* et de l'*Odyssée.* Toute l'Antiquité crut à son existence, mais on ne sait rien de précis sur sa vie. Selon Hérodote, il aurait vécu en Ionie v. 850 av. J.-C. Selon la tradition, devenu vieux et aveugle, il exerçait toujours sa fonction d'aède, allant de ville en ville chantant ses poèmes. Il serait mort à Ios. L'*Iliade,* épopée en 24 chants, est le récit d'un épisode de la guerre de Troie (Ilion), celui de *la Colère d'Achille,* qui rend incertaine l'issue du combat et a pour conséquences la mort de Patrocle, puis celle d'Hector. L'*Odyssée* (en gr. *Odusseus,* « Ulysse »), poème épique également en 24 chants, raconte les aventures d'Ulysse revenant à Ithaque, son royaume, après la prise de Troie : *la Télémachie* relate les circonstances dans lesquelles Télémaque, fils d'Ulysse, part à la recherche de son père; *les Récits chez Alcinoos* sont une narration du périple d'Ulysse depuis son départ de Troie; *le Retour à Ithaque* et *le Massacre des prétendants (la Vengeance d'Ulysse)* constituent la dernière partie du récit. Dans l'*Iliade,* les affrontements des hommes-héros et des dieux se déroulent dans un univers de violence : l'héroïsme guerrier prime toute chose. Dans l'*Odyssée,* les aventures d'Ulysse sont traitées sur un mode plus diversifié, et la vie des principautés grecques aux Xe-IXe s. av. J.-C. apparaît quelque peu. Le débat demeure ouvert sur le

Billie **Holiday** **Homère**

rôle d'un seul poète pour l'élaboration de cette œuvre gigantesque, longtemps conservée sous une forme orale. Telle que nous la connaissons, elle regroupe des morceaux d'âges et de styles différents; ce choix dans le trésor des récits épiques de la Grèce archaïque a pu être l'œuvre d'un aède de génie; l'ensemble du texte a été fixé par écrit au VIe s. L'œuvre homérique est demeurée, pour toute l'Antiquité, la grande référence.

homérique adj. **1.** Qui a rapport à Homère. *Rechercher les lieux homériques.* **2.** Qui rappelle Homère, les héros et les temps anciens qu'il a célébrés. *Une bataille homérique.* - *Par extens.* Spectaculaire, épique. ▷ *Rire homérique,* énorme, déchaîné.

Home Rule (mot angl. signif. «autonomie»), régime revendiqué par l'Irlande de 1870 à 1912, date à laquelle il fut voté par le Parlement britannique (V. Irlande).

1. homicide n. et adj. **1.** n. Personne qui tue un être humain. **2.** adj. Qui cause la mort d'un ou de plusieurs êtres humains. *Une fureur homicide.* ▷ Qui tend au meurtre. *Haine homicide.*

2. homicide n. m. Meurtre, action de tuer un être humain. *Homicide volontaire. Homicide par imprudence.*

hominidés n. m. pl. PALEONT, ANTHROP Ensemble des primates comprenant l'homme (genre *Homo**) et ses ancêtres (genre *Australopithecus*). - Sing. *Un hominidé.*

hominiens n. m. pl. PALEONT, ANTHROP Lignée de primates qui s'étend des hommes fossiles aux hommes actuels. - Sing. *Un hominien.*
ENCYCL Le groupe des hominiens, auquel est rattaché celui des *préhominiens,* ne comporte que le genre *Homo,* lequel renferme : tous les pithécanthropes *(Homo erectus),* de Java, de Chine (Zhoukoudian), de Mauritanie; les néanderthaliens *(Homo sapiens neanderthalensis),* qui subsistèrent un certain temps avec *Homo sapiens sapiens,* l'homme actuel. La première forme étudiée d'*Homo sapiens sapiens,* qui apparut il y a moins de 50 000 ans, est *Homo sapiens fossilis,* l'homme de Cro-Magnon, dont le degré de civilisation était beaucoup plus élevé que celui des néanderthaliens. Des découvertes récentes en Palestine et en Afrique du N. font remonter l'*Homo sapiens sapiens* à 100 000 ans env. La découverte, à Swanscombe (G.-B.) et à Steinheim (Wurtemberg), de fossiles vieux de plus de 250 000 ans et dont les caractères sont intermédiaires entre ceux de l'homme de Cro-Magnon et ceux de l'australopithèque (genre *Australopithecus,* type A, groupe des préhominiens), étaye l'hypothèse selon laquelle l'homme actuel, *Homo sapiens sapiens,* descendrait, par les hominiens de Swanscombe ou de Steinheim, dits *pré-*

sapiens (avant *Homo sapiens*), de l'australopithèque A ; l'australopithèque de type P, les néanderthaliens et les pithécanthropes ne constituent que des rameaux parallèles. La structure générale des hominiens, c.-à-d. celle de l'homme actuel, était en place dès les premiers primates ; le stade principal de l'hominisation fut l'acquisition de la station verticale, qui libéra les mains de la fonction locomotrice et favorisa l'augmentation constante du volume du cerveau, donc le développement du psychisme. L'industrie lithique n'est pas l'apanage d'*Homo sapiens* ; ainsi, de nombreux néanderthaliens la pratiquaient. La préhistoire, c.-à-d. l'« histoire » des premières activités industrielles et artistiques du genre *Homo*, ne couvre que la partie la plus récente de la paléontologie humaine.

hominisation n. f. ANTHROP Processus par lesquels l'espèce humaine s'est constituée à partir de primates.

hominisé, ée adj. ANTHROP Qui présente des marques d'hominisation.

hommage n. m. **1.** HIST Acte par lequel le vassal se reconnaissait homme lige* du suzerain dont il allait recevoir un fief. **2.** Acte, marque de soumission, de vénération, de respect. *Je rends hommage à votre loyauté.* – Plur. *Présenter ses hommages à une dame*, lui présenter respectueusement ses civilités. **3.** Offrande faite à qqn en signe de respect, de considération. *Hommage d'un livre par l'auteur, par l'éditeur*, se dit d'un livre offert par l'auteur, par l'éditeur.

hommage d'Édouard III, roi d'Angleterre à Philippe VI, roi de France, pour l'investiture de la Guyenne, enluminure, 1375-1380, B.N.

hommasse adj. Péjor. Se dit d'une femme qui a une allure virile.

homme n. m. **1.** Être humain. *L'homme, le plus évolué des êtres vivants, appartient à la classe des mammifères, à l'ordre des primates, à la famille des hominidés et à l'espèce « Homo sapiens ».* **2.** Être humain de sexe masculin. *Les caractéristiques qui différencient l'homme de la femme. Un homme âgé.* ▷ (En tant que dépositaire des valeurs traditionnellement considérées comme spécifiquement masculines.) *Être, se montrer un homme*, énergique, courageux. ▷ Pop. (Avec le possessif.) Amant, mari. *C'est mon homme.* **3.** Être humain de sexe masculin et adulte. *Ce n'est plus un enfant, c'est un jeune homme. Un homme bien bâti, musclé, malingre. Un bel homme.* – Loc. *Homme à femmes*, qui a des succès féminins. **4.** *Homme de*, suivi d'un nom, pour indiquer l'état, la profession, les qualités, les défauts d'un individu. *Homme de lettres* : écrivain. *Homme d'État* : membre d'un gouvernement. *Homme de loi* : magistrat, avocat. *Homme d'affaires*, qui s'occupe d'entreprises commerciales. *Homme de mer* : marin. *Homme de troupe* : militaire qui n'est ni officier ni sous-officier. *Homme de cœur*, généreux. *Homme de confiance*, à qui l'on confie des missions délicates. *Homme de parole*, qui respecte ses engagements. *Homme d'intérieur*, qui aime rester chez lui. *Homme de peu*, digne de mépris. *Homme de paille* : prête-nom. *Homme de main**. ▷ HIST *Homme lige* : vassal. **5.** Loc. *Être (un) homme à* (+ inf.), capable de ou digne de. *Il est homme à se venger. C'est un homme à encourager.* – *D'homme à homme* : directement, franchement. – *Comme un seul homme* : tous ensemble, en accord parfait.

Homme (musée de l'), musée d'anthropologie et d'ethnologie (section du Muséum national d'histoire naturelle), fondé en 1937 à Paris (palais de Chaillot).

homme-grenouille n. m. Plongeur muni d'un scaphandre autonome. *Des hommes-grenouilles.*

homme-orchestre n. m. Musicien qui joue de plusieurs instruments en même temps. – Fig. Homme qui cumule plusieurs fonctions, ou qui a des talents variés. *Des hommes-orchestres.*

homme-sandwich n. m. Homme qui se promène dans les rues en portant deux panneaux publicitaires, l'un sur la poitrine, l'autre sur le dos. *Des hommes-sandwiches.*

homo-. Élément, du gr. *homos*, « semblable, le même ».

homo n. m. Nom de genre de l'espèce humaine *(Homo sapiens)* et des hominiens*.

homocentre n. m. GEOM Centre commun à plusieurs cercles.

homochromie n. f. BIOL Caractère des espèces vivantes dont la couleur, analogue à celle du milieu, leur permet de se camoufler.

homocinétique adj. **1.** MECA Se dit d'un joint (à la Cardan, par ex.) placé entre deux arbres tournant à la même vitesse. **2.** PHYS Animé de la même vitesse. *Particules homocinétiques.*

homogène adj. **1.** De la même nature, formé d'une même substance. *Des corps homogènes. Une pâte homogène.* **2.** MATH *Polynôme homogène* : somme de monômes du même degré. ▷ *Équation linéaire homogène*, dont le second membre est nul. **3.** PHYS *Formule homogène*, dont les deux membres représentent la même grandeur. ▷ *Substance homogène*, dont on ne distingue pas à l'œil nu les différents constituants. **4.** Fig. Cohérent, qui n'est pas formé d'éléments disparates. *Une documentation solide et homogène.*

homogénéisation n. f. Action d'homogénéiser. ▷ TECH Traitement que l'on fait subir à certains liquides (lait, partic.) pour empêcher la séparation des éléments qui les constituent.

homogénéiser ou **homogénéifier** v. tr. [2] TECH Rendre homogène. – Pp. adj. *Lait homogénéisé*, dont on a réduit la grosseur des globules gras, pour allonger la conservation.

homogénéité n. f. **1.** Qualité de ce qui est homogène. **2.** Fig. Cohérence, unité. *L'homogénéité d'un gouvernement.*

homographe adj. et n. m. GRAM Se dit de mots ayant la même orthographe. *Dans « les poules du couvent* [kuvɑ̃] *couvent* [kuv] *», les mots « couvent » et « couvent » sont homographes.*

homographie n. f. **1.** MATH Application qui transforme une droite d'un premier espace vectoriel en une droite d'un second. **2.** Caractère des mots homographes.

homographique adj. MATH Qui se rapporte à l'homographie. *Fonction homographique*, du type $y = \frac{ax+b}{a'x+b'}$.

homogreffe n. f. Greffe dans laquelle le greffon est emprunté à un donneur de même espèce. Syn. allogreffe.

homolatéral, ale, aux adj. Qui concerne le même côté du corps. *Douleur homolatérale.*

homologation n. f. **1.** DR Approbation judiciaire, administrative. **2.** SPORT Constatation et enregistrement officiels d'une performance. **3.** TECH Action d'homologuer (un produit, une pièce).

homologie n. f. **1.** Didac. Relation qui existe entre deux éléments homologues. **2.** GEOM Application transformant toute figure dans l'espace par une figure équivalente. **3.** CHIM Caractéristique de composés homologues.

homologique adj. GEOM Relatif à l'homologie. ▷ MATH Se dit de deux figures pour lesquelles existe une homologie transformant l'une des figures en l'autre. *Des triangles homologiques.* – *Algèbre homologique*, qui consiste à associer des groupes à des objets mathématiques, de façon à obtenir des invariants des objets mathématiques étudiés.

homologue adj. et n. **1.** GEOM Qualifie deux points ou deux figures géométriques homologiques. **2.** CHIM *Composés homologues*, dont les formules brutes ne diffèrent que par le nombre des groupes CH_2. **3.** BIOL Se dit des organes d'espèces et de groupes différents qui ont la même origine embryologique. *Chez les vertébrés, les bras, les pattes antérieures, les ailes et les nageoires pectorales sont homologues.* **4.** Équivalent, analogue. ▷ Subst. Personne, groupe, chose qui se trouve comparé à une autre de même nature. *Le ministre français des Finances a rencontré son homologue allemand.*

homologuer v. tr. [1] **1.** DR Donner l'homologation à (un acte). *Homologuer une sentence arbitrale.* **2.** SPORT Reconnaître officiellement, enregistrer. *Homologuer un record.* **3.** TECH Reconnaître officiellement la conformité à certaines normes (d'un objet).

homomorphie n. f. BIOL Type de mimétisme par lequel les animaux adoptent une forme semblable à celle d'un élément de leur milieu.

homoncule ou **homuncule** [ɔmɔ̃kyl] n. m. Petite créature à l'image de l'homme, que les alchimistes prétendaient pouvoir fabriquer. ▷ Fam. Homme petit et malingre.

homonyme adj. et n. m. **1.** Se dit de mots homophones, qui sont ou non homographes, et ont des significations différentes (ex. : *pair, père* et *paire*). **2.** n. m. Personne, chose portant le même nom qu'une autre.

homonymie n. f. Caractère des mots homonymes.

homonymique adj. De l'homonymie.

homophobe adj. et n. Caractérisé par l'homophobie. *Législation homophobe.*

homophobie adj. et n. Hostilité envers les homosexuels.

homophone adj. et n. m. LING *Mots homophones*, de même prononciation mais d'orthographe et de signification

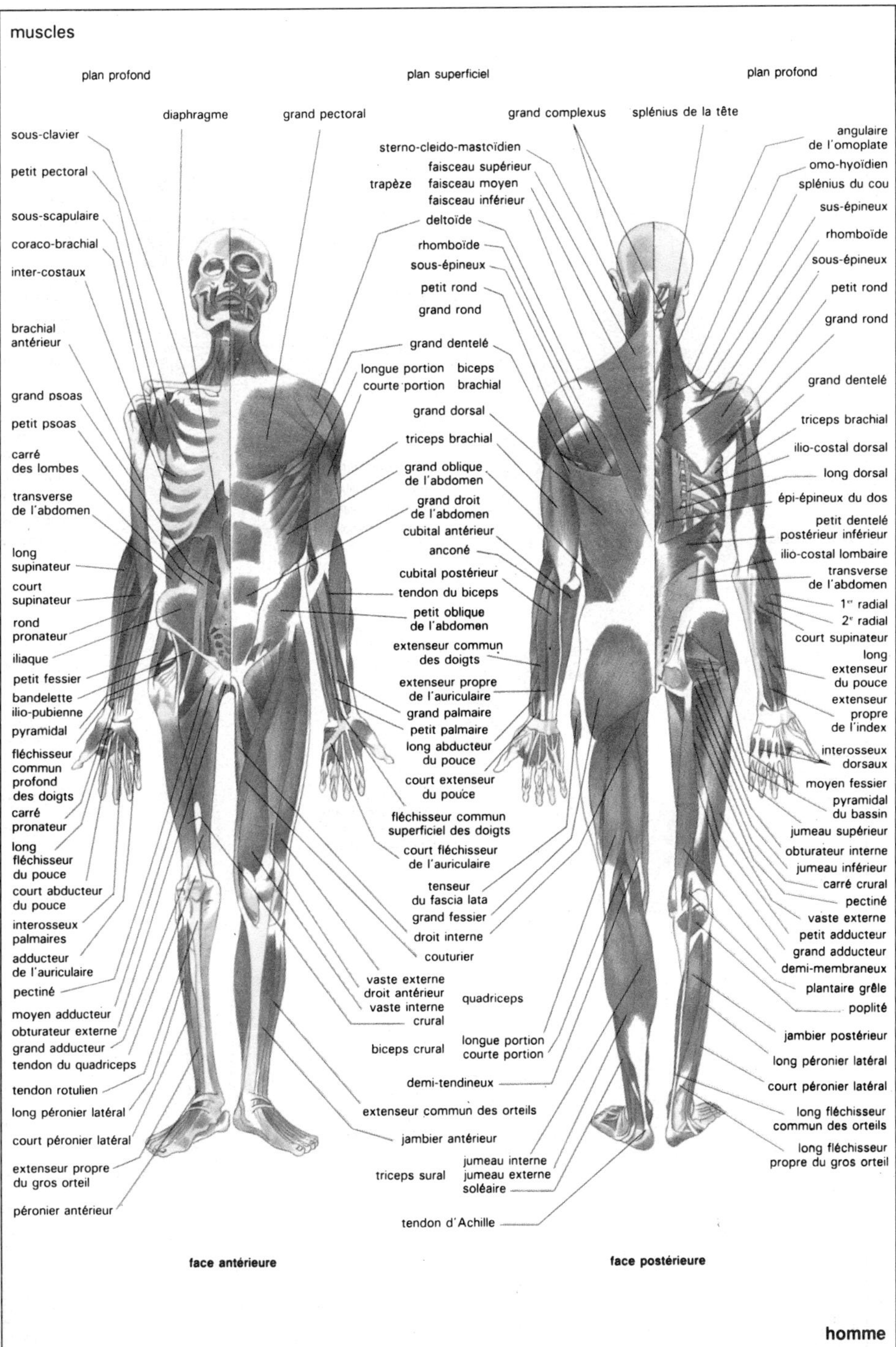
muscles
plan profond
plan superficiel
plan profond
diaphragme
grand pectoral
grand complexus
splénius de la tête
sous-clavier
petit pectoral
sous-scapulaire
coraco-brachial
inter-costaux
brachial antérieur
grand psoas
petit psoas
carré des lombes
transverse de l'abdomen
long supinateur
court supinateur
rond pronateur
iliaque
petit fessier
bandelette ilio-pubienne
pyramidal
fléchisseur commun profond des doigts
carré pronateur
long fléchisseur du pouce
court abducteur du pouce
interosseux palmaires
adducteur de l'auriculaire
pectiné
moyen adducteur
obturateur externe
grand adducteur
tendon du quadriceps
tendon rotulien
long péronier latéral
court péronier latéral
extenseur propre du gros orteil
péronier antérieur
sterno-cleido-mastoïdien
trapèze
faisceau supérieur
faisceau moyen
faisceau inférieur
deltoïde
rhomboïde
sous-épineux
petit rond
grand rond
grand dentelé
biceps brachial
longue portion
courte portion
grand dorsal
triceps brachial
grand oblique de l'abdomen
grand droit de l'abdomen
cubital antérieur
anconé
cubital postérieur
tendon du biceps
petit oblique de l'abdomen
extenseur commun des doigts
extenseur propre de l'auriculaire
grand palmaire
petit palmaire
long abducteur du pouce
court extenseur du pouce
fléchisseur commun superficiel des doigts
court fléchisseur de l'auriculaire
tenseur du fascia lata
grand fessier
droit interne
couturier
vaste externe
droit antérieur
vaste interne
crural
quadriceps
biceps crural
longue portion
courte portion
demi-tendineux
extenseur commun des orteils
jambier antérieur
triceps sural
jumeau interne
jumeau externe
soléaire
tendon d'Achille
angulaire de l'omoplate
omo-hyoïdien
splénius du cou
sus-épineux
rhomboïde
sous-épineux
petit rond
grand rond
grand dentelé
triceps brachial
ilio-costal dorsal
long dorsal
épi-épineux du dos
petit dentelé postérieur inférieur
ilio-costal lombaire
transverse de l'abdomen
1er radial
2e radial
court supinateur
long extenseur du pouce
extenseur propre de l'index
interosseux dorsaux
moyen fessier
pyramidal du bassin
jumeau supérieur
obturateur interne
jumeau inférieur
carré crural
pectiné
vaste externe
petit adducteur
grand adducteur
demi-membraneux
plantaire grêle
poplité
jambier postérieur
long péronier latéral
court péronier latéral
long fléchisseur commun des orteils
long fléchisseur propre du gros orteil
face antérieure
face postérieure
homme

squelette

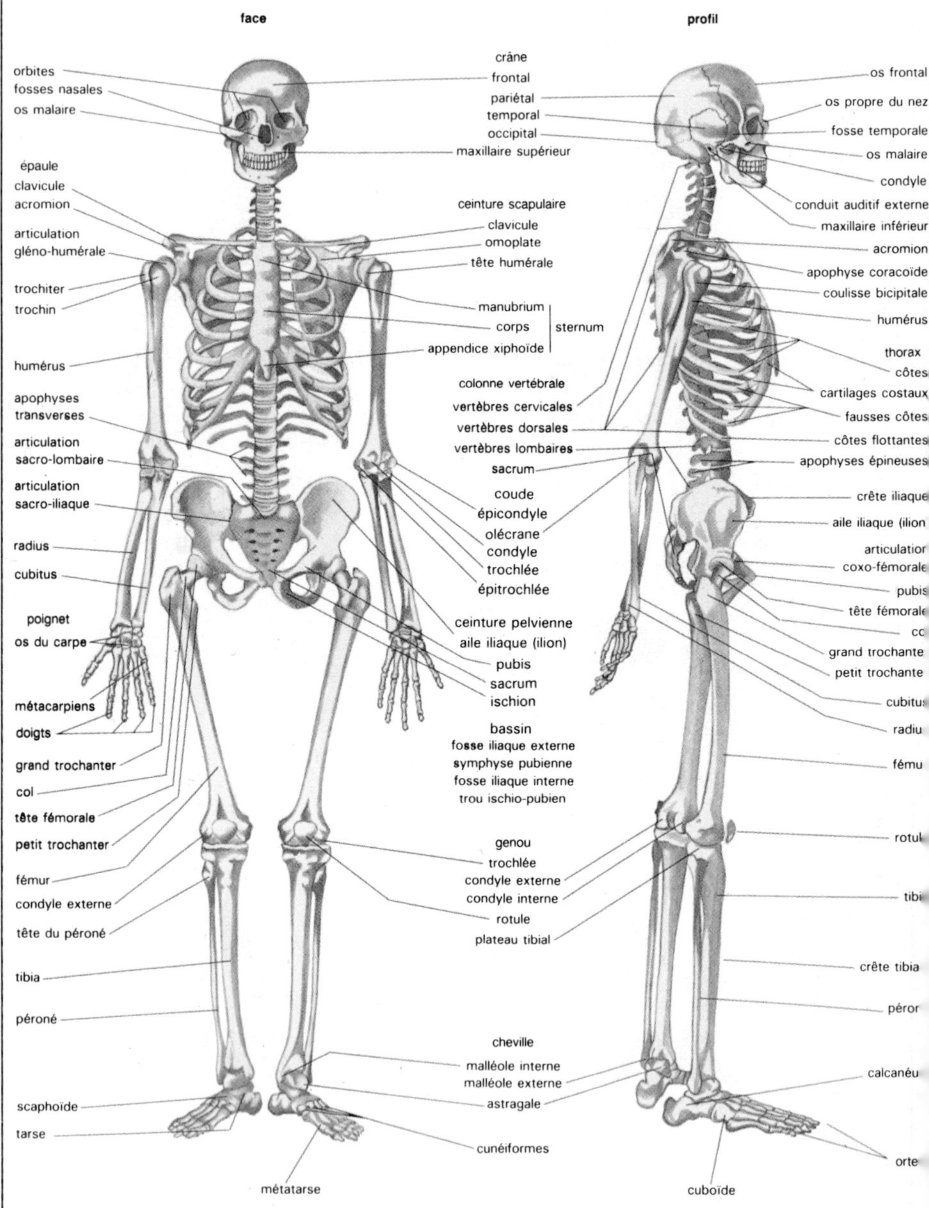
face
profil
crâne
orbites
frontal
fosses nasales
pariétal
os malaire
temporal
occipital
maxillaire supérieur
épaule
clavicule
acromion
articulation
gléno-humérale
trochiter
trochin
ceinture scapulaire
clavicule
omoplate
tête humérale
manubrium
corps
appendice xiphoïde
sternum
humérus
colonne vertébrale
apophyses
transverses
vertèbres cervicales
vertèbres dorsales
articulation
sacro-lombaire
vertèbres lombaires
sacrum
articulation
sacro-iliaque
coude
épicondyle
olécrane
radius
condyle
cubitus
trochlée
épitrochlée
poignet
os du carpe
ceinture pelvienne
aile iliaque (ilion)
pubis
sacrum
métacarpiens
ischion
doigts
bassin
grand trochanter
fosse iliaque externe
symphyse pubienne
col
fosse iliaque interne
tête fémorale
trou ischio-pubien
petit trochanter
genou
trochlée
fémur
condyle externe
condyle externe
condyle interne
tête du péroné
rotule
plateau tibial
tibia
péroné
cheville
malléole interne
malléole externe
scaphoïde
astragale
tarse
cunéiformes
métatarse
os frontal
os propre du nez
fosse temporale
os malaire
condyle
conduit auditif externe
maxillaire inférieur
acromion
apophyse coracoïde
coulisse bicipitale
humérus
thorax
côtes
cartilages costaux
fausses côtes
côtes flottantes
apophyses épineuses
crête iliaque
aile iliaque (ilion
articulatior
coxo-fémorale
pubis
tête fémorale
cc
grand trochante
petit trochante
cubitu
radiu
fému
rotul
tibi
crête tibia
péror
calcanéu
orte
cuboïde

homme

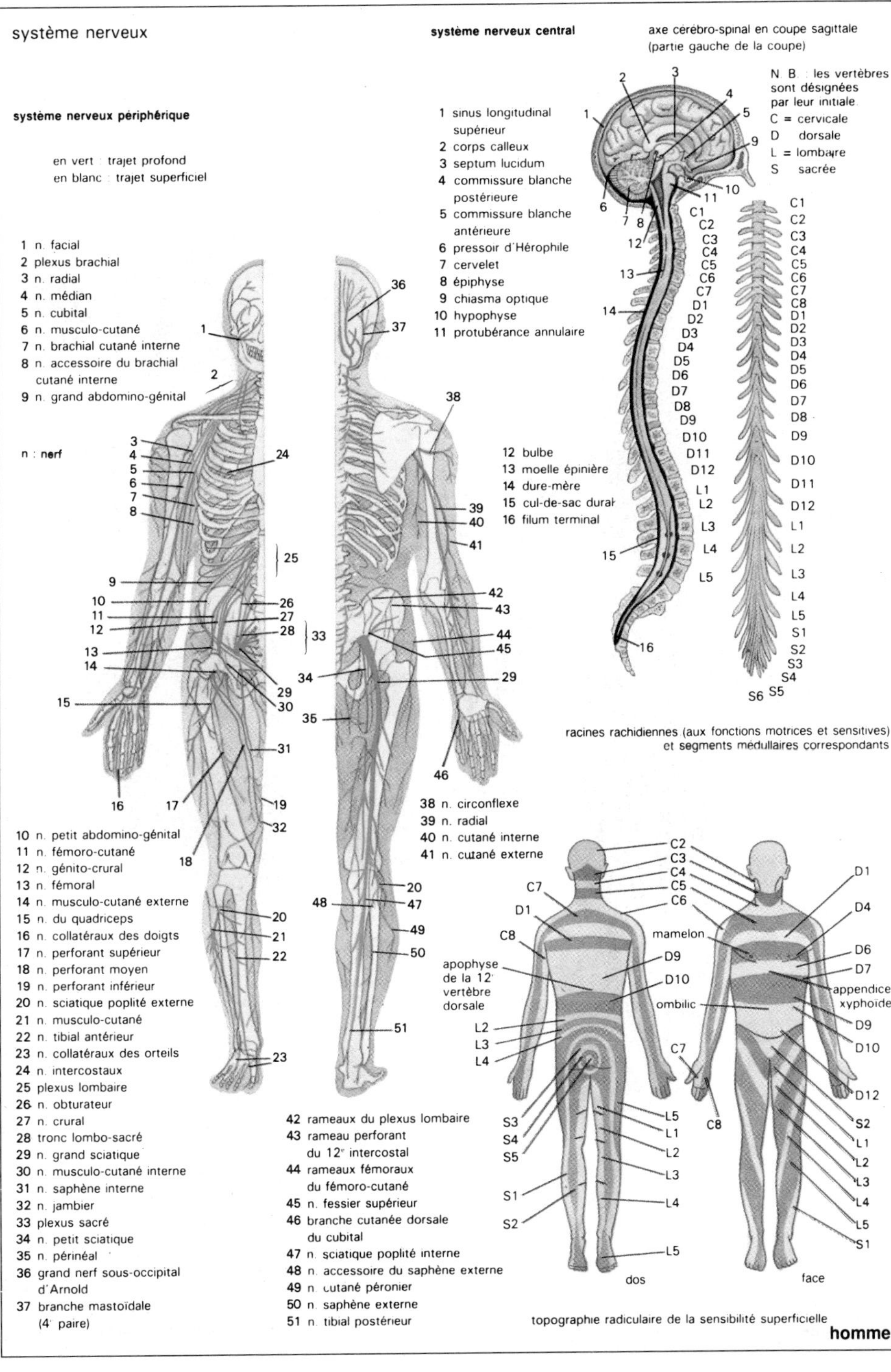
système nerveux
système nerveux périphérique
en vert : trajet profond
en blanc : trajet superficiel
1 n. facial
2 plexus brachial
3 n. radial
4 n. médian
5 n. cubital
6 n. musculo-cutané
7 n. brachial cutané interne
8 n. accessoire du brachial cutané interne
9 n. grand abdomino-génital
n : nerf
10 n. petit abdomino-génital
11 n. fémoro-cutané
12 n. génito-crural
13 n. fémoral
14 n. musculo-cutané externe
15 n. du quadriceps
16 n. collatéraux des doigts
17 n. perforant supérieur
18 n. perforant moyen
19 n. perforant inférieur
20 n. sciatique poplité externe
21 n. musculo-cutané
22 n. tibial antérieur
23 n. collatéraux des orteils
24 n. intercostaux
25 plexus lombaire
26 n. obturateur
27 n. crural
28 tronc lombo-sacré
29 n. grand sciatique
30 n. musculo-cutané interne
31 n. saphène interne
32 n. jambier
33 plexus sacré
34 n. petit sciatique
35 n. périnéal
36 grand nerf sous-occipital d'Arnold
37 branche mastoïdale (4e paire)
38 n. circonflexe
39 n. radial
40 n. cutané interne
41 n. cutané externe
42 rameaux du plexus lombaire
43 rameau perforant du 12e intercostal
44 rameaux fémoraux du fémoro-cutané
45 n. fessier supérieur
46 branche cutanée dorsale du cubital
47 n. sciatique poplité interne
48 n. accessoire du saphène externe
49 n. cutané péronier
50 n. saphène externe
51 n. tibial postérieur
système nerveux central
axe cérébro-spinal en coupe sagittale (partie gauche de la coupe)
1 sinus longitudinal supérieur
2 corps calleux
3 septum lucidum
4 commissure blanche postérieure
5 commissure blanche antérieure
6 pressoir d'Hérophile
7 cervelet
8 épiphyse
9 chiasma optique
10 hypophyse
11 protubérance annulaire
12 bulbe
13 moelle épinière
14 dure-mère
15 cul-de-sac dural
16 filum terminal
N. B. : les vertèbres sont désignées par leur initiale.
C = cervicale
D = dorsale
L = lombaire
S = sacrée
racines rachidiennes (aux fonctions motrices et sensitives) et segments médullaires correspondants
mamelon
apophyse de la 12e vertèbre dorsale
ombilic
appendice xyphoïde
dos
face
topographie radiculaire de la sensibilité superficielle
homme

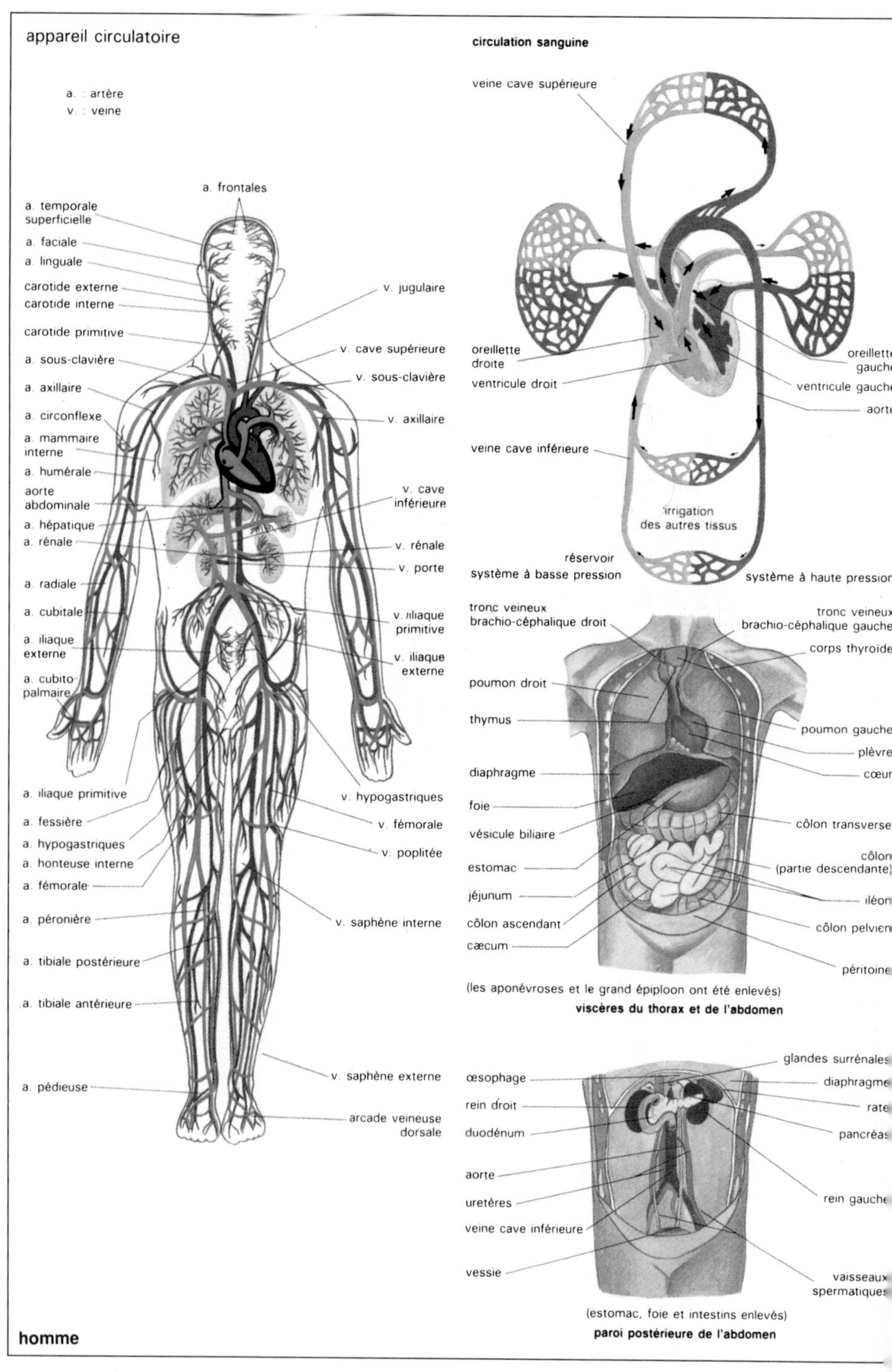
appareil circulatoire
a. : artère
v. : veine
a. frontales
a. temporale superficielle
a. faciale
a. linguale
carotide externe
carotide interne
carotide primitive
a. sous-clavière
a. axillaire
a. circonflexe
a. mammaire interne
a. humérale
aorte abdominale
a. hépatique
a. rénale
a. radiale
a. cubitale
a. iliaque externe
a. cubito-palmaire
a. iliaque primitive
a. fessière
a. hypogastriques
a. honteuse interne
a. fémorale
a. péronière
a. tibiale postérieure
a. tibiale antérieure
a. pédieuse
v. jugulaire
v. cave supérieure
v. sous-clavière
v. axillaire
v. cave inférieure
v. rénale
v. porte
v. iliaque primitive
v. iliaque externe
v. hypogastriques
v. fémorale
v. poplitée
v. saphène interne
v. saphène externe
arcade veineuse dorsale
homme
circulation sanguine
veine cave supérieure
oreillette droite
ventricule droit
veine cave inférieure
oreillette gauche
ventricule gauche
aorte
irrigation des autres tissus
réservoir
système à basse pression
système à haute pression
tronc veineux brachio-céphalique droit
tronc veineux brachio-céphalique gauche
corps thyroïde
poumon droit
thymus
poumon gauche
plèvre
cœur
diaphragme
foie
vésicule biliaire
estomac
jéjunum
côlon ascendant
cæcum
côlon transverse
côlon (partie descendante)
iléon
côlon pelvien
péritoine
(les aponévroses et le grand épiploon ont été enlevés)
viscères du thorax et de l'abdomen
œsophage
rein droit
duodénum
aorte
uretères
veine cave inférieure
vessie
glandes surrénales
diaphragme
rate
pancréas
rein gauche
vaisseaux spermatiques
(estomac, foie et intestins enlevés)
paroi postérieure de l'abdomen

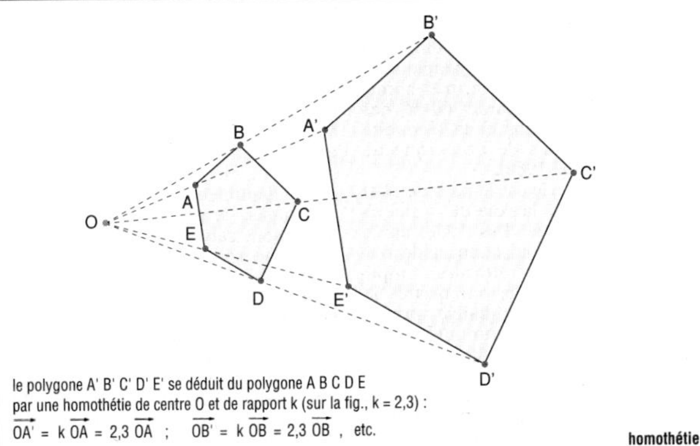

le polygone A' B' C' D' E' se déduit du polygone A B C D E par une homothétie de centre O et de rapport k (sur la fig., k = 2,3) :
$\overrightarrow{OA'} = k\,\overrightarrow{OA} = 2{,}3\,\overrightarrow{OA}$; $\overrightarrow{OB'} = k\,\overrightarrow{OB} = 2{,}3\,\overrightarrow{OB}$, etc.

homothétie

différentes. ▷ n. m. *«Comte» (titre de noblesse), «compte» (calcul) et «conte» (fable) sont des homophones.*

homophonie n. f. **1.** LING Répétition des mêmes sons représentés par des signes différents. *La rime est une homophonie.* **2.** MUS Concert de plusieurs voix chantant à l'unisson. Ant. polyphonie.

homoptères n. m. pl. ENTOM Ordre d'insectes aux quatre ailes membraneuses (cigales, cicadelles, pucerons, etc.). – Sing. *La cochenille est un homoptère.*

homosexualité n. f. Sexualité des homosexuels.

homosexuel, elle adj. et n. Qui trouve la satisfaction de ses désirs sexuels avec des sujets du même sexe. (Abrév. fam. : *homo, les homos.*) Ant. hétérosexuel.

homosphère n. f. METEO Région de l'atmosphère située à une altitude inférieure à 100 km, où la composition de l'air reste sensiblement constante.

homothétie [omotesi] n. f. GEOM Propriété de deux figures telles que leurs points se correspondent deux à deux sur des droites menées par un point fixe, appelé *centre d'homothétie,* et que le rapport des distances de ce point à deux points correspondants quelconques soit constant.

homothétique adj. GEOM Qui a le caractère de l'homothétie.

homozygote adj. et n. m. BIOL **1.** Chez les organismes diploïdes, se dit d'un caractère commandé par deux gènes allèles ayant la même forme (c.-à-d. non mutés l'un par rapport à l'autre). V. encycl. hybride. **2.** Se dit de jumeaux provenant du même œuf et ayant donc rigoureusement les mêmes gènes. ▷ n. m. *Un homozygote.* Ant. hétérozygote.

Homs (anc. *Émèse*), v. de Syrie, sur l'Oronte; 427 500 hab.; ch.-l. du distr. du m. nom. Cultures irriguées (barrage sur l'Oronte). Textiles. Raff. de pétrole.

homuncule. V. homoncule.

Hondo. V. Honshū.

Hondschoote, ch.-l. de cant. du Nord (arr. de Dunkerque); 3 712 hab. – Égl. et hôtel de ville Renaissance. – Victoire des Français sur les Anglais et les Autrichiens (6-8 sept. 1793).

Honduras (golfe du), profonde baie de la mer des Antilles, au S.-E. de la presqu'île du Yucatán.

Honduras (république du) *(República de Honduras),* État d'Amérique centrale ayant une étroite façade sur le Pacifique et s'ouvrant largement sur la mer des Antilles, entouré par le Guatemala (N.-O.), le Salvador (S.-O.) et le Nicaragua (S.-E.); 112 088 km²; 4 658 000 hab., croissance démographique : plus de 3 % par an; cap. *Tegucigalpa.* Nature de l'État : rép. de type présidentiel. Langue off. : espagnol. Monnaie : lempira. Pop. : métis de Blancs et d'Indiens (env. 70 %), Amérindiens (env. 20 %), mulâtres et Blancs. Relig. : cathol. (en majorité).
Géogr. phys. et écon. – Pays très montagneux, culminant à 2 849 m, le Honduras connaît un climat tropical tempéré par l'altitude. La population, rurale à près de 60 %, se concentre à l'ouest, sur les plateaux, dans les vallées fertiles et sur le littoral atlantique où elle vit de cultures vivrières (maïs, haricot), d'élevage et de pêche. L'agriculture de plantation (bananes et café) constitue, avec les crustacés, l'essentiel des exportations. Le tourisme est en progression. Mal équipé, déstabilisé par la violence politique, lourdement endetté, le pays doit faire face à une situation économique critique.
Hist. – Pays de civilisation maya, reconnu par C. Colomb en 1502, le Honduras fut conquis par les Espagnols à partir de 1523. Devenu indépendant en 1821, il fit partie de la fédération des États d'Amérique centrale (1824-1838). Son hist. a été jalonnée par des coups d'État militaires. Un conflit armé avec le Salvador (1969) a été suivi de nombreux incidents de frontière. Les É.-U. ont encouragé la signature d'un traité de paix avec le Salvador (oct. 1980) et la formation d'un gouvernement à majorité civile (1981). Dans les années 80, le pays fut la base arrière des mouvements nicaraguayens antisandinistes soutenus par les É.-U. En 1998 Carlos Flores Facussé a succédé à Carlos Reina, président de 1993 à 1997. ▶ carte **Amérique** centrale

Honduras britannique. V. Belize.

hondurien, enne adj. et n. Du Honduras. ▷ Subst. *Un(e) Hondurien(ne).*

Honecker (Erich) (Wiebelskirchen, Sarre, 1912 – Santiago, Chili, 1994), homme politique allemand. Premier secrétaire du parti socialiste unifié (S.E.D.) en 1971, prés. du Conseil d'État (chef de l'État) de la R.D.A. en 1976. Il fut destitué en 1989.

Honegger (Arthur) (Le Havre, 1892 – Paris, 1955), compositeur suisse; l'un des fondateurs du groupe des Six*. Il excella dans la musique symphonique : *Pacific 231* (1923), *Rugby* (1928), *Di tre re* (1950), et l'oratorio : *le Roi David* (1921), *Jeanne au bûcher* (1935).

Honfleur, ch.-l. de cant. du Calvados (arr. de Lisieux), sur l'estuaire de la Seine (r. g.); 8 346 hab. – Église en bois Ste-Catherine (XVe s.); église St-Léonard (portail du XVIe s.). Musée Eugène-Boudin. – Le port de comm. fut import. avant le développement du Havre (XVIIe s.).

Hông Gay, port du Viêt-nam, sur la baie d'Along. Houille exploitée à ciel ouvert.

Hong Kong ou **Hongkong,** Territoire de la Chine méridionale (prov. de Guangdong), qui occupe l'île du m. nom (76 km²), la presqu'île de Kowloon (10 km²) et les Nouveaux Territoires (959 km²); au total, 1 045 km² et env. 5 700 000 hab.; cap. *Victoria.* – La v. n'était qu'un centre de pêche et de piraterie lorsque les Britanniques décidèrent d'en faire une base stratégique. Le traité de Nankin (1842) entérina l'annexion. Colonie dirigée par un gouverneur, elle devint, grâce à son port franc, un entrepôt très actif assurant le transit entre la Chine et l'Europe. Occupée par les Japonais en 1941, elle redevint brit. en 1945. Après la révolution chinoise de 1949, la colonie devint le pôle d'échanges de la Chine avec l'extérieur. L'île et ses annexes sont aujourd'hui démographiquement saturées. La pop., chinoise à 98 %, a doublé depuis la fin des années 50 mais s'accroît moins actuellement en raison de l'effondrement de la natalité, du contrôle de l'immigration clandestine et de l'émigration de plus de 200 000 personnes entre 1985 et 1990, à la suite de la signature, en 1984, de l'accord prévoyant le retour de la ville à la Chine en 1997. Adoptant un modèle de développement «à la japonaise», fondé sur la production massive d'articles d'exportations (textile, matériel électrique, électroménager, audiovisuel, électronique, horlogerie, bijoux, jouets), Hong Kong a aussi développé des industries de base comme la métallurgie et les chantiers navals et des branches plus spécialisées comme l'édition et le cinéma. La ville est devenue le premier port à conteneurs du monde et une place financière majeure (6e place boursière mondiale), offrant l'exemple d'un développement réussi. Attentive aux gages de respect des engagements de la Chine populaire, toute la communauté de Hong Kong s'était préparée à la rétrocession du territoire à la Chine (1er juil. 1997), mais la démocratisation des institutions a irrité les dirigeants chinois. Pékin a mis en place ses propres administrateurs et désigné l'armateur Tung Chee-hwa comme chef chinois de l'exécutif.
▶ carte page **912**

hongkongais, aise adj. et n. De Hong Kong. ▷ Subst. *Un(e) Hongkongais(e).*

hongre [ʼɔ̃gʀ] adj. et n. m. Châtré (en parlant du cheval). *Cheval hongre* ou, n. m., *un hongre.*

Hongrie (république de) *(Magyar Kõztarsasag),* État d'Europe centrale, entouré par la Slovaquie (au N.),

Arthur **Honegger**

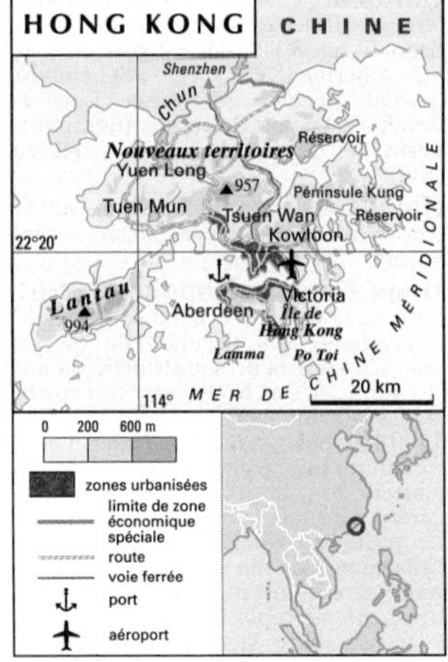

l'Ukraine et la Roumanie (à l'E.), la Yougoslavie, la Croatie (au S.), la Slovénie et l'Autriche (à l'O.); 93 032 km²; 10 640 000 hab.; cap. *Budapest.* Nature de l'État : république parlementaire. Langue off. : hongrois. Monnaie : forint. Relig. : catholicisme (env. 55 %), protestantisme (env. 25 %).

Géogr. phys. et hum. – Au N. du bassin pannonien, que drainent le Danube et la Tisza, la Hongrie est un pays de plaines : Petite Plaine (*Kisalföld*) au N.-O., Grande Plaine (*Alföld* ou *Puszta*) dans la moitié E. Dans ces régions, le climat continental sec entretient une végétation de steppe, vouée à l'élevage extensif en l'absence d'irrigation. Quelques hauteurs, plus humides, rompent cette monotonie : dorsale hongroise au N., massifs et collines de Transdanubie au S.-O. Le peuplement est dense (114 hab./km²) et très homogène (97 % de Magyars); 60 % des Hongrois sont citadins et la fécondité est très faible (plus de décès que de naissances depuis 1980).

Écon. – La Hongrie est le pays de l'Est le plus avancé sur la voie de la libéralisation économique. Dès 1968, après deux décennies d'étatisation et de collectivisme, diverses réformes, amplifiées à partir de 1986, ont permis le développement de l'initiative privée. L'effondrement du communisme, en 1990, a marqué le début d'un vaste mouvement de privatisation, l'État ne voulant garder le contrôle que de 30 % des entreprises; les modalités d'application sont cependant délicates (pour les terres agricoles en particulier). L'économie hongroise est diversifiée, les bases agricoles et industrielles sont solides et le tourisme international important. Toutefois, le trop faible développement du secteur tertiaire (moins de 40 % des actifs), la productivité médiocre témoignent des retards accumulés par rapport à l'Europe occidentale. Avec la désagrégation du Comecon, le pays a réorienté ses échanges vers l'Ouest et devrait réduire sa dépendance énergétique envers l'Est (programme nucléaire en cours de réalisation). La dette extérieure est forte et l'inflation élevée mais la confiance des investisseurs occidentaux laisse bien augurer de la transition entreprise. Admise au Conseil de l'Europe, la Hongrie aspire à intégrer la C.É.E.

Hist. – La région connut de nombr. invasions, notam. celles des Celtes (IIIe s. av. J.-C.) et des Daces. Au Ier s. après J.-C., les Romains créèrent les deux provinces de Pannonie. Après les invasions germaniques, ce fut l'établissement des Huns et des Avares (568-796). En 896 arrivèrent les Magyars, sous la conduite d'Arpad; après des raids dévastateurs sur l'Occident, ils se stabilisèrent dans la plaine danubienne. La dynastie d'Arpad christianisa le pays, assurant ainsi son unité, sous saint Étienne Ier (997-1038), couronné roi par le pape Sylvestre II (1001). Au XIIIe et au XIVe s., la Hongrie conquit la Slovaquie, la Transylvanie et la Croatie. Aux XIVe et XVe s., la couronne élective échut à des souverains étrangers des maisons d'Anjou puis de Luxembourg. De 1458 à 1490, la Hongrie atteignit son apogée avec Mathias Corvin qui fit pénétrer la Renaissance dans son royaume. Passant au roi de Bohême en 1490, elle fut possession des Habsbourg d'Autriche de 1526 à 1918 et reconnue comme un de leurs États héréditaires en 1687. Les Turcs, victorieux à Mohács (1526), conquirent une grande partie du pays (la plaine danubienne, avec Buda), tandis que le protestantisme s'implantait solidement, notam. en Transylvanie. La reconquête s'effectua au XVIIe s. (traité de Karlowitz, 1699). Les tentatives répétées de germanisation et de centralisation admin. des Habsbourg provoquèrent l'éveil du nationalisme magyar et les Habsbourg durent toujours composer avec la puissance de la haute noblesse hongroise, celle des magnats. Le mouvement d'indép. de 1848, conduit par Kossuth, fut écrasé en 1849 avec l'aide de l'armée russe. Après une terrible répression, le gouvernement autrichien en vint à l'établissement d'un régime

HONGRIE

0 100 200 500 m	marécage

BUDAPEST capitale d'État

Pécs chef-lieu de comté

Population des villes :
- plus de 2 000 000 hab.
- de 200 000 à 300 000 hab.
- de 100 000 à 200 000 hab.
- de 50 000 à 100 000 hab.
- autre ville

limite d'État · autoroute · route · voie ferrée · canal

aéroport important · port important · site du "patrimoine mondial" UNESCO

accordant une large autonomie à la Hongrie (1867). Ce régime dualiste, que symbolisait le nom d'Autriche-Hongrie, prit fin en 1918. Proclamée le 16 nov. 1918, la rép. connut un régime communiste (mars-août 1919) avec Béla Kun, puis s'organisa en royaume sans roi, sous la régence de Horthy (1920-1944). Le traité de Trianon (1920), qui amputa la Hongrie des 2/3 de son territ., suscita un puissant esprit de revanche. L'alliance avec l'Allemagne, favorisée par le pro-nazi Szálasi, permit la récupération (1938-1941) de divers territ., à nouveau perdus en 1945. Entrée en guerre contre l'U.R.S.S. en 1941, la Hongrie fut envahie par l'armée sov. (1944-1945), et un gouv. provisoire déclara la guerre à l'Allemagne (1944). Atteinte par une grave crise écon., elle entreprit une réforme agraire dès 1945 : celle-ci mit fin à la grande propriété agraire et amena la nationalisation de toutes les grandes entreprises (1946-1948). La république ayant été proclamée en 1946, la Hongrie vit l'accession au pouvoir du parti communiste, lequel imposa une rép. populaire (1949) et tenta de remédier aux difficultés écon. (instauration de plans quinquennaux). À Rákosi, président du Conseil en 1952, succéda le libéral Imre Nagy (1953-1955). Mais les mesures de déstalinisation n'empêchèrent pas l'éclosion du mécontentement, notam. chez les intellectuels et les étudiants. Le remplacement de Nagy par Hegedüs accentua la colère des opposants au régime. Ce fut alors la grande explosion d'octobre 1956, le retour de Nagy, l'impitoyable répression soviétique, l'écrasement de toute velléité d'indépendance et d'autonomie, l'emprisonnement puis l'exécution de Nagy, coupable, aux yeux des Soviétiques, d'avoir amorcé un mouvement d'émancipation à l'égard du monde communiste (dont la Hongrie a fait partie après les accords de Yalta). János Kádár, un communiste «national», fut mis au pouvoir par les Russes. Il entreprit, avec l'accord de l'U.R.S.S., une lente libéralisation du régime et décida, en 1968, d'une politique écon. plus libérale. Lors des bouleversements amorcés en 1988, Kádár fut remplacé et, par les frontières hongroises ouvertes aux «vacanciers» est-allemands transitant par la Tchécoslovaquie et fuyant vers la R.F.A., se produisit l'hémorragie décisive qui mit fin, en 1989, à quarante ans de domination soviétique sur l'Europe de l'Est; en Hongrie même, le parti communiste, malgré un changement d'étiquette, n'a pu résister au verdict d'élections libres. En 1990, J. Antall, chef du Forum démocratique, parti conservateur, a formé un gouvernement de coalition qui a presque aussitôt renversé les alliances (retrait du pacte de Varsovie et adhésion à l'OTAN). A. Göncz, chef de l'opposition libérale, est devenu prés. de la République. Les élections législatives de mai 1994 ayant ramené au pouvoir le parti socialiste hongrois (P.S.H., ex.-communiste), Gyula Horn devint chef du gouvernement.

hongrois, oise adj. et n. De Hongrie. ▷ Subst. *Un(e) Hongrois(e).* ▷ n. m. *Le hongrois :* la langue finno-ougrienne parlée par les Hongrois.

Honiara, cap. des îles Salomon, dans l'île de Guadalcanal; 30 500 hab.

honnête adj. **1.** Qui ne cherche pas à s'approprier le bien d'autrui ou à faire des profits illicites. *Domestique, commerçant honnête.* Ant. voleur. **2.** Qui se conforme à la loi morale, fait preuve de droiture. *Des honnêtes gens. Un arbitre honnête. Être honnête avec soi-même,* impartial vis-à-vis de soi-même. ▷ Spécial. *Une honnête femme :* une femme vertueuse, chaste. – *Par ext.* (Choses abstraites.) *Conduite honnête.* **3.** Qu'on estime suffisant, satisfaisant. *Obtenir des notes honnêtes à un examen. Un salaire honnête.* **4.** Litt. *Un honnête homme :* un homme qui a une culture générale étendue et les qualités sociales propres à le rendre agréable, conformément à l'idéal du XVIIe s. **5.** Vieilli Civil, poli. *Des manières honnêtes.*

honnêtement adv. **1.** D'une façon honnête (sens 1 et 2). *Se comporter honnêtement en affaires.* **2.** Sincèrement, franchement. *Honnêtement, tu as tort.* **3.** De façon acceptable, suffisante. *Travail honnêtement payé.*

honnêteté n. f. **1.** Qualité de celui, de ce qui est honnête (sens 1 et 2). *Son honnêteté est indiscutable. Honnêteté intellectuelle.* **2.** Vieilli Décence, pudeur. *Des paroles contre l'honnêteté.*

honneur n. m. **1.** Disposition morale incitant à agir de manière à obtenir l'estime des autres en conservant le respect de soi-même. *Un homme d'honneur.* **2.** Considération dont jouit qqn qui agit selon ce principe. *Sauver l'honneur.* ▷ *Donner sa parole d'honneur, jurer sur l'honneur.* ▷ *Se faire un point d'honneur de* (+ inf.) : apporter tous ses soins à (faire qqch) comme si son honneur était en jeu. **3.** Gloire retirée d'une action, d'un mérite remarquable. *Avoir tout l'honneur d'une affaire.* ▷ *Être l'honneur de sa famille, de son siècle,* être pour eux un sujet d'orgueil. – *Être à l'honneur :* être mis au premier plan en signe de respect, d'admiration, d'estime. ▷ *Être en honneur* (choses) : être apprécié. ▷ *Champ d'honneur :* champ de bataille. **4.** Marque extérieure de considération, témoignage d'estime. *Préparer un repas soigné en l'honneur de ses invités.* – (Dans des formules de politesse.) *Faites-moi l'honneur d'accepter cette invitation. J'ai l'honneur de vous annoncer, de vous informer que...* ▷ *Place d'honneur,* réservée à un personnage éminent dans une réunion. *Demoiselle, garçon d'honneur,* qui, dans un mariage, assistent les mariés. *Légion* d'honneur.* ▷ Plur. *Rendre de grands honneurs aux vainqueurs. Honneurs militaires :* saluts, sonneries, salves d'artillerie pour honorer un chef, le drapeau. – *Les honneurs de la guerre :* les conditions de reddition permettant à une garnison de se retirer librement, avec armes et bagages. – *Honneurs funèbres :* cérémonie des funérailles. – *Faire les honneurs d'une maison,* y recevoir avec courtoisie. **5.** *Faire honneur à qqn,* lui valoir de l'honneur, de l'estime. *Faire honneur à ses engagements, à sa signature :* remplir ses engagements. – Fam. *Faire honneur à un repas,* y manger copieusement. **6.** (Plur.) Dignités, titres qui permettent de se distinguer socialement. *Rechercher les honneurs.* **7.** JEU Nom donné aux figures à certains jeux de cartes.

honnir [ˈɔniʀ] v. tr. [**3**] (Empl. surtout au passif.) Couvrir publiquement de honte, flétrir. – Vieilli ou litt. *Être honni de, par qqn,* lui inspirer de la haine et du mépris. ▷ *Honni soit qui mal y pense !* (devise de l'ordre de la Jarretière, en Angleterre) : honte à celui qui y voit du mal.

Honolulu, cap. de l'État d'Hawaii (É.-U.), dans l'île Oahu; grand port du Pacifique; 365 200 hab. (aggl. urb. 805 200 hab.). Base militaire.

honorabilité n. f. Caractère d'une personne honorable.

honorable adj. **1.** Qui mérite d'être honoré, considéré. *Un honorable commerçant.* ▷ (Par politesse, dans le langage parlementaire.) *Mon honorable collègue.* **2.** Qui attire le respect, qui est garant de l'honneur. *Un métier honorable.* ▷ *Faire amende honorable :* reconnaître ses torts. **3.** Suffisant, assez satisfaisant. *Élève qui a des notes honorables.*

honorablement adv. **1.** D'une façon qui attire de l'honneur. **2.** D'une manière suffisante.

honoraire adj. **1.** Qui, après avoir exercé certaines charges, en conserve le titre et les prérogatives honorifiques. *Inspecteur honoraire.* **2.** Qui porte un titre honorifique sans exercer la fonction correspondante. *Président honoraire.*

honoraires n. m. pl. Rétribution donnée aux personnes qui exercent des professions libérales. *Les honoraires d'un médecin.*

honorariat n. m. Didac. Condition d'une personne qui garde le titre d'une fonction qu'elle n'exerce plus.

Honorat (saint) (Gaule Belgique, v. 350 – ?, v. 429), fondateur du monastère de Lérins (v. 400). Archevêque d'Arles en 427.

honoré, ée adj. et n. **1.** Qui est honoré (V. honorer, sens I, 1 et 4). **2.** adj. (Dans le style épistolaire, par politesse ou en signe de déférence.) *Mon honoré confrère. Mon cher et honoré maître.* **3.** n. f. COMM *Votre honorée du... :* votre lettre du...

honorer v. [**1**] **I.** v. tr. **1.** Manifester du respect pour (qqn, qqch); traiter avec honneur. *Tes père et mère honoreras,* un des dix commandements (Ancien Testament). *Honorer le mérite.* **2.** *Honorer qqn de qqch,* le gratifier d'un honneur, d'une distinction. *Honorer qqn de sa confiance.* **3.** Valoir de l'honneur, de l'estime à. *Votre courage vous honore.* **4.** *Honorer ses engagements,* les remplir entièrement. ▷ *Honorer un chèque,* le payer. **II.** v. pron. *S'honorer de qqch,* en tirer honneur et fierté. *Je m'honore de son amitié.*

honorifique adj. Qui confère un honneur mais aucun autre avantage. *Titre honorifique.*

honoris causa [ɔnɔʀiskoza] loc. adj. et adv. (Loc. lat., «pour l'honneur».) Se dit des titres et grades conférés à des personnalités qui méritent d'en être honorées bien qu'elles ne remplissent pas les conditions habituellement exigées. *Il est docteur honoris causa.*

Honorius (Flavius) (Constantinople, 384 – Ravenne, 423), premier empereur d'Occident (395-423). Il ne sut résister aux invasions barbares ni empêcher le sac de Rome (410) par Alaric, roi des Wisigoths.

Honshū (dite autref. *Hondo* en Occid.), la plus grande des îles du Japon : 230 862 km²; 96 687 000 hab.; v. princ. *Tōkyō, Yokohama, Ōsaka.* L'île s'étire sur 1 000 km env. Le centre est occupé par des montagnes (3 778 m au Fuji-Yama) soumises au volcanisme. La pop. est concentrée dans les plaines côtières, lieu d'implantation des grandes villes industr. Un tunnel ferroviaire mène jusqu'à Hokkaidō*. – C'est à Honshū, autour de Kyōto (au S. de l'île), que s'est formée la civilisation japonaise.

honte [ˈɔ̃t] n. f. **1.** Sentiment pénible causé par la conscience d'avoir commis une faute, par le fait de se sentir déshonoré, inférieur ou ridicule. *Avoir honte d'une mauvaise action, d'une infirmité, d'une tenue vestimentaire.* ▷ *Faire honte à qqn*, lui faire des reproches pour qu'il ait honte. *Faire honte à un enfant de ses mensonges.* – Être un motif de honte pour qqn. *La mauvaise conduite de son fils lui fait honte.* ▷ Loc. *Avoir perdu toute honte, avoir toute honte bue* : être insensible au déshonneur. ▷ *Fausse honte* : honte que rien ne justifie. **2.** Timidité, embarras. *Fillette qui a honte devant ses professeurs. N'avoir pas honte de dire telle chose.* **3.** Ce qui déshonore, humilie. *Couvrir qqn de honte.* ▷ Fait honteux, acte scandaleux. *C'est une honte !*

Honte (le) ou **Escaut occidental** (l'), bras principal de l'estuaire de l'Escaut, aux Pays-Bas (le bras oriental a été fermé par des digues).

honteusement [ˈɔ̃tøzmɑ̃] adv. D'une manière honteuse.

honteux, euse [ˈɔ̃tø, øz] adj. **1.** Qui cause de la honte, du déshonneur. *Il est honteux de mentir. Trafic honteux*, déshonorant pour son auteur. ▷ Spécial. Loc. Vieilli *Les parties honteuses* : les organes génitaux. – *Maladie honteuse* : maladie vénérienne. – ANAT Qui a rapport aux organes génitaux. *Artères honteuses, nerfs honteux.* **2.** Qui éprouve de la honte. *Être honteux de ses échecs.* **3.** Qui, par timidité, n'ose pas révéler son état, ses convictions. *Pauvre, croyant honteux.*

Hooft (Pieter Cornelisz) (Amsterdam, 1581 – La Haye, 1647), poète, dramaturge et historien hollandais : *Chroniques néerlandaises* (27 vol.).

Hooghe, Hoogh ou **Hooch** (Pieter de) (Rotterdam, 1629 – Amsterdam, v. 1684), peintre hollandais. Ses scènes d'intérieur, peintes à Delft, l'apparentent à Vermeer.

Pieter de **Hooghe :** *les Joueurs de cartes*, 1665-1668 ; musée du Louvre

Hooghly ou **Hugli,** bras occid. du delta du Gange (env. 250 km) ; arrose Calcutta.

Hooke (Robert) (Freshwater, île de Wight, 1635 – Londres, 1703), physicien et astronome anglais dont les travaux recoupèrent ceux de Huygens et de Newton. ▷ PHYS *Loi de Hooke* (résistance des matériaux) : l'allongement d'une barre est directement proportionnel à l'effort de traction qui lui est appliqué et inversement proportionnel à la section de la barre.

hooligan. V. houligan.

Hoorne. V. Hornes (Philippe II de Montmorency, comte de).

Hoover (Herbert Clark) (West Branch, Iowa, 1874 – New York, 1964), homme politique américain, président (républicain) des É.-U. de 1929 à 1933. Il ne put éviter la crise écon. de 1929.

Edward **Hopper :** *Chambre à Brooklyn*, 1932 ; Museum of Fine Arts, Boston

Hoover Dam (de 1933 à 1947 *Boulder Dam*), barrage américain, l'un des plus importants du monde, situé sur le Colorado, à la frontière du Nevada et de l'Arizona.

hop ! [ˈɔp ; hɔp] interj. Pour inciter à faire un mouvement vif et rapide ou pour accompagner celui-ci. *Hop là !*

Hope (Thomas Charles) (Édimbourg, 1766 – id., 1844), chimiste et médecin écossais. Il découvrit le strontium (1792) et mit au point une expérience (décrite en 1805) montrant que la masse volumique de l'eau est maximale à 4 °C.

Hopi(s), Indiens Pueblos établis dans l'Arizona, aux États-Unis.

hôpital, aux n. m. Établissement public ou privé aménagé de manière à pouvoir dispenser tous les soins médicaux et chirurgicaux. *Une chambre d'hôpital. Un hôpital militaire.*

Hopkins (Gerard Manley) (Stratford, 1844 – Dublin, 1889), poète anglais. Jésuite, son œuvre, d'une haute spiritualité, ne fut révélée qu'en 1918. *Le Naufrage du Deutschland* compte parmi ses plus beaux poèmes.

Hopkins (sir Frederick Gowland) (Eastbourne, 1861 – Cambridge, 1947), biochimiste anglais. Il découvrit les vitamines contenues dans le lait. P. Nobel de médecine 1929 (avec Eijkman).

hoplite n. m. ANTIQ GR Fantassin de l'infanterie lourde.

Hopper (Edward) (New York, 1882 – id., 1967), peintre américain. Proche des esthétiques européennes, sa manière franche et solide a pu le faire considérer comme un précurseur du pop'art. *Early Sunday Morning* (1930).

hoquet [ˈɔkɛ] n. m. Contraction spasmodique du diaphragme qui détermine une brusque inspiration d'air et s'accompagne d'un bruit caractéristique lors de la fermeture de la glotte. ▷ *Avoir le hoquet*, une suite de hoquets.

hoqueter [ˈɔkte] v. intr. [**20**] Avoir le hoquet, émettre des sons ressemblant au hoquet.

Horace (en lat. *Quintus Horatius Flaccus*) (Venosa, Apulie, 65 – ?, 8 av. J.-C.), l'un des plus grands poètes latins. Ses premières œuvres *(Satires, Épodes)* lui valurent l'amitié de Virgile et la protection (v. 39 av. J.-C.) de Mécène ; il dut sa gloire de poète lyrique à ses *Odes*. Dans ses *Épîtres*, en vers, écrites de 30 av. J.-C. à sa mort, il développa une morale épicurienne et situa la sagesse dans le « juste milieu ».

Horaces (les trois), frères romains légendaires. Sous le règne de Tullus Hostilius (VIIe s. av. J.-C.), ils furent désignés pour être les champions de Rome face aux trois frères *Curiaces*, champions d'Albe (les deux villes étant en guerre). Deux des Horaces furent tués, mais le troisième sut feindre la fuite pour séparer ses adversaires, qu'il tua successivement.

horaire adj. et n. m. **I.** adj. **1.** Qui correspond à une durée d'une heure. *Salaire horaire.* **2.** Qui a lieu toutes les heures. *Halte horaire.* **3.** Qui a rapport aux heures. ▷ ASTRO *Angle horaire* : angle que fait le méridien d'un astre avec le méridien d'origine passant par le zénith du lieu. *Fuseau* horaire.* ▷ PHYS *Sens horaire*, celui des aiguilles d'une montre. **II.** n. m. **1.** Tableau donnant les heures de départ et d'arrivée des trains, des avions, etc. – *Par ext.* Ces heures elles-mêmes. *L'horaire du dernier train est incommode.* **2.** Emploi du temps. ▷ *Horaire mobile, flottant, flexible* ou *à la carte* : système dans lequel le salarié peut, à l'intérieur de certaines limites, choisir ses heures d'arrivée et de départ.

Horatius Cocles (« le Borgne ») (VIe s. av. J.-C.), héros légendaire romain qui défendit seul, face à l'armée de Porsenna, l'accès du pont Sublicius, qui permettait d'entrer dans Rome.

horde [ˈɔʀd] n. f. **1.** Anc. Nom donné aux tribus nomades d'Asie centrale. **2.** Peuplade, groupement d'hommes errants. ▷ SOCIOL Chez Durkheim, groupement humain temporaire et instable. **3.** Péjor. Groupe d'individus turbulents, destructeurs. *Une horde de voyous.*

Horde d'Or, État mongol fondé au XIIIe s. dans le S. de la Sibérie et de la Russie par Batū khān, petit-fils de Gengis khān. Il s'émietta dès le XIVe s. En 1783, la Russie en annexa le dernier bastion (en Crimée). V. Mongols.

Horeau (Hector) (Versailles, 1801 – Paris, 1872), architecte français. Son projet en fer et en verre pour les halles de Paris (1848) en fait un précurseur de l'architecture moderne.

Horeb, autre nom du mont Sinaï dans la tradition biblique.

Horemheb (fin du XIVe s. av. J.-C.), dernier pharaon de la XVIIIe dynastie.

Horgen, com. de Suisse (Zurich), sur le lac de Zurich ; 16 700 hab. Industr. mécanique et textile.

horion [ˈɔʀjɔ̃] n. m. (Rare au sing.) Vieilli, litt. Coup assené rudement à qqn.

horizon n. m. **1.** Ligne circulaire constituant la limite du champ de vision d'un observateur et qui semble séparer le ciel et la terre. ▷ ASTRO Plan perpendiculaire à la verticale et tangent à la surface de la Terre. ▷ AVIAT *Horizon artificiel :* appareil donnant la position de l'horizontale. **2.** Parties du ciel et de la terre voisines de l'horizon. *Bateaux à l'horizon.* **3.** Étendue visible autour de soi. *Horizon limité par un mur.* **4.** Fig. Domaine où s'exerce l'action, la pensée de qqn. *Son horizon intellectuel est borné.* ▷ *Faire un tour d'horizon :* examiner sommairement une situation (politique, économique, etc.) dans son ensemble. **5.** Perspectives d'avenir. *L'horizon est sombre.* **6.** PEDOL Chacune des couches superposées, constitutives d'un sol. *Tous les points d'un horizon ont sensiblement la même composition chimique et des propriétés physiques semblables.*

horizontal, ale, aux adj. et n. f. **1.** adj. Parallèle à l'horizon; perpendiculaire à la verticale. *Ligne horizontale.* – Fam. *La position horizontale :* la position couchée. ▷ GEOM *Plan horizontal,* dont tous les points ont la même cote (en géométrie descriptive). **2.** n. f. Ligne, position horizontale.

horizontalement adv. Dans une position horizontale ou selon une ligne horizontale.

horizontalité n. f. Caractère, état de ce qui est horizontal.

Horkheimer (Max) (Stuttgart, 1895 – Nuremberg, 1973), philosophe et sociologue allemand. Cofondateur de l'école de Francfort* il s'inspira du matérialisme historique de Marx : *Dialectique de la raison* (en collaboration avec Th. Adorno, 1947).

horloge n. f. Instrument servant à mesurer le temps. *Regarder l'heure à l'horloge. Horloge électrique,* dont le mouvement est assuré par un dispositif électrique. *Horloge astronomique :* horloge électrique servant à établir les étalons de temps. *Horloge atomique :* horloge d'une extrême précision, réglée sur la fréquence d'un phénomène se produisant dans un atome. ▷ *Horloge parlante,* munie d'un dispositif qui permet d'entendre l'heure énoncée par une voix enregistrée. *Téléphoner à l'horloge parlante. Tops de l'horloge parlante diffusés par la radio.* ▷ Loc. fig. *Être réglé comme une horloge :* avoir des habitudes très régulières. ▷ *Horloge biologique :* ensemble des mécanismes assurant la régularité temporelle des activités des êtres vivants.

horloger, ère n. et adj. **1.** n. Personne qui fabrique, qui vend ou qui répare des horloges, des montres, etc. **2.** adj. Qui concerne l'horlogerie. *Industrie horlogère.*

horlogerie n. f. **1.** Fabrication, industrie des horloges, des montres. **2.** Commerce, magasin d'un horloger.

hormis [ˈɔʀmi] prép. Litt. Excepté. *Tous, hormis l'aîné.*

hormonal, ale, aux adj. Relatif aux hormones et aux glandes qui les sécrètent. *Dérèglements hormonaux.*

hormone n. f. **1.** BIOL Substance produite par une glande endocrine et transportée dans le sang vers l'organe cible où elle agit. **2.** BOT *Hormone végétale :* nom donné abusivement aux facteurs de croissance des végétaux. Syn. phythormone.

ENCYCL **Biol.** – Les hormones ont des structures chimiques très variées et dérivent du cholestérol, des protides, des acides aminés, etc. Projetées dans le torrent circulatoire, elles y agissent à des concentrations infimes. En effet, toute hormone se conduit comme un messager transmetteur d'une information à laquelle sont seules sensibles les cellules pourvues de récepteurs membranaires spécifiques ou de protéines cytoplasmiques capables de véhiculer la molécule hormonale informative. Selon la nature chimique de l'hormone, la transmission de l'information à la cellule cible peut être schématisée par 3 mécanismes différents : – les acides aminés, leurs dérivés et les petites molécules organiques diverses (thyroxine, adrénaline, par ex.) se fixent sur la face externe de la membrane cellulaire au niveau de récepteurs membranaires spécifiques, où leur simple présence détermine sur la face interne de la membrane la synthèse d'A.M.P. cyclique responsable d'une stimulation métabolique générale de la cellule. L'action de l'hormone est par conséquent indirecte. – Les *hormones polypeptidiques* ont un intermédiaire enzymatique à l'intérieur de la membrane : l'adénylcyclase, qui induit la formation d'A.M.P. cyclique sur la face interne de la membrane. – Les *hormones stéroïdes* (hormones sexuelles) traversent directement la membrane cellulaire des cellules cibles. La molécule d'hormone se lie à l'intérieur du cytoplasme à une protéine spécifique et devient, après cette liaison, directement active pour modifier la transcription des gènes sur l'A.R.N. messager.

hormonothérapie n. f. MED Thérapeutique consistant à administrer des hormones.

Horn (cap), pointe la plus australe de l'Amérique du S., dans l'archipel de la Terre de Feu (Chili).

Horn (îles de). V. Futuna.

Horn (Gyula) (Budapest, 1932), économiste et homme politique hongrois, Premier ministre depuis 1994.

hornblende [ˈɔʀnblɛ̃d] n. f. MINER Silicate du groupe des amphiboles.

Horne (Marilyn) (Bradford, Pennsylvanie, 1929), cantatrice américaine. Mezzo-soprano virtuose, elle a contribué à la renaissance du répertoire romantique, principalement des opéras de Rossini.

Hornes ou **Hoorne** (Philippe II de Montmorency, comte de) (Nevele, v. 1524 – Bruxelles, 1568), gouverneur de la Gueldre sous Charles Quint; décapité sur ordre du duc d'Albe pour avoir défendu les libertés des Pays-Bas.

Horney (Karen) (Hambourg, 1885 – New York, 1952), psychanalyste américaine d'origine allemande; fondatrice (1941) de l'Institut américain de psychanalyse. Elle a souligné (en contradiction avec Freud) l'importance des facteurs sociaux et culturels dans la formation des névroses : *la Personnalité névrotique de notre temps* (1937).

horo-. Élément, du gr. *hôra,* « heure ».

horodater v. tr. [1] Indiquer automatiquement la date et l'heure sur un document.

horodateur, trice adj. et n. m. Qui imprime l'heure et la date sur des documents, des colis, etc. *Horloge horodatrice. Un horodateur.*

horoscope n. m. ASTROL **1.** Document astrologique représentant les signes du zodiaque (décomposition de l'espace en douze parties égales dans le plan de l'écliptique) sur lequel on reporte la position des planètes à un moment et en un lieu donnés, ceux de la naissance d'un sujet en particulier. **2.** Prédiction de l'avenir que certains prétendent tirer de ce document.

Horowitz (Vladimir) (Kiev, Ukraine, 1904 – New York, 1989), pianiste américain d'origine russe; interprète virtuose de Chopin, Liszt, Debussy, Scarlatti, etc.

horreur n. f. **1.** Réaction d'effroi, de répulsion provoquée par qqch d'affreux. *Être saisi d'horreur. Des atrocités qui font horreur.* ▷ *Par exag.* Sentiment d'aversion, de répugnance. *Avoir horreur de perdre. Avoir horreur du lait.* **2.** Caractère de ce qui inspire une telle réaction. *Envisager la situation dans toute son horreur.* **3.** (Souvent plur.) Ce qui inspire l'épouvante, le dégoût. *Les horreurs de la guerre.* – *Dire, écrire des horreurs,* des choses infâmes, obscènes. ▷ Par exag. Fam. Personne, chose très laide. *C'est une horreur!*

horrible adj. **1.** Qui inspire de l'horreur. *Supplice horrible.* **2.** *Par exag.* Qui est difficile à supporter, qui déplaît vivement. *Temps horrible. Robe horrible.*

horriblement adv. **1.** De façon horrible. *Horriblement défiguré.* **2.** Extrêmement. *Horriblement pâle.*

horrifiant, ante adj. Qui horrifie.

horrifier v. tr. [2] (Empl. surtout au passif.) Provoquer l'horreur.

horrifique adj. Litt. Syn. de *horrifiant.*

horripilant, ante adj. Qui agace.

horripilateur adj. m. (et n. m.) ANAT Se dit du muscle qui permet à chaque poil de se redresser.

horripilation n. f. **1.** Agacement très vif. **2.** PHYSIOL État des poils qui sont horripilés. Syn. chair de poule.

horripiler v. tr. [1] **1.** Agacer vivement, exaspérer. *Sa façon de parler m'horripile.* **2.** PHYSIOL Provoquer l'érection des poils dans le frisson.

hors [ˈɔʀ] prép. **I. 1.** (Dans des expressions.) En dehors de. *Longueur hors tout d'un édifice, d'un wagon,* sa longueur maximale, tout compris. *Surface hors œuvre,* délimitée par les faces extérieures de l'édifice. *Gravure hors texte. Footballeur hors jeu. Exemplaire hors commerce. Objet hors série. Compagnie hors rang d'un régiment. Préfet hors cadre. Être hors concours. Mettre qqn hors la loi.* ▷ Fig. *Personne, qualité hors ligne, hors pair,* au-dessus du commun. **2.** Vieilli, litt. À l'exception de. *Tous, hors lui et moi.* **II.** Loc. prép. *Hors de :* à l'extérieur de, en dehors de. *Hors de la ville. Hors d'ici! :* sortez d'ici! ▷ *Mettre qqn hors de combat. Hors d'atteinte, de portée, de danger. Hors de cause. Cela est hors de doute. Hors de question. Hors d'usage. Hors d'état. Hors de saison. Hors de prix :* d'un prix excessif. *Être hors de soi,* violemment agité (partic. par la colère).

hors-bord n. m. Canot rapide dont le moteur est placé à l'arrière, en dehors de la coque. *Des hors-bord(s).*

hors champ loc. adv. ou adj. inv. AUDIOV Qui se trouve en dehors du champ de la caméra.

hors-concours n. m. inv. Personne qui ne peut concourir parce qu'elle fait partie du jury ou parce qu'elle est manifestement très supérieure à ses concurrents. ▷ Loc. adj. ou adv. *Être hors concours.*

hors-d'œuvre n. m. inv. **1.** ARCHI Pièce qui fait saillie, dans un édifice. ▷ Fig. Partie d'un ouvrage littéraire ou artistique qui n'est pas essentielle, que l'on peut supprimer. 2. Cour. Mets servi au début du repas. *Des hors-d'œuvre variés comprenant charcuterie, crudités, etc.*

horse-guard n. m. Soldat du régiment des gardes à cheval en Angleterre. *Des horse-guards.*

Horsens, port du Danemark, à l'E. du Jylland oriental, sur le *fjord d'Horsens;* 55 080 hab. Constr. mécaniques.

horse power [ˈɔʀspɔwœʀ] n. m. inv. PHYS Unité angl. de puissance (symbole HP) valant 745,7 W ou 1,013 ch.

hors-jeu n. m. inv. SPORT Au football, au rugby, etc., position irrégulière d'un joueur par rapport au but adverse et aux adversaires. – La faute elle-même (sanctionnée par l'arbitre). ▷ Loc. adj. ou adv. *Être hors jeu.*

hors-la-loi n. m. inv. Individu que ses actions ont mis en dehors de la loi, qui enfreint la loi. ▷ Loc. adj. ou adv. (Sans trait d'union.) *Être hors la loi.*

hors-piste n. m. inv. Ski pratiqué en dehors des pistes balisées. – (En appos.) *Ski hors-piste.*

hors-série adj. inv. 1. Qui est inhabituel, à part. *Des vacances hors-série.* 2. Qui n'est pas fabriqué en série; qui n'appartient pas à une série. *Un poste hors-série. Un numéro hors-série.*

hors-service adj. inv. Qui ne fonctionne plus, provisoirement ou définitivement. *Distributeur de boissons hors-service.*

hors-sol adj. inv. et n. m. inv. AGRIC 1. Se dit d'une culture pratiquée sur un substrat autre que le sol. 2. Se dit de l'élevage entièrement pratiqué dans des lieux couverts avec une alimentation préparée industriellement.

horst [ˈɔʀst] n. m. GEOL Zone élevée entre deux failles (par oppos. à *graben*).

hors-texte n. m. inv. Gravure intercalée dans un livre et qui ne porte pas de numéro de folio. *Des hors-texte en quadrichromie.*

Horta (Victor, baron) (Gand, 1861 – Bruxelles, 1947), architecte belge; l'un des princ. créateurs de l'art nouveau et précurseur du fonctionnalisme (Maison du peuple, 1896-1900, Bruxelles, auj. détruite).

Hortense de Beauharnais (Paris, 1783 – Arenenberg, Suisse, 1837), reine de Hollande (1806-1810) par son mariage avec Louis Bonaparte; fille d'Alexandre de Beauharnais et de Marie-Josèphe Rose Tascher de La Pagerie (future impératrice Joséphine); mère de Napoléon III et du duc de Morny (fils du comte de Flahaut). Elle laissa des *Mémoires.*

hortensia n. m. Arbrisseau (fam. saxifragacées) à grosses ombelles de fleurs diversement colorées, non odorantes, originaire de Chine et du Japon.

Hortensius Hortalus (Quintus) (114 – 50 av. J.-C.), orateur romain; d'abord rival de Cicéron, il plaida avec lui après 63.

Horthy de Nagybánya (Miklós) (Kenderes, 1868 – Estoril, Portugal, 1957), amiral et homme politique hongrois, régent du royaume de Hongrie de 1920 à 1944. Il se rapprocha de l'Italie fasciste puis de l'Allemagne hitlérienne, ce qui lui permit d'agrandir le territoire hongrois. Conservateur et autoritaire, il n'approuvait cependant pas le régime nazi.

horticole adj. Relatif à l'horticulture.

horticulteur, trice n. Personne qui pratique l'horticulture.

horticulture n. f. Art de cultiver les jardins. ▷ Culture des légumes, fruits et fleurs de jardin.

hortillonnage n. m. Rég. 1. En Picardie, marais de la basse vallée de la Somme aménagé pour les cultures maraîchères. 2. Mode de culture pratiqué dans ces marais.

Horus, divinité solaire de l'anc. Égypte, représentée sous la forme d'un faucon ou d'un homme à tête de faucon. ► illustr. **Isis**

Hōryūji, monastère bouddhique du Japon, construit près de Nara à la fin du VIe s. et au déb. du VIIe s. sur l'ordre du prince Shōtoku Taishi. Son sanctuaire principal, le Kondō (Pavillon d'or), renferme encore plusieurs grandes œuvres de la période d'Asuka, mais ses célèbres peintures d'orig. Tang furent détruites par un incendie en 1949.

hosanna [ˈozan(n)a] n. m. 1. LITURG Couplet d'invocation que les juifs chantent à la fête des Tabernacles. ▷ Hymne chantée par les catholiques le jour des Rameaux. 2. Litt. Cri, chant de triomphe, de joie.

hospice n. m. 1. Établissement public ou privé accueillant les vieillards, les orphelins, les handicapés, etc. *Finir ses jours à l'hospice.* 2. Vx Maison où les religieux donnent l'hospitalité aux voyageurs. *Hospice du Grand-Saint-Bernard.*

Hospital (Michel de L'). V. L'Hospital.

Hospitalet de Llobregat (L'), v. d'Espagne (Catalogne), fbg S.-O. de Barcelone; 279 780 hab. Industries métallurgiques, textiles et chimiques.

hospitalier, ère adj. I. 1. Relatif aux hospices, aux hôpitaux. *Centre hospitalier.* 2. Anc. *Ordres hospitaliers* : ordres religieux qui soignaient les malades, hébergeaient les pèlerins. ▷ Subst. *Les hospitaliers de Saint-Jean-de-Jérusalem.* II. Qui exerce volontiers l'hospitalité. *Famille, peuplade hospitalière.* ▷ Par ext. *Terre hospitalière.* Syn. accueillant.

hospitalisation n. f. Action d'hospitaliser; son résultat.

hospitaliser v. tr. [1] Faire entrer (qqn) dans un établissement hospitalier. *Hospitaliser un blessé.*

hospitalisme n. m. MED Ensemble des effets nocifs dus à un séjour prolongé en milieu hospitalier, partic. chez les enfants.

hospitalité n. f. 1. Libéralité qu'on exerce en logeant gratuitement un étranger. *Demander l'hospitalité.* 2. Fait d'accueillir chez soi généreusement, aimablement. *Avoir le sens de l'hospitalité.*

hospitalo-universitaire adj. *Centre hospitalo-universitaire* (C.H.U.) : hôpital auquel est attaché un centre d'enseignement de la médecine. *Des centres hospitalo-universitaires.*

hospodar [ˈɔspɔdaʀ] n. m. HIST Titre donné par le sultan de Turquie aux princes régnants de Valachie et de Moldavie.

Hossegor, écart de la com. de Soorts-Hossegor (Landes), sur l'Atlant., près de l'*étang d'Hossegor.* Station balnéaire.

Hossein (Robert Hosseinhoff, dit Robert) (Paris, 1927), acteur et metteur en scène français. Il réalisa et interpréta des films noirs (*Les salauds vont en enfer,* 1955; *Toi le venin,* 1958), puis monta de grands spectacles théâtraux (*les Misérables,* 1980).

hostellerie [ɔstɛlʀi] n. f. Syn. de *hôtellerie* (sens 1).

hostie n. f. LITURG Pain de froment sans levain destiné à la communion sacramentelle. (Sous la forme d'une petite rondelle blanche, de nos jours.)

hostile adj. 1. Qui a ou dénote une attitude inamicale. *Peuple hostile. Des paroles hostiles.* ▷ Fig. *Nature, climat hostile à l'homme.* 2. *Hostile à* : opposé à. *Hostile aux réformes.*

hostilement adv. De façon hostile.

hostilité n. f. 1. Disposition hostile. *L'hostilité de la bourgeoisie contre la noblesse.* 2. (Plur.) Actes, opérations de guerre. *Cessation des hostilités.*

hosto n. m. Fam. Hôpital.

hot [hɔt ;ˈɔt] adj. et n. m. Se dit d'une manière expressionniste de jouer le jazz.

Hotchkiss (Benjamin Berkeley) (Watertown, Connecticut, 1826 – Paris, 1885), ingénieur américain. Il s'installa en France, où il construisit des armes. On donna son nom aux mitrailleuses, canons et chars de combat sortis de son usine (que l'État acheta en 1875), laquelle construisit également des automobiles de luxe de 1904 à 1951.

hot dog [ˈɔtdɔg] n. m. Sandwich garni d'une saucisse chaude. *Des hot dog* ou *des hot dogs.*

hôte, hôtesse n. I. 1. Personne qui donne l'hospitalité. *Un hôte accueillant.* ▷ Loc. *Table d'hôte,* à laquelle les clients d'un hôtel, d'une pension de famille mangent à prix fixe. 2. n. f. *Spécial.* Jeune femme chargée de l'accueil des visiteurs dans une entreprise, une foire, un salon, etc. ▷ *Hôtesse de l'air* : membre féminin du personnel commercial navigant, qui veille au bien-être et à la sécurité des passagers. 3. BIOL Se dit de l'organisme qui héberge un parasite. II. (Dans ce sens le féminin est *hôte.*) 1. Personne qui reçoit l'hospitalité. *Bien traiter ses hôtes.* 2. Personne, animal qui occupe un lieu. *Un jeune artiste et des souris étaient les hôtes de la mansarde.*

hôtel n. m. 1. Établissement où l'on peut louer une chambre meublée pour une nuit ou plus. *Chambre d'hôtel. Descendre à l'hôtel.* 2. Demeure somptueuse dans une ville. *L'hôtel Sully.* ▷ *Hôtel particulier,* occupé dans sa totalité par un riche particulier. 3. Nom donné à certains édifices publics. *Hôtel des ventes.* ▷ *Hôtel de ville* : mairie d'une grande ville. 4. *Hôtel-Dieu* : hôpital principal de certaines villes. *Des hôtels-Dieu.* 5. *Maître d'hôtel* : celui qui préside au service de la table dans un grand restaurant, dans la haute société.

Hôtel de Ville de Paris, siège de la municipalité de Paris, situé sur la place du même nom. Construit dans le goût de la Renaissance italienne par le Boccador, il fut détruit sous la Commune et reconstruit (1872-1882) par Ballu et Deperthes.

Hôtel-Dieu, le plus ancien hôpital de Paris. Plusieurs fois détruit par des incendies, il a été reconstruit (1868-1878) sur le côté N. du parvis de Notre-Dame.

hôtelier, ère adj. et n. 1. adj. Relatif à l'hôtellerie. *Industrie hôtelière.* 2. n. Personne qui tient un hôtel.

hôtellerie n. f. 1. Anc. Hôtel pour voyageurs. ▷ Mod. Hôtel ou restaurant élégant, au cadre campagnard. Syn. hostellerie. **2.** Profession de l'hôtelier. ▷ Industrie hôtelière.

hot line ['ɔtlajn] n. f. (Anglicisme) INFORM Numéro téléphonique permettant d'accéder immédiatement à un service d'assistance pour l'utilisation d'un produit. *Des hot lines.*

hotte ['ɔt] n. f. **1.** Grand panier muni de bretelles, qu'on porte sur le dos. *Hotte de vendangeur.* **2.** CONSTR Ouvrage en forme de tronc de pyramide situé au-dessus du manteau d'une cheminée, à l'intérieur duquel se trouve le conduit de fumée. ▷ Caisson collectant et évacuant les fumées, odeurs et buées, partic. dans une cuisine.

hottentot, ote ['ɔtɑ̃to, ɔt] adj. et n. **1.** adj. Qui concerne les Hottentots. ▷ *Vénus hottentote* : type de femme (en réalité boschimane) fortement stéatopyge. ▷ Subst. *Un(e) Hottentot(e).* **2.** n. m. LING Langue de la famille des langues khoisan.

Hottentots, peuple d'Afrique mérid., de race khoisan. Pasteurs nomades à l'arrivée des Européens dans la région (XVIIe s.), les Hottentots seraient issus du brassage (entre le VIe et le XIIIe s.) de deux types anthropologiques très différents.

hotu n. m. Poisson cyprinidé *(Chondrostoma nasus)* d'eau douce, long d'env. 50 cm, dont les lèvres cornées tranchantes bordent une bouche très ventrale.

hou ! ['u; hu] interj. Pour faire peur ou pour huer. – (Doublé) Pour appeler. *Hou ! Hou ! Par ici !*

Houat, île de l'Atlant., au large de Quiberon, com. du Morbihan (arr. de Lorient); 393 hab. Pêche. Stat. balnéaire.

houblon ['ublɔ̃] n. m. Plante grimpante (fam. cannabinacées), vivace, cultivée pour ses inflorescences femelles ou cônes, utilisées pour parfumer la bière.

tige de **houblon** avec feuilles et cônes

houblonner ['ublɔne] v. tr. [1] AGRIC Mettre du houblon dans (la bière).

houblonnier, ère adj. et n. AGRIC **1.** adj. Qui concerne le houblon; qui produit du houblon. **2.** n. Personne qui cultive le houblon. **3.** n. f. Champ planté de houblon.

Houchard (Jean Nicolas) (Forbach, 1738 – Paris, 1793), général français. Vainqueur des Anglais à Hondschoote (1793), il fut guillotiné après avoir été accusé de ménager l'ennemi.

Hou Che. V. Hu Shi.

Houdan, ch.-l. de cant. des Yvelines (arr. de Mantes-la-Jolie); 2 925 hab. Égl. (XVe-XVIe s.). Donjon (XIIe s.). Maisons anciennes.

Houdar de La Motte (Antoine), dit aussi *La Motte-Houdar* (Paris, 1672 – id., 1731), écrivain français. Il ranima la querelle des Anciens et des Modernes en 1713 (trad. abrégée de *l'Iliade,* précédée d'un *Discours* critique sur Homère). Acad. fr. (1710).

Houdetot (Élisabeth de La Live de Bellegarde, comtesse d') (Paris, 1730 – id., 1813), dame qui tint un salon littéraire. Rousseau, qui s'éprit d'elle, l'évoque dans ses *Confessions* et dans *la Nouvelle Héloïse.*

Houdin. V. Robert-Houdin.

Houdon (Jean-Antoine) (Versailles, 1741 – Paris, 1828), sculpteur français. D'abord baroque, il a rejoint l'idéal classique après son séjour en Italie (1764-1768), où il étudia les antiques et l'anatomie (*Écorché,* 1767); il a traité des sujets mythologiques (*Diane chasseresse,* marbre, 1780) et allégoriques (*l'Hiver,* 1783; *l'Été,* 1785). Mais il a surtout excellé dans le portrait en buste, où il capte la vérité psychologique de ses modèles : *Diderot, Benjamin Franklin, Buffon, Mirabeau.* ► illustr. **Diane**

Houdry (Eugène) (Domont, 1892 – Upper Darby, Pennsylvanie, 1962), ingénieur français. Il inventa le craquage par catalyse.

houe ['u] n. f. Pioche à large fer courbé servant à remuer la terre.

Houei-tsong. V. Huizong.

Hougue (La), fort de l'E. du Cotentin, à l'entrée de la rade du m. nom, où la flotte anglo-hollandaise détruisit douze navires de l'escadre de Tourville (1692).

Houhehot. V. Hohhot.

houille ['uj] n. f. **1.** Charbon de terre, roche sédimentaire de couleur noirâtre, à cassure brillante, que l'on utilise comme combustible. **2.** *La houille blanche* : l'énergie des cours d'eau, l'hydroélectricité.

ENCYCL La densité de la houille varie entre 1,2 et 1,5, et sa teneur en eau entre 2 et 7 %. Elle contient au moins 75 % de carbone. Les anthracites possèdent une densité plus élevée, une teneur en carbone plus forte (98 %) et une faible teneur en matières volatiles. Elles proviennent de la déshydrogénation à l'abri de l'air, par des micro-organismes, de débris végétaux, de sorte qu'il se produit un enrichissement progressif du sédiment en carbone. L'examen au microscope permet d'identifier quatre constituants : *les débris ligneux,* fins morceaux de bois; *les spores végétales,* dont seule l'enveloppe, recouverte de cutine, très souvent écrasée, est conservée; *les feuilles,* dont la seule cuticule est conservée; *une substance fondamentale,* très fine, provenant de la pulvérisation des trois éléments précédents. La combinaison de ces quatre éléments donne : *le fusain,* mat, pulvérulent (débris ligneux); *le vitrain,* homogène, à éclat vitreux, à débit en petits cubes (substance fondamentale); *le durain,* dur, mat, qui va du gris au brunâtre, à cassure grenue (débris végétaux encore identifiables au microscope); *le clarain,* dur, brillant, à cassure conchoïdale (mélange, en proportions variables, de feuilles et spores emballées dans un ciment amorphe). Les houilles brûlent en dégageant de la chaleur (pouvoir calorifique inférieur compris entre 32 600 et 36 000 kJ/kg) et sont utilisées comme source d'énergie (chauffage industriel et domestique). La pyrogénation de la houille donne des hydrocarbures, du goudron, de l'ammoniac, etc., et un résidu : le coke. À partir de la houille, on fabrique des matières plastiques, des engrais, des carburants, etc. (carbochimie). La houille est extraite des gisements houillers par exploitation souterraine ou découverte (mine à ciel ouvert). Les réserves mondiales de houille se situeraient entre 1 000 et 3 000 milliards de tonnes. L'épuisement progressif du pétrole a conduit la plupart des pays, en partic. les É.-U., à relancer la production de houille.

houiller, ère ['uje, ɛʀ] adj. et n. **I.** adj. **1.** Qui renferme de la houille. *Terrain houiller.* **2.** Relatif à la houille. **II.** n. m. GEOL Époque du carbonifère supérieur. **III.** n. f. Mine de houille.

Houilles, ch.-l. de cant. des Yvelines (arr. de Saint-Germain-en-Laye); 30 027 hab.

houle ['ul] n. f. **1.** Mouvement ondulatoire de la mer formant des lames longues et élevées qui ne déferlent pas; ces lames elles-mêmes. **2.** Litt. Ondulation d'un champ, d'une foule, etc.

houlette ['ulɛt] n. f. **1.** Vx Bâton de berger muni à son extrémité d'une plaque de fer servant à jeter de la terre aux moutons qui s'écartent du troupeau. ▷ Loc. fig. *Sous la houlette de qqn,* sous sa direction. **2.** (Par anal. de forme.) Crosse épiscopale. **3.** Ustensile de jardinier servant à lever de terre les oignons de fleurs, les racines.

houleux, euse ['ulø, øz] adj. **1.** Animé par la houle. *Mer houleuse.* **2.** Fig. *Assemblée houleuse,* agitée.

houligan ou **hooligan** ['uligan] n. m. (Mot angl., par le russe.) **1.** En U.R.S.S., jeune que l'on accusait d'hostilité au régime et de comportement asocial. **2.** Jeune, inadapté à la vie sociale, qui se livre à des actes de violence et de vandalisme dans les lieux publics.

houliganisme n. m. Comportement de houligan (sens 2). ▷ Phénomène social lié à ce comportement.

houlque ['ulk] ou **houque** ['uk] n. f. Graminée voisine de l'avoine.

houngan ['ungan] n. m. À Haïti, prêtre du culte vaudou.

Hounsfield (Godfrey Newbold) (Newark, 1919), ingénieur britannique; inventeur du scanner. P. Nobel de médecine 1979.

Houphouët-Boigny (Félix) (Yamoussoukro, 1905 - id., 1993), homme politique ivoirien. Député au Palais-Bourbon (1946-1959), il fut plusieurs fois ministre français. Un des fondateurs du Rassemblement démocratique africain (1946), il fut élu sept fois président de la république de Côte-d'Ivoire de 1960 à sa mort.

houppe ['up] n. f. **1.** Touffe de fils de laine, de soie, etc. *Houppe à poudre.* **2.** Touffe de cheveux. *Riquet à la houppe,* personnage d'un conte de Perrault. Syn. toupet. **3.** Syn. de *huppe* (sens 2). **4.** ANAT Papilles nerveuses terminant certains petits nerfs.

houppelande ['uplɑ̃d] n. f. Vêtement de dessus, long et ample; vaste manteau.

houppette ['upɛt] n. f. Petite houppe.

houque. V. houlque.

hourd ['uʀ] n. m. ANC. Construction en bois des fortifications médiévales, élevée en encorbellement au sommet d'une tour ou d'un mur.

hourdage ['uʀdaʒ] n. m. CONSTR **1.** Maçonnage grossier de moellons ou de plâtras. **2.** Première couche de gros plâtre étendue ou jetée sur un lattis.

hourder ['uʀde] v. tr. [1] CONSTR **1.** Maçonner grossièrement. **2.** Procéder au hourdage de. *Hourder une cloison.* **3.** Garnir de hourdis. *Hourder un plancher.*

hourdis ['uʀdi] n. m. CONSTR Élément de remplissage qui garnit les vides d'un colombage ou les intervalles entre les solives d'un plancher.

houri ['uʀi] n. f. **1.** Femme très belle promise par le Coran aux musulmans qui iront au paradis. **2.** Beauté dont les charmes évoquent l'Orient.

hourra ou **hurrah** ['uʀa] interj. et n. m. **1.** interj. pour manifester joie ou enthousiasme. *Hip hip hip, hourra!* ▷ n. m. Cri d'acclamation traditionnel dans la marine, dans certaines armées. **2.** Cri d'enthousiasme. *Pousser des hourras.*

Hourrites ou **Hurrites,** peuple asiatique établi en haute Mésopotamie dès le IIIe mill., qui fonda le royaume du Mitanni (XVe s. av. J.-C.), annexé à l'Empire hittite v. 1355 av. J.-C.

Hourtin, com. de la Gironde (arr. de Lesparre-Médoc), près de l'*étang d'Hourtin;* 3 962 hab. Stat. baln. à *Hourtin-Plage.*

houseau ['uzo] n. m. Guêtre enveloppant seulement le mollet.

house-boat ['awzbot] n. m. (Anglicisme) Bateau aménagé pour recevoir des vacanciers. *Des house-boats.*

house music ['awzmjuzik] ou **house** n. f. (Anglicisme) Courant musical issu de la disco au milieu des années 80, caractérisé par le sampling.

houspiller ['uspije] v. tr. [1] **1.** Vieilli Maltraiter, brutaliser. **2.** Réprimander, harceler de reproches.

Houssay (Bernardo Alberto) (Buenos Aires, 1887 - id., 1971), physiologiste argentin. Il montra l'importance des sécrétions de l'hypophyse dans la formation du diabète. P. Nobel 1947.

housse ['us] n. f. **1.** Couverture couvrant la croupe d'un cheval. **2.** Enveloppe souple dont on recouvre des meubles, des vêtements, etc., pour les protéger. *Housse de fauteuil. Housse de toile, de plastique.*

Houston, v. des É.-U. (Texas), reliée par un canal de 70 km au golfe du Mexique; 1 630 500 hab. (aggl. urb. 3 565 700 hab.). Grand port. Import. centre industriel (raff. de pétrole; industr. électron., chim. et métall.), commercial (coton, pétrole) et spatial (NASA).

Houthalen-Helchteren, com. de Belgique (Limbourg), en Campine; 24 920 hab. Houille.

Houthulst, com. de Belgique (Flandre-Occidentale, arr. de Dixmude), au N. de la *forêt de Houthulst* (nombr. combats entre 1914 et 1918); 9 000 hab.

houx ['u] n. m. Arbre ou arbuste aux feuilles coriaces, luisantes, persistantes et épineuses, dont les fleurs blanches produisent des baies rouges et dont l'écorce sert à fabriquer la glu.

Hovas, l'une des nombr. castes qui composent les Merinas, pop. de la partie centrale du plateau de Madagascar.

Hove, v. de G.-B., près de Brighton (East Sussex); 82 500 hab. Import. station balnéaire.

hovercraft ['ɔvœʀkʀaft] n. m. (Anglicisme) Syn. de *aéroglisseur.*

Howard, famille noble anglaise qui acquit le duché de Norfolk au XVe s. Elle donna des généraux et des hommes polit. Catherine Howard fut la cinquième épouse de Henri VIII.

Howard (John Winston) (Sydney, 1939), homme politique australien, Premier ministre depuis 1996.

Howells (William Dean) (Martins Ferry, Ohio, 1837 - New York, 1920), écrivain américain. Il prit violemment parti pour le réalisme contre le romantisme. Sa psychologie intimiste n'exclut pas la description minutieuse du détail quotidien; *les Hasards d'une rencontre* (1873), *la Dame en lambeaux* (1899), *Mrs. Farrell* (1921).

Howrah, v. de l'Inde (Bengale-Occidental), sur l'Hooghly; 1 744 450 hab. Faubourg industriel de Calcutta (text., métall., etc.).

Hoxha. V. Hodja (Enver).

hoyau ['ɔjo] n. m. AGRIC Houe à lame aplatie en biseau.

Hoyle (sir Fred) (Bingley, 1915), astronome britannique; connu pour ses théories sur l'évolution de l'Univers; auteur de romans de science-fiction : *le Nuage noir* (1957), *la Cinquième Planète* (1963), *Inferno* (1973).

Hozier (Pierre d'), seigneur de la Garde (Marseille, 1592 - Paris, 1660), généalogiste français : *Généalogie des principales familles de France* (150 vol. manuscrits, B.N.F., Paris).

HP PHYS Symbole du horse power.

hPa PHYS Symbole de l'hectopascal.

Hradec Králové, v. de la Rép. tchèque (Bohême); ch.-l. de prov. de la Bohême orientale; 97 000 hab. Industr. alimentaires, textiles, mécaniques.

html n. m. INFORM Abrév. de *hypertext mark-up language,* langage de programmation utilisé pour créer des documents multimédias accessibles par Internet.

http n. m. INFORM Abrév. de *hypertext transfer protocol,* protocole de transmission des données sur Internet.

Hua Guofeng (dans le Shanxi, v. 1921), homme politique chinois. Premier ministre (1976-1980), président du parti communiste chinois (1976-1981), il a été, depuis, écarté du pouvoir.

Huai (la), fl. de Chine (env. 1 000 km); traverse la prov. d'Anhui; son cours, régulé par des barrages-réservoirs, rejoint la mer Jaune.

Huainan, v. de Chine (Anhui), sur la Huai; 1 170 000 hab. Houille.

Huambo (anc. *Nova Lisboa*), v. d'Angola; ch.-l. du distr. du m. nom; 62 000 hab.

Huancayo, v. du Pérou central (Andes), proche de Lima; ch.-l. de dép.; 190 230 hab. Centre agric. (vallée du Mantaro).

Huang Gongwang (1269 - 1354), lettré et peintre chinois; l'un des «quatre maîtres» de l'époque Yuan.

Huanghe (fleuve Jaune), fl. du N. de la Chine (5 464 km), naît sur le rebord oriental du Tibet, v. 4 500 m d'alt.; se jette dans la mer Jaune (golfe de Bohai). Charriant de grandes quantités de limon jaunâtre, il a des crues redoutables; gigantesques aménagements : barrages, centrales hydroélectriques, irrigation.

Huaxtèques, peuple du Mexique précolombien qui apparut vers le Xe s. de notre ère. Ils appartiennent à la famille maya. Leur art (sculpture) présente généralement un caractère plus archaïque que celui des Mayas.

hub ['œb] n. m. (Anglicisme) Aéroport dévolu à une compagnie qui l'utilise comme nœud de correspondances.

Hubble (Edwin Powell) (Marshfield, Missouri, 1889 - San Marino, Californie, 1953), astronome américain. Il établit que la vitesse de fuite des galaxies est proportionnelle à la distance qui nous en sépare (*constante de Hubble*).

Edwin Powell **Hubble** observant les astres au télescope

Hubble, le plus grand des télescopes spatiaux, mis en orbite en 1990; il a pu photographier des galaxies distantes de 5 à 12 milliards d'années-lumière.

Hubei, prov. de Chine centrale, drainée par le Yangzijiang; 180 000 km^2; 49 310 000 hab.; ch.-l. *Wuhan.* – À la rég. montagneuse (1 560 m) de l'O. succède, à l'E., une plaine fertile, sillonnée par le Yangzijiang et ses affl. Princ. ressources : céréales, coton, fer.

Hubert (saint) (m. à Liège v. 727), évêque de Tongres, Maastricht et Liège, apôtre des Ardennes; patron des chasseurs. Sa légende (histoire du cerf en pleurs, etc.) est tardive (XVe s.).

Hubertsbourg (traité de), traité (1763) entre l'Autriche, la Prusse et la Saxe par lequel la Silésie, possession autrichienne, fut cédée à la Prusse. Il mit fin à la guerre de Sept Ans.

Hubli-Dharwar, v. de l'Inde (Karnataka); 648 000 hab.

hublot ['yblo] n. m. Ouverture généralement circulaire, munie d'un verre épais, qui sert à donner de l'air et de la lumière à l'intérieur d'un navire. ▷ *Par ext.* Fenêtre étanche d'un avion, d'une capsule spatiale, etc.

huche ['yʃ] n. f. Grand coffre de bois à couvercle plat dans lequel on rangeait le pain, les provisions, les vêtements, etc. ▷ *Huche à pétrir* : pétrin.

Huddersfield, ville de G.-B. (West Yorkshire); 124 000 hab. Houille. Industries textiles (laine) et mécaniques.

Hudson (l'), fl. des É.-U. (500 km), tributaire de l'Atlantique; il relie, par un canal, New York aux Grands Lacs.

Hudson (Henry) (?, v. 1550 - en mer, 1611), navigateur anglais. Cherchant un passage vers la Chine, il découvrit le fleuve (1609), le détroit et la baie qui portent son nom (1610). Son équipage, mutiné, l'abandonna sur un canot. - *Baie d'Hudson :* vaste mer intérieure, au N. du Canada; communique avec l'Atlantique par le *détroit d'Hudson.* - *Compagnie anglaise de la baie d'Hudson :* compagnie commerciale créée en 1670 par Charles II d'Angleterre.

hue ! ['y; hy] interj. Cri des charretiers pour faire avancer leurs chevaux ou pour les faire aller à droite. ▷ Loc. fig. *À hue et à dia* : V. dia.

Hue (Robert) (Cormeilles-en-Parisis, 1946), homme politique français, secrétaire national du P.C.F. depuis 1994.

Huê, v. du Viêt-nam, anc. cap. de l'Annam; env. 210 000 hab. - Fondée au XVIIe s., ville royale des diverses dynasties qui dominèrent l'Annam, Huê abrita à partir du début du XIXe s. les sépultures des empereurs. - Nombr. mon. militaires et religieux.

huée ['ɥe] n. f. **1.** VEN Cri des chasseurs pendant une battue, ou des pêcheurs pour diriger le poisson vers les filets. **2.** (Plur.) Clameur de dérision ou d'hostilité. *Accueillir par des huées.*

Huelgoat, ch.-l. de cant. du Finistère (arr. de Châteaulin), près de la *forêt d'Huelgoat;* 1 748 hab.

Huelva, port d'Espagne (Andalousie); ch.-l. de la prov. du m. nom; 141 000 hab. Industr. chim.; mines de cuivre à proximité.

huer ['ɥe] v. [1] **I.** v. tr. **1.** VEN Poursuivre (un animal) en poussant des huées. **2.** Pousser des cris hostiles à (qqn), le conspuer. *Huer un orateur.* **II.** v. intr. Pousser son cri, en parlant d'un oiseau de nuit.

huerta ['ɥɛʀta] n. f. GEOGR Plaine irriguée où l'on pratique une culture intensive, en Espagne.

Huesca, v. d'Espagne (Aragon); ch.-l. de la prov. du m. nom; 42 800 hab. - Cath. (XIIIe-XVIe s.).

Huet (Pierre Daniel) (Caen, 1630 - Paris, 1721), prélat et érudit français; auteur de l'édition expurgée des classiques latins dite *ad usum Delphini* (« à l'usage du Dauphin », dont il fut le sous-précepteur). Acad. fr. (1674).

Huet (Paul) (Paris, 1803 - id., 1869), peintre et graveur français; paysagiste de l'école romantique, un des précurseurs de l'impressionnisme.

Hufuf *(Al-Hufūf),* v. d'Arabie Saoudite, dans l'oasis du m. n., à l'E. de Riyad; 101 270 hab. Centre comm.

Huggins (Charles Brenton) (Halifax, 1901), médecin américain. Il a étudié les processus endocrinologiques en rapport avec les cancers et leur traitement. P. Nobel 1966.

Hughes (David Edward) (Londres, 1831 - id., 1900), ingénieur américain d'origine anglaise; spécialiste d'électromagnétisme, inventeur du microphone (1878).

Hugli. V. Hooghly.

Victor **Hugo**

Alexandre von **Humboldt**

Hugo (Victor) (Besançon, 1802 - Paris, 1885), écrivain français. Fils d'un général d'Empire, il fait ses études à Paris, au lycée Louis-le-Grand. En 1822, Louis XVIII lui attribue une pension pour son prem. recueil : *Odes,* et il épouse Adèle Foucher, dont il aura cinq enfants. Entre 1827 (*Préface* de son drame *Cromwell*) et 1830 (représentation d'*Hernani,* qui est l'occasion d'une célèbre « bataille »), il s'affirme comme le chef du romantisme. De 1830 à 1840, il publie : un grand roman historique, *Notre-Dame de Paris* (1831); des drames, *Marion de Lorme* (1831), *Le roi s'amuse* (1832), *Marie Tudor* (1833), *Lucrèce Borgia* (1833), *Ruy Blas* (1838); et surtout quatre recueils de poésies, où il se montre maître dans l'expression lyrique des idées et des sentiments : *les Feuilles d'automne* (1831), *les Chants du crépuscule* (1835), *les Voix intérieures* (1837), *les Rayons et les Ombres* (1840). En 1833, Juliette Drouet entre dans sa vie; leur liaison durera jusqu'à la mort de Juliette (1883). En 1843, sa fille Léopoldine se noie à Villequier. À partir de cette date, sans restreindre son activité littéraire, il se lance dans la vie politique. Député en 1848, il s'oppose au coup d'État du 2 décembre 1851, et prend le chemin de l'exil (Bruxelles, Jersey, Guernesey) pour ne revenir à Paris qu'en 1870. Années fécondes : *Napoléon le Petit* (pamphlet, 1852), *les Châtiments* (poèmes satiriques, 1853), *les Contemplations* (lyriques, 1856), *la Légende des siècles* (épiques, 1859-1883); romans : *les Misérables* (1862), *les Travailleurs de la mer* (1866), *l'Homme qui rit* (1869). En 1876, il est élu sénateur; en 1882, la nation tout entière célèbre son 80e anniversaire; lorsqu'il meurt, la République lui fait des funérailles grandioses. Il avait encore publié *l'Année terrible* (poèmes, 1872) et *l'Art d'être grand-père* (poèmes, 1877). Son œuvre, sans doute inégale, frappe par la diversité et la puissance créatrice. Acad. fr. (1841).

huguenot, ote ['ygno, ɔt] n. et adj. Péjor. Surnom donné par les catholiques aux calvinistes, en France, aux XVIe et XVIIe s. ▷ adj. Relatif aux huguenots. *Faction huguenote.*

Hugues de Cluny (saint) (Semur-en-Brionnais, 1024 - Cluny, 1109), abbé de Cluny (1049-1109). L'ordre connut sous sa direction un très grand développement.

Hugues le Grand (v. 897 - Dourdan, 956), comte de Paris et duc de France; fils de Robert Ier. Ambitieux, doté d'une immense fortune, il sut affronter le roi légitime Louis IV et accrut ses domaines.

Hugues Capet (v. 941 - 996), roi de France (987-996), fils aîné d'Hugues le Grand. Il fut proclamé roi en place de l'héritier carolingien grâce à l'appui du clergé. Dès 987, il fit sacrer son fils Robert, assurant ainsi l'hérédité du pouvoir à la dynastie qu'il fonda. (V. Capétiens.)

Hugues de Payns (chât. de Payns, près de Troyes, v. 1070 - en Palestine, 1136), chevalier des croisades; fondateur de l'ordre des Templiers (1119) et son premier grand maître.

Huidobro (Vicente) (Santiago, 1893 - Cartagena, 1948), poète chilien. Il est le fondateur du *creacionismo,* courant d'avant-garde selon lequel le poète doit bannir toute description et créer la poésie la plus pure possible : *Horizon carré* (1917), *Tremblements de ciel* (1921), *le Citoyen de l'oubli* (1941), *Mon Cid Campeador* (essai biographique, 1929).

huilage n. m. Action d'huiler.

huile n. f. **1.** Liquide gras, onctueux et inflammable, d'origine végétale, animale ou minérale. *Les huiles végétale et animale sont des mélanges d'esters de la glycérine; l'huile minérale est un mélange d'hydrocarbures. Huile de table, de graissage. Huile de schiste,* tirée du schiste bitumineux. ▷ Loc. fig., fam. *Huile de coude**. ▷ Loc. fig. *Faire tache d'huile :* s'accroître, se répandre à la manière d'une goutte d'huile qui s'étale à la surface de l'eau. *Épidémie qui fait tache d'huile.* - *Jeter de l'huile sur le feu :* exciter des passions déjà vives. - *Mer d'huile,* parfaitement calme. - *Mettre de l'huile dans les rouages, dans les engrenages :* user de diplomatie pour éviter les heurts entre les personnes. - Fam. *Ça baigne dans l'huile :* tout va bien, tout se déroule normalement, sans anicroche. **2.** Peinture dont le liant est l'huile. *Peindre à l'huile.* ▷ *Par ext.* Tableau exécuté à l'huile. **3.** RELIG CATHOL *Saintes huiles :* huiles consacrées pour l'usage sacramentel. **4.** Fig., fam. Personnage influent. *Recevoir des huiles.*

ENCYCL Une huile diffère d'une graisse en ce qu'elle est liquide à la température ordinaire. Les principaux acides qui concourent à la formation des huiles sont les acides oléique, palmitique, linoléique et stéarique. On distingue trois catégories d'huiles : les huiles *végétales* (arachide, olive, colza, tournesol, lin, ricin, etc.), dont certaines sont comestibles, et d'autres utilisées en peinture, savonnerie, pharmacie, etc.; les huiles *animales* (baleine, cachalot, foie de morue, etc.), utilisées en savonnerie, en pharmacie, dans l'industrie, etc.; les huiles *minérales,* obtenues par distillation de la houille et du pétrole ou extraites des schistes et des sables bitumineux, et qui servent surtout à lubrifier les organes mécaniques.

huiler v. tr. [1] Enduire, frotter d'huile; lubrifier avec de l'huile. *Huiler une machine.* - Pp. adj. *Papier huilé,* rendu imperméable par imprégnation d'huile.

huilerie n. f. TECH Fabrique, magasin, commerce d'huile.

huileux, euse adj. **1.** De la nature de l'huile. *Liquides huileux.* **2.** Qui semble imbibé d'huile. *Cheveux huileux.* Syn. gras.

huilier, ère adj. et n. m. **I.** adj. Relatif à l'huile et à sa fabrication. **II.** n. m. **1.** Rare Fabricant, marchand d'huile. **2.** Ustensile portant des burettes contenant de l'huile et du vinaigre. *Huilier d'argent.*

huis [ɥi] n. m. **1.** Vx Porte. **2.** Loc. adv. Mod. *À huis clos :* les portes étant fermées. ▷ DR Sans que le public soit admis. *Le procès aura lieu à huis clos.* - n. m. *Demander le huis clos.*

Huisne (l'), riv. de France (130 km), affl. de la Sarthe (r. g.); arrose Nogent-le-Rotrou.

huisserie n. f. CONSTR Bâti formant l'encadrement d'une porte, d'une fenêtre.

huissier n. m. **1.** Celui qui est chargé d'accueillir et d'annoncer les visiteurs dans les ambassades, les ministères, etc. **2.** Fonctionnaire subalterne préposé au service des séances d'une assemblée. **3.** Officier ministériel qui signifie les actes et les exploits et qui exécute les décisions de justice. ▷ *Huissier-audiencier* ou *huissier audiencier,* chargé de la police des audiences d'un tribunal. *Des huissiers-audienciers.*

huit ['ɥit; ɥi devant une consonne ou un *h* aspiré] adj. inv. et n. m. inv. **I.** adj. num. inv. **1.** (Cardinal) Sept plus un (8). *Huit ans.* ▷ *Huit jours :* une semaine. – Loc. *Donner ses huit jours à un employé,* le congédier en lui payant une semaine de dédommagement. – *D'aujourd'hui en huit :* dans une semaine à compter d'aujourd'hui. **2.** (Ordinal) Huitième. *Charles VIII.* – Ellipt. *Le huit septembre.* **II.** n. m. inv. **1.** Le nombre huit. *Cinq et trois font huit.* ▷ Chiffre représentant le nombre huit (8). ▷ Numéro huit. *Habiter au huit.* ▷ *Le huit :* le huitième jour du mois. **2.** JEU Carte portant huit marques. *Le huit de cœur.* **3.** SPORT En aviron, embarcation manœuvrée par huit rameurs. **4.** *Les trois-huit*.*

huitain ['ɥitɛ̃] n. m. VERSIF **1.** Pièce de poésie de huit vers. **2.** Stance de huit vers.

huitaine n. f. Quantité de huit ou d'env. huit. – *Absol.* Huit jours. *Remettre une cause à huitaine.*

huitante ['ɥitɑ̃t] adj. num. card. Rég. (Suisse) Quatre-vingts.

huitième ['ɥitjɛm] adj. et n. **I.** adj. num. ord. Dont le rang est marqué par le nombre 8. *La huitième fois. Le huitième étage* ou, ellipt., *le huitième. Le huitième arrondissement* ou, ellipt., *le huitième.* **II.** n. **1.** Personne, chose qui occupe la huitième place. **2.** n. m. Chaque partie d'un tout divisé en huit parties égales. *Le huitième d'un volume.*

huître n. f. Mollusque lamellibranche, à deux valves inégales de forme irrégulière, qui selon les espèces est élevé (ou, plus rarement, pêché) pour sa chair, ou pour ses concrétions précieuses (nacre, perle). *Huîtres perlières :* V. pinctadine. *Les huîtres vivent jusqu'à 20 ans et pondent chaque année 50 000 œufs.*

huit-reflets n. m. inv. Haut-de-forme en soie brillante.

1. huîtrier, ère adj. et n. f. **1.** adj. Relatif à l'huître. *Industrie huîtrière.* **2.** n. f. Banc d'huîtres.

huître perlière

2. huîtrier n. m. Oiseau charadriiforme (genre *Hœmatopus*) qui se nourrit de coquillages. – *Huîtrier-pie,* noir et blanc, au bec rouge, long d'env. 40 cm, commun sur les plages atlantiques.

Huizong ou **Houei-tsong** (1082 – 1135), dernier empereur des Song du N., célèbre peintre d'oiseaux et de fleurs.

Hūlāgū (?, v. 1217 – Marārha, Iran, 1265), premier prince mongol d'Iran (1251-1265); petit-fils de Gengis khān. Il renversa les Abbassides de Bagdad (1258).

Hull. V. Kingston-upon-Hull.

Hull, v. du Canada (Québec), près d'Ottawa; 60 700 hab. Industr. du bois.

Hull (Cordell) (Olympus, Tennessee, 1871 – Bethesda, Maryland, 1955), homme politique américain démocrate; secrétaire d'État aux Affaires étrangères (1933-1944) sous Roosevelt, hostile à l'isolationnisme. Il fut l'un des fondateurs de l'ONU. Prix Nobel de la paix 1945.

Hull (Clark Leonard) (Akron, État de New York, 1884 – New Haven, Connecticut, 1952), psychologue américain; spécialiste de psychologie appliquée (tests d'aptitude).

Hulme (Thomas Ernest) (Endon, Staffordshire, 1883 – Nicuport, France, 1917), écrivain anglais. Critique, philosophe et poète, il rechercha l'expression spontanée : *Spéculations* (posth., 1924).

hulotte ['ylɔt] n. f. Grande chouette d'Europe *(Strix aluco),* au hululement sonore, commune dans les bois et les parcs, et appelée également *chat-huant.*

hululement ['ylylmɑ̃] ou **ululement** [ylylmɑ̃] n. m. Cri des rapaces nocturnes.

hululer ['ylyle] ou **ululer** [ylyle] v. intr. [1] Pousser son cri, en parlant des rapaces nocturnes.

hum ! interj. Exclamation exprimant le doute, l'hésitation, la défiance, le mécontentement.

humage n. m. Rare Action de humer. ▷ *Spécial.* Action de humer, d'inhaler des vapeurs médicinales.

humain, aine adj. et n. m. **I.** adj. **1.** De l'homme, relatif à l'homme. *Corps humain. Esprit humain. Nature humaine.* – (Par oppos. à *animal, végétal,* etc.) *Race, espèce humaine. Le genre humain :* l'ensemble des hommes. – (Par oppos. à *divin.*) *Justice humaine. Les voies humaines.* ▷ Propre à l'homme, à sa nature. *L'erreur est humaine.* **2.** Qui concerne l'homme, s'applique à l'homme. *Sciences humaines. Géographie humaine.* **3.** Qui a tous les caractères de l'homme, avec ses forces et ses faiblesses. *Personnage profondément humain.* **4.** Bon, généreux, compatissant à l'égard d'autrui. *Se montrer humain.* **II.** n. m. **1.** Homme, personne humaine. **2.** Ce qui appartient en propre à l'homme. *Cela dépasse l'humain.*

ENCYCL Les sciences qui étudient l'homme et son activité peuvent être regroupées schématiquement de la façon suivante : d'une part, les sciences qui étudient l'espèce humaine : anthropologie physique, paléontologie, biologie, physiologie, médecine, médecine sociale; d'autre part, celles qui étudient la société humaine et ses produits : histoire, archéologie, sociologie, ethnologie, sciences politiques, psychologie, démographie, linguistique, philosophie. Ces dernières constituent les sciences humaines proprement dites, que recouvre le terme général anglais d'*anthropology*; le mot français *anthropologie* tend plutôt à désigner la seule *anthropologie physique.* Certains auteurs regroupent la linguistique et la philosophie sous le terme de « lettres » et les considèrent comme un groupe à part, bien que les méthodes scientifiques utilisées par les linguistes (notam. le structuralisme) aient été et soient encore d'un grand apport dans de nombreuses autres disciplines. De nos jours, la méthodologie dans les sciences humaines se caractérise par la multiplicité des points de vue, des théories; les princ. sont le marxisme, le structuralisme et la psychanalyse.

humainement adv. **1.** Du point de vue de l'homme; selon les possibilités, les pouvoirs de l'homme. *La chose est humainement impossible.* **2.** Avec humanité. *Traiter qqn humainement.*

humanisation n. f. Action d'humaniser; son résultat.

humaniser v. tr. [1] **1.** Rendre plus civilisé, plus sociable. *Sa profession l'a humanisé.* ▷ v. pron. *Son caractère s'humanise.* **2.** Rendre moins dur, plus supportable. *Humaniser un régime pénitentiaire.* ▷ v. pron. *Un environnement qui s'humanise.*

humanisme n. m. **1.** Doctrine, savoir et éthique des humanistes de la Renaissance. **2.** PHILO Doctrine, système qui affirme la valeur de la personne humaine et vise à l'épanouissement de celle-ci.

humaniste adj. et n. **I.** adj. **1.** Relatif aux humanistes de la Renaissance. **2.** Relatif à l'humanisme philosophique. **II.** n. m. **1.** À l'époque de la Renaissance, érudit versé dans la connaissance des langues et des littératures anciennes, considérées comme le fondement de la connaissance de l'homme. **2.** PHILO Personne qui professe un humanisme (sens 2).

humanitaire adj. et n. **1.** adj. Qui vise au bien-être, au bonheur de l'humanité. *Théorie humanitaire.* **2.** adj. Qui concerne l'action des O.N.G. *Convoi humanitaire.* – n. m. Travail dans les organisations humanitaires, les O.N.G. – n. Membre d'une organisation humanitaire.

humanitarisme n. m. (Parfois péjor.) Idées humanitaires considérées comme naïves, ou dangereuses par irréalisme.

humanité n. f. **I. 1.** Nature humaine. *La faible humanité. Humanité et divinité du Christ.* **2.** Genre humain. *Rendre service à l'humanité.* **3.** Altruisme, bienveillance à l'égard des autres. *Traiter qqn avec humanité.* **4.** Sentiment profond de la grandeur et de la misère de l'homme. *Les œuvres d'Eschyle sont pleines d'humanité.* **II.** n. f. pl. Vieilli Études classiques supérieures jusqu'à la philosophie. *Faire ses humanités.*

Humanité (l'), quotidien fondé par J. Jaurès en 1904, organe du parti socialiste jusqu'au congrès de Tours (1920) puis, après la scission, de la majorité du parti, devenue le Parti communiste français.

humanoïde adj. et n. Se dit de ce qui présente des caractères ou des formes humaines. ▷ Subst. En science-fiction, être « non humain » ressemblant à l'homme.

Humber (la), profond estuaire de l'Ouse et de la Trent, sur la côte anglaise de la mer du Nord. Voie très fréquentée.

Humberside, comté d'Angleterre; 3 512 km^2; 835 200 hab.; ch.-l. *Beverley.*

Humbert Ier (Turin, 1844 - Monza, 1900), roi d'Italie (1878-1900); fils de Victor-Emmanuel II. Il fut tué par l'anarchiste Bresci. – **Humbert II** (Racconigi, 1904 - Genève, 1983), roi d'Italie du 9 mai au 2 juin 1946; fils de Victor-Emmanuel III. Il abdiqua après le référendum qui instaurait la république.

Humbert II (?, 1313 - Clermont, 1355), dernier dauphin du Viennois (1333-1349). Il vendit le Dauphiné à Philippe VI de France (1349).

humble [œbl] adj. **1.** Qui fait preuve d'humilité par modestie, respect ou soumission. Syn. effacé, modeste, soumis. **2.** Qui marque le respect, la déférence. *Humbles excuses.* **3.** De condition sociale modeste. *Des personnes très humbles.* ▷ n. m. (Le plus souvent plur.) *Les humbles.* **4.** Litt. (Avant le n.) Médiocre, modeste, sans éclat. *Une humble chaumière.*

humblement adv. **1.** Avec humilité ou modestie. *S'incliner, répondre humblement.* **2.** Sans beaucoup de moyens, de ressources. *Vivre humblement.*

Humboldt (courant de), important courant froid du Pacifique qui longe, du S. au N., le Chili et le Pérou et engendre des déserts côtiers.

Humboldt (Wilhelm von) (Potsdam, 1767 - chât. de Tegel, près de Berlin, 1835), érudit, philologue et diplomate prussien. Il fonda l'université de Berlin (1809). – **Alexander von** (Berlin, 1769 - id., 1859), frère du préc.; explorateur (Amérique tropicale, Asie centrale) et géographe prussien. Son ouvrage *Cosmos. Essai d'une description physique du monde* (1845-1858) est une des premières synthèses modernes sur les climats et la biogéographie de la planète.
► illustr. page 919

Hume (David) (Édimbourg, 1711 - id., 1776), philosophe et historien écossais : *Traité de la nature humaine* (1739); *Essais moraux et politiques* (1741-1742); *Essais sur l'entendement humain* (1748); *Enquête sur les principes de la morale* (1751); *Histoire d'Angleterre* (1754-1762). Après Locke et Berkeley, Hume analyse avec précision le domaine de l'expérience et critique, notam., les notions de substance et de causalité. La *causalité*, par ex., est bien loin de pouvoir nous permettre de déduire un effet de sa cause, comme l'a cru le rationalisme; *habitude* de l'esprit, elle se fonde sur la liaison constante observée entre la cause et l'effet. Il en va de même de l'existence du monde extérieur, de l'immatérialité de l'âme, de l'identité personnelle, principe de la morale. Toutefois, la croyance universelle et spontanée, due à l'imagination et non à la raison, constitue un guide suffisant pour l'action humaine.

humectage n. m. Action d'humecter; son résultat.

humecter v. tr. [1] Rendre humide, mouiller légèrement. *Humecter du linge.* ▷ v. pron. *Ses yeux s'humectent de larmes.* – Fam. *S'humecter le gosier* : boire.

humer [yme] v. tr. [1] **1.** Vx Avaler en aspirant. **2.** Aspirer profondément pour sentir. *Humer le parfum d'un rôti.*

huméral, ale, aux adj. ANAT Relatif à l'humérus ou au bras. *Artère humérale.*

humérus [ymeʀys] n. m. ANAT Os unique du bras qui s'articule en haut avec l'omoplate et en bas avec le cubitus et le radius.

humeur n. f. **I.** MED Liquide situé dans un organe, une articulation, un abcès. *Humeurs du corps.* – ANAT *Humeur aqueuse* : liquide situé entre la cornée et le cristallin. *Humeur vitrée* : liquide situé entre le cristallin et la rétine. ▷ Vx *Humeurs cardinales* ou, absol., *humeurs* : le sang, le flegme (ou pituite), la bile jaune et la bile noire, dont l'altération était considérée par la médecine ancienne comme la cause de toutes les maladies. **II. 1.** Disposition affective due au tempérament ou à un état passager. *Être de bonne, de mauvaise humeur.* ▷ *Être d'humeur à* : être disposé à. **2.** *Absol.* Disposition chagrine, se traduisant par un comportement agressif. *Geste d'humeur.*

humide adj. et n. m. **I.** adj. **1.** Vx ou poét. De la nature de l'eau, liquide, aqueux. *L'humide élément* : l'eau. **2.** Imprégné d'un liquide, d'une vapeur. *Linge humide. Saison, climat humide. Avoir les yeux humides.* Ant. sec. **II.** n. m. Ce qui est humide. *L'humide et le sec.*

humidificateur n. m. Appareil servant à humidifier l'air.

humidification n. f. Action d'humidifier.

humidifier v. tr. [2] Rendre humide. ▷ Augmenter la teneur en eau.

humidifuge adj. Didac. Qui repousse l'humidité. *Tissu humidifuge.*

humidité n. f. État de ce qui est humide. *L'humidité du sol.* ▷ *Humidité absolue* : masse d'eau contenue dans l'air, exprimée en g/m^3. – *Humidité relative* ou *degré hygrométrique* : rapport, exprimé en pourcentage, entre la masse d'eau contenue dans l'air et celle que contiendrait le même volume s'il était saturé. *L'humidité atmosphérique est mesurée à l'aide d'hygromètres.*

humifère adj. Didac. Riche en humus.

humiliant, ante adj. Qui cause de la honte. *Situation humiliante.*

humiliation n. f. **1.** Action d'humilier ou de s'humilier; état d'une personne humiliée. **2.** Ce qui humilie, vexe. *Infliger une humiliation à qqn.* Syn. affront.

humilier v. tr. [2] **1.** Vx Rendre humble, abaisser. *Humilier la fierté de qqn.* ▷ v. pron. *S'humilier devant Dieu.* **2.** *Humilier qqn,* le blesser dans son amour-propre en le couvrant de honte ou de confusion. Syn. mortifier, vexer.

humilité n. f. **1.** Sentiment de notre petitesse, de notre faiblesse, qui nous pousse à ravaler toute espèce de hauteur ou d'orgueil. *Manquer d'humilité.* Syn. modestie. ▷ Abaissement volontaire. *L'humilité chrétienne.* **2.** Soumission, déférence. *Parler avec humilité.* Ant. hauteur, arrogance. **3.** Litt. Caractère de ce qui est humble, modeste, sans éclat. *L'humilité de sa condition sociale.*

humique adj. PEDOL *Acides humiques* : acides organiques constituant l'humus.

Hummel (Johann Nepomuk) (Presbourg, 1778 - Weimar, 1837), compositeur et pianiste virtuose allemand; élève de Mozart : nombr. œuvres pour piano (concertos, études, sonates, etc.).

humoral, ale, aux adj. MED **1.** Relatif aux humeurs. **2.** Se dit du type d'immunité causée par la production d'anticorps spécifiques.

humoriste adj. et n. **1.** adj. Qui a de l'humour. **2.** n. Écrivain, dessinateur, auteur pratiquant le genre humoristique. *L'humoriste Alphonse Allais.*

humoristique adj. Relatif à l'humour; où il entre de l'humour. *Dessin humoristique.*

humour n. m. Forme d'ironie plaisante, souvent satirique, consistant à souligner avec esprit les aspects drôles ou insolites de la réalité. *Avoir le sens de l'humour. Humour noir,* qui tire sa force comique de rencontres cruelles, macabres et en même temps drôles.

Humperdinck (Engelbert) (Siegburg, Rhénanie, 1854 - Neustrelitz, 1921), compositeur allemand, auteur de lieder et de plusieurs ouvrages lyriques (*Hänsel und Gretel,* 1893).

humus [ymys] n. m. Cour. Matière brun-noir d'aspect terreux formée de débris végétaux plus ou moins décomposés. ▷ PEDOL Mélange d'acides organiques provenant de la décomposition des végétaux *(humus vrai).*

Hunan, prov. de Chine mérid.; 210 000 km^2; 56 220 000 hab.; ch.-l. *Changsha.* – Le relief est montagneux (alt. max. 1 000 m), de type appalachien, sauf dans le N.-E., où s'étend une dépression (import. riziculture), lieu d'implantation des villes. Le sous-sol recèle des métaux non ferreux.

Hundertwasser (Friedrich Stowasser, dit) (Vienne, 1928), peintre et graveur autrichien. À travers l'emploi débridé de la couleur et le traitement privilégié du motif de la spirale, il dit sa révolte contre l'environnement imposé à l'homme moderne : *Hommes dans les bois, arbres au-dessus* (1973).

hune ['yn] n. f. MAR Plate-forme semi-circulaire fixée à la partie basse des mâts, dans les anciens navires. ▷ *Mât de hune* : mât surmontant immédiatement la partie basse du mât.

Hunedoara, v. de Roumanie (Transylvanie); 88 510 hab. Sidérurgie.

hunier ['ynje] n. m. MAR ANC Voile carrée située au-dessus des basses voiles.

Huningue, ch.-l. de cant. du Haut-Rhin (arr. de Mulhouse), au N. de Bâle; 6 274 hab. Industr. chim. – En 1815, le g^al^ Barbanègre y résista face à 30 000 Autrichiens, avec 135 hommes, durant trois mois.

Huns, peuplade, p.-ê. d'orig. mongole et de langue altaïque, venue en Europe aux IVe et Ve s. apr. J.-C. Il est peu probable qu'ils aient appartenu aux populations *Hiong-nou* ou *Xiongnu* (mot chinois, « les Puants »), d'orig. paléosibérienne, qui harcelèrent la Chine dès le IXe s. av. J.-C. Au Ve s., sous la conduite d'Attila, les Huns passèrent le Rhin à Mayence, pénétrèrent en Gaule de l'E., allant jusqu'à Orléans. Défaits par le Romain Aetius en Champagne (bataille des champs Catalauniques, 451), ils quittèrent la Gaule pour l'Italie du N. En 453, Attila regagna la Pannonie, où il mourut la même année. L'empire qu'il avait constitué s'effondra. Une seconde branche, les *Huns Hephthalites,* gagna, également au Ve s., le Turkestan, l'Iran et l'Inde avant d'être arrêtée, v. 530, en Inde centrale.

Hun Sen (Kompong-Cham, 1952), homme politique cambodgien. Premier ministre (1985-1993), puis second Premier ministre avec le fils de Sihanouk, le prince Ranariddh, qu'il évince à la suite d'un affrontement armé en juillet 1997.

Hunsrück, rebord mérid. du Massif schisteux rhénan, sur la r. g. du Rhin; 816 m au Hochwald.

Hunt (William Holman) (Londres, 1827 - id., 1910), peintre anglais. Il fonda avec Millais et Rossetti l'école des préraphaélites.

Huntsville, v. des É.-U. (Alabama); 159 780 hab. Centre d'études spatiales.

Huntziger (Charles) (Lesneven, Finistère, 1880 – près du Vigan, 1941), général français ; négociateur des armistices de 1940, chef de l'armée et ministre de la Guerre de Vichy. Il périt dans un accident d'avion.

Hunyadi, famille noble de Transylvanie. – **Jean** (v. 1407 – près de Belgrade, 1456) devint voïévode de Transylvanie (1440) et régent de Hongrie sous Ladislas V (1446-1453). Il repoussa les Turcs de Mehmet II à Belgrade (1456). Son fils, Mathias Corvin, fut élu roi de Hongrie.

Huon de Bordeaux, chanson de geste française en laisses de décasyllabes assonancés (déb. du XIIIe s.).

huppe ['yp] n. f. **1.** Oiseau néognathe (genre *Upupa*), au long bec arqué et à la tête garnie d'une touffe de plumes. *La huppe fasciée d'Europe, au plumage bariolé, se nourrit d'insectes et hiverne en Afrique.* **2.** Touffe de plumes ornant la tête de certains oiseaux. *Huppe d'un cacatoès.*

huppe commune d'Europe

huppé, ée ['ype] adj. **1.** Qui porte une huppe. *Alouette huppée.* **2.** Fig. Riche et distingué. *Des gens huppés.*

Huppert (Isabelle) (Paris, 1953), actrice française. Elle excelle dans les rôles de composition : *Violette Nozière* (1978), *Loulou* (1980) et mène une carrière internationale : *La Porte du paradis* (1980).

Hurault (Louis) (Attray, Loiret, 1886 – Vincennes, 1973), général français. Ayant dirigé le Service géographique de l'armée (1937-1940), il présida à la fondation de l'Institut géographique national, en 1940.

hure ['yʀ] n. f. **1.** Tête de quelques animaux ; partic., tête coupée. *Hure de sanglier, de brochet.* **2.** Galantine farcie de morceaux de hure de porc. **3.** Litt. Visage truculent, trogne.

Hurepoix, petit pays de l'Île-de-France, au S. de Paris, drainé par l'Orge et l'Yvette, et coïncidant presque avec le dép. de l'Essonne.

hurlant, ante adj. Qui hurle. *Une sirène hurlante.*

hurlement ['yʀləmɑ̃] n. m. **1.** Cri du loup, du chien. **2.** Cri aigu et prolongé. *Hurlement de douleur, de rage.* – Fig. *Les hurlements du vent.*

hurler ['yʀle] v. intr. [1] **1.** Pousser des hurlements. *Les loups hurlent. Hurler de douleur.* ▷ Loc. fig. *Hurler avec les loups :* imiter ceux avec qui on vit. **2.** Crier, parler, chanter très fort. *Ne hurle pas, je ne suis pas sourd !* ▷ v. tr. *Hurler des injures.* **3.** Produire un son semblable à un hurlement (choses). *Sirène qui hurle.* **4.** Fig. Former un contraste violent, jurer. *Couleurs qui hurlent ensemble.*

hurleur, euse adj. et n. m. **1.** Qui hurle. **2.** ZOOL *Singe hurleur* ou, n. m., *hurleur :* singe du Brésil (*Alouate gariba,* sous-ordre des platyrhiniens) dont le sac vocal osseux peut émettre des cris très puissants, audibles à plusieurs kilomètres.

hurluberlu n. m. Personne étourdie, au comportement fantasque et quelque peu extravagant.

huron, onne ['yʀɔ̃, ɔn] n. et adj. **1.** n. Vx Personne grossière. **2.** adj. Des Hurons. *Mission huronne.* ▷ n. m. Langue, de la famille iroquoïenne, parlée par les Hurons.

Huron, un des Grands Lacs américains (61 797 km²), entre le Canada et les É.-U.

huronien, enne ['yʀɔnjɛ̃, ɛn] adj. GEOL *Orogenèse huronienne,* qui a affecté surtout l'Amérique du N. et la Scandinavie au précambrien.

Hurons, tribu amérindienne d'Amérique du N., installée dans une rég. comprise entre les lacs Huron et Ontario, et à Loretteville (Québec). *Les Hurons étaient les alliés des Français.*

hurrah. V. hourra.

Hurrites. V. Hourrites.

Hurtado de Mendoza (Diego) (Grenade, 1503 – Madrid, 1575), diplomate et écrivain espagnol. Sa *Guerre de Grenade* (posth., 1627) relate la révolte des morisques. On lui attribue, peut-être à tort, le roman picaresque *Lazarillo de Tormes.*

Hus (Jan) (Husinec, Bohême, 1369 – Constance, 1415), réformateur religieux tchèque. Recteur de l'université de Prague (1409), il fixa l'orthographe et la langue littéraire tchèques. Prédicateur (chap. Bethléem, à Prague), il dénonça les vices du clergé et les tares de l'Église, reprenant à son compte certaines idées du théologien anglais Wyclif. Excommunié en 1411, frappé d'une nouvelle excommunication (majeure) en 1412, il fut cité devant le concile de Constance (1414). S'étant rendu dans cette ville protégé par le sauf-conduit de l'empereur Sigismond, il fut néanmoins condamné comme hérétique, emprisonné et brûlé vif. Sa mort entraîna la révolte de ses partisans, qui tinrent tête au pape et à l'empereur jusqu'en 1437 *(guerres hussites).*

supplice de Jan **Hus,** enluminure, XVe s. ; bibliothèque nationale de l'Université, Prague

Husák (Gustáv) (Bratislava, 1913 – id., 1991), homme politique tchécoslovaque. Successeur de Dubček à la tête du parti communiste tchécoslovaque (1969 - 1987), il dirigea la « normalisation » ; président de la République de 1975 à 1989.

Husayn (Ḥusayn) (v. 626 – 680), second fils de Ali et Fatima, 3e imam des chiites. Il fut tué à Karbala par les troupes des Omeyyades.

Husayn. V. Hussein.

Husaynides, dynastie turque qui gouverna la Tunisie de 1705 à 1957. (V. Lamine bey.)

Hu Shi ou **Hou Che** (Shanghai, 1891 – Taibei, 1962), philosophe et romancier chinois : *la Renaissance chinoise* (1934). Il suivit Tchang Kaï-chek à Taiwan.

husky [œski] n. m. Race de chiens de traîneau aux yeux souvent bleu clair. *Des huskies.* ▶ pl. **chiens**

hussard ['ysaʀ] n. m. **1.** HIST Cavalier appartenant à un corps levé au XVe s. par les Hongrois pour combattre les Turcs. ▷ Militaire appartenant à l'un des régiments de cavalerie légère qui tenaient leur origine des compagnies d'auxiliaires hongrois recrutés par la France au XVIIe s. **2.** Mod. Militaire appartenant à l'une des unités blindées qui ont succédé aux anciennes unités montées de hussards.

hussarde ['ysaʀd] n. f. **1.** Danse hongroise. **2.** Loc. adv. *À la hussarde :* d'une manière cavalière et brutale. – *Pantalon à la hussarde,* ample sur les cuisses et étroit aux chevilles.

Hussards (les), groupe d'écrivains français qui s'inscrivirent en faux, au début des années 50, contre la morale de l'engagement, dominante à l'époque, et qui cultivèrent l'insolence, la désinvolture et le dandysme. Princ. membres : Roger Nimier (chef de file), Michel Déon, Antoine Blondin, Jacques Laurent, Félicien Marceau.

Hussein ou **Husayn ibn al-Husayn** *(Ḥusayn ibn al-Ḥusayn)* (Smyrne, v. 1765 – Alexandrie, 1838), le dernier dey d'Alger. Il rompit en 1829 les négociations avec la France, qui s'empara d'Alger (4 juil. 1830), et il dut capituler.

Hussein ou **Husayn** (Taha) *(Ṭāhā Ḥusayn)* (Maghagha, 1889 – Le Caire, 1973), écrivain égyptien. Devenu aveugle jeune, il fit des études brillantes. Son affirmation suivant laquelle la poésie considérée comme antéislamique était postérieure à l'islam l'opposa aux cheikhs d'Al-Azhar. Roman autobiographique : *le Livre des jours* (1929).

Hussein Ier ou **Husayn Ier** *(Ḥusayn)* (Amman, 1935 – *id.* 1999), roi de Jordanie (1952), successeur de son père, Talāl, déposé pour maladie mentale. Après avoir obtenu le départ des troupes britanniques (1958), il a fait face à une situation complexe, dominée par le problème palestinien. Ayant renoncé en 1988 à toute revendication sur la Cisjordanie, il a conclu, en oct 1994, un accord de paix avec Israël.

Hussein ou **Husayn** (Saddam) *(Ṣaddām Ḥusayn)* (Tikrit, 1937), homme politique irakien. Membre du parti Baas depuis 1957, il est devenu, en 1979

Hussein Ier

Saddam **Hussein**

(démission de Hassan al-Bakr), à la fois secrétaire général du Baas et chef de l'État irakien. À peine au pouvoir, il a tenté d'envahir l'Iran, provoquant la première guerre du Golfe*, puis il a envahi le Koweït, en août 1990, tentative d'annexion qui a entraîné la seconde guerre du Golfe*.

Hussein ibn Ali ou **Husayn ibn Ali** *(Ḥusayn ibn ʿAlī)* (?, v. 1856 – Amman, 1931), roi du Hedjaz (1916), après s'être uni aux Alliés (colonel Lawrence) contre les Turcs. L'émir du Nadjd, Sa'ud, le déposséda de son royaume en 1924.

Husserl (Edmund) (Prossnitz, Moravie, 1859 – Fribourg-en-Brisgau, 1938), philosophe allemand. Sa doctrine, élaborée en réaction contre le subjectivisme et l'irrationalisme du déb. du siècle, se définit comme une *phénoménologie,* ou science descriptive des essences. Princ. œuvres : *Recherches logiques* (1900-1901), *Logique formelle et logique transcendantale* (1929), *Méditations cartésiennes* (1932).

Edmund **Husserl**

Christiaan **Huygens**

hussite ['ysit] n. m. Chrétien partisan des doctrines de Jan Hus.

Huston (John) (Nevada, Missouri, 1906 – Fall River, 1987), cinéaste américain : *le Faucon maltais* (1941), *le Trésor de la sierra Madre* (1947), *Quand la ville dort* (1950), *The African Queen* (1952), *Moby Dick* (1956), *The Misfits* («les Désaxés», 1960), *Reflets dans un œil d'or* (1967), *le Malin* (1979), *Au-dessous du volcan* (1984), *Gens de Dublin* (1987).

hutte ['yt] n. f. Petite cabane rudimentaire faite avec de la terre, des branches, etc.

Hutten (Ulrich von) (chât. de Steckelberg, près de Fulda, 1488 – île d'Ufenau, lac de Zurich, 1523), écrivain et théologien allemand; un des propagandistes les plus ardents de la Réforme.

Hutton (James) (Édimbourg, 1726 – id., 1797), géologue écossais, chef de file du plutonisme*, considéré comme le fondateur de la géologie moderne.

John **Huston** : *The Misfits,* 1961, avec Marilyn Monroe, Montgomery Clift et Clark Gable

Hutus, populations d'agriculteurs d'origine bantoue, qui constituent la très large majorité des habitants du Rwanda et du Burundi (entre 85 et 90 %), et sont traditionnellement subordonnées aux Tutsis. La détérioration des rapports entre les deux communautés a conduit, depuis les années 50, à des massacres (plus de 500 000 victimes en 1994).

Huveaune (l'), fl. côtier de Provence, qui se jette dans la Méditerranée à Marseille; 52 km.

Huxley (Thomas Henry) (Ealing, Middlesex, 1825 – Londres, 1895), biologiste anglais; partisan de Darwin et de la théorie de l'évolution. – **Sir Julian Sorell** (Londres, 1887 – id., 1975), petit-fils du préc.; zoologiste, directeur de l'UNESCO (1946-1948). – **Aldous** (Godalming, Surrey, 1894 – Los Angeles, 1963), frère du préc.; écrivain. Pessimiste, voire cynique, il évolua vers un idéalisme religieux inspiré des doctrines orientales : *Contrepoint* (roman, 1928), *le Meilleur des mondes* (roman, 1932), *la Philosophie éternelle* (essai, 1946). – **Andrew Fielding** (Hampstead, 1917), demi-frère des préc.; neurologue, collab. de Hodgkin. P. Nobel 1963 avec Hodgkin et Eccles.

Huy, com. de Belgique (Liège), sur la Meuse; 18 000 hab. Raff.; métall. de l'étain. – Citadelle (XIXᵉ s.).

Hu Yaobang (Liuyang, Hunan, 1915 – Pékin, 1989), homme politique chinois. Proche de Deng Xiaoping, il fut secrétaire général du parti communiste chinois de 1980 à 1987. Ses funérailles furent l'occasion des premières manifestations du «printemps de Pékin» (1989).

Huygens ou, parfois et à tort, *Huyghens* (Christiaan) (La Haye, 1629 – id., 1695), physicien, géomètre et astronome néerlandais; l'un des plus grands savants de tous les temps (il travailla en France de 1665 à 1680). Il donna extension et cohésion au calcul des probabilités, inventa le balancier régulateur à ressort spiral, mit au point une lunette astronomique (étude de Saturne, Mars, etc.), attribua à la lumière le caractère d'un phénomène ondulatoire (*Traité de la lumière,* 1678).

Huyghe (René) (Arras, 1906 – Paris, 1997), historien d'art français; professeur au Collège de France : *Dialogue avec le visible* (1955), *l'Art et l'Homme* (1958-1961). Acad. fr. (1960).

Huysmans (Georges Charles, dit Joris-Karl) (Paris, 1848 – id., 1907), écrivain français. D'abord romancier «naturaliste» (*les Sœurs Vatard,* 1879; *En ménage,* 1881; *À vau-l'eau,* 1882), il se tourna ensuite vers l'idéal «décadent» (*À rebours,* 1884), puis vers l'occultisme (*Là-bas,* 1891), et enfin vers le catholicisme (*En route,* 1895; *la Cathédrale,* 1898; *l'Oblat,* 1903).

Huysmans (Camille) (Bilzen, Limbourg, 1871 – Anvers, 1968), homme politique belge. Socialiste, il fut élu député en 1910 et ne perdit jamais son siège. Président de l'Internationale socialiste en 1940; président du Conseil en 1946-1947.

Huyssens (Frère Pierre) (Bruges, 1577 – id., 1637), jésuite et architecte flamand; initiateur du baroque en Belgique : égl. Saint-Charles-Borromée (Anvers).

hW PHYS Symbole de l'hectowatt.

hyacinthe [jasɛ̃t] n. f. **1.** BOT Anc. nom de la jacinthe. **2.** MINER Variété de zircon transparent, rouge ou orangé.

hyænidés [jenide] n. m. pl. ZOOL Famille de mammifères carnivores et charognards des savanes de l'Ancien Monde, comprenant l'hyène tachetée, l'hyène rayée et l'hyène brune. – Sing. *Un hyænidé.*

hyalin, ine adj. Didac. Qui a l'aspect, la transparence du verre. ▷ MINER *Quartz hyalin* : cristal de roche. ▷ MED *Substance hyaline,* présente dans les tissus conjonctifs et de soutien.

hyalite n. f. **1.** MINER Variété transparente d'opale. **2.** TECH Verre noir de Bohême. **3.** MED Inflammation du corps vitré de l'œil.

hyaloïde adj. ANAT Qui a la transparence du verre. *Humeur, membrane hyaloïde de l'œil.*

hyaloplasme n. m. BIOL Solution colloïdale hyaline, plus ou moins visqueuse, dans laquelle baignent les organites et diverses inclusions cellulaires.

hybridation n. f. BIOL Production d'hybrides, croisement d'espèces différentes.

hybride n. m. et adj. **I.** n. m. BIOL Animal ou végétal qui résulte du croisement de deux sujets d'espèces différentes. *Le bardot est un hybride de cheval et d'ânesse.* ▷ adj. GENET *Caractère hybride :* chez les êtres vivants diploïdes, caractère que gouverne une paire de gènes allèles mutés l'un par rapport à l'autre. **II.** adj. **1.** Fig. Qui participe de genres, de styles différents; fait d'éléments mal assortis. *Un style hybride. Une solution hybride.* **2.** LING *Mots hybrides,* formés de radicaux empruntés à des langues différentes. *«Bigame», formé du latin «bis» et du grec «gamos», est un mot hybride.* **3.** INFORM Qui utilise à la fois le calcul numérique et le calcul analogique, en parlant d'un matériel informatique.

ENCYCL Les hybrides proviennent de croisements entre des êtres vivants très proches des points de vue systématique et morphologique. Généralement stériles par suite de différences de structure entre les chromosomes des parents, les hybrides d'espèces différentes, dits *interspécifiques,* présentent une grande vigueur et une forte résistance aux maladies. Ce phénomène de *vigueur hybride* (ou *hétérosis*) est utilisé sur les espèces vivantes utiles à l'homme (mule, mulet, etc.). Les hybrides de même espèce mais de races différentes, dits *interraciaux* ou *intraspécifiques,* sont fertiles; ce sont des hybrides au sens génétique, c.-à-d. qu'ils sont hétérozygotes pour un ou plusieurs caractères; ils présentent, comme les vrais hybrides (c.-à-d. interspécifiques), la *vigueur hybride,* mais, lors de la reproduction, la descendance contient des individus purs (homozygotes), c.-à-d. non hybrides, en proportion croissante.

hybrider v. tr. [**1**] BIOL Réaliser l'hybridation entre.

hybrideur, euse n. Spécialiste de l'hybridation des plantes.

hybridisme n. m. ou **hybridité** n. f. BIOL Caractère, état d'un hybride.

hybridome n. m. BIOL Cellule hybride constituée par la fusion d'un lymphocyte et d'une cellule cancéreuse. *Les hybridomes servent à produire des anticorps monoclonaux* (V. clonage).

hydarthrose n. f. MED Épanchement d'un liquide séreux dans la cavité synoviale d'une articulation.

Hyde (Ann) (1637 – 1671), première épouse (1660) du futur Jacques II d'Angleterre, alors duc d'York; morte avant l'avènement de son mari. Elle eut huit enfants, dont seules deux filles, Marie et Anne, survécurent. Élevées dans la religion réformée, elles furent les derniers Stuarts à régner sur l'Angleterre.

Hyde Park, parc de Londres (146 ha), à l'O. de la ville, traversé par la Serpentine River.

Hyderābād ou **Haidarābād,** v. de l'Inde, cap. de l'Āndhra Pradesh, au centre du Dekkan; 3 005 000 hab. Import. centre industriel (métallurgie, textiles, chimie).

Hyderābād, v. du Pākistān, dans une île formée par une dérivation de l'Indus; 795 000 hab. Marché agricole. Textiles.

hydne n. m. BOT Champignon basidiomycète comestible dont le chapeau est tapissé sur sa face inférieure de petits tubercules cylindriques. *L'hydne le plus connu est le pied-de-mouton.*
▶ pl. **champignons**

hydr-. V. hydro-.

Hydra, île grecque de la mer Égée, en face de l'Argolide; 2 560 hab. (Hydriotes). – Principal port de la Grèce insurgée contre les Turcs au début du XIXe s.

hydracide n. m. CHIM Acide non oxygéné résultant de la combinaison de l'hydrogène avec un ou plusieurs éléments non métalliques. *Le nom des hydracides est suffixé en « -hydrique », celui de leur sel en « -ure »* (ex. : *le chlorure est le sel de l'acide chlorhydrique*).

hydratable adj. Didac. Susceptible d'être hydraté.

hydratant, ante adj. et n. m. Qui provoque, qui permet l'hydratation. ▷ Spécial. *Crème, lotion hydratante,* destinée à hydrater l'épiderme. – n. m. *Un hydratant.*

hydratation n. f. **1.** CHIM Fixation d'eau sur une molécule. ▷ Formation d'un hydrate. **2.** MED Apport d'eau à l'organisme, aux tissus.

hydrate n. m. CHIM Composé qui résulte de la fixation de molécules d'eau sur une molécule d'un corps. ▷ *Hydrates de carbone :* syn. anc. de *glucides**.

hydrater v. tr. [**1**] **1.** CHIM Combiner (un corps) avec l'eau. ▷ v. pron. Passer à l'état d'hydrate. **2.** MED Apporter de l'eau à (un organisme, un tissu).

hydraulicien, enne n. TECH Spécialiste de l'hydraulique. – (En appos.) *Ingénieur hydraulicien.*

hydraulicité n. f. TECH **1.** Rapport entre le débit moyen annuel et le débit moyen calculé sur une longue période des eaux courantes. *Une hydraulicité trop faible ne permet pas un remplissage suffisant des réservoirs des barrages.* **2.** Qualité des liants hydrauliques.

hydraulique adj. et n. f. **I.** adj. **1.** Qui est mû par l'eau; qui utilise l'eau (ou un liquide quelconque) pour son fonctionnement. *Frein hydraulique. Vérin hydraulique.* **2.** Qui a pour objet de conduire, d'élever, de distribuer l'eau ou un liquide quelconque. *Ouvrages hydrauliques.* **3.** *Énergie hydraulique,* fournie par les chutes d'eau, les marées, etc. V. hydroélectricité. **4.** TECH *Mortier hydraulique,* durcissant sous l'action de l'eau. **II.** n. f. **1.** Science des lois de l'écoulement des liquides. **2.** Ensemble des techniques de captage, de distribution et d'utilisation des eaux (irrigation, chutes motrices, etc.). **3.** Ensemble des techniques utilisant les liquides pour la transmission des forces.

hydravion à coque-fuselage

hydravion n. m. Avion conçu pour décoller sur l'eau et s'y poser (grâce à des flotteurs ou à une coque-fuselage).

hydre [idʀ] n. f. **1.** MYTH *L'Hydre :* serpent fabuleux des marais de Lerne, en Argolide, dont les sept têtes repoussaient multipliées au fur et à mesure qu'on les coupait, et dont seul Héraclès put venir à bout en les tranchant toutes d'un seul coup. **2.** Fig. Mal qui semble se développer en proportion des efforts qu'on fait pour le détruire; mal monstrueux. *L'hydre du fascisme, de l'anarchie.* **3.** ZOOL Cnidaire hydrozoaire de petite taille (env. 15 mm), dépourvu de squelette, polype vivant en eau douce, pourvu de 8 à 10 tentacules armés de cellules urticantes et qui régénère rapidement les parties qui lui sont enlevées.
▶ illustr. **Héraclès**

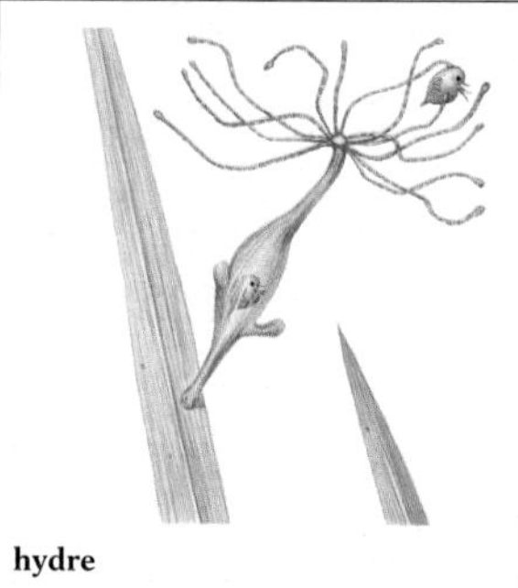

hydre

hydrémie n. f. MED Taux de l'eau dans le sang. ▷ Excès d'eau dans le sang.

-hydrique. CHIM Élément, du gr. *hudôr,* « eau », servant à former les noms des hydracides*.

hydrique adj. Didac. Relatif à l'eau, de l'eau. – MED *Diète hydrique :* régime ne comportant que des apports d'eau.

hydro-, hydr-, -hydre. Éléments, du gr. *hudôr,* « eau ». ▷ CHIM *Hydro- :* élément indiquant une combinaison de l'hydrogène avec un autre corps.

hydrobase n. f. Base d'hydravions.

hydrobiologie n. f. Didac. Science consacrée aux organismes aquatiques.

hydrobiologiste n. Spécialiste d'hydrobiologie.

hydrocarbure n. m. CHIM Corps composé exclusivement de carbone et d'hydrogène. (On distingue : les *hydrocarbures saturés,* ou paraffines [méthane, par ex.]; les *hydrocarbures éthyléniques,* ou oléfines; les *hydrocarbures acétyléniques*; les *hydrocarbures aromatiques* [benzène, par ex.]. Fort abondants dans la nature [notam. dans les pétroles], ils servent à fabriquer de nombreux produits chimiques.)

hydrocèle n. f. MED Épanchement de sérosité dans la tunique qui entoure les testicules et le cordon spermatique.

hydrocéphale adj. et n. MED Qui est atteint d'hydrocéphalie.

hydrocéphalie n. f. MED Augmentation de volume du liquide céphalorachidien provoquant une dilatation des ventricules cérébraux et parfois une augmentation du volume du crâne.

hydrocoralliaires n. m. pl. ZOOL Classe d'hydrozoaires à squelette calcaire. – Sing. *Un hydrocoralliaire.*

hydrocortisone n. f. BIOCHIM Hormone cortico-surrénale que l'on peut obtenir par synthèse, proche de la cortisone, mais plus active.

hydrocution n. f. MED Syncope brutale pouvant entraîner la mort et déclenchée, lors d'une immersion brusque dans l'eau froide, par un trouble vasomoteur réflexe.

hydrodynamique n. f. et adj. **1.** n. f. Partie de la physique qui traite des liquides en mouvement et des formes qui réduisent la résistance à l'avancement dans les liquides. **2.** adj. Relatif à l'hydrodynamique. – TECH *Forme hydrodynamique.*

ENCYCL L'hydrodynamique trouve des applications dans le calcul des turbines de pompes, des déversoirs de barrages, des carènes de navires, des profils de sous-marins, etc. Elle nécessite des études sur maquettes auxquelles on applique les lois de similitude. Le calcul des écoulements dans les conduites, utilisé par ex. pour déterminer les dimensions des oléoducs et définir la puissance des groupes de pompage, compte tenu des pertes de charge, fait aussi appel à l'hydrodynamique.

hydroécologie n. f. Connaissance et gestion physique des milieux aquatiques.

hydroélectricité n. f. TECH Électricité d'origine hydraulique.

ENCYCL Les centrales hydroélectriques utilisent l'énergie fournie par une chute d'eau à des turbines couplées à des alternateurs, ce qui conduit à distinguer les usines de haute chute (100 à 2 000 m), de moyenne ou basse chute (20 à 100 m) et de très basse chute (inférieure à 20 m). La classification actuelle est la suivante : usines au fil de l'eau, comportant des réservoirs de faible capacité (temps de remplissage inférieur à 2 heures); usines d'éclusées (temps de remplissage de 2 à 400 heures); usines de lac (temps de remplissage sup. à 400 heures). La proportion d'énergie électrique d'orig. hydraulique consommée en France va en diminuant, du fait de l'augmentation des rendements des centrales thermiques et de l'abaissement du coût de l'énergie d'origine nucléaire.

hydroélectrique adj. TECH Relatif à la production d'hydroélectricité. *Centrale hydroélectrique.*

hydrofoil [idʀofɔjl] n. m. Syn. de *hydroptère.*

hydrofuge adj. et n. m. TECH Qui préserve de l'humidité, de l'eau.

hydrofuger v. tr. [**13**] TECH Rendre hydrofuge.

hydrogénation n. f. CHIM Action d'hydrogéner; son résultat.

hydrogène n. m. CHIM Élément de numéro atomique Z = 1 et de masse atomique 1,008 (symbole H). – Gaz (H_2 : dihydrogène) de densité 0,069, qui se liquéfie à – 252,7 °C et se solidifie à –259,2 °C.
ENCYCL On connaît trois isotopes de l'hydrogène : l'hydrogène léger (98,98 % de l'hydrogène naturel), l'hydrogène lourd (ou deutérium) et le tritium. Le noyau de l'atome d'hydrogène léger *(protium)* est formé uniquement d'un proton. L'hydrogène est de loin l'élément le plus abondant de l'Univers. Il entre dans de nombreuses combinaisons, l'eau (H_2O) notam., et représente la quasi-totalité de la matière interstellaire. L'hydrogène se combine avec presque tous les éléments, en donnant des hydrures; c'est un excellent réducteur. Il permet la synthèse de l'ammoniac et du chlorure d'hydrogène. Les carburants synthétiques sont obtenus par hydrogénation. L'hydrogène est utilisé dans les chalumeaux oxhydrique et à hydrogène atomique. L'hydrogène liquide sert de carburant dans les moteurs-fusées. La fusion de noyaux d'hydrogène (donc de protons) libérant une énergie considérable, la maîtrise de cette fusion permettrait de disposer d'une source d'énergie pratiquement inépuisable. Par ailleurs, la production d'hydrogène par la décomposition de l'eau à haute température pourrait fournir un combustible de choix, facile à transporter, susceptible d'être utilisé pour la fabrication directe d'électricité dans des piles à combustible.

hydrogéné, ée adj. CHIM Combiné avec de l'hydrogène. ▷ Qui contient de l'hydrogène.

hydrogéner v. tr. [**14**] CHIM Combiner avec l'hydrogène.

hydrogéologie n. f. Partie de la géologie qui étudie les eaux souterraines et leurs résurgences.

hydroglisseur n. m. Bateau à fond plat propulsé par une hélice aérienne.

hydrographe n. et adj. Didac. Spécialiste d'hydrographie. ▷ adj. MAR *Ingénieur hydrographe* : officier des services hydrographiques de la marine.

hydrographie n. f. Didac. **1.** Partie de la géographie qui étudie les divers milieux occupés par les eaux à la surface du globe (hydrosphère). **2.** Ensemble des cours d'eau et des lacs d'une région. *L'hydrographie d'un pays.*

hydrographique adj. Didac. Relatif à l'hydrographie. ▷ MAR *Service hydrographique et océanographique de la marine (S.H.O.M.)* : service de la Marine nationale chargé de l'établissement des cartes marines et de la rédaction des documents nautiques.

hydrologie n. f. Didac. Science qui traite des eaux, de leurs propriétés et de leur utilisation alimentaire, agricole, industrielle ou médicale.

hydrologique adj. Didac. Qui concerne l'hydrologie, son étude.

hydrologiste ou **hydrologue** n. Didac. Spécialiste d'hydrologie.

hydrolysable adj. CHIM Qui peut être décomposé par hydrolyse.

hydrolyse n. f. CHIM Décomposition d'un corps par fixation des ions H^+ et OH^- provenant de la dissociation de l'eau. *Les réactions d'hydrolyse jouent un rôle important en biochimie et dans les synthèses organiques.*

hydrolyser v. tr. [**1**] CHIM Décomposer par hydrolyse.

hydromécanique adj. TECH Mû par l'eau.

hydromel n. m. Boisson faite d'eau et de miel, fermentée ou non, goûtée des Anciens.

hydrométrie n. f. Didac. Science qui étudie les liquides, et notam. les eaux naturelles.

hydrométrique adj. Didac. Relatif à l'hydrométrie.

hydrominéral, ale, aux adj. Didac. Des eaux minérales, qui concerne les eaux minérales. *Sources hydrominérales.*

1. hydrophile adj. **1.** Qui absorbe l'eau, un liquide. *Coton hydrophile,* utilisé en chirurgie et pour les soins d'hygiène corporelle. **2.** CHIM *Groupement hydrophile,* qui a tendance à rendre soluble dans l'eau la molécule à laquelle il appartient.

2. hydrophile n. m. ENTOM Insecte coléoptère (genre *Hydrophila*) de couleur noire, long d'env. 4,5 cm, qui vit dans les eaux stagnantes.

hydrophobe adj. **1.** MED Qui a une crainte morbide de l'eau. **2.** CHIM Qui n'absorbe pas l'eau. *Colloïdes hydrophobes.*

hydrophobie n. f. MED Peur, crainte morbide de l'eau.

hydrophore adj. et n. BX-A Se dit d'un personnage portant un vase rempli d'eau qui s'écoule.

hydrophyte n. f. BOT Plante aquatique.

hydropique adj. MED Atteint d'hydropisie. ▷ Subst. *Des hydropiques.*

hydropisie n. f. MED Nom anc. de l'œdème et de l'œdème généralisé.

hydropneumatique adj. MECA Qui fonctionne à l'aide d'un liquide et d'un gaz comprimé. *Frein hydropneumatique.*

hydroponique adj. AGRIC *Culture hydroponique,* dans laquelle une solution nutritive remplace la terre.

hydroptère n. m. MAR Navire à ailes portantes, très rapide (jusqu'à 80 nœuds). Syn. hydrofoil.

hydrosol n. m. CHIM Solution colloïdale formée avec l'eau.

hydrosoluble adj. Didac. Soluble dans l'eau.

hydrospeed [idʀospid] n. m. SPORT Descente de rapides qui se pratique à plat ventre, le corps dans l'eau, sur une sorte de luge.

hydrosphère n. f. GEOGR Ensemble de l'élément liquide du globe terrestre : océans, mers, fleuves, etc. (par oppos. à l'*atmosphère* et à la *lithosphère*).

hydrostatique n. f. et adj. PHYS Partie de la physique qui étudie les conditions d'équilibre des liquides. *Principe fondamental de l'hydrostatique,* selon lequel la différence de pression entre deux points d'un liquide en équilibre est égale au poids d'une colonne de liquide ayant pour section l'unité de surface et pour hauteur la distance verticale des deux points. ▷ adj. *Balance hydrostatique.*

hydrothérapeute n. MED Médecin qui soigne par l'hydrothérapie.

hydrothérapie n. f. MED Thérapeutique utilisant les vertus curatives de l'eau sous toutes ses formes.

hydrothérapique adj. MED Qui concerne l'hydrothérapie. *Cure hydrothérapique.*

hydrothermal, ale, aux adj. **1.** Didac. Relatif aux eaux thermales. **2.** GEOL De l'hydrothermalisme.

hydrothermalisme n. m. **1.** Didac. Ensemble des activités concernant les cures et les eaux thermales. **2.** GEOL Circulation souterraine de fluides chauds.

hydrotimétrie n. f. CHIM Mesure de la dureté d'une eau.

hydrotimétrique adj. CHIM Relatif à l'hydrotimétrie. ▷ *Degré* (ou *titre*) *hydrotimétrique* (abrév. : T.H.) : teneur d'une eau en sels de calcium et de magnésium.

hydroxy-. CHIM Préfixe indiquant la présence du radical hydroxyle OH.

hydroxyde n. m. CHIM Composé métallique de formule générale $M(OH)_n$, où M est un métal. *L'hydroxyde de sodium NaOH est la soude.*

hydroxylase n. f. BIOCHIM Enzyme qui favorise la fixation d'un groupement OH sur une molécule.

hydroxyle n. m. CHIM Radical OH.

hydrozoaires n. m. pl. ZOOL Superclasse de cnidaires coloniaux ou solitaires, sans cloisons internes. – Sing. *Un hydrozoaire.*

hydrure n. m. CHIM Composé binaire hydrogéné dans lequel l'hydrogène possède le degré d'oxydation – 1. *Hydrure de calcium CaH_2.*

hyène [jɛn] n. f. Mammifère carnivore, de 1 m à 1,40 m de long, au garrot plus haut que la croupe, à pelage gris ou fauve, qui se nourrit des restes des animaux tués. *L'hyène* (ou, abusiv., *la hyène*). *L'hyène rayée d'Afrique et d'Asie du Sud. L'hyène tachetée d'Afrique.*

hyène

Hyères, ch.-l. de cant. du Var (arr. de Toulon), à 4 km de la mer; 50 122 hab. Import. stat. climatique. Floriculture, primeurs, salines. – Anc. commanderie de l'ordre des Templiers (déb. XIIIe s.). Vest. d'une enceinte fortif. flanquée de deux tours carrées (XIIIe s.). – Dépendent de cette com. les *îles d'Hyères,* petit archipel qui ferme la *rade d'Hyères;* îles princ. : Porquerolles, Port-Cros, l'île du Levant (stat. naturiste). Tourisme.

hygiaphone n. m. (Nom déposé.) Guichet transparent et ajouré qui laisse passer les sons tout en protégeant l'employé de la contamination microbienne pouvant venir du public.

Hygie, dans la myth. gr., déesse de la Santé.

hygiène n. f. Branche du savoir qui traite des règles et des pratiques nécessaires pour conserver et améliorer la santé; ensemble de ces règles et de ces pratiques. *Instruments d'hygiène. Hygiène du corps. Hygiène publique. Hygiène mentale.*

hygiénique adj. **1.** Qui concerne l'hygiène, les soins du corps; qui est conforme à l'hygiène. *Mesures hygié-*

niques. ▷ *Par euph.* Qui a rapport aux soins corporels intimes. *Papier, serviette hygiénique.* **2.** Qui favorise l'hygiène. *Activité, boisson hygiénique.*

hygiéniquement adv. Didac. De manière hygiénique.

hygiénisme n. m. Souci exclusif de l'hygiène.

hygiéniste n. Spécialiste des problèmes d'hygiène.

hygro-. Élément, du gr. *hugros,* « humide ».

hygromètre n. m. PHYS Appareil servant à mesurer le degré d'humidité de l'air.

hygrométricité n. f. METEO Teneur en eau de l'atmosphère.

hygrométrie n. f. PHYS Étude et mesure du degré d'humidité de l'air.

hygrométrique adj. PHYS Relatif à l'hygrométrie. ▷ *Degré hygrométrique de l'air :* rapport entre la pression de la vapeur d'eau dans l'air et la pression de la vapeur saturante à la même température. Syn. humidité* relative.

hygrophile adj. BOT Qui aime, recherche l'humidité.

hygrophobe adj. BOT Qui craint l'humidité, les lieux humides.

hygrophore n. m. BOT Champignon basidiomycète, comestible, diversement coloré selon l'espèce, à spores blanches.

hygrostat [igʀosta] n. m. TECH Appareil de climatisation servant à maintenir constante l'humidité relative.

Hyksos, peuple originaire de la haute Syrie qui envahit l'Égypte au XVIIIe s. av. J.-C. Ils y fondèrent les XVe et XVIe dynasties. Vers 1580 av. J.-C., le prince Ahmôsis, de Thèbes, s'empara de leur capitale, Avaris, et les expulsa définitivement hors du delta.

1. hymen [imɛn] n. m. ANAT Membrane qui obture en partie l'entrée du vagin et qui est déchirée lors du premier rapport sexuel.

2. hymen ou **hyménée** n. m. Litt., vx Mariage.

hyménium [imenjɔm] n. m. BOT Assise cellulaire fertile de certains champignons (ascomycètes et basidiomycètes), constituée essentiellement par les cellules productrices de spores (asques et basides). V. aussi glèbe.

hyménomycètes n. m. pl. BOT Groupe de champignons chez lesquels l'hyménium est à nu. Ant. gastromycètes. – Sing. *Un hyménomycète.*

hyménoptères n. m. pl. ENTOM Ordre d'insectes pourvus de deux paires d'ailes membraneuses de grandeur inégale, et dont l'abdomen est pédonculé (ex. : abeilles, guêpes, fourmis). – Sing. *Un hyménoptère.*

Hymette (mont), mont de l'Attique (1 425 m), à 11 km au S.-E. d'Athènes, réputé pour son miel et son marbre.

hymne n. **1.** n. m. ANTIQ Poème chanté en l'honneur d'un dieu, d'un héros. *Hymne à Apollon.* ▷ n. m. et f. LITURG Chant religieux. *Un(e) hymne à la gloire de Dieu.* **2.** n. m. Chant national. *« La Marseillaise » est l'hymne de la France.* ▷ Poème lyrique, œuvre musicale exprimant l'enthousiasme. *Hymne à la joie :* 9e symphonie de Beethoven.

hyoïde [jɔid] adj. et n. m. ANAT *L'os hyoïde* ou, n. m., *l'hyoïde :* l'os de la partie supérieure du cou, au-dessus du larynx.

hypallage n. f. RHET Figure de style par laquelle on attribue à un mot d'une phrase ce qui convient à un autre (ex. *descendant noble d'une famille* pour *descendant d'une famille noble*).

Hypatie (Alexandrie, v. 370 – id., v. 415), philosophe et mathématicienne grecque ; fille de Théon d'Alexandrie ; commentatrice de Platon et d'Aristote.

hyper-. Élément, du gr. *huper,* « au-dessus, au-delà », indiquant l'excès.

hyperacidité n. f. Acidité excessive.

hyperacousie n. f. MED Sensibilité exagérée au bruit.

hyperactif, ive adj. et n. Se dit d'une personne qui déploie une activité débordante, d'un enfant jugé trop remuant.

hyperactivité n. f. Comportement des hyperactifs.

hyperalgie n. f. MED Exagération de la sensibilité à la douleur.

hyperbare adj. TECH Dont la pression est supérieure à la pression atmosphérique (mesurée au niveau de la mer). ▷ *Caisson hyperbare :* caisson de décompression utilisé en plongée sous-marine.

hyperbate n. f. RHET Figure consistant à intervertir l'ordre habituel des mots, par ex. *« Le long d'un clair ruisseau buvait une colombe »,* La Fontaine.

hyperbole n. f. **1.** RHET Figure de style consistant à employer des expressions exagérées pour frapper l'esprit (ex. *verser des torrents de larmes*). **2.** GEOM Courbe à deux branches et deux asymptotes, lieu des points dont la différence des distances à deux points fixes, appelés *foyers,* est constante. (L'équation de l'hyperbole s'écrit $\frac{x^2}{a^2} - \frac{y^2}{b^2} = 1$; si a = b, les asymptotes se coupent à angle droit : l'hyperbole est dite *équilatère.*) ▸ illustr. **courbes**

hyperbolique adj. **1.** RHET Très exagéré dans son expression. **2.** GEOM En forme d'hyperbole. **3.** MATH Qualifie certaines fonctions déduites de fonctions exponentielles.

hyperboréen, enne adj. Litt. Qui est à l'extrême Nord.

hypercalcémie n. f. MED Excès de calcium dans le sang.

hypercholestérolémie n. f. MED Excès de cholestérol dans le sang.

hypercorrection n. f. LING Reconstruction erronée d'un mot, fondée sur des arguments pseudo-scientifiques.

hypercritique adj. **1.** Critique à l'excès. **2.** PHYS *Fluide hypercritique,* porté à une température et une pression supérieures à celles de son point critique*.

hyperémotivité n. f. PSYCHO Exagération de l'émotivité.

hyperesthésie n. f. MED Exaspération pathologique de la sensibilité.

hyperfocal, ale, aux adj. PHOTO *Distance hyperfocale* ou, n. f., *hyperfocale :* distance à partir de laquelle tous les objets sont nets jusqu'à l'infini.

hyperfréquence n. f. TELECOM Fréquence comprise dans la gamme de 300 mégahertz à 300 gigahertz.

hyperglycémie n. f. MED Élévation du taux de glucose dans le sang. *Hyperglycémie provoquée :* examen servant à dépister le diabète.

hypergol n. m. TECH Réunion d'un combustible et d'un comburant liquides produisant une combustion spontanée, utilisée pour la propulsion des fusées.

hypergonar n. m. TECH Objectif photographique, inventé par Henri Chrétien, permettant l'anamorphose et qui est à l'origine du cinémascope.

Hypéride (Athènes, v. 389 – dans le Péloponnèse, 322 av. J.-C.), orateur athénien ; disciple de Platon, contemporain et émule de Démosthène.

hyperkaliémie n. f. MED Taux élevé de potassium dans le sang.

hyperleucocytose n. f. MED Augmentation pathologique du nombre des globules blancs dans le sang à la suite d'une infection.

hyperlien n. m. INFORM Chacun des liens servant à structurer un hypertexte.

hypermarché n. m. Magasin en libre-service dont la surface de vente est supérieure à 2 500 m².

hypermédia n. m. INFORM Ensemble de documents (textes, images, sons) issus d'une base documentaire multimédia, consultables à la manière de l'hypertexte.

hypermétrope adj. et n. Didac. Atteint d'hypermétropie.

hypermétropie n. f. Didac. Trouble de la vision consistant en une mauvaise perception des objets rapprochés, due à un indice de réfraction anormal du cristallin. (L'image des objets se forme en arrière de la rétine.)

hypermnésie n. f. PSYCHO Activité anormalement intense de la mémoire.

hypernerveux, euse adj. et n. D'une nervosité excessive.

hypéron n. m. PHYS NUCL Particule lourde (famille des baryons) dont la masse est supérieure à celle du proton.

hyperonyme n. m. LING Mot dont le sens inclut celui d'autres mots. *Aliment est un hyperonyme de pain.* Ant. hyponyme.

hyperplasie n. f. MED Prolifération anormale des cellules d'un tissu.

hyperréalisme n. m. Mouvement artistique né aux États-Unis dans les années 1967-1968 et qui, visant à une reconstitution objective de tel ou tel aspect de la vie contemporaine, se fonde sur l'imitation littérale, minutieuse et volontairement « froide » de la réalité. (Princ. représentants : R. Estes, J. Kacere, J. Salt, D. Eddy, R. Goings, J.-O. Hucleux.)

hypersécrétion n. f. MED Sécrétion trop importante.

hyperréalisme : *Cafeteria,* de Richard Estes

hypersensibilité n. f. Sensibilité excessive. ▷ MED Exagération de la sensibilité à une sensation ou à un produit.

hypersensible adj. et n. Qui manifeste de l'hypersensibilité. *Un enfant hypersensible.*

hypersomnie n. f. MED Augmentation pathologique du temps de sommeil.

hypersonique adj. AVIAT Se dit des vitesses supérieures à Mach 5.

hyperstatique adj. TECH En résistance des matériaux, se dit des systèmes dont les réactions d'appui doivent être déterminées en faisant intervenir les déformations élastiques.

hypersustentation n. f. AVIAT Augmentation de la portance.

hypertélie n. f. ZOOL Évolution exagérée aboutissant à l'élaboration d'organes démesurés ou nuisibles (par ex. : les bois de certains cervidés).

hypertendu, ue adj. et n. Qui souffre d'hypertension.

hypertenseur adj. m. et n. m. Syn. de *hypertensif* (sens 2).

hypertensif, ive adj. MED **1.** Qui a rapport à l'hypertension. *Une poussée hypertensive.* **2.** Qui provoque l'hypertension. *Un produit hypertensif* ou, n. m., *un hypertensif.* Syn. hypertenseur.

hypertension n. f. MED Tension artérielle supérieure à la normale.

hypertexte n. m. INFORM Système constitué par un ensemble de textes et par des liens qui les unissent, permettant à l'utilisateur de naviguer de l'un à l'autre selon ses besoins.

hypertextuel, elle adj. INFORM Qui se rapporte à l'hypertexte.

hyperthermie n. f. MED Élévation de la température du corps, fièvre.

hyperthyroïdie n. f. MED Hypersécrétion hormonale de la thyroïde.

hypertonie n. f. **1.** MED Augmentation anormale du tonus d'un ou de plusieurs muscles. **2.** PHYS État d'une solution (dite *hypertonique*) dont la concentration est supérieure à celle du milieu dont elle est séparée par une paroi semi-perméable.

hypertonique adj. MED, PHYS Qui présente une hypertonie.

hypertrophie n. f. **1.** Développement excessif d'un organe ou d'une partie du corps. **2.** Fig. Accroissement trop important. *Hypertrophie de certaines industries.*

hypertrophier v. [2] Didac. **1.** v. tr. Produire l'hypertrophie de. *L'alcoolisme hypertrophie souvent le foie.* **2.** v. pron. Augmenter de volume (organes, tissus). *Le cœur des sportifs s'hypertrophie.* ▷ Fig. *Sentiment qui s'hypertrophie.* **3.** Pp. adj. *Un organe hypertrophié.* – Fig. *Un amour-propre hypertrophié.*

hypertrophique adj. Didac. Relatif à l'hypertrophie; accompagné d'hypertrophie.

hypervitaminose n. f. MED Trouble dû à l'apport excessif de vitamines.

hyphe [if] n. m. ou f. BOT Filament formé de cellules placées bout à bout, constitutif du mycélium des champignons supérieurs.

hypholome n. m. BOT Champignon basidiomycète vert et brun, poussant en touffes sur les souches, dont certaines espèces sont comestibles.

hypn(o)-. Élément, du gr. *hupnos*, « sommeil ».

hypnagogique adj. Didac. Qui conduit au sommeil; qui concerne les états de conscience qui précèdent immédiatement le sommeil.

hypnologie n. f. Didac. Étude de la physiologie du sommeil.

hypnologue n. Didac. Spécialiste de l'hypnologie.

hypnose n. f. État psychique proche du sommeil, provoqué par suggestion.

hypnotique adj. et n. m. **1.** MED Qui provoque le sommeil. *Médicament hypnotique.* ▷ n. m. *Un hypnotique.* **2.** Relatif à l'hypnose, à l'hypnotisme.

hypnotiser v. tr. [1] **1.** Plonger (qqn) dans un sommeil hypnotique. **2.** Fig. Fasciner, éblouir. *Il était littéralement hypnotisé par ce spectacle.* ▷ v. pron. Fig. Concentrer son attention exclusivement sur, être obnubilé par. *S'hypnotiser sur une idée.*

hypnotiseur, euse n. m. Personne qui hypnotise.

hypnotisme n. m. **1.** Ensemble des phénomènes qui constituent le sommeil artificiel provoqué, l'état d'hypnose. **2.** Ensemble des moyens, des techniques mis en œuvre pour provoquer le sommeil hypnotique. **3.** Branche du savoir qui traite des phénomènes d'hypnose.

hypo-. Élément, du gr. *hupo*, « au-dessous, en deçà », qui exprime un état inférieur, une insuffisance, un manque, une très petite quantité.

hypoacousie n. f. MED Diminution de l'acuité auditive.

hypoallergénique adj. MED Qui ne contient pas de substances allergéniques.

hypoallergique adj. MED Peu susceptible de provoquer une allergie.

hypocagne ou **hypokhâgne** n. f. Arg. (des écoles) Première année de classe préparatoire au concours d'entrée à l'École normale supérieure (lettres).

hypocalcémie n. f. MED Taux de calcium dans le sang inférieur à la normale.

hypocalorique adj. Didac. Qui fournit peu de calories. *Régime hypocalorique.*

hypocentre n. m. GEOL Lieu d'origine, en profondeur, des ondes sismiques lors d'un séisme. *L'hypocentre d'un séisme se trouve à la verticale de son épicentre.*

hypocondre n. m. ANAT Chacune des parties latérales de l'abdomen, située au-dessous des côtes.

hypocondriaque adj. et n. **1.** PSYCHOPATHOL Qui est atteint d'hypocondrie. **2.** Vieilli D'humeur mélancolique et inégale.

hypocondrie n. f. PSYCHOPATHOL Préoccupation obsessionnelle d'un sujet pour son état de santé (affection autrefois supposée d'origine abdominale).

hypocoristique adj. et n. m. LING Qui exprime l'affection. *Redoublement hypocoristique* (Popaul, fifille). *Diminutif hypocoristique* (Jacquot).

hypocras [ipokʀɑs] n. m. Anc. Boisson faite de vin sucré, de cannelle et d'aromates, très goûtée au Moyen Âge.

hypocrisie n. f. **1.** Attitude qui consiste à affecter une vertu, un sentiment noble qu'on n'a pas. **2.** Caractère de ce qui est hypocrite. *L'hypocrisie de Tartuffe.* **3.** Acte hypocrite.

hypocrite adj. et n. **1.** Qui manifeste de l'hypocrisie. *Un personnage hypocrite.* ▷ Subst. *Un(e) hypocrite.* – *Spécial.* Faux dévot. **2.** Qui dénote l'hypocrisie. *Douceur hypocrite.*

hypocritement adv. D'une manière hypocrite; avec hypocrisie.

hypocycloïde n. f. GEOM Courbe engendrée par un point d'un cercle roulant sans glisser à l'intérieur d'un cercle fixe.

hypoderme n. m. **1.** Tissu cellulaire sous le derme. **2.** ENTOM Insecte diptère (varron, notam.) dont les larves vivent dans l'hypoderme des ruminants, rendant leur cuir inutilisable.

hypodermique adj. Qui concerne l'hypoderme. *Injection hypodermique,* sous-cutanée.

hypogastre n. m. ANAT Partie inférieure de l'abdomen, située au-dessus du pubis.

hypogastrique adj. ANAT Relatif à l'hypogastre.

hypogée n. m. ARCHEOL Chambre souterraine. – ANTIQ Construction souterraine où les Anciens déposaient les morts. *Les hypogées de la vallée des Rois.*

hypoglosse adj. et n. m. ANAT *Nerf grand hypoglosse* ou *hypoglosse* : nerf moteur de la langue.

hypoglycémiant, ante adj. et n. m. MED Qui provoque l'hypoglycémie. *L'insuline est le principal hypoglycémiant administré dans le traitement du diabète.*

hypoglycémie n. f. MED Diminution ou insuffisance du taux de glucose dans le sang.

hypokaliémie n. f. MED Baisse du taux de potassium dans le sang.

hypokhâgne. V. hypocagne.

hypomanie n. f. PSYCHIAT État évoquant l'accès maniaque sous une forme atténuée.

hyponatrémie n. f. MED Baisse du taux sanguin de sodium.

hyponyme n. m. LING Mot dont le sens est inclus dans celui d'un autre mot. *Rose est un hyponyme de fleur.* Ant. hyperonyme.

hypophysaire adj. ANAT, PHYSIOL Qui a rapport à l'hypophyse.

hypophyse n. f. ANAT, PHYSIOL Glande endocrine logée dans la selle turcique (sous le cerveau) au-dessous de l'hypothalamus et qui, sécrétant les stimulines qui agissent sur les autres glandes endocrines, joue un rôle majeur dans la régulation des sécrétions hormonales. (L'hypophyse sécrète aussi un certain nombre d'autres hormones qui agissent en particulier sur la croissance [hormone somatotrope, ou hormone de croissance], sur la teneur du corps en eau et la teneur du sang en glucose.)

hyposécrétion n. f. MED Sécrétion insuffisante ou inférieure à la normale.

hyposodé, ée adj. CHIM Qui contient peu de sodium (et notam. peu de chlorure de sodium).

hypostase n. f. **1.** PHILO Sujet réellement existant, substance. – THEOL Le Père, le Fils, l'Esprit saint, chacun d'eux en tant que personne substantiellement distincte des deux autres. **2.** MED Dépôt d'un liquide organique (sang, urine).

hypostatique adj. THEOL Substantiel; qui forme une substance, une personne. *L'union hypostatique de la nature humaine et de la nature divine, dans le Christ.*

hypostyle adj. ARCHI Dont le plafond est soutenu par des colonnes.

hyposulfite n. m. CHIM Sel de l'acide hyposulfureux. *L'hyposulfite de sodium sert de fixateur en photographie pour le développement et le tirage.*

hyposulfureux adj. m. CHIM Se dit de l'acide $H_2S_2O_3$.

hypotendu, ue adj. et n. MED Qui a une tension artérielle insuffisante. – Subst. *Les hypotendus.*

hypotenseur adj. et n. m. MED Qui diminue la tension artérielle. *Médicament hypotenseur.* ▷ n. m. *Un hypotenseur.*

hypotension n. f. MED Tension artérielle inférieure à la normale.

hypoténuse n. f. GEOM Côté opposé à l'angle droit d'un triangle rectangle. *Le carré de l'hypoténuse est égal à la somme des carrés des deux autres côtés* (théorème de Pythagore).

hypothalamique adj. ANAT Relatif à l'hypothalamus.

hypothalamus [ipotalamys] n. m. ANAT Région du diencéphale située sous le thalamus et au-dessus de l'hypophyse. *L'hypothalamus joue un rôle fondamental dans les mécanismes du sommeil, l'activité sympathique (métabolisme de l'eau, des glucides et des lipides) et la thermorégulation.*

hypothécable adj. DR Qui peut être hypothéqué. *Biens hypothécables :* meubles (avion, navire) et immeubles (maison, terrain, etc.).

hypothécaire adj. DR Relatif à l'hypothèque; assuré, garanti par hypothèque. *Inscription hypothécaire. Dette hypothécaire due au créancier hypothécaire.*

hypothèque n. f. **1.** DR et COUR. Droit réel consenti à un créancier sur les biens d'un débiteur pour garantir l'exécution d'une obligation (prêt, créance, etc.), sans que le propriétaire soit dépossédé des biens grevés. *L'hypothèque, inscrite par le conservateur des Hypothèques, confère au créancier un droit de préférence sur les autres créanciers à concurrence du prix des biens hypothéqués.* **2.** Cour., fig. Entrave au développement de qqch. *Situation de crise qui fait peser une lourde hypothèque sur l'expansion économique.*

hypothéquer v. tr. [14] **1.** DR Soumettre (qqch) à hypothèque. *Hypothéquer une maison.* ▷ Garantir par hypothèque. *Hypothéquer une créance.* **2.** Fig., cour. Engager en faisant peser une menace sur. *Hypothéquer l'avenir.*

hypothermie n. f. MED Abaissement de la température du corps au-dessous de la normale.

hypothèse n. f. **1.** MATH Point de départ d'une démonstration logique, posé dans l'énoncé et à partir duquel on se propose d'aboutir à la conclusion (proposition nouvelle logiquement déduite) de la démonstration. **2.** (Dans les sciences expérimentales.) Explication plausible d'un phénomène naturel, provisoirement admise et destinée à être soumise au contrôle méthodique de l'expérience. *Hypothèse confirmée, infirmée par l'expérience.* **3.** Cour. Supposition, conjecture que l'on fait sur l'explication ou la possibilité d'un événement. *Émettre une hypothèse.*

hypothético-déductif, ive adj. LOG Qui part des propositions posées comme hypothèses et en déduit logiquement les conséquences. *La mathématique est un système hypothético-déductif. Des raisonnements hypothético-déductifs.*

hypothétique adj. **1.** LOG Qui exprime ou qui contient une hypothèse, qui affirme sous condition. *Proposition hypothétique.* **2.** Cour. Douteux, incertain. *Une réponse à cette lettre paraît hypothétique.*

hypothétiquement adv. Rare Par hypothèse; d'une manière hypothétique.

hypothyroïdie n. f. MED Insuffisance de fonctionnement de la thyroïde.

hypotonie n. f. **1.** MED Diminution du tonus musculaire. **2.** PHYS État d'une solution hypotonique.

hypotonique adj. **1.** MED Qui présente une hypotonie. **2.** PHYS *Solution hypotonique,* dont la pression osmotique est inférieure à celle de référence, spécial. à celle du sang.

hypotrophie n. f. MED Développement insuffisant du corps ou d'un organe.

hypovitaminose n. f. MED Carence en vitamines.

hypsomètre n. m. PHYS Appareil permettant de déterminer l'altitude d'un lieu d'après la température à laquelle l'eau y entre en ébullition.

hypsométrie n. f. PHYS Mesure de l'altitude d'un lieu.

hypsométrique adj. PHYS Relatif à l'hypsométrie. ▷ *Courbes hypsométriques :* courbes de niveau. ▷ *Cartes hypsométriques :* cartes qui représentent les différences d'altitude, le plus souvent par l'emploi de teintes variées.

hyracoïdes n. m. pl. ZOOL Ordre de mammifères ongulés comprenant les damans. – Sing. *Un hyracoïde.*

Hyrcan Ier ou **Jean Hyrcan** (m. en 104 av. J.-C.), grand prêtre et prince des Juifs (135 – 104 av. J.-C.); il succéda à Simon Maccabée, son père. – **Hyrcan II** (110 – 30 av. J.-C.), fils d'Alexandre Jannée et petit-fils du préc.; grand prêtre et ethnarque des Juifs (47 – 41 av. J.-C.); il régna avec l'appui des Romains, qui le soutinrent contre Aristobule. Détrôné par Antigonos, il fut tué sur l'ordre d'Hérode le Grand.

Hyrcanie, vaste contrée de l'Asie anc. (auj. en Iran), sur la côte S.-E. de la Caspienne. Elle fit partie de l'Empire perse.

hysope n. f. BOT Plante arbustive (fam. labiées) des régions arides, dont les fleurs et les feuilles sont utilisées en infusion pour leurs vertus stimulantes.

hystér(o)-. Élément, du gr. *hustera,* « utérus ».

hystérectomie n. f. CHIR Ablation, totale ou partielle, de l'utérus. ▷ *Hystérectomie totale :* ablation de l'utérus et des ovaires.

hystérie n. f. **1.** PSYCHIAT Catégorie de névroses se présentant sous des formes cliniques diverses, et reposant sur un mode de représentation, certains mécanismes (notam. le refoulement) concernant le conflit œdipien, et des caractéristiques libidinales particulières. – PSYCHAN *Hystérie de conversion,* où les symptômes sont d'apparence organique. – *Hystérie d'angoisse,* se manifestant par des phobies. **2.** Cour. Grande excitation, agitation bruyante. *Chanteur qui déchaîne l'hystérie de la foule. Hystérie collective.*

hystériforme adj. MED Qui évoque l'hystérie, ressemble à l'hystérie.

hystérique adj. et n. **1.** MED Qui a rapport à l'hystérie. *Crise hystérique.* **2.** Qui est atteint d'hystérie. *Une femme hystérique.* ▷ Subst. *Un(e) hystérique.* **3.** Cour. Énervé, surexcité; qui dénote la surexcitation. *Rire hystérique.*

hystérographie n. f. MED Examen radiographique de l'utérus.

hystérotomie n. f. MED Incision de l'utérus, pour en extraire le fœtus (césarienne) ou en retirer une tumeur.

hystricoïdes n. m. pl. ZOOL Superfamille de rongeurs comprenant les porcs-épics, les chinchillas, etc. – Sing. *Un hystricoïde.*

Hz PHYS Symbole du hertz.

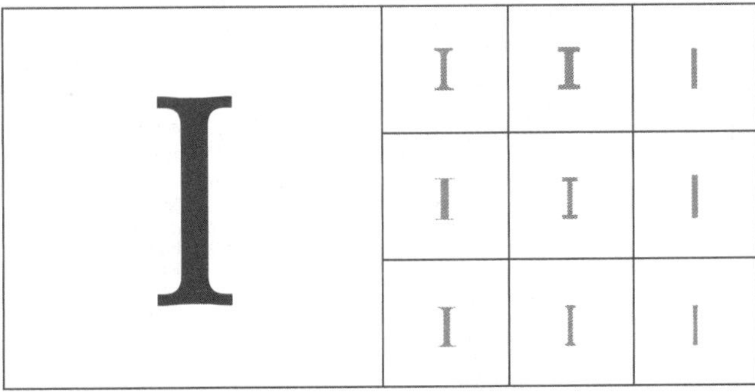

i [i] n. m. **1.** Neuvième lettre (i, I) et troisième voyelle de l'alphabet, notant : la voyelle palatale non arrondie [i] (ex. *ami*) ou la semi-voyelle yod [j] (ex. *pied*); le son [ɛ̃] ou i nasal (ex. *imbu, inclus*); et, en composition, les sons [wa] (ex. *roi*) et [ɛ] (ex. *air*). *Un i mouillé*. Un i tréma*. Le i grec, ou y*.* ▷ Loc. fig. *Mettre les points sur les i :* faire connaître sans équivoque sa manière de voir. *Droit comme un i :* très droit. **2.** I : chiffre romain qui vaut 1. *Chapitre I.* **3.** MATH i : symbole représentant la partie imaginaire d'un nombre complexe $\sqrt{-1}$ (dit autref. *imaginaire*). ▷ PHYS I : symbole de l'intensité d'un courant électrique, du moment d'inertie, de l'impulsion. ▷ CHIM I : symbole de l'iode.

I.A. Sigle de *intelligence* artificielle.*

Iablonovyï, chaîne montagneuse granitique de Sibérie orientale (culmine à 1 600 m).

Iacopo di Pietro d'Agnolo della Quercia (Quercia Grossa, v. 1367 - Sienne, 1438), sculpteur italien : tombeau d'Ilaria del Carretto (Duomo, Lucques).

Iacopone da Todi (Iacopo dei Benedetti, dit) (Todi, v. 1230 - Collazone, Ombrie, 1306), poète italien, franciscain (1278), auteur de *Laudes*, emprisonné pour ses écrits contre la papauté.

I.A.D. n. f. Sigle de *insémination artificielle avec donneur*, technique d'assistance médicale à la procréation.

Iahvé ou **Iaveh.** V. Yahvé.

Iakoutes, peuple d'origine turque qui s'installa en Sibérie au XVe s.

Iakoutie (rép. auton. de) ou **Sakha,** rép. autonome de Russie, au N.-E. de la Sibérie; 3 103 200 km^2; 1 037 000 hab. (Iakoutes [360 000], Russes, Ukrainiens); cap. *Iakoutsk.* - Cette région de forêts (70 % du territ.) et, au N., de toundra vit de l'agric. (blé, orge), de l'élevage (bovins, rennes), de la pêche (port de Tiksi) et de l'exploitation des import. ressources minières (houille, étain, mica, or, diamants).

Iakoutsk, cap. de la rép. de Iakoutie (Russie), sur la r. g. de la Lena; 184 000 hab. Centre comm., industriel (bois, fourrure, alim.) et universitaire.

Ialta. V. Yalta.

iambe [jɑ̃b] n. m. **1.** METR ANC Pied composé de deux syllabes, la première brève et la seconde longue. *L'iambe fut employé au théâtre.* **2.** LITTER Pièce de vers satirique où alternent des vers de douze pieds et des vers de huit pieds. *Les iambes d'André Chénier.*

iambique [jɑ̃bik] adj. Didac. Composé d'iambes. *Un vers iambique.*

Iapyges, habitants de la Iapygie.

Iapygie, contrée de l'anc. Italie, en Apulie (Pouilles actuelles), peuplée par des hab. d'Illyrie au Ve s. av. J.-C., puis par des colons grecs qui fondèrent Tarente.

Iaroslav Vladimirovitch, dit *le Sage* (?, 978 - Vyssogrod, 1054), fils de Vladimir Ier (m. en 1015); grand-prince de l'empire de Kiev (1017-1054) après une sévère lutte pour la succession. Il fonda Iaroslavl' (1026) et étendit son autorité jusqu'à la Baltique.

Iaroslavl', v. de Russie, sur la Volga; 639 000 hab.; ch.-l. de la région du m. nom. Raff. de pétrole; caoutchouc; industr. alimentaires, textiles, chimiques.

Iaşi ou **Jassy,** v. de Roumanie (Moldavie); 310 000 hab.; ch.-l. du dép. du m. nom. Industr. pharm., text., alim. - Anc. cap. de la Moldavie (XVIe-XIXe s.). Université. Évêché cathol. Égl. Golia et égl. des Trois-Hiérarques (XVIIe s.). Monastère de Galata (XVIe s.).

iatr-, iatro-, -iatre, -iatrie. Éléments, du gr. *iatros*, « médecin ».

iatrogène ou **iatrogénique** adj. MED Se dit d'une maladie provoquée par le traitement d'un médecin.

Iaxarte. V. Syr-Daria.

Ibadan, v. du Nigeria; cap. d'État (*Oyo*); 847 000 hab. Cette anc. métropole indigène dut son développement aux Britanniques. Industries alimentaires, tabac. - Université.

Ibagué, v. de Colombie, à 1 320 m d'altitude; 269 950 hab.; ch.-l. de dép. Centre comm. (café).

Ibarruri (Dolores Ibarruri Gómez, Mme Julián Ruiz), dite *la Pasionaria* (Gallarta, Biscaye, 1895 - Madrid, 1989), femme politique espagnole. Dirigeante du parti communiste espagnol, elle fut l'un des porte-parole des républicains durant la guerre civile. Réfugiée en U.R.S.S. à la chute de la république, elle revint dans son pays en 1977 et fut élue députée.

ibère adj. Didac. Relatif à l'Ibérie.

Ibères, peuple d'origine mal connue, installé en Europe occid. (Italie, Espagne, îles Britanniques) au néolithique. Sa civilisation, qui avait pour centre la région d'Almería, subit l'influence des colons phéniciens (VIIIe s. av. J.-C.) puis grecs (VIe-Ve s. av. J.-C.), et s'étendit dans les régions de l'Èbre et de l'Aquitaine (VIe-IIIe s. av. J.-C.). Après l'invasion des Celtes (Ve s. av. J.-C.), le mélange des deux peuples donna naissance aux Celtibères, soumis par les Romains en 133 av. J.-C.

Ibérie, un des anc. noms de l'Espagne, qui s'appliquait aussi à toute la péninsule Ibérique.

ibérique adj. et n. **1.** HIST Relatif aux Ibères. **2.** Relatif à l'Espagne et au Portugal. ▷ *Péninsule Ibérique :* partie S.-O. de l'Europe comprenant l'Espagne et le Portugal. ▷ *Cordillère Ibérique :* chaîne montagneuse de l'Espagne du N.-E. séparant le bassin de l'Èbre de la Castille. **3.** Espagnol. - Subst. *Un(e) Ibérique.*

ibérisme n. m. Didac. Caractère, particularité ibérique.

Ibert (Jacques) (Paris, 1890 - id., 1962), compositeur français : *Angélique* (opéra bouffe, 1926), *le Roi d'Yvetot* (opéra-comique, 1928), *Diane de Poitiers* (ballet, 1934), mus. symphonique de chambre (*Quatuor à cordes*, 1943).

ibidem [ibidɛm] adv. (Mot lat.) Didac. Au même endroit; dans le même texte. (Abrév. : ibid.)

-ibilité. Suffixe, du lat. *-ibilis*, qui exprime la possibilité d'être et sert à former des noms.

ibis [ibis] n. m. Oiseau ciconiiforme (nombr. genres), long d'env. 60 cm, à long bec courbé vers le bas. *L'ibis sacré d'Afrique (« Threskiornis æthiopica »), blanc avec la tête et les extrémités des ailes noires, était vénéré par les Égyptiens, car son arrivée annonçait les crues du Nil.*

ibiscus. V. hibiscus.

Dolores **Ibarruri**

Ibsen

Ibiza, la plus occidentale des trois grandes îles Baléares; 572 km^2; 67 000 hab.; ch.-l. *Ibiza* (25 340 hab.). Agric. (vignes, oliviers). Tourisme.

-ible. Suffixe, du lat. *-ibilis*, qui exprime la possibilité d'être (*lisible*, qui peut être lu) et qui sert à former des adjectifs.

ibn [ibn] Mot arabe signifiant «fils», qui entre dans la composition de nombreux noms propres.

Ibn al-Arabi *(Muḥyī al-Dīn ibn al-ʿArabī)* (Murcie, Espagne, 1165 - Damas, 1241), l'un des plus grands mystiques (soufiste) de l'islam, auteur fécond (plus de deux cents ouvrages).

Ibn Battuta *(Abū ʿAbd Allāh ibn Baṭṭuṭa)* (Tanger, 1304 - Fès, v. 1377), géographe arabe. Sa *Rihla* est un carnet de voyage, d'un grand intérêt historique, où il décrit les nombr. pays qu'il visita en Afrique et en Asie (Chine, Perse, Inde).

Ibn Khaldun *(ʿAbd ar-Raḥmān ibn Ḫaldūn)* (Tunis, 1332 - Le Caire, 1406), philosophe arabe de l'histoire qui, notam. dans sa *Muqaddima* («préface», «prolégomènes»), affirme sa méthode, fondée sur l'examen des faits et qui vise à dégager des lois (économiques, sociologiques, etc.).

Ibn Séoud ou **Sa'ud.** V. Séoud.

Ibo(s), ethnie du Nigeria orient. Les Ibos (christianisés) entrèrent en conflit armé (1966) avec d'autres ethnies (musulmanes) de la fédération; ce fut la *guerre du Biafra* (1967-1970).

Ibrahim Ier ibn al-Aghlab *(Ibrāhīm ibn al-Aġlab)* (m. à Kairouan, 812), gouverneur de l'Ifriqiyya (800-812); fondateur de la dynastie des Aghlabides.

Ibrahim (Constantinople, 1616 - id., 1648), sultan ottoman (1640-1648). Il conclut la paix avec le Saint Empire (1641) et prit La Canée aux Vénitiens.

Ibrahim bey *(Ibrāhīm bē)* (en Circassie, 1735 - Dongola, Soudan, 1816), ancien esclave devenu gouverneur du Caire; chef des mamelouks d'Égypte lors de l'expédition de Bonaparte.

Ibrahim Pacha *(Ibrāhīm bāšā)* (Cavalla, Macédoine, 1789 - Le Caire, 1848), vice-roi d'Égypte (1848) à l'abdication de son père, Méhémet-Ali. Grand chef militaire, il battit les Wahhabites (1816-1819), conquit la Morée (1826) et garda la Syrie (1832), qu'il dut ensuite abandonner (1840) sous la pression des grandes puissances occidentales.

Ibsen (Henrik) (Skien, 1828 - Christiania, auj. Oslo, 1906), dramaturge norvégien. Son œuvre, très variée, comprend des drames historiques à caractère romantique (*les Guerriers de Helgeland*, 1858; *les Prétendants à la couronne*, 1863), des drames philosophiques (*Brand*, 1866; *Peer Gynt*, 1867), réalistes et moraux (*Maison de poupée*, 1879; *les Revenants*, 1881), enfin symboliques (*le Canard sauvage*, 1884; *la Dame de la mer*, 1888; *Hedda Gabler*, 1890; *Solness le Constructeur*, 1892). Ce théâtre demeure vigoureux par la véracité et la passion de ses personnages. Ibsen a renouvelé le genre dramatique en traitant, dans ses «drames contemporains», des thèmes sociaux. ► illustr. page 929

Ica, v. du Pérou; 128 390 hab.; ch.-l. du dép. du m. nom. Centre agricole; industries alimentaires, textiles.

Icare, dans la myth. gr., fils de Dédale. Enfermé, ainsi que son père, dans le Labyrinthe, il s'échappa avec lui au moyen d'ailes fixées aux épaules par de la cire. Oubliant les avis de Dédale, il s'approcha du Soleil, la cire fondit et il périt dans la partie de la mer Égée dite depuis *mer Icarienne*.

Icarie, île égéenne, à l'O. de Samos; 255 km^2; 11 000 hab. - Le cadavre d'Icare aurait échoué sur ses rives.

Icaza (Jorge) (Quito, 1906 - id., 1978), écrivain équatorien. Ses romans décrivent la condition paysanne en Équateur : *la Fosse aux Indiens* (1934), *l'Homme de Quito* (1958).

iceberg [isbɛʀg; ajsbɛʀg] n. m. Bloc de glace non salée qui s'est détaché des glaciers polaires et flotte dans la mer, ne laissant émerger que le dixième environ de sa masse.

iceberg sur la côte ouest du Groenland

ice-cream [ajskʀim] n. m. (Anglicisme) Crème glacée. *Des ice-creams.*

icefield [ajsfild] n. m. GEOGR Banquise des continents polaires, résultant de la congélation de l'eau de mer.

icelui, icelle, plur. **iceux, icelles** pron. démonstratif Vx ou DR Celui-ci, celle-ci, ceux-ci, celles-ci.

Ichikawa, v. du Japon (île de Honshū); 397 800 hab.

Ichikawa (Kon) (Mie, 1915), cinéaste japonais : *la Harpe de Birmanie* (1956), *l'Étrange Obsession* (1959), *Feux dans la plaine* (1960), *les Quatre Saisons* (1983).

Ichthys ou **Ichthus,** monogramme qui désigne le Christ; il est composé des initiales des mots grecs *I*esous *Ch*ristos *Th*éou *Y*ios (ou *U*ios) *S*ôter («Jésus-Christ fils de Dieu sauveur»), soit, en grec, *ikhthus*, mot qui signifie «poisson» (les premiers chrétiens décoraient parfois les catacombes de la figure symbolique du poisson).

ichty(o)-. Élément, du gr. *ikhthus*, «poisson».

ichtyologie [iktjɔlɔʒi] n. f. Partie de la zoologie qui traite des poissons.

ichtyologique adj. Qui a rapport aux poissons, à l'ichtyologie.

ichtyologiste n. Spécialiste d'ichtyologie.

ichtyornis [iktjɔʀnis] n. m. PALEONT Oiseau fossile du crétacé, de l'Amérique du N., de la taille d'un pigeon.

ichtyosaure n. m. PALEONT Reptile marin fossile à allure de poisson. *Atteignant dix mètres de long, piscivores, les ichtyosaures vécurent du trias au crétacé.*

ici adv. **I.** (Lieu) **1.** Dans le lieu défini par la personne qui parle. *Venez ici. Je suis ici pour mes vacances. Passez par ici*, par cet endroit. ▷ *D'ici* : de cette région, de ce pays. *Les gens d'ici.* ▷ *Par ici* : dans les environs. *Il y a par ici plusieurs grands crus.* **2.** (Dans un texte.) À l'endroit indiqué. *Ici l'acteur marque un silence.* **3.** Loc. adv. *Ici-bas* : sur terre. *Les choses d'ici-bas.* **II.** (Temps) **1.** *Jusqu'ici* : jusqu'au moment présent. *Jusqu'ici cet enfant est resté sage.* **2.** *D'ici* : à partir de maintenant jusqu'à... *D'ici huit jours, d'ici à huit jours. D'ici peu. D'ici longtemps. D'ici là* : du moment présent à une date ultérieure. *D'ici là, nous pourrons aviser.*

icon(o)-. Élément, du gr. *eikôn*, «image».

icône ou **icone** n. f. **1.** Image sacrée des religions orthodoxes, peinte sur bois, sur métal, sur ivoire, etc. **2.** INFORM Représentation graphique, symbole apparaissant sur un écran d'ordinateur et que l'on peut désigner avec la souris (sens 5) pour appeler un programme. ENCYCL Les écoles byzantine et russe sont les plus représentatives d'un art (né aux Ve et VIe s., probabl. en Palestine) qui a connu un assez grand développement dans les Balkans, en Serbie, en Bulgarie et en Roumanie.

iconique adj. Didac. *Statue iconique* : dans la statuaire grecque, statue faite à la ressemblance de ceux qui avaient été trois fois vainqueurs aux jeux sacrés.

iconoclasme [ikɔnɔklasm] n. m. ou **iconoclastie** [ikɔnɔklasti] n. f. HIST Doctrine, mouvement religieux et politique des iconoclastes.

iconoclaste n. et adj. **1.** HIST Sectaire chrétien de Constantinople (VIIIe-IXe s.) qui condamnait comme idolâtre le culte des images. ▷ adj. *Les empereurs iconoclastes déclenchèrent la querelle des images.* **2.** Briseur d'images saintes. - Vandale destructeur d'œuvres d'art. **3.** Fig. Personne qui cherche à détruire les opinions reçues, les idées établies.

iconographe n. Didac. Spécialiste de l'iconographie.

iconographie n. f. Didac. **1.** Étude, description explicative des représentations figurées d'un sujet (peintures, sculptures, etc.); ensemble de ces représentations. *L'iconographie napoléonienne.* **2.** Ensemble des illustrations d'un ouvrage imprimé.

iconographique adj. Didac. Relatif à l'iconographie.

iconolâtre n. HIST Adorateur d'images sacrées.

iconolâtrie n. f. HIST Adoration d'images sacrées.

iconologie n. f. Didac. Art de la représentation allégorique. - Connaissance des symboles, des emblèmes qu'elle utilise. - Étude des attributs des divinités et des personnages mythologiques.

iconologiste ou **iconologue** n. Didac. Spécialiste d'iconologie.

iconoscope n. m. AUDIOV En télévision, système qui analyse l'image.

iconostase n. f. Didac. Dans les églises de rite oriental, cloison ornée d'images sacrées, d'icônes, derrière laquelle l'officiant s'isole pour la consécration.

iconothèque n. f. Didac. Lieu où sont conservées les collections d'images (gravures, dessins, estampes, photographies, etc.) d'un musée, d'une bibliothèque.

ictère n. m. MED Coloration jaune de la peau et des muqueuses, appelée cour. *jaunisse*, symptomatique d'une accumulation anormale de pigments biliaires dans ces tissus. *L'hépatite virale est la cause la plus fréquente des ictères.*

ictérique adj. et n. MED Relatif à l'ictère; affecté d'un ictère.

Ictinos (seconde moitié du Ve s. av. J.-C.), architecte grec. Il travailla sous la direction de Phidias à la construction du Parthénon. On lui attribue le temple d'Apollon Epikourios à Bassæ*.

ictus [iktys] n. m. **1.** METR ANC Battement de la mesure dans le vers. **2.** MED Manifestation pathologique brutale s'accompagnant très souvent d'une perte de connaissance. *Ictus apoplectique.*

id. Abrév. de *idem.*

Ida (auj. *Kaz Dağ*), chaîne de montagnes d'Asie Mineure (Mysie) au pied de laquelle se trouvait la plaine de Troie.

Ida (mont), mont de Crète (2 456 m) dont les grottes (où la légende localise la naissance de Zeus), servirent de sanctuaires pendant l'Antiquité.

Idaho, État de l'O. des É.-U.; 216 412 km²; 1 007 000 hab.; cap. *Boise City.* – S'étendant sur des plateaux arides au S., sur les Rocheuses au N., cet État possède d'importantes ressources minières (argent à Cœur d'Alene). Cult. irriguées de la vallée de la Snake River (céréales, pomme de terre, betterave). Industr. alim. (sucre) et chim. Centrale nucléaire à Arco. – Cette rég., où les mormons s'établirent en 1855, se développa lors de la découverte de gisements aurifères (1860). Créé en 1863, le territoire de l'Idaho devint État de l'Union en 1890.

idared n. f. Variété de pomme croquante, légèrement acidulée.

-ide. Élément, du gr. *eidos,* «aspect, forme», indiquant la ressemblance, la formation (ex. *glucide, protide, lipide*). V. -oïde.

ide n. m. Poisson cyprinidé d'eau douce, rouge doré.

idéal, ale, als ou **aux** adj. et n. m. **I.** adj. **1.** Qui n'existe que dans l'entendement; créé par l'imagination, la pensée. *Figure idéale. Monde idéal.* **2.** Qui atteint le plus haut degré de perfection imaginable, concevable. *Pureté idéale.* Syn. absolu. ▷ Parfait, rêvé. *C'est le compagnon de voyage idéal.* **II.** n. m. **1.** Modèle absolu de la perfection dans un domaine. *Idéal de beauté.* – But élevé que l'on se propose d'atteindre. *Homme sans idéal.* **2.** Ensemble abstrait de toutes les perfections; conception de la perfection. *Recherche de l'idéal.* – Fam. Ce qu'il y a de mieux, de plus satisfaisant. *L'idéal serait de pouvoir emmener tout le monde.* **3.** MATH *Idéal à gauche* (ou *à droite*) *d'un anneau A* : sous-groupe additif *J* de cet anneau tel que, pour tout élément *a* de *A* et pour tout élément *j* de *J*, l'élément *aj* (ou *ja*) appartient à *J*. ▷ *Idéal bilatère,* qui est à la fois un idéal à gauche et un idéal à droite.

iconostase de l'église de la Transfiguration, île de Kiji, Carélie, bois sculpté et doré, XVIIIᵉ s.

idéalement adv. De façon idéale.

idéalisation n. f. Action d'idéaliser; son résultat.

idéaliser v. tr. [1] Représenter sous une forme idéale. Syn. embellir.

idéalisme n. m. **1.** PHILO Doctrine qui tend à ramener la réalité des choses aux idées ou à la conscience du sujet qui les pense. *L'idéalisme transcendantal de Kant.* **2.** Attitude consistant à subordonner son action, sa conduite à un idéal. **3.** Didac. Conception de l'art comme traduction d'un idéal, et non comme une simple représentation du réel.

idéaliste adj. et n. **1.** PHILO Relatif à l'idéalisme philosophique. *La dialectique idéaliste de Hegel.* ▷ Subst. Partisan de l'idéalisme. **2.** Cour. Qui subordonne son action, sa conduite, à un idéal. ▷ Qui manque de sens du réel; rêveur. ▷ Subst. *Un(e) idéaliste.*

idéalité n. f. Didac. Caractère idéal.

idéation n. f. Didac. Processus de la formation des idées.

idée n. f. **1.** Représentation d'une chose dans l'esprit; notion. *L'idée d'arbre. Le mot et l'idée.* **2.** Conception de l'esprit, pensée; manière de concevoir une action ou de se représenter la réalité. *Idée fondamentale d'un livre. Idées neuves, hardies.* ▷ *Idée fixe* : pensée qui obsède l'esprit. ▷ *Idée force* : pensée, conception susceptible de pousser à l'action, de guider la conduite. **3.** Inspiration. *L'idée première d'une œuvre.* ▷ (Plur.) Produit de l'inspiration, pensée originale. *Ce scénario est plein d'idées.* **4.** (Plur.) Opinions. *Ce n'est pas dans ses idées.* **5.** (Plur.) Représentation fausse, illusion, crainte non fondée. *Se faire des idées.* **6.** Intention, projet. *J'ai changé d'idée. Jeter sur le papier l'idée d'un ouvrage.* **7.** Rapide aperçu, notion sommaire. *Donnez-moi une idée de votre livre.* **8.** Esprit, conscience. *J'ai dans l'idée que... Cela m'était sorti de l'idée.*

idéel, elle adj. PHILO Relatif aux idées et à l'idéation.

idem [idɛm] adv. (Mot lat.) (S'emploie pour éviter les répétitions.) Le même, la même chose. (Abrév. : id.)

idempotent, ente [idɛmpɔtɑ̃, ɑ̃t] adj. MATH Qualifie un élément *e* d'un ensemble *E* muni d'une loi de composition interne, tel que e + e = e. *L'entier 1 est idempotent pour la multiplication* (1 × 1 = 1) *et 0 est idempotent pour l'addition* (0 + 0 = 0).

identifiable adj. Qui peut être identifié.

identifiant n. m. Didac. Code permettant d'identifier qqn ou qqch.

identificateur n. m. INFORM Symbole qui précise la nature d'une donnée.

identification n. f. **1.** Action d'identifier, de s'identifier; résultat de cette action. – PSYCHAN Processus psychique par lequel un sujet prend pour modèle une autre personne et s'identifie à elle. **2.** TECH Mesure, par des capteurs, des différents paramètres définissant l'état d'un système cybernétique.

identificatoire adj. Didac. Qui se rapporte à l'identification. *Techniques identificatoires.*

identifier v. tr. [2] **1.** Considérer comme identique, comprendre sous une même idée. *Identifier Dieu et le monde.* ▷ v. pron. *La définition doit s'identifier avec le défini.* **2.** Reconnaître, trouver l'identité de. *Il n'a pas pu identifier son agresseur.* **3.** Établir la nature, l'origine de. *Identifier un bruit.* **4.** v. pron. *S'identifier à, avec qqn,* se considérer comme semblable à lui, s'assimiler mentalement à lui.

identique adj. **1.** Se dit d'objets ou d'êtres distincts qui, en tous points, sont semblables. *Objets identiques.* – MATH *Application identique,* qui associe à tout élément ce même élément. (*Identique à* est noté ≡.) **2.** Qui ne change pas. *Il est resté identique au premier jour.* Syn. constant.

identiquement adv. De façon identique.

identitaire adj. Qui concerne l'identité profonde de qqn, d'un groupe social. *Crise identitaire.*

identité n. f. **I. 1.** Caractère de ce qui est identique ou confondu. ▷ MATH Égalité vérifiée quelles que soient les valeurs des paramètres, notée par le signe ≡. **2.** État d'une chose qui reste toujours la même. – LOG *Principe d'identité* : «ce qui est, est; ce qui n'est pas, n'est pas». – PSYCHO Conscience de la persistance du moi. **II. 1.** Ensemble des éléments permettant d'individualiser qqn. *Carte d'identité.* **2.** *Identité judiciaire* : service annexé à la police judiciaire pour la recherche et l'identification des malfaiteurs.

idéo-. Élément, du gr. *idea,* «idée».

idéogramme n. m. Didac. Signe notant globalement une idée et non un son (comme le font les lettres de notre alphabet). *Les caractères chinois sont des idéogrammes.*

idéographie n. f. Didac. Système d'écriture par idéogrammes.

idéographique adj. Didac. Relatif à l'idéographie. *Signes idéographiques.*

idéologie n. f. **1.** Vieilli Étude des idées. **2.** PHILO Doctrine élaborée par Destutt de Tracy pour remplacer la métaphysique traditionnelle par l'étude scientifique des idées (entendues au sens large de *faits de conscience*). **3.** Ensemble des idées philosophiques, sociales, politiques, morales, religieuses, etc., propres à une époque ou à un groupe social. *L'idéologie du siècle des Lumières.* **4.** Péjor. Philosophie vague spéculant sur des idées creuses.

idéologique adj. Relatif à l'idéologie.

idéologue n. **1.** PHILO Adepte de l'idéologie. **2.** Péjor., vieilli Rêveur qui se laisse aller à de vaines abstractions.

idéomoteur, trice adj. MED Relatif au lien qui unit l'intention et la réalisation d'un mouvement corporel.

-idés. Élément de suffixation, du gr. *idai,* plur. de *idês,* «forme», servant à désigner des familles zoologiques.

ides [id] n. f. pl. ANTIQ Dans le calendrier romain, quinzième jour des mois de mars, mai, juillet et octobre, et treizième jour des autres mois. *César fut assassiné aux ides de mars 44 av. J.-C.*

id est [id ɛst] loc. conj. C'est-à-dire. (Abrév. : i.e.)

Idfu. V. Edfou.

IDHEC, acronyme pour *Institut des hautes études cinématographiques.* Établissement d'enseignement supérieur, chargé, de 1943 à 1986, de préparer aux métiers du cinéma. V. FEMIS.

idio-. Élément, du gr. *idios*, «qui appartient en propre à qqn ou à qqch».

idiomatique adj. LING Relatif aux idiomes. ▷ Propre à une langue, à un idiome. *Expression idiomatique* : idiotisme.

idiome n. m. LING Langue propre à une nation, une province. *Idiome germanique, picard.*

idiopathique adj. MED Se dit d'une maladie qui existe par elle-même, hors de tout autre état morbide défini.

idiosyncrasie [idjosɛ̃kʀazi] n. f. **1.** MED Mode de réaction particulier de chaque individu à l'égard d'un agent étranger (médicament notam.). **2.** Didac. Tempérament propre à chaque individu.

idiot, idiote adj. et n. **1.** Qui est dépourvu d'intelligence, de finesse, de bon sens. *Elle est idiote d'accepter tout cela.* Syn. stupide, bête. ▷ Subst. *Bande d'idiots.* Syn. imbécile. – Qui marque de la stupidité. *Donner une réponse idiote.* **2.** MED Atteint d'idiotie. ▷ Subst. *Un(e) idiot(e) congénital(e).*

idiotement adv. D'une manière idiote.

idiotie [idjɔsi] n. f. **1.** Caractère d'une personne ou d'une chose stupide, absurde. **2.** Parole, action idiote. *Dire, faire des idioties.* **3.** MED Dernier degré de l'arriération mentale.

idiotisme [idjɔtism] n. m. LING Expression ou construction particulière à une langue, intraduisible dans une autre langue. *Idiotisme latin, français.*

Idistaviso, plaine de la Germanie anc. où Germanicus vainquit Arminius (16 ap. J.-C.).

idoine adj. Vx ou plaisant Approprié. *Trouver le mot idoine.*

idolâtre adj. et n. **1.** Qui adore les idoles. *Peuples idolâtres.* ▷ Subst. *Les idolâtres.* **2.** Fig., litt. et vieilli Qui aime avec excès, qui voue un culte à (qqn ou qqch). *Mère idolâtre de ses enfants.*

idolâtrer v. [1] **1.** v. tr. Litt. Aimer avec excès, adorer. *«J'idolâtre Junie» (Racine).* **2.** v. intr. Vx Adorer les idoles.

idolâtrie n. f. Didac. **1.** Adoration, culte des idoles. **2.** Fig., litt. Amour excessif. *Aimer jusqu'à l'idolâtrie.*

idole n. f. **1.** Figure, statue représentant une divinité et exposée à l'adoration. *Renverser les idoles.* **2.** Fig. Personne ou chose à laquelle est rendue une manière de culte. *La gloire est son idole.* ▷ *Spécial.* Vedette (notam. de la chanson) adulée du jeune public.

Idoménée, roi légendaire de Crète, petit-fils de Minos; l'un des héros de *l'Iliade.*

Idrija, v. de Slovénie; 7 000 hab. Import. mines de mercure.

Idris Ier al-Sanoussi *(Muḥammad Idrīs al-Mahdī as-Sanūsī)* (Djaraboub, 1890 – Le Caire, 1983), roi de Libye (1951-1969). Émir en Cyrénaïque, chassé par les Italiens, il s'allia aux Britanniques qui, ensuite, contribuèrent (1947-1951) à son accession au trône. Il fut renversé par le colonel Kadhafi, qui proclama la république.

Idrisi (al-) ou **Edrisi (el-)** *(Abū 'Abd Allāh al-Idrīsī)* (Ceuta, v. 1099 – Sicile, ap. 1165), géographe arabe, attaché à la cour de Roger II de Sicile. Ses cartes ont servi de base à toutes celles qui furent publiées ultérieurement.

Idrisides ou **Idrissides,** dynastie marocaine (789-974) dont les origines remontent à Ali, cousin et gendre de Mahomet. – **Idris Ier** (m. v. 792) construisit Fès. – **Idris II** (793 – 828), fils posth. du préc., continua son œuvre, mais ses successeurs ne purent maintenir l'unité du royaume (guerres civiles).

I.D.S. Sigle de *Initiative de défense spatiale.* Programme américain de défense spatiale; annoncé en mars 1983 par R. Reagan, il a été baptisé «guerre des étoiles» par les médias. L'I.D.S. prévoit, à long terme, un système de protection très sophistiqué, permettant de détruire les missiles stratégiques ennemis à différentes phases de leur progression grâce à des armes à énergie dirigée (notam. lasers).

Idumée ou **Édom,** contrée au S.-E. de la Palestine, soumise par David; réunie en 70 apr. J.-C. à l'Empire romain.

Iduméens. V. Édomites.

idylle [idil] n. f. **1.** LITTER Petit poème d'amour du genre bucolique. *Idylles de Théocrite.* **2.** Fig. Aventure amoureuse naïve et tendre.

idyllique adj. **1.** LITTER Relatif à l'idylle. **2.** Fig. Qui évoque l'idylle par son calme bucolique, son caractère tendre et merveilleux. *Des moments idylliques.*

i.e. Abrév. de *id est.*

Iegorov (Dimitri Fedorovitch). V. Egorov.

Iegorov (Alexandre Ilitch) (?, 1883 – en déportation, apr. 1940), maréchal soviétique. Chef d'état-major général (1931), il fut victime de la «purge» qui décapita l'armée Rouge (1938).

Iekaterinbourg. V. Ekaterinbourg.

Iekaterinodar. V. Krasnodar.

Iekaterinoslav. V. Dniepropetrovsk.

Ielgava (en letton *Jelgava*, anc. *Mitau*), v. de Lettonie, sur l'Aa; anc. cap. de la Courlande; 60 000 hab. Industr. textiles. – Le comte de Provence (futur Louis XVIII) y résida de 1798 à 1807.

Iéna (all. *Jena*), v. d'Allemagne, sur la Saale; 104 950 hab. Industr. optique, céramique et du verre. – Université célèbre fondée en 1558. – Le 14 oct. 1806, Napoléon y battit les Prussiens du prince de Hohenlohe.

Ienikale. V. Kertch'.

Ienisseï, fl. de Sibérie; 3 800 km. Né dans les monts Saïan (Mongolie), il se jette dans la mer de Kara (océan Arctique) par un vaste delta. Centrales hydroélectriques.

Iermak ou **Yermak** (m. en 1585), chef cosaque qui, appelé par les Stroganov, entreprit la conquête de la Sibérie (1581-1582).

Iessenine. V. Essenine.

if n. m. Conifère aux feuilles vert sombre longues et étroites, aux fruits *(arilles)* rouge vif, cultivé comme arbre d'ornement.

If, îlot méditerranéen, inhabité, à 2 km de Marseille; 0,06 km². François Ier y bâtit un château qui servit de prison d'État.

Ife, v. de l'O. du Nigeria (Région-Occidentale); 215 000 hab. Ville anc. (activités relig. remontant au XIIIe s.). Gisements d'or. – Une riche série de portraits en pierre, en terre cuite ou en bronze constitue, pour l'essentiel, l'art de la *culture d'Ife* (XIIIe-XIVe s.), qui est celle du peuple yorouba. Aucune production artistique de l'Afrique noire ne se rapproche davantage des canons classiques de la beauté de l'Occident.

Ignace de Loyola

Ifni, région du S.-O. du Maroc, sur la côte atlant. – Cédée à l'Espagne (1860), elle ne fut rendue au Maroc qu'en 1969.

IFOP, acronyme pour *Institut français d'opinion publique.*

Ifremer, acronyme pour *Institut français de recherche pour l'exploitation de la mer.*

Ifriqiyya ou **Ifriqiya** *(Ifrīqiyya)*, nom donné par les conquérants arabes au territoire correspondant auj. à la Tunisie et à l'Algérie.

Igarka, v. de Sibérie; 16 000 hab. Port fluvial sur l'Ienisseï, débouché d'une région minière.

igloo ou **iglou** n. m. Construction hémisphérique en neige gelée, abri des Esquimaux.

I.G.N. Sigle de *Institut géographique national.* Établissement civil, fondé en 1940, chargé d'exécuter les cartes officielles de la France, et de réaliser les études et travaux qui s'y rapportent.

Ignace de Loyola (saint) (Azpeitia, Pays basque espagnol, 1491 – Rome, 1556), gentilhomme espagnol, fondateur de la Compagnie de Jésus (l'ordre des Jésuites). D'un tempérament à la fois mystique et réaliste, il organisa à Paris, en 1534, dans l'anc. abb. de Montmartre, une société destinée à convertir les infidèles de Palestine, constituée en ordre six ans plus tard. Auteur d'un célèbre guide de méditations, les *Exercices spirituels.*

igname n. f. Plante tropicale (fam. dioscoréacées) cultivée pour ses énormes tubercules à chair farineuse, comestibles seulement après cuisson ou torréfaction; chacun de ces tubercules.

ignare adj. et n. Très ignorant, inculte. ▷ Subst. *Un(e) ignare.*

igné, ée adj. Litt. Qui est de feu, produit par le feu. *Matière, roche ignée.*

if commun : à g., rameau portant des fruits mûrs; à dr., rameau d'if mâle avec fleurs

igni-. Élément, du lat. *ignis*, « feu ».

ignifugation n. f. TECH Action d'ignifuger; son résultat.

ignifuge adj. et n. m. TECH Qui rend incombustible ou peu combustible. *Incorporer un produit ignifuge à une matière plastique.* ▷ n. m. *Employer un ignifuge.*

ignifuger v. tr. [13] TECH Rendre incombustible ou très peu combustible au moyen de produits ignifuges. – Pp. adj. *Des tissus ignifugés.*

ignition n. f. PHYS État des corps qui dégagent de la chaleur et de la lumière en brûlant.

ignitron n. m. ELECTRON Tube électronique servant à produire, à partir d'un courant alternatif, un courant continu d'intensité réglable.

ignoble adj. **1.** Très vil, bas. *Ignoble individu.* Syn. infâme. **2.** D'une saleté répugnante. *Bouge ignoble.* Syn. immonde.

ignoblement adv. D'une manière ignoble.

ignominie n. f. **1.** Grand déshonneur, infamie. *Être couvert d'ignominie.* Syn. opprobre. **2.** Caractère de ce qui est déshonorant. *L'ignominie d'une accusation.* **3.** Procédé, action infamants. *Souffrir de grandes ignominies.*

ignominieusement adv. Litt. D'une façon ignominieuse.

ignominieux, euse adj. Litt. Qui porte ignominie, qui couvre d'opprobre. *Traitement ignominieux.*

ignorance n. f. **1.** Fait de ne pas savoir; état de celui qui ne sait pas, ne connaît pas qqch. *Nous étions dans l'ignorance des événements.* **2.** Défaut, absence de connaissances intellectuelles, de savoir. *Il est d'une ignorance crasse.*

ignorant, ante adj. et n. **1.** Qui ne sait pas, qui n'est pas informé. *Il restait ignorant de leurs agissements.* ▷ Subst. *Faire l'ignorant(e)* : feindre de ne pas savoir. **2.** Qui est sans connaissances, sans savoir; inculte. *Femme ignorante.* ▷ Subst. *Ce sont des ignorants et des sots.*

ignorantin n. m. Surnom mi-familier, mi-moqueur, donné aux frères des écoles chrétiennes aux XVIIIe et XIXe s. ▷ adj. *Frère ignorantin.*

ignoré, ée adj. Inconnu ou méconnu. *Talent ignoré.*

ignorer v. tr. [1] **1.** Ne pas savoir, ne pas connaître. *Nul n'est censé ignorer la loi. J'ignorais que tu étais là.* ▷ v. pron. Ne pas se connaître, n'avoir pas une juste idée de soi-même. *« Les gens bien portants sont des malades qui s'ignorent » (J. Romains).* **2.** *Ignorer qqn*, ne lui témoigner aucune considération, feindre de ne pas le connaître. **3.** N'avoir pas l'expérience ou la pratique de. *Ignorer la flatterie.*

Igorot, peuple aborigène de l'île de Luçon, aux Philippines.

Iguaçu (en esp. *Iguazú*), fl. du Brésil (1 320 km), affl. du Paraná (r. g.), avec lequel il conflue à la frontière argentine. Né dans la Serra do Mar, il est coupé de chutes puissantes. – Parc national brésilien dans sa vallée.

iguane [igwan] n. m. Reptile saurien (genres *Iguana* et voisins) d'Amérique tropicale, long de 1 à 2 m, au dos muni d'une crête épineuse. *Les iguanes des îles Galapagos.*

iguanodon [igwanɔdɔ̃] n. m. PALEONT Reptile dinosaurien ornithopode (« aux pattes d'oiseau »), herbivore, long d'une dizaine de mètres, aux membres postérieurs très développés, qui vécut au crétacé.

igue n. m. Dial. (Causses) Gouffre.

I.H.S. Initiales pour *Iesus, Hominum Salvator*, « Jésus, sauveur des hommes ».

Ijevsk (*Oustinov* de 1985 à 1987), cap. de la rép. auton. des Oudmourtes; 643 000 hab. Métallurgie.

IJssel, riv. des Pays-Bas (116 km). Bras du Rhin, il s'en détache en amont d'Arnhem et se jette par un delta dans le *lac d'IJssel* ou *IJsselmeer*, lac d'eau douce séparé depuis 1932 de la mer des Wadden par une digue de 30 km. C'est l'anc. Zuiderzee; une partie fut aménagée en polders (*polders d'IJsselmeer* : 1 262 km^2).

ikebana [ikebana] n. m. Art floral japonais. *Dans l'ikebana, la composition florale obéit à une codification symbolique très précise.*

Ikeda (Hayato) (rég. d'Hiroshima, 1899 – Tōkyō, 1965), homme politique japonais; président du parti libéral, Premier ministre de 1960 à 1964.

Ikor (Roger) (Paris, 1912 – id., 1986), romancier français. Il décrit les déchirements sociaux et rêve d'une utopique communauté sociale : cycle des *Fils d'Avron* dont *les Eaux mêlées* (1955), *Frères humains* (1969), *l'Éternité dernière* (1980), *les Fleurs du soir* (1985).

il-. V. in- 1.

1. il, ils [il] pron. pers. de la 3e pers. **I.** pron. pers. m. **1.** Employé comme sujet de la 3e pers. *Il me fuit, le lâche. Où sont-ils ?* **2.** Plur. Fam. et souvent péjor. (Désignant ceux que le locuteur tient pour responsables de l'action qu'indique le verbe.) *Ils ont encore augmenté les impôts. Qu'est-ce qu'ils ne vont pas chercher maintenant !* **II.** pron. pers. neutre. Employé comme sujet des verbes impers. *Il pleut. Il neige. Il est évident que...* ▷ Avec le sens de *ce, cela. Il est vrai.*

2. il, plur. **iller** [il, ilɛʀ] n. m. Division administrative, en Turquie.

ilang-ilang. V. ylang-ylang.

île n. f. **1.** Espace de terre entouré d'eau de tous côtés. *La Corse est une île. Les îles Britanniques.* **2.** *Île flottante* : entremets ou dessert composé de blancs d'œufs battus en neige ferme et pochés, flottant sur une crème.

Île-de-France, région historique de France, anc. province, centre autour duquel l'unité nationale s'est peu à peu constituée. Elle a procuré à la dynastie capétienne le domaine à partir duquel le principe du régime monarchique unificateur a pu se constituer. Hugues Capet ne possédait en propre, à son avènement (987), qu'une faible partie de l'Île-de-France (Senlis, Verberie, Compiègne, Poissy) et il était abbé commendataire de Saint-Denis; la majeure partie appartenait à des vassaux directs. Il a entrepris de réunir ces terres au domaine royal. Par la suite, au fur et à mesure que Paris est affirmé dans son rôle de capitale du gouvernement royal, l'Île-de-France a constitué l'assise d'un pouvoir déterminé à affaiblir les grands seigneurs féodaux, et son histoire s'est confondue avec celle de la France.

iguane Rhinocéros

Île-de-France, Rég. admin. française et rég. de la C.E., formée des dép. de Paris, de l'Essonne, des Hauts-de-Seine, de Seine-et-Marne, de la Seine-Saint-Denis, du Val-de-Marne, du Val-d'Oise et des Yvelines; 12 001 km^2; 10 760 861 hab. *(Franciliens)*; cap. *Paris.*
Géogr. et écon. – Région la plus peuplée de France (19 % de la pop. et 21 % des actifs), premier ensemble économique national et l'un des plus puissants de la C.E., l'Île-de-France produit 28 % du P.N.B. et dispose du revenu annuel par hab. le plus élevé du pays. Située au cœur du réseau fluvial de la Seine, à la confluence de la Marne et de l'Oise, la Rég. occupe les plaines et plateaux tertiaires du centre du Bassin parisien (Vexin français, Pays de France, Goëlle, Multien, Brie, Gâtinais, Hurepoix, Mantois), coupés de larges vallées alluviales et souvent couronnés de buttes boisées. Les riches openfields limoneux dominent et portent de grandes cultures (céréales, plantes sarclées, oléagineux, fourrages), parmi les plus productives du monde. De grands massifs forestiers (Rambouillet, Fontainebleau) subsistent sur les sols siliceux, alors que de rares secteurs, comme la Brie orientale laitière, se consacrent à l'élevage. Grâce au marché parisien, le maraîchage et l'arboriculture ont prospéré dans les vallées; ces prod. spécialisées reculent cependant devant l'emprise urbaine. En effet, la pop. régionale a augmenté de plus de 2 millions d'hab. entre 1962 et 1990, alors que, dès la fin des années 60, s'opérait la déconcentration du peuplement à partir de Paris et de sa proche banlieue. La création de villes nouvelles (Cergy-Pontoise, Évry, Marne-la-Vallée, Melun-Sénart, Saint-Quentin-en-Yvelines), ainsi que l'aménagement d'un réseau de transports rapides permettant des déplacements massifs (voies ferrées de banlieue, prolongement des lignes de métro, R.E.R., autoroutes urbaines) ont permis aux personnes travaillant à Paris d'aller vivre dans des communes éloignées, souvent rurales à l'origine. On enregistre ainsi 20 millions de déplacements quotidiens, surtout professionnels. L'Île-de-France offre 4,7 millions d'emplois, dont 75 % dans les activités tertiaires et, en dépit de l'aménagement de pôles d'activité en périphérie (villes nouvelles, technopoles comme l'ensemble scientifique de Paris-Sud autour d'Orsay-Palaiseau, localisation en banlieue lointaine des grands établissements industriels), beaucoup d'emplois subsistent dans le centre de Paris : commerces, administrations, services, sièges sociaux (90 % des banques et 80 % des grandes entreprises françaises), enseignement, recherche. Malgré l'absence d'industries lourdes, l'Île-de-France est la rég. industrielle la plus importante, fournissant 25 % de la prod. nationale et occupant le premier rang dans des branches aussi variées que l'auto., la mécanique, les constr. électriques et

électroniques, l'industrie pharmaceutique, l'agroalim. et toutes les activités de luxe et de tradition. Paris est aussi la première ville de tourisme et de congrès du monde (20 millions de visiteurs par an) et dispose des fonctions et équipements d'une grande métropole internationale. L'Île-de-France est l'une des régions vitales de la C.É.E., elle occupe une place dominante dans le Grand Marché européen.

Île-de-Sein, com. du Finistère (arr. de Quimper); 348 hab. Pêche.

Île-d'Yeu (L'), ch.-l. de cant. de la Vendée (une seule com., arr. des Sables-d'Olonne) qui correspond à l'île d'Yeu; 23 km^2; 4 951 hab. Pêche et industr. du poisson. – Le maréchal Pétain y fut interné jusqu'à sa mort (1945-1951).

iléon n. m. ANAT Troisième partie de l'intestin, qui s'abouche au cæcum.

Île-Rousse (L'), ch.-l. de cant. de la Haute-Corse (arr. de Calvi), au N. de Calvi; 2 350 hab. Stat. baln. et port de voyageurs.

îlet n. m. Vx **1.** Petite île. **2.** Groupement de maisons.

îlette n. f. Rare Petite île. Syn. îlot.

iléus n. m. MED Occlusion intestinale aiguë ou chronique.

Ili, fl. d'Asie (1 400 km) qui, né en Chine, dans le Tianshan, se jette par un delta dans le lac Balkhach (Kazakhstan).

Iliade, épopée en 24 chants et en vers (hexamètres dactyliques) attribuée à Homère. Troie est assiégée, depuis 9 ans, par les Achéens. Une querelle, qui survient entre leur chef Agamemnon et Achille, amène celui-ci à se retirer des combats. Désireux de venger son ami Patrocle tué par le Troyen Hector, il se réconcilie pourtant avec Agamemnon et reprend les armes. Tout cède devant lui (les Grecs n'ont pas recours au «cheval de Troie», épisode de l'*Odyssée** et de l'*Énéide**). Il poursuit Hector, le défie, le tue, puis, chaque jour, traîne son corps autour du tombeau de Patrocle. Sur un ordre des dieux, Achille rend finalement à Priam, le père d'Hector, la dépouille du vaincu. Ce récit, où la violence guerrière est omniprésente, se trouve enrichi par de nombr. péripéties annexes, d'autant que le conflit divise non seulement les hommes, mais aussi les dieux, certains protégeant les Troyens (Aphrodite), d'autres les Achéens (Athéna).

iliaque adj. ANAT Des flancs. *Os iliaque* : chacun des deux os (ischion en bas, pubis en avant) qui forment le pelvis (bassin osseux). V. ilion. *Artères, veines iliaques.* ▷ *Fosse iliaque* : l'une des deux régions de la cavité abdominale contenant les uretères, le cæcum et l'appendice, le côlon pelvien, et, chez la femme, les ovaires et les trompes utérines.

îlien, enne adj. et n. Qui habite une île. Syn. insulaire. ▷ *Spécial.* Qui habite une des îles du littoral atlantique.

ilion [iljɔ̃] ou **ilium** [iljɔm] n. m. ANAT Partie supérieure de l'os iliaque, appelée aussi *aile iliaque.*

Iliouchine (Sergheï Vladimirovitch) (Diljalevo, 1894 – Moscou, 1977), ingénieur soviétique. Il mit au point, à partir de 1932, une cinquantaine de modèles d'avions.

Ill, riv. d'Autriche (75 km), affl. du Rhin supérieur (r. dr.); naît dans le

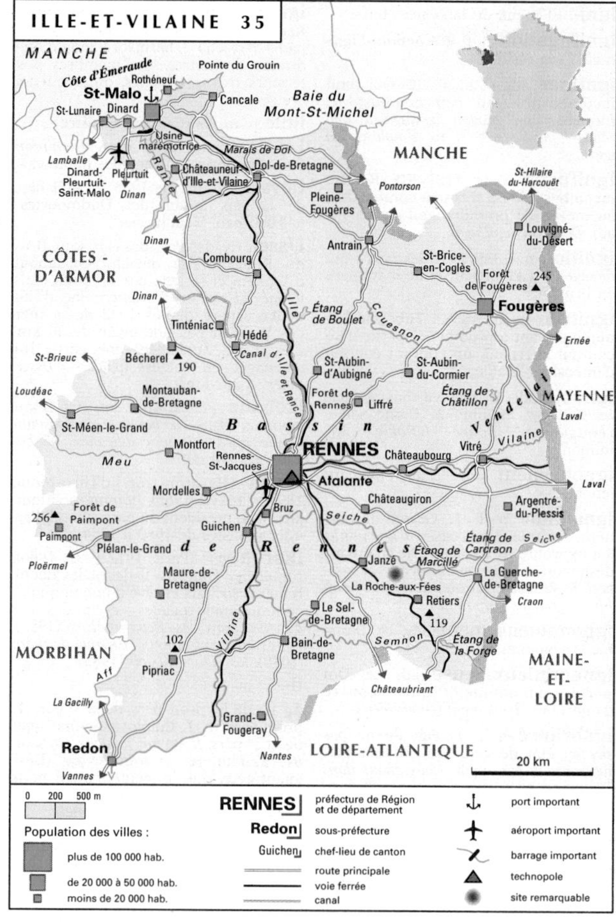

Vorarlberg et alimente de nombr. centrales hydroélectriques.

Ill, riv. de France (200 km), affl. du Rhin (r. g.); née dans le N. du Jura, elle traverse l'Alsace et se jette dans le Rhin au N. de Strasbourg.

Illampu, volcan des Andes de Bolivie; 6 550 m.

Ille, affl. (r. dr.) de la Vilaine (45 km) qui, suivi du canal de l'*Ille-et-Rance* (85 km), relie Rennes à Dinan.

Ille-et-Vilaine, dép. franç. (35); 6 758 km^2; 798 718 hab.; 118,2 hab./km^2; ch.-l. *Rennes.* V. Bretagne (Rég.).

illégal, ale, aux adj. Qui est contraire à la loi. *Trafic illégal.*

illégalement adv. D'une manière illégale.

illégalité n. f. **1.** Caractère de ce qui est illégal. **2.** Acte illégal.

illégitime adj. **1.** Qui ne remplit pas les conditions requises par la loi. *Mariage illégitime.* ▷ *Un enfant illégitime,* né hors du mariage. **2.** Contraire au droit naturel, au sens moral, à l'équité. *Décision illégitime.* **3.** Dépourvu de fondement, injustifié. *Requête illégitime.*

illégitimement adv. De façon illégitime, injustement, indûment.

illégitimité n. f. Didac. Défaut de légitimité.

iller. V. il 2.

Iller, riv. d'Allemagne (170 km), affl. du Danube (r. dr.); conflue près d'Ulm.

illettré, ée adj. **1.** Vx Qui n'est pas lettré. **2.** Mod. Qui ne sait ni lire ni écrire. ▷ Subst. *Alphabétiser les illettrés.*

illettrisme n. m. État de celui (celle) qui, bien qu'ayant été scolarisé, a perdu l'usage habituel de la lecture et de l'écriture.

Illich (Ivan) (Vienne, 1926), essayiste américain d'origine autrichienne, établi au Mexique. Ses essais critiquent avec acuité les institutions sociales (école, médecine, etc.) du monde contemporain (*Une société sans école,* 1971; *la Convivialité,* 1973; *Némésis médicale,* 1975; *H_2O et les eaux de l'oubli,* 1988).

illicite adj. Défendu par la loi ou par la morale. *Plaisir, gain illicite.* Syn. défendu, prohibé.

illicitement adv. De façon illicite.

illico [illiko] adv. Fam. Immédiatement, sans délai.

Illiers-Combray, ch.-l. de cant. d'Eure-et-Loir (arr. de Chartres), sur le Loir; 3 408 hab. – Illiers prit son nouveau nom lors du centenaire (1971) de la naissance de Marcel Proust, qui donna, dans *À la recherche du temps perdu,* le nom de *Combray* au village (Illiers) où il passa son enfance.

illimité, ée adj. Sans limites, sans bornes. *Espace illimité. Congé illimité.*

Illinois, riv. des É.-U. (440 km), affl. du Mississippi (r. g.); communique avec Chicago par le *canal de l'Illinois.*

Illinois, État du centre des É.-U.; 146 075 km^2; 11 431 000 hab.; cap. *Springfield;* v. princ. *Chicago.* – Plaine alluviale, au cœur du *Corn Belt,* l'Illinois est essentiellement une région agric. (céréales) et d'élevage. Il possède aussi d'import. ressources minières (houille, pétrole, zinc, minerai de fer), qui ont favorisé le développement de l'industrie (métall., méca., alim.). – Exploré par les Français (1673), cédé à la G.-B. (1763), l'Illinois devint territ. autonome en 1809, et le vingt et unième État de l'Union en 1818.

illisibilité n. f. État de ce qui est illisible.

illisible adj. **1.** Qu'on ne peut pas déchiffrer. *Écriture illisible.* **2.** Dont on ne supporte pas la lecture. *Roman illisible.*

illisiblement adv. De façon illisible.

Illkirch-Graffenstaden, ch.-l. de cant. du Bas-Rhin (arr. de Strasbourg-Campagne); 23 738 hab. Banlieue industr. S. de Strasbourg; constr. méca.

illogique adj. Non conforme aux règles de la logique; qui manque de logique. *Raisonnement, esprit illogique.*

illogiquement [illɔʒikmɑ̃] adv. De façon illogique.

illogisme n. m. **1.** Didac. Caractère de ce qui est illogique. **2.** Rare Chose, acte illogique.

illumination n. f. **I. 1.** THEOL Grâce spéciale que Dieu donne à l'âme d'un homme et qui procure connaissance et amour surnaturels. **2.** Fig. Inspiration soudaine et extraordinaire qui se répand dans l'esprit. **II. 1.** Action d'illuminer; son résultat. *Illumination des monuments.* **2.** (Plur.) Ensemble des lumières disposées sur les monuments, dans les rues, etc., à l'occasion d'une fête. *Les illuminations du 14 Juillet.*

illuminé, ée adj. et n. **1.** Éclairé par une vive lumière, par des illuminations. *Rue illuminée.* **2.** RELIG Fig. Qui a une vision; inspiré. ▷ Subst. Mystique qui prétend bénéficier d'une inspiration spéciale venant de Dieu. – Cour., péjor. Personne qui obéit aveuglément à ses inspirations et à ses croyances. *C'est un illuminé.*

illuminer v. tr. [1] **1.** Éclairer, répandre de la lumière sur. *Le soleil illumine la lune.* ▷ Fig. *Cet espoir avait illuminé toute son existence.* **2.** Orner de multiples lumières. *Illuminer un monument.* **3.** Fig. Donner un éclat particulier à. *La joie illuminait son visage.* ▷ v. pron. *Ses yeux s'illuminèrent de plaisir.* **4.** RELIG Éclairer (qqn) de la lumière divine.

illuminisme n. m. HIST Courant philosophique et religieux qui eut son apogée au XVIIIe s., fondée sur l'idée d'une inspiration directement insufflée par Dieu. ▷ Doctrine des illuminés.

illusion n. f. **1.** Perception erronée due à une apparence trompeuse. **2.** Interprétation erronée d'une sensation réellement perçue. ▷ *Illusion d'optique :* perception erronée de certaines qualités des objets (forme, dimensions, couleur, etc.). **3.** Apparence trompeuse dénuée de réalité. *Théâtre d'illusions.* *« L'Illusion comique », comédie de P. Corneille.* **4.** Jugement erroné, croyance fausse, mais séduisants pour l'esprit. *Se faire des illusions. Dissiper les illusions de qqn. « Illusions perdues », roman de Balzac.* ▷ *Faire illusion :* tromper en présentant une apparence flatteuse.

illusionner 1. v. tr. [1] Faire illusion à (qqn), séduire par des apparences trompeuses. **2.** v. pron. Se faire des illusions.

illusionnisme n. m. Art de créer l'illusion par des tours de prestidigitation.

illusionniste n. Artiste qui pratique l'illusionnisme.

illusoire adj. Vain, chimérique; qui ne se réalise pas. *Promesse illusoire.*

illustrateur, trice n. Artiste qui illustre des textes.

illustratif, ive adj. Qui illustre (sens 2 et 3).

illustration n. f. **1.** Vx État de ce qui est illustre; action de rendre illustre. *De grands écrivains contribuèrent à l'illustration du règne de Louis XIV.* ▷ Litt. Enrichissement, embellissement. *« Défense et illustration de la langue française », de J. du Bellay (1549).* **2.** Didac. Action d'illustrer, de rendre plus explicite. **3.** Action d'illustrer, d'orner de gravures, de photographies. ▷ Image (dessin, gravure, photographie, etc.) ornant un texte. *Illustrations hors texte.* ▷ AUDIOV *Illustration sonore :* musique qui accompagne un film, une émission télévisée.

illustre adj. Célèbre par l'éclat de ses œuvres, de son mérite, de son savoir. *Artiste illustre.* ▷ Iron. *Un illustre inconnu.*

illustré, ée adj. et n. m. **1.** adj. Orné d'illustrations. *Livre illustré.* **2.** n. m. Périodique comportant de courts textes et de nombreuses illustrations. ▷ *Spécial.* Journal de bandes dessinées.

illustrer v. tr. [1] **1.** Litt. Rendre célèbre, illustre. *Illustrer son nom.* ▷ v. pron. *S'illustrer dans une bataille par son courage.* **2.** Rendre plus clair, plus explicite. *Illustrer un texte d'exemples et de commentaires.* **3.** Orner (un ouvrage) d'images (gravures, dessins, photographies, etc.).

illustrissime adj. Vx ou iron. Très illustre.

Illyés (Gyula) (Rácegres, 1902 – Budapest, 1983), écrivain hongrois. Après un exil à Paris (1919-1925), où il se lia avec le groupe surréaliste, il publia dans son pays des poèmes (*Terre lourde,* 1928) et des récits (*Ceux des pusztas,* 1936) consacrés au monde paysan, et devint le chef de file des écrivains populistes.

Illyrie, anc. nom de la partie N. des Balkans, auj. répartie entre la Croatie, la Slovénie et l'Albanie. Colonisée par les Grecs (VIIIe s. av. J.-C.), puis par les Romains (27 av. J.-C.), l'Illyrie devint slavisante à partir du VIe s.

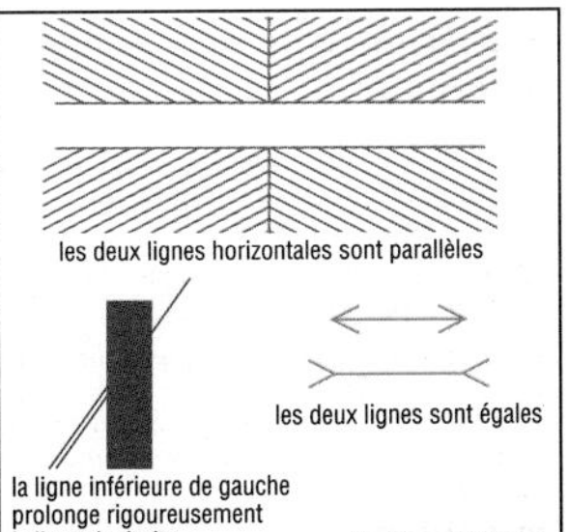
les deux lignes horizontales sont parallèles
les deux lignes sont égales
la ligne inférieure de gauche prolonge rigoureusement la ligne de droite
illusions d'optique

illyrien, enne adj. et n. De l'Illyrie. ▷ Subst. *Un(e) Illyrien(ne).* – HIST *Provinces illyriennes :* dépendances de l'Empire français de 1809 à 1815; restituées à l'Autriche (traité de Vienne, 1815), elles constituèrent, de 1816 à 1849, le *« royaume »* d'Illyrie qui n'eut jamais d'existence réelle, avant de devenir les provinces autrichiennes de Carniole, Carinthie, Goritz et Istrie.

illyrisme n. m. HIST Mouvement nationaliste, né au début du XIXe s., précurseur du mouvement qui, en 1918, créa la Yougoslavie.

Illzach, ch.-l. de cant. du Haut-Rhin (arr. de Mulhouse), au confl. de l'Ill et de la Doler; 15 936 hab. Papeteries; industr. textile.

Ilmen' (lac), lac de Russie (prov. de Saint-Pétersbourg); 1 100 km^2. Il est relié au lac Ladoga par le Volkhov.

Iloilo, v. et port des Philippines (île de Panay); 309 500 hab.; ch.-l. de la prov. du m. nom. Centre commercial.

Ilorin, v. de l'O. du Nigeria; 282 000 hab.; cap. de l'État de Kwara. Industr. alim.; tabac. Centre comm.

îlot n. m. **I.** Très petite île. ▷ Fig. *Un îlot de calme et de verdure.* **II.** *Par anal.* **1.** Groupe de maisons entouré de rues. *Îlots insalubres.* **2.** ANAT Groupement de cellules différenciées au sein d'un tissu ou d'un organe. *Îlots de Langerhans du pancréas,* qui sécrètent l'insuline.

îlotage n. m. ADMIN Système de surveillance et de sécurité urbain faisant intervenir les îlotiers.

ilote n. **1.** HIST À Sparte, esclave appartenant à l'État. **2.** Fig., litt. Personne méprisée et repoussée, réduite au dernier degré de la dégradation et de l'ignorance.

îlotier, ère n. Agent de police chargé de la surveillance d'un îlot de maisons.

im-. V. in- 1 et 2.

IMA, acronyme pour *Institut du monde arabe,* fondation (à Paris, 5e arr.) chargée de développer en France la connaissance de la civilisation arabo-islamique, passée et présente. Le bâtiment, dû à J. Nouvel, a été inauguré en 1987.

image n. f. **I. 1.** Représentation d'une personne, d'une chose par la sculpture, le dessin, la photographie, etc. ▷ Figure faisant l'objet d'un culte religieux. *Images des saints.* **2.** Estampe, gravure coloriée. – Loc. fig., fam. *Un enfant sage comme une image,* tranquille, calme. ▷ *Images d'Épinal :* images populaires coloriées produites à Épinal depuis le XIXe s. – Fig. *C'est une image d'Épinal,* une banalité, un cliché naïfs. **II. 1.** Représentation visuelle d'un objet donnée par une surface réfléchissante. *Regarder son image dans un miroir.* **2.** PHYS Représentation d'un objet donnée par un système optique. ▷ *Image réelle,* formée par la convergence de rayons lumineux et qui peut être reçue par un écran. ▷ *Image virtuelle,* visible par l'œil, mais qui ne peut être reçue par un écran. ▷ *Image d'un point lumineux,* qui correspond à un point objet. **3.** INFORM *Image de synthèse :* image artificielle créée à partir de données numériques, visualisable sur écran. **4.** MATH Dans une application, élément de l'ensemble d'arrivée correspondant à un élément de l'ensemble de départ. **III.** Représentation d'une réalité matérielle ou abstraite en termes d'analogie, de similitude. **1.** Ce qui évoque, reproduit qqch; ressemblance. *Ce sommeil qui est* *l'image de la mort.* **2.** Représentation sensible d'une abstraction, d'un objet invisible. *Elle est la vivante image du bonheur.* **3.** Métaphore. *Un style aux images audacieuses.* ▷ Description, représentation. *Son récit est l'image parfaite de ce que nous avons vécu.* **4.** *Image de marque :* ensemble des signes par lesquels une institution, une entreprise, une personne manifeste avantageusement sa spécificité, ses qualités auprès du public, dans un souci de notoriété. *Soigner son image de marque.* **IV. 1.** Représentation mentale d'une perception antérieure en l'absence de l'objet perçu. **2.** Représentation mentale d'une chose. *L'image du péril.*

image-orthicon n. m. (Nom déposé.) ELECTR (En appos.) *Tube image-orthicon :* tube électronique analyseur d'images d'une caméra de télévision, dont la sensibilité est env. 500 fois plus élevée que celle de l'iconoscope.

imager v. tr. [13] Fig., litt. Représenter, illustrer au moyen d'images, de métaphores. *Imager une représentation abstraite.* ▷ Pp. adj. *Langage, style imagé.*

imagerie n. f. **1.** Industrie, commerce des images. *Imagerie d'Épinal.* **2.** Ensemble d'images dont le sujet, le style et l'inspiration sont communs. **3.** MED *Imagerie médicale :* ensemble des procédés de diagnostic reposant sur l'image (radiographie, tomographie, scintigraphie, échographie, scanographie, I.R.M.); ensemble des images ainsi produites.

imagerie d'Épinal

imagier, ère n. et adj. **I.** n. **1.** n. m. Sculpteur, peintre du Moyen Âge. *Les imagiers des cathédrales.* **2.** n. Personne qui fabrique, vend des images. **3.** n. m. (Nom déposé) Livre d'images. **II.** adj. Relatif aux images.

imaginable adj. Qui peut être imaginé, conçu.

imaginaire adj. et n. m. **I.** adj. **1.** Qui n'existe que dans l'imagination, fictif. *Mal imaginaire. Pays imaginaire.* **2.** MATH *Nombre imaginaire :* nombre complexe. ▷ *Partie imaginaire d'un nombre complexe* $z = x + iy$ *:* le nombre iy dans lequel i est une quantité imaginaire telle que $i^2 = -1$ (par oppos. au nombre x qui en est la partie réelle). **3.** Qui n'est tel qu'en imagination. *Malade imaginaire.* **II.** n. m. Domaine, activité de l'imagination.

imaginatif, ive adj. Qui imagine aisément. *Esprit imaginatif.* ▷ Subst. *Cet enfant est un imaginatif.*

imagination n. f. **I. 1.** Vx Faculté de penser par images; connaissance sensible. **2.** PSYCHO Faculté qu'a l'esprit de reproduire les images d'objets déjà perçus (imagination reproductrice). **3.** Cour. Faculté de créer des images ou de faire des combinaisons nouvelles d'images (imagination créatrice). *Avoir de l'imagination, une imagination débordante.* **4.** Pouvoir d'invention; faculté d'inventer, de concevoir en combinant des idées. **II. 1.** Chose créée par l'imagination. **2.** Plur. Litt. Chimères, idée sans fondement. *Ce sont de pures imaginations!*

imaginer **I.** v. tr. [1] **1.** Se représenter à l'esprit. *J'imagine votre joie à l'annonce de cette nouvelle.* ▷ Supposer, croire. *J'imagine qu'il a dû prendre la fuite.* **2.** Inventer, créer. *Imaginer de nouvelles machines.* **II.** v. pron. **1.** Se figurer, se représenter. *Imagine-toi un ciel toujours bleu.* **2.** Se figurer sans fondement, à tort. *S'imaginer être un poète.*

1. imago [imago] n. m. ENTOM Forme adulte de l'insecte sexué devenu apte à la reproduction.

2. imago [imago] n. f. PSYCHAN Selon Jung, prototype inconscient élaboré dans l'enfance à partir des premières relations avec l'entourage familial («image» paternelle, maternelle, etc.), qui détermine à l'âge adulte le mode d'appréhension d'autrui par le sujet.

imam [imam] ou **iman** [imɑ̃] n. m. **1.** Anc. Chef religieux, chez les musulmans. **2.** Titre donné à tous les héritiers de Mahomet chez les sunnites, et seulement aux douze fondateurs du chiisme, chez les chiites. – Titre parfois donné, à titre honorifique, à des dignitaires religieux. ▷ Chef de la communauté religieuse chiite. **3.** Ancien titre des docteurs de l'islam. **4.** Mod. Ministre du culte qui, dans une mosquée, conduit la prière en commun.

Imamura (Shohei) (Tokyo, 1926), cinéaste japonais. Ses films inspectent avec acuité l'histoire de la société nippone : *Cochons et Cuirassés* (1961); *la Femme insecte* (1963); *Profonds Désirs des dieux* (1968); *la Ballade de Narayama* (1983); *Pluie noire* (1989), sur les victimes d'Hiroshima.

Imbaba ou **Embabèh,** v. d'Égypte; 341 000 hab. Faubourg du Caire, sur la r. g. du Nil. – La ville fut prise par Bonaparte au terme de la bataille des Pyramides (21 juil. 1798).

imbattable adj. **1.** Qui ne peut être battu, invincible. **2.** Fig. Qui ne peut être dépassé. *Qualité imbattable.*

imbécile adj. et n. **1.** adj. Vx Faible, fragile, débile. **2.** n. Vx PSYCHO Arriéré mental. ▷ adj. *Un adolescent imbécile.* **3.** adj. Sot, dépourvu d'intelligence, d'esprit, de jugement. – *Par ext.* Qui marque l'imbécillité. *Rire imbécile.* ▷ Subst. *Un(e) imbécile.*

imbécilement adv. Avec imbécillité.

imbécillité n. f. **1.** Vx État de l'imbécile (sens 1). **2.** PSYCHO Arriération mentale. **3.** Bêtise, absence d'intelligence. **4.** Action, parole, comportement imbécile. *Faire, raconter des imbécillités.*

imberbe adj. Sans barbe, dont la barbe n'a pas encore poussé.

imbiber **1.** v. tr. [1] Imprégner d'un liquide. *Imbiber d'eau une éponge, un linge.* **2.** v. pron. S'imprégner d'un liquide. – Pp. adj. *Compresse imbibée d'alcool.*

imbibition n. f. Didac. Action d'imbiber; fait de s'imbiber, d'être imbibé.

imbrication n. f. Manière dont sont disposées des choses imbriquées. ▷ Fig. *Imbrication des idées, des situations.*

imbriqué, ée adj. **1.** Qualifie des choses qui se recouvrent en partie, comme les tuiles d'un toit. **2.** *Écailles imbriquées.* ▷ Fig. Se dit de choses indissociablement liées, mêlées.

imbriquer **1.** v. tr. [1] Disposer en faisant se chevaucher comme les tuiles d'un toit. **2.** v. pron. Se recouvrir par imbrication. ▷ Fig. S'entremêler de manière indissociable, en parlant de sentiments, de pensées, de situations, etc.

imbroglio [ɛ̃bʀɔglijo ; ɛ̃bʀɔljo] n. m. **1.** Embrouillement, situation confuse. **2.** Pièce de théâtre dont l'intrigue est exagérément compliquée. *Imbroglio à l'espagnole.*

Imbros. V. Gökçeada.

imbrûlés n. m. pl. TECH Parties non brûlées d'un combustible.

imbu, ue adj. Pénétré, imprégné (d'idées, de sentiments, etc.). *Être imbu de préjugés. Être imbu de soi-même,* pénétré de son importance, vaniteux.

imbuvable adj. Qui n'est pas buvable; mauvais au goût. *Café imbuvable.* ▷ Fig., fam. *Une personne imbuvable,* insupportable.

Imérina, région du plateau central de Madagascar arrosée par la Betsiboka et l'Ikopa. Riziculture. Berceau des Mérinas.

Imhotep (v. 2800 av. J.-C.), médecin, architecte et lettré égyptien de la IIIe dynastie; ministre du pharaon Djoser. Il fut identifié au dieu guérisseur grec Asclépios. Il a construit la première pyramide à degrés (Saqqarah).

imitable adj. Qui peut être imité.

imitateur, trice adj. et n. **I.** adj. Qui imite, sait imiter. *Le singe est imitateur.* **II.** n. **1.** Personne qui plagie, copie. *Un imitateur de Braque.* **2.** Personne qui imite, consciemment ou non. ▷ *Spécial.* Artiste de music-hall qui imite la voix et les gestes de personnalités du monde politique, de vedettes de la chanson, etc.

imitatif, ive adj. Qui imite. – Spécial. *Harmonie imitative,* qui imite les sons de la nature.

imitation n. f. **1.** Action d'imiter; son résultat. **2.** Contrefaçon. *Une imitation de Raphaël. Imitation d'une signature.* **3.** Action de prendre pour modèle (une personne, son comportement, son œuvre). **4.** Matière, objet artificiel qui imite une matière, un objet plus précieux. *Imitation de diamant.* ▷ (En appos.) *Un sac imitation cuir.* **5.** MUS Répétition d'un thème musical déjà utilisé dans une autre partie de l'œuvre. *L'imitation est la base du canon, de la fugue et du contrepoint.* **6.** Loc. prép. *À l'imitation de :* sur le modèle de, à l'exemple de.

Imitation de Jésus-Christ, traité de piété chrétienne, écrit en lat. au XVe s., ouvrage anonyme, le plus souv. attribué au mystique Thomas a Kempis. P. Corneille en a donné une trad. en vers.

imiter v. tr. [1] **1.** Reproduire ou s'efforcer de reproduire (ce qu'on voit faire). *Imiter les manières de qqn.* **2.** Prendre pour modèle. *Imiter les Anciens.* **3.** Copier, contrefaire. *Imiter la signature de qqn.* **4.** (Choses) Ressembler à, faire le même effet que. *Bijou qui imite l'or.*

imagerie médicale

1 I.R.M. du corps entier.
2 Artériographie montrant une thrombose de l'artère carotide.
3 Xérographie : la main d'un enfant de six ans.
4 Thermographie de la face.
5 Scanner : image en trois dimensions d'une tumeur cérébrale.
6 I.R.M. : repérage d'une tumeur cérébrale en vue de son traitement.
7 Radiographie du rachis lombo-sacré.

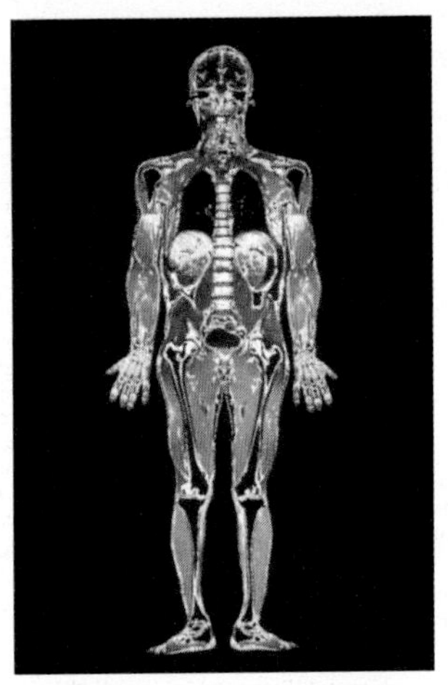
1

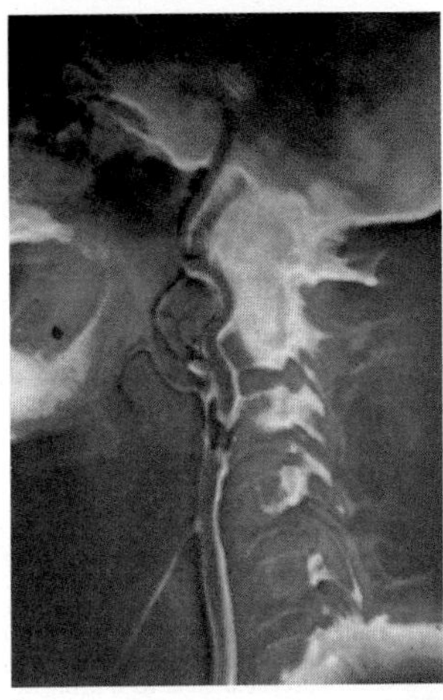
2

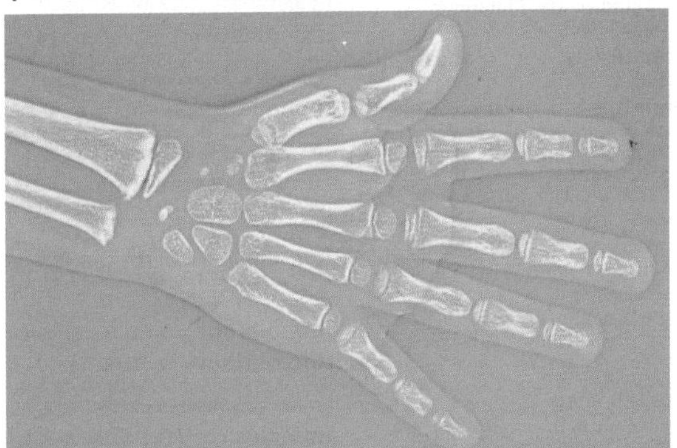
3

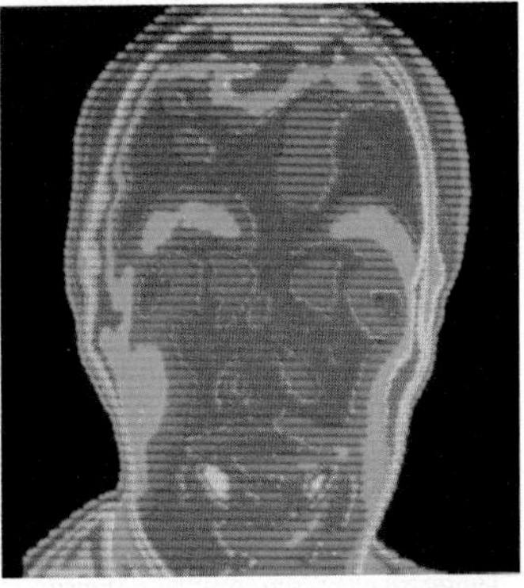
4

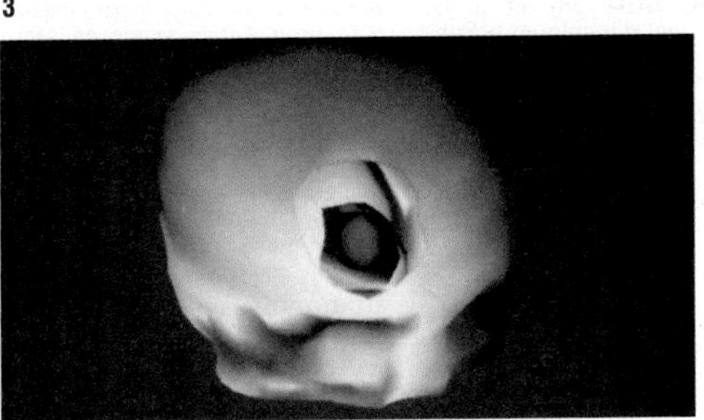
5

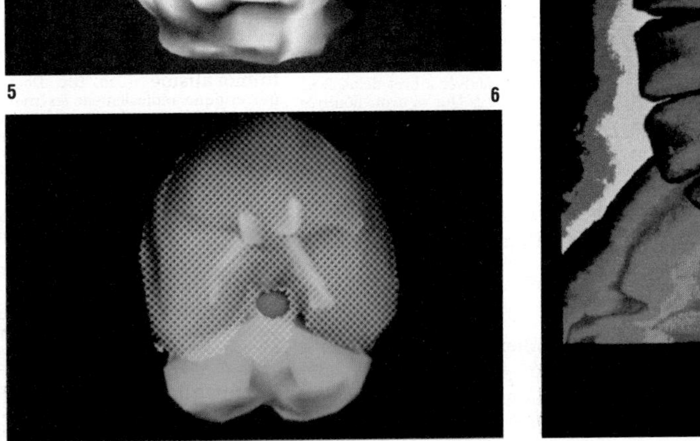
6

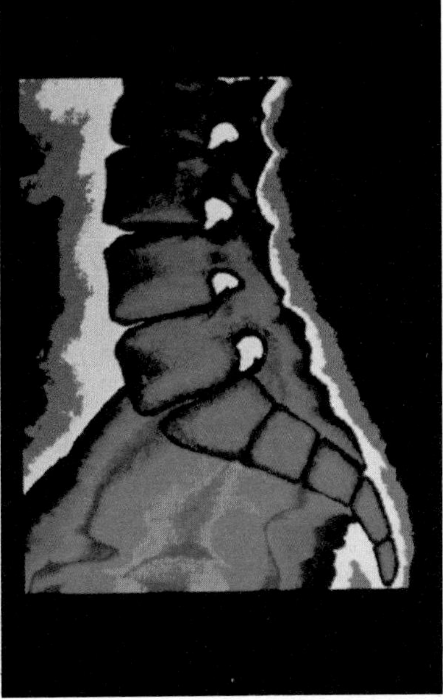
7

immaculé, ée adj. 1. THEOL Sans tache de péché. *L'Immaculée Conception de la Vierge.* ▷ Très pur, sans souillure. 2. Sans tache. *Blancheur immaculée.*

immanence n. f. PHILO Caractère de ce qui est immanent; inhérence. Ant. transcendance.

immanent, ente adj. PHILO Qui existe, agit à l'intérieur d'un être et ne résulte pas d'une action extérieure. *« Dieu est la cause immanente de toutes choses » (Spinoza).* ▷ *Par ext.* Qui est inhérent à la nature même de (qqn, qqch). *Justice immanente,* qui est inscrite dans l'ordre naturel des choses, et qui fait que le coupable est puni par les conséquences mêmes de sa faute.

immanentisme n. m. PHILO Doctrine selon laquelle Dieu ou tout autre absolu est immanent à l'homme, à la nature. Ant. transcendantalisme.

immangeable adj. Qui ne peut être mangé; mauvais à manger.

immanquable adj. 1. Qui ne peut pas être manqué. *Cible immanquable.* 2. Qui ne peut manquer de se produire. *Succès immanquable.*

immanquablement adv. Sans aucun doute, infailliblement.

immatérialisme n. m. PHILO Système métaphysique qui nie radicalement l'existence de la matière. *L'immatérialisme de Berkeley.*

immatérialiste n. PHILO Partisan de l'immatérialisme. ▷ adj. *Doctrines immatérialistes.*

immatérialité n. f. Didac. Qualité de ce qui est immatériel.

immatériel, elle adj. 1. PHILO Qui ne comporte pas de matière. 2. Qui ne concerne pas le corps, les sens. *Plaisir immatériel.*

immatriculation n. f. Action d'immatriculer; son résultat. *Numéro d'immatriculation d'une voiture.*

immatriculer v. tr. [1] Inscrire sur un registre officiel et public en vue d'identifier. *Immatriculer un étudiant.*

immature adj. I. BIOL 1. Inapte à la reproduction sexuée. 2. Qui n'est pas mûr. II. Qui manque de la maturité que donne l'expérience. *Un adolescent immature.*

immaturité n. f. Défaut, absence de maturité.

immédiat, ate adj. et n. m. I. adj. 1. PHILO Qui agit, est atteint ou se produit sans intermédiaire. *Cause immédiate.* 2. CHIM *Analyse immédiate :* séparation des corps purs présents dans un échantillon. *Analyse immédiate par triage, filtration, distillation,* etc. 3. Cour. Qui précède ou suit sans intermédiaire. *Prédécesseur immédiat.* ▷ Qui suit instantanément. *Effet immédiat.* II. n. m. *L'immédiat :* le moment présent ou qui suit sans délai. *Ce n'est pas prévu dans l'immédiat.*

immédiatement adv. 1. PHILO De manière immédiate. 2. Sans délai, à l'instant même; de manière immédiate (dans le temps ou dans l'espace).

immédiateté n. f. Litt. Qualité de ce qui est immédiat.

Immelmann (Max) (Dresde, 1890 – Sallaumines, 1916), aviateur allemand; as de la chasse pendant la Première Guerre mondiale. Une figure d'acrobatie aérienne porte son nom.

immémorial, ale, aux adj. Qui date d'une époque très lointaine; si ancien que l'origine est oubliée. *Temps immémoriaux. Usage immémorial.*

immense adj. 1. Didac. Que l'on ne peut mesurer, illimité. *L'immense sagesse de la divinité.* 2. Très étendu, dont les dimensions sont considérables.

immensément adv. D'une manière immense. *Être immensément riche.*

immensité n. f. 1. Didac. Caractère de ce qui est immense. 2. Très vaste étendue. *L'immensité des océans.* 3. Très grande quantité.

immensurable adj. Didac. Qui ne peut être mesuré.

immergé, ée adj. 1. Plongé dans un liquide; recouvert d'eau. 2. Didac. ECON *Économie immergée :* activité économique qui échappe à l'administration (ex. travail au noir).

immerger v. [13] 1. v. tr. Plonger dans un liquide. ▷ *Spécial.* Faire tomber dans la mer. *Immerger le cadavre d'un marin décédé à bord.* 2. v. pron. Se plonger totalement dans un milieu étranger (pour l'étudier de l'intérieur ou en apprendre la langue).

immérité, ée adj. Qui n'est pas mérité.

immersion n. f. 1. Action d'immerger; son résultat. – Fait d'être immergé. 2. ASTRO Entrée d'un astre derrière un autre astre (lors d'une occultation) ou dans l'ombre portée par un autre astre (lors d'une éclipse).

immettable adj. Que l'on ne peut pas mettre (en parlant d'un vêtement démodé, usé, etc.).

immeuble adj. et n. m. 1. adj. DR Qui ne peut être déplacé. *« Les biens sont immeubles, ou par leur nature, ou par leur destination, ou par l'objet auquel ils s'appliquent » (Code civil).* ▷ n. m. Bien immeuble. 2. n. m. Cour. Édifice, grande maison à plusieurs étages.

immigrant, ante adj. et n. Qui immigre ou vient d'immigrer. ▷ Subst. *Accueil des immigrants.* (On dit aussi *migrant.*) V. migrant.

immigration n. f. Entrée, établissement temporaire ou définitif dans un pays, de personnes non autochtones.

immigré, ée adj. et n. Établi dans un pays par immigration. *Les travailleurs immigrés.* ▷ Subst. *Un(e) immigré(e).*

immigrer v. intr. [1] Entrer dans un pays autre que le sien pour s'y établir.

imminence n. f. Caractère de ce qui est imminent.

imminent, ente adj. Qui menace de se produire, d'arriver à bref délai. *Péril, orage imminent.* ▷ Qui va avoir lieu très bientôt. *Nomination imminente.*

immiscer (s') [imise] v. pron. [12] S'ingérer dans, se mêler mal à propos de. *Vous vous immiscez dans une affaire qui ne vous regarde pas.* ▷ v. tr. *Il l'a immiscé dans cette sombre histoire.*

immixtion n. f. Action de s'immiscer, ingérence.

immobile adj. Qui ne se meut pas, ne se déplace pas; fixe. *Immobile comme une statue. Rester immobile.*

immobilier, ère adj. et n. m. 1. DR Composé d'immeubles; qui est immeuble ou considéré comme tel. *Biens immobiliers.* 2. Cour. Relatif à un immeuble, aux immeubles. *Saisie, vente immobilière.* 3. Qui a pour objet la vente ou la location de logements. *Agence, négociatrice immobilière.* ▷ n. m. *Travailler dans l'immobilier.*

immobilisation n. f. 1. Cour. Action de rendre immobile; son résultat. *Immobilisation d'un membre fracturé.* ▷ (Abstrait) FIN *Immobilisation de capitaux.* 2. Plur. FIN *Immobilisations d'une entreprise :* biens acquis ou créés par elle pour être utilisés de manière permanente (outillage, terrains, brevets, bâtiments, etc.), et qui figurent à l'actif de son bilan. 3. DR Procédé permettant de traiter les biens meubles comme des biens immeubles.

immobiliser v. tr. [1] 1. Rendre immobile; empêcher de se mouvoir. *Immobiliser un membre blessé.* ▷ v. pron. S'arrêter. 2. FIN *Immobiliser des capitaux,* les rendre indisponibles en les investissant. 3. DR Conférer fictivement à un bien mobilier la qualité d'immeuble.

immobilisme n. m. Attitude de celui qui refuse systématiquement toute transformation de l'état présent, toute innovation, tout progrès.

immobiliste adj. et n. Empreint d'immobilisme; partisan de l'immobilisme.

immobilité n. f. État d'une personne ou d'une chose immobile. *Malade contraint à l'immobilité.*

immodéré, ée adj. Qui n'est pas modéré, qui dépasse la mesure; excessif. *Dépenses immodérées.*

immodérément adv. D'une manière immodérée. *Boire immodérément.*

immodeste adj. Vieilli Qui manque à la pudeur. – Contraire à la modestie. *Propos immodestes.*

immolateur n. m. Vx Sacrificateur.

immolation n. f. 1. Action d'immoler; son résultat. 2. Action de s'immoler, de sacrifier ses intérêts.

immoler v. tr. [1] 1. Tuer en sacrifice à un dieu. *Immoler un animal, un être humain.* 2. Litt. Faire périr, massacrer. ▷ v. pron. Offrir sa vie en sacrifice. *S'immoler par le feu.* 3. Fig., litt. Sacrifier. *Immoler sa vie personnelle à la vie publique.* ▷ v. pron. Sacrifier sa vie, ses intérêts à. *S'immoler pour la patrie.*

immonde adj. 1. RELIG Impur. *Animaux immondes.* 2. Cour. D'une extrême saleté, ignoble, dégoûtant. – D'une hideur morale ignoble, révoltante. *Un être immonde.*

immondices n. f. pl. Ordures.

immoral, ale, aux adj. Qui viole les règles de la morale; contraire à la morale. *Un homme, un livre immoral.*

immoralisme n. m. Didac. Doctrine qui critique radicalement les morales traditionnelles et préconise un « renversement des valeurs » impliquant de nouvelles attitudes morales. *L'immoralisme de Nietzsche, de Gide.* ▷ Tendance à rejeter les valeurs de la morale établie.

immoraliste adj. et n. Didac. Qui professe l'immoralisme, qui en est partisan. *Doctrine, écrivain immoraliste.* ▷ Subst. *« L'Immoraliste », roman d'André Gide (1902).*

immoralité n. f. Caractère d'une personne ou d'une chose immorale. *L'immoralité d'un homme, d'un ouvrage, d'une doctrine.*

immortaliser v. tr. [1] Rendre immortel dans la mémoire des hommes. ▷ v. pron. *Démosthène s'immortalisa par son éloquence.*

immortalité n. f. 1. Qualité, état de ce qui est immortel. *L'immortalité de* *l'âme.* **2.** Qualité de ce qui survit éternellement dans la mémoire des hommes.

immortel, elle adj. et n. **I.** adj. **1.** Qui n'est pas sujet à la mort. *Les spiritualistes considèrent que l'âme est immortelle.* **2.** Impérissable, qu'on suppose devoir durer éternellement. *Une œuvre immortelle.* **3.** Dont le souvenir survivra toujours, devra toujours survivre dans la mémoire des hommes. *Exemples immortels de courage.* **II.** n. **1.** Académicien(ne). **2.** n. m. pl. Divinités du paganisme. *L'Olympe, séjour des immortels.*

immortelle n. f. Nom cour. de diverses plantes dont les fleurs, une fois desséchées, conservent leur aspect (ex. : xéranthèmes, statices).

immortelle à bractées, dite des jardins

immotivé, ée adj. Qui n'est pas motivé. *Réclamation immotivée.*

immuabilité ou **immutabilité** n. f. Didac. Caractère de ce qui est immuable.

immuable adj. **1.** Qui n'est pas sujet à changement, à transformation. *La loi immuable de la pesanteur.* **2.** Fig. Ferme, constant. *Volonté, conviction immuable.*

immuablement adv. D'une manière immuable.

immun, une [imœ̃, yn] adj. et n. m. Didac. Se dit d'une personne, d'un organisme immunisé. ▷ n. m. *Un immun.*

immunisant, ante adj. et n. m. Qui immunise. *Sérum immunisant.*

immunisation n. f. Action d'immuniser; son résultat.

immuniser v. tr. [1] Rendre réfractaire à une maladie infectieuse, à l'action d'un agent pathogène extérieur. – Pp. *Personne immunisée contre la variole.* ▷ Fig. Rendre insensible à. *Immuniser qqn contre la peur.*

immunitaire adj. MED, BIOL Relatif à l'immunité. *Réaction immunitaire.*

immunité n. f. **I. 1.** HIST, FEOD Privilège d'un domaine soustrait à l'impôt et à l'autorité directe du roi. **2.** Privilège, prérogative accordés à certaines personnes. ▷ Spécial. *Immunité parlementaire* : inviolabilité judiciaire accordée à un parlementaire pendant la durée des sessions (impossibilité de le poursuivre sauf en cas de flagrant délit). *Seule l'Assemblée peut décider de lever l'immunité parlementaire de l'un de ses membres.* – *Immunité diplomatique,* qui soustrait les membres du corps diplomatique à la juridiction du pays où ils sont en poste. **II.** BIOL Propriété que possède un organisme vivant de développer des moyens spécifiques de défense (naturels ou acquis) contre un agent pathogène extérieur (infectieux, toxique, tumoral) ou contre un corps étranger (greffe, cellules d'un autre individu). – État d'un organisme immunisé. Ant. anaphylaxie.

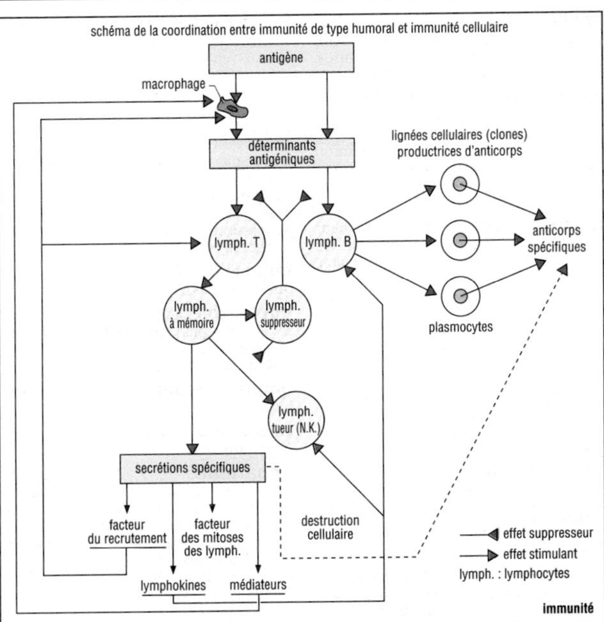

immunité

ENCYCL **Biol.** – L'immunité dépend de deux types de systèmes : humoral (anticorps et complément); cellulaire (lymphocytes, macrophages). Chaque type d'immunité, antibactérienne par ex., peut être acquis naturellement (transmission par la mère, acquisition lors d'une infection atténuée ou d'une grossesse) ou artificiellement (vaccination, transfusion). Elle provoque l'éviction des corps étrangers de l'organisme par la mise en jeu de différents systèmes : phagocytose, neutralisation, élaboration d'anticorps. L'immunité est déprimée en cas d'hémopathie maligne, de cancer ou lors de certains traitements; une telle dépression favorise les infections. Dans l'immunité de greffe, le rejet du greffon incompatible peut s'expliquer par la réponse spécifique de l'organisme hôte au greffon qui se comporte en antigène.

immuno-. Préfixe, du lat. *immunis,* «exempt de, libre de».

immunocompétent, ente adj. BIOL Se dit des cellules capables d'intervenir dans les phénomènes d'immunité.

immunodéficience n. f. Syn. de *immunodépression.*

immunodéficitaire adj. MED, BIOL Qui se rapporte à l'immunodéficience.

immunodépresseur ou **immunosuppresseur** adj. et n. m. MED, BIOL Se dit de tout procédé (chimique, physique ou biologique) capable de provoquer une diminution ou une abolition des réactions immunitaires.

immunodépressif, ive adj. MED, BIOL Relatif à l'immunodépression.

immunodépression n. f. BIOL Réduction ou disparition des réactions immunitaires. Syn. immunodéficience.

immunodéprimé, ée adj. MED Se dit d'un sujet dont les défenses immunitaires sont affaiblies ou abolies.

immunogène adj. BIOL Qui immunise. *Facteurs immunogènes.*

immunogénétique n. f. BIOL Étude des facteurs génétiques intervenant dans l'immunité.

immunoglobuline n. f. MED, BIOL Anticorps. V. anticorps et globuline.

immunologie n. f. MED, BIOL Partie de la médecine et de la biologie qui étudie l'immunité, sa pathologie et les moyens artificiels (vaccination, sérothérapie, etc.) de provoquer ou de renforcer les réactions immunitaires.

immunologique adj. De l'immunologie. *Compatibilité immunologique.*

immunologiste n. Didac. Spécialiste de l'immunité biologique.

immunoscintigraphie n. f. MED Scintigraphie* dans laquelle on utilise un anticorps radioactif monoclonal de la tumeur (du sein, de l'ovaire, etc.) qu'on cherche à observer.

immunostimulant, ante adj. et n. m. Qui stimule les défenses immunitaires.

immunosuppresseur. V. immunodépresseur.

immunosuppressif, ive adj. MED Qui diminue ou supprime les défenses immunitaires.

immunotechnologie n. f. Didac. Technologie concernant la fabrication d'anticorps qui jouent un rôle dans l'immunité.

immunothérapie n. f. MED Méthode thérapeutique visant à renforcer les défenses de l'organisme en créant une immunisation soit contre un agent déterminé (ex. : vaccination), soit globale (ex. : dans le cas d'un cancer, administration de B.C.G., d'extraits lymphatiques, de cytokines*, etc.).

immunotolérant, ante adj. MED Qui ne présente pas de réaction immunitaire à une substance.

immutabilité. V. immuabilité.

Imola, v. d'Italie (Émilie), sur le Santerno (affl. du Reno); 60 010 hab. Industr. métallurgiques, alimentaires, Poteries, tanneries. – Circuit auto.

impact [ɛ̃pakt] n. m. **1.** Choc, collision, heurt. – *Point d'impact :* endroit où un projectile vient frapper. **2.** Fig. Effet produit, influence sur l'opinion par un événement, une campagne publicitaire, etc. *Son discours a eu un impact important.*

1. impair, aire adj. MATH Qui ne peut être divisé en deux nombres entiers égaux. *Nombres impairs.* – *Fonction, application impaire,* telle que f(–x) = –f(x). *La fonction sin x est impaire.* ▷ Qui porte un numéro, les numéros impairs. *Le côté impair d'une rue.*

2. impair n. m. Bévue, maladresse. *Faire, commettre un impair.*

impalpable adj. Qu'on ne peut palper, toucher; trop ténu pour donner une impression au toucher. *Poudre impalpable.*

impaludation n. f. MED Contamination par l'agent du paludisme*.

impaludé, ée adj. MED Atteint de paludisme. ▷ Se dit d'une région où sévit le paludisme.

impanation n. f. THEOL Coexistence du pain et du corps de Jésus-Christ dans l'eucharistie (doctrine luthérienne).

imparable adj. Impossible à parer, inévitable. *Coup imparable.*

impardonnable adj. Qui ne peut, qui ne saurait être pardonné. *Faute impardonnable.* – (Personnes) *Il est impardonnable.*

imparfait, aite adj. et n. m. **1.** adj. Qui n'est pas parfait; défectueux, inachevé. *Ouvrage imparfait. Guérison imparfaite.* **2.** n. m. GRAM Temps passé du verbe, indiquant qu'une action n'était pas achevée quand une autre s'est produite (*imparfait de concomitance,* ex. : *j'écrivais quand vous êtes entré*) ou marquant d'une façon absolue une action prolongée, habituelle ou répétée dans le passé (*imparfait d'habitude,* ex. : *les Romains portaient la toge*) ou forme affirmative de politesse (ex : *je voulais vous demander*).

imparfaitement adv. De manière imparfaite.

imparisyllabique adj. GRAM Se dit des mots latins qui n'ont pas le même nombre de syllabes au nominatif et au génitif singuliers. ▷ n. m. *Les imparisyllabiques.* – Par ext. *Déclinaison imparisyllabique.*

imparité n. f. Didac. Caractère de ce qui est impair.

impartageable adj. Qui ne peut être partagé.

impartial, ale, aux [ɛ̃paʀsjal, o] adj. Qui n'est pas partial, qui n'est pas troublé par des considérations partisanes; équitable. *Enquête impartiale. Juge impartial.*

impartialement adv. D'une manière impartiale.

impartialité [ɛ̃paʀsjalite] n. f. Caractère de ce qui est impartial.

impartir v. tr. [3] Accorder, attribuer. *On leur a imparti un délai très court.*

impasse n. f. **1.** Petite rue sans issue, cul-de-sac. ▷ Fig. Situation sans issue favorable. *Les négociations sont dans une impasse.* **2.** Fig. Dans certains jeux de cartes (bridge, par ex.), technique de jeu qui consiste à jouer une carte inférieure à la carte maîtresse d'une fourchette, en supposant que le joueur suivant ne détient pas la carte intermédiaire. *Tenter l'impasse.* ▷ Fig. *Faire l'impasse sur (une éventualité) :* agir en prenant un risque et en comptant que cette éventualité, défavorable, ne se réalisera pas. ▷ FIN *Impasse budgétaire :* déficit volontaire évalué lors de la préparation du budget de l'État et dont on espère la couverture par des ressources de trésorerie (et non par des ressources budgétaires).

impassibilité n. f. Qualité de celui qui est impassible.

impassible adj. Qui ne s'émeut, ne se trouble pas; qui ne laisse paraître aucune émotion, aucun trouble. *Impassible devant le danger.*

impassiblement adv. Avec impassibilité.

impatiemment [ɛ̃pasjamɑ̃] adv. Avec impatience.

impatience n. f. **1.** Manque de patience; difficulté ou incapacité d'attendre, de patienter. *L'impatience naturelle des enfants.* **2.** Incapacité de se contraindre à supporter qqn ou qqch ou à l'attendre. *Avoir un geste d'impatience.* **3.** (Plur.) Fam., vieilli Légers mouvements nerveux. *Avoir des impatiences dans les jambes.*

impatient, ente adj. et n. **1.** Qui manque de patience. ▷ Subst. *Un(e) impatient(e).* **2.** *Impatient de* (+ inf.) : qui attend et a hâte de... *Il est impatient de vous rencontrer.*

impatiente [ɛ̃pasjɑ̃t] ou **impatiens** [ɛ̃pasjɑ̃s] n. f. BOT Plante herbacée aux tiges charnues, aux nombreuses fleurs variées, vivace sans abri. Syn. noli-me-tangere.

impatienter [ɛ̃pasjɑ̃te] **1.** v. tr. [1] Faire perdre patience, énerver, irriter. *Sa lenteur m'impatiente.* **2.** v. pron. Perdre patience.

impatroniser (s') v. pron. [1] Litt. Se poser, s'établir en maître quelque part.

impavide adj. Litt. Qui ne se laisse pas ébranler par la peur.

impayable adj. Fam. Extraordinaire; comique ou ridicule. *Une histoire impayable. Il est impayable.*

impayé, ée adj. et n. m. Qui n'a pas été payé. *Effets de commerce, coupons impayés.* ▷ n. m. *Le recouvrement des impayés.*

impeachment [impitʃmɛnt] n. m. (Anglicisme) POLIT Aux États-Unis, mise en accusation du président ou du vice-président par la Chambre des représentants, pour crime ou violation de la Constitution.

impeccable adj. **1.** RELIG Incapable de pécher. **2.** Cour. Irréprochable, parfait, sans défaut. *Une tenue impeccable. C'est impeccable!* (Abrév. fam. : impec). – (Personnes) *Il a été impeccable avec nous.*

impeccablement adv. D'une manière impeccable, irréprochable.

impécunieux, euse adj. Litt. Qui manque d'argent.

impécuniosité n. f. Vieilli, litt. Manque d'argent.

impédance n. f. ELECTR Rapport entre la valeur efficace de la tension appliquée aux bornes d'un circuit et la valeur efficace du courant alternatif qui le traverse. (Elle est égale au rapport des valeurs maximales de ces deux grandeurs.)

impedimenta [ɛ̃pedimɛ̃ta] n. m. pl. **1.** Vieilli Matériel, bagages encombrants qui retardent la marche d'une armée. **2.** Mod. Ce qui retarde le mouvement, l'activité.

impénétrabilité n. f. **1.** Didac. Propriété en vertu de laquelle deux corps ne peuvent occuper en même temps le même lieu dans l'espace. **2.** Caractère de ce qui est impénétrable.

impénétrable adj. **1.** Qui ne peut être pénétré, traversé. *Blindage impénétrable.* – Où l'on ne peut pénétrer. *Forêt impénétrable.* **2.** Fig. Qu'on ne peut expliquer, connaître; insondable, obscur. *Mystères, desseins impénétrables.* **3.** Dont on ne peut deviner les sentiments. *Il est impénétrable.* – *Avoir un air impénétrable.*

impénitence n. f. THEOL Endurcissement dans le péché; état d'un pécheur impénitent. *Impénitence finale,* celle dans laquelle on meurt.

impénitent, ente adj. **1.** RELIG Qui ne se repent pas; endurci dans le péché. *Pécheur impénitent. Mourir impénitent.* **2.** Cour. Qui persiste dans ses habitudes, dans son vice. *Bavard, ivrogne impénitent.*

impensable adj. Inconcevable.

impenses n. f. pl. DR Dépenses faites pour l'entretien ou l'amélioration d'un immeuble par la personne qui en a la jouissance sans en être propriétaire.

imper [ɛ̃pɛʀ] n. m. Fam. Abrév. de *imperméable.*

impératif, ive n. m. et adj. **I.** n. m. **1.** GRAM Mode du verbe qui exprime le commandement, l'exhortation, la défense (ex. : Sortez!). ▷ adj. *Le mode impératif.* **2.** Commandement de la morale. *Impératif catégorique* (Kant), qui n'est subordonné à aucune condition. **3.** Cour. Prescription impérieuse. **II.** adj. **1.** Qui a le caractère d'un ordre absolu. *Donner des consignes impératives.* **2.** Qui marque le commandement. *Ton impératif.* **3.** Impérieux. *Obligation impérative.*

impérativement adv. D'une manière impérative.

impératrice n. f. **1.** Femme d'un empereur. *L'impératrice Joséphine.* **2.** Femme qui gouverne un empire. *L'impératrice Catherine de Russie.*

imperceptible adj. **1.** Qui ne peut être perçu par les sens. *Animalcules imperceptibles.* ▷ *Par ext.* À peine perceptible. *Odeur imperceptible.* **2.** Fig. Qui échappe à l'attention. *Progrès imperceptibles.*

imperceptiblement adv. De manière imperceptible.

imperdable adj. Qu'on ne peut perdre. *Procès imperdable.*

imperfectible adj. Qu'on ne peut perfectionner.

imperfectif, ive adj. et n. m. LING Se dit des formes verbales, propres à certaines langues (le russe, par ex.), exprimant une action considérée dans sa durée. *Un verbe imperfectif.* Ant. perfectif. – n. m. *Un imperfectif.*

imperfection n. f. **1.** État de ce qui est imparfait. *L'imperfection de l'intelligence humaine.* **2.** Partie, détail défectueux. *Les imperfections d'un poème.*

imperforation n. f. MED Malformation congénitale consistant en l'occlusion d'un canal ou d'un orifice normalement libre. *Imperforation anale.*

Imperia, v. d'Italie (Ligurie); ch.-l. de la prov. du m. nom; 41 840 hab. Port et stat. baln. Industr. métall. et du soufre. Comm. d'huile d'olive.

impérial, ale, aux adj. et n. **I.** adj. Qui appartient à un empereur, à un empire. *La garde impériale.* – Propre à un empereur. *Une allure impériale.* ▷ n. m. pl. HIST *Les Impériaux* : les troupes des empereurs du Saint Empire, du XVIe s. jusqu'en 1806. **II.** n. f. **1.** Étage supérieur de certains véhicules transportant des voyageurs. *Diligence, autobus à impériale.* **2.** Touffe de poils garnissant la lèvre inférieure, telle que la portait Napoléon III.

impérialement adv. D'une façon impériale.

impérialisme n. m. **1.** Vx Bonapartisme. **2.** Mod. Politique d'un État qui cherche à étendre sa domination politique ou économique au détriment d'autres États.

impérialiste n. et adj. Partisan de l'impérialisme (sens 2). ▷ adj. *Menées impérialistes.*

impérieusement adv. D'une manière impérieuse.

impérieux, euse adj. **1.** Vieilli Qui commande de façon absolue. *Personne impérieuse.* – *Geste, ton impérieux.* **2.** (Choses) Qui oblige à céder; pressant, irrésistible. *Besoins impérieux.*

impérissable adj. Qui ne saurait périr. *Il n'y a rien d'impérissable.* ▷ *Par ext.* Qui dure longtemps. *Souvenir impérissable.*

impéritie [ɛ̃peʀisi] n. f. Litt. Incapacité, inaptitude (dans l'exercice d'une fonction). *L'impéritie d'un général.*

imperméabilisant, ante n. m. et adj. Produit qui imperméabilise (notam. le tissu, le cuir). ▷ adj. *Spray imperméabilisant.*

imperméabilisation n. f. Traitement destiné à rendre certaines matières (spécial. le tissu) imperméables à l'eau.

imperméabiliser v. tr. [1] Rendre imperméable.

imperméabilité n. f. Qualité de ce qui est imperméable.

imperméable adj. et n. m. **1.** Qui ne se laisse pas traverser par un liquide, par l'eau. ▷ n. m. Vêtement fait de matière imperméable à l'eau. (Abrév. fam. : imper). **2.** Fig. Insensible, indifférent. *Imperméable aux reproches.*

impersonnalité n. f. Caractère de ce qui est impersonnel (sens 1 et 2).

impersonnel, elle adj. **1.** Dépourvu de marque personnelle, d'originalité. *Une œuvre impersonnelle.* **2.** Qui n'appartient pas à une personne en particulier. *La science est impersonnelle.* **3.** GRAM *Verbes impersonnels,* qui ne s'emploient qu'à la troisième personne du singulier et à l'infinitif, et dont le sujet grammatical (le pronom neutre *il*) ne réfère pas à un sujet réel ou déterminable de l'action exprimée par le verbe. (Ex. : il faut, il neige, il convient que.) ▷ *Modes impersonnels,* qui ne reçoivent pas d'indication de personnes (infinitif, participe).

impertinemment [ɛ̃pɛʀtinamɑ̃] adv. Rare Avec impertinence.

impertinence n. f. Comportement impertinent. ▷ Parole, action impertinente.

impertinent, ente adj. et n. Qui manque de respect, de politesse. *Enfant impertinent. Réponse impertinente.* Syn. irrévérencieux, insolent. – Subst. *Quel impertinent!*

imperturbabilité n. f. Rare Caractère de celui, de ce qui est imperturbable.

imperturbable adj. (Personne, attitude.) Que rien ne peut troubler. *Un calme imperturbable.*

imperturbablement adv. D'une manière imperturbable.

impesanteur n. f. ESP Absence apparente de pesanteur, observée à l'intérieur d'un véhicule dont le mouvement s'effectue sous la seule action de la gravitation. (L'impesanteur n'est réalisée exactement qu'au centre de masse du véhicule, dans le reste de celui-ci on observe une microgravité*.) V. apesanteur.

impétigo [ɛ̃petigo] n. m. Dermatose de l'enfant siégeant surtout à la face et aux mains, due au streptocoque ou au staphylocoque et caractérisée par des vésicules prurigineuses qui forment des croûtes suintantes.

impétrant, ante n. Personne qui a obtenu un titre, un diplôme, etc. *Signature de l'impétrant.*

impétrer v. tr. [14] DR Obtenir (qqch) à la suite d'une requête.

impétueusement adv. Avec impétuosité.

impétueux, euse adj. **1.** Litt. (Choses) Dont le mouvement est à la fois violent et rapide. *Torrent impétueux.* **2.** Qui est plein de fougue, ne sait pas se contenir. *Il est jeune et impétueux.* – Par ext. *Désirs impétueux.*

impétuosité n. f. Caractère d'une personne impétueuse, de ce qui est impétueux.

Imphāl, v. de l'Inde, cap. du Manipur, sur le fl. du m. nom; 156 620 hab.

impie adj. et n. Vieilli Qui manifeste de l'indifférence ou du mépris à l'égard de la religion. *Paroles impies.* ▷ Subst. *Des impies.*

impiété n. f. Vieilli État d'esprit de l'impie. ▷ Action, parole impie.

impitoyable adj. Qui est sans pitié. *Adversaire impitoyable.*

impitoyablement adv. D'une manière impitoyable.

implacabilité n. f. Rare Caractère de ce qui est implacable.

implacable adj. **1.** Dont on ne peut apaiser la violence, adoucir la cruauté. *Ennemi implacable.* **2.** À quoi l'on ne peut échapper. *Mal implacable.*

implacablement adv. D'une manière implacable.

implant [ɛ̃plɑ̃] n. m. **1.** MED Fragment de tissu, comprimé médicamenteux ou substance radioactive que l'on place dans le tissu sous-cutané ou un autre tissu dans un but thérapeutique. **2.** *Implant dentaire* : dispositif enraciné dans la mâchoire et sur lequel on fixe une prothèse. – *Implant de cheveux,* destiné à remédier à la calvitie.

implantation n. f. **1.** Action d'implanter, de s'implanter. ▷ CONSTR, TRAV PUBL Opération destinée à définir, puis à matérialiser sur le terrain les contours d'un ouvrage. **2.** MED Mise en place d'un implant. **3.** *Implantation dentaire* : disposition des dents sur l'arcade dentaire.

implanté, ée adj. **1.** Qui a été l'objet d'une implantation. **2.** Placé (en parlant des dents). *Dent mal implantée.* **3.** Qui s'est installé.

implanter v. tr. [1] **1.** Rare Planter, insérer dans. ▷ CHIR Pratiquer un implant. **2.** Introduire, établir quelque part. *Implanter une usine dans une zone privée d'activité industrielle.* ▷ v. pron. Fig. *Doctrine qui s'implante.*

implantologie n. f. Didac. Étude et technique de l'implantation dentaire.

implémentation n. f. INFORM Adaptation et mise en service d'un logiciel donné sur un système informatique donné.

implémenter v. tr. [1] INFORM Adapter un logiciel particulier à de nouveaux besoins (ordinateur différent ou utilisations différentes).

implication n. f. **I.** DR Situation d'une personne impliquée dans une affaire criminelle. **II. 1.** Conséquence inévitable. *Les implications économiques du développement industriel.* **2.** MATH Relation qui établit qu'une proposition, appelée *hypothèse,* en entraîne une autre, appelée *conclusion.* (Si la proposition P s'énonce : «x se termine par zéro» et si la proposition Q s'énonce «x est multiple de 5», l'implication $P \Rightarrow Q$ est vraie, car tout nombre se terminant par 0 est divisible par 5, alors que l'implication $Q \Rightarrow P$ est fausse; en effet, cette dernière est vérifiée pour $x = 10$, mais non pour $x = 15$.)

implicite adj. **1.** Qui, sans être exprimé formellement, peut être déduit de ce qui est exprimé. *Condition implicite d'un marché.* Ant. explicite. **2.** MATH *Fonction implicite par rapport à une variable,* dont on ne peut directement calculer les valeurs correspondant aux valeurs de la variable.

implicitement adv. D'une manière implicite.

impliquer v. tr. [1] **I.** Mêler (qqn) à une affaire fâcheuse. *Impliquer (qqn) dans un complot.* ▷ v. pron. (Réfl.) Mettre toute son énergie (dans qqch). *Il s'est impliqué dans cette affaire.* **II. 1.** Comporter implicitement, avoir pour conséquence. *La politesse implique l'exactitude.* **2.** MATH *P implique Q* : la proposition P entraîne la proposition Q. (On note $P \Rightarrow Q$.)

implorant, ante adj. Litt. Qui implore.

imploration n. f. Litt. Action d'implorer.

implorer v. tr. [1] **1.** *Implorer qqn,* le supplier humblement. **2.** *Implorer une grâce, une aide,* la demander avec humilité et insistance.

imploser v. intr. [1] TECH Faire implosion.

implosif, ive adj. et n. f. LING Se dit d'une consonne articulée moins distinctement, à la fin d'une syllabe. ▷ n. f. *Une implosive.*

implosion n. f. TECH Éclatement d'un corps creux sous l'action d'une pression plus forte à l'extérieur qu'à l'intérieur. *Implosion du tube cathodique d'un téléviseur.*

impluvium [ɛ̃plyvjɔm] n. m. ANTIQ Dans les maisons romaines, bassin aménagé au centre de l'atrium pour recevoir les eaux de pluie. *Des impluviums.*

impoli, ie adj. et n. Qui manque de politesse. *Personnes, manières impolies.* – Subst. *Un(e) impoli(e).*

impoliment adv. Avec impolitesse.

impolitesse n. f. Manque de politesse. ▷ Procédé impoli.

impondérabilité n. f. Didac. Qualité de ce qui est impondérable.

impondérable adj. et n. m. **1.** Qui est difficile à prévoir, à imaginer, mais qui peut avoir des conséquences importantes (circonstance, événement). *Des économies impondérables.* – n. m. *Un impondérable.* **2.** PHYS Qui semble ne pas avoir de poids. ▷ *Fluides impondérables :* nom donné autref. à la lumière, à la chaleur et à l'électricité.

impopulaire adj. Qui n'est pas aimé, apprécié du peuple. *Ministre, loi impopulaire.* – *Par anal.* Qui n'est guère apprécié, que l'on considère sans bienveillance. *Professeur très impopulaire.*

impopularité n. f. Caractère de ce qui est impopulaire.

1. importable adj. **1.** Dont on ne peut supporter le poids, la charge. **2.** Qualifie un vêtement que l'on ne peut porter.

2. importable adj. Qu'on a la possibilité, le droit d'importer (2).

importance n. f. **1.** Caractère de celui, de ce qui est important. *L'importance d'un auteur, d'un livre.* **2.** Autorité, influence, prestige. **3.** *D'importance :* très fort. *Je l'ai tancé d'importance.*

important, ante adj. et n. **1.** (Choses) Qui n'est pas négligeable qualitativement, quantitativement ou en raison de ses conséquences. *Œuvre, somme, découverte, révélation importante.* ▷ n. m. Ce qui est important, essentiel. *C'est cela l'important.* **2.** Qui a de l'influence, du pouvoir. *Visiteur important.* ▷ Subst. *Faire l'important(e).*

importateur, trice n. et adj. Qui fait le commerce d'importation. *Un importateur de céréales.* – adj. *Région importatrice.*

importation n. f. **1.** Action d'importer (2). **2.** (Plur.) Ce qui est importé.

1. importer v. tr. indir. et intr. [**1**] (Empl. seulement à l'inf. et aux 3e pers.) **1.** (Choses) Être important, digne d'intérêt. *Cela m'importe peu.* ▷ v. impers. *Il importe de savoir manœuvrer.* **2.** Loc. *Qu'importe ! Peu importe ! :* cela est indifférent. – Litt. *(Il) n'importe :* cela n'a pas d'importance. **3.** Loc. pron. indéf. *N'importe qui, n'importe quoi :* une personne, une chose quelconque. ▷ Loc. adv. *N'importe comment, où, quand.*

2. importer v. tr. [**1**] **1.** Introduire dans un pays, en vue de commercialisation (des biens, des services achetés à l'étranger). ▷ Fig. *Importer un style de vie.* Ant. exporter. **2.** INFORM Sauvegarder des données provenant d'un autre format ou d'un autre support.

import-export [ɛ̃pɔʀɛkspɔʀ] n. m. inv. Commerce avec l'étranger (importations et exportations). *Société spécialisée dans l'import-export.*

importun, une adj. et n. (Personnes) Qui ennuie, dérange. – Subst. *Fuir les importuns.* ▷ Par ext. *Souvenirs importuns.* Ant. opportun.

importunément adv. Rare D'une manière importune.

importuner v. tr. [**1**] (Personnes ou choses.) Déranger, gêner. *Voisin, bruit qui importune.*

importunité n. f. Vieilli Caractère de ce qui est importun. ▷ Action importune.

imposable adj. Qui peut être imposé ; assujetti à l'impôt.

imposant, ante adj. **1.** Qui inspire le respect, l'admiration. *Une allure imposante.* **2.** Qui frappe par ses vastes proportions. *Architecture imposante.*

imposé, ée adj. **1.** Fixé par voie d'autorité. *Prix imposé.* ▷ SPORT *Figures imposées,* que tous les concurrents d'une compétition de gymnastique ou de patinage artistique doivent exécuter (par oppos. à *figures libres*). **2.** Soumis à l'impôt.

imposer I. v. tr. [**1**] **1.** Faire accepter en contraignant. *Imposer une tâche. Imposer un mari à sa fille.* ▷ v. intr. *En imposer :* susciter le respect, l'admiration. **2.** Soumettre à l'impôt. *Imposer les contribuables. Imposer telle catégorie de revenus.* **3.** LITURG *Imposer les mains,* les mettre sur la tête de qqn selon un rite sacramentel. **4.** TYPO *Imposer une feuille :* placer les formes d'une feuille de façon que, après pliage, les pages se trouvent dans l'ordre voulu. **II.** v. pron. **1.** Se contraindre à. *S'imposer des sacrifices.* **2.** (Choses) Être indispensable. *Cette démarche s'impose.* **3.** Se faire accepter par ses qualités personnelles ou par des manifestations d'autorité. *Un chef qui s'impose.*

imposition n. f. **1.** Syn. de *taxe, impôt* ou *contribution.* **2.** LITURG *Imposition des mains :* action d'imposer les mains. **3.** TYPO Action d'imposer une feuille. ▷ Manière dont les pages sont imposées.

impossibilité n. f. Défaut de possibilité. ▷ Chose impossible.

impossible adj. et n. m. **I.** adj. **1.** Qui ne peut exister, qui ne peut se faire. *Changement impossible.* ▷ Très difficile à faire. *Accomplir une mission impossible.* **2.** Insupportable. *Un caractère impossible.* **3.** Fam. Bizarre, extravagant. *Des goûts impossibles.* **II.** n. m. **1.** Ce qui est à la limite du possible. *Tenter l'impossible.* **2.** Loc. adv. *Par impossible :* en supposant réalisée une chose très improbable.

imposte n. f. **1.** ARCHI Pierre en saillie située à la partie haute du pied-droit d'une arcade et sur laquelle prend appui la retombée de l'arc. **2.** CONSTR Élément, généralement vitré, qui surmonte une porte ou une croisée.

imposteur n. m. Celui qui trompe autrui en se faisant passer pour autre qu'il n'est. *Être abusé par un imposteur.*

imposture n. f. Action de tromper par de fausses apparences.

impôt n. m. Taxe, droit dont sont frappées les personnes ou les choses pour subvenir aux dépenses publiques. ▷ Fig., litt. *Impôt du sang :* obligations militaires.

ENCYCL L'impôt est auj. le mode de recouvrement ordinaire des ressources publiques. On distingue les impôts *directs* (impôts sur le revenu des personnes physiques, taxes sur les plus-values, impôts sur les sociétés, impôt de solidarité sur la fortune, etc.) et les impôts *indirects* (taxe à la valeur ajoutée, taxes sur les alcools, le tabac, les carburants, les spectacles). Les impôts *locaux,* perçus par les régions, les départements et les communes, comprennent la taxe d'habitation (autref. contribution mobilière), les taxes foncières (autref. contributions foncières) et la taxe professionnelle (autref. patente).

impotence n. f. État d'un impotent.

impotent, ente adj. et n. Qui ne peut se mouvoir qu'avec difficulté. *Vieillard impotent.* – Subst. *Des installations pour les impotents.*

impraticabilité n. f. Rare État d'une chose impraticable.

impraticable adj. **1.** Que l'on ne peut mettre en pratique. *Une idée impraticable.* **2.** Où l'on passe très difficilement (voie). *Chemin impraticable.*

imprécateur, trice adj. et n. Rare Se dit d'une personne qui profère des imprécations.

imprécation n. f. Litt. Malédiction, souhait de malheur (contre qqn).

imprécatoire adj. Litt. Qui a rapport à l'imprécation. *Formule imprécatoire.*

imprécis, ise adj. Qui manque de précision. *Termes imprécis.*

imprécision n. f. Manque de précision.

imprédictible adj. Didac. Qui échappe à la prévision.

imprégnation n. f. **1.** Action d'imprégner ; son résultat. – TECH *Imprégnation des bois par des résines thermodurcissables.* ▷ MED *Imprégnation alcoolique :* intoxication alcoolique aiguë ou chronique. **2.** Pénétration (d'une idée, d'une influence, d'une idéologie, etc.), dans l'esprit (d'une personne, d'un groupe). **3.** ZOOL Marque, déterminante pour le comportement ultérieur de l'animal, de l'influence d'un être ou d'une chose, reçue lors d'une période précoce et précise du développement.

imprégner v. tr. [**14**] Imbiber, faire pénétrer un liquide dans (un corps). *Imprégner un linge de produit nettoyant.* ▷ Par ext. *L'odeur de friture imprègne les vêtements.* – Pp. Fig. *Imprégné d'une idéologie.*

imprenable adj. **1.** Qui ne peut être pris. *Forteresse imprenable.* **2.** *Vue imprenable,* que d'éventuelles constructions nouvelles ne peuvent masquer.

impréparation n. f. Litt. Manque de préparation.

imprésario ou **impresario** [ɛ̃pʀesaʀjo] n. m. Celui qui s'occupe des engagements, des contrats d'un artiste de music-hall, de théâtre, etc. *Des imprésarios* ou *des impresarii.*

imprescriptibilité n. f. DR Caractère de ce qui est imprescriptible.

imprescriptible adj. DR Qui n'est pas susceptible de prescription. ▷ Fig. *Les droits imprescriptibles de la nature.*

impression n. f. **I. 1.** Action d'imprimer des figures, des caractères. *Fautes d'impression dans un livre.* **2.** TECH *Couche d'impression :* première couche de peinture. **II.** État de conscience produit par une action extérieure quelconque, et indépendant de la réflexion. *Ressentir une impression de confort. Faire bonne, mauvaise impression.* – Absol. *Faire impression :* faire de l'effet. ▷ *Avoir l'impression de, que :* croire que. *J'ai l'impression qu'il va mieux.*

impressionnabilité n. f. **1.** Caractère d'une personne impressionnable. **2.** TECH Caractère d'une surface impressionnable.

impressionnable adj. **1.** Qui ressent vivement les impressions, les émotions. *Vous êtes trop impressionnable.* **2.** TECH Qui peut être impressionné. *Surface impressionnable.*

impressionnant, ante adj. Qui impressionne l'esprit. *Spectacle impressionnant.*

impressionner v. tr. [**1**] **1.** Faire une vive impression sur (qqn). **2.** PHYSIOL Agir sur (un organe) de manière à produire une sensation. *Les ondes lumineuses impressionnent la rétine.* **3.** TECH

Produire une impression matérielle sur (une surface sensible).

impressionnisme n. m. **1.** BX-A Mouvement pictural qui se développa dans le dernier quart du XIXe s. en réaction contre les conceptions académiques de l'art. **2.** Litt. Manière des musiciens, des écrivains impressionnistes (sens 2).
ENCYCL L'impressionnisme est moins un groupement d'école qu'une rencontre de jeunes artistes qui avaient fondamentalement en commun le goût de la spontanéité et de la peinture en plein air. Le principe de la division des tons (l'obtention d'un ton vert résulte du voisinage d'un bleu et d'un jaune) est à la base même de la technique impressionniste; dès lors, la touche joue pleinement son rôle d'instrument de dissolution des formes dans l'atmosphère. La prem. exposition du groupe eut lieu à Paris (15 avril - 15 mai 1874); elle fit scandale, et le journaliste Louis Leroy, prenant pour prétexte la toile de Monet intitulée *Impression, soleil levant,* qualifia ironiquement les exposants d'« impressionnistes » (*le Charivari,* 25 avril 1874). Les princ. peintres impressionnistes furent Renoir, Degas, Monet, Manet, Sisley, Pissarro. En 1873, le style impressionniste se généralisa et s'affirma pleinement, tandis que 1877 marqua son apogée. La mort de Manet en 1883, l'arrivée d'une génération nouvelle, composée principalement de Seurat, Van Gogh, Toulouse-Lautrec, marquèrent la rupture du groupe dont chacun des membres s'orienta dans une direction personnelle.

impressionniste n. et adj. **1.** Peintre appartenant à l'impressionnisme. ▷ adj. *Une peinture impressionniste.* **2.** Écrivain, musicien dont l'art, fondé sur l'évocation d'impressions fugitives, présente des affinités avec l'impressionnisme (les frères Goncourt, Loti, Debussy, etc.). ▷ adj. *Un écrivain impressionniste.*

imprévisibilité n. f. Caractère de ce qui est imprévisible.

imprévisible adj. Qu'on ne peut prévoir. *Événement imprévisible.*

imprévision n. f. Litt. Manque de prévision. ▷ DR *Théorie de l'imprévision :* théorie, élaborée par la jurisprudence administrative, selon laquelle certains faits résultant de l'instabilité économique (dépréciation de la monnaie, notam.) peuvent entraîner la révision des clauses financières d'un contrat de longue durée, contrairement au principe de l'immutabilité des conventions.

imprévoyance n. f. Défaut de prévoyance.

imprévoyant, ante adj. Qui manque de prévoyance. *Jeunesse imprévoyante.*

imprévu, ue adj. et n. m. Qui arrive sans qu'on l'ait prévu. *Une rencontre imprévue.* ▷ n. m. *Un imprévu fâcheux.*

imprimable adj. Qui peut être imprimé; qui mérite d'être imprimé.

imprimant, ante adj. et n. f. **1.** TECH Qui imprime. *Éléments imprimants. Forme imprimante.* **2.** n. f. INFORM Appareil servant à imprimer sur du papier les résultats d'un traitement, la liste d'un programme. *Imprimante à laser.*

imprimatur n. m. inv. Didac. Permission d'imprimer un ouvrage, accordée par l'autorité ecclésiastique ou, autrefois, par l'Université.

imprimé, ée adj. et n. m. **1.** adj. Reproduit par une impression. *Une cotonnade imprimée.* ▷ ELECTRON *Circuit imprimé :* V. circuit. **2.** n. m. Livre, brochure, feuille imprimée, etc. Ant. manuscrit. ▷ Tissu imprimé. *Un imprimé à fleurs.*

imprimer v. tr. [1] **1.** Reporter sur un support (des signes, des dessins) au moyen d'une forme chargée de matière colorante. *Imprimer une gravure, un cachet. Imprimer une étoffe,* des motifs sur une étoffe. ▷ Spécial. *Imprimer un texte, un livre.* – *Par ext.* Publier (une œuvre, un auteur). *Imprimer un jeune poète.* **2.** Faire, laisser (une empreinte). *Traces de roues imprimées dans la boue.* ▷ Fig. *La satisfaction est imprimée sur son visage.* **3.** Communiquer (un mouvement). *Vitesse que le vent imprime aux voiliers.*

imprimerie n. f. **1.** Art d'imprimer, technique de l'impression (sens I, 1). *L'invention de l'imprimerie.* **2.** Établissement où l'on imprime. *Fonder une imprimerie.* **3.** Matériel servant à imprimer. *Imprimerie portative.*
ENCYCL Les principaux procédés d'impression utilisés en imprimerie sont la typographie, l'offset et l'héliogravure. Dans la *typographie,* l'encre est déposée sur des éléments imprimants en relief, avant d'être transférée sur le papier. Dans le procédé *offset,* un film réalisé à partir de la composition est mis au contact d'une plaque métallique recouverte d'une couche photosensible; après insolation et développement, cette plaque est encrée. Des rouleaux de caoutchouc reportent les textes et illustrations de la plaque sur le papier. En *héliogravure,* on réalise un film positif, que l'on copie sur un papier photographique tramé; ce papier est appliqué sur un cylindre; les régions non imprimantes sont protégées par un vernis; les autres sont attaquées par du chlorure de fer, qui creuse des alvéoles plus ou moins profonds, ce qui, après encrage, permet la reproduction des demi-teintes.

Imprimerie nationale, établissement de l'État chargé d'imprimer les documents officiels de la République française. L'*imprimerie du Roy* (François Ier, 1538), *royale* (Richelieu, 1640), *nationale* (1791), *de la République* (1795), puis *l'Imprimerie impériale* ou *royale* précédèrent *l'Imprimerie nationale* (1870).

imprimeur n. m. **1.** Personne qui dirige une imprimerie. **2.** Ouvrier qui travaille dans une imprimerie.

improbabilité n. f. Didac. Caractère de ce qui est improbable.

improbable adj. Qui n'est pas probable, qui est peu probable.

improbité n. f. Litt. Défaut de probité.

improductif, ive adj. **1.** Qui ne produit rien. *Capital improductif.* **2.** Qui ne participe pas directement à la production. *Personnel improductif.*

improductivité n. f. Rare Caractère de ce qui est improductif.

impromptu, ue [ɛ̃pʀɔ̃pty] adv. , adj. et n. m. **I.** adv. Litt. Sur-le-champ, sans préparation. *Parler impromptu.* ▷ adj. *Concert impromptu.* **II.** n. m. **1.** LITTER Petite pièce de vers improvisée (ou prétendue telle). **2.** Composition instrumentale peu développée et de forme libre. *Les impromptus de Schubert.*

imprononçable adj. Qui ne peut être prononcé.

impropre adj. **1.** Qui ne convient pas pour exprimer la pensée (mot, expression). **2.** *Impropre à :* qui n'est pas propre à. *Vêtement impropre à protéger du froid.*

improprement adv. D'une manière impropre.

impropriété n. f. Caractère d'un mot, d'une expression impropre. ▷ Mot, expression impropre.

improuvable adj. Qu'on ne peut prouver.

improvisateur, trice n. Personne qui improvise.

improvisation n. f. **1.** Action d'improviser. **2.** Poème, discours, morceau de musique improvisé.

improviser **1.** v. tr. [1] Composer sur-le-champ et sans préparation. *Improviser un discours. Improviser une fête.* ▷ Absol. *Improviser à l'orgue.* **2.** v. pron. Remplir sans préparation la fonction, la tâche de. *S'improviser cuisinier.*

improviste (à l') loc. adv. Soudainement, de manière imprévue. *Arriver à l'improviste.*

imprudemment [ɛ̃pʀydamɑ̃] adv. Avec imprudence.

imprudence n. f. **1.** Manque de prudence. ▷ DR Faute due à un manque de précaution ou de prévoyance, engageant la responsabilité civile et éventuellement pénale de son auteur. *Homicide par imprudence.* **2.** Action imprudente. *Commettre une imprudence.*

imprudent, ente adj. et n. Qui manque de prudence. – Subst. *C'est un imprudent,* un casse-cou.

impubère adj. et n. Qui n'a pas encore passé la période de la puberté.

impubliable adj. Qu'on ne peut publier.

impudemment [ɛ̃pydamɑ̃] adv. Litt. Avec impudence.

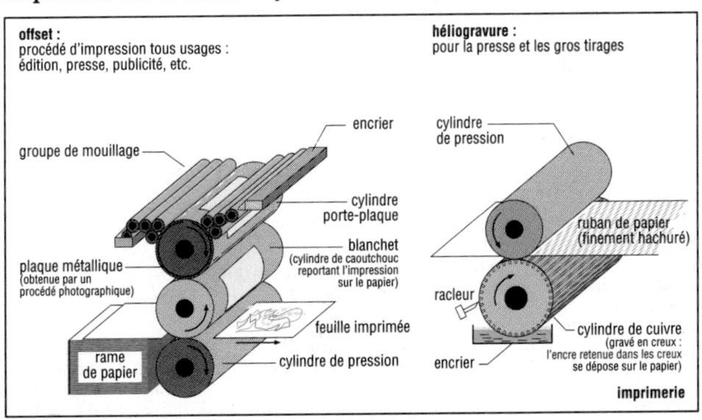

imprimerie

impudence n. f. Vieilli ou litt. **1.** Effronterie extrême. *Mentir avec impudence.* **2.** Action, parole impudente.

impudent, ente adj. et n. Vieilli ou litt. Qui a ou dénote de l'impudence. – Subst. *L'impudent peut se montrer cynique ou flatteur.*

impudeur n. f. Manque de pudeur, de décence.

impudicité n. f. Vieilli Caractère de celui, de ce qui est impudique. – Action, parole impudique.

impudique adj. et n. Qui a ou dénote de l'impudeur. – Subst. *Une impudique provocante.*

impudiquement adv. De manière impudique.

impuissance n. f. **1.** Manque de pouvoir, de moyens, pour faire qqch. *Être réduit à l'impuissance.* ▷ Par ext. *L'impuissance de la raison.* **2.** *Spécial.* Impossibilité physique, pour l'homme, de pratiquer le coït.

impuissant, ante adj. et n. m. **1.** adj. Qui n'a pas un pouvoir suffisant. *Ennemis impuissants.* – Par ext. *Colère impuissante.* **2.** adj. m. et n. m. Se dit d'un homme incapable physiquement de pratiquer le coït.

impulser v. tr. [1] Donner une impulsion à.

impulsif, ive adj. et n. Qui agit, qui est fait par impulsion, sans réfléchir. *Enfant impulsif. Mouvement impulsif.* – Subst. *Un impulsif.*

impulsion n. f. **1.** Action d'imprimer un mouvement à un corps; ce mouvement. *Une légère impulsion.* ▷ PHYS Variation de la quantité de mouvement. ▷ ELECTR Passage d'un courant dans un circuit. *Générateur d'impulsions :* appareil qui produit (de façon répétitive ou non) des signaux électriques. **2.** Incitation à l'activité. *Donner une impulsion à une entreprise.* **3.** Désir soudain et impérieux d'accomplir un acte. *Suivre ses impulsions.*

impulsivement adv. D'une manière impulsive.

impulsivité n. f. Tendance à céder à ses impulsions.

impunément adv. **1.** Sans subir de punition. *Voler impunément.* **2.** Sans inconvénient, sans préjudice. *On ne joue pas impunément avec sa santé.*

impuni, ie adj. Qui demeure sans punition. *Crime impuni.*

impunité n. f. Absence de punition. – Loc. *En toute impunité :* sans que cela tire à conséquence.

impur, ure adj. **1.** Qui est altéré par des substances étrangères. *Des eaux impures.* **2.** RELIG Contraire à la pureté des mœurs; impudique, lascif. *Pensées impures.* ▷ Souillé et frappé d'interdit. *Animal impur.*

impureté n. f. **1.** Caractère d'un corps impur. *Impureté d'un métal.* ▷ Ce qui le rend impur. *Des impuretés dans un cristal.* **2.** RELIG Acte impur aux yeux de la loi religieuse. ▷ Vieilli, litt. Action, parole impudique.

imputabilité n. f. **1.** Didac. Caractère de ce qui est imputable à qqn. **2.** DR Possibilité d'imputer une infraction à qqn sans que cela entraîne nécessairement sa responsabilité ou sa culpabilité.

imputable adj. Qui peut, qui doit être imputé.

imputation n. f. Litt. Action d'imputer.

imputer v. tr. [1] **1.** Attribuer (une action, une chose répréhensible) à qqn. *Imputer un méfait à qqn.* – Par ext. *Imputer un accident à la négligence.* ▷ *Imputer à honte, à faute,* etc. : considérer comme une honte, une faute (telle action). **2.** FIN Affecter (une somme) à un poste comptable.

imputrescibilité [ɛ̃pytʀesibilite] n. f. Didac. Caractère de ce qui est imputrescible.

imputrescible [ɛ̃pytʀesibl] adj. Qui ne peut pourrir, se putréfier.

Imroz. V. Gökçeada.

1. in- ou **il-, im-, ir-.** Élément, du lat. *in-*, qui indique la négation, la privation (devant *l*, *in* devient *il-*; devant *b, m, p, im-*; devant *r, ir-*).

2. in- ou **im-.** Élément, du lat. *in,* « en, dans ».

in [in] adj. inv. (Anglicisme) **1.** Fam. À la mode (par oppos. à *out,* « démodé »). *Il va danser dans les boîtes in.* **2.** AUDIOV *Voix in :* voix d'un personnage visible sur l'écran (par oppos. à *voix off* ou *hors champ*). Syn. (off. recommandé) : (voix) dans le champ.

In CHIM Symbole de l'indium.

INA, acronyme pour *Institut national de l'audiovisuel.* Établissement public, créé en 1974, chargé de la conservation et de l'exploitation des archives de la radiodiffusion et de la télévision, des recherches sur la création et la production d'œuvres audiovisuelles et de la formation du personnel de ce secteur.

inabordable adj. **1.** Où l'on ne peut aborder. *Rivage inabordable.* **2.** (Personnes) D'un abord difficile. **3.** D'un prix élevé.

inabouti, ie adj. Qui n'a pas abouti.

inabrogeable adj. DR Qui ne peut être abrogé.

in abstracto [inapstʀakto] loc. adv. et adj. (Mots lat.) Didac. Dans l'abstrait. *Avoir raison in abstracto. Des discours in abstracto.*

inaccentué, ée [inaksɑ̃tɥe] adj. LING Qui n'est pas accentué (avec la voix). *Syllabe inaccentuée.*

inacceptable [inaksɛptabl] adj. Qu'on ne peut, qu'on ne doit pas accepter. *Demande inacceptable.*

inaccessibilité n. f. Litt. Caractère de ce qui est inaccessible.

inaccessible [inaksɛsibl] adj. **1.** (Lieu) Auquel on ne peut accéder. *Sommet inaccessible.* ▷ Fig. *Des connaissances inaccessibles.* **2.** (Personnes) Difficile à approcher, à aborder. *Personnage inaccessible.* **3.** *Inaccessible à :* insensible à (certains sentiments). *Inaccessible à la pitié.*

inaccompli, ie adj. Litt. Qui n'est pas accompli, achevé.

inaccomplissement n. m. Litt. Caractère de ce qui est inaccompli.

inaccoutumé, ée adj. **1.** Qui n'a pas coutume de se faire, d'advenir. *Un silence inaccoutumé.* **2.** Qui n'est pas accoutumé (à). *Inaccoutumé à un travail.*

inachevé, ée adj. Qui n'est pas achevé, terminé.

inachèvement n. m. État de ce qui est inachevé.

inactif, ive adj. et n. **1.** Qui n'a pas d'activité. *Rester inactif.* ▷ Subst. *Un inactif.* **2.** Qui n'agit pas sur l'organisme. *Remède inactif.* **3.** PHYS Se dit d'un corps qui ne fait pas tourner le plan de polarisation de la lumière.

inactinique adj. PHYS Qualifie un rayonnement qui n'a pas d'action appréciable sur une surface sensible.

inaction n. f. Absence d'action, d'occupation.

inactivation n. f. BIOL Arrêt de l'activité d'une substance biochimique ou d'un micro-organisme.

inactiver v. tr. [1] BIOL Rendre inactif (un composé biochimique, un micro-organisme). – Pp. adj. *Agent infectieux inactivé.*

inactivité n. f. **1.** Manque, absence d'activité. **2.** ADMIN État d'un fonctionnaire qui n'est pas en activité.

inactuel, elle adj. Litt. Qui n'est pas d'actualité.

inadaptable adj. Qui ne peut être adapté; qui ne peut s'adapter.

inadaptation n. f. Manque d'adaptation. ▷ PSYCHO État des sujets, notam. des enfants, qui ne peuvent pas se conformer aux exigences de la vie en société, en raison d'une malformation physique, d'une arriération mentale, de conflits affectifs.

inadapté, ée adj. et n. Qui n'est pas adapté. ▷ PSYCHO Qui souffre d'inadaptation. – Subst. *Un(e) inadapté(e).*

inadéquat, ate [inadekwa, at] adj. Qui n'est pas adéquat, qui ne convient pas.

inadéquation [inadekwasjɔ̃] n. f. Didac. Caractère de ce qui n'est pas adéquat.

inadmissibilité n. f. Caractère de ce qui est inadmissible. – *Spécial.* Situation du candidat qui n'est pas admis à un examen, un concours.

inadmissible adj. Qui ne peut être admis, accepté. *Demande, ton inadmissible.*

inadvertance n. f. Rare Défaut d'attention. ▷ Loc. adv. Cour. *Par inadvertance. Faire une erreur par inadvertance.*

inaliénabilité n. f. DR Caractère de ce qui est inaliénable.

inaliénable adj. DR Qui ne peut être cédé ou vendu. *Des biens inaliénables.*

inaliénation n. f. DR État de ce qui n'est pas aliéné.

inalliable adj. METALL Se dit d'un métal qui ne peut s'allier avec un autre.

inaltérabilité n. f. Caractère de ce qui est inaltérable.

inaltérable adj. Qui ne peut s'altérer. *Métal inaltérable.* ▷ Fig. *Patience inaltérable.*

inaltéré, ée adj. Qui n'a pas été altéré, modifié.

inamical, ale, aux adj. Qui n'est pas amical. *Procédé inamical.*

inamovibilité n. f. DR ADMIN Situation d'un fonctionnaire inamovible.

inamovible adj. DR ADMIN Qui ne peut être déplacé, révoqué. *Fonctionnaire inamovible.*

inanimé, ée adj. **1.** Qui n'est pas doué de vie. *Êtres, objets inanimés.* **2.** Qui a perdu ou semble avoir perdu la vie. *Corps inanimé.*

inanité n. f. Litt. Caractère de ce qui est inutile, vain. *Inanité d'une remarque.*

inanition [inanisjɔ̃] n. f. Épuisement de l'organisme dû à une profonde carence alimentaire. *Mourir d'inanition.*

inapaisable adj. Litt. Qui ne peut être apaisé.

inaperçu, ue adj. Qui n'est pas aperçu, remarqué. *Passer inaperçu.*

inapparent, ente adj. Qui n'est pas apparent.

inappétence n. f. Didac. Défaut d'appétit. ▷ Fig. Manque de désir, de besoin.

inapplicable adj. Qui ne peut être appliqué. *Méthode inapplicable.*

inapplication n. f. Didac. ou litt. **1.** Défaut d'application, d'attention. **2.** Caractère de ce qui n'est pas mis en application. *Inapplication d'une découverte.*

inappliqué, ée adj. **1.** Qui manque d'application. *Un élève inappliqué.* **2.** Qui n'a pas été appliqué. *Une réglementation inappliquée.*

inappréciable adj. **1.** Qu'on ne saurait trop estimer. *Bienfait inappréciable.* **2.** Trop minime pour pouvoir être perçu, évalué. *Un ralentissement inappréciable.*

inapprochable adj. Qu'on ne peut approcher.

inapproprié, ée adj. Qui ne convient pas, inadéquat.

inapte [inapt] adj. et n. Qui manque d'aptitude pour qqch, pour faire qqch. *Inapte au travail manuel.* ▷ *Spécial.* Qui n'a pas les aptitudes requises pour le service militaire armé. *Conscrit inapte.* ▷ n. m. *Verser les inaptes dans le service auxiliaire.*

inaptitude n. f. Défaut d'aptitude. ▷ *Spécial.* État d'un conscrit déclaré inapte.

Inari, lac de Finlande, en Laponie; 1 085 km². Relié par le Paatsjoki à l'océan Arctique.

inarticulé, ée adj. Qui n'est pas articulé ou mal articulé (son, mot).

inassimilable adj. Qui n'est pas assimilable.

inassouvi, ie adj. Qui n'est pas assouvi. *Faim inassouvie. Ambition inassouvie.*

inassouvissement n. m. Litt. État de ce qui n'est pas ou ne peut pas être assouvi.

inattaquable adj. Qu'on ne peut attaquer. *Forteresse inattaquable.* ▷ Fig. *Démonstration inattaquable.*

inattendu, ue adj. Qui arrive sans qu'on s'y attende. *Événement inattendu.*

inattentif, ive adj. Qui manque d'attention. *Élève inattentif.*

inattention n. f. Défaut d'attention. – *Faute d'inattention,* due au manque d'attention.

Inaudi (Giacomo) (Onorato, 1867 – Champigny-sur-Marne, 1950), calculateur italien, prodige doué d'une mémoire exceptionnelle.

inaudible adj. **1.** Impossible ou difficile à entendre. *Son inaudible.* **2.** Déplaisant à écouter. *Musique inaudible.*

inaugural, ale, aux adj. Relatif à l'inauguration. *Discours inaugural.*

inauguration n. f. Action d'inaugurer. V. consécration, dédicace.

inaugurer v. tr. [1] **1.** Marquer par une cérémonie la mise en service, la mise en place de. *Inaugurer un pont, un monument.* – ANTIQ *Inaugurer un temple,* le consacrer. **2.** Fig. Appliquer, employer pour la première fois. *Inaugurer une nouvelle méthode.* **3.** Fig. Marquer le début de. *Cette réussite inaugura une période faste.*

inauthenticité n. f. Manque d'authenticité.

inauthentique adj. Qui n'est pas authentique.

inavouable adj. Qui n'est pas avouable. *Désir inavouable.*

inavoué, ée adj. Qu'on n'a pas avoué; qu'on ne s'avoue pas.

I.N.C. Sigle de *Institut national de la consommation,* établissement public, créé en 1966, qui contribue à la défense des consommateurs, notam. en diffusant son mensuel, *50 millions de consommateurs.*

inca adj. inv. et n. Relatif aux Incas*. *Civilisation inca.* ▷ n. m. *L'Inca :* titre du souverain de l'Empire inca, à la fois roi et grand prêtre du Soleil.

architecture **inca** : la cité de Machupicchu

incalculable adj. **1.** Qui ne peut être calculé. *Le nombre incalculable des étoiles.* **2.** Qui ne peut être évalué, apprécié. *Conséquences incalculables.*

incandescence [ɛ̃kɑ̃desɑ̃s] n. f. État d'un corps incandescent.

incandescent, ente [ɛ̃kɑ̃desɑ̃, ɑ̃t] adj. Devenu lumineux sous l'effet d'une chaleur intense. *Lave incandescente.*

incantation n. f. Récitation de formules ayant pour but de produire des sortilèges, des enchantements; ces formules.

incantatoire adj. Qui a la forme d'une incantation. *Poésie incantatoire.*

incapable adj. et n. **1.** Qui n'est pas capable. – *Incapable de. Incapable d'attention. Incapable de parler.* ▷ *Incapable de trahir.* ▷ Subst. Personne qui n'a pas les compétences requises pour un travail, une activité donnés. *Renvoyez tous ces incapables!* **2.** DR Qui n'a pas la capacité légalement exigée pour l'exercice ou la jouissance de certains droits. ▷ Subst. *Un(e) incapable majeur(e).*

incapacitant, ante adj. et n. m. MILIT Qui rend momentanément incapable de combattre, sans tuer ni provoquer de troubles durables. *Gaz incapacitant.* ▷ n. m. *Un incapacitant.*

incapacité n. f. Cour. et DR État d'une personne incapable. ▷ *Incapacité de travail :* état d'une personne qui ne peut exercer une activité à la suite d'une blessure, d'une maladie.

incarcération n. f. Action d'incarcérer. – État d'une personne incarcérée.

incarcérer v. tr. [14] Mettre en prison. – Pp. adj. *Condamnés incarcérés.*

incarnat, ate [ɛ̃kaʀna, at] adj. (Rare au fém.) et n. m. D'un rouge tirant sur le rose. ▷ n. m. Cette couleur.

incarnation n. f. **1.** RELIG Action de la divinité qui s'incarne. ▷ Mystère fondamental de la foi chrétienne, par lequel Dieu s'est fait homme, unissant nature divine et nature humaine en la personne de Jésus-Christ. **2.** Image, représentation. *C'est l'incarnation de la bonté.*

incarné, ée adj. **1.** Qui s'est incarné (divinité). **2.** *Par ext.* Personnifié. *C'est la méchanceté incarnée.* **3.** *Ongle incarné,* qui est entré dans la chair.

incarner I. v. tr. [1] **1.** Être l'image matérielle de (qqch d'abstrait). *Le roi de France incarnait la loi.* **2.** Interpréter le rôle de. *Acteur qui incarne le Cid.* **II.** v. pron. Prendre un corps de chair (divinité).

incartade n. f. Écart de conduite, de langage. *Il a encore fait des incartades.*

Incas, tribu du peuple quechua. Organisée en dynastie, elle fonda v. 1200, à Cuzco (dans le Pérou actuel), un puissant empire qui, au XVe s., engloba le Pérou, l'Équateur et la Bolivie actuels, ainsi que le nord de l'Argentine et du Chili. Il fut anéanti en quelques années (1527-1533) par les conquistadores espagnols. Les Incas furent surtout des bâtisseurs et des administrateurs : aqueducs, canaux d'irrigation, terrasses de culture, forteresses et palais (Machupicchu) témoignent d'une étonnante maîtrise dans l'art de construire (sans utilisation de mortier) à partir de blocs de pierre pesant parfois plusieurs tonnes (forteresse de Sacsahuamán). L'Empire inca était théocratique et rigoureusement organisé.

incassable adj. Qu'on ne peut casser. *Vaisselle incassable.*

Ince (Thomas Harper) (Newport, 1882 – Hollywood, 1924), cinéaste américain qui transforma le western en véritable épopée. *La Colère des dieux* (1914), *Civilisation* (1916).

incendiaire adj. et n. **I.** adj. **1.** Destiné à allumer un incendie. *Bombe incendiaire.* **2.** Fig. Propre à échauffer les esprits, à susciter des troubles. *Discours incendiaire.* **3.** Qui éveille le désir, la passion. *Sourire incendiaire.* **II.** n. Personne qui cause volontairement un incendie.

incendie n. m. Grand feu destructeur. *Un incendie de forêt.*

incendier v. tr. [2] **1.** Provoquer l'incendie de. *Incendier une voiture.* **2.** Fam. *Incendier qqn,* lui faire de violents reproches.

incertain, aine adj. et n. m. **I.** adj. **1.** (Choses) Qui n'est pas certain. *Guérison, nouvelle, signification, durée incertaine.* ▷ *Temps incertain,* nuageux, dont on ne sait s'il va devenir beau ou mauvais. **2.** Qui se présente sous une forme vague, peu distincte. *Clarté, limite incertaine.* **II.** adj. Qui doute (de qqch). *Incertain du succès.* ▷ Hésitant, indécis. *Incertain de l'attitude à prendre.* – Par ext. *La démarche incertaine d'un convalescent.* **III.** n. m. FIN En matière de change, cours d'une monnaie étrangère, exprimé en monnaie nationale, pour une quantité constante de monnaie étrangère.

incertitude n. f. **1.** Caractère, état de ce qui est incertain (sens I, 1). *L'incertitude de la victoire.* ▷ PHYS Erreur entachant une mesure. ▷ PHYS NUCL *Principe d'incertitude d'Heisenberg*.* **2.** État d'une personne qui doute. *Être dans l'incertitude.*

incessamment adv. Sans délai, sous peu. *Il doit partir incessamment.*

incessant, ante adj. Qui dure, se répète continuellement. *Bruit incessant.*

incessibilité n. f. Caractère de ce qui est incessible.

incessible adj. Qui ne peut être cédé.

inceste n. m. Relations sexuelles entre personnes dont le degré de parenté interdit le mariage.

incestueux, euse adj. **1.** Qui a commis un inceste. **2.** Qui a le caractère de l'inceste. *Désirs incestueux.* **3.** Né d'un inceste. *Enfant incestueux.*

inch Allah! [inʃala] interj. inv. (En arabe *'in chā'a-llāh,* «si Dieu le veut».) Advienne que pourra!

inchangé, ée adj. Qui est demeuré sans changement. *Situation inchangée.*

inchavirable adj. Qui ne peut chavirer. *Canot inchavirable.*

inchiffrable adj. Qui ne peut être chiffré, évalué.

inchoatif, ive [ɛ̃kɔatif, iv] adj. LING Qui exprime le commencement, la progression d'une action. *S'endormir est un verbe inchoatif.*

Inchon (anc. *Chemulpo*), v. de la Corée du Sud; 1 387 490 hab.; port sur la mer de Chine. Industr. lourdes (aciéries) et textiles.

incidemment [ɛ̃sidamɑ̃] adv. Par hasard, au passage; sans y attacher d'importance. *Dire qqch incidemment.*

incidence n. f. **I.** Conséquence, effet, répercussion. *L'incidence de la dévaluation sur les exportations.* **II. 1.** PHYS Direction suivant laquelle un rayon arrive sur une surface. ▷ *Angle d'incidence :* angle du rayon et de la perpendiculaire à la surface au point de rencontre. ▷ *Incidence normale,* d'angle nul. ▷ *Incidence rasante,* dont l'angle d'incidence est légèrement inférieur à 90°. **2.** TECH Direction d'un projectile par rapport à la perpendiculaire à la surface qui reçoit l'impact. **3.** MED Nombre de nouveaux cas pathologiques apparus dans une population pendant une période.

1. incident n. m. **1.** Événement fortuit, peu important mais souvent fâcheux, qui survient au cours d'une action, d'une entreprise. *Ce n'est qu'un incident.* ▷ LITTER Événement accessoire se greffant sur l'action principale d'une œuvre. **2.** Petit événement pouvant avoir de graves conséquences sur les relations internationales. *Incident diplomatique.* **3.** DR Contestation accessoire troublant le déroulement d'un procès.

2. incident, ente adj. et n. f. **1.** Accessoire, annexe, secondaire. *Intervenir de façon incidente.* **2.** DR Qui surgit accessoirement au cours d'un procès. **3.** GRAM Se dit d'une proposition insérée dans une autre. – n. f. *Une incidente.* **4.** PHYS Qualifie un rayon qui atteint une surface (par oppos. à rayon *réfléchi* ou *réfracté*).

incinérable adj. Que l'on peut incinérer. *Déchets non incinérables.*

incinérateur n. m. TECH Appareil servant à brûler les déchets et les ordures.

incinération n. f. Action d'incinérer.

incinérer v. tr. [14] Réduire en cendres. *Incinérer des ordures.* ▷ Spécial. *Incinérer un cadavre.*

incipit [ɛ̃sipit; insipit] n. m. inv. (Mot lat.) Didac. Premiers mots d'un livre, d'un manuscrit, etc.

incise n. f. et adj. f. **1.** GRAM Proposition très courte, présentant un sens complet, et intercalée dans une autre (ex. *dit-il*). – adj. f. *Proposition incise.* **2.** MUS Ensemble de notes formant une unité rythmique; subdivision d'une phrase musicale grégorienne.

inciser v. tr. [1] Faire, avec un instrument tranchant, une entaille, une fente dans. *Inciser un hévéa pour en extraire le latex.*

incisif, ive adj. Pénétrant, mordant. *Critique incisive.*

incision n. f. Action d'inciser; son résultat.

incisive n. f. Chacune des quatre dents médianes et antérieures, portées par chaque maxillaire.

incitateur, trice n. Rare Personne qui incite.

incitatif, ive adj. Qui incite. *Mesures incitatives.*

incitation n. f. Action d'inciter; ce qui incite. *Incitation au crime.* – ADMIN *Incitation fiscale :* mesure fiscale destinée à orienter les décisions économiques (des particuliers ou des entreprises).

inciter v. tr. [1] Déterminer, induire à. *Inciter à la révolte. Inciter à travailler.*

incivil, ile adj. Vieilli ou litt. Qui manque de civilité. *Manières inciviles.*

incivilité n. f. **1.** Litt. Manque de civilité. **2.** Délit mineur (insulte, fraude, vandalisme, etc.).

inclassable adj. Qui ne peut être classé.

inclémence n. f. Rigueur du climat.

inclément, ente adj. Rude, rigoureux (climat, température). *Hiver inclément.*

inclinable adj. Qui peut être incliné.

inclinaison n. f. **1.** État de ce qui est incliné, oblique. *Inclinaison du sol.* **2.** Relation d'obliquité d'une ligne, d'une surface ou d'un plan par rapport à une autre ligne, une autre surface, un autre plan. ▷ ASTRO Angle que fait l'orbite d'une planète avec l'écliptique. ▷ PHYS Angle que fait le vecteur d'induction magnétique avec le plan horizontal. (Il se mesure notam. à l'aide d'une boussole dont l'axe est horizontal.)

inclination n. f. **1.** Disposition, penchant naturel qui porte vers (qqch, qqn). *Inclination à la bienveillance.* **2.** Action d'incliner le corps, la tête. *Inclination respectueuse.*

incliné, ée adj. Oblique. ▷ *Plan incliné :* surface plane formant un certain angle avec l'horizontale.

incliner v. [1] **I.** v. tr. **1.** Mettre dans une position oblique, pencher. *Incliner un parasol. Incliner la tête.* **2.** (Abstrait) Porter, inciter à. *Tout l'incline à désespérer.* **II.** v. intr. **1.** Vx Être oblique, penché. *Terrain qui incline vers l'est.* **2.** (Personnes) Être porté, enclin à. *J'incline naturellement au pardon.* **III.** v. pron. **1.** Courber le corps, se pencher. *S'incliner respectueusement.* **2.** S'avouer vaincu, se soumettre, céder. *S'incliner devant la force.*

inclinomètre n. m. TECH Appareil servant à mesurer l'inclinaison de qqch.

inclure v. tr. [78] **1.** Enfermer, insérer. *Inclure un document dans une lettre.* **2.** Comporter, impliquer. *Mon accord n'inclut pas celui de mon associé.*

inclus, use [ɛ̃kly, yz] adj. et n. **1.** Inséré, compris (dans). ▷ MATH Se dit d'un ensemble ou d'un sous-ensemble dont tout élément est aussi un élément d'un autre ensemble. *A est inclus dans B* (noté $A \subset B$). **2.** Compris (dans ce qu'on vient de nommer). *Un salaire de tant, indemnités incluses.* **3.** Loc. adj. (après le nom) et adv. (avant le nom). *Ci-inclus, ci-incluse :* inclus, incluse dans cet envoi. *La facture ci-incluse. Veuillez trouver ci-inclus copie de.* **4.** n. Personne qui est bien insérée dans la société (par oppos. aux exclus).

inclusif, ive adj. Didac. Qui renferme, comprend en soi. Ant. exclusif.

inclusion n. f. **1.** Action d'inclure; son résultat. **2.** MATH Propriété d'un ensemble ou d'un élément inclus dans un autre ensemble. **3.** BIOL Élément hétérogène contenu dans une cellule ou un tissu. ▷ Technique d'histologie, opération consistant à inclure le tissu à étudier dans une matière dure pour pouvoir le couper en lamelles très minces. **4.** MINER Corps étranger (solide, liquide ou gazeux) enfermé dans un cristal.

inclusivement adv. Y compris (la chose dont on parle). *Jusqu'à ce jour inclusivement.*

incoercible [ɛ̃kɔɛʀsibl] adj. Qu'on ne peut contenir, contrôler. *Rire, toux incoercible.*

incognito [ɛ̃kɔɲito] adv. et n. m. En agissant de manière à ne pas être connu, reconnu. *Voyager incognito.* ▷ n. m. *Garder l'incognito.*

incohérence n. f. **1.** Absence de lien logique ou d'unité. **2.** PSYCHOPATHOL Absence de lien logique, désordre, confusion dans les actes, les idées.

incohérent, ente adj. Qui manque de cohérence, de suite. *Discours incohérent.*

incollable adj. **1.** Qui ne colle pas en cuisant (produits alimentaires). *Riz incollable.* **2.** Fam. Que l'on ne peut pas coller (sens I, 6), qui répond à toutes les questions. *Candidat incollable.*

incolore adj. Qui n'a pas de couleur. *Verre incolore.* – Fig. Sans éclat, insipide.

incomber v. tr. indir. [1] Revenir, être imposé à (qqn), en parlant de charges, d'obligations. *Ce soin vous incombe.*

incombustibilité n. f. Rare Caractère de ce qui est incombustible.

incombustible adj. Qui ne peut être consumé ou altéré par le feu. *Matériau incombustible.*

incommensurabilité n. f. Didac. Caractère de ce qui est incommensurable.

incommensurable adj. **1.** Qui est sans mesure, ne connaît pas de limites. *Sa bêtise est incommensurable.* **2.** MATH Qualifie deux grandeurs de même nature qui n'ont pas de sous-multiple commun. (Ex. : la diagonale et le côté d'un carré; la circonférence d'un cercle et son diamètre.)

incommensurablement adv. Didac. D'une façon incommensurable.

incommodant, ante adj. Qui incommode.

incommode adj. **1.** Mal adapté à l'usage auquel il est destiné. *Appartement incommode.* **2.** Qui cause de la gêne. *Position incommode.* ▷ DR *Établissements incommodes, insalubres ou dangereux :* établissements industriels susceptibles de nuire à l'environnement et dont la création est précédée d'une enquête *de commodo et incommodo.*

incommoder v. tr. [1] Causer une gêne physique à (qqn). *Depuis qu'elle a cessé de fumer, la fumée l'incommode.*

incommodité n. f. Caractère de ce qui est incommode.

incommunicabilité n. f. 1. Didac. Caractère de ce qui est incommunicable. 2. Impossibilité de communiquer. *Le drame de l'incommunicabilité.*

incommunicable adj. 1. Qui ne peut être communiqué. *Droits incommunicables.* 2. Qu'on ne peut exprimer, faire partager. *Angoisse incommunicable.*

incommutable adj. DR *Propriétaire incommutable,* qui ne peut être dépossédé. – *Propriété incommutable,* qui ne peut changer de propriétaire.

incomparable adj. Tellement supérieur que rien ne peut lui être comparé. *Beauté incomparable.*

incomparablement adv. D'une manière incomparable, sans comparaison possible.

incompatibilité n. f. 1. Caractère de ce qui est incompatible. *Incompatibilité d'humeur.* – MED *Incompatibilité sanguine, incompatibilité tissulaire.* ▷ DR *Incompatibilité de fonctions.* 2. MATH Caractère d'un système d'équations incompatibles.

incompatible adj. 1. Qui n'est pas compatible, ne peut pas s'accorder, s'associer (avec autre chose). *Des rêves incompatibles avec la réalité.* ▷ DR *Fonctions incompatibles,* qui ne peuvent être exercées par un même individu. 2. MATH Qualifie un système d'équations dont l'ensemble des solutions est vide.

incompétence n. f. Défaut de compétence d'une personne, d'une juridiction.

incompétent, ente adj. 1. Qui n'a pas l'aptitude, les connaissances requises. 2. DR Se dit d'une juridiction qui n'a pas la capacité légale pour connaître certaines affaires.

incomplet, ète adj. Qui n'est pas complet, auquel il manque qqch. *Ouvrage incomplet.*

incomplètement adv. D'une manière incomplète.

incomplétude n. f. État de ce qui est incomplet. ▷ PSYCHO *Sentiment d'incomplétude* : sentiment d'inachèvement, d'insuffisance propre à certains malades.

incompréhensibilité n. f. Litt. Caractère de ce qui est incompréhensible.

incompréhensible adj. 1. (Choses) Impossible ou très difficile à comprendre. *Texte incompréhensible.* 2. Dont le comportement est inexplicable. *Personnage incompréhensible.* – Par ext. *Acte incompréhensible.*

incompréhensif, ive adj. Qui manque de compréhension à l'égard d'autrui.

incompréhension n. f. Incapacité à comprendre; attitude d'une personne incompréhensive.

incompressibilité n. f. Didac. Nature de ce qui est incompressible.

incompressible adj. 1. PHYS Qui ne peut pas être comprimé, dont le volume ne diminue pas sous l'effet de la pression. *L'eau est presque incompressible.* 2. Qui ne peut pas être réduit. *Dépense incompressible. Peine incompressible.*

incompris, ise adj. et n. Dont le mérite, la valeur ne sont pas reconnus. *Artiste incompris.* ▷ Subst. *Un(e) incompris(e).*

inconcevable adj. 1. Que l'esprit ne peut concevoir. *Mystère inconcevable.* 2. Qu'on ne peut expliquer, imaginer, admettre. *Conduite inconcevable.*

inconciliable adj. Se dit de personnes, de choses qui ne peuvent se concilier. *Adversaires, thèses inconciliables.*

inconditionné, ée adj. 1. PHILO Qui n'est soumis à aucune condition. 2. Qui n'est pas conditionné, marqué, influencé (par un contexte social).

inconditionnel, elle adj. et n. 1. Indépendant de toute condition. *Obéissance inconditionnelle.* 2. Qui se plie, quelles que soient les circonstances (aux décisions d'un homme, aux consignes d'un parti). *Un partisan inconditionnel de...* ▷ Subst. *Les inconditionnels de droite, de gauche.*

inconditionnellement adv. De façon inconditionnelle.

inconduite n. f. Mauvaise conduite, notam. en ce qui concerne les mœurs.

inconfort [ɛ̃kɔ̃fɔʀ] n. m. Manque de confort.

inconfortable adj. Qui n'est pas confortable. *Siège inconfortable.* ▷ Fig. *Situation inconfortable,* délicate, gênante.

incongelable adj. TECH Qui n'est pas ou n'est que très difficilement congelable.

incongru, ue adj. Déplacé, inconvenant. *Une remarque, une attitude incongrue.*

incongruité n. f. Caractère de ce qui est incongru. ▷ Action, parole incongrue.

incongrûment adv. Rare D'une manière incongrue.

inconnaissable adj. et n. m. Qui ne peut être connu; inaccessible à la conscience humaine. ▷ n. m. *La recherche de l'inconnaissable.*

inconnu, ue adj. et n. I. adj. 1. Dont l'existence est ignorée. *Découvrir une terre inconnue.* 2. Sur lequel, sur quoi on n'a pas d'informations. *Le Soldat inconnu. Origine inconnue.* 3. Qu'on n'a jamais éprouvé. *Plaisir inconnu.* II. n. 1. Personne que l'on ne connaît pas. *Aborder un inconnu.* 2. n. m. Ce que l'on ignore. *Aller du connu à l'inconnu.* 3. n. f. MATH Quantité que l'on se propose de déterminer par la résolution d'une équation.

inconsciemment [ɛ̃kɔ̃sjamɑ̃] adv. De manière inconsciente.

inconscience n. f. 1. État d'une personne inconsciente, privée de sensibilité. *Sombrer dans l'inconscience sous l'effet d'un anesthésique.* 2. Cour. Manque de discernement qui se manifeste par des conduites déraisonnables.

inconscient, ente adj. et n. I. adj. 1. Qui n'est pas conscient (être vivant). *Une personne évanouie est inconsciente.* 2. adj. et n. Qui ne mesure pas l'importance des choses, la gravité de ses actes. *Il faut être inconscient pour rouler à cette vitesse sur une route mouillée!* 3. Dont on n'a pas conscience. *Geste inconscient.* II. n. m. PSYCHAN Domaine du psychisme échappant à la conscience et influant sur les conduites d'un sujet. *Le rêve et les actes manqués sont des manifestations de l'inconscient.*

inconséquence n. f. Caractère de celui, de ce qui est inconséquent. ▷ Action, parole inconséquente.

inconséquent, ente adj. 1. Qui manque de logique, de cohérence. *Raisonnement inconséquent.* 2. Qui se conduit avec légèreté. *Jeunes gens inconséquents.*

inconsidéré, ée adj. Qui dénote un manque de réflexion. *Propos inconsidérés.*

inconsidérément adv. D'une manière inconsidérée.

inconsistance n. f. Manque de consistance.

inconsistant, ante adj. 1. Qui manque de consistance, de fermeté. *Crème inconsistante.* 2. Fig. Qui manque de solidité, de suite, de cohérence. *Style inconsistant. Caractère inconsistant.*

inconsolable adj. Qui ne peut être consolé.

inconsolé, ée adj. Litt. Qui n'est pas consolé.

inconsommable adj. Qui ne peut être consommé; impropre à la consommation.

inconstance n. f. Manque de constance.

inconstant, ante adj. 1. Dont les opinions, les sentiments changent facilement. *Amant inconstant.* 2. Litt. Changeant, variable. *Temps inconstant.*

inconstitutionnalité n. f. DR Caractère de ce qui est inconstitutionnel.

inconstitutionnel, elle adj. DR Qui n'est pas conforme à la Constitution.

inconstructible adj. DR Où l'on n'a pas le droit de construire. *Terrain inconstructible.*

incontestable adj. Qui ne peut être contesté, mis en doute. *Progrès incontestable.*

incontestablement adv. D'une manière incontestable.

incontesté, ée adj. Qui n'est pas contesté. *Supériorité incontestée.*

incontinence n. f. 1. Vx Défaut de continence, transgression des interdits de la morale chrétienne sur le plan sexuel. 2. *Incontinence de langage* : tendance incontrôlée à parler trop. 3. MED Absence du contrôle des sphincters vésical ou anal.

1. incontinent adv. Vx ou litt. Immédiatement, sur-le-champ.

2. incontinent, ente adj. 1. Vx (Personnes) Qui n'est pas chaste. 2. MED Qui ne maîtrise pas ses mictions ou ses défécations.

incontournable adj. Qu'on ne peut éviter, contourner (sens fig.).

incontrôlable adj. Que l'on ne peut contrôler. *Affirmation incontrôlable.*

incontrôlé, ée adj. Qui n'est pas contrôlé; qui échappe à tout contrôle. *Bandes armées incontrôlées.*

inconvenance n. f. 1. Caractère de ce qui est inconvenant. 2. Acte, propos inconvenants.

inconvenant, ante adj. Qui blesse les convenances, la bienséance. *Propos inconvenants.*

inconvénient n. m. 1. Désavantage inhérent à une chose. *Les avantages et les inconvénients d'un projet.* 2. Désagrément, résultat fâcheux qu'une chose ou une situation peut produire. *Si vous n'y voyez pas d'inconvénients...*

inconvertibilité n. f. FIN Nature de ce qui n'est pas convertible. *Inconvertibilité d'une monnaie.*

inconvertible adj. FIN Qui n'est pas convertible (en or, en espèces métalliques, etc.).

incoordination n. f. Didac. Absence de coordination. ▷ MED *Incoordination motrice :* manque de coordination des mouvements.

incorporable adj. Qui peut être incorporé. – *Spécial.* V. incorporer (sens 3).

incorporalité ou **incorporéité** n. f. Didac. Caractère, nature de ce qui est incorporel.

incorporation n. f. Action d'incorporer, son résultat. – Spécial. *Incorporation des jeunes recrues.*

incorporel, elle adj. **1.** Qui n'a pas de corps, qui n'est pas matériel. *Dieu est incorporel.* **2.** DR *Biens incorporels :* biens qui n'ont pas d'existence matérielle (droits d'auteur, par ex.).

incorporer v. tr. [1] **1.** Unir (plusieurs choses) en un seul corps. *Incorporer une substance à* (ou *avec*) *une autre.* ▷ v. pron. *La cire s'incorpore aisément à la gomme.* **2.** Faire entrer (une partie) dans un tout. *Incorporer un article dans un ouvrage.* **3.** Faire entrer dans son unité d'affectation (un militaire). *Incorporer une recrue.*

incorrect, ecte [ɛ̃kɔʀɛkt] adj. Qui n'est pas correct. *Style incorrect.* ▷ (Personnes) *Vous avez été très incorrect avec lui.*

incorrectement adv. De manière incorrecte.

incorrection n. f. **1.** Manquement aux règles de la correction, de la bienséance. *L'incorrection d'un procédé.* **2.** Défaut de correction; faute. *Un texte plein d'incorrections.*

incorrigible adj. **1.** (Défauts) Qu'on ne peut pas corriger. *Une incorrigible curiosité.* **2.** (Personnes) Dont on ne peut corriger les défauts. *Un incorrigible bavard.*

incorruptibilité n. f. Didac. Qualité de ce qui est incorruptible. *L'incorruptibilité du bois de cèdre.* ▷ Fig. *L'incorruptibilité d'un juge.*

incorruptible adj. et n. **1.** Non sujet à la corruption, à l'altération. *Matière incorruptible.* **2.** Fig. Incapable de se laisser corrompre pour agir contre ses devoirs. *Magistrat incorruptible.* ▷ Subst. *Robespierre était surnommé « l'Incorruptible ».*

incrédibilité n. f. Litt. **1.** Caractère de ce qui est incroyable. *L'incrédibilité d'un fait, d'une opinion.* **2.** Caractère de ce qui n'est pas crédible, de ce qui n'inspire pas confiance. *L'incrédibilité des mesures gouvernementales.*

incrédule adj. et n. **1.** Qui doute; qui ne croit pas aux dogmes religieux. *Philosophe incrédule.* ▷ Subst. *Convertir les incrédules.* **2.** Qui croit difficilement; difficile à persuader. *Esprit incrédule.* ▷ Qui marque l'incrédulité. *Un sourire incrédule.*

incrédulité n. f. **1.** Manque de foi religieuse. **2.** Fait d'être incrédule, de croire difficilement.

incréé, ée adj. RELIG Qui existe sans avoir été créé. *Dieu seul est un être incréé.*

incrément n. m. INFORM Quantité dont on augmente la valeur d'une variable lors de l'exécution d'un programme.

incrémentation n. f. INFORM Fait d'incrémenter. *Incrémentation d'un score.*

incrémenter v. tr. [1] INFORM Augmenter d'une quantité donnée (un compteur).

increvable adj. **1.** Qui ne peut être crevé. *Pneu increvable.* **2.** Fig., fam. Infatigable. *Ce garçon est décidément increvable.*

incriminable adj. Qui peut être incriminé.

incrimination n. f. Rare Action d'incriminer.

incriminer v. tr. [1] Mettre en cause, accuser (qqn). *Incriminer qqn pour les propos qu'il a tenus.*

incrochetable adj. TECH Qui ne peut être crocheté. *Serrure incrochetable.*

incroyable adj. et n. m. **1.** adj. Qui ne peut être cru; qui est difficile à croire. *Un récit incroyable.* ▷ n. m. *Il leur faut du merveilleux, de l'incroyable.* ▷ Impers. *Il est incroyable de* (+ inf.); *il est, il semble incroyable que* (+ subj.). **2.** adj. Peu commun, extraordinaire, inimaginable. *Développer une activité incroyable.* ▷ *C'est incroyable ! :* c'est extraordinaire ! c'est un peu fort !, etc. **3.** n. m. HIST *Les Incroyables :* sobriquet donné sous le Directoire à de jeunes royalistes qui affectaient une manière particulière, excentrique, de parler et de s'habiller.

incroyablement adv. D'une manière incroyable.

incroyance n. f. Absence de croyance religieuse; état de celui qui est incroyant.

incroyant, ante n. (et adj.) Personne qui n'a pas de foi religieuse, soit par abstention (agnosticisme), soit par refus (athéisme). ▷ adj. *Philosophe incroyant.*

incrustant, ante adj. Qui a la propriété de couvrir les corps d'une croûte minérale (calcaire, notam.). *Source, eau incrustante.* Syn. pétrifiant.

incrustation n. f. **1.** Action d'incruster. ▷ Ornement incrusté. *Incrustations d'or.* **2.** GEOL Couche pierreuse qui se dépose sur les objets (restes végétaux, notam.) ayant séjourné dans une eau calcaire. – Objet ainsi incrusté. ▷ TECH Dépôt calcaire à l'intérieur d'une installation de chauffage à eau chaude. (On l'évite à l'aide de *désincrustants.*) **3.** AUDIOV Apparition sur une image télévisée d'une image d'un autre programme occupant une partie de l'écran.

incruster v. [1] **I.** v. tr. **1.** (Souvent au passif.) Orner (la surface d'un corps) en y insérant des fragments d'une autre matière. *Coffret d'ébène incrusté de nacre.* **2.** TECH Couvrir d'un dépôt calcaire. **3.** AUDIOV Pp. adj. *Image incrustée,* qui présente une incrustation. **II.** v. pron. **1.** Adhérer fortement à la surface d'une chose en y pénétrant. *Coquillages qui s'incrustent dans les rochers.* **2.** Fig. *S'incruster chez qqn,* s'y installer et y demeurer de manière inopportune. **3.** TECH Se couvrir d'une croûte minérale (calcaire, tartre, etc.).

incubateur, trice adj. et n. m. TECH Qui sert à incuber les œufs. *Poche incubatrice.* – *Un appareil incubateur* ou, n. m., *un incubateur.* ▷ n. m. *Par anal.* MED Appareil destiné à permettre le développement des enfants prématurés dans un milieu protégé. Syn. couveuse (artificielle).

incubation n. f. **1.** Didac. Action de couver; développement dans l'œuf de l'embryon des ovipares. *Incubation naturelle, artificielle.* **2.** MED Période comprise entre la contamination et l'apparition des premiers symptômes de la maladie.

incube n. m. Didac. Démon mâle qui était censé abuser des femmes endormies. *Les incubes et les succubes*.*

incuber v. tr. [1] Didac. Opérer l'incubation de. Syn. couver.

inculpation n. f. DR V. examen *(mise en examen).*

inculpé, ée n. et adj. DR Personne qui est sous le coup d'une inculpation. ▷ adj. *Audition des personnes inculpées.*

inculper v. tr. [1] DR Imputer (à qqn) une faute constituant un crime ou un délit. *Le juge d'instruction l'a inculpé d'assassinat.*

inculquer v. tr. [1] Imprimer dans l'esprit de manière profonde et durable. *Inculquer à qqn les rudiments du latin.*

inculte adj. **1.** Qui n'est pas cultivé. *Terres incultes.* **2.** *Par anal.* Mal soigné (en parlant de la barbe et des cheveux). **3.** Dépourvu de culture intellectuelle. *Un homme totalement inculte.* ▷ Barbare, primitif. *Peuplades incultes.*

incultivable adj. Qui ne peut être cultivé. *Terre incultivable.*

inculture n. f. Rare Absence de culture intellectuelle.

incunable adj. et n. m. Didac. **1.** adj. Qui date des premiers temps de l'imprimerie (en parlant d'une édition). **2.** n. m. Ouvrage imprimé entre la découverte de l'imprimerie (1438) et l'année 1500. *Incunables typographiques.*

incurabilité n. f. Caractère de ce qui est incurable.

incurable adj. et n. **1.** Qui ne peut être guéri. *Maladie incurable. Malade incurable.* ▷ Subst. *Un(e) incurable.* **2.** Fig. *Il est d'une bêtise incurable.*

incurablement adv. De manière incurable.

incurie n. f. Défaut de soin, négligence. *Incurie administrative.*

incuriosité n. f. Litt. Absence de curiosité intellectuelle à l'égard de ce que l'on ignore.

incursion n. f. **1.** Courte irruption armée dans une région, un pays. *Les incursions répétées de bandes de pillards.* **2.** Fig. Travail, études en dehors de ceux auxquels on se livre dans son domaine habituel. *Les incursions de ce physicien dans le domaine de la poésie.*

incurvation n. f. Action d'incurver, son résultat.

incurver v. tr. [1] Donner une forme courbe à. ▷ v. pron. *Latte de bois qui s'incurve sous l'effet de l'humidité.* – Pp. adj. *Table aux pieds incurvés.*

incuse adj. f. et n. f. TECH Se dit d'une médaille ou d'une monnaie frappée en creux sur l'une de ses faces, le même thème pouvant apparaître en relief et inversé sur l'autre face.

indatable adj. Qu'on ne peut dater.

Inde (république de l') *(Bharat Inktarashtra),* État d'Asie mérid. constituant un véritable sous-continent, séparé du reste de l'Asie par l'Himalaya; 3 287 78[illegible] km²; 840 000 000 d'hab., la 2e population du monde après la Chine (croissance démographique 2 % par an). cap. *New Delhi.* Nature de l'État : rép. fédérale membre du Commonwealth (25 États et 7 territoires). Langue off.

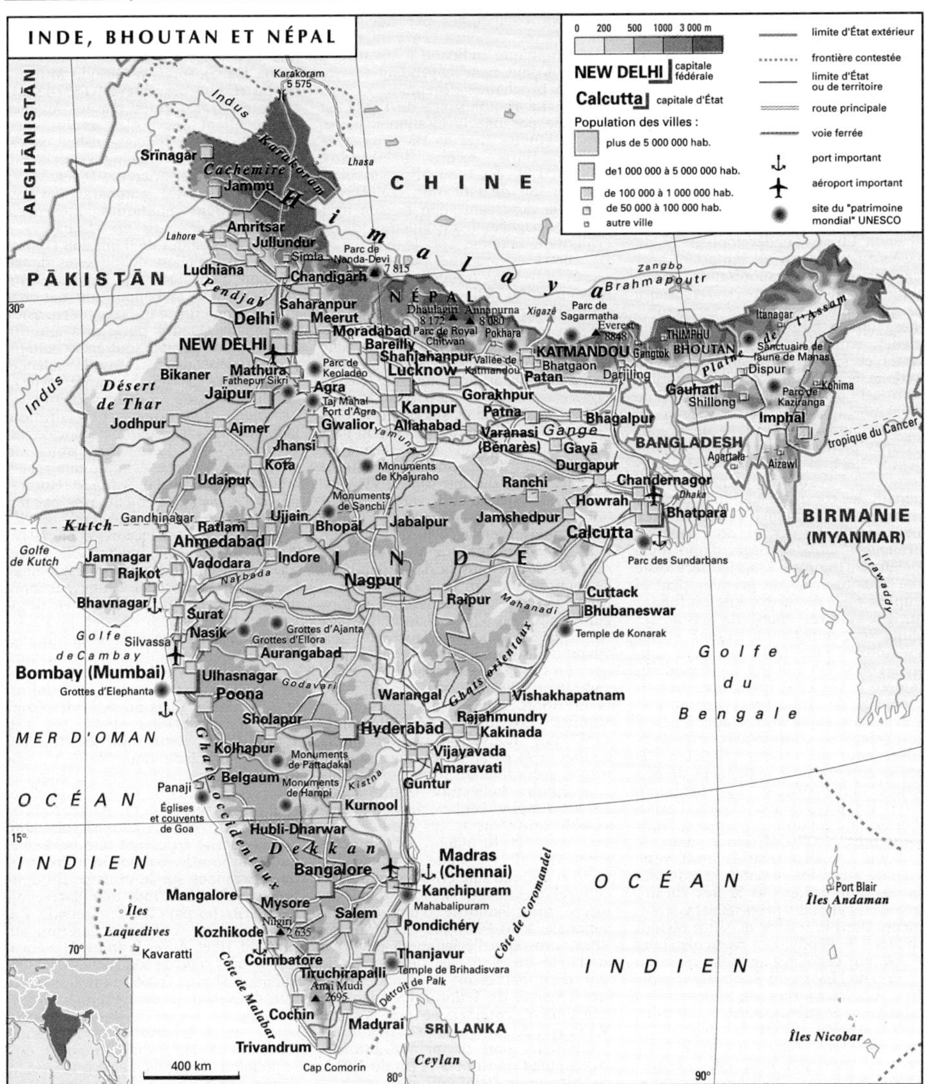

hindi (avec l'anglais). Monnaie : roupie. Pop. : descend essentiellement d'une souche hypothétique, les Aryens, le reste étant composé princ. de Dravidiens. Relig. : hindouisme (83 %), islam (13 %), christianisme, bouddhisme, sikhisme.

Géogr. phys. et hum. – Trois ensembles naturels constituent le territoire indien. – L'Himalaya, puissante barrière montagneuse, surtout présente au N.-O. et au N.-E. du pays, compte une série de sommets à 8 000 m, dont le K2, point culminant du territoire (8 620 m). – La plaine Indo-Gangétique, plus au S., est un ancien golfe marin remblayé de sédiments et d'alluvions arrachés à la montagne par les puissants fleuves himalayens (Indus et Gange principalement). Inondable dans ses parties basses, elle se termine sur le golfe du Bengale par le plus grand delta du monde. – Le Dekkan forme la partie péninsulaire de l'Inde. C'est un socle cristallin, élément de l'ancien continent Gondwana, qui a été fracturé à l'ère tertiaire et recouvert au N.-O. de vastes épanchements de basalte *(Trapps).* Les bordures redressées de ce plateau forment les Ghâts, hauteurs vigoureuses et abruptes qui dominent une étroite plaine littorale à l'O. (côte de Malabar), moins élevées à l'E. et s'abaissant progressivement vers une plaine côtière plus large (côte de Coromandel et des Circārs). Le climat, rythmé par la mousson, oppose une saison sèche d'hiver (novembre à mai) à une saison des pluies d'été (juin à septembre). On distingue une *Inde humide* (à l'O., Ghâts occidentales, au S., Kerala, et au N.-E., Assam, Bengale, moyenne vallée du Gange), qui concentre les plus fortes densités humaines du pays, et une *Inde sèche* (Dekkan intérieur, N.-O.), moins peuplée mais où les irrégularités climatiques peuvent être catastrophiques. À l'extrême N.-O. du pays s'étend un véritable désert, le Thar. Les zones de végétation naturelle – forêt de mousson à teck et santal de l'Inde humide, qui abritait une riche faune sauvage (tigres, éléphants, buffles), épais fourrés d'épineux et d'acacias de l'Inde sèche (jungle) – ont été largement défrichées. La mosaïque ethnique et linguistique de l'Inde découle de l'histoire de son peuplement. Aux populations autochtones de Noirs dravidiens (aujourd'hui 100 millions de personnes groupées au S.) et de tribus du N. du pays, sont venus s'ajouter, entre 1700 et 1000 av. J.-C., les Aryens, envahisseurs venus du N. par la passe de Khaybar. On dénombre aujourd'hui plus de 1 600 langues et dialectes, dont 15 importants. L'hindi, langue officielle, est en progrès (30 % de la population), mais l'anglais, parlé par toutes les élites, reste la langue véhiculaire. L'hindouisme, religion majoritaire, s'accompagne du système jāti, inégalitaire, qui divise la société en castes et qui, malgré son interdiction par Gandhi, structure encore les rapports sociaux dans le pays (plus de 100 millions de Harijans, les intouchables). Les problèmes démographiques sont à la mesure du pays; en dépit de succès notables du planning familial, l'excédent naturel dépasse 18 millions de personnes par an, d'où des problèmes insolubles d'éducation et d'emploi et un développement économique freiné. Plus de 70 % des Indiens sont encore des ruraux et l'exode entraîne une explosion urbaine incontrôlée : plus de 20 agglomérations dépassent le million d'hab.

Écon. – L'Inde est la 3e puissance économique du tiers monde, après le Brésil et la Chine. Le développement du pays s'est fondé sur un important héritage légué par la colonisation britannique (réseau de transports, ferroviaire en particulier, ports, infrastructures énergétiques, bases agricoles et industrielles, équipements d'hygiène et de santé) et sur la mise en place d'un système économique original – qui a permis de parler de «modèle indien de développement» – faisant coexister un secteur public puissant et de grands groupes privés nationaux (Tata, Birla). Depuis 1984, la libéralisation de l'économie est à l'ordre du jour, avec l'allègement des contrôles étatiques, l'encouragement de l'initiative privée, l'ouverture sur l'extérieur et aux capitaux étrangers; ainsi, l'image d'une Inde socialiste s'estompe. L'agriculture reste une activité écon. de premier plan et emploie 60 % des actifs. Elle est fondée sur les cultures *kharif*, de saison des pluies (riz, millet, jute, coton), et sur les cultures *rabi*, de saison sèche (blé, orge, colza); les cultures de plantations comme le thé et l'exploitation du bois (teck, bois de santal, bois de rose) constituent des exportations appréciables. Le cheptel est considérable mais sous-utilisé pour des raisons religieuses; la pêche apporte un complément de protéines indispensable. La révolution verte, les progrès techniques, l'extension de l'irrigation ont permis à l'Inde d'atteindre l'autosuffisance dans le domaine céréalier mais la prod. reste soumise aux aléas climatiques et les disparités sont fortes. 40 % des ruraux, tenanciers et petits propriétaires, vivent encore dans la misère et, si les régions du Nord (le Pendjab en particulier) ont réussi leur décollage agricole, celles du Centre, de l'Est et du Sud restent attardées. Les ressources du sous-sol sont relativement abondantes : houille, hydrocarbures (dont la production s'accroît), fer, bauxite, manganèse. De plus, le pays renforce son potentiel hydroélectrique et nucléaire. Les industries lourdes (charbonnage, sidérurgie, pétrochimie, engrais) sont contrôlées par l'État mais le secteur privé couvre une gamme très complète de productions. L'Inde a même développé des branches de pointe comme la chimie fine, l'électronique, l'aéronautique, les armements. Le pays apparaît donc comme une puissance industrielle évoluée, capable de satisfaire à la plupart de ses besoins. Cependant, l'économie indienne souffre d'un marché intérieur trop étroit, d'une trop faible compétitivité internationale, d'un réseau de transport saturé et d'une pénurie de main-d'œuvre qualifiée. L'industrie se concentre dans les grandes métropoles du pays, le bassin de la Damodar apparaissant comme la principale région d'industries lourdes. Il faut enfin noter que l'Inde dispose d'une recherche de haut niveau et de la première industrie cinématographique mondiale, ces deux domaines contribuant à son renom à l'étranger. Les atouts du pays sont donc importants, et ses difficultés économiques (fort endettement, inflation élevée) sont compensées par une croissance élevée. Amener l'énorme masse démographique indienne à un niveau de vie décent reste cependant le vrai défi des prochaines décennies.

Hist. – La protohistoire de l'Inde est marquée par une civilisation urbaine, dite de l'Indus (sites de Harappā et de Mohenjo-Dāro, vallée de l'Indus, 2500-1500 av. J.-C.), qui disparut peut-être du fait de l'invasion des Aryens ou de la désorganisation de son agriculture irriguée. L'introduction de la civilisation aryenne apr. le XVe s. av. J.-C. nous est connue par les textes sacrés du *Veda* (recueil littéraire et religieux). Au VIIe s. av. J.-C., cette civilisation, profondément marquée par le pouvoir religieux des brahmanes, s'étend vers l'E. et se développe. Une réaction contre le système d'organisation sociale lié au brahmanisme (castes) s'opère au siècle suivant, avec la naissance du jaïnisme et, surtout, du bouddhisme. À la m. époque, le N.-O. du pays connaît l'invasion perse de Darius Ier, qui s'empare de la vallée de l'Indus et la constitue en satrapie (fin du VIe s. av. J.-C.). Deux siècles plus tard, l'expédition d'Alexandre met l'Inde en contact direct, mais bref, avec le monde grec (l'art gréco-bouddhique du Gāndhāra s'est développé plus tard, au début de l'ère chrétienne, au contact de la Bactriane largement hellénisée). Chandragupta fonde en 321 av. J.-C. la dynastie des Maurya, repousse Séleucos Ier, lieutenant d'Alexandre, et établit un empire que son fils, le roi bouddhiste Açoka (v. 264-226 av. J.-C.), élargit considérablement. Après la chute de l'empire des Maurya (déb. du IIe s. av. J.-C.), l'Inde subit une nouvelle invasion (indo-scythe) et le royaume des Kushāna se forme, accordant un rôle considérable à la culture hellénique (Ier-IIIe s. ap. J.-C.). L'Empire āndhra des Çātakarni s'établit en même temps dans le Dekkan. Avec la formation de l'Empire gupta (IVe-VIe s.), l'Inde retrouve son unité et connaît une ère de grand éclat culturel. C'est l'âge classique de l'Inde, placée sous l'autorité d'une dynastie nationale. Mais l'invasion des Huns, au VIe s., provoque l'éclatement politique de l'Inde du Nord; le Dekkan est le lieu d'un bel essor de l'hindouisme (art d'Ajantā, de Tellora). La conquête musulmane, commencée par le Turc Mahmūd de Ghaznī (999-1030), est poursuivie par le prince iranien Muhammad de Ghor à la fin du XIIe s. Le sultanat de Delhi, qui avait rendu à l'Inde son unité, ne résista pas à l'invasion de Tamerlan (1398-1399) et se trouva morcelé en une multitude de principautés musulmanes et hindoues en lutte perpétuelle. Grâce aux contacts avec l'islam, les échanges commerciaux, intellectuels et artistiques sont en plein essor; en 1498, Vasco de Gama débarque à Calicut à la recherche d'épices. Un descendant de Tamerlan, Bāber, fonde l'Empire moghol, qui atteint son apogée du règne d'Akbar (1556-1605) à celui d'Aurengzeb (1658-1707), après quoi l'Inde est à nouveau morcelée. De la fin du XVe s. jusqu'au XVIIe s., les contacts avec les Occidentaux, Portugais, puis Hollandais, enfin Français et Anglais, furent d'abord commerciaux (création des Compagnies des Indes orientales). Au XVIIIe s., Dupleix, gouverneur des Établissements français en Inde, intervint le premier dans les querelles indiennes, afin d'obtenir des concessions territoriales et de créer un empire colonial. Désavoué, Dupleix dut laisser le champ libre à la Compagnie anglaise des Indes qui l'emporta définitivement après la défaite de Lally-Tollendal (1761). Devenue une colonie rattachée à la Couronne (1858) après la Grande Mutinerie ou révolte des cipayes (1857-1858), l'Inde est transformée par les Anglais (qui confient des postes import. aux Indiens) : impôt foncier, justice, voies ferrées. En 1877, la reine Victoria est proclamée impératrice des Indes. Mais, dès la fin du XIXe s. apparaissent des revendications politiques, incarnées surtout par le parti du «Congrès» : demande du statut de dominion (1885), d'une participation politique et de la création d'une industrie nationale. Au début du XXe s., l'opposition nationaliste prend un caractère terroriste. Cependant, Gandhi, porté à la tête du mouvement national, tout en se battant pour l'indépendance, refuse la violence et préconise la «désobéissance civile». Londres accorde en 1919 *(Government of India Act)* une représentation indienne dans les assemblées locales et centrale; en 1935, un nouveau *Government of India Act* crée une réelle autonomie, mais la Seconde Guerre mondiale, les engagements pris par les Britanniques rendent inévitable l'indépendance; elle est accordée en 1947, mais l'antagonisme irréductible entre les hindous et les musulmans oblige les Anglais à procéder à une partition de l'ancien empire des Indes en deux États : l'Union indienne et le Pākistān. Ce partage provoque de nombreux massacres entre les deux communautés et d'importants déplacements de population; il sera à l'origine de conflits entre les deux États au sujet des frontières du Cachemire (1947, 1957 et 1965). Après l'assassinat de Gandhi (janv. 1948), l'Inde, dotée d'une Constitution de type parlementaire, calquée sur celle de la G.-B., se donne comme chef du gouvernement le pandit Nehru, qui engage son pays dans la voie d'un État moderne en créant une puissante industrie lourde. Sa politique internationale, fondée sur le principe du neutralisme, donne à l'Inde une place capitale parmi les pays du tiers monde. En 1962 éclate un conflit avec la Chine au sujet du Tibet. Après la mort de Nehru (1964), puis celle de son successeur, Lal Bahādur Shastri (1966), Indira Gandhi, fille de Nehru, devient Premier ministre. Elle se heurte à de graves problèmes polit. (opposition des «grands féodaux» et des révolutionnaires), qui se doublent de problèmes écon. liés à la démographie. À l'extérieur, en 1971, l'Inde favorise, par une nouvelle guerre (après celle de 1965) contre le Pākistān, la naissance du Bangladesh (ex-Pākistān oriental). En mai 1974, l'Inde fait exploser sa première bombe atomique. En 1975, le Sikkim est annexé, devenant le vingt-deuxième État de l'Union. Face aux problèmes écon. et à une violente contestation politique, I. Gandhi instaure, de 1975 à 1977, l'état d'urgence et fait arrêter des milliers d'opposants. Battue par la coalition des partis d'opposition en 1977, elle doit laisser le pouvoir à Morarjī Desai. Mais ce dernier ne réussit pas à redresser la situation économique, et les élections de 1980 sont un triomphe pour la fille de Nehru. Cette seconde partie du «gouvernement Indira» est marquée par un essor économique régulier, mais aussi par l'accentuation des particularismes culturels, qui culmine en 1984 avec l'agitation sikhe, l'assaut donné par l'armée au Temple d'or d'Amritsar et l'assassinat du Premier ministre. Son fils, Rajiv Gandhi, qui lui succède, remporte les élections de déc. 1984. En

1986, l'Arunachal Pradesh et, en 1987, le Mizoram et le territoire de Goa deviennent États de l'Union indienne. Sur le plan international, l'Inde a prêté main-forte au gouvernement du Sri Lanka dans sa lutte contre les séparatistes tamouls (1987-1989). En 1989, après les accusations de corruption et l'échec du parti du Congrès aux élections, R. Gandhi a démissionné. Entre déc. 1989 et juin 1991, deux gouvernements du parti Janata se sont succédé, celui de V. P. Singh puis celui de Chandra Shekhar, sans pouvoir apporter de solution au terrorisme sikh du Pendjab ni au séparatisme des musulmans au Cachemire. Après l'assassinat de R. Gandhi en mai 1991, Narasimha Rao, élu à la tête du parti du Congrès, accélère l'ouverture du pays sur l'Occident et la libéralisation de l'économie. La montée du fondamentalisme hindou, qui s'est traduite par les succès électoraux du parti Bharatiya Janata, ou Parti du peuple indien (B.J.P.), est à l'origine des affrontements entre hindous et musulmans (destruction de la mosquée d'Ayodhya, en déc. 1992). La violence interne se matérialise par deux types de conflits : ceux qui remettent en cause l'unité de l'Union indienne (Cachemire, Pendjab, et les sept États du Nord-Est) et ceux qui touchent la structure politique et sociale de l'Union (condamnation de l'État laïc par les extrémistes hindous, contestation du découpage territorial par les différents mouvements régionalistes). En mai 1996, malgré la victoire du B.J.P. au scrutin législatif, c'est Deve Gowda, représentant d'une coalition de centre gauche, qui forme le gouv., remplacé par Inder Kumar Gujral (1997). Kocheril Raman Narayanan, appartenant à la caste des intouchables, est élu président de la Rép. en juil. 1997. Les élections de fév. 1998 confirment la progression du B.J.P., dont un membre modéré, Atal Bihari Vajpayee, devient Premier ministre.

Inde (Établissements français dans l'), comptoirs fondés par la France entre la fin du XVIIe s. et le milieu du XVIIIe s., vestiges des possessions conquises par la Compagnie des Indes : Pondichéry, Chandernagor, Kārikāl, Mahé et Yanaon; loges (zones portuaires autonomes) à Dacca, Calicut, Surat, etc. Ils furent restitués à l'Inde en 1954 (Chandernagor en 1951).

indéboulonnable adj. Qu'on ne peut déboulonner. ▷ Fig., fam. *Un président indéboulonnable.*

indécelable adj. Impossible à déceler, indétectable.

indécemment [ɛ̃desamɑ̃] adv. D'une manière indécente.

indécence n. f. **1.** Caractère de ce qui est indécent. *Indécence d'une toilette.* **2.** Manière d'agir ou de parler. *Conversation pleine d'allusions et d'indécences.*

indécent, adj. **1.** Qui est contraire à la décence. **2.** Insolent, excessif. *Avoir une chance indécente.*

indéchiffrable adj. **1.** Qui ne peut être déchiffré. *Dépêche codée indéchiffrable.* **2.** Très difficile à lire. *Texte, écriture indéchiffrable.* **3.** Fig. Obscur, inintelligible; très difficile à deviner, à comprendre. *Un homme indéchiffrable.*

indéchirable adj. Qui ne peut être déchiré.

indécidable adj. LOG Qui ne peut être ni démontré, ni réfuté.

indécis, ise adj. et n. **1.** Non décidé, douteux, incertain. *Question, victoire indécise.* **2.** Difficile à distinguer; flou, imprécis. *Traits indécis.* **3.** (Personnes) Qui ne se décide pas, qui hésite; irrésolu, qui ne sait pas se décider. *Il est encore indécis, son choix n'est pas fait. Caractère indécis. Personne indécise.* ▷ Subst. *Décider les indécis.*

indécision n. f. Caractère, état d'une personne indécise; indétermination.

indéclinable adj. GRAM Qui ne se décline pas.

indécodable adj. Qui ne peut être décodé.

indécollable adj. Impossible à décoller.

indécomposable adj. Qu'on ne peut décomposer.

indécrottable adj. Fam. Incorrigible dans ses mauvaises habitudes. *Cancre indécrottable.*

indéfectibilité n. f. Litt. Caractère de ce qui est indéfectible.

indéfectible adj. Litt. **1.** Qui ne peut cesser d'être, qui dure toujours. *Amitié indéfectible.* **2.** Qui ne peut être pris en défaut. *Un courage indéfectible.*

indéfectiblement adv. Litt. D'une manière indéfectible.

indéfendable adj. **1.** Qu'on ne peut défendre. *Forteresse indéfendable.* **2.** Fig. Qu'on ne peut soutenir. *Cause, thèse indéfendable.*

indéfini, ie adj. et n. m. **1.** Dont les limites ne peuvent être déterminées. *Temps, espace indéfini.* **2.** Qui n'est pas défini, vague, imprécis. *Sentiment indéfini.* ▷ LOG *Terme indéfini,* dont la définition n'est pas précisée. **3.** GRAM Désigne une catégorie de déterminants et de pronoms qui présentent le nom de manière vague sous son aspect le plus général. *Articles* (un, une, des), *pronoms* (quelqu'un, chacun, personne, etc.), *adjectifs* (quelque, chaque, etc.) *indéfinis.* ▷ n. m. *Les indéfinis.*

indéfiniment adv. D'une manière indéfinie, éternellement. *Ajourner indéfiniment une affaire.*

indéfinissable adj. **1.** Qu'on ne peut définir. *Terme indéfinissable.* **2.** Dont on ne peut rendre compte; qu'on ne sait expliquer. *Charme indéfinissable.*

indéformable adj. Qui ne peut être déformé, qui ne se déforme pas.

indéfrichable adj. Qui ne peut être défriché.

indéfrisable adj. et n. f. **1.** adj. Qui ne peut être défrisé. **2.** n. f. Vieilli Syn. de *permanente.*

indéhiscent, ente [ɛ̃deisɑ̃, ɑ̃t] adj. BOT Qui ne s'ouvre pas spontanément à maturité. *Fruits indéhiscents* (certains fruits secs : akènes, par ex.).

indélébile adj. Qui ne peut être effacé. *Encre indélébile.* – Fig. *Flétrissure indélébile.*

indélébilité n. f. Caractère indélébile.

indélibéré adj. Didac. Qui n'est pas délibéré; fait sans réflexion. *Acte involontaire et indélibéré.*

indélicat, ate adj. **1.** Qui manque de délicatesse dans les sentiments, le comportement. *Homme indélicat.* **2.** Malhonnête. *Un comptable indélicat. Procédé indélicat.*

indélicatement adv. De manière indélicate.

indélicatesse n. f. **1.** Manque de délicatesse dans les sentiments. ▷ Action, parole indélicate. **2.** Malversation, vol. *Commettre des indélicatesses.*

indémaillable adj. et n. m. Se dit d'un tissu dont les mailles ne peuvent se défaire. ▷ n. m. *Lingerie en indémaillable.*

indemne [ɛ̃dɛmn] adj. Qui n'a souffert aucun dommage, aucune blessure. *Sortir indemne d'un accident.*

indemnisable adj. Qui peut ou doit être indemnisé.

indemnisation n. f. Action d'indemniser; paiement d'une indemnité.

indemniser v. tr. [1] Dédommager (qqn, des frais, des pertes subies, des troubles causés, etc.).

indemnitaire n. et adj. DR **1.** n. Personne qui a droit à une indemnité. **2.** adj. Qui a le caractère d'une indemnité. *Forfait indemnitaire.*

indemnité n. f. **1.** Ce qui est alloué à qqn en dédommagement d'un préjudice. *Indemnité d'expropriation.* **2.** Allocation attribuée en compensation de certains frais. *Indemnité de résidence.* – *Indemnité parlementaire des députés et des sénateurs.*

indémodable adj. Qui n'est pas susceptible de se démoder.

indémontable adj. **1.** (Choses) Qui ne peut pas être démonté. **2.** (Personnes) Qui ne se laisse pas démonter.

indémontrable adj. Qu'on ne peut démontrer. *Axiome indémontrable.*

indéniable adj. Qu'on ne peut dénier, réfuter. *Témoignage indéniable. C'est indéniable* : c'est certain, c'est incontestable.

indéniablement adv. Incontestablement.

indénombrable adj. Qui ne peut être dénombré.

indentation n. f. Didac. Échancrure comparable à la trace d'une morsure. *Les indentations d'une côte rocheuse.*

indépassable adj. Qui ne peut être dépassé.

indépendamment adv. En loc. prép. *Indépendamment de.* **1.** Sans égard à, en faisant abstraction de. *Indépendamment des événements.* **2.** En outre, en plus de. *Indépendamment de son traitement, il perçoit des indemnités.*

indépendance n. f. **1.** État d'une personne ou d'une collectivité indépendante. **2.** Refus de toute sujétion. *Indépendance d'esprit, d'opinion.* **3.** Statut international d'un État dont la souveraineté est reconnue par les autres États. *L'indépendance nationale. Déclaration d'indépendance* : V. encycl. déclaration. **4.** Absence de relations entre des choses, des phénomènes. *Indépendance statistique.*

Indépendance américaine (guerre de l'), guerre qui, de 1775 à 1782, opposa les treize colonies anglaises d'Amérique du Nord à leur métropole pour des motifs économiques (refus de la taxe imposée par la G.-B.) et constitutionnels (les colonies n'avaient pas de représentants au Parlement). Après des troubles durement réprimés (1770-1775), George Washington prit la tête de l'armée des colonies; l'indépendance fut officiellement déclarée en 1776, le 4 juil. (auj. fête nationale). Les forces anglaises, vaincues à Saratoga (1777), reprirent l'offensive, mais, grâce à l'aide que Benjamin Franklin obtint de la France, l'armée des *Insurgents* triompha des Anglais, qui capitulèrent à Yorktown (1781). Le traité de Versailles (1783) ratifia l'indépendance des É.-U.

indépendant, ante adj. **1.** Libre de toute sujétion, de toute dépendance. *Peuple indépendant.* **2.** Qui refuse toute sujétion, toute dépendance. *C'est un garçon très indépendant.* **3.** *État indépendant,* qui jouit de l'indépendance (sens 3). **4.** *Indépendant de :* qui n'a pas de rapport avec. *C'est un point indépendant de la question.* ▷ MATH *Variable indépendante :* variable qui peut prendre n'importe quelle valeur, quelle que soit celle des autres variables. ▷ GRAM *Proposition indépendante,* qui ne dépend d'aucune autre et dont aucune ne dépend.

indépendantisme n. m. Désir d'indépendance par rapport à l'État dont on dépend.

indépendantiste adj. et n. **1.** adj. Relatif à l'indépendantisme. *Un mouvement indépendantiste.* **2.** n. POLIT Partisan de l'indépendance. *Les indépendantistes du Québec.*

indépendants (Société des artistes), société fondée à Paris en 1884 pour permettre aux peintres et aux sculpteurs de présenter leurs œuvres, chaque année, au Salon des indépendants, sans passer par un jury. À leurs débuts, les *indépendants* regroupèrent des peintres comme Seurat, Cézanne, Signac (leur président de 1908 à 1934). Ils ont auj. leur siège au Grand Palais.

indépendants et paysans (Centre national des) (C.N.I.P.), parti politique de tendance libérale et conservatrice, fondé en 1948, avec notam. Paul Reynaud et Antoine Pinay. Influent sous la IVe République, il se rallia au général de Gaulle en 1958 mais se divisa sur la réforme constitutionnelle de 1962, une minorité, animée par V. Giscard d'Estaing, quittant alors le C.N.I.P. pour former le groupe des républicains indépendants (transformé en 1966 en Fédération nationale des républicains indépendants). À partir de cette date, l'audience du parti alla en se réduisant.

Inde portugaise, établissements portugais sur la côte occid. de l'Inde (Gao, Damão, île de Diu). Vestiges de l'empire fondé par les Portugais au XVIe s., repris par l'Inde en déc. 1961.

indéracinable adj. Qu'on ne peut déraciner. – Fig. *Préjugé indéracinable.*

indéréglable adj. Qui ne peut se dérégler (mécanisme).

Indes (Compagnie française des), compagnie commerciale créée en 1719 par Law, qui reprit les privilèges de la Compagnie française des Indes orientales; elle disparut lors de la banqueroute de Law (1721) et fut reconstituée en 1722. Malgré les réalisations fructueuses de La Bourdonnais (colonisation de la Réunion et de l'île Maurice) et de Dupleix (Établissements français dans l'Inde), elle perdit son monopole en 1769. Reconstituée par Louis XVI (*Nouvelle Compagnie des Indes,* 1785), elle fut définitivement supprimée par la Convention en 1793-1794.

indescriptible adj. Qui ne peut être décrit, qui dépasse toute description possible. *Tumulte indescriptible.*

indésirable adj. et n. **1.** Se dit des personnes dont le séjour dans un pays est jugé inopportun par les autorités. *On lui a notifié qu'il était indésirable sur le territoire national.* ▷ Subst. *Des mesures concernant les indésirables.* **2.** Dont on refuse la présence au sein d'une communauté, d'un groupe. ▷ Subst. *Chasser l'indésirable.*

Indes néerlandaises. V. Indonésie.

Indes occidentales, nom donné par Christophe Colomb aux îles américaines qu'il découvrit, voyant en elles le prolongement oriental des Indes.

Indes occidentales (fédération des) ou **fédération des Caraïbes,** îles du Commonwealth, situées dans la mer des Antilles et réunies en un État de 1958 à 1962. Elles comprenaient : la Jamaïque et ses dépendances, les îles Sous-le-Vent, les îles du Vent, la Barbade, la Trinité et Tobago.

Indes occidentales (Compagnie hollandaise des), compagnie commerciale, créée en 1621, qui reçut le monopole du trafic comm. en Amérique (côtes orientales) et en Afrique occidentale (S. du tropique du Cancer). Elle se lança dans la conquête (Brésil hollandais, 1630-1654; Nouvelle-Hollande, où fut fondée en 1612 la ville de La Nouvelle-Amsterdam, future New York) et la colonisation de terres américaines; la compagnie perdit vite ses colonies et fut dissoute en 1674. Une nouvelle compagnie lui succéda la même année, se consacrant essentiellement à la traite des Noirs, et disparut en 1791.

Indes orientales (Compagnie anglaise des), compagnie créée sous Élisabeth Ire en 1599 pour le commerce avec l'Inde. Elle prit son essor après la guerre de Sept Ans (1756-1763), sous l'impulsion de Robert Clive, et fut dissoute en 1858, l'Inde étant devenue une colonie britannique.

Indes orientales (Compagnie française des), compagnie fondée par Colbert en 1664 pour l'exploitation du commerce dans l'océan Pacifique et l'océan Indien. Elle perdit en 1682 son privilège, qui fut repris en 1719 par la Compagnie française des Indes.

Indes orientales (Compagnie hollandaise des), compagnie créée en 1602 pour l'établissement du commerce avec les pays riverains de l'océan Indien. Son privilège s'étendait à toutes les terres situées au-delà du cap de Bonne-Espérance. Elle fut dissoute en 1798.

indestructibilité n. f. Didac. Caractère de ce qui est indestructible.

indestructible adj. Qui ne peut être détruit. *Matériau indestructible.* – Fig. *Amitié indestructible.*

indestructiblement adv. Didac. De manière indestructible.

indétectable adj. Qu'on ne peut détecter.

indéterminable adj. Qu'on ne peut déterminer.

indétermination n. f. **1.** Fait d'être indéterminé; doute, irrésolution. *Être dans l'indétermination.* **2.** Caractère de ce qui est indéterminé. *L'indétermination du sens d'un texte.* **3.** MATH Caractère d'un système d'équations qui admet un nombre infini de solutions (par ex., un système de deux équations à trois inconnues). – Caractère d'une expression dont on ne peut déterminer la valeur numérique.

indéterminé, ée adj. **1.** Qui n'est pas déterminé, fixé; flou, imprécis. *Date indéterminée.* **2.** Rare (Personnes) Indécis. **3.** PHILO Qui n'est pas soumis au déterminisme.

index [ɛ̃dɛks] n. m. inv. **1.** Deuxième doigt de la main, le plus rapproché du pouce. *Pointer l'index.* **2.** TECH Aiguille, repère mobile sur un cadran ou une échelle graduée. **3.** Table alphabétique à la fin d'un ouvrage. *Index des noms cités.* **4.** Anc. *L'Index,* catalogue des livres prohibés par l'Église catholique (supprimé en 1966). ▷ Fig. *Mettre (qqch ou qqn) à l'index,* le proscrire, le condamner. **5.** STATIS Indice. *Index de mortalité, de morbidité.*

indexation n. f. Action d'indexer.

indexer v. tr. [1] **1.** FIN Lier l'évolution du montant d'une valeur aux variations du montant d'une autre valeur ou d'un indice pris comme référence. *Indexer un loyer sur l'indice des prix.* **2.** Classer (un document) selon son contenu.

Indiana, État du centre-ouest des É.-U. (Middle West); 93 993 km²; 5 544 000 hab.; cap. *Indianapolis.* – Située dans le *Corn Belt,* cette riche rég. agricole (céréales, fruits, légumes, tabac, aviculture) possède des gisements de houille et de pétrole qui ont permis une import. industrialisation, princ. dans le N. et les grandes villes (constr. méca., pétrochim., industr. alim.). – Exploré par les Français au XVIIe s., cédé aux Anglais en 1763, l'Indiana devint le dix-neuvième État de l'Union en 1816.

Indianapolis, v. des É.-U., cap. de l'Indiana, sur le bras occid. de la White River; 731 300 hab. (aggl. urb. 1 194 600 hab.). Ville-carrefour; industries (aéronautiques, automobiles, chimiques, alimentaires) et commerce. Courses automobiles.

indianisme n. m. **1.** Caractère indien. ▷ LING Idiotisme propre aux langues de l'Inde. ▷ Étude des langues et des civilisations de l'Inde. **2.** Caractère propre aux Indiens d'Amérique. ▷ Étude des cultures indiennes d'Amérique latine. – *Spécial.* Tendance des artistes à s'inspirer des cultures indiennes d'Amérique latine.

indianiste n. Spécialiste de l'indianisme.

indic [ɛ̃dik] n. m. Arg. Indicateur de police.

indicateur, trice n. et adj. **I.** n. Personne qui, en échange d'avantages divers, renseigne la police sur ceux qui vivent en marge des lois. **II.** n. m. **1.** Livre, journal, etc., qui contient des renseignements. *Indicateur des chemins de fer, des rues d'une ville.* **2.** TECH Instrument de mesure servant à fournir des indications utiles à la conduite, au contrôle d'une machine ou d'un appareil. *Indicateur de vitesse, de pression, d'altitude, etc.* **3.** CHIM *Indicateur coloré :* substance dont la couleur varie en fonction du pH du milieu dans lequel on la plonge (hélianthine, tournesol, par ex.). **4.** ECON POLIT Élément significatif particulièrement important d'une situation économique et sociale, qui permet d'établir des prévisions d'évolution. *Indicateurs socio-économiques.* – FIN *Indicateur de tendance,* qui permet d'évaluer les variations des cours lors d'une séance à la Bourse. **III.** adj. Qui indique une direction. *Poteau indicateur.*

indicatif, ive adj. et n. m. **I.** adj. **1.** Qui indique. *Je vous dis cela à titre indicatif.* **2.** LING *Le mode indicatif* ou, n. m., *l'indicatif :* le mode de verbe qui exprime l'état, l'existence, l'action d'une manière absolue. *Présent de l'indicatif.* **II.** n. m. TELECOM Groupe de signaux conventionnels servant à identifier un poste émetteur. ▷ AUDIOV Formule, air musical, etc., permettant d'identifier une émission de radio ou de télévision.

indication n. f. **1.** Action d'indiquer. *J'y suis allée sur l'indication d'un ami.* **2.** Signe, indice. *Son embarras est l'indication de sa culpabilité.* **3.** Renseignement. *Donner quelques indications. Les indications fournies dans la notice.* **4.** MED *Indication thérapeutique* ou, absol., *indication :* maladie, cas pour lesquels tel traitement est indiqué. *Les indications d'un médicament* (par oppos. à *contre-indication*).

indice n. m. **1.** Signe apparent rendant probable l'existence d'une chose. *Sa pâleur était l'indice d'une vive émotion. Certains indices laissent penser qu'il s'agit d'un crime.* **2.** MATH Signe (lettre ou chiffre) placé en bas à droite d'un autre signe pour le caractériser. Ex. : a_1 *(a indice 1)*, a_2,..., a_n. – *Indice d'un radical :* petit chiffre placé entre les branches d'un radical pour indiquer le degré de la racine. (Ex. : $\sqrt[3]{a}$, racine cubique de a.) **3.** Nombre exprimant un rapport entre deux grandeurs. *Indice d'octane d'un carburant.* – PHYS *Indice de réfraction d'un milieu :* rapport de la célérité c de la lumière dans le vide à la célérité v de la lumière dans le milieu considéré, noté n = c/v. V. réfraction. ▷ *Indice d'une crème solaire,* son degré de filtrage des rayons ultraviolets. *Un écran solaire d'indice six divise par six la quantité d'U.V. reçue par la peau.* **4.** ECON *Indice des prix :* chiffre exprimant l'évolution générale des prix en fonction de l'évolution de ceux de certains produits et de certains services significatifs par rapport à une période choisie comme base (la base de référence à cette date étant 100).

indiciaire adj. Didac. Qui est rattaché à un indice.

indicible adj. Litt. Qu'on ne saurait exprimer, ineffable. *Une joie indicible.*

indiciblement adv. Litt. D'une manière indicible.

indiciel, elle adj. Didac. Relatif à un indice. – Qui a valeur d'indice.

indien, enne adj. et n. **1.** De l'Inde. *Sous-continent indien.* ▷ Subst. *Un(e) Indien(ne).* **2.** Relatif aux indigènes d'Amérique (V. Amérindiens). *Les navigateurs du XVe s., à la suite de Colomb qui croyait avoir débarqué aux Indes, baptisèrent « Indiens » les habitants du Nouveau Monde. Tribu indienne.* ▷ Subst. *Un(e) Indien(ne).*

Indien (océan) (anc. *mer des Indes*), océan situé entre l'Afrique, l'Asie et l'Australie ; le 3e océan du monde par sa superficie (74 900 000 km^2) ; sa profondeur maximale est de 7 455 m (Java). Il est soumis au régime des vents de mousson, princ. entre l'Inde et l'Afrique. Très nombreuses îles, surtout dans le Sud (Madagascar, la Réunion, l'île Maurice, les Comores, etc.).

indienne n. f. Étoffe de coton peinte ou imprimée, qui fut d'abord fabriquée en Inde.

indifféremment [ɛ̃difeʀamɑ̃] adv. Sans distinction, sans faire de différence. *Un ambidextre se sert indifféremment des deux mains.*

indifférence n. f. **1.** État tranquille d'une personne qui ne désire ni ne repousse une chose. *Indifférence en matière de religion.* **2.** Insensibilité, froideur. *L'indifférence d'un ami.*

indifférenciation n. f. Didac. État de ce qui n'est pas différencié.

indifférencié, ée adj. Qui n'est pas différencié.

indifférent, ente adj. et n. **1.** Qui ne présente aucun motif de préférence. *Il est indifférent de suivre ce chemin ou l'autre. Cela m'est indifférent.* **2.** Peu important, qui manque d'intérêt. *Conversation indifférente.* **3.** Insensible, qui ne s'émeut pas, ne s'intéresse pas. *Il est indifférent à ses intérêts.* ▷ Subst. *Un(e) indifférent(e).* **4.** PHYS *Équilibre indifférent :* état d'un corps qui reste dans la position qu'on lui donne quelle que soit cette position (par oppos. à *équilibre stable* et à *équilibre instable*).

indifférer v. tr. **[14]** Fam. Ne pas émouvoir, ne pas intéresser, laisser insensible. *Ça m'indiffère prodigieusement.*

indigence n. f. **1.** Grande pauvreté, pénurie des choses nécessaires à la vie. *Vivre dans l'indigence la plus totale.* **2.** Fig. Pauvreté intellectuelle.

indigène adj. et n. **1.** adj. Qui est originaire du pays, de l'endroit où il se trouve. *Population indigène. Plantes indigènes.* **2.** n. *Un(e) indigène :* une personne indigène. – *Spécial.* Personne indigène d'une colonie, d'une ancienne colonie (souvent employé avec une intention péjorative ou raciste). *Les Blancs et les indigènes.*

indigent, ente adj. et n. Qui est dans l'indigence, très pauvre. *Famille indigente.* ▷ Subst. *Secourir les indigents.*

indigeste adj. **1.** Difficile à digérer. *Cuisine indigeste.* **2.** Fig. Difficile à assimiler ; lourd et embrouillé. *Ouvrage indigeste.*

indigestion n. f. **1.** Indisposition, souvent accompagnée de nausées, due à une mauvaise digestion (notam. à la suite d'un repas trop abondant). **2.** Fig., fam. *Avoir une indigestion de qqch,* en être dégoûté par un usage excessif. *Avoir une indigestion de cinéma.*

Indighirka, fl. de Sibérie extrême-orientale (1 790 km), qui traverse la Iakoutie et se jette par un delta dans l'océan Arctique.

indignation n. f. Sentiment de colère et de mépris excité par une injustice, une action honteuse, un affront. *Frémir d'indignation.*

indigne adj. **I.** *Indigne de.* **1.** Qui ne mérite pas, qui n'est pas digne de. *Il est indigne de votre estime.* **2.** Qui ne sied pas à (qqn) en raison de sa mesquinerie, de sa petitesse, de son rang inférieur, etc. *Cette conduite est indigne de vous.* **II. 1.** Qui n'est pas digne de sa charge, de sa fonction. *Mère indigne.* **2.** Odieux, méprisable. *Traitement indigne.*

indignement adv. D'une manière indigne.

indigner 1. v. tr. **[1]** Exciter l'indignation de (qqn). *Votre conduite cruelle l'indigne.* **2.** v. pron. Éprouver et manifester de l'indignation. *S'indigner contre qqn. S'indigner de qqch.*

indignité n. f. **1.** Caractère d'une personne indigne. *Il a été exclu pour cause d'indignité.* **2.** Caractère de ce qui est indigne. **3.** Action indigne, odieuse. *Commettre des indignités.* **4.** HIST *Indignité nationale :* peine comportant la privation de tous les droits civiques et politiques, et d'une partie des droits civils, qui fut infligée à certains Français coupables de collaboration avec l'ennemi pendant l'occupation allemande de 1940-1944.

indigo n. m. **1.** Matière colorante bleue de synthèse autref. tirée de l'indigotier. ▷ Cette couleur bleue. – (En appos.) *Bleu indigo.* **2.** Une des couleurs fondamentales du spectre solaire (longueur d'onde : env. 0,44 μm).

indigotier n. m. BOT Papilionacée originaire de l'Inde dont une espèce servait jadis à préparer l'indigo.
▶ illustr. **teinture végétale**

indiqué, ée adj. **1.** Approprié, en parlant d'une médication (par oppos. à *contre-indiqué*). **2.** Fig. Adéquat, opportun. *Cela n'est pas très indiqué dans votre situation.*

indiquer v. tr. **[1] 1.** Montrer, désigner de manière précise. *Indiquer qqch du doigt.* **2.** Faire connaître en donnant des renseignements. *Indiquer le chemin à qqn. Indiquer un bon restaurant.* **3.** Dénoter, révéler. *Le signal vert indique la voie libre.* **4.** ART Esquisser, représenter sans donner les détails. *Indiquer les situations, les personnages.*

indirect, ecte adj. **1.** Qui n'est pas direct. *Parcours indirect. Éclairage indirect,* dirigé vers le plafond ou les murs. ▷ Fig. Qui emprunte des voies détournées. *Critique indirecte.* ▷ DR *Ligne indirecte,* collatérale. ▷ *Impôt* indirect.* **2.** GRAM *Complément indirect,* rattaché au verbe par une préposition. – *Interrogation indirecte,* exprimée dans une proposition subordonnée et introduite par un pronom ou un adverbe interrogatif. (Ex. : *je demande quand il est venu.*) – *Style indirect,* qui ne reproduit pas telles quelles les paroles prononcées. (Ex. : *il avait dit qu'il viendrait le lendemain.*)

indirectement adv. De manière indirecte.

indiscernable [ɛ̃disɛʀnabl] adj. **1.** Qu'on ne peut distinguer d'une autre chose de même nature. *L'original et la copie sont absolument indiscernables.* **2.** Qu'on ne peut discerner. *Des traces indiscernables à l'œil nu.*

indisciplinable adj. Vieilli Qui ne peut être discipliné.

indiscipline [ɛ̃disiplin] n. f. Manque de discipline ; désobéissance. *Acte d'indiscipline.*

indiscipliné, ée adj. Qui n'est pas discipliné. *Soldat indiscipliné.*

indiscret, ète adj. et n. **1.** Qui manque de discrétion, de réserve. – Subst. *Fuir les indiscrets.* ▷ *Par ext.* Qui dénote un manque de discrétion. *Question indiscrète.* **2.** Qui ne sait pas garder un secret. *Ami indiscret.* ▷ Par ext. *Des propos indiscrets lui ont appris la vérité.*

indiscrètement adv. De manière indiscrète.

indiscrétion n. f. **1.** Manque de discrétion. *Son indiscrétion est insupportable.* – Caractère de ce qui est indiscret. *L'indiscrétion d'une question.* **2.** Acte, parole qui révèle ce qui devait rester caché, secret. *Apprendre qqch par des indiscrétions.*

indiscutable adj. Qui n'est pas discutable, qui s'impose par son évidence. *Preuve indiscutable.*

indiscutablement adv. D'une manière indiscutable.

indiscuté, ée adj. Qui n'est discuté par personne.

indispensable adj. et n. m. Absolument nécessaire, dont on ne peut se passer. *Objets indispensables.* ▷ n. m. *N'emporter avec soi que l'indispensable.*

indisponibilité n. f. État d'une chose ou d'une personne indisponible.

indisponible adj. Qui n'est pas disponible. *Matériel indisponible. Personne indisponible.*

indisposé, ée adj. **1.** Légèrement malade, incommodé. **2.** adj. f. Par euph. (En parlant d'une femme.) Qui a ses règles.

indisposer v. tr. [1] **1.** Mettre dans une disposition défavorable, fâcher. *Votre attitude l'a indisposé.* **2.** Rendre légèrement malade, incommoder.

indisposition n. f. **1.** Légère altération de la santé. *Indisposition due à la fatigue d'un long voyage.* **2.** *Par euph.* Règles, menstruation.

indissociable adj. Dont les éléments, les facteurs ne peuvent être dissociés. *Une équipe indissociable. Ces trois problèmes sont indissociables.*

indissolubilité n. f. Didac. Caractère de ce qui est indissoluble. *L'indissolubilité du mariage catholique.*

indissoluble adj. Didac. Qui ne peut être dissous, délié; dont on ne saurait se dégager. *L'Église catholique considère le mariage comme indissoluble.*

indissolublement adv. Didac. D'une manière indissoluble.

indistinct, incte adj. Qui n'est pas bien distinct; imprécis. *Bruits indistincts.*

indistinctement adv. **1.** De manière indistincte. **2.** Sans faire de distinction. *Tirer indistinctement sur tout ce qui bouge.*

indium [indjɔm] n. m. CHIM Élément métallique de numéro atomique Z = 49 et de masse atomique 114,8 (symbole In). – Métal blanc, qui fond à 155 °C et bout à 2 000 °C, utilisé pour la fabrication d'alliages.

individu n. m. **1.** Tout être organisé, animal ou végétal, qui ne peut être divisé sans perdre ses caractères distinctifs, sans être détruit. **2.** SC NAT, BIOL Être concret qui, dans une classification hiérarchique, entre dans l'extension d'une espèce. *Le genre, l'espèce, l'individu.* **3.** Être humain considéré isolément par rapport à la collectivité. *L'individu et l'État, et la société.* **4.** Cour., péjor. Personne quelconque que l'on ne peut nommer ou que l'on méprise. *Qu'est-ce que c'est que cet individu? Un sinistre individu.*

individualisation n. f. **1.** Action d'individualiser; son résultat. – État de ce qui est individualisé. Ant. généralisation. **2.** Action d'adapter qqch au cas particulier d'un individu. – DR *Individualisation de la peine.*

individualiser v. tr. [1] **1.** Distinguer en fonction des caractères individuels. **2.** Adapter aux caractères individuels. **3.** v. pron. Devenir individuel; prendre ou accentuer des caractères propres.

individualisme n. m. **1.** Théorie, conception qui voit dans l'individu la réalité, la valeur la plus élevée. **2.** Cour. Égoïsme, manque de discipline sociale ou d'esprit de solidarité.

individualiste adj. et n. Relatif à l'individualisme. *Une doctrine, un comportement individualiste.* ▷ Subst. Partisan de l'individualisme. – Péjor. Égoïste.

individualité n. f. **1.** PHILO Ce qui caractérise un être en tant qu'individu. *L'homme considéré dans son individualité.* **2.** Originalité propre d'une personne, d'une chose. *Sa poésie est d'une grande individualité.* ▷ Personne qui fait preuve de beaucoup de caractère. *C'est une forte individualité!*

individuation n. f. PHILO Ensemble des qualités particulières constituant l'individu. ▷ Spécial. *Principe d'individuation* (chez les scolastiques, chez Leibniz) : ce qui donne à un être une existence concrète et individuelle.

individuel, elle adj. **1.** De l'individu. *Liberté individuelle.* **2.** Propre à un individu. *Qualités individuelles.* **3.** Qui ne concerne qu'un individu. *Dérogation individuelle.*

individuellement adv. D'une manière individuelle.

indivis, ise [ɛ̃divi, iz] adj. DR Possédé à la fois par plusieurs personnes (sans être divisé matériellement). *Succession indivise.* – *Propriétaires indivis,* qui possèdent un bien en commun. ▷ Loc. adv. *Par indivis* : sans être divisé, en commun. *Posséder un domaine par indivis.*

indivisaire n. DR Propriétaire par indivis.

indivisibilité n. f. Didac. Caractère de ce qui est indivisible.

indivisible adj. Qui ne peut être divisé. *La République est une et indivisible.*

indivision n. f. DR État de ce qui est indivis ou des personnes qui possèdent un bien par indivis.

indo-. Préfixe, du lat. *Indus,* « de l'Inde ».

indo-aryen, enne adj. LING Se dit des langues indo-européennes parlées en Inde (hindi, bengali, mahratte, cingalais, urdu, etc.).

Indochine, grande péninsule (2 074 041 km²) du S.-E. du continent asiatique, entre l'Inde et la Chine. Baignée par le golfe du Bengale et la mer d'Andaman à l'O., la mer de Chine méridionale à l'E. et séparée de Sumatra par le détroit de Malacca, elle comprend la Birmanie, la Thaïlande, le Laos, le Viêt-nam, le Cambodge et la partie continentale de la Malaisie.

Indochine française, nom donné après 1888 aux pays d'Indochine colonisés par la France : Annam, Cochinchine et Tonkin (qui forment auj. le Viêt-nam), Cambodge, Laos et le territ. chinois de Guangzhouwan (cédé à bail pour 99 ans par la Chine). La colonisation, entreprise sous le Second Empire (Cochinchine orientale, 1862; Cambodge, 1863; Cochinchine occidentale, 1867), fut poursuivie sous la IIIe République (conquête de l'Annam et du Tonkin, 1883-1884). En 1887 était réalisée l'*Union générale indochinoise,* à laquelle furent adjoints le Laos (1893) et Guangzhouwan (1900). Ces territoires avaient le statut de protectorats, à l'exception de la Cochinchine, qui était une colonie. Le 20 oct. 1911, l'organisation de l'ensemble fut fixée par décret. La Seconde Guerre mondiale ébranla la domination française : Guangzhouwan redevint chinois en 1943. Après un long et violent conflit avec les forces du Viêt-minh (1946-1954), la France dut abandonner ses possessions. En 1953, elle reconnut l'indépendance du Cambodge et du Laos, et, au terme de la conférence de Genève (26 avr.-21 juil. 1954), celle du Viêt-nam.

indochinois, oise adj. et n. De l'Indochine. – *Spécial.* HIST De l'Indochine française. *Les populations indochinoises.* ▷ Subst. Habitant ou personne originaire de l'ancienne Indochine française. *Un(e) Indochinois(e).*

indocile adj. Vieilli ou litt. Qui n'est pas docile, qui refuse d'obéir. *Enfant indocile.*

indocilité n. f. Vieilli ou litt. Caractère d'une personne indocile.

indo-européen, enne n. et adj. **1.** n. m. LING Langue qui serait à l'origine de nombreuses langues européennes et asiatiques. V. encycl. **2.** adj. *Le sanskrit, le grec, le latin, les langues germaniques, les langues slaves font partie des langues indo-européennes.* ▷ Subst. *Les Indo-Européens* : les peuples qui parlent les langues indo-européennes.

ENCYCL L'indo-européen est le groupe de langues le mieux étudié. Son territoire s'étend de l'Oural aux Açores et de l'Islande à l'Inde. Depuis quelques siècles, ces langues ont pénétré aussi en Amérique, en Afrique et en Océanie. Des langues anciennes comme le hittite, le sanskrit, l'iranien, le grec ancien, le latin, appartiennent à la famille indo-européenne. La quasi-totalité des langues modernes appartenant à cette famille se répartit en deux domaines. I. Le domaine indo-iranien est scindé en deux. 1. La branche iranienne comprend le persan (Iran), le béloutche (Iran, Pākistān), le pachtou ou afghan (Afghānistān) et le kurde (Iran, Irak, Turquie). 2. La branche indienne (Pākistān, Inde, Sri Lanka, Népal) se caractérise par une grande variété de langues (env. 22) et de dialectes. L'hindi en est un représentant typique. II. Le domaine européen est scindé en quatre. A. La branche slave occupe l'est de l'Europe, du golfe de Poméranie à Trieste, à l'exception de deux enclaves (roumain et hongrois). Le russe en est le princ. représentant, suivi du bulgare, du polonais, du tchèque, du slovaque, du serbo-croate, du slovène, du macédonien, etc. B. La branche balte ne comprend que le letton et le lituanien. C. La branche italique-celtique se divise en deux. 1. Le groupe italique, qui comprend toutes les langues romanes (issues du latin) : italien, français, espagnol, portugais, roumain, catalan, etc. 2. Le groupe celtique : breton, gallois et gaélique (Irlande, Écosse). D. La branche germanique qui occupe le nord-ouest de l'Europe : allemand, anglais, néerlandais, langues scandinaves. III. Trois langues : le grec, l'arménien et l'albanais, ne peuvent être rattachées à un groupe plus important. Le grec a relativement peu évolué depuis l'Antiquité; le grec ancien a approvisionné en termes courants et surtout philosophico-technico-scientifiques le latin puis toutes les langues du monde non « primitif ». L'arménien n'est plus parlé auj. qu'en république d'Arménie. L'albanais est la langue indo-européenne la moins bien connue. À cause d'une origine linguistique commune, on a parfois conclu, sans autre fondement, à l'existence d'un peuple indo-européen primitif, que les théoriciens racistes (Gobineau, les nazis) ont baptisé *Aryen*.* On retrouve une communauté culturelle notam. dans l'organisation sociale (rois prêtres, guerriers, producteurs), pouvoir triparti réel à l'époque historique dans les sociétés iranienne et aryenne (de l'Inde), devenu religieux et mythique dans la pensée des Grecs, des Latins, des Celtes, etc.

indolence n. f. **1.** MED Vx Caractère d'un mal ne causant aucune douleur. **2.** Mollesse, nonchalance. *Indolence d'un enfant rêveur.*

indolent, ente adj. Mou, languissant, sans volonté. *Un élève indolent.*

indolore adj. Qui n'est pas douloureux. *Traitement indolore.*

indomptable [ɛ̃dɔ̃tabl] adj. **1.** Qu'on ne peut pas dompter. *Animal indomptable.* **2.** Fig. Qu'on ne peut pas contenir, abattre. *Courage indomptable.*

indompté, ée adj. Qui n'a pas été dompté.

Indonésie (république d') *(Republik Indonesia),* État d'Asie du Sud-Est constitué par un archipel de plus de 3 000 îles qui s'étire d'O. en E., sur plus de 5 000 km, entre l'océan Indien et l'océan Pacifique. Les îles les plus import. sont : Sumatra, Java, Bornéo (dont l'Indonésie possède la plus grande partie : Kalimantan), les Célèbes (ou Sulawesi), les Moluques, l'Irian Jaya (ouest de la Nouvelle-Guinée); 1 904 566 km² (non compris les 14 874 km² de Timor-Est); 195 000 000 hab., croissance démographique : 2 % par an; cap. *Djakarta.* Nature de l'État : rép. de type présidentiel. Langue off. : indonésien. Monnaie : rupiah. Pop. : Proto-Malais, Malais, Papous, Mélanésiens, Chinois. Relig. : islam (87 %), christianisme (9 %), bouddhisme, hindouisme.

Géogr. phys. et hum. – L'archipel est constitué de deux ensembles physiques : Bornéo et les îles proches, aux formes massives, qui appartiennent à la plate-forme de la Sonde, faiblement immergée (50 à 75 m), alors que les autres arcs insulaires, Célèbes et îles de la Sonde (Sumatra, Java, Bali, Lombok, Sumbawa, Flores, Timor, Céram), correspondent aux sommets d'une chaîne plissée. Celle-ci est bordée au S. de profondes fosses marines (fosse de Java) et constitue la plus importante guirlande volcanique du monde (500 volcans, dont plus de 120 en activité). Le climat équatorial, chaud et toujours pluvieux (seul le N. de Java et les petites îles de la Sonde ont une courte saison sèche), entretient une forêt dense, mais les terres sont très défrichées dans les îles anciennement occupées et menacées de déboisement dans les autres. La répartition de la population est très inégale, en dépit de la politique de migration qui, depuis plusieurs décennies, tend à peupler et à mettre en valeur les îles inhabitées de l'E. de l'archipel. Java groupe 55 % des hab. sur 7 % du territoire et ses campagnes rizicoles enregistrent les densités rurales les plus fortes du monde, dépassant parfois 1 000 hab./km² (700 en moyenne); à l'opposé, l'Irian Jaya groupe moins de 1 % des hab. sur 22 % du territoire, avec des densités de l'ordre de 3 hab./km². La composition ethnique est très variée : Proto-Malais, Malais, Mélanésiens (Papous d'Irian Jaya), Négritos des Célèbes, auxquels s'ajoutent 3 500 000 Chinois. L'Indonésie est le premier État musulman du monde. Malgré une politique officielle et ancienne de planning familial, la population augmente et compte plus de la moitié de moins de 20 ans. L'essor urbain est réel (5 agglomérations de plus d'un million d'hab.), mais 70 % des hab. sont encore des ruraux.

Écon. – Considérée comme une puissance économique en devenir, l'Indonésie fait figure de « nouveau dragon » dans la zone pacifique : forte croissance, réduction des déséquilibres extérieurs, succès de l'ouverture à l'étranger sont les composantes évidentes du succès économique d'un pays dont les potentialités sont considérables. Il ne faut cependant pas oublier que l'Indonésie reste un État du tiers monde, avec un revenu par hab. et par an à peine supérieur à 500 dollars. L'agriculture emploie encore plus de 50 % des actifs. Le riz, culture alimentaire de base, a bénéficié des progrès de la révolution verte (deux à trois récoltes par an) : une île aussi peuplée que Java couvre ses besoins et le pays exporte, les bonnes années. Les cultures de plantation sont nombreuses : hévéa, café, thé, canne à sucre, tabac, coprah, arachide, huiles essentielles, épices. La forêt est une ressource de premier plan et l'Indonésie est devenue le premier exportateur de bois tropicaux du monde. La prod. croissante de pétrole et de gaz naturel (à Sumatra, dans la mer de Java et au sud-est de Bornéo) assure d'importantes rentrées de devises, ainsi que l'exploitation minière variée : étain, cuivre, nickel, bauxite, manganèse et argent. Le développement industriel, longtemps sous contrôle de l'État, est marqué, depuis 1988, par un recours partiel à la privatisation et par une ouverture aux capitaux étrangers (japonais et américains surtout) qu'attire une main-d'œuvre peu coûteuse. Les secteurs industriels se multiplient (agro-alimentaire, chimie, aluminium, textile, bois et papier). Le problème de l'Indonésie reste celui de la maîtrise d'un territoire immense et morcelé, où la cohérence des échanges est encore faible. En 1997, la crise financière asiatique entraîne l'effondrement de la roupie et le recours à l'aide du F.M.I.

Hist. – Le peuplement de l'Indonésie a été précoce (pithécanthrope du N.-E. de Sumatra : 500 000 ans) et s'est fait par vagues successives. Les Malais, qui pratiquaient la culture sur brûlis *(ladang),* ont repoussé dans les montagnes les groupes négroïdes au néolithique (début du IIᵉ millénaire av. J.-C.) avant d'être, à leur tour, submergés par d'autres vagues de Malais qui maîtrisaient les techniques de la rizière irriguée, du fer et de la navigation. Par la suite, les migrations ont été faibles numériquement, mais importantes par leurs influences culturelles et matérielles; ainsi, les Chinois ont noué des liens comm. dont l'empreinte est toujours perceptible. Le Moyen Âge est marqué par l'hindouisme et le bouddhisme venus de l'Inde. En effet, des princes chassés du S. de l'Inde par les conquêtes des Gupta fondèrent à Java et à Sumatra des royaumes dont le plus brillant fut celui de Shrivijaya (VIIᵉ-XIVᵉ s.), qui, à son apogée, s'étendait jusqu'au Cambodge, à Ceylan et aux Philippines et commandait le détroit de Malacca. Au XIVᵉ s., l'empire de Madjapahit réunit l'Indonésie et la péninsule malaise, à une époque où l'islam pénétrait le nord de Sumatra. Les principautés qui s'insurgèrent contre le Madjapahit marquèrent, par leur victoire, le triomphe de l'islam en Indonésie (1520). Au début du XVIᵉ s., les premiers contacts avec les princes locaux furent pris par les Portugais, puis par les Néerlandais; depuis la fin du XVIᵉ s. et jusqu'en 1940, ces derniers organisèrent la colonisation de l'Indonésie au grand profit de la métropole : cult. et comm. des épices, du café, du thé, de la canne à sucre, de l'hévéa, du coton, du tabac; extraction des prod. miniers. Cette exploitation, interrompue par les Anglais de 1811 à 1816, supposait un véritable travail forcé pour les populations rurales. À partir de 1877, une relative autonomie fut accordée, en même temps que naissaient des mouvements nationalistes et révolutionnaires (Union sociale indonésienne, parti communiste indonésien, parti national indonésien d'Achmed Sukarno). Après l'occupation japonaise (de 1942 à 1945), Sukarno proclama unilatéralement l'indépendance indonésienne (17 août 1945), et les Néerlandais intervinrent militairement, provoquant une guérilla. En 1949, la conférence de La Haye reconnut la création des États-Unis d'Indonésie (mais les Moluques se voyaient reconnaître une autonomie que Sukarno ne respecta pas). L'Union néerlando-indonésienne ainsi formée fut dénoncée en 1954 par Sukarno. Le centralisme de Djakarta, jugé excessif par les habitants des autres îles, a provoqué (ou renforcé) des revendications autonomistes, sévèrement réprimées, notam. aux Moluques (1955), à Sumatra et aux Célèbes (1958). En 1963, l'Irian, laissée d'abord aux Hollandais, fut réunie à l'Indonésie. À l'extérieur, Sukarno se fit le champion du non-alignement (conférence de Bandung en 1955). En 1965, profitant d'une tentative de coup d'État par des militaires nationalistes de gauche, suivie d'une sanglante répression anticommuniste (plus de 600 000 personnes massacrées), l'armée prit le pouvoir, dirigée par le gᵃˡ Suharto qui élimina progressivement Sukarno pour rester seul maître en 1967. Réélu en 1993, Suharto donne des signes d'essoufflement. Une partie des classes moyennes, apparues à la suite du boom écon., s'élève contre la corruption et le népotisme du régime et revendique une démocratisation des institutions. La crise financière et économique de l'Asie (1997-1998), la catastrophe écologique constituée par de gigantesques incendies de forêts, enfin la reconduction de Suharto comme président de la République provoquent des troubles sanglants qui aboutissent à la démission de Suharto et à son remplacement par le vice-président Bacharuddin Jusuf Habibie (mai 1998).

► carte page **957**

indonésien, enne adj. et n. **1.** adj. D'Indonésie. **2.** n. m. LING Ensemble de langues de la famille austronésienne parlées en Indonésie, et qui comprend notam. le javanais. ▷ Langue officielle de l'Indonésie, issue du malais.

indoor [indɔʀ] adj. inv. (Anglicisme) SPORT En salle. *Compétition indoor.*

Indo-Pacifique, vaste région marine formée par l'océan Pacifique et l'océan Indien.

indophénol n. m. CHIM Nom générique de matières colorantes bleues utilisées en teinturerie.

Indore, ville de l'Inde (Madhya Pradesh); 1 087 000 hab. Industr. textiles liées à la culture du coton.

in-douze [induz] adj. inv. et n. m. inv. IMPRIM Dont les feuilles sont pliées en douze feuillets (24 pages). *Livre in-douze* ou, n. m. inv., *un in-douze.* (Abrév. : in-12).

Indra, dieu védique de l'« Étendue illimitée du ciel »; maître de la pluie et des saisons. Son attribut princ. est la foudre.

Indre, riv. de France (265 km), affl. de la Loire (r. g.); traverse La Châtre, Châteauroux, Loches, Azay-le-Rideau.

Indre, com. de la Loire-Atlantique (arr. et aggl. de Nantes); 3 295 hab. À *Indret,* île faisant partie de la com., arsenal (fondé par Richelieu), puis fonderie de canons (créée au XVIIIᵉ s.), qui travaille auj. pour la marine nationale.

Indre, dép. franç. (36); 6 824 km²; 237 510 hab.; 34,8 hab./km²; ch.-l. *Châteauroux.* V. Centre (Rég.).

► carte page **956**

Indre-et-Loire, dép. franç. (37); 6 126 km²; 529 345 hab.; 86,4 hab./km²; ch.-l. *Tours.* V. Centre (Rég.).

► carte page **958**

indri n. m. Grand lémurien (70 cm) de Madagascar (genre *Indri*), à la queue très courte, au pelage brun, épais et soyeux.

indrien, enne adj. et n. De l'Indre.

indu, ue adj. et n. m. Qui est contre la règle, l'usage. – Loc. *À une (des) heure(s) indue(s),* inhabituelle(s). ▷ n. m. DR *Paiement de l'indu :* restitution d'une somme perçue illégitimement.

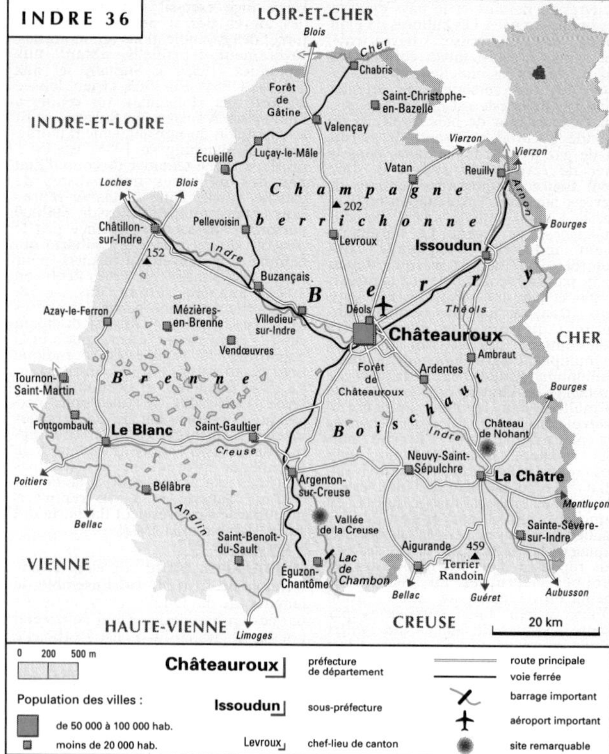

indubitable adj. Dont on ne peut douter, certain. *Un succès indubitable.*

indubitablement adv. Sans aucun doute, assurément.

inductance n. f. ELECTR Coefficient qui caractérise la propriété d'un circuit de produire un flux à travers lui-même et qui est égal au quotient de la variation de ce flux et de la variation de l'intensité du courant qui le produit.

inducteur, trice adj. et n. m. **I.** adj. **1.** PHILO Qui sert de point de départ à une induction. **2.** ELECTR Qui produit l'induction. *Champ inducteur.* ▷ n. m. Ensemble d'électro-aimants servant à produire un champ inducteur. **II.** n. m. BIOCHIM Substance qui, par sa présence, réalise une induction.

inductif, ive adj. **1.** PHILO Relatif à l'induction; de l'induction. *Méthode inductive.* **2.** ELECTR Se dit d'un dispositif, d'un circuit où se produit une auto-induction. **3.** MATH Se dit d'un ensemble ordonné E dans lequel toute partie P totalement ordonnée de cet ensemble admet un majorant.

induction n. f. **1.** PHILO Manière de raisonner consistant à inférer une chose d'une autre, à aller des effets à la cause, des faits particuliers aux lois qui les régissent. *Raisonner par induction.* Ant. déduction. **2.** ELECTR *Induction électrique* ou *électrostatique* : syn. de *influence électrique.* ▷ *Induction électromagnétique,* caractérisée par la production d'une force électromotrice sous l'effet d'une variation de flux magnétique dans un circuit. ▷ *table de cuisson à induction* : table électrique dont le champ magnétique permet de chauffer un récipient sans flamme ni surface brûlante. **3.** TECH Entraînement d'un fluide par un autre. **4.** MED Premier temps d'une anesthésie avant l'endormissement. **5.** BIOCHIM Phénomène de facilitation, par une enzyme ou par un tissu, d'une réaction biochimique. – *Induction embryonnaire* : action d'un tissu ou d'un organe sur un groupe cellulaire, provoquant la différenciation de celui-ci en un autre tissu ou organe.

induire v. tr. [69] **1.** Vieilli Inciter, amener à, porter à. *Induire qqn à mal faire.* – Loc. *Induire en erreur* : tromper. **2.** Entraîner, causer, provoquer. *Le phénomène de dopage induit une inégalité entre les participants.* **3.** PHILO Trouver par induction. **4.** ELECTR Produire une induction. **5.** BIOCHIM Réaliser une induction.

induit, ite adj. et n. m. **1.** adj. Qui découle automatiquement de qqch. *Les effets induits d'une mesure économique.* **2.** ELECTR Qualifie les effets d'un phénomène d'induction, ou un dispositif où se produit une induction. **3.** n. m. ELECTR Partie d'une machine électrique où l'on produit une force électromotrice par induction électromagnétique. *L'induit d'un alternateur est fixe; celui d'une génératrice de courant continu est mobile.*

indulgence n. f. **1.** Facilité à excuser, à pardonner. *Traiter qqn avec indulgence.* **2.** RELIG CATHOL Remise partielle ou totale de la peine attachée au péché. *Indulgence plénière, indulgence partielle.*

Indulgences (querelle des), conflit qui, au début du XVIe s., opposa en Allemagne le dominicain Johannes Tetzel et Martin Luther au sujet de la promulgation par Léon X d'un système d'aumônes (destinées à la construction de St-Pierre de Rome), lesquelles donnaient droit à une indulgence. Ce commerce, qui entraîna la révolte de Luther, fut donc à l'origine de la Réforme; le concile de Trente (1563) l'abolit officiellement.

indulgent, ente adj. et n. m. **I.** adj. **1.** Qui pardonne, excuse aisément. *Un père indulgent.* **2.** Qui marque de l'indulgence. *Morale indulgente.* **II.** n. m. HIST *Les Indulgents* : anciens membres du club des Cordeliers qui auraient voulu mettre fin à la Terreur et que combattit Robespierre.

indûment adv. À tort.

induration n. f. MED Durcissement d'un tissu organique; la partie ainsi durcie.

Indurain (Miguel) (Villava, Navarre, 1964), coureur cycliste espagnol, cinq fois vainqueur du Tour de France (de 1991 à 1995), deux fois du Giro (1992 et 1993).

indurer v. tr. [1] MED Durcir. – Pp. adj. *Chancre induré,* devenu dur et épais. ▷ v. pron. Devenir dur.

Indus (anc. *Sind*), fl. né dans le plateau tibétain, sur le versant N. de l'Himalaya (3 180 km). Il traverse le Cachemire puis le Pākistān, où il draine le Pendjab (le « Pays des cinq rivières », les affl. de l'Indus) et la région désertique du Sind, avant de se jeter par un vaste delta dans la mer d'Oman, à Karāchi. Ses rives furent le berceau d'une civilisation antérieure à la civilisation aryenne (2500-1500 av. J.-C.).

civilisation de l'**Indus :** buste en stéatite, prov. de Mohenjo-Dāro, vers 2400-2000 av. J.-C.; Musée national, Karāchi

industrialisation n. f. Action d'industrialiser.

industrialiser v. tr. [1] Appliquer les méthodes industrielles à. *Industrialiser l'agriculture.* – Implanter des industries dans. *Industrialiser une région.*

industrialisme n. m. HIST Système qui attribue à l'industrie une importance sociale prépondérante. – Prépondérance, prédominance de l'industrie.

industrie n. f. **1.** Vx Adresse, habileté. *Vivre d'industrie,* d'expédients. – *Chevalier d'industrie* : homme vivant d'expédients, aigrefin. **2.** Vx Art, métier. – Mod., plaisant *Exercer son industrie, sa coupable industrie,* une activité louche. **3.** Mod. Ensemble des entreprises ayant pour objet la transformation des matières premières et l'exploitation des sources d'énergie. *Industrie minière. Industries alimentaires. Industrie de production. Industrie lourde. Industrie aéronautique. Industrie du spectacle* : ensemble des activités commerciales concourant à la production de représentations artistiques (loc. officiellement recommandée pour remplacer *show-business*).

industriel, elle adj. et n. **1.** adj. En rapport avec l'industrie. *Société, civili-*

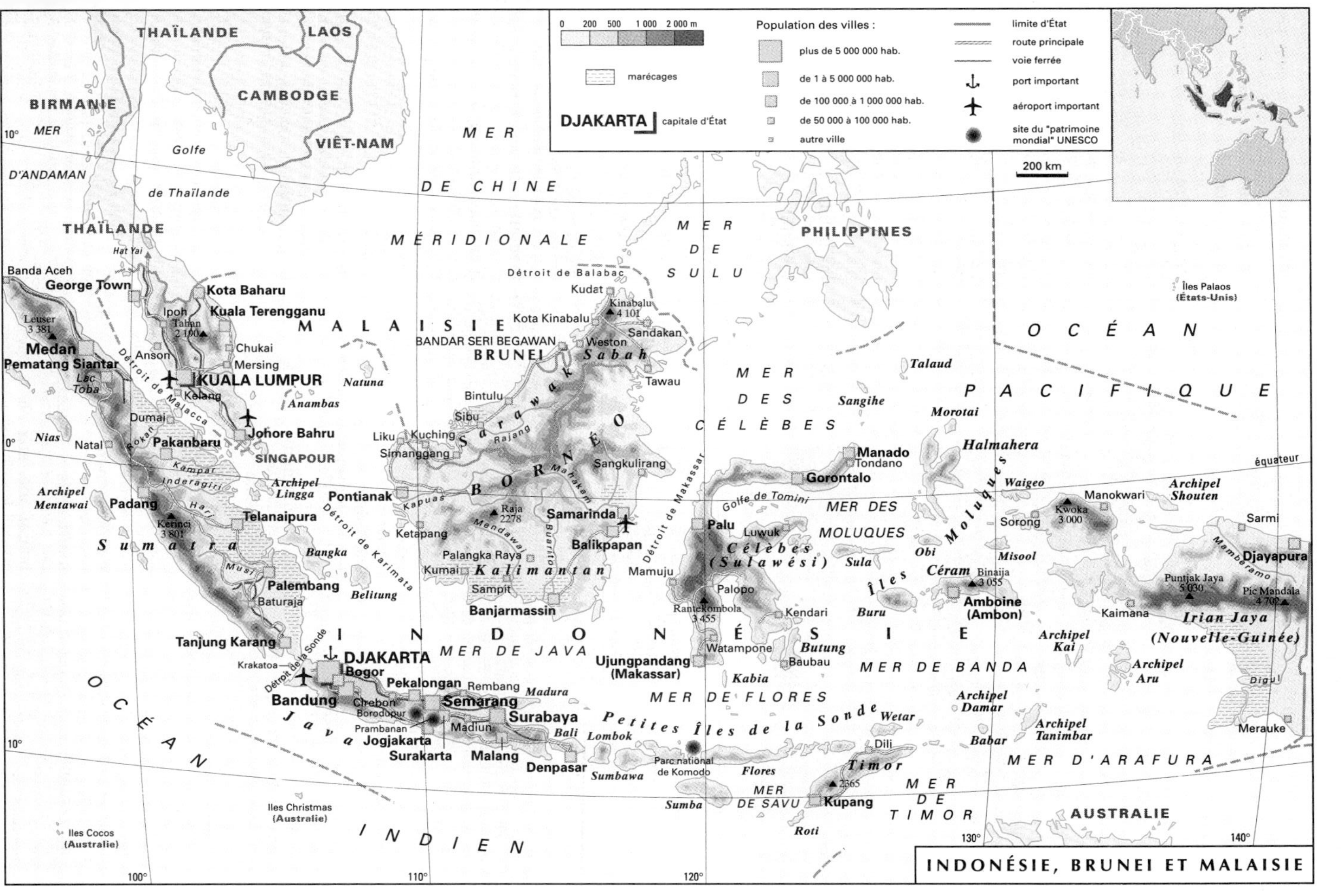

INDONÉSIE, BRUNEI ET MALAISIE
0 200 500 1 000 2 000 m
marécages
DJAKARTA capitale d'État
Population des villes :
plus de 5 000 000 hab.
de 1 à 5 000 000 hab.
de 100 000 à 1 000 000 hab.
de 50 000 à 100 000 hab.
autre ville
limite d'État
route principale
voie ferrée
port important
aéroport important
site du "patrimoine mondial" UNESCO
200 km
THAÏLANDE
LAOS
BIRMANIE
CAMBODGE
VIÊT-NAM
MER D'ANDAMAN
Golfe de Thaïlande
MER DE CHINE MÉRIDIONALE
MER DE SULU
PHILIPPINES
Îles Palaos (États-Unis)
OCÉAN PACIFIQUE
MALAISIE
BRUNEI
BANDAR SERI BEGAWAN
Banda Aceh
George Town
Hat Yai
Kota Baharu
Kuala Terengganu
Ipoh
Tahan 2 190
Leuser 3 381
Medan
Pematang Siantar
Lac Toba
Anson
Chukai
Mersing
KUALA LUMPUR
Kelang
Détroit de Malacca
Natuna
Anambas
Dumai
Johore Bahru
SINGAPOUR
Nias
Natal
Pakanbaru
Rokan
Kampar
Inderagiri
Hari
Musi
Archipel Mentawai
Padang
Kerinci 3 801
Sumatra
Archipel Lingga
Telanaipura
Bangka
Palembang
Baturaja
Belitung
Tanjung Karang
Détroit de Karimata
Détroit de Balabac
Kudat
Kinabalu 4 101
Kota Kinabalu
Sandakan
Weston
Sabah
Tawau
Bintulu
Sibu
Sarawak
Rajang
Liku
Kuching
Simanggang
BORNÉO
Mahakam
Sangkulirang
Pontianak
Kapuas
Ketapang
Raja 2278
Mendawai
Samarinda
Balikpapan
Buarito
Palangka Raya
Kumai
Kalimantan
Sampit
Banjarmassin
Détroit de Makassar
Mamuju
INDONÉSIE
DJAKARTA
Krakatoa
Détroit de la Sonde
Bogor
Bandung
Pekalongan
Rembang
Madura
Cirebon
Borodudur
Semarang
Surabaya
Prambanan
Jogjakarta
Madiun
Surakarta
Malang
Java
Bali
Lombok
Denpasar
Sumbawa
MER DE JAVA
Ujungpandang (Makassar)
MER DES CÉLÈBES
Sangihe
Talaud
Morotai
Halmahera
Manado
Tondano
Gorontalo
Golfe de Tomini
Palu
Luwuk
Célèbes (Sulawési)
Palopo
Rantekombola 3 455
Kendari
Watampone
Butung
Baubau
Kabia
MER DES MOLUQUES
Sula
Obi
Îles Moluques
Waigeo
Misool
Sorong
Céram
Binaija 3 055
Amboine (Ambon)
Buru
MER DE BANDA
MER DE FLORES
Petites Îles de la Sonde
Parc national de Komodo
Flores
Sumba
MER DE SAVU
Wetar
Dili
Timor
2365
Kupang
Roti
MER DE TIMOR
Archipel Damar
Babar
Archipel Tanimbar
Archipel Kai
Archipel Aru
MER D'ARAFURA
Kwoka 3 000
Manokwari
Archipel Shouten
équateur
Sarmi
Mamberamo
Djayapura
Puntjak Jaya 5 030
Pic Mandala 4 702
Kaimana
Irian Jaya (Nouvelle-Guinée)
Digul
Merauke
AUSTRALIE
OCÉAN INDIEN
Iles Christmas (Australie)
Iles Cocos (Australie)
10°
0°
100°
110°
120°
130°
140°

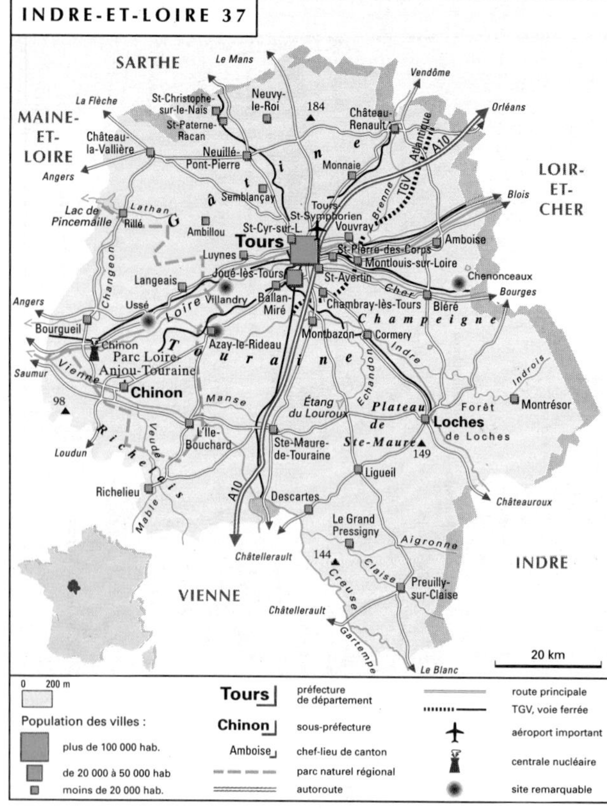

sation industrielle, fondée sur la transformation de matières premières en biens de consommation. *Zone industrielle,* spécialement aménagée pour recevoir des établissements industriels. ▷ Qui provient de l'industrie. *Produits industriels.* **2.** Loc. fig., fam. *(En) quantité industrielle :* (en) grande quantité. **3.** n. Personne qui possède une entreprise industrielle. *Un gros industriel du Nord.*

industriellement adv. **1.** Quant à l'industrie. *Région industriellement défavorisée.* **2.** Par l'industrie. *Ces objets sont fabriqués industriellement, et non de façon artisanale.*

industrieux, euse adj. Litt. Adroit, ingénieux, efficace. *L'abeille est industrieuse.*

Indy (Vincent d') (Paris, 1851 - id., 1931), compositeur français. Disciple de César Franck, d'une profonde culture musicale (XVIIIe s., Beethoven, Wagner), il enseigna de 1896 à sa mort à la Schola cantorum. Auteur d'opéras (*Fervaal,* 1889-1893; *la Légende de saint Christophe,* 1915), de variations symphoniques (*Istar,* 1897), de quatuors.

-ine. Suffixe servant à désigner des substances isolées ou obtenues synthétiquement.

inébranlable adj. **1.** Litt. Qui ne peut être ébranlé. *Roc inébranlable.* **2.** Fig. Qui ne se laisse pas abattre, constant. *Demeurer inébranlable dans l'épreuve. Courage inébranlable.* **3.** Fig. Que l'on ne peut changer, ferme. *Sa résolution est inébranlable.*

inébranlablement adv. Litt. D'une manière inébranlable.

inéchangeable adj. Que l'on ne peut échanger.

inécoutable adj. Qui ne peut être écouté en raison de sa mauvaise qualité. – Insupportable à écouter.

inédit, ite adj. et n. m. **1.** Qui n'a pas été publié, édité. *Poème resté inédit.* ▷ n. m. *Un inédit.* **2.** Qui n'a pas encore été vu, nouveau. *Spectacle inédit.* ▷ n. m. *Voilà de l'inédit.*

inéducable adj. Que l'on ne peut éduquer.

ineffable adj. Qui ne peut être exprimé par la parole, indicible. (Ne se dit que des choses agréables.) *Joie ineffable.*

ineffablement adv. Litt. D'une manière ineffable.

ineffaçable adj. Qui ne peut être effacé. *Empreinte ineffaçable.* – Fig. *Impression ineffaçable.*

ineffaçablement adv. Litt. D'une manière ineffaçable.

inefficace adj. Qui n'est pas efficace, qui ne produit pas l'effet attendu. *Un remède inefficace.*

inefficacement adv. De manière inefficace.

inefficacité n. f. Manque d'efficacité. *Inefficacité d'un secours.*

inégal, ale, aux adj. **1.** Qui n'est pas égal (en dimension, en durée, en valeur, en quantité). *Couper un gâteau en trois parts inégales. Des chances inégales.* **2.** (Surfaces) Qui n'est pas uni. *Chemin inégal.* **3.** Qui n'est pas régulier. *Mouvement inégal.* **4.** Changeant. *Humeur inégale.* **5.** Qui est tour à tour bon et mauvais. *Style inégal. Artiste inégal.*

inégalable adj. Qui ne peut pas être égalé.

inégalé, ée adj. Qui n'a pas été égalé.

inégalement adv. De manière inégale. *Partager inégalement qqch.*

inégalitaire adj. Qui n'est pas égalitaire.

inégalité n. f. **1.** Défaut d'égalité. *Inégalité de hauteur des pieds d'un meuble. Les inégalités sociales.* **2.** MATH Expression qui traduit que deux quantités ne sont pas égales. *L'inégalité est exprimée par les signes : ≠ différent de, > strictement supérieur à, < strictement inférieur à.* **3.** Irrégularité. *Les inégalités d'un terrain.* **4.** Litt. Changement, caprice. *Inégalités d'humeur.*

inélégamment Rare adv. Sans élégance.

inélégance n. f. Manque d'élégance.

inélégant, ante adj. **1.** Qui n'est pas élégant; mal habillé. ▷ Sans distinction, sans grâce. *Une façon de se tenir inélégante.* **2.** Indélicat, inconvenant, grossier. *Conduite inélégante.*

inéligibilité n. f. Didac. État d'une personne inéligible.

inéligible adj. Qui ne peut être élu.

inéluctable adj. Se dit de ce contre quoi on ne peut lutter; inévitable. *Conséquence inéluctable.*

inéluctablement adv. D'une manière inéluctable.

inemployable adj. Qu'on ne peut pas employer.

inemployé, ée adj. Que l'on n'utilise pas, que l'on n'emploie pas. *Capacités inemployées.*

inénarrable adj. **1.** Vx Qui ne peut être raconté. **2.** Mod. Extraordinairement cocasse. *Des mimiques inénarrables.*

inentamé, ée adj. Litt. Qui n'a pas été entamé.

inenvisageable adj. Qui ne peut être envisagé.

inéprouvé, ée adj. Rare **1.** Qui n'a pas été mis à l'épreuve. **2.** Qui n'a pas été ressenti. *Douleur jusqu'ici inéprouvée.*

inepte [inɛpt] adj. Stupide. *Raisonnement inepte.*

ineptie [inɛpsi] n. f. **1.** Sottise, stupidité. *Des propos d'une ineptie totale.* **2.** Action, parole inepte. *Dire des inepties.*

inépuisable adj. Que l'on ne peut épuiser. *Source inépuisable.* – Fig. *Patience inépuisable.*

inéquation n. f. MATH Inégalité contenant des variables et qui n'est généralement satisfaite que pour certaines valeurs de ces variables.

inéquitable adj. Rare Qui manque d'équité.

inerte adj. **I. 1.** (Choses) Qui n'est pas en mouvement. *Corps inerte.* **2.** CHIM Se dit d'un corps qui ne joue aucun rôle dans une réaction donnée. *L'azote de l'air est inerte dans une combustion.* **3.** Qui n'est pas vivant; inorganique. *Matière inerte et matière vivante.* **II. 1.** Qui ne fait aucun des mouvements décelant habituellement la vie. *Il gisait là, inerte.* **2.** Qui n'agit pas. *Il assistait, inerte, à la ruine de ses espérances.* ▷ Peu enclin à prendre des initiatives; indolent, apathique. *Esprit inerte.*

inertie [inɛʀsi] n. f. **1.** État de ce qui est inerte. *Inertie d'une masse.* ▷ PHYS *Principe de l'inertie :* dans un repère galiléen, un système soumis à des forces de somme nulle a son centre de masse immobile ou animé d'un mouvement rectiligne uniforme. – *Force d'inertie :* force apparente qui se manifeste dans un repère non galiléen (la force centrifuge dans un repère en rotation, par ex.) ; fig. résistance passive consistant principalement à ne pas exécuter les ordres reçus. **2.** CHIM Caractère d'un corps inerte. **3.** Absence de mouvement, d'activité, d'énergie. *Vivre dans l'inertie.*

inertiel, elle [inɛʀsjɛl] adj. PHYS Qui a rapport à l'inertie. ▷ AERON *Guidage inertiel,* utilisé pour les avions, les sous-marins, les lanceurs spatiaux, etc., afin de comparer leur trajectoire réelle, calculée selon leurs accélérations, à leur trajectoire idéale, et de corriger les erreurs de position.

Inès de Castro (?, v. 1320 - Coïmbre, 1355), dame castillane, maîtresse de l'infant Pierre de Portugal. Elle l'épousa en secret, et son beau-père, Alphonse IV, la fit assassiner. La légende prétend que, devenu roi, son mari fit couronner sa dépouille mortelle. Son destin tragique inspira Camoëns, Houdar de La Motte et Montherlant.

inespéré, ée adj. Que l'on n'espérait pas, que l'on n'osait espérer. *Un succès inespéré.*

inesthétique adj. Qui n'est pas esthétique, laid.

inestimable adj. **1.** Dont la valeur est au-delà de toute estimation. *Une œuvre de Rembrandt inestimable.* **2.** Fig. Qu'on ne peut pas assez estimer, très précieux. *La santé est un bien inestimable.*

inévitable adj. Que l'on ne peut éviter. *La mort est inévitable.*

inévitablement adv. Sans qu'on puisse l'éviter.

inexact, acte [inegza(kt)] adj. **1.** Qui manque de ponctualité. *Il était inexact à notre rendez-vous.* **2.** Qui contient des erreurs. *Calcul inexact.*

inexactement adv. De manière inexacte.

inexactitude n. f. **1.** Manque de ponctualité. **2.** Erreur. *Livre plein d'inexactitudes.*

inexaucé, ée adj. Litt. Qui n'a pas été exaucé. *Souhait inexaucé.*

inexcitabilité n. f. Didac. Caractère de ce qui est inexcitable.

inexcitable adj. Didac. Qui ne peut recevoir d'excitation.

inexcusable adj. Qui ne peut être excusé. *Faute inexcusable.*

inexécutable adj. Qui ne peut être exécuté. *Plans inexécutables.*

inexécution n. f. Didac. Absence d'exécution.

inexercé, ée adj. Litt. Qui n'est pas exercé, formé. *Une main inexercée.*

inexigibilité n. f. DR Caractère de ce qui est inexigible.

inexigible adj. DR Qu'on ne peut exiger.

inexistant, ante adj. **1.** Qui n'existe pas. **2.** Fam. Qui n'a aucune valeur, nul. *Argument inexistant.* ▷ Effacé, sans poids, que l'on ne remarque pas. *Un petit bonhomme totalement inexistant.*

inexistence n. f. **1.** DR Défaut d'existence. *Inexistence d'un testament.* **2.** Caractère de ce qui est inexistant (sens 2).

inexorable adj. **1.** Qu'on ne peut fléchir par des prières. *Se montrer inexorable.* **2.** Extrêmement rigoureux. *Loi inexorable.* **3.** Implacable. *Destin inexorable.*

inexorablement adv. D'une manière inexorable.

inexpérience n. f. Manque d'expérience. *L'inexpérience de la jeunesse.*

inexpérimenté, ée adj. **1.** Qui n'a pas d'expérience. *Photographe inexpérimenté.* **2.** Qu'on n'a pas encore essayé. *Méthode inexpérimentée.*

inexpert, erte adj. Litt. Qui manque d'habileté, d'expérience. *Je suis tout à fait inexpert dans ce domaine.*

inexpiable adj. **1.** Qui ne peut être expié. *Crime inexpiable.* – n. m. *Perpétrer l'inexpiable.* **2.** Qui ne peut être apaisé. *Haine inexpiable.*

inexplicable adj. Qui ne peut être expliqué ; incompréhensible, étrange. *Conduite inexplicable.*

inexplicablement adv. D'une manière inexplicable.

inexpliqué, ée adj. Qui n'a pas été expliqué. *Un phénomène inexpliqué.*

inexploitable adj. Qu'on ne peut exploiter. *Carrière inexploitable.*

inexploité, ée adj. Qui n'est pas exploité. *Richesses inexploitées.*

inexplorable adj. Qu'on ne peut explorer.

inexploré, ée adj. Qui n'a pas été exploré. *Terre inexplorée.* – Fig. *Possibilité inexplorée.*

inexplosible adj. TECH Qui ne peut exploser, conçu pour ne pas faire explosion. *Chaudière inexplosible.*

inexpressif, ive adj. **1.** Qui manque d'expression. *Visage inexpressif.* **2.** Fig. Qui manque de force expressive. *Récit terne et inexpressif.*

inexprimable adj. Que l'on ne peut exprimer. *Joie inexprimable.*

inexprimé, ée adj. Qui n'est pas exprimé.

inexpugnable adj. Litt. Qu'on ne peut prendre d'assaut. *Forteresse inexpugnable.*

inextensibilité n. f. Didac. Caractère de ce qui est inextensible.

inextensible adj. Qui n'est pas extensible.

in extenso [inekstɛ̃so] loc. adv. et adj. inv. (Mots lat.) Complètement, complet (en parlant d'un texte). *Publication in extenso d'un discours.*

inextinguible [inekstɛ̃gibl] adj. Qu'on ne peut éteindre. *Feu inextinguible.* ▷ Fig. Qu'on ne peut apaiser, arrêter. *Soif, rire inextinguible.*

inextirpable adj. Qu'on ne peut extirper.

in extremis [inekstʀemis] loc. adv. et adj. inv. (Mots lat.) **1.** DR Aux derniers moments de la vie ; à l'article de la mort. *Mariage in extremis.* **2.** Cour. Au dernier moment, à la dernière minute. *J'ai pu prendre mon train in extremis.*

inextricable adj. Que l'on ne peut démêler, très embrouillé. *Écheveau inextricable.* – Fig. *Situation inextricable.*

inextricablement adv. D'une manière inextricable.

infaillibilité n. f. **1.** Caractère de ce qui est certain. **2.** Caractère d'une personne qui ne peut se tromper. **3.** RELIG CATHOL *Dogme de l'infaillibilité pontificale,* proclamé en 1870, selon lequel le pape ne peut se tromper quand il tranche *ex cathedra* une question de foi ou de mœurs.

infaillible adj. **1.** Qui ne peut se tromper. *Nul n'est infaillible. Instinct infaillible.* **2.** Certain, assuré. *Remède infaillible.*

infailliblement adv. **1.** Immanquablement. **2.** Litt. Sans erreur.

infaisable [ɛ̃fəzabl] adj. Qui ne peut être fait. *Cette ascension passe pour infaisable.*

infalsifiable adj. Qui ne peut être falsifié.

infamant, ante adj. **1.** Déshonorant. *Accusation infamante.* **2.** DR *Peines afflictives et infamantes :* V. afflictif.

infâme adj. **1.** Vx Déshonoré, flétri par les lois, l'opinion. **2.** Avilissant, honteux. *Action infâme.* **3.** Répugnant. *Taudis infâme.* **4.** Abominable. *Infâme individu.*

infamie n. f. **1.** Vx ou DR ROM Flétrissure publique de l'honneur. **2.** Vx Caractère d'une personne infâme. *L'infamie d'un voleur.* **3.** Action, parole infâme, vile.

infant, ante n. Titre des enfants puînés des rois d'Espagne et du Portugal.

infanterie n. f. Anc. Ensemble des fantassins, des troupes qui combattaient habituellement à pied. ▷ Mod. Ensemble des troupes chargées de la défense, de la conquête et de l'occupation du terrain. *Infanterie de marine.*

1. infanticide adj. et n. Qui commet, qui a commis un meurtre d'enfant. ▷ Subst. *Un(e) infanticide.*

2. infanticide n. m. Meurtre d'un enfant, spécial. d'un enfant nouveau-né.

infantile adj. **1.** Des enfants en bas âge. *Mortalité infantile.* **2.** MED Qui souffre d'infantilisme (en parlant d'un adulte). **3.** Péjor. Puéril. *Caprice infantile.*

infantilisant, ante adj. Qui infantilise.

infantilisation n. f. Didac. Action d'infantiliser, de s'infantiliser ; son résultat.

infantiliser v. tr. [1] Didac. Rendre infantile, donner une mentalité d'enfant. – Absol. *Le manque de responsabilité infantilise.* ▷ v. pron. *Un vieillard qui s'infantilise.*

infantilisme n. m. **1.** MED Persistance anormale de caractères infantiles chez l'adulte, sur les plans somatique (taille, voix, caractères sexuels secondaires) et psychologique. **2.** Cour. Conduite puérile, infantile.

infarci, ie adj. MED Atteint d'infarctus (en parlant d'un tissu, d'un organe).

infarctus [ɛ̃faʀktys] n. m. MED Atteinte d'un territoire vasculaire oblitéré par une thrombose. *Infarctus du myocarde,* entraînant la nécrose de la paroi musculaire du cœur.

infatigable adj. Que rien ne fatigue. *Esprit, zèle infatigable.*

infatigablement adv. Sans se fatiguer, sans se lasser.

infatuation n. f. **1.** Vx Engouement. **2.** Litt. Suffisance (sens 2).

infatuer (s') v. pron. [1] **1.** Vx S'engouer. *S'infatuer de qqn.* **2.** Litt. Avoir un sentiment de satisfaction de soi démesuré. – Pp. adj. *Un personnage arrogant et infatué.*

infécond, onde adj. Qui n'est pas fécond; stérile. *Terre inféconde.* ▷ Qui n'a pas eu d'enfant. *Couple infécond.* – Fig. *Esprit infécond.*

infécondité n. f. Didac. Stérilité. *Infécondité du sol.*

infect, ecte [ɛ̃fɛkt] adj. **1.** Qui répand une odeur repoussante. *Haleine infecte.* **2.** Très mauvais. *Vin infect.* **3.** Très sale. *Un recoin infect.* **4.** Fam. Qui suscite le dégoût, répugnant. *Personnage infect.*

infectant, ante adj. MED Qui produit une infection. *Piqûre infectante de moustique.*

infecter v. tr. [1] **1.** Contaminer de germes infectieux. *Infecter une plaie.* ▷ v. pron. *Sa blessure s'est infectée.* **2.** Vieilli Corrompre par des exhalaisons malsaines. *Cet égout infecte l'air.* **3.** Fig., litt. Contaminer, corrompre. *Infecter l'opinion de mensonges.*

infectieux, euse [ɛ̃fɛksjø, øz] adj. MED Qui se rapporte à une infection ou qui peut en provoquer une. *État infectieux.*

infectiologie n. f. Didac. Étude des maladies infectieuses.

infection n. f. **1.** Développement localisé ou généralisé d'un germe pathogène dans l'organisme. *Foyer d'infection.* **2.** Vieilli Grande puanteur. ▷ Fam. Chose répugnante, malodorante. *Enlevez ça d'ici, c'est une véritable infection.* **3.** Fig., vieilli Corruption, contagion.

infectiosité n. f. MED Caractère infectieux d'un germe, d'un virus.

inféodation n. f. **1.** HIST Action d'inféoder. **2.** Action de s'inféoder.

inféoder v. tr. [1] **1.** HIST Donner à un vassal pour être tenu en fief. *Inféoder une terre.* **2.** v. pron. S'attacher par un lien étroit. *S'inféoder à un parti.*

infère adj. BOT Se dit d'un ovaire situé au-dessous du plan d'insertion des autres pièces florales. Ant. supère.

inférence n. f. Didac. Raisonnement consistant à admettre une proposition du fait de sa liaison avec d'autres propositions antérieurement admises.

inférer v. tr. [14] Tirer (une conséquence) d'une proposition, d'un fait.

inférieur, eure adj. et n. **I.** adj. **1.** Placé au-dessous, en bas. *Mâchoire inférieure.* **2.** Le plus éloigné de la source (d'un fleuve). *Le cours inférieur de la Seine.* **3.** ASTRO *Planètes inférieures* : Mercure et Vénus, plus proches du Soleil que la Terre. **4.** BIOL Dont l'organisation est rudimentaire (êtres vivants). *Les plantes inférieures* : les cryptogames. *Les vertébrés inférieurs* : les poissons, les amphibiens et les reptiles (situés plus bas que les oiseaux et les mammifères dans l'échelle de l'évolution). **5.** GEOL Se dit du premier étage d'une période géologique. *Dévonien inférieur.* **6.** MATH *Inférieur à* : plus petit que. *a inférieur ou strictement inférieur à b* ($a < b$). *a inférieur ou égal à b* ($a \leqslant b$). **II.** n. Personne qui est au-dessous d'une autre en rang, en dignité; subordonné.

inférieurement adv. Au-dessous.

inférioriser v. tr. [1] **1.** Rare Faire passer à un rang inférieur. **2.** Donner un sentiment d'infériorité à.

infériorité n. f. Caractère de ce qui est inférieur. *En état d'infériorité.* – *Complexe d'infériorité* : ensemble d'attitudes, de représentations, de conduites qui mènent un individu à avoir de lui-même une idée dépréciée, dévalorisée.

infermentescible [ɛ̃fɛʀmɑ̃tesibl] adj. Non susceptible de fermenter.

infernal, ale, aux adj. **1.** Litt. De l'enfer, des Enfers. *Dieux infernaux.* **2.** Digne de l'enfer. *Chaleur infernale, vacarme infernal.* – Fig. Qui dénote la ruse, la méchanceté perverse. *Une infernale perfidie.* ▷ Loc. *Machine infernale* : engin destiné à produire une explosion meurtrière. **3.** Fam. Très turbulent. *Une gamine infernale.*

inférovarié, ée adj. BOT Dont l'ovaire est infère. Ant. supérovarié.

infertile adj. Stérile, infécond. *Sol infertile.* – Fig. *Esprit infertile.*

infertilité n. f. Didac. ou litt. État de ce qui est infertile. Syn. stérilité.

infestation n. f. MED Pénétration dans l'organisme de parasites non microbiens.

infester v. tr. [1] **1.** Vieilli Désoler par des actes de violence. *Les pirates infestaient les côtes.* **2.** Envahir en abondance, en parlant d'animaux ou de plantes nuisibles. – Pp. *Cave infestée de rats.*

infeutrable adj. Spécialement traité pour ne pas feutrer. *Laine infeutrable.*

infibulation n. f. Didac. Opération (toujours pratiquée dans certaines sociétés africaines traditionnelles) qui consiste soit à fixer à demeure un anneau traversant le prépuce de l'homme ou les petites lèvres de la femme, soit à coudre les petites lèvres de la femme.

infibuler v. tr. [1] Didac. Pratiquer l'infibulation sur.

infidèle adj. et n. Qui n'est pas fidèle. **I.** adj. et n. **1.** Vieilli Qui ne respecte pas ses engagements, qui trompe la confiance. *Dépositaire infidèle.* **2.** Qui n'est pas constant dans ses affections. *Ami infidèle.* ▷ *Spécial.* Qui n'est pas fidèle en amour. *Mari, amant infidèle.* – Subst. *Un(e) infidèle.* **3.** Vx Qui ne professe pas la religion tenue pour vraie (à un moment donné, dans un lieu donné). *Peuples infidèles.* ▷ Subst. *Les infidèles.* **II.** adj. Sur quoi l'on ne peut compter. *Mémoire infidèle.* ▷ Inexact, qui manque à la vérité. *Traduction, récit infidèle.*

infidélité n. f. **1.** Manque de fidélité. ▷ Action manifestant le manque de fidélité, et notam. le manque de fidélité en amour. *Faire des infidélités à qqn.* **2.** Manque d'exactitude. *Infidélité d'un copiste.* ▷ Inexactitude, erreur. *Les infidélités d'une traduction.*

infiltration n. f. **1.** Passage lent d'un liquide à travers les interstices d'un corps solide. *Infiltrations d'eau dans un mur.* **2.** MED Injection thérapeutique d'une substance dans un tissu ou une articulation. ▷ Envahissement d'un tissu sain par des cellules, malignes ou non. **3.** MILIT Pénétration, en arrière des lignes adverses, de petits groupes armés.

infiltrer v. [1] **I.** v. pron. **1.** Pénétrer à travers les pores, les interstices d'un corps solide. *L'eau s'infiltre dans le bois.* **2.** Fig. Pénétrer peu à peu, s'insinuer. *Le doute s'infiltre dans son esprit. S'infiltrer au travers des lignes ennemies.* **II.** v. tr. **1.** MED Faire pénétrer une substance dans l'organisme. **2.** S'introduire clandestinement dans. *Infiltrer une organisation.*

infime adj. Très petit, insignifiant. *Détails infimes.*

in fine [infine] loc. adv. (Mots lat.) À la fin. *Se reporter chapitre X, in fine.*

infini, ie adj. et n. m. **I.** adj. **1.** Qui n'a ni commencement ni fin. *Dieu est infini.* – Qui n'a pas de limites, sans bornes. *Espace, durée infinis.* ▷ MATH *Ensemble infini* : ensemble E tel qu'il existe une partie P_2 de E qui contienne strictement une partie quelconque P_1 de E. *L'ensemble des nombres entiers est infini. Plus l'infini (symbole : + ∞), moins l'infini (symbole : – ∞).* – Loc. *Tendre vers l'infini (symbole : → ∞).* **2.** D'une quantité, d'une intensité, d'une grandeur très considérable. *Infinie variété d'objets. La distance infinie des astres. Une voix d'une infinie douceur.* Syn. extrême. **II.** n. m. **1.** Ce qui est ou ce que l'on suppose être sans limites. *Tenter d'imaginer l'infini.* **2.** Ce qui paraît infini. *L'infini de la steppe.* **3.** Loc. adv. *À l'infini* : sans qu'il y ait de fin. *Multiplier à l'infini.*

ENCYCL La notion abstraite d'infini a fait l'objet de discussions métaphysiques pendant deux millénaires, et différents philosophes lui font recouvrir les notions d'absolu et de perfection. Ainsi, Descartes tire de la présence, dans l'esprit humain, de l'idée d'infini une preuve de l'existence de Dieu. Depuis le XIXe s., l'infini est l'objet de définitions mathématiques dépourvues d'ambiguïté. En analyse mathématique (V. mathématique), l'infini apparaît dans les problèmes où une quantité variable dépasse toute quantité fixe donnée à l'avance.

infiniment adv. **1.** Sans bornes, sans mesure. ▷ MATH *Quantité infiniment grande* (ou *infiniment petite*), susceptible de devenir plus grande (ou plus petite) que tout nombre choisi arbitrairement, aussi grand (ou aussi petit) soit-il. **2.** Extrêmement. *Je vous remercie infiniment.*

infinité n. f. **1.** Didac. Caractère de ce qui est infini. *L'infinité de Dieu.* **2.** Quantité infinie. **3.** Quantité considérable. *Il passe ici chaque jour une infinité de gens.*

infinitésimal, ale, aux adj. **1.** MATH Qui concerne les quantités infiniment petites. ▷ *Calcul infinitésimal,* partie des mathématiques comprenant le calcul différentiel (recherche de la limite du rapport de deux infiniment petits) et le calcul intégral (recherche de la limite d'une somme d'infiniment petits). Syn. analyse. **2.** Très petit. *Dose infinitésimale.*

infinitif, ive n. m. et adj. Mode impersonnel qui exprime d'une manière indéterminée ou générale l'idée marquée par le verbe. *C'est l'infinitif des verbes qui figure à la nomenclature des dictionnaires français. Infinitif substantivé* (ex. : *le boire et le manger*). *Infinitif historique* ou *de narration* employé avec la préposition *de* (ex. : *« Et grenouille de se plaindre », La Fontaine*). ▷ adj. *Mode infinitif.* – *Proposition infinitive,* dont le verbe est à l'infinitif (ex. : *j'entends les oiseaux chanter*).

infinitude n. f. Didac. Qualité de ce qui est infini.

infirmatif, ive adj. DR Qui infirme, annule. *Arrêt infirmatif d'une sentence.*

infirmation n. f. DR Action d'infirmer. *Infirmation d'un arrêt.* Syn. annulation.

infirme adj. et n. Atteint d'une infirmité, d'infirmités. *Rester infirme à la suite d'un accident.* ▷ Subst. *Les infirmes d'un hospice.* Syn. handicapé, invalide.

infirmer v. tr. [1] **1.** Aller à l'encontre de, réfuter, démentir (qqch). *Infirmer une preuve, une déclaration.* Ant. confirmer. **2.** DR Déclarer nul. *Infirmer un jugement.*

infirmerie n. f. Local où l'on soigne les malades, les blessés, dans une communauté. *L'infirmerie d'un collège, d'une caserne.*

infirmier, ère n. et adj. **1.** n. Personne habilitée à donner aux malades les soins nécessités par leur état et à participer à diverses actions liées à la préservation de la santé (prévention, éducation, etc.). *Infirmière de garde. Diplôme d'infirmière.* **2.** adj. Qui concerne les infirmiers, leur activité. *Soins infirmiers.*

infirmité n. f. **1.** Indisposition ou maladie habituelle. *Les infirmités de la vieillesse.* **2.** Absence, altération ou perte d'une fonction (l'individu jouissant par ailleurs d'une bonne santé).

infixe n. m. GRAM Élément qui, dans certaines langues, s'insère au milieu d'une racine, pour certaines formes.

inflammabilité n. f. Didac. Caractère de ce qui est inflammable.

inflammable adj. **1.** Qui s'enflamme facilement. *L'éther est inflammable.* **2.** Fig. Qui se passionne facilement. *Cœur inflammable.*

inflammation n. f. **1.** Fait de s'enflammer, de prendre feu. *Inflammation d'un mélange gazeux.* **2.** MED Réaction locale de l'organisme contre un agent pathogène, caractérisée par la rougeur, la chaleur, la douleur et la tuméfaction.

inflammatoire adj. MED Qui cause une inflammation, qui tient de l'inflammation. *Maladie inflammatoire.*

inflation n. f. **1.** ECON Phénomène économique qui se traduit par une hausse des prix généralisée, dû à un déséquilibre entre l'offre et la demande globale des biens et des services disponibles sur le marché. **2.** Augmentation excessive. *Inflation du nombre des fonctionnaires.* Ant. déflation.

inflationniste adj. et n. ECON **1.** adj. Relatif à l'inflation. **2.** n. Partisan de l'inflation.

infléchi, ie adj. **1.** Légèrement courbé. **2.** BOT Courbé du dehors en dedans. *Rameaux infléchis.*

infléchir **1.** v. tr. [3] Fléchir, courber. *L'atmosphère infléchit les rayons lumineux.* – Fig. Modifier l'orientation de. *Infléchir sa ligne de conduite.* **2.** v. pron. Dévier. *La ligne s'infléchit à droite.*

infléchissable adj. Qui ne fléchit pas.

inflexibilité n. f. **1.** Rare Caractère de ce qui est inflexible. *L'inflexibilité de la fonte.* **2.** Cour. Caractère d'une personne qui ne se laisse pas fléchir. *L'inflexibilité d'un magistrat.*

inflexible adj. **1.** Rare Qu'on ne peut fléchir, courber. *Métal inflexible.* **2.** Cour. Qui ne se laisse pas émouvoir, inexorable. *Être inflexible aux prières.* Syn. inébranlable.

inflexiblement adv. Litt. De façon inflexible.

inflexion n. f. **1.** Action d'infléchir, de fléchir, d'incliner. *Inflexion de la tête.* **2.** PHYS Déviation. *L'inflexion des rayons lumineux par un prisme.* ▷ MATH *Point d'inflexion d'une courbe,* où la courbure change de sens. **3.** Fig. Changement de ton, d'accent dans la voix; modulation. *Avoir des inflexions touchantes.* **4.** Fig. Changement d'orientation, de comportement, de politique, etc. **5.** LING Modification du timbre d'une voyelle sous l'influence d'un phonème voisin.

infliger v. tr. [13] **1.** Frapper qqn d'une peine. *Infliger une amende à un automobiliste.* **2.** *Par ext.* Faire subir. *Infliger un affront. Il nous a infligé un discours ennuyeux.*

inflorescence [ɛ̃flɔʀesɑ̃s] n. f. BOT Disposition des fleurs d'une plante les unes par rapport aux autres. *La grappe, l'épi, le corymbe, le capitule et la cyme sont des inflorescences.*

influençabilité n. f. Caractère d'une personne influençable.

influençable adj. Facile à influencer. *Esprit influençable.*

influence n. f. **1.** Vx Action supposée des astres sur la destinée humaine. *« Du ciel, l'influence secrète » (Boileau).* **2.** Action exercée sur qqch ou qqn. *Avoir une bonne, une mauvaise influence sur qqn. Agir sous l'influence de la colère.* Syn. effet, emprise, ascendant. **3.** Crédit, autorité. *Un homme sans influence.* – *Trafic d'influence,* délit d'une personne qui monnaie l'obtention d'avantages administratifs. **4.** PHYS *Influence électrique* ou *influence électrostatique* : modification de la répartition des charges électriques portées par un corps sous l'effet d'un champ électrique.

influencer v. tr. [12] Exercer une influence sur. *Influencer l'opinion.*

influent, ente adj. Qui a de l'influence. *Personnage très influent.*

influenza [ɛ̃flyɛnza] n. f. Vx Grippe.

influer v. intr. [1] Exercer sur (une chose) une action qui tend à la modifier; avoir une action déterminante sur. *La lumière influe sur la végétation. Mes conseils ont influé sur sa décision.*

influx [ɛ̃fly] n. m. PHYSIOL *Influx nerveux :* courant électrique qui, en se propageant le long des fibres nerveuses, transmet les commandes motrices ou les messages sensitifs.

info n. f. (Souvent plur.) Fam. Abrév. de *information. Écouter les infos.*

infogérance n. f. Gestion de l'informatique d'une entreprise.

infographie n. f. (Nom déposé.) INFORM Informatique appliquée aux graphiques et à l'image.

infographique adj. De l'infographie.

infographiste n. INFORM Spécialiste de l'infographie.

in-folio [infɔljo] adj. inv. et n. m. inv. IMPRIM Dont les feuilles sont pliées en deux (4 pages). *Livre in-folio* ou, n. m. inv., *un in-folio.*

infomercial n. m. Film télévisé publicitaire caractérisé par la présence sur l'écran d'un numéro de téléphone que le téléspectateur peut appeler.

infondé, ée adj. Qui n'est pas fondé. *Une rumeur infondée.*

informateur, trice n. Personne qui informe.

informaticien, enne n. Spécialiste de l'informatique.

informatif, ive adj. Qui informe. *Brochure informative.*

information n. f. **1.** Action de donner connaissance d'un fait. *La presse est un moyen d'information.* **2.** Renseignement, documentation sur qqn ou qqch. *Prendre des informations.* – (Plur.) Ensemble des nouvelles communiquées par la presse, la radio, la télévision, etc. *Bulletin d'informations.* **3.** DR Instruction. – Enquête policière préalable à l'instruction. **4.** INFORM Élément de connaissance, renseignement élémentaire susceptible d'être transmis et conservé grâce à un support et un code. **5.** MATH *Théorie de l'information,* qui étudie les divers modes d'émission, de réception, de traitement des informations que comporte tout message (écrit, oral, informatique, etc.).

informationnel, elle adj. Didac. Qui concerne l'information.

informatique n. f. et adj. Technique du traitement automatique de l'information au moyen des calculateurs et des ordinateurs. *Informatique de gestion.* ▷ adj. Relatif à cette technique. *Traitement par des moyens informatiques.*

ENCYCL L'informatique est apparue avec le développement des calculateurs électroniques à grande capacité, les ordinateurs (le mot informatique date de 1962). La rapidité d'accès et de traitement de l'information, l'automatisme du fonctionnement des ordinateurs et la systématique des résolutions ont ouvert un très vaste champ d'application à l'informatique : recherche scientifique (ex. : contrôle de la trajectoire d'un satellite); industrie (conception assistée par ordinateur, contrôle et commande des machines, des processus); gestion des entreprises (opérations administratives, simulation, recherche opérationnelle); enseignement programmé; documentation, banques d'informations; informatique individuelle. La liaison des ordinateurs entre eux accroît la puissance de leur traitement, la télématique assurant la transmission (V. télématique, ordinateur). Face aux menaces que font peser les nouvelles technologies sur les libertés individuelles, une « Commission nationale informatique et libertés » a été créée en France en 1974.

informatiquement adv. Par informatique.

informatisable adj. Qui peut être informatisé.

informatisation n. f. Action d'informatiser; son résultat.

informatiser v. tr. [1] Soumettre aux méthodes, aux techniques de l'informatique. *Informatiser la gestion.*

informe adj. **1.** Qui n'a pas de forme précise. *Masse informe.* **2.** Incomplet, inachevé. *Essais, notes informes.*

informé, ée adj. et n. m. **1.** adj. Qui a pris ou reçu des informations. **2.** n. m. DR Information judiciaire. – *Un plus ample informé :* un complément d'information. ▷ Fig. *Jusqu'à plus ample informé :* en attendant d'en savoir plus.

1. informel, elle adj. et n. m. BX-A *Art informel* ou, n. m., *l'informel* : art abstrait issu de l'abstraction lyrique et consacrant la disparition de toute forme reconnaissable.

2. informel, elle adj. Qui n'est pas organisé avec rigueur, qui n'est pas soumis à des règles strictes. *Rencontres, réunions informelles.*

informer v. [1] **I.** v. tr. **1.** PHILO Doter d'une forme, d'une structure; donner une signification. **2.** Avertir, mettre au courant. *Informer le public des événements.* ▷ v. pron. S'enquérir. *S'informer de la santé de qqn.* **II.** v. intr. DR Faire une instruction, une information. *Informer sur un crime.* – *Informer contre qqn :* ouvrir une information contre qqn.

informulé, ée adj. Qui n'est pas formulé.

inforoute n. f. Syn. de *autoroute de l'information.*

infortune n. f. Litt. **1.** Mauvaise fortune, adversité. *Tomber dans l'infortune.* **2.** Revers de fortune, désastre. *Il m'a raconté ses infortunes.*

infortuné, ée adj. et n. Litt. Qui est dans l'infortune.

infoutu, ue adj. Fam. Incapable. *Elle est infoutue d'arriver à l'heure.*

infra-. Élément, du lat. *infra,* « au-dessous, plus bas ».

infra adv. Renvoie à un passage plus loin dans le texte. Ant. supra.

infraction n. f. Transgression, violation d'une loi, d'une règle, d'un ordre, etc. *Infraction à la loi. Être en infraction.*

infralittoral, ale, aux adj. OCEANOGR *Étage infralittoral :* zone sous-marine en bordure de côte, caractérisée par la présence, liée à l'éclairement, des algues héliophiles (qui aiment la lumière). (Sa limite infér. est comprise entre 15 et 80 m de profondeur selon la limpidité de l'eau.)

infranchissable adj. Qu'on ne peut franchir. *Obstacle infranchissable.*

infrangible adj. Litt. Qui ne peut être brisé.

infrarouge adj. et n. m. *Rayonnement infrarouge* ou, n. m., *infrarouge :* rayonnement dont la longueur d'onde est comprise entre 0,8 et 1 000 micromètres et que sa fréquence place en deçà du rouge dans la partie du spectre non visible à l'œil.

image **infrarouge** de la ville de Washington enregistrée par satellite

infrason [ɛ̃fʀasɔ̃] n. m. PHYS Vibration sonore de faible fréquence (de 2 à 16 Hz) non perçue par l'oreille humaine.

infrasonore adj. TECH Relatif aux infrasons; qui produit des infrasons.

infrastructure n. f. **1.** Ensemble des ouvrages et des équipements au sol destinés à faciliter le trafic routier, aérien, maritime ou ferroviaire. *Infrastructure routière.* **2.** MILIT Ensemble des installations et des services nécessaires au fonctionnement d'une force armée. **3.** SOCIOL Ensemble des forces productives et des rapports de production qui constituent la base matérielle de la société et sur lesquels s'élève la superstructure (idéologie et institutions).

infréquentable adj. Qu'on ne peut fréquenter.

infroissable adj. Qui ne se froisse pas. *Tissu infroissable.*

infructueusement adv. Sans résultat.

infructueux, euse adj. **1.** Vx Qui ne rapporte que peu ou pas de fruits. *Année infructueuse.* **2.** Fig. Qui ne donne pas de résultat, sans profit. *Efforts infructueux.* Syn. stérile.

infrutescence [ɛ̃fʀytesɑ̃s] n. f. BOT Ensemble des fruits issus des fleurs d'une même inflorescence.

infumable adj. Qu'on ne peut fumer, qui est très désagréable à fumer.

infus, use [ɛ̃fy, yz] adj. **1.** Vx ou litt. Répandu naturellement dans l'âme. *Sagesse infuse.* Syn. inné. Ant. acquis. **2.** THEOL *Science infuse,* reçue par Adam de Dieu. – Iron. *Avoir la science infuse :* être savant sans avoir étudié.

infuser v. tr. [1] Laisser macérer (une substance) dans un liquide bouillant afin que celui-ci se charge de principes actifs. *Infuser de la menthe dans l'eau bouillante.*

infusette n. f. (Nom déposé.) Petit sachet de plantes à infuser.

infusibilité n. f. TECH Caractère de ce qui est infusible.

infusible adj. TECH Qui n'est pas susceptible de fondre.

infusion n. f. **1.** Action d'infuser une substance dans un liquide. *Infusion à chaud.* **2.** Produit de cette opération. *Boire une infusion de tilleul.* **3.** THEOL Communication à l'âme de grâces exceptionnelles ou de dons surnaturels.

infusoires n. m. pl. ZOOL Sous-embranchement formé par les protistes de grande taille (0,2 mm pour la paramécie), munis d'un macronucleus et d'un micronucleus. – Sing. *Un infusoire.*

ingagnable adj. Qu'on ne peut gagner. *Procès ingagnable.*

ingambe adj. Alerte. *Vieillard encore ingambe.*

Ingegneri (Marcantonio) (Vérone [?], v. 1547 – Crémone, 1592), compositeur italien : *Responsoria Hebdomadæ Sanctæ,* messes, motets, madrigaux.

Ingen-Housz (Johannes ou Jan) (Breda, 1730 – Bowood, Angleterre, 1799), physicien néerlandais; l'un de ceux qui découvrirent la photosynthèse végétale (1779).

ingénier (s') v. pron. [2] *S'ingénier à* (+ inf.) : chercher à, tâcher de trouver un moyen pour. *Il s'ingéniait à relancer la conversation.* Syn. s'évertuer.

ingénierie [ɛ̃ʒeniʀi] n. f. Didac. **1.** Ensemble des activités ayant pour objet la conception rationnelle et fonctionnelle des ouvrages ou des équipements techniques et industriels, l'établissement du projet, la coordination et le contrôle de la réalisation. Syn. (off. déconseillé) engineering. **2.** Profession de celui qui exerce une telle activité. **3.** *Ingénierie génétique :* génie* génétique.

ingénieriste n. Didac. Spécialiste de l'ingénierie.

ingénieur n. Personne capable, grâce à ses connaissances et ses compétences techniques et scientifiques, de concevoir des ouvrages et des machines, d'organiser ou de diriger des unités de production ou des chantiers. *Ingénieur des mines, des travaux publics, des ponts et chaussées.* – *Ingénieur civil,* qui n'appartient pas au corps des ingénieurs de l'État. – *Ingénieur du son :* ingénieur spécialiste qui dirige et supervise un enregistrement sonore (disque, télévision, cinéma, etc.). ▷ *Ingénieur-conseil :* ingénieur établi à son compte, capable d'apporter des conseils lors de la conception et de la réalisation d'ouvrages et d'installations. *Des ingénieurs-conseils.*

ingénieusement adv. De façon ingénieuse.

ingénieux, euse adj. **1.** Plein d'esprit d'invention. *Homme ingénieux.* Syn. astucieux, habile. **2.** Qui dénote de l'adresse, de l'imagination. *Invention ingénieuse.*

ingéniosité n. f. Qualité d'une personne, d'une chose ingénieuse. *Montrer de l'ingéniosité.*

ingénu, ue adj. et n. **1.** adj. D'une franchise innocente et candide. *Fillette ingénue. Air ingénu.* Syn. naïf. ▷ Subst. *Un(e) ingénu(e).* **2.** n. f. THEAT Rôle de jeune fille naïve. *Jouer les ingénues.*

ingénuité n. f. Candeur innocente, naïveté. *Son ingénuité confine à la sottise.*

ingénument adv. D'une manière ingénue.

1. ingérable adj. Didac. Que l'on peut ingérer. *Médicament ingérable.*

2. ingérable adj. Qui ne peut être géré ou qui est très difficile à gérer. *Un projet ingérable par une seule personne.*

ingérence n. f. **1.** Action de s'ingérer. Syn. intrusion. ▷ *Spécial.* Intervention d'un État dans les affaires intérieures d'un autre État. *Devoir d'ingérence.* **2.** DR Délit commis par un fonctionnaire ou un magistrat qui prend un intérêt dans les adjudications, entreprises ou régies dont il a l'administration.

ingérer 1. v. tr. [14] Introduire par la bouche. *Ingérer des aliments.* **2.** v. pron. Se mêler indûment de (qqch). *Vous vous ingérez dans une affaire qui ne vous regarde pas.* Syn. s'immiscer.

ingestion n. f. Action d'ingérer.

in globo [inglobo] loc. adv. (Lat., « dans la masse ».) Didac. Entièrement. *Condamner un ouvrage in globo.*

Ingouches, peuple musulman du nord du Caucase. Déportés massivement en 1943-1944 par Staline, ils purent s'établir dans la république de Tchétchénie-Ingouchie en 1957.

Ingouchie, république de Russie, au nord du Caucase; env. 310 000 hab.; cap. *Nazran.* – L'Ingouchie fut formée lorsque la Tchétchénie fit sécession (1992).

ingouvernable adj. Qui ne peut être gouverné. *Chambre, pays ingouvernables.*

ingrat, ate adj. et n. **1.** Qui n'a pas de reconnaissance pour les bienfaits reçus. *Fils ingrat.* ▷ Subst. *Obliger des ingrats.* **2.** Qui ne dédommage pas des peines qu'on se donne. *Sol ingrat. Travail ingrat.* **3.** Qui manque de charme, de grâce. *Visage ingrat.* ▷ *L'âge ingrat :* la puberté.

ingratitude n. f. **1.** Caractère d'une personne ingrate; manque de reconnaissance. **2.** Vieilli Action ingrate. *Commettre des ingratitudes.* **3.** Vieilli Caractère de ce qui est ingrat. *L'ingratitude d'un sol, d'un travail.*

ingrédient n. m. Substance qui entre dans la composition d'un mélange.

Ingres (Jean Auguste Dominique) (Montauban, 1780 – Paris, 1867), peintre français. Élève de David, prix de Rome (1801), il séjourna à plusieurs reprises en Italie, où il découvrit Raphaël. Il s'est voulu « peintre d'histoire » (*le Vœu de Louis XIII,* 1824, mais

Ingres : *Mademoiselle Rivière,* 1805; musée du Louvre

ses portraits (*Portrait de Monsieur Bertin,* 1832, Louvre), ses nus (*la Grande Odalisque,* 1814, *le Bain turc,* 1862, Louvre), ses dessins à la mine de plomb (*Portrait de Paganini,* 1819, Louvre) lui donnent sa véritable place, entre le néo-classicisme et le romantisme.

Ingrie, anc. nom d'une prov. de la Finlande méridionale, peuplée par les Inghers (Finnois); devenue russe (XIIIe s. - déb. XVIIe s.) puis suédoise (1617), elle fut cédée définitivement à la Russie en 1721 (traité de Nystad). Pierre le Grand y fonda Saint-Pétersbourg.

inguérissable adj. Qui ne peut être guéri. *Mal inguérissable.* Syn. incurable.

inguinal, ale, aux [ɛ̃gɥinal, o] adj. ANAT Relatif à l'aine. *Hernie inguinale.*

ingurgitation n. f. Rare Action d'ingurgiter.

ingurgiter v. tr. [1] **1.** Absorber, avaler. **2.** Avaler avec avidité, voracité. *Il avait ingurgité une grande quantité d'alcool.* – Fig. *Ingurgiter des connaissances.*

I.N.H. BIOCHIM Sigle de *isonicotinylhydrazide* (plus cour. isoniazide).

inhabile adj. **1.** Vx Malhabile. *Artiste inhabile.* **2.** DR Qui n'est pas apte juridiquement (à accomplir un acte). *Inhabile à contracter, à tester.*

inhabilement adv. D'une manière inhabile.

inhabileté n. f. Maladresse.

inhabilité n. f. DR Incapacité.

inhabitable adj. Qui ne peut être habité. *Contrée, maison inhabitable.*

inhabité, ée adj. Qui n'est pas habité. *Maison inhabitée.* Syn. inoccupé.

inhabituel, elle adj. Qui n'est pas habituel. Syn. inaccoutumé, accidentel.

inhalateur, trice adj. et n. m. **1.** adj. Employé pour des inhalations. **2.** n. m. Appareil qui sert pour les inhalations.

inhalation n. f. Absorption par les voies respiratoires. ▷ MED Absorption, à des fins thérapeutiques, de certaines substances gazeuses (anesthésiques, désinfectants, etc.) par les voies respiratoires; préparation ainsi absorbée.

inhaler v. tr. [1] Inspirer, absorber par inhalation.

inharmonieux, euse adj. Qui manque d'harmonie.

inhérence n. f. État de ce qui est inhérent.

inhérent, ente adj. Lié inséparablement et nécessairement à un être, une chose. *Des responsabilités inhérentes à une fonction.*

inhibé, ée adj. et n. Qui est victime d'inhibition. ▷ Subst. *Un(e) inhibé(e).*

inhiber v. tr. [1] **1.** PHYSIOL, PSYCHO Produire l'inhibition de. **2.** CHIM Empêcher ou ralentir (l'activité chimique d'un corps, une réaction).

inhibiteur, trice adj. et n. m. PHYSIOL, PSYCHO, CHIM Qui produit l'inhibition. *Un processus inhibiteur. Une enzyme inhibitrice.* ▷ n. m. *Inhibiteur de corrosion.*

inhibition n. f. **1.** PHYSIOL Suspension temporaire ou définitive de l'activité d'un organe, d'un tissu ou d'une cellule. **2.** PSYCHO Blocage des fonctions intellectuelles ou de certains actes ou conduites, dû le plus souvent à un interdit affectif. V. censure. **3.** CHIM Diminution de la vitesse d'une réaction.

inhospitalier, ère adj. **1.** Qui ne pratique pas l'hospitalité. *Peuple inhospitalier.* **2.** Qui réserve un mauvais accueil. ▷ *Terre inhospitalière,* peu propice à la vie, où il n'y a guère de ressources.

inhumain, aine adj. **1.** Sans humanité, sans pitié. *Acte inhumain.* Syn. barbare, cruel, insensible. **2.** Qui n'appartient pas à la nature humaine, qui n'est pas d'un être humain. *Pousser un cri inhumain.* **3.** Trop pénible pour l'homme. *Des conditions d'existence inhumaines.*

inhumainement adv. D'une façon inhumaine, cruellement.

inhumanité n. f. Litt. Cruauté, barbarie. *Acte d'inhumanité.*

inhumation n. f. Action d'inhumer.

inhumer v. tr. [1] Enterrer (un corps humain) avec les cérémonies d'usage.

inimaginable adj. Qu'on ne peut imaginer. *Paresse inimaginable.* Syn. impensable, inconcevable.

inimitable adj. Qu'on ne saurait imiter. *Talent inimitable.*

inimité, ée adj. Qui n'a pas été imité.

inimitié n. f. Hostilité, aversion. *Encourir l'inimitié de qqn.* Ant. amitié, sympathie.

ininflammabilité n. f. Didac. Caractère de ce qui est ininflammable.

ininflammable adj. Qui ne peut s'enflammer.

Inini, riv. de la Guyane française, affluent du Maroni. – De 1930 à 1946, le *territoire de l'Inini* a été rattaché directement à Cayenne; auj., il recouvre la superficie d'un arrondissement (ch.-l. *Saint-Laurent-du-Maroni*).

inintelligemment [inɛ̃teliʒamɑ̃] adv. D'une manière inintelligente.

inintelligence n. f. Défaut d'intelligence.

inintelligent, ente adj. Qui manque d'intelligence.

inintelligibilité n. f. Caractère de ce qui est inintelligible.

inintelligible adj. Incompréhensible. *Paroles inintelligibles.* Syn. confus, abstrus, abscons.

inintelligiblement adv. D'une manière inintelligible.

inintéressant, ante adj. Qui n'est pas intéressant, ne présente aucun intérêt.

inintérêt n. m. Manque d'intérêt. *Ce livre est d'un inintérêt total.*

ininterrompu, ue adj. Qui n'est pas interrompu. *Vacarme ininterrompu.* Syn. continu, permanent.

inique adj. Litt. Injuste à l'excès; contraire à l'équité.

iniquement adv. Litt. D'une manière inique.

iniquité n. f. **1.** RELIG Corruption des mœurs, péché. **2.** Manque d'équité; grave injustice. ▷ *Par ext.* Acte d'iniquité, d'injustice. *Commettre une iniquité.*

initial, ale, aux [inisjal, o] adj. et n. f. Qui marque le début, qui est au commencement (de qqch). *Vitesse initiale d'un projectile.* ▷ PHYS *État initial et état final* (d'un système qui subit une transformation). ▷ *Lettre, syllabe initiale,* qui commence un mot ou un groupe de mots. – *Spécial.* (Plur.) Première lettre du prénom et première lettre du nom.

initialement adv. Au commencement, à l'origine.

initialisation n. f. INFORM Action d'initialiser; son résultat.

initialiser v. tr. [1] INFORM Remplacer par des valeurs nulles les valeurs de certaines variables.

initiateur, trice n. et adj. Personne qui initie. ▷ adj. *Un génie initiateur.*

initiation [inisjasjɔ̃] n. f. **1.** Action d'initier; son résultat. *Rites d'initiation. Initiation à la peinture.* **2.** (Canada) Cérémonie d'accueil des nouveaux étudiants par les anciens dans une université, un cégep, marquée par des jeux, des brimades amusantes, etc.

initiatique adj. Qui a rapport à l'initiation. *Rite initiatique.*

initiative n. f. **1.** Action de celui qui propose ou entreprend le premier qqch. *Prendre l'initiative d'une lutte.* ▷ *Syndicat* d'initiative.* **2.** POLIT Pouvoir reconnu à une autorité de proposer à un organe étatique un acte législatif en vue de son adoption. *Droit d'initiative.* **3.** Qualité d'une personne disposée à entreprendre, à agir. *Faire preuve d'initiative.*

initié, ée adj. et n. **1.** adj. Qui a reçu l'initiation, admis à la connaissance de certains mystères. ▷ Subst. *Un(e) initié(e).* **2.** n. Personne qui connaît bien une question, une spécialité, des usages particuliers. *Seuls les initiés ont compris l'allusion.* ▷ *Spécial.* Personne qui a connaissance d'informations confidentielles dans le domaine des affaires.

initier [inisje] v. tr. [2] **I. 1.** Admettre à la connaissance, à la pratique de certains cultes secrets. *Initier un profane aux mystères d'une religion.* **2.** Recevoir au sein d'un groupe fermé (société secrète, classe d'âge dans certaines cultures, etc.). **3.** *Par anal.* Mettre au fait d'une science, d'un art, d'une pratique, etc. *Initier qqn aux affaires.* ▷ v. pron. *S'initier à :* acquérir les premiers principes de. **II. 1.** Ouvrir un domaine de connaissance nouveau. ▷ *Par ext.* Créer. **2.** Entamer (un processus). *Initier une réaction chimique.*

injectable adj. Que l'on introduit par injection.

injecter v. tr. [1] **1.** Introduire (un liquide) dans le corps par voie veineuse, intramusculaire, sous-cutanée ou articulaire. *Injecter du sérum dans les veines.* ▷ v. pron. *Yeux qui s'injectent de sang.* **2.** Faire pénétrer par pression (un liquide). *Injecter du ciment liquide dans un terrain meuble.* **3.** Fig., fam. *Injecter des capitaux dans une affaire.*

injecteur, trice n. m. et adj. **1.** Appareil servant à injecter. ▷ adj. *Sonde injectrice* **2.** TECH Organe qui pulvérise un carburant à l'intérieur d'une chambre de combustion.

injectif, ive adj. MATH *Application injective,* où tout élément de l'ensemble d'arrivée est l'image d'un élément, et d'un seul, de l'ensemble de départ, ou d'aucun des éléments de cet ensemble. ▶ illustr. **application**

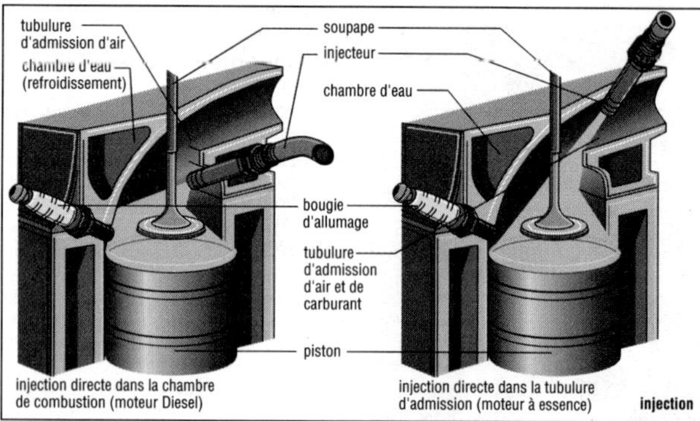

injection

injection n. f. **1.** MED, TECH Action d'injecter un liquide. *Injection intraveineuse.* ▷ Liquide injecté. *Injections en ampoules scellées.* **2.** Action de faire pénétrer par pression un liquide fluide dans qqch. *Injection de ciment.* ▷ Fluide injecté. ▷ *Moteur à injection,* alimenté en carburant par un injecteur. **3.** CHIM Procédé qui consiste à couler dans un moule des résines thermoplastiques préalablement fluidifiées par chauffage et qui permet d'obtenir des formes finies parfois très complexes. **4.** MATH Application injective.

injoignable adj. Fam. Impossible ou très difficile à joindre, à contacter. *Un responsable injoignable.*

injonctif, ive adj. (et n. m.) GRAM Qui enjoint. *Phrase injonctive.*

injonction n. f. Action d'enjoindre; ordre formel, exprès. – DR *Injonction de payer :* procédure simplifiée concernant les petites créances.

injouable adj. Qui ne peut être joué, interprété. *Un drame romantique injouable.*

injure n. f. **1.** Vx Injustice. **2.** Litt. Dommage causé par le temps, le sort, les éléments, etc. *L'injure du temps.* **3.** Vieilli Offense, outrage. **4.** Parole offensante. ▷ DR Expression outrageante, terme de mépris qui ne renferme l'imputation d'aucun fait.

injurier v. tr. [2] Offenser par des paroles outrageantes.

injurieusement adv. Litt. D'une manière injurieuse.

injurieux, euse adj. Qui comporte une ou des injures, qui est de la nature de l'injure.

injuste adj. (et n. m.) **1.** Qui n'est pas juste, qui agit contre la justice. *Se montrer injuste envers qqn.* **2.** Contraire à l'équité. ▷ n. m. *Trancher du juste et de l'injuste.* **3.** Mal fondé. *Soupçons injustes.*

injustement adv. D'une manière injuste.

injustice n. f. **1.** Défaut, manque de justice. **2.** Parole, acte, contraire à la justice.

injustifiable adj. Qu'on ne peut justifier. *Procédé injustifiable.*

injustifié, ée adj. Qui n'est pas justifié. *Demande injustifiée.*

Inkerman, fbg de Sébastopol. – Victoire franco-anglaise sur les armées russes de Menchikov lors de la guerre de Crimée (5 nov. 1854).

inlandsis [inlɑ̃dsis] n. m. GEOGR Nom donné à la calotte glaciaire couvrant les terres polaires.

inlassable adj. Qui ne se lasse pas. Syn. infatigable.

inlassablement adv. Sans se lasser.

inlay [inlɛ] n. m. (Anglicisme) Bloc métallique coulé, incrusté dans une cavité dentaire et servant à l'obturer.

in memoriam [inmemɔʀjam] Mots lat. signifiant « en souvenir de », inscrits en dédicace à la mémoire d'un défunt.

Inn, riv. de Suisse et d'Autriche (525 km), affl. du Danube (r. dr.); naît dans les Alpes des Grisons et forme la pittoresque vallée de l'Engadine puis arrose Innsbruck.

inné, ée adj. et n. m. Que l'on possède en naissant. *Sentiment, disposition innés.* ▷ n. m. *L'inné et l'acquis.* ▷ PHILO *Idées innées,* qui seraient en nous dès notre naissance et n'auraient pas été acquises par l'expérience.

innéisme n. m. PHILO Doctrine qui soutient l'existence d'idées, de structures mentales innées. *L'innéisme de Platon, de Descartes.*

innéité n. f. PHILO Qualité de ce qui est inné.

innervation n. f. ANAT Ensemble des nerfs d'une région anatomique ou d'un organe; leur mode de distribution.

innerver v. tr. [1] ANAT Réaliser l'innervation (d'un organe, d'un tissu), en parlant de fibres nerveuses.

innocemment [inɔsamɑ̃] adv. Avec innocence, sans mauvais dessein.

innocence n. f. **1.** État de l'être qui est incapable de faire le mal sciemment; pureté. ▷ THEOL État de l'homme avant le péché originel. **2.** Naïveté, ignorance, crédulité. **3.** Litt. État de ce qui est inoffensif. **4.** Absence de culpabilité d'un accusé.

innocent, ente adj. et n. **1.** Pur, exempt de malice; qui ignore le mal. *Enfant innocent.* ▷ Subst. *Massacre des Innocents :* massacre de tous les enfants de moins de deux ans ordonné par Hérode (Matthieu II, 16-18). **2.** Litt. Inoffensif. *Agneau innocent.* **3.** Crédule, d'une grande naïveté. *Tu es innocent de le croire!* ▷ Subst. (Prov.) *Aux innocents les mains pleines :* la fortune favorise les simples (cité le plus souvent par plaisant.). **4.** Qui n'est pas répréhensible. *Jeux, plaisirs innocents.* **5.** Qui n'est pas coupable. *Être innocent d'un crime.* ▷ Subst. *Condamner un(e) innocent(e).* – *Faire l'innocent :* faire semblant d'ignorer qqch.

Innocent, nom de treize papes dont : – **Innocent II** (Gregorio Papareschi) (Rome, ? – id., 1143), pape de 1130 à 1143. – **Innocent III** (Giovanni Lotario, comte de Segni) (Anagni, 1160 – Rome, 1216), pape de 1198 à 1216. Son pontificat marque l'apogée de la puissance pontificale (la papauté « souveraine du monde »). Il intervint dans les affaires des plus puissants souverains (Angleterre, France, Allemagne), provoqua la 4e croisade ainsi que celle contre les albigeois (1209) et, pour anéantir l'hérésie, institua l'Inquisition. Il convoqua le quatrième concile du Latran (1215). – **Innocent IV** (Sinibaldo Fieschi) (Gênes, v. 1195 – Naples, 1254), pape de 1243 à 1254. Il excommunia et déposa l'empereur Frédéric II au premier concile de Lyon (1245). – **Innocent XI** (bienheureux) [Benedetto Odescalchi] (Côme, 1611 – Rome, 1689), pape de 1676 à 1689. Il soutint contre Louis XIV, à propos du droit de régale, une lutte très vive, qui se termina sous son successeur.

innocenter v. tr. [1] Déclarer innocent. *Innocenter un accusé.* ▷ Garantir l'innocence de (qqn).

Innocents (square des), petite place de Paris (créée en 1859) où existaient au XIIe s. une église et un cimetière bordé d'un charnier (désaffecté en 1786 par mesure d'hygiène). Seule demeure la fontaine des Innocents, de Pierre Lescot et Jean Goujon (XVIe s.).

innocuité n. f. Qualité de ce qui n'est pas nuisible. *Innocuité d'un vaccin.*

Innocent III, mosaïque romaine

innombrable adj. Qui ne peut se compter; en très grand nombre.

innom(m)é, ée adj. Litt. Qui n'a pas reçu de nom.

innommable adj. **1.** Litt. Qui ne peut pas être nommé. **2.** Cour. Trop répugnant pour qu'on le nomme. ▷ Inqualifiable. *Conduite innommable.*

innovant, ante adj. Qui innove. *Technologies innovantes.*

innovateur, trice n. et adj. Personne qui propose, fait des innovations. Syn. novateur. ▷ adj. *Recherches innovatrices.*

innovation n. f. Action d'innover; chose innovée.

innover v. intr. [1] Introduire qqch de nouveau dans un système établi. *Innover en littérature.* ▷ v. tr. Vieilli *Innover une technique.*

Innsbruck, v. d'Autriche, sur l'Inn, à 600 m d'alt.; 114 990 hab. (aggl. urb. 234 940 hab.); cap. du Land du Tyrol. Centre industriel et commercial. Station touristique. J.O. d'hiver de 1964 et de 1976. – Évêché. Université. Hofburg (palais impérial) du XVIe s., transformé au XVIIIe s. en chât. de style rococo. Maisons anciennes.

inobservable adj. Qui ne peut être observé.

inobservance n. f. Litt. Fait de ne pas observer des prescriptions (religieuses, médicales, morales, etc.).

inobservation n. f. Rare ou DR Manque d'obéissance (aux lois, aux règles), inexécution (des engagements pris).

inobservé, ée adj. Rare ou DR Qui n'a pas été observé.

inoccupation n. f. **1.** Litt. État d'une personne sans occupation. **2.** État d'une chose, d'un lieu inoccupé.

inoccupé, ée adj. **1.** Qui n'est occupé par personne. *Place inoccupée.* **2.** Désœuvré.

in-octavo [inɔktavo] adj. inv. et n. m. inv. IMPRIM Dont les feuilles sont pliées en huit feuillets (16 pages). *Un livre in-octavo* ou, n. m. inv., *un in-octavo.* (Abrév. : in-8°).

inoculable adj. MED Qui peut être inoculé.

inoculation n. f. MED Action d'inoculer par voie cutanée ou sanguine. *Inoculation préventive.*

inoculer v. tr. [1] MED Introduire dans l'organisme (des germes ou une toxine pathogène). *Inoculer le vibrion cholérique à un cobaye. Inoculer un agent pathogène atténué pour immuniser.* ▷ Par ext. Vieilli *Inoculer qqn*, lui transmettre une maladie contagieuse. ▷ Fig. Communiquer, faire pénétrer dans l'esprit (de qqn). *Inoculer des idées pernicieuses à la jeunesse.*

inocybe n. m. BOT Basidiomycète à lamelles et spores ocres. *Plusieurs espèces d'inocybes sont vénéneuses.*

inodore adj. Sans odeur.

inoffensif, ive adj. Qui ne nuit à personne.

inondable adj. Qui peut être inondé.

inondation n. f. **1.** Débordement des eaux qui submergent un terrain, un pays. ▷ Ces eaux elles-mêmes. *L'inondation s'étend sur des dizaines de kilomètres carrés.* **2.** Fig., vieilli Invasion, afflux considérable. *Une inondation de prospectus publicitaires.*

inonder v. tr. [1] **1.** Submerger par un débordement des eaux. *Le fleuve a inondé la plaine.* ▷ Par anal. *Les larmes inondaient son visage.* **2.** Envahir. *Un nouveau produit qui inonde le marché.* ▷ Fig. *Joie qui inonde le cœur.*

Inönü (Ismet pacha, dit Ismet) (Izmir, 1884 – Ankara, 1973), général et homme politique turc. Général en Palestine pendant la Première Guerre mondiale, puis compagnon d'armes de Mustafa Kemal, il vainquit les Grecs à Inönü (janv. 1921), nom qu'il adopta. Premier ministre (1923-1924 et 1925-1937), président de la République à la mort de Mustafa Kemal Atatürk (1938-1950), il maintint la neutralité de son pays durant la Seconde Guerre mondiale. À la tête de l'opposition du Parti républicain du peuple (1950-1961), il fut à nouveau président du Conseil (1961-1965) avant de repasser à l'opposition.

Inönü

Eugène **Ionesco**

inopérable adj. Se dit d'un malade ou d'une affection pour lesquels l'acte chirurgical serait préjudiciable ou inefficace.

inopérant, ante adj. Qui ne produit pas d'effet.

inopiné, ée adj. Imprévu, inattendu.

inopinément adv. D'une manière inopinée.

inopportun, une adj. Qui n'est pas opportun.

inopportunément adv. Litt. D'une manière inopportune.

inopportunité n. f. Litt. Caractère de ce qui n'est pas opportun.

inopposabilité n. f. DR Caractère de ce qui est inopposable.

inopposable adj. DR Qui ne peut être opposé. *Les décisions judiciaires sont inopposables à ceux qui n'y étaient pas parties.*

inorganique adj. Didac. Qui n'a pas l'organisation d'un être vivant. ▷ Dépourvu de tout caractère organique; dont l'origine n'est ni animale ni végétale. *Matière inorganique.*

inorganisation n. f. Absence d'organisation; état de ce qui est inorganisé.

inorganisé, ée adj. et n. **1.** Didac. Non organisé. **2.** Qui n'appartient pas à une organisation, à un syndicat. ▷ Subst. *Des inorganisés.*

inoubliable adj. Qu'on ne peut oublier.

inouï, ïe adj. **1.** Vx ou litt. Dont on n'a jamais entendu parler. **2.** Mod. Extraordinaire, sans précédent. *Prodige inouï.*

inox n. m. Abrév. de *(acier) inoxydable.*

inoxydable adj. et n. m. Qui n'est pas susceptible de s'oxyder. *Acier inoxydable* ou, n. m., *inoxydable* : acier allié contenant plus de 12,5 % de chrome. (Abrév. : inox).

in partibus [inpartibys] loc. adj. (Mots lat.) **1.** HIST RELIG *Évêque in partibus*, titulaire d'un évêché situé en pays non chrétien. **2.** Fig., didac. Qui n'a que le titre d'une fonction. *Préfet in partibus.*

in petto [inpeto] loc. adv. (Ital., « dans la poitrine ».) Litt. ou plaisant Au fond de soi-même, à part soi.

in-plano adj. inv. et n. m. inv. IMPRIM Dont les feuilles imprimées au recto et au verso ne sont pas pliées. *Un livre in-plano* ou, n. m. inv., *un in-plano.*

input [input] n. m. (Anglicisme) INFORM Entrée des données dans un système de traitement informatique (par oppos. à *output*).

inqualifiable adj. Qui ne peut être qualifié, scandaleux. *Procédé inqualifiable.*

in-quarto adj. inv. et n. m. inv. IMPRIM Dont les feuilles sont pliées en quatre (8 pages). *Un livre in-quarto* ou, n. m. inv., *un in-quarto.* (Abrév. : in-4°).

inquiet, ète adj. **1.** Troublé par la crainte, l'incertitude. *Inquiet de son sort. Inquiet de rester sans nouvelles.* **2.** Qui marque l'inquiétude. *Regards inquiets.*

inquiétant, ante adj. Qui rend inquiet, qui cause du souci. *Son état est inquiétant.* ▷ *Par ext.* Étrange et peu rassurant. *Personnage inquiétant.*

inquiéter v. tr. [14] **1.** Rendre inquiet. *Cette nouvelle l'inquiète.* ▷ v. pron. *S'inquiéter pour un enfant.* **2.** Troubler, causer du tracas à. *Les douaniers ne l'ont pas inquiété.* **3.** Harceler. *Inquiéter l'ennemi.*

inquiétude n. f. **1.** Vieilli Agitation, angoisse. *L'inquiétude naturelle à l'homme.* **2.** État d'une personne inquiète; trouble, appréhension. *Sa maladie me cause, me donne de l'inquiétude.*

inquisiteur, trice n. m. et adj. **1.** n. m. HIST Juge de l'Inquisition. **2.** adj. Qui cherche en scrutant avec indiscrétion.

inquisition n. f. **1.** HIST *Tribunal de l'Inquisition* ou, absol., *l'Inquisition* : institution chargée, entre le XIIIe et le XIXe s., de rechercher et de poursuivre l'hérésie dans certains États catholiques. *L'Inquisition soumit les cathares à la torture.* **2.** *Par anal.*, péjor. Recherche acharnée, menée de manière vexatoire. ENCYCL L'institution de l'Inquisition trouve son origine dans un décret du concile de Vérone (1184) relatif aux hérétiques de Lombardie. Les prem. inquisiteurs connus, deux moines de l'ordre de Cîteaux, apparaissent en 1198, désignés par Innocent III lors de l'hérésie cathare (V. albigeois). D'abord présentée comme un organisme judiciaire temporaire, l'Inquisition a été transformée en établissement régulier et permanent par les conciles du Latran (1215) et de Toulouse (1229). Ce nouveau tribunal spécial fut organisé par Grégoire IX, qui en confia la direction aux dominicains (1231). La procédure était secrète. Toute personne pouvait être poursuivie sur simple dénonciation, l'essentiel pour les juges étant d'obtenir l'aveu des inculpés, ce qui, à partir de 1252, amena à utiliser la torture. L'Inquisition réussit à abattre l'hérésie cathare à la fin du XIIIe s.; elle fut aussi utilisée pour combattre d'autres formes d'hérésie, pour réprimer la sorcellerie, pour persécuter les non-chrétiens ou jugés tels. Elle disparut peu à peu en France à partir du XVe s., puis dans le reste de l'Europe, sauf en Espagne, où elle resta vigoureuse jusqu'au XVIIIe s., exerçant un rôle politique et religieux considérable : expulsion des Maures, des Juifs et des marranes (Juifs convertis dont la foi était suspecte).

inquisitoire adj. **1.** Didac. Qui concerne une inquisition. **2.** DR Se dit d'une procédure dirigée par le juge.

inquisitorial, ale, aux adj. **1.** Didac. Qui concerne l'Inquisition. **2.** Litt. Qui rappelle les procédés de l'Inquisition; arbitraire et vexatoire. *Pouvoir inquisitorial.*

INRA, acronyme pour *Institut national de la recherche agronomique.* Établissement public, fondé en 1946, chargé de développer la recherche sur l'agriculture, les industries agro-alimentaires et le monde rural.

inracontable adj. Qu'on ne peut raconter.

I.N.R.I. (Initiales des mots lat. *Iesus Nazarenus Rex Iudæorum,* «Jésus de Nazareth roi des Juifs».) Inscription placée sur la Croix, par dérision, sur l'ordre de Pilate.

insaisissabilité n. f. DR Caractère de ce qui est insaisissable. *Insaisissabilité des salaires.*

insaisissable adj. **1.** DR Qui ne peut faire l'objet d'une saisie. **2.** Que l'on n'arrive pas à rencontrer, à capturer, à arrêter. *Malfaiteur insaisissable. Animal insaisissable.* **3.** Fig. Imperceptible. *Différences insaisissables.*

In-Salah, oasis du Sahara algérien, dans le Tidikelt; 19 000 hab.

insalivation n. f. Imprégnation des aliments par la salive.

insalubre adj. Qui n'est pas salubre, malsain. *Climat, logement insalubre.*

insalubrité n. f. Caractère de ce qui est insalubre.

insane adj. Litt. Dénué de sens, de raison. *Des propos insanes.*

insanité n. f. **1.** Absence de raison. **2.** Action, parole insane. *Proférer des insanités.*

insatiabilité [ɛ̃sasjabilite] n. f. Avidité, insatisfaction permanente.

insatiable adj. Qui ne peut être rassasié. *Faim insatiable.* ▷ Fig. *Avarice insatiable.*

insatiablement adv. Litt. De manière insatiable.

insatisfaction n. f. Absence de satisfaction, déplaisir.

insatisfaisant, ante adj. Qui n'est pas satisfaisant.

insatisfait, aite adj. Qui n'est pas satisfait. *Désirs insatisfaits.*

insaturé, ée adj. CHIM Qui n'est pas saturé. *Hydrocarbure insaturé.*

inscriptible adj. GEOM Qui peut être inscrit (à l'intérieur d'un cercle, d'un polygone).

inscription n. f. **1.** Action d'inscrire sur une liste, dans un registre. *Inscription sur les listes électorales.* **2.** Ce qui est inscrit. *Inscription sur un poteau indicateur, sur un monument.* **3.** MAR *Inscription maritime :* anc. appellation des *Affaires maritimes.* **4.** DR *Inscription des privilèges et des hypothèques :* mention, faite sur les registres du conservateur, des hypothèques dont une propriété est grevée.

inscrire v. [67] **I.** v. tr. **1.** Écrire, coucher sur le papier. *Inscrire (le nom de) qqn sur la liste du jury.* ▷ v. pron. Inscrire son nom, s'affilier à. *S'inscrire à l'université.* **2.** Écrire en creusant une matière dure, graver. *Inscrire une maxime sur un monument.* **3.** GEOM Tracer (une figure géométrique) à l'intérieur d'une autre, de façon que ses sommets soient sur la circonférence ou sur le périmètre de celle-ci, ou qu'elle soit tangente à ses côtés. *Inscrire un hexagone dans un cercle, un cercle dans un carré.* **II.** v. pron. DR *S'inscrire en faux :* soutenir en justice qu'un acte authentique, produit par la partie adverse, est faux. – *Par ext.* Opposer un démenti. *Je m'inscris en faux contre ses dires.*

inscrit, ite adj. et n. **1.** (Parlement) *Orateur inscrit,* qui s'est fait porter par le président de l'Assemblée sur la liste des orateurs. *Député non inscrit,* qui n'appartient à aucun groupe. ▷ Subst. Personne dont le nom est inscrit sur une liste. ▷ n. m. *Inscrit maritime :* marin immatriculé sur les registres de l'Inscription maritime. **2.** GEOM *Polygone, cercle inscrit :* V. inscrire.

inscrivant, ante n. DR Personne qui requiert à son profit l'inscription d'une hypothèque.

insécable adj. Didac. Qui ne peut être partagé en plusieurs éléments. *Le noyau de l'atome a longtemps passé pour insécable.*

insecte n. m. Petit animal arthropode dont le corps, en trois parties (tête, thorax, abdomen), porte trois paires de pattes et, le plus souvent, deux paires d'ailes, dont la respiration est trachéenne et qui subit des métamorphoses.

ENCYCL La classe des insectes constitue de loin le plus grand ensemble du règne animal par le nombre d'espèces (plus d'un million) et d'individus. Apparus au dévonien, dérivant certainement des myriapodes (mille-pattes), ils se sont diversifiés au carbonifère, où ils avaient déjà acquis leur structure actuelle, c.-à-d. un corps segmenté. La *tête* porte des yeux à facettes, une paire d'antennes et des pièces buccales qui, primitivement broyeuses, se sont plus ou moins modifiées selon le régime alimentaire (lécheur, suceur, piqueur). Le *thorax* est constitué de trois segments (d'avant en arrière : prothorax, mésothorax, métathorax), portant chacun une paire de pattes, les deux segments postérieurs portant le plus souvent chacun une paire d'ailes, dont la structure est le critère choisi par les zoologistes pour établir la classification des insectes. L'*abdomen* a onze segments, dont certains portent latéralement des *stigmates,* orifices où débouchent les trachées respiratoires; il est terminé soit par une tarière de ponte chez certaines femelles, soit par un aiguillon (aculéates), soit par des pinces ou appendices sexuels divers (forficules). Les insectes sont ovipares; leur tégument rigide et inextensible impose une croissance par mues; le passage de la larve à l'adulte (imago) se fait soit progressivement au cours des diverses mues, soit brutalement, par la *nymphose.*

insecticide adj. et n. m. Qui détruit les insectes. *Poudre insecticide.* ▷ n. m. Produit insecticide.

insectivore adj. et n. m. ZOOL Qui se nourrit principalement d'insectes. ▷ n. m. pl. Ordre de mammifères placentaires primitifs se nourrissant d'insectes, dont les molaires sont hérissées de pointes. *Les insectivores, apparus au crétacé, constituent la souche des primates. Les musaraignes, les taupes, les hérissons sont des insectivores.* – Sing. *Un insectivore.*

insécurité n. f. Absence, manque de sécurité. *L'insécurité des routes. Zone d'insécurité.*

INSÉÉ, acronyme pour *Institut national de la statistique et des études économiques.* En 1800, fut créée la Direction de la statistique générale de la France, qui, à partir de 1941, fusionna avec divers services de statistiques écon. et démographiques, pour devenir en 1946 l'INSÉÉ. Cet organisme public assume de nombr. missions : recensements périodiques de la population, étude de la natalité, de la mortalité, etc.; étude de la production écon.; établissement mensuel de l'indice des prix, de la pyramide des salaires, etc.

inselberg [inselbɛʀg] n. m. GEOGR Relief résiduel isolé.

inséminateur, trice adj. et n. Didac. **1.** adj. Qui insémine; qui sert à inséminer. **2.** n. Spécialiste de l'insémination artificielle.

insémination n. f. BIOL Dépôt de la semence mâle dans les voies génitales femelles. ▷ *Insémination artificielle,* pratiquée hors accouplement, chez les animaux domestiques pour réaliser une amélioration des espèces, et chez l'être humain lorsqu'il est impossible pour un couple d'avoir naturellement des enfants.

inséminer v. tr. [1] BIOL Féconder au moyen de l'insémination artificielle.

insensé, ée adj. et n. **1.** Vx Qui a perdu la raison. ▷ Subst. Litt. *Il a un comportement d'insensé.* **2.** Contraire à la raison, extravagant. *Discours insensé.*

insensibilisation n. f. MED Anesthésie.

insensibiliser v. tr. [1] MED Anesthésier.

insensibilité n. f. **1.** Perte de sensibilité physique. **2.** Indifférence. *Insensibilité aux reproches.*

insensible adj. **1.** Qui a perdu la sensibilité physique. *Insensible au froid.* **2.** Qui n'a pas de sensibilité morale. *Insensible aux malheurs d'autrui.* **3.** Imperceptible, difficile à percevoir. *Progrès insensible.*

insensiblement adv. Imperceptiblement. *Avancer insensiblement.*

inséparable adj. et n. **1.** adj. Qu'on ne peut séparer. ▷ (Personnes) Qui ne se quittent jamais. *Amis inséparables.* ▷ Subst. *Deux inséparables.* **2.** n. m. ou f. pl. Nom donné aux perruches qui ne peuvent être élevées que par couples.

inséparablement adv. De manière inséparable. *Inséparablement liés.*

insérable adj. Qui peut être inséré.

insérer 1. v. tr. [14] Introduire. *Insérer un feuillet dans un livre, un article dans un journal.* ▷ *Un* (ou *une*) *prière d'insérer :* notice sur un livre qu'un éditeur soumet aux critiques pour être insérée dans une publication. **2.** v. pron. SC NAT Avoir son insertion. *Ce muscle s'insère sur tel os.*

INSERM, acronyme pour *Institut national de la santé et de la recherche médicale.* Organisme, fondé en 1964, chargé de développer et de coordonner la recherche médicale.

insermenté adj. m. HIST *Prêtre insermenté,* qui refusa de prêter serment à la Constitution civile du clergé en 1790. Syn. réfractaire. Ant. assermenté.

insertion n. f. **1.** Action d'insérer. *Insertion d'une clause dans un contrat.* **2.** DR *Insertion légale* : publication dans un journal, en vertu de la loi. **3.** Intégration (d'une personne) dans un milieu. *Insertion professionnelle, sociale.* **4.** SC NAT Attache d'un organe, d'une partie du corps sur l'organisme.

insidieusement adv. De manière insidieuse.

insidieux, euse adj. **1.** Qui tend un piège. *Question insidieuse.* **2.** MED Plus grave qu'il ne paraît d'abord. *Fièvre insidieuse.*

1. insigne adj. Litt. Remarquable. *Une faveur insigne.*

2. insigne n. m. **1.** (Plur.) Attribut d'un grade, d'un rang, d'une fonction. **2.** Marque distinctive d'un groupe. *Insignes scouts.*

insignifiance n. f. Caractère de ce qui est insignifiant.

insignifiant, ante adj. **1.** Sans intérêt particulier. *Personne insignifiante,* effacée, sans personnalité (sens 2). **2.** Sans importance. *Détail insignifiant.*

insinuant, ante adj. Litt. Qui sait insinuer, s'insinuer. *Langage insinuant.*

insinuation n. f. **1.** Litt. Action d'insinuer (qqch). **2.** Chose que l'on insinue. *Des insinuations malveillantes.*

insinuer **1.** v. tr. [1] Laisser entendre, suggérer (le plus souvent en mauvaise part). *Elle insinue que tu as tort.* **2.** v. pron. Litt. S'infiltrer, se glisser. *S'insinuer dans un groupe.* – Fig. *S'insinuer dans les bonnes grâces de qqn,* les gagner adroitement.

insipide adj. **1.** Qui n'a pas de goût, fade. ▷ Fig. Sans agrément, sans intérêt. *Roman insipide.* **2.** MED *Diabète insipide,* caractérisé par une polyurie due à une carence en hormone antidiurétique.

insipidité n. f. Caractère de ce qui est insipide.

insistance n. f. Action d'insister. *Réclamer avec insistance.*

insistant, ante adj. Qui insiste. *Supplication insistante.*

insister v. intr. [1] **1.** Souligner qqch, appuyer avec force. *Insister sur les résultats obtenus.* **2.** Persévérer à demander (qqch). *Il insiste pour être reçu.* – Absol. *Inutile d'insister.*

in situ [insity] loc. adv. (lat.) Didac. Dans son milieu naturel. *Étudier une plante in situ.*

insociabilité n. f. Litt. Caractère d'une personne insociable.

insociable adj. Litt. Qui n'est pas sociable. *Caractère insociable.*

insolateur n. m. TECH Appareil servant à utiliser l'énergie thermique des rayons solaires.

insolation n. f. **1.** Didac. Exposition à l'action des rayons solaires, de la lumière. *Sécher des plantes par insolation.* **2.** Ensemble de troubles dus à une exposition au soleil (brûlures, céphalées, vertiges, déshydratation). **3.** METEO Durée totale, exprimée en heures, au cours de laquelle le soleil a été visible. *L'insolation annuelle est à Paris d'environ 1 870 heures.*

insolemment [ɛ̃sɔlamɑ̃] adv. Avec insolence. *Répondre insolemment.*

insolence n. f. **1.** Manque de respect. **2.** Parole, action insolente. *Dire des insolences.* **3.** Arrogance. *L'insolence d'un parvenu.*

insolent, ente adj. et n. **1.** Qui manque de respect, effronté. *Enfant insolent. Remarque insolente.* ▷ Subst. *Un(e) insolent(e). Petit insolent!* **2.** Qui choque par un excès insolite, provocant. *Chance insolente.*

insoler v. tr. [1] TECH Soumettre à l'action des rayons solaires, de la lumière.

insolite adj. et n. m. Qui surprend par son caractère inhabituel. *Un fait insolite.* ▷ n. m. *Aimer l'insolite.*

insolubiliser v. tr. [1] Didac. Rendre (un corps) insoluble.

insolubilité n. f. **1.** Didac. Qualité des substances insolubles. **2.** Fig. Caractère de ce qui est insoluble. *Insolubilité d'un problème.*

insoluble adj. (et n. m.) **1.** Qu'on ne peut dissoudre. *Corps insoluble.* **2.** Qu'on ne peut résoudre. *Difficulté insoluble.* ▷ n. m. *S'acharner à résoudre l'insoluble.*

insolvabilité n. f. DR État d'une personne insolvable.

insolvable adj. et n. DR Se dit d'une personne qui n'a pas de quoi payer ce qu'elle doit. *Débiteur insolvable.* ▷ Subst. *Un(e) insolvable.*

insomniaque adj. et n. Se dit d'une personne sujette à des insomnies.

insomnie n. f. Trouble du sommeil (impossibilité de s'endormir, réveil nocturne). *Insomnie due à l'anxiété, à l'abus des excitants.*

insondable adj. Qu'on ne peut sonder, dont on ne peut mesurer la profondeur. *Gouffre insondable.* ▷ Fig. *Désespoir insondable.*

insonore adj. **1.** Rare Qui n'est pas sonore. **2.** Qui amortit les sons.

insonorisation n. f. Action d'insonoriser, d'amortir les sons à l'aide de matériaux qui les absorbent; son résultat. *Insonorisation d'un studio d'enregistrement.*

insonoriser v. tr. [1] Procéder à l'insonorisation de.

insonorité n. f. Caractère de ce qui est insonore.

insouciance n. f. Caractère de celui qui est insouciant.

insouciant, ante adj. et n. Qui ne se soucie, ne s'inquiète de rien. *Jeunesse insouciante.* – Subst. *Ce sont de joyeux insouciants.* ▷ *Insouciant de :* qui ne se soucie pas de. *Insouciant du lendemain.*

insoucieux, euse adj. Vieilli, litt. Qui ne prend pas souci de. *Être insoucieux de ses intérêts.*

insoumis, ise adj. et n. m. **1.** Qui n'est pas soumis. *Peuplades insoumises.* **2.** DR Se dit d'un soldat qui n'a pas rejoint son corps dans le délai prescrit par l'autorité militaire. ▷ n. m. *Les déserteurs et les insoumis.*

insoumission n. f. **1.** Caractère d'une personne insoumise. **2.** DR Délit du soldat insoumis.

insoupçonnable adj. Au-dessus de tout soupçon. *Probité insoupçonnable.*

insoupçonné, ée adj. (Choses) Qu'on ne soupçonne pas. *Difficultés insoupçonnées.*

insoutenable adj. et n. m. **1.** Qu'on ne peut soutenir, justifier. *Opinion insoutenable.* **2.** Que l'on ne peut supporter. *Spectacle insoutenable.* ▷ n. m. *Une douleur à la limite de l'insoutenable.*

inspecter v. tr. [1] **1.** Examiner dans le but de surveiller, de contrôler. *Inspecter des troupes, des travaux.* **2.** Examiner attentivement. *Inspecter un vêtement.*

inspecteur, trice n. Agent ou fonctionnaire chargé d'effectuer des contrôles, des vérifications dans les administrations, les entreprises. *Inspecteur départemental de l'Éducation nationale. Inspecteur des impôts.*

inspection n. f. **1.** Action d'inspecter (sens 1); son résultat. *Inspection d'une école.* **2.** ADMIN Charge d'inspecteur. *Obtenir une inspection.* **3.** Corps de fonctionnaires chargé de la surveillance de tel ou tel secteur de l'Administration. *Inspection générale des services* (de la police). *Inspection générale des Finances,* chargée de contrôler la gestion de tous les comptables publics. ▷ *Inspection du travail,* chargée de veiller à l'application de la législation du travail dans les entreprises.

inspirateur, trice adj. et n. **1.** Qui donne l'inspiration ou dont on s'inspire. *Passion inspiratrice.* ▷ Subst. *Un inspirateur, une inspiratrice.* **2.** ANAT Qui permet d'inspirer l'air. *Muscles inspirateurs.*

inspiration n. f. **I.** Phase de la respiration au cours de laquelle l'air entre dans les poumons. **II.** **1.** Action d'inspirer qqch à qqn; son résultat. *J'ai agi sur votre inspiration.* **2.** Idée venant soudain à l'esprit. *J'ai eu une bonne inspiration en l'invitant.* **3.** Impulsion créatrice. *Attendre l'inspiration.* **4.** État d'illumination sous l'empire duquel il serait possible de recevoir les révélations de puissances surnaturelles. *Inspiration prophétique.* **III.** Influence littéraire, artistique. *Chanson d'inspiration folklorique.*

inspiratoire adj. Didac. Relatif à l'inspiration (sens I).

inspiré, ée adj. **1.** Qui a reçu l'inspiration. *Poète inspiré. Prophète inspiré.* ▷ Qui dénote l'inspiration. *Air inspiré.* **2.** *Être bien inspiré :* avoir une bonne inspiration, une bonne idée. **3.** *Inspiré de :* qui a pris tel modèle. *Architecture inspirée de l'Antiquité.*

inspirer **I.** v. tr. ou intr. [1] Faire entrer (l'air) dans ses poumons. **II.** v. tr. **1.** Faire naître (une pensée, un sentiment, un comportement) chez qqn. *Inspirer de l'amour. Inspirer à un enfant de l'aversion pour le mensonge.* **2.** Éveiller, stimuler les facultés créatrices de (qqn). *La nature inspire les poètes.* **3.** Communiquer l'inspiration (sens II, 4) à, en parlant d'une puissance surnaturelle. *Dieu a inspiré les prophètes.* **III.** v. pron. Prendre comme modèle. *Auteur qui s'est inspiré des œuvres classiques.*

instabilité n. f. **1.** Défaut, absence de stabilité. ▷ PHYS, CHIM *Instabilité d'une combinaison chimique, d'un équilibre.* ▷ Fig. *L'instabilité de la fortune.* **2.** Caractère d'une personne instable.

instable adj. (et n.) **1.** Qui n'est pas stable. *Échafaudage instable. Situation instable. Combinaison chimique instable. Équilibre instable.* **2.** Sans stabilité affective; dont l'humeur, le comportement changent fréquemment. *Un enfant instable.* ▷ Subst. *Un(e) instable.*

installateur, trice n. Personne qui effectue des installations. *Installateur de chauffage central.*

installation n. f. **1.** Action d'installer qqch. *Installation de l'électricité.* ▷ Ensemble des objets, des appareils installés. *Réparer des installations sanitaires.*

2. Action, manière de s'installer. *L'installation des nouveaux locataires. Installation provisoire.* 3. INFORM Procédure visant à rendre opérationnels un système informatique, un périphérique ou un logiciel. 4. Bx-A Dans l'art contemporain, œuvre constituée d'éléments divers disposés dans un espace. Syn. environnement.

installer v. [1] I. v. tr. 1. Mettre (qqch) en place. *Installer le téléphone.* – INFORM Procéder à une installation. ▷ Par ext. *Installer un appartement*, l'aménager. 2. Placer, loger (qqn) dans un endroit. *Installer un employé dans un bureau.* 3. ADMIN Établir officiellement (qqn) dans ses fonctions. *Installer un magistrat.* II. v. pron. 1. S'établir, se fixer. *S'installer à la campagne.* 2. Se mettre à une place, dans une position déterminée. *S'installer confortablement sur un canapé.* ▷ Fig. *S'installer dans la médiocrité.*

instamment adv. De façon pressante.

instance n. f. 1. Sollicitation pressante. *Sur les instances de ses parents. Demander avec instance.* 2. DR Ensemble des actes de procédure nécessaires pour intenter, instruire et juger un procès. *Tribunal d'instance, de grande instance. Première instance* : poursuite d'une action devant le premier degré de juridiction. – *Affaire en instance*, non réglée. 3. Tribunal, organisme ayant pouvoir de juger, de décider. *L'instance suprême.* 4. Autorité, organisme ayant le pouvoir de discuter, d'examiner ou de décider. *Les instances de l'ONU. Les instances dirigeantes de notre parti.*

1. instant, ante adj. Litt. Pressant, insistant. *Prière instante.*

2. instant n. m. Moment très court. *S'arrêter un instant.* – *Un instant!* : attendez un instant! ▷ Loc. adv. *À chaque instant, à tout instant* : continuellement, sans cesse. – *À l'instant* : il y a très peu de temps. – *Dans un instant* : dans très peu de temps. ▷ Loc. conj. *Dès l'instant que, où* : du moment que, où.

instantané, ée adj. et n. m. 1. Qui ne dure qu'un instant. *L'éclair est instantané.* 2. Qui se produit immédiatement. *Riposte instantanée.* 3. Vieilli *Photographie instantanée* ou, n. m., *un instantané* : photographie effectuée avec un temps de pose très court.

instantanéité n. f. Didac. ou litt. Caractère de ce qui est instantané.

instantanément adv. D'une manière instantanée; immédiatement.

instar de (à l') loc. prép. À l'exemple de, de même que.

instaurateur, trice n. Litt. Personne qui instaure.

instauration n. f. Action d'instaurer.

instaurer v. tr. [1] Établir, instituer. *Instaurer un nouveau régime politique.*

instigateur, trice n. Personne qui pousse à faire qqch. *L'instigateur de la révolte.*

instigation n. f. Rare Incitation à faire qqch. – (En loc.) Cour. *Commettre un crime à l'instigation de qqn.*

instiguer v. tr. [1] Vx Pousser, inciter (qqn) à faire qqch.

instillation n. f. Didac. ou litt. Action d'instiller.

instiller v. tr. [1] 1. Didac. ou litt. Verser (un liquide) goutte à goutte. 2. Fig. Faire pénétrer lentement, insidieusement ou avec précaution. *Instiller un collyre entre les paupières.*

instinct [ɛ̃stɛ̃] n. m. 1. Ensemble des tendances innées et contraignantes qui déterminent certains comportements spécifiques et immuables, communs à tous les individus d'une même espèce du règne animal. *Instinct sexuel.* 2. Par ext. Intuition, connaissance spontanée, chez l'homme. *Se fier à son instinct.* ▷ Loc. adv. *D'instinct* : spontanément, sans réfléchir. 3. Aptitude naturelle. *Avoir l'instinct des affaires.*

instinctif, ive adj. (et n.) 1. Qui naît de l'instinct. *Réaction instinctive.* 2. (Personnes) Qui a tendance à obéir à son instinct, à son intuition plutôt qu'à sa raison. ▷ Subst. *Un instinctif.*

instinctivement adv. D'instinct.

instinctuel, elle adj. PSYCHO Qui procède de l'instinct (sens 1).

instituer I. v. tr. [1] 1. Établir (une chose nouvelle et durable). *Instituer le suffrage universel.* 2. DR *Instituer un légataire*, le nommer par testament. II. v. pron. Se poser en, s'ériger en. *S'instituer moraliste.*

institut n. m. 1. Corps constitué de gens de lettres, de savants, etc. 2. Nom de certains établissements d'enseignement, de recherche. *Institut universitaire de technologie* (abrév. : I.U.T.). *L'Institut Pasteur.* 3. Nom de certains établissements de soins. *Institut dentaire. Institut de beauté.* 4. Règle de vie d'une congrégation religieuse à sa fondation.

Institut catholique de Paris, établissement privé d'enseignement supérieur qui a succédé, en 1876, à l'école des Carmes.

Institut de France, réunion officielle des cinq Académies : française, des sciences, des sciences morales et politiques, des inscriptions et belles-lettres, des beaux-arts. (V. académie.) – *Palais de l'Institut* ou, absol., *l'Institut* : monument de Paris situé à l'extrémité du pont des Arts, sur le quai Conti. Construit par Le Vau, Lambert et d'Orbay de 1663 à 1672, pour abriter une fondation posthume de Mazarin (le Collège des Quatre-Nations), il fut affecté à l'Institut de France en 1806.

Institut du monde arabe. V. IMA.

Institut géographique national. V. I.G.N.

instituteur, trice n. Personne chargée d'enseigner dans les classes du premier degré.

institution n. f. 1. Action d'instituer (qqch). *L'institution du suffrage universel en France.* 2. DR Nomination par testament. *Institution d'héritier.* 3. Chose instituée (règle, usage, organisme). *Les institutions politiques et religieuses.* ▷ (Plur.) Lois fondamentales régissant la vie politique et sociale d'un pays. 4. Établissement d'enseignement privé. *Institution de jeunes filles.*

institutionnalisation n. f. Action d'institutionnaliser (qqch).

institutionnaliser v. tr. [1] Élever au rang d'institution. *Institutionnaliser un usage.*

institutionnel, elle adj. et n. m. 1. Relatif aux institutions. *Réforme institutionnelle.* 2. Qui a pour cadre une institution, un collectif. *Pédagogie institutionnelle. Psychothérapie institutionnelle.* 3. n. m. Investisseur institutionnel.

Institut national de la consommation. V. I.N.C.

Institut national de la recherche agronomique. V. INRA.

Institut national de la santé et de la recherche médicale. V. INSERM.

Institut national de la statistique et des études économiques. V. INSÉÉ.

Institut national de l'audiovisuel. V. INA.

instructeur n. m. et adj. m. 1. n. m. Celui qui instruit. – *Spécial.* Celui qui est chargé de l'instruction des soldats. ▷ adj. m. *Officier instructeur.* 2. adj. m. DR *Juge instructeur*, qui instruit une affaire.

instructif, ive adj. (Choses) Qui instruit. *Livre instructif.*

instruction n. f. I. 1. Action d'instruire qqn. *Instruction de la jeunesse.* ▷ Enseignement officiel. *Instruction publique.* 2. Culture, connaissances acquises. *Manquer d'instruction.* 3. DR Ensemble des recherches et formalités relatives à une affaire, en vue de son jugement. ▷ *Juge d'instruction* : syn. de *juge instructeur.* II. Plur. 1. Indications, directives pour mener à bien une mission, utiliser correctement qqch. *Les instructions ministérielles. Les instructions secrètes données à un ambassadeur. Les instructions d'un mode d'emploi.* 2. INFORM Suite de caractères parfois précédée par une adresse ou un numéro, qui définit les opérations à effectuer par l'ordinateur.

instruire I. v. tr. [69] 1. Donner un enseignement, une formation à (qqn). *Instruire des enfants, des soldats.* ▷ Par ext. *L'exemple nous instruit.* 2. *Instruire qqn de qqch*, l'en aviser. *Instruire qqn de ses intentions.* 3. DR Mettre (une affaire) en état d'être jugée. *Instruire un procès.* II. v. pron. Acquérir des connaissances. *S'instruire dans une science.*

instruit, ite adj. Qui a des connaissances. – *Être instruit de...* : être informé.

instrument n. m. 1. Outil, appareil servant à effectuer un travail, une mesure, une opération, à observer un phénomène, etc. *Instruments d'optique, de chirurgie.* ▷ *Instrument de musique*, avec lequel on produit des sons musicaux. – Absol. *Jouer d'un instrument.* 2. Fig. Personne ou chose dont on se sert pour parvenir à ses fins. *Faire de qqn, de qqch, l'instrument de sa réussite.*

instrumentaire adj. DR *Témoin instrumentaire*, dont la signature est nécessaire pour la validité d'un acte.

instrumental, ale, aux adj. (et n. m.) 1. Qui sert d'instrument. 2. Qui concerne l'instrument, les instruments. ▷ MUS Qui est exécuté par des instruments. *Musique instrumentale* (par oppos. à *musique vocale*). 3. MED Qui se fait à l'aide d'instruments. 4. GRAM *Cas instrumental* ou, n. m., *instrumental*, qui exprime le complément de moyen.

instrumentaliser v. tr. [1] 1. Réduire qqn au rôle d'instrument, le manipuler. 2. Effectuer une opération à l'aide d'instruments. *Instrumentaliser la procréation.*

instrumentalisme n. m. PHILO Doctrine pragmatique suivant laquelle toute théorie est un outil, un instrument pour l'action.

instrumentaliste adj. et n. De l'instrumentalisme. ▷ Subst. Partisan de l'instrumentalisme.

instrumentation n. f. 1. MUS Art d'utiliser les possibilités techniques et sonores de chaque instrument dans l'élaboration d'une œuvre musicale. 2. Ensemble d'instruments, d'appareils destinés à un ensemble d'opérations. *L'instrumentation médicale.*

instrumenter v. [1] **1.** v. tr. MUS Composer en fonction des possibilités techniques et sonores de chaque instrument de l'orchestre. **2.** v. intr. DR Dresser un acte authentique (constat, exploit, etc.).

instrumentiste n. **1.** MUS Personne qui joue d'un instrument. **2.** CHIR Infirmier, infirmière spécialisés qui, au cours d'une intervention, passe au chirurgien les différents instruments dont il se sert.

insu (En loc. prép.) **1.** *À l'insu de :* sans que la (les) personne(s) désignée(s) le sache(nt). *Faire qqch à l'insu de sa famille.* **2.** *À mon* (*ton, son,* etc.) *insu :* sans que je (tu, il) m' (t', s') en aperçoive, sans que je (tu, il) le sache.

insubmersibilité n. f. Didac. Qualité de ce qui est insubmersible.

insubmersible adj. Qui ne peut être submergé ; qui ne peut couler (navires). *Canot de sauvetage insubmersible.*

insubordination n. f. Défaut de subordination ; désobéissance, indiscipline. *Acte d'insubordination.*

insubordonné, ée adj. Indiscipliné. *Soldat insubordonné.*

insuccès [ɛ̃syksɛ] n. m. Absence de succès, échec. *Insuccès d'une pièce.*

insuffisamment adv. De manière insuffisante.

insuffisance n. f. **1.** Caractère d'une personne, d'une chose insuffisante. **2.** MED Défaillance aiguë ou chronique d'un organe, d'une glande, d'une fonction. *Insuffisance cardiaque, surrénale.*

insuffisant, ante adj. **1.** Qui ne suffit pas. *Ration insuffisante.* **2.** Qui manque d'aptitude, de compétence. *Il s'est montré tout à fait insuffisant pour cette tâche.*

insufflateur, trice adj. et n. m. **1.** adj. Qui insuffle. **2.** n. m. MED Syn. de *respirateur.*

insufflation n. f. MED Action d'insuffler qqch dans une cavité du corps.

insuffler v. tr. [1] **1.** RELIG Faire pénétrer par le souffle divin. *Dieu modela dans l'argile une forme à son image et lui insuffla la vie.* ▷ *Par ext.* Inspirer, transmettre. *Insuffler du courage. Insuffler une idéologie à qqn.* **2.** MED Introduire (de l'air, un mélange gazeux) dans l'organisme à des fins thérapeutiques.

insulaire adj. et n. **1.** Qui habite une île. *Peuple insulaire.* ▷ Subst. *Les insulaires de Chypre.* **2.** Relatif à une île. *Climat insulaire.*

insularité n. f. **1.** État d'un pays formé d'une ou de plusieurs îles. **2.** Fait d'être insulaire.

Insulinde, nom donné autref. aux îles qui forment l'Indonésie et les Philippines.

insuline n. f. MED Hormone sécrétée par certaines cellules des îlots de Langerhans du pancréas.

ENCYCL L'insuline abaisse le taux de la glycémie (transformation du glucose en glycogène), favorise la pénétration du glucose dans les cellules et freine la dégradation du glycogène au niveau du foie ; sa sécrétion dépend de la glycémie, qu'elle maintient constante, sous l'action de facteurs hormonaux, nerveux, métaboliques. C'est au niveau du foie qu'a lieu la destruction de l'insuline. Le diabète *insulino-dépendant* (ou *insulinoprive*), congénital, est dû à une carence en insuline (à laquelle on supplée par des injections quotidiennes d'insulines animales ou semi-synthétiques).

insulinodépendance n. f. MED État du diabétique qui ne peut se passer d'administration d'insuline.

insulinothérapie n. f. MED Traitement par l'insuline.

insultant, ante adj. Qui constitue une insulte. *Insinuation insultante.*

insulte n. f. Parole ou action volontairement offensante. ▷ Fig. *Une insulte au bon sens.*

insulter 1. v. tr. [1] Offenser (qqn) par des insultes. *Insulter publiquement qqn.* – Pp. adj. *Il se sentit insulté.* **2.** v. tr. indir. Vx ou fig., litt. *Insulter à :* être insultant pour (qqn, qqch) par son insolence. *De tels propos insultent à sa mémoire.*

insupportable adj. **1.** Qu'on ne peut supporter. *Souffrance insupportable.* **2.** Qui a un caractère, un comportement très désagréable. *Une insupportable gamine.* ▷ *Spécial.* Très turbulent. *Un enfant insupportable.*

insupportablement adv. De façon insupportable.

insupporter v. tr. [1] Exaspérer, irriter.

insurgé, ée adj. et n. **1.** adj. Qui s'est insurgé. **2.** n. Agitateur, révolté, révolutionnaire. *« L'Insurgé », roman de Jules Vallès.*

insurger (s') v. pron. [13] Se révolter (contre qqn, qqch). *S'insurger contre le pouvoir.*

insurmontable adj. Qu'on ne peut surmonter. *Difficulté insurmontable.*

insurpassable adj. Impossible à surpasser.

insurrection n. f. Action de s'insurger ; soulèvement en masse contre le pouvoir établi, révolte. *Insurrection populaire.*

insurrectionnel, elle adj. Qui a les caractères d'une insurrection. *Élan insurrectionnel.*

intact, acte [ɛ̃takt] adj. **1.** Qui n'a pas été touché. *Dépôt intact.* ▷ Fig. Qui n'a souffert aucune atteinte. *Réputation intacte.* **2.** Entier, qui n'a pas subi d'altération. *Ce monument est resté intact.*

intaille n. f. BX-A Pierre dure gravée en creux.

intangibilité n. f. Didac. Caractère de ce qui est intangible, de ce qui ne doit pas être modifié.

intangible adj. **1.** Rare Qu'on ne peut percevoir par le toucher. *Un gaz est intangible.* **2.** Que l'on ne doit pas toucher, modifier, altérer. *Loi intangible.*

intarissable adj. Qui ne peut être tari. *Source intarissable.* ▷ Fig. *Bavardage intarissable.*

intarissablement adv. Litt. D'une manière intarissable.

intégrable adj. Que l'on peut intégrer. ▷ MATH Dont on peut calculer l'intégrale (fonctions).

intégral, ale, aux adj. et n. f. **I.** adj. **1.** Dont on n'a rien retranché. *Texte intégral.* **2.** MATH *Calcul intégral :* partie du calcul infinitésimal qui recherche la fonction F(x) dont la fonction f(x) est la dérivée. – *Calcul intégral :* ensemble des méthodes de calcul des primitives. *Le calcul intégral permet de calculer la surface d'une région limitée par une courbe fermée.* **II.** n. f. **1.** Édition complète des œuvres d'un musicien, d'un écrivain, etc. **2.** MATH Fonction qui admet pour dérivée une fonction donnée (symb. : ∫).

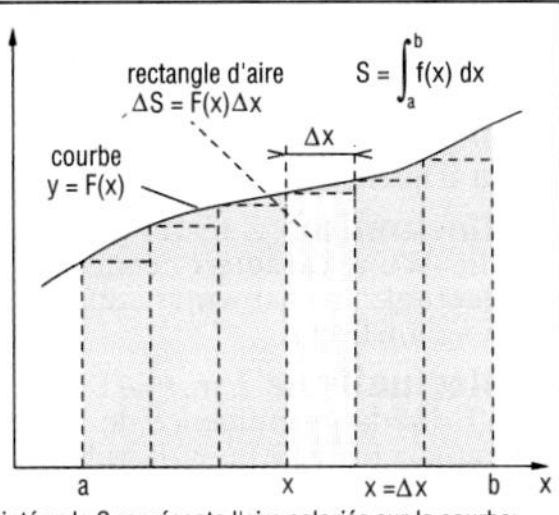

l'intégrale S représente l'aire coloriée sur la courbe; elle peut être considérée comme la limite d'une somme d'un grand nombre de quantités infinitésimales ΔS

intégrale

intégralement adv. D'une manière intégrale, en totalité.

intégralité n. f. État de ce qui est intégral.

intégrant, ante adj. Se dit des parties qui sont nécessaires à l'intégrité d'un tout.

intégrateur, trice adj. et n. m. **1.** adj. Didac. Qui intègre. **2.** n. m. TECH Appareil qui totalise des valeurs continues.

intégration n. f. **1.** Action d'intégrer, de s'intégrer dans un groupe, un pays, etc. *L'intégration économique de l'Europe. L'intégration des travailleurs immigrés en France.* **2.** ECON Rattachement à une industrie principale d'industries annexes diverses. **3.** PHYSIOL Coordination, nécessaire au fonctionnement harmonieux, des activités de différents organes. **4.** MATH Détermination de la valeur des inconnues d'une équation différentielle. Syn. résolution. ▷ Théorie ayant pour objet la détermination des intégrales des fonctions et la mesure des ensembles.

intégrationniste adj. et n. POLIT Se dit d'un partisan de l'intégration (politique, économique, etc.).

intègre adj. D'une extrême probité. *Ministre intègre.*

intégré, ée adj. **1.** ELECTRON *Circuit intégré,* constitué de composants formés à partir d'un bloc semiconducteur et contenus sur une pastille de silicium de faibles dimensions. **2.** INFORM *Gestion intégrée,* assurant la liaison entre les différents types de comptabilité.

intégrer I. v. tr. [14] **1.** Faire entrer dans un tout. *Intégrer un dialogue dans un scénario.* ▷ v. pron. *S'intégrer à, dans un milieu social.* **2.** MATH Procéder à l'intégration de. *Intégrer une fonction.* **II.** v. tr. ou tr. ind. Arg. (des écoles) Entrer dans une grande école. *Il a intégré (à) l'X cette année.*

intégrisme n. m. Attitude, opinion de ceux qui souhaitent maintenir dans son intégrité, sans qu'il évolue, un système doctrinal (et partic. religieux) donné.

intégriste n. et adj. Partisan de l'intégrisme.

intégrité n. f. **1.** État d'une chose à laquelle il ne manque rien. *Conserver l'intégrité du territoire.* **2.** Probité irréprochable.

intellect [ɛ̃telɛkt] n. m. Faculté de comprendre, de connaître (par oppos. à *sensibilité*). Syn. entendement.

intellection n. f. PHILO Acte, exercice de l'intellect par lequel il conçoit, saisit les idées.

intellectualisation n. f. Didac. ou litt. Action d'intellectualiser; son résultat.

intellectualiser v. tr. [1] Didac. ou litt. Revêtir d'un caractère conceptuel, intellectuel; transformer, élaborer grâce à l'intellect.

intellectualisme n. m. PHILO Doctrine qui affirme la prééminence de l'entendement sur l'affectivité et la volonté. ▷ Cour., péjor. Travers de ceux qui privilégient l'intellect au détriment de la sensibilité, de la spontanéité.

intellectualité n. f. Didac. ou litt. **1.** Caractère intellectuel d'une personne, d'une attitude. **2.** Ensemble des facultés intellectuelles.

intellectuel, elle adj. et n. **1.** Qui se rapporte à l'intelligence. *Facultés intellectuelles.* **2.** Qui s'adonne de façon prédominante, par goût ou par profession, à la vie intellectuelle. ▷ Subst. *Un(e) intellectuel(le).*

intellectuellement adv. D'une manière intellectuelle.

intelligemment [ɛ̃teliʒamɑ̃] adv. D'une manière intelligente.

intelligence n. f. **I. 1.** Faculté de comprendre, de découvrir des relations (de causalité, d'identité, etc.) entre les faits et les choses. *Intelligence pratique :* adaptation réfléchie de moyens à des fins. *Intelligence conceptuelle :* faculté de connaître inséparable du langage et fondée sur la raison discursive. **2.** Aptitude à comprendre facilement, à agir avec discernement. *Intelligence remarquable.* **3.** Personne intelligente. *Une des plus belles intelligences de son temps.* **4.** *Intelligence de :* capacité ou fait de comprendre (une chose particulière). *L'intelligence des affaires.* **5.** *Intelligence artificielle (I.A.) :* ensemble des méthodes permettant la réalisation de logiciels capables de reproduire certains aspects de l'activité intelligente humaine (apprentissage et raisonnement par inférence, notam.). **6.** *Intelligence économique :* recherche de renseignements économiques sans sortir de la légalité (à la différence de l'espionnage industriel). **II. 1.** Entente, communauté d'idées, de sentiments. *Vivre en bonne intelligence.* ▷ *Être, agir d'intelligence avec qqn,* être, agir de connivence avec lui. **2.** (Plur.) Correspondance, communication secrète. *Intelligences avec l'ennemi.*

Intelligence Service, service de contre-espionnage britannique.

intelligent, ente adj. **1.** Qui a de l'intelligence; qui dénote l'intelligence. *Élève intelligent. Comportement intelligent.* **2.** Pourvu d'un système informatique qui assure automatiquement certaines opérations. *Billetterie intelligente.*

intelligentsia [ɛ̃teliʒɛntsja] n. f. Ensemble des intellectuels d'un pays. *L'intelligentsia française.*

intelligibilité n. f. Didac. Caractère de ce qui est intelligible.

intelligible adj. **1.** Qui peut être compris. *Passage peu intelligible.* ▷ PHILO Qui est connaissable par le seul entendement. *Le monde intelligible de Platon* (par oppos. à *monde sensible*). **2.** Qui peut être entendu distinctement. *À haute et intelligible voix.*

intelligiblement adv. D'une manière intelligible.

intempérance n. f. Vieilli Défaut d'une personne intempérante. – Spécial. *Intempérance de langage :* liberté excessive dans l'expression.

intempérant, ante adj. Vieilli Qui manque de sobriété, de modération, dans le manger et le boire.

intempéries n. f. pl. Mauvais temps; pluie, gel, vent, etc. *Sortir malgré les intempéries.*

intempestif, ive adj. **1.** Litt. Qui n'est pas fait à propos, en son temps. **2.** Qui est inopportun, déplacé. *Démarche intempestive.*

intempestivement adv. Litt. De façon intempestive.

intemporalité n. f. Didac. Caractère de ce qui est intemporel.

intemporel, elle adj. et n. m. Qui est étranger au temps, en dehors de la durée. *La vérité est intemporelle.* ▷ n. m. *L'intemporel :* le domaine des choses intemporelles.

intenable adj. **1.** Où l'on ne peut demeurer, tenir. *Place intenable. Se trouver dans une situation intenable.* **2.** Dont on ne peut se faire obéir, très turbulent. *Enfant intenable.*

intendance n. f. **1.** Fonction d'intendant. **2.** Corps des intendants. *Intendance universitaire.* ▷ MILIT Service de l'armée ayant pour rôle de ravitailler les troupes, de vérifier les comptes des corps de troupes, de payer la solde, les salaires, les frais de déplacement. **3.** Ensemble des services dirigés par un intendant; bâtiment qui les abrite. *Aller à l'intendance.* **4.** HIST Territoire dépendant d'un intendant (sens 4). **5.** Fig., plaisant Trésorerie. *Avoir des problèmes d'intendance en fin de mois.*

intendant, ante n. **1.** Personne qui administre les affaires, le patrimoine d'une collectivité, d'un particulier. **2.** n. m. Fonctionnaire de l'intendance militaire. **3.** Fonctionnaire responsable de l'administration matérielle et financière d'un établissement public. **4.** n. m. HIST Représentant du pouvoir royal chargé d'administrer la justice, la police et les finances d'une généralité. ▷ n. f. Femme d'un intendant.

intense adj. **1.** Qui agit avec force; grand, fort, vif. *Froid intense.* **2.** Considérable, important. *Circulation intense.*

intensément adv. De façon intense.

intensif, ive adj. **1.** Qui met en œuvre la totalité des moyens disponibles; qui fait l'objet d'une activité, d'un effort intenses. *Apprentissage intensif d'une langue étrangère.* – *Culture intensive,* qui vise à obtenir des rendements élevés dans des exploitations agricoles d'étendue restreinte ou moyenne (par oppos. à *culture extensive*). **2.** LING Qui renforce l'idée exprimée. *Extra- est un préfixe intensif.*

intensificateur n. m. TECH Dispositif qui augmente l'intensité d'un phénomène. *Intensificateur de lumière :* appareil utilisé pour observer des scènes nocturnes, notam. à des fins militaires.

intensification n. f. Action d'intensifier ou de s'intensifier.

intensifier v. tr. [2] Rendre plus intense, augmenter. *Intensifier la production.* ▷ v. pron. *Les pressions s'intensifient.*

intensité n. f. Degré d'activité, d'énergie, de puissance. *Intensité de la lumière, d'un séisme. L'intensité d'une passion.* ▷ ELECTR Quantité d'électricité qui traverse un circuit dans l'unité de temps. (L'unité d'intensité est l'ampère, de symbole A; 1 A = 1 coulomb par seconde.) *Intensité lumineuse :* quotient du flux lumineux émis dans un cône, par l'angle solide de ce cône. (L'unité d'intensité lumineuse est la candela, de symbole cd.)

intensivement adv. D'une manière intensive.

intenter v. tr. [1] DR Engager contre qqn (une action en justice). *Intenter un procès à qqn.*

intention n. f. **1.** Acte de la volonté par lequel on se fixe un but. *Bonne, mauvaise intention.* ▷ *Par ext.* Le but lui-même. *Aller au-delà de ses intentions.* **2.** Loc. prép. *À l'intention de (qqn) :* spécialement pour (qqn).

intentionnalité n. f. PHILO, PSYCHO Fait, pour la conscience, de se donner un objet, d'être toujours la « conscience de quelque chose » (Husserl).

intentionné, ée adj. *Bien, mal intentionné :* qui a de bonnes, de mauvaises intentions.

intentionnel, elle adj. Qui est fait délibérément. *Omission intentionnelle.*

intentionnellement adv. Avec intention, exprès.

inter-. Élément, du latin *inter,* « entre », qui marque la séparation, l'espacement ou la réciprocité.

1. inter n. m. Abrév. de *interurbain.*

2. inter n. m. SPORT Joueur de football placé entre l'ailier et l'avant-centre.

interactif, ive adj. Didac. Relatif à l'interaction; qui permet une interaction. *Émission de télévision interactive.* ▷ INFORM Qui permet le dialogue entre l'utilisateur et un logiciel.

interaction n. f. **1.** Action réciproque de deux phénomènes, de deux personnes. **2.** PHYS Chacun des types d'action réciproques s'exerçant entre particules élémentaires.

ENCYCL **Phys.** – Depuis les années 1930, on distingue quatre interactions fondamentales : l'*interaction gravitationnelle* (V. gravitation); l'*interaction électromagnétique* (V. électromagnétisme); l'*interaction forte,* qui s'exerce de façon attractive entre toutes les particules de la famille des hadrons (V. particule) et qui explique notam. la cohésion du noyau de l'atome; l'*interaction faible,* qui intervient dans les processus de désintégration. Depuis 1967, on est parvenu à une description unifiée des interactions électromagnétique et faible (théorie électrofaible). Depuis 1980, on cherche à fonder une théorie synthétique de l'ensemble des interactions (théorie de la grande unification).

interactionnel, elle adj. Qui concerne une interaction.

interactivité n. f. INFORM Caractéristique d'un système interactif.

interagir v. intr. [3] Exercer une interaction.

interallié, ée adj. Qui concerne les pays alliés dans leurs rapports mutuels.

interarmées adj. inv. MILIT Qui groupe des éléments de plusieurs armées (de terre, de mer et de l'air).

interarmes adj. inv. MILIT Qui groupe des éléments de plusieurs armes (artillerie, infanterie, etc.). *École interarmes.*

interbancaire adj. Didac. Qui concerne les relations entre banques.

intercalaire adj. (et n.) Qu'on intercale. ▷ *Jour intercalaire :* jour ajouté au mois de février des années bissextiles, afin que l'année civile coïncide avec l'année astronomique. ▷ Subst. *Un(e) intercalaire* : fiche, feuillet ou carte, d'un format particulier, qu'on intercale dans un ensemble de format différent.

intercalation n. f. Didac. Action d'intercaler ; son résultat.

intercaler v. tr. [1] **1.** Ajouter un jour intercalaire*. **2.** Placer entre deux choses ou en alternance. *Intercaler une planche entre deux plaques de tôle.* **3.** Faire entrer après coup dans une série, un ensemble, un texte. *Intercaler une clause dans un contrat.* **4.** v. pron. Se placer entre deux choses ou à l'intérieur d'un ensemble.

intercéder v. intr. [**14**] Intervenir (en faveur de qqn).

intercellulaire adj. BIOL Qui est entre les cellules. *Espace intercellulaire.*

intercepter v. tr. [1] **1.** Interrompre (qqch) dans son cours, sa transmission. *Écran insonore qui intercepte les bruits.* **2.** Prendre par surprise (ce qui est destiné à un autre). *Intercepter un message.* ▷ MAR, AERON Attaquer (un navire, un avion, un missile) pour l'empêcher d'atteindre son objectif. **3.** GEOM En parlant d'un angle dont le sommet est le centre d'un cercle et dont les côtés délimitent un arc sur le cercle. *L'angle α intercepte l'arc ab.*

intercepteur n. m. AERON Avion destiné à intercepter les appareils ennemis.

interception n. f. Action d'intercepter ; son résultat.

intercesseur n. m. RELIG ou litt. Personne qui intercède.

intercession n. f. RELIG ou litt. Action d'intercéder. *L'intercession des saints* : l'intervention des saints auprès de Dieu en faveur des hommes, des pécheurs.

interchangeabilité n. f. Didac. Caractère de ce qui est interchangeable.

interchangeable adj. Se dit de choses, de personnes qui peuvent être mises à la place l'une de l'autre.

interclasse n. m. Court repos entre deux séquences d'enseignement.

interclassement n. m. Action d'interclasser ; son résultat.

interclasser v. tr. [1] Réunir en une seule série (plusieurs séries d'éléments classés). *Interclasser des dossiers.*

interclubs [ɛ̃tɛʀklœb] adj. inv. SPORT Qui se dispute entre plusieurs clubs.

intercom n. m. Dispositif de communication à courte distance (immeuble, train, bâteau).

intercommunal, ale, aux adj. Qui appartient à, qui relève de plusieurs communes.

intercommunalité n. f. Intérêts, travaux communs à plusieurs communes limitrophes.

intercommunautaire adj. Didac. Qui concerne plusieurs communautés humaines.

intercommunion n. f. RELIG Participation en commun à l'eucharistie de membres d'Églises séparées.

interconfessionnel, elle adj. Commun à plusieurs confessions religieuses.

interconnecter v. tr. [1] TECH Procéder à l'interconnexion de.

interconnexion n. f. TECH Connexion (entre différents réseaux de distribution, de circulation).

intercontinental, ale, aux adj. Qui concerne les rapports entre deux continents. ▷ *Missile intercontinental*, qui peut aller d'un continent à un autre.

intercostal, ale, aux adj. ANAT Situé entre deux côtes. *Nerf intercostal.* – Par ext. *Douleur intercostale.*

interculturel, elle adj. Didac. Qui concerne les rapports entre cultures.

intercurrent, ente adj. Didac. Qui survient pendant que d'autres faits se déroulent. *Maladie intercurrente*, qui se déclare au cours d'une autre maladie.

interdentaire adj. Didac. Qui est entre les dents.

interdépartemental, ale, aux adj. Qui relève de plusieurs départements. *Commission interdépartementale.*

interdépendance n. f. Dépendance réciproque.

interdépendant, ante adj. En situation d'interdépendance.

interdiction n. f. **1.** Action d'interdire. *Interdiction d'importer des armes.* **2.** ADMIN et RELIG Action d'interdire qqn. *Interdiction d'un prêtre.* ▷ DR *Interdiction judiciaire*, auj. remplacée par la *sauvegarde de justice* et la *tutelle des majeurs.* – *Interdiction légale* : privation de l'exercice des droits civils entraînée par toute condamnation à une peine afflictive et infamante. – *Interdiction de séjour* : défense faite à certains condamnés de paraître dans certaines villes, certains départements après leur libération. **3.** MILIT *Tir d'interdiction*, destiné à stopper le mouvement de l'ennemi.

interdigital, ale, aux adj. ANAT Situé entre deux doigts.

interdire v. tr. [**65**] **1.** Défendre (qqch à qqn). *Interdire tout effort à un malade.* ▷ Fig. *La situation nous interdit d'espérer.* **2.** ADMIN et RELIG Faire défense à (qqn) d'exercer ses fonctions, son ministère. *Interdire un fonctionnaire.* ▷ DR *Interdire un aliéné*, instaurer à son endroit une sauvegarde de justice ou une tutelle. ▷ v. pron. *S'interdire toute entorse à son régime.*

interdisciplinaire adj. Qui concerne plusieurs disciplines. *Connaissances interdisciplinaires. Équipe interdisciplinaire.*

interdisciplinarité n. f. Didac. Caractère interdisciplinaire.

interdit, ite adj. et n. m. **I.** adj. **1.** (Choses) Défendu. **2.** DR CANON Frappé d'interdit (sens II, 1). *Prêtre interdit.* ▷ adj. et n. m. DR *Un interdit de séjour.* **3.** Déconcerté, décontenancé. *Demeurer interdit.* **II.** n. m. **1.** DR CANON Sentence qui interdit la célébration du culte en certains lieux ou qui interdit à un ecclésiastique d'exercer ses fonctions. ▷ Cour. *Jeter l'interdit sur* : prononcer l'exclusive contre. – *Lever l'interdit* : mettre fin à une interdiction, une censure. **2.** Règle sociale qui proscrit de manière plus ou moins rigoureuse une pratique, un comportement. *Les interdits touchant l'inceste.* Syn. tabou.

interentreprises adj. inv. Qui a lieu, qui est organisé entre des entreprises. *Une cantine interentreprises.*

intéressant, ante adj. (et n.) **1.** Qui éveille l'intérêt, l'attention de qqn. *Cours, professeur intéressant.* ▷ Subst. *Faire l'intéressant(e)* : essayer d'attirer l'attention sur soi. **2.** Qui inspire de la sympathie. *C'est un individu intéressant.* **3.** Avantageux (matériellement). *Salaire intéressant.*

intéressé, ée adj. (et n.) **1.** Qui est en cause. *Les parties intéressées.* ▷ Subst. *Signature de l'intéressé(e).* **2.** Qui n'a en vue que son intérêt personnel. *Ami intéressé.* – Par ext. *Visite intéressée.*

intéressement n. m. Attribution d'une partie des profits de l'entreprise aux salariés.

intéresser **I.** v. tr. [1] **1.** Retenir l'attention, susciter l'intérêt de (qqn). *Ce sujet m'intéresse.* **2.** Inspirer de la bienveillance, de la sympathie. *Ses malheurs n'intéressent personne.* **3.** Concerner (qqn, qqch). *Loi qui intéresse les propriétaires.* **4.** Faire participer (qqn) aux profits d'une entreprise. *Être intéressé dans une affaire.* **II.** v. pron. Prendre intérêt à (qqch). *S'intéresser aux arts.*

intérêt [ɛ̃teʀɛ] n. m. **I. 1.** Ce qui est utile, profitable à qqn. *Sacrifier ses intérêts personnels à l'intérêt public.* ▷ *Avoir des intérêts dans une affaire*, y avoir placé de l'argent en vue d'en tirer des bénéfices. **2.** Recherche égoïste de ce qui est avantageux pour soi. *Agir par intérêt.* **3.** Attention bienveillante envers qqn. *Marques d'intérêt.* **4.** Attention, curiosité que l'on porte à qqch. *Lire un article avec intérêt.* ▷ Qualité de ce qui est digne d'attention. *Découverte d'un grand intérêt.* **II.** FIN Somme due au prêteur par l'emprunteur pour l'usage d'un capital pendant une période déterminée et versée sous forme de revenu. ▷ *Intérêt simple*, tel que le capital reste le même au cours du prêt. *L'intérêt simple est proportionnel au montant du capital, au taux d'intérêt et à la durée du prêt.* ▷ *Intérêt composé*, résultant de l'addition au capital initial des intérêts acquis successivement.

interethnique adj. Didac. Qui se produit entre ethnies.

interface n. f. **1.** INFORM Dispositif (matériel et logiciel) grâce auquel s'effectuent les échanges d'informations entre deux systèmes. – *Interface graphique* : affichage dynamique, sous forme d'icônes, de menus, de boutons, des commandes accessibles à l'utilisateur d'un ordinateur. – *Interface utilisateur* : ensemble des moyens de dialogue entre l'utilisateur et l'ordinateur, regroupant l'usage des commandes. **2.** Didac. Limite commune à deux systèmes. ▷ *Par ext.* Interlocuteur privilégié entre deux services, deux entreprises, etc.

interfacer v. tr. [**12**] Didac. Connecter deux systèmes grâce à une interface.

interfécondité n. f. BIOL Possibilité d'une conjonction sexuelle donnant des produits viables et féconds entre deux représentants d'une espèce, ou de deux espèces voisines. *L'interfécondité du chien et du loup.*

interfédéral, ale, aux adj. Qui concerne plusieurs fédérations.

interférence n. f. **1.** PHYS Phénomène qui résulte de la superposition de deux mouvements vibratoires de fréquence et d'amplitude voisines. **2.** Fig. Fait d'interférer. *Il y a interférence entre le politique et le social.*

ENCYCL Le phénomène d'interférence s'obtient en acoustique (tuyaux sonores, cordes vibrantes), en optique (franges d'interférence, anneaux de Newton, coloration des lames minces) et ainsi qu'en radioélectricité (ondes stationnaires, interférences des ondes hertziennes). Les applications des interférences sont très nombreuses : spectroscopie, contrôle des surfaces, holographie, radionavigation, etc.

► illustr. page **972**

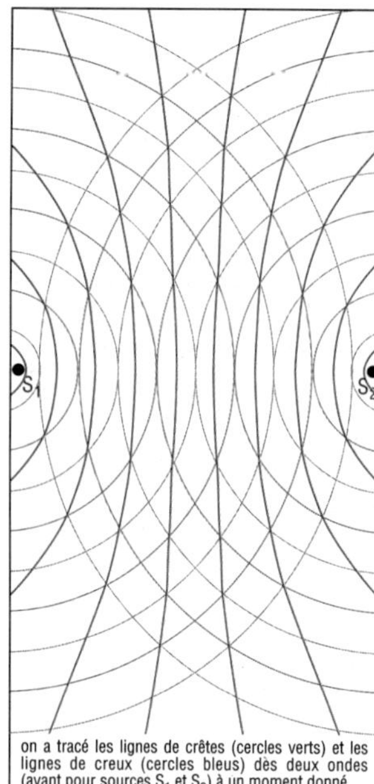

on a tracé les lignes de crêtes (cercles verts) et les lignes de creux (cercles bleus) dès deux ondes (ayant pour sources S_1 et S_2) à un moment donné

interférences de deux ondes circulaires

interférent, ente adj. PHYS Qui présente des interférences.

interférentiel, elle adj. PHYS Relatif aux interférences.

interférer v. intr. [14] **1.** PHYS Produire des interférences. **2.** Fig. Se mêler en se renforçant ou en se contrariant (actions, phénomènes).

interféromètre n. m. PHYS Appareil qui sert à produire des franges d'interférence, à les repérer et à mesurer les distances entre les franges.

interférométrie n. f. PHYS Technique de mesure des franges d'interférence.

interféron n. m. BIOCHIM Cytokine* sécrétée par les cellules hôtes en réponse à la présence de virus.

interfluve n. m. GEOMORPH Relief séparant deux vallées.

intergalactique adj. ASTRO Situé entre des galaxies.

intergénérationnel, elle adj. Qui concerne plusieurs générations.

interglaciaire adj. et n. m. GEOMORPH Se dit des dépôts formés durant la période comprise entre deux glaciations. ▷ n. m. Cette période elle-même.

intergouvernemental, ale, aux adj. Qui concerne plusieurs gouvernements.

intergroupe adj. et n. m. **1.** adj. Qui réunit, qui est commun à plusieurs groupes (spécial. à plusieurs groupes parlementaires). *Réunion intergroupe* ou *intergroupes.* **2.** n. m. POLIT Groupe formé de membres du Parlement appartenant à des familles politiques différentes, mais s'intéressant à une même question économique, sociale, etc.

interhumain, aine adj. Qui a lieu d'un homme à un autre. *La transmission interhumaine d'une maladie.*

intérieur, eure adj. et n. m. **I.** adj. **1.** Qui est situé au-dedans, entre les limites de qqch. *Mur intérieur. La politique intérieure d'un État.* **2.** Fig. Qui est du domaine de l'esprit, des sentiments. *Vie intérieure.* **II.** n. m. **1.** Le dedans. *L'intérieur d'une voiture.* **2.** Logement, foyer. *Un intérieur accueillant. Femme d'intérieur,* qui a du goût pour les travaux ménagers. **3.** Ensemble des affaires intérieures d'un État. *Ministère de l'Intérieur.* **4.** Loc. adv. ou prép. *À l'intérieur (de) :* au-dedans (de).

intérieurement adv. **1.** À l'intérieur, au-dedans. **2.** Dans le cœur, l'esprit. *Être touché intérieurement.*

intérim [ɛ̃teʀim] n. m. **1.** Laps de temps pendant lequel une charge vacante est exercée par une autre personne que le titulaire; exercice de cette charge. *Président par intérim.* **2.** Activité du personnel intérimaire.

intérimaire adj. et n. Qui remplit une fonction par intérim. ▷ *Personnel intérimaire,* détaché dans une entreprise par une entreprise de travail temporaire. – Subst. *Un(e) intérimaire.*

interindividuel, elle adj. Didac. Qui a trait aux rapports entre individus.

intériorisation n. f. Didac. ou litt. Action d'intérioriser.

intérioriser v. tr. [1] **1.** Rendre plus intérieur, moins exprimé (une émotion, un sentiment). **2.** PSYCHO Ramener au moi. *Intérioriser un conflit.*

intériorité n. f. État de ce qui est intérieur.

interjection n. f. **1.** GRAM Mot invariable qui renseigne sur l'attitude du locuteur, ou dont la fonction est phatique. (Ex. : bof !, ah !, ouf !, ciel !, etc.) **2.** DR Action d'interjeter (un appel).

interjeter v. tr. [20] DR *Interjeter appel :* faire appel d'un jugement.

Interlaken, v. de Suisse (Berne), sur l'Aar, entre les lacs de Thoune et de Brienz; 4 900 hab. Tourisme.

interleukine n. f. BIOCHIM Cytokine* sécrétée par les lymphocytes, qui déclenche la sécrétion d'interféron*.

interlignage n. m. **1.** Action d'interligner. **2.** Syn. de *interligne* (sens I, 1).

interligne n. **I.** n. m. **1.** Espace compris entre deux lignes écrites ou imprimées. **2.** DR Ce que l'on écrit dans un interligne. *La loi interdit tout interligne dans un acte authentique.* **II.** n. f. IMPRIM Lame de métal servant à séparer les lignes entre elles.

interligner v. tr. [1] **1.** Écrire dans les interlignes. **2.** IMPRIM Séparer par des interlignes. *Interligner une composition.*

interlock [ɛ̃tɛʀlɔk] n. m. **1.** TECH Machine à tricoter. **2.** Tissu à mailles fines identiques sur les deux faces, obtenu avec cette machine.

interlocuteur, trice n. **1.** Litt. Personnage introduit dans un dialogue. **2.** Personne qui converse avec une autre. ▷ *Par ext.* Personne qui est en négociation (diplomatique, politique, etc.) avec une autre.

interlope adj. **1.** Dont l'activité consiste en un trafic illégal. *Navire, commerce interlope.* **2.** Fig. Louche, équivoque. *Milieux interlopes.*

interloqué, ée adj. Stupéfait.

interloquer v. tr. [1] Déconcerter, stupéfier. *Cette apostrophe l'a interloqué.*

interlude n. m. **1.** MUS Petite pièce instrumentale, entre deux morceaux plus importants. – Divertissement d'une fugue. **2.** À la radio, à la télévision, divertissement comblant une attente entre deux émissions ou pendant une coupure imprévue.

intermède n. m. **1.** Divertissement (musique, ballet, etc.) exécuté entre les actes d'une pièce de théâtre, d'un spectacle. *Intermède dansé.* **2.** Ce qui se place entre deux parties, ce qui interrompt la continuité d'un tout. *L'intermède des vacances.*

intermédiaire adj. et n. **I.** adj. Qui se trouve au milieu, entre deux; qui assure une transition. *Espace intermédiaire. Stade intermédiaire,* entre deux phases d'un processus. – TECH *Produit intermédiaire :* objet achevé destiné à la fabrication d'un produit fini. **II.** n. **1.** n. m. Entremise, truchement, transition. *Je lui en ai fait part par l'intermédiaire d'un ami. Passer d'une idée à l'autre sans intermédiaire.* **2.** n. Personne qui s'entremet dans une négociation.

intermédiation n. f. **1.** Rôle d'intermédiaire. *La fonction d'intermédiation politique des élus.* **2.** ECON Fonction des banques en tant qu'intermédiaire entre le public et les entreprises.

intermezzo [ɛ̃tɛʀmedzo] n. m. MUS Composition de forme libre.

interminable adj. Qui ne peut ou ne semble pas pouvoir se terminer, très long. *Discours interminable.*

interminablement adv. De façon interminable.

interministériel, elle adj. Commun à plusieurs ministres ou à plusieurs ministères.

intermittence n. f. **1.** Caractère de ce qui est intermittent. – *Par intermittence :* par périodes, irrégulièrement. **2.** Fig. *Les intermittences du cœur.* **3.** MED Intervalle entre les accès d'une fièvre ou d'une maladie. ▷ *Intermittence du cœur, du pouls :* arrêt périodique dans la série régulière des pulsations.

intermittent, ente **1.** adj. Qui cesse et reprend par intervalles. *Fièvre intermittente. Source intermittente.* **2.** adj. et n. Qui exerce une activité salariée avec des intervalles de chômage. *Les intermittents du spectacle.*

intermodal, ale, aux adj. Relatif à la liaison entre différents modes de transport (rail, route, air, eau).

intermodalité n. f. Caractère d'un transport intermodal. *L'intermodalité des infrastructures.*

intermoléculaire adj. PHYS, CHIM Qui est situé entre les molécules d'un corps.

internat n. m. **1.** État d'un élève interne. – *Par ext.* Établissement qui accueille des internes. **2.** Fonction d'interne des hôpitaux. – Concours donnant le titre d'interne; durée de cette fonction.

international, ale, aux adj. et n. **1.** adj. Qui a lieu, qui se passe de nation à nation, entre les nations. *Le commerce international. Relations internationales.* ▷ *Association internationale des travailleurs* ou, par abrév., n. f., *Internationale :* groupement des divers partis ouvriers du monde dont l'objectif est l'avènement mondial du socialisme. – *L'Internationale :* hymne révolutionnaire (poème d'E. Pottier, 1871; musique de P. Degeyter, 1888), qui fut l'hymne soviétique jusqu'à la Seconde Guerre mondiale et est demeurée l'hymne international des partis socialistes et communistes. **2.** n. Sportif qui participe à des compétitions internationales. ENCYCL La Ire *Internationale* (Association internationale des travailleurs) fut fondée à Londres (1864) par divers mouvements révolutionnaires et dirigée par

K. Marx. Après de graves conflits internes (exclusion des anarchistes de Bakounine, 1872), elle fut dissoute en 1876. La *IIe Internationale* (congrès de Paris, 1889) regroupa les partis socialistes et sociaux-démocrates européens. La guerre de 1914-1918 fit éclater les dissensions entre les réformistes « nationalistes » (majoritaires) et les révolutionnaires marxistes « internationalistes ». La révolution russe d'octobre 1917 consomma la scission entre socialistes et communistes (1919). Appelée désormais Internationale ouvrière socialiste, la IIe Internationale fut dissoute en 1939 et reconstituée en 1951. La *IIIe Internationale* (ou *Komintern*), créée par Lénine (congrès de Moscou, 1919), réunit les partis communistes sous l'égide du P.C.U.S. ; elle fut dissoute par Staline en 1943 et remplacée par le *Kominform* (1947-1956). La *IVe Internationale*, fondée par Trotski (1938), regroupe une importante fraction de communistes antistaliniens.

internationalement adv. D'une manière internationale.

internationalisation n. f. Action d'internationaliser ; son résultat. *L'internationalisation d'un conflit.*

internationaliser v. tr. [1] Rendre international. – Placer sous régime international (un territoire, une zone).

internationalisme n. m. Doctrine préconisant l'union des peuples et la prééminence d'un pouvoir international sur les pouvoirs nationaux.

internationalité n. f. DR Caractère de ce qui est international.

internaute n. TELECOM Personne qui utilise couramment le réseau Internet. Syn. cybernaute, netsurfeur.

interne adj. et n. **1.** adj. Qui est situé à l'intérieur, au-dedans. *Partie interne d'un récipient.* ▷ ANAT *Organe interne. Face interne d'un membre*, celle qui est située vers l'axe médian du corps. ▷ GEOM *Angles internes*, situés à l'intérieur de deux droites quelconques coupées par une sécante. ▷ MATH *Loi de composition interne* : application de E × E dans E. ▷ PHYS *Énergie interne* : somme des énergies cinétiques et potentielles des molécules. **2.** n. *Un(e) interne* : élève logé(e) et nourri(e) dans l'établissement scolaire qu'il(elle) fréquente. ▷ *Un(e) interne des hôpitaux* : un(e) étudiant(e) en médecine qui, après avoir passé le concours de l'internat, exerce des responsabilités hospitalières.

interné, ée adj. (et n.) Enfermé (spécial. en parlant des aliénés). ▷ Subst. *Libérer les internés politiques.*

internement n. m. Action d'interner ; état d'une personne internée.

interner v. tr. [1] **1.** DR Supprimer la liberté d'aller et venir par mesure administrative. *Interner des réfugiés politiques.* **2.** Enfermer dans un hôpital psychiatrique, dans un asile.

Internet, réseau mondial créé par l'interconnexion de réseaux ou d'ordinateurs (publics ou privés), et fournissant de multiples services : courrier électronique, transfert de fichiers, serveurs d'informations multimédias, forums.

interniste n. Médecin spécialiste de médecine interne, ayant acquis des compétences dans plusieurs spécialités.

internonce n. m. RELIG CATHOL Celui qui fait fonction de nonce auprès d'un État.

interocéanique adj. GEOGR Qui est situé, qui se fait entre deux océans.

interopérabilité n. f. MILIT Capacité d'éléments de matériel à fonctionner ensemble, de troupes à opérer ensemble.

interpellateur, trice n. Personne qui interpelle.

interpellation n. f. **1.** Action d'interpeller. **2.** Demande d'explication adressée, en séance, par un membre du Parlement à un ministre. *L'interpellation est sanctionnée par le vote d'un ordre du jour.* ▷ DR Sommation faite à qqn par un juge, un notaire, ou un autre officier public, de s'expliquer ou de faire qqch.

interpeller v. tr. [1] Adresser la parole à (qqn) pour lui demander qqch, pour le sommer de s'expliquer. *Interpeller grossièrement qqn.* ▷ Mod., fig. *Cet état de fait l'interpelle*, le préoccupe.

interpénétration n. f. Didac. Pénétration réciproque.

interpénétrer (s') v. pron. [14] Didac. Se pénétrer réciproquement.

interpersonnel, elle adj. Qui concerne les relations entre les personnes.

interphase n. f. BIOL Phase de duplication de la masse d'A.D.N. dans la cellule. V. mitose.

interphone n. m. (Nom déposé.) Installation téléphonique intérieure.

interplanétaire adj. Qui est, qui a lieu entre les planètes.

Interpol, acronyme pour *Organisation INTERnationale de POLice criminelle.* Organisme international créé en 1923 pour établir la coopération des polices criminelles.

interpolation n. f. **1.** Action d'interpoler dans un texte ; résultat de cette action. *Les interpolations dans les hymnes homériques.* **2.** MATH Évaluation de la valeur d'une fonction entre deux points de valeurs connues. *Interpolation linéaire*, qui assimile à un segment de droite l'arc de la courbe représentative de la fonction.

interpoler v. tr. [1] **1.** Insérer par ignorance ou par fraude (un mot ou un passage étranger) dans un texte. **2.** MATH Pratiquer une interpolation.

interposé, ée adj. Placé entre. – Loc. *Par personne interposée* : par l'entremise de qqn.

interposer v. tr. [1] **1.** Placer entre deux choses. *Interposer un prisme entre une source lumineuse et un écran.* ▷ v. pron. *Les éclipses se produisent quand la Lune s'interpose entre le Soleil et la Terre.* **2.** Faire intervenir. *Interposer son crédit.* ▷ v. pron. Intervenir comme médiateur. *Ils allaient en venir aux mains, je me suis interposé.*

interposition n. f. **1.** Situation d'un corps interposé. **2.** Fig. Intervention d'une autorité supérieure. ▷ *Force d'interposition entre les belligérants.* **3.** DR *Interposition de personne* : procédé illégal qui consiste en l'utilisation d'un prête-nom pour faire bénéficier qqn d'avantages auxquels il n'a pas droit.

interprétable adj. Qui peut être interprété.

interprétariat n. m. Fonction d'interprète.

interprétatif, ive adj. Didac. Qui interprète ; explicatif.

interprétation n. f. **1.** Action d'interpréter ; explication. *Interprétation d'un songe.* **2.** Action de donner un sens à une chose ; son résultat. *Interprétations opposées d'un événement.* **3.** Façon dont est jouée une œuvre dramatique ou musicale. *Remarquable interprétation.*

interprète n. **1.** Personne qui explique le sens d'un texte. *Les interprètes de l'Ancien Testament.* **2.** Traducteur par l'entremise duquel des personnes ne parlant pas la même langue peuvent communiquer oralement. *Interprète assermenté.* **3.** Personne qui fait connaître les intentions, les sentiments d'une autre. *Soyez mon interprète auprès de lui.* **4.** Personne qui joue un rôle dans une œuvre théâtrale ou cinématographique, qui exécute une œuvre musicale.

interpréter v. tr. [14] **1.** Expliquer, clarifier (ce qui est obscur). *Interpréter les rêves.* **2.** Donner la signification de, attribuer tel ou tel sens à (une chose). *Interpréter un texte de loi. Interpréter les intentions de qqn.* **3.** Jouer (un rôle), exécuter (un morceau de musique).

interpréteur n. m. INFORM Programme exécutant un autre programme qui se présente sous la forme d'un texte écrit dans un langage donné.

interprofession n. f. Ensemble des professions réunies dans un organisme commun.

interprofessionnel, elle adj. Commun à plusieurs professions.

interracial, ale, aux adj. Qui se produit entre individus de races différentes. *Mariage interracial.*

interréaction n. f. Réaction réciproque entre des corps ou des systèmes.

interrégional, ale, aux adj. Qui concerne plusieurs régions.

interrègne [ɛ̃tɛʀʀɛɲ] n. m. Didac. Intervalle de temps entre deux règnes. ▷ Fig. Intervalle de temps pendant lequel un État est sans chef.

interrelation [ɛ̃tɛʀʀəlasjɔ̃] n. f. Didac. Relation entre des individus, des groupes, des disciplines, etc.

interrogateur, trice adj. (et n.) Qui interroge. *Regard interrogateur.*

interrogatif, ive adj. (et n. f.) Qui sert à interroger ; qui exprime une interrogation. *Pronom interrogatif.* – *Une proposition interrogative* ou, n. f., *une interrogative.*

interrogation n. f. **1.** Action d'interroger, question, demande. ▷ *Spécial.* Ensemble de questions posées à un élève, à un candidat à un examen. *Interrogation écrite.* **2.** GRAM Construction utilisée pour interroger. *Interrogation directe* (quand la phrase interrogative est indépendante) ; *interrogation indirecte* (quand elle forme une proposition subordonnée, après *demander*, par ex.). ▷ *Point d'interrogation* : signe de ponctuation (?) qui indique une interrogation directe.

interrogativement adv. D'une manière interrogative.

interrogatoire n. m. DR Ensemble des questions que pose un magistrat à une personne impliquée dans une affaire. *L'interrogatoire d'un prévenu.* ▷ Toute action d'interroger prolongée et systématique. *Interrogatoire d'un malade.*

interrogeable adj. Qui peut être interrogé. *Un répondeur interrogeable à distance.*

interroger v. tr. [13] **1.** Questionner (qqn) pour vérifier ses connaissances, ou pour s'informer. *Interroger un élève. Interroger qqn sur son passé.* ▷ v. pron. Se poser des questions. *Je m'interroge sur mon avenir.* **2.** Fig. Consulter, examiner. *Interroger sa conscience.*

interrompre I. v. tr. [53] 1. Rompre la continuité de. *Interrompre le cours d'une rivière par un barrage. Interrompre des vacances.* 2. Couper la parole à. *Interrompre un orateur.* II. v. pron. Cesser de faire une chose. *S'interrompre dans son travail.* – Être interrompu. *La danse s'interrompit.*

interrupteur, trice adj. et n. m. 1. adj. Qui interrompt. 2. n. m. ELECTR Appareil destiné à interrompre ou à rétablir le passage du courant électrique dans un circuit.

interruption n. f. 1. Action d'interrompre; résultat de cette action. – Loc. adv. *Sans interruption* : d'affilée. *Conduire trois heures sans interruption.* 2. Paroles, cris destinés à interrompre. *Un orateur troublé par d'incessantes interruptions.*

intersaison n. f. Période qui sépare deux saisons (touristiques, sportives, etc.).

intersection n. f. Rencontre de deux lignes, de deux surfaces, etc., qui se coupent. – GEOM *Point d'intersection,* celui où deux lignes se coupent. ▷ Croisement, rencontre de deux voies de circulation. ▷ MATH *Intersection de deux ensembles :* ensemble des éléments qui appartiennent à la fois à ces deux ensembles. *Le symbole de l'opérateur qui définit une intersection s'écrit* ∩ *et s'énonce « inter ». Si C est l'intersection des ensembles A et B, on écrit* $C = A \cap B$ (A inter B).

intersession n. f. Temps compris entre deux sessions d'une assemblée.

intersexué, ée ou **intersexuel, elle** adj. (et n. m.) BIOL Qui présente simultanément des caractères des deux sexes. ▷ n. m. *Un intersexué.*

intersidéral, ale, aux adj. ASTRO Qui se produit, qui s'étend entre les astres.

intersigne n. m. Didac. Lien mystérieux qui semble unir deux faits se produisant au même moment, souvent à de grandes distances, de telle sorte que l'un paraît être le signe de l'autre.

interspécifique adj. BIOL Qui concerne les relations entre les espèces.

interstellaire adj. ASTRO Qui est situé, qui se produit entre les étoiles.
ENCYCL Le milieu interstellaire, où se forment les étoiles, joue un rôle fondamental dans l'évolution de notre Galaxie car il est perpétuellement enrichi par toute la matière que les étoiles expulsent, principalement lors des phases finales de leur évolution. La *matière interstellaire* se concentre dans le plan du disque galactique (V. encycl. galaxie), sa masse totale représente environ 10 % de la masse de toute la Galaxie. C'est un gaz très ténu (environ $1{,}7.10^{-21}$ kg/m^3), parsemé de grains microscopiques, la *poussière interstellaire.* Loin d'être uniformément répartie dans le disque galactique, la matière interstellaire se scinde en grands nuages, groupés principalement le long des bras spiraux. Le gaz contenu dans les nuages interstellaires, pour l'essentiel de l'hydrogène et un peu d'hélium, est généralement neutre, donc invisible, mais connu par son émission d'ondes radio (longueur d'onde : 21 cm); ionisé par la présence d'étoiles chaudes, le gaz interstellaire apparaît comme une nébulosité lumineuse, ou *nébuleuse à émission.* La matière interstellaire baigne dans un champ magnétique environ un million de fois plus faible que le champ terrestre. Le milieu interstellaire est parcouru par les *rayons cosmiques,* constitués par des particules de très grande énergie piégées par le champ magnétique galactique.

interstice n. m. Très petit espace, écart entre les éléments constitutifs d'un tout. *Les interstices d'un plancher.*

interstitiel, elle [ɛ̃tɛʀstisjɛl] adj. Didac. Situé dans les interstices. ▷ ANAT *Tissu interstitiel,* qui entoure les éléments différenciés d'un organe.

intersubjectif, ive adj. Didac. Qui a rapport aux relations de sujet à sujet. *Psychologie, relation intersubjective.*

intersubjectivité n. f. Didac. Communication entre les consciences individuelles.

intersyndical, ale, aux adj. et n. f. Qui concerne, qui réunit plusieurs syndicats. *Un comité de lutte intersyndical* ou, n. f., *une intersyndicale.*

intertitre n. m. Titre de paragraphe ou de toute partie d'un article de journal. ▷ CINE Texte apparaissant entre les plans ou séquences d'un film.

intertribal, ale, aux adj. Didac. Qui concerne les relations entre tribus.

intertrigo n. m. MED Lésion infectieuse siégeant au niveau des plis cutanés.

intertropical, ale, aux adj. GEOGR Situé entre les tropiques.

interurbain, aine adj. et n. m. Qui relie plusieurs villes entre elles. – *Réseau téléphonique interurbain* ou, n. m., *l'interurbain* (abrév. : inter).

intervalle n. m. 1. Distance séparant un lieu, un élément d'un autre. *Intervalle entre deux poteaux.* ▷ MUS Écart entre les fréquences de deux sons. 2. Espace de temps qui sépare deux faits, deux époques. *Un intervalle de deux heures. Dans l'intervalle.* – Loc. adv. *Par intervalles :* de temps à autre. *Crise qui se produit par intervalles.* 3. MATH Partie P d'un ensemble E tel que, pour tout couple d'éléments (a,b) de P, a étant inférieur à b, tout élément x de E compris entre a et b appartient à P. *Intervalle fermé,* noté [a,b], tel que $a \leqslant x \leqslant b$. *Intervalle ouvert,* noté]a,b[, tel que $a < x < b$.

intervenant, ante adj. et n. 1. adj. DR Qui intervient dans un procès. ▷ n. m. *Un intervenant.* 2. n. Personne qui intervient, qui prend part à qqch (notam. à un débat).

intervenir v. intr. [36] 1. Prendre part à une action en cours. *Intervenir dans une négociation.* 2. (S. comp.) Interposer son autorité dans un différend, une dispute; entrer en action, jouer un rôle influent. *Ils allaient se battre, je suis intervenu. Il a fait intervenir ses relations.* 3. DR Devenir, se rendre partie dans un procès. 4. (Choses) Jouer un rôle; agir. *En l'occurrence, ces facteurs n'interviennent pas.* ▷ Se produire. *Cet incident est intervenu au moment où l'on s'y attendait le moins.*

intervention n. f. 1. Action d'intervenir. *Intervention d'un personnage influent. Intervention d'un orateur dans un débat. Intervention des forces armées dans un conflit. Forces d'intervention de l'ONU.* 2. MED *Intervention (chirurgicale) :* opération. *Pratiquer une intervention.* 3. DR Action d'intervenir, de devenir partie dans un procès. 4. (Choses) Fait d'intervenir. *L'intervention d'éléments historiques dans un roman.*

interventionnisme n. m. ECON, POLIT Doctrine préconisant l'intervention soit de l'État dans les affaires privées, soit d'une nation dans un conflit entre d'autres pays.

interventionniste adj. et n. ECON, POLIT Qui est partisan de l'interventionnisme.

interversion n. f. Dérangement, renversement de l'ordre habituel.

intervertébral, ale, aux adj. Didac. Qui est entre deux vertèbres.

intervertir v. tr. [3] Déranger, renverser l'ordre (des parties d'un tout, des éléments d'un ensemble). *Intervertir l'ordre des mots d'une phrase.*

interview [ɛ̃tɛʀvju] n. f. Entretien au cours duquel un journaliste ou un enquêteur interroge une personne sur sa vie, ses opinions, etc. *Accorder, solliciter une interview.*

interviewé, ée adj. et n. Qui a été soumis à une interview. – Subst. *L'interviewé a été photographié.*

interviewer [ɛ̃tɛʀvjuve] v. tr. [1] Soumettre (qqn) à une interview.

intervieweur, euse [ɛ̃tɛʀvjuvœʀ, øz] n. ou **interviewer** [ɛ̃tɛʀvjuvœʀ] n. m. Personne qui interviewe.

interzone(s) adj. Qui concerne plusieurs zones.

intestat [ɛ̃tɛsta] adj. inv. et n. DR Qui n'a pas fait de testament. *Mourir intestat.* ▷ Subst. *Des intestats.* V. aussi *ab intestat.*

1. intestin, ine adj. Litt. Qui a lieu à l'intérieur d'un corps social. *Parti agité par des dissensions intestines. Guerre intestine :* guerre civile.

2. intestin n. m. Portion du tube digestif comprise entre l'estomac et l'anus.
ENCYCL L'intestin comprend, de haut en bas (dans le sens du transit alimentaire) : l'intestin grêle (long d'env. 8 m chez l'homme) formé par le duodénum, le jéjunum et l'iléon, qui s'abouche, au niveau du cæcum, dans le gros intestin, ou côlon, lequel se subdivise en côlon droit (ascendant), côlon transverse et côlon gauche (descendant), prolongé par le sigmoïde et terminé par le rectum et l'anus.
▸ illustr. appareil **digestif**

intestinal, ale, aux adj. Relatif aux intestins. *Suc intestinal. Occlusion intestinale.*

Intifada (en ar. « soulèvement »), soulèvement populaire et nationaliste des Palestiniens né à Gaza et en Cisjordanie à la fin de 1987.

intimation n. f. DR Action d'intimer; acte de procédure par lequel on assigne le défendeur en appel.

intime adj. et n. 1. Intérieur et profond; qui fait l'essence d'une chose, d'un être. *Nature, structure intime.* 2. Qui existe au plus profond de soi. *L'intime conviction des jurés.* 3. Qui lie, est lié par un sentiment profond. *Liaison intime. Amis intimes.* ▷ Subst. *Un(e) intime.* 4. Qui est tout à fait privé. *Respecter la vie intime des gens.* ▷ Qui ne réunit que des proches. *Dîner intime.* 5. *Par euph.* Qui a rapport aux fonctions du corps frappées de tabou (sexualité, excrétion). *Rapports intimes,* sexuels. *Toilette intime.*

intimé, ée adj. et n. DR Se dit d'un défendeur, d'une défenderesse que l'on cite en cour d'appel. – Subst. *L'Intimé :* nom d'un personnage des « Plaideurs » de Racine.

intimement adv. 1. Intérieurement, profondément. *Intimement persuadé.* 2. Étroitement. *Intimement liés.*

intimer v. tr. [1] **1.** Signifier avec autorité. *Intimer un ordre à qqn.* ▷ DR Signifier légalement. **2.** DR Assigner devant une juridiction supérieure.

intimidable adj. Qu'on peut intimider.

intimidant, ante adj. Qui intimide. *Aspect intimidant.*

intimidateur, trice adj. Rare Propre à intimider, à effrayer.

intimidation n. f. Action d'intimider par des menaces ; son résultat.

intimider v. tr. [1] Inspirer de la crainte, de l'appréhension à (qqn). *Intimider qqn par des menaces.* ▷ Troubler, inspirer de la gêne, de la timidité à (qqn).

intimisme n. m. Caractère intimiste.

intimiste n. et adj. ART **1.** Écrivain qui décrit les sentiments et la vie intimes sur un ton de confidence. ▷ adj. *Littérature intimiste.* **2.** Peintre de scènes d'intérieur. ▷ adj. *L'école intimiste.*

intimité n. f. **1.** Litt. Caractère de ce qui est intime, intérieur. *L'intimité de la conscience.* **2.** Liaison étroite. *Vivre avec qqn dans l'intimité.* **3.** Vie privée, cercle étroit des intimes. *Recevoir dans l'intimité, dans la plus stricte intimité.* ▷ Caractère de ce qui convient au confort de la vie intime. *L'intimité d'un salon.*

intitulé n. m. Titre (d'un livre, d'un chapitre). – DR Formule en tête d'un jugement, d'une loi, d'un acte.

intituler v. tr. [1] Donner un titre à. *Intituler un ouvrage.* ▷ v. pron. *La symphonie de Beethoven qui s'intitule l'« Héroïque ».* – Se donner le titre de... *Il s'intitule prince de...*

intolérable adj. **1.** Que l'on ne peut tolérer, insupportable. *Douleurs intolérables.* **2.** Qu'on ne saurait tolérer, inadmissible. *Comportement intolérable.*

intolérablement adv. D'une manière intolérable.

intolérance n. f. **1.** Manque de tolérance ; disposition haineuse envers ceux qui ont d'autres opinions que soi. *Intolérance religieuse, idéologique.* **2.** MED Incapacité d'un organisme à tolérer un produit, un aliment ou un médicament particulier. *Intolérance aux sulfamides.*

intolérant, ante adj. et n. Qui fait preuve d'intolérance.

intonation n. f. **1.** Ton que l'on prend en parlant ou en lisant. *Voix aux intonations chaudes.* **2.** MUS Manière d'émettre un son en rapport avec sa hauteur. *Trouver l'intonation juste.*

intouchable adj. et n. **1.** adj. Qui ne peut être l'objet d'aucune sanction, d'aucune condamnation. *Politicien intouchable grâce à ses appuis.* **2.** Fam. Injoignable. **3.** Fam. Que sa supériorité met à l'abri de toute surprise face à un outsider. **4.** n. Individu qui appartient à la classe des parias, en Inde.

intox n. f. Fam. Fait d'intoxiquer les esprits.

intoxicant, ante adj. MED Qui cause une intoxication.

intoxication n. f. **1.** MED Affection due à l'action d'un produit toxique, soit élaboré par l'organisme et non excrété (*intoxication endogène* : urémie), soit provenant de l'extérieur (*intoxication exogène* : par aliments, médicaments, gaz, produits chimiques, stupéfiants, alcool, tabac). **2.** Fig. Action insidieuse sur les esprits par certains moyens de propagande. (Abrév. fam. : intox ou intoxe).

intoxiqué, ée adj. (et n.) **1.** Qui a subi une intoxication. ▷ Subst. *Un(e) intoxiqué(e).* **2.** Fig. *Il est complètement intoxiqué par la publicité.*

intoxiquer v. tr. [1] **1.** Causer une intoxication à (un être vivant). ▷ v. pron. *S'intoxiquer au gaz.* **2.** Fig. Influencer par une propagande insidieuse.

intra-. Préfixe, du lat. *intra*, « à l'intérieur de ».

intra-atomique adj. PHYS, CHIM Qui se produit à l'intérieur de l'atome.

intracellulaire adj. BIOL Qui est, qui se produit à l'intérieur d'une cellule.

intracérébral, ale, aux adj. MED Qui se produit à l'intérieur du cerveau.

intracommunautaire adj. Didac. Qui est intérieur à une communauté, spécial. à la Communauté européenne.

intradermique adj. MED Situé, pratiqué dans l'épaisseur du derme. *Injection intradermique.*

intradermoréaction n. f. MED Injection intradermique d'une substance, que l'on pratique pour étudier la réaction de l'organisme à cette substance. (Abrév. fam. : intradermo).

intrados [ɛ̃tʀado] n. m. **1.** ARCHI Partie intérieure et concave (d'une voûte, d'un arc). **2.** AVIAT Face inférieure de la voilure d'un avion. Ant. extrados.

intraduisible adj. Impossible à traduire. *Jeu de mots intraduisible.*

intraitable adj. Avec qui l'on ne peut traiter, très rigoureux, inflexible. *Il est intraitable sur ce point.*

intra-muros [ɛ̃tʀamyʀos] loc. adv. En dedans des murs (de la ville) ; dans les limites administratives (de la ville).

intramusculaire adj. et n. f. À l'intérieur d'un muscle. *Une injection intramusculaire* ou, cour., n. f., *une intramusculaire.*

intranet n. m. Réseau électronique de services interne à une entreprise, fonctionnant avec les mêmes outils qu'Internet.

intransigeance n. f. Fait d'être intransigeant ; disposition d'esprit intransigeante.

intransigeant, ante adj. Qui ne transige pas, qui n'accepte pas d'accommodement. *Intransigeant dans ses opinions.*

intransitif, ive adj. et n. m. GRAM *Un verbe intransitif* ou, n. m., *un intransitif* : un verbe exprimant une action, un état concernant le seul sujet, et dont, par conséquent, la construction n'admet en principe pas de complément d'objet direct ou indirect (ex. *dormir*). ▷ Qui a les caractères de cette catégorie de verbes. *Sens intransitif. Construction intransitive.* Ant. transitif.

intransitivement adv. GRAM De manière intransitive.

intransitivité n. f. GRAM Particularité du verbe intransitif.

intransmissibilité n. f. Didac. Caractère de ce qui n'est pas transmissible.

intransmissible adj. Qui ne peut être transmis.

intransportable adj. Qui ne peut être transporté. *Malade intransportable.*

intrant n. m. ECON Élément entrant en jeu dans la production d'un bien.

intranucléaire adj. Didac. Qui concerne l'intérieur du noyau (atome, cellule).

intra-oculaire ou **intraoculaire** adj. Didac. Qui est à l'intérieur de l'œil.

intraspécifique adj. BIOL Qui se produit au sein d'une espèce particulière.

intra-utérin, ine adj. MED Qui se passe à l'intérieur de l'utérus. *La vie intra-utérine,* avant la naissance. *Des explorations intra-utérines.*

intraveineux, euse adj. et n. f. Qui est, qui se pratique à l'intérieur des veines. *Une injection intraveineuse* ou, n. f., *une intraveineuse.*

intrépide adj. (et. n.) Qui ne craint pas le danger. *Soldat intrépide.* ▷ Par ext. *Action intrépide.*

intrépidement adv. D'une manière intrépide.

intrépidité n. f. Qualité d'une personne intrépide.

intrication n. f. Enchevêtrement (de choses, d'idées). *L'intrication des problèmes économiques.*

1. intrigant, ante adj. et n. Qui se plaît à l'intrigue, qui recourt à l'intrigue. ▷ Subst. *Un(e) intrigant(e).*

2. intrigant, ante adj. Qui intrigue, excite la curiosité, étonnant. *Une personnalité intrigante.*

intrigue n. f. **1.** Menées secrètes pour faire réussir ou échouer une affaire. *Intrigue politique.* **2.** Vieilli Liaison secrète. *Intrigue galante.* **3.** Combinaison des différents incidents qui forment le sujet d'une pièce, d'un roman, d'un film. *Le fil, le nœud de l'intrigue.* – *Comédie d'intrigue,* dont l'action est formée d'aventures compliquées.

intriguer v. [1] **1.** v. tr. Exciter la curiosité de. *Cette histoire m'intrigue.* **2.** v. intr. Nouer des intrigues, mener des machinations. *Intriguer pour obtenir qqch.*

intrinsèque adj. Didac. Qui appartient en propre à ce dont on parle, lui est essentiel. *Propriétés intrinsèques. Valeur intrinsèque d'un objet.*

intrinsèquement adv. Didac. D'une manière intrinsèque.

intriquer v. tr. [1] Enchevêtrer, entremêler. ▷ v. pron. Se mêler étroitement.

intro-. Élément, du lat. *intro*, « dedans ».

introducteur, trice n. Personne qui introduit. *Nicot, l'introducteur du tabac en France.*

introductible adj. Litt. Qui peut être introduit.

introductif, ive adj. DR Qui sert de commencement à une procédure.

introduction n. f. **1.** Action d'introduire (qqn). – *Lettre d'introduction,* écrite pour prier qqn d'accueillir favorablement le porteur. **2.** Action d'introduire (qqch). *Introduction de marchandises dans un pays.* ▷ FIN *Introduction en Bourse* : inscription en Bourse (d'un titre). **3.** Ce qui introduit à la connaissance de qqch ; ouvrage qui donne les premiers éléments d'un art, d'une science, d'une technique. *Introduction à l'astronomie.* **4.** Préface, discours préliminaire. *Roman précédé d'une introduction.* **5.** MUS Mouvement lent qui précède l'allegro d'une symphonie, d'une ouverture. – Partie musicale précédant les paroles d'une chanson. (Abrév. fam. *intro.*)

introduire v. [69] **I.** v. tr. **1.** Faire entrer (qqn) dans un lieu. *Introduire un visiteur dans le bureau du directeur.* ▷ *Introduire qqn auprès d'un personnage* *important*, le faire recevoir par ce personnage. **2.** Faire entrer (une chose) dans une autre. *Introduire la clef dans la serrure.* ▷ Fig. *Introduire de nouvelles coutumes. Cette mesure introduisit le désordre.* **3.** DR Commencer (une procédure). *Introduire une instance devant un tribunal.* **II.** v. pron. Entrer. *Un cambrioleur s'est introduit dans la maison.* ▷ Fig. *Le doute s'introduit dans son esprit.*

introït [ɛ̃tʀɔit] n. m. LITURG CATHOL Prière d'introduction à la messe, récitée par le prêtre ou chantée par le chœur.

introjection n. f. PSYCHAN Incorporation inconsciente de l'image d'une personne au moi et au surmoi. *Introjection de l'image parentale par l'enfant.*

intromission n. f. Didac. Action par laquelle on introduit une chose dans une autre.

intronisation n. f. Action d'introniser.

introniser v. tr. [1] **1.** Placer solennellement sur le trône. **2.** *Par anal.* Introduire suivant le cérémonial d'usage (qqn dans une association, une conférence). *Introniser qqn dans l'ordre des chevaliers du Tastevin.* ▷ Fig. *Introniser une mode.* ▷ v. pron. (Souvent péjor.) *S'introniser poète.*

introspectif, ive adj. PSYCHO Qui relève de l'introspection.

introspection n. f. PSYCHO Étude, observation de la conscience par elle-même.

introuvable adj. **1.** Qu'on ne peut trouver. **2.** Qu'on trouve difficilement. *Pièce de collection introuvable.* **3.** HIST *Chambre introuvable* : Chambre des députés de 1815, ainsi nommée parce qu'il semblait impossible d'en trouver une qui fût aussi majoritairement royaliste.

introversion n. f. PSYCHO Tendance à donner plus d'importance à la subjectivité qu'au monde extérieur.

introverti, ie adj. et n. PSYCHO Qui a tendance à l'introversion.

intrus, use n. et adj. **1.** n. Personne qui s'introduit quelque part sans y être conviée. *Trouver un intrus dans son bureau.* **2.** adj. et n. Didac. Introduit sans titre dans une dignité, une charge, un emploi. *Un évêque intrus.*

intrusion n. f. **1.** Fait de s'introduire contre le droit ou sans titre dans une dignité, une charge, une société, etc. **2.** Fait de s'introduire en un lieu sans y être convié. **3.** GEOL Pénétration d'une roche dans une couche d'une autre nature.

intubation n. f. MED Introduction, par la bouche ou par le nez, d'une sonde dans la trachée, pour assurer la liberté des voies aériennes notam. au cours d'une anesthésie.

intuber v. tr. [1] MED Pratiquer une intubation sur (qqn). *Intuber un malade.*

intuitif, ive adj. (et n.) **1.** Qui provient de l'intuition. *Connaissance intuitive.* **2.** Qui a une faculté d'intuition développée. ▷ Subst. *Un intuitif, une intuitive.*

intuition n. f. **1.** Connaissance directe et immédiate, sans recours au raisonnement. *Intuition sensorielle.* **2.** Pressentiment. *Avoir l'intuition de ce qui va arriver.*

intuitionnisme n. m. PHILO Doctrine selon laquelle la connaissance repose essentiellement sur l'intuition. *L'intuitionnisme de Bergson.*

intuitivement adv. Par intuition.

intumescent, ente [ɛ̃tymesɑ̃, ɑ̃t] adj. Didac. ou litt. Qui commence à gonfler. *Chairs intumescentes.*

inuit adj. inv. et n. inv. Des autochtones habitant le Nord canadien. *La culture inuit. Les villages inuit.* ▷ Subst. *Les Inuit*, sing. *un inuk*. – *La langue des Inuit* (V. inuktitut). Syn. anc. esquimau.

inuktitut n. m. Langue des Inuit. *L'inuktitut comporte des caractères syllabiques.*

inuline n. f. BIOCHIM Sucre complexe, polymère du fructose, qui constitue la substance de réserve de nombreux végétaux.

inusable adj. Qui ne s'use pas ; qui ne s'use que difficilement.

inusité, ée adj. **1.** Qui n'est pas ou presque pas usité. *Mot inusité.* **2.** Inhabituel. *Agir de façon inusitée.*

inusuel, elle adj. Litt. Qui n'est pas usuel.

in utero loc. adv. (lat.) Didac. Dans l'utérus, pendant la gestation. *Les réactions du fœtus in utero.*

inutile adj. (et n.) **1.** Qui n'est d'aucune utilité. *Meuble inutile.* **2.** (Personnes) Qui ne se rend pas utile. ▷ Subst. *Les inutiles.*

inutilement adv. Sans utilité, en vain. *Se tourmenter inutilement.*

inutilisable adj. Qui ne peut être utilisé.

inutilisé, ée adj. Qui n'est pas utilisé.

inutilité n. f. **1.** Manque d'utilité. *Inutilité d'un effort.* **2.** (Plur.) Rare Choses, paroles inutiles. *Discours plein d'inutilités.*

invagination n. f. BIOL Repliement en doigt de gant d'une cavité sur elle-même. ▷ MED Repliement de l'intestin, provoquant une occlusion.

invaincu, ue adj. Qui n'a jamais été vaincu.

invalidant, ante adj. Qui rend invalide, incapable d'avoir une activité normale. *Maladie invalidante.*

invalidation n. f. DR Action d'invalider.

invalide adj. et n. **1.** Empêché par une infirmité de mener une vie normalement active. – Subst. *Un(e) invalide.* ▷ n. m. Soldat que l'âge ou les blessures empêchent de servir. *Pension des invalides.* **2.** DR Qui n'a pas les qualités requises par la loi. *Acte invalide.*

invalider v. tr. [1] DR Déclarer invalide, rendre nul. *Invalider une élection.*

Invalides (hôtel des), monument de Paris édifié à l'initiative de Louis XIV (1670) en vue d'assurer un asile aux soldats mutilés. Sa construction, entreprise d'après les plans de Libéral Bruant, fut achevée par Jules Hardouin-Mansart, auteur du dôme monumental (1679-1706) et de la chapelle Saint-Louis qu'il surmonte et où a été creusée en 1840 une crypte circulaire pour accueillir le tombeau de Napoléon Ier (sarcophage par Visconti, inauguré en 1861). De nombreux chefs militaires (Turenne, Foch, Lyautey, etc.) reposent aux Invalides. – Musée de l'Armée.

dôme de l'hôtel des **Invalides**, vu du pont Alexandre-III

invalidité n. f. **1.** État d'une personne invalide. *Certificat d'invalidité.* **2.** DR Nullité. *Invalidité d'un mariage.*

invariabilité n. f. Caractère de ce qui est invariable.

invariable adj. Qui ne change pas. *Ordre invariable des saisons.* ▷ GRAM Dont la forme reste toujours identique. *Les adverbes sont des mots invariables.*

invariablement adv. De manière invariable ; systématiquement.

invariance n. f. GEOM et PHYS NUCL Propriété caractérisant une grandeur qui n'est pas affectée par une transformation.

invariant, ante adj. et n. m. **1.** GEOM Se dit d'une fonction qui conserve la même valeur lors d'une transformation (changement d'axes, par ex.). **2.** PHYS NUCL Se dit d'une grandeur ou d'une loi qui se conserve après une transformation. ▷ n. m. Grandeur, élément, propriété qui restent constants.

invasif, ive adj. MED **1.** Se dit d'un processus pathologique tendant à la généralisation. **2.** Se dit d'un traitement nécessitant l'administration d'une substance dans la circulation sanguine du patient. – *Par ext.* Se dit d'un examen nécessitant une injection ou un prélèvement de sang.

invasion n. f. **1.** Irruption de l'armée d'un État dans un autre État. ▷ Pénétration massive, accompagnée de destructions et de violence, d'un peuple étranger sur un territoire donné. *Les invasions des Barbares. Les Grandes Invasions.* **2.** *Par ext.* Envahissement. *Invasion de moustiques.* ▷ Fig. *L'invasion du mauvais goût.* **3.** MED Période qui mène des premiers symptômes à la période d'état d'une maladie.

invective n. f. (Souvent au plur.) Parole violente contre qqch, qqn. *Se répandre en invectives.*

invectiver v. [1] **1.** v. tr. Lancer des invectives contre. *Invectiver les passants.* **2.** v. intr. Litt. Proférer des invectives. *Invectiver contre le luxe.*

invendable adj. Qu'on ne peut réussir à vendre.

invendu, ue adj. et n. m. Se dit d'une marchandise qui n'a pas été vendue. – n. m. *Les invendus sont recyclés.*

inventaire n. m. **1.** Dénombrement, état par articles de tous les biens d'une personne, d'une communauté, d'une succession, ainsi que des éléments de son passif (dettes, etc.). ▷ *Accepter une succession sous bénéfice d'inventaire* : déclarer qu'on n'acceptera une succession qu'après l'établissement d'un inventaire faisant apparaître un actif supérieur au passif. – Fig. *Sous bénéfice d'inventaire* : sous réserve de vérification. **2.** Dénombrement, état des marchandises en stock, des valeurs disponibles et des créances, permettant d'évaluer les pertes et les profits. *Tout commerçant doit procéder à un inventaire annuel.* **3.** Dénombrement, recensement. *Faire l'inventaire des connaissances humaines.*

inventer v. tr. [1] **1.** Trouver, imaginer (qqch de nouveau). *Inventer un nouveau type de moteur.* **2.** Imaginer, forger de toutes pièces. *Il invente toujours des histoires invraisemblables.* ▷ v. pron. *Cela ne s'invente pas* : c'est tellement extravagant que ce ne peut être que vrai.

inventeur, trice n. et adj. Personne qui invente, découvre (qqch de nouveau). – adj. *Une capacité inventrice.*

inventif, ive adj. Qui invente; qui a la faculté, le goût d'inventer. *Esprit inventif.*

invention n. f. **1.** RELIG Découverte (d'une relique). *Invention de la Sainte Croix.* ▷ DR *Invention d'un trésor.* **2.** Action d'inventer; chose inventée. **3.** Faculté d'inventer. **4.** Chose imaginée; produit de l'imagination. ▷ Mensonge, chimère. *C'est de la pure invention!* **5.** MUS Petite pièce en forme de fugue.

inventivité n. f. Caractère inventif. – Capacité d'inventer. *L'inventivité d'un créateur.*

inventorier v. tr. [2] Faire l'inventaire de.

invérifiable adj. Qui ne peut être vérifié.

Inverness, v. et port de G.-B., au N. de l'Écosse, sur le Moray Firth; 61 740 hab.; ch.-l. de la rég. de Highland. Pêche, important centre touristique.

inverse adj. et n. m. **I.** adj. **1.** Renversé par rapport au sens, à l'ordre naturel, habituel. *En sens inverse. Dans un ordre inverse.* **2.** MATH *Nombres inverses* : nombres dont l'un est le quotient de l'unité par l'autre (ex. : 3 et 1/3). – GEOM *Figures inverses,* qui se déduisent l'une de l'autre par inversion. **3.** LOG *Proposition inverse,* dont les termes sont renversés par rapport à une autre proposition. **II.** n. m. **1.** Ce qui est inverse, opposé. *Faire, dire l'inverse.* ▷ Loc. adv. (et prép.) *À l'inverse (de)* : au contraire (de). **2.** CHIM *Inverses optiques* : chacune des deux formes d'une substance dont la configuration moléculaire n'est pas superposable à son image spéculaire.

inversement adv. D'une manière inverse; à l'inverse. *Grandeurs inversement proportionnelles.*

inverser v. tr. [1] Mettre dans l'ordre, le sens, la position inverse. ▷ TECH Changer le sens de (un courant électrique, un mouvement, etc.). ▷ v. pron. *Des mouvements qui s'inversent.*

inverseur n. m. ELECTR Appareil destiné à changer le sens d'un courant. ▷ AERON, ESP *Inverseur de jet, de poussée,* du réacteur ou du moteur-fusée d'un avion, d'un engin spatial.

inversible adj. PHOTO Qui permet d'obtenir un cliché positif à partir d'un film positif ou un négatif à partir d'un négatif.

inversion n. f. Action d'inverser, fait de s'inverser. **1.** GRAM Renversement, changement dans l'ordre habituel des mots; construction qui en résulte. *Inversion du sujet dans les tournures interrogatives de la langue (ex. où suis-je ?).* **2.** CHIM *Inversion du sucre* : dédoublement du saccharose (dextrogyre) en glucose et lévulose (mélange lévogyre). **3.** GEOM Transformation d'une figure en une autre telle que, si M est un point de la première figure et O un point fixe (appelé *pôle d'inversion*), le transformé M' de M soit situé sur la droite OM et que l'on ait $\overline{OM}.\overline{OM'} = R$ (R étant un nombre réel non nul appelé *puissance d'inversion*). **4.** METEO *Inversion de température* : augmentation de la température avec l'altitude (contrairement à ce qui se produit normalement). **5.** GEOL *Inversion de relief* : transformation résultant d'une action de l'érosion qui creuse les anticlinaux et épargne les synclinaux. **6.** PHOTO Opération qui permet d'obtenir une image positive dès la prise de vue. **7.** MED Anomalie congénitale dans laquelle un ou plusieurs organes sont situés du côté opposé à celui qu'ils occupent normalement. – Retournement d'un organe sur lui-même. **8.** Vx État d'un inverti sexuel.

invertébré, ée adj. et n. m. ZOOL Qui n'a pas de vertèbres. ▷ n. m. pl. *Les invertébrés* : l'ensemble des animaux dépourvus de vertèbres. – Sing. *Un invertébré.*

inverti, ie n. VX Personne qui éprouve une attirance sexuelle exclusive pour les individus de son sexe.

invertir v. tr. [3] Vx Renverser symétriquement. ▷ Pp. adj. CHIM *Sucre inverti,* qui a subi une inversion.

investigateur, trice n. et adj. Personne qui fait des investigations. ▷ adj. *Esprit, regard investigateur.*

investigation n. f. (Souvent au plur.) Recherche suivie et approfondie.

investir v. [3] **I.** v. tr. **1.** *Investir qqn de...,* lui conférer avec certaines formalités (un titre, un pouvoir). *Investir un général des fonctions de commandant en chef.* **2.** Entourer de troupes (un objectif militaire). **3.** ECON Acquérir des moyens de production. ▷ Placer (des capitaux) pour en tirer un profit. *Investir des millions dans l'immobilier.* ▷ (S. comp.) *Il a tendance à trop épargner au lieu d'investir.* **II.** v. intr. PSYCHAN Reporter une certaine quantité d'énergie psychique sur une représentation ou sur un objet. ▷ v. pron. Cour. *S'investir totalement dans son activité professionnelle.*

investissement n. m. **1.** Action d'investir (un objectif militaire); son résultat. **2.** FIN Action d'investir des capitaux dans une affaire pour la développer, accroître les moyens de production; capitaux investis. *Certificat* d'investissement.* **3.** PSYCHAN Fait d'investir.

investisseur, euse n. et adj. Personne qui investit des capitaux. – FIN *Investisseur institutionnel* : organisme financier effectuant des placements boursiers sur une grande échelle (caisse des dépôts, caisse d'assurances, de retraite, etc.). ▷ adj. *Organisme investisseur.*

investiture n. f. Action d'investir (sens I, 1). **1.** DR ANC et DR CANON Mise en possession d'un fief ou d'un bien ecclésiastique (évêché, abbaye). **2.** POLIT Vote par lequel l'Assemblée investissait de ses fonctions le président du Conseil, dans la Constitution de la IVe République. ▷ Désignation officielle par un parti d'un candidat à des élections.

Investitures (querelle des), conflit qui opposa le Saint Empire et la papauté (1073-1122) à propos de l'investiture des évêques et des abbés. Élu en 1073, le pape Grégoire VII interdit que désormais les souverains effectuent cette investiture. Mécontent, l'empereur Henri IV fit déposer (par le concile de Worms, 1076) le pape, qui l'excommunia. Abandonné par ses fidèles, Henri IV vint implorer son pardon en 1077 (à Canossa, en Toscane). Mais bientôt il se révolta à nouveau et Grégoire VII dut se retirer à Salerne (1084), où il mourut (1085). En 1106, le fils d'Henri IV déposa son père et lui succéda (Henri V). En 1122, il signa avec Calixte II le concordat de Worms, qui confia l'investiture au seul pape.

invétéré, ée adj. Qui s'est enraciné, fortifié avec le temps. ▷ Péjor. (Personnes) Qui est tel depuis longtemps et de manière quasi irrémédiable. *Tricheur invétéré.*

invincibilité n. f. Qualité de ce qui est invincible.

invincible adj. **1.** Qu'on ne saurait vaincre. *Armée invincible.* **2.** Fig. Insurmontable, irrésistible. *Éprouver une invincible attirance pour...*

invinciblement adv. Litt. De manière invincible.

inviolabilité n. f. Caractère de ce qui est inviolable.

inviolable adj. **1.** Que l'on ne saurait violer ou enfreindre. *Asile inviolable. Loi inviolable.* **2.** DR Qui est à l'abri de toute poursuite. *Les ambassadeurs sont inviolables dans l'État où ils sont accrédités.*

inviolé, ée adj. Litt. Que l'on n'a pas violé; que l'on n'a pas profané. *Une sépulture inviolée.*

invisibilité n. f. État, qualité de ce qui est invisible.

invisible adj. (et n. m.) **1.** Qui échappe à la vue par sa nature, sa distance, etc. ▷ n. m. *Le pouvoir de l'invisible.* **2.** Qui se cache, qui ne veut pas être vu. *Elle reste invisible.*

invitant, ante adj. Qui invite. *Puissance invitante.*

invitation n. f. **1.** Action d'inviter; son résultat. ▷ Parole, lettre par laquelle on invite. *J'ai bien reçu votre aimable invitation.* **2.** Action d'engager, d'inciter. *Une invitation à parler.*

invite n. f. Appel discret, invitation plus ou moins déguisée (à faire qqch).

invité, ée n. (et adj.) Personne qui a reçu une invitation, qui a été invitée (sens 1). ▷ adj. *Les personnes invitées.*

inviter v. tr. [1] **1.** Prier d'assister à, convier à. *Inviter à une soirée, à dîner.* ▷ v. pron. (Réfl.) *Des voisins qui s'invitent à dîner.* **2.** Engager, inciter à. *Je vous invite à réfléchir.* ▷ (Choses) *Le temps nous invite à sortir.*

in vitro [invitʀo] loc. adv. (lat.) Didac. En laboratoire, en dehors de l'organisme vivant. *Acides aminés synthétisés in vitro.* Ant. in vivo. ▷ Cour. *Fécondation in vitro* : V. fivete.

invivable adj. Qui n'est pas vivable, qui est très pénible, insupportable. *Une situation invivable.* – Fam. *Un type invivable.*

in vivo [invivo] loc. adv. (lat.) Didac. Dans l'organisme vivant. *Réaction qui ne se produit qu'in vivo.* Ant. in vitro.

invocation n. f. Action d'invoquer; son résultat. ▷ RELIG *Sous l'invocation de la Vierge,* sous sa protection, son patronage.

invocatoire adj. Litt. Qui sert à invoquer.

involontaire adj. Qui n'est pas volontaire.

involontairement adv. De façon involontaire.

involucre n. m. BOT Ensemble de bractées groupées à la base de certaines inflorescences (ombelles et capitules, notam.).

involuté, ée adj. BOT Dont les bords sont roulés en dedans en forme de volute (feuilles).

involutif, ive adj. MATH *Application involutive :* application f d'un ensemble E dans lui-même, telle que f ○ f soit l'application identité sur E. ▷ *Transformation involutive*, dans laquelle tout point est lui-même la transformation de son homologue.

involution n. f. **1.** BOT État d'un organe involuté. **2.** MATH Application involutive. ▷ GEOM Transformation homographique involutive. **3.** PHILO Processus, inverse de la différenciation, qui conduit de la pluralité à l'unité, de l'hétérogénéité à l'homogénéité, de la diversité à l'uniformité. **4.** MED Modification régressive d'un organe sain ou malade, d'une tumeur, de l'organisme. *Involution utérine :* retour de l'utérus à sa dimension normale après l'accouchement.

invoquer v. tr. [1] **1.** Appeler à son secours (Dieu, un saint, une puissance surnaturelle). **2.** Fig. En appeler à, recourir à. *Les arguments que vous invoquez ne manquent pas de pertinence.*

invraisemblable adj. **1.** Qui n'est pas vraisemblable. **2.** Qui choque par son caractère excessif, inhabituel, extravagant. *Il arrivait à des heures invraisemblables.*

invraisemblablement adv. D'une manière invraisemblable.

invraisemblance n. f. **1.** Défaut de vraisemblance. *L'invraisemblance d'une nouvelle.* **2.** Chose invraisemblable. *Drame plein d'invraisemblances.*

invulnérabilité n. f. Caractère, état de ce qui est invulnérable.

invulnérable adj. **1.** Non vulnérable, qui ne peut être blessé. *Achille, héros invulnérable.* **2.** Fig. Qu'on ne peut moralement toucher. *Être invulnérable aux médisances.*

Io, dans la myth. gr., fille d'Inachos, prêtresse d'Héra; elle fut aimée de Zeus, qui la changea en génisse pour duper la déesse. Piquée par un taon, Io erra, passant notam. par le Bosphore (le «Passage de la vache»).

Io, satellite de Jupiter (3 640 km de diamètre) découvert par Galilée en 1610. Il parcourt en 1,8 jour une orbite dont le rayon mesure 421 600 km. Plusieurs volcans actifs y ont été repérés par la sonde interplanétaire *Voyager 1.*

Ioánnina ou **Jannina,** v. de Grèce (Épire), sur le *lac de Ioánnina;* 45 000 hab.; ch.-l. du nome du m. nom. Centre comm. – Archevêché. Mosquée du XVIIe s. (auj. musée).

Iochkar-Ola, cap. de la rép. auton. des Maris; 231 000 hab. Industr. alimentaires; constr. mécaniques.

iodate [jɔdat] n. m. CHIM Sel de l'acide iodique.

iode [jɔd] n. m. CHIM Élément appartenant à la famille des halogènes, de numéro atomique Z = 53 et de masse atomique 126,904 (symbole I). – Corps simple (I_2 : *diiode*) solide, gris foncé, qui fond à 113,7 °C et se sublime à la température ordinaire en émettant des vapeurs violettes.

ENCYCL L'iode se trouve à l'état d'iodures dans l'eau de mer et le sel gemme. Il est utilisé en photographie (l'iodure d'argent noircit à la lumière) et en pharmacie (la teinture d'iode et l'iodoforme sont des antiseptiques). Son rôle biologique d'oligo-élément est très important.

iodé, ée adj. Qui contient de l'iode.

ioder v. tr. [1] CHIM Combiner avec l'iode.

iodler. V. jodler.

iodoforme n. m. CHIM Antiseptique dérivé de l'iode, de formule CHI_3.

iodure n. m. CHIM **1.** Sel de l'acide iodhydrique (combinaison d'iode et d'hydrogène). **2.** Composé de l'iode avec un corps simple.

ioduré, ée adj. CHIM Qui contient de l'iode ou un iodure.

Iole, dans la myth. gr., fille d'Eurytos, roi d'Œchalie; elle fut enlevée par Héraklès, à qui sa femme Déjanire, jalouse, envoya alors la tunique de Nessos*.

ion [jɔ̃] n. m. CHIM, PHYS NUCL Atome qui a perdu ou gagné un ou plusieurs électrons. ▷ TECH *Échangeur d'ions :* substance permettant de remplacer des ions en solution par d'autres. *Les échangeurs d'ions sont généralement des résines, que l'on utilise pour adoucir les eaux dures.*

ENCYCL Un ion est positif *(cation)* lorsque l'atome perd un ou plusieurs électrons et acquiert ainsi une ou plusieurs charges positives; il est négatif *(anion)* lorsque l'atome gagne des électrons et acquiert ainsi des charges négatives.

Ionesco (Eugène) (Slatina, Roumanie, 1912 – Paris, 1994), auteur dramatique français d'origine roumaine. En accumulant les lieux communs, les coq-à-l'âne, des bribes de conversations banales, il dévoile les faux rapports entre les êtres et souligne le désarroi de l'individu face à un quotidien souvent absurde : *la Cantatrice chauve* (1950), *la Leçon* (1951), *les Chaises* (1952), *Rhinocéros* (1959), *Le roi se meurt* (1962), *Jeux de massacre* (1970). Acad. fr. (1970).
▸ illustr. page **965**

Ionie, nom donné à la rég. côtière centrale de l'Asie Mineure lorsque les Ioniens, chassés de la Grèce au XIe s. av. J.-C. par les Doriens, s'y installèrent. Les princ. cités ioniennes étaient : Samos, Chio, Éphèse, Milet, Colophon, Priène, Lébédos, Phocée, Téos, Clazomènes, Myonte et Érythrées. L'Ionie fut le foyer d'une très brillante civilisation, qui connut son apogée aux VIIe-VIe s. av. J.-C. Conquise par les Perses, sa révolte (499) fut écrasée; après la victoire grecque des guerres médiques, l'Ionie passa sous la domination athénienne.

ionien, enne adj. et n. D'Ionie. *Côte ionienne.* ▷ Subst. *Les Ioniens.* ▷ *Dialecte ionien* ou, n. m., *ionien :* dialecte des Grecs fixés en Ionie et dont l'attique est une des formes. ▷ *École ionienne :* école de philosophes et de physiciens grecs (VIe-Ve s. av. J.-C.) principalement représentée par Anaxagore, Thalès, Anaximandre, Héraclite.

Ionienne (mer), partie de la Méditerranée centrale, au S. de l'Adriatique, séparant la Calabre et la Sicile de la Grèce.

Ioniennes (îles), archipel grec de la mer Ionienne, proche de la côte occid. de la Grèce; rég. de la Grèce et de la C.E.; 2 307 km²; 191 000 hab.; cap. *Corfou.* Princ. îles : Corfou, Leucade, Ithaque, Céphalonie, Zante, Cythère. – Occupées par les rois normands de Sicile et de Naples (XIe-XIIe s.), par les Vénitiens (XIVe-XVe s.), par les Turcs et les Russes (1799), annexées à l'Empire français (1807), passées sous protectorat britannique (1815), elles furent rendues à la Grèce en 1864.

1. ionique adj. CHIM Qui se rapporte aux ions.

2. ionique adj. (et n. m.) **1.** Vx Ionien. **2.** ARCHI *Ordre ionique* ou, n. m., *l'ionique :* l'un des trois ordres de l'architecture grecque, caractérisé par une colonne, plus élancée que la colonne dorique, dressée sur une base moulurée, surmontée d'un chapiteau à volutes.

ionisant, ante adj. PHYS NUCL, CHIM *Radiations ionisantes,* constituées de particules α et β, de neutrons ou de photons, dont l'action entraîne la formation d'ions dans la substance irradiée.

ionisation n. f. **1.** PHYS NUCL, CHIM Formation d'ions. **2.** MED Introduction dans l'organisme des éléments d'une substance chimique décomposée par électrolyse. **3.** TECH *Ionisation des aliments,* leur stérilisation par des radiations ionisantes qui détruisent micro-organismes et insectes et arrêtent la germination des tubercules végétaux.

ioniser [jɔnize] v. tr. [1] PHYS NUCL, CHIM Produire l'ionisation de; produire des ions.

ioniseur n. m. Appareil qui régénère l'air en produisant des ions négatifs.

ionogramme n. m. BIOCHIM Formule indiquant les concentrations des principaux ions dans le plasma sanguin.

ionosphère n. f. METEO Partie de l'atmosphère située au-dessus de la stratosphère, approximativement entre 60 et 600 km d'altitude, où se produisent des phénomènes d'ionisation.

Iorga (Nicolae) (Botoşani, 1871 – Strejnicu, 1940), écrivain, historien et homme politique roumain. Président du Conseil (1931-1932), ministre d'État et conseiller du roi (1938-1940), il fut assassiné par des membres de la Garde de fer. Auteur prolifique, il a notam. écrit une *Histoire des Roumains* (10 vol., 1936-1939).

Íos ou **Nió,** petite île de la mer Égée (Cyclades), au S.-O. de Naxos. Homère y serait mort.

iota [jɔta] n. m. **1.** Neuvième lettre de l'alphabet grec (Ι, ι) correspondant à *i.* **2.** Fig. Très petit détail. *Sans changer un iota.*

iotacisme [jɔtasism] n. m. **1.** LING Emploi fréquent du son [i]. *L'iotacisme du grec moderne.* **2.** MED Mauvaise prononciation du son [ʒ] en [j].

iouler. V. jodler.

iourte. V. yourte.

Iowa, État du centre des É.-U.; 145 790 km²; 2 777 000 hab.; cap. *Des Moines.* – Drainée par les affl. du Mississippi à l'E. *(Iowa, Des Moines)* et du Missouri à l'O., cette rég. de plaine fait partie du *Corn Belt :* maïs, avoine, soja; élevage porcin et bovin; les industr., agro-alimentaires surtout, s'y développent. – Territoire auton. (1838) après avoir été cédé par la France (1803), l'Iowa devint le vingt-neuvième État de l'Union en 1846.

ipéca n. m. Nom cour. de diverses plantes dont les racines ont des propriétés vomitives. *L'ipéca vrai appartient au genre « Uragoga »* (fam. rubiacées).

Iphigénie, dans la myth. gr., fille d'Agamemnon et de Clytemnestre, sacrifiée par son père à Artémis afin d'obtenir le vent favorable à la flotte des Grecs partant pour Troie. Selon Euripide, elle est sauvée par Artémis, qui lui substitue une biche. Racine

(1674) l'humanise, tandis que Goethe (1779) revient à la source grecque.

Ipoh, v. de la Malaisie, cap. de l'État de Perak; 293 850 hab. (70 % de Chinois). Centre minier important (étain).

ipomée n. f. BOT Plante grimpante (fam. convolvulacées), dont une espèce ornementale, le volubilis, est fréquente dans les jardins.

Ipousteguy (Jean Robert) (Dun-sur-Meuse, 1920), peintre et sculpteur français à la violence lyrique et baroque (*les Amants*, 1970).

ippon [ipɔn] n. m. SPORT Au judo, prise parfaitement exécutée (étranglement, immobilisation, projection) qui met fin au combat et donne la victoire à son auteur. *Gagner par ippon.*

ipséité n. f. PHILO Ce qui fait qu'un être est lui-même, ce qui est essentiel dans l'individualité d'un être.

ipso facto [ipsofakto] loc. adv. (Mots lat.) Par le fait même, par là même. *Il s'est enfui, prouvant ipso facto sa culpabilité.*

Ipsos, v. de Phrygie (Asie Mineure), auj. *Ipsili*, en Turquie, près de laquelle les généraux d'Alexandre se livrèrent une grande bataille (« bataille des rois », 301 av. J.-C.) où périt, vaincu, Antigonos Monophthalmos. Le démembrement de l'empire d'Alexandre en résulta.

Ipswich, port de comm. de G.-B., ch.-l. du Suffolk; 115 500 hab. Centre agricole. Machines agricoles.

Iqaluit (anc. *Frobisher Bay*), capitale et port du Nunavut; 3 552 hab.

Iqbāl (sir Muhammad) (Sialkot, Pendjab, 1873 – Lahore, 1938), poète et philosophe musulman de l'Inde. Son idée d'un État musulman séparé de l'Inde fut réalisée par la création du Pākistān (1947).

-ique. Élément de suffixation, du gr. *-ikos*, lat. *-icus*, « propre à, relatif à », servant à former des adjectifs dérivés de noms.

Iquique, v. et port du Chili, en bordure du désert d'Atacama; 132 950 hab.; ch.-l. de prov. Un aqueduc apporte l'eau des Andes. Exportation des nitrates et du guano. Pêche active (prod. de farine de poisson).

Iquitos, v. du N.-E. du Pérou, sur le río Marañón; 229 560 hab.; ch.-l. de dép. Import. port fluvial (bois de l'Amazonie, pétrole) à 3 700 km de l'Atlantique.

ir-. Préfixe privatif, var. de *in-* devant un *r*.

Ir CHIM Symbole de l'iridium.

IRA, acronyme pour *Irish Republican Army* (« Armée républicaine irlandaise »). Force militaire nationaliste, fondée en 1919, qui, après le traité de Londres (1921), poursuivit la lutte pour l'indép. de toute l'Irlande. Interdite dep. 1939, elle se scinda en 1969 en deux fractions, « officielle » et « provisoire ». La relance de l'agitation politique en Ulster amena l'IRA « provisoire » à déclencher une action terroriste contre les protestants et l'armée britannique.

Irak ou **Iraq** (république démocratique et populaire d'), État du Moyen-Orient, entre la Syrie, la Turquie, l'Iran et l'Arabie Saoudite; 435 000 km^2; env. 17 millions d'hab., croissance démographique : 3,7 % par an; cap. *Bagdad*. Nature de l'État : rép. de type présidentiel. Langue off. : arabe. Monnaie : dinar irakien. Population : Arabes (70 % env.), Kurdes (20 % env.), Turkmènes, Assyriens, Iraniens, Égyptiens. Relig. : islam (90 %; chiite, pour plus de la moitié, et sunnite); nombr. Églises chrétiennes orientales, notam. rites assyrien et chaldéen (10 %).

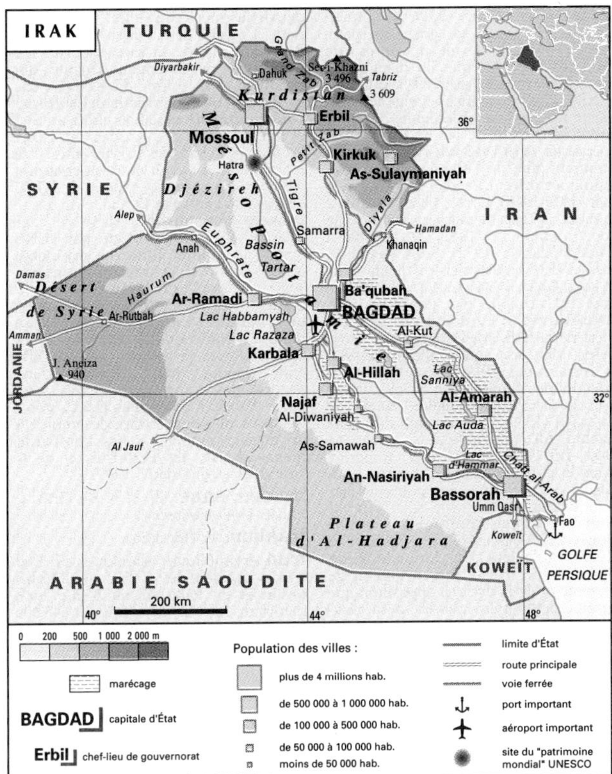

Géogr. phys. et hum. – La plaine de Mésopotamie, ouverte au S. sur le golfe Persique, est encadrée à l'E. et au N. par les massifs du Zagros et du Taurus et à l'O. par le plateau syrien. Elle correspond au lit alluvial de l'Euphrate et du Tigre, aux crues parfois désastreuses, qui confluent au S. de Bagdad, pour former le Chatt al-Arab et ses immenses marécages. Le climat, torride en été, froid en hiver, ne permet qu'une végétation steppique, les forêts n'apparaissant que sur les montagnes plus humides du N. La population, citadine à près de 75 %, se concentre dans le couloir mésopotamien et au N. où vit la minorité kurde. Le taux de natalité est très élevé.

Écon. – L'Irak est l'un des pays les mieux pourvus du Moyen-Orient en ressources naturelles. Il dispose de terres arables relativement étendues, de ressources en eau abondantes et de 10 % des réserves de pétrole de la planète. Jusqu'à la fin des années 70, le développement écon. permis par la rente pétrolière, l'aide de l'U.R.S.S. et l'ouverture sur l'Occident ont fait apparaître l'Irak comme un modèle de croissance dans le monde arabe. L'agriculture n'a pas été le secteur le plus favorisé durant cette période, même si les périmètres irrigués se sont accrus. Reposant sur les cultures des vallées orientales, blé, orge, coton, tabac, oléagineux, dattes (dont l'Irak est le premier producteur mondial) et sur l'élevage extensif des ovins dans les régions sèches de l'Ouest, elle n'assurait cependant pas l'autosuffisance du pays qui devait importer pour plus de 2 milliards de dollars de produits alimentaires par an à la fin des années 80. Le développement des infrastructures de transport et des services publics, l'équipement énergétique, l'industrialisation ont en revanche bénéficié de tous les efforts du régime qui a également consacré des ressources considérables à l'armement. La conduite de la guerre contre l'Iran a coûté 150 milliards de dollars auxquels s'est ajoutée une charge de 60 milliards consacrée à la reconstruction, les dommages ayant été importants dans le sud du pays. Dès 1985, l'Irak a retrouvé ses capacités de production pétrolière de 1980 mais la baisse des cours du brut l'a acculé à la faillite et à l'impossibilité de faire face à un endettement qui atteignait 80 milliards de dollars en 1990. C'est donc un pays financièrement exsangue, touché par un blocus écon. sévère, qui a envahi le Koweït le 2 août 1990 (V. Golfe, guerre du); il sort ruiné de la guerre, les bombardements de la coalition ayant détruit l'essentiel du potentiel énergétique et industriel du pays (raffineries, oléoducs, centrales thermiques, usines) et la plupart des infrastructures (ponts, routes, aéroports, adductions d'eau). La reconstruction, d'un coût de plusieurs centaines de milliards de dollars, apparaît impossible sans aide extérieure.

Hist. – Berceau des plus anc. civilisations du Moyen-Orient, la Mésopotamie* prit le nom d'Irak lors de la conquête arabe (637). Le règne des Abbassides, fondateurs de Bagdad, marqua l'âge d'or de la civilisation arabo-islamique (VIIIe-Xe s.) que suivit un long déclin; à la fin du XIVe s., Tamerlan porta le coup de grâce au pays. En 1534, l'Irak devint une prov. de l'Empire ottoman, que lui disputèrent les Perses séfévides au XVIIe s. puis, dès le XIXe s., les puissances occidentales; à partir de 1903, les Allemands construisirent le chemin de fer de Bagdad. La guerre de 1914-1918 mit fin à l'Empire ottoman, allié de l'Allemagne. Les Britanniques prirent Bagdad, Mossoul, Kirkuk (1917-1918). L'Irak, placé sous leur mandat (1920), devint une monarchie constitutionnelle (1921) et accéda à l'indépendance (1932). Sous Faysal Ier (1921-1933), le premier roi hachémite, et sous Ghazi Ier (1933-1939), la monarchie fut affaiblie par les luttes intérieures (révolte kurde) et par la mainmise de la G.-B. sur les richesses pétrolières. Mais son action aboutit aussi à la restauration du réseau d'irrigation abandonné depuis cinq siècles. Sous la régence de Abd al-Ilah, oncle de Faysal II (1939-1958), le coup d'État de Rachid Ali, favorable aux forces de l'Axe, fut écrasé par les Britanniques. Dans la période troublée d'après 1945, l'Irak s'engagea dans une politique pro-occidentale, notamment sous l'impulsion d'hommes politiques comme Noury Saïd, signant le pacte de Bagdad (1955) et s'alliant à la Jordanie (Fédération arabe, 1958), face à l'union de l'Égypte et de la Syrie. L'opposition que suscita cette polit. aboutit à la révolution du 14 juil. 1958, menée par les militaires; le roi fut assassiné ainsi que son entourage et le général Kassem proclama la république. Il rechercha l'alliance soviétique, mais après une brève période de libéralisation, il réprima les partisans de Nasser, les autonomistes kurdes (menés par Bārzānī), puis, à leur tour, les communistes. Kassem fut renversé et exécuté par le Baas* (fév. 1963), qui porta au pouvoir le colonel Abd as-Salam Arif, partisan de Nasser. Avec son frère Abd al-Rahman, qui lui succéda (1966), Arif s'employa au rapprochement avec l'Égypte et la Syrie, à la création d'un parti unique, l'Union socialiste arabe, et au règlement du problème kurde (amnistie en 1966). Un nouveau coup d'État du Baas (juil. 1968) porta au pouvoir le général Hassan al-Bakr, qui entreprit une polit. de réformes économiques, intensifia les relations avec l'U.R.S.S. (traité d'amitié de 1972) et accorda aux Kurdes (1972) une autonomie, jugée insuffisante par les partisans de Bārzānī. Ceux-ci continuèrent la guérilla jusqu'en 1975, date à laquelle ils perdirent l'aide du chah d'Iran après les accords d'Alger qui rectifiaient au profit de l'Iran le partage du Chatt al-Arab. Le général Al-Bakr se retira de la scène politique en 1979 au profit de Saddam Hussein, chef du Baas. Celui-ci, craignant l'influence de la révolution iranienne sur les chiites irakiens, se lança dans une offensive militaire contre l'Iran (sept. 1980) avec un armement venu de l'Occident (l'Europe surtout) et de l'U.R.S.S. Huit ans plus tard, en juil. 1988, quand les deux pays signèrent un cessez-le-feu sous l'égide de l'ONU, la guerre avait fait un million de morts et 2 millions de blessés. Le régime baasiste, renforcé par cette quasi-victoire, tenta d'en finir avec la dissidence kurde en massacrant et déportant les populations civiles (dont une grande partie s'est réfugiée en Turquie). En août 1990, convoitant les richesses du Koweït, l'Irak envahit l'émirat, ignorant toutes les mises en garde internationales jusqu'à l'expiration du dernier ultimatum, le 15 janv. 1991, prélude au déclenchement d'une deuxième guerre du Golfe*, achevée en mars. L'armée de S. Hussein, incapable de rivaliser avec la puissance de feu adverse et partiellement détruite, dut capituler et se retirer du Koweït; elle garda cependant un potentiel suffisant pour mater une rébellion chiite au Sud et une rébellion des Kurdes* au Nord. Le dictateur baasiste parvint ainsi à se maintenir au pouvoir mais fut contraint d'ouvrir son pays aux experts de l'ONU chargés de contrôler la réalité du désarmement consenti dans l'acte de capitulation. L'embargo décidé par l'ONU après l'invasion du Koweït a gravement affecté la pop. civile irakienne, sans parvenir à déstabiliser S. Hussein. Le plébiscite d'oct. 1995 (99,96 % de «oui») lui a fourni l'occasion d'une reprise en main. La confrontation entre les États-Unis et l'Irak, provoquée par les difficultés opposées par S. Hussein à l'inspection des «sites présidentiels» suspects d'abriter des armes N.B.C., aboutit après plusieurs crises désamorcées au dernier moment à des bombardements aériens des États-Unis et de la Grande-Bretagne (janv. 1999).

irakien, enne adj. et n. De l'Irak. ▷ Subst. *Un(e) Irakien(ne).*

Iraklion. V. Héraklion.

Iran (république islamique d') État d'Asie occidentale, à l'O. de l'Afghānistān et du Pākistān, au S. du Turkménistan, à l'E. de l'Irak; 1 648 000 km^2; 67,3 millions d'hab., croissance démographique : 3,4 % par an; cap. *Téhéran.* Nature de l'État : rép. islamique. Langue off. : persan. Monnaie : rial iranien. Population : Persans (50 %), Azéris (24 %), Kurdes (9 %), Gilakis et Mazandaranis (8 %), Arabes (2,5 %), Baloutches (2 %). Relig. off. : islam chiite (85 %).

Géogr. phys. et hum. – L'Iran est un haut plateau (800 à 1 500 m), ponctué de dépressions désertiques, bordé au N. par la chaîne de l'Elbourz (5 671 m) et à l'O. par celles du Zagros et du Baloutchistan. Le climat continental aride (steppes et déserts) n'est un peu plus arrosé que dans la bordure caspienne et sur les hauteurs du N. et de l'O. Ces régions et leur piémont concentrent l'essentiel de la population, alors que le plateau aride connaît encore le nomadisme pastoral. L'explosion démographique (doublement de la population en 25 ans) s'accompagne d'une forte poussée urbaine (54 % de citadins).

Écon. – Au début de la décennie 90, l'économie iranienne est en reconstruction. Huit années de guerre contre l'Irak ont causé de graves dommages aux régions de l'Ouest et du Sud (un million de morts, exode massif de populations, destructions estimées à 100 milliards de dollars), alors que le tremblement de terre de 1990 ravageait les régions du Nord. L'agriculture emploie 30 % des actifs et couvre 70 % des besoins. Blé, orge, riz, palmier dattier sont les cultures dominantes, auxquelles s'ajoutent les plantes industrielles : betterave, canne à sucre, coton, tabac. L'élevage ovin itinérant constitue l'activité principale des régions sèches. Les ressources du sous-sol représentent la grande richesse du pays : 9 % des réserves mondiales de pétrole, 12 % des réserves de gaz, mais aussi des ressources en charbon, fer, cuivre et plomb. Les capacités de prod. et d'exportation de pétrole ont été restaurées très rapidement après 1988, mais les infrastructures et le potentiel industriel se relèvent plus lentement. Le plan de reconstruction, décidé en 1990, donne la priorité au système de transport, à la production d'énergie (centrales thermiques, équipements hydroél., réactivation de la filière nucléaire), à la pétrochimie et à la mise en production de gisements de gaz pour l'exportation. La conduite d'un tel programme est difficile; l'endettement s'accroît et les autorités ont engagé une série de réformes visant à libéraliser l'écon. et à l'ouvrir aux entreprises et aux capitaux étrangers.

Hist. – Au XIXe s., la Perse*, qui prendra le nom d'Iran en 1935, fut le centre d'une rivalité anglo-russe, qu'exacerbèrent les découvertes pétrolières. En 1907, le pays fut partagé en deux zones d'influence, le N. revenant à la Russie, le S. à la G.-B. Celle-ci acheta la majorité des actions de l'Anglo-Persian Oil Company. La situation intérieure, après la révolution nationaliste de 1906, resta troublée, et en 1921 le chef de la brigade cosaque Rīza khān Pahlavi s'empara du pouvoir. Il déposa la dynastie des Qādjārs (1925), se proclama chah, fondant la dynastie des Pahlavi, et entreprit d'unifier et de moderniser le pays, comme Mustafa Kemal en Turquie. Favorable à l'Allemagne, il dut abdiquer (1941) au profit de son fils Muhammad Rīza. Dans la période troublée d'après 1945 (révoltes en Azerbaïdjan et au Kurdistān), Soviétiques et Britanniques se retirèrent (1946). Le Premier ministre Mossadegh nationalisa l'Anglo-Iranian Company en 1951 et entreprit une politique antibritannique. Il fut un instant chassé d'Iran puis le chah le fit arrêter et un accord international partagea les revenus du pétrole entre l'Iran et un consortium. Pour tenter de sortir d'une situation économique et sociale fort dégradée, le chah entreprit la «révolution blanche» (1962) : réforme agraire qui fit disparaître le groupe des grands propriétaires, développement de l'enseignement, libéralisation du statut de la femme. En 1973, il obtint la totale maîtrise de la production pétrolière qui devint la 4e du monde. Il se heurta à l'opposition des conservateurs et, surtout, de la gauche. La forte répression exercée contre celle-ci n'empêcha pas le rapprochement avec l'U.R.S.S. (1965, 1966, 1968) et la Chine (1970). Mais la société iranienne ne pouvait supporter cette modernisation outrancière, accomplie par un pouvoir politique tyrannique appuyé sur la police politique de la *Savak.* L'opposition, cristallisée autour d'un religieux, Khomeyni, prit à partir de 1978 une ampleur telle que, après de nombr. insurrections durement réprimées, où se retrouvaient libéraux, musulmans traditionalistes et prolétariat urbain en formation, le chah fut contraint à l'exil (janv. 1979); la république fut proclamée en avril de la même année. L'anarchie s'installa dans un pays tiraillé entre un gouvernement faible et les puissants «comités islamiques», se réclamant de Khomeyni, qui imposèrent la prise en otage du personnel diplomatique américain (nov. 1979-janv. 1981). Néanmoins, des élections eurent lieu, et Abol Hassan Bani Sadr fut élu premier président de la République d'Iran (janv. 1980). En sept., l'Irak attaqua le pays. L'Iran libéra, en janv. 1981, les diplomates américains pris en otages. En juin 1981, Khomeyni et Bani Sadr s'opposèrent violemment; Bani Sadr fut destitué et se réfugia en France. Un nouv. président de la Rép. fut élu en oct. 1981 : Ali Khamenei, chef du Parti républicain islamique. La répression intérieure, menée par la milice des *pasdarans* («gardiens de la révolution»), s'intensifia (milliers d'arrestations et

d'exécutions); elle visa successivement es moudjahidin du peuple (extrême gauche islamique, écrasée en 1982), l'opposition modérée (exécution, en sept. 1982, de Sadegh Gotbzadeh, exministre des Affaires étrangères de Bani Sadr), le Toudeh (parti communiste) et les séparatistes kurdes. Le pouvoir théocratique, ainsi consolidé, s'attacha à mettre en place des institutions. Mais, épuisée par le blocus écon. occidental, la révolution iranienne dut céder à la puissance de l'Irak surarmé. Après le cessez-le-feu de juil. 1988, des négociations furent entamées avec l'Irak, sous l'égide de l'ONU. Dep. les législatives de 1988, le clergé et les radicaux bellicistes ont semblé moins influents. Ali Akbar Hachemi Rafsandjani* a été élu aux présidentielles (juil. 1989), après le décès de Khomeyni (juin). L'attaque irakienne contre le Koweït, en août 1990, a permis à l'Iran une victoire diplomatique inattendue : pour s'assurer la neutralité iranienne, Bagdad a renoncé à toutes ses revendications de la période de guerre (notamment le différend du Chatt al-Arab*). Rafsandjani est réélu en 1993. Mis au ban de la communauté internationale, un embargo commercial ayant été décrété par les États-Unis en mai 1995, l'Iran tente de se réinsérer dans son environnement régional. En mai 1997, l'élection à la présidence de Mohammed Khatami, qui l'emporte sur le candidat conservateur, semble amorcer une ouverture politique.

iranien, enne adj. et n. **1.** adj. D'Iran. ▷ Subst. *Un(e) Iranien(ne).* **2.** n. m. Groupe de langues indo-européennes. **3.** Syn. de *persan.*

Iraq. V. Irak.

irascibilité [iʀasibilite] n. f. Propension à la colère.

irascible [iʀasibl] adj. Prompt à la colère. *Personne, humeur irascible.*

Irbid, v. de Jordanie, proche de la Syrie, ch.-l. de la prov. du m. nom; 271 000 hab., Palestiniens en majorité. Marché agricole.

IRCAM, acronyme pour *Institut de recherche et de coordination acoustique-musique.* Organisme créé en 1976 dans le cadre du Centre national d'art et de culture Georges-Pompidou, à Paris. Dirigé par P. Boulez de 1975 à 1991, il est consacré à la recherche, la création et la diffusion musicales.

ire n. f. Vx ou plaisant Colère, courroux.

Irène (Athènes, v. 752 - Lesbos, 803), impératrice d'Orient (797-802). Elle détrôna son fils Constantin VI et lui fit crever les yeux (797). Opposée aux théories iconoclastes, elle fut canonisée par l'Église orthodoxe.

Irénée (saint) (en Asie Mineure, v. 130 - Lyon, v. 208), évêque de Lyon, successeur de saint Pothin (v. 177); Père et docteur de l'Église, adversaire des gnostiques. Il fut probablement martyrisé.

irénique adj. Didac. Qui œuvre à rétablir la concorde (entre chrétiens de différentes confessions, notam.).

irénisme n. m. Attitude irénique, désir de réconciliation.

Irgoun (abrév. de *Irgoun Zvaï Leoumi*), organisation militaire sioniste, nationaliste extrémiste, fondée en Palestine par des dissidents de la Haganah (1931) pour lutter contre les Arabes puis contre les Britanniques; dirigée par Menahem Begin à partir de 1943, elle fut dissoute en sept. 1948.

Irian Jaya, Irian ou **Irian Barat,** nom indonésien de la partie occid. de la Nouvelle-Guinée, qui forme une prov. de l'Indonésie; 421 981 km²; 1 371 000 hab.; ch.-l. *Djajapura.* Cocotiers; pétrole (dans la presqu'île de Vogelkop). - Colonie néerlandaise depuis 1885, l'Irian fut placée sous le contrôle de l'ONU (1962) à la suite des tensions entre les Pays-Bas et l'Indonésie, qui en obtint l'admin. sous le nom d'Irian Barat (1963). Puis, les hab. se sont prononcés pour l'intégration dans cet État sous l'appellation d'Irian Jaya (1969). La Papouasie en réclame la restitution et accueille les réfugiés papous qui fuient l'armée indonésienne en lutte contre la guérilla de l'Organisation pour l'indépendance de la Papouasie.

Iriarte (Tomás de) (Orotava, Tenerife, 1750 – Madrid, 1791), écrivain et compositeur espagnol, défenseur du classicisme; connu surtout pour ses *Fábulas literarias* («Fables littéraires», 1782).

iridacées n. f. pl. BOT Famille de monocotylédones inférovariées, plantes herbacées ou vivaces à bulbe ou à rhizome, aux fleurs généralement régulières (iris, crocus, glaïeuls, etc.). – Sing. *Une iridacée.*

iridescent, ente [iʀidesɑ̃, ɑ̃t] adj. Litt. Qui a des reflets irisés.

iridié, ée adj. CHIM Allié à l'iridium. *Le platine iridié contient 10% d'iridium.*

iridium [iʀidjɔm] n. m. CHIM Élément métallique de numéro atomique Z = 77, de masse atomique 192,2, de densité 22,4 (symbole Ir). – Métal (Ir) de densité 22,4, qui fond à 2 435 °C et bout vers 5 000 °C, servant à fabriquer des alliages d'une grande dureté.

iridologie n. f. Didac. Méthode, non reconnue, pour dépister des maladies et dysfonctionnements par le seul examen de l'iris de l'œil, censé représenter l'ensemble de l'organisme.

iris [iʀis] n. m. **I.** Plante (comprenant une centaine d'espèces, fam. iridacées) à grandes fleurs régulières, dont les étamines portent une lame foliacée vivement colorée. *Iris de Hollande,* bulbeux; *iris Germanica,* à rhizome. **II. 1.** Partie colorée de l'œil, formée par une membrane musculeuse qui joue le rôle d'un diaphragme. **2.** PHOTO *Diaphragme à iris,* dont l'ouverture se règle par le déplacement de lamelles radiales. **III.** Vx Arc-en-ciel. *Les couleurs de l'iris.* ▷ MINER *Pierre d'iris :* variété de quartz présentant des irisations.

Iris, dans la myth. gr., messagère d'Héra et de Zeus; personnification de l'arc-en-ciel, elle était représentée avec des ailes et un caducée.

irisation n. f. Séparation à la surface d'un objet, d'un corps, des couleurs constitutives de la lumière blanche; les reflets ainsi produits, présentant les couleurs de l'arc-en-ciel.

iris *Germanica*

iriser v. tr. [1] Colorer des couleurs de l'arc-en-ciel. – Pp. adj. *Verre irisé.* ▷ v. pron. Prendre les couleurs de l'arc-en-ciel.

Irish (Cornell George Hopley-Woolrich, dit William) (New York, 1903 – id., 1968), écrivain américain. Il s'est affirmé comme un maître du roman policier à travers des œuvres, cyniques et sensibles à la fois, qui ont inspiré plusieurs cinéastes : *La mariée était en noir* (1940), *la Sirène du Mississippi* (1947), *J'ai épousé une ombre* (1949).

irish coffee [ajʀiʃkɔfi] n. m. Boisson faite de café et de whisky, nappée de crème fraîche.

Irkoutsk, v. de Sibérie, sur l'Angara, au S.-O. du lac Baïkal; 618 000 hab.; ch.-l. de la rég. du m. nom (782 000 km²; 2,5 millions d'hab.). Industr. méca. et alim.; électrométall. de l'aluminium; traitement du bois. Centrale hydroél. Université.

irlandais, aise adj. et n. **1.** adj. D'Irlande. ▷ Subst. *Un(e) Irlandais(e).* **2.** n. m. Langue celtique parlée dans ce pays.

Irlande (mer d'), mer bordière de l'océan Atlantique, séparant l'Irlande de la Grande-Bretagne.

Irlande, la plus occidentale des îles Britanniques, séparée de la G.-B. par le canal du Nord, la mer d'Irlande et le canal Saint-George; 83 500 km²; env. 5 106 400 d'hab., croissance démographique : 0,8 % par an. Divisée en 1921, elle comprend *l'Irlande du Nord* ou *Ulster* (au N.-E.), qui fait partie du Royaume-Uni, et la *république d'Irlande* ou *Eire,* État indépendant.
Géogr. phys. et hum. – Socle de roches primaires limité par un littoral de 3 200 km, l'Irlande est bordée, sur sa périphérie, de massifs peu élevés (1 040 m) et occupée, au centre, par une plaine tourbeuse où coule le Shannon. Modelée par les glaciers quaternaires, l'île connaît un climat océanique, doux et pluvieux, propice au bocage et aux herbages. La population rurale est encore importante (40 %) et la croissance démographique est l'une des plus fortes d'Europe; cependant, la chute de la natalité se confirme. L'émigration séculaire qui a affecté l'Irlande (8 200 000 hab. en 1841) se tarit depuis 20 ans.
Hist. – L'hist. anc. de l'Irlande, peuplée de Celtes, les Gaëls, qui arrivèrent au IVᵉ s. av. J.-C., transparaît dans des récits mythiques consignés après la christianisation de l'île (Vᵉ s.), due à saint Patrick. Intense foyer de monachisme, l'île connut une civilisation chrétienne qui rayonna sur l'Europe occid. aux VIᵉ et VIIᵉ s. (par l'entremise de saint Colomban, notam.). Ravagée par les Norvégiens (VIIIᵉ-Xᵉ s.), elle tomba progressivement, à partir du XIᵉ s., entre les mains des Anglais, la conquête systématique de l'île datant des Tudors. C'est aux XVIIᵉ et XVIIIᵉ s. que le joug fut particulièrement pesant : «colonisation» du pays par les grands propriétaires fonciers anglais (les landlords), qui confièrent l'admin. de leurs domaines à des régisseurs sans scrupules; fonctions publiques interdites aux catholiques. Les révoltes ne cessèrent pas (massacre de Drogheda par Cromwell en 1649). Après le soulèvement malheureux de Wolfe Tone (1798), l'Irlande fut rattachée au Royaume-Uni (acte d'Union, 1800). Grâce à l'action de l'avocat O'Connell, les catholiques furent émancipés. Sous Gladstone (1869 1870 puis après 1881), des réformes agraires rendirent peu à peu la terre aux Irlandais. Le problème politique restait entier et, dirigés par des parlementaires comme Parnell, animés aussi par les premiers mouvements terroristes (fenians), les Irlandais réclamèrent l'auton. (Home Rule). La lutte prit rapidement un caractère sanglant (création du Sinn Féin qui demandait l'indépendance). L'application du Home Rule, voté en 1914, fut remise à la fin de la guerre. Le Sinn Féin suscita la «révolte de Pâques» (23-29 avril 1916). Victorieux aux élections de 1918, il proclama l'indép. (janv. 1919). Après trois ans de guérilla, la partition fut entérinée par le traité du 6 déc. 1921 : création d'un État d'Irlande ayant le statut de dominion, l'Ulster, à majorité protestante, restant attachée au Royaume-Uni. Mais le Sinn Féin ne reconnaît pas la validité de ce statut et exerce la lutte armée à travers l'IRA*. En 1994, une trêve permet l'amorce de négociations, qui se déroulent, à partir de janv. 1998, sur un plan anglo-irlandais pour l'Irlande du Nord.

Irlande (république d'), en gaélique **Eire,** État d'Europe occid.; 68 895 km²; 3 523 400 hab.; cap. *Dublin.* Nature de l'État : rép. parlementaire. Langues off. : irlandais (gaélique) et anglais. Monnaie : livre irlandaise. Relig. : catholicisme (91 %).
Écon. – Depuis l'entrée de l'Irlande dans la C.É.E. en 1973, l'économie a connu une évolution rapide. L'agriculture n'emploie plus que 13 % des actifs et l'intensification de l'élevage (près de 90 % des recettes agricoles) en a fait une activité fortement excédentaire. La production d'énergie (tourbe, charbon, gaz) ne couvre qu'un peu plus de 50 % des besoins. L'industrie a connu un développement important et s'est diversifiée. L'Irlande compte près d'un millier d'entreprises étrangères, attirées par une main-d'œuvre bon marché et qualifiée et par des avantages fiscaux; elles ont développé des branches exportatrices : agroalimentaire, matériel électrique, électronique, chimie et pharmacie, biens d'équipement. La zone franche de Shannon, dans l'ouest du pays, est devenue, avec Dublin, le principal centre industriel du pays. L'Irlande bénéficie, en outre, d'un important tourisme international et a développé ses activités de services, qui emploient désormais plus de 60 % de la main-d'œuvre.
Hist. – Dans un premier temps, ap. deux ans de guerre civile (1922-1923), l'État libre d'Irlande fait partie du Commonwealth; mais, en 1949, avec la proclamation de la république, ce dernier lien est rompu. Jusqu'en 1993, deux grands partis se relaient à la direction du pays : le Fianna Fáil, parti nationaliste fondé en 1927, par rupture avec le Sinn Fein extrémiste, et conduit jusqu'en 1973 par Eamon De Valera et le Fine Gael. Depuis 1969, l'Eire se trouve confrontée au problème de l'Ulster et se débat dans une situation ambiguë : traditionnellement prête à soutenir les revendications des cathol. de Belfast et à plaider la cause de la réunification de l'Irlande, elle ne peut approuver les actions terroristes de l'IRA* en Ulster. En fév. 1992, C. Haughey, Premier ministre dep. 1987, est remplacé par Albert Reynolds. Ap. les élections législ. de nov. 1992, qui voient un net recul des deux partis historiques au profit des travaillistes

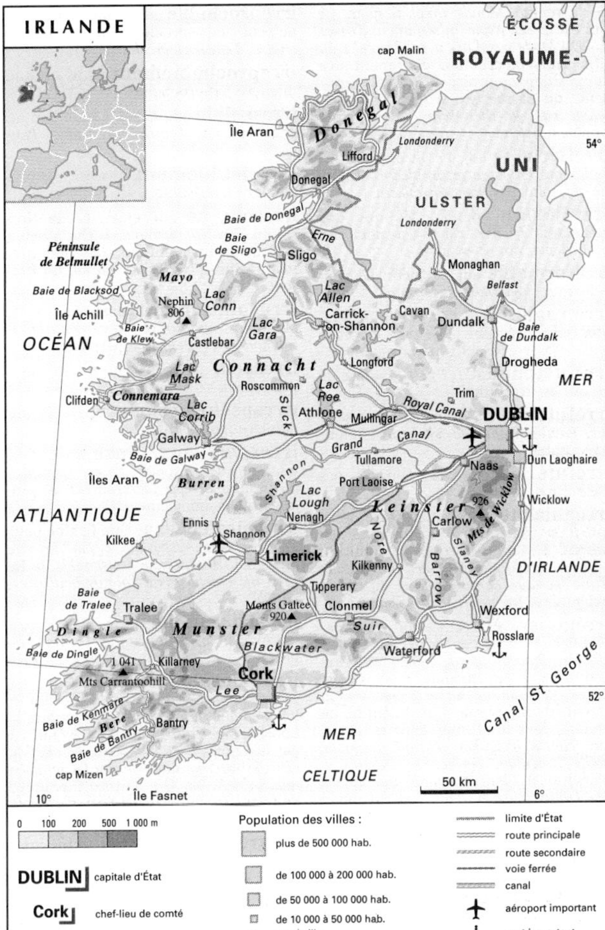

A. Reynolds a formé un cabinet de coalition. Après sa démission en nov. 1994, il est remplacé par John Bruton, leader du Fine Gael. En 1995, les Irlandais ont décidé de supprimer par référendum l'interdiction de divorcer inscrite dans la Constitution. En 1997, Mary McAleese est élue à la présidence de la République.

Irlande du Nord ou **Ulster,** partie du Royaume-Uni de G.-B. et d'Irlande du Nord; 13 600 km^2; 1 583 000 hab.; ch.-l. *Belfast.* Relig. : protestantisme (50 %), cathol. (officiellement 30 %, 40 % selon certaines estimations). – Cette rég. se consacre à l'élevage, dont les prod. sont exportés vers la G.-B. Les industr. text. et méca. (constr. navales, aviation), importantes dans les années 60, sont en régression; le climat d'insécurité ne favorise pas la venue de capitaux extérieurs. Le chômage est aussi important qu'en Eire. En fait, la prov. vit grâce aux subsides de la G.-B. La vie politique est marquée par la vive tension entre les communautés protestante et catholique, qui, depuis les grandes émeutes de Belfast et Londonderry en 1968 et 1969, a pris une tournure très violente (près de 3 000 morts depuis 1970). Le conflit est également social, les catholiques étant les plus nombreux dans les couches pauvres de la pop. Devant l'impuissance des gouv. d'Irlande du Nord, Londres, dont l'armée assurait le maintien de l'ordre depuis 1969, a mis fin à l'autonomie de l'Irlande du Nord (mars 1972) qui est administrée directement de Londres. Le terrorisme n'en diminua pas pour autant, qu'il soit le fait de l'IRA (assassinat de Lord Mountbatten, août 1979) ou des extrémistes protestants (attentat contre Bernadette Devlin, janv. 1981). Réclamant le statut de prisonniers politiques, plusieurs détenus cathol. entreprirent en 1981 une grève de la faim qui, face à l'intransigeance de M. Thatcher, se termina tragiquement. Après une période d'accalmie, l'IRA reprit ses actions violentes : en oct. 1984, au Grand Hôtel de Brighton, où se tenait un congrès du parti conservateur brit., M. Thatcher échappa à un attentat. Parallèlement, le Sinn Féin (aile «officielle» de l'IRA) dont le projet politique s'affirmait de plus en plus nettement socialiste, adopta une stratégie électorale offensive : il fait son entrée dans les institutions locales (trois représentants du Sinn Féin siègent même à la Chambre des communes, à Londres). Après l'annonce par l'IRA, en août 1994, d'un cessez-le-feu inconditionnel, les négociations aboutissent, en avril 1998, à un accord de paix suivi d'un référendum.
► carte **Royaume-Uni**

I.R.M. Sigle de *imagerie par résonance magnétique.* V. résonance* magnétique nucléaire.

Iroise (mer d'), mer bordière des côtes de Bretagne, comprise entre Ouessant et la chaussée prolongeant la pointe Saint-Mathieu (chaussée des Pierres-Noires), au nord, et la chaussée de Sein, au sud.

ironie n. f. **1.** Forme de raillerie consistant à dire le contraire de ce qu'on veut faire entendre. *Manier finement l'ironie. Ironie mordante, cruelle.* **2.** Manière d'être, de s'exprimer, correspondant à cette forme de raillerie. ▷ Fig. *Ironie du sort :* raillerie du sort personnifié, que semble manifester un contraste entre la réalité et ce à quoi l'on pouvait s'attendre. **3.** PHILO *Ironie socratique :* procédé dialectique employé par Socrate, consistant à amener l'adversaire, par une série de questions concertées, à se contredire ou à aboutir à une absurdité évidente.

ironique adj. **1.** Où il y a de l'ironie. *Ton ironique.* **2.** Qui emploie l'ironie. *Se montrer ironique.*

ironiquement adv. Avec ironie.

ironiser v. intr. [1] Railler avec ironie.

ironiste n. et adj. Vieilli Se dit d'une personne qui pratique l'ironie.

iroquoïen, enne [iʀɔkwajɛ̃, ɛn] adj. et n. De la famille linguistique amérindienne regroupant les Iroquois, les Mohawks et les Hurons. *Les deux aires culturelles amérindiennes principales au Québec sont l'aire algonquienne et l'aire iroquoïenne.* ▷ Subst. Groupe linguistique amérindien du Canada. *Les Iroquoïens du Saint-Laurent sont considérés comme un groupe distinct.*

iroquois, oise adj. et n. **1.** adj. Qui a rapport aux Iroquois. *Danses iroquoises.* **2.** n. m. Langue parlée par les Iroquois.

Iroquois, peuple amérindien du groupe linguistique iroquoïen, qui habite la vallée du Saint-Laurent, l'Ontario et les États-Unis. La nation iroquoise constituait, au XVIIe s., une puissance guerrière redoutable qui regroupait, en une Confédération des Cinq Nations, les Mohawks, les Oneidas, les Onondagas, les Cayugas et les Senecas.

irradiant, ante adj. Qui irradie.

irradiateur n. m. PHYS NUCL Installation (réacteur ou accélérateur) servant à irradier les substances.

irradiation n. f. **1.** Mouvement, effet prenant naissance en un point et rayonnant dans toutes les directions. *Irradiation d'une douleur.* **2.** PHYS NUCL Action de soumettre à un rayonnement ionisant. ▷ Exposition (accidentelle ou à des fins thérapeutiques ou scientifiques) d'une personne, d'un organisme, à l'action de rayons ionisants.

irradié, ée adj. et n. Qui a subi une dose excessive de rayons ionisants.

irradier v. [2] **1.** v. intr. Se propager, se répandre en rayonnant à partir d'un point. *Les rayons du Soleil irradient sur la Terre.* – Fig. *La joie irradiait de ses yeux.* **2.** v. tr. PHYS NUCL Soumettre à l'action d'un rayonnement ionisant.

irraisonné, ée adj. Qui n'est pas raisonné. *Acte irraisonné.*

irrationalisme n. m. **1.** Didac. Hostilité au rationalisme. **2.** PHILO Doctrine qui n'attribue à la raison qu'un rôle secondaire dans la connaissance.

irrationalité n. f. Caractère de ce qui est irrationnel.

irrationnel, elle adj. et n. **1.** Non conforme à la raison. *Démarche irrationnelle.* ▷ n. m. Ce qui est irrationnel. *L'irruption de l'irrationnel rend ses propos incohérents.* **2.** MATH *Nombre irrationnel,* que l'on ne peut mettre sous la forme $\frac{p}{q}$ (p et q étant deux nombres entiers). – n. m. *Les irrationnels font partie des nombres réels.* ▷ *Équation irrationnelle* ou, n. f., *une irrationnelle* : équation dont une ou plusieurs expressions sont engagées sous des radicaux.

irrationnellement adv. D'une manière irrationnelle.

irrattrapable adj. Qui ne peut pas être rattrapé.

Irrawaddy ou **Irraouaddi,** princ. fl. de Birmanie (2 250 km), qu'il draine du N. au S. Il est formé par la réunion de la Mali et de la Nmai, et se jette dans le golfe du Bengale; navigable depuis *Myitkyina,* capitale de l'État Kachin.

irréalisable adj. (et n. m.) Qui ne peut se réaliser. *Projet irréalisable.* ▷ n. m. *Chercher à réaliser l'irréalisable.*

irréalisme n. m. Manque de réalisme.

irréaliste adj. et n. Qui n'est pas réaliste.

irréalité n. f. Caractère de ce qui est irréel.

irrecevabilité [iʀ(ʀ)əsəvabilite] n. f. Caractère de ce qui est irrecevable. *L'irrecevabilité d'une plainte.*

irrecevable [iʀ(ʀ)əsəvabl] adj. Que l'on ne peut prendre en considération. *Demande irrecevable.*

irréconciliable adj. et n. Qu'on ne peut réconcilier. *Ennemis irréconciliables.* – Subst. *Ces sœurs sont des irréconciliables.*

irrécouvrable adj. DR Qu'on ne peut recouvrer. *Créances irrécouvrables.*

irrécupérable adj. Que l'on ne peut récupérer.

irrécusable adj. Qui ne peut être récusé. *Témoignage irrécusable.*

irrédentisme n. m. **1.** HIST Doctrine polit. au nom de laquelle l'Italie unifiée réclamait l'annexion à son territoire d'un certain nombre de contrées qu'elle considérait comme siennes (notam. l'Istrie et le Trentin). **2.** *Par ext.* Théorie des partisans de l'annexion à leur pays de populations de même origine ou de même langue.

irrédentiste adj. et n. **1.** adj. Relatif à l'irrédentisme. **2.** n. Partisan de l'irrédentisme.

irréductibilité n. f. Caractère de ce qui est irréductible.

irréductible adj. et n. **1.** Qui n'est pas réductible; qui ne peut être ramené à quoi que ce soit d'autre. ▷ CHIM *Oxyde irréductible.* ▷ CHIR *Luxation, fracture irréductible,* dont on ne peut remettre les parties en place sans intervention. ▷ MATH *Fraction irréductible,* qui ne peut être réduite à une fraction égale dont les termes seraient plus petits (ex. : $\frac{22}{13}$). **2.** Fig. Qui n'admet aucune concession. *Être irréductible sur une question.* Syn. intransigeant, intraitable. – Subst. *C'est un(e) irréductible.*

irréel, elle [iʀ(ʀ)eɛl] adj. et n. m. **1.** Qui n'a pas de réalité, qui est en dehors de la réalité. *Monde irréel.* ▷ n. m. Ce qui est irréel. *Avoir un sentiment d'irréel.* **2.** GRAM *Mode irréel* ou, n. m., *l'irréel,* qualifie une construction exprimant une supposition contraire à la réalité présente ou passée (ex. *si les vents n'existaient pas, la mer serait calme*) (par oppos. à *potentiel*).

irréfléchi, ie adj. **1.** Dit ou fait sans réflexion. *Propos, actes irréfléchis.* **2.** Qui ne réfléchit pas. *Esprit irréfléchi.*

irréflexion n. f. Manque de réflexion. *Pécher par irréflexion.* Syn. étourderie, imprévoyance.

irréformable adj. DR Qu'on ne peut réformer. *Jugement irréformable.*

irréfragable adj. Didac. Qu'on ne peut contredire, récuser. *Une preuve irréfragable.* Syn. irrécusable, incontestable.

irréfutabilité n. f. Didac. Caractère de ce qui est irréfutable.

irréfutable adj. Qu'on ne peut réfuter. *Preuve irréfutable.* Syn. indiscutable, irrécusable.

irréfuté, ée adj. Didac. Qui n'a pas été réfuté.

irrégularité n. f. **1.** Caractère de ce qui n'est pas régulier. *L'irrégularité des saisons.* **2.** Action irrégulière, contraire à la loi, aux règles établies. *Irrégularités d'une gestion administrative.* **3.** Chose irrégulière. *Irrégularités du terrain.*

irrégulier, ère adj. Qui n'est pas régulier. **1.** Non conforme aux règles établies. *Procédure irrégulière.* ▷ GRAM Non conforme à un modèle type. *Conjugaison, déclinaison, verbes irréguliers.* **2.** Qui n'est pas régulier en quantité, en qualité, dans le rythme, dans la forme, etc. *Fleuve irrégulier. Travail irrégulier. Pouls irrégulier. Formes irrégulières.* – (Personnes) *Élève irrégulier.* Syn. inégal. **3.** *Troupes irrégulières,* qui n'appartiennent pas à l'armée régulière; corps francs.

irrégulièrement adv. D'une façon irrégulière.

irréligieux, euse adj. Qui n'est pas religieux, qui offense la religion. *Écrivain irréligieux.* – (Choses) *Discours irréligieux.*

irréligion [iʀ(ʀ)eliʒjɔ̃] n. f. Manque de religion, d'esprit religieux.

irrémédiable adj. et n. m. À quoi l'on ne peut remédier. *Mal, faute irrémédiable.* Syn. irréparable. ▷ n. m. Ce qui est irrémédiable. *L'irrémédiable est accompli.*

irrémédiablement adv. Sans aucun recours. *Irrémédiablement perdu.*

irrémissible [iʀ(ʀ)emisibl] adj. **1.** Pour quoi il n'y a pas de rémission, de pardon. *Crime irrémissible.* **2.** Irrémédiable. *Un jugement irrémissible.*

irremplaçable adj. Qui ne peut être remplacé.

irréparable adj. (et n. m.) Qui ne peut être réparé. *Dommage irréparable.* ▷ n. m. Ce qui ne peut être réparé. *Provoquer l'irréparable.*

irréparablement adv. D'une manière irréparable.

irrépréhensible [iʀ(ʀ)epʀeɑ̃sibl] adj. Litt. Irréprochable, où il n'y a rien à reprendre, à blâmer. *Prise de position irrépréhensible.*

irrépressible adj. Qu'on ne peut réprimer. *Désir irrépressible.*

irréprochabilité n. f. Caractère d'une personne, d'une chose irréprochable.

irréprochable adj. À qui, à quoi l'on ne peut rien reprocher. *Employé irréprochable. Tenue irréprochable.*

irréprochablement adv. D'une manière irréprochable.

irrésistible adj. À qui, à quoi l'on ne peut résister. *Femme irrésistible. Penchant irrésistible.*

irrésistiblement adv. D'une manière irrésistible.

irrésolu, ue adj. et n. **1.** Rare Non résolu. *Problème irrésolu.* **2.** Qui a peine à se déterminer, indécis. *Caractère irrésolu.* – Subst. *Sa lâcheté en fait un irrésolu.*

irrésolution [iʀ(ʀ)ezɔlysjɔ̃] n. f. Manque de résolution. *Rester dans l'irrésolution.* Syn. indécision, perplexité.

irrespect [iʀ(ʀ)ɛspɛ] n. m. Manque de respect.

irrespectueusement adv. D'une manière irrespectueuse.

irrespectueux, euse adj. Qui manque de respect. *Propos irrespectueux. Être irrespectueux envers ses professeurs.* Syn. impertinent.

irrespirable adj. **1.** Que l'on ne peut respirer. *Gaz irrespirable.* **2.** Où l'on respire mal. *Atmosphère irrespirable.* ▷ Fig. *Leur mésentente rend l'atmosphère irrespirable.*

irresponsabilité n. f. Fait d'être irresponsable, absence de responsabilité.

irresponsable adj. et n. **1.** Qui n'est pas responsable de ses actes devant la loi. *L'enfant, le fou sont irresponsables.* ▷ Subst. *Un(e) irresponsable.* **2.** DR Qui n'a pas à répondre de ses actes. *Le chef de l'État est irresponsable devant l'Assemblée nationale.* **3.** Cour. Qui agit sans assumer de responsabilités. *Elle est complètement irresponsable!*

irrétrécissable adj. Qui ne peut pas rétrécir. *Flanelle irrétrécissable.*

irrévérence n. f. **1.** Manque de révérence, de respect. Syn. irrespect, impertinence. **2.** Action, parole irrévérencieuse. *Commettre des irrévérences.*

irrévérencieux, euse adj. Qui témoigne de l'irrévérence.

irréversibilité n. f. Didac. Caractère de ce qui est irréversible.

irréversible adj. Qui n'est pas réversible. **1.** TECH Qui ne fonctionne que dans un sens ou une position déterminée. *Connecteur irréversible.* **2.** Qui ne peut exister, se produire que dans un seul sens. *Réaction chimique irréversible.*

irrévocabilité n. f. DR ou litt. Caractère de ce qui est irrévocable.

irrévocable adj. **1.** Qui ne peut être révoqué. *Donation irrévocable.* – Définitif. *Décision irrévocable.* **2.** Litt. Qui ne peut revenir. *La fuite irrévocable des ans.*

irrévocablement adv. D'une manière irrévocable.

irrigable adj. Qui peut être irrigué.

irrigateur n. m. **1.** MED Appareil servant à envoyer un liquide dans une cavité naturelle de l'organisme. **2.** Dispositif qui permet l'arrosage diffus des plantes. *Irrigateur automatique.*

irrigation n. f. **1.** Arrosage artificiel d'une terre. ▷ *Par anal.* Circulation du sang (dans un organe, une partie de l'organisme). *Irrigation de la cuisse par l'artère fémorale.* **2.** MED Fait de verser de l'eau (sur une partie malade); injection (dans une cavité naturelle).

irriguer v. tr. [1] **1.** Arroser, fournir artificiellement de l'eau à (une terre). **2.** *Par anal.* MED Arroser les tissus de l'organisme, en parlant du sang et des liquides organiques.

irritabilité n. f. **1.** BIOL Propriété qu'ont les êtres vivants et les cellules de réagir à une stimulation externe. **2.** Caractère d'une personne qui s'irrite facilement.

irritable adj. **1.** BIOL Qui réagit à une stimulation. *Fibres irritables.* **2.** Porté à s'irriter, à se fâcher. *Personne irritable.* Syn. irascible.

irritant, ante adj. **1.** Qui excite la colère. *Critiques irritantes. Personne irritante.* Syn. agaçant, énervant. **2.** Qui détermine de l'irritation. *Médicament irritant.*

irritation n. f. **1.** Colère sourde. *Être dans une grande irritation.* **2.** Légère inflammation. *Irritation des gencives.*

irriter v. tr. [1] **1.** Provoquer l'irritation, l'impatience de (qqn). *Ta conduite m'irrite.* ▷ v. pron. *Il s'irrite facilement.* Syn. (litt.) courroucer, fâcher. **2.** Rendre légèrement enflammé. *Ce produit irrite la peau.* **3.** Fig., vx ou litt. Exciter, rendre plus fort. *Irriter la jalousie.* **4.** PHYSIOL Stimuler, exciter.

irruption n. f. **1.** Invasion soudaine d'ennemis dans un pays, dans une place. **2.** Entrée brusque et inattendue. *Faire irruption chez qqn.* **3.** *Par ext.* Débordement, envahissement. *Irruption des eaux d'un fleuve en crue.*

Irtych, riv. de Sibérie (3 000 km), affl. de l'Ob (r. g.); naît dans l'Altaï, arrose Omsk et Tobolsk. Import. centrale hydroél. à Oust-Kamenogorsk.

Irún, v. d'Espagne (prov. de Guipúzcoa), sur la Bidassoa, à la frontière française; 53 500 hab.

Irving (Washington) (New York, 1783 - Sunnyside, Tarrytown, État de New York, 1859), romancier, essayiste et historien américain : *Histoire de New York par Knickerbocker* (1809), *le Livre des esquisses* (1819), *Vie de George Washington* (1855-1859). Il est aussi l'auteur du conte poétique *Rip Van Winkle.* Il fut ambassadeur en France, en Angleterre et en Espagne.

Irving (John) (Exeter, New Hampshire, 1942), écrivain américain : *le Monde selon Garp* (1980), *l'Hôtel New Hampshire* (1982), *Une prière pour Owen* (1989).

Isaac, patriarche hébreu, le premier fils d'Abraham et de Sara, miraculeusement sauvé au moment où son père allait le sacrifier. Rébecca, sa cousine, lui donna deux fils, Ésaü et Jacob.

Isaac (Jules) (Rennes, 1877 - Aix-en-Provence, 1963), historien français, auteur (collection Malet-Isaac) de manuels d'histoire qui firent autorité; disciple de Péguy, victime des persécutions nazies, il étudia l'antisémitisme chrétien et contribua à modifier l'attitude de l'Église catholique vis-à-vis du judaïsme.

Isaac Ier Comnène (?, v. 1005 - Stoudios, 1061), empereur d'Orient (1057-1059); il renversa Michel VI et abdiqua en faveur de Constantin X Doukas. – **Isaac II Ange** (v. 1155 - 1204), empereur d'Orient (1185-1195 et 1203-1204). Impopulaire, il fut renversé par son frère Alexis III Ange; rétabli avec l'aide des Vénitiens, il fut détrôné par Alexis V Doukas, qui le fit assassiner.

Isaak ou **Isaac** (Heinrich) (Flandres, v. 1450 - Florence, 1517), compositeur flamand; organiste à la cour de Laurent de Médicis, auteur du recueil *Choralis Constantinus* (messes brèves à quatre voix).

Isabeau de Bavière (Munich, 1371 - Paris, 1435), reine de France (1385-1422). Fille du duc Étienne II de Bavière, épouse de Charles VI, elle assuma la régence quand celui-ci devint fou (1392). La faveur dont elle entoura Louis d'Orléans, son beau-frère et amant, contribua à susciter la querelle des Armagnacs et des Bourguignons; ralliée à ces derniers, elle reconnut le roi d'Angleterre comme héritier légitime du trône de France (traité de Troyes, 1420).

isabelle adj. inv. D'une couleur jaune très claire, en parlant de la robe des chevaux.

Isabelle Ire la Catholique (Madrigal de las Altas Torres, 1451 - Medina del Campo, 1504), reine de Castille (1474-1504); fille de Jean II. Son mariage (1469) avec Ferdinand d'Aragon prépara l'unité de l'Espagne, bien qu'elle tînt à préserver l'indépendance des deux monarchies. Avec son mari, elle lutta contre Alphonse V de Portugal, qui avait envahi la Castille (1475-1479), acheva la *Reconquista* (conquête de Grenade, 1492), encouragea le premier voyage de Christophe Colomb (1492) et organisa l'Inquisition en Castille. – **Isabelle II** (Marie-Louise, dite) (Madrid, 1830 - Paris, 1904), reine d'Espagne (1833-1868). Fille de Ferdinand VII, elle succéda à son père, son oncle Don Carlos ayant été écarté du trône. Au terme d'un règne troublé, le général Prim la força à abdiquer (1868) en faveur de son fils Alphonse XII.

Isabelle Ire la Catholique — **Ivan IV le Redoutable**

Isabelle d'Anjou (1169 - 1205), reine de Jérusalem (1192-1205). Fille d'Amaury Ier, roi de Jérusalem, elle épousa en quatrièmes noces (1197) Amaury II, roi de Chypre (dont elle fit, par son mariage, le roi de Jérusalem).

Isabelle d'Autriche (Claire-Eugénie de Habsbourg) (Ségovie, 1566 - Bruxelles, 1633), gouvernante des Pays-Bas (1599-1633), fille de Philippe II d'Espagne et d'Élisabeth de France. Elle épousa en 1598 Albert d'Autriche, qui gouverna avec elle. En 1621, Albert mourut, et elle exerça seule le pouvoir.

Isabelle de France (Paris, 1292 - Hertford, près de Londres, 1358), fille de Philippe IV le Bel; reine d'Angleterre par son mariage (1308) avec Édouard II. Avec l'aide de Roger Mortimer, elle fit déposer puis assassiner (1327) son mari et prit la régence. Elle fut emprisonnée à vie sur l'ordre de son fils Édouard III (1330).

Isabelle de Portugal (Évora, 1397 - Nieppe, Flandre, 1471), fille de Jean Ier de Portugal; épouse (1429) de Philippe le Bon, duc de Bourgogne, mère de Charles le Téméraire.

Isabey (Jean-Baptiste) (Nancy, 1767 - Paris, 1855), peintre français, élève de David; auteur de miniatures sur ivoire représentant les membres de la famille impériale.

Isaïe ou **Ésaïe** (VIIIe s. av. J.-C.), le premier des 3 grands prophètes juifs. Le *Livre d'Isaïe* narre la vocation du prophète durant les règnes d'Achaz puis d'Ézéchias, rois de Juda, et insiste sur la sainteté de Dieu, qui doit devenir celle des Juifs pour que naisse un jour le royaume du Messie.

Isambour. V. Ingeborg.

Isar, riv. d'Europe centrale (352 km), affl. du Danube (r. dr.); naît dans le Tyrol et draine la Bavière (Munich).

isard ou **izard** n. m. Chamois des Pyrénées.

isard

isatis [izatis] n. m. **1.** BOT Pastel. **2.** ZOOL Renard gris-bleu *(Alopex lagopus)* des régions arctiques, dont le pelage blanchit en hiver.

Isaurie, anc. région d'Asie Mineure, au S. du Taurus, soumise par les Romains au Ier s. av. J.-C.

isba n. f. Petite maison en bois des paysans russes.

Iscariote, surnom de l'apôtre Judas (probabl. d'après l'hébreu *ish Qeriyyot,* «l'homme de Qeriyyot», ou de l'araméen *ishqarya,* «faux», «menteur», «hypocrite»).

ischémie [iskemi] n. f. MED Insuffisance de la circulation artérielle dans un organe, un tissu.

Ischia, île volcanique italienne, située à l'entrée du golfe de Naples, dans la mer Tyrrhénienne; 46,4 km^2; 40 000 hab.; v. princ. *Ischia.* Tourisme.

ischion [iskjɔ̃] n. m. ANAT Partie inférieure de l'os iliaque.

Ise, v. du Japon (île Honshū), 105 460 hab.; sanctuaires shintoïstes.

Iseo (lac d'), lac glaciaire d'Italie (Lombardie), entre les lacs de Côme et de Garde; 65 km^2.

Iseran (col de l'), col de Savoie (2 770 m), entre les vallées de l'Arc et de l'Isère.

Isère, riv. de France (290 km), affl. du Rhône (r. g.); naît au pied de l'Iseran, et draine la vallée de Tignes, la Tarentaise et le Graisivaudan, puis arrose Grenoble et Romans-sur-Isère. Nombr. aménagements hydroélectriques et industriels.

Isère, dép. franç. (38); 7 467 km^2; 1 016 228 hab.; 136,1 hab./km^2; ch.-l. *Grenoble.* V. Rhône-Alpes (Rég.).

► carte page **986**

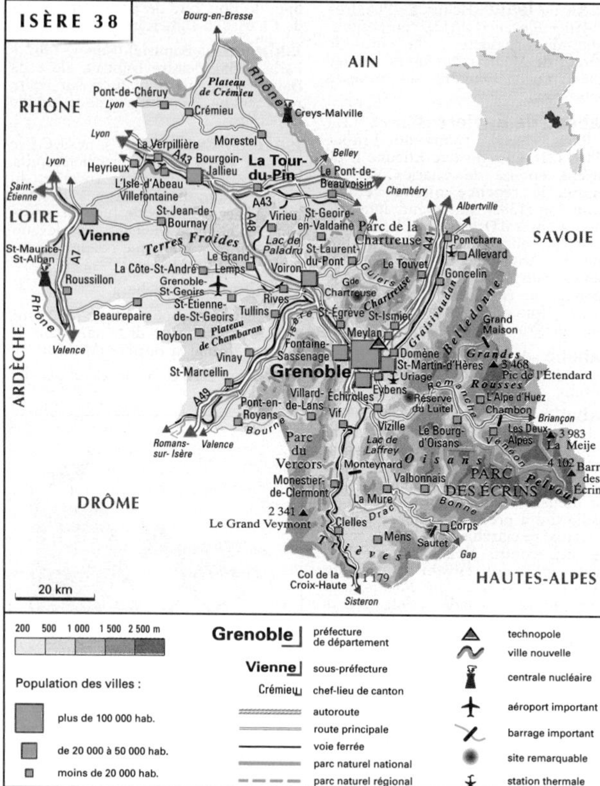

Iseult. V. Tristan et Iseult.

Isfahani *(Abū l-Farağ al-Iṣbahānī)* (Ispahan, 897 - Bagdad, 967), écrivain arabe; auteur du *Kitāb al-Aghāni* («Livre des chansons»), œuvre monumentale qui renseigne sur la vie, les coutumes et la littérature arabes.

Isherwood (Christopher) (High Lane, Cheshire, 1904 - Santa Monica, Californie, 1986), romancier et scénariste américain d'origine anglaise. Avec un réalisme quasi documentaire, il se consacre à la quête spirituelle et à une lutte en faveur de l'homosexualité : *Un homme au singulier* (1964), *Rencontre au bord du fleuve* (1967), *le Vedanta* (1969).

Ishtar ou **Istar,** dans la tradition sémite, déesse du Ciel et de la Fécondité, assimilée à l'Ashtart des Phéniciens et à l'Astarté des Grecs. Son culte fut plus tard confondu avec celui d'Aphrodite.

isiaque adj. Didac. D'Isis, relatif à la déesse Isis. *Mystères isiaques.*

Isidore de Milet (VIe s. apr. J.-C.), architecte et mathématicien byzantin. Il construisit avec Anthémios de Tralles la basilique Sainte-Sophie de Constantinople (537).

Isidore de Séville (saint) (Carthagène, v. 560 - Séville, 636), archevêque de Séville (601), docteur de l'Église, auteur d'une importante somme encyclopédique, les *Étymologies.* Il est le prem. grand organisateur de l'Église d'Espagne.

Isigny-sur-Mer, ch.-l. de cant. du Calvados (arr. de Bayeux), à 2,5 km de la Manche; 3 104 hab. Industr. alimentaires (beurre, confiserie).

Isis, divinité de l'anc. Égypte, l'une des plus anc. et des plus import.; adorée comme déesse du Mariage et du Foyer domestique. Divinité mère (notam. d'Horus), elle rendit la vie à Osiris («né d'Isis») et fut sa compagne. Elle était représentée par une vache, par une femme à tête de vache, ou à la tête surmontée de cornes enserrant un globe lunaire.

Iskander (Fazil) (Soukhoumi, 1929), écrivain russe. Dans une veine satirique (*la Constellation du chèvraurochs,* 1966), il se moque de la bureaucratie soviétique. Son chef-d'œuvre, *Sandro de Tchéguème* (1981), est une fresque truculente de son Abkhazie natale.

Iskăr ou **Isker,** riv. de Bulgarie (300 km), affl. du Danube (r. dr.), qui traverse la rég. de Sofia. Barrage import. pour l'irrigation.

Isis, Osiris, Horus, *triade d'Osorkon,* sculptures en or et lapis-lazuli, XXIIe dyn.; musée du Louvre

Iskenderun (anc. *Alexandrette*), port de comm. import. de Turquie, près de la Syrie, au fond du *golfe d'Iskenderun;* 152 100 hab. Superphosphates, sidérurgie; terminal d'oléoduc. - La ville fut fondée par Alexandre le Grand.

islam n. m. **1.** Religion des musulmans, fondée par le prophète arabe Mahomet et qui repose sur sa révélation (V. Coran). **2.** Ensemble des pays et des peuples musulmans, des civilisations musulmanes (le plus souv. avec une majuscule). *Un voyage en terre d'Islam.*

ENCYCL Vers 610, Mahomet commença à recevoir, par l'intermédiaire de l'ange Gabriel, la parole de Dieu sous forme de textes qu'il était invité à réciter. Le recueil de ces messages sacrés, établi après la mort du Prophète, est le Coran. L'islam est essentiellement la religion monothéiste révélée au monde par la longue lignée des prophètes (Abraham, Moïse, Jésus) et dont Mahomet est le dernier maillon : le «sceau». Les principaux dogmes de l'islam sont : la croyance en un dieu unique, créateur du monde, incréé, dont les anges sont les ministres; la croyance en la vie future, la résurrection et le jugement dernier. Les obligations cultuelles sont au nombre de cinq : les cinq «piliers» *('arkān).* 1° La profession de foi *(shahāda) : 'acchadu 'al-lā 'ilāh(a) 'illa Allāh wa-'anna Muhammad an rasūlu-llāh,* «(J'atteste que) il n'y a pas de divinité si ce n'est Allah (et que) Mahomet est l'envoyé d'Allah.» Il suffit de prononcer cette formule pour être considéré comme musulman. 2° La prière rituelle *(ṣalāt* ou *ṣalāh),* qui a lieu cinq fois par jour, doit être précédée d'ablutions purificatrices. Elle se fait le visage tourné vers La Mecque. Le vendredi, les hommes se retrouvent à la mosquée pour la prière de midi, dirigée par un imām; toutefois, l'islam ignore tout clergé. 3° L'aumône légale *(zakāt)* est un impôt en espèces ou en nature payé sur la récolte ou le gain de l'année et destiné à un fonds de bienfaisance au profit de musulmans. Peu de pays l'ont auj. maintenue; seule la ferveur pousse les musulmans pieux à s'en acquitter. La zakāt, sorte d'impôt sur le capital, représentait une législation sociale d'avant-garde. 4° Le jeûne *(ṣawm)* du mois du Ramadan (pour rappeler la révélation du Coran) va du lever au coucher du soleil. La faim et la soif font connaître aux riches les conditions de vie des pauvres. 5° Le pèlerinage *(ḥadj),* obligatoire une fois dans la vie si le musulman en a les moyens, s'effectue collectivement à La Mecque; le rituel se rapporte à Abraham, qui aurait bâti la *Ka'bah,* petit temple cubique dont un angle s'orne d'une pierre donnée par l'archange Gabriel. Toute la législation ne pouvant être tirée du Coran, les musulmans ont cherché dans la vie et dans les paroles du Prophète des règles de vie. Ce recours aux Traditions (V. *hadith*) créa une science critique qui établit l'authenticité des faits recueillis (les transmetteurs doivent remonter jusqu'à Mahomet); des «corpus» se constituèrent; ceux de Bokhari et de Muslim font autorité. Au Coran et aux Traditions s'ajoutent les principes dégagés par les juristes : consensus sur une question particulière *('djmāe),* intérêt commun *('istiṣlah),* interprétation personnelle *(ra'y),* raisonnement par analogie *(qiyās).* Les princ. écoles juridiques sont : l'école hanafite (Turquie,

Inde, Chine), malikite (Arabie, Afrique du N., Afrique occid., haute Égypte, Soudan), shafi'ite (basse Égypte, Syrie, Arabie du Sud, Malaisie, Indonésie), hanbalite (Arabie). Le monde islamique, ou Islam, comprend aujourd'hui près d'un milliard de croyants (dont 125 millions de chiites), essentiellement répartis en Afrique et en Asie (si on excepte la Turquie d'Europe, les communautés balkaniques, les travailleurs immigrés en Europe occid. et les émigrants d'Amérique).

Islamabad, cap. du Pākistān, à 15 km de Rawalpindi; 201 000 hab. Université. – Construite après 1959, elle remplace depuis 1967 l'anc. cap., Karachi.

islamique adj. De l'islam.

islamisant, ante n. Spécialiste de l'islam.

islamisation n. f. Action d'islamiser; son résultat. *L'islamisation de l'Afrique continue de progresser.*

islamiser v. tr. [1] Faire embrasser l'islam à (qqn). ▷ Répandre l'islam dans (un pays). ▷ Intégrer à la communauté islamique.

islamisme n. m. **1.** Vieilli Islam. **2.** Mouvement qui prône l'islamisation générale des institutions et du gouvernement dans les pays musulmans.

islamiste adj. et n. **1.** adj. De l'islamisme. **2.** adj. et n. Adepte de l'islamisme.

islamologie n. f. Didac. Étude de l'islam.

islamologue n. Spécialiste d'islamologie.

islandais, aise adj. et n. **I.** adj. De l'Islande. ▷ Subst. *Un(e) Islandais(e).* **II.** n. m. **1.** *L'islandais :* la langue scandinave, issue du norvégien ancien, parlée en Islande. **2.** Pêcheur breton qui va pêcher la morue sur les côtes de l'Islande. *Le pardon des Islandais.*

Islande (république d'), État insulaire de l'Atlantique nord; 102 829 km²; 247 000 hab., croissance démographique : 1% par an; cap. *Reykjavík.* Nature de l'État : rép. parlementaire. Langue off. : islandais. Monnaie : couronne islandaise. Relig. : luthéranisme.

Géogr. phys. et hum. – Île volcanique (volcans actifs, geysers, sources chaudes), l'Islande compte plus de 5 000 km de côtes, très découpées au N., plus régulières au S. Longée par le cercle polaire au N., l'île appartient au monde arctique mais voit son climat adouci par la dérive Nord-Atlantique. Les conditions restent rudes cependant : la toundra est la végétation naturelle et les glaciers couvrent 12% du territoire. La population, d'origine scandinave, fixée sur les littoraux, vit à 90% dans les villes.

Écon. – La pêche est la principale ressource du pays et donne lieu à une importante activité de traitement (salaison, conserveries, congélation); la filière emploie près de 20 % des actifs et assure plus de 70 % des exportations. L'agriculture ne joue qu'un rôle limité du fait de la rudesse du milieu, surtout propice à l'élevage ovin. Les abondantes ressources en eau satisfont 40 % des besoins énergétiques nationaux : 80 % de la population est chauffée par géothermie et l'hydroélectricité permet de produire de l'aluminium (en partie exporté). Le tourisme est un complément notable. Le revenu par hab. est l'un des plus élevés du monde. L'Islande appartient depuis le 1er janvier 1993 à l'Espace économique européen (E.É.E.).

Hist. – Découverte par des moines irlandais (VIIIe s.), colonisée par les Vikings (IXe s.), l'Islande, qui comptait 40 000 hab. au Xe s., resta indép. jusqu'au XIIIe s. : une assemblée d'hommes libres (Althing) la gouvernait. Passée sous l'autorité du roi Haakon IV de Norvège (1262), puis des Danois (1380), qui imposèrent le luthéranisme (XVIe s.) et monopolisèrent le comm. (XVIIe s.), elle connut une période de déclin et se dépeupla. Son statut polit. se modifia au XIXe s. : rétablissement de l'Althing (1843), institution de deux chambres (1874). Auton. en 1904, indép. en 1918, elle ne garda de commun avec le Danemark que sa monnaie, la couronne. Le 17 juin 1944, la République islandaise fut proclamée après référendum. Depuis lors, la vie polit. de l'Islande (membre de l'O.C.D.É. depuis 1948 et de l'OTAN depuis 1949) a été marquée par une alternance de gouv. de coalition de centre gauche et de centre droit et, à l'extérieur, par une volonté de plus en plus nette d'affirmer son neutralisme et la maîtrise des eaux territoriales portée à 200 miles (1975). Mme Vigdís Finnbogadóttir a été présidente de la République de 1980 à 1996, Olafur Ragnar Grimsson lui a succédé à la tête de l'État.

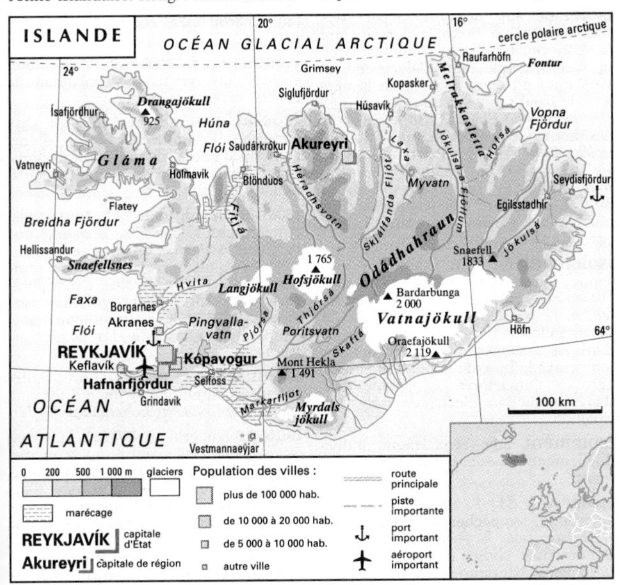

Isle, riv. de France (235 km), affl. de la Dordogne (r. dr.); naît dans le Limousin et traverse Périgueux.

Isle-Adam (L'), ch.-l. de cant. du Val-d'Oise (arr. de Pontoise), sur l'Oise, au N. de la forêt du m. nom; 10 027 hab. – Église St-Martin (XVe-XVIe s.).

Isle-sur-la-Sorgue (L'), ch.-l. de cant. du Vaucluse (arr. d'Avignon), sur la Sorgue; 15 911 hab. Mat. de constr.; boissons.

Isly (oued), riv. du Maroc oriental. – Victoire de Bugeaud sur les Marocains soutenant Abd el-Kader (août 1844).

Ismaël, fils d'Abraham et de sa servante égyptienne, Agar, chassé avec sa mère du foyer paternel à l'instigation de Sara, l'épouse du patriarche, après la naissance d'Isaac. Selon la Bible, il est l'ancêtre des Arabes du désert.

ismaélien, enne ou **ismaïlien, enne** n. (et adj.) HIST, RELIG **1.** Membre d'une secte musulmane qui se forma à l'intérieur du chiisme au VIIIe s., qui considère Isma'il comme son dernier imam, accorde une large place à l'illumination intérieure, et se subdivise elle-même en de nombreuses obédiences. **2.** adj. *La diaspora ismaélienne.*

Isma'il *(Ismā'īl)* (m. à Médine en 762), fils de l'imam Djafar as-Sadiq, qui l'avait désigné pour lui succéder, mais il mourut avant son père. Il est considéré comme le dernier imam par la secte chiite des ismaéliens.

Isma'il Ier *(Ismā'īl)* (Ardabīl, 1487 – id., 1524), chah de Perse (1501-1524), fondateur de la dynastie des Séfévides. Il conquit l'Azerbaïdjan (1501), prit le titre de chah et fit du chiisme une religion d'État. Son expansion milit. fut arrêtée par Sélim Ier, sultan ottoman.

Ismaïlia *(al-Ismā 'īliyya),* v. d'Égypte, sur le lac Timsah et le canal de Suez, créée en 1863; 214 000 hab.; ch.-l. du gouvernorat du m. nom. Siège de l'administration du canal; port pétrolier.

Isma'il Pacha *(Ismā'īl bāšā)* (Le Caire, 1830 – Istanbul, 1895), vice-roi puis khédive d'Égypte (1863-1879). Fils d'Ibrahim pacha, il s'attacha à moderniser le pays, obtint du sultan une large autonomie. Il traita avec les Occidentaux le percement du canal de Suez. Le déficit du Trésor le contraignit à accepter le contrôle financier franco-anglais (1878). L'échec du mouvement nationaliste qu'il suscita l'obligea à abdiquer.

-isme, -iste. Suffixes, du gr. *-ismos, -istês,* servant à former des substantifs : *-isme* désigne une doctrine *(socialisme),* une profession *(journalisme),* et également la caractéristique de (lorsque suffixe d'un adj., ex. *gigantisme, pédantisme); -iste* désigne une personne professant une doctrine (ex. *extrémiste),* pratiquant une activité, une profession (ex. *violoniste).*

Ismène, dans la myth. gr., fille d'Œdipe et de Jocaste, sœur d'Antigone.

iso-. Élément, du gr. *isos,* « égal ».

ISO, acronyme pour l'angl. *International Standard Organisation.* Organisation internationale de standardisation, chargée d'élaborer des normes applicables mondialement.

isobare adj. et n. **1.** adj. PHYS D'égale pression. – METEO *Une ligne isobare* ou, n. f., *une isobare :* une ligne qui relie, sur une carte météorologique, les points de même pression atmosphérique, à un moment précis. **2.** adj. CHIM, PHYS NUCL Se dit des éléments qui ont le même nombre de masse, mais des numéros atomiques différents. – n. m. *Des isobares.*

isobathe adj. (et n. f.) GEOGR D'égale profondeur. ▷ *Une courbe isobathe* ou, n. f., *une isobathe :* une courbe joignant les points d'égale profondeur.

isocèle adj. GEOM Qui a deux côtés ou deux faces égales. *Triangle, trièdre isocèle.*

isochromatique adj. TECH De teinte uniforme.

isochrone [izokʀon] ou **isochronique** [izokʀɔnik] adj. PHYS De même durée. *Les oscillations isochroniques du pendule.* Syn. tautochrone.

isochronisme n. m. PHYS Égalité de durée.

isoclinal, ale, aux adj. GEOL *Pli isoclinal,* dont les flancs ont la même inclinaison.

isocline adj. (et n. f.) PHYS, GEOGR De même inclinaison. – *Une ligne isocline* ou, n. f., *une isocline :* une ligne reliant les points d'un terrain qui ont la même inclinaison.

Isocrate (Attique, 436 – Athènes, 338 av. J.-C.), orateur athénien. Maître de la rhétorique académique, il fut le chantre de l'union des Grecs, contre les Perses notam. (*Panégyrique d'Athènes,* 380; *Sur la paix,* 356; *À Philippe,* 346) et fut ainsi l'adversaire de Démosthène.

isodynamie n. f. PHYSIOL Équivalence calorique d'aliments différents.

isogame adj. BOT Qui se reproduit par isogamie.

isogamie n. f. BOT Fécondation entre deux gamètes rigoureusement semblables, processus primitif de reproduction caractérisant diverses thallophytes. Ant. hétérogamie.

isoglucose n. m. BIOCHIM Sirop de glucose provenant de l'hydrolyse de l'amidon des céréales (notam. maïs) et contenant une proportion variable de fructose (de 10 à 90 %). *Le pouvoir sucrant de l'isoglucose est plus élevé que celui du saccharose.*

isogone adj. (et n. f.) **1.** GEOM Dont les angles sont égaux. **2.** PHYS D'égale déclinaison magnétique. – *Une ligne isogone* ou, n. f., *une isogone :* une ligne reliant des points isogones.

isohypse [izoips] adj. GEOGR Qui est de même altitude. – *Ligne isohypse :* courbe de niveau*.

iso-immunisation n. f. BIOL Immunisation contre un antigène provenant d'un individu différent appartenant à la même espèce.

isolable adj. Qui peut être isolé.

isolant, ante adj. et n. m. Qui isole. **1.** Qui s'oppose à la propagation du son, de l'électricité ou de la chaleur. *Matériaux isolants.* ▷ n. m. *Un isolant. Isolants phoniques* (corps mous ou plastiques, matières alvéolées et fibreuses, etc.), *électriques* (huiles, porcelaines, etc.), *thermiques* (laine de verre, mousse de polyuréthane, etc.). **2.** LING *Langues isolantes,* qui n'emploient pas de formes liées et dans lesquelles les rapports grammaticaux sont indiqués par l'intonation et la place des mots dans la phrase. *Le chinois est une langue isolante.*

isolat [izɔla] n. m. ETHNOL Groupe ethnique restreint dont les membres sont contraints (par l'isolement géographique ou sous la pression d'interdits religieux, raciaux, etc.) de choisir leur conjoint uniquement à l'intérieur du groupe (endogamie).

isolateur n. m. Accessoire en matière isolante qui supporte un conducteur électrique. *Isolateurs des poteaux télégraphiques.*

isolation n. f. Action d'isoler une pièce, un bâtiment, etc., thermiquement ou phoniquement; son résultat. ▷ Action d'isoler un objet, un corps qui conduit l'électricité; son résultat.

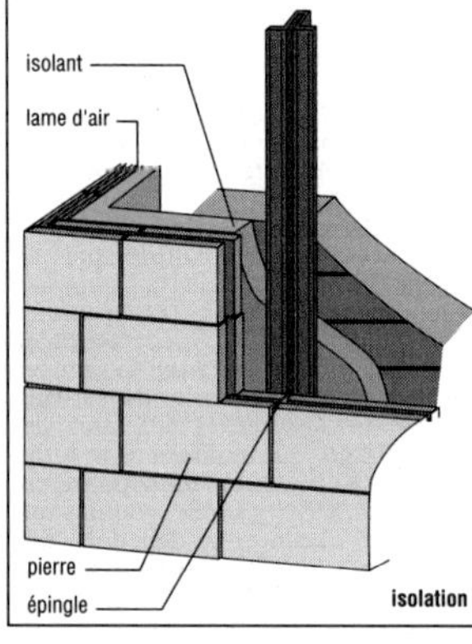

isolation

isolationnisme n. m. POLIT Attitude, doctrine d'un pays qui se refuse à participer aux affaires internationales.

isolationniste adj. et n. POLIT Qui approuve, pratique, est relatif à l'isolationnisme.

isolé, ée adj. (et n.) **1.** Séparé des choses de même nature. *Un grand arbre isolé.* **2.** Qui n'est pas en contact avec un corps conducteur d'électricité. ▷ Vers quoi ou à partir de quoi la chaleur, le froid ou le son se propage mal. *Une pièce bien isolée.* **3.** Situé à l'écart des lieux fréquentés, habités. *Maison isolée. Lieu isolé.* ▷ (Personnes) Sans vie de société. *Les vieillards se sentent souvent isolés.* Syn. seul. – Subst. *Vivre en isolé.* **4.** Fig. Qui ne fait pas partie d'un phénomène général ou collectif. *Fait, cas isolé.* Syn. unique.

isolement n. m. **1.** État d'une personne, d'une chose isolée. *Vivre dans l'isolement.* – (Allus. hist.) *Splendide isolement* (« splendid isolation », mots de Lord Salisbury) : refus de s'engager dans les systèmes d'alliances, qui fut longtemps la base de la politique étrangère de l'Angleterre. **2.** Qualité, état d'un conducteur électrique isolé. Syn. isolation.

isolément adv. Séparément, individuellement. *Question considérée isolément.*

isoler v. tr. [1] **1.** Séparer de ce qui environne; empêcher le contact. *Un vaste parc isole le palais de la ville.* ▷ Rendre (une chose) indépendante des influences extérieures, en interposant un matériau isolant entre elle et ce qui l'environne. *Isoler un moteur électrique. Isoler un studio d'enregistrement.* **2.** CHIM *Isoler un corps,* le séparer d'un mélange ou d'une combinaison. **3.** Mettre (qqn) à l'écart. *Isoler un prisonnier, des contagieux.* ▷ v. pron. *S'isoler pour réfléchir.* **4.** Fig. Considérer à part, en soi. *Isoler un fait de son contexte.*

isoloir n. m. Cabine où l'électeur prépare et met sous enveloppe son bulletin de vote à l'abri de tout regard.

isomère adj. (et n. m.) CHIM *Corps isomères :* corps ayant la même formule brute, mais une formule développée différente dans l'espace, et donc des propriétés différentes. *Corps isomère d'un autre.* ▷ n. m. *Un isomère :* un corps isomère.

isomérie n. f. CHIM Caractère des corps isomères.

isomérique adj. CHIM Relatif à l'isomérie.

isomérisation n. f. CHIM Transformation d'un composé en un isomère.

isomorphe adj. De même forme. **1.** CHIM Qui affecte la même forme cristalline. **2.** MATH Qualifie deux ensembles E et E' reliés par un morphisme bijectif.

isomorphisme n. m. **1.** CHIM Caractère des corps isomorphes. **2.** MATH Propriété de deux ensembles isomorphes.

isoniazide n. m. MED Antibiotique antituberculeux. (Abrév. : I.N.H.)

Isonzo, fl. de Slovénie et d'Italie (138 km); naît dans les Alpes Juliennes, arrose la Vénétie, passe à Gorizia et se jette dans le golfe de Trieste. – Théâtre d'import. combats (1915-1917).

isopet. V. ysopet.

isopodes n. m. pl. ZOOL Sous-ordre de crustacés au corps aplati, aux pattes toutes semblables, comprenant notam. le cloporte. – Sing. *Un isopode.*

isoprène n. m. CHIM Carbure liquide qui, polymérisé, donne un produit élastique servant à faire divers caoutchoucs synthétiques, des résines et des matières plastiques.

isoptères n. m. pl. ENTOM Ordre des insectes du groupe des termites, comptant environ 2 000 espèces. – Sing. *Un isoptère.*

isostasie n. f. GEOMORPH État d'équilibre entre les diverses masses constituant la croûte terrestre.

isostatique adj. **1.** GEOMORPH Qui concerne l'isostasie. **2.** Se dit d'une ligne ou d'une surface dont les points sont soumis au même équilibre, aux mêmes contraintes.

isotherme adj. (et n. f.) **1.** PHYS D'égale température. ▷ *Une ligne isotherme* ou, n. f., *une isotherme,* qui, sur une carte, relie les points où règne la même température. ▷ Qui s'effectue à température constante. *Transformation isotherme.* **2.** TECH Où est maintenue une température constante. *Un wagon isotherme.*

isotonie n. f. BIOL Équilibre moléculaire de solutions de même tension osmotique *(solutions isotoniques).*

isotope adj. et n. m. PHYS NUCL *Éléments isotopes,* dont les noyaux ont le même nombre de protons mais un nombre différent de neutrons. V. isobare. ▷ n. m. *Deux isotopes ont le même numéro atomique mais un nombre de masse différent.*

ENCYCL La plupart des corps simples se rencontrent dans la nature sous la forme d'un mélange de divers isotopes, dont l'un est nettement plus abondant que tous les autres. Ayant le même nombre de protons et d'électrons, ils ont donc le même numéro atomique, occupent la même place (d'où leur nom d'*isotope*) dans la classification des éléments et sont désignés par le même symbole chimique. On les différencie en plaçant en haut à gauche de ce symbole leur nombre de masse, par quoi ils se distinguent. Ainsi, les isotopes 13, 14 et 15 du carbone ($^{12}_{6}C$) s'écrivent $^{13}_{6}C$, $^{14}_{6}C$ et $^{15}_{6}C$; du fait que le corps simple carbone, par ex., est un mélange de ces 4 isotopes, la masse du carbone n'est pas 12 (masse du princ. isotope), mais 12,01. Deux isotopes ont les mêmes propriétés chimiques mais des propriétés physiques différentes. La séparation des isotopes, qui permet d'enrichir un élément (uranium, par ex.) en l'un de ses isotopes, s'effectue par diffusion gazeuse, par diffusion thermique, par chromatographie ou par ultracentrifugation. Les isotopes sont utilisés en partic. comme traceurs radioactifs.

isotopique adj. **1.** PHYS NUCL Relatif aux isotopes. *Analyse isotopique.* – *Teneur isotopique* : rapport entre le nombre des atomes d'un isotope d'un élément et le nombre total des atomes constitutifs du corps simple qui correspond à cet élément. – *Séparation isotopique* : séparation des isotopes d'un élément. **2.** GEOL *Zone isotopique*, où les conditions de sédimentation sont les mêmes.

isotrope adj. PHYS Se dit d'un corps homogène et qui présente les mêmes propriétés physiques dans toutes les directions.

isotropie n. f. PHYS État d'un milieu ou d'un corps isotrope.

Isou (Isidore Goldstein, dit Isidore) (Botoşani, 1925), poète français d'origine roumaine; fondateur et princ. animateur du mouvement lettriste : *l'Agrégation d'un nom et d'un messie* (1947).

Ispahan, v. d'Iran, au S. de Téhéran, sur le piémont oriental du Zagros, à 1 530 m d'alt.; 927 000 hab.; ch.-l. de la prov. du même nom (104 650 km²; 2 770 000 hab.). Industr. textiles. – Archevêchés cathol. et arménien. Nombr. palais, dont le palais des Quarante-Colonnes (XVIe-XVIIe s.) et le palais des Huit-Paradis (XVIIe s.). Grande Mosquée entièrement remaniée sous les Seldjoukides (XIe-XIIe s.). – Anc. cap. du pays sous les Seldjoukides (XIe-XIIIe s.) et les Séfévides (XVIe-XVIIIe s.).

Israël, dans la Bible, surnom (« champion de Dieu ») donné à Jacob après son combat contre l'ange. Le terme désigne également les tribus issues de ses douze fils : les *douze tribus d'Israël* (dont descend l'ensemble du peuple juif), et le territoire où ces tribus

Ispahan : portiques en mosaïques de la Grande Mosquée

s'étaient établies dans l'anc. pays de Canaan (la Terre promise). *Israël* désigne encore le peuple de l'Ancienne et de la Nouvelle Alliance.

Israël (royaume d'), royaume constitué par Saül quand les douze tribus l'eurent reconnu comme roi. Après la défaite et la mort de ce dernier, il fut reconstitué par David qui le transmit à Salomon. Après lui (931 av. J.-C.), Israël ne désigna plus que les dix tribus du Nord, sous Jéroboam, avec Samarie pour capitale. La prise de celle-ci par Sargon II marque la fin du royaume (721). Le terme d'Israël a, enfin, désigné l'État sacerdotal créé au retour de l'Exil (538), correspondant au territoire de Juda avec Jérusalem pour capitale, et qui disparut avec la conquête de Pompée (63 av. J.-C.).

Israël (république d') [plus cour. État d'] *(Medinat Yisrael),* État du Proche-Orient, sur la Méditerranée; env. 20 000 km²; env. 5,5 millions d'hab., croissance démographique : 1,42 % par an. (Les territoires occupés depuis 1967 représentent env. 6 000 km² et comptent 1,7 million d'hab.); cap. *Jérusalem* (non reconnue par plusieurs pays). Nature de l'État : rép. parlementaire. Langues off. : hébreu et arabe. Monnaie : shekel. Composition ethnique dans les frontières d'avant 1967 : Juifs (86 %), Arabes (14 %). Relig. : judaïsme, minorités musulmane et chrétienne.

Géogr. phys. et hum. – Étiré sur 450 km du N. au S., large au plus de 112 km, le pays s'ordonne autour d'une arête montagneuse centrale (monts de Galilée, de Samarie et de Judée), bordée d'une plaine littorale à l'O. et dominant, à l'E., la dépression du Ghor où se trouvent le lac de Tibériade, la vallée du Jourdain et la mer Morte. À ces régions de climat méditerranéen fait suite, au S., le désert du Néguev qui couvre la moitié de la superficie du pays. La population, jeune, issue de l'immigration d'après-guerre, est principalement groupée sur la côte méditerranéenne et fortement urbanisée (90 %). Le pays est confronté aux problèmes posés par la minorité arabe et la colonisation des territoires occupés de Gaza et de Cisjordanie. Une forte et récente immigration de Juifs Falashas d'Éthiopie, en 1984-1985 et 1991, et surtout de Juifs de l'ex-U.R.S.S. et d'Europe de l'E., qui affluent depuis la libéralisation de ces pays, vient augmenter la population.

Écon. – Israël a développé, dans des conditions difficiles, une agriculture moderne et intensive (blé, pomme de terre, fruits et légumes, vigne, coton, élevage laitier) et exporte agrumes et avocats. La culture de la terre, propriété d'État, est assurée par les *kibboutzim,* exploitations collectives, et par les *moshavim,* coopératives. Les aménagements hydrauliques ont permis d'étendre les cultures irriguées en Cisjordanie, sur les plaines littorales et dans le désert du Néguev. Les ressources du sous-sol sont modestes, exception faite des phosphates et de la potasse; l'approvisionnement en eau, souci constant des autorités, a fait l'objet d'importants aménagements : forages, captages du lac de Tibériade. L'industrie est diversifiée et privilégie les branches à forte valeur ajoutée comme l'aéronautique, les armements, les constructions électriques et électroniques, ainsi que le textile et l'agroalimentaire. Les revenus du tourisme sont importants. La conjoncture économique du début des années 90 est

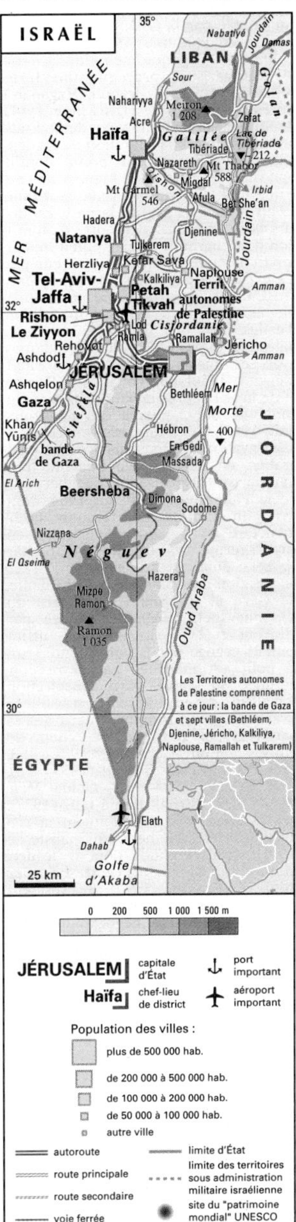

difficile : inflation, déficit commercial, endettement croissant, d'autant qu'Israël doit faire face à la lourde charge des dépenses militaires (15 % du P.N.B.) et à l'accueil de flux massifs d'immigrés. L'aide américaine est plus que jamais indispensable.

Hist. – Créé le 14 mai 1948, l'État d'Israël est l'aboutissement de la colonisation juive en Palestine*. Celle-ci débuta à la fin du XIXe s. et s'organisa sous l'impulsion de la doctrine sioniste. Elle se renforça avec la déclaration Balfour (1917) qui admettait en Palestine la fondation d'un foyer national juif. Provoquant de vives tensions avec la population arabe, l'immigration juive fut limitée par la G.-B., puissance mandataire en Palestine (1920-1948); cette politique, à l'époque même de la montée du nazisme, provoqua une forte résistance juive (V. Irgoun, Haganah.) Après la décision de l'ONU (nov. 1947) de diviser la Palestine en deux États (arabe et juif), la déclaration de l'indép. d'Israël fut suivie du prem. conflit opposant les pays de la Ligue arabe au jeune État, qui en sortit vainqueur (juil. 1949) mais sans gagner la paix. En dix ans, Israël, qui a accueilli près d'un million d'immigrants, est parvenu à fonder un État moderne que n'entravent pas les exigences de la loi mosaïque. Mais l'hist. du pays est dominée par le problème palestinien (plus d'un million d'exilés hors des frontières de l'anc. Palestine) et par les conflits périodiques avec ses voisins : campagne du Sinaï (oct.-nov. 1956), aux côtés de la France et de la G.-B. après la nationalisation du canal de Suez; guerre des Six Jours (juin 1967), due à une crise interne et à l'aggravation des tensions avec les pays arabes, en partic. avec l'Égypte (formation de l'Organisation de libération de la Palestine, l'O.L.P., en 1964, dont les commandos de fedayin commencent leurs raids meurtriers en Israël; fermeture du golfe d'Akaba par Nasser); puis, après la victoire d'Israël, occupation du Golan, de la Cisjordanie, de Gaza et du Sinaï. La guerre du Kippour (oct. 1973), déclenchée par l'Égypte et la Syrie, est plus difficilement gagnée par Israël. À l'intérieur, la polit. est marquée par la prépondérance du Mapai, parti d'inspiration socialiste, devenu le parti travailliste israélien après fusion avec deux autres partis (1968), avec comme chefs de gouv. : Ben Gourion (1948-1953, 1955-1963), Moshé Sharett (1953-1955), Lévi Eshkol (1963-1969), Golda Meir (1969-1974), Yitzhak Rabin (1974-1977). Les élections de 1977 donnent la victoire au rassemblement nationaliste de centre droit (Likoud), dont le leader, Menahem Begin, devient Premier ministre. En nov. 1977, le président égyptien Sadate se rend à Jérusalem pour entamer une négociation générale. Celle-ci aboutit aux accords de Camp David, aux É.-U. (sept. 78), et à un traité de paix israélo-égyptien, signé à Washington le 26 mars 1979 (et dénoncé par les autres pays arabes et l'O.L.P.), qui permit l'évacuation progressive des territoires égyptiens occupés par Israël et la normalisation des relations entre les deux États. L'invasion du Liban par l'armée israélienne, en 1982, a divisé l'opinion jusqu'au retrait de 1985; elle a chassé l'O.L.P. de Beyrouth et a permis à Israël d'établir une zone de protection le long de la frontière libanaise. Les élections de 1984 et de 1988 n'ont pas départagé le Likoud et le parti travailliste : un gouvernement d'union nationale, en 1984, a donné le pouvoir, en alternance, au chef travailliste Shimon Peres, et deux ans plus tard au conservateur Yitzhak Shamir. En 1988, Y. Shamir est resté Premier ministre. L'occupation israélienne dans les territoires de Cisjordanie* et de Gaza* y a déclenché, en 1987, une résistance civile arabe, l'Intifada*, durement réprimée. Cependant, l'évolution des rapports de forces internationaux (la disparition de l'U.R.S.S. notamment, qui s'est accompagnée d'une migration considérable de Juifs, anc. soviétiques, vers Israël) a contraint l'O.L.P. à assouplir ses positions (acceptation, en 1988, de la résolution 242 de l'ONU), a encouragé le gouvernement israélien à intensifier la colonisation des territoires occupés depuis 1967. En 1990, le plan de paix américain (plan Baker fondé sur cette résolution 242, V. Palestine) a provoqué une rupture de l'union nationale; Y. Shamir a formé un gouvernement où sont entrés des partis religieux et des partis d'extrême droite. Après le succès des travaillistes aux législatives de 1992, Yitzhak Rabin est revenu au pouvoir. La reconnaissance mutuelle entre Israël et l'O.L.P., suivie de l'accord de Washington (1993), a débouché sur la mise en place d'un statut d'autonomie partielle de cités palestiniennes en Cisjordanie (Gaza et Jéricho en 1994, Djénine, Naplouse, Bethléem et Ramallah en 1995, Hébron en 1997). Mais, bien qu'un traité ait été signé avec la Jordanie (1994), la poursuite du processus de paix s'est enlisée, par suite de la question des colonies de peuplement juif dans les territoires voués à l'autonomie, du terrorisme (attentats du Hamas et du Djihad islamique) et du problème de Jérusalem. En nov. 1995, Shimon Peres succède à Yitzhak Rabin, assassiné par un extrémiste juif, mais la victoire du Likoud aux élections législatives de mai 1996 fait de Benyamin Netanyahou le chef du gouvernement. Le processus de paix avec les Palestiniens connaît dès lors un net ralentissement.

israélien, enne adj. et n. De l'État d'Israël. ▷ Subst. *Un(e) Israélien(ne).*

israélite n. et adj. **1.** HIST Descendant d'Israël. Syn. juif, hébreu. **2.** Cour. De religion juive. – Subst. *Un, une israélite :* un juif, une juive.

Issa(s), peuple somali de langue couchitique, vivant dans la république de Djibouti, en Somalie et en Éthiopie.

Issenheim, com. du Haut-Rhin (arr. de Guebwiller); 2 848 hab. – Couvent des Antonites (le *Polyptyque d'Issenheim,* dû à Grünewald, se trouve auj. au musée d'Unterlinden, à Colmar).

-issime. Suffixe issu du latin, à valeur intensive (ex. *grandissime).*

Issoire, ch.-l. d'arr. du Puy-de-Dôme, dans la *Limagne d'Issoire;* 15 026 hab. *(Issoiriens).* Industr. métall. (aluminium). – Égl. St-Austremoine (XIIe s.), l'une des plus belles églises romanes d'Auvergne.

Issos ou **Issus,** anc. v. de Cilicie près de laquelle Alexandre le Grand vainquit Darios III (333 av. J.-C.).

Issoudun, ch.-l. d'arr. de l'Indre; 14 432 hab. *(Issoldunois).* Centre industriel (industr. text., aéron., etc.).

issu, ue adj. Né, sorti (de telle lignée, telle famille, tel milieu). *Cousins issus de germains. Il est issu de la bourgeoisie.* ▷ Fig. *Problème directement issu de conditions historiques particulières.*

issue n. f. **1.** Passage, ouverture qui permet de sortir. *Issue de secours.* **2.** Fig. Moyen pour sortir d'une affaire, pour trouver une solution. *Trouver une issue. Situation sans issue.* ▷ Événement final sur lequel débouche une situation, une action. *L'issue de la bataille. Tragique issue. Issue fatale :* mort. *Voie sans issue,* qui ne mène nulle part; dont l'une des extrémités est bouchée. ▷ Loc. prép. *À l'issue de :* à la sortie, à la fin de. *À l'issue de la conférence.* **3.** (Plur.) TECH En meunerie, ce qui reste des moutures, après séparation de la farine. ▷ En boucherie, abats non comestibles.

Issyk-Koul (lac), lac du Kirghizistan, dans les monts Tianshan, à 1 609 m d'alt.; 6 200 km^2.

Issy-les-Moulineaux, ch.-l. de cant. des Hauts-de-Seine au S.-O. de Paris; 46 734 hab. *(Isséens).* Électronique; pneumatiques. – L'héliport dit « d'Issy-les-Moulineaux » appartient à la Ville de Paris.

Istanbul : au centre, la mosquée bleue

Istanbul (anc. *Byzance,* puis *Constantinople),* princ. v. et port de Turquie, sur le Bosphore et la mer de Marmara; ch.-l. de l'il du m. nom; 5 475 980 hab. La ville est située de part et d'autre de la Corne d'Or (baie de la ville européenne) et du Bosphore. On distingue : sur la rive européenne, au nord de la Corne d'Or, l'anc. ville franque, avec les faubourgs de Galata et de Péra, au sud, la ville turque (ancienne Byzance); sur la rive asiatique, Üsküdar (Scutari), ville turque. Centre comm. et industr. – Universités. Basilique Ste-Sophie (532-537). Mosquée du sultan Bāyazīd (1501). Mosquée Süleymaniye (1550-1557). Palais Topkapi. – Prise par les Turcs (1453), l'anc. Constantinople fut, sous le nom d'Istanbul, la capitale de l'Empire ottoman jusqu'en 1923.

Istar. V. Ishtar.

-iste. V. -isme.

isthme [ism] n. m. **1.** Étroite bande de terre, entre deux mers ou deux golfes, réunissant deux terres. *L'isthme de Corinthe, de Suez.* **2.** ANAT Partie rétrécie de certains organes. *Isthme du gosier,* qui fait communiquer la bouche avec la trachée. *Isthme de l'utérus,* entre le corps et le col de l'utérus.

isthmique [ismik] adj. Didac. Relatif à un isthme. ▷ ANTIQ *Jeux Isthmiques :* grands jeux de la Grèce antique célébrés en l'honneur de Poséidon dans l'isthme de Corinthe.

Istiqlal *(Istiqlāl,* « indépendance »*),* parti nationaliste marocain né en 1937 d'une scission de l'Action marocaine. Il mena la lutte pour l'indépendance et devint un parti de l'opposition en 1963. Depuis 1976 (affaire du Sahara occidental), l'Istiqlal s'est rapproché du régime.

Istrati (Panait) (Brăila, 1884 – Bucarest, 1935), écrivain roumain de langue française. C'est à une tradition orientale du récit que se rattache son art de conteur, art « spontané », dépourvu d'artifices : *la Vie d'Adrien Zograffi* (cycle romanesque, 1924-1933), *Vers l'autre flamme* (pamphlet antisoviétique, 1929).

Istres, ch.-l. d'arr. des Bouches-du-Rhône, sur l'étang de Berre; 36 516 hab. Industr. aéron. et chim.; salines. Base aéron. et école militaire d'aviation.

Istrie, presqu'île calcaire de la Croatie, près de la frontière italienne. – Conquise par Venise à partir du XIe s., sauf Trieste, possession des Habsbourg, la rég. passa à l'Autriche en 1797. Revendiquée par l'Italie, qui l'annexa (1920), elle fut cédée à la Yougoslavie en 1947 (sauf Trieste).

Itaipú, site d'une centrale hydroél. sur le Paraná, à la frontière entre le Brésil et le Paraguay. L'énergie produite par cette centrale, inaugurée en 1982, la plus puissante du monde, est partagée entre les deux pays.

italianisant, ante n. Spécialiste de la langue et de la culture italiennes.

italianiser v. tr. [**1**] Donner une tournure, un caractère italien à. *La Renaissance italianisa l'art français.*

italianisme n. m. LING Expression, tournure propre à la langue italienne.

Italie (république d'), État d'Europe méridionale qui comprend une partie continentale, au N., une longue péninsule qui est orientée N.-O.-S.-E. et deux grandes îles (Sicile et Sardaigne); 301 262 km²; 57 576 400 hab., croissance démographique : moins de 0,1 % par an; cap. *Rome.* Nature de l'État : rép. parlementaire. Langue off. : italien. Monnaie : lire. Relig. : cathol. (99,6 %). **Géogr. phys. et hum.** – Les Alpes forment en Italie septentrionale un arc long de 1 000 km env. Les Alpes piémontaises, à l'O., portent les plus hauts sommets (mont Rose, 4 638 m). Les massifs centraux (Alpes lombardes), compacts, précèdent les Alpes dolomitiques et vénètes, plus basses. Sur tout cet arc montagneux, des cols ont toujours permis les liaisons avec l'Europe occidentale et centrale. Au pied des Alpes, la large plaine du Pô (50 000 km²) s'ouvre sur l'Adriatique. L'Italie péninsulaire est une mosaïque de montagnes, de collines et de bassins qui s'ordonnent autour d'une chaîne maîtresse, l'Apennin, composée princ. de schistes (Apennin toscan, Basilicate) et de calcaire (Abruzzes, Pouilles). Le versant adriatique est bordé d'une étroite plaine côtière, tandis que le versant tyrrhénien domine trois bassins (Toscane, Latium et Campanie). Les côtes, qui s'étirent sur 8 500 km, sont variées, rocheuses comme en Ligurie, en Calabre et en Sicile, ou basses et lagunaires comme en Vénétie, en Maremme, dans le Latium et en Campanie. En raison de sa position, sur un axe tectonique actif de la Méditerranée, l'Italie connaît de fréquents séismes et un volcanisme actif (Vésuve, Stromboli, Etna). Le climat, continental dans la plaine du Pô, méditerranéen en Italie péninsulaire, est marqué par une sécheresse croissante vers le S. et en Sicile. La population, en augmentation rapide jusque dans les années 70, enregistre actuellement un accroissement très faible (effondrement de la fécondité au cours des années 80). Elle est groupée dans la plaine du Pô et sur les littoraux, et le taux d'urbanisation approche 70 %; on compte 4 agglomérations de plus d'un million d'hab. (Rome, Milan, Naples et Turin). L'exode traditionnel des ruraux du S. (Mezzogiorno) vers le N. du pays s'est progressivement tari et les soldes migratoires du Midi sont même légèrement excédentaires. De même, après des décennies de départs, le solde migratoire extérieur est devenu largement positif : il y aurait un million d'étrangers dans le pays, en majorité clandestins.

Écon. – L'Italie est la 6e puissance économique du monde, place qu'elle dispute au Royaume-Uni; elle produit 18 % du P.I.B. de la C.É.E. Elle a connu, depuis 1985, un véritable renouveau économique, qui a fait oublier la gravité de la crise des années 1975-1985. L'agriculture emploie 9 % des actifs. Elle oppose un secteur exportateur situé dans les plaines irriguées, spécialisé dans les légumes, les fruits, le soja et des productions traditionnelles telles que blé, riz, maïs, betterave, vigne (1er vignoble du monde), à une agriculture traditionnelle et peu compétitive pratiquée dans les montagnes et les îles. L'élevage, bovin au nord, ovin dans l'Italie péninsulaire et insulaire, est loin de couvrir les besoins du pays, qui est un gros importateur de viande et de produits laitiers. Le secteur industriel a connu les bouleversements les plus importants; il s'appuie sur une variété d'entreprises : grands groupes publics comme l'I.R.I. (400 000 employés, malgré la privatisation de certaines sociétés comme Alfa Romeo), puissantes entreprises privées comme Fiat, nombreuses P.M.E. souvent très compétitives fournissant des produits d'exportation de haute valeur ajoutée : électronique, bureautique, chaussures, confection, industries du luxe (qui assurent, à elles seules, 40 % des exportations italiennes). Les industries traditionnelles, sidérurgie, construction navale, mais aussi automobile et raffinage, ont subi une restructuration en profondeur et perdu beaucoup d'emplois, mais ont aujourd'hui largement retrouvé leur compétitivité. L'Italie est enfin devenue un pays tertiaire, dominé par les activités commerciales et de services qui occupent 60 % des actifs. Le tourisme, l'un des plus importants dans le monde, représente 7 % du P.I.B. national. L'économie italienne bénéficie d'une sous-traitance importante et du «travail au noir», qui toucherait 20 % des actifs et produirait une richesse supérieure à 150 milliards de dollars par an. La géographie économique du pays s'est modifiée. Entre le «triangle lourd» Gênes, Milan, Turin, développé et intégré (il produit 50 % des richesses nationales) et le Mezzogiorno (Sud et Îles), qui ne réalise qu'un peu plus de 20 % du P.I.B. pour 36 % des hab. et 41 % de la superficie, est apparue une «troisième Italie», dynamique, qui s'ordonne autour de Venise et de Bologne. Des faiblesses n'en demeurent pas moins : dette publique élevée, administration pléthorique, dépendance énergétique coûteuse (85 % des besoins importés), retard chronique du Mezzogiorno, qui a pourtant bénéficié d'aides massives de la C.É.E. La tempête monétaire qui a secoué l'Europe en sept. 1992 a entraîné la sortie de la lire du S.M.E. Mais, en 1998, le gouvernement de R. Prodi a placé son programme économique et financier sous le signe de l'entrée de son pays dans l'euro.

Hist. – En 476, Odoacre, roi des Hérules, met fin à l'empire d'Occident, héritier de l'Empire romain (V. Rome). Mais, rapidement, il doit céder la place à des peuples venus d'Europe orientale : les Ostrogoths, conduits par Théodoric, conquièrent, entre 489 et 493, toute la Péninsule. À partir de 535, l'empereur d'Orient Justinien, profitant des divisions des Barbares, réoccupe une partie de l'Italie, qui devient une prov. de l'Empire (cap. Ravenne). Du fait de l'affaiblissement des Goths, les Lombards envahissent le N. et le centre du pays. Le pape Étienne II fait alors appel au roi des Francs Pépin le Bref, qui, après deux expéditions (754 et 756), reprend Ravenne, le duché de Pentapole et celui de Rome, qu'il donne au pape; ce don constitue le noyau du futur État pontifical. Charlemagne bat aussi les Lombards, dont il se proclame roi (774). En 800, il reçoit de Léon III la couronne d'empereur d'Occident. Avec la fin de l'empire carolingien, l'Italie connaît une période d'anarchie politique; elle est ravagée par les Normands et les Sarrasins; le pape Jean XII fait appel au roi de Germanie Otton le Grand, qui est couronné empereur en 962 : c'est l'origine du Saint Empire romain germanique. Résidant le plus souvent en Allemagne, les empereurs établiront difficilement leur autorité en Italie et sur la papauté. Pendant deux siècles, l'Italie va être bouleversée par les épisodes de la lutte «du Sacerdoce et de l'Empire». À côté du royaume d'Italie s'est formé un royaume de Sicile, constitué par le Normand Robert Guiscard et comprenant toute l'Italie méridionale. En 1190, un fils de Frédéric Barberousse, Henri VI Hohenstaufen, épouse l'héritière du royaume de Sicile. Leur fils, Frédéric II, réunit les deux royaumes et lutte à partir de 1236 contre les villes de Toscane et de Lombardie, qui se sont émancipées de la tutelle impériale. Il rencontre l'opposition des papes (Grégoire IX, Innocent IV). Une longue lutte s'engage alors en Italie entre les partisans du pape, les guelfes, et ceux de l'empereur, les gibelins. Les premiers font appel à Charles d'Anjou, dont la dynastie s'établit en Italie du S., alors que l'Italie du N. et du Centre s'affranchit de la tutelle impériale. De riches cités industr. et commerçantes (Venise, Gênes, Florence, Milan), souvent rivales, deviennent des républiques municipales dont la civilisation rayonne sur l'Europe occidentale (XVe-XVIe s.). Au XVIe s., l'Italie est le théâtre des luttes entre la France et l'Espagne. Alors que la France, après les «guerres d'Italie» (commencées en 1494), renonce à toute incursion au-delà des Alpes (traité du Cateau-Cambrésis, 1559), les Espagnols dominent pendant deux siècles la Péninsule, à l'exception de la rép. de Venise et du duché de Savoie. À l'issue de la guerre de la Succession d'Espagne (1701-1714), l'Italie du N. échoit aux Habsbourg d'Autriche, les Bourbons d'Espagne ne conservant que le royaume des Deux-Siciles et le duché de Parme et Plaisance. Les campagnes de Bonaparte (1796, 1800) et la politique napoléonienne après 1806 aboutissent à l'annexion de vastes territoires (Rome devient le département du Tibre) et à la constitution d'un royaume d'Italie; les traités de 1815 rétablissent les anc. monarchies. Entre 1815 et 1849, les Italiens tentent à plusieurs reprises, mais en vain, d'imposer des Constitutions à leurs souverains. Toutefois, un mouvement d'abord intellectuel puis politique et idéologique (le *Risorgimento*, «Résurrection») gagne le pays, imposant l'idée de l'unité italienne et la nécessité d'institutions libérales; le roi de Piémont-Sardaigne, Charles-Albert, en prend la tête, mais il est battu par les Autrichiens à Novare (1849). Son successeur, Victor-Emmanuel II, qui prend pour ministre Cavour, acquiert l'alliance de la France, qui pourtant avait aboli la Rép. romaine en 1849; il lutte victorieusement contre la maison d'Autriche (Magenta, Solférino) et libère la Lombardie (1859). Les populations d'Italie centrale s'insurgent aussitôt et votent leur réunion au Piémont (1860). En contrepartie de son appui, la France reçoit Nice et la Savoie, tandis que Garibaldi libère, la même année, la Sicile et le royaume de Naples (expédition des Mille). En fév. 1861, à Turin, le Parlement proclame Victor-Emmanuel roi d'Italie. La Vénétie est réunie au royaume après la défaite autrich. à Sadowa (1866). En 1870, les troupes ital. pénètrent dans Rome jusque-là défendue par une garnison française, où le pape, refusant l'annexion de ses États, se considère comme prisonnier au Vatican. L'Italie unifiée doit alors se donner des institutions politiques stables et créer une infrastructure écon. moderne. En polit. extérieure, les partis de gauche, arrivés au pouvoir par suite de l'abstention des catholiques, sont favorables à l'Allemagne et à l'Autriche (Triple-Alliance, 1882). L'Italie commence son expansion coloniale (Érythrée, 1890). De 1900 à 1914, le gouvernement de Giolitti mène une politique impérialiste, mais se rapproche de la France et donne à l'Italie les conditions d'un nouvel essor écon. Après la guerre de 1914-1918, qu'elle a livrée aux côtés des Alliés (à partir de 1915), l'Italie s'agrandit du Tessin et de l'Istrie (avec Trieste). En oct. 1922, alors que le pays est en proie à l'agitation sociale, Mussolini et les fascistes marchent sur Rome et instaurent un gouv. dictatorial. En 1929, les accords du Latran règlent la question romaine. La remise en ordre écon. s'accompagne d'une politique extérieure aventureuse : conquête de l'Éthiopie (1935-1936), intervention en Espagne aux côtés de Franco (1936-1939), annexion de l'Albanie (1939). Au début de la guerre de 1939-1945, l'Italie combat aux côtés de l'Allemagne (alliance Berlin-Rome esquissée à partir de 1936, devenue l'Axe en 1939), ouvrant un front dans les Balkans et en Afrique. En juil. 1943, le débarquement des Alliés en Sicile entraîne l'arrestation de Mussolini; libéré par les Allemands le 12 sept., ce dernier forme dans le N., à Salo, un gouv. républicain fasciste. Badoglio, qui, à Rome, avait succédé à Mussolini, se range aux côtés des Alliés contre l'Allemagne qui, tout en résistant aux armées alliées pendant 18 mois, impose à l'Italie un dur régime d'occupation. Le 26 avril 1945, Mussolini est arrêté par des partisans antifascistes et fusillé le lendemain. Après l'abdication de Victor-Emmanuel III (roi depuis 1900) et l'éphémère règne de son fils Humbert II, la rép. est proclamée par référendum (2 juin 1946). Le pays sort de la guerre politiquement divisé et économiquement très affaibli. En 1947, il perd toutes ses possessions extérieures. L'Italie se relève lentement, dirigée par la démocratie chrétienne, dont le chef, De Gasperi, domine la vie polit. jusqu'en 1953. Puis se succèdent de nombr. gouv. de coalition autour de la démocratie chrétienne. Devant les difficultés polit., aggravées par un climat social troublé, les démocrates-chrétiens ont été amenés à pratiquer une « ouverture à gauche » pour rechercher l'appui des socialistes. L'économie italienne connaît, durant cette période, un essor spectaculaire qui lui permet d'adhérer aux institutions européennes, de la C.E.C.A. (1951) à la C.É.E. (1957). Dans les années 70, la situation est caractérisée, sur le plan social, par une agitation grandissante et par une crise profonde (le « mai rampant » italien), sur le plan politique, par l'instabilité des gouv. de coalition et par la progression très nette du parti communiste (deuxième force du pays), qui propose un « compromis historique » aux démocrates-chrétiens. Le terrorisme, qui s'était manifesté à la fin des années 60, redouble de violence après 1975 et culmine en 1978 avec l'enlèvement et l'assassinat, par les Brigades rouges, d'Aldo Moro, président de la démocratie chrétienne. De 1983 à 1987, sous le gouv. du socialiste B. Craxi, la stabilité a été exceptionnelle. Les démocrates-chrétiens ont retrouvé le pouvoir à la tête des coalitions gouvernementales : G. Goria (1987-1988), C. De Mita (1988-1989), G. Andreotti (1989-1992). Le parti communiste italien s'est transformé en parti démocratique de la gauche (P.D.S.) en 1990. Au lendemain des législatives d'avr. 1992, le prés. Cossiga, démissionnaire, a été remplacé par O. L. Scalfaro. Lancée en 1992, la vaste enquête juridique nommée fam. « mains propres » a révélé l'ampleur de la corruption. Les Italiens adoptent par référendum une réforme de scrutin en avril 1993. Après la victoire de la coalition des partis de droite (Forza Italia, Ligue du Nord et Alliance nationale), Silvio Berlusconi devient président du Conseil, d'avril à déc. 1994. Les élections législatives de 1996 ont porté au pouvoir la coalition de centre gauche (l'Olivier), dirigée par Romano Prodi, qui, perdant le soutien des communistes, cède la place en 1998 à Massimo D'Alema, leader du P.D.S.

italien, enne adj. et n. **1.** adj. De l'Italie. *Musique italienne.* ▷ Subst. *Un(e) Italien(ne).* **2.** n. m. Langue parlée en Italie. *L'italien moderne est une langue romane issue du dialecte toscan.*

italique adj. et n. **1.** Didac. Relatif à l'anc. Italie, spécial. à l'anc. Italie centrale. *Langues italiques. Populations italiques* (Latins, Samnites, etc.). ▷ Subst. *Les Italiques.* **2.** TYPO *Caractères italiques* : caractères d'imprimerie inclinés vers la droite (créés par l'Italien Alde Manuce au déb. du XVIe s.). ▷ n. m. ou n. f. *L'italique* : les caractères italiques.

1. -ite. Suffixe, du gr. *-itis,* servant à former les noms d'affections inflammatoires (ex. *bronchite, gingivite, entérite*).

2. -ite. Suffixe, du lat. *-itus,* servant, en chimie, à désigner les sels des acides en *-eux* (ex. *sulfite* : sel de l'acide sulfureux).

3. -ite. Suffixe, du gr. *-itis,* servant à former des noms de minéraux (ex. *calcite, magnésite*).

4. -ite. Suffixe, du lat. *-itus,* servant à former des mots désignant les adeptes d'une religion (ex. *israélite, sunnite*).

-ité. Suffixe postposé à un nom désignant un groupe (en partic. un gentilé) et indiquant l'appartenance (ex. *francité, judéité*).

1. item [itɛm] adv. COMM De même, et encore (dans un compte, un état). *Payé ceci ; item, cela.*

2. item [itɛm] n. m. **1.** Didac. Élément, objet considéré à part. **2.** PSYCHO Question, dans un test ou dans un questionnaire d'enquête, à laquelle un même sujet a la possibilité de faire plusieurs réponses.

itératif, ive adj. **1.** Didac. Qui est fait, répété plusieurs fois. *Traitement itératif.* **2.** LING Syn. de *fréquentatif.*

itération n. f. Didac. Répétition. ▷ MATH, INFORM Répétition d'un calcul, permettant d'obtenir un résultat approché satisfaisant. ▷ PSYCHOPATHOL Répétition incessante et stéréotypée d'un mouvement, d'une expression verbale.

itérativement adv. Didac. D'une manière itérative.

Ithaque, une des îles Ioniennes ; 96 km^2 ; 5 000 hab. ; v. princ. *Itháki.* – Selon Homère, Ulysse en était le roi.

Ithôme (mont), montagne (802 m) de l'anc. Messénie, dans le Péloponnèse. Les Messéniens s'y retranchèrent à plusieurs reprises pour résister aux Lacédémoniens (VIIe-Ve s. av. J.-C.).

itinéraire n. m. (et adj.) **1.** n. m. Route à suivre ou suivie pour aller d'un lieu à un autre. *Itinéraire fléché. Notre itinéraire passe par Lyon.* **2.** adj. Rare Relatif aux routes, aux chemins. *La lieue, le kilomètre, unités itinéraires.*

itinérant, ante adj. et n. **1.** Qui se déplace, qui va de lieu en lieu, sans résidence fixe, pour exercer ses fonctions. *Ambassadeur itinérant.* **2.** Qui a lieu successivement dans plusieurs lieux différents. *Exposition itinérante.*

Iton, riv. de France (118 km), affl. de l'Eure (r. g.) ; arrose Évreux.

itou adv. Fam., vieilli De même. *Et moi itou.*

-itude. Suffixe postposé à un nom désignant un groupe et exprimant une très forte appartenance, une spécificité (ex. *punkitude, négritude*).

Iturbide (Agustín de) (Valladolid, auj. Morelia, Mexique, 1783 – Padilla, 1824), général espagnol et homme politique du Mexique. Ayant négocié avec les insurgés nationalistes un accord (1821) reconnaissant l'auton. du Mexique sous la suzeraineté de l'Espagne, il se fit proclamer empereur (1822) sous le nom d'Agustín Ier. Contraint d'abdiquer lors du soulèvement républicain de Santa Anna (1823) et de s'exiler, il revint secrètement au Mexique* et fut fusillé dès son retour (1824).

I.U.F.M. n. m. Sigle de *Institut universitaire de formation des maîtres,* structure universitaire créée en 1991 pour unifier la formation des enseignants (primaire, secondaire et technique).

iule [jyl] n. m. ZOOL Myriapode (mille-pattes) vivant sous les pierres ou dans la mousse et qui s'enroule en spirale en cas de danger.

Iule. V. Ascagne.

I.U.T. n. m. Sigle de *Institut universitaire de technologie,* établissement d'enseignement assurant la formation de techniciens supérieurs.

Ivajlo (m. en 1280), roi de Bulgarie (1277-1279). Chef d'une révolte paysanne, il se fit proclamer tsar et repoussa les Mongols et les Byzantins. Il fut assassiné.

Ivan Ier Kalita (?, v. 1304 – Moscou, 1341), grand-prince de Moscou et de Vladimir (1328-1340), le premier à avoir porté ce titre. Il rechercha l'alliance avec les Mongols. – **Ivan II le Doux** (1326 – 1359), fils du préc., grand-prince de Moscou et de Vladimir de 1353 à 1359. – **Ivan III le Grand** (Moscou, 1440 – id., 1505), grand-prince de Moscou et de toute la Russie de 1462 à 1505. Il favorisa l'unification de la Russie, rejetant la suzeraineté mongole (1480). – **Ivan IV le Redoutable,** dit *le Terrible* (1530 – 1584), tsar de Russie (1533-1584). Il donna une ferme organisation à son pays et peut être considéré comme le fondateur de la Russie moderne. Mais, dès 1564, il fit régner un régime de terreur, décimant en partic. les boyards. – **Ivan V** (1666 – 1696), tsar de 1682 à 1696. Débile mental, il partagea le titre de tsar avec son demi-frère Pierre (futur Pierre le Grand), sous la régence de leur sœur Sophie, jusqu'en 1689, date à laquelle Pierre prit la totalité du pouvoir. – **Ivan VI** (Saint-Pétersbourg, 1740 – Schlüsselbourg, auj. Petrokrepost, 1764), tsar de 1740 à 1741. Désigné comme successeur par Anna Ivanovna, détrôné lorsque Élisabeth, fille de Pierre le Grand, prit le pouvoir (1741), il fut exilé (1764), emprisonné, puis assassiné sous Catherine II.
▶ illustr. page **985**

Ivanov (Viatcheslav Ivanovitch) (Moscou, 1866 – Rome, 1949), écrivain russe. Dans ses poèmes (*les Étoiles pilotes,* 1903 ; *Cor ardens,* 1909 ; *Sillons et lumières,* 1916) et ses drames philosophiques (*Tantale,* 1905 ; *Prométhée,* 1912) il exprime une aspiration à la communion entre l'individu et le collectif.

Ivanovo, v. de Russie, au N.-E. de Moscou ; ch.-l. de prov. ; 474 000 hab. Import. centre textile (coton).

ive ou **ivette** n. f. BOT Bugle à fleurs roses et jaunes des terrains arides, appelée aussi *petit if.*

Ivens (Joris) (Nimègue, 1898 – Paris, 1989), cinéaste néerlandais. Ses documentaires analysent, avec lyrisme, la lutte des peuples pour leur indépendance nationale : *Borinage* (1933), *Terre d'Espagne* (1937), *Indonesia Calling* (1946), *Comment Yukong déplaça les montagnes* (12 films sur la Chine, en collab. avec Marceline Loridan, 1976).

Ives (Charles) (Danbury, Connecticut, 1874 – New York, 1954), compositeur américain. Autodidacte, il fut le pionnier d'une avant-garde qui annonçait Stravinski et Bartók : symphonies, sonates pour violon, mélodies, etc.

I.V.G. n. f. Sigle de *interruption volontaire de grossesse.* V. encycl. avortement.

Ivoi (Paul Charles Philippe Éric Deleutre, dit Paul d') (Paris, 1856 – id., 1915), écrivain français ; auteur de

iule de la Trinité, en position de défense (en bas)

nombreux romans d'aventures (*les Cinq Sous de Lavarède*, 1894) et de pièces de théâtre (*le Mari de ma femme*, 1887).

ivoire n. m. (et adj. inv.) **1.** Matière dure d'une blancheur laiteuse, variété de tissu osseux très fortement minéralisé (sels de calcium, notam.) constituant les défenses de l'éléphant. *Objets sculptés en ivoire*, ou, ellipt., *des ivoires. Bracelet en ivoire.* ▷ Poét. *D'ivoire* : d'une blancheur comparable à celle de l'ivoire. *Un cou d'ivoire.* – adj. inv. *Des étoffes ivoire.* **2.** Matière des dents et défenses de certains animaux autres que l'éléphant (hippopotame, narval, etc.). **3.** ANAT Partie dure des dents. V. dent. **4.** TECH *Noir d'ivoire* : poudre noire utilisée en peinture, faite d'ivoire et d'os calcinés; couleur noire préparée avec cette poudre. ▷ *Ivoire végétal* : V. corozo.

ivoirien, enne adj. et n. De Côte-d'Ivoire. ▷ Subst. *Un(e) Ivoirien(ne).*

ivoirier, ière n. Artisan qui travaille l'ivoire.

ivoirin, ine adj. Litt. D'ivoire; qui a l'aspect de l'ivoire. Syn. éburné.

ivraie n. f. Graminée des régions tempérées (envahissante dans les céréales), dont les graines, toxiques, provoquent une sorte d'ivresse (d'où son nom). – *Ivraie vivace* : ray-grass utilisé pour les prairies artificielles et les gazons. ▷ Loc. fig. (Allus. à la Bible.) *Séparer le bon grain de l'ivraie*, les bons des méchants, le bien du mal.

ivre adj. **1.** Dont le comportement, les réactions sont troublés par les effets de l'alcool. *Il était légèrement ivre. Ivre mort* : ivre au point d'avoir perdu toute conscience. Syn. fam. soûl. **2.** Fig. *Ivre de* : exalté, transporté hors de soi (par les passions). *Ivre d'amour, de jalousie.*

Ivrée (en ital. *Ivrea*), v. d'Italie (Piémont), sur la Doire Baltée; 27 690 hab. – Cette place forte, plusieurs fois assiégée par les Français, fut le ch.-l. du dép. de la Doire, sous l'Empire.

ivresse n. f. **1.** État d'une personne ivre; intoxication alcoolique. – Par anal. *Ivresse morphinique*, due à l'action de la morphine. **2.** *Par ext.* Exaltation causée par une émotion violente, une passion. *L'ivresse de l'amour.*

ivrogne adj. et n. Péjor. Qui a l'habitude de boire avec excès, de s'enivrer. – Subst. Fam. *Serment d'ivrogne*, que l'on fait à la légère et qui ne sera pas tenu.

ivrognerie n. f. Péjor. Habitude de s'enivrer; état d'une personne ivrogne.

ivrognesse n. f. Fam. et péjor. Femme ivrogne.

Ivry-la-Bataille, com. de l'Eure (arr. d'Évreux), sur l'Eure; 2 575 hab. – Église (XIIIe-XVIIe s.). – Victoire d'Henri IV sur les ligueurs dirigés par le duc de Mayenne (14 mars 1590).

Ivry-sur-Seine, ch.-l. de canton du Val-de-Marne (arr. de Créteil), sur la r. g. de la Seine; 54 106 hab. Centre industr. (produits pharm., mat. électr. et électronique; presse, édition).

Iwaki, v. du Japon, dans l'île de Honshū, au N. de Tōkyō; 350 570 hab. Industr. métall., chimique.

īwān [iwan] n. m. ARCHI Dans l'art musulman, salle voûtée en berceau, fermée sur trois côtés, et s'ouvrant sur le quatrième par un arc.

Iwaszkiewicz (Jarosław) (Kalnik, Ukraine, 1894 – Varsovie, 1980), poète, dramaturge et essayiste polonais; auteur de récits : *la Mère Marie des Anges* (1943), *les Amants de Marone* (1961).

Iwo, v. du Nigeria, au N.-E. d'Ibadan; 262 000 hab. Centre commercial (cacao).

Iwo Jima, une des îles Volcano (Pacifique occidental). – Base de l'aviation japonaise, elle fut conquise par les Américains en fév. 1945.

Ixelles (en flam. *Elsene*), com. de Belgique (arr. et aggl. de Bruxelles); 76 000 hab. Industr. métall., chim. et text. Institut de cartographie. – Abbaye de la Cambre (bâtiments du XVIIIe s.) fondée en 1201.

ixia n. f. BOT Genre d'iridacées à grandes fleurs très décoratives.

Ixion, dans la myth. gr., roi des Lapithes, que Zeus punit, pour avoir tenté de séduire Héra, en le précipitant dans le Tartare, attaché, au milieu de serpents, sur une roue enflammée qui tournait sans cesse.

ixode n. m. ZOOL Nom scientifique des acariens de la famille de la tique*.

izard. V. isard.

Izegem, com. de Belgique (Flandre-Occidentale); 26 400 hab. – Industr. (chaussures, brosses); tabac.

Izetbegovic (Alia) (Samac, Bosnie-Herzégovine, 1925), homme politique bosniaque. Fondateur du parti de l'action démocratique (P.D.A.) qui représente les musulmans (lesquels constituaient une nationalité en Yougoslavie), il devient prés. de la République de Bosnie-Herzégovine en 1990, mais dep. le début de la guerre (avril 1992), son gouv. ne contrôle plus que 10 % du territ. national.

Izmir (anc. *Smyrne*), port de Turquie au fond du *golfe de Smyrne*, sur la mer Égée; ch.-l. de l'il du m. nom; 946 290 hab. Import. centre industr. (text.) et comm. Musée archéologique.

Izmit (anc. *Nicomédie*), v. de Turquie, sur la rive orientale de la mer de Marmara; ch.-l. de l'il de Kocaeli; 233 340 hab. Cult. et comm. du tabac. Text. (coton). Raffinerie. Port militaire de *Gëlcük*.

Izoard (col de l'), col des Hautes-Alpes (2 360 m), entre le Queyras et le Briançonnais.

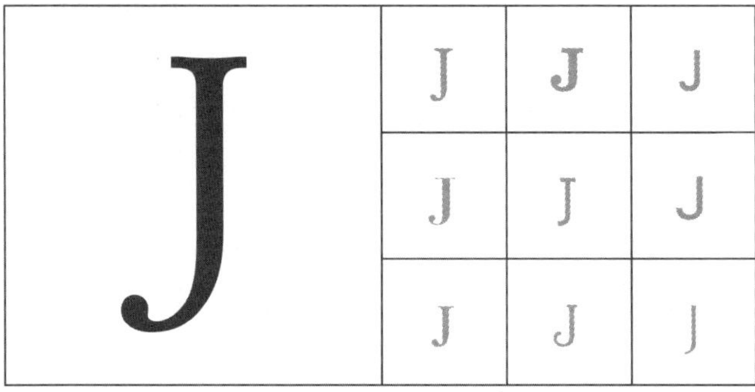

j [ʒi] n. m. **1.** Dixième lettre (j, J) et septième consonne de l'alphabet, notant une fricative sonore prépalatale [ʒ], provenant du latin : soit de la semi-consonne yod (ex. *jument* de *iumentum*, *jour* de *diurnum*), soit de la palatalisation du *g* (ex. *jambe* de *gamba*), son autrefois transcrit *i* et dont la figuration actuelle en franç. date du XVIe s. *La lettre j note en espagnol la jota**. **2.** PHYS J : symbole du joule. **3.** MILIT *Jour J :* jour où doit se dérouler une opération; *par ext.*, jour où quelque chose d'important doit avoir lieu.

Jabalpur ou **Jubbulpore,** v. de l'Inde (Madhya Pradesh), près de la Narbadā; 740 000 hab. Industr. métallurgiques et textiles.

Jabès (Edmond) (Le Caire, 1912 – Paris, 1991), écrivain français d'origine italienne. De famille juive installée en Égypte, il en fut chassé pour son activité antifasciste. Son œuvre de poète est une longue quête sur le judaïsme; il écrivit notam., de 1963 à 1973, 15 ouvrages regroupés en ensembles, dont *le Livre des questions* et *le Livre des ressemblances*.

jabiru n. m. Grand oiseau (1,50 m de haut) des régions chaudes, voisin de la cigogne, dont le bec est légèrement courbé vers le haut.

jaborandi n. m. BOT Arbuste de la fam. des rutacées, une des espèces du pilocarpe. – Feuille de cet arbuste, contenant un alcaloïde, la pilocarpine, utilisée en pharmacie.

jabot n. m. **1.** Poche glanduleuse de l'œsophage des oiseaux, dans laquelle les aliments séjournent et subissent l'action de diverses sécrétions avant de passer dans l'estomac. **2.** Plissé de dentelle ou de mousseline ornant le devant d'une chemise, d'un corsage. *Chemise à jabot.*

J.A.C. V. M.R.J.C.

Jaca, v. d'Espagne (Huesca), sur le *río Aragón*; 11 000 hab. – Une des plus anc. cathédrales d'Espagne (1040-1063). Citadelle (XVIe-XVIIe s.). – Première cap. de l'Aragon au Moyen Âge.

jacana n. m. Oiseau charadriiforme des marais tropicaux qui, grâce à ses doigts allongés, marche sur les nénuphars.

jacaranda n. m. Arbre des régions chaudes (fam. bignoniacées) à fleurs violettes, dont le bois est très apprécié.

jacassement n. m. **1.** Cri de la pie. **2.** Fam. *Jacassement* ou *jacasserie :* bavardage volubile et sans intérêt.

jacasser v. intr. [1] **1.** Pousser son cri, en parlant de la pie. **2.** Parler, bavarder avec volubilité de choses insignifiantes.

jacasserie n. f. V. jacassement (sens 2).

jacasseur, euse n. et adj. Fam. Personne qui jacasse.

Jaccottet (Philippe) (Moudon, canton de Vaud, 1925), écrivain suisse d'expression française, poète (*À la lumière d'hiver*, précédé de *Leçons* et de *Chants d'en bas*, 1977), essayiste (*Rilke*, 1970) et traducteur (œuvres de Rilke, Musil, Cassola).

jachère n. f. État d'une terre labourable qu'on laisse volontairement reposer en ne l'ensemençant pas. *Terre en jachère.* – Cette terre. *Labourer des jachères.*

jacinthe [ʒasɛ̃t] n. f. Plante bulbeuse (fam. liliacées) dont une espèce, ornementale, est cultivée pour ses fleurs en grappe colorées et parfumées.

jack n. m. (Anglicisme) ELECTR Fiche de connexion à deux broches coaxiales.

jack pot ou **jackpot** [ʒakpot, dʒakpot] n. m. (Anglicisme) Dans les machines à sous, combinaison gagnante qui, déclenchant un mécanisme, libère l'argent accumulé dans la machine; cet argent. ▷ *Par ext.* La machine elle-même.

jacana courant sur des feuilles de nymphéacées

jacinthe d'eau flottant grâce aux bases de pétioles renflés

Jackson, ville des É.-U., cap. du Mississippi; 196 600 hab. (aggl. urb. 382 400 hab.). Industr. textiles (coton), électroniques et alimentaires.

Jackson (Andrew) (Waxhaw, Caroline du Nord, 1767 – Hermitage, près de Nashville, Tennessee, 1845), homme politique américain. Anc. général, gouverneur de la Floride, il fut élu président (démocrate) en 1828 et réélu en 1832. Il renforça le pouvoir central, installant ses partisans aux postes de commande *(système des dépouilles)*, et prôna l'isolationnisme.

Jackson (John Hughlings) (Green Hammerton, Yorkshire, 1834 – Londres, 1911), neurologue anglais; un des fondateurs de la neurologie moderne. Il étudia notam. l'épilepsie et l'aphasie et mit en évidence un syndrome qui porte son nom.

Jackson (Mahalia) (La Nouvelle-Orléans, 1911 – Chicago, 1972), chanteuse américaine de negro spirituals et de gospels.

Jacksonville, v. et port des É.-U. (Floride), sur l'estuaire de la *Saint John's River*; 635 200 hab. Centre industriel

jaco

(chim., constr. navales), commercial et touristique.

jaco, jacot ou **jacquot** [jako] n. m. Perroquet gris à queue rouge d'Afrique occidentale, qui passe pour le meilleur parleur de tous les perroquets.

Jacob, patriarche hébreu, second fils d'Isaac et de Rébecca, père de douze fils, éponymes des douze tribus d'Israël; cette abondante descendance lui fut annoncée en songe par Dieu, alors que l'*échelle de Jacob* réunissait la terre au ciel. Il mourut en Égypte, où Joseph, son fils, était devenu ministre du pharaon. (V. Israël.)

Jacob, famille de menuisiers et d'ébénistes français. – **Georges** (Cheny, Bourgogne, 1739 – Paris, 1814) créa de nombr. meubles en acajou, notam. des sièges à pieds «en console». – **Georges,** dit *l'Aîné* (Paris, 1768 – id., 1803), fils du préc., travailla avec son père. – **François Honoré** (Paris, 1770 – id., 1841), frère du préc., fonda avec son père la firme Jacob-Desmalter (du nom d'une propriété familiale) et travailla avec Percier et Fontaine. – **Georges Alphonse** (Paris, 1799 – id., 1870), fils du préc., céda l'entreprise à Janselme en 1847.

Jacob (Max) (Quimper, 1876 – camp de concentration de Drancy, 1944), écrivain français. Il cultiva la satire et la fantaisie (*le Cornet à dés*, 1917; *le Laboratoire central*, 1921). D'autres œuvres relèvent d'une inspiration mystique empreinte de naïveté (*Méditations*, posth., 1948). D'origine juive, il se convertit au catholicisme en 1915.

Jacob (François) (Nancy, 1920), médecin et biologiste français. La découverte du rôle de l'A.R.N. messager et de la régulation génétique lui a valu le P. Nobel de médecine 1965 (avec J. Monod et A. Lwoff). Écrivain et penseur exigeant, dans *la Logique du vivant* (1970), il retrace l'histoire des idées concernant sa discipline. *Le Jeu des possibles* (1981) porte sur la génétique contemporaine. Enfin, dans *la Statue intérieure* (1987), il raconte notam. la guerre (il est compagnon de la Libération) et, avec passion, les chemins de la découverte scientifique.

Max **Jacob**

Jacques II, roi d'Angleterre

Jacoba de Bavière. V. Jacqueline de Bavière.

jacobin, ine n. et adj. **1.** HIST Membre du club des Jacobins, sous la Révolution. **2.** *Par ext.* (Souvent péjor.) Fervent partisan des idées républicaines. ▷ adj. *Idées, opinions jacobines.* – *Esprit jacobin* : partisan d'une centralisation administrative.

ENCYCL Le *club des Jacobins*, société politique française de la Révolution, tenait ses séances dans l'anc. couvent des Jacobins, rue Saint-Honoré (Paris). Modéré à ses débuts, le club se scinda après la fuite de Louis XVI à Varennes et l'affaire du Champ-de-Mars (1791) : les modérés formèrent avec La Fayette le *club des Feuillants*, tandis que les Jacobins s'orientaient, avec Robespierre, vers des positions républicaines et constituaient l'aile gauche de la Législative. Sous la Convention, le club des Jacobins devint l'organe directeur de la Montagne (opposée aux Girondins, qu'elle éliminera). Fermé après Thermidor (11 nov. 1794), il fut reconstitué sans grand succès sous le Directoire et supprimé en 1799. Il eut de nombr. filiales en province. L'«esprit jacobin» est à l'origine de l'idéologie républicaine (qui triomphera dans les années 1875).

jacobinisme n. m. HIST Doctrine, théorie des jacobins. – *Par ext.* POLIT Ferveur républicaine d'inspiration jacobine.

1. jacobite adj. et n. RELIG *L'Église jacobite* : l'Église syrienne, qui doit son nom à Jacques Baradée ou Baradaï (v. 500-578), qui rassembla et organisa les communautés monophysites de Syrie, d'Asie Mineure et d'Égypte. ▷ Subst. Membre de l'Église jacobite.

2. jacobite n. HIST Partisan de Jacques II et des Stuarts après la révolution anglaise de 1688.

Jacobsen (Arne) (Copenhague, 1902 – id., 1971), architecte danois, élève de Le Corbusier : maisons individuelles à Søholm (1950-1955), immeuble Jespersen à Copenhague (1955), etc. Designer, il fit surtout des meubles et des couverts de table.

Jacopo della Quercia. V. Iacopo di Pietro d'Agnolo della Quercia.

Jacopone da Todi. V. Iacopone da Todi.

jacot. V. jaco.

jacquard n. m. **1.** TECH Métier à tisser inventé par Jacquard. **2.** Tricot (fait à la machine ou à la main) dont les dessins imitent les étoffes tissées au jacquard.

Jacquard (Joseph-Marie) (Lyon, 1752 – Oullins, 1834), mécanicien français. Le métier à tisser *Jacquard*, qu'il mit au point, fonctionnait au moyen de cartes perforées; automatisant le tissage, il connut un grand développement, mais suscita l'opposition des canuts de Lyon.

Jacqueline ou **Jacoba de Bavière** (Le Quesnoy, 1401 – Teilingen, 1436), comtesse de Hainaut, de Hollande, de Frise et de Zélande (1417-1428). Elle dut abandonner ses terres (héritées de ses parents Guillaume de Bavière et Marguerite de Bourgogne) à Philippe le Bon, duc de Bourgogne.

jacquemart. V. jaquemart.

Jacquemart de Hesdin (actif de 1384 à 1410-1411), enlumineur français, au service du duc de Berry : *Petites Heures du duc de Berry* (v. 1402).

Jacquemart (Nélie, Mme Édouard André) (Paris, 1840 – id., 1912), peintre français. Elle légua à l'Institut de France sa propriété de Chaalis et son hôtel particulier du boulevard Haussmann, à Paris, qui est devenu le musée *Jacquemart-André* (œuvres françaises et italiennes du XVIIIe s.).

Jacquemont (Victor) (Paris, 1801 – Bombay, 1832), botaniste et voyageur français (Amérique du Nord, Inde, Tibet); auteur d'une abondante correspondance.

jacquerie n. f. **1.** HIST *La Jacquerie* : l'insurrection paysanne qui éclata en mai-juin 1358 dans les provinces situées au N. et au N.-O. de Paris. **2.** Soulèvement de paysans. *Les jacqueries furent nombreuses sous l'Ancien Régime.*

Jacques n. m. **1.** HIST *Jacques, Jacques Bonhomme* : sobriquet du paysan français, sous l'Ancien Régime. – Membre de la Jacquerie*. ▷ Loc. fam. *Faire le Jacques* ou *le jacques* : faire le niais. **2.** Vieilli *Maître Jacques* : factotum (nom du domestique d'Harpagon dans *l'Avare*, de Molière).

SAINTS

Jacques (saint), dit *le Majeur* (Bethsaïde, Galilée,? – Jérusalem, 44 apr. J.-C.), un des douze apôtres, frère de saint Jean l'Évangéliste. Il est vénéré à Compostelle.

Jacques (saint), dit *le Juste* ou *le Mineur* (m. en 62 apr. J.-C.), un des douze apôtres, cousin germain de Jésus-Christ; premier évêque de Jérusalem; il fut lapidé jeté du haut du Temple.

Jacques de Voragine (bienheureux) (Gênes, v. 1228-1230 – id., 1298), dominicain italien, archevêque de Gênes (1292). Sa *Vie des saints* fut popularisée sous le nom de *Légende dorée.*

ANGLETERRE

Jacques Ier (Édimbourg, 1566 – Theobalds Park, Hertfordshire, 1625), roi d'Écosse (sous le nom de Jacques VI, 1567-1625), roi d'Angleterre et d'Irlande (1603-1625), fils de Marie Stuart. Sa polit. absolutiste, sa lutte contre les catholiques et les puritains, son favoritisme (dont bénéficia notam. le duc de Buckingham) mécontentèrent ses sujets. – **Jacques II** (Londres, 1633 – Saint-Germain-en-Laye, 1701), roi d'Écosse (Jacques VII), d'Angleterre et d'Irlande (1685-1688), frère de Charles II. Sa conversion au catholicisme, sa polit. absolutiste, son rapprochement avec Louis XIV lui aliénèrent l'opinion. Il fut détrôné par son gendre, Guillaume de Nassau, et s'enfuit en France. – **Jacques Édouard Stuart,** dit *le Prétendant* ou *le Chevalier de Saint-Georges* (Londres, 1688 – Rome, 1766), fils du préc.; reconnu roi par Louis XIV, il tenta en vain de reconquérir le trône.

ARAGON

Jacques Ier le Conquérant (Montpellier, v. 1208 – Valence, 1276), roi d'Aragon (1213-1276), fils de Pierre II. Il conquit les Baléares (1229-1235), les royaumes de Valence (1231-1238) et de Murcie (1265), puis Ceuta (1273), mais abandonna ses prétentions outre-Pyrénées (sauf Montpellier). – **Jacques II le Juste** (v. 1260 – Barcelone, 1327), roi d'Aragon (1291-1327) et de Sicile (1285-1295), fils de Pierre III. Il dut céder la Sicile à la maison d'Anjou (1295).

ÉCOSSE

Jacques Ier Stuart (Dunfermline 1394 – Perth, 1437), roi d'Écosse (1406 puis 1424-1437), fils de Robert III. Capturé par les Anglais (1406), libéré (1424), il lutta contre ses barons, qui le firent assassiner. – **Jacques II** (Holyrood, 1430 – Roxburgh Castle, 1460), fils du préc., roi d'Écosse de 1437 à 1460. Après la défaite d'Henri VI, il soutint les Lancastre dans la guerre des Deux-Roses. – **Jacques III** (1452 – Sauchieburn, près de Stirling, 1488), fils du préc., roi d'Écosse de 1460 à 1488. Il fut assassiné lors d'une révolte des nobles. – **Jacques IV** (1473 – Flodden, 1513), fils du préc., roi d'Écosse de 1488 à 1513. Il épousa, en 1503, Marguerite Tudor, fille d'Henri VII d'Angleterre. Il s'allia à la France contre Henri VIII, qui lui infligea le désastre de Flodden (1513). – **Jacques V** (Linlithgow, 1512 – Falkland, 1542), fils du préc., roi d'Écosse de 1513 à 1542. Il se débarrassa du parti anglophile, au pouvoir pendant la régence, et se rapprocha de la France en épousant Madeleine de France (1537), puis Marie de Lorraine (1538), mais fut vaincu par Henri VIII (1542). – **Jacques VI.** V. Jacques Ier d'Angleterre. – **Jacques VII.** V. Jacques II d'Angleterre.

◊ ◊ ◊

Jacques de Vitry (Vitry-sur-Seine, v. 1170 – Rome, 1240), historien et prédicateur français. Il prêcha la croisade contre les albigeois et prit part à la 5e croisade. On lui doit l'*Historia orientalis seu Hierosolymitana* et une importante correspondance.

jacquet n. m. Jeu de dés, variété de trictrac, qui consiste à faire avancer des pions sur une tablette à deux compartiments où sont figurées vingt-quatre flèches de deux couleurs différentes, opposées pointe à pointe. – Cette tablette.

Jacquet de La Guerre (Elisabeth) (Paris, 1666 ou 1667 – id., 1729), compositeur et claveciniste français, auteur de pièces pour son instrument et d'une tragédie lyrique, *Céphale et Procris* (1694), qui fut la première œuvre d'une femme compositeur représentée à l'Académie royale de musique.

jacquier. V. jaquier.

jacquot. V. jaco.

1. jactance n. f. Litt. Manière arrogante de parler en se vantant.

2. jactance n. f. Fam. Bavardage.

jacter v. intr. [1] Pop. Parler, bavarder.

jaculatoire adj. RELIG *Oraison jaculatoire* : prière courte et fervente.

jacuzzi n. m. (Nom déposé.) Grande baignoire pour bains à remous.

jade n. m. **1.** Pierre fine très dure (silicate naturel d'aluminium et de calcium), d'un vert plus ou moins prononcé. *Brûle-parfum en jade.* **2.** Objet sculpté en jade. *Les jades chinois.*

Jade (golfe du), golfe de la mer du Nord, près de l'embouchure de la Weser (All.).

Jadida (El-) *(al-Ǧadīda)* (anc. *Mazagan*), port du Maroc, près de Casablanca; ch.-l. de la prov. du m. nom; 81 460 hab. (aggl. urb. 164 000 hab.). – La ville fut occupée par les Portugais de 1502 à 1769.

jadis [ʒadis] adv. Autrefois, il y a longtemps. *Jadis vivait un roi.* ▷ adj. *Le temps jadis.*

Jaén, v. d'Espagne (Andalousie); ch.-l. de la prov. du même nom; 109 330 hab. Industr. chim. et alim. Marché agric. – Évêché. Cathédrale (XVIe s.).

Jaffa ou **Yafo,** anc. v. d'Israël, sur la Méditerranée, fbg S. de Tel-Aviv. Industr. alim. et métall. – De fondation très anc., la ville fut prise par Bonaparte (1799). Enlevée aux Turcs par l'armée anglaise d'Allenby (1917), elle fut dévastée lors du premier conflit israélo-arabe (1948).

Jaffna, port du Sri Lanka, dans le N. de l'île; ch.-l. de prov.; 133 000 hab. Pêche. Manuf. de tabac.

Jagellon, famille lituanienne à l'origine de la dynastie lituano-polonaise qui, fondée par Ladislas II Jagellon, régna de 1386 à 1572 en Pologne, en Bohême et en Hongrie.

jaguar [ʒagwaʀ] n. m. Grand félin (*Panthera unca,* 1,30 m) des régions tropicales de l'Amérique du S. (Amazonie, surtout), au pelage tacheté d'ocelles, homologue américain de la panthère.

Jahvé, Jahveh. V. Yahvé.

jaillir v. intr. [3] **1.** Sortir impétueusement, en parlant d'un liquide, d'un fluide. *Le sang jaillit de la blessure.* ▷ Par anal. *Faire jaillir une étincelle. Un cri d'horreur jaillit de toutes les poitrines.* **2.** Fig. Se manifester soudainement. *Faire jaillir la vérité.*

jaillissant, ante adj. Qui jaillit.

jaillissement n. m. Fait de jaillir; mouvement de ce qui jaillit. *Le jaillissement des eaux.* – Fig. *Un jaillissement d'idées.*

jaïn [ʒain], **jaïna** [ʒaina] ou **djaïn** [dʒain] n. et adj. RELIG Qui appartient au jaïnisme; qui professe le jaïnisme.

jaïnisme [ʒainism] ou **djaïnisme** [dʒainism] n. m. RELIG Mouvement réformateur du brahmanisme, qui se développa au VIe s. av. J.-C. à l'initiative du prince Vardhamana, nommé *Mahavira* («grand héros») ou *Jina* («victorieux»), et qui, toujours vivant en Inde, propose la délivrance par l'ascèse et par la non-violence *(ahimsa),* respect de toute vie. *La non-violence préconisée par le jaïnisme a profondément marqué l'éducation de Gandhi.*

Jaipur, v. de l'Inde, capitale du Rājasthān; 1 455 000 hab. Industr. text. et méca. Artisanat (ivoire, pierres précieuses). – Anc. centre de la civilisation du Rājputāna.

jais [ʒɛ] n. m. Variété de lignite d'un noir brillant, utilisée en bijouterie. ▷ Loc. *Noir comme du jais.* – Ellip. *Yeux, cheveux de jais,* très noirs.

Jakarta. V. Djakarta.

Jakobson (Roman) (Moscou, 1896 – Boston, 1982), linguiste américain d'origine russe. Fondateur, avec Troubetskoy, de la phonologie moderne, animateur du Cercle de Prague (1926-1939), il émigra en 1941 aux É.-U. Ses travaux portent sur tous les domaines de la linguistique et approfondissent notam. l'étude des rapports entre la structure du langage et la théorie de la communication (*Essais de linguistique générale,* en fr., 1963-1973; *Langage enfantin et aphasie,* 1980).

Jalapa ou **Jalapa Enríquez,** v. du Mexique central; cap. de l'État de Veracruz; 288 330 hab. Rég. agricole (café, tabac) et centre industriel (alim., manuf. de cigares).

Jalisco, État du Mexique, au N.-O. de Mexico, bordé par le Pacifique; 80 836 km²; 5 302 680 hab. Cap. *Guadalajara.* – La civilisation précolombienne du Jalisco, côtière, est datée des IVe-VIIe s.

jalon n. m. **1.** Fiche de bois ou de métal que l'on plante en terre pour prendre un alignement, marquer une direction. **2.** Fig. Point de repère. – *Poser, planter des jalons :* fixer les idées principales d'un ouvrage, préparer les voies d'une entreprise.

jalonnement n. m. Action, manière de jalonner.

jalonner v. [1] **I.** v. intr. Poser des jalons. **II.** v. tr. **1.** Déterminer, marquer le tracé, l'alignement, l'itinéraire de (qqch) au moyen de jalons ou de repères. *Jalonner une allée dans un jardin.* ▷ Fig. *Les succès ont jalonné sa carrière.* ▷ Pp. *Une entreprise jalonnée d'obstacles.* **2.** Délimiter, indiquer (comme par des jalons). *Bidons peints qui jalonnent une piste.* ▷ *Par ext.* Être placé en bordure et de distance en distance. *Les arbres qui jalonnent la route.*

jalousement adv. **1.** Avec jalousie. *Regarder jalousement ses voisins.* **2.** Avec méfiance, avec un soin ombrageux. *Garder jalousement ses trésors.*

jalouser v. tr. [1] Considérer avec envie et dépit (la situation ou les avantages d'une personne, cette personne). *Jalouser la promotion d'un collègue. Jalouser ses frères.* ▷ v. pron. (récipr.) *Ils se jalousent à tout propos.*

jalousie n. f. **I. 1.** Sentiment de dépit mêlé d'envie, dû à ce qu'un autre obtient ou possède ce que l'on aurait voulu obtenir ou posséder. *Quiconque réussit suscite la jalousie des médiocres.* **2.** Disposition ombrageuse de celui qui voue un amour possessif et exclusif à quelqu'un et vit dans l'inquiétude et le soupçon permanents de son infidélité. *La jalousie d'Othello.* **II.** TECH Treillis en bois ou en métal au travers duquel on peut voir sans être vu. – Persienne constituée de lamelles parallèles qui donnent plus ou moins de jour selon leur orientation.

jaloux, ouse adj. et n. **1.** *Être jaloux de qqch,* y être très attaché. *Il est jaloux de ses prérogatives.* – Se dit de ce qui marque cet attachement. *Soins jaloux.* **2.** Qui envie les avantages, les succès d'autrui et en éprouve du dépit. ▷ Subst. *Sa réussite va faire des jaloux.* **3.** Tourmenté par la crainte de voir la personne aimée préférer qqn d'autre, ou manquer à la fidélité. *Mari jaloux.* – Par ext. *Soupçons jaloux.* ▷ Subst. *Un jaloux, une jalouse.*

Jaloux (Edmond) (Marseille, 1878 – Lutry, Suisse, 1949), écrivain français. Ses romans (*le Voyageur,* 1935) évoquent le mystère et la poésie des choses; nombr. études de critique littéraire (*l'Esprit des livres,* 1923; *Rainer Maria Rilke,* 1927; etc.). Acad. fr. (1936).

jamaïquain, aine ou **jamaïcain, aine** [ʒamaikɛ̃, ɛn] adj. et n. De la Jamaïque ▷ Subst. *Un(e) Jamaïquain(e)* ou *Jamaïcain(e).*

Jamaïque *(Jamaica),* État insulaire de l'Atlantique, membre du Commonwealth, dans les Grandes Antilles, au S. de Cuba; 11 425 km²; 2 450 000 hab., croissance démographique : plus de 1,5 % par an; cap. *Kingston.* Nature de l'État : rép. Langue off. : angl. Monnaie : dollar jamaïquain. Population : Noirs (75 %), mulâtres (15 %), Asiatiques et Européens. Relig. : anglicanisme (off.), christianisme.

Géogr. phys. et écon. – À l'E. de l'île, le massif des Blue Mountains culmine à 2 292 m, l'O. étant occupé par un plateau calcaire karstique. Le climat tropical, soumis aux alizés, plus humide au N. qu'au S., entretient une végéta-

tion de forêts. Les densités approchent 230 hab./km²; la croissance démographique reste forte et l'émigration s'est ralentie. Les Jamaïcains ont développé un culte original, mélange de rites chrétiens et de musique (reggae), fondé sur le retour mythique vers l'Afrique des ancêtres (ses adeptes sont les rastas*). – L'agriculture est dominée par les plantations commerciales, héritées de la colonisation; la Jamaïque exporte du sucre, des bananes, du rhum et du café. La bauxite est la grande richesse minière (4e producteur mondial, 50 % de la production transformée sur place); le tourisme, essentiel, est en plein essor. Les principaux partenaires écon. sont les É.-U. et la G.-B.; la dette extérieure est importante.
Hist. – Découverte par C. Colomb (1494) et occupée par les Espagnols, l'île fut conquise par les Anglais (1655-1658), qui en firent une colonie prospère. Intégrée, de 1958 à 1961, dans la Fédération des Indes-Occidentales, elle accéda à l'indépendance en 1962. La vie politique, marquée, de 1972 à 1980, par une expérience inspirée du castrisme, est polarisée par deux partis qui s'affrontent parfois avec violence : le Parti travailliste jamaïcain, de tendance libérale, et le Parti national populaire, social-démocrate, dont le chef M. Manley a dirigé le pays de 1972 à 1980 et a retrouvé le pouvoir en 1989. Il a été remplacé en 1992 par Percival Patterson. ► carte **Amérique centrale**

jamais adv. **1.** (Avec un sens affirmatif.) En un temps quelconque, passé ou futur; un jour. *Avez-vous jamais observé cela? Si jamais vous le voyez...* – Litt. *Si vous lui parlez jamais :* si même un jour vous lui parlez. ▷ Loc. adv. *À jamais, à tout jamais, pour jamais :* pour toujours, éternellement. *Cœur brisé à jamais.* **2.** (Dans une phrase négative.) *Ne... jamais, jamais... ne :* en aucun temps. *Je ne l'ai jamais vu. Jamais il ne reviendra.* ▷ *Il n'a jamais fait que... :* en aucun temps il n'a fait autre chose que... ▷ *Ne... plus jamais, jamais plus... ne. Je ne le ferai plus jamais. Jamais plus je ne ferai cela.* **3.** (Avec un sens négatif.) À aucun moment, en aucun cas. *Trahir? jamais! C'est le moment ou jamais :* aucun autre moment ne pourrait être plus propice. – Prov. *Mieux vaut tard que jamais,* que pas du tout.

jambage n. m. **1.** Chacun des traits verticaux dans le tracé des lettres m, n et u. *Les deux jambages du n.* **2.** CONSTR Chacune des deux assises de pierre ou de maçonnerie qui supportent le manteau d'une cheminée, le linteau d'une porte, etc.

jambe n. f. **I. 1.** ANAT Partie de chacun des deux membres inférieurs de l'homme comprise entre le genou et le pied et dont le squelette est formé du tibia et du péroné. **2.** Cour. Membre inférieur tout entier. *Les jambes puissantes d'un athlète.* ▷ Loc. fam. *Jouer des jambes, prendre ses jambes à son cou :* s'enfuir en courant. – *Courir, aller à toutes jambes,* le plus vite possible. – *Traîner la jambe :* marcher avec difficulté. – *Se mettre en jambes :* s'échauffer avant un effort physique. – Fig. *La nouvelle lui a coupé bras et jambes,* lui a ôté toute force. *Le vin m'avait coupé les jambes.* ▷ Fig. *Tenir la jambe à qqn,* l'importuner en le retenant par ses discours. – *Faire des ronds de jambe :* faire des manières dans l'intention de séduire. – *Faire qqch par-dessous* (ou *par-dessus*) *la jambe,* avec désinvolture. – Iron. *Cela lui fait une belle jambe :* il n'a que faire de l'avantage que cela lui apporte; cela ne lui apporte rien. **3.** Par anal. *Jambe de bois :* pièce de bois façonnée pour servir de prothèse à un amputé. – *Jambe artificielle, articulée.* **4.** Patte (notam. des quadrupèdes). ▷ *Spécial.* Partie des membres postérieurs du cheval, entre le bas de la cuisse et le jarret. **II.** *Par anal.* Ce qui sert à porter, à soutenir. – *Jambes d'un compas,* ses branches. ▷ CONSTR *Jambe de force :* pièce inclinée qui soutient une poutre et en divise la portée. ▷ AVIAT *Jambe de train d'atterrissage :* organe reliant la cellule d'un avion aux roues du train d'atterrissage.

Jambi, v. d'Indonésie, dans l'E. de Sumatra; ch.-l. de prov.; 340 000 hab.

jambier, ère adj. et n. m. ANAT *Muscles jambiers,* de la jambe. ▷ n. m. *Le jambier antérieur.*

jambière n. f. Anc. Partie de l'armure protégeant la jambe. ▷ Mod. Pièce de vêtement qui entoure la jambe pour couvrir ou protéger.

Jamblique (Chalcis, v. 250 – ?, 330), philosophe grec de l'école néo-platonicienne.

Jambol, v. de Bulgarie; 86 200 hab.; ch.-l. de la prov. du m. n. Industr. textile et alimentaire.

jambon n. m. Cuisse ou épaule, salée ou fumée, du porc ou, rarement, du sanglier. *Jambon cru, cuit. Tranche de jambon. Jambon de Bayonne, de Parme.*

jambonneau n. m. **1.** Petit jambon fait avec les pattes de devant du porc. **2.** Mollusque lamellibranche marin (genre *Pinna*), à grande coquille triangulaire (long. jusqu'à 50 cm).

jamboree [ʒɑ̃bɔʀi] n. m. Réunion internationale de scouts.

James (baie), prolongement de la baie d'Hudson vers le sud entre le Québec et l'Ontario (Canada).

James (William) (New York, 1842 – Chocorua, New Hampshire, 1910), philosophe américain. Son *Précis de psychologie* (1890) fonde une philosophie originale, le « pragmatisme », dont l'essence est un empirisme radical. – **Henry** (New York, 1843 – Londres, 1916), frère du préc.; écrivain américain, naturalisé anglais en 1915. Longtemps méconnu, précurseur de Proust, de G. Stein, de Joyce, il exerça une influence majeure sur les littératures amér. et occid. Romans : *les Européens* (1878), *Washington Square* (1881), *les Bostoniennes* (1886), *le Tour d'écrou* (1898), *les Ailes de la colombe* (1902), *les Ambassadeurs* (1903), etc. Nouvelles : *Daisy Miller* (1879), *l'Élève* (1892), *l'Image dans le tapis* (1896), *la Bête dans la jungle* (1903).

Jammes (Francis) (Tournay, Hautes-Pyrénées, 1868 – Hasparren, Basses-Pyrénées, 1938), écrivain français. Sa poésie exprime, avec fraîcheur et simplicité, son amour pour la vie et la nature : *De l'Angélus de l'aube à l'Angélus du soir* (1898); roman : *Clara d'Ellébeuse* (1899). Il fut converti au catholicisme par Claudel.

Jammu, v. de l'Inde, cap., avec Srinagar, de l'État de Jammu-et-Cachemire*; 206 000 hab. Industr. alimentaires et textiles.

Jamna. V. Yamunā.

Jāmnagar, v. de l'Inde (Gujerāt); 325 000 hab. Industr. métallurgiques, chimiques et textiles.

jam-session [(d)ʒamsɛsjɔ̃] n. f. (Anglicisme) Réunion de musiciens de jazz où ils improvisent librement. *Des jam-sessions.*

Jamshedpur, v. de l'Inde (Bihār); 461 000 hab. Grand centre sidérurgique (usine Tata).

Janáček (Leoš) (Hukvaldy, Moravie, 1854 – Ostrava, 1928), compositeur tchèque. Il puisa dans la mus. populaire de son pays. Opéras : *Jenufa* (1894-1903), *le Rusé Petit Renard* (1921-1923), etc. Mus. chorale : *Messe glagolitique* (1926).

Jancsó (Miklós) (Vác, 1921), cinéaste hongrois. Son lyrisme s'appuie sur une beauté parfois trop recherchée de l'image : *les Sans-Espoir* (1965), *Rouges et Blancs* (1967), *Sirocco d'hiver* (1969), *Psaume rouge* (1972), *Pour Électre* (1974), *Rhapsodie hongroise* (1979).

Janequin (Clément) (Châtellerault, v. 1485 – Paris, 1558), compositeur français; maître de la chanson polyphonique au XVIe s. : *la Guerre* (dite *Bataille de Marignan*), *le Chant des oiseaux, les Cris de Paris,* etc.

Janet (Paul) (Paris, 1823 – id., 1899), philosophe français; il élabora une métaphysique spiritualiste. – **Pierre** (Paris, 1859 – id., 1947), neveu du préc., neurologue et psychologue; initiateur de la psychologie clinique, spécialiste de psychopathologie et, surtout, de psychologie expérimentale (*Principes de métaphysique et de psychologie,* 1897; *Névroses et idées fixes,* 1898; *De l'angoisse à l'extase,* 1928).

Janicule (mont), l'une des sept collines de Rome (r. dr. du Tibre).

Janin (Jules) (Saint-Étienne, 1804 – Paris, 1874), écrivain français d'inspiration romantique. Critique dramatique (*Histoire de la littérature dramatique,* 1853-1858). Acad. fr. (1870).

janissaire n. m. HIST Fantassin turc appartenant à un corps chargé de la garde du sultan du XIVe au XIXe s.

Jankélévitch (Vladimir) (Bourges, 1903 – Paris, 1985) philosophe français. Sa pensée est fondée sur une philosophie du *moi* psychologique et une réflexion sur l'éthique (*Bergson,* 1931; *le Je-ne-sais-quoi et le Presque-rien,* 1957-1980). Il est également l'auteur de méditations sur la musique (*la Musique et l'Ineffable,* 1961).

Jan Mayen, île volcanique norvégienne de l'Arctique (2 340 m), entre le Spitzberg et l'Islande; 372 km². Station météorologique.

Jannina. V. Ioánnina.

janotisme ou **jeannotisme** n. m. **1.** Vx Candeur naïve. **2.** Didac. Construction vicieuse d'une phrase donnant lieu à des amphibologies ridicules. *« Aller chercher une pizza chez le boulanger qu'on a fait cuire » est un janotisme.*

jansénisme n. m. HIST RELIG Doctrine de Jansénius et de ses partisans. ▷ Mouvement religieux animé par les jansénistes. ▷ *Par ext.* Vertu rigide et austère.
ENCYCL Le jansénisme est essentiellement une doctrine de la prédestination et des rapports du libre arbitre et de la grâce. Il s'appuie sur l'*Augustinus,* ouvrage présenté comme une somme des thèses de saint Augustin, et dans lequel Jansénius soutient que le péché originel a ruiné la liberté de l'homme, et que la grâce est uniquement déterminée par la volonté de Dieu qui l'accorde ou non à chacun (*prédestination gratuite*). Le grave débat théologique qui suivit la publication du livre (1640) opposa les solitaires de Port-Royal et Pascal (adeptes de Jansénius)

aux jésuites. Ces derniers firent parvenir au pape un résumé, en cinq propositions, de la doctrine de l'*Augustinus*, qu'Innocent X condamna comme hérétique (bulle *Cum occasione*, 1653). L'opinion éclairée se passionna pour ce débat où les jésuites étaient pris à partie (*Lettres provinciales* de Pascal, en 1656-1657) et qui mettait en cause toutes les formes d'absolutisme, pontifical et royal. Le pouvoir politique parut l'emporter avec la destruction de Port-Royal* des Champs (1709) et la dispersion des religieuses; en réalité, le jansénisme survécut comme une forme d'opposition pendant tout le XVIIIe s., notam. dans les milieux parlementaires.

janséniste adj. et n. HIST RELIG **I.** adj. **1.** Du jansénisme. *Morale janséniste.* **2.** *Par ext.* Rigide et austère. *Des principes jansénistes.* **II.** n. Partisan de la doctrine de Jansénius. *Les jansénistes de Port-Royal.*

Jansénius (Corneille Jansen, dit) (Acquoy, près de Leerdam, 1585 - Ypres, 1638), théologien hollandais; évêque d'Ypres (1635). Son *Augustinus* (posth., 1640) promut la doctrine qui porte son nom : le *jansénisme*.
► illustr. page **1003**

Janssen (Jules) (Paris, 1824 - Meudon, 1907), physicien et astronome français; fondateur de l'observatoire de Meudon. Il découvrit l'hélium (en même temps que Lockyer et Frankland) en procédant à une étude spectroscopique d'une protubérance solaire (1868).

jante n. f. Pièce circulaire, généralement de bois ou de métal, qui constitue la partie extérieure d'une roue.

Janus, divinité italique et romaine. D'après la légende, ce roi du Latium s'établit sur le Janicule. Saturne lui ayant donné la faculté de connaître le passé et l'avenir, il fut représenté avec deux visages tournés en sens contraire. Il est le gardien des portes (qui, comme lui, ont une double face).

janvier n. m. Premier mois de l'année, comprenant trente et un jours. *Les vœux du 1er Janvier.*

Janvier (saint) (Naples, v. 250 - Pouzzoles, v. 305), évêque de Bénévent; patron de Naples. Un peu de son sang coagulé (qui se liquéfierait en certaines occasions) est vénéré à Naples.

Japhet, dans la Bible, troisième fils de Noé, dont les sept fils peuplèrent de leurs descendants l'Europe et une partie de l'Asie.

japon n. m. **1.** Porcelaine du Japon. **2.** Papier résistant, blanc crème, utilisé pour les éditions de luxe.

Japon (mer du), partie du Pacifique séparant le Japon de la côte asiatique.

Japon (empire du) ou **Empire nippon,** État d'Extrême-Orient, composé de 3 400 îles et îlots dispersés en arc de cercle au large des côtes orientales de l'Asie et baigné à l'O. par la mer du Japon et à l'E. par l'océan Pacifique. L'archipel compte quatre îles principales, du N. au S. : Hokkaidō, Honshū (qui représente, par sa superficie, les 3/5 du territoire), Shikoku et Kyūshū. En totalité : 377 765 km^2; 123 millions d'hab., croissance démographique : moins de 0,5 % par an; cap. *Tōkyō.* Nature de l'État : monarchie constitutionnelle. Langue off. : japonais. Monnaie : yen. Relig. : shintoïsme et bouddhisme.
Géogr. phys. et hum. - Le Japon est un arc montagneux récent s'élevant brutalement au-dessus de la mer (3 776 m au mont Fuji). Situé sur une zone de subduction, au contact des plaques du Pacifique et de l'Asie, bordé à l'E. de profondes fosses marines, l'archipel est une zone particulièrement instable : nombreux séismes, dont plus de 400 majeurs au cours du dernier millénaire (destruction de Tōkyō en 1923, 140 000 victimes); plusieurs centaines de volcans, dont 67 en activité; érosion intense des pentes montagneuses par des eaux à caractère torrentiel; tsunamis qui ravagent les côtes. Les plaines couvrent 16 % du territoire et correspondent à d'étroits bassins intérieurs ou à des dépressions littorales comblées par les alluvions de fleuves côtiers généralement courts; la plaine de Niigata et celle du Kantō sont les plus importantes du pays. Le Japon est bordé par un littoral de 33 000 km (dont 9 000 km de côtes artificielles), généralement rocheux et escarpé, sauf le long des grandes baies qui bordent les plaines côtières, et offrant de nombreux abris au S. et le long de la mer Intérieure, très découpée. Le climat est soumis à la double influence de la mousson d'hiver, dont les flux froids et humides d'origine asiatique apportent d'abondantes précipitations de neige sur la façade de la mer du Japon, et de la mousson d'été, dont l'air tropical chaud et humide souffle du S.-E. sur les régions méridionales et la façade pacifique de l'archipel. En automne, des typhons peuvent balayer la moitié S. du pays. L'extension en latitude du Japon détermine trois milieux. Au N. (Hokkaidō et N. de Honshū), la forêt de conifères et de bouleaux correspond à un climat tempéré aux hivers froids; le Centre, aux hivers moins marqués, est le domaine de la forêt mixte (chênes, hêtres, érables, pins, cèdres); dans le S., aux étés moites, s'étend la forêt subtropicale (bambous, camphriers, lauriers et magnolias). Les montagnes japonaises sont vides et boisées (la forêt couvre 68 % du territoire). Les Japonais se concentrent dans les plaines et sur les basses pentes, soit moins de 20 % de la superficie du pays. Celles-ci sont totalement défrichées, vouées à la riziculture intensive sur les espaces encore exploitables, mais surtout submergées par des villes tentaculaires qui gagnent sans cesse sur la mer par la construction de terre-pleins. En fait, 90 % des Japonais vivent dans des aires métropolitaines dont la plus importante, Tōkyō, avec près de 32 millions d'hab. sur 13 500 km^2, constitue le premier ensemble urbain de la planète; on compte 11 agglomérations de plus d'un million d'hab. et plus de 150 dépassant 100 000 hab. Le peuplement est très homogène : les occupants primitifs, les Aïnos (Blancs), ont été refoulés dans le N. par des peuples venus d'Asie et d'Insulinde que l'isolement du Japon, pendant des siècles, a protégés d'autres envahisseurs. Le bouddhisme, le culte shintoïste (pratiqué par près de 95 % des hab.), le modèle du confucianisme sont autant d'éléments qui renforcent la cohésion de la société japonaise. Au malthusianisme qui a précédé l'ère Meiji a succédé, après 1868, une forte croissance démographique encouragée par les autorités : 35 millions d'hab. en 1868, 52 millions en 1915, 74 millions en 1941. Après la guerre, les difficultés économiques et la perte de l'Empire ont ravivé les craintes de surpeuplement. Une politique antinataliste a été mise en place (lois de 1948 et 1952). La répartition des actifs (primaire 8 %, secondaire 34 %, tertiaire 58 %) témoigne d'une économie et d'une société avancées. Le vieillissement de la population et les perspectives de pénurie de main-d'œuvre conduisent les autorités à envisager une immigration modérée.
Écon. - Le Japon est une grande puissance écon., paradoxalement construite sans véritables atouts naturels. État exigu, ruiné par la défaite de 1945, fortement dépendant de l'extérieur pour de nombreuses ressources (en quasi-totalité pour le pétrole, le charbon et la plupart des métaux, à 60 % pour les produits alim.), il occupe aujourd'hui le 2e rang écon. mondial, derrière les É.-U., et représente 15 % du P.N.B. de la planète, contre 4 % en 1960. Le «miracle japonais» de la période 1955-1973, durant laquelle le taux de croissance annuel moyen dépassait 10 %, puis l'internationalisation de l'économie depuis 1973 ont fait du Japon un véritable géant qui fascine et inquiète à la fois. Non seulement le pays occupe des places prépondérantes dans les industries traditionnelles (1er rang mondial pour la construction auto. et navale, 2e rang pour la sidérurgie et la chimie, 3e rang pour le textile), mais il est également à la pointe des industries de haute technologie (électronique, robotique, bio-industries, nouveaux matériaux) et s'affirme comme leader incontesté dans des domaines tels que l'audiovisuel. Ces succès s'appuient d'une part sur l'étroite cohésion sociale (homogénéité ethnique, respect de strictes hiérarchies, culte du travail), d'autre part sur l'organisation des entreprises faisant coexister d'énormes conglomérats bancaires et industriels (les 6 premiers, avec en tête Mitsui, Mitsubishi et Sumimoto, représentent 25 % du chiffre d'affaires et de l'emploi du pays) et un vaste réseau de petites et moyennes entreprises, qui travaillent en sous-traitance pour les grands groupes et jouent un rôle d'amortisseur en cas de crise. À cela s'ajoutent un marché intérieur très protégé, une capacité de financement énorme du fait d'excédents commerciaux records (les plus élevés au monde devant ceux de l'Allemagne), une épargne élevée des ménages et une forte hausse du yen depuis 1985. L'État joue un rôle essentiel par l'intermédiaire du MITI (ministère du Commerce International et de l'Industrie) dont le champ d'intervention est considérable. Le Japon a su aussi user de stratégies d'internationalisation efficaces, qui ont consisté à s'implanter d'abord dans les proches pays du Sud-Est asiatique (Corée, Taiwan, Singapour, Hong Kong), puis dans une ceinture plus lointaine (Thaïlande, Malaisie, Indonésie, Philippines, Australie), pour investir enfin massivement aux É.-U. et en Europe, afin de conquérir des parts de marché. Dans un pays largement voué à l'industrie et aux activités urbaines, l'agriculture n'occupe plus qu'une position marginale : elle représente 2 % du P.N.B. et 8 % de la main-d'œuvre, 80 % des agriculteurs ayant un autre emploi. Confinée dans des espaces étroits (15 % du territoire), pratiquée dans de très petites exploitations, en proie à l'urbanisation qui confisque chaque année 1 % des terres arables, l'agriculture japonaise est très intensive mais fortement subventionnée, partic. pour le riz dont le marché intérieur est protégé. La pêche et l'aquaculture (1er rang mondial) sont une base essentielle de l'alim., mais, au total, le Japon reste le premier importateur mondial de produits agroalimentaires. L'industrie offre une gamme

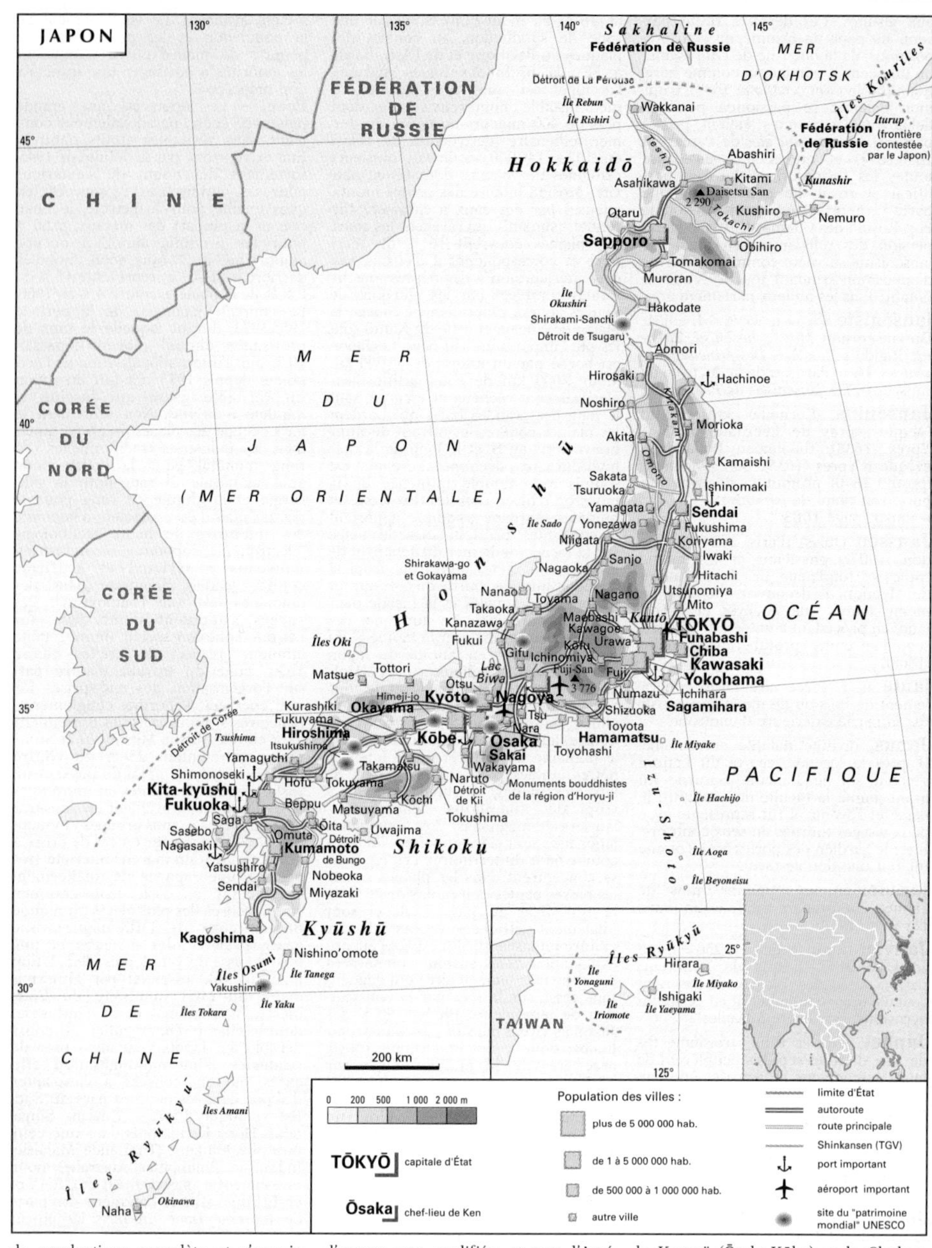

de productions complète et s'appuie sur des méthodes qui font figure de modèle dans le monde entier; elle représente plus de 95 % de la valeur des exportations japonaises. Presque totalement dépendante de l'étranger pour ses matières premières, elle dispose d'une prod. électrique abondante (3e rang mondial), fournie à 40 % par le nucléaire et l'hydroélectricité, et d'excellentes infrastructures de transport : réseau routier et ferroviaire moderne, capacités portuaires les plus importantes et les plus performantes du monde. De plus en plus, le Japon transfère vers les pays en développement les industries polluantes ou employant une abondante main-d'œuvre peu qualifiée, et vers l'Amérique du Nord et l'Europe les productions les mieux adaptées aux marchés des pays développés (automobiles, magnétoscopes, caméscopes); il se réserve ainsi les industries de haute technologie, les productions à forte valeur ajoutée et la recherche. Les activités tertiaires constituent enfin une sphère en plein développement, occupant près de 6 Japonais sur 10 et privilégiant, à côté des branches classiques de la distribution et des services, les activités de communication, de loisirs et de culture. La trop grande concentration des activités et des infrastructures dans les trois régions clés de la façade Pacifique, le Kanto (Tōkyō), le Kansaï (Ōsaka-Kōbe) et le Chukyo-Tokaï (Nagoya), qui regroupent 50 % des habitants et 63 % du potentiel écon. du pays, constitue un véritable problème que les politiques d'aménagement du territoire conduites depuis 1950 n'ont pu résoudre; le Japon de « l'envers », donnant à l'ouest sur la mer du Japon, et le Japon septentrional n'ont connu que des rééquilibrages ponctuels. Reconnu comme puissance économique de premier plan, le Japon renforce son rôle militaire et affirme son poids diplomatique. En 1995, le Japon a été déstabilisé par trois chocs majeurs, aux conséquences tant économiques que psychologiques (séisme de Kobe, attentats au sarin dans le

métro de Tōkyō, hausse du yen). En 1997 et 1998, il doit intervenir pour rétablir la confiance ébranlée par la crise financière asiatique.
Hist. – L'absence de vestiges paléolithiques et le retard des époques néolithiques par rapport au continent asiatique montrent la relative jeunesse du Japon. À la période néolithique, «Jōmon» (5000-300 av. J.-C.), caractérisée par la pêche, la chasse et la poterie «cordée» (*Jômon*), succède la période protohistorique, «Yayoi shiki» (300 av. J.-C.-300 ap. J.-C.), marquée par l'introduction, à partir de la Chine, de la riziculture et par l'utilisation du bronze et du fer. La culture jōmon se trouve alors repoussée au nord de Honshū. À partir du Ier s. ap. J.-C., l'influence de la culture chinoise par l'intermédiaire de la Corée (art, médecine, système agraire, écriture chinoise seulement transformée par l'adjonction de signes syllabiques phonétiques) est constante; l'introduction, en 538, du bouddhisme la renforcera encore; cette religion, qui se mêla au shintoïsme, fut le véhicule de la culture chinoise. Très vite, dès la fin du VIe s., les pouvoirs de l'empereur (dont l'origine, légendaire, remonterait au VIIe s. av. J.-C. par filiation avec la déesse solaire), qui siège à Nara, puis à Kyōto, sont limités par le développement de la féodalité : un ou plusieurs chefs militaires détiennent la réalité du pouvoir, et leur autorité est déléguée en province à des gouverneurs, les daïmyos. Jusqu'au XVIe s., de grandes familles se partagent le pouvoir : les Fujiwara, les Taira et les Minamoto. En 1603, le daïmyo d'Edo (auj. Tōkyō), Ieyasu Tokugawa, défait tous les opposants, prenant pour lui le titre de shōgun («général en chef»), créé à la fin du XIIe s.; il unifie le Japon, sur lequel sa famille maintiendra sa domination jusqu'à l'ère Meiji, l'empereur ne conservant que ses fonctions spirituelles de grand prêtre du shintō. La dictature des shōgun Tokugawa est marquée par la stabilité du régime pendant deux siècles et demi : gouvernement fort et centralisé à Edo, hiérarchie sociale très rigide, fermeture du Japon aux influences extérieures, après une sanglante persécution contre les Japonais convertis au christianisme; la bourgeoisie commerçante prospère, l'art se développe en se dégageant de l'influence chinoise (grande période des estampes). Au XIXe s., cet isolationnisme se heurte à des pressions des É.-U. et des pays européens. En 1854, le commodore américain M. Perry, commandant une escadre armée, fait ouvrir sous la menace deux ports japonais. En quelques années, le Japon se trouve ouvert à tous les pays étrangers; l'empereur Mutsu-Hito (1867-1912) prend la tête d'un mouvement national qui oblige le dernier shōgun à se retirer (9 nov. 1867). La monarchie absolue est rétablie et la capitale établie à Edo, rebaptisée Tōkyō. À partir de 1868, l'ère Meiji (des Lumières) ouvre le Japon au monde moderne et abolit la féodalité à laquelle succède un État centralisateur, gouverné par une monarchie constitutionnelle. Avec une énergie et une puissance d'adaptation rares dans l'histoire, le Japon se met à l'école occidentale pour rattraper son retard technologique, culturel, scientifique. Il bâtit une infrastructure industr., une armée et une flotte sur le modèle européen, instruments de son impérialisme; par deux fois, il défait la Chine en 1895 et annexe Formose, puis il bat la Russie en 1904-1905 à laquelle il prend la péninsule du Liaodong; il entreprend son expansion coloniale (Corée, 1910; Mandchourie, devenue le protectorat japonais du Mandchoukouo en 1932); il pénètre en Chine du Nord et, en 1937, après la prise du pouvoir par les ultranationalistes (1936), déclare la guerre à la Chine. La Seconde Guerre mondiale marque l'apogée de l'expansion nippone en Asie (1941-1943), puis le recul sous la pression de l'offensive amér. continue (reconquête des îles du Pacifique, destruction des villes jap. par les bombardements aériens). Acculé à la défaite, le Japon capitule sans condition après l'utilisation par les Américains de l'arme nucléaire sur Hiroshima et Nagasaki. Depuis 1945, avec l'aide des É.-U., le Japon s'est rapidement relevé de ses ruines; il est devenu la 2e puissance économique mondiale. Par le traité de San Francisco (1951), il a perdu la totalité de ses conquêtes mais a retrouvé une entière souveraineté. Sa prospérité lui permet de mener une politique active tournée vers l'Asie, tant sur le plan commercial que diplomatique. À l'intérieur, la stabilité du régime démocratique, imposé par les Américains (une nouvelle Constitution, promulguée en 1946, instaure une monarchie parlementaire qui prive l'empereur de l'essentiel de ses pouvoirs), est assurée par la domination du parti libéral-démocrate (P.L.D.). À la mort de Hirohito (1989), son fils, Akihito, devient empereur. En 1992, une modification de la Constitution autorise l'intervention de l'armée à l'étranger. Les élections législ. de 1993 interrompent jusqu'à celles de 1996 l'hégémonie du P.L.D. Se sont succédé au poste de Premier ministre Morihiro Hosokawa (1993), Tsutomu Hata (1994), Tomiichi Murayama (P.S., 1994-1996), Ryutaro Hashimoto (1996), Keizo Obuchi (1998).

japonais, aise adj. et n. **1.** adj. et n. Du Japon. **2.** n. m. *Le japonais* : la langue du groupe ouralo-altaïque parlée au Japon.

japonaiserie ou **japonerie** n. f. Objet d'art du Japon.

japonisant, ante n. Spécialiste de la langue, de la civilisation du Japon.

japonisme n. m. Mouvement culturel de la fin du XIXe siècle, suscité par la découverte en Occident de la civilisation japonaise après l'ouverture du Japon en 1854.

jappement n. m. Cri du chien qui jappe. *Jappements de chiots.*

japper v. intr. [1] Pousser des aboiements brefs et aigus.

Japurá (le), riv. née en Colombie qui se jette au Brésil dans l'Amazone (r. g.); 2 800 km.

jaquemart ou **jacquemart** [ʒakmaʀ] n. m. Figure de métal représentant un homme d'armes frappant les heures avec un marteau sur la cloche d'une horloge.

Jaques-Dalcroze (Émile) (Vienne, 1865 – Genève, 1950), compositeur et pédagogue suisse; inventeur d'une méthode de gymnastique rythmique qui porte son nom.

Jaquet-Droz (Pierre) (La Chaux-de-Fonds, 1721 – Bienne, 1790), mécanicien suisse. Il perfectionna les mécanismes d'horlogerie.

1. jaquette n. f. **1.** Veste de cérémonie pour hommes, à pans ouverts, descendant jusqu'aux genoux. **2.** Veste de femme ajustée. **3.** TECH Enveloppe extérieure, en tôle, d'une chaudière, d'un four, etc., formant isolant thermique et carrosserie.

2. jaquette n. f. **1.** Couverture légère qui protège la reliure d'un livre. **2.** Revêtement destiné à remplacer l'émail de la couronne dentaire.

jaquier ou **jacquier** n. m. Arbre d'Australie et d'Asie du S. (fam. moracées), voisin de l'arbre à pain, qui produit de gros fruits comestibles (12 à 15 kg) aux graines riches en amidon.

jar ou **jars** [ʒaʀ] n. m. Vx Argot du milieu des voleurs.

jardin n. m. **1.** Terrain, le plus souvent clos, où l'on cultive des légumes, des fleurs, des arbres. *Jardin à la française* : jardin d'agrément régulier et symétrique. *Jardin anglais*, aménagé pour donner l'illusion de la nature sauvage. *Jardin public* : jardin d'agrément ouvert à tous. *Jardin d'hiver* : serre à l'intérieur d'une habitation. *Jardin ouvrier* : potager partagé en petites parcelles, situé près d'une ville, et loué à des gens aux revenus modestes. *Jardin botanique*, où l'on cultive les plantes pour les étudier. ▷ Par anal. Région agricole riche et riante. *La Touraine, jardin de la France.* ▷ Loc. fig. *Jeter une pierre dans le jardin de qqn*, lui jeter une pique au cours d'une conversation. **2.** Plantation de théiers. **3.** *Jardin japonais* : bac dans lequel des plantes, des cailloux, etc., sont disposés de manière à former un jardin en miniature. **4.** *Jardin d'enfants* : établissement d'éducation qui reçoit de très jeunes enfants. **5.** THEAT *Côté jardin* : côté de la scène à droite de l'acteur regardant la salle (par oppos. à *côté cour*).

1. jardinage n. m. **1.** Culture des jardins. **2.** SYLVIC Coupe des arbres nuisibles ou inutiles, arrivés à maturité, pour maintenir le bon état d'une forêt.

2. jardinage n. m. TECH Défaut d'une pierre jardineuse.

jardiner v. intr. [1] **1.** S'adonner au jardinage (1, sens 1). **2.** *Forêt jardinée*, exploitée selon le système du jardinage.

jardinerie n. f. COMM Établissement commercial où sont vendus des plantes ainsi que des produits et des outils pour le jardinage.

jardinet n. m. Petit jardin.

jardineux, euse adj. TECH Se dit d'une pierre précieuse qui présente des taches, des défauts de coloration.

jardinier, ère n. et adj. **A.** n. **I.** Personne qui cultive un jardin. **II.** n. f. **1.** Meuble supportant une caisse où l'on cultive des fleurs. ▷ Bac dans lequel on cultive des plantes, des fleurs. **2.** Mets composé d'un mélange de légumes cuits (carottes et pommes de terre nouvelles coupées en dés, petits pois, etc.). **3.** *Jardinière d'enfants* : éducatrice dans un jardin d'enfants. **4.** n. f. Nom cour. du carabe doré. **B.** adj. Relatif aux jardins. *Cultures jardinières.*

Jargeau, ch.-l. de cant. du Loiret (arr. d'Orléans), sur la Loire; 3 586 hab. Égl. (Xe, XIIe et XVIe s.). – Jeanne d'Arc y vainquit les Anglais (juin 1429).

1. jargon n. m. **1.** Langage déformé. ▷ Langage incompréhensible. ▷ *Spécial.* (Souvent péjor.) Vocabulaire particulier aux personnes exerçant le même métier, la même activité, et que le profane a peine à comprendre. *Le jargon des philosophes, des médecins.* **2.** Langue qu'un groupe social particulier se forge en modifiant ou en altérant la langue commune, et qui répond au désir soit de n'être pas compris des étrangers au groupe, soit de se distinguer d'eux. *Le loucherbem, jargon des bouchers.*

2. jargon n. m. **1.** Très petite pierre d'Auvergne ayant l'aspect de l'hyacinthe. **2.** Zircon jaune.

jargonner v. intr. [1] **1.** Parler un jargon. **2.** Crier, en parlant du jars, de l'oie.

Jarmo, site du néolithique mésopotamien (auj. dans le Kurdistān irakien), découvert en 1948, l'un des plus riches et des plus anc. du Proche-Orient (VIe millénaire av. J.-C.).

Jarnac, ch.-l. de cant. de la Charente (arr. de Cognac); 4 887 hab. Boissons; imprimerie. – Victoire des cathol., commandés par le duc d'Anjou, sur les protestants du prince de Condé, qui y trouva la mort (1569).

Jarnac (Guy Chabot, baron de) (1509 – apr. 1572), gentilhomme français qui, au cours d'un duel célèbre (1547), blessa mortellement La Châtaigneraie d'un coup au jarret, inattendu mais non déloyal. ▷ *Coup de Jarnac :* coup décisif donné par surprise et, par ext., par traîtrise.

Jarnes Millán (Benjamin) (Codo, 1888 – Madrid, 1950), écrivain espagnol. Critique ironique (*Exercices*, 1927; *Rubriques*, 1931), il écrit des romans où prime le style : *le Professeur inutile* (1906), *le Convive de papier* (1928), *Euphrosyne ou la Grâce* (1949).

jarnicoton! [ʒaʀnikɔtɔ̃] interj. Vx Juron familier pour éviter le blasphème *jarnidieu*, «je renie Dieu».

jarovisation n. f. AGRIC Syn. de *vernalisation.*

1. jarre n. f. Grand vase de terre cuite, de grès, à large ventre et à anses, destiné à contenir de l'eau, de l'huile, etc.

2. jarre n. m. (Surtout plur.) Poil long et dur, plus épais que les autres, dans la fourrure des animaux.

Jarre (Maurice) (Lyon, 1924), compositeur français. Auteur de musiques de scène (T.N.P., Opéra de Paris), il se spécialise, à partir de 1965, dans la musique de films *(Mourir à Madrid, le Docteur Jivago).* – **Jean-Michel** (Lyon, 1948), fils du préc., compositeur de pièces instrumentales inspirées par la musique pop *(Équinoxe, Oxygène).*

Jarrell (Randall) (Nashville, 1914 – Chapel Hill, Caroline du Nord, 1965), écrivain américain. Il composa des poèmes sur la guerre (*Sang pour un étranger*, 1942), puis porta un regard lucide sur les événements de son temps : *Béquilles de sept lieues* (1951). Ouvrage critique : *la Poésie et le siècle* (1953).

Jarres (plaine des), plaine du Laos, proche de la frontière N. du Viêt-nam, âprement disputée lors des deux guerres d'Indochine.

jarret n. m. **1.** Partie du membre inférieur située derrière le genou. – Loc. fig. *Avoir du jarret, des jarrets d'acier :* être bon marcheur; avoir la jambe souple et musclée. **2.** ZOOL Articulation du milieu de la jambe chez le cheval, de la patte chez la vache, etc. ▷ En boucherie, morceau correspondant à la partie supérieure des membres. *Du jarret de veau.*

jarretelle n. f. Ruban élastique muni d'une pince, servant à fixer les bas à la gaine ou au porte-jarretelles.

jarretière n. f. Ruban élastique fixant le bas sur la jambe.

Jarretière (très noble ordre de la), le plus anc. et le plus élevé en dignité des ordres de chevalerie anglais, institué par le roi Édouard III v. 1348. Il comprend, outre le roi, grand maître de l'ordre, et le prince de Galles, 24 chevaliers, et a pour devise (en franç.) *«Honni soit qui mal y pense».*

Jarry (Alfred) (Laval, 1873 – Paris, 1907), écrivain français. Par ses attitudes de défi et ses actes de négation (qui marquent son œuvre comme sa vie), il annonce Dada, le surréalisme et le théâtre de l'absurde. Poèmes : *les Minutes de sable mémorial* (1894). Romans : *les Jours et les Nuits* (1897), *Messaline* (1901), *le Surmâle* (1902), *Gestes et opinions du Dr Faustroll, pataphysicien* (posth., 1911). Théâtre : *Ubu roi;* créée en 1896, cette pièce met en scène une figure emblématique de la sottise humaine et de la violence absurde.

affiche pour l'ouverture d'*Ubu roi* d'Alfred **Jarry**

1. jars n. m. Mâle de l'oie.

2. jars. V. jar.

Jaruzelski (Wojciech) (Kurów, près de Lublin, 1923), général et homme politique polonais. Ministre de la Défense (1968), il devient, en 1981, au plus fort de la crise provoquée par l'essor du syndicat Solidarność, Premier ministre puis secrétaire général du Parti ouvrier unifié polonais (communiste). Prés. de la République en 1989, il a eu pour successeur en 1990 celui qu'il avait fait emprisonner, L. Wałęsa*.

jas [ʒa] n. m. Rég. (Midi et Alpes) Bergerie.

jaser v. intr. [1] **1.** Vieilli Babiller. **2.** Commettre des indiscrétions, révéler, en parlant trop, ce que l'on aurait dû taire. **3.** Médire. *Sa conduite a fait jaser dans le village.* **4.** Jacasser. *La pie jase.*

jaseur, euse adj. et n. m. **1.** adj. Vieilli Qui jase. **2.** n. m. ORNITH *Jaseur boréal :* oiseau passériforme d'Europe du N., de la taille d'un étourneau, qui envahit parfois l'Europe de l'Ouest.

jasmin n. m. Arbuste (fam. oléacées) à tige longue et grêle et à fleurs jaunes (fleurissant en hiver) ou blanches (très odorantes en été). ▷ Fleur de cet arbuste. ▷ Parfum extrait du jasmin.

Jasmin (Jacques Boé, dit) (Agen, 1798 – id., 1864), poète français de langue d'oc; précurseur du félibrige : *las Papillotos* (*les Papillotes*, 1835-1863).

Jason, dans la myth. gr., héros thessalien, fils d'Éson; chef des Argonautes, il s'empara, en Colchide, de la Toison d'or, grâce à l'aide de Médée. Il épousa celle-ci et la répudia plus tard pour Créüse, fille du roi Créon.

Jaspar (Henri) (Schaerbeek, Bruxelles, 1870 – Uccle, Bruxelles, 1939), homme politique belge. Premier ministre (catholique) de 1926 à 1931, il constitua un cabinet d'union nationale pour lutter contre la crise économique.

jaspe n. m. MINER **1.** Calcédoine impure, colorée par bandes ou par taches, que l'on trouve dans les terrains métamorphiques et dont les belles variétés sont utilisées en joaillerie. **2.** *Jaspe sanguin :* variété de calcédoine verte tachée de rouge.

jaspé, ée adj. et n. m. Bigarré comme du jaspe. *Marbre jaspé.* ▷ TECH *Acier jaspé,* présentant une jaspure obtenue par la trempe dite *au jaspé.*

jasper v. tr. [1] TECH Bigarrer de couleurs pour imiter le jaspe.

Jasper (parc national de), parc du Canada (Alberta), dans les montagnes Rocheuses.

Jaspers (Karl) (Oldenburg, 1883 – Bâle, 1969), philosophe allemand. D'abord spécialiste de psychopathologie, il s'est orienté vers la métaphysique, développant certains thèmes existentiels de Kierkegaard pour affirmer l'originalité irréductible du sujet humain : *Philosophie* (3 vol., 1932), *Philosophie de l'existence* (1938).

jaspiner v. intr. [1] Arg. Bavarder.

jaspure n. f. Litt. Aspect, couleur de ce qui est jaspé. ▷ TECH Marbrure donnée par la trempe à certains aciers.

Jassy. V. Iași.

jatte n. f. Vieilli ou Rég. Récipient rond sans rebord. *Jatte de grès.* ▷ Son contenu. *Boire une jatte de lait.*

Jaubert (Maurice) (Nice, 1900 – Azerailles, Meurthe-et-Moselle, 1940), compositeur français : mus. de films (*Quatorze Juillet*, 1933; *Drôle de drame, Un carnet de bal*, 1937; *Quai des brumes*, 1938), de scène (*La guerre de Troie n'aura pas lieu*, 1935). Il fut tué au front.

Jaucourt (Louis, chevalier de) (Paris, 1704 – Compiègne, 1779), écrivain français (*Histoire de la vie et des œuvres de Leibniz*, 1734); proche collab. de Diderot pour l'*Encyclopédie.*

Jaufré Rudel, prince de Blaye, troubadour du XIIe s. Il se serait épris, sans l'avoir vue, de la comtesse de Tripoli et

jasmin officinal

serait parti pour la croisade afin de la rencontrer. Cette légende inspira de nombr. poètes, dont Heine, Carducci et E. Rostand.

jauge n. f. **I.** Capacité, volume. **1.** Capacité que doit avoir un récipient pour être conforme à une norme donnée. *Cette futaille n'a pas la jauge.* **2.** MAR Volume intérieur d'un navire, exprimé en tonneaux de jauge (100 pieds cubes anglais, soit 2,83 m^3). *Jauge brute,* qui traduit les dimensions hors tout du navire. *Jauge nette,* qui représente sa capacité d'utilisation. **II.** Instrument de mesure. **1.** Instrument (le plus souvent, règle graduée) mesurant la hauteur ou la quantité de liquide contenu dans un réservoir. **2.** TECH Instrument servant à contrôler les dimensions d'une pièce, et notam. les dimensions intérieures d'une pièce creuse (par oppos. à *calibre,* à *gabarit*). **3.** MECA *Jauge de contrainte,* mesurant les variations de longueur d'un solide sous les sollicitations auxquelles il est soumis. **III.** AGRIC Tranchée destinée à recevoir de jeunes plants d'arbres avant leur plantation définitive.

jaugeage n. m. Action de jauger.

jauger v. [13] **I.** v. tr. **1.** Déterminer la jauge de (un récipient). **2.** Procéder au jaugeage de (un navire). **3.** Fig. Apprécier la valeur, les capacités de (qqn). *Jauger un homme au premier coup d'œil.* **II.** v. intr. MAR Avoir (telle jauge), en parlant d'un navire. *Cargo qui jauge 10 000 tonneaux.*

jaugeur n. m. **1.** Celui qui jauge. **2.** Appareil pour jauger.

jaunâtre adj. Qui tire sur le jaune; d'un jaune peu net, sale.

jaune adj., n. et adv. **I.** adj. Qui est de la couleur commune au citron, à l'or, au safran, etc. ▷ *Fièvre jaune :* syn. de *typhus amaril.* – *Corps* jaune.* **II.** n. **1.** n. m. Couleur jaune (couleur du spectre visible dont la longueur d'onde est comprise entre 0,5 et 0,6 µm). **2.** n. m. Colorant jaune. *Jaune indien, jaune naphtol.* **3.** n. m. *Jaune d'œuf :* partie centrale, jaune et globuleuse, de l'œuf des oiseaux, constituant l'ovule. **4.** Péjor. Personne qui ne prend pas part à une grève (à l'origine, membre de l'un des *syndicats jaunes,* créés pour lutter contre le mouvement ouvrier, et qui avaient le genêt pour emblème). **III.** adj. et n. Qui appartient à la race humaine caractérisée par des yeux bridés et une pigmentation cuivrée de la peau. **IV.** adv. Fig. *Rire jaune,* sans gaieté et en se forçant.

Jaune (fleuve). V. Huanghe.

Jaune (mer), partie du Pacifique, entre la Chine et la Corée. Le Huanghe s'y jette, donnant aux eaux une couleur jaunâtre.

jaunet, ette adj. Un peu jaune.

jaunir v. [3] **1.** v. tr. Rendre jaune. *Le temps a jauni les pages de ce livre.* **2.** v. intr. Devenir jaune. *Herbe qui jaunit.*

jaunissage n. m. TECH Dans la dorure en détrempe, opération consistant à passer une teinte jaune sur les parties non recouvertes par la dorure.

jaunissant, ante adj. Qui jaunit.

jaunisse n. f. Syn. cour. de *ictère.* ▷ Loc. fig. *Faire une jaunisse de... :* éprouver un dépit très violent du fait de...

jaunissement n. m. Fait de devenir jaune; action de jaunir (qqch).

Jaurès (Jean) (Castres, 1859 – Paris, 1914), homme politique et écrivain français. Député de Carmaux (1893), battu parce que dreyfusard (1898), réélu (1902), il fut un des leaders du socialisme français et un brillant orateur. Il fonda le Parti socialiste français (1901), le journal *l'Humanité* (1904), puis dirigea, avec J. Guesde et É. Vaillant, le parti socialiste S.F.I.O. créé en 1905. Hostile à la polit. coloniale et à la guerre, il fut assassiné par le nationaliste Raoul Villain (31 juil. 1914). Il publia notamment : *Histoire de la Révolution française* (1898), *Histoire socialiste 1789-1900* (1901 à 1908), *la Commune* (1907), *l'Armée nouvelle* (1911).

Jansénius Jean **Jaurès**

1. java n. m. (Nom déposé) INFORM Langage de programmation, très utilisé sur Internet.

2. java n. f. **1.** Danse de bal populaire, à trois temps, de cadence rapide; musique qui l'accompagne. **2.** Pop. *Faire la java :* faire la noce.

Java (mer de), mer peu profonde (67 m max.) comprise entre Java, Sumatra et Bornéo.

Java, île d'Indonésie, la plus riche et la plus peuplée du pays (752 hab./km^2), au S.-E. de Sumatra; 128 754 km^2; 96 900 000 hab. (Javanais). Cette île volcanique (alt. max. 3 676 m), au climat équat., a des sols très fertiles. Princ. cult. : riz, canne à sucre, tabac, café, thé, hévéa, épices, kapok. Le sous-sol contient surtout du pétrole. L'industrialisation, encore insuffisante, touche les grandes villes (Djakarta, Surabaya, Bandung), qui sont aussi des ports actifs.

1. javanais, aise adj. et n. **1.** adj. De Java. **2.** n. m. Langue indonésienne parlée à Java et à Sumatra.

2. javanais n. m. Jargon inventé vers 1857, consistant à intercaler dans les mots les syllabes *va* devant les consonnes et *av* devant les voyelles (*manger,* par ex., devient *mavangeaver*).

Javari (le), riv. d'Amérique du Sud (1 050 km), affl. de l'Amazone (r. dr.) frontière entre le Brésil et le Pérou.

javel n. f. Solution d'un sel dérivé du chlore, utilisée comme antiseptique (traitement des eaux) ou comme décolorant (blanchissage). On dit aussi *eau de Javel.*

javelé, ée adj. AGRIC *Avoines javelées,* mouillées par la pluie et dont le grain est devenu noir et pesant.

javeler v. [19] v. tr. AGRIC Mettre (les céréales, le sel) en javelles.

javeline n. f. Anc. Dard long et mince (arme de jet).

javelle n. f. **1.** AGRIC Quantité de céréales que le moissonneur coupe en un coup de faux et qu'il met en petits tas sur le sillon avant le liage. **2.** TECH Petit tas de sel retiré du marais salant.

javellisation n. f. Stérilisation de l'eau par l'eau de Javel.

javelliser v. tr. [1] Stériliser (l'eau) par javellisation.

javelot [ʒavlo] n. m. **1.** Anc. Arme de trait, lance. **2.** Instrument de lancer en forme de javelot (sens 1), utilisé en athlétisme. ▷ *Le javelot :* la discipline athlétique du lancer de javelot.

Jayadeva (XIIe s.), poète indien; auteur de la *Gītā-Govinda* («Chant du pâtre»), récit mystique et érotique de la jeunesse de Krishna.

Jayapura. V. Djayapura.

Jayawardene (Junius Richard) (Colombo, 1906 – id. 1996), homme politique du Sri Lanka. Dirigeant de l'United National Party (conservateur), Premier ministre (1977) puis président de la République (1978-1989), il dut faire face à la guerre civile qui, à partir de 1984, opposa la majorité cinghalaise à la minorité tamoule.

Jazy (Michel) (Oignies, Pas-de-Calais, 1936), athlète français. Coureur de demi-fond, il a détenu les records mondiaux du mile, du 2 000 m, du 3 000 m et du 2 miles.

jazz [dʒaz] n. m. Genre musical propre (à l'origine) aux Noirs des É.-U., caractérisé notam. par un très large recours à l'improvisation et une manière particulière de traiter le tempo musical. (V. swing.)

jazz-band [dʒazbɑ̃d] n. m. Vieilli Orchestre de jazz. *Des jazz-bands.*

jazzique [dʒazik] ou **jazzistique** [dʒazistik] adj. Relatif au jazz.

jazzman, [dʒazman] n. m. Musicien de jazz. *Des jazzmans* ou *des jazzmen.*

jazzwoman [dʒazwuman] n. f. Musicienne de jazz.

jazzy [dʒazi] adj. inv. Fam. Qui a un rythme caractéristique au jazz.

Jdanov. V. Marioupol.

Jdanov (Andreï Alexandrovitch) (Marioupol, 1896 – Moscou, 1948), homme politique soviétique. Membre du Politburo (1939), dévoué à Staline, il codifia les normes du réalisme socialiste en art et en littérature (*jdanovisme*).

je pronom personnel sujet de la première personne du singulier, au masculin et au féminin. *«Je pense, donc je suis» (Descartes). Où suis-je? Puissé-je réussir!* – N. B. : Le *e* est élidé quand le verbe commence par une voyelle ou un *h* muet : *j'écris, j'hésite.*

jean [dʒin] ou **jeans** [dʒins] n. m. **1.** Blue-jean. **2.** Pantalon en jean (sens 3), quelle que soit sa couleur. *Un jean noir.* ▷ Pantalon ayant la coupe d'un blue-jean. *Des jeans de velours.* **3.** Denim utilisé pour la confection des blue-jeans, à l'origine bleu indigo.

SAINTS

Jean ou **Jean-Baptiste** (saint), dit *le Précurseur* (m. en Palestine v. 28), fils du prêtre Zacharie et d'Élisabeth. Il donna le baptême à Jésus et le désigna au peuple comme le Messie. Emprisonné sur l'ordre d'Hérode Antipas, tétrarque de Galilée, il fut décapité sur les instances de Salomé et de sa mère, Hérodiade, épouse d'Hérode. Saint patron des Canadiens français.

Jean ou **Jean l'Évangéliste** (saint) (Galilée, ? – Éphèse, v. 100), fils de Zébédée, l'un des douze apôtres et le disciple préféré du Christ, dont il partagea toute la vie publique. Ses souvenirs forment la trame du quatrième Évangile, écrit en grec et dit *de saint*

Jean; on lui attribue aussi l'Apocalypse* et trois épîtres du Nouveau Testament.

Jean Chrysostome (saint) (Antioche, v. 344 – en Cappadoce, 407), Père de l'Église d'Orient. Élu patriarche de Constantinople en 398, menant une vie d'une grande austérité, il s'attaqua au luxe de la cour. Cet extraordinaire orateur fut surnommé Bouche d'Or (*chrusostomos*, en gr.). Docteur de l'Église.

Jean Damascène (saint) (Damas, fin du VIIe s. – près de Jérusalem, v. 749), docteur de l'Église, adversaire des iconoclastes. Son princ. ouvrage, *la Source de la connaissance*, laisse pressentir la scolastique médiévale.

Jean de Capistran (saint) (Capistrano, 1386 – Ilok, Croatie, 1456), franciscain italien. Il prêcha une croisade contre les Turcs et contribua à la délivrance de Belgrade, qu'ils assiégeaient (1456).

Jean de Dieu (saint) [João Ciudad] (Montemor-o-Novo, Portugal, 1495 – Grenade, 1550), fondateur de l'ordre des Frères hospitaliers (1537).

Jean de la Croix (saint) [Juan de Yepes] (Fontiveros, 1542 – Ubeda, 1591), mystique espagnol. Entré chez les Carmes, il participa, avec sainte Thérèse d'Ávila (1567), à la réforme de l'ordre de Notre-Dame-du-Mont-Carmel. Œuvres : *la Montée du Carmel, la Nuit obscure, la Vive Flamme d'amour, le Cantique spirituel*. Docteur de l'Église.

Jean-Baptiste de La Salle (saint) (Reims, 1651 – Rouen, 1719), prêtre français; fondateur de la congrégation des frères des Écoles chrétiennes.

Jean Bosco (saint) (Becchi, Castelnuovo d'Asti, auj. Castelnuovo Don Bosco, 1815 – Turin, 1888), prêtre italien qui se dévoua à l'enfance malheureuse et fonda la congrégation des Prêtres de Saint-François-de-Sales, ou des Salésiens (1859), et celle des Filles de Marie-Auxiliatrice, ou des Salésiennes (1872).

Jean Eudes (saint) (Ri, près d'Argentan, 1601 – Caen, 1680), religieux et prédicateur français; fondateur de la congrégation séculière de Jésus-et-Marie (eudistes) et de celle des Filles de Notre-Dame-de-la-Charité.

Jean Fisher (saint) (Beverley, v. 1469 – Londres, 1535), évêque et cardinal anglais. Il lutta contre la Réforme et s'opposa au divorce d'Henri VIII d'avec Catherine d'Aragon; le roi le fit décapiter. Il fut canonisé en 1935.

PAPES

Jean, nom de vingt-trois papes et d'un antipape, dont : – **Jean XXII** (Jacques Duèse ou d'Euze) (Cahors, 1245 – Avignon, 1334), pape de 1316 à 1334; il fut l'adversaire de Louis de Bavière et condamna la doctrine panthéiste de maître Eckart. – **Jean XXIII** (Baldassare Cossa) (Naples, v. 1370 – Florence, 1419), antipape de 1410 à 1415; déposé en 1415 par le concile de Constance. – **Jean XXIII** (Angelo Giuseppe Roncalli) (Sotto il Monte, 1881 – Rome, 1963), pape de 1958 à 1963; dans un souci d'*aggiornamento* («mise à jour») de l'Église, il convoqua le second concile œcuménique du Vatican et publia notam. l'encyclique *Pacem in terris* (1963).

EMPIRE D'ORIENT

Jean Ier Tzimiskès (Hiérapolis, Arménie, 925 – Constantinople, 976), empereur d'Orient (969-976). Il annexa la Bulgarie orientale (970-971). – **Jean II Comnène** (?, 1088 – Taurus, 1143), empereur de 1118 à 1143. Il défendit l'Empire, contre les Turcs notam. – **Jean III Doukas Vatatzès** (Didymotique, 1193 – Nymphaion, auj. Kemalpaşa, 1254), empereur de Nicée (1222-1254). Il tenta de reconstituer l'Empire byzantin, détruit par les croisés en 1204. – **Jean IV Doukas Lascaris** (v. 1250 – ap. 1261), empereur de Nicée en 1258, détrôné par Michel VIII Paléologue. – **Jean V Paléologue** (1332 – 1391), empereur d'Orient (de 1341 à sa mort, avec plusieurs interruptions). Proclamé empereur en même temps que Jean Cantacuzène, qui se contenta d'assurer la régence (1341), il affronta celui-ci, qui chercha des appuis auprès des Turcs et des Slaves (1341-1347). Pendant toute cette époque, les puissances étrangères intervinrent constamment dans l'Empire byzantin, divisé, vaincu à l'extérieur, amputé de nombreux territoires par les Turcs qui, de plus en plus, imposaient leur loi. – **Jean VI Cantacuzène** (Constantinople, v. 1293 – Mistra, 1383), empereur en 1341 et de 1347 à 1355, grâce aux Turcs, dont il perdit l'appui en 1354. Il abdiqua et se retira à Mistra. – **Jean VII Paléologue** (?, v. 1366 – mont Athos, v. 1420), empereur de 1399 à 1402. – **Jean VIII Paléologue** (?, 1390 – Constantinople, 1448), empereur de 1425 à 1448. L'union des Églises, conclue au concile de Florence (1439), ne sauva pas l'Empire, démantelé par les Turcs, qui, après leur victoire de Varna (1444), firent de Jean VIII leur vassal.

ANGLETERRE

Jean sans Terre (Oxford, 1167 – chât. de Newark, Nottinghamshire, 1216), roi d'Angleterre (1199-1216). Il succéda à son frère Richard Cœur de Lion au détriment de son neveu Arthur de Bretagne, qu'il assassina (1203). Déchu de ses fiefs français (Normandie, Maine, Anjou, Touraine, Poitou) par Philippe Auguste pour n'avoir pas comparu devant la cour après l'enlèvement d'Isabelle d'Angoulême (1202), il entra dans une lutte intermittente avec la France. Brouillé avec le pape Innocent III au sujet de la nomination de l'archevêque de Canterbury (Stephen Langton) et excommunié (1209), il se réconcilia avec le Saint-Siège, auquel il inféoda ses royaumes (1213) pour faire face à une opposition croissante. Après sa défaite à La Roche-aux-Moines et celle de ses alliés à Bouvines (1214), il dut accorder à ses barons révoltés la *Magna Carta* (Grande Charte des libertés anglaises, 1215), mais ne la respecta pas, ce qui provoqua une guerre civile (1215-1217).

ARAGON

Jean Ier (Perpignan, 1350 – id., 1395), roi d'Aragon (1387-1395), fils de Pierre IV le Cérémonieux. Il reconquit la Sardaigne révoltée (1391). – **Jean II** (Medina del Campo, 1397 – Barcelone, 1479), roi de Navarre (1425-1479) par son mariage avec Blanche, fille de Charles III de Navarre, et roi d'Aragon (1458-1479) à la mort de son frère Alphonse le Magnanime. En échange du Roussillon et de la Cerdagne, il demanda l'aide de Louis XI (1462) pour faire face à l'insurrection de la Catalogne, qu'il reconquit (1472).

Jean XXIII

Jean II le Bon

BOHÊME

Jean Ier de Luxembourg, dit *l'Aveugle* (?, 1296 – Crécy, 1346), roi de Bohême (1310-1346), fils de l'empereur Henri VII. Artisan de la victoire de Louis IV de Bavière (Mühldorf, 1322) contre le duc d'Autriche, qui lui disputait la couronne impériale, il soutint la France contre les Flamands (1328), puis aida les Teutoniques (1329). Aveugle en 1340, il fut tué à la bataille de Crécy.

BOURGOGNE

Jean sans Peur (Dijon, 1371 – Montereau, 1419), duc de Bourgogne (1404-1419), fils de Philippe le Hardi. Instigateur de l'assassinat du duc d'Orléans (1407), qui provoqua la guerre civile entre Armagnacs et Bourguignons; maître de Paris (1408), il laissa se développer la révolution menée par les Cabochiens (1413) mais fut chassé par les Armagnacs. Allié aux Anglais après Azincourt (1415), il tenta de se rapprocher du dauphin, le futur Charles VII, mais fut tué par un des partisans de celui-ci à l'entrevue de Montereau.

BRETAGNE

Jean IV de Montfort (?, 1295 – Hennebont, 1345), duc de Bretagne en 1341, fils d'Arthur II. Ayant usurpé le duché à sa nièce Jeanne de Penthièvre (1341), il fut vaincu par Philippe VI de France, mais reprit la lutte pour la succession du duché (1343-1345) et fut tué dans Hennebont assiégé.

BULGARIE

Jean Ier Asen (m. en 1196), roi de Bulgarie (1186-1196). Il fonda le second Empire bulgare après avoir soulevé le pays contre l'empereur byzantin Isaac II Ange, qu'il vainquit en Thrace (1187 et 1196). – **Jean II Kalojan Asen** (m. à Thessalonique, 1207), frère du préc.; roi de Bulgarie (1197-1207). Il s'allia à Rome (1204) et enleva la Thrace à l'empereur latin Baudouin Ier de Flandre (vaincu à Andrinople, 1205). – **Jean III Asen II** (m. en 1241), roi de Bulgarie (1218-1241), fils de Jean Ier.

CASTILLE ET LÉON

Jean Ier (Epila, 1358 – Alcalá de Henares, 1390), roi de Castille et de Léon (1379-1390), fils d'Henri II le Magnifique. Il dut renoncer au Portugal au profit de Jean Ier le Grand (1385). – **Jean II** (Toro, 1405 – Valladolid, 1454), roi de Castille et de Léon (1406-1454), père d'Isabelle Ire la Catholique.

FRANCE

Jean Ier le Posthume (Paris, 15-19 nov. 1316), fils posthume de Louis X et de Clémence de Hongrie; roi de France à sa naissance, il ne vécut que quelques jours; son oncle Philippe (Philippe V) lui succéda. – **Jean II le Bon** (chât. du Gué de Maulny, près du Mans, 1319 – Londres, 1364), roi de France (1350-1364), fils de Philippe VI de Valois. Roi chevalier, mais politique médiocre, il se trouva entraîné dans des démêlés (1355-1356) avec son gendre Charles le Mauvais, roi de Navarre, favorable aux Anglais, et dut faire face à une grave crise financière, qui le contraignit à convoquer les états généraux (1355), tandis que la guerre contre les Anglais avait repris ; il fut vaincu à Poitiers (1356) et retenu captif à Londres. Son fils, le futur Charles V, assuma la régence, qui fut troublée par l'insurrection parisienne d'Étienne Marcel et par la Jacquerie, et dut signer la désastreuse paix de Calais (1360). Libéré (1362) contre une fabuleuse rançon et la prise en otage de deux de ses fils, Jean II donna la Bourgogne en apanage à son fils préféré, Philippe le Hardi (1363). Il retourna se constituer prisonnier à Londres (1364), son deuxième fils, Louis d'Anjou, l'un des deux otages, s'étant enfui.

LUXEMBOURG

Jean de Luxembourg (chât. de Berg, 1921), grand-duc de Luxembourg depuis l'abdication de sa mère, la grande-duchesse Charlotte (1964).

POLOGNE

Jean Ier Albert (Cracovie, 1459 – Toruń, 1501), roi de Pologne (1492-1501), fils aîné de Casimir IV. Il mena contre la Moldavie, alliée des Ottomans, une guerre désastreuse. – **Jean II Casimir.** V. Casimir. – **Jean III Sobieski** (Olesko, Galicie, 1624 – Wilanów, 1696), roi de Pologne (1674-1696). Il battit plusieurs fois les Turcs, notam. à Kahlenberg lors du siège de Vienne (1683).

PORTUGAL

Jean Ier le Grand (Lisbonne, 1357 – id., 1433), roi de Portugal (1385-1433). Fils naturel de Pierre Ier le Justicier, il battit Jean Ier, roi de Castille (Aljubarrota, 1385), assurant ainsi l'indép. du Portugal, dont il fit une des plus grandes puissances de l'époque. Il s'allia à l'Angleterre (1386) et conquit Ceuta sur les Maures (1415). – **Jean II le Parfait** (Lisbonne, 1455 – Alvor, 1495), roi de Portugal (1481-1495), fils d'Alphonse V l'Africain. Sous son règne, le traité de Tordesillas (1494) partagea le Nouveau Monde entre l'Espagne et le Portugal. – **Jean III le Pieux** (Lisbonne, 1502 – Alvor, 1557), roi de Portugal (1521-1557), fils de Manuel Ier le Grand. Il introduisit l'Inquisition (1531) et organisa la mise en valeur des possessions portugaises d'outre-mer (à Macao et surtout au Brésil). – **Jean IV le Fortuné** (Vila Viçosa, 1604 – Lisbonne, 1656), roi de Portugal (1640-1656). Ayant repris le Portugal aux Castillans avec l'appui de Richelieu (1640), il entreprit des réformes intérieures et reconquit le Brésil et l'Angola sur les Hollandais. – **Jean V le Magnanime** (Lisbonne, 1689 – id., 1750), roi de Portugal (1706-1750), fils de Pierre II. Époux de Marie-Anne d'Autriche, engagé aux côtés des Habsbourg dans la guerre de la Succession d'Espagne, battu par les Français (Almança, 1707), il signa la paix d'Utrecht (1713). – **Jean VI le Clément** (Lisbonne, 1767 – id., 1826), roi de Portugal (1816-1826), régent de 1792 à 1816. Fuyant les armées de Napoléon Ier (1807), il se réfugia au Brésil. Il y régna comme empereur jusqu'en 1815 et ne revint au Portugal qu'en 1821 où il instaura un régime constitutionnel. Sous son règne, le Brésil se déclara indépendant (1822) et donna la couronne à son fils aîné, Pierre Ier (Pedro Ier, 1825).

◊ ◊ ◊

Jean le Prêtre ou **Prêtre-Jean,** personnage légendaire du Moyen Âge. Souverain converti au christianisme, il aurait régné aux confins de la Chine et de la Mongolie, ou sur l'Abyssinie.

Jean de Chelles (XIIIe s.), maître d'œuvre français ; l'un des bâtisseurs de Notre-Dame de Paris.

Jean de Meung ou **de Meun** (Jean Clopinel ou Chopinel, dit) (Meung-sur-Loire, v. 1240 – ?, v. 1305), écrivain français. Il continua (près de 20 000 vers) *le Roman de la Rose*, commencé par Guillaume de Lorris.

Jean d'Udine. V. Giovanni da Udine.

Jean de Leyde (Jan Beukels, dit) (Leyde, 1509 – Münster, 1536), réformateur religieux hollandais. Anabaptiste, il prit la tête de la communauté de Münster, où il imposa un partage communautaire et la polygamie. Après la prise de la ville par les troupes épiscopales, il périt sous d'abominables tortures.

Jean Bodel (région d'Arras, v. 1165 – ?, 1210), trouvère et ménestrel français. On lui doit *la Chanson des Saisnes*, poème épique, et *le Jeu de saint Nicolas*, miracle.

Jean Bon Saint-André (André Jean-Bon, dit) (Montauban, 1749 – Mayenne, 1813), homme politique français. Membre du Comité de salut public (juil. 1793), il réorganisa la marine. En 1801, il fut nommé commissaire général des dép. de la rive gauche du Rhin et préfet du Mont-Tonnerre ; il administra ces territ. jusqu'à sa mort.

jean-foutre n. m. inv. Fam., péjor. Homme incapable.

Jean Hyrcan. V. Hyrcan Ier.

jean-le-blanc n. m. inv. ORNITH Nom cour. de l'unique circaète européen.

Jean-Marie Vianney (saint) (Dardilly, près de Lyon, 1786 – Ars-sur-Formans, Ain, 1859), prêtre français ; connu sous le nom de *curé d'Ars*, paroisse (diocèse de Belley) où il vécut en ascète de 1818 à 1859.

SAINTES

Jeanne d'Arc (sainte), dite *la Pucelle d'Orléans* (Domrémy, Lorraine, 1412 – Rouen, 1431), héroïne française. Issue d'une famille modeste, nommée *Darc* (elle ne fut jamais bergère), Jeanne entend vers 1425 la « voix de Dieu », qui lui ordonne d'aller au secours du roi de France Charles VII, dont le royaume est bouleversé par l'occupation anglaise et dont la légitimité est radicalement contestée. En fév. 1429, elle obtient (après un refus essuyé l'année préc.) de Robert de Baudricourt, qui commandait la ville de Vaucouleurs, qu'une petite escorte l'accompagne à Chinon, où résidait le roi. Après avoir convaincu Charles VII de sa mission, elle délivre Orléans assiégée par les Anglais (8 mai), dont les défaites successives permettent à Charles VII de gagner Reims, où il est sacré (17 juil.). Il renonce alors au soutien de Jeanne, qui mène des actions isolées. Elle est capturée devant Compiègne (23 mai 1430) par les Bourguignons, qui la livrent aux Anglais (nov.) ; ceux-ci lui intentent un procès en sorcellerie, de façon à discréditer le sacre de Charles VII. Le procès se déroule à Rouen, à huis clos, sous la conduite de l'évêque Cauchon (9 janv.-28 mars 1431), et Jeanne est brûlée vive dans cette même ville, le 30 mai, sans avoir renié ses « voix ». La révision de son procès commence dès 1450. En 1456, elle est réhabilitée. Elle sera béatifiée en 1909 et canonisée en 1920.

Jeanne de France ou **de Valois** (sainte) (?, 1464 – Bourges, 1505), reine de France en 1498. Fille de Louis XI, elle fut mariée au futur Louis XII, qui, devenu roi, la répudia à cause de sa laideur. Retirée à Bourges, elle y fonda l'ordre de l'Annonciade. Canonisée en 1950.

Jeanne-Françoise Frémyot de Chantal (sainte) (Dijon, 1572 – Moulins, 1641), religieuse française. Veuve en 1600 de Christophe de Rabutin, baron de Chantal, elle fonda, dix ans plus tard, à Annecy, avec François de Sales, l'ordre de la Visitation de Marie (visitandines).

Jeanne Jugan (bienheureuse) (Cancale, 1793 – Saint-Servan, 1879), religieuse française ; fondatrice de la congrégation des Petites Sœurs des pauvres.

ANGLETERRE

Jeanne Grey (Bradgate, Leicestershire, 1537 – Londres, 1554), reine d'Angleterre en 1553. Petite-nièce d'Henri VIII, elle épousa Guilford Dudley, fils de l'ambitieux duc de Northumberland, qui, chef du parti protestant, intrigua pour qu'Édouard VI, mourant, la désignât comme son héritière. Mais, à la mort de son frère, Marie Tudor fit reconnaître ses droits, et Jeanne Grey fut décapitée avec son mari.

Jeanne Seymour (Wolf Hall, 1509 – Hampton Court, 1537), reine d'Angleterre (1536), morte peu après avoir donné un fils, le futur Édouard VI, à son époux Henri VIII.

BRETAGNE

Jeanne de Penthièvre la Boiteuse (1319 – 1384), duchesse de Bretagne de 1337 au traité de Guérande (1365), qui accorda la Bretagne à Jean IV de Montfort.

CASTILLE

Jeanne la Folle (Tolède, 1479 – Tordesillas, 1555), reine de Castille (1504-1555), épouse (1496) de Philippe le Beau, archiduc d'Autriche, qui devint roi à ses côtés. À la mort de son mari (1506), elle sombra dans la démence ; la régence fut exercée par Cisneros (jusqu'à sa mort, en 1516) puis par le père de la reine, Ferdinand d'Aragon. À

Jeanne d'Arc en armes (unique représentation connue réalisée de son vivant) ; Archives nationales, Paris

partir de 1516, Charles (Charles Quint), fils de Jeanne, partagea le trône avec sa mère sous le nom de Charles Ier.

FRANCE

Jeanne Ire de Navarre (Bar-sur-Seine, 1273 – Vincennes, 1305), reine de France. Elle apporta à son mari, Philippe IV le Bel (qu'elle avait épousé en 1284), la Champagne et la Navarre.

NAPLES

Jeanne Ire d'Anjou (Naples, 1326 – Aversa, 1382), reine de Naples (1343-1382). Mariée quatre fois, elle mena une vie aventureuse. Elle fit sans doute périr son premier mari et fut elle-même assassinée par Charles d'Anjou, duc de Durazzo, son neveu et héritier. – **Jeanne II** (Naples, 1371 – id., 1435), reine de Naples (1414-1435), fille de Charles III de Naples. Sa succession opposa Alphonse V d'Aragon à René d'Anjou, qu'elle avait adopté (1434).

NAVARRE

Jeanne III d'Albret (Saint-Germain-en-Laye, 1528 – Paris, 1572), reine de Navarre (1555-1572), épouse du duc de Clèves puis d'Antoine de Bourbon (1548), auquel elle donna un fils, le futur roi de France Henri IV (1548). Elle favorisa la religion réformée dans ses États.

◊ ◊ ◊

Jeanne (la Papesse), nom donné à une femme légendaire qui aurait occupé en 855, à la mort de Léon IV, le Saint-Siège sous le nom de Jean l'Anglais.

Jeanne Hachette. V. Hachette (Jeanne).

jeannette n. f. **1.** Mince chaîne d'or à laquelle s'attache une croix. **2.** Planchette montée sur un pied, utilisée pour les repassages délicats (plis, ourlets, cols de chemises, etc.).

Jeannin (Pierre, dit le Président) (Autun, 1540 – Paris, v. 1622), magistrat et diplomate français. Président au parlement de Bourgogne, puis ministre sous Henri IV, il s'illustra notam. comme médiateur lors des traités signés avec les Provinces-Unies (1608) et avec l'Espagne (trêve de Douze Ans, 1609). Surintendant des Finances de 1616 à 1619.

jeannotisme. V. janotisme.

Jean-Paul, nom de deux papes. – **Jean-Paul Ier** (Albino Luciani) (Forno di Canale, Vénétie, 1912 – Rome, 1978), élu pape le 26 août 1978. Il n'exerça son pontificat que 33 jours. – **Jean-Paul II** (Karol Wojtyła) (Wadowice, 1920), pape depuis 1978. Archevêque (1964) de Cracovie, il est créé cardinal par Paul VI en 1967. Premier pape polonais de l'histoire, il impose rapidement au monde sa forte personnalité et, à l'intérieur de l'Église, entreprend une mise au point qui s'exerce notam. dans les domaines théologique et doctrinal.

Jean-Paul II

Thomas **Jefferson**

Jean-Paul (Johann Paul Richter, dit) (Wunsiedel, 1763 – Bayreuth, 1825), écrivain romantique allemand. Admirateur de J.-J. Rousseau, il laissa une œuvre autobiographique abondante, dans laquelle il découvre la toute-puissance et la signification du rêve : *la Loge invisible* (1793), *Hesperus* (1795), *Quintus Fixlein* (1796), *le Titan* (1800-1803).

jeans. V. jean.

Jeans (sir James Hopwood) (Londres, 1877 – Dorking, Surrey, 1946), astronome, physicien et mathématicien anglais. Il émit l'hypothèse que le système solaire a été formé par le passage («effet de marée») d'une étoile à proximité du Soleil.

Jeanson (Henri) (Paris, 1900 – Équemauville, Calvados, 1970), scénariste et dialoguiste français, spécialiste du mot d'auteur et du calembour. Il a écrit notamment pour L'Herbier, Delannoy, Becker, Verneuil, Duvivier et Carné (*Pépé le Moko, Hôtel du Nord*).

Jébuséens ou **Jébusiens,** peuple de la terre de Canaan, soumis par David.

jeep [dʒip] n. f. (Nom déposé.) Voiture tout-terrain d'origine américaine, utilisée en partic. au cours de la Seconde Guerre mondiale. ▷ *Par ext.* Automobile tout-terrain.

Jeffers (John Robinson) (Pittsburgh, 1887 – Carmel, Californie, 1962), poète américain. Il dit son mépris de l'humanité dans une langue inspirée de la tragédie grecque : *Tamar* (1924), *Cher Judas* (1929), *Donne ton cœur aux faucons* (1933).

Jefferson (Thomas) (Shadwell, Virginie, 1743 – Monticello, id., 1826), homme politique américain, un des auteurs de la Déclaration d'indépendance de 1776. Fondateur du parti antifédéraliste ou républicain (qui devint plus tard le parti démocrate), il fut élu président des É.-U. en 1800 et réélu en 1804. Il acheta la Louisiane à la France.

Jefferson City, v. des É.-U., sur le Missouri ; 35 480 hab. ; cap. de l'État du Missouri.

Jeffreys (George, lord) (Acton Park, 1648 – Londres, 1689), chancelier d'Angleterre. Il se fit l'instrument des vengeances de Charles II et de Jacques II, notam. lors des «Assises sanglantes». Arrêté après la révolution de 1688, il mourut à la Tour de Londres.

Jéhovah, transformation du tétragramme sacré YHWH (V. Yahvé), pour éviter de prononcer le nom sacré de Dieu.

Jéhovah (Témoins de), mouvement religieux fondé en 1874 aux É.-U. par Charles Taze Russell. Les Témoins de Jéhovah (*Jehovah's Witnesses,* nom adopté en 1931), qui se fondent uniquement sur les textes bibliques, ne voient dans le Christ qu'un agent de Dieu. Ils suivent les principes de la Bible dans leur vie quotidienne, notam. celui qui interdit l'absorption de sang (refus de la transfusion). Ils sont plus de 3 500 000 pratiquants actifs dans le monde.

Jéhu (IXe s. av. J.-C.), roi d'Israël. Il fit périr son prédécesseur Joram et les adeptes de Baal.

Jéhu (Compagnons de), bandes formées de royalistes et d'anciens Girondins, qui pourchassèrent les Jacobins après le 9 Thermidor (1794) dans le S.-E. de la France.

jéjunum [ʒeʒynɔm] n. m. ANAT Partie de l'intestin grêle comprise entre le duodénum et l'iléon.

Jelačić de Bužim (Josip, comte) (Peterwardein, auj. Petrovaradin, 1801 – Zagreb, 1859), général croate. Nommé ban de Croatie-Slovénie (1848) par Ferdinand Ier d'Autriche, il participa, avec Alfred Windischgraetz, à l'écrasement de la révolution hongroise.

Jellicoe (John Rushworth, lord) (Southampton, 1859 – Londres, 1935), amiral britannique. Il s'illustra lors de la bataille du Jutland (juin 1916). Premier lord de l'Amirauté (1917), il fut nommé en 1920 gouverneur de la Nouvelle-Zélande.

Jellicoe (Patricia Ann) (Middlesbrough, Yorkshire, 1927), dramaturge anglaise. Elle tente de renouveler les thèmes et les techniques dans le théâtre : *the Knack* (*le Truc,* 1961, adapté au cinéma par Richard Lester), *Shelley* (1965).

Jemappes (anc. *Jemmappes*), anc. commune de Belgique (Hainaut), sur le canal de Condé, auj. intégrée à Mons. Centre industr. (sidérurgie, verreries). – Victoire de Dumouriez sur les Autrichiens (6 nov. 1792).

je-m'en-fichisme ou **je-m'en-foutisme** n. m. Fam., péjor. Insouciance blâmable, laisser-aller. *Des je-m'en-fichismes* ou *des je-m'en-foutismes.*

je-m'en-fichiste ou **je-m'en-foutiste** adj. et n. Fam., péjor. Qui montre de l'indifférence, de la passivité. ▷ Subst. *Des je-m'en-fichistes* ou *des je-m'en-foutistes.*

je-ne-sais-quoi n. m. inv. Chose indéfinissable. *«Le Je-ne-sais-quoi et le Presque-rien», œuvre de Vladimir Jankélévitch. Son charme tient à un je-ne-sais-quoi.*

Jenner (Edward) (Berkeley, Gloucestershire, 1749 – id., 1823), médecin anglais. Il fit le rapprochement entre la vaccine et la variole, et pratiqua la première vaccination.

Jenney (William Le Baron) (Fairhaven, Massachusetts, 1832 – Los Angeles, 1907), architecte américain ; l'un des princ. promoteurs de l'école architecturale de Chicago*.

Jensen (Wilhelm) (Heiligenhafen, Holstein, 1837 – Thallkirchen, Bavière, 1911), écrivain allemand. Sa nouvelle *la Gradiva* (1903), onirique, a été étudiée par Freud (1907).

Jensen (Johannes Vilhelm) (Farsø, Jylland, 1873 – Copenhague, 1950), écrivain danois. Dans ses romans coexistent le thème du retour à la nature et un enthousiasme devant la technique moderne : *Einar Elkaer* (1898), *Gudrun* (1936). Histoire romancée : *le Long Voyage* (1908-1922). Essais : *Mythes* (1907-1944). P. Nobel 1944.

Jensen (Hans) (Hambourg, 1907 – Heidelberg, 1973), physicien allemand ; auteur d'une théorie sur la structure en couches des noyaux atomiques. P. Nobel 1963.

Jephté (XIIe s. av. J.-C.), juge d'Israël qui délivra son peuple du joug des Ammonites. Il avait fait vœu d'offrir à Dieu en holocauste la première personne qu'il rencontrerait après sa victoire. Ce fut sa fille : il la sacrifia.

jérémiade n. f. Fam. (Le plus souvent au plur.) Lamentation continuelle, plainte geignarde et inopportune.

Jérémie (Anatot, v. 645 - Égypte, v. 580 av. J.-C.), prophète juif. Un siècle après Isaïe, il assista à la disparition du royaume de Juda et du Temple. Le livre biblique des Prophéties de Jérémie (52 chapitres) comprend une partie biographique, vraisemblablement rédigée par Baruch, son secrétaire. Les poèmes des *Lamentations*, postérieurs à la ruine de Jérusalem (587 av. J.-C.), sont d'un auteur non identifié.

jérémier v. intr. [2] Fam. Faire des jérémiades.

jerez. V. xérès.

Jerez de la Frontera, v. d'Espagne (prov. de Cadix); 185 000 hab. Vins renommés (jerez ou xérès, sherry, manzanilla). - Alcazar (XIe-XIIIe s.).

Jéricho (en ar. *Arîhâ*), v. de Cisjordanie (prov. de Jérusalem); env. 65 000 hab. Gisements de phosphates. - Très anc. cité dont il reste encore une enceinte cyclopéenne remontant au VIIe millénaire. Elle fut prise par les Hébreux que commandait Josué (les murailles se seraient écroulées au son des trompettes, XIVe - déb. XIIIe s. av. J.-C.). - Occupée par Israël depuis 1967, Jéricho obtient en 1994, avec Gaza, la possibilité de s'administrer (impôt, éducation, santé et tourisme).

jerk [dʒɛʀk] n. m. Danse des années soixante, qui consiste à agiter le corps et les membres de secousses rythmiques.

Jerne (Niels Kaj) (Londres, 1911 - Castillon-du-Gard, 1994), biologiste danois. Auteur de nombreux travaux en immunologie, il a été couronné par le prix Nobel de médecine 1984 (avec C. Milstein et G. Köhler) pour avoir mis au point une technique de production artificielle des anticorps.

jéroboam [ʒeʀɔbɔam] n. m. Bouteille de vin ou de champagne dont la contenance est égale au quadruple de celle de la bouteille normale, soit 3 l.

Jéroboam Ier (m. en 910 av. J.-C.), premier roi d'Israël (930 à 910), idolâtre. - **Jéroboam II** (m. en 743 av. J.-C.), roi d'Israël (783 à 743 av. J.-C.), idolâtre; il étendit ses États.

Jérôme (saint), en latin *Sophronius Eusebius Hieronymus* (Stridon, Slovénie, v. 347 - Bethléem, v. 420), Père et docteur de l'Église, auteur de la trad. latine des Écritures qu'on appelle la Vulgate. Nombreux ouvrages d'histoire ecclés., traités, lettres, etc.

Jérôme Bonaparte (Napoléon Joseph Charles Paul), dit *le prince Jérôme* (Trieste, 1822 - Rome, 1891), fils de Jérôme Bonaparte (V. Bonaparte), sénateur du Second Empire, puis ministre des Colonies (1858); connu pour ses idées libérales.

Jerome K. Jerome (Jerome Klapka, dit) (Walsall, 1859 - Northampton, 1927), écrivain humoriste anglais : *Loisirs d'un oisif* (1889), *Trois Hommes dans un bateau* (1889).

jerricane (off. recommandé) ou **jerrycan** n. m. Réservoir parallélépipédique portatif, d'une contenance de vingt litres env., utilisé notam. pour contenir de l'essence, du pétrole, etc.

jersey [ʒɛʀzɛ] n. m. Tissu élastique de laine, de fil ou de soie. ▷ Corsage, tricot moulant le buste, fait avec ce tissu.

Jersey, la plus grande des îles Anglo-Normandes (Manche); 116 km²; 84 080 hab. (Jersiais); ch.-l. *Saint-Hélier*. Morceau de terre armoricaine, l'île bénéficie d'un climat doux et humide, favorable aux cult. maraîchères et florales ainsi qu'à l'élevage. Le tourisme complète les revenus des hab., qui jouissent d'un statut d'autonomie dans le cadre de la communauté britannique.

Jérusalem : Coupole du Rocher, vue du mont des Oliviers

Jersey City, v. des É.-U. (New Jersey), séparée de la ville de New York par l'Hudson; 223 000 hab. Anc. et import. centre industriel.

jersiais, aise adj. et n. De l'île de Jersey. ▷ Subst. *Un(e) Jersiais(e)*.

Jérusalem (en ar. *Al-Quds*, en hébreu *Yerushalaïm*, «la Ville de la paix»), v. sainte de Palestine; 567 100 hab (*Hiérosolymites* ou *Hiérosolymitains*). Partagée en 1948 entre Israël et Jordanie, elle est proclamée le 23 janv. 1950 capitale de l'État d'Israël. Bien qu'elle soit le siège effectif du gouv., ce statut ne lui est pas reconnu par la plus grande partie de la communauté internationale (Jérusalem réunifiée a été proclamée «capitale éternelle» en 1980). La ville anc., construite sur deux collines séparées du mont des Oliviers par le torrent du Cédron, domine les quartiers modernes du N. et de l'O., qu'animent des activités industr. variées. Mais Jérusalem est surtout un centre culturel (université hébraïque) et religieux.
Hist. anc. - Antique cité remontant au IIIe millénaire, Jérusalem n'entre véritablement dans l'hist. du peuple juif qu'avec David (Xe s. av. J.-C.), qui la conquiert sur les Jébuséens, en fait sa cap. et y installe l'*Arche d'alliance*. Salomon l'embellit (construction du Temple, d'un palais royal, etc.). Le schisme des tribus du N. lui donne le statut de cap. du royaume de Juda, mais elle est ravagée par les Babyloniens (586 av. J.-C., destruction du temple de Salomon). En 70 apr. J.-C., Titus la prend, l'incendie et l'intègre à l'Empire romain. Lieu de la mort du Christ, elle attire, dès le IIe s., de nombr. pèlerins chrétiens. Avec l'occupation arabe (638) et la construction, au VIIe s., de la Coupole du Rocher (souvent dite, improprement, mosquée d'Omar) à l'emplacement même du Temple, la ville devient le lieu saint d'une troisième religion : l'islam. Aussi, de nos jours, le principe d'une internationalisation de la ville est-il prôné par des représentants des communautés religieuses chrétiennes et musulmanes ainsi que par l'ONU.

Jérusalem (royaume latin de), État fondé en 1099, lors de la Ire croisade, par Godefroy de Bouillon et détruit par Saladin Ier en 1187.

Jespersen (Otto) (Randers, 1860 - Copenhague, 1943), linguiste danois. Créateur d'une langue artificielle internationale, le *novial*, il a défendu la thèse du progrès historique des langues dans le sens de la simplification, de l'économie.

Jessé, petit-fils de Booz et père de David, donc ancêtre de Jésus. (V. Arbre de Jessé.)

jésuite n. m. et adj. **1.** n. m. Membre de la Compagnie de Jésus*. ▷ adj. *Un père jésuite. Méthode jésuite.* - ART *Style jésuite* : style architectural baroque qui apparut en France à l'époque de la Contre-Réforme catholique, et que les jésuites contribuèrent à répandre. **2.** adj. Péjor. Hypocrite et astucieux (par allus. à la casuistique trop accommodante que l'on reprochait aux jésuites). *Une attitude jésuite.* ▷ n. m. *C'est un vrai jésuite.*

jésuitique adj. **1.** (Souvent péjor.) Propre aux jésuites. **2.** Péjor. Qui rappelle les procédés que l'on prête aux jésuites; astucieux et sournois. *Argumentation jésuitique.*

jésuitisme n. m. **1.** (Souvent péjor.) Système de conduite que l'on prête aux jésuites. **2.** Péjor. Hypocrisie, fourberie dans la façon d'agir ou de répondre.

jésus [ʒezy] n. m. **1.** Représentation de l'Enfant Jésus. *Un jésus en ivoire.* ▷ Petit enfant particulièrement gracieux. **2.** Format de papier, qui portait en filigrane le monogramme de Jésus, I.H.S. *Jésus* (550 mm × 720 mm). *Grand jésus* (560 mm × 760 mm). ▷ (En appos.) *Papier jésus.* **3.** Saucisson gros et court, fabriqué notam. en Alsace, dans le Jura, en Suisse.

Jésus ou **Jésus-Christ** (Jésus, forme grecque du nom hébr. Josué, signif. *Dieu sauve;* Christ, du mot gr. «Khristos», signifie *oint*), fondateur de la relig. chrétienne. Du strict point de vue historique, on admet que Jésus est né à Bethléem, non pas en l'an 753 de Rome (chronologie usuelle), mais quelques années auparavant, v. 5 ou 4 av. le déb. de l'ère chrétienne. Sa prédication, transmise dans les Évangiles, paraît avoir duré trois ans. On ne connaît rien de sa vie entre sa douzième et sa trentième année. Il fut condamné à mort et crucifié à Jérusalem le vendredi 14 du mois de nisan (7 avril) de l'an 30, ou bien le 3 avril 33. Selon les Évangiles, Jésus est le Sauveur, le fils de Dieu, le Messie, prédit par les prophètes, et la deuxième personne de la Trinité. Conçu par l'opération du Saint-Esprit dans le sein de la Vierge Marie, épouse de Joseph, il vint au monde dans une étable de Bethléem. Pour le soustraire au massacre des nouveau-nés ordonné par le roi Hérode, ses parents l'emmenèrent en Égypte. Quelques années plus tard, la famille s'établit à Nazareth, en Galilée. Jean-Baptiste, le Précurseur, donne à Jésus le baptême et le désigne à la foule comme le Messie. Jésus parcourt alors la Galilée et la Judée, prêchant une éthique («Aimez-vous les uns les autres») qui se veut plus élevée, et surtout plus universelle, que les préceptes moraux de la relig. juive de l'époque : «Dieu est Amour, annoncez la *bonne nouvelle* (en gr. *euaggelion*, d'où *évangile*) au monde», demandera-t-il à ses disciples. Sans rompre avec le judaïsme, il développe des thèmes nouveaux (la rédemption, notam.) qui donneront corps à une nouvelle théologie, à une nouvelle religion : le christianisme. Il s'adresse aux humbles et, pour se faire comprendre, use de paraboles. Il opère des miracles. Bientôt, à la suite de Simon (le futur saint Pierre), onze autres disciples se groupent autour de lui : ce seront ses apôtres. De retour à Jérusalem, Jésus voit se dresser contre lui les princes des prêtres, les pharisiens, etc. Trahi par l'un de ses apôtres, Judas, il est amené devant le grand prêtre Caïphe, qui le condamne à mort comme blasphémateur pour s'être déclaré fils de Dieu. Ponce Pilate, procurateur romain de Judée, se refuse à confirmer cet arrêt, tout en abandonnant Jésus à son sort. Celui-ci est crucifié sur le mont Calvaire (Golgotha) entre deux larrons. Détaché de la croix, il est enseveli. Mais, le troisième jour après sa mort, le tombeau est vide : Jésus est ressuscité. Quarante jours après sa résurrection, il monte au ciel (Ascension). La Résurrection n'est pas un fait historique directement constatable. C'est indirectement seulement qu'elle nous est connue : le tombeau est vide le dimanche matin (le jour de Pâques des chrétiens); ensuite, Jésus apparaît plusieurs fois à ses disciples pour leur donner diverses instructions. Lors de l'Ascension, Jésus apparaît une ultime fois et adresse un dernier message : il ne demande pas qu'on l'imite servilement, mais il laisse sa Parole et son Esprit.

Jésus (Compagnie de), en lat. *Societas Jesu*, d'où le nom de *Société* qu'on donne aussi, parfois, à cet ordre de clercs réguliers fondé en 1540 par Ignace de Loyola (1534, premiers vœux à Montmartre; 1540, approbation des statuts par le pape Paul III). Aucune des institutions successives de l'ordre ne modifia sa règle initiale : vœux usuels de chasteté, de pauvreté et d'obéissance. À la tête de la Compagnie, dont l'organisation est très structurée, se trouve un «préposé général» élu à vie. Les jésuites se consacrent princ. à l'apostolat et à l'enseignement. Ils ont étendu leur action au Japon (François Xavier), à la Chine (père Ricci), à l'Amérique latine, au Canada.

1. jet [ʒɛ] n. m. **1.** Action de jeter, de lancer. *Jet d'une balle. Armes de jet*, servant à lancer (arc, fronde, etc.) ou qu'on lance (javelot, flèche). **2.** Émission d'un fluide sous pression. *Jet de vapeur, d'eau, de gaz.* ▷ Par anal. *Jet de lumière d'un projecteur.* **3.** TECH Action de couler dans le moule le métal en fusion. ▷ Loc. *D'un (seul) jet*, d'une seule coulée du métal en fusion dans le moule; fig., cour., d'une seule traite, sans arrêt. *Écrit composé d'un seul jet.* – Fig., cour. *Premier jet* : essai, ébauche. **4.** SYLVIC Pousse droite et vigoureuse. **5.** *Jet d'eau* : gerbe d'eau projetée verticalement par une fontaine. – CONSTR Traverse inférieure d'un vantail de fenêtre, façonnée de manière à rejeter l'eau de pluie vers l'extérieur.

2. jet [dʒɛt] n. m. (Anglicisme) Avion à réaction.

jetable adj. Conçu pour être jeté après une ou plusieurs utilisations.

jeté n. m. **1.** CHOREGR Saut lancé par une jambe et reçu par l'autre. *Jeté battu*, où les jambes se croisent pendant le saut. **2.** Pièce de tissu destinée à recouvrir un lit, une table, etc.

jetée n. f. **1.** Construction s'avançant dans la mer ou dans un fleuve, haute chaussée maçonnée destinée à limiter le chenal d'accès à un port, à diriger le courant, à permettre l'accostage des navires, etc. **2.** Construction allongée qui relie le corps d'une aérogare à un poste de stationnement d'avion.

jeter v. [20] **I.** v. tr. **1.** Lancer. *Jeter des pierres.* ▷ Loc. fig. *Jeter un coup d'œil sur une chose*, la regarder rapidement. *Jeter de la poudre aux yeux* : tenter de surprendre, de séduire par des faux-semblants brillants mais vains. **2.** Faire tomber ou laisser tomber. *Les assiégés jetaient de la poix bouillante du haut des remparts.* ▷ Loc. fig. *Jeter l'argent par les fenêtres* : dépenser sans compter, faire preuve d'une prodigalité excessive. ▷ *Jeter l'éponge* : pour un boxeur, abandonner le combat; fig. renoncer, capituler. **3.** Se débarrasser de, mettre au rebut (ce qui est hors d'usage, encombre, est inutile). *Jeter de vieux papiers.* – Fam. *Se faire jeter* : se faire renvoyer, exclure, rabrouer. **4.** Renverser. *Jeter qqn à terre.* – *Jeter bas une cloison*, la démolir. **5.** Émettre, envoyer (en faisant sortir de soi). *Serpent qui jette son venin.* ▷ Émettre (un son), pousser (un cri). – Fig. *Jeter les hauts cris* : se récrier hautement, s'indigner. ▷ Loc. fig. Vieilli *Jeter sa gourme* : faire ses premières fredaines, en parlant d'un jeune homme. **6.** Pousser, porter avec force vers. *Épaves que les vagues jettent sur la grève. Jeter qqn dans un cachot*, l'y emprisonner, l'y faire emprisonner. ▷ Fig. *Jeter qqn dans l'inquiétude, dans l'illusion.* **7.** Asseoir, établir, poser. *Jeter les bases de qqch.* ▷ Construire (une passerelle, un pont). *Eiffel jeta le viaduc de Garabit au-dessus de la Truyère.* ▷ *Jeter sur* : mettre, déposer en hâte ou négligemment sur. *Jeter un châle sur ses épaules.* **II.** v. pron. **1.** Se précipiter, se porter vivement (vers, dans, contre, etc.). *Il s'est jeté sur moi. Se jeter dans les bras, au cou de qqn.* ▷ Fig. *Se jeter avec fougue dans le militantisme politique. Se jeter à la tête de qqn*, lui faire des avances, s'imposer à lui. **2.** Se laisser tomber. *Se jeter dans le vide.* **3.** *Se jeter dans* : confluer avec (en parlant d'un cours d'eau). *La Saône se jette dans le Rhône à Lyon.*

jeteur, euse n. (En loc.) *Jeteur, jeteuse de sort* : personne qui est censée envoûter en jetant un sort.

jeton n. m. **1.** Pièce plate, le plus souvent ronde, symbolisant une valeur quelconque (points au jeu, rang dans une série, etc.) ou servant à faire fonctionner une machine automatique. *Jetons en matière plastique des joueurs de dés. Jeton de téléphone.* ▷ Loc. *Jeton de présence* : indemnisation qui rémunère la présence effective des administrateurs d'une société aux séances du conseil d'administration. ▷ Fig., fam. *Un faux jeton* : une personne fourbe, hypocrite. **2.** Pop. Coup. *Il a reçu quelques bons jetons dans la bagarre.* ▷ Fam. *Avoir les jetons* : avoir peur.

jet-set [dʒɛtsɛt], **jet-society** [dʒɛtsɔsajti] n. f. Ensemble des personnes de la vie mondaine ou des affaires internationales.

jet-stream [dʒɛtstʀim] n. m. METEO Courant violent dans la stratosphère.

jeu n. m. **I.** Divertissement, récréation, activité intellectuelle ou gestuelle qui n'a d'autre fin que l'amusement de la personne qui s'y livre. *Jeux de société, jeux d'esprit.* ▷ Loc. *Ce n'est qu'un jeu, c'est un jeu d'enfant* : c'est une chose très facile à faire. – Prov. *Jeu de main, jeu de vilain* : les jeux de main (c.-à-d. les coups de poing) ne conviennent qu'aux «vilains» (paysans, au Moyen Âge), et non aux personnes de qualité. (Sens mod. : la violence feinte des jeux de main conduit souvent à la violence réelle.) **II.** Cette activité en tant qu'elle est soumise à certaines règles. *Jeu télévisé.* **1.** *Jeux de hasard*, où seul le hasard intervient et où l'on risque généralement de l'argent (roulette, dés, poker, etc.). *Jeux de combinaisons* (dames, échecs, go, etc.). *Maison de jeu(x)*, où l'on joue à des jeux de hasard pour de l'argent. ▷ *Théorie des jeux* : partie de la recherche opérationnelle qui étudie les stratégies en les assimilant à celles de joueurs qui s'affrontent. ▷ Loc. *Entrer en jeu* : commencer à jouer; fig., intervenir. *D'entrée de jeu* : dès le début. – Fig. *Être en jeu*, en cause. *Mettre en jeu qqch*, l'exposer, le risquer. (V. aussi sens V, 2.) *Avoir beau jeu de, à* : être dans des circonstances favorables pour. *Faire le jeu de qqn*, agir sans le vouloir dans son intérêt. – *Jouer gros jeu* : jouer de grosses sommes; fig., risquer, hasarder beaucoup. *Ce n'est pas de jeu* : cela contrevient aux règles du jeu. **2.** Chez les anciens Grecs, concours sportif. *Les jeux Isthmiques.* – Chez les Romains, spectacle du cirque (combats de gladiateurs, etc.). *Les jeux du cirque.* ▷ *Jeux Olympiques* (V. encycl.). **3.** TENNIS Chacune des parties que comporte un set. – *Jeu décisif* : syn. (off. recommandé) de *tie-break.* **III. 1.** Ensemble d'objets qui servent à jouer. *Jeu de cartes, de dames.* ▷ Ensemble des cartes qu'un joueur a en main. *Avoir un beau jeu.* ▷ (En cartomancie.) *Le grand jeu* : le jeu de tarots. **2.** Lieu où l'on joue. *Un vaste jeu de boules.* **3.** *Par ext.* Assortiment d'objets, de pièces de même nature. *Un jeu de clefs.* ▷ Spécial. *Jeu d'orgue(s)* : série de tuyaux de même nature, ayant le même timbre. **IV. 1.** Manière dont un acteur remplit son rôle. *Jeu d'un comédien. Jeux de scène* : entrées, sorties, mouvements divers des acteurs. ▷ Fig., fam. *Être vieux jeu* : n'avoir pas les idées, les manières à la mode du jour. **2.** Manière de jouer d'un instrument de musique. *Un excellent jeu d'archet.* **3.** Fig. Manière de faire, méthode. *Jouer un jeu curieux. Jeu d'un avocat.* ▷ Loc. *Entrer dans le jeu de qqn*, s'associer à sa manière d'agir. ▷ COMPTA Loc. *Jeu d'écritures* : procédé qui consiste à passer des écritures purement formelles. **V. 1.** Mouvement d'un organe, d'un mécanisme qui tend à produire un effet. *Le jeu d'un ressort.* **2.** *Par ext.* Fig. Fonctionnement. *Le jeu des institutions.* ▷ *Mettre en jeu* : faire fonctionner, agir; faire entrer (dans un fonctionnement). *Un tel phénomène met en jeu des forces considérables.* **3.** Espace nécessaire au mouvement de deux pièces. *Donner du jeu à un mécanisme*, laisser suffisamment d'espace entre les pièces pour qu'elles puissent fonctionner librement. *Prendre du jeu* : cesser d'être bien serré, ajusté (du fait de l'usure, des vibrations, etc.). **4.** *Jeu d'eau, de lumière*, etc. : diversité des formes que l'on fait prendre à des jets d'eau ou variété d'éclairages destinées à produire un effet esthétique. **VI. 1.** LITTER Pièce en vers du Moyen Âge. *Le «Jeu de la feuillée».* **2.** *Jeux Floraux* : V. ce nom.

ENCYCL Les premiers jeux Olympiques (776 av. J.-C.) furent organisés en l'honneur de Zeus, à Olympie (Élide). Ils se déroulèrent, tous les 4 ans, pendant 1 200 ans; l'empereur chrétien Théodose les abolit en 393. Les jeux Olympiques, tels que nous les connaissons, ont eu lieu pour la première fois à Athènes, en 1896, renouant ainsi, sous l'impulsion du baron Pierre de Coubertin, avec la grande tradition antique. Ils se déroulent tous les quatre ans.

Jeu d'Adam, drame semi-liturgique du XIIe s.

Jeu de paume (serment du), serment solennel, prêté le 20 juin 1789 à Versailles (dans une salle ordinai-

le Serment du *Jeu de paume,* d'après Jacques Louis David; musée Carnavalet, Paris

rement réservée au jeu de paume) par les députés du tiers état, qui s'engageaient à ne pas se séparer avant d'avoir donné une Constitution à la France.

Jeu de paume (galerie nationale du), anc. annexe du département des peintures du musée du Louvre (à l'emplacement de l'anc. jeu de paume, auj. dans le jardin des Tuileries). Elle est auj. consacrée à des expositions temporaires d'art contemporain.

jeudi n. m. Quatrième jour de la semaine, qui suit le mercredi. *Le jeudi a été remplacé par le mercredi comme jour de congé des écoliers.* – Loc. fig., fam. *La semaine des quatre jeudis* : jamais.– RELIG CATHOL *Jeudi saint* : jeudi de la semaine qui précède Pâques.

Jeumont, com. du Nord (arr. d'Avesnes-sur-Helpe), sur la Sambre; 11 131 hab. Industries métallurgiques, mat. électriques.

jeun (à) [aʒœ̃] loc. adv. Sans avoir mangé. *Prendre un médicament à jeun.*

jeune adj. et n. **I.** adj. **1.** Qui n'est pas avancé en âge. *Un jeune homme. Le jeune âge* : la jeunesse. **2.** Par opposition à *aîné* et à *ancien.* «*Fromont jeune et Risler aîné*», d'A. Daudet (1874). *Pline le Jeune.* **3.** Propre à la jeunesse, juvénile. *De jeunes ardeurs. Garder le cœur jeune. Couleur jeune,* qui convient à une personne jeune. **4.** Qui est composé de jeunes gens, de jeunes filles. *Un public jeune.* **5.** Qui n'a pas beaucoup d'ancienneté. *Il est bien jeune dans le métier.* **6.** (En parlant des animaux, des plantes, des choses.) Peu âgé, récent, nouveau. *Un jeune chien. Un jeune chêne. Vin jeune.* **7.** THEAT *Jeune premier, jeune première* : comédien, comédienne jouant des rôles importants (premiers rôles) de jeunes gens. **8.** Fam. *Un peu jeune* : un peu insuffisant. *Une bouteille pour six, ce sera un peu jeune!* **II.** n. **1.** Personne jeune. *Être entouré de jeunes.* (L'emploi du sing. *un jeune, une jeune,* très courant de nos jours, a été critiqué par certains puristes.) **2.** Animal non encore adulte.

jeûne n. m. **1.** Privation de nourriture. **2.** Privation volontaire de nourriture, partic. pour des motifs religieux. *Jeûne du carême, du ramadan.*

jeûner v. intr. [1] **1.** Être privé de nourriture. **2.** S'abstenir de nourriture, partic. pour des motifs religieux.

jeunesse n. f. **1.** Partie de la vie comprise entre l'enfance et l'âge adulte. *La première jeunesse* : l'adolescence. – Prov. *Il faut que jeunesse se passe* : il faut être indulgent pour les fautes dues à la vivacité, à l'inexpérience des jeunes gens. **2.** (Animaux, plantes, choses.) Jeune âge. *La jeunesse du monde.* **3.** Ensemble des personnes jeunes. – Prov. *Si jeunesse savait, si vieillesse pouvait* : si la jeunesse avait l'expérience, et la vieillesse la force. – Loc. *La jeunesse dorée* : V. doré. **4.** Fam., vieilli Jeune fille ou femme très jeune. *Il a épousé une jeunesse.* **5.** Fraîcheur, vigueur. *Une œuvre pleine de jeunesse.*

Jeunesses musicales de France (J.M.F.), mouvement créé en 1939 par des mélomanes bénévoles pour promouvoir l'amour de la mus. classique dans les couches populaires. Ses adhérents bénéficient notam. de billets à prix réduit.

Jeunes-Turcs, membres de la société Jeune-Turquie. – On appelle aussi Jeunes-Turcs les membres du groupe Union et Progrès qui ont fomenté la révolution de palais de 1909 et suscité d'utiles réformes malgré le caractère ultranationaliste de leur politique, laquelle porta la Turquie à participer à la Première Guerre mondiale aux côtés de l'Allemagne. Mustafa Kemal fit partie du mouvement.

Jeune-Turquie, société secrète ottomane, fondée par Midhat pacha en 1868 et dont l'objectif était d'adapter à l'islam des institutions politiques et sociales européennes.

jeunet, ette adj. Fam. Tout jeune.

jeûneur, euse n. Personne qui jeûne (sens 2).

jeunot, otte adj. et n. m. Fam. **1.** adj. Jeune. **2.** n. m. Jeune homme.

jeux Floraux, concours de poésie organisé à Toulouse à partir de 1323 (ainsi qu'à Barcelone la m. année) et qui de 1324 à auj. distribue des prix, chaque année, le 3 mai. En 1817, Victor Hugo, âgé de 15 ans, fut couronné.

Jevons (William Stanley) (Liverpool, 1835 – Bexhill, 1882), économiste anglais, tête de file du marginalisme en Angleterre : *Theory of Political Economy* (1871).

Jézabel (IXe s. av. J.-C.), femme d'Achab, roi d'Israël, et mère d'Athalie. Elle fut défenestrée, et son cadavre fut jeté aux chiens, sur ordre de Jéhu.

Jhelam ou **Jhelum** (la), riv. du Cachemire et du Pākistān (720 km); née dans l'Himalaya, au pied du col de Banihāl, elle se jette dans la Chenāb (r. dr.). Hydroélectricité.

Jiang Jieshi. V. Tchang Kaï-chek.

Jiang Jingguo. V. Tchang Kaï-chek (Tchang King-kouo).

Jiangsu, prov. maritime de la Chine orientale, 102 000 km²; 62 130 000 hab. (densité élevée : 619 hab./km²); cap. *Nankin*; v. princ. *Shanghai.* Arrosé au S. par le Yangzijiang et par la Huai, parsemé de lacs et de canaux, le Jiangsu est une riche terre agric. (riz, blé, maïs, millet, soja, coton).

Jiangxi, prov. du S.-E. de la Chine; 164 800 km²; 34 600 000 hab.; cap. *Nanchang.* Rég. montagneuse arrosée au N. par le Yangzijiang, le Jiangxi renferme de la houille et du tungstène, et produit riz, coton et thé.

Jiang Zemin (Yangzhou, 1926), homme politique chinois. Secrétaire général du Parti communiste chinois dep. juin 1989 et chef de l'État dep. mars 1993.

Jiaozhou, anc. possession allemande en Chine (Shandong); acquise en 1898 (avec le port de Qingdao), elle fut prise par les Japonais en 1914 et restituée à la Chine en 1922.

jihad. V. djihad.

Jijel ou **Djidjel** *(Ğīğal)* (anc. *Djidjelli*), v. et port d'Algérie; 69 270 hab.; ch.-l. de la wil. du m. n. Port de comm. (liège). Stat. balnéaire.

Jilin ou **Kirin,** v. de la Chine du N.-E. située dans la prov. du m. nom; 1 250 000 hab. (aggl. urb. 3 974 260 hab.). Houille; industr. métall., chim. et du bois. – La *prov. de Jilin* a 290 000 km² et 22 980 000 hab.; ch.-l. *Changchun.* Gisements de houille et de fer.

Jilong ou **Keelung,** v. de Taiwan, port sur la côte N.; 324 040 hab. Exportations de charbon.

Jiménez (Juan Ramón) (Moguer, Huelva, 1881 – San Juan de Porto Rico, 1958), poète espagnol. Ses premiers recueils (*Airs tristes,* 1903) manifestent l'influence du symbolisme; son lyrisme sévère s'ouvre ensuite (*Éternités,* 1917; *Unité,* 1925) à une inspiration spiritualiste puis métaphysique. Prix Nobel 1956.

Jiménez de Cisneros. V. Cisneros.

Jinan, v. de Chine, cap. du Shandong, près du Huanghe; 2 290 000 hab. (aggl. urb. 3 375 830 hab.). Textiles, industr. alimentaires. Métallurgie.

jing [dʒiŋ] n. m. inv. Didac. Terme chinois (littéral. la «trame» d'un tissu, d'où a été tiré le sens de «rectitude», puis de «canons» et de «classiques») par lequel on désigne un ensemble de textes assez hétéroclites, rédigés du XIe au IIIe s. av. J.-C. et qui forment la base du confucianisme. Les princ. jing sont au nombre de cinq : le *Yijing,* ou Classique de divination; le *Shujing,* ou Classique des documents; le *Shijing,* ou Classique des odes; le *Lijing,* ou Livre des rites; le *Chunqiu,* ou Chronique des printemps et des automnes.

jingle [dʒiŋgəl] n. m. (Anglicisme) Courte phrase musicale associée à un slogan publicitaire. Syn. (off recommandé) sonal, ritournelle publicitaire.

Jinja, ville de l'Ouganda, ch.-l. du distr. du m. nom; 60 000 hab. Import. centre industriel : centrale thermique; industries métallurgiques (cuivre et fer), textiles et alimentaires (brasserie).

Jinmen. V. Quemoy.

Jinnah (Mohammed ʻAlī) (Karāchi, 1876 – id., 1948), homme politique pakistanais. Animateur de la Ligue musulmane, il contribua à la création du Pākistān, dont il fut le premier gouverneur (1947).

Jinzhou, v. du N.-E. de la Chine (Liaoning); 748 700 hab. (aggl. urb. 4 448 460 hab.). Industr. textiles (coton)

Jitomir, v. d'Ukraine, à l'O. de Kiev; 275 000 hab. Extraction de lignite; industr. métallurgiques. – Combats entre Soviétiques et Allemands en 1941 et 1943.

Jiu (le), riv. de Roumanie (300 km), affl. du Danube (r. g.); naît dans les Carpates mérid. et arrose Craiova.

jiu-jitsu [ʒiyʒitsy] n. m. inv. Art martial japonais, technique de défense à main nue dont dérive le judo.

Jivaro(s), Indiens vivant en Amazonie (versant oriental des Andes, sur l'équateur), connus pour leur coutume de réduire la tête de leurs ennemis tués. *Un(e) Jivaro.*

Jivkov. V. Živkov.

J.M.F. Sigle de *Jeunesses* musicales de France.*

J.O. **1.** Sigle de *jeux Olympiques.* **2.** Sigle de *Journal officiel de la République française.*

Joab (Xe s. av. J.-C.), général et neveu de David. Il tua son rival, Abner, puis le fils de David, Absalon, qui s'était révolté. Désireux de venger ce meurtre, David le fit assassiner par Salomon.

Joachaz (IXe-VIIIe s. av. J.-C.), roi d'Israël (814 à 798), fils et successeur de Jéhu.

Joachaz (VIIe s. av. J.-C.), roi de Juda, fils et successeur de Josias; détrôné et emmené captif en Égypte par le pharaon Néchao II.

Joachim Ier ou **Éliacim** (fin du VIIe s. av. J.-C.), roi de Juda; fils de Josias et successeur de Joachaz sous la tutelle du pharaon Néchao II. – **Joachim II** (déb. VIe s. av. J.-C.), fils du préc.; dernier roi de Juda. Il régna quelques mois (598-597 av. J.-C.) et fut emmené en captivité par Nabuchodonosor.

Joachim (Joszef) (Kittsee, près de Presbourg, 1831 – Berlin, 1907), violoniste et chef d'orchestre allemand d'origine hongroise, considéré comme le premier grand interprète moderne des concertos pour violon de l'époque romantique. Son influence, comme pédagogue, fut considérable en Europe.

Joachim de Flore (Celico, Calabre, v. 1130 – San Giovanni in Fiore, 1202), mystique italien. Selon sa doctrine, le règne du Saint-Esprit devait succéder au règne du Fils, qui avait lui-même dépassé le règne du Père *(Concorde des deux Testaments).* Sa doctrine servit ceux qui luttaient contre les abus ecclésiastiques.

Joad (IXe s. av. J.-C.), grand prêtre des Juifs. Il détrôna et fit périr Athalie pour placer Joas sur le trône de Juda.

joaillerie [ʒoajʀi] n. f. **1.** Art du joaillier. **2.** Commerce du joaillier. **3.** Articles fabriqués ou vendus par le joaillier. **4.** Boutique du joaillier.

joaillier, ère n. Personne qui travaille les joyaux, ou en fait le commerce.

Joanne (Adolphe) (Dijon, 1813 – Paris, 1881), géographe français, créateur des *Guides Joanne,* ancêtres des *Guides bleus.*

João Pessoa, v. et port du N.-E. du Brésil, à l'embouchure du Paraíba; 497 720 hab.; cap. de l'État de Paraíba. Industr. alimentaires et textiles. – Archevêché. Université. Tourisme.

Joas (v. 835 – 796 av. J.-C.), roi de Juda, fils d'Ochosias et petit-fils d'Athalie; placé sur le trône de Juda par Joad. Il périt assassiné.

Joas, roi d'Israël (v. 796 – 783 av. J.-C.), fils et successeur de Joachaz.

job [dʒɔb] n. m. (Anglicisme) Fam. Emploi rémunéré. *Chercher un job.*

Job, personnage de la Bible. Dieu l'ayant accablé de malheurs, il se révolta, maudissant le jour de sa naissance, puis il renonça à comprendre les voies du Seigneur et accepta son état de misère; sa soumission lui valut de retrouver la prospérité.

jobard, arde adj. et n. Fam. Se dit d'une personne qui est crédule, facile à duper.

jobarderie ou **jobardise** n. f. Fam. Crédulité, naïveté confinant à la niaiserie.

Jobourg (nez de), promontoire rocheux situé à côté de la petite stat. baln. de Jobourg (Manche), en face de l'île d'Aurigny.

J.O.C. Sigle de *Jeunesse ouvrière chrétienne.* Mouvement d'action catholique tourné vers la jeunesse ouvrière, fondé en Belgique par l'abbé Joseph Cardijn (1925). Sa branche française fut créée à Clichy (1927) par l'abbé Guérin.

Jocaste, dans la myth. gr., femme de Laïos, roi de Thèbes, et mère d'Œdipe, qu'elle épousa après la mort de Laïos, ignorant qu'il était son fils. D'après Sophocle, elle se pendit quand elle apprit la vérité.

Jōchō (m. à Kyōto en 1057), sculpteur japonais, auteur du célèbre Bouddha Amida en bois laqué doré que renferme le temple du Byōdō-in de Uji (environs de Kyōto).

jociste n. Jeune qui appartient à la Jeunesse ouvrière chrétienne. (V. J.O.C.).

jockey [ʒɔkɛ] n. m. Personne qui fait métier de monter les chevaux dans les courses.

jocrisse n. m. Vx ou litt. Benêt qui se laisse gouverner.

Jodelle (Étienne) (Paris, 1532 – id., 1573), poète français; un des membres de la Pléiade. Sa pièce, en décasyllabes, *Cléopâtre captive* (1553) annonce la tragédie classique.

Jodhpur, v. de l'Inde (Rājasthān); 649 000 hab. Industr. text. et métall. Centre commercial.

jodhpurs [ʒɔdpyʀ] n. m. pl. Pantalon de cheval, serré au-dessous du genou.

Jodl (Alfred) (Würzburg, 1890 – Nuremberg, 1946), général allemand. Chef d'état-major de l'armée, directeur des opérations de guerre de 1938 à 1945, adjoint de Keitel, il fut condamné à mort par le tribunal de Nuremberg et exécuté.

jodler [ʒɔdle], **iodler** [jɔdle] ou **iouler** [jule] v. intr. [1] Vocaliser sans paroles en passant de la voix de poitrine à la voix de tête. *Les Tyroliens jodlent.*

Joël (v. 400 av. J.-C.), un des 12 petits prophètes juifs.

Joffre (Joseph) (Rivesaltes, 1852 – Paris, 1931), maréchal de France. Il participa à la conquête du Tonkin, de l'A.-O.F. et de Madagascar, puis devint chef de l'état-major général de l'armée (1911). Commandant des armées du Nord et du Nord-Est, il remporta la victoire de la Marne (sept. 1914). Nommé généralissime (déc. 1915), il fut remplacé par Nivelle et promu maréchal de France en décembre 1916. Acad. fr. (1918).

le maréchal **Joffre**

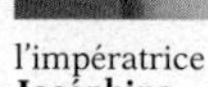

l'impératrice **Joséphine**

jogger [dʒɔgœʀ] n. m. Chaussure de jogging.

joggeur, euse [dʒɔgœʀ, øz] n. Personne qui pratique le jogging.

jogging [dʒɔgiŋ] n. m. (Anglicisme) **1.** Course à pied pratiquée individuellement pour se maintenir en forme et sans idée de compétition. **2.** Syn. de *survêtement.*

Jogjakarta, v. d'Indonésie, dans l'île de Java; ch.-l. de la prov. du m. nom; 400 000 hab. Industr. métallurgiques, textiles et alimentaires.

Johannesburg, v. d'Afrique du Sud (Transvaal); 1 360 870 hab. Première ville de la rép. par sa pop., Johannesburg en est aussi le principal centre bancaire, commercial et industriel : extraction et traitement de l'or; sidérurgie; constructions mécaniques; industries textiles et alimentaires.

Johannot (Tony) (Offenbach, 1803 – Paris, 1852), peintre et graveur français; l'un des plus grands illustrateurs de l'époque romantique.

John Bull. V. Bull.

Johns (Jasper) (Augusta, Géorgie, 1930), peintre et sculpteur américain. Proche de R. Rauschenberg, il contribua à l'élaboration du pop art. Il introduisit des objets de la vie quotidienne dans ses œuvres.

Johnson (Samuel) (Lichfield, 1709 – Londres, 1784), écrivain anglais. Il publia un *Dictionnaire de la langue anglaise* (1755) et, de 1779 à 1781, les *Vies des poètes anglais les plus célèbres.* Sa biographie par Boswell est indispensable à la connaissance des lettres anglaises du XVIIIe s.

Johnson (Andrew) (Raleigh, Caroline du Nord, 1808 – Carter's Station, Tennessee, 1875), homme politique américain. Élu vice-président (républicain) des É.-U. en 1864, il succéda à Lincoln, assassiné en 1865.

Johnson (James Weldon) (Jacksonville, 1871 – Wiscasset, Maine, 1938), écrivain américain. Dans ses poèmes et ses romans, il plaide la cause de ses frères noirs : *Élevez la voix et chantez* (1900), *les Trombones du Seigneur* (1927).

Johnson (Lyndon Baines) (près de Stonewall, Texas, 1908 – San Antonio, id., 1973), homme politique américain. Élu vice-président (démocrate) des É.-U. en 1960, il succéda à J.F. Kennedy, assassiné en nov. 1963, et fut élu président en 1964. Sa présidence (1965-1969) fut marquée par l'intensification de l'engagement militaire des É.-U. au Viêt-nam.

Johnson (Daniel) (Danville, 1915 – Manicouagan, 1968), homme polit. canadien. Premier ministre du Québec de 1966 à sa mort. – Son fils, **Pierre Marc** (Montréal, 1946), succède à René Lévesque comme Premier ministre du Québec (oct.-déc. 1985). – Son autre fils, **Daniel** (Montréal, 1944), succède à Robert Bourassa comme Premier ministre (janv.-sept. 1994).

Johnson (Uwe) (Cammin, Poméranie, 1934 – Sheerness, Angleterre, 1984), écrivain allemand qui quitta la R.D.A. pour la R.F.A. en 1959. Ses romans rendent compte des difficultés mutuelles de compréhension et de confiance entre les deux États : *la Frontière* (1959), *l'Impossible Biographie* (1961), *Deux Points de vue* (1965).

Johnson (Benjamin, dit Ben) (Falmouth, Jamaïque, 1961), athlète canadien d'orig. jamaïquaine. Champion du monde (1987) et champion olympique (Séoul, 1988). Disqualifié pour dopage, il perd ses titres.

Johore, État de Malaisie, au S. de la presqu'île de Malacca; 18 985 km^2; 1 835 000 hab.; cap. *Johore Bahru* (250 000 hab.). Ses princ. productions sont l'étain, la bauxite, le caoutchouc et les fruits tropicaux (ananas).

joie n. f. **1.** État de satisfaction intense. *Cris de joie. Combler de joie. Se faire une joie de* : se réjouir à l'idée de. *Faire la joie de qqn*, être pour lui un sujet de profonde satisfaction. **2.** Gaieté, bonne humeur. *La joie des convives. Mettre en joie* : provoquer la gaieté. **3.** (Plur.) Plaisirs, satisfactions. *Les joies de la vie.* – Iron. Ennuis, inconvénients. *Il va connaître les joies du service militaire!* **4.** Vx Plaisir sensuel. – Loc. mod. *Fille de joie* : prostituée.

joignable adj. Fam. Qu'on peut joindre. *Il est joignable par téléphone.*

Joigny, ch.-l. de cant. de l'Yonne (arr. d'Auxerre); 10 592 hab. (*Joviniens*). Industr. du plastique. Vignoble. – Égl. goth. St-Thibault (XVe-XVIe s.); égl. St-Jean (XVIe s., beau sépulcre en marbre). Maisons des XVe et XVIe s.

joindre v. [56] **I.** v. tr. **1.** Approcher (des objets) de sorte qu'ils se touchent; unir solidement. *Joindre des tôles par une soudure. Joindre les mains*, les faire se toucher paume contre paume (en un geste de prière, de supplication). ▷ v. intr. (Choses) Se toucher sans laisser d'interstices. *Volets qui joignent mal.* **2.** (Construit avec *à*.) Ajouter, mettre avec (pour former un tout ou compléter). *Joindre des pièces à une réclamation.* ▷ Fig. Allier, associer. *Joindre l'utile à l'agréable.* ▷ DR *Joindre deux instances*, les juger en même temps. **3.** Faire communiquer, relier. *Service aérien qui joint Paris à Madrid.* **4.** Atteindre, être en contact avec (qqn). *Joindre qqn par téléphone.* **II.** v. pron. S'associer. *Nous nous joignons à vous.*

1. joint, jointe adj. et n. m. **I.** adj. **1.** Qui est joint, qui se touche. *Planches mal jointes.* **2.** Mis avec, ensemble; conjugué. *Protestations jointes.* **3.** Ajouté. *Pièce jointe à une lettre.* ▷ *Ci-joint* : joint à ceci. *La facture ci-jointe. Ci-joint la facture.* **II.** n. m. **1.** Articulation, endroit où deux os se joignent. *Joint de l'épaule.* (V. aussi jointure.) ▷ Loc. fig., fam. *Trouver le joint*, le point favorable pour intervenir. **2.** MECA Dispositif servant à transmettre un mouvement. *Joint de Oldham. Joint de Cardan* : V. cardan. **3.** TECH Endroit où s'accolent deux éléments contigus d'une maçonnerie, d'une construction ou d'un assemblage. ▷ Intervalle entre ces éléments. ▷ Face la plus étroite d'une planche. **4.** Dispositif ou matériau intercalé entre deux pièces et qui sert à rendre leur raccordement étanche (*joint d'étanchéité*) ou à leur permettre de se dilater (*joint de dilatation*).

2. joint n. m. Fam. Cigarette de haschisch.

jointé adj. m. MED VET *Cheval court-jointé, long-jointé*, dont le paturon est trop court, trop long.

jointer v. tr. [1] TECH Réunir deux pièces, deux surfaces.

jointif, ive adj. Qui est joint sans intervalle. *Planches jointives.*

jointoiement [ʒwɛ̃twamɑ̃] n. m. CONSTR Action de jointoyer; son résultat.

jointoyer v. tr. [23] CONSTR Remplir avec du mortier, du ciment, du plâtre les joints de. *Jointoyer des moellons.*

jointure n. f. **1.** Articulation. *Faire craquer ses jointures.* **2.** Endroit où se joignent deux éléments; manière dont ils se joignent. *Jointure d'un parquet.*

joint-venture [dʒɔjntvɛntʃœʀ] n. m. (Anglicisme) ECON Projet élaboré par une association d'entreprises. *Des joint-ventures.* Syn. (off. recommandé) coentreprise.

Joinville (Jean, sire de) (v. 1224 – 1317), chroniqueur français. Sénéchal de Champagne, il quitta sa province pour accompagner Saint Louis en Égypte (1248). Ses *Mémoires* sont, en réalité, l'histoire de ce roi, qu'il raconte en témoin quelque peu naïf, mais avec un sens aigu de l'observation.

Joinville (François Ferdinand d'Orléans, prince de) (Neuilly, 1818 – Paris, 1900), troisième fils du roi Louis-Philippe. Amiral, il se distingua pendant la conquête de l'Algérie.

Joinville-le-Pont, ch.-l. de canton du Val-de-Marne (arr. de Nogent-sur-Marne), sur la Marne; 16 908 hab. Optique médicale.

jojo n. m. Fam. *Affreux jojo* : enfant turbulent, insupportable; *par ext.* drôle de personnage. ▷ adj. inv. Joli (souvent en tournure nég.). *C'est pas très jojo.*

jojoba n. m. BOT Arbuste des régions désertiques (*Simmondsia chinensis*) dont les graines contiennent une huile pouvant servir de substitut au spermaceti.

joker [ʒɔkɛʀ] n. m. **1.** Carte à jouer qui prend la valeur que lui attribue le joueur qui la détient. **2.** Fig., fam. Élément qui assure un succès inattendu.

Jolas (Betsy) (Paris, 1926), compositeur français de tendance post-sérielle. Ses œuvres, y compris les pièces purement instrumentales, se distinguent par leur référence permanente à la vocalité : *Quatuor II*, pour soprano colorature et trio à cordes (1964); *Stances* (1978); *le Cyclope* (opéra, 1986).

joli, ie adj. et n. m. **1.** Qui plaît par ses qualités esthétiques, par son élégance, ses formes harmonieuses. *Une jolie femme. Un joli garçon. Une jolie bouche. Faire le joli cœur* : chercher à plaire, à séduire. ▷ Agréable à voir, à entendre. *Un joli paysage. De jolis vers.* **2.** Fam. Qui présente des avantages, qui mérite de retenir l'attention. *Une jolie situation. Une jolie fortune.* **3.** Plaisant, amusant, piquant. *Faire un joli mot d'esprit. Le tour est joli.* ▷ n. m. *Le joli* : le plaisant, le piquant. *Le joli de l'affaire.* **4.** *Par antiphrase.* Peu recommandable; déplaisant, blâmable. *Un joli monsieur! Du joli monde!* ▷ n. m. *C'est du joli!*

joliesse n. f. Litt. Caractère de ce qui est joli.

Joliet. V. Jolliet.

Joliette, v. du Canada (Québec) sur l'*Assomption*; 17 390 hab. Industries manufacturières et forestières. – Évêché.

joliment adv. **1.** D'une manière jolie, plaisante. *Écrire joliment.* **2.** Fam. Beaucoup, considérablement. *Joliment bête.* **3.** *Par antiphrase.* Très mal. *Vous voilà joliment vêtu!*

Joliot-Curie (Frédéric Joliot, dit Joliot-Curie après son mariage) (Paris, 1900 – id., 1958), physicien français; auteur de travaux sur la radioactivité artificielle, sur la structure et la fission de l'atome, et sur les applications pacifiques de l'énergie nucléaire. Premier haut-commissaire à l'Énergie atomique (1946), relevé de ses fonctions en 1950 pour son appartenance au Parti communiste français; président du Conseil mondial de la Paix. P. Nobel 1935 (avec sa femme). – **Irène Curie** (Paris, 1897 – id., 1956), épouse (1926) du préc., fille de Pierre et Marie Curie; physicienne française. Elle est l'auteur, seule ou avec son mari, de travaux de physique nucléaire (qui lui valurent, avec lui, le prix Nobel). Sous-secrétaire d'État à la Recherche scientifique en 1936, dans le cabinet Blum.

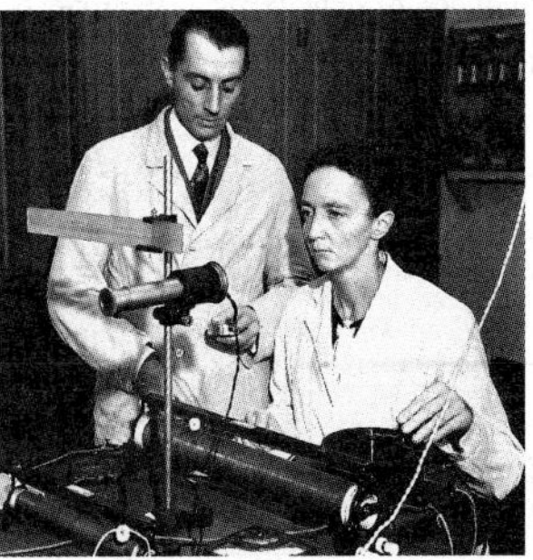

Frédéric et Irène **Joliot-Curie**

Jolivet (André) (Paris, 1905 – id., 1974), compositeur français. Ses recherches mélodiques, harmoniques et rythmiques demandent à l'interprète une grande virtuosité : *Mana* (pour piano, 1935), *Trois Complaintes du soldat* (1940), *Guignol et Pandore* (ballet, 1943), *la Vérité de Jeanne* (oratorio, 1956), dix concertos.

Jolliet ou **Joliet** (Louis) (Québec, 1645 – Joliet, Canada, 1700), explorateur français. Il voyagea dans la région des Grands Lacs et reconnut le cours du Mississippi avec le père Marquette (1673).

Jommelli (Niccolò) (Aversa, 1714 – Naples, 1774), compositeur italien, l'un des maîtres de l'*opera seria* à son époque.

jonagold n. f. Variété de pomme croquante et acidulée.

Jonas (VIIIe s. av. J.-C.), l'un des douze petits prophètes juifs (à ne pas confondre avec le personnage du *Livre de Jonas*).

Jonas (Livre de), livre biblique de la fin du IVe s. av. J.-C. Écrit très populaire, il doit être compris comme une leçon de tolérance et d'universalisme dans le judaïsme d'après l'Exil, et

Johan Barthold **Jongkind :** *Estacade sur l'Escaut*, 1866 ; musée du Louvre

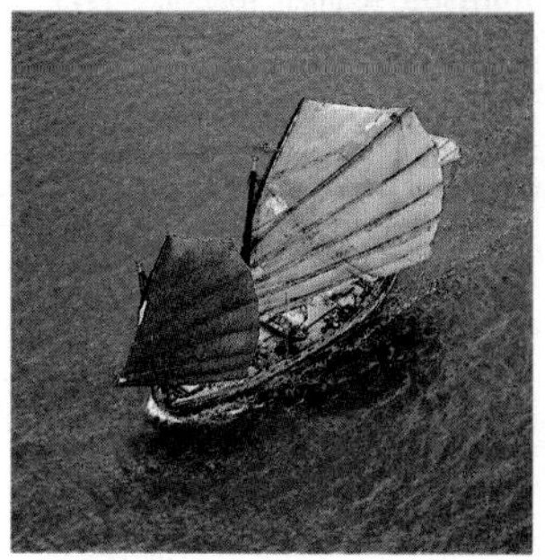
jonque dans la baie de Hong Kong

raconte notam. comment Jonas fut avalé par un énorme poisson qui le régurgita vivant trois jours plus tard.

Jonathan, personnage biblique, aîné des trois fils de Saül. Ami fidèle de David, Jonathan l'avertit des desseins criminels de Saül. Il fut tué avec ses frères à la bataille de Gelboé (vers 1035), où Saül se donna la mort. David composa pour Jonathan et Saül une célèbre lamentation funèbre.

jonc [ʒɔ̃] n. m. **1.** Plante herbacée vivace qui pousse dans les lieux humides et dont la tige est droite et flexible. ▷ Cette tige, utilisée en vannerie. *Corbeille de jonc.* **2.** *Canne de jonc* ou un *jonc :* canne faite avec la tige du jonc d'Inde (rotang). **3.** Bague ou bracelet dont le cercle est de grosseur uniforme.

jonchée n. f. **1.** Litt. Amas (de branchages, de fleurs, d'herbe, etc.) qui recouvre le sol. *Une jonchée de feuillages.* ▷ *Par ext.* Grande quantité d'objets éparpillés sur le sol. *Jonchée de papiers.* **2.** Rég. Petit fromage de lait caillé égoutté sur une claie de joncs.

joncher v. tr. [**1**] **1.** Recouvrir le sol (de branchages, de feuilles, etc.). *Joncher le sol de fleurs.* **2.** Couvrir en grande quantité. *Papiers qui jonchent le sol.*

jonchet n. m. Chacun des petits bâtons de bois, d'os, d'ivoire, etc., jetés pêle-mêle sur une table et qu'il faut retirer un à un sans faire bouger les autres. *Le jeu de jonchets* ou *les jonchets.*

jonction [ʒɔ̃ksjɔ̃] n. f. **1.** Action de joindre, de se joindre ; son résultat ; fait d'être joint, réuni. *Un pont établit la jonction entre les rives d'un fleuve. La jonction de deux colonnes blindées.* ▷ DR *Jonction d'instance, de cause :* réunion de deux causes en une seule afin que le tribunal statue sur les deux en un seul jugement. **2.** Point où deux choses se joignent. *À la jonction des deux autoroutes.* ▷ ELECTR Connexion, liaison entre deux conducteurs. ▷ ELECTRON Dans un semi-conducteur, zone de transition de faible épaisseur qui sépare les domaines caractérisés respectivement par un excès d'électrons (région N) et par un défaut d'électrons (région P).

Jones (Inigo) (Londres, 1573 - id., 1652), architecte anglais ; introducteur de l'architecture classique en Grande-Bretagne, fortement marqué par Palladio : Queen's House à Greenwich (1618-1635), Banqueting House à Whitehall (1619-1622).

Jones (James) (Robinson, Illinois, 1921 - Southampton, État de New York, 1977), romancier américain. Ses œuvres montrent que l'armée écrase l'individu après lui avoir donné l'illusoire sentiment qu'elle le protège : *Tant qu'il y aura des hommes* (1951), *la Mer à boire* (1967), *Joli mois de mai* (1971).

Jones (Everett LeRoi) (Newark, 1934), écrivain et militant noir américain. Poète, dramaturge, essayiste et romancier, il associe à la dénonciation du racisme l'exaltation de la négritude. Essai : *le Peuple du blues* (1963). Théâtre : *le Métro fantôme* (1964), *Jello* (1965), *la Mort de Malcolm X* (1969).

Jongen (Joseph) (Liège, 1873 - Sart-lez-Spa, 1953), compositeur belge : symphonies, concertos, musique de chambre et vocale, etc.

Jongkind (Johan Barthold) (Latrop, 1819 - Grenoble, 1891), peintre, aquarelliste et graveur hollandais ; précurseur de l'impressionnisme.

jonglage n. m. Art de jongler.

jongler v. intr. [**1**] **1.** Lancer en l'air plusieurs objets (balles, torches enflammées, poignards, etc.) que l'on rattrape et que l'on relance alternativement. **2.** Fig. Manier avec dextérité. *Jongler avec les chiffres, les mots. Jongler avec les difficultés,* les surmonter très facilement.

jonglerie n. f. **1.** Vieilli Tour de passe-passe. **2.** Art du jongleur. **3.** Fig., péjor. Manœuvre destinée à duper. *Je ne suis pas dupe de ses jongleries.* ▷ (Sans idée péjor.) Manifestation de virtuosité. *Les jongleries verbales d'un poète.*

jongleur, euse n. **1.** Anc. Ménestrel (diseur de poèmes, instrumentiste et chanteur), qui allait de château en château, de ville en ville. **2.** Artiste de cirque, de music-hall, etc., qui fait métier de jongler. *Jongleurs et acrobates.*

Jönköping, v. de Suède, sur le lac Vättern ; 107 360 hab ; ch.-l. du län du m. nom. Industr. méca., chim. et text. ; fabriques de papier et d'allumettes.

jonque n. f. Navire de pêche ou de transport à voiles lattées, très haut de l'arrière, typique de l'Extrême-Orient.

Jonquière, v. du Québec (rég. admin. du Saguenay-Lac-Saint-Jean) sur la *Saguenay* ; 57 900 hab. Centre industriel.

jonquille n. **1.** n. f. Narcisse à collerette profonde et à fleurs jaunes. **2.** n. m. Couleur jaune clair. ▷ adj. inv. *Des foulards jonquille.*

Jonson (Benjamin, dit Ben) (Westminster, 1572 - Londres, 1637), auteur dramatique anglais ; l'un des principaux représentants du théâtre élisabéthain. Ami puis adversaire de Shakespeare, il créa un style comique où se mêlent le réalisme et la satire. Princ. œuvres : *Volpone ou le Renard* (1605), *l'Alchimiste* (1610), *la Foire de la Saint-Barthélemy* (1614), *Le diable est un âne* (1616).

Jonzac, ch.-l. d'arr. de la Charente-Maritime ; 4 873 hab. Vin ; céramique. - Château (XIVe-XVIe s.).

Joram, roi d'Israël (v. 851-843 av. J.-C.), fils d'Achab et de Jézabel, idolâtre, tué par son général Jéhu.

Joram, roi de Juda (v. 849-841 av. J.-C.), successeur de Josaphat, son père. Il épousa Athalie.

Jorasses (Grandes-), sommets du massif du Mont-Blanc (4 206 m à la pointe Walker) dont l'escalade est partic. difficile.

Jorat (massif du), collines de Suisse, au N.-E. de Lausanne ; 928 m.

Jordaens (Jacob) (Anvers, 1593 - id., 1678), peintre flamand. Influencé par Rubens, il allia un style baroque au

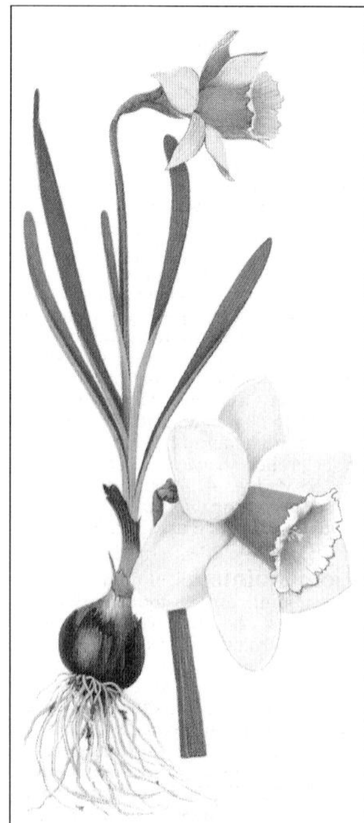
plant avec bulbe de la **jonquille** des jardins ou pseudo-narcisse (à g.) et variété cultivée (à dr.)

Jacob **Jordaens** : *la Famille Jordaens dans un jardin;* musée du Prado

réalisme flamand : séries *Le roi boit!* et *le Satyre et le Paysan.*

Jordan (Camille) (Lyon, 1838 – Paris, 1922), mathématicien français. Il est connu pour ses travaux sur la géométrie et l'analyse.

Jordan (Michael Jeffrey, dit Air) (Brooklyn, 1963), basketteur américain. Joueur dans l'équipe des *Chicago Bulls* dep. 1984. Meilleur marqueur du championnat amér. de 1987 à 1993; champion olympique en 1984 et 1992.

Jordanie (royaume hachémite de) *(Al-Mamlaka al-'Urdunniya al-Hāshimiyyah),* État du Proche-Orient bordé à l'O. par Israël, au N. par la Syrie et à l'E. par l'Irak et l'Arabie Saoudite; 97 740 km²; 3,9 millions d'hab., croissance démographique : 3,5 % par an; cap. *Amman.* Nature de l'État : monarchie constitutionnelle. Langue off. : arabe. Monnaie : dinar jordanien. Pop. : Arabes (dont env. 50 % de réfugiés palestiniens). Relig. : islam, christianisme (5 %).
Géogr. et écon. – Aux plateaux calcaires de la Palestine s'oppose une vaste dépression longitudinale, occupée par la vallée du Jourdain et la mer Morte, et surmontée à l'E. par les plateaux crayeux de Transjordanie (dont le point culminant atteint 1 700 m). Le climat, très chaud dans la vallée du Jourdain, devient aride vers l'E. et le S. La Jordanie utile est surpeuplée : la population augmente rapidement et le pays accueille, à l'E. du Jourdain, de nombreux réfugiés palestiniens qui représentent plus de 50 % de la population. Les dépressions irriguées du Jourdain et du Yarmouk, son affluent, fournissent la quasi-totalité du blé, des légumes, des fruits et de l'huile d'olive produits par la Jordanie; ailleurs domine l'élevage itinérant des chèvres et des moutons (env. 100 000 éleveurs nomades). La Jordanie exploite aussi des phosphates et de la potasse, ses seules ressources minières. Déjà victime d'une crise consécutive au tarissement de l'aide arabe, à la baisse des transferts des émigrés et à la fin du commerce de guerre avec l'Irak, l'écon. jordanienne, dépendante de son commerce avec l'Irak, a été victime du blocus mondial décrété contre ce dernier en 1990, après l'invasion du Koweït par les troupes de Bagdad.
Hist. – Artificiellement créé sur les ruines de l'Empire ottoman (1921), l'émirat de Transjordanie reçoit son indépendance de la G.-B. en 1946. Son souverain, Abd Allah, participe aux combats contre Israël de mai 1948 jusqu'à l'armistice de 1949, date à laquelle il annexe les territoires qu'il a occupés à l'O. du Jourdain (Cisjordanie) grâce à son excellente armée (la «Légion arabe» créée en 1928 par les Anglais); il donne à son pays le nom de Jordanie, laquelle est exclue de la Ligue arabe, qui l'accuse d'accepter le *statu quo* avec Israël. En 1951, Abd Allah est assassiné. L'annexion de la Cisjordanie modifie complètement la physionomie du pays : au modeste émirat peuplé de 400 000 Bédouins s'ajoute à l'O. une région peuplée de 700 000 Palestiniens, citadins gagnés au nationalisme et à la démocratie. L'histoire de la Jordanie sera celle d'une difficile intégration. En outre, Hussein, désigné comme roi en août 1952, doit mener une politique difficilement équilibrée entre les alliances étrangères, tandis que les partisans de Nasser (réfugiés palestiniens notam.) créent une forte agitation intérieure. En 1956, Hussein soutient l'Égypte lors de la crise de Suez, mais, en 1957, il élimine les éléments favorables à Nasser des postes de commande. Pour contrebalancer la République arabe unie (fédération égypto-syrienne), une union jordano-irakienne est décidée (fév. 1958), que brise la révolution de Bagdad (juil.). La Jordanie, en danger, fait alors appel à l'Occident. Un nouvel accord est signé avec Le Caire lorsque éclate la guerre des Six Jours (5 juin 1967). La victoire israélienne ampute la Jordanie de la Cisjordanie et de la partie arabe de Jérusalem et provoque l'afflux de 250 000 réfugiés. Après la guerre, Hussein doit résister aux Palestiniens, et notam. aux mouvements de fedayin qui tentent une mainmise sur le royaume. Les combats de 1970-1971 contre les Palestiniens armés sont une victoire pour le roi, mais ils isolent la Jordanie au sein du monde arabe. Le rapprochement avec Yasser Arafat, dirigeant de l'O.L.P., en 1985, est confirmé lors du sommet de la Ligue arabe à Amman (nov. 1987). La Jordanie y renoue avec la Syrie, avec laquelle les relations étaient rompues depuis 1980. Après le soulèvement palestinien dans les territoires occupés, en 1988, Hussein, en juil., dissout le Parlement jordanien, où siégeaient 60 députés palestiniens, et rompt tout lien administratif avec la Cisjordanie. En nov. 1989, le mécontentement populaire ayant pour cause la crise écon. oblige le roi à concéder des élect. législatives, les premières dep. 20 ans. Un puissant courant islamiste se manifeste, dominé par les Frères* musulmans. En juin 1991, une charte nationale consacrant le pluralisme est adoptée par un congrès représentant tous les courants politiques. Un accord de paix est conclu avec Israël en oct. 1994. La mort du roi Hussein en janvier 1999 et son remplacement par son fils Abd Allah, issu des cadres de l'armée, font craindre pour la stabilité de l'État jordanien.

jordanien, enne adj. et n. De Jordanie. ▷ Subst. *Un(e) Jordanien(ne).*

Jorn (Asger Jørgensen, dit Asger) (Vejrum, 1914 – Århus, 1973), peintre et graveur danois. Il fut cofondateur du mouvement Cobra* et l'un des promoteurs de l'«Internationale situationniste». ► illustr. **Cobra**

Josabeth (IXᵉ s. av. J.-C.), fille du roi Joram, épouse du grand prêtre Joad et tante de Joas.

Josaphat (vallée de), vallée près de Jérusalem, parcourue par le Cédron, que la tradition désigne comme le lieu du Jugement dernier (Joël, IV, 2).

Josaphat, roi de Juda (v. 870-848 av. J.-C.). Il s'allia avec Israël pour vaincre les Moabites.

joseph adj. inv. TECH *Papier joseph :* papier mince et transparent utilisé comme filtre en chimie.

Joseph, selon la Genèse (XXXVII à L), patriarche hébreu, 11ᵉ fils de Jacob et prem. fils de Rachel. Vendu par ses

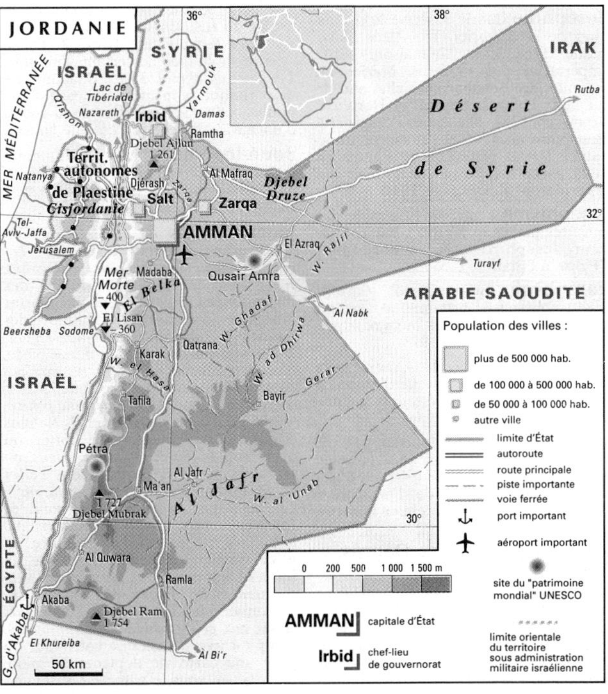

frères, il devint intendant de Putiphar, officier du pharaon puis ministre de celui-ci. Par la suite, Joseph, honoré et puissant, accueillit avec bienveillance son père et ses frères, chassés de leur pays par la famine.

Joseph (saint), charpentier de Nazareth, époux de la Vierge Marie, père nourricier de l'Enfant Jésus.

Joseph d'Arimathie (saint) (Arimathie, auj. Rantis, Israël, Ier s.), Juif de Jérusalem qui obtint de Pilate le corps du Christ pour l'ensevelir. Selon une tradition médiévale, il aurait recueilli le sang de Jésus dans le Graal.

Joseph Ier (Vienne, 1678 - id., 1711), fils de Léopold Ier, empereur germanique (1705-1711). Il poursuivit la guerre de Succession d'Espagne. – **Joseph II** (Vienne, 1741 - id., 1790), empereur germanique (1765-1790). Monté sur le trône à la mort de son père, François Ier, il ne régna vraiment qu'à la mort de sa mère, Marie-Thérèse (1780). Despote éclairé, il entreprit d'uniformiser et de centraliser l'administration de ses États, d'établir la liberté religieuse, d'intervenir dans les affaires ecclésiastiques (joséphisme), de supprimer le servage et la torture. À l'extérieur, il favorisa le premier partage de la Pologne (1772), mais échoua dans ses tentatives contre la Turquie et contre la Bavière.

Joseph Ier le Réformateur (Lisbonne, 1714 - id., 1777), roi de Portugal (1750-1777). Il laissa son ministre, le marquis de Pombal, gouverner le royaume.

Joseph (François Joseph Le Clerc du Tremblay, en relig. le Père) (Paris, 1577 - Rueil, 1638), capucin français. Son rôle auprès de Richelieu (à partir de 1624), dont il fut le collaborateur intime, lui valut le surnom d'*Éminence grise*.

Joseph Bonaparte. V. Bonaparte.

Josèphe (Flavius). V. Flavius Josèphe.

Joséphine (Marie Josèphe Rose Tascher de La Pagerie) (Trois-Îlets, Martinique, 1763 - la Malmaison, 1814), impératrice des Français. Mariée au vicomte de Beauharnais, elle eut de lui deux enfants, Eugène et Hortense. Veuve en 1794, elle épousa le général Bonaparte en 1796 et fut sacrée impératrice (1804). Napoléon la répudia en 1809 parce qu'elle ne lui donnait pas d'héritier. ► illustr. page **1010**

joséphisme n. m. HIST Ensemble des mesures prises au XVIIIe s. par l'empereur Joseph II pour subordonner l'Église à l'État.

Josephson (Brian David) (Cardiff, 1940), physicien britannique; connu pour ses travaux sur les métaux supraconducteurs. P. Nobel 1973.

Josias (m. en 609 av. J.-C.), roi de Juda (640-609), fils et successeur d'Amon. Il périt à la bataille de Meggido, gagnée par Néchao II, roi d'Égypte.

Jospin (Lionel) (Meudon, 1937), homme politique français; premier secrétaire du P.S. (1981-1988 et 1995-1997), ministre de l'Éducation nationale (1988-1992). Premier ministre depuis juin 1997.

Josquin Des Prés ou **Deprés.** V. Des Prés (Josquin).

Josselin, ch.-l. de cant. du Morbihan (arr. de Pontivy), sur l'Oust; 2 558 hab. – Égl. N.-D.-du-Roncier (XIIe-XVIe s.). Beau chât. (fin XVe-déb. XVIe s.). – Site du *combat des Trente** (1351) pour la succession de Bretagne.

Josué (fin du XIIIe s. av. J.-C.), successeur de Moïse, chargé de la conquête de la terre de Canaan. Il prit Jéricho* et vainquit les Amalécites à Gabaon en arrêtant, selon la légende, le Soleil pour la durée de la bataille. Le *Livre de Josué* est le prem. des livres historiques de la Bible (24 chapitres).

jota [xɔta] n. f. **1.** Danse populaire espagnole (Aragon, Navarre), écrite sur une mesure à trois temps. *Chanter, danser la jota.* **2.** Son guttural espagnol, noté dans cette langue par la lettre *j*.

Jotunheim, chaîne de montagnes du S. de la Norvège (2 468 m au Galdhøpiggen, point culminant de la Scandinavie).

jouable adj. Qui peut être joué. *Cette pièce n'est pas jouable.* ▷ Fig. *C'est jouable :* c'est faisable.

joual n. m. Variété de français québécois caractérisée par un ensemble de traits (surtout phonétiques et lexicaux) considérés comme incorrects.

Jouarre, com. de Seine-et-Marne (arr. de Meaux); 3 292 hab. – De l'abbaye de Jouarre, fondée au VIIe s., il reste une crypte où se trouvent plusieurs sarcophages mérovingiens.

jouasse adj. Fam. Joyeux, content.

joubarbe n. f. Plante grasse (fam. crassulacées) à fleurs jaunes ou roses en cymes.

Joubert (Petrus Jacobus) (Cango, Natal, 1831 - Pretoria, 1900), général boer. Commandant en chef des Boers, il tint en échec les Britanniques au Natal (1881 et 1899), dans l'Orange et dans la province du Cap (1899).

joue n. f. **1.** Partie latérale du visage comprise entre le nez et l'oreille, l'œil et le maxillaire inférieur. *Joues creuses, rebondies. Embrasser qqn sur la joue, sur les joues.* ▷ Fam. *Se caler les joues :* manger abondamment. ▷ *Coucher, mettre en joue qqch, qqn,* le viser en appuyant la crosse du fusil contre la joue. – Ellipt. *En joue! Feu :* Visez! Tirez! **2.** Partie latérale de la face de certains animaux. *Les joues du cheval.* **3.** TECH Chacune des deux flasques constituant la cage d'une poulie. ▷ MAR Partie renflée de la coque d'un navire, de chaque côté de l'avant.

Joué-lès-Tours, ch.-l. de cant. d'Indre-et-Loire (arr. de Tours); 37 114 hab. Industr. du plastique; pneumatiques; verrerie. Vignobles.

jouer v. [1] **A.** v. intr. **I. 1.** Se récréer, se divertir, s'occuper à un jeu. *Les enfants jouent dans la cour.* ▷ Loc. fig. *Jouer avec sa santé,* commettre des imprudences qui peuvent lui porter atteinte. – *Jouer avec le feu :* prendre des risques, prendre un danger à la légère. **2.** Se mouvoir, en parlant d'une pièce, d'un mécanisme. *Ce piston ne joue pas bien.* ▷ *Faire jouer :* faire fonctionner, mettre en action. *Faire jouer une pompe.* – Fig. *Il a fait jouer ses relations.* **3.** Ne plus joindre parfaitement, se déboîter ou avoir trop de jeu. *Rivet qui joue dans son logement.* **4.** Se déformer (sous l'effet de l'humidité, de la dessiccation, etc.). *Les panneaux de la porte ont joué.* **5.** Intervenir, agir. *Ces considérations ont joué dans ma décision.* **6.** Produire un effet particulier (en parlant de la lumière, des couleurs). *Lumière qui joue sur une étoffe moirée.* **II.** *Jouer à.* **1.** S'adonner à (tel jeu, tel sport). *Jouer aux cartes, aux échecs. Jouer au tennis.* ▷ (S. comp.) *À vous de jouer :* à votre tour de jeter une carte, de déplacer un pion, etc.; fig., à vous d'agir. **2.** Miser de l'argent (dans un jeu de hasard). *Jouer à la roulette, au baccara. Jouer aux courses* (de chevaux). ▷ Absol. *C'est un homme qui joue,* qui joue habituellement, qui a la passion de jouer. ▷ *Jouer à la Bourse :* spéculer sur les valeurs boursières. **III.** *Jouer de.* Se servir de (tel instrument, tel outil, telle arme). *Jouer du couteau.* – *Spécial.* Se servir selon les règles de l'art (d'un instrument de musique). *Jouer du violon, de la flûte.* ▷ Loc. *Jouer des coudes*. Jouer de la prunelle*.* **B.** v. tr. **1.** Faire (une partie) à tel ou tel jeu ou sport. *Jouer une partie de tarot, un match de rugby. Jouer une carte,* jeter cette carte. *Jouer un pion,* le déplacer. ▷ *Jouer le jeu :* jouer conformément aux règles, à l'esprit du jeu; fig., respecter des conventions explicites ou tacites. **2.** Miser. *J'ai joué cent francs sur le favori.* – *Jouer gros jeu :* jouer de grosses sommes; fig., prendre de gros risques. ▷ Fig. Compter sur qqch pour obtenir un résultat. *Le gouvernement joue la prudence.* – *Jouer la montre :* temporiser. **3.** Exécuter, faire entendre au moyen d'un instrument de musique. *Le pianiste a joué une sonate de Chopin. Jouer (du) Mozart.* Syn. interpréter. **4.** Représenter sur la scène. *Jouer une comédie. Jouer les ingénues :* tenir habituellement l'emploi d'ingénue. ▷ Fig. *Jouer la comédie :* feindre des sentiments. ▷ Loc. fig. *Jouer les... :* feindre d'être, tenter de se faire passer pour un... *Jouer les durs.* ▷ Fam. *La jouer à qqn :* essayer de lui en imposer. *Il nous la joue au patriote désintéressé.* – *Se la jouer :* avoir tel type de comportement. *Se la jouer sans chichis.* **5.** Rare Imiter. *Papier qui joue le velours.* **C.** v. pron. **1.** Vx ou litt. Se divertir, folâtrer. *Oiseaux se jouant dans le feuillage.* **2.** *Se jouer de qqn,* se moquer de lui, le duper. ▷ *Se jouer des difficultés,* en triompher aisément. **3.** (Sens passif.) Être joué (en parlant d'une pièce de théâtre, d'un morceau de musique). *Cette pièce s'est jouée plus de cent fois.*

jouet n. m. **1.** Objet avec lequel un enfant joue; objet fabriqué à cet usage. *Jouet en peluche.* **2.** Fig. Personne dont on se joue, dont on se moque. *Il n'a été qu'un jouet entre les mains de cet intrigant.* **3.** Fig. Personne, chose, livrée à une force extérieure aveugle; personne victime d'une tromperie, d'une illusion. *Être le jouet des événements.*

joueur, euse n. et adj. **1.** Personne qui joue à un jeu (de façon occasionnelle ou régulière). *Joueur d'échecs. Joueur de rugby.* ▷ adj. Qui aime à jouer. *Enfant joueur.* **2.** Personne qui a la passion des jeux d'argent. *Un joueur incorrigible.* **3.** Loc. *Beau joueur,* qui sait accepter une éventuelle défaite. *Mauvais joueur,* qui n'aime pas perdre. **4.** Personne qui joue d'un instrument de musique. *Joueur de mandoline.*

joufflu, ue adj. Qui a de grosses joues.

Jouffroy (Théodore) (Les Pontets, Doubs, 1796 - Paris, 1842), philosophe spiritualiste français : *Mélanges philosophiques* (1833).

Jouffroy d'Abbans (Claude François, marquis de) (Roches-sur-Rognon, Champagne, 1751 - Paris, 1832), ingénieur français. Il construisit en 1776 le premier bateau à vapeur.

joug [ʒu] n. m. **1.** Pièce de bois que l'on place sur la tête ou l'encolure des bœufs pour les atteler. *Joug simple, double.* ▷ Fig. Sujétion, contrainte matérielle ou morale. *Secouer le joug. Le joug du mariage.* **2.** ANTIQ ROM Pique attachée horizontalement au bout de deux autres piques plantées en terre, sous laquelle on faisait passer les ennemis vaincus en signe de soumission.

Jouhandeau (Marcel) (Guéret, 1888 - Rueil-Malmaison, 1979), écrivain français; auteur de romans et de récits autobiographiques dans lesquels l'allégorie mystique alterne avec la description minutieuse de la vie quotidienne (notam. avec sa femme, Élise). Romans : *Monsieur Godeau intime* (1926), *Chaminadour* (3 vol., 1934-1941), *Chroniques maritales* (1938). Autobiographies : *Mémorial* (6 vol., 1948-1958), *Journaliers* (1961-1983).

Jouhaux (Léon) (Paris, 1879 - id., 1954), syndicaliste français. Secrétaire général de la C.G.T. de 1909 à 1940, il s'opposa au corporatisme de Vichy et fut déporté en Allemagne. Redevenu secrétaire général de la centrale syndicale en 1945, mais en désaccord avec la majorité communiste, il quitta la C.G.T. en déc. 1947 et participa à la fondation de la C.G.T.-F.O. Prix Nobel de la paix 1951.

jouir v. [**3**] v. tr. indir. *Jouir de*. **1.** Avoir l'usage, la possession, le profit de. *Jouir d'une bonne santé, de l'estime générale.* ▷ (Choses) *Région qui jouit d'un agréable climat.* **2.** Tirer grand plaisir de. *Jouir de l'embarras d'un adversaire.* ▷ Prendre du plaisir; vivre dans le plaisir. *Jouir de la vie.* ▷ (Absol.) Éprouver l'orgasme.

jouissance n. f. **1.** Fait de jouir de qqch, d'en avoir l'usage, la possession, le profit. *Jouissance d'un droit.* **2.** Plaisir de l'esprit ou des sens. *Jouissance que procure une œuvre d'art.* ▷ *Spécial.* Plaisir sexuel, orgasme.

jouisseur, euse n. et adj. Personne qui ne songe qu'à jouir des plaisirs matériels. ▷ adj. *On le dit très jouisseur.*

jouissif, ive adj. Fam. Qui procure un intense plaisir.

joujou, oux n. m. (Dans le langage enfantin.) Jouet. *Faire joujou* : jouer. ▷ Fig., plaisant Objet (en partic. objet mécanique) très perfectionné ou très coûteux.

Joukov (Gheorghi Konstantinovitch) (Strelkovka, 1896 - Moscou, 1974), maréchal soviétique. Chef d'état-major de l'armée Rouge (1940), il sauva Moscou (1941), défendit Stalingrad (1943) et dirigea l'offensive soviétique sur le front de l'Ouest, qui se termina par la prise de Berlin. Signataire de l'acte de capitulation de l'Allemagne, il commanda ensuite les troupes sov. d'occupation de l'ancien Reich. Ministre de la Défense (1955-1957), puis membre du præsidium du Comité central du P.C.U.S., il en fut brusquement écarté par Khrouchtchev (oct. 1957).

Joukovski (Vassili Andreïevitch) (district de Michenkoïe, 1783 - Baden-Baden, 1852), poète lyrique russe préromantique (*le Barde au Kremlin*, ode, 1816); connu aussi pour ses traductions (Goethe, Schiller, Homère, etc.). Précepteur du tsar Alexandre II, il l'engagea à libérer les serfs.

Joukovski (Nikolaï Iegorovitch) (Orekhovo, Vladimir, 1847 - Moscou, 1921), physicien russe. Spécialiste de mécanique des fluides, il développa l'aérodynamique avec Tupolev.

joule n. m. PHYS Unité d'énergie équivalant au travail d'une force de 1 newton dont le point d'application se déplace de 1 mètre dans sa propre direction (symb. : J).

James P. **Joule**

James **Joyce**

Joule (James Prescott) (Salford, 1818 - Sale, 1889), physicien et industriel anglais. Il détermina, à l'aide d'une expérience célèbre, l'équivalence entre la chaleur et le travail (1 calorie = 4,186 J). ▷ PHYS *Loi de Joule*, concernant le rapport entre certaines caractéristiques physiques d'un gaz parfait et sa température. ▷ ELECTR *Effet Joule* : dégagement de chaleur dû au passage d'un courant électrique dans un conducteur. (Il se calcule par la *loi de Joule* : $Q = RI^2t$; Q en joules, R en ohms, I en ampères et t en secondes.)

Joumblatt (Kamal) (Moukhatara, 1917 - près de Beyrouth, 1977), homme politique libanais, un des chefs de la communauté druze; il s'imposa comme le leader de la gauche au début de la guerre civile. Il mourut dans un attentat. — **Walid** (Beyrouth, 1947), fils du préc., lui succéda à la tête de la communauté et du parti.

Jounieh (en ar. *Djūniya*), v. du Liban, au N. de Beyrouth; env. 100 000 hab.

jour n. m. **I.** Lumière, clarté. **1.** Lumière du soleil. *Il fait jour. Le jour se lève*, apparaît. ▷ *Demi-jour* : faible clarté. *Grand jour, plein jour* : pleine clarté solaire. ▷ *Beau comme le jour* : très beau. *Clair comme le jour* : très clair; fig. très facile à comprendre. **2.** Manière dont la lumière éclaire un objet. *Faux jour* : lumière qui éclaire mal, qui donne aux objets un aspect qui n'est pas le leur. ▷ Fig. Manière dont qqch ou qqn se présente, est considéré. *Je ne le connaissais pas sous ce jour.* **3.** Vie, existence. ▷ Loc. *Voir le jour* : naître. *Donner le jour à un enfant.* ▷ Fig. *Livre qui voit le jour*, qui paraît. **4.** Fig. *Au jour, au grand jour* : au vu et au su de tous. **II.** Ce qui laisse passer la lumière. **1.** Ouverture, fenêtre. *Jours ménagés dans les murs d'un bâtiment.* **2.** Ouverture pratiquée dans une étoffe en groupant plusieurs fils par des points de broderie. *Mouchoir à jours.* **3.** *À jour* : à travers quoi l'on voit le jour, dans quoi sont pratiquées des ouvertures. *Clochers à jour des cathédrales gothiques.* **4.** *Se faire jour* : apparaître progressivement. *Une vérité qui se fait jour.* **III.** Espace de temps. **1.** Période de clarté entre le lever et le coucher du soleil. *En décembre, les jours sont courts.* **2.** Espace de temps de vingt-quatre heures correspondant à une rotation complète de la Terre sur elle-même. *Les sept jours de la semaine. Jours fériés. Jour civil*, de minuit à minuit. ▷ ASTRO *Jour solaire vrai* : durée qui sépare deux passages supérieurs consécutifs du Soleil au méridien d'un lieu. - *Jour solaire moyen* : durée du jour solaire pour un Soleil fictif qui se déplacerait d'un mouvement uniforme. - *Jour sidéral* : durée comprise entre deux passages consécutifs d'une même étoile au méridien d'un même lieu, qui équivaut à la période de rotation de la Terre mesurée dans un repère lié aux étoiles supposées « fixes » (1 jour sidéral = 23 h 56 min 4 s). **3.** Époque, espace de temps considéré relativement aux événements qui l'occupent, à l'emploi que l'on en fait. *Jour de pluie. Les beaux jours* : les jours où il fait beau, le printemps, l'été. - *Être dans un bon, un mauvais jour* : être de bonne, de mauvaise humeur. - *Vivre au jour le jour*, avec le gain de chaque jour; fig. sans souci du lendemain. ▷ *Absol.* Jour où une personne reçoit. *Son jour est le lundi.* ▷ *Le jour J* : V. j (sens 3). **4.** Cet espace de temps utilisé pour situer un événement, pour servir de point de repère. - *Un jour* : à un moment indéterminé. *Passez donc me voir un jour. Un de ces jours* : prochainement. *Un jour ou l'autre* : à un moment non précisé. ▷ *À jour* : exact, en règle, effectué en totalité au jour considéré. *Avoir des registres à jour. Mettre ses comptes à jour.* **5.** Moment présent, époque actuelle. *C'est au goût du jour*, à la mode. ▷ (Plur.) *De nos jours* : à notre époque. **6.** (Plur.) Durée de l'existence. *Ses jours sont comptés.*

Jourdain (le), fl. du Proche-Orient (360 km); né dans l'Hermon libanais, il traverse le lac de Tibériade, en Israël, puis emprunte le fossé d'effondrement du Ghor, avant de se jeter dans la mer Morte. Il sépare la Jordanie, à l'est, de la Cisjordanie (actuellement occupée par Israël), à l'ouest.

Jourdain (Frantz), dit aussi *Frantz-Jourdain* (Anvers, 1847 - Paris, 1935), architecte et critique d'art français d'origine belge, l'un des propagateurs de l'art nouveau : magasins de la Samaritaine (Paris). Il fonda le Salon d'automne (1903).

Jourdan (Mathieu Jouve), dit *Jourdan Coupe-Tête* (Saint-Just, 1749 - Paris, 1794), révolutionnaire français. Responsable d'atrocités commises dans le Vaucluse, notam. du massacre de la Glacière à Avignon (1791); il fut guillotiné.

Jourdan (Jean-Baptiste, comte) (Limoges, 1762 - Paris, 1833), maréchal de France. Victorieux à Wattignies (1793) et à Fleurus (1794), il servit ensuite Joseph Bonaparte (à Naples, puis en Espagne), les Bourbons, et enfin Louis-Philippe, qui le nomma gouverneur des Invalides.

journal, aux n. m. **I. 1.** Cahier dans lequel une personne note régulièrement ses réflexions, les événements dont elle a été témoin, les actions qu'elle a accomplies, etc. *Tenir un journal de voyage. Journal intime.* ▷ MAR *Journal de bord* : registre dans lequel sont consignées toutes les circonstances relatives à la navigation et à la marche du navire. **2.** COMM Registre dans lequel on inscrit jour par jour les opérations comptables que l'on effectue. ▷ adj. *Livre journal.* **II. 1.** Toute publication périodique destinée à un public donné ou traitant de questions relatives à un ou à plusieurs domaines particuliers. *Journal pour enfants. Journaux féminins. Journal de mode.* ▷ *Spécial.* Publication quotidienne qui relate et commente l'actualité dans tous les domaines. **2.** *Par ext.* Bulletin d'informations diffusé à heures fixes par la radio, la télévision. *Journal télévisé.*

journalier, ère adj. et n. **1.** adj. Qui se fait, se produit chaque jour. *Tâche journalière.* **2.** n. Ouvrier, ouvrière agricole payé(e) à la journée.

journalisme n. m. **1.** Profession, travail de journaliste. **2.** Vieilli Milieu de la presse, des journalistes. *Le journalisme parisien.* **3.** Mode d'expression propre à la presse. *C'est du bon journalisme.*

journaliste n. Personne qui fait métier d'écrire dans un journal. ▷ *Par* *ext.* Personne qui fait métier d'informer à travers les médias.

journalistique adj. Relatif au journalisme, aux journalistes. *Style journalistique.*

Journal officiel de la République française (J.O.), publication officielle (placée sous le contrôle du ministre de l'Intérieur) des textes des lois et décrets, des débats parlementaires, etc. Il succéda en 1848 au *Moniteur universel.*

journée n. f. **1.** Durée correspondant à un jour (sens III). *Une belle journée.* ▷ Loc. fam. *À longueur de journée, toute la sainte journée :* continuellement. **2.** Temps compris entre le lever et le coucher d'une personne, et l'emploi qu'elle en fait. *J'ai eu une dure journée.* **3.** Temps consacré au travail pendant la journée. – *Journée continue,* pratiquement ininterrompue (temps du déjeuner très réduit). ▷ Salaire du travail d'un jour. *Gagner sa journée.*

journellement adv. **1.** Tous les jours. **2.** Vieilli Fréquemment.

joute n. f. **1.** Anc. Combat courtois opposant deux cavaliers armés de lances garnies d'une morne. ▷ Mod. *Joute sur l'eau :* jeu sportif opposant deux hommes debout chacun dans une barque, et qui cherchent à se faire tomber au moyen de longues perches. **2.** Fig. Lutte. *Joute oratoire.*

jouter v. intr. [1] **1.** Anc. Participer à une joute. – Mod. Participer à une joute sur l'eau. **2.** Fig., litt. Rivaliser; s'opposer en une joute (sens 2).

jouteur, euse n. Personne qui participe à une joute.

Jouve (Pierre Jean) (Arras, 1887 – Paris, 1976), écrivain français. Son œuvre, qui mêle références chrétiennes et freudisme, est dominée par plusieurs grands thèmes : l'amour, l'innocence, l'obsession de la faute, la fascination de la mort. Poésies : *Noces* (1928), *Sueur de sang* (1933), *Diadème* (1949), *Moires* (1962). Romans : *Paulina 1880* (1925), *Hécate* (1928), *Vagadu* (1931), *la Scène capitale* (1935). Essais : *le Don Juan de Mozart* (1942), *En miroir* (1954).

jouvence n. f. Vx Jeunesse. ▷ Loc. mod. *Fontaine de Jouvence :* fontaine légendaire dont les eaux rendent la jeunesse. – Fig. *Bain de jouvence,* de jeunesse, de vitalité.

jouvenceau, elle n. Vx ou plaisant Jeune homme, jeune fille.

Jouvenel (Bertrand de) (Paris, 1903 – id., 1987), économiste et essayiste français : *la Crise du capitalisme américain* (1933), *Du pouvoir* (1945-1972), *l'Art de la conjecture* (1964), *Arcadie. Essai sur le mieux-vivre* (1968), *Un voyageur dans le siècle* (1980).

Jouvenel des Ursins. V. Juvénal des Ursins.

Jouvenet (Jean-Baptiste) (Rouen, 1644 – Paris, 1717), peintre français, influencé par Poussin et Rubens. Il décora les chap. de Versailles et des Invalides.

Jouvet (Louis) (Crozon, Finistère, 1887 – Paris, 1951), acteur et metteur en scène français; directeur du théâtre de l'Athénée (1934-1951), où il créa les pièces de Giraudoux, assura la mise en scène de *Knock,* joua *l'École des femmes.* Acteur dans de nombreux films : *Drôle de drame* (1937), *Hôtel du Nord* (1938), *Quai des Orfèvres* (1947), etc. ► illustr. **Clouzot**

Joux (vallée de), vallée de l'Orbe supérieur (Suisse) qui se termine par le *lac de Joux.*

Joux (fort de), fort situé sur la r. dr. du Doubs, près de Pontarlier, qui commande les voies de communication vers la Suisse. – Anc. prison d'État, où mourut Toussaint Louverture.

jouxter [ʒukste] v. tr. [1] Litt. Se trouver près de. *Le jardin qui jouxte la maison.*

Jouy-en-Josas, com. des Yvelines (arr. de Versailles), sur la Bièvre; 7 701 hab. – Siège d'une anc. et célèbre manuf. de toiles imprimées créée par Oberkampf en 1759 *(toiles de Jouy),* la ville est auj. un centre intellectuel : Commissariat à l'énergie atomique; Centre national de recherches en zootechnie; École des hautes études commerciales (H.E.C.); annexe de l'Institut Pasteur.

Jovellanos (Gaspar Melchor de) (Gijón, 1744 – Vega, 1811), magistrat et écrivain espagnol. Influencé par les Encyclopédistes, il réforma le système pénitentiaire et fit jouer la comédie *le Délinquant honnête* (1774) qui plaidait pour une justice plus humaine. Précurseur du romantisme, il est l'auteur de satires, d'épîtres, de pièces lyriques et d'un drame en vers, *Munuza* (1792).

jovial, ale, aux ou **als** adj. Qui est porté à une gaieté familière et bonhomme. *Humeur joviale.* Ant. morose.

jovialement adv. D'une manière joviale.

jovialité n. f. Humeur joviale.

jovien, enne adj. ASTRO Relatif à la planète Jupiter.

Jovien (en lat. *Flavius Claudius Iovianus*) (Singidunum, auj. Belgrade, v. 331 – Bithynie, 364), empereur romain (363-364). Il rétablit le christianisme, qu'avait rejeté Julien l'Apostat.

joyau [ʒwajo] n. m. **1.** Ornement fait de matière précieuse (or, pierreries). *Les joyaux de la Couronne.* **2.** Fig. Ce qui a une grande valeur, une grande beauté. *La cathédrale de Reims, joyau de l'art gothique.*

Joyce (James) (Rathgar, banlieue de Dublin, 1882 – Zurich, 1941), écrivain irlandais. Il quitta définitivement son pays en 1906 et se fixa à Trieste. En 1907, il publia *Musique de chambre* (poèmes) puis entreprit une œuvre qu'il serait hâtif de ranger dans le genre romanesque : *Gens de Dublin* (nouvelles, 1914), *Dedalus, portrait de l'artiste en jeune homme* (1914 puis 1916), *les Exilés* (drame, 1918). *Ulysse,* écrit de 1914 à 1921, publié à Paris en 1922, fit scandale (interdiction, pour pornographie, en G.-B. et aux É.-U. pendant plusieurs années) et révolutionna la littérature du XXe s.; utilisant le plus souvent le monologue intérieur (de ses «héros»), Joyce transforme le vécu, présent (les événements de la journée du 16 juin 1904 à Dublin) et passé, conscient et inconscient, les cadres spatiaux et temporels de notre culture, suivant un système d'allusions (encyclopédiques, historiques, philosophiques, théologiques) dont la référence à l'*Odyssée* n'est qu'un aspect. De 1922 à 1939, il élabora *Finnegans Wake* («la Veillée de Finnegan», cabaretier ivre), immense jeu de mots dans une quinzaine de langues, épopée stylistique quasi intraduisible qui généralise et pousse à son ultime impasse le monologue de son livre précédent.
► illustr. page **1015**

Joyeuse (Anne, duc de) (?, 1561 – Coutras, 1587), amiral français, favori et beau-frère d'Henri III; mort en combattant le roi de Navarre. – **François de Joyeuse** (?, 1562 – Avignon, 1615), frère du préc.; archevêque à vingt ans, cardinal en 1583, il négocia la réconciliation d'Henri IV avec le pape.

joyeusement adv. D'une façon joyeuse, avec joie.

joyeuseté [ʒwajøzte] n. f. Litt. Fait, parole, action qui met en joie, qui amuse.

joyeux, euse adj. **1.** Qui éprouve de la joie, gai. *Il était tout joyeux. Une joyeuse bande d'enfants.* Ant. triste, chagrin, morose. **2.** Qui exprime la joie. *Cris joyeux.* **3.** Qui inspire la joie. *Joyeux Noël!* (Formule de souhait.)

joystick [dʒɔjstik] n. m. (Anglicisme) Manette montée sur une rotule, qui sert à commander un dispositif électronique.

József (Attila) (Budapest, 1905 – Balatonszárszó, 1937), poète hongrois d'inspiration prolétarienne et de style classique : *Ce n'est pas moi qui crie* (1925), *Nuit des faubourgs* (1932).

Juan (Don). V. Don Juan.

Juan Carlos Ier (Rome, 1938), roi d'Espagne à la mort du général Franco (nov. 1975). Petit-fils d'Alphonse XIII et fils de Juan, comte de Bourbon (1913-1993), Juan Carlos fut préféré à son père par Franco en juil. 1969 comme héritier de la couronne. Dès son accession au trône, il engagea un processus de démocratisation de la vie espagnole. Il a épousé Sophie de Grèce en 1962.

Juan Carlos Ier

Jules II

Juan d'Autriche (don) (Ratisbonne, 1545 – Bouges, près de Namur, 1578), fils naturel de Charles Quint. Grand capitaine, il s'illustra contre les morisques en Andalousie, puis à la bataille de Lépante (1571). Nommé gouverneur des Pays-Bas insurgés (1576), il mourut probablement empoisonné.

Juan d'Autriche (don) (Madrid, 1629 – id., 1679), fils naturel de Philippe IV d'Espagne. Vice-roi des Pays-Bas (1656), il fut vaincu par Turenne à la bataille des Dunes (1658). Ministre de Charles II en 1677, il négocia la paix de Nimègue (1678).

Juan de Fuca (détroit de), détroit du Pacifique, séparant l'île de Vancouver (Canada) du continent américain (État de Washington).

Juan Fernández (îles), archipel chilien du Pacifique, situé à 600 km env. de Valparaíso.

Juan-les-Pins, célèbre stat. baln. des Alpes-Maritimes (com. d'Antibes).

Juan Manuel (don) (Escalona, 1284 – ?, 1348), homme politique et écrivain espagnol. Il devint régent à la mort de Ferdinand IV et rédigea des traités moraux et didactiques : *le Livre du che-*

valier et de l'écuyer; le Livre des États; le Livre de Patronio ou le comte Lucana (contes, 1335).

Juárez García (Benito) (San Pablo Guelatao, Oaxaca, 1806 - Mexico, 1872), homme politique mexicain. Élu président du Mexique en 1861, il lutta contre Maximilien d'Autriche et entra victorieux dans Mexico (1867).

Juba, v. du Soudan; 116 000 hab.; cap. de la rég. de l'Équateur.

Juba Ier (m. en 46 av. J.-C.), roi de Numidie, partisan de Pompée; défait par César, il se donna la mort. - **Juba II** (v. 52 av. J.-C. - v. 23 apr. J.-C.), fils du préc.; roi de Maurétanie de 25 av. J.-C. à sa mort. Il rebaptisa sa capitale, Iol, en *Cæsarea* (auj. *Cherchell*).

jubarte n. f. ZOOL Baleine à bosse. V. mégaptère.

Jubbulpore. V. Jabalpur.

jubé n. m. ARCHI Galerie haute, en bois ou en pierre, qui sépare le chœur de la nef dans certaines églises gothiques.

jubilaire adj. Didac. **1.** Qui concerne le jubilé. *Année jubilaire* : année sainte (V. jubilé). **2.** Qui est en fonction depuis cinquante ans. *Docteur jubilaire.*

jubilant, ante adj. Qui jubile.

jubilation n. f. Joie intense et extériorisée.

jubilatoire adj. Relatif à la jubilation; qui provoque la jubilation.

jubilé n. m. **1.** RELIG Dans le judaïsme, année qui, tous les cinquante ans, était consacrée au repos et à l'action de grâce. **2.** RELIG CATHOL Année sainte, qui revient tous les vingt-cinq ans et qui est marquée par des pèlerinages à Rome, des cérémonies, des pratiques de dévotion; ces pratiques. - *Par ext.* Indulgence plénière accordée par le pape aux pèlerins qui viennent alors à Rome. **3.** Fête en l'honneur d'une personne qui exerce une activité depuis cinquante ans.

jubiler v. intr. [1] Éprouver une joie intense.

Juby (cap), promontoire de la côte atlantique du Maroc, au N. de Tarfaya.

Júcar (le), fl. d'Espagne (506 km), tributaire de la Méditerranée; naît dans les Montes Universales, arrose Cuenca et la huerta de Valence.

jucher v. [1] **1.** v. intr. Se poser sur une perche, une branche, pour dormir, en parlant de certains oiseaux. ▷ Fig. *Nos amis juchent au dernier étage.* - Pp. *J'ai vu un homme juché sur le toit.* **2.** v. tr. Placer dans un endroit élevé. *Jucher des bocaux sur un rayon élevé.* ▷ v. pron. *Se jucher sur une échelle.*

juchoir n. m. ELEV Endroit où juchent les volailles. Syn. perchoir.

Juda, quatrième fils de Jacob et de Lia; ancêtre d'une des douze tribus d'Israël (tribu de Juda).

Juda (royaume de), royaume (cap. *Jérusalem*) constitué au S. de la Palestine par les tribus de Juda et de Benjamin v. 931 av. J.-C., à la mort de Salomon, quand Jéroboam eut provoqué le schisme du N. Le royaume disparut en 587 av. J.-C. (prise de Jérusalem et destruction du Temple par Nabuchodonosor).

judaïcité n. f. **1.** Didac. Appartenance à la religion juive. ▷ Ensemble des caractères spécifiques de la religion juive. **2.** Appartenance à la communauté juive.

judaïque adj. Des juifs, de la religion juive. *La loi judaïque.*

judaïsant, ante adj. et n. **1.** HIST Se dit des juifs convertis au christianisme naissant, qui soutenaient que toutes les pratiques du judaïsme devaient être conservées (circoncision, notam.). ▷ Subst. *Les judaïsants.* **2.** Qui suit la loi judaïque.

judaïser v. [1] Didac. **1.** v. intr. Observer la loi judaïque, les usages religieux juifs. **2.** v. tr. Convertir au judaïsme. ▷ Rendre juif. ▷ Faire occuper (une région) par des juifs.

judaïsme n. m. **1.** Religion juive. **2.** Fait d'appartenir à la communauté juive. ▷ Communauté juive. *Le judaïsme français.*

ENCYCL Historiquement, le judaïsme est la prem. des grandes religions monothéistes. Il a pour fondement l'Alliance inaugurée par Dieu avec Abraham et la Loi (la *Torah*) qui fut donnée à Moïse. Religion d'un peuple qui vit son histoire dans la recherche de la fidélité et l'attente du Messie, le judaïsme repose sur l'Écriture (la Bible), dont l'interprétation mystique est la Cabale, et sur le princ. recueil des commentaires de la Loi, le Talmud.

judaïté n. f. Didac. Condition de juif; fait d'être juif.

judas [ʒyda] n. m. **1.** Traître. **2.** Fig. Petite ouverture dans une porte pour voir sans être vu.

Judas Iscariote, apôtre qui trahit Jésus en le vendant aux prêtres juifs pour trente deniers (V. Iscariote). Pris de remords, il jeta ensuite l'argent et se pendit.

Judas Maccabée. V. Maccabée.

Judd (Donald) (Excelsior Springs, Missouri, 1928 - New York, 1994), artiste américain, l'un des princ. représentants du *minimal art.* Ses œuvres sont des «objets spécifiques» (cubes, parallélépipèdes, etc.) en acier inoxydable ou en bois, qui se répètent dans un espace environnant pour réaliser avec lui un «enchaînement» visuel logique.

Jude (saint), surnommé *Thaddée,* l'un des douze apôtres. La tradition lui attribue, à tort, une courte épître du Nouveau Testament, dite «épître de Jude» (25 versets).

Judée, prov. mérid. de la Palestine, située entre la Méditerranée et la mer Morte. Au retour des Juifs, après leur captivité à Babylone (VIe s. av. J.-C.), ce nom fut donné au territoire qui couvrait à peu près l'anc. royaume de Juda.

Judée (arbre de), arbre (*Cercis siliquastrum,* fam. césalpiniacées) des régions méditerranéennes, aux belles fleurs roses.

judéité n. f. Didac. Ensemble des traits de civilisation qui fondent l'identité du peuple juif.

judéo-. Élément, du lat. *judæus,* «juif».

judéo-allemand, ande adj. et n. m. **1.** adj. Relatif aux Juifs d'Allemagne. **2.** n. m. LING Yiddish*. - adj. *Des termes judéo-allemands.*

judéo-arabe adj. et n. **1.** Relatif aux Juifs et aux Arabes. *Une culture judéo-arabe.* **2.** Relatif aux communautés juives des pays arabes. - Subst. *Les Judéo-Arabes.*

judéo-chrétien, enne adj. Qui appartient à la fois aux valeurs spirituelles du judaïsme et du christianisme. *Les traditions judéo-chrétiennes.*

judéo-christianisme n. m. Didac. **1.** Doctrine du début du christianisme, selon laquelle il fallait être initié au judaïsme pour être admis dans l'Église du Christ. **2.** Ensemble des croyances et des principes moraux communs au judaïsme et au christianisme.

judéo-espagnol, ole adj. et n. m. Didac. Relatif aux Juifs d'Espagne, à leur culture. *Les écrivains judéo-espagnols.* ▷ n. m. Parler des Juifs d'Espagne. Syn. ladino.

Judicaël (saint) (m. v. 637), roi de Bretagne, fils de Joël III. Il abdiqua pour se retirer dans un monastère.

judicature n. f. HIST Profession, dignité de juge.

judiciaire adj. **1.** Relatif à la justice, à son administration. *Organisation judiciaire.* **2.** Fait en justice, par autorité de justice. *Enquête judiciaire.* ▷ *Combat judiciaire.* V. ordalie.

judiciairement adv. Didac. En forme judiciaire.

judicieusement adv. De façon judicieuse.

judicieux, euse adj. Apte à bien juger, à apprécier avec justesse. *Personne judicieuse.* ▷ Par ext. *Choix judicieux.*

Judith, héroïne juive qui tua Holopherne, général de Nabuchodonosor dont l'armée assiégeait Béthulie (anc. village de Palestine). Elle feignit de se laisser séduire par lui et, après l'avoir enivré, lui trancha la tête (Livre de Judith, IIe ou Ier s. av. J.-C.).

Judith de Bavière (v. 800 - Tours, 843), seconde femme de Louis le Débonnaire et mère de Charles le Chauve.

judo n. m. Sport de combat d'origine japonaise se pratiquant à main nue, le but du combat consistant à immobiliser ou à faire tomber l'adversaire en utilisant des prises visant à le déséquilibrer. *Le judo, créé vers 1880 par le Japonais Jigorō Kano, emprunte de nombreux éléments à l'ancien art martial du jiu-jitsu.*

judoka n. Personne qui pratique le judo. *Une judoka ceinture noire.*

jugal, ale, aux adj. ANAT *Os jugal,* ou *zygomatique* : os qui constitue la pommette de la joue.

Jugan. V. Jeanne Jugan.

juge n. m. **1.** Magistrat ayant pour fonction de rendre la justice. ▷ DR Magistrat appartenant à une juridiction du premier degré (par oppos. aux conseillers des cours d'appel et de la Cour de cassation). - *Juge d'instance,* du tribunal d'instance. - *Juge consulaire* : juge au tribunal de commerce. - *Juge d'instruction,* chargé d'instruire une affaire pénale. - *Juge de la mise en état,* chargé d'établir l'information et de surveiller la marche de la procédure dans les procès au civil. - *Juge des référés,* chargé de prendre les décisions en référé. - *Juge de paix* : anc. dénomination du *juge d'instance.* - *Juge de l'application des peines,* chargé de veiller à l'application des peines prononcées contre les condamnés, de surveiller les modalités du traitement pénitentiaire (libération anticipée, etc.). **2.** Personne appelée à se prononcer en tant qu'examinateur, en tant qu'arbitre. *Les juges d'un concours.* ▷ SPORT *Juge de touche* : personne chargée d'assister l'arbitre d'un match de football, de rugby ou de tennis, en signalant les hors-jeu, les sorties en touche, etc. *Le drapeau du juge de touche.* **3.** Personne à qui l'on demande son opinion. *Je vous fais juge.* – *Être bon, mauvais juge en qqch,* capable, incapable de porter un jugement sur qqch. – Loc. *Être juge et partie* : être à la fois arbitre et directement concerné dans une affaire.

jugé (au) ou **juger (au)** loc. adv. D'une façon approximative. *Tirer au jugé,* sans viser.

jugeable adj. Susceptible d'être jugé.

jugement n. m. **I.** Action de juger (un procès, un accusé); son résultat. ▷ DR Décision rendue par les tribunaux du premier degré (par oppos. aux arrêts des cours d'appel et de la Cour de cassation). – *Jugement contradictoire,* prononcé en présence des parties ou de leurs représentants. – *Jugement par défaut,* rendu en l'absence de l'une des parties. ▷ Anc. *Jugement de Dieu* : épreuve de justice, ordalie*. ▷ RELIG *Jugement dernier,* celui que Dieu doit porter, à la fin du monde, sur les vivants et sur les morts ressuscités. **II. 1.** Faculté de juger, d'apprécier les choses avec discernement. *Manquer de jugement.* **2.** Opinion, avis. *Le jugement d'un critique sur un film.* **3.** LOG Fonction ou acte de l'esprit consistant à affirmer ou à nier une existence ou un rapport.

jugeote n. f. Fam. Bon sens.

juger v. [13] **I.** v. tr. **1.** Prendre une décision concernant (une affaire, un accusé) en qualité de juge. *Juger une cause, un criminel.* **2.** Décider comme arbitre. *On jugera lequel a le mieux réussi.* **3.** Se faire ou émettre une opinion sur (qqn, qqch). *Juger sévèrement une personne, une œuvre.* **4.** Croire, estimer. *Juger imprudent de...* ▷ v. pron. Se voir soi-même dans une situation, un état. *Se juger condamné par une maladie grave.* **5.** *Absol.* Concevoir, énoncer un jugement (sens II, 3). *Raisonner et juger.* **II.** v. tr. indir. *Juger de.* **1.** Porter une appréciation sur (qqn, qqch). *Juger de la vraisemblance d'un récit.* **2.** S'imaginer, se représenter. *Jugez de ma surprise.*

Juges, chefs que les Hébreux élurent après la mort de Josué. – La *période des Juges* se termine, v. 1035 av. J.-C., par la consécration du premier roi hébreu, Saül. L'histoire d'Israël en leur temps est exposée dans le *Livre des Juges,* ouvrage hétérogène à la chronologie incertaine.

Juglar (Clément) (Paris, 1819 – id., 1905), économiste français. Il a étudié systématiquement la conjoncture et les crises économiques, mettant en relief leur périodicité, dans son ouvrage *les Crises commerciales et leur Retour périodique en France, en Angleterre et aux États-Unis* (1862).

jugulaire adj. et n. f. **1.** adj. De la gorge. *La veine jugulaire* ou, n. f., *la jugulaire.* **2.** n. f. Courroie qui, passée sous le menton, sert à retenir un képi, un casque.

juguler v. tr. [1] Empêcher de se développer. *Juguler l'inflation. Juguler une épidémie.*

Jugurtha (?, v. 160 – Rome, v. 104 av. J.-C.), roi de Numidie. Adversaire des Romains, il fut livré à Sylla, questeur de Marius (105 av. J.-C.), et mourut de faim dans un cachot de Rome.

Juifs (prov. autonome des). V. Birobidjan.

juif, juive n. et adj. **1.** Descendant des anc. Hébreux. (Originaires de Palestine, les Juifs forment un peuple qui, bien qu'ayant été dispersé dans de nombreux pays au cours des siècles, a conservé son unité grâce au lien religieux.) ▷ *Le Juif errant* : Ahasvérus, personnage d'une ancienne légende (condamné à errer sans cesse à travers le monde, il symbolisait la dispersion du peuple juif). ▷ adj. Qui concerne les Juifs (en tant que peuple). *La cuisine juive.* **2.** Adepte de la religion et des traditions judaïques. ▷ adj. Qui concerne les juifs (pratiquants du judaïsme). *Les pratiques rituelles juives.* **3.** Loc. fam. *Le petit juif* : le point du coude où s'insère l'extrémité du tendon du muscle cubital, et où un heurt produit une sensation de fourmillement.

juillet n. m. Septième mois de l'année, comprenant trente et un jours.

ENCYCL **Hist.** – *Journée du 14 juillet 1789* : insurrection parisienne, la première de la Révolution française, qui aboutit à la prise de la Bastille; commémorée chaque année comme fête nationale depuis 1880. (Le 14 juillet 1790 eut lieu la fête de la Fédération*.) – *Révolution* ou *journées de juillet 1830* : insurrection parisienne provoquée par les quatre *ordonnances,* dites *de Juillet,* par lesquelles Charles X et Polignac violaient la Charte de 1814. Les journées des 27, 28 et 29 juillet (les Trois Glorieuses) aboutirent à l'avènement de Louis-Philippe d'Orléans. – *Monarchie de Juillet* : gouvernement de la France par Louis-Philippe, roi des Français, depuis la révolution de juillet 1830 jusqu'à la révolution de 1848. – *Colonne de Juillet* : colonne en bronze élevée au centre de la place de la Bastille à la mémoire des victimes de juillet 1830.

juin n. m. Sixième mois de l'année, comprenant trente jours.

ENCYCL **Hist.** – *Journée du 20 juin 1792* : émeute des Parisiens qui, pour protester contre le veto du roi à plusieurs décrets pris par l'Assemblée législative, envahirent les Tuileries. – *Journée du 2 juin 1793* : manifestation fomentée par la Commune de Paris et les Montagnards pour obtenir de la Convention l'arrestation des Girondins. – *Journées de Juin* (22-26 juin 1848) : insurrection ouvrière parisienne provoquée par la fermeture des Ateliers nationaux. Réprimée par le général Cavaignac, elle fit de nombreuses victimes. – *Appel du 18 juin 1940* : exhortation à poursuivre les combats contre l'Allemagne, lancée, de Londres, par le général de Gaulle.

Juin (Alphonse) (Bône, auj. Annaba, Algérie, 1888 – Paris, 1967), maréchal de France. Aide de camp de Lyautey au Maroc, il devint commandant en chef des troupes d'Afrique du Nord (1941), puis des forces françaises engagées en Tunisie aux côtés des Anglo-Américains, enfin du corps expéditionnaire français en Italie (1944). Résident général au Maroc (1947-1951), maréchal en 1952, il commanda la zone Centre-Europe des forces du Pacte atlantique jusqu'en 1956. Acad. fr. (1952).

juiverie n. f. **1.** Autref., quartier habité par les juifs. **2.** Péjor., raciste Ensemble de juifs.

Juiz de Fora, v. du Brésil (Minas Gerais); 350 690 hab. Industr. métallurgiques et textiles.

jujube n. m. **1.** Fruit comestible du jujubier. **2.** Suc extrait de ce fruit, utilisé pour soigner la toux.

▸ pl. **fruits exotiques**

jujubier n. m. Arbuste dicotylédone dialypétale épineux, cultivé dans les régions méditerranéennes pour son fruit, le jujube.

Jujuy, prov. andine du N.-O. de l'Argentine, aux frontières de la Bolivie et du Chili; 53 219 km^2; 474 000 hab.; ch.-l. *San Salvador de Jujuy.* Mines (zinc, plomb, étain) et gisement de pétrole. Culture de la canne à sucre.

juke-box [dʒukbɔks] n. m. (Américanisme) Électrophone automatique contenant une réserve de disques, qui fait entendre le morceau choisi lorsqu'on y glisse une pièce de monnaie (placé en général dans un café, à la disposition des consommateurs). *Des juke-boxes.*

julep n. m. Vieilli Excipient à base d'eau et de gomme, sucré et aromatisé, dans lequel on dilue un médicament actif.

jules [ʒyl] n. m. Pop. Souteneur. ▷ Fam., plaisant Amant, mari.

Jules César. V. César (Jules).

Jules II (Giuliano Della Rovere) (Albissola, 1443 – Rome, 1513), pape de 1503 à 1513. Pape politique, il joua un rôle important dans les guerres d'Italie, successivement ennemi de Venise et de Louis XII. Mécène, il fit commencer par Bramante la basilique St-Pierre, par Michel-Ange son tombeau, par Raphaël la décoration du Vatican.

▸ illustr. page **1016**

Jules Romain. V. Romain (Giulio Pippi, dit Jules).

Julia (gens), illustre famille romaine qui prétendait descendre de Iule, fils d'Énée (donc de Vénus), et à laquelle appartenait Jules César.

Julia (Gaston) (Sidi-Bel-Abbès, 1893 – Paris, 1978), mathématicien français; connu pour ses travaux sur la théorie des nombres.

Juliana Ire (La Haye, 1909), reine des Pays-Bas (1948-1980). Elle a épousé en 1937 le prince Bernard de Lippe-Biesterfeld, dont elle a eu quatre filles. Elle a abdiqué au profit de sa fille aînée, Beatrix.

Julie (Ottaviano, 39 av. J.-C. – Regium, auj. Reggio di Calabria, 14 ap. J.-C.), fille d'Auguste et de Scribonia. Elle épousa successivement Marcellus, Agrippa et Tibère. Auguste la bannit, pour inconduite, dans l'île de Pandateria, puis la fit transférer à Regium. – **Julie** (Rome, 19 av. J.-C. – Tremiti, 28 ap. J.-C.), fille de la préc. et d'Agrippa; épouse de L. Emilius Paullus, son inconduite lui valut aussi d'être exilée par Auguste.

Julie (en lat. *Julia Domna*) (Émèse, v. 158 – Antioche, 217), impératrice romaine d'origine syrienne; seconde épouse de Septime Sévère, mère de Caracalla et de Geta; cultivée, protectrice des lettres. Elle se laissa mourir de faim après le meurtre de Caracalla. – **Julie** (en lat. *Julia Maesa*) (m. à Émèse v. 226), sœur de la préc. Elle fut la grand-mère d'Élagabal (qu'elle fit proclamer empereur par l'armée d'Orient) et de Sévère Alexandre (qu'elle fit adopter par Élagabal).

julien, enne adj. *Calendrier julien* : calendrier établi par Jules César, dans lequel l'année *(année julienne)* comporte en moyenne 365,25 jours (365 jours normalement et 366 jours une fois tous les 4 ans).

Julien, dit *l'Apostat* (Flavius Claudius Julianus) (Constantinople, 331 – en Mésopotamie, 363), empereur romain (361-363), neveu de Constantin Ier le Grand. Il fut proclamé empereur par ses soldats à Lutèce en 361. Élevé dans le christianisme, il l'abjura et tenta de rétablir l'anc. polythéisme. Il mourut en combattant les Perses.

Juliénas, com. du Rhône, dans le Beaujolais (arr. de Villefranche-sur-Saône); 717 hab. Vins rouges réputés.

Julien l'Hospitalier (saint), personnage d'une époque incertaine, meurtrier involontaire de son père et de sa mère.

julienne n. f. **1.** BOT Crucifère à fleurs blanches et odorantes, *Hesperis matronalis*, autrefois très cultivée dans les jardins. **2.** CUIS Potage ou garniture que l'on prépare avec plusieurs sortes de légumes coupés en menus morceaux. **3.** Lingue.

Juliennes (Alpes), chaîne calcaire des Alpes méridionales, en Slovénie et à l'extrémité N.-E. de l'Italie (2 863 m au Triglav).

Juliers (en all. *Jülich*), v. d'Allemagne (Rhénanie-du-Nord-Westphalie); 30 160 hab. – Le *duché de Juliers* fut, aux XVIe et XVIIe s., l'objet de conflits entre les maisons de Clèves, de Berg, les Électeurs de Brandebourg, de Saxe, etc.; en 1815, il devint prussien.

Jullundur, v. de l'Inde (Pendjab), située au pied des contreforts de l'Himalaya; 408 200 hab. Industr. textiles. Artisanat (bois, ivoire).

jumbo-jet [dʒœmbodʒɛt] n. m. (Américanisme) Syn. de *gros-porteur*. *Des jumbo-jets.*

jumeau, elle, eaux adj. et n. **1.** Se dit des enfants (deux ou plusieurs) nés d'un même accouchement. *Des sœurs jumelles.* ▷ Subst. *Un jumeau. Une jumelle. Elle a des jumeaux.* **2.** Se dit de choses semblables groupées par deux. *Des lits jumeaux.* – *Fruits jumeaux*, joints, accolés l'un à l'autre. ▷ ANAT *Muscles jumeaux*, ou, n. m., *les jumeaux* : les deux muscles qui forment le mollet.
ENCYCL **Biol.** – *Les vrais jumeaux*, mieux nommés *jumeaux univitellins* ou *monozygotes*, sont issus de la division précoce d'un seul œuf; toujours du même sexe, ils se ressemblent physiquement et psychiquement, ont la même résistance aux maladies, etc. *Les faux jumeaux*, ou *bivitellins*, ou *dizygotes*, issus de deux œufs différents, peuvent être de sexe différent et fort dissemblables.

jumelage n. m. Action de jumeler; son résultat. ▷ Association entre deux villes de pays différents, destinée à favoriser leurs contacts culturels, économiques, touristiques, etc.

jumelé, ée adj. **1.** TECH Consolidé au moyen de jumelles (1 sens 2). **2.** Qualifie des choses groupées par deux. *Colonnes jumelées. Roues arrière jumelées d'un gros camion.* – *Villes jumelées* : V. jumelage. – *Pari jumelé* : aux courses, pari effectué en misant sur les chevaux gagnants et placés.

jumeler v. tr. [**19**] Apparier (deux objets semblables). – *Jumeler deux villes* : V. jumelage.

1. jumelle n. f. **1.** (Sing. ou plur.) Double lorgnette. *Regarder à la jumelle. Jumelles marines. Étui à jumelles.* – *Jumelles à prismes*, comportant des prismes optiques qui permettent d'obtenir un fort grossissement sous un encombrement réduit et un écartement des objectifs améliorant la vision du relief. **2.** (Le plus souvent au plur.) TECH Paire de pièces identiques et semblablement disposées. *Jumelles d'une presse*, ses montants.

2. jumelle. V. jumeau.

jument n. f. Femelle du cheval.

Jumièges, com. de la Seine-Maritime (arr. de Rouen); 1 644 hab. – Ruines d'une célèbre abbaye bénédictine.

jumping [dʒœmpiŋ] n. m. (Anglicisme) EQUIT Épreuve de saut d'obstacles.

Juneau, cap. et port de pêche de l'Alaska, sur la côte S.-E.; 26 700 hab. Centre commercial et administratif.

Jung (Carl Gustav) (Kesswil, Turgovie, 1875 – Küsnacht, 1961), psychiatre suisse. Lié à Freud (1907), il rompit avec lui en 1913, après avoir publié son ouvrage *Métamorphoses et symboles de la libido* (1912). Il a introduit la notion d'*inconscient collectif* (par oppos. à l'*inconscient individuel* d'un sujet), dont l'archétype est le facteur dynamisant qui relie (avec des schémas archaïques) le monde intérieur d'un individu au monde extérieur.

Carl **Jung**

Justinien Ier

Jünger (Ernst) (Heidelberg, 1895 – Wilflingen, 1998), écrivain allemand. Disciple de Nietzsche, il écrivit des romans de guerre (*Orages d'acier*, 1920; *Feu et Sang*, 1925), un récit allégorique (*Sur les falaises de marbre*, 1939), qui dénonce l'hitlérisme, des utopies futuristes (*Héliopolis*, 1949).

Jungfrau (la), sommet des Alpes bernoises (Suisse); 4 166 m. Un chemin de fer à crémaillère atteint la stat. du *Jungfraujoch* (3 457 m), laboratoire d'études scientif. Compétitions de ski.

jungien, enne [jungjɛ̃,ɛn] adj. et n. Didac. Relatif aux théories de Jung. ▷ Subst. Adepte de Jung.

1. jungle [ʒœ̃gl] n. f. **1.** Formation végétale très dense, typique des pays de mousson, constituée de bambous, de lianes et de fougères arborescentes. **2.** Fig. *Une jungle* : un milieu où règne la *loi de la jungle*, la loi du plus fort.

2. jungle [dʒœŋgəl] n. f. (Anglicisme) Courant musical issu du reggae et de la house, caractérisé par d'incessantes cassures rythmiques.

Junín, bourg du Pérou central. Bolívar y vainquit les Espagnols (1824).

junior adj. (inv. en genre) et n. **1.** adj. Cadet. *Durand aîné et Durand junior.* **2.** adj. et n. Sportif âgé de plus de 17 ans et de moins de 21 ans. **3.** adj. Des jeunes, destiné aux jeunes. *La mode junior.* **4.** adj. et n. Débutant sur le plan professionnel. *Chef de produit junior.* **5.** n. Fam. Enfant ou adolescent. *Une publicité dirigée vers les juniors.*

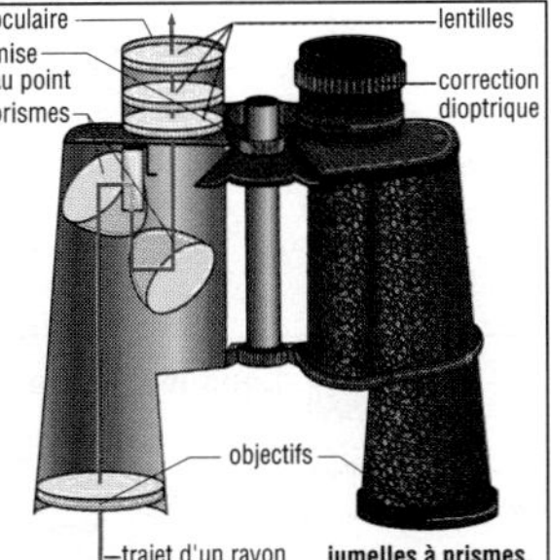

jumelles à prismes

junior entreprise n. f. (Nom déposé.) Association d'étudiants dont les membres accomplissent, pour des entreprises, des travaux spécialisés rémunérés.

junk bond [dʒœ̃ŋkbɔnd] n. m. (Anglicisme) Titre boursier à haut rendement, mais à haut risque.

junker [junkɛʀ; junkœʀ] n. m. HIST Hobereau allemand.

Junkers (Hugo) (Rheydt, 1859 – Gauting, 1935), industriel allemand. Il construisit, dès 1915, les premiers avions entièrement métalliques.

junkie ou **junky** [dʒœgki] n. Arg. (Mot amér.) Toxicomane qui prend une drogue dure. *Des junkies.*

Junon, déesse romaine, fille de Saturne, épouse de Jupiter; protectrice du mariage. Assimilée à l'Héra grecque.

Junon, troisième astéroïde, découvert en 1804, ayant 250 km de diamètre.

Junot (Jean Andoche), duc d'Abrantès (Bussy-le-Grand, Côte-d'Or, 1771 – Montbard, 1813), général français. Compagnon de Bonaparte au siège de Toulon, il participa aux campagnes d'Italie (1796) et d'Égypte (1799). Il se distingua au Portugal (1807), où il reçut son titre, puis prit part à la campagne de Russie. – **Laure,** née Saint-Martin Permon, épouse du préc. V. Abrantès.

junte [ʒœ̃t] n. f. **1.** HIST Assemblée politique ou administrative, en Espagne, au Portugal. **2.** Directoire insurrectionnel gouvernant certains pays, notam. d'Amérique latine.

jupe n. f. **1.** Vêtement féminin qui part de la taille et couvre plus ou moins les jambes selon la mode. *Jupe courte, plissée.* **2.** TECH Surface latérale d'un piston, qui coulisse contre la paroi du cylindre. ▷ Paroi inférieure souple d'un véhicule à coussin d'air. ▷ Carénage aérodynamique d'un véhicule (voiture, locomotive, fusée).

jupe-culotte n. f. Culotte aux jambes très amples. *Des jupes-culottes.*

jupette n. f. Jupe très courte.

Jupiter, dieu romain, assimilé au Zeus grec, maître du panthéon. Fils de Saturne et de Rhéa, époux de sa sœur Junon, il est divinité du Ciel, de la Lumière du jour, de la Foudre et du Tonnerre. On invoque Jupiter avec de nombreuses épithètes : *Capitolin* (le Capitole de Rome lui était consacré), *Stator*, *Feretrius*, *Fulgur*, etc. La mythologie latine consacre à ses amours, à ses exploits, à ses enfants tout autant de récits et de légendes que les Grecs à Zeus.

Jupiter, la cinquième planète du système solaire, dont l'orbite est située entre celles de Mars et de Saturne. Jupiter est la plus grosse planète du système solaire (diamètre : 142 700 km, soit 11 fois celui de la Terre). Elle tourne autour d'elle-même en un peu moins de 10 heures et décrit son orbite en 11 ans et 315 jours. Elle est recouverte de nuages disposés en bandes sombres et en zones claires parallèles à l'équateur, avec une tache caractéristique rouge située dans la zone tempérée sud. Son atmosphère est composée d'hydrogène et d'hélium. Sa température est de −150°C; elle serait de −175°C si la planète n'était chauffée que par le Soleil : elle l'est également

vue d'ensemble de **Jupiter**

par sa propre contraction sous l'effet des forces de gravitation (Jupiter n'ayant pas encore atteint son diamètre final). Cette énergie interne serait à l'origine des fortes turbulences observées dans les bandes nuageuses. Jupiter est le siège d'un champ magnétique intense qui provoque des émissions radioélectriques dans les bandes des longueurs d'ondes décimétriques et centimétriques. Jupiter possède au moins 16 satellites; les plus gros sont Ganymède, Callisto, Europe et Io. En 1979, les sondes américaines *Voyager 1* et *2* sont passées au voisinage de Jupiter, révélant la présence de fins anneaux de matière autour de la planète. Le bord extrême de l'anneau principal, épais de 1 km et large de 6 500 km, est à 57 000 km au-delà des plus hauts nuages de l'atmosphère jovienne. Les satellites de Jupiter ont également fait l'objet de nombreuses découvertes (comme celle de volcans en activité sur Io). L'intense champ gravitationnel de la planète est utilisé pour fournir une forte impulsion (*effet Jupiter*) aux sondes spatiales qui s'en approchent.

jupon n. m. Jupe de dessous. ▷ Par méton. Fam. *Le jupon* : les femmes.

juponner v. tr. [1] Recouvrir une table ronde d'un tissu tombant jusqu'au sol.

Juppé (Alain) (Mont-de-Marsan, 1945), homme politique français. Ministre des Affaires étrangères (1993-1995), Premier ministre de 1995 à 1997. Il est élu maire de Bordeaux depuis 1995.

Jura, système montagneux de France et de Suisse qui se prolonge, au-delà du Rhin, en Allemagne (*Jura souabe* et *Jura franconien*). Socle ancien recouvert de sédiments calcaires et soulevé, au tertiaire, lors de la surrection alpine, le Jura présente deux aspects : un Jura tabulaire à l'O. (400 à 950 m d'alt.), qui domine, par une corniche accidentée, la Saône; un Jura plissé à l'E., plus élevé (1 723 m au crêt de la Neige). Le climat rude et humide explique la double vocation agricole du Jura : forestière et herbagère. L'élevage laitier (fromages) et l'industr. du bois en sont les principales ressources, auxquelles s'ajoute une active industr. de transformation (tournage, horlogerie, lunetterie, fabrication de pipes et de jouets), héritée d'une tradition ancienne. Stimulées par l'abondance de l'énergie électrique, de nouvelles industr. (constr. méca., etc.) se sont implantées. (V. Franche-Comté.) Le Jura allemand est formé de plateaux calcaires, au climat rude et aux sols pauvres; l'alt. augmente du N. (Jura franconien) vers le S. (Jura souabe); les princ. activités sont l'élevage et l'industrie du bois.

Jura (canton du), canton de la Suisse du N.-O.; 837 km²; 65 830 hab.; ch.-l. *Delémont.* – Le fort courant autonomiste suscité par le rattachement au canton de Berne, de langue allemande, des districts francophones du Jura a contraint le gouvernement bernois à organiser un référendum d'autodétermination (23 juin 1974) qui a débouché sur la création d'un 23ᵉ canton en 1979. Un référendum complémentaire a permis à trois districts francophones antiséparatistes du sud du Jura de rester bernois.

Jura, dép. franç. (39); 5 053 km²; 248 759 hab.; 49,2 hab./km²; ch.-l. *Lons-le-Saunier.* V. Franche-Comté (Rég.).

jurançon n. m. Vin blanc réputé de la région de Jurançon.

Jurançon, com. des Pyrénées-Atlantiques; 7 914 hab. Vins blancs.

jurande n. f. Anc. Charge de juré dans une corporation.

jurassien, enne adj. et n. **1.** adj. Relatif au Jura. ▷ GEOL *Relief jurassien,* qui se développe dans une zone monta-

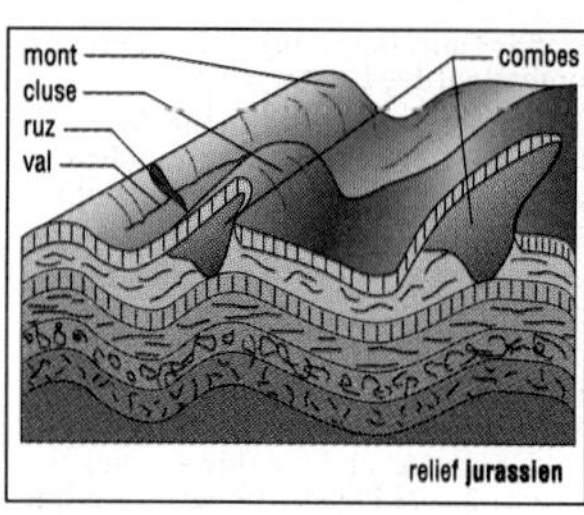

relief jurassien

gneuse sédimentaire plissée. **2.** n. Habitant ou personne originaire du Jura.

jurassique n. m. et adj. GEOL Période du milieu de l'ère secondaire faisant suite au trias, caractérisée par la scission du Gondwana en un continent africano-brésilien et un continent indomalais et par le développement des vertébrés. ▷ adj. *La période jurassique.*

juratoire adj. DR *Caution juratoire :* serment fait en justice de se représenter ou de rapporter qqch.

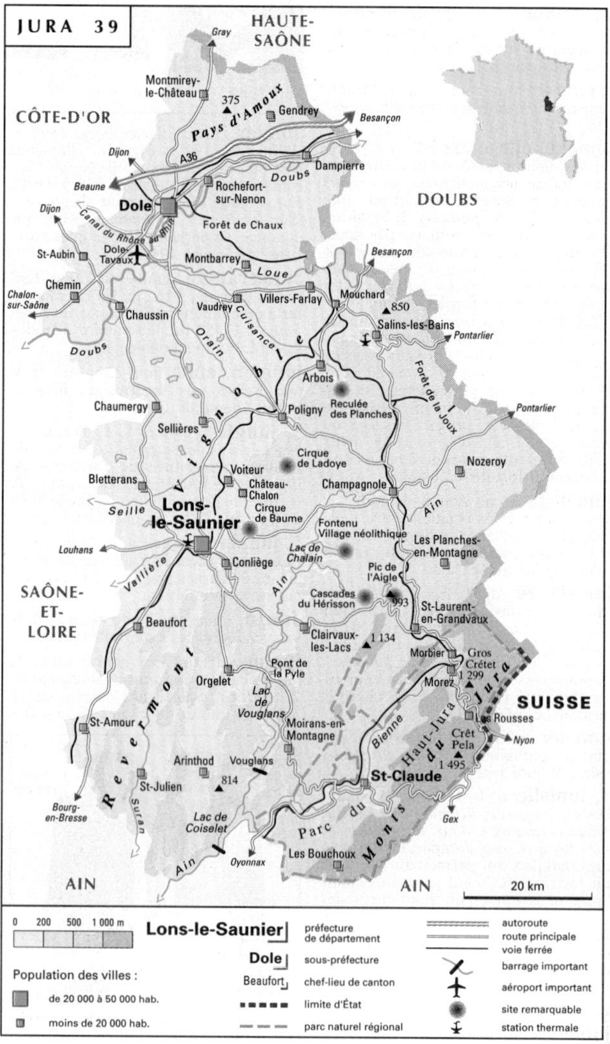

JURA 39

0 200 500 1 000 m
Population des villes :
de 20 000 à 50 000 hab.
moins de 20 000 hab.
Lons-le-Saunier préfecture de département
Dole sous-préfecture
Beaufort chef-lieu de canton
limite d'État
parc naturel régional
autoroute
route principale
voie ferrée
barrage important
aéroport important
site remarquable
station thermale
20 km

juré, ée adj. et n. **I. 1.** adj. et n. m. Qui a prêté le serment requis pour l'exercice d'une fonction. **2.** adj. Loc. fig. *Ennemi juré,* déclaré et irréconciliable. **II.** n. m. Membre d'un jury. ▷ DR Citoyen, citoyenne appelés à siéger dans le jury d'une cour d'assises.

jurer v. [1] **I.** v. tr. **1.** Promettre par serment. *Jurer fidélité. – Jurer de se venger.* **2.** Vx ou litt. Prendre à témoin (Dieu, une chose considérée comme sacrée) par serment. *Jurer son Dieu.* ▷ Loc. fam. *Jurer ses grands dieux que... :* affirmer avec force que... **3.** (Sens atténué.) Assurer, certifier. *Je jure qu'il n'en est rien.* **II.** v. intr. **1.** Faire un serment. *Jurer sur les Évangiles.* ▷ Fig. *Ne jurer que par :* dire le plus grand bien de, éprouver une admiration sans réserve pour. **2.** Dire des blasphèmes, des jurons. *Jurer comme un charretier.* **3.** Choquer, ne pas aller (bien) ensemble (en parlant de choses). *Couleurs qui jurent.*

jureur, euse adj. et n. **1.** adj. HIST *Prêtre jureur :* prêtre qui avait prêté serment de fidélité à la nation et accepté la Constitution civile du clergé, pendant la Révolution. **2.** n. Litt. Personne qui jure, qui blasphème.

juridiction n. f. **1.** Pouvoir d'un juge, d'un tribunal; ressort, étendue de ce pouvoir. *Juridiction civile.* **2.** *Degré de juridiction :* chacun des tribunaux devant lesquels une même affaire peut être successivement portée.

juridictionnel, elle adj. DR Relatif à une juridiction.

juridique adj. **1.** Fait selon le droit, dans les formes requises par le droit. *Acte juridique.* **2.** Relatif au droit. *Texte juridique.*

juridiquement adv. D'une manière juridique.

juridisme n. m. Didac. Formalisme juridique.

Jurien de La Gravière (Jean Pierre Edmond) (Brest, 1812 – Paris, 1892), amiral français. Napoléon III lui confia le commandement de l'expédition du Mexique (1861-1862) puis le prit comme aide de camp (1864). Il fut nommé, en 1871, directeur des Cartes et Plans de la marine.

Jurieu (Pierre) (Mer, Loir-et-Cher, 1637 – Rotterdam, 1713), théologien calviniste français. De Rotterdam (1682), il soutint les protestants français et polémiqua longuement avec Bossuet.

jurisconsulte n. m. DR Personne versée dans la science du droit et donnant des consultations juridiques.

jurisprudence n. f. DR **1.** Interprétation du droit et des lois par un tribunal. *La jurisprudence du Conseil d'État en matière de droit administratif.* **2.** Ensemble des décisions rendues par les tribunaux dans des cas semblables et permettant de déduire des principes de droit. *Jugement qui fait jurisprudence,* qui sert de référence.

jurisprudentiel, elle [ʒyʀispʀydɑ̃sjɛl] adj. DR Qui appartient à la jurisprudence.

juriste n. m. Spécialiste du droit. ▷ Auteur d'ouvrages juridiques.

juron n. m. Expression blasphématoire ou grossière, terme, imprécation utilisés pour jurer (sens II, 2).

Juruá (río), riv. du Brésil (1 900 km), affl. de l'Amazone (r. dr.).

jury n. m. **1.** DR Ensemble des citoyens susceptibles d'être jurés. ▷ Ensemble des jurés d'une cour d'assises, appelés à prendre part au jugement d'une affaire criminelle. **2.** Commission d'examinateurs, d'experts. *Jury du baccalauréat. Jury d'une exposition.*

jus [ʒy] n. m. **1.** Suc d'une substance végétale, généralement extrait par pression. *Jus d'orange.* **2.** Suc de viande. *Jus d'un rôti.* **3.** Pop. Café. **4.** Fam. *Tomber au jus,* dans l'eau. **5.** Fam. Courant électrique. *Il a pris le jus en bricolant.*

jusant n. m. MAR Marée descendante.

jusqu'au-boutisme n. m. Position extrémiste de ceux qui veulent à tout prix mener une action, quelle qu'elle soit, jusqu'au bout.

jusqu'au-boutiste adj. et n. Qui est partisan du jusqu'au-boutisme; qui fait preuve de jusqu'au-boutisme. ▷ Subst. *Des jusqu'au-boutistes.*

jusque, jusqu', jusques prép. et loc. conj. **I.** prép. **1.** Suivi d'une prép., le plus souvent *à,* ou d'un adv. (Marquant un terme, dans l'espace ou dans le temps, que l'on ne dépasse pas.) *J'ai attendu jusqu'à 5 heures. Venez jusque chez moi. Jusqu'où?* ▷ Vx, litt. *Jusques à quand? Jusque-là :* V. là (sens IV). – Mod. *Jusques et y compris...* **2.** (Insistant sur l'inclusion de l'élément ultime dans un tout.) *Il a tout payé jusqu'au dernier centime.* **II.** loc. conj. *Jusqu'à ce que* (marquant le terme d'une durée). *J'ai marché jusqu'à ce qu'il fasse nuit.*

jusquiame n. f. Plante herbacée (fam. solanacées) à feuilles découpées. *La jusquiame noire («Hyoscyamus niger»), à fleurs jaunes veinées de violet ou de brun, contient un toxique nerveux utilisé, à faible dose, comme calmant.*

Jussieu (Bernard de) (Lyon, 1699 – Paris, 1777), botaniste français; il imagina une méthode de classement des végétaux. – **Antoine Laurent** (Lyon, 1748 – Paris, 1836), neveu du préc., perfectionna la méthode de classement de son oncle *(méthode naturelle);* il fut directeur du Muséum national d'histoire naturelle.

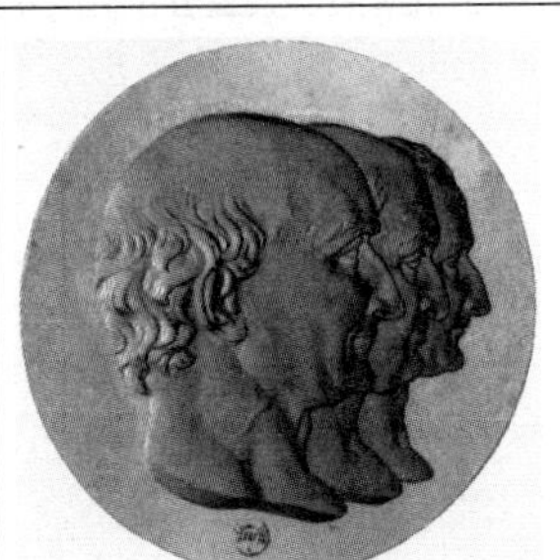

Bernard de **Jussieu,** entouré de ses frères Antoine et Joseph

justaucorps [ʒystokɔʀ] n. m. **1.** Anc. Vêtement étroit, serré à la taille, comportant des manches et descendant jusqu'aux genoux. **2.** Maillot collant utilisé pour la danse.

juste adj., n. et adv. **A.** adj. **I.** (Par oppos. à *injuste.*) **1.** Qui agit, se comporte conformément à la justice, au droit, à l'équité. *Un homme juste.* ▷ Subst. *Un juste.* – Loc. *Dormir du sommeil du juste,* d'un sommeil paisible et profond qu'aucun remords ne trouble. – RELIG *Les justes et les pécheurs. Le Juste :* le Messie. **2.** (Choses) Conforme au droit, à la justice; équitable. *Décision juste.* **3.** (Avant le nom.) Bien fondé, légitime. *Une juste colère. Les justes revendications des travailleurs.* **II.** (Par oppos. à *faux.*) Conforme à la réalité, à la vérité; exact, précis, correct. *Avoir l'heure juste. Opération, raisonnement juste. – Ce que vous dites me paraît très juste.* Syn. pertinent, judicieux. – *C'est juste! C'est tout à fait juste!* Syn. exact, vrai. **III.** Trop ajusté, étroit (en parlant des vêtements). *Pantalons, chaussures trop justes.* ▷ Qui suffit à peine. *Huit jours pour faire cela, c'est juste.* **B.** adv. **1.** Avec exactitude, comme il convient. *Viser, tirer juste. – Penser juste.* **2.** Précisément. *C'est juste ce qu'il nous faut.* **3.** À peine. *C'est tout juste si j'arrive à équilibrer mon budget. – Arriver juste,* au dernier moment. **4.** Seulement. *Il n'y avait presque personne, juste quelques habitués.* **5.** Loc. adv. *Au juste :* précisément. *Combien étiez-vous, au juste?* ▷ *Au plus juste :* avec le plus de rigueur, d'exactitude possible et en se gardant de toute estimation excessive. *Calculer les prix au plus juste.* ▷ *Comme de juste :* comme il se doit.

Juste (les frères Betti, dits), sculpteurs d'origine florentine installés en France v. 1504. – **Antoine** (Corbignano, 1479 – Tours, 1519) et son frère **Jean** (San Martino, Florence, 1485 – Tours, 1549) sont les auteurs du mausolée de Louis XII et d'Anne de Bretagne (cathédrale de Saint-Denis).

justement adv. **1.** Rare Avec justice. *Il a été très justement acquitté.* **2.** Légitimement. *Se flatter justement de...* **3.** Avec justesse, pertinemment. *Il en déduit très justement que...* **4.** Cour. Exactement, précisément. *C'est justement ce qu'il fallait éviter.*

justesse n. f. **1.** Qualité d'une chose juste, exacte. *Justesse d'une balance, d'un appareil de mesure. Justesse d'un raisonnement.* ▷ Qualité de ce qui est tel qu'il doit être, parfaitement approprié, adéquat. *La justesse d'une expression.* **2.** Qualité de ce qui permet de faire une chose avec précision, exactitude. *Justesse du coup d'œil.* **3.** Loc. adv. *De justesse :* de très peu. *On a évité la catastrophe de justesse.*

justice n. f. **1.** Vertu morale qui réside dans la reconnaissance et le respect des droits d'autrui. *Faire preuve de justice.* **2.** Principe moral de reconnaissance et de respect du droit naturel (l'équité) ou positif (la Loi). *Réformes conduites par souci de justice sociale,* d'équité entre les membres de la société. *Agir selon la justice, en bonne justice.* ▷ Reconnaissance et respect des droits de chacun. *Obtenir justice.* **3.** Pouvoir d'agir pour que soient reconnus et respectés les droits de chacun, pouvoir de faire régner le droit; exercice de ce pouvoir. *La justice des hommes et la justice divine. Exercer, rendre la justice. – Se faire justice :* se châtier soi-même en se suicidant. *Le meurtrier s'est fait justice. – Se faire justice soi-même :* se venger soi-même d'un dommage qu'on a subi. *La loi défend de se faire justice soi-même.* **4.** Pouvoir judiciaire (en tant qu'institution); l'administration publique chargée de ce pouvoir. *Porter une affaire devant la justice. Palais de justice,* où siègent les tribunaux. ▷ Ensemble des instances d'exercice du pouvoir judiciaire; ensemble des juridictions. *Justice civile, pénale. – Le ministère de la Justice.*

justiciable adj. et n. **1.** adj. Qui relève de telle ou telle juridiction. *Crime, criminel justiciable de la cour d'assises.* ▷ *Par ext.* Qui relève de. *Maladie justiciable de la psychiatrie.* **2.** n. Individu considéré dans son rapport à l'administration du pouvoir judiciaire.

justicier, ère n. et adj. **1.** Personne qui aime à faire régner la justice, qui l'exerce et l'applique. – adj. *Saint Louis, roi justicier.* **2.** Personne qui prétend exercer la justice et redresser tous les torts. *S'ériger en justicier.* **3.** FEOD *Seigneur haut justicier :* seigneur qui avait, sur ses terres, le droit d'exercer pleinement la justice, au civil comme au pénal.

justifiable adj. Qui peut être justifié. *Conduite justifiable.*

justifiant, ante adj. THEOL Qui rend juste. *Grâce, foi justifiante.*

justificateur, trice adj. Qui justifie.

justificatif, ive adj. et n. m. **1.** adj. Qui justifie, qui prouve. *Pièces justificatives.* **2.** n. m. Pièce attestant qu'une opération a bien été exécutée. ▷ Spécial. *Exemplaire justificatif* ou, n. m., *justificatif,* attestant l'insertion d'un placard publicitaire, d'une photographie, d'un texte, etc., dans une publication.

justification n. f. **1.** Action de justifier, de se justifier. *Donner la justification de sa conduite.* **2.** Preuve que l'on fait (d'une chose) par titres, témoins, etc. *Justification d'un fait.* **3.** IMPRIM Action de justifier une ligne. – Longueur de cette ligne (par oppos. à la *marge*).

justifier v. tr. [2] **1.** Prouver l'innocence de. *Justifier qqn d'une accusation.* ▷ v. pron. *Se justifier d'une calomnie.* – Absol. *Il a tout tenté pour se justifier.* Syn. disculper, innocenter. **2.** Rendre légitime. *La colère ne justifie pas une telle grossièreté.* **3.** Montrer le bien-fondé de. *Sa découverte justifia ses craintes.* – v. pron. *Son optimisme se justifiait totalement.* ▷ v. tr. indir. *Justifier de :* témoigner de, constituer une preuve de. *Certificats qui justifient de l'authenticité d'un tableau.* **4.** IMPRIM Donner à (une ligne) la longueur convenable au moyen de blancs (2, sens I, 3).

Justin Ier (Bederiana, Illyrie [auj. rég. de Skopje], v. 450 – Constantinople, 527), empereur d'Orient (518-527); oncle de Justinien, qu'il adopta. – **Justin II** (m. en 578), empereur d'Orient (565-578), neveu de Justinien Ier et son successeur.

Justinien Ier (en lat. *Flavius Petrus Sabbatius Justinianus*) (Tauresium, près de l'actuelle Skopje, 482 – Constantinople, 565), empereur d'Orient (527-565), successeur de Justin Ier. Il fut secondé par sa femme Théodora et par ses généraux Narsès et Bélisaire dans sa tentative de reconstitution de l'ancien monde romain. Défenseur de l'orthodoxie religieuse, il affirma également la toute-puissance du droit romain (le *Code,* le *Digeste,* les *Pandectes,* les *Institutes*) et fit construire les grands monuments de l'art byzantin : Ste-Sophie de Constantinople, les égl. St-Vital et St-Apollinaire de Ravenne. – **Justinien II** (?, 669 – Sinope, auj. Sinop, Turquie, 711), empereur d'Orient (685-695 et 705-711); il succéda à son père Constantin IV.
► illustr. page **1019**

jute n. m. Fibre textile grossière tirée de l'écorce du chanvre de Calcutta, cultivé au Bangladesh et en Inde, utilisée pour fabriquer des toiles d'emballage, des sacs, etc. *Toile de jute.*

juter v. intr. [1] Rendre du jus. *Pêche qui jute.*

Jutes, anc. peuple germanique, probabl. originaire de la partie S. de l'actuel Jylland (Jutland).

juteux, euse adj. et n. m. **I.** adj. **1.** Qui rend beaucoup de jus. *Poire juteuse.* **2.** Fig., fam. Qui rapporte de l'argent. *Une affaire juteuse.* **II.** n. m. Arg. (des militaires) Adjudant.

Jutland. V. Jylland.

Juvénal (en lat. *Decimus Junius Juvenalis*) (Aquinum, Latium, v. 60 – ?, v. 130), poète latin; auteur de *Satires,* dans lesquelles il brosse un tableau très réaliste des mœurs de son époque.

Juvénal ou **Jouvenel des Ursins** (Jean Ier) (Troyes, 1360 – Poitiers, 1431), magistrat français. Prévôt des marchands de Paris (1389-1400), il contribua à faire nommer régente Isabeau de Bavière. – **Jean II** (Paris, 1388 – Reims, 1473), fils du préc.; archevêque de Reims (1449), il joua un grand rôle politique sous Charles VII. Auteur de la *Chronique de Charles VI.* – **Guillaume** (Paris, 1401 – id., 1472), frère du préc.; chancelier de Charles VII (1445) et de Louis XI (1466).

juvénile adj. Propre à la jeunesse. *Ardeur juvénile.* Ant. sénile.

juvénilité n. f. Litt. Caractère de ce qui est juvénile. Ant. sénilité.

Juvisy-sur-Orge, ch.-l. de cant. de l'Essonne (arr. de Palaiseau), au confl. de l'Orge et de la Seine; 11 852 hab. Nœud ferroviaire et agglomération industrielle.

juxta-. Élément, du lat. *juxta,* «près de».

juxtalinéaire adj. Didac. *Traduction juxtalinéaire,* donnant, sur deux colonnes et ligne par ligne, les mots du texte original et la traduction correspondante.

juxtaposable adj. Qui peut être juxtaposé.

juxtaposé, ée adj. Placé à côté, sans liaison. ▷ GRAM *Propositions, phrases juxtaposées,* sans lien de coordination ou de subordination. (Ex. : *tu ris, moi je pleure.*)

juxtaposer v. tr. [1] Mettre l'un à côté de l'autre. *Juxtaposer des couleurs.* ▷ v. pron. *Ces éléments se juxtaposent.*

juxtaposition n. f. Action de juxtaposer; son résultat.

Jylland ou **Jutland** (en all. *Jütland*), partie péninsulaire du Danemark; 29 766 km^2; 2 356 960 hab.; v. princ. *Århus, Ålborg.* Terre plate et basse, riche région agric. : élevage des bovins et des volailles; céréales. – *Bataille navale du Jutland :* combat que se livrèrent, le 31 mai 1916, au large du Danemark, les flottes britannique et allemande.

Jyväskylä, v. de Finlande, au N. du lac Päijänne; 67 000 hab.; ch.-l. de län. Fonderie, travail du bois, industr. alim. Université. Musée.

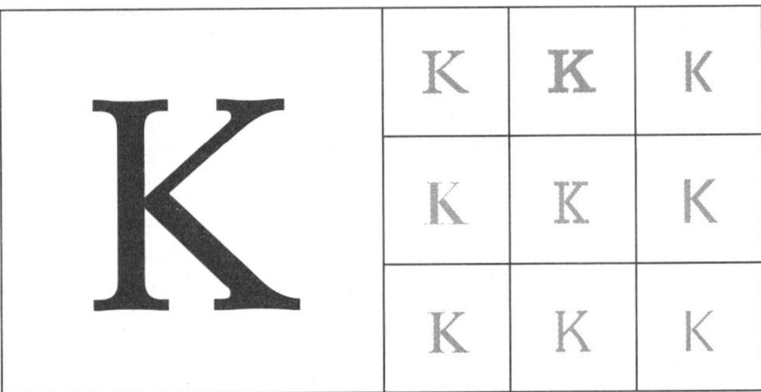

k [ka] n. m. **1.** Onzième lettre (k, K) et huitième consonne de l'alphabet, notant l'occlusive vélaire sourde [k] (ex. *kaki, kilo*). **2.** PHYS K : symbole du kelvin. ▷ K : symbole du kaon. ▷ INFORM K : symbole de *kilo**. Syn. Ko. ▷ CHIM K : symbole du potassium.

ka. V. kaon.

Kaaba ou **Caaba** (la) *(ka'ba)*, vaste édifice cubique (*ka'ba* vient du gr. *kubos*, « dé à jouer »), en pierre grise, dans la mosquée de La Mecque, dont le Coran fait remonter l'origine à Abraham, à qui l'ange Gabriel aurait donné la Pierre noire (scellée dans l'angle oriental à 1,50 m du sol).
▶ illustr. **La Mecque**

Kabardino-Balkarie, rép. autonome de Russie, 12 500 km²; 724 000 hab.; cap. *Naltchik*.

Kabbale. V. cabale (sens I).

kabig ou **kabic** n. m. Rég. Veste de marin breton à capuchon.

Kabila (Laurent-Désiré) (Katanga, 1939), homme politique congolais. Il chasse Mobutu du pouvoir en mai 1997 et devient chef de l'État.

Kaboul ou **Kābul,** cap. de l'Afghānistān, sur le *Kaboul* (affl. r. dr. de l'Indus), à 1 760 m d'alt.; 1 000 000 d'hab. env. La ville a été partiellement détruite par la guerre civile (1989-1996).

kabuki [kabuki] n. m. Au Japon, genre théâtral traditionnel, destiné à un public populaire, spectacle qui mêle au dialogue les chants et la danse.

Kabwe (anc. *Broken Hill*), ville de Zambie; 144 000 hab.; ch.-l. de prov. Import. centre minier (charbon, zinc, plomb, cadmium).

kabyle adj. et n. **1.** De Kabylie. – Subst. *Un(e) Kabyle*. **2.** Relatif aux Kabyles. **3.** n. m. *Langue berbère parlée par les Kabyles*.

Kabyles, nom générique de tribus berbères représentant vraisemblablement la pop. primitive du nord de l'Afrique, antérieure à la domination romaine. Les Kabyles forment une pop. dense d'agriculteurs. V. Kabylie.

Kabylie, nom de plusieurs chaînes du Tell algérien. On distingue notam. la *Grande Kabylie*, formée d'une chaîne côtière et du massif du Djurdjura (2 308 m au Lalla Khadidja), et la *Petite Kabylie*, composée de la chaîne des Babors et des Bibans orientaux. L'insuffisance des ressources (céréales, figuiers, oliviers) oblige les Kabyles à émigrer.

kacha [kaʃa] ou rare **kache** [kaʃ] n. f. **1.** Plat russe, gruau de sarrasin. **2.** Plat polonais, mélange d'orge cuit dans du lait, de crème aigre et d'œufs.

Kachin(s), peuple d'origine tibéto-birmane du N.-E. de la Birmanie et des régions contiguës de la Chine (Yunnan) et de l'Inde (Assam), estimé à 450 000 individus.

kadaïf n. m. Pâtisserie orientale, aux amandes et au miel.

Kádár (János) (Fiume, auj. Rijeka, 1912 – Budapest, 1989), homme politique hongrois. Chef du gouvernement de 1956 à 1958 et de 1961 à 1965, Premier secrétaire du parti communiste de 1956 à 1988, il s'est employé à libéraliser le régime, dans les limites du système socialiste.

Kadaré (Ismaïl) (Gjirokastër, 1936), écrivain albanais; auteur de romans et de nouvelles évoquant l'histoire et les légendes de son pays (*le Général de l'armée morte*, 1963; *le Crépuscule des dieux de la steppe*, 1981; *le Concert*, 1989). Il a obtenu l'asile politique en France en 1990.

Kadesh. V. Qadesh.

kaddish ou **kadich** [kadiʃ] n. m. RELIG Prière juive récitée à la fin des différentes parties de l'office.

Kadhafi (Al) (Mu'ammar) *(Mu 'ammar al-Qaddāfī)* (Syrte, 1942), colonel et homme politique libyen. Président du Conseil du commandement de la révolution après le coup d'État de 1969, qui abolit la monarchie, il est, depuis cette date, secrétaire général du Congrès général du peuple (seul mouvement reconnu par la Constitution promulguée en 1977). Partisan du panarabisme, il mène une polit. d'intervention active, notam. dans les affaires africaines, et prône un socialisme islamique.

le colonel **Kadhafi**

Franz **Kafka**

Kadikoy. V. Chalcédoine.

Kadjars. V. Qādjārs.

Kaduna, v. du Nigeria septent.; 202 000 hab.; ch.-l. de la rég. du m. nom. Industr. textiles. Raff. de pétrole.

Kafka (Franz) (Prague, 1883 – Kierling, près de Vienne, 1924), écrivain tchèque de langue allemande. Il occupe d'importantes fonctions dans une compagnie d'assurances et, en 1910, il commence la rédaction d'un *Journal*, qui semble lier l'existence à un désastre absolu. *La Métamorphose* (1916) et *la Colonie pénitentiaire* (1919) reflètent les fantasmes et les angoisses du monde moderne. Le sommet de son œuvre est atteint avec deux romans inachevés : *le Procès* et *le Château*, où se lisent allégoriquement et oniriquement les thèmes de la culpabilité, de l'errance, de la quête, de l'impossibilité d'être pour l'homme et pour la littérature; ils ne furent publiés qu'après sa mort (due à la tuberculose), en 1925 et 1926, par son ami Max Brod.

kafkaïen, enne adj. Didac. **1.** Relatif à l'œuvre de Kafka. *L'imaginaire kafkaïen*. **2.** Qui a le caractère angoissant et absurde des œuvres de Kafka.

Kagel (Mauricio) (Buenos Aires, 1931), compositeur, chef d'orchestre et metteur en scène argentin, installé à Cologne depuis 1957. Il explore tout particulièrement les ressources dramatiques du langage musical contemporain, à travers des pièces radiophoniques (*Guten Morgen!*, 1971), des films (*Ludwig van*, 1970), des œuvres utilisant l'électroacoustique, les instruments traditionnels (*Acustica*, 1970), les formes à l'ancienne (*Passion selon saint Bach*, 1985), et surtout des œuvres de théâtre musical : *Staatstheater* (1970), *Aus Deutschland* (1981), *Idées fixes* (1989).

Kagera (la), riv. d'Afrique (400 km); naît au Burundi, se jette dans le lac Victoria (Tanzanie). Considérée comme la branche mère du Nil, elle donne son nom à un parc national du Rwanda.

Kagoshima, v. et port du Japon au S. de l'île de Kyūshū; ch.-l. de la prov. du m. nom; 530 500 hab. Constr. navales; métallurgie; porcelaines. Centre spatial.

kagou ou **cagou** n. m. ORNITH Oiseau aptère de la Nouvelle-Calédonie, de

kagou

l'ordre des ralliformes, de couleur gris cendré, au bec et aux pattes rouges et aux mœurs nocturnes.

Kahler (Otto) (Prague, 1849 - Vienne, 1893), médecin tchèque. ▷ MED *Maladie de Kahler* : Syn. de *myélome*.

Kahn (Gustave) (Metz, 1859 - Paris, 1936), écrivain français. Théoricien du *Vers libre* (1912), et l'un de ses premiers utilisateurs avec Laforgue : *Palais nomades* (1887), *les Origines du symbolisme* (1936).

Kahn (Albert) (Gérardmer, 1861 - Paris, 1941), industriel et mécène français. Il fit faire, entre 1910 et 1930, dans le monde entier, des photographies en couleurs conservées dans son anc. demeure de Boulogne-Billancourt, qui se dresse au milieu d'un parc réunissant des jardins de différents styles.

Kahn (Louis) (île d'Ösel, auj. Sarema, Estonie, 1901 - New York, 1974), architecte américain. Mariant la brique et le béton, ses œuvres relèvent du style « forteresse » : Centre de recherches médicales Newton-Richards à Philadelphie (1958-1961); Parlement du Bangladesh, à Dhākā (1962).

Kahnweiler (Daniel-Henry) (Mannheim, 1884 - Paris, 1979), marchand de tableaux et écrivain d'art français, d'origine allemande. Il a largement contribué à faire connaître les fauves (Derain, Vlaminck, etc.), les peintres cubistes (J. Gris, G. Braque, etc.) et particulièrement Picasso. Parmi ses écrits : *Vers le cubisme* (1920), *Confessions esthétiques* (1963).

Kahramanmaras (anc. *Maras*), v. de Turquie, à l'E. de la chaîne du Taurus; 212 200 hab.; ch.-l. de l'il du m. nom. Artisanat.

Kaifeng, v. de Chine centr. (Henan), sur la r. dr. du Huanghe; 602 230 hab. Industr. chimiques.

Kainarža. V. Kutchuk-Kaïnardji.

Kairouan, v. de Tunisie; ch.-l. du gouvernorat du m. nom; 72 250 hab. Centre religieux (pèlerinage musulman) et d'artisanat (travail du cuir, tapis). - Grande Mosquée (IXe s.). Mosquée des Trois-Portes (866).

kaiser [kajzœʀ; kezɛʀ] n. m. *Le Kaiser* : l'empereur d'Allemagne (de 1871 à 1918).

Kaiserslautern, ville d'Allemagne (Rhénanie-Palatinat), sur la Lauter; 96 770 hab. Industr. mécaniques et textiles.

kakatoès. V. cacatoès.

kakémono [kakemɔno] n. m. Peinture japonaise exécutée en hauteur sur un rectangle de papier ou de soie, destinée à être suspendue et qui peut s'enrouler sur les bâtons qui la bordent en haut et en bas.

1. kaki n. m. Fruit charnu, très riche en vitamines, de *Dyospiros kaki*, le plaqueminier du Japon. *Des kakis.*

rameau de **kaki** : deux fruits mûrissent après la chute des feuilles

2. kaki adj. inv. et n. m. D'une couleur brune tirant sur le jaune. *Des uniformes kaki.* ▷ n. m. Couleur kaki.

kala-azar n. m. MED Maladie endémique en Inde, en Extrême-Orient et dans le bassin méditerranéen, due à un protozoaire *(Leishmania donovani)* et caractérisée notam. par l'augmentation du volume de la rate et du foie, et par une grave altération de l'état général.

kalachnikov [kalaʃnikof] n. f. ou m. Pistolet-mitrailleur d'orig. soviétique.

Kalahari (désert du), vaste plateau du centre de l'Afrique australe (700 000 km^2 env.). Marécages dans le N., végétation très maigre de buissons épineux *(bush)* dans le S., où vivent les Boschimans.

kaléidoscope n. m. Cylindre creux contenant un jeu de miroirs et de paillettes multicolores dont les réflexions, multipliées à l'infini, forment des motifs ornementaux à symétrie rayonnante.

Kalevala (le). V. Lönnrot.

Kalgan. V. Zhangjiakou.

Kalgoorlie-Boulder, v. d'Australie (Australie-Occidentale); 19 850 hab. Un des trois grands gisements d'or du pays.

kali n. m. Syn. de *soude* (sens I).

Kālī, divinité hindoue de la Mort et de la Destruction. Elle est *la Noire* (Kālī) qui danse sur le corps de Çiva, son époux divin.

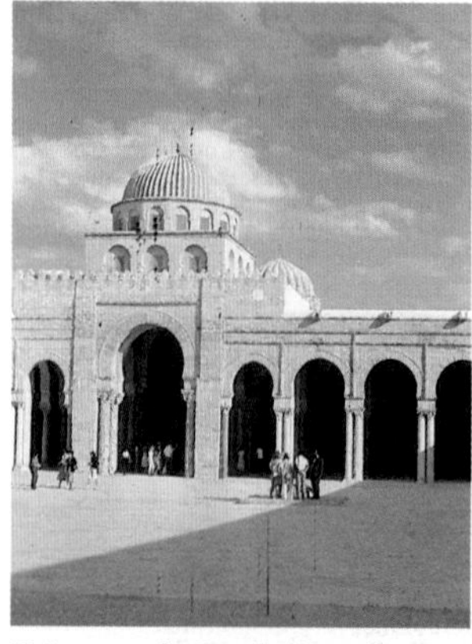
Kairouan : la Grande Mosquée

Kālidāsa, poète indien que la tradition fait vivre au Ier s. apr. J.-C., mais qui vécut probabl. au IVe-Ve s. Auteur d'un drame célèbre : *Çakuntalā.*

kaliémie n. f. BIOL Taux de potassium dans le sang.

Kalimantan, nom de la partie indonésienne de l'île de Bornéo; 539 460 km^2; 7 721 670 hab. Cult. tropicales; gisements de pétrole.

Kalinine. V. Tver.

Kalinine (Mikhaïl Ivanovitch) (près de Tver', 1875 - Moscou, 1946), homme politique soviétique; l'un des chefs de la révolution d'Octobre, président du Præsidium du Soviet suprême de 1937 à 1946.

Kaliningrad (anc. *Königsberg*), port de Russie, sur la mer Baltique, à la frontière polonaise; ch.-l. de rég.; 385 000 hab. Chantiers navals; constr. mécaniques. Importante base militaire. - Université. Cath. gothique (XIVe s., endommagée au cours de la Seconde Guerre mondiale). - La *région de Kaliningrad* (15 100 km^2; 850 000 hab.), cédée par le Reich allemand à l'Union soviétique en 1945, est enclavée dans la république de Lituanie. La Russie en a fait une zone franche en 1991.

Kalisz, v. de Pologne, sur la Prosna; ch.-l. de la voïévodie du m. nom; 103 880 hab. Industr. métallurgiques, mécaniques, textiles et alimentaires.

Kalmar, v. et port de Suède mérid.; ch.-l. du län du m. nom; 54 250 hab. Chantiers navals, travail du bois, industr. alim., pêche. - Château (XIIIe-XIVe s.). - *Union de Kalmar* (1397-1521) : traité qui réunissait la Suède, la Norvège et le Danemark en un seul royaume (danois). Cette union fut rompue par l'insurrection de la Suède, menée par Gustave Vasa (1521-1523).

kalmouk, ouke [kalmuk] adj. et n. Didac. Des Kalmouks. ▷ n. m. *Le kalmouk* : langue parlée en Mongolie occidentale.

Kalmouks, groupe de peuples mongols qui habitent en Russie dans la rép. autonome des Kalmouks (dans le haut Altaï; 75 900 km^2; 325 000 hab.), en Mongolie et en Chine (Xijiang).

Kalouga, v. de Russie, sur l'Oka; ch.-l. de rég.; 297 000 hab. Industr. métallurgiques et textiles.

Kama (la), riv. de Russie (2 000 km), affl. de la Volga (r. g.). Centrales hydroélectriques.

Kāma, dans la myth. hindoue, divinité masculine de l'Amour.

Kamakura, v. du Japon (Honshū), sur la baie de Sagami; 175 500 hab. Tourisme. - Statue colossale en bronze du Bouddha (1252). Temples bouddhiques. Musée (œuvres de la période dite de *Kamakura*). - Anc. cap. du Japon (XIIe-XIVe s.).

Kāma-sūtra (« aphorismes sur le désir »), le plus important ouvrage sanskrit sur l'amour et l'érotisme, écrit par Vātsyāyana, probablement entre le IVe et le VIIe s.

Kamenev (Lev Borissovitch Rosenfeld, dit) (Moscou, 1883 - id., 1936), homme politique soviétique, compagnon de Lénine. Avec Staline et Zinoviev il forma, contre Trotski (son beau-frère), la Troïka (1924), puis dirigea avec Zinoviev et Trotski l'Opposition unifiée (1926), avant de faire son autocritique (1928). Impliqué dans un des «procès de Moscou», il fut exécuté. Réhabilité en 1988.

Kamenski (Vassilii Vassilievitch) (Perm, 1884 - Moscou, 1961), poète russe. Adepte du futurisme, il met des expériences stylistiques au service d'une poésie sociale : *Filles aux pieds nus* (1917), *Tsouvamma* (1920), *Pougatchev* (1931).

Kamensk-Ouralski, ville de Russie, en Sibérie occidentale; 200 000 hab. Centre minier (fer, bauxite) et métallurgique (aluminium); constr. électriques.

Kamerlingh Onnes (Heike) (Groningue, 1853 - Leyde, 1926), physicien néerlandais; spécialiste des basses températures. Il liquéfia l'hélium (1908) et découvrit la supraconductivité (1911). Prix Nobel 1913.

kami n. m. RELIG Déité (ancêtre divinisé ou esprit de la nature), dans la religion shintoïste (Japon). *Les kamis.*

kamichi n. m. Oiseau d'Amérique du Sud (genre *Anhima*), aux formes lourdes, aux pattes puissantes, aux ailes armées d'éperons.

kamikaze [kamikaz] n. m. et adj. **1.** n. m. Avion japonais bourré d'explosifs que son pilote faisait volontairement s'écraser sur les navires ennemis (1944-1945). Syn. avion-suicide. ▷ Pilote d'un tel avion. **2.** *Par ext.* Personne téméraire. ▷ adj. Qui s'apparente au suicide.

Kamloops, v. du Canada (Colombie britannique); 67 050 hab. Import. nœud ferroviaire. Pâte à papier; travail des métaux non ferreux.

Kampala, cap. de l'Ouganda, sur le lac Victoria; 458 000 hab. Marché agricole relié par voie ferrée à Nairobi (Kenya). Industr. alimentaires, textiles.

Kampuchéa (républiquc populaire du), nom du Cambodge de 1979 à 1989.

Kamtchatka, vaste presqu'île volcanique de la Sibérie, entre les mers de Béring et d'Okhotsk. La péninsule, au climat rigoureux, possède un sous-sol très riche (métaux, pétrole). Pêcheries.

kanak. V. canaque.

Kanak(s). V. Canaques.

Kanaky, nom donné par les indépendantistes du F.L.N.K.S. à la Nouvelle-Calédonie.

Kananga (anc. *Luluabourg*), v. de la Rép. dém. du Congo, sur la Lulua; 290 900 hab.; ch.-l. de la province du Kasaï-Occidental.

Kanáris ou **Canaris** (Constantin) (Psará, 1790 - Athènes, 1877), amiral et homme politique grec. Il s'illustra pendant la guerre d'indépendance et fut plusieurs fois chef du gouvernement (1848, 1864, 1877).

Kanazawa, v. et port du Japon (Honshū); ch.-l. de ken; 430 480 hab. Industr. métallurgiques et textiles. Artisanat (laques).

Kanchenjunga. V. Kangchenjunga.

Kānchīpuram, v. de l'Inde (État de Tamil Nadu); 130 930 hab. - Nombr. temples brahmaniques.

Kandahar ou **Qandahār,** v. de l'Afghānistān, au nord du désert de Registān; ch.-l. de la prov. du m. nom; 150 000 hab. Centre commercial et industriel (textiles, tabac, alimentation).

Kandi, v. du Bénin; 53 000 hab. Import. centre commercial.

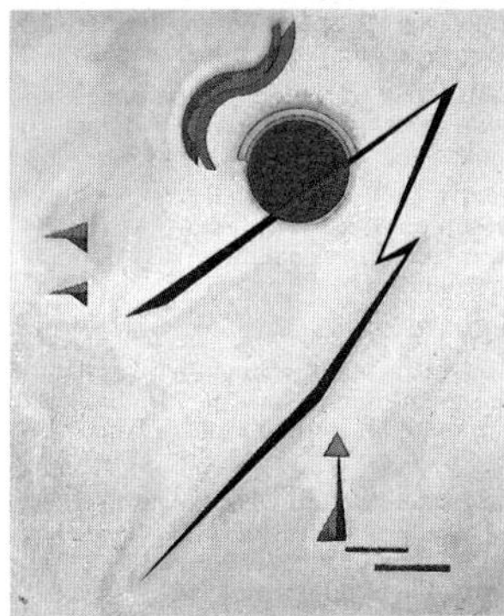

W. **Kandinsky :** *Lignes angulaires*, 1930; galerie d'Art moderne, Rome

Kandinsky (Wassily) (Moscou, 1866 - Neuilly-sur-Seine, 1944), peintre russe, naturalisé allemand puis français; fondateur avec Franz Marc du Blaue* Reiter (1911), professeur au Bauhaus de 1922 à 1933. Il peint ses premières œuvres abstraites en 1910. Après une période de spontanéité gestuelle et lyrique, il articule de 1922 à 1933 des éléments géométriques, suivant l'esthétique du suprématisme, puis distribue dans l'espace des signes tendant vers des formes géométriques pendant sa période parisienne (1933-1944). Écrits théoriques : *Du spirituel dans l'art* (1911); *le Point et la ligne par rapport à la surface* (1926).

kandjar [kɑ̃dʒaʀ] n. m. Sabre turc dont la lame est affilée sur la partie concave.

Kandy, ville de Sri Lanka, ch.-l. de prov.; 120 000 hab. Centre religieux et commercial (thé).

Kangchenjunga ou **Kanchenjunga,** sommet de l'Himalaya, à la frontière du Népal et du Sikkim; 8 585 m.

kangourou n. m. Marsupial d'Australie (fam. macropodidés) au museau allongé, aux grandes oreilles, dont les membres postérieurs adaptés au saut permettent un déplacement très rapide par bonds.

Kangxi ou **K'ang-hi** (Pékin, 1654 - id., 1722), deuxième empereur chinois (1662-1722) de la dynastie Qing, dont il imposa le pouvoir, militairement (victoire sur les révoltés du S., occupation de la Mongolie intérieure) et culturellement. Il autorisa le christianisme.

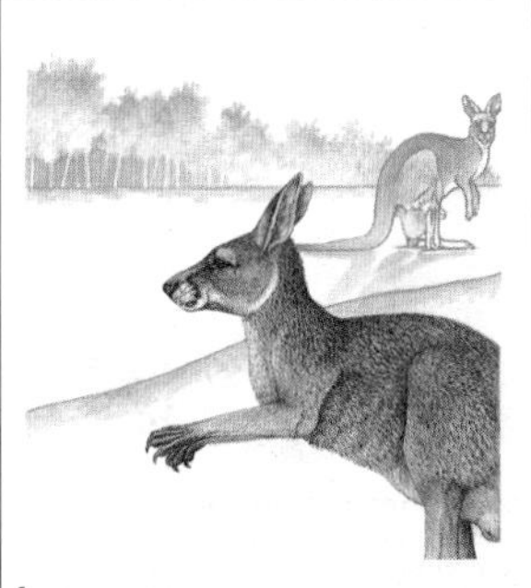

kangourou

Kankan, v. de Guinée, sur le Milo; ch.-l. de la rég. du m. nom; 88 760 hab. Travail du coton. La ville est reliée à Conakry par voie ferrée.

Kano, v. du Nigeria; ch.-l. de l'État du m. nom; 399 000 hab. Centre comm. relié par voie ferrée à Lagos. Huileries, industr. textiles. - Royaume haoussa (XIe-XIXe s.), au faîte de sa puissance au XIVe-XVe s.

Kanō (école des), une des grandes écoles de peinture du Japon, fondée au XVe s. par Kanō Masanobu (v. 1434 - 1530). Elle incarne, à l'origine, l'art officiel des shōgun Tokugawa et marque un retour à l'influence chinoise.

Kānpur (anc., en angl. *Cawnpore*), v. de l'Inde (Uttar Pradesh), sur le Gange; 1 958 000 hab. Industr. mécaniques, textiles; travail du cuir.

Kansai ou **Kinki,** dépression du Japon, dans l'île de Honshū, s'étendant de Kōbe et Ōsaka au lac *Biwa.* Rég. de vieille civilisation (Kyōto, Nara).

Kansas (la), riv. des É.-U. (272 km), affl. du Missouri (rive droite).

Kansas, État du centre des É.-U., à l'O. du Missouri; 213 063 km²; 2 478 000 hab.; cap. *Topeka.* - Rég. de plaines au climat continental contrasté, le Kansas s'est spécialisé dans la cult. du blé d'hiver, à laquelle s'ajoute l'élevage bovin dans l'E. de l'État. Il possède, en outre, d'import. gisements de pétrole (Wichita) et de gaz naturel. - Cédé par la France en même temps que la Louisiane (1803), il fut admis dans l'Union en 1861.

Kansas City, v. des É.-U., sur le fleuve Missouri, partagée entre les États du Kansas et du Missouri; 584 900 hab. (aggl. urb. 1 476 700 hab.). Centre comm. et industr. (traitement des produits de l'élevage; montage automobile; pétrochimie).

Kant (Emmanuel) (Königsberg, auj. Kaliningrad, 1724 - id., 1804), philosophe allemand. La vie de Kant, parfaitement réglée (jusque dans ses horaires), fut consacrée à la connaissance et à l'enseignement. De 1755 *(Sur le feu)* à 1770, il publia de nombr. essais scientif., donnant des cours, à partir de 1758, à l'université de sa ville. En 1770, il y est nommé professeur et commence à élaborer son système, sans presque rien publier jusqu'en 1781, année où paraît la *Critique de la raison pure* (que «résume» *Prolégomènes à toute métaphysique future...*, 1783). Kant ne se propose pas de créer une science, une morale ou une métaphysique nouvelles : sa révolution critique (V. criticisme) est une interrogation sur la légitimité du savoir. Toute connaissance scientifique est l'union d'une forme et d'un contenu; l'esprit humain fournit la forme; le contenu ne peut venir que de l'expérience sensible. La *Critique de la raison pure* explore en détail cet *a priori* transcendantal : - l'*esthétique transcendantale* établit que l'espace et le temps sont des intuitions pures, des formes *a priori* de la sensibilité (et non des propriétés objectives des choses); - l'*analytique transcendantale* montre que les catégories de l'entendement (V. catégorie) sont des conditions *a priori* de la connaissance des objets. La connaissance scientifique est relative, car elle dépend de la structure de l'esprit humain; elle est objective, car cette structure est commune à tous les hommes; - la *dialectique transcendantale* établit que, privée du contrôle de l'expérience, la raison métaphysique

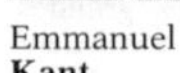

Emmanuel **Kant** Herbert von **Karajan**

sombre dans des contradictions insolubles (les *antinomies*). La *Critique de la raison pratique* (1788), que précède *Fondements de la métaphysique des mœurs* (1785), pose ceci : un acte n'a de valeur morale que s'il est fait «par devoir». Le devoir s'adresse à la raison en chaque homme, au-dessus de tout intérêt et de toute passion. C'est l'impératif catégorique, par ex. celui-ci : «Agis toujours d'après une maxime telle que tu puisses vouloir en même temps qu'elle devienne une loi universelle.» Kant postule la liberté de l'homme, ainsi que l'immortalité de l'âme et l'existence de Dieu, sans nous imposer ces thèses. La *Critique du jugement* (1790) montre comment la libre production de la beauté réconcilie dans l'œuvre d'art (qui est «une finalité sans fin») l'entendement, la volonté et la sensibilité. Par la suite, ses œuvres les plus marquantes sont : *la Religion dans les limites de la simple raison* (1793); *Projet de paix perpétuelle* (1795), inspiré par la Révolution française, qui l'enthousiasma; *Métaphysique des mœurs* (1797); *Anthropologie du point de vue pragmatique* (1798); *Logique* (1800).

Kantara (El-) *(al-Qanṭara)*, site d'Algérie, dans les Aurès. – Les *gorges d'El-Kantara* passaient, dans l'Antiquité, pour avoir été ouvertes par un coup de pied d'Hercule; elles débouchent sur le Sahara.

kantien, enne [kɑ̃tjɛ̃, ɛn; kɑ̃sjɛ̃, ɛn] adj. et n. PHILO Relatif à la philosophie de Kant; partisan de cette philosophie.

kantisme n. m. PHILO Ensemble des théories philosophiques de Kant.

Kantō, région du Japon dans l'île de Honshū, ouverte sur le Pacifique et correspondant à la plaine où s'étend la conurbation de Tokyo-Yokohama.

Kantor (Tadeusz) (Wielopole, 1915 – Cracovie, 1990), peintre, décorateur et metteur en scène polonais. Fondateur du *Théâtre Cricot 2*, sa carrière d'homme de théâtre devint vite internationale. Ses mises en scène où dominent le noir et le blanc sont singulières et tragiques.

Kantorovitch (Leonid Vitalievitch) (Saint-Pétersbourg, 1912 – Moscou, 1986), économiste soviétique. Il appliqua les méthodes mathématiques à la planification socialiste. Il réhabilita, dans une certaine mesure, la notion de profit. P. Nobel 1975.

Kaolack, v. du Sénégal, port sur le Saloum; ch.-l. de la rég. du m. nom; 140 000 hab. Exportation d'arachides; huileries.

kaolin n. m. MINER Argile très pure et parfaitement blanche, composée essentiellement de la kaolinite, et provenant de l'altération des feldspaths par l'eau chargée de gaz carbonique. *Le kaolin est utilisé pour la fabrication de la porcelaine.*

kaolinisation n. f. GEOL Processus par lequel le feldspath des roches cristallines se décompose en kaolin.

kaolinite n. f. MINER Silicate d'aluminium hydraté, constituant principal du kaolin.

kaon [kaɔ̃] ou **ka** [ka] n. m. PHYS NUCL Méson instable (symboles : K^+ ou K^- pour les kaons chargés, K^0 pour le kaon neutre).

Kaosiung. V. Gaoxiong.

Kapela, massif montagneux de Croatie, appartenant aux Alpes Dinariques; il domine l'Adriatique au N.-O. du Velebit.

Kapellan, comm. de Belgique (prov. d'Anvers), à la frontière des Pays-Bas; 24 246 hab. Industries alimentaires; instruments d'optique.

Kapilavastu, anc. cité du N. de l'Inde (auj. *Roumindei*, au Népal). Anc. cap. de la tribu des Cākya et ville natale de Bouddha.

Kapitsa (Piotr Leonidovitch) (Cronstadt, 1894 – Moscou, 1984), physicien soviétique; spécialiste des basses températures. Il a créé l'explosif thermonucléaire soviétique. P. Nobel 1978.

Kaplan (Viktor) (Mürzzuschlag, 1876 – Unterach, 1934), ingénieur autrichien. Il mit au point des turbines hydrauliques à réaction munies d'aubes à pas variable, qu'on utilise dans le cas de faibles chutes à grand débit.

Kaplan (Jacob) (Paris, 1895 – id., 1994), grand rabbin de France de 1955 à 1981.

Kapnist (Vassili Vassilievitch) (Oboukhovka, 1757 – id., 1823), écrivain russe; auteur de comédies satiriques (*la Chicane*, 1798).

kapo n. m. Dans les camps de concentration nazis, détenu qui avait pour tâche de diriger les autres détenus.

kapok [kapɔk] n. m. Duvet végétal contenu dans les fruits du *fromager* ou *kapokier*, matière légère, imperméable et imputrescible, utilisée pour divers rembourrages.

kapokier n. m. Fromager, grand arbre (fam. bombacacées) qui fournit le kapok.

Kaposi (Moritz) (Kaposvár, Hongrie, 1837 – Vienne, 1902) dermatologue hongrois. ▷ MED *Sarcome de Kaposi* : tumeur maligne rare se présentant sous forme de lésions dermiques ou disséminées sur les aires ganglionnaires, très souvent associée au sida*.

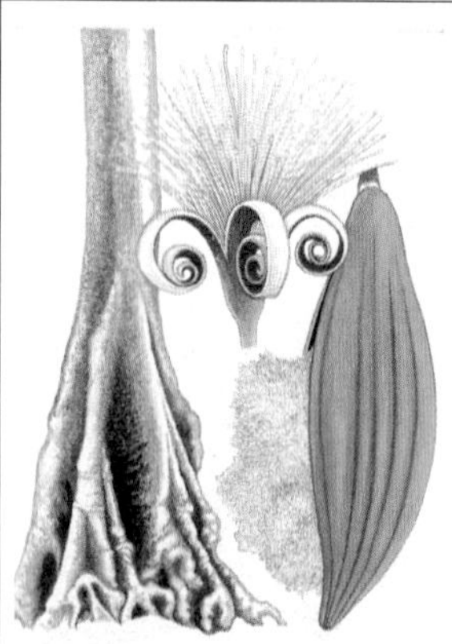

base du tronc de **kapokier** à g.; fleur au centre et fruit déhiscent laissant échapper le duvet à dr.

Kaposvár, v. de Hongrie, sur le Kapos; ch.-l. de comté; 74 000 hab. Centre commercial; industr. textiles.

kappa n. m. Dixième lettre de l'alphabet grec (Κ, κ), notant le son [k].

Kara (golfe ou mer de), partie de l'océan Glacial Arctique comprise entre la Nouvelle-Zemble et la presqu'île de Taïmyr (Sibérie), et dans laquelle se jette le *Kara*, petit fl. côtier.

Karabakh (Haut-) ou **Nagorny-Karabakh,** rég. rattachée à la Rép. d'Azerbaïdjan en 1923; 4 400 km²; 170 000 hab. Ch.-l. *Stepanakert*. – Peuplé à près de 80 % d'Arméniens, le territoire réclame son rattachement à l'Arménie à partir de 1988, ce qui provoque un conflit armé entre les deux anc. républiques soviétiques. En 1991, les Arméniens du Haut-Karabakh proclament unilatéralement leur indépendance et leurs forces armées prennent le contrôle du sud-ouest de l'Azerbaïdjan en 1993. En sept. 1997, Arkadi Goukassian est élu président de cette république autoproclamée.

Kara-Bogaz, golfe de la mer Caspienne, dans le Turkménistan, en voie d'assèchement. Extraction de sels de potasse.

Karāchi, port du Pākistān, à l'O. du delta de l'Indus; ch.-l. de la prov. du Sind; 5 103 000 hab. Princ. ville et port du pays (exportation de coton), premier centre industr. (text., prod. chim., raff. de pétrole, constr. méca.). – Cap. du Pākistān jusqu'en 1960.

Karadžić ou **Karadjitch** (Vuk) (Tršić, 1787 – Vienne, 1864), philologue serbe. Il réforma la langue littéraire serbe, publia des recueils de chants et poèmes populaires, et la première édition du *Dictionnaire serbe* (1818).

Karaganda, ville du Kazakhstan, sur la Noura; ch.-l. de la rég. du m. nom.; 641 000 hab. Au centre d'un riche bassin houiller, la ville possède des industr. sidérurgiques (complexe de Temirtaou) et métallurgiques.

Karageorges (Djordje Petrović, dit *Crni Djordje* ou *Karadjordje* : «Georges le Noir») (Viševac, Šumadija, 1752 [?] – Radovanje, près de Smederevo, 1817), fondateur de la dynastie des *Karadjordjević* (ou *Karageorgevitch*). Commandant de la première insurrection des Serbes contre les Turcs (1804-1813), il libéra Belgrade et se fit proclamer prince héréditaire des Serbes (1808). En 1813, il s'exila en Autriche; revenu dans son pays en 1817, il fut assassiné sur ordre de Miloš Obrenović. ▷ **Alexandre Karadjordjević** (Topola, 1806 – Temesvár, auj. Timişoara, 1885), fils du préc.; prince des Serbes de 1842 à 1858. Réformateur, mais trop autoritaire, il fut contraint d'abdiquer.

Karajan (Herbert von) (Salzbourg, 1908 – id., 1989), chef d'orchestre autrichien de réputation internationale. Il a dirigé de 1954 à 1989 l'orchestre philharmonique de Berlin et, jusqu'à sa mort, le Festival de Salzbourg.

karak. V. krak.

Karakalpakie, rép. autonome d'Ouzbékistan, au S. et à l'O. de la mer d'Aral; 165 600 km²; 1 140 000 hab.; cap. *Noukous*. Territoire semi-désertique.

Karakoram ou **Karakorum,** chaîne de montagnes de l'Asie, à l'O. du plateau du Tibet (8 620 m au K2).

Karakorum ou **Qaraqorum,** anc. cité de l'empire mongol, dont elle fut la cap. durant une trentaine d'années. Les vestiges de la ville (construite v. 1235) se trouvent à l'O. d'Oulan-Bator, en rép. pop. de Mongolie.

Kara-Koum, région désertique du Turkménistan, située dans la dépression entre la mer d'Aral et la mer Caspienne. Vastes travaux d'irrigation.

karakul ou **caracul** [kaʀakyl] n. m. Mouton d'Asie centrale dont les agneaux mort-nés fournissent la fourrure appelée *astrakan.* – Cette fourrure.

Karamé (Rachid) *(Rachīd Karāmī)* (Miriata, 1921 – mort en avion au-dessus de Enfe, Liban, au cours d'un attentat, en 1987), homme politique libanais. Dès 1955, et jusqu'à la guerre civile, il fut le principal dirigeant sunnite. Plusieurs fois Premier ministre, notam. d'avril 1984 à mai 1987.

Karamzine (Nicolaï Mikhaïlovitch) (Mikhaïlovka, 1766 – Saint-Pétersbourg, 1826), écrivain et historien russe. Il épura la langue russe des archaïsmes slavons et introduisit des tournures françaises et anglaises : *Nathalie, la fille du Boyard* (1792), *Pauvre Lise* (1792), *Histoire de l'État russe* (1816-1829).

karaoké n. m. **1.** Équipement vidéo permettant de chanter sur un fond musical en suivant les paroles qui défilent à l'écran. *Un bar équipé d'un karaoké.* **2.** Activité ludique, collective, consistant à chanter en étant accompagné d'un équipement de karaoké. **3.** Bar ou restaurant où l'on pratique cette activité en public.

karaté n. m. Art martial japonais, méthode de combat sans armes fondée sur l'emploi de coups portés (essentiellement avec la main et le pied) aux points vitaux de l'adversaire.

karatéka n. Personne qui pratique le karaté.

Karavelov (Ljuben) (Koprivštica, v. 1837 – Ruse, 1879), écrivain et révolutionnaire bulgare; auteur de nouvelles : *les Bulgares du temps jadis* (1872), *l'Enfant gâté* (1875). – **Petko** (Koprivštica, 1840 – Sofia, 1904), frère du préc.; homme politique bulgare. Chef du parti libéral nationaliste, il fut ministre des Finances (1880), puis président du Conseil (1880, 1884 et 1901).

Karawanken (Alpes du), massif orient. des Alpes entre les hautes vallées de la Save et de la Drave (Autriche et Slovénie).

Karbala ou **Kerbela** *(Karbalā'),* v. d'Irak, au S.-O. de Bagdad; ch.-l. du gouv. du m. nom; 115 000 hab. Ville sainte des chiites.

karcher [kaʀʃɛʀ] n. m. (Nom déposé) Appareil de nettoyage qui projette de l'eau à très forte pression.

Kardec (Léon Hippolyte Denizart Rivail, dit Allan) (Lyon, 1804 – Paris, 1869), occultiste français; fondateur du spiritisme : *le Livre des médiums* (1861).

Kardiner (Abram) (New York, 1891 – Easton, Connecticut, 1981), psychanalyste américain. Il s'est attaché à démontrer la corrélation entre les manières de traiter l'enfant et les types de personnalité à la fois individuels et culturels propres à une société donnée.

Karen(s), peuple de Birmanie et de Thaïlande, se répartissant en *Karens blancs* (établis dans la plaine) et *Karens rouges* (fixés en montagne). Sur les 2 500 000 Karens recensés, une minorité vit dans les États Kawthoolei (anc. État Karen) et Kayah (anc. État Karenni).

Kariba (gorges de), gorges du Zambèze, au N. d'Harare, où un barrage fournit la majeure partie de l'hydroélectricité du Zimbabwe.

Kārikāl, port de l'Inde, sur la côte de Coromandel; 60 500 hab. – Ancien comptoir français rattaché à l'Inde en 1954.

karité n. m. Plante d'Afrique occidentale appelée aussi *arbre à beurre,* dont les graines fournissent une graisse comestible *(beurre de karité),* également employée en cosmétologie.

karkadé n. m. Plante du genre hibiscus, qui fournit une boisson rafraîchissante.

Karkamish ou **Karkemish** *(Karkamīš)* (auj. *Cerablus,* ou *Djarabulus*), v. de l'anc. Syrie, sur l'Euphrate. Nabuchodonosor II y battit le pharaon Néchao II en 605 av. J.-C.

Karkonosze. V. Géants (monts des).

Karl-Marx-Stadt. V. Chemnitz.

Karlovy Vary (en all. *Carlsbad*), v. de la Rép. tchèque, sur la Teplá; 61 000 hab. Importante station thermale; cristalleries.

Karlowitz (traité de), traité, signé le 26 janvier 1699, en vertu duquel la Turquie, vaincue, cédait à la Pologne, à la Russie et à Venise de nombreux territoires.

Karlskrona, v. et port de Suède, sur la Baltique; ch.-l. de län; 59 410 hab. Chantiers navals; industr. chim.; travail du bois. Port militaire. – Égl. de la Trinité, de Tessin le Jeune.

Karlsruhe, v. d'Allemagne (Bade-Wurtemberg), sur le Rhin; 268 310 hab. Cette anc. résidence des ducs de Bade est devenue un port et un centre industriel importants : métall.; text.; raff. de pétrole; industr. chim., pharm. et alim. Recherches nucléaires.

Karlstad, v. de Suède, sur le lac Vänern; ch.-l. de län; 74 540 hab. Métall., constr. méca. – En 1905, l'indépendance de la Norvège y fut signée.

karma [kaʀma] ou **karman** [kaʀman] n. m. RELIG Dans l'hindouisme, enchaînement des actes de chaque être et des conséquences qu'ils entraînent sur son destin tout au long de ses réincarnations successives.

Karman (méthode), méthode d'interruption de grossesse par aspiration du contenu utérin.

Kármán (Theodor von) (Budapest, 1881 – Aix-la-Chapelle, 1963), ingénieur américain d'origine hongroise; auteur d'importants travaux sur l'hydrodynamique, l'aérodynamique et la résistance des matériaux.

karmique adj. Qui concerne le karma de qqn.

Karnak ou **Carnac,** village de la Haute-Égypte, bâti sur les ruines de Thèbes. Ses vestiges archéologiques (temple d'Amon) comptent parmi les plus import. du monde.

Karnātaka (anc. *Mysore*), État de l'Inde, au S. du Dekkan; 191 773 km²; 44 817 390 hab.; cap. *Bangalore.* Rég. historique (nombr. monuments, pèlerinages) aux activités artisanales (soieries, ivoire) et industrielles.

Károlyi de Nagykároly (comte Mihály) (Budapest, 1875 – Vence, 1955), homme politique hongrois. Chef du parti de l'Indépendance (1913), il fut président de la République de janv. à mars 1919, renversé par Béla Kun et s'exila. Adversaire de Horthy, il revint en Hongrie en 1945. Ambassadeur à Paris (1947-1949), il démissionna et finit sa vie en France.

Karpates. V. Carpates.

Karr (Alphonse) (Paris, 1808 – Saint-Raphaël, 1890), journaliste, pamphlétaire et romancier français. Écrivain plein de verve, il est fondateur de la revue satirique *les Guêpes* (1839-1849), auteur du *Voyage autour de mon jardin* (1845).

Karrer (Paul) (Moscou, 1889 – Zurich, 1971), chimiste suisse. Il réalisa la synthèse de plusieurs vitamines. P. Nobel 1937.

Karroo, ensemble des plateaux gréseux d'Afrique du Sud (prov. du Cap).

Kars, v. de Turquie orientale; ch.-l. de l'il du m. nom; 69 290 hab.

karst [kaʀst] n. m. GEOMORPH Relief typique des régions où les calcaires prédominent.

karstique adj. GEOMORPH Qui se rapporte au karst. *Relief karstique.*

kart [kaʀt] n. m. Petit véhicule monoplace de sport à quatre roues, sans carrosserie, équipé d'un moteur de faible cylindrée.

karting [kaʀtiŋ] n. m. Sport pratiqué avec un kart.

Karviná, v. de la Rép. tchèque (rég. d'Ostrava, Moravie-Septentrionale); 78 000 hab. Industr. sidér. et alim.

Kasaï, nom de deux prov. de la Rép. dém. du Congo; 325 183 km²; 4 690 020 hab. : le *Kasaï-Occidental,* ch.-l. *Kananga,* et le *Kasaï-Oriental,* ch.-l. *Mbuji-Mayi.* Diamants.

kascher, kasher. V. casher.

Kassel ou **Cassel,** v. d'Allemagne (Hesse), sur la Fulda; 185 370 hab. Constr. mécaniques et électriques; textiles. – Anc. cap. de la Hesse.

Kassem (Abd al-Karim) *('Abd al-Karīm Qāsim)* (Bagdad, 1914 – id., 1963), général et homme politique ira-

Karnak : salle hypostyle du temple d'Amon, élevée par Séthi Ier et Ramsès II

kien. Il prit le pouvoir à la suite de la révolution de juillet 1958 et instaura la république. Il se rapprocha de l'Égypte, contre Israël, et de l'U.R.S.S. Il fut renversé par un putsch du Baas et fusillé en fév. 1963.

Kasserine *(Qaṣrīn)*, v. de Tunisie ; 22 600 hab. ; ch.-l. du gouvernorat du m. n. Industr. de transformation (alfa). – Le *col de Kasserine* a été pris par Rommel en 1943, et repris par les Alliés quelques jours plus tard.

Kassites, peuple asiatique apparu au déb. du IIe millénaire dans le Zagros mérid. Ils furent les maîtres de Babylone de 1530 env. à 1160 av. J.-C., date à laquelle les Élamites les anéantirent.

Kastler (Alfred) (Guebwiller, 1902 – Bandol, 1984), physicien français ; connu pour ses travaux sur le pompage* optique. P. Nobel 1966.

Kästner (Erich) (Dresde, 1899 – Munich, 1974), journaliste et écrivain allemand ; féroce critique du nazisme et romancier plein d'humour (*Émile et les détectives*, 1928).

Kastoriá, v. de Grèce (Macédoine) ; 20 270 hab. ; ch.-l. du nome du m. n. Import. centre comm. (fourrures). – Vest. d'un village préhist. (2000 av. J.-C.).

kat. V. qat.

kata n. m. Dans les arts martiaux, suite codifiée de positions ou de prises, constituant une démonstration technique.

Kataïev (Valentine Petrovitch) (Odessa, 1897 – Moscou, 1986), écrivain soviétique. Auteur de romans parodiques et de littér. patriotique : *la Quadrature du cercle* (comédie, 1928), *Au loin une voile* (roman, 1936).

Katanga. V. Shaba.

Kateb (Yacine) V. Yacine (Kateb).

Kāthiāwār, vaste presqu'île de l'Inde, sur le golfe d'Oman.

katioucha n. m. Lance-roquettes à tubes multiples.

Katmandou ou **Kātmāndu,** cap. du Népal ; 422 490 hab. Centre commercial et religieux. – Temples hindouistes et bouddhistes.

Katona (József) (Kecskemét, 1791 – id., 1830), écrivain hongrois ; auteur de la prem. tragédie nationale magyare : *Bánk Bán* (créée en 1815).

Katowice, v. de Pologne (Silésie), ch.-l. de la voïévodie du m. nom ; 362 860 hab. Centre minier (houille, zinc) et industriel (métallurgie, constr. mécaniques, chimie et alimentation).

Kattégat ou **Cattégat,** bras de mer entre la Suède et le Danemark.

Katyn, village de Russie, à l'O. de Smolensk. Dans la forêt de Katyn les Allemands découvrirent en avril 1943 les cadavres de quelque 4 500 officiers polonais et attribuèrent ce massacre à l'U.R.S.S., qui accusa l'Allemagne. Les enquêtes menées après la guerre établirent la responsabilité du N.K.V.D. (reconnue par l'U.R.S.S. en 1990).

Katz (sir Bernard) (Leipzig, 1911), neurobiologiste britannique. Il a étudié le rôle de l'acétylcholine dans la transmission nerveuse. P. Nobel 1970.

Kaunas, v. de Lituanie, sur le Niémen ; 423 900 hab. Industr. diverses. – Anc. cap. de la Lituanie.

Kaunda (Kenneth) (Chinsali, 1924), homme politique zambien ; président de la République (1964 – 1991).

Kaunitz-Rietberg (Wenzel Anton von) (Vienne, 1711 – id., 1794), homme politique autrichien. Ambassadeur en France (1750-1753), puis chancelier d'État (1753-1792), il eut une grande influence sur la polit. de Marie-Thérèse, de Joseph II, puis de Léopold II.

Kaurismaki (Aki) (Helsinki, 1957), cinéaste finlandais. Il dépeint avec un humour ravageur mais aussi avec tendresse des personnages fragiles et déboussolés : *La Fille aux allumettes* (1990).

Kautsky (Karl) (Prague, 1854 – Amsterdam, 1938), théoricien et homme politique allemand. Secrétaire d'Engels (1881), il combattit le réformisme de Bernstein dès 1891, édita la dernière partie du *Capital* de Marx (1905-1910) et dénonça la participation des socialistes à la guerre. Il attaqua le léninisme (*Terrorisme et communisme*, 1918).

Kavalla, port de Grèce (Macédoine), sur la mer Égée ; 46 900 hab. ; ch.-l. du nome du m. nom. Tabac ; chimie.

Kaverī ou **Cauvery** (le), fl. de l'Inde, tributaire du golfe du Bengale ; 760 km.

Kawabata (Yasunari) (Ōsaka, 1899 – Zushi, près de Yokosuka, 1972), écrivain japonais. Ses deux chefs-d'œuvre, *Pays de neige* (1935-1948) et *Nuée d'oiseaux blancs* (1949-1951), expriment l'angoisse de la solitude et l'obsession de la mort. Il s'est suicidé. P. Nobel 1968.

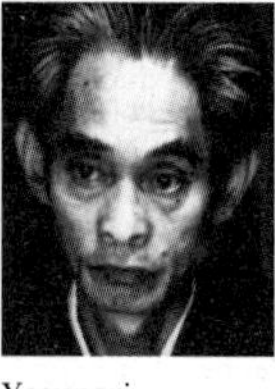

Yasunari **Kawabata**   Mustafa **Kemal**

Kawasaki, v. du Japon (Honshū), sur le Rokugo ; 1 104 270 hab. L'un des plus grands complexes industr. du Japon.

kayak [kajak] n. m. Embarcation traditionnelle des Esquimaux, canot ponté long et étroit fait de peaux de phoques cousues sur une armature légère, mû à l'aide d'une pagaie double. ▷ Embarcation de sport à une ou deux places.

kayakiste n. Adepte du kayak.

Kayes, v. du Mali, ch.-l. de la rég. du m. nom ; 67 000 hab. Terminus de la navigation sur le Sénégal ; huilerie.

Kayseri, v. de Turquie, au S.-E. d'Ankara, à 1 000 m d'alt. ; ch.-l. de l'il du m. nom ; 375 940 hab. Industr. text. (tapis de soie). – C'est l'antique *Césarée, de Cappadoce*, prise par les Turcs Seldjoukides en 1070.

Kaysersberg, ch.-l. de cant. du Haut-Rhin (arr. de Ribeauvillé), sur la Weiss ; 2 763 hab. Vignobles. Cartonnage. – Église (XIIe-XVe s.). Hôtel de ville de style Renaissance.

kazakh, akhe [kazak] adj. et n. **1.** Du Kazakhstan. **2.** n. m. Langue du groupe turc, parlée au Kazakhstan.

Kazakhstan *(Kazak Respublikasy)*, État d'Asie centrale, bordé par la mer Caspienne à l'ouest, la Russie au nord, la Chine à l'est, le Kirghizistan, l'Ouzbékistan et le Turkménistan au sud ; 2 715 100 km^2 ; 16 600 000 hab. ; cap. *Astana*. Langues : kazakh, russe. Monnaie : tengue. Pop. : Kazakhs (39,7 %), Russes (37,8 %), Ukrainiens (5,2 %), Allemands (5 %). Relig. : islam sunnite.

Géogr. et écon. – Composé de plaines et de plateaux steppiques à l'O., l'État est bordé au N. et à l'E. par des hauteurs fortement minéralisées (seuil *Kazakh*) et devient montagneux près de la Chine. Le climat est de type continental ; les précipitations sont assez faibles. Les cultures sont pratiquées soit de façon extensive, soit dans les oasis et les zones irriguées (blé, riz, coton, tabac) ; l'élevage est omniprésent. Le sous-sol recèle de nombr. métaux (cuivre, fer, plomb, zinc, nickel, manganèse), du charbon (bassin de Karaganda) et du pétrole. Industr. métall., chim. et text. ; énergie hydroélectrique.

Hist. – Les Kazakhs sont les descendants des Mongols arrivés dans la région avec à leur tête Gengis Khan, au XIIIe s. Ils ont été islamisés aux XVIIe et XVIIIe s. L'Empire russe ayant étendu ses conquêtes, les tribus kazakhs ont été refoulées par l'extension des colonies de peuplement à la fin du XIXe s. Après la révolution d'Octobre, les Soviétiques ont soumis les pasteurs à une dure collectivisation. Nombre de Kazakhs ont émigré vers le Xinjiang chinois, cependant que l'immigration des Russes se développait. La région n'est « pacifiée » qu'en août 1920, date où est instaurée une rép. auton. « kirghize » (du nom donné aux Kazakhs jusqu'en 1925). En 1936, elle devint république fédérée. Les déplacements d'industries pendant la guerre puis le développement agricole et industriel du Nord ont provoqué un afflux de russophones au point de modifier durablement l'équilibre ethnique. L'indépendance est proclamée le 16 déc. 1991 et Noursoultan Nazarbaïev est élu à la présidence. Le Kazakhstan est membre de la C.E.I. ► carte **(ex-) U.R.S.S.**

Kazan, v. de Russie, cap. de la rép. auton. des Tatars, sur la Volga ; 1 084 000 hab. Centre commercial, universitaire et industriel (métall., chim.). – Cap. mongole plusieurs fois prise et dévastée par les Russes (notam. par Ivan le Terrible en 1552). – Kremlin (1555) renfermant la cath. de l'Annonciation (XVIe s.).

Kazan (Elia Kazanjoglous, dit Elia) (Istanbul, 1909), cinéaste américain ; l'un des fondateurs de l'Actor's Studio. Ses films critiquent avec audace la vie américaine : *Un tramway nommé Désir* (1951), *Sur les quais* (1954), *À l'est d'Eden* (1955), *Baby Doll* (1956), *l'Arrangement* (1969), *le Dernier Nabab* (1976).

Kazantzákis (Níkos) (Candie, auj. Hêraklion, 1885 – Fribourg-en-Brisgau, 1957), écrivain grec. Romans : *Alexis Zorba* (1946), *le Christ recrucifié* (1954). Poèmes : *Odyssée* (1938). Essais : *En voyageant* (1927).

Kazbek (mont), mont du Caucase, au N. de la Géorgie ; 5 047 m.

Kaz Dag. V. Ida.

Elia **Kazan** : *Sur les quais*, avec Marlon Brando, 1954

Kazvin. V. Qazvīn.

kcal Symbole de kilocalorie.

K2, Dapsang, Godwin Austen ou **Chogori** (pic), sommet de l'Himalaya (Karakoram), vaincu par une cordée italienne (1954); 8 620 m (le plus haut sommet après l'Everest).

Keaton (Joseph Francis, dit Buster) (Piqua, Kansas, 1895 - Los Angeles, 1966), acteur et cinéaste américain, l'un des plus grands comiques (l'« homme qui ne rit jamais ») du cinéma muet : *les Lois de l'hospitalité* (1923), *la Croisière du « Navigator »* (1924), *le Mécano de la « General »* (1926), *le Cameraman* (1928).

Buster **Keaton :** *la Croisière du Navigator,* 1924

Keats (John) (Londres, 1795 - Rome, 1821), poète romantique anglais. En 1818, *Endymion* déchaîne les critiques, malgré le soutien de Shelley. Les *Odes,* son chef-d'œuvre, sont publiées en 1820. Tuberculeux, il part pour l'Italie et meurt à Rome au bout de quelques mois de séjour.

kebab [kebab] n. m. Dés de viande de mouton ou de bœuf rôtis en brochette.

Kebir (el-). V. Rummel.

Keble (John) (Fairford, Gloucestershire, 1792 - Bournemouth, 1866), poète anglais. Fondateur du mouvement religieux d'Oxford, il écrivit des poèmes sacrés : *l'Année chrétienne* (1827), *Apostasie nationale* (1833).

Kecskemét, v. de Hongrie située dans la plaine qui sépare le Danube de la Tisza, ch.-l. de comté; 102 350 hab. Marché agric. et ville industr. (constr. mécanique, industr. alimentaire).

Kedah, État de Malaisie, sur le détroit de Malacca; 9 424 km^2; 1 326 000 hab.; cap. *Alor Setar.* Cult. tropicales (poivre, riz); étain.

Keeling (îles). V. Cocos.

Keelung. V. Jilong.

Keewatin, région du Canada (Territoires du Nord-Ouest) située au nord du Manitoba; 593 216 km^2; 5 800 hab.

Kef (Le), v. du N.-E. de la Tunisie, dans le haut Tell; ch.-l. du gouvernorat du m. nom; 34 520 hab. Minerai de fer. - Basilique de Dar al-Kous.

keffieh [kefje] n. m. Coiffure des Bédouins et des Arabes composée d'un grand carré de tissu maintenu par un gros cordon ceignant le dessus du crâne.

kéfir, képhir ou **képhyr** [kefiʀ] n. m. Boisson légèrement gazeuse, un peu aigre, d'origine caucasienne, préparée en faisant fermenter du lait de vache ou de chèvre avec une levure spéciale (« grains de kéfir »).

Kehl, v. d'Allemagne (Bade-Wurtemberg), en face de Strasbourg, ville à laquelle elle est reliée par deux ponts; 28 770 hab. Port fluvial.

Keihin, nom donné à la conurbation formée par Tokyo, Kawasaki et Yokohama, premier ensemble portuaire et industr. du Japon.

keiretsu [kɛjʀɛtsu] n. m. Au Japon, puissant groupe financier aux activités diversifiées.

Keiser (Reinhard) (Teuchern, 1674 - Hambourg, 1739), compositeur allemand; un des fondateurs de l'opéra allemand.

Keita (Modibo) (Bamako, 1915 - id., 1977), homme politique malien. Président de la République et chef du gouvernement à partir de 1960 (création de l'État), il fut renversé en 1968 par un putsch militaire.

Keitel (Wilhelm) (Helmscherode, 1882 - Nuremberg, 1946), feld-maréchal allemand. Chef du commandement suprême des forces armées de 1938 à 1945, il signa la capitulation du IIIe Reich. Le tribunal de Nuremberg le condamna à mort.

Kekkonen (Urho) (Pielavesi, Finlande, 1900 - île Tamminiemi, Helsinki, 1986), homme politique finlandais. D'abord Premier ministre (1950-1953 et 1954-1956), il fut président de la République de 1956 à 1982.

Kekulé von Stradonitz (Friedrich August) (Darmstadt, 1829 - Bonn, 1896), chimiste allemand. Connu pour sa théorie de la tétravalence du carbone; il représenta la formule développée du benzène sous forme d'un hexagone.

Kelantan, État de Malaisie, à la frontière thaïlandaise, sur la mer de Chine mérid.; 14 931 km^2; 1 116 000 hab.; cap. *Kota Baharu.* Pays montagneux au climat équatorial. Cult. tropicales; minerais divers.

Keller (Gottfried) (Zurich, 1819 - id., 1890), écrivain suisse d'expression allemande; surtout connu pour son roman *Henri le Vert* (1854-1855) et son recueil de nouvelles *les Gens de Seldwyla* (1856).

Kellermann (François Christophe), duc de Valmy (Strasbourg, 1735 - Paris, 1820), maréchal de France. Commandant de l'armée du Centre, il contribua à la victoire de Valmy (20 sept. 1792) et dirigea l'armée des Alpes. Sénateur après le 18 Brumaire, maréchal de France sous l'Empire (1804), il se rallia aux Bourbons en 1814. — **François Étienne** (Metz, 1770 - Paris, 1835), fils du préc.; général de cavalerie, il s'illustra à Marengo et à Waterloo.

Kellogg (Frank Billings) (Potsdam, New York, 1856 - Saint Paul, Minnesota, 1937), diplomate et homme politique américain; secrétaire d'État aux Affaires étrangères sous le président Coolidge (1925-1929). Il fut le principal artisan du pacte Briand-Kellogg (27 août 1928) qui condamnait la guerre. P. Nobel de la paix 1929.

Kelly (Eugene Joseph Curran, dit Gene) (Pittsburgh, 1912 - Los Angeles, 1996), danseur, acteur, chorégraphe et cinéaste américain. Minnelli le dirigea dans *Un Américain à Paris* (1951). Stanley Donen réalisa avec Kelly *Un jour à New York* (1949), *Chantons sous la pluie* (1952). Kelly dirigea seul 8 films dont *Invitation à la valse* (1956).

Kelly (Grace) (Philadelphie, 1928 - Monte-Carlo, 1982), actrice américaine, interprète favorite d'Hitchcock : *Le crime était presque parfait* (1953), *Fenêtre sur cour* (1954), *la Main au collet* (1955). En 1956, en épousant Rainier III, elle est devenue princesse de Monaco.

kelvin n. m. PHYS Unité légale de température absolue, de symbole K. (La température absolue T, qui est exprimée en kelvins, est liée à la température t, exprimée en degrés Celsius, par la relation $T = t + 273,15$; 100 °C = 373,15 K; 0 °C = 273,15 K.)

Kelvin (lord). V. Thomson (sir William, lord Kelvin).

Kemal (Mustafa), dit *Kemal Atatürk* (« le Père des Turcs ») (Thessalonique, 1881 - Istanbul, 1938), homme politique turc. Général, il se distingua durant la guerre de Tripolitaine (1911-1912) et en 1914-1918. Prenant la tête d'un mouvement nationaliste, il réunit à Ankara une assemblée qui vota la Constitution de 1921, puis il dénonça le traité de Sèvres et chassa les Grecs d'Asie Mineure. Après la déposition du sultan (1922) et la proclamation de la rép., il en devint le président. Il est le créateur de la Turquie moderne.

Kemal (Yaşar). V. Yaşar Kemal.

kémalisme n. m. HIST Mouvement politique se réclamant de Mustafa Kemal.

Kemerovo, ville de Russie, sur le Tom; 527 000 hab. Centre minier (houille) et industriel.

Kemmel (mont), hauteur de Belgique (Flandre-Occidentale), au S. - S.-O. d'Ypres (156 m). - Théâtre de violents combats en 1918.

Kemp (Robert) (Paris, 1879 - id., 1959), critique littéraire et dramatique français, chroniqueur au *Monde* (1944-1959). Acad. fr. (1956).

Kempff (Wilhelm) (Jüterborg, 1895 - Positano, Italie, 1991), pianiste allemand; virtuose du répertoire romantique.

Kempis (Thomas a). V. Thomas a Kempis.

ken [kɛn] n. m. Préfecture, au Japon.

Kendall (Edward Calvin) (South Norwalk, 1886 - Princeton, 1972), biochimiste américain; connu pour ses travaux sur la synthèse des hormones corticosurrénales. P. Nobel de méd. 1950.

kendo [kɛndo] n. m. Art martial japonais, escrime qui se pratique avec des sabres de bambou.

Kenitra (anc. *Port-Lyautey*), v. et port du Maroc, ch.-l. de la prov. du m. nom; 188 190 hab. (aggl. urb. 449 700 hab.). Industr. métallurgiques; conserveries.

Kennedy (Margaret) (Londres, 1896 - Adderbury, 1967), romancière anglaise. Elle écrivit un cycle romanesque sur la fin de l'ère victorienne, dont *la Nymphe au cœur fidèle* (1924), adapté à la scène et à l'écran.

Kennedy (John Fitzgerald) (Brookline, Massachusetts, 1917 - Dallas, 1963), homme politique américain. Succédant au républicain Eisenhower, ce sénateur démocrate devint, en 1960, le prem. président catholique des É.-U. Convaincu de la vocation mondiale des É.-U., il entreprit un vaste jeu diplomatique : attitude ferme dans la crise de Cuba face à l'U.R.S.S., puis détente avec Khrouchtchev, intervention en Amérique latine et au Viêt-nam, négociations sur la limitation des essais nucléaires. À l'intérieur, dès 1960, il

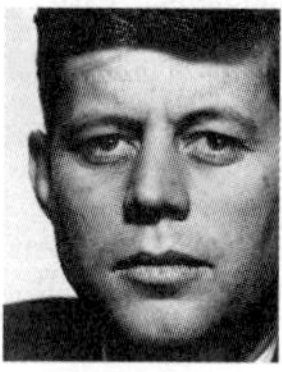

John Fitzgerald **Kennedy** Joseph **Kessel**

avait proposé à ses concitoyens une « nouvelle frontière » : intégration raciale, conquête de l'espace, négociations écon. avec le monde occid. (*Kennedy Round*, qui se déroula de 1964 à 1967). Son assassinat, sur lequel la lumière n'a pas encore été faite, contribua à en faire une figure légendaire. – **Robert Francis** (Brookline, 1925 – Los Angeles, 1968), frère du préc., homme polit. américain, attorney général; il fut assassiné alors qu'il était candidat à la prés. des États-Unis.

Kennedy (airport) (anc. *Idlewild*), princ. aéroport de New York.

Kennedy (centre spatial John F.), centre spatial américain, situé sur la côte E. de la Floride, près du cap Canaveral. Base de lancement de missiles et d'engins spatiaux.

kénotron n. m. ELECTR Tube électronique à vide très poussé servant de redresseur de courant.

Kensington and Chelsea, quartier résidentiel de Londres, à l'O. de Hyde Park.

Kent (royaume de), l'un des sept États anglo-saxons (Ve-VIIe s.); cap. *Cantwaraburg* (l'actuel *Canterbury*).

Kent, comté maritime du S.-E. de l'Angleterre, sur le pas de Calais; 3 732 km^2; 1 485 100 hab.; ch.-l. *Maidstone*.

kentia [kɛ̃sja] n. m. BOT Palmier originaire de Nouvelle-Guinée et d'Indonésie, dont diverses variétés sont cultivées en Europe comme plante d'appartement.

Kentucky (le), riv. des É.-U. (410 km), affl. de l'Ohio (rive gauche).

Kentucky, État du centre-est des É.-U., au S. de l'Ohio; 104 623 km^2; 3 685 000 hab.; cap. *Frankfort*. – Essentiellement agric., le Kentucky produit du tabac, des céréales, du coton; on y élève des bovins et des chevaux; le comté de Bourbon a donné son nom à une variété de whisky. Cependant, la présence d'un bassin houiller, ainsi que de gisements de pétrole et de gaz naturel, a favorisé l'essor de l'industr. (sidérurgie, chimie, raff. de pétrole). – Autrefois uni à la Virginie, il devint un État distinct, qui fut admis dans l'Union en 1792.

Kenya (mont), un des plus hauts sommets de l'Afrique (5 194 m); ancien volcan situé dans la rép. du Kenya.

Kenya (république du), État d'Afrique orientale, membre du Commonwealth, bordé à l'E. par la Somalie et l'océan Indien, au S. par la Tanzanie, à l'O. par l'Ouganda et au N. par le Soudan et l'Éthiopie; 582 646 km^2; env. 22 millions d'hab., croissance démographique : plus de 4 % par an; cap. *Nairobi*. Nature de l'État : rép. de type présidentiel. Langues off. : anglais et swahili. Monnaie : shilling kenyan.

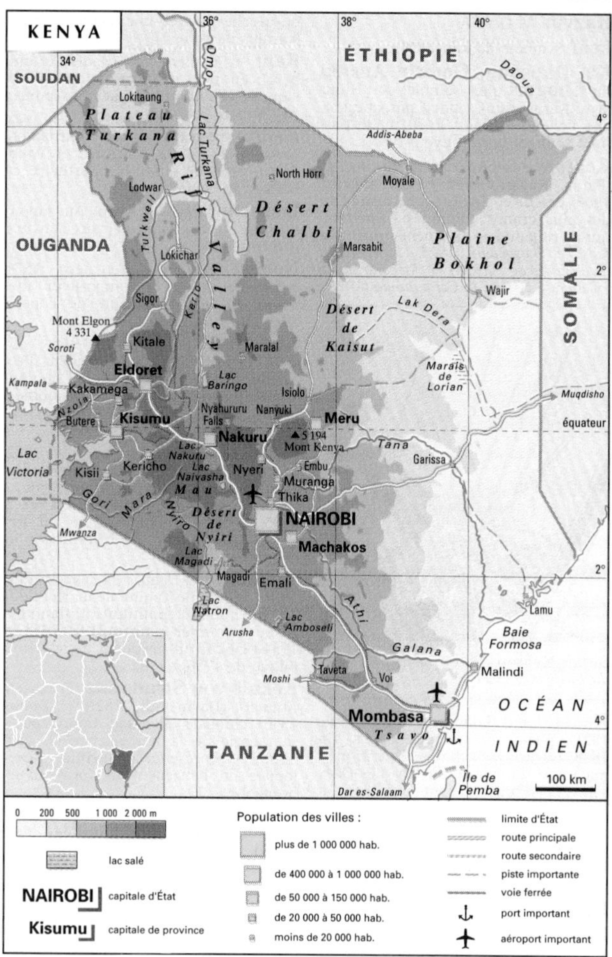

Relig. : animistes (30 %), chrétiens (50 %), musulmans (7 %).
Géogr. et écon. – À l'O. se dressent de hautes terres montagneuses et volcaniques (5 194 m au mont Kenya), que traverse la Rift Valley, occupée au N. par le lac Turkana (anc. Rodolphe); elles sont flanquées, sur la frontière ougandaise, d'un haut plateau où s'inscrit le lac Victoria. Ces hautes terres forestières, soumises à un climat tropical humide d'alizés, dominent la plaine côtière du S.-E., moins arrosée, où règne la savane nue ou arborée. Ces deux régions concentrent l'essentiel de la population du pays. Le plateau du N. et du N.-E., plus sec et steppique, n'est que faiblement peuplé. La variété ethnique est grande; les Kikuyus, appartenant au groupe bantou, sont majoritaires (21 % des hab.); on trouve aussi des Nilo-Sahariens comme les Massaïs et des nomades somalis. Les Kenyans sont ruraux à 80 % et leur croissance démographique est l'une des plus élevées du monde. Pays pauvre, le Kenya connaît cependant un développement sensible et assez équilibré. L'agriculture repose sur les cultures commerciales des hautes terres et de la plaine littorale, et l'élevage extensif; des foyers industriels se sont développés à Nairobi et Mombasa, le principal port. Café et thé, et, depuis peu, fruits, légumes et fleurs constituent l'essentiel des exportations. Un tourisme actif, appuyé sur 18 parcs naturels et une protection sévère de la nature (lutte contre le trafic d'ivoire) assure plus de 25 % des recettes du pays. La situation écon. fragile rend l'aide internationale indispensable.
Hist. – Colonie de la Couronne britannique à partir de 1920, le Kenya est soumis à une dure exploitation coloniale qui entraîne la fondation de la Kikuyu Central Association (1925) par Jomo Kenyatta, puis la sanglante révolte des Mau-Mau (1952), durement réprimée (1953-1956). En 1961, le Kenya obtient son autonomie, en 1963, son indépendance avec J. Kenyatta comme Premier ministre, puis, en 1964, comme président de la République. Jusqu'à sa mort, en 1978, celui-ci tient fermement les rênes de l'État, malgré les fortes tensions entre les multiples ethnies qui cohabitent au Kenya. Son successeur, D. A. Moi, est contraint, en 1991, d'abolir le régime de parti unique. Il est néanmoins réélu en 1992 et en 1997, tandis que des conflits ethniques ravagent le pays.

kenyan, ane [kenjã, an] adj. et n. Du Kenya. ▷ Subst. *Un(e) Kenyan(e)*.

kenyapithèque n. m. PREHIST Primate fossile (14 millions d'années) découvert au Kenya, l'un des ancêtres possibles de l'homme.

Kenyatta (Kamau Johnstone wa Ngengi, dit Jomo) (Ichaweri, v. 1893 - Mombasa, 1978), homme politique kenyan. Secrétaire du parti nationaliste de la Kikuyu Central Association, il fut accusé d'être à l'origine de la révolte des Mau-Mau et emprisonné (1953-1961). Premier ministre du Kenya autonome, il fut le premier président de la République du Kenya (1964-1978).

képhir, képhyr. V. kéfir.

képi n. m. Coiffure cylindrique à fond rigide et surélevé, munie d'une visière, portée notam. par les officiers.

Kepler (Johannes) (Weil, Wurtemberg, 1571 - Ratisbonne, 1630), astronome allemand. Il précisa la représentation du système solaire donnée par Copernic et formula trois lois relatives au mouvement des planètes (*lois de Kepler*), les deux premières à la suite d'une étude des positions de la planète Mars relevées par Tycho Brahe. Kepler fut également le fondateur de l'optique géométrique (notions de rayon lumineux, d'images réelle et virtuelle); la *loi de la réfraction de Kepler* annonce, pour les faibles incidences, la loi générale de Descartes.

Kepler (lois de), lois relatives au mouvement des planètes autour du Soleil. *Première loi* (1605) : dans un repère ayant pour origine le centre du Soleil et des axes dirigés vers les étoiles supposées fixes, les planètes décrivent des ellipses dont le Soleil occupe l'un des foyers. *Deuxième loi* (1605) : en des temps égaux, le rayon vecteur reliant le Soleil à une planète balaie des aires égales. *Troisième loi* (1618) : le carré de la période de révolution d'une planète autour du Soleil est proportionnel au cube du demi-grand axe de son orbite.

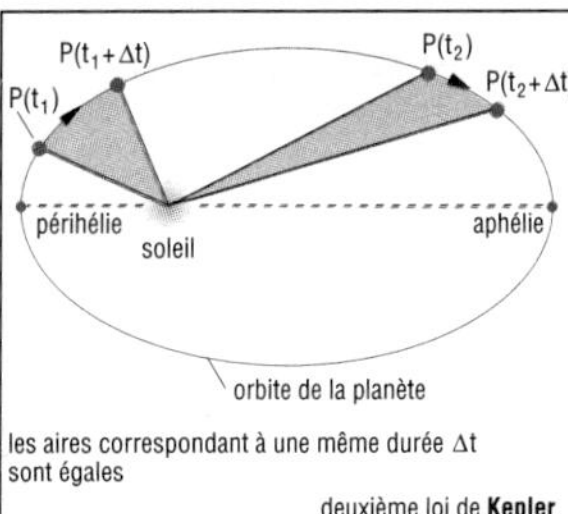

les aires correspondant à une même durée Δt sont égales

deuxième loi de **Kepler**

képlérien, enne adj. ASTRO Relatif aux lois de Kepler.

Kerala, État du S.-O. de l'Inde; 38 864 km^2; 29 011 200 hab. (dont 7 millions de chrétiens); cap. *Trivandrum.* Très nombreuse, la pop. se regroupe sur l'étroite plaine irriguée au pied des Ghâts occidentaux. Le climat, chaud et humide, permet les cult. du thé, du café, du riz et de la canne à sucre. L'industr., stimulée par l'abondance de l'hydroélectricité, traite les produits de l'État : industr. textiles, chimiques et métallurgiques.

kérat(o)-. Élément, du gr. *keras, keratos,* «corne, cornée».

kératine n. f. BIOCHIM Protéine fibreuse, principal constituant des formations épidermiques (cornes, ongles, sabots, becs et plumes, cheveux, poils).

kératiniser v. [1] **1.** v. pron. ANAT, MED Se durcir par la formation de kératine, en parlant des formations épidermiques, des muqueuses. **2.** v. tr. PHARM *Kératiniser des pilules,* les enrober d'une substance analogue à la kératine.

kératinocyte n. m. Cellule de l'épiderme, constituant de la kératine.

kératite n. f. MED Inflammation de la cornée. *Kératite ulcéreuse.*

kératoplastie n. f. CHIR Greffe cornéenne consistant à remplacer un fragment de cornée pathologique par un fragment transparent et sain.

kératose n. f. MED Hypertrophie des couches cornées de l'épiderme.

kératotomie n. f. Incision chirurgicale de la cornée.

Kerbela. V. Karbala.

Kérékou (Mathieu) (Natitingou, 1933), général et homme politique béninois. Porté au pouvoir (1972) par un coup d'État militaire, il se réclama du marxisme. Prés. de la Rép. de 1980 à 1991, il est réélu en 1996.

Kerenski (Alexandre Feodorovitch) (Simbirsk, 1881 - New York, 1970), homme politique russe. Député socialiste révolutionnaire à la Douma de 1912, chef du gouvernement provisoire après la révolution de Février (août 1917), il fut renversé par les bolcheviks après la révolution d'Octobre (nov. 1917) et se retira aux États-Unis.

Kergomard (Pauline) (Bordeaux, 1838 - Paris, 1925), pédagogue française. Elle organisa l'éducation préscolaire (inspectrice générale des écoles maternelles de 1870 à 1917).

Kerguelen (îles) (anc. *îles de la Désolation*), archipel français de l'Antarctique faisant partie des Terres australes et antarctiques françaises. Ce groupe de plus de 300 îles montagneuses et désertiques, balayé par des vents violents, abrite une riche faune aquatique. Une base scientifique est établie à *Port-aux-Français.*

Kerguelen de Trémarec (Yves Joseph de) (Quimper, 1734 - Paris, 1797), marin et explorateur français. Il découvrit, en 1772, les îles qui portent son nom et les îles de la Fortune.

Kerkenna (îles) *(Qarqana),* archipel de Tunisie formé de sept îles (gouvernorat de Sfax), au S. du cap Bon; 15 000 hab. Pêche. Tourisme.

Kermadec (îles), petit archipel d'Océanie, dépendant de la Nouvelle-Zélande. Station météorologique.

Kermān ou **Kirmān,** v. du S. de l'Iran, sur un plateau (1 850 m d'alt.); 141 000 hab.; ch.-l. de la prov. du même nom (193 000 km^2, 1 100 000 hab.).

Kermānchāh (*Bākhtarān* de 1981 à 1992), v. de l'Iran, dans le Kurdistān, à 1 450 m d'alt.; ch.-l. de la prov. du m. n.; 531 000 hab. Raff. de pétrole, artisanat.

kermès n. m. **1.** Cochenille du chêne *(Khermes vermilio),* dont on tirait un colorant rouge. **2.** (En appos.) *Chêne kermès* ou *chêne à cochenilles* : chêne de la région méditerranéenne, à feuilles dures et persistantes.

kermesse n. f. **1.** Rég. Dans les Flandres, fête patronale donnant lieu à des cortèges, des danses, etc. **2.** Fête foraine en plein air. **3.** Fête de plein air organisée au bénéfice d'une œuvre. *Les stands d'une kermesse.*

kérosène n. m. Carburant obtenu par raffinage de pétrole brut, utilisé pour l'alimentation des réacteurs d'avion.

Kerouac (Jack) (Lowell, Massachusetts, 1922 - Saint Petersburg, Floride, 1969), écrivain américain de la «beat generation» (V. beatnik, sens 1) : *Sur la route* (1957), *les Clochards célestes* (1958), *les Anges vagabonds* (1965).

Kéroualle (Louise de), duchesse de Portsmouth (près de Brest, 1649 - Paris, 1734), dame française, maîtresse de Charles II d'Angleterre dont elle eut un fils et auprès de qui elle se fit l'agent zélé de la politique de Louis XIV, ce qui lui valut une très considérable fortune.

Keroularios (Michael). V. Cérulaire.

Kerr (John) (Ardrossan, 1824 - Glasgow, 1907), physicien écossais. ▷ OPT *Cellule de Kerr* : cellule, constituée par deux armatures de condensateur plongées dans du nitrobenzène, utilisée comme obturateur ultra-rapide en chronophotographie.

Kersaint (Armand Guy Simon de Coetnempren, comte de) (Le Havre, 1742 - Paris, 1793), officier de marine français. Il s'empara des comptoirs anglais de Guyane (1782). Favorable à la Révolution, il protesta contre l'arrestation du roi et fut guillotiné.

Kertch', v. d'Ukraine, port sur le détroit de *Kertch'* (anc. *Ienikale*; entre la mer d'Azov et la mer Noire); 168 000 hab. Minerai de fer, sidérurgie, constr. navales. Pêche.

Kertész (André) (Budapest, 1894 - New York, 1985), photographe américain d'origine hongroise. Il travaille pour des revues d'art dans les années 1920 (*le Minotaure*) et entreprend dès 1933 ses «distorsions» de nus féminins.

Kessel (Joseph) (Clara, Argentine, 1898 - Avernes, Val-d'Oise, 1979), romancier français d'origine russe : *l'Équipage* (1923), *Fortune carrée* (1930), *le Lion* (1958), *les Cavaliers* (1967). Il est l'auteur, avec son neveu M. Druon, des paroles du *Chant des partisans.* Acad. fr. (1962).

Kesselring (Albert) (Marktsteft, Franconie, 1885 - Bad Nauheim, près de Francfort, 1960), maréchal allemand. Chef d'état-major de l'armée de l'air du IIIe Reich (1936), il commanda en Pologne (1939), en France (1940), en Russie (1941), dirigea le front sud (1943-1944), puis le front ouest (1945).

ketch [kɛtʃ] n. m. MAR Voilier à deux mâts, dont le mât d'artimon, plus petit, est implanté en avant de la barre (à la différence du yawl).

ketchup [kɛtʃœp] n. m. Condiment à base de purée de tomates aromatisée.

Ketteler (Wilhelm Emmanuel, baron von) (Harkotten, près de Münster, 1811 - Burghausen, Bavière, 1877), prélat allemand, évêque de Mayence (1850); promoteur du christianisme social en Allemagne (*la Question ouvrière et le christianisme,* 1864).

keuf n. m. Fam. Policier. (Verlan irrégulier de *flic.*)

keum n. m. Fam. Individu quelconque. (Verlan de *mec.*)

kevlar n. m. (Nom déposé.) TECH Fibre synthétique très résistante (aramide), légère et imputrescible.

Keynes (John Maynard, 1er baron) (Cambridge, 1883 - Firle, Sussex, 1946), économiste et financier britannique. Bousculant les théories économiques classiques, secouant les routines gouvernementales, analysant avec acuité

John Keynes

Nikita Khrouchtchev

la grande crise sociale de son temps, Keynes apparaît comme un économiste de génie pouvant prendre rang aux côtés d'Adam Smith ou de Karl Marx. Auteur d'un *Traité sur la monnaie* (1930) et de la *Théorie générale de l'emploi, de l'intérêt et de la monnaie* (1936), Keynes s'attache à montrer comment le capitalisme contemporain engendre le chômage permanent et comment l'État peut, et doit, y remédier, en favorisant les investissements publics et privés, ainsi que la propension à la consommation par une politique de redistribution des revenus. La pensée keynésienne a innové par l'étendue de l'analyse (quantités globales), et en mettant l'accent sur des variables essentielles (investissement, consommation, taux d'intérêt, épargne).

keynésianisme n. m. ECON Doctrine économique de Keynes.

keynésien, enne adj. ECON De Keynes. *Théories keynésiennes.* ▷ Subst. Partisan des théories de Keynes.

Key West, v. et port des É.-U. (Floride) dans une île corallienne; 24 800 hab. Stat. baln. reliée au continent par une autoroute de 150 km.

kF Abrév. de *kilofranc.*

kg Symbole de kilogramme.

K.G.B. Sigle de *Komitet Gossoudarstvennoï Bezopasnosti,* «Comité de sécurité de l'État» qui remplaça le M.G.B. (Ministère de la sécurité d'État) en 1954. Police politique de l'U.R.S.S. jusqu'en 1991.

Khabarovsk, ville de Russie (Sibérie), au confl. de l'Amour et de l'Oussouri; 600 000 hab. Centre comm. et industr. : raffinerie de pétrole; industries métall., chim. et alimentaires.

Khadidja *(Hadīğa)* (m. à La Mecque, 619), première épouse de Mahomet (à qui elle donna cinq enfants, dont seule Fatima survécut). La première à croire à la mission du Prophète, elle l'encouragea et exerça une grande influence sur lui.

khâgne, khâgneux. V. cagne, cagneux.

Khajurāho, site de l'Inde centrale où s'élèvent de nombreux temples (Xe-XIIIe s.) à la décoration foisonnante.

Khakassie, république autonome de la Russie, arrosée par l'Ienisseï; 61 900 km²; 547 000 hab.; ch.-l. *Abakan.* – Ancienne région autonome de l'U.R.S.S., la Russie lui a donné le statut de république en 1991.

khalifat, khalife. V. califat, calife.

khalkha n. m. Variété de mongol, qui est la langue officielle de la Mongolie.

Khama (sir Seretse) (Serowe, 1921 – Gaborone, 1980), premier président de la République du Botswana, qu'il dirigea de 1966 à sa mort.

khamsin [xamsin] n. m. Vent brûlant qui souffle du désert, en Égypte.

khān [kɑ̃] n. m. Titre que prenaient les souverains mongols *(Gengis khān),* et que prirent ensuite les chefs de l'Inde musulmane, de Perse, de Turquie.

khanat n. m. Dignité, territoire d'un khān.

Kharbine. V. Harbin.

Khārezm ou **Khwārazm,** anc. royaume d'Asie centrale; puissant au XIIe s., conquis par les Ouzbeks au XVIe s. Il devint un protectorat russe en 1873.

Kharg, île iranienne, dans le golfe Persique. Port pétrolier, raff. de pétrole.

kharidjisme [kaʀidʒism] n. m. RELIG Doctrine religieuse émanant d'une secte dissidente de l'islam, qui, à l'origine, regroupait les adeptes d'Ali devenus ses adversaires quand Mu'awiyah Ier le déposa.

kharidjite n. et adj. RELIG Adepte du kharidjisme. *Les Mzabites sont des kharidjites.*

Kharkov, v. d'Ukraine, au N.-O. du Donbass; 1 604 000 hab.; ch.-l. de la prov. du m. nom. Constr. méca.; industr. chim. et text. – Disputée entre «rouges» et «blancs» (1918-1920), cap. de la rép. d'Ukraine (1919-1934), la ville fut l'enjeu de durs combats (1941-1943).

Khartoum, cap. du Soudan, au confl. du Nil Blanc et du Nil Bleu; ch.-l. de la prov. du m. nom; 557 350 hab. Cimenterie; industr. text. et alim. – La ville, assiégée, fut prise en 1884 par les fidèles du mahdi, qui tuèrent Charles Gordon, mais les Anglais la réoccupèrent en 1898.

khat. V. qat.

Khatami (Syed Mohammad) (Ardakan, 1944), homme politique iranien. Ancien ministre de la Culture, il est président de la République depuis mai 1997.

Khatchatourian (Aram Ilitch) (Tiflis, auj. Tbilissi, 1903 – Moscou, 1978), compositeur soviétique. Il puisa notam. dans les folklores géorgien, azerbaïdjanais et de son pays, l'Arménie. Son ballet *Gayaneh* (1942) comprend la célèbre *Danse du sabre.*

Khayber ou **Khaybar,** défilé qui fait communiquer le Pākistān et l'Afghānistān, entre Kaboul et Peshāwar.

Khayr al-Dīn. V. Barberousse.

Khayyām (Omar) (Nīchāpur, v. 1050 – id., v. 1123), mathématicien, astronome et poète persan. Il doit sa notoriété au poète anglais E. Fitzgerald, qui traduisit, en les adaptant (1859), ses célèbres *rubā'iyyāt* (quatrains).

Khazars, peuple apparenté aux Turcs qui, venu du Caucase, fonda au VIIe s. un royaume sur les rives N. de la Caspienne. Les Khazars jouèrent un rôle d'intermédiaire entre les Russes et les Byzantins qui, cependant, finirent par s'allier contre eux et anéantirent leur royaume en 1016.

khédive [kediv] n. m. HIST Titre du vice-roi d'Égypte, de 1867 à 1914.

Khenchela *(Hanšala)* (anc. *Mascula*), v. d'Algérie; 69 570 hab.; ch.-l. de la wil. du m. n. Tapis et tentures.

Khéops. V. Chéops.

Khéphren. V. Chéphren.

Kheraskov (Mikhaïl Matveïevitch) (Pereïeslav, gouv. de Poltava, 1733 – Moscou, 1807), écrivain russe. Disciple de Soumarokov, il évolua du rationalisme classique vers le mysticisme. Son œuvre comprend des odes, des sonnets, des *Stances* (1762), des tragédies (*la Moniale de Venise*), des comédies (*l'Impie*), des drames (*l'Athée*), et deux grands poèmes épiques (*la Rossiade,* 1779; *Vladimir,* 1785-1797).

Kherson, v. d'Ukraine, près de l'embouchure du Dniepr; ch.-l. de la prov. du m. nom; 352 000 hab. Port d'exportation des blés de l'Ukraine et centre industr. : chantiers navals; text.; raff. de pétrole.

khi [ki] n. m. Vingt-deuxième lettre de l'alphabet grec (X, χ) correspondant à *kh* (vélaire sourde aspirée [x]).

Khieu Samphan (Svay Rieng, 1931), homme politique du Cambodge. Dirigeant des Khmers rouges (1967), il s'allia avec Sihanouk après le coup d'État pro-américain de Lon Nol (1970). Après la prise du pouvoir par les Khmers rouges, il fut nommé chef de l'État du Kampuchéa démocratique (1976-1979). Il participa aux négociations conduisant à l'accord de Paris (1991), mais mena une politique hostile à la pacification au Conseil national suprême (1991-1993).

Khingan, montagnes de Mandchourie : le *Petit Khingan* (en chinois *Daxing'anling*), au N.-E., domine le fleuve Amour; le *Grand Khingan* (en chinois *Xiaoxing'anling*), à l'O., s'étend entre le désert de Gobi et la plaine de la Chine nord-orientale.

Khintchine (Alexandre Iakovlevitch) (Kondrovo, 1894 – Moscou, 1959), mathématicien russe; connu pour ses travaux sur la théorie des probabilités.

Khlebnikov (Victor Vladimirovitch, dit Vélémir) (Toundoutovo, 1885 – Santalovo, 1922), poète russe, chef de file, avec Maïakovski, du futurisme dans son pays. Sa poésie, fondée sur la primauté du son, est d'une rare violence : *la Nuit avant les soviets* (1921).

Khmelnitski (Bogdan Sinovi) (?, 1593 – Tchiguirine, 1657), chef des Cosaques de l'Ukraine. Il dirigea le soulèvement contre la Pologne (1648), puis se plaça sous la suzeraineté de la Russie (1654).

khmer, khmère [kmɛʀ] adj. et n. Relatif aux Khmers. ▷ n. m. Langue du groupe môn-khmer (comprenant notam. le cambodgien).

Khmers, peuple d'Indochine mérid., de souche ethnolinguistique môn-khmer, dont les actuels Cambodgiens (V. Cambodge) sont les descendants. L'histoire du peuple khmer et de son art se partage généralement en deux périodes : préangkorienne (du déb. du VIIe s. à la fin du VIIIe s.) et angkorienne (IXe-XVe s.), quand Angkor* fut la cap. du royaume. Toutefois, au sommet de leur puissance, les Khmers eurent à lutter contre les Chams, qui prirent Angkor en 1177; cinq ans plus tard, Angkor fut repris par le plus grand monarque de l'Empire : Jayavarman VII (1181-1220 env.), qui bâtit l'un des plus fameux monuments de l'art khmer, le temple-montagne du Bayon. Au XVe s., les Khmers durent faire face à de nouveaux ennemis, les Siamois, qui se rendirent maîtres de l'anc. Cambodge. Angkor, tombé entre leurs mains en 1431, fut abandonné et ne fut tiré de l'oubli qu'à la fin du XIXe s. par les archéologues de l'École française d'Extrême-Orient.

Khmers rouges, nom donné aux guerilleros communistes opposés, dans les années 1960, au gouvernement proaméricain de Lon Nol. Après la prise de Phnom Penh par les communistes en 1975, l'armée nationale du Cambodge prochinoise, dirigée par Pol Pot et Khieu Samphan, conserva ce nom. Les Khmers rouges exterminèrent une importante partie de la population du Cambodge (le nombre des victimes dépasserait 2 millions), avant d'être chassés du pouvoir par l'intervention vietnamienne de 1979. Partie prenante du gouvernement de coalition en exil, ils intensifient la guérilla contre le gouv. provietnamien, participent aux accords de paix en 1991, mais reprennent la guérilla en 1993. En 1998, les Khmers rouges tentent de susciter des mouvements révolutionnaires parmi les paysans. (V. Cambodge.)

Khnopff (Fernand) (Gremberger-lez-Termonde, 1858 – Bruxelles, 1921), peintre symboliste belge : *Méduse endormie* (1896).

khoisan n. m. inv. LING Famille de langues pratiquées dans le S. de l'Afrique (Namibie, Angola, Botswana, Zambie, Tanzanie), comprenant notam. le hottentot et le boschiman, caractérisées par la présence de clics*.

khôl. V. kôhl.

Khomeyni (Rūḥullāh) (prov. de Khomeyn, 1902 – Téhéran, 1989), chef religieux et homme politique iranien. Exilé par le schah, il inspira le soulèvement populaire qui aboutit à la chute du souverain (1979) et instaura en Iran la République islamique. La Constitution a reconnu son autorité spirituelle et politique. Symbole de la révolution islamique, il a rendu, en Iran, le pouvoir au clergé chiite.

Khorāsān ou **Khurāsān** («Région du soleil»), province du N.-E. de l'Iran; 314 282 km^2; 5 300 000 hab.; ch.-l. *Mechhed.* Région steppique, semi-désertique, où vivent des nomades.

Khorramchahr ou **Khurramchahr,** ville d'Iran (Khūzistān); 146 000 hab. Important port d'exportation. – Un des principaux enjeux militaires de la guerre irano-irakienne en 1980-1982.

Khorsabad. V. Khursabad.

Khosrô Ier ou **Chosroês Ier,** roi de Perse (531-579). Chef militaire, jouissant d'une réputation de sage, il affronta Byzance et les Huns.

Khotine, v. d'Ukraine, sur le Dniestr; 14 000 hab. – Victoires (dites de *Choczim*) de Jean Sobieski sur les Turcs (1673) et des Russes sur les Turcs (1769). – La ville fut polonaise *(Chocim* ou *Choczim),* russe puis roumaine *(Hotin),* avant d'être soviétique (rattachement de la Bessarabie à l'Ukraine, définitif en 1945).

Khoudjand (anc. *Leninabad*), v. du Tadjikistan, sur le Syr-Daria; 150 000 hab.; ch.-l. de distr. Textile (soie).

Khouribga, v. du Maroc; ch.-l. de la prov. du m. nom; 127 180 hab. Import. gisements de phosphates.

Khristov ou **Christoff** (Boris) (Plovdiv, 1918 – Rome, 1993), chanteur (basse) bulgare; interprète notam. du *Prince Igor* et de *Boris Godounov.*

Khrouchtchev (Nikita Sergheïevitch) (Kalinovka, prov. de Koursk, 1894 – Moscou, 1971), homme politique soviétique. Premier secrétaire du P.C.U.S. (1953-1964), il fut également, à partir de 1958, président du Conseil des ministres de l'U.R.S.S. Dès 1956 («rapport secret» sur les crimes de Staline au XXe congrès du parti communiste), il amorça une vigoureuse politique de déstalinisation et d'élévation du niveau de vie. À l'extérieur, sa diplomatie très personnelle se solda par une amélioration des rapports avec les É.-U., d'une part, et par une rupture idéologique et politique avec Pékin, d'autre part. Il fut contraint de démissionner en 1964.

Khulnā, v. du Bangladesh, au S.-O. de Dhākā; ch.-l. du distr. du m. nom; 437 300 hab. Industr. textiles.

Khurāsān. V. Khorāsān.

Khurramchahr. V. Khorramchahr.

Khursabad ou **Khorsabad** *(Hursabād),* village d'Irak à 15 km au N. de Mossoul. C'est l'anc. *Dour-Sharroukīn,* cap. du roi assyrien Sargon II (VIIIe s. av. J.-C.). La découverte du *site de Khursabad* (1843) marque les déb. de l'archéol. moyen-orientale.

Khūzistān (anc. *'Arabistān*), prov. d'Iran, sur le golfe Persique; 117 713 km^2; 2 700 000 hab.; ch.-l. *Ahwāz;* v. princ. *Abadan.* Gisements de pétrole.

Khwārazm. V. Khārezm.

Khwarizmi (Muhammad ibn mūsā al-) (Khiva?, auj. en Ouzbékistan, fin du VIIIe s. – ?, v. 850), mathématicien et astronome musulman qui écrivit en arabe un précis de calcul qu'on tient pour un des «textes fondateurs» de l'algèbre.

kHz Symbole de kilohertz.

Kiarostami (Abbas) (Téhéran, 1940), cinéaste iranien. Peintre de l'enfance et d'un pays qui se reconstruit après le séisme : *Au travers des oliviers* (1994), *le Goût de la cerise* (1997).

kibboutz n. m. Exploitation agricole collective, en Israël.

kichenotte. V. quichenotte.

Kichinev. V. Chisinau.

kick [kik] n. m. TECH Dispositif permettant de mettre en marche, au pied, un moteur de motocyclette.

kidnapper [kidnape] v. tr. [1] Enlever (une personne) le plus souvent pour obtenir une rançon.

kidnappeur, euse n. Personne qui kidnappe.

kidnapping [kidnapiŋ] n. m. (Anglicisme) Enlèvement, rapt, partic. pour obtenir une rançon.

kief. V. kif.

Kiel, v. d'Allemagne, cap. du Schleswig-Holstein, sur la Baltique; 243 630 hab. Industr. métall., méca., chim.; constr. navales; faïences; pêche. – Par le *traité de Kiel* (1814), la Suède imposa au Danemark la cession de la Norvège et renonça à ce qui lui restait de la Poméranie. – Le *canal de Kiel* (anc. *Kaiser-Wilhelm-Kanal*) (99 km), creusé de 1887 à 1895, unit la Baltique à la mer du Nord en coupant la presqu'île danoise du Jylland.

Kielce, v. de Pologne, au S. de Varsovie; 202 280 hab.; ch.-l. de voïévodie. Industr. métallurgiques et chimiques.

Kielland (Alexander) (Stavanger, 1849 – Bergen, 1906), écrivain norvégien. Naturaliste, il est influencé par les romanciers français et Ibsen : *Travailleurs* (1881), *Trois Couples* (1896). Comédie : *le Professeur* (1888).

Kierkegaard (Søren Aabye) (Copenhague, 1813 – id., 1855), philosophe et théologien danois. Dès sa thèse de théologie, *le Concept d'ironie* (1841), il prône une «attitude poétique» contre le christianisme dogmatique. Dans *le Concept d'angoisse* (1844), les *Étapes sur le chemin de la vie* (1845), le *Traité du désespoir* (1849), etc., il oppose à l'idéalisme hégélien le tragique de l'existence quotidienne. Il est considéré comme le fondateur de l'existentialisme.

Kiesinger (Kurt Georg) (Ebingen, Bade-Wurtemberg, 1904 – Tübingen, 1988), homme politique allemand; chancelier chrétien-démocrate de la R.F.A. de 1966 à 1969.

Kieslowski (Krzystof) (Varsovie, 1941 – *id.,* 1966), cinéaste polonais. Ses personnages, ancrés dans la réalité polonaise, atteignent aussi l'universel : *le Décalogue* (1988), *Bleu, blanc, rouge* (1993-1994).

Kiev, cap. de l'Ukraine, au confl. du Dniepr et de la Desna; 2 577 000 hab. Grand centre industriel (constr. méca.) et culturel. – Université. Cath. Ste-Sophie (1017-1037, de nombr. fois remaniée dans le style byzantin d'orig.). – Première cap. de la Russie, dont l'apogée se situe sous le règne de Iaroslav Vladimirovitch (XIe s.), Kiev fut détruite par les Mongols de Batū khān (1240); du XIVe au XVIIe s., elle fut placée sous la suzeraineté de la Pologne. En 1775, elle devint la cap. de la Petite Russie. Dévastée par les Allemands en sept. 1941, elle fut reprise par les Soviétiques en nov. 1943.

Kiev : la cathédrale Sainte-Sophie, XIe-XVIIe s.

kif, kief ou **kiff** [kif] n. m. Mélange de chanvre indien et de tabac (en Afrique du Nord, notam.). *Pipe à kief.*

kif-kif [kifkif] adj. inv. Fam. Pareil. *C'est kif-kif!*

Kigali, cap. du Rwanda, au centre de l'État; 116 230 hab. Marché agricole et centre artisanal.

Kikutake (Kiyonori) (Kurume, 1928), architecte japonais. Il fait le plus large emploi des techniques modernes de construction tout en s'efforçant de respecter certains aspects du mode de vie traditionnel nippon : Maison du ciel (1958, Tōkyō); hôtel Tōkō-en (1965, Yonago); tour de l'Exposition universelle d'Ōsaka (1970).

Kikuyu(s) ou **Kikouyou(s),** une des princ. tribus bantoues du Kenya.

kilim [kilim] n. m. Tapis d'Orient en laine, dépourvu de velours, car tissé (et parfois brodé) au lieu d'être noué.

Kilimandjaro (auj. *pic Uhuru,* «Liberté»), massif volcanique d'Afrique (dans le N. de la Tanzanie, près de la frontière du Kenya) qui porte le point culminant du continent (5 895 m au mont Kibo). ► illustr. page **1034**

Killy (Jean-Claude) (Saint-Cloud, 1943), skieur français. Il triompha aux

Kilimandjaro : parc national, au Kenya

jeux Olympiques de Grenoble en 1968 (trois médailles d'or). L'un des organisateurs des J.O. à Albertville en 1992.

kilo-. Élément, du gr. *khilioi*, « mille, mille fois ».

kilo n. m. **1.** COUR. Abrév. de *kilogramme*. **2.** INFORM Unité de mesure de quantité d'information utilisée aussi pour évaluer la capacité de mémoire des ordinateurs (1 kilo correspond à 1024 octets, soit 2^{10}, positions en mémoire). Syn. *kilo-octet.*

kilobase n. m. BIOCHIM Unité, valant 1 000 bases, utilisée pour mesurer la longueur des fragments d'A.D.N.

kilocalorie n. f. PHYS Syn. anc. de *millithermie*. (Symbole kcal.)

kilocycle n. m. RADIOELECTR Unité de fréquence égale à un kilohertz.

kilofranc n. m. ECON Unité de compte valant 1 000 francs. (Abrév. kF).

kilogramme n. m. Unité de masse du système international (symbole kg) égale à la masse de l'étalon en platine iridié du Bureau international des poids et mesures, déposé au pavillon de Breteuil, à Sèvres. (Abrév. cour. : kilo).

kilohertz n. m. Unité de mesure de fréquence des ondes radioélectriques valant 1 000 hertz (symb. kHz).

kilométrage n. m. **1.** Action de kilométrer; son résultat. **2.** Nombre de kilomètres parcourus.

kilomètre n. m. **1.** Unité pratique de distance (symbole km) valant 1 000 m. *Marcher plusieurs kilomètres sans s'arrêter.* – *Kilomètre par heure (km/h)* ou COUR. *kilomètre à l'heure, kilomètre-heure :* vitesse d'un mobile qui parcourt 1 km en 1 heure à vitesse constante. *Faire du 100 km/h.* ou, ELLIPT., *du 100.* ▷ *Kilomètre carré* (symbole km^2) : superficie égale à celle d'un carré de 1 km de côté, soit 1 million de m^2. **2.** *Kilomètre lancé :* épreuve de descente à skis, visant à rechercher la vitesse maximale sur un kilomètre. (Abrév. K.L.). **3.** *Au kilomètre :* se dit de la saisie d'un texte faite sans se préoccuper de la mise en lignes ni de la mise en pages, qui seront exécutées informatiquement.

kilométrer v. tr. [14] **1.** Jalonner de bornes kilométriques. **2.** Mesurer en kilomètres. *Kilométrer un trajet.*

kilométrique adj. Qui a rapport au kilomètre. *Bornes kilométriques.*

kilo-octet [kilookte] n. m. INFORM Syn. de kilo. (Symb. Ko). *Des kilo-octets.*

kilotonne n. m. Unité de puissance des explosifs nucléaires (symbole kt), équivalant à la puissance de l'explosion de 1 000 t de trinitrotoluène (T.N.T.).

kilowatt n. m. PHYS Unité de puissance (symbole kW), égale à 1 000 watts.

kilowattheure n. m. Unité de travail ou d'énergie (symbole kWh); travail ou énergie fournis par une machine d'une puissance de 1 kW pendant 1 heure (1 kWh = $3{,}6.10^6$ J).

kilt [kilt] n. m. Jupe traditionnelle des Écossais, courte et plissée.

kimbanguisme n. m. Mouvement chrétien messianique répandu en Rép. dém. du Congo et dans les pays voisins.

Kimberley, v. d'Afrique du Sud (prov. du Cap); 149 670 hab. Extraction et taille des diamants; cult. florales.

kimberlite n. f. Roche magmatique associée aux gisements de diamant.

Kim Dae-jung (Hugwang Ri, prov. de Cholla du Sud, 1925), homme politique sud-coréen. Élu président de la République en déc. 1997.

Kim Il-sung (Mangyongdae, 1912 – Pyongyang, 1994), homme politique coréen. Secrétaire général du parti communiste coréen (1945), Premier ministre de la république pop. de Corée du Nord (1948), il a été chef de l'État de 1972 à sa mort. – **Kim Jong Il** (Mont Paekdu, 1942) a succédé à son père comme chef de l'État.

kimono n. m. **1.** Longue tunique japonaise à larges manches, taillée dans une seule pièce, croisée et serrée à la taille par une large ceinture *(obi)*. **2.** Peignoir à manches non rapportées. **3.** Tenue des judokas, karatékas, etc., formée d'un pantalon et d'une veste en forte toile blanche.

Kimura Motoo (Okazaki, 1924 – Mishima, 1994), généticien japonais. Sa théorie neutraliste de l'évolution moléculaire (1968) a remis en question la conception de l'évolution de Darwin.

Kim Young-sam (Kojae, prov. de Kyongsang-Sud, 1927), homme politique sud-coréen. Principal chef de l'opposition (1961-1990), il a été président de la République de 1993 à déc. 1997.

Kinabalu, sommet le plus élevé de l'île de Bornéo, 4 100 m.

kinase n. f. BIOCHIM Enzyme qui favorise le transfert d'une liaison riche en énergie vers une liaison pauvre.

Kindia, v. de Guinée au N.-E. de Conakry; 80 000 hab.; ch.-l. de rég. Centrale hydroélectrique. Bauxite.

Kindu, v. de l'E. de la Rép. dém. du Congo (région du Kivu), sur le Lualaba; 50 000 hab. Centre comm. et industr. relié par voie ferrée au Shaba.

kinési-. Élément, du gr. *kinêsis*, « mouvement ».

kinésiologie n. f. Étude des mouvements du corps dans un but d'éducation ou de rééducation.

kinésique. V. kinesthésique.

kinésithérapeute n. Praticien diplômé qui exerce la kinésithérapie. (Abrév. cour. : kinési ou kiné).

kinésithérapie n. f. Mode de traitement de certaines affections de l'appareil de soutien (os, ligaments) et de l'appareil locomoteur (muscles, nerfs), qui utilise la mobilisation musculaire passive (électricité, massages) ou active (gymnastique corrective, rééducation).

kinesthésie n. f. Ensemble des sensations d'origine musculaire, tendineuse, articulaire, cutanée et labyrinthique qui renseignent sur les positions et les mouvements du corps.

kinesthésique ou **kinésique** adj. Qui a rapport à la kinesthésie.

King. V. Mackenzie King.

King (Ernest Joseph) (Lorain, Ohio, 1878 – Portsmouth, New Hampshire, 1956), amiral américain; commandant en chef des forces navales américaines de 1941 à 1945.

King (Martin Luther) (Atlanta, Georgie, 1929 – Memphis, Tennessee, 1968), pasteur noir américain; leader intégrationniste, membre de l'Association nationale pour la promotion des peuples de couleur. Il fut assassiné le 4 avril 1968. P. Nobel de la paix 1964.

king-charles [kiŋʃaʀl] n. m. inv. Petit épagneul à poil long.

Kingersheim, com. du Haut-Rhin (arr. de Mulhouse); 11 291 hab. – Industrie alim., mat. de construction.

Kingsley (Charles) (Holne, Devonshire, 1819 – Eversley, Hampshire, 1875), pasteur et écrivain anglais; fondateur et théoricien du groupe des socialistes chrétiens. Princ. œuvres : *le Ferment* (roman social, 1851), *les Bébés d'eau* (conte pour enfants, 1863).

Kingston, v. du Canada (Ontario), port sur le Saint-Laurent; 56 590 hab. Comm. du blé; industr. métallurgiques, mécaniques, textiles, chimiques et alimentaires. Académie militaire. – Cap. du Canada de 1841 à 1844.

Kingston, cap. de la Jamaïque, port sur la côte S. de l'île; 104 040 hab. (aggl. urb. 524 640 hab.). Distillerie; manuf. de tabac; text.; raff. de pétrole.

Kingston-upon-Hull ou **Hull,** grand port de pêche et de marchandises de G.-B. (Humberside), sur l'estuaire de la Humber (rive N.); 242 200 hab. Centre industriel.

Kingstown, cap. de l'État de Saint-Vincent (Petites Antilles), port sur la côte S.-O. de l'île; 33 000 hab.

kinkajou n. m. Petit mammifère carnivore d'Amérique du Sud (*Potos flavus*), au pelage roux, au museau court, à la longue queue prenante.

Kinki. V. Kansai.

kinois, oise adj. et n. De Kinshasa.

Kinsey (Alfred Charles) (Hoboken, New Jersey, 1894 – Bloomington, Indiana, 1956), biologiste et sociologue américain. Chargé d'enquêtes sur les problèmes sexuels, il publia deux célèbres rapports : *le Comportement sexuel de l'homme* (1948), *le Comportement sexuel de la femme* (1953).

Martin Luther **King**

Rudyard **Kipling**

Kinshasa

Kinshasa (anc. *Léopoldville*), cap. de la Rép. dém. du Congo, port fluvial sur le Congo; plus de 3 millions d'hab. Centre comm. et industr. relié par voie ferrée au port de Matadi.

Kinugasa Teinosuke (Kukame) (Mié, 1896 – Kyōto, 1982), cinéaste japonais, influencé par Eisenstein : *Une page folle* (1926), *la Vengeance des 47 ronins* (1932), *la Porte de l'enfer* (1954), *le Petit Fugitif* (1966).

kinyarwanda n. m. Langue bantoue parlée au Rwanda.

kiosque n. m. **1.** Pavillon ouvert, dans un jardin. *Kiosque à musique.* **2.** Petit pavillon conçu pour la vente des journaux, des fleurs, etc., sur la voie publique. **3.** MAR Superstructure d'un sous-marin, située au-dessus du poste central et qui sert de passerelle pour la navigation en surface. **4.** (Nom déposé.) Vidéographie interactive ayant le minitel pour terminal.

kiosquier, ère n. Personne qui tient un kiosque à journaux.

Kipling (Rudyard) (Bombay, 1865 – Londres, 1936), écrivain anglais. Chantre de l'impérialisme brit., il a développé, dans la littér. occid., le goût de l'exotisme. Ses princ. œuvres ont pour cadre l'Inde : les deux *Livres de la jungle* (1894 et 1895), recueils de récits; *Kim* (1901), roman; citons aussi *Capitaines courageux* (1897). P. Nobel 1907.

kippa n. f. Calotte que portent les juifs pratiquants.

kipper [kipœʀ] n. m. Hareng fumé, ouvert et peu salé.

Kippour. V. Yom Kippour.

Kippour (guerre du), guerre déclenchée contre Israël le 6 octobre 1973 (jour de la fête du Kippour) par l'Égypte et la Syrie, gagnée par Israël après des revers. Le cessez-le-feu intervint à la suite d'une résolution américano-soviétique adoptée par l'ONU le 22 octobre. En 1974-1975, l'Égypte et Israël signèrent des accords de désengagement.

kir n. m. (Nom déposé) Mélange de vin blanc et de liqueur de cassis, servi en général en apéritif.

Kirchhoff (Gustav Robert) (Königsberg, auj. Kaliningrad, 1824 – Berlin, 1887), physicien et mathématicien allemand. Ayant inventé le spectroscope (1859), il fonda l'analyse spectrale. Il a établi les lois permettant de calculer les intensités et les différences de potentiel dans les réseaux électriques maillés.

Kirchner (Ernst Ludwig) (Aschaffenburg, 1880 – Frauenkirch, Suisse, 1938), peintre expressionniste allemand; cofondateur du groupe Die Brücke.

kirghiz, ize adj. et n. **1.** adj. De la population d'Asie occidentale vivant en majorité au Kirghizstan. ▷ Subst. *Un(e) Kirghiz(e). Les traditions des Kirghiz.* **2.** n. m. Langue turque du Kirghizstan.

Kirghizstan (*Kyrgyz Respublikasy*) (appelé également *Kirghizistan* ou *Kirghizie*), État d'Asie centrale, au nord de la Chine (Xinjiang); 199 900 km^2; 4 500 000 hab.; cap. *Bichkek.* Langues : kirghiz, russe. Monnaie : som. Pop. : Kirghiz (52,4 %), Russes (20,3 %), Ouzbeks (13 %). Relig. : islam sunnite.
Géogr. et écon. – Région montagneuse, le Kirghizstan s'étend en Asie centrale, au N.-E. du Pamir. Élevage dans les montagnes (moutons); cultures fruitières et céréalières (blé) dans les vallées. Le sous-sol est riche (antimoine, mercure, uranium et charbon).
Hist. – Attestés pour la première fois sous ce nom dans des inscriptions du VIIIe s. découvertes en Mongolie, les Kirghiz, islamisés au Xe s., occupaient un territoire disputé par plusieurs ethnies turques et mongoles jusqu'au XIXe s., date à laquelle il tombe sous la coupe du khanat de Koland (Ouzbékistan actuel). En 1876, celui-ci devient protectorat de la Russie, et le territoire du Kirghizstan actuel est colonisé par des paysans russes et ukrainiens. Comme au Kazakhstan, l'ordre de mobilisation de 1916 a entraîné des mouvements de révolte et beaucoup de Kirghiz se sont réfugiés dans le Xinjiang chinois. En 1918, les bolcheviks ont proclamé la république soviétique du Turkestan, contre laquelle se sont dressés les Basmatchis. La lutte se poursuivra tout au long des années 20. Le Kirghizstan, territoire autonome (1924), rép. autonome (1926), séparé du Kazakhstan, devient république fédérée en 1936. Il a proclamé son indépendance le 31 août 1991. Askar Akaïev, élu président de la Rép. en oct. 1991, a été réélu en 1995. Le Kirghizstan est membre de la C.É.I.
▸ carte **(ex-) U.R.S.S.**

Kiribati, État de Micronésie, dans l'océan Pacifique, sur l'équateur, formé par l'archipel des Gilbert et de nombr. îles et atolls; 728 km^2; 64 000 hab.; cap. *Tarawa.* Coprah, pêche. – Anc. *Gilbert et Ellice,* protectorat britannique à partir de 1892. Indépendant depuis 1979. (Ellice, auj. Tuvalu, a fait sécession en 1975.) ▸ carte **Océanie**

Kirikkale, v. de Turquie, à l'E. d'Ankara; 500 000 hab. Import. centre industr. et commercial.

Kirin. V. Jilin.

Kiritimati (anc. *Christmas*), atoll du Pacifique, de l'archipel des Sporades équatoriales, dépendant de Kiribati.

Kirkuk (*Kirkūk*), v. d'Irak, au pied du Zagros; 225 000 hab.; ch.-l. de prov. Centre pétrolier.

Kirmān. V. Kermān.

kirsch [kiʀʃ] n. m. Eau-de-vie de cerises aigres et de merises ayant fermenté avec leurs noyaux.

Kiruna, v. de Suède (Laponie); 26 870 hab. Gisement de fer à haute teneur relié par voie ferrée aux ports de Luleå et Narvik. Centre de recherche aérospatiale.

kirundi n. m. Langue bantoue parlée au Burundi.

Kisangani (anc. *Stanleyville*), v. de la Rép. dém. du Congo, sur le Congo; 282 650 hab.; ch.-l. de prov. Brasserie.

Kisfaludy (Sándor) (Sümeg, 1772 – id., 1844), poète hongrois. *Les Amours de Himfy* (1801-1807). – **Károly** (Tét, 1788 – Pest, 1830), frère du préc.; poète et dramaturge hongrois, l'un des prem. représentants du romantisme dans son pays : *les Prétendants* (comédie, 1819), *Irène* (drame, 1820).

Kisling (Moïse) (Cracovie, 1891 – Sanary-sur-Mer, 1953), peintre français d'origine polonaise. Portraits, paysages, fleurs.

Kissinger (Henry Alfred) (Fürth, Bavière, 1923), diplomate américain d'origine allemande (naturalisé en 1943). D'abord conseiller du président Nixon (1968-1973), puis chef du département d'État (1973-1977) sous Nixon et Ford, il déploya une intense activité diplomatique (Chine, Viêt-nam, U.R.S.S., Afrique). P. Nobel de la paix 1973.

Kistnā (la) (anc. *Krichnā*), fl. de l'Inde (1 300 km); naît dans les Ghâts occidentaux, se jette dans le golfe du Bengale.

Kisumu, v. et port du Kenya, sur le lac Victoria; 152 640 hab.; cap. de la prov. de Nyanza. Pêche; coton.

kit [kit] n. m. **1.** Objet vendu en pièces détachées dont l'assemblage est à réaliser par l'acheteur. **2.** Fig. Ensemble formant un tout fonctionnel. *Un kit de mesures contre l'exclusion.*

Kita-Kyūshū, conurbation industrielle du Japon (N. de l'île de Kyūshū); 1 053 290 hab. Sidér. et métall.

Kitano (Takeshi) (Tokyo, 1948), cinéaste et acteur japonais. Il peint avec lyrisme la violence inhérente à la société japonaise : *Sonatine* (1993), *Hana-bi* (1997).

Kitchener, v. du Canada (Ontario), sur la riv. Grand; 168 280 hab. (aggl. urb. 309 300 hab.). Centre industriel.

Kitchener (lord Horatio Herbert), comte de Khartoum (Bally Longford, Irlande, 1850 – en mer, 1916), maréchal britannique. Réorganisateur de l'armée égyptienne, il occupa le Soudan (affaire de Fachoda, 1898). De 1900 à 1902, il écrasa les Boers. Il commanda ensuite l'armée des Indes, puis fut ministre de la Guerre de 1914 à sa mort (son navire fut coulé par une mine).

kitchenette n. f. (Américanisme) Syn. de *cuisinette.*

kitsch [kitʃ] adj. inv. et n. m. Se dit d'objets et d'œuvres d'art démodés, et utilisés à contre-courant. *Une théière kitsch.* – n. m. Ensemble de ces productions. *Le goût du kitsch.*

Kitwe-Nkana, v. du centre de la Zambie, proche de la frontière congolaise; 449 400 hab. Gisements de cuivre, de zinc et de cadmium.

Kitzbühel, v. d'Autriche (Tyrol); 8 000 hab. Stat. de sports d'hiver.

kiva n. f. Chambre cérémonielle des Indiens Pueblos.

Kivi (Aleksis Stenvall, dit Aleksis) (Palojoki, 1834 – Tuusula, 1872), écrivain finlandais. Prem. grand écrivain d'expression finnoise, il allie réalisme et romantisme : *les Sept Frères* (1870).

Kivu (lac), lac d'Afrique, situé entre la Rép. dém. du Congo et le Rwanda, à 1 460 m d'alt. au N. du lac Tanganyika.

Kivu, région admin. de la Rép. dém. du Congo; 256 662 km^2; 5 200 000 hab.; ch.-l. *Bukavu.*

1. kiwi n. m. **1.** ORNITH Ratite aptère des forêts de Nouvelle-Zélande, de la taille d'une poule, au plumage brunâtre. Syn.

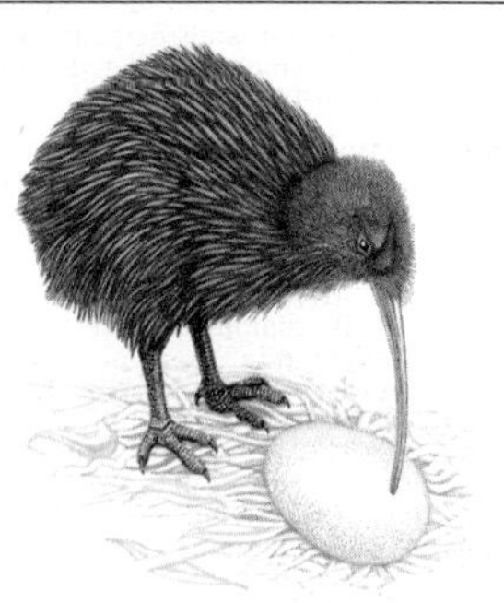
kiwi d'Australie nichant au sol ; le mâle couve l'œuf

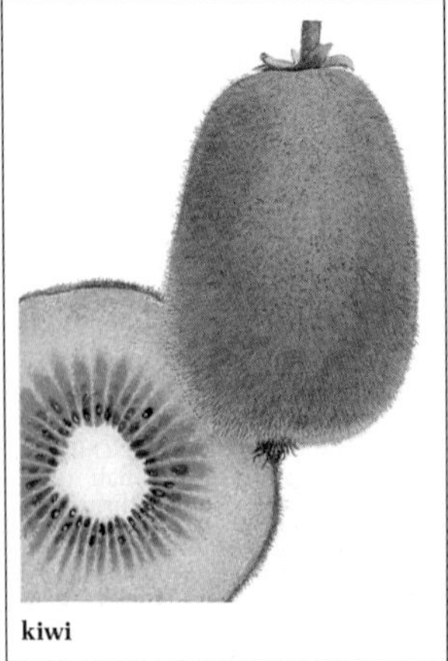
kiwi

aptéryx. **2.** Fruit originaire de Chine à l'écorce velue et à la chair parfumée.

2. kiwi, ive adj. et n. Fam. Néo-zélandais.

kiwiculteur, trice n. Arboriculteur spécialisé dans le kiwi.

Kiyonaga (Torii) (1752 - 1815), peintre japonais de l'*ukiyo-e* ; l'un des maîtres de l'estampe au XVIIIe s.

Kiyonobu (Torii) (1664 - 1729), peintre japonais de l'*ukiyo-e* ; l'un des prem. qui utilisèrent la tech. dite *urushi-e* (estampage laqué).

Kizil Irmak (le), fl. de Turquie (1 182 km) ; né dans l'Anti-Taurus, il se jette dans la mer Noire.

Kjølen (monts), massif granitique du N.-O. de la Scandinavie (Norvège et Suède) ; 2 135 m au Kebnekaise.

Kladno, v. de la Rép. tchèque (Bohême centrale) ; 72 000 hab. Métallurgie ; charbon.

Klagenfurt, v. d'Autriche, au N. de la vallée de la Drave ; 89 500 hab. ; cap. de la Carinthie. Université. Centre comm. et industr. (travail du bois ; métall., chim., électron., text.).

Klaïpeda (anc. en all. *Memel*), v. de Lituanie, port sur la Baltique ; 204 600 hab. Constr. méca., prod. chim., chantiers navals, commerce pétrolier. – Fondée par les chevaliers Teutoniques (1252). Ville libre en 1919, occupée par les Allemands en mars 1939, elle fut conquise par les Soviétiques en 1944.

Klaproth (Martin Heinrich) (Wernigerode, 1743 - Berlin, 1817), chimiste allemand. Il découvrit l'oxyde d'uranium, UO_2 (1789), le titane (1795) et le cérium (1803).

Klarsfeld (Serge) (Bucarest, 1935), avocat français, connu pour sa recherche des criminels nazis.

Klaus (Václav) (Prague, 1941), homme politique tchèque. Il a négocié la partition de la Tchécoslovaquie (1992), et fut Premier ministre de la République tchèque (1993-1997).

klaxon [klakson] n. m. (Nom déposé.) Avertisseur d'automobile.

klaxonner v. intr. [1] Faire usage du klaxon. Syn. (off. recommandé) avertir.

Kléber (Jean-Baptiste) (Strasbourg, 1753 - Le Caire, 1800), général français. Général des armées révolutionnaires, il se distingua en Vendée (1793), à Fleurus (1794) et en Allemagne (1796). En 1799, il reçut le commandement de l'armée que Bonaparte abandonnait en Égypte. Victorieux des Turcs à Héliopolis, il fut assassiné au Caire.

klebs. V. cléhard.

klebsielle n. f. Entérobactérie responsable d'infections nosocomiales.

Klee (Paul) (Münchenbuchsee, près de Berne, 1879 - Muralto, près de Locarno, 1940), peintre suisse. Il participa aux expositions organisées par le Blaue Reiter et fut professeur au Bauhaus (1920-1931). S'attachant d'abord au symbolisme de la ligne et de la couleur, il chargea son graphisme d'un humour expressif (*Pierrot prisonnier,* 1923). Ensuite, son coloris devint plus violent et plus pur. Écrits : *Journal* (1898-1917, publié en 1957) ; *Esquisses pédagogiques* (1925, repris dans *Théorie de l'art moderne*).

Paul **Klee :** *Architecture spatiale,* 1915 ; coll. part.

kleenex [klinɛks] n. m. (Nom déposé.) Mouchoir en papier.

Klein (Felix) (Düsseldorf, 1849 - Göttingen, 1925), mathématicien allemand ; chef de l'école mathématique allemande de la fin du XIXe s.

Klein (Melanie) (Vienne, 1882 - Londres, 1960), psychanalyste britannique d'origine autrichienne. Elle travailla à Berlin puis à Londres (1926). Elle s'est surtout intéressée à l'enfance.

Klein (Lawrence Robert) (Omaha, Nebraska, 1920), économiste américain ; connu pour ses travaux d'économétrie. P. Nobel 1980.

Klein (Yves) (Nice, 1928 - Paris, 1962), peintre français ; un des fondateurs du groupe des « nouveaux réalistes ».

Klein (William) (New York, 1928), photographe américain prônant l'« antiphoto » : coups de flash brutaux, flous, personnages coupés par le cadre. Klein a réalisé des films : *Qui êtes-vous Polly Magoo ?* (1965) ; *Mister Freedom* (1968).

Kleist (Heinrich von) (Francfort-sur-l'Oder, 1777 - Wannsee, 1811), écrivain et dramaturge allemand. Son œuvre, traversée d'éclairs de génie, est singulièrement moderne par l'importance accordée à l'inconscient et à l'instinct sexuel : *Penthésilée* (tragédie, 1808) ; *la Cruche cassée* (comédie, 1808) ; *le Prince de Hombourg* (drame patriotique, 1810) ; *Histoire de Michel Kohlhaas* (roman, 1810).

Kleist (Paul Ewald von) (Braunfels, Hesse, 1881 - en U.R.S.S., 1954), maréchal allemand ; un des créateurs de l'armée blindée. Il commanda en France pendant la percée des Ardennes (1940), puis combattit dans les Balkans, devant Stalingrad (1942), et, enfin, en Ukraine du S. En 1945, les Anglais le livrèrent aux Yougoslaves, qui le remirent aux Soviétiques.

Klemperer (Otto) (Breslau, 1885 - Zurich, 1973), chef d'orchestre allemand, naturalisé israélien en 1970. Il fut un éminent interprète de la musique austro-allemande, et notam. des œuvres de G. Mahler.

Klenze (Leo von) (Bockenem, 1784 - Munich, 1864), architecte néo-classique allemand ; le principal artisan de la modernisation de Munich : Glyptothèque (1816-1834) et anc. Pinacothèque (1826-1836) de Munich ; temple de la Walhalla (1830-1842), près de Ratisbonne.

kleptomane ou **cleptomane** [klɛptoman] n. et adj. Personne qui souffre de kleptomanie.

kleptomanie ou **cleptomanie** n. f. Impulsion morbide à commettre des vols.

Klerk (Michel de) (Amsterdam, 1884 - id., 1923), architecte néerlandais, proche des expressionnistes allemands.

Klima (Viktor) (Vienne, 1947), homme politique autrichien. Chancelier depuis 1997.

Klimt (Gustav) (Vienne, 1862 - id., 1918), peintre autrichien ; cofondateur en 1897 de la « Sécession » viennoise *(Wiener Sezession)* qui propagea le modern style dans son pays.

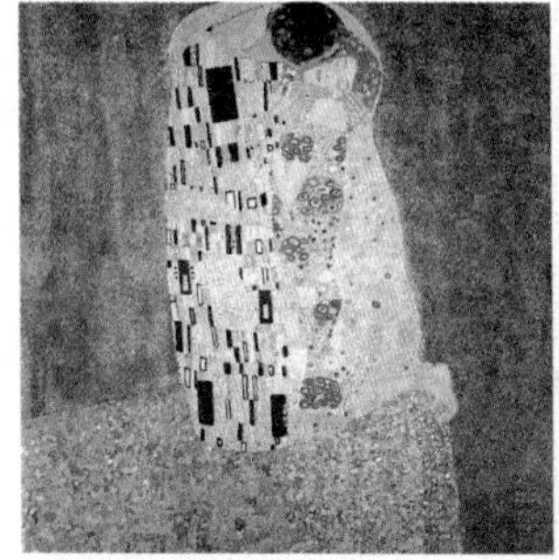
Gustav **Klimt :** *le Baiser,* 1908 ; Österreische Galerie, Vienne

Kline (Franz) (Wilkes-Barre, Pennsylvanie, 1910 – New York, 1962), peintre américain de l'expressionnisme abstrait : nombreuses peintures en noir (tracés linéaires) et blanc (fond de la toile).

Klinger (Friedrich Maximilian von) (Francfort-sur-le-Main, 1752 – Dorpat, auj. Tartou, 1831), écrivain allemand. Son drame *Sturm und Drang* (1776) a suscité le mouvement littéraire du m. nom.

Klingsor (Léon Leclère, dit Tristan) (La Chapelle-aux-Pots, Oise, 1874 – Le Mans, 1966), peintre néo-impressionniste et écrivain français. Auteur de poésies élégiaques (*Schéhérazade*, 1903; *Humoresques*, 1921) et d'essais sur Goya, Chardin, Cézanne.

Klondike (le), riv. du Canada (180 km), affl. du Yukon (r. dr.), célèbre parce qu'on y a trouvé de l'or (1896).

Klopstock (Friedrich Gottlieb) (Quedlinburg, 1724 – Hambourg, 1803), poète allemand : *la Messiade* (20 chants, 1748-1773), poème épique sur la Passion du Christ; *Odes* (1771), la partie la plus vivante de son œuvre.

Klossowski (Pierre) (Paris, 1905), écrivain français dont le mysticisme se mêle à l'obscène : *Sade mon prochain* (1947), *les Lois de l'hospitalité* (trilogie romanesque, 1965).

Kluck (Alexander von) (Münster, 1846 – Berlin, 1934), feld-maréchal allemand. Commandant de la Ire armée, qui fut défaite par les Français lors de l'offensive de la Marne (sept. 1914).

Klug (Aaron) (en Lituanie, 1926), biologiste britannique d'origine lituanienne; connu pour ses travaux sur la biologie moléculaire (étude des virus notam.). P. Nobel de chimie 1982.

Kluge (Hans von) (Posen, auj. Poznań, 1882 – près de Metz, 1944), feld-maréchal allemand. Il commanda en France (1940), en Russie (1941) puis en Normandie (1944), où sa contre-offensive échoua à Mortain. Il conseilla à Hitler de faire la paix à l'Ouest et, craignant d'être compromis avec les instigateurs du complot du 20 juillet, il se suicida.

Kluge (Alexander) (Halberstadt, 1932), écrivain et metteur en scène allemand. Il est l'auteur de films dossiers (*les Artistes sous le chapiteau : perplexes*, 1968; *le Pouvoir de l'émotion*, 1983) et de récits dans lesquels il s'efforce d'orienter le lecteur vers une certaine structure de la réalité : *Lebenslaüfe* (*Vies*, 1962).

klystron n. m. ELECTRON Tube électronique permettant de produire des hyperfréquences (radars, accélérateurs de particules).

km Symbole de kilomètre. – *km²* : symbole de kilomètre carré. – *km/h* : symbole de kilomètre par heure.

Knesset, le Parlement israélien, composé d'une seule Chambre dont les 120 représentants sont élus pour 4 ans au suffrage universel; le mode de scrutin est proportionnel.

knickerbocker(s) ou **knicker(s)** n. m. pl. (Mot angl.) Culottes larges serrées au-dessous du genou, que l'on utilise surtout pour la marche en montagne, l'escalade, le ski de fond.

Knobelsdorff (Georg von) (Kuckädel, 1699 – Berlin, 1753), architecte néoclassique allemand : Opéra de Berlin (1741-1743).

Knob Lake, site minier (fer) du Canada (Québec), à la frontière du Labrador.

knock-down [nɔkdawn] n. m. inv. SPORT État du boxeur qui tombe à terre sous un coup de l'adversaire mais se relève avant dix secondes et n'est donc pas mis hors de combat. Syn. (off. recommandé) au tapis.

knock-out [nɔkawt] ou **K.-O.** [kao] n. m. inv. et adj. inv. **1.** n. m. inv. État du boxeur resté plus de dix secondes à terre, après avoir été frappé par l'adversaire et qui se trouve de ce fait mis hors de combat. *Victoire par knock-out au deuxième round.* – adj. *Son adversaire l'a mis K.-O.* **2.** adj. inv. Fam. Assommé. ▷ Fig. Dans un état de grande faiblesse physique; très fatigué. *Il est complètement K.-O.*

Knokke-Heist, v. de Belgique (Flandre-occidentale); 30 000 hab. Stat. balnéaire.

knout [knut] n. m. Fouet à lanières de cuir terminées par des fils de fer crochus, qui servait d'instrument de supplice dans l'ancienne Russie; ce supplice lui-même.

know-how [noao] n. m. inv. (Anglicisme critiqué.) Savoir-faire (partic. dans les domaines technique et commercial).

Knox (Fort), camp militaire, situé dans le Kentucky, où est enfermée la principale réserve d'or des É.-U.

Knox (John) (près de Haddington, v. 1505 – Édimbourg, 1572), réformateur religieux écossais; l'un des principaux fondateurs de l'Église presbytérienne.

Knoxville, v. des É.-U. (Tennessee), sur le Tennessee; 165 100 hab. (aggl. urb. 589 400 hab.). Centre comm. et industriel.

Knud ou **Knut,** nom de plusieurs souverains scandinaves. – **Knud le Grand** (?, 995 – Shaftesbury, 1035), roi d'Angleterre (1016-1035), après avoir débarqué et vaincu le roi anglo-saxon Æthelraed, roi de Danemark (1018-1035) à la mort de son frère Harald, et de Norvège (1028-1035) après sa victoire sur le roi Olav. – **Knud II le Saint** (?, 1040 – Odense, 1086), roi (1080-1086) et patron du Danemark.

Ko INFORM Symbole de kilo-octet. Syn. K.

K.-O. V. knock-out.

koala n. m. Mammifère marsupial grimpeur d'Australie que son pelage fourni fait ressembler à un ourson (genre *Phascolarctus*; longueur 80 cm env.). *Le koala se nourrit presque exclusivement de feuilles d'eucalyptus.*

kob n. m. Antilope africaine dont le mâle porte des cornes recourbées vers l'avant.

Kobarid. V. Caporetto.

koala

Robert **Koch** Helmut **Kohl**

Kōbe, v. et port du Japon (Honshū); ch.-l. de ken et port sur la baie d'Ōsaka; 1 419 860 hab. Import. centre industr. (sidérurgie; constr. mécaniques et navales; chimie). Un séisme a détruit partiellement la ville (1995).

Koch (Robert) (Clausthal, près de Hanovre, 1843 – Baden-Baden, 1910), médecin allemand. Il découvrit en 1882 le bacille de la tuberculose ou *bacille de Koch*; le cultivant, il aboutit à la découverte de la tuberculine. P. Nobel 1905.

Kochanowski (Jan) (Sycyna, 1530 – Lublin, 1584), poète polonais; fondateur de la poésie polonaise : *le Psautier* (drame lyrique en vers, v. 1575), trad. des *Psaumes de David*; *le Renvoi des ambassadeurs grecs* (tragédie, 1577); *Thrènes* (élégies, 1580).

Köchel (Ludwig von) (Stein, Basse-Autriche, 1800 – Vienne, 1877), musicologue autrichien; son nom reste attaché à son catalogue chronologique et thématique des œuvres de Mozart, qui fut publié en 1862.

Kōchi, v. du Japon (Shikoku); 312 240 hab.; ch.-l. du ken du m. nom. Pêche.

Koctet n. m. INFORM Abréviation de *kilo-octet**.

Kodak n. m. (Nom déposé) Appareil photographique fabriqué par la société Eastman Kodak Co., fondée par l'Américain G. Eastman*.

Kodály (Zoltán) (Kecskemét, 1882 – Budapest, 1967), compositeur hongrois. Ami de Bartók, il s'inspira largement du folklore national dans des œuvres symphoniques et chorales : *Psalmus hungaricus* (1923), *Háry János* (opéra, 1926), *Te Deum* (1937).

Kœchlin (Charles) (Paris, 1867 – Le Canadel, Var, 1950), compositeur français : pièces pour piano et orchestre; musique de chambre; ballets. Traités d'harmonie et d'orchestration.

Kœnig (Marie Pierre) (Caen, 1898 – Neuilly-sur-Seine, 1970), général français (maréchal à titre posthume). Il combattit en Norvège (1940) et en Afrique, où il se distingua à Bir Hakeim (1942), puis commanda les F.F.I. (1944). Il fut ministre de la Défense nationale en 1954 et 1955, puis ministre des Départements et Territoires d'outre-mer en 1966.

Kœnigs (Paul Xavier Gabriel) (Toulouse, 1858 – Paris, 1931), mathématicien et physicien français; connu pour ses travaux de mécanique et de thermodynamique.

Koestler (Arthur) (Budapest, 1905 – Londres, 1983), écrivain hongrois de langue anglaise, naturalisé anglais. Son roman *le Zéro et l'Infini* (1940) est une critique incisive du stalinisme.

Koffka (Kurt) (Berlin, 1886 – Northampton, É.-U., 1941), psychologue américain d'orig. allemande; il est l'un des fondateurs du gestaltisme.

Kōfu, v. du Japon (Honshū); 202 410 hab.; ch.-l. de ken. Verreries.

kôhl, kohol ou **khôl** [kol] n. m. Poudre sombre utilisée en Orient comme fard à paupières.

Kohl (Helmut) (Ludwigshafen, 1930), homme politique allemand. Élu président du parti démocrate-chrétien (C.D.U.) en 1973, il devint chancelier de la R.F.A. en 1982. Son autorité polit. s'est trouvée renforcée par les succès écon. de la R.F.A. et par la réunification allemande, en 1990, dont il fut le principal artisan. Réélu en 1991 et en 1994, il doit céder la place au social-démocrate Gerhard Schröder, vainqueur des élections législatives d'octobre 1998. ► illustr. page **1037**

Köhler (Wolfgang) (Reval, auj. Tallin, 1887 – Endsfield, New Hampshire, 1967), psychologue américain d'origine allemande; un des promoteurs du gestaltisme : *l'Intelligence chez les singes supérieurs* (1930).

Kohout (Pavel) (Prague, 1928), écrivain tchèque. Ses poèmes et ses pièces de théâtre (*les Nuits de septembre*, 1955; *Marie*, 1973), lyriques et parfois amers, témoignent de son engagement politique («printemps de Prague», puis «Charte 77»).

koinè [kɔjnɛ] n. f. LING Langue commune du monde de l'Adriatique hellénistique à l'Asie centrale. ▷ *Par ext.* Langue commune à un groupe humain. *Le castillan, koinè de l'Espagne.*

Koivisto (Mauno) (Turku, 1923), homme politique finlandais, prés. de la Rép. de 1982 à 1994.

Kok (Wim) (Bergambacht, 1938), homme politique néerlandais, Premier ministre depuis 1994.

Kokand, v. d'Ouzbékistan; 166 000 hab. Centre comm. et industriel.

Kokoschka (Oskar) (Pöchlarn, 1886 – Montreux, 1980), peintre expressionniste autrichien, naturalisé anglais en 1947; surtout connu pour ses portraits (*la Femme en bleu*, 1919). On lui doit également des poèmes et des drames : *l'Assassin, espoir des femmes* (1907).

kola ou **cola** n. f. Graine du kolatier, appelée aussi *noix de kola*, riche en caféine et en théobromine.

Kola (péninsule de), presqu'île de Russie située au-delà du cercle polaire, entre la mer Blanche au S. et l'océan Arctique au N. Massif ancien usé par les glaciers, la péninsule possède des gisements de phosphates, d'aluminium et de nickel. Mourmansk et Kirovsk en sont les principaux centres d'activité.

Kolamba. V. Colombo.

kolatier n. m. Arbre d'Afrique tropicale (fam. sterculiacées) qui donne la kola.

Kolding, v. et port du Danemark (Jylland orient.), au fond du *fjord de Kolding*; 57 580 hab. Industr. mécaniques et textiles.

Kolhāpur, v. de l'Inde (Mahārāshtra), au S.-E. de Bombay; 405 000 hab. Industr. alimentaires et textiles.

kolkhoz ou **kolkhoze** n. m. HIST En U.R.S.S., coopérative agricole fondée sur la propriété collective des moyens de production. *Des kolkhoz* ou *des kolkhozes.*

kolkhozien, enne adj. et n. Relatif à un kolkhoz, à l'organisation en kolkhoz. ▷ Subst. Membre d'un kolkhoz.

Kollár (Ján) (Mošovce, 1793 – Vienne, 1852), poète slovaque de langue tchèque : *la Fille de Slava* (1824-1852), long poème épique favorable au panslavisme.

Kolmogorov (Andreï Nikolaïevitch) (Tambov, 1903 – Moscou, 1987), mathématicien soviétique; connu pour sa théorie axiomatique des probabilités.

Koltchak (Alexandre Vassilievitch) (Saint-Pétersbourg, 1874 – Irkoutsk, 1920), amiral russe. Il devint, en oct. 1918, à Omsk, le chef des forces contre-révolutionnaires, surtout composées de Tchèques (anciens prisonniers de guerre). Son armée occupa la Sibérie, l'Oural et la région de la Volga (1919). Elle fut battue par les bolcheviks (1919-1920), qui le fusillèrent.

Kolwezi, v. de la Rép. dém. du Congo (Katanga); 383 970 hab. Centre d'extraction du cuivre.

Kolyma (la), fl. de Iakoutie; 2 600 km; naît au S. des monts Tcherski et se jette dans l'océan Arctique. Sa vallée est riche en gisements d'or et de lignite. – Dans la région de Kolyma, camp de travail durant la période stalinienne.

Kominform, contraction de deux mots russes désignant le bureau d'*information* des partis *communistes* du monde entier. Staline créa cet organisme en 1947; il fut dissous en 1956.

Komintern, contraction de deux mots russes désignant la IIIe Internationale (communiste), créée en mars 1919, dissoute en 1943.

Komis (rép. des), rép. autonome du N.-E. de la Russie d'Europe; 415 900 km^2; 1 228 000 hab.; cap. *Syktyvkar.* Recouverte par la toundra au N., boisée au S., la rép. est habitée par une pop. clairsemée de *Komis* ou *Zyrianes*, chasseurs, éleveurs, pêcheurs.

kommandantur [kɔmãdɑ̃tuʀ] n. f. Ensemble des bureaux d'un commandant de place allemand, en Allemagne ou dans un pays occupé (sous l'occupation nazie).

Komodo, île d'Indonésie, proche de Flores.

Komodo (dragon de). V. varan.

Kom-Ombo, ville d'Égypte (gouvernorat d'Assouan); 30 000 hab. – Ruines d'un temple d'époque ptolémaïque.

Kompong Cham, v. du Cambodge, sur le Mékong; 40 000 hab.; ch.-l. de la prov. du m. nom.

Kompong Som (*Sihanoukville* de 1960 à 1970), v. du Cambodge, sur le golfe de Thaïlande; 53 000 hab. Port princ. du pays. Brasserie; raff. de pétrole.

Komsomolsk, v. de Russie (rég. de Khabarovsk), créée en 1932 par des *komsomols* (jeunes communistes); 300 000 hab. Centre industriel (sidérurgie, constr. mécaniques) situé à proximité de gisements de houille (Boureïa) et de fer.

Konan Bédié (Henri) (Dadiékro, 1934), homme politique ivoirien. Ministre de l'Économie et des Finances (1966-1977), président de l'Assemblée nationale (1980-1993), il est devenu président de la République (1993).

Kondhýlis (Gheórghios). V. Condylis.

Kong Hien. V. Gong Xian.

Kongzi. V. Confucius.

Koniev (Ivan Stepanovitch) (Lodeino, Kirov, 1897 – Moscou, 1973), maréchal soviétique. En 1944, il mena l'offensive jusqu'à la Vistule, perça le front allemand (1945), fit la jonction, sur l'Elbe, avec l'armée américaine, atteignit Berlin (avr. 1945) et libéra Prague. De 1956 à 1960, il commanda les forces du pacte de Varsovie.

Königsberg. V. Kaliningrad.

Königsmarck (Hans Christoffer, comte von) (Kötzlin, 1600 – Stockholm, 1663), général suédois d'origine allemande; il combattit au service de Gustave-Adolphe. – **Aurora** (Stade, 1662 – Quedlinburg, 1728), petite-nièce du préc. Favorite d'Auguste II, Électeur de Saxe et roi de Pologne, elle eut un fils de lui, Maurice de Saxe. – **Filip** (Stade, 1665 – Hanovre, 1694), frère de la préc. Soupçonné d'être l'amant de Sophie Dorothée, épouse de l'Électeur de Hanovre (le futur roi d'Angleterre George Ier), il fut assassiné.

Köniz, v. de Suisse (cant. et aggl. de Berne); 33 440 hab. Industr. chim. et alim. (brasserie).

Konkouré (le), fl. de Guinée (260 km) tributaire de l'océan Atlantique; né dans le Fouta-Djalon, il alimente une import. centrale hydroélectrique, qui fournit l'énergie nécessaire au traitement de la bauxite de Kindia.

Konrad von Würzburg (Würzburg, v. 1220 – Bâle, 1287), poète allemand. Il écrivit dans les genres les plus divers, de la chanson au poème épique : *la Guerre de Troie* (1277-1281, 40 000 vers).

Konya, v. de Turquie, place forte située à 1 500 m d'alt. au S. du désert Salé; 439 180 hab.; ch.-l. de l'il du m. nom. Artisanat. – Nombr. mosquées du XIIIe s.; tombeau du fondateur des derviches tourneurs.

konzern [kɔ̃z(ts)ɛʀn] n. m. ECON En Allemagne, association d'entreprises qui, par des participations financières, visent au contrôle de toute une branche d'industrie. *Les konzerns ont été créés après la guerre de 14-18.*

Kooning (De). V. De Kooning.

Koopmans (Tjalling) ('s Graveland, Pays-Bas, 1910 – New Haven, 1985), économiste américain d'origine néerlandaise; connu pour ses travaux sur l'équilibre monétaire. P. Nobel 1975.

Kopa (Raymond Kopaszewski, dit Raymond) (Nœux-les-Mines, 1931), footballeur français. Meneur de jeu de l'équipe de France, du Stade de Reims et du Real Madrid, il remporta avec ce dernier club trois coupes d'Europe (1957 à 1959).

kopeck [kɔpɛk] n. m. Monnaie russe, centième partie du rouble. ▷ Loc. fam. *Ça ne vaut pas un kopeck* : c'est sans aucune valeur.

Köprülü ou **Koprili,** famille albanaise qui donna, de 1656 à 1710, cinq grands vizirs ottomans.

kora ou **cora** n. f. Sorte de luth d'Afrique de l'Ouest.

Koraïchites. V. Qurayshites.

Korat. V. Nakhon Ratchasima.

Korçë, v. d'Albanie, près de la frontière grecque; 57 000 hab.; ch.-l. du distr. du m. nom. Industr. textiles (soie) et du cuir.

Korčula, île croate de l'Adriatique; 276 km^2; 3 000 hab. Pêche. Tourisme.

Korda (sir Alexander) (Pusztaturpaszto, 1893 – Londres, 1956), cinéaste britannique d'origine hongroise : *Marius* (en France, d'après la pièce de Pagnol, 1931), *la Vie privée d'Henri VIII* (1934). Sa société de production, la

London Films (fondée en 1932), fut l'une des plus importantes du monde.

Kordofan *(Kurdufān)*, rég. centrale du Soudan ; 380 547 km²; 3 100 000 hab. ; ch.-l. *El-Obeïd*. Zone sèche : élevage itinérant, cult. du mil.

korê ou **coré** [kɔʀe] n. f. BX-A Statue grecque représentant une jeune fille. *Des korês* ou, plur. savant, *des korai* [kɔʀaj].

korê offrant un fruit, v. 530-520 av. J.-C. ; musée de l'Acropole, Athènes

Kōrin Ogata (Ichinojō, dit) (Kyōto, 1658 – id., 1716), peintre et laqueur japonais. Il usa, pour la laque, de nouveaux procédés.

Koriyama, v. du Japon (Honshū); 301 670 hab. Industr. chimique.

Kornilov (Lavr Gheorghievitch) (Oust-Kamenogorsk, 1870 – Iekaterinodar, 1918), général russe. Nommé généralissime de l'armée russe par Kerenski (août 1917), il fut révoqué (9 sept.), marcha sur Petrograd mais échoua. Arrêté, il s'échappa et organisa une armée de volontaires contre les bolcheviks ; il fut tué au combat.

Korolenko (Vladimir Galaktionovitch) (Jitomir, 1853 – Poltava, 1921), écrivain russe, au service de la justice et du combat social : *le Songe de Makar* (récit, 1885) ; *Histoire de mon contemporain* (autobiographie, 1906-1922).

koros. V. kouros.

Körös (le) (en roumain *Criş*), riv. de Roumanie et de Hongrie, affl. de la Tisza (r. g.), formé par la réunion de trois riv., nées en Roumanie, *Criş rapide, Criş noir* et *Criş blanc* ; les trois Criş confluent en Hongrie (dép. de Békés).

korrigan, ane n. Génie malfaisant, dans les légendes bretonnes.

Kosciusko (mont), massif du S.-E. de l'Australie, point culminant du pays (2 228 m).

Kościuszko (Tadeusz) (Mereczowszczyźna, Lituanie, 1746 – Soleure, Suisse, 1817), général et héros national polonais. Volontaire lors de la guerre d'Indépendance américaine (1775-1783), il rentra en 1794 en Pologne, où il prit la direction militaire de l'insurrection contre la Russie et la Prusse ; il remporta quelques victoires, notam. à Varsovie contre les Prussiens (1794). Battu à Maciejowice, prisonnier des Russes de 1794 à 1796, il se réfugia en France à sa libération.

Košice, v. de Slovaquie ; ch.-l. de la prov. de Slovaquie-Orientale, sur la Hornád ; 220 210 hab. Complexe sidérurgique. – Cath. goth. des XIVe et XVe s.

Kosinski (Jerzy) (Lodz, 1933 – New York, 1991), écrivain américain d'orig. polonaise. Critique de la société de consommation, il est célèbre par son premier roman, *l'Oiseau bariolé* (1965), épopée d'un enfant juif dans la Pologne de la Seconde Guerre mondiale.

Kosma (Jozsef, dit Joseph) (Budapest, 1905 – La Roche-Guyon, 1969), compositeur français d'origine hongroise. Il composa surtout pour le cinéma et mit en mus. des poèmes de J. Prévert (*les Feuilles mortes, Barbara*) et R. Queneau (*Si tu t'imagines*).

kosovar adj. et n. Du Kosovo.

Kosovo (anc. *Kosovo-Metohija*), prov. de Serbie qui fut de 1974 à 1990 une province autonome (au sein de la Fédération yougoslave) ; 10 887 km²; 1 850 000 hab. Cap. *Priština*. Peuplé principalement d'Albanais islamisés, le Kosovo est une région à l'agriculture très pauvre. Les Albanais proclament la région « unité indépendante » en juil. 1990. Le Parlement serbe réagit en supprimant l'autonomie de la province. En mai 1992, les Albanais organisent clandestinement des élections, qui désignent comme « chef de l'État » Ibrahim Rugova. Au début de 1998, les forces serbes lancent des opérations de répression contre l'Armée de libération du Kosovo et les populations civiles, ce qui entraîne l'intervention de l'O.T.A.N.

Kosovo polje, vallée encaissée de Serbie, théâtre d'une terrible bataille où les Serbes furent vaincus par les Turcs en 1389.

Kossel (Albrecht) (Rostock, 1853 – Heidelberg, 1927), biochimiste allemand ; il étudia les protéines. P. Nobel 1910. – **Walther** (Berlin, 1888 – Tübingen, 1956), fils du préc. ; chimiste, il découvrit l'électrovalence.

Kossuth (Lajos) (Monok, 1802 – Turin, 1894), patriote et homme politique hongrois. Champion du nationalisme magyar, il joua un rôle capital dans le mouvement révolutionnaire hongrois de 1848-1849, faisant voter par la Diète de Presbourg l'indép. politique de la Hongrie et l'institution d'un régime parlementaire (14 avr. 1849). Mais l'écrasement de l'insurrection par les armées autrichienne et russe le contraignit à l'exil.

Lajos **Kossuth**

Kossyguine (Alexeï Nikolaïevitch) (Saint-Pétersbourg, 1904 – Moscou, 1980), homme politique soviétique. Spécialisé dans les questions économiques, il fut, de 1964 à sa mort, président du Conseil des ministres.

Kostroma, ville de Russie (rég. de Iaroslavl'), au confl. de la Volga et de la *Kostroma* ; 269 000 hab. Industr. chim. et text. – Cath. de l'Assomption (XIIIe s.).

Kosuth (Joseph) (Toledo, Ohio, 1945), artiste américain, l'un des princ. représentants de l'art conceptuel : *One and Three Chairs* (1965).

Koszalin, v. de Pologne (Poméranie), près de la mer Baltique ; 101 000 hab. ; ch.-l. de la voïévodie du m. nom. Industr. mécaniques et alimentaires.

Kota Baharu, v. de Malaisie occidentale, cap. de l'État de Kelantan ; 167 870 hab.

Kota Kinabalu (anc. *Jesselton*), v. de Malaisie orient., cap. de l'État de Sabah ; 108 730 hab.

Kotka, v. et port de Finlande, sur le golfe de Finlande ; ch.-l. de län ; 56 500 hab. Industr. chim. (engrais), méca. et alim. ; chantiers navals. Exportation de bois.

Kotor (en ital. *Cattaro*), port du Monténégro sur l'Adriatique, au fond d'un vaste golfe *(bouches de Kotor)* ; 7 500 hab. Pêche. Base navale.

Kotzebue (August von) (Weimar, 1761 – Mannheim, 1819), auteur dramatique allemand : *Misanthropie et repentir* (1789), *la Petite Ville allemande* (1803). Agent secret du tsar, ennemi des idées libérales, il fut assassiné par l'étudiant Karl Sand.

Kouban (le), fl. de Russie (900 km) ; né dans l'Elbrouz, il se jette dans la mer d'Azov. C'est l'*Hypanis* des Anciens.

koubba [kuba] ou **koubbeh** [kube] n. f. Syn. de *marabout*.

Koubilaï khān ou **Kūbīlāy khān** (1214 – 1294), empereur mongol (1260-1294), fondateur de la dynastie des Yuan. Il ajouta à l'empire de son grand-père, Gengis khān, la Chine du Sud. Marco Polo séjourna à sa cour.

Koufra, groupe d'oasis du désert de Libye ; 20 000 km². – Aérodrome repris aux Italiens par la colonne Leclerc (1941).

kouglof ou **kugelhof** [kuglɔf] n. m. CUIS Brioche alsacienne aux raisins secs.

Kouïbychev. V. Samara.

kouign-amann n. m. Gâteau au beurre, très sucré, spécialité du Finistère.

Kouilou (le), fl. du Congo (320 km) tributaire de l'Atlantique.

Kou K'ai-tche. V. Gu Kaizhi.

Koukou Nor. V. Qinghai.

koulak [kulak] n. m. HIST Paysan russe aisé à la fin du XIXe s. et au début du XXe s.

Koulechov (Lev Vladimirovitch) (Tambov, 1899 – Moscou, 1970), cinéaste soviétique ; l'un des fondateurs du cinéma en U.R.S.S. Il créa le Laboratoire expérimental (1920), forma Eisenstein et Poudovkine.

koulibiac [kulibjak] n. m. CUIS Mets russe, pâté de poisson que l'on consomme chaud.

Koumaïri (anc. *Leninakan*), v. d'Arménie dans le *bassin de l'Akhourian* ; 223 000 hab. (avant le séisme qui a largement détruit la ville en 1988). Industr. chim., textile et alimentaire.

Koumassi. V. Kumasi.

koumis ou **kumys** [kumis] n. m. Boisson faite avec du lait de jument fermenté, consommée en Asie centrale.

Kouo-min-tang. V. Guomindang.

Kouo Mo-jo. V. Guo Moruo.

Koura (la), fl. de Transcaucasie, tributaire de la Caspienne ; 1 515 km. Barrage hydroélectrique à Minguetchaour.

Kourbski (Andreï Mikhaïlovitch) (1528 - 1583), homme d'État, général et écrivain russe. Membre du Conseil d'Ivan IV, il passa au service du roi de Pologne : *Histoire du grand-prince de Moscou* (traité polémique, 1573).

Kourgan, v. de Sibérie occidentale, sur le Tobol ; ch.-l. de la rég. du m. nom ; 343 000 hab.

Kouriles (îles), archipel du Pacifique, longue chaîne d'îles volcaniques qui s'étire sur 1 200 km du Kamtchatka à l'île d'Hokkaidō en bordure de la *fosse sous-marine des Kouriles* (-10 389 m). Occupées par les Soviétiques à la fin de la Seconde Guerre mondiale, les îles Kouriles sont en partie revendiquées par les Japonais.

Kouropatkine (Alexeï Nicolaïevitch) (Kholmski, près de Pskov, 1848 - Chechourino, près de Kalinine, 1925), général russe. Commandant des troupes de Mandchourie pendant la guerre russo-japonaise (1904-1905). Commandant d'armée en 1914, il se rallia au régime bolchevik.

kouros, couros [kuʀos] ou **koros** [kɔʀos] n. m. BX-A Statue archaïque grecque représentant un jeune homme nu au visage souriant. *Des kouros, des couros, des koros* ou *des kouroi, des couroi* [kuʀɔj], *des koroi* [kɔʀɔj].

kouros funéraire, marbre, v. 525 av. J.-C. ; musée national d'Archéologie, Athènes

Kouro-shivo. V. Kuro-shio.

Kourou (le), fl. de la Guyane française, tributaire de l'Atlantique. Une tentative de colonisation effectuée sur ses rives en 1763 se révéla désastreuse. Près de l'embouchure, base de lancement de missiles.

Kourou, ch.-l. de cant. de la Guyane (arr. de Cayenne), près de l'embouchure du Kourou ; 13 962 hab. - Depuis 1968, lieu du centre spatial guyanais d'où est lancée la fusée Ariane.

centre spatial de **Kourou**

Koursk, ville de Russie, au confl. du Kour et de la Touskora ; ch.-l. de prov. ; 420 000 hab. Aux environs, vastes gisements de fer. - Conquise par les Allemands le 3 novembre 1941, la ville est reprise par l'Armée rouge le 8 février 1943.

kourtchatovium n. m. CHIM Élément radioactif artificiel de numéro atomique Z = 104, de masse atomique 261 (symbole Ku), découvert en 1964 en U.R.S.S.

Koush (pays de), nom donné dans l'Antiquité à la partie méridionale de la Nubie, au-delà de la 3e cataracte du Nil, c'est-à-dire à l'actuel Soudan central.

koushite adj. Du pays de Koush.

Koutaïssi, v. de Géorgie, sur le Rion ; 214 000 hab. Industr. méca. et text. Matériel de transport. - Anc. cap. de l'Imérétie, principauté féodale de l'O. du pays ; monastères du XIe s. (Motsaméti) et du VIIe s. (Martvili) ; aux environs, monastère de Ghélaty (XIe-XIIe s.), rarissime exemple du style byzantino-géorgien.

Koutchma (Leonid) (Tchernigov, 1938), homme politique ukrainien. Président de la République depuis 1994.

Koutouzov ou **Kutusof** (Mikhaïl Illarionovitch Golenichtchev), prince de Smolensk (Saint-Pétersbourg, 1745 - Bunzlau, Silésie, 1813), maréchal russe. Il participa aux campagnes de Pologne, de Turquie et de Crimée. Chargé de défendre Moscou contre Napoléon, il fut vaincu à Borodino (7 sept. 1812). Il provoqua ensuite la débâcle française par son harcèlement continu.

Kouzbass, rég. industr. de Sibérie occidentale, implantée sur un import. bassin houiller. Sidér., constr. méca.

Kouzmine (Mikhaïl Alexeïevitch) (Iaroslavl', 1875 - Leningrad, 1936), poète russe. Symboliste, il fut un précurseur de l'*acméisme*, école qui réclame plus de clarté, d'harmonie, d'équilibre : *Chants alexandrins, Carillon de l'amour.*

Kovalevskaïa (Sofia Vassilievna) (Moscou, 1850 - Stockholm, 1891), mathématicienne russe ; connue pour ses travaux sur l'analyse et la mécanique.

Kowalski (Piotr) (Lvov, 1927), artiste français d'origine polonaise. Scientifique et architecte, il propose une approche méthodique de l'expression artistique, fondée sur des hypothèses expérimentales.

Koweït ou **Kuwayt** *(Dawlat al-Kuwayt)*, émirat d'Arabie, sur la côte N.-O. du golfe Persique ; 17 818 km^2 ; 1 691 000 hab. (dont 41,1 % de Koweïtiens) ; cap. *Koweït* (aggl. urb. 360 000 hab.). Nature de l'État : monarchie constitutionnelle. Langue off. : arabe. Monnaie : dinar. Relig. : islam (sunnites 45 %, chiites 30 %).

Géogr. phys. et hum., écon. - Situé au fond du golfe Persique, le Koweït est un pays désertique, formé de terres basses et sablonneuses. Le taux d'urbanisation dépasse 90 %. Jusqu'à l'invasion par l'Irak, en 1990, le pays abritait plus d'étrangers que de nationaux ; la croissance démographique est importante mais la natalité décroît. L'économie a reposé, depuis 1946, sur l'exploitation de pétrole (env. 10 % des réserves mondiales) et de gaz, à partir desquels s'est développée une filière complète d'industries de transformation. Les revenus des hydrocarbures et des placements financiers réalisés à l'étranger ont permis de grands aménagements, d'enviables réalisations sociales et ont assuré aux Koweïtiens l'un des revenus par hab. les plus élevés du monde. Le Koweït doit se relever du pillage sans merci auquel l'ont soumis les Irakiens, en particulier l'incendie de près de 700 des 1 000 puits de pétrole de l'émirat.

Hist. - Établie au Koweït depuis le XVIIIe s., la dynastie Sabbah, tolérée au sein du gouvernorat ottoman de Bassora (1871), parvint à échapper à l'autorité d'Istanbul en se mettant sous la tutelle de la G.-B. en 1899 (traité déclaré illégal par le gouvernement turc), puis sous son protectorat (1914). Le contrôle britannique sur le Koweït fut encore renforcé avec le dépeçage de l'Empire ottoman (1923) après la Première Guerre mondiale, en même temps que Londres étendait son autorité sur Bagdad et l'ancien gouvernorat de Bassora ; la position du Koweït sur la route maritime des Indes en faisait un enjeu stratégique capital, avant même le début de l'exploitation du pétrole dans les années 1930. Indépendant en 1961, le Koweït a dû repousser à plusieurs reprises (1961, 1973) les prétentions territoriales de l'Irak ; mais il a été solidaire de l'Irak dans sa guerre contre l'Iran, par crainte de la propagation de l'intégrisme musulman. Le Koweït a été le premier pays arabe à nationaliser complètement sa production pétrolière (1975). En août 1990, le régime baasiste irakien, criblé de dettes et conforté par son surarmement, a décidé d'envahir l'émirat ; l'armée américaine a pris aussitôt position en Arabie Saoudite et la communauté internationale a décrété le blocus écon. En nov., l'ONU a adopté une résolution autorisant le recours à la force contre l'Irak, à la suite de laquelle fut déclenchée la guerre du Golfe*. Celle-ci a permis la libération du Koweït fin février 1991, après que le pays eut beaucoup souffert de l'occupation irakienne. Les élections législatives d'oct. 1992, où les femmes étaient toujours exclues du vote, ont donné la majorité à l'opposition laïque et islamique qui fait son entrée au gouvernement. ► carte **Arabie**

koweïtien, enne [kɔwetjɛ̃, ɛn] ou **koweïti** [kɔweti] adj. et n. Du Koweït. ▷ Subst. *Un(e) Koweïtien(ne)* ou *un(e) Koweïti.*

Kowloon (en chin. *Jiulong*), v. et péninsule de Chine (V. Hong Kong), situées face à l'île de Hong Kong ; 42 km^2 ; 2 500 000 hab. Centre comm. et industr. (constr. méca., text.).

Koyré (Alexandre) (Taganrog, 1882 - Paris, 1964), philosophe français d'origine russe. Ses travaux sur l'histoire de la pensée scientifique (*Études galiléennes,* 1940 ; *Études newtoniennes,* 1964) exercèrent une grande influence sur la réflexion épistémologique.

Kozhikode, (anc. *Calicut*), v. et port de l'Inde (État de Kerala) ; 420 000 hab. Tissage. - La ville fut reconnue par Covilham en 1487 ; Vasco de Gama y aborda en mai 1498.

Kr CHIM Symbole du krypton.

Kra (isthme de), isthme qui unit la presqu'île de Malacca à l'Indochine.

kraal [kʀal] n. m. **1.** Village de huttes défendu par une palissade, que construisent les Hottentots. **2.** Enclos à bétail, en Afrique du Sud.

krach [kʀak] n. m. Chute brutale des cours des valeurs financières ou boursières.

Krafft-Ebing (Richard von) (Mannheim, 1840 - Graz, 1902), médecin allemand qui, l'un des premiers, étudia les perversions sexuelles.

kraft [kʀaft] n. m. Papier fort obtenu par traitement de la pâte à la soude, servant essentiellement à l'emballage. – (En appos.) *Papier kraft.*

Krajina, nom donné à plusieurs régions de l'ex-Yougoslavie, notamment en Croatie et en Bosnie-Herzégovine. La Krajina croate, bande de territoire qui enveloppe le saillant de la Bosnie, constituait les confins militaires austro-hongrois, où l'état-major installa au XVIIe-XVIIIe s. de nombreux Serbes. En 1991, hostiles à une sécession de la Croatie, les Serbes, majoritaires, et avec l'appui de l'armée fédérale, se sont rendus maîtres de la région après de violents combats et ont proclamé la république, avec Knin pour capitale (1992). En 1995, l'armée croate a repris la région.

krak [kʀak] ou **karak** [kaʀak] n. m. Forteresse construite par les croisés, au Proche-Orient. *Le krak des Chevaliers, célèbre forteresse de Syrie.*

krak des Chevaliers

Krakatoa ou **Krakatau,** île volcanique du détroit de la Sonde, entre Java et Sumatra, célèbre par l'éruption catastrophique du volcan Perbuatan le 26 août 1883 (40 000 victimes).

Kramář (Karel) (Vysoké, Bohême, 1860 – Prague, 1937), homme politique tchèque, premier président du Conseil de la Tchécoslovaquie (1918-1919).

Krasicki (Ignacy) (Dubieck, 1735 – Berlin, 1801), écrivain polonais, archevêque de Gniezno (1795) : *Aventures de Nicolas Doswiaczynski* (roman, 1776), *la Guerre des moines* (poème héroï-comique, 1778), *la Campagne de Chocim* (épopée, 1780).

Krasiński (Zygmunt, comte) (Paris, 1812 – id., 1859), poète romantique polonais : *la Comédie non divine* (1835).

Krasnodar (anc. *Iekaterinodar*), v. de Russie, sur le Kouban; ch.-l. de territoire; 632 000 hab. Ville industr. (raff. de pétrole; chim.; constr. méca.) au centre d'une riche rég. céréalière. – Fondée par Catherine II en 1792.

Krasnoïarsk, ville de Russie, sur l'Ienisseï; ch.-l. de territoire; 912 000 hab. District minier; la création d'une très import. centrale hydroélectrique a permis l'implantation de nouvelles industries (traitement de l'aluminium, bois).

Krasnovodsk. V. Turkmenbachi.

Krasny Loutch, v. d'Ukraine, dans la rég. de Donetsk; 111 000 hab. Houille, métallurgie.

Kravtchouk (Leonid) (Velykyi Zhytyn, 1934), homme politique ukrainien, président de la République de 1991 à 1994.

Krebs (sir Hans Adolf) (Hildesheim, 1900 – Oxford, 1981), biochimiste allemand naturalisé anglais; célèbre pour ses travaux sur le métabolisme énergétique des cellules. ▷ BIOCHIM *Cycle de Krebs :* ensemble de phénomènes d'oxydation (notam. des carbones, transformés en CO_2, et des hydrogènes, transformés en H_2O) qui se déroule lors du métabolisme des glucides. P. Nobel 1953.

Krefeld, v. d'Allemagne (Rhénanie-du-Nord-Westphalie), sur le Rhin (r. g.); 222 000 hab. Port fluvial. Métallurgie et industr. textiles (soieries, velours).

Kreisky (Bruno) (Vienne, 1911 – id., 1990), homme politique autrichien. Social-démocrate, chef du parti en 1967, chancelier de 1970 à 1983, il mena, à l'intérieur, une politique réformatrice et, à l'extérieur, une action diplomatique audacieuse, notam. dans le conflit israélo-palestinien.

Kreisler (Fritz) (Vienne, 1875 – New York, 1962), compositeur et violoniste américain d'origine autrichienne (*Tambourin chinois*).

Krementchoug, v. d'Ukraine (rég. de Poltava), sur le Dniepr; 224 000 hab. Port fluvial. Industr. méca., text. et alimentaires.

Kremikovci, v. de Bulgarie (distr. de Sofia). Un import. complexe sidérurgique a été implanté près des gisements de fer.

kremlin n. m. Partie centrale, fortifiée, des anciennes villes russes.

Kremlin (le), anc. palais impérial et citadelle de Moscou. Entouré de murailles (XVe s., remaniées), il renferme plusieurs palais et églises (XVe-XIXe s.), en partic. la cath. de l'Assomption (1479, par Fieravanti), où les tsars étaient couronnés. Le gouvernement soviétique siégea au Kremlin jusqu'en 1991. Le gouvernement de Russie lui a succédé dans ce lieu.

Kremlin-Bicêtre (Le), ch.-l. de cant. du Val-de-Marne (arr. de L'Haÿ-les-Roses); 19 599 hab. Chaussures; industr. alimentaire.

Krenek (Ernst) (Vienne, 1900), compositeur américain d'origine autrichienne. Après avoir intégré, dans ses opéras, l'influence du jazz (*Jonny spielt auf,* 1925-1926) et du sérialisme (*Karl V,* 1930-1933), il a adopté un style atonal et très expressif dans les œuvres composées après son départ en exil pour les États-Unis, en 1938.

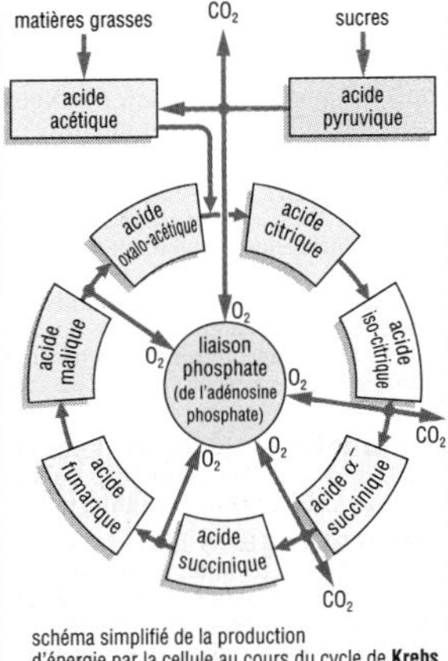

schéma simplifié de la production d'énergie par la cellule au cours du cycle de **Krebs**

Kretschmer (Ernst) (Wüstenrot, Bade-Wurtemberg, 1888 – Tübingen, 1964), neurologue et psychiatre allemand. Il est l'auteur d'une typologie fondée sur ses observations des malades mentaux.

Kreutzberg (Harald) (Reichenberg, auj. Liberec, Rép. tchèque, 1902 – Berne, 1968), danseur et chorégraphe allemand; auteur de ballets expressionnistes (*Orpheus' Klage um Eurydike*).

Kreutzer (Rodolphe) (Versailles, 1766 – Genève, 1831), violoniste et compositeur français. Beethoven lui dédia une célèbre sonate pour violon et piano (*Sonate à Kreutzer,* 1803).

Krichnā. V. Kistnā.

kriek [kʀik] n. f. Bière belge parfumée à la cerise.

krill [kʀil] n. m. ZOOL Crustacé pélagique (*Euphausia superba*) vivant en bancs, dont se nourrissent les cétacés à fanons.

Krishna ou **Krichna** (*le Noir*), huitième incarnation de la divinité indienne Vishnu; c'est l'un des dieux les plus populaires de la myth. brahmanique.

Krishnamurti (Jiddu) (Madanapalle, près de Madras, 1895 – Ojai, Californie, 1986), philosophe indien, interprète moderne de la pensée hindouiste (*l'Éveil de l'intelligence,* 1973).

kriss n. m. Poignard malais à lame ondulée.

Kristeva (Julia) (Sofia, Bulgarie, 1941), écrivaine française. Ses analyses se réfèrent à la linguistique et à la psychanalyse : *le Texte du roman* (1970), *Polylogue* (1977).

Kristiansand, v. et port de Norvège; 54 260 hab.; ch.-l. du comté de Vest-Agder. Raff. d'aluminium et de nickel; constr. navales; conserveries.

Kristianstad, v. de Suède, à l'E. de la Scanie; 69 940 hab.; ch.-l. du län du m. n. Industr. text., méca. et alim.

Krivoï-Rog, v. d'Ukraine (rég. de Dniepropetrovsk), sur l'Ingoulets; 684 000 hab. Complexe sidér. et métall.

Krk, grande île croate de l'Adriatique; 409 km^2; 20 000 hab. Pêche, tourisme.

Krkonoše. V. Géants (monts des).

Krleža (Miroslav) (Zagreb, 1893 – id., 1981), écrivain croate. Son œuvre multiforme (poésie : *Ballades de Petritsca Kerempuh,* 1936; théâtre : *Golgotha,* 1922; roman : *le Retour de Philippe Latinovicz,* 1932) domine les lettres croates.

Kroeber (Alfred Louis) (Hoboken, New Jersey, 1876 – Paris, 1960), ethnologue américain; spécialiste des Indiens d'Amérique du Nord : *Cultural and Natural Areas of Native North America* (1939).

Kronecker (Leopold) (Liegnitz, auj. Legnica, 1823 – Berlin, 1891), mathématicien allemand; connu pour ses travaux sur la théorie des nombres. Il s'opposa aux théories de Cantor.

Kronos. V. Cronos.

kronprinz [kʀɔnpʀints] n. m. HIST Titre que portait le prince héritier, en Allemagne et en Autriche, avant 1918. – *Le Kronprinz :* Frédéric-Guillaume, fils aîné de Guillaume II.

Kronstadt. V. Cronstadt.

Kropotkine (Piotr Alexeïevitch, prince) (Moscou, 1842 – Dimitrov, 1921), officier, géographe et révolutionnaire russe. Affilié à l'Internationale

(1872), il la quitta par refus du marxisme et devint l'un des principaux théoriciens de l'anarchisme : *la Grande Révolution 1789-1793* (1893), *l'Anarchie, sa philosophie, son idéal* (1896). Il vécut une partie de sa vie en exil (France, Suisse, Angleterre) et ne retourna en Russie qu'en 1917.

kroumir n. m. Chausson de basane que l'on porte dans des sabots.

Kroumirie, partie de l'Atlas tellien (aux confins de l'Algérie et de la Tunisie) qui borde la Méditerranée. Le pays est habité par des pasteurs sédentarisés, les Kroumirs. Leurs incursions sur le territoire algérien déterminèrent la France à occuper la Tunisie (en 1881).

Kru(s), peuple noir d'Afrique occidentale vivant sur les côtes du Liberia et de la Côte-d'Ivoire.

Krüdener (Barbara Juliane de Vietinghoff, baronne de) (Riga, 1764 – Karasoubazar, 1824), écrivain et mystique russe, acquise à l'œuvre de Swedenborg (*Valérie*, roman, 1803). Elle aurait inspiré au tsar Alexandre Ier l'idée de la Sainte-Alliance (1815).

Kruger (Paul) (Vaalbank, Le Cap, 1825 – Clarens, Suisse, 1904), homme politique du Transvaal. Il participa à la création de la république, dont il fut président de 1883 à 1900. Âme de la lutte des Boers contre les Britanniques (1899-1902), il tenta, vainement, de trouver des appuis. Vaincu, il choisit l'exil.

Krugersdorp, v. d'Afrique du Sud (Transvaal); 158 540 hab. Mines d'or.

Krupp, famille d'industriels allemands d'Essen (bassin de la Ruhr). – **Alfred** (Essen, 1812 – id., 1887) développa l'aciérie paternelle. D'abord spécialisé dans la production d'armement lourd, le groupe diversifia ses activités au lendemain de la Première Guerre mondiale. En 1968, après la mort d'*Alfred Krupp von Bohlen und Halbach* (Essen, 1907 – id., 1967), dernier héritier de la dynastie, le groupe Krupp échappa à la famille.

Krylov (Ivan Andreïevitch) (Moscou, 1769 – Saint-Pétersbourg, 1844), fabuliste russe, imitateur de La Fontaine. Son œuvre est demeurée très populaire et constitue pour la langue russe une inépuisable réserve de dictons, proverbes et citations.

krypton n. m. CHIM Élément de numéro atomique Z = 36 et de masse atomique 83,8 (symbole Kr). – Gaz rare (Kr) de l'air, qui se liquéfie à −152,3 °C et se solidifie à −156,6 °C. *On utilise le krypton dans certaines lampes à incandescence.*

ksar, plur. **ksour** [ksaʀ; ksuʀ] n. m. Village fortifié des régions sahariennes.

Ksar el-Kébir (El-) *(al-Qaṣr al-Kabīr)* (en esp. *Alcazarquivir*), v. du Maroc (prov. de Tétouan); 50 000 hab. – En 1578 s'y déroula la bataille des Trois Rois, où Al-Mansur battit Sébastien de Portugal.

ksi n. m. **1.** Xi*. **2.** PHYS NUCL Particule de la famille des hypérons.

Ksour (monts des), un des grands massifs de l'Atlas saharien (Algérie); 2 236 m au djebel Aïssa.

kt Symbole de kilotonne.

Ku CHIM Symbole du kourtchatovium.

Kuala Lumpur, cap. fédérale de la Malaisie et ch.-l. de l'État de Selangor; 919 610 hab. Centre comm. et industr. : raff. de pétrole, traitement de l'étain.

Kuala Terengganu, v. de Malaisie, cap. de l'État de Terengganu; 186 610 hab.

Kūbīlāy khān. V. Koubilaï khān.

Kubin (Alfred) (Leitmeritz, Bohême, 1877 – Wernstein am Inn, 1959), peintre, graveur et écrivain autrichien symboliste; auteur d'un roman fantastique : *l'Autre Côté* (1909).

Kubitschek de Oliveira (Juscelino) (Diamantina, 1902 – près de Resende, État de Rio, 1976), homme politique brésilien. Président de la République de 1956 à 1961, on lui doit la création de Brasília.

Kubrick (Stanley) (New York, 1928 – Londres, 1999), cinéaste américain : *les Sentiers de la gloire* (1957), *Lolita* (1962), *Docteur Folamour* (1964), *2001 : l'Odyssée de l'espace* (1968), *Orange mécanique* (1971), *Barry Lyndon* (1975), *Shining* (1980), *Full Metal Jacket* (1987).

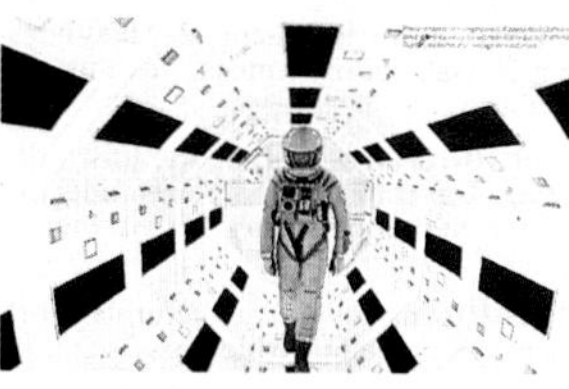

Stanley **Kubrick** : *2001, l'Odyssée de l'espace*, 1968

Kuching, v. de Malaisie, dans l'île de Bornéo; 74 300 hab.; cap. de l'État de Sarawak. Port de commerce et de pêche.

kugelhof. V. kouglof.

Kuhlmann (Charles Frédéric) (Colmar, 1803 – Lille, 1881), chimiste et industriel français. Il fonda d'importantes usines dans la région lilloise et mit au point un procédé de préparation de l'acide sulfurique.

Kuiper (Gerard) (Harenkarspel, Pays-Bas, 1905 – Mexico, 1973), astronome américain d'origine néerlandaise; son nom a été donné au premier cratère découvert sur Mercure par la sonde spatiale Mariner 10.

Ku Klux Klan, société secrète américaine fondée vers 1865 dans le S. des É.-U. pour entraver l'exercice, par les Noirs, de leurs droits nouvellement acquis. Dissoute en 1877, elle se reconstitua en 1915. Ultra-réactionnaire, antisémite, hostile à l'intégration des Noirs et au communisme, elle fut interdite en 1928 par la Cour suprême.

Kulturkampf (le) *(combat pour la civilisation)*, lutte engagée par Bismarck contre l'influence, jugée dangereuse pour l'unité de l'Allemagne, de l'Église catholique dans les États allemands. De 1873 à 1875, plusieurs séries de lois *(lois de Mai)* cherchèrent à renforcer la domination exercée par l'État sur l'Église.

Kumamoto, v. du Japon (Kyūshū), sur le Shira; 555 700 hab.; ch.-l. du ken du m. nom. Pèlerinage bouddhiste.

Kumaratunga (Chandrika) (Colombo, 1945), femme politique sri-lankaise. Élue président de la République en nov. 1994, elle nomme sa mère, Sirimavo Bandaranaike, Premier ministre.

Kumasi ou **Koumassi,** v. du Ghāna, ch.-l. de la rég. d'Ashanti; 348 880 hab. Centre commercial.

Kumba, v. du S.-O. du Cameroun; 60 000 hab.; ch.-l. de département.

kummel n. m. Liqueur alcoolique aromatisée au cumin, originaire d'Allemagne et de Russie.

Kummer (Ernst Eduard) (Sorau, auj. Zary, 1810 – Berlin, 1893), mathématicien allemand. Il étudia les nombres complexes.

kumquat [kɔmkwat; kumkwat] n. m. Tout petit agrume que l'on mange avec son écorce. *Kumquats confits.*

kumys. V. koumis.

Kun (Béla) (Szilagycseh, 1886 – en U.R.S.S., 1938), journaliste et homme politique hongrois. Fondateur du parti communiste hongrois, il fut le principal dirigeant de la «république des Conseils» qui s'établit pendant 133 jours (mars-août 1919) en Hongrie. Éliminé par une contre-révolution qui reçut l'appui de l'armée roumaine, il se réfugia en U.R.S.S., où il devint un des dirigeants du Komintern. Il disparut lors des grandes purges staliniennes.

Kunckel (Johann, baron von Löwenstern) (Hütten, près de Rendsburg, 1638 – Pernau, 1703), chimiste allemand. Il découvrit l'ammoniac et mit au point une méthode de préparation du phosphore.

Kundera (Milan) (Brno, 1929), écrivain tchèque, naturalisé français en 1981. Ses romans comme ses nouvelles et ses pièces sont des variations, empreintes d'ironie grinçante, sur la solitude de l'individu face aux forces de l'histoire. *La Plaisanterie* (1967); *La vie est ailleurs* (1973); *la Valse aux adieux* (1976); *l'Art du roman* (1986); *l'Insoutenable Légèreté de l'être* (1987); *l'Immortalité* (1990).

Kundt (August) (Schwerin, 1839 – Israelsdorf, 1894), physicien allemand; connu pour ses travaux d'acoustique et d'optique.

Kunduz, v. d'Afghānistān, près de la frontière russe; 80 000 hab.; ch.-l. de la province du m. nom.

Kunersdorf (auj. *Kunowice*, en Pologne), anc. village du Brandebourg où Frédéric II fut écrasé par les Austro-Russes en 1759.

kung-fu [kuŋfu] n. m. Art martial chinois, voisin du karaté. ▷ *Films de kung-fu :* films produits à Hong Kong, dont les protagonistes pratiquent le kung-fu.

Kunlun (monts), chaîne de montagnes d'Asie centrale séparant le Tibet du Turkestan chinois (7 569 m au Muztag Ata).

Kunming, v. de Chine, cap. du Yunnan; 1 500 000 hab. (aggl. urb. 1 975 820 hab.). Import. ville industr. – Pendant la Seconde Guerre mondiale, la ville fut une plate-forme aérienne sino-indienne, une importante station du chemin de fer du Yunnan et le point de départ de la «route de Birmanie», route stratégique construite par les Chinois en 1938-1939.

Kunsthistorisches Museum (musée d'Histoire de l'art), musée de Vienne, l'un des plus riches du monde : coll. archéologiques, tapisseries, monnaies et médailles, peinture (Bruegel, Cranach, Dürer, Giorgione, Rubens, le Tintoret, Titien, Vélasquez, etc.).

F. **Kupka** : *Fugue en rouge et bleu*, (1911-1912); Musée national, Prague

Kuopio, v. de Finlande, sur le lac Kallavesi; 81 590 hab.; ch.-l. du län du m. n. Industr. du bois, industr. text. Musée orthodoxe.

Kupka (František, dit Frank) (Opočno, Bohême, 1871 - Puteaux, 1957), peintre tchèque, l'un des promoteurs de l'art abstrait.

Kurashiki, v. du Japon (Honshū); 414 630 hab. Industr. textiles.

Kuratowski (Casimir) (Varsovie, 1896 - id., 1980), mathématicien polonais; connu pour ses travaux de topologie.

kurde [kyʀd] adj. et n. **1.** Du Kurdistān; des Kurdes. ▷ Subst. *Un(e) Kurde.* **2.** n. m. Langue voisine du persan parlée par les Kurdes.

Kurdes, peuple (env. 25 millions de personnes) d'Asie occid. (S.-E. de la Turquie, N. de l'Irak, O. de l'Iran et de la Syrie), d'origine indo-aryenne, dont la majorité est auj. sunnite. Ils furent soumis au XVIIe s. à la Turquie. Déçus, après la Première Guerre mondiale, par l'abandon des promesses d'indépendance qui leur avaient été faites, ils se soulevèrent à plusieurs reprises (de 1925 à 1928, en 1937 et en 1938). En Irak, ils constituèrent la rép. de Marhabād, qui s'effondra aussitôt (1945-1946). Puis leur rébellion redevint active à partir de 1961, sous la conduite du général Bārzānī; l'accord de 1970 ne fut qu'une trêve; celui de mars 1975 entre l'Iran, d'où partaient les combattants kurdes, et l'Irak fut fatal à l'action de Bārzānī qui proclama vainement l'autonomie du Kurdistān irakien où les Kurdes furent éloignés des régions pétrolifères. L'avènement, en 1979, de la République islamique a relancé le mouvement de rébellion soutenu, en Iran, par les Irakiens et, en Irak, par les Iraniens. En Turquie, où l'existence même d'une réalité kurde était niée jusqu'à présent, les Kurdes se sont vu reconnaître, en 1991, le droit de parler leur propre langue, mais l'affrontement entre une rébellion kurde armée déclenchée en 1984 et les militaires turcs (voire les groupes paramilitaires) gagne en violence. À la faveur de la guerre du Golfe*, les Kurdes irakiens ont tenté de se libérer du joug de Bagdad. Incapables de triompher militairement des armées irakiennes, indésirables en Turquie et en Iran, les Kurdes d'Irak ont tenté de négocier un nouveau statut d'autonomie. En 1992, ils ont élu une assemblée régionale autonome.

Kurdistān, région d'Asie occid. habitée par les Kurdes, sans réalité administrative (sauf en Iran où la province du Kurdistān - 24 998 km^2; 1 million d'hab. - a pour chef-lieu *Sanandadj*).

Kurdufan. V. Kordofan.

Kure, v. et port du Japon, dans l'île de Honshū; 226 490 hab. Anc. port de guerre; arsenal. Constr. navale.

Kuria Muria (îles), petit archipel de la mer Rouge appartenant au sultanat d'Oman; 72,5 km^2.

Kurosawa (Akira) (Tōkyō, 1910 - *id.* 1998), cinéaste japonais. Son œuvre exprime la révolte devant les injustices sociales d'hier et d'aujourd'hui : *la Légende du Grand Judo* (1943), *Rashomon* (1950), *Vivre* (1952), *les Sept Samouraïs* (1954), *le Château de l'araignée* (1957), *Barberousse* (1965), *Dersou Ouzala* (1974), *Kagemusha* (1980), *Ran* (1984), *Rêves* (1990).

Akira **Kurosawa** : *Ran*, 1984

Kuro-shio ou **Kouro-shivo** *(fleuve Noir)*, puissant courant chaud du Pacifique qui baigne les côtes S.-E. du Japon.

Kurtág (György) (Lugoj, Roumanie, 1926), compositeur hongrois d'origine roumaine. Influencé par l'œuvre pour piano de Bartók, il a évolué, dans ses pièces pour formations de chambre, vers un langage à la fois complexe et très expressif, qui doit beaucoup à la musique sérielle : *Messages de feu, Demoiselle Troussova* (1976-1980).

kuru [kuʀu] n. m. MED Type d'encéphalite observé pour la première fois dans une tribu de Nouvelle-Guinée et qui a permis la découverte des virus lents.

Kurume, v. du Japon, dans l'île de Kyūshū, au S. de Fukuoka; 222 850 hab. Industr. du caoutchouc. Tissage du coton. Laques.

Kusch (Polykarp) (Blankenburg, Allemagne, 1911 - Dallas, 1993), physicien américain d'origine allemande. Il détermina le moment magnétique de l'électron. P. Nobel 1955.

Kushiro, v. et port du Japon, sur le Pacifique (île d'Hokkaidō); 214 540 hab. Pêche et conserveries. Charbon. Engrais.

Kusser ou **Cousser** (Johann Sigismund) (Presbourg, 1660 - Dublin, 1727), compositeur allemand, disciple de Lully; auteur d'opéras : *Erindo* (1693), *Scipion l'Africain* (1694).

Küssnacht am Rigi, com. de Suisse (cant. de Schwyz), au bord du lac des Quatre-Cantons; 13 000 hab. - Aux env., chapelle édifiée à l'endroit où Guillaume Tell aurait maltraité Gessler.

Kütahya, v. de Turquie, en Anatolie occidentale; 118 770 hab.; ch.-l. de l'il du m. nom. Poteries, industr. text. - Mosquées du XVe s.

Kutchuk-Kaïnardji (auj. *Kainarža*), village de la Dobroudja bulgare où fut signé, en 1774, entre la Turquie et la Russie, le traité qui mettait fin à la guerre commencée en 1768. La Russie obtenait le sud de l'Ukraine, l'accès aux Détroits et la protection des orthodoxes dans l'Empire ottoman. Le recul de la Turquie marque le début de la question d'Orient*.

Kutusof. V. Koutouzov.

Kuwayt. V. Koweït.

Kuznets (Simon) (Kharkov, 1901 - Cambridge, Massachusetts, 1985), économiste américain d'origine russe; connu pour ses travaux sur la théorie des cycles économiques (*Mouvements séculaires de la production et des prix*, 1930). P. Nobel 1971.

Kvarner, golfe de Croatie (au N.-E. de l'Adriatique); port princ. *Rijeka*.

kvas. V. kwas.

kW Symbole de kilowatt.

kwa n. m. Groupe de langues nigéro-congolaises parlées sur le golfe de Guinée (Éwés, Yorubas, Ibos, Fons, etc.).

Kwakiutl(s), Indiens du Canada qui occupent la partie N. de l'île de Vancouver et la côte voisine. Ils pratiquaient le potlatch. - Sculpture sur bois (mâts, proues, masques polychromes).

Kwangju, v. de la Corée du Sud; 906 130 hab.; ch.-l. de prov. Industr. textile et alimentaire. - Nécropole royale.

Kwango (le), riv. d'Afrique équat. (1 026 km), affl. du Kasaï. Frontière entre l'Angola et la Rép. dém. du Congo.

kwas ou **kvas** [kvas] n. m. Boisson russe préparée avec de la farine d'orge fermentée dans l'eau.

kwashiorkor [kwaʃjɔʀkɔʀ] n. m. MED Maladie due à la malnutrition grave du jeune enfant, observée surtout en Afrique noire.

Kwaśniewski (Aleksander) (Bialogard, 1954), homme politique polonais. Prés. du parti social-démocrate (1990-1995), il est élu président de la Rép. en 1995.

K-way [kawɛ] n. m. inv. (Nom déposé.) Veste de nylon imperméable, repliable dans une poche.

kWh Symbole de kilowattheure.

Ky (les Trois), l'Annam, la Cochinchine et le Tonkin (*Ky*, en vietnamien, signifie « pays »).

Kyd (Thomas) (Londres, v. 1558 - id., 1594), auteur dramatique anglais; un des promoteurs du théâtre élisabéthain : *Tragédie espagnole* (1586).

kymrique [kimʀik] ou **cymrique** [simʀik] n. m. Langue celtique parlée au pays de Galles.

Kyokutei Bakin. V. Bakin.

Kyöngsong. V. Séoul.

Kyōto, v. du Japon (S. de Honshū); ch.-l. du ken du m. nom; 1 481 130 hab. Grand centre industr. : mécanique de précision, chimie, textiles. - Université. Anc. palais des empereurs; nombr. temples. - Cap. impériale du Japon du VIIIe s. à 1868, princ. ville culturelle du pays, elle fut supplantée dès le XVIIe s. par Tōkyō (alors nommée Edo) dont les shōgun firent un centre politique.

kyrie [kiʀije] ou **kyrie eleison** [kiʀijeeleisɔn] n. m. inv. LITURG CATHOL Invocation (en gr., « Seigneur, prends pitié ») qui se fait à la messe en latin entre l'*Introït* et le *Gloria in excelsis* et qui est largement employée par les Églises orientales. ▷ Musique sur laquelle on la chante.

kyrielle n. f. **1.** Longue suite (de mots). *Il a débité une kyrielle d'injures.* **2.** Suite interminable; grande quantité.

kyste n. m. **1.** MED Formation pathologique constituée d'une poche sans communication avec l'extérieur, contenant une substance liquide ou solide, d'origine variable. *Kyste de l'ovaire. Kyste sébacé :* kyste dû à l'accumulation de matières graisseuses dans les glandes sébacées. **2.** BIOL Forme que prennent certains êtres unicellulaires en se déshydratant et en s'entourant d'une coque protectrice lorsque le milieu devient défavorable à la vie.

kystique adj. MED De la nature du kyste.

kyudo [kjudo] n. m. Art martial japonais du tir à l'arc.

Kyūshū, la plus mérid. des grandes îles du Japon. Elle comprend 7 préfectures; 35 660 km² (42 164 km² avec les îles adjacentes); 14 300 000 hab. Île montagneuse, volcanique, aux côtes découpées propices à l'établissement d'excellents ports (Nagasaki, Kagoshima), elle a une agric. de type tropical. Le développement industr. n'a pas touché toutes les régions; certaines (notam. le S.) demeurent des foyers de vie traditionnelle.

Kyzyl, v. de Russie; 77 000 hab.; cap. de la république autonome de Touva.

Kyzyl-Koum *(sable rouge),* rég. désertique du Kazakhstan et de l'Ouzbékistan, située au S.-E. de la mer d'Aral entre le Syr-Daria et l'Amou-Daria.

Kyzyl-Orda. V. Ak-Metchet.

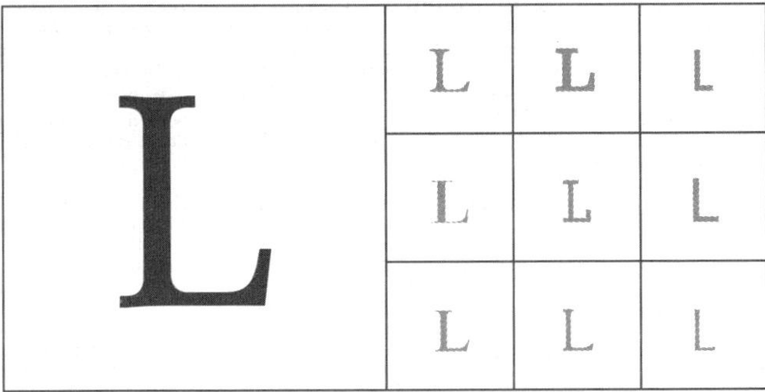

l [ɛl] n. m. ou f. **1.** Douzième lettre (l, L) et neuvième consonne de l'alphabet, notant la dentale latérale sonore [l], simple ou redoublée (ex. *lilas, ballade* [balad], *allégorie* [allegɔʀi]), se prononçant ou non en finale (ex. *subtil* [syptil], *gentil* [ʒɑ̃ti]; *recul* [ʀəkyl], *cul* [ky]). *Un l mouillé**. **2.** L : chiffre romain qui vaut 50. **3.** L ou £ : abrév. de *livre* (monnaie). **4.** l : symbole du litre. **5.** PHYS L : symbole de l'inductance.

1. la article défini ou pron. pers. fém. sing. V. le.

2. la n. m. inv. Sixième note de la gamme d'*ut.* – Signe qui figure cette note. – Loc. *Donner le la* : donner le ton à un autre musicien, à un orchestre, en faisant sonner le *la;* fig. donner le ton, créer la mode.

La CHIM Symbole du lanthane.

là adv. et interj. **I. 1.** Dans un lieu différent (de celui où l'on se trouve ou dont on parle). *Ici il pleut, là il fait beau.* **2.** À tel moment précis. *C'est là qu'il a mentionné votre nom.* **3.** À tel point déterminé. *Tenez-vous-en là. En venir là.* **4.** *Être là* : être présent. *Est-ce qu'Untel était là?* ▷ Fam. *Être un peu là* : se faire remarquer, faire sentir que l'on a de l'importance. *Il est là, et un peu là.* **II.** Suivi d'une proposition relative. *C'est là que je vais. Là où il est.* **III.** Renforçant un nom. *C'est là votre meilleur rôle. En ce temps-là.* – Renforçant un adj. ou un pron. démonstratif. *Ce cas-là. Celui-là.* **IV.** Avec une préposition. ▷ *De là* : de cet endroit. – (Abstrait) *Il est un peu menteur, mais de là à penser qu'il est malhonnête, il y a loin.* ▷ *D'ici là* : du moment présent à tel autre (que précise la phrase). *Nous nous verrons lundi; d'ici là, téléphonez-moi.* ▷ *De-ci de-là, par-ci par-là, çà et là* : par endroits, de place en place; par moments, de temps en temps. *Çà et là* : de tous côtés. ▷ *Loin de là* : loin de tel endroit (dont on parle). – (Abstrait) Au contraire. *Je ne pense pas qu'il ait raison, loin de là.* ▷ *Par là* : par tel endroit, tel chemin (que l'on montre ou dont on parle). *Il est passé par là. Quelque part par là.* – Fig. Cela. *Qu'entendez-vous par là?* ▷ *Jusque-là* : jusqu'à cet endroit; jusqu'à ce moment. **V.** *Là-bas* : à tel endroit au loin. ▷ *Là-haut* : en tel endroit élevé. ▷ *Là-dessus, là-dessous, là-dedans* : V. dessus, dessous, dedans. **VI.** interj. (Pour apaiser, appeler au calme.) *Là, tout doux!*

Laaland. V. Lolland.

Laâyoune (anc. *El-Aaiún*), v. du Maroc, dans la rég. du Sahara occidental; 100 000 hab. (estim.); ch.-l. de la prov. du m. n. Centre administratif.

Labadie (Jean de) (Bourg, Guyenne, 1610 – Altona, 1674), mystique français. Jésuite, puis oratorien, il embrassa le calvinisme en 1650 et entreprit de le ramener à une forme de christianisme primitif *(labadisme).*

Laban (Rudolf von) (Bratislava, 1879 – Weybridge, Surrey, 1958), chorégraphe et théoricien de la danse autrichien d'orig. hongroise. Il est à l'origine du développement du ballet expressionniste moderne; créateur d'un système de notation chorégraphique appelé *labanotation.*

La Barre (Jean François Le Febvre, chevalier de) (Abbeville, 1747 – id., 1766), gentilhomme français qui, accusé d'avoir mutilé un crucifix, fut torturé, décapité, puis brûlé, après une procédure contre laquelle s'éleva Voltaire.

labarum [labaʀɔm] n. m. HIST Étendard de l'Empire romain, sur lequel Constantin aurait fait mettre une croix, le monogramme du Christ et la formule *In hoc signo vinces* («Tu vaincras par ce signe»).

là-bas. V. là, sens V.

labbe n. m. Syn. de *stercoraire* (sens 1).

Labé (Louise) (Lyon, v. 1524 – Parcieux-en-Dombes, 1566), poétesse française de l'école de Lyon. Surnommée *la Belle Cordière* (son riche mari, Ennemond Perrin, faisait commerce de cordes), elle a chanté la passion amoureuse dans un *Débat de Folie et d'Amour* (prose), trois *Élégies* et vingt-quatre *Sonnets* (1555).

La Bédoyère (Charles Huchet, comte de) (Paris, 1786 – id., 1815), général français. Il remit ses troupes à Napoléon de retour de l'île d'Elbe. Nommé général, il fut fusillé lors du second retour des Bourbons.

label n. m. **1.** Marque délivrée par un syndicat professionnel ou un organisme officiel, que l'on appose sur certains articles pour attester leur qualité, leur origine ou le respect de certaines normes. **2.** INFORM Groupe de caractères qui identifie une information. **3.** (Anglicisme) Éditeur de disques.

labéliser ou **labelliser** v. tr. [1] (Choses) Garantir par un label. ▷ Pp. adj. *Produit labélisé.*

labelle n. m. BOT Grand pétale, partie antérieure de la corolle des orchidées.

labeur n. m. **1.** Litt. Travail long et pénible. *Labeur ingrat.* **2.** IMPRIM Travail d'une certaine importance.

labial, ale, aux adj. (et n. f.) **1.** Qui a rapport aux lèvres. *Muscle labial.* **2.** PHON *Consonne labiale* ou, n. f., *une labiale,* qui s'articule avec les lèvres (ex. [b, p, f, v]). *Les labiales se subdivisent en bilabiales et labiodentales.*

labialisation n. f. PHON Transformation d'une consonne en labiale.

labialiser v. tr. [1] PHON Donner à (une lettre) la prononciation d'une labiale.

Labiche (Eugène) (Paris, 1815 – id., 1888), auteur dramatique français; créateur du vaudeville de mouvement : *Un chapeau de paille d'Italie* (1851), *le Voyage de M. Perrichon* (1860), *la Poudre aux yeux* (1861), *la Cagnotte* (1864). Acad. fr. (1880).

labié, ée adj. BOT Se dit d'une corolle gamopétale à deux lobes en forme de lèvres.

labiées ou **labiacées** n. f. pl. BOT Famille de plantes dicotylédones gamopétales superovariées ayant une corolle à deux lèvres inégales et quatre étamines inégales. – Sing. *Le thym est une labiée.*

une **labiée,** la sauge des prés : en bas à g., coupe d'une fleur; en diagonale, inflorescence; en haut à dr., calice avec akènes

Labienus (Titus) (v. 98 – 45 av. J.-C.), général romain. Princ. lieutenant de César en Gaule, il adopta le parti de Pompée, puis de ses fils, et fut tué à Munda (Espagne).

labile adj. Didac. Sujet à se transformer, à tomber, à disparaître. *Pétales labiles. Phonème labile.* – Fig. *Mémoire labile,* peu fiable. – CHIM *Composé labile,* peu stable.

labilité n. f. Didac. Caractère labile de qqch.

labiodental, ale, aux adj. et n. f. PHON Se dit d'une consonne prononcée avec la lèvre inférieure et les dents du haut (ex. [f, v]).

labiopalatal, ale, aux adj. et n. f. PHON Se dit d'une consonne qui s'articule avec une projection des lèvres, la langue touchant le devant du palais (ex. : [ɥ] dans huile [ɥil]).

Labisse (Félix) (Douai, 1905 – Paris, 1982), peintre et décorateur français. Influencé par le surréalisme, il traita des sujets ésotériques et érotiques, au bleu profond et au rouge carmin.

labium [labjɔm] n. m. ZOOL Partie inférieure de l'appareil buccal des insectes.

labo n. m. Abrév. fam. de *laboratoire. Des labos.*

La Boétie (Étienne de) (Sarlat, 1530 – Germignan, près du Taillan-Médoc, 1563), écrivain français; conseiller au parlement de Bordeaux, ami de Montaigne. Le *Discours de la servitude volontaire* ou *Contr'un* (posth., 1576) est fondé sur l'idée que la servilité des peuples fait la force des tyrans.

laborantin, ine n. Assistant, aide, dans un laboratoire.

laboratoire n. m. **1.** Local spécialement aménagé et équipé pour mener à bien des travaux (notam. des travaux de recherche) d'ordre scientifique ou technique. *Laboratoire de physique, de chimie. Laboratoire d'analyses bactériologiques. Laboratoire d'un photographe.* ▷ *Laboratoire pharmaceutique,* où l'on fabrique des médicaments. **2.** *Laboratoire de langues :* local spécialement aménagé pour enseigner les langues étrangères à l'aide de magnétophones. **3.** *Laboratoire spatial :* vaisseau spatial conçu pour la réalisation d'expériences scientifiques. **4.** Local (distinct du magasin) où travaille un boucher, un charcutier, un pâtissier. **5.** METALL Partie d'un four à réverbère où l'on place les matières à fondre. (Abrév. fam. : labo).

laborieusement adv. Avec beaucoup de peine et de travail.

laborieux, euse adj. **1.** (Personnes) Qui travaille beaucoup, qui aime le travail. – Péjor. Qui travaille beaucoup pour parvenir à un résultat (souvent médiocre). **2.** (Choses) Qui coûte beaucoup de travail, de fatigue, d'efforts. *Entreprise laborieuse.* – Péjor. Qui sent l'effort. *Un style laborieux.*

Laborit (Henri) (Hanoi, 1914 – Paris, 1995), médecin et biologiste français. Ses recherches portent sur l'usage thérapeutique des neuroleptiques et sur les problèmes du comportement humain (*Biologie et Structure,* 1968; *l'Agressivité détournée,* 1971).

labour n. m. **1.** Travail de labourage, façon donnée à une terre. **2.** (Plur.) Terres labourées.

labourable adj. Qui peut être labouré, cultivé. *Terre labourable.*

labourage n. m. Action de labourer.

La Bourdonnais (Bertrand François Mahé, comte de) (Saint-Malo, 1699 – Paris, 1753), marin et administrateur français. Gouverneur des îles de France (île Maurice) et de Bourbon (la Réunion), qu'il fit prospérer, il lutta aux Indes contre les Anglais. Critiqué par Dupleix, il fut rappelé en France et embastillé (1748).

labourer v. tr. [1] **1.** Retourner la terre avec la charrue, la bêche, la houe, etc. *Labourer un champ.* ▷ Absol. *Il serait temps de labourer.* **2.** *Par anal.* Ouvrir, creuser (comme la charrue la terre). *Le passage des chars a labouré la route.* – Fig. *L'éclat d'obus lui avait labouré le dos.*

laboureur n. m. **1.** Celui qui laboure. **2.** Vx Cultivateur.

Labov (William) (Passaic, New Jersey, 1927), linguiste américain; auteur d'importants travaux de sociolinguistique (*Sociolinguistique,* 1972), fondés sur l'étude du parler de différentes communautés américaines (*le Parler ordinaire,* 1972).

labrador n. m. Chien de chasse à poil ras et à robe noire, quelquefois fauve.

Labrador, vaste presqu'île du Canada bordée par la mer de Davis, l'Atlantique et la baie du Saint-Laurent. La toundra glacée fait place vers le S. à de grandes forêts de conifères qui abritent une population clairsemée et composite. Le Labrador possède les mines de fer les plus import. du Canada (Schefferville); il est en voie d'en devenir le princ. centre hydroél. (Churchill Falls). Administrativement, le Labrador est rattaché au Québec, à l'exception de la partie N.-E., rattachée à Terre-Neuve. ▷ OCEANOGR *Courant du Labrador :* courant froid de surface de l'Atlantique Nord, engendré par les eaux peu salées de l'océan Arctique. Il longe l'île de Baffin et s'étend jusqu'aux bancs de Terre-Neuve, où il rencontre le Gulf Stream. Import. zone de pêche.

1. labre n. m. ENTOM Lèvre supérieure des insectes.

2. labre n. m. ICHTYOL Gros poisson (genre *Labrus*) des côtes rocheuses, aux couleurs chatoyantes, aux lèvres épaisses. Syn. cour. vieille.

Labrède. V. Brède (La).

La Brosse (Gui de) (Rouen, ? – ?, 1641), médecin de Louis XIII et botaniste français. Il créa le Jardin des Plantes de Paris.

Labrousse (Ernest) (Barbezieux, Charente, 1895 – Paris, 1988), historien français. Ses travaux sur les cycles économiques (*Esquisse du mouvement des prix et des revenus en France au XVIIIe siècle,* 1932) renouvelèrent l'histoire économique et sociale française.

Labrouste (Henri) (Paris, 1801 – Fontainebleau, 1875), architecte français; pionnier de l'architecture métallique : bibliothèque Sainte-Geneviève, à Paris (1843-1850).

La Bruyère (Jean de) (Paris, 1645 – Versailles, 1696), écrivain français. En 1684, Bossuet le fit entrer chez les Condé comme précepteur du duc de Bourbon. En 1688, il publia les *Caractères de Théophraste traduits du grec, avec les caractères ou les mœurs de ce siècle,* dont chaque édition, jusqu'à celle de 1696, s'enrichit de portraits; s'éloignant de Théophraste, La Bruyère moralise sur l'homme de son temps, dans un style travaillé et imagé. Autres œuvres : *Discours à l'Académie française* (1693), *Préface à ce discours* (1694), *Dialogues sur le quiétisme* (posth., 1699). Acad. fr. (1693).

labyrinthe n. m. **1.** ANTIQ Édifice composé d'un grand nombre de pièces et de galeries, et dont la disposition était telle que ceux qui s'y engageaient parvenaient difficilement à en trouver l'issue. *Le Labyrinthe, où était enfermé le Minotaure.* **2.** Jardin d'agrément dont les allées, bordées de haies épaisses, sont tracées selon un plan compliqué évoquant celui d'un labyrinthe (sens 1). **3.** Fig. Ensemble compliqué, où il est difficile de se reconnaître. *Le labyrinthe de la jurisprudence.* Syn. dédale. **4.** ANAT Ensemble des cavités qui constituent l'oreille interne.

labyrinthique ou **labyrinthien, enne** adj. **1.** Rare Dont la disposition compliquée évoque celle d'un labyrinthe. **2.** MED Du labyrinthe (sens 4).

labyrinthite n. f. MED Inflammation de l'oreille interne.

labyrinthodontes n. m. pl. PALEONT Ordre d'amphibiens fossiles stégocéphales qui ont l'allure de grosses salamandres (3 à 4 m de long). (Descendant des *crossoptérygiens,* ils apparaissent au dévonien et s'éteignent au début du jurassique, après avoir donné naissance aux amphibiens anoures et aux reptiles.) – Sing. *Un labyrinthodonte.*

lac n. m. Grande étendue d'eau à l'intérieur des terres. *Lac de cratère, de verrou glaciaire, de dépression.* – Loc. fig., fam. *Tomber dans le lac :* échouer. *L'affaire est (tombée) dans le lac.*

laçage n. m. Action de lacer; son résultat. – Manière de lacer.

La Calprenède (Gautier de Costes de) (près de Sarlat, v. 1610 – Le Grand-Andely, 1663), écrivain français; auteur de tragédies (*la Mort de Mithridate,* 1635) et de romans galants (*Cassandre,* 1642-1645).

Lacan (Jacques) (Paris, 1901 – id., 1981), médecin et psychanalyste français. À travers sa lecture de Freud, il propose de nouveaux fondements aux concepts et aux principes de la psychanalyse : *Écrits* (1966); publication, à partir de 1975, de son *Séminaire.*

Lacanau (étang de), étang du golfe de Gascogne, isolé de l'Atlantique par des dunes. Il communique avec le bassin d'Arcachon et l'étang de Carcans. Stat. balnéaire à *Lacanau-Océan.*

lacanien, enne adj. et n. Relatif à J. Lacan, à ses théories. ▷ Subst. Adepte des théories de J. Lacan.

Lacaune (monts de), massif granitique et schisteux du S. du Massif central (1 267 m au *roc* ou *pic de Montalet*).

Lacédémone. V. Sparte.

lacédémonien, enne adj. et n. De Lacédémone.

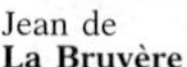
Jean de **La Bruyère**

Jacques **Lacan**

Lacépède (Bernard Germain Étienne de La Ville, comte de) (Agen, 1756 – Épinay-sur-Seine, 1825), naturaliste français; continuateur de l'œuvre de Buffon (nombr. ouvrages d'*Histoire naturelle*). Favorable à la Révolution mais inquiet de ses excès, il devint président du Sénat en 1801, fut honoré par l'Empire et, après 1819, par la Restauration.

lacer v. tr. [**12**] Fermer, serrer, assujettir au moyen d'un lacet. *Lacer ses chaussures.*

lacération n. f. Action de lacérer, de déchirer; mise en pièces.

lacérer v. tr. [**14**] Déchirer, mettre en pièces (des papiers, des étoffes). *Lacérer une affiche.*

lacertiens [lasɛʀsjɛ̃] ou **lacertiliens** n. m. pl. ZOOL Syn. de *sauriens.*

lacet n. m. **1.** Cordon que l'on passe dans des œillets pour serrer une partie de vêtement ou une chaussure. **2.** (Par anal. de forme.) *Route en lacet,* en zigzag. ▷ Mouvement latéral d'un avion autour d'un axe vertical *(axe des lacets)* passant par le centre de gravité et perpendiculaire au plan de voilure (V. roulis, tangage). **3.** Nœud coulant utilisé pour piéger les lièvres, les perdrix, etc. *Tendre un lacet.* **4.** Cordon plat en fil, utilisé en passementerie. **5.** MATH Dans un graphe, chemin dont l'origine et l'extrémité sont confondues.

lâchage n. m. **1.** Action de lâcher (qqch). **2.** Fam. Action d'abandonner (qqn).

La Chaise ou **La Chaize** (François d'Aix de, dit le Père) (Saint-Martin-la-Sauveté, 1624 – Paris, 1709), religieux français. Ce jésuite devint le confesseur de Louis XIV (1675) et s'employa à sa reconversion. Il négocia l'affaire de la Régale avec Innocent XI. Son nom a été donné à un cimetière de Paris.

La Chalotais (Louis René de Caradeuc de) (Rennes, 1701 – id., 1785), procureur général au parlement de Bretagne. Adversaire des jésuites, il eut des démêlés retentissants avec le duc d'Aiguillon, gouverneur de Bretagne (1765).

La Châtaigneraie (François de Vivonne, seigneur de) (?, 1519 – Saint-Germain-en-Laye, 1547), gentilhomme français. Favori d'Henri II, il mourut au cours d'un duel avec le baron de Jarnac.

lâche adj. et n. **I.** adj. **1.** Qui n'est pas tendu, qui n'est pas serré. *Nœud trop lâche.* **2.** Fig. Qui manque de vigueur. *Style lâche.* **II.** adj. et n. **1.** Qui est sans courage. *Être lâche face au danger.* ▷ Subst. *Un(e) lâche.* **2.** Qui dénote la lâcheté; vil, méprisable. *Lâches provocations.*

lâché, ée adj. BX-A Qui manque de vigueur, de tenue; négligé. *Dessin lâché.*

lâchement adv. **1.** Rare Sans serrer, sans être serré. *Foulard noué lâchement.* **2.** Avec lâcheté, bassesse; honteusement. *Trahir lâchement qqn.*

Lachenal (Louis) (Annecy, 1921 – massif du Mont-Blanc, 1955), alpiniste français. Il réussit la première ascension de l'Annapūrṇā, en 1950, avec Maurice Herzog.

1. lâcher v. [**1**] **I.** v. tr. **1.** Détendre, desserrer. *Lâcher une corde tendue. Lâcher la bride à un cheval :* laisser aller la main pour cesser de tendre la bride. – Fig. *Lâcher la bride à qqn,* cesser de le contrôler, de le surveiller. **2.** (En loc.) Cesser de tenir. *Lâcher pied :* reculer; fig. céder. – *Lâcher prise :* laisser aller ce qu'on tient; fig. céder. **3.** Laisser aller, laisser échapper. *Lâcher les chiens contre qqn.* ▷ Fam. *Lâcher qqn,* l'abandonner. ▷ SPORT *Lâcher ses concurrents,* les distancer. **4.** Lancer. *Le cheval lui a lâché une ruade. Lâcher une flèche, un coup de fusil.* – Fig. *Lâcher des injures à qqn.* **II.** v. intr. Se détendre, se rompre. *La corde a lâché.*

2. lâcher n. m. **1.** Action de laisser aller. *Un lâcher de pigeons.* **2.** En gymnastique, action de lâcher la barre.

Lachésis, dans la myth. gr., une des trois Moires.

lâcheté n. f. **1.** Vx, litt. Absence de vigueur morale, mollesse. **2.** Manque de courage; poltronnerie, couardise. **3.** Action lâche. *Se rendre coupable de lâchetés répétées.*

lâcheur, euse n. Fam. Personne qui abandonne ses amis, les néglige.

Lachine, v. du Canada (Québec), sur le Saint-Laurent, près des *rapides de Lachine;* 35 260 hab. Constr. métallurgiques et navales.

La Cierva y Codorníu (Juan de) (Murcie, 1896 – Croydon, 1936), ingénieur espagnol. Il inventa l'autogire (premier vol en 1923).

lacinié, ée adj. BOT Se dit d'un organe découpé en lanières.

lacis [lasi] n. m. **1.** Entrelacement, réseau. **2.** ANAT Entrelacement de veines, de nerfs, etc.

Laclos (Pierre Choderlos de) (Amiens, 1741 – Tarente, 1803), officier et écrivain français. Son chef-d'œuvre, *les Liaisons dangereuses* (roman épistolaire, 1782), marque une étape importante dans l'histoire de la sensibilité en substituant à l'amour proprement dit une violence subtile, faite de cynisme et de perversité. En 1783, il publia un traité moral : *De l'éducation des femmes.*

La Condamine (Charles Marie de) (Paris, 1701 – id., 1774), voyageur et astronome français. Il apporta en France, à son retour de Cayenne, les premiers échantillons de caoutchouc.

Laconie, anc. contrée de la Grèce, au S.-E. du Péloponnèse, dont Lacédémone (Sparte) était la capitale. – Auj. nome; 94 900 hab.; ch.-l. *Sparte.*

laconique adj. Qui parle peu. ▷ *Par ext.* Bref, concis. *Une réponse laconique.*

laconisme n. m. Manière de s'exprimer avec peu de mots, concision.

Lacordaire (Henri) (Recey-sur-Ource, Côte-d'Or, 1802 – Sorèze, Tarn, 1861), religieux français. Avocat, ordonné prêtre en 1827, il connut Lamennais et collabora à *l'Avenir* jusqu'à la condamnation papale de 1832. En 1839, il entra à Rome chez les dominicains, dont il rétablit l'ordre en France (1843). Ses conférences à N.-D. de Paris (1835-1836) sont célèbres. Acad. fr. (1860).

Lacoste (René) (Paris, 1904 – Saint-Jean-de-Luz, 1996), joueur de tennis français, surnommé le «Crocodile». L'un des quatre «mousquetaires» (avec Borotra, Brugnon et Cochet), vainqueur de la coupe Davis en 1927, 1928 et 1929.

Lacq, com. des Pyrénées-Atlantiques (arr. de Pau), sur le *gave de Pau;* 644 hab. La présence d'un vaste gisement (auj. en voie d'épuisement) de gaz naturel (qui contient env. 69 % de méthane et 15 % d'hydrogène sulfureux) a permis notam. l'implantation de l'usine chim. de Pardies utilisant le soufre extrait du gaz.

Lacretelle (Jacques de) (chât. de Cormatin, Saône-et-Loire, 1888 – Paris, 1985), romancier français. Il dépeint dans une langue classique le goût de la solitude, se livre à l'introspection et à l'analyse des âmes : *Silbermann* (1922), *les Hauts Ponts* (1932-1933), *les Vivants et leur ombre* (1977). Acad. fr. (1936).

lacrima-christi ou **lacryma-christi** n. m. inv. Vin muscat provenant de vignobles voisins du Vésuve.

lacrymal, ale, aux adj. Relatif aux larmes. – ANAT *Glande lacrymale,* qui sécrète les larmes. *Canal lacrymal.*

lacrymogène adj. Qui provoque les larmes. – *Gaz lacrymogène,* qui provoque une irritation violente des muqueuses et fait pleurer abondamment.

lacs [la] n. m. **1.** CHASSE Nœud coulant servant à prendre du gibier. *Tendre des lacs.* ▷ Fig. Piège. *Il est tombé dans le lacs tendu par ses ennemis.* **2.** HERALD *Lacs d'amour :* cordon circulaire à enroulements.

lact-, lacti-, lacto-. Élément, du latin *lac, lactis,* «lait».

lactaire n. m. BOT Champignon basidiomycète (fam. agaricacées), dont le chapeau est généralement coloré et qui laisse écouler un latex si on le casse (certains lactaires sont comestibles, d'autres trop âcres).
▸ <u>pl. **champignons**</u>

lactalbumine n. f. BIOCHIM Albumine présente dans le lait.

lactarium [laktaʀjɔm] n. m. Centre où l'on collecte du lait de femme.

lactase n. f. BIOCHIM Enzyme (hydrolase) qui scinde le lactose en galactose et glucose.

lactate n. m. CHIM Sel ou ester de l'acide lactique.

lactatémie n. f. MED Teneur du sang en acide lactique.

lactation n. f. PHYSIOL Sécrétion et excrétion du lait par la glande mammaire, après l'accouchement, sous l'action d'une hormone hypophysaire, la prolactine, et d'un processus réflexe qu'entretient la succion du mamelon par le nouveau-né.

lacté, ée adj. **1.** Qui a rapport au lait, qui en a la couleur. **2.** Qui contient du lait. *Farine lactée.* **3.** ASTRO *Voie lactée :* bande blanchâtre formée d'innombrables étoiles, barrant le ciel par nuit claire, trace sur la voûte céleste du plan de la Galaxie (V. ce mot).

lactescence [laktɛsɑ̃s; laktesɑ̃s] n. f. Caractère d'un liquide ressemblant au lait.

lactescent, ente [laktɛsɑ̃; laktesɑ̃, ɑ̃t] adj. **1.** Qui a l'aspect, la couleur du lait. **2.** Se dit des plantes qui contiennent un suc blanc.

lactifère adj. **1.** ANAT Qui porte, amène le lait. **2.** BOT Syn. de *lactescent* (sens 2).

lactique adj. *Acide lactique :* acide-alcool que l'on trouve en grande quantité dans le lait aigre et qui résulte de la fermentation de sucres (lactose, notam.). ▷ *Ferments lactiques,* employés dans l'industrie laitière pour coaguler la caséine, notam. dans les yaourts.

lactodensimètre ou **lactomètre** n. m. TECH Appareil servant à mesurer la densité du lait, et spécial. sa teneur en matière grasse.

lactose n. m. BIOCHIM Oside (sucre) constitué de galactose et de glucose, contenu en abondance dans le lait.

lactosérum [laktoseʀɔm] n. m. Syn. de *petit-lait.*

lacunaire ou **lacuneux, euse** adj. **1.** Qui présente des lacunes (sens 1). ▷ Qui présente des manques ou des omissions. *Texte lacunaire.* **2.** MED Qui présente des lacunes (sens 3).

lacune n. f. **1.** Vx Vide, cavité à l'intérieur d'un corps; solution de continuité. **2.** *Par ext.* Ce qui manque pour qu'une chose soit entière, complète. *Les lacunes d'une loi.* ▷ *Spécial.* Interruption, manque dans le texte d'un ouvrage. *Les lacunes de l'œuvre conservée de Tacite.* ▷ Manque dans le domaine intellectuel. *Ses connaissances présentent quelques lacunes.* **3.** MED En radiologie, image tumorale du tube digestif, saillante et irrégulière. – (Plur.) En neurologie, lésions caractérisées par la production de petites cavités irrégulières dans le tissu nerveux. **4.** PHYS Emplacement laissé libre par le départ d'un électron, dans un réseau cristallin. Syn. trou. ▷ GEOL Absence d'une couche de terrain dans une série sédimentaire.

lacustre adj. D'un lac, des lacs. *Cité lacustre,* bâtie sur pilotis au bord d'un lac. – GEOL *Roche, dépôt lacustre,* qui s'est formé dans un lac.

lad [lad] n. m. Garçon d'écurie chargé du soin des chevaux de course.

Ladākh, plateau très élevé de l'Inde (Cachemire), au N. de l'Himalaya, traversé par l'Indus. – Nombr. monastères bouddhiques.

là-dessus, là-dessous, là-dedans. V. dessus, dessous, dedans.

ladin n. m. LING Groupe de langues rhéto-romanes (comprenant le romanche) parlées dans les Grisons, le Tyrol et le Frioul.

ladino n. m. Parler des Juifs séfarades d'Espagne, puis de leurs descendants. Syn. judéo-espagnol.

Ladislas (en hongrois *László*), nom de plusieurs rois de Hongrie. – **Ladislas Ier Árpád** (saint) (?, 1040 ou 1043 – Nitra, Slovaquie, 1095), roi de Hongrie (1077-1095).

Ladislas le Magnanime (?, v. 1376 – Naples, 1414), roi de Naples et de Hongrie (1390-1414). Il se heurta en Italie à l'antipape Jean XXIII et ne put jamais régner effectivement sur la Hongrie.

Ladislas (en polonais *Władisław*), nom de plusieurs rois de Pologne. – **Ladislas Ier** (ou **IV**) **Łokietek** (?, 1260 – Cracovie, 1333), duc puis roi de Pologne (1320-1333). Il lutta contre l'ordre Teutonique et réunifia une grande partie de la Pologne. – **Ladislas II** (ou **V**) **Jagellon Ier** (?, v. 1348 – Gródek, 1434), grand-duc de Lituanie (1377-1392) et roi de Pologne (1386-1434). Il lutta avec succès contre les chevaliers Teutoniques. – **Ladislas III** (ou **VI**) **Jagellon II le Varnénien** (Cracovie, 1423 – Varna, 1444), fils du préc.; roi de Pologne (1434-1444) et de Hongrie (1440-1444). Il lutta contre les Turcs et périt à la bataille de Varna.

ladite. V. dit 2.

Ladoga (lac), lac de Russie, le plus grand d'Europe (18 400 km²). Il se déverse par la Neva dans le golfe de Finlande.

Laennec

la comtesse de **La Fayette**

Ladoumègue (Jules) (Bordeaux, 1906 – Paris, 1973), athlète français. Six fois recordman du monde (800 m, 1 500 m et mile), il fut disqualifié en 1932 pour professionnalisme.

ladre adj. et n. **I.** adj. Vx Lépreux. **II.** MED VET **1.** adj. Se dit d'un animal dont certains tissus, notam. la langue, contiennent des larves de ténia. *Porc, bœuf ladre.* **2.** n. m. *Cheval qui a du ladre,* dont le tour des yeux et des naseaux est duveteux et siège d'une dépigmentation. **III.** adj. et n. Vx ou litt. Avare. ▷ Subst. *Un vieux ladre.*

ladrerie n. f. **1.** Vx Léproserie. **2.** MED VET Maladie d'un animal ladre, transmissible à l'homme (par consommation de viande mal cuite). **3.** Vx ou litt. Avarice sordide. *Il est d'une ladrerie peu commune.*

lady, plur. **ladies** [ledi, lediz] n. f. Titre donné en Grande-Bretagne aux femmes nobles et aux épouses des lords et des baronnets. *Lady Churchill.*

Laeken, anc. com. de Belgique, annexée à Bruxelles en 1921. – Chât. (XVIIIe s.), résidence royale.

Laennec (René Théophile Hyacinthe) (Quimper, 1781 – Kerlouanec, 1826), médecin français; connu pour ses travaux sur les affections pulmonaires et hépatiques *(cirrhose de Laennec).* Il découvrit l'auscultation, inventant le stéthoscope (*De l'auscultation médiate,* 1819).

Laërte, dans la myth. gr., roi d'Ithaque, père d'Ulysse.

Laetoli, site de Tanzanie où furent mises au jour, en 1976, des traces de pas d'australopithèque, les plus anciennes (vers –3,5 millions d'années) traces connues d'hominidé.

Lafargue (Paul) (Santiago de Cuba, 1842 – Draveil, 1911), homme politique français. Disciple et gendre de Karl Marx, il contribua à la propagation des idées marxistes en France, participant notam. à la fondation du parti ouvrier français (1880) et publiant, en 1881, le *Droit à la paresse.*

Laetoli : piste faite de pas d'australopithèques (deux adultes, un enfant) découverte par l'expédition de Mary Leakey (1976-1978) dans des couches datées de 3,6 M.A.

Lafayette, ville des États-Unis; 94 400 hab.; grand centre de la francophonie de Louisiane.

La Fayette (Gilbert Motier de) (?, v. 1380 –?, 1462), maréchal de France; compagnon d'armes de Jeanne d'Arc et conseiller de Charles VII.

La Fayette ou **Lafayette** (Marie-Madeleine Pioche de La Vergne, comtesse de) (Paris, 1634 – id., 1693), écrivain français. Son chef-d'œuvre, *la Princesse de Clèves* (1678), est le prem. roman psychologique moderne. Elle a laissé d'autres romans, très brefs, et des *Mémoires de la cour de France pour les années 1688 et 1689* (posth., 1731).

La Fayette (Marie Joseph Paul Yves Roch Gilbert Motier, marquis de) (chât. de Chavaniac, Auvergne, 1757 – Paris, 1834), officier et homme politique français. Il s'illustra aux côtés des insurgés, durant la guerre d'Indépendance américaine (1777-1779). De retour en France, il joua un rôle de premier plan, comme monarchiste libéral, pendant les premières années de la Révolution; chef de la garde nationale, il prêta serment à la Constitution le 14 juil. 1790, lors de la fête de la Fédération. Passé à l'ennemi après le 10 août 1792, il fut interné par les Autrichiens. Libéré en 1797, il ne reprit sa vie publique qu'en 1814, comme député. Commandant de la garde nationale lors de la révolution de 1830, il contribua à l'avènement de Louis-Philippe, mais devint bientôt opposant (au sein de la gauche dynastique).

Laffemas (Barthélemy de) (Beausemblant, Dauphiné, 1545 – Paris, v. 1612), contrôleur général du commerce sous Henri IV (1602). Il favorisa le développement des manufactures.

Laffitte (Jacques) (Bayonne, 1767 – Paris, 1844), banquier et homme politique français. Gouverneur de la Banque de France (1814-1819), puis député libéral, il aida à l'avènement de Louis-Philippe. Président du Conseil et ministre des Finances de 1830 à 1831, il mourut presque ruiné après avoir tenté de créer un établissement d'escompte.

Laffrey, com. de l'Isère (arr. de Grenoble); 211 hab. Station estivale sur le *lac de Laffrey.* – Le 7 mars 1815, Napoléon, revenant de l'île d'Elbe, y rallia à sa cause les troupes royales chargées de l'arrêter.

La Fontaine (Jean de) (Château-Thierry, 1621 – Paris, 1695), poète français. Avocat au Parlement, il ne plaide guère. Il se marie (1647) et reprend (1652) la charge paternelle de maître des Eaux et Forêts, se montrant fonctionnaire négligent, époux et père indifférent. Protégé par Fouquet

le marquis de **La Fayette**

Jean de **La Fontaine**

(1658-1661), la duchesse douairière d'Orléans (1664-1672), Mme de La Sablière (1673-1693) et Mme d'Hervart (1693-1695), il mène une vie de loisirs et publie : *Élégie aux nymphes de Vaux* (1661), *Ode au roi pour M. Fouquet* (1663), poèmes de circonstance; *Contes et Nouvelles en vers* (1665 à 1674), récits licencieux en vers irréguliers; *les Amours de Psyché et de Cupidon* (1669), roman en prose et en vers. Ses *Fables* (12 livres parus de 1668 à 1694) ont immortalisé son nom. Il s'inspira surtout des Anciens (Ésope et Phèdre, notam.), mais il a totalement renouvelé le genre : la fable n'est plus la sèche démonstration d'une morale; c'est un court récit à l'intrigue rapide et vive. La souplesse et le naturel du style sont en réalité le fruit d'un grand travail où le poète a manifesté sa parfaite maîtrise de la langue et du vers. Acad. fr. (1683).

La Fontaine (Mlle Fontaine, dite de) (Paris, 1665 - id., 1738), danseuse française, la première à avoir dansé sur scène (auparavant, les rôles féminins étaient interprétés par des travestis).

Lafontaine (sir Louis-Hippolyte) (Boucherville, Québec, 1807 - Montréal, 1864), homme politique canadien. Il forma, avec Baldwin, le premier gouv. parlementaire du Canada (1842-1843, puis 1848-1851). Ce «grand ministère» prit d'importantes mesures visant à favoriser la libéralisation du régime et le développement écon. du pays.

La Force (Jacques Nompar de Caumont, duc de) (La Force, 1558 - Bergerac, 1652), maréchal de France. Compagnon d'Henri de Navarre, il se rebella contre Louis XIII, mais se soumit en échange du maréchalat. – **Henri** (La Force, 1582 - id., 1678), fils du préc., combattit Louis XIII avec son père, puis se soumit; au moment de la Fronde, il suivit un moment Condé, puis l'abandonna en 1652.

Laforgue (Jules) (Montevideo, 1860 - Paris, 1887), poète symboliste français; un des créateurs du vers libre : *les Complaintes* (1885), *Derniers Vers* (posth., 1890). Prose : *Moralités légendaires* (1887).

La Fresnaye (Roger de) (Le Mans, 1885 - Grasse, 1925), peintre français. La part la plus originale de son œuvre est d'inspiration cubiste.

La Galissonnière (Roland Michel Barrin, marquis de) (Rochefort, 1693 - Nemours, 1756), amiral français; gouverneur du Canada de 1747 à 1749. Pendant la guerre de Sept Ans, il vainquit devant Minorque l'escadre anglaise commandée par Byng (1756).

La Gardie (Magnus de), comte de Savensburg (Reval, 1622 - Vänngarn, 1686), homme politique suédois. Favori de la reine Christine, membre du conseil de régence de Charles XI, puis Premier ministre. Il tomba en disgrâce en 1680.

Lagash (auj. *Tell al-Hiba*, Irak), anc. cité-État de la basse Mésopotamie, fondée au IIIe millénaire av. J.-C. et dont les fouilles, entreprises en 1877, sont à l'orig. de la découverte de la civilisation sumérienne.

Lagerkvist (Pär) (Växjö, 1891 - Stockholm, 1974), écrivain suédois. Toute son œuvre est une approche angoissée du problème du mal : *le Nain* (1944), *Barabbas* (1950), *la Sibylle* (1956), romans; divers poèmes, drames et essais. P. Nobel 1951.

Lagerlöf (Selma Ottiliana Lovisa) (Mårbacka, 1858 - id., 1940), romancière suédoise. Son œuvre est directement inspirée des contes et des légendes de son pays : *la Saga de Gösta Berling* (1891), *les Liens invisibles* (1894), *le Merveilleux Voyage de Nils Holgersson à travers la Suède* (1906-1907). P. Nobel 1909.

Laghouat (*al-Agwāṭ*), v. d'Algérie, sur l'oued Mzi; ch.-l. de la wilaya du m. nom; 71 610 hab. Palmeraie.

Lagides, dynastie qui régna sur l'Égypte de 306 à 30 av. J.-C. Elle doit son nom au père de Ptolémée, Lagos, général d'Alexandre qui prit le titre de roi d'Égypte à la mort de ce dernier.

Lagny-sur-Marne, ch.-l. de cant. de Seine-et-Marne (arr. de Meaux), sur la Marne; 18 804 hab. Industries, notam. alimentaires. - Église Saint-Pierre (XIIIe s.), ancienne abbatiale.

lagomorphes n. m. pl. ZOOL Ordre de mammifères appelés naguère *rongeurs duplicidentés*, possédant deux incisives à chaque demi-mâchoire supérieure. *Les lièvres, les lapins sont des lagomorphes.* - Sing. *Un lagomorphe.*

lagon n. m. **1.** Étendue d'eau plus ou moins complètement isolée de la pleine mer par un récif corallien vivant. **2.** Lagune centrale d'un atoll.

lagopède n. m. ORNITH Oiseau galliforme (genre *Lagopus*) aux mœurs montagnardes, long de 35 à 40 cm, aux tarses emplumés, appelé aussi *perdrix des neiges.* - *Lagopède d'Écosse*, ou *grouse.*

Lagos, anc. cap. du Nigeria et port sur le golfe du Bénin; 1 097 000 hab. (env. 6 millions d'hab. pour l'aggl. urbaine). Les industr. sont concentrées sur le port d'*Apapa* : montage d'automobiles; industr. mécaniques, textiles et alimentaires; cimenterie; manuf. de cigarettes.

Lagoya (Alexandre) (Alexandrie, 1929), guitariste français d'origine égyptienne, soliste de notoriété internationale.

La Grange (Charles Varlet, sieur de) (Amiens, v. 1639 - Paris, 1692), comédien français de la troupe de Molière. Son *Registre* est riche de renseignements sur les origines de la Comédie-Française.

Lagrange (Joseph Louis, comte de) (Turin, 1736 - Paris, 1813), mathématicien et astronome français. Il créa la géométrie analytique et étudia le mouvement des planètes du système solaire. Il fut le premier à noter les fonctions dérivées. Œuvres : *Mécanique analytique* (1788), *Théorie des fonctions analytiques* (1797).

Lagrange (Albert, en relig. frère Marie Joseph) (Bourg-en-Bresse, 1855 - Saint-Maximin-la-Sainte-Baume, 1938), dominicain français, théologien et célèbre exégète; fondateur de l'École pratique d'études bibliques de Jérusalem (1890), devenue École archéologique française de Jérusalem en 1921, et de la *Revue biblique* (1892).

Lagrange (Léo) (Bourg-sur-Gironde, 1900 - au front à Évergnicourt, Aisne, juin 1940), homme politique français. Avocat, socialiste, premier secrétaire d'État aux Sports et aux Loisirs (1936-1938), il favorisa le développement du sport et du tourisme populaires en France.

laguiole [lajɔl; lagjɔl] n. m. **1.** Couteau fermant à manche de corne et à lame effilée. **2.** Variété de cantal de fabrication artisanale.

lagunaire adj. D'une lagune, de la nature des lagunes.

lagune n. f. Étendue d'eau de mer, séparée du large par une flèche de sable ou un cordon littoral. *La lagune de Venise.*

là-haut. V. là, sens V.

La Havane. V. Havane (La).

La Haye. V. Haye (La).

La Hire (Étienne de Vignolles, dit) (Castera-Vignolles, Gascogne, 1390 - Montauban, 1443), gentilhomme français. Compagnon d'armes de Jeanne d'Arc en 1429 (notam. à Orléans), il combattit les Anglais jusqu'à sa mort (campagne de Guyenne).

La Hire ou **La Hyre** (Laurent de) (Paris, 1606 - id., 1656), peintre de scènes historiques français.

Lahore, v. du Pākistān; ch.-l. du Pendjab; 2 922 000 hab. À côté des industr. traditionnelles (text., artisanat) se développent de nouvelles activités (prod. chim., constr. méca.). - Université. Beaux mon. de l'époque moghole (mosquée d'Aurangzeb, mosquée des Perles). Jardin de l'Amour (Chālīmār Bāgh).

Lahore : mosquée Baddachi, XVIIe s.

Lahti, v. de Finlande (län de Häme), sur le lac Vési; 93 400 hab. Fonderies, industr. du bois, industr. alim. et text.

1. lai n. m. LITTER Petit poème médiéval en vers octosyllabiques. *Les lais de Marie de France* (XIIe s.).

2. lai, laie adj. **1.** Vx Laïque. **2.** RELIG CATHOL *Frère lai, sœur laie :* frère convers, sœur converse.

laïc, laïque ou **laïque** [laik] n. et adj. **I.** n. Chrétien qui n'est ni clerc ni religieux. *Conseil des laïcs.* **II.** adj. **1.** Qui concerne la vie civile (par oppos. à *confessionnel, religieux*). *Habit laïque.* **2.** Qui n'a pas d'appartenance religieuse, qui est indépendant de toute confession. *École laïque :* école communale publique (par oppos. à *école confessionnelle*).

laïcat n. m. Didac. Ensemble des fidèles de l'Église catholique qui ne sont ni clercs ni religieux.

laîche ou **laiche** [lɛʃ] n. f. Plante monocotylédone, herbacée et vivace des lieux humides, dont les feuilles longues et coupantes fournissent un crin végétal. Syn. carex.

laïcisation n. f. Action de laïciser; son résultat.

laïciser v. tr. [1] Rendre laïque, ôter tout caractère religieux à. *Laïciser l'enseignement.*

laïcité n. f. **1.** Caractère laïque, non confessionnel. **2.** Principe de séparation des Églises et de l'État.

laid, laide adj. et n. **1.** Qui heurte le sens esthétique, qui est désagréable à la vue. *Ce tableau est bien laid.* – n. m. Ce qui est laid. *Le beau et le laid.* ▷ *Spécial.* (Personnes) Dont l'apparence du visage ou du corps cause une impression déplaisante; physiquement disgracié. – Subst. *Fi! le laid!* **2.** Qui choque en contrevenant aux bienséances ou à la probité. *C'est une laide action qu'il a faite là.*

laidement adv. **1.** D'une manière laide. **2.** D'une manière vile, indigne.

laideron n. m. Vx ou fam. Jeune fille ou jeune femme laide.

laideur n. f. Caractère de ce qui est laid (au phys. ou au moral).

1. laie [lɛ] n. f. Femelle du sanglier.

2. laie [lɛ] n. f. Chemin forestier rectiligne servant notam. à transporter les bois coupés.

3. laie ou **laye** [lɛ] n. f. MUS Boîte renfermant les soupapes des tuyaux d'orgue.

lainage n. m. **1.** Étoffe de laine. *Commerce des lainages.* ▷ Vêtement de laine. *Mettre un lainage.* **2.** Opération qui consiste à lainer un papier, un tissu.

laine n. f. **1.** Poil doux, épais et frisé, qui croît sur la peau des moutons et de quelques autres animaux (chèvres angora, lamas, chameaux, etc.), et que l'on utilise comme matière textile. *Filer la laine. Pelote de laine.* ▷ Loc. fig. *Se laisser manger la laine sur le dos :* tout supporter, ne pas savoir se défendre. **2.** Fam. Vêtement de laine. *Mettre une laine.* **3.** Fibres de différentes matières, utilisées généralement comme isolants thermiques ou phoniques. *Laine de verre,* constituée de fils de verre filé enchevêtrés. *Laine de laitier* ou *de roche* ou *minérale,* tirée du laitier de haut fourneau. **4.** BOT Duvet de certaines plantes.

lainer v. tr. [1] Faire ressortir le poil de (un tissu, un drap).

laineux, euse adj. **1.** Très fourni en laine, qui contient beaucoup de laine. *Étoffe laineuse.* **2.** Qui a l'aspect de la laine; qui est recouvert d'un duvet semblable à la laine. *Chevelure laineuse. Plante laineuse.*

Laing (Ronald David) (Glasgow, 1927 – Saint-Tropez, 1989), psychiatre écossais; fondateur avec D. Cooper de l'antipsychiatrie : *Raison et Violence* (1961), essai sur Sartre; *l'Équilibre mental, la folie et la famille* (1964); *le Moi divisé* (1979). Il a considéré la folie comme une «stratégie particulière [...] pour supporter une situation insupportable».

lainier, ère adj. et n. De la laine, relatif à la laine. *Industrie lainière.* ▷ Subst. Personne qui vend de la laine ou qui travaille la laine.

Laïos ou **Laïus,** roi légendaire de Thèbes, père d'Œdipe, qui le tua.

laïque. V. laïc.

laird [lɛʀd] n. m. Propriétaire d'un grand domaine, en Écosse.

laisse n. f. **1.** Lien servant à attacher, à conduire un chien, un petit animal. *Chien qui tire sur sa laisse.* ▷ Fig. *Mener, tenir qqn en laisse,* l'empêcher d'agir à sa guise, ne lui laisser aucune initiative. **2.** LITTER Couplet, suite de vers d'une chanson de geste, terminés par une même assonance. *Les laisses de la «Chanson de Roland».* **3.** MAR Limite atteinte par les eaux à l'étale de haute mer et à l'étale de basse mer. – Partie du rivage comprise entre ces limites. ▷ (Plur.) Débris (coquillages, algues, épaves) marquant la limite atteinte par les eaux à l'étale de haute mer.

laissé(e)-pour-compte ou **laissé(e) pour compte** adj. et n. **1.** Se dit d'une marchandise refusée par un client parce qu'elle ne répond pas aux stipulations fixées à la commande. ▷ n. m. *Le laissé-pour-compte. Des laissés-pour-compte.* **2.** (Choses ou personnes.) Dont personne ne veut, n'a voulu. *On ne l'invitait pas à danser, elle était laissée pour compte.* ▷ Subst. *Un(e) laissé(e)-pour-compte.*

laissées n. f. pl. VEN Fiente du sanglier.

laisser v. tr. [1] **I.** *Laisser qqn ou qqch.* **1.** Ne pas prendre (ce dont on peut disposer, ce que l'on pourrait s'attribuer). *Laisser du vin dans son verre.* ▷ *C'est à prendre ou à laisser :* c'est à accepter sans condition ou à refuser. **2.** Abandonner, quitter. ▷ Se séparer de (qqn, qqch qui reste dans un lieu dont on s'éloigne). *Je l'ai laissé chez lui. Laisser ses bagages à la consigne.* – *Laisser qqn derrière soi,* le devancer, le dépasser, et, fig., lui être supérieur. – *Laisser une route sur la droite, à droite :* prendre par la gauche, en sorte que cette route soit sur la droite. ▷ Abandonner involontairement, par oubli. *J'ai laissé mon parapluie dans le train.* ▷ Perdre (une partie du corps). *Il a laissé une jambe à la guerre.* – Fig., fam. *Laisser des plumes, des poils :* subir un dommage physique ou moral; spécial., subir une perte d'argent. – *Laisser la vie* (fam., *la peau*) : mourir. **3.** (En parlant d'une personne qui disparaît, relativement à celles qui survivent.) *Il laisse trois enfants en bas âge.* **4.** Continuer à faire sentir ses effets, laisser une trace, en parlant d'une cause qui a disparu. *Blessure qui laisse une profonde cicatrice. Voyage qui laisse de bons souvenirs.* ▷ (Personnes) *Laisser une bonne, une mauvaise impression. Ne laisser que des regrets.* **5.** Omettre de retirer, de supprimer. *Laisser des fautes dans un texte.* **II.** *Laisser (qqch, qqn)* + comp. déterminé par un adj., un attribut, une complétive : permettre à (qqn, qqch) de demeurer dans telle position, tel état. *Laisser qqn dans l'embarras. Laisser un champ en friche. Laisser qqn tranquille,* ne pas le déranger. – Loc. fam. *Laisser qqn en plan, en rade,* l'abandonner, le quitter, cesser de s'en occuper. ▷ *Absol.* Ne pas s'occuper de. *Laissez-moi. Laissez, cela ne vous regarde pas.* **III.** *Laisser (qqch, qqn) à (qqn).* **1.** Permettre à (qqn) de disposer de (qqch); ne pas enlever (qqn) à (qqn). *Laissez les places assises aux personnes âgées. Le jugement laisse les enfants à la mère.* **2.** Donner en garde, confier à. *Laissez les clés au gardien de l'immeuble.* – *Je lui ai laissé des instructions détaillées.* **3.** Abandonner entre les mains de, au profit de (qqn). *Laisser un pourboire au portier.* ▷ Céder (une marchandise). *Je vous laisse le lot pour dix francs.* **4.** Transmettre à (ses héritiers, des légataires), en vertu de la loi ou par disposition testamentaire. *Laisser sa fortune à ses enfants.* **IV. 1.** *Laisser* (+ inf.) Ne pas empêcher de. *Laissez les enfants jouer.* ▷ *Laisser voir :* montrer, découvrir. *L'échappée entre les collines laisse voir la mer.* – Fig. *Laisser voir sa pensée, ses sentiments,* ne pas les dissimuler. ▷ *Laisser tomber :* lâcher, ne pas retenir. *Il a laissé tomber la pile d'assiettes qu'il portait.* – Fig., fam. Abandonner (qqch, qqn). *Nous avons laissé tomber ce projet. Alors, on laisse tomber les copains?* ▷ Absol. *Laisser faire :* ne pas intervenir. **2.** *Laisser à* (+ inf.) *Laisser à penser :* donner matière à bien des réflexions. *Son attitude m'a laissé à penser.* – (Personnes) *Je vous laisse à penser si :* c'est à vous de juger, de décider si. ▷ *Laisser à désirer :* n'être pas entièrement satisfaisant. **3.** Litt. *Ne pas laisser de* ou *que de :* ne pas cesser de, ne pas s'abstenir de. *Il ne laissait pas de boire beaucoup.* ▷ (Choses) *Cela ne laisse pas d'être embarrassant :* c'est fort embarrassant. **V.** v. pron. *Se laisser* (+ inf.) **1.** (Indiquant que le sujet subit l'action sans pouvoir s'y opposer ou sans vouloir l'empêcher.) *Vous vous êtes laissé distancer par vos concurrents. Se laisser mourir de faim. Laissez-vous faire, laissez-vous tenter.* ▷ (Sujet n. de chose.) Fam. *Un livre qui se laisse lire,* qu'on lit avec plaisir. **2.** Loc. *Se laisser aller :* s'abandonner par manque d'énergie, ne pas faire d'effort pour surmonter les difficultés, les obstacles.

laisser-aller n. m. inv. Abandon dans les manières, les attitudes. *Le laisser-aller du repos, du sommeil.* ▷ Péjor. Manque de rigueur, négligence. *Nous ne pouvons tolérer aucun laisser-aller.*

laissez-faire ou **laisser-faire** n. m. inv. Attitude consistant à ne pas intervenir, notam. dans le domaine écon. *Ce laissez-faire a conduit à une catastrophe économique.* Ant. interventionnisme.

laissez-passer n. m. inv. **1.** Autorisation écrite de laisser une personne entrer, sortir, circuler. *Présenter un laissez-passer au poste de garde.* **2.** DR Titre de mouvement qui permet de transporter certaines marchandises (boissons, tabacs, etc.) soumises à des droits.

lait n. m. **1.** Liquide opaque, blanc, plus ou moins sucré, que sécrètent les glandes mammaires de la femme et des femelles des mammifères, et dont se nourrissent les bébés, les petits. *Frères* de lait.* ▷ Ce liquide, en tant qu'il est produit par les femelles des animaux domestiques et sert à l'alimentation humaine. *Lait de vache, de chèvre, de brebis.* – *Absol.* Lait de vache. *Acheter un litre de lait.* – *Lait concentré,* dont on a diminué le volume par évaporation. – *Lait en poudre :* extrait sec de lait, se présentant sous forme de fins granulés à dissoudre dans de l'eau. – *Lait de poule :* lait bouillant sucré, parfois aromatisé au rhum ou au cognac, auquel on a incorporé un jaune d'œuf ou un œuf entier battu. **2.** *Par anal.* Liquide ayant l'aspect du lait. *Lait démaquillant.* – *Lait de chaux :* chaux éteinte délayée dans de l'eau. – *Lait de coco :* albumen liquide, comestible, contenu dans la noix de coco immature. – *Lait végétal :* latex blanc sécrété par divers végétaux. – *Lait de jabot :* sécrétion du jabot de certains oiseaux, dont se nourrissent les jeunes.

laitage n. m. (Le plus souvent au plur.) *Les laitages :* le lait et les aliments tirés du lait (fromage, beurre, crème, etc.).

laitance ou **laite** n. f. Substance comestible constituée par le sperme des poissons.

laité, ée adj. Se dit d'un poisson mâle qui sécrète de la laitance. *Hareng laité.*

laiterie n. f. **1.** Lieu où l'on traite le lait, où l'on fait la crème, le beurre, le fromage. **2.** Vieilli Syn. de *crémerie.* **3.** Industrie du lait et de ses dérivés.

laiteron n. m. Plante des champs et des marais (fam. composées), appelée aussi *laceron* et *lait d'âne,* dont la tige laisse écouler un lait lorsqu'on la casse.

laiteux, euse adj. Qui a la couleur, l'aspect du lait.

laitier, ère adj. et n. **I. 1.** adj. Du lait, relatif au lait. *L'industrie laitière.* – *Vache laitière :* vache élevée pour son lait. – *Fromage laitier :* fromage fabriqué en laiterie (par oppos. à *fermier*). **2.** n. Personne qui fait commerce du lait et des produits laitiers. ▷ n. m. Agriculteur spécialisé dans la production de lait. – Industriel de la laiterie. **II.** n. m. Silicate de calcium et d'aluminium, qui se forme dans les hauts fourneaux par réaction entre la gangue, le fondant et le coke. *Le laitier est utilisé dans la fabrication du ciment.*

laiton n. m. Alliage, ductile et malléable, de cuivre, de zinc (5 à 42 %) et parfois d'autres métaux (fer, plomb, aluminium, etc.), appelé cour. *cuivre jaune.*

laitue n. f. Plante herbacée (fam. composées) à larges feuilles irrégulièrement découpées et s'enveloppant les unes les autres, dont plus. variétés sont cultivées pour être consommées crues en salade, ou cuites. *Salade de laitue.* ▷ *Laitue de mer :* V. ulve.

laïus [lajys] n. m. Fam. Discours, exposé oral ou écrit, généralement long et sans grand intérêt.

laïusser [lajyse] v. intr. [1] Fam. Faire un laïus.

laize n. f. **1.** Largeur d'une étoffe entre les deux lisières. Syn. lé. **2.** MAR Bande de toile d'une voile.

Lajtha (László) (Budapest, 1892 - id., 1963), compositeur et ethnomusicologue hongrois. Il puisa dans le folklore de son pays.

Lakanal (Joseph) (Serres, comté de Foix, 1762 - Paris, 1845), homme politique français. Membre de la Convention, puis du Conseil des Cinq-Cents, il fit adopter de nombreuses lois sur l'instruction publique.

Lake Placid, v. des É.-U. (N. de l'État de New York), à 568 m d'alt.; 3 000 hab. Site des J.O. d'hiver en 1932 et 1980.

Lakhdaria ou **Al-Akhdaria** *(al-Aḫdariyya)* (anc. *Palestro*), v. d'Algérie (wilaya de Tizi Ouzou); 41 400 hab. À proximité, célèbres gorges.

lakiste n. et adj. LITTER Se dit des poètes anglais de la fin du XVIIIe et du début du XIXe s., qui habitaient ou fréquentaient le district des lacs du N.-O. de l'Angleterre (notam. Wordsworth et Coleridge).

Laksha Dvīpa, territoire indien (32 km²) de la mer d'Oman, à 300 km à l'E. de la côte de Malabār; 40 000 hab.; ch.-l. *Kavaratti.* Ce territ. se compose de l'archipel des Laquedives (en sanscrit *Laksha divi*), des îles Minicoy au sud et d'Amindivi au nord.

La Lande. V. Delalande.

La Laurencie (Lionel de) (Nantes, 1861 - Paris, 1933), musicologue français : *l'École française de violon de Lully à Viotti* (3 vol., 1922, 1923, 1924).

Lalibela (anc. *Roha*), v. d'Éthiopie (prov. de Wollo). – Ville sainte pour les chrétiens d'Éthiopie, elle prit le nom de son fondateur qui y fit construire de nombr. couvents, dont il reste douze églises monolithes.

Lalibela (1172 - 1212), roi d'Éthiopie de la dynastie Lagoué; canonisé par l'Église éthiopienne.

-lalie, lalo-. Éléments, du gr. *lalein,* « parler ».

Lalique (René) (Ay, Marne, 1860 - Paris, 1945), sculpteur et verrier d'art français, représentant de l'art nouveau. Il utilisa le verre en architecture et en décoration.

Lalique : vase serpent, verre ambre jaune, v. 1925; coll. part.

lallation n. f. **1.** Syn. de *lambdacisme.* **2.** Émission par l'enfant de sons dépourvus de signification, reproduisant les bruits qu'il perçoit, lors de la période prélinguistique de l'acquisition du langage.

Lallemand (André) (Cirey-lès-Pontailler, Côte-d'Or, 1904 - Paris, 1978), astrophysicien français. Il mit au point le télescope électronique (tube à vide muni d'une plaque photoélectrique).

Lally (Thomas Arthur, baron de Tollendal, comte de) (Romans, Drôme, 1702 - Paris, 1766), officier français d'origine irlandaise. Commandant des Établissements français de l'Inde (1758), il combattit avec acharnement les Anglais mais fut vaincu à Madras et capitula à Pondichéry (1761). Rappelé à Paris, il fut condamné à mort pour trahison. Son fils Gérard, aidé par Voltaire, obtint la révision du jugement (1783).

Lalo (Édouard) (Lille, 1823 - Paris, 1892), compositeur français. Son œuvre prolonge le romantisme : *Symphonie espagnole* (1875), *Rhapsodie norvégienne* (1879), *Namouna* (ballet, 1882), *le Roi d'Ys* (opéra, 1888).

Lam (Wifredo) (Sagua la Grande, 1902 - Paris, 1982), peintre cubain. Son œuvre mêle surréalisme et références aux cultures africaine et latine.

1. lama n. m. Mammifère ruminant (*Lama glama,* fam. camélidés), à long cou et hautes pattes, des régions montagneuses d'Amérique du Sud, domestiqué pour sa toison laineuse et utilisé comme animal de bât.

lama

2. lama n. m. Religieux bouddhiste du Tibet et de la Mongolie. V. dalaï-lama.

lamaïsme n. m. Didac. Forme originale du bouddhisme, tel qu'il s'est développé au Tibet et en Mongolie.

lamaïste n. m. Didac. Adepte du lamaïsme.

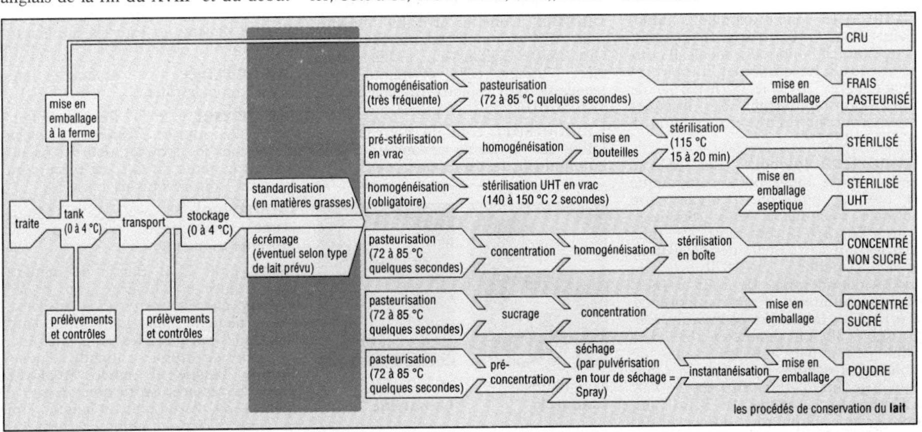

les procédés de conservation du **lait**

lamantin d'Amérique du Nord

Lamalou-les-Bains, com. de l'Hérault (arr. de Béziers); 2 220 hab. Stat. thermale (maladies nerveuses).

lamantin n. m. Mammifère aquatique herbivore (genre *Manatus*, ordre des siréniens) au corps gris massif (500 kg pour 3 m de longueur), qui vit dans les embouchures des fleuves des régions tropicales.

La Marche (Olivier de) (chât. de La Marche, Franche-Comté, v. 1426 - Bruxelles, 1502), poète et chroniqueur français de la cour de Bourgogne : *Mémoires* (sur la période 1435-1488).

La Marck (Guillaume de), surnommé *le Sanglier des Ardennes* (Sedan, 1446 - Maastricht, 1485), allié de Louis XI qui souleva les Liégeois contre le duc de Bourgogne. Livré à Maximilien d'Autriche, il fut décapité.

Lamarck (Jean-Baptiste Pierre de Monet, chevalier de) (Bazentin, Picardie, 1744 - Paris, 1829), naturaliste français; professeur de zoologie des invertébrés au Muséum en 1793 : *la Flore française* (1778), *Philosophie zoologique* (1809), *Histoire naturelle des animaux sans vertèbres* (1815-1822).

lamarckisme n. m. Didac. Théorie constituée par l'ensemble des idées de Lamarck sur l'évolution des êtres vivants.
ENCYCL Le lamarckisme est à la base du *transformisme*, mais il s'oppose au *darwinisme*, car il considère que les divers caractères qu'une espèce acquiert au cours d'une génération, par suite des influences du milieu de vie, sont transmis à la génération suivante. Cette hypothèse est en contradiction avec les découvertes de la génétique moderne (mutations, notamment), mais le *néo-lamarckisme* demeure vivace.

La Marmora (Alfonso Ferrero, marquis de) (Turin, 1804 - Florence, 1878), général piémontais et homme politique italien. Au service de Victor-Emmanuel, il développa l'armée, instrument de l'unité italienne. Ministre des Affaires étrangères, il conclut un accord avec la Prusse contre l'Autriche (1866).

Lamarque (Jean Maximilien, comte) (Saint-Sever, 1770 - Paris, 1832), général et homme politique français. Il combattit sous la Révolution et l'Empire, et devint, après 1815, le porte-parole de l'opposition républicaine. Ses obsèques furent l'occasion d'une insurrection (5 et 6 juin 1832).

Lamartine (Alphonse de) (Mâcon, 1790 - Paris, 1869), poète romantique et homme politique français. Son enfance s'écoula à Milly (Saône-et-Loire). En 1816, il rencontra Mme Julie Charles, qui sera l'Elvire des *Méditations poétiques*, publiées en 1820 avec un succès considérable. De 1825 à 1828, chargé d'affaires de France à Florence, il écrivit les *Harmonies poétiques et religieuses* (1830). Élu député en 1833, il se rallia peu à peu à la monarchie de Juillet. Ses poèmes *Jocelyn* et *la Chute d'un ange* furent édités en 1836 et 1838. L'*Histoire des Girondins* (1847) lui valut une grande popularité. Ministre des Affaires étrangères en 1848 et, durant les premiers mois de la révolution, véritable chef du gouvernement provisoire, il cautionna, lors des journées de juin, les mesures répressives, et son échec écrasant aux élections présidentielles du 10 déc. 1848 mit fin à sa carrière politique. Ruiné, endetté, il rédigea des récits autobiographiques (*les Confidences*, 1849; *les Nouvelles Confidences*, 1851) et un *Cours familier de littérature* (1856-1869). Il mourut dans l'indifférence. Acad. fr. (1829).

lamaserie n. f. Couvent de lamas, au Tibet.

Lamb (Charles) (Londres, 1775 - Edmonton, 1834), poète, dramaturge et essayiste anglais, spécialiste des élisabéthains : *Contes tirés de Shakespeare* (en collab. avec sa sœur Mary, 1807). À partir de 1823, il publie des *Essais* sous le pseudonyme d'*Elia*.

Lamb (Willis Eugene) (Los Angeles, 1913), physicien américain; connu pour ses travaux sur le moment magnétique de l'électron et sur les raies de l'hydrogène. P. Nobel 1955.

Lamballe, ch.-l. de cant. des Côtes-d'Armor (arr. de Saint-Brieuc); 10 346 hab. Abattoirs; industr. alim. - Égl. goth. N.-D. (XIIe-XIVe s.). Anc. prieuré (XIe-XVIe s.). Vieilles maisons. - Anc. cap. du comté de Penthièvre.

Lamballe (Marie-Thérèse de Savoie-Carignan, princesse de) (Turin, 1749 - Paris, 1792), amie fidèle de Marie-Antoinette. Enfermée à la prison de la Force, elle périt lors des massacres de Septembre. Sa tête fut portée sous les fenêtres de la reine au Temple.

Lambaréné, ville du Gabon sur l'Ogooué; 24 000 hab.; ch.-l. de rég. Centre médical fondé par le docteur Schweitzer.

lambda n. m. et adj. inv. **1.** n. m. Onzième lettre de l'alphabet grec (Λ, λ) équivalant à notre l. ▷ PHYS λ : symbole de la longueur d'onde. **2.** PHYS NUCL Particule de la famille des hypérons. **3.** adj. inv. Fam. Quelconque, moyen. *Le citoyen lambda n'est pas touché par cette mesure.*

lambdacisme [lɑ̃bdasism] n. m. Didac. Trouble de la prononciation touchant électivement la consonne l (mouillure fautive, bégaiement, substitution du l au r). Syn. lallation.

lambeau n. m. **1.** Morceau déchiré d'une matière souple et mince. *Lambeau d'étoffe. Mettre une affiche en lambeaux.* - *Des lambeaux de chair.* **2.** Fig. Fragment, débris. *Lambeau de territoire.*

Lamber (Juliette, Mme La Messine, puis Mme Edmond Adam) (Verberie, Oise, 1836 - Callian, Gers, 1936), romancière (*Païenne*, 1883) et mémorialiste française. Son «salon» fut célèbre de 1870 à 1914.

Lambersart, com. du Nord (arr. de Lille), sur la Deûle canalisée; 28 805 hab. Industr. textiles; papeterie.

Jean-Baptiste **Lamarck**

Alphonse de **Lamartine**

Lambert (Anne Thérèse de Marguenat de Courcelles, marquise de) (Paris, 1647 - id., 1733), femme de lettres française. Initiatrice des salons philosophiques du XVIIIe s., elle reçut Fénelon, Fontenelle, Montesquieu, etc.

Lambert (Jean Henri) (Mulhouse, 1728 - Berlin, 1777), mathématicien, physicien, philosophe et érudit français qui vécut en Allemagne; connu pour avoir démontré l'incommensurabilité du nombre π et étudié la trigonométrie sphérique et l'optique. ▷ TECH *Système de projection Lambert* : méthode de projection couramment utilisée pour établir des cartes géographiques. - *Coordonnées Lambert* : coordonnées relatives à cette représentation. - *Nord Lambert* : direction du méridien central, passant par le point de tangence.

Lambert (hôtel), hôtel bâti à Paris, dans l'île Saint-Louis, par Le Vau (1640-1642) et décoré de peintures exécutées par Le Brun et Lesueur.

Lambèse. V. Tazoult.

Lambeth, quartier de Londres séparé de Westminster par la Tamise. - Palais de l'archevêque de Canterbury, dans lequel se tiennent, tous les dix ans depuis 1867, les *conférences de Lambeth*, réunissant les évêques anglicans; les débats et décisions de ces conférences ont une grande importance dans la vie de l'Église d'Angleterre.

lambic ou **lambick** [lɑ̃bik] n. m. Bière belge (appelée aussi *gueuse*, *gueuze* ou *gueuze-lambic*) fabriquée avec du malt et du froment sans addition de levure.

lambin, ine n. et adj. Fam. Personne qui agit habituellement avec lenteur et indolence. *Presse-toi un peu, lambin!* ▷ adj. *Être très lambin.*

lambiner v. intr. [1] Fam. Agir avec lenteur, indolence.

lamblia n. m. MED Protozoaire parasite de l'intestin, appelé aussi *giardia*.

lambliase n. f. MED Infection intestinale due à un lamblia.

lambourde n. f. **1.** CONSTR Pièce de bois qui supporte les lames d'un parquet. **2.** ARBOR Rameau gros et court, terminé par un bouton à fruit.

lambrequin n. m. Bande d'étoffe garnie de franges, de glands, etc., décorant un ciel de lit, un dais. ▷ Plaque de bois ou de tôle, découpée à jour, qui couronne un pavillon, une fenêtre, etc.

lambris [lɑ̃bʀi] n. m. Revêtement de menuiserie (ou, plus rarement, de marbre, de stuc, etc.) sur les parois intérieures d'une pièce.

lambrissage n. m. Action de lambrisser; son résultat.

lambrisser v. tr. [1] Revêtir de lambris. - Pp. adj. *Pièce lambrissée* : pièce située sous les combles, dont les parois suivent la pente du toit; cour. pièce dont les murs sont revêtus de boiseries.

lambswool [lɑ̃bzwul] n. m. (Anglicisme) Laine légère; tricot ou tissu fabriqué avec cette laine.

lame n. f. **I. 1.** Bande de matière dure, mince et allongée. *Lame de fer, d'argent. Lame de parquet, de persienne, etc.* : planche, planchette dont sont formés les parquets, les persiennes, etc. - *Lame de ressort* : bande d'acier trempé, longue et mince, employée dans les ressorts de flexion. *Ressort à lames.* ▷ ANAT Partie plate et longue d'un os. *Lame criblée de l'ethmoïde. Lame ver-*

tébrale. ▷ BOT Chacun des feuillets disposés radialement sous le chapeau de certains champignons. Syn. lamelle. **2.** Partie tranchante d'un instrument destiné à couper, tailler, gratter ou percer. *Lame de ciseaux, de couteau, d'épée.* ▷ Fig. *Une bonne, une fine lame :* un escrimeur habile. **II.** Masse d'eau déplacée par le vent à la surface de la mer, vague forte et bien formée. – *Lame de fond :* lame beaucoup plus grosse que les autres, qui surgit inopinément (souvent due à des phénomènes de réfraction de la houle sur un haut-fond).

lamé, ée adj. et n. m. Se dit d'une étoffe de laine ou de soie entremêlée de fils d'or, d'argent, de métal brillant. ▷ n. m. Cette étoffe elle-même. *Robe en lamé.*

La Meilleraye (Charles de La Porte, duc de) (Paris, 1602 – id., 1664), maréchal de France et surintendant des Finances (1648-1649). Cousin de Richelieu, il se distingua pendant la guerre de Trente Ans.

lamellaire adj. Qui, par sa structure, peut se diviser en lames, en lamelles. ▷ *Cassure lamellaire,* qui présente des facettes brillantes.

lamelle n. f. Petite lame, tranche très mince. ▷ BOT Syn. de *lame.* – *Champignons à lamelles :* groupe de basidiomycètes supérieurs (agarics, etc.) dont l'hyménium est porté par des lamelles disposées radialement sous le chapeau. – *Lamelle moyenne :* mince couche de matière pectique liant deux cellules contiguës.

lamellé, ée adj. et n. m. Qui est constitué de lamelles. ▷ n. m. TECH *Lamellé collé :* matériau constitué de lamelles de bois collées entre elles, utilisé notam. en charpente pour les arcs de longue portée.

lamelleux, euse adj. Qui a une structure en lamelles, en feuillets. *L'ardoise est une roche lamelleuse.*

lamellibranches n. m. pl. ZOOL Classe de mollusques aquatiques à coquille, à branchies en lamelles recouvertes de cils vibratiles et qui comprend les huîtres, les moules, les coques, etc. – Sing. *Un lamellibranche.*

lamellicornes n. m. pl. ENTOM Groupe de coléoptères à antennes courtes terminées par un groupe de lamelles pouvant s'écarter comme un éventail, qui comprend les scarabées, les hannetons, etc. – Sing. *Un lamellicorne.*

lamelliforme adj. Qui a la forme d'une lamelle.

La Mennais puis **Lamennais** (Félicité Robert de) (Saint-Malo, 1782 – Paris, 1854), prêtre et écrivain français. Ultramontain, il critiqua l'université napoléonienne et le gallicanisme dans son *Essai sur l'indifférence en matière de religion* (1817-1823), puis fonda un journal, *l'Avenir* (1830-1831), dans lequel les chrétiens libéraux demandaient la séparation de l'Église et de l'État. Rome condamna cette entreprise (1832), et *les Paroles d'un croyant* (1834) consommèrent la rupture de La Mennais avec l'Église. Il professa alors un humanitarisme socialiste (élection en 1848 à l'Assemblée constituante, création du journal *le Peuple constituant*). – **Jean-Marie** (Saint-Malo, 1780 – Ploërmel, 1860), frère aîné du préc., prêtre lui aussi; fondateur de diverses congrégations enseignantes : Filles de la Providence de Saint-Brieuc; Frères de l'Instruction chrétienne, dits « de Ploërmel »; Prêtres de Saint-Méen.

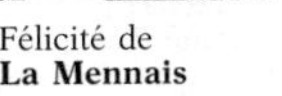

Félicité de **La Mennais**

Pierre Simon de **Laplace**

lamentable adj. **1.** Litt. Déplorable, navrant, qui mérite d'être pleuré. *Une mort lamentable.* **2.** Qui excite la pitié par sa médiocrité. *Un spectacle lamentable.*

lamentablement adv. D'une manière lamentable.

lamentation n. f. **1.** Plainte accompagnée de gémissements et de cris, exprimant une grande douleur. **2.** Plainte bruyante et ostentatoire, récrimination geignarde.

lamenter (se) v. pron. [1] Se plaindre, se désoler à grand bruit; gémir. ▷ Fig. *Le vent qui se lamente à la cime des pins.*

Lamentin, ch.-l. de cant. de la Guadeloupe (arr. de Basse-Terre); 11 429 hab.

Lamentin (Le), ch.-l. de cant. de la Martinique, sur la riv. Lézarde; 30 596 hab. – Prod. pharm.; éditions; industries alim. – Aéroport.

lamento [lamento] n. m. MUS Morceau d'un caractère triste, plaintif.

Lameth (Alexandre) (Paris, 1760 – id., 1829), général et homme politique français. Il émigra avec La Fayette après le 10 août 1792 et fut interné par les Autrichiens. Rentré en France (1800), il fit une carrière administrative.

La Mettrie (Julien Offroy de) (Saint-Malo, 1709 – Berlin, 1751), médecin et philosophe matérialiste français. Après la publication de son *Histoire naturelle de l'âme* (1745), dont les thèses mécanistes firent scandale, il dut s'expatrier à la cour de Frédéric II de Prusse.

Lamezia Terme, ville d'Italie (Calabre), sur la mer Tyrrhénienne; 66 130 hab. Sucrerie.

Lamía, v. de Grèce (Thessalie), près des Thermopyles; ch.-l. du nome de Phthiotide; 42 000 hab.

lamiaque adj. De Lamía. – *Guerre lamiaque :* guerre que les Athéniens et leurs alliés soutinrent contre Antipatros, gouverneur de Macédoine, qu'ils assiégèrent en vain dans Lamía; elle se termina par la défaite des Athéniens en Thessalie, à Crannon (322 av. J.-C.), et par la soumission d'Athènes.

lamie n. f. **1.** MYTH Monstre à buste de femme et à corps de serpent, qui passait pour dévorer les enfants. **2.** ZOOL Requin (genre *Lamia*), long de 3 à 4 m, commun dans les mers d'Europe. Syn. taupe, touille.

lamier n. m. Plante herbacée (fam. labiées) à feuilles opposées, commune dans les champs et les bois, appelée improprement, selon les espèces, ortie blanche, jaune ou rouge.

lamifié, ée n. m. et adj. Matériau obtenu par pressage de feuilles ou de fibres (verre, tissu, bois, papier) imprégnées de résine (opération de *lamification*). *Les lamifiés, qui résistent parfaitement à l'humidité, sont employés dans l'aménagement des cuisines, salles d'eau,* etc. ▷ adj. *Du papier lamifié.* Syn. stratifié.

laminage n. m. Action de laminer; son résultat.

1. laminaire n. f. BOT Algue brune dont le thalle, en forme de ruban, peut atteindre plusieurs mètres de long. ▶ illustr. algues

2. laminaire adj. **1.** MINER Composé de lames parallèles. **2.** PHYS *Écoulement, régime laminaire,* dans lequel les diverses couches d'un fluide glissent les unes sur les autres sans se mélanger (par oppos. à *turbulent*).

Lamine bey (?, 1882 – Tunis, 1962), dernier bey de Tunis (1943-1957), descendant des Husaynides.

laminer v. tr. [1] **1.** Réduire la section de (une pièce de métal) en la faisant passer au laminoir. **2.** Fig. Réduire à l'extrême, écraser. *L'augmentation des prix de revient lamine les bénéfices.*

laminoir n. m. Machine composée de cylindres tournant en sens inverse, entre lesquels on fait passer une masse métallique pour en réduire la section, et lui donner éventuellement un profil particulier. ▷ Fig. *Passer au laminoir :* soumettre à de dures épreuves.

Lamizana (Sangoulé) (Tounga, 1916), homme politique voltaïque. Général, il s'empara en 1966 du pouvoir, qu'il exerça, comme président de la Rép., jusqu'à son renversement, en 1980.

Lamoignon (Guillaume Ier de) (Paris, 1617 – id., 1677), magistrat français; premier président du parlement de Paris (1658). Il se montra impartial lors du procès de Fouquet. – **Guillaume II** (Paris, 1683 – id., 1772), petit-fils du préc.; chancelier de France sous Louis XV. Père de Malesherbes.

Lamoricière (Christophe Louis Léon Juchault de) (Nantes, 1806 – près d'Amiens, 1865), général et homme politique français. Il s'illustra en Algérie, où il vainquit Abd el-Kader. Ministre de la Guerre en juin 1848, il fut banni pour son opposition au Second Empire (1852). Au service du pape, qui le plaça à la tête des troupes pontificales, il fut battu par les Piémontais à Castelfidardo (1860).

La Mothe le Vayer (François de) (Paris, 1588 – id., 1672), écrivain et philosophe sceptique français; précepteur du dauphin et historiographe de France : *Vertu des païens* (1641, attaque contre le jansénisme), *Petits Traités en forme de lettres* (1648-1660), *Soliloques sceptiques* (1670). Acad. fr. (1639).

La Motte (Jeanne de Saint-Rémy, comtesse de) (Fontette, Languedoc, 1756 – Londres, 1791), aventurière française. Impliquée dans l'affaire du Collier de la reine, elle fut écrouée, s'évada et se réfugia à Londres.

Lamotte-Beuvron, ch.-l. de cant. de Loir-et-Cher (arr. de Romorantin-Lanthenay), sur le Beuvron; 4 296 hab. – Château (XVIe-XVIIIe s.).

La Motte-Fouqué (Friedrich, baron de) (Brandebourg, 1777 – Berlin, 1843), écrivain allemand; auteur de drames romantiques et d'un conte : *Ondine* (1811).

La Motte-Houdar. V. Houdar de La Motte.

La Motte-Picquet (Toussaint Guillaume, comte Picquet de La Motte, dit de) (Rennes, 1720 – Brest, 1791), amiral français. Chef d'escadre, il se distingua contre les Anglais à la Martinique (1779) et fut nommé lieutenant général des armées navales (1781).

Lamour (Jean) (Nancy, 1698 – id., 1771), ferronnier français; auteur des grilles de la place Stanislas à Nancy. ▶ illustr. **Nancy**

Lamourette (Adrien) (Frévent, 1742 – Paris, 1794), homme politique français, évêque constitutionnel de Rhône-et-Loire (1791). Député à la Législative, il réconcilia (face à l'invasion) les membres de cette assemblée, qui s'embrassèrent (*baiser Lamourette*, 7 juil. 1792).

Lamoureux (Charles) (Bordeaux, 1834 – Paris, 1899), violoniste et chef d'orchestre français. Il fonda en 1881 les *Nouveaux Concerts*, qui devinrent les *Concerts Lamoureux*.

lampadaire n. m. **1.** Support vertical d'un système d'éclairage. **2.** Ensemble formé par un système d'éclairage et son support qui repose par terre. *Lampadaire de rue, d'appartement.*

Lampang, v. de la Thaïlande (région Nord); 47 490 hab.; ch.-l. de la prov. du même nom.

lampant, ante adj. *Pétrole lampant :* pétrole raffiné destiné à être utilisé pour l'éclairage.

lamparo n. m. Rég. (Midi) Syn. de *pharillon.*

lampas [lɑ̃pa; lɑ̃pas] n. m. Étoffe de soie à grands dessins en relief.

lampe n. f. **1.** Ustensile d'éclairage brûlant un combustible liquide ou gazeux. *Lampe à huile, à pétrole, à acétylène.* – *Lampe-tempête,* dont la flamme est protégée du vent par un globe de verre. **2.** Appareil d'éclairage utilisant l'électricité. *Lampe électrique, lampe de poche.* ▷ *Spécial.* Source lumineuse d'un tel appareil. *Lampe à incandescence,* dans laquelle la lumière est fournie par un filament porté à incandescence. *Lampe à luminescence* ou *à décharge,* dans laquelle la lumière est fournie par la décharge d'un courant électrique dans un gaz rare (néon, argon, etc.) ou dans les vapeurs d'un métal (sodium ou mercure). *Lampe (à) halogène :* lampe à incandescence contenant des vapeurs d'iode ou de brome qui réduisent le noircissement de l'ampoule. *Lampe à fluorescence :* lampe à vapeur de mercure dont la paroi interne est revêtue de substances fluorescentes. **3.** Appareil dont la flamme sert à fournir de la chaleur. *Lampe à alcool. Lampe à souder.* **4.** Tube électrique ou électronique, utilisé pour redresser les courants, amplifier des signaux, produire des rayonnements, etc. **5.** Loc. fig., fam. *S'en mettre plein la lampe :* manger et boire copieusement.

Lampedusa, île italienne (prov. d'Agrigente), entre Malte et la Tunisie; 20 km².

Lampedusa. V. Tomasi di Lampedusa.

lampée n. f. Fam. Grande gorgée d'un liquide que l'on avale d'un trait.

lamper v. tr. [1] Fam. Boire d'un trait ou à grands traits.

lampion n. m. **1.** Petit récipient dans lequel on fait brûler une matière combustible avec une mèche, et qui sert pour les illuminations. ▷ *Demander, réclamer sur l'air des lampions,* en scandant en trois temps le mot de circonstance (par allus. au cri «Des lampions!», par lequel le peuple de Paris réclamait en 1827 un meilleur éclairage de la voirie). **2.** Mod. Lanterne* vénitienne.

lampiste n. m. **1.** Personne chargée de l'entretien des appareils d'éclairage (notam., dans une gare, dans un théâtre). **2.** Fig. Employé subalterne. ▷ Subordonné sur lequel ses chefs font retomber la responsabilité de leurs fautes. *Nous devons punir les vrais responsables, pas les lampistes.*

lamproie n. f. Vertébré aquatique (cyclostome*) à allure de poisson, caractérisé par un disque buccal suceur, un corps allongé et sept paires d'orifices branchiaux visibles.

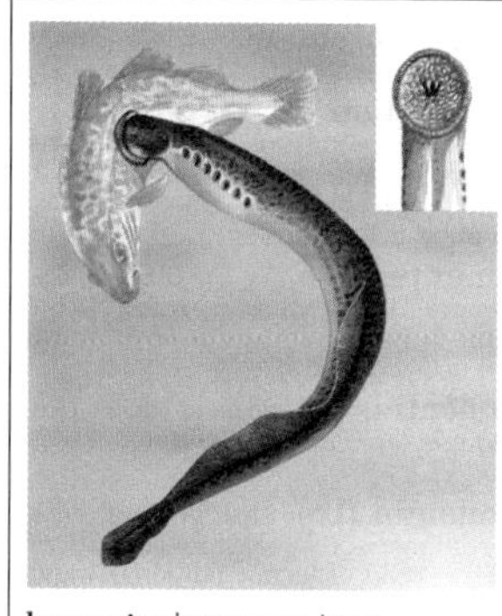

lamproie s'attaquant à un cabillaud; à dr. son disque suceur

Lampsaque (auj. *Lapseki,* en Turquie), anc. v. d'Asie Mineure (Mysie), sur l'Hellespont.

lampyre n. m. ENTOM Insecte coléoptère (genre *Lampyrus*) dont la femelle, dépourvue d'ailes, est le ver luisant.

Lamy (François Joseph) (Mougins, 1858 – Kousseri, Soudan, 1900), officier et explorateur français; tué au Soudan lors de l'expédition Foureau.

län [lɛn] n. m. inv. Division administrative de la Suède et de la Finlande.

lampyres : le mâle (en haut) et la femelle dont l'abdomen relevé laisse voir les organes lumineux

Lanaudière, région admin. du Québec au nord est de Montréal; 220 000 hab. V. princ. *Joliette* et *Repentigny.*

Lancashire, comté du N.-E. de l'Angleterre («comté de Lancastre») densément peuplé; 3 043 km²; 1 365 100 hab.; ch.-l. *Preston;* v. princ. *Manchester* et *Liverpool.* L'une des plus import. et des plus anc. régions industr. de G.-B., dont les activités, longtemps axées sur le travail du coton, se sont diversifiées.

Lancaster, v. et port du N.-E. de l'Angleterre, sur l'estuaire de la Lune; 125 600 hab. Université. Industr. métall. et textiles.

Lancastre (maison de), famille anglaise issue de Jean de Gand (1340-1399), quatrième fils d'Édouard III, rivale victorieuse de la maison d'York dans la guerre des Deux-Roses (ses armes portaient une rose rouge). Elle donna trois rois à l'Angleterre : Henri IV, Henri V et Henri VI.

Lancastre (Jean de). V. Bedford.

lance n. f. **1.** Anc. arme offensive à longue hampe et à fer pointu. ▷ *Fer de lance :* pointe, fer d'une lance; fig. élément offensif d'un dispositif militaire, et, par ext., partie la plus combative, la plus productive d'une collectivité, d'une corporation. *L'industrie automobile est le fer de lance de notre économie.* ▷ Loc. fig. *Rompre une lance* ou *des lances (avec* ou *contre qqn) :* disputer contre qqn, avoir avec lui une controverse assez vive. **2.** *Lance d'incendie* ou, absol., *lance :* appareil constitué d'un embout ajusté à un tuyau, permettant de projeter de l'eau sous pression sur un foyer d'incendie.

lancé, ée adj. Qui a atteint une certaine notoriété; qui a ses entrées dans le monde. *Un artiste lancé.*

lancée n. f. (En loc.) *Sur sa lancée :* sur son élan. *Courir, continuer sur sa lancée.* – Fig. *Il voulait améliorer le texte et, sur sa lancée, il l'a récrit entièrement.*

lance-flammes n. m. inv. Arme portative projetant un jet de liquide enflammé (hydrocarbure gélifié).

lance-fusées n. m. inv. Syn. de *lance-roquettes.*

lance-grenades n. m. inv. Arme servant à lancer des grenades. – (En appos.) *Fusil lance-grenades.*

Lancelot (dom Claude) (Paris, v. 1615 – Quimperlé, 1695), religieux janséniste et grammairien français; auteur avec Arnauld, à Port-Royal, de la *Grammaire générale et raisonnée,* dite *de Port-Royal* (1660).

Lancelot du Lac, personnage du roman breton, il est l'image du chevalier courtois par excellence. Sa passion pour Guenièvre, épouse du roi Arthur, lui fait accomplir maints exploits narrés notam. dans *Lancelot ou le Chevalier à la charrette* (v. 1170) de Chrétien de Troyes.

lancement n. m. **1.** Action de lancer. *Le lancement du disque.* **2.** Mise à l'eau d'un navire par glissement sur le plan incliné où il a été construit. **3.** Ensemble des opérations consistant à faire quitter le sol à un engin spatial. **4.** TRAV PUBL Opération qui consiste à faire avancer le tablier d'un pont en construction au-dessus de l'obstacle à franchir. **5.** Mise sur le marché d'un produit, d'un objet commercial; campagne publicitaire qui l'accompagne.

lance-missiles n. m. inv. Engin spécialement conçu pour le tir de missiles. – (En appos.) *Sous-marin lance-missiles.*

lancéolé, ée adj. **1.** BOT En forme de fer de lance. *Feuille lancéolée.* **2.** ARCHI *Gothique lancéolé,* caractérisé par l'arc en lancette.

lance-pierres n. m. inv. Fronde d'enfant, support à deux branches garni de deux élastiques reliés par une pochette de cuir dans laquelle on place les pierres à lancer. ▷ Loc. fig., fam. *Manger avec un lance-pierres,* très vite. – *Payer quelqu'un avec un lance-pierres,* très peu.

1. lancer v. [12] **I.** v. tr. **1.** Jeter avec force loin de soi (avec la main ou au moyen d'un instrument). *Lancer une balle, des pierres, des flèches.* ▷ Fig. *Lancer un regard de colère.* **2.** Porter vivement (un coup) dans une certaine direction. *Lancer une ruade.* – Émettre avec intensité ou violence. *Lancer un cri.* **3.** Faire se porter en avant avec vivacité. *Lancer sa monture. Lancer une troupe contre l'ennemi.* **4.** Faire démarrer, mettre en route en donnant l'impulsion initiale. *Lancer un moteur.* – Fam. Amener (qqn) à parler de qqch. *Lancez-le sur ce sujet, il devient intarissable.* ▷ Déclencher, mettre en train. *Lancer une campagne de presse. Lancer une mode,* la mettre en faveur. **5.** Procéder au lancement de. *Lancer un navire, une fusée.* ▷ Procéder au lancement publicitaire de, mettre sur le marché. *La marque X lance un nouveau modèle.* **II.** v. pron. Se jeter avec hardiesse, avec fougue. *Se lancer à la poursuite de qqn.* – Fig. *Se lancer dans l'aventure, dans des explications.* **III.** v. intr. MAR *Lancer dans le vent* : venir vent debout.

2. lancer n. m. Action de lancer. *Lancer de grenades.* ▷ *Pêche au lancer* ou, absol., *lancer,* consistant à lancer l'appât le plus loin possible et à le ramener à l'aide d'un moulinet. ▷ SPORT Chacune des quatre épreuves athlétiques du lancement du poids, du disque, du javelot et du marteau. ▷ *Lancer franc* : au basket-ball, tir accordé à un joueur victime d'une irrégularité.

lance-roquettes n. m. inv. Tube permettant le tir de roquettes. *Lance-roquettes antichar.* Syn. lance-fusées.

lance-torpilles n. m. inv. Appareil installé sur certains bâtiments de guerre pour le lancement de torpilles, utilisant la force d'expansion de l'air comprimé. – (En appos.) *Tube lance-torpilles.*

lancette n. f. **1.** CHIR Petit instrument formé d'une lame plate, très pointue et acérée. **2.** ARCHI *Arc en lancette* : arc brisé très aigu, fréquent dans le gothique flamboyant.

lanceur, euse n. **1.** Personne qui lance (qqch). ▷ *Spécial.* Athlète spécialisé dans le lancer. *Lanceur de poids.* **2.** n. m. ESP Fusée permettant d'envoyer une charge utile dans l'espace.

lancier n. m. **1.** Anc. Soldat de cavalerie armé de la lance. **2.** *Quadrille des lanciers* ou, ellipt., *les lanciers* : quadrille croisé à cinq figures, dansé en France à partir de 1856.

lancinant, ante adj. Qui lancine. *Une douleur lancinante. Un air lancinant.*

lancination n. f. ou **lancinement** n. m. Douleur caractérisée par des élancements.

lanciner v. [1] **1.** v. intr. Faire souffrir par des élancements douloureux. *Abcès qui lancine.* **2.** v. tr. Fig. Tourmenter, importuner de façon insistante; obséder. *Ce remords le lancine depuis l'enfance.*

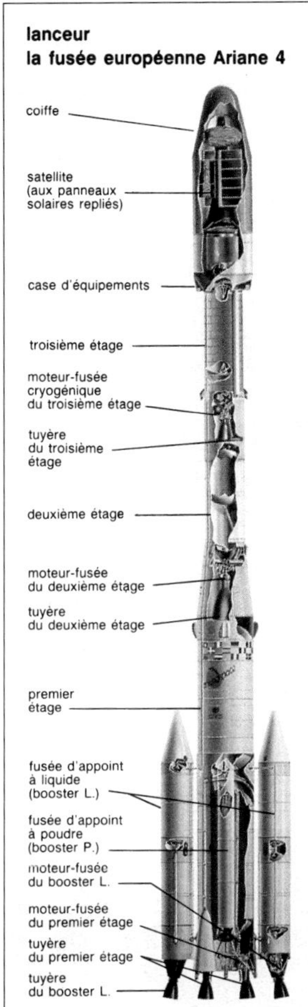

lançon n. m. *Lançon perce-sable* : équille.

Lancret (Nicolas) (Paris, v. 1690 – id., 1743), peintre français de «fêtes galantes»; ami et imitateur de Watteau.

Land [lɑ̃d], plur. **Länder** [lɛndəʀ; lɑ̃dəʀ] n. m. **1.** Chacun des États allemands, dans l'Allemagne de Weimar (1919-1931) et en République fédérale d'Allemagne après 1948. *Le Land de Bavière. En 1990, les Länder ont été rétablis sur le territoire de l'anc. R.D.A. (Mecklembourg*, Brandebourg*, Thuringe*, Saxe et Saxe-Anhalt*).* **2.** Chacune des grandes divisions administratives en Autriche.

Land (Edwin Herbert) (Bridgeport, Connecticut, 1909 – Cambridge, Massachusetts, 1991), physicien et industriel américain; inventeur du procédé de développement photographique instantané et fondateur de la société Polaroïd.

landais, aise adj. et n. Des Landes (région de France). ▷ Subst. *Les Landais.*

Land Art, mouvement artistique, apparu vers 1967-1970 aux États-Unis, qui utilise la nature et les éléments naturels comme cadre et matériau de ses interventions.

landau n. m. **1.** Anc. Voiture hippomobile à quatre roues, à deux banquettes se faisant face et à double capote mobile. **2.** Voiture d'enfant à caisse suspendue et à capote. *Des landaus.*

Landau, v. d'Allemagne (Rhénanie-Palatinat), sur la Queisch; 35 280 hab. Centre commercial et viticole. – La ville fut française de 1648 à 1815.

Landau (Lev Davidovitch) (Bakou, 1908 – Moscou, 1968), physicien soviétique; connu pour ses études sur la matière condensée, sur la théorie quantique des champs et sur l'état superfluide de l'hélium. Auteur (avec E.M. Lifchits) d'un important traité de physique théorique. P. Nobel 1962.

lande n. f. Grande étendue de terre inculte et peu fertile où ne croissent que des fougères, des ajoncs, des bruyères, etc. *Les landes de Bretagne, de Gascogne.*

landerneau n. m. Fam., péjor. Milieu étroit et refermé sur lui-même, agité de commérages et de querelles mesquines. *Le landerneau des marchands d'art.*

Landerneau, ch.-l. de cant. du Finistère (arr. de Brest), sur l'estuaire de l'Élorn; 15 035 hab. Pêche; cult. fruitières; prod. agric.

Landes (les), vaste région du S.-O. de la France sur l'Atlantique; 14 000 km². Rég. plane formée d'un sable riche en oxyde de fer qui s'agglutine en profondeur pour former une couche imperméable *(alios),* les Landes sont bordées à l'O. par un cordon de hautes dunes (100 m au Pyla) qui entravent l'écoulement des eaux vers l'océan (nombreux étangs côtiers). À l'état naturel, les Landes formaient une zone déshéritée aux sols acides, stériles et mal drainés. Mais, dès la fin du XVIIe s., elles furent transformées par la plantation de pins et un drainage systématique (travaux de Brémontier, 1801, et Chambrelent, 1855). Première forêt d'Europe (1 million d'ha), les Landes ont connu, après une période de prospérité, une grave crise due à la mévente de leurs produits (bois, résine), à la concurrence de l'industr. chim. et aux méfaits des insectes et des incendies. Auj. une nouvelle orientation a été donnée à l'écon. landaise, qui associe sylviculture, agriculture (maïs), élevage (volailles) et tourisme côtier.

Landes, dép. franç. (40); 9 236 km²; 311 461 hab.; 33,7 hab./km²; ch.-l. *Mont-de-Marsan.* V. Aquitaine (Rég.).

► carte page **1056**

landgrave n. m. HIST Titre de certains princes souverains d'Allemagne au Moyen Âge. ▷ Magistrat qui rendait la justice au nom de l'empereur germanique.

landier n. m. Grand chenet garni de crochets pour soutenir les broches, souvent muni à sa partie supérieure d'un récipient servant à tenir au chaud un plat avec des aliments.

landolphia ou **landolphie** n. f. BOT Liane d'Afrique et de Madagascar (fam. apocynacées) dont le latex fournit un caoutchouc.

Landowska (Wanda) (Varsovie, 1877 – Lakeville, Connecticut, 1959), claveciniste polonaise de réputation internationale. Elle vécut en France de 1927 à 1939, puis aux États-Unis.

Landowski (Paul) (Paris, 1875 – Boulogne-sur-Seine, 1961), sculpteur

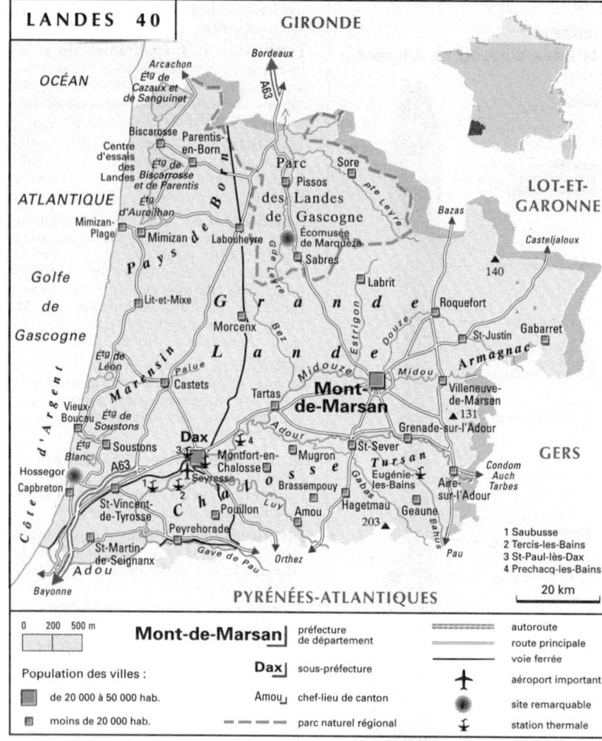

français : *Christ du Corcovado* (1931, Rio de Janeiro), *Montaigne* (1932, square de la Sorbonne), *Monument à l'infanterie* (1951-1956, place du Trocadéro). – **Marcel** (Pont-l'Abbé, 1915), fils du préc.; compositeur. Disciple d'Arthur Honegger, il a composé pour le cinéma et le ballet (*le Fantôme de l'Opéra*, 1980). Ses œuvres symphoniques (plusieurs *Concertos* et *Symphonies*) et lyriques (*Montségur*, opéra, 1986) trouvent un habile compromis entre avant-garde et conservatisme. Directeur de la Musique au ministère de la Culture de 1966 à 1975.

Landru (Henri Désiré) (Paris, 1869 – Versailles, 1922), criminel français, assassin de dix femmes et d'un jeune garçon. Condamné à mort et exécuté.

Land's End, cap à l'extrémité S.-O. de l'Angleterre (Cornouailles).

Landshut, v. d'Allemagne (Bavière), sur l'Isar; 57 070 hab. Industr. métall., méca., chim. – Prise quatre fois par les Français entre 1796 et 1809. – Égl. gothique St-Martin (XIVe-XVe s.). Palais Renaissance (XVIe s.).

Landsteiner (Karl) (Vienne, 1868 – New York, 1943), médecin américain d'origine autrichienne. En 1900, il découvrit chez l'homme l'existence des groupes sanguins et, en 1940, le facteur Rhésus. P. Nobel 1930.

Lanester, ch.-l. de canton du Morbihan (arr. et aggl. de Lorient), sur l'estuaire du Scorff; 23 163 hab. Industr. métall. et radioélectrique.

Lanfranc (Pavie, v. 1005 – Canterbury, 1089), prélat anglais. Guillaume le Conquérant fit de cet avocat italien, venu en France, l'archevêque de Canterbury (1070) et le primat d'Angleterre (1072).

Karl **Landsteiner**

Lang (Fritz) (Vienne, 1890 – Los Angeles, 1976), cinéaste autrichien naturalisé américain. Il tourna en Allemagne ses chefs-d'œuvre expressionnistes, *les Trois Lumières* (1921), *le Docteur Mabuse* (1922), *les Nibelungen* (1923 et 1925), *Metropolis* (1927), *M le Maudit* (1931). Aux É.-U., il réalisa notam. *Furie* (1936), *la Femme au portrait* (1944), *l'Ange des Maudits* (1951) et *les Contrebandiers de Moonfleet* (1954), avant d'achever sa carrière en Allemagne (*le Tigre du Bengale*, 1958).

langage n. m. **1.** Faculté humaine de communiquer au moyen de signes vocaux (parole), éventuellement susceptibles d'être transcrits graphiquement (écriture); usage de cette faculté. *« Le langage est multiforme et hétéroclite; à la fois physique, physiologique et psychique, il appartient au domaine individuel et au domaine social » (F. de Saussure).* **2.** *Par ext.* Tout système de signes, socialement codifiés, qui ne fait pas appel à la parole ou à l'écriture. *Langage du regard, des sourds-muets. Langages symboliques* (langage pictural, langage des fleurs). **3.** *Par anal.* Ensemble des moyens de communication que l'on observe chez certaines espèces animales. *Le langage des abeilles, des dauphins.* **4.** Manière de s'exprimer propre à un ensemble social donné, à un individu, etc. *Langage de la rue, langage soutenu, langage technique.* **5.** Contenu de l'expression orale ou écrite. *Tenir le langage de la raison. Un langage subversif.* **6.** INFORM Série d'instructions utilisant divers signes, notam. numériques et alphabétiques. – *Langage de programmation :* code servant à rédiger les instructions d'un programme. – *Langage évolué :* langage de programmation ressemblant au langage humain. – *Langage machine :* code de lettres et de chiffres qui permet de simplifier l'écriture des instructions de commande.

langagier, ère adj. Qui a rapport au langage.

lange n. m. Étoffe de laine ou de coton dont on enveloppe les nourrissons de la taille aux pieds. – Loc. fig. *Être dans les langes*, dans son enfance, à ses débuts. *La science était encore dans les langes.*

Lange (Dorothea) (Hoboken, 1895 – San Francisco, 1965), photographe américaine; pionnière du reportage sociopolitique (*An American Exodus : a Record of Human Erosion*, 1939).

Langeais, ch.-l. de cant. d'Indre-et-Loire (arr. de Chinon), sur la Loire; 3 978 hab. Confection. – Chât. (XVe s.) où Charles VIII épousa Anne de Bretagne (1491). Maisons anciennes.

langer v. tr. [**13**] Envelopper d'un lange.

Langerhans (Paul) (Berlin, 1847 – Funchal, Madère, 1888), physiologiste allemand. ▷ ANAT et PHYSIOL *Îlots de Langerhans :* petits massifs cellulaires du pancréas qui sécrètent l'insuline.

Langevin (Paul) (Paris, 1872 – id., 1946), physicien français; connu pour ses travaux sur le magnétisme, la détection par ultrasons et la théorie de la relativité. Il montra en partic., indépendamment d'Einstein et simultanément, qu'énergie et masse ne sont que deux formes d'une même réalité. Il fut également un militant politique, pacifiste et antifasciste, et mit au point, avec Henri Wallon*, un projet de réforme de l'enseignement.

Langland (William) (Herefordshire, v. 1332 – ?, 1399), écrivain anglais. Poète errant, il défie les conventions et les grands de son temps en vers satiriques : *Pierre le laboureur* (1362-1398).

Langlois (Henri) (Smyrne, 1914 – Paris, 1977), journaliste français. Il fonda, avec G. Franju et P.-A. Harlé, la Cinémathèque française (1936).

Fritz **Lang** : scène du film *le Docteur Mabuse*, 1922

Langmuir (Irving) (Brooklyn, 1881 - Falmouth, 1957), physicien et chimiste américain. Il inventa le chalumeau à plasma, étudia la structure de l'atome d'hélium et s'intéressa à l'obtention de températures voisines du zéro absolu. Prix Nobel de chimie 1932.

Langon, ch.-l. d'arr. de la Gironde, sur la Garonne; 6 322 hab. Viticulture et comm. des vins. Pêche de la lamproie.

langoureusement adv. D'une manière langoureuse.

langoureux, euse adj. (et n.) **1.** Vx Qui est en état de langueur. **2.** Iron. Qui marque la langueur amoureuse. *Lancer des œillades langoureuses.* ▷ Subst. *Jouer les langoureux.*

langouste n. f. Gros crustacé marin (genre *Palinurus*) des fonds rocheux, aux pinces minuscules et aux longues antennes, dont la chair est très estimée.

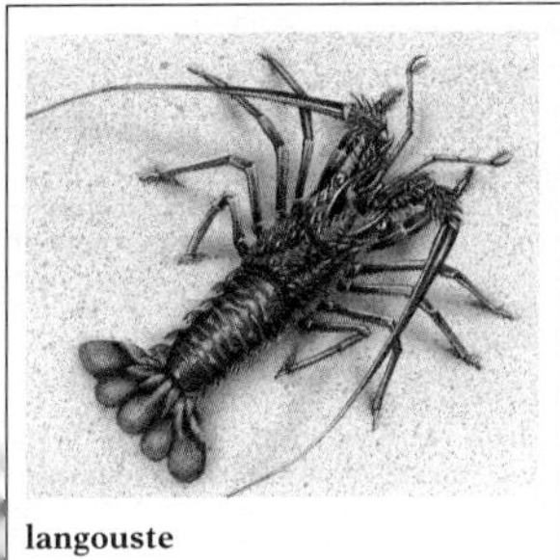

langouste

langoustier n. m. ou **langoustière** n. f. **1.** Balance (filet) pour la pêche de la langouste. **2.** n. m. Bateau spécialement équipé pour la pêche de la langouste.

langoustine n. f. Petit crustacé marin proche parent du homard (genre *Nephrops*), long d'une vingtaine de cm, aux pinces longues et étroites.

Langreo, v. d'Espagne (Asturies); 56 350 hab. Minerai de fer et de cinabre; houille; métallurgie.

Langres, ch.-l. d'arr. de la Haute-Marne, sur la Bonnette et le canal de la Marne à la Saône; 11 026 hab. Industr. du caoutchouc; plastiques. - Évêché. Cath. St-Mammès (XIIe-XIIIe s.). Import. vestiges gallo-romains (musée). - Le *plateau de Langres,* formé de calcaires jurassiques, est pauvre et couvert de forêts (516 m au Haut-du-Sec). La Seine et la Marne y prennent leur source.

Lang Son, v. du Viêt-nam, sur le song Ki Kong; 8 000 hab.; ch.-l. de la prov. du m. nom. - Échec français en 1885, dans la guerre contre la Chine, qui, exploité par l'opposition parlementaire, amena la chute du ministère Jules Ferry.

Langton (Étienne) (?, v. 1150 - Slindon, Sussex, 1228), prélat et théologien anglais. Cardinal (1206) et archevêque de Canterbury (1207), il fut à la tête des barons qui imposèrent au roi Jean sans Terre la Grande Charte de 1215.

langue n. f. **I. 1.** Organe charnu et mobile situé dans la bouche. *La langue, qui joue un rôle capital dans la déglutition et dans l'articulation des sons du langage, est organe du goût, grâce aux papilles gustatives qui recouvrent sa face supérieure.* - *Tirer la langue à qqn,* le narguer en lui montrant la langue. - Fig. *Tirer la langue :* faire effort, peiner, et, *par ext.,* se trouver dans le besoin. - Fig. *Faire tirer la langue à qqn,* lui faire attendre longtemps ce qu'il désire. ▷ (Animaux) Cet organe utilisé comme abats. *Langue de bœuf. Langue fumée.* **2.** (En loc.) Langue, en tant qu'organe de la parole. *Ne pas savoir tenir sa langue, avoir la langue (trop) longue :* parler inconsidérément, ne pas savoir taire un secret. *Avoir la langue bien pendue,* la parole facile ou hardie. *Je l'ai sur (le bout de) la langue,* en parlant d'un mot que l'on croit tout près de revenir à la mémoire. *Se mordre la langue :* retenir à temps une parole, ou se repentir de l'avoir dite. *Avoir avalé sa langue :* rester, contrairement à l'habitude, silencieux. - *Prendre langue avec qqn,* entrer en rapport avec lui. - *Mauvaise* (ou *méchante) langue, langue de serpent, de vipère :* personne portée à la médisance, à la calomnie. **3.** Ce qui a la forme d'une langue. *Langues de feu. Langue de terre :* portion de terre étroite et longue qui s'avance dans les eaux. **II. 1.** Ensemble de signes linguistiques et de règles de combinaison de ces signes entre eux, qui constitue l'instrument de communication d'une communauté donnée. *La langue française, créole. La langue est «à la fois un produit social de la faculté du langage et un ensemble de conventions nécessaires, adoptées par le corps social pour permettre l'exercice de cette faculté chez les individus»* (F. de Saussure). - *Langues vivantes,* celles qui sont toujours en usage. *Langues mortes* ou *langues anciennes,* celles qui ne se parlent plus. - *Langue maternelle**. **2.** Forme parlée ou écrite du langage propre à un milieu, à une profession, à un individu, etc. *Langue savante, poétique. La langue de Rabelais.* - *La langue verte :* l'argot. - *Langue de bois :* nom donné au discours politique des dirigeants communistes; *par ext.,* toute façon de s'exprimer construite autour de stéréotypes. **3.** Fig. Tout système de signes non linguistiques. *Langue algébrique. Langue des couleurs, des sons.*

ENCYCL On parle sur la Terre de trois à quatre mille langues, nombre difficile à préciser, vu la difficulté de décider si deux parlers sont des «langues» ou des «dialectes» de la même langue. Les linguistes se sont efforcés d'établir une classification des langues du monde (vivantes et mortes). La classification typologique, qui consiste à regrouper les langues qui présentent des structures grammaticales semblables, n'a pas encore donné de résultats satisfaisants. La classification génétique consiste à grouper ensemble les langues auxquelles on présume une origine commune; ainsi, les langues indo-européennes proviendraient toutes d'une même langue mère (hypothétique) : l'indo-européen commun. Le groupement fait souvent appel à des critères géographiques (langues d'Afrique noire, langues amérindiennes). - Parmi les princ. familles de langues, on compte : l'indo-européen, le chamito-sémitique, le turco-mongol (ou altaïque), le finno-ougrien (ou ouralien), l'ouralo-altaïque, le sino-tibétain, le tibéto-birman, le thaï, le chinois, l'austronésien, le bantou, le soudanais, le khoisan, le caucasien, le dravidien, le papou, le maya, l'algonkin, le sioux et l'iroquois. (V. ces mots.)

piliers postérieurs du voile du palais
luette
paroi pharyngée postérieure
épiglotte
V lingual
amygdales
papilles caliciformes
piliers antérieurs du voile du palais
papilles filiformes
base de la langue
papilles foliées
papilles fongiformes
sillon médian
pointe de la langue

langue

► carte page **1059**

langue-de-bœuf n. f. Nom cour. de la fistuline. *Des langues-de-bœuf.*

langue-de-chat n. f. Petit gâteau sec, allongé et plat. *Des langues-de-chat.*

Languedoc, région historique du sud de la France (où se parlait la langue d'oc). - *Canal du Languedoc* ou *canal du Midi :* canal d'irrigation alimenté par les eaux du bas Rhône et longeant les coteaux languedociens.

Hist. - Conquise par les Romains dès le IIe s. av. J.-C., la Narbonnaise, région très prospère, passe sous la domination des Wisigoths (Ve s.) et se morcelle. L'actuel Languedoc devient la Septimanie et est conquis par les Francs. Tandis que le Roussillon revient à l'Espagne par héritage (1172), le Languedoc connaît un remarquable essor écon. et intellectuel sous l'autorité des comtes de Toulouse (XIIe s.), qui voient, cependant, de nombreux fiefs leur échapper. La croisade des albigeois (1209-1229) ruine le Languedoc, qui est rattaché à la Couronne en 1271. La province couvre les actuels départements suivants : Haute-Loire, Lozère, Ardèche, Gard, Hérault, Aude, Tarn, Haute-Garonne. Généralement bien administrée, elle est cependant périodiquement affectée par les conflits qui opposent catholiques et protestants. Occupé par les Français en 1640, le Roussillon leur est cédé par l'Espagne à la paix des Pyrénées (1659). La révolte des camisards (1702-1705) est une des conséquences de la révocation de l'édit de Nantes (1685). Au XIXe s., la monoculture de la vigne s'impose. Ruinée par le phylloxéra après 1863, la région reconstitue ses vignobles. La surproduction et la concurrence des vins d'Algérie provoquent la crise écon. et sociale de 1907.

languedocien, enne adj. et n. Du Languedoc. ▷ Subst. *Un(e) Languedocien(ne).*

Languedoc-Roussillon, Région admin. française et rég. de la C.E., formée des dép. de l'Aude, du Gard, de l'Hérault, de la Lozère (Languedoc) et des Pyrénées-Orientales (Roussillon); 27 559 km^2; 2 151 346 hab.; cap. *Montpellier.*

Géogr. phys. et hum. - Adossé au Massif central et aux Pyrénées, le Languedoc-Roussillon est un amphithéâtre qui ceinture le golfe du Lion sur plus de 200 km. Le relief s'ordonne en gradins à partir de la Méditerranée. La plaine côtière, marécageuse et parsemée de lagunes sur la frange littorale, plus sèche vers l'intérieur, est le débouché de fleuves très irréguliers (Hérault, Orb, Aude, Agly, Têt, Tech) et concentre auj. l'essentiel des hommes et des aménagements. En arrière, collines et plateaux calcaires couverts de garrigue (Albères, Corbières, et rég. de Montpellier) sont aérés de bassins et de vallées qui ont fixé l'occupation humaine. L'arrière-pays, montagneux, boisé et dépeuplé, appartient au Massif central dans le haut Languedoc (montagne cévenole, Causses, Minervois, Montagne Noire) et aux Pyrénées (massifs du Carlit et du Canigou). La croissance démographique est deux fois

supérieure à la moyenne nationale en raison d'un fort excédent migratoire : près de 200 000 personnes sont venues s'installer dans la région entre 1980 et 1990 ; cependant, les montagnes perdent encore des hab. au profit des plaines.
Écon. – Jusqu'aux années 70, dominait encore l'image d'un Languedoc-Roussillon viticole, sous-industrialisé, aux villes somnolentes. Depuis, la métamorphose régionale a été profonde. Le vignoble de masse a reculé ; la Compagnie nationale d'aménagement du Bas-Rhône-Languedoc a irrigué près de 10 % des terres agricoles, permettant de substituer à la vigne fruits, légumes et fourrages ; dans le même temps, la prod. de vin de qualité était multipliée par trois ; l'arrachage et la conversion du vignoble se poursuivent actuellement sur 100 000 ha. À partir de 1963, la Mission d'aménagement du littoral a créé d'importantes infrastructures balnéaires qui accueillent auj. plus d'un million de touristes et assurent 50 000 emplois. Enfin, des activités de pointe se sont implantées (industrie, recherche, tertiaire supérieur), faisant de Montpellier, en particulier, l'une des villes les plus dynamiques de France. Des problèmes subsistent pourtant : d'anciens foyers d'activité comme Alès et Sète sont en crise, la pêche et l'agric. souffrent de la concurrence espagnole et le haut Languedoc (Lozère surtout) reste défavorisé. Les aides de la C.É.E. (programmes intégrés de développement sur 1986-1992) et les grands travaux d'infrastructure (Nationale 9 transformée en voie rapide, prolongement du TGV jusqu'à Barcelone) renforcent les atouts régionaux pour le grand marché européen.

languette n. f. **1.** Ce qui a la forme d'une petite langue. *Languette de carton servant de signet. Languette de cuir, d'une chaussure.* **2.** TECH Partie mâle d'un assemblage destinée à s'encastrer dans une rainure. **3.** MUS Anche libre, dans certains instruments à vent (harmonica, notam.), ou couvrant l'anche d'un tuyau d'orgue.

langueur n. f. **1.** Vx Affaiblissement progressif des forces physiques. *Maladie de langueur.* **2.** Litt. Affaissement moral et physique, apathie paralysant toute énergie ; dépression. *La langueur résultant d'une vie de misère.* **3.** Disposition d'esprit tendre et rêveuse. *Une langueur voluptueuse. Des yeux pleins de langueur.*

languide adj. Litt. Langoureux, languissant. *Un regard languide.*

languir v. [3] **I.** v. intr. **1.** Vieilli Souffrir d'un affaiblissement, d'une perte lente de ses forces physiques. ▷ Par anal. *Plantes qui languissent*, qui s'étiolent. **2.** Mod. Endurer (physiquement ou moralement) l'état d'affaiblissement, d'abattement, que peuvent causer la peine, le besoin, l'attente. *Languir dans l'incertitude. Languir d'ennui. Languir d'amour pour qqn.* **3.** Attendre avec impatience ; soupirer (après qqch). *« Ne me fais plus languir, dis promptement » (Corneille).* ▷ Fam. *Je languis de vous revoir. Je languis que ce jour finisse.* **4.** (Choses) Manquer de force, de chaleur, d'intérêt ; traîner en longueur ; péricliter. *La conversation, l'affaire languit.* **II.** v. pron. Dial. (Sud de la France.) *Elle se languit de lui :* elle s'ennuie de lui.

languissamment Litt. adv. De manière languissante.

languissant, ante adj. **1.** Vx Qui languit (sens 1). *Malade languissant.* **2.** Litt. Qui exprime la langueur (partic., la langueur amoureuse). *Regard languissant.* **3.** Qui manque de force, de vivacité ; qui périclite. *Économie languissante.*

langur [lɑ̃gyʀ] n. m. Syn. de *entelle.*

lanice adj. TECH Qui vient de la laine. *Bourre lanice.*

Lanier (Sidney) (Macon, Georgie, 1842 – Lynn, Caroline du Nord, 1881), musicien et écrivain américain. Flûtiste, il s'intéressa à l'apport de la musique à la poésie (*la Métrique anglaise*, 1880). Ses romans (*Lis tigré*, 1867 ; *Poèmes*, 1877) et critiques (*Shakespeare et ses précurseurs*, posth. 1892) reflètent son inquiétude philosophique.

lanière n. f. Bande longue et étroite de cuir ou d'une autre matière.

lanifère ou **lanigère** adj. ZOOL, BOT **1.** Qui porte ou produit de la laine ou une autre matière d'aspect laineux ou cotonneux. *Le mouton est un animal lanifère.* **2.** *Puceron lanigère*, parasite du pommier.

laniste n. m. ANTIQ ROM Celui qui formait, louait ou vendait des gladiateurs.

Lannemezan (plateau de), plate-forme située, en France, au pied des Pyrénées centrales, entre les vallées d'Aspe et du Salat. C'est un vaste cône de déjections alimenté par des alluvions fluvio-glaciaires arrachées aux Pyrénées et que drainent la Baïse, le Gers et la Save.

Lannemezan, ch.-l. de cant. des Hautes-Pyrénées, arr. de Bagnères-de-Bigorre ; 6 897 hab. Centre agric. et industr. important.

Lannes (Jean), duc de Montebello (Lectoure, 1769 – Vienne, 1809), maréchal de France. Engagé volontaire en 1792, général en 1796, il favorisa le coup d'État du 18 Brumaire et s'illustra dans toutes les campagnes napoléoniennes (notam. à Marengo) ; il fut mortellement blessé à la bataille d'Essling.

Lannion, ch.-l. d'arr. des Côtes-d'Armor, dans le Trégorrois ; 17 738 hab. Port sur le Léguer. Pêche. Mat. radioélectr. ; meubles. Annexe du Centre national d'études des télécommunications (C.N.E.T.). – Égl. (XVIe-XVIIe s.). Maisons anciennes.

Lannoy (Charles de) (Valenciennes, 1487 – Gaète, 1527), général espagnol. Nommé vice-roi de Naples (1522-1524) par Charles Quint, il vainquit, à la tête des armées impériales, François Ier à Pavie (1525) et négocia le traité de Madrid (1526).

lanoline n. f. Corps gras onctueux et jaunâtre, extrait du suint des laines, utilisé en pharmacie et en parfumerie. *Crème à la lanoline.*

La Noue (François de), surnommé *Bras de Fer* (Nantes, 1531 – Moncontour, 1591), capitaine protestant. Il combattit aux côtés de Coligny, puis se rallia à Henri IV et remporta la bataille d'Ivry. Il fut mortellement blessé au siège de Lamballe. Il a laissé des *Discours politiques et militaires* (1587).

Lanoux (Armand) (Paris, 1913 – Champs-sur-Marne, 1983), journaliste et écrivain français. Il aborde tous les genres sur le ton du réalisme et de la fantaisie poétique. Auteur de recueils lyriques (*le Montreur d'ombres*, 1982), de romans (*le Commandant Watrin*, 1956 ; *Quand la mer se retire*, 1963), de biographies d'écrivains (*Bonjour, Monsieur Zola*, 1954), d'essais (*la Nef des fous*, 1948).

Lansdowne, famille d'hommes politiques britanniques. – **Henry Keith Petty Fitzmaurice**, 5e marquis de Lansdowne (Londres, 1845 – Newton Anmer, 1927), gouverneur du Canada (1883-1888), puis vice-roi des Indes (1888-1893), ministre de la Guerre (1895-1900) puis des Affaires étrangères (1900-1906), signa avec Delcassé l'accord franco-anglais du 8 avril 1904 (Entente cordiale).

Lansing, v. des É.-U., cap. de l'État du Michigan, sur le Grand River ; 127 300 hab. (aggl. urb. 416 200 hab.). Située dans la sphère d'influence de Detroit, la ville possède des industr. métallurgiques, mécaniques (automobiles) et alimentaires. Université.

Lanskoy (André) (Moscou, 1902 – Paris, 1976), peintre français d'origine russe. Son œuvre non figurative est centrée sur les recherches de la valeur expressive de la couleur.

lansquenet n. m. HIST Fantassin mercenaire allemand (XVe-XVIe s.).

lanterne n. f. **I. 1.** Appareil d'éclairage, boîte aux parois transparentes ou translucides dans laquelle on enferme une lumière pour l'abriter de la pluie et du vent. *Lanterne de fiacre. Lanterne sourde*, munie de volets qui permettent de masquer la source de lumière. – *Lanterne vénitienne :* lanterne de papier coloré, utilisée pour les illuminations. Syn. lampion. ▷ *Les lanternes d'une automobile :* les lampes de phares qui donnent la plus faible intensité lumineuse (on dit mieux *feux de position*). ▷ *Lanterne rouge*, qui signale l'arrière d'un véhicule, ou l'extrémité de son chargement. – Fig., fam. , SPORT *La lanterne rouge :* en cyclisme, le coureur qui est à la queue du peloton, ou qui est classé le dernier. – Par anal. *L'équipe de football de X., lanterne rouge de la première division.* ▷ Loc. fig. *Prendre des vessies pour des lanternes :* commettre des bévues grossières ; s'en laisser conter. **2.** *Lanterne magique :* instrument d'optique projetant sur un écran l'image agrandie de figures peintes sur verre ou de clichés photographiques. ▷ *Oublier d'éclairer sa lanterne :* omettre le point essentiel pour être compris (allus. à la fable de Florian, *Le singe qui montre la lanterne magique*). **3.** Anc. Appareil d'éclairage de la voirie. *À la lanterne ! :* cri des révolutionnaires français, après 1792, et refrain du chant *Ça ira*, qui réclamait qu'on pendît les aristocrates aux lanternes des rues. **II. 1.** ARCHI Petit dôme vitré placé au sommet d'un édifice pour donner du jour à l'intérieur. **2.** *Lanterne des morts :* édicule funéraire des XIIe et XIIIe s. constitué d'une colonne creuse couronnée d'un lanternon, à l'intérieur duquel on plaçait une lampe. **3.** TECH Cylindre d'engrenage à barreaux parallèles entre lesquels s'engrènent les dents d'une roue. **4.** ZOOL *Lanterne d'Aristote :* appareil masticateur des oursins dont la forme rappelle une lanterne.

lanterner v. intr. [1] **1.** Perdre son temps à des riens, atermoyer par irrésolution. **2.** *Faire lanterner qqn*, le faire attendre.

lanternon ou **lanterneau** n. m. ARCHI Petite lanterne ou cage vitrée au sommet d'un édifice, d'un escalier ; partie surélevée d'un comble, pour l'éclairer ou l'aérer.

lanthane n. m. CHIM Élément métallique de numéro atomique Z = 57 et de masse atomique 138,91 (symbole La). – Métal (La) qui fond à 921 °C et bout à 3 457 °C.

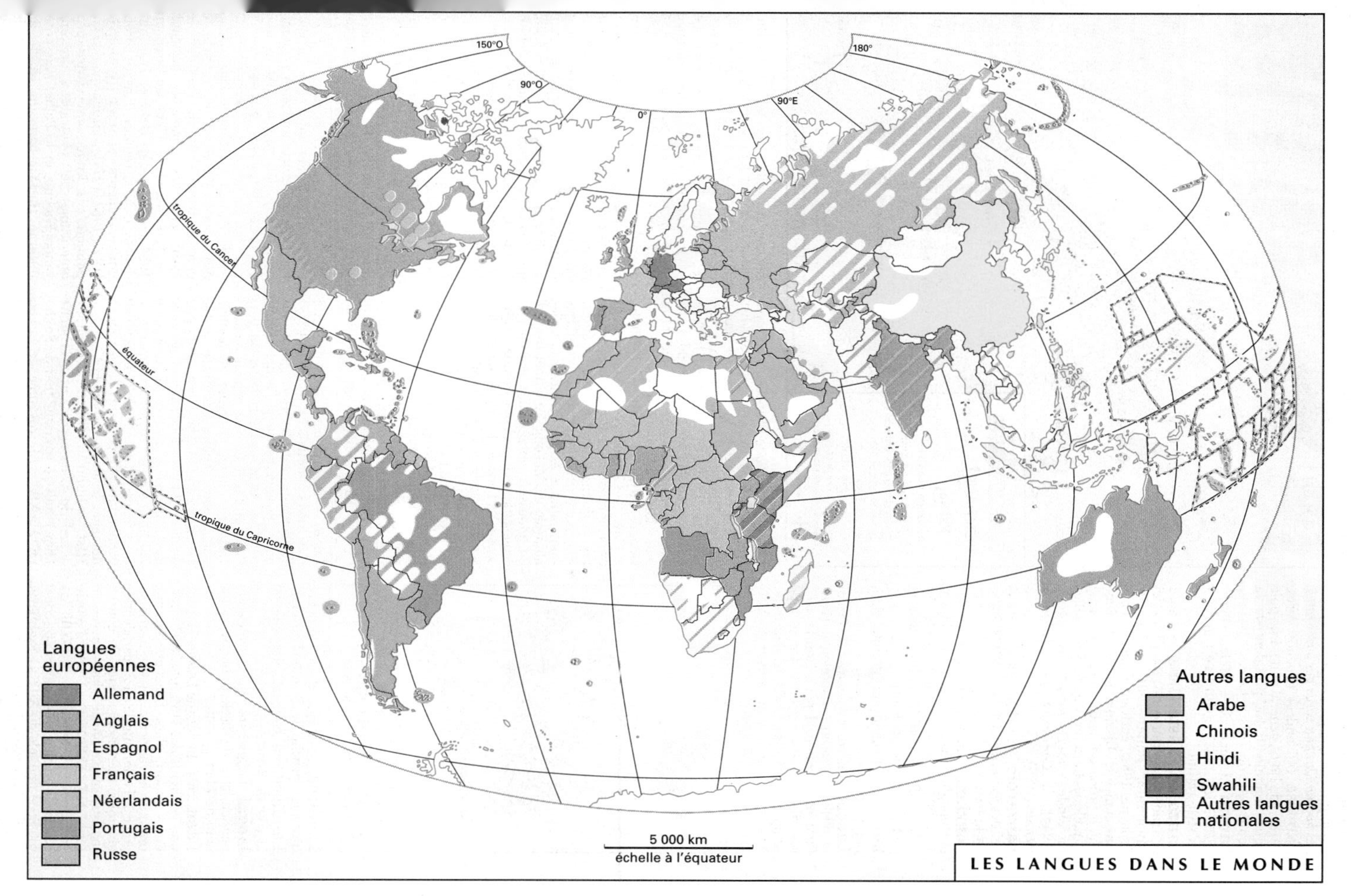
150°O
90°O
0°
90°E
180°
tropique du Cancer
équateur
tropique du Capricorne
Langues européennes
Allemand
Anglais
Espagnol
Français
Néerlandais
Portugais
Russe
5 000 km
échelle à l'équateur
Autres langues
Arabe
Chinois
Hindi
Swahili
Autres langues nationales
LES LANGUES DANS LE MONDE

lanthanides n. m. pl. Nom générique des éléments dont le numéro atomique est compris entre 57 et 71. *Les lanthanides font partie des terres rares.*

Lanusse (Alejandro) (Buenos Aires, 1918 – id., 1996), général et homme politique argentin. Il fut président de la République de 1971 à 1973.

Lanvin (Jeanne, Mme Melet) (Paris, 1867 – id., 1946), couturière française au style raffiné.

Lanza del Vasto (Giuseppe Lanza di Trabia-Branciforte, dit) (San Vito dei Normanni, Italie, 1901 – Murcie, Espagne, 1981), écrivain français d'origine italienne. Disciple cathol. de Gandhi, il prôna un mode de vie conforme à quelques-unes des valeurs spirituelles de l'Inde : *le Pèlerinage aux sources* (1944), *la Conversion par contrainte logique* (1974).

Lanzarote, île volcanique de l'archipel des Canaries; 806 km^2; 42 000 hab.; ch.-l. *Arrecife.*

Lanzhou, v. de la Chine du N.-O., sur le Huanghe; ch.-l. de la prov. du Gansu; 1 480 000 hab. (aggl. urb. 2 339 750 hab.). Raff. de pétrole; industr. text. et chim.; centrale nucléaire.

lao n. m. Langue du groupe thaï, parlée au Laos.

Laocoon, héros troyen, fils de Priam et d'Hécube, prêtre d'Apollon à Troie. Puni par Apollon, il périt étouffé avec ses fils par des serpents. Un groupe sculpté (v. 50 av. J.-C.), restauré au XVIe s. et conservé au musée du Vatican, évoque cet épisode.

le **Laocoon,** dû à trois sculpteurs rhodiens, marbre, Ier s. av. J.-C., restauré en 1534; musée Pio-Clementino, le Vatican

Laodicée, anc. ville d'Asie Mineure (Phrygie); proche de *Denizli* (Turquie).

Laodicée (auj. *Lattaquié*), anc. ville de la côte de Syrie.

laogai [laogaj] n. m. Organisation pénitentiaire de la République populaire de Chine.

Laon, ch.-l. du dép. de l'Aisne, bâti sur une colline isolée (181 m); 28 670 hab. Cette import. place forte est devenue un marché agricole, et s'industrialise grâce à la décentralisation parisienne : abattoirs, menuiseries, mat. de constr., industr. alim., métall., imprimeries. – Cath. N.-D. (XIIe-XIIIe s.), chef-d'œuvre gothique. Égl. St-Martin (XIIe-XIIIe s.). Palais de justice, anc. palais épiscopal (possède une aile du XIIIe s.). Remparts. – Ville forteresse, Laon fut érigée en évêché dès le Ve s., puis ses bourgeois obtinrent une charte de franchises (XIIe s.). En 1332, Philippe VI de Valois prit possession de la ville.

Laos *(République démocratique populaire lao).* État de l'Asie du Sud-Est, limité à l'est par le Viêt-nam, à l'ouest par la Thaïlande et la Birmanie, au nord par la Chine, au sud par le Cambodge; 236 800 km^2; 4 882 000 hab.; cap. *Vientiane.* Langue off. : lao. Monnaie : kip. Relig. : bouddhisme (57,8 %).

Géogr. phys. et hum. – Territoire enclavé, le Laos est constitué aux deux tiers de montagnes et de hautes terres : rég. de Xieng Khouang (2 820 m au pic Bia, point culminant) et la cordillère Annamitique. Au S.-O. s'ouvre la vallée alluviale du Mékong. Le climat tropical de mousson oppose une saison des pluies (de mai à sept.) et une saison sèche. Le Laos est le pays le moins densément peuplé de l'Asie du Sud-Est. Les Laos, majoritaires (67 %), appartiennent au groupe thaï et se concentrent dans la vallée du Mékong. Les minorités de langue môn-khmer (16,5 %) résident sur les plateaux du Sud et les montagnes du Nord, comme les minorités thaïs (7,8 %), les Miaos et les Yaos (5,2 %). La population est essentiellement rurale (78 %).

Écon. – Désorganisée après la tentative de collectivisation (1976-1979), l'agriculture est devenue, grâce aux aides étrangères et à l'achat d'équipements, la première richesse du pays (55 % du PNB). Le pays exploite peu ses ressources minières (gypse, étain, charbon, argent, saphir). L'industrie textile est en expansion. Mais c'est sur la production d'hydroélectricité, déjà l'une des principales sources d'exportation (30 %), et sur son accroissement, que le Laos fonde ses espoirs de redressement économique. Le potentiel laotien en ce domaine serait de 180 000 MW.

Hist. – Jusqu'au XIIIe s., le territoire actuel du Laos appartient à l'Empire khmer puis au royaume thaï de Sukhotai. Au XIVe s., le royaume de Sukhotai s'affaiblit, ce qui permet au prince Fa Ngum (1316-1378) de fonder, en 1353, le royaume du Lan Xang (premier État laotien). Il installe sa capitale à Luang Prabang et introduit le bouddhisme. Au milieu du XVIe s., les Birmans imposent leur suzeraineté; le roi Setthathirath (v. 1548-1571) transfère la capitale à Vientiane (1563). À sa mort, les Birmans occupent le royaume. Le pays connaît une période troublée jusqu'au règne de Souligna Vongsa (1637-1694), qui rétablit l'ordre. Les querelles que suscite sa succession mettent fin à l'unité du Laos, qui éclate, au début du XVIIIe s., en trois royaumes rivaux : Vientiane, Luang Prabang et Champassak. Ceux-ci défendent difficilement leur souveraineté face aux Birmans et aux Siamois. Le Siam, qui domine ces trois royaumes depuis la fin du XVIIIe s., signe des traités (1893, 1902, 1904) reconnaissant le protectorat de la France sur le Laos. Celui-ci est unifié par la France, qui le fait entrer dans l'Union indochinoise en 1899. En 1904 commence le long règne de Sisavang Vong, qui dure jusqu'en 1959. En 1941, le Siam, allié du Japon, impose à la France de céder les territoires à l'ouest du Mékong; en avril 1945, sous la pression japonaise, le roi proclame l'indépendance du Laos; en 1946, la France reconquiert le Laos et lui accorde son autonomie interne. En 1951, le prince Souvanna Phouma devient Premier ministre, tandis que des nationalistes plus radicaux, menés par Souphanouvong (frère de Souvanna Phouma), créent le Pathet Lao. Aidés par le Viêt-minh, ils prennent le contrôle d'une « zone libérée » dans le Nord, puis des campagnes du Sud. Le Laos accède à l'indépendance en 1954 (conférence de Genève). Trois tendances rivales, réunies dans de brefs gouvernements d'union nationale (1957, 1962, 1974), vont marquer la vie politique : la droite conservatrice (proaméricaine), les neutralistes de Souvanna Phouma et le Pathet Lao, communiste (pro-Viêt-nam du Nord), de Souphanouvong. De 1964 à 1973, le Laos, où passe la « piste Hô Chi Minh » est impliqué dans la guerre du Viêtnam et subit les bombardements américains. La paix rétablie au Viêt-nam, le

Front patriotique du Laos (ex-Pathet Lao) prend le pouvoir, abolit la monarchie (2 déc. 1975) et proclame la Rép. pop. démocratique du Laos; le prince Souphanouvong devient prés. de la Rép. En 1977, le Laos signe un traité de coopération avec le Viêt-nam et accélère sa « marche vers le socialisme ». Au milieu des années 80, le Premier ministre (puis chef de l'État en 1991), Kaysone Phomvihane, engage son pays vers l'ouverture économique; en 1988, le Laos se rapproche de la Thaïlande. La nouvelle Constitution de 1991 confirme le monopartisme. À Nouhak Phoumsavane, président de la République (1992-1998) succède en fév. 1998 le général Khamtay Siphandone, tandis que Sisavath Keobouphanh devient Premier ministre.

Lao She (Shu Qingchun, dit) (Pékin, 1899 - *id.*, 1966), écrivain chinois. Romancier, les personnages et le langage de son roman le plus célèbre, *le Pousse-pousse* (1936), sont inspirés du petit peuple de Pékin. De son œuvre dramatique, on retient surtout *Maison de thé* (1957).

laotien, enne [laɔsjɛ̃, ɛn] adj. et n. Du Laos. ▷ Subst. *Un(e) Laotien(ne).*

Lao-tseu ou **Laozi,** philosophe chinois (VIe s. av. J.-C. [?]). Ses biographies sont en grande partie légendaires. Sa doctrine, dont l'influence sur le développement historique et intellectuel de la Chine fut parallèle à celle de Confucius, est connue sous le nom de *taoïsme.* Elle se trouve condensée dans un ouvrage en 5 000 caractères, le *Tao-tö king* (en pinyin *Daodejing*), qu'il aurait rédigé au cours du long voyage vers l'ouest qui marque le dernier épisode connu de sa vie.

Lao-tseu sur son buffle, céramique chinoise, XVIIIe s.; musée Guimet, Paris

La Palice ou **La Palisse** (Jacques II de Chabannes, seigneur de) (?, v. 1470 - Pavie, 1525), maréchal de France (1515). Célèbre capitaine des guerres d'Italie, il fut tué à Pavie. D'une complainte sur sa mort, naïvement déformée plus tard *(Un quart d'heure avant sa mort,/il était encore en vie),* est née l'expression « une vérité de La Palisse ».

lapalissade n. f. Vérité évidente.

laparoscopie n. f. CHIR Exploration de la cavité péritonéale à l'aide d'un dispositif optique introduit à travers un trocart.

laparotomie n. f. CHIR Incision chirurgicale de la paroi abdominale et du péritoine.

lapement n. m. Action de laper; bruit produit par un animal qui lape.

laper v. tr. [1] (Animaux) Boire en tirant le liquide à coups de langue. *Laper du lait.* - Absol. *Le chien lape.*

le comte de **La Pérouse,** préparant son voyage de 1785, reçoit des instructions de Louis XVI, par Nicolas Monsiaux, 1817; Versailles

lapereau n. m. Jeune lapin.

La Pérouse (Jean François de Galaup, comte de) (près d'Albi, 1741 - Vanikoro, Océanie, 1788), navigateur français. Chargé par Louis XVI d'explorer la côte N.-O. du Canada et de l'Alaska (1785), il partit avec deux navires, l'*Astrolabe* et la *Boussole,* et fit naufrage sur la route du retour au large de l'île de Vanikoro. Il fut vraisemblablement tué par des indigènes de l'île. - *Détroit de La Pérouse :* passage, entre les îles Hokkaidō et Sakhaline, unissant la mer du Japon au Pacifique.

Laperrine d'Hautpoul (Marie-Joseph François Henry) (Castelnaudary, 1860 - au Sahara, 1920), général français, ami de Ch. de Foucauld. Organisateur des compagnies sahariennes et pacificateur du Sahara, il mourut dans un accident d'avion en tentant de réaliser la traversée aérienne du désert.

Lapicque (Louis) (Épinal, 1866 - Paris, 1952), physiologiste français. Il découvrit la chronaxie.

1. lapidaire n. m. **1.** Personne qui taille ou qui vend des pierres précieuses. **2.** TECH Meule servant au dressage ou au polissage des pierres précieuses et des pièces métalliques.

2. lapidaire adj. **1.** Relatif aux pierres. *Musée lapidaire,* où l'on conserve des pierres gravées ou sculptées. **2.** Propre aux inscriptions sur pierre (notam. latines). ▷ Fig. Dont la concision rappelle le style de ces inscriptions. *Formule lapidaire.*

lapidation n. f. Action de lapider; supplice d'une personne qu'on lapide. *Chez les Macédoniens, la lapidation était un supplice légal.*

lapider v. tr. [1] **1.** Tuer à coups de pierres. **2.** Poursuivre, attaquer à coups de pierres.

lapidification n. f. GEOL Fait de se lapidifier.

lapidifier v. tr. [2] GEOL Donner la consistance de la pierre à; transformer en roche. ▷ v. pron. *Éléments minéraux qui se sont lapidifiés.*

lapin, ine n. **1.** Petit mammifère herbivore lagomorphe (fam. léporidés), élevé pour sa chair, à la fourrure douce, aux longues oreilles. ▷ *Lapin de garenne :* lapin sauvage. *Lapin russe,* blanc, aux extrémités noires et aux yeux rouges. **2.** Chair du lapin. *Servir du lapin.* **3.** Fourrure du lapin domestique. *Veste de lapin.* **4.** Loc. fig. *Courir comme un lapin,* très vite. - *Le coup du lapin,* violemment porté sur la nuque du tranchant de la main et qui brise les vertèbres cervicales de l'animal; *par ext.,* coup violent, parfois mortel, porté sur la nuque de l'homme. - Loc. fig., fam. *Un chaud lapin :* un homme sexuellement ardent. - *Poser un lapin à qqn,* ne pas venir à son rendez-vous. - *Mon (petit) lapin,* terme d'affection.

lapiner v. intr. [1] En parlant de la lapine, mettre bas.

lapis [lapis] ou **lapis-lazuli** [lapislazyli] n. m. inv. Pierre d'un beau bleu, recherchée en joaillerie, silicate double d'aluminium et de sodium contenant du soufre très divisé. Syn. lazurite, pierre d'azur*.

Lapithes, dans la myth. gr., peuple de la Thessalie, célèbre par son victorieux combat contre les Centaures.

Laplace (Pierre Simon, marquis de) (Beaumont-en-Auge, Normandie, 1749 - Paris, 1827), mathématicien, physicien et astronome, l'un des plus grands savants français. Son œuvre comprend un *Traité de mécanique céleste* (nomb. vol., 1798-1825), qui développe les théories de Newton, et une *Théorie analytique des probabilités* (1812). Dans son *Exposition du système du monde* (1796), il a émis l'hypothèse que le système solaire proviendrait d'une nébuleuse primitive. Acad. fr. (1816). ▷ MATH *Loi de Laplace-Gauss* ou *loi normale :* V. Gauss. ▷ PHYS *Loi de Laplace :* loi permettant de calculer la force appliquée à un conducteur placé dans un champ d'induction et parcouru par un courant électrique. ► illustr. page **1053**

laplacien, enne n. m. et adj. **1.** n. m. MATH Opérateur différentiel noté Δ ou ∇^2 (nabla) appliqué à un scalaire ou à un vecteur. **2.** adj. MATH *Champ laplacien :* champ de vecteurs.

lapon, one adj. et n. **1.** adj. De la Laponie. ▷ Subst. *Les Lapons.* **2.** n. m. *Le lapon :* la langue finno-ougrienne parlée par les Lapons.

Laponie, rég. la plus septent. d'Europe, située près de l'océan Glacial arctique. Habitée par les Lapons, elle est partagée entre la Norvège, la Suède, la Finlande et la Russie. L'O. est montagneux et couvert de glace; l'E. est une surface d'érosion au sol tourbeux et marécageux.

Lapparent (Albert Cochon de) (Bourges, 1839 - Paris, 1908), géologue français; auteur de traités de géologie, de minéralogie et de géomorphologie (*Leçons de géographie physique,* 1896).

Laprade (Victor Richard de) (Montbrison, 1812 - Lyon, 1883), poète français d'inspiration romantique et chrétienne : *les Parfums de la Madeleine* (1829), *Psyché* (1841). Acad. fr. (1858).

Laprade (Albert) (Buzançais, 1883 - Paris, 1978), architecte et urbaniste français; auteur notam. du barrage de Génissiat. Il participa à la restauration d'anciens quartiers de Paris (le Marais).

lapin de garenne

laps [laps] n. m. *Laps de temps* : espace de temps.

lapsus [lapsys] n. m. Erreur que l'on commet en parlant *(lapsus linguæ)* ou en écrivant *(lapsus calami)*. *Pour Freud, les lapsus sont des actes manqués.* V. manqué 1, sens 4.

Laptev (mer de), partie de l'océan Arctique comprise entre la presqu'île de Taïmyr, la côte de Sibérie et l'archipel de Nouvelle-Sibérie (500 000 km^2).

laquage n. m. Opération qui consiste à recouvrir de laque un objet.

laquais n. m. Anc. Valet revêtu de la livrée. ▷ Fig. Homme servile.

laque n. **I.** n. f. **1.** Sève résineuse rouge foncé de divers arbres d'Asie. Syn. gomme laque. **2.** Vernis coloré naturel, obtenu à partir de la sève résineuse de certains arbres d'Extrême-Orient. **3.** Peinture qui a l'aspect brillant et dur de la laque (sens 2). **4.** Substance que l'on vaporise sur les cheveux pour les fixer. **II.** n. m. Objet d'art peint avec la laque (sens I, 2). *Une collection de beaux laques d'Extrême-Orient.*

laqué, ée adj. **1.** Recouvert de laque ou de peinture brillante. *Paravent laqué. Un lit d'enfant laqué rose.* **2.** MED *Sang laqué* : sang ayant subi l'hémolyse. **3.** CUIS *Canard, porc laqué* : mets chinois ; canard, porc enduit plusieurs fois en cours de rôtissage d'une sauce de soja additionnée de sucre ou de miel et d'épices.

Laquedives. V. Laksha Dvīpa.

laquelle. V. lequel.

laquer v. tr. [1] Recouvrir de laque ou de peinture brillante.

laqueur n. m. Artisan qui enduit de laque (sens I, 2), de vernis imitant la laque.

La Quintinie (Jean de) (Chabanais, Angoumois, 1626 - Versailles, 1688), horticulteur et arboriculteur français (potagers de Versailles, de Chantilly, de Rambouillet).

Larache (en ar. *Al-'Arā'ich*), v. et port du Maroc (prov. de Tétouan), sur l'Atlantique, à l'embouchure du Loukkos ; 63 890 hab. Pêche ; industr. alimentaires.

Larbaud (Valery) (Vichy, 1881 - id., 1957), écrivain français. Il a donné *Fermina Marquez* (1911) et, sous le nom (et le titre) de *A.O. Barnabooth*, un ensemble d'œuvres (1908-1913) qui forment une sorte de suite autobiographique de l'artiste cosmopolite. Il est le princ. traducteur de l'*Ulysse* de Joyce.

larbin n. m. Fam., péjor. Domestique de sexe masculin. ▷ Fig. Homme servile.

Larche (col de) ou **Argentière** (col de l'), col (1 997 m) des Alpes-Hte-Prov., reliant Barcelonnette à Cuneo (Italie).

larcin n. m. Petit vol commis sans violence. ▷ *Par méton.* Chose ainsi volée. *Cacher son larcin.*

lard [laʀ] n. m. **1.** Couche épaisse, constituée de tissu conjonctif chargé de graisse, qui est située sous la peau des mammifères à poil rare (porc, cétacés). *Le lard de baleine.* ▷ *Spécial.* Lard du porc, utilisé pour la cuisine. *Pissenlits au lard.* **2.** Loc. fam. *Un homme gras à lard, un gros lard* : un homme gras et lourdaud. ▷ Fam. *Se faire du lard* : mener une vie inactive (qui fait prendre de l'embonpoint). ▷ Fam. *Tête de lard* : personne entêtée, peu accommodante.

larder v. tr. [1] **1.** *Larder de la viande*, y piquer de petits morceaux de lard. **2.** Par anal. *Larder qqn de coups d'épée, de couteau*, lui porter de nombreux coups d'épée, de couteau. ▷ Fig. *Larder qqn d'épigrammes.* **3.** CONSTR *Larder une pièce de bois*, y planter des clous pour maintenir le plâtre dont on la recouvre.

Lardera (Berto) (La Spezia, 1911), sculpteur français d'origine italienne. Avec des plaques métalliques pleines et évidées, il organise des plans dont les intersections découpent l'espace.

Larderello, local. d'Italie (prov. de Pise) où les vapeurs à haute température (120 °C env.) émises par le sol sont utilisées par des centrales géothermiques.

lardoire n. f. CUIS Brochette creuse avec laquelle on larde la viande.

lardon n. m. **1.** Petit morceau de lard allongé avec lequel on larde la viande. ▷ Petit morceau de lard maigre que l'on fait revenir et dont on accommode certains mets. **2.** Pop. Jeune enfant.

lare n. m. et adj. **1.** Divinité romaine protectrice du foyer. ▷ adj. *Les dieux lares.* **2.** (Plur.) Par méton., litt. *Les lares* : le foyer domestique, la maison paternelle.

La Renaudie (Godefroi de Barri, seigneur de) (m. en 1560), gentilhomme protestant français. Chef de la conjuration d'Amboise, il fut tué près de cette ville.

La Révellière-Lépeaux (Louis Marie de) (Montaigu, Vendée, 1753 - Paris, 1824), homme politique français. Conventionnel girondin puis membre du Directoire, il participa au coup d'État du 18 fructidor an V contre les royalistes ; il quitta le gouvernement en juin 1799.

La Reynie (Gabriel Nicolas de) (Limoges, 1625 - Paris, 1709), premier lieutenant général de police de Paris (1667). Il œuvra pour le développement de l'hygiène et améliora la sécurité.

largable adj. Qui peut être largué. *Réservoirs largables d'un avion.*

largage n. m. Action de larguer. *Largage de bombes.*

large adj., n. m. et adv. **I.** adj. **1.** Dont la largeur est grande. *Couloir large.* Ant. étroit. **2.** Ample. *Ce chandail est trop large.* **3.** *Large de* : qui a une largeur de. *Route large de dix mètres.* **4.** Fig. Étendu, vaste, grand. *De larges possibilités. Avoir des vues larges.* Ant. restreint, borné. **5.** Fig. Généreux, qui donne beaucoup. *Le patron n'est pas large.* ▷ *Une existence large*, dans laquelle on ne manque pas d'argent. **6.** Fig. Qui comprend autrui, qui est tolérant. *Un esprit large.* - Par ext. *Avoir les idées larges.* ▷ Péjor. *Une conscience large*, peu scrupuleuse. **II.** n. m. **1.** Largeur. *Cette table a 90 cm de large.* ▷ *En long et en large* : dans tous les sens, et, fig., fam., complètement et en détail. **2.** *Le large* : la haute mer. ▷ *Prendre le large* : s'éloigner du rivage, et, fig., fam., s'en aller. ▷ *Au large de* : en mer, en face de tel point de la côte. *L'île de Groix se trouve au large de Lorient.* **3.** Loc. adv. *Au large* : spacieusement. *Être logé au large.* ▷ Fig. *Être au large* : avoir suffisamment de ressources. ▷ *Au large !* : écartez-vous ! **III.** adv. **1.** Sans serrer. *Ces mocassins chaussent large.* **2.** Avec une grande ampleur de vues. *Voir large.* **3.** Fig., fam. *Il n'en mène pas large* : il est dans une situation fâcheuse et il a peur.

Largeau (Victor Emmanuel Étienne) (Niort, 1867 - Avocourt, près de Verdun, 1916), général français. Membre notam. de la mission Marchand, il participa à la conquête du Soudan et du Tchad.

largement adv. **1.** D'une manière large. **2.** (Devant une indication de quantité.) Au moins. *Cette valise pèse largement dix kilos.*

Largentière, ch.-l. d'arr. de l'Ardèche, sur la Ligne ; 2 117 hab. - Les mines de plomb argentifère auxquelles la com. doit son nom ne sont plus exploitées. - Égl. gothique. Château du XVe s.

largesse n. f. Libéralité, générosité. - (Plur.) Dons généreux. *Combler qqn de largesses.*

largeur n. f. **1.** Une des dimensions d'une surface, d'un volume (par oppos. à *longueur, hauteur, profondeur, épaisseur*). *Largeur d'une table.* ▷ Fig., fam. *Dans les grandes largeurs* : grandement, complètement. *Se tromper dans les grandes largeurs.* **2.** Fig. Qualité de ce qui n'est pas borné, mesquin. *Largeur d'esprit. Largeur de vues.*

larghetto [laʀgetto] adv. et n. m. MUS Un peu moins lentement que largo. ▷ n. m. Morceau joué dans ce mouvement.

Largillière (Nicolas de) (Paris, 1656 - id., 1746), peintre français ; portraitiste, à la manière flamande (*la Belle Strasbourgeoise*).

largo, plur. **largo** ou **largos** [laʀgo] adv. et n. m. MUS Avec un mouvement très lent et majestueux. ▷ n. m. Morceau joué dans ce mouvement.

Largo Caballero (Francisco) (Madrid, 1869 - Paris, 1946), homme politique espagnol. Socialiste, il participa au premier gouvernement républicain (1931). Président du Conseil lors du Front populaire (1936-1937), il s'exila en France en 1939.

largonji [laʀgɔ̃ʒi] n. m. Pop. Argot consistant à déformer les mots en substituant à la lettre initiale un *l*, cette lettre initiale étant rejetée à la fin du mot et suivie d'un suffixe variable (ex. *jargon* devenu *largonji*, *boucher* devenu *louchébem**).

largue n. m. MAR Allure de route d'un bateau qui reçoit le vent d'une direction comprise entre l'arrière et le travers. *Les allures de largue : petit largue* (vent de travers), *largue* (vent venant de 1 à 4 quarts sur l'arrière du travers), *grand largue* (vent venant de plus de 4 quarts sur l'arrière du travers).

larguer v. tr. [1] **1.** MAR Lâcher ; désamarrer et laisser aller. *Larguer une amarre, une écoute.* **2.** AVIAT Lâcher en cours de vol. *Larguer des bombes, des parachutistes.* **3.** Pop. Jeter. *Larguer ses vieilles affaires.* - Mettre à la porte, congédier. *Elle a largué son petit ami. Il s'est fait larguer de sa boîte.*- Pp. adj. Fam. *Être largué* : être dépassé, ne plus rien comprendre.

Lariboisière (Jean Ambroise Baston, comte de) (Fougères, 1759 - Königsberg, 1812), général français. Commandant de l'artillerie de la garde impériale (1807), il mourut au retour de la retraite de Russie. - **Charles Honoré** (Fougères, 1788 - Paris, 1868), fils du préc. ; militaire et sénateur sous le Second Empire. Sa femme, **Élisa Roy** (1794 - 1851), fonda à Paris l'*hôpital Lariboisière* (1846).

lariformes n. m. pl. ORNITH Ordre d'oiseaux marins à longues ailes, comprenant les mouettes, les goélands, les sternes, etc. - Sing. *Un lariforme.*

larigot n. MUS Petit flageolet. ▷ Jeu d'orgue d'un pied 1/3 (jeu de mutation simple).

Larionov (Mikhaïl Fiodorovitch, dit Michel) (Tiraspol, gouv. d'Odessa, 1881 – Fontenay-aux-Roses, 1964), peintre russe naturalisé français; créateur avec sa femme, N. Gontcharova, du «rayonnisme», l'un des premiers mouvements picturaux non figuratifs.

Lárissa, v. de Grèce (Thessalie), ch.-l. du nome du m. nom; 102 050 hab. Industr. text. et alim. – Archevêché. Musée archéologique. Ruines antiques.

Lāristān (le), région montagneuse de l'Iran, en bordure du détroit d'Ormuz. Riche rég. agricole.

larme n. f. **1.** Goutte du liquide sécrété par les glandes lacrymales. *Les larmes humidifient et protègent la cornée.* – Loc. *Fondre en larmes* : se mettre à pleurer. *Pleurer à chaudes larmes* : pleurer beaucoup. *Rire aux larmes,* beaucoup, très fort. ▷ *Avoir des larmes dans la voix* : parler d'une voix altérée par l'émotion. ▷ Fig., fam. *Pleurer des larmes de crocodile,* des larmes hypocrites. **2.** Par anal. *Larmes de cerf* : humeur onctueuse et odorante sécrétée par les larmiers du cerf, avec laquelle l'animal marque son territoire. ▷ Écoulement de la sève. *Larmes de la vigne.* **3.** Fam. Très petite quantité (de boisson). *Versez-moi une larme de vin.*

larme-de-Job n. f. Syn. de *larmille. Des larmes-de-Job.*

larmier n. m. **1.** ARCHI Moulure, élément en saillie, dont la face inférieure est creusée d'une rigole qui collecte les gouttes de ruissellement et les fait tomber sur le sol, avant qu'elles n'aient pu glisser le long du mur. **2.** ANAT Angle interne de l'œil. ▷ ZOOL Appareil sécréteur propre aux cervidés, situé à l'angle interne de l'œil.

larmille [laʀmij] n. f. Graminée dont les grains luisants évoquent des larmes. Syn. larme-de-Job.

larmoiement [laʀmwamɑ̃] n. m. Fait de larmoyer.

Larmor (sir Joseph) (Magheragall, 1857 – Holywood, Irlande, 1942), physicien irlandais. Il étudia l'influence des champs magnétiques sur le mouvement des électrons (dont il prouva qu'ils possédaient une masse) et, de façon plus générale, sur toute particule élémentaire.

larmoyant, ante adj. **1.** Qui larmoie. *Yeux larmoyants.* **2.** Propre à faire verser des larmes, à attendrir. *Les comédies larmoyantes en vogue au XVIIIe siècle.*

larmoyer v. intr. [**23**] **1.** *Yeux qui larmoient,* qui sont sans cesse humectés de larmes. **2.** Péjor. Pleurnicher, s'attendrir de manière hypocrite ou peu justifiée.

Larnaca (en gr. *Larnax,* en turc *Lârnaka*), v. et port de l'île de Chypre (côte S.-E.); 20 000 hab.; ch.-l. du distr. du m. nom.

La Roche (Mazo De). V. De La Roche.

La Rochefoucauld (François, duc de) (Paris, 1613 – id., 1680), écrivain français. Il prit part au complot de Mme de Chevreuse contre Richelieu, puis soutint activement la Fronde des princes (1648). Blessé au visage (1652), il se rallia bientôt au roi (1653) et, vivant retiré sur ses terres, entreprit la rédaction de ses *Mémoires* (1662), avant de fréquenter la société des femmes

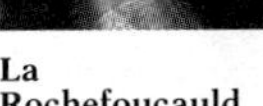

La Rochefoucauld

le maréchal de **Lattre de Tassigny**

d'esprit : Mme de Sablé, Mme de Sévigné, Mme de La Fayette. En 1664, il publia anonymement, à La Haye, ses *Réflexions ou Sentences et Maximes morales.* Plus. fois rééditées de son vivant et sous son nom, les *Maximes* ont assuré à La Rochefoucauld une célébrité de moraliste sévère dont le pessimisme s'apparente à celui de Pascal. Pour lui, l'«amour-propre» (l'amour de soi) est le mobile universel de notre conduite. Son style, net et concis, fait de lui l'un des grands écrivains classiques français.

La Rochefoucauld-Liancourt (François, duc de) (La Roche-Guyon, 1747 – Paris, 1827), philanthrope et homme politique français; fondateur à Liancourt de l'École professionnelle des enfants de la patrie, qui est à l'origine de l'école des arts et métiers de Châlons.

La Rochejaquelein (Henri du Vergier, comte de) (près de Châtillon-sur-Sèvre, 1772 – Nouaillé-Maupertuis, Vienne, 1794), chef vendéen. Il souleva les Mauges (partie S.-O. de l'Anjou), en 1793, et fut battu à Cholet (oct. 1793). Devenu général en chef des Vendéens, il poursuivit la guérilla et trouva la mort lors d'un combat.

La Rocque (François, comte de) (Lorient, 1885 – Paris, 1946), colonel et homme politique français. Président des Croix-de-Feu (1931), puis du parti social français (après la dissolution des ligues, 1936), il fut résistant et déporté en Allemagne (1943).

Larousse (Pierre) (Toucy, Yonne, 1817 – Paris, 1875), lexicographe et éditeur français; auteur du *Grand Dictionnaire universel du XIXe siècle* (14 vol., 1866-1876). Son nom a été donné à de nombreux dictionnaires publiés après sa mort par la maison d'édition qu'il avait fondée avec Augustin Boyer en 1852.

Larrey (Dominique Jean, baron) (Beaudéan, Bigorre, 1766 – Lyon, 1842), chirurgien des armées de Napoléon, surnommé «la Providence du soldat». Il fut professeur au Val-de-Grâce.

larron n. m. **1.** Vx Brigand, bandit, voleur. ▷ *Le bon larron et le mauvais larron* : les deux malfaiteurs qui, selon l'Évangile, furent crucifiés en même temps que le Christ. ▷ Loc. prov. Mod. *Ils s'entendent comme larrons en foire* : ils sont d'accord entre eux au détriment d'autrui. – Prov. *L'occasion fait le larron.* ▷ *Le troisième larron,* celui qui profite du désaccord de deux autres personnes (*les Voleurs et l'Âne* de La Fontaine). **2.** IMPRIM Défaut d'impression d'une feuille pliée accidentellement.

Larsa, anc. v. de Mésopotamie (auj. *Senkerah,* Irak), cap. aux XIXe-XVIIIe s. av. J.-C. d'un puissant royaume en lutte avec Ur et Hammourabi.

larsen [laʀsɛn] n. m. ELECTROACOUST *Larsen* ou *effet Larsen* : phénomène, se traduisant par un sifflement intense, qui se produit lorsque le microphone dans lequel on parle et le haut-parleur d'un même ensemble électroacoustique sont rapprochés. (Le microphone capte alors en même temps les sons de la voix et ceux qui sont émis par le haut-parleur, ce qui déclenche des oscillations s'entretenant par elles-mêmes.)

Larsen (Søren Absalon) (Nørre Aaby, 1871 – Gentofte, près de Copenhague, 1957), électroacousticien danois.

Lartet (Édouard) (Saint-Guiraud, Gers, 1801 – Seissan, id., 1871), géologue français; ses méthodes de fouilles, appliquées dans le S.-O. de la France, en font le créateur de la paléontologie humaine.

Lartigue (Jacques-Henri) (Courbevoie, 1894 – Nice, 1986), photographe français. Ses instantanés montrent l'univers de la haute bourgeoisie, les lieux de villégiature de ses proches : le frère Zissou, la tante Yéyé. Son journal intime, *Instants de ma vie* (1973), comprend textes et dessins.

larvaire adj. **1.** D'une larve, de la larve; caractéristique de la larve (sens 2). *La phase larvaire de la vie d'un insecte.* **2.** Fig. Embryonnaire.

larve n. f. **1.** ANTIQ ROM Esprit malfaisant d'un mort. **2.** Forme que prennent certains animaux entre l'état embryonnaire et l'état adulte. **3.** Fig., péjor. Individu insignifiant et méprisable.

larvé, ée adj. Qui ne se déclare pas franchement; insidieux. *Une guerre civile larvée.*

laryng(o)-. Élément, du gr. *larugx, laruggos,* «gorge, gosier».

laryngal, ale, aux adj. et n. f. PHON Dont le point d'articulation est situé au niveau du larynx. *Une consonne laryngale* ou, n. f., *une laryngale.* (Ex. : le [h] de *hop!,* la *jota* espagnole.)

laryngé, ée adj. MED Qui concerne le larynx. *Dyspnée laryngée.*

laryngectomie n. f. CHIR Ablation chirurgicale partielle ou totale du larynx.

laryngien, enne adj. ANAT, MED Du larynx. *Région laryngienne.*

laryngite n. f. MED Inflammation aiguë ou chronique du larynx, aux causes variées (inflammatoire, infectieuse, traumatique, etc.), qui se manifeste par une toux, une dyspnée et des modifications de la voix.

laryngologie n. f. MED Partie de la médecine qui étudie le larynx et sa pathologie.

laryngophone n. m. TECH Microphone qui fonctionne sous l'effet des vibrations du larynx.

laryngoscope n. m. MED Appareil qui permet d'examiner le larynx.

laryngoscopie n. f. MED Examen du larynx à l'aide d'un laryngoscope.

laryngotomie n. f. CHIR Incision du larynx.

larynx [laʀɛ̃ks] n. m. Partie des voies aériennes supérieures situées entre la trachée, qui lui fait suite, et le pharynx, qui le précède. *Le larynx est l'organe essentiel de la phonation.*
▸ illustr. page **1064**

Larzac (causse du), haut et vaste plateau calcaire du S. du Massif central (Aveyron). Camp militaire (dont le projet d'extension suscita un important

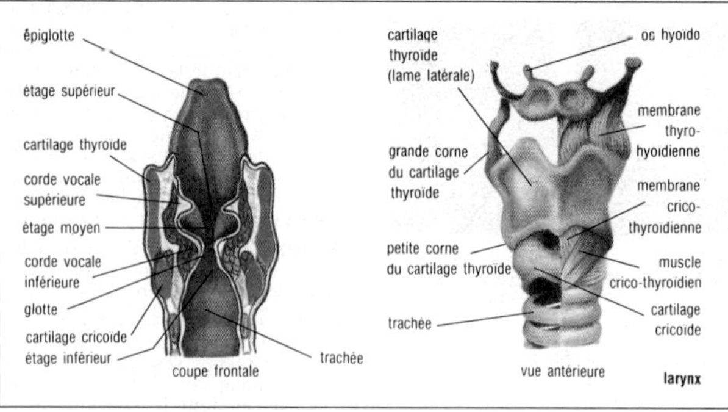

larynx

mouvement de protestation entre 1971 et 1981). Élevage de moutons.

1. las ! [las] interj. Vx ou litt. Hélas!

2. las, lasse [lɑ, lɑs] adj. **1.** Qui ressent péniblement la fatigue physique, la difficulté ou l'incapacité de poursuivre un effort, une action, etc. *Être las de marcher.* – Qui exprime la fatigue. *Un air, un sourire las.* **2.** Ennuyé, excédé, dégoûté. *Être las des plaisirs. Las d'espérer.*

Lasa. V. Lhasa.

La Sablière (Marguerite Hessein, Mme de) (Paris, 1636 – id., 1693), femme de lettres française; amie et protectrice de La Fontaine.

lasagne n. f. Pâte alimentaire d'Italie, coupée en forme de larges rubans. ▷ Préparation culinaire composée de plusieurs couches de cette pâte et de hachis de viande, gratinée.

La Sale ou **La Salle** (Antoine de) (en Provence, v. 1388 – ?, v. 1462), conteur français : *l'Histoire du petit Jehan de Saintré.* Certains lui attribuent les *Quinze Joyes de mariage* et les *Cent Nouvelles nouvelles.*

Lasalle, v. du Québec (Canada) sur le Saint-Laurent, dans la banlieue S.-O. de Montréal; 75 620 hab. Industr. alim. et chimiques; constr. mécaniques.

La Salle (saint Jean-Baptiste de). V. Jean-Baptiste de La Salle (saint).

La Salle (René Robert Cavelier de) (Rouen, 1643 – en Louisiane, 1687), explorateur français. Parti de Nouvelle-France (Canada), il descendit le Mississippi, atteignit le golfe du Mexique et prit possession, au nom de Louis XIV, des terres qu'il nomma la *Louisiane* (1681-1682).

lascar n. m. Fam. **1.** Homme malin, débrouillard. **2.** Individu allant et décidé.

Lascaris, puissante famille byzantine (apparue dans l'histoire v. la fin du XIe s.). (V. Théodore Ier Lascaris et Théodore II Doukas Lascaris.)

Lascaris ou **Laskaris** (Jean) (Constantinople, v. 1445 – Rome, v. 1534), érudit grec. Réfugié en Europe (il fut bibliothécaire de Laurent Ier de Médicis), il contribua puissamment à la renaissance des études helléniques (Guillaume Budé fut son élève).

Las Casas (Bartolomé de) (Séville, 1474 – Madrid, 1566), dominicain espagnol. Missionnaire en Amérique, il se voua à la défense des Indiens. Auteur de *Très brève relation de la destruction des Indes* (1542).

Las Cases (Emmanuel, comte de) (Las Cases, près de Revel, 1766 – Passy-sur-Seine, 1842), écrivain français. Chambellan de Napoléon Ier, il l'accompagna à Sainte-Hélène, mais en fut éloigné en novembre 1816. On lui doit le *Mémorial de Sainte-Hélène,* compte rendu de ses entretiens avec l'Empereur (8 vol., 1823).

Lascaux (grotte de), refuge souterrain proche de Montignac (Dordogne, arr. de Sarlat). Découverte en 1940, cette grotte, ornée de très nombr. peintures et gravures pariétales, présente un des plus remarquables ensembles d'art paléolithique (magdalénien moyen, 13 000 env. av. J.-C.). Dégradée par l'afflux des touristes, elle fut fermée en 1963 et restaurée. Elle n'est auj. accessible qu'aux spécialistes (à proximité, une des salles, reconstituée en grandeur nature, est ouverte au public).

grotte de **Lascaux :** reconstitution de peintures rupestres du magdalénien; musée des Antiquités nationales, Saint-Germain-en-Laye

lascif, ive [lasif, iv] adj. **1.** Porté à la volupté ou à la luxure. *Une nature lascive.* **2.** Qui exprime la sensualité; qui éveille ou excite le désir. *Spectacle lascif. Démarche lascive.*

lascivement adv. D'une manière lascive.

lasciveté [lasivte] ou **lascivité** [lasivite] n. f. Caractère lascif.

Lasègue (Charles Ernest) (Paris, 1816 – id., 1883), médecin français; spécialiste de pathologie générale et de psychopathologie. ▷ PSYCHIAT *Maladie de Lasègue :* psychose hallucinatoire chronique. ▷ MED *Signe de Lasègue :* douleur apparaissant au cours de certains mouvements, indiquant une sciatique.

laser [lazɛʀ] n. m. Appareil qui produit un faisceau de lumière cohérente. ▷ (En appos.) *Faisceau laser.*

ENCYCL Un laser est un générateur d'ondes électromagnétiques monochromatiques possédant des caractéristiques de directivité, d'intensité et de cohérence de phase particulièrement intéressantes. Il se compose d'un milieu actif contenu dans une cavité résonante que délimitent deux miroirs. Son principe consiste à *exciter* les atomes d'un corps et à provoquer, lorsque les atomes reviennent à leur niveau d'énergie initial, l'émission de photons aux caractéristiques très voisines. Le rendement de cette émission augmente lorsque le nombre d'atomes possédant le niveau d'énergie le plus élevé est supérieur à celui des atomes dont le niveau d'énergie est le plus faible (inversion des populations). Cette inversion est notam. obtenue grâce au système de *pompage optique* mis au point en 1950 par le physicien français Alfred Kastler. Le milieu actif d'un laser peut être constitué : d'ions métalliques noyés dans une matrice cristalline (laser à rubis, à néodyme); d'ions de terres rares en solution dans un liquide; d'un gaz (laser à hélium-néon, à gaz carbonique, etc.); d'un matériau semiconducteur (arséniure de gallium, par ex.); d'un colorant liquide. Le faisceau lumineux émis par un laser est pratiquement constitué par un cylindre, d'un diamètre de quelques millimètres, la divergence des rayons étant très faible. Il peut être focalisé, le diamètre minimal de la tache focale étant de l'ordre de la longueur d'onde, ce qui permet d'obtenir des intensités d'éclairement considérables.

lasériser v. tr. [1] Soumettre à l'action du laser.

Laskaris. V. Lascaris.

Lasker-Schüler (Else) (Elberfeld, 1869 – Jérusalem, 1945), poétesse allemande. Faisant d'elle-même le thème central de ses œuvres, elle élabore, à partir des mystiques juive et chrétienne et des sensibilités modernes, un monde féerique : *Styx* (1902), *Ballades hébraïques* (1913), *Mon piano bleu* (1943).

Laskine (Aimée Laskine, Mme Roland Touchet, dite Lily) (Paris, 1893 – id., 1988), harpiste française virtuose.

Las Palmas. V. Palmas (Las).

Lassalle (Ferdinand) (Breslau, auj. Wrocław, 1825 – Genève, 1864), homme politique allemand; l'un des princ. inspirateurs du socialisme dans son pays. Partisan d'un socialisme autoritaire, appuyé sur un État placé au-dessus des classes sociales, il fonda, en 1863, l'Association générale allemande des travailleurs, premier grand parti socialiste d'Europe.

lassant, ante adj. Qui lasse. *Un travail lassant. Des propos lassants.*

Lassen (pic), volcan des É.-U., dans la Sierra Nevada, au N. de la Californie; 3 188 m. (Dernière éruption en 1921.)

lasser I. v. tr. [1] **1.** Vx Fatiguer physiquement. **2.** Causer une fatigue morale à; ennuyer, excéder. *Vos discours nous lassent.* **3.** Décourager. *Lasser la patience, la méfiance de qqn.* **II.** v. pron. *On ne se lasse pas de l'écouter.*

lassitude n. f. **1.** État ou sensation pénible de fatigue physique. **2.** Ennui, découragement; abattement moral.

lasso n. m. Corde à nœud coulant utilisée par les gauchos et les cow-boys pour capturer les chevaux sauvages, le bétail, etc.

Lassus (Roland de) (Mons, Hainaut, v. 1531 – Munich, 1594), compositeur wallon; le plus grand musicien de la Renaissance. Dans plus de 2 000 compositions (dont env. 1 000 motets), il aborda tous les genres, maniant aussi

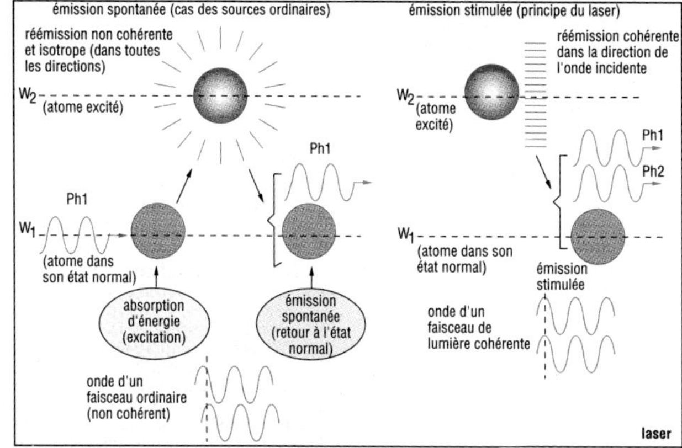

bien des formes polyphoniques complexes que des mélodies populaires.

Lasswell (Harold Dwight) (Donnellson, Illinois, 1902 - New York, 1978), sociologue américain. Il a notam. étudié la psychologie politique et renouvelé l'analyse du contenu d'un message donné en déterminant ses unités de signification constitutives (*The Future of World Communication*, 1972).

lastex [lastɛks] n. m. (Nom déposé.) Fil de caoutchouc gainé de textile (laine, coton, rayonne, etc.).

lasure n. f. PEINT Produit de protection du bois par imprégnation naturelle.

lasurer v. tr. [1] PEINT Recouvrir de lasure. *Lasurer des poutres apparentes.*

Las Vegas, ville des États-Unis (Nevada); 258 290 hab. (aggl. urb. 536 500 hab.). Cet anc. centre minier est devenu la cap. mondiale du jeu.

Latakieh. V. Lattaquié.

latanier n. m. Palmier d'Amérique, d'Asie et des îles de l'océan Indien, fournissant une fibre textile, dont certaines espèces, ornementales, sont cultivées en appartement.

Latécoère (Pierre) (Bagnères-de-Bigorre, 1883 - Paris, 1943), industriel français. Constructeur d'avions militaires et civils, il fut le créateur des premières lignes régulières France-Afrique-Amérique du Sud.

latence n. f. Didac. État de ce qui est latent. ▷ BIOL, PSYCHO Délai qui s'écoule entre un stimulus et la réaction à ce stimulus. ▷ PSYCHAN *Période de latence*, qui va de la fin du complexe d'Œdipe jusqu'au début de la puberté, et qui est marquée par un temps d'arrêt dans l'évolution de la sexualité.

latent, ente adj. **1.** Qui ne se manifeste pas; qui reste caché. *Une aversion latente.* **2.** MED *Maladie latente*, dont les symptômes ne sont pas encore cliniquement perceptibles. ▷ BIOL *Vie latente :* état d'un organe ou d'un organisme dont les fonctions physiologiques sont presque entièrement suspendues dans certaines conditions défavorables. Syn. ralenti. ▷ TECH *Image latente :* ensemble des points d'une émulsion photographique qui donneront l'image après développement. ▷ PHYS *Chaleur latente :* quantité de chaleur nécessaire pour faire passer d'un état à un autre, à température constante, l'unité de masse d'un corps. ▷ PSYCHAN *Contenu latent d'un rêve* (par oppos. à *contenu manifeste*), son sens profond et réel, qui procède de l'inconscient et que le travail de l'analyse tente de mettre au jour.

latér(o)-, -latère. Éléments, du lat. *latus, lateris*, « côté ».

latéral, ale, aux adj. (et n. f.) **1.** Qui appartient au côté; qui se trouve sur le côté. *Galerie latérale. Canal latéral.* **2.** PHON *Une consonne latérale* ou, n. f., *une latérale :* une consonne articulée en laissant passer l'air de chaque côté de la langue (ex. [l]).

latéralement adv. Sur le côté.

latéralisation n. f. Didac. Établissement progressif de la prédominance d'un hémisphère cérébral (généralement le gauche) sur l'autre.

latéralisé, ée adj. Didac. Qui a acquis la latéralité. *Bien, mal latéralisé.*

latéralité n. f. PHYSIOL Fait que l'une des deux moitiés du corps soit fonctionnellement dominante sur l'autre.

latérite n. f. MINER Roche rouge ou brune constituée d'hydroxydes d'aluminium et de fer, formant des cuirasses incultes à la surface des plateaux des régions tropicales. *La bauxite est une latérite composée d'alumine.*

latéritique adj. MINER De latérite ou formé dans la latérite. *Sol latéritique.*

latéritisation n. f. MINER Altération des roches formées de feldspath, qui conduit à la formation de latérite par lessivage de la silice.

latex [latɛks] n. m. inv. Sécrétion opaque blanche ou colorée, coagulable, de divers végétaux (hévéa, pissenlit, laitue). - Par ext. *Latex synthétique*, obtenu par polymérisation et servant à la fabrication de caoutchouc synthétique.

latifolié, ée adj. BOT À larges feuilles.

latifundiste n. Propriétaire d'un latifundium.

latifundium [latifɔ̃djɔm], plur. **latifundia** [latifɔ̃dja] n. m. **1.** ANTIQ ROM Immense domaine des Romains fortunés. **2.** Mod. Très grand domaine agricole privé, souvent mal ou insuffisamment exploité.

latin, ine adj. et n. **I.** adj. **1.** Originaire du Latium. **2.** De la Rome ancienne ou des peuples romanisés. *Coutumes, villes latines.* **3.** Qui a trait à la langue latine. *Littérature latine. Thème latin.* - *Alphabet latin.* - *Le Quartier latin :* le quartier de la Sorbonne, à Paris, où l'ancienne Université donnait son enseignement en latin. ▷ *Église latine :* Église catholique d'Occident, dont la langue liturgique était le latin (par oppos. à l'Église grecque, aux Églises d'Orient). **4.** Qui parle une langue romane (dérivée du latin). *Les peuples latins :* les Français, Italiens, Espagnols, Portugais, etc. **5.** MAR *Voile latine :* voile triangulaire dont le grand côté est envergué sur une antenne. **II.** n. **1.** Habitant(e) du Latium ou des anciens pays latins. **2.** Personne qui appartient à un peuple d'origine latine. *Les Latins. Un tempérament de Latin.* **3.** n. m. *Le latin :* la langue latine. *Le latin appartient au groupe méditerranéen des langues indo-européennes. Latin classique :* langue des plus célèbres auteurs lat. (notam. César et Cicéron). *Latin ecclésiastique :* latin de l'Église catholique romaine. *Latin populaire :* langue du peuple lat., à l'origine des langues romanes. *Latin impérial :* compromis entre le latin classique et le latin populaire avant la fin de l'Empire romain. - *Bas latin*, en usage après la chute de l'Empire romain et au Moyen Âge. - *Latin de cuisine :* mauvais latin; parler qui n'a que les désinences du latin. ▷ Loc. *C'est à y perdre son latin :* c'est à n'y plus rien comprendre.

Latina, v. d'Italie (Latium), au S.-E. de Rome, construite après l'assèchement des marais Pontins (1934); ch.-l. de prov.; 92 670 hab. Industr. alim. Centre de recherches nucléaires.

latin de Constantinople ou **d'Orient** (Empire). V. Constantinople (Empire latin de).

Latini (Brunetto) (Florence, v. 1220 - id., v. 1294), écrivain et érudit italien; un des maîtres de Dante. Exilé en France (1260-1266), où il est connu sous le nom de *Brunet Latin*, il rédigea en langue d'oïl une sorte d'encyclopédie des connaissances scientifiques : *le Livre du Trésor* (v. 1265).

latinisant, ante adj. et n. **1.** Qui pratique la liturgie de l'Église latine (dans un pays schismatique ou catholique de rite oriental). **2.** Qui s'occupe d'études latines.

latinisation n. f. Action de latiniser.

latiniser v. [1] **1.** v. tr. Donner une forme, une terminaison latine à. *Latiniser son nom en lui ajoutant la terminaison -us.* ▷ Donner un caractère latin à. *Les Romains latinisèrent la Gaule.* Syn. cour. romaniser. **2.** v. intr. RELIG Pratiquer la liturgie de l'Église latine.

latinisme n. m. Construction, tour de phrase propres à la langue latine.

latiniste n. Spécialiste de la langue et de la littérature latines.

latinité n. f. **1.** Manière de parler ou d'écrire en latin. *La latinité de Tite-Live.* **2.** Civilisation des Latins; caractère de ce qui est latin.

latino adj. et n. Se dit, aux États-Unis, des gens originaires d'Amérique latine.

latino-américain, aine adj. et n. De l'Amérique latine. ▷ Subst. *Les Latino-Américains.*

Latinus, roi légendaire du Latium, chanté par Virgile dans l'*Énéide*.

latitude n. f. **I.** **1.** Vx Largeur. - Fig. Étendue, extension. **2.** Faculté, liberté ou pouvoir de disposer, d'agir. *Donner, laisser (à qqn) toute latitude (de faire qqch).* **II.** **1.** Distance angulaire d'un lieu à l'équateur, mesurée de 0 à + ou -90° sur le méridien (vers le nord : positivement; vers le sud : négativement) (par oppos. à *longitude*). *Orléans est situé par 48° de latitude nord.* **2.** Climat, lieu appartenant à telle ou telle latitude. *L'homme s'adapte à toutes les latitudes. Hautes ou basses latitudes,* voisines des pôles ou de l'équateur. *Moyennes latitudes,* au-dessus des tropiques. **3.** ASTRO Angle que fait la direction d'un astre avec le plan de l'écliptique.

latitudinaire adj. et n. Vx Qui se donne trop de liberté dans les principes (partic. de religion); litt. qui est d'une morale relâchée.

Latium, anc. pays de l'Italie centrale, sur la mer Tyrrhénienne, habité par les Latins dès le IIe millénaire et conquis par Rome en 338-335 av. J.-C. – Région admin. d'Italie et région de la C.E., formée des prov. de Frosinone, Latina, Rieti, Rome, Viterbe; 17 203 km²; 5 137 270 hab.; cap. *Rome.* Riche région agric. et industr. (banlieue de Rome), le Latium présente un relief complexe de collines (monts Sabins) et de plaines (plaine du Tibre, marais Pontins).

latomies n. f. pl. ANTIQ Carrières utilisées comme prison. *Les latomies de Syracuse.*

Latone, nom de la déesse gr. Léto (V. ce nom) dans la myth. romaine.

Latouche (Hyacinthe Thabaud de Latouche, dit Henri de) (La Châtre, 1785 – Val d'Aulnay, 1851), poète français d'inspiration romantique (*Adieux,* 1843). Prem. éditeur d'André Chénier (1819).

La Tour (Georges de) (Vic-sur-Seille, v. 1593 – Lunéville, 1652), peintre français. Maître du clair-obscur au réalisme austère : *Madeleine à la veilleuse* (Louvre).

Georges de **La Tour :** *le Tricheur à l'as de carreau,* v. 1630; musée du Louvre

La Tour (Maurice Quentin de) (Saint-Quentin, 1704 – id., 1788), pastelliste, peintre et dessinateur français. Portraits au pastel d'un art incisif, net et mordant.

La Tour d'Auvergne, famille originaire de Latour (auj. La Tour-d'Auvergne, Puy-de-Dôme, arr. d'Issoire), connue depuis le XIIIe s. – **Henri** (Joze, 1555 – Sedan, 1623), duc (1591) de Bouillon (V. Bouillon). – **Théophile Malo Corret de** (Carhaix, 1743 – Oberhausen, 1800), officier français des guerres de la Révolution. Bonaparte le surnomma «le premier grenadier de France». Son cœur est aux Invalides, son corps au Panthéon.

La Tour du Pin, famille du Dauphiné qui donna à la France des prélats, des diplomates, des généraux, etc. – **Patrice** (Paris, 1911 – id., 1975), poète français; sa spiritualité chrétienne se double d'inquiétude métaphysique : *la Vie recluse en poésie* (1938), *la Quête de joie* (1933), *Une somme de poésie* (1946-1959).

La Tour Maubourg, anc. famille du Vivarais. – **Victor de Fay** (marquis de) (La Motte-Galaure, 1768 – Farcy-lès-Lys, 1850), général français, il émigra sous la Révolution, puis servit Napoléon et enfin (1814) les Bourbons; gouverneur des Invalides de 1821 à 1830.

Latran (église Saint-Jean-de-), l'une des trois basiliques patriarcales de Rome. Construite sous le règne de Constantin, en 324, elle doit son aspect actuel (baroque) à Borromini (1646-1650) et à A. Galilei (façade, 1736). – Attenant à la basilique, le *palais du Latran* servit de résidence aux papes avant leur exil en Avignon; détruit par un incendie en 1308, il fut reconstruit par D. Fontana en 1586. Cinq conciles œcuméniques (*conciles du Latran*) s'y sont tenus : 1123 (confirmation du concordat de Worms* et promulgation de canons disciplinaires); 1139 (liquidation du schisme d'Anaclet); 1179 (élection du pape à la majorité des deux tiers des cardinaux); 1215 (obligation de la confession annuelle et de la communion pascale, condamnation définitive des albigeois et des vaudois); 1512-1517 (vote de divers décrets de réforme). Le 11 fév. 1929, les *accords du Latran* y furent signés par le Vatican (cardinal Gaspari) et le gouv. italien (Mussolini); le Saint-Siège reconnaissait l'État italien, avec Rome pour cap.; l'État italien affirmait que la relig. «catholique, apostolique et romaine» était la seule relig. d'État (clause annulée en 1984) et reconnaissait la souveraineté du pape dans l'État du Vatican.

-lâtre, -lâtrie. Éléments, du gr. *latreuein,* «servir», employés en composition dans le sens de «adorateur, adoration».

La Trémoille, anc. famille poitevine. – **Georges** (1382 – Sully-sur-Loire, 1446) fut favori de Charles VII, qui le nomma grand chambellan. – **Louis II,** vicomte de Thouars, prince de Talmont (Thouars, 1460 – Pavie, 1525), homme de guerre, participa à la conquête du Milanais.

latrie n. f. THEOL *Culte de latrie,* rendu à Dieu seul (par oppos. à *culte de dulie,* rendu aux anges et aux saints).

latrines n. f. pl. Vieilli Lieux d'aisances.

Lattaquié ou **Latakieh,** v. et port de Syrie, ch.-l. du distr. du m. nom; 239 530 hab. Industr. agricoles (coton, tabac, huile). – Anc. *Laodicée* des Séleucides.

Quentin de **La Tour :** *Autoportrait,* pastel; musée de Picardie, Amiens

latte n. f. **1.** Pièce de bois, de métal, de matière plastique, etc., longue, plate et étroite. **2.** Plur. Pop. Chaussures, savates. – Pieds. *Des coups de lattes dans le cul.*

latté n. m. Contre-plaqué dont l'âme est formée de lattes sur chant, collées entre elles.

latter v. tr. [1] Garnir de lattes.

lattis [lati] n. m. Ouvrage de lattes (généralement destiné à l'exécution d'un plafond en plâtre, d'un revêtement, etc.).

Lattre de Tassigny (Jean-Marie Gabriel de) (Mouilleron-en-Pareds, Vendée, 1889 – Paris, 1952), maréchal de France à titre posthume. Débarquant à Saint-Tropez (16 août 1944) à la tête de la Ire armée, il libéra Marseille, Lyon, Colmar, etc., jusqu'à la capitulation allemande, qu'il reçut, pour la France, à Berlin (8 mai 1945) avec les autres chefs militaires alliés. Inspecteur général de l'Armée (1945), commandant en chef des forces terrestres de l'Union occidentale (1948), il fut haut-commissaire et commandant en chef en Indochine (1950-1952). ► illustr. page **1063**

Latude (Jean Henry de) (Montagnac, 1725 – Paris, 1805), prisonnier français (au chât. de Vincennes et à la Bastille) célèbre par ses trois évasions. En 1749, il avait cherché à soutirer de l'argent à Mme de Pompadour; il fut libéré en 1784.

Laube (Heinrich) (Sprottau, Silésie, 1806 – Vienne, 1884), écrivain allemand; il fut l'un des chefs de la «Jeune-Allemagne» libérale : *les Élèves de l'école Charles* (drame, 1846).

Laubeuf (Maxime) (Poissy, 1864 – Cannes, 1939), ingénieur français. Il mit au point en 1904 un prototype de sous-marin.

Laud (William) (Reading, 1573 – Londres, 1645), prélat anglais; archevêque de Canterbury (1633), ministre de Charles Ier. Les persécutions dont il accabla puritains et presbytériens, notam. en Écosse, provoquèrent une révolte nationale; abandonné par le roi, il fut condamné à mort par la Chambre des communes et décapité.

Lauda (Niki) (Vienne, 1949), coureur automobile autrichien. Champion du monde de Formule 1 en 1975, en 1977 et en 1984.

laudanum [lodanɔm] n. m. PHARM Produit dérivé de l'opium (auj. très peu utilisé).

laudateur, trice n. Litt. Personne qui loue, qui décerne des louanges.

laudatif, ive adj. **1.** Qui loue, qui renferme un éloge. *Discours laudatif. Expression laudative.* **2.** Se dit d'une personne qui fait l'éloge de qqn ou de qqch.

laudes n. f. pl. LITURG CATHOL Ancien nom de l'office qui suit les matines, nommé auj. *office du matin.*

Laue (Max von) (Pfaffendorf, près de Coblence, 1879 – Berlin, 1960), physicien allemand; connu pour ses travaux sur la diffraction des rayons X par les cristaux. P. Nobel 1914.

Lauenburg, anc. duché d'Allemagne du N.-O., danois de 1816 à 1864, annexé par la Prusse lors de la guerre des Duchés. Il fait auj. partie du Land de Schleswig-Holstein.

Laughton (Charles) (Scarborough, 1899 – Hollywood, 1962), acteur et cinéaste britannique. Après s'être consacré au théâtre, il s'illustra au cinéma (*la Vie privée d'Henri VIII*, 1933; *les Révoltés du Bounty*, 1935). Il réalisa *la Nuit du chasseur* (1955).

Launay (Bernard Jordan, marquis de) (Paris, 1740 - id., 1789), dernier gouverneur de la Bastille, massacré lors de la prise de la forteresse.

lauracées n. f. pl. BOT Famille de dicotylédones dialypétales comprenant des arbres ou arbrisseaux généralement aromatiques (laurier, camphrier, avocatier). - Sing. *Une lauracée.*

Lauragais, pays du Languedoc, constitué de sols argileux et situé entre Toulouse et Castelnaudary. - Le *seuil du Lauragais* ou *de Naurouze* (190 m) est la ligne de partage des eaux entre le versant atlantique et le versant méditerranéen.

Laurana (Franjo Vranjanin, dit Francesco) (Vrana, Dalmatie, v. 1420 - Avignon [?], v. 1502), sculpteur italien d'origine dalmate. Il vécut de 1460 à 1467 (?) en Provence (à la cour du roi René d'Anjou), où il introduisit l'art italien. Ses bustes en marbre sont célèbres.

Laurasie, vaste ensemble continental de l'ère secondaire, comprenant l'Amérique du Nord, le Groenland et l'Eurasie.

laure n. f. Monastère orthodoxe.

lauréat, ate adj. et n. Qui a remporté un prix dans un concours. ▷ Subst. *Lauréat du concours général.*

Laure de Sade. V. Noves (Laure de).

Laurel (Arthur Stanley Jefferson, dit Stan) (Ulverston, Lancashire, 1890 - Santa Monica, Californie, 1965), acteur comique américain d'origine anglaise. De 1926 à 1950, il tourna avec Oliver Hardy un très grand nombre de films (de court et de long métrage).

Laurencin (Marie, baronne Otto von Wägen) (Paris, 1883 - id., 1956), peintre français; amie des cubistes et inspiratrice d'Apollinaire. Nombreux portraits féminins aux couleurs suaves.

Laurens (Jean-Paul) (Fourquevaux, Haute-Garonne, 1838 - Paris, 1921), peintre français académique : décorations murales de l'Hôtel de Ville de Paris, du Panthéon.

Laurens (Henri) (Paris, 1885 - id., 1954), sculpteur et dessinateur français. D'abord marqué par le cubisme, il s'est orienté, à partir de 1921, vers un art fondé sur une conception souple, lyrique et sensuelle des formes : *Femmes couchées* (1932), *Sirènes* (1938), *la Grande Musicienne* (1938).

Laurent (saint) (m. en 258), diacre de Rome d'origine espagnole. Selon la tradition, il fut brûlé vif sur un gril pour avoir refusé de livrer au préfet de Rome les biens de l'Église, qu'il distribua aux pauvres.

Laurent (Jacques) (Paris, 1919), écrivain français. Théoricien du groupe des «hussards», polémiste et romancier (*les Corps tranquilles*, 1948; *les Bêtises*, 1971), il connut le succès populaire avec la série des *Caroline chérie*, publiée sous le pseudonyme de Cécil Saint-Laurent. Acad. fr. (1986).

Laurent de Médicis. V. Médicis.

Laurentides (les), région du Canada oriental formée par une série de plateaux bordant l'E. du bouclier canadien. Parc national.

Laurentides, rég. admin. du Québec, au N. de Montréal; 360 630 hab. Tourisme. Aéroport intern. de *Mirabel.*

laurier n. m. **1.** Espèce d'arbres très divers dont une variété (laurier-sauce, fam. lauracées) donne des feuilles persistantes, lisses, luisantes, utilisées comme condiment. ▷ Ces feuilles. **2.** *Couronne de laurier* : couronne de feuilles de laurier décernée au vainqueur, dans l'Antiquité. - Loc. fig. *Cueillir des lauriers. Lauriers de la victoire. Se reposer, s'endormir sur ses lauriers* : ne pas poursuivre après un succès. **3.** *Laurier-rose* : arbrisseau méditerranéen ornemental (fam. apocynacées), aux feuilles persistantes et aux grandes fleurs diversement colorées. **4.** *Laurier-cerise* : arbre (fam. rosacées) à feuilles persistantes. **5.** *Laurier-tin* : nom cour. d'une viorne (fam. caprifoliacées).

laurier-sauce : tige feuillée et fleurs en bouton

Laurier (sir Wilfrid) (Saint-Lin-des-Laurentides, Québec, 1841 - Ottawa, 1919), homme politique canadien. Chef du parti libéral (1887), Premier ministre du Canada (1896-1911), il contribua au renforcement de l'autonomie canadienne et à l'essor écon. du pays.

Laurion, promontoire de Grèce (Attique), au N. du cap Sounion, réputé depuis l'Antiquité pour ses mines (notam. de plomb et d'argent), à nouveau exploitées depuis 1860.

Lauriston (Jacques Alexandre Bernard Law, comte puis marquis de) (Pondichéry, 1768 - Paris, 1828), maréchal de France (1823). Il s'illustra sous l'Empire et sous la Restauration. Ministre de la Maison du roi (1820-1824).

Lausanne, v. de Suisse, sur la rive N. du lac Léman; ch.-l. du cant. de Vaud; 125 610 hab. (aggl. urb. 257 640 hab.). Centre d'affaires, ville résidentielle. Université. Industr. alim., méca. et text. - Cath. (XIIIe s.), un des plus beaux monuments gothiques de la Suisse (culte protestant). Chât. Saint-Maire (XIVe s.). - Le *traité de Lausanne*, signé le 24 juil. 1923 par les Alliés et par la Turquie, rendait à celle-ci la libre disposition des Détroits, ainsi que la Thrace, Smyrne et Andrinople.

lause. V. lauze.

Laussedat (Aimé) (Moulins, 1819 - Paris, 1907), officier du génie, géomètre, astronome et spécialiste de la géodésie français. Il inventa notam. la «métro-photographie» (auj. photogrammétrie*).

Lautaret (col du), col des Alpes du Dauphiné (2 058 m) reliant l'Oisans au Briançonnais.

Lauter (la), riv. franco-allemande (82 km) séparant l'Alsace du Palatinat; affl. du Rhin (r. g.).

Lautréamont (Isidore Ducasse, dit le comte de) (Montevideo, 1846 - Paris, 1870), écrivain français. Il fut considéré comme un précurseur du surréalisme, et ses *Chants de Maldoror* (publiés en 1869 sous le pseudonyme de comte de Lautréamont), éloge sarcastique du mal, sont auj. célèbres. En 1870, sous son nom légal, il fit paraître des *Poésies*, suite de sentences morales d'un «sérieux» si déconcertant qu'on a pu voir en elles une palinodie feinte des *Chants.*

Lautrec (Odet de Foix, vicomte de) (?, 1485 - Naples, 1528), maréchal de France. Il s'illustra dans les guerres d'Italie. Vaincu à La Bicoque (1522), il reconquit le Milanais (1527) mais mourut de la peste en assiégeant Naples.

lauze ou **lause** [loz] n. f. Plaque de schiste de 2 à 3 cm d'épaisseur, utilisée dans certaines régions du sud de la France comme dalle au sol ou pour couvrir les maisons.

Lauzun (Antonin Nompar de Caumont La Force, comte puis duc de) (Lauzun, 1633 - Paris, 1723), officier et courtisan français. Il inspira une vive passion à Mlle de Montpensier. Louis XIV s'opposa à leur mariage et fit emprisonner Lauzun à Pignerol (1671). Libéré sur les instances de Mlle de Montpensier (1680), il l'épousa en 1681.

Lauzun (hôtel), hôtel parisien construit dans l'île Saint-Louis à partir de 1656 par Le Vau et acquis par le duc de Lauzun en 1682; propriété de la Ville de Paris depuis 1928.

lavable adj. Qui peut être lavé. *Papier lavable.*

lavabo n. m. **1.** LITURG CATHOL Rite de lavement des mains, accompli par le prêtre au cours de la messe et accompagné de la récitation d'une partie du psaume XXV qui commence en latin par les mots *Lavabo inter innocentes manus meas*, «Je laverai mes mains parmi les innocents». **2.** Appareil sanitaire comprenant une cuvette munie d'une robinetterie et d'un système de

Lausanne : cathédrale Notre-Dame, le transept et sa tour-lanterne

vidage. ▷ Par euph. *Les lavabos :* les cabinets d'aisances.

lavage n. m. **1.** Action de laver. **2.** Fig. *Lavage de cerveau :* action psychologique exercée sur un individu, visant à détruire les structures de sa personnalité et à modifier son comportement, ses opinions.

Laval, ch.-l. du dép. de la Mayenne, sur la Mayenne; 53 479 hab. Anc. cap. du Bas-Maine, marché à bestiaux. Industr. text. (lin, coton), industr. électron., prod. chim., constr. méca. – Évêché. Vieux Château (XIIe-XVIe s., auj. musée). Château Neuf (édifice Renaiss., auj. palais de justice). Égl. N.-D.-des-Cordeliers (1397, remaniée aux XVe et XVIIe s.). Pont-Vieux (XIIe s.).

Laval, v. du Québec et rég. admin. du m. nom, sur l'île Jésus, voisine de l'île de Montréal; 325 000 hab. Industries diverses.

Laval (Pierre) (Châteldon, Puy-de-Dôme, 1883 – Fresnes, 1945), homme politique français. Président du Conseil (1931-1932, juin 1935 - janv. 1936), il s'efforça de rapprocher la France de l'Italie fasciste. Après la défaite de juin 1940, il fit partie, en tant que vice-président du Conseil, du cabinet Pétain et préconisa une politique de collaboration avec l'Allemagne (préparation de l'entrevue Pétain-Hitler à Montoire, le 22 oct. 1940). Révoqué et arrêté en déc. 1940, il fut libéré, sur injonction des Allemands, et remplaça Darlan à la tête du gouvernement en avril 1942. Il instaura le Service du travail obligatoire et la Milice en 1943. Arrêté par les Américains à Innsbruck en mai 1945, il fut déféré devant la justice française pour haute trahison, condamné à mort et fusillé.

La Valette (Jean Parisot de) (rég. de Toulouse, 1494 – Malte, 1568), grand maître (1557) de l'ordre de Malte. Il repoussa les Turcs qui assiégeaient Malte et fonda la ville de La Valette.

La Valette (Louis de Nogaret d'Épernon, cardinal de) (Angoulême, 1593 – Rivoli, 1639), prélat français; archevêque de Toulouse (1613), bien qu'il n'ait pas été prêtre, ce qui lui permit de renoncer à son archevêché (1628) pour embrasser la carrière des armes. Son zèle auprès de Richelieu lui valut le surnom de «Cardinal valet».

La Vallée-Poussin (Charles de) (Louvain, 1866 – Bruxelles, 1962), mathématicien belge; connu pour ses travaux sur la théorie des fonctions.

lavallière n. f. et adj. **1.** n. f. Cravate à large nœud flottant. **2.** adj. *Maroquin lavallière :* reliure de couleur feuille-morte.

La Vallière (Louise de La Baume Le Blanc, duchesse de) (Tours, 1644 – Paris, 1710), favorite (1661-1667) de Louis XIV, dont elle eut quatre enfants. Elle se retira au Carmel en 1674.

lavande n. f. **1.** Arbuste (fam. labiées) cultivé dans la région méditerranéenne pour ses feuilles et ses épis floraux bleus, qui sécrètent une essence aromatique utilisée en parfumerie. *Eau de lavande.* **2.** Parfum extrait de cette plante. *Savon de toilette à la lavande.* **3.** (En appos.) *Bleu lavande* ou, ellipt., *lavande :* bleu mauve assez pâle. *Des robes bleu lavande. Des chemisiers lavande.*

lavandière n. f. **1.** Anc. ou litt. Femme qui lave le linge à la main. **2.** Autre nom de la bergeronnette grise.

lavandin n. m. Variété hybride de lavande, cultivée pour son essence.

Lavandou (Le), com. du Var (arr. de Toulon), sur la Méditerranée; 5 232 hab. Port de plaisance. Stat. balnéaire.

lavant, ante adj. Qui lave. *Poudre lavante.*

La Varende (Jean Mallard, vicomte de) (Le Chamblac, Eure, 1887 – Paris, 1959), romancier français d'inspiration royaliste; chantre de la Normandie : *Nez-de-cuir* (1937).

lavasse n. f. Fam., péjor. Breuvage insipide trop dilué dans de l'eau. *C'est de la lavasse, ce café!*

Lavater (Johann Kaspar) (Zurich, 1741 – id., 1801), philosophe et théologien protestant suisse. Il élabora une caractérologie fondée sur la constitution faciale des individus : *Fragments physiognomoniques* (1775-1778).

lavatère n. f. Plante herbacée (fam. malvacées) à fleurs roses ou blanches.

La Vaulx (comte Henry de) (Bierville, 1870 – Hackensack Meadows, New Jersey, 1930), aéronaute français. Il réussit le premier à traverser la Manche en ligne droite en ballon libre. Il fonda l'Aéro-Club de France (1898).

lave n. f. **1.** Roche en fusion qui sort d'un volcan lors d'une éruption. **2.** Cette roche solidifiée et refroidie.

lavé, ée adj. **1.** Nettoyé. **2.** TECH Se dit d'un dessin teinté au lavis. ▷ *Couleur lavée,* peu chargée en pigments.

lave-auto n. m. (Canada) Construction en forme de garage, pourvue des installations nécessaires au lavage automatique des automobiles. *Des lave-autos.*

Lavedan, pays de France (Hautes-Pyrénées) formé par la haute vallée du gave de Pau.

lave-glace n. m. Dispositif permettant de projeter de l'eau sur le pare-brise d'une automobile pour le laver. *Des lave-glaces.*

lave-linge n. m. inv. Machine à laver le linge.

lavement n. m. **1.** LITURG *Le lavement des pieds* (des apôtres par le Christ) : cérémonie du jeudi saint qui commémore cet acte. **2.** MED Injection par l'anus d'une solution purgative (eau tiède, huile légère) ou d'un liquide destiné à opacifier l'intestin. *Lavement baryté.*

lave-pont n. m. Balai-brosse à long manche destiné au lavage des ponts de navires. *Des lave-ponts.*

laver v. tr. [1] **1.** Nettoyer avec de l'eau ou un autre liquide. *Laver du linge. Machine à laver le linge,* ou, absol., *machine à laver.* **2.** Nettoyer avec de l'eau le corps, une partie du corps. *Laver une plaie.* ▷ v. pron. Laver son corps. – (Suivi d'un compl. d'objet.) *Se laver les cheveux.* – Fig. *Se laver les mains de qqch,* déclarer qu'on n'en est pas responsable (allusion au geste de Ponce Pilate). **3.** Loc. fig. *Laver qqn d'une accusation. Laver un affront (dans le sang).* – Loc. fig., fam. *Laver la tête à qqn,* lui faire une sévère réprimande. *Laver son linge sale en famille :* régler les problèmes familiaux dans l'intimité et non en public. **4.** CHIM *Laver un gaz,* le débarrasser de ses impuretés en lui faisant traverser un liquide. **5.** TECH *Laver un dessin,* le teinter au lavis. **6.** MINER *Laver un minerai,* le débarrasser des éléments terreux.

Lavéra, local. des Bouches-du-Rhône (com. de Martigues), sur le golfe de Fos. Port pétrolier. Raff. de pétrole et industr. chim. Point de départ d'un oléoduc vers Strasbourg et Karlsruhe.

Laveran (Alphonse) (Paris, 1845 – id., 1922), médecin militaire français. Il étudia en Algérie (1878-1883) le paludisme et ses agents, protozoaires du genre *Plasmodium* dits aussi *hématozoaires de Laveran.* P. Nobel 1907.

La Vérendrye (Pierre Gaultier de Varennes de) (Trois-Rivières, 1685 – Montréal, 1749), explorateur canadien de la région comprise entre le lac Supérieur et les montagnes Rocheuses.

laverie n. f. **1.** MINER Lieu où on lave les minerais. **2.** *Laverie automatique :* établissement où les clients lavent leur linge dans des machines mises à leur disposition.

lavette n. f. **1.** Morceau de linge, ou brosse ou éponge montées sur un long manche, pour laver la vaisselle. **2.** Fig., fam., péjor. Homme mou, sans énergie.

laveur, euse n. **1.** Personne qui lave. *Laveur de carreaux.* **2.** TECH Appareil servant à laver certaines substances. ▷ *Laveur d'air :* appareil servant à augmenter la teneur en eau d'un courant d'air. ▷ n. f. (Canada) Cour. Machine à laver le linge. – *Laveuse de vaisselle :* lave-vaisselle. **3.** (En appos.) *Raton laveur :* V. raton.

lave-vaisselle n. m. inv. Machine à laver la vaisselle.

La Vieuville (Charles, marquis puis duc de) (Paris, 1582 – id., 1653), surintendant des Finances sous Louis XIII (1623-1624); adversaire de Richelieu.

Lavigerie (Charles Allemand) (Bayonne, 1825 – Alger, 1892), prélat français; archevêque d'Alger (1867), cardinal (1882), primat d'Afrique; fondateur des Pères blancs et des Sœurs blanches (Sœurs missionnaires de Notre-Dame d'Afrique). Il œuvra à l'abolition de l'esclavage et, à l'instigation de Léon XIII, préconisa le ralliement du clergé à la République («toast d'Alger», 1890).

Lavinium, v. de l'Italie anc. (auj. *Pratica di Mare*), au S. du mont Albain (Latium), qui aurait été fondée par Énée.

lavis [lavi] n. m. Technique consistant à teinter un dessin avec de l'encre de Chine, du bistre ou une autre substance délayée dans de l'eau. – *Par ext.* Dessin ainsi obtenu. *Un lavis d'Ingres.*

Lavisse (Ernest) (Le Nouvion-en-Thiérache, 1842 – Paris, 1922), historien français. Il a renouvelé les méthodes d'analyse historique. Œuvres princ. : *Histoire générale du IVe s. à nos jours* (avec Rambaud, 1893-1900), *Histoire de France* (1900-1912). Acad. fr. (1892).

lavoir n. m. **1.** Bassin aménagé pour laver le linge. *Lavoir public.* **2.** TECH Appareil destiné à laver certaines substances.

Lavoisier (Antoine Laurent de) (Paris, 1743 – id., 1794), chimiste français; créateur de la chimie moderne. Il découvrit la nature et le rôle de l'oxygène, établit la composition de l'eau et posa les bases de la bioénergétique (en montrant notam. que la respiration est une combustion de composés carbonés avec formation de gaz carbonique). Membre de la commission du système métrique, secrétaire de la Trésorerie (1791), il se constitua prisonnier en nov. 1793 lorsque la Convention ordonna

Lavoisier

D. H. **Lawrence**

l'arrestation de tous les fermiers généraux (il était fermier général depuis 1779) et fut guillotiné six mois plus tard.

lavure n. f. **1.** Eau qui a servi à laver. – Fig., fam. *Lavure de vaisselle* : potage insipide. **2.** TECH Action de laver (certaines matières). **3.** TECH (Plur.) Parcelles d'or ou d'argent provenant de la lessive de la terre ou des cendres auxquelles elles étaient mêlées.

Law (John) (Édimbourg, 1671 – Venise, 1729), financier écossais; contrôleur général des Finances en France (1720). En 1716, il créait à Paris une banque autorisée à émettre des billets à valeur de monnaie et dont le principe reposait sur la puissance du crédit. En 1717, il fondait la Compagnie d'Occident (qui devint en 1719 la Compagnie perpétuelle des Indes) qu'il liait imprudemment à sa banque et dont les actions étaient payables en titres de créance sur l'État. Ce système, vulnérable au moindre retournement de l'opinion, donna lieu à une spéculation effrénée, suivie d'une banqueroute (déc. 1720) qui obligea Law à s'enfuir; il mourut dans la misère.

Lawfeld (auj. *Laaffelt*), hameau de Belgique (Limbourg) où le maréchal de Saxe vainquit les Anglais (2 juillet 1747).

Lawrence (sir Thomas) (Bristol, 1769 – Londres, 1830), peintre anglais; portraitiste de la cour après Reynolds.

Lawrence (David Herbert) (Eastwood, 1885 – Vence, 1930), romancier anglais. Les grands thèmes contradictoires de son œuvre sont l'harmonie sexuelle, le viol, la bisexualité, la solitude et l'autodestruction. Romans : *Femmes amoureuses* (1921), *le Serpent à plumes* (1926), *l'Amant de lady Chatterley* (1928, longtemps interdit en Angleterre et qu'il défendit, en 1929, dans un de ses essais : *Pornographie et Obscénité*).

Lawrence (Thomas Edward), dit *Lawrence d'Arabie* (Tremadoc, pays de Galles, 1888 – Moreton, Dorset, 1935), aventurier, officier et écrivain anglais. Agent des services secrets britanniques, il joua un rôle important dans le soulèvement des Arabes contre les Turcs pendant la guerre de 1914-1918. Princ. œuvres : *les Sept Piliers de la sagesse* (1926), *Lettres* (posth., 1938), *la Matrice* (posth., 1955).

Lawrence d'Arabie

le maréchal **Leclerc**

Lawrence (Ernest Orlando) (Canton, Dakota du Sud, 1901 – Palo Alto, Californie, 1958), physicien américain. On lui doit l'invention du cyclotron (1930). P. Nobel 1939.

lawrencium [lɔʀɑ̃sjɔm] n. m. CHIM Élément radioactif artificiel appartenant à la famille des actinides, de numéro atomique Z = 103, de masse atomique 257 (symbole Lr).

laxatif, ive adj. et n. m. **1.** adj. Qui purge légèrement. **2.** n. m. Médicament utilisé pour évacuer les selles.

laxisme n. m. **1.** Doctrine morale qui nie les interdits ou en atténue la gravité. **2.** Tolérance excessive.

laxiste adj. et n. **1.** adj. et n. Se dit d'un adepte du laxisme. **2.** adj. Qui relève du laxisme.

laxité n. f. MED *Laxité ligamentaire* : distension, pathologique ou non, des ligaments.

Laxness (Halldór Kiljan Gudjónsson, dit Halldór Kiljan) (Laxness, près de Reykjavík, 1902 – *id.*, 1998), écrivain islandais : *Salka Valka* (deux vol., 1931-1932), *la Cloche d'Islande* (trilogie, 1943-1946), romans d'inspiration historique et sociale. P. Nobel 1955.

Laxou, ch.-l. de cant. de Meurthe-et-Moselle (arr. de Nancy); 16 078 hab. Pneumatiques; électroménager.

Lay (le), fl. côtier vendéen (125 km) qui se jette dans le Pertuis breton, au N. de La Rochelle.

laye. V. laie 3.

Laye (Camara) (Kouroussa, 1928 – Dakar, 1980), écrivain guinéen d'expression française (*l'Enfant noir*, 1953; *le Maître de la parole*, 1978).

layer v. tr. **[21]** TECH **1.** *Layer un bois, une forêt*, y tracer un chemin. **2.** Marquer (les arbres qui doivent être épargnés dans une coupe).

layette n. f. **1.** TECH Petit meuble comportant de nombreux tiroirs, utilisé pour ranger de menues fournitures. **2.** *Par méton.* Linge, vêtements nécessaires à un nouveau-né. *Tricoter une layette.*

lay-farming [lejfaʀmiŋ] n. m. (Anglicisme) AGRIC Technique consistant à faire entrer dans l'assolement une prairie temporaire comme engrais vert.

layon n. m. Chemin tracé en forêt.

Lazare (saint), frère de Marthe et de Marie, ressuscité à Béthanie par Jésus (Jean, XI, 1-44); la légende a fait de lui le premier évêque de Marseille.

Lazareff (Pierre) (Paris, 1907 – Neuilly-sur-Seine, 1972), journaliste français. Il dirigea, de 1944 à sa mort, *France-Soir*, dont il fit le plus vendu des quotidiens français, et fut un des producteurs du magazine de reportages télévisés *Cinq Colonnes à la une* (1959-1968). – **Hélène Gordon** (Rostov-sur-le-Don, Russie, 1909 – Le Lavandou, 1988), épouse du préc., fondatrice (1945) du magazine *Elle*, qu'elle dirigea jusqu'en 1973.

lazaret n. m. Établissement servant à isoler les voyageurs en quarantaine.

lazariste n. m. Membre de la Société des prêtres de la Mission, fondée en 1625 par saint Vincent de Paul.

Lazarsfeld (Paul Felix) (Vienne, 1901 – New York, 1976), sociologue américain d'origine autrichienne. Il généralisa et formalisa l'usage des moyens mathématiques dans l'analyse des comportements sociaux.

lazurite n. f. Syn. de *lapis-lazuli.*

lazzarone [ladzaʀɔne] n. m. Napolitain du peuple. *Des lazzaroni.*

lazzi ou **lazzis** [ladzi] n. m. pl. Plaisanteries moqueuses, bouffonneries lancées à qqn.

L.B.O. n. m. ECON (Sigle de l'angl. *leverage buy out*, « rachat par opération de levier ».) Rachat d'une entreprise au moyen d'un emprunt remboursé ultérieurement avec les bénéfices réalisés.

L-dopa. V. dopa.

1. le, la, les articles définis, *le*, m., *la*, f., *les*, m. et f. pl. *Le* et *la* s'élident en *l'* devant une voyelle ou un h muet : *l'été, l'hôtel.* **1.** (Valeur démonstrative.) *Le livre qui est sur la table.* **2.** (Valeur possessive.) *Avoir mal à la tête.* **3.** (Valeur de notoriété.) *La Terre.* **4.** (Valeur distributive.) *Un franc le bouquet. Une fois l'an.* **5.** Avec les noms de personnes, emploi laudatif *(la Callas)*, péjor. *(la Voisin)*, collectif *(les Goncourt, les Pasquier).* **6.** *À la* (suivi d'un adj. fém. et formant une loc. adv.). *Partir à la dérobée. Des jardins à l'anglaise.* ▷ GRAM Avec un superlatif, l'article s'accorde avec le nom ou l'adjectif qu'il accompagne *(la journée la plus chaude du mois)*, ou prend la forme inv. *le (c'est lundi que la journée a été le plus chaude)*, obligatoirement si le verbe ou l'adverbe sont modifiés par le superlatif *(la journée que j'ai le plus attendue).*

2. le, la, les pronoms personnels de la 3ᵉ personne, *le*, m., *la*, f., *les*, m. et f. pl. *Le* et *la*, placés devant un verbe ou un adverbe commençant par une voyelle ou un h muet, s'élident en *l'*. *Il l'aime, il l'en félicite. Nous l'humilions.* **1.** Pron. complément direct ou attribut d'un verbe, remplaçant un nom déjà exprimé. *Voici un bon livre, lisez-le. Je le vois. Je l'ai vue. Le, la, les* s'accordent avec le nom qu'ils représentent, ou peuvent garder la forme du pron. neutre *le. Êtes-vous la directrice ? Je la suis. Êtes-vous directrice de l'école ? Je le suis.* **2.** Pron. neutre (ne représentant pas un nom précis). *Se le tenir pour dit. Je vous le donne en mille. Le prendre de haut. Nous l'avons échappé belle.*

lé n. m. **1.** TECH Largeur d'une étoffe entre les lisières. **2.** Bande de papier peint coupée à la dimension voulue.

Leach (Edmund Ronald) (Sidmouth, 1910 – id., 1989), anthropologue anglais. Dans son analyse des structures sociales, il défend la méthode empirique, s'opposant en cela au structuralisme de Lévi-Strauss. *Les Systèmes politiques des hautes terres de Birmanie. Analyse des structures sociales kachin* (1954), *Critique de l'anthropologie* (1961).

leader [lidœʀ] n. m. (Anglicisme) **1.** Chef ou personne en vue, dans une organisation, un pays. *Les leaders syndicaux.* – *Par ext.* Personne qui prend la tête d'un groupe, d'un mouvement. ▷ *Leader d'opinion* : personne qui influe sur l'opinion du groupe auquel elle appartient. **2.** Sportif, sportive qui est en tête dans une course; équipe qui est en tête dans un championnat. **3.** Entreprise, produit qui occupe la première place sur le marché. **4.** AVIAT Avion qui guide une formation aérienne au cours d'une opération. ▷ Officier chef de bord sur cet avion.

leadership [lidœʀʃip] n. m. (Anglicisme) Commandement; fonction de leader. ▷ Hégémonie. *Le leadership des États-Unis dans l'Alliance atlantique.*

Leahy (William Daniel) (Hampton, Iowa, 1875 – Bethesda, Maryland, 1959), amiral américain; ambassadeur auprès de Pétain à Vichy (1940-1942), puis chef d'état-major particulier des présidents Roosevelt et Truman (1942-1949).

Leakey (Louis Seymour Bazett) (Kabete, Kenya, 1903 – Londres, 1972), paléontologiste anglais. Il découvrit, avec sa femme **Mary** (1913-1996), deux australopithèques, le *zinjanthrope* (1959) et l'*Homo habilis* (1960), dans le site d'Olduvai*.

Lean (David) (Croydon, 1908 – Londres, 1991), cinéaste anglais : *Brève Rencontre* (1946), *le Pont de la rivière Kwai* (1957), *Lawrence d'Arabie* (1962), *Docteur Jivago* (1965).

Leang K'ai. V. Liang K'ai.

lease-back [lizbɑk] n. m. Vente d'un bien que l'on continue à utiliser moyennant un loyer.

leasing [liziŋ] n. m. (Anglicisme) FIN Syn. (off. déconseillé) de *crédit-bail.*

Léautaud (Paul) (Paris, 1872 – Robinson, 1956), écrivain français; mémorialiste (*Journal littéraire,* 19 vol., publié entre 1954 et 1966) et critique dramatique sous le pseudonyme de Maurice Boissard (*Théâtre de Maurice Boissard,* chroniques, 3 vol., 1926-1958).

Léauté (Henry) (Belize, 1847 – Paris, 1916), ingénieur et mathématicien français; connu pour ses travaux d'analyse et de mécanique appliquée aux machines (notam. transmission à distance et régulation du mouvement des machines).

Leavis (Frank Raymond) (Cambridge, 1895 – id., 1978), écrivain anglais. Critique et essayiste, il plaça la littérature au centre de la culture collective et fit perdre à D. H. Lawrence sa réputation de pornographe : *Nouveaux aspects de la poésie anglaise* (1932), *D. H. Lawrence, romancier* (1955).

Leavitt (Henrietta) (Lancaster, Massachusetts, 1868 – Cambridge, Massachusetts, 1921), astronome américaine spécialiste de photométrie stellaire.

Le Bas (Philippe) (Frévent, 1765 – Paris, 1794), homme politique français. Conventionnel, membre du Comité de sûreté générale (1793), représentant en mission aux armées de Sambre-et-Meuse et du Rhin. Arrêté en même temps que son ami Robespierre le 9 Thermidor, il se suicida.

Lebaudy (Paul) (Enghien-les-Bains, 1858 – Rosny-sur-Seine, 1937), industriel français; constructeur de dirigeables semi-rigides. L'un d'eux, le *Morning Post,* effectua la première traversée de la Manche (1910).

Lebeau (Joseph) (Huy, 1794 – id., 1865), homme politique belge. Il présida à l'organisation de la Belgique en un État indépendant après la révolution de 1830. Président du Conseil en 1840-1841.

Lebègue (Nicolas) (Laon, 1631 – Paris, 1702), organiste, claveciniste et compositeur français, titulaire de l'orgue de Saint-Merri à Paris et auteur de pièces pour orgue et clavecin.

lebel n. m. Fusil à répétition en usage dans l'armée française de 1886 à 1940.

Le Bel (Achille) (Pechelbronn, 1847 – Paris, 1930), chimiste français; fondateur, avec Van't Hoff, de la stéréochimie.

Leblanc (Nicolas) (Ivoy-le-Pré, Berry, 1742 – Saint-Denis, 1806), chimiste français. Il inventa le procédé de fabrication de la soude à partir du carbonate de sodium.

Leblanc (Maurice) (Rouen, 1864 – Perpignan, 1941), journaliste et écrivain français : *Arsène Lupin, gentleman cambrioleur* (1907), suivi de nombreux autres romans policiers consacrés à ce personnage.

Lebœuf (Edmond) (Paris, 1809 – Moncel-en-Trun, Orne, 1888), maréchal de France. Ministre de la Guerre (1870), puis major général de l'armée du Rhin, il fut fait prisonnier à Metz.

Lebon (Philippe) (Brachay, Champagne, 1767 – Paris, 1804), ingénieur français; inventeur de l'éclairage au gaz (provenant de la distillation du bois).

Le Bon (Gustave) (Nogent-le-Rotrou, 1841 – Marnes-la-Coquette, 1931), médecin et sociologue français; on lui doit le concept de la « psychologie des foules ».

Lebowa, anc. bantoustan de l'Afrique du Sud (1959-1994).

Le Brix (Joseph) (Baden, Morbihan, 1899 – près d'Oufa, Bachkirie, 1931), officier de marine et aviateur français. Il réalisa, avec Costes, un tour du monde aérien en 1927-1928 (Paris-Rio de Janeiro-San Francisco-Tōkyō-Paris) et détint huit records mondiaux (dont celui de distance et de durée en circuit fermé).

Le Brun (Charles) (Paris, 1619 – id., 1690), peintre français. Élève de Simon Vouet, et maître du classicisme, il créa l'Académie de peinture en 1648 et dirigea les Gobelins de 1663 à 1690. Il décora la voûte de la galerie des Glaces à Versailles. Nombr. tableaux au Louvre : *Portrait du chancelier Séguier, l'Histoire d'Alexandre.*

Charles **Le Brun :** *Portrait du chancelier Séguier,* v. 1657; musée du Louvre

Lebrun (Charles François), duc de Plaisance (Saint-Sauveur-Lendelin, Normandie, 1739 – Saint-Mesmes, Seine-et-Oise, 1824), homme politique français. Député à la Constituante (1789), membre du Conseil des Anciens (1795) après son emprisonnement, il fut troisième consul avec Bonaparte et Cambacérès (1799). Architrésorier de l'Empire (1804), il administra la Hollande (après l'abdication du roi Louis) de 1810 à 1813.

Lebrun (Albert) (Mercy-le-Haut, Meurthe-et-Moselle, 1871 – Paris, 1950), homme politique français. Dernier président de la IIIe République (élu en 1932, réélu en 1939), il se retira (13 juil. 1940) après l'arrivée au pouvoir du maréchal Pétain.

Lebrun-Pindare (Ponce-Denis Écouchard Lebrun, dit) (Paris, 1729 – id., 1807), poète épique français et faiseur d'épigrammes : *Ode à Buffon* (1779), *Odes républicaines au peuple français* (1792).

LEC n. f. MED Acronyme pour *lithotritie* extracorporelle.*

Lecanuet (Jean) (Rouen, 1920 – Neuilly-sur-Seine, 1993), homme politique français. Président du M.R.P. (1963-1965), président du C.D.S. puis de l'U.D.F. (1978-1988), maire de Rouen (1968-1993), il fut garde des Sceaux (1974-1976) et ministre d'État (1976-1977).

Le Carré (David John Moore Cornwell, dit John) (Poole, Dorset, 1931), diplomate et écrivain anglais. Ses romans d'espionnage décrivent de manière volontairement prosaïque l'univers des agents secrets et de la « guerre secrète » : *L'espion qui venait du froid* (1965), *la Taupe* (1974), *la Maison Russie* (1989).

Lecce, ville d'Italie (Pouilles); 91 300 hab.; ch.-l. de la prov. du m. nom. Centre comm. Industr. agric. et constr. méca. Université. – Nombr. monuments baroques : Duomo, palais épiscopal, basilique Santa Croce. Ruines d'un amphithéâtre romain.

Lech (le), riv. d'Allemagne et d'Autriche (267 km); affl. du Danube (r. dr.); traverse Augsbourg.

léchage n. m. Action de lécher.

Le Chapelier (Isaac) (Rennes, 1754 – Paris, 1794), homme politique français, rapporteur de la loi (dite *Le Chapelier*) du 14 juin 1791, qui interdisait toute association ou coalition de gens de même métier. Il fut guillotiné (un voyage en Angleterre en 1792 l'avait fait considérer comme émigré).

Le Chatelier (Henry) (Paris, 1850 – Miribel-les-Échelles, Isère, 1936), chimiste et métallurgiste français; connu pour ses travaux sur les alliages, le déplacement des équilibres physicochimiques, les céramiques, les ciments et la synthèse de l'ammoniac. ▷ CHIM *Loi de Le Chatelier :* une augmentation de pression dans un système en équilibre stable entraîne une évolution qui tend à ramener celui-ci dans les conditions initiales (réduction de volume ou diminution du nombre de moles si la température reste constante).

lèche n. f. Fam. *Faire de la lèche à qqn,* le flatter servilement.

léché, ée adj. **1.** *Un ours mal léché :* un individu bourru, hargneux, mal élevé. **2.** (Souvent péjor.) Qualifie une œuvre exécutée avec un fini très minutieux. *Un portrait léché.*

lèche-bottes n. inv. Fam. Individu servile. ▷ adj. inv. *Ils sont lèche-bottes.* Syn. vulg. lèche-cul.

lèche-cul n. inv. et adj. inv. Vulg. Syn. de *lèche-bottes.*

lèchefrite n. f. Ustensile de cuisine qui se place sous la broche (ou sous la grille du four) pour recueillir la graisse et le jus de la viande qui rôtit.

lécher v. tr. **[14] 1.** Passer la langue sur (qqch). *Lécher la cuiller.* ▷ (Faux pron.) *Le chat se lèche le ventre.* – Fig. *Il s'en est léché les doigts :* il a trouvé cela bon. ▷ Fig., péjor. *Lécher les bottes (vulg. le cul) à qqn,* être servile à son égard. ▷ Fig., fam. *Lécher les vitrines,* les regarder en flânant. **2.** Effleurer. *Les flammes lèchent le mur.* ▷ Toucher doucement. *Les vagues lèchent le sable.*

lécheur, euse adj. et n. **1.** Qui lèche. **2.** Péjor. Flatteur. – Subst. *Un lécheur de bottes :* un flagorneur, un individu servile.

lèche-vitrines n. m. inv. FAM. Passe-temps qui consiste à « lécher les vitrines », à regarder en flânant les devantures des magasins.

lécithine n. f. BIOCHIM Phospholipide présent dans de nombreuses cellules de l'organisme et dans le jaune d'œuf.

Leclair (Jean-Marie), dit *l'Aîné* (Lyon, 1697 – Paris, 1764), compositeur et violoniste français ; un des virtuoses du violon au XVIIIe s. : *Scylla et Glaucus* (opéra, 1746), sonates pour violon seul avec basse continue, sonates pour deux violons.

Leclanché (Georges) (Paris, 1839 – id., 1882), ingénieur français. Il inventa (1868) la pile électrique au bioxyde de manganèse qui porte son nom.

Leclerc (Charles Victor-Emmanuel) (Pontoise, 1772 – Cap-Français, Saint-Domingue, 1802), général français. Époux de Pauline Bonaparte (1797), il participa au coup d'État du 18 Brumaire. Il commanda l'expédition de Saint-Domingue, contre Toussaint Louverture, mais y périt de la fièvre jaune.

Leclerc (Philippe Marie de Hauteclocque, dit) (Belloy-Saint-Léonard, Somme, 1902 – près de Colomb-Béchar, 1947), maréchal de France à titre posth. (1952). Rallié au général de Gaulle, il se distingua au Tchad, en Libye et en Tunisie (1940-1943). Chef de la 2e division blindée, il débarqua en Normandie (1944), libéra Paris et Strasbourg, puis s'empara de Berchtesgaden. Commandant des troupes françaises en Indochine (1945) puis inspecteur des forces françaises en Afrique, il périt dans un accident d'avion. ► illustr. page **1069**

Leclerc (Félix) (La Tuque, Québec, 1914 – Île d'Orléans, Québec, 1988), auteur-compositeur, chanteur et écrivain canadien. Premier en date des « chansonniers » québécois *(le P'tit Bonheur, Moi mes souliers, le Roi heureux)*, il est l'auteur d'une abondante œuvre poétique et dramatique.

Félix **Leclerc** **Leibniz**

Le Clézio (Jean-Marie Gustave) (Nice, 1940), romancier français. Redécouverte de la sagesse, réconciliation avec le monde, son œuvre se nourrit de civilisation perdues et retrouvées : *le Procès-Verbal* (1963), *la Fièvre* (1965), *l'Extase matérielle* (1967), *Voyages de l'autre côté* (1975), *Mondo et autres histoires* (1978), *Désert* (1980), *le Rêve mexicain* (1988), *Étoile errante* (1992).

Lécluse ou **Lescluse** (Charles de) (Arras, 1526 – Leyde, 1609), botaniste français. Il introduisit en Europe la pomme de terre.

Lecocq (Charles) (Paris, 1832 – id., 1918), compositeur français ; auteur de nombr. opérettes à succès : *la Fille de Mme Angot* (1872), *le Petit Duc* (1878).

Lecomte du Noüy (Pierre) (Paris, 1883 – New York, 1947), biologiste français. Il étudia le temps de cicatrisation, puis le temps biologique : *le Temps et la Vie* (1936).

leçon n. f. **I.** Enseignement. **1.** Ce qu'un enseignant donne à apprendre à un élève. *Il ne sait pas sa leçon.* **2.** Enseignement, instruction que donne un maître à un auditoire. *Les élèves écoutent la leçon de français.* ▷ *Leçons de choses* : enseignement très élémentaire de la physique, de la chimie, des sciences naturelles. ▷ Loc. fig. *Faire la leçon à qqn*, lui indiquer la conduite qu'il doit tenir ; le réprimander. **3.** *Leçon particulière* ou, absol., *leçon* : séance d'enseignement donnée à un élève ou à quelques élèves. **4.** Chacune des divisions d'un enseignement. *Le bridge en dix leçons.* **5.** Enseignement que l'on peut tirer d'un fait. *Tirons de cet échec une leçon pour l'avenir.* **II.** Variante d'un texte. *Les diverses leçons des manuscrits grecs ou latins.* **III.** LITURG CATHOL Texte sacré lu à certains offices.

Leconte de Lisle (Charles Marie Leconte, dit) (Saint-Paul, la Réunion, 1818 – Louveciennes, 1894), poète français ; chef de l'école parnassienne : *Poèmes antiques* (1852), *Poèmes barbares* (1862). Acad. fr. (1886).

Lecoq de Boisbaudran (Paul Émile, dit François) (Cognac, 1838 – Paris, 1912), chimiste français. Il découvrit le gallium (1875), le samarium (1878), le dysprosium (1886) et l'europium (1892).

Le Corbusier (Édouard Jeanneret-Gris, dit) (La Chaux-de-Fonds, 1887 – Roquebrune-Cap-Martin, 1965), architecte, urbaniste et peintre français d'origine suisse. Pour transformer le mode de vie, il propose un ordonnancement rigoureux et simplifié des formes architecturales (villa Savoye à Poissy, 1929). En outre, il s'interroge sur la concentration urbaine (projet d'aménagement du front de mer d'Alger, 1930). Après 1945, il réalise la Cité radieuse de Marseille (1946-1952), le Capitole de Chandigarh (1950-1956), la chap. N.-D.-du-Haut à Ronchamp (1950-1955), le couvent de la Tourette à Éveux (1957-1959). Peintre, il est, avec Ozenfant, le fondateur du purisme (Paris, 1918). Il a écrit notam. : *la Charte d'Athènes* (1931-1943), *Propos d'urbanisme* (1945), *le Modulor* (1950).

Lecourbe (Claude Jacques, comte) (Ruffey, Jura, 1758 – Belfort, 1815), général français. Il combattit sous la Révolution (Fleurus, 1794 ; Zurich, 1799) ; destitué en 1801 et fait comte par les Bourbons (1814), il se rallia à Napoléon Ier en 1815.

Le Corbusier devant une de ses fresques

Lecouvreur (Adrienne) (Damery, Champagne, 1692 – Paris, 1730), actrice française, célèbre tragédienne ; maîtresse du maréchal de Saxe, elle mourut mystérieusement.

lecteur, trice n. **I.** (Personnes) **1.** Personne dont la fonction, permanente ou occasionnelle, est de faire la lecture à haute voix devant une ou plusieurs personnes. *Le lecteur du roi.* **2.** Locuteur natif adjoint à un professeur de langue vivante (dans une université). **3.** Personne qui lit (un livre, un journal, etc.). *Avis au lecteur. Les lecteurs d'un journal.* **4.** Dans une maison d'édition, un théâtre, personne chargée de lire, d'examiner et de juger les manuscrits ou les pièces que proposent les auteurs. **II.** n. m. **1.** TECH Appareil destiné à reproduire des sons à partir d'informations enregistrées sur un support tel que film (bande sonore), bande, disque, etc. *Lecteur de cassettes.* **2.** INFORM Système effectuant le décodage d'informations. *Lecteur de cartes* : appareil permettant de décoder les informations des cartes perforées et de les transmettre vers le système d'exploitation.

lectine n. f. BIOCHIM Protéine végétale capable de se combiner spécifiquement à certains constituants glucidiques des membranes cellulaires pour les agglutiner entre elles.

lectorat n. m. **1.** Ensemble des lecteurs (d'un journal). **2.** Fonction de lecteur (dans une université).

Lectoure, ch.-l. de cant. du Gers (arr. de Condom) ; 4 543 hab. – Égl. St-Gervais-St-Protais (XIIe-XIIIe s., restaurée aux XVIe et XVIIe s.) ; anc. évêché des XVIe et XVIIIe s. – Anc. cap. de l'Armagnac.

lecture n. f. **I. 1.** Action de lire (des livres, un journal, un document, etc.). *Il aime la lecture et la musique. Je l'ai appris par la lecture des journaux.* ▷ *Donner lecture d'un texte,* le lire à haute voix devant un auditoire. ▷ Spécial. *Lecture rapide* : méthode reposant sur l'acquisition de mécanismes qui accroissent la rapidité de lecture et de compréhension des textes. **2.** Œuvre, texte qu'on lit ; texte, livre qu'on a à lire. *Une lecture passionnante. Tenez, voilà de la lecture !* **3.** FIG. Manière de comprendre, d'interpréter un auteur, une œuvre, une doctrine. *Une nouvelle lecture de Marx.* **4.** En droit constitutionnel, chacune des délibérations d'une assemblée législative sur un projet ou une proposition de loi. *Texte adopté en deuxième lecture.* **II. 1.** TECH *Appareil de mesure à lecture directe,* qui fournit directement la valeur de la grandeur mesurée (par ex., par affichage numérique). **2.** ELECTR, INFORM Opération qui consiste à décoder les informations enregistrées sur un support et à les transformer en signaux (pour les transmettre, par ex., vers le système d'exploitation d'un ordinateur). **3.** AUDIOV *Table de lecture* : élément d'une chaîne haute fidélité, constitué d'un moteur, d'une platine et d'un bras muni d'une tête de lecture de disques. ▷ *Tête de lecture* : dispositif électronique qui transcrit des données mécaniques, magnétiques ou optiques en signaux électriques. **4.** *Lecture optique* : procédé optoélectronique de reconnaissance d'informations graphiques. *La lecture optique est utilisée pour le tri postal.* – *Lecture numérique* : procédé optique, mécanique, électrique ou magnétique de reconnaissance d'informations en données binaires.

lécythe n. m. ARCHEOL Vase grec allongé à anse et long col, dans lequel on mettait des parfums ou de l'huile, notam. pour les offrandes funéraires.

Leczinsky ou **Leszczyński,** famille polonaise à laquelle appartenaient *Stanislas*, roi de Pologne, et sa fille *Marie Leczinska*, épouse de Louis XV (V. ces noms).

Léda, dans la myth. gr., fille de Thestios et d'Eurythémis. Selon la tradition, elle engendra deux couples de jumeaux : Castor et Clytemnestre ont pour père Tyndare, son époux légitime ; Pollux et Hélène sont le fruit d'une union avec Zeus, qui métamorphosa Léda en cygne.

Le Dain ou **Le Daim** (Olivier Necker, dit Olivier) (Thielt, Flandre, ? - Paris, 1484), barbier et favori de Louis XI. Haï pour ses exactions, il fut pendu sous Charles VIII.

Le Dantec (Félix) (Plougastel-Daoulas, 1869 - Paris, 1917), biologiste français ; adepte et propagateur du lamarckisme dans de nombreux ouvrages.

ledit. V. dit 2.

Ledoux (Claude Nicolas) (Dormans, 1736 - Paris, 1806), architecte et urbaniste français ; souvent considéré comme un précurseur « maudit » de l'architecture fonctionnelle. Son théâtre de Besançon (1778-1784) annonce celui de Bayreuth, et son plan (très partiellement réalisé entre 1775 et 1779) d'une ville complète, à Arc-et-Senans (Doubs), autour d'une saline, frappe par son audace formelle.

Claude Nicolas **Ledoux :** porte en rotonde de la barrière d'octroi de la Villette, XVIIIe s., Paris

Ledru-Rollin (Alexandre Auguste Ledru, dit) (Paris, 1807 - Fontenay-aux-Roses, 1874), avocat et homme politique français. Député radical (1841) et fondateur du journal *la Réforme*, il milita sous Louis-Philippe pour la république (campagne des Banquets). Ministre de l'Intérieur en fév. 1848, il organisa les élections au suffrage universel. Candidat malheureux à la présidence de la République, député d'extrême gauche à la Législative, il dut se réfugier en Angleterre après l'émeute de juin 1849.

Lê Duan (prov. de Quang Tri, 1908 - Hanoi, 1986), homme politique vietnamien ; secrétaire général du parti communiste vietnamien de 1960 à sa mort.

Leduc (René) (Saint-Germain-lès-Corbeil, 1898 - Istres, 1968), ingénieur français. Il mit au point des avions supersoniques propulsés par statoréacteur.

Leduc (Violette) (Arras, 1907 - Faucon, Vaucluse, 1972), écrivain français. Ses romans, largement autobiographiques, expriment tant l'horreur que la fascination de la vie : *l'Asphyxie* (1946), *Ravages* (1955), *la Bâtarde* (1964), *Thérèse et Isabelle* (1966).

Lê Duc Tho (prov. de Nam Ha, 1911 - Hanoi, 1990), homme politique vietnamien. Membre de la direction du parti communiste vietnamien (dont il a démissionné en déc. 1986), il signa les accords de Paris (1973) conduisant au retrait de l'armée amér. du Viêt-nam. Il refusa le prix Nobel de la paix qui lui fut décerné en commun avec H. Kissinger (1973).

Lee (Robert Edward) (Stratford House, Virginie, 1807 - Lexington, id., 1870), général américain. Chef des armées sudistes pendant la guerre de Sécession, il capitula à Appomattox (1865).

Leeds, v. d'Angleterre (West Yorkshire), sur l'Aire ; 674 400 hab. Industr. text. (laine, confection) et métall. de transformation. - Université. Évêché catholique.

Leeuwarden, v. des Pays-Bas, ch.-l. de la Frise ; 85 170 hab. Marché régional ; industr. laitière. - Chancellerie du XVIe s. Musées.

Leeuwenhoek (Antonie Van). V. Van Leeuwenhoek.

Lefebvre (François Joseph), duc de Dantzig (Rouffach, 1755 - Paris, 1820), maréchal de France. Il seconda Bonaparte lors du coup d'État du 18 Brumaire puis participa aux campagnes impériales, s'illustrant notam. à Dantzig (1807). Ayant voté au Sénat la déchéance de Napoléon, il fut nommé pair par les Bourbons (1814). En 1783, il avait épousé Catherine Hubscher, blanchisseuse, popularisée sous le nom de « Madame Sans-Gêne ».

Lefebvre (Georges) (Lille, 1874 - Boulogne-Billancourt, 1959), historien français de la Révolution. Sa thèse *les Paysans du Nord et la Révolution* (1924) ouvrit à la recherche hist. sur cette période le vaste champ de l'histoire sociale. Il écrivit deux synthèses : *la Révolution française* (1930) ; *Napoléon* (1935).

Lefebvre (Henri) (Hagetmau, Landes, 1901 - Pau, 1991), philosophe et sociologue français ; auteur d'études marxistes surtout consacrées à l'aliénation des hommes dans la société contemp. : *Critique de la vie quotidienne* (1947-1962), *la Somme et le Reste* (1959), *le Droit à la ville* (1973).

Lefebvre (Marcel) (Tourcoing, 1905 - Martigny, Suisse, 1991), prélat français. Opposé aux réformes du concile Vatican II, il est le chef de file des catholiques intégristes (fondation de la Fraternité sacerdotale Saint-Pie-X). Après avoir, au mépris des règles de l'Église, ordonné plusieurs prêtres, il a, en 1988, sacré quatre évêques, geste schismatique qui entraîna son excommunication.

Lefebvre-Desnouettes (Charles, comte) (Paris, 1773 - en mer, 1822), général français. Il participa aux campagnes napoléoniennes d'Espagne, de Russie, d'Allemagne et de France. Proscrit après son ralliement à l'Empereur lors des Cent-Jours, il se réfugia aux É.-U. Autorisé à rentrer en France par Louis XVIII, il périt dans le naufrage du navire qui le ramenait d'exil.

Lefèvre (Théo) (Gand, 1914 - Waluwe-Saint-Lambert, 1973), homme politique belge ; président du parti chrétien social et Premier ministre (1961-1965).

Lefèvre d'Étaples (Jacques) (Étaples, v. 1450 - Nérac, 1536), théologien et humaniste français ; créateur du « cénacle de Meaux » (dispersé en 1525 pour similitude doctrinale avec le luthéranisme). Il a traduit Aristote, l'Ancien et le Nouveau Testament.

Le Flô (Adolphe Emmanuel Charles) (Lesneven, Finistère, 1804 - Néchoat, id., 1887), général français ; banni après le 2 déc. 1851, ministre de la Guerre dans le gouv. de la Défense nationale (1870), ambassadeur en Russie (1871-1879).

Le Fort (Gertrud von) (Minden, 1876 - Oberstdorf, Bavière, 1971), romancière et poétesse allemande. Elle s'est interrogée sur le christianisme et sur l'Allemagne du XXe s. *La Dernière à l'échafaud* (1931) inspira à Bernanos les *Dialogues des carmélites*.

Lefort (Claude) (Paris, 1924), philosophe français ; auteur de travaux sur le phénomène bureaucratique dans les pays de l'Est (*Éléments d'une critique de la bureaucratie*, 1971) et sur les rapports entre totalitarisme et démocratie (*l'Invention démocratique*, 1981).

Lefuel (Hector) (Versailles, 1810 - Paris, 1881), architecte français. Continuant l'œuvre de Visconti, il raccorda le Louvre aux Tuileries (1854-1857).

légal, ale, aux adj. Conforme à la loi. *Procédure légale.*

légalement adv. D'une manière légale.

légalisation n. f. Action de légaliser ; résultat de cette action.

légaliser v. tr. [1] **1.** Rendre légal. **2.** *Légaliser une signature, un acte, une copie*, l'authentifier. - Pp. adj. *Copie de diplôme légalisée par le commissaire de police.*

légalisme n. m. Respect scrupuleux ou trop minutieux de la loi.

légaliste adj. et n. Qui fait preuve de légalisme.

légalité n. f. **1.** Caractère de ce qui est légal. *Contester la légalité d'une décision.* **2.** Situation légale, ensemble des actes et des moyens autorisés par la loi. *Sortir de la légalité.*

légat n. m. **1.** ANTIQ ROM Ambassadeur envoyé à l'étranger. - Lieutenant d'un consul, d'un proconsul, d'un préteur. - Administrateur de province, sous l'Empire. **2.** DR CANON Représentant du Saint-Siège. *Légat a latere* (littéral. « venu d'à côté du pape ») : cardinal envoyé en mission par le pape.

légataire n. Personne à laquelle on fait un legs. ▷ *Légataire universel*, auquel on lègue tous ses biens.

légation n. f. **1.** DR CANON Charge, mission d'un légat ecclésiastique. **2.** Mission diplomatique permanente qu'un État entretient dans un pays où il n'a pas d'ambassade. ▷ *Par ext.* Édifice qui abrite le personnel de cette mission.

legato [legato] adv. MUS En soutenant chaque note jusqu'à la suivante. ▷ n. m. Passage lié.

légendaire adj. **1.** Qui est de la nature de la légende. *Les récits légendaires concernant Charlemagne.* **2.** Qui n'existe que dans la légende. *Romulus, personnage légendaire.* Syn. fabuleux, imaginaire, mythique. Ant. historique, réel. **3.** Bien connu de tous. *Sa distraction légendaire.*

légende n. f. **1.** Récit ou tradition populaire qui a, en général, pour sujet soit des événements ou des êtres imaginaires, mais donnés comme historiques, soit des faits réels, mais déformés, embellis et parfois mêlés de merveilleux. *La légende des quatre fils Aymon. La légende du Masque de fer. La légende napoléonienne.* ▷ *La Légende dorée* : recueil de vies de saints, écrit vers 1260 par le dominicain génois Jacques de Voragine. **2.** Texte qui donne la signification des codes, des couleurs et des signes qui figurent sur un plan, une carte, etc. **3.** Texte accompagnant une figure, une photographie, un dessin humoristique, etc.

légender v. tr. [1] Compléter (une illustration, une carte, un dessin) par une légende (sens 2 et 3). *Légender des documents iconographiques.*

Legendre (Louis) (Versailles, 1752 - Paris, 1797), révolutionnaire français. Il était boucher à Paris. Au club des Cordeliers et à la Convention, il joua un rôle actif et prépara la réaction thermidorienne.

Legendre (Adrien Marie) (Paris, 1752 - id., 1833), mathématicien français; connu pour ses travaux sur la théorie des nombres et la théorie des fonctions elliptiques.

léger, ère adj. **I.** Qui pèse peu. **1.** De faible poids. *Une valise légère.* Ant. lourd. ▷ SPORT *Catégorie des poids légers* : catégorie de boxeurs, de lutteurs, d'haltérophiles et de judokas (poids variant, selon les disciplines, entre les limites extrêmes de 57 et de 70 kg). ▷ *Par ext.* Peu dense. *Les alliages légers.* ▷ MILIT Facile à transporter, à déplacer; très mobile. *Armes légères. Croiseur léger.* **2.** Facile à digérer. *Un plat léger.* ▷ Peu copieux. *Un dîner léger.* **3.** Peu compact. *Sol léger. Une pâte feuilletée légère.* **4.** Peu épais. *Étoffe, robe légère. Brume légère. Une couche légère de badigeon.* **5.** Gracieux, délié. *Clochetons aux formes légères.* **II.** Qui appuie peu. **1.** Alerte, vif. *Démarche légère. Se sentir léger.* ▷ Fig. *Avoir le cœur léger,* sans soucis. **2.** Délicat et mesuré dans ses mouvements, dans son action, ses procédés. *Avoir la main légère* : agir avec mesure ou avec une délicatesse précise. - Par ext. *Peinture exécutée par touches légères.* **3.** Se dit d'une voix agile dans l'aigu, ou d'un chanteur possédant une telle voix. *Ténor léger.* **III.** Faible, peu sensible. **1.** Peu intense, peu violent. *Brise légère.* **2.** Peu perceptible. *Un murmure léger.* **3.** Peu grave, peu pénible. *Une blessure légère. Un léger dépit.* **4.** De faible grandeur, de petite amplitude. *Température en légère hausse.* **5.** Peu riche en principe actif. *Café léger.* - *Vin léger,* peu riche en alcool. **6.** *Sommeil léger,* peu profond. **IV.** Qui a peu de sérieux. **1.** Peu réfléchi, peu prévoyant. *Un chef léger et négligent.* ▷ *Une tête légère* : une personne étourdie, frivole. ▷ Loc. adv. *À la légère* : sans réfléchir, sans prévoir. *S'engager à la légère.* **2.** *Femme, fille légère* ou *de mœurs légères* : femme, fille facile. **3.** Quelque peu licencieux. *Histoire légère.* **4.** (Sans valeur péjor.) Qui ne vise pas au sérieux, au grand art, mais à une facilité pleine d'agrément. *Musique légère.* **5.** Insuffisant. *C'est un peu léger !*

Léger (Fernand) (Argentan, 1881 - Gif-sur-Yvette, 1955), peintre français. Un dessin tendant au géométrique, l'emploi de couleurs vives disposées en aplats violemment contrastés, l'opposition de gros plans et de plans réduits, la recherche de la stabilité l'ont conduit à la mosaïque, à la céramique, au vitrail. Ses peintures, notam. celles de sa dernière période, célèbrent les « constructeurs » (ouvriers et savants) du monde moderne. Le *musée Fernand-Léger* de Biot (Alpes-Maritimes) est devenu musée national en 1967.

Fernand **Léger** : *les Acrobates,* gouache; coll. part.

légèrement adv. **1.** D'une manière légère, sans peser, avec agilité. *Courir légèrement.* **2.** Sans se charger l'estomac. *Dîner légèrement.* **3.** Délicatement. *Cela est peint légèrement.* **4.** D'une manière peu considérable; à peine. *Tourner légèrement la tête.* **5.** Sans réfléchir, imprudemment. *Se conduire légèrement.*

légèreté n. f. **1.** Caractère de ce qui pèse peu. *La légèreté d'un bâti en aluminium.* **2.** Agilité. *La légèreté de sa démarche.* **3.** Délicatesse. *La légèreté de touche d'un peintre.* **4.** Inconstance, instabilité. *Il lui reprochait la légèreté de son esprit.* **5.** Manque de réflexion, de prudence, de sérieux. *Faire preuve de légèreté dans la conduite d'une affaire.*

leggings [legiŋz] ou **leggins** [legins] n. m. pl. ou n. f. pl. Jambières de cuir ou de toile. Syn. houseaux.

légiférer v. intr. [14] Faire des lois. *Le Parlement légifère.*

légion n. f. **1.** ANTIQ ROM Unité militaire. *À l'époque de César, la légion, divisée en cohortes, manipules et centuries, comptait 6 000 hommes.* **2.** Grand nombre d'êtres. *Une légion de quémandeurs.* ▷ *Ils sont légion* : ils sont très nombreux. **3.** MILIT Unité de gendarmerie commandée par un colonel. ▷ *La Légion* étrangère* ou, absol., *la Légion. S'engager dans la Légion.* ▷ Par anal. *Légion étrangère espagnole.* **4.** *Légion* d'honneur.* ▷ *Par méton.* Décoration de cet ordre. *Il est fier d'exhiber sa Légion d'honneur.* ▷ *Par ext.* Grade ou dignité de cet ordre. *On lui a accordé la Légion d'honneur.*

Légion arabe, armée arabe créée en 1921 en Transjordanie par l'Anglais Peake. Un autre Anglais, Glubb pacha, la commanda de 1939 à 1956, date à laquelle le roi Hussein le limogea, faisant de la Légion un corps jordanien.

Légion d'honneur (ordre de la), premier ordre national français, institué en 1802 par Bonaparte pour récompenser les meilleurs serviteurs de l'État. Il comprend trois grades (chevalier, officier et commandeur) et deux dignités (grand officier et grand-croix). Le chef de l'État est le grand maître de l'ordre qui est dirigé par un grand chancelier. Le règlement a été révisé en 1962.

légionellose n. f. MED Maladie due à un bacille, provoquant un état grippal, une pneumonie, avec, parfois, des troubles plus généraux. Syn. maladie du légionnaire.

Légion étrangère, formation militaire française dont les membres sont, en grande partie, étrangers. En mars 1831 la Légion étrangère, succédant aux régiments étrangers de l'armée française de l'Ancien Régime, fut créée en Algérie par Louis-Philippe. Elle servit surtout outre-mer (Mexique, Levant, Indochine, Afrique du Nord). En 1962, après l'indépendance de l'Algérie, le centre de la Légion a été transféré de Sidi-bel-Abbès (Algérie) à Aubagne (Bouches-du-Rhône).

légionnaire n. m. **1.** Soldat d'une légion romaine. **2.** Soldat de la Légion étrangère. **3.** MED *Maladie du légionnaire* : légionellose.

législateur, trice n. **1.** Celui, celle qui donne des lois à un peuple. *Solon fut le législateur d'Athènes.* ▷ *Par ext.* Celui qui établit les principes d'un art, d'une science. *Boileau, législateur du Parnasse.* **2.** n. m. *Le législateur* : le pouvoir qui fait les lois. *Le législateur a voulu que...*

législatif, ive adj. et n. **1.** Qui fait les lois. *Le pouvoir législatif* ou, n. m., *le législatif. Une assemblée législative.* ▷ HIST *L'Assemblée législative* ou, n. f., *la Législative* : V. assemblée. - *Corps législatif* : nom de diverses assemblées françaises (l'Assemblée législative de 1791, divisée en deux, Conseil des Anciens et Conseil des Cinq-Cents par la Constitution de l'an III; l'Assemblée législative de la Constitution de l'an VIII; l'assemblée aux pouvoirs limités créée par la Constitution de 1852). **2.** Par ext. *Les élections législatives* ou, n. f. pl., *les législatives,* par lesquelles sont élus les députés. *Les législatives de mars 1978.* **3.** Qui est de la nature de la loi. *Les dispositions législatives.*

législation n. f. Ensemble des lois d'un pays, ou concernant un domaine précis. *La législation allemande. La législation de l'adoption.*

législativement adv. DR Par voie législative.

législature n. f. Période pour laquelle une assemblée législative (Chambre des députés, Assemblée nationale) est élue.

légiste n. m. et adj. **I.** n. m. **1.** Celui qui connaît ou étudie les lois. Syn. jurisconsulte, juriste. **2.** HIST Conseiller juridique du roi, sous l'Ancien Régime. *Les légistes de Philippe le Bel.* **II.** adj. *Médecin légiste,* chargé des expertises légales.

légitimation n. f. **1.** Action de légitimer. *Tentative de légitimation d'un coup de force.* **2.** DR Acte par lequel on légitime (un enfant naturel).

légitime adj. (et n. f.) **1.** Qui est consacré par la loi. *Enfant légitime,* né dans le mariage (par oppos. à *enfant naturel*). ▷ n. f. Pop. *La légitime* : l'épouse légitime. ▷ *Légitime défense* : droit de se défendre reconnu par la loi à celui qui est attaqué. *Être en état de légitime défense.* **2.** Établi conformément à la Constitution ou aux traditions politiques. *Pouvoir, gouvernement légitime.* ▷ Par ext. *Dynastie légitime. Souverain légitime.* **3.** Conforme à l'équité, à la morale, à la raison; justifié. *Un désir légitime. Une inquiétude légitime.*

légitimement adv. D'une manière légitime.

légitimer v. tr. [1] **1.** Rendre légitime; faire reconnaître pour authentique. *Légitimer un pouvoir. Faire légitimer un titre de noblesse.* **2.** DR Donner juridiquement à un enfant naturel les droits et la qualité d'enfant légitime. ▷ Pp. adj. *Enfant légitimé.* **3.** Justifier. *Une conduite que rien ne peut légitimer.*

légitimisme n. m. **1.** Soutien inconditionnel au pouvoir en place. **2.** HIST Opinion ou mouvement politique des légitimistes.

légitimiste n. et adj. **1.** Qui défend l'ordre établi, le pouvoir en place. **2.** HIST En France, au XIXe s., partisan des descendants de Charles X (par oppos. à *orléaniste*). ▷ adj. *Les journaux légitimistes.*

légitimité n. f. **1.** Caractère de ce qui est légitime. *Prouver la légitimité d'un titre. La légitimité d'une déduction logique.* **2.** *Spécial.* Qualité de l'enfant légitime.

Legnano, v. d'Italie (prov. de Milan), sur l'Olona; 49 310 hab. Industr. électr., méca., text. et alim. – En 1176, Frédéric Barberousse y fut vaincu par les Milanais et la ligue des communes lombardes.

Legnica (anc. *Liegnitz*), v. de Pologne (Basse-Silésie); ch.-l. de la voïévodie du m. nom; 99 000 hab. Fonderie de cuivre; industr. text., électr. et alim. – Mon. médiévaux.

lego n. m. (Nom déposé) Jeu de construction à pièces en matière plastique, qui s'emboîtent.

Le Goff (Jacques) (Toulon, 1924), historien français, un des chefs de file de la *Nouvelle Histoire* (collectif, 1978) : *la Civilisation médiévale* (1964); *la Naissance du purgatoire* (1981). Sa pensée et ses préoccupations scientifiques se révèlent dans un recueil d'essais : *Pour un autre Moyen Âge. Temps, travail et culture en Occident* (1977).

Legrand (Michel) (Paris, 1932), chef d'orchestre, compositeur et chanteur français. Il a composé des chansons puis s'est consacré à la musique de films (*Lola, les Parapluies de Cherbourg* et *les Demoiselles de Rochefort*, de J. Demy; *Eva* et *le Messager*, de J. Losey).

Legrenzi (Giovanni) (Clusone, 1626 – Venise, 1690), compositeur italien de l'école vénitienne : opéras, motets, psaumes, oratorios, sonates (notam. pour trois instruments, genre qu'il créa).

Legros (Pierre) (Chartres, 1629 – Paris, 1714), sculpteur français. Il a exécuté plus. sculptures pour le parc du château de Versailles.

legs [lɛg] n. m. **1.** DR Action de céder la possession d'un bien à qqn par testament; bien ainsi cédé. *Legs universel*, qui porte sur la totalité des biens ou sur la totalité de la quotité disponible (lorsqu'il y a des héritiers réservataires). ▷ *Legs à titre universel*, qui porte soit sur l'ensemble, soit sur une quote-part des biens meubles ou immeubles, ou de l'ensemble des biens meubles et immeubles. ▷ *Legs à titre particulier*, qui porte sur un bien meuble ou un bien immeuble déterminé. **2.** Fig. Ce qui est laissé en héritage. *Ce trésor de sagesse, legs des anciens Grecs.*

léguer v. tr. [14] **1.** Céder par testament. *Il légua sa maison à son neveu.* **2.** Fig. Transmettre. *Les Romains ont légué à l'Occident le sens de l'État.*

légume n. m. (et n. f.) **1.** BOT Syn. de *gousse.* **2.** Cour. Aliment constitué par les plantes potagères ou par certaines parties de celles-ci : graines (petits pois, haricots, etc.), gousses (haricots verts), feuilles (choux, salades, etc.), tiges (asperges), racines (navets, choux-raves, etc.), tubercules (pommes de terre), fruits (tomates), fleurs (choux-fleurs). *Légumes verts*, riches en cellulose (salades, haricots verts, épinards, etc.). *Légumes secs*, riches en amidon et farineux (haricots en grains, lentilles, pois, etc.). **3.** *Par ext.* Plante potagère. *Cultiver des légumes dans son jardin.* **4.** n. f. Fam. *Grosse légume* ou, ellipt., *légume* : personnage haut placé.

légumier, ère adj. et n. m. **1.** adj. Qui concerne les légumes. *Cultures légumières.* **2.** n. m. Plat à légumes. **3.** n. m. Agriculteur spécialisé dans la production de légumes.

légumineuses n. f. pl. BOT Grande famille de dicotylédones dialypétales superovariées, comprenant 120 000 espèces d'herbes et d'arbres de toutes les régions du monde, qui ont en commun d'avoir pour fruits des *légumes*, c.-à-d. des gousses. (On les divise en *papilionacées, césalpiniacées* et *mimosacées.*) – Sing. *Une légumineuse.*

Lehár (Franz) (Komárom, 1870 – Bad Ischl, 1948), compositeur autrichien d'origine hongroise; auteur d'opérettes viennoises : *la Veuve joyeuse* (1905), *le Pays du sourire* (1929).

Lehmann (Rosamond) (Bourne End, Buckinghamshire, 1903 – Londres, 1990), romancière anglaise, qui évoque le désir de liberté et la tendance féministe : *Poussière* (1927), *la Ballade et la Source* (1944).

Lehn (Jean-Marie) (Rosheim, 1939), chimiste français, prix Nobel 1987 pour sa synthèse des cryptands.

Leibl (Wilhelm) (Cologne, 1844 – Würzburg, 1900), peintre allemand, représentant de l'école réaliste.

Leibniz (Gottfried Wilhelm) (Leipzig, 1646 – Hanovre, 1716), philosophe et mathématicien allemand. Son œuvre révèle une culture universelle. Chez lui, les idées du savant, du métaphysicien et du théologien sont trois aspects différents d'une même pensée. Méditant sur le principe de continuité en mathématique et sur la notion d'infini, il découvrit, en même temps que Newton, le calcul différentiel et intégral (1676). En physique, il substitua au *mécanisme* cartésien, qui réduisait la matière à l'étendue, une *dynamique* reposant sur la notion de force vive. En tant que philosophe, il a développé une étonnante théorie de la substance : chaque sujet (ou monade*) exprime à sa manière l'univers entier. Mais, si la monade individuelle exprime bien la totalité de l'univers, elle ne le fait que très partiellement par des représentations *claires;* du reste des choses, elle n'a que des perceptions *confuses*, et le passage du confus au clair constitue la *dynamique* intérieure de son développement. La Création est ainsi comparée à un mécanisme, Dieu ayant créé les monades selon un système cohérent fondé sur une «harmonie préétablie» : bien qu'elles soient sans influence réelle les unes sur les autres, chaque monade existe en «concordance» exacte avec toutes les autres. Pour Leibniz théologien, l'Être parfait, en raison même de sa perfection, a choisi, parmi d'innombrables combinaisons de monades, celle qui réalisait «le meilleur des mondes possibles»; ce point de vue a été ridiculisé par Voltaire (Leibniz est le Pangloss de *Candide*). Princ. œuvres : *Nouveaux Essais sur l'entendement humain* (1704) , *Essais de théodicée* (1710), *Monadologie* (1714).
▸ illustr. page **1071**

Leibowitz (René) (Varsovie, 1913 – Paris, 1972), compositeur, musicologue et pédagogue français d'origine polonaise; propagateur en France du dodécaphonisme (*Introduction à la musique de douze sons*, 1949).

Leicester, v. d'Angleterre, sur la *Soar*, au S. de Nottingham; ch.-l. du Leicestershire; 270 600 hab.; ch.-l. de comté. Industr. text. et du cuir. Import. centre industr. – Université. Évêché. Égl. St. Mary de Castro (XIIe s.). Cath. St. Martin (goth. primitif). Vestiges romains.

Leicester, famille d'Angleterre d'où sont issus Simon de Montfort et Philip Sidney (V. ces noms).

Leicestershire, comté de G.-B. (Midlands de l'Est); 2 553 km^2; 860 500 hab.; ch.-l. *Leicester.*

Leigh (Viviane Mary Hartley, dite Vivien) (Darjîling, 1913 – Londres, 1967), actrice anglaise. Elle remporta un triomphe dans le rôle de Scarlett O'Hara (*Autant en emporte le vent*, 1939).

Leine (la), riv. d'All. (280 km), affl. de l'Aller (r. g.); arrose Göttingen et Hanovre.

Leinster (en gaélique *Laighean*), prov. du S.-E. de la rép. d'Irlande; 19 632 km^2; 1 860 000 hab.; ch.-l. *Dublin.* Région agric. (élevage) et minière (cuivre, plomb).

Leipzig, v. d'Allemagne (Saxe), située dans une plaine au confluent de l'Elster Blanche et de la *Pleisse*; 607 660 hab. Ses foires, célèbres depuis le Moyen Âge, comptent parmi les grandes manifestations commerciales d'Europe. – Édition. Université célèbre fondée en 1409. – Victoire de Gustave II Adolphe sur les impériaux (1631). – Bataille, dite *des Nations*, entre Napoléon et les coalisés (16-19 oct. 1813), perdue par les Français.

Leiris (Michel) (Paris, 1901 – Saint-Hilaire, Essonne, 1990), écrivain et ethnologue français. Il adhère au surréalisme dès 1924 et s'oriente vers l'ethnographie en 1929 (*l'Afrique fantôme*, 1934). *L'Âge d'homme* (1939) est une exploration quasi psychanalytique de son moi, qu'il poursuit dans *la Règle du jeu*, ensemble autobiographique (*Biffures*, 1948; *Fourbis*, 1955; *Fibrilles*, 1966; *Frêle Bruit*, 1976; *À cor et à cri*, 1988); *Journal 1922-1989* (posth., 1992).

leishmanie n. f. Protozoaire flagellé parasite des globules blancs, agent des leishmanioses.

leishmaniose n. f. MED Maladie due à une leishmanie.

Leitha (la) (en hongrois *Lajta*), riv. d'Autriche et de Hongrie (128 km); affl. du Danube (r. dr.); séparait, après 1867, les prov. autrichiennes *cisleithanes* des prov. hongroises *transleithanes.*

leitmotiv [lajtmɔtif; lɛtmɔtiv] n. m. **1.** MUS Motif, thème qui, caractérisant un personnage ou une situation, revient à plusieurs reprises dans la partition pour évoquer ce personnage ou cette situation. *Les leitmotive de Wagner.* ▷ *Par ext.* Thème récurrent. **2.** Fig. Formule, idée qui revient fréquemment. *Des leitmotivs* ou, didac., *leitmotive.*

Leiv Eriksson, dit *Leiv l'Heureux* (en Islande, v. 970 – au Groenland, v. 1021), navigateur viking norvégien, fils d'Erik le Rouge. Il aurait découvert par hasard l'Amérique du N. en l'an 1000.

Le Jeune (Claude) (Valenciennes, v. 1525 – Paris, 1600), compositeur français. Il réalisa l'alliance de l'harmonie moderne et de la métrique antique selon les principes de Baïf : psaumes, motets, chansons profanes.

Lejeune (Jérôme) (Montrouge, 1926 – Paris, 1994), médecin et généticien français, fervent catholique. Il a décrit l'aberration chromosomique du mongolisme (trisomie 21).

Lekeu (Guillaume) (Heusy, 1870 - Angers, 1894), compositeur belge; élève de C. Franck : *Sonate pour violon et piano* (1892), *Fantaisie symphonique sur des airs angevins* (1892).

Lélio, type d'amoureux dans la comédie italienne; rival heureux d'Arlequin.

Lelouch (Claude) (Paris, 1937), cinéaste français. Sa virtuosité technique s'exprime dans des fresques édifiantes et grandiloquentes : *Un homme et une femme* (1966); *les Uns et les Autres* (1981); *Édith et Marcel* (1983); *Itinéraire d'un enfant gâté* (1989).

Lely (Peter Van der Faes, dit sir Peter) (Soest, Westphalie, 1618 - Londres, 1680), peintre anglais qui succéda à Van Dyck comme peintre de la Cour.

Lelystad, v. nouvelle des Pays-Bas; 57 950 hab.; ch.-l. de la prov. de Flevoland. Centre industr. et commercial.

lem [lɛm] n. m. ESP Véhicule habité destiné à l'exploration lunaire.

Lemaire de Belges (Jean) (Belges, auj. Bavay, Nord, 1473 - ?, v. 1520), poète et chroniqueur français, à la cour de Marguerite d'Autriche puis d'Anne de Bretagne; auteur des *Illustrations de Gaule et Singularités de Troie* (1509-1512).

Lemaistre (Antoine) (Paris, 1608 - Port-Royal-des-Champs, 1658), avocat français, petit-fils d'Antoine Arnauld le père; il se retira à Port-Royal (1638), où il écrivit une *Apologie de Saint-Cyran* (1642). – **Isaac,** dit *Lemaistre de Sacy* (Paris, 1613 - Pomponne, 1684), frère du préc.; ordonné prêtre et directeur spirituel des religieuses de Port-Royal en 1649. Sa traduction de la Bible (éd. dite «de Mons», 1667) donna lieu à de vives controverses.

Lemaître (Antoine Louis Prosper, dit Frédérick) (Le Havre, 1800 - Paris, 1876), acteur français. Il s'illustra dans de nombr. drames romantiques et dans des mélodrames *(l'Auberge des Adrets)*.

Lemaitre (Jules) (Vennecy, Loiret, 1853 - Tavers, id., 1914), critique littéraire et auteur dramatique français : *les Contemporains* (8 vol. de chroniques, 1885-1889), *le Pardon* (comédie, 1895), *la Bonne Hélène* (comédie, 1896). Acad. fr. (1895).

Lemaître (Mgr Georges Henri) (Charleroi, 1894 - Louvain, 1966), astronome belge; connu pour ses travaux sur la relativité générale et sa théorie de l'expansion de l'Univers, qu'il établit dès 1927.

Leman (Gérard Mathieu, comte) (Liège, 1851 - id., 1920), général belge. Il défendit héroïquement Liège (4-14 août 1914) contre les Allemands.

Léman (lac), lac franco-suisse (582 km^2), long de 72 km, situé à 370 m d'alt. entre le Jura au N.-O. et les Alpes du Chablais au S. Il est traversé par le Rhône, qui en sort à Genève. Tourisme, stat. clim.

Lemercier (Jacques) (Pontoise, v. 1585 - Paris, 1654), architecte français; précurseur du classicisme français sous Louis XIII : pavillon de l'Horloge au Louvre, égl. de la Sorbonne, plans de l'égl. St-Roch à Paris; il bâtit la ville de Richelieu et son château.

Lemire (Jules Auguste) (Vieux-Berquin, Nord, 1853 - Hazebrouck, 1928), prêtre français. Élu député (1893), siégeant à gauche, il fut le promoteur de lois interdisant, dans certaines conditions, le travail des enfants. On lui doit aussi l'institution des «jardins ouvriers».

lemme [lɛm] n. m. PHILO, MATH Proposition préliminaire préparant une démonstration, et n'ayant pas forcément un rapport immédiat avec la proposition à démontrer.

lemming [lemiŋ] n. m. ZOOL Petit mammifère rongeur (fam. muridés) des régions arctiques, à queue courte, à petites oreilles, vivant en bandes immenses.

Le Moine (François). V. Le Moyne.

LeMond (Greg) (Lakewood, Californie, 1960), coureur cycliste américain, champion du monde sur route en 1983 et 1989, vainqueur du Tour de France en 1986, 1989 et 1990.

Lemonnier (Camille) (Ixelles, 1844 - Bruxelles, 1913), écrivain belge d'expression française; romancier d'inspiration naturaliste (*Happe-chair*, 1886), pamphlétaire antimilitariste (*les Charniers*, 1881) et critique d'art (*Gustave Courbet*, 1878).

Lémovices, peuple gaulois qui habitait le Limousin actuel.

Le Moyne ou **Le Moine** (François) (Paris, 1688 - id., 1737), peintre français; maître de Boucher et de Natoire. Il décora le plafond du salon d'Hercule à Versailles et celui de l'église Saint-Sulpice à Paris.

Lemoyne (Jean-Baptiste II), dit *Lemoyne fils* (Paris, 1704 - id., 1778), sculpteur français : bustes de Louis XV, Montesquieu, N. Coypel, Réaumur, J.-A. Gabriel.

Le Moyne d'Iberville (Pierre) (Ville-Marie, auj. Montréal, 1661 - La Havane, 1706), marin et explorateur français; victorieux des Anglais dans la baie d'Hudson. Il fonda la Louisiane (1699), dont il fut le premier gouverneur. – **Le Moyne de Bienville** (Jean-Baptiste) (Ville-Marie, 1680 - Paris, 1768), frère du préc., fut gouverneur de la Louisiane de 1713 à 1726 et de 1733 à 1743.

lémure n. m. ANTIQ ROM Âme errante d'un mort.

lémuriens n. m. pl. ZOOL Ensemble constitué de mammifères primates inférieurs typiques de Madagascar (maki). – Sing. *Un lémurien.*

Lena (la), fl. de Sibérie (4 270 km); né sur la rive ouest du lac Baïkal, il arrose Iakoutsk et se jette dans l'océan Arctique par un vaste delta.

Le Nain, nom de trois frères peintres qui travaillèrent en collab. si étroite qu'on ne peut leur attribuer individuellement avec certitude l'une ou l'autre de leurs œuvres. – **Antoine** (Laon, entre 1600 et 1610 - Paris, 1648). – **Louis** (Laon, entre 1600 et 1610 - Paris, 1648). – **Mathieu** (Laon, v. 1610 - Paris, 1677). En 1629, ils sont à Paris, où ils ont vite du succès : scènes religieuses et mythologiques (*Vénus dans la forge de Vulcain*, 1641), «portraits collectifs», de courtisans ou de bourgeois, dans le style flamand, scènes paysannes (*Repas des paysans*, 1642).

Louis **Le Nain :** *Repas de paysans*, 1642; musée du Louvre

Lenard (Philipp) (Presbourg, auj. Bratislava, 1862 - Messelhausen, Bade-Wurtemberg, 1947), physicien allemand. Ses travaux sur les rayons cathodiques permirent la découverte des rayons X. P. Nobel 1905.

Lenau (Nikolaus Niembsch von Strehlenau, dit Nikolaus) (Csátad, Hongrie [auj. Lenauheim, Roumanie], 1802 - Oberdöbling, 1850), poète lyrique autrichien : *Chants des joncs* (1832), *Faust* (poème dramatique, 1836).

Lenclos (Anne, dite Ninon de) (Paris, 1616 - id., 1706), femme de lettres française célèbre par son esprit, sa culture et sa beauté. Elle tint un salon où se réunissaient les libres penseurs. Ses *Lettres* ont un réel intérêt littéraire.

lendemain n. m. **1.** Jour qui suit le jour considéré. - Prov. *Il ne faut jamais remettre au lendemain ce qui peut être fait le jour même.* **2.** *Le lendemain :* l'avenir. *Songer au lendemain.* **3.** Loc. *Du jour au lendemain :* très vite, en très peu de temps. ▷ Fig. *Sans lendemain :* sans prolongement, sans suite. *Un bonheur sans lendemain.*

lendit [lɑ̃di] n. m. HIST Grande foire qui se tenait, au Moyen Âge, dans la plaine Saint-Denis, au nord de Paris.

Lendl (Ivan) (Prague, 1960), joueur de tennis tchèque; vainqueur des Internationaux des États-Unis (1985, 1986, 1987) et de France (1984, 1986, 1987).

L'Enfant (Pierre Charles) (Paris, 1754 - Prince George County, Maryland, 1825), architecte et ingénieur français; auteur du plan de la ville de Washington.

Lenglen (Suzanne) (Paris, 1899 - id., 1938), joueuse de tennis française; six fois victorieuse du tournoi de Wimbledon (de 1919 à 1923 et en 1925).

lénifiant, ante adj. **1.** MED Qui lénifie. **2.** Fig. Qui calme, qui adoucit. *Paroles lénifiantes.*

lénifier v. tr. [2] **1.** MED Soulager au moyen d'un produit adoucissant. **2.** Fig. Adoucir.

Leninabad. V. Khoudjand.

Leninakan. V. Koumaïri.

Lénine (pic), un des points culminants (7 134 m) du Transalaï.

Lénine (Vladimir Ilitch Oulianov, dit) (Simbirsk, 1870 - Gorki, 1924), révolutionnaire russe, fondateur de l'État soviétique. Chef de la fraction bolchevique de la social-démocratie russe, c'est en exil à Genève et à Paris qu'il prépara la révolution russe en créant un parti fort et centralisé. Rentré en avril 1917 (après la révolution de Février) en Russie, par le train (grâce à l'aide des autorités allemandes), il exposa le programme de lutte pour le passage de la révolution démocratique à la révolution socialiste. Dans ses fameuses «thèses d'avril», il préconisait : la fin immédiate de la guerre impérialiste, l'opposition au gouvernement provisoire, la nationalisation

Lénine

Ferdinand de Lesseps

des terres, le remplacement de la police et de l'armée par le peuple en armes («tout le pouvoir aux soviets»). Organisateur de l'insurrection des forces révolutionnaires (octobre 1917), il fut élu, dans le nouveau gouvernement exclusivement bolchevique, président du Conseil des commissaires du peuple. La paix avec l'Allemagne fut conclue en mars 1918 à Brest-Litovsk. Les bases de la dictature du prolétariat furent établies. L'abolition du droit de propriété des grands propriétaires fonciers et le contrôle ouvrier sur les usines furent décrétés. Très vite, d'autres mesures intervinrent dans un sens de plus en plus révolutionnaire, alors que les tenants de l'ancien régime prenaient les armes contre le pouvoir soviétique. Lénine eut recours au «communisme de guerre», politique de coercition mobilisant les hommes et les ressources, pour s'opposer à la contre-révolution. Celle-ci fut vaincue en 1921, mais le pays était exsangue. Il fallut jeter du lest. Ce fut la «nouvelle politique économique» (NEP) qui rétablit provisoirement une certaine liberté pour le commerce et les petites industries. En 1922, l'Union des républiques socialistes soviétiques était fondée. Dans la même période, Lénine joua un rôle déterminant dans la création de l'Internationale communiste (1919). Frappé d'une attaque d'hémiplégie en mai 1922, il cessa ses activités en mars 1923 (nouvelle attaque). Dans ses dernières recommandations (appelées «Testament»), il demandait le remplacement de Staline au poste de secrétaire général du parti. Grand praticien de la révolution, Lénine fut aussi théoricien du marxisme. Il écrivit de nombreux ouvrages : *Que faire ?* (1902), *Matérialisme et Empiriocriticisme* (1909), *l'Impérialisme, stade suprême du capitalisme* (1917), *l'État et la Révolution* (1918), *le Gauchisme, maladie infantile du communisme* (1920).

Leningrad. V. Saint-Pétersbourg.

léninisme n. m. Doctrine de Lénine et de ses partisans.

léniniste adj. et n. **1.** adj. De Lénine. *La doctrine léniniste.* **2.** n. Partisan de Lénine, du léninisme.

lénitif, ive adj. et n. m. **1.** MED Adoucissant. ▷ n. m. *Le miel est un excellent lénitif.* **2.** Fig., litt. Qui soulage. *Des paroles lénitives.*

Lenoir (Étienne) (Mussy-la-Ville, Luxembourg, 1822 - La Varenne-Saint-Hilaire, 1900), ingénieur français. Il inventa en 1860 le moteur à explosion.

Lenoir-Dufresne (Joseph) (Alençon, 1768 - Paris, 1806), industriel français. Il introduisit en France le métier à filer le coton, créant ainsi, avec François Richard*, l'industrie cotonnière française.

Lenormand (Henri-René) (Paris, 1882 - id., 1951), écrivain français. Auteur dramatique influencé par Strindberg et Freud, il tente de mettre à nu les mystères de la vie intérieure : *Le temps est un songe* (1919), *Crépuscule du théâtre* (1934).

Le Nôtre (André) (Paris, 1613 - id., 1700), architecte et paysagiste français; jardinier du roi (1645). Il a créé un genre, le *jardin à la française,* caractéristique du goût de l'époque Louis XIV : parcs des chât. de Vaux-le-Vicomte (1656-1661), de Versailles (1661-1668), de Chantilly, de Sceaux, ainsi que la terrasse de Saint-Germain-en-Laye.

Lens, ch.-l. d'arr. du Pas-de-Calais, sur la Deûle; 35 278 hab. (env. 323 200 hab. dans l'aggl.). Les industr. sidérurgiques et métallurgiques, fondées sur l'extraction charbonnière, sont en déclin; les autres industr. (constr. méca., électr.) ne sont pas encore parvenues à rendre à la ville toute sa vitalité.

lensois, oise adj. et n. De Lens. - Subst. *Un(e) Lensois(e).*

lent, lente adj. **1.** Dont la vitesse n'est pas grande. *Une lente progression. Avoir l'esprit lent.* **2.** Dont l'action ou l'effet ne se fait pas immédiatement sentir. *Un poison lent. Fièvre lente,* continue et peu intense.

lente n. f. Œuf de pou.

lentement adv. Avec lenteur. *Manger lentement.*

lenteur n. f. Manque de rapidité, de promptitude. *La lenteur d'une procédure. Les lenteurs de l'Administration. Lenteur d'esprit.*

lenticelle n. f. BOT Pore traversant le liège imperméable de l'écorce d'un végétal et permettant les échanges gazeux entre les tissus profonds et l'atmosphère.

lenticulaire adj. Qui a la forme d'une lentille. *Verre lenticulaire. Zone lenticulaire.*

lenticule n. f. BOT Lentille d'eau.

lentiforme adj. Qui a la forme d'une lentille.

lentigo n. m. MED Tache pigmentaire de la peau apparaissant notam. chez les personnes âgées.

lentille n. f. **1.** Légumineuse papilionacée, plante grimpante dont les feuilles composées sont terminées par des vrilles. **2.** La graine elle-même, comestible. *Un plat de lentilles au lard.* **3.** *Lentille d'eau :* plante aquatique dont les rares feuilles, de la taille d'une lentille, flottent sur l'eau stagnante. **4.** OPT Système optique réfringent limité par des faces dont une au moins est concave ou convexe. ▷ *Lentille électronique :* V. encycl. **5.** Verre de contact. *Remplacer ses lunettes par des lentilles.* **6.** Vx Grain de beauté.

tige feuillée de **lentille** avec fleurs (au sommet) et gousses aux différents stades de maturité

ENCYCL **Opt.** - L'axe principal d'une lentille est la droite qui joint les centres de courbure des deux faces qui la délimitent. Si l'épaisseur de la lentille est faible par rapport aux rayons de courbure des faces, elle est appelée lentille *mince* et possède un *centre optique.* On distingue les lentilles *convergentes,* dont les faces se coupent le long d'un cercle, et les lentilles *divergentes,* dont les faces ne se coupent pas. Une lentille est *stigmatique* si à tout point objet correspond un point image (et non une tache). Une lentille possède deux *foyers,* qui sont les images des points situés à l'infini de part et d'autre de la lentille. La *distance focale* d'une lentille est la distance entre l'un des deux foyers et le centre optique. Si p et p' sont les distances respectives de l'objet et de l'image à la lentille, on a : $\frac{1}{p} + \frac{1}{p'} = \frac{1}{f}$; f est la distance focale de la lentille, positive pour une lentille convergente, négative pour une lentille divergente. Le *grandissement* est : $-\frac{p'}{p}$. Les lentilles peuvent présenter des défauts, nommés *aberrations :* aberrations chromatiques (irisation) et géométriques (telles que distorsions et taches aussi appelées *comas*). Les lentilles entrent dans la construction d'un grand nombre d'instruments d'optique. - Les lentilles *électroniques* (comprenant les lentilles *électrostatiques* et *électromagnétiques*) jouent à l'égard des électrons le même rôle que celui des lentilles optiques à l'égard des photons (constitutifs des rayons lumineux); elles sont formées de disques portés à des potentiels différents ou de bobines disposées dans une carcasse en matériaux ferromagnétiques.

Lentini, v. d'Italie, en Sicile (prov. de Syracuse); 31 330 hab. - Antique *Leon-*

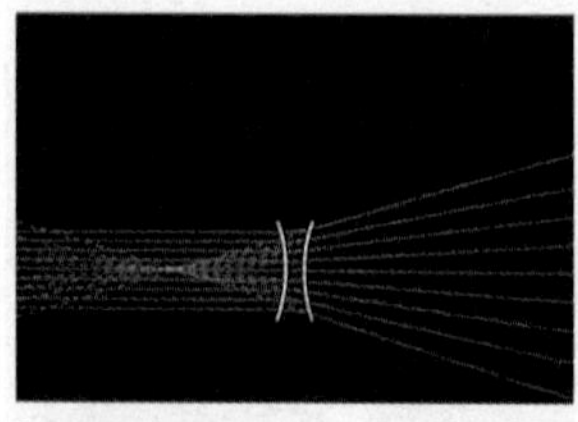

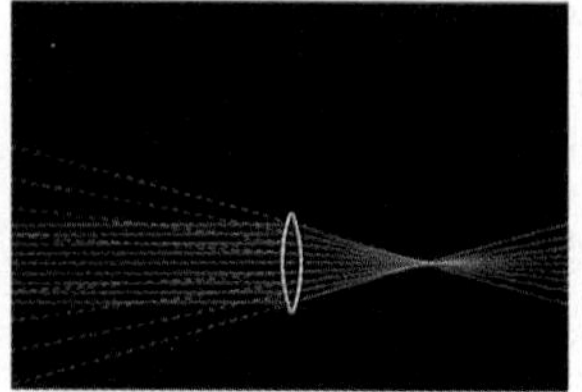
faisceaux identiques rétractés par une **lentille** biconcave divergente (à g.) et biconvexe convergente (à dr.) : les rayons sont des traits pleins, leurs prolongements en pointillé; on observe (à g.) un foyer virtuel (intersection de prolongements) et (à dr.) un foyer réel.

tinoi fondée par les Grecs en 729 av. J.-C., puis la *Leontium* des Romains. Détruite en 1693 par un tremblement de terre.

lentisque n. m. Pistachier dont on tire une huile astringente et une matière résineuse appelée *mastic*.

lentivirus n. m. MICROB Virus à action lente.

lento [lɛnto] adv. MUS Lentement.

Lenz (Jakob Michael Reinhold) (Sesswegen, Livonie, 1751 - Moscou, 1792), poète et auteur dramatique allemand; un des pionniers du Sturm und Drang.

Lenz (Heinrich Friedrich) (Dorpat, auj. Tartou, Estonie, 1804 - Rome, 1865), physicien russe. ▷ ELECTR *Loi de Lenz* : loi qui permet de déterminer le sens du courant induit dans un circuit électrique dont le flux inducteur varie.

Lenz (Siegfried) (Lyck, Masurie, 1926), écrivain allemand. Les thèmes qui le préoccupent sont notam. la détention, la solitude et le renoncement : *le Temps des innocents* (1961), *la Leçon d'allemand* (1968).

Leoben, v. d'Autriche, sur la Mur; 35 000 hab. Centre métall. de la Styrie (fer d'Eisenerz). - Bonaparte y signa, le 18 avril 1797, avec l'archiduc Charles, les préliminaires du traité de Campoformio.

León, v. du N.-O. de l'Espagne, sur le *río Bernesga*; 137 750 hab.; ch.-l. de la prov. du m. nom. Industr. text., chim. et alim. - Cath. goth. Santa María de Regla (XIIIe-XVe s.). Basilique San Isidoro (XIe-XIIe s.), longtemps sépulture royale. - L'anc. *royaume de León*, fondé en 914 par Ordoño, roi des Asturies, fut réuni à la Castille en 1230 par Ferdinand III.

León, v. du Mexique central, au N.-O. de Mexico; 593 000 hab. Centre agric.; industr. métall., text. et alimentaire.

León, v. du Nicaragua; 101 000 hab.; ch.-l. du dép. du m. nom. Centre industr. et comm. - Université.

Léon (pays de), région côtière du Finistère, spécialisée dans les cult. maraîchères et fruitières (fraises); v. princ. *Saint-Pol-de-Léon*.

Léon, nom de treize papes dont : – **Léon Ier** (saint), surnommé *le Grand* (Volterra, ? - Rome, 461), pape de 440 à 461; docteur de l'Église, défenseur de l'orthodoxie; il convoqua le concile de Chalcédoine (451). – **Léon III** (saint) (Rome, 750 - id., 816), pape de 795 à 816; il couronna Charlemagne empereur d'Occident en 800. – **Léon IX** (saint) [Bruno d'Eguisheim-Dagsburg] (Eguisheim, Alsace, 1002 - Rome, 1054), pape de 1049 à 1054; il travailla à la réforme de l'Église. – **Léon X** (Jean de Médicis) (Florence, 1475 - Rome, 1521), pape de 1513 à 1521. Cardinal à quatorze ans, pape à trente-huit ans, il fut un souverain pontife avant tout politique; il conclut avec François Ier le concordat de Bologne (1516), mit fin au concile du Latran et condamna Luther par la bulle *Exsurge Domine* (1520). Il se comporta en fastueux mécène, notam. à l'égard de Michel-Ange et de Raphaël. – **Léon XIII** (Vincenzo Gioacchino Pecci) (Carpineto Romano, 1810 - Rome, 1903), pape de 1878 à 1903; il détermina les règles de l'exégèse orthodoxe, prôna le ralliement des catholiques français à la république et donna l'impulsion au mouvement chrétien social (encyclique *Rerum novarum*, 1891).

Léon, nom de six empereurs d'Orient. – **Léon Ier** *le Grand* ou *le Thrace* (Ve s.), empereur d'Orient de 457 à 474; il lutta vainement en Afrique contre les Vandales. – **Léon II,** petit-fils du préc.; empereur de janv. à nov. 474. – **Léon III** *l'Isaurien* (Germaniceia, Commagène [auj. Maraş, Turquie], v. 674 - ?, 741), empereur de 717 à 741. Sa politique religieuse déchaîna la querelle des Images. – **Léon IV** *le Khazar* (750 - 780), empereur de 775 à 780; il combattit Arabes et Bulgares. – **Léon V** *l'Arménien*, empereur de 813 à 820; il sauva Constantinople des Bulgares (817). – **Léon VI** *le Sage* ou *le Philosophe* (866 - 912), empereur de 886 à 912; il publia un recueil de lois, les *Basiliques*.

Léon, nom de six rois d'Arménie (XIIe-XIVe s.) dont : – **Léon II** *le Grand* régna de 1187 à 1219 sur l'Arménie, qu'il érigea en royaume en 1198. – **Léon VI** *de Poitiers-Lusignan* fut le dernier roi d'Arménie (1373-1375); pris par les Arabes et emmené en Égypte, il fut libéré en 1382 et vint à Paris, où il mourut (1393).

Léonard de Vinci (en ital. *Leonardo da Vinci*) (Vinci, près de Florence, 1452 - chât. de Cloux, auj. Clos-Lucé, près d'Amboise, 1519), peintre, architecte, sculpteur, ingénieur et savant italien. Fils naturel d'un notaire au service des Médicis, il entra, en 1469, dans l'atelier de Verrocchio. La plupart des œuvres qu'il réalisa alors sont perdues, mais l'*Annonciation* (Offices), qui serait de cette époque, témoigne d'une rare maîtrise. En 1482, il s'installa à Milan, à la cour de Ludovic le More, où il organisa les fêtes officielles, dressa les plans de canaux et d'installations hydrauliques, et entreprit la statue équestre de François Sforza, qui ne fut jamais fondue. Peintre, il inaugura la composition à structure pyramidale et développa la technique du *sfumato*, modelé vaporeux des contours : *la Vierge aux rochers* (v. 1483, Louvre; réplique, 1506, à la National Gallery). Il peignit également à fresque (*la Cène*, 1495-1497, réfectoire du couvent de Santa Maria delle Grazie, Milan). Après l'entrée des Français à Milan (1499), Léonard séjourna à Mantoue, à Venise, à Rome et enfin à Florence, où il travailla à *la Bataille d'Anghiari* (dont il ne subsiste que des dessins préparatoires) et à *la Joconde* (v. 1503-1506, Louvre), portrait présumé de Mona Lisa, épouse de Francesco del Giocondo. À Milan (1506-1513), il peignit *la Vierge, l'Enfant Jésus et sainte Anne* (v. 1509, Louvre), puis se rendit à Rome en 1513, où il se heurta à la toute-puissance de Raphaël. Il se décida à répondre aux appels de François Ier (1515). Installé à Cloux, il se consacra à ses recherches personnelles et mourut deux années plus tard, laissant, outre de nombreux dessins, une masse considérable de manuscrits, qui furent regroupés et publiés sous le titre de *Carnets*. Esprit universel, Léonard étudia l'anatomie, la botanique, l'optique, la géologie, la mécanique, etc., formulant dans ces domaines de multiples et fécondes hypothèses.

Leoncavallo (Ruggero) (Naples, 1858 - Montecatini, 1919), compositeur italien; auteur d'une vingtaine d'opéras (*Paillasse*, 1892).

Leone (Sergio) (Rome, 1929 - id., 1989), cinéaste italien; créateur du western italien, dit « western-spaghetti » (*Pour une poignée de dollars*, 1964; *Il était une fois dans l'Ouest*, 1969).

Leonhardt (Gustav) (Graveland, Pays-Bas, 1928), claveciniste, organiste et chef d'orchestre néerlandais. Interprète et pédagogue, il a profondément renouvelé l'approche et l'interprétation des œuvres de l'époque baroque, notam. celles de Jean-Sébastien Bach.

Leoni (Leone) (Menaggio, près de Côme, v. 1509 - Milan, 1590), orfèvre, médailleur et sculpteur italien. Ses bronzes de grandes dimensions témoignent de l'influence de Michel-Ange et de Sansovino : tombeau de Jacques de Médicis (cath. de Milan, 1560-1562). – **Pompeo** (Pavie, v. 1533 - Madrid, 1608), fils du préc.; médailleur et sculpteur, il travailla en Espagne : groupes monumentaux de Charles Quint et de Philippe II (Escorial).

Léonidas, nom de deux rois de Sparte. Le plus important est **Léonidas Ier** (roi de 490 à 480 av. J.-C.) qui mourut aux Thermopyles en luttant, avec 300 guerriers, contre l'armée perse de Xerxès.

1. léonin, ine adj. **1.** Qui appartient au lion. **2.** Qui rappelle le lion. *Chevelure léonine*. **3.** DR *Société léonine*, par allus. à une fable de La Fontaine : société où tous les avantages sont réservés à certains des associés. ▷ *Contrat léonin, partage léonin*, par lequel l'une des parties s'attribue la part du lion, la plus grosse part des bénéfices.

2. léonin, ine adj. LITTER *Vers léonins* : vers latins dont la fin rime avec la césure du troisième pied. - *Rime léonine*, où deux ou trois syllabes sont semblables.

Léon l'Africain (Al-Hasan ibn Muhammad al-Fa'sī, dit) (Grenade, v. 1483 - en Tunisie, apr. 1554), diplomate et géographe andalou (*Description de l'Afrique*, en ar., 1526; en ital., 1550). Émigré au Maroc à la Reconquista, capturé, au cours d'un de ses voyages, par des corsaires chrétiens, il s'établit à Rome, où il se convertit au christianisme et enseigna.

Leonov (Alekseï Arkhipovitch) (Listvianka, 1934), cosmonaute soviétique; le premier homme qui effectua une sortie dans l'espace (en 1965, lors du vol Voskhod II).

Leontief (Wassily) (Saint-Pétersbourg, 1906 - New York, 1999), économiste

Léonard de Vinci : *l'Annonciation*; galerie des Offices, Florence

américain d'origine russe (travaux sur les échanges entre secteurs économiques). P. Nobel 1973.

léopard n. m. **1.** Syn. de *panthère*. **2.** (En appos.) MILIT *Tenue léopard* : vêtement de camouflage tacheté comme le pelage d'un léopard, partic. utilisé par les parachutistes. **3.** HERALD Lion représenté la tête de face, la queue ramenée au-dessus du corps. **4.** *Léopard de mer* : phoque très vorace *(Hydrurga leptonyx)*, long de 3 m, au pelage tacheté.

Leopardi (Giacomo, comte) (Recanati, Marches, 1798 - Naples, 1837), écrivain italien. L'impossibilité d'aimer et l'hostilité de la nature à l'égard de l'homme ont inspiré des ouvrages en prose (*Petites Œuvres morales*, 1827-1833; *Cent Onze Pensées*, posth., 1845; *Pensées diverses*, posth., 1900) et des vers (*Canti*, 1824 à 1835) qui expriment le plus profond pessimisme, dans une forme si parfaite qu'elle le place au premier rang des poètes lyriques italiens depuis Pétrarque. Son œuvre comprend également des travaux d'érudition, de critique philologique et des trad. d'auteurs grecs anciens. Il avait compris le lien intime qui unit l'expression littéraire et l'état d'une civilisation. *Mélanges*, son journal, parut à titre posthume.

Léopold Ier (Vienne, 1640 - id., 1705), empereur du Saint Empire de 1658 à 1705. Il combattit les Turcs avec l'aide de la Pologne et participa à plusieurs coalitions malheureuses contre la France. – **Léopold II** (Vienne, 1747 - id., 1792), grand-duc de Toscane (1765-1790), empereur du Saint Empire de 1790 à 1792. Frère de Marie-Antoinette, il hésita à combattre la Révolution française.

Léopold Ier (Cobourg, 1790 - Laeken, 1865), prince de Saxe-Cobourg, premier roi des Belges, élu en 1831. Il eut besoin de l'appui de la France et de la G.-B. (notam. contre les Pays-Bas). Il épousa Louise-Marie d'Orléans, fille de Louis-Philippe. – **Léopold II** (Bruxelles, 1835 - Laeken, 1909), fils du préc.; roi des Belges de 1865 à 1909. Propriétaire (1885) de l'*État libre du Congo*, il céda celui-ci à la Belgique en 1908. Il présida à l'évolution libérale et économique de la Belgique. – **Léopold III** (Bruxelles, 1901 - id., 1983), fils d'Albert Ier; roi des Belges de 1934 à 1951. Chef de l'armée en 1940, il donna l'ordre de déposer les armes après l'invasion de la Belgique par les troupes allemandes. Il fut déporté en Allemagne en juin 1944. En 1945, après la libération de la Belgique, il se heurta à une grave opposition (essentiellement wallonne) qui lui reprochait les circonstances dans lesquelles l'armée belge déposa les armes. Léopold dut se retirer en Suisse, et son frère, le prince Charles, prit la régence du royaume. En mars 1950, un plébiscite rendit le pouvoir à Léopold, qui rentra en Belgique en juillet. Devant l'opposition suscitée par ce retour, le roi nomma son fils Baudouin prince royal (août) puis abdiqua en sa faveur (juillet 1951).

Léopold Ier de Belgique

Léopold II de Belgique

Léopoldville. V. Kinshasa.

léotard n. m. Maillot de danseuse.

Léotychidas (m. à Tégée en 469 av. J.-C.), roi de Sparte de 491 à 469. Il commanda la flotte grecque victorieuse des Perses au cap Mycale (479 av. J.-C.).

lep [lɛp] n. m. (Acronyme pour l'angl. *large electron-positon collider*, « grand collisionneur électron-positon ».) Plus grand collisionneur du monde (27 km de long), installé, dans le cadre du CERN*, à la frontière franco-suisse.
▸ illustr. **accélérateur** de particules

Lépante (auj. *Naupacte*), v. de Grèce près de laquelle don Juan d'Autriche remporta, pour le compte du roi d'Espagne Philippe II, une import. victoire navale sur les Turcs (1571), qui cependant n'entama point leur domination sur la Grèce.

Le Pasture (Rogier de). V. Van der Weyden.

Lepaute, famille d'horlogers français des XVIIIe et XIXe s. – **Jean André** (Mogues, près de Sedan, 1720 - Saint-Cloud, 1787 ou 1789) équipa de pendules de grande précision les principaux observatoires européens.

Lepautre (Antoine) (Paris, v. 1621 - id., 1691), architecte français; auteur de la cascade et des ailes du château de Saint-Cloud et de l'hôtel de Beauvais (1654) à Paris. – **Pierre** (Paris, 1660 - id., 1744), neveu du préc.; sculpteur : *Énée et Anchise* (jardin des Tuileries).

Le Peletier de Saint-Fargeau (Louis Michel) (Paris, 1760 - id., 1793), homme politique français. Député de la noblesse passé du côté des révolutionnaires, conventionnel, il fut assassiné, après son vote en faveur de la mort de Louis XVI, par le royaliste Pâris.

Le Pen (Jean-Marie) (La Trinité-sur-Mer, 1928), homme politique français. Député poujadiste, parachutiste en Algérie (1956), il dirige, depuis 1972, le Front national, parti d'extrême droite, et a été candidat aux élections présidentielles de 1974, 1988 et 1995.

Le Pichon (Xavier) (Qui Nhon, Annam, 1937), géophysicien français. Son apport à la théorie des plaques* est fondamental.

Lépide (en lat. *Marcus Aemilius Lepidus*) (m. à Circeii, v. auj. disparue, près du mont Circeo, en 13 av. J.-C.), homme politique romain, membre, avec Octave et Antoine, du second triumvirat (43 av. J.-C.). Il eut le gouvernement de l'Afrique en 40, fut déposé en 36 et mourut en exil.

lépido-. Élément, du gr. *lepis, lepidos*, « écaille ».

lépidoptères n. m. pl. ENTOM Ordre d'insectes, nommés cour. *papillons*, à deux paires d'ailes membraneuses couvertes d'écailles colorées, et dont les appendices buccaux forment une trompe enroulée en spirale qui aspire le nectar des fleurs. - Sing. *Un lépidoptère*.

Lépine (Louis) (Lyon, 1846 - Paris, 1933), administrateur français. Préfet de police de Paris, il a laissé son nom à un concours qui récompense chaque année, depuis 1902, les inventions ou innovations de chercheurs indépendants, de salariés ou d'artisans.

Lépine (Pierre) (Lyon, 1901 - Paris, 1989), médecin français. Virologiste à l'Institut Pasteur, il réalisa notam. le vaccin français contre la poliomyélite.

lépiote n. f. Champignon basidiomycète à lamelles (fam. agaricacées), comestible ou toxique selon l'espèce. *La coulemelle est une lépiote.*
▸ pl. **champignons**

lépisme n. m. ENTOM Insecte très commun dans les lieux humides des maisons, appelé cour. *poisson d'argent*.

Le Play (Frédéric) (La Rivière-Saint-Sauveur, Calvados, 1806 - Paris, 1882), ingénieur et économiste français; auteur d'enquêtes ouvrières. Il influença le courant chrétien-social.

léporidés n. m. pl. ZOOL Famille de mammifères lagomorphes, à longues oreilles, comprenant les lièvres et les lapins. - Sing. *Un léporidé*.

lèpre n. f. **1.** Maladie infectieuse contagieuse due au bacille de Hansen et dont les manifestations sont diverses. *Lèpre maculeuse*, caractérisée par des taches dermiques, puis des tumeurs nodulaires *(lépromes)*. *Lèpre mutilante* : forme nerveuse de la lèpre, qui entraîne la chute des doigts, des orteils, etc. (Elle sévit au Moyen Âge en Europe. Auj., les grands foyers touchent le tiers monde, partic. l'Afrique. Un traitement a été découvert.) **2.** Fig. Creux et taches d'une surface rongée. *Mur recouvert de lèpre.* **3.** Fig. Mal répugnant et contagieux comme la lèpre. *Une lèpre morale.*

lépreux, euse adj. et n. **1.** Qui a la lèpre. ▷ Subst. *Un lépreux, une lépreuse.* **2.** adj. Fig. Couvert de lèpre (sens 2). *Murailles lépreuses.*

Le Prieur (Yves) (Lorient, 1885 - Nice, 1963), officier de marine et inventeur français. Il mit au point de nombr. dispositifs de tir (navires, avions, sous-marins) et, en 1926, le premier scaphandre autonome.

Leprince de Beaumont (Jeanne-Marie) (Rouen, 1711 - Annecy, 1780), femme de lettres française. Elle écrivit de nombr. ouvrages pour la jeunesse, entre autres *le Magasin des enfants* (1758), recueil de contes comprenant notam. *la Belle et la Bête*.

Leprince-Ringuet (Louis) (Alès, 1901), physicien français. Il étudia notam. les rayons cosmiques et les mésons; auteur de nombreux ouvrages scientifiques et de vulgarisation. Acad. fr. (1966).

léproserie n. f. Hôpital où les lépreux sont isolés et soignés.

lept(o)-. Élément, du gr. *leptos*, « mince ».

leptine n. f. BIOCHIM Protéine naturelle régulatrice de l'appétit et du poids.

Leptis, nom de deux anc. villes de l'Afrique du Nord : *Leptis Magna*, auj. Lebda, en Libye; ruines considérables. - *Leptis Parva*, auj. Lamta, en Tunisie.

lepton [lɛptɔ̃] n. m. PHYS NUCL Particule de matière ne subissant pas d'interactions* fortes (par oppos. au *hadron*). *Les neutrinos, l'électron, le muon et le tau constituent la famille des leptons.*

leptospire n. m. MICROB Protozoaire spiralé, responsable des leptospiroses.

leptospirose n. f. MED Maladie infectieuse due aux leptospires, transmise à l'homme par les rats et les eaux souillées, et revêtant des formes variées.

Leptospirose ictéro-hémorragique, grippo-typhosique.

lepture n. m. ENTOM Petit coléoptère (genre *leptura*, fam. cérambycidés), brun ou rouge, fréquent sur les fleurs.

leptynite n. f. MINER Roche métamorphique de structure massive, généralement de couleur claire, riche en quartz et en feldspath, pauvre en mica et en amphibole.

lequel, laquelle, lesquels, lesquelles, duquel, desquels, desquelles, auquel, auxquels, auxquelles pron. relat. et interrog. S'emploient dans certains cas pour *qui*, *que* et *dont*. **I.** pron. relat. **1.** compl. indir. ou circonstanciel. *L'histoire à laquelle vous faites allusion, de laquelle vous parlez. Les personnes auxquelles on veut donner sa confiance. La Seine, dans laquelle vient se jeter la Marne.* **2.** (Pour éviter une équivoque.) Sujet ou compl. dir. *Il y a une édition de ce livre, laquelle se vend fort bien.* **3.** adj. relatif. Vx Sauf dans *auquel cas* : dans cette circonstance. *Vous ne serez peut-être pas libre, auquel cas prévenez-moi.* **II.** pron. interrog. (Pour marquer un choix à faire, dans la réponse, entre deux ou plusieurs personnes, entre deux ou plusieurs choses.) *Lequel des deux frères est-ce ? Duquel est-il le parent ? Dites-moi lequel des deux objets vous voulez.* – (Pour éviter de nommer à nouveau des choses ou des personnes qui viennent de l'être.) *Une porte a claqué. Laquelle ?* ▷ Litt., vieilli Qu'est-ce qui ? *Lequel est préférable, dites-moi, vivre ou mourir ?*

Leray (Jean) (Chautenay, près de Nantes, 1906), mathématicien français, connu pour ses travaux sur la mécanique des fluides et la topologie.

Leriche (René) (Roanne, 1879 – Cassis, 1955), chirurgien français; spécialiste du grand sympathique. Éminent physiologiste, il a écrit de nombr. ouvrages, notam. sur le phénomène de la douleur (*la Chirurgie de la douleur*, 1937).

Le Ricolais (Robert) (La Roche-sur-Yon, 1894 – Paris, 1977), ingénieur et architecte français. Ses travaux sur la théorie des réseaux font de lui l'inventeur des structures spatiales composées d'éléments métalliques modulaires identiques et préfabriqués. Il s'installa aux É.-U. en 1951.

Lérida, v. d'Espagne (Catalogne), sur le Sègre; 111 800 hab.; ch.-l. de la province du m. nom. Marché agric. import.; industr. text. et alim. – La cathédrale Ancienne (1203-1278) est un chef-d'œuvre de l'art roman cistercien.

Lérins (îles de), archipel français (dép. des Alpes-Maritimes) proche de Cannes, composé de deux îles princ. : *Sainte-Marguerite*, où le « Masque de fer » puis Bazaine furent emprisonnés; *Saint-Honorat*, qui doit son nom à un monastère.

Lerma (Francisco Gómez de Sandoval y Rojas, duc puis cardinal) (?, 1552 – Tordesillas, 1625), Premier ministre de Philippe III d'Espagne. Il signa la trêve de Douze Ans avec les Provinces-Unies (1609) et expulsa les morisques du royaume.

Lermontov (Mikhaïl Iourievitch) (Moscou, 1814 – Piatigorsk, Caucase, 1841), poète romantique et romancier russe. Influencé par Byron et Pouchkine (*le Boyard Orcha*, 1835), il trouva bientôt sa voie personnelle : *le Chant du marchand Kalachnikov* (1837), *le Chant du tsar Ivan Vassilievitch* (1838), *le Novice* (1839), *le Démon* (1841). Il écrivit aussi un roman d'aventures, *Un héros de notre temps* (1840), son chef-d'œuvre en prose.

Lerne, marais de l'anc. Argolide où se trouvait, selon la légende, l'hydre que tua Héraclès.

Leroi-Gourhan (André) (Paris, 1911 – id., 1986), ethnologue et préhistorien français. Il s'est notam. attaché à décrire et à dégager les significations des techniques dans les sociétés pré-industrielles : *la Civilisation du renne* (1936), *l'Homme et la Matière* (1943), *Faire l'histoire* (1974).

lérot [leʀo] n. m. Petit mammifère rongeur *(Eliomys quercinus)* au pelage taché de noir et à très forte odeur.

Leroux (Pierre) (Bercy, 1797 – Paris, 1871), homme politique et philosophe socialiste français, influencé par le saint-simonisme : *De l'humanité, de son principe et de son avenir* (1840), *De la ploutocratie* (1848). Il fut député à la Constituante (1848) et à la Législative (1849).

Leroux (Gaston) (Paris, 1868 – Nice, 1927), écrivain et journaliste français; auteur de romans policiers dont le héros est le reporter détective Rouletabille : *le Mystère de la chambre jaune* (1908), *le Parfum de la dame en noir* (1909).

Le Roy (Édouard) (Paris, 1870 – id., 1954), mathématicien et philosophe français; disciple cathol. d'Henri Poincaré et de Bergson : *les Origines humaines et l'Évolution de l'intelligence* (1928). Acad. fr. (1945).

Le Roy Ladurie (Emmanuel) (Les Moutiers-en-Cinglais, Calvados, 1929), historien français, spécialiste de l'Ancien Régime : *les Paysans du Languedoc* (1966); *Histoire du climat depuis l'an mil* (1967); *Montaillou, village occitan de 1294 à 1324* (1975).

les. V. le (1 et 2).

lès. V. lez.

Lesage (Alain René) (Sarzeau, 1668 – Boulogne-sur-Mer, 1747), écrivain français. Il connut le succès avec une comédie, *Crispin rival de son maître* (1707), et un roman de mœurs, *le Diable boiteux* (1707). Sa pièce *Turcaret* (1709), violente satire des gens de finance, provoqua un scandale. Il lui fallut vingt ans pour achever *Gil Blas de Santillane* (4 vol., 1715-1735), tableau satirique des mœurs du temps.

Lesage (Jean) (Montréal, 1912 – Sillery, 1980), homme politique canadien; Premier ministre (libéral) du Québec de 1960 à 1966.

Lesbie, nom donné par Catulle à sa maîtresse Clodia, qui lui inspira ses élégies les plus passionnées et ses épigrammes les plus violentes.

lesbien, enne adj. et n. **1.** De Lesbos. **2.** n. f. (Par allus. aux mœurs chantées par Sappho. V. saphisme.) Femme homosexuelle. ▷ adj. Qui concerne l'homosexualité féminine.

Lesbos ou **Mytilène,** île grecque de la mer Égée; 2 154 km²; 103 700 hab.; ch.-l. *Mytilène*. Pêche. Oliveraies. Tourisme. – Génoise au XIVe s. puis turque, l'île revint à la Grèce en 1913.

Lescluse (Charles de). V. Lécluse.

Lescot (Pierre) (Paris, 1515 – id., 1578), architecte français; l'un des maîtres de la Renaissance française. Il éleva la façade de l'aile S.-O. de la cour Carrée du Louvre, décorée de frontons dus à Jean Goujon, avec qui il collabora longtemps. L'hôtel de Ligneris (Carnavalet) et la fontaine des Innocents seraient également de lui.

Lesdiguières (François de Bonne, duc de) (Diguières, près de Champsaur, 1543 – Valence, 1626), connétable de France. Chef huguenot du Dauphiné (1575), il combattit victorieusement le duc de Savoie. Maréchal de France, en 1609, il se convertit au catholicisme. Nommé connétable en 1622, il fut le dernier titulaire de ce titre.

lèse- Élément, d'un adj. lat. au fém., employé devant quelques noms fém. *Crime de lèse-majesté :* attentat contre la personne ou l'autorité du souverain. – Par anal. Litt. *Crime de lèse-humanité, de lèse-nation*, etc.

Le Senne (René) (Elbeuf, 1882 – Paris, 1954), philosophe français. Son *Traité de caractérologie* (1945) fut l'un des fondements de cette discipline alors nouvelle.

léser v. tr. [**14**] **1.** Causer préjudice à (qqn); causer du tort à. *Léser qqn dans ses intérêts.* – Par ext. *Léser les droits de qqn.* ▷ Fig. Blesser. *Léser qqn dans sa fierté.* **2.** MED Blesser de manière à produire une lésion. *Le projectile a lésé le foie.*

lésiner v. intr. [**1**] Épargner avec une avarice sordide. *Lésiner sur tout.* – Fig. *Ne pas lésiner sur les moyens.*

lésion n. f. **1.** DR Atteinte portée aux droits, aux intérêts de qqn. – *Spécial.* Préjudice subi par l'un des contractants dans un contrat à titre onéreux. *Rescision d'un contrat de vente pour cause de lésion.* **2.** MED Altération des caractères anatomiques et histologiques d'un tissu sous l'influence d'une cause accidentelle ou morbide (traumatisme, action d'un parasite, fonctionnement défectueux d'un organe, etc.). *L'étude des lésions constitue l'anatomie pathologique.*

lésionnel, elle adj. MED En rapport avec une lésion.

Lesotho (royaume du) *('Muso oa Lesotho)*, État de l'Afrique australe, enclavé dans la rép. d'Afrique du Sud; 30 355 km²; env. 2 100 000 hab.; cap. *Maseru*. Nature de l'État : monarchie parlementaire, membre du Commonwealth. Langues off. : anglais, sesotho. Monnaie : loti. Relig. : christianisme (80 %) et islam.

Géogr. et écon. – Plateau volcanique découpé par l'Orange et ses affl., et situé sur le revers occid. du Drakensberg, le Lesotho connaît un climat de type tempéré, favorable à la prairie, et dispose en abondance d'eau : quatre barrages hydroélectriques sont déjà en fonction et un projet hydraulique, le *highland water scheme*, doit permettre d'alimenter la région de Johannesburg vers l'an 2020. La population vit essentiellement d'agriculture (la grande culture est le maïs) et d'élevage, pratiqué dans les hauts plateaux et dont les produits fournissent la plus grande partie des ventes à l'étranger (laine, mohair, bétail, peaux et cuirs). Le Lesotho vit en osmose avec l'Afrique du Sud : la même monnaie est utilisée dans les deux pays et 20 % de la population active travaillent dans les mines sud-africaines. Il fait partie des pays les moins avancés.

Hist. – Anc. Basutoland britannique (1884), indépendant depuis 1966, le Lesotho est devenu membre du Commonwealth avec Leabua Jonathan comme Premier ministre (1966-1986). L'exil du roi Moshoeshoe de 1990 à

1995 a permis la tenue des premières élections démocratiques, emportées par le parti Basotholand Congress Party (BCP) du Premier ministre Ntsu Mokhehle en 1993. La disparition du chef de l'État en 1996 relance les rapports turbulents entre la monarchie et le gouvernement. ► carte **Afrique du Sud**

Lesparre-Médoc, ch.-l. d'arr. de la Gironde, dans le bas Médoc ; 4 730 hab. Import. centre viticole. – Donjon du XIVe s.

Lespinasse (Julie de) (Lyon, 1732 – Paris, 1776), femme de lettres française. Lectrice chez Mme du Deffand (1754-1764), elle ouvrit un salon célèbre. Ses *Lettres* (posth., 1809) passionnées au comte de Guibert constituent un document précieux sur son époque.

Lespugue, com. de la Hte-Gar. (arr. de Saint-Gaudens) ; 85 hab. – Site préhistorique : la *Vénus de Lespugue,* statuette féminine en ivoire de mammouth (20 000-18 000 ans av. J.-C., époque périgordienne), fut découverte en 1922 dans la grotte des Rideaux.

Lesse (la), riv. de Belgique (84 km), affl. de la Meuse (r. dr.) ; elle coule dans les célèbres grottes de Han.

Lesseps (Ferdinand Marie, vicomte de) (Versailles, 1805 – La Chênaie, Indre, 1894), diplomate et administrateur français. Consul en Égypte sous la monarchie de Juillet, il se lia avec le prince héritier Sa'id, qui, devenu souverain (1854), lui permit de percer le canal de Suez, inauguré en 1869. Le percement de l'isthme de Panamá (1876-1889) aboutit à la faillite et donna lieu à un scandale politique (V. Panamá). ► illustr. page **1076**

Lessing (Gotthold Ephraim) (Kamenz, Saxe, 1729 – Brunswick, 1781), écrivain allemand. Il s'efforça de soustraire la philosophie et le théâtre de son pays à l'influence française (notam. celle de Voltaire), encore forte, et créa un théâtre véritablement allemand : *Miss Sara Sampson* (1755), *Minna von Barnhelm* (1767), *Emilia Galotti* (1772), *Nathan le Sage* (1779). On lui doit aussi un important essai sur l'art : *Laocoon* (1766-1768).

Lessing (Doris) (Kermānchāh, 1919), écrivain anglais d'origine sud-africaine. Sa jeunesse en Rhodésie alimenta le cycle romanesque, *les Enfants de la violence* (5 vol., 1952-1969), et un roman autobiographique, *le Carnet d'or* (1962).

lessivable adj. Qui peut être lessivé.

lessivage n. m. **1.** Action de lessiver ; son résultat. *Le lessivage d'un parquet.* **2.** GEOL Entraînement par les eaux d'infiltration des substances solubles et colloïdales d'un sol vers les couches profondes, ayant pour effet de rendre la terre inculte.

lessive n. f. **I. 1.** Produit (en poudre ou liquide) à base de sels alcalins, servant au nettoyage, en partic. au lavage du linge. *Un paquet de lessive.* – Solution d'un tel produit dans de l'eau. *Vider la lessive.* **2.** TECH Solution alcaline employée dans l'industr. du savon (pour la saponification, notam.). **II. 1.** Action de laver du linge. *Faire la lessive.* **2.** Linge qui doit être lavé ou qui vient de l'être. *Étendre la lessive.*

lessiver v. tr. [1] **1.** Nettoyer avec de la lessive. *Lessiver des murs avant de les peindre.* **2.** Loc. fig., fam. *Lessiver qqn* (au jeu), le dépouiller complètement. ▷ (Passif) *Être lessivé :* être très fatigué, épuisé. **3.** CHIM Soumettre (un corps) à l'action de l'eau pour le débarrasser de ses parties solubles.

lessiveuse n. f. Grand récipient à couvercle, en fer galvanisé, servant à faire bouillir le linge à lessiver.

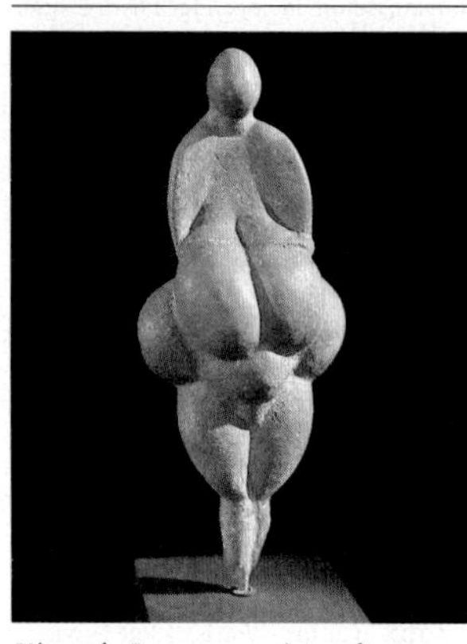

Vénus de ***Lespugue,*** périgordien, moulage ; musée de l'Homme, Paris

lessiviel, elle adj. Relatif à la lessive.

lessivier n. m. Industriel fabricant de lessive.

lest n. m. **1.** Matière lourde servant à équilibrer, à stabiliser un navire ou un avion ou à augmenter l'adhérence au sol d'un véhicule. *Naviguer sur lest* (navire), avec des cales lestées pour compenser l'absence de cargaison et, par ext., sans cargaison. ▷ Sable en sacs, qu'on largue d'un aérostat pour gagner de l'altitude. – Fig. *Lâcher du lest :* faire des concessions. **2.** PHYSIOL *Aliment de lest :* élément de la ration alimentaire, sans valeur nutritive (cellulose, par ex.), destiné à assurer au bol alimentaire un volume favorable à sa progression.

lestage n. m. Action et manière d'arrimer du lest.

leste adj. **1.** Qui a de la légèreté, de l'agilité dans les mouvements. – *Avoir la main leste :* être prompt à frapper. **2.** Fig. Libre, grivois. *Raconter une histoire leste.*

lestement adv. D'une manière leste, adroite.

lester v. tr. [1] Garnir, charger de lest.

L'Estoile (Pierre de) (Paris, 1546 – id., 1611), chroniqueur français. Ses *Mémoires journaux* (1574-1610) sont un témoignage capital sur la vie quotidienne à l'époque d'Henri III et d'Henri IV.

Le Sueur (Eustache) (Paris, 1616 – id., 1655), peintre classique français. Il traita des thèmes mythologiques et, surtout, religieux (série de 22 tableaux de la *Vie de saint Bruno,* 1645-1648, Louvre).

Lesueur ou **Le Sueur** (Jean François) (Drucat-Plessiel, Picardie, 1760 – Paris, 1837), compositeur français de musique religieuse et dramatique ; auteur d'hymnes révolutionnaires et de la *Marche triomphale,* composée pour le sacre de Napoléon Ier. Il fut le maître de Berlioz et de Gounod.

Leszczyński. V. Leczinsky.

let [lɛt] n. m. et interj. (Anglicisme) SPORT (En appos.) *Balle let :* au tennis ou au tennis de table, balle de service qui frappe le haut du filet avant de retomber dans le carré de service adverse. (La balle est alors à rejouer.) – *Un let :* un coup nul du fait d'une balle let. – *Let!* . syn. (off. déconseillé) de *filet!* Syn. net.

létal, ale, aux [letal, o] adj. **1.** Qui entraîne la mort. – BIOL *Gène létal :* gène qui, à l'état homozygote, entraîne la mort de l'individu qui le porte. ▷ MED Se dit de toute cause entraînant la mort du fœtus. *Facteur létal provoquant l'avortement spontané.* **2.** *Dose létale* (d'un produit toxique, d'une radiation) : dose mortelle, compte tenu du poids de l'individu.

létalité n. f. **1.** Caractère de ce qui est létal. **2.** *Par ext.* Mortalité. *Tables de létalité.*

letchi. V. litchi.

Le Tellier (Michel, seigneur de Chaville) (Paris, 1603 – id., 1685), homme d'État français. Secrétaire d'État à la Guerre (1643) puis chancelier (1677) de Louis XIV, il créa l'armée moderne dont disposa le roi pour ses campagnes, avec l'aide de son fils, Louvois, qui lui succéda totalement en 1677.

Le Tellier (Michel) (Le Vast, près de Vire, 1643 – La Flèche, 1719), jésuite français, confesseur de Louis XIV de 1709 à sa mort (1715). Adversaire du jansénisme Quesnel, il obtint du roi la destruction de Port-Royal-des-Champs.

léthargie n. f. **1.** Sommeil pathologique profond et continu dans lequel les fonctions vitales sont très ralenties (considéré le plus souvent comme symptôme d'un processus hystérique). *Tomber en léthargie.* **2.** Fig. État d'engourdissement, de torpeur. *Tirer qqn de sa léthargie.*

léthargique adj. **1.** Qui tient de la léthargie. *Sommeil léthargique.* **2.** (Personnes) Sujet à la torpeur, à l'abattement. *Il est assez léthargique.* ▷ Subst. *Un(e) léthargique.*

Léthé, dans la myth. gr., un des cinq fleuves des Enfers, qui séparait le Tartare des champs Élysées. Les âmes des morts, en buvant de ses eaux, oubliaient le passé.

Léto, dans la myth. gr., fille des Titans Cœos et Phoibê ; aimée de Zeus, elle eut de lui deux jumeaux, Apollon et Artémis. C'est la Latone des Romains.

Letourneur (Louis François) (Granville, 1751 – Laeken, Belgique, 1817), officier et homme politique français. Membre de la Convention puis du Directoire, dont il fut l'un des cinq membres de 1795 à 1797.

lette ou **letton** n. m. Langue indo-européenne du groupe baltique parlée en Lettonie.

Lette (la). V. Ailette (l').

letton, onne ou **one** adj. et n. De Lettonie. ▷ Subst. *Les Lettons.*

Lettonie *(Latvijas Republika),* État d'Europe, sur la Baltique, frontalier de l'Estonie au nord, de la Russie à l'est, de la Biélorussie et de la Lituanie au sud ; 64 500 km² ; 2 566 000 hab. ; cap. *Riga.* Nature de l'État : régime parlementaire. Langue off. : letton. Monnaie : lats. Pop. : Lettons (54 %), Russes (34 %), Biélorusses (4,5 %), Ukrainiens (3,5 %). Relig. : christianisme.

Géogr. et écon. – Vaste plaine au climat océanique, rigoureux en hiver, le pays est boisé et agric. (lin, pomme de terre, céréales, élevage). Aux industr. text. et alim. s'ajoutent les industr. méca. du port de Riga et la pêche.

Hist. – Évangélisée au XIIIe s., la Lettonie fut soumise par les chevaliers Porte-Glaive, qui, incorporés à l'ordre Teutonique, donnèrent naissance à l'ordre livonien. Après la dissolution de celui-ci (1561), le pays fut partagé entre la Pologne et la Suède, puis annexé à la Russie à la fin du XVIIIe s. En mars 1918, les bolcheviks cédèrent la Lettonie à l'Allemagne, mais, après l'armistice, en 1918, l'indépendance fut proclamée et le pays forma l'Entente baltique avec l'Estonie et la Lituanie. Le coup d'État du leader agrarien Ulmanis mit fin à la démocratie en 1934. Envahie par l'Armée rouge en juin 1940, la Lettonie fut annexée par l'U.R.S.S. le 3 août et devint une rép. fédérée. Occupée par les Allemands en 1941, elle fut reconquise par les Soviétiques en 1944. Elle proclama son indépendance le 21 août 1991. Élu président de la République en 1993, Guntis Ulmanis a été réélu en 1996. La Lettonie fait partie de la C.É.I. ► carte pays **Baltes**

lettrage n. m. Forme et disposition des lettres d'un texte, d'une publicité.

lettre n. f. **I. 1.** Signe graphique, caractère d'un alphabet, que l'on utilise pour transcrire une langue et qui représente, seul ou combiné avec d'autres, un phonème. *Les vingt-six lettres de l'alphabet français. Le chinois classique ne se transcrit pas avec des lettres, mais avec des idéogrammes.* ▷ Loc. *En toutes lettres :* sans abréviation. – Spécial. *Écrire un nombre en toutes lettres,* non avec des chiffres, mais avec des mots. – Fig. *Dire, écrire une chose en toutes lettres,* nettement, sans rien taire. **2.** Chaque caractère de l'alphabet, tel qu'il est tracé ou imprimé, considéré dans sa forme ou dans son aspect. *Lettre majuscule, minuscule. – Lettre gothique, bâtarde, anglaise,* etc. ▷ TYPO Caractère qui représente en relief une lettre de l'alphabet inversée en miroir. **3.** Son que représente chaque lettre de l'alphabet. *Division des lettres en consonnes et voyelles.* **II.** Au sing. (sens collectif). **1.** *Lettre morte :* texte juridique tombé en désuétude; fig. écrit, parole, décision qui n'a pas reçu d'application, qui n'a pas eu d'effet. *Mes conseils sont restés lettre morte.* **2.** BX-A Légende indiquant le sujet d'une estampe. *Épreuve avant la lettre :* épreuve tirée avant l'addition de toute inscription (légende ou signature). – Fig. *Avant la lettre :* avant l'état complet, définitif. *Les Romains furent des urbanistes avant la lettre* (avant que l'urbanisme se soit constitué en discipline particulière). **3.** *La lettre du discours* (par oppos. à l'*esprit*) : le sens strict, littéral. – Loc. fig. *À la lettre, au pied de la lettre :* au sens propre, exactement. *Appliquer un ordre à la lettre.* **III. 1.** Écrit que l'on adresse à qqn (généralement par poste et sous enveloppe, à la différence de la *carte*) pour lui faire savoir qqch. *Écrire, envoyer, décacheter une lettre. – Lettre d'amour, d'excuse, de condoléances.* ▷ Loc. fig., fam. *Passer comme une lettre à la poste :* être ingurgité facilement (aliments); être accepté sans objection, sans difficulté. ▷ *Lettre ouverte,* adressée à qqn en particulier, mais diffusée par le canal de la presse, de l'édition, etc., de manière à donner à cet écrit une large publicité. ▷ *Lettre de motivation :* document que le postulant à un emploi joint à son C.V. pour expliquer à quel point il convient pour le poste en question. **2.** Nom de certains écrits officiels. – HIST *Lettre de cachet :* V. cachet. – *Lettre de marque,* délivrée à un corsaire par le gouvernement dont il dépendait, l'autorisant à attaquer les navires ennemis et lui épargnant, en cas de capture, d'être traité en pirate. – *Lettres de noblesse :* document par lequel le roi accordait la qualité de noble à un roturier. – Par métaph. *Avoir ses lettres de noblesse* (en parlant d'une chose) : avoir une origine ancienne et illustre. ▷ *Lettres de créance,* qui accréditent un ambassadeur auprès du représentant d'un État. ▷ POLIT *Lettre de cadrage :* document que le Premier ministre adresse aux ministres en vue du débat budgétaire. ▷ COMM, FIN *Lettre de change :* effet de commerce par lequel une personne (le tireur) donne ordre à une autre (le tiré) de payer à son ordre ou à celui d'une troisième personne (le bénéficiaire) une certaine somme d'argent à échéance déterminée. Syn. traite. V. billet (à ordre). – *Lettre de crédit,* par laquelle un banquier invite un de ses correspondants à verser au porteur les sommes qu'il demandera, à concurrence d'un total déterminé. – *Lettre d'agrément :* lettre administrative d'accord (notam. pour des travaux). **IV.** n. f. pl. *Les lettres.* **1.** Les connaissances et les études littéraires (par oppos. à *sciences*). *Faculté des lettres. Licencié, docteur ès lettres. – Avoir des lettres :* avoir une certaine culture littéraire. ▷ Vieilli *Les belles-lettres :* l'étude et la culture littéraires. – Mod. *Académie des inscriptions et belles-lettres.* V. encycl. académie. **2.** *Homme, femme de lettres :* celui, celle qui s'adonne spécial. à la littérature. *La Société des gens de lettres,* fondée en 1838.

lettré, ée adj. et n. Qui a des lettres, du savoir, de la culture.

lettrine n. f. Lettre majuscule, parfois ornée, au début d'un chapitre.

lettrisme n. m. LITTER École poétique fondée par Isidore Isou vers 1945, qui s'attache à la musique et au graphisme des lettres et non au sens des mots.

lettriste adj. et n. LITTER **1.** adj. Relatif au lettrisme. **2.** n. Adepte du lettrisme.

1. leu n. m. (En loc.) *À la queue leu leu :* à la file les uns derrière les autres.

2. leu, plur. **lei** n. m. Unité monétaire de la Roumanie.

Leu (saint). V. Loup.

leuc(o)-. Élément, du gr. *leukos,* « blanc ».

Leucade (anc. *Sainte-Maure*), île grecque de la mer Ionienne, auj. reliée au continent par un isthme marécageux; 325 km^{2}; 20 900 hab.; ch.-l. *Leucade,* ou *Leukas.*

leucanie n. f. ENTOM Papillon jaune pâle, noctuelle (genre *Leucania*) dont la chenille vit sur les graminées.

leucanthème n. m. Autre nom de la *grande marguerite.*

Leucate (étang de), étang de la côte languedocienne (80 km^{2}). Région touristique (*Port-Leucate* et *Port-Barcarès.*)

leucémie n. f. Maladie caractérisée par la prolifération de globules blancs dans le sang (jusqu'à 1 000 000 par mm^{3}) et par la présence de cellules anormales révélant une affection grave des organes hématopoïétiques. *La leucémie est un cancer du sang.*

leucémique adj. et n. De la leucémie. *Cellule leucémique.* ▷ Atteint de leucémie. ▷ Subst. *Un(e) leucémique.*

Leucippe (v. 460 – 370 av. J.-C.), philosophe grec. Disciple de Zénon d'Élée, il fonda une doctrine matérialiste. Sa vision atomiste de l'Univers fut reprise par son disciple Démocrite.

leucoagglutination n. f. BIOL Agglutination des leucocytes témoignant d'une réaction antigène-anticorps.

leucoblaste n. m. BIOL Cellule, précurseur des leucocytes, qui se développe dans la moelle osseuse.

leucocytaire adj. BIOL Des leucocytes. *Formule leucocytaire :* répartition des leucocytes par mm^{3} de sang (7 000 env. à l'état normal).

leucocyte n. m. BIOL Cellule sanguine de la lignée blanche. Syn. cour. globule blanc. (On distingue deux types de leucocytes : les *leucocytes mononucléaires* et les *leucocytes polynucléaires.*) Les leucocytes concourent à la défense de l'organisme contre les agents infectieux ou étrangers. V. sang et immunité.

leucocytose n. f. MED Augmentation pathologique du nombre des leucocytes dans le sang ou dans une sérosité.

leucocyturie n. f. MED Présence dans les urines de leucocytes témoignant d'une infection urinaire ou d'une atteinte rénale.

leucoderme adj. (et n.) ANTHROP Vx De race blanche.

leucome ou **leucoma** n. m. MED Tache blanche de la cornée succédant à une plaie, à une ulcération.

leucopénie n. f. MED Diminution pathologique du nombre des globules blancs dans le sang.

Leucopetra, anc. local. de Grèce, proche de Corinthe, où les Romains du consul Lucius Mummius vainquirent la ligue Achéenne en 146 av. J.-C.

leucoplasie n. f. MED Affection chronique caractérisée par le développement de plaques blanchâtres à la surface de l'épithélium d'une muqueuse.

leucoplaste n. m. BOT Plaste clair où l'amidon s'emmagasine.

leucopoïèse [løkopɔjɛz] n. f. BIOL Formation des globules blancs.

leucorrhée [løkɔʀe] n. f. MED Écoulement vulvaire blanchâtre, témoignant d'une hypersécrétion de l'utérus et du vagin. Syn. pertes blanches.

leucose n. f. MED Syn. de *leucémie.*

Leuctres, v. de l'anc. Grèce (Béotie) où les Thébains d'Épaminondas, vainquirent les Spartiates (371 av. J.-C.).

leude n. m. HIST À l'époque mérovingienne, homme libre lié à qqn, généralement au roi, par fidélité personnelle.

1. leur pron. pers. inv. de la 3e pers. du plur., m. et f., comp. d'attribution, d'objet indir. ou comp. d'adj. équivalant à : *à eux, à elles. Je le leur donne. Je leur en ai parlé. Il leur est fidèle. Ne leur parlez pas. (Leur* se place après le verbe à l'impératif s'il n'y a pas de négation. *Dites-leur de venir.)*

2. leur, leurs adj. et pron. poss. **1.** adj. poss. m. et f. de la 3e pers., marquant qu'il y a plusieurs possesseurs. *Elles ressemblent à leur père. Ils ont pris leur parapluie* (ou *leurs parapluies*), le parapluie (ou les parapluies) qui leur appartien(nen)t. **2.** pron. poss. *Le leur, la leur, les leurs :* celui, celle, ceux, celles qu'ils, qu'elles ont, possèdent. *Nous avons réuni nos amis et les leurs.* – Loc. *Ils y ont mis du leur,* de la bonne volonté. ▷ *Les leurs :* leurs parents, leurs proches, leurs alliés. – *Il est des leurs :* il appartient à leur groupe. *J'étais des leurs pour cette fête :* j'étais parmi eux.

leurre n. m. **I. 1.** CHASSE Morceau de cuir rouge garni d'un appât et figurant un oiseau, pour dresser le faucon à revenir vers son maître. **2.** PECHE Appât factice dissimulant un hameçon. **3.** MILIT

Dispositif de contre-mesure électronique, destiné à tromper les systèmes ennemis de détection par radar. *Leurres passifs*, qui réfléchissent les émissions des radars; *leurres actifs*, qui renvoient les émissions amplifiées, donnant l'illusion d'un objectif plus important. **II.** Fig. Ce dont on se sert artificieusement pour attirer et tromper. *Cette promesse n'est qu'un leurre.* Syn. tromperie.

leurrer v. tr. [**1**] **1.** CHASSE Dresser (un oiseau) au leurre. **2.** Fig. Attirer par quelque espérance pour tromper. ▷ v. pron. (Réfl.) Se donner à soi-même de fausses espérances; s'abuser. *Vous vous leurrez sur ses intentions.*

levage n. m. **1.** TECH Action de lever, de soulever qqch. *Appareils de levage* (palans, grues, ponts roulants, etc.). **2.** Gonflement d'une pâte en fermentation.

levain n. m. **1.** Pâte à pain aigrie que l'on incorpore à la pâte fraîche pour faire lever le pain. **2.** Fig. *Un levain de... :* ce qui fait naître ou accroît (tel sentiment, telle passion, etc.). *Un levain de discorde.*

levalloisien, enne n. m. et adj. PREHIST Facies du paléolithique inférieur, caractérisé par la taille en éclats larges et plats. – adj. *Silex levalloisien.*

Levallois-Perret, ch.-l. de cant. des Hauts-de-Seine (arr. de Nanterre); 47 788 hab. Ville industr. de la banlieue N.-O. de Paris, aux multiples activités de transformation. – Industrie préhistorique moustérienne.

levant adj. m. et n. m. **1.** adj. m. *Le soleil levant*, qui se lève. Ant. couchant. ▷ Litt. *L'empire du Soleil-Levant :* le Japon. **2.** n. m. *Le levant :* l'est, l'orient. *Maison exposée au levant.* ▷ Vieilli *Le Levant :* l'ensemble des côtes orientales de la Méditerranée.

Levant (île du), la plus orient. des îles d'Hyères (9,6 km^2). Centre naturiste. Station d'essais de la marine militaire française (missiles).

levantin, ine adj. et n. Vieilli Des pays du Levant. *Les peuples levantins.* ▷ Subst. (souvent péjor., à connotation raciste). *Un Levantin.*

Levassor (Émile) (Marolles-en-Hurepoix, 1843 ou 1844 – Paris, 1897), ingénieur et industriel français. Il fonda en 1886, en association avec René Panhard, la société qui construisit la première voiture automobile à essence (1891).

Le Vau (Louis) (Paris, 1612 – id., 1670), architecte français; l'un des maîtres du classicisme naissant. Il construisit l'hôtel Lambert (1640) à Paris et le château de Vaux-le-Vicomte (1655-1661) pour le surintendant Fouquet. Au Louvre, il édifia la façade (auj. disparue) sur la Seine de la cour Carrée. À Versailles, il éleva la prem. Orangerie (1667), les ailes de l'avant-cour et la célèbre façade donnant sur le jardin (modifiée plus tard par J. Hardouin-Mansart).

Louis **Le Vau :** château de Vaux-le-Vicomte

Levavasseur (Léon) (Mesnil-Val, Seine-Maritime, 1863 – Puteaux, 1922), ingénieur français. Il mit au point un moteur d'avion léger, utilisé par Santos-Dumont et Farman entre 1906 et 1908.

levé, ée adj. et n. m. **I.** adj. **1.** *Être levé*, debout, sorti du lit. *À cinq heures du matin, il est déjà levé.* **2.** Loc. fig. *Au pied levé :* à l'improviste. **3.** *Pierre levée :* menhir. **II.** n. m. Ensemble des opérations de mesure nécessaires à l'établissement d'un plan. (On écrit aussi *lever.*)

levée n. f. **I.** Action de lever. **1.** Fig. *Levée de boucliers :* protestation massive et énergique. **2.** Action d'ôter, d'enlever. *Levée des scellés.* ▷ *Levée du corps :* enlèvement du corps d'un défunt de la maison mortuaire; brève cérémonie religieuse qui accompagne cet enlèvement. **3.** Cessation, fin, suppression. *Levée du siège, du blocus. Levée des punitions.* ▷ Clôture. *Levée de séance.* **4.** Action de ramasser, de recueillir. ▷ Ramassage des lettres déposées dans une boîte publique. *La dernière levée est à 17 heures.* ▷ Ensemble des cartes gagnées et ramassées à chaque coup par un joueur ou une équipe. *Nous avons fait cinq levées au cours de la partie.* Syn. pli. ▷ Perception (d'un impôt). *La levée d'une taxe.* ▷ Enrôlement, recrutement. *Une levée de troupes.* – Anc. *Levée en masse :* mobilisation de tous les hommes en état de porter les armes. **5.** DR *Levée de jugement :* action de délivrer copie d'un jugement à l'une des parties. **6.** DR *Levée d'option :* action de lever une option. **II.** (Chose, matière levée.) Digue en terre *(levée de terre)* ou en maçonnerie, élevée généralement sur les berges d'un cours d'eau.

lève-glace n. m. Mécanisme servant à lever ou à baisser les glaces d'une automobile. *Des lève-glaces.*

1. lever v. [**16**] **I.** v. tr. **1.** Déplacer de bas en haut. *Lever un sac.* **2.** Dresser, redresser, soulever, orienter vers le haut (une partie du corps). *Lever le bras, la main, la jambe, la tête.* ▷ *Lever les yeux sur :* regarder (qqn, qqch). ▷ Fig., fam. *Lever le coude :* boire. **3.** Relever (ce qui couvre) de manière à démasquer. ▷ Fig. *Lever le voile sur une affaire*, la faire connaître, la rendre publique. ▷ Fig. *Lever le masque :* cesser d'agir secrètement; se montrer sous son vrai jour. **4.** *Lever du gibier*, le faire sortir de son gîte, le faire s'envoler, etc. (pour le tirer). – Fig. *Lever un lièvre*.* ▷ Fam. *Lever une fille*, la séduire. **5.** Enlever d'un lieu. *Lever les scellés.* – Loc. *Lever le siège :* retirer les troupes qui assiègent une place, une ville. – *Lever le blocus*, le faire cesser. ▷ *Lever une interdiction*, l'annuler, en faire cesser les effets. **6.** Mettre fin à, clore. *Lever l'audience. La séance est levée.* **7.** CUIS Prélever. *Lever des filets de poisson.* **8.** Recruter, enrôler. *Lever des troupes, une armée.* **9.** Percevoir un impôt, recueillir des fonds. **10.** *Lever un plan :* procéder sur le terrain aux mesures nécessaires pour l'établir. **11.** DR *Lever des titres*, les payer en s'en portant acquéreur au moment de la liquidation (au lieu de se faire reporter). ▷ *Lever une option :* rendre ferme une vente ou un achat à option. **II.** v. intr. **1.** Sortir de terre. *Les semis commencent à lever.* **2.** Augmenter de volume, en parlant de la pâte en fermentation. *Le levain fait lever la pâte.* **III.** v. pron. **1.** Se mettre debout. ▷ *Se lever de table :* quitter la table, le repas fini. **2.** Sortir du lit. *Il se lève à sept heures. Le malade se lèvera demain.* **3.** Apparaître au-dessus de l'horizon, en parlant d'un astre. *Le soleil va se lever.* ▷ Par ext. *Le jour se lève :* il commence de faire jour. **4.** Commencer à souffler (vent). *La brise se lève.* **5.** Se dissiper. *Le brouillard se lève.* ▷ *Le temps se lève*, s'éclaircit.

2. lever n. m. **1.** Apparition d'un astre au-dessus de l'horizon. *Un beau lever de soleil.* ▷ Par ext. *Le lever du jour.* **2.** *Lever de rideau :* petite pièce de théâtre en un acte que l'on joue avant la pièce principale; match préliminaire dans une rencontre sportive. **3.** Action de sortir du lit; moment où l'on se lève. **4.** Action de déplacer de bas en haut (cf. lever, 1, I). **5.** *Lever* ou *levé :* V. levé (sens II).

Leverkusen, v. d'Allemagne (Rhénanie-du-Nord-Westphalie), sur le Rhin; 154 700 hab. Centre industr.

Le Verrier (Urbain) (Saint-Lô, 1811 – Paris, 1877), astronome français. Il découvrit par le seul calcul, en partant des perturbations de l'orbite d'Uranus, l'existence de Neptune et sa position dans le ciel; à Berlin, l'Allemand Galle, une semaine après la communication de Le Verrier à l'Acad. des sc. (18 sept. 1846), observa l'astre et confirma cette découverte. Le Verrier fut directeur de l'Observatoire de Paris (1854-1870).

Le Verrier — René **Lévesque**

Lévesque (René) (New Carlisle, Gaspésie, 1922 – Montréal, 1987), homme politique canadien. Juriste et journaliste, élu à l'Assemblée législative du Québec (1960), titulaire de plusieurs postes ministériels (1960-1966), il fut le fondateur, en 1968, du Parti québécois, voué à l'indépendance politique du Québec assortie d'une association économique avec le Canada. Il devint Premier ministre du Québec (nov. 1976). Malgré l'échec du référendum sur la «souveraineté-association» (1980), son parti remporta les élections de 1981. En 1985, alors que la question de la souveraineté provoquait une crise au sein du parti québécois, il en quitta la direction et démissionna.

Lévezou, plateau granitique du Massif central, entre le Tarn et l'Aveyron; 1 157 m au signal du Pal.

Levi (Carlo) (Turin, 1902 – Rome, 1975), médecin, écrivain et peintre italien, antifasciste et néo-réaliste : *Le Christ s'est arrêté à Eboli* (1945), essai sociologique sur les paysans du Sud; *Peur de la liberté* (1946), *la Montre* (1950), *Tout le miel est fini* (1964).

Levi (Primo) (Turin, 1919 – id., 1987), écrivain italien. Juif et résistant, il fonde son œuvre romanesque sur son expérience d'Auschwitz (*J'étais un homme*, 1947; *le Système périodique*, 1975).

Lévi, troisième fils de Jacob et de Lia; ancêtre éponyme d'une des tribus d'Israël, dans laquelle on choisissait les ministres du culte *(lévites)*.

léviathan n. m. **1.** (Avec une majuscule.) Monstre marin de la mythologie phénicienne qui, dans la Bible, symbolise les puissances du mal. **2.** Fig. Monstre maléfique, chose énorme et monstrueuse.

Levi-Civita (Tullio) (Padoue, 1873 – Rome, 1941), mathématicien italien; connu pour ses travaux sur la mécanique céleste et la relativité.

levier n. m. **1.** Pièce rigide, mobile autour d'un appui, sur laquelle s'exercent une force résistante et une force motrice, appliquée pour équilibrer la force résistante. **2.** Organe de commande (d'un mécanisme) conçu sur le principe du levier ou évoquant sa forme. *Levier de vitesse.* **3.** Fig. Moyen d'action, mobile qui pousse à agir. *L'ambition est un levier puissant.*

léviger v. tr. **[13]** TECH Réduire (une matière) en poudre fine en la délayant dans un liquide et en la laissant se déposer.

Levinas (Emmanuel) (Kaunas, Lituanie, 1905 – Paris, 1995), philosophe français; spécialiste de Husserl et de Heidegger : *De l'existence à l'existant* (1947), *le Temps et l'Autre* (1948), *Totalité et Infini* (1961), *Difficile Liberté* (essais sur le judaïsme, 1963), *Humanisme de l'autre homme* (1972).

lévirat n. m. RELIG, ETHNOL Coutume des patriarches hébreux, codifiée par Moïse (et toujours en usage dans certaines sociétés traditionnelles), selon laquelle le frère d'un homme mort sans enfant devait en épouser la veuve.

Lévis, famille originaire de Lévis-Saint-Nom (auj. dans le dép. des Yvelines, arr. de Rambouillet). – **Gui** (m. v. 1230) obtint, lors de la croisade contre les albigeois, le fief de Mirepoix (près de Pamiers). – **Gaston Charles,** duc de Lévis-Mirepoix (Belleville, Lorraine, 1699 – Montpellier, 1757), maréchal de France (1751); il signa le traité de Vienne (1738). – **François Gaston,** duc (1784) de Lévis (chât. d'Ajac, Languedoc, 1720 – Arras, 1787), maréchal de France (1783). Il succéda à Montcalm (sept. 1759) et capitula à Montréal (sept. 1760). – **Antoine Pierre Marie,** duc de Lévis-Mirepoix (Léran, 1884 – Lavelanet, 1981), historien français (nombr. ouvrages sur l'Ancien Régime). Acad. fr. (1953).

Lévi-Strauss (Claude) (Bruxelles, 1908), anthropologue français; professeur au Collège de France (1959). Le premier, il introduisit l'analyse structurale (issue de la linguistique) dans l'étude anthropologique des mythes. Princ. ouvrages : *les Structures élémentaires de la parenté* (1949), *Tristes Tropiques* (1955), *Anthropologie structurale 1* et *2* (1958; 1973), *la Pensée sauvage* (1962), *Mythologiques* (*le Cru et le Cuit*, 1964; *Du miel aux cendres*, 1967; *l'Origine des manières de table*, 1968; *l'Homme nu*, 1971; *la Potière jalouse*, 1985). Acad. fr. (1973).

Levitane ou **Levitan** (Isaak Ilitch) (Kibartaï, Lituanie, 1861 – Moscou, 1900), peintre russe influencé par les maîtres de l'école de Barbizon.

Claude **Lévi-Strauss**

lévitation n. f. **1.** Élévation, sans appui ni intervention matériels ou physiques, d'une personne au-dessus du sol. **2.** PHYS Technique permettant de soustraire un objet à l'action de la pesanteur (par un procédé électrostatique, magnétique ou électrodynamique, grâce à un faisceau laser, etc.).

lévite n. **1.** n. m. RELIG Chez les Juifs de l'Antiquité, membre de la tribu de Lévi voué au service du Temple. **2.** n. f. Anc. Redingote longue.

léviter v. intr. **[1]** Être en état de lévitation, au-dessus du sol.

Lévitique (le), troisième livre du Pentateuque. Il concerne le rituel du culte confié aux lévites, le calendrier des fêtes, un code d'instruction morale.

lévogyre adj. CHIM Qualifie une substance qui fait tourner le plan de polarisation de la lumière vers la gauche.

levraut n. m. Jeune lièvre.

lèvre n. f. **I. 1.** Chacune des parties charnues qui forment le rebord de la bouche. *Lèvre supérieure. Lèvre inférieure.* **2.** Loc. fig. *Du bout des lèvres :* à contrecœur, sans conviction. *Il approuve, mais du bout des lèvres.* ▷ *Se mordre les lèvres :* être dépité, en rage; se retenir de rire. – *S'en mordre les lèvres,* regretter une chose qu'on a faite, qu'on a dite. ▷ *Être suspendu aux lèvres de qqn,* l'écouter avidement. ▷ *Il y a loin de la coupe aux lèvres :* on est souvent loin du but qu'on croit toucher. **II.** *Par anal.* **1.** CHIR *Les lèvres d'une plaie,* ses bords. **2.** ANAT Replis cutanés de la vulve. *Grandes lèvres, petites lèvres.* **3.** BOT Grand pétale inférieur de certaines fleurs zygomorphes (labiées, scrofulariacées).

levrette n. f. **1.** Femelle du lévrier. **2.** Lévrier de petite taille, à poil très court, appelé aussi *lévrier d'Italie.***3.** Loc. pop. *En levrette,* se dit d'une position où, lors de l'acte sexuel, l'homme se tient derrière la femme.

lévrier n. m. Chien aux membres longs, à la taille étroite et au ventre concave, très rapide à la course, autrefois utilisé pour chasser le lièvre.

levron, onne n. **1.** Lévrier, levrette de moins de six mois. **2.** Lévrier, levrette de petite taille.

lévulose n. m. BIOCHIM Sucre simple, très abondant dans la cellule végétale, à l'état libre ou combiné à d'autres hexoses.

levure n. f. **1.** MICROB Micro-organisme capable de produire une fermentation. **2.** Cour. Substance constituée par ces micro-organismes, se présentant sous la forme d'une masse ou d'une poudre grisâtre ou blanchâtre et que l'on utilise dans la fabrication du pain, de la bière, en pâtisserie, etc. *Sachet de levure.* ENCYCL Les levures sont des champignons ascomycètes très dégénérés. Unicellulaires, ils se multiplient par bourgeonnement et sporulent lorsque les conditions de vie deviennent mauvaises; ils sont aérobies ou anaérobies. *Saccharomyces cerevisiæ* est la *levure de bière* (ou *levure de boulanger*), utilisée pour la fermentation des moûts de bière et pour faire lever la pâte à pain.

Lévy-Bruhl (Lucien) (Paris, 1857 – id., 1939), sociologue français. Il avait établi une opposition fondamentale entre mentalité primitive et mentalité moderne; à la fin de sa vie, notam. dans ses *Carnets* (publiés en 1949), il atténua cette position. Princ. ouvrages : *les Fonctions mentales dans les sociétés inférieures* (1910), *la Mentalité primitive* (1922).

Lewin (Kurt) (Mogilno, auj. en Pologne, 1890 – Newtonville, Massachusetts, 1947), psychologue américain d'origine allemande; l'un des fondateurs de la dynamique de groupe.

Lewis (île), île de G.-B., la plus septent. et la plus grande de l'archipel des Hébrides, à l'O. de l'Écosse; 1 994 km^2; 22 000 hab. Pêche; industries textiles (tweeds).

Lewis (Matthew Gregory) (Londres, 1775 – en mer, près de la Jamaïque, 1818), écrivain anglais; un des prem. maîtres du roman noir avec *le Moine* (1796). Théâtre : *le Spectre du château* (1798).

Lewis (Gilbert Newton) (Weymouth, Massachusetts, 1875 – Berkeley, 1946), physicien et chimiste américain. Il étudia la structure des atomes et des molécules, et introduisit en 1913 la notion de covalence (V. acide). Il définit les acides comme des corps susceptibles d'accepter un doublet d'électrons et les bases comme des donneurs d'un doublet d'électrons.

Lewis (Percy Wyndham) (au large d'Amherst, Canada, 1882 – Londres, 1957), peintre et écrivain anglais. Attiré par le futurisme, il se tourne vers l'abstraction en fondant le mouvement éphémère du *vorticisme* avant de revenir à la figuration (portraits) et de publier des essais polémiques et politiques et des romans virulents. *Les Singes de Dieu* (1930) et *Monstre gai, fête maligne* (1955) illustrent le ridicule des mondanités.

Lewis (Clarence Irving) (Stoneham, Massachusetts, 1883 – Cambridge, id., 1964), logicien américain; promoteur de la logique modale : *Mind and the World Order* (1929).

Lewis (Sinclair) (Sauk Center, Minnesota, 1885 – Rome, 1951), romancier américain : *Main Street* (1920), *Babbitt* (1922), *Arrowsmith* (1925), *Elmer Gantry* (1927), tableaux satiriques et sentimentaux de la vie américaine. P. Nobel 1930.

Lewis (Clive Staples) (Belfast, Irlande, 1898 – Oxford, 1963), écrivain anglais. Il utilisa la science-fiction pour prédire que la science, liée à l'instinct du mal chez l'homme, détruira la planète : *Sorti de la planète silencieuse* (1938), *Cette hideuse puissance* (1945).

Lewis (Cecil Day) (Ballintogher, Irlande, 1904 – Hadley Wood, Hertfordshire, 1972), écrivain anglais. Ses poèmes, ses romans et ses essais de critiques sont le reflet du mécontentement social de son époque : *Prélude à la mort* (1938), *Visite en Italie* (1953), *Un espoir pour la poésie.*

Lewis (Oscar) (New York, 1914 – id., 1970), ethnologue et sociologue américain; connu pour ses travaux sur les minorités ethniques et les communautés déshéritées (*les Enfants de Sanchez, autobiographie d'une famille mexicaine,* 1961).

Lewis (sir William Arthur) (Castries, Sainte-Lucie, Antilles, 1915 – Bridgetown, la Barbade, 1991), économiste britannique : travaux sur les pays en voie de développement. P. Nobel 1979.

Lewis (Jerry) (Newark, New Jersey, 1926), acteur et cinéaste américain. Il a créé un personnage burlesque de complexé maladroit mais chanceux qu'il a mis lui-même en scène dans des films

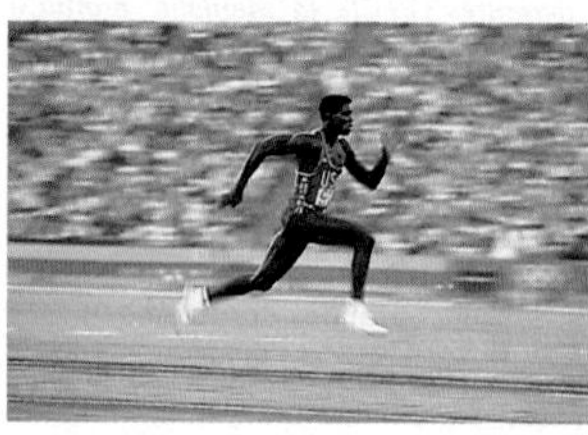

Carl **Lewis**

bourrés de gags : *le Tombeur de ces dames* (1961), *Dr. Jerry and Mr. Love* (1963), *T'es fou Jerry* (1982).

Lewis (Carlton Mc Hinley, dit Carl) (Birmingham, Alabama, 1961), athlète américain. Il a renouvelé l'exploit de Jesse Owens en remportant, aux jeux Olympiques de Los Angeles (1984), les médailles d'or du 100 m et du 200 m, du saut en longueur et du relais 4 fois 100 m.

lexème n. m. LING Unité minimale de signification (par oppos. à *morphème*). *«Compt-» est un lexème qui entre dans les mots «compte», «comptage», «compter», «compteur», «décompte», «décompter».*

lexical, ale, aux adj. LING Relatif au lexique.

lexicalisation n. f. LING Fait d'être lexicalisé.

lexicaliser (se) v. pron. [1] LING Devenir une unité lexicale autonome. *«Prêt-à-porter» s'est lexicalisé en tant que substantif masculin vers 1960.* – Pp. adj. *Une expression lexicalisée.*

lexicographe n. Didac. Auteur d'un dictionnaire de langue.

lexicographie n. f. Didac. Science et technique de la rédaction des dictionnaires de langue.

lexicographique adj. Didac. De la lexicographie.

lexicologie n. f. LING Partie de la linguistique qui étudie les unités de signification (lexèmes, monèmes), leurs combinaisons (mots, lexies), leur histoire (étymologie) et leur fonctionnement dans un système socio-culturel donné.

lexicologique adj. LING Qui a rapport à la lexicologie.

lexicologue n. Didac. Linguiste spécialisé en lexicologie.

lexie [lɛksi] n. f. LING Toute unité du lexique, mot unique (ex. *haricot, carotte*) ou expression lexicalisée (ex. *petits pois, pomme de terre*).

Lexington, v. des É.-U. (Massachusetts), au N.-O. de Boston; 28 900 hab. – Lieu de la première escarmouche de la guerre d'Indépendance américaine (19 avril 1775).

lexique n. m. **1.** Dictionnaire bilingue abrégé. *Lexique grec-français.* **2.** Dictionnaire de la langue propre à un auteur, à une science, à une activité. *Lexique de Rabelais. Lexique d'art et d'archéologie.* **3.** Ensemble des mots appartenant au vocabulaire d'un auteur, d'une époque, d'une science, d'une activité, etc. *Étude du lexique de Hugo.* Syn. vocabulaire. **4.** LING Ensemble des mots d'une langue (par oppos. à *syntaxe*, à *grammaire*).

Leyde (en néerl. *Leiden*), ville des Pays-Bas (Hollande-Méridionale), sur le *Vieux Rhin*; 107 890 hab. Centre intellectuel, Leyde est aussi une ville industr. : text., industr. électr., méca. et alim. – Célèbre université créée en 1575 (riche bibliothèque). Égl. goth. St-Pierre (XIVe s.). Musées. Patrie de Rembrandt.

Leyde (Jean de). V. Jean de Leyde.

Leyre (la) ou **Eyre** (l'), fl. des Landes (90 km), tributaire du bassin d'Arcachon.

Leysin, com. de Suisse (cant. de Vaud); 2 000 hab. Stat. climatique et de sports d'hiver.

Leyte, île des Philippines (dans les Visayas); 6 268 km^2; 1 368 500 hab.; ch.-l. *Tacloban.* – Occupée par les Japonais en 1942, elle fut conquise par les Américains en 1944, après une sanglante bataille aéronavale qui anéantit la flotte japonaise.

lez [le] ou **lès** [lɛ] prép. Vx Près de. (S'est conservé dans des noms de lieux : *Plessis-lez-Tours.*)

lézard n. m. **1.** Reptile saurien au corps allongé, couvert d'écailles, à la longue queue effilée. (*Lacerta muralis*, très commun, est le lézard des murailles; *Lacerta viridis* est le lézard vert.) ▷ Fam. *Faire le lézard :* se chauffer paresseusement au soleil. **2.** *Par ext.* Peau de cet animal. *Étui à cigarettes en lézard.*

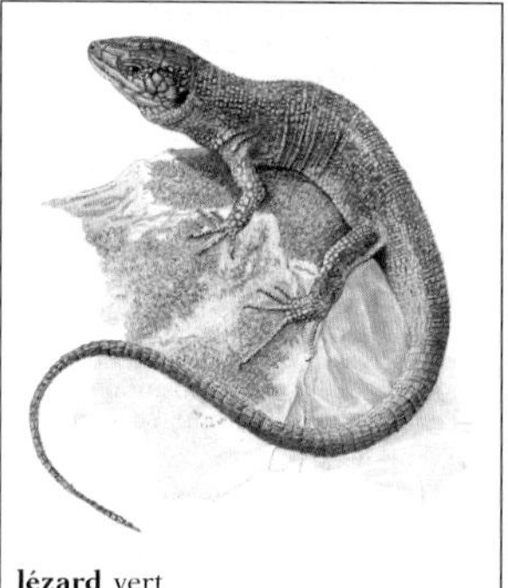

lézard vert

lézarde n. f. Fissure qui se produit dans un mur, une voûte, etc., par l'effet du tassement du sol.

lézardé, ée adj. Crevassé de lézardes.

1. lézarder v. intr. [1] Fam. Se chauffer paresseusement au soleil.

2. lézarder v. tr. [1] Fissurer. *Le tassement du sol a lézardé le mur.* ▷ v. pron. Se fissurer.

L.H. BIOCHIM Sigle de l'angl. *luteinizing hormone.* Hormone lutéinisante*.

Lhasa ou **Lhassa** (en chinois *Lasa*), cap. et v. sainte du Tibet (Chine), sur le *Kitshu*, à 3 630 m d'alt.; 343 240 hab. Artisanat. – Résidence habituelle du dalaï-lama jusqu'en 1959. Nombr. monastères (lamaseries).

L'Herbier (Marcel) (Paris, 1890 – id., 1979), cinéaste français; l'un des maîtres du cinéma impressionniste : *Eldorado* (1921), *l'Inhumaine* (1923), *Feu Mathias Pascal* (1925), *l'Argent* (1928), *la Nuit fantastique* (1942). Promoteur de la création (1943) de l'IDHEC.

L'Hermite (François, dit Tristan). V. Tristan l'Hermite.

Lhomond (abbé Charles François) (Chaulnes, Picardie, 1727 – Paris, 1794), grammairien et éducateur français; auteur d'ouvrages destinés aux prem. études de latin : *De viris illustribus urbis Romæ* (vers 1775), *Éléments de la grammaire latine* (1779), etc.

L'Hospital (Michel de) (Aigueperse, Auvergne, 1505 – près d'Étampes, 1573), magistrat et homme politique français. Conseiller au parlement de Paris, président de la Chambre des comptes puis chancelier de France (1560), il fut célèbre pour sa science juridique et son esprit de tolérance, notam. à l'égard des protestants. Il mena à bien une réforme administrative et judiciaire (ordonnance de Moulins, 1566).

L'Hospital (Guillaume de) (Paris, 1661 – id., 1704), mathématicien français; pionnier (après Newton et Leibniz) du calcul infinitésimal.

Lhote (André) (Bordeaux, 1885 – Paris, 1962), peintre et critique d'art français; théoricien du cubisme (*Écrits sur la peinture*, 1946).

Li CHIM Symbole du lithium.

liaison n. f. **I.** Assemblage, union de deux ou plusieurs objets ou substances. **1.** CUIS Opération consistant à épaissir un aliment liquide, potage ou sauce. *Liaison au beurre manié, à la farine ou à l'œuf.* **2.** CONSTR Ce qui sert à jointoyer un ouvrage en maçonnerie (mortier, plâtre, etc.). ▷ *Maçonnerie en liaison*, dans laquelle chaque élément (pierre ou brique) porte sur le joint de deux autres. **3.** TECH Alliage servant à former une soudure. **4.** PHYS, CHIM Force qui unit entre eux des atomes (V. encycl. ci-après). ▷ PHYS NUCL *Énergie de liaison d'un noyau :* énergie nécessaire pour écarter les nucléons du noyau. **II.** Relation qui unit deux éléments successifs d'un ensemble. **1.** Union logique entre les éléments d'une argumentation, d'un texte, d'une œuvre. *Paragraphe assurant la liaison entre deux parties d'une dissertation. Mots de liaison :* prépositions et conjonctions. **2.** Connexion, rapport entre des faits, des choses. *Quelle liaison établir entre ces deux événements?* **3.** MUS Signe de notation indiquant qu'il faut prolonger le son pendant la durée des notes de même son réunies par ce signe ou que la phrase musicale doit être exécutée en une seule émission vocale ou instrumentale. **4.** Prononciation de la consonne finale d'un mot placé devant un autre mot commençant par une voyelle ou un h muet (ex. : *Des fines herbes* prononcé [definzɛrb]). *Faites bien les liaisons quand vous lisez à haute voix.* **III.** Relation entre des personnes. **1.** Vx Relation. *«Les Liaisons dangereuses», roman de Choderlos de Laclos (1782).* ▷ Mod. Relation amoureuse. *Avoir une liaison.* **2.** MILIT Maintien du contact entre les diverses unités ou entre les divers niveaux de la hiérarchie, au cours des opérations. *Officier de liaison.* **3.** Communication entre deux lieux. *Les liaisons ferroviaires, maritimes. Liaisons téléphoniques. La liaison radio.*

ENCYCL **Chim.** – Les liaisons chimiques résultent des interactions qui s'établissent, au sein de la matière, entre atomes, ions et molécules. Une liaison s'établit entre deux atomes si le nouvel ensemble formé possède une énergie inférieure à celle des deux atomes pris séparément; la différence entre ces deux énergies est l'*énergie de liaison.* Les liaisons sont dues à des échanges ou à des déplacements d'électrons appartenant aux couches les plus externes des atomes. On distingue les liaisons *fortes* et les liaisons *faibles.* – *Liaisons fortes : l'électrovalence* assure la cohésion des cristaux formés d'ions de signes opposés; la *covalence* assure celle des atomes dans les molécules de composés non ionisés par la mise en commun de deux électrons; la *liaison métallique* assure celle des métaux à l'état solide. – *Liaisons faibles* : les *liaisons hydrogène* sont responsables de certaines anomalies des propriétés physiques d'un corps; les *liaisons par forces de Van der Waals* expliquent la cohésion des gaz rares et de l'hydrogène dans les cristaux formés par solidification ainsi que certains phénomènes d'adsorption. La mécanique ondulatoire fournit la réponse aux questions posées par l'établissement des liaisons et en particulier par la covalence. On appelle *orbitale* la portion de l'espace dans laquelle on a 95 chances sur 100 de trouver un électron donné. Les liaisons de covalence sont dues à la formation d'orbitales moléculaires par recouvrement de certaines des orbitales des deux atomes en cause. Lorsque ce recouvrement s'effectue dans l'axe des deux atomes, on obtient une liaison sigma (σ) qui correspond à une liaison *simple*. Lorsque ce recouvrement est latéral, on a une liaison pi (π). Les liaisons *double* et *triple* sont dues à la combinaison d'une liaison sigma avec plusieurs liaisons pi.

liane n. f. Végétal dont la tige, trop flexible pour se soutenir d'elle-même, croît le long d'un support (arbre, mur, etc.). *La clématite est une liane.* ▷ Fig. *Un corps de liane* : un corps très souple.

Liang Kai ou **Leang K'ai** (XIIIe s.), peintre chinois de l'époque des Song. Il est, avec Muqi, le plus illustre des adeptes du chan (zen) et l'un des plus grands artistes chinois de tous les temps : *Portrait imaginaire du poète Li Bo* (encre sur papier).

liant, liante n. m. et adj. **1.** n. m. PEINT Constituant des peintures et des vernis dont la fonction est d'assurer une bonne dispersion des pigments dans le produit, et de former après séchage une pellicule résistante qui protège efficacement la surface couverte. ▷ TRAV PUBL Produit que l'on ajoute aux granulats du corps d'une chaussée pour les faire adhérer entre eux. *Liant hydrocarboné,* qui provient de la distillation de la houille ou du pétrole (par oppos. à *liant hydraulique,* ciment ou laitier de haut fourneau). **2.** adj. Fig. Qui se lie facilement, sociable. ▷ n. m. Qualité d'une personne qui se lie facilement avec autrui. *Il manque de liant.*

Liaoning, prov. de Chine du N.-E.; 36 860 000 hab.; ch.-l. *Shenyang.*

liard n. m. HIST Monnaie de cuivre valant le quart d'un sou, sous l'Ancien Régime. ▷ Fig., vieilli *N'avoir pas un liard* : être tout à fait démuni d'argent.

lias n. m. GEOL Jurassique inférieur.

liasse n. f. Ensemble de journaux, de papiers, de billets de banque, etc., liés en paquet.

Li Baï. V. Li Bo.

Liban *(Al-Djumhuriyah al-Lubnaniyah),* État du Proche-Orient, limité au N. et à l'E. par la Syrie, au S. par Israël, et bordé à l'O. par la mer Méditerranée; 10 452 km²; 3 500 000 hab.; cap. *Beyrouth.* Langue off. : arabe. Monnaie : livre libanaise. Pop. : 80 % de Libanais, 12 % de Palestiniens. Relig. : 58 % de musulmans (chiites plus de 30 %; sunnites, 20 %; Druzes, 2 %); 42 % de chrétiens (plus de 20 % de maronites). **Géogr. phys.** – Quatre régions, parallèles au littoral, se succèdent d'ouest en est; la plaine alluviale côtière, entrecoupée de promontoirs rocheux; le

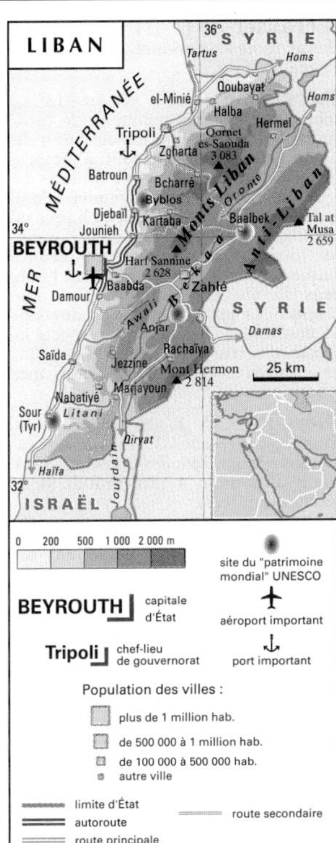

mont Liban (3 083 m au Qurnat al-Sawda); la haute plaine de la Beqaa (alt. moy., 800 m); la chaîne de l'Anti-Liban (2 659 m au Tal at Musa). La côte est le domaine des agrumes; sur les pentes en terrasses des montagnes poussent la vigne, les arbres fruitiers et les pins; la Beqaa est consacrée aux cultures irriguées. Les forêts de cèdres ont fait place à une garrigue due à des coupes excessives et à la pâture.

Hist. – Ancienne Phénicie, le Liban réunit diverses communautés ethniques et religieuses : grecque, latine, byzantine, maronite, druze, arabe. La période des croisades (XIe-XIIIe s.) est fortement troublée : les États latins occupent la côte et la montagne avant d'être chassés par les Mamelouks d'Égypte, qui rétablissent l'islam. À partir du XVIe s., la domination ottomane ouvre une nouvelle période. À la fin du XVIe s., le chef druze Fakhr ad-Din II conquiert le mont Liban et contrôle une partie de la Syrie et de la Palestine actuelles. Au siècle suivant, l'influence druze décline et ouvre la voie à celle des maronites; une partie de la dynastie druze des Chihab se convertit au christianisme. Au XIXe s., le Liban devient le terrain des rivalités entre les grandes puissances européennes. La France, qui assure la protection des maronites, intervient en 1861 et fait reconnaître par les Ottomans l'autonomie de la province, dite du Mont-Liban. Un gouvernorat autonome chrétien, placé sous sa protection, est créé en 1864. Au lendemain de la Première Guerre mondiale, l'Empire ottoman est démembré et la France reçoit en 1920 un mandat sur le Liban et la Syrie. La même année, elle crée le «Grand Liban», qui correspond aux frontières actuelles du pays. Cette nouvelle entité territoriale suscite l'opposition des nationalistes arabes, qui souhaitent la création d'une «Grande Syrie» englobant l'ensemble du Croissant fertile. Occupé par les Britanniques en juin 1941, le Liban obtient sa totale indépendance en 1943. Un «pacte national» vise à établir un équilibre entre les communautés : les chrétiens étant les plus nombreux, le président de la Rép. sera maronite; le président du Conseil, un sunnite; le président du Parlement, un chiite. Le Liban participe à la fondation de la Ligue arabe en 1945. Les vingt premières années de l'indépendance sont marquées par une prospérité économique, qui, toutefois, accroît les inégalités sociales. La croissance démographique des musulmans rompt le fragile équilibre communautaire. L'opposition entre les partisans de Nasser (musulmans) et les pro-occidentaux (chrétiens) provoque des affrontements et l'intervention des États-Unis en 1958, à la demande du prés. Camille Chamoun. Après la guerre israélo-arabe de 1967, à laquelle le Liban n'a pas participé, les réfugiés palestiniens affluent; en 1970, l'O.L.P., chassée de Jordanie, s'installe au Liban avec ses combattants. Ce regroupement va provoquer l'intervention des armées de la Syrie et d'Israël. La fragile construction étatique ne peut résister à ces événements et la guerre civile éclate en avril 1975. Elle oppose le mouvement nationaliste, qui rassemble de nombreux musulmans progressistes ou nassériens, au front libanais, dirigé par la phalange maronite; les milices palestiniennes participent aux affrontements. Une première intervention syrienne en 1976 tente de contenir les Palestiniens. En 1978, Israël s'installe dans le Sud, mais son armée doit céder la place à une Force d'interposition des Nations unies (F.I.N.U.L.). Restant en fonction jusqu'en 1984, cette dernière ne peut empêcher la nouvelle, et la plus meurtrière, intervention israélienne de 1982 (Paix en Galilée), au cours de laquelle Beyrouth est assiégée et l'O.L.P. décimée. Les Israéliens se retirent en 1985, mais gardent le contrôle d'une bande de terrain d'environ 1 200 km² dans le sud du Liban (toujours occupée en 1997). Amine Gemayel (maronite), élu prés. de la Rép. en 1982, forme en 1984 un gouvernement d'union nationale soutenu par la Syrie, qui occupe désormais une position de force dans le pays. La guerre civile se poursuit, compliquée par des luttes entre les différentes tendances musulmanes, dont l'une, le Hezbollah multiplie les prises d'otages occidentaux. Après l'expiration du mandat de Gemayel en 1988, les chrétiens se divisent; le général Michel Aoun refuse les accords de Taef (octobre 1989) entre les musulmans et les chrétiens : rééquilibrage de la représentation légale des communautés religieuses au profit des musulmans; pouvoir du président maronite diminué au profit du Premier ministre sunnite; protectorat syrien entériné. L'armée libanaise, appuyée par la Syrie, défait le général Aoun (octobre 1990). Le retour au calme s'instaure peu à peu; le pays sort meurtri et ruiné par ces conflits. En 1995, le mandat du président Elias Hraoui (élu en 1989) a été prorogé de trois ans. En avril 1996, des conflits dans le Sud ont opposé le Hezbollah et l'armée israélienne. Le gouvernement de Rafic Hariri, en place depuis 1992, a permis la reprise économique. En 1998, le général Émile Lahoud est élu président de la République.

libanais, aise adj. et n. Du Liban.

libanisation n. f. Processus de désagrégation d'un État, d'un tissu social, qui mène, comme au Liban, à un affrontement violent entre communautés, puis à une guerre civile.

libation n. f. ANTIQ Pratique religieuse qui consistait à répandre, en l'honneur des dieux, une coupe de vin, de lait, etc. ▷ (Le plus souvent au plur.) Mod., plaisant *Faire de copieuses libations* : boire beaucoup (de vin, d'alcool).

Libby (Willard Frank) (Grand Valley, Colorado, 1908 – Los Angeles, 1980), chimiste américain. Ses études sur le carbone 14 lui ont permis de mettre au point un système de datation des objets archéologiques et des fossiles, universellement employé aujourd'hui (V. datation). P. Nobel 1960.

libelle n. m. Petit livre de caractère satirique, insultant ou diffamatoire. Syn. pamphlet.

libellé n. m. Texte d'un document; manière dont il est rédigé. *Le libellé d'une mise en demeure.*

libeller v. tr. [1] Rédiger dans les formes requises (un document financier, judiciaire ou administratif). ▷ *Libeller un mandat, un chèque*, le compléter par l'indication du montant, du destinataire, etc.

libellule n. f. **1.** Insecte odonate pourvu de deux paires d'ailes membraneuses inégales à nervation abondante, vivant près des eaux douces dormantes (genre *Libellula*; nombr. espèces). *La libellule déprimée, longue de 45 mm, a l'abdomen brun ou bleuté.* **2.** *Par ext.*, cour. Æschne.

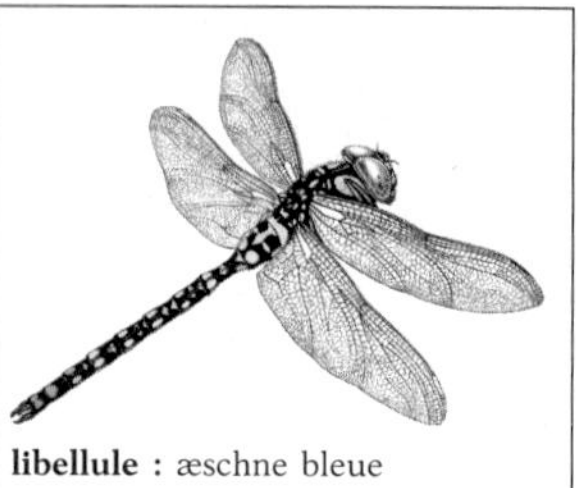

libellule : æschne bleue

liber [libɛʀ] n. m. BOT Tissu conducteur de la sève élaborée, qui constitue la face interne de l'écorce.

libérable adj. Qui peut être libéré. ▷ *Spécial.* Qui est arrivé au terme de sa période de service militaire. *Soldat libérable.* – Par ext. *Permission libérable*, qui libère le soldat quelque temps avant la date prévue.

libéral, ale, aux adj. et n. **1.** Litt. Qui se plaît à donner. Syn. généreux. **2.** Anc. *Arts libéraux* : activités que pouvaient pratiquer, sans déchoir, des hommes libres (par ex., peinture, sculpture), par oppos. aux *arts mécaniques* (maçonnerie, tissage, etc.), réservés aux esclaves ou aux artisans. ▷ Mod. *Profession libérale* : profession non manuelle et non salariée (médecins, avocats, notaires, architectes, etc.). **3.** Tolérant, large, ouvert, peu autoritaire. *Une éducation libérale.* **4.** Partisan du libéralisme, en politique, en économie. *Parti libéral* (au Canada, au Québec, en Italie, en Grande-Bretagne, etc.) ▷ Subst. *Les libéraux.*

libéralement adv. Avec libéralité, généreusement.

libéralisation n. f. Action de libéraliser.

libéraliser v. tr. [1] Rendre plus libéral, moins autoritaire. *Libéraliser un régime politique.*

libéralisme n. m. **1.** HIST Au XIXe s., doctrine et système politiques de ceux qui réclamaient la liberté politique, religieuse, etc., conformément à l'esprit des principes de 1789. ▷ Mod. Attitude de ceux qui s'attachent en premier lieu à la défense de la démocratie politique et des libertés individuelles des citoyens. Ant. totalitarisme. **2.** Doctrine économique hostile à l'intervention de l'État dans la vie économique et à son contrôle sur les moyens de production. Ant. étatisme. **3.** Attitude qui respecte la liberté d'autrui en matière d'opinion, de conduite, etc. Ant. autoritarisme, intransigeance.

libéralité n. f. **1.** Litt. Propension à donner; générosité. **2.** *Par méton.* Litt. Don généreux. *Faire des libéralités.* **3.** DR Toute disposition à titre gratuit (don, donation ou legs).

libérateur, trice n. et adj. **1.** Celui, celle qui libère une personne, un peuple, un territoire (d'une oppression, de la servitude). Ant. occupant, oppresseur. ▷ adj. *L'armée libératrice.* **2.** adj. Qui libère (d'une contrainte, d'une sensation d'oppression). *Un fou rire libérateur.*

libération n. f. **1.** Action de libérer (un prisonnier). ▷ *Libération conditionnelle* : mise en liberté d'un détenu avant l'expiration de sa peine, sous certaines conditions. **2.** FIN *Libération du capital* : mise à disposition d'une entreprise des apports de ses actionnaires. ▷ Décharge, suppression d'une obligation, d'une dette, d'une gêne, etc. *Libération par versement anticipé.* **3.** Renvoi dans ses foyers d'un soldat, à la fin de son service militaire. **4.** Délivrance d'une oppression, d'un joug. – *Spécial.* Délivrance d'un territoire ou d'une ville que l'ennemi occupait. ▷ Fig. *Libération de la femme.* **5.** Dégagement, production. *La libération d'énergie qui accompagne une réaction nucléaire.* **6.** ASTRO, ESP *Vitesse de libération* : vitesse minimale qu'il faut donner à un corps pour qu'il échappe à l'attraction d'un astre; elle est proportionnelle à la racine carrée de la masse de cet astre.

Libération (la), période de la Seconde Guerre mondiale (1943-1945) durant laquelle les forces alliées et les mouvements de résistance locaux libérèrent les pays d'Europe occupés par les troupes allemandes. En France, le débarquement en Normandie, le 6 juin 1944, fut précédé d'une formidable préparation aérienne et accompagné d'un travail de sabotage sur les moyens de communication effectué par les unités de la Résistance. Le 15 août 1944 eut lieu le débarquement des troupes alliées en Provence. Paris, en insurrection depuis le 19 août, fut libéré par la division Leclerc le 25. Les 21, 22, 23 novembre, ce fut au tour de Mulhouse, Metz et Strasbourg. À l'aube de l'année 1945, toute la France était libérée, hormis des poches sur la côte atlantique et une partie de l'Alsace (poche de Colmar). – **Libération** (ordre de la), ordre français créé, en nov. 1940, par le général de Gaulle, pour récompenser les personnes et les collectivités ayant participé à la libération de la France. La liste des *compagnons de la Libération* a été close en 1946.

libératoire adj. DR, FIN Qui exonère d'une dette, d'un engagement, d'une obligation. *Prélèvement libératoire.*

libéré, ée adj. **1.** Mis en liberté. *Détenu libéré.* **2.** Délivré de l'occupation ennemie. *Les régions libérées.* **3.** Délivré d'une gêne, d'une entrave morale.

Liberec, v. de la Rép. tchèque (Bohême), sur la *Nissa*; 100 690 hab. Industr. textiles.

libérer v. [14] **I.** v. tr. **1.** Mettre en liberté. *Libérer un détenu.* **2.** Décharger d'une obligation, d'une gêne, etc. *Libérer sa maison d'une servitude. Libérer le crédit, les importations.* **3.** Renvoyer (des soldats) dans leurs foyers, à la fin du service. *Libérer une classe.* **4.** Délivrer de la présence de l'occupant ennemi. **5.** Délivrer d'une contrainte, affranchir. *Il a libéré sa conscience.* **6.** Dégager, produire. *Cette réaction chimique libère du gaz carbonique. La fusion nucléaire libère une énergie considérable.* **II.** v. pron. **1.** S'acquitter. *Se libérer d'une dette en trois versements.* **2.** S'affranchir, se délivrer. *Se libérer d'un préjugé.*

Liberia (république du), État d'Afrique occidentale, bordé par l'Atlantique au S. et au S.-O., et limitrophe de la Sierra Leone au N.-O., de la Guinée au N. et de la Côte-d'Ivoire à l'E.; 111 369 km²; env. 2,3 millions d'hab., croissance démographique : plus de 3 % par an; cap. *Monrovia.* Nature de l'État : rép. de type présidentiel. Langue off. : anglais. Monnaie : dollar libérien. Relig. : animisme (75 %), christianisme, islam.

Géogr. phys. et écon. – Le pays est constitué d'un plateau ondulé de roches anciennes, qui culmine au N.-E. à 1 752 m, dans les monts Nimba, et retombe sur l'Atlantique par une côte souvent abrupte, bordée de mangrove et d'accès difficile. La forêt dense qui couvre le Liberia correspond à un climat subéquatorial très humide qui ne connaît une courte saison sèche que dans l'O. et vers l'arrière-pays. La population est à majorité rurale (58 %). Les ressources sont variées : produits des grandes plantations tropicales (caoutchouc, café, cacao), bois, produits miniers (fer des monts Nimba et diamants), recettes tirées du «pavillon de complaisance» : le Liberia a la 2e flotte marchande du monde.

Hist. – Fondée en 1822 par une société américaine de colonisation pour y installer des esclaves noirs libérés, la rép. du Liberia accéda à l'indépendance en 1847. Elle a longtemps connu une vie politique calme et stable (le président Tubman est resté au pouvoir de 1944 à 1971) malgré l'antagonisme entre les descendants des Afro-Américains et les pop. indigènes. En avril 1980, un coup d'État conduit par le sergent Samuel K. Doe mit fin au régime contesté de William Tolbert (au pouvoir depuis 1972), qui fut tué. Après la proclamation d'une Constitution en 1984, suivie de tribulations électorales, S. Doe devint prés. de la République en 1985. Dès cette date, il dut déjouer des tentatives de coup d'État. La rébellion qui éclata en 1989 entraîna la chute (sept. 1990) du régime sanguinaire de S. Doe (qui fut exécuté), mais ouvrit une période de guerre civile entre partisans du Mouvement uni de libération (ULIMO), du Front national patriotique du Liberia (N.P.F.L.) de Ch. Taylor pour prendre le contrôle du pays. En 1996, Mme Ruth Sando Perry est nommée présidente du Conseil d'État, qui tient lieu de présidence collégiale. En juillet 1997, Charles Taylor remporte la première élection présidentielle régulière et son parti, le N.P.P., dispose de la majorité au Parlement.

► carte **Guinée**

libérien, enne adj. et n. Du Liberia. ▷ Subst. *Un(e) Libérien(ne).*

libéro n. m. SPORT Au football, joueur qui opère entre le gardien de but et la ligne de défense.

libéro-ligneux, euse adj. BOT Qui est composé de liber et de bois.

libertaire adj. et n. Partisan d'une liberté sans limitation (dans l'ordre social et politique). Syn. anarchiste.

liberté n. f. **I.** Par oppos. à *esclavage,* à *captivité.* **1.** Condition d'une personne libre, non esclave, non serve. *L'esclave romain pouvait parfois obtenir la liberté.* **2.** État d'une personne qui n'est pas prisonnière. ▷ *Liberté surveillée :* régime imposé à certains délinquants mineurs qui, jugés avoir agi sans discernement, sont rendus à leur famille, mais sous la surveillance et le contrôle d'un délégué. ▷ *Liberté provisoire :* état d'un inculpé qui n'est pas emprisonné, tant qu'il n'est pas encore jugé. ▷ Par ext. *Animaux en liberté,* non enfermés dans des cages, dans un enclos. **II.** Par oppos. à *oppression,* à *interdiction.* **1.** Possibilité, assurée par les lois ou le système politique et social, d'agir comme on l'entend, sous réserve de ne pas porter atteinte aux droits d'autrui ou à la sécurité publique. ▷ *Liberté naturelle,* celle qui doit être accordée à tout homme en vertu du droit naturel. ▷ *Liberté civile :* droit d'agir à sa guise, sous réserve de respecter les lois établies. ▷ *Liberté politique,* celle d'exercer une activité politique, d'adhérer à un parti, de militer, d'élire des représentants, etc. ▷ *Liberté individuelle :* droit de chaque citoyen de disposer librement de lui-même et d'être protégé contre toute mesure arbitraire ou vexatoire (emprisonnement arbitraire, astreinte à résidence, interdiction de se déplacer, etc.). **2.** Absol. *La liberté :* le principe politique qui assure aux citoyens la liberté individuelle, la liberté civile, la liberté politique. *Liberté, Égalité, Fraternité :* devise de la République française. **3.** *Liberté de... :* chacune des possibilités qui réalisent ce principe de liberté (dans un domaine déterminé). – *Liberté de conscience,* concernant le choix d'une religion ou le refus d'avoir une religion. – *Liberté du culte,* concernant l'exercice du culte public des diverses religions. – *Liberté d'opinion, de pensée, d'expression :* droit d'avoir et d'exprimer des opinions religieuses, politiques, philosophiques. – *Liberté de la presse :* droit de publier des journaux, des livres sans autorisation préalable ni censure. – *Liberté syndicale :* droit d'adhérer à un syndicat de son choix ou de n'adhérer à aucun. **4.** (Plur.) Droits locaux. *Libertés communales.* **III.** Par oppos. à *contrainte, gêne, entrave.* **1.** État d'une personne qui n'est pas liée, engagée. *Dans ce cas, je dénonce le contrat et je reprends ma liberté.* **2.** État d'une personne qui n'est pas gênée dans son action par le manque de temps, les préoccupations, etc. *Ce travail me laisse peu de liberté. Quelques instants de liberté.* **3.** Manière aisée, non contrainte, de penser, d'agir, de parler, etc. *Liberté d'esprit. Liberté d'allure. Liberté de langage.* **4.** *Je prends la liberté de vous écrire :* je me permets de vous écrire, j'ose vous écrire. – Plur. *Prendre des libertés :* agir avec désinvolture, familiarité, ou sans respect des règles. *Il prend des libertés avec la syntaxe.* **IV.** PHILO Possibilité qu'a l'homme d'agir de manière autonome, sans être soumis à la fatalité ni au déterminisme biologique ou social.

liberticide adj. et n. Litt. Qui détruit la liberté. ▷ Subst. Personne qui détruit ou veut détruire la liberté.

libertin, ine adj. et n. **1.** Vx Qui s'est affranchi de toute règle (en partic. religieuse). **2.** Adonné au libertinage, à la licence des mœurs. – Subst. *Un incorrigible libertin.* ▷ Par ext. *Contes libertins.*

libertinage n. m. **1.** Vx Irrévérence pour les choses de la religion. **2.** Dérèglement des mœurs; licence, inconduite.

liberty [libɛʀti] n. m. et adj. inv. (Nom déposé.) Étoffe légère à petites fleurs. ▷ adj. inv. ou en appos. *Un tissu liberty.*

liberty-ship [libɛʀtiʃip] n. m. HIST Cargo d'une dizaine de milliers de tonnes, fabriqué en grande série aux É.-U. pendant la Seconde Guerre mondiale. *Des liberty-ships.*

libidinal, ale, aux adj. Relatif à la libido.

libidineux, euse adj. Porté à la luxure.

libido n. f. **1.** PSYCHAN Pour les psychanalystes freudiens, énergie vitale émanant de la sexualité. ▷ Chez Jung et ses successeurs, énergie psychique en général. **2.** Cour. Instinct sexuel.

ENCYCL Le terme de libido, à savoir tout « ce qu'on peut comprendre sous le nom d'amour » (Freud), recouvre, outre l'instinct sexuel génital proprement dit, toutes les satisfactions tirées de la réduction des tensions provoquées par l'excitation des *zones érogènes* (orale, anale, génitale), dont la prépondérance successive définit les différents stades du développement, de l'enfant à l'adulte. La libido joue un rôle essentiel dans l'étiologie des névroses. Freud distingue une *libido du moi* (ou *libido narcissique*) et une *libido d'objet,* selon que le sujet prend son propre corps pour objet d'amour ou qu'il reporte sa libido sur un objet extérieur.

libitum (ad). V. ad libitum.

Li Bo, Li Baï ou **Li Po** (v. 701 – 762), poète chinois de la dynastie des Tang. Surnommé le *Saint de la poésie,* il est traditionnellement considéré comme l'un des plus grands poètes classiques chinois.

Li Bo recevant ses amis, peinture chinoise, Qiu Ying, XVIe s.; coll. part.

Libourne, ch.-l. d'arr. de la Gironde; 21 931 hab. Port fluvial situé au confl. de la Dordogne et de l'Isle. Important comm. des vins de Bordeaux. – Égl. en partie du XVe s. Hôtel de ville (XVIe s.). Musées.

libraire n. Personne qui fait le commerce des livres.

librairie n. f. **1.** Vx Bibliothèque. *La librairie de Montaigne.* **2.** Magasin de libraire. **3.** Profession du libraire. ▷ Commerce des livres.

libration n. f. ASTRO Balancement apparent de la face visible de la Lune de part et d'autre de sa position moyenne, dû à la trajectoire elliptique de son orbite *(libration en longitude),* à l'inclinaison de l'axe de ses pôles *(libration en latitude)* et à la rotation de la Terre *(libration diurne).*

libre adj. **I. 1.** Qui n'est pas prisonnier, captif. *Il est sorti libre du cabinet du juge d'instruction.* **2.** Qui n'est pas esclave ni serf. *Dans l'Antiquité, la société se divisait en hommes libres et en esclaves.* **3.** Qui a la possibilité d'agir ou non; qui se détermine indépendamment de toute contrainte extérieure. *Les hommes naissent et demeurent libres et égaux en droit.* ▷ *Libre de* (+ inf.) Qui a le droit, la possibilité de. *Il est libre d'agir à sa guise.* ▷ *Libre de* (+ subst.) Qui ne subit pas la contrainte de. *Libre d'inquiétude. Avoir l'esprit libre de soucis.* **4.** (En parlant d'un pays, d'une nation.) Qui n'est pas soumis à l'autorité d'un gouvernement totalitaire; qui n'est pas soumis à une puissance étrangère. ▷ *Spécial.* (Avec une intention polémique, dans le discours politique.) *Le monde libre, les pays libres :* les démocraties occidentales d'économie capitaliste (pour les adversaires du collectivisme). **5.** Qui n'est pas contrôlé par un pouvoir politique, par une autorité, un gouvernement. *La libre entreprise. Presse libre.* – *Enseignement libre* (par oppos. à *enseignement public),* qui est assuré par des organismes privés (et notam. par des organismes confessionnels). **6.** Qui n'est lié par aucun engagement. *Refuser un emploi pour rester libre.* – *Spécial.* Qui n'est pas marié ou engagé dans une relation amoureuse. ▷ Qui peut disposer de son temps comme il l'entend. *Je suis libre à cinq heures.* **7.** Qui manifeste de l'aisance dans son allure, dans son comportement; simple et naturel. *Être libre avec qqn.* **8.** Qui n'est pas soumis aux contraintes sociales, aux convenances (en partic. en matière de mœurs). *Une conduite fort libre.* ▷ Par ext. *Des propos trop libres. Un refrain un peu libre.* **II. 1.** Qui n'est pas occupé; disponible, dégagé d'obstacles. *Voie libre. Place libre. Appartement libre.* ▷ *Temps libre,* dont on peut disposer à sa guise. **2.** (Choses) Qui n'est pas serré, attaché, fixé; qui ne rencontre pas d'obstacle dans son ou ses déplacements, qui se meut sans difficulté. *Cheveux libres.* ▷ *Laisser, donner libre cours à :* laisser se manifester sans retenue. *Donner libre cours à sa joie.* ▷ BOT Qui n'adhère pas aux organes voisins. *Étamines libres.* ▷ *Chute libre :* mouvement d'un corps sous la seule action de son poids. **3.** Dont la forme ou le contenu n'est pas imposé. *Sujet libre.* – *Vers libres,* non soumis aux règles class. de la versification. ▷ SPORT *Lutte libre,* qui permet des prises sur tout le corps (par oppos. à *lutte gréco-romaine).* – *Figures libres :* figures que peuvent choisir les concurrents lors des compétitions de gymnastique ou de patinage (par oppos. à *figures imposées).* **4.** *Entrée libre :* entrée gratuite, ou qui n'est soumise à aucune obligation d'achat.

libre arbitre n. m. Pouvoir qu'a la raison humaine de se déterminer librement.

libre-échange n. m. ECON Système qui préconise la suppression des droits de douane et de toute entrave au commerce international. *Des libre-échanges.*

libre-échangiste adj. et n. Qui concerne le libre-échange. ▷ n. Partisan du libre-échange. *Des libre-échangistes.*

librement adv. **1.** En étant libre. *Aller et venir librement.* **2.** Franchement, sans arrière-pensées. *Parler librement.* ▷ Avec licence. **3.** Sans respecter certaines contraintes. *Traduire librement un auteur.*

libre pensée n. f. État d'esprit, doctrine du libre penseur.

libre penseur, euse n. et adj. Personne qui déclare n'avoir aucune croyance religieuse. ▷ adj. *Pamphlets libres penseurs.*

libre-service n. m. Système de commercialisation dans lequel les clients se servent eux-mêmes, effectuant le paiement aux caisses situées à la sortie (dans un magasin, un restaurant). ▷ *Par ext.* Établissement qui utilise ce système. *Des libres-services.*

librettiste n. Personne qui a composé un libretto, qui compose habituellement des librettos.

libretto [libʀe(t)to] n. m. Poème, livret sur lequel le musicien compose la musique d'un opéra, d'un opéra-comique. – Scénario d'un ballet. *Des librettos* ou *des libretti.*

Libreville, cap. du Gabon; 350 000 hab. Port sur l'estuaire du Gabon, la ville est un important centre d'exportation et de traitement des bois tropicaux (okoumé, ébène).

Libye (désert de) ou **Libyque** (désert), partie N.-E. du Sahara partagée entre l'Égypte et la Libye (Cyrénaïque). Princ. oasis : Koufra et Djaraboub en Libye, Siouah et Bahariya en Égypte.

Libye (République arabe libyenne) *(al-Ǧamāhīriyya al-arabiyya al-lībiyya),* État d'Afrique du Nord, bordé au N. par la Méditerranée et limité au N.-O. par la Tunisie, à l'O. par l'Algérie, au S. par le Niger et le Tchad, à l'E. par l'Égypte et le Soudan; 1 759 540 km²; 3 960 000 hab., croissance démographique : plus de 3 % par an; cap. *Tripoli.* Nature de l'État : rép. de type socialiste. Langue off. : arabe. Monnaie : dinar. Relig. : islam.

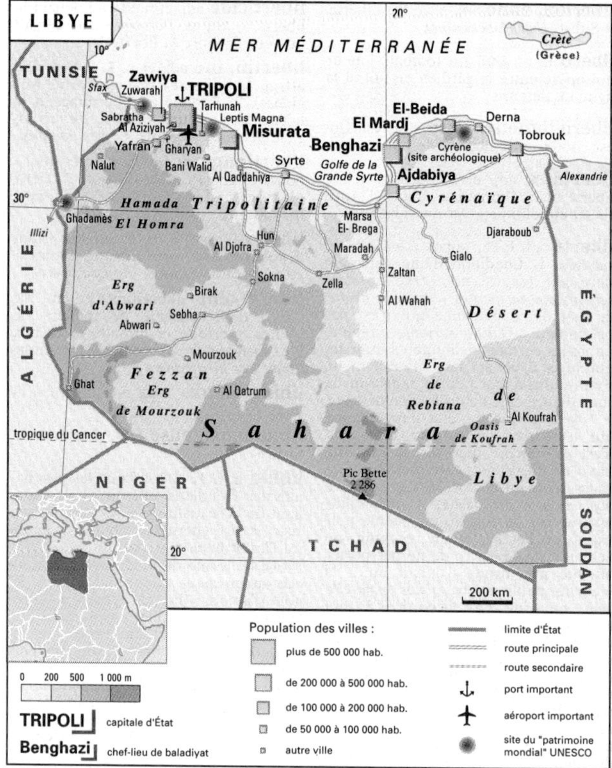

Géogr. et écon. – Une étroite bande côtière au climat méditerranéen (Cyrénaïque, Tripolitaine) groupe l'essentiel de la population et des cultures (oliviers, céréales). Le reste (99 % du territoire) appartient au désert du Sahara où l'occupation se limite aux oasis du Fezzan (dattes, légumes). L'élevage nomade est en recul. L'économie a été transformée par la rente pétrolière (gisements du golfe de Syrte découverts en 1959), qui a permis d'importants investissements dans l'agriculture (irrigation), les infrastructures et l'industrie (pétrochimie) entraînant un important essor urbain (65 % de citadins) et l'arrivée de 500 000 étrangers. La baisse des prix du pétrole a entraîné l'austérité et le ralentissement de l'investissement productif.

Hist. – Dans l'Antiquité, la Tripolitaine fut occupée par les Phéniciens et les Carthaginois, tandis que la Cyrénaïque, colonisée par les Grecs à partir du VIIe s. av. J.-C., vécut ensuite sous la tutelle des Ptolémées d'Égypte. Les Romains unifièrent le pays qui fut alors une riche région agricole de l'Empire. Puis la Libye passa sous la domination arabe. Au XVIe s., la Libye fut conquise par les Turcs, et v. 1710 un janissaire, Ahmed Paşa Karamanli, établit une dynastie qui gouverna le pays jusqu'en 1835, date à laquelle l'administration directe d'Istanbul fut rétablie. Les Senoussis, confrérie musulmane rigoriste, acquirent cependant une quasi-indépendance pour la Cyrénaïque. Colonisée par les Italiens à partir de 1912, la Libye fut pendant la guerre de 1939-1945 le théâtre d'opérations d'envergure qui opposèrent les forces de l'Axe aux Britanniques et aux Français. Elle obtint son indépendance en 1951; Idris as-Sanusi fut proclamé roi. La découverte du pétrole et le brusque enrichissement du pays dans les années 60 ébranlèrent les structures encore féodales. Idris Ier fut renversé par le coup d'État militaire du 1er sept. 1969, à l'issue duquel fut créé un Conseil de la révolution, dirigé par Mu'ammar Al Kadhafi. Partisan du panarabisme, ce dernier rechercha diverses unions, notam. avec la Tunisie, la Syrie, l'Égypte, le Maroc, qui toutes avortèrent. L'intransigeance de Kadhafi à l'égard d'Israël l'amena à condamner la politique d'Anouar el-Sadate au point d'entraîner avec l'Égypte un bref conflit armé (juil. 1977). La Libye a soutenu activement divers mouvements nationalistes et terroristes. Elle est intervenue au Tchad et a pris la bande d'Aozou (1973); ses troupes, appuyant le gouvernement d'union nationale de transition (G.U.N.T.) contre Hissène Habré, ont occupé le nord du pays. De sévères défaites, en 1987, ont contraint la Libye à reconnaître le gouvernement de H. Habré et à négocier, en 1989, l'évacuation de la bande d'Aozou, en échange des prisonniers libyens du Tchad. Cette politique interventionniste a conduit à la rupture avec les É.-U., qui ont décidé le boycott économique (1981), puis bombardé plusieurs objectifs militaires en territoire libyen (1986). À l'intérieur, Kadhafi, prônant un socialisme islamique, lui-même se consacrant à son rôle de «guide de la révolution», se déchargea des fonctions traditionnelles du chef de l'État (1974). En 1977, la Constitution a été abrogée et remplacée par la «Charte du pouvoir populaire», qui a confié le pouvoir à des «comités populaires». En 1990, les bases d'une union polit. et écon. avec le Soudan ont été établies. Après la neutralité observée par le régime lors de la guerre du Golfe*, la Libye s'est à nouveau retrouvée isolée en 1992 : son refus de livrer deux de ses ressortissants accusés de terrorisme a entraîné la mise en place, sous l'égide de l'ONU, d'un embargo commercial.

libyen, enne adj. et n. De Libye. ▷ Subst. *Un(e) Libyen(ne).*

Libyque (désert). V. Libye (désert de).

Licata, v. de Sicile (prov. d'Agrigente), port sur la Méditerranée; 40 050 hab. Pêche; raff. de soufre.

1. lice n. f. **1.** HIST Palissade de bois entourant un château fort; espace qu'elle circonscrivait, où se déroulaient les courses, les joutes, les tournois. ▷ *Par ext.* Tout espace où se déroulaient de telles épreuves. – Fig. *Entrer en lice :* se jeter dans la lutte, entrer en compétition. **2.** Palissade entourant un champ de foire, un champ de courses.

2. lice. V. lisse 2.

3. lice n. f. CHASSE Femelle d'un chien de chasse.

licence n. f. **I. 1.** Autorisation spéciale accordée par l'administration des douanes d'importer ou d'exporter certaines marchandises dont le commerce est réglementé. ▷ Autorisation d'exercer certaines activités, de vendre certains produits. *Licence de pêche, de débit de boissons.* **2.** Autorisation que donne à un tiers le titulaire d'un brevet d'invention d'exploiter celui-ci. *Contrat de licence.* **3.** SPORT Autorisation, émise par une fédération sportive, donnant droit à l'exercice d'un sport de compétition et assurant la couverture de certains risques en cas d'accident. **II.** Grade universitaire qui se place entre le baccalauréat et la maîtrise. *Licence ès lettres. Certificat de licence.* **III. 1.** Vx (au plur.) Liberté excessive. *Se donner de grandes licences.* ▷ Litt. Dérèglement des mœurs. *Vivre dans la licence.* **2.** *Licence poétique* : transgression de la règle et de l'usage que le poète se permet. *« Encor » pour « encore » est une licence poétique.*

licencié, ée n. et adj. **1.** Titulaire d'un diplôme de licence. *Licencié en droit.* – adj. *Professeur licencié.* **2.** SPORT Titulaire de la licence d'une fédération sportive. **3.** Personne congédiée. – adj. *Employée licenciée.*

licenciement [lisɑ̃simɑ̃] n. m. Action de licencier; son résultat. *Licenciement collectif. Licenciement sec,* sans contrepartie ni reclassement pour le licencié.

licencier v. tr. [2] Congédier, renvoyer. *Licencier un employé.*

licencieux, euse adj. Qui est contraire aux bonnes mœurs, qui offense la pudeur.

Li Che-min. V. Li Shimin.

lichen [likɛn] n. m. Végétal résultant de l'association symbiotique d'un champignon et d'une algue, et qui pousse sur les roches et les matières organiques.

lichens : l'usnée (en haut) vit sur les arbres; la parmélie (en bas) vit sur le sol

Li Cheng (actif v. 940-967), peintre chinois de l'époque des Cinq Dynasties; le plus grand des paysagistes précurseurs de l'école Song : *Lecture de la stèle, Temple bouddhiste dans les montagnes.*

lichénification n. f. MED Épaississement de la peau, consécutif à une dermatose.

lichénique [likenik] adj. Du lichen.

lichette n. f. Fam. Petit morceau allongé (d'un aliment solide). *Une lichette de pain.* ▷ *Par ext.* Petite quantité d'un aliment. *Une lichette de vin.*

Lichnerowicz (André) (Bourbon-l'Archambault, 1915 – Paris, 1998), mathématicien français. Ses travaux portent sur la physique mathématique, la relativité générale (*Géométrie des groupes de transformation,* 1958).

Roy **Lichtenstein :** *Stepping out,* 1978

Lichtenstein (Roy) (New York, 1923 – id., 1997), peintre américain du pop'art. Il utilise les techniques des arts graphiques pour créer des représentations « détournées » d'éléments de la culture (tableaux) ou de la vie quotidienne américaine (bandes dessinées, affiches).

licier, ère. V. lissier, ère.

Licinius Crassus. V. Crassus (Marcus Licinius).

Licinius Licinianus (Publius) (m. à Thessalonique, 325), empereur romain (de 308 à sa mort). Après s'être allié à Constantin, son beau-frère, contre Maximin, il régna sur la partie orientale de l'Empire. Après 314, son conflit avec Constantin aboutit à sa défaite et à son exécution.

Licinius Lucullus (Lucius). V. Lucullus.

Licinius Murena (Lucius). V. Murena.

Licinius Stolon (Caius) (IVᵉ s. av. J.-C.), tribun de la plèbe, à Rome. Il fit voter plusieurs lois, dont l'une réservait aux plébéiens une des deux charges de consuls.

licite adj. Qui n'est pas défendu par la loi, les règlements. *Gain licite.* Syn. légal, légitime. Ant. illicite.

licorne n. f. **1.** Animal fabuleux, cheval à longue corne unique implantée au milieu du chanfrein. **2.** *Licorne de mer* : narval.

licou ou **licol** n. m. Lien de cuir, de corde, passé autour du cou des bêtes de somme pour les attacher, les conduire.

Licra, acronyme pour *Ligue* internationale contre le racisme et l'antisémitisme.*

licteur n. m. ANTIQ ROM Agent public qui marchait devant les grands magistrats et les vestales et était l'exécuteur des sentences des magistrats. *Le licteur portait sur l'épaule un faisceau composé de baguettes entourant une hache.*

Liddell Hart (sir Basil) (Paris, 1895 – Marlow, 1970), historien anglais; théoricien de l'art militaire : *Histoire de la guerre de 1914-1918* (1948), *Histoire mondiale de la stratégie* (1962).

Lidice, village de la Rép. tchèque (env. 450 hab.), entièrement détruit par les Allemands en 1942, après l'assassinat de Heydrich, « protecteur » de Bohême-Moravie.

lido n. m. GEOGR *Côte à lido,* comportant des accumulations littorales avancées, parallèles à la ligne générale du rivage et délimitant des lagunes.

Lido, flèche de sable composée de sept îles, qui isole de la mer la lagune de Venise. L'une d'elles est proprement le Lido (stat. baln. où se trouve le palais du Festival international de cinéma).

lie n. f. et adj. inv. **1.** Dépôt qu'un liquide fermenté laisse précipiter au fond du récipient qui le contient. *Lie de vin.* ▷ adj. inv. *Lie-de-vin* : rouge violacé. **2.** Fig., litt. Ce qu'il y a de plus vil, de plus bas. *La lie du peuple.*

Lie (Jonas) (Eker, près de Drammen, 1833 – Stavern, 1908), romancier norvégien d'inspiration réaliste; peintre vigoureux de la Norvège du N. et de la mer : *le Pilote et sa femme* (1874).

Lie (Trygve Halvdan) (Oslo, 1896 – Geilo, 1968), homme politique norvégien; secrétaire général de l'ONU de 1946 à 1952.

Liebig (Justus, baron von) (Darmstadt, 1803 – Munich, 1873), chimiste allemand. Spécialiste de chimie organique, il découvrit l'importance des radicaux dans les réactions, mit au point le chloroforme (1831) et fonda la chimie agricole.

Liebknecht (Wilhelm) (Giessen, 1826 – Charlottenburg, 1900), homme politique allemand. Fondateur du parti social-démocrate allemand (1869), député au Reichstag (de 1874 à sa mort), il devint le chef du socialisme allemand après le congrès de Gotha (1875). – **Karl** (Leipzig, 1871 – Berlin, 1919), fils du préc.; député social-démocrate, seul parlementaire à s'opposer (dès déc. 1914) à la poursuite de la guerre, il fonda la Ligue Spartakus (1916), qui devint, en 1918, le parti communiste allemand. Arrêté après l'insurrection spartakiste de Berlin (1919), qu'il dirigea avec Rosa Luxemburg, il fut assassiné.

Liechtenstein, principauté de l'Europe centrale, située entre la Suisse et l'Autriche; 160 km²; 27 710 hab. (Liechtensteinois, dont 35 % d'étrangers, suisses surtout); cap. *Vaduz.* Nature de l'État : monarchie constitutionnelle. Langue off. : allemand. Monnaie : franc suisse. Relig. : catholicisme.

Géogr. et écon. – Formé des Alpes rhétiques et de la rive droite alluviale du Rhin, le Liechtenstein a un climat montagnard humide, favorable aux herbages et à l'élevage laitier. Paradis fiscal, le pays a attiré de nombreuses entreprises étrangères qui en ont fait une place industrielle, financière et commerciale importante. Ces ressources économiques, ajoutées à celles du tourisme, fournissent aux habitants l'un des revenus les plus élevés de la planète.

Hist. – Formée de la réunion des seigneuries de Vaduz et de Schellenberg (1699), le Liechtenstein est élevé en 1719 au rang de principauté par l'empereur Charles VI, puis Napoléon le fait entrer dans la Confédération du Rhin après 1806. Rattachée à la Confédération germanique de 1815 à 1866, la principauté est réunie à l'Autriche par une union douanière (1876-1918), puis se lie à la Suisse, avec laquelle elle signe (1921-1924) un ensemble d'accords diplomatiques, monétaires, postaux et douaniers. Le prince régnant (depuis 1938) François-Joseph II (mort en 1989) a transmis, en 1984, ses pouvoirs à son fils Hans-Adam II. En 1986, les femmes ont obtenu le droit de vote. En 1990, le Liechtenstein est devenu pays membre de l'ONU et, en 1991, membre de l'A.E.L.É. ► carte **Suisse**

liechtensteinois, oise [liʃtœn ʃtajnwa, waz] adj. et n. De la principauté du Liechtenstein. ▷ Subst. *Un(e) Liechtensteinois(e).*

lied [lid] n. m. Romance, chanson populaire, sorte de ballade propre aux pays germaniques. – MUS Petite composition vocale avec ou sans accompagnement, écrite sur les paroles d'un poème. *Un lied de Schubert. Des lieder* ou *des lieds.*

liège n. m. **1.** Matière spongieuse, imperméable, peu dense, fournie par l'écorce de certains arbres, notam. du chêne-liège. **2.** BOT Tissu protecteur secondaire des plantes dicotylédones, constitué par des cellules mortes emplies d'air, dont la paroi est imprégnée d'une substance lipidique.

Liège (en néerl. *Luik*), v. de Belgique, au confl. de la Meuse et de l'Ourthe canalisée; ch.-l. de la prov. du m. nom; 196 000 hab. (aggl. urbaine 600 000 hab.). Une des premières villes industr. de la Belgique, port fluvial import., Liège est reliée au bassin houiller de la Campine et au foyer écon. anversois par le canal Albert; industr. sidér., métall., méca. (cycles, armes, automobiles), chim. – Évêché. Université. Égl. Ste-Croix (X^e^-XVe s.); collégiale St-Barthélemy (XIe s.); cath. goth. St-Paul (Xe s., et XIIIe-XVe s.); palais des princes-évêques (XVIe s.), etc. Musées. – Sous l'impulsion de l'évêque Notger, Liège devint v. l'an 1000 le siège d'une principauté ecclésiastique appartenant au Saint Empire. Grande ville industr. (textiles, armes) et commerçante, Liège eut une vie sociale et politique agitée; la pop. se révolta contre le prince-évêque en 1408 et en 1467-1468. Alors maître des Pays-Bas, Charles le Téméraire la réduisit en cendres. Reconstruite, la cité retrouva son indépendance en 1492 et devint bientôt un des grands centres industriels d'Europe. Son camp retranché a été le lieu de furieux combats en 1914 et en 1940.

Liège : le palais des princes-évêques

Liège (province de), prov. de la Belgique orient.; 3 874 km²; 992 000 hab.; ch.-l. *Liège.* La vallée de la Meuse, en amont et en aval de la v. de Liège, et les basses vallées affluentes constituent l'axe industr. de la province (sidér., métall.) et séparent le plateau limoneux de la Hesbaye (céréales), au N.-O., des plateaux du Condroz et du pays de Herve, régions d'élevage. À l'extrémité S.-E., les Hautes Fagnes font partie de l'Ardenne, région d'exploitation forestière et d'élevage.

liégeois, oise adj. et n. **1.** De Liège. ▷ Subst. *Un(e) Liégeois(e).* **2.** *Café, chocolat liégeois* : glace au café, au chocolat, nappée de crème Chantilly.

lien n. m. **1.** Bande longue, étroite et souple qui sert à attacher, à lier. *Lien d'osier. Lien d'une gerbe.* **2.** Fig. Ce qui unit des personnes entre elles; ce qui attache des personnes à des choses. *Lien conjugal. Le lien entre l'homme et la nature.* **3.** Fig. Ce qui permet d'établir une liaison entre plusieurs faits. *Lien de cause à effet.* **4.** INFORM Connexion sémantique et/ou logique établie entre des données informatiques.

lier v. tr. [1] **I.** *Lier qqch.* **1.** Attacher, serrer avec un lien. *Lier un fagot.* **2.** Unir, établir une liaison entre (divers éléments solides); donner une certaine consistance, de la cohésion à (une substance). *La chaux et le ciment lient les pierres. Lier une sauce.* ▷ Par anal. *Lier deux mots* : prononcer deux mots consécutifs en faisant une liaison. – MUS Pratiquer la liaison des sons dans l'exécution vocale ou instrumentale d'une pièce. **II.** *Lier qqn* (ou *un animal*). **1.** Attacher, immobiliser avec un lien. *Lier qqn avec une corde.* – Pp. adj. *Un poulet aux pattes liées, offert à la vente.* ▷ Fig. *Avoir les mains liées* : être réduit à l'impuissance. **2.** Unir. *Contrat qui lie l'employé à l'employeur.* **III.** Établir (des relations entre personnes). *Lier amitié avec qqn. Lier connaissance. Lier conversation avec qqn,* entrer en conversation avec lui. ▷ v. pron. *Se lier d'amitié.*

lierne n. f. **1.** ARCHI Nervure unissant la clef de voûte au sommet des doubleaux ou des formerets, ou reliant de clef à clef une suite de voûtes disposées longitudinalement. *Les liernes du style gothique angevin.* **2.** CONSTR Pièce de bois horizontale reliant des pièces de charpente.

lierre n. m. Plante ligneuse grimpante à feuilles persistantes, s'accrochant à un support (mur, tronc d'arbre, etc.) par des racines adventives à crampons.

Lierre (en néerl. *Lier*), com. de Belgique (prov. d'Anvers), au confl. de la Grande et de la Petite Nèthe; 31 000 hab. Industr. textiles. Instruments de musique.

liesse n. f. Vx Joie. ▷ Mod., litt. *Foule, peuple en liesse* : en fête, qui manifeste son allégresse.

Liestal, v. de Suisse, sur l'*Ergolz*; ch.-l. du cant. de Bâle-Campagne; 12 200 hab. Ville industrielle (text., chim.) et militaire (arsenal, école). – Hôtel de ville du XVe s.

1. lieu, (plur.) **lieux** n. m. **I.** Partie délimitée de l'espace. **1.** Espace considéré quant à sa situation, à ses qualités. *Lieu écarté, humide.* – *Lieu géométrique* : ligne ou surface dont les points possèdent une même propriété. *La sphère est le lieu géométrique des points situés à égale distance d'un point fixe.* **2.** Portion délimitée de l'espace, où se déroule un fait, une action. *Vous êtes loin du lieu où s'est produit l'accident.* – Plur. *La police enquête sur les lieux du crime.* ▷ *Règle de l'unité de lieu* : règle du théâtre classique selon laquelle l'action d'une pièce doit se dérouler dans un lieu unique. **II.** Endroit considéré quant aux activités qui s'y déroulent. **1.** *Lieu public,* lieu auquel tout le monde a accès. **2.** *Lieu saint, saint lieu* : église, temple. – *Les Lieux saints* : V. Lieux saints (les). **3.** *Haut lieu* : lieu élevé où se célébrait un culte, dans l'Antiquité. ▷ Endroit rendu célèbre par les faits qui s'y déroulèrent. *Douaumont est un haut lieu de l'histoire de France.* **III.** Plur. **1.** Endroit destiné à l'habitation. *Visiter les lieux.* ▷ DR *État des lieux* : acte constatant l'état d'un local avant que le locataire en prenne possession. **2.** Vieilli *Les lieux d'aisances* ou *les lieux* : les cabinets, les latrines. **3.** RHET *Lieux communs* : sources habituelles d'où un orateur peut tirer ses arguments et ses développements. ▷ Cour. *Lieu commun* : idée banale, rebattue. **IV.** Loc. **1.** *En premier, second, etc., lieu* : premièrement, deuxièmement, etc. **2.** *Au lieu de* : à la place de. *Au lieu du train, nous prendrons l'avion.* ▷ (Avec un inf.) *Au lieu de travailler, il dort.* **3.** *Tenir lieu de* : remplacer. *Sa sœur aînée lui tient lieu de mère.* **4.** *Avoir lieu* : se produire; arriver. ▷ *Avoir lieu de* : avoir une occasion, une raison de.

2. lieu n. m. Poisson (*Merlangus pollachius,* fam. gadidés) de la Manche et de l'Atlantique, à la mâchoire inférieure allongée. *Les lieus noirs sont aussi appelés colins.*

lieu-dit n. m. Lieu dans la campagne qui, sans constituer une commune, porte un nom particulier. *Il faut passer par le lieu-dit «Les Quatre-Chemins». Des lieux-dits.*

lieue n. f. **1.** Ancienne mesure de distance qui valait environ 4 km. ▷ *Lieue marine* : vingtième partie du degré méridien, soit 5,555 km. **2.** Fig. *Être à cent, mille lieues de* : être très éloigné de. *J'étais à cent lieues d'imaginer une telle réaction.*

lieur, lieuse n. **1.** Celui, celle qui lie les gerbes. **2.** n. f. Machine servant à lier les gerbes, le plus souvent associée à une moissonneuse. *Moissonneuse-lieuse.*

lieutenant n. m. **1.** Personne directement sous les ordres d'un chef et qui peut éventuellement le remplacer. *Labienus fut l'un des lieutenants de César.* **2.** HIST Titre que portaient, sous l'Ancien Régime, divers fonctionnaires administratifs ou judiciaires. – *Lieutenant criminel* : magistrat délégué pour juger crimes et délits. – *Lieutenant de police* : haut magistrat, chef de la police, à Paris et dans quelques grandes villes de France. – *Lieutenant général du royaume* : personnage qui, en certaines circonstances, exerçait au nom du roi tout ou partie de l'autorité royale. **3.** Officier dans les armées de terre et de l'air, d'un grade intermédiaire entre celui de capitaine et celui de sous-lieutenant. ▷ *Lieutenant de vaisseau* : officier de la marine nationale, dont le grade correspond à celui de capitaine dans les armées de terre et de l'air.

lieutenant-colonel n. m. Officier supérieur dont le grade se situe immédiatement avant celui de colonel et après celui de commandant. *Des lieutenants-colonels.*

Lieuvin (le), région de Normandie située entre la Risle et la Touques; v. princ. *Lisieux.*

Lieux saints (les), sites de Palestine auxquels demeure attaché le souvenir des événements de la vie du Christ. L'aspect politique des Lieux saints est apparu lors de la prise de Jérusalem par les Perses (614) puis par les Arabes (638), le problème se compliquant de la prétention des puissances chrétiennes à assurer la protection des pèlerins et de l'exercice du culte. La première croisade eut pour motif essentiel la délivrance des Lieux saints (1099). À partir du XVIIe s., la France se fit reconnaître par les Ottomans son rôle protecteur; la Russie orthodoxe prétendit à la même position et la querelle fut une des raisons de la guerre de Crimée (1854). L'Angleterre hérita de ce rôle avec l'établissement de son mandat sur la Palestine (1922). La création de l'État d'Israël amena l'ONU à proclamer l'internationalisation des Lieux saints, position que soutient le Saint-Siège mais que repoussent Israéliens comme

lièvre d'Europe

Arabes palestiniens. Depuis 1967, les Lieux saints sont *de facto* sous la responsabilité d'Israël.

Liévin, ch.-l. de cant. du Pas-de-Calais (arr. de Lens); 34 012 hab. Ville industr. bâtie sur l'un des centres houillers du pays.

lièvre n. m. **1.** Petit mammifère sauvage (ordre des lagomorphes, fam. léporidés) qui ressemble au lapin, et auquel de très longues pattes postérieures confèrent une grande rapidité à la course. *Le lièvre gîte dans des dépressions à même le sol. La femelle du lièvre est la hase. Le lièvre vagit.* ▷ *Lever, faire lever un lièvre,* le faire sortir du gîte; fig. soulever une question imprévue et généralement embarrassante pour l'interlocuteur. **2.** Chair comestible de cet animal. *Civet, pâté de lièvre. Rôti de lièvre.* **3.** Loc. fig. *C'est là que gît le lièvre* : c'est là le point délicat de l'affaire. ▷ *Courir deux lièvres à la fois* : entreprendre deux affaires en même temps. **4.** ZOOL *Lièvre de mer,* mollusque marin herbivore *(Aplysia depilans),* à longs tentacules, pouvant atteindre 30 cm et peser 1 kg. **5.** SPORT Dans les courses de demi-fond, coureur placé en tête d'une course à laquelle il doit imprimer un rythme soutenu, afin de permettre aux autres coureurs de réaliser des performances.

Lifar (Serge) (Kiev, 1905 – Lausanne, 1986), danseur et chorégraphe néo-classique français d'origine russe. Danseur étoile des Ballets russes (1923), il fut engagé en 1929 comme prem. danseur et maître de ballet de l'Opéra de Paris, où il est resté jusqu'en 1958. Il a publié notam. un *Manifeste du chorégraphe* (1935) et un *Traité de danse académique* (1949).

Serge **Lifar,** dans *Icare,* 1935

lift [lift] n. m. (Anglicisme) SPORT Au tennis, effet donné à une balle liftée.

lifter v. tr. [1] **1.** TENNIS Donner de l'effet à une balle en la frappant de bas en haut. – Pp. adj. *Une balle liftée.* **2.** Fam. Faire un lifting à. *Elle s'est fait lifter à cinquante ans.*

liftier, ère n. Personne chargée de faire fonctionner un ascenseur.

lifting [liftiŋ] n. m. (Faux anglicisme.) **1.** Opération de chirurgie esthétique consistant à tendre la peau du visage pour supprimer les rides. Syn. (off. recommandé) lissage ou remodelage. **2.** Fig., fam. Rajeunissement, rénovation de qqch. *Un lifting de théories poussiéreuses.*

ligament n. m. **1.** ANAT Faisceau fibreux résistant, de taille et de forme variables, plus ou moins élastique, qui relie deux parties d'une articulation ou deux organes. *Ligament articulaire.* ▷ Repli du péritoine qui relie les organes abdominaux entre eux, ou à la paroi abdominale. – *Ligament large* : repli du péritoine qui relie l'utérus à la paroi pelvienne. **2.** ZOOL Matière cornée et élastique qui réunit les deux valves des coquilles des mollusques.

ligamentaire adj. MED Relatif au ligament. *Rupture ligamentaire.*

ligamenteux, euse adj. De la nature des ligaments.

ligand [ligɑ̃] n. m. Syn. de *coordinat.*

ligase n. f. BIOCHIM Enzyme qui catalyse une réaction de synthèse en utilisant l'énergie fournie par l'A.T.P.

ligature n. f. **1.** Opération consistant à serrer ou à assembler par un lien. **2.** CHIR Opération qui consiste à lier un conduit; résultat de cette action. *Ligature d'un vaisseau. Ligature des trompes.* ▷ *Par ext.* Fil avec lequel on effectue cette opération. **3.** TECH Lien réalisé au moyen d'une corde, d'un fil métallique.

ligaturer v. tr. [1] Serrer, attacher au moyen d'une ligature.

lige adj. **1.** FEOD *Homme, vassal lige* : personne liée au seigneur par une promesse de fidélité et de dévouement absolu. – Par ext. *Hommage lige. Fief, terre lige,* **2.** Fig. *Homme lige* : celui qui est tout dévoué à une personne, un gouvernement, un parti.

Ligeti (György) (Dicsöszentmárton, Hongrie [auj. Tîrnăveni, Roumanie], 1923), compositeur autrichien d'origine hongroise : mus. sérielle, électronique (*Articulation,* 1958), ensuite plus ouverte (*Atmosphères,* 1961). Il a eu souvent recours aux intervalles inférieurs au demi-ton. Son opéra *le Grand Macabre* (1974-1977) est fondé sur le principe du « collage musical ».

light [lajt] adj. inv. (Anglicisme) **1.** Qui contient moins de nicotine. *Cigarettes light.* **2.** Qui contient peu ou pas de sucre ou de matière grasse, par rapport au produit habituel. *Soda, fromage light.*

ligie n. f. ZOOL Crustacé isopode *(Ligia oceanica)* des côtes atlantiques, qui ressemble à un gros cloporte.

lignage n. m. **1.** HIST, ETHNOL Ensemble des personnes issues d'un même ancêtre. **2.** TYPO Nombre de lignes d'un texte imprimé.

ligne n. f. **I.** Trait continu. **1.** Trait simple considéré quant à sa forme ou à sa longueur. *Ligne courbe, horizontale.* – *Lignes de la main* : traits qui sillonnent la paume de la main. **2.** GEOM Figure engendrée par le déplacement d'un point. *Ligne droite. Ligne brisée* : succession de segments de droite. – *Lignes trigonométriques* : fonctions circulaires d'un axe ou d'un angle. ▷ TELECOM Droite décrite par le balayage d'une image lors de son émission ou de sa réception sur un écran de télévision ou en télécopie. ▷ *Ligne de niveau* : ensemble de points situés à une même altitude. **3.** Trait réel ou imaginaire qui sépare deux choses, qui délimite le contour, les formes de qqch. *Ligne de démarcation. Un corps aux belles lignes.* ▷ *Garder la ligne* : rester mince. ▷ *Dans les grandes lignes* : en considérant l'essentiel, sans entrer dans les détails. ▷ MAR *Ligne d'eau, de flottaison* : séparation entre la partie de la coque qui est immergée et celle qui ne l'est pas. – *Ligne de flottaison en charge,* correspondant au chargement maximal. ▷ GEOGR *La ligne équinoxiale* : l'équateur. – *Ligne de partage des eaux* : relief du sol qui forme la séparation de deux bassins. – *Ligne de faîte* : crête marquant la séparation de deux versants. **II. 1.** Direction continue dans un sens donné. *Aller en ligne droite.* ▷ Fig. *Suivre la ligne droite* : ne pas s'écarter du chemin que le devoir impose. ▷ *La ligne d'un parti,* ses principes, ses grandes options. **2.** Parcours suivi régulièrement par un véhicule, un train, un avion; service assuré sur ce parcours. *Ligne d'autobus. Lignes aériennes. Les grandes lignes* (de chemin de fer) *et les lignes de banlieue.* **III. 1.** Suite de choses, de personnes disposées selon une direction donnée. *Poteaux, plantes en ligne. Rangez-vous en ligne.* ▷ MILIT Succession d'ouvrages fortifiés. *Ligne Maginot. Ligne de défense.* – *Ligne de feu,* constituée par les unités qui sont au contact de l'ennemi. – *Monter en ligne, en première ligne* : se rendre sur le front. – Ensemble des troupes faisant face à l'ennemi. *L'armée marchait sur trois lignes. Troupes de ligne,* destinées à combattre en ligne (par oppos. à *troupe légère* ou *irrégulière*). – Par ext. Vx *La ligne* : l'infanterie en général. ▷ MAR *Navire de ligne* : navire de guerre puissant destiné à combattre en ligne (en escadre). ▷ AVIAT *Formation en ligne,* d'appareils volant à la même altitude et sur un même front. ▷ FIN *Ligne de crédit* : mode de crédit bancaire permettant au bénéficiaire un usage échelonné aux mêmes conditions. **2.** Rang. *Être sur la même ligne.* ▷ *Hors ligne* : remarquable, qui se distingue par ses qualités éminentes. **3.** Ensemble des caractères rangés sur une ligne horizontale dans une page; ce qui est écrit dans cette ligne. ▷ *Aller à la ligne* : faire un alinéa. ▷ *Faire entrer en ligne de compte* : comprendre dans un compte (rare); fig., cour. tenir compte de, ne pas négliger. ▷ Fig. *Lire entre les lignes* : saisir ce qui, dans un écrit, reste implicite. **4.** Suite des descendants d'une famille; filiation. *Ligne ascendante, descendante.* ▷ *Ligne directe,* de père en fils. **5.** COMM *Ligne de produits* : ensemble de produits répondant aux mêmes critères de technologie et d'emploi. **IV. 1.** Fil, cordeau, ficelle, etc., tendus dans une direction donnée. *Arbres plantés à la ligne.* ▷ Cordeau, enduit d'une matière colorée, qui sert à marquer un niveau. **2.** MAR Petit cordage à trois torons tressés serré. *Ligne de sonde.* **3.** PECHE Fil (nylon, crin) à l'extrémité duquel est attaché un hameçon garni d'un appât ou d'un leurre. *Pêcher à la ligne.* – *Ligne de fond,* qui repose au fond de l'eau. **4.** ELECTR Ensemble de conducteurs servant au transport de l'énergie électrique. *Ligne électrique à haute tension. Ligne téléphonique.* – *Par ext.* Circuit de communication. *La ligne est occupée. Il y a qqn sur la ligne.* ▷ INFORM, TELECOM *En ligne* : se dit d'un service accessible sur micro-ordinateur par l'intermédiaire d'une ligne téléphonique, par oppos. à *hors ligne,* c'est-à-dire sur disque.

Ligne (Charles Joseph, prince de) (Bruxelles, 1735 – Vienne, 1814), maréchal autrichien d'origine belge. Il se distingua pendant la guerre de Sept Ans. Conseiller de Joseph II, il fut envoyé en Russie auprès de Catherine II. Parfait représentant du cosmopolitisme du XVIIIe s., il analysa avec finesse le déclin de l'Ancien Régime : *Mélanges militaires, littéraires et sentimentaux* (34 vol., 1795-1811).

lignée n. f. Descendance. *Une nombreuse lignée.* – Fig. *Un théologien qui s'inscrit dans la lignée de saint Thomas d'Aquin,* dans sa ligne spirituelle.

ligneux, euse adj. De la nature du bois. *Plantes ligneuses* (par oppos. à *herbacées*).

lignicole adj. ZOOL Qui vit dans le bois. *Ver lignicole.*

lignifier (se) v. pron. [2] BOT Se charger de lignine; se transformer en bois.

lignine n. f. CHIM Substance organique qui imprègne la paroi des vaisseaux du bois et de diverses cellules végétales, et les rend résistantes, imperméables et inextensibles.

lignite n. m. Roche sédimentaire brunâtre, combustible, qui provient de la décomposition incomplète de divers végétaux.

Li Gonglin. V. Li Longmian.

ligoter v. tr. [1] Lier, attacher solidement. *Ligoter qqn sur une chaise.* ▷ Fig. *La censure ligotait la presse.*

ligue n. f. **1.** Union, coalition d'États, liés par des intérêts communs. ▷ HIST *Ligue hanséatique* : V. hanse. – *Ligue d'Augsbourg* : V. Augsbourg. – *Ligue arabe* : V. arabe (Ligue). **2.** Nom pris par certaines associations. *Ligue antialcoolique. La Ligue des droits de l'homme.* ▷ HIST *La Sainte Ligue* ou, absol., *la Ligue,* ou *la Sainte Union* : confédération de catholiques français organisée par Henri de Guise en 1576 pour défendre le catholicisme contre les protestants, mais visant aussi à détrôner Henri III. (Après l'assassinat d'Henri de Guise puis celui d'Henri III, elle mena la lutte contre Henri IV, qui finit par vaincre son chef, Mayenne, à Arques et à Ivry en 1590. L'abjuration du roi, en 1593, ôta à la Ligue sa raison d'être.) **3.** (En mauvaise part.) Complot, cabale.

Ligue des droits de l'homme, association française qui se propose de défendre les principes humanistes définis par la Déclaration* des droits de l'homme et du citoyen de 1789 et par celle de 1793 (et, dep. 1948, par la Déclaration* universelle due à l'ONU). Elle fut fondée en fév. 1898 (procès de Zola lors de l'Affaire Dreyfus*). De nationale, sa vigilance s'est étendue au monde entier.

Ligue internationale contre le racisme et l'antisémitisme (Licra), association fondée en 1927 pour lutter, dans le monde entier, contre le racisme et l'antisémitisme.

liguer v. tr. [1] Unir en une ligue; grouper en vue d'une action commune. *Liguer les mécontents.* ▷ v. pron. Former une ligue, un complot; s'unir. *Se liguer contre un ennemi commun.*

ligueur, euse n. et adj. Personne qui fait partie d'une ligue. ▷ *Spécial.* HIST Membre de la Sainte Ligue. – adj. *Moine ligueur.*

ligule n. f. BOT Appendice (lamelle ou poil) à la jonction de la gaine et du limbe de la feuille des graminées.

ligulé, ée adj. BOT En forme de languette.

liguliflores n. f. pl. BOT Tribu de composées dont les fleurs sont ligulées. – Sing. *Une liguliflore.* Syn. chicoracées.

ligure adj. Relatif aux Ligures.

Ligures, anc. peuple installé au S.-E. de la Gaule et sur le golfe de Gênes. Ils s'opposèrent avec force aux Romains qui ne les soumirent définitivement que v. 14 av. J.-C.

Ligurie, rég. admin. du N. de l'Italie et rég. de la C.E., sur le golfe de Gênes, formée des prov. de Gênes, Imperia, Savone et La Spezia; 5 416 km²; 1 758 960 hab.; cap. *Gênes.* Constituée de l'Apennin ligure, calcaire et gréseux, et d'une étroite plaine littorale où se groupe la pop., la Ligurie est une région d'horticulture (fleurs, légumes, fruits). Les industr. se regroupent autour des grands ports de Gênes et de La Spezia. Le tourisme est florissant *(Riviera).*

ligurien, enne adj. et n. De Ligurie. ▷ Subst. *Un(e) Ligurien(ne).*

Ligurienne (république), État fondé par Bonaparte en 1797, réuni à la France en 1805 et au royaume de Sardaigne en 1815.

Li Hongzhang (dans le Hebei, 1823 – Pékin, 1901), homme politique chinois. Dévoué à la Russie, il réprima les révoltes des Taiping et des Boxers, et signa avec les puissances européennes le traité de Pékin (1900).

Lijing ou **Li King,** recueil de textes «classiques» chinois. (V. jing.)

Likasi, v. de la Rép. dém. du Congo mérid. (Shaba), sur le *Sankuru*; 194 470 hab. Ville minière (cuivre, uranium); fonderies.

Likoud, en Israël, groupement polit. des partis du centre et de droite, constitué en 1973 par Begin*. De 1983 à 1992, Shamir* dirigea ce mouvement dont Benyamin Netanyahou prit la tête en 1993.

lilas [lila] n. m. et adj. inv. **1.** Arbuste ornemental (fam. oléacées) à fleurs en grappes, blanches ou violettes, très odorantes. ▷ Fleurs de cet arbuste. *Un bouquet de lilas.* **2.** Couleur violette plus ou moins foncée. *Un lilas pâle.* ▷ adj. inv. *Des robes lilas.*

Lilas (Les), ch.-l. de cant. de la Seine-St-Denis (arr. de Bobigny); 20 532 hab. Industr. méca., du caoutchouc.

liliacées n. f. pl. BOT Famille de plantes monocotylédones à bulbe ou à rhizome, pour la plupart herbacées et vivaces. *Le lis, la tulipe, le colchique, le muguet, l'oignon sont des liliacées.* – Sing. *Une liliacée.*

une **liliacée,** le lis blanc : à g., bulbe; au centre, inflorescence; à dr., coupe d'une fleur

lilial, ale, aux adj. Litt. Qui évoque la blancheur, la pureté du lis. *Candeur liliale.*

Liliencron (Detlev, baron von) (Kiel, 1844 – Alt-Rahlstedt, près de Hambourg, 1909), poète et romancier allemand : *Chevauchées d'un aide de camp* (recueil de vers, 1883), *Poggfred* (épopée burlesque, 1896).

Lilienthal (Otto) (Anklam, 1848 – Berlin, 1896), ingénieur allemand. Il ouvrit la voie à l'aviation en concevant et en faisant voler des planeurs. Il se tua au cours de son 2 000e «vol».

lilium n. m. BOT Nom scientif. du genre lis.

Lille, ch.-l. du dép. du Nord et de la Rég. Nord-Pas-de-Calais, sur la Deûle; 178 301 hab. (env. 959 200 hab. dans l'aggl.). Aéroport *(Lesquin).* La ville forme avec Roubaix et Tourcoing une métropole d'équilibre de plus d'un million d'hab., au centre d'une région riche et active, agricole et industrielle : industr. text., métall. de transformation; industr. alim., manuf. de tabac; presse. Marché (MIN). – Évêché. Université. Égl. St-Maurice (XIVe s., restaurée). Anc. Bourse (XVIIe s.). Musée. – Ville drapière (où l'on produisait et commercialisait le drap) des Flandres, Lille fut prise en 1667 par Louis XIV, qui chargea Vauban d'en refaire les fortifications, ce qui n'empêcha pas les Hollandais de s'en emparer en 1708; le traité d'Utrecht rendit la ville à la France en 1713. Assiégée par les Autrichiens en 1792, elle résista victorieusement et devint, en 1804, le ch.-l. du département du Nord.

Lille : la nouvelle Bourse, XXe s.

Lillebonne, ch.-l. de cant. de la Seine-Mar. (arr. du Havre); 9 426 hab. Industr. chim. – Ruines d'un théâtre romain et d'un château fort (XIIe-XIIIe s.).

Lillehammer, v. de Norvège (comté d'Oppland); 25 816 hab. Centre industr. et touristique. Site des J.O. d'hiver de 1994.

Lilliput, pays imaginaire, décrit par Swift dans *les Voyages de Gulliver* et habité par les Lilliputiens, petits hommes hauts de six pouces.

lilliputien, enne adj. et n. Très petit.

lillois, oise adj. et n. De Lille. – Subst. *Un(e) Lillois(e).*

Li Longmian (Li Gonglin, dit) (v. 1040 - 1106), lettré et peintre chinois de l'époque des Song; paysagiste et portraitiste, célèbre par la finesse de son graphisme.

Lilongwe, capitale du Malawi; 106 000 hab.

Lima, cap. du Pérou, sur un plateau, à 14 km de Callao (son port sur le Pacifique); 5 008 400 hab. (*Liméniens*). Métropole et centre comm. du Pérou, la ville a regroupé ses industr. à Callao : métall., text., prod. chim. et alim. - Archevêché. Université. Cath. (tombeau de Pizarro, qui fonda la ville en 1535). Églises de style colonial baroque (San Pedro, etc.). Musées.

Lima : place San Martín

1. limace n. f. **1.** Mollusque gastéropode pulmoné terrestre dont la coquille est réduite à une mince écaille interne. **2.** Fig., fam. Personne très molle et lente.

2. limace n. f. Arg. Chemise.

limaçon n. m. **1.** Escargot. **2.** ANAT Partie antérieure de l'oreille interne dont le conduit est enroulé autour d'un axe conique. **3.** MATH *Limaçon de Pascal :* lieu géométrique constitué par le lieu des pieds des perpendiculaires abaissées d'un point fixe sur les tangentes à un cercle.

limage n. m. Action de limer.

limagne n. f. GEOL Fossé d'effondrement.

Limagnes (les), plaines du Massif central drainées par l'Allier. La plus grande est la *Grande Limagne* ou *Limagne de Clermont,* autour de Clermont-Ferrand.

limaille n. f. Poudre de métal constituée de fines particules détachées par la lime. *Limaille de fer.*

liman [limɑ̃] n. m. GEOMORPH Estuaire barré par un cordon littoral.

limande n. f. Poisson plat (*Pleuronectes limanda,* fam. pleuronectidés), long de 40 cm environ et dont seul un côté, qui porte les yeux, est pigmenté. *On pêche la limande dans l'Atlantique et dans la Manche.* ▷ Loc. fam. *Femme plate comme une limande.*

Limassol (en gr. *Lemêssos*), v. et port de Chypre, sur le *golfe de Limassol*; 107 200 hab.; ch.-l. du distr. du m. nom. - Chât. médiéval (XIIᵉ s.).

Limay, ch.-l. de cant. des Yvelines (arr. de Mantes-la-Jolie); 12 699 hab. - Chimie. - Église Saint-Aubin (XIIᵉ-XVIᵉ s.).

limbe n. m. **I. 1.** Bord extérieur gradué d'un instrument de précision. *Limbe d'un sextant.* **2.** ASTRO Bord du disque d'un astre. *Le limbe de la Lune est le bord du disque en direction du Soleil.* **3.** BOT Partie lamellaire, mince, chlorophyllienne d'une feuille. **4.** ANAT Zone périphérique circulaire. *Limbe de la cornée.* **II.** RELIG CATHOL *Les limbes :* le lieu où se trouvaient les âmes des justes avant la venue du Christ; le séjour des âmes des enfants morts sans baptême. ▷ Fig. *Être dans les limbes :* n'avoir pas encore vu le jour, n'être pas encore réalisé. *Son projet est encore dans les limbes.*

limbique adj. **1.** ANAT Qui concerne un limbe. - *Système limbique :* partie du cerveau comprenant la circonvolution de l'hippocampe et celle du corps calleux. **2.** RELIG CATHOL Des limbes.

Limbourg (en néerl. *Limburg*), prov. du N.-E. de la Belgique; 2 422 km²; 737 000 hab.; ch.-l. *Hasselt.* Le Limbourg comprend au S. l'extrémité du plateau de Hesbaye, riche terroir agric., et au N. le plateau de la Campine, région d'élevage où la présence d'un bassin houiller a fait naître de multiples industr. : chimie, métallurgie, constr. mécaniques et électriques.

Limbourg (en néerl. *Limburg*), prov. mérid. des Pays-Bas; 2 167 km²; 1 095 000 hab.; ch.-l. *Maastricht.* La région s'étend de part et d'autre de la Meuse et associe, du S. vers le N., une partie du massif ardennais, des plateaux limoneux et la Campine. Région agric., le Limbourg néerlandais possède un bassin houiller, qui continue celui de la Campine belge : carbochimie, métallurgie.

Limbourg (les frères Pol, Hennequin et Hermann de) (déb. XVᵉ s.), miniaturistes français. Ils ont enluminé les *Belles Heures* et les *Très Riches Heures du duc de Berry,* considérés comme les plus beaux manuscrits à peintures de l'art gothique.

1. lime n. f. **1.** Outil à main, formé d'une lame d'acier trempé hérissée de dents, qui sert à ajuster et à polir, à froid, la surface des métaux, des matières dures. *Lime plate.* ▷ Spécial. *Lime à ongles.* **2.** ZOOL Mollusque lamellibranche marin qui ressemble à la coquille Saint-Jacques.

les frères de **Limbourg** : *le Mois de septembre* (les vendanges au pied du château de Saumur), enluminure des *Très riches heures du duc de Berry*; musée Condé, Chantilly

2. lime ou **limette** n. f. BOT Petit citron de couleur verte, très parfumé. Syn. citron vert.

Limeil-Brévannes, com. du Val-de-Marne (arr. de Créteil); 16 247 hab. Centre hospitalier et administratif. Électronique; mat. de construction.

liménien, enne adj. et n. De Lima. ▷ Subst. *Un(e) Liménien(ne).*

limer v. tr. [1] **1.** Façonner à la lime. *Limer une clef.* ▷ v. pron. *Se limer les ongles.* **2.** User. *Le frottement lime les étoffes.*

Limerick (en gaélique *Luimneach*), v. et port de la rép. d'Irlande (Munster), au fond de l'estuaire du Shannon; ch.-l. du comté du m. nom; 40 180 hab. Industr. textiles et alimentaires.

limeur, euse n. et adj. **1.** n. Ouvrier, ouvrière qui lime. **2.** adj. Qui sert à limer. ▷ *Étau limeur :* machine-outil qui sert à usiner des surfaces planes sur des pièces métalliques.

limicole adj. ZOOL Qui vit dans la vase, dans les marécages.

limier n. m. **1.** Chien de chasse utilisé pour dépister et rabattre l'animal qui sera chassé à courre. **2.** Fig. Policier, détective. *Les plus fins limiers sont à la poursuite du coupable.*

liminaire adj. Qui est placé au début (d'un livre, d'un écrit, d'un discours, etc.). *Épître liminaire.*

limitatif, ive adj. Qui limite, qui précise des bornes. *Clause limitative.*

limitation n. f. **1.** Action de limiter. **2.** Restriction. *Limitation de vitesse.*

limite n. f. **1.** Ce qui sépare un terrain, un territoire d'un autre; ce qui est contigu. *Bornes qui marquent la limite d'un champ. Limite entre deux États voisins. Limite d'une forêt.* **2.** Par anal. *La limite du XIXᵉ et du XXᵉ siècle.* ▷ *Limite d'âge :* âge au-delà duquel on ne peut plus se présenter à un concours, ou après lequel un fonctionnaire doit être mis à la retraite. *Fonctionnaire qui a atteint la limite d'âge.* ▷ SPORT *Avant la limite :* avant la fin du temps imparti. *Combat de boxe gagné avant la limite.* **3.** Fig. Point où s'arrête qqch; borne. *Courir jusqu'à la limite de ses forces. Exercer une autorité sans limites.* ▷ Loc. *Dépasser les limites :* aller au-delà de ce que la bienséance permet. **4.** MATH Valeur vers laquelle tend une expression algébrique. *La limite de* $\frac{1}{n}$ *lorsque n tend vers l'infini est égale à zéro.* - (En appos.) *Vitesse limite.* ▷ PHYS *Limite d'élasticité, de rupture :* valeur qui correspond à la perte de l'élasticité, à la rupture.

limité, ée adj. Qui a des limites, des bornes. *Responsabilités limitées.*

limiter I. v. tr. [1] **1.** Fixer, donner des limites à. *Limiter un terrain.* **2.** Fixer un terme à. *Limiter la durée d'un voyage à huit jours.* ▷ Restreindre. *Limiter des dépenses.* - Par anal. Fam. *Limiter les dégâts.* **II.** v. pron. S'imposer des limites.

limiteur n. m. TECH Appareil servant à éviter qu'une grandeur dépasse une valeur donnée. *Limiteur de tension.*

limitrophe adj. **1.** Qui est à la frontière, à la limite d'un pays, d'une région. **2.** Qui a des limites, des frontières communes avec la région que l'on considère. *La Corrèze et les départements limitrophes.*

limnée [limne] n. f. ZOOL Mollusque gastéropode pulmoné (genre *Limnæa*) à coquille conique et allongée, très répandu dans les eaux douces stagnantes.

limno-. Élément, du gr. *limnê*, « lac ».

limnologie [limnɔlɔʒi] n. f. GEOGR Science qui a pour objet les phénomènes se produisant dans les marais, les étangs et les lacs et, par ext., dans toutes les eaux douces. *Limnologie physique. Limnologie biologique* (étude de la flore et de la faune).

limogeage n. m. Action de limoger; fait d'être limogé.

limoger v. tr. [**13**] Disgracier, priver de ses responsabilités, de son poste (un officier, un haut fonctionnaire, etc.).

Limoges, ch.-l. du dép. de la Haute-Vienne et de la Région Limousin; 136 407 hab. (aggl. urb. 170 100 hab.). Centre comm. (marché agricole), Limoges utilise les matières premières locales pour ses industr. traditionnelles (kaolin pour les porcelaines, cuir pour les chaussures) et s'efforce d'attirer d'autres industr. plus dynamiques (papeteries, ameublement, constr. méca., matériel électr.). – Cap. de l'émaillerie d'art dès le XIe s.; ses porcelaines, connues dans le monde entier, sont fabriquées avec le kaolin de Saint-Yrieix-la-Perche, dont la découverte remonte au XVIIIe s. Évêché. Université. Cath. St-Étienne (XIIIe-XIVe s., portail flamboyant du début du XVIe s.). Pont St-Étienne (XIIIe s.). Musée national Adrien-Dubouché (céramique). – Fief de la famille d'Albret, Limoges fut réunie à la Couronne lors de l'avènement d'Henri IV.

Limoges : gare des Bénédictins et jardin du Champ-de-Juillet

1. limon n. m. Boue argilo-sableuse mêlée de matière organique, très fertile, charriée par les cours d'eau et qui s'accumule le long de leurs berges.

2. limon n. m. **1.** Chacun des deux brancards entre lesquels on attelle un cheval qui tire une voiture. **2.** CONSTR Pièce rampante d'un escalier qui le limite du côté du vide et qui reçoit la balustrade.

3. limon n. m. Variété de citron.

Limón (José) (Culiacán, Mexique, 1908 – Flemington, New Jersey, 1972), danseur et chorégraphe américain d'origine mexicaine; une des personnalités les plus marquantes de la modern dance.

limonade n. f. **1.** Vx ou dial. Boisson rafraîchissante faite de jus de citron et d'eau sucrée. **2.** Boisson faite d'eau gazeuse sucrée et acidulée avec de l'essence de citron. **3.** Commerce des limonadiers. ▷ Travail des garçons de café.

limonadier, ère n. **1.** Personne qui fabrique de la limonade ou des boissons gazéifiées. **2.** Vx ou ADMIN Tenancier d'un débit de boissons.

limonage n. m. AGRIC Épandage de limon sur une terre aux fins de fertilisation.

limonaire n. m. Orgue de Barbarie.

limoneux, euse adj. Riche en limon; bourbeux.

Limosin, famille d'émailleurs français, originaire de Limoges. – **Léonard Ier** (Limoges, v. 1505 – id., entre 1575 et 1577) a laissé une œuvre considérable : portraits (Henri II, Catherine de Médicis, etc.), tableaux d'autel (Ste-Chapelle, Paris). – **Jean II** (v. 1561 – apr. 1646), neveu du préc.; émailleur en grisaille.

limougeaud, aude adj. et n. De Limoges. – Subst. *Un(e) Limougeaud(e).*

limousin, ine adj. et n. **1.** adj. Du Limousin. ▷ Subst. *Un(e) Limousin(e).* ▷ Spécial. *Race limousine :* race de bœufs élevés pour la boucherie. **2.** n. m. Dialecte d'oc parlé dans le Limousin.

Limousin (monts du), plateau granitique du N.-O. du Massif central.

Limousin, anc. prov. de France, qui couvrait les départements actuels de la Haute-Vienne et de la Corrèze.
Hist. – Évangélisé au IIIe s., le Limousin fait partie du duché d'Aquitaine; il appartient donc à l'Angleterre de 1152 à la fin du XIVe s. Pendant des siècles, il va être la région de passage entre la France du Nord et la France du Sud. Ravagé par la guerre de Cent Ans, son isolement favorise longtemps le maintien de petites principautés féodales : la vicomté de Limoges ne sera réunie à la Couronne qu'en 1589. L'administration de Richelieu provoque des révoltes (1636-1637), mais la centralisation, imposée rudement par les premiers intendants, s'adoucit après la Fronde et porte ses fruits avec des administrateurs tels que Tourny et Turgot (création de routes, introduction de la pomme de terre, développement de la porcelaine et de la tapisserie, manuf. royale de fusils).

Limousin, Région admin. française et région de la C.E., formée des dép. de la Corrèze, de la Creuse et de la Haute-Vienne; 16 932 km²; 746 238 hab.; cap. *Limoges.*
Géogr. phys. et hum. – Au N.-O. du Massif central, le Limousin est un ensemble de hautes terres cristallines qui connaît un climat océanique aux hivers marqués en altitude. À l'E., la « Montagne » limousine, formée de lourds plateaux (Gentioux, Monédières, Millevaches), est un château d'eau naturel que couvrent landes, forêts et herbages. Au N. et à l'O. s'étendent des plateaux bocagers (Combrailles, Marche, bas Limousin), creusés par les vallées de la Vienne, de la Creuse, de la Corrèze et de la Vézère. Au S.-O., le fertile bassin de Brive annonce le Midi aquitain. Rurale et faiblement peuplée (44 hab./km²), la Région a souffert d'une longue émigration et compte moins d'hab. qu'en 1850; le solde migratoire reste négatif et le vieillissement démographique entraîne un déficit naturel.
Écon. – Peu propice aux céréales, la Région s'est spécialisée dans l'élevage (bœuf limousin, taurillon, veau de lait et agneau), qui représente 90 % des revenus agricoles; la sylviculture est notable mais le potentiel forestier reste insuffisamment valorisé. L'industrie, tirant parti de traditions anciennes (émaux de Limoges, tapisseries d'Aubusson), s'est développée sur les ressources locales (kaolin pour la porcelaine, bois pour le meuble et la papeterie, cuir pour la chaussure et la ganterie); il faut ajouter le traitement de l'uranium, plus récent. Quelques grands établissements (constr. électriques, méca., fonderies) animent les pôles urbains : Limoges, Brive, Guéret, Ussel, Tulle, mais le tissu industriel reste peu diversifié. Le désenclavement du Limousin grâce à l'axe rapide N.-S. Paris-Toulouse et à la transeuropéenne Bordeaux-Clermont-Ferrand, devrait renforcer son intégration aux ensembles dynamiques de la C.É.E.

limousine n. f. **1.** Anc. Pèlerine de laine grossière portée par les charretiers et les bergers. **2.** Ancien modèle de voiture dans lequel seuls les passagers de l'arrière étaient abrités. ▷ Mod. Automobile à trois glaces latérales et quatre portes.

Limoux, ch.-l. d'arr. de l'Aude, sur l'Aude; 10 217 hab. Chaussures. Vin blanc mousseux *(blanquette de Limoux).*

limpide adj. Parfaitement transparent, clair, pur. *Eau, ciel limpide.* – Par ext. *Regard limpide.* ▷ Fig. Dépourvu de toute obscurité, facile à comprendre. *Style limpide.*

limpidité n. f. Qualité de ce qui est limpide.

Limpopo (le), fleuve d'Afrique australe (1 600 km), tributaire de l'océan Indien au S. du Mozambique.

limule n. f. ou m. ZOOL Animal arthropode, mérostome des côtes du Pacifique (Asie du S.-E.) et des Antilles, pouvant atteindre 60 cm (appelé à tort *crabe des Moluques*). *La chair du limule est comestible.*

lin n. m. **1.** Plante à fleurs bleues, à tige fibreuse utilisée dans le textile, cultivée également pour ses graines oléagineuses. *Rouir du lin.* – *Graine, farine, huile de lin.* ▷ *Gris de lin :* couleur semblable à celle de la toile de lin écrue. **2.** Toile, tissu faits de fibres de lin. *Torchon de lin.*

linaigrette n. f. BOT Plante herbacée des régions humides (fam. cypéracées), dont l'inflorescence porte une houppe cotonneuse luisante.

Linares, v. d'Espagne, en Andalousie (prov. de Jaén); 55 120 hab. Minerais de

lin cultivé : inflorescence et, à g., capsule contenant les graines

zinc, de plomb, d'argent et de cuivre. Fonderies.

Lin Biao ou **Lin Piao** (Huanggang, Hubei, 1908 - dans un accident d'avion, 1971), maréchal et homme politique chinois. Membre du bureau politique du Parti communiste chinois (1955), chef de l'armée (1959), il fut le principal collaborateur de Mao Zedong, qui le désigna en 1969 comme son successeur. Accusé de trahison (1971), il périt, officiellement, en tentant de gagner l'Union soviétique.

linceul n. m. Pièce de toile dans laquelle on ensevelit un mort. ▷ Litt., fig. *Le linceul blanc de la neige.*

Lincoln, v. d'Angleterre, sur la *Witham*; ch.-l. du Lincolnshire; 81 900 hab. Ville industr. et comm. au centre d'une région agricole. - Célèbre cath. gothique (XIIe et XIIIe s.).

Lincoln, v. des É.-U.; capitale du Nebraska; 191 900 hab. Centre commercial, universitaire et industriel.

Lincoln (Abraham) (près de Hodgenville, Kentucky, 1809 - Washington, 1865), homme politique américain. Fils de pionniers, il eut des débuts difficiles. Avocat en 1837, il plaida des causes antiesclavagistes et adhéra au parti républicain (1856). Son élection à la présidence des É.-U. (1860) donna le signal de la sécession des États du Sud, puis de la guerre (1861), au cours de laquelle il fit voter l'abolition de l'esclavage (1863). Réélu en 1864, il fut assassiné par un sudiste exalté, l'acteur Booth, cinq jours après la victoire nordiste (avr. 1865).

Abraham **Lincoln**

Charles **Lindbergh**

Lincolnshire, comté de G.-B. (Midlands de l'Est); 5 914 km^2; 573 900 hab.; ch.-l. *Lincoln.*

Lindau, v. d'Allemagne (Bavière), dans une île du lac de Constance; 23 050 hab. - Ruines romaines. Phare du XIIe s. Maisons anciennes.

Lindbergh (Charles) (Detroit, 1902 - île de Maui, Hawaii, 1974), aviateur américain. Il réussit la première traversée de l'Atlantique d'ouest en est, en 1927, sur un monoplan, le *Spirit of Saint Louis.*

Lindblad (Bertil) (Örebro, 1895 - Stockholm, 1965), astronome suédois. Il détermina en 1927, avec J. Oort, le mouvement de rotation de notre Galaxie.

Linde (Carl Gottfried von) (Berndorf, 1842 - Munich, 1934), physicien allemand; connu pour ses travaux de cryogénie. Il mit au point en 1895 une machine à détente permettant de liquéfier l'air.

Lindemann (Ferdinand von) (Hanovre, 1852 - Munich, 1939), mathématicien allemand. Il démontra la transcendance du nombre π (1882).

Linder (Gabriel Leuvielle, dit Max) (Saint-Loubès, Gironde, 1883 - Paris, 1925), cinéaste français. Acteur, scénariste et réalisateur, il est le précurseur d'un genre comique qui a influencé Ch. Chaplin : *Sept Ans de malheur* (1921), *l'Étroit Mousquetaire* (1922), *le Roi du cirque* (1925).

Lindet (Jean-Baptiste Robert) (Bernay, 1746 - Paris, 1825), homme politique français. Député à la Convention, il rédigea le « Rapport sur les crimes imputés à Louis Capet », puis appartint au Comité de salut public. En 1799, il fut ministre des Finances.

Lindsay (sir David). V. Lyndsay.

Lindsay (Nicholas Vachel) (Springfield, 1879 - id., 1931), poète américain. Il exalte l'amour de la nature, le patrimoine américain et la démocratie, dans des vers incantatoires s'inspirant de la culture noire : *Le général Booth entre au Paradis* (1913), *le Rossignol chinois* (1917).

Línea (La) ou **Línea de la Concepción (La),** v. d'Espagne, en Andalousie (prov. de Cadix), port sur la Méditerranée; 56 600 hab. Prolongement espagnol de Gibraltar.

linéaire adj. (et n. m.) **1.** Qui a rapport aux lignes; qui se fait par des lignes. *Géométrie, dessin, perspective linéaire.* - *Mesure linéaire* : mesure de longueur (par oppos. à *mesure de superficie* ou *de volume*). **2.** MATH *Fonction, équation linéaire,* du premier degré par rapport à chacune des variables. ▷ *Application linéaire* : application d'un espace vectoriel E dans un espace vectoriel K, telle que pour tout couple $(\vec{x},\vec{y})$ de vecteurs de E et pour tout couple (α,β) de scalaires de K on a $f(\alpha\vec{x}+\beta\vec{y})=\alpha f(\vec{x})+\beta f(\vec{y})$. ▷ *Algèbre linéaire,* qui étudie les applications linéaires. ▷ *Forme linéaire* : application linéaire dans laquelle le corps K est considéré comme un espace vectoriel. ▷ *Programmation linéaire* : méthode consistant à rechercher l'optimum d'une fonction dont les variables sont liées entre elles par des équations linéaires et sont soumises à certaines contraintes. **3.** Dont la forme, la disposition rappelle une ligne. ▷ BOT *Feuille linéaire,* allongée et étroite. ▷ Fig. *Récit linéaire,* au déroulement simple comme une ligne. **4.** COMM Présentoir d'un rayon dans un magasin libre-service.

linéairement adv. D'une manière linéaire.

linéament n. m. (Surtout plur.) Trait élémentaire, élément de contour d'une forme considérée dans sa globalité. *Les linéaments d'un visage.* ▷ Fig. Ébauche, esquisse. *Les premiers linéaments d'un ouvrage.*

linéarité n. f. Didac. Propriété, qualité de ce qui est linéaire. ▷ LING *Linéarité de la langue* : en linguistique structurale et distributionnelle, propriété qu'a la langue (par oppos. à d'autres systèmes signifiants) de se manifester en énoncés ou éléments qui, oralement comme par écrit, se déroulent selon une seule dimension, celle du temps.

linéique [lineik] adj. PHYS Qui est rapporté à l'unité de longueur. *Masse linéique d'un fil homogène de section uniforme* : masse de l'unité de longueur de ce fil.

liner [lajnœʀ] n. m. (Anglicisme) **1.** Paquebot de grande ligne. **2.** Avion à très grosse capacité pour le transport des passagers. Syn. (off. recommandé) gros-porteur.

Ling (Per Henrik) (Ljunga, 1776 - Stockholm, 1839), créateur de la gymnastique suédoise* (*Fondements généraux de la gymnastique,* posth., 1840).

linge n. m. **1.** Étoffe (de lin, à l'origine) utilisée à des fins domestiques diverses. ▷ *Envelopper un jambon avec un linge. Prendre un linge usagé pour astiquer les cuivres.* ▷ Ensemble des pièces de tissu réservées à ces usages. *Armoire à linge. Linge brodé. Linge de maison* (ou absol. *linge*). - *Linge de fil, de coton.* **2.** *Linge de corps* (ou absol. *linge*) : pièce(s) d'habillement portée(s) à même la peau, sous les vêtements. V. sous-vêtement. *Changer de linge.*

lingère n. f. Femme chargée de l'entretien, de la distribution du linge dans une communauté, un hôtel, une maison.

lingerie n. f. **1.** Industrie et commerce du linge (sens 2). **2.** Lieu où l'on range et où l'on entretient le linge, dans une communauté, une grande maison. **3.** Ensemble des pièces de linge de corps féminin.

lingette n. f. Petite serviette jetable imprégnée d'une lotion de toilette.

Lingolsheim, com. du Bas-Rhin (arr. de Strasbourg-Campagne); 16 496 hab.

Lingons, anc. peuple de la Gaule (Champagne actuelle).

lingot n. m. Pièce brute de métal obtenue par coulée dans un moule. *Lingot d'or.*

lingual, ale, aux [lɛ̃gwal, o] adj. **1.** ANAT Relatif à, qui appartient à la langue. **2.** PHON *Consonne linguale,* articulée surtout avec la langue (par oppos. à *labiale*). *[l], [n] et [t] sont des consonnes linguales.*

lingue n. f. Poisson (fam. des gadidés) des côtes de Norvège, voisin de la morue.

linguiforme adj. Didac. Qui a la forme d'une langue, d'une languette.

linguiste [lɛ̃gɥist] n. Personne spécialiste de linguistique.

linguistique [lɛ̃gɥistik] n. f. et adj. **I.** n. f. **1.** Vx Étude scientifique, historique et comparative des langues. **2.** Mod. Science du langage. *« La linguistique est l'étude scientifique du langage humain » (A. Martinet).* V. encycl. **II.** adj. **1.** Relatif à la linguistique; envisagé du point de vue de la linguistique. **2.** Qui concerne la langue, une ou plusieurs langues. **3.** Qui concerne l'apprentissage des langues. *Séjour linguistique.*

ENCYCL Jusqu'au XXe s., on s'intéressa à l'évolution des langues dans le temps et aux liens de parenté les unissant. Critiquant les défauts de la linguistique historique, F. de Saussure bâtit son *Cours de linguistique générale,* publié en 1916 par ses élèves et à partir duquel s'élabora toute la linguistique moderne. Saussure a posé les concepts fondamentaux : synchronie, système, distinction entre langue et parole, etc. Après Saussure on peut reconnaître trois grandes écoles. **1.** L'école de Prague (N. Troubetskoï, R. Jakobson) a créé dans les années 1920-1930 la phonologie, étude des sons d'une langue par leurs relations réciproques, et tenté d'adapter cette étude aux autres niveaux de la langue (morphologie et syntaxe); la théorie de cette école porte le nom de fonctionnalisme, car les éléments de la langue sont définis par leur fonction dans le cadre de la communication. **2.** L'école de Copenhague (L.T. Hjelmslev et Togeby) a fondé une théorie linguistique qui tente de serrer de plus près l'idée saussurienne que la langue est *forme* et non *substance*; les prétendus éléments constitutifs de la langue ne sont que des faisceaux de relations. Il s'agit donc d'une algèbre de la langue. **3.** Une puissante école linguistique, dite *structurale*, s'est développée aux États-Unis, notam. sur le terrain ethnologique. L. Bloomfield (v. 1930-1940) est le principal représentant de ce courant, hostile au «mentalisme», qui abuserait d'explications psychologiques; pour assurer l'objectivité de la description, il rejette l'analyse du sens. Le plus remarquable développement de ces thèses est le «distributionnalisme» de Z.S. Harris (v. 1950), qui recense (dans un texte : *corpus*) toutes les distributions des unités, puis considère comme équivalentes les unités qui ont la même distribution et les réunit dans une même classe. Mais la grande révolution est due à un de ses disciples, N. Chomsky, qui a entrepris, vers 1957, une critique radicale de la linguistique d'inspiration structurale fondée sur la distribution; par ex., un groupe de mots comme «la critique de Pierre», qui n'a qu'une seule formulation (nom-préposition-nom), recouvre en fait deux structures différentes : «Pierre critique quelqu'un» et «Pierre est critiqué par quelqu'un»; Chomsky a fondé la grammaire générative et transformationnelle, qui considère le langage comme un processus par lequel tout locuteur peut générer une infinité de phrases pertinentes et nouvelles.

liniment n. m. Médicament onctueux pour frictionner la peau.

linkage n. m. (Anglicisme) POLIT Mise en relation de questions géopolitiques en vue de leur règlement négocié.

Linköping, v. de Suède, près du lac Roxen; ch.-l. de län; 116 840 hab. Industr. méca. et aéron. Université. Musée. – Cath. (XIIe s.) et chât. (XIIIe-XVe s.).

links [links] n. m. pl. (Anglicisme) Parcours d'un terrain de golf.

Linné (Carl von) (Råshult, 1707 – Uppsala, 1778), médecin et botaniste suédois. Il établit la nomenclature, universellement adoptée par la suite, qui désigne tout être vivant par ses deux noms latins, de genre et d'espèce. En 1735, sa classification des plantes (qui devait être abandonnée plus tard) avait suscité à la fois un fort engouement et une vive hostilité; il quitta la Suède, où il revint en 1738 pour y être couvert d'honneurs (médecin et botaniste du roi puis président de l'académie).

linnéen, enne adj. De Linné. *Classification linnéenne.*

lino n. **1.** IMPRIM Abrév. cour. de *linogravure, linotype, linotypiste.* **2.** n. m. Abrév. cour. de *linoléum.*

linogravure n. f. TECH Gravure en relief sur linoléum, caoutchouc ou matière plastique. (Abrév. cour. : lino).

Carl von **Linné**

Franz **Liszt**

linoléine n. f. CHIM Ester de l'acide linoléique.

linoléique adj. BIOCHIM *Acide linoléique :* acide gras diéthylénique de formule brute $C_{18}H_{32}O_2$, monoacide non saturé à chaîne normale qui entre dans la composition des lipides.

linoléum [linoleɔm] n. m. Revêtement de sol, tapis, constitué par une toile de jute enduite d'un mélange de liège aggloméré et d'huile de lin. (Abrév. cour. : du lino, un lino).

linon n. m. Toile de lin claire à chaîne et trame peu serrées.

linotte n. f. **1.** Petit oiseau chanteur (*Carduelis cannabina*, fam. fringillidés) passériforme de couleur brune, dont la poitrine et le front, chez le mâle, sont rouges. **2.** Fam. *Tête de linotte :* personne très étourdie, écervelée, qui agit à la légère.

linotype n. f. (Nom déposé.) IMPRIM Machine à composer qui fond les caractères en plomb par lignes entières (lignes-blocs). (Abrév. cour. : lino).

linotypie n. f. IMPRIM Composition sur linotype.

linotypiste n. IMPRIM Ouvrier, ouvrière qui compose sur linotype. (Abrév. cour. : lino).

Lin Piao. V. Lin Biao.

linteau n. m. CONSTR Pièce horizontale de forme allongée reposant sur les deux jambages d'une baie et soutenant une maçonnerie.

Linz, v. d'Autriche, sur le Danube; cap. de la Haute-Autriche; 202 850 hab. (aggl. urb. 434 630 hab.). Port fluvial import. La ville s'est spécialisée dans l'industr. lourde : acier, matériel ferroviaire; raff. de pétrole, chimie. – Université. Nombr. égl. baroques.

lion, lionne n. **I. 1.** Grand mammifère carnivore d'Afrique (*Panthera leo*, fam. félidés) au pelage fauve, à la puissante crinière (chez le mâle), dont la queue se termine par une touffe de poils. *Le rugissement du lion. Le lion, «roi des animaux». Le courage et la force légendaires du lion.* ▷ n. f. Lion femelle. **2.** (Par comparaison.) *Fort, courageux comme un lion. Il s'est battu comme un lion.* – Homme d'une grande bravoure, d'un grand courage. *C'est un lion!* ▷ Loc. fig., fam. *Avoir bouffé du lion :* faire preuve d'une énergie inhabituelle. ▷ Loc. *La part du lion*, la plus grosse, celle que s'adjuge le plus fort, le plus puissant, dans un partage. *Se tailler la part du lion.* (V. léonin 1; *contrat léonin.*) **3.** Par anal. *Lion de mer :* gros phoque (6 à 7 m) à crinière. **II. 1.** ASTRO *Le Lion :* constellation zodiacale de l'hémisphère boréal, qui contient notamment l'étoile Régulus. **2.** ASTROL Signe du zodiaque (23 juillet-23 août). – Ellipt. *Il est lion.*

Lion (golfe du), vaste golfe de la côte française de la Méditerranée, compris entre le delta du Rhône et les Pyrénées (cap de Creus). Le littoral languedocien est régularisé par les alluvions venues du delta du Rhône, tandis que la côte du Roussillon est rocheuse et découpée.

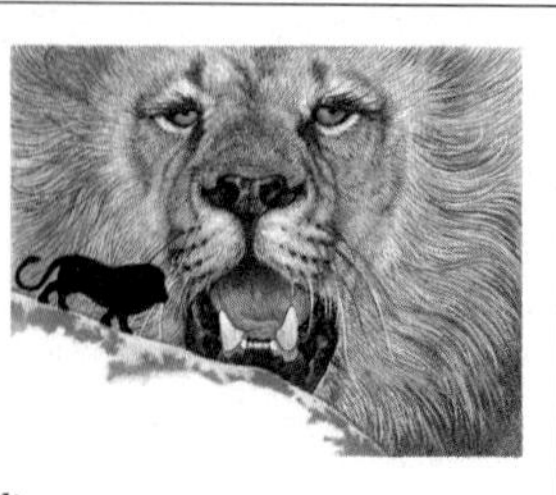

lion

lionceau n. m. Petit du lion.

Lionne ou **Lyonne** (Hugues de) (Grenoble, 1611 – Paris, 1671), homme d'État et diplomate français. Conseiller d'État (1643), il participa aux négociations des traités de Westphalie (1648), des Pyrénées (1659). Ministre d'État en 1659, il dirigea les Affaires extérieures de 1663 à sa mort.

Lioran (col du), col du Massif central (Cantal) qui unit les vallées de la Cère et de l'Alagnon (1 276 m). Tunnels routier et ferroviaire. Stat. de sports d'hiver au *Lioran* et à *Super-Lioran* (com. de Laveissière, arr. de Saint-Flour, Cantal).

Liotard (Jean Étienne) (Genève, 1702 – id., 1789), peintre suisse; pastelliste.

Liouville (Joseph) (Saint-Omer, 1809 – Paris, 1882), mathématicien français; connu pour ses travaux d'analyse. Il fonda le *Journal de mathématiques pures et appliquées.* En 1851, il généralisa la notion de nombres transcendants (tels que le nombre π).

lip(o)-. Élément, du gr. *lipos*, «graisse».

Lipari. V. Éoliennes (îles).

lipase n. f. BIOCHIM Enzyme qui hydrolyse les graisses en acides gras en détachant leur fonction alcool, permettant ainsi leur absorption lors de la digestion.

Lipatti (Dinu) (Bucarest, 1917 – Chêne-Bourg, Genève, 1950), pianiste et compositeur roumain; interprète sensible de Chopin, Bach et Mozart.

Lipchitz (Chaim Jacob Lipschitz, dit Jacques) (Druskieniki, Lituanie, 1891 – Capri, 1973), sculpteur français d'origine polonaise. Arrivé en France en 1909, il se fixa aux É.-U. en 1941. Il est un des princ. représentants du cubisme.

lipémie ou **lipidémie** n. f. BIOL Taux des lipides en circulation dans le sang.

Li Peng (Chengdu, 1928), homme politique chinois. Premier ministre (1987-1998), il devient président du Parlement chinois en mars 1998.

Lipetsk, v. de Russie, sur le *Voronej*; ch.-l. de la rég. du m. nom; 447 000 hab. Industr. métallurgiques et mécaniques.

lipide n. m. CHIM Ester résultant de l'action d'un alcool sur un acide gras insoluble dans l'eau, soluble dans les solvants organiques. *Les corps gras sont des lipides, esters du glycérol.*

ENCYCL Les lipides possèdent un rôle biologique important : structural, en tant que constituants des membranes cellulaires et du tissu nerveux; énergétique (la plus grande réserve d'énergie de l'organisme); en outre, ils interviennent dans la coagulation sanguine, dans la vision, etc. Leur origine est double : ils sont soit apportés par l'alimentation, soit synthétisés par l'organisme.

lipidique adj. CHIM Relatif aux lipides.

lipizzan [lipizɑ̃] n. m. et adj. Cheval à robe grise, de petite taille, obtenu au XVIIe s. et rendu célèbre par l'École d'équitation de Vienne. – adj. *Un cheval lipizzan.*

Lipmann (Fritz Albert) (Königsberg, auj. Kaliningrad, 1899 – New York, 1986), biochimiste américain d'origine allemande; auteur de travaux sur les protéines et les biocatalyseurs. P. Nobel 1953.

lipo-. V. lip(o)-.

Li Po. V. Li Bo.

lipogenèse n. f. BIOCHIM Formation des lipides, dans les organismes vivants (succession de réactions enzymatiques).

lipogramme n. m. Œuvre littéraire caractérisée par l'omission volontaire d'une lettre de l'alphabet.

lipoïde adj. et n. m. Didac. **1.** adj. De la nature de la graisse; qui ressemble aux graisses. **2.** n. m. Substance proche des lipides, soluble dans les corps gras.

lipolyse n. f. BIOCHIM Hydrolyse, favorisée par la bile, des graisses en acides gras et alcools au cours de la digestion.

lipome n. m. MED Tumeur sous-cutanée bénigne, qui se développe aux dépens du tissu adipeux.

lipoprotéine n. f. BIOCHIM Molécule organique résultant de l'association d'une protéine avec un lipide, forme sous laquelle les protéines sont transportées dans le sang.

liposoluble [liposɔlybl] adj. CHIM Soluble dans les lipides.

liposome n. m. BIOCHIM Vésicule constituée de phospholipides, dans laquelle il est possible d'inclure des composés variés et, de ce fait, utilisée en cosmétologie, pharmacie, biologie et chimie.

liposuccion n. f. Intervention de chirurgie esthétique qui consiste à supprimer du tissu adipeux par aspiration.

lipothymie n. f. MED Malaise de courte durée, premier degré de la syncope, dans lequel la circulation et la respiration persistent.

lippe n. f. Vieilli ou litt. Lèvre inférieure épaisse et saillante. ▷ Loc. *Faire la lippe :* faire la moue; fig. bouder.

Lippe (la), riv. d'Allemagne (250 km), affl. du Rhin (r. dr.); arrose Hamm et Lünen. – Elle donna son nom à une principauté située à l'E. de la Westphalie (1789-1918).

Lippe-Biesterfeld (Bernhard de) (Iéna, 1911), prince des Pays-Bas par son mariage (1937) avec la reine Juliana.

Lippi (Filippo, dit Fra Filippo) (Florence, v. 1406 – Spolète, 1469), peintre et moine italien. Son art, sobre et raffiné, doit beaucoup à Masaccio et annonce Botticelli : *Couronnement de la Vierge* (1441-1447).

Lippmann (Gabriel) (Hallerich, Luxembourg, 1845 – en mer, 1921), physicien français. Il est l'inventeur de l'électromètre capillaire et du procédé interférentiel de photographie en couleurs. P. Nobel 1908.

Lipponen (Paavo) (Turtola, 1941), homme politique finlandais, Premier ministre depuis 1995.

lippu, ue adj. Qui a de grosses lèvres.

Lipschitz (Rudolf Otto Sigismund) (près de Königsberg, 1832 – Bonn, 1903), mathématicien allemand; connu pour ses travaux sur la théorie des nombres, les équations différentielles et les fonctions de Bessel.

Lipscomb (William Nunn) (Cleveland, Ohio, 1919), chimiste américain. Il a obtenu le prix Nobel de chimie 1976 pour ses travaux, effectués par diffraction des rayons X à basse température, sur les liaisons chimiques déficientes en électrons.

liquéfaction n. f. Passage à l'état liquide d'un corps gazeux ou solide.

liquéfiable adj. Qui peut être liquéfié. *Tous les gaz sont liquéfiables.*

liquéfiant, ante adj. Qui produit ou est propre à produire la liquéfaction.

liquéfier 1. v. tr. [2] Faire passer à l'état liquide (un gaz, un solide). *Liquéfier du propane.* – v. pron. *Morceau de glace qui se liquéfie,* qui fond. **2.** v. pron. Fig., fam. Perdre toute énergie. *Il s'est complètement liquéfié depuis cette déception.*

liquette n. f. Pop. Chemise.

liqueur n. f. **1.** Boisson sucrée faite à partir d'un mélange d'alcool ou d'eau-de-vie et d'essences aromatiques. *L'anisette, le cherry, le curaçao sont des liqueurs. Liqueurs apéritives, digestives.* – *Vin de liqueur :* vin doux, sucré et riche en alcool. Syn. mistelle. ▷ *Par ext.* Tout digestif. *Proposer des liqueurs après un repas.* **2.** Vx Toute substance liquide. *«Traité de l'équilibre des liqueurs», de Pascal.* ▷ Mod. CHIM, PHARM Nom donné à diverses solutions. *Liqueur de Fehling.*

liquidambar [likidɑ̃baʀ] n. m. BOT Arbre d'Asie et d'Amérique proche des hamamélis, dont on tire diverses résines aromatiques (styrax, en partic.).

liquidateur, trice n. Personne chargée de procéder à une liquidation. *Liquidateur judiciaire.*

liquidatif, ive adj. DR Qui opère la liquidation. *Acte liquidatif d'une succession.*

liquidation n. f. **1.** DR Opération par laquelle on liquide un compte, une succession, etc. – Spécial. *Liquidation des biens :* procédure entraînant la vente des éléments actifs d'une entreprise en état de cessation de paiements et dont la situation ne permet pas d'envisager la continuation de son activité. ▷ FIN *Liquidation en Bourse :* réalisation des opérations à terme conclues pour une époque déterminée. **2.** Fig. Action de se débarrasser de qqn en le tuant. *La liquidation d'un traître.* – Action de mettre fin à une situation, de se débarrasser de qqch. *La liquidation d'un conflit. La liquidation de ses remords.* **3.** *Liquidation de marchandises, de stock,* leur vente au rabais en vue d'un écoulement rapide.

1. liquide adj. et n. **I.** adj. **1.** Qui coule ou tend à couler. *L'eau est une substance liquide.* – *Sauce, pâte trop liquide,* trop diluée. ▷ *Corps à l'état liquide* (par oppos. à *solide* et à *gazeux*). – Liquéfié. *Gaz liquide en bouteilles* (notam. butane, propane à usage domestique). **2.** PHON Se dit des consonnes l, m, n, r, dont l'émission, après une autre consonne et dans la même syllabe (par ex. : «craie», «clef», «calme», etc.), se fait aisément (à la manière d'un fluide qui s'écoulerait facilement). – n. f. *Les vibrantes et les nasales sont des liquides.* **II.** n. m. **1.** Substance liquide; tout corps à l'état liquide. *Les liquides n'ont pas de forme propre, ils se rassemblent, sous l'effet de la pesanteur, dans le fond des récipients, dont ils épousent la forme.* – (Par oppos. à *solide* et à *gaz*.) *Le lait est un liquide.* **2.** Aliment liquide. *Ce malade ne supporte rien d'autre que des liquides.* ▷ Spécial. *Le commerce des liquides,* des boissons spiritueuses. **3.** ANAT *Liquides organiques :* solutions diverses qui circulent dans l'organisme. *Liquide céphalorachidien.* Syn. humeur.

2. liquide adj. et n. FIN **1.** Dont la valeur ou le montant est exactement déterminé. *Créance liquide.* **2.** Dont on peut disposer immédiatement, qui n'est grevé d'aucune charge. *Bien liquide,* exempt d'hypothèque. ▷ Par ext. Cour. *Argent liquide,* immédiatement disponible. ▷ Subst. *Manquer de liquide.* – *Payer en liquide,* en espèces.

liquider v. tr. [1] **1.** Procéder, après en avoir fixé le montant, au règlement de. *Liquider un compte. Liquider une succession.* – *Liquider une société commerciale :* procéder, lors de sa cessation, au règlement de son passif, et, entre les ayants droit, au partage de l'actif résiduel. **2.** Fig., fam. Prendre les mesures nécessaires pour en finir définitivement avec (qqch). *Liquider une affaire, une situation.* – Fig., pop. *Liquider qqn,* le tuer ou le faire tuer. **3.** Vendre au rabais (des marchandises, des biens) pour s'en débarrasser. *Liquider un stock après inventaire.*

liquidien, enne adj. Didac. De nature ou de consistance liquide. *Épanchement liquidien. Kyste liquidien.*

1. liquidité n. f. État de ce qui est liquide. *La liquidité du mercure.*

2. liquidité n. f. FIN État d'un bien liquide. ▷ (Plur.) Valeurs liquides. *Les liquidités d'une entreprise.*

liquoreux, euse adj. Se dit de certains vins sucrés et riches en alcool (porto, madère, etc.).

1. lire v. tr. [66] **I. 1.** Identifier par la vue (des caractères écrits ou imprimés, des lettres, l'assemblage qu'elles forment) en faisant le lien entre ce qui est écrit, la parole et le sens. *Apprendre à lire et à écrire.* – *Lire les caractères hébreux.* – *Écriture qu'on a du mal à lire.* Syn. déchiffrer. ▷ Par anal. MUS *Lire une partition.* **2.** Prendre connaissance de (un texte) en parcourant des yeux ce qui est écrit, par la lecture. *Lire un roman, une lettre. Lire le journal.* – *Lire un auteur étranger dans le texte,* dans la langue même de cet auteur. ▷ *Lire une langue étrangère,* pouvoir lire des textes dans cette langue. *Il parle très mal l'anglais, mais il le lit couramment.* **3.** Énoncer à haute voix (un texte écrit). *Lire des vers devant qqn. Lire un article de journal à qqn.* **II.** Fig. **1.** Trouver la signification de (qqch) en fonction d'indications précises qu'il faut savoir interpréter, de signes qu'il faut savoir décoder. *Lire une carte, un graphique, une statistique.* **2.** Interpréter, comprendre de telle ou telle manière. *On peut lire ces vers à plusieurs niveaux.* – v. pron. *Son geste peut aussi se lire comme un appel désespéré.* **3.** Fig. Deviner, discerner, déceler (qqch) grâce à certains signes. *Lire l'avenir dans le marc de café.* – *Cette peur qu'on pouvait lire sur son visage.* – v. pron. *La joie qui se lisait sur ses traits.* ▷ (Sans comp. dir.) Deviner les pensées, les motivations secrètes. *Lire dans le cœur de qqn.* **III.** INFORM Décoder (les informations enregistrées sur un support).

2. lire n. f. Unité monétaire italienne (symb. LIT).

lirette n. f. Tissage artisanal fait avec des bandes d'étoffe.

lis ou **lys** [lis] n. m. **1.** Plante ornementale (fam. liliacées) à bulbe écailleux, à grandes fleurs blanches, jaunes, orangées ou rouges. ▷ *Spécial.* Lis à fleurs blanches; sa fleur, symbole de la pureté, de la blancheur. *Un teint de lis.* **2.** *Fleur de lis :* figure héraldique représentant trois fleurs de lis stylisées et unies, propre aux armoiries de la monarchie française; symbole de cette monarchie. ▷ Figure héraldique rappelant l'origine française d'une communauté nord-américaine. *Les fleurs de lis des armoiries du Canada, des provinces du Nouveau-Brunswick et du Québec.* **3.** ZOOL *Lis de mer :* nom cour. de tous les

lis de mer

échinodermes crinoïdes fixés par un pédoncule. ► illustr. **liliacées**

Lisbõa. V. Aleijadinho.

lisbonnais, aise ou **lisboète** adj. et n. De Lisbonne.

Lisbonne (en portug. *Lisboa*), cap. du Portugal, sur l'estuaire du Tage; 827 800 hab. Ce port, qui fut l'un des plus import. du monde par ses relations avec l'Amérique du Sud et avec l'Afrique (chantiers navals, entrepôts de prod. tropicaux), est auj. surtout un port pétrolier. Princ. centre industr. du pays : métallurgie, mécanique, textiles, chimie; raff. de pétrole. – Archevêché. Musées. Cath. romane (XIIe s.), reconstruite après le terrible tremblement de terre de 1755, qui dévasta la ville basse. Parmi les monuments antérieurs à cet événement : le chât. São Jorge (tours et murailles du temps des Wisigoths), le couvent des Jerónimos (XVIe s.), la tour de Belém, les égl. São Roque (XVIe s.), São Vicente de Fora. La reconstruction de la ville (XVIIIe s.) fut l'œuvre du marquis de Pombal. En août 1988, un très grave incendie a endommagé le quartier historique.

Lisbonne

Lisbonne-Vallée du Tage, région du Portugal et de la C.E., sur la basse vallée du Tage; 11 949 km²; 3 452 500 hab.; cap. *Lisbonne.*

lise n. f. Rég. Sable mouvant.

liseré ou **liséré** n. m. **1.** Ruban étroit dont on borde un vêtement. **2.** Raie, d'une couleur différente de celle du fond, qui borde une pièce d'étoffe, un panneau peint, etc.

liseron n. m. Plante volubile grimpante (fam. convolvulacées) aux fleurs blanches, roses ou mauves en forme de cloches. Syn. belle-de-jour.

lisette n. f. Maquereau de petite taille.

liseur, euse n. **I.** Personne qui lit beaucoup. *Un grand liseur.* **II.** n. f. **1.** Petit coupe-papier qui sert de signet. **2.** Couverture de livre. **3.** Tricot léger de femme (pour lire au lit). **4.** Petite lampe à faisceau étroit permettant de lire sans déranger ses voisins.

Li Shimin ou **Li Che-min** (*Taizong* à titre posth.), empereur de Chine de 626 à sa mort (649). Il fonda la dynastie Tang en plaçant son père Li Yuan sur le trône (618). Grand chef militaire, il repoussa les Turcs d'Asie centrale; il protégea les lettres et le bouddhisme.

lisibilité n. f. Caractère, qualité de ce qui est lisible.

lisible adj. **1.** Qui est aisé à lire, à déchiffrer. *Écriture lisible.* **2.** *Un ouvrage peu lisible,* mal composé et de style incorrect. **3.** Fig. Dont on comprend facilement la structure ou la finalité, qui est intelligible, compréhensible. *Ensemble urbain déstructuré, peu lisible.*

lisiblement adv. D'une manière lisible. *Écrivez lisiblement.*

lisier n. m. AGRIC Liquide provenant du mélange des déjections solides et de l'urine des animaux de ferme.

lisière n. f. **1.** Bord d'une pièce d'étoffe, de chaque côté de sa largeur. ▷ Nom d'une étoffe rêche, de faible largeur. **2.** Partie extrême d'une région (partic. d'une région boisée). *Se promener en lisière d'un bois.*

Lisieux, ch.-l. d'arr. du Calvados, sur la Touques; 24 506 hab. (*Lexoviens*). Industr. métall. et text. Centre religieux. – Égl. St-Pierre, anc. cath. (fin XIIe-déb. XIIIe s.). Couvent des carmélites (chap. abritant les reliques de sainte Thérèse de l'Enfant-Jésus); basilique monumentale (1929-1952) dédiée à la sainte, lieu d'un important pèlerinage.

Lissa (auj. *Vis*), île croate de l'Adriatique. – Victoire navale des Autrichiens, commandés par l'amiral Tegetthoff, sur les Italiens (1866).

lissage n. m. **1.** Action de lisser; son résultat. **2.** TECH Action de disposer les lisses d'un métier à tisser. (V. lisse 2.) **3.** MATH *Lissage d'une courbe* (V. lisser). **4.** Syn. (off. recommandé) de *lifting.*

1. lisse [lis] adj. Qui ne présente aucune aspérité. *Surface lisse. Animal à poil lisse.* Ant. rugueux.

2. lisse ou **lice** [lis] n. f. TECH Fil métallique ou textile portant un œillet dans lequel passe le fil de chaîne, dans un métier à tisser. ▷ *Tapisserie de haute lisse,* dont la chaîne est tendue verticalement. *Tapisserie de basse lisse,* dont la chaîne est tendue horizontalement.

3. lisse [lis] n. f. **1.** MAR Membrure longitudinale de la charpente des fonds et de la muraille d'un navire. **2.** CONSTR Barre horizontale servant de garde-fou.

lissé, ée adj. et n. **1.** adj. Rendu lisse. (V. lisse 1.) **2.** n. m. Degré de cuisson du sucre, qui permet de l'étirer en fils.

lisser v. tr. [1] **1.** Rendre lisse. *Lisser du plâtre frais.* **2.** STATIS Retracer (la courbe que figure une série de points) en éliminant du tracé les écarts par rapport à la ligne idéale joignant les valeurs moyennes. *Lisser une courbe.*

lissier, ère ou **licier, ère** [lisje, ɛʀ] n. TECH Ouvrier, ouvrière spécialisé(e) qui monte les lisses.

Lissitzky (Eliezer Markovitch Lissitzky, dit El) (Potchinok, gouv. de Smolensk, 1890 – Moscou, 1941), peintre, architecte et affichiste soviétique. Il s'inspira du suprématisme et du constructivisme.

lissoir n. m. TECH Instrument servant à lisser (papier, ciment, cuir, etc.).

List (Friedrich) (Reutlingen, 1789 – Kufstein, 1846), économiste allemand. Il contribua à l'établissement du Zollverein (union douanière allemande) et défendit le principe d'un protectionnisme temporaire pour les nations en voie de développement.

listage n. m. Action de lister.

liste n. f. **1.** Série d'éléments analogues (noms, mots, chiffres, symboles, etc.) mis les uns à la suite des autres. *Publier la liste des lauréats. Une liste de recommandations. Liste de mariage,* de cadeaux de mariage. ▷ *Liste électorale :* liste, dressée chaque année, des électeurs d'une commune. – *Scrutin de liste,* dans lequel les électeurs votent non pour un candidat unique, mais pour plusieurs candidats groupés en une liste. ▷ *Liste rouge :* liste établie, à titre onéreux, par les P.T.T., des abonnés refusant de figurer dans l'annuaire. ▷ *Liste noire :* liste de personnes à surveiller, à exclure, à éliminer. **2.** INFORM Document qui sort d'une imprimante. Syn. listing (anglicisme déconseillé). **3.** *Liste civile :* somme attribuée annuellement à un chef d'État pour subvenir aux dépenses et charges qu'impliquent ses fonctions.

lister v. tr. [1] Faire la liste de.

Lister (Joseph, baron) (Upton, Essex, 1827 – Walmer, Kent, 1912), chirurgien anglais. Le premier, il comprit l'importance de l'asepsie.

listeria n. f. Bactérie pathogène pour l'homme et l'animal, agent des listérioses.

listériose n. f. VETER, MED Maladie infectieuse due à la listeria, fréquente chez l'animal et transmissible à l'homme, chez lequel elle peut se manifester sous forme de méningite.

listing [listiŋ] n. m. (Anglicisme) Syn. (off. déconseillé) de *liste* ou de *listage.*

liston n. m. MAR Moulure le long de la muraille d'un navire.

Liszt (Franz) (Doborján, près de Sopron, Hongrie [auj. Raiding, Autriche], 1811 – Bayreuth, 1886), compositeur, pianiste et chef d'orchestre hongrois. Sa vie tourmentée fut celle d'un virtuose du piano fêté dans toute l'Europe et d'un compositeur qui passa progressivement de la recherche de l'effet technique et de la brillance à l'intériorité et au dépouillement. De sa liaison avec la comtesse Marie d'Agoult naquirent trois enfants, dont Cosima, qui épousa Hans von Bülow puis Wagner, et Blandine, qui épousa Émile Ollivier. Piano : *Études d'exécution transcendante* (1838), trois *Grandes Études de concert* (1848), deux *Concertos* (1849), *Sonate en « si » mineur* (1853), dix-neuf *Rhapsodies hongroises* (1846-1885), *Bagatelle sans tonalité* (1885). Orchestre : douze *Poèmes symphoniques* (dont les *Préludes,* 1850), symphonies avec chœur (*Faust,* 1854; *Dante,* 1856), *Messe de Gran* (1855), *Messe hongroise du Couronnement* (1867); requiem, oratorios, etc. ► illustr. page **1096**

lit n. m. **I. 1.** Meuble sur lequel on se couche. *Lits superposés, jumeaux. Lit à baldaquin. Se mettre au lit. Le malade doit garder le lit. Lit de sangle,* fait de sangles attachées à deux pièces de bois soutenues par deux jambages croisés. *Lit de camp,* démontable et portatif. *Faire un lit,* le préparer en étendant dessus les draps et les couvertures et en les bordant. *Faire le lit de :* préparer la venue de qqn, l'instauration de qqch, jugées néfastes. *Au saut du lit :* dès le réveil, très tôt. – Prov. *Comme on fait son lit, on se couche :* il faut accepter les conséquences de ses actes. ▷ Cadre du lit. *Lit de fer, d'acajou.*

▷ Matelas, sommier sur lequel on se couche. *Un bon lit.* **2.** Fig. (En loc.) Union conjugale. *Il a deux enfants d'un premier lit.* **3.** HIST *Lit de justice* : large siège surélevé et surmonté d'un dais, où les rois se tenaient pour présider une séance solennelle du Parlement. – *Par ext.* La séance elle-même. **II. 1.** *Par ext.* Couche, place préparée pour que l'on puisse s'y étendre, y dormir. *Le blessé était étendu sur un lit de fougères.* **2.** Couche d'épaisseur régulière d'une matière quelconque. *Un lit de gravier, de sable, d'argile. Saumon sur lit d'épinards.* **III.** Espace occupé par les eaux d'un cours d'eau. *Lit d'un fleuve.* ▷ MAR *Lit d'un courant* : zone où un courant est le plus violent. *Lit du vent,* sa direction.

litage n. m. PETROG Alternance, dans une roche détritique, de minces couches parallèles dont la composition est différente.

litanie n. f. **1.** LITURG Prière qui fait alterner les invocations psalmodiées par l'officiant et les répons chantés ou récités par l'assistance. **2.** Fig. Énumération monotone (souvent de griefs, de plaintes). *C'est toujours la même litanie.*

lit-cage n. m. Lit métallique pliant. *Des lits-cages.*

litchi [litʃi] ou **letchi** [lɛtʃi] n. m. Arbre de l'Asie tropicale, au fruit comestible de saveur douce; ce fruit lui-même. ▶ pl. **fruits exotiques**

-lite. V. lith(o)-.

liteau n. m. **1.** Bande de couleur, parallèle aux bords du tissu, qui orne certaines pièces de linge de maison. *Nappe, torchons à liteaux.* **2.** TECH Pièce de bois horizontale, de faible section, fixée à un mur pour supporter une tablette. Syn. tasseau. ▷ Pièce de bois de section standardisée, utilisée notam. dans la constr. des toitures.

litée n. f. CHASSE Réunion de plusieurs animaux dans le même gîte. *Litée de louveteaux.*

liter v. tr. [1] TECH Disposer par lits, par couches. *Liter des poissons salés.*

literie n. f. Ensemble des objets dont se compose un lit. ▷ *Spécial.* Garniture d'un lit (matelas, traversin, oreillers, draps, couvertures, etc.).

lith(o)-, -lithe, -lite, -lithique. Éléments, du gr. *lithos,* «pierre».

litham [litam] ou **litsam** [litsam] n. m. Voile dont les femmes musulmanes et les Touareg se couvrent le bas du visage.

lithiase n. f. MED Présence de calculs dans les voies excrétrices d'une glande ou d'un organe. *Lithiase rénale. Lithiase biliaire* (dans la vésicule, dans les canaux cholédoque et cystique).

lithine n. f. CHIM Hydroxyde de lithium (LiOH).

lithiné, ée adj. et n. m. Qui contient de la lithine. ▷ n. m. Comprimé de lithine.

lithique adj. De la pierre, qui a rapport à la pierre. *Industrie lithique des hommes de la préhistoire.*

lithium [litjɔm] n. m. CHIM Élément alcalin de numéro atomique Z = 3 et de masse atomique 6,94 (symbole Li). – Métal (Li) de densité 0,534, qui fond à 180,5 °C et bout à 1 340 °C, surtout utilisé pour l'élaboration d'alliages antifriction. – *Sels de lithium,* utilisés en médecine dans le traitement des états maniaco-dépressifs.

litho n. f. Abrév. de *lithographie.*

lithobie n. m. ENTOM Mille-pattes carnassier, long d'env. 3 cm, de couleur brun-roux, fréquent sous les pierres et dans l'humus.

lithographe n. Personne qui imprime par les procédés de la lithographie. ▷ Artiste qui réalise des lithographies.

lithographie n. f. Impression à la pierre lithographique; épreuve obtenue par ce procédé. (Abrév. cour. : litho). ENCYCL Le dessin est exécuté, à l'envers, sur la pierre lithographique avec un crayon ou une plume à encre grasse. Après action de l'acide nitrique, il se produit, sauf à l'emplacement du dessin, une couche de nitrate de calcium, qui ne prend pas l'encre. L'épreuve est obtenue par impression sur un papier.

lithographier v. tr. [2] Imprimer en lithographie.

lithographique adj. De la lithographie, qui a rapport à la lithographie. ▷ *Pierre lithographique* : pierre calcaire au grain très serré et très fin utilisée en lithographie.

lithophage adj. et n. m. ZOOL Se dit des animaux (mollusques, notam.) qui creusent les pierres pour s'y loger. – n. m. *Certains lithophages sont comestibles.*

lithophanie n. f. TECH Procédé de décoration du verre, de la porcelaine, etc., utilisant des effets de transparence dus aux inégalités d'épaisseur de la matière.

lithosphère n. f. GEOL Partie solide de la sphère terrestre comportant la croûte et le manteau supérieur.

lithosphérique adj. GEOL Qui concerne la lithosphère.

lithotriteur n. m. MED Instrument destiné à dissoudre les calculs vésicaux ou rénaux par l'effet d'ultrasons.

lithotritie [litɔtʀiti] ou **lithotripsie** [litɔtʀipsi] n. f. MED Destruction, sans opération, des calculs du rein par ondes de choc.

Lithuanie. V. Lituanie.

lithuanien, enne. V. lituanien.

litière n. f. **I. 1.** Paille que l'on répand dans les étables, les écuries, etc., pour que les animaux se couchent dessus. ▷ Sciure ou matière absorbante destinée à recevoir les excréments des chats en appartement. **2.** PEDOL Couche superficielle de l'humus forestier, contenant des débris végétaux de grande taille. **3.** Fig. *Faire litière de qqch,* ne pas s'en soucier. *Il fait litière des préjugés.* **II.** Anc. Véhicule à deux brancards, porté par des animaux de bât ou à bras d'hommes et dans lequel on voyageait couché.

litige n. m. DR Contestation en justice, procès. *Arbitrer un litige.* – *Par ext.* Contestation, controverse. *Point en litige.*

litigieux, euse adj. Qui est ou qui peut être en litige. *Point litigieux.* Syn. contesté, controversé.

litorne n. f. Grive *(Turdus pilaris),* longue de 25 cm, à tête et croupion gris, qui hiverne en France. – (En appos.) *Grive litorne.*

litote n. f. Figure de rhétorique consistant à dire moins pour faire entendre plus. *Dans «le Cid», Chimène use d'une litote quand elle dit à Rodrigue : «Va, je ne te hais point», pour lui faire comprendre qu'elle l'aime.*

litre n. m. **1.** Unité de mesure de volume égale à un décimètre cube (symbole l). **2.** Récipient contenant un litre; son contenu. *Un litre de lait. Du vin en litres.*

litron n. m. Pop. Litre de vin.

litsam. V. litham.

littéraire adj. (et n.) **1.** Relatif aux lettres, à la littérature. *Journal littéraire.* – *Langue littéraire* (par oppos. à *langue populaire* ou *langue parlée*). ▷ Qui a les caractères attribués à la littérature. *Genre littéraire.* **2.** Qui étudie la littérature; qui traite, qui rend compte de la production littéraire. *Critique, histoire littéraire.* **3.** Qui montre des dispositions, des dons pour les lettres. *Esprit littéraire.* ▷ Subst. Personne formée par des études de lettres. *Les littéraires et les scientifiques.*

littérairement adv. De manière littéraire.

littéral, ale, aux adj. Didac. **1.** Strictement conforme à la lettre (d'un mot, d'un texte). *Le sens littéral d'un passage de l'Écriture.* ▷ *Traduction littérale,* mot à mot. **2.** Exprimé par écrit. *Preuve littérale.* ▷ *Arabe littéral* : langue arabe écrite (par oppos. à *arabe parlé* ou à *arabe dialectal*). – MATH *Grandeur littérale,* exprimée par une (des) lettre(s).

littéralement adv. **1.** Didac. À la lettre. *Traduire littéralement.* **2.** Au sens strict du mot. *Je suis littéralement affamé.* Syn. véritablement.

littéralité n. f. Didac. Caractère de ce qui est littéral.

littérarité n. f. Didac. Caractère distinguant un texte littéraire d'un autre.

littérateur n. m. (Parfois péjor.) Homme de lettres, écrivain.

littérature n. f. **1.** Œuvres réalisées par les moyens du langage, orales ou écrites, considérées tant au point de vue formel et esthétique qu'idéologique et culturel. **2.** Ensemble des œuvres littéraires d'un pays, d'une époque. *La littérature française du XIXe s. La littérature moderne.* **3.** Étude des œuvres littéraires. *Cours de littérature.* **4.** Ensemble des textes qui traitent d'un sujet. *Il existe une importante littérature sur le laser.* **5.** Art d'écrire. – Carrière d'écrivain. *Se lancer dans la littérature.* **6.** Fam., péjor. Paroles brillantes mais sans rapport avec la réalité, ou inefficaces. *Tout cela n'est que littérature.*

Little Rock, v. des É.-U., cap. de l'Arkansas; 175 790 hab. (aggl. urb. 492 700 hab.). Comm. et travail du coton; bauxite.

littoral, ale, aux adj. et n. m. **1.** adj. Qui appartient aux bords de la mer, aux côtes. *Partie littorale d'un département.* **2.** n. m. Zone située en bordure de mer. *Le littoral de la Manche.* Syn. côte.

Littoral, territ. de Russie, sur la mer du Japon; 165 900 km²; 2 164 000 hab.; ch.-l. *Vladivostok.*

littorine n. f. ZOOL Mollusque gastéropode marin, très abondant sur les côtes, dont diverses espèces sont consommées sous le nom de *bigorneau.*

Littré (Émile) (Paris, 1801 – id., 1881), médecin, philosophe et lexicographe français. Disciple d'Auguste Comte, il devint le chef de l'école positiviste, mais, soucieux avant tout de rectitude intellectuelle, n'adhéra jamais au mysticisme de Comte. Son œuvre princ. est le *Dictionnaire de la langue française* (1863-1873), monument d'érudition connu sous le nom de son auteur, le

Emile **Littré** **Livingstone**

Littré, que la Librairie Hachette édita. Acad. fr. (1871).

Lituanie *(Lietuvos Respublika),* État d'Europe, sur la Baltique ; 62 500 km^2 ; 3 739 000 hab. ; cap. *Vilnius.* Nat. de l'État : régime parlementaire. Langue off. : lituanien. Monnaie : litas. Pop. : Lituaniens (80 %), Russes (8,6 %), Polonais (7,7 %). Relig. : christianisme. **Géogr. et écon.** – Pays de plaines et de collines de moraines, la Lituanie est boisée ; elle produit des céréales, des pommes de terre et du lin. Pêche et élevage. Industr. mécaniques et textiles. **Hist.** – Au XIIIe s. le roi Mindaugas fédère les princes lituaniens face à la menace des chevaliers Porte-Glaive, au nord, et des chevaliers Teutoniques, au sud-ouest. À la suite de la mise à sac de Vilnius par ces derniers (1377), une alliance polono-lituanienne est scellée par le mariage du grand-prince Jagellon avec la reine Hedwige de Pologne (1385). En 1410, le danger teutonique disparut définitivement avec la retentissante victoire remportée par les Lituaniens et les Polonais à Grunwald. En 1569, l'Union fut renforcée par le traité de Lublin. En 1795, la Lituanie fut annexée par la Russie : des soulèvements contre la politique de russification eurent lieu en 1830-1831 et 1863-1864. Après l'occupation allemande pendant la Première Guerre mondiale, un régime prosoviétique fut instauré le 16 déc. 1918, puis renversé à l'automne 1919. La République indépendante de Lituanie fut proclamée. Envahie par l'Armée rouge, la Lituanie fut annexée par l'U.R.S.S. et devint une rép. fédérée le 21 juillet 1940. Occupée par les Allemands en 1941, elle fut reconquise par les Soviétiques en 1944. Elle proclama son indépendance le 11 mars 1991. À Algirdas Brazauskas, président de la République (1993-1997) a succédé, en janv. 1998, Valdas Adamkus. ► carte pays **Baltes**

lituanien, enne adj. et n. De Lituanie. ▷ n. m. Langue balte parlée en Lituanie.

liturgie n. f. **1.** ANTIQ GR Service public dont les frais incombaient aux citoyens riches (fêtes religieuses, jeux, équipement d'un navire de guerre, etc.). **2.** Culte public, ordre des cérémonies institué par une Église. *Liturgie catholique.*

liturgique adj. Relatif à la liturgie.

liturgiste n. Didac. Personne qui étudie la liturgie.

Litvinov (Meir Moiseevitch Wallach, dit Maxime Maximovitch) (Białystok, 1876 – Moscou, 1951), homme politique et diplomate soviétique ; commissaire du peuple aux Affaires étrangères (1930-1939), signataire du pacte franco-soviétique (1935), ambassadeur aux É.-U. (1941-1943).

Liu Ki. V. Lü Ji.

Liu Shaoqi (Yinshan, Henan, 1898 – Kaifeng, Henan, 1969), homme politique chinois. Secrétaire général du parti communiste (1945), il fut nommé vice-président de la République pop. chinoise en 1949, président en 1959 et confirmé en 1964. Accusé de déviationnisme et traité de «Khrouchtchev chinois» lors de la révolution culturelle, il fut destitué en 1968, emprisonné, mourut en captivité et fut réhabilité en 1980.

livarot n. m. Fromage fermenté de lait de vache à pâte molle.

Livarot, ch.-l. de cant. du Calvados (arr. de Lisieux), dans le pays d'Auge ; 2 528 hab. Fabrication de fromage.

live [lajv] adj. inv. et n. m. inv. (Anglicisme) AUDIOV Enregistré en public. *Un disque, une émission live.* ▷ n. m. inv. *Une émission qui passe en live. C'est du live.*

Liverpool, v. et port d'Angleterre (Merseyside), sur l'estuaire de la Mersey ; 448 300 hab. Import. de pétrole, chantiers navals ; centre industriel (métall. ; constr. méca. et auto. ; industr. chim., text. et alim.) ; le déclin de ses activités portuaires a entraîné chômage et diminution de la population. – Université. Évêchés catholique et anglican.

livide adj. **1.** D'une couleur terne et plombée. *Les nuages livides des ciels d'orage.* **2.** (En parlant du teint, de la peau, etc.) Très pâle, blafard. *Un visage livide.*

lividité n. f. État de ce qui est livide. ▷ MED *Lividité cadavérique :* coloration violacée de la peau d'un cadavre, apparaissant quelques heures après la mort.

Livie (en lat. *Livia Drusilla*) (v. 55 av. J.-C. – 29 apr. J.-C.), impératrice romaine. Épouse de Tiberius Claudius Nero, dont elle eut Tibère et Drusus, elle épousa Auguste en 38 av. J.-C. et fit adopter Tibère par ce dernier.

living-room [liviŋʀum] ou **living** [liviŋ] n. m. (Anglicisme) Syn. de *salle* de séjour. Des living-rooms, des livings.*

Livingstone (David) (Blantyre, 1813 – Chitambo, Rhodésie du Nord, 1873), missionnaire (protestant) et explorateur écossais. En 1853, il remonta le Zambèze (découvert en 1851) et atteignit les chutes Victoria (1855). Antiesclavagiste, il dénonça la traite des Noirs. Sa rencontre avec Stanley au bord du lac Tanganyika (1871) est demeurée célèbre.

Living Theatre, compagnie de théâtre américaine fondée en 1947 par Julian Beck (1925 – 1985) et Judith Malina (née en 1926). Inspirée par les théories de B. Brecht et d'A. Artaud, la troupe a monté des spectacles fondés sur l'expression corporelle, l'improvisation, la participation du public, et prônant la non-violence et la libération sexuelle (*Paradise Now,* 1968).

Livonie, anc. prov. balte de la Russie, au N. de la Courlande. Domaine des chevaliers Porte-Glaive, la Livonie demanda la protection de la Pologne contre les Russes en 1557, puis fut disputée par la Suède et la Russie, qui l'annexa en 1772. En 1919, elle forma les rép. de Lettonie et d'Estonie, qui firent partie de l'U.R.S.S.

Livourne, v. et port d'Italie (Toscane), sur la mer Tyrrhénienne ; 176 050 hab. ; ch.-l. de la prov. du m. nom. Acad. navale. Industr. liées à l'activité portuaire : chantiers navals, raff. de pétrole, industr. métall. et chimiques.

livrable adj. Qui peut être livré au destinataire. *Marchandise livrable immédiatement.*

Livradois (le), rég. du Massif central (Auvergne) composée des *monts du Livradois* (1 210 m) et de la *plaine du Livradois* (ou *d'Ambert*).

livraison n. f. **1.** Remise d'une marchandise vendue à la personne qui l'a acquise. *Voiture de livraison.* ▷ *Par méton.* Marchandise livrée. **2.** EDITION Partie d'un ouvrage publié par fascicules.

1. livre n. m. **1.** Assemblage de feuilles imprimées formant un volume. *Livre broché, relié. Format d'un livre.* ▷ Loc. *À livre ouvert :* à la première lecture, sans préparation. *Il traduit le grec à livre ouvert.* – Fig. *Il est si naïf qu'on lit en lui à livre ouvert.* **2.** Texte imprimé d'un livre. *Lire, écrire un livre. Bon, mauvais livre. Livre d'images, de poésie, de grammaire. Livre de messe.* ▷ *Le livre saint :* la Bible. ▷ Fig. *Le grand livre de la nature :* la nature considérée comme source d'instruction directe. ▷ *Le livre :* l'imprimerie, l'édition. *Industrie du livre. Les ouvriers du livre :* les ouvriers imprimeurs. ▷ *Livre électronique :* ouvrage stocké sur un disque optique numérique, destiné à la lecture sur écran informatique. **3.** Subdivision d'une œuvre littéraire. *Les «Fables» de La Fontaine se composent de douze livres.* Syn. partie. **4.** Volume dans lequel sont consignés des renseignements dont on veut conserver la trace ; registre. – DR, COMM *Livres de commerce,* dans lesquels est enregistré le détail de la comptabilité d'un commerçant. *Grand-livre, livre journal.* – MAR *Livre de bord :* registre (appelé aussi *livre de loch*) tenu par l'officier de quart, où sont enregistrés tous les renseignements relatifs à la navigation ; *abusiv.* journal de mer, registre tenu par le commandant d'un navire, relatant le voyage qui vient d'être effectué. – *Livre d'or :* registre d'apparat que les visiteurs de marque d'un lieu sont invités à signer. *Le livre d'or d'un musée.*

2. livre n. f. **I.** Anc. Unité de masse, variable selon les époques et les pays. ▷ Mod. Unité de masse non officielle, valant un demi-kilogramme, utilisée surtout pour les denrées. *Une livre de tomates.* ▷ Unité de masse anglo-saxonne (en angl. *pound*) valant 453,59 g. **II. 1.** Sous l'Ancien Régime, monnaie de compte correspondant à l'origine à la valeur d'une livre d'argent. **2.** Unité monétaire du Royaume-Uni et de divers autres pays. *Livre sterling* (symb. : £). *Livre égyptienne.* V. monnaie (tableau).

livre-cassette n. m. Cassette contenant l'enregistrement de la lecture à haute voix d'un livre. *Des livres-cassettes.*

livrée n. f. **1.** Habit d'une couleur et d'une ornementation particulières porté par les domestiques d'un prince, d'une grande maison. *Portier en livrée.* ▷ Fig., litt. *La livrée de la misère,* les marques extérieures auxquelles on la reconnaît. **2.** ZOOL Pelage, plumage de divers animaux, qui se modifie généralement pendant la mue, la période d'activité sexuelle, etc.

livrer v. tr. [1] **I. 1.** Mettre à la disposition, au pouvoir de. *Livrer un coupable à la justice.* ▷ v. pron. *Son forfait accompli, il se livra à la police.* Syn. remettre. – (Avec une idée de trahison.) *Livrer ses complices. Livrer des plans à l'ennemi.* Syn. donner. **2.** Abandonner, exposer à l'action de. *Livrer une ville au pillage. Épave qui dérive, livrée aux vents et aux courants.* ▷ v. pron. S'abandonner, se laisser aller (à). *Se livrer à des vio-*

lences. – S'adonner (à). *Se livrer à l'étude avec ardeur.* **3.** Donner à connaître. *Livrer ses pensées, un secret.* ▷ v. pron. Se confier. *Se livrer à un ami. C'est une personne réservée, qui ne se livre pas.* **4.** *Livrer une bataille, un combat,* l'engager. **5.** *Livrer passage :* laisser passer. **II.** Effectuer la livraison de (qqch). *Livrer de la marchandise.* – Par ext. (Emploi critiqué.) *Être livré :* recevoir livraison de qqch. *Nos clients sont livrés dans les plus brefs délais.*

livres des Rois. V. Rois (livres des).

livresque adj. Qui vient des livres. *Savoir purement livresque.*

livret n. m. **1.** Petit livre, petit registre. *Livret de la caisse d'épargne. Livret scolaire. Livret militaire.* ▷ *Livret de famille,* remis aux nouveaux époux et destiné à recevoir mention de tous les actes d'état civil concernant la famille. **2.** MUS Texte, en vers ou en prose, destiné à être mis en musique pour la scène. V. libretto.

livreur, euse n. Personne qui livre les marchandises vendues. – (En appos.) *Garçon livreur.*

Livry-Gargan, ch.-l. de cant. de la Seine-Saint-Denis (arr. du Raincy); 35 471 hab. Aggl. industr. (métall., constr. méca.) et résidentielle.

lixiviation n. f. **1.** CHIM Extraction des parties solubles d'un corps au moyen d'un solvant. **2.** METALL Traitement des minerais par un acide ou une base pour séparer les métaux de la gangue qui les contient.

Ljubljana, cap. de la Slovénie, sur la *Ljubljanica;* 303 470 hab. Centre industr. : métall.; constructions méca. et électr.; chim., text., tabac. Centre de recherches nucléaires. – Archevêché. Université. Égl. des Franciscains (XVIIe s.); cath. (XVIIIe s.); hôtel de ville (XVIIIe s.). Musée.

llanos [ljanos] n. m. pl. GEOGR Vaste steppe herbeuse, en Amérique latine.

Llivia, territoire espagnol enclavé dans le dép. des Pyrénées-Orientales; 12 km^2; 1 200 hab.

Llobregat (le), fl. côtier d'Espagne, en Catalogne (190 km); il se jette dans la Méditerranée au S. de Barcelone.

Lloyd (Harold) (Burchard, Nebraska, 1893 – Beverly Hills, 1971), acteur de cinéma américain; un des grands comiques du muet : *Monte là-dessus* (1923), *Vive le sport!* (1925).

Lloyd George (David), 1er comte de Dwyfor (Manchester, 1863 – Llanystumdwy, 1945), homme politique britannique; chef du parti libéral. Chancelier de l'Échiquier (1908-1915), il fut, pendant la guerre de 1914-1918, ministre des Munitions, puis de la Guerre, et succéda à Asquith comme Premier ministre (1916-1922). Après 1918, il joua un rôle actif dans l'organisation de la paix en Europe. En 1921, il fut amené à reconnaître l'État libre d'Irlande.

Lloyd's, association constituée par l'ensemble des particuliers qui pratiquent les opérations d'assurances dans le centre d'affaires (ou Bourse) situé à Londres et connu sous le nom de Lloyd's. Vers 1687-1688, dans la Cité de Londres, des armateurs, des gens de mer et des négociants intéressés par la navigation et l'assurance maritime se réunissaient dans la taverne d'Edward Lloyd (m. en 1712), qui communiquait à ses clients les listes des mouvements de navires. Peu à peu, ce club devint une Bourse puis le centre mondial de l'assurance. La Lloyd's Corporation se distingue des compagnies d'assurances par le système de responsabilité individuelle illimitée.

lm PHYS Symbole du lumen.

ln MATH Symbole du logarithme népérien*. Syn. Log.

lob [lɔb] n. m. SPORT Coup qui consiste à lancer la balle (ou le ballon) par-dessus l'adversaire, hors de sa portée.

lobaire adj. ANAT Constitué de lobes; relatif aux lobes. *Affection lobaire.*

Lobatchevski (Nikolaï Ivanovitch) (Nijni-Novgorod, auj. Gorki, 1792 – Kazan, 1856), mathématicien russe. Auteur d'une des premières géométries non euclidiennes.

Lobau, île du Danube, à 12 km de Vienne, que Napoléon Ier utilisa comme tête de pont et base de ravitaillement lors de la bataille d'Essling (1809).

Lobau (comte de). V. Mouton (Georges).

lobby [lɔbi] n. m. (Anglicisme) Groupe de pression (sur les pouvoirs publics, sur l'État). *Des lobbies américains.*

lobbying [lɔbiiŋ] n. m. (Anglicisme) Pratique de ceux qui, se réclamant d'un lobby, tentent d'exercer sur les hommes politiques une influence destinée à favoriser leur intérêts.

lobbyisme n. m. Syn. de *lobbying.*

lobbyiste n. Personne qui exerce le lobbying.

lobe n. m. **1.** ANAT Partie arrondie et bien délimitée de certains organes. *Lobes du cerveau, du foie.* ▷ Cour. *Lobe de l'oreille :* partie inférieure du pavillon. **2.** BOT Découpure, généralement arrondie, des feuilles ou des pétales. **3.** ARCHI Découpure en arc de cercle figurant dans les arcs et rosaces gothiques.

lobé, ée adj. **1.** Divisé en lobes. *Feuille lobée.* **2.** ARCHI Qui comporte des lobes.

lobectomie n. f. CHIR Ablation d'un lobe d'un organe (poumon, cerveau).

lober v. intr. [1] SPORT Faire un lob. ▷ v. tr. *Lober qqn,* le tromper par un lob.

Lobito, v. de l'Angola, port sur l'Atlantique; 65 000 hab. Exportation du cuivre de la Rép. dém. du Congo et de la Zambie.

Lob Nor, lac de Chine (Xinjiang) instable et peu profond (2 000 km^2) où vient se perdre le Tarim. Centre d'expériences nucléaires.

lobotomie n. f. CHIR Opération consistant à sectionner certaines fibres nerveuses du lobe frontal du cerveau.

lobotomiser v. tr. [1] Faire subir une lobotomie à qqn.

lobulaire ou **lobulé, ée** adj. ANAT Constitué de lobules ou en forme de lobule. – Relatif aux lobules.

lobule n. m. ANAT **1.** Petit lobe. *Lobule de l'oreille.* **2.** Partie constituante d'un lobe. *Lobule pulmonaire.* **3.** Groupement de cellules, unité histologique. *Lobule adipeux, hépatique.*

lobuleux, euse adj. ANAT Constitué de nombreux lobes ou lobules.

local, ale, aux adj. et n. m. **I.** adj. **1.** Propre à un lieu, à une région. *Usages locaux.* **2.** Limité à un endroit déterminé; circonscrit. *Un problème purement local.* ▷ Relatif à une certaine partie du corps. *Anesthésie locale.* **3.** *Couleur locale :* ce qui représente au naturel les personnes, les choses, les mœurs, etc., d'un lieu ou d'une époque. *Détail qui fait couleur locale.* **II.** n. m. Lieu fermé considéré quant à son état ou à sa destination. *Local commercial, professionnel, à usage d'habitation.*

localement adv. Relativement à un lieu, une région. *Climat localement perturbé.* – *Remède appliqué localement,* à l'endroit du corps concerné par le mal.

localier n. m. PRESSE Journaliste qui tient une rubrique locale dans un quotidien régional.

localisable adj. Qui peut être localisé.

localisation n. f. **1.** Action de localiser en situant, de déterminer la position (de qqch). *Localisation d'un navire en détresse.* **2.** Fait d'être localisé, de se produire ou d'exister en un point précis. *La localisation très étroite du foyer d'épidémie devrait permettre une éradication rapide.* **3.** Action de localiser en limitant, de circonscrire. *L'intervention des pompiers a permis une localisation rapide de l'incendie.* **4.** Adaptation d'un logiciel ou d'un produit multimédia dans la langue et la culture locales. **5.** *Localisation cérébrale :* surface du cortex affectée à une fonction donnée.

localiser v. tr. [1] **1.** Déterminer la position de, situer. *Localiser l'ennemi. Localiser un bruit.* **2.** Limiter, empêcher l'extension de. *Localiser un incendie.* ▷ v. pron. *Le mal s'est localisé à l'épiderme.*

localité n. f. Petite agglomération, bourg, village.

Locarno, v. de Suisse (Tessin), sur la partie septent. du lac Majeur; 14 000 hab. Stat. clim. et tourist. – *Accords de Locarno* (1925) : pactes de non-agression signés par la France, la Grande-Bretagne, l'Allemagne, l'Italie, la Belgique, la Pologne et la Tchécoslovaquie en vue du maintien de la paix. Ils furent violés par Hitler en 1936.

locataire n. Personne qui prend à loyer un logement, une terre, etc.

Locatelli (Pietro Antonio) (Bergame, 1695 – Amsterdam, 1764), compositeur et violoniste virtuose italien; élève de Corelli. Auteur de nombreuses compositions pour violon.

1. locatif, ive adj. Relatif au locataire ou à la location. *Réparations locatives,* à la charge du locataire. *Risques locatifs,* qui engagent la seule responsabilité du locataire. *Valeur locative :* revenu supputé d'un bien donné en location.

2. locatif, ive adj. et n. m. LING Qui exprime le lieu. *Proposition subordonnée locative.* ▷ n. m. Cas du complément de lieu, dans certaines langues à déclinaisons (latin, russe, etc.).

location n. f. **1.** Action de donner ou de prendre une chose à loyer. *Location d'une villa, d'une voiture.* ▷ *Location-vente :* système de location qui permet au locataire de devenir propriétaire de la chose louée, moyennant versement d'un loyer majoré d'intérêts. *Des locations-ventes.* **2.** Action de réserver (une place de spectacle, une chambre d'hôtel, etc.).

1. loch [lɔk] n. m. MAR Appareil servant à mesurer la vitesse d'un navire.

2. loch [lɔk] n. m. GEOGR Lac très allongé occupant le fond d'une vallée, typique du paysage écossais. – Échancrure étroite et profonde de la côte, en Écosse.

loche n. f. **1.** Poisson d'eau douce (genres *Cobitis* et voisins) au corps allongé couvert de mucus. **2.** Limace grise.

Loches, ch.-l. d'arr. d'Indre-et-Loire, sur l'Indre ; 7 133 hab. Vignobles, industr. du cuir ; électron. – Résidence royale au XVe s. Remparts. Chât. des XIIe, XIIIe et XVe s. (au Moyen Âge, une des plus import. forteresses de France). Logis royal (XIVe-XVe s.). Donjon (forteresse des XIe et XIIe s.). Collégiale St-Ours (XIIe s.). – *Paix de Loches* ou *paix de Monsieur**.

Lochner (Stefan) (Meersburg, entre 1405 et 1415 – Cologne, 1451), peintre majeur de l'école de Cologne : *Triptyque des Rois mages*, la *Madone au buisson de roses*.

Locke (John) (Wrington, Somerset, 1632 – Oates, Essex, 1704), philosophe anglais ; fondateur de l'école sensualiste et empiriste. Son *Essai sur l'entendement humain* (1690) s'oppose à la doctrine cartésienne des idées innées, son traité *Du gouvernement civil* (1690) aux théories despotiques de Hobbes. Autres œuvres : *Lettres sur la tolérance* (1689) et *Pensées sur l'éducation* (1693).

lock-out [lɔkawt] n. m. inv. (Anglicisme) Fermeture d'une entreprise décidée par la direction en riposte à un mouvement de grève ou de revendication du personnel.

Lockyer (sir Norman) (Rugby, 1836 – Salcombe Regis, comté de Devon, 1920), astrophysicien anglais. Ses études sur les protubérances solaires l'amenèrent à supposer, en 1868 (en même temps que Frankland et Janssen), l'existence de l'hélium.

loco-. Élément, du lat. *locus*, « lieu ».

locomobile n. f. Moteur à explosion (autref. machine à vapeur) monté sur un châssis à roues, que l'on déplace d'un lieu à un autre pour entraîner des machines (batteuses, notam.).

locomoteur, trice adj. et n. f. **1.** adj. Qui sert à la locomotion. *Organe locomoteur.* **2.** n. f. Véhicule de traction de moyenne puissance.

locomotif, ive adj. Didac. Qui a rapport à la locomotion. *Faculté locomotive.*

locomotion n. f. **1.** Mouvement par lequel on se transporte d'un lieu à un autre ; fonction assurant un tel mouvement. *Organes de la locomotion. La locomotion est une des fonctions de relation.* **2.** TRANSP *Moyens de locomotion. Locomotion à vapeur, aérienne.*

locomotive n. f. **1.** Puissant véhicule circulant sur rails et remorquant ou poussant des rames de voitures ou de wagons. **2.** Fig., fam. Personne, collectivité, événement qui joue le rôle d'élément moteur dans un domaine donné.

locotracteur n. m. CH de F Véhicule de traction utilisé pour les manœuvres de gare ou sur des lignes à voie étroite.

Locride, contrée de la Grèce anc., peuplée par les *Locriens*, entre les golfes de Corinthe et d'Eubée.

Locronan, com. du S. du Finistère (arr. de Châteaulin) ; 797 hab. – Égl. (XVe s.). Chap. du Pénity (1510-1514). Maisons de la Renaissance, en granit. Célèbre pardon (procession de la Grande Troménie, tous les six ans).

loculaire ou **loculé, ée** ou **loculeux, euse** adj. BOT Divisé en loges. *Ovaire loculé.*

locus [lɔkys] n. m. GENET Emplacement d'un gène sur un chromosome.

locusta ou **locuste** n. f. Criquet migrateur.

Locuste (m. en 68 apr. J.-C.), empoisonneuse romaine, complice d'Agrippine (meurtre de Claude) et de Néron (meurtre de Britannicus). Elle fut mise à mort sur l'ordre de Galba.

locuteur, trice n. LING Sujet parlant. – Personne qui parle (par oppos. à *auditeur*). – *Locuteur du chinois* : personne qui parle le chinois.

locution n. f. **1.** Expression, forme de langage particulière ou fixée par la tradition. *Locution vicieuse*, impropre. *Locution adverbiale.* **2.** Groupe de mots formant une unité quant au sens ou à la fonction grammaticale. *Locution verbale* (ex. *avoir faim*). *Locution adverbiale* (ex. *sans doute*). *Locution prépositive* (ex. *au-dessous de*).

Lod ou **Lydda,** v. d'Israël ; 40 440 hab. Aéroport de Tel-Aviv.

loden [lodɛn] n. m. Lainage imperméable, épais et feutré. ▷ *Par ext.* Manteau de pluie en loden.

Lodève, ch.-l. d'arr. de l'Hérault ; 7 777 hab. Exploitation de l'uranium. – Anc. cath. St-Fulcran (XIVe et XVIe s.).

Lodi, v. d'Italie (prov. de Milan), sur l'Adda ; 42 870 hab. Industr. text., chim. et alim. (fromages parmesans). – Victoire de Bonaparte sur les Autrichiens (1796).

Lods (Marcel) (Paris, 1891 – id., 1978), architecte et urbaniste français ; pionnier, avec son associé Eugène Beaudouin, du préfabriqué : cité du Champ-des-Oiseaux à Bagneux (1932), cité de la Muette à Drancy (1934, immeubles-tours).

Łódź, v. de Pologne, ch.-l. de la voïévodie du m. nom ; 849 260 hab. Centre industriel (text., constr. méca. et électr.) et culturel (université). – Théâtre d'importants combats entre Russes et Allemands en 1914.

lœss [løs] n. m. GEOL Dépôt éolien, limon constitué de granules de quartz et de calcaire enrobés d'argile, qui forme un sol très fertile.

Loetschberg, col de l'Oberland bernois qui unit les vallées de l'Aar et du Rhône. Tunnel ferroviaire (14 km).

Loewendahl. V. Lowendal.

Loewi (Otto) (Francfort-sur-le-Main, 1873 – New York, 1961), biochimiste allemand. Il étudia les médiateurs chimiques du système nerveux agissant sur les muscles. En 1938, il s'exila pour travailler aux É.-U. Prix Nobel 1936.

Loewy (Raymond) (Paris, 1893 – Monte Carlo, 1986), designer américain d'origine française. Pionnier de l'esthétique industrielle aux É.-U., il est l'auteur de *The Esthetics of the Locomotive* (1938) et de *La laideur se vend mal* (1952).

lof [lɔf] n. m. MAR Vx Côté du navire qui reçoit le vent. ▷ Loc. mod. *Aller, venir au lof* : lofer. *Virer lof pour lof* : virer vent arrière.

lofer v. intr. [1] En parlant d'un navire, venir à un cap plus rapproché de la direction d'où souffle le vent.

Lofoten (îles), archipel côtier de la Norvège septent. formé par la submersion d'une ramification des Alpes scandinaves ; 5 100 km^2 ; 25 000 hab. Pêcheries (morue, hareng) ; élevage (moutons). Au S., entre l'îlot Mosken et l'île Moskensöya, se produit le célèbre tourbillon de Maelström.

loft [lɔft] n. m. (Anglicisme) Local professionnel transformé en logement.

log [lɔg] MATH Symbole du *logarithme décimal.*

Log [lɔg] MATH Symbole du *logarithme népérien.* Syn. ln.

Logan (mont), point culminant du Canada, situé dans la chaîne Saint-Élie (Yukon) ; 6 050 m.

logarithme n. m. MATH *Logarithme d'un nombre* : exposant dont il faut, pour obtenir ce nombre, affecter un autre nombre appelé *base. 2 est le logarithme de 100 dans le système à base 10* (10^2 *= 100*). – *Logarithme népérien**. ▷ (En appos.) *Fonction logarithme*, telle que, pour tout couple (x, y) de nombres réels strictement positifs, f(xy) = f(x) + f(y).

logarithmique adj. Qui a rapport aux logarithmes. *Calcul logarithmique.* ▷ De la nature des logarithmes. *Échelle* logarithmique.*

loge n. f. **1.** Réduit, cellule. *Loges d'une ménagerie, d'une étable.* **2.** Petit logement d'un concierge, d'un gardien d'immeuble, placé en général non loin de la porte d'entrée. **3.** Dans les concours des écoles des beaux-arts, pièce, atelier où chacun des concurrents est isolé. *Entrer en loge.* **4.** Petite pièce dans les coulisses d'un théâtre, où les acteurs changent de costume, se maquillent, etc. ▷ Chacun des petits compartiments rangés par étages au pourtour d'une salle de spectacle, et où plusieurs spectateurs peuvent prendre place. – Loc. fig. *Être aux premières loges* : être bien placé pour voir, pour juger une chose. **5.** Local où ont lieu les réunions des francs-maçons ; groupe, cellule de francs-maçons. **6.** ARCHI Galerie, portique en avancée sur l'alignement de la façade pratiqué à l'un des étages d'un édifice. *Les loges du Vatican.* **7.** BOT Chacune des petites cavités existant dans le fruit, l'ovaire, les anthères, etc.

logeable adj. Habitable ; spacieux, où l'on peut loger beaucoup de choses.

logement n. m. **1.** Action de loger (qqn, une population). *Indemnité de logement. Politique du logement.* **2.** Local d'habitation. – *Spécial.* Appartement. *Un logement exigu.* ▷ *Logement collectif*, qui comporte plusieurs appartements et des parties communes (entrée, cage d'escalier, etc.). **3.** TECH Creux, renfoncement ménagé pour recevoir une pièce. *Logement d'un tenon* : mortaise. *Logement d'une culasse de fusil.*

loger v. [13] **I.** v. intr. Habiter à demeure ou provisoirement. *Loger en meublé.* **II.** v. tr. **1.** Abriter dans un logis, héberger. *Loger un ami.* ▷ (Choses) Contenir, héberger. *Hôtel qui peut loger cent personnes.* **2.** Mettre, placer ; faire entrer. *Loger des affaires dans un placard. Loger une balle dans l'épaule de qqn.*

Loges (les), célèbres galeries couvertes du Vatican (cour Saint-Damase), terminées sous Léon X. Raphaël, avec ses élèves, en décora le deuxième étage de 52 fresques représentant des scènes bibliques.

logeur, euse n. Personne qui loue des logements garnis.

loggia [lɔdʒja] n. f. **1.** ARCHI Petite loge (sens 6). **2.** Balcon couvert, en retrait par rapport à la façade. **3.** Plate-forme accessible par un escalier, construite à une certaine distance du sol dans une pièce haute de plafond. *Loggia d'un atelier d'artiste.*

1. logiciel n. m. **1.** INFORM Ensemble des règles et des programmes relatifs au fonctionnement d'un ensemble de traitement de l'information (par oppos. à *matériel*). **2.** *Logiciel contributif* : syn. de *shareware*. – *Logiciel public* ou *libre* : syn. de *freeware*.

2. logiciel, elle adj. INFORM Relatif au logiciel. *Erreur logicielle.*

logicien, enne n. **1.** Spécialiste de la logique. **2.** Personne qui raisonne rigoureusement.

logicisme n. m. Tendance à accorder une place prépondérante à la logique (en philosophie, en mathématiques, en sciences humaines).

-logie, -logique, -logiste, -logue. Éléments, du gr. *logia*, « théorie », de *logos*, « discours ».

1. logique n. f. **1.** Science dont l'objet est de déterminer les règles de pensée par lesquelles on peut atteindre la vérité. *Logique dialectique, logique mathématique. Logique formelle,* qui opère sur des formes de raisonnements, indépendamment du contenu de ceux-ci. **2.** Traité sur cette science. *La « Logique de Port-Royal ».* **3.** Suite dans les idées, cohérence du discours. *Une logique sans faille. Manque de logique.* ▷ Manière de raisonner ou de se conduire qui a sa cohérence propre. *Logique des sentiments. La logique des malades atteints de délire de la persécution.* **4.** Enchaînement nécessaire des choses. *La logique des événements.*

ENCYCL La dialectique fut le premier système de logique : simple méthode de discussion chez Zénon d'Élée et chez les sophistes, elle devint avec Platon la philosophie elle-même. Aristote tenta de créer la logique comme science indépendante, en la séparant de la physique et de la métaphysique ; elle est la science des formes de l'esprit, mais, comme telle, elle prétend encore à la connaissance de l'organisation du monde et non pas strictement à la démonstration de la vérité. Le premier, Roger Bacon proclama la nécessité de la recherche expérimentale comme moyen d'augmenter nos connaissances. Puis Francis Bacon, dans son *Novum Organum* (« Nouvelle Logique »), indiqua un instrument nouveau pour atteindre la vérité : l'*induction*. Descartes compléta son œuvre en ce qui concerne l'extension des règles de la méthode mathématique *(déduction)*. Au XIXe s., J. Stuart Mill, dans son *Système de logique*, essaya d'élever l'induction au rang qu'occupait la déduction dans le syllogisme. Au XXe s., la logique mathématique se développait tandis que, sur son modèle, le cercle de Vienne établissait ses bases. L'esprit qui anime les recherches en matière de logique formelle moderne répond à trois grandes préoccupations : 1° substituer au langage courant un système de signes univoques (un seul signe pour chaque concept, alors que le mot a plus. sens) ; 2° appliquer cette formalisation à toutes les relations et non plus seulement, comme la logique classique, aux seules relations d'inclusion de type A est B (syllogistique aristotélicienne) : Tout homme (A) est mortel (B), Socrate (C) est un homme (A), donc Socrate (C) est mortel (B) ; 3° permettre un calcul logique aussi rigoureux que le calcul algébrique.

2. logique adj. **1.** Conforme aux règles de la logique, cohérent. *Raisonnement logique.* **2.** Qui raisonne d'une manière cohérente, conformément à la logique. *Avoir l'esprit logique. Soyez logique avec vous-même !* **3.** De la logique, qui concerne la logique en tant que science. *Recherches logiques.* **4.** GRAM *Analyse logique* : V. analyse (sens 4).

logiquement adv. D'une manière conforme à la logique. *Raisonner logiquement.*

logis [lɔʒi] n. m. **1.** Vieilli, litt. Lieu où l'on est logé ; habitation, demeure, domicile. *Rester au logis.* – Loc. fig. *La folle du logis* : l'imagination. **2.** ARCHI *Corps de logis* : V. corps (II, sens 3). **3.** MILIT *Maréchal des logis* : V. maréchal.

-logiste. V. -logie.

logisticien, enne n. Spécialiste de logistique.

logistique n. f. (et adj.) **1.** Partie de l'art militaire ayant trait aux activités et aux moyens qui permettent à une force armée d'accomplir sa mission dans les meilleures conditions d'efficacité (approvisionnement en vivres et munitions, maintenance du matériel, etc.) ; ces activités, ces moyens eux-mêmes. ▷ adj. *Le soutien logistique d'une unité en campagne.* **2.** *Par ext.* Organisation matérielle (d'une entreprise, d'une collectivité, etc.). ▷ adj. *Directeur logistique. Fonction logistique.*

logithèque n. f. Didac. Bibliothèque de logiciels.

logo-. Élément, du gr. *logos*, « parole, discours ».

logo n. m. Groupe de lettres ou de signes, ou élément graphique qui sert d'emblème à une société, à une marque commerciale. *Le H flanqué d'une grille, logo de Hachette.*

logogramme n. m. LING Signe graphique représentant une notion et/ou une séquence phonique.

logogriphe n. m. Didac. Énigme qui consiste en un mot dont les lettres, diversement combinées, forment d'autres mots que l'on donne à deviner d'après leur définition (ex. avec le mot *prince*, on peut former *pince, rince, pire, rien, cep*, etc.). ▷ Fig., litt. Discours, écrit inintelligible.

logomachie n. f. Litt. **1.** Dispute sur les mots. **2.** Suite de mots creux.

logomachique adj. Litt. Qui tient de la logomachie. *Discours logomachique.*

Logone (le), riv. d'Afrique centrale séparant le Cameroun et le Tchad (900 km), affluent du Chari (r. g.), qu'il rejoint à N'Djamena.

Logone-Occidental, préfecture du Tchad ; 8 695 km² ; 324 000 hab. ; ch.-l. *Moundou*.

Logone-Oriental, préfecture du Tchad ; 28 035 km² ; 350 000 hab. ; ch.-l. *Doba*.

logopédie n. f. Didac. Traitement des défauts de prononciation chez l'enfant.

logopédiste n. Didac. Spécialiste de la logopédie.

logorrhée [lɔgɔʀe] n. f. MED Besoin irrépressible de parler, survenant en particulier dans les états maniaques. ▷ Cour. Manie de parler interminablement et sans nécessité ; discours, propos interminables et désordonnés.

logorrhéique adj. MED De la logorrhée. ▷ Atteint de logorrhée.

logos [lɔgos] n. m. **1.** PHILO Chez les philosophes stoïciens, Dieu en tant que raison et principe actif de toutes choses. ▷ Chez Philon d'Alexandrie, hypostase intermédiaire entre Dieu et le monde. **2.** THEOL Le Verbe de Dieu (chez saint Jean, qui identifie le Verbe à Jésus, deuxième personne de la Trinité).

logotype n. m. Syn. rare de *logo*.

Logroño, v. d'Espagne sur l'Èbre ; cap. de la communauté auton. de La Rioja. 121 900 hab. Vignobles réputés.

-logue. V. -logie.

Logue (Christopher) (Portsmouth, 1926), écrivain anglais, dans la lignée brechtienne. Selon la tradition de la ballade anglaise, ses récits en vers sont accompagnés de jazz et il fait appel à la participation du public (*The Crocodile*, 1976).

Lohengrin, personnage issu d'une rencontre du *roman breton* (il est le fils de Parsifal, ou Perceval) et de la geste de *Garin le Loherin*. Ses exploits sont racontés dans un court poème all. du XIIIe s., transformé et augmenté à la fin de ce m. siècle. De ce dernier poème Wagner tira un drame lyrique en 3 actes (1850).

1. loi n. f. **I. 1.** Règle édictée par une autorité souveraine et imposée à tous les individus d'une société. *Se conformer aux lois de son pays.* ▷ DR Prescription obligatoire du pouvoir législatif. *Lois civiles, criminelles.* – *Loi de finances*, qui fixe l'évaluation globale du budget de l'État, de ses dépenses et du rendement des impôts et qui autorise le gouvernement à recouvrer ceux-ci. – *Loi de programme* ou *loi-programme**. – *Loi organique*, qui concerne l'organisation des pouvoirs publics. ▷ *Par ext.* Ensemble des lois. *Nul n'est censé ignorer la loi.* ▷ *Homme de loi* : juriste. **2.** (Plur.) Conventions régissant la vie sociale. *Les lois de l'honneur.* – *Les lois de la guerre*, que les nations sont convenues d'observer entre elles en cas de guerre. **3.** Fig. Autorité, pouvoir. *La loi du plus fort.* ▷ *Faire la loi* : se conduire en maître, dicter sa volonté à autrui. **II.** Ensemble des règles que tout être conscient et raisonnable se sent tenu d'observer. *La loi morale.* – *Loi naturelle* : principe du bien tel qu'il se révèle à la conscience. ▷ *Loi divine* : préceptes que Dieu a donnés aux hommes par révélation. *Loi ancienne et loi nouvelle*, de l'Ancien et du Nouveau Testament. **III. 1.** Expression de rapports constants entre des phénomènes du monde physique. *Loi de la gravitation universelle.* ▷ Par ext. *Lois économiques, sociologiques.* **2.** MATH *Loi de composition* : V. composition. *Loi normale* : V. Laplace.

2. loi n. f. Titre auquel une monnaie doit être fabriquée.

loi-cadre n. f. Loi énonçant un principe général dont les modalités d'application sont précisées par des décrets. *Des lois-cadres.*

loin adv. **I. 1.** (Exprimant le lieu.) À une grande distance. *Ce chemin ne mène pas loin.* ▷ Fig. *Il ira loin* : il réussira. – *Aller trop loin* : exagérer, dépasser la mesure. – Fam. *Ne pas voir plus loin que le bout de son nez* : avoir l'esprit borné. **2.** (Exprimant le temps.) À une époque éloignée dans le passé ou dans l'avenir. *Le temps dont je parle est déjà loin. Ce malade n'ira pas loin*, il mourra bientôt. **II.** Loc. adv. **1.** *Au loin* : à une grande distance. **2.** *De loin* : d'un endroit ou d'une époque éloignée. **3.** Fig. *De loin* : de beaucoup. *Il est de loin le plus âgé.* – *De loin en loin* : à intervalles espacés. – Fig. *De près ou de loin* : d'une manière ou d'une autre. – Fig. *Voir venir qqn de loin*, deviner, supputer ses intentions cachées. **III.** Loc. prép. *Loin de.* **1.** À une grande distance de ; à une époque éloignée (dans le passé ou dans l'avenir) de. *Nous sommes encore loin de Pâques.* ▷ Fig. *Loin de moi cette pensée.* **2.** *Loin de* + inf. (Marquant une négation.) *Il est loin d'avoir compris* : il n'a pas compris du tout. – *Être loin de faire une chose* : être dans des dispositions toutes contraires à celles qui porteraient à la faire. **IV.** Loc. conj. de lieu et de temps. *Du plus loin que, d'aussi loin que. Du plus loin qu'il m'en souvienne. D'aussi loin qu'il me vit.*

Loing (le), riv. du Bassin parisien (166 km), affl. de la Seine (r. g.); naît dans les collines de la Puisaye et arrose Montargis, Nemours et Moret. – Le *canal du Loing* longe le Loing jusqu'à Buges, où il se divise en deux : le canal d'Orléans (désaffecté) et le canal de Briare, qui rejoint la Loire à Briare.

lointain, aine adj. et n. m. **I.** adj. Qui est loin (dans l'espace ou dans le temps). *La Chine est un pays lointain. L'époque lointaine de César.* ▷ Fig. *Une influence lointaine,* indirecte, atténuée. **II.** n. m. **1.** *Le lointain* : les lieux que l'on voit au loin. *Distinguer un village dans le lointain.* **2.** PEINT Ce qui paraît le plus éloigné dans un tableau.

lointainement adv. Vaguement.

loi-programme n. f. ECON Loi de finances pluriannuelle.

loir n. m. Rongeur *(Glis glis)* à pelage gris ou châtain, long d'une vingtaine de cm, pourvu d'une longue queue touffue. *Le loir est un animal nocturne qui vit dans les arbres et hiberne six mois dans le sol.* ▷ Loc. *Dormir comme un loir,* très profondément.

loir gris

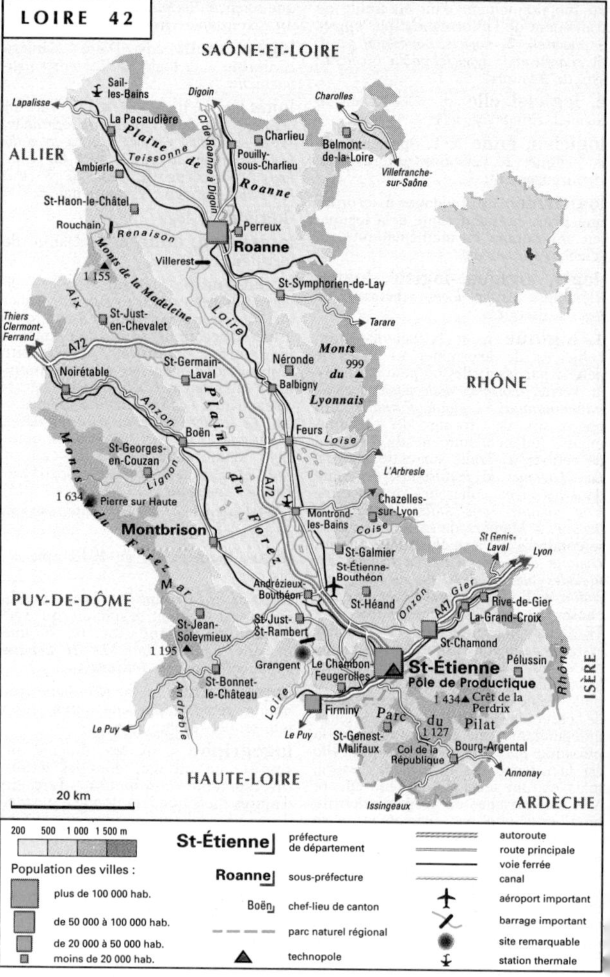

Loir (le), riv. du S.-O. du Bassin parisien (312 km); affl. de la Sarthe (r. g.); naît dans les collines du Perche et arrose Châteaudun, Vendôme, La Flèche.

Loire (la), le plus long fl. de France (1 012 km), tributaire de l'Atlantique. Son bassin hydrographique (120 000 km²) s'étend sur trois régions géographiques : le *Massif central,* où la Loire prend sa source (mont Gerbier-de-Jonc, 1 551 m) et s'écoule rapidement, traversant divers bassins d'effondrement (plaine du Puy, bassin du Forez), avant de recevoir l'Allier dans le Nivernais; le *Bassin parisien,* où sa vallée s'élargit dans les terrains sédimentaires en décrivant une large boucle et où elle reçoit, après Tours, des riv. venues du Massif central (Cher, Indre, Vienne) et, sur la droite, la Maine, qui résulte de la fusion de la Mayenne, de la Sarthe et du Loir; le *Massif armoricain,* où sa vallée s'encaisse puis s'élargit en un long estuaire entre Nantes et Saint-Nazaire. La Loire a un régime de type pluvio-nival, très irrégulier, présentant des crues violentes au printemps et en automne (contre lesquelles des «levées» ont été bâties depuis le IXe s.), et des étiages marqués l'été (un premier barrage fut construit en 1980 sur le Donozan, affluent de l'Allier; le barrage de Villerest, en amont de Roanne, est entré en fonction en 1981; la construction d'autres barrages, notam. celui de Serre-de-la-Fare [en amont du Puy], est contestée par les écologistes; en 1991 a été décidée la construction de deux barrages, dont un sur l'Allier, et la reconstruction du barrage de Rochebut, sur le Cher). Le fleuve a perdu le rôle économique qu'il jouait autref., entre Paris et la façade Atlantique. – *Val de Loire* : vallée de la Loire elle-même, de Decize à Nantes.

Loire, dép. franç. (42); 4 774 km²; 746 288 hab.; 156,3 hab./km²; ch.-l. *Saint-Étienne.* V. Rhône-Alpes (Rég.).

Loire (Haute-), dép. franç. (43); 4 965 km²; 206 568 hab.; 41,6 hab./km²; ch.-l. *Le Puy-en-Velay.* V. Auvergne (Rég.).

Loire (Pays de la), rég. géogr. et hist. constituée par les terres qu'arrosent la Loire moyenne et inférieure et ses affluents.

Loire (Pays de la), Région admin. française et région de la C.E., formée des dép. de la Loire-Atlantique, de Maine-et-Loire, de la Mayenne, de la Sarthe et de la Vendée; 32 126 km²; 3 125 342 hab. ; cap. *Nantes.*

Géogr. phys. et hum. – Constituée de plateaux et de plaines d'altitude modeste (417 m max. au mont des Avaloirs, au N., dans les Alpes mancelles), à cheval sur le Massif armoricain, le Bassin aquitain et le Bassin parisien, la Région doit son unité à la Loire, assagie par des travaux séculaires et dont la large vallée alluviale s'ouvre sur l'océan par un vaste estuaire. Le littoral, le plus souvent découpé et rocheux, offre aussi de belles plages (La Baule) et des zones de marais (Grande Brière). Le climat océanique doux est favorable au bocage et à l'herbe mais l'ensoleillement important favorise aussi les plantes délicates. Les densités sont proches de la moyenne nationale, mais la pop. se concentre surtout dans le Val d'Anjou, la basse Loire et sur le littoral vendéen. La croissance démographique a été forte (600 000 hab. supplémentaires entre 1962 et 1990), en raison d'un important excédent naturel; au cours de la décennie 1980-1990, le solde migratoire n'a été positif qu'en Vendée et en Loire-Atlantique.

Écon. – Jusqu'aux années 60, les Pays de la Loire accusaient un important retard écon.; dominés par l'agriculture

traditionnelle, ne disposant guère que d'industries liées aux ports, leurs infrastructures étaient insuffisantes. Depuis, les évolutions ont été importantes : l'agriculture s'est intensifiée et modernisée, s'orientant vers la prod. de lait, de viande (bœuf, porc, volaille), alors qu'en Val de Loire prospère une polyculture intensive (fruits, légumes, pépinières) et un vignoble de bon rapport (saumur, anjou, muscadet). Les industries traditionnelles (agroalim., biscuiterie, constructions navales, confection, chaussure) ont été très affectées par la crise mais se sont restructurées, connaissant parfois un véritable renouveau, comme dans les Mauges. Décentralisation et aménagement du territoire ont beaucoup profité à la Région : modernisation du complexe portuaire de Nantes-Saint-Nazaire (centrales thermiques, raffinage, terminal gazier, qui font de l'ensemble le 4e port français avec un trafic d'environ 25 Mt), développement des constructions méca., aéronautiques, électriques, électron. qui ont dynamisé la région nantaise mais aussi celles d'Angers et du Mans (devenue en outre un important centre d'assurances). Enfin, l'essor touristique a profité aux grandes stations balnéaires : La Baule, Le Croisic, Saint-Jean-de-Monts, Les Sables-d'Olonne. Auj. bien desservie par le réseau autoroutier et par le TGV Atlantique, équipements qui seront renforcés par l'axe routier Nantes-Lyon et l'« autoroute des estuaires », la Région s'intègre désormais dans les espaces dynamiques de la C.É.E.

Hist. - V. Anjou, Bretagne, Maine, Poitou, Vendée.

Loire (armées de la), armées constituées à la fin de 1870 par le gouvernement de la Défense nationale pour débloquer Paris investi par les troupes allemandes. Après la victoire de Coulmiers (9 nov.) et la délivrance d'Orléans, l'armée de Chanzy recule vers l'O. et se trouve annihilée par la bataille du Mans (11-12 janv. 1871).

Loire (châteaux de la), nom donné aux habitations royales, princières, seigneuriales ou bourgeoises élevées aux XVe et XVIe s. dans les env. de Blois, de Tours, dans le Berry et en Anjou. Les plus célèbres sont : Amboise, Azay-le-Rideau, Blois, Chambord, Chaumont-sur-Loire, Chenonceaux, Cheverny, Valençay et Villandry.

Loire-Atlantique, dép. franç. (44); 6 893 km²; 1 052 183 hab.; 152,6 hab./km²; ch.-l. *Nantes.* V. Loire (Pays de la) [Région].

Loiret (le), riv. du Bassin parisien (12 km), au sud d'Orléans, affl. de la Loire (r. g.), dont il est une résurgence.

Loiret, dép. franç. (45); 6 742 km²; 580 612 hab.; 86,1 hab./km²; ch.-l. *Orléans.* V. Centre (Rég.).

► carte page **1106**

Loir-et-Cher, dép. franç. (41); 6 314 km²; 305 937 hab.; 48,2 hab./km²; ch.-l. *Blois.* V. Centre (Rég.).

► carte page **1106**

loisible adj. *Il lui est loisible de* (+ inf.) : il lui est permis, possible de. *Il lui est loisible de partir demain.*

loisir n. m. **1.** Temps pendant lequel on n'est astreint à aucune tâche. *Des moments de loisir.* **2.** (Plur.) Activités diverses (sportives, culturelles, etc.) auxquelles on se livre pendant les moments de liberté. *Les loisirs de plein air.* **3.** Temps nécessaire pour faire commodément qqch. *Je n'ai pas eu le loisir d'y réfléchir.* ▷ Loc. adv. *À loisir, tout à loisir* : à son aise, sans hâte.

Lokeren, com. de Belgique (Flandre-Orientale); 33 370 hab. Industr. textiles. - Église XIIIe s.

Lokman. V. Luqman.

lokoum. V. rahat-loukoum.

Lolland ou **Laaland,** île du Danemark dans la Baltique; 1 243 km²; 120 000 hab.; ch.-l. *Maribo.*

Lollobrigida (Luigina, dite Gina) (Subiaco, Italie, 1927), actrice italienne. *Fanfan la Tulipe* (1952), *la Marchande d'amour* (1953) puis la série de comédies populaires dont la prem. fut *Pain, amour et fantaisie* (1954) révèlent sa sen-

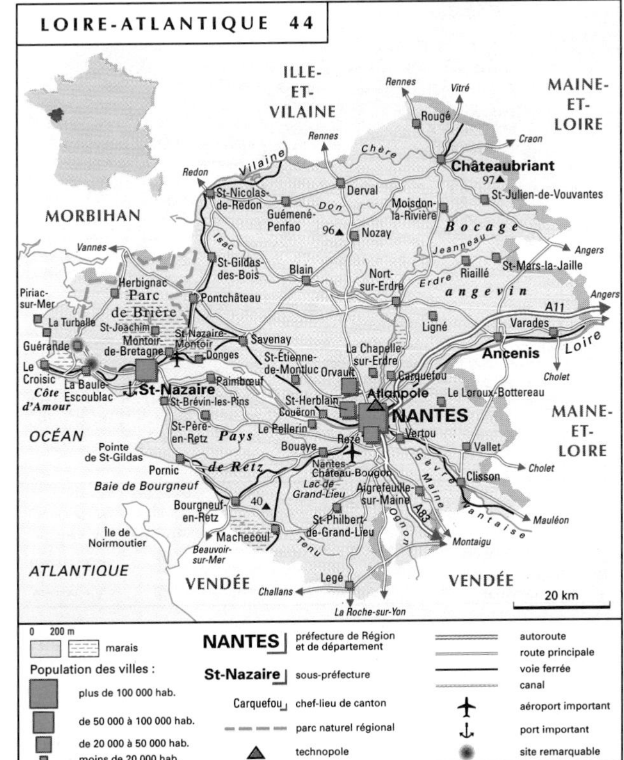

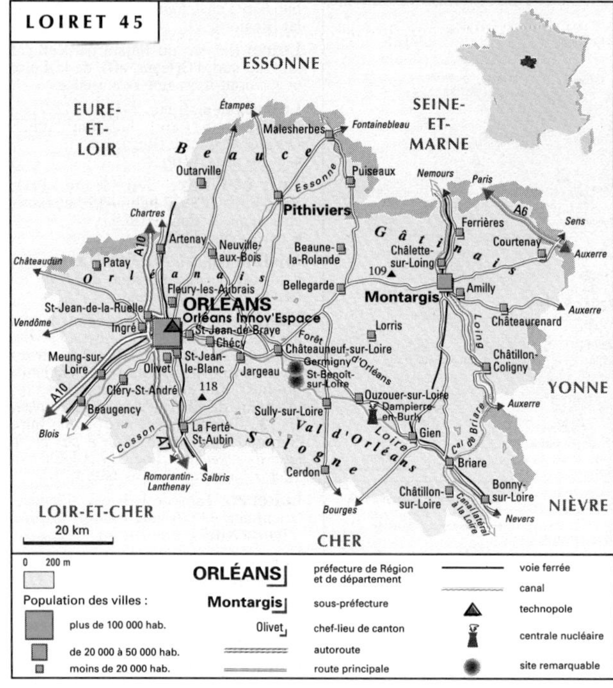

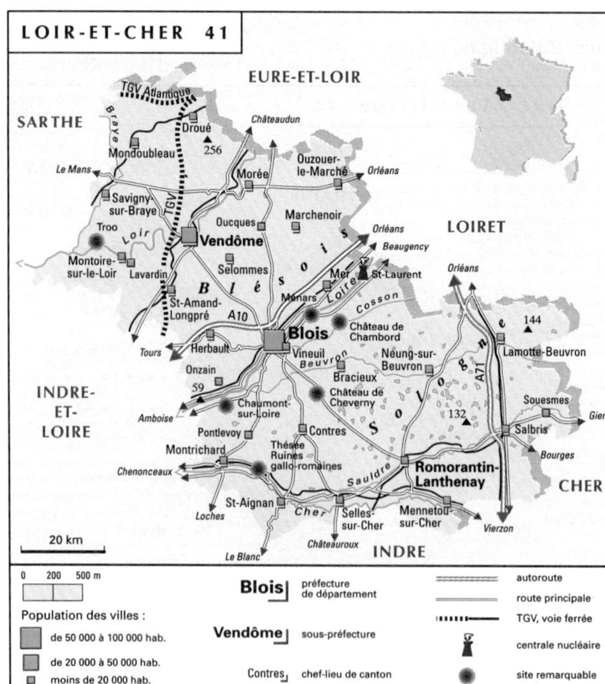

sualité pétulante : *Notre-Dame de Paris* (1956); *Salomon et la Reine de Saba* (1959); *Ce merveilleux automne* (1969).

Lomas de Zamora, v. d'Argentine (banlieue de Buenos Aires); 510 000 hab. Industries variées.

lombago. V. lumbago.

lombaire adj. MED, ANAT Qui concerne les lombes, la région des reins. – *Une vertèbre lombaire* ou, n. f., *une lombaire*.

lombalgie n. f. MED Douleur dans la région basse de la colonne vertébrale.

lombalgique adj. et n. **1.** adj. Qui concerne la lombalgie. *Névralgie lombalgique.* **2.** n. Qui souffre de lombalgie.

lombard, arde adj. et n. **1.** De la Lombardie, région du nord de l'Italie. – HIST *Ligue lombarde,* formée en 1167 par les v. de l'Italie du N. contre l'empereur Frédéric Ier Barberousse et soutenue par la papauté. **2.** n. m. Dialecte italien parlé en Lombardie. **3.** *Taux lombard* ou *lombard* n. m. : taux directeur fixé par la Bundesbank aux banques commerciales allemandes.

Lombardie, région admin. d'Italie et rég. de la C.E., au N. du pays, sur le versant S. des Alpes et la plaine du Pô, formée des prov. de Bergame, Brescia, Côme, Crémone, Mantoue, Milan, Pavie, Sondrio et Varèse; 23 856 km^2; 8 886 400 hab.; cap. *Milan.* Au N., la montagne alpine, bordée d'un chapelet de lacs glaciaires (lacs Majeur, de Côme, de Garde), vit surtout d'agric. et de tourisme et produit de l'hydro-électricité, alors que la fertile plaine padane se consacre à une polyculture intensive irriguée, à hauts rendements. Puissante et diversifiée, l'industrie se concentre surtout à Milan, qui est aussi la première place financière du pays. Région la plus riche d'Italie, la Lombardie est l'un des ensembles écon. les plus puissants de la C.É.E.

Lombardo (Pietro) (Carona, v. 1435 – Venise, 1515), architecte et sculpteur italien; auteur de l'égl. Santa Maria dei Miracoli à Venise.

Lombards, peuple germanique qui, établi au Ier s. sur l'Elbe inférieure, se déplaça vers le S., passa au VIe s. en Pannonie, aida Byzance contre les Ostrogoths d'Italie, puis, se retournant contre les Byzantins, conquit la plaine du Pô, sauf l'exarchat de Ravenne. Malgré l'établissement d'une trentaine de duchés lombards (souvent révoltés contre le pouvoir central, établi à Pavie), la conquête de l'Italie était loin d'être achevée, les Byzantins occupant toujours les côtes. Convertis au catholicisme au cours du VIIe s., les Lombards furent en conflit quasi permanent avec Rome. Les Byzantins chassés de Ravenne (751), les papes se tournèrent vers les Carolingiens. Pépin le Bref sauva la papauté pour laquelle il créa les États pontificaux. En 774, Charlemagne s'empara de Pavie et mit fin à l'indépendance lombarde.

lombard-vénitien (Royaume), nom donné aux prov. milanaises et vénitiennes réunies en un royaume par le congrès de Vienne et placées sous la souveraineté de l'Autriche (la Lombardie de 1815 à 1859; la Vénétie de 1815 à 1866).

lombarthrose n. f. MED Arthrose du rachis lombaire.

lombes n. f. pl. ANAT Région postérieure du tronc située entre les dernières côtes et les ailes iliaques.

Lombok, île volcanique d'Indonésie, à l'E. de Bali; 5 450 km^2; env. 2 millions d'hab. Cult. du riz. – *Détroit de Lombok :* bras de mer qui fait communiquer l'océan Indien avec la mer de Java.

lombo-sacré, ée adj. ANAT Situé au niveau de l'articulation du rachis sacré et du rachis lombaire.

lombostat n. m. Corset orthopédique maintenant la région lombaire.

lombric [lɔ̃bʀik] n. m. Ver de mœurs souterraines, au corps divisé en anneaux, à la peau rose légèrement visqueuse, appelé cour. *ver de terre.*

Lombroso (Cesare) (Vérone, 1835 – Turin, 1909), médecin et criminaliste italien; un des fondateurs de la criminologie moderne. Dans *l'Homme criminel* (1875), il développa la théorie du « criminel-né » qui, pour lui, est plus un déséquilibré qu'un coupable.

Lomé, cap. du Togo, port sur le golfe de Bénin ; 400 000 hab. Marché agric. Industries. – Archevêché catholique. – *Conventions de Lomé :* accords de coopération économique inaugurés en 1975 (Lomé I) entre la C.É.E. et de nombreux pays d'Afrique, des Caraïbes et du Pacifique (au nombre de 68 en 1990 ; Lomé IV).

Loménie de Brienne (Étienne de) (Paris, 1727 – Sens, 1794), prélat et homme politique français. Archevêque de Toulouse (1763), contrôleur général des Finances en remplacement de Calonne (1787), il ne parvint pas à résoudre la crise financière. Cardinal (1788), il démissionna de cette charge en 1791, prêtant serment à la Constitution civile du clergé. Il mourut néanmoins en prison. Acad. fr. (1770).

Lomme, ch.-l. de cant. du Nord (arr. de Lille), sur la Deûle canalisée ; 26 807 hab. Marché (MIN) ; industr. textiles.

Lommel, commune de Belgique (Limbourg) ; 25 410 hab. Industr. métallurgiques.

Lomonossov (Mikhaïl Vassilievitch) (Michaninskaïa, gouv. d'Arkhangelsk, 1711 – Saint-Pétersbourg, 1765), écrivain et physicien russe. Auteur d'odes (*Sur la prise de Khotine,* 1739), de traités scientifiques (*Sur l'utilité de la chimie,* 1751), d'une *Grammaire russe* (1755), de tragédies, etc., il a contribué à la création de la langue littéraire russe. L'université de Moscou fut fondée sur son initiative (1755).

London, v. du Canada (Ontario), sur la *Thames* ; 303 160 hab. Centre industr. ; raff. de pétrole. – Évêché. Université.

London (John Griffith London, dit Jack) (San Francisco, 1876 – Glen Ellen, Californie, 1916), écrivain américain. Docker, marin, chercheur d'or, grand voyageur, il puisa dans son expérience la matière de ses récits : *l'Appel de la forêt* (1903), *Croc-Blanc* (1907), *Martin Eden* (1909), etc. On découvre auj., dans son œuvre, certains accents socialistes : *le Peuple de l'abîme* (1903), *le Talon de fer* (1908).

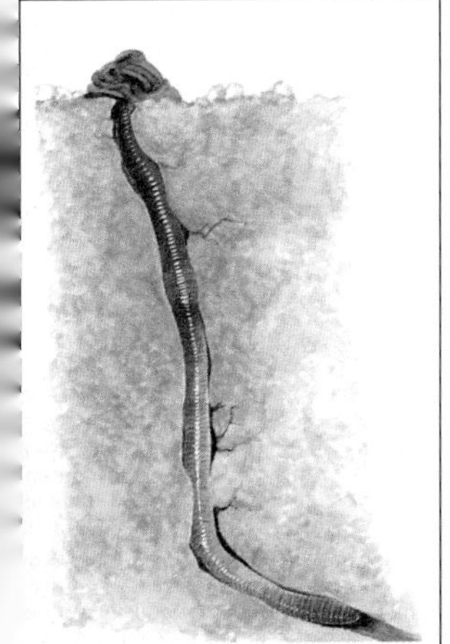

lombric rejetant la terre (en haut) qui a traversé son intestin

Jack **London** — Felix **Lope de Vega Carpio**

Londonderry (en gaélique *Dhoire*), v. et port d'Irlande du Nord ; ch.-l. du district du m. nom, au fond de l'estuaire du *Foyle* ; 88 000 hab. Constr. navales ; industr. text. et chim. – Bastion du patriotisme irlandais, qui la nomme *Derry,* la ville a connu, depuis 1967, de nombr. heurts tragiques entre catholiques et protestants. Son taux de chômage (35 % des actifs) est le plus élevé d'Irlande du Nord et frappe particulièrement la population catholique.

londonien, enne adj. et n. De Londres. ▷ Subst. *Un(e) Londonien(ne).*

Londres (en angl. *London*), cap. de la Grande-Bretagne, port sur la Tamise ; 2 700 000 hab. (env. 7 millions d'hab. pour le « Grand Londres »). Premier port britannique, Londres a une solide fonction commerciale (transformation et redistribution des produits importés), soutenue par une import. activité bancaire et boursière *(Stock Exchange).* C'est aussi le premier foyer industr. du pays ; toutes les branches d'activité sont représentées, notam. la méca. de précision et les constr. méca., électr. et électron. Son rôle politique et culturel est dominant. Le paysage urbain s'ordonne en plusieurs ensembles. La *City,* centre des affaires et des banques, est entourée par des quartiers *(boroughs)* fort différents : à l'aristocratique West End, ponctué de parcs (Hyde Park), s'oppose l'industriel East End. Enfin, l'hypertrophie de l'aggl. a amené la création de nombr. et vastes villes nouvelles dans la grande banlieue de la cap. Les rénovations entreprises en 1981 affectent 1 million de m² dans la *City* ; les *Docklands,* qui doivent être achevés au début de la décennie 90, s'étendront sur 40 km le long de la Tamise avec un aéroport à décollage court (Stolport). – Les princ. monuments sont groupés sur une faible étendue : la Tour de Londres (fin du XIe s.) et le Tower Bridge (pont faisant face à la Tour, 1886-1894) ; l'abb. de Westminster, fondée au XIe s. (remaniée aux XIVe, XVe et XVIe s.) ; Westminster Palace (siège du Parlement), néo-gothique (terminé en 1888) ; la cath. Saint Paul, construite par C. Wren de 1675 à 1710 ; Buckingham Palace (XVIIIe et XIXe s.), résidence officielle des souverains brit. depuis 1837. Musées d'une richesse exceptionnelle : National Gallery, British Museum, Tate Gallery (art moderne), etc.
Hist. – Bourgade celtique bâtie au niveau du gué de Westminster, Londres fut colonisée par les Romains puis exposée aux attaques anglo-saxonnes et danoises. Elle acquit son rôle de cap. sous Guillaume le Conquérant puis obtint une charte (1191). Dès lors, l'essor de Londres, lié à sa fonction comm. et financière, ne cessera de croître, l'import. de sa pop. expliquant l'ampleur des catastrophes qui la ravagèrent au XVIIe s. (épidémie de peste en 1665, incendie en 1666). La révolution industr. du XIXe s. amplifiera cet essor et donnera à la ville son aspect victorien et son rôle international. Lors de la guerre de 1939-1945, elle fut gravement endommagée par les bombardements. Londres fut le siège de nombr. conférences diplom. : en 1827-1832, sur l'indép. de la Grèce ; en 1830-1831, sur l'indép. de la Belgique ; en 1913, sur les questions balkaniques ; en 1948, sur le statut de l'Allemagne. Y furent également signés de nombr. traités.

Londres : tour Victoria, tour de l'Horloge de Wesminster Palace (Big Ben) et Tower Bridge

Londres (Albert) (Vichy, 1884 – en mer, 1932), journaliste français ; un des premiers grands reporters internationaux : *Au bagne* (1923), *Pêcheurs de perles* (1931).

londrès n. m. Cigare de La Havane, destiné, à l'origine, à l'exportation vers l'Angleterre.

Londrina, v. du Brésil (Paraná) ; 347 700 hab. Industr. alimentaires.

long, longue adj., n. et adv. **A.** adj. **I.** (Idée d'espace.) **1.** Qui présente une certaine étendue dans le sens de sa plus grande dimension (par oppos. à *court,* à *large*). *Une longue perche. Une robe longue. Une salle très longue.* ▷ ANAT *Le muscle long abducteur du pouce.* – n. m. *Le long dorsal.* ▷ Loc. fig. *Avoir le bras long :* avoir de l'influence. – *Avoir les dents longues :* être très ambitieux. ▷ *Long de :* dont la longueur est de. *Tapis long de deux mètres.* **2.** Qui couvre une grande distance. *Phares à longue portée.* – MILIT *Coup long,* tel que le projectile tombe au-delà de l'objectif. ▷ MAR *Navigation au long cours,* en dehors des limites du cabotage. **II.** (Idée de temps.) **1.** Qui dure longtemps (par oppos. à *bref,* à *court*). *Une longue vie.* ▷ LING *Syllabe, voyelle longue,* dont l'émission dure longtemps, relativement aux autres syllabes, aux autres voyelles (dites *brèves*). – n. f. *Une longue.* ▷ *Long de :* dont la durée est de. *Un règne long de dix ans.* **2.** Éloigné (dans le passé ou dans l'avenir). *Nous nous connaissons de longue date. Un bail à long terme.* **3.** *Long à :* qui met beaucoup de temps pour. *Il est long à se décider.* **B.** n. m. Longueur. *Des rideaux de trois mètres de long.* Ant. largeur. ▷ *Tomber de tout son long,* en ayant le corps étendu sur toute sa longueur. **C. I.** adv. Beaucoup. *Regard qui en dit long.* **II.** Loc. adv. **1.** *De long, en long :* dans le sens de la longueur. *Scieur de long. Fendre une bûche en long.* **2.** *Se promener de long en large :* faire des allées et venues incessantes dans un espace restreint. **3.** *Au long, tout du long :* entièrement, complètement. *Je lui ai exposé le problème tout du long.* **4.** *À la longue :* avec le temps. *Redites qui, à la longue, finissent par lasser.* **III.** Loc. prép. **1.** *Au long de :* en côtoyant. *Au long du ruisseau.* **2.** *Tout au long de :* pendant toute la durée de. *Tout le long de l'année.*

Long (Marguerite) (Nîmes, 1874 – Paris, 1966), pianiste française. Elle fonda avec J. Thibaud, en 1946, un concours international d'interprètes, qui porte son nom.

longane n. m. Fruit exotique proche du litchi.

longanimité n. f. Litt. **1.** Patience avec laquelle on endure les offenses que l'on pourrait punir. **2.** Patience dans le malheur.

Long Beach, v. des États-Unis (Californie), fbg et port de Los Angeles; 429 400 hab. Chantiers navals, constr. mécaniques, chimiques, raffineries de pétrole.

Longchamp (hippodrome de), hippodrome de l'O. de Paris (bois de Boulogne), créé en 1857 et consacré aux courses de plat (Grand Prix, prix de l'Arc-de-Triomphe).

long-courrier n. m. (et adj.) **1.** Navire qui effectue des navigations au long cours. **2.** Avion de transport pouvant franchir des étapes de plus de 6 000 km. *Des long-courriers.* – adj. *Un avion long-courrier.*

1. longe n. f. Moitié de l'échine d'un veau ou d'un chevreuil, du bas des épaules à la queue. – *Longe de porc :* dans la vente en gros, partie du porc comprenant les parties supérieures des régions cervicales, dorsales et sacrées.

2. longe n. f. Longue courroie qui sert à attacher ou à conduire un cheval, un animal domestique.

longer v. tr. [**13**] **1.** Aller le long de. *Longer la rivière.* **2.** S'étendre le long de. *La route longe la voie ferrée.*

longévité n. f. Longue durée de la vie. *La longévité des carpes, des tortues.* ▷ Durée de la vie. *Longévité moyenne d'une espèce.*

Longfellow (Henry Wadsworth) (Portland, Maine, 1807 – Cambridge, Massachusetts, 1882), poète américain. Il a connu une grande vogue grâce notam. à ses poèmes inspirés de l'histoire acadienne (*Evangeline*, 1847) et du folklore indien (*Hiawatha*, 1855).

Longhena (Baldassare) (Venise, 1598 – id., 1682), architecte italien; princ. représentant du baroque vénitien : égl. Santa Maria della Salute (1631-1654), palais Pesaro (v. 1650), palais Rezzonico (qu'il commença en 1660, terminé par Massari).

Longhi (Pietro Falca, dit) (Venise, 1702 – id., 1785), peintre italien. Ses tableaux de genre sont une chronique pittoresque de la vie populaire et mondaine à Venise.

longi-. Élément, du lat. *longus,* « long ».

longicorne adj. et n. m. ENTOM Qui a de longues cornes ou de longues antennes (insectes). *Coléoptère longicorne.* ▷ n. m. pl. Syn. de *cérambycidés.* – Sing. *Un longicorne.*

longiligne adj. et n. Qui a les membres longs par rapport au tronc. Ant. bréviligne. ▷ Cour. Mince et élancé. – Subst. *C'est un longiligne.*

Long Island, île de la côte Atlantique des É.-U. sur laquelle sont bâtis deux quartiers fortement industrialisés de New York : *Brooklyn* et *Queens.*

longitude n. f. Une des deux coordonnées qui permettent de situer un lieu à la surface du globe terrestre (l'autre est la latitude); angle, compté de 0° à 180°, que forme le plan du méridien de ce lieu avec le plan du méridien pris pour origine (méridien de Greenwich). *Le phare d'Eckmühl est situé par 47° 48' de latitude nord et 4° 22' de longitude ouest.* ▷ ASTRO *Longitude d'un astre :* dans le système de coordonnées écliptique géocentrique, angle formé dans le plan de l'écliptique par la droite qui passe par le centre de la Terre et le point vernal, d'une part, et par la projection de la droite reliant le centre de la Terre à l'astre, d'autre part.

longitudinal, ale, aux adj. Qui s'étend, qui est disposé ou pratiqué selon le sens de la longueur. *Coupe longitudinale.*

longitudinalement adv. Selon le sens de la longueur.

Longjumeau, ch.-l. de cant. de l'Essonne (arr. de Palaiseau), sur l'*Yvette*; 19 955 hab. Industr. chim. – En 1568, la paix de Longjumeau termina la deuxième guerre de Religion. – Égl. (XIIIe, XIVe et XVe s.).

Longmen, site archéologique de Chine (Henan) : monastère du Ve s. et grottes avec sculpt. bouddhiques (500-750).

long-métrage ou **long métrage.** V. métrage.

Longo (Jeannie) (Annecy, 1958), coureuse cycliste française. Elle a remporté quatre fois le championnat du monde sur route, et a battu les records du monde de l'heure en altitude, au niveau de la mer et sur piste couverte.

Longpont, com. de l'Aisne (arr. de Soissons); 299 hab. – Restes import. d'une abbaye cistercienne (XIIe s., reconstruite au XIIIe s.).

longtemps adv. **1.** Pendant un long espace de temps. *Il a longtemps vécu en Suisse.* **2.** (Après une préposition ou après *il y a.*) Un long espace de temps. *Je le savais depuis longtemps. Vous partez pour longtemps? Il y a longtemps que nous avons quitté Paris.*

Longue (île), petite île de la rade de Brest. Importante base navale.

Longue Marche (la), retraite (oct. 1934-oct. 1935) organisée par Mao Zedong pour éviter le massacre de ses troupes (130 000 militants) par le Guomindang. Parties du Jiangxi, ces dernières parvinrent au Shānxi (12 000 km au N.), au nombre de 20 000, mais la révolution communiste avait survécu et elle commençait à contrôler des territ. et à acquérir de nouveaux partisans.

longuement adv. Durant un long moment; au long, en détail. *Attendre longuement. S'expliquer longuement.*

Longuenesse, com. du Pas-de-Calais (arr. de Saint-Omer); 12 616 hab.

longuet, ette adj. et n. m. **1.** adj. Fam. Qui est un peu long (dans la durée). **2.** n. m. Petit pain allongé biscotté; gressin.

Longueuil, v. du Canada (Québec), sur le Saint-Laurent; 129 870 hab. Constr. aéronautiques.

longueur n. f. **A. I. 1.** Dimension d'une chose de l'une à l'autre de ses extrémités. *La longueur d'un fleuve.* ▷ Étendue d'une chose dans sa plus grande dimension (par oppos. à *largeur, profondeur, hauteur, épaisseur*). *La longueur d'un parallélépipède.* ▷ SPORT *Cheval, véhicule qui gagne une course d'une longueur,* avec une avance égale à sa longueur. **2.** Dimension linéaire (par oppos. à *surface* et à *volume*). *L'unité de longueur est le mètre.* ▷ PHYS *Longueur d'onde :* distance parcourue par une vibration au cours d'une période. ▷ MATH *Longueur d'un vecteur,* son module. **II. 1.** Durée. *La longueur du jour est variable d'une saison à l'autre.* ▷ Longue durée. *La longueur de l'attente l'a découragé.* **2.** Étendue (d'un texte). *La longueur d'un poème.* ▷ Trop grande étendue (d'un texte). *Être rebuté par la longueur d'un ouvrage.* **3.** (Plur.) Parties superflues qui ralentissent le rythme d'une œuvre littéraire, d'un spectacle. *C'est un bon roman, mais il contient quelques longueurs.* **B. 1.** Loc. adv. *En longueur :* dans le sens de la longueur. ▷ *Traîner en longueur :* durer trop longtemps. **2.** Loc. prép. *À longueur de :* pendant tout le temps de. *À longueur d'année.*

Longueville (Anne Geneviève de Bourbon, duchesse de) (Vincennes, 1619 – Paris, 1679), fille d'Henri II de Bourbon, prince de Condé, et épouse d'Henri II, duc de Longueville. Elle joua un rôle actif dans la Fronde, contre Mazarin.

longue-vue n. f. Lunette d'approche. *Des longues-vues.*

Longus (Lesbos, IIIe ou IVe s. apr. J.-C.), romancier grec, auteur présumé de *Daphnis et Chloé,* roman pastoral traduit en français par J. Amyot (1559), puis par P.-L. Courier (1810).

Longwood, nom de la résidence de Napoléon Ier à Sainte-Hélène, où il mourut en 1821.

Longwy, ch.-l. de cant. de Meurthe-et-Moselle (arr. de Briey), sur la Chiers; 15 647 hab. Import. centre sidér. (cokeries, carbochimie, hauts fourneaux), durement touché par la crise de la fin des années 70; faïences renommées.

Lon Nol (Kompong Leau, à l'E. de Phnom Penh, 1913 – Dullerton, Californie, 1985), homme politique et maréchal cambodgien. Général, ministre de la Défense (1959-1966), Premier ministre en 1966-1967, puis à partir de 1969; il renversa Norodom Sihanouk en mars 1970, mais perdit progressivement le contrôle du pays. Il s'exila en avril 1975, peu avant l'entrée à Phnom Penh des Khmers rouges.

Lönnrot (Elias) (Karjalohja, 1802 – Sammati, 1884), poète finlandais. Il rassembla et amplifia en une épopée monumentale, *le Kalevala* (1835, éd. augmentée en 1849 : 23 000 vers), les poèmes populaires finnois.

Lons-le-Saunier, ch.-l. du dép. du Jura, sur la *Vallière*; 20 140 hab. (*Lédoniens*). Au contact de la plaine de la Saône et des plateaux du Jura, la ville est un petit centre comm. (vente des vins d'Arbois) et industr. (plastique, jouets, industr. alim.). Stat. therm. – Égl. St-Désiré (en partie du XIe s.) et égl. des Cordeliers (XVe et XVIe s.). Hôpital (XVIIIe s.).

loofa. V. loufa.

look [luk] n. m. (Anglicisme) Fam. Aspect physique volontairement étudié afin d'acquérir un style. *Cette coiffure change complètement son look.* ▷ Aspect (d'une chose). *Le look d'un journal.*

looping [lupiŋ] n. m. (Anglicisme) Figure de voltige aérienne consistant en une boucle complète effectuée dans le plan vertical.

Loos, com. du Nord (arr. de Lille), sur la Deûle canalisée; 21 358 hab. Industr. text., méca. – Anc. abb. cistercienne (XIIe-XVIIIe s.), transformée en prison.

Loos (Adolf) (Brünn, auj. Brno, 1870 – Vienne, 1933), architecte autrichien; un des pionniers du fonctionnalisme (présenté lors d'une conférence intitulée *Ornement et Crime,* 1908) : maison Steiner à Vienne (1910), maison de Tristan Tzara à Paris (1926).

Lope de Vega Carpio (Felix) (Madrid, 1562 - id., 1635), poète et auteur dramatique espagnol. D'une fécondité prodigieuse, il écrivit quelque 1 800 comédies et 400 drames religieux. Seules 500 pièces nous sont parvenues dont les meilleures sont ses comédies de mœurs : *le Chien du jardinier* (1618); *Aimer sans savoir qui* (1630); *Le meilleur alcade, c'est le roi* (1635). Dans *le Nouvel Art de faire des comédies* (1609), il a établi la doctrine du théâtre espagnol dont l'influence fut profonde, notam. en France sur Rotrou, Corneille et Molière. ► illustr. page **1107**

López (Carlos Antonio) (Asunción, 1790 - id., 1862), homme politique paraguayen; président de la République (1844-1862).

López Arellano (Osvaldo) (né en 1921), homme politique hondurien, président de la République de 1966 à 1971 et de 1972 à 1975.

López de Mendoza (Iñigo), marquis de Santillana (Carrión de los Condes, 1398 - Guadalajara, 1458), homme de guerre et poète espagnol. Il introduisit le sonnet dans la littérature espagnole.

López Mateos (Adolfo) (Atizapán de Zaragoza, 1910 - Mexico, 1969), homme politique mexicain; président de la République de 1958 à 1964.

lophophore n. m. ZOOL **1.** Oiseau galliforme himalayen, remarquable par l'éclat métallique de son plumage. **2.** Couronne de tentacules couverts de cils vibratiles, chez certains cœlomates.

lophophoriens n. m. pl. ZOOL Embranchement d'animaux munis d'un lophophore buccal. *Les ectoproctes et les endoproctes sont des lophophoriens.* - Sing. *Un lophophorien.*

lopin n. m. Petit morceau, portion (de terrain). *Cultiver un lopin de terre.*

loquace adj. Qui parle beaucoup, bavard.

loquacité n. f. Habitude de parler beaucoup.

-loque. Élément, du lat. *loqui,* « parler ».

loque n. f. **1.** Morceau d'étoffe déchirée. **2.** (Plur.) Haillons. *Un vagabond en loques.* **3.** Fig. Personne privée d'énergie, de ressort. *Une loque humaine.*

loquet n. m. Fermeture de porte formée d'une clenche mobile qui vient se bloquer dans une pièce métallique (mentonnet) fixée au chambranle.

loqueteau n. m. Petit loquet.

loqueteux, euse adj. (et n.) **1.** Dont les vêtements sont en loques. *Vieillard loqueteux.* ▷ Subst. Péjor. *Un loqueteux* : un miséreux, un pauvre hère. **2.** En loques. *Rideaux loqueteux.*

loran n. m. TECH (Acronyme pour *long range aid to navigation,* « aide à grande distance à la navigation ».) Système d'aide à la navigation aérienne et maritime qui permet de déterminer la position de l'aéronef ou du navire par rapport à deux stations terrestres émettant des impulsions radioélectriques décalées dans le temps.

Lorca, v. d'Espagne (Murcie); 66 500 hab. Bourg agric. - Anc. place forte. Maisons seigneuriales baroques.

Lorca. V. García Lorca.

lord [lɔʀd] n. m. En Grande-Bretagne : **1.** Titre porté par les pairs du royaume et les membres de la Chambre des lords (V. encycl.). *Lord Chamberlain.* **2.** Titre porté par les titulaires de certaines hautes fonctions. *Lord Chancelier. Lord du Sceau privé. Premier lord de l'Amirauté* : ministre de la Marine (avant 1964). *Premier lord de la mer* : chef d'état-major de la marine.

ENCYCL La Chambre des lords est la Chambre haute du Parlement du Royaume-Uni. Elle est composée d'un millier de membres (certains, héréditaires; certains, nommés à vie; certains, élus pour une législature; certains, accédant à la Chambre des lords de par leurs fonctions : évêques et archevêques, magistrats). La Chambre des lords ne dispose plus que d'un droit de veto suspensif (limité à un an) sur le vote des lois (à l'exception des lois concernant le domaine financier). Elle forme aussi un tribunal d'appel où siègent neuf lords.

lord-maire [lɔʀdmɛʀ] n. m. Premier magistrat municipal de Londres, Édimbourg et Dublin. *Des lords-maires.*

lordose n. f. MED Déformation de la colonne vertébrale caractérisée par une courbure à convexité antérieure. ► illustr. colonne **vertébrale**

Lorelei (la), falaise rocheuse de la r. dr. du Rhin, à 2 km en amont de Sankt Goarshausen. Une légende selon laquelle le chant d'une sirène (*la Lorelei*) attirait contre la falaise les bateliers fut popularisée par C. Brentano (*Godwi ou la Statue de la mère,* roman, 1801), Joseph von Eichendorff et surtout Heinrich Heine (poèmes lyriques du *Livre des chants,* 2e partie : *le Retour,* 1823-1824).

Loren (Sophia Scicolone, dite Sophia) (Rome, 1934), actrice de cinéma italienne. Sa beauté sculpturale autant que son talent lui ont valu une carrière internationale : *l'Or de Naples* (1954), *la Fille du fleuve* (1955), *la Comtesse de Hong Kong* (1966), *Une journée particulière* (1977).

Lorentz (Hendrik Antoon) (Arnhem, 1853 - Haarlem, 1928), physicien néerlandais. Ses travaux, capitaux, sur l'électromagnétisme permirent à Einstein d'élaborer sa théorie de la relativité. P. Nobel 1902 (avec P. Zeeman).

Lorenz (Edward Norton) (West Hartford, Connecticut, 1917), météorologue américain. Ses travaux, liés à la théorie du chaos, ont démontré que la moindre incertitude sur les conditions initiales d'un phénomène entraîne des conséquences exponentiellement croissantes avec le temps, notion qu'il a baptisée « effet papillon ».

Lorenz (Konrad) (Vienne, 1903 - Altenberg, Autriche, 1989), biologiste autrichien; considéré comme le père de l'éthologie moderne. P. Nobel 1973.

H. A. **Lorentz**

Konrad **Lorenz**

Lorenzetti (Pietro) (Sienne, v. 1280 - id., v. 1348), peintre italien de l'école de Sienne (fresques de l'égl. inférieure à Assise, v. 1326-1330), sous l'influence de Giotto. - **Ambrogio** (Sienne, v. 1290 - id., 1348), frère du préc. : fresques allégoriques du *Bon* et du *Mauvais Gouvernement* (Palais public de Sienne).

Lorenzo Veneziano (Venise, 1336 - id., 1373), peintre italien; un des plus import. primitifs vénitiens.

Lorenzo Monaco (Sienne, v. 1370 - Florence, apr. 1422), peintre et miniaturiste italien de l'école de Sienne, maître de Fra Angelico (*le Christ au jardin des Oliviers,* Louvre).

Lorestān. V. Luristān.

Lorette (en ital. *Loreto*), v. d'Italie (prov. d'Ancône); 10 620 hab. Pèlerinage. - Au XVe s. est née la croyance qu'un bâtiment de la ville était la maison de Marie *(Santa Casa),* transportée par des anges, en 1294, de Nazareth à Lorette; depuis le XVIe s., la Santa Casa se trouve dans une égl. construite pour l'abriter.

lorgner v. tr. [1] **1.** Regarder à la dérobée; regarder indiscrètement ou avec insistance. *Lorgner les passantes.* **2.** Fig. Convoiter. *Lorgner un héritage.*

lorgnette n. f. Petite jumelle utilisée surtout au spectacle. ▷ Loc. fig. *Regarder (une chose) par le petit bout de la lorgnette,* la considérer avec étroitesse d'esprit, ou en s'attachant au détail qui fait perdre l'ensemble de vue.

lorgnon n. m. Paire de verres correcteurs avec leur monture, sans branches *(binocle),* maintenue sur le nez par un ressort *(pince-nez)* ou munie d'un manche *(face-à-main).*

lori n. m. Perroquet (genre *Domicella*) d'Océanie, aux couleurs vives.

Lorient, ch.-l. d'arr. du Morbihan, sur le Blavet et le Scorff; 61 630 hab. (env. 115 500 hab. dans l'aggl.). À la fois port de pêche (2e de France), de commerce et de guerre (base sous-marine, base aéronavale de Lann-Bihoué, écoles de la Marine), Lorient est aussi une ville industrielle : constr. navales et automobiles; industr. alimentaires.

lorientais, aise adj. et n. De Lorient. - Subst. *Un(e) Lorientais(e).*

loriot n. m. Oiseau passériforme (genre *Oriolus*) long d'une vingtaine de cm, au chant sonore, au plumage jaune et noir (mâle) ou verdâtre (femelle).

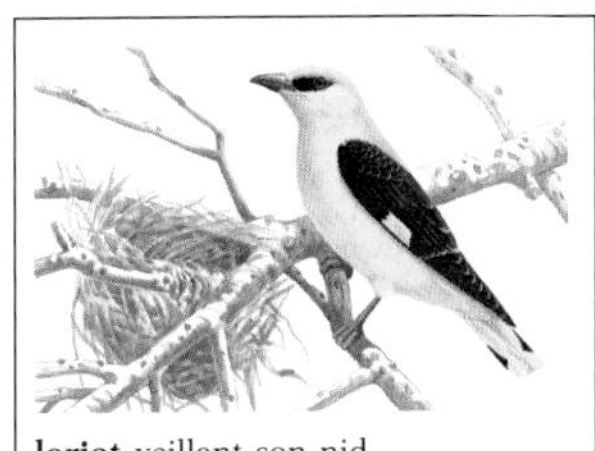

loriot veillant son nid

loris [lɔʀis] n. m. Petit lémurien asiatique (*Loris gracilis,* 20 cm) à gros yeux, dépourvu de queue.

lorisidés n. m. pl. ZOOL Famille de lémuriens d'Afrique et d'Asie du S.-E., de mœurs nocturnes et forestières. - Sing. *Un lorisidé.*

Lorjou (Bernard) (Blois, 1908 - Saint-Denis-sur-Loire, Loir-et-Cher, 1986), peintre français, autodidacte, de tendance expressionniste.

Lorme (Marion de) (Baye, Champagne, 1611 - Paris, 1650), courtisane française célèbre sous Louis XIII pour sa beauté et ses aventures galantes. Dans son salon se sont retrouvés les écrivains les plus célèbres.

Lormont, ch.-l. de cant. de la Gironde (arr. de Bordeaux) sur la Garonne; 21 771 hab. Vignobles (entre-deux-mers).

lorrain, aine adj. et n. De la Lorraine. - Subst. *Un(e) Lorrain(e).* ▷ n. m. Parler de la langue d'oïl en usage en Lorraine.

Lorrain ou **le Lorrain** (Claude Gelée ou Gellée, dit Claude) (Chamagne, Vosges, 1600 - Rome, 1682), peintre français. Il s'établit à Rome en 1627, où il connut Poussin. Il s'attacha à rendre la lumière crépusculaire dans des paysages portuaires. L'échappée lumineuse de ses compositions annonce Turner.

Claude **Lorrain :** *Port de mer au soleil levant,* 1639; musée du Louvre

Lorraine, anc. province du N.-E. de la France, correspondant à l'actuelle région admin.
Hist. - Sous Charlemagne, la Lorraine fut la *Francia media.* Le partage de Verdun (843) la plaça dans le territoire de Lothaire Ier, qui la donna (855) à Lothaire II; elle prit alors le nom de *Lotharingie.* En 959, elle fut divisée en Basse-Lorraine et Haute-Lorraine. Cette dernière, qui constitue la Lorraine actuelle, échut à la maison d'Alsace (XIe s.), puis à la famille d'Anjou (1431). Déclarée indépendante de l'Empire par Charles Quint (1542), la Lorraine fut amputée, au profit de la France, des Trois-Évêchés (1552) et du Luxembourg français (Thionville, Longwy) (1661-1681). Cédée à Stanislas Leczinsky (1738), elle échut à la France à la mort de celui-ci (1766). Dès 1770, la fonte du minerai de fer au coke fut introduite par les Wendel. Le traité de Francfort (1871) donna à l'Allemagne une partie des dép. de la Meurthe et de la Moselle, qui furent rendus à la France par le traité de Versailles (1919).

Lorraine, Région admin. française et région de la C.E. formée des dép. de Meurthe-et-Moselle, de la Meuse, de la Moselle et des Vosges; 23 540 km²; 2 368 366 hab.; cap. *Metz,* qui forme, avec Nancy et Thionville, une métropole d'équilibre.
Géogr. phys. et hum. - Drainée par la Meuse et la Moselle, la Région s'étend sur l'E. du Bassin parisien et le versant occid. des Vosges; c'est un ensemble de hauts plateaux aux hivers longs et rudes et aux étés chauds et orageux. À l'O., la Lorraine des côtes fait alterner des plateaux boisés ou céréaliers (Barrois, Hauts de Meuse), des cuestas abritées et bien exposées et des dépressions argileuses comme la Woëvre. Au centre, la vallée de la Moselle, axe vital de la Région, a fixé les grandes villes et les activités. À l'E., le plateau lorrain et les Vosges portent de belles forêts. La Lorraine connaît auj. une crise démographique : après avoir augmenté fortement jusqu'aux années 60, la pop. a diminué, en raison d'un fort déficit migratoire que n'a pu compenser l'accroissement naturel élevé; 260 000 personnes sont parties entre 1968 et 1990, souvent à la suite d'une perte d'emploi. Plus de 25 000 frontaliers lorrains travaillent au Luxembourg et en Sarre.
Écon. - Depuis 1970, la Lorraine a perdu près de 200 000 emplois industriels, une crise aiguë affectant gravement les bases de l'écon. régionale : mines, sidérurgie et textile. Bien dotée en ressources naturelles : minerai de fer du gisement Nancy-Briey-Longwy, charbon du bassin de Forbach, sel gemme de Dombasle et Château-Salins, la Lorraine est devenue, à la fin du XIXe s., une puissante rég. d'industries lourdes, attirant une forte immigration. Dans le même temps, les vallées vosgiennes s'imposaient comme un grand centre de l'industrie du coton. Après l'euphorie écon. des années 1950-1970, marquée par l'achèvement, en 1964, de la canalisation de la Moselle, la situation a connu un retournement d'autant plus brutal que le tissu industriel était insuffisamment diversifié; les branches traditionnelles : agroalim., travail du bois, cristallerie (Baccarat) et faïencerie (Sarreguemines) ne pouvant compenser le déclin des industries de base. Sidérurgie, charbonnages et textile ont vu fondre leurs effectifs, le chômage dépassant 20 % dans les bassins d'emploi les plus touchés. Cependant, la diversification entreprise dès le milieu des années 60, la création de deux pôles de conversion en 1984, à Longwy-Thionville-Briey et à Nancy, les aides de la C.É.E. ont permis à la Région d'amorcer un renouveau. Moins omniprésente, l'industrie n'emploie aujourd'hui que le tiers des actifs et présente une structure plus variée; modernisées et concentrées, les vieilles productions sont plus compétitives alors que de nouvelles branches se sont développées : automobile, parachimie, constr. électriques et électron., nouvelles technologies dans les pôles de Metz et de Nancy-Brabois. L'essor des activités tertiaires, longtemps très en retard, est aussi un des éléments de sortie de la crise. La part de l'agriculture reste modeste; les bons terroirs sont limités aux versants abrités des côtes où se maintiennent les cultures fruitières; ailleurs domine l'élevage bovin, pour le lait et la viande. Dotée de bonnes infrastructures, bien située dans les régions écon. de l'Est européen, la Lorraine développe la coopération avec ses voisins et a créé, avec la Belgique et le Luxembourg, un pôle européen de développement.

Lorraine (maisons de), nom des trois familles qui régnèrent sur le duché de Lorraine de 1048 à 1736 : maison de *Lorraine-Alsace* (1048-1431); d'*Anjou-Lorraine* (1431-1473); de *Lorraine-Vaudémont* (1473-1736), dont sont issus les Guise.

Lorre (Laszlo Lowenstein, dit Peter) (Ružomberok, Slovaquie, 1904 - Los Angeles, 1964), acteur américain. Après *M le Maudit* (1931), qui immortalise son visage lunaire et son regard angoissé, il s'exile aux É.-U. : *les Mains d'Orlac* (1934); *le Faucon maltais* (1941); *Casablanca* (1943); *le Masque de Dimitrios* (1944).

Lorris (Guillaume de). V. Guillaume de Lorris.

lorry, plur. **lorries** n. m. (Anglicisme) CH de F Wagonnet plat servant aux travaux d'entretien des voies.

lors adv. **1.** Vx À ce moment-là. **2.** Loc. adv. *Dès lors :* dès ce moment-là. - *Depuis lors :* depuis ce moment-là. - Loc. prép. *Lors de :* au moment de. *Lors de son passage ici.* - Loc. conj. *Dès lors que :* à partir du moment où. *Dès lors que vous acceptez, l'affaire est conclue.* - *Lors même que* (+ conditionnel) : quand bien même. *Lors même que vous le penseriez, ne le dites pas.*

lorsque conj. de temps. **1.** Au moment où, quand. *Lorsque la porte s'ouvre, l'air froid entre. Lorsque je le verrai, je le lui dirai.* **2.** Alors que. *« Seul vous vous haïssez, lorsque chacun vous aime » (Corneille).* - N.B. Le *e* final de *lorsque* s'élide devant *il, elle, on, un, une* et parfois *en.*

Los Alamos, v. des É.-U. (Nouveau-Mexique); 11 400 hab. - Laboratoires de physique nucléaire. La prem. bombe atomique y fut expérimentée (16 juil. 1945).

losange n. m. **1.** Parallélogramme dont les diagonales sont perpendiculaires. **2.** HERALD Pièce héraldique figurant un fer de lance. **3.** MUS Dans la notation du plain-chant, note en forme de losange.

losangé, ée adj. Divisé en losanges. - HERALD *Écu losangé.*

Los Angeles, puissante conurbation de l'O. des É.-U. (Californie), sur le Pacifique; 3 485 390 hab. (aggl. urb. 7 818 000 hab.). Aux activités comm. et

Los Angeles : le centre ville; au premier plan, la cathédrale St. Vibiano

à la pêche du port de San Pedro se sont ajoutés l'aéron., le cinéma, l'exploitation des hydrocarbures, la pétrochim., l'électron. (San Fernando), l'automobile, les constr. méca. et la sidérurgie (Fontana). La ville souffre d'une forte pollution atmosphérique et doit affronter les problèmes de coexistence entre communautés d'origines diverses (Européens, Latino-Américains, Noirs). – Archevêché catholique. Université (UCLA). Musées. Los Angeles a organisé les jeux Olympiques de 1932 et 1984. Un de ses fbg, Hollywood, est le princ. centre de l'industrie cinématographique américaine.

losangique adj. En forme de losange.

Loschmidt (Joseph) (Putschirn, Bohême, 1821 – Vienne, 1895), physicien autrichien. Il étudia la diffusion des gaz. ▷ *Nombre de Loschmidt* : nombre de molécules présentes dans 1 cm^3 de gaz à 0 °C et sous la pression atmosphérique de 1 atmosphère.

loser [luzœʀ] n. m. (Anglicisme) Fam. Perdant.

Losey (Joseph) (La Crosse, Wisconsin, 1909 – Londres, 1984), cinéaste américain. Précis, exigeant, il tourna surtout en Europe : *Temps sans pitié* (1956), *The Servant* (1963), *Pour l'exemple* (1964), *Accident* (1966), *le Messager* (1971), *Monsieur Klein* (1976), *Don Giovanni* (1979), *Steaming* (1984).

Joseph **Losey :** *le Messager,* 1971, avec Julie Christie

lot n. m. **1.** Portion d'un tout à partager entre plusieurs personnes. *Lots d'une succession.* **2.** Ce qui échoit dans une loterie à chacun des gagnants. *Le gros lot :* le plus important des lots. **3.** Fig. Ce que le sort, la destinée réserve à qqn. *Mon lot est d'être malchanceux.* **4.** COMM Ensemble d'articles assortis qui ne sont pas vendus séparément. **5.** CONSTR Chacun des marchés d'entreprise. *Appel d'offres par lots séparés.* **6.** INFORM *Traitement par lots :* traitement d'une suite de programmes dans un certain ordre pour obtenir une meilleure efficacité de calcul, une meilleure utilisation de la mémoire, etc.

Lot (le), riv. du S.-O. de la France (481 km), affl. de la Garonne (r. dr.); naît en Lozère, arrose Mende, Cahors et Villeneuve-sur-Lot. La navigation y avait cessé depuis les années 20. En 1990, 65 km navigables, en amont et en aval de Cahors, ont été inaugurés.

Lot, dép. franç. (46); 5 228 km^2; 155 816 hab.; 29,8 hab./km^2; ch.-l. *Cahors.* V. Midi-Pyrénées (Rég.).

Lot-et-Garonne, dép. franç. (47); 5 358 km^2; 305 989 hab.; 57,1 hab./km^2; ch.-l. *Agen.* V. Aquitaine (Rég.).

lote. V. lotte.

loterie n. f. **1.** Jeu de hasard comportant la vente de marques ou de billets numérotés et le tirage au sort

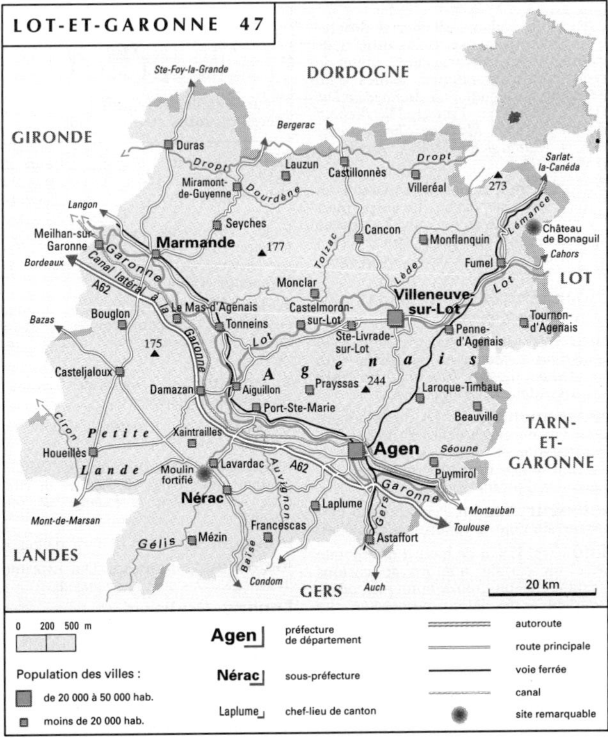

des numéros gagnant un lot. *Prendre un billet de loterie. Loterie foraine.* ▷ *Loterie nationale :* loterie instituée par l'État, qui a fonctionné de 1933 à 1990. **2.** Fig. Ce qui dépend du hasard. *Le bonheur est une loterie.*

Loth ou **Lot,** personnage biblique; patriarche, neveu d'Abraham. Averti par des anges de la destruction prochaine de Sodome, il put s'enfuir avec les siens sous la condition qu'ils ne regarderaient pas derrière eux; sa femme désobéit et fut changée en statue de sel. Le patriarche s'unit à ses filles, inceste qui donna naissance à Moab et à Ammon.

Lothaire Ier (?, 795 - Prüm, 855), empereur d'Occident (840-855). Fils aîné de Louis le Pieux, il ne put, à la mort de son père, conserver l'intégralité de l'Empire, qu'il dut partager avec ses frères (traité de Verdun, 843). Son territoire, très allongé, s'étendait de Rome à Aix-la-Chapelle. — **Lothaire II** (?, v. 825 - Plaisance, 869), second fils du préc., hérita (855-869) de la partie N. du territoire, qui prit le nom de *Lotharingie* (V. Lorraine).

Lothaire (Laon, 941 - Compiègne, 986), roi de France (954-986). Fils de Louis IV d'Outremer, il laissa gouverner son oncle Bruno, archevêque de Cologne et duc de Lorraine, et perdit l'appui d'Hugues Capet.

Lothaire II (ou **Lothaire III**) **de Supplinburg** (?, v. 1060 - Breitenwang am Lech, Tyrol, 1137), duc de Saxe en 1106 et empereur germanique (1125-1137). Il lutta, pour s'imposer, contre les Hohenstaufen (déclenchant ainsi la querelle des guelfes et des gibelins) et soutint le pape Innocent II.

Lotharingie. V. Lorraine (Hist.).

Lothian, rég. d'Écosse; 1 755 km^2; 749 600 hab.; ch.-l. *Édimbourg.*

Loti (Julien Viaud, dit Pierre) (Rochefort, 1850 - Hendaye, 1923), officier de marine et écrivain français; auteur de récits autobiographiques teintés d'un exotisme nostalgique : *le Mariage de Loti* (1882), *Mon frère Yves* (1883), *Pêcheur d'Islande* (1886), *Madame Chrysanthème* (1887), *Ramuntcho* (1897). Acad. fr. (1891).

lotion n. f. **1.** Action de répandre un liquide sur une partie du corps pour l'adoucir, la rafraîchir, etc. **2.** Liquide spécialement préparé pour être employé en lotion (sens 1). *Lotion après-rasage. Lotion capillaire.*

lotionner [losjɔne] v. tr. [**1**] Soumettre à une lotion.

lotir v. tr. [**3**] **1.** Partager en lots. *Lotir un terrain.* **2.** Mettre en possession d'un lot. **3.** Loc. fig. *Être bien (mal) loti :* être favorisé (défavorisé) par le sort.

lotissement n. m. **1.** Morcellement d'un terrain en parcelles destinées à la construction et vendues séparément. **2.** Terrain ainsi morcelé; chacune des parcelles d'un tel terrain.

lotisseur, euse n. Personne qui lotit un terrain pour le vendre par parcelles.

loto n. m. **1.** Jeu de hasard qui se joue avec un certain nombre de cartons portant chacun quinze numéros correspondant à des jetons numérotés que l'on tire tour à tour, le gagnant étant celui qui, le premier, réussit à couvrir son carton; matériel (carton, pions, sac) avec lequel on joue à ce jeu. ▷ Fig., fam. *Avoir les yeux en billes de loto :* avoir de gros yeux ronds. **2.** *Loto national :* jeu de hasard national institué en 1976, comportant la vente de billets sur lesquels les joueurs choisissent des numéros, suivie d'un tirage donnant lieu à l'attribution de lots en numéraire. - *Loto sportif :* jeu national institué en 1985, reposant sur des pronostics de résultats sportifs.

lotois, oise adj. et n. Du Lot. - Subst. *Un(e) Lotois(e).*

Lotophages («Mangeurs de lotus», c.-à-d. de jujubes), anc. peuple du golfe de la Grande Syrte (probabl. de Djerba) chez qui Ulysse aborda.

Lötschberg, tunnel ferroviaire (14,6 km) sous l'Oberland qui dessert la région de Berne.

lotte ou **lote** [lɔt] n. f. **1.** Poisson téléostéen (genre *Lota*) d'eau douce au corps allongé (70 cm) et à la peau grise marbrée de jaune. **2.** *Lotte de mer* ou *lotte :* baudroie.

Lotto (Lorenzo) (Venise, v. 1480 - Lorette, 1556), peintre italien de portraits fort expressifs (*Jeune Homme au béret,* 1526) et de compositions religieuses annonçant l'art baroque.

lotus n. m. Nom cour. d'un nénuphar. *Le lotus joue un grand rôle dans les mythologies de l'Égypte, de la Grèce et de l'Inde.*

fleurs, feuilles et fruits (cônes verts) du **lotus** rose de l'Inde

Lotze (Rudolf Hermann) (Bautzen, 1817 - Berlin, 1881), philosophe et physiologiste allemand. Il est considéré comme le père de la psychophysiologie : *Psychologie médicale ou physiologie de l'âme* (1852), *Microcosme, idées sur l'histoire de la nature et l'histoire de l'humanité* (1856).

1. louable adj. Qu'on peut donner en location, qui peut trouver un locataire. *Ces chambres sont louables au mois.*

2. louable adj. Digne de louange. *Des intentions louables.*

louage n. m. Location. *Voiture de louage.*

louange n. f. **1.** Discours par lequel on loue qqn; éloge. **2.** Gloire, mérite. *Cette action est à la louange de son auteur.*

louanger v. tr. [**13**] Couvrir d'éloges.

louangeur, euse adj. Qui exprime des éloges. *Des articles louangeurs.*

Louang Prabang. V. Luang Prabang.

loubard n. m. Fam. Jeune voyou.

Loubet (Émile) (Marsanne, Drôme, 1838 - Montélimar, 1929), homme politique français. Président du Sénat (1896) puis président de la République (1899-1906), il déploya une intense activité diplomatique (resserrement des liens avec la Russie).

1. louche adj. **1.** Vieilli Atteint de strabisme. **2.** Qui n'est pas d'un ton franc. *Couleur louche.* **3.** Fig. Qui ne paraît pas parfaitement honnête; qui n'inspire pas confiance. *Une affaire louche. Un personnage louche.*

2. louche n. f. Grande cuiller à long manche utilisée pour servir notam. le potage. ▷ Fig., fam. *À la louche :* approximativement. - *En remettre, en rajouter une louche :* insister, persévérer.

louchébem ou **loucherbem** [luʃebɛm] n. m. **1.** Argot codé utilisé par les bouchers; largonji au suffixe en *-em.* **2.** Arg. Boucher.

loucher v. intr. [**1**] **1.** Être atteint de strabisme. **2.** Fig., fam. *Loucher sur un objet,* le convoiter.

loucherie n. f. ou vx **louchement** n. m. Fait de loucher, strabisme.

loucheur, euse n. Personne qui louche.

Loucheur (Louis) (Roubaix, 1872 - Paris, 1931), ingénieur et homme politique français; ministre du Travail et de la Prévoyance sociale (1926-1930). La *loi Loucheur* (1928) favorisa la construction d'immeubles ou de maisons individuelles grâce à des prêts d'État.

louchon n. m. Fam. et rare Personne qui louche.

Loudun, ch.-l. de cant. de la Vienne (arr. de Châtellerault); 8 448 hab. Industr. alim.; mat. agric. - Anc. égl. Ste-Croix, transformée en halle (chœur du XIe s.). Égl. St-Pierre (XIVe-XVIe s.). Donjon (XIIe s.).

Loue (la), riv. du Jura (125 km), affl. du Doubs (r. g.); sa source, vauclusienne, est la résurgence d'eaux infiltrées dans le plateau jurassien.

1. louer I. v. tr. [**1**] **1.** Donner en location. *Le propriétaire loue un appartement au locataire.* **2.** Prendre en location. *Chercher une maison à louer.* ▷ *Louer une, sa place,* la payer à l'avance pour la réserver. *Louer des places de théâtre.* **II.** v. pron. Vieilli Se faire embaucher pour une période déterminée. *Travailleur agricole qui se loue à la journée.*

2. louer v. tr. [**1**] **1.** Exalter (qqch, qqn), en célébrer les mérites. *Louer l'habileté d'un peintre.* - Absol. *Il faut savoir louer et blâmer à propos.* ▷ *Louer (qqn) de, pour (qqch),* l'en féliciter. *«Oui, je te loue, Ô ciel, de ta persévérance» (Racine).* **2.** *Louer Dieu,* le célébrer. - Loc. *Dieu soit loué!,* exclamation de contentement, de soulagement. **3.** v. pron. *Se louer de qqch, de qqn,* témoigner qu'on en est satisfait. *Je n'ai qu'à me louer de vos services.*

loueur, euse n. Personne qui fait métier de donner (qqch) en location. *Loueur de voitures.*

loufa, luffa, lufa ou **loofa** [lufa] n. f. Plante herbacée annuelle grimpante des régions chaudes, dont une espèce produit un fruit de forme cylindrique qui, une fois séché, est utilisé comme éponge végétale. - Cette éponge elle-même.

loufiat [lufja] n. m. Pop., vieilli Garçon de café.

loufoque [lufɔk] adj. Fam. **1.** Fou. *Un drôle de type, complètement loufoque.* **2.** D'une absurdité voulue. *Comédie loufoque.* (On dit aussi *louf* [luf] et *louftingue* [luftɛ̃g].)

loufoquerie n. f. **1.** Acte, propos loufoque. **2.** Caractère de ce qui est loufoque.

Lougansk (Vorochilovgrad de 1970 à 1991), v. d'Ukraine, dans le Donbass; 514 000 hab.; ch.-l. de la prov. du m. nom. Mines de charbon; sidérurgie; industr. mécaniques et textiles.

Louhans, ch.-l. d'arr. de Saône-et-Loire, au confl. de la Seille et de la Vallière; 6 581 hab. I.A.A.; constr. méca.

louis [lwi] n. m. **1.** Pièce d'or à l'effigie des rois de France, valant 24 livres sous la Révolution. **2.** Pièce d'or de 20 francs à l'effigie de Napoléon. (V. napoléon.)

Louis (Saint). V. Louis IX, roi de France.

Louis de Gonzague (saint) (Castiglione delle Stiviere, 1568 - Rome, 1591), novice jésuite italien qui mourut, à vingt-trois ans, en soignant des pestiférés.

EMPEREURS

Louis Ier le Pieux ou **le Débonnaire,** empereur d'Occident. V. Louis Ier (France). – **Louis II** (?, 825 - près de Brescia, 875), fils de Lothaire Ier; roi d'Italie en 844 et empereur d'Occident (855-875). – **Louis III l'Aveugle** (Autun, 880 - Arles, 928), petit-fils du préc.; roi de Provence (887-928) puis d'Italie (900), et enfin empereur d'Occident (901-905). – **Louis IV de Bavière** (Munich, 1287 - Fürstenfeld, près de Munich, 1347), roi des Romains (1314-1346) et empereur germanique (1328-1346). Excommunié en 1323 par le pape Jean XXII, il fut déposé par les princes allemands (1346) à l'instigation du pape Clément VI.

BAVIÈRE

Louis Ier de Wittelsbach (Strasbourg, 1786 - Nice, 1868), roi de Bavière (1825-1848), fils de Maximilien Ier; il abdiqua en faveur de son fils Maximilien II. – **Louis II de Wittelsbach** (Nymphenburg, 1845 - Berg, 1886), roi de Bavière (1864-1886), fils aîné de Maximilien II. Souverain extravagant et mélancolique, il protégea Wagner et fit construire plusieurs châteaux grandioses (Herrenchiemsee, 1878). À l'extérieur, il mena une politique de compromis, notam. avec la Prusse, qui devenait toute-puissante en Allemagne. Inquiets de sa prodigalité et de ses lubies, ses ministres le firent interner au château de Berg, en juin 1886; il se noya peu après dans le lac de Starnberg, dans des circonstances mystérieuses.

FRANCE

Louis, nom de dix-huit rois, et de dauphins qui ne régnèrent pas. – **Louis Ier le Pieux** ou **le Débonnaire** (Chasseneuil, 778 - près d'Ingelheim, 840), fils de Charlemagne; empereur d'Occident et roi des Francs (814-840). Il hérita de tout l'empire en 814. Impuissant à en assurer l'unité, il lutta jusqu'à sa mort contre ses trois premiers fils (Pépin, Louis et Lothaire), jaloux de leur demi-frère, Charles le Chauve, fils de sa seconde femme Judith de Bavière. – **Louis II le Bègue** (?, 846 - Compiègne, 879), fils de Charles le Chauve; roi (877-879). – **Louis III** (?, v. 863 - Saint-Denis, 882), fils et successeur, avec son frère Carloman, de Louis le Bègue (879-882). – **Louis IV d'Outremer** (?, 921 - Reims, 954), fils de Charles le Simple; il parvint au trône en 936 grâce à son vassal Hugues le Grand, qu'il combattit ensuite. – **Louis V le Fainéant** (?, 967 - Compiègne, 987), fils de Lothaire; le dernier Carolingien qui ait régné en France (986-987). – **Louis VI le Gros** ou **le Batailleur** (?, v. 1081 - Paris, 1137), fils et successeur de Philippe Ier (1108-1137). Il affermit son pouvoir en Île-de-France avec l'aide de son ministre Suger. Il lutta contre Henri Ier Beauclerc, duc de Normandie et roi d'Angleterre, et repoussa l'empereur germanique Henri V. – **Louis VII le Jeune** (?, v. 1120 - Paris, 1180), fils et successeur du préc. (1137-1180). En répudiant Aliénor d'Aquitaine, qui épousa ensuite Henri Plantagenêt, comte d'Anjou, duc de Normandie et futur roi d'Angleterre (Henri II), il donna le signal de la lutte entre Capétiens et Plantagenêts. Contre Henri II, il obtint l'alliance des comtes de Flandre et de Champagne. – **Louis VIII le Lion** (Paris, 1187 - Montpensier, Auvergne, 1226), fils et successeur de Philippe Auguste (1223-1226). Il chassa les Anglais du S.-O. de la France (sauf de l'Aquitaine) et dirigea une croisade contre les albigeois (1226). – **Louis IX** ou **Saint Louis** (Poissy, 1214 - Tunis, 1270), fils et successeur du préc. (1226-1270). Il régna d'abord sous la tutelle de sa mère, Blanche de Castille, qui défendit le pouvoir de son fils contre la rébellion des grands vassaux, et mit fin à la guerre contre les albigeois. En 1242, le roi commença de gouverner personnellement et triompha d'une ligue de seigneurs du Midi et de l'Ouest soutenus par Henri III d'Angleterre. Par le traité de Paris (1259), qu'il signa avec celui-ci, il mit, pour un temps, fin au conflit franco-anglais. Dans l'administration de son royaume, il voulut affermir le pouvoir royal, faire régner l'ordre et la justice. Vaillant chevalier, chrétien scrupuleux, il entreprit deux croisades : l'une en Égypte (1248), où il fut fait prisonnier; l'autre vers Tunis, où il mourut de la peste (25 août 1270). Canonisé en 1297. – **Louis X le Hutin** (Paris, 1289 - Vincennes, 1316), fils de Philippe le Bel et de Jeanne de Navarre; il régna de 1314 à 1316. Il dut faire face à une révolte des nobles, qui obtinrent des chartes fixant leurs droits et leurs immunités. – **Louis XI** (Bourges, 1423 - Plessis-lez-Tours, 1483), fils de Charles VII et de Marie d'Anjou; il régna de 1461 à 1483. Dauphin, il pactisa avec les nobles contre son père. Roi, il combattit contre eux, notam. contre le duc de Bretagne (autour duquel s'était formée la ligue du Bien public, en 1465), mais sa lutte princ. fut celle qui l'opposa à Charles le Téméraire, duc de Bourgogne, qui parvint à l'emprisonner à Péronne (1468). Par une politique habile, il déjoua toutes les coalitions féodales dirigées contre lui par son adversaire, qui, battu par le duc de Lorraine devant Nancy (1477), périt au cours de ce combat. Il occupa toutes les possessions du Téméraire, sauf la Flandre, apportée en dot par sa fille Marie à Maximilien d'Autriche. Par ailleurs, il hérita du comté d'Anjou (1480) et de la Provence (1481). Grand artisan de l'unité française, il affermit le pouvoir royal et donna un nouvel essor à l'économie du pays. – **Louis XII,** dit *le Père du peuple* (Blois, 1462 - Paris, 1515), fils du poète Charles d'Orléans, cousin et successeur (1498-1515) de Charles VIII, dont il poursuivit les entreprises en Italie, ajoutant à la revendication de ses droits sur Naples ceux qu'il prétendait tenir sur le duché de Milan (il était le petit-fils de Valentine Visconti). Un instant vainqueur, il fut chassé d'Italie à la fin de son règne. Ses guerres malheureuses ne nuisirent pas à la prospérité du royaume. Il avait fait annuler en 1498 son mariage avec Jeanne de Valois, fille de Louis XI, qu'il avait épousée en 1476, pour s'unir (1499) avec Anne de Bretagne, veuve de Charles VIII, de façon que le duché de Bretagne restât à la France; veuf en 1514, il épousa la très jeune Marie d'Angleterre, mais mourut sans postérité mâle. – **Louis XIII le Juste** (Fontainebleau, 1601 - Saint-Germain, 1643), fils d'Henri IV et de Marie de Médicis; il succéda à son père en 1610; sous son nom gouvernèrent d'abord Marie de Médicis et Concini (1610-1617), puis, après l'assassinat de ce dernier, le favori Luynes (1617-1621), qui imposa le pouvoir royal et combattit les protestants, et enfin le cardinal de Richelieu (1624-1642), que Louis XIII soutint constamment malgré les intrigues de la Cour (journée des Dupes, 11 nov. 1630). Il abattit la puissance protestante en prenant La Rochelle (1629); il conquit l'Artois, une grande partie de l'Alsace et le Roussillon en intervenant dans la guerre de Trente Ans contre la maison

Louis IX, miniature du registre des ordonnances de l'Hôtel du Roi, v. 1320; Archives nationales

Louis II de Wittelsbach, roi de Bavière

Louis XI

Louis XIII

Louis XIV

d'Autriche. En 1615, il avait épousé Anne d'Autriche, qui lui donna deux fils : Louis (1638) et Philippe (1640). – **Louis XIV le Grand** (Saint-Germain-en-Laye, 1638 – Versailles, 1715), fils du préc.; roi de 1643 à 1715. Il était âgé de cinq ans à la mort de son père. Anne d'Autriche confia le gouvernement à Mazarin, dont le ministère fut marqué par deux événements importants : à l'intérieur, une guerre civile suscitée par les adversaires de l'autorité monarchique, la Fronde (1648-1653), qui marqua profondément le jeune Louis; à l'extérieur, la signature de la paix de Westphalie (1648), qui termina la guerre de Trente Ans, puis de la paix des Pyrénées (1659) avec l'Espagne. À partir de 1661, date du début de son gouvernement personnel, Louis XIV porta à son apogée la monarchie absolue; l'un de ses premiers actes autoritaires fut de faire arrêter Fouquet (1661). Servi par de grands « commis » : Colbert, Le Tellier et son fils Louvois, Hugues de Lionne, et par de grands généraux : Condé, Vauban, Turenne, il voulut imposer à l'extérieur la prédominance française. De là, quatre grandes guerres : *guerre de Dévolution* (1667-1668), qui donna la Flandre méridionale à la France (traité d'Aix-la-Chapelle); *guerre de Hollande* (1672-1678), par laquelle elle obtint la Franche-Comté (paix de Nimègue); *guerre de la Ligue d'Augsbourg* (1688-1697), terminée par le traité de Ryswick; *guerre de la Succession d'Espagne* (1701-1713). À la paix d'Utrecht (1713), la France conservait la majeure partie de ses acquisitions territoriales en Europe, mais elle sortait de la guerre lasse et ruinée. Louis XIV entra en conflit avec la papauté; soucieux d'unité religieuse, il fut conduit à révoquer en 1685 l'édit de Nantes accordé aux protestants et à persécuter les jansénistes. Dans les années brillantes du règne avait été bâti le château de Versailles, résidence du « Roi-Soleil » et de la Cour, décoré et animé par d'innombrables artistes; en effet, le luxe et le rituel de la Cour furent pour lui le moyen politique d'asservir la noblesse. Époux de l'infante d'Espagne Marie-Thérèse d'Autriche (1660), il eut des liaisons « officielles » : Mlle de La Vallière (1661), Mme de Montespan (1667), Mlle de Fontanges (1680); enfin, il épousa secrètement Mme de Maintenon (probablement en 1683). L'influence moralisatrice de celle-ci, les deuils qui frappèrent la famille royale, autant que les malheurs publics et le poids de l'étiquette, assombrirent les dernières années de son règne. – **Louis de France** (Fontainebleau, 1661 – Meudon, 1711), dit *le Grand Dauphin*, fils de Louis XIV et de Marie-Thérèse d'Autriche. Il eut trois fils : Louis, duc de Bourgogne; Philippe, duc d'Anjou; Charles, duc de Berry. – **Louis de France** (Versailles, 1682 – id., 1712), fils du préc.; duc de Bourgogne; dauphin de 1711 à 1712; père de Louis XV. – **Louis XV le Bien-Aimé** (Versailles, 1710 – id., 1774), arrière-petit-fils de Louis XIV, à qui il succéda en 1715. À la Régence, présidée par Philippe d'Orléans (1715-1723), succédèrent le gouvernement du duc de Bourbon (1723-1726), qui lui fit épouser Marie Leczinska (1725), puis celui du cardinal Fleury (1726-1743), qui engagea la France dans la *guerre de la Succession de Pologne* (1733-1738), que termina le traité de Vienne. À la mort de son vieux précepteur (1743), le roi annonça son intention de gouverner personnellement, mais, en fait, il laissa agir ses ministres. Deux grandes guerres, la *guerre de la Succession d'Autriche* (1740-1748) et la *guerre de Sept Ans* (1756-1763), sacrifièrent les intérêts coloniaux de la France (perte des possessions de l'Inde et du Canada, perte de la Louisiane occid.), sans favoriser ses intérêts européens. Cependant, la France acquit deux nouvelles provinces : la Lorraine (1766) et la Corse (1768). À l'intérieur, le royaume souffrit d'une crise du pouvoir monarchique, Louis XV manifestant une incapacité à gouverner; les dépenses excessives du roi lui aliénèrent le parlement de Paris, que Maupeou supprima en 1771; ses liaisons (Mme de Pompadour, Mme du Barry) lui furent reprochées. Cependant, bien administrée à la fin du règne par Choiseul, puis par Maupeou, la France bénéficia d'un grand essor économique. – **Louis de France** (Versailles, 1729 – Fontainebleau, 1765), fils du préc.; dauphin de France; veuf de Marie-Thérèse d'Espagne, il épousa en secondes noces (1747) Marie-Josèphe de Saxe qui lui donna cinq enfants. – **Louis XVI** (Versailles, 1754 – Paris, 1793), fils du préc., petit-fils et successeur de Louis XV (1774-1792), époux (1770) de Marie-Antoinette d'Autriche. Il monta sur le trône alors que les finances royales étaient dans une situation difficile. Ni Turgot ni Necker (1777-1781) ne parvinrent à restaurer le Trésor public et à amadouer le parlement, rappelé en 1774. La participation française à la *guerre d'Indépendance américaine* (1774-1783) redonna du prestige à la monarchie mais aggrava la dette de l'État, que Calonne, puis Loménie de Brienne, puis de nouveau Necker essayèrent en vain de combler. Le roi dut alors convoquer les états généraux (mai 1789). En se proclamant Assemblée nationale (17 juin 1789) puis Assemblée constituante, les députés du tiers état engagèrent un processus révolutionnaire dont le roi ne saisit pas l'ampleur. Refusant de cautionner la Constitution de 1791 qui le maintenait sur le trône, révolté par la Constitution civile du clergé, il chercha l'appui de l'étranger et s'enfuit (20-21 juin 1791). Arrêté à Varennes, discrédité, il fut ramené à Paris et jura fidélité à la Constitution, qui lui reconnaissait des pouvoirs limités (droit de veto). Escomptant la défaite des révolutionnaires, il déclara alors la guerre à l'Autriche (20 avril 1792) mais se heurta à la méfiance populaire. L'insurrection du 10 août 1792 renversa le roi, et la Convention fit son procès (déc. 1792-janv. 1793) : Louis XVI fut guillotiné le 21 janvier 1793. Sa mort provoqua une coalition des souverains d'Europe contre la France révolutionnaire. – **Louis XVII** (Versailles, 1785 – Paris, 1795), fils de Louis XVI et de Marie-Antoinette; il mourut dans la prison du Temple. Certains historiens admettent qu'il en fut enlevé. – **Louis XVIII** (Versailles, 1755 – Paris, 1824), frère cadet de Louis XVI; il régna d'avril 1814 à mars 1815 (première Restauration) puis de juil. 1815 à sa mort (seconde Restauration). Comte de Provence, il émigra en juin 1791 puis rentra à Paris, après l'abdication de Napoléon. Pendant les Cent-Jours, il se retira en Belgique et revint après Waterloo. La Charte qu'il avait « octroyée » dès 1814 établit en France la monarchie constitutionnelle. Malgré ses préférences pour le gouvernement des libéraux (le duc de Richelieu, Decazes), Louis XVIII résista mal à la réaction ultraroyaliste du début (Terreur blanche) et surtout de la fin de son règne (ministère Villèle, 1821), après l'assassinat du duc de Berry (1820).

Louis XV **Louis XVI**

GERMANIE

Louis II le Germanique (?, 804 – Francfort-sur-le-Main, 876), fils de l'empereur Louis Ier le Pieux; roi de Germanie après le partage de Verdun (843); il dut céder à son frère Charles une partie de la Lorraine (869), la vallée du Rhône et l'Italie (874). – **Louis III le Jeune** (?, 822 – Francfort-sur-le-Main, 882), fils et successeur du préc. (876-882); il agrandit ses États de la Lotharingie occid. et de la Bavière. – **Louis IV l'Enfant** (Œttingen, 893 – Ratisbonne, 911), roi de Germanie et de Lotharingie (900-911); le dernier Carolingien qui ait régné sur la Germanie.

HONGRIE

Louis Ier le Grand (Visegrád, 1326 – Nagyszombat, 1382), roi de Hongrie (1342-1382) et de Pologne (1370-1382), fils de Charles-Robert d'Anjou (Charles Ier Robert, roi de Hongrie). Il favorisa le développement écon. et culturel de la Hongrie (fondation de l'université de Pécs, 1367) et renforça les pouvoirs de la noblesse en Pologne. – **Louis II** (Buda, 1506 – Mohács, 1526), roi de Bohême et de Hongrie (1516-1526); vaincu à Mohács par le sultan Soliman II, il tenta de fuir et se noya.

NAPLES ET SICILE

Louis Ier (Vincennes, 1339 – Bisceglie, 1384), comte puis duc d'Anjou (1360-1384), roi de Sicile, comte de Provence et de Forcalquier (1383-1384). Deuxième fils du roi de France Jean II le Bon, il fut adopté par Jeanne Ire de Sicile comme héritier du royaume de Naples (1380), mais il n'entra que tardivement en possession de ses domaines du fait de l'hostilité de Charles de Durazzo (Charles III, roi de Naples de 1381 à 1386). – **Louis II** (Toulouse, 1377 – Angers, 1417), fils et successeur du préc.; roi de Naples, de Sicile, de Jérusalem, duc d'Anjou, comte du Maine et de Provence (1384-1417); roi d'Aragon en 1410. – **Louis III** (?, 1403 – Cosenza, 1434), fils et successeur du préc. (1417-1434).

PORTUGAL

Louis Ier (Lisbonne, 1838 – Cascais, 1889), roi de Portugal (1861-1889), successeur de son frère Pierre V. Il réalisa de nombr. réformes libérales (abolition de l'esclavage dans les colonies, 1868).

◊ ◊ ◊

Louis (Victor) (Paris, 1731 – id., v. 1811), architecte néo-classique français : Grand-Théâtre de Bordeaux (1773-1780), galeries du Palais-Royal à Paris (1786-1790), Théâtre-Français, auj. Comédie-Française (1790).

Louis (Joseph Dominique, baron) (Toul, 1755 – Bry-sur-Marne, 1837), homme politique français. Plusieurs fois ministre des Finances sous Louis XVIII et sous Louis-Philippe, il assainit les finances.

Louis de Mâle (Mâle, près de Bruges, 1330 - Saint-Omer, 1384), comte de Flandre (1346-1384). Il dut faire face aux révoltes des Gantois contre lesquels il lutta avec l'aide des Français. Il laissa la Flandre à sa fille, Marguerite de Mâle, et à son gendre, Philippe le Hardi, duc de Bourgogne.

louise-bonne n. f. Variété de poire fondante. *Des louises-bonnes.*

Louise de Marillac (sainte) (Paris, 1591 - id., 1660), religieuse française. Épouse d'Antoine Le Gras, devenue veuve en 1625, elle fonda, avec saint Vincent de Paul, la congrégation des Filles de la Charité.

Louise de Mecklembourg-Strelitz (Hanovre, 1776 - Hohenzieritz, 1810), reine de Prusse, épouse de Frédéric-Guillaume III, qu'elle poussa à l'alliance russe contre la France (1806).

Louise de Savoie (Pont-d'Ain, 1476 - Grez-sur-Loing, 1531), régente de France. Épouse de Charles de Valois, mère de Marguerite de Navarre et de François Ier, elle assura la régence pendant les campagnes de son fils en Italie et signa avec Marguerite d'Autriche la paix de Cambrai, dite *paix des Dames* (1529).

Louise-Marie d'Orléans (Palerme, 1812 - Ostende, 1850), reine des Belges. Fille aînée de Louis-Philippe, elle épousa le roi des Belges Léopold Ier (1832) et fut la mère de Léopold II.

Louisiane, État du S. des É.-U., sur le golfe du Mexique; 125 674 km^2; 4 220 000 hab.; cap. *Baton Rouge;* v. princ. : *La Nouvelle-Orléans.*

Géogr. et écon. - Exposé au climat subtropical, cet État, aux sols alluviaux plats et souvent marécageux, produit de la canne à sucre, du riz, du coton, des agrumes. Les gisements de pétrole, de gaz naturel, de soufre et de sel ont suscité une puissante industr. chimique, tandis que les sites portuaires permettaient l'implantation d'industr. métallurgiques (aluminium, notam.).

Hist. - Explorés par les Espagnols, colonisés par les Français (notam. Cavelier de La Salle, 1682) qui leur donnèrent le nom de Louisiane en hommage à Louis XIV, les pays du Mississippi furent peuplés d'esclaves noirs et de déportés. En 1762, la partie occid. fut cédée à l'Espagne, qui la rendit à la France en 1800, tandis que la partie orient. (à l'exception de La Nouvelle-Orléans) était donnée à l'Angleterre (1763). En 1803, Napoléon vendit (80 millions de francs) la Louisiane française aux É.-U., dont elle forma le dix-huitième État en 1812.

Louis-Marie Grignion de Montfort (saint) (Montfort-sur-Meu, Bretagne, 1673 - Saint-Laurent-sur-Sèvre, Vendée, 1716), missionnaire français; fondateur de la congrégation des filles de la Sagesse (1703), de la congrégation des frères du Saint-Esprit (ou de Saint-Gabriel) et de la Compagnie de Marie (Pères montfortains).

louis-philippard, arde adj. Péjor. De l'époque de Louis-Philippe; de style Louis-Philippe. *Salle à manger louis-philipparde.*

Louis-Philippe Ier (Paris, 1773 - Claremont, Grande-Bretagne, 1850), fils de Philippe d'Orléans («Philippe Égalité»), roi des Français de 1830 à 1848.

Louis-Philippe Ier **Lully**

Connu d'abord sous le nom de duc de Chartres, puis de duc d'Orléans, officier de la Révolution, il suivit Dumouriez en 1793 et mena ensuite une vie précaire à l'étranger, notam. en Sicile, quand il eut épousé, en 1809, Marie-Amélie, fille de Ferdinand Ier, roi des Deux-Siciles, qui lui donna dix enfants. Après la révolution de 1830, qui renversa Charles X, il fut proclamé roi des Français et prêta serment à la Charte révisée. D'abord libéral, son régime devint de plus en plus conservateur. Les dix premières années de la *Monarchie de Juillet* furent très agitées : insurrection républicaine des 5 et 6 juin 1832, tentative légitimiste de la duchesse de Berry (1832), tentatives de restauration de Louis Napoléon (1836 et 1840), émeutes populaires de Lyon et de Paris (1834), insurrections fomentées par Barbès et Blanqui (1839), multiples attentats, notam. celui de Fieschi (1835). De 1840 à 1848, le long ministère Guizot semblait attester la stabilité du régime. En fait, l'opposition restait vive. Elle attaquait la politique extérieure du ministère et surtout son opposition aux réformes. L'immobilisme du régime face à la crise économique et sociale aboutit à la révolution de 1848. Louis-Philippe, dont le fils aîné, le duc d'Orléans, était mort accidentellement, abdiqua en faveur de son petit-fils, le comte de Paris, et se réfugia en Grande-Bretagne.

Louisville, v. des É.-U. (Kentucky), sur la rive gauche de l'Ohio; 269 000 hab. (aggl. urb. 962 600 hab.). Premier centre industr. du Kentucky : métallurgie, mécanique (auto.), chimie (caoutchouc).

loukoum. V. rahat-loukoum.

Louksor. V. Louxor.

loulou n. m. **1.** Chien de luxe au museau pointu et à poil long. *Des loulous.* **2.** Fam. Terme d'affection (fém. *louloute* [lulut]).

loup n. m. **1.** Mammifère carnivore à l'allure de grand chien (fam. canidés), au pelage gris jaunâtre, aux yeux obliques, aux oreilles dressées. *Le petit du loup est le louveteau, la femelle est la louve.* ▷ (Canada) *Loup-marin* : veau marin. *Bottes en loup-marin.* **2.** Loc. fig. *Faim de loup* : grande faim. - *Marcher à pas de loup,* sans bruit. - *Être connu comme le loup blanc* : être très connu. - *La faim fait sortir le loup du bois* : la nécessité force à agir. - Fam., vieilli *Elle a vu le loup* : se dit d'une jeune fille qui a fait ses premières expériences sexuelles. - *Hurler avec les loups* : se conformer à l'avis des gens avec qui l'on se trouve. - *Quand on parle du loup, on en voit la queue* : se dit lorsque qqn survient quand on parle de lui. - *L'homme est un loup pour l'homme,* il est sans pitié pour ses semblables. - *Enfermer le loup dans la bergerie*.* - *Se jeter dans la gueule* du loup.* ▷ *Jeune loup* : homme jeune et plein d'ambition. **3.** Fam. Terme d'affection. *Mon (petit) loup.* **4.** Bar (poisson). **5.** Fam. *Loup de mer* : marin endurci au métier; marin expérimenté. **6.** Petit masque noir que l'on porte dans les bals masqués. **7.** TECH Gros défaut d'une pièce, entraînant sa mise au rebut.

Loup (le), fl. côtier des Alpes-Maritimes (51 km) qui se jette dans la Méditerranée au S.-O. de Cagnes. - Gorges pittoresques.

Loup ou **Leu** (saint) (Toul, v. 382 - Troyes, v. 478), évêque de Troyes qui défendit sa ville contre Attila (451).

loup-cervier n. m., **loup-cerve** n. f. Lynx boréal. *La loup-cerve est la femelle du loup-cervier. Des loups-cerviers, des loups-cerves.*

loupe n. f. **1.** Défaut d'une perle ou d'une pierre précieuse. **2.** Kyste sébacé. **3.** Excroissance ligneuse qui se développe sur certains arbres (ormes et noyers, notam.) et dont le bois, très noueux, est recherché en ébénisterie pour ses qualités décoratives. **4.** Lentille convergente qui donne des objets une image agrandie. *Loupe de philatéliste, d'horloger.* - Loc. fig. *Regarder qqch à la loupe,* l'examiner de près. **5.** TECH Masse de fer incandescente que l'on martèle pour en extraire les scories.

loupé n. m. Fam. Erreur, échec.

louper v. tr. [1] Fam. Rater, manquer. *Louper un examen. Louper un train.* - Pp. adj. *Un exercice loupé.*

loup-garou n. m. Personnage légendaire, malfaisant qui se métamorphose la nuit en loup. *Des loups-garous.*

loupiot, otte n. Fam. Enfant.

loupiote n. f. Fam. Petite lampe.

Louqsor. V. Louxor.

lourd, lourde adj. et adv. **I.** adj. **1.** Pesant. *Une lourde charge.* - Loc. fig. *Lourd de sous-entendus.* ▷ SPORT *Poids lourd* : catégorie de boxeurs pesant plus de 86,184 kg (professionnels). *Poids mi*-lourd.* ▷ Qui donne une sensation de pesanteur. *Des aliments lourds. Avoir la tête lourde.* - *Avoir le sommeil lourd,* profond. **2.** Qui se remue avec peine. *Devenir lourd en vieillissant.* - Par ext. *Marcher d'un pas lourd.* **3.** Loc. *Avoir la main lourde* : frapper fort; fig. punir sévèrement. - Dépasser la mesure en pesant, en versant une substance. **4.** Oppressant. - *Temps lourd,* orageux. **5.** Qui manque d'élégance, de finesse. *Une plaisanterie lourde. Un style lourd.* ▷ *Lourde faute* : erreur grossière. **6.** PHYS NUCL *Eau lourde* : eau constituée par la combinaison de l'oxygène avec l'isotope de masse atomique 2 de l'hydrogène (deutérium ou hydrogène lourd). *L'eau lourde sert de modérateur dans certaines réactions nucléaires.* **II.** adv. *Ce colis pèse lourd,* beaucoup. - Loc. fig. *Peser lourd dans la balance* : avoir beaucoup d'importance. - *Elle n'en sait pas lourd* : elle ne sait pas grand-chose.

loup

lourdaud, aude adj. et n. Péjor. Grossier, maladroit.

lourde n. f. Arg. Porte.

lourdement adv. **1.** Pesamment. *Il s'appuie lourdement sur sa canne.* **2.** Grossièrement. *S'esclaffer lourdement.*

lourder v. tr. [**1**] Arg. Mettre à la porte; renvoyer, congédier. *On l'a lourdé de sa boîte.*

Lourdes, ch.-l. de cant. des Hautes-Pyrénées (arr. d'Argelès-Gazost), sur le gave de Pau; 16 581 hab. Électroménager; fabr. et comm. d'objets de piété. – Un des plus grands centres de pèlerinage du monde catholique. – Grotte de Massabielle, célèbre par les apparitions de la Vierge à Bernadette Soubirous (1858); deux basiliques consacrées à la Vierge : basilique supérieure (1876), au-dessus de la grotte, et basilique souterraine Saint-Pie-X (1958).

lourdeur n. f. **1.** Pesanteur. *Lourdeur de la démarche.* **2.** Fig. Défaut de ce qui est lourd (sens 5), de ce qui manque d'élégance. *Lourdeur du style.* **3.** Fig. Caractère de ce qui pèse, de ce qui fait difficulté. *La lourdeur d'une responsabilité.*

lourdingue adj. Fam. Lourd d'apparence ou d'esprit. *Allure, attitude, raisonnement lourdingue.*

Lourenço Marques. V. Maputo.

Lou Siun. V. Lu Xun.

loustic [lustik] n. m. **1.** Amuseur, farceur. *Faire le loustic.* **2.** Fam., péjor. Individu. *Qu'est-ce que c'est que ce loustic ?*

loutre n. f. Mammifère carnivore de mœurs aquatiques (fam. mustélidés) aux pattes palmées, à la fourrure épaisse et brune. – Fourrure de cet animal.

loutre commune ou de rivière

Louvain (en néerl. *Leuven*), v. de Belgique (Brabant), ch.-l. d'arr., sur la Dyle; 85 080 hab. Centre universitaire et industriel (constr. méca., chim., brasserie), la ville appartient à la conurbation Louvain-Malines-Bruxelles. – Célèbre université cathol. fondée en 1425. Hôtel de ville flamboyant (XVe s.). Égl. goth. St-Pierre (XVe s.). Égl. baroque St-Michel (XVIIe s.). Halles (1317-1345, agrandies au XVIIIe s.). Musée.

louve n. f. **1.** Femelle du loup. **2.** TECH Coin métallique utilisé pour le levage des pierres de taille.

Louveciennes, com. des Yvelines (arr. de Saint-Germain-en-Laye); 7 470 hab. – Égl. XIIe-XIIIe s.; chât. XVIIIe s. (donné à Mme du Barry par Louis XV) et pavillon construit par Ledoux; aqueduc de Marly.

Louvel (Louis Pierre) (Versailles, 1783 – Paris, 1820), ouvrier sellier qui assassina le duc de Berry (13 fév. 1820) dans l'espoir d'éteindre la dynastie des Bourbons. Il mourut sur l'échafaud.

Louverture. V. Toussaint Louverture.

louveteau n. m. **1.** Petit du loup. **2.** Jeune scout.

louveterie n. f. Équipage pour la chasse au loup. ▷ *Lieutenant de louveterie :* particulier qui entretient une meute et que l'État charge de la destruction des animaux nuisibles (charge surtout honorifique de nos jours).

Louvière (La), com. de Belgique (Hainaut); 77 330 hab. Industrie lourde.

Louviers, ch.-l. de cant. de l'Eure (arr. d'Évreux), sur l'Eure; 19 047 hab. (*Lovériens*). Industr. textiles, électr., électro-acoustique (disques). – Égl. goth. (XIIe-XIIIe s., remaniée aux XVe et XVIe s.).

louvoiement [luvwamɑ̃] n. m. Action de louvoyer (sens 2).

Louvois (François Michel Le Tellier, seigneur de Chaville, marquis de) (Paris, 1639 – Versailles, 1691), homme d'État français. Fils de Michel Le Tellier, secrétaire d'État à la Guerre, Louvois obtint la survivance de la charge paternelle. Membre du Conseil des dépêches (1661), surintendant des Postes (1668), ministre d'État (1672), surintendant des Bâtiments, Arts et Manufactures (1683), il réorganisa l'armée, qu'il voulut entièrement au service du roi : stricte discipline, corps hiérarchisé d'officiers, amélioration de la solde, de l'équipement (introduction de la baïonnette), formation militaire, soins aux blessés (création de l'*hôtel des Invalides*). Il joua un grand rôle dans la politique de Louis XIV à qui il inspira des mesures brutales : dragonnades contre les protestants, dévastation du Palatinat. Il fut disgracié en 1689.

louvoyage n. m. MAR Action de louvoyer. *Gagner au louvoyage :* progresser dans la direction d'où vient le vent.

louvoyer v. intr. [**23**] **1.** MAR Se dit d'un bateau à voiles qui tire successivement des bords tribord et bâbord pour atteindre un point au vent. **2.** Fig. Faire de nombreux détours pour arriver à ses fins. ▷ *Par ext.* Agir par des procédés peu francs.

Louvre (palais du), célèbre palais de Paris, en bordure de la r. dr. de la Seine. C'était à l'orig. une forteresse, bâtie par Philippe Auguste (1204) et que Charles V transforma en résidence royale. La reconstruction de cette résidence, entreprise sous François Ier par P. Lescot, fut poursuivie sous Henri II, Henri IV, Louis XIII (pavillon de l'Horloge, œuvre de Lemercier), Louis XIV (bâtiments élevés par Le Vau), Napoléon Ier (travaux de Percier et Fontaine) et Napoléon III (aménagements de Visconti et Lefuel). Décidée par François Mitterrand, la construction de la pyramide de verre du Grand Louvre par l'architecte Pei a été achevée en 1988. Par décret du 6 mai 1791, le Louvre devint le Muséum central des arts de la République. Il est auj. le premier musée national français, dont les nombr. départements abritent un ensemble d'œuvres unique au monde.

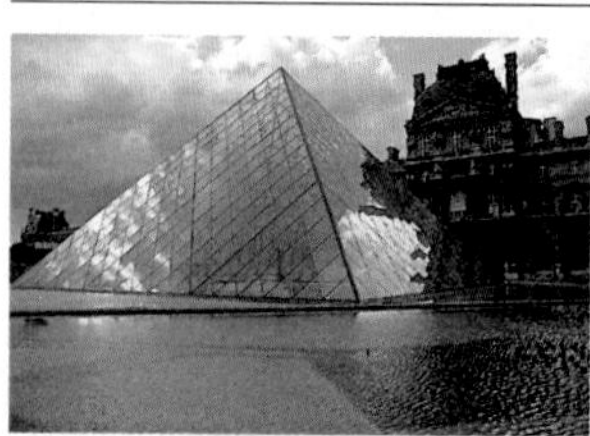

la pyramide du **Louvre**

Louxor, Louksor ou **Louqsor** (*al-Aqṣur*), v. de Haute-Égypte (gouv. de Qena ou Kénèh); 40 000 hab. – La ville recouvre une partie de l'antique Thèbes. Vestiges d'un temple d'Amon élevé par Aménophis III et augmenté par Ramsès II d'une cour à portique et d'un pylône flanqué de deux obélisques (dont l'un est, depuis 1836, sur la place de la Concorde, à Paris).

Louxor : vestiges du temple d'Amon

Louÿs (Pierre Louis, dit Pierre) (Gand, 1870 – Paris, 1925), écrivain français. Il décrivit en esthète les paysages et les scènes érotiques, et en peintre moraliste les ravages de la passion. Poèmes en vers et en prose : *Astarté* (1893); *les Chansons de Bilitis* (1894). Romans de mœurs et contes galants : *Aphrodite* (1896), *la Femme et le Pantin* (1898); *les Aventures du roi Pausole* (1901).

Lovecraft (Howard Phillips) (Providence, Rhode Island, 1890 – id., 1937), écrivain américain; auteur de récits fantastiques : *la Couleur tombée du ciel* (1927), *l'Appel de Cthulhu* (1928), *Dans l'abîme du temps* (1936).

Lovelace (Richard) (Woolwich, 1618 – Londres, 1657), poète lyrique anglais : *À Althée de sa prison* (1642), *À Lucasta en partant pour la guerre* (1649).

lovelace n. m. Litt. Séducteur sans scrupules.

lover 1. v. tr. [**1**] MAR Enrouler (un cordage) sur lui-même en en superposant les spires. **2.** v. pron. Se rouler en spirale. *Serpent qui se love.*

Lowe (sir Hudson) (Galway, 1769 – Chelsea, 1844), général anglais. Gouverneur de Sainte-Hélène en 1815, il fut le sévère gardien de Napoléon pendant sa captivité.

Lowell (Amy) (Brookline, Massachusetts, 1874 – id., 1925), poétesse américaine. Elle écrit des poèmes impressionnistes en vers libres : *Un dôme de verre aux cent couleurs* (1912), *Que dit l'horloge ?* (1925). Elle fut aussi critique : *Six poètes français* (1915), *John Keats* (1925).

Lowendal ou **Loewendahl** (Ulrich Frédéric Waldemar, comte de) (Hambourg, 1700 – Paris, 1755), maréchal de France d'orig. danoise. Attiré en France par Louis XV après avoir servi en Allemagne, en Pologne et en Russie, il combattit à Fontenoy.

Lowestoft, v. et port de G.-B. (Suffolk), sur la mer du Nord. Constr. navales. Pêche. Stat. balnéaire.

Lowie (Robert Harry) (Vienne, 1883 - Berkeley, Californie, 1957), ethnologue américain d'origine autrichienne ; spécialiste des Indiens d'Amérique du Nord : *Primitive Society* (1920), *Social Organization* (1948).

Lowlands (en fr. *Basses Terres*), dépression du centre de l'Écosse, entre les estuaires *(firths)* du Forth et de la Clyde. Princ. région écon. d'Écosse, elle comprend Glasgow et Édimbourg.

Lowry (Malcolm) (Birkenhead, Cheshire, 1909 - Ripe, Sussex, 1957), écrivain anglais. Son chef-d'œuvre, *Au-dessous du volcan* (1947), influencé par Joyce, est le roman de la solitude, du désespoir et de l'alcoolisme. Autres œuvres : *Écoute notre voix, ô Seigneur* (nouvelles, posth., 1962), *Lunar Caustic* (posth., 1963, roman inachevé).

loxodromie n. f. MAR Courbe de la sphère terrestre qui coupe tous les méridiens sous un angle constant. *La loxodromie, qui correspond à la route suivie par un navire gardant un cap constant, est représentée sur les cartes marines par une ligne droite.*

loyal, ale, aux [lwajal, o] adj. **1.** DR Conforme à la loi. *Bon et loyal inventaire.* **2.** Droit, franc, sincère, honnête. *Loyal camarade. Une discussion loyale.*

Loyal (Monsieur), au cirque, régisseur de piste qui présente les numéros et arbitre les débats des clowns.

loyalement adv. Avec loyauté.

loyalisme n. m. **1.** Fidélité au régime établi. **2.** Fidélité à une cause.

loyaliste adj. et n. Qui proclame son loyalisme. ▷ Subst. *Un(e) loyaliste.*

loyauté [lwajote] n. f. Droiture, probité, honnêteté. *Reconnaître ses erreurs avec loyauté.*

Loyauté (îles), archipel français du Pacifique, dépendance de la Nouvelle-Calédonie (à 100 km au N.-E.) ; 2 095 km^2 ; 15 000 hab. L'archipel comprend trois îles : Lifou, Maré et Ouvéa.

loyer [lwaje] n. m. Prix payé par le preneur pour l'usage d'une chose louée (propriété, immeuble, maison, local, appartement, etc.). *Payer son loyer.* ▷ FIN *Loyer de l'argent* : taux d'intérêt.

Loyola (Ignace de). V. Ignace de Loyola.

Loyson (Charles), dit *le Père Hyacinthe* (Orléans, 1827 - Paris, 1912), carme français, célèbre par ses sermons à Notre-Dame de Paris (1865). Il se sépara de Rome et fonda, à Paris, une Église gallicane (1879).

Lozère (mont), massif granitique des Cévennes, entre les vallées du Tarn et du Lot (1 699 m au *signal de Finiels*).

Lozère, dép. franç. (48) ; 5 179 km^2 ; 72 825 hab. ; 14 hab./km^2 ; ch.-l. *Mende.* V. Languedoc-Roussillon (Rég.).

lozérien, ienne adj. et n. De la Lozère. - Subst. *Un(e) Lozérien(ne).*

L.P. ou **LP** Abrév. de *lycée professionnel.*

Lr CHIM Symbole du lawrencium.

L.S.D. n. m. (Sigle de l'all. *Lyserg Säure Diäthylamid,* « acide lysergique diéthylamide ».) Hallucinogène puissant.

Lu CHIM Symbole du lutétium.

Luanda, cap. de l'Angola, port sur l'Atlantique ; 700 000 hab. Industr. agric. (sucrerie, manuf. de tabac) ; raff. de pétrole.

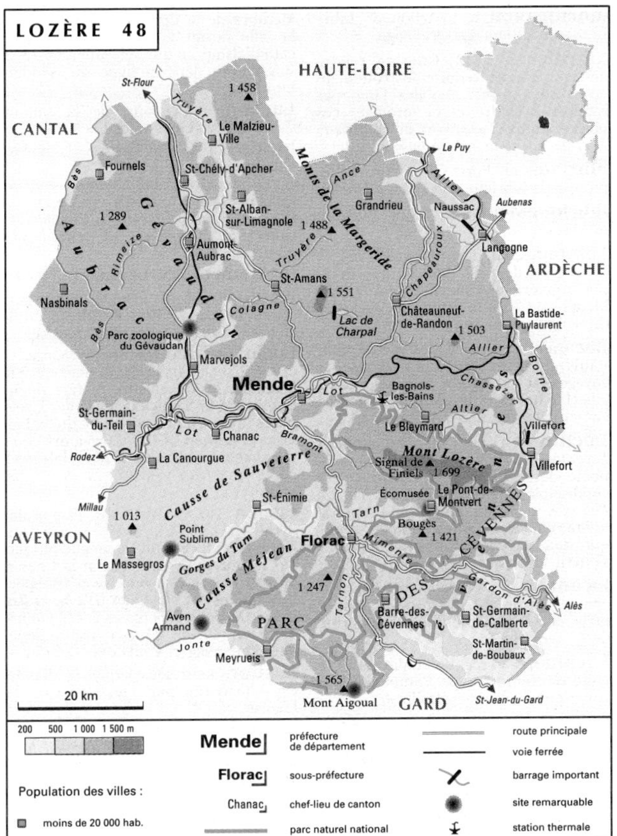

Luang Prabang ou **Louang Prabang,** v. du Laos, sur le haut Mékong ; 44 000 hab. ; ch.-l. de la prov. du m. nom. Anc. cap. royale ; grand centre religieux.

Lubac (Henri Sonier de) (Cambrai, 1896 - Paris, 1991), prélat français ; jésuite, professeur de théologie et d'histoire des religions ; expert au Concile Vatican II, cardinal (1983) ; un des artisans du renouveau théologique : *Catholicisme* (1938), *Méditation sur l'Église* (1953).

Lubango, v. d'Angola ; cap. de la prov. de Huíla ; 105 000 hab. Brosserie.

Lubbers (Rudolf, dit Ruud) (Rotterdam, 1939), homme politique néerlandais. Chrétien-démocrate, il est ministre de l'Économie (1973-1977), Premier ministre d'un gouvernement avec les libéraux (1982-1989) puis avec les socialistes (1989-1994). Après son échec aux législatives de mai 1994, il n'a pas été retenu par les Douze pour succéder à J. Delors à la présidence de la Commission européenne.

Lübeck, port d'All. (Schleswig-Holstein), sur la *Trave,* près de la Baltique ; 209 160 hab. Anc. capitale de la Ligue hanséatique, ville libre jusqu'en 1937, Lübeck ajoute à ses fonctions commerciales une fonction industrielle diversifiée : métall. ; constr. méca. ; chantiers navals ; industr. chim. et alim. - Cathédrale romane (modifiée au XVIe s.). Marienkirche et Jakobkirche (églises des XIIIe et XIVe s.). - Par la *paix de Lübeck* (1629), Christian IV de Danemark, vaincu, renonçait à intervenir dans les affaires de l'Allemagne.

Luberon ou **Lubéron** (chaîne du), chaîne calcaire des Alpes du S., au N. de la Durance (1 125 m).

lubie n. f. Caprice bizarre, fantaisie subite. *Avoir des lubies.*

Lubin (Germaine) (Paris, 1890 - id., 1979), cantatrice française, interprète de Wagner. Elle fut la première Française à chanter à Bayreuth.

Lubitsch (Ernst) (Berlin, 1892 - Los Angeles, 1947), cinéaste américain d'origine allemande ; un des maîtres de la comédie musicale (*Parade d'amour,* 1929 ; *la Veuve joyeuse,* 1934) et de la comédie satirique à caractère politique (*Ninotchka,* 1939 ; *To be or not to be,* 1942).

Lübke (Heinrich) (Enkhausen, 1894 - Bonn, 1972), homme politique allemand. Député chrétien-démocrate en 1949, il fut président de la R.F.A. de 1959 à 1969.

Lublin, v. de Pologne, sur la *Bystrzyca* ; 325 940 hab. ; ch.-l. de la voïévodie du m. nom. Industr. métall., méca., chim., text. et alim. - Le 1er juil. 1569, une diète y décréta l'*Union* (dite *de Lublin*) entre la Pologne et la Lituanie (déjà fédérée à la Pologne dep. 1386). - Siège du gouvernement provisoire de la Pologne en 1944.

lubricité n. f. Fait d'être salace, penchant à la luxure.

lubrifiant, ante adj. et n. m. Qui lubrifie. ▷ n. m. Produit servant à la lubrification (talc, graphite, graisses, huiles, etc.).

lubrification n. f. Action de lubrifier; son résultat. Syn. graissage.

lubrifier v. tr. [2] Graisser, rendre glissant afin de réduire le frottement entre deux pièces mobiles l'une par rapport à l'autre et de protéger ces pièces contre l'usure et la corrosion. *Lubrifier un roulement à billes.*

lubrique adj. Porté à la luxure. ▷ Inspiré par la lubricité. *Des gestes lubriques.*

lubriquement adv. D'une manière lubrique.

Lubumbashi (anc. *Élisabethville*), v. de la Rép. dém. du Congo, ch.-l. de la rég. minière du Shaba; 543 270 hab. Métall. du cuivre, industr. agricoles (huileries, manuf. de cigarettes).

Luc (saint) (m. v. 70), disciple de saint Paul, qu'il accompagna dans ses voyages, et auteur du troisième Évangile. La tradition le reconnaît comme l'auteur des Actes des Apôtres.

Lucain (en lat. *Marcus Annæus Lucanus*) (Cordoue, 39 - Rome, 65), poète latin; neveu de Sénèque et condisciple de Néron. Œuvre princ. : *la Pharsale*, récit du conflit qui opposa militairement César et Pompée. Impliqué dans la conspiration de Pison, il s'ouvrit les veines.

lucane n. m. Coléoptère *(Lucanus cervus)*, appelé aussi *cerf-volant*, dont le mâle porte des mandibules en forme de grosses pinces.

Lucanie, anc. rég. de l'Italie, entre le golfe de Tarente et la Campanie. Elle correspond à l'actuel Basilicate.

lucarne n. f. **1.** Ouverture vitrée pratiquée à la surface d'une toiture pour donner du jour. **2.** SPORT Au football, chaque angle supérieur des buts. **3.** Fam. Écran de télévision.

Lucas (George) (Modesto, Californie, 1945), cinéaste et producteur américain. Réalisateur d'*American Graffiti* (1973), il produit avec Steven Spielberg *la Guerre des étoiles* (1977), *les Aventuriers de l'arche perdue* (1981), et leurs suites; sa société Industrial Light and Magic perfectionne les effets spéciaux.

Lucas-Championnière (Just) (Saint-Léonard, Oise, 1843 - Paris, 1913), médecin et chirurgien français; un des pionniers de l'antisepsie.

Lucas de Leyde (Leyde, v. 1494 - id., 1533), peintre et graveur hollandais. Ses paysages, portraits et scènes de genre mêlent les influences flam., all. et ital. : triptyque du *Jugement dernier.*

Lucayes. V. Bahamas.

Luce (sainte). V. Lucie.

Lucé, ch.-l. de cant. d'Eure-et-Loir (arr. et banlieue de Chartres); 19 044 hab. Cette ville industr. a bénéficié de la décentralisation parisienne : électroménager; constr. mécaniques.

lucernaire n. m. LITURG Office du soir que les premiers chrétiens célébraient, à la lueur des lampes, avant les nocturnes.

Lucerne (en all. *Luzern*), ville de Suisse, à l'extrémité N.-O. du lac des Quatre-Cantons; 63 280 hab.; ch.-l. du cant. du même nom; 1 492 km², 306 000 hab. Centre tourist. et culturel, la ville possède aussi quelques industries (banlieue) : constr. méca. et électr., text. - Festival international de musique. - Pont en bois couvert (XIVe s., incendié en août 1993 et reconstruit en 1994) flanqué de la Tour de l'eau. Collégiale (XIVe et XVIIe s.). - Membre de la Confédération en 1332, la ville devint un centre import. du catholicisme, ce qui détermina en 1845 son entrée dans la ligue du Sonderbund.

Luchon, nom cour. de la station thermale de Bagnères-de-Luchon.

lucide adj. **1.** Qui envisage la réalité clairement et nettement, telle qu'elle est. *Esprit lucide. Un homme lucide.* ▷ Qui témoigne d'une telle vue de la réalité. *Une politique lucide.* **2.** Pleinement conscient. *Le malade est resté lucide jusqu'à sa mort.*

lucidement adv. De manière lucide.

lucidité n. f. **1.** Qualité d'une personne lucide. **2.** État de pleine conscience. *Le malade a gardé sa lucidité.*

Lucie ou **Luce** (sainte) (Syracuse, v. 283 - id., v. 304), vierge et martyre. En Scandinavie, on célèbre la fête de la Lumière à la Sainte-Lucie (13 déc.), soit parce que, avant l'adoption du calendrier grégorien (XVIIe s.), les jours commençaient à rallonger à cette date, soit parce que *Luce* vient du lat. *lux, lucis*, « lumière ».

Lucien de Samosate (Samosate, Syrie, v. 125 - ?, v. 192), écrivain satirique grec. Il restaura la langue attique par la pureté de son style et la finesse de son langage, savoureux et irrespectueux, dans ses dialogues *(Dialogues des dieux, Dialogues des morts)* et ses contes *(l'Histoire véritable, l'Âne)*. Il inspira Fénelon, Fontenelle et Paul-Louis Courier.

Lucifer, nom sous lequel le démon est désigné par les Pères de l'Église.

luciférien, enne adj. et n. **1.** adj. De Lucifer, digne de Lucifer. *Orgueil luciférien. Révolte luciférienne.* **2.** n. Membre d'une secte qui rend un culte au démon.

luciférine n. f. BIOCHIM Substance dont l'oxydation, sous l'effet d'une enzyme spécifique (*la luciférase*), produit la luminescence de certains insectes (lampyre, notam.).

lucilie n. f. ENTOM Mouche (genre *Lucilia*), d'un vert métallique, qui pond ses œufs sur la viande, appelée cour. *mouche à viande.*

luciole n. f. Coléoptère luminescent voisin du lampyre.

lucite n. f. MED Affection de la peau, due à une exposition au soleil.

Lucius Ier (saint) (m. à Rome en 254), pape de 253 à 254.

Lucius III (Ubaldo Allucingoli) (Lucques, ? - Vérone, 1185), pape de 1181 à 1185.

Luckner (Nicolas, comte) (Cham, Bavière, 1722 - Paris, 1794), maréchal de France (1791). Il commanda contre les Autrichiens l'armée du Rhin, puis celle du Nord (1792). Suspecté de trahison, il fut guillotiné.

Lucknow, v. de l'Inde, cap. de l'État d'Uttar Pradesh, sur la *Gumti*; 1 592 000 hab. dans l'aggl. Industr. textiles et chimiques, papeteries. - Université. Évêché catholique. Musée archéologique. - Célèbre résistance du commandant britannique Lawrence contre les cipayes révoltés (1857-1858).

Luçon, ch.-l. de cant. de la Vendée (arr. de Fontenay-le-Comte); 9 483 hab. Mat. de constr. - Évêché (Richelieu fut évêque de Luçon), construit au XIVe s., remanié jusqu'au XVIIIe s.; cath. gothique.

Luçon ou **Luzon** (île), la plus grande île des Philippines; 108 172 km²; 23 900 000 hab.; ville princ. *Manille.* Île volcanique au climat tropical de mousson, Luçon produit du riz, de la canne à sucre, du chanvre. Elle possède des gisements de cuivre et de chrome. L'industr. traite les produits locaux : canne à sucre, oléagineux, tabac et, surtout, coton (grand essor). - Conquise par les Japonais en 1941-1942, après une héroïque défense des forces américaines, elle fut reprise par ces dernières en 1945.

Lucques (en ital. *Lucca*), v. d'Italie, en Toscane; 90 100 hab.; ch.-l. de la prov. du m. nom. Industr. textiles et alim. (huileries). - Archevêché. Université. Remparts (XVIe s.). Cath. (XIe-XVIe s.). Égl. San Michele in Foro et San Frediano (XIIe s.). Palais médiévaux.

lucratif, ive adj. **1.** Qui rapporte un profit, de l'argent. *Association à but non lucratif.* **2.** Qui rapporte beaucoup d'argent. *Un trafic lucratif.*

lucre n. m. Péjor. Gain, profit qu'on recherche avidement. *La passion du lucre.*

Lucrèce (m. en 509 av. J.-C.), dame romaine, épouse de Tarquin Collatin (neveu de Tarquin le Superbe). D'après la tradition, Sextus, fils de Tarquin le Superbe, la viola et elle se poignarda. Cet événement aurait provoqué la révolution qui abattit la royauté à Rome.

Lucrèce (en lat. *Titus Lucretius Carus*) (Rome, v. 98 - ?, 55 av. J.-C.), poète et philosophe latin. Toute son œuvre, qui se résume dans un seul mais long poème inachevé *(De natura rerum)*, expose la doctrine scientifique et philosophique d'Épicure. Puisque l'âme périt avec le corps, l'homme peut trouver le bonheur sur terre, à condition toutefois de s'affranchir de ses passions. Lucrèce sait exprimer poétiquement les notions les plus abstraites de la physique et de la philosophie.

Lucrèce Borgia. V. Borgia.

Lucullus (Lucius Licinius) (v. 106 - v. 57 av. J.-C.), général romain. Victorieux de Mithridate (87 et 69 av. J.-C.), mais contraint à la retraite par une révolte de ses troupes, il rentra à Rome et vécut à Tusculum dans un faste resté légendaire, notam. pour la magnificence de sa table. Fin lettré, il constitua une immense bibliothèque.

Lucy, nom donné à un squelette d'hominien *(Australopithecus afarensis)* femelle, découvert à Hadar (Éthiopie)

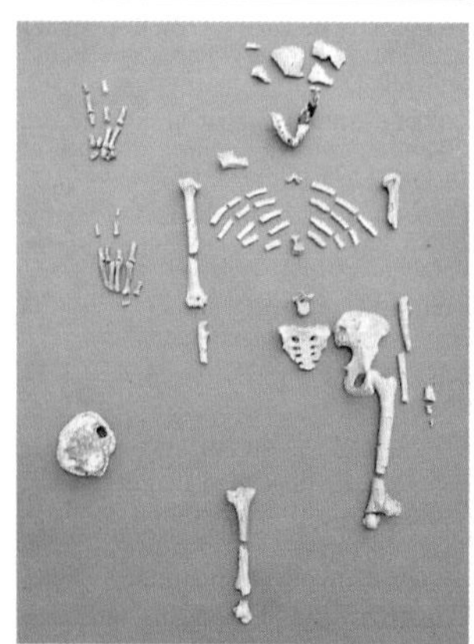

le squelette de **Lucy**

en 1974. Lucy, qui a vécu il y a environ 3,5 millions d'années, serait la «plus vieille femme du monde» connue.

luddisme n. m. HIST Mouvement des ouvriers anglais qui se révoltèrent (1811-1816) en détruisant des machines tenues pour responsables du chômage.

Ludendorff (Erich von) (Kruszewnia, Posnanie, 1865 - Munich, 1937), général allemand. Chef d'état-major de Hindenburg, puis son adjoint, il remporta les victoires de Tannenberg et de Mazurie, et joua un rôle déterminant dans le déroulement des opérations militaires en 1917 et 1918. Ensuite, il demeura l'homme de la revanche et participa au putsch de Munich (nov. 1923). Il se tint à l'écart de la politique après l'arrivée de Hitler au pouvoir.

Lüdenscheid, ville d'Allemagne (Rhénanie-du-Nord-Westphalie); 73 440 hab. Industr. mécaniques et électriques.

Ludhiāna, v. de l'Inde (Pendjab); 1 012 000 hab. Industr. textiles, métallurgiques, mécaniques, alimentaires.

ludiciel n. m. INFORM Logiciel de jeu.

ludion n. m. Appareil de démonstration, en physique, constitué d'un corps creux lesté qui monte ou descend dans l'eau d'un bocal fermé par une membrane, selon la pression exercée sur cette dernière.

ludique adj. Didac. Qui concerne le jeu, qui est de la nature du jeu. *L'activité ludique est indispensable à la maturation du psychisme chez l'enfant.*

ludisme n. m. Rare Comportement ludique; ensemble des activités de jeu.

Ludlow (Edmund) (Maiden Bradley, Wiltshire, 1617 - Vevey, Suisse, 1692), parlementaire anglais. Puritain, il signa l'arrêt de mort de Charles Ier, devint membre du Conseil d'État (1649), puis combattit Cromwell.

ludo-éducatif, ive adj. Qui concerne l'enseignement par le jeu. *Des machines ludo-éducatives pour les tout-petits.*

ludothécaire n. Personne qui gère une ludothèque.

ludothèque n. f. Établissement où les enfants peuvent emprunter des jeux et des jouets.

Ludovic Sforza le More (Vigevano, 1452 - Loches, 1508), duc de Milan de 1494 à 1500. Pour supplanter son neveu Jean Galéas, héritier légitime du duché, il s'allia à Charles VIII; monté sur le trône à la mort de Jean Galéas (peut-être assassiné), il régna fastueusement sur le Milanais, jusqu'à l'avènement de Louis XII (1498) dont les troupes battirent les siennes à Novare (1500). Il fut capturé et emmené en France, où il mourut.

Ludwigsburg, v. d'Allemagne (Bade-Wurtemberg); 76 900 hab. Centre industriel. - Chât. baroque (XVIIIe s.).

Ludwigshafen, v. d'Allemagne (Rhénanie-Palatinat), séparée de Mannheim par le Rhin; 152 160 hab. Port fluvial; industr. chimiques.

luette n. f. Appendice conique prolongeant le voile du palais.

lueur n. f. **1.** Lumière faible ou passagère. *La lueur d'une bougie.* **2.** Fig. Expression passagère du regard. *Une lueur de haine apparut dans ses yeux.* **3.** Fig. Apparition passagère. *Une lueur d'espoir.*

lufa, luffa. V. loufa.

Luftwaffe (la), nom donné, depuis 1935, à l'armée de l'air allemande.

Lugano, v. de Suisse (Tessin), sur le *lac de Lugano* (48 km², italo-suisse); 27 800 hab. Stat. climatique et touristique. - Cath. (conçue par Bramante), égl. (XVe et XVIe s.), villa Favorite (musée privé de peinture).

Lugdunum, nom latin de Lyon.

luge n. f. Petit traîneau utilisé pour descendre rapidement les pentes neigeuses. - Sport pratiqué avec la luge.

Lugo, v. d'Espagne (Galice), sur une hauteur dominant le Miño; 81 490 hab.; ch.-l. de la prov. du m. nom. Marché agricole. Eaux thermales sulfureuses. - Enceinte romaine. Cath. (XIIe s.).

Lugones (Leopoldo) (Río Seco, Córdova, 1874 - Buenos Aires, 1938), poète argentin, dont l'inspiration fut d'une étonnante variété : *les Montagnes d'or* (1897), *Odes séculaires* (1910).

lugubre adj. **1.** Litt. Qui a le caractère du deuil. *Une lugubre cérémonie.* **2.** Qui inspire ou qui dénote une tristesse profonde. *Un air lugubre.* Syn. sinistre.

lugubrement adv. De manière lugubre.

lui pron. pers. de la 3e pers. du sing. **I.** pron. m. et f. (plur. *leur* : V. leur 1). À lui, à elle. *Je lui ai causé de la joie. J'ai vu cette femme et je lui ai parlé.* **II.** pron. exclusivement m. **1.** Employé avec une prép. *J'ai parlé de lui. Nous avons voté pour lui. Je partirai avec lui.* **2.** Sert de pronom de renforcement et d'insistance. *C'est lui qui est le responsable. Lui seul a le droit de parler.* **3.** Joue, dans certains cas, le rôle de complément direct. *Qui avez-vous choisi? - Lui, bien sûr! Je veux vous voir, toi et lui.*

Luini (Bernardino) (Luino [?], Lombardie, v. 1483 - Milan, 1532), peintre italien : nombr. fresques, notam. à Milan et à Saronno.

luire v. intr. [**69**] Briller (en produisant de la lumière). *Le soleil luit.* ▷ *Par ext.* Briller (en reflétant la lumière). *Une lame d'acier qui luit.* ▷ Fig. Apparaître (comme une lueur). *Un espoir luit encore.*

luisant, ante adj. Qui luit, qui a des reflets. *Un métal luisant.* ▷ *Ver luisant* : V. lampyre. ▷ n. m. Aspect luisant. *Le luisant du bois poli.*

Lü Ji ou **Liu Ki** (actif v. 1500), peintre chinois, lettré de la cour des Ming. Son style réaliste (*Fleurs, Graminées et Oiseaux sauvages*) exerça une profonde influence sur les peintres japonais de paravents de l'époque.

Lukács (György) (Budapest, 1885 - id., 1971), philosophe et homme politique hongrois. Un des principaux théoriciens du marxisme (*Histoire et Conscience de classe*, 1923; *Existentialisme ou Marxisme*, 1948; *la Destruction de la raison*, 1955); son apport à l'esthétique, et notamment à la critique littéraire, est fondamental (*la Théorie du roman*, 1916; *Balzac et le réalisme français*, 1936; *Littérature et Démocratie*, 1948; *Soljenitsyne*, 1964). Membre du parti communiste hongrois, il fut commissaire du peuple à l'Instruction publique (1919, rép. des Conseils), connut l'exil (1939-1945) et, enfin, fut ministre de l'Éducation et de la Culture en 1956, dans le gouv. Nagy (déporté en Roumanie, à la chute de ce dernier, il retourna en Hongrie en 1957).

Łukasiewicz (Jan) (Lemberg, auj. Lvov, 1878 - Dublin, 1956), logicien polonais; créateur, en 1917, d'un système logique trivalent.

Luleå, v. et port de Suède, sur le golfe de Botnie, à l'embouchure du *Lule älv*; 66 590 hab.; ch.-l. de län. Exportation du fer de Narvik; industr. sidér. et méca.; pâte de bois.

Lulle (Ramon Llull, en fr. le bienheureux Raymond) (Palma de Majorque, v. 1235 - ?, 1315), théologien, philosophe et poète catalan. Surnommé *le Docteur illuminé*, il fut une des plus étranges figures de la scolastique. Il présenta son *Ars magna* (v. 1275) comme une méthode universelle pour raisonner sur toute espèce de sujets. Il parcourut l'Europe et la Méditerranée, tentant notam. de convertir les musulmans; il serait mort lapidé à Bougie; d'autres sources situent sa mort à Majorque.

Lully ou **Lulli** (Jean-Baptiste) (Florence, 1632 - Paris, 1687), compositeur français d'origine italienne. Appelé en France par Mlle de Montpensier (1646), il reçut en 1661 la charge de surintendant de la musique. Il sut adapter de manière étonnante la tradition italienne à l'esprit français, et s'affirma comme le véritable fondateur de l'opéra en France : ballets de cour, comédies-ballets avec Molière (*le Mariage forcé, le Bourgeois gentilhomme*), tragédies lyriques (*Amadis, Roland, Armide*, etc.), grands motets (*Te Deum, Miserere, Dies iræ*). ► illustr. page **1115**

Luluabourg. V. Kananga.

lumbago [lœbago] ou **lombago** [lɔ̃bago] n. m. Douleur lombaire survenant brutalement.

lumen [lymɛn] n. m. PHYS Unité de flux lumineux du système international (symbole lm); flux émis par une source dont l'intensité lumineuse est de 1 candela dans un angle solide de 1 stéradian.

Lumet (Sydney) (Philadelphie, 1924), cinéaste américain. Professionnel de la télévision, il a réalisé un film féroce sur le monde du petit écran aux É.-U. (*Network*, 1976) et a princ. adapté des pièces de théâtre : *Douze hommes en colère* (1957), *Vu du pont* (1961), *Piège mortel* (1982).

lumière n. f. **I.** Ce qui éclaire (au sens propre). **1.** PHYS Ensemble de particules élémentaires (nommées *photons*) se déplaçant à très grande vitesse (299 792,427 km/s dans le vide) et présentant les caractères d'une onde. ▷ *Lumière noire* ou *lumière de Wood**. ▷ *Lumière froide*, émise par les corps luminescents. ▷ *Lumière comprimée*, dans laquelle les fluctuations aléatoires ont été diminuées par un traitement physique. ▷ ASTRO *Lumière cendrée* : lumière solaire reçue par la Lune par effet de réflexion sur la Terre. (De la Terre, elle permet de distinguer le relief lunaire peu avant ou peu après la nouvelle lune. Pour un astronaute placé sur la Lune, la lumière cendrée est le *clair de Terre*.) ▷ *Lumière zodiacale* : lueur blanchâtre, allongée dans le plan de l'écliptique, que l'on peut voir après le coucher du soleil ou avant son lever. ▷ *Année de lumière* ou (tournure critiquée) *année-lumière* : distance parcourue par la lumière en une année (1 al = 0,307 parsec = 9 640 milliards de km). **2.** Cour. Phénomène spontanément perçu par l'œil et susceptible d'éclairer et de permettre de voir. *La lumière du soleil, du jour* ou, absol., la lumière. *La lumière d'une lampe.* ▷ *Ouvrir les yeux à la lumière* : naître. - *Voir la lumière* : vivre. ▷ Ce qui sert à éclairer, lampe. *Apportez*

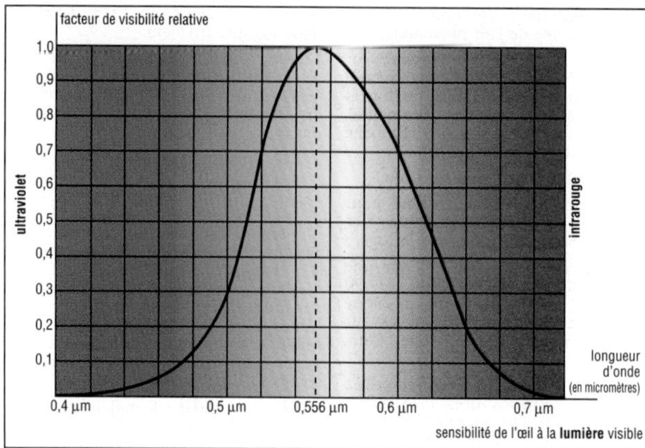

sensibilité de l'œil à la **lumière** visible

de la lumière, que je puisse lire. ▷ Représentation de la lumière en peinture. *La lumière argentée d'un Corot.* ▷ *Habit de lumière* : costume brodé de fils brillants des toreros. **3.** Point lumineux, tache lumineuse. *Apercevoir une lumière dans la nuit. Les ombres et les lumières d'un tableau.* **II.** Ce qui éclaire (au sens figuré). **1.** Ce qui permet de comprendre ou de savoir. *Les lumières de la foi, de la raison.* ▷ *Faire la lumière sur une chose,* la révéler, l'expliquer. ▷ *Mettre en lumière, en pleine lumière* : faire voir clairement, mettre en évidence. **2.** (Plur.) *Les lumières* : la connaissance. *Mes lumières sur ce sujet sont très réduites.* **3.** *Les lumières* : la connaissance rationnelle (par oppos. à l'obscurantisme). ▷ *Le siècle des Lumières* : le XVIIIe s., entre 1715 et 1789 (en all. *Aufklärung*), marqué en France par l'*Encyclopédie**, et qui se caractérise par le rejet de l'autorité et du fanatisme, au nom du progrès et de la raison. **4.** Vx Homme de haute valeur intellectuelle. *Descartes, Pascal, Newton, Leibniz, ces lumières de l'Europe.* – Mod., fam. *Ce n'est pas une lumière* : il n'est pas très intelligent. **III.** Orifice **1.** Anc. Orifice, pratiqué dans le canon des armes à feu, qui permettait d'enflammer la poudre. **2.** Dans certains instruments d'optique, petit trou servant à la visée. **3.** Ouverture dans le fût d'un rabot, pour loger le fer. **4.** Fente du biseau d'un tuyau d'orgue. **5.** Ouverture d'admission et d'échappement dans le cylindre d'une machine à vapeur ou d'un moteur à deux temps.

Lumière (Louis) (Besançon, 1864 – Bandol, 1948), chimiste et industriel français, inventeur du cinématographe et précurseur du septième art. Il tourna, à partir de 1895, de nombreux films : *la Sortie des usines Lumière, l'Arroseur arrosé, l'Arrivée du train en gare de La Ciotat,* etc. – **Auguste** (Besançon, 1862 – Lyon, 1954), frère et collaborateur du préc., apporta de nombr. perfectionnements à la photographie et s'adonna à des recherches biologiques.

lumignon n. m. Lampe qui éclaire peu.

luminaire n. m. **1.** LITURG Ensemble des cierges et des lampes que l'on utilise pendant un office. **2.** Appareil d'éclairage (lampe, applique lumineuse, etc.).

luminance n. f. PHYS Quotient de l'intensité lumineuse qu'émet une source par sa surface apparente. (Elle s'exprime en nits; 1 nt = 1 candela par m^2.)

luminescence [lyminɛsɑ̃s] n. f. PHYS Propriété des corps qui émettent de la lumière quand ils sont soumis, à basse température, à l'action d'un rayonnement.

luminescent, ente adj. PHYS et cour. Qui présente une luminescence.

lumineusement adv. Avec beaucoup de clarté. *Expliquer une chose lumineusement.*

lumineux, euse adj. **1.** Qui émet de la lumière, qui réfléchit de la lumière. *Source lumineuse. Point lumineux dans la nuit. Enseigne lumineuse. Montre à cadran lumineux. Fontaine lumineuse.* **2.** De la nature de la lumière, qui concerne la lumière. *Phénomène lumineux.* ▷ OPT *Rayon lumineux* : axe rectiligne le long duquel se propage la lumière. **3.** Clair, plein de lumière. *Couleur chaude et lumineuse. Ciel lumineux. Tableau lumineux.* **4.** Fig. Très clair et très éclairant à la fois. *Un exposé lumineux. Une idée lumineuse,* qui explique brusquement une situation, une question. ▷ *Intelligence lumineuse,* claire, puissante et pénétrante.

luminisme n. m. PEINT Courant de la peinture caractérisé par des contrastes vigoureux entre les parties éclairées et les zones obscures d'un tableau.

luministe adj. et n. PEINT **1.** adj. Qui concerne le luminisme. **2.** n. Peintre qui recherche des effets de lumière.

luminosité n. f. **1.** Cour. Caractère de ce qui est lumineux. *La luminosité du ciel italien.* **2.** ASTRO Énergie totale rayonnée par un astre en une seconde.

lumitype n. f. (Nom déposé.) IMPRIM Machine à composer photographiquement.

lump [lœ̃p] n. m. Poisson (genre *Cyclopterus*), dont les œufs sont préparés à la façon du caviar.

Louis et Auguste **Lumière**

lumpenprolétariat [lumpənpʀɔletaʀja] n. m. POLIT Pour les marxistes, frange du prolétariat trop misérable pour acquérir une conscience de classe et se rallier à la révolution prolétarienne.

Lumumba (Patrice) (Katako-Kombé, Kasaï, 1925 – Élisabethville, auj. Lubumbashi, 1961), homme politique congolais. Premier ministre du Congo-Kinshasa nouvellement indépendant (juin 1960), il incarna la défense de l'unité nationale. Destitué par le président Kasavubu (5 sept. 1960), il fut arrêté et transféré au Katanga, où il fut assassiné.

1. lunaire adj. **1.** De la Lune. *Le sol lunaire.* ▷ *Mois lunaire* : dans certains calendriers antiques ou non européens, période de 28 ou 29 jours qui joue le même rôle que chacun de nos mois actuels et qui correspond à peu près à une lunaison. **2.** Qui évoque l'aspect désolé de la surface de la Lune. *Paysage lunaire.* **3.** Fig. *Face, visage lunaire* : visage rond et blafard.

2. lunaire n. f. Crucifère, dont les fruits ont une cloison médiane persistante, ronde et argentée. Syn. monnaie-du-pape. V. silique.

lunaison n. f. Durée comprise entre deux nouvelles lunes consécutives (29 j 12 h 44 min 2,8 s).

lunatique adj. et n. Capricieux, fantasque (comme certains déments qui, croyait-on, étaient soumis aux influences de la Lune).

lunch [lœ̃ʃ; lœnʃ] n. m. Repas froid que l'on prend debout, au cours d'une réception, et qui est constitué de mets légers présentés en buffet. *Des lunchs* ou *des lunches.*

Lund, v. de Suède méridionale (län de Malmö); 81 920 hab. Constr. mécaniques; industr. text. – Université. Siège épiscopal. Cath. du XIIe s.

Lundegårdh (Henrik) (Stockholm, 1888 – Penningby, 1969), botaniste danois; spécialiste de biochimie végétale.

lundi n. m. Premier jour de la semaine, qui suit le dimanche, généralement premier jour ouvrable de la semaine. ▷ *Lundi saint* : lundi de la semaine sainte. ▷ *Lundi de Pâques, de Pentecôte* : le lundi qui suit chacune de ces fêtes.

Lundkvist (Artur) (Oderljunga, 1906 – Stockholm, 1991), écrivain suédois. Un des principaux représentants du modernisme suédois, il se dit influencé par S. Anderson, D. H. Lawrence, Freud et les surréalistes : *Ascension* (1935), *Contrefeu* (1955), *Images de l'âme* (1982).

Lundström (Johan Edvard) (Jönköping, 1815 – id., 1888), ingénieur et industriel suédois. Il inventa l'allumette de sûreté, dite *suédoise* (1852).

lune n. f. **I.** Satellite de la Terre. **1.** ASTRO et cour. *La Lune* : l'unique satellite de la Terre. **2.** Cour. *Clair de lune* : lumière de la Lune qui éclaire la Terre, certaines nuits. ▷ *Croissant de lune* : partie de la Lune vue de la Terre avant et après la nouvelle lune. **3.** *Phases de la Lune,* les divers aspects qu'elle présente vue de la Terre. ▷ *Nouvelle lune* : période où la Lune est invisible. ▷ *Pleine lune* : période où la Lune est visible sous forme d'un disque lumineux. **4.** Loc. fig. *Visage, face en pleine lune,* de forme toute ronde. ▷ Fam. *Demander, promettre la lune,* une chose impossible. ▷ Fam. *Vouloir attraper la lune* *avec ses dents* : essayer de faire une chose impossible. ▷ Fam. *Être dans la lune* : être distrait, inattentif. ▷ SPORT *Coup de pied à la lune* : plongeon renversé. **II.** Période comprise entre deux nouvelles lunes. **1.** Mois lunaire*. **2.** Lunaison. ▷ Fig., fam., vx *Être dans une bonne (une mauvaise) lune,* bien (mal) luné. ▷ Mod. *Lune rousse* : lunaison qui commence après Pâques, souvent accompagnée de gelées qui roussissent la végétation. ▷ Fam. *Vieilles lunes* : époque révolue; fig. idées dépassées. ▷ *Lune de miel* : débuts du mariage (que l'on suppose être une période de bonheur); *par ext.,* période de bonne entente, entre deux groupes, deux partis, etc. **III.** Ce qui est de forme ronde. **1.** Fam. Gros visage tout rond. **2.** Fam. Derrière, fesses. **3.** *Lune de mer* ou *poisson-lune* : poisson au corps en forme de disque (V. môle 3).

ENCYCL La Lune est le seul gros satellite de planète tellurique. Son diamètre s'élève à 3 476 km et sa distance moyenne par rapport à la Terre est de 380 400 km, soit un peu plus de 30 diamètres terrestres. La Lune nous présente toujours la même face, car sa période de rotation sur elle-même est exactement égale à celle de sa révolution autour de la Terre : 27 j 7 h 43 min 14,95 s. Toutefois, du fait des balancements de la Lune autour de son axe (qui constituent la libration), il nous est possible d'observer de la Terre près de 60 % de sa surface. Quand la Lune est en conjonction avec le Soleil, c.-à-d. entre le Soleil et la Terre, sa face éclairée par le Soleil nous est entièrement cachée; c'est la phase de la nouvelle lune. Inversement, un cosmonaute regardant la Terre depuis la Lune verrait toute la face éclairée de la Terre (phase de pleine Terre). De 6 jours 1/2 à 7 jours 1/2 après la nouvelle lune, le disque lunaire apparaît sous la forme d'un demi-cercle (premier quartier). 15 jours après la nouvelle lune, celle-ci est en opposition avec le Soleil (pleine lune). La phase suivante est celle du dernier quartier, qui précède une nouvelle conjonction. Avant le premier quartier et après le dernier quartier, la partie obscure de la Lune est légèrement visible la nuit grâce à la *lumière cendrée,* due aux rayons solaires qui atteignent la Lune après réflexion sur la surface de la Terre. Les *marées* terrestres sont dues à l'attraction de la Lune sur les masses océaniques; le Soleil intervient, à un degré moindre toutefois, pour amplifier ou contrarier cette action. Le relief lunaire comprend de vastes plaines unies parsemées de collines, les *mers,* et des régions présentant un aspect tourmenté et chaotique, avec des chaînes de montagnes (8 200 m au mont Leibniz), les *continents.* Le sol lunaire est parsemé de cratères d'origine météoritique, dont les plus grands, les *cirques,* ont un diamètre qui excède parfois 100 km (270 km pour le cirque Bailly, 340 km pour le cirque Schiller). Le relief lunaire présente également des crevasses, des pitons, des mamelons et des traînées, qui rayonnent autour de certains cirques (cirques Copernic, Tycho, etc.). L'exploration de la Lune par les sondes mises en orbite autour d'elle, par les vaisseaux spatiaux amér. du programme Apollo, par les engins automatiques déposés par les Soviétiques à sa surface et par les astronautes amér. qui y ont mis pour la première fois le pied le 20 juillet 1969 lors de la mission Apollo XI, a considérablement fait progresser notre connaissance de la physique et de la chimie du sol lunaire. Celui-ci est recouvert d'une couche poudreuse ou granuleuse dont la composition est intermédiaire entre celle des météorites et celle des cendres volcaniques.

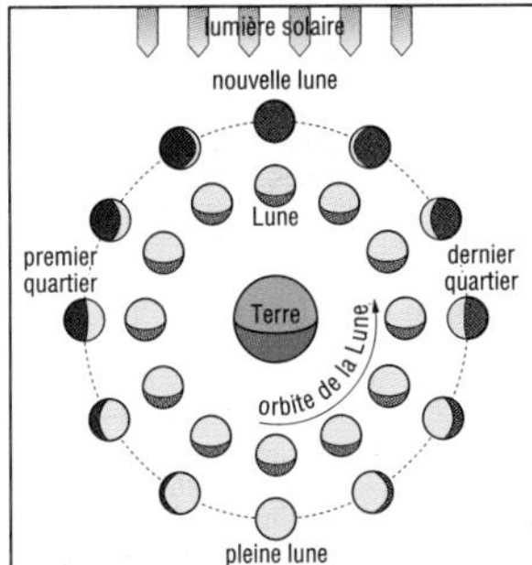

les phases de la Lune : aspects de la Lune vue de la Terre au cours d'une lunaison, en fonction des positions relatives de la Lune, de la Terre et du Soleil

Lune

Les éléments princ. sont le silicium, l'aluminium, le fer, le titane, le calcium et le magnésium. Les plus vieilles roches rapportées de la Lune ont environ 4,6 milliards d'années; c'est l'âge des plus vieilles roches terrestres. La pesanteur à la surface de la Lune est égale au 1/6 de la pesanteur terrestre et la vitesse de libération d'un corps de l'attraction lunaire n'est que de 2,38 km/s, contre 11,2 km/s pour la Terre.

luné, ée adj. *Être bien (mal) luné,* bien (mal) disposé, de bonne (de mauvaise) humeur (allusion à l'influence supposée de la Lune).

Lunebourg (en all. *Lüneburg*), v. d'Allemagne (Basse-Saxe) sur l'Ilmenau; 59 500 hab. Sel gemme; industr. chimiques et métallurgiques. – Ville hanséatique du XIVe au XVIe s. Belles constr. en brique (XIVe et XVe s.).

Lunel, ch.-l. de cant. de l'Hérault (arr. de Montpellier); 18 501 hab. Vignobles (muscats); conserveries (fruits, confitures).

Lünen, ville d'Allemagne (Rhénanie-du-Nord-Westphalie), sur la Lippe; 84 350 hab. Industr. métallurgiques.

lunetier, ère n. Personne qui fabrique ou vend des lunettes. ▷ adj. *Industrie lunetière.*

lunette n. f. **I. 1.** ARCHI Jour, évidement, à la rencontre de deux voûtes dont les clefs ne sont pas à la même hauteur. ▷ Cour. Glace arrière d'une automobile. **2.** FORTIF Petite demi-lune. **3.** Ouverture de la cuvette de cabinets; le siège qui s'y adapte. **4.** TECH Coussinet de filetage; pièce servant au raccord des tuyauteries. **5.** Partie d'un boîtier de montre qui retient le verre. **6.** Ouverture ronde de la guillotine, qui emprisonnait le cou du condamné. **II. 1.** OPT Instrument destiné à grossir ou à rapprocher l'image d'un objet éloigné. *Lunette d'approche. Lunette astronomique,* pour l'observation des astres. **2.** n. f. pl. Paire de verres fixés à une monture, servant à corriger la vue ou à protéger les yeux. *Porter des lunettes. Lunettes de soleil, de soudeur.* ► illustr. page **1122**

lunetterie n. f. Industrie ou commerce du lunetier.

Lunéville, ch.-l. d'arr. de Meurthe-et-Moselle, sur la Meurthe; 22 393 hab.

lune

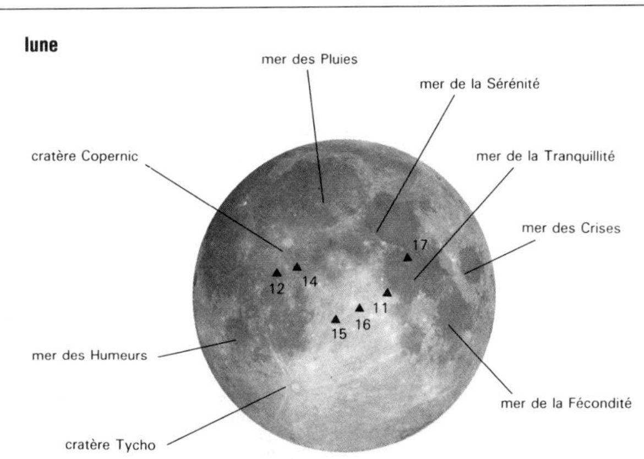

les nombres désignent les missions Apollo à l'emplacement de leur atterrissage

carte de la face visible de la Lune

sol lunaire photographié par Apollo 17

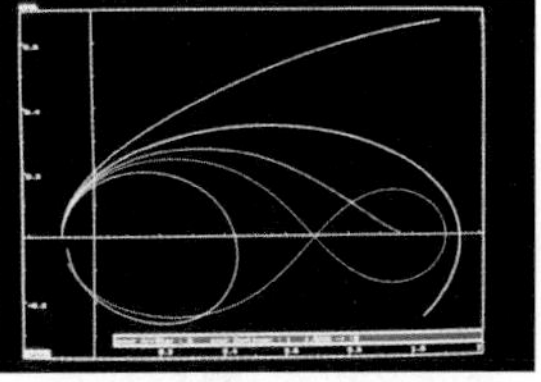
trajectoire de 5 sondes lancées à diverses vitesses depuis le voisinage de la Terre (à g.) et se dirigeant vers la Lune.

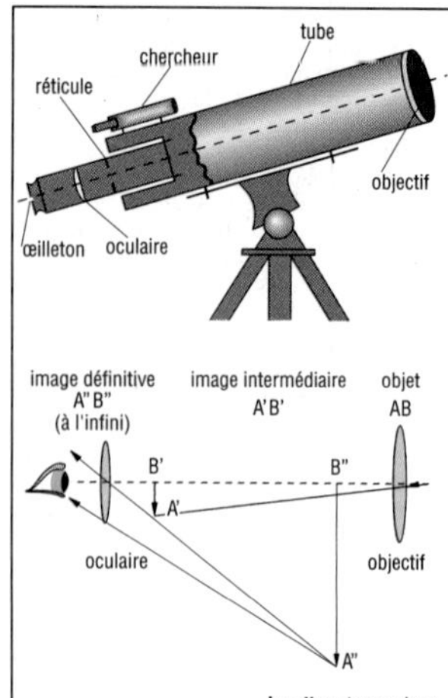

lunette astronomique

Industr. text., métall.; constr. méca. et électron.; faïenceries. – Le *traité de Lunéville* (1801), entre la France et l'Autriche, confirma celui de Campo-formio. – Château (XVIIIe s.).

Lunik, nom des premiers engins spatiaux soviétiques à destination de la Lune. Lunik 2 fut la première sonde qui atteignit la Lune (21 oct. 1959).

luni-solaire adj. ASTRO De la Lune et du Soleil; qui a rapport à ces deux astres, qui dépend d'eux. *Marée luni-solaire. Calendrier luni-solaire. Des phénomènes luni-solaires.*

lunule n. f. **1.** GEOM Figure en forme de croissant, formée par deux arcs de cercle qui se coupent. **2.** Zone blanchâtre en forme de *lunule* (sens 1), située à la base de l'ongle.

Luoyang, v. de Chine (Henan); 1 160 000 hab. – Musée archéol.; temple du Cheval Blanc (la plus anc. fondation bouddhique de Chine); grottes de Longmen*.

lupanar n. m. Litt., vieilli Maison de prostitution.

Lupercus, dans la myth. rom., nom sous lequel le dieu Faustus (assimilé plus tard au dieu grec Pan) était honoré comme protecteur des troupeaux contre les loups.

lupin, ine adj. et n. m. **1.** adj. Propre au loup. **2.** n. m. Plante ornementale ou fourragère (fam. papilionacées) à feuilles palmées et à fleurs en grappes.

lupin

lupus [lypys] n. m. MED Dermatose à extension progressive et destructive, principalement localisée au visage. *Lupus acnéique, tuberculeux.* – *Lupus érythémateux disséminé* : maladie à manifestations multiples, touchant notam. la peau, les reins, les articulations, et où l'on trouve des signes biologiques d'auto-immunisation.

Luqman ou **Lokman** *(Luqmān)*, écrivain arabe légendaire, mentionné dans le Coran. On lui attribue un recueil de fables imitées d'Ésope.

Lurçat (Jean) (Bruyères, Vosges, 1892 – Saint-Paul-de-Vence, 1966), peintre, illustrateur et cartonnier français; un des maîtres de la tapisserie contemporaine : *l'Apocalypse* (1948, égl. d'Assy), *le Chant du monde* (1957-1964, Angers).

Lure (montagne de), chaînon des Préalpes françaises, à l'E. du mont Ventoux; 1 827 m.

Lure, ch.-l. d'arr. de la Haute-Saône; 10 049 hab. Industr. méca., métall., text. – La sous-préfecture occupe un bâtiment (XVIIIe s.) d'une abbaye qui, fondée au VIe s., est à l'origine de la ville.

lurette n. f. Loc. fam. *Il y a belle lurette* : il y a bien longtemps.

Luristān ou **Lorestān,** région montagneuse et province de l'Iran occidental (28 803 km^2; 1 370 000 hab.) qui attira l'attention des archéologues au moment de la découverte, en 1929, dans des tombeaux mégalithiques, d'une multitude d'objets en bronze (armes, mors de chevaux, figurines, bijoux) appelés depuis « bronzes du Luristān » (Ier millénaire av. J.-C.).

luron, onne n. Personne pleine d'insouciance, de gaieté; bon vivant. *Un joyeux luron.* ▷ *Une luronne* : une femme hardie et de mœurs assez libres.

Lusace (en all. *Lausitz*), région d'All. aux confins de la Bohême, peuplée d'abord de Sorabes, d'origine slave (qui ont conservé leur langue). Elle culmine (1 010 m au Jested, en Rép. tchèque) dans les *monts de Lusace* (en all. *Lausitzer Gebirge*, en tchèque *Lužické Hory*).

Lusaka, cap. de la Zambie; 819 000 hab. Centre comm. et industr. (coton; montage de tracteurs).

Lüshun. V. Port-Arthur.

Lusignan, famille du Poitou, dont est issue la branche des *Lusignan d'Outre-Mer*, qui régna sur Chypre et sur Jérusalem. – **Gui de Lusignan** (Lusignan, v. 1129 – Nicosie, 1194), roi de Jérusalem (1186-1192) et de Chypre (1192-1194). Battu par Saladin près du lac de Tibériade, il perdit Jérusalem en 1187; en 1192, il acheta Chypre à Richard Cœur de Lion et en fit un royaume latin. Ses descendants régnèrent sur l'île jusqu'en 1489.

Lusitania, paquebot anglais qui fut torpillé par un sous-marin allemand le 7 mai 1915 à son retour des É.-U. Ce torpillage (1 200 passagers y trouvèrent la mort, parmi lesquels de nombr. Américains) contribua à l'entrée en guerre des États-Unis.

Lusitanie, anc. prov. romaine de la péninsule Ibérique; elle comprenait le Léon, une partie de l'Estrémadure et le Portugal actuel.

lusitanien, enne adj. et n. **1.** ANTIQ De la Lusitanie. – Subst. Habitant ou natif de ce pays. (On dit aussi *Lusitain, aine.*) ▷ *Par ext.*, mod. Portugais. *Le gouvernement lusitanien.* **2.** GEOL n. m. Étage du jurassique. – adj. *Étage lusitanien.*

lusophone adj. et n. Didac. Qui parle portugais.

Lustiger (Jean-Marie) (Paris, 1926), prélat français. Nommé archevêque de Paris en 1981, il a été créé cardinal en 1983.

lustrage n. m. Action de lustrer; son résultat.

lustral, ale, aux adj. Litt. Qui sert à purifier. *Eau lustrale* : eau du baptême.

1. lustre n. m. Litt. Période de cinq ans. – *Par ext.*, fam. Longue période. *Cela fait des lustres qu'on ne l'a revu.*

2. lustre n. m. **1.** Brillant, poli naturel ou artificiel d'un objet, d'une matière. ▷ TECH Produit utilisé pour donner ce brillant. *Lustre de pelletier, de céramiste.* **2.** Fig. Éclat, relief que donne la parure, le mérite. *Cette distinction lui rend un peu de lustre.* **3.** Luminaire à plusieurs lampes, que l'on suspend au plafond.

lustré, ée adj. **1.** Qui présente un aspect brillant, poli. *Pelage lustré.* ▷ TECH Traité avec un lustre. *Feutre lustré.* **2.** Devenu brillant par le frottement, l'usure. *Habit lustré.*

lustrer v. tr. [1] **1.** Donner du lustre à, rendre brillant. *Lustrer un meuble.* ▷ TECH Traiter avec un lustre. *Lustrer des peaux.* **2.** *Lustrer un vêtement*, lui donner le lustre du frottement, de l'usure.

lustrine n. f. Tissu de coton très apprêté et lustré. *Des manchettes de lustrine.*

Lustucru (le père), type grotesque de sot dans la chanson et le vaudeville; son nom viendrait de « l'eusses-tu cru ? ».

Lutèce, v. de la Gaule, cap. des *Parisii*, dans une île de la Seine (auj. *île de la Cité* à Paris).

lutéine n. f. **1.** Vx BIOL Syn. de *progestérone.* **2.** CHIM Pigment jaune présent dans le pollen, le jaune d'œuf, etc.

lutéinisant, ante adj. BIOL *Hormone lutéinisante* ou *lutéostimuline* : gonadostimuline hypophysaire qui stimule la sécrétion de la progestérone chez la femme et des androgènes testiculaires chez l'homme.

lutéinisation n. f. BIOL Transformation du follicule ovarien arrivé à maturité, en corps jaune sécréteur.

lutétium [lytesjɔm] n. m. CHIM Élément appartenant à la famille des lanthanides, de numéro atomique Z = 71, de masse atomique 174,97 (symbole Lu). – Métal (Lu) qui fond à 1 663 °C et bout vers 3 400 °C.

luth [lyt] n. m. **1.** Instrument de musique à cordes pincées, à caisse bombée, dont le haut du manche forme un angle droit. ▷ Litt. Symbole du don poétique, de la poésie. « *Et mon luth constellé porte le Soleil noir de la Mélancolie* » *(Nerval).* **2.** *Tortue luth* : tortue marine à carapace molle (genre *Dermochelys*), qui peut atteindre 2,50 m de longueur pour un poids de 550 kg. ▸ pl. **tortues**

Luther (Martin) (Eisleben, 1483 – id., 1546), théologien et réformateur protestant allemand. Devenu « maître » en philosophie de l'université d'Erfurt (1505), il entra chez les Augustins de cette ville. Envoyé en 1511 à Wittenberg, il y fut reçu docteur en théologie. Dès cette époque, les écrits de saint Augustin et les Épîtres de saint Paul lui parurent répondre à l'anxieuse question du salut : le pécheur ne peut se sauver par

Luther

le maréchal **Lyautey**

lui-même, c'est la grâce de Dieu reçue par la foi seule qui sauve ; seul compte le lien personnel de l'homme avec Dieu. Le 31 oct. 1517, à l'occasion de la venue du dominicain Tetzel, qui prêchait une indulgence pour l'achèvement de la basilique Saint-Pierre de Rome, il afficha à Wittenberg 95 thèses, points princ. du luthéranisme naissant. Excommunié par Léon X en 1520, mis au ban de l'Empire en 1521, il trouva refuge à la Wartburg, domaine de Frédéric III, Électeur de Saxe. Là, il ne cessa d'écrire pour diffuser sa doctrine et entreprit de traduire la Bible en allemand ; de retour à Wittenberg en 1522, il organisa la vie des communautés qui se réclamaient de lui. En 1525, il épousa une ancienne religieuse, Katharina von Bora. Cette même année, il invita les seigneurs à écraser la révolte des paysans, en partie suscitée par le libéralisme de ses écrits. Ses ouvrages (*la Captivité de Babylone, Petit Traité de la liberté chrétienne*, etc. V. luthérien), au style neuf et vigoureux, modelèrent l'esprit de l'Allemagne moderne.

luthéranisme n. m. Didac. Doctrine religieuse de Luther ; protestantisme luthérien.

lutherie n. f. **1.** Fabrication des instruments de musique à cordes pincées et frottées (instruments de la famille du luth et instruments de la famille du violon). **2.** Profession, commerce du luthier.

luthérien, enne adj. et n. Conforme ou relatif à la doctrine de Luther. ▷ Subst. Adepte de cette doctrine.

ENCYCL L'unité doctrinale des luthériens, qui reconnaissent la Bible comme l'unique autorité en matière de foi, repose sur *le Grand Catéchisme, le Petit Catéchisme* de Luther (1529), *la Confession d'Augsbourg* (publiée par Melanchthon en 1530 avec l'approbation de Luther), *les Articles de Smalkalde* (rédigés par Luther, 1537) et *la Formule de concorde* de 1580. La pierre angulaire de la croyance luthérienne est la conviction que seule la foi confiante en l'infinie bonté de Dieu sauve le fidèle. L'affirmation du salut par la foi seule, don absolument gratuit de Dieu, menait au dogme de la prédestination, notion radicalement étrangère à l'esprit de l'humanisme. Les deux sacrements essentiels à la vie du chrétien sont le baptême et l'eucharistie (le luthéranisme, contrairement au calvinisme, professe la consubstantiation). L'organisation des Églises luthériennes diffère selon les pays où elles sont implantées : Allemagne, pays scandinaves, É.-U., France (où les deux Églises luthériennes, qui rassemblent 300 000 fidèles, font partie de la Fédération des Églises protestantes). On compte auj. env. 100 millions de luthériens dans le monde.

luthier n. m. Fabricant ou marchand d'instruments de musique à cordes.

luthiste n. Instrumentiste qui joue du luth.

Luthuli (Albert John) (en Rhodésie, 1898 - Stanger, Natal, 1967), leader politique noir d'Afrique du Sud ; un des dirigeants du mouvement nationaliste, adversaire résolu, mais non violent, de l'apartheid. P. Nobel de la paix 1960.

lutin n. m. **1.** Petit démon familier d'esprit malicieux ou taquin. **2.** Fig. Enfant vif, espiègle.

lutiner v. tr. [1] **1.** Vx Taquiner à la manière d'un lutin. **2.** Mod. Harceler de familiarités galantes. *Lutiner une femme.*

Luton, v. d'Angleterre (Bedfordshire), sur la *Lea* ; 167 300 hab. Ville industr. dans la zone d'influence de Londres : constr. méca. et aéron. - Aux environs, chât. de *Luton Hoo* (XVIIIe s.).

Lutoslawski (Witold) (Varsovie, 1913 - id., 1994), compositeur polonais. Influencé d'abord par la musique populaire de son pays (*Concerto pour orchestre,* 1954), il a approfondi et concentré son écriture orchestrale dans des pages d'une grande virtuosité : *Trois poèmes d'Henri Michaux* (1963), *Concerto pour violoncelle* (1970), *Concerto pour piano* (1988).

lutrin n. m. LITURG **1.** Pupitre sur lequel on pose les livres dont on se sert pour chanter l'office, dans une église. ▷ Pupitre sur pied, support oblique sur lequel on pose un livre encombrant et lourd pour le consulter commodément. **2.** Ensemble de ceux qui chantent au lutrin ; endroit du chœur où ils se tiennent.

lutte n. f. **1.** Combat de deux adversaires qui se prennent corps à corps. ▷ Sport de combat opposant deux adversaires dont chacun doit s'efforcer d'immobiliser l'autre au sol. *Lutte gréco-romaine,* dans laquelle ne sont autorisées que certaines prises entre la ceinture et la tête. *Lutte libre,* qui comporte un plus grand nombre de prises autorisées (notam. aux jambes). **2.** (Entre deux ou plusieurs adversaires.) Rixe ou combat armé (souvent fig.). *Lutte au couteau. Luttes sanglantes.* ▷ Fig. Opposition ou conflit d'idées, d'intérêts, de pouvoir. *Luttes politiques. Lutte d'influence.* **3.** Action contre une force, un phénomène, un événement, nuisible ou hostile. *Lutte contre le cancer. Lutte antipollution.* ▷ *Lutte biologique* : méthode de destruction des animaux nuisibles (insectes, notam.) par leurs prédateurs. **4.** Conflit entre deux forces matérielles ou morales. *Lutte des éléments. Lutte du droit et du devoir.* **5.** Loc. adv. *De haute, de vive lutte* : par de grands efforts, par l'engagement de toute sa force ou sa volonté.

Lutte ouvrière (L.O.), parti trotskiste fondé en 1968 (après la dissolution en juin 1968 de Voix ouvrière, fondée en 1956).

lutter v. intr. [1] **1.** Combattre corps à corps. **2.** Se battre. *Lutter contre un ennemi.* **3.** Rivaliser. *Lutter d'adresse.* **4.** Fig. Être en lutte. *Lutter contre le vent. Lutter pour la réussite.*

lutteur, euse n. **1.** Athlète qui pratique la lutte. **2.** Fig. Personne que sa nature énergique incite à lutter contre l'adversité, quelles que soient les circonstances.

Lützen, v. d'Allemagne, au S.-O. de Leipzig ; 4 540 hab. - En 1632, Gustave-Adolphe (qui fut tué au cours de l'engagement) y vainquit les impériaux. En 1813, Napoléon Ier y remporta une victoire sur les Russes et les Prussiens.

lux [lyks] n. m. PHYS Unité d'éclairement lumineux (symbole lx) ; éclairement d'une surface qui reçoit un flux lumineux de 1 lumen par m^2.

luxation n. f. MED Position permanente anormale des surfaces d'une articulation osseuse, due le plus souvent à un choc. *Luxation du coude. Réduire* une luxation.*

luxe n. m. **1.** Magnificence, éclat déployé dans les biens, la parure, le mode de vie dispendieux ; abondance de choses somptueuses. *Vivre dans le luxe.* **2.** Qualité de ce qui est recherché, somptueux. *Le luxe d'une décoration. Vêtements, produits de luxe.* **3.** Bien, plaisir coûteux et superflu. *Elle va de temps en temps au théâtre, c'est son seul luxe.* - Fig. *Pour des miséreux, de tels scrupules sont un luxe.* - *Ce n'est pas un luxe* : c'est vraiment utile, nécessaire. *Je vais faire repeindre mon appartement, ce ne sera pas un luxe.* - *Se payer, s'offrir le luxe de* (+inf.) : se permettre de (faire qqch de difficile, d'agréable, de remarquable, etc.). **4.** *Un luxe, un grand luxe de* : une grande quantité, une profusion de. *Décrire avec un luxe de précisions.*

Luxembourg, prov. du S.-E. de la Belgique ; 4 419 km^2 ; 224 990 hab. ; ch.-l. *Arlon.* Appartenant presque entièrement au massif ardennais, la prov. se consacre surtout à l'élevage des bovins et à l'exploitation forestière.

Luxembourg, cap. du grand-duché de Luxembourg, sur l'*Alzette* ; 79 000 hab. Centre polit. et comm. du pays, ville industr. (métall., chim., text., industrie alim. et du cuir), devenue en 1952 le siège de la C.E.C.A. L'une des cap. européennes, elle abrite notam. la Cour de justice européenne, le secrétariat général du Parlement européen, la Banque européenne d'investissements.

Luxembourg (grand-duché de), État d'Europe occidentale limité par la Belgique à l'O. et au N., l'Allemagne à l'E., la France au S. ; 2 586 km^2 ; 378 400 hab. ; cap. *Luxembourg.* Nature de l'État : monarchie constitutionnelle. Langue off. : français ; l'allemand est parlé ainsi qu'un dialecte germanique. Monnaies : francs luxembourgeois et belge. Relig. : cathol.

Géogr. - Le N. du pays, l'Ösling, qui appartient aux vieux plateaux de l'Ardenne, est accidenté, coupé de vallées encaissées et couvert de forêts et d'herbages (élevage bovin). Le S., le Gutland (« Bonne Terre »), prolongement du plateau lorrain, offre des terroirs fertiles (céréales, arboriculture, vigne, élevage intensif) ; c'est la région la plus peuplée du pays. Sur les gisements de fer méridionaux s'est développée une puissante industrie sidérurgique (Esch-sur-Alzette, Differdange, Dudelange), contrainte par la crise des années 70 à une sévère restructuration. Le secteur tertiaire emploie aujourd'hui près de 70 % des actifs, du fait du développement des fonctions européennes (Cour de justice, secrétariat du Parlement) et des activités financières attirées par une fiscalité avantageuse. Le revenu par habitant est l'un des plus élevé du monde, le chômage est très faible (moins de 2 % des actifs) et le pays abrite une importante communauté étrangère (25 % des hab.).

Hist. - Le grand-duché de Luxembourg est une partie de l'ancien État de Luxembourg, qui s'étendait entre la Lorraine au S., le pays de Trèves à l'E., la principauté de Liège au N. et la vallée de la Meuse à l'O. Fondé en 963, le comté de Luxembourg (duché en 1354 et grand-duché en 1815) fit longtemps partie du Saint Empire ; il passa sous la domination de la Bourgogne (1441) qui le réunit aux Pays-Bas, de l'Espagne (1555), enfin de l'Autriche (1714). En 1795 les armées françaises l'occupèrent. Le congrès de Vienne (1815) le donna au roi des Pays-Bas dans le cadre de la Confédération germanique. Après la révolution belge de 1830, la partie occidentale fut rattachée au nouveau royaume de Belgique (province du Luxembourg), tandis que la partie orientale formait le grand-duché de Luxembourg, possession personnelle du roi des Pays-Bas. En 1890, le grand-duché échut à une branche de la famille des Nassau dont descend l'actuel grand-duc Jean, sur le trône depuis 1964. Occupé, malgré sa neutralité, par les Allemands pendant les deux guerres mondiales, le Luxembourg a conclu en mai 1947 un traité d'union douanière, élargi ensuite aux domaines écon. et social, avec les Pays-Bas et la Belgique (Benelux). Abandonnant son statut de pays neutre, il adhéra à l'OTAN en 1949, et en 1957 à la CEE. Jean-Claude Juncker, du parti chrétien-social, est Premier ministre depuis 1995. ▶ carte **Belgique**

Luxembourg (maison de), famille qui tire son nom du château de Luxembourg en Lorraine et qui a donné à l'Allemagne des empereurs, à la Bohême des rois et à la France des hommes de guerre.

Luxembourg (François Henri de Montmorency-Bouteville, duc de) (Paris, 1628 – Versailles, 1695), maréchal de France (1675). Il s'illustra durant la campagne de Hollande et des Flandres : victoires de Cassel (1677), Fleurus (1690), Steinkerque (1692) et Neerwinden (1693). Le nombre de drapeaux qu'il enleva à l'ennemi lui valut le surnom de *Tapissier de Notre-Dame.*

Luxembourg (palais du), palais construit à Paris, dans le VIe arr. (sur un terrain jouxtant l'hôtel Renaissance [auj. *le Petit-Luxembourg*] acheté en 1570 par François de Luxembourg et vendu par son fils à Marie de Médicis en 1612). Il fut construit pour la reine par S. de Brosse (1615-1626), sur les plans de Clément Métezeau, et enrichi par Rubens de l'*Histoire de Marie de Médicis* (21 toiles, 1622-1625, auj. au Louvre). Prison sous la Révolution, il fut le palais du Sénat sous l'Empire, de la Pairie de 1815 à 1848, du Sénat sous le Second Empire et la IIIe République. Le Conseil de la République y siégea après 1946 et, en 1958, il est redevenu le palais du Sénat.

luxembourgeois, oise adj. et n. Du grand-duché de Luxembourg. ▷ Subst. *Un(e) Luxembourgeois(e).*

Luxemburg (Rosa) (Zamość, Ruthénie, 1870 – Berlin, 1919), révolutionnaire marxiste allemande ; auteur notam. de l'*Accumulation du capital* (1913). Militante de l'aile gauche de la social-démocratie allemande, elle fut emprisonnée en 1914 à la suite d'une campagne pacifiste ; à sa libération, elle fonda, avec Karl Liebknecht, le groupe Spartakus (1914). Lors de la révolution spartakiste, elle fut assassinée.

luxer v. tr. [1] Provoquer la luxation de (une articulation). ▷ v. pron. *Se luxer le genou.*

Luxeuil-les-Bains, ch.-l. de cant. de la Haute-Saône (arr. de Lure), au N.-E. de Vesoul ; 9 364 hab. Industr. métall. Abattoirs. Stat. therm. – Site d'une abbaye fondée au VIe s. par saint Colomban. Basilique St-Pierre (XIVe s.).

luxmètre n. m. PHYS Appareil servant à mesurer l'éclairement.

luxueusement adv. D'une manière luxueuse.

luxueux, euse adj. Caractérisé par le luxe. *Installation luxueuse.*

Lu Xun ou **Lou Siun** (Zhou Shuren, dit) (Shaoxing, 1881 – Shanghai, 1936), écrivain chinois ; un des princ. romanciers réalistes de la Chine contemp. : *la Véridique Histoire d'Ah Q* (1921), *Contes anciens à notre manière* (1935).

luxure n. f. Litt. Pratique immodérée des plaisirs sexuels.

luxuriance n. f. Caractère de ce qui est luxuriant.

luxuriant, ante adj. **1.** Qui pousse avec abondance, en parlant de la végétation. **2.** Fig. Caractérisé par l'abondance, l'exubérance. *Un style luxuriant.*

luxurieux, euse adj. Rare **1.** Qui s'adonne à la luxure. **2.** Qui dénote la luxure. *Propos luxurieux.*

Luynes (maison d'Albert de), famille provençale qui a donné à la France des prélats, des hommes de guerre et des hommes politiques. – **Charles,** marquis d'Albert, duc de Luynes (Pont-Saint-Esprit, 1578 – Longueville, 1621), favori de Louis XIII, poussa le roi à se défaire de Concini ; il fut à la tête du gouvernement de 1617 à 1621.

luzerne n. f. Plante fourragère (fam. papilionacées) à feuilles trifoliées. *La luzerne enrichit le sol en matières organiques azotées grâce à la présence, dans ses racines, de bactéries fixant l'azote atmosphérique.*

Luzon. V. Luçon.

L.V.F. Sigle de *Légion des volontaires français contre le bolchevisme.* Créée en juil. 1941, elle fut intégrée à l'armée allemande et combattit sur le front soviétique.

Lvov (en polonais *Lwów,* en all. *Lemberg*), v. d'Ukraine, à proximité de la Pologne, sur le *Peltev* ; 780 000 hab. ; ch.-l. de la prov. du m. nom. Centre d'industr. métall. à proximité de gisements de pétrole et de gaz naturel (Dachava). – Polonaise de 1349 à 1772, la ville fut ensuite la cap. de la Galicie autrichienne. Redevenue polonaise (1919), elle fut disputée entre Soviétiques et Allemands pendant la guerre de 1939-1945.

Lvov (Gheorghi Ievghenievitch, prince) (près de Toula, 1861 – Paris, 1925), homme politique russe. Membre du parti Cadet (K.D.), monarchiste libéral, il fut appelé à la tête du premier gouvernement provisoire après la révolution dite de « Février » (14 mars 1917) ; le rôle de Kerenski ayant crû dans le second gouvernement provisoire (15 mai-20 juil.), il se retira.

Lwoff (André) (Ainay-le-Château, Allier, 1902 – Paris, 1994), biologiste français. Ses travaux portent sur les relations entre le virus et la cellule hôte, et sur la transmission de l'information génétique. P. Nobel de médecine et de physiologie 1965, avec J. Monod et F. Jacob.

lx PHYS Symbole du lux.

Lyallpur. V. Faisalabad.

Lyautey (Louis Hubert Gonzalve) (Nancy, 1854 – Thorey, Meurthe-et-Moselle, 1934), maréchal de France (1921). Officier d'état-major auprès de Gallieni au Tonkin (1894) puis à Madagascar (1897), il commanda ensuite dans le sud oranais (1903), où il pacifia les confins algéro-marocains. Résident général au Maroc de 1912 à 1925, excepté un bref séjour en France comme ministre de la Guerre (1916-1917), il se montra un organisateur remarquable. Son corps, inhumé à Rabat selon ses vœux, fut ramené aux Invalides en 1961. Il a laissé de nombreux écrits : *le Rôle social de l'officier,* 1891 ; *Du rôle colonial de l'armée,* 1900. Acad. fr. (1912). ▶ illustr. page **1123**

lyc(o)-. Élément, du gr. *lukos,* « loup ».

Lycabette (le), colline de l'Attique (277 m), qui domine Athènes.

lycanthrope n. MED ou litt. Malade dont l'affection consiste à se croire changé en loup.

lycaon n. m. ZOOL Mammifère canidé (genre *Lycaon*) d'Afrique, au pelage fauve bigarré de noir et de blanc.

Lycaon, dans la myth. gr., roi d'Arcadie, père de Callisto ; il fut foudroyé par Zeus, auquel il avait servi la chair d'un enfant.

Lycaonie, anc. contrée de l'Asie Mineure centrale. Villes princ. : *Iconium* (auj. *Konya*) et *Laodicée.*

lycée n. m. **1.** ANTIQ *Le Lycée :* nom du gymnase situé à l'extérieur d'Athènes, où Aristote enseignait la philosophie. – Nom donné à l'école philosophique qu'Aristote fonda dans ce quartier v. 335 av. J.-C., également appelée école *péripatéticienne.* **2.** Établissement public d'enseignement du second degré prolongeant la formation secondaire des collèges en préparant au baccalauréat. *Lycée professionnel,* préparant à divers examens de l'enseignement technique. (Abrév. : L.P.)

Lycée (mont) (auj. *Diaforti*), montagne de l'anc. Arcadie, séjour du dieu Pan. Ruines antiques.

lycéen, enne n. et adj. Élève d'un lycée. ▷ adj. *Revendications lycéennes.*

lycène n. f. ENTOM Petit papillon diurne, souvent bleuté pour le mâle et brunâtre pour la femelle.

lychee [litʃi] n. m. (Anglicisme) Syn. de *litchi.*

lychnis [liknis] n. m. BOT Plante herbacée dont plusieurs variétés (notam. le lychnis fleurs de coucou, aux fleurs rose foncé) sont cultivées comme ornementales.

Lycie, anc. pays de l'Asie Mineure méridionale, situé entre la Carie et la Pamphylie (auj. en Turquie, à l'O. du golfe d'Antalya), qui fit partie de l'empire des Perses, de celui d'Alexandre, puis de l'Empire romain.

Lycomédès, dans la myth. gr., roi de Scyros ; il cacha, parmi ses filles, Achille (déguisé en femme sur l'initiative de sa mère Thétis) pour l'empêcher de se rendre à Troie où, selon une prédiction, il trouverait la mort.

lycope n. m. BOT Plante (genre *Lycopus,* fam. labiées), courante dans les lieux humides. Syn. pied-de-loup.

lycoperdon n. m. BOT Champignon en forme d'outre, comestible jeune, appelé cour. *vesse-de-loup.*

lycopode n. m. BOT Plante cryptogame (fam. labiées) ressemblant à une grande mousse. Syn. pied-de-loup. – *Poudre de*

lycopode

lycopode : poudre jaune pâle formée par les spores de cette plante, utilisée en pyrotechnie.

lycose n. f. ZOOL Araignée (genre *Lycosa*) qui attrape ses proies à la course et creuse des terriers. *La tarentule est une lycose.* ▶ illustr. **araignées**

lycra n. m. (Nom déposé.) Fibre textile artificielle très élastique.

Lycurgue, personnage légendaire qui, entre le XIe et le IXe s. av. J.-C., aurait donné à Sparte les lois très sévères qui régirent son régime social et son organisation militaire.

Lycurgue (v. 390 – v. 324 av. J.-C.), orateur *(Contre Léocrate)* et homme politique athénien. Il fut l'allié de Démosthène contre Philippe II de Macédoine.

Lydda. V. Lod.

Lydgate (John) (Lydgate, Suffolk, v. 1370 – Bury Saint Edmunds, v. 1450), bénédictin et poète de cour anglais, inspiré par Chaucer et le roman français : *la Chute des princes* (1430-1438), *le Siège de Troie* (1412-1420).

Lydie, anc. pays de l'Asie Mineure, sur la mer Égée, entre la Mysie et la Carie, conquis par les Perses sur le roi Crésus (546 av. J.-C.); cap. *Sardes.*

lydien, enne adj. (et n. m.) De la Lydie. ▷ MUS *Mode lydien* ou, n. m., *lydien :* premier des modes moyens chez les anciens Grecs.

Lyly (John) (Canterbury, 1554 – Londres, 1606), écrivain anglais. Auteur du premier roman anglais, *Euphues ou l'Anatomie de l'esprit* (1578), didactique et satirique, dont les ornements de style ont fait baptiser *euphuisme* cette manière d'écrire, suivi de *Euphues et son Angleterre* (1580). Lyly écrivit aussi des comédies mythologiques (*Endymion,* 1586; *Midas,* 1589).

Lyman (Theodore) (Boston, 1874 – Cambridge, Massachusetts, 1954), physicien américain. Il a donné son nom à la série de raies du spectre de l'hydrogène située dans le proche ultraviolet.

lymphangiome n. m. MED Malformation congénitale caractérisée par une prolifération des vaisseaux lymphatiques.

lymphangite n. f. MED Inflammation aiguë ou chronique des vaisseaux lymphatiques.

lymphatique adj. et n. **1.** ANAT De la lymphe, qui a rapport à la lymphe. *Ganglion lymphatique.* ▷ n. m. *Un lymphatique :* un vaisseau lymphatique. **2.** Qui a les caractères du lymphatisme. *Un tempérament lymphatique.* ▷ Subst. *Un(e) lymphatique :* une personne lymphatique.

ENCYCL Le système lymphatique comprend : les *vaisseaux lymphatiques*; les *ganglions lymphatiques,* petits renflements échelonnés le long des vaisseaux lymphatiques; les *vaisseaux chylifères,* qui déversent dans la lymphe certains produits de la digestion intestinale.

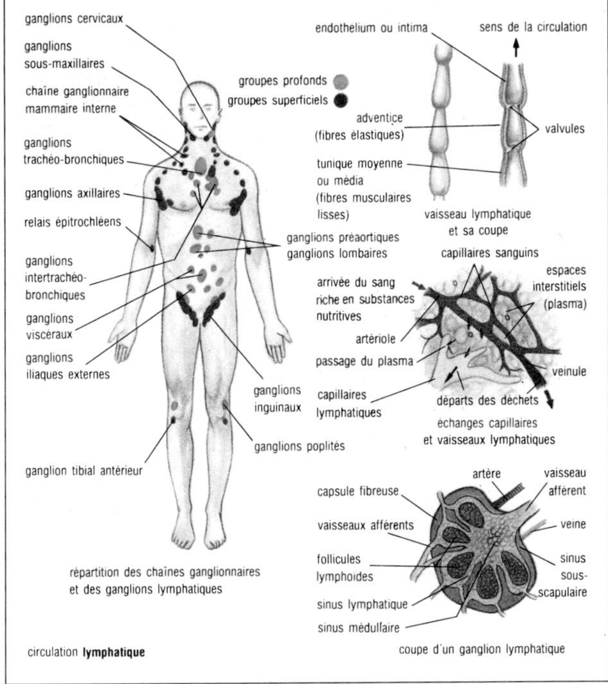

circulation **lymphatique**

lymphatisme n. m. **1.** MED État de déficience que l'on observe plus souvent chez l'enfant, caractérisé par l'augmentation du volume des organes lymphoïdes, la pâleur et l'infiltration des tissus. **2.** Cour. État d'une personne lente et apathique.

lymphe n. f. BIOL Liquide clair, blanchâtre, riche en protéines et en lymphocytes, qui circule dans les vaisseaux lymphatiques.

lymphoblaste n. m. BIOL Cellule jeune et normale du sang, dont on a longtemps considéré que dérivait le lymphocyte.

lymphoblastique adj. BIOL Qui a rapport au lymphoblaste. *Transformation lymphoblastique.*

lymphocyte n. m. BIOL Cellule sanguine mononucléaire appartenant à la lignée blanche, présente dans le thymus, le sang, la moelle osseuse, les ganglions, la lymphe. *Lymphocytes B :* agents de l'immunité humorale, sécréteurs des immunoglobulines (cf. anticorps). *Lymphocytes T :* supports de l'immunité cellulaire et régulateurs des sécrétions humorales dues aux lymphocytes B. – *Lymphocytes tueurs,* capables de détruire les cellules étrangères à l'organisme après avoir été stimulés par les lymphocytes T.

lymphocytose n. f. MED Augmentation du nombre de lymphocytes dans le sang ou dans la moelle osseuse.

lymphogranulomatose n. f. MED Nom donné à différentes maladies dont la manifestation clinique initiale est un granulome qui se dissémine facilement par voie lymphatique. (V. Hodgkin [Thomas].)

lymphographie n. f. MED Examen radiologique des vaisseaux et des ganglions lymphatiques.

lymphoïde adj. BIOL *Tissu, système lymphoïde :* ensemble constitué par les lymphocytes et les *organes lymphoïdes* (thymus, moelle osseuse, ganglions lymphatiques, amygdales, etc.) et dont dépendent les réactions d'immunité spécifique de l'organisme.

lymphokine n. f. BIOCHIM Cytokine* sécrétée par les lymphocytes.

lymphome n. m. MED Terme générique pour désigner les proliférations malignes de certains éléments hématologiques.

lymphopathie n. f. MED Affection du système lymphatique.

lymphopénie n. f. MED Baisse du nombre des lymphocytes dans le sang.

lymphosarcome n. m. MED Tumeur maligne qui se développe dans les organes lymphoïdes et prolifère en métastases.

Lyncée, dans la myth. gr., nom de deux personnages. **1.** Un des Argonautes, à la vue si perçante («de lynx») qu'il voyait à travers les murs. Pollux le tua. **2.** Un des 50 fils d'Égyptos, époux de l'une des 50 Danaïdes*, le seul que sa femme, Hypermnestre, épargna. Il vengea ses frères.

Lynch (John, dit Jack) (Cork, 1917), homme politique irlandais. Premier ministre de 1966 à 1973, il ne put résoudre le problème du soutien apporté par la rép. d'Irlande aux catholiques de l'Ulster; son parti, le Fianna Fáil, perdit les élections de 1973. Il revint au pouvoir de 1977 à 1979.

Lynch (David) (Missoula, Montana, 1946), cinéaste américain. Sa réflexion porte sur la monstruosité, immédiate (*Elephant Man,* 1980) ou cachée dans la vie paisible de la société américaine (*Blue Velvet*, 1986 ; *Sailor et Lula*, 1990 ; *Twin Peaks*, série télévisée, 1990, puis film, 1992).

lynchage n. m. Action de lyncher.

lyncher [lɛ̃ʃe] v. tr. [1] **1.** Exécuter, sans jugement préalable ou après un jugement extrêmement sommaire, une personne présumée coupable. **2.** Faire subir à (qqn) des brutalités pouvant entraîner la mort (en parlant d'une foule). *Il a été lynché par la foule.*

lyncheur, euse n. Personne qui participe à un lynchage.

Lyndsay ou **Lindsay** (sir David) (Haddington, v. 1490 – en mission au Danemark [?], v. 1555), poète satirique écossais qui milita en faveur de la Réforme : *le Rêve* (1528), *Satire des trois États* (1540).

lynx [lɛ̃ks] n. m. Mammifère carnivore félidé d'env. 70 cm au garrot, au pelage tacheté jaunâtre. – Loc. *Avoir des yeux de lynx*, la vue très perçante.

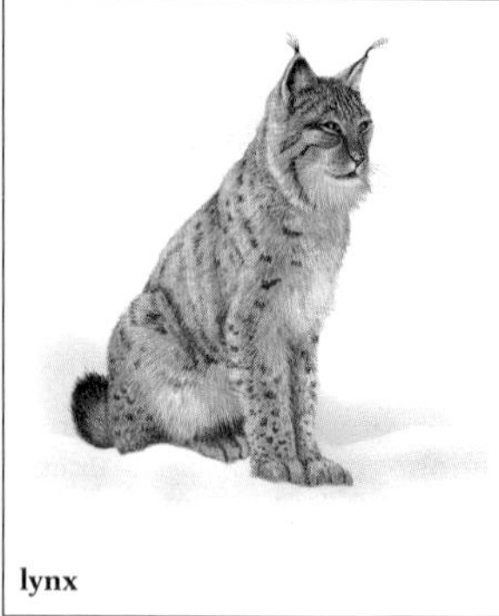
lynx

lyo-. Élément, du gr. *luein*, « dissoudre ».

lyodessiccation n. f. Syn. de *lyophilisation*.

Lyon, ch.-l. du dép. du Rhône et de la Région Rhône-Alpes, métropole d'équilibre (incluant Saint-Étienne et Grenoble) ; 422 444 hab. (env. 1 262 200 hab. dans l'aggl.). Une situation exceptionnelle (au confluent de la Saône et du Rhône, à mi-chemin entre la Méditerranée, le Bassin parisien et l'Allemagne) et une excellente desserte routière, ferroviaire, fluviale et aérienne (aéroports de *Lyon-Satolas* et de *Lyon-Bron*), expliquent le grand essor de cette cité. Lyon, métropole culturelle (université, écoles techniques et scientifiques, laboratoires) et commerciale (foire internationale, port fluvial ; marché aux bestiaux ; MIN), est surtout une ville industr. grâce à l'apport de nombr. sources d'énergie (gazoduc, oléoducs européens, hydroélectricité des Alpes). L'industr. traditionnelle de la soie et du textile s'est orientée vers la production de fibres synthétiques, mais elle cède la place aux industr. chim., pétrochim. et métall. (matériel de transport, matériel électr.), génératrices de forte pollution. Depuis 1978, Lyon est doté d'un métro. – Archevêché. Université. Musées. La vieille ville occupe, au pied de la colline de Fourvière (basilique Notre-Dame, XIXe s.), les quartiers de St-Paul et de St-Jean (cath. St-Jean, XIIe-XVe s.), Manécanterie (XIIe s.), égl. St-Paul (XIIe-XVe s.), nombr. hôtels particuliers. Au centre de la ville, à côté de la place Bellecour (1714), se trouvent la basilique romane St-Martin-d'Ainay (1107), l'égl. St-Bonaventure (1315-1471), l'égl. goth.

Lyon : la presqu'île entre la Saône et le Rhône

St-Nizier, l'hôtel de ville (XVIIe s.), le palais des Arts (XVIIe s.) et le Grand-Théâtre (XIXe s.).
Hist. – Anc. *Lugdunum*, établi sur le coteau de Fourvière, Lyon devient la cap. des Gaules puis celle du premier royaume de Bourgogne. Au XIIIe s., deux conciles s'y tiennent : en 1245, le pape Innocent IV dépose l'empereur Frédéric II ; en 1274, le mode d'élection des papes est fixé (il demeure en vigueur). La lutte entre ses archevêques, qui revendiquent la puissance temporelle, et ses bourgeois provoque en 1312 le rattachement de la ville au royaume. Dès la fin du Moyen Âge, Lyon connaît un grand rayonnement commercial et culturel (école de Lyon), qui coïncide avec les débuts de l'industr. de la soie. La Révolution est marquée par des événements dramatiques : siège de la ville par la Convention (1793), exécutions massives dirigées par Collot d'Herbois et Fouché. Au XIXe s., Lyon est secoué par de graves conflits sociaux (insurrections des canuts en 1831 et 1834). À l'aube du XXe s., la puissance financière de son patronat fait de la ville un grand centre d'affaires (création du *Crédit Lyonnais*, 1863), prêt pour l'essor industriel moderne.

lyonnais, aise adj. et n. De Lyon. ▷ Loc. CUIS *À la lyonnaise* : avec une sauce à base d'oignons.

Lyonnais (monts du), partie du rebord orient. du Massif central, entre la dépression du Jarez au S. et le Beaujolais au N. Les pentes bien exposées de ses hautes collines (940 m) sont couvertes de vignobles.

Lyonne (Hugues de). V. Lionne.

lyophilisateur n. m. TECH Appareil servant à la lyophilisation.

lyophilisation n. f. TECH Procédé de dessiccation par congélation brutale (entre – 40 °C et – 80 °C) puis sublimation sous vide.

lyophiliser v. tr. [1] TECH Soumettre à la lyophilisation.

Lyot (Bernard) (Paris, 1897 – près du Caire, 1952), astronome et physicien français ; inventeur (1931) de l'appareil servant à observer la couronne solaire, auteur de nombreux travaux sur la polarisation du sol des planètes.

lyre n. f. **1.** Instrument de musique à cordes pincées utilisé par les Anciens. ▷ Litt. Symbole de l'inspiration poétique. *Prendre sa lyre* : se disposer à écrire des vers. **2.** ZOOL Nom cour. de divers poissons (trigle par ex.) et d'un oiseau (ménure ou oiseau-lyre).

Lyre (la), constellation boréale, entre le Cygne et Hercule, qui contient Véga.

lyrique adj. et n. m. **1.** ANTIQ Chanté avec un accompagnement de lyre. *Poème lyrique.* ▷ *Poète lyrique* : auteur de poèmes lyriques. – n. m. *Un lyrique* : un poète lyrique. **2.** Mis en musique pour être chanté sur scène. *Théâtre lyrique*, où l'on représente des ouvrages mis en musique. *Drame lyrique* : opéra, oratorio. *Comédie lyrique* : opéra-comique. – *Artiste lyrique* : chanteur, chanteuse d'opéra ou d'opéra-comique. **3.** D'inspiration ou de forme analogue à celle de la poésie lyrique antique. *Genre lyrique* (par oppos. à *épique*). – n. m. *Le lyrique* : le genre lyrique. **4.** Qui laisse libre cours à l'expression des sentiments personnels souvent sous forme d'images évocatrices. *Les envolées lyriques d'une biographie. Un style lyrique.*

lyrisme n. m. **1.** Inspiration poétique lyrique. *Le lyrisme de Lamartine.* **2.** Caractère lyrique. *Le lyrisme d'un discours.* **3.** Expression lyrique des sentiments. *Il s'abandonne au lyrisme.*

lys. V. lis.

Lys (la), (en néerl. *Leie*), riv. canalisée de France et de Belgique (214 km), affl. de l'Escaut (r. g.) à Gand. Arrose Armentières et Courtrai.

Lysandre (m. en 395 av. J.-C.), général spartiate. Il vainquit les Athéniens à Ægos-Potamos (405 av. J.-C.), prit Athènes et y établit les Trente.

-lyse, lys(o)-. Éléments, du gr. *lusis*, « dissolution, dissociation ».

lyse n. f. BIOL Dissolution, destruction (d'une structure organique).

lysergique adj. BIOCHIM *Acide lysergique* : alcaloïde de l'ergot de seigle, dont dérive le L.S.D.

Lysias (Athènes, v. 440 – id., v. 380 av. J.-C.), orateur athénien ; célèbre pour sa lutte contre les Trente.

Lysimaque (Pella, v. 360 – Couroupédion, à l'O. de Sardes, en Lydie, 281 av. J.-C.), général d'Alexandre qui, après la mort de celui-ci, se proclama roi de Thrace. Il fut vaincu et tué par Séleucos.

lysine n. f. **1.** BIOL Nom générique de substances à propriétés lytiques. **2.** BIOCHIM Acide aminé basique indispensable à la croissance, fourni à l'organisme par l'alimentation.

Lysippe (Sicyone, v. 390 – ?, apr. 310 av. J.-C.), sculpteur grec ; le dernier des grands maîtres de l'époque classique.

Lys-lez-Lannoy, com. du Nord (arr. de Lille) ; 12 398 hab. Industries textiles, pharmaceutiques.

lyso-. V. -lyse.

lysosome n. m. BIOL Organelle intracellulaire, limitée par une membrane, contenant de nombreuses enzymes digestives actives lors de la phagocytose.

lysozyme n. m. BIOL Enzyme capable d'hydrolyser les parois bactériennes.

Lyssenko (Trofim Denissovitch) (Karlovka, Ukraine, 1898 – Moscou, 1976), botaniste et généticien soviétique. Il soutint que les caractères acquis sous l'action du milieu peuvent devenir héréditaires, théorie erronée défendue par les milieux officiels de l'U.R.S.S. en opposition aux thèses de Mendel, jugées « bourgeoises ».

-lyte, -lytique. CHIM Éléments, du gr. *lutos*, « qui peut être dissous ».

lytique adj. BIOL Relatif à la lyse ; qui entraîne la lyse.

Lytton (Edward George Bulwer-Lytton, baron) (Londres, 1803 – Torquay, 1873), homme politique et écrivain anglais : *les Derniers Jours de Pompéi* (1834).

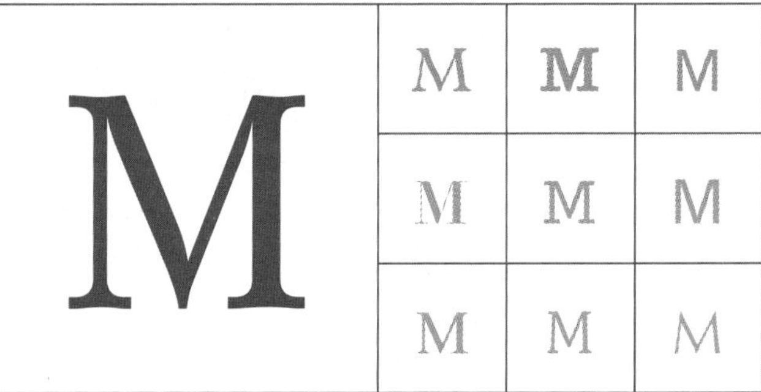

m [ɛm] n. m. **1.** Treizième lettre (m, M) et dixième consonne de l'alphabet, notant l'occlusive bilabiale nasale [m], simple ou redoublée (ex. *mime* [mim], *mammaire* [mammɛʀ]), et, devant une consonne ou en finale, un son nasal (ex. *comte* [kɔ̃t], *humble* [œ̃bl], *nom* [nɔ̃]). **2.** m. : abrév. de *masculin.* – M. : abrév. de *monsieur.* **3.** M : chiffre romain qui vaut 1 000. ▷ m, m^2, m^3 : symboles du *mètre,* du *mètre carré,* du *mètre cube.* ▷ M : abrév. de *méga-.* ▷ m : abrév. du préfixe *milli-* (millième). ▷ CHIM m- : abrév. de *méta-.*

ma. V. mon.

Maastricht ou **Maëstricht,** v. des Pays-Bas, sur la Meuse (néerl. *Maas*), ch.-l. du Limbourg; 115 780 hab. Centre industr. actif (métallurgie, textiles, chimie, etc.), relié à Rotterdam (canal Juliana rejoignant la Meuse). – Cathédrale St-Servais (XIe-XIIe s.). Basilique Notre-Dame (romane et gothique). – **Sommet de Maastricht :** sommet européen qui s'est tenu les 9 et 10 décembre 1991 à Maastricht et a abouti à un accord pour une union de l'Europe des Douze en matière économique, monétaire, sociale, de défense, etc. – **Traité de Maastricht :** (7 fév. 1992), traité qui prévoit notam. la création d'une Union économique et monétaire et l'établissement d'une monnaie unique, l'euro, qui doit entrer en vigueur le 1er janvier 1999 au plus tard. Le traité a été approuvé par tous les États membres sauf par le Danemark.

Maazel (Lorin) (Neuilly-sur-Seine, 1930), chef d'orchestre américain. Après avoir dirigé l'orchestre de Cleveland (1972-1982) et l'Opéra de Vienne (1982-1986), il a pris la direction musicale de l'Orchestre national de France (1988-1991) et de l'orchestre de Pittsburgh (depuis 1988).

Mabille, bal situé avenue Montaigne à Paris, fameux sous le Second Empire.

Mabillon (Jean) (Saint-Pierremont, Ardennes, 1632 – Paris, 1707), bénédictin français; un des plus grands érudits de son temps, fondateur de la diplomatique (*De re diplomatica,* 1681), éditeur des œuvres de saint Bernard, auteur d'un *Traité sur les études monastiques* (1691).

Mably (Gabriel Bonnot de) (Grenoble, 1709 – Paris, 1785), philosophe et historien français. Frère utérin de Condillac, il est considéré comme un précurseur de la Révolution, voire du socialisme : *Parallèles des Romains et des Français* (1740), *le Droit public de l'Europe fondé sur les traités* (1748).

maboul, oule adj. Pop. Fou. *Il est maboul, ce gars-là!* ▷ Subst. *Un(e) maboul(e).*

Mabuse. V. Gossaert (Jan).

mac n. m. Fam. Souteneur.

Mac ou **Mc,** mot celtique («fils») qui entre comme préfixe dans des noms propres irlandais ou écossais.

Macabée. V. Maccabée.

macabo n. m. Sorte de taro, cultivé au Cameroun.

macabre adj. **1.** *Danse macabre :* ronde allégorique dans laquelle la Mort entraîne des personnages appartenant à toutes les classes de la société, fréquemment représentée sur les murs des cimetières et dans les cloîtres par les artistes des XIVe et XVe s. **2.** Qui évoque des choses funèbres, la mort. *Plaisanterie macabre. Faire la macabre découverte de restes humains.*

macadam [makadam] n. m. **1.** Revêtement de chaussée constitué de pierres concassées agglomérées au moyen d'un liant et bloquées au rouleau compresseur. **2.** Bitume. – Chaussée recouverte de bitume.

MacAdam (John Loudon) (Ayr, 1756 – Moffat, 1836), ingénieur écossais; inventeur du revêtement routier qui porte son nom.

macadamiser v. tr. [1] Revêtir de macadam. *Macadamiser une route.*

Macaire d'Égypte (saint) (v. 301 – v. 391), ermite et ascète du désert de Scété (Basse-Égypte). Ses lettres, homélies, écrits spirituels, dont la paternité lui est contestée, sont l'un des fondements de la mystique orientale.

macanéen, enne adj. et n. De Macao.

Macao, enclave portugaise en territ. chinois, à l'embouchure du Xijiang; 16 km²; env. 500 000 hab. (en majorité chinois). Pêche; manuf. de tabac; textiles; tourisme et jeux (casinos); trafic clandestin avec la Chine. – Comptoir portugais depuis 1557, une des bases du comm. européen en Chine pendant trois siècles, Macao a perdu de son importance économique face au développement de Hong Kong. En 1987, Chine et Portugal ont ratifié un accord prévoyant le retour de Macao à la Chine en déc. 1999.

macaque à barbe blanche, originaire d'Inde

macaque n. m. **1.** Singe d'Afrique et d'Eurasie, de la famille des cercopithèques, trapu, haut de 50 à 75 cm, à queue réduite ou absente (magot*). (Les travaux sur *Macaca rhesus* permirent la découverte du facteur rhésus.) **2.** Fig., fam. Personne très laide.

macareux n. m. Nom cour. de divers oiseaux de la famille des alcidés (genre *Æthia, Lunda,* etc.) au bec haut et comprimé latéralement. *Macareux moine (Fratercula arctica) :* macareux européen, long d'env. 30 cm, noir et blanc avec le bec bleu et rouge, qui vit en colonies et niche dans des terriers.

macareux moine

macaron n. m. **1.** Pâtisserie ronde confectionnée avec de la pâte d'amande, du sucre et des blancs d'œufs. **2.** Natte de cheveux roulée sur l'oreille. **3.** Gros insigne de forme arrondie. *Macaron tricolore d'une voiture officielle.* **4.** Fig., fam. Décoration, distinction.

macaroni n. m. **1.** (Surtout au plur.) Pâte alimentaire à base de farine de blé dur, en forme de petit tube creux et allongé. *Des macaroni(s).* **2.** Pop., péjor. *Un mangeur de macaroni* ou, ellipt., *un Macaroni* : un Italien.

macaronique adj. LITTER Se dit d'un genre poétique burlesque où sont entremêlés des mots latins et des mots de la langue courante pourvus de terminaisons latines.

MacArthur (Douglas) (Fort Little Rock, Arkansas, 1880 – Washington, 1964), général américain. Commandant des forces alliées en Extrême-Orient (1941-1945), il joua un rôle majeur dans la victoire des Alliés sur le Japon. Commandant des troupes de l'ONU en Corée (1950), il envisagea d'attaquer la Chine et fut relevé de ses fonctions par le président Truman (avril 1951).

MacArthur

Machado

macassar n. m. Ébène de Macassar, brun veiné de noir.

Macassar. V. Makassar.

Macaulay (Thomas Babington, baron) (Rothley Temple, Leicestershire, 1800 – Londres, 1859), homme politique (whig) et historien anglais : *Histoire d'Angleterre* (5 vol., 1848-1861).

MacBain (Salvatore Lombino, dit Ed) (New York, 1926), auteur américain de romans policiers à suspense : *Graine de violence* (1954); *Du balai* (1956).

Macbeth, (m. à Lumphanan, Aberdeenshire, en 1057), roi d'Écosse au règne tragique (1040-1057). Il assassina Duncan Ier et fut tué par Malcom III, le fils de sa victime. Il inspira à Shakespeare la tragédie *Macbeth* (1605).

Maccabée ou **Macabée,** famille juive issue d'une famille de prêtres, les Asmonéens. – **Mattathias l'Asmonéen** (m. v. 166 av. J.-C.), prêtre, se révolta contre l'hellénisation imposée par Antiochos IV. – **Judas Maccabée** (?, v. 200 – Elasa, 160 av. J.-C.), obtint en 162 de Démétrios Ier Sôter la liberté de culte. – **Jonathan** (m. en 143 av. J.-C.), frère du préc.; grand prêtre de 152 à 143, il mourut assassiné. – **Simon** (m. en 134 av. J.-C.), frère des préc.; grand prêtre de 142 à 134, il arracha à Démétrios II Nikatôr la reconnaissance de l'indépendance juive (142).

Maccabées (Livre des), nom de quatre livres de l'Ancien Testament composés entre le Ier s. av. J.-C. et le IIe s. apr. J.-C.

McCarthy (Joseph) (Grand Chute, Wisconsin, 1909 – Bethesda, Maryland, 1957), homme politique américain. Élu sénateur en 1947, il mena une campagne acharnée contre les citoyens suspects, à ses yeux, de sympathies communistes (« chasse aux sorcières »), mais en 1954 le maccarthysme fut condamné par le Sénat.

McCarthy (Mary) (Seattle, 1912 – New York, 1989), romancière américaine. Ses thèmes sont l'engagement politique et la confrontation avec la violence : *Dis-moi qui tu hantes* (1942), *le Groupe* (1965), *Oiseaux d'Amérique* (1973).

maccarthysme n. m. HIST Politique anticommuniste systématique des États-Unis mise en œuvre par le sénateur J. McCarthy dans les années 50.

McCay (Windsor Zenic) (Springlake, Michigan, 1869 – Chicago, 1934), créateur américain du premier chef-d'œuvre de la bande dessinée : *Little Nemo* (1905-1907).

macchabée [makabe] n. m. Pop. Cadavre.

McClintock (sir Francis Leopold) (Dundalk, 1819 – Londres, 1907), navigateur irlandais. Il explora les régions boréales canadiennes. – Le *canal McClintock* sépare l'île Victoria de l'île du Prince-de-Galles.

McClintock (Barbara) (Hartford, 1902 – Huntington, New York, 1992), biologiste américaine. Elle a découvert les transposons, gènes mobiles de l'A.D.N. Prix Nobel 1983.

McClure (sir Robert John Le Mesurier) (Wexford, Irlande, 1807 – Portsmouth, 1873), navigateur et explorateur britannique de l'Arctique canadien. Il découvrit le passage du Nord-Ouest lors de son expédition de 1850-1854.

McCormick (Cyrus Hall) (Walnut Grove, Virginie, 1809 – Chicago, 1884), ingénieur et industriel américain, inventeur des faucheuses et moissonneuses mécaniques.

MacCoy (Horace) (Nashville, 1897 – Beverly Hills, 1955), écrivain américain; auteur de romans « noirs » à caractère social : *On achève bien les chevaux* (1935).

McCullers (Carson Smith) (Columbus, Georgie, 1917 – Nyack, État de New York, 1967), romancière américaine. Dans ses romans (*Le cœur est un chasseur solitaire,* 1940; *Reflets dans un œil d'or,* 1941), et dans ses nouvelles (*la Ballade du café triste,* 1951), elle décrit l'isolement et la quête de l'amour.

MacDiarmid (Christopher Murray Grieve, dit Hugh) (Langholm, 1892 – Édimbourg, 1978), poète écossais. Il a marqué la renaissance de la littérature écossaise : *L'ivrogne regarde le chardon* (1926), *Premier et deuxième hymne à Lénine* (1932).

Macdonald (Jacques Alexandre) (Sedan, 1765 – Courcelles, Loiret, 1840), maréchal de France. Artisan de la victoire de Wagram (1809), il fut fait duc de Tarente. Rallié aux Bourbons, pair de France (1814), il devint grand chancelier de la Légion d'honneur.

Macdonald (sir John Alexander) (Glasgow, 1815 – Ottawa, 1891), homme politique canadien; un des fondateurs de la Confédération du Canada, érigée en dominion (1867). Il fut Premier ministre (1867-1873 et 1878-1891).

MacDonald (James Ramsay) (Lossiemouth, Écosse, 1866 – en mer, 1937), homme politique britannique. Chef du Labour Party (depuis 1911), il devint Premier ministre en 1924 (neuf mois) puis de 1929 à 1935. La crise de 1929 s'aggravant, il fut abandonné par les travaillistes et forma un gouv. d'Union nationale (1931-1935).

MacDonald-Wright (Stanton Van Vranken, dit Stanton) (Charlottesville, Virginie, 1890 – Pacific Palisades, Californie, 1973), peintre américain. Il s'inspira des théories de R. Delaunay pour fonder, avec Morgan Russel, le *synchromisme* (1912-1913).

Macé (Jean) (Paris, 1815 – Monthiers, Aisne, 1894), journaliste français. Il fonda la Ligue française de l'enseignement (1866).

macédoine n. f. **1.** Mets composé de plusieurs sortes de légumes ou de fruits coupés en morceaux. *Une boîte de macédoine de légumes.* **2.** Ensemble formé d'éléments disparates.

Macédoine, rég. historique de la péninsule balkanique, assez mal délimitée (env. 66 000 km²), bordée par la mer Égée, dans le N. de la Grèce antique. Au IVe s. av. J.-C., les rois de Macédoine Philippe II et son fils Alexandre le Grand conquirent la Grèce et une partie de l'Orient. Mais, dès 146 av. J.-C., le pays, soumis par Rome, perdit son indépendance. Il devint prov. de l'Empire bulgare, puis de l'Empire serbe et, enfin, de l'Empire byzantin. La conquête turque (1371) entraîna une longue décadence. Enjeu des guerres balkaniques (1912-1913), la Macédoine fut partagée entre la Grèce, la Yougoslavie et la Bulgarie. De 1915 à 1918, les troupes alliées y combattirent contre les Germano-Austro-Bulgares. La Macédoine est auj. divisée en deux ensembles politiques. – Au N.-E., la *Macédoine* : V. ci-après. – Au S., la *Macédoine grecque,* divisée en deux régions admin. : la *Macédoine centrale;* 19 147 km²; 1 653 400 hab.; cap. *Thessalonique;* et la *Macédoine occidentale;* 9 451 km²; 300 100 hab.; cap. *Kozani.* – Très montagneuse, coupée par des vallées fertiles, dont celle du Vardar, elle est située au débouché de la grande voie de passage transbalkanique entre Orient et Occident.

Macédoine, État de la péninsule balkanique, situé entre la Serbie au N., la Grèce au S., l'Albanie à l'O., et la Bulgarie, à l'E.; 25 713 km²; 1 950 000 hab.; cap. *Skopje.* Nature de l'État : rép. parlementaire. Langue off. : macédonien. Monnaie : dinar de Macédoine. Pop. : Macédoniens (66,5 %), Albanais (22,9 %), Turcs (4 %). Relig. : orthodoxes, musulmans.

Écon. – Agriculture variée (fruits et légumes, riz, tabac). Lignite, importantes ressources hydroélectriques. La Macédoine connaît une situation économique difficile, accentuée par les différents blocus qu'elle a dû subir en 1994 (l'un imposé par la Grèce, l'autre, l'embargo international contre la Serbie).

Hist. – Longtemps disputée entre Byzantins et Bulgares, puis entre Bulgares et Ottomans, la région, essentiellement peuplée de Slaves, fut intégrée à la Yougoslavie* en 1918 et devint une rép. fédérée en 1945. À la faveur de la décomposition de l'État fédéral yougoslave, la Macédoine s'est proclamée indépendante. Elle n'a été admise à l'ONU qu'en avril 1993 sous le nom provisoire de *FYROM (Former Yougoslavian Republic of Macedonia).* Épargnée par l'engrenage de la guerre de Bosnie-Herzégovine, elle connaît cependant des tensions ethniques (entre majorité slave chrétienne et minorité albanaise musulmane), des tensions économiques et sociales, en pleine transition d'économie de marché et des tensions politiques, en raison des rapports complexes avec la Grèce, la Bulgarie, l'Albanie et la Serbie.

macédonien, enne adj. et n. **1.** adj. De la Macédoine. ▷ Subst. *Un(e) Macédonien(ne).* **2.** n. m. *Le macédonien* : langue slave parlée en Macédoine.

Maceió, v. et port de comm. du Brésil; cap. de l'État d'Alagoas, sur

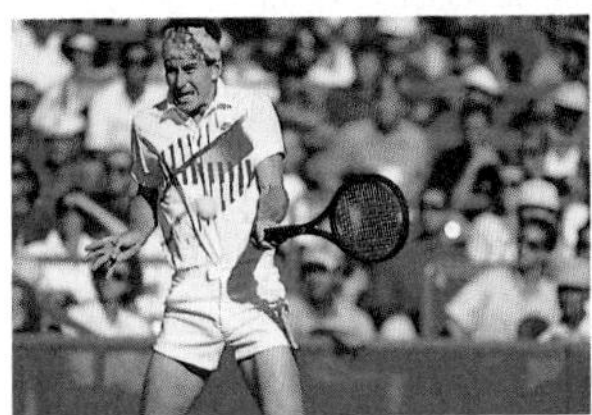
John **McEnroe**

l'Atlantique ; 484 090 hab. Céramiques ; textiles.

McEnroe (John) (Wiesbaden, 1959), joueur de tennis américain. Sa maîtrise technique, son jeu d'attaque lui assurèrent la domination sur surfaces rapides dans les années 80.

macération n. f. **1.** RELIG Mortification, pratique pénible que l'on s'inflige dans sa chair pour expier ses fautes ou celles d'autrui. **2.** Opération qui consiste à laisser séjourner dans un liquide une substance (notam. une substance alimentaire), pour l'accommoder, la conserver, etc. ▷ *Par ext.* Liquide ainsi utilisé.

macérer v. tr. [**14**] **1.** RELIG Mortifier (sa chair) par des macérations. **2.** Soumettre à la macération. *Macérer des cornichons dans du vinaigre.* ▷ v. intr. Séjourner longuement dans un liquide. *Les filets de maquereau macèrent dans du jus de citron.* Fig. *Il macérait dans les remords.*

macfarlane n. m. Anc. Manteau sans manches muni d'un grand collet recouvrant les épaules et les bras.

mach ou **Mach** [mak] n. m. PHYS, AVIAT *Nombre de Mach* : rapport entre la vitesse d'un mobile dans un fluide et la vitesse du son dans ce même fluide. (En aviation, Mach 1, qui représente la limite entre le vol subsonique et le vol supersonique, correspond, pour un vol à haute altitude, à 1 060 km/h ; à partir de Mach 5, on parle de vitesses hypersoniques.) – Loc. *Voler à Mach 1, Mach 2,* à une fois, deux fois la vitesse du son.

Mach (Ernst) (Turas, Moravie, 1838 – Haar, près de Munich, 1916), physicien et philosophe autrichien. Ses travaux d'optique et d'acoustique l'amenèrent à étudier l'importance de la vitesse du son en aérodynamique.

Machado (Bernardino) (Rio de Janeiro, 1851 – Porto, 1944), homme politique portugais. Il contribua à la chute de la royauté (1910), devint chef du gouvernement (1914), puis président de la République (1915-1917 et 1925-1926) ; il fut, les deux fois, renversé et dut s'exiler en 1927.

Machado (Antonio) (Séville, 1875 – Collioure, 1939), poète lyrique espagnol. Il occupe une place importante dans la poésie contemporaine ; il a surtout chanté l'Andalousie et la Castille : *Solitudes* (1903), *les Paysages de Castille* (1912), *Nouvelles Chansons* (1924).

Machado de Assis (Joaquim Maria) (Rio de Janeiro, 1839 – id., 1908), écrivain brésilien. Son œuvre (poésie, théâtre, chroniques, contes et romans) évolue de la critique ironique au fatalisme : *Mémoires d'outre-tombe de Brás Cubas* (roman, 1881).

Machala, v. de l'Équateur ; 123 970 hab. ; ch.-l. de la prov. d'El Oro. Export. de bananes.

machaon [makaɔ̃] n. m. ENTOM Grand papillon diurne (genre *Papilio*) aux ailes jaunes tachetées de noir, de rouge et de bleu.

Machault d'Arnouville (Jean-Baptiste de) (Paris, 1701 – id., 1794), homme d'État français ; contrôleur général des Finances (1745-1754), garde des Sceaux (1750-1757) et secrétaire d'État à la Marine (1754-1757). En 1749, il tenta, le premier, d'établir un impôt sur les revenus (le *vingtième*), touchant à égalité tous les ordres de la nation. Mal soutenue par Louis XV, sa réforme échoua. Il fut disgracié après l'attentat de Damiens.

Machaut (Guillaume de). V. Guillaume de Machaut.

mâche n. f. Nom cour. de diverses valérianelles que l'on consomme en salade. *La doucette est une variété de mâche.*

mâchefer [mɑʃfɛʀ] n. m. Scorie provenant de la combustion de certains charbons. *Le mâchefer est utilisé pour stabiliser les sols.*

Machel. V. Samora Machel.

mâcher v. tr. [**1**] **1.** Broyer avec les dents. *Mâcher les aliments avant de les avaler.* **2.** Triturer dans la bouche. *Mâcher du chewing-gum.* **3.** Loc. fig. *Mâcher la besogne à qqn,* la lui préparer de façon qu'il puisse l'achever sans peine. – *Ne pas mâcher ses mots :* dire sans ménagement ce que l'on pense. **4.** TECH Couper en déchirant, en arrachant. *Ciseau mal affûté qui mâche le bois.*

machette n. f. Sabre d'abattage, en Amérique du Sud.

mâcheur, euse n. Personne qui a pour habitude de mâcher (qqch). *Les mâcheurs de kola.*

machiavel [makjavɛl] n. m. Personne peu soucieuse de moralité quant aux moyens qu'elle utilise pour atteindre son but, notam. en politique.

Machiavel (en ital. *Niccolo Machiavelli*) (Florence, 1469 – id., 1527), homme politique et écrivain italien. Chargé de missions diplomatiques, il perd ses fonctions quand ses protecteurs sont chassés de Florence par les Médicis (1512). Il mène alors une existence pauvre, consacrant son temps à la composition de ses œuvres, dont les plus célèbres sont *le Prince* (1513, publié en 1531), dédié à Laurent de Médicis, et les *Discours sur la première décade de Tite-Live* (1513-1519), autre traité politique. Il écrivit aussi une comédie, *la Mandragore* (1520), et une monumentale *Histoire de Florence* (1521-1525).

machiavélique [makjavelik] adj. Péjor. Digne d'un machiavel ; dont l'habileté perfide est celle d'un machiavel. *Politicien machiavélique.* – Par ext. *Ruse machiavélique.*

Machiavel

le maréchal **Mac-Mahon**

machiavélisme n. m. **1.** Doctrine politique de Machiavel. **2.** Péjor. Attitude d'une personne machiavélique.

mâchicoulis [maʃikuli] n. m. Encorbellement placé en haut d'un ouvrage fortifié et percé d'ouvertures par lesquelles on laissait tomber sur l'adversaire des pierres ou des projectiles enflammés. ▷ Ces ouvertures elles-mêmes.

-machie. Élément, du gr. *makhê,* « combat ».

machin, ine n. (Surtout au masc.) Fam. Mot employé pour remplacer un nom de personne ou de chose, que l'on ne connaît pas, qui échappe ou que l'on ne veut pas prononcer. Syn. truc, chose.

machinal, ale, aux adj. Fait sans intention consciente. *Gestes machinaux.*

machinalement adv. De manière machinale.

machination n. f. Intrigue ourdie secrètement dans le dessein de nuire.

machine n. f. **I. 1.** Appareil plus ou moins complexe, qui utilise une énergie pour la transformer en une autre, qui accomplit des tâches que l'homme ne pourrait pas accomplir par lui-même, ou qui rend ces tâches plus faciles. *Machine à calculer, à écrire.* – *Machine à laver, à coudre.* – *Machine agricole.* – *Machine à bois,* qui sert au travail du bois (V. machine-outil). ▷ *Machine électrique,* qui fonctionne à l'électricité ou qui sert à en produire. – *Machine à vapeur,* dans laquelle l'expansion de la vapeur d'eau produit la force motrice. **2.** MAR Élément moteur de l'appareil propulsif d'un navire. *La salle des machines.* ▷ *Par ext.* L'appareil propulsif lui-même. ▷ Loc. *Faire machine arrière*.* **3.** Véhicule. *Motocycliste dont la machine est en panne.* ▷ CH de F Locomotive. **4.** HIST *Machine de guerre :* engin utilisé pour l'attaque ou la défense des places fortes (catapulte, bélier, etc.). ▷ Vieilli *Machine infernale :* engin combinant des armes et des explosifs. **5.** *Machine à sous*.* **II.** Fig. **1.** Être vivant qui agit de façon purement mécanique, sans intervention d'un principe irréductible aux lois de la mécanique. *Selon Descartes, les animaux sont de simples machines.* ▷ Péjor. *Il n'est qu'une machine à débiter des sornettes.* **2.** Ensemble organisé qui fonctionne comme un mécanisme. *La machine bureaucratique.*

machine-outil n. f. Machine servant à façonner un matériau, à modifier la forme ou les dimensions d'une pièce, par la mise en mouvement d'un ou de plusieurs outils (presse, emboutisseuse, raboteuse, tour, fraiseuse, perceuse, etc.). *Des machines-outils.*

machine à vapeur de Newcomen, utilisée pour l'élévation des eaux, XVIIIe s.

machiner v. tr. [1] Vieilli Préparer par une machination. *Machiner une trahison.*

machinerie n. f. **1.** Ensemble de machines. – *Par ext.* Local où sont regroupées les machines. *Machinerie d'ascenseur, de navire.* **2.** THEAT Ensemble des mécanismes utilisés pour changer les décors, pour produire des effets spéciaux, etc.

machine-transfert n. f. TECH Ensemble de machines-outils dans lequel les pièces à usiner passent automatiquement d'un poste de travail au suivant. *Des machines-transferts.*

machinisme n. m. Généralisation de l'emploi de machines en remplacement de la main-d'œuvre.

machiniste n. **1.** Conducteur d'un véhicule de transports en commun. **2.** Personne chargée de la manœuvre des décors dans un théâtre, dans un studio de cinéma, de télévision.

machisme [ma(t)ʃism] n. m. Comportement, idéologie du macho.

machiste [ma(t)ʃist] adj. et n. Partisan du machisme.

machmètre n. m. AVIAT Instrument qui sert à mesurer la vitesse des avions supersoniques en indiquant le nombre de Mach*.

macho [matʃo] n. m. et adj. inv. Fam., péjor. Homme qui affecte les dehors de la virilité brutale, qui affiche une attitude de supériorité à l'égard des femmes. ▷ adj. inv. *Il est vaniteux et macho.*

mâchoire n. f. **1.** Chacune des deux pièces osseuses dans lesquelles les dents sont implantées, chez l'homme et la plupart des vertébrés. *Mâchoire supérieure, inférieure.* ▷ Cour. Mâchoire inférieure. *Bâiller à se décrocher la mâchoire.* **2.** Nom cour. de diverses pièces de l'appareil buccal de certains invertébrés (crabes, par ex.). **3.** TECH Pièces jumelées que l'on rapproche, pour assujettir un objet. *Mâchoires d'un étau, d'une pince.* ▷ *Mâchoire de frein* : pièce métallique d'un frein à tambour, qui porte la garniture.

mâchon n. m. À Lyon, petit restaurant servant des repas simples; le repas lui-même.

mâchonnement n. m. Action de mâchonner. ▷ MED Mouvement incessant des mâchoires observé au cours de certaines affections cérébrales.

mâchonner v. tr. [1] **1.** Mâcher (un aliment) avec difficulté ou négligence. **2.** Mordiller (qqch que l'on n'avale pas). *Promeneur qui mâchonne un brin d'herbe.* **3.** Fig. Prononcer de façon peu distincte. *Mâchonner ses mots.*

mâchouiller v. tr. [1] Fam. Mâchonner.

Machupicchu ou **Machu Picchu,** site inca du Pérou, non loin de Cuzco, à 2 400 m d'altitude; import. vestiges d'une ville fortifiée, découverts en 1911. ▶ illustr. **inca**

1. mâchurer v. tr. [1] Barbouiller, maculer de noir.

2. mâchurer v. tr. [1] TECH Écraser par une pression exagérée.

Macías Nguema (Francisco) (Río Muni, 1924 – Malabo, 1979), homme politique de la Guinée équatoriale. Président de la République lors de l'indépendance (oct. 1968), il institua un régime de terreur. Il fut renversé en 1979 et exécuté.

Macina ou **Massina,** vaste plaine du Mali, arrosée par le Niger, entre Ségou et Tombouctou, et mise en culture (riz, coton).

macis n. m. Écorce de la noix de muscade, utilisée en cuisine.

Macke (August) (Meschede, 1887 – Perthes, 1914), peintre expressionniste allemand. Il participa au mouvement du Blaue Reiter.
▶ illustr. **Der Blaue Reiter**

Mackensen (August von) (Haus Leipnitz, Saxe, 1849 – Burghorn, 1945), feld-maréchal allemand. Commandant des armées austro-allemandes sur le front oriental de 1915 à 1918, il fut battu en Macédoine (1918).

Mackenzie (le), le plus long fl. du Canada (4 600 km), gelé huit mois par an, qui naît dans les Rocheuses, traverse le lac de l'Esclave et se jette dans l'Arctique (immense delta).

Mackenzie (sir Alexander) (Stornoway, île de Lewis, v. 1764 – Mulinearn, Perthshire, 1820), voyageur écossais. Il découvrit en 1789 le fleuve du Canada qui porte son nom.

Mackenzie (William Lyon) (près de Dundee, Écosse, 1795 – Toronto, 1861), homme politique canadien. Républicain actif, il tenta de soulever le Haut-Canada puis s'exila aux É.-U. (1837-1849).

Mackenzie King (William Lyon) (Kitchener, Ontario, 1874 – Kingsmere, près d'Ottawa, 1950), homme politique canadien (petit-fils du préc.). Libéral, il fut Premier ministre de 1921 à 1930 et de 1935 à 1948; il fit entrer le Canada en guerre aux côtés des Alliés.

McKinley (mont), le plus haut sommet de l'Alaska et de l'Amérique du Nord (6 187 m).

McKinley (William) (Niles, Ohio, 1843 – Buffalo, 1901), homme politique américain. Sénateur, il promut le protectionnisme (1890). Président des É.-U. (1897-1900), réélu en 1900, il fut assassiné par un anarchiste.

mackintosh [makintɔʃ] n. m. Vx Manteau de pluie en toile imperméable.

Mackintosh (Charles Rennie) (Glasgow, 1868 – Londres, 1928), architecte et décorateur écossais; chef de file de l'art nouveau en Grande-Bretagne.

McLaren (Norman) (Stirling, Écosse, 1914 – Montréal, 1987), dessinateur et cinéaste canadien d'orig. britannique; il s'installa au Canada en 1940. Il mit au point de nouvelles techniques pour le film d'animation.

Maclaurin (Colin) (Kilmodan, 1698 – Édimbourg, 1746), mathématicien écossais. Disciple de Newton, il étudia la géométrie, l'algèbre et le calcul infinitésimal.

1. macle n. f. PETROG Assemblage, selon une figure régulière, de deux ou plusieurs cristaux de même nature orientés différemment.

2. macle. V. macre.

MacLeish (Archibald) (Glencoe, Illinois, 1892 – Boston, 1982), écrivain et homme politique américain. Il affirme ses opinions et ses préoccupations sociales libérales et s'interroge sur la place de l'écrivain dans la société. Auteur de poèmes (*Terre neuve*, 1930; *Conquistador*, 1932) et de drames en vers (*Panique*, 1935; *Raid aérien*, 1938).

Macleod (John James) (près de Dunkeld, 1876 – Aberdeen, 1935), physiologiste écossais; connu pour ses études sur le diabète et sa découverte de l'insuline (avec F. G. Banting). P. Nobel 1923.

MacLuhan (Herbert Marshall) (Edmonton, 1911 – Toronto, 1980), sociologue canadien; auteur de *la Galaxie Gutenberg* (1962), ouvrage dans lequel il annonce l'âge des médias électroniques succédant à la «civilisation du livre».

Mac-Mahon (Edme Patrice Maurice de), duc de Magenta (Sully, Saône-et-Loire, 1808 – chât. de La Forêt, Loiret, 1893), maréchal de France et homme d'État. Vainqueur à Sébastopol (1855), puis à Magenta (1859), il fut gouverneur général de l'Algérie (1864-1870). En 1870, il fut battu en Alsace puis à Sedan. À la tête des Versaillais, il écrasa la Commune en mai 1871, et sa popularité dans les milieux conservateurs (monarchistes notam.) fit de lui (24 mai 1873) le successeur de Thiers à la tête du pouvoir exécutif. Il entra en conflit dès mai 1876 avec une Assemblée nationale devenue républicaine, et fut désavoué par le résultat des élections qui, après la dissolution de l'Assemblée, virent le succès des républicains (oct. 1877); il démissionna le 30 janv. 1879. Le régime parlementaire sortit victorieux de cette crise. ▶ illustr. page **1129**

Macmillan (Harold), lord Stockton (Londres, 1894 – Birch Grove, Sussex, 1986), homme politique britannique. Premier ministre conservateur après la démission de sir Anthony Eden (1957-1963), il essaya en vain de faire entrer la G.-B. dans le Marché commun.

McMillan (Edwin Mattison) (Redondo Beach, Californie, 1907 – El Cerrito, Californie, 1991), physicien américain; un des inventeurs du synchrocyclotron (1946). Il obtint artificiellement le neptunium (1940) et isola le plutonium (1941). P. Nobel de chimie 1951 (avec G.T. Seaborg).

maçon, onne n. et adj. **I.** n. **1.** n. m. Ouvrier spécialisé dans les travaux de maçonnerie. **2.** n. Abrév. pour *franc-maçon.* **II.** adj. ZOOL Se dit de certains animaux bâtisseurs. *Guêpe maçonne.*

mâcon n. m. Vin blanc ou rouge de la région de Mâcon.

Mâcon, ch.-l. du dép. de Saône-et-Loire, sur la r. dr. de la Saône; 39 866 hab. Port fluvial. Centre comm., agric. (vins, bœufs, volaille) et industr. (électr.; chim.; alim.; constr. méca.). – Ruines de l'anc. cath. St-Vincent (remontant à l'époque romane). Hôtel de ville (XVIIIe s.). Maison natale de Lamartine.

Macon, v. des É.-U. (Georgie); 106 600 hab. (aggl. urb. 277 900 hab.). Centre industr. lié au coton.

Mâconnais, anc. pays de France, situé entre la Bresse et le Charolais. C'est une rég. de plateaux cristallins et de collines couvertes de vignobles réputés. Élevage bovin important. – *Monts du Mâconnais* : plateaux cristallins de la bordure orient. du Massif central (500-700 m), parallèles à la Saône.

maçonner v. tr. [1] **1.** Réaliser (un ouvrage, un élément de construction) avec des pierres, des briques, des parpaings, etc. *Maçonner des fondations.* **2.** Obturer (une ouverture) au moyen d'une maçonnerie. *Maçonner une fenêtre.* **3.** Revêtir d'une maçonnerie. *Maçonner un puits.*

maçonnerie n. f. **1.** Ouvrage en pierres, briques, moellons, agglomérés, etc., liés au moyen de plâtre ou de ciment. ▷ *Petite maçonnerie :* travaux de revêtement comprenant la pose des enduits, du carrelage, etc. **2.** Corps de métier du bâtiment spécialisé dans le gros œuvre. *Entreprise de maçonnerie.* **3.** Franc-maçonnerie.

maçonnique adj. Qui appartient à la franc-maçonnerie. *Loge maçonnique.*

Mac Orlan (Pierre Dumarchey, dit) (Péronne, 1882 – Saint-Cyr-sur-Morin, 1970), écrivain français; auteur de romans d'aventures où le réel se mêle à l'imaginaire : *le Quai des brumes* (1927), *la Bandera* (1931).

Macpherson (James) (Ruthven, Tayside, 1736 – Belville, Inverness, 1796), écrivain écossais. Après des *Fragments de poésie ancienne* (1760), il publia des poèmes épiques, *Fingal* (1762) et *Temora* (1763), qu'il donnait comme des traductions des poèmes gaéliques d'Ossian, barde écossais du IIIe s. Ces chants de guerre et d'amour eurent une grande influence sur le développement du romantisme en Europe.

macr(o)-. Élément, du gr. *makros,* « long, grand ».

macramé n. m. Ouvrage fait de cordelettes entrelacées et nouées qui forment des motifs décoratifs.

macre ou **macle** n. f. BOT Plante (fam. œnothéracées) des eaux claires et stagnantes, à fleurs blanches, dont les fruits comestibles, appelés cour. *châtaignes d'eau,* portent quatre cornes épineuses.

macreuse n. f. **1.** Canard marin (genre *Melanitta*) des régions nordiques, dont plusieurs espèces hivernent en Europe de l'Ouest. **2.** Morceau de viande maigre sur l'os à moelle de l'épaule du bœuf.

Macrin (en lat. *Marcus Opellius Macrinus*) (Césarée, auj. Cherchell, v. 164 – Chalcédoine, 218), empereur romain (217-218). Il succéda à Caracalla, qu'il avait fait assassiner, mais, vaincu à Antioche par les légions ralliées à Élagabal, il fut tué à son tour.

macrobiotique adj. et n. f. Se dit d'un régime alimentaire inspiré des traditions philosophiques et religieuses d'Extrême-Orient, qui vise à reproduire dans la nourriture l'équilibre des deux principes fondamentaux constitutifs de l'univers, le yin et le yang. *Le régime macrobiotique, qui accorde une place prépondérante aux céréales et aux légumes, exclut la viande, mais autorise le poisson, les œufs, le lait.* – n. f. *La macrobiotique.*

macrocéphale adj. (et n.) MED, ZOOL Dont le crâne et l'encéphale sont d'une taille anormalement importante. – Subst. *Un(e) macrocéphale.*

macrocosme n. m. PHILO Univers (par oppos. au *microcosme,* que représente l'homme).

macrocystis [makʀosistis] n. m. BOT Algue géante brune, voisine des laminaires, qui forme d'immenses forêts sous-marines.

macrocyte n. m. MED Hématie aux dimensions anormalement grandes.

macroéconomie n. f. ECON Partie de l'économie qui considère uniquement les grandes composantes de la vie économique (par oppos. à *microéconomie*).

macroéconomique adj. ECON Qui concerne la macroéconomie.

macroéconomiste n. ECON Spécialiste de macroéconomie.

macroélément n. m. BIOL Élément de structure, qui entre pour une proportion importante dans la composition de la matière vivante (par oppos. à *oligoélément*).

macrographie n. f. METALL Étude de la structure macroscopique des métaux.

macromoléculaire adj. Relatif aux macromolécules.

macromolécule n. f. CHIM et BIOCHIM Molécule géante obtenue par polymérisation de molécules simples identiques, appelées *monomères,* ou par polycondensation.

macronucleus [makʀonykleys] n. m. BIOL Élément constitutif, avec le micronucleus*, du noyau des infusoires.

macrophage n. m. BIOL Cellule dérivée des monocytes, présente dans le sang et les tissus, et ayant une fonction phagocytaire.

macrophotographie n. f. Photographie des objets de petites dimensions, donnant une image plus grande que nature. Syn. photomacrographie.

macropode adj. et n. m. **1.** adj. SC NAT Qui a de longs pieds, de longues nageoires ou de longs pédoncules. **2.** n. m. ICHTYOL Poisson tropical d'eau douce (genre *Macropodus*), vivement coloré. *Le macropode mâle fabrique avec son mucus un nid flottant dans lequel il abrite la ponte de la femelle, qu'il surveille jusqu'à ce que les alevins quittent le nid.*

macropodidés n. m. pl. ZOOL Famille de marsupiaux comprenant les kangourous.

macroscopique adj. Se dit des objets, des phénomènes qui peuvent être observés à l'œil nu (par oppos. à *microscopique*). ▷ Se dit des objets, des phénomènes à l'échelle humaine, tels qu'ils peuvent être perçus directement par les sens, par oppos. aux phénomènes à l'échelle moléculaire et atomique.

macrospore n. f. BOT Spore la plus grande, à potentialité femelle, dans le cas de production par la même plante de spores de types différents.

macroures n. m. pl. ZOOL Sous-ordre de crustacés décapodes à l'abdomen allongé et très musculeux. – Sing. *La langouste est un macroure.*

Macta (la), région de marécages d'Algérie, à l'embouchure du Sig et de l'Habra, près de Mostaganem, où Abd el-Kader surprit, en 1835, les troupes françaises que commandait le général Trézel.

macula n. f. ANAT Dépression située à la partie postérieure de la rétine, appelée aussi *tache jaune. La macula est le point de la rétine le plus sensible à la lumière.*

maculage n. m. **1.** Action de maculer; son résultat. **2.** IMPRIM Taches dues au contact de feuilles fraîchement imprimées.

macule n. f. **1.** Litt. Tache, souillure. **2.** IMPRIM Tache d'encre. ▷ Feuille de protection que l'on intercale entre deux feuilles fraîchement imprimées. – Papier grossier servant à l'emballage. **3.** MED Tache rouge sur la peau.

maculer v. tr. [1] **1.** Tacher. *Maculer ses habits.* **2.** IMPRIM Tacher d'encre (des feuilles imprimées, des estampes).

macumba [makumba] n. f. Culte proche du vaudou, pratiqué au Brésil. – Danse rituelle de ce culte.

Madagascar (République démocratique de Madagascar), État constitué par une grande île de l'océan Indien que le canal de Mozambique sépare de l'Afrique; 587 041 km^2; env. 12 millions d'hab. (Malgaches), croissance démographique : plus de 3 % par an; cap. *Antananarivo* (autrefois *Tananarive*). Nature de l'État : rép. présidentielle. Langues off. : malgache et français. Monnaie : franc malgache. Population : Mérinas (26 %), Betsimisarakas (15 %), Betsiléos (12 %), etc. Relig. : animistes (env. 55 %), chrétiens (env. 40 %), musulmans (env. 5 %).

Géogr. phys. et hum. – L'île, morceau de l'ancien continent Gondwana, est occupée dans sa partie centrale par une pénéplaine latéritique élevée (800 à 1 200 m), jalonnée au N. et au centre de massifs volcaniques portant les points culminants du pays : Tsaratanana, 2 886 m, Ankaratra, 2 638 m. Ces régions jouissent d'un climat tropical tempéré par l'altitude. Les hautes terres centrales retombent brutalement à l'E. sur une étroite plaine côtière au climat tropical d'alizés, très humide, et s'inclinent, à l'O., vers une plaine sédimentaire plus sèche (forêt claire, savane et brousse). La population, issue d'apports africains, malais et arabes, compte 18 ethnies; elle est inégalement répartie, le centre et la côte E. étant les régions les plus peuplées, alors que le N., l'O. et le S. sont presque vides. Les trois quarts des Malgaches sont encore des ruraux et la croissance démographique est rapide en dépit d'une mortalité encore forte.

Écon. – Les cultures vivrières (riz, manioc), l'élevage bovin extensif et la pêche sont les bases de l'activité nationale (75 % des actifs). Le café, la vanille (1er rang mondial), la girofle et la canne à sucre assurent 60 % des recettes dues aux exportations; l'île produit aussi du chrome, du mica et du graphite. La voie socialiste choisie en 1975 a abouti à un recul du P.N.B. Le revirement libéral de 1989 (privatisations, ouverture de zones franches, politique d'austérité), la normalisation des relations avec la France se sont accompagnés d'une reprise de l'aide et de l'investissement occidentaux et d'une amélioration indéniable de l'activité. La situation reste fragile et les problèmes structurels demeurent : sous-équipement, misère urbaine.

Hist. – Fréquentée par les Arabes durant le Moyen Âge, l'île fut découverte par les Portugais en 1500. Au XVIIe s., la France fonda le comptoir de Fort-Dauphin, mais la colonisation ne put être étendue. Divisée en de nombr. royaumes, l'île fut dominée à partir de la fin du XVIIIe s. par le royaume mérina (ou imérina). Au début du XIXe s., des missionnaires protestants anglais commencèrent son évangélisation. La reine Ranavalona Ire (1828-1861) chassa les Européens, qui furent rappelés par son fils Radama II. À la suite d'actions milit. et après avoir imposé son protectorat, la France annexa l'île (1896) après un an de combats, puis dut la pacifier; ce fut l'œuvre de Gallieni (1897-1905) qui déposa, en 1897, la reine Ranavalona III. En 1947, un import. soulèvement (E. et N. de l'île) nationaliste, suivi d'une dure répression, fut attribué au Mouvement démocratique de rénovation malgache, qui réclamait l'indépendance. La République malgache, proclamée en 1958,

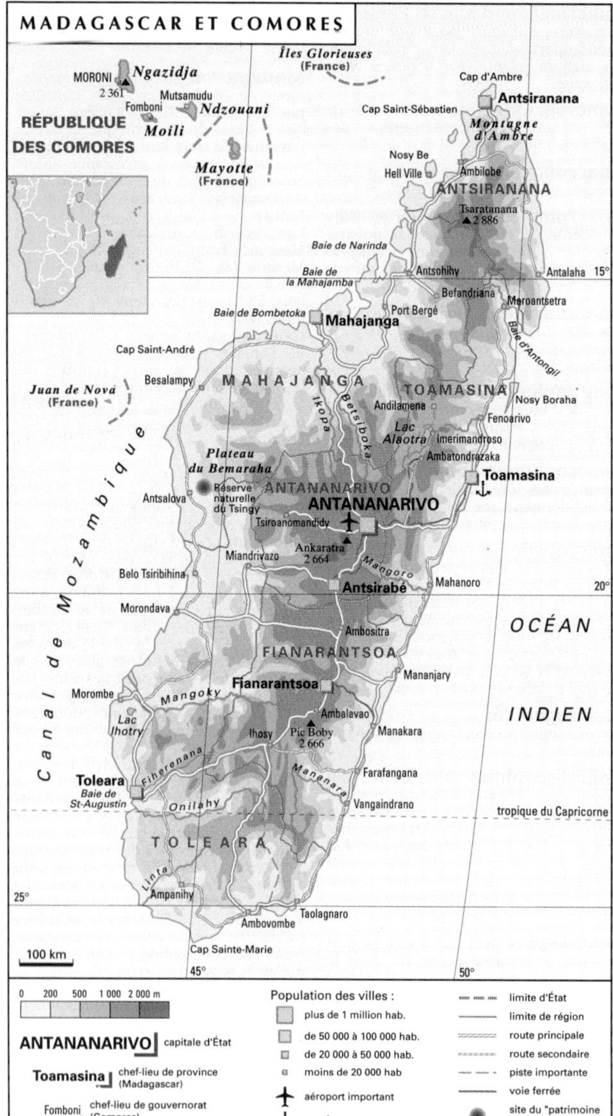

d'abord dans la Communauté française, puis pleinement indépendante en 1960, eut pour prés. Philibert Tsiranana, tenant d'un socialisme modéré (1959-1972). Les forces françaises évacuèrent l'île à partir de 1973 et Madagascar est sortie de la zone franc. Après la démission de Ph. Tsiranana et une période de troubles qui dura jusqu'en 1975 et où les militaires jouèrent un rôle important, Madagascar devint (déc. 1975) une république démocratique d'orientation socialiste. Didier Ratsiraka, nommé chef de l'État en 1975, est élu prés. en 1982. Réélu en 1989, il doit faire face à un soulèvement populaire qu'il ne peut juguler en dépit de la répression (1992). L'élection d'Albert Zafy à la tête de l'État inaugure la IIIe République (1993), mais Ratsiraka revient au pouvoir en remportant l'élection présidentielle de 1996.

madame, plur. **mesdames** n. f. (Abrév. : Mme, Mmes). **1.** Titre donné à une femme mariée et qui tend auj. à être employé pour toute femme en âge d'être mariée. *«Madame Bovary», de Flaubert (1857). Au revoir, madame.* **2.** Titre donné à une femme remplissant certaines fonctions (même si elle n'est pas mariée). *Madame l'Inspectrice.* **3.** *Absol.* La maîtresse de maison. *Madame est servie.* **4.** Vx Titre donné à la reine, à une princesse de sang royal. ▷ HIST *Madame :* la fille aînée du roi ou du dauphin; l'épouse de Monsieur, frère du roi. **5.** Fam. Dame. *Faire la madame :* prendre de grands airs.

madapolam [madapɔlam] n. m. Toile de coton, plus lisse et plus forte que le calicot.

Madariaga (Salvador de) (La Corogne, 1886 – Locarno, 1978), diplomate et écrivain espagnol antifranquiste : *la Girafe sacrée* (roman, 1925), *Anglais, Français et Espagnols* (essai, 1928-1929).

madécasse adj. et n. Vx Malgache. *«Chansons madécasses», de Maurice Ravel.*

made in [mɛdin] loc. anglaise («fabriqué en») précédant le nom du pays où un produit a été fabriqué. *Made in France.*

Madeira (le), riv. de Bolivie et du Brésil (3 240 km), affl. de l'Amazone (r. dr.).

1. madeleine n. f. Petit gâteau rond ou ovale à pâte molle composé de farine, de sucre et d'œufs.

2. madeleine n. f. **1.** (Avec une majuscule.) Loc. fam. *Pleurer comme une Madeleine :* pleurer abondamment. **2.** Nom donné à des variétés de fruits (prune, pomme, poire, pêche, raisin) qui mûrissent vers la Sainte-Madeleine (22 juillet).

Madeleine (îles de la), petit archipel du Québec (Canada) situé dans le golfe du Saint-Laurent.

Madeleine (monts de la), chaîne de monts primaires (point culminant : 1 165 m) du Massif central, entre l'Allier et la Loire, au N. des monts du Forez.

Madeleine (La), com. du Nord (arr. et banlieue N. de Lille); 21 788 hab. Industr. textiles, alimentaires.

Madeleine (la), site préhistorique de la Dordogne (com. de Tursac), sur la Vézère; il a donné son nom *(magdalénien)* à la dernière période du paléolithique supérieur.

Madeleine (église de la), église de Paris. Commencée en 1764, par Contant d'Ivry, reconstruite suivant de nouveaux plans par Guillaume Couture (1777), laissée inachevée de 1790 à 1805, elle fut transformée à partir de 1806 en temple de la Gloire par Vignon et redevint égl. en 1842. Elle a l'aspect d'un temple grec périptère.

Madeleine-Sophie Barat (sainte) (Joigny, 1779 – Paris, 1865), religieuse française. Elle fonda en 1801 la congrégation des Dames du Sacré-Cœur.

Madelin (Louis) (Neufchâteau, Vosges, 1871 – Paris, 1956), historien français : *Fouché* (1901), *Danton* (1914), *Histoire du Consulat et de l'Empire* (16 vol., 1937-1954). Acad. fr. (1927).

madelonnette n. f. HIST Religieuse appartenant à un ordre qui s'attachait à la réhabilitation des filles publiques. ▷ *Les Madelonnettes :* la maison de détention installée, de 1830 à 1866, dans l'ancien couvent des madelonnettes, à Paris.

mademoiselle, , plur. **mesdemoiselles** n. f. (Abrév. : Mlle, Mlles). **1.** Titre donné aux jeunes filles et aux femmes célibataires. *«Mademoiselle de Maupin», roman de Théophile Gautier (1835).* **2.** Vx Titre donné aux femmes mariées dont l'époux n'était pas noble. *Mlle Molière.* **3.** HIST Titre de la fille aînée des frères et des oncles du roi. *La Grande Mademoiselle :* la duchesse de Montpensier.

madère n. m. Vin liquoreux de Madère. – (En appos.) *Sauce madère,* à laquelle on a incorporé du madère.

Madère (îles), archipel portugais de l'Atlantique, à 450 km au N. des îles Canaries; 796 km²; 269 500 hab.; ch.-l. *Funchal,* port princ. Climat doux et humide, tropical. Vins, fruits, canne à sucre. Tourisme.

madériser v. tr. [1] Donner à un vin le goût du madère. ▷ v. pron. *Vin qui se madérise*, qui, par oxydation, prend le goût et la couleur du madère.

Maderna (Bruno) (Venise, 1920 - Darmstadt, 1973), compositeur et chef d'orchestre italien. Une grande partie de son œuvre procède du dodécaphonisme.

Maderno (Carlo) (Capolago, 1556 - Rome, 1629), architecte italien. Précurseur direct du baroque, il acheva St-Pierre de Rome, transformant la croix grecque de Michel-Ange en croix latine, et commença le palais Barberini, modifié par le Bernin.

Madhya Pradesh, État de l'Inde, au N. du Dekkan; 442 841 km²; 66 135 860 hab.; cap. *Bhopāl*. État montagneux et forestier. Princ. ressources : coton, riz, blé, sésame; sidérurgie, textile.

Madianites, peuple nomade de l'Arabie antique, issu de Madian, fils d'Abraham et de Cétura; en conflit avec les Hébreux au temps des Juges, ils ont accueilli Moïse fuyant le pharaon.

Madison, v. des É.-U., cap. du Wisconsin, aux limites du *Corn Belt;* 191 200 hab. (aggl. urb. 330 000 hab.). Centre agricole et industriel. - Université.

Madison (James) (Port Conway, Virginie, 1751 - Montpelier, Virginie, 1836), homme politique américain. Fondateur du parti républicain (1800) avec Jefferson, il lui succéda comme président des É.-U. (1809-1817).

madone n. f. **1.** *La Madone :* la Vierge, en Italie. **2.** Représentation peinte ou sculptée de la Vierge. *Raphaël a laissé plus de quarante madones.* ▷ Fig. *Visage de madone*, d'une beauté très pure.

Madoura. V. Madura.

madrague n. f. PECHE Rég. Grande enceinte de filets tendue en cercle pour pêcher le thon, en Méditerranée.

madras [madʀɑs] n. m. **1.** Étoffe légère à chaîne de soie et trame de coton de couleurs vives, tissée d'abord à Madras. **2.** Coiffure faite avec cette étoffe, portée par les Antillaises.

Madras (auj. *Chennai*), v. de l'Inde, sur la côte de Coromandel; cap. de l'État de Tamil Nadu; 3 795 000 hab. (3ᵉ aggl. urb. de l'Inde). Port et centre industr. en développement. - Premier établissement anglais aux Indes (1639). Elle fut prise ou assiégée plusieurs fois par les Français. - Centre universitaire. Musée (art dravidien).

madrasa. V. medersa.

madré, ée adj. et n. Rusé, matois. ▷ Subst. *C'est un madré.*

Madre (sierra), nom de chaînes de montagnes qui encadrent, à l'E. et à l'O., le plateau mexicain et forment, au S., la sierra Madre du Sud.

madréporaires n. m. pl. ZOOL Ordre de cnidaires hexacoralliaires le plus souvent coloniaux, dont les polypiers forment les récifs coralliens et les atolls. - Sing. *Un madréporaire.*

madrépore n. m. ZOOL Cnidaire anthozoaire, représentant le type principal des madréporaires.

Madrid, cap. de l'Espagne, sur le Manzanares; 3 120 730 hab. (*Madrilènes*); communauté autonome du centre de l'Espagne et rég. de la C.E.; 7 995 km²; 5 028 120 hab. Ville admin. et résidentielle, centre relig. et intellectuel, Madrid est, depuis 1960, le plus grand centre industr. d'Espagne : constr. méca. et auto.; industr. chim. et métall. - Archevêché. Mosquée. Université. Bibliothèque nationale. Le cœur de la vieille ville est constitué par la Plaza Mayor (XVIIᵉ s.), aux env. de laquelle se trouvent la basilique San Miguel (XVIIIᵉ s.), la cath. San Isidro (XVIIᵉ s.) et l'égl. San Francisco el Grande (XVIIIᵉ s.). Autres monuments : couvent San Plácido (XVIIᵉ s.); Palais royal (XVIIIᵉ s.); musée du Prado (XVIIIᵉ s.), l'un des plus riches musées du monde. - Madrid devint la cap. de l'Espagne en 1561. Centre de la résistance aux Français (notam. en mai 1808), la ville fut disputée avec violence pendant la guerre civile (1936-mars 1939). - Le *traité de Madrid* fut signé en 1526 entre Charles Quint et François Iᵉʳ captif (après Pavie). Le roi renonçait à ses conquêtes italiennes, à la Flandre et à l'Artois et promettait de restituer la Bourgogne à l'empereur, dont il s'engageait à épouser la sœur; le traité fut dénoncé par François Iᵉʳ dès qu'il fut libre.

Madrid : place de la Cibeles et fontaine du XVIIIᵉ s. (commandée par Charles III)

madrier n. m. Forte pièce de bois d'un équarrissage standard de 75 mm × 200 ou 225 mm. ▷ *Par ext.* Forte pièce de bois rectangulaire.

madrigal, aux n. m. **1.** MUS Pièce vocale polyphonique sur un sujet profane. *« Madrigaux guerriers et amoureux », de Monteverdi.* **2.** Petite pièce de vers exprimant des pensées galantes, de tendres sentiments. ▷ *Par ext.* Compliment galant et recherché.

madrilène adj. et n. De Madrid. ▷ Subst. *Un(e) Madrilène.*

Madura ou **Madoura,** île d'Indonésie, au N.-O. de Java; 5 290 km²; env. 2 millions d'hab. (Malais); forte densité (378 hab./km²). Riz, maïs, arachides.

Madurai (anc. *Madura*), v. de l'Inde (État de Tamil Nadu); 952 000 hab. pour l'aggl. - Anc. ville sacrée de l'Inde. Grand temple brahmanique dravidien (XVIIᵉ s.).

Madyan, rég. montagneuse du N. de l'Arabie Saoudite, sur la mer Rouge, entre le golfe d'Akaba et Médine; v. et port princ. *El-Ouedj.*

Maebashi, v. du Japon (Honshū); 277 320 hab.; ch.-l. de ken. Import. centre textile (soie).

Maeght (Aimé) (Hazebrouck, 1906 - Saint-Paul-de-Vence, 1981), directeur de galerie et éditeur d'art français. La *fondation Maeght* est un centre culturel construit à Saint-Paul-de-Vence par J.L. Sert (1964) : œuvres de Braque, Chagall, Miró, Giacometti, etc.; jardins (sculptures de Calder).

Maekawa (Kunio) (Niigata, 1905 - Tōkyō, 1986), architecte japonais, élève de Le Corbusier; propagateur du « style international » au Japon.

maelström [maɛlstʀɔm] ou **malstrom** [malstʀɔm] n. m. **1.** Violent tourbillon marin. **2.** Fig. Tourbillon. *Il a été emporté dans le maelström de la Révolution.*

Maelström ou **Malstrom,** courant au large des côtes des îles Lofoten (côtes N. de la Norvège), qui, au moment des marées, crée un tourbillon; il se forme par grand vent d'ouest.

Maelzel (Johann Nepomuk) (Ratisbonne, 1772 - en mer, 1838), mécanicien autrichien; il est l'inventeur du métronome.

maërl [maɛʀl] ou **merl** [mɛʀl] n. m. GEOGR Dépôt littoral granuleux formé par les débris d'algues marines imprégnées de calcaire.

maestria [maɛstʀija] n. f. Grande habileté. *La maestria d'un artiste. Conduire une affaire avec maestria.*

Maëstricht. V. Maastricht.

maestro [maɛstʀo] n. m. Grand compositeur, chef d'orchestre réputé.

Maeterlinck (Maurice) (Gand, 1862 - Nice, 1949), écrivain belge d'expression française : poèmes symbolistes (*les Serres chaudes*, 1889; *Douze Chansons*, 1896), drames (*la Princesse Maleine*, 1889; *Pelléas et Mélisande*, 1892; *l'Oiseau bleu*, 1908), essais (*la Vie des abeilles*, 1901; *la Vie des fourmis*, 1930). P. Nobel 1911.

mafé n. m. CUIS En Afrique noire, viande ou poisson cuit dans une sauce à l'arachide.

Mafeking, v. de la rép. d'Afrique du Sud, près du Botswana; 244 000 hab. - Assiégée par les Boers en 1899, elle fut défendue par Baden-Powell.

mafflu, ue adj. Vx ou litt. Qui a de grosses joues.

mafia n. f. **1.** (Avec une majuscule.) *La Mafia sicilienne :* V. encycl. **2.** Péjor. Association secrète, clan réunissant des individus plus ou moins dénués de scrupules. *Une mafia de trafiquants et de spéculateurs.*

ENCYCL La Mafia sicilienne serait née en 1282 (V. Vêpres [siciliennes]). Jusqu'au XIXᵉ s., la Mafia lutta contre la tyrannie et pour le respect des traditions locales, mais, après l'unification de l'Italie, elle se tourna contre l'Administration et glissa vers le banditisme, la défense des féodaux et des riches bourgeois, la soumission de tous à son « impôt ». L'émigration des Siciliens l'implanta aux É.-U., où deux faits la rendirent puissante : la prohibition (1919-1933), que seule une organisation clandestine import. et structurée pouvait exploiter; sa condamnation par Mussolini, qui entraîna une nouvelle vague d'émigration. Auj., la Mafia, tant en Sicile qu'aux É.-U. (où elle se nomme *Cosa Nostra*, « la chose nôtre »), continue de jouer un rôle occulte, économique et politique, non négligeable, souvent grâce à la complicité de personnages haut placés.

mafieux, euse adj. et n. m. De la Mafia ou d'une mafia; qui évoque la Mafia, ses mœurs. ▷ n. m. Syn. de *mafioso.*

mafioso n. m. Membre de la Mafia. Syn. mafieux. *Des mafiosos* ou *des mafiosi.*

Magadan, v. de Russie, en Sibérie extrême-orientale, sur la mer d'Okhotsk, 200 000 hab.; ch.-l. de la prov. du m. nom. – Or; port (fondé en 1932), pêche, chantiers navals.

magasin n. m. **1.** Lieu couvert où l'on entrepose des marchandises, des denrées, etc. – *Magasins généraux* : entrepôts où les négociants peuvent déposer leurs marchandises en les mettant en gage. **2.** Local, ensemble de locaux servant à un commerce; établissement commercial de vente. *Magasin de détail. Magasin à succursales multiples. Grand magasin,* comportant plusieurs niveaux et servant à la vente de marchandises variées. *Magasin à grande surface,* où se pratique la vente en libre-service (supermarchés, hypermarchés). *Magasin d'usine* : syn. (off. recommandé) de *usine center.* **3.** THEAT Dépôt. *Magasin des accessoires, des décors.* **4.** MILIT Lieu où sont entreposées les munitions. **5.** TECH *Magasin d'une arme à répétition,* cavité recevant les cartouches. – *Magasin d'un appareil de photo, d'une caméra,* boîtier recevant les bobines de pellicule à impressionner.

magasinage n. m. **1.** Action de déposer ou fait de conserver des marchandises dans un magasin. *Droits de magasinage,* versés pour laisser des marchandises en dépôt. **2.** (Canada) Action de magasiner. *Faire du, son magasinage.*

magasiner v. [1] (Canada) v. intr. Courir les magasins. *Aller magasiner.* – Faire le tour des magasins pour se renseigner, comparer les prix en vue de faire des achats. – v. tr. *Magasiner une voiture, une maison.*

magasinier, ère n. Personne chargée de surveiller les marchandises déposées dans un magasin et d'assurer le contrôle comptable des entrées et des sorties.

magazine n. m. **1.** Publication périodique, le plus souvent illustrée. **2.** Émission périodique à la radio, à la télévision.

Magdala (auj. *Migdal,* Israël), v. de la Palestine antique; patrie de Marie de Magdala (Marie Magdeleine, ou Madeleine).

Magdalena (río), fl. de Colombie (1 700 km), tributaire de la mer des Antilles à Barranquilla; en partie navigable, il a une vallée très active.

magdalénien, enne [magdalenjɛ̃, ɛn] adj. et n. m. PREHIST Relatif à la période de la fin du paléolithique supérieur. *Sculpture magdalénienne.* ▷ n. m. *Le magdalénien est illustré par les peintures des grottes de Lascaux et d'Altamira.*

Magdeburg, ville d'Allemagne, cap. du Land de Saxe-Anhalt, sur l'Elbe; 287 360 hab. Carrefour ferroviaire et centre industr. (métall., méca., céram., chim.). – Une des principales villes hanséatiques, elle fut un centre actif du protestantisme au XVIe s. – Archevêché (Xe s.). Cathédrale gothique (XIIIe s.), renfermant le tombeau d'Otton le Grand.

mage n. m. **1.** ANTIQ Prêtre de la relig. de Zoroastre, chez les Mèdes et les Perses. **2.** *Les trois mages, les Rois mages* : Balthazar, Gaspard et Melchior, riches personnages qui, selon l'Évangile, vinrent visiter Jésus à sa naissance. **3.** Personne qui pratique la magie.

Magellan (détroit de), détroit découvert par Magellan, qui sépare l'Amérique du Sud de la Terre de Feu.

Magellan (Nuages de), nom donné aux deux galaxies les plus proches de la nôtre (le *Petit* et le *Grand Nuage de Magellan*), visibles à l'œil nu dans le ciel austral.

Magellan (Fernand de), en portugais *Fernão de Magalhães* (Sabrosa, 1480 – Mactan, Cebu, Philippines, 1521), navigateur portugais, au service de l'Espagne à partir de 1512. Il chercha, en 1519, à passer au S. de l'Amérique et découvrit le détroit qui porte son nom (1520). Il aborda, après une traversée de trois mois sur un océan qu'il dénomma Pacifique, aux îles Philippines où il fut tué dans un combat contre les indigènes.

Fernand de **Magellan**

Gustav **Mahler**

magenta n. m. et adj. inv. TECH Rouge cramoisi très vif, couleur complémentaire du vert. ▷ adj. inv. *Peinture magenta.*

Magenta, v. d'Italie (Lombardie); 23 690 hab. Rayonne, allumettes. – Victoire de Mac-Mahon sur les Autrichiens (4 juin 1859).

Maghreb (en ar. *al-Maghrib,* « le Couchant »), ensemble des pays d'Afrique du Nord : Tunisie, Algérie, Maroc, auxquels on adjoint parfois la Libye et la Mauritanie. Ces cinq pays ont signé un accord économique (fév. 1989) instituant l'*Union du Maghreb arabe.*

maghrébin, ine [magʀebɛ̃, in] adj. et n. Du Maghreb. ▷ Subst. *Un(e) Maghrébin(e).*

magicien, enne n. **1.** Personne qui pratique la magie. *La magicienne Circé séduisit Ulysse.* **2.** Fig. Personne qui produit des effets extraordinaires, qui enchante. *Ce violoniste, quel magicien!*

magie n. f. **1.** Science occulte qui permet d'obtenir des effets merveilleux à l'aide de moyens surnaturels. ▷ *Magie noire,* qui a recours à l'aide supposée des esprits infernaux. – *Magie blanche,* bénéfique. **2.** Fig. Influence puissante qu'exercent sur les sens et sur l'esprit la poésie, les passions, etc. *La magie du chant.*

Maginot (André) (Paris, 1877 – id., 1932), homme politique français. Ministre de la Guerre de 1922 à 1924 et de 1929 à 1932, il joua un rôle important dans la reconstitution des défenses des nouvelles frontières après 1918. – *Ligne Maginot* : système de fortifications, auj. désaffecté, édifié sur les frontières est et nord-est de la France entre 1927 et 1936. Ne se prolongeant pas le long de la frontière belge, la ligne Maginot fut aisément tournée par les armées allemandes en 1940.

magique adj. **1.** Qui a rapport à la magie. *Baguette magique des fées.* **2.** Fig. Qui charme, qui enchante. *Cette musique produit sur lui un effet magique.*

magiquement adv. Par magie.

magistère n. m. **1.** Autorité morale, intellectuelle ou (partic. en matière de relig.) doctrinale établie de manière absolue. *Exercer un magistère. Le magistère de l'Église.* **2.** Formation universitaire sélective, de très haut niveau, mise en place en 1985. **3.** Dignité de grand maître d'un ordre militaire, partic. de l'ordre de Malte. **4.** Composition alchimique à laquelle on attribuait des vertus merveilleuses.

magistral, ale, aux adj. **1.** Qui appartient au maître. *Chaire magistrale.* – *Ton magistral,* doctoral, solennel. **2.** Donné par un maître. *Cours magistral.* ▷ PHARM *Médicament magistral* : préparation faite par le pharmacien sur ordonnance du médecin (par oppos. à *officinal*). **3.** Fig. Qui porte la marque d'un maître, qui est d'une qualité remarquable. *Réussir un coup magistral,* un coup de maître. *Il a donné de cette œuvre une interprétation magistrale.* – Par plaisant. *Recevoir une correction magistrale.*

magistralement adv. D'une manière magistrale.

magistrat n. m. **1.** Fonctionnaire ou officier civil investi d'une autorité juridictionnelle, politique ou administrative. *Le président de la République, premier magistrat de l'État. Le maire, premier magistrat de la commune.* **2.** *Spécial.* Membre de l'ordre judiciaire. *Magistrat du siège,* qui rend la justice. *Magistrats du parquet,* qui requièrent, au nom de l'État, l'application de la loi.

magistrate n. f. Fam. Femme exerçant des fonctions de magistrat.

magistrature n. f. **1.** Dignité, charge de magistrat (sens 1). *La dictature, magistrature romaine.* **2.** *Spécial.* Fonction, charge d'un magistrat de l'ordre judiciaire. *La magistrature de procureur général.* – *Par ext.* Temps pendant lequel un magistrat exerce ses fonctions. **3.** Corps des magistrats de l'ordre judiciaire. *Magistrature assise* : les magistrats du siège (inamovibles). *Magistrature debout* : les magistrats du parquet (amovibles). – *Conseil supérieur de la magistrature. École nationale de la magistrature (É.N.M.).*

magma [magma] n. m. **1.** CHIM Matière pâteuse qui reste après l'expression des parties les plus fluides d'un mélange quelconque. ▷ *Par ext.* Bouillie pâteuse. **2.** GEOL Mélange pâteux, plus ou moins fluide, de matières minérales en fusion, provenant des zones profondes de la Terre, où les roches sont soumises à des pressions et à des températures très élevées. *Les laves sont des magmas. Lorsqu'il arrive à la surface du globe et se refroidit, le magma donne naissance, en se solidifiant, aux roches volcaniques.* **3.** Fig. Mélange confus, désordonné. *Un magma de notions mal assimilées.*

magmatique adj. Du magma.
ENCYCL On distingue parmi les roches magmatiques : les *roches plutoniques,* qui n'ont jamais atteint la surface à l'état liquide (certains granites notam.), et qui sont des roches grenues; les *roches effusives,* émises à l'état liquide en surface (basaltes) et qui ont toutes une structure microlithique.

magmatisme n. m. GEOL Ensemble des phénomènes concernant les magmas.

Magnan (Bernard Pierre) (Paris, 1791 – id., 1865), maréchal de France. Commandant de l'armée de Paris en 1851, il fut l'un des princ. organisateurs du coup d'État du 2 déc. 1851.

magnanarelle n. f. Anc. et rég. (Provence) Femme employée à l'élevage des vers à soie.

magnanerie [maɲanʀi] n. f. Bâtiment servant à l'élevage des vers à soie. – *Par ext.* Élevage des vers à soie. Syn. sériciculture.

Magnani (Anna) (Alexandrie, 1908 – Rome, 1973), actrice italienne. Elle fut l'égérie du néo-réalisme, jouant avec verve les femmes du peuple, expansives et souvent généreuses : *Rome ville ouverte* (1945), *l'Honorable Angelina* (1947), *Bellissima* (1951), *Mamma Roma* (1962). Dans les années 1950, sa carrière eut une dimension internationale : *le Carrosse d'or* (1953); *la Rose tatouée* (1955, à Hollywood).

magnanime adj. Qui a de la générosité, de la clémence (à l'égard des faibles, des vaincus). *Se montrer magnanime.* – Par ext. *Cœur magnanime.*

magnanimement adv. D'une manière magnanime.

magnanimité n. f. Litt. Générosité, clémence.

Magnard (Albéric) (Paris, 1865 – Baron-sur-Oise, 1914), compositeur français; il a laissé des œuvres de musique de chambre, quatre symphonies et des ouvrages lyriques (*Guercœur,* 1897-1900).

Magnasco (Alessandro), dit *il Lissandrino* (Gênes, v. 1667 – id., 1749), peintre italien, auteur de scènes de genre d'une verve picaresque.

magnat [maɲa] n. m. **1.** HIST Titre usité autref. en Pologne et en Hongrie pour désigner un membre de la haute noblesse. **2.** Personnage très puissant par les gros intérêts financiers qu'il représente. *Les magnats de la finance, de la presse.*

Magnelli (Alberto) (Florence, 1888 – Meudon, 1971), peintre italien; un des maîtres de l'abstrait.

Magnence (en lat. *Flavius Magnus Magnentius*) (Amiens, v. 303 – Lyon, 353), empereur romain (350 à 353). Proclamé empereur par les troupes de Constant Ier, qu'il fit mettre à mort, il fut vaincu à Mursa par l'empereur d'Orient Constance II. Il se suicida.

magner (se) ou **manier (se)** v. pron. [1] Fam. (Surtout à l'inf. et à l'impératif.) Se dépêcher. *Magne-toi, on est en retard!* Syn. se grouiller.

magnésie n. f. CHIM Oxyde de magnésium (MgO), poudre blanche qui peut être transformée en magnésie hydratée (hydroxyde de magnésium, $Mg(OH)_2$).

Magnésie du Méandre, anc. v. d'Ionie, auj. ruinée; colonie thessalienne voisine d'Éphèse.

Magnésie du Sipyle (auj. *Manisa,* Turquie), anc. v. de Lydie où Scipion l'Asiatique vainquit Antiochos III en 189 av. J.-C.

magnésien, enne adj. CHIM Qui contient du magnésium. – *Série magnésienne* : groupe formé des éléments magnésium, zinc, cadmium, fer, manganèse, nickel et cobalt.

magnésite n. f. MINER **1.** Silicate naturel de magnésium *(« écume de mer »).* **2.** Carbonate naturel de magnésium *(giobertite).*

magnésium [maɲezjɔm] n. m. Élément alcalino-terreux de numéro atomique Z = 12 et de masse atomique 24,30 (symbole Mg). – Métal (Mg) gris-blanc, de densité 1,75, qui fond à 650 °C et bout à 1 110 °C.

ENCYCL Le magnésium, qui brûle à l'air avec une flamme éblouissante, est employé dans les lampes au magnésium pour la photographie. Il entre dans la composition d'alliages ultralégers utilisés dans la construction aéronautique. Certains de ses sels servent en thérapeutique.

magnétique adj. **I. 1.** Qui a rapport à l'aimant, qui en possède les propriétés; qui a rapport au magnétisme. *Champ magnétique. Compas magnétique. Orages magnétiques* (V. orage). ▷ GEOGR *Pôles magnétiques* : points de rencontre des forces du champ magnétique terrestre qui a deux pôles (pôle Nord et pôle Sud). **2.** Qui a rapport au magnétisme animal. *Passes magnétiques. Fluide magnétique.* **3.** Fig. Qui exerce ou semble exercer une influence puissante et mystérieuse sur la volonté d'autrui. *Un regard magnétique.* **II. 1.** Se dit de tout support (bande, ruban, disque, etc.) recouvert d'une couche d'oxyde magnétique et sur lequel on peut enregistrer des informations (son, image, etc.) et les reproduire. *Bande magnétique.* **2.** Qui utilise un support magnétique. *Enregistrement magnétique des données.*

magnétisant, ante adj. Qui magnétise.

magnétisation n. f. Action, manière de magnétiser. – État d'une personne magnétisée.

magnétiser v. tr. [1] **1.** Communiquer les propriétés de l'aimant à (une substance). Syn. aimanter. **2.** Soumettre (une personne, une chose) à l'action du fluide magnétique. ▷ Pp. substantivé. *Le magnétisé et le magnétiseur.* **3.** Fig. Exercer une influence puissante (analogue à celle du fluide magnétique), subjuguer. *Sa seule présence magnétisait les foules.*

magnétiseur, euse n. Personne qui utilise ou prétend utiliser le magnétisme animal.

magnétisme n. m. **1.** Partie de la physique qui étudie les propriétés des aimants, des phénomènes et des champs magnétiques. ▷ Ensemble de propriétés physiques dont celles de l'aimant furent les premières connues. – *Magnétisme terrestre* ou *géomagnétisme* : champ magnétique de la Terre, dont les pôles magnétiques sont orientés sud-nord. **2.** *Magnétisme animal* : fluide magnétique qu'auraient les êtres vivants; influence qu'une personne pourrait exercer sur une autre en utilisant son fluide magnétique, en la soumettant à des passes magnétiques. *On a d'abord attribué au magnétisme animal les phénomènes d'hypnose et de suggestion.* ▷ Ensemble des pratiques utilisées pour soumettre qqn ou qqch à cette influence. **3.** Fig. Attraction, fascination qu'une personne exerce sur une autre.

ENCYCL Certains minéraux qui contiennent de l'oxyde de fer Fe_3O_4 ont la propriété d'attirer la limaille de fer; on les appelle *aimants naturels.* Il est possible d'observer le même phénomène, appelé *magnétisme,* avec des aimants *artificiels,* qui acquièrent leur aimantation au contact d'un aimant naturel ou après avoir été placés à l'intérieur d'une bobine parcourue par un courant électrique. Le magnétisme résulte d'un déplacement de charges électriques (déplacement des électrons dans l'atome ou rotation de l'électron sur lui-même). Les applications du magnétisme, et en particulier celles de l'électromagnétisme (V. encycl. électromagnétisme), sont considérables : boussoles et compas de navigation, prospection minière, moteurs électriques, tubes cathodiques des récepteurs de télévision, microscope électronique, mémoires magnétiques des ordinateurs, magnétoscopes, accélérateurs de particules, confinement de plasma dans une « bouteille magnétique », générateurs magnétohydrodynamiques, etc.

magnétite n. f. MINER Oxyde naturel de fer Fe_3O_4 qui possède la propriété d'attirer le fer.

magnéto-. Élément, du gr. *magnês, magnêtos,* « aimant ».

1. magnéto n. f. Génératrice de courant alternatif comportant un induit tournant entre les pôles d'aimants permanents. *C'est une magnéto qui produit l'allumage de certains moteurs à explosion.*

2. magnéto n. m. Abrév. de *magnétophone.*

magnétoélectrique adj. Qui relève à la fois de l'électricité et du magnétisme. *Des appareils magnétoélectriques.*

magnétohydrodynamique n. f. et adj. PHYS **1.** n. f. Science qui étudie la dynamique des fluides conducteurs (gaz ionisés, plasmas) en présence d'un champ magnétique. **2.** adj. *Générateur magnétohydrodynamique* ou, par abrév., *générateur M.H.D.,* qui permet la production de courant à partir d'un plasma.

magnétomètre n. m. Instrument de mesure qui permet de comparer l'intensité des champs et des moments magnétiques.

magnétométrie n. f. PHYS Mesure des grandeurs magnétiques.

magnéton n. m. PHYS Unité de moment magnétique utilisée en mécanique quantique.

magnétophone n. m. Appareil permettant l'enregistrement et la reproduction des sons par aimantation rémanente d'une bande magnétique. *Magnétophone à cassette.*

magnétoscope n. m. Appareil permettant d'enregistrer les images sur

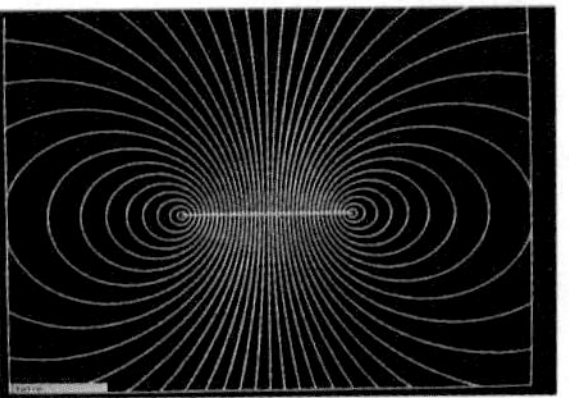

deux **champs magnétiques :** à g., celui d'une spire circulaire d'axe vertical; à dr., celui de deux spires identiques de même axe vertical espacées d'une distance égale à leur rayon; ce système (bobine de Helmholtz) crée en son centre un champ remarquablement uniforme

bande magnétique et de les reproduire sur un écran de télévision.

magnétoscoper v. tr. [1] Enregistrer au magnétoscope.

magnétosphère n. f. GEOPH Zone s'étendant, autour de la Terre, des limites de l'atmosphère à une distance d'env. 60 000 km, dans laquelle le champ magnétique subit l'influence de l'activité solaire (orages magnétiques).

magnétostriction n. f. PHYS Déformation d'une substance par un champ magnétique.

magnétothérapie n. f. Méthode antalgique qui utilise des aimants.

magnificat [maɲifikat; magnifikat] n. m. inv. 1. LITURG CATHOL Cantique de la Vierge Marie à l'Annonciation, qu'on chante notam. aux vêpres. 2. MUS Musique sur le texte du Magnificat.

magnificence n. f. 1. Litt. Disposition, attitude de celui qui donne, qui dépense avec une libéralité grandiose. 2. Caractère de ce qui est magnifique; splendeur somptueuse. *La magnificence d'un grand spectacle.* 3. (Abstrait) Éclat, richesse extraordinaire. *La magnificence du style de Chateaubriand.*

magnifier v. tr. [2] Litt. 1. Célébrer, exalter la grandeur de. *Magnifier l'héroïsme de qqn.* 2. *Par ext.* Rendre plus grand, élever. *Ces disparus qu'on magnifie dans le souvenir.*

magnifique adj. 1. Somptueux, plein de grandeur, d'éclat, de luxe. *La magnifique abbaye de Cluny.* 2. Très beau. *Un bébé magnifique.* 3. Remarquable, extraordinaire. *Vous avez été magnifique.*

magnifiquement adv. De manière magnifique.

Magnitogorsk, v. de Russie, au pied du mont *Magnitnaïa* («Montagne aimantée»), Oural méridional; 422 000 hab. Mines de fer; sidér. et métall.

magnitude n. f. 1. ASTRO Grandeur servant à caractériser l'éclat d'un astre. (Le nombre qui l'exprime, d'autant plus grand que l'astre est faible, est donné par une relation logarithmique entre l'éclat de l'astre et celui d'une étoile-étalon. Une différence de 5 magnitudes correspond à un rapport d'éclat de 100.) 2. GEOPH Valeur caractérisant l'énergie totale dispersée par un séisme (à ne pas confondre avec l'intensité*). Syn. cour. amplitude.

magnolia [maɲɔlja] n. m. Arbre ornemental aux feuilles persistantes et luisantes, aux grandes fleurs blanches ou délicatement colorées, très odorantes.

magnoliacées [maɲɔljase] n. f. pl. BOT Famille de dicotylédones arborescentes à grandes fleurs (magnolia, tulipier, etc.). – Sing. *Une magnoliacée.*

magnum [magnɔm] n. m. Grosse bouteille d'une contenance égale à deux bouteilles ordinaires (soit 1,5 litre). *Un magnum de champagne.*

Magnus, nom de plusieurs rois de Suède, de Danemark et de Norvège, du XIe au XIVe s. – **Magnus VI Lagaböte** («le Législateur») (1238 - 1280), roi de Norvège (1263-1280), rendit la couronne héréditaire et codifia les lois.

Magog. V. Gog et Magog.

Magon, nom de plusieurs généraux carthaginois. – **Magon Barcée** (m. à Calala, 383 av. J.-C.) combattit les Grecs de Syracuse en 392 av. J.-C. – **Magon** (m. en mer, 203 av. J.-C.), frère d'Hannibal et son second à Cannes (216 av. J.-C.)

1. magot n. m. 1. Macaque* sans queue d'Afrique du N. et de Gibraltar. 2. Fig., vx Homme petit et laid. 3. Figurine grotesque représentant généralement un petit personnage gros et laid, en terre, porcelaine, jade, etc., provenant d'Extrême-Orient et partic. de Chine.

2. magot n. m. Fam. Somme d'argent, économies, le plus souvent tenues cachées. *Posséder un joli magot.*

magouille n. f. ou **magouillage** n. m. Fam. Intrigue, manœuvre douteuse, lutte d'influence plus ou moins malhonnête. *Quelle magouille!*

magouiller v. intr. [1] Fam. Se livrer à des magouilles.

magouilleur, euse n. et adj. Fam. Personne qui magouille. ▷ adj. *Il est très magouilleur.*

magret n. m. Partie de viande rouge se trouvant sur le ventre du canard, traitée en filets.

Magritte (René) (Lessines, 1898 - Bruxelles, 1967), peintre surréaliste belge. Son style est fondé sur la juxtaposition insolite d'individus et d'objets qui sont peints avec un réalisme minutieux.

René **Magritte** : *les Amants*, 1928; coll. part.

Maguelonne ou **Maguelone,** hameau (com. de Villeneuve-lès-Maguelonne, arr. de Montpellier) de la côte du Languedoc. – Anc. cathédrale, basilique romane fortifiée des XIe et XIIe s. (clocher-donjon démantelé en 1633). – Import. ville épiscopale au Moyen Âge.

magyar, are adj. et n. Qui a rapport aux Magyars. – *Par ext.* De Hongrie. ▷ n. m. LING Syn. de *hongrois.*

magnolia fleuri (avant l'apparition des feuilles) et détail des fleurs (en haut, à dr.)

Magyars, nom donné à un peuple de langue finno-ougrienne qui envahit la vallée du Danube au IXe s. et s'y établit. – Auj., syn. de *Hongrois.*

Mahābalipuram. V. Māvalipuram.

Mahābhārata (le), œuvre de la littérature sanskrite, gigantesque épopée anonyme composée entre le VIe s. av. J.-C. et le IVe s. ap. J.-C., le texte le plus populaire de la littér. sacrée de l'Inde (V. Veda).

Mahajanga (anc. *Majunga*), v. du N.-O. de Madagascar, sur le canal de Mozambique; 85 000 hab.; ch.-l. de la prov. du m. nom. Port; conserveries; industr. textiles. – En 1894, un corps expéditionnaire français y débarqua pour entreprendre la conquête de l'île.

Mahalla al-Kubra (Al-) (*al-Maḥalla al-Kubrā*), v. d'Égypte, dans le delta du Nil; 355 000 hab. Textiles (coton).

Mahānadi (la), fl. de l'Inde (820 km) qui se jette dans le golfe du Bengale par un immense delta, après avoir traversé le Dekkan. Irrigation.

mahara(d)jah [maaʀadʒa] n. m. Titre donné autref. aux princes de l'Inde. *Des maharajah(s)* ou *des maharadjah(s).*

maharani [maaʀani] ou **maharané** [maaʀane] n. f. Femme d'un maharajah. *Des maharani(s)* ou *des maharané(s).*

Mahārāshtra, État de l'Inde, dans la partie O. du Dekkan, sur la mer d'Oman; 307 762 km^{2}; 78 706 700 hab.; cap. *Bombay.* Import. production de coton; sucre.

mahatma [maatma] n. m. Nom attribué dans l'Inde moderne à certains chefs spirituels d'une éminente sagesse. *Le mahatma Gandhi.*

Mahaut (impératrice du Saint Empire). V. Mathilde.

Mahaut ou **Mathilde** (m. en 1329), fille de Robert II (frère de Saint Louis), à qui elle succéda en Artois (1302-1329). Elle protégea les arts.

mahayana n. m. RELIG Bouddhisme* du Grand Véhicule, apparu au début de notre ère, qui accorde un rôle prépondérant aux bodhisattva*.

mahdi [madi] n. m. RELIG Dans l'islam, envoyé d'Allah qui doit venir à la fin des temps pour compléter la mission de Mahomet. *Divers illuminés se proclamèrent mahdi, notamment Muhammad Ahmad ibn Abdallah.*

Mahdī (le). V. Muhammad Ahmad ibn Abdallah.

Mahdia, v. de Tunisie, sur la Méditerranée; 36 830 hab.; ch.-l. du gouvernorat du m. nom. Huile d'olive; port, pêche. Tourisme. – Anc. place forte, fondée au Xe s. à l'emplacement d'un comptoir d'abord phénicien puis romain.

Mahé, île principale de l'archipel des Seychelles; 153 km^{2}; 59 500 hab.; ville princ. et cap. de l'État : *Victoria.*

Mahé, v. et port de l'Inde, sur la côte de Malabār; 20 000 hab. – Anc. comptoir français, elle fut réunie à l'Inde (Kerala) en 1954.

Mahfouz (Naguib) (Le Caire, 1912), écrivain égyptien. Auteur notam. d'une trilogie romanesque (*Bayn al-Qasrayn,* 1956; *Qasr ach-Chawq,* 1957; *As-Sukkariyyah,* 1957); son plus célèbre roman est *le Passage des miracles* (trad. 1970). Prix Nobel de littér. 1988.

mah-jong [maʒɔ̃g] n. m. Jeu chinois voisin des dominos. *Des mah-jongs d'ivoire.*

Mahler (Gustav) (Kalischt, auj. Kalištĕ, Moravie, 1860 - Vienne, 1911), compositeur et chef d'orchestre autrichien. Ses neuf symphonies (la 10e est inachevée), son *Chant de la Terre* (1908) et une cinquantaine de lieder font de lui le dernier des grands romantiques austro-allemands et l'un des précurseurs de la musique moderne (celle de Schönberg, notam.). ▸ illustr. page **1134**

Mahmūd de Ghaznī (969 - 1030), roi afghan (999-1030), fondateur de la dynastie des Ghaznévides. Il répandit l'islam en Inde.

Mahmut Ier (Andrinople, 1696 - Constantinople, 1754), sultan ottoman (1730-1754). - **Mahmut II** (Constantinople, 1784 - id., 1839), sultan (1808-1839). Il réforma l'armée et massacra les janissaires révoltés (1826). Il affronta Ali de Tebelen, les Grecs insurgés, qui acquirent leur indépendance (1830), et Méhémet-Ali, qui le vainquit (en 1832 et 1839).

Mahomet ou **Mohammed** (en ar. *Muḥammad*, « le Loué »), dit *le Prophète* (La Mecque, v. 570 - Médine, 632), prophète de l'islam. Orphelin dès sa naissance, Mahomet fut élevé par un oncle et assez tôt chargé de la garde des troupeaux. Plus tard, il entra au service d'une riche veuve, Khadidjah. Il accompagna ses caravanes en Syrie, et elle l'associa à ses affaires puis l'épousa. Ils eurent sept enfants : trois fils, qui ne vécurent pas, et quatre filles; la plus jeune, Fatima, épousera Ali, cousin de Mahomet, et assurera la descendance du Prophète. La Mecque, cité caravanière, était le lieu d'un pèlerinage polythéiste; cependant, l'existence d'un courant monothéiste y est attestée. Mahomet avait pris l'habitude de méditations solitaires dans une grotte du mont Hira; c'est là, par des songes d'abord, par des visions ensuite, qu'il eut, par l'intermédiaire de l'archange Gabriel, la révélation de la mission dont Dieu l'investissait (V. Coran). Son entourage reçut son message et l'encouragea; les riches commerçants de La Mecque repoussèrent une doctrine qui ruinait leurs intérêts, tandis que les humbles formèrent un groupe d'adeptes. En 619, ayant perdu deux fidèles alliés, Khadidjah et son oncle Abu Talib, Mahomet dut chercher refuge hors de La Mecque, où il s'opposait désormais à son oncle paternel Abu Lahab. Des contacts furent pris avec des tribus de la ville de Yathrib, palmeraie au N.-O. de La Mecque, qui cherchaient un médiateur. Mahomet y émigra avec ses partisans en 622. Cette émigration (*hidjra*, « hégire ») est le point de départ de l'ère musulmane, et Yathrib prit le nom de Al-Madīnat an-Nabī (la « ville du Prophète » : Médine). Le Prophète organisa à Médine la communauté musulmane *(umma)*, formée de deux catégories égales d'adeptes : les Muhādjirūn, émigrés mecquois, et les Ansar, disciples de Médine. Ranimant la foi monothéiste d'Abraham (Ibrahim), Mahomet donna des racines purement arabes à l'organisation culturelle et liturgique (qu'il précisa au fil des années). Victoires et défaites militaires alternèrent contre les Mecquois, qui conclurent avec Mahomet un pacte (628) permettant le pèlerinage et stipulant une trêve de dix ans. En 630, les Mecquois ayant rompu la trêve, le Prophète s'empara de leur ville, détruisit les idoles, décréta une amnistie générale, puis retourna à Médine. Les derniers adversaires se rallièrent; vers 632, toute l'Arabie était pratiquement islamisée. Mahomet fit le pèlerinage (dit « de l'Adieu ») à La Mecque et en codifia les rites *(ḥadj)*; au retour, il tomba malade et mourut le 8 juin 632. (V. arabe et islam.)

mahométan, ane n. et adj. Vielli Musulman(e).

Mahón, v. et port des Baléares (Espagne); ch.-l. de l'île de Minorque; 21 860 hab. Constr. navales; pêche. - En 1756, le duc de Richelieu la prit d'assaut.

mahonia n. m. BOT Arbrisseau ornemental (fam. berbéridacées) originaire d'Amérique du Nord, à feuilles persistantes, à fleurs jaunes et à baies bleues.

mahorais, aise adj. et n. De Mayotte. - Subst. *Un(e) Mahorais(e).*

mahous. V. maous.

mahratte ou **marathe** [maʀat] n. m. et adj. Didac. **1.** n. m. Langue de l'Inde, dérivée du sanskrit. **2.** adj. Des Mahrattes, population de l'Inde occid. établie dans l'État de Mahārāshtra.

mai n. m. **1.** Cinquième mois de l'année, comprenant trente et un jours. **2.** Loc. *Arbre de mai* ou, absol., *mai*, que l'on plantait le 1er mai devant la porte de qqn pour le fêter. - *Le 1er Mai*, fête du travail (chômée en France).
ENCYCL **Hist.** - *31 mai 1793* : insurrection parisienne dirigée contre les Girondins. - *Crise du 16 mai 1877* : tentative autoritaire du président de la Rép. Mac-Mahon pour imposer à la Chambre un ministère conservateur. - *8 mai 1945* : capitulation allemande signée à Berlin. - *13 mai 1958* : manifestations à Alger qui entraînèrent la fin de la IVe Rép. et le retour au pouvoir du général de Gaulle. Un comité de Salut public se forma à Alger, animé par les partisans de l'Algérie française, et proclama l'insurrection. - *Mai 1968* : mouvement de contestation qui s'exprima par des manifestations puis des émeutes déclenchées par les étudiants, suivies d'une grève générale avec occupation des universités et des usines (10 millions de grévistes) en mai-juin 1968, et qui menaça le régime politique de la France. Par réaction, la majorité gaulliste obtint une victoire écrasante (23 et 30 juin) après la dissolution de l'Assemblée nationale.

maïa [maja] n. m. ZOOL Gros crabe, appelé cour. *araignée* de mer.*

Maïakovski (Vladimir Vladimirovitch) (Bagdadi, auj. Maïakovski, Géorgie, 1894 - Moscou, 1930), poète et auteur dramatique soviétique; un des princ. représentants de l'école futuriste en Russie (*le Nuage en pantalon*, 1915). Son œuvre, pleine d'images frappantes, a grandi au rythme de la révolution d'Octobre, à laquelle il participa activement (affiches, tracts) : *150 000 000* (poème, 1920), *V. I. Lénine* (poème, 1924), *Octobre* (1927), *les Bains* (pièce satirique dirigée contre la bureaucratie stalinienne, 1929), etc. Il s'est suicidé.

Vladimir **Maïakovski**

la marquise de **Maintenon**

Maiano (Benedetto da). V. Benedetto da Maiano.

Maïdanek, local. de la banlieue de Lublin (Pologne) où les nazis implantèrent un camp de concentration pour les Juifs polonais.

Maidstone, v. de G.-B., ch.-l. du comté de Kent; 133 200 hab. Centre agricole.

Maiduguri, v. du Nigeria, au S.-O. du lac Tchad; 189 000 hab. Cap. de l'État du Bornou.

maïeutique [majøtik] n. f. PHILO Méthode dialectique dont Socrate usait pour « accoucher » les esprits, c.-à-d. pour amener ses interlocuteurs à découvrir les vérités qu'ils portaient en eux sans le savoir.

1. maigre adj. et n. **1.** Qui a peu de graisse. *Viande maigre.* - n. m. *Le maigre de jambon.* ▷ *Faire maigre* : ne pas manger de viande (notam. le vendredi, pour les catholiques, avant le concile Vatican II). **2.** (Personnes) Dont le corps présente peu de chair autour du squelette. - Loc. fam. *Maigre comme un clou, comme un chat de gouttière, comme un coup de trique* : très maigre. ▷ n. m. *Les maigres sont plus vifs que les gros.* **3.** Peu fourni. *Une maigre végétation.* **4.** CONSTR *Mortier maigre*, qui ne contient que peu de liant. **5.** TYPO *Lettre, caractère maigre*, dont les jambages sont peu épais (par oppos. à *gras*). ▷ n. m. *Ce texte doit être composé en maigre.* **6.** Fig. Qui manque d'ampleur, d'importance; insuffisant. *Maigre bénéfice. Comme résultat, c'est maigre !* **7.** n. m. pl. Période des basses eaux. *Pendant les maigres, la Loire est presque à sec.*

2. maigre n. m. ICHTYOL Syn. de *sciène.*

maigrelet, ette, maigrichon, onne ou **maigriot, otte** adj. et n. Fam. Un peu trop maigre. ▷ Subst. *Un maigriot, un maigrichon.*

maigrement adv. Petitement, chichement. *Travail maigrement rémunéré.*

maigreur n. f. **1.** État d'un corps sans graisse, décharné. *La maigreur d'un malade.* **2.** État de ce qui est peu productif, peu fourni. *Maigreur de la végétation.* **3.** Fig. Manque d'ampleur, d'importance; insuffisance. *La maigreur d'un salaire.*

maigrir v. [3] **I.** v. tr. **1.** Rare Rendre maigre. *Ce régime l'a maigrie.* Syn. cour. amaigrir. **2.** Donner une apparence de maigreur. *Sa barbe le maigrit.* **II.** v. intr. Devenir maigre. *Elle suit un régime pour maigrir.*

Maïkop, v. de Russie, sur la Bielaïa (affl., r. g., du Kouban); 140 000 hab. Extraction et raff. de pétrole; prod. chimiques.

mail [maj] n. m. **1.** Vx Marteau. **2.** Vx Maillet. ▷ *Spécial.* Maillet à manche flexible, servant à un jeu d'adresse. ▷ *Par ext.* Ce jeu. **3.** Terrain où l'on jouait au mail (en général, vaste place plantée d'arbres). ▷ Promenade publique de certaines villes. *« L'Orme du mail »*, *roman d'A. France. Des mails.*

mail-coach [mɛlkotʃ] n. m. (Anglicisme) Anc. Grande berline à quatre chevaux, munie de banquettes sur le toit. *Des mail-coaches.*

Mailer (Norman) (Long Branch, New Jersey, 1923), romancier américain. Il prône la révolte contre toutes les formes d'asservissement de l'individu, auquel il propose, comme moyen d'évasion, une certaine mystique de la sexualité : *les Nus et les Morts* (1948), *Un rêve américain* (1965), *Un caillou au paradis* (nouvelles, 1973), *Mémoires imaginaires de Marilyn* (1973), *le Chant du bourreau* (1980).

mailing [mɛliŋ] n. m. Syn. (off. déconseillé) de *publipostage*.

maillage n. m. **1.** Ordonnance des mailles (d'un filet). ▷ Par ext. PECHE Taille des mailles d'un filet. **2.** Division d'un espace selon une structure en réseau. ▷ TRAV PUBL Desserte d'une zone par un réseau de canalisations reliées les unes aux autres.

Maillard (Jean), bourgeois de Paris, un des chefs du parti royaliste, qui fit assassiner Étienne Marcel (1358).

Maillart (Robert) (Berne, 1872 – Genève, 1940), ingénieur et architecte suisse. Il inventa en 1908 le « pilier champignon », support intégré à une dalle de béton qui sert de plancher sans poutres, et construisit de nombr. ponts en béton.

1. maille n. f. **I. 1.** Chacune des boucles (de fil, de laine, etc.) dont l'entrelacement constitue un tissu, un tricot, un filet, un grillage, etc. **2.** *Par ext.* Espace libre à l'intérieur de cette boucle. *Les poissons ont filé à travers les mailles.* **3.** Anc. *Cotte de mailles* : vêtement formé d'anneaux de fer entrelacés que l'on portait au combat pour se protéger des coups, au Moyen Âge. **4.** MINER Motif géométrique constitué par le plus petit édifice d'atomes, dont la reproduction à l'infini constitue un réseau cristallin. **5.** TECH (Sylvic. et menuiserie.) *Débit sur mailles* : débit d'un arbre dans le sens du rayon; *en contre-mailles,* perpendiculaire au rayon. **6.** TECH Maillon (d'une chaîne). **II. 1.** CHASSE Tache sur le plumage des jeunes perdreaux, des jeunes faucons. **2.** MED Taie sur la prunelle.

2. maille n. f. HIST Petite monnaie en usage sous les Capétiens. ▷ Loc. fig. *Avoir maille à partir avec (qqn)* : avoir un différend avec (qqn).

Maillebois (Nicolas Desmarets, seigneur de). V. Desmarets.

maillechort [majʃɔʀ] n. m. METALL Alliage de nickel, de cuivre et de zinc, blanc, dur et inaltérable, que l'on utilise dans la fabrication de pièces d'orfèvrerie, d'instruments scientifiques, etc.

mailler v. [1] **I.** v. tr. **1.** Fabriquer en mailles. *Mailler un filet.* **2.** MAR *Mailler une chaîne sur,* la relier à, la fixer sur. *Mailler une chaîne sur une ancre.* **3.** Fig. Recouvrir comme par les mailles d'un filet. *Les 120 000 km de sentiers balisés qui maillent le territoire français.* **II.** v. intr. **1.** Bourgeonner. *La vigne commence à mailler.* **2.** CHASSE Se couvrir de mailles.

maillet n. m. **1.** Marteau à deux têtes en bois dur. *Maillet de menuisier.* **2.** HIST *Maillet d'armes* : masse cylindrique d'acier ou de plomb maniée à deux mains, arme en usage au Moyen Âge.

Maillet (Antonine) (Bouctouche, Nouveau-Brunswick, 1929), romancière canadienne d'expression française attachée au parler acadien (*Pélagie la Charrette,* 1979).

Maillezais, ch.-l. de cant. de la Vendée (arr. de Fontenay-le-Comte); 939 hab. Ancien évêché. – Ruines d'une église abbatiale (XIe-XVIe s.).

mailloche n. f. **1.** TECH Gros maillet. **2.** MAR Maillet rainuré que l'on utilise pour fourrer (entourer d'un cordage plus fin formant protection) les cordages. **3.** MUS Baguette terminée par une boule de caoutchouc, dont on se sert pour jouer de certains instruments à percussion (grosse caisse, xylophone, etc.).

Maillol (Aristide) (Banyuls-sur-Mer, 1861 – id., 1944), sculpteur, dessinateur et peintre français. Son style se caractérise par une ordonnance architecturale de volumes massifs, illustrant le thème du corps de la femme.

Aristide **Maillol** : *Monument à Cézanne,* pierre, 1912-1915; musée d'Orsay, Paris

maillon n. m. **1.** Rare Petite maille. **2.** Anneau d'une chaîne. – Fig. *Être un maillon de la chaîne,* un des éléments d'un ensemble organisé. **3.** MAR Section de chaîne de 30 m de long.

maillot n. m. **1.** Vieilli Lange et couche dont on enveloppe un bébé. *Un enfant au maillot* : un nourrisson. **2.** Vêtement de tricot qui moule le corps. *Une danseuse en maillot.* **3.** Vêtement fermé qui couvre le torse. *Maillot de sport.* ▷ *Maillot jaune* : dans le Tour de France cycliste, premier du classement général. ▷ *Maillot de corps* : sous-vêtement masculin sans manches. **4.** *Maillot de bain* et, absol., *maillot* : costume de bain.

maillotin n. m. **1.** Ancienne arme en forme de maillet. ▷ HIST *Les Maillotins* : les insurgés parisiens qui, en 1382, massacrèrent les percepteurs à coups de maillotin. **2.** Pressoir à olives.

Mailly (Jean de) (Paris, 1911 – id., 1975), architecte français; auteur (avec Zehrfuss et Camelot) du CNIT*, urbaniste à Toulon (plan de reconstruction), Lens, Saint-Étienne, Sedan.

Maimonide (Moïse) (en hébr. *Mosheh ben Maymon,* dit *Ramban*; en ar. *'Abū 'Imrān Mūsa-bn Maymūn*) (Cordoue, 1135 – Le Caire, 1204), médecin, philosophe et théologien juif, disciple d'Averroès. Il a donné, entre autres, un abrégé du Talmud *(Mishna Torah)* et un *Guide des égarés,* véritable somme scolastique juive qui cherche à concilier les connaissances scientifiques avec le sens littéral des Écritures.

main n. f. **I. 1.** Partie du corps humain qui termine le bras, munie de cinq doigts dont l'un (le pouce) peut s'opposer aux autres, et qui sert au toucher et à la préhension. *Avoir de belles mains. Tendre la main,* pour demander l'aumône. *Serrer la main de qqn,* pour le saluer. ▷ Loc. *Porter la main sur qqn,* le frapper. – Loc. fig. *Mettre la main sur une chose,* la trouver après l'avoir cherchée. – *Avoir le cœur sur la main* : être très généreux. – *Forcer la main à qqn,* le contraindre à faire qqch. ▷ *À main droite, à main gauche* : à droite, à gauche. – *À pleines mains* : abondamment, avec libéralité. – *À la main. Lettre écrite à la main* (et non à la machine). – *Attaque à main armée,* par une (des) personne(s) armée(s). ▷ *De main.* MILIT *Coup de main* : opération de faible envergure, exécutée par surprise. Fam. *Donner un coup de main à qqn,* l'aider. – Prov. *Jeux de main, jeux de vilain.* V. jeu. – *Homme de main* : exécuteur stipendié. – *De main de maître* : très bien (fait, fabriqué, exécuté). *Tableau peint de main de maître.* – *Passer de main en main,* d'une personne à une autre. – Fam. *Ne pas y aller de main morte* : frapper rudement; fig. user de procédés excessifs, d'expressions violentes. – *De longue main* : depuis longtemps. – *De première main* : directement, sans intermédiaire. *Je le sais de première main* : je le tiens de celui qui en a été instruit le premier. – *De seconde main* : d'occasion. *Ouvrage de seconde main* : compilation. – *De la main à la main* : sans intermédiaire, directement. *Remettre de l'argent de la main à la main,* sans qu'il en reste trace écrite, sans reçu. ▷ *Dans la main. Manger dans la main de qqn,* agir docilement avec lui. – *Tenir qqn dans sa main,* en son pouvoir. ▷ *En main* : dans la main. *Il a sa canne en main.* Fig. *Avoir qqch en main,* l'avoir à sa disposition. *Preuve en main* : avec une preuve toute prête. – *Avoir, tenir une chose en main,* savoir parfaitement s'en servir. – *Prendre en main(s) une affaire,* s'en charger. *Prendre en main les intérêts de qqn.* – *En main(s) propre(s)* : directement entre les mains de la personne concernée. *Lettre à remettre en main propre.* – *En bonnes mains* : sous la responsabilité d'une personne compétente. ▷ *Sous main* : secrètement. *Négocier sous main* (ou *en sous-main*) *avec l'ennemi.* – *Sous la main* : à portée, non loin. *J'ai ce document sous la main.* **2.** (*La main* instrument de travail, d'exécution, ou symbole d'autorité.) Loc. *Mettre la main à l'ouvrage, à la pâte* : participer activement à un travail. – *Avoir les mains liées* : être dans l'impossibilité d'agir. – *Mettre la dernière main à un ouvrage,* le terminer. – Loc. adv. *En un tour de main* : en un instant, avec autant de rapidité que d'adresse. – *Avoir la main heureuse* : réussir ce que l'on entreprend. *Avoir la haute main sur qqch* : avoir autorité sur qqch. – *Emporter une affaire haut la main,* facilement. *Avoir la main lourde* : faire trop sentir son autorité. – Loc. prov. *Une main de fer dans un gant de velours* : une autorité impitoyable sous des apparences de douceur. – *Faire main basse sur* : s'emparer de, piller. **3.** *Demander, obtenir, accorder la main d'une jeune fille,* la permission de l'épouser. **4.** JEU *Avoir la main* : être le premier à jouer, aux cartes. *Donner, passer la main* : céder à un adversaire l'avantage de jouer le premier. Fig. *Passer*

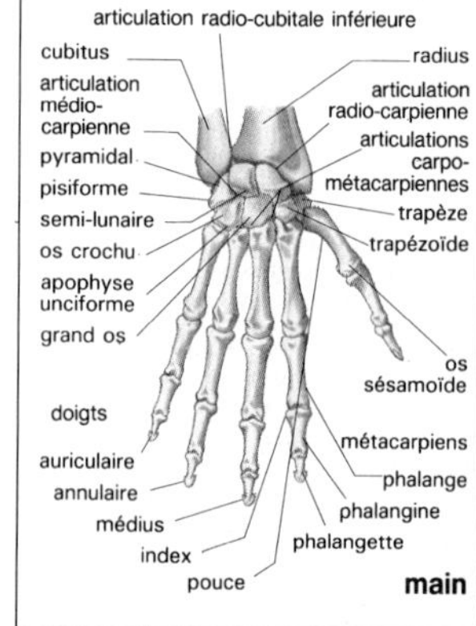

la main : renoncer à ce à quoi l'on avait droit. **5.** COUT *Première main* : couturière experte. *Petite main* : couturière débutante. **6.** *Main chaude* : jeu où une personne, les yeux bandés, doit deviner qui lui frappe dans la main. **II.** ZOOL Partie homologue de la main humaine chez certains vertébrés tétrapodes. *Les mains d'un singe.* **III.** (Sens spéciaux et techniques.) **1.** MAR Équipe de dockers assurant le chargement ou le déchargement d'une cale d'un navire. **2.** IMPRIM Assemblage de vingt-cinq feuilles de papier. **3.** HIST *Main de justice* : sceptre en forme de main, emblème de la puissance, que le roi portait le jour de son sacre. **4.** *Main courante* : dessus de la rampe d'un escalier.

Main (le), riv. d'Allemagne (524 km); naît en Franconie, arrose Bayreuth, Francfort et se jette dans le Rhin (r. dr.) près de Mayence.

Mainard ou **Maynard** (François) (Toulouse, 1582 – Aurillac, 1646), poète français (odes, stances, sonnets impies ou érotiques, chansons à boire). Secrétaire de Marguerite de Valois, il fit partie de l'Académie française à sa création.

mainate n. m. Passériforme (genre *Gracula*) d'Asie du Sud-Est, ressemblant à un gros étourneau. *Le mainate est recherché pour son aptitude à imiter la voix humaine.*

main-d'œuvre n. f. **1.** Façon, travail de l'ouvrier. *Facturer les pièces et la main-d'œuvre.* **2.** Personnel de production. *La main-d'œuvre manque dans la région.* (Plur. rare.) *Mains-d'œuvre.*

Maine (la), riv. de France (10 km), formée par la réunion de la Mayenne et de la Sarthe (grossie du Loir), affl. de la Loire (r. dr.).

Maine (le), anc. prov. de France, bordée à l'O. par la Bretagne, au N. par la Normandie, au S. par l'Anjou, à l'E. par l'Orléanais; elle a formé les dép. de la Sarthe et de la Mayenne; cap. *Le Mans.* – Le Maine, fief angevin, appartint à la couronne d'Angleterre apr. 1154, mais Philippe Auguste le reprit (1203).

Maine, État du N.-E. des É.-U. (Nouvelle-Angleterre), baigné par l'Atlantique, à la frontière canadienne; 86 027 km²; 1 228 000 hab.; cap. *Augusta.* Forêts de conifères. Pêche lacustre et marit. Tourisme. – Colonisé par des Français en 1604, le Maine devint, en 1820, le vingt-troisième État de l'Union.

Maine (Louis Auguste de Bourbon, duc du) (Saint-Germain-en-Laye, 1670 – Sceaux, 1736), prince français; fils légitimé de Louis XIV et de Mme de Montespan. Humilié par le Régent, il se laissa entraîner dans la conspiration de Cellamare, ce qui lui valut d'être emprisonné (1719-1720) avec sa femme. – **Anne Louise de Bourbon-Condé,** duchesse du Maine (Paris, 1676 – id., 1753), épouse du préc., tint à Sceaux une véritable cour (1699-1753).

Maine de Biran (Marie François Pierre Gontier de Biran, dit) (Bergerac, 1766 – Paris, 1824), philosophe spiritualiste français : *la Décomposition de la pensée* (1805), *l'Aperception immédiate* (1807).

Maine-et-Loire, dép. franç. (49); 7 131 km²; 705 882 hab.; 99 hab./km²; ch.-l. *Angers.* V. Loire (Pays de la) [Région].

main-forte n. f. sing. Seulement dans les loc. *donner, prêter main-forte à qqn,* lui porter assistance pour exécuter qqch de difficile, de dangereux.

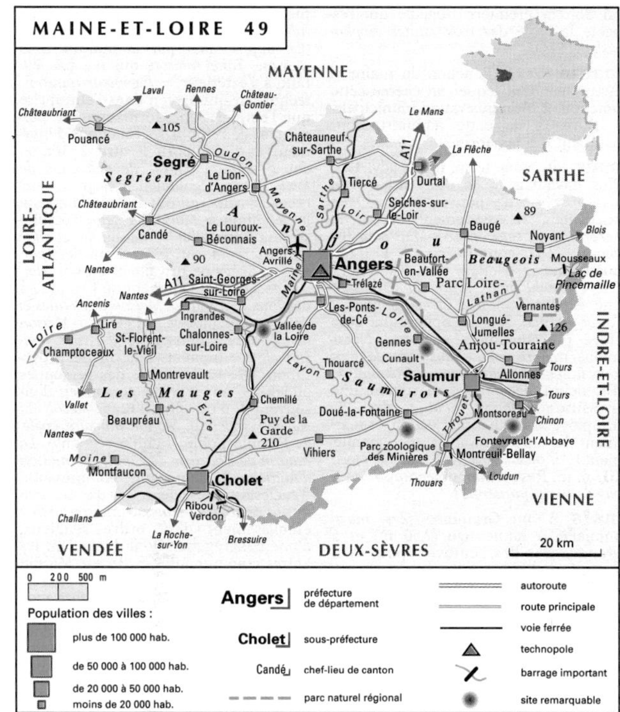

Mainfroi. V. Manfred.

mainlevée n. f. DR Acte mettant fin aux mesures judiciaires de saisie, de séquestre, d'opposition, d'hypothèque.

mainmise n. f. **1.** DR FEOD Saisie. **2.** Mod., souvent péjor. Domination, emprise. *La mainmise des capitaux étrangers sur l'industrie nationale.*

mainmorte n. f. **1.** DR FEOD Situation des vassaux qui se trouvaient dans l'impossibilité légale de transmettre leurs biens par testament. **2.** DR *Biens de mainmorte* : biens possédés par des communautés religieuses, des œuvres charitables, etc., et qui, leurs possesseurs ayant une existence de durée indéfinie, échappent aux règles des mutations par décès.

maint, mainte [mɛ̃, mɛ̃t] adj. indéfini. Litt. Un certain nombre de, plusieurs. *Je le lui ai dit maintes fois.*

maintenance n. f. **1.** TECH Ensemble des opérations qui permettent de maintenir en état de fonctionnement un matériel susceptible de se dégrader. *Maintenance d'un ordinateur, d'un bombardier.* **2.** MILIT Maintien des effectifs et de l'état du matériel d'une troupe au combat.

maintenant adv. **1.** À présent, au temps où nous sommes. *Je n'ai pas le temps maintenant.* ▷ Loc. conj. *Maintenant que* : à présent que. *Maintenant qu'il est en vacances, il se repose.* **2.** (+ futur) Désormais. *Maintenant ils seront heureux.* **3.** (En tête de proposition.) Cela dit, de toute manière. *Je te dis mon avis, maintenant tu en feras à ta guise.*

maintenir v. tr. [36] **1.** Tenir ferme et fixe. *Cette barre maintient la charpente.* **2.** Conserver dans le même état; garder, défendre. *Maintenir la température constante. Maintenir l'ordre public.* ▷ v. pron. Demeurer dans le même état. *Sa santé se maintient.* **3.** Continuer à affirmer, soutenir. *Je maintiens que cela est vrai.*

Maintenon, ch.-l. de cant. d'Eure-et-Loir (arr. de Chartres); 4 182 hab. Haras. – Chât. du XVIe s. acquis par Louis XIV pour Mme de Maintenon; parc de Le Nôtre.

Maintenon (Françoise d'Aubigné, marquise de) (Niort, 1635 – Saint-Cyr, 1719), petite-fille d'Agrippa d'Aubigné. Convertie au catholicisme, en 1652, elle épousa Scarron (m. en 1660); en 1669, elle devint gouvernante des enfants que Louis XIV eut de Mme de Montespan. Après la mort de Marie-Thérèse, elle fut unie au roi par un mariage morganatique et secret (1684?); elle exerça une grande influence sur le souverain, notam. dans le domaine religieux. À la mort du roi (1715), elle se retira à Saint-Cyr, dans la maison qu'elle avait créée pour l'éducation des jeunes filles de la noblesse pauvre. ▸ illustr. page **1137**

maintien n. m. **1.** Contenance, attitude. *Avoir un maintien modeste, étudié. Prendre des leçons de maintien.* **2.** Action de maintenir, de conserver dans le même état. *Maintien de l'ordre.*

maïolique. V. majolique.

maire n. m. **1.** Élu qui se trouve à la tête d'une commune. *Le maire de Paris. Madame le maire. Le maire est élu par les conseillers municipaux.* **2.** HIST *Maire du palais* : majordome qui, sous les derniers rois mérovingiens, détenait la réalité du pouvoir politique.

Maire (Edmond) (Épinay-sur-Seine, 1931), syndicaliste français, secrétaire général de la C.F.D.T. de 1971 à 1988.

Mairet (Jean) (Besançon, 1604 – id., 1686), poète dramatique français. On lui doit la première tragédie qui respecte la règle des trois unités, *Sophonisbe* (1634).

mairie n. f. **1.** Fonction du maire. ▷ Temps pendant lequel on exerce cette fonction. **2.** Administration municipale. ▷ Bureaux de cette administration; bâtiment qui les abrite.

mais adv., conj. (et n. m.) **I.** adv. **1.** Vx Plus, davantage. ▷ Litt., dans la loc. *n'en pouvoir mais :* n'y pouvoir rien. *Je n'en peux mais.* **2.** Assurément, sûrement. *Acceptez-vous cette offre ? – Mais bien évidemment !* **II.** conj. de coord. **1.** (Marquant une restriction, une différence.) *Elle est riche mais avare.* **2.** (Donnant une explication.) *Il a été puni mais il l'avait mérité.* **3.** (En opposition avec l'idée précédemment exposée.) Néanmoins, malgré cela. *« Mais cependant, ce jour, il épouse Andromaque » (Racine).* **4.** (En début de phrase, marquant une transition.) *Mais qu'ai-je dit ?* **5.** (Employé avec une interjection, et marquant la surprise ou le mécontentement.) *Ah mais !* – Pop. *Non mais, des fois !* **III.** n. m. Restriction, objection. *Il n'y a pas de mais qui tienne !*

maïs n. m. Graminée *(Zea mays)* annuelle, à haute tige (2,50 m) et à grandes feuilles, cultivée pour son grain.
ENCYCL Cette graminée, originaire d'Amérique du S., est cultivée dans tous les pays du monde grâce aux variétés hybrides adaptées aux divers climats. Son importance économique est considérable : plante alimentaire (épi, grains, farine, huile de table extraite des germes) et fourragère (épi ou coupé vert), elle a une place remarquable en biotechnologie, notam. à cause de son amidon transformable en glucose, puis en fructose.

maïs : en haut à g., l'ancêtre du maïs : *Zea maïs mexicana;* à dr., maïs cultivé; en bas, extrémité d'un épi mûr

maison n. f. **I. 1.** Bâtiment d'habitation. *Louer une maison à la campagne.* ▷ *La maison de Dieu* : l'église. – Loc. prov. *C'est la maison du bon Dieu :* c'est une demeure hospitalière. **2.** Ensemble des lieux que l'on habite, où l'on vit; les habitants de ces lieux. *Avoir une maison bien tenue. Ameuter toute la maison.* ▷ Loc. adv. *À la maison :* chez soi. **3.** Ménage, administration des affaires domestiques. *Avoir un grand train de maison.* ▷ *Gens de maison :* gens au service d'une maison, domestiques. **II.** Établissement. **1.** Établissement commercial, financier, industriel, etc. *Adressez-vous à une maison sérieuse.* ▷ (En appos.) Fait par la maison, à la maison. *Tarte maison,* qui n'a pas été faite à l'extérieur. – *Ingénieur maison :* technicien qui a reçu dans l'entreprise qui l'emploie une formation lui permettant de remplir les fonctions d'ingénieur, et qui en porte le titre. **2.** *Maison de...* ▷ *Maison d'arrêt, de détention, de force :* lieux légalement désignés pour recevoir ceux qui ont été condamnés à la détention. ▷ *Maison de santé :* établissement hospitalier. ▷ *Maison de retraite :* établissement où se retirent les personnes âgées ne travaillant plus. ▷ *Maison de jeu :* établissement où l'on joue à des jeux d'argent. ▷ *Maison des jeunes et de la culture* (abrév. : M.J.C.*). ▷ *Maison de tolérance, maison de rendez-vous, maison close :* lupanar, maison de prostitution. **III. 1.** Ensemble des personnes attachées au service personnel d'un souverain, d'un chef d'État. *Maison du roi, de l'empereur. Maison militaire, civile.* **2.** Famille noble; famille régnante. *La maison de Bourbon, de Condé. La maison d'Autriche.* **3.** Compagnie, communauté d'ecclésiastiques, de religieux. *La maison professe des jésuites.* ▷ *Maison mère :* établissement d'un ordre religieux, d'une congrégation dont dépendent les autres communautés. – *Par ext.* Maison de commerce principale, par rapport à ses succursales. **4.** ASTROL *Les douze maisons du ciel :* les douze divisions en forme de fuseau qui correspondent chacune à un signe, et dont la détermination est nécessaire pour l'interprétation d'un thème de naissance.

Maison-Blanche (la), résidence du président des É.-U., à Washington, depuis 1800 (John Adams, président). Édifiée par J. Hoban à partir de 1792, brûlée en 1814, restaurée, cette demeure de deux étages porte ce nom depuis 1902. ► illustr. **Washington**

Maison carrée, temple romain corinthien de Nîmes (longueur 25 m, largeur 12 m), bâti en 16 av. J.-C. par Agrippa, le gendre d'Auguste, et dédié aux petits-fils de celui-ci. Il renferme auj. un musée des Antiques.

maisonnée n. f. Ensemble de ceux qui habitent une maison.

maisonnette n. f. Petite maison.

Maisonneuve (Paul de Chomedey de) (Neuville-sur-Vanne, Champagne, 1612 – Paris, 1676), explorateur français; fondateur (1642) et premier gouverneur de Ville-Marie, le futur Montréal.

Maisons-Alfort, ch.-l. de canton du Val-de-Marne (arr. de Créteil), sur la Marne; 54 065 hab. École nationale vétérinaire. Industr. alim. – Égl. (XIIe-XIIIe s.).

Maisons-Laffitte, ch.-l. de cant. des Yvelines (arr. de Saint-Germain-en-Laye), sur la Seine, à l'O. de Paris; 22 533 hab. Ville résidentielle, près de la forêt de Saint-Germain. Champ de courses. – Chât. construit par Mansart (1642-1651), acquis en 1818 par le banquier Laffitte, qui transforma le parc en lots constructibles (d'où le nom de la com.), puis par l'État (1905). ► illustr. **Mansart**

Maistre (Joseph, comte de) (Chambéry, 1753 – Turin, 1821), homme politique, écrivain et philosophe français. Adversaire farouche de la Révolution et ultramontain intransigeant, il insista sur le rôle tout-puissant de la Providence divine, dont le pape est l'interprète sur terre : *Considérations sur la France* (1796), *Du pape* (1819), *les Soirées de Saint-Pétersbourg ou Entretiens sur le gouvernement temporel de la Providence* (1821). – **Xavier** (Chambéry, 1763 – Saint-Pétersbourg, 1852), frère du préc.; écrivain français : *Voyage autour de ma chambre* (1795).

Maisūr. V. Mysore.

Maître de Flémalle. V. Campin (Robert) et Flémalle (le Maître de).

Maître de Moulins. V. Moulins (le Maître de).

maître, maîtresse n. et adj. **I.** n. **1.** Personne qui exerce son autorité, de droit ou de fait. *On ne peut servir deux maîtres à la fois.* **2.** Propriétaire. *Le chien aime son maître. Voiture de maître,* avec chauffeur. **3.** *Maître de maison :* hôte, chef de famille. **4.** Loc. *Être (le) maître de faire qqch,* avoir la liberté de le faire. – *Être son maître :* ne dépendre que de soi. – *Être maître de soi :* se dominer. – *Se rendre maître de qqch, de qqn,* s'en emparer. **5.** Chef, dirigeant. *Maître de ballet, de chapelle, des cérémonies. Maître d'hôtel,* qui dirige le service de table dans un hôtel ou chez des particuliers. ▷ MAR *Premier maître, quartier-maître, maître d'équipage :* grades de la marine militaire. ▷ CONSTR *Maître d'œuvre :* personne physique ou morale chargée de concevoir, d'étudier et de surveiller la réalisation d'un ouvrage. – *Maître de l'ouvrage :* personne physique ou morale qui décide la construction d'un ouvrage, en assure le financement et confie sa réalisation à un maître d'œuvre. **6.** Personne qui enseigne. – Vieilli *Maître d'école :* instituteur. – *Maître de conférences :* professeur non titulaire d'une chaire dans une université. – *Maître d'armes,* qui enseigne l'escrime. – Fig. *Le temps est un grand maître :* on apprend beaucoup de choses par l'expérience. **7.** Anc. Artisan d'une corporation, qui, après avoir été apprenti, puis compagnon, accédait à un rang lui permettant d'enseigner son métier. *Maître tailleur.* – Fig. *Passer maître en qqch,* y exceller. **8.** Artiste qui travaille avec ses élèves. *Œuvre d'atelier non signée par le maître.* – Artiste ancien non identifié. *Le Maître de Moulins*.* **9.** Personne qui a excellé dans un art, une science, et sert de modèle. *Les grands maîtres de la peinture.* **10.** Titre donné aux avocats, aux notaires, aux commissaires-priseurs. *Par-devant Maître Untel, notaire.* ▷ Titre donné à un écrivain, à un artiste éminent, en s'adressant à lui. *Cher Maître.* **II.** adj. **1.** *Maîtresse femme :* femme énergique, qui s'impose avec autorité. **2.** CONSTR Qui supporte l'essentiel des efforts. *Poutre maîtresse.* **3.** Dominant. *La qualité maîtresse de qqn. Carte maîtresse,* supérieure à celle de l'adversaire.

maître-à-danser n. m. TECH Compas qui sert à mesurer les diamètres intérieurs. *Des maîtres-à-danser.*

maître-autel n. m. Autel principal d'une église. *Des maîtres-autels.*

maître chanteur. V. chanteur.

maître-chien n. m. Personne chargée de dresser un chien et de l'utiliser (pour un gardiennage). *Des maîtres-chiens.*

maîtresse n. f. **I.** Fém. de *maître.* **II. 1.** Vx Femme aimée. **2.** Mod. Femme qui a des relations intimes avec un homme qui n'est pas son mari.

maîtrisable adj. Que l'on peut maîtriser.

maîtrise n. f. **1.** Anc. Qualité de maître dans les anciennes corporations. **2.**

École d'instruction musicale des enfants de chœur; ensemble des chanteurs. **3.** Ensemble du personnel chargé de l'encadrement des ouvriers (chefs d'atelier, contremaîtres, chefs d'équipe). *Agent, cadre de maîtrise.* **4.** Titre universitaire supérieur à la licence et inférieur au doctorat. **5.** Excellence dans un art, une science, une technique. *La maîtrise d'un musicien. Posséder la maîtrise de la gravure sur verre.* **6.** Domination, empire. *La maîtrise des mers.* ▷ *Maîtrise de soi* : contrôle de soi-même.

maîtriser v. tr. [1] **1.** Réduire par la force, dompter. *Maîtriser un cheval fougueux.* **2.** Fig. Dominer. *Il faut maîtriser ses passions.* ▷ v. pron. Se contrôler. **3.** Savoir parfaitement conduire, traiter, utiliser. *Maîtriser son véhicule. Maîtriser son sujet, sa technique.*

maïzena n. f. (Nom déposé.) Farine de maïs destinée aux préparations culinaires.

majesté n. f. **1.** Grandeur suprême; caractère auguste qui inspire le respect. *La majesté divine.* ▷ *Par ext.* Qualité de ce qui, par sa grandeur, sa noblesse, inspire admiration et respect. *La majesté d'un palais. La majesté du style de Bossuet.* **2.** Titre donné aux souverains. *Sa Majesté. Votre Majesté. Leurs Majestés. Le roi de France était appelé « Sa Majesté très Chrétienne ». Sa Majesté Catholique* : le roi d'Espagne. **3.** BX-A *Christ, Vierge en majesté,* représentés assis sur un trône, dans une pose hiératique.

majestueusement adv. Avec majesté.

majestueux, euse adj. Qui a de la majesté, de la grandeur, de la noblesse. *Une allure majestueuse.*

majeur, eure adj. et n. **I.** adj. **1.** Plus grand. *La majeure partie du territoire.* **2.** MUS *Gamme majeure,* dans laquelle la première tierce* et la sixte* sont majeures. *Ton, mode majeur,* utilisant les notes de la gamme majeure (par oppos. à *mineur*). **3.** JEU *Tierce, quarte majeure* : suite de trois, quatre cartes commençant par l'as. **4.** Grand, considérable. *Un intérêt majeur. Cas de force majeure* : événement qui n'a pas pu être évité. **5.** Qui a atteint l'âge de la majorité légale. *Un fils majeur.* **II.** n. **1.** Personne arrivée à l'âge de la majorité légale. **2.** n. m. Doigt du milieu, le plus long. Syn. médius. **3.** n. f. LOG Prémisse d'un syllogisme qui contient le grand terme, c.-à-d. celui qui a la plus grande extension.

Majeur (lac), lac de la bordure S. des Alpes centrales (Suisse et Italie), que traverse le Tessin; 212 km². Il renferme, en Italie, les îles Borromées. Climat doux (microclimat exceptionnel, jardin tropical). Tourisme. Villes princ. *Locarno* et *Stresa.*

majolique ou **maïolique** n. f. Faïence italienne de l'époque de la Renaissance, dont la fabrication fut introduite en Italie par des artisans des îles Baléares.

major n. m. **1.** *Major* ou *commandant major* : officier supérieur chargé de l'administration d'un corps de troupes. – *Major de garnison* : officier qui assiste le commandant d'armes (lequel est responsable de la discipline générale de toutes les troupes casernées dans une ville de garnison). **2.** (En composition.) Supérieur par le rang. *Tambour-major* : V. ce mot. *Infirmière-major.* – Vieilli *Médecin-major* : médecin militaire. **3.** *Major de promotion* : premier au concours d'une grande école. *Le major de l'X.*

John **Major**

Makários III

Major (John) (Brixton, 1943), homme politique britannique conservateur. Il succéda à M. Thatcher au poste de Premier ministre de 1990 à 1997.

majorant n. m. MATH Élément de la partie d'un ensemble ordonné, tel que tous les autres éléments de cette partie lui sont inférieurs. Ant. minorant.

majoration n. f. **1.** Action de majorer. *Majoration d'impôt.* – Surestimation. **2.** Hausse (de prix).

majordome n. m. **1.** Chef des domestiques de la cour d'un souverain, du pape. **2.** Maître d'hôtel de grande maison.

Majorelle (Louis) (Toul, 1859 – Nancy, 1926), décorateur français de l'école de Nancy.

majorer v. tr. [1] **1.** Augmenter le nombre, le montant de. *Majorer un prix. Majorer une facture.* ▷ Fig., fam. *Majorer ses ennuis.* **2.** MATH Ajouter un majorant à (une partie d'un ensemble ordonné).

majorette n. f. Jeune fille en uniforme militaire de fantaisie, qui participe à une parade, à un défilé.

Majorien (en lat. *Flavius Julius Valerius Majorianus*) (m. près de Tortona, 461), empereur romain d'Occident (457-461). Il fut assassiné par Ricimer.

majoritaire adj. **1.** *Scrutin majoritaire* : scrutin dans lequel celui des candidats qui a le plus grand nombre de voix l'emporte, sans qu'il soit tenu compte des voix minoritaires (par oppos. à *scrutin proportionnel*). **2.** Qui constitue une majorité, qui appartient à la majorité. *C'est l'opinion majoritaire.* **3.** DR COMM Qui possède la majorité des actions dans une société. *Actionnaire majoritaire.*

majoritairement adv. De manière majoritaire; par une majorité. – En majorité.

majorité n. f. **1.** Âge fixé par la loi pour que qqn jouisse du libre exercice de ses droits. *La majorité civile et légale est fixée en France à 18 ans.* **2.** Le plus grand nombre, la majeure partie. *Dans la majorité des cas.* **3.** Le plus grand nombre des suffrages dans un vote. *Majorité absolue,* se composant de la moitié des voix plus une. *Majorité relative,* qui résulte du plus grand nombre des voix obtenues. **4.** *La majorité* : le parti, le groupe qui réunit le plus grand nombre de suffrages. *Un membre de la majorité.*

Majorque (en esp. *Mallorca*), la plus grande des îles Baléares (V. Baléares); 3 640 km²; 530 000 hab.; cap. *Palma de Majorque.* Tourisme très actif. Cultures irriguées (maraîchères et fruitières).

majorquin, ine adj. et n. De Majorque. – Subst. *Un(e) Majorquin(e).*

Majunga. V. Mahajanga.

majuscule adj. et n. f. *Lettre majuscule* : grande lettre d'une forme particulière, à l'initiale d'un nom propre ou d'un mot placé en tête de phrase, de vers, etc. ▷ n. f. *Une majuscule. Les noms des habitants des villes et des pays prennent une majuscule.* Syn. capitale. Ant. minuscule.

Makālu (le), sommet du Népal (Himalaya central, 8 515 m), conquis par l'expédition française de Jean Franco (1955).

Makarenko (Anton Semionovitch) (Bielopolie, Ukraine, 1888 – Moscou, 1939), pédagogue soviétique; promoteur de méthodes de réadaptation des jeunes inadaptés et asociaux.

Makários III (Mikhaíl Khristódhoulos Mouskos, en relig.) (Anó Panaghia, Chypre, 1913 – Nicosie, 1977), archevêque et homme politique chypriote; premier président de la République de Chypre (1959-1977).

Makassar ou **Macassar** (auj. *Ujungpandang*) (détroit de), passage entre les Célèbes (Sulawesi) et Bornéo (Kalimantan).

Makeïevka ou **Makeevka** (anc. *Dmitrievsk*), v. d'Ukraine, dans le Donbass; 451 000 hab. Houille, industr. métallurgiques; conserveries de poissons.

makémono [makemɔno] ou **makimono** [makimɔno] n. m. Peinture japonaise sur papier ou sur soie, plus large que haute, et qui se déroule horizontalement (à la différence du *kakémono,* qui se déroule verticalement).

Makhatchkala (anc. *Petrovsk*), v. et port de Russie, sur la Caspienne; cap. de la rép. auton. du Daghestan; 301 000 hab. Raff. de pétrole; industr. chimiques.

maki n. m. Mammifère lémurien de Madagascar (genre *Lemur*), arboricole et frugivore, à très longue queue.

maki

Makonnen (?, 1854 – Djibouti, 1906), chef éthiopien (*ras*); vice-roi du Harar en 1887, vainqueur des Italiens à Amba-Alaghi (1895) et à Adoua (1896). Son fils, Tafari Makonnen, devint empereur (V. Hailé Sélassié Ier).

1. mal, plur. **maux** n. m. **I. 1.** Douleur, souffrance physique. *Avoir mal aux dents.* ▷ Loc. pop. *Ça me ferait mal* (pour repousser une hypothèse, une éventualité). *Donner de l'argent? Ça me ferait mal!* (= je n'en ferai rien). **2.** Maladie. *La tuberculose n'est plus un mal incurable.* – Vx *Haut mal* : épilepsie. – *Mal de Pott* : tuberculose de la colonne vertébrale. – *Mal blanc* : panaris. ▷ Indisposition, malaise. – *Avoir mal au cœur* : avoir la nausée. – *Mal de mer, mal de l'air, mal des transports* : malaise généralisé, souvent accompagné de nausées et de vomissements, que ressentent certaines personnes à bord d'un bateau, d'un avion, d'un véhicule en mouvement, et qui est provoqué par les excitations anormales auxquelles sont soumis les organes de l'équilibration. – *Mal des montagnes* : ensemble des troubles (malaise respiratoire, céphalée, nausées, vertiges, asthénie) qui surviennent en altitude, et qui sont dus à la baisse de pression partielle de l'oxygène de l'air, entraînant l'appauvrissement en oxygène des tissus (hypoxie). ▷ Loc. prov. *Aux grands maux les grands remèdes,* se dit lorsque la gravité de la situation impose que l'on intervienne avec énergie et décision. **II.** Peine, souffrance morale. – *Le mal du pays* : la nostalgie. – *Le mal du siècle* : les tourments propres à une génération (partic. la mélancolie des romantiques). ▷ Fig. *Être en mal de* : manquer cruellement de. **III. 1.** Difficulté, peine. *Se donner beaucoup de mal* (fam., *un mal de chien*) *pour faire une chose, pour aider qqn, etc.* **2.** Calamité, tourment. *Les maux de la guerre.* Dommage, dégât. *Il n'y a que demi-mal.* **3.** Inconvénient. *La discipline est un mal nécessaire.* **IV.** (Ne s'emploie qu'au sing.) Parole, opinion défavorable (dans les expressions *dire, penser du mal*). *Dire du mal, penser le plus grand mal de qqn.* ▷ *En mal* : en mauvaise part. *Prendre tout en mal.* **V.** (Ne s'emploie qu'au sing.) Ce qui est contraire aux règles que la morale impose. *Être enclin au mal. Je le faisais sans songer à mal,* sans intention maligne ou mauvaise. ▷ *Le mal* : le principe que les différents systèmes philosophiques et religieux opposent au bien, à ce qui est considéré comme désirable, souhaitable, au regard de la morale naturelle. *Lutter contre les forces du mal.* – PHILO *Le problème du mal,* celui qui consiste à concilier l'existence du mal dans l'univers avec celle d'un Dieu bon et tout-puissant.

2. mal adv. **1.** D'une manière défavorable, fâcheuse. *Les affaires vont mal.* ▷ *Aller mal, être au plus mal* : être malade, très malade. *Se sentir mal* : éprouver un malaise. *Se trouver mal* : défaillir, tomber en syncope. **2.** D'une manière blâmable, contraire à la morale ou aux bienséances. *Se conduire mal.* **3.** D'une manière défavorable. *Parler mal de qqn.* ▷ *Prendre mal une réponse, une réflexion, etc.,* s'en offenser. ▷ *Se mettre, être mal avec qqn,* se brouiller, être brouillé avec lui. **4.** D'une manière incorrecte ou défectueuse. ▷ Imparfaitement, incomplètement. *Travail mal fini.* ▷ D'une façon qui ne convient pas, ne sied pas. *S'habiller mal. Venir mal à propos,* à contretemps. **5.** Loc. adv. *Pas mal* : assez bien, plutôt bien. ▷ (Avec valeur d'adj. en attribut.) *Ce garçon n'est pas mal,* il a des qualités (morales ou physiques). ▷ (Sans négation.) Fam. En assez grand nombre; beaucoup. *Il y avait pas mal de monde. On a pas mal couru.* **6.** *De mal en pis* : en s'aggravant.

3. mal, male adj. **1.** Vx Pernicieux, funeste, violent. *Mourir de male mort.* ▷ Mod., dans les loc. *bon an, mal an; bon gré, mal gré**. **2.** (En fonction d'attribut.) Contraire à la morale ou aux bienséances. *C'est mal de mentir, de dire des gros mots.* ▷ *Pas mal* : V. mal 2, sens 5.

malabar n. m. (et adj.) Pop. Homme très robuste et de forte stature.

Malabār (côte de), littoral du S.-O. de l'Inde, sur le golfe d'Oman, au pied des Ghāts occidentaux, arrosé par la mousson. Région très fertile.

Malabo (anc. *Santa Isabel*), cap. de la Guinée équatoriale; 34 980 hab.

Malacca, v. de Malaisie; 89 000 hab.; cap. de l'État du m. nom (1 650 km^2; 550 000 hab. env.), sur la *presqu'île malaise* (ou *presqu'île de Malacca*). Ce port de comm. (caoutchouc, coprah) est situé sur la côte S.-O. du *détroit de Malacca,* bras de mer entre la péninsule de Malacca et Sumatra qui relie l'océan Indien à la mer de Chine.

Malachie (livre de), livre de l'Ancien Testament, attribué au dernier des douze petits prophètes; c'est en fait un texte anonyme du Ve s. av. J.-C.

Malachie (saint) (Armagh, v. 1094 – Clairvaux, 1148), prélat irlandais; primat d'Irlande, ami de saint Bernard. La *Prophétie sur les papes,* qu'on lui a attribuée, date en réalité du XVIe s.

malachite [malakit] n. f. Carbonate hydraté de cuivre, de couleur verte, constituant un minerai de cuivre et employé dans l'ornementation et la joaillerie.

malaco-. Élément, du gr. *malakos,* « mou ».

malacologie n. f. ZOOL Partie de la zoologie qui étudie les mollusques.

malacoptérygiens n. m. pl. ICHTYOL Groupe de poissons téléostéens dont les rayons des nageoires sont mous (saumon, morue, carpe). – Sing. *Un malacoptérygien.*

malacostracés n. m. pl. ZOOL Sous-classe de crustacés appelés aussi *crustacés supérieurs,* dont le corps est divisé en 19 segments. (Elle comprend de très nombreux ordres, réunissant des espèces aussi diverses que les cloportes, les crevettes, les crabes, etc.) – Sing. *Un malacostracé.*

malade adj. et n. **I.** adj. **1.** (Personnes) Qui éprouve quelque altération dans sa santé. *Tomber malade.* – Par exag. *Être malade de chagrin, d'anxiété.* ▷ *Spécial.* Qui éprouve des troubles mentaux, qui n'est pas parfaitement équilibré. *Avoir l'esprit malade.* **2.** (Parties du corps.) Dont l'état ou le fonctionnement est altéré. *Un poumon malade.* **3.** (Animaux, végétaux.) Qui est atteint par une maladie. *Cheval malade. Les arbres de la ville sont malades.* **4.** Fam. En mauvais état, mal en point. *Une voiture bien malade. Une économie malade.* **II.** n. Personne malade.

Maladetta ou **Maladeta** (la), massif le plus élevé des Pyrénées centr., en Espagne (prov. de Huesca); 3 404 m au pic d'Aneto. La Garonne y prend sa source.

maladie n. f. **1.** Altération de la santé. *Maladie chronique, mortelle. Maladie mentale. Maladie professionnelle.* – Par exag., fam. *Il en fera une maladie* : cela le contrariera extrêmement. ▷ *La maladie des jeunes chiens* ou, absol., *la maladie* : la maladie de Carré*. **2.** (Végétaux) *Les maladies de la vigne* (oïdium, mildiou, etc.). **3.** Altération chimique ou biochimique (de certaines substances). *Maladies du vin. Maladie de la pierre.* **4.** Fig. Ce qui est comparable à un état ou à un processus morbide. *« La guerre, vous dis-je, est une maladie affreuse » (Voltaire).* **5.** Fig. Propension excessive; manie. *Avoir la maladie du rangement.*

maladif, ive adj. **1.** Sujet à être malade; de santé précaire. *Un enfant maladif.* **2.** Qui est le signe d'une maladie ou d'une santé précaire. *Teint maladif.* **3.** Qui a le caractère anormal d'une maladie. *Une susceptibilité maladive.*

maladivement adv. De manière maladive.

maladrerie n. f. Anc. Léproserie.

maladresse n. f. **1.** Manque d'adresse. *Sauter avec maladresse.* **2.** Manque d'habileté, de tact. *Accumuler les maladresses.*

maladroit, oite adj. et n. Qui n'est pas adroit. *Un graveur maladroit.* ▷ Qui manque d'habileté. *Un négociateur maladroit.* ▷ Qui marque de la maladresse. *Geste maladroit.* ▷ Subst. *Un(e) maladroit(e).*

maladroitement adv. D'une manière maladroite.

malaga n. m. Raisin muscat récolté dans la région de Málaga. ▷ Vin épais et sucré de cette région.

Málaga, v. et port d'Espagne (Andalousie), sur la Méditerranée; 560 490 hab.; ch.-l. de la prov. du m. nom. Exportation des prod. agricoles de la huerta (vins, raisins, etc.); sidérurgie; industr. alimentaires. Tourisme (Costa del Sol). – Forteresses mauresques (XIVe s.). Cath. de style Renaissance.

mal-aimé, ée adj. et n. Se dit d'une personne qui n'est pas aimée et en souffre. – Subst. *La mal-aimée de la famille.*

malaire adj. ANAT Relatif à la joue. *Os malaire.*

malais, aise adj. et n. **1.** adj. De Malaisie. ▷ Subst. *Un(e) Malais(e).* – n. m. pl. *Les Malais* ou *Deutéro-Malais,* populations établies en Asie du S.-E. (partic. Malaisie, Indonésie, îles de la Sonde), indianisées puis islamisées et qui parlent des dialectes malais. (Par oppos. à *Proto-Malais.*) **2.** n. m. LING *Le malais* : ensemble des langues de la famille austronésienne parlées en Malaisie, à Sumatra, à Bornéo, et dans les régions côtières de l'Asie du Sud-Est (Viêt-nam). ▷ Langue off. de la Malaisie, également utilisée en Indonésie.

malaise n. m. **1.** Sensation pénible d'un trouble, d'une indisposition physique. *Éprouver des malaises.* **2.** Fig. Sentiment pénible de gêne, de trouble mal défini. *Dissiper un malaise.* **3.** État d'inquiétude, de crise. *Le malaise économique.*

malaisé, ée adj. **1.** Qui n'est pas aisé, pas facile à faire. *Entreprise malaisée.* **2.** Vieilli D'usage difficile, incommode. *Escalier malaisé.*

malaisément adv. D'une manière malaisée.

Malaisie ou **Malaysia** (Fédération de) *(Persekutuan Tanah Malaysia),* État fédéral du Sud-Est asiatique regroupant, depuis 1957, onze États du sud de la péninsule malaise et, depuis 1963, deux États (Sarawak et Sabah) du nord de l'île de Bornéo; Singapour a fait sécession en 1965. On distingue donc la Malaisie occid. (péninsulaire) et la Malaisie orient. (insulaire); en tout 329 747 km^2; env. 18 millions d'hab. (croissance démographique : plus de 3 % par an); cap. *Kuala Lumpur* (Malaisie occid.). Nature de l'État : monarchie constitutionnelle, membre du Commonwealth; le roi est élu pour cinq ans parmi les sultans des États de Malaisie occid. Monnaie : ringgit. Langue off. : malais (l'angl., le chinois et le tamoul sont utilisés). Relig. : islam (50 %), bouddhisme, hindouisme, taoïsme.

Géogr. phys. et hum. – Les deux ensembles géographiques qui constituent le pays, péninsule malaise à l'O., Sarawak et Sabah à l'E. (anc. Nord-Bornéo), ont des caractères physiques assez homogènes : montagnes, plaines côtières alluviales, littoraux marécageux, forêt dense. La péninsule mal-

aise s'ordonne sur une série de chaînes escarpées (culminant à 2 815 m), séparées par d'amples dépressions où coulent de courtes rivières. L'ensemble est bordé de plaines côtières, riches en gisements métallifères alluviaux (étain, fer, bauxite, or). La Malaisie orientale comprend une large plaine côtière marécageuse (longée de gisements offshore d'hydrocarbures), une zone de collines et un arrière-pays montagneux d'accès difficile (4 100 m au mont Kinabalu). L'ensemble du pays connaît un climat équatorial chaud et très arrosé, auquel correspond une épaisse forêt dense, aujourd'hui en recul (défrichement par brûlis, exploitation du bois) mais qui couvre encore 60 % du territoire. La population est inégalement répartie : la Malaisie occidentale groupe 83 % des hab., alors que le Sarawak et le Sabah ont moins de 3 millions d'hab. sur près de 60 % de la superficie du pays. Les Malais, islamisés en Malaisie occidentale, constituent 50 % de la population ; les Chinois (35 % de la pop.) et les Indiens (près de 11 %) vivent surtout dans les villes. Ces dernières sont en croissance rapide (plus de 40 % de citadins), en raison de l'essor démographique et du développement économique.
Écon. – Membre de l'ASEAN, la Malaisie, qui connaît l'une des croissances les plus fortes du monde, a franchi en 1994 le seuil de 3 550 dollars de P.N.B. par hab. et appartient désormais au groupe des nouveaux pays industriels. Exportateur traditionnel de caoutchouc et d'huile de palme (1er producteur mondial), d'étain et de bois précieux, le pays dispose désormais de recettes pétrolières et met en valeur ses ressources de gaz. Après avoir développé des industries lourdes : acier, pétrochimie à Bitulu (Sarawak) et engrais sur la côte est de la péninsule, le pays se tourne vers les industries de plus haute technologie (électron., optique). L'industrie est soutenue par des investissements japonais, asiatiques et américains et encadrée par l'État. Mais en 1997 et 1998 le pays est frappé par la crise financière asiatique et doit interrompre son programme de grands travaux.
Hist. – Le peuplement malais a été très précoce (IIIe millénaire av. J.-C.). Au début de l'ère chrétienne, l'influence indienne, qui apporte le bouddhisme et l'écriture, soumet la péninsule malaise à l'autorité de différents royaumes hindous, notam. à l'empire de Shrivijaya (VIIe-XIVe s.) établi à Sumatra. Un premier État malais se forme en 1402 avec le royaume de Malacca. Au même moment, l'islam gagne le pays et les Arabes vont assumer seuls pendant des siècles les liaisons maritimes entre l'Asie et l'Afrique établies par les Malais. L'arrivée des Portugais, au début du XVIe s., brise la puissance de cet État malais (1511, prise de Malacca par Albuquerque). Devenu un comptoir commercial et un point stratégique, Malacca passe aux Néerlandais en 1641 puis aux Britanniques, en 1824. Après l'occupation japonaise (1941-1945), la Malaisie revient sous la protection de la Couronne britannique. En 1957 est proclamée l'indépendance de la Fédération de Malaisie qui devient, en 1963, Fédération de Grande Malaisie ou Malaysia, avec l'adjonction de Singapour et des territoires de Sarawak et Sabah. Mais Singapour fait sécession en 1965. Née dans les années 50, une guérilla communiste animée par les éléments chinois a été vaincue par les Britanniques. Un des problèmes majeurs de la Malaisie est la stabilité entre ses composantes ethniques, menacée par le déséquilibre du développement régional, comme le montre la tentative de sécession du Sabah en 1975. En 1993, Mahathir Mohamad, Premier ministre depuis 1981, est réélu, tandis que Tuanku Jaafar a été intronisé dixième roi de la Fédération (1994).
► carte **Indonésie**

Malakoff, ch.-l. de cant. des Hauts-de-Seine (arr. d'Antony) ; 31 135 hab. (*Malakoffiots*). Prod. pharm. ; mat. électron. et radioélectrique.

Malakoff (tour), puissante construction défendant Sébastopol assiégé par les Français ; elle fut prise d'assaut le 8 sept. 1855 par la division de Mac-Mahon.

Malamud (Bernard) (New York, 1914 – id., 1986), écrivain américain. Ses romans et nouvelles montrent des êtres accablés par le destin, partic. dans le milieu juif : *le Naturel* (1952), *le Commis* (1957), *l'Homme de Kiev* (1966), *le Locataire* (1971).

Malan (Daniel François) (Riebeek West, Le Cap, 1874 – Stellenbosch, 1959), pasteur et homme politique sud-africain ; leader du parti nationaliste. Premier ministre (1948-1954), partisan convaincu de l'apartheid.

malandrin n. m. Vieilli, litt. Vagabond, voleur, brigand.

Malang, v. d'Indonésie, dans l'E. de Java ; 512 000 hab. Centre agric. et industr. (métallurgie, textile, alim.).

Malaparte (Kurt Suckert, dit Curzio) (Prato, 1898 – Rome, 1957), écrivain italien. Fasciste se révoltant finalement contre le fascisme, il a brossé, dans des récits parfois outrés et cyniques, une fresque tragique de l'Europe des années 1930 à 1950 en proie à la décomposition et aux déchirements sanglants. Récits : *Kaputt* (1944), *la Peau* (1949), *Ces sacrés Toscans* (1956). Théâtre : *Du côté de chez Proust* (1948), *Das Kapital* (1949). Film : *le Christ interdit* (1951).

malappris, ise adj. et n. Vieilli Mal élevé, impertinent.

Mälar ou **Mälaren,** lac de la Suède centrale (1 140 km^2) communiquant, à Stockholm, avec un bras de la mer Baltique.

malaria n. f. Paludisme.

Malassis (Coopérative des), association d'artistes (1970-1973) qui réalisèrent en commun des œuvres figuratives dont l'engagement prolongea la « contestation » de mai 1968 : *le Grand Méchoui* (1972, 45 toiles peintes à l'occasion de l'exposition « Douze Ans d'art contemporain en France », Grand Palais, Paris). Les Malassis regroupaient : Henri Cueco, Lucien Fleury, Jean-Claude Latil, Michel Parré, Gérard Tisserand et Christian Zeimert.

Malatesta, famille (guelfe) de condottieri italiens. Elle posséda Rimini (à partir du XIIIe s.) et agrandit ses biens (Romagne, Ancône), qui furent réunis en 1528 aux États de l'Église. Son plus célèbre représentant est **Sigismondo Pandolfo** (Rimini, 1417 – id., 1468), excellent chef de guerre et prince cultivé.

Malatya, v. de Turquie, oasis au pied de l'Anti-Taurus ; 243 140 hab. ; ch.-l. de l'il du m. nom. Textiles ; fruits séchés.

Malaval (Robert) (Nice, 1937 – Paris, 1980), peintre français, l'un des membres de l'école de Nice (Klein, Arman, M. Raysse).

malavisé, ée adj. Litt. Qui agit ou parle mal à propos, de façon irréfléchie ou inconséquente.

Malawi (lac) (anc. lac *Nyassa*), grand lac de l'Afrique orient., partagé entre le Mozambique et le Malawi ; 26 000 km^2.

Malawi (république du), État d'Afrique orientale, situé entre la Zambie, la Tanzanie et le Mozambique ; 118 484 km^2 ; 8 278 000 hab. ; cap. *Lilongwe*. Nature de l'État : rép. membre du Commonwealth. Langue off. : angl. Monnaie : kwacha. Population : Bantous. Relig. : animistes (env. 45 %), chrétiens (env. 30 %), musulmans (env. 15 %).
Géogr. phys., hum. et écon. – Le quart oriental du pays est occupé par le lac Malawi, dominé à l'O. par de hauts plateaux (alt. max. 3 030 m) et sur lequel débouche, au S., la vallée du Shiré, zone la plus peuplée du pays. La savane boisée domine, correspondant à un climat tropical tempéré par l'altitude. Les cultures vivrières (maïs, riz, manioc) et d'exportation (tabac, thé, café, sucre) sont la base de l'économie. La pop., qui augmente de plus de 3 % par an, est rurale à 90 %. Le Malawi fait partie des pays les moins avancés ; ses princ. partenaires écon. sont la G.-B. et l'Afrique du Sud.
Hist. – Protectorat britannique en 1891, désigné sous le nom de Nyassaland en 1907, le pays forma (1953) avec la Rhodésie une fédération, qu'il fit éclater en 1962. Il accéda à l'indép. en 1964 sous le nom de Malawi. Deux ans plus tard, le pays devenait une république avec, à sa tête, Hastings Kamuzu Banda (1966-1994), qui se fit proclamer président à vie (1971) et dirigea le pays de façon autoritaire. Après l'adoption du multipartisme (1993), des élections libres sont remportées par le Front démocratique uni, dont le leader, Bakili Muluzi, est élu à la tête de l'État (1994). ► carte **Mozambique**

malawite adj. et n. Du Malawi.

malaxage n. m. Action de malaxer.

malaxer v. tr. [1] **1.** Pétrir (une substance, un mélange), pour l'amollir ou l'homogénéiser. *Malaxer une pâte.* **2.** Manier, triturer.

malaxeur n. m. Machine à malaxer.

malayalam n. m. LING Langue dravidienne parlée au Kerala.

malayo-polynésien, enne adj. LING *Langues malayo-polynésiennes* : syn. vieilli de *langues austronésiennes*. V. austronésien.

Malaysia. V. Malaisie.

malbec n. m. Cépage rouge à haut rendement cultivé dans de nombreuses régions de France.

Malbrough. V. Marlborough.

malchance n. f. Mauvaise chance. *User, jouer de malchance.* Syn. fam. déveine, guigne. ▷ Événement par lequel se manifeste la mauvaise chance.

malchanceux, euse adj. et n. En butte à la malchance.

Malcolm, nom de quatre rois d'Écosse. – **Malcolm Ier** (m. en 954), roi de 943 à 954. – **Malcolm II** (m. en 1034), roi de 1005 à 1034, unifia l'Écosse. – **Malcolm III** (m. à Alnwick en 1093), roi de 1057 à 1093 ; fils du roi Duncan Ier assassiné par Macbeth, qu'il tua et auquel il succéda. – **Malcolm IV**

(?, 1141 - Jedburgh, 1165), roi de 1153 à 1165; petit-fils de David Ier, à qui il succéda.

Malcolm X (Malcolm Little, dit) (Omaha, 1925 - New York, 1965), homme politique américain. Militant noir, après avoir appartenu au mouvement des Black Muslims (Musulmans noirs), il fonda l'Organisation de l'unité afro-américaine (1964); il fut assassiné.

malcommode adj. Qui n'est pas commode. *Cette installation est malcommode.* Ant. pratique.

Maldives (république des), État insulaire de l'océan Indien (env. 1 200 îles, dont 200 habitées, menacées par la montée des eaux de l'océan Indien), au S.-O. du Sri Lanka; 298 km^2; 195 000 hab. (Maldiviens) (654 hab./km^2); cap. *Mālé*. Nature de l'État : rép. de type présidentiel. Monnaie : roupie. Population d'orig. indienne. Relig. : islam. Langue : maldivien. Les Maldives appartiennent au groupe des pays les moins avancés. Princ. ressources : pêche, noix de coco, coprah; tourisme. - Protectorat britannique en 1877, les Maldives ont accédé à l'indépendance en 1965. Le sultanat a été abrogé en 1968. Le président Gayyoom est au pouvoir dep. cette date. Trois tentatives de coup d'État ont échoué, en 1980, 1983 et 1988.

maldonne n. f. JEU Erreur commise dans la distribution des cartes. - Par ext., fam. *Il y a maldonne* : il y a erreur.

mâle n. m. et adj. **I.** n. m. **1.** Individu (homme ou animal) qui appartient au sexe doué du pouvoir fécondant. *Le bélier est le mâle de la brebis.* - adj. *Un héritier mâle. Une souris mâle.* ▷ BOT *Fleur mâle,* qui ne porte que les étamines. **2.** Fam. Homme considéré dans sa force virile. *Un beau mâle.* ▷ adj. Viril. *Voix mâle. Une mâle assurance.* **II.** adj. TECH Se dit d'une pièce qui présente une saillie, une proéminence destinée à venir s'encastrer dans la cavité correspondante d'une autre pièce, dite *femelle. Une prise électrique mâle.*

Mâle (Émile) (Commentry, 1862 - Chaalis, Oise, 1954), historien d'art français; auteur d'ouvrages sur l'art religieux du Moyen Âge. Acad. fr. (1927).

Malé, cap. des Maldives; 55 000 hab.

Malebo Pool (anc. *Stanley Pool*), lac (450 km^2) formé par le fleuve Congo, au bord duquel sont bâties les villes de Brazzaville et de Kinshasa.

Malebranche (Nicolas de) (Paris, 1638 - id., 1715), oratorien et philosophe français, disciple de Descartes. Pour Malebranche, Dieu seul est la cause de la coïncidence entre l'âme et le monde matériel. En réservant la connaissance des causes à Dieu seul, c.-à-d. à la métaphysique, tandis que la science humaine se borne à rechercher les lois de la nature, Malebranche se trouve être le premier positiviste. Il est l'auteur de la *Recherche de la vérité* (1674), du *Traité de la nature et de la grâce* (1680), du *Traité de l'amour de Dieu* (1697).

Malec (Ivo) (Zagreb, 1925), compositeur français d'origine yougoslave. Son œuvre réalise la synthèse entre la musique électroacoustique (*Luminétudes,* 1968) et l'écriture pour voix et instruments traditionnels (*Oral,* 1967; *Vox, vocis,* 1979).

malédiction n. f. Litt. **1.** Action de maudire; paroles par lesquelles on maudit. *Proférer une malédiction.* **2.** Réprobation divine. - *Par ext.* Fatalité, destin néfaste. **3.** interj. Juron conventionnel (langue écrite). *Malédiction! il s'est enfui!*

MALDIVES

73°
7°
HAA-ALIFU
Atoll Ihavandiffulu
Deddu
Nolhivaranfaru
HAA-DHAALU
Atoll Tiladummati
Atoll Malcolm
SHAVIYANI
Farukolu Funadu
6°
Atoll Miladummadulu
Atoll Malosmadulu nord
NOONU
Manadu
Ugufaru
RAA
Naifaru
Atoll Fadiffolu
Atoll Malosmadulu sud
5°
BAA
Eidafushi
LHAVIYANI
Passe Kardiva
Atoll Horsburgh
KAAFU
ALIFU
Atoll Malé
OCÉAN
Thulusdu
MALÉ
4°
Atoll Ari
Atoll Malé sud
Mahibadu
Felidu
Atoll Felidu
VAAVU
FAAFU
Magudu
Atoll Nilandu
Nilandu
Atoll Mulaku
3°
Muli
DHAALU
Kuda Huvadu
MEEMU
THAA
Atoll Kolumadulu
Veimandu
2°
Atoll Haddummati
Hitaddu
LAAMU
Passe des Un degré et demi
GAAFU-ALIFU
1°
INDIEN
Wiringili
Tinadu
Atoll Suvadiva
GAAFU-DHAALU
Passe Équatoriale
équateur
GNYAVIYANI
Île Fua Mulaku
Fua Fula
Atoll Addu
SEENU
Hitadu
100 km
MALÉ capitale d'État
Hitadu chef-lieu d'atoll administratif
Population des villes :
de 20 000 à 50 000 hab.
autre ville
récif corallien
limite des atolls administratifs
aéroport important

maléfice n. m. Opération magique destinée à nuire; mauvais sort, enchantement. Syn. sortilège.

maléfique adj. Qui exerce une influence surnaturelle mauvaise.

maléique adj. CHIM *Acide maléique* : acide de formule CO_2H - CH = CH-CO_2H, qui entre dans la composition de matières plastiques.

Malek *(Mālik ibn Anas)* (Médine, v. 710 - id., 795), docteur de la loi islamique. Il rassembla les traditions musulmanes dans un livre import. : *Kitāb al-Muwaṭṭa'* («la Voie aplanie»).

malékite ou **malikite** adj. RELIG Qualifie un des quatre rites de l'islam, fondé par Malek (ou Malik) ibn Anas s'inspirant de la coutume de Médine. (C'est le rite suivi en Afrique du Nord, en Afrique occidentale et au Soudan.)

malencontreusement adv. Mal à propos.

malencontreux, euse adj. Qui survient mal à propos. *Une initiative malencontreuse.*

Malenkov (Gheorghi Maximilianovitch) (Orenbourg, auj. Tchkalov, Oural, 1902 - Moscou, 1988), homme politique soviétique. Secrétaire particulier de Staline (1932), il lui succéda en 1953 comme secrétaire général du P.C.U.S. et président du Conseil, mais Khrouchtchev le remplaça rapidement à la tête du parti, et l'évinça du gouvernement en fév. 1955. Il fut exclu du Comité central en 1957.

mal-en-point ou **mal en point** loc. adj. inv. En mauvais état de santé ou de fortune. *Être mal-en-point.*

malentendant, ante adj. et n. Se dit d'une personne qui souffre d'une déficience de l'ouïe.

malentendu n. m. Mauvaise interprétation d'une parole, d'un acte, entraînant une confusion; situation qui en résulte. *Leur désaccord repose sur un malentendu.* Syn. méprise.

Malesherbes (Chrétien Guillaume de Lamoignon de) (Paris, 1721 - id., 1794), magistrat français. Secrétaire de la Maison du roi (1775-1776), il améliora le régime pénal mais ne put accomplir les réformes qu'il souhaitait. Il protégea les philosophes. Avocat du roi devant la Convention (1792), il fut guillotiné sous la Terreur (1794). Acad. fr. (1774).

Malet (Claude François de) (Dole, 1754 - Paris, 1812), général français. Les 22 et 23 octobre 1812, il tenta de soulever la garnison de Paris en faisant croire à la mort (en Russie) de l'Empereur. Il fut fusillé le 29 octobre.

Malet (Léon, dit Léo) (Montpellier, 1909 - Châtillon-sous-Bagneux, 1996), écrivain français. Chansonnier puis poète surréaliste, il connut le succès grâce à des romans «noirs», dans lesquels il met en scène le détective Nestor Burma (série *les Nouveaux Mystères de Paris*).

mal-être n. m. inv. État d'une personne qui se sent profondément mal à l'aise dans la société où elle vit.

Malevitch (Kazimir Severinovitch) (près de Kiev, 1878 - Leningrad, 1935), peintre soviétique; créateur du suprématisme, à l'origine de l'abstraction

Kasimir **Malevitch :** *Suprématisme,* 1917; musée des Beaux-Arts, Krasnodar

géométrique (*Carré blanc sur fond blanc*, 1914). Promoteur de l'art révolutionnaire après 1917, il se heurta aux conceptions de l'art officiel stalinien et revint à l'académisme.

malfaçon n. f. Défaut dans la confection d'un ouvrage.

malfaisance n. f. Litt. Disposition à faire du mal à autrui.

malfaisant, ante adj. **1.** Qui se plaît à nuire. *Les korrigans sont des esprits malfaisants.* **2.** Néfaste, nuisible. *Influence malfaisante. Animaux malfaisants.*

malfaiteur n. m. Homme qui vit en marge de la loi, en tirant profit d'activités délictueuses ou criminelles. Syn. bandit.

malfamé ou **mal famé, ée.** V. famé.

malformation n. f. Anomalie congénitale, vice de conformation. *Malformation cardiaque.*

malfrat [malfʀa] n. m. Fam. Malfaiteur, truand.

malgache adj. et n. **1.** adj. De Madagascar. ▷ Subst. *Un(e) Malgache.* **2.** n. m. *Le malgache* : la langue officielle de Madagascar, appartenant à la famille austronésienne.

Malghir (chott). V. Melghir (chott).

malgré prép. **I.** Contre la volonté, le désir, la résistance de (qqn); en dépit de (qqch). *Il a fait cela malgré moi. Il est sorti malgré la pluie.* Syn. litt. en dépit de; vieilli nonobstant. ▷ *Malgré tout* : en dépit de tout, quoi qu'il arrive. *Je veux malgré tout tenter l'expérience.* **II.** Loc. conj. *Malgré que.* **1.** Bien que, quoique (emploi critiqué). *« Malgré qu'il ait obtenu tous les prix de sa classe » (Mauriac).* **2.** Litt. *Malgré que j'en aie, qu'il en ait* : quelque mauvais gré que j'en aie, qu'il en ait; en dépit de moi, de lui.

malhabile adj. Qui manque d'habileté, d'adresse. Syn. maladroit.

malhabilement adv. De manière malhabile.

Malherbe (François de) (Caen, 1555 – Paris, 1628), poète français. Adversaire de Desportes et de Ronsard, il condamna l'italianisme, la préciosité, le style amphigourique, rejeta les patois, repoussa l'usage des termes techniques, réclama une solide harmonie des vers et une grande clarté des images. Il contribua ainsi à établir la langue pure, un peu appauvrie mais claire, relativement stable, de l'époque classique; son influence fut considérable sur tout le XVIIe s. Ses poèmes, répartis en 47 livres, comptent 125 pièces (4 000 vers env.) : odes (*Consolation à Dupérier*, 1599), stances, chansons, sonnets. Prose : *Commentaire sur Desportes* (publié en 1825).

malheur n. m. **1.** Mauvaise fortune, sort funeste. – Loc. *Jouer de malheur* : être victime de la malchance. ▷ Loc. exclam. *Malheur à, sur...* (exprimant une imprécation). *Malheur à vous si vous n'obéissez pas!* – *Malheur!* (exprimant une déception, un regret). *Malheur! j'ai tout cassé!* **2.** Situation douloureuse, pénible; adversité. ▷ *Faire le malheur de qqn*, être la cause d'événements qui l'affligent. **3.** Événement affligeant, douloureux. *Quel malheur!* ▷ *Ce n'est pas un malheur* : ce n'est pas grave; fam. c'est heureux. *Il a fini par vous payer? Ce n'est pas un malheur!* ▷ *Faire un malheur* : se livrer à une action violente, à un éclat regrettable. – *Par antiphrase.* Avoir un succès considérable, gagner. *Cette équipe de football peut faire un malheur dans le championnat.* ▷ (Prov.) *Un malheur ne vient, n'arrive jamais seul. À quelque chose malheur est bon* : un malheur procure parfois des avantages imprévus.

François de Malherbe

Mallarmé

malheureusement adv. **1.** Rare D'une manière malheureuse, malencontreuse. *Il lui arrive de parler malheureusement.* **2.** Par malheur. *Il n'est malheureusement pas à la hauteur.*

malheureux, euse adj. et n. **I.** adj. et n. (Personnes) **1.** Qui est dans une situation pénible, douloureuse. *Être malheureux comme les pierres.* ▷ Subst. *Il souffre, le malheureux.* **2.** Qui n'a pas de chance; qui ne réussit pas. *Il a été plutôt malheureux dans le choix de ses collaborateurs.* ▷ Subst. (Désignant la victime d'un accident, d'une calamité.) *La malheureuse a coulé à pic.* ▷ Exclam. (En apostrophe.) *Taisez-vous, malheureux!* **3.** n. Individu dans la misère. *Des petits malheureux en haillons.* Syn. pauvre, indigent. **II.** adj. **1.** Pénible, douloureux, affligeant. *Être dans une situation malheureuse. C'est malheureux* : c'est dommage, regrettable. ▷ Qui dénote le malheur. *Un air malheureux.* **2.** Qui porte malheur. *Être né sous une malheureuse étoile.* **3.** Qui a des conséquences fâcheuses ou funestes. *Parole, geste malheureux.* Syn. malencontreux. **4.** Qui ne réussit pas. *Une initiative malheureuse.* – *Passion malheureuse*, qui n'est pas partagée. **III.** adj. (Placé devant le nom.) Insignifiant, négligeable. *Il ne vous demande qu'un seul malheureux franc.*

malhonnête adj. et n. **1.** Qui manque à la probité. *Caissier malhonnête.* Syn. indélicat. Ant. honnête, intègre. – Par ext. *Action malhonnête.* **2.** Vieilli Incivil, grossier. *Langage malhonnête.* ▷ Subst. Personne incivile. *Taisez-vous, malhonnête!* **3.** Vieilli Contraire à la décence. *Propositions malhonnêtes.* Syn. inconvenant.

malhonnêtement adv. D'une manière malhonnête.

malhonnêteté n. f. Manque de probité. ▷ Action malhonnête. *Commettre une malhonnêteté.*

Mali (république du) (anc. *Soudan français*), État intérieur de l'Afrique occid., drainé par le Niger; 1 240 000 km²; env. 8 millions d'hab. (croissance démographique : près de 3 % par an); cap. *Bamako.* Nature de l'État : république. Langue off. : français (langue vernaculaire : bambara). Monnaie : franc C.F.A. Princ. ethnies : Bambaras, Foulbés, Sarakholés, Malinkés, Dogons (Noirs); Touareg, Maures (Blancs). Relig. : musulmans (69 %), animistes (30 %), chrétiens (1 %).

Géogr. phys., hum. et écon. – Le territoire, au relief modéré (plateaux et plaines alluviales), s'étend sur trois zones bioclimatiques. Le N., désertique, appartient au Sahara méridional, prolongé, au centre, par le Sahel, zone tropicale steppique à longue saison sèche. Dans ces régions domine l'élevage nomade des bovins et des ovins, très affecté par les graves sécheresses des deux dernières décennies. Le S., plus peuplé, correspond à un climat plus humide de savanes et de forêts claires; les zones de cultures (mil, riz, coton, arachide, manioc) ont été étendues, grâce à des travaux d'irrigation, le long de la vallée du Niger (Macina) et du

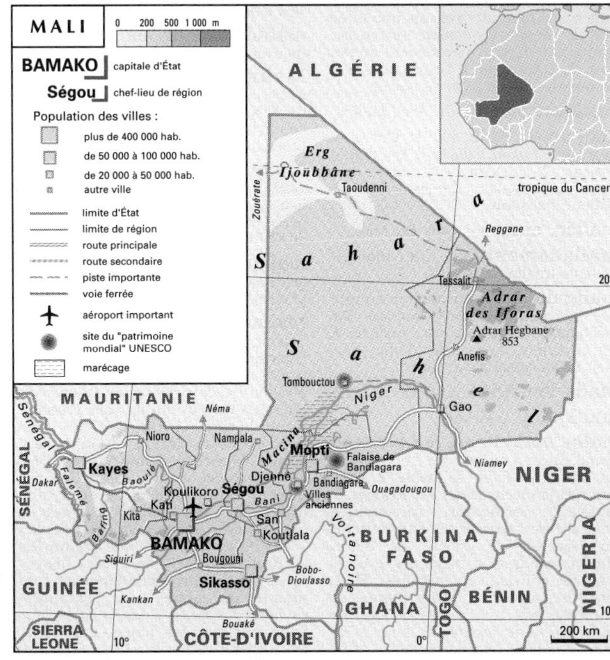

Sénégal. La pêche fluviale est un appoint appréciable. Les ressources minières (or, diamant, bauxite, manganèse) sont peu exploitées par manque d'infrastructures. La population est rurale à 80 %. Le Mali fait partie des pays les moins avancés et souffre d'un endettement élevé. Un plan d'austérité et des mesures de libéralisation de l'économie ont été adoptés en 1989, sous l'égide du F.M.I. L'art du Mali est princ. représenté par les objets rituels des Bambaras, des Dogons, des Kurumbas et des Sénoufos.
Hist. – Le Mali porte le nom de l'anc. empire des Mandingues, qui connaît son apogée sous le règne de Kankan Moussa (1312-1337). Au XIXe s., Faidherbe s'attache à la conquête des territoires situés entre le Sénégal et le Niger. Gallieni achève cette conquête (1880-1895) et rattache le pays conquis à l'A.-O.F. ; il prend le nom de Soudan français en 1920 ; le Soudan accède à l'indépendance (1958) dans le cadre de la Communauté et forme avec le Sénégal la fédération du Mali (1959-1960). Après la dissolution de la fédération, l'ex-Soudan français garde le nom de Mali. Modibo Keita, chef de l'État à partir de 1960, oriente le pays vers le socialisme. Il est renversé par une junte militaire conduite par Moussa Traoré (1968). Sous son autorité, la nouvelle Constitution établit un régime présidentiel et un parti unique (1974), mais, sous la pression populaire, il est évincé (1991). En 1992, des élections portent au pouvoir Alpha Oumar Konaré, réélu en 1997. Le Mali a dû faire face à la rébellion touarègue (1990-1995).

Malibran (María de la Felicidad García, dame Malibran, dite la) (Paris, 1808 – Manchester, 1836), cantatrice française d'origine espagnole. Elle fut la gloire du Théâtre-Italien. Musset écrivit à sa mort les *Stances à la Malibran* (1836).

malice n. f. **1.** Vx Inclination à nuire, à mal faire avec adresse et finesse. ▷ Mod. *Il ne faut pas entendre malice à ses plaisanteries,* il ne faut y voir aucune intention de blesser. *Un homme sans malice,* simple et bon, sans méchanceté, un peu naïf. **2.** Disposition à l'espièglerie, à la taquinerie. *Enfant plein de malice.*

malicieusement adv. Avec malice.

malicieux, euse adj. **1.** Qui a de la malice. *Enfant malicieux.* Syn. taquin, espiègle. **2.** Qui dénote la malice, où il entre de la malice. *Ton malicieux.* Syn. railleur, narquois.

malien, enne adj. et n. Du Mali.

malignement adv. De manière maligne (malin, sens II, 1).

malignité n. f. **1.** Inclination à nuire. *La malignité du cœur humain.* Syn. méchanceté, malveillance, malice. **2.** MED Caractère de gravité (d'une maladie). *La malignité d'une fièvre.*

Malik ibn Anas. V. Malek.

malikite. V. malékite.

malin, maligne adj. et n. **I. 1.** Vx Qui prend plaisir à nuire. ▷ Mod. *L'esprit malin* ou, absol., *le Malin* : le diable. **2.** Où il entre de la méchanceté. *Joie maligne.* **3.** Mauvais, pernicieux. *La maligne influence des astres.* ▷ MED Qui présente un caractère de gravité. Ant. bénin. *Tumeur maligne,* à potentiel évolutif grave, et pouvant se généraliser. **II. 1.** Fin, rusé, astucieux. *Malin comme un singe.* Syn. fam. futé. ▷ Subst. *C'est un malin qui ne se laissera pas duper.* ▷ Fam. *Faire le malin* : faire le fanfaron, affecter un air de supériorité. **2.** Fam. *Ce n'est pas malin de lui avoir dévoilé notre plan,* ce n'est pas très intelligent. – Par antiphrase. *C'est malin ! tu as tout gâché. Ce n'était pas malin, mais encore fallait-il y penser,* ce n'était pas difficile à trouver.

Malines (en néerl. *Mechelen*), v. de Belgique, sur la Dyle ; 77 270 hab. Cap. de la draperie flamande. Dentelles réputées. – Archevêché métropolitain de Belgique partagé depuis 1962 avec Bruxelles. Cath. gothique St-Rombaut (XIIIe s.), halle aux draps (XIVe s.), plusieurs égl. (XVe s.).

Malines (ligue de), ligue formée en 1513 par le pape Léon X, Maximilien d'Autriche, Henri VIII d'Angleterre et Ferdinand le Catholique contre Louis XII, engagé dans la conquête du Milanais. Elle se désagrégea dès 1514.

malingre adj. (et n.) De constitution délicate et chétive. *Personne malingre.*

malinké n. m. Langue du groupe mandé, parlée par les Malinkés.

Malinké(s), ethnie de la Côte-d'Ivoire, du Mali et de Guinée (V. Mandingues).

malinois, oise adj. et n. **1.** De Malines. **2.** n. m. Chien de berger belge à poil court fauve.

Malinovski (Rodion Iakovlevitch) (Odessa, 1898 – Moscou, 1967), maréchal soviétique. Il défendit Stalingrad en 1942, commanda le 2e front d'Ukraine (1943-1944), et s'empara de Bucarest (1944) de Budapest et de Vienne (1945). Il fut ministre de la Défense de 1957 à sa mort.

Malinowski (Bronisław) (Cracovie, 1884 – New Haven, 1942), anthropologue et ethnologue britannique d'origine polonaise. Ses études, faites à la lumière de la psychanalyse et de l'analyse fonctionnelle, ont surtout porté sur la culture (mœurs sexuelles et familiales) des indigènes des îles Trobriand (Mélanésie) : *les Argonautes du Pacifique occidental* (1922), *la Sexualité et sa répression dans les sociétés primitives* (1927).

malintentionné, ée adj. Qui a de mauvaises intentions.

Malinvaud (Edmond) (Limoges, 1923), économiste français. Directeur de l'I.N.S.E.E. (1974-1987), il a surtout consacré ses travaux à l'analyse de la croissance économique.

Malipiero (Gian Francesco) (Venise, 1882 – Trévise, 1973), compositeur italien. Sa tendance romantique fut tempérée par l'étude des maîtres des XVIIe et XVIIIe s.

malique adj. CHIM *Acide malique* : diacide alcool existant dans les fruits et les plantes.

Mallarmé (Stéphane) (Paris, 1842 – Valvins, Seine-et-Marne, 1898), poète français, surnommé le « prince des poètes ». Dans ses prem. poèmes, d'inspiration baudelairienne, on trouve déjà quelques thèmes qui lui sont propres : refus du réel « parce que vil », goût pour le monde idéal et absolu de l'art ; ensuite *Hérodiade* (commencé en 1864) et *l'Après-midi d'un faune* (1876) participent assez étroitement du symbolisme ; puis viennent ses poèmes les plus achevés (*Prose pour Des Esseintes,* 1885), les sonnets (*Tombeau d'Edgar Poe,* de *Baudelaire,* de *Verlaine,* etc.). Images, analogies, « correspondances » font maintenant appel aux ressources cachées des mots, à leur « halo », non pour nommer les objets mais pour les suggérer. Dans le « Livre » (plan et conception publiés en 1957), il veut fixer au poète la mission, insensée peut-être, d'écrire l'œuvre qui, « explication orphique de la terre », soumettrait à l'empire de l'esprit humain le hasard, symbole de l'imperfection même de cet esprit. *Un coup de dés* (1897), long poème en vers libres, d'une typographie révolutionnaire, est l'aveu pathétique de l'échec d'une telle entreprise. Ses œuvres en prose (princ. textes réunis sous le titre de *Divagations,* 1897) permettent une approche plus aisée de son écriture. Mallarmé a joué et continue de jouer un rôle considérable dans l'évolution de la littér. au XXe s.
▶ illustr. page **1145**

malle n. f. **1.** Coffre servant à enfermer les objets que l'on transporte en voyage, valise de grande dimension, portant généralement deux poignées. *Malle d'osier.* ▷ *Faire sa malle* : préparer ses bagages, et, *par ext.,* s'apprêter à partir. – Pop. *Se faire la malle* : partir, s'enfuir. **2.** Coffre à bagages d'une automobile. **3.** *Malle-poste* ou *malle* : anc. voiture de l'administration des postes, dans laquelle on admettait les voyageurs. ▷ HIST *Malle des Indes* : service postal rapide organisé vers 1839 entre l'Angleterre et les Indes. – Bateau et train qui assuraient ce service.

Malle (Louis) (Thumeries, 1932 – Los Angeles, 1995), cinéaste français. Observateur corrosif des relations entre individus et entre classes sociales, il s'est constamment renouvelé : *Ascenseur pour l'échafaud* (1957), *les Amants* (1960), *Lacombe Lucien* (1974), *Atlantic City* (1980), *Au revoir les enfants* (1987).

malléabilité n. f. Propriété des corps malléables. ▷ Fig. *La malléabilité des jeunes esprits.*

malléable adj. **1.** Se dit d'une substance qui peut facilement être façonnée en lames ou en feuilles par martelage. *Les métaux les plus malléables sont l'or, l'argent, l'aluminium et le cuivre.* **2.** Par ext., cour. Que l'on peut façonner, modeler sans difficulté. *La cire est malléable.* ▷ Fig. *Caractère malléable.*

malléole n. f. ANAT Chacune des saillies osseuses communément appelées *chevilles,* formées par les extrémités inférieures du tibia et du péroné.

malletier n. m. Fabricant de malles, mallettes, sacs, etc.

Mallet-Joris (Françoise) (Anvers, 1930), écrivain français d'origine belge. Elle s'attache aux situations psychologiques hors du commun et à l'observation d'une société en pleine mutation : *le Rempart des Béguines* (1951), *les Mensonges* (1956), *l'Empire céleste* (1958), *Trois âges de la nuit* (1968), *le Clin d'œil de l'ange* (1983).

Mallet-Stevens (Robert) (Paris, 1886 – id., 1945), architecte français ; un des propagateurs en France du style dit international : villas de la rue Mallet-Stevens à Paris (1926-1927).

mallette n. f. **1.** Petite valise. **2.** (Belgique) Cartable d'écolier.

mal-logé, ée n. Personne dont le logement est insuffisant.

mallophages n. m. pl. ENTOM Ordre d'insectes aptères comprenant les poux des oiseaux. – Sing. *Un mallophage.*

Malmaison. V. Rueil-Malmaison.

Malmédy, com. de Belgique (Liège) ; 10 040 hab. – Prussienne de 1815 à 1919, la ville fut très endommagée en 1944.

malmener v. tr. [16] **1.** Traiter (qqn) avec rudesse, en paroles ou en actes. **2.** *Malmener un adversaire,* le tenir en échec par une action rude, énergique.

Malmesbury (James Harris, 1er comte de) (Salisbury, 1746 - Londres, 1820), diplomate anglais. Il conclut la Triple-Alliance de 1788 (Angleterre, Provinces-Unies, Prusse).

Malmö, v. et port de la Suède mérid., sur l'Øresund; ch.-l. de län; 230 000 hab. Grand port de comm. et centre industr. (constr. navales; prod. chim., text.; aciéries).

malnutrition n. f. Déficience ou déséquilibre de l'alimentation provoquant un état pathologique plus ou moins grave.

malodorant, ante adj. Qui dégage une mauvaise odeur, qui sent mauvais. ▷ Fig. *Des trafics d'influence plus ou moins malodorants.*

Malory (sir Thomas) (Newbold Revell, Warwickshire, 1408 - Newgate, 1471), écrivain anglais. Il reprend les thèmes celtiques des légendes du roi Arthur dans *Mort d'Arthur* (1469-1470).

Malot (Hector) (La Bouille, Seine-Mar., 1830 - Fontenay-sous-Bois, 1907), écrivain français. Par leur aspect social et humanitaire, ses romans sur l'enfance malheureuse constituent un excellent document sur la France du XIXe s. : *Sans famille* (1878), *En famille* (1893).

malotru, ue n. Personne qui a des manières grossières.

malouin, ine adj. et n. De Saint-Malo. ▷ Subst. *Un(e) Malouin(e).*

Malouines (îles). V. Falkland.

mal-pensant, ante adj. et n. Dont les convictions ne sont pas en conformité avec l'ordre et les principes établis (notam. en matière religieuse). ▷ Subst. *Les mal-pensants.*

Malpighi (Marcello) (Crevalcore, près de Bologne, 1628 - Rome, 1694), médecin italien. Il utilisa, le premier, le microscope pour étudier les tissus humains. ▷ ANAT *Corpuscules de Malpighi :* petites granulations glandulaires de la rate; glomérules constitutifs du rein. ▷ *Pyramide de Malpighi :* petit faisceau de tubes urinifères.

Malplaquet, écart de la com. de Taisnières-sur-Hon (Nord), où Villars fut vaincu par Marlborough et le prince Eugène (1709).

malpoli, ie adj. et n. Fam. Se dit d'une personne impolie.

malpropre adj. (et n.) **1.** Qui manque de propreté; sale. *Un homme, un habit malpropre.* **2.** Fig. Indécent, grivois. *Propos malpropres.* **3.** Fig. Contraire à la droiture, malhonnête. *Des manœuvres malpropres.* ▷ Subst. Personne peu recommandable. *On l'a renvoyé comme un malpropre.*

malproprement adv. D'une manière malpropre. *Manger malproprement.*

malpropreté n. f. **1.** État de ce qui est malpropre. *Cette chambre est d'une malpropreté repoussante.* **2.** Fig. Indécence, grivoiserie. ▷ Action ou parole indécente. *Raconter des malpropretés.* **3.** Fig. Indélicatesse, malhonnêteté. ▷ Action malhonnête.

Malraux (André) (Paris, 1901 - Créteil, 1976), écrivain et homme politique français. Homme d'action, il participa aux luttes et aux aventures du monde contemp. : après avoir fait connaître le combat des révolutionnaires chinois de 1926 (*les Conquérants,* 1928; *la Condition humaine,* 1933), il lutta aux côtés des républicains espagnols en guerre (*l'Espoir,* 1937), contre l'armée allemande en 1940 (*les Noyers de l'Altenburg,* 1943), dans la Résistance, puis dans les rangs du R.P.F.; il fut ministre des Affaires culturelles de 1959 à 1969. Essayiste brillant, il édifia une philosophie de l'art : *les Voix du silence* (1951); *la Métamorphose des dieux* (3 vol., 1957, 1974, 1976). Autres œuvres importantes : *Antimémoires* (1967) dont il fit par la suite le premier tome du *Miroir des limbes;* le deuxième tome, *la Corde et les souris,* comprenant : *Hôtes de passage* (1975), *les Chênes qu'on abat* (entretiens avec de Gaulle, 1969), *la Tête d'obsidienne* et *Lazare* (1974).

André **Malraux**

Nelson **Mandela**

malsain, aine adj. **1.** Qui n'est pas en bonne santé; maladif. *Un enfant malsain.* ▷ Qui dénote un mauvais état de santé. - Fig. Qui dénote une mauvaise santé morale, mentale. *Une curiosité malsaine.* **2.** Qui est nuisible à la santé. *Climat malsain.* ▷ Fig. Qui est nuisible à la santé morale, mentale. *Une excitation malsaine.*

malséant, ante adj. Litt. Contraire à la bienséance. *Propos malséants.* ▷ Qui ne convient pas, compte tenu des circonstances; hors de propos, déplacé. *Interruption malséante.*

malsonnant, ante adj. Litt. Qui choque par sa grossièreté (paroles).

malstrom. V. maelström.

Malstrom. V. Maelström.

malt [malt] n. m. Graines d'orge (quelquefois d'une autre céréale) ayant subi le maltage, que l'on utilise dans la fabrication de la bière, du whisky et de quelques autres produits alimentaires.

maltage n. m. Suite d'opérations (humidification, dessèchement, dégermage) qui a pour but de développer dans l'orge germé (ou une autre céréale) une enzyme transformant l'amidon en maltose. - Transformation de l'orge, d'une céréale en malt.

maltais, aise adj. et n. **1.** adj. De Malte. ▷ Subst. *Un(e) Maltais(e).* **2.** n. m. *Le maltais :* la langue officielle de Malte, dérivée de l'arabe et écrite à l'aide d'un alphabet latin complété. **3.** n. f. Orange de Malte.

maltase n. f. BIOCHIM Enzyme d'origine salivaire ou intestinale qui hydrolyse le maltose en deux molécules de glucose.

Malte (république de) *(Repubblika ta'Malta; Republic of Malta),* État insulaire de la Méditerranée, membre du Commonwealth, situé entre la Sicile et la Tunisie; 316 km²; env. 345 000 hab. ; cap. et port princ. *La Valette.* Nature de l'État : république. Langues off. : maltais, anglais. Monnaie : livre maltaise. Relig. : cathol.
Géogr. phys. et écon. - Île calcaire peu élevée (258 m), au climat méditerranéen sec, Malte est privée d'eau douce qu'elle doit produire dans des usines de dessalement d'eau de mer. La population ne s'accroît plus que faiblement et l'émigration, autrefois massive, s'est tarie. L'île supporte une densité record de 1 100 hab./km². L'économie est diversifiée et assez prospère : agriculture (céréales, fruits, légumes), industrie (arsenal de La Valette, industries mécaniques, textiles, électriques et électroniques), tourisme.
Hist. - En raison de sa position stratégique, l'île fut de tout temps disputée; Phéniciens, Grecs, Carthaginois et Romains l'occupèrent. Conquise par les Arabes (IXe s.) puis par les Normands, conduits par Roger de Sicile (1090), son histoire se confondit avec celle du royaume de Sicile jusqu'en 1530 : Charles Quint la céda aux chevaliers de Rhodes, qui prirent le nom de chevaliers de Malte et menèrent une guerre active contre la Barbarie. L'île leur fut enlevée par Bonaparte en 1798. Les Anglais s'en emparèrent en 1800 et en firent une base militaire, importante dans la guerre en Méditerranée après 1940. À la suite de l'échec d'une politique d'intégration à la Grande-Bretagne, indépendante en 1964, dans le cadre du Commonwealth, Malte conclut en 1972 un accord avec la G.-B., aux termes duquel les bases britanniques furent fermées en 1979. À partir de 1971, elle suivit une politique de non-alignement sous la conduite du travailliste Dom Mintoff. En 1987, la victoire électorale des libéraux permit une réorientation de la politique intérieure et extérieure. En 1990, Malte a déposé une demande d'adhésion à la C.E.E.
► carte **Italie**

Malte (croix de), croix à quatre branches égales allant en s'évasant et dont les bras se terminent par des pointes, insigne des chevaliers de Malte.

Malte (ordre souverain militaire et hospitalier de), ordre religieux et militaire dont le siège est auj. à Rome mais dont la fonction est devenue purement charitable. - L'origine de l'ordre de Malte remonte à la création, en 1099 et 1113, d'un ordre militaire et religieux pour la défense des pèlerins de Terre sainte, et appelé alors *hospitaliers de Saint-Jean de Jérusalem.* Après la prise de Saint-Jean-d'Acre, les hospitaliers s'installèrent à Chypre (1291), puis à Rhodes (1308) et à Malte (1530-1798), où ils prirent le nom de *chevaliers de Rhodes,* puis *de Malte.* L'ordre s'installa à Rome en 1834.

Malte (fièvre de). Syn. de *brucellose.*

malté, ée adj. **1.** Converti en malt. **2.** Qui contient du malt. *Biscuit malté.* **3.** Qui rappelle le malt. *Goût malté.*

Malte-Brun (Malthe Conrad Bruun, dit Konrad) (Thisted, Jylland, 1775 - Paris, 1826), géographe danois. Son *Précis de géographie universelle,* entrepris en 1810, fut achevé par Huot. Partisan de la Révolution franç., il dut quitter son pays pour Paris, où il fonda, en 1821, la Société de géographie.

Malthus (Thomas Robert) (près de Dorking, Surrey, 1766 - Haileybury, Hertfordshire, 1834), économiste anglais. Son *Essai sur le principe de population* (1798) connut un immense succès et déclencha de nombreuses polémiques. Il étudia également le rôle de la monnaie, de l'épargne et des investissements.

malthusianisme n. m. Doctrine de Malthus selon laquelle, la population tendant à s'accroître plus rapidement que la somme des subsistances, le seul remède à l'accroissement de la misère est la limitation volontaire des naissances par abstinence. ▷ *Malthusianisme économique* : politique consistant à restreindre volontairement la production d'un État, d'un secteur industriel.

malthusien, enne adj. et n. **1.** adj. Qui a rapport au malthusianisme. **2.** n. Partisan de la doctrine de Malthus.

maltose n. m. BIOCHIM Sucre formé de deux molécules de glucose.

maltôte n. f. HIST Impôt exceptionnel levé sur les ventes de marchandises, sous l'Ancien Régime.

maltraiter v. tr. [1] **1.** Traiter d'une façon brutale ; faire subir des violences à. *Maltraiter un chien.* **2.** Traiter sans aménité, rudoyer, malmener. *Maltraiter ses employés.* – Par ext. *La critique a maltraité ce spectacle.*

malus [malys] n. m. Augmentation du montant de la prime d'assurance d'un véhicule, en cas d'accident engageant la responsabilité du conducteur. Ant. bonus.

Malus (Étienne Louis) (Paris, 1775 – id., 1812), physicien français. Il découvrit la polarisation de la lumière (1808).

malvacées n. f. pl. BOT Famille de dicotylédones dialypétales des régions tempérées et tropicales comprenant des plantes herbacées *(mauve)*, des arbustes *(cotonnier)* et des arbres *(fromager)*. – Sing. *Une malvacée.*

malveillance n. f. **1.** Disposition à vouloir du mal à son prochain ; disposition à blâmer, à critiquer autrui. **2.** Intention criminelle. *Un incendie dû à la malveillance.*

malveillant, ante adj. et n. **1.** Qui a de la malveillance. *Un homme malveillant.* ▷ Subst. *Laissez dire les malveillants.* **2.** Qui manifeste de la malveillance. *Des bavardages malveillants.*

malvenu, ue adj. **1.** Qui s'est mal développé. *Un arbre malvenu.* **2.** Litt. Qui n'a pas de raison légitime pour (faire qqch). *Il serait bien malvenu à (de) se plaindre.* – Par ext. *Des reproches malvenus.*

malversation n. f. Malhonnêteté grave commise dans l'exercice d'une charge. – *Spécial.* Détournement de fonds publics.

malvoisie n. m. **1.** Vin grec liquoreux, élevé dans la région de Malvoisie (Monemvasia, en Grèce). **2.** Nom de vins de différents pays obtenus avec le cépage de Malvoisie. **3.** *Par ext.* Vin cuit et sucré rappelant le malvoisie.

malvoyant, ante n. Personne qui souffre d'une déficience importante de la vue.

Mamaia, stat. baln. réputée de Roumanie, sur la mer Noire, au N. de Constanţa.

maman n. f. Mère (mot affectueux). *Va voir maman.*

mambo [mɑ̃mbo] n. m. Danse latino-américaine à quatre temps, tenant de la rumba et du cha-cha-cha.

mamelle n. f. **1.** Organe glandulaire propre aux femelles des mammifères placentaires et marsupiaux, qui sécrète le lait. **2.** Vx ou MED Mamelle de la femme, sein. *Un enfant à la mamelle,* qui tète encore. – Mod., péjor. Gros sein.

mamelon n. m. **1.** ANAT Saillie conique formant la pointe du sein de la femme. *Le mamelon est entouré d'une zone pigmentée, l'aréole.* **2.** Éminence, saillie arrondie. ▷ Élévation de terrain de forme arrondie. ▷ TECH Raccord fileté à ses deux extrémités.

mamelonné, ée adj. Qui présente des protubérances en forme de mamelons. *Terrain mamelonné.*

mamelouk ou **mameluk** [mamluk] n. m. HIST **1.** Soldat turco-égyptien faisant partie d'une milice destinée à la garde du sultan. **2.** Soldat d'une compagnie formée pendant la campagne d'Égypte et que Napoléon Ier intégra partiellement dans la garde impériale en 1804.

ENCYCL Le corps des mamelouks, constitué de jeunes esclaves, fut créé v. 1230 par le sultan d'Égypte Malik al Salih. Devenus rapidement très puissants, ils portèrent leurs chefs au pouvoir (1250) et ceux-ci s'y maintinrent malgré la conquête turque (1517). L'expédition française d'Égypte (1798) affaiblit les mamelouks. Méhémet-Ali, pacha d'Égypte, fit massacrer leurs chefs en 1811.

mamelu, ue adj. Vx ou plaisant Qui a de gros seins.

Mamers, ch.-l. d'arr. de la Sarthe, sur la Dive ; 6 424 hab. Électroménager. – Égl. St-Nicolas (XIIIe-XVIe s.). Couvent de la Visitation (XVIIIe s.), auj. hôtel de ville.

Mamertins, mercenaires originaires de Campanie qui conquirent Messine (v. 283 av. J.-C.). En lutte avec Hiéron de Syracuse, puis avec Carthage, ils appelèrent à leur aide les Romains : ce fut le début de la première guerre punique (264 av. J.-C.).

m'amie ou **mamie** n. f. Abrév. fam. et anc. de *ma amie* (mon amie).

mamie, **mammy** ou **mamy**, plur. **mamies** n. f. Fam. (langage enfantin) Grand-mère. Syn. pop. mémé, mémère.

mamillaire adj. et n. f. **1.** adj. ANAT En forme de mamelon. ▷ Qui concerne le mamelon. **2.** n. f. BOT Cactacée (genre *Mamillaria*) portant des mamelons épineux.

mammaire adj. ANAT Relatif aux mamelles.

mammalien, enne adj. ZOOL et PALEONT *Reptiles mammaliens* : reptiles fossiles, pourvus de mamelles, qui existèrent dès le permien et dont sont issus les mammifères. ▷ *Lignée mammalienne,* celle des reptiles mammaliens.

mammalogie n. f. Partie de la zoologie qui étudie les mammifères.

mammectomie n. f. CHIR Ablation de la glande mammaire. Syn. mastectomie.

Mammeri (Mouloud) (Taourirt-Mimoun, 1917 – Ain-Defla, 1989), écrivain et folkloriste algérien d'expression française ; un des initiateurs du roman psychologique algérien (*la Colline oubliée,* 1952).

mammifère adj. et n. m. ZOOL Qui a des mamelles. ▷ n. m. pl. Classe de vertébrés supérieurs homéothermes (« à température constante »), portant des mamelles (ou des aires mammaires). – Sing. *L'homme est un mammifère.*

ENCYCL Les mammifères forment la classe de vertébrés la plus évoluée. Les glandes mammaires, qui caractérisent leurs femelles (à l'exception de celles des monotrèmes), sécrètent du lait pour nourrir les jeunes. Leur cœur est divisé en quatre cavités et ils possèdent un encéphale volumineux. Leur corps est le plus souvent couvert de poils. Les organes des sens sont très développés. Les mammifères peuplent tous les milieux ; certains vivent sous terre *(taupe)*, d'autres sont amphibies *(loutre, castor)*, marins *(cétacés)* ou adaptés au vol *(chauve-souris)* ; beaucoup sont terrestres *(lion, zèbre)* et arboricoles *(écureuil, singe)*. Les mammifères, issus des reptiles mammaliens, apparaissent au trias. La plupart des ordres actuels existent depuis le tertiaire. Les mammifères se divisent en 3 sous-classes : les *protothériens,* fossiles, à l'exception de quelques rares monotrèmes *(ornithorynque)*, les *marsupiaux* ou *métathériens (kangourou, opossum)*, les *placentaires* ou *euthériens.* Ces derniers comprennent les ordres suivants : ongulés, carnivores, fissipèdes terrestres (félidés, chiens, ours) ou pinnipèdes marins (phoques) ; cétacés à fanons (mysticètes : baleines) ou à dents (odontocètes : dauphins) ; xénarthres (tatous, paresseux) ; pangolins, recouverts d'écailles ; rongeurs (rats, écureuils), lagomorphes (lièvres, lapins) ; chiroptères (chauves-souris) ; galéopithèques ou dermoptères, aptes au vol ; insectivores (hérissons, taupes) ; primates (tarsiens, lémuriens, singes et hominiens). Les ongulés constituent soit un super-ordre, soit un ordre divisé en 5 sous-ordres : artiodactyles (porc, bœuf, girafe), périssodactyles (cheval, rhinocéros), proboscidiens (éléphant), siréniens (lamantin), tubulidentés (oryctérope).

mammite n. f. MED, MED VET Inflammation de la glande mammaire.

mammographie n. f. MED Radiographie des seins.

Mammon, terme araméen et hébreu désignant la richesse, employé dans l'Évangile pour personnifier l'argent et sa puissance. « *Vous ne pouvez servir Dieu et Mammon* » (Luc, XVI, 13).

mammoplastie n. f. CHIR Intervention de chirurgie réparatrice ou esthétique sur les seins.

mammouth [mamut] n. m. Éléphant fossile du quaternaire, qui possédait une toison roussâtre, de grandes défenses courbes, et mesurait 3,50 m de haut.

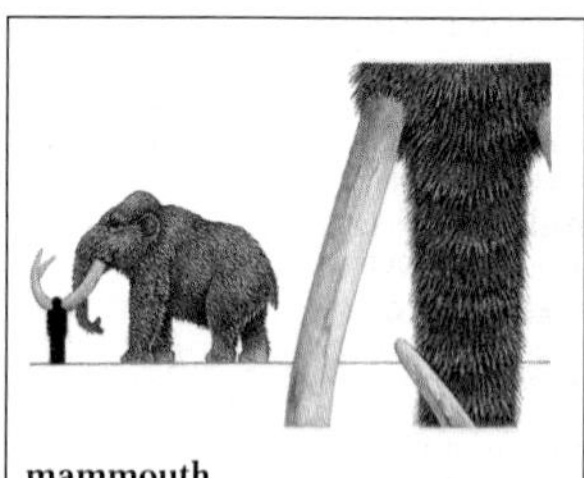
mammouth

mammy. V. mamie.

mamours n. m. pl. Fam. Démonstrations de tendresse. *Ils se font des mamours.*

mam'selle ou **mam'zelle** n. f. Pop., vieilli Abrév. de *mademoiselle.*

Ma'mun *('Abd Allāh al-Ma'mūn)* (Bagdad, 786 – Tarsūs, 833), calife abbasside (813-833) ; fils de Harun ar-Rachid. D'une grande culture, il fit traduire en arabe les œuvres philosophiques grecques et favorisa le développement des sciences et des arts. (V. Bagdad.)

mamy. V. mamie.

Man (île de), île anglaise de la mer d'Irlande ; 588 km²; 69 780 hab. ; v. princ. *Douglas*. Pêche. Climat doux propice à l'agriculture et à l'élevage ; tourisme en expansion.

Man, v. de la Côte-d'Ivoire ; 50 290 hab. ; ch.-l. du dép. du m. n. Café, cacao.

mana n. m. ETHNOL Force, influence immatérielle, dans certaines religions d'Océanie.

Manaar (détroit de). V. Mannar.

manade n. f. En Provence, troupeau de chevaux, de taureaux conduit par un gardian.

manadier n. m. Propriétaire d'une manade.

Manado ou **Menado,** v. et port d'Indonésie ; 217 520 hab. ; ch.-l. de prov. (Célèbes-Septent.). Exportation d'ébène et de prod. agricoles.

management [manadʒmɛnt ; manaʒmɑ̃] n. m. (Anglicisme) **1.** Ensemble des techniques d'organisation et de gestion des entreprises, des sociétés commerciales, etc. **2.** *Par ext.* Ensemble des dirigeants (d'une entreprise).

1. manager [manadʒɛʀ] (Anglicisme) ou **manageur** [manaʒœʀ] n. m. **1.** Personne qui assure l'organisation de spectacles, qui gère les intérêts d'un artiste, d'un sportif, etc. **2.** Dirigeant d'une entreprise.

2. manager v. tr. [**13**] **1.** SPORT Diriger l'entraînement de (un sportif, une équipe). **2.** Diriger (une entreprise).

managérial, ale, aux [manadʒeʀjal, o] adj. Qui concerne le management. *L'équipe managériale d'une entreprise.*

Managua, cap. du Nicaragua, sur le *lac de Managua* ; 682 100 hab. Industr. alimentaires, textiles ; constr. mécaniques. – Université. – Plusieurs fois détruite par des tremblements de terre, notam. en 1972, la ville a été reconstruite.

Manāma ou **Menama** *(Manāmah)*, cap. de Bahreïn ; 121 990 hab. Port de cabotage. Raff. de pétrole.

manant n. m. **1.** HIST Au Moyen Âge, personne qui était tenue de demeurer dans un bourg ou dans un village. – *Spécial.* Roturier soumis à la justice seigneuriale ; vilain. **2.** Vx, péjor. Paysan. **3.** Litt. Homme grossier, mal élevé.

Manassé, patriarche juif, fils aîné de Joseph ; ancêtre éponyme de l'une des douze tribus d'Israël.

Manassé, roi de Juda (687-642 av. J.-C.). Il favorisa les cultes païens et sacrifia son fils à Moloch ; vaincu par Assurbanipal et déporté, il aurait rétabli le culte de Yahvé à sa libération.

Manaus (anc. *Manáos*), v. du Brésil, sur le río Negro, près de son confl. avec l'Amazone ; 834 540 hab. ; cap. de l'État d'Amazonas. Port fluv. et centre comm. Raff. de pétrole ; manuf. de caoutchouc ; industries électron. et alimentaires. Zone franche. – La ville fut, à la fin du XIXe s., la cap. du caoutchouc (nombr. monuments de style néo-colonial, notam. un vaste opéra).

manceau, elle adj. et n. De la ville ou de la région du Mans. ▷ Subst. *Un Manceau, une Mancelle.*

mancenillier n. m. BOT Arbre des Antilles et d'Amérique tropicale (*Hippomane mancinella*, fam. euphorbiacées) qui sécrète un latex caustique extrêmement vénéneux.

1. manche n. m. **I. 1.** Partie d'un instrument, d'un outil, par laquelle on le tient pour en faire usage. *Le manche d'un couteau, d'une pelle.* ▷ Fig. et fam. *Branler dans le manche :* être mal assuré, avoir sa situation compromise. – *Être du côté du manche,* du côté du plus fort. ▷ AVIAT *Manche à balai* ou *manche :* levier qui commande les gouvernes de profondeur et les ailerons d'un avion. ▷ *Manche à gigot :* poignée que l'on adapte à l'os d'un gigot pour le découper. **2.** Partie découverte de l'os d'un gigot, d'une côtelette. *Découper un gigot en le tenant par le manche.* **3.** MUS Partie allongée d'un instrument, sur laquelle les cordes sont tendues. *Manche de guitare.* **II.** Fig. et fam. Personne maladroite, incapable. *Se débrouiller comme un manche.*

2. manche n. f. **1.** Partie du vêtement qui recouvre le bras. ▷ *Être en manches de chemise,* sans veston. – Fig., fam. *Avoir qqn dans sa manche,* en disposer ; être protégé par lui. ▷ *C'est une autre paire de manches :* ce n'est pas la même chose ; c'est plus difficile. **2.** (Par anal. de forme.) MAR *Manche à air :* tube coudé, à l'extrémité évasée, qui sert de prise d'air, sur le pont d'un navire. – AVIAT Tronc de cône en toile servant à indiquer la direction du vent, sur un terrain d'aviation. ▷ *Manche à incendie :* tuyau d'incendie souple. **3.** Vx Canal, bras de mer. *Le mot manche a donné son nom à la Manche, mer bordière de l'Atlantique.* **4.** Chacune des parties liées d'un jeu, d'une compétition. *Gagner la première manche.*

3. manche n. f. Arg. *Faire la manche :* faire la quête, mendier.

Manche (la) (en esp. *la Mancha*), rég. naturelle d'Espagne (S.-E. de Castille-la Manche). Plateaux arides.

Manche (la) (en angl. *the Channel*), mer bordière de l'Atlantique, couloir évasé à l'O. entre la Bretagne et la Cornouailles, étranglée à l'E. par le détroit du pas de Calais, qui la fait communiquer avec la mer du Nord ; 75 000 km². C'est une mer poissonneuse et peu profonde (55 m en moyenne), formée à une époque récente par un effondrement du pas de Calais entre mer du Nord et Atlantique. La marée, qui présente de très fortes amplitudes (jusqu'à 14,50 m dans la baie du Mont-Saint-Michel), y engendre de forts courants, rendant la navigation délicate. Lieu de passage entre le bassin atlantique et les grands ports de l'Europe du Nord, la Manche est l'un des axes maritimes les plus fréquentés du monde. – *Tunnel sous la Manche :* triple tunnel ferroviaire qui, dep. 1994, relie la Grande-Bretagne (Folkestone) et la France (Coquelles, près de Calais).

Manche, dép. franç. (50) ; 5 947 km² ; 479 636 hab. ; 80,6 hab./km² ; ch.-l. *Saint-Lô*. V. Normandie (Basse-) [Région]. ► carte page **1150**

mancheron n. m. **1.** Manche très courte. **2.** Haut d'une manche.

Manchester, v. de G.-B. sur l'Irwell, reliée à Liverpool par canal ; 406 900 hab. ; ch.-l. du comté du Greater Manchester (2 598 000 hab.). Import. centre cotonnier (confection) et 2e place comm. et financière de G.-B. Industr. métall., chim., pharm. ; papeteries ; caoutchouc. – Évêché. Université. Cath. (nef et chœur du XVe s.). – *École de Manchester :* groupe d'économistes libéraux, partisans du libre-échange, dont la doctrine a dominé la pensée économique de la G.-B. au XIXe siècle.

manchette n. f. **1.** Garniture fixée aux poignets d'une chemise ou au bas des manches d'une robe. *Boutons de manchettes.* **2.** Demi-manche destinée à protéger celle d'un vêtement. *Manchettes de lustrine.* **3.** SPORT En lutte, prise à l'avant-bras ; coup donné avec l'avant-bras. **4.** IMPRIM Titre en gros caractères en première page d'un journal. *Ce fait divers a fait la manchette de tous les journaux.*

manchon n. m. **1.** Fourreau ouvert aux extrémités, dans lequel on met les mains pour les protéger du froid. **2.** TECH Pièce, généralement cylindrique, qui relie deux tubes, deux arbres, deux conducteurs, etc. ▷ *Manchon à incandescence :* gaine en tissu incombustible imprégné d'oxyde de thorium et de cérium, émettant une lumière blanche au contact d'une flamme. *Manchon à incandescence d'une lampe à gaz, à pétrole.* **3.** TECH Rouleau de feutre sur lequel on fabrique le papier.

1. manchot, ote adj. et n. Privé ou estropié de la main ou du bras. ▷ Fig., fam. Maladroit. *Ne pas être manchot :* être habile ; abattre beaucoup de besogne.

2. manchot n. m. Oiseau palmipède (ordre des sphénisciformes) qui vit dans l'Antarctique en vastes colonies, et dont les ailes, devenues inaptes au vol, se sont transformées en nageoires. *Le manchot royal et le manchot empereur atteignent un mètre de haut.*

manchot empereur et son jeune

mancie n. f. Science divinatoire. (N.B. Le mot *mancie* entre comme élément de composition dans les noms de pratiques occultes : *chiromancie, cartomancie,* etc.)

Mancini (Michele Lorenzo) (m. en 1656), époux de la sœur du cardinal de Mazarin, Girolama Mazarini, dont il eut cinq filles, qui suivirent leur oncle en France. – **Laure** (Rome, 1636 – Paris, 1657), duchesse de Mercœur. – **Olympe** (Rome, 1639 – Bruxelles, 1708), comtesse de Soissons, mère du prince Eugène. – **Marie** (Rome, 1640 – Pise, v. 1715), princesse Colonna ; elle fut aimée du jeune Louis XIV ; Mazarin s'opposa à leur mariage. – **Hortense** (Rome, 1646 – Chelsea, 1699), épouse du marquis de La Meilleraye (qui hérita de Mazarin et prit le titre de duc de Mazarin), qu'elle quitta (1666) pour le chevalier de Rohan. – **Marie Anne** (Rome, 1649 – Paris, 1714), duchesse de Bouillon, impliquée dans l'affaire des poisons.

Manco Cápac Ier (XIe s.), fondateur légendaire de l'Empire inca. – **Manco**

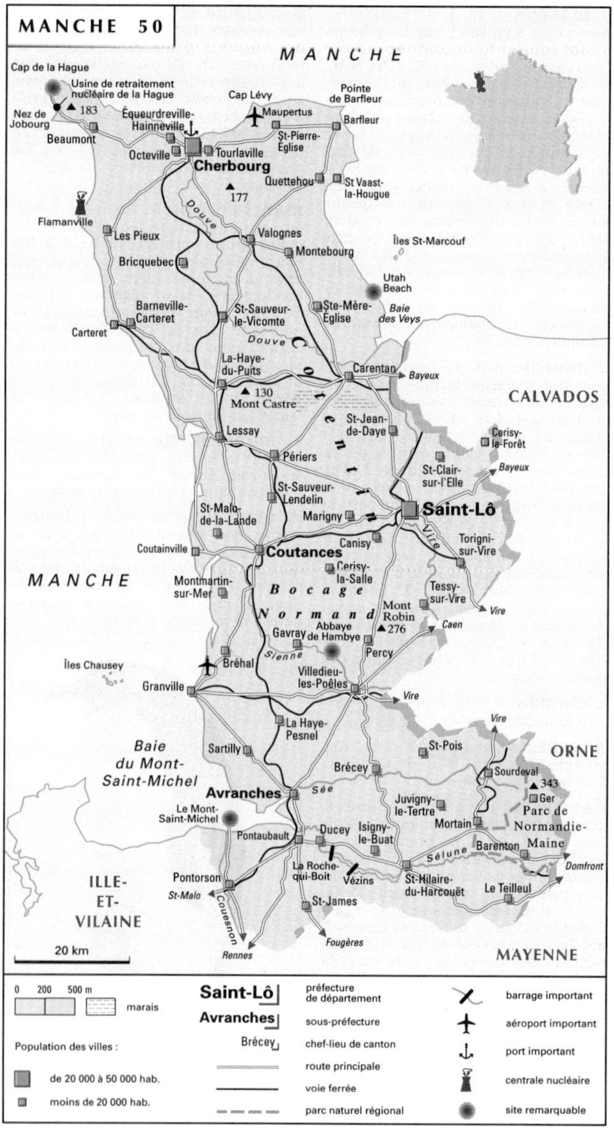

MANCHE 50

MANCHE
Cap de la Hague
Usine de retraitement nucléaire de la Hague
Nez de Jobourg
183
Beaumont
Équeurdreville-Hainneville
Cap Lévy
Maupertus
Pointe de Barfleur
Barfleur
St-Pierre-Église
Octeville
Tourlaville
Cherbourg
Quettehou
St Vaast-la-Hougue
177
Douve
Flamanville
Les Pieux
Valognes
Bricquebec
Montebourg
Îles St-Marcouf
Utah Beach
Barneville-Carteret
Carteret
St-Sauveur-le-Vicomte
Ste-Mère-Église
Baie des Veys
Douve
La-Haye-du-Puits
Carentan
Bayeux
130 Mont Castre
CALVADOS
Lessay
St-Jean-de-Daye
Cerisy-la-Forêt
Périers
St-Clair-sur-l'Elle
Bayeux
St-Sauveur-Lendelin
Cotentin
St-Malo-de-la-Lande
Marigny
Saint-Lô
Coutainville
Coutances
Canisy
Vire
Torigni-sur-Vire
MANCHE
Montmartin-sur-Mer
Cerisy-la-Salle
Bocage Normand
Tessy-sur-Vire
Vire
Mont Robin 276
Caen
Gavray
Abbaye de Hambye
Percy
Sienne
Îles Chausey
Bréhal
Villedieu-les-Poêles
Granville
Vire
La Haye-Pesnel
Vire
Baie du Mont-Saint-Michel
Sartilly
St-Pois
ORNE
Brécey
Sourdeval
343
Ger
Avranches
Sée
Juvigny-le-Tertre
Parc de Normandie-Maine
Le Mont-Saint-Michel
Mortain
Pontaubault
Ducey
Isigny-le-Buat
Sélune
Barenton
Domfront
ILLE-ET-VILAINE
Pontorson
St-Malo
La Roche-qui-Boit
Vézins
St-Hilaire-du-Harcouët
Le Teilleul
Couesnon
St-James
20 km
Rennes
Fougères
MAYENNE

0 200 500 m
marais
Population des villes :
de 20 000 à 50 000 hab.
moins de 20 000 hab.
Saint-Lô préfecture de département
Avranches sous-préfecture
Brécey chef-lieu de canton
route principale
voie ferrée
parc naturel régional
barrage important
aéroport important
port important
centrale nucléaire
site remarquable

Cápac II (m. apr. 1537), le dernier souverain inca. Il essaya sans succès de chasser les Espagnols du Pérou et périt assassiné.

mandala n. m. Image peinte, groupe de figures géométriques (cercles et carrés principalement) illustrant symboliquement, dans le bouddhisme du Grand Véhicule et le tantrisme, un aspect du monde physique en relation mystique avec le divin. *Des mandala* ou *des mandalas.*

Mandalay, v. de Birmanie septentrionale, sur l'Irrawaddy; ch.-l. de la prov. du m. nom; 532 900 hab. Textile (soie). – Cap. du royaume birman de 1860 à 1885. – Temples bouddhiques.

mandant, ante n. DR Personne qui donne mandat à qqn de faire qqch.

mandarin, ine n. m. et adj. **I.** n. m. **1.** HIST Dans l'ancienne Chine, fonctionnaire civil ou militaire recruté par concours parmi les lettrés. **2.** Fig., péjor. Lettré influent. *Les mandarins de la littérature, de la presse.* ▷ Professeur d'université attaché à ses prérogatives. **II.** adj. **1.** Des mandarins (sens 1), propre aux mandarins. ▷ *Langue mandarine* ou, n. m., *le mandarin :* la plus importante des langues chinoises, parlée ou comprise dans presque tout le pays, à l'exception des régions côtières du Sud-Est. *Le mandarin est la langue officielle de la république populaire de Chine.* **2.** *Canard mandarin :* canard d'Extrême-Orient, au plumage bariolé, élevé en Europe comme oiseau d'ornement.

mandarinal, ale, aux adj. **1.** Relatif au mandarinat chinois. **2.** Péjor. À caractère élitiste. *Une réaction mandarinale.*

mandarinat n. m. **1.** HIST Charge, office, dignité de mandarin. ▷ Ensemble des mandarins. **2.** Fig., péjor. Groupe social formé de gens unis par la profession ou les affinités intellectuelles et attachés au maintien de leurs privilèges. ▷ Domination qu'un tel groupe entend exercer ou exerce effectivement.

mandarine n. f. et adj. inv. Fruit comestible du mandarinier, ressemblant à une petite orange. ▷ adj. inv. De couleur orange foncé. *Des tissus mandarine.*

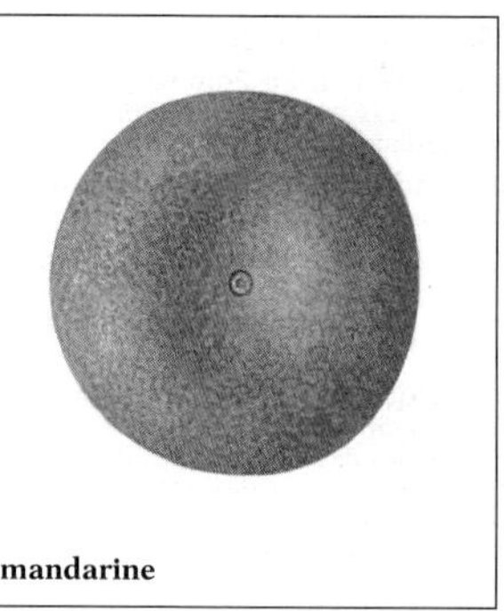

mandarine

mandarinier n. m. Arbrisseau (fam. rutacées) originaire de Chine qui produit la mandarine.

mandat [mɑ̃da] n. m. **1.** Acte par lequel une personne donne à une autre le pouvoir de faire une chose en son nom. *Donner mandat à qqn de faire qqch.* Syn. procuration. **2.** Pouvoir conféré par les membres d'une société à leurs représentants. – Charge, fonction de ce représentant. *Mandat présidentiel. Mandat de député.* – Durée de cette charge. *Il est mort avant la fin de son mandat.* **3.** HIST *Mandat international,* en vertu duquel un État administrait provisoirement un pays, un territoire, et lui portait assistance, sous le contrôle de la S.D.N. *Pays sous mandat. Le mandat français au Liban.* **4.** DR Ordonnance signée par le juge d'instruction. *Mandat d'amener.* **5.** FIN Ordre de payer adressé par un propriétaire de fonds à son dépositaire. **6.** Titre postal de paiement permettant à son destinataire de toucher une somme d'argent versée par l'expéditeur. *Envoyer, recevoir un mandat. Mandat-carte,* à expédier comme une carte postale. *Mandat-lettre,* destiné à être envoyé sous enveloppe. *Mandat télégraphique,* adressé par télégramme. *Mandat optique,* destiné à être exploité au moyen d'un ordinateur, par lecture optique.

mandataire n. m. Celui qui est chargé d'un mandat. ▷ COMM *Mandataire aux Halles :* commissionnaire mandaté par les producteurs ou les expéditionnaires pour vendre, en leur nom, aux Halles.

mandatement n. m. Rédaction d'un titre de paiement par un comptable du Trésor.

mandater v. tr. [1] **1.** FIN Inscrire (une somme) sur un mandat de paiement. **2.** Confier un mandat à (qqn). *Député que ses électeurs ont dûment mandaté.* ▷ Pp. subst. *Un(e) mandaté(e).*

mandchou, oue adj. et n. **1.** adj. Des Mandchous, de Mandchourie. ▷ Subst. *Un(e) Mandchou(e).* **2.** n. m. Langue toungouse de Mandchourie.

Mandchoukouo (le), nom de la Mandchourie durant la domination du Japon sur cette région (1931-1945).

Mandchourie, nom d'un anc. territ. de la Chine du N.-E. qui correspond approximativement auj. aux prov. chinoises de Heilongjiang, Jilin et Liaoning; v. princ. *Shenyang* et *Harbin*. Le pays est riche (soja, millet, riz; houille; forte industr.). – Convoitée par la Russie et le Japon, la Mandchourie fut partagée en deux zones d'influence (1905). L'U.R.S.S. ayant abandonné ses droits (1924), le Japon créa l'État vassal du Mandchoukouo (1932), dont le territoire revint à la Chine en 1945.

Mandchous, peuple toungouse qui envahit la Chine au XVIIe s.; il lui donna sa dernière dynastie, celle des Qing (1644-1911).

mandé n. m. et adj. LING Groupe de langues tonales parlées en Afrique noire (Sénégal, Mali, Guinée, Liberia, Nigeria, Côte-d'Ivoire et Burkina Faso) et comprenant notam. le mandingue.

mandéen, enne adj. et n. RELIG **1.** Relatif au mandéisme. **2.** Partisan du mandéisme.

mandéisme n. m. RELIG Religion de la communauté des mandéens, gnostiques du Moyen-Orient, qui reconnaissent Jean-Baptiste pour prophète et vouent un culte à Manda d'Haiyé, « gnose de la vie » personnifiée et prise pour l'Envoyé céleste. *Le mandéisme, qui remonte au début de l'ère chrétienne, professe un dualisme de type manichéen.*

Mandel (Jeroboam Rothschild, dit Georges) (Chatou, 1885 – Fontainebleau, 1944), homme politique français; chef du cabinet de Clemenceau, plusieurs fois ministre (de l'Intérieur, quelques jours en mai-juin 1940 notam.). Interné par le gouvernement de Vichy au fort du Portalet, remis aux Allemands (1942), il fut livré par ces derniers à la Milice, qui l'assassina.

Mandela (Nelson) (Umtata, 1918), homme polit. sud-africain, avocat et chef historique de l'A.N.C. (African National Congress). Arrêté en 1962 et condamné en 1964 à la réclusion à perpétuité, il est libéré en 1990. Devenu prés. de l'A.N.C. en 1991, il participe aux travaux pour une Afrique du Sud démocratique. Après les premières élections multiraciales, il devient président de la Rép. (mai 1994). P. Nobel de la paix avec Fr. De Klerk.
▸ illustr. page **1147**

Mandelbrot (Benoît) (Varsovie, 1924), mathématicien français. Il est l'auteur de la théorie des fractales et de leur application à l'étude du chaos.

Mandelieu-la-Napoule, ch.-l. de cant. et port des Alpes-Maritimes (arr. de Grasse), près de Cannes; 16 538 hab. Stat. balnéaire.

Mandelstam (Ossip Emilievitch) (Varsovie, 1891 – en Sibérie orientale, 1938), poète russe. Sans revenir au réalisme (rejeté par les symbolistes et les futuristes), il chante la vie avec simplicité : *la Pierre* (1913), *Tristia* (1922). Opposant au stalinisme, il disparut dans un camp.

mandement n. m. DR CANON Écrit par lequel un évêque donne des instructions pastorales à ses diocésains. *Mandement de carême.*

mander v. tr. [1] Litt., vieilli Demander à (qqn) de venir. *Votre mère vous mande près d'elle.*

mandibulaire adj. De la mandibule.

mandibule n. f. **1.** Maxillaire inférieur. ▷ (Plur.) Fam. Mâchoires. *Jouer des mandibules* : manger. **2.** ZOOL Chacune des deux pièces tranchantes, plus ou moins développées, constituant la première paire d'appendices buccaux des crustacés et des insectes. **3.** Chacune des deux pièces cornées qui forment le bec des oiseaux.

mandingue adj. et n. m. **1.** adj. Relatif aux Mandingues. **2.** n. m. LING *Le mandingue* : sous-groupe des trois langues mandés dont la plus importante est le bambara, parlées au Mali, en Côte-d'Ivoire et en Guinée.

Mandingues, groupe ethnique de l'Afrique occid. (haut Sénégal et haut Niger), faisant partie de la même aire linguistique et réunissant princ. les Malinkés, les Bambaras, les Soussous et les Dioulas. Musulmans, ils ont édifié un empire qui connut son apogée au XIVe s. et disparut au XVIIe s.

mandoline n. f. MUS Instrument à cordes pincées (quatre cordes doubles), à caisse de résonance le plus souvent bombée, plus petit que le luth, dont on joue à l'aide d'un médiator.

mandoliniste n. Musicien qui joue de la mandoline.

mandorle n. f. BX-A Gloire en forme d'amande qui entoure un Christ en majesté.

mandragore n. f. Plante (fam. solanacées) dont la racine, qui évoque une silhouette humaine, possède des propriétés narcotiques et purgatives. *La sorcellerie attribuait à la mandragore des propriétés merveilleuses.*

mandrill [mɑ̃dʀil] n. m. Singe cynocéphale d'Afrique (genre *Mandrillus*, fam. des cercopithèques), haut d'environ 80 cm, dont la face est pigmentée de rouge et de bleu.

mandrill

mandrin n. m. **I.** TECH **1.** Poinçon. **2.** Outil servant à redresser les tubes. **3.** Appareil servant à fixer sur l'arbre d'une machine la pièce à usiner ou l'outil d'usinage. **II.** MED Tige métallique introduite dans une aiguille ou dans une sonde pour en boucher la lumière (sens III).

Mandrin (Louis) (Saint-Étienne-de-Saint-Geoirs, Dauphiné, 1724 – Valence, 1755), contrebandier français qui, à partir de 1750, exerça ses activités sur un territoire considérable, souvent avec l'appui des populations; il fut roué vif.

manducation n. f. **1.** THEOL Communion eucharistique. **2.** PHYSIOL Ensemble des opérations de la nutrition qui précèdent la digestion (mastication, insalivation, etc.).

1. -mane. Élément, du lat. *manus*, « main ».

2. -mane, -manie. Éléments, du gr. *mania*, « folie ».

manécanterie n. f. École paroissiale où l'on enseigne le chant choral aux enfants de chœur. ▷ *Par ext.* Groupe d'enfants choristes.

manège n. m. **I. 1.** Exercice que l'on fait faire à un cheval pour le dresser. ▷ Lieu où l'on dresse les chevaux et où l'on donne des leçons d'équitation. *Mettre un cheval au manège.* ▷ *Tenue de manège*, d'équitation. **2.** TECH Appareil composé d'une poutre horizontale engrenée dans un axe vertical, à laquelle on attelle un cheval; machine mue par ce dispositif. *Manège à puiser l'eau.* **3.** *Par anal.* Attraction foraine dans laquelle des animaux figurés ou des véhicules divers tournent autour d'un axe central. *Gagner un tour de manège.* **II.** Fig. Manière d'agir artificieuse pour parvenir à qqch. *Je ne suis pas dupe de son manège.* Syn. jeu, manœuvre.

Manège (salle du), salle construite v. 1726 pour Louis XV, à Paris, près des Tuileries; siège des grandes assemblées de la Révolution, elle fut démolie en 1810.

mânes n. m. pl. **1.** ANTIQ ROM Âmes des morts considérées comme des divinités. **2.** Litt. Âmes des morts. *Les mânes de nos ancêtres.*

Manès (en gr.) ou **Mani** (en pehlvi) (près de Ctésiphon, v. 216 – Gundechâhpuhr, Susiane, v. 273), fondateur du manichéisme. Il se présentait lui-même comme le Paraclet (l'incarnation du Saint-Esprit) annoncé par le Messie et recruta des milliers de disciples d'orig. mazdéenne ou chrétienne. Après des voyages missionnaires en Asie centrale et en Inde, il rentra en Perse v. 270. Bahrâm Ier le fit mettre à mort.

Manessier (Alfred) (Saint-Ouen, Somme, 1911 – Orléans, 1993), peintre français. Ses œuvres, abstraites, qui évoquent l'art du vitrail, expriment sa foi chrétienne.

Manet (Édouard) (Paris, 1832 – id., 1883), peintre français. Son style s'est élaboré dans les musées, au contact de l'art des maîtres (Vélasquez). Évoluant rapidement, peignant avec une grande liberté de touche pour se « modifier toujours dans le sens de la concision », il opéra avec *le Déjeuner sur l'herbe* (1862) et l'*Olympia* (1863) une véritable révolution : la « transformation des choses en un univers plastique autonome, cohérent et particulier » (Malraux), qui fit scandale. À l'écart du mouvement impressionniste, Manet est à l'origine des grandes tendances de la peinture moderne, de Gauguin à Matisse, du fauvisme à l'art abstrait.

Édouard **Manet** : *le Déjeuner sur l'herbe*, 1862; musée d'Orsay, Paris

Manéthon (IIIe s. av. J.-C.), historien égyptien, prêtre d'Héliopolis. Son classement des pharaons en 30 dynasties est toujours utilisé.

manette n. f. Petite poignée, petit levier que l'on manœuvre à la main pour actionner un mécanisme.

Manfred ou **Mainfroi** (?, 1232 – Bénévent, 1266), roi des Deux-Siciles (1258-1266); fils naturel de l'empereur germanique Frédéric II. Il fut tué par Charles d'Anjou.

manga n. m. Bande dessinée japonaise.

mangabey n. m. Grand singe (fam. cercopithécidés) des forêts d'Afrique.

Mangalore ou **Mangalure,** v. et port de l'Inde (Karnātaka), sur la côte de Malabār; 273 000 hab. (aggl. urb. 306 080 hab.). Exportation de café.

manganèse n. m. CHIM Élément métallique de numéro atomique Z = 25 et de masse atomique 54,93 (symbole Mn). – Métal (Mn) gris, de densité 7,2, qui fond à 1 260 °C et bout à 2 100 °C. *Le manganèse entre dans la composition d'alliages avec le fer.*

manganin n. m. (Nom déposé.) METALL Alliage de cuivre (82 %), de manganèse (15 %) et de nickel (3 %) utilisé pour les résistances électriques.

mangeable adj. Qui peut se manger, qui n'a pas un goût désagréable.

mangeaille n. f. Péjor., fam. Ce que l'on mange. *Ne penser qu'à la mangeaille.* ▷ Nourriture médiocre.

mange-disque n. m. Électrophone portatif qui comporte une fente dans laquelle on glisse le disque à écouter. *Des mange-disques.*

mangeoire n. f. Récipient dans lequel on donne à manger aux animaux domestiques.

1. manger v. tr. [13] **1.** Mâcher et avaler (un aliment). – (S. comp.) Se nourrir, prendre ses repas. *Manger une fois par jour.* ▷ Loc. fig. *Manger son pain blanc le premier* : commencer par ce qui est le plus agréable. – Fam. *Manger le morceau* : passer aux aveux. ▷ v. pron. (passif) *Ce dessert est si léger qu'il se mange sans faim.* **2.** Ronger, entamer. *Les mites mangent la laine.* – (En parlant d'une chose.) *La rouille a mangé le fer.* **3.** Fig. *Manger ses mots,* les prononcer indistinctement, incomplètement. ▷ *Manger la consigne,* l'oublier. **4.** Fig. Dilapider. *Manger ses économies.* **5.** Fig. Cacher en empiétant sur, en recouvrant. *Une frange de cheveux lui mangeait le front.*

2. manger n. m. **1.** Vieilli Action de manger. *Perdre le boire et le manger, de chagrin.* **2.** Pop. Ce que l'on mange. *On peut apporter son manger.*

mange-tout ou **mangetout** n. m. inv. **1.** Variété de haricots verts sans fils. **2.** Variété de pois dont on mange la cosse avec le grain.

mangeur, euse n. Personne qui mange (de grosses, de petites quantités de nourriture), qui aime à manger (tel aliment). *Un gros mangeur.*

Mangin (Charles) (Sarrebourg, 1866 – Paris, 1925), général français. Après une brillante carrière coloniale (mission Marchand en Afrique, missions au Tonkin et au Maroc), il s'illustra en 1916 devant Verdun (reprise des forts de Douaumont et de Vaux) et en 1918 (contre-offensive de Villers-Cotterêts), à la tête de la Xe armée.

manglier n. m. Palétuvier.

mangoustan ou **mangoustanier** n. m. Plante arborescente des régions tropicales à fruits comestibles.

1. mangouste n. f. ou **mangoustan** n. m. Fruit comestible du mangoustan, de forme sphérique, dont la chair blanche est recouverte par une écorce marron. ▶ pl. **fruits exotiques**

2. mangouste n. f. Petit mammifère carnivore d'Asie et d'Afrique

mangouste

(genres *Herpestes* et voisins, fam. viverridés) à pelage brun, grand destructeur de serpents.

mangrove n. f. GEOGR Forêt de palétuviers s'étendant sur les vasières de la bande littorale, formation végétale typique des côtes marécageuses, dans les pays tropicaux. *Côte à mangrove.*

mangue n. f. Fruit comestible du manguier, à la pulpe jaune, très parfumée.

manguier n. m. Arbre tropical (fam. térébinthacées) croissant en Asie, en Afrique et en Amérique tropicales.

manguier

Manguin (Henri) (Paris, 1874 – Saint-Tropez, 1949), peintre français « fauve » (*Femme à l'ombrelle,* 1906).

Manhattan, île des É.-U., entre l'Hudson, l'East River et la rivière de Harlem. C'est le berceau de la ville de New York, le quartier des affaires et des activités culturelles ; Manhattan, au rigoureux plan en damier, se hérisse de gratte-ciel : Empire State Building, siège de l'O.N.U., etc.

Mani. V. Manès.

maniabilité n. f. Qualité de ce qui est maniable.

maniable adj. Aisé à manier.

maniaco-dépressif, ive adj. et n. PSYCHIAT Se dit d'un état pathologique qui se manifeste par une alternance d'états d'exaltation et de dépression. *Tendance maniaco-dépressive. Psychose maniaco-dépressive.* ▷ *Sujet maniaco-dépressif,* atteint d'une telle psychose. ▷ Subst. *Des maniaco-dépressifs.*

maniaque adj. et n. **1.** Vx Fou. **2.** PSYCHIAT Atteint de manie. – Caractéristique de la manie. *Délire maniaque.* ▷ Subst. *Un(e) maniaque.* **3.** Qui a une, des manies (notam. la manie de l'ordre). *Un vieux garçon maniaque.* ▷ Subst. *Les maniaques m'exaspèrent.*

maniaquerie n. f. Attitude, caractère d'une personne maniaque (sens 3).

manichéen, enne [manikeɛ̃, ɛn] n. et adj. **1.** n. Adepte du manichéisme. **2.** adj. Qui appartient au manichéisme, ou qui évoque les conceptions du manichéisme.

manichéisme [manikeism] n. m. **1.** Doctrine de Manès et de ses disciples. V. encycl. **2.** *Par ext.* Toute conception morale, toute doctrine qui oppose le principe du bien et le principe du mal. ▷ Toute attitude qui oppose d'une manière absolue, souvent rigide et simpliste, le bien et le mal.

ENCYCL Né de la vieille religion naturiste de Babylone, du mazdéisme, du bouddhisme et du christianisme, le manichéisme admettait, conjointement avec des données chrétiennes issues du Nouveau Testament, l'existence simultanée d'un principe du bien et d'un principe du mal, et la double création émanée de chacun d'eux. Son influence semble avoir subsisté jusqu'en plein Moyen Âge, notam. dans la doctrine des bogomiles et des albigeois.

manicle. V. manique.

Manicouagan (la), riv. du Canada (Québec), affl. du Saint-Laurent (r. g.); 500 km. Puissantes centrales hydroél. (barrage Daniel-Johnson).

-manie. V. -mane 2.

manie n. f. **1.** Vx Folie. **2.** PSYCHIAT Syndrome mental caractérisé par des troubles de l'humeur (excitation psychomotrice, instabilité, troubles de l'attention) à évolution cyclique. **3.** Idée fixe, obsession. **4.** Goût immodéré et déraisonnable pour (qqch). *Avoir la manie des citations.* **5.** Habitude bizarre, souvent ridicule, à laquelle on est particulièrement attaché.

maniement [manimɑ̃] n. m. **1.** Action, façon de manier, de se servir (d'une chose) avec les mains. *S'exercer au maniement des armes.* ▷ Fig. *Maniement des idées, des affaires.* **2.** Région du corps, facilement palpable, d'un animal de boucherie, où s'accumule la graisse.

manier v. [2] **I.** v. tr. **1.** Avoir entre les mains (qqch que l'on bouge). *Manier un objet fragile sans précaution.* ▷ Fig. *Manier des fonds* : faire des opérations de recettes, de placement, etc. **2.** Façonner. *Forgeron qui manie bien le fer.* **3.** CUIS *Manier le beurre,* le pétrir en le mélangeant à de la farine. **4.** Se servir avec plus ou moins d'adresse (d'une arme, d'un instrument). *Savoir manier l'épée, le ciseau.* – Fig. *Manier l'ironie.* **5.** Diriger, mener à son gré. *Une voiture difficile à manier.* – *Manier un cheval.* ▷ Fig. *L'art de manier les esprits, les foules.* **II.** v. pron. Fam. *Se manier.* V. magner (se).

manière n. f. **I. 1.** Façon, forme particulière sous laquelle une chose, une action se présente. ▷ *C'est une manière de parler* : ce sont des paroles qu'il ne faut pas prendre à la lettre. ▷ *Il y a la manière* : la façon de s'y prendre (avec tact, etc.) a son importance, pour parvenir à un résultat. **2.** Façon de se comporter habituelle, propre à qqn. **3.** Façon de composer, de s'exprimer propre à un artiste, un groupe d'artistes. **4.** Litt. Espèce, sorte. « *C'est une manière de bel esprit* » (Molière). **5.** GRAM *Complément, adverbe de manière,* qui indique comment est accomplie une action. **II. 1.** Loc. prép. *À la manière de* : comme. ▷ *De manière à* : de façon à. **2.** Loc. conj. *De (telle) manière que* : de sorte que, d'une façon telle que. *Il parle fort, de manière que* (ou *de manière à ce que,* tournure critiquée) *nous l'entendions* (subjonctif marquant la conséquence recherchée, voulue). – *Il parle trop bas, de manière qu'on ne comprend plus rien* (indicatif marquant le résultat acquis, réel). **3.** Loc. adv. *De toute manière* : de toute façon, quoi qu'il en soit. – *D'une manière générale* : généralement, en gros. – *En quelque manière :* d'une certaine façon, en un certain sens. **III.** (Plur.) Façon d'être, de se comporter en société. *Apprendre les belles, les bonnes manières.* ▷ Péjor. *Faire des manières :* agir avec affectation, se faire prier.

maniéré, ée adj. Affecté, qui manque de simplicité. ▷ BX-A *Style maniéré,* qui manque de naturel.

maniérisme n. m. **1.** Manque de naturel, affectation, en littérature, en art. **2.** BX-A Style artistique qui fait la transition entre la Renaissance et le baroque.

maniériste adj. et n. **1.** adj. Cour. Qui verse dans le maniérisme. **2.** n. BX-A Artiste dont l'œuvre relève du maniérisme.

manieur, euse n. Personne qui manie, sait manier (telle chose). – Fig. *Manieur d'argent :* financier, homme d'affaires. *Manieur d'hommes,* qui sait diriger, qui a des capacités de chef.

manifestant, ante n. Personne qui participe à une manifestation.

manifestation n. f. **1.** THEOL Fait, pour Dieu, de se manifester. **2.** Action de manifester; fait de se manifester. **3.** Rassemblement public de personnes pour exprimer une opinion, une protestation. *Une manifestation d'agriculteurs.* **4.** Réunion organisée pour présenter, vendre des œuvres, des produits, etc. *Une manifestation artisanale.*

manifeste adj. et n. m. **I.** adj. Évident, indéniable. *Une erreur manifeste.* **II.** n. m. **1.** Liste détaillée des marchandises embarquées sur un navire. **2.** *Par anal.* Document de bord d'un avion mentionnant l'itinéraire suivi, le nombre de passagers, le chargement de l'appareil. **3.** Écrit public par lequel un gouvernement, un parti politique explique sa ligne de conduite ou expose sa doctrine. ▷ *Par ext.* Écrit par lequel un mouvement artistique, littéraire expose ses conceptions et ses buts.

manifestement adv. De manière manifeste.

manifester v. [1] **1.** v. tr. Rendre manifeste, faire connaître. ▷ v. pron. Apparaître, se montrer. ▷ *Elle ne s'est pas manifestée depuis son retour,* elle n'a pas donné signe de vie. ▷ (Passif) *La peur se manifeste par des tremblements,* se traduit par... **2.** v. intr. Prendre part à une manifestation (sens 3). *Manifester dans la rue.*

manifold [manifɔld] n. m. (Anglicisme) Petit registre de feuillets détachables dans lequel sont intercalées des feuilles de papier carbone, et qui permet de consigner des notes en plusieurs exemplaires.

manigance n. f. Fam. (Le plus souvent au plur.) Manœuvre artificieuse, petite intrigue.

manigancer v. tr. [12] Fam. Tramer par quelque manigance.

1. manille n. f. **1.** Anc. Anneau auquel on attachait la chaîne d'un forçat. **2.** MAR et TECH Pièce métallique en forme de U, traversée par un axe goupillé ou vissé, qui sert à réunir deux longueurs de chaînes, à mailler une chaîne sur un anneau, etc.

2. manille n. f. Jeu de cartes où le dix, appelé *manille,* est la carte la plus forte.

3. manille n. m. **1.** Cigare de Manille. **2.** Chapeau de paille fabriqué à Manille.

Manille, cap. et port des Philippines, sur la mer de Chine, dans l'île de Luçon; 1 598 900 hab. (aggl. urb. 6 720 050 hab.); ch.-l. de prov. Premier centre industriel (fonderie, constr. méca., industr. alim., manuf. de tabac, etc.) et commercial du pays. – Import. universités, dont celle de Santo Tomas, créée en 1611. – La ville, fondée par les Espagnols en 1571, la plus import. des Philippines, siège du gouvernement, englobe Quezón City (1 166 000 hab. env.), cap. légale de 1948 à 1979.

Manille : des taxis collectifs traversant le quartier de Baclaran

Manin (Daniele) (Venise, 1804 – Paris, 1857), patriote italien du Risorgimento; président du gouv. provisoire de Venise lors du soulèvement de 1848. Il s'exila en France.

manioc n. m. Arbrisseau (fam. euphorbiacées) originaire d'Amérique du Sud, cultivé dans les pays tropicaux pour ses tubercules que l'on consomme tels quels ou sous forme de tapioca.

manioc : à g., tige feuillée (en haut) et tubercules (en bas); à dr., esquisse d'un plant

manip(e) n. f. Fam. **1.** Manipulation scientifique. **2.** Manœuvre louche.

manipulateur, trice n. et adj. **1.** n. Personne chargée de faire des manipulations. **2.** n. m. TELECOM Interrupteur manuel employé en télégraphie pour former les signaux en morse. **3.** adj. Qui manipule (V. manipuler sens 3). *Des démarches manipulatrices.*

manipulation n. f. **1.** Action de manipuler. ▷ Mise en œuvre de substances chimiques ou pharmaceutiques, d'appareils, etc. dans un laboratoire. **2.** Partie de la prestidigitation qui se fonde uniquement sur l'habileté manuelle. **3.** Fig., péjor. Manœuvre, pratique louche. ▷ Emprise exercée à leur insu sur un individu ou un groupe. **4.** MED Manœuvre manuelle destinée à rétablir la position normale et la mobilité des os d'une articulation. *Manipulation vertébrale.* **5.** BIOL *Manipulation génétique :* opération visant à transformer le génome pour obtenir un organisme ayant des caractères héréditaires différents.

1. manipule n. m. LITURG Ornement sacerdotal porté au bras gauche par l'officiant pendant la messe.

2. manipule n. m. ANTIQ Étendard d'une compagnie militaire romaine. ▷ *Par ext.* Compagnie, unité tactique de l'armée romaine, comprenant deux centuries.

manipuler v. tr. [1] **1.** Manier, arranger avec précaution (des substances, des appareils). **2.** Manier, déplacer avec la main. **3.** Fig. et péjor. Utiliser (qqn) à des fins non avouées et en le trompant. *C'est un naïf que l'on peut facilement manipuler. Se faire, se laisser manipuler.*

Manipur, État de l'Inde, limitrophe de la Birmanie; 22 356 km²; 1 826 700 hab.; cap. *Imphāl.* C'est une région montagneuse et forestière (bois précieux).

manique ou **manicle** n. f. TECH **1.** Demi-gant qui protège la main, et souvent l'avant-bras, utilisé dans certains métiers (cordonnerie, bourrellerie). **2.** Manche de plusieurs outils.

Manitoba (lac), lac du Canada (4 800 km²) qui communique par la riv. Dauphin avec le lac Winnipeg, de niveau inférieur.

Manitoba, prov. du Canada central, sur la baie d'Hudson; 650 086 km²; 1 091 900 hab. (53 000 francophones); cap. *Winnipeg.* Au S. s'étend la Prairie (blé, orge, avoine, élevage), au centre et au N. le Bouclier canadien, couvert de forêts (conifères). Le climat est sec et rigoureux. Le sous-sol est riche : cuivre, zinc, nickel, or, pétrole, etc. L'énergie est fournie par les nombr. cours d'eau. L'industrie est concentrée dans la région de Winnipeg. – Concédé à la Compagnie de la baie d'Hudson (1670), colonisé à partir de 1812, province canadienne en 1870, le Manitoba se développa à la fin du XIXe s. (voies ferrées).

manitou n. m. **1.** ETHNOL Principe du bien (grand manitou) ou du mal (mauvais manitou), dans les croyances de certains Indiens d'Amérique du Nord. **2.** *Par anal.* Fam. Personnage puissant, haut placé. *Les manitous de la haute finance.*

manivelle n. f. Pièce coudée deux fois à angle droit, dans des sens opposés, qui sert à imprimer un mouvement de rotation à un axe, à un arbre. *Manivelle de pédalier d'une bicyclette.* ▷ *Manivelle à coulisse,* qui sert à transformer un mouvement de rotation en un mouvement rectiligne alternatif.

Manizales, v. de Colombie, à 2 140 m d'alt., dans la vallée du Cauca; 275 070 hab.; ch.-l. de dép. Comm. du café. Industr. textiles. – Archevêché.

Mankiewicz (Joseph Leo) (Wilkes-Barre, Pennsylvanie, 1909 – près de Bedford, État de New York, 1993), cinéaste américain : *l'Aventure de Madame Muir* (1947), *Ève* (1950), *la Comtesse aux pieds nus* (1954), *Soudain l'été dernier* (1959).

Manlius Capitolinus (Marcus) (m. à Rome en 384 av. J.-C.), consul romain

(392 av. J.-C.). Il repoussa les Gaulois qui avaient assailli le Capitole (390 av. J.-C.), dont la garnison avait été réveillée par les cris des oies sacrées.

Manlius Torquatus (Titus), général romain, consul en 235, en 224, puis en 215 av. J.-C.; vainqueur des Carthaginois en Sardaigne.

Mann (Heinrich) (Lübeck, 1871 – Santa Monica, Californie, 1950), écrivain allemand; l'un des précurseurs de l'expressionnisme. Son roman *le Professeur Unrat* (1905) a été adapté à l'écran par J. von Sternberg (*l'Ange bleu*, 1930). – **Thomas** (Lübeck, 1875 – Zurich, 1955), frère du préc., écrivain allemand. Son œuvre, l'une des plus importantes de la littérature allemande du XXe s., recoupe plusieurs grands thèmes : les antinomies entre l'action et la vie de l'esprit, les affinités entre l'art et la mort, les rapports ambigus entre la maladie et la santé. Ayant évolué du conservatisme à un humanisme social, incompatible avec le nazisme, il fut contraint à l'exil, d'abord en France, puis en Suisse, enfin aux É.-U. Romans : *les Buddenbrook* (1901), *la Montagne magique* (1924), *Joseph et ses frères* (tétralogie, 1933-1943), *le Docteur Faustus* (1947), etc. Nouvelles : *Tonio Kröger* (1903), *la Mort à Venise* (1913). Essais : *Noblesse de l'Esprit* (1945). P. Nobel 1929.

Thomas **Mann**

Mao Zedong

Mann (Emil Anton Bundmann, dit Anthony) (San Diego, 1906 – Berlin, 1967), cinéaste américain, spécialisé dans le western : *la Charge des Tuniques bleues* (1955); *l'Homme de l'Ouest* (1958).

Mannar ou **Manaar** (détroit de), bras de mer entre l'Inde et Sri Lanka.

manne [man] n. f. **1.** Nourriture miraculeuse qui, d'après la Bible, tomba du ciel pour nourrir les Hébreux dans le désert. ▷ Fig. Nourriture abondante, que l'on obtient sans grande peine ou sans grande dépense. – Aubaine, avantage que l'on n'espérait pas. **2.** *Manne des pêcheurs* ou *des poissons* : éphémères qui s'abattent sur l'eau en grande quantité. **3.** Matière sucrée qui exsude de certains végétaux (mélèze, frêne).

1. mannequin n. m. HORTIC Panier haut et rond, à claire-voie.

2. mannequin n. m. **1.** Figure articulée représentant le corps humain, qui sert de modèle aux peintres, aux sculpteurs, etc. ▷ Forme humaine en osier, en bois, en matière moulée, etc., servant à l'essayage ou à l'exposition des vêtements. **2.** Fig. Personne sans caractère, que l'on fait agir comme on veut. **3.** Personne dont le métier est de porter les créations nouvelles des couturiers, pour les présenter en public ou pour des photographies de mode.

mannequinat n. m. Activité, métier de mannequin (mode, publicité).

Mannerheim (Carl Gustaf Emil, baron) (Villnäs, 1867 – Lausanne, 1951), maréchal et homme politique finlandais. Après une brillante carrière dans l'armée du tsar, il vainquit les bolcheviks en 1918 et assura l'indépendance de son pays, dont il fut régent (1918). En 1939-1940, il mena la résistance contre les Soviétiques, qu'il combattit aux côtés de l'Allemagne de 1941 à 1944. Chef de l'État de 1944 à 1946, il signa l'armistice avec l'U.R.S.S. en septembre 1944.

Mannheim, ville et port d'Allemagne (Bade Wurtemberg), au confl. du Rhin et du Neckar; 294 650 hab. Centre ferroviaire et industr. (métallurgie, automobiles, machines; prod. chimiques, raff. de pétrole; manuf. de caoutchouc). – Univ. Chât. grand-ducal (XVIIIe s.). Musée des beaux-arts.

Manning (Henry) (Totteridge, Hertfordshire, 1808 – Londres, 1892), prélat britannique. Anglican, il se convertit au catholicisme (1851); archevêque de Westminster (1865), cardinal (1875), il intervint en faveur des ouvriers.

mannitol n. m. ou **mannite** n. f. CHIM Hexalcool saturé, de formule CH_2OH – $(CHOH)_4$ – CH_2OH, que l'on extrait de la manne du frêne.

Mannoni (Maud van der Spoel, Mme Oüave Mennoni, dite Maud) (Courtrai, 1923 – Paris, 1998), psychanalyste française d'origine néerlandaise. Ses travaux (*l'Enfant, sa maladie et les autres*, 1967) comme son action (création de l'École expérimentale de Bonneuil, 1969) étendirent le champ de la psychanalyse aux enfants.

manœuvrabilité n. f. Qualité d'un navire, d'un aéronef, d'un véhicule manœuvrable.

manœuvrable adj. Qui peut être facilement manœuvré, maniable (navire, aéronef, véhicule).

1. manœuvre n. f. **I. 1.** Mise en œuvre d'un instrument, d'une machine; action ou opération nécessaire à son fonctionnement. **2.** Action exercée sur le gréement, les voiles, les apparaux, la barre, etc., d'un navire, et destinée à assurer sa bonne marche ou à déterminer une évolution particulière; cette évolution. ▷ *Par anal.* Évolution d'un véhicule, d'un aéronef; action ou ensemble d'actions qui déterminent une (des) évolution(s). – *Fausse manœuvre*, mal exécutée, ou exécutée à contretemps. **3.** Exercice destiné à apprendre aux troupes les mouvements d'ensemble et le maniement des armes. *Champ de manœuvres. Grandes manœuvres*, mettant en jeu de grandes unités terrestres, aériennes, navales, et organisées dans des conditions aussi proches que possible du combat réel. ▷ Au combat ou en temps de guerre, mouvement de troupes ordonné par le commandement. *Manœuvre stratégique.* **4.** Fig. Ensemble des moyens que l'on emploie pour réussir; intrigue, combinaison. *Manœuvres électorales*, employées pour influencer le vote des électeurs. **II.** MAR Cordage du gréement. *Manœuvres courantes*, dont une extrémité est fixée à un point et l'autre destinée à recevoir les efforts (écoute, drisse, bras, etc.). *Manœuvres dormantes*, dont les deux extrémités sont amarrées à un point fixe (hauban, étai, etc.).

2. manœuvre n. m. Ouvrier affecté à des travaux ne nécessitant aucune qualification professionnelle.

manœuvrer v. [1] **I.** v. intr. **1.** Effectuer une manœuvre, à bord d'un navire, d'un aéronef, d'un véhicule. **2.** S'exercer en faisant des manœuvres. ▷ MILIT Exécuter un mouvement stratégique ou tactique, en parlant d'une troupe en campagne. **3.** Fig. Prendre les mesures nécessaires pour arriver à ses fins. **II.** v. tr. **1.** Agir sur (un appareil, un véhicule, etc.) pour le diriger, le faire fonctionner. **2.** Fig. Influencer (qqn) de manière détournée pour qu'il agisse comme on le souhaite.

manœuvrier, ère n. (et adj.) **1.** Personne qui sait manœuvrer (un navire, des troupes, etc.). *Un fin manœuvrier.* ▷ adj. *Armée manœuvrière.* **2.** Fig. Personne qui sait manœuvrer, qui sait conduire ses affaires avec habileté.

manographe n. m. Manomètre enregistreur.

manoir n. m. Demeure seigneuriale. – Gentilhommière, petit château campagnard.

Manolete (Manuel Rodríguez Sánchez, dit) (Cordoue, 1917 – Linares, 1947), matador espagnol, au style dépouillé; il fut tué dans l'arène.

manomètre n. m. TECH Appareil servant à mesurer la pression d'un gaz ou d'un liquide. *Les baromètres sont des manomètres qui mesurent la pression atmosphérique.*

manométrie n. f. PHYS Mesure de la pression des gaz, des liquides.

manométrique adj. Didac. Relatif à la manométrie.

Manosque, ch.-l. de cant. des Alpes-de-Haute-Provence (arr. de Forcalquier); 19 537 hab. Électronique; parfumerie; industr. biomédicale. Centrale hydroélectrique. – Égl. St-Sauveur (XIIe-XIIIe s.) et N.-D. de Romigier (XIIe-XIIIe s., portail Renaissance). Vestiges de l'enceinte (XIVe s.), portes Saunerie et Soubeyran.

manostat n. m. TECH Appareil servant à maintenir constante la pression d'un fluide dans une enceinte.

Manou. V. Manu.

manouche n. Gitan nomade.

Manouchian (Missak) (Adiyaman, Turquie, 1910 – Suresnes, 1944), ouvrier et journaliste arménien. Membre d'un groupe de résistants appartenant à l'amicale de la M.O.I.

l'Affiche rouge : diffamation du groupe **Manouchian** par la propagande nazie, fév. 1944

(Main-d'œuvre immigrée), il fut arrêté par les Allemands, condamné à mort et fusillé avec ses compagnons.

manquant, ante adj. et n. Qui manque; qui est absent. *Pièce manquante d'une collection. Élève manquant.* - Subst. *Les manquants seront punis.*

manque n. m. **1.** Défaut, absence de ce qui est nécessaire. *Manque de pain.* ▷ *État de manque* : état d'angoisse et de souffrance physique dans lequel se trouve un toxicomane privé de sa drogue. **2.** Ce qui manque. ▷ *Manque à gagner* : gain que l'on aurait pu réaliser. **3.** Loc. adj. Fam. *À la manque* : médiocre, défectueux, mauvais. **4.** JEU À la roulette, première moitié des 36 numéros, de 1 à 18 inclus (par oppos. à *passe*).

1. manqué, ée adj. **1.** Qui n'est pas réussi. *Une soirée manquée.* **2.** À quoi l'on n'a pas été présent. *Rendez-vous manqué.* **3.** Vx Qui a échoué; qui n'a pas suivi la voie qu'il aurait dû suivre. ▷ Mod. *Un comédien, cuisinier,* etc. *manqué,* qui en a la vocation, mais pas l'état. ▷ *Garçon manqué* : fille qui a des goûts, des comportements de garçon. **4.** PSYCHAN *Acte manqué,* qui ne traduit pas une intention consciente de son auteur, mais est consécutif à un refoulement, à une censure exercée par son inconscient.

2. manqué n. m. CUIS Gâteau à pâte souple, à base de farine, de beurre, d'œufs, de sucre glacé sur le dessus et pouvant être garni de fruits confits. *Moule à manqué.*

manquement n. m. Fait de manquer à un engagement, à un devoir. *Manquement à la discipline.*

manquer v. [1] **I.** v. intr. **1.** Faire défaut. *L'eau manque.* ▷ v. impers. *Il manque encore deux chaises.* **2.** Être absent, ne pas être là quand il le faudrait. *Plusieurs élèves manquent cette semaine.* - *Les forces lui manquèrent.* **3.** (Choses) Ne plus remplir sa fonction. *Cordage qui manque,* qui casse. **4.** (Choses) Échouer. *La tentative a manqué.* **II.** v. tr. indir. **1.** *Manquer à (qqn),* ne pas lui manifester le respect, les égards qu'on lui doit. - *Manquer à (qqn)* : faire défaut (par son absence). *Sa fille lui manque.* **2.** *Manquer à* (une obligation), la négliger, s'y soustraire. *Manquer à sa parole.* ▷ Litt. *Manquer de, à* (+ inf.) : omettre, négliger de. *Manquer de, manquer à tenir un engagement.* - Cour. (En tournure négative.) *Transmettez-lui mon meilleur souvenir. - Je n'y manquerai pas.* **3.** (Semi-auxil.) Être sur le point de. *Il a manqué de tomber. - Il a manqué donner sa démission.* **III.** v. tr. dir. **1.** Ne pas réussir. *Manquer son affaire.* **2.** Ne pas atteindre (un but). ▷ *Spécial.* Ne pas réussir à tuer. *Manquer un lièvre.* ▷ v. pron. (réfl.) Ne pas réussir à se tuer. *Il a fait une tentative de suicide, mais il s'est manqué.* **3.** Ne pas parvenir à rencontrer (qqn). ▷ v. pron. (récipr.) *Ils se sont manqués à dix minutes près.* **4.** Être absent, arriver trop tard pour assister, participer à (qqch). *Manquer la classe. Un spectacle à ne pas manquer.* ▷ *Manquer le train,* arriver trop tard pour le prendre. **5.** Laisser échapper (qqch d'intéressant). *Manquer une bonne occasion.*

Man Ray. V. Ray (Man).

Manrique (Jorge) (Parades de Nava, 1440 - Cuerica, 1479), écrivain espagnol. Il écrivit des poèmes galants, burlesques et allégoriques. Ses *Stances sur la mort de son père* (1476) sont un classique de la littérature espagnole.

Mans (Le), ch.-l. du dép. de la Sarthe, au confl. de la Sarthe et de l'Huisne; 148 465 hab. (env. 189 100 hab. dans l'aggl.). La ville a bénéficié de sa position géographique, aux confins du Bassin parisien et de la Bretagne. Produits agricoles. Centre industriel actif : industr. métall., méca. (auto., tracteurs), électr., alim. (rillettes), etc. Circuit automobile (les Vingt-Quatre Heures du Mans, depuis 1923). - Collèges universitaires. Évêché. Cath. St-Julien (XIe-XVe s., avec chœur gothique du XIIIe s., vitraux). Égl. N.-D.-de-la-Couture (XIe-XIIIe s.) et N.-D.-du-Pré (XIe-XIIe s., restaurée au XIXe). Musées. Maisons anciennes. - Cap. des Cénomans, la ville fut fortifiée par les Romains, et conquise par les Francs au VIe s. Cédée aux ducs de Normandie (XIe s.), elle fut définitivement réunie à la Couronne en 1481.

mansarde n. f. **1.** Comble brisé. **2.** Pièce ménagée sous un comble brisé, dont un mur au moins, constitué par le dessous du toit, est incliné.

mansardé, ée adj. Disposé en mansarde.

Mansart (François) (Paris, 1598 - id., 1666), architecte français; élève de S. de Brosse. Il domina l'architecture du temps de Louis XIII et créa un style national lié à la doctrine classique : superposition des ordres, réduction des ailes d'angle, plan central à coupole pour les égl., ornementation réduite, etc. Princ. réalisations : égl. de la Visitation-de-Sainte-Marie (1632, Paris), hôtel de la Vrillière (1635-1638, Banque de France), chât. de Maisons (1642-1651), une partie de l'abb. du Val-de-Grâce (1645-1647, achevée par Lemercier). - **Hardouin-Mansart** (Jules) (Paris, 1646 - Marly, 1708), petit-neveu du préc.; architecte français. Continuateur du classicisme, architecte de Louis XIV, il porta l'art versaillais à son apogée : chât. de Clagny (1674-1683), de Marly (1679-1686), de Dampierre (1680), partie princ. du chât. de Versailles (façade sur le parc, galerie des Glaces : 1678-1684), dôme des Invalides (1680), Grand Trianon (1687), place des Victoires (1685), place des Conquêtes (1698, auj. place Vendôme).

François **Mansart** : château de Maisons-Laffitte

Mansfield, v. d'Angleterre (Nottinghamshire); 98 800 hab. Industr. text. Houillères. - Égl. goth. (XIIIe-XVe s.).

Mansfield (Kathleen Mansfield Beauchamp, dite Katherine) (Wellington, Nouvelle-Zélande, 1888 - Fontainebleau, 1923), écrivain anglais; auteur de nouvelles marquées par une vive sensibilité : *Félicité* (1920), *la Garden Party* (1922).

Mansour ou **Mansur** *(Abū Ğa'far al-Manṣūr),* deuxième calife abbasside (754-775). Il fonda Bagdad en 762; célèbre par ses luttes contre les chiites et les kharidjites.

Mansour ou **Mansur** (Muhammad ibn Abi Amir, surnommé Al-) *(Muḥammad ibn Abī 'Āmir al-Manṣūr)* (m. en 1002), chef militaire musulman. Il gouverna Cordoue de 978 à 1002 et se rendit célèbre par ses expéditions contre les États chrétiens d'Espagne.

Mansourah, ville d'Égypte, sur le delta du Nil (r. g. de la branche de Damiette); ch.-l. de gouvernorat; 323 000 hab. Égrenage du coton; minoteries. - Saint Louis y fut fait prisonnier en 1250.

Manstein (Erich von Lewinski, dit Erich von) (Berlin, 1887 - Irschenhausen, Bavière, 1973), maréchal allemand; auteur du plan de campagne contre la France en 1940. Il prit la Crimée (1942), ne put dégager Stalingrad et fut relevé de ses fonctions en 1944.

mansuétude n. f. Litt. Clémence, indulgence.

1. mante n. f. Anc. Manteau de femme ample et sans manches.

2. mante n. f. Insecte orthoptère carnassier (genre *Mantis*) des régions tempérées, au corps étroit et allongé, cour. appelé *mante religieuse* à cause de ses puissantes pattes antérieures, qu'il tient repliées et rapprochées et qui évoquent les mains d'une personne en prière. *Parfois la mante femelle dévore le mâle après l'accouplement.* ▷ Fig. *Mante religieuse* : femme qui se montre exigeante ou cruelle avec les hommes qu'elle séduit.

mante religieuse femelle dévorant un criquet

manteau n. m. **1.** Vêtement avec ou sans manches qui se porte par-dessus les autres habits. ▷ Fig. Ce qui recouvre, dissimule. *Un manteau de neige, de verdure.* - Loc. *Sous le manteau* : de façon clandestine. **2.** ZOOL Région dorsale d'un animal quand elle est d'une autre couleur que celle du reste du corps. ▷ Repli de peau qui enveloppe le corps et dont la face externe sécrète la coquille, chez les mollusques. **3.** GEOL Couche du globe terrestre située entre l'écorce et le noyau, d'une épaisseur moyenne de 3 000 km. **4.** *Manteau d'une cheminée* : partie construite en saillie au-dessus du foyer. **5.** *Manteau d'Arlequin* : encadrement d'une scène de théâtre simulant une draperie.

Mantegna (Andrea) (Isola di Carturo, près de Padoue, 1431 – Mantoue, 1506), peintre et graveur italien. Il a introduit dans la peinture les thèmes et les décors de l'Antiquité, des effets de perspective (*le Christ mort*, Brera, Milan) et une recherche de la plastique corporelle (*Saint Sébastien*, Louvre), influençant les Vénitiens et le monde germanique.

Andrea **Mantegna :** retour d'exil de Louis III Gonzague (son cheval, ses valets, ses chiens), v. 1474; détail d'une des fresques de la chambre des Époux, Mantoue

mantelé, ée adj. **1.** ZOOL Dont le dos est d'une couleur différente de celle du reste du corps. *Corneille mantelée.* **2.** HERALD Se dit d'un écu chapé dont la pointe ne dépasse pas le centre.

mantelet n. m. **1.** LITURG Manteau de cérémonie, sans manches, de certains prélats. **2.** Anc. Petit manteau court porté par les femmes.

Mantes-la-Jolie, ch.-l. d'arr. des Yvelines; 45 254 hab. Industr. alim.; constr. mécaniques; cimenterie; chimie. – Collégiale Notre-Dame (fin XIIe-XIVe s.). Tour St-Maclou (XVe-XVIe s.).

Mantes-la-Ville, ch.-l. de cant. des Yvelines (arr. de Mantes-la-Jolie); 19 125 hab.

mantille n. f. Écharpe de dentelle ou de soie couvrant la tête et les épaules, pièce du costume féminin espagnol traditionnel.

Mantinée, anc. v. d'Arcadie où Épaminondas triompha des Spartiates en 362 av. J.-C. et trouva la mort.

mantique n. f. Didac. Pratique de la divination.

mantisse n. f. MATH Partie décimale du logarithme d'un nombre.

Mantoue (en ital. *Mantova*), v. d'Italie (Lombardie), entourée de lacs; 61 000 hab.; ch.-l. de la prov. du m. nom. Industr. alimentaires et textiles; prod. chimiques, raff. de pétrole. – Palais ducal (XIIIe-XVIe s., fresques de Mantegna). Cath. (XIVe s.) à façade baroque. – De 1328 à 1708, les Gonzague gouvernèrent la ville, qu'ils fortifièrent (XIVe s.) et embellirent. Passée à l'Autriche en 1708, Mantoue fut rattachée au royaume d'Italie en 1866.

mantra [mɑ̃tʀa] n. m. RELIG Dans le brahmanisme, formule sacrée, prière. *Des mantra(s).*

Manu ou **Manou,** nom de 14 personnages légendaires de l'Inde qui doivent régner à tour de rôle jusqu'au renouvellement complet du monde. Le 7e Manu, qui règne sur la présente humanité, serait l'auteur du *Mānava-Dharma-Çāstra* («lois de Manu»), code religieux, moral et social rédigé un peu avant l'ère chrétienne et officiellement aboli aujourd'hui.

manualité n. f. Didac. Prédominance d'une main sur l'autre dans l'accomplissement de certains gestes.

manucure n. Personne dont la profession consiste à donner des soins de beauté aux mains, aux ongles. ▷ n. f. Ces soins eux-mêmes.

manucurer v. tr. [1] Faire la manucure de. – Pp. adj. *Des ongles manucurés.*

manucurie n. f. **1.** Profession de manucure. **2.** Soin des mains.

1. manuel, elle adj. et n. **1.** Qui se fait avec la main. *Travail manuel.* ▷ Propre à la main. *Habileté manuelle.* ▷ Réalisé par une intervention de l'homme (par oppos. à *automatique*). **2.** *Travailleur manuel*, qui fait un métier manuel. ▷ Subst. *Les manuels et les intellectuels.*

2. manuel n. m. Ouvrage, souvent à usage scolaire, qui présente, dans un format maniable, l'essentiel des notions d'un art, d'une science, etc.

Manuel Ier Comnène (v. 1122 – 1180), empereur byzantin (1143-1180). Il rêva de réaliser l'Empire universel. Ses nombr. guerres (contre les Slaves et les Vénitiens, notam.) affaiblirent l'Empire. Les Turcs lui infligèrent une grave défaite à Myriokèphalon (1176). – **Manuel II Paléologue** (1348 – 1425), empereur byzantin (1391-1425). Il tenta de s'opposer aux Turcs, qui convoitaient l'Empire, déjà amoindri par leurs conquêtes, et fit appel aux croisés, défaits à Nicopolis (1396). En 1424, il dut accepter la suzeraineté du sultan.

Manuel Ier le Grand ou **le Fortuné** (Alcochete, 1469 – Lisbonne, 1521), roi de Portugal (1495-1521). Il favorisa les grandes expéditions maritimes (Vasco de Gama, Cabral, Albuquerque) et gouverna en roi absolu. Ce fut un grand bâtisseur. – **Manuel II** (Lisbonne, 1889 – Twickenham, 1932), dernier roi de Portugal (1908-1910). Il fut renversé par un coup d'État militaire et se réfugia en Angleterre.

Manuel Deutsch (Niklaus) (Berne, 1484 – id., 1530), peintre et graveur suisse; maniériste à l'inspiration «fantastique».

manuélin, ine adj. BX-A Se dit d'un style décoratif et architectural qui apparut au Portugal à la fin du XVe s. (sous Manuel Ier) et s'y développa jusqu'en 1545.

manuellement adv. Avec la ou les mains. *Opérer manuellement.*

manufacturable adj. Qui peut être manufacturé.

manufacture n. f. **1.** Vx ou HIST Vaste établissement, employant un nombreux personnel, dans lequel la fabrication des produits s'effectuait essentiellement à la main et sans que les tâches soient parcellisées. **2.** Mod. Établissement où l'on fabrique des produits de luxe ou des produits exigeant un haut niveau de finition. *Manufacture nationale de Sèvres* (porcelaines), *des Gobelins* (tapisseries).

manufacturer v. tr. [1] Transformer (une matière première) en un produit fini. – Pp. adj. *Produits manufacturés et produits bruts.*

manufacturier, ère adj. Relatif aux manufactures, à leur production; où il y a des manufactures. *Pays manufacturier.*

manu militari [manymilitaʀi] loc. adv. (lat.) En utilisant la force armée. – *Par ext.* En employant la force, la contrainte physique. *Il l'a fait sortir manu militari.*

Manus, île princ. des îles de l'Amirauté (archipel Bismarck); 1 600 km^2. Coprah (seule richesse). – Import. base militaire des É.-U. pendant la guerre du Pacifique.

manuscrit, ite adj. et n. m. **I.** adj. Écrit à la main. *Page manuscrite.* **II.** n. m. **1.** Livre ancien écrit à la main. *Conservation des manuscrits.* **2.** Original écrit à la main (ou, par ext., dactylographié) d'un texte imprimé ou destiné à l'être.

manutention n. f. **1.** Transport de marchandises, de produits industriels, sur de courtes distances (d'un poste de stockage à un autre, d'un poste de stockage au point d'utilisation, d'un véhicule à un autre, etc.). **2.** Local où ont lieu ces opérations de manutention.

manutentionnaire n. Personne qui fait des travaux de manutention.

manutentionner v. tr. [1] Procéder à la manutention de.

Manytch (dépression de), région de Russie, aux plaines très basses, entre la mer d'Azov et le N. de la Caspienne, drainée par le *Manytch oriental* (300 km), tributaire de la Caspienne, et par le *Manytch occidental* (280 km), affluent, r. g., du Don.

Manzanares (le), riv. d'Espagne (85 km), sous-affl. du Tage; arrose Madrid.

manzanilla [manzanija] n. m. Vin d'Espagne, variété de xérès.

Manzanillo, v. du S. de Cuba, port sur la mer des Antilles; 104 870 hab. Industr. alimentaires; manuf. de tabac.

Manzoni (Alessandro) (Milan, 1785 – id., 1873), écrivain italien; chef du mouvement romantique en Italie. Son unique roman et son chef-d'œuvre, *les Fiancés* (1825-1827; 2e éd. revue, 1840-1842), est une fresque historique qui reflète avec une grande vraisemblance la réalité sociale du Milanais sous l'occupation espagnole (1628-1630). Il est également l'auteur de poèmes (*la Colère d'Apollon*, 1816-1818; *Hymnes sacrés*, 1822), de drames (*le Comte de Carmagnole*, 1820), d'un *Essai sur le roman historique* (1845).

Mao Dun ou **Mao Touen** (Shen Dehong, dit Shen Yanbing et) (Wu, Zhejiang, 1896 – Pékin, 1981), écrivain chinois. Romancier célèbre (*Minuit*, fresque sociale sur les milieux d'affaires de Shanghai, 1933), il fut aussi essayiste, critique littéraire (il publia près de 200 ouvrages) et, de 1949 à 1965, ministre de la Culture.

maoïsme n. m. Doctrine, pensée politique de Mao Zedong. (Le maoïsme se présente comme une application du marxisme aux conditions particulières de la Chine et comme une théorie de la révolution démocratique et nationale dans les pays dominés par l'impérialisme.) ▷ Cour. Mouvement politique se réclamant de Mao Zedong.

maoïste adj. et n. Qui a rapport au maoïsme. *La doctrine maoïste.* ▷ Subst. Partisan du maoïsme; militant d'un groupe, d'un parti politique se réclamant du maoïsme. (Abrév. : mao).

maori, ie adj. et n. **1.** adj. Relatif aux populations indigènes de la Nouvelle-Zélande. **2.** n. *Un(e) Maori(e).* ▷ n. m. *Le maori* : la langue polynésienne parlée par les Maoris.

Maoris, population polynésienne de la Nouvelle-Zélande (de 300 000 à 400 000 individus auj., sept à huit fois plus qu'à la fin du XIXe s.). – La grande qualité esthétique des objets rituels ou usuels des anc. Maoris est généralement liée à une ornementation complexe tout en lignes courbes : boîtes en bois, herminettes cérémonielles, proues de pirogue, piliers, têtes momifiées avec tatouages, etc.

Mao Touen. V. Mao Dun.

maous, ousse ou **mahous, ousse** [maus] adj. Fam. Gros, d'une taille considérable.

Mao Zedong, Mao Tsé-toung ou **Mao Tsö-tong** (Shaoshan, Hunan, 1893 – Pékin, 1976), homme politique chinois. Militant marxiste dès 1918, l'un des fondateurs du parti communiste chinois, il le dirigea à partir de 1935, ayant imposé dès 1931 la thèse suivant laquelle la paysannerie devait constituer la principale force révolutionnaire. Allié (1937-1941) puis adversaire de Tchang Kaï-chek (Jiang Jieshi) dans la lutte contre les Japonais, il reconquit la Chine continentale (1946-1949) et devint président de la rép. pop. de Chine (1954-1959); après 1959, il resta, en tant que président du parti communiste, le princ. personnage de la Chine. Il inspira les « Cent Fleurs » (1956-1957), le « grand bond en avant » (1958), la rupture avec l'U.R.S.S. (1960), la révolution culturelle (1966). Sa pensée, qu'il a exprimée dans de nombr. ouvrages politiques et philosophiques (*De la contradiction,* 1937; *De la juste solution des contradictions au sein du peuple,* 1957), a été résumée dans le *Petit Livre rouge,* massivement diffusé. Après 1973, le « Grand Timonier », vieilli et affaibli (maladie de Parkinson), s'effaça peu à peu. ▶ illustr. page 1154

mappemonde n. f. **1.** Carte du globe terrestre sur laquelle les deux hémisphères sont représentés côte à côte, en projection plane. ▷ *Abusiv.* Cour. Globe représentant la surface de la Terre. **2.** *Mappemonde céleste* : carte plane du ciel.

Maputo (anc. *Lourenço Marques*), cap. du Mozambique et port au fond de la baie Delagoa; 1 007 000 hab. Débouché du Zimbabwe, le port possède quelques industr. alimentaires.

maquer v. [1] Pop. **1.** v. pron. Se mettre en ménage (avec qqn). **2.** v. tr. Faire entrer en ménage. *Qui les a maqués ?* ▷ v. intr. (Sens passif.) *Elle est maquée avec Untel* : Untel est son amant, elle vit avec Untel.

1. maquereau n. m. Poisson marin perciforme comestible (genre *Scomber*) au corps fusiforme, au dos bleu-vert rayé de noir, pouvant atteindre 40 cm de longueur.

2. maquereau, elle n. Pop. **1.** Personne qui tire profit de la prostitution des femmes, qui en vit; proxénète. **2.** n. f. Tenancière de maison close. – (En appos.) *Mère maquerelle.*

maquette n. f. **1.** Ébauche en réduction d'une œuvre d'architecture, de sculpture, etc. **2.** Représentation, le plus souvent à échelle réduite, d'un navire, d'un avion, d'une machine, d'une construction, d'un décor, etc. **3.** Modèle original, simplifié ou complet, d'un ouvrage imprimé, d'une mise en page, etc. *Maquette d'affiche.*

maquettiste n. **1.** Réalisateur de maquettes ou de modèles réduits. **2.** Cour. Technicien spécialisé dans la réalisation de maquettes pour l'imprimerie, l'édition.

maquignon n. m. **1.** Marchand de chevaux. **2.** Fig. Personne peu scrupuleuse en affaires, qui use de procédés indélicats (comme les maquignons qui dissimulaient les défauts des bêtes pour les vendre).

maquignonnage n. m. **1.** Métier de maquignon. **2.** Fig. Procédés indélicats, manœuvres illicites.

maquignonner v. tr. [1] **1.** Vx *Maquignonner une bête,* cacher ses défauts pour la vendre. **2.** Par ext. *Maquignonner une affaire,* user de moyens irréguliers pour la conclure à son profit.

maquillage n. m. **1.** Action de maquiller ou de se maquiller; son résultat. ▷ Ensemble des produits que l'on utilise pour (se) maquiller. **2.** Modification de l'aspect d'une chose dans une intention malhonnête ou frauduleuse. *Maquillage d'un défaut.*

maquiller v. tr. [1] **1.** Modifier à l'aide de fards, de produits colorés, l'apparence de (son visage, du visage de qqn; d'une partie du visage). *Maquiller un acteur pour la scène.* ▷ v. pron. *Femme qui se maquille, qui se maquille les yeux.* **2.** Modifier l'aspect de (qqch) pour tromper qqn, pour frauder. *Maquiller des cartes à jouer,* leur faire au dos ou sur la tranche une marque pour les reconnaître et tricher. – Fig. *Maquiller la vérité* : dénaturer les faits, les présenter sous une apparence trompeuse.

maquilleur, euse n. Personne qui fait métier de maquiller (au théâtre, au cinéma, dans un institut de beauté).

maquis n. m. **I. 1.** Formation végétale dense propre aux terrains siliceux des régions méditerranéennes, caractérisée par des plantes buissonneuses, épineuses et odorantes adaptées à la sécheresse (cistes, pistachiers, chênes verts, chênes kermès, cyprès, etc.). *Gagner, prendre le maquis,* s'y réfugier (selon la coutume des bandits corses). **2.** Fig. Ce qui est ou paraît impénétrable, inextricable. *Le maquis de la procédure.* **II.** HIST Pendant la guerre de 1939-1945, ensemble des régions rurales d'accès difficile où les résistants qui menaient une guerre de francs-tireurs contre l'occupant trouvaient refuge; l'ensemble de ces résistants.

maquisard n. m. HIST Résistant combattant dans le maquis, franc-tireur, pendant la guerre de 1939-1945. ▷ *Par ext.* Tout franc-tireur. *Les maquisards afghans.*

marabout n. m. **I. 1.** Mystique musulman qui mène une vie contemplative et se livre à l'étude du Coran. *Les marabouts sont consultés comme docteurs et interprètes de la loi.* ▷ Dans les pays musulmans d'Afrique, homme connu pour ses pouvoirs de devin et de guérisseur. **2.** *Par ext.* Koubba, petite chapelle élevée sur la tombe d'un marabout. **II.** Grand oiseau ciconiiforme (genre *Leptopilus*) d'Asie et d'Afrique, charognard au bec puissant et au cou déplumé enfoncé entre les ailes. ▷ *Par méton.* Plume de la queue de cet oiseau.

Maracaibo, v. du Venezuela, port sur la rive O. du *lac de Maracaibo* (vaste baie prolongeant le golfe du Venezuela, dans la mer des Antilles; import. gisements de pétrole); cap. de l'État de Zulia; 1 232 250 hab. Grand centre pétrolier.

maracas [maʀakas] n. m. pl. Instrument de percussion composé d'une paire de boules creuses munies chacune d'un manche et remplies de petits corps durs, que l'on agite pour scander le rythme de la musique sud-américaine.

Maracay, v. du Venezuela, au S.-O. de Caracas; cap. d'État (*Aragua*); 482 250 hab. (aggl. urb. 825 760 hab.). Industr. textiles et alimentaires.

maracudja n. m. Syn. de *fruit de la Passion*.*

Maradona (Diego) (Lanus, Buenos Aires, 1960), footballeur argentin. Champion du Monde au Mexique en 1986 avec l'équipe d'Argentine.

maraîchage n. m. Culture maraîchère.

maraîcher, ère n. et adj. Personne qui pratique la culture intensive des légumes et des primeurs. ▷ adj. Qui concerne la culture intensive des légumes et des primeurs.

maraîchin, ine adj. et n. GEOGR Du Marais breton, poitevin ou vendéen. ▷ Subst. *Les Maraîchins* : les habitants de ces régions.

marais n. m. **1.** Étendue d'eau stagnante de faible profondeur, envahie par la végétation aquatique (roseaux, carex, etc.). *Gaz des marais* : méthane. **2.** *Marais salant* : petit bassin peu profond, inondable à volonté, à proximité d'un rivage maritime, où l'on recueille le sel après évaporation de l'eau de mer. **3.** Terrain humide ou irrigable propre à la culture maraîchère. **4.** Fig. État, situation, activité, etc., où l'on risque de s'enliser. *Le marais de la médiocrité quotidienne.* **5.** METEO *Marais barométrique* : zone de pression uniforme, voisine de la normale et sans gradient bien défini.

Marais (le), quartier de Paris (IIIe et IVe arr.), délimité par l'ancien lit de la Seine, qu'occupaient au Moyen Âge des jardins maraîchers. Il s'urbanisa sous Henri IV et Louis XIII (place Royale, auj. place des Vosges). Ce quartier, riche en vieilles demeures des XVIIe et XVIIIe s., devenu le domaine de l'artisanat aux XIXe et XXe s., est en pleine restauration.

Marais (le) ou **Plaine** (la), nom donné au parti modéré sous la Législative et sous la Convention. Il siégeait au centre et prit le pouvoir après le 9 Thermidor.

Marais (Marin) (Paris, 1656 – id., 1728), violiste et compositeur français; élève de Lully. Célèbre joueur de viole, il écrivit pour cet instrument et donna

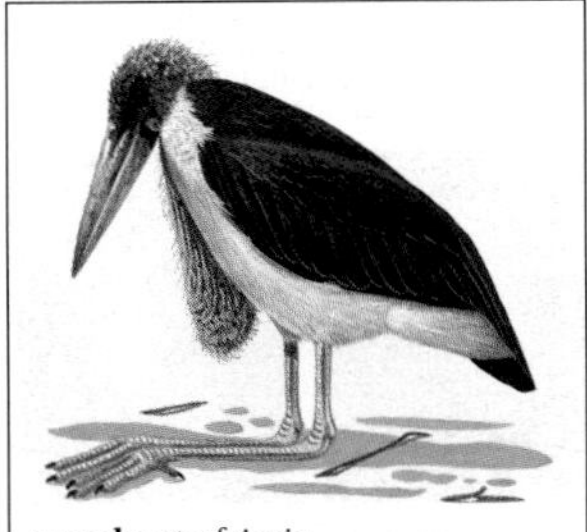

marabout africain

des opéras : *Ariane et Bacchus* (1696), *Alcyone* (1706), *Sémélé* (1709).

Marais (Jean Alfred Villain-Marais, dit Jean) (Cherbourg, 1913 – Cannes, 1998), comédien français. Jeune premier des années 1940-1950 (*la Belle et la Bête*, 1945), il fit ensuite carrière dans le film d'aventures (*le Bossu*, 1959).

Marajó, grande île du Brésil (État de Pará), entre l'embouchure de l'Amazone et celle du río Tocantins.

Maramureş, massif cristallin des Carpates, en Roumanie (Transylvanie); 2 305 m dans les monts de Rodna. – La *rég. du Maramureş* (543 260 hab.; ch.-l. *Baia Mare*), couverte de forêts, est célèbre pour son architecture du bois.

Maran (René) (Fort-de-France, 1887 – Paris, 1960), romancier français. Il fut l'un des premiers à décrire les peuples d'Afrique noire avec objectivité : *Batouala* (1921), *M'bala, l'éléphant* (1944).

Maranhão, État du N.-E. du Brésil, sur l'Atlantique; 328 663 km^2; 4 978 000 hab.; cap. *São Luís de Maranhão* (fondée par les Français en 1612). Princ. ressources : palmiers à huile, élevage bovin, bauxite.

Marañón (le), la princ. des branches mères de l'Amazone (1 800 km), née dans les Andes du Pérou.

Marañón y Posadillo (Gregorio) (Madrid, 1887 – id., 1960), médecin espagnol; l'un des fondateurs de l'endocrinologie (travaux sur les surrénales, la thyroïde, etc.). Républicain modéré, il fut député en 1931 et écrivit de nombr. ouvrages d'histoire.

maranta ou **marante** n. f. BOT Plante monocotylédone tropicale voisine des balisiers, cultivée pour ses rhizomes, dont on extrait l'arrow-root*, et comme plante ornementale.

Maras. V. Kahramanmaras.

1. marasme n. m. **1.** MED Maigreur extrême consécutive à une longue maladie. **2.** Cour. Apathie, découragement. **3.** Fig. Activité très ralentie, stagnation. *Marasme des affaires.*

2. marasme n. m. BOT Champignon basidiomycète à lamelles, comestible (parfois allergène), dont l'espèce la plus courante est le *faux mousseron* ou *mousseron d'automne* ou *petit mousseron des prés.*

marasque n. f. Cerise acide des régions méditerranéennes, appelée aussi *griotte de Marasca.*

marasquin n. m. Liqueur de marasque.

Marat (Jean-Paul) (Boudry, Suisse, 1743 – Paris, 1793), médecin, écrivain et homme politique français. En 1789, il se lança dans le journalisme, fondant *l'Ami du Peuple.* Il ne cessa d'y dénoncer les trahisons des révolutionnaires et prôna les mesures extrêmes. Il porte une part de responsabilité dans les massacres de sept. 1792. Conventionnel montagnard, il joua un rôle déterminant dans la chute des Girondins (juin 1793) et, pour cette raison, il fut assassiné par Charlotte Corday (13 juil. 1793). Adulé des sans-culottes, pour lesquels il fut le martyr de la Révolution, il devint, après Thermidor, le symbole honni de ses exactions.

Jean-Paul **Marat**

Marc Aurèle

marathe. V. mahratte.

marathon n. m. **1.** Épreuve de course à pied de grand fond (42,195 km), sur route. **2.** Fig. Compétition, séance, négociation, etc., prolongée et éprouvante. *Marathon de danse. Marathon parlementaire.*

Marathon, village de l'Attique où les Athéniens, commandés par Miltiade, vainquirent les Perses (490 av. J.-C.). Pour annoncer la nouvelle, le célèbre *coureur de Marathon* aurait, d'une traite, effectué le trajet jusqu'à Athènes (env. 40 km) et serait mort au pied de l'Acropole, épuisé par l'effort.

marathonien, enne n. Coureur, coureuse de marathon.

marâtre n. f. **1.** Vx ou péjor. Belle-mère, pour les enfants d'un premier lit. **2.** Mauvaise mère. – adj. f. Fig. *« Quand la marâtre nature nous prive de la vue... »* (Voltaire).

maraud, aude n. Vx Coquin, fripon.

maraudage n. m. ou **maraude** n. f. **1.** Vol de denrées commis par des soldats de passage. ▷ *Par ext.* Vol des produits de la terre avant leur récolte. **2.** *En maraude* : en quête d'un larcin, d'une proie. *Bête sauvage en maraude.* ▷ *Taxi en maraude,* qui roule lentement à la recherche de clients (à l'origine, en contravention à certains règlements.

marauder v. intr. [1] **1.** Se livrer au maraudage. ▷ v. tr. Rare *Marauder une poule.* **2.** Être en maraude.

maraudeur, euse n. et adj. Personne qui maraude. ▷ adj. *Taxi maraudeur.*

Marbella, v. et port d'Espagne, au S.-O. de Málaga (Andalousie); 65 570 hab. Stat. balnéaire.

Marbeuf (Louis Charles René, comte de) (Rennes, 1712 – Bastia, 1786), général français. Il participa à la conquête de la Corse (1768-1769), dont il fut gouverneur. Il fit admettre Bonaparte à l'école militaire de Brienne.

Marboré (massif du), massif calcaire des Pyrénées centrales (3 353 m au *mont Perdu*). Le *pic du Marboré* (3 248 m) domine le cirque de Gavarnie.

marbre n. m. **1.** Calcaire cristallin métamorphique, souvent veiné, dont les colorations variées sont dues à diverses impuretés. *Palais, colonne, statue, plaque de marbre.* ▷ Loc. fig. *Être, rester de marbre,* impassible. **2.** Morceau, objet de marbre. *Le marbre d'une cheminée.* ▷ Statue de marbre. *Un marbre de Rodin.* **3.** TECH Table, plaque métallique (de marbre à l'origine) parfaitement plane, servant à divers usages. *Marbre de mécanicien.* ▷ TYPO Grande table (auj. en fonte, jadis en marbre) sur laquelle on étale les formes pour les corriger et faire la mise en page. *Texte sur le marbre,* prêt pour l'impression.

marbré, ée adj. et n. m. **1.** adj. Veiné comme le marbre. *Bois marbré.* **2.** n. m. Gâteau au chocolat dont la pâte dessine des marbrures. **3.** Poisson téléostéen gris à rayures sombres, commun près des côtes, à chair estimée.

marbrer v. tr. [1] **1.** Décorer de dessins imitant les veines du marbre. **2.** Produire des marques semblables aux veines du marbre. *Le froid marbrait son visage de taches violacées.*

marbrerie n. f. **1.** Art, métier du marbrier. **2.** Atelier de marbrier.

marbrier, ère n. m. et adj. **1.** n. m. Spécialiste du travail du marbre et des pierres dures. ▷ *Spécial.* Entrepreneur spécialisé dans la construction et la vente des monuments funéraires. **2.** adj. Relatif au marbre, à son traitement. *Industrie marbrière.*

marbrure n. f. **1.** Imitation des veines du marbre (sur des boiseries, du papier, etc.). **2.** *Par ext.* Marque (spécial. sur la peau) évoquant le veinage du marbre.

Marburg, v. d'Allemagne (Hesse), sur la Lahn; 77 110 hab. – Université. Château (XIIIe-XVe s.), anc. résidence des margraves de Hesse.

1. marc [maʀ] n. m. **1.** Ancien poids équivalant à huit onces. **2.** DR *Au marc le franc* : en proportion de la créance ou de l'intérêt de chacun dans une affaire. *Partager, payer au marc le franc.*

2. marc [maʀ] n. m. **1.** Résidu de fruits dont on a extrait le suc par pression. *Marc de raisin, de pommes.* – *Absol.* Marc de raisin. *Distillation des marcs.* **2.** Eau-de-vie obtenue par distillation du marc de raisin. **3.** Résidu d'une substance végétale dont on a extrait le suc par infusion. *Marc de thé. Lire l'avenir dans le marc de café.*

Marc (saint) (Ier s.), l'un des quatre évangélistes; son Évangile est le second Évangile synoptique après celui de Matthieu, dont il reprit la version primitive et influença la version définitive. Compagnon de Paul, puis de Pierre, il serait mort en Égypte. Marc est le patron de Venise, qui a pris pour emblème un lion ailé, figure sous laquelle Ézéchiel entrevit le saint dans une de ses visions.

Marc (le roi), dans la légende de Tristan* et Iseult, roi de Cornouailles, époux d'Iseult* la blonde, oncle de Tristan. Sa souffrance est celle d'un homme qui incarne le tout-puissant pouvoir féodal et que trahissent ceux en qui il avait une absolue confiance; il persiste à les aimer, mais il doit les punir.

Marc. V. Mark.

Marc (Franz) (Munich, 1880 – Verdun, 1916), peintre allemand; animateur avec Kandinsky du Blaue Reiter. Il s'orienta, à partir de 1913, vers l'abstraction.

Marc Antoine. V. Antoine.

marcassin n. m. Petit du sanglier. *Les marcassins ont le dos rayé longitudinalement.*

marcassite n. f. MINER Variété de pyrite (FeS_2) jaune, à éclat métallique, cristallisant en prismes allongés, utilisée en bijouterie de fantaisie.

marcation n. f. Vx Démarcation. ▷ HIST *Ligne de marcation,* tracée (en 1494) sur la mappemonde par le pape Alexandre VI. (Il fut décidé que les terres découvertes à l'O. de cette ligne reviendraient aux Espagnols; celles découvertes à l'E., aux Portugais.)

Marc Aurèle (en lat. *Marcus Annius Verus,* puis *Marcus Aurelius Antoninus*) (Rome, 121 – Vindobona, auj. Vienne, 180), empereur romain (161 à 180). Il lutta contre les Parthes (161) et les

Germains (166-169); habile administrateur, il protégea les arts et les lettres. D'abord tolérant à l'égard des chrétiens, il les fit ensuite persécuter. Écrivain, il a laissé un recueil de *Pensées*, sorte de journal intime orienté vers un stoïcisme pratique.

Marceau (François Séverin Marceau-Desgraviers, dit) (Chartres, 1769 – Altenkirchen, 1796), général français. Il combattit les Vendéens (victoires du Mans et de Savenay, 1793), puis les Austro-Hollandais à Fleurus (1794). Il battit les Autrichiens à Neuwied (1795), mais en 1796, alors qu'il assurait la retraite des troupes françaises, il fut blessé à mort.

Marceau (Louis Carette, dit Félicien) (Cortenberg, Belgique, 1913), écrivain français d'origine belge : romans (*Creezy*, 1969), essais (*le Roman en liberté*, 1978) et surtout théâtre, dans lequel la cruauté à l'égard d'une humanité médiocre est tempérée par l'humour (*l'Œuf*, 1956; *la Bonne Soupe*, 1958; *l'Ouvre-Boîte*, 1972). Acad. fr. (1975).

Marceau (Marcel Mangel, dit Marcel) (Strasbourg, 1923), mime français. Il exalte, au travers de son personnage Bip, les ressources poétiques et expressives de la pantomime.

marcel n. m. (Nom déposé) Fam. Maillot de corps en coton, à grosses côtes.

le mime **Marceau**

Marcel Ier (saint) (Rome, ? – id., 309), pape de 308 à 309.

Marcel (Étienne) (?, v. 1316 – Paris, 1358), prévôt des marchands de Paris à partir de 1355. Il eut une grande influence sur les états généraux de 1355 à 1358. Défendant les intérêts de la bourgeoisie, il fut à l'origine de la grande ordonnance de 1357 (profonde réorganisation admin.), qui resta lettre morte. Il tenta alors d'organiser Paris à l'imitation des villes flamandes (1358), mais rencontra l'opposition du Dauphin (le futur Charles V), qui, nommé régent, voulait reprendre en main le gouvernement du pays. Maître de Paris, Étienne Marcel fit appel contre le régent à diverses puissances étrangères (notam. à Charles le Mauvais, roi de Navarre), au grand mécontentement du peuple. Les partisans du régent s'en trouvèrent confortés, et l'un d'eux, Jean Maillard, assassina Étienne Marcel.

Marcel (Gabriel) (Paris, 1889 – id., 1973), dramaturge et philosophe français. Ses princ. ouvrages philosophiques (*Journal métaphysique*, 1923; *Être et Avoir*, 1933) l'apparentent directement à l'existentialisme chrétien. Théâtre : *le Cœur des autres* (1921), *Rome n'est plus dans Rome* (1951).

Marcello (Benedetto) (Venise, 1686 – Brescia, 1739), compositeur italien; auteur de l'*Estro Poetico-Armonico* (paraphrases sur les cinquante premiers psaumes), chef-d'œuvre prébaroque de la musique italienne du XVIIIe s.

Marcellus (Marcus Claudius) (41 – 23 av. J.-C.), fils d'Octavie, sœur de l'empereur Auguste qui fit de lui son héritier, mais il mourut prématurément.

marcescent, ente adj. BOT Qui se fane sans se détacher de la plante. *Les feuilles de chêne sont marcescentes.*

March (Ausiàs) (Gandia?, v. 1397 – Valence, 1459), poète espagnol de langue catalane. Il créa la poésie catalane en renonçant au provençal : *Chants d'amour* et *Chants de mort.*

Marchais (Georges) (La Hoguette, Calvados, 1920 – Paris, 1997), homme politique français. Membre du parti communiste français dès 1947, il en devient le secrétaire général adjoint (1970), puis le secrétaire général (1972-1994). Artisan de l'union de la gauche (1972), il décide de sa rupture (1977). Candidat à l'élection présidentielle (1981), il doit faire face au déclin du P.C.F.

Marchal (André) (Paris, 1894 – Saint-Jean-de-Luz, 1980), organiste français; titulaire de l'orgue de Saint-Augustin puis de Saint-Germain-des-Prés, enfin de Saint-Eustache, à Paris.

marchand, ande n. et adj. **1.** n. Personne qui fait profession d'acheter et de revendre avec bénéfice. *Marchand en gros, au détail.* ▷ *Marchand de biens*, qui achète des terres, des immeubles, pour les revendre, ou qui sert d'intermédiaire entre vendeurs et acheteurs de ces biens. ▷ Péjor. *Marchand de canons :* fabricant d'armes. ▷ Péjor. *Marchand de soupe :* propriétaire d'un mauvais restaurant; fig. personne peu scrupuleuse, animée par le seul esprit de lucre. Fig., fam. *Marchand de tapis :* personne qui marchande mesquinement. **2.** adj. Relatif au commerce. *Valeur, denrée marchande. Prix marchand*, auquel les marchands se vendent les produits entre eux. *Qualité marchande*, courante (par oppos. à *supérieure, extra*, etc.). ▷ *Rue marchande*, où il y a beaucoup de magasins, de commerces. ▷ *Marine* marchande* (par oppos. à *marine militaire*).

Marchand (Louis) (Lyon, 1669 – Paris, 1732), organiste et compositeur français : livres d'orgue, livres de clavecin, airs de cour.

Marchand (Jean-Baptiste) (Thoissey, Ain, 1863 – Paris, 1934), général et explorateur français; chef de la mission Congo-Nil qui traversa l'Afrique et atteignit Fachoda en 1898. Face aux Anglais de Kitchener, il dut se replier sur ordre du gouvernement.

marchandage n. m. **1.** Action de marchander. ▷ Par ext. Péjor. Tractation peu scrupuleuse. *Marchandage électoral.* **2.** DR Forme de contrat par lequel un sous-entrepreneur s'engage (envers un entrepreneur) à faire exécuter un travail par des personnes payées et dirigées par lui.

marchander v. tr. [1] **1.** Débattre le prix (de qqch) pour l'obtenir à meilleur compte. *Marchander un tableau.* – Absol. *Il n'aime pas marchander.* **2.** Fig. (Surtout en tournure négative.) Accorder (qqch) à contrecœur. *Ne pas marchander les compliments.* **3.** DR Conclure un marchandage.

marchandeur, euse n. **1.** Personne qui marchande. **2.** DR Sous-entrepreneur qui traite dans un contrat de marchandage.

marchandisage n. m. COMM Ensemble des techniques visant à présenter à l'acheteur éventuel, dans les meilleures conditions matérielles et psychologiques, le produit à vendre (publicité sur le lieu de vente, étalage, etc.). (Terme officiellement recommandé pour *merchandising.*)

marchandise n. f. Objet, produit qui se vend ou s'achète. – CH de F *Train, wagon de marchandises.* ▷ Loc. fig. *Faire valoir sa marchandise :* vanter ses propres mérites, ce que l'on possède.

marchant, ante adj. Rare Qui marche. – MILIT *Aile marchante d'une armée*, celle qui marche (par oppos. à celle qui sert de pivot dans un mouvement tournant). – Fig. *Aile marchante :* courant le plus progressiste (d'un parti, d'un mouvement religieux, etc.).

1. marche n. f. **I. 1.** Mode de locomotion de l'homme et de certains animaux; enchaînement des pas. **2.** Trajet que l'on parcourt en marchant (évalué en distance ou en temps). *Le refuge est à deux heures de marche du col.* **3.** Mouvement d'un groupe de personnes qui marchent. *Ouvrir, fermer la marche :* marcher en tête, en queue d'un cortège. ▷ *Marche forcée*, dans laquelle on fait parcourir par des troupes une étape plus longue que d'habitude. **4.** Pièce de musique destinée à régler le pas d'une troupe, d'un cortège. *La « Marche funèbre » de Chopin.* **5.** Mouvement d'un corps, d'un véhicule qui se déplace, d'un mécanisme qui fonctionne. *Mettre un appareil, une voiture en marche.* – Loc. *Faire marche arrière :* reculer; fig. revenir sur une prise de position. – Fig. Fait de suivre son cours ou de fonctionner. *La marche du temps. La bonne marche d'une usine.* **6.** *Marche à suivre :* façon de procéder pour obtenir ce que l'on désire. ▷ *Par méton.* Mode d'emploi. **7.** MUS *Marche d'harmonie :* progression régulière et uniforme d'accords sur un mouvement de base. **II.** Élément plan et horizontal d'un escalier, sur lequel on pose le pied pour monter ou pour descendre.

2. marche n. f. HIST Province frontière d'un État, organisée militairement pour repousser d'éventuels envahisseurs. ▷ *Par ext.* Toute province frontière.

Marche (la), anc. prov. française, dans le N.-O. du Massif central, qui comprenait la *Basse-Marche* (cap. Bellac) et la *Haute-Marche* (cap. Guéret). Constituée en marche au Xe s., elle appartint aux Bourbons en 1327 et fut définitivement rattachée à la Couronne par François Ier en 1531.

marché n. m. **1.** Lieu couvert ou en plein air où l'on met en vente des marchandises. *Marché aux poissons, aux fleurs.* **2.** Rassemblement périodique de ceux qui vendent et qui achètent dans un lieu public. *Le marché a lieu tous les mardis.* ▷ *Faire son marché :* acheter au marché (ou, par ext., dans les magasins) les denrées dont on a besoin. **3.** Ville, endroit qui est le centre d'un commerce important. *Les grandes villes sont en général des marchés d'intérêt national* (MIN*). **4.** Débouché économique. *Industries concurrentes qui se disputent un marché.* – *Marché porteur :* secteur économique rentable. ▷ *Étude de marché :* analyse des besoins des consommateurs en vue de la fabrication et de la vente d'un produit. **5.** Ensemble des transactions portant sur tels biens, tels services; ensemble de ceux qui se livrent à ces transactions. *Le marché du sucre. Le marché du travail.* ▷ FIN *Marché financier,* dans lequel se négocient, en Bourse, les valeurs cotées. *Marché monétaire :* ensemble des transactions qu'effectuent entre elles les banques pour faire face à leurs besoins en liquidités. – *Marché libre,* dans lequel les banquiers négocient les valeurs sans cote officielle (par oppos. au *marché officiel,* qui s'effectue sur des valeurs cotées en Bourse). – FIN *Second marché :* marché boursier où les exigences concernant les valeurs immobilières sont moindres que celles de la cote officielle. ▷ *Marché noir :* ensemble d'opérations commerciales clandestines portant sur l'achat et la vente, à un prix anormalement élevé, de produits rares et recherchés. *Faire du marché noir.* ▷ *Économie de marché,* dans laquelle la régulation de la production et des prix est assurée par la loi de l'offre et de la demande (par oppos. à *économie planifiée,* à *économie dirigée*). **6.** Convention concernant les conditions d'une vente, d'un travail à exécuter. *Conclure un marché.* – *Mettre à qqn le marché en main,* le mettre dans l'obligation d'accepter ou de refuser un marché sans plus admettre de discussion. ▷ Loc. fam. *Par-dessus le marché :* de plus, en outre. ▷ FIN, COMM *Marché à terme,* dont le prix était fixé à la transaction, la livraison et le paiement s'effectuant selon un calendrier (par oppos. à *marché au comptant*). – *Marché à option :* marché à terme où l'une des parties se réserve le droit d'annuler le marché à l'échéance. – *Marché à règlement mensuel :* marché où se pratiquent des négociations sur des valeurs qui ne sont payées et livrées qu'à des échéances mensuelles, et qui a remplacé l'ancien marché à terme. – *Marché à prime,* avec versement d'une prime en cas d'annulation. – *Marché ferme,* dans lequel l'acheteur est en droit d'exiger la livraison. – *Marché public :* contrat administratif concernant la fourniture de biens ou de services à une collectivité publique. – *Marché de gré à gré :* contrat administratif impliquant la liberté de choix du cocontractant par l'Administration. – *Marché captif,* réservé à un petit nombre de concurrents. **7.** Accord, pacte quelconque entre plusieurs personnes. **8.** *(À) bon marché :* à un prix avantageux. ▷ Fig. *Faire bon marché d'une chose,* ne pas lui reconnaître beaucoup d'importance.

Marché commun. V. Europe.

Marche-en-Famenne, v. de Belgique (Luxembourg), à l'E. de Dinant; 14 120 hab. – Église romane de Waha, la plus ancienne de Belgique (fondée au XIe s.).

marchepied n. m. **1.** Dernier degré de l'estrade d'un trône ou d'un autel. **2.** Marche ou série de marches permettant de monter dans un véhicule, notam. dans une voiture de chemin de fer. **3.** Petite échelle d'appartement, escabeau. **4.** Fig. Moyen de parvenir à une charge supérieure. *Ce poste de secrétaire général lui a servi de marchepied.*

marcher v. intr. [1] **1.** Se déplacer par la marche, aller d'un point à un autre en faisant des pas. *Marcher lentement. Marcher à pas de loup,* sans faire de bruit. *Marcher à plusieurs de front.* ▷ *Marcher à :* s'avancer vers. *Marcher au combat, à la mort.* ▷ *Marcher sur, dans qqch,* poser le pied dessus. *Marcher sur une peau de banane, dans une flaque boueuse.* **2.** Loc. fig. *Marcher sur les talons de qqn,* le suivre de très près. *Marcher sur les traces de qqn,* suivre son exemple. – Fam. *Ne pas se laisser marcher sur les pieds :* savoir se faire respecter. **3.** Fig., fam. Accepter de participer à une affaire, à une action. *Je ne marche pas!* **4.** Fig. Se laisser duper. *La farce a réussi, tout le monde a marché.* – *Faire marcher quelqu'un,* lui faire croire des choses fausses. **5.** Se déplacer (en parlant de véhicules). *Ce train marche à 130 km à l'heure.* **6.** Fonctionner. *Ce magnétophone ne marche plus.* ▷ Fig. *Cette entreprise marche bien.* **7.** (S. comp.) Prospérer, avoir du succès. *Affaire, spectacle qui marche.*

Marches (les), rég. admin. d'Italie péninsulaire et région de la C.E., sur l'Adriatique, formée des prov. d'Ancône, d'Ascoli, de Macerata et de Pesaro e Urbino; 9 694 km^2; 1 428 560 hab.; cap. *Ancône.* C'est une rég. d'agric. intensive : blé; cult. fourragères et maraîchères; vigne; élevage; etc. Autres ressources : pêche, tourisme. L'industrialisation y est limitée.

Marché unique européen, union des douze pays de la C.É.E. entrée en vigueur le 1er janvier 1993, qui supprime les frontières intérieures et abolit aussi toute entrave à la circulation des hommes, des biens et des capitaux.

marcheur, euse n. **1.** Personne qui marche, ou qui peut marcher longtemps sans se fatiguer. *Un bon marcheur.* **2.** Fam., vieilli *Un vieux marcheur :* un homme avancé en âge qui n'a pas renoncé à poursuivre les femmes de ses assiduités, à les suivre dans la rue.

Marchienne-au-Pont, anc. com. de Belgique (Hainaut), sur la Sambre, intégrée à Charleroi depuis 1977. Sidérurgie. – Chât. (XVIIe-XVIIIe s.).

Marciano (Rocco Francis Marchegiano, dit Rocky) (Brockton, Massachusetts, 1923 – Des Moines, Iowa, 1969), boxeur américain. Champion du monde des poids lourds de 1952 à 1956, il se retira invaincu.

Marcien (en lat. *Marcianus Flavius*) (Thrace, v. 390 – ?, 457), empereur d'Orient (450-457). Il s'opposa au versement du tribut à Attila et réunit le concile de Chalcédoine (451), qui condamna le monophysisme.

Marcinelle, anc. com. de Belgique (Hainaut) rattachée à Charleroi. Anc. houillères; métallurgie, prod. chimiques. Catastrophe minière en 1956 (263 victimes).

Marcion (Sinope, auj. Sinop, Turquie, v. 85 – ?, v. 160), philosophe gnostique et hérésiarque, fondateur de l'Église *marcionite.* Il ne retenait de la Bible que l'Évangile de Luc et dix épîtres de saint Paul.

Marck (Guillaume de La). V. La Marck.

Marckolsheim, ch.-l. de cant. du Bas-Rhin (arr. de Sélestat-Erstein), sur le grand canal d'Alsace; 3 313 hab. Import. centrale hydroélectrique.

Marcomans, anc. peuple germanique, du groupe des Suèves. Ils envahirent le N. de l'Italie au IIe s. et furent repoussés par Marc Aurèle.

marconi adj. inv. MAR Se dit d'un type de gréement caractérisé par une grand-voile triangulaire se hissant au moyen d'une seule drisse. *Le gréement marconi est celui de la plupart des yachts modernes.*

Marconi (Guglielmo) (Bologne, 1874 – Rome, 1937), physicien italien. Ses travaux sur les applications de la radioélectricité permirent d'établir, dès 1899, la première liaison radio entre la France et l'Angleterre. P. Nobel 1909.

Marco Polo. V. Polo (Marco).

Marcos (Ferdinand) (Sarrat, île de Luçon, 1917 – Honolulu, 1989), homme politique philippin. Élu président de la République en 1965, il proclama en 1972 la loi martiale (maintenue jusqu'en 1981) et poursuivit une politique proaméricaine et anticommuniste. Réélu en 1981, mais vivement contesté, il fut contraint à l'exil après les élections de 1986.

marcottage n. m. Formation naturelle d'une (de) marcotte(s). – Opération par laquelle on suscite artificiellement la formation de marcottes.

marcotte n. f. Organe végétal aérien qui s'enterre et s'enracine avant de se séparer (ou d'être séparé) de la plante mère.

marcotter v. tr. [1] Pratiquer le marcottage sur. *Marcotter la vigne.*

Marcoule, écart des com. de Chusclan et Codolet (Gard), sur le Rhône. Centrale nucléaire.

Marcoussis, com. de l'Essonne (arr. de Palaiseau); 5 763 hab. Centre de recherches électriques et électroniques. – Égl. (XVe-XVIe s., vierge du XVe s.).

Marcoussis (Ludwik Markus, dit Louis) (Varsovie, 1883 – Cusset, 1941), peintre français d'origine polonaise. Il participa au mouvement cubiste.

Marcq-en-Barœul, ch.-l. de cant. du Nord (arr. de Lille); 36 898 hab. Industr. alimentaire; constr. mécaniques.

Marcuse (Herbert) (Berlin, 1898 – Starnberg, Allemagne, 1979), philosophe américain d'origine allemande. Son œuvre est une critique des sociétés industrielles, inspirée du marxisme et de l'analyse freudienne des rapports sociaux : *Éros et Civilisation* (1955), *l'Homme unidimensionnel* (1964).

Mar del Plata, v. et port d'Argentine, sur l'Atlant., au S. du río de la Plata; 448 000 hab. Stat. balnéaire. Pêche. Industr. alimentaires.

mardi n. m. Deuxième jour de la semaine, qui suit le lundi. ▷ *Mardi gras :* veille du premier jour de carême. ▷ *Mardi saint :* le mardi de la semaine sainte.

Mardochée (Ve s. av. J.-C.), personnage de la Bible. Oncle ou cousin d'Esther (les Septante et la Vulgate diffèrent sur ce point), il éleva la jeune fille, qui devint la favorite d'Assuérus.

Mardonios (m. en 479 av. J.-C.), général perse; gendre de Darios Ier. Il combattit avec Xerxès aux Thermopyles (480 av. J.-C.), fut vaincu et tué à Platées (seconde guerre médique).

Mardouk ou **Marduk,** dieu de Babylone, que les souverains babyloniens, après Hammourabi, ont imposé comme le premier des dieux.

Mardrus (Joseph Charles) (Le Caire, 1868 – Paris, 1949), médecin et orientaliste français; traducteur des *Mille et Une Nuits* (1898-1904) et du *Coran*

(1925); époux de Lucie Delarue (V. Delarue-Mardrus).

mare n. f. **1.** Petite étendue d'eau stagnante, naturelle ou artificielle. *Mare où nagent les canards.* **2.** *Par ext.* Grande quantité de liquide répandue sur le sol. *Une mare de vin, de sang.*

Maré (Rolf de) (Stockholm, 1888 - Kiambu, Kenya, 1964), mécène suédois; fondateur de la compagnie des Ballets suédois (1920) et des Archives internationales de la danse (1931).

marécage n. m. Étendue d'eau dormante peu profonde, marais.

marécageux, euse adj. **1.** De la nature du marécage. *Terrain marécageux.* **2.** Qui se trouve dans les marécages. *Plantes marécageuses.*

maréchal, aux n. m. **1.** *Maréchal* (rare) ou *maréchal-ferrant* : artisan dont le métier est de ferrer les chevaux. *Des maréchaux-ferrants.* **2.** Anc. Officier chargé de veiller sur les écuries d'un prince. ▷ *Maréchal de camp :* officier général de l'ancienne monarchie. **3.** *Maréchal de France* ou *maréchal :* autref., officier supérieur au service du roi. - Mod. Officier général investi de la plus haute dignité militaire. *Le titre de maréchal est une dignité et non un grade. On appelle un maréchal « monsieur le Maréchal ».* ▷ *Bâton de maréchal* : insigne de la dignité de maréchal. - Loc. fig. *Avoir son bâton de maréchal :* être arrivé à la plus haute situation à laquelle on puisse prétendre. **4.** Mod. *Maréchal des logis* ou, abrév., arg., *margis :* sous-officier dont le grade correspond à celui de sergent, dans la cavalerie, l'artillerie, le train des équipages et la gendarmerie.

Maréchal (Sylvain) (Paris, 1750 - Montrouge, 1803), écrivain français. Athée, théoricien du communisme égalitaire selon Babeuf, il est l'auteur du *Manifeste des Égaux,* des *Voyages de Pythagore* (1799), du *Dictionnaire des athées anciens et modernes* (1800).

maréchalat n. m. Dignité de maréchal de France.

maréchale n. f. Titre donné à la femme d'un maréchal de France.

maréchalerie n. f. TECH Profession du maréchal-ferrant; son atelier.

maréchal-ferrant. V. maréchal.

maréchaussée n. f. **1.** Anc. Juridiction, tribunal des maréchaux de France. **2.** Anc. Corps de cavaliers placé sous les ordres d'un prévôt des maréchaux et chargé de la sécurité publique. ▷ Fam., plaisant *La maréchaussée :* les gendarmes.

marée n. f. **1.** Mouvement périodique des eaux de la mer, qui s'élèvent et s'abaissent chaque jour à des intervalles réguliers, dû à l'attraction qu'exercent sur les masses fluides du globe terrestre les masses de la Lune et du Soleil. *Marée montante :* flux, flot. *Marée descendante :* reflux, jusant. - *Marée haute :* fin du flux. *Marée basse :* fin du reflux. - *Marées de vive-eau :* grandes marées se produisant lorsque le Soleil et la Lune sont en syzygie. *Marées de morte-eau :* faibles marées correspondant à l'époque où le Soleil et la Lune sont en quadrature. ▷ *Raz* de marée.* ▷ Loc. fig. *Contre vents et marées :* sans tenir compte des obstacles. ▷ Fig. *Une marée humaine :* une foule considérable en mouvement. **2.** *Marée noire :* couche d'hydrocarbures répandus accidentellement (naufrage de pétrolier, éruption de puits marin, etc.) ou non à la surface de la mer et qui vient souiller les rivages. **3.** Poissons de mer, coquillages, crustacés qui viennent d'être pêchés. *Marchande de marée.*

marégraphe n. m. TECH Appareil servant à enregistrer les variations du niveau de la mer selon la marée.

marelle n. f. Jeu d'enfants qui consiste à pousser un palet dans des cases numérotées tracées sur le sol, en sautant à cloche-pied. ▷ Figure tracée pour ce jeu.

Maremme, région marécageuse du littoral tyrrhénien, en Italie centrale.

marémoteur, trice adj. TECH Qui concerne ou qui utilise l'énergie des marées. ▷ *Centrale* ou *usine marémotrice,* qui utilise l'énergie des marées pour produire de l'électricité.

marengo n. (et adj. inv.) **1.** n. CUIS *Veau, poulet à la marengo* ou *marengo,* cuit dans de la matière grasse avec des tomates et des champignons. **2.** n. m. Drap épais, brun et tacheté de petits points blancs. - adj. inv. *Des tissus marengo.*

Marengo, village d'Italie (Piémont), à 5 km au S.-E. d'Alexandrie, où Bonaparte vainquit les Autrichiens (14 juin 1800).

marennes n. f. Huître de l'élevage de Marennes (Char.-Mar.).

Marenzio (Luca) (Coccaglio, Brescia, v. 1553 - Rome, 1599), compositeur italien; le plus grand maître du madrigal polyphonique traditionnel. Sa production, abondante, comprend, entre autres, motets (à 3, 4, 8 et 12 voix), villanelles (à 3 voix), *Sacræ Cantiones* (de 5 à 7 voix).

Maréotis. V. Mariout.

Mareth (ligne), ligne de défense construite (1934-1939) par les Français dans le S. de la Tunisie. Les Italiens la démantelèrent en 1940, l'Afrikakorps la remit en état, puis, en mars 1943, dut l'abandonner aux Britanniques.

Marey (Étienne Jules) (Beaune, 1830 - Paris, 1904), médecin et physiologiste français. Il utilisa les enregistrements graphiques pour étudier des phénomènes physiologiques. C'est ainsi qu'il mit au point, pour décomposer le vol des oiseaux, la chronophotographie (1882), ancêtre direct du cinématographe.

fusil chronographique de **Marey** (1882); longueur : 84,5 cm; largeur : 12 cm; hauteur : 38,4 cm

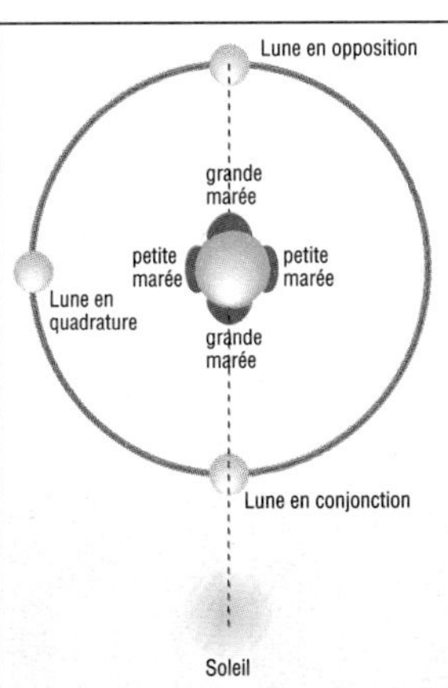

quand le Soleil et la Lune sont en conjonction ou en opposition (époque des syzygies), leurs attractions se combinent pour amplifier le mouvement périodique des eaux de la mer; au contraire, quand les deux astres sont en quadrature, leurs effets se contrarient et l'amplitude des marées est plus faible

marée

mareyage n. m. Activité du mareyeur.

mareyeur, euse n. Personne qui pratique le commerce en gros du poisson et des fruits de mer.

margarine n. f. Mélange de graisses épurées, pour la plupart d'origine végétale, utilisé en cuisine pour remplacer le beurre.

Margarita ou **Marguerite** (île), île du Venezuela dans la mer des Antilles; 1 045 km²; 119 000 hab.; ch.-l. *La Asunción.* Cacao; magnésite; perles.

Margate, v. de G.-B. (Kent), sur la mer du Nord; 53 280 hab. Import. station balnéaire.

margauder. V. margoter.

Margaux, com. de la Gironde (arr. de Bordeaux), dans le Médoc; 1 396 hab. Vins réputés.

marge n. f. **1.** Espace blanc autour d'un texte, d'une gravure, d'une photographie, etc. *Annotations en marge.* **2.** Fig. Latitude, liberté d'action relative. *Laisser de la marge à qqn. Tolérer une marge d'erreur.* **3.** FIN *Marge commerciale :* différence entre le prix de vente et le prix d'achat d'une marchandise, exprimée en pourcentage du prix de vente. ▷ *Marge bénéficiaire :* différence entre le prix de vente et le prix de revient. ▷ *Marge brute d'autofinancement (M.B.A.) :* V. cash-flow. **4.** Loc. prép. *En marge de (qqch) :* en dehors de (qqch), sans en être éloigné. *C'est un problème en marge de vos préoccupations.* - *Vivre en marge (de la société),* sans être socialement intégré.

margelle n. f. Assise de pierre, le plus souvent circulaire, formant le rebord d'un puits.

marger v. tr. et intr. [**13**] **1.** Prévoir une marge sur une feuille de papier. **2.** IMPRIM Placer la feuille à imprimer dans la bonne position par rapport à la forme à imprimer. **3.** Placer le margeur d'une machine à écrire de façon à obtenir les marges souhaitées.

Margeride (monts de la), massif granitique du Massif central, entre l'Allier et le Lot, culminant à 1 554 m au signal de Randon.

margeur n. m. Machine permettant de ménager des marges de part et d'autre d'une feuille de papier. ▷ Dispositif d'une machine à écrire servant à régler les marges.

Marggraf (Andreas Sigismund) (Berlin, 1709 - id., 1782), chimiste allemand. Il fut le premier à extraire de la betterave du sucre à l'état solide (1747).

marginal, ale, aux adj. et n. **1.** Qui est en marge d'un texte. *Notes marginales d'un manuscrit.* **2.** Qui n'est pas essentiel, qui n'est pas principal. *Une œuvre marginale.* **3.** Qui vit en marge de la société. *Groupe marginal.* ▷ Subst. *Un(e) marginal(e).* **4.** ECON *Utilité marginale,* celle que présente aux yeux du producteur ou du consommateur la dernière unité produite ou consommée. *Coût marginal d'un produit,* coût de production d'une unité supplémentaire de ce produit.

marginalement adv. De façon marginale.

marginalisation n. f. Fait de se marginaliser. – Action de marginaliser; résultat de cette action.

marginaliser v. tr. [1] Rendre marginal. *La ségrégation raciale ou sociale marginalise certaines communautés.* ▷ v. pron. Devenir marginal.

marginalisme n. m. ECON Théorie qui définit la valeur par son utilité marginale (par oppos. à la théorie marxiste de la valeur fondée sur le temps social moyen de production).

marginalité n. f. État de celui, de ce qui est en marge de la société.

Margot (la reine). V. Marguerite de Valois.

margoter, margotter [maʀgɔte] ou **margauder** [maʀgode] v. intr. [1] Pousser son cri (en parlant de la caille).

margouillat [maʀguja] n. m. ZOOL Lézard d'Afrique occidentale, capable de changer de couleur comme les caméléons. ▶ illustr. **agame**

margoulette n. f. Pop. Mâchoire, bouche. *Se casser la margoulette,* la figure.

margoulin, ine n. Fam. Individu malhonnête en affaires.

margrave n. **1.** n. m. HIST Titre de certains princes souverains d'Allemagne dont les principautés étaient ou avaient été des marches (provinces frontières). **2.** n. f. Femme d'un margrave (on dit aussi *margravine*).

margraviat n. m. HIST Dignité de margrave. – Principauté d'un margrave.

Margrethe II (Copenhague, 1940), reine de Danemark. Elle succéda à son père Frédéric IX en 1972.

marguerite n. f. **1.** Plante ornementale de la famille des composées, dont le capitule porte des fleurs centrales jaunes (hermaphrodites) et des fleurs périphériques («pétales») blanches (femelles). *Grande marguerite. Petite marguerite* (aussi appelée *pâquerette*). – Cour. Fleur de la marguerite, à cœur jaune et à pétales blancs (le capitule). *Effeuiller la marguerite,* pour savoir si on est aimé d'une personne, en disant au fur et à mesure que l'on arrache les pétales : «Il (ou elle) m'aime un peu, beaucoup, passionnément, à la folie, pas du tout», et reprise. **2.** TECH Tête d'impression de certaines machines à écrire et imprimantes, dont les caractères en relief figurent sur des languettes disposées en rayon autour d'un emplacement prévu pour recevoir l'axe moteur.

Marguerite (île). V. Margarita.

— ANGLETERRE —

Marguerite d'Anjou (Pont-à-Mousson, 1430 – Dampierre, Anjou, 1482), reine d'Angleterre; fille de René d'Anjou, épouse d'Henri VI de Lancastre (1445). Elle défendit le trône durant la guerre des Deux-Roses.

— DANEMARK, NORVÈGE ET SUÈDE —

Marguerite Valdemarsdotter (Såborg, 1353 – Flensburg, 1412), reine de Danemark, de Norvège et de Suède. Fille du roi de Danemark Valdemar IV, elle épousa (1363) Haakon VI de Norvège. Après la mort de son mari et de son fils (Olav V), elle se fit reconnaître reine (1387) et réussit à réunir sous un seul sceptre le Danemark, la Norvège et la Suède (union de Kalmar, 1397).

— FLANDRE —

Marguerite de Dampierre ou **de Flandre** (Mâle, 1350 – Arras, 1405), duchesse de Bourgogne. Veuve de Philippe Ier de Rouvres, duc de Bourgogne (m. à quinze ans, en 1361), elle épousa en 1369 son successeur Philippe II le Hardi, apportant à la maison de Bourgogne l'héritage de son père, Louis de Mâle, comte de Flandre.

— FRANCE —

Marguerite de Provence (?, 1221 – Saint-Marcel, près de Paris, 1295), reine de France; épouse (1234) de Saint Louis, qu'elle accompagna en Égypte.

Marguerite de Bourgogne (?, 1290 – Château-Gaillard, 1315), reine de Navarre, puis de France par son mariage (1305) avec le futur Louis X le Hutin, qui, devenu roi (1314), la fit arrêter pour adultère puis étouffer.

Marguerite Stuart (?, v. 1424 – Châlons-sur-Marne, 1445), fille de Jacques Ier d'Écosse, première épouse (1436) du futur Louis XI.

— NAVARRE —

Marguerite d'Angoulême ou **de Navarre** (Angoulême, 1492 – Odos, Bigorre, 1549), reine de Navarre; sœur de François Ier, épouse du duc d'Alençon, puis, en 1527, d'Henri d'Albret, roi de Navarre. Fort libre d'esprit, elle protégea les poètes, les humanistes et les réformés. On lui doit des recueils de vers (*les Marguerites de la Marguerite des princesses,* 1547), des contes (*l'Heptaméron,* publié en 1559) et des comédies.

Marguerite de Valois ou **de France** (Saint-Germain-en-Laye, 1553 – Paris, 1615), reine de Navarre puis de France, surnommée la *reine Margot.* Fille d'Henri II et de Catherine de Médicis, elle épousa en 1572 Henri de Navarre. Connue pour ses aventures galantes, elle fut longtemps éloignée de la Cour; devenu Henri IV, roi de France, son mari fit annuler son mariage (1599). Elle a laissé des poèmes et des mémoires.

— PAYS-BAS —

Marguerite d'Autriche (Bruxelles, 1480 – Malines, 1530), gouvernante des Pays-Bas (1507-1515 et 1518-1530); fille de l'empereur Maximilien et de Marie de Bourgogne. Elle négocia la ligue de Cambrai (1508) et la paix des Dames (1529). Veuve de Philibert de Savoie (1504), elle fit édifier à sa mémoire l'église de Brou.

Marguerite d'Angoulême

Marie de Médicis

Marguerite de Parme ou **d'Autriche** (Oudenaarde, 1522 – Ortona, 1586), gouvernante des Pays-Bas sous Philippe II (1559-1567); fille naturelle de Charles Quint, épouse (1536) d'Alexandre de Médicis, puis (1538) du futur duc de Parme Octave Farnèse.

— SAVOIE —

Marguerite de France (Saint-Germain-en-Laye, 1523 – Turin, 1574), fille de François Ier, épouse du duc de Savoie Emmanuel-Philibert (1559).

◊ ◊ ◊

Marguerite Bourgeoys (sainte) (Troyes, 1620 – Montréal, 1700), religieuse française. Elle créa la première école (pour jeunes filles) de Montréal (1658) et fonda la congrégation de Notre-Dame de Montréal (1670). Elle a été canonisée en 1982.

Marguerite d'Youville (sainte) (Varennes, Québec, 1701 – Montréal, 1771), religieuse canadienne. Elle fonda, v. 1740, un groupe laïque qui devint, en 1753, la congrégation des Sœurs de la Charité, dites sœurs grises. Elle a été canonisée en 1990.

Marguerite-Marie Alacoque (sainte) (Verosvres, Charolais, 1647 – Paray-le-Monial, 1690), religieuse visitandine; propagatrice de la dévotion au Sacré-Cœur de Jésus.

Margueritte (Jean Auguste) (Manheulles, Meuse, 1823 – Beauraing, Belgique, 1870), général français; il se distingua à Sedan (charge du plateau d'Illy), où il fut mortellement blessé. – **Victor** (Blida, 1866 – Monestier, Allier, 1942), fils du préc.; il écrivit, d'abord avec son frère (*Deux Vies,* 1902), puis seul, des romans réalistes plaidant pour la libération de la femme; *la Garçonne* (1922) fit scandale.

marguillier n. m. Membre du conseil de fabrique* d'une paroisse.

mari n. m. Homme uni à une femme par le mariage. Syn. conjoint, époux.

Mari *(Mārī),* anc. v. de Mésopotamie, sur le moyen Euphrate (site archéologique de Tell Hariri, Syrie). Contemporaine de la civilisation sumérienne d'Ourouk (v. 3 000 av. J.-C.), cette cité fut puissante jusqu'à sa prise (XVIIIe s. av. J.-C.) par le Babylonien Hammourabi, qui détruisit le palais de ses rois.

mariable adj. Qui est en état, en âge, en condition de se marier.

mariage n. m. **1.** Union légitime d'un homme et d'une femme. *Le mariage civil, célébré par un officier d'état civil, est seul reconnu par la loi; il doit nécessairement précéder le mariage religieux, s'il y en a un.* – *Contrat de mariage.* **2.** Célébration du mariage. *Assister à un mariage.* **3.** Fig. Union, alliance, assortiment de deux ou plusieurs choses. *Un heureux mariage de couleurs.* **4.** Jeu de cartes qui consiste à réunir dans une même main le roi et la dame de la même couleur.

ENCYCL **Droit.** – En France, le mariage civil exige certaines conditions. Les futurs époux, qui doivent être âgés de dix-huit ans révolus pour les hommes et de quinze ans révolus pour les femmes, sauf dispense accordée par le chef de l'État, sont tenus de se soumettre à un examen médical prénuptial. Les mineurs (moins de dix-huit ans) doivent fournir le consentement de leurs parents. La première formalité du mariage est la publication des bans, réalisée par voie d'affichage pendant dix jours dans les mairies des communes où sont domiciliés les futurs époux. La seconde formalité est la célébration publique du mariage par l'officier de l'état civil, en présence de deux témoins majeurs. Le mariage crée entre les époux des rapports d'égalité avec des droits et des devoirs réciproques : fidélité, cohabitation, assistance et secours mutuels, obligation alimentaire. Les époux dirigent ensemble l'éducation des enfants issus du mariage, en exerçant en commun l'autorité parentale. Les intérêts matériels des époux sont réglés par un contrat de mariage qui doit être rédigé par un notaire sauf en cas de communauté légale. Le mariage civil ne peut être dissous que par la mort d'un des époux ou par un divorce.

marial, ale, aux adj. Relatif à la Vierge Marie. *Culte marial.*

Mariamne (Jérusalem, v. 60 – ?, 29 av. J.-C.), reine de Judée; petite-fille du roi Hyrcan II, épouse d'Hérode Ier; celui-ci, persuadé à tort de son infidélité, la fit mettre à mort avec ses deux fils.

Mariana (Juan de) (Talavera de la Reina, 1536 – Tolède, 1624), jésuite et historien espagnol : *Histoire des choses de l'Espagne; De Rege de Regis Institutione* (1599) sur les mobiles de l'assassinat d'Henri IV.

marianiste n. m. Membre de la Société de Marie, congrégation religieuse qui se consacra à l'enseignement, fondée en 1817, à Bordeaux, par l'abbé Chaminade.

Marianne, nom donné à la République française, et à ses représentations symboliques (notam. bustes de jeune femme en bonnet phrygien).

Mariannes (îles) (anc. îles des Larrons), archipel du Pacifique Nord (Micronésie), formé de quinze îles. Guam, la princ., est territoire américain; les autres forment le Commonwealth des Mariannes du Nord, État associé aux É.-U.; 404 km^2; 19 600 hab.; cap. *Saipan.* – Vendues par l'Espagne aux Allemands en 1899, à l'exception de Guam qui avait été cédée aux É.-U. en 1898, les îles passèrent sous mandat japonais en 1919. Une import. bataille aéronavale s'y déroula en juin 1944. De 1947 à 1975, elles ont été sous tutelle américaine. ▷ OCEANOGR *Fosse des Mariannes :* la plus grande profondeur connue (– 11 516 m).

Mariánské Lázně (en all. *Marienbad*), v. de la Rép. tchèque (Bohême-Occidentale), au S. de Karlovy Vary; 20 500 hab. Stat. therm. réputée.

Maribor, v. de Slovénie, sur la Drave; 106 110 hab. Métallurgie; constr. mécaniques (auto.). – Cath. XIIe s. (reconstruite au XVIIIe s.). Hôtel de ville (XVIe s.).

Marica. V. Maritza.

marié, ée adj. et n. **1.** adj. Uni par le mariage (à qqn). *Femme mariée.* ▷ Subst. *Jeunes mariés.* **2.** n. Celui, celle dont on célèbre le mariage. *Le marié, en habit noir... Vive la mariée !* ▷ Loc. fig. et prov. *Se plaindre que la mariée est trop belle :* se plaindre de ce dont on devrait plutôt se réjouir.

Marie (sainte), dite la *Vierge Marie* ou la *Sainte Vierge,* mère de Jésus-Christ, fille d'Anne et de Joachim. Dans l'Évangile de Luc, Marie reçoit la salutation de l'ange Gabriel, venu lui annoncer sa conception virginale (elle mit l'Enfant Jésus au monde à Bethléem). Luc ne reparle de Marie que bien plus tard : il nous la montre priant avec les apôtres, après la Résurrection. Jean évoque sa présence lors de deux épisodes majeurs de la vie de Jésus : au début de sa vie publique, aux noces de Cana, et au moment de sa mort sur la croix. Les dogmes cathol. de l'Immaculée Conception (1854) et de l'Assomption (1950) ont renforcé à l'extrême le culte de Marie, à qui les protestants dénient toute participation à l'œuvre de salut accomplie par le Christ. Le concile Vatican II, en replaçant le culte marial dans le cadre de la théologie de l'Église, a ouvert une perspective nouvelle, de nature à favoriser le dialogue œcuménique.

ANGLETERRE

Marie Ire Tudor (Greenwich, 1516 – Londres, 1558), reine d'Angleterre et d'Irlande (1553-1558); fille d'Henri VIII et de Catherine d'Aragon. En 1554, elle épousa Philippe II d'Espagne. Attachée au catholicisme, elle persécuta les protestants, d'où son surnom de *Marie la Sanglante.*

Marie Ire Tudor **Marie Ire Stuart**

Marie II Stuart (Londres, 1662 – id., 1694), reine d'Angleterre, d'Irlande et d'Écosse (1689-1694). Fille de Jacques II, elle accéda au trône à l'abdication de son père, conjointement avec son époux Guillaume de Nassau, qui devint le roi Guillaume III.

BOURGOGNE

Marie de Bourgogne (Bruxelles, 1457 – Bruges, 1482), fille de Charles le Téméraire; épouse de Maximilien d'Autriche (1477), à qui elle apporta les Pays-Bas et la Franche-Comté.

ÉCOSSE

Marie de Lorraine (Bar, 1515 – Édimbourg, 1560), reine d'Écosse; fille de Claude de Lorraine, duc de Guise. Épouse (1538) de Jacques V, elle assura la régence à la mort du roi (1542).

Marie Ire Stuart (Linlithgow, Écosse, 1542 – Fotheringhay, Angleterre, 1587), reine d'Écosse (1542-1567); fille de Jacques V d'Écosse. Élevée en France, elle fut également reine de France (1559-1560) par son mariage (1558) avec le futur François II; elle revint en Écosse (1561) après la mort du roi. Elle épousa (1565) Henry Stuart, lord Darnley, chef des catholiques, puis Bothwell (1567), l'un des responsables de l'assassinat de lord Darnley (1567); le soulèvement provoqué par ce mariage entraîna son abdication. Elle s'exila en Angleterre, où Élisabeth Ire, se sentant menacée par elle, la fit traduire devant un tribunal (1586) qui la condamna à mort.

FRANCE

Marie de Brabant (Louvain, v. 1254 – Murel, près de Nantes, 1321), reine de France; épouse de Philippe III le Hardi (1274). Elle protégea les trouvères.

Marie d'Anjou (?, 1404 – Châtellier, Poitou, 1463), reine de France; fille de Louis d'Anjou, roi de Sicile, épouse de Charles VII (1422).

Marie de Médicis (Florence, 1573 – Cologne, 1642), reine de France. Fille du grand-duc François Ier de Toscane, elle épousa Henri IV (1600). Régente à la mort du roi (1610), elle se laissa mener par son entourage, notam. par Concini (que le jeune Louis XIII fit assassiner en 1617), puis se révolta contre son fils (1617-1620). Réconciliée avec lui (1622), admise au Conseil, elle y fit entrer Richelieu en 1624, puis se brouilla avec le cardinal; ayant en vain essayé de le faire disgracier (journée des Dupes, 1630), elle dut s'exiler. Elle fit bâtir le palais du Luxembourg.

Marie Leczinska (Breslau, 1703 – Versailles, 1768), reine de France; fille de Stanislas Leczinsky, roi de Pologne, épouse de Louis XV (1725), dont elle eut dix enfants.

PORTUGAL

Marie Ire de Bragance (Lisbonne, 1734 – Rio de Janeiro, 1816), fille de Joseph Ier, reine de Portugal (1777-1816); en 1760, elle épousa son oncle Pierre de Portugal, qu'elle associa ensuite au trône sous le nom de Pierre III. Son second fils (Jean VI) fut régent à partir de 1792, quand sa mère eut perdu la raison à la suite de la mort de son mari et de son fils aîné. – **Marie II de Bragance** (Rio de Janeiro, 1819 – Lisbonne, 1853), reine de Portugal (1826-1828 et 1833-1853), fille de Pierre Ier (Pedro Ier), empereur du Brésil. Elle épousa en 1836 Ferdinand de Saxe-Cobourg-Gotha (Ferdinand II).

◊ ◊ ◊

Marie-Adélaïde de Savoie (Turin, 1685 – Versailles, 1712), fille de Victor-Amédée II, duc de Savoie, épouse du Dauphin, le duc de Bourgogne; l'une des femmes les plus en vue à la cour de Louis XIV. Elle fut la mère de Louis XV.

Marie-Amélie de Bourbon (Caserte, 1782 – Claremont, 1866), fille de Ferdinand IV, roi des Deux-Siciles; reine des Français (1830-1848) par son mariage (1809) avec Louis-Philippe.

Marie-Antoinette d'Autriche (Vienne, 1755 – Paris, 1793), reine de France; fille de l'empereur François Ier et de Marie-Thérèse. Elle épousa le futur Louis XVI en 1770. Imprudente, ennemie des réformes, elle eut une influence certaine sur les décisions polit. de Louis XVI et encourut une grande impopularité (que l'affaire du Collier renforça malencontreusement). Enfermée avec le roi au Temple (1792), puis à la Conciergerie, elle fit preuve

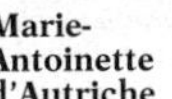
Marie-Antoinette d'Autriche

l'impératrice **Marie-Louise de Habsbourg-Lorraine**

de beaucoup de dignité; condamnée à mort, elle fut guillotinée (16 oct. 1793).

Marie-Caroline (Vienne, 1752 – Schönbrunn, 1814), reine de Naples par son mariage avec Ferdinand IV (1768); fille de l'empereur François Ier et de Marie-Thérèse.

Marie-Christine de Bourbon (Naples, 1806 – Sainte-Adresse, Seine-Maritime, 1878), reine d'Espagne par son mariage avec Ferdinand VII (1829); fille de François Ier, roi des Deux-Siciles. Régente (1833) pour sa fille Isabelle, elle pratiqua une politique réactionnaire et combattit l'insurrection carliste (1833-1839); chassée du pouvoir (1840), elle y revint (1843) malgré la majorité de sa fille. Elle dut s'exiler en 1854.

Marie-Christine de Habsbourg-Lorraine (Gross-Seelowitz, Moravie, 1858 – Madrid, 1929), fille de l'archiduc Ferdinand-Charles, épouse (1879) d'Alphonse XII, roi d'Espagne; régente de 1885 à 1902; mère d'Alphonse XIII.

marie-couche-toi-là n. f. inv. Pop., vieilli Fille publique; fille, femme facile.

Marie de France (1154 – 1189), poétesse française qui vécut en Angleterre; auteur de *Lais* et de *Fables*.

Marie-Galante, île des Antilles françaises, à 26 km au S.-E. de la Guadeloupe, dont elle dépend; 158 km²; 13 512 hab.; ch.-l. *Grand-Bourg*. Canne à sucre; distilleries.

Marie de l'Incarnation (bienheureuse) [Barbe Avrillot, Mme Acarie] (Paris, 1565 – Pontoise, 1618), religieuse française. Elle implanta les carmélites en France.

marie-jeanne n. f. inv. Fam. Marihuana.

Marie-Josèphe de Saxe (Dresde, 1731 – Versailles, 1767), fille du roi de Pologne Auguste III, épouse du Dauphin Louis (1747), fils de Louis XV, mère de Louis XVI, Louis XVIII et Charles X.

Marie-Louise de Habsbourg-Lorraine (Vienne, 1791 – Parme, 1847), impératrice des Français; fille de François II, empereur d'Autriche. Elle épousa Napoléon Ier (1810), dont elle eut un fils, le roi de Rome. Elle se remaria secrètement avec le comte de Neipperg (1821) puis avec le comte de Bombelles (1834). De 1815 à sa mort, elle régna sur Parme, Plaisance et Guastalla. ▶ illustr. page **1163**

Marie-Madeleine (sainte) (Ier s. ap. J.-C.), sainte dont le culte s'est développé dès le Ier s. ap. J.-C. Sous ce nom et ce culte uniques sont en fait confondues trois personnes : la pécheresse qui oignit de parfum les pieds du Christ et obtint son pardon; Marie de Magdala, qui reconnut Jésus ressuscité près de son tombeau; Marie de Béthanie, sœur de Lazare et de Marthe, qu'une tradition provençale fait aborder aux Saintes-Maries-de-la-Mer.

Marienbad. V. Mariánské Lázně.

marier v. [2] **I.** v. tr. **1.** Unir (un homme et une femme) par les liens du mariage. *C'est le maire du village qui les a mariés.* **2.** Donner en mariage. *Il a marié sa fille à un ingénieur.* **3.** Provoquer le mariage de, être à l'origine du mariage de, organiser le mariage de. *À force de jouer les marieuses, elle a bien fini par les marier. Ils ont marié leur fille en mai.* **4.** Participer aux cérémonies de mariage de. *Ils marient un de leurs cousins la semaine prochaine.* **5.** Fig. Unir, allier, assortir. *Marier les couleurs.* ▷ v. pron. *Couleurs qui se marient.* **II.** v. pron. S'unir par les liens du mariage. (Réciproque) *Ils se sont mariés hier.* (Réfléchi) *Elle ne veut pas se marier avec lui.*

marie-salope n. f. **1.** MAR Chaland destiné à recevoir les vases draguées dans les ports et dans les rivières. **2.** Pop., vieilli Femme malpropre ou débauchée. *Des maries-salopes.*

Marie-Thérèse (Vienne, 1717 – id., 1780), impératrice d'Autriche (1740), reine de Hongrie (1741) et de Bohême (1743). Fille de l'empereur Charles VI, à qui elle succéda, elle épousa en 1736 François, duc de Lorraine, empereur en 1745. Grâce à l'appui de l'Angleterre, elle parvint à conserver son héritage (guerre de la Succession d'Autriche, 1740-1748) mais ne put reprendre la Silésie à Frédéric II de Prusse (guerre de Sept Ans, 1756-1763). Elle prit part au premier partage de la Pologne (1772). Elle gouverna avec fermeté ses États en introduisant de nombr. réformes. Elle eut quinze enfants, dont Joseph II, Léopold II et Marie-Antoinette.

l'impératrice **Marie-Thérèse**

Marivaux

Marie-Thérèse d'Autriche (Madrid, 1638 – Versailles, 1683), reine de France; fille de Philippe IV d'Espagne, épouse de Louis XIV (1660).

Mariette (Auguste) (Boulogne-sur-Mer, 1821 – Le Caire, 1881), égyptologue français. Il découvrit le serapeum de Memphis (1851); directeur général des fouilles en Égypte (1858).

marieur, euse n. Fam. Personne qui s'entremet pour favoriser un (des) mariage(s).

Marie-Victorin (Conrad Kirouac, frère) (Kingsey Falls, Québec, 1885 – Saint-Hyacinthe, Québec, 1944), botaniste canadien. Il fonda le jardin botanique de Montréal. Il publia *la Flore laurentienne* (1935).

Marignan (en ital. *Melegnano*), v. d'Italie, près de Milan; 18 480 hab. – Victoire de François Ier sur les Suisses (1515) et du maréchal Achille Baraguey d'Hilliers sur les Autrichiens (1859).

Marignane, ch.-l. de cant. des Bouches-du-Rhône (arr. d'Istres), près de l'étang de Berre; 32 542 hab. Aéroport de Marseille. Industr. aéronautique; mat. électrique.

Marigny (Enguerrand de) (Lyons-la-Forêt, v. 1260 – Paris, 1315), homme d'État français; gardien du Trésor sous Philippe le Bel. Très riche, accusé de prévarication, il fut pendu sous Louis X.

marigot n. m. GEOGR Dans les pays tropicaux, dépression de terrain inondée pendant la saison des pluies, ou bras mort d'un fleuve.

marihuana [maRiRwana] ou **marijuana** [maRiʒɥana] n. f. Stupéfiant préparé à partir de jeunes inflorescences femelles desséchées du chanvre indien *(Cannabis sativa)*. *Cigarette de marihuana.*

Marillac (sainte Louise de). V. Louise de Marillac.

Marillac (Michel de) (Paris, 1563 – Châteaudun, 1632), homme d'État français. Garde des Sceaux en 1629, auteur du *code Michau* concernant l'administration judiciaire, il prôna une politique opposée à celle de Richelieu et dut s'exiler après la journée des Dupes (1630). – **Louis** (en Auvergne, 1573 – Paris, 1632), frère du préc.; maréchal de France, il conspira contre Richelieu et fut décapité.

1. marin, ine adj. **1.** Qui vient de la mer, qui y habite; qui concerne la mer. *Sel marin. Animaux marins. – Dieux, monstres marins.* **2.** Qui concerne la navigation en mer. *Carte marine.* ▷ Qui tient bien la mer, qui est à l'aise sur la mer. – Loc. *Avoir le pied marin* : être à l'aise sur un bateau malgré les mouvements de la mer. **3.** TECH Se dit de travaux (partic., pétroliers) effectués au-delà du rivage. *Prospection marine,* ou *en mer* (off. recommandé pour *off-shore*).

2. marin n. m. **1.** Personne dont la profession est de naviguer en mer. ▷ *Spécial.* Homme d'équipage. *Les officiers et les marins.* – *Col marin* : grand col carré dans le dos, en pointe devant. *Costume marin* : costume bleu rappelant l'uniforme des marins, à col marin. **2.** *Spécial.* Vent du littoral méditerranéen français, venu du Sud et chargé de pluie.

Marin (Le), ch.-l. d'arr. de l'île de la Martinique; 6 429 hab.

Marin de Tyr (fin du Ier s.), géographe et mathématicien grec d'origine romaine; précurseur de Ptolémée.

Marin (le Cavalier). V. Marino (ou Marini) (Giambattista).

Marin (Louis) (La Tronche, Isère, 1931 – Paris, 1992), philosophe et historien français. Il étudia les systèmes de représentation, notam. au XVIIe s. : *Critique du discours : sur la logique de Port-Royal et les Pensées de Pascal* (1975); *le Portrait du roi* (1981).

marina n. f. Complexe touristique construit en bord de mer et comportant des logements attenants à des installations portuaires de plaisance.

marinade n. f. Mélange composé ordinairement de vin, de vinaigre, de sel et d'aromates, dans lequel on laisse tremper certaines viandes pour les attendrir ou les parfumer et certains poissons pour les conserver. – *Par ext.* Mets ainsi préparé.

1. marine n. f., adj. inv. (et n. m.) **1.** Ce qui concerne l'art de la navigation sur mer. *Instrument de marine.* **2.** Ensemble des gens de mer. ▷ Ensemble des navires, des équipages et des activités de navigation d'un même genre. *Marine marchande* : navires et équipages employés pour le commerce. *La Marine nationale* : la marine de guerre de la France. ▷ Puissance navale, marine militaire d'un État. *Servir dans la marine française. Officier de marine.* **3.** BX-A Tableau qui a la mer pour sujet; genre constitué par de tels tableaux. *Une exposition de marines. L'art de la marine.* ▷ *Format marine* : format de châssis de tableau dont la hauteur est notablement inférieure à la largeur. **4.** adj. inv. *Bleu marine* ou *marine* : bleu foncé qui ressemble à celui des uniformes de la Marine nationale. *Des* *cabans bleu marine. Des jupes marine.* ▷ n. m. *Du marine* : du bleu marine.

2. marine, plur. **marines** n. m. (Mot américain.) Fusilier marin dans les armées britannique et américaine.

mariné, ée adj. Trempé dans une marinade.

Marine (musée de la), musée fondé en 1827 (au Louvre), installé en 1943 dans le palais de Chaillot, dont les riches collections concernent la marine de guerre, mais également de commerce, de pêche, de plaisance.

mariner v. [1] **1.** v. tr. Mettre (un poisson, de la viande) dans une marinade pour les conserver, les attendrir ou leur donner un arôme particulier. **2.** v. intr. Tremper, être placé dans une marinade. *Poisson qui marine depuis deux heures.* ▷ Fig., fam. Attendre; rester longtemps dans une situation désagréable. *Faire mariner qqn.*

Mariner, série de sondes spatiales américaines destinées à l'étude des planètes.

Marinetti (Filippo Tommaso) (Alexandrie, Égypte, 1876 - Bellagio, 1944), poète italien; fondateur du futurisme et son princ. théoricien (premier manifeste publié en France, dans *le Figaro*, en 1909). Il se montra de bonne heure favorable au fascisme. *La Bataille de Tripoli* (1911), *Démocratie futuriste* (1919), *les Manifestes du futurisme* (1919), *Poèmes simultanés* (1933).

maringouin n. m. Nom cour. de divers moustiques, cousins, etc. (dans les pays tropicaux, au Canada).

Marinides. V. Mérinides.

marinier, ère adj. et n. **1.** adj. Qui appartient à la marine. - n. m. (En appos.) *Officier marinier* : sous-officier de la Marine nationale. **2.** n. Personne qui conduit des péniches, des chalands ou des remorqueurs sur les rivières et les canaux.

marinière n. f. **1.** Manière de nager sur le côté. *Nager à la marinière* ou *nager la marinière.* **2.** CUIS *Moules à la marinière* ou *moules marinière*, cuites dans leur jus, avec du vin blanc, des échalotes ou des oignons et du persil. **3.** Vêtement, blouse ample, que l'on enfile par la tête.

Marino ou **Marini** (Giambattista), dit *le Cavalier Marin* (Naples, 1569 - id., 1625), poète italien, auteur de *l'Adonis* (*Adone*, 1623, poème mythologique de 45 000 vers dédié à Louis XIII). Son style, exagérément recherché, développa en France et en Italie une littérature précieuse, le *marinisme*.

marin-pêcheur n. m. Salarié ou artisan qui pêche à bord d'un navire. *Des marins-pêcheurs.*

mariol ou **mariolle** [maʀjɔl] adj. et n. Pop. Malin, rusé. - Subst. *Faire le mariolle* : faire le malin, l'intéressant.

mariologie n. f. Didac. Partie de la théologie consacrée à la Vierge Marie.

Marion de Lorme. V. Lorme (Marion de).

marionnette n. f. **1.** Figurine qu'une personne, généralement cachée, actionne à l'aide de ficelles (*marionnette à fils* : fantoche) ou à la main (*marionnette à gaine* : pupazzo, guignol). *Théâtre de marionnettes.* ▷ (Plur.) Théâtre ou spectacle de marionnettes. *Aimer les marionnettes.* **2.** Fig. Personne qu'on manœuvre comme on veut. *Cet homme politique n'est qu'une marionnette.*

marionnettiste n. Montreur de marionnettes.

Mariotte (abbé Edme) (près de Dijon, v. 1620 - Paris, 1684), physicien français; créateur de l'expérimentation en physique. Il étudia notam. l'état des corps (solide, liquide, gazeux) et utilisa le baromètre pour prévoir le temps. ▷ *Loi de Mariotte* : pour une masse donnée de gaz et à température constante, le produit de la pression d'un gaz par son volume reste constant. (Cette loi n'est rigoureuse que pour les gaz parfaits.)

Marioupol (anc. *Jdanov*), v. et port d'Ukraine, sur la mer d'Azov; 522 000 hab. Industr. métallurgiques et alimentaires.

Mariout ou **Maréotis** (*Maryūṭ*), petit lac d'Égypte, séparé de la Méditerranée par une langue de terre sur laquelle est bâtie Alexandrie.

Maris (république des), rép. autonome de Russie, située à l'E. de Nijni-Novgorod; 23 200 km²; 738 000 hab.; cap. *Iochkar-Ola.*

marisque n. f. MED Petite tuméfaction du pourtour de l'anus due à la transformation fibreuse d'une hémorroïde externe.

mariste n. Membre d'une des congrégations religieuses vouées à la Vierge Marie. (La Société de Marie, composée de religieux prêtres, les *pères maristes*, fondée à Lyon en 1822 par le père Colin qui a également fondé en 1824 la congrégation féminine des *sœurs maristes*; l'institut des *frères maristes*, Petits Frères de Marie, non-prêtres, fondé en 1817 par Marcellin Champagnat.)

Maritain (Jacques) (Paris, 1882 - Toulouse, 1973), philosophe français. Catholique converti, adversaire de Bergson, il fut le promoteur d'un renouveau de la pensée thomiste : *Primauté du spirituel* (1927), *Humanisme intégral* (1947).

marital, ale, aux adj. Du mari. *Autorisation maritale.*

maritalement adv. Comme des époux mais sans être mariés. *Vivre maritalement.*

maritime adj. **1.** Qui est en contact avec la mer, qui subit son influence. *Les populations maritimes. Climat maritime*, tempéré par le voisinage de la mer. ▷ *Plantes maritimes*, qui croissent au voisinage de la mer, sur les rivages. **2.** Qui se fait par mer. *Transport, commerce maritime.* **3.** Qui concerne la navigation sur mer, la marine. *Les forces maritimes* : les forces navales de guerre. *Grande puissance maritime.*

Maritimes (les). V. Provinces maritimes.

Maritza ou **Marica** (la) (anc. *Hèbre*), fl. de Bulgarie et de Grèce (490 km); se jette dans la mer Égée. Son bassin renferme les plus grandes réserves de charbon de Bulgarie.

Marius (Caius) (Cereatae, près d'Arpinum, auj. Arpino, 157 - Rome, 86 av. J.-C.), général et homme politique romain. D'origine modeste, élu tribun du peuple en 119 av. J.-C., préteur (116), consul (107), il combattit en Afrique contre le roi de Numidie, Jugurtha, qu'il vainquit en 105, puis fut élu cinq autres fois consul (104 à 100). Ses victoires en Gaule sur les Teutons (102) et les Cimbres (101) lui permirent d'accroître considérablement son prestige, mais il ne sut pas exploiter politiquement son avantage, et son adversaire Sulla parvint à le faire proscrire. Revenu à Rome en l'absence de Sulla, qui luttait alors en Orient, Marius, allié à Cinna, fit massacrer un grand nombre de ceux qui l'avaient proscrit, inaugura un septième consulat (86 av. J.-C.), mais mourut quelques jours après.

marivaudage n. m. **1.** LITTER Affectation, préciosité du style (à la manière de Marivaux). **2.** Galanterie raffinée, affectation dans l'expression des sentiments amoureux.

marivauder v. intr. [1] User de marivaudage.

Marivaux (Pierre Carlet de Chamblain de) (Paris, 1688 - id., 1763), écrivain français. Au théâtre, il a trouvé, pour étudier les sentiments amoureux, une forme spirituelle, un peu précieuse, qui a reçu le nom de *marivaudage*; le marivaudage n'est pas un jeu frivole; il exprime, à travers l'aspiration au bonheur, l'ambiguïté des rapports humains (maître et valet, amant et amante) : *Arlequin poli par l'amour* (1720), *la Surprise de l'amour* (1722), *la Double Inconstance* (1723), *le Jeu de l'amour et du hasard* (1730), *le Legs* (1736), *les Fausses Confidences* (1737), *l'Épreuve* (1740). Sensible aux inégalités sociales, il les dénonce avec une certaine audace (*l'Île des esclaves*, 1725). Il renouvela le roman avec deux œuvres réalistes : *la Vie de Marianne* (1731-1741) et *le Paysan parvenu* (1734-1735), l'une et l'autre inachevées. Acad. fr. (1743).

marjolaine n. f. Plante aromatique (*Origanum majorana*, fam. labiées).

marjolaine

mark n. m. **1.** HIST Unité monétaire des pays germaniques. **2.** *Ellipt.* (pour *deutsche Mark*). Unité monétaire de la République fédérale d'Allemagne puis de l'Allemagne réunifiée. **3.** *Mark finlandais* : V. markka.

Mark, Marke ou **Marc,** roi légendaire de Cornouaille.

Marker (Christian Bouche-Villeneuve, dit Chris) (Neuilly-sur-Seine, 1921), écrivain et cinéaste français. Il excelle dans le court métrage et le documentaire.

marketing [maʀketiŋ] n. m. (Anglicisme) ECON Ensemble des démarches et des techniques fondées sur la connaissance du marché, ayant pour objet la stratégie commerciale sous tous ses aspects (vente, études de marché et de motivation, publicité, relations publiques, etc.). Syn. (off. recommandé) mercatique.

Markevitch (Igor) (Kiev, 1912 – Antibes, 1983), chef d'orchestre et compositeur français d'origine russe.

markka, plur. **markkaa** [maʀka] n. m. Unité monétaire de la Finlande. Syn. mark finlandais.

Markov (Andreï Andreïevitch) (Riazan, 1856 – Petrograd, auj. Saint-Pétersbourg, 1922), mathématicien russe ; connu pour ses travaux sur la théorie des probabilités.

Markova (Lilian Alicia Marks, dite Alicia) (Londres, 1910), danseuse anglaise ; interprète célèbre des grands ballets romantiques : *les Sylphides, Giselle,* etc.

Marlborough (John Churchill, 1er duc de) (Musbury, Devonshire, 1650 – près de Windsor, 1722), général anglais. Il soutint Guillaume d'Orange. Sous la reine Anne, il commanda les troupes lors de la guerre de la Succession d'Espagne, luttant avec succès contre les Français en Allemagne et aux Pays-Bas (victoires de Blenheim, d'Oudenaarde, de Malplaquet). Il fut raillé dans une chanson de soldats française sous le nom de Malbrough.

Marley (Robert Nesta Marley, dit Bob) (Rhoden Hall, 1945 – Miami, É.-U., 1981), chanteur et compositeur jamaïcain ; principale figure du reggae et du mouvement rasta.

marlin n. m. Gros poisson téléostéen des mers chaudes, recherché pour son rostre.

marlou n. m. Pop., vieilli Souteneur.

Marlowe (Christopher) (Canterbury, 1564 – Londres, 1593), poète dramatique anglais ; un des grands élisabéthains, le plus important devancier de Shakespeare : *Tamerlan le Grand* (1587), *la Tragique Histoire du docteur Faust* (1588), *le Juif de Malte* (1589), *Édouard II* (v. 1592). Il fut assassiné. Son poème lyrique *Héro et Léandre* fut publié après sa mort.

Marly, com. du Nord (arr. de Valenciennes) ; 12 112 hab.

Marly-le-Roi, ch.-l. de cant. des Yvelines (arr. de Saint-Germain-en-Laye), sur la Seine, près de la *forêt de Marly* ; 16 775 hab. – Chât. construit par Hardouin-Mansart pour Louis XIV, détruit sous le Premier Empire. Les deux groupes des *Chevaux de Marly* (1745), de Coustou, ornaient l'abreuvoir.

marmaille n. f. Fam. Ensemble, groupe de petits enfants.

Marmande, ch.-l. d'arr. du Lot-et-Garonne, sur la Garonne ; 18 326 hab. Cult. maraîchères ; vignoble. Industr. aéron., du bois. – Égl. (XIIIe-XIVe s.). Cloître Renaissance.

Marmara (mer de) (anc. *Propontide*), partie de la Méditerranée reliée à la mer Égée par les Dardanelles, et à la mer Noire par le Bosphore.

marmelade n. f. **1.** Préparation de fruits sucrés et très cuits, presque réduits en bouillie. *Marmelade d'oranges.* **2.** *En marmelade,* se dit d'un aliment trop cuit et presque en bouillie. ▷ Fig., fam. En très mauvais état. *Sa chute lui a mis une jambe en marmelade.*

marmite n. f. **1.** Récipient fermé d'un couvercle, dans lequel on fait cuire les aliments. *Les anses* (ou *oreilles*) *d'une marmite.* – Contenu d'une marmite. *Une marmite de soupe.* ▷ Loc. fig., fam. *Faire bouillir la marmite :* V. bouillir. ▷ *Marmite norvégienne :* récipient à parois isolantes dans lequel on met une marmite pour conserver au chaud les aliments qu'elle contient et dans laquelle la cuisson peut se poursuivre hors du feu. **2.** TECH *Marmite de Papin :* récipient clos dans lequel on peut élever beaucoup plus qu'à l'air libre la température de l'eau pour utiliser la force d'expansion de la vapeur. **3.** GEOL *Marmite de géants :* cavité dans le lit rocheux d'un cours d'eau, creusée par le mouvement tourbillonnaire de débris rocheux charriés par le courant.

marmitée n. f. Contenu d'une marmite.

marmiton n. m. Jeune aide de cuisine.

Marmolada, massif montagneux d'Italie ; point culminant des Dolomites (3 342 m).

marmonnement n. m. Action de marmonner ; murmure indistinct.

marmonner v. tr. [1] Murmurer, dire entre ses dents.

Marmont (Auguste Frédéric Louis Viesse de), duc de Raguse (Châtillon-sur-Seine, 1774 – Venise, 1852), maréchal de France. Commandant l'armée de Dalmatie, gouverneur des Provinces Illyriennes, il combattit ensuite au Portugal et en Espagne, puis participa à la campagne de France (1814). Rallié aux Bourbons, il commanda la garnison de Paris lors de la révolution de 1830. Il suivit Charles X en exil.

Marmontel (Jean-François) (Bort-les-Orgues, 1723 – Abloville, Eure, 1799), écrivain français ; ami de Voltaire, auteur de *Contes moraux* (1761-1765), de romans idéologiques (*Bélisaire,* 1767 ; *les Incas,* 1777) et de *Mémoires d'un père pour servir à l'instruction de ses enfants* (posth., 1804). Il collabora à l'*Encyclopédie.* Acad. fr. (1763).

marmoréen, enne adj. **1.** De la nature du marbre ou qui en a l'apparence. *Roches marmoréennes.* **2.** Fig., litt. Qui a la blancheur, la fermeté ou la froideur du marbre. *Éclat marmoréen. Impassibilité marmoréenne.*

marmot n. m. **1.** Fam. Petit enfant. **2.** Vx Figurine grotesque en métal, qui servait de heurtoir. ▷ Loc., fig., fam. *Croquer le marmot :* attendre longtemps et en vain.

Marmottan (musée), musée de Paris (XVIe arr.) installé dans un hôtel particulier, légué, avec les collections (peintures et mobilier) qu'il contenait, à l'Institut de France (1932) par Paul Marmottan, fils du collectionneur Jules Marmottan.

marmotte n. f. **1.** Mammifère rongeur (genre *Marmota,* fam. sciuridés) à fourrure épaisse, d'env. 50 cm de long, dont certaines espèces vivent dans les Alpes entre 1 500 et 3 000 m, hibernant dans de profonds terriers, d'autres espèces en Amérique du N. et dans l'Himalaya. ▷ Loc. fig. *Dormir comme une marmotte,* profondément. **2.** Mallette formée de deux parties emboîtables. Valise à échantillons des voyageurs de commerce.

marmotte

marmottement n. m. Action de marmotter ; bruit fait par une personne qui marmotte.

marmotter v. tr. [1] Dire confusément et entre ses dents.

marmouset n. m. **1.** Figurine grotesque. ▷ *Par ext.* Chenet de fonte surmonté d'un marmouset. **2.** Vieilli, fam. Petit garçon ; homme petit. **3.** HIST *Les marmousets :* les conseillers de Charles V, rappelés en 1388 par Charles VI, surnommés ainsi par dérision par les ducs de Bourgogne et de Berry chassés du pouvoir par le roi, leur neveu ; la folie définitive de Charles VI (1392) mit fin à la politique éclairée des marmousets.

Marmoutier, ch.-l. de cant. du Bas-Rhin (arr. de Saverne) ; 2 248 hab. – Église abbat. bénédictine (façade romane du XIIe s., nef gothique des XIIIe et XIVe s., chœur du XVIIIe s.).

Marmoutier, abb. bénédictine, proche de Tours ; fondée par saint Martin v. 372, maison mère de nombr. monastères, rebâtie aux XIe-XIIIe s. ; détruite en 1818 (il n'en reste qu'un clocher du XIIe s., une crypte, quatre tours et un portail du XIIIe s.).

1. marnage n. m. AGRIC Apport de marne destiné à amender un sol.

2. marnage n. m. Variation du niveau de la mer entre marée basse et marée haute.

marnais, aise adj. et n. De la Marne.

marne n. f. Roche sédimentaire argileuse très riche en calcaire, que l'on utilise pour amender les sols acides et pour fabriquer le ciment.

Marne (la), riv. de France (525 km), affl. de la Seine (r. dr.) ; naît sur le plateau de Langres ; arrose Châlons-en-Champagne, Épernay, Château-Thierry, Meaux ; rejoint la Seine à Charenton-le-Pont (dép. du Val-de-Marne). Navigable en aval d'Épernay, elle est doublée d'un canal latéral, que prolongent, à partir de Vitry-le-François, le *canal de la Marne à la Saône* (aboutissant à Pontailler) et le *canal de la Marne au Rhin* (débouchant dans le port de Strasbourg).

Marne, dép. franç. (51) ; 8 162 km^2 ; 558 217 hab. ; 68,4 hab./km^2 ; ch.-l. *Châlons-en-Champagne.* V. Champagne-Ardenne (Rég.).

Marne (Haute-), dép. franç. (52) ; 6 211 km^2 ; 204 067 hab. ; 32,8 hab./km^2 ; ch.-l. *Chaumont.* V. Champagne-Ardenne (Rég.). ► carte page **1168**

Marne (batailles de la), les deux batailles livrées sur la Marne pendant la Première Guerre mondiale ; les forces françaises y arrêtèrent l'avance allemande, sauvant ainsi Paris de l'invasion. La première fut gagnée par Joffre (24 août-13 sept. 1914) ; on a retenu l'épisode des mille taxis parisiens que Gallieni employa, le 5 sept., pour transporter des troupes casernées à Paris. La seconde, gagnée par Foch (18 juil.-6 août 1918), fut une contre-offensive qui résorba la poche allemande de Château-Thierry.

Marne-la-Vallée, v. nouvelle de la banlieue E. de Paris, dont la création a été décidée en 1966. Elle est desservie par le R.E.R. et l'autoroute Paris-Strasbourg. Ligne de TGV en cours d'installation. Parc de loisirs Eurodisneyland*, sur le modèle de Disneyland (plus de 19 000 ha à la fin des ins-

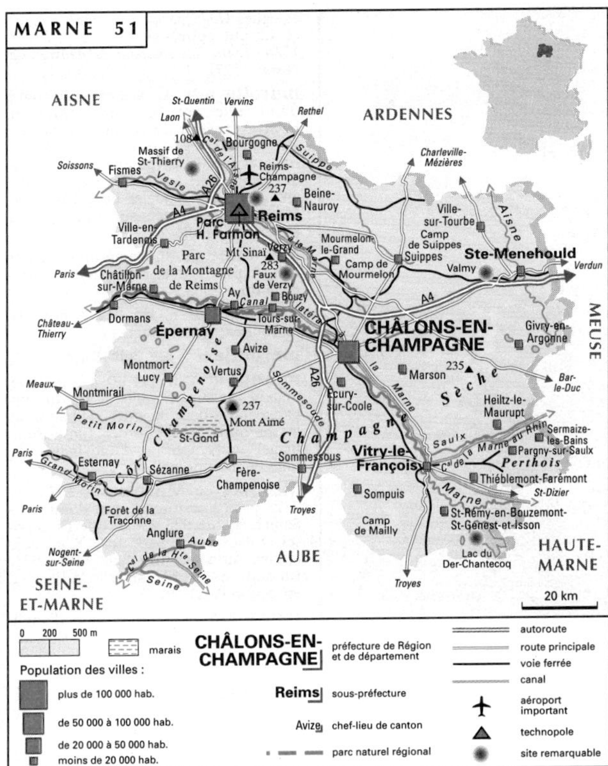

tallations en 1995). Industr. électron., motos, cycles, papeterie. Université.

marner v. [1] **1.** v. tr. Amender (un sol) en y incorporant de la marne. **2.** v. intr. Pop. Travailler dur. **3.** v. intr. Rég. Monter, en parlant de la mer.

marneux, euse adj. De la nature de la marne ou qui contient de la marne.

Maroc (royaume du) *(al-Mamlaka al-maġribiyya)*, État d'Afrique du Nord, sur l'Atlantique et la Méditerranée, limitrophe de l'Algérie; 458 730 km² (650 000 km² en incorporant la partie N. de l'ancien Sahara espagnol); env. 23 376 000 hab.; croissance démographique : 2,5 % par an; cap. *Rabat*. Nature de l'État : monarchie constitutionnelle. Langue off. : arabe (un tiers de la pop. parle le berbère). Monnaie : dirham. Pop. : Arabes (env. 65 %), Berbères. Relig. : islam sunnite (99 %).
Géogr. phys. et hum. – Au N.-O. s'étend le Maroc atlantique, région de plateaux et de plaines (Plateau central, Gharb, Chaouïa), au climat méditerranéen relativement humide et aux cours d'eau permanents : Sebou, Oum er-R'bia. Ce Maroc utile, qui groupe les deux tiers de la population, est flanqué au N. de la chaîne du Rif, qui retombe sur la Méditerranée par un littoral escarpé et séparé du Maroc oriental (hauts plateaux et vallée de la Moulouya), sec et faiblement peuplé, par la diagonale des chaînes de l'Atlas : Moyen Atlas, Haut Atlas (culminant à 4 165 m au djebel Toubkal), Anti-Atlas qui ferme, au S., la vallée du Sous. Au-delà, dans le Grand Sud, commence le Sahara marocain, ponctué de villes côtières et où vivent des tribus nomades en voie de sédentarisation. Malgré la baisse de la natalité, la population est en augmentation; la croissance urbaine est rapide et les villes abritent près de la moitié des habitants.
Écon. – Pays du tiers monde, le Maroc dispose cependant de bases écon. diversifiées. L'agriculture emploie 40 % des actifs, mais produit moins du cinquième de la richesse nationale. Les modernes et vastes exploitations des plaines atlantiques, qui exportent vers l'Europe vins, agrumes, fruits et légumes (la concurrence de l'Espagne est vive depuis qu'elle est membre de la C.É.E.), coexistent avec une agric. traditionnelle de l'intérieur et des montagnes (céréales et élevage extensif des ovins), qui n'a pas atteint l'autosuffisance, en dépit des progrès de l'irrigation. La pêche est importante (sardines surtout). Les phosphates (gisements du Plateau central et du Sahara occidental) sont la grande ressource minière du pays (3e producteur et 1er exportateur mondial) et ont permis le développement d'une industrie chimique (engrais, acide phosphorique); s'ajoutent à cela le raffinage, les industries alim., le textile, le travail du cuir et des métaux. L'axe Casablanca-Rabat-Kénitra constitue la première région industrielle nationale. Le Maroc a développé un tourisme balnéaire et culturel dynamique qui fournit plus de 20 % des recettes extérieures (2 millions de touristes par an en moyenne). Phosphates et produits dérivés assurent 40 % des exportations, devant les produits agroalimentaires (25 %), mais la balance comm. est déficitaire car le pays importe du pétrole, des céréales et des biens d'équipement. En 1989, la forte croissance enregistrée les années précédentes a diminué et les déséquilibres financiers se sont aggravés (lourd endettement); la crise liée à la guerre du Golfe a été très préjudiciable au tourisme en 1991.
Hist. – La région reçut l'apport des Phéniciens, dès le XIe s. av. J.-C., des Carthaginois, puis des Romains, qui annexèrent le royaume des Maures (partie N. du Maroc) et créèrent la prov. de Maurétanie Tingitane (42 apr. J.-C.). Le pays, envahi par les Vandales (Ve s.), conquis et islamisé par les Arabes (déb. du VIIIe s.), connut son apogée sous les dynasties berbères des Almoravides et des Almohades qui régnaient aussi sur l'Espagne musulmane (XIe et XIIe s.). Après 1660, la dynastie arabe des Alaouites, qui règne encore, assit sa domination. Miné par ses divisions internes, le Maroc subit la pression des Européens dès le XVIIIe s. La France l'emporta malgré l'opposition all. (conférence d'Algésiras, 1906, incident d'Agadir, 1911) et imposa son protectorat en 1912, laissant à l'Espagne le Rif et le territoire d'Ifni. Elle pacifia et organisa le pays avec Lyautey, qui contribua à écraser la révolte de Abd el-Krim dans le Rif (1921-1926). Le mouvement nationaliste prit de la force à la faveur de la Seconde Guerre mondiale, sous l'impulsion notam. du parti de l'Istiqlal. Le sultan Mohammed V, déposé en 1953 par la France, fut rétabli en 1955 et obtint l'indépendance (1956). Son fils, Hassan II, exerce le pouvoir depuis 1961 et pratique une politique diplomatique active. La crise franco-marocaine née en 1965 (affaire Ben Barka) s'est résorbée. Les problèmes frontaliers avec l'Algérie sont vivaces depuis 1963 (les deux pays s'étaient alors combattus pour la possession du Tindouf). À partir de 1975, le roi réussit à renforcer le consensus national grâce à sa politique saharienne : les revendications marocaines sur le Sahara occidental («Marche verte» à laquelle participèrent 350 000 volontaires en nov. 1975) aboutirent à une occupation militaire et à un affrontement avec les combattants sahraouis du Front Polisario, soutenus par l'Algérie. Malgré l'instauration d'un cessez-le-feu et l'acceptation par les deux parties d'un référendum d'autodétermination proposé par l'ONU et l'O.U.A. (1988), le règlement du conflit demeure bloqué. Hassan II s'efforce cependant de prolonger le climat d'union nationale : libération de prisonniers politiques, levée de la censure, reconnaissance des partis de l'opposition, dont l'Istiqlāl. En 1996, l'adoption d'une réforme constitutionnelle veut ancrer le régime dans la modernité politique et économique, contre les pressions intégristes. En 1998, Abdelouahed Radi, membre de l'Union socialiste des forces populaires, est élu président de la Chambre des députés, tandis que le roi nomme un autre socialiste, Abderrahmane Youssoufi, au poste de Premier ministre.
► carte page **1169**

marocain, aine adj. et n. Du Maroc. ▷ Subst. *Un(e) Marocain(e).*

maroilles [marwal] ou **marolles** [marɔl] n. m. Fromage de vache fabriqué dans le Nord.

marollien n. m. Argot bruxellois, mélange de français et de flamand.

Maromme, ch.-l. de cant. de la Seine-Maritime (arr. et banlieue de Rouen); 12 780 hab. Industr. alimentaires.

Maroni (le), fl. séparant la Guyane française du Surinam (680 km); arrose *Saint-Laurent-du-Maroni.*

maronite n. et adj. Catholique oriental de rite syrien. ▷ adj. *Église maronite.*

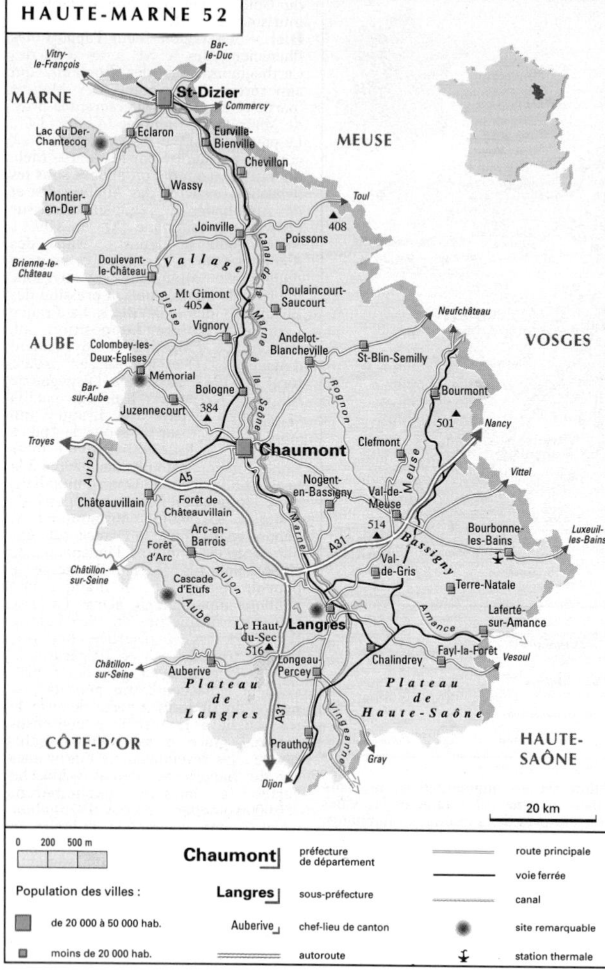

ENCYCL Rangés sous l'autorité du patriarche d'Antioche à partir du VIIIe s., les maronites se rapprochèrent de la papauté à partir du XIIe s. et leurs rites subirent l'influence latine. Auj., ils sont env. 1,5 million; la moitié vit au Liban; l'autre moitié est émigrée en Afrique et en Amérique. Leur langue liturgique est le syriaque.

maronner v. intr. [1] Fam. Maugréer, grogner. – *Faire maronner qqn,* le faire enrager.

maroquin n. m. **1.** Cuir de chèvre tanné et teint du côté fleur (côté du poil). **2.** Fam. Portefeuille, poste ministériel.

maroquinage n. m. TECH Action de maroquiner; son résultat.

maroquiner v. tr. [1] TECH Apprêter (un cuir) à la façon du maroquin. *Maroquiner du mouton, du veau.*

maroquinerie n. f. **1.** Art, industrie de la préparation du maroquin, de la fabrication des objets en maroquin ou en cuir fin. **2.** Commerce de ces objets; magasin où on les vend.

maroquinier n. m. **1.** Spécialiste du travail du maroquin ou de la fabrication d'articles de maroquinerie. **2.** Commerçant en maroquinerie.

Marosie. V. Marozia.

Marot (Clément) (Cahors, 1496 – Turin, 1544), poète français. Protégé de Marguerite de Navarre, sœur de François Ier, mais soupçonné de luthéranisme, enfermé au Châtelet (1526), poursuivi de nouveau en 1534 (affaire des Placards) et en 1542, il gagne Genève, passe en Savoie, puis à Turin, où il meurt pauvre et obscur. Marot a publié divers poèmes qui respectent les formes fixes du Moyen Âge (rondeaux, ballades, etc.), mais la postérité a surtout retenu les pièces, imitées des genres antiques, dans lesquelles transparaissent avec vivacité sa sensibilité, son esprit, sa verve : épigrammes, églogues (*Églogue au roi,* 1538), élégies et, surtout, épîtres (*Épître à Lyon Jamet,* 1526; *Épître au roi pour le délivrer de prison,* 1527).

Clément **Marot**

Karl **Marx**

marotte n. f. **1.** Sceptre surmonté d'une tête coiffée d'un capuchon bigarré et garni de grelots. *La marotte était l'attribut des bouffons, et celui, allégorique, de la folie.* **2.** Tête de femme, sorte de mannequin qui sert à exposer des chapeaux, des modèles de coiffure. **3.** Marionnette montée sur une tige de bois. **4.** Fig. Manie.

Maroua, ville du Cameroun; 81 900 hab.; ch.-l. du dép. de Diamaré. Égrenage du coton.

marouflage n. m. TECH Action de maroufler; son résultat.

maroufle n. f. TECH Colle forte.

maroufler v. tr. [1] TECH Coller (une toile peinte sur une toile de renfort, un panneau de bois, un mur, etc.) avec de la maroufle. ▷ Renforcer (un assemblage) en l'entourant d'une bande de toile enduite de colle.

Marozia ou **Marosie** (v. 892 – v. 937), princesse toscane qui domina le Saint-Siège de 928 à 932. Elle fit déposer et exécuter le pape Jean X, en 928, et élire un de ses fils (Jean XI) en 931. Un autre de ses fils, Albéric, la fit jeter en prison (932).

marquage n. m. **1.** Action d'appliquer une marque. *Le marquage des bêtes d'un troupeau.* **2.** SPORT Action de marquer (sens I, 8) un joueur adverse.

marquant, ante adj. Qui marque (par sa singularité, son action, etc., ou par le souvenir qu'il laisse).

marque n. f. **I. 1.** Signe particulier mis sur une chose pour la distinguer. *Marque à la craie. Marque indélébile.* **2.** Anc. Signe infamant fait sur la peau d'un condamné. **3.** Signe distinctif appliqué au fer rouge *(marque à chaud)* ou peint sur la peau d'un animal. ▷ Cachet de contrôle sanitaire sur un animal de boucherie. – Par métaph. *Les marques de la débauche.* **4.** Signe d'attestation (d'un contrôle effectué, de droits payés, etc.). *Marque de la douane.* **5.** Signe distinctif d'un produit, d'un fabricant, d'une entreprise. *Marque de fabrique, de commerce. Marque déposée,* qui assure une protection juridique à celui qui la dépose (au tribunal de commerce). – *Produit de marque,* d'une marque renommée. ▷ Entreprise industrielle ou commerciale; ses produits. *Une grande marque de meubles.* **6.** Repère (en construction, en mécanique, etc.). *Marque de pose, de taille.* ▷ SPORT Repère que se fixe un sauteur, un coureur, pour régler sa foulée, son départ. – Dispositif où les coureurs calent leurs pieds dans la position la meilleure pour prendre le départ d'une course de vitesse. Syn. starting-block. *À vos marques!... Prêts! Partez!* **II.** Trace, empreinte. ▷ CHASSE (Plur.) Empreintes qui permettent l'identification d'une bête. **III. 1.** Tout moyen, tout objet de reconnaissance, de repérage, d'évaluation. *Mettre une marque entre les pages d'un livre.* ▷ Jeton, fiche qu'on met au jeu au lieu d'argent; jeton qui sert à marquer les points. ▷ *Par ext.,* fig. Décompte. *Il y a dix points à la marque.* – SPORT Décompte des points en cours ou en fin de partie. *Ouvrir la marque* : marquer le (ou les) premier(s) point(s). **2.** HERALD *Marques d'honneur* : pièces que l'on met hors de l'écu. ▷ Fig. *De marque* : de qualité, éminent. *Personnage, hôte de marque.* **3.** Signe, preuve, témoignage. *« Cette marque d'honneur qu'il met dans ma famille » (Corneille).*

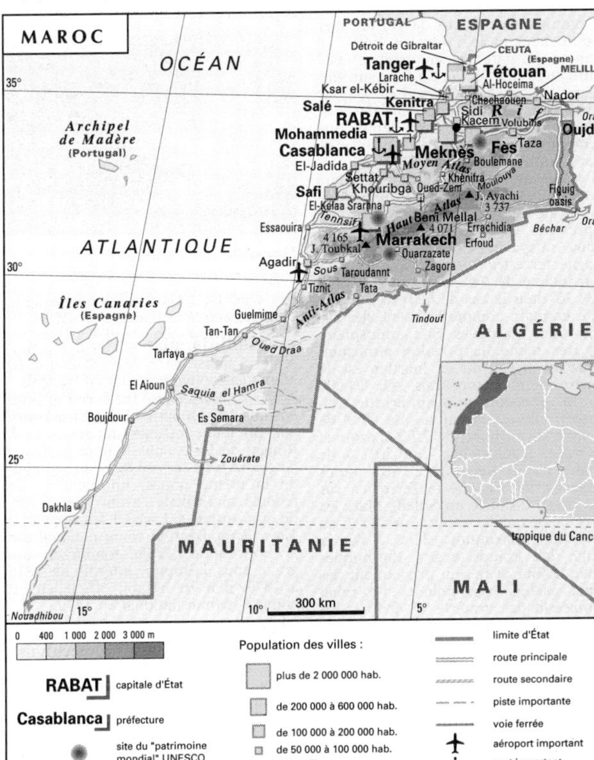

marqué, ée adj. **1.** Qui porte une marque. *Arbre marqué.* ▷ BIOL *Substance marquée,* qui contient un isotope radioactif permettant de suivre son déplacement dans un organisme. – Fig. *Être marqué,* engagé dans qqch, déterminé par ses choix. **2.** *Visage marqué,* qui porte les marques de l'âge, de la fatigue ou de la maladie. ▷ Fig. *Marqué par le destin* ou, absol., *marqué,* poursuivi par la fatalité. – *Il est resté marqué par son enfance,* impressionné, influencé. **3.** Très apparent, très net; accusé. *Avoir les traits du visage marqués. Taille marquée,* soulignée, accentuée (par l'habit). – (Abstrait) *Avoir des préférences marquées,* évidentes, très nettes. **4.** LING Qui porte une marque distinctive (par rapport à une unité neutre). *«Les chats»* (plur.) *est marqué par rapport à «le chat»* (sing.).

Marquenterre (le), plaine alluviale de Picardie, qui s'étend le long de la Manche, de l'estuaire de la Canche à celui de la Somme, dominée à l'E. par une falaise. Parc ornithologique.

marque-page n. m. Signet permettant de retrouver une page. *Des marque-pages.*

marquer v. [1] **I.** v. tr. **1.** Mettre une marque sur (pour distinguer, indiquer l'appartenance, attester une vérification, etc.). *Marquer du linge. Marquer le bétail.* – *Jusqu'en 1832, on marquait certains forçats au fer rouge.* **2.** Signaler par une marque, un repère. *Marquer une séparation.* ▷ BIOL Introduire un isotope radioactif dans (une substance). ▷ (Choses) *Cet arbre marque la limite du champ.* – Fig. *La prise de Constantinople marque la fin du Moyen Âge.* **3.** Faire ou laisser une trace, une empreinte sur, dans. *Le coup l'a marqué au front.* – Par métaph. *La maladie marque ses traits.* – Fig. *Marquer qqn de son influence.* ▷ Absol. *Ces épreuves l'ont marqué.* **4.** Fam. Inscrire, noter. *Marquer un rendez-vous.* **5.** Indiquer. *L'horloge marque midi.* **6.** Enregistrer en inscrivant. *Marquer les points d'une partie de cartes.* ▷ Fig. *Marquer un point :* obtenir un avantage (dans une discussion, une négociation, etc.). **7.** SPORT Inscrire à la marque. *Marquer un but, un essai.* **8.** SPORT *Marquer un adversaire,* demeurer à son côté, pour contrôler ou empêcher son action. **9.** Indiquer en soulignant, en accentuant. *Marquer la mesure du geste.* – *Habit qui marque la taille.* – Fig., fam. *Marquer le coup :* souligner l'importance d'un événement; réagir par rapport à qqch. ▷ MILIT Loc. *Marquer le pas :* conserver sur place la cadence du pas, sans avancer; fig., cour. ralentir, stagner. *La production marque le pas.* **10.** Manifester, témoigner, exprimer. *Elle marque trop ses sentiments.* – Cour. *Marquer son intérêt pour qqch, qqn, à qqn.* ▷ (Choses) Caractériser; révéler, attester. *Acte qui marque la volonté.* **II.** v. intr. **1.** Laisser une marque, une trace. **2.** Fig. Impressionner ou influencer durablement. **3.** Vieilli, fam. *Marquer mal :* faire mauvaise impression.

Marquet (Albert) (Bordeaux, 1875 – Paris, 1947), peintre français. D'abord influencé par le fauvisme, il opta rapidement pour des tons plus doux, jouant sur le fondu de la touche, sur les lignes cursives. Il fut avant tout un paysagiste.

marqueter v. tr. [20] **1.** Marquer de taches. **2.** Décorer en marqueterie.

marqueterie n. f. **1.** Ouvrage d'ébénisterie constitué de placages de bois, d'ivoire, etc., de différentes couleurs et formant un motif décoratif. *Table de* (ou *en*) *marqueterie.* **2.** Art du marqueteur. **3.** Fig. Ensemble disparate.

marqueteur n. m. Ébéniste spécialisé dans la marqueterie.

Marquette (Jacques) (Laon, 1637 – sur les bords du lac Michigan, 1675), missionnaire jésuite et explorateur français. Il descendit le Mississippi jusqu'à son confluent avec l'Arkansas.

Marquette-lez-Lille, com. du Nord (arr. de Lille); 11 031 hab.

marqueur, euse n. **1.** Personne qui marque (les marchandises, le bétail, etc.). **2.** Personne qui tient le compte des points (au jeu, en sport). **3.** SPORT Joueur qui marque (un but, un essai, etc.). **4.** n. f. Machine à marquer. **5.** n. m. Crayon-feutre à pointe épaisse. **6.** n. m. MED *Marqueur (tumoral) :* molécule (glycoprotéine ou polypeptide), présente sur la surface des cellules tumorales, dont la détection permet d'identifier ces cellules. **7.** PHYS Syn. de *traceur radioactif.* **8.** Fig. Point de repère caractéristique. *Le verlan joue un rôle important de marqueur identitaire.*

marquis [maʀki] n. m. **1.** HIST Seigneur franc préposé à la garde des marches. **2.** Titre de noblesse entre celui de duc et celui de comte.

marquisat n. m. Fief, terre, titre de marquis.

marquise n. f. **I.** Femme d'un marquis. **II. 1.** Auvent ou vitrage qui protège des intempéries un perron, un quai de gare, etc. **2.** Bague au chaton oblong. **3.** Bergère à dossier bas, pour deux personnes.

Marquises (îles), archipel volcanique de la Polynésie française, à 1 400 km de Tahiti; 1 274 km²; 7 350 hab. (Marquisiens ou Marquésans); ch.-l. *Taiohae.* – Découvertes par les Espagnols dès 1595, occupées par la France en 1842, elles constituent une circonscription du TOM de la Polynésie française depuis 1946. – Sculpture d'objets et confection de parures occupaient, avec l'art du tatouage, une place importante dans la vie des anciens Marquisiens.

îles **Marquises**

marquoir n. m. TECH **1.** Instrument pour marquer. **2.** Modèle de lettre à marquer le linge.

marraine n. f. **1.** Celle qui tient, a tenu un enfant sur les fonts baptismaux et s'est engagée à veiller à son éducation religieuse. **2.** Celle qui préside à la cérémonie de baptême d'une cloche, d'un navire, etc. **3.** *Marraine de guerre :* correspondante attitrée d'un soldat du front.

Marrakech, v. du Maroc mérid., dans la plaine du Haouz, au pied N. du Haut Atlas; 439 730 hab.; ch.-l. de la prov. du m. nom. Grand marché du Sud; huileries; artisanat. Centre touristique. – Nombr. mosquées, dont la très belle Kutubiyyah (XIIe s.). Porte Bab Agnau (entrée de la casbah). Palais. Tombeaux des Saadiens. – Fondée en

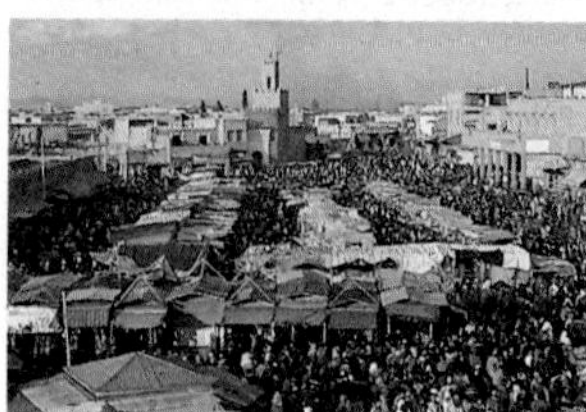

Marrakech : place Jemaa el Fna

1062 par les Almoravides, elle fut la capitale des Almohades (XIIe-XIIIe s.).

marrane n. HIST Juif d'Espagne et du Portugal converti de force au catholicisme, et qui continuait à pratiquer clandestinement sa religion. *Persécutés par l'Inquisition, les marranes émigrèrent dans les pays riverains de la Méditerranée et en Amérique du Nord.*

marrant, ante adj. (et n.) Fam. Drôle, amusant. – Subst. *Un sacré marrant, un petit marrant.* ▷ Curieux, étonnant. *C'est marrant qu'il ne t'ait pas prévenu.*

marre adv. Fam. *En avoir marre* : en avoir assez, être excédé. – Pop. *C'est marre* : ça suffit; c'est terminé.

marrer (se) v. pron. [1] Fam. Rire, s'amuser.

marri, ie adj. Vx ou litt. Affligé, contrit.

1. marron n. m. et adj. inv. **I. 1.** Fruit comestible d'une variété de châtaignier. – *Marron glacé*, confit dans du sucre. ▷ Loc. fig. *Tirer les marrons du feu* : prendre de la peine ou des risques au seul profit d'un autre. **2.** *Marron d'Inde* : graine (non comestible) du marronnier d'Inde. **3.** adj. inv. De la couleur du marron (brun-rouge). *Des yeux marron.* ▷ n. m. *Le marron vous va bien.* **II.** Fam. **1.** Coup de poing. **2.** adj. inv. *Être marron* : être attrapé, dupé. *Il m'a fait marron.* **III.** Jeton de contrôle (notam. de la présence d'un employé à son poste).

2. marron, onne adj. **1.** HIST *Esclave, nègre marron*, fugitif et réfugié dans une zone peu accessible, dans les colonies d'Amérique. **2.** Qui exerce sans titre ou en marge de la légalité. *Courtier, avocat marron.*

marronnier n. m. **1.** Variété de châtaignier. **2.** Cour. *Marronnier (d'Inde)* : grand arbre ornemental, originaire du Moyen-Orient, à fleurs en grappes blanches ou rouges.

mars [maʀs] n. m. **1.** Troisième mois de l'année, comprenant trente et un jours. *Les giboulées de mars.* – Loc. prov. *Arriver comme mars en carême*, à propos, ou inévitablement. **2.** AGRIC *Les mars* : les grains qu'on sème en mars (orge, avoine, millet).

Mars, dans la myth. lat., dieu de la Guerre et de la Végétation *(Mars Silvanus)*, identifié au dieu grec Arès. La tradition romaine le considère comme le fils de Junon et le père de Romulus et Remus, enfantés par la vestale Rhea Silvia.

Mars, première planète extérieure du système solaire, dédiée au dieu romain de la Guerre du fait de sa teinte rougeâtre. L'excentricité de son orbite, inclinée de 1° 51' par rapport au plan de l'écliptique, est très supérieure à celle de la Terre : 207 millions de km du Soleil au périhélie, 249 millions de km à l'aphélie. Dans le cas le plus favorable, la distance entre Mars et la Terre se réduit à 56 millions de km (dernier rapprochement le 7 janvier 1993). La planète, qui parcourt son orbite en 687 jours et 23 h, effectue un tour sur elle-même en 24 h 37 min 22,7 s (jour sidéral martien), tandis que le jour solaire martien (appelé *sol* depuis que la mission *Viking* explora la surface de Mars, juillet 1976) vaut 24 h 39 min 35 s. Le diamètre équatorial de Mars atteint 6 794 km, soit un peu plus de la moitié de celui de la Terre; sa masse représente 0,107 fois celle de notre globe; sa gravité, environ le tiers de la gravité terrestre. Avec un axe de rotation incliné de 24° sur le plan orbital (23° 26' dans le cas de la Terre), la planète connaît, comme la Terre, des saisons bien marquées. Son atmosphère est très ténue (la pression atmosphérique au niveau du sol martien est de l'ordre de 6 hectopascals, soit 6/1 000 de la pression atmosphérique terrestre); elle est constituée de 95 % de dioxyde de carbone, de 2,7 % d'azote et de traces d'autres gaz (dont 0,03 % de vapeur d'eau). Recevant 2,3 fois moins d'énergie solaire que la Terre (en raison de sa distance au Soleil), Mars est plus froide qu'elle (minimum -143 °C au pôle Sud, maximum +22 °C à l'équateur); les grands écarts thermiques entre le jour et la nuit provoquent des vents parfois très violents. Le relief comprend des cratères et des bassins d'impact de même type que ceux observés sur la Lune ou Mercure, ainsi que des chaînes volcaniques (le volcan martien *Olympus Mons*, qui s'étend sur 600 km et s'élève à 26 km au-dessus du niveau moyen de la planète, est le plus grand volcan connu du système solaire), des dunes et même des rivières fossiles, preuve qu'un liquide (certainement de l'eau) a coulé jadis à la surface de la planète. Mars possède deux petits satellites, *Phobos* et *Deimos*, sans doute des astéroïdes capturés voici plus de trois milliards d'années.

Mars (Anne Boutet, dite Mlle) (Paris, 1779 – id., 1847), actrice française; interprète célèbre des rôles d'ingénue et de coquette à la Comédie- Française.

Marsa (La) *(al-Marsā)*, v. de Tunisie, près de Carthage; 35 120 hab. Stat. baln. – Le *traité de La Marsa*, confirmant l'établissement du protectorat français en Tunisie, y fut signé en 1883.

Marsais (César Chesneau, sieur Du) (Marseille, 1676 – Paris, 1756), grammairien français. Il collabora à l'*Encyclopédie* dans sa spécialité. Son *Traité des tropes* (1730), c.-à-d. des « tournures » (de style), annonce la stylistique moderne.

marsala n. m. Vin doux produit en Sicile.

Marsala, port de Sicile, à l'extrémité O. de l'île; 79 090 hab. Vin renommé. – La ville fut fondée par les Carthaginois (IVe s. av. J.-C.). Garibaldi y débarqua le 11 mai 1860, à la tête de ses « Mille ».

Marseille : le Vieux-Port

marseillais, aise adj. et n. De Marseille. ▷ Subst. *Un(e) Marseillais(e).* ▷ *La Marseillaise* : hymne national français.
ENCYCL *La Marseillaise* fut écrite et mise en musique en avril 1792 à Strasbourg par un jeune officier du génie, C. J. Rouget de Lisle, sous le nom de *Chant de guerre pour l'armée du Rhin*; en août de la même année, un bataillon de fédérés marseillais l'ayant chanté lors de son entrée à Paris, il fut appelé *la Marseillaise.* Décrété chant national par la Convention (1795), tombé en disgrâce sous l'Empire, interdit de 1815 à 1870, il a été rétabli officiellement comme hymne national en 1879.

Marseille, ch.-l. du dép. des Bouches-du-Rhône et de la Rég. Provence-Alpes-Côte d'Azur, 3e ville de France et 1er port de la Méditerranée; métropole d'équilibre (incluant Aix-en-Provence et Fos); 807 726 hab., env. 1 231 000 hab. pour l'aggl. Aéroport *Marignane.* Le trafic lourd, constitué en grande partie de pétrole, s'est reporté vers l'étang de Berre et Fos, ainsi que les industr. de base (pétrochimie, sidérurgie). La ville de Marseille a des industr. diversifiées (alimentation, métallurgie, chimie, réparations navales, presse, etc.), mais connaît des problèmes d'emploi. Un métro y a été inauguré en 1978. – Archevêché. Univ. Égl. romane St-Laurent. Égl. St-Ferréol (en partie du XVe s.). Égl. St-Victor (parties des XIIe et XIIIe s.). Fort St-Jean (XVIIe s., tour du XVe) et fort St-Nicolas (XVIIe s.). Basilique N.-D.-de-la-Garde (consacrée en 1864). Musées. (V. aussi If.) – La ville *(Massalia)* fut fondée par une colonie phocéenne au VIe s. av. J.-C. Port florissant jusqu'à la conquête des Gaules (49 av. J.-C.), elle fut à nouveau très prospère au temps des croisades (port de voyageurs et de comm. avec le Levant), déclina ensuite et retrouva sa puissance au XIXe s., surtout après l'ouverture du canal de Suez (1869).

Marshall (îles), archipel du Pacifique Nord (Micronésie), État librement associé aux É.-U. depuis 1983; 181 km²; 34 920 hab.; ch.-l. *Majuro.* – Ces îles, allemandes de 1885 à 1914, japonaises

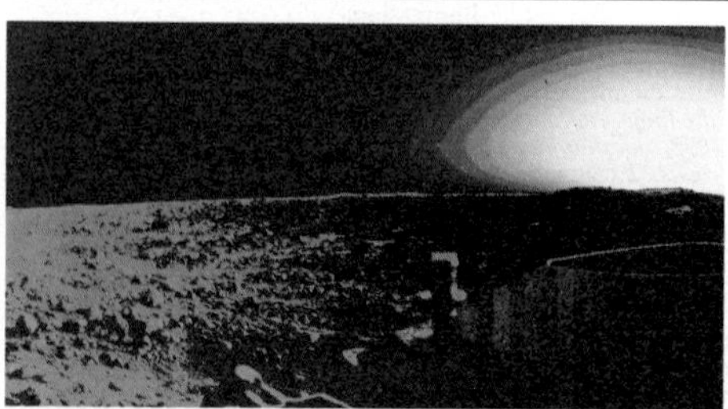

coucher du soleil sur **Mars,** photo retraitée par ordinateur

de 1920 à 1944, furent conquises, en 1944, par les Américains, qui les administrèrent (sur décision de l'ONU) de 1947 à 1980. De 1946 à 1956, les É.-U. se livrèrent à des expériences nucléaires sur les atolls de Bikini et d'Eniwetok. Les îles Marshall sont membres de l'ONU depuis 1991.

Marshall (Alfred) (Londres, 1842 – Cambridge, 1924), économiste anglais qui eut Keynes comme élève. Il tenta de faire la synthèse de l'économie politique classique et du marginalisme.

Marshall (George Catlett) (Uniontown, Pennsylvanie, 1880 – Washington, 1959), général et homme politique américain. Chef d'état-major de l'armée (1939-1945), médiateur en Chine auprès de Tchang Kaï-chek (1945), secrétaire d'État de Truman (1947-1948), il est l'auteur d'un plan d'assistance économique à l'Europe (*plan Marshall*, 1948), adopté par dix-sept pays et appliqué jusqu'en 1952 (V. Europe). P. Nobel de la paix 1953.

marsouin n. m. **1.** Mammifère cétacé odontocète (*Phocœna* et genres voisins, fam. delphinidés), dont une espèce, commune dans l'Atlantique Nord, se rencontre souvent dans le sillage des navires. **2.** Arg. (des milit.) Soldat de l'infanterie de marine.

marsupial, ale, aux adj. et n. m. ZOOL **1.** adj. *Poche marsupiale* : poche ventrale, contenant les mamelles, dans laquelle les petits des marsupiaux achèvent leur développement embryonnaire après la naissance. **2.** n. m. pl. Ordre de mammifères primitifs, seuls représentants actuels de la sous-classe des métathériens, caractérisés par un développement embryonnaire inachevé à la naissance. ▷ Sing. *Un marsupial.*

Marsyas, dans la myth. gr., satyre de Phrygie qui, avec sa flûte, osa défier Apollon et sa lyre. Vaincu, il fut écorché vif par le dieu.

martagon n. m. Lis de montagne à fleurs roses tachetées de brun.

marte. V. martre.

marteau n. m. (et adj.) **I. 1.** Outil composé d'une tête en métal, munie d'un manche, qui sert à battre les métaux, enfoncer des clous, etc. **2.** Instrument, pièce qui sert à frapper. *Marteau d'horloge*, qui sonne les heures en frappant un timbre. *Marteau de porte* : heurtoir. ▷ MUS Pièce qui vient frapper, sous l'action de la touche, la corde d'un piano. **3.** (En composition.) Machine, instrument qui produit un effet par percussion. ▷ *Marteau-piqueur* : engin comportant un piston actionné par l'air comprimé *(marteau pneumatique)* ou l'électricité, muni d'une pointe *(fleuret)* qui sert à défoncer les matériaux durs. *Des marteaux-piqueurs.* **4.** ANAT Un des osselets de l'oreille moyenne. **5.** SPORT Sphère métallique (poids : 7,257 kg) reliée à une poignée par un fil d'acier, que l'athlète doit projeter le plus loin possible. *Le lancer du marteau* (épreuve exclusivement masculine). **6.** adj. Fam. *Être marteau* : être un peu fou. **II.** ZOOL *Marteau* ou *requin marteau* : poisson sélacien *(Sphyrna zygæna)* dont les yeux sont portés par des expansions latérales de la tête.

marteau-pilon n. m. Machine servant à forger les pièces de métal de grande dimension. *Des marteaux-pilons.*

martel n. m. Vx Marteau. – Loc. mod. *Se mettre martel en tête* : se tourmenter, se faire du souci.

Martel (Édouard) (Pontoise, 1859 – chât. de la Garde, près de Montbrison, 1938), géologue et spéléologue français. Il découvrit et explora le gouffre de Padirac.

Martel (comte Thierry de) (Maxéville, près de Nancy, 1876 – Paris, 1940), fils de Gyp*; chirurgien français; pionnier de la neurochirurgie; il se suicida à l'entrée des Allemands dans Paris.

martelage n. m. Action de marteler (notam. pour préparer ou mettre en forme des métaux). ▷ SYLVIC Marquage au marteau des arbres à abattre ou à conserver.

martèlement n. m. **1.** Action de marteler; son résultat. **2.** Bruit scandé et sonore comme celui d'un marteau.

marteler v. tr. **[17] 1.** Battre ou façonner à coups de marteau. *Marteler du cuivre.* **2.** *Par anal.* Frapper à coups répétés, comme avec un marteau. *Marteler d'obus les positions ennemies.* **3.** Fig. Articuler, prononcer avec force. *Marteler les syllabes. Marteler ses phrases.*

marteleur n. m. Celui qui travaille au marteau; celui qui, dans une forge, manœuvre le marteau.

Martenot (Maurice) (Paris, 1898 – Clichy, 1980), musicien français, inventeur d'un instrument de musique électronique à clavier, appelé *ondes Martenot*, où les sons émis naissent d'oscillateurs à lampes, et pour lequel de nombr. compositeurs contemporains ont écrit des pièces.

Martens (Wilfried) (Sleiding, 1936), homme politique belge. Leader du parti social-chrétien flamand, il fut Premier ministre de 1979 à 1992.

Marthe (sainte), sœur de Lazare et de Marie de Béthanie, dite aussi Marie-Madeleine (Évangiles : Luc X, 38-42; Jean XI-XII). Selon une légende, ils vinrent tous trois en Provence; sainte Marthe est la patronne de Tarascon qu'elle délivra de la tarasque.

Marti (José) (La Havane, 1853 – Dos Ríos, 1895), patriote et écrivain cubain; l'un des grands artisans de l'indépendance cubaine; auteur de *Vers simples* (1891). Il trouva la mort à Cuba lors du soulèvement de 1895.

1. martial, ale, aux [maʀsjal, o] adj. **1.** Guerrier; caractéristique du tempérament ou des façons militaires. *Un air, un discours martial.* **2.** *Loi martiale*, qui autorise l'emploi de la force armée pour le maintien de l'ordre. – *Cour martiale* : tribunal militaire d'exception. **3.** *Arts martiaux* : disciplines individuelles d'attaque et de défense, d'origine japonaise (judo, karaté, kendo, aïkido, etc.).

2. martial, ale, aux adj. MED Relatif au fer de l'organisme. *Fonction, carence martiale.*

Martial (saint) (IIIe s.), premier évêque de Limoges.

Martial (en lat. *Marcus Valerius Martialis*) (Bilbilis, Espagne, v. 40 – id., v. 104), poète latin. Ses *Épigrammes* (80-102) dépeignent, dans un style cru et vif, les mœurs des Romains du Ier siècle.

martien, enne [maʀsjɛ̃, ɛn] adj. et n. **1.** Relatif à la planète Mars. ▷ Subst. Habitant fictif de cette planète. *Un(e) martien(ne).* **2.** ASTROL Qui est sous l'influence astrale supposée de Mars.

Martignac (Jean-Baptiste Sylvère Gay, comte de) (Bordeaux, 1778 – Paris, 1832), homme politique français. Princ. ministre de Charles X après la chute de Villèle (1828), il tenta des réformes modérées. Polignac lui succéda (1829).

Martigny, v. de Suisse (Valais), au pied du col du Grand-Saint-Bernard; 11 300 hab. Carrefour routier. Centre touristique. Aluminium.

Martigues, ch.-l. de canton des Bouches-du-Rhône (arr. d'Istres), sur la rive S. de l'étang de Berre, relié au golfe de Fos; 42 922 hab. (*Martigaux*). Port pétrolier (raffinerie, pétrochimie); pêche.

Martin (saint) (Sabaria, Pannonie [auj. Szombathely, Hongrie], v. 316 – Candes, Touraine, 397), soldat chrétien de l'armée romaine en garnison à Amiens qui aurait, d'après la légende, partagé son manteau avec un pauvre. Devenu évêque de Tours (371), il fonda de nombr. monastères (Marmoutier, Ligugé) et fut un des évangélisateurs de la Gaule. Son culte se répandit dans toute la France mérovingienne (plus de 500 com. portent son nom).

Martin, nom de trois papes, dont : – **Martin IV** (Simon de Brion) (?, v. 1210 – Pérouse, 1285), pape de 1281 à 1285; il soutint Charles d'Anjou. – **Martin V** (Oddone Colonna) (Genazzano, 1368 – Rome, 1431), pape de 1417 à 1431; son élection au concile de Constance mit un terme au grand schisme d'Occident.

Martin (Pierre) (Bourges, 1824 – Fourchambault, Nièvre, 1915), ingénieur métallurgiste français; inventeur du procédé d'affinage de l'acier et du four qui portent son nom. ▷ METALL *Four Martin* : four à sole équipé d'un système permettant de récupérer la chaleur des gaz de combustion. ▷ *Procédé Martin* : procédé d'affinage de l'acier obtenu par l'effet d'un décarburant sur un mélange de fonte et de ferraille au four Martin. ▷ *Acier Martin* : acier élaboré par le procédé Martin. (Il contient moins d'impuretés que les aciers élaborés au convertisseur.)

Martin (Archer) (Londres, 1910), biochimiste anglais; inventeur, avec Richard Synge, de la chromatographie sur papier (1944). P. Nobel 1952.

Martin (Jacques) (Strasbourg, 1921), dessinateur et scénariste de bandes dessinées français. Créateur des personnages d'*Alix*, pour le journal *Tintin* (1948), et de *Lefranc* (1952).

martin-chasseur n. m. Oiseau néognathe, proche du martin-pêcheur, qui se nourrit d'insectes, de crustacés et de petits reptiles. *Des martins-chasseurs.*

Martin du Gard (Roger) (Neuilly-sur-Seine, 1881 – Bellême, Orne, 1958), écrivain français. Romans : *Jean Barois* (1913); *les Thibault* (8 vol., 1922 à 1940), fresque assez conforme à la tradition romanesque du XIXe s. Théâtre : *le Testament du père Leleu* (1914), *la Gonfle* (1928), farces paysannes. Correspondance avec A. Gide (éd. posth., 1968). P. Nobel 1937.

1. martinet n. m. **1.** Marteau mécanique employé au forgeage des petites pièces. **2.** Fouet à plusieurs brins de corde ou de cuir. *Corriger un enfant au martinet.*

2. martinet n. m. Oiseau aux grandes ailes et aux pattes courtes (genres *Apus* et voisins, ordre des apodiformes), ressemblant à l'hirondelle.
► illustr. page **1172**

Martinet (André) (Saint-Alban-des-Villards, Savoie, 1908), linguiste fran-

martinet noir

çais. Influencé par l'école de Prague, il a établi les principes et les méthodes de la linguistique fonctionnelle.

Martínez Campos (Arsenio) (Ségovie, 1831 - Zarauz, 1900), maréchal et homme politique espagnol. Il écrasa l'insurrection carliste (1870-1874) et dirigea le coup d'État qui plaça Alphonse XII sur le trône (1874).

Martínez de la Rosa (Francisco) (Grenade, 1787 - Madrid, 1862), diplomate et écrivain espagnol. Ses poésies lyriques sont d'abord classiques *(les Jeux de l'amour)*, puis plus romantiques *(la Solitude, l'Orphelin)*. Au théâtre, il se situe entre la tragédie classique et le drame romantique : *la Veuve de Padilla* (1814), *Œdipe* (1829), *la Conjuration de Venise* (1834).

martingale n. f. **I. 1.** Courroie qui relie la sangle, sous le ventre du cheval, à la bride. **2.** Demi-ceinture qui retient l'ampleur du dos d'un vêtement. **II.** JEU Action par laquelle on mise sur chaque coup le double de sa perte du coup précédent. - *Par ext.* Système de jeu qu'un joueur applique méthodiquement. *Suivre une martingale.*

Martini (Simone) (Sienne, v. 1284 - Avignon, 1344), peintre italien, maître du gothique de Sienne, influencé par Duccio : *Maesta* (1315), *Annonciation* (1333).

Simone **Martini :** *l'Annonciation*, détrempe sur bois, 1333 ; galerie des Offices, Florence

Martini (Giovanni Battista), connu sous le nom de *Père Martini* (Bologne, 1706 - id., 1784), moine cordelier italien, compositeur (douze sonates pour orgue et clavecin, 1741 ; six sonates pour clavecin, 1747); auteur d'une importante *Histoire de la musique* (3 vol., 1757, 1770, 1781, inachevée).

Martini (Arturo) (Trévise, 1889 - Milan, 1947), sculpteur italien. Combinant la statuaire antique et le futurisme, il devint le sculpteur officiel de l'Italie fasciste.

martiniquais, aise adj. et n. De la Martinique. ⊳ Subst. *Un(e) Martiniquais(e).*

Martinique (île de la), île des Antilles françaises (Petites Antilles) formant un dép. franç. d'outre-mer (972) dep. 1946 et une Rég. dep. 1982 ; 1 102 km^2 ; 359 572 hab. ; 326,3 hab./km^2 ; ch.-l. *Fort-de-France.*
Géogr. phys., hum. et écon. - Les plaines côtières sont peu étendues. Des montagnes volcaniques occupent l'intérieur (montagne Pelée, 1 397 m, dont les éruptions, comme celle de 1902 qui détruisit Saint-Pierre, s'accompagnent de nuées ardentes ; pitons du Carbet, 1 196 m). Le climat est chaud et très humide dans le N.-E. La population, très dense, est composée de Noirs, de créoles et de métis, avec env. 15 000 métropolitains. Elle comprend 50 % de moins de 20 ans (forte émigration des adultes vers la France où les Martiniquais sont plus de 150 000). L'économie repose au premier chef sur l'assistance multiforme de la métropole, ensuite sur l'agriculture (grandes exploitations, en crise). Princ. production : canne à sucre, qui régresse au profit des bananes. On tente actuellement de développer le tourisme (proximité des É.-U.). Les industries traitent les produits agricoles (conserveries, distilleries, rhumeries).
Hist. - Découverte par Christophe Colomb lors de son 4e voyage (1502), colonisée au XVIIe s. par la Compagnie des Îles d'Amérique, l'île fut souvent disputée à la France par les Anglais. Une intense traite des Noirs modifia son peuplement ; le maintien de l'esclavage à l'époque révolutionnaire (à la différence de la Guadeloupe) fut à l'origine de nombr. révoltes entre 1816 et 1848. Auj., la surpopulation, le chômage et la dépendance économique envers la métropole posent de sérieux problèmes.

martin-pêcheur n. m. Oiseau néognathe (genres *Alcedo* et voisins), aux couleurs vives, qui vit au bord de l'eau et se nourrit de poissons. *Des martins-pêcheurs.*

Martinson (Harry) (Jämshög, 1904 - Stockholm, 1978), écrivain suédois. Il tire son inspiration de son expérience de marin et s'élève contre la technique. Poèmes : *Vaisseau fantôme* (1929), *Vents alizés* (1945). Romans : *Voyages sans but* (1932), *Les orties fleurissent* (1935), *le Jaguar perdu* (1941). P. Nobel 1974.

martin pêcheur d'Europe

Martinů (Bohuslav) (Polička, Bohême, 1890 - Liestal, Suisse, 1959), compositeur tchèque de l'école de Paris (opéras, ballets, *inventions* pour orchestre, concertos, quatuors à cordes, etc.).

martre ou **marte** n. f. **1.** Mammifère carnivore (genre *Martes*, fam. mustélidés) au corps long et souple, à la queue touffue et au pelage brun. *La martre commune, à la fourrure estimée, est arboricole. La fouine et la zibeline sont des martres.* **2.** Fourrure de martre. *Col de martre.*

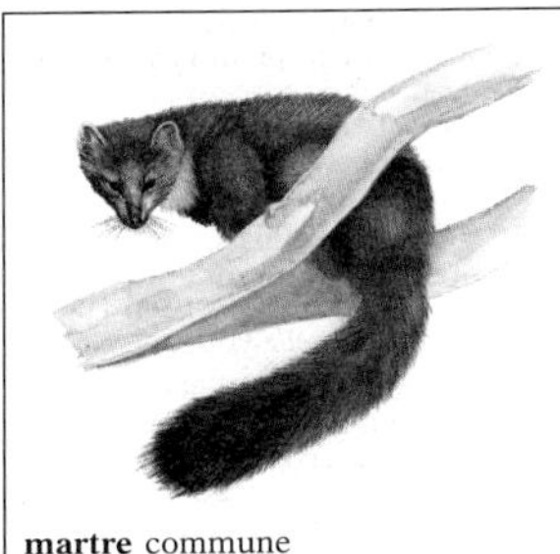
martre commune

Marty (André) (Perpignan, 1886 - Toulouse, 1956), homme politique français. Officier mécanicien, il participa en avril 1919 à la mutinerie de la mer Noire. Il adhère au Parti communiste français et est élu député (1924-1928 et 1929-1939). Inspecteur des Brigades internationales pendant la guerre d'Espagne, il fit exécuter les trotskistes et les anarchistes et mérita le surnom de «boucher d'Albacete». En conflit personnel avec M. Thorez, il fut exclu du parti en 1953.

martyr, e n. **1.** Personne qui a souffert la mort plutôt que de renoncer à la religion chrétienne et, par ext., à sa religion, quelle qu'elle soit. ▷ *Par ext.* Personne qui est morte ou a beaucoup souffert pour une cause. *Les martyrs de la Révolution.* **2.** Personne qui souffre beaucoup. *Se donner des airs de martyr.* - (En appos.) *Un enfant martyr,* gravement maltraité par ses parents.

martyre n. m. **1.** Mort, tourments endurés par un martyr pour sa religion, sa foi en une cause ou en une idée. *Le martyre de saint Sébastien.* **2.** Très grande souffrance physique ou morale. *Souffrir le martyre.*

martyriser v. tr. [1] **1.** Livrer au martyre; faire souffrir le martyre. *Néron martyrisa, fit martyriser de nombreux chrétiens.* **2.** Cour. Maltraiter à l'extrême physiquement ou moralement. *Martyriser un animal, un parent.*

martyrium [maʀtiʀjɔm] n. m. Crypte contenant le tombeau, les reliques d'un martyr. - Église dédiée à un martyr.

martyrologe n. m. Catalogue des martyrs et, par ext., liste de personnes qui sont mortes ou ont souffert pour une cause, un idéal.

Martyrs canadiens (saints), missionnaires français massacrés par des Amérindiens entre 1642 et 1649. Ils ont été canonisés en 1930.

Marvejols, ch.-l. de cant. de la Lozère, au N.-O. de Mende; 6 013 hab. - Portes monumentales (XIVe s.). Maisons anciennes.

Marx (Karl) (Trèves, 1818 - Londres, 1883), philosophe, théoricien de l'économie politique et révolutionnaire allemand. Issu d'une famille d'origine juive convertie au protestantisme, il s'oriente d'abord vers des études de droit et de philosophie. Dès 1837, il lit Hegel et entre en relation avec les «jeunes hégéliens». Sa thèse de doctorat en philosophie, soutenue à Iéna en 1841, porte sur la *Différence entre la philosophie de la nature chez Démocrite et chez Épicure.* En 1842, la lecture de Feuerbach l'amène à une étude encore plus approfondie du matérialisme. La même année, il prend la direction de *la Gazette rhénane.* Après l'interdiction de ce journal (1843), il quitte l'Allemagne et se rend à Paris où il collabore aux *Annales franco-allemandes* (qui publient, en 1844, *Sur la question juive* et *Contribution à la critique de la philosophie du droit de Hegel*), se lie d'amitié avec Engels, prend contact avec des groupes ouvriers. Ayant été expulsé de France (1845), il s'installe à Bruxelles. Engels l'y rejoint; ils écrivent ensemble deux ouvrages qui fondent le matérialisme historique (*la Sainte Famille,* 1845; *l'Idéologie allemande,* 1845-1846) et le célèbre *Manifeste du parti communiste* (publié à Londres en 1848), qui expose les principes essentiels de la conception marxienne de l'histoire et de la lutte des classes. Chassé de Belgique en 1848, Marx séjourne à Paris, à Cologne, revient à Paris, puis s'établit définitivement à Londres (1849) avec sa femme Jenny et ses trois enfants. Il y poursuit, dans des conditions matérielles très difficiles, ses travaux d'économie et de critique historique : *Travail salarié et capital* (1849), *Contribution à la critique de l'économie politique* (1859), *le Capital* (tome I, 1867; le tome II, 1885, et le tome III, 1894, inachevé, furent publiés par Engels d'après ses brouillons), *les Luttes de classes en France* (1850), *la Guerre civile en France* (sur la Commune de Paris, 1871). En 1864, Marx devient le chef de la Ire Internationale; après la dissolution de celle-ci, il réduit son activité politique.
▸ illustr. page **1168**

Marx Brothers (les), trio comique du music-hall et du cinéma américain constitué par les frères *Marks,* nés à New York de parents allemands : – **Leonard,** dit *Chico* (1891 - Hollywood, 1961), joueur de pipeau et pianiste; – **Adolf,** qui prit le nom d'**Arthur,** dit *Harpo* (1893 - Hollywood, 1964), mime, joueur de harpe; – **Julius,** dit *Groucho* (1895 - Los Angeles, 1977), leur chef, moustachu, rhéteur intarissable. Princ. films : *Monnaie de singe* (1931), *Soupe au canard* (1933), *Une nuit à l'Opéra* (1935), *Go West* (1940), *Une nuit à Casablanca* (1946). Un quatrième frère, **Herbert,** dit *Zeppo* (1901 - Palm Springs, 1979), compléta le groupe jusqu'en 1932.

marxien, enne adj. Didac. De Karl Marx. *Analyse marxienne de la société capitaliste.*

marxisant, ante adj. Proche du marxisme. *Pensée marxisante.*

marxisme n. m. Doctrine philosophique, politique et économique de Karl Marx*, Friedrich Engels et de leurs continuateurs.
ENCYCL Le marxisme est un matérialisme, qu'on dira *historique* si l'on considère l'objet de son étude et *dialectique* si l'on considère la méthode. Pour Marx, le mouvement de la pensée n'est pas une réalité autonome, «il n'est que le reflet du mouvement réel, transporté et transposé dans le cerveau de l'homme» *(le Capital).* «Ce n'est pas la conscience qui détermine la vie, mais la vie qui détermine la conscience» *(l'Idéologie allemande).* Ce «mouvement réel» est celui des rapports, vitaux, qu'entretiennent les hommes entre eux : les *rapports de production* (formes de la division du travail, de l'appropriation des moyens de production et d'échange, de la répartition des richesses, position des classes dans le corps social), qui correspondent à un état de développement donné des *forces productives* matérielles (la force de travail des hommes, leur savoir-faire, les techniques, les *moyens* de production et d'échange). Ces rapports déterminent la forme socio-économique des sociétés, leur *mode de production :* antique (esclavage), féodal (servage), puis bourgeois capitaliste (salariat). Les forces productives sont l'*infrastructure* de la société et les rapports de production sa *structure;* sur quoi s'élève une *superstructure* juridique et politique (la machine d'État, le Droit), mais aussi idéologique (la religion, la morale, la philosophie, qui ont pour fonction de légitimer les rapports de production établis, de les fonder comme nécessaires et naturels, et de favoriser ainsi leur maintien). Marx observe que toutes les sociétés ont été fondées sur des modes de production dans lesquels les possesseurs des moyens de production (seigneurs, puis bourgeois capitalistes) dominent, exploitent et oppriment les producteurs (les travailleurs : serfs, puis prolétaires). Pour lui, les aspirations contradictoires qui naissent de la différence de situation et de conditions de vie des classes déterminent l'action des masses humaines : «L'histoire de toute société jusqu'à nos jours n'a été que l'histoire de la *lutte des classes*» *(Manifeste du parti communiste).* La doctrine économique de Marx est fondée sur l'analyse du capital et des mécanismes du système capitaliste. Ce qui domine dans la société capitaliste, c'est la production de *marchandises,* lesquelles, en tant que *valeurs,* sont du travail humain cristallisé; l'argent est la forme de ces valeurs. À l'origine, la grandeur de la *valeur d'échange* correspond à peu près à une *valeur d'usage* donnée à la marchandise et la circulation des marchandises répond au besoin de vendre un produit pour en acheter un autre. À un

les **Marx Brothers**

certain degré de développement de la production et de la circulation des marchandises, l'argent se transforme en capital : c'est l'argent, la monnaie, qui circule et permet d'acheter pour *vendre*, pour faire un profit. Cet accroissement de la valeur primitive de l'argent, Marx l'appelle (après Ricardo) *plus-value*. La plus-value, le profit du capitaliste, provient de ceci : dans la relation capital-travail, le travailleur n'échange pas telle ou telle quantité de travail contre une quantité de valeurs d'échange correspondante, mais il est contraint pour vivre d'aliéner la totalité de sa force de travail au possesseur des moyens de production, qui ne lui donne en échange que de quoi reproduire cette force (nourriture, etc.). La circulation capitaliste de l'argent tend ainsi constamment vers l'accumulation du capital que constitue cette part de travail non rétribuée. Mais ce système aboutit à d'insurmontables contradictions qui sont autant d'« armes forgées par le capitalisme contre lui-même » : concentration des richesses à un pôle de la société, de la misère à l'autre; accroissement continu de la rentabilité par le machinisme, création d'une surpopulation de travailleurs (chômage); élargissement de la production sans élargissement de la consommation correspondant (crises cycliques de surproduction); classes diamétralement opposées : la bourgeoisie et le prolétariat. La résolution de ces contradictions, selon Marx, passe nécessairement par une transformation radicale des structures socio-économiques : la révolution prolétarienne, dite aussi socialiste. V. encycl. socialisme, communisme.

marxisme-léninisme n. m. POLIT Doctrine philosophique et politique de Lénine* et de ses partisans.

marxiste adj. et n. Relatif au marxisme. ▷ Subst. Adepte du marxisme.

marxiste-léniniste adj. et n. POLIT Relatif au marxisme-léninisme. ▷ Subst. Partisan, adepte de cette doctrine. *Des marxistes-léninistes.*

Mary (puy), sommet du Massif central (1 787 m), dans le Cantal.

Mary (anc. *Merv*), v. du Turkménistan, dans une oasis arrosée par le Mourgab; 81 000 hab.; ch.-l. de région. Coton.

maryland [maʀilɑ̃d] n. m. Tabac à fumer originaire du Maryland (É.-U.). ▷ Mélange de tabac à forte proportion de maryland. – (En appos.) *Goût maryland.*

Maryland, État de l'est des É.-U., sur l'Atlantique; 27 394 km^2; 4 781 000 hab.; cap. *Annapolis*; v. princ. *Baltimore*. – Le Maryland est formé, à l'O., de contreforts appalachiens qui retombent, à l'E., sur une plaine côtière enserrant la baie, très découpée, de Chesapeake. Princ. ressources : cultures maraîchères, destinées à la Megalopolis*; céréales; pêche; élevage; tabac. Nombr. industries concentrées dans les ports, à Baltimore notam. – Donné par Charles Ier d'Angleterre à lord Baltimore (1632), colonie royale en 1692, le Maryland se déclara indépendant en 1776 et ratifia la Constitution fédérale en 1788. Il resta neutre pendant la guerre de Sécession.

mas [mɑ; mas] n. m. inv. Dans le Midi, ferme ou maison de campagne dans le style provençal.

Masaccio (Tommaso di Ser Giovanni, dit) (San Giovanni Valdarno, 1401 – Rome, 1428), peintre italien. Par ses recherches sur les volumes et la perspective, il est le premier génie de la Renaissance toscane : *Scènes de la vie de saint Pierre* (chap. Brancacci, égl. Santa Maria del Carmine, Florence, 1426-1428).

Masaccio : *la Sainte Trinité*, Santa Maria Novella, Florence

Masada. V. Massada.

Masai(s). V. Massaï(s).

Masan, port de comm. de la Corée du Sud, sur le détroit de Corée; 449 250 hab.; ch.-l. de prov. Constr. mécaniques; textiles.

Masaryk (Tomáš Garrigue) (Hodonín, Moravie, 1850 – près de Prague, 1937), homme politique tchécoslovaque; l'un des fondateurs de la république. Député au Reichsrat de Vienne (1891), exilé pendant la guerre de 1914-1918, il organisa la lutte pour l'indépendance. Premier président de la République (1918-1935). – **Jan** (Prague, 1886 – id., 1948), fils du préc.; homme politique tchécoslovaque; ministre des Affaires étrangères, il se suicida (ou fut assassiné) peu après le coup d'État communiste de fév. 1948.

Mascagni (Pietro) (Livourne, 1863 – Rome, 1945), compositeur italien; initiateur du vérisme dans l'opéra en un acte *Cavalleria rusticana* (1890).

mascara n. m. Cosmétique utilisé pour colorer et épaissir les cils.

Mascara (auj. *Mouaskar*, en ar. *Mu'askar*), v. d'Algérie (région d'Oran); ch.-l. de la wilaya du m. nom; 70 450 hab. Vins renommés.

mascarade n. f. **1.** Réunion, défilé de gens masqués et déguisés. **2.** Accoutrement bizarre et ridicule. **3.** Fig. Actions hypocrites; mise en scène trompeuse.

Mascareignes (îles), archipel de l'océan Indien comprenant la Réunion et les îles Maurice, Rodrigues et Saint-Brandon.

mascaret n. m. Haute vague qui remonte certains fleuves au moment de la marée montante.

mascaron n. m. ARCHI Figure sculptée, d'aspect fantastique ou grotesque, placée à l'orifice d'une fontaine, sous un balcon, etc. Syn. masque.

mascarpone n. m. Fromage blanc italien enrichi en crème; fromage à pâte molle, mélange de ce fromage blanc et de gorgonzola.

Mascate, v. et port de la péninsule arabique, cap. du sultanat d'Oman, sur la côte S. du golfe d'Oman; 25 000 hab. (aggl. 100 000 hab.).

mascotte n. f. Être ou objet considéré comme portant bonheur; fétiche.

masculin, ine adj. et n. m. **I.** Qui appartient au mâle, à l'homme; qui le concerne; qui a ses qualités, ses caractères ou ceux qu'on lui prête traditionnellement. *Le sexe masculin. Femme aux allures masculines.* **II.** LING **1.** Qui s'applique aux êtres mâles, ou aux objets que l'usage assimile à ceux-ci. *Un substantif masculin.* ▷ n. m. *Le masculin :* le genre masculin. **2.** *Rime masculine,* qui ne se termine pas par un e muet.

masculiniser v. tr. [1] **1.** Rendre masculin; donner des manières viriles à. ▷ v. pron. *En vieillissant, ses traits tendent à se masculiniser.* **2.** GRAM Attribuer le genre masculin. **3.** BIOL Provoquer l'acquisition de caractères sexuels secondaires de type masculin (par l'action d'hormones).

masculinité n. f. Qualité de ce qui est masculin.

Mas-d'Azil (Le), ch.-l. de cant. de l'Ariège (arr. de Pamiers); 1 314 hab. Anc. bastide, haut lieu de la Réforme. Important gisement préhistorique magdalénien et deux niveaux épipaléolithiques (*azilien* et *arizien*).

Masefield (John Edward) (Ledbury, Herefordshire, 1878 – près d'Abingdon, 1967), écrivain anglais. Auteur de poèmes narratifs et de drames au réalisme cru : *la Tragédie de Nan* (1909), *la Miséricorde éternelle* (1911).

maser n. m. PHYS Générateur d'ondes électromagnétiques cohérentes dans la gamme des hyperfréquences (au-delà de l'infrarouge), utilisé comme amplificateur ou comme oscillateur.

Maseru, cap. du Lesotho; 109 400 hab.

Masinissa ou **Massinissa** (?, v. 238 – Cirta [?], v. 148 av. J.-C.), roi des Numides orientaux; allié des Carthaginois, puis des Romains contre Carthage et contre Syphax, roi des Masaesyles (Numides occidentaux).

maso adj. inv. et n. Abrév. fam. de *masochiste. Il est inconscient, ou bien maso !*

masochisme n. m. **1.** PSYCHO Perversion sexuelle dans laquelle le sujet ne peut atteindre au plaisir qu'en subissant une humiliation ou une souffrance physique. **2.** Cour. Comportement d'une personne qui semble prendre plaisir à provoquer des situations dommageables ou humiliantes pour elle.

masochiste adj. et n. Atteint, empreint de masochisme. *Comportement masochiste. Personne masochiste.* ▷ Subst. *Un(e) masochiste.* (Abrév. fam. : maso).

Masolino da Panicale (Tommaso di Cristoforo Fini, dit) (Panicale in Valdarno, 1383 – ?, av. 1447), peintre italien; il travailla avec Masaccio aux fresques de la chap. Brancacci (égl. Santa Maria del Carmine, Florence).

Masovie ou **Mazovie,** région de Pologne, dans le bassin de la Vistule moyenne, correspondant à peu près à la voïévodie de Varsovie. – Elle forma du XIIe au XVIe s. un duché vassal de la Pologne, à laquelle elle fut rattachée en 1526.

Maspero (Gaston) (Paris, 1846 – id., 1916), égyptologue français; directeur des fouilles et antiquités de l'Égypte (1881); il organisa le dégagement du Sphinx de Gizeh, du temple de Louxor, etc. – **Henri** (Paris, 1883 - Buchenwald, 1945), fils du préc.; sinologue français : *la Chine antique* (1927).

masquage n. m. Action de masquer (sens 3); son résultat. ▷ PHOTO Technique de retouche utilisant des masques.

masque n. m. **I. 1.** Faux visage en carton, en cuir, en plastique, etc., dont on se couvre la face pour se déguiser ou pour dissimuler son identité. *Masque de théâtre.* ▷ Loup (sens 6). *Masque de velours noir.* **2.** *Par ext.*, vieilli Personne qui porte un masque. **3.** Fig. Apparence trompeuse sous laquelle on s'efforce de cacher ses véritables sentiments, sa véritable nature. *Se couvrir du masque de la vertu. Arracher le masque à qqn.* – *Lever le masque* : ne plus déguiser ses vrais sentiments. **4.** Aspect particulier d'une physionomie. *Masque tragique, immobile, d'un acteur.* – MED Aspect particulier du visage dans certaines maladies, ou pendant la grossesse. Syn. chloasma. **5.** Moulage du visage. *Masque mortuaire.* **6.** ARCHI Mascaron. **II. 1.** Dispositif couvrant et protégeant le visage. *Masque de soudeur.* – *Masque à gaz* : appareil destiné à protéger le visage, les yeux, les organes respiratoires des effets des gaz nocifs (gaz de combat, notam.). – Dispositif de protection du visage de l'escrimeur constitué par un grillage résistant, à mailles fines. – Accessoire de plongée sous-marine, protégeant les yeux et le nez, permettant de voir sous l'eau. **2.** MED Pièce de tissu ou de matière jetable placée devant le nez et la bouche pour éviter la contamination microbienne. *Le masque du chirurgien.* **3.** MED Appareil pour administrer un anesthésique ou de l'oxygène par voie respiratoire. **4.** Préparation qu'on applique et qu'on laisse sécher sur le visage et le cou, par ext. sur la chevelure. *Masque antirides. Masque de beauté.* **5.** MILIT Dispositif formant écran pour dissimuler des hommes ou des ouvrages à la vue de l'ennemi. **6.** PHYS *Effet de masque* : diminution de la perception d'un son lorsque celui-ci est couvert par un son différent. **7.** PHOTO Image transparente qui, superposée à une autre, permet de filtrer la source lumineuse pour améliorer des contrastes ou des teintes. **III.** ZOOL Lèvre inférieure qui couvre en partie la tête des larves des libellules et leur sert à capturer les proies.

masqué, ée adj. **1.** Couvert d'un masque. *Bandit masqué.* ▷ *Bal masqué*, où l'on porte un masque, où l'on se déguise. **2.** Fig. Caché. *Une porte masquée par une tenture.* ▷ *Des intentions masquées.*

Masque de fer (l'homme au), mystérieux prisonnier d'État, maintenu au secret absolu. Il fut interné à Pignerol (1679), puis au château d'If, dans l'île Sainte-Marguerite (1687-1698), et à la Bastille (1698-1703), où il mourut. Il était contraint de porter un masque de velours noir et de métal qui dissimulait son visage.

masquer v. tr. [1] **1.** Mettre un masque sur le visage de (qqn). **2.** Fig. Cacher (qqch) sous des apparences trompeuses. *Masquer ses desseins.* **3.** Dissimuler, cacher (qqch) à la vue. *Ce mur masque la vue du parc. Masquer une batterie.*

Massa, v. d'Italie (Toscane); 65 730 hab.; ch.-l. de la prov. de *Massa e Carrara.* Import. carrières de marbre. Mobilier de bureau.

Massachusetts, État de l'est des É.-U. (Nouvelle-Angleterre), sur l'Atlantique; 21 386 km²; 6 016 000 hab.; cap. *Boston.* – C'est une région de montagnes (Appalaches) et de collines, drainée par le Connecticut. La côte est très découpée. Princ. ressources : élevage, pêche. Hydroélectricité. Les industr. électriques et électroniques relaient les industr. traditionnelles (constr. mécaniques, textiles). – Les pèlerins du *Mayflower** s'y installèrent en 1620 (à New Plymouth). Foyer intellectuel, la colonie prit la tête du mouvement pour l'indépendance (1775). Elle ratifia la Constitution fédérale en 1787.

massacrant, ante adj. *Être d'une humeur massacrante*, de très mauvaise humeur.

massacre n. m. **I. 1.** Action de massacrer; son résultat. *Le massacre de la Saint-Barthélemy.* ▷ *Jeu de massacre* : jeu forain qui consiste à abattre au moyen de balles des poupées à bascule. **2.** Fig. *Par exag.* Action d'endommager, de détériorer une chose, de rater une opération. *En voulant se couper les cheveux lui-même, il a fait un massacre.* ▷ Très mauvaise exécution d'une œuvre musicale, théâtrale, etc. **3.** Fam. *Par antiphrase.* Coup d'éclat, grande réussite. *Son bouquin va faire un massacre.* **II. 1.** Grande tuerie de bêtes. – VEN *Sonner le massacre*, la curée. **2.** Ramure d'un cerf avec la partie de crâne qui la supporte. *Massacre qui orne un mur.*

massacrer v. tr. [1] **1.** Tuer en grand nombre et avec sauvagerie (des êtres sans défense). *Massacrer des otages.* **2.** Fig. Mettre à mal (un adversaire nettement inférieur). *Boxeur qui massacre son adversaire.* ▷ v. pron. (récipr.) *Les combattants se sont massacrés.* **3.** Fig. Mettre (qqch) en très mauvais état. ▷ Gâter par une exécution maladroite (une œuvre musicale, théâtrale, etc.).

massacreur, euse n. **1.** Personne qui massacre des gens. **2.** Fig. Personne qui exécute une chose avec maladresse et la gâte.

Massada ou **Masada,** forteresse palestinienne située sur la rive occid. de la mer Morte, construite en grande partie par Hérode. Après la chute de Jérusalem (70), des zélotes insoumis s'y réfugièrent. En 72, les Romains entreprirent un très long siège, qui prit fin au printemps de 73. Ils ne trouvèrent que sept survivants (deux femmes et cinq enfants); les défenseurs de la forteresse s'étaient tous suicidés.

massage n. m. Action de masser. – *Massage cardiaque* : manœuvre de réanimation d'urgence pratiquée en cas d'arrêt cardiaque et qui consiste à comprimer le cœur sur le rachis par des mouvements de pression de la paume de la main sur le sternum. (En dernière extrémité, il est pratiqué à thorax ouvert en milieu chirurgical.)

Massagètes, peuple scythe installé dès la protohistoire à l'E. de la mer Caspienne. Ils résistèrent à Cyrus et à Darios (VIe s. av. J.-C.), mais Alexandre les soumit.

Massaï(s) ou **Masai(s),** peuple d'Afrique vivant au Kenya et en Tanzanie. Ce sont des pasteurs nomades qui parlent une langue nilotique.

Massaoua, v. et port d'Érythrée, sur la mer Rouge; 37 000 hab. En avril 1990, la ville a été détruite à 80 % au cours de la guerre civile éthiopienne.

1. masse n. f. **I.** (Choses) **1.** Quantité relativement grande (d'une matière), d'un seul tenant et sans considération de forme. *Une énorme masse de granit. La masse d'eau qui déferle après rupture d'un barrage.* – Loc. *Tomber, s'écrouler comme une masse*, comme un corps inanimé, pesamment. ▷ METEO *Masse d'air* : région de l'atmosphère (s'étendant sur des surfaces de plusieurs millions de km² et sur une épaisseur de plusieurs kilomètres) dont les propriétés présentent une certaine homogénéité. **2.** Bloc que constitue une matière. *Pris, taillé dans la masse*, dans un seul bloc de matière. **3.** Ensemble constitué de choses de même nature. *J'ai pris celui-là au hasard dans la masse.* **4.** Totalité d'une chose, par oppos. à toute partie de cette chose. *La masse sanguine.* **5.** Ensemble constitué de nombreux éléments distincts réunis. **6.** Fam. Grande quantité. *Il n'y a pas des masses d'argent à gagner dans cette affaire.* **7.** Ensemble des parties d'un tout, considérées dans leurs rapports. – BX-A *Disposition des masses dans un tableau.* – ARCHI *Plan de masse*, ou *plan-masse*, qui représente une construction ou un ensemble de constructions et le complexe des aménagements extérieurs (voies de desserte, espaces verts, etc.). **8.** Somme d'argent affectée à une catégorie de dépenses particulières. *Masse d'habillement* (dans le budget d'une caserne). *Masse salariale.* ▷ Retenue faite sur le salaire d'un prisonnier pour lui être remise à sa libération. ▷ Ensemble des cotisations d'un atelier d'artiste; caisse ainsi constituée. ▷ DR Argent, créances, réunis dans certaines conditions. *Masse active, passive*, d'une succession, d'une société. ▷ ECON *Masse monétaire* : ensemble de la monnaie immédiatement disponible et de la quasi-monnaie. **9.** Loc. adv. *En masse* : en grande quantité. **II.** (Êtres animés.) **1.** Grande quantité de personnes ou d'animaux rassemblés. **2.** Grand nombre de personnes constitué en groupe humain. ▷ Absol. *Les masses* : les couches populaires. *La volonté des masses.* **3.** Le plus grand nombre des hommes, des choses. *La grande masse des électeurs a voté pour lui.* ▷ Péjor. (Par oppos. à *l'élite.*) *Plaire à la masse.* – Loc. *De masse. Culture de masse.* **4.** Loc. adv. *En masse* : tous ensemble et en grand nombre. *Voter en masse.* **III.** PHYS, MECA **1.** Grandeur fondamentale liée à la quantité de matière que contient un corps et qui intervient dans les lois de son mouvement. *Le kilogramme, unité de masse SI.* – *Masse volumique* : masse de l'unité de volume (autref. appelée *masse spécifique*, elle s'exprime en kg/m³ et ne doit pas être confondue avec la densité, rapport de la masse volumique du corps considéré à la masse volumique d'un autre corps – eau, air, etc. – pris comme référence). ▷ *Centre de masse* : barycentre des masses élémentaires d'un corps. **2.** PHYS NUCL *Nombre de masse* : nombre total des protons et des neutrons d'un atome. – *Masse critique* : masse de matière fissile au-delà de laquelle une réaction en chaîne peut s'amorcer. **3.** CHIM *Masse atomique molaire* : nombre qui mesure la masse d'un nombre N d'atomes, N désignant le nombre d'Avogadro soit $6,02.10^{23}$. (Par définition, la masse de N atomes de l'isotope $^{12}_{6}C$ du carbone est égale à 12 grammes.) – *Masse moléculaire molaire* : masse d'un nombre N de molécules. **4.** ELECTR Parties conductrices d'un appareil, d'une machine, par lesquelles s'effectue le retour du courant au générateur. *Mettre à la masse* : relier un bâti à ces parties conductrices.

ENCYCL **Phys.** – Masse et poids sont deux grandeurs essentiellement différentes.

La masse est un nombre qui caractérise l'inertie d'un corps, c.-à-d. la résistance que ce corps oppose à un changement de vitesse ; elle est indépendante du lieu où l'on effectue la mesure. Le poids est une force qui s'exerce sur un corps placé dans un champ de gravitation (dû à une planète, une étoile, etc.) ; elle est proportionnelle à l'intensité de ce champ. En un lieu donné, la masse m et le poids p d'un corps sont liés par la relation p = mg, g étant l'accélération de la pesanteur en ce lieu ; g = 9,81 m/s² à Paris.

2. masse n. f. **1.** Marteau à tête très lourde et sans panne. **2.** HIST *Masse d'armes* ou *masse* : arme composée d'un manche et d'une tête garnie de pointes, en usage au Moyen Âge. **3.** Bâton à tête d'or ou d'argent, porté par un huissier qui précède un personnage de marque, dans certaines cérémonies. **4.** Gros bout d'une queue de billard.

massé n. m. Au billard, coup où l'on masse la boule (V. masser 3).

Massé (Félix Marie, dit Victor) (Lorient, 1822 – Paris, 1884), compositeur français. Il a surtout laissé des opéras-comiques : *Galatée* (1852), *les Noces de Jeannette* (1853).

Masséna (André) (Nice, 1758 – Paris, 1817), maréchal de France. Il s'illustra à Rivoli (1797), Zurich (1799), Gênes (1800), Essling et Wagram (1809). L'Empereur l'appelait « l'Enfant chéri de la victoire ». Il fut fait duc de Rivoli (1808) et prince d'Essling (1810). Au Portugal, il fut tenu en échec devant Torres Vedras (1810).

le maréchal **Masséna**

Guy de **Maupassant**

Massenet (Jules) (Montaud, près de Saint-Étienne, 1842 – Paris, 1912), compositeur français. Fin mélodiste, excellent orchestrateur, il obtint de très grands succès avec ses opéras : *Manon* (1884), *Werther* (1892), *Thaïs* (1894), *le Jongleur de Notre-Dame* (1902).

massepain n. m. Pâtisserie à base d'amandes pilées et de sucre.

1. masser 1. v. tr. [1] Disposer en grand nombre. *Masser des troupes.* **2.** v. pron. Se rassembler en masse. *Badauds qui se massent devant une vitrine.*

2. masser v. tr. [1] Pétrir, presser différentes parties du corps de (qqn) avec les mains ou des instruments spéciaux (pour donner plus de souplesse, améliorer la tonicité musculaire, diminuer une douleur, etc.). *Masser qqn. Se faire masser le dos.*

3. masser v. tr. [1] Au billard, frapper (la boule) avec la queue perpendiculairement à la table pour donner un effet particulier.

masséter n. m. ANAT Muscle élévateur du maxillaire inférieur.

massette n. f. **1.** TECH Masse à long manche pour casser, tailler les pierres. **2.** Roseau aquatique aux inflorescences brunâtres et veloutées groupées en épis compacts, appelé aussi *roseau-massue*.

masseur, euse n. **1.** Personne qui pratique des massages. *Masseur-kinésithérapeute,* habilité à pratiquer les massages thérapeutiques. **2.** n. m. Appareil pour masser.

Massey (Charles Vincent) (Toronto, 1887 – Londres, 1967), homme politique canadien, gouverneur général du Canada de 1952 à 1959 ; premier Canadien d'orig. à occuper cette fonction.

1. massicot n. m. CHIM Poudre jaune, utilisée en peinture et dans la préparation des mastics, constituée par de l'oxyde de plomb (PbO).

2. massicot n. m. TECH Machine à couper ou à rogner le papier.

massicoter v. tr. [1] TECH Couper, rogner (du papier) au massicot.

1. massier n. m. Huissier qui porte une masse (cf. masse 2, sens 3).

2. massier, ère n. Élève d'un atelier des beaux-arts, qui tient la masse (cf. masse 1 ; sens I, 8), recueille les cotisations.

massif, ive adj. et n. m. **I.** adj. **1.** Qui est ou paraît épais, compact, lourd. *Porte massive. Colonnes massives.* – Fig., péjor. *Un homme à l'esprit massif.* **2.** Se dit d'un ouvrage d'orfèvrerie, d'ébénisterie, dont tous les éléments sont taillés dans la masse, ne sont ni creux, ni plaqués. *Bijou en or massif. Meuble en acajou massif.* **3.** Qui a lieu, se produit, est fait en masse. *Attaque massive de l'aviation.* – *Dose massive,* très élevée. **II.** n. m. **1.** CONSTR Ouvrage de maçonnerie, masse de béton qui sert de fondement pour asseoir un édifice, pour supporter un poteau, etc. **2.** Assemblage compact d'arbres, d'arbustes. *Massif de peupliers.* – Assemblage de fleurs plantées pour produire un effet décoratif. *Massif de roses.* **3.** GEOGR Ensemble montagneux de forme massive (par oppos. à *chaîne*).

Massif central, vaste ensemble de hautes terres qui couvre 80 000 km² env., soit le sixième du pays, dans le centre et le sud de la France. Formé par le plissement hercynien, aplani puis recouvert en partie de sédiments, il fut relevé au tertiaire et fracturé par le contrecoup du plissement alpin, qui en redressa et brisa le rebord oriental ; le long des lignes de fracture se sont édifiés des volcans. On note quatre grands ensembles régionaux. **1.** La bordure orient. est formée d'une succession de massifs séparés par des dépressions orientées N.-E.-S.-O. (Morvan, bassin d'Autun, Charolais, Mâconnais, Beaujolais, Lyonnais, Vivarais, Cévennes). **2.** La région N.-E. et centrale juxtapose des hauts reliefs volcaniques (monts Dore, Cantal, monts Dôme), culminant à 1 886 m au puy de Sancy, des plaines d'effondrement (Limagne, bassins du Puy et du Forez) et des hauts plateaux cristallins (monts de la Margeride). **3.** Le N.-O. est formé de plateaux anciens (Millevaches, Limousin, Marche). **4.** La partie mérid. se compose de vastes plateaux calcaires (Causses) encadrés par des massifs cristallins (Ségala, Cévennes). Le climat, continental, subit l'influence de l'altitude (de 100 à 150 jours de gelée par an). Le Massif central n'a jamais eu d'unité humaine ; il est auj. partagé administrativement en six régions. C'est un foyer permanent d'émigration (Lozère, notam.). L'agric. est l'activité dominante depuis le XIXᵉ s. L'élevage bovin est primordial (Morvan, Limousin, mont d'Auvergne, Aubrac). L'artisanat, naguère important, est en déclin (dentelles, coutellerie). La grande industr., servie par l'énergie hydroélectrique, reste concentrée autour des bassins houillers. Elle est représentée par l'industr. métallurgique (Le Creusot, Saint-Étienne, autref. Decazeville), textile (Roanne, Saint-Étienne) et du caoutchouc (Clermont-Ferrand [Michelin] et Montluçon). À ces ressources, insuffisantes, s'ajoute le tourisme, surtout dans les stations thermales (dont la princ. est Vichy). Les difficultés de communication sont le principal obstacle au désenclavement du Massif central.

massification n. f. Didac. **1.** Transformation d'un groupe social en un tout (masse) anonyme. **2.** Adaptation au plus grand nombre (d'un domaine de connaissance, d'un centre d'intérêt, d'une activité, etc.).

massifier v. tr. [2] Didac. Opérer la massification de.

Massignon (Louis) (Nogent-sur-Marne, 1883 – Paris, 1962), orientaliste français ; spécialiste de l'islam et de la mystique musulmane : *la Passion d'Al-Hallādj, martyr mystique de l'islam* (1922).

Massillon (Jean-Baptiste) (Hyères, 1663 – Beauregard, Auvergne, 1742), prélat et prédicateur français : oraisons funèbres du Grand Dauphin (1711), de Louis XIV (1715) ; sermons sur *la Mort du pécheur,* sur *le Petit Nombre des élus,* les dix sermons du *Petit Carême* (1718) prêchés devant Louis XV, etc. Acad. fr. (1719).

Massina. V. Macina.

Massine (Léonide) (Moscou, 1896 – Borken, Rhénanie-du-Nord-Westphalie, 1979), danseur et chorégraphe américain d'origine russe. Ses princ. chorégraphies ont été composées dans les années 30 sur de grandes œuvres symphoniques, successivement : Tchaïkovski, Brahms, Berlioz, Beethoven.

Massinissa. V. Masinissa.

massique adj. PHYS Qui se rapporte à la masse ou à l'unité de masse. *Volume massique :* volume de l'unité de masse d'un corps (c'est l'inverse de la masse volumique). ▷ *Chaleur massique :* quantité de chaleur nécessaire pour élever de un degré l'unité de masse d'un corps.

massivement adv. **1.** D'une manière massive. **2.** En masse, en grand nombre.

mass media n. m. pl. (Anglicisme) Ensemble des moyens de diffusion de l'information destinée au grand public (presse, radio, télévision, cinéma, affichage).

Masson (André) (Balagny-sur-Thérain, Oise, 1896 – Paris, 1987), peintre français surréaliste, puis gestuel (V. Action painting). Il a peint le plafond du théâtre de l'Odéon (1965).

Mas-Soubeyran, écart de la com. de Sainte-Croix-de-Caderle, dans le Gard, haut lieu de la résistance des camisards dans les Cévennes. Musée commémoratif.

massue n. f. **1.** Bâton noueux beaucoup plus gros à un bout qu'à l'autre et servant d'arme. *La massue d'Hercule.* **2.** Fig. *Coup de massue :* coup brutal, décisif ; catastrophe accablante. ▷ (En appos.) *Argument massue,* décisif, qui laisse l'interlocuteur sans réplique.

Massy, ch.-l. de cant. de l'Essonne (arr. de Palaiseau), surplombant la

Bièvre; 38 972 hab.; ville résidentielle Industr. aéron., informatique, radioélectrique (technopole de Massy-Saclay). Gare d'intersection des TGV parisiens et régionaux.

Massys (Quinten). V. Matsys.

mastaba n. m. Tombeau de l'Égypte antique (Ancien Empire) en forme de pyramide tronquée.

mastard n. m. Fam. Homme grand et fort.

mastectomie n. f. CHIR Syn. de *mammectomie*.

mastère n. m. Didac. Diplôme de haut niveau sanctionnant une année d'études postérieures à l'obtention d'un diplôme d'enseignement supérieur.

Masters (Edgar Lee) (Garnett, Kansas, 1869 - Melrose Park, Pennsylvanie, 1950), écrivain américain. Ses poèmes vont de la satire féroce au réalisme psychologique : *l'Anthologie de Spoon River* (1915). Également auteur de romans autobiographiques (*Mitch Miller*, 1920) et de biographies (*Lincoln*, 1931; *Mark Twain*, 1938).

mastic n. m. (et adj. inv.) **1.** Résine jaunâtre qui s'écoule du lentisque. **2.** Composition adhésive plastique durcissant à l'air, formée de blanc d'Espagne (craie pulvérisée) et d'huile de lin, dont on se sert pour certaines opérations de rebouchage et de scellement. *Mastic de vitrier.* ▷ adj. inv. D'une couleur gris-beige clair. *Imperméable mastic.* **3.** TYPO Erreur de composition consistant à intervertir plusieurs lignes ou groupes de lignes.

masticage n. m. Action de joindre ou de boucher avec du mastic.

masticateur, trice adj. Qui sert à la mastication. *Muscles masticateurs.*

mastication n. f. Action de mastiquer, de mâcher; son résultat.

masticatoire n. m. et adj. **1.** n. m. MED Substance à mâcher destinée à exciter la sécrétion salivaire. **2.** adj. Destiné à être mâché. *Pâte masticatoire.*

mastiff n. m. Grand chien au corps trapu et au poil ras, voisin du dogue.

1. mastiquer v. tr. [1] Joindre, boucher avec du mastic.

2. mastiquer v. tr. [1] Mâcher, broyer avec les dents (un aliment, une substance solide, avant de l'avaler ou de le recracher). *Mastiquer de la viande.*

André **Masson** : *les Constellations*, huile, 1925; coll. part.

mastite n. f. MED Inflammation aiguë du tissu mammaire.

mastoc adj. inv. Fam. Lourd, épais, sans grâce. *Une construction mastoc.*

mastocyte n. m. BIOL Cellule du sang et du tissu conjonctif dont le cytoplasme contient de nombreuses granulations et qui joue un rôle important dans les phénomènes de cicatrisation et les réactions allergiques.

mastodonte n. m. **1.** PALEONT Grand mammifère herbivore fossile (ordre des proboscidiens) du tertiaire et du quaternaire, voisin de l'éléphant. (Plus petites que les éléphants actuels, certaines espèces du genre *Mastodon*, notam., portaient quatre défenses.) **2.** Fig. Personne d'une taille, d'une corpulence démesurée. **3.** Objet, machine énorme.

mastoïde adj. et n. f. ANAT *Apophyse mastoïde*, ou, n. f., *mastoïde* : éminence de l'os temporal, située en arrière du conduit auditif externe.

mastoïdien, enne adj. ANAT Relatif à l'apophyse mastoïde. *Cavités mastoïdiennes* : petites cavités osseuses tapissées de muqueuse, situées au sein de l'apophyse mastoïde.

mastoïdite n. f. MED Inflammation de la muqueuse mastoïdienne, en général consécutive à une otite.

Mastroianni (Marcello) (Fontana Liri, près de Frosinone, 1924 - Paris, 1996), acteur italien; interprète de grands réalisateurs (*la Dolce Vita* et *Huit et demi* de F. Fellini; *la Nuit* de M. Antonioni; *Allonsanfan* de P. et V. Taviani; *Une journée particulière* d'E. Scola; etc.). ▶ illustr. **Antonioni**

mastroquet n. m. Fam., vieilli **1.** Patron d'un débit de boissons. **2.** Débit de boissons, bistrot.

masturbation n. f. Attouchement des parties génitales, destiné à procurer le plaisir sexuel. ▷ Fig. *Masturbation intellectuelle* : complaisance à tourner et à retourner les mêmes pensées.

masturber v. tr. [1] Se livrer à la masturbation sur qqn. ▷ v. pron. Se livrer à la masturbation sur soi-même.

m'as-tu-vu n. inv. et adj. inv. Péjor. Individu trop satisfait de lui-même. *Un(e) m'as-tu-vu* (ou *une m'as-tu-vue*). *Des m'as-tu-vu.* - adj. inv. Prétentieux. *Cette robe est un peu m'as-tu-vu.*

Mas'udi (*Abu-l-Ḥasan 'Alī al-Mas'ūdī*) (Bagdad, ? - Le Caire, v. 956), historien et géographe arabe. Son célèbre ouvrage *les Prairies d'or* est une sorte de somme des connaissances de son époque.

masure n. f. Maison misérable, tombant en ruine.

Masurie. V. Mazurie.

1. mat [mat] n. m. et adj. inv. **1.** n. m. Aux échecs, échec imparable qui met fin à la partie. *Faire mat.* **2.** adj. inv. Se dit d'un joueur qui a perdu la partie.

2. mat, mate [mat] adj. **1.** Qui réfléchit peu la lumière, qui ne brille pas. ▷ *Teint mat* : plutôt foncé (opposé à *teint clair*). **2.** *Son mat*, sourd.

mât n. m. **1.** MAR Longue pièce de bois ou de métal destinée à porter les voiles (sur un voilier), les pavillons, les antennes de radio, les aériens de radar (sur un navire à propulsion mécanique). ▷ *Mât de charge* : appareil de levage servant au chargement d'un navire. **2.** *Par anal.* Poteau, perche. ▷ Perche lisse utilisée en gymnastique. ▷ *Mât de cocagne* : haute perche de bois

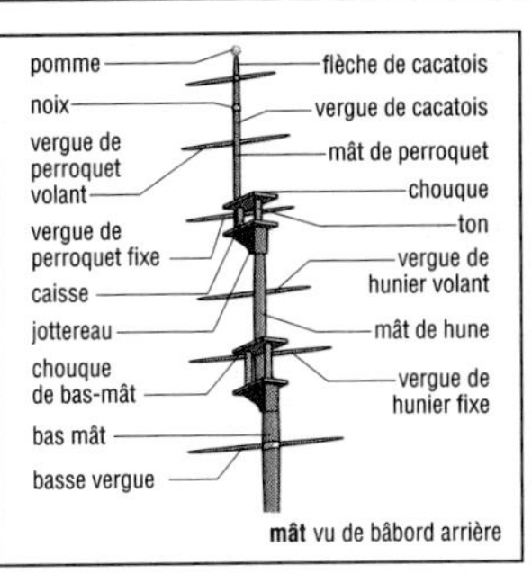

mât vu de bâbord arrière

au sommet de laquelle sont placés des prix que des concurrents tentent de décrocher.

Matabélé(s) ou **Tébélé(s)**, peuple bantou établi entre le Limpopo et le Zambèze (Zimbabwe) dans le Matabeleland septentrional (73 537 km²; 890 000 hab.) et le Matabeleland méridional (66 390 km²; 520 000 hab.).

Matadi, v. de la Rép. dém. du Congo, sur le bas Congo; 144 740 hab.; ch.-l. de rég. Port fluvial. Constr. navales.

matador n. m. Torero qui met à mort le taureau dans une corrida.

mataf n. m. Arg. Matelot.

matage n. m. TECH Action de mater un rivet, une soudure, etc.

Mata Hari (Margaretha Geertruida Zelle, dite) (Leeuwarden, 1876 - Vincennes, 1917), danseuse et aventurière néerlandaise. Espionne au service de l'Allemagne, elle fut fusillée.

mât-aile n. m. MAR Mât mobile, sans haubans, reposant sur le fond de la coque, et pouvant s'orienter de 45° à 90° selon la force du vent. *Des mâts-ailes.*

matamore n. m. Faux brave.

Matamoros, v. du Mexique (État de Tamaulipas), sur le río Grande del Norte, à la frontière américaine; 303 390 hab. Comm. du coton.

Matanzas, v. et port de la côte N.-E. de Cuba; 112 550 hab.; ch.-l. de la prov. du m. nom. Cigares, sucre.

Matapan (cap) (anc. *cap Ténare*), cap du S. du Péloponnèse. - Victoire navale des Anglais sur les Italiens (1941).

Mataró, v. et port d'Espagne (Catalogne); 99 130 hab. Pêche; conserveries; bonneterie.

match [matʃ] n. m. Lutte, compétition opposant deux adversaires ou deux équipes. *Match de boxe, de rugby.* - *Match nul*, qui se termine à égalité de score. *Des matches* ou *des matchs.*

match-play n. m. (Anglicisme) Compétition de golf, qui se joue trou par trou.

maté n. m. Arbuste d'Amérique du S. voisin du houx, dont les feuilles infusées fournissent une boisson tonique. ▷ Cette boisson. Syn. thé des jésuites.

matefaim n. m. inv. Crêpe épaisse.

matelas [matla] n. m. **1.** Élément de literie constitué par un grand coussin rembourré, généralement posé sur un sommier. ▷ *Matelas pneumatique* : grand coussin fait d'une enveloppe étanche, gonflée d'air. **2.** CONSTR *Matelas d'air* : couche d'air entre deux parois. **3.** Fig. Couche épaisse, souple ou meuble, servant à amortir les chocs.

matelassé, ée adj. et n. m. *Tissu matelassé*, garni d'une doublure ouatinée maintenue par des piqûres. ▷ n. m. *Du matelassé.*

matelasser v. tr. [1] Rembourrer (qqch) à la façon d'un matelas.

matelassier, ère n. Personne qui confectionne, qui répare les matelas.

matelot n. m. **1.** Homme d'équipage d'un navire. *Les officiers, sous-officiers et matelots.* ▷ MILIT Grade le plus bas correspondant, dans la marine, à celui de simple soldat dans l'armée de terre. **2.** *Matelot d'avant, matelot d'arrière :* bâtiment de guerre qui, placé dans une ligne, suit ou précède immédiatement un autre bâtiment.

matelote n. f. Mets composé de poisson cuit en morceaux dans du vin rouge avec des oignons ou des échalotes. *Matelote d'anguille.*

1. mater v. tr. [1] **1.** (Aux échecs.) *Mater le roi :* mettre le roi en position mat. – *Absol.* Faire mat. **2.** Fig. Rendre soumis (qqn). *Mater les fortes têtes.* – Par ext. *Mater une rébellion.*

2. mater [1] ou **matir** [3] v. tr. **1.** TECH Rendre mat, dépolir. **2.** TECH *Mater :* refouler (du métal), en partic. pour parfaire un joint. *Mater un rivet, une soudure.*

3. mater v. tr. [1] Arg. Observer sans être vu, épier. ▷ Regarder.

mâter v. tr. [1] Munir (un navire) de son (ses) mât(s).

matérialisation n. f. **1.** Action de matérialiser, de se matérialiser; son résultat. **2.** PHYS NUCL Création d'une paire électron-positon à partir d'un photon.

matérialisé, ée adj. **1.** Qui est devenu matériel, sensible. **2.** *Voie, chaussée matérialisée,* sur laquelle des bandes peintes indiquent les interdictions de doubler, les directions à prendre, les passages réservés aux piétons, etc.

matérialiser I. v. tr. [1] **1.** Donner une apparence ou une réalité matérielle à (une chose abstraite). *Matérialiser un espoir.* **2.** Litt. Considérer comme matériel (ce qui est immatériel). *Matérialiser la pensée, l'âme, le sentiment.* **II.** v. pron. Prendre une forme concrète. *Esprit qui se matérialise au cours d'une séance de spiritisme.*

matérialisme n. m. **1.** PHILO Toute doctrine qui affirme que la seule réalité fondamentale est la matière et que toute autre réalité y est, d'une façon ou d'une autre, réductible. Ant. idéalisme, spiritualisme. **2.** Cour. Attitude de celui qui recherche uniquement des satisfactions matérielles.

ENCYCL Les opinions sur la nature et les propriétés de la matière varient considérablement selon les systèmes matérialistes et l'état de développement des connaissances scientifiques; il existe cependant des caractéristiques constantes, dont l'une des plus importantes est le lien étroit que tous les matérialistes établissent entre la matière et le mouvement (ou l'énergie), conçu comme son attribut essentiel. Il importe donc de distinguer : – le *matérialisme mécaniste,* princ. représenté : dans l'Antiq., par Leucippe, Démocrite, Épicure, Lucrèce; au XVIIIe s., par Diderot, d'Holbach, Helvétius, La Mettrie, etc.; au XIXe s., par Feuerbach et K. Vogt; c'est une tentative pour rendre compte des lois de la vie, de la pensée, de la société, en les réduisant à des phénomènes mécaniques ou physiques; – le *matérialisme historique,* doctrine de K. Marx*; – le *matérialisme dialectique* (directement lié au matérialisme historique), expression forgée par Engels*. V. encycl. marxisme.

matérialiste adj. et n. **1.** PHILO Qui professe le matérialisme. **2.** Cour. Qui ne recherche que des satisfactions matérielles.

matérialité n. f. Caractère de ce qui est matériel. ▷ *La matérialité d'un fait, d'un délit,* sa réalité.

matériau n. m. sing. Toute matière utilisée pour fabriquer ou construire.

matériaux n. m. pl. **1.** Ensemble des éléments qui entrent dans la construction d'un bâtiment (pierre, bois, tuiles, ciment, etc.). ▷ *Résistance* des matériaux.* **2.** Fig. Ce à partir de quoi l'on élabore un ouvrage de l'esprit. *Les matériaux d'un historien.*

matériel, elle adj. et n. **I.** adj. **1.** Formé de matière. *Le monde matériel.* Ant. spirituel. **2.** PHILO Qui concerne la matière (par oppos. à *formel*). *Cause matérielle.* **3.** Qui relève de la réalité concrète, objective. *Être dans l'impossibilité matérielle, ne pas avoir le temps matériel de faire qqch.* **4.** Relatif aux nécessités de l'existence, à l'argent. *Problèmes, secours matériels.* ▷ n. f. Fam. *La matérielle :* ce qui est nécessaire à la subsistance de qqn. **5.** Fig., péjor. Incapable de sentiments élevés. *Esprit bassement matériel.* **6.** Qui concerne les choses et non les personnes. *Dégâts matériels.* **II.** n. m. **1.** Ensemble des objets de toute nature (machines, engins, mobilier, etc.) utilisés par une entreprise, un service public, une armée, etc. (par oppos. à *personnel*). *Le matériel d'une usine.* **2.** Ensemble des objets que l'on utilise dans une activité, un travail déterminés. *Matériel de cuisine.* **3.** INFORM Ensemble des éléments physiques employés pour le traitement de l'information, par oppos. à *logiciel.* (Terme officiellement recommandé pour remplacer *hardware.*)

matériellement adv. **1.** En ce qui concerne la vie matérielle. *Situation matériellement avantageuse.* **2.** Réellement, effectivement. *C'est matériellement impossible.* **3.** *Être matériellement responsable d'une chose,* responsable des dommages matériels qui peuvent lui être causés.

maternage n. m. Fait de materner. ▷ PSYCHAN Technique consistant à recréer autour du patient un climat affectif maternel dans un but thérapeutique.

maternel, elle adj. et n. f. **1.** Propre à une mère. *Instinct maternel.* **2.** Qui a ou évoque l'attitude d'une mère. *Gestes maternels.* **3.** Relatif à la mère, en ce qui concerne les liens de parenté. **4.** *La langue maternelle :* la première langue parlée par un enfant. **5.** *École maternelle* ou, n. f., *la maternelle :* école où l'on reçoit les très jeunes enfants (2-5 ans).

maternellement adv. De façon maternelle.

materner v. tr. [1] Prodiguer des soins maternels à (qqn); avoir une attitude maternelle à l'égard de (qqn). ▷ PSYCHAN Pratiquer la technique du maternage sur (qqn).

materniser v. tr. [1] Donner les qualités du lait maternel à (un lait animal). – Pp. adj. *Lait maternisé.*

maternité n. f. **1.** État, qualité de mère. **2.** Fait de porter un enfant, de lui donner naissance. **3.** Hôpital, clinique où les femmes accouchent. **4.** BX-A Tableau, dessin représentant une mère avec son enfant dans les bras.

math ou **maths** [mat] n. f. pl. Abrév. fam. de *mathématiques. Le prof de maths.*

mathématicien, enne n. Spécialiste des mathématiques.

mathématique adj. et n. f. **I.** adj. **1.** Relatif à la science du calcul et de la mesure des grandeurs. *Raisonnement mathématique.* **2.** Fig. D'une précision rigoureuse. *Exactitude mathématique.* **II.** n. f. (Empl. cour. au plur.) **1.** Ensemble des opérations logiques que l'homme applique aux concepts de nombre, de forme et d'ensemble. ▷ *Mathématiques pures,* qui opèrent sur des quantités abstraites (algèbre, trigonométrie). ▷ *Mathématiques appliquées,* qui opèrent sur des grandeurs concrètes, effectivement mesurées (astronomie, mécanique, informatique, statistique). **2.** Nom donné à certaines classes de lycées. *Mathématiques élémentaires :* classe qui préparait au baccalauréat de mathématiques et sciences exactes, remplacée aujourd'hui par la terminale C. (Abrév. : math. élém.). *Mathématiques supérieures :* classe qui précède celle de mathématiques spéciales. (Abrév. : math. sup.). *Mathématiques spéciales :* classe où l'on prépare les candidats aux grandes écoles scientifiques. (Abrév. : math. spé.).

ENCYCL La mathématique (mot singulier qu'on préfère auj. à celui de mathématiques) est une science abstraite, à caractère essentiellement déductif, qui se construit par le seul raisonnement. Elle est la science de base sans laquelle la pratique des autres sciences et de nombreuses techniques serait impossible. La *logique* est un préliminaire indispensable aux théories mathématiques, auxquelles elle donne les moyens de condenser et d'enchaîner l'exposition des résultats. La *théorie des ensembles* se place immédiatement derrière la logique dans une présentation raisonnée des mathématiques. Son langage, à la fois très général et codifié, est un instrument puissant de simplification et de normalisation qui s'applique à la totalité des différentes branches des mathématiques. L'*arithmétique,* science des nombres, fait partie de l'*algèbre,* qui a pour objet principal l'étude des structures et qui trouve son application dans de multiples domaines. L'algèbre utilise comme outils principaux le calcul matriciel et le calcul tensoriel. L'*analyse infinitésimale,* dite autref. *calcul infinitésimal* et nommée auj. plus couramment *analyse,* s'occupe des infiniment petits et constitue un outil indispensable dans tous les domaines des mathématiques appliquées. La *géométrie* se livre à l'étude des propriétés de l'espace. La période contemporaine a été marquée par deux grands phénomènes : – la réduction de la géométrie à l'algèbre et à l'analyse; – l'apparition de géométries non euclidiennes (V. géométrie). La *topologie* est l'étude de la continuité en géométrie et du maintien de cette continuité dans les transformations. En topologie, deux figures sont équivalentes toutes les fois que l'on peut passer de l'une à l'autre par une déformation continue. La *trigonométrie** constitue l'outil principal de la géodésie et de l'astronomie de position. Le *calcul des probabilités* étudie la fréquence des éléments incertains (relatifs, par ex., aux jeux de hasard). Il est utilisé dans la *statistique,* qui trouve ses applications dans des domaines variés (démographie, économie, physique nucléaire, biologie, etc.).

mathématiquement adv. **1.** Selon les règles des mathématiques. **2.** Rigoureusement, exactement.

SYMBOLES MATHÉMATIQUES

SYMBOLE	DÉSIGNATION	EXEMPLE	ÉNONCÉ DE L'EXEMPLE	OBSERVATIONS
1. OPÉRATIONS ARITHMÉTIQUES				
$+$	plus	$a + 3$ $a = +3$	a plus trois a égale plus trois	3 est ajouté à la valeur de a le signe $+$ indique une valeur positive
$-$	moins	$a - 3$ $a = -3$	a moins trois a égale moins trois	3 est soustrait de la valeur de a le signe $-$ indique une valeur négative
$\times$ ou $.$	multiplié par	5×4	cinq multiplié par quatre	$\times$ ne s'utilise qu'entre deux chiffres
		$a . b$ ou ab	a multiplié par b	le point est généralement omis en algèbre
		$8 . 10^6$	8 multiplié par 10 à la puissance 6 ou huit, dix puissance six	$8 . 10^6 = 8 \times 1\,000\,000 = 8\,000\,000$
		$8 . 10^{-6}$	8 multiplié par 10 à la puissance moins 6 ou huit, dix puissance moins 6	$8 . 10^{-6} = 8 \times 0{,}000\,001 = 0{,}000\,008$
$/$ ou $:$ ou $-$	divisé par	a / b $a : b$	a divisé par	$a / b = a : b = \frac{a}{b}$
		$\frac{a}{b}$	a sur b	le numérateur a est divisé par le dénominateur b
$\pm$	plus ou moins	$a = \pm 10$	a égale plus ou moins 10	la valeur de a est égale à $+10$ ou -10
2. ÉGALITÉS, IDENTITÉS, ÉQUATIONS, INÉGALITÉS, INÉQUATIONS				
$=$	égale	$x = 10$	x égale 10 (égalité)	le signe $=$ sépare des nombres ou des expressions qui ont la même valeur
		$y = 3x + 5$	y égale $3x + 5$ (équation)	connaissant x, on peut calculer y
$\equiv$	identique à	$(a+b)^2 = a^2 + 2ab + b^2$	quelles que soient les valeurs de a et b, $(a + b)^2$ égale $a^2 + 2ab + b^2$	
$\neq$	différent de	$x \neq 10$	x différent de 10 (inégalité)	la valeur de x n'est pas égale à 10
		$3x - 8 \neq 6$	$3x - 8$ différent de 6 (inéquation)	
$\simeq$	peu différent de	$\sin \alpha \simeq \alpha$	sinus alpha peu différent de alpha	relation vraie pour les faibles valeur de α
$\leqslant$	inférieur à	$3x \leqslant 10$	3x inférieur à 10 (inégalité)	on disait autrefois *inférieur ou égale à*
$<$	strictement inférieur à	$y < 2x + 7$	y strictement inférieur à $2x + 7$ (inéquation)	on disait autref. *inférieur à* ou *plus petit que ; strictement* signifie que l'égalité est exclue
$\geqslant$	supérieur à	$3 \geqslant 3x + 5$	3 supérieur à $3x + 5$	on disait autref. *supérieur ou égal à*
$>$	strictement supérieur à	$a + b > c^2$	$a + b$ strictement supérieur à c^2	on disait autref. *supérieur à* ou *plus grand que*
$\mid$	divise	$a \mid b$	a divise b	b est un multiple de a (par ex. la relation $5 \mid 15$ est vraie)
3. AUTRES SYMBOLES ALGÉBRIQUES				
n en exposant	puissance	x^2	x au carré, x exposant deux, x puissance deux ou x deux	2 est l'exposant de x $x^2 = x . x$
		x^3	x au cube, x puissance 3, etc.	$x^3 = x . x . x$
		x^n	x puissance n	$x^n = x . x . \ldots . x$ $(n - 1$ multiplications$)$
		x^{-n}	x puissance moins n	$x^{-n} = 1 / x^n$
		$x^{1/n}$	x puissance 1 sur n	$x^{1/n}$ à la puissance n égale x

SYMBOLE	DÉSIGNATION	EXEMPLE	ÉNONCÉ DE L'EXEMPLE	OBSERVATIONS
$\sqrt{\ }$	racine	$\sqrt[2]{5}$ ou $\sqrt{5}$	racine carrée de 5 ou racine de 5	$\sqrt[2]{5} = 5^{1/2} \simeq 2{,}236$; $\sqrt{5}\times\sqrt{5} = 5$
		$\sqrt[3]{5}$	racine cubique de 5	$\sqrt[3]{5} = 5^{1/3} \simeq 1{,}710$; $\sqrt{5}\times\sqrt{5}\times\sqrt{5} = 5$
		$\sqrt[n]{5}$	racine énième de 5	$\sqrt[n]{5}35^{1/n}$; $\sqrt{5}\times\sqrt{5}\times\ldots\times\sqrt{5}35$ (n−1 multiplications)
()	parenthèses	(a + b) / (c + d)	a + b divisé par c + d	l'expression a + b est divisée par l'expression c + d ; chaque couple de parenthèses isole une expression
‖	valeur absolue	$\|-15\|$	valeur absolue de −15	$\|-15\| = \|15\| = 15$
		$\|3x + 7\|$	valeur absolue de 3x + 7	$\|3x + 7\| \geqslant 0$ quelle que soit la valeur de x $\|3x + 7\| = 3x + 7$ si $3x + 7 \geqslant 0$ $\|3x + 7\| = -(3x + 7)$ si $3x + 7 < 0$
!	factorielle	5 !	factorielle 5	$5! = 1 \times 2 \times 3 \times 4 \times 5 = 120$ n ! est le produit des n premiers entiers (zéro étant exclu)
4. SYMBOLES LOGIQUES ET SYMBOLES DE LA THÉORIE DES ENSEMBLES				
¬	non	¬ R	non R	négation de la relation R (ex. : si R est la relation « est un nombre premier », 4 ¬ R signifie « 4 n'est pas un nombre premier »)
⇒	implique	A ⇒ B	A implique B	la relation A entraîne la relation B
⇔	logiquement équivalent à	A ⇔ B	A est logiquement équivalent à B	A implique B et inversement
∪	réunion	A∪B	A union B	réunion des ensembles A et B
∩	intersection	A∩B	A inter B	intersection des ensembles A et B
C	complémentarité	$C_E A$	complémentaire de A dans E	$A \cap C_E A$ est l'ensemble vide
∅	ensemble vide	$A \cap C_E A = \varnothing$	A inter complémentaire de A égale ensemble vide	l'ensemble vide ne comprend aucun élément
∀	quel que soit	∀ x	quel que soit x	∀ est appelé quantificateur universel
∃	il existe	∃ b	il existe b	∃ est appelé quantificateur existentiel
⊂	inclus dans	E ⊂ F	E inclus dans F	l'ensemble E fait partie de l'ensemble F
⊄	non inclus dans	F ⊄ E	F non inclus dans E	
∈	appartient	x ∈ E	x appartient à E	l'élément x appartient à l'ensemble E
∉	n'appartient pas	y ∉ E	y n'appartient pas à E	
{}	accolades	E = {a, b, c}	l'ensemble E comprend uniquement les éléments a, b et c	
⊤ ou ⊥	té ou anti-té	x ⊤ y ou x ⊥ y	les symboles ⊤ et ⊥ indiquent une loi de composition interne si cette loi est l'addition ; par ex., on remplace ⊤ ou ⊥ par +	
∘	rond	f ∘ g	f rond g	le symbole ∘ permet de définir des applications composées ; par ex., si f et g sont deux fonctions de x, f ∘ g = f[g(x)]
*	star ou étoile	a * b	a star b	le symbole * désigne généralement une loi multiplicative
		E*	E étoile	le symbole * indique que l'ensemble est dépourvu de l'élément neutre pour l'addition (zéro, généralement)

SYMBOLE	DÉSIGNATION	EXEMPLE	ÉNONCÉ DE L'EXEMPLE	OBSERVATIONS
5. SYMBOLES DE FONCTIONS TRIGONOMÉTRIQUES				
sin cos tan	sinus cosinus tangente	$\sin^2 \alpha + \cos^2 \alpha = 1$ $\tan \alpha = \frac{\sin \alpha}{\cos \alpha}$	sinus carré alpha plus cosinus carré alpha égale 1 tangente alpha égale sinus alpha sur cosinus alpha	le sinus d'un angle est, dans un triangle rectangle, le rapport du côté opposé à cet angle à l'hypoténuse le cosinus d'un angle est, dans un triangle rectangle, le rapport du côté adjacent à cet angle à l'hypoténuse
arc sin arc cos arc tan	arc sinus arc cosinus arc tangente	arc sin 0,5 arc cos 1 = 0 $\text{arc tan } 1 = \frac{\pi}{4}$	arc sinus zéro cinq arc cosinus un égale zéro arc tangente 1 égale pi sur 4	arc dont le sinus égale 0,5 (arc sin 0,5 = 30° ou 150°) arc dont le cosinus égale 0 arc dont la tangente égale 1
6. AUTRES SYMBOLES DE FONCTIONS				
	fonction de	$y = f(x)$	y égale f de x	y est une fonction de x (dans son domaine de définition, à toute valeur de x correspond une valeur de y)
$\log_n$ log ln	logarithme de base n logarithme décimal logarithme népérien	$\log_6 x$ log x ln 7,4	logarithme de base 6 de x logarithme décimal de x logarithme népérien de 7,4	on disait autref. *logarithme vulgaire* $\log 100 = \log_{10} 100 = 2$ on disait autref. *logarithme naturel* $\ln 7{,}4 = \log_e 7{,}4 \simeq 2$
e^x	exponentielle	$e^{3,5}$	e à la puissance 3,5	*e* est la base des logarithmes népériens ; $e \simeq 2{,}718\,28$
a^x	puissance	$a^{5,2}$	a à la puissance 5,2	$a^{\log_a x} = x$
	dérivée	$f'(x)$ $f''(x)$	f prime de x f seconde de x	dérivée première de la fonction f(x) dérivée seconde de la fonction f(x)
$\int$	intégrale ou primitive	$\int f(x)\,dx$	somme de f de x, dx	intégrale de la fonction f(x)
∂	dérivée partielle	$\frac{\partial f(x, y)}{\partial x}$	d de f(x, y) sur dx	dérivée de la fonction f(x, y) calculée par rapport à la variable x
d	différentielle	df(x, y)	différentielle de f(x, y)	se calcule à partir des dérivées partielles

matheux, euse n. Fam. Personne qui a des dons, du goût pour les mathématiques, qui les étudie.

Mathias ou **Matthias** (saint) (m. en 61 ou 64), disciple de Jésus. Il fut désigné par le sort pour remplacer Judas (Actes des Apôtres, I, 21-26).

Mathias (Vienne, 1557 - id., 1619), roi de Bohême et de Hongrie, empereur germanique (1612-1619). Fils de Maximilien II, il succéda à son frère Rodolphe II et tenta de concilier catholiques et protestants, mais la politique religieuse de ses agents en Bohême provoqua une révolte (défenestration de Prague, 1618) qui fut à l'origine de la guerre de Trente Ans.

Mathias Ier Corvin (Kolozsvár, 1440 - Vienne, 1490), roi de Hongrie (1458-1490). Ses conquêtes, nombreuses (Silésie, Moravie, etc.), ne lui survécurent pas. Prince humaniste, protecteur des lettres, il fonda l'université de Pozsony (auj. Bratislava, 1465), la bibliothèque Corvina et introduisit l'imprimerie dans son pays.

Mathieu (saint). V. Matthieu.

Mathieu (Georges) (Boulogne-sur-Mer, 1921), peintre français non figuratif, promoteur de l'« abstraction lyrique ». Son art, fondé sur une technique gestuelle, combine le dynamisme des signes et les effets d'éclaboussure.

Mathieu de la Drôme (Philippe Antoine) (Saint-Christophe, Drôme, 1808 - Romans, 1865), météorologiste français; auteur d'un almanach célèbre, publié à partir de 1859. Il fut député à la Constituante (1848) et à la Législative (1849).

Mathiez (Albert) (La Bruyère, Haute-Saône, 1874 - Paris, 1932), historien français. Il étudia la Révolution française, notam. l'action de Robespierre, qu'il exalta.

Mathilde (sainte) (Westphalie, v. 890 - Quedlinburg, Saxe, 968), reine de Germanie; femme de Henri Ier l'Oiseleur, mère d'Otton le Grand. Elle fonda plusieurs monastères.

Mathilde (m. en 1083), reine d'Angleterre en 1066. Fille de Baudouin V, comte de Flandre, elle épousa (1053) Guillaume le Bâtard, duc de Normandie, roi d'Angleterre en 1066.

Mathilde ou **Mahaut** (Londres, 1102 - Rouen, 1167), fille de Henri Ier d'Angleterre; impératrice du Saint Empire par son mariage (1114) avec Henri V. Veuve en 1125, elle épousa (1128) Geoffroi V Plantagenêt, comte d'Anjou; tous deux héritèrent du trône d'Angleterre en 1135. Elle dut défendre sa couronne contre Étienne de Blois. Mère d'Henri II.

Mathilde (?, 1046 - Bondeno di Roncore, 1115), comtesse de Toscane (1055-1115). Elle soutint la papauté contre le Saint Empire (l'empereur Henri IV se soumit au pape dans son chât. de Canossa) et légua ses États au Saint-Siège.

Mathilde (comtesse d'Artois). V. Mahaut.

Mathilde (princesse). V. Bonaparte.

maths. V. math.

Mathurā ou **Muttra,** v. de l'Inde

(Uttar Pradesh), sur la Yamunā; 147 490 hab. – La ville donna son nom à l'un des grands styles de la statuaire de l'Inde. Musée archéologique. Dans la myth. hindoue, patrie de Krishna.

Mathusalem ou **Mathusala,** patriarche biblique, fils d'Énoch et grand-père de Noé; il aurait vécu 969 ans.

matière n. f. **1.** Substance constituant les corps (par oppos. à *esprit*). *L'âme et la matière.* **2.** PHYS Substance composée d'atomes et possédant une masse. *États solide, liquide, gazeux, ionisé, de la matière.* ▷ BIOL *Matière vivante :* ensemble des substances organiques (lipides, protides, glucides, vitamines, etc.) et minérales (eau, ions métalliques, sels minéraux, etc.) constituant les cellules d'un être vivant. **3.** Substance considérée du point de vue de ses propriétés, de ses utilisations, etc. *Une matière fragile.* – *Matières fécales* ou *matières :* excréments, fèces. ▷ TECH *Matières premières :* éléments bruts ou semi-ouvrés qui sont utilisés au début d'un cycle de fabrication. – *Matières consommables :* produits utilisés en cours de fabrication pour alimenter des machines ou les faire fonctionner (gazole, électricité, graisse, etc.). ▷ FIN *Comptabilité matières,* qui porte sur les matières premières et les matières consommables. ▷ ASTRO *Matière interstellaire :* gaz situé entre les étoiles et réparti à l'intérieur de nuages plus ou moins denses (les nébuleuses). **4.** Ce dont une chose est faite. *La matière de cette robe est de la soie.* **5.** Ce sur quoi on écrit, on parle, on travaille. *La matière d'un roman. Matières scolaires. Table des matières :* dans un livre, liste des sujets abordés, des divers chapitres. ▷ DR *Matière civile, criminelle, commerciale :* domaine du droit civil, criminel, commercial. **6.** (Sans article.) Sujet, occasion. *Fournir matière à rire.* **7.** Loc. prép. *En matière de :* en ce qui concerne, en fait de. *En matière d'art.*

ENCYCL **Phys.** – Le constituant fondamental de la matière est l'atome, formé d'un noyau et d'électrons périphériques. Le noyau est lui-même formé de nucléons (protons et neutrons), particules soumises à des interactions qui assurent leur cohésion. La fission des noyaux et la fusion des nucléons sont accompagnées de variations de masse, de la mise en jeu d'énergie et de l'émission de particules; elles seraient composées de sous-particules appelées *quarks.* (V. encycl. particule : particules de matière.) À la matière s'oppose l'*antimatière,* composée d'antiparticules. (V. encycl. antimatière.) Dans l'*état solide,* les atomes sont liés les uns aux autres de façon rigide. L'*état liquide* est intermédiaire entre l'état solide et l'état gazeux. L'*état gazeux* est caractérisé par une agitation thermique des molécules conduisant à des caractères d'élasticité et de compressibilité. Les *plasmas* sont constitués d'atomes ionisés (électrons négatifs et ions positifs). Ce quatrième état de la matière, caractéristique de l'atmosphère des étoiles, s'obtient lorsqu'on porte un gaz à très haute température (plus de 3 000° K).

Matif n. m. Acronyme pour *Marché à terme international de France* (anc. *Marché à terme des instruments financiers*). Marché créé en 1986 pour permettre aux investisseurs de protéger la valeur de leur actif notam. lors des fluctuations des taux de change.

matifier v. tr. [1] Rendre mat. *Un fond de teint qui matifie l'épiderme.*

Matignon (hôtel), hôtel parisien situé rue de Varenne (VIIe arr.); construit à partir de 1721 par Jean Courtonne, acheté par Charles-Auguste de Goyon Matignon, il est devenu depuis 1935 le siège des services de la présidence du Conseil (auj. du Premier ministre). – *Accords Matignon,* signés en juin 1936 entre le patronat français et la C.G.T. (sous le gouvernement du Front populaire); ils contenaient la reconnaissance du droit syndical, l'obtention de la semaine de 40 heures et des congés payés.

matin n. m. et adv. **I.** n. m. **1.** Première partie du jour, après le lever du soleil. *Être du matin :* aimer se lever tôt. *De bon, de grand matin :* très tôt. ▷ Fig. *Le matin de la vie :* la jeunesse. **2.** Partie de la journée qui va du point du jour à midi. *Le matin et l'après-midi.* **3.** Espace de temps compris entre minuit et midi. *Une heure du matin.* **4.** *Un matin, un beau matin :* un jour parmi les autres. ▷ *Ce matin :* le matin du jour où l'on est. **II.** adv. Vieilli Tôt. *Se lever matin.*

1. mâtin n. m. Chien de garde de grande taille, aux mâchoires puissantes.

2. mâtin, ine n. Fam, vieilli Personne délurée, malicieuse. ▷ Vx Interj. exprimant l'étonnement. *Mâtin!*

matinal, ale, aux adj. **1.** Qui a rapport au matin. **2.** Qui se lève tôt.

matinalement adv. Tôt le matin.

mâtiné, ée adj. **1.** (Chiens) De race croisée. **2.** Fig. Mélangé. *Un français mâtiné de patois.*

matinée n. f. **1.** Temps qui s'écoule entre le lever du soleil et midi. **2.** Spectacle ayant lieu l'après-midi.

matines n. f. pl. LITURG CATHOL Première partie de l'office divin, que l'on récite la nuit ou à l'aube.

matir. V. mater 2.

Matisse (Henri) (Le Cateau-Cambrésis, 1869 – Nice, 1954), peintre français. Maître du fauvisme, il privilégia ensuite l'esprit de mesure, la raison, en s'attachant à « remettre de l'ordre dans la sensation colorée » et à simplifier toute forme. *Le Luxe* (1907), *l'Odalisque à la culotte rouge* (1920), *le Buffet* (1928), *les Deux Amies* (1941).

matité n. f. Caractère de ce qui est mat.

Matlock, v. de G.-B., ch.-l. du Derbyshire; 19 400 hab.

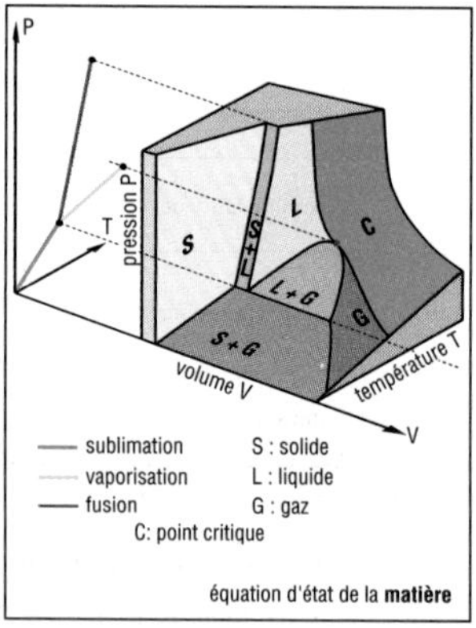

équation d'état de la **matière**

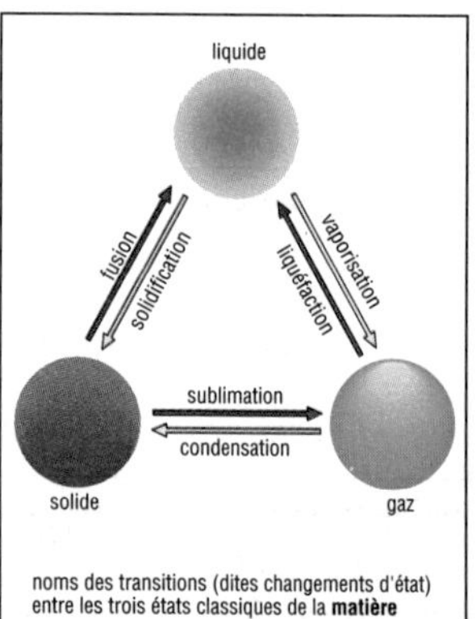

noms des transitions (dites changements d'état) entre les trois états classiques de la **matière**

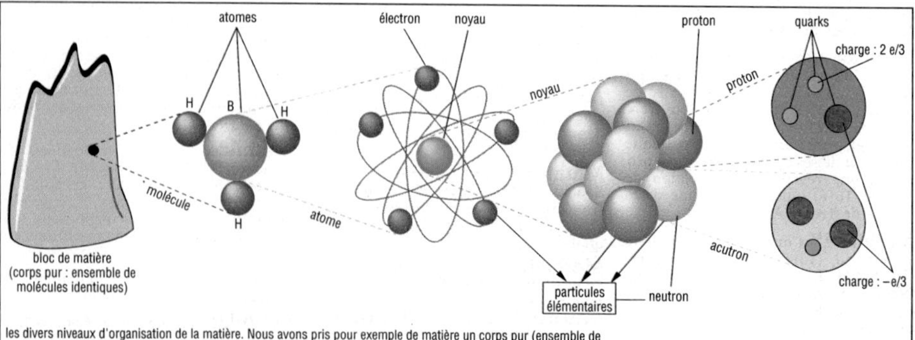

les divers niveaux d'organisation de la matière. Nous avons pris pour exemple de matière un corps pur (ensemble de molécules identiques) : l'hydrure de bore BH_3; l'atome de bore a 5 électrons; son noyau contient 5 protons et 6 neutrons

matière

Matisse : *les Tapis rouges*, 1906 ; musée de Grenoble

Mato Grosso, État du Brésil, limitrophe de la Bolivie et du Paraguay ; 881 001 km^2 ; 1 660 000 hab. ; cap. *Cuiabá*. C'est un vaste plateau semi-désertique, voué à l'élevage extensif.

Mato Grosso do Sul, État du Brésil occid. (détaché du Mato Grosso en 1976) ; 350 548 km^2 ; 1 729 000 hab. ; cap. *Campo Grande*.

matois, oise adj. et n. Litt. Rusé, sournois.

maton, onne n. Arg. Gardien, gardienne de prison.

matos [matos] n. m. Fam. Matériel, équipement. *As-tu apporté ton matos ?*

matou n. m. Chat domestique mâle non castré.

Matra (monts), massif montagneux du N. de la Hongrie ; culmine à 1 015 m au *Kékes*.

matraquage n. m. **1.** Action de frapper avec une matraque. **2.** Fig. *Matraquage publicitaire* : multiplication des opérations publicitaires destinées à lancer une vedette, un produit, etc.

matraque n. f. Arme pour frapper, en forme de bâton court, au bout plus ou moins renflé.

matraquer v. tr. [**1**] **1.** Donner des coups de matraque à (qqn). **2.** Fig., fam. Demander un prix trop élevé à (qqn). **3.** Fig. Faire subir un matraquage publicitaire à (un public).

matraqueur, euse adj. et n. Qui matraque.

matriarcal, ale, aux adj. Relatif au matriarcat.

matriarcat n. m. Régime social ou juridique basé sur la seule filiation maternelle. ▷ *Abusiv.* Régime social dans lequel la mère, la femme joue un rôle prépondérant ou exerce une grande autorité.

matriçage n. m. TECH Mise en forme d'une pièce de métal au moyen d'une matrice, d'une forme. Syn. estampage.

matricaire n. f. BOT Composée dont une espèce est la *camomille officinale*, utilisée autref. contre les douleurs de la matrice.

matrice n. f. **1.** Vieilli Utérus. **2.** TECH Moule, généralement métallique, qui présente une empreinte destinée à donner une forme à une pièce. **3.** MATH Tableau de nombres permettant de représenter une application linéaire, chaque nombre étant affecté de deux indices, l'un relatif à la ligne et l'autre à la colonne sur lesquelles il se trouve. (On définit des opérations sur les matrices, telles que somme, produit et inversion de matrices, qui sont à la base du *calcul matriciel*.) **4.** FIN Registre d'après lequel sont établis les rôles des contributions.

matricer v. tr. [**12**] TECH Forger (une pièce) par matriçage.

1. matricide adj. et n. Se dit d'une personne qui a tué sa mère. ▷ Subst. *Un(e) matricide.*

2. matricide n. m. Crime de la personne qui a tué sa mère.

matriciel, elle adj. **1.** MATH Qui porte sur les matrices. *Calcul matriciel*, utilisé en algèbre, en analyse, en science économique, en calcul numérique. **2.** FIN Relatif aux matrices. *Loyer matriciel*, qui sert de base au calcul des contributions directes.

matricule n. **1.** n. f. Registre où est noté et numéroté le nom des personnes qui entrent dans certains corps, certains établissements. *Les matricules d'un régiment, d'une prison.* – *Par ext.* Extrait de ce registre. – (En appos.) *Registre matricule.* **2.** n. m. Numéro sous lequel une personne est inscrite sur une matricule. *Le matricule d'un soldat.*

matrilinéaire adj. ETHNOL Qualifie un mode de filiation et d'organisation sociale reposant sur la seule famille maternelle. Ant. patrilinéaire.

matrilocal, ale, aux adj. ETHNOL Se dit d'un mode de résidence qui impose aux couples de venir habiter après le mariage dans la famille de la femme.

matrimonial, ale, aux adj. Qui concerne le mariage, spécial. sous son aspect juridique. *Le régime matrimonial.* ▷ *Agence matrimoniale*, qui organise des rencontres entre personnes cherchant à se marier.

matrimonialement adv. Rare Du point de vue du mariage.

matriochka n. f. Boîte gigogne figurant une poupée.

matrone n. f. **1.** ANTIQ Femme d'un citoyen, à Rome. **2.** Péjor. Femme d'un certain âge, corpulente et autoritaire. **3.** Vx ou rég. (Afrique) Sage-femme.

matronymat n. m. SOCIOL Système où le nom de la mère se transmet à ses descendants. Ant. patronymat.

matronyme n. m. Nom de famille transmis par la mère.

matronymique adj. SOCIOL Du matronymat.

Matsuyama, v. du Japon (Shikoku), près de la mer Intérieure ; ch.-l. de prov. ; 427 000 hab. Raff. de pétrole. Industr. chimiques.

Matsys, Massys, Metsys, Metzys ou **Messys** (Quinten ou Quentin) (Louvain, 1465 ou 1466 – Anvers, 1530), peintre flamand. Influencé par Van der Weyden et la Renaissance ital., il introduisit dans la peinture du Nord le sens de l'expression psychologique : *le Changeur et sa femme* (1514, Louvre).

Quentin **Matsys :** *le Banquier et sa femme*, XVIe s. ; musée du Louvre

Matta (Roberto) (Santiago, 1911), peintre chilien ; membre du groupe surréaliste de 1937 à 1948 (exclu, puis réintégré en 1959). Ses formes hybrides visent à une « symphonie cosmique ».

Matteotti (Giacomo) (Fratta Polesine, 1885 – Rome, 1924), homme politique italien. Député (1919), secrétaire général du parti socialiste (1924), il s'opposa aux fascistes, qui l'assassinèrent (10 juin).

Matterhorn. V. Cervin.

Matthias (saint). V. Mathias (saint).

Matthieu ou **Mathieu** (saint) (Ier s.), un des douzes apôtres (aussi nommé Lévi), publicain à Capharnaüm. Son Évangile, longtemps considéré comme le premier en date, est en fait postérieur à celui de Marc.

maturation n. f. **1.** Ensemble des phénomènes conduisant à la maturité. *Maturation des fruits.* **2.** MED Évolution d'un abcès vers sa maturité. **3.** TECH *Cave de maturation*, pour le fromage. **4.** Fig. Fait de mûrir. *Maturation d'un projet.*

mature adj. **1.** BIOL Se dit d'une cellule vivante arrivée à son complet développement. **2.** Se dit des poissons femelles prêts à pondre. **3.** Fig. Qui manifeste de la maturité d'esprit.

mâture n. f. Ensemble des mâts d'un navire et de leur gréement.

Maturin (Charles Robert) (Dublin, 1782 – id., 1824), écrivain irlandais ; l'un des maîtres du roman « noir » : *Melmoth ou l'Homme errant* (1820). Théâtre : *Bertram* (tragédie, 1816), *Fredolfo* (1819).

maturité n. f. **1.** État de ce qui est mûr. *Fruit à maturité.* **2.** Époque, entre la jeunesse et la vieillesse, où l'être humain atteint la plénitude de son développement physique et intellectuel. ▷ Fig. Plénitude qui est l'aboutissement d'une évolution. *Ses dons artistiques sont arrivés à maturité.* **3.** Prudence, sagesse qui vient avec l'âge et l'expérience.

Matute (Ana María) (Barcelone, 1926), romancière espagnole au réalisme teinté d'onirisme (*Plaignez les loups*, 1962).

matutinal, ale, aux adj. Vx ou litt. Du matin.

maubèche n. f. Variété de bécasseau.

Maubeuge, ch.-l. de canton du Nord (arr. d'Avesnes-sur-Helpe), sur la Sambre ; 35 225 hab. Port fluvial. Métallurgie ; fonderie. – Fortifications de Vauban. – Le traité de Nimègue (1678) restitua la ville à la France.

maudire v. tr. [**80**] **1.** Vouer (qqn) au malheur ; prononcer des imprécations contre (qqn, qqch). *Maudire sa pauvreté.* **2.** RELIG Condamner à la damnation. *Dieu a maudit ces pécheurs.*

maudit, ite adj. et n. **I.** adj. **1.** Sur qui s'abat la malédiction de Dieu ou des hommes. – Fig. *Artiste maudit*, qui n'est pas reconnu de son vivant. **2.** (Comme imprécation.) *Maudit soit ce traître !* **3.** (Toujours placé av. le nom.) Détestable, haïssable. *Cette maudite époque.* **II.** n. RELIG Damné. – *Le Maudit* : le diable.

Mauges (les) ou **Choletais,** plateau ondulé du Massif armoricain (210 m au *puy de la Garde*) ; v. princ. Cholet.

Maugham (William Somerset) (Paris, 1874 – Saint-Jean-Cap-Ferrat,

1965), écrivain anglais; peintre de la société anglaise et de la vie dans les colonies britanniques. Romans : *Servitude humaine* (1915), *le Fil du rasoir* (1944). Théâtre : *le Cercle* (1921), *la Lettre* (1927), *Pour services rendus* (1932).

maugréer v. intr. [**11**] Témoigner son mécontentement en pestant entre ses dents.

Mauguio, ch.-l. de cant. de l'Hérault (arr. de Montpellier), près de l'*étang de Mauguio*; 11 541 hab. (*Mauguiolins*). Viticulture. – Au Moyen Âge, capitale du comté de Melgueil.

Maulnier (Jacques Louis Talagrand, dit Thierry) (Alès, 1909 – Marnes-la-Coquette, Hts-de-Seine, 1988), écrivain français. Il collabora à *l'Action française* et au *Figaro*. Auteur de : *Jeanne et les juges* (tragédie, 1949), *Cette Grèce où nous sommes nés* (essai, 1964). Acad. fr. (1964).

Mau-Mau, société secrète des Kikuyus qui mena une action terroriste (1952-1956) contre la présence britannique.

Maumusson (pertuis de), détroit (env. 500 m) entre le S. de l'île d'Oléron et la côte charentaise.

Mauna Kea, volcan éteint d'Hawaii, point culminant de l'île (4 208 m), proche du *Mauna Loa*, volcan actif (4 168 m).

Maunoury (Joseph) (Maintenon, 1847 – près d'Artenay, Loiret, 1923), maréchal de France. Il contribua à la victoire de la Marne (sept. 1914) comme chef de la VIe armée.

Maupassant (Guy de) (chât. de Miromesnil, Tourville-sur-Arques, Seine-Maritime, 1850 – Paris, 1893), écrivain français. Dirigé dans ses études et ses débuts litt. par Flaubert (ami d'enfance de sa mère), qui lui apprit les exigences de l'esthétique réaliste, il porta l'art de la nouvelle à une perfection qui donne à son naturalisme et à son pessimisme un pouvoir de choc plus rarement atteint dans ses romans. Miné par la syphilis, il tenta de se suicider avant d'être interné en 1892 dans une maison de santé, où il mourut de paralysie générale. Ses trois cents contes et nouvelles, parus d'abord (à partir de 1878) dans des journaux et revues, furent, de 1881 à 1890, regroupés en des recueils : *la Maison Tellier* (1881), *Mademoiselle Fifi* (1882), *Contes de la bécasse* (1883), *Toine* (1885), *le Horla* (1887), *le Rosier de Madame Husson* (1888). *Boule-de-Suif* a été publié, en 1880, dans le recueil collectif des *Soirées de Médan*. Romans : *Une vie* (1883), *Bel-Ami* (1885), *Pierre et Jean* (1888). ► illustr. page **1176**

Maupeou (René Nicolas Charles Augustin de) (Paris, 1714 – Le Thuit, Eure, 1792), chancelier de France de 1768 à 1774. Il entreprit, avec l'appui de Louis XV et la coopération de l'abbé Terray et d'Aiguillon, une réforme de l'institution parlementaire (allant jusqu'à exiler le parlement de Paris en 1771) abolie à l'avènement de Louis XVI.

Maupertuis (Pierre Louis Moreau de) (Saint-Malo, 1698 – Bâle, 1759), géomètre et mathématicien français. En 1736-1737, il se rendit en Laponie, où il procéda à des travaux (mesure de la longueur d'un arc de méridien de 1°) qui confirmèrent la théorie de l'aplatissement du globe terrestre. De 1746 à 1756, il séjourna en Prusse, où il dirigea l'Académie royale. Acad. fr. (1743). ▷ PHYS *Principe de Maupertuis* ou *de moindre action* : le mouvement d'un point physique dans un champ de forces s'effectue de façon que l'action de ce point soit minimale.

Maur (saint) (v. 512 – 584), abbé identifié à un disciple de saint Benoît de Nursie. Il aurait introduit le monachisme bénédictin en Gaule.

maure ou **more** n. et adj. **1.** ANTIQ *Les Maures* : les Berbères de la Maurétanie (ouest de l'Algérie et Maroc) non soumis à Rome. **2.** HIST *Les Maures* ou *les Mores* : les musulmans arabo-berbères du nord de l'Afrique. – *Spécial.* Ceux qui envahirent l'Espagne au VIIIe s. et l'occupèrent en partie jusqu'au XVe s. ▷ adj. Mod. *Bain maure. Café maure.* **3.** *Les Maures* : population blanche, souvent métissée, du Sahara occidental (Mauritanie, Mali, Sénégal). ▷ adj. *Tribu maure.*

Maurepas, ch.-l. de cant. des Yvelines (arr. de Rambouillet); 19 971 hab. Sidérurgie, parachimie. – Vest. d'un chât. fort (XIIe s.).

Maurepas (Jean Frédéric Phélypeaux, comte de) (Versailles, 1701 – id., 1781), homme politique français. Secrétaire d'État à la Maison du roi (1718-1749), ainsi qu'à la Marine (1723-1749), il fut disgracié pendant plus de vingt ans pour une épigramme contre Mme de Pompadour, avant d'être rappelé par Louis XVI comme ministre d'État (1774). Adversaire des projets de réforme de l'institution parlementaire, il contribua à la chute de Maupeou.

Maures (les), massif gréseux et schisteux du littoral provençal (Var), s'étendant d'Hyères à Fréjus et culminant à 780 m *(signal de la Sauvette).*

mauresque ou **moresque** [mɔʀɛsk] n. f. et adj. **1.** n. f. Anc. Femme musulmane d'Espagne (jusqu'au XVe s.) ou du Maghreb. ▷ adj. *Une princesse mauresque.* **2.** adj. Propre aux Maures (sens 2) et en partic. aux Maures d'Espagne. *Art, architecture, palais, décoration mauresques.*

Maurétanie (mieux que *Mauritanie*), ancien royaume berbère qui s'étendait, à l'O. des Aurès, jusqu'à l'Atlantique. Ses rois, alliés des Romains (Masinissa, IIe s. av. J.-C.) ou, au contraire, ennemis de Rome (Jugurtha), vécurent sous la tutelle romaine. Après l'annexion de la Numidie (O. de l'Algérie) par J. César, le reste de la Maurétanie fut organisé en royaume vassal jusqu'à son annexion par Rome (42 apr. J.-C.). Ce domaine fut divisé en *Maurétanie Césarienne* (à l'E.) et *Maurétanie Tingitane* (à l'O.), cette dernière, correspondant au N. du Maroc actuel, avec Tingis (Tanger) pour cap. Sous Dioclétien (IIIe s. apr. J.-C.) fut créée la prov. romaine de *Maurétanie Sitifienne*, correspondant à la partie la plus orientale de la Maurétanie Césarienne, avec Sitifis (Sétif) pour cap. Envahie par les Vandales (Ve s.), soumise à la domination byzantine (VIe s.), la Maurétanie fut entièrement conquise par les Arabes à la fin du VIIe s.

Mauriac, ch.-l. d'arr. du Cantal; 4 776 hab. Import. marché agricole (prod. de l'élevage). – Basilique romane N.-D.-des-Miracles (en partie du XIIe s.), renfermant une Vierge noire.

Mauriac (François) (Bordeaux, 1885 – Paris, 1970), écrivain français. Dans une optique chrétienne, il analysa, dans de nombr. romans, le conflit du bien et du mal au sein de la bourgeoisie provinciale : *Genitrix* (1924), *Thérèse Desqueyroux* (1927), *le Nœud de vipères* (1932), *le Mystère Frontenac* (1933), *la Fin de la nuit* (1935), *Un adolescent d'autrefois* (1969). Théâtre : *Asmodée* (1938), *les Mal-Aimés* (1945). Témoin de son temps, polémiste de grand talent, il a rassemblé ses chroniques journalistiques et les pages de ses cahiers : *Journal* (1934-1951), *Mémoires intérieurs* (1959), *Bloc-Notes* (1958-1971), *De Gaulle* (1964). Acad. fr. (1933). P. Nobel 1952.

François **Mauriac**

Maximilien Ier, empereur germanique

Maurice (île) (en angl. *Mauritius*), État insulaire de l'océan Indien, à l'E. de Madagascar; Maurice et ses dépendances (les îles Rodrigues, Agaléga et Saint-Brandon) appartiennent à l'archipel des Mascareignes; 2 040 km^2; 1 128 000 hab. (*Mauriciens*); cap. *Port-Louis*. Nature de l'État : république de type parlementaire, membre du Commonwealth. Langue off. : angl.; le français et le créole d'origine française couramment parlés. Monnaie : roupie mauricienne. Pop. : Indiens (68 %), créoles, Chinois. Relig. : hindouistes (52,5 %), catholiques (25,7 %), musulmans (12,7 %). – Cette île volcanique, densément peuplée (553 hab./km^2), productrice traditionnelle de canne à sucre et de thé, a connu un décollage économique spectaculaire dans les années 80. L'afflux de nombreuses entreprises industrielles étrangères (35,8 % des actifs dans l'industrie) attirées par le statut de zone franche, l'essor du tourisme et le développement des activités bancaires, assurent le plein emploi et

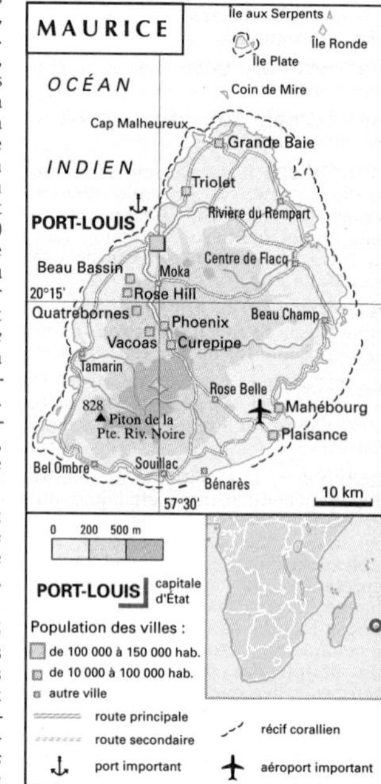

ont permis un doublement du P.I.B. par hab. en moins de 10 ans. L'U.E. absorbe 45,1 % des exportations du pays.
Hist. – L'île fut découverte par les Portugais en 1507. Les Néerlandais s'y installèrent après 1598 et lui donnèrent le nom latin de *Mauritius* pour honorer Maurice de Nassau. En 1715, les Français occupèrent l'île, qu'ils appelèrent *île de France.* Prise par les Anglais en 1810 et donnée officiellement à l'Angleterre en 1814 (traité de Paris), elle connut une grave crise de main-d'œuvre après l'abolition de l'esclavage (1835) et dut faire venir de nombreux Indiens. Elle est devenue indépendante en 1968. Une coalition conservatrice, représentant surtout les intérêts de la population d'origine indienne, a occupé la plupart du temps le pouvoir. Mais le travailliste Navin Chandra Ramgoolam est Premier ministre depuis 1995. Maurice revendique auj. la souveraineté sur l'archipel des Chagos (au S. des Maldives).

Maurice (saint) (m. v. 287). Selon la légende, il commanda la légion envoyée par l'empereur Maximien combattre les Bagaudes. Il aurait été massacré avec ses frères d'armes chrétiens près d'Agaune, dans le Valais suisse. Comme saint Georges, saint Maurice était le patron des chevaliers; il est le saint patron de la Suisse et de l'Autriche.

Maurice (en lat. *Flavius Mauricius Tiberius*) (Arabissos, Cappadoce [v. ruinée près d'Afşin, Turquie], v. 539 – ?, 602), empereur d'Orient (582-602). Il défendit avec succès l'empire contre les Perses. Il fut assassiné par ses soldats.

Maurice de Nassau (Dillenburg, 1567 – La Haye, 1625), stathouder des Provinces-Unies (1584-1625); fils de Guillaume le Taciturne. Il brisa définitivement la domination espagnole. En 1619, il élimina le grand pensionnaire Oldenbarnevelt, favorable au maintien de la paix avec l'Espagne (trêve de douze ans) et le fit exécuter.

Maurice de Saxe. V. Saxe.

Mauricie, région admin. du Québec sur la rive nord du Saint-Laurent; 265 000 hab. V. princ. *Trois-Rivières.*

mauricien, enne adj. et n. De l'île Maurice. ▷ Subst. *Un(e) Mauricien(ne).*

Maurienne, rég. des Alpes françaises (Savoie), correspondant à la vallée de l'Arc; voie de passage entre la France et l'Italie. Princ. centres : Modane, Saint-Jean-de-Maurienne. Importantes ressources hydroélectriques; électrométallurgie; électrochimie.

Mauritanie. V. Maurétanie.

Mauritanie (république islamique de), État d'Afrique au S.-O. du Sahara occidental, sur l'Atlantique; 1 030 700 km^2; 2 274 000 hab., croissance démographique : 3,2 % par an; cap. *Nouakchott.* Nature de l'État : république de type présidentiel. Langues off. : arabe et français. Monnaie : ouguiya. Pop. : Arabo-Berbères, dits Maures « blancs » (Beydanes) 30 % et Maures « noirs » (Haratines) 40 %, ethnies négro-africaines (Toucouleurs, Sarakollés, Ouolofs et Peuls) 30 %. Relig. : islam.
Géogr. phys., hum. et écon. – La Mauritanie, constituée d'une vaste pénéplaine couverte de dunes et longée au S. par la vallée du Sénégal, appartient pour les trois quarts de son territoire au désert du Sahara occidental.

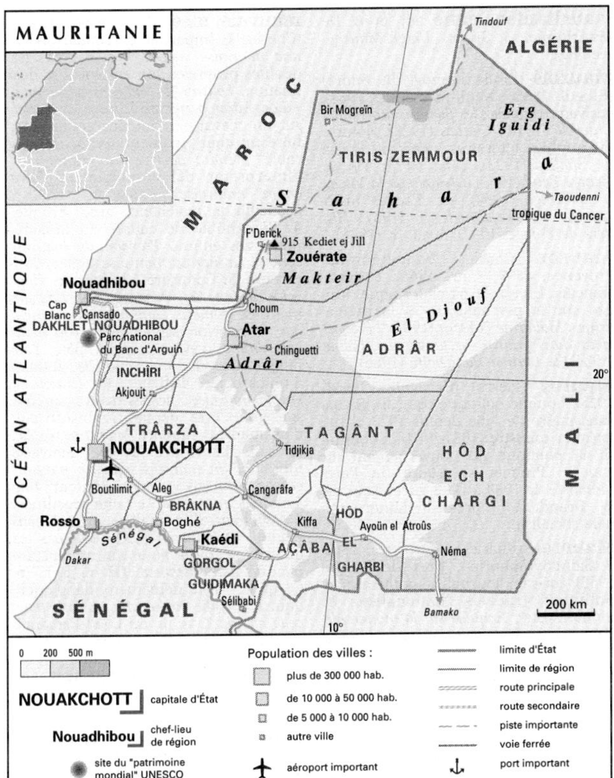

Au S., la zone sahélienne steppique, un peu plus arrosée, groupe 90 % des hab. du pays. Les vagues de sécheresse et l'avancée du désert depuis 1973 ont provoqué l'afflux de nombreux nomades vers Nouakchott (150 000 hab. en 1983, env. 500 000 aujourd'hui). L'agriculture vivrière (mil, riz, dattes) et l'élevage extensif (ovins, bovins, dromadaires) restent les fondements économiques d'un pays qui compte encore plus de 60 % de ruraux. Les grandes ressources d'exportation sont le poisson, pêché par des armements étrangers, et le fer, exploité en plein désert dans la région de Zouérate et acheminé vers le port exportateur de Nouadhibu (anc. Port-Étienne), par l'unique voie ferrée du pays. La Mauritanie fait partie des pays les moins avancés; la situation écon. est précaire et l'aide étrangère indispensable.
Hist. – Peuplée d'agriculteurs noirs, la région fut envahie à partir du IVe s. par des nomades berbères disposant du chameau. La région fut englobée dans l'empire Almoravide, du Sénégal à l'Espagne, et islamisée (XIe-XIIe s.). Les Arabes ne pénétrèrent le pays qu'après 1400. Au XVe s., des contacts furent amorcés sur la côte avec les Européens qui recherchaient des esclaves, du sel et de la gomme. Après 1858, à partir du Sénégal, la Mauritanie fut progressivement occupée par les Français; longtemps en dissidence, elle devint colonie de l'A.-O.F. seulement en 1920 et la pacification ne fut totalement obtenue qu'en 1934. En 1958, elle fut proclamée rép. islamique et acquit son indépendance en 1960 sous la présidence de Moktar Ould Daddah. En nov. 1975, la Mauritanie, qui redoutait l'expansionnisme marocain, s'entendit (accord de Madrid) avec son puissant voisin pour annexer le S. d'un Sahara occidental partagé; mais les Sahraouis, groupés au sein du Front Polisario, menèrent la guérilla contre les deux pays. En juil. 1978, Moktar Ould Daddah fut renversé par un comité militaire. Immédiatement le Polisario proclama un cessez-le-feu. En août 1979 (accord d'Alger avec le Polisario), la Mauritanie sortit de la guerre. En janv. 1980, le colonel Khouna Ould Haidalla prit le pouvoir (président du Comité militaire de salut national, C.M.S.N.), abolit l'esclavage (qui concernait encore 150 000 personnes env.) en juillet et fit appel, en déc., à un gouv. civil qui ne dura que trois mois (série de coups d'État manqués en 1981 et 1982). La Mauritanie reconnut la République arabe sahraouie démocratique en fév. 1984, mais le C.M.S.N. destitua le colonel Ould Haidalla en déc. de la même année et le remplaça par le colonel Maawiyah Sid Ahmed Ould Taya. Les militaires ont poursuivi l'arabisation du pays (élimination des Noirs des postes de responsabilité dans l'armée et l'administration). Les massacres de Maures au Sénégal, au printemps 1989, ont provoqué de violentes représailles en Mauritanie contre les Noirs (dont un grand nombre fut expulsé ou renvoyé au Sénégal). En 1991 cependant, un référendum a permis l'adoption d'une constitution autorisant les partis politiques et garantissant la liberté de la presse. En janv. 1992, les premières élections multipartites depuis l'indépendance, entachées de fraude selon l'opposition qui a boycotté les législatives de mars, ont confirmé M. Ould Taya, qui a été réélu en déc. 1997.

mauritanien, enne adj. et n. De Mauritanie. – Subst. *Un(e) Mauritanien(ne).*

Maurois (Émile Herzog, dit André) (Elbeuf, 1885 – Neuilly-sur-Seine, 1967), écrivain français : *les Silences du colonel Bramble* (1918), *Climats* (1928). Nombr. biographies littéraires : *Ariel ou la Vie de Shelley* (1923), *Lélia ou la Vie de George Sand* (1952), *Olympio ou la Vie de Victor Hugo* (1954), etc. Études historiques : *Histoire d'Angleterre* (1937), *Histoire de France* (1947). Acad. fr. (1938).

Mauron (Charles) (Saint-Rémy-de-Provence, 1899 – id., 1966), écrivain français. Il créa la psychocritique, fondée sur la psychanalyse et la thématique : *Mallarmé l'obscur* (1938), *l'Inconscient dans l'œuvre et la vie de Racine* (1954), *le Dernier Baudelaire* (1966).

Mauroy (Pierre) (Cartignies, Nord, 1928), homme politique français. Socialiste, maire de Lille depuis 1973, il fut Premier ministre (1981-1984) et conduisit la politique du gouvernement de gauche. Premier secrétaire du Parti socialiste de 1988 à 1992, successeur de W. Brandt à la prés. de l'Internationale socialiste.

Maurras (Charles) (Martigues, 1868 – Saint-Symphorien, près de Tours, 1952), écrivain, journaliste et théoricien politique français, nationaliste et monarchiste : *Enquête sur la monarchie* (1900-1909), *Mes idées politiques* (1937). Il défendit sa doctrine violemment antidémocratique dans *l'Action française* (1908-1944), soutint le gouvernement de Vichy et fut condamné en 1945 à la détention perpétuelle (gracié en 1952). Acad. fr. (1938, radié en 1945).

Maurya, dynastie de l'Inde fondée à la fin du IVe s. av. J.-C. par Chandragupta et dont Açoka fut le souverain le plus illustre; Pushyamitra la renversa v. 185 av. J.-C.

mauser [mozɛʀ] n. m. MILIT **1.** Fusil adopté par l'armée allemande en 1871 et utilisé jusqu'en 1945. **2.** Modèle de pistolet automatique. *Des mausers.*

Mauser (Wilhelm) (Oberndorf, Wurtemberg, 1834 – id., 1882), armurier allemand. Il mit au point le fusil qui porte son nom.

Mausole (m. en 353 av. J.-C.), satrape de Carie (377-353 av. J.-C.); célèbre surtout par le tombeau (le *Mausolée*), une des Sept Merveilles du monde, que lui fit élever à Halicarnasse sa sœur et épouse Artémise II.

mausolée n. m. Grand et riche monument funéraire. *Le mausolée d'Hadrien, à Rome, est devenu le château Saint-Ange.*

Mauss (Marcel) (Épinal, 1872 – Paris, 1950), sociologue et ethnologue français, neveu et disciple de Durkheim; fondateur, avec Paul Rivet, de l'Institut d'ethnologie de l'université de Paris (1928). Son princ. ouvrage, *Essai sur le don, forme archaïque de l'échange* (1925), est une étude des pratiques de potlatch.

maussade adj. **1.** Désagréable, qui dénote la mauvaise humeur. *Visage maussade.* **2.** Ennuyeux, sombre, triste. *Un temps maussade.*

maussaderie n. f. Litt. Humeur maussade, mauvaise grâce.

Mauthausen, village d'Autriche, sur le Danube, près de Linz. Les nazis y installèrent de 1938 à 1945 un camp de concentration où périrent près de 120 000 personnes.

mauvais, aise adj., n. et adv. **I.** adj. (Choses) **1.** Imparfait, défectueux. *Avoir une mauvaise vue.* **2.** Qui n'a pas les qualités propres à son emploi, à sa destination. *Fournir de mauvais arguments.* – Loc. *Miser, parier sur le mauvais cheval,* sur un cheval perdant, aux courses; fig., faire un choix malheureux. **3.** Défavorable. *Prendre qqch en mauvaise part,* l'interpréter défavorablement. *Faire contre mauvaise fortune bon cœur :* accueillir la malchance avec sérénité. **4.** Susceptible de causer du désagrément, des ennuis. *Préparer un mauvais coup.* – *La mer est mauvaise,* agitée, dangereuse. **5.** Contraire à la morale. *Mauvaise action.* **6.** Désagréable. *Être de mauvaise humeur. Faire mauvaise mine à qqn,* le recevoir sèchement. *Avoir mauvaise mine :* avoir le teint pâle, l'air fatigué. *C'est une mauvaise tête :* il (elle) a un caractère difficile. – Fam. *La trouver, l'avoir mauvaise :* ne pas trouver qqch à son goût, être dépité. **7.** Insuffisant, d'un mauvais rapport. *Mauvaise récolte.* **II.** adj. (Personnes) **1.** De mauvaise moralité. *Un mauvais sujet, un mauvais garçon :* un voyou, un malfaiteur. *Une femme de mauvaise vie :* une prostituée. **2.** Méchant, dur, malfaisant. *Les gens mauvais et haineux.* **3.** Qui n'a pas les qualités requises pour son emploi. *Un mauvais administrateur.* **III.** n. **1.** n. m. Ce qu'il y a de défectueux dans qqch, qqn. *Il y a du bon et du mauvais dans cette affaire.* **2.** n. m. ou f. Rare Personne méchante. **IV.** adv. *Sentir mauvais :* exhaler une odeur désagréable. – Fig. *Ça sent mauvais :* les choses tournent mal. *Il fait mauvais :* le temps n'est pas au beau.

mauve n. et adj. **1.** n. f. Petite plante (fam. malvacées), dont diverses espèces à grandes fleurs blanches, roses ou violettes sont ornementales, et d'autres médicinales. **2.** adj. De couleur violet pâle. *Des robes mauves.* ▷ n. m. *Une étoffe d'un mauve délicat.*

mauve

mauviette n. f. Fam. Personne frêle, chétive.

mauvis [movi] n. m. Grive du nord de l'Europe.

Māvalipuram ou **Mahābalipuram,** v. de l'Inde, près de Madras (côte de Coromandel, État de Tamil Nadu). Site archéologique célèbre pour ses sanctuaires rupestres ornés de reliefs sculptés (style pallava, VIIe s.).

Mavrocordato (Alexandre) ou **Mavrokordhátos** (Aléxandhros) (Istanbul, 1791 – Égine, 1865), homme politique grec. Il contribua à l'affranchissement de la Grèce en 1821-1822, présida la prem. Assemblée nationale (Épidaure, 1822) et dirigea plusieurs fois le gouvernement grec.

Maxence (en lat. *Marcus Aurelius Valerius Maxentius*) (?, 280 – pont Milvius, Rome, 312), empereur romain (306-312); fils de Maximien. Il fut vaincu par Constantin au pont Milvius.

maxi-. Élément, du lat. *maximus,* superlatif de *magnus,* « grand », exprimant une idée de grandeur, de longueur exceptionnelles, utilisé dans la publicité, la mode. *Maxibouteille. Maxi(-)jupe,* qui tombe jusqu'aux pieds.

maxi adj. ou adv. Fam. Abrév. de *maximal* et de *(au) maximum. Vitesse maxi. Je l'ai vu il y a dix jours maxi.*

maxillaire n. m. et adj. **1.** n. m. ANAT Chacun des deux os qui forment les mâchoires. *Maxillaire supérieur. Maxillaire inférieur.* **2.** adj. Qui se rapporte aux maxillaires, aux mâchoires.

maxille [maksil] n. m. ZOOL Mâchoire des arthropodes antennates (insectes, crustacés, etc.).

Maxim (sir Hiram Stevens) (Brockway's Mills, Maine, 1840 – Streatham, près de Londres, 1916), ingénieur britannique d'origine américaine. Il inventa un canon, une mitrailleuse et un fusil-mitrailleur qui portent son nom (1884).

maxima. V. maximum.

maximal, ale, aux adj. Qui atteint un maximum, qui est à son plus haut degré. *Température maximale.*

maximalisation ou **maximisation** n. f. Action de maximaliser, de maximiser.

maximaliser v. tr. [1] Didac. Donner la plus haute valeur à. *Maximaliser les chances.*

maximalisme n. m. Didac. Attitude des maximalistes; radicalisme, intransigeance.

maximaliste n. et adj. **1.** n. m. HIST Bolchevik. **2.** n. Didac. Celui, celle qui est porté(e) aux solutions extrêmes, en polit. notam. *Les maximalistes d'un parti.* ▷ adj. *Un discours maximaliste.*

maxime n. f. **1.** Principe, fondement, règle dans un art, dans une science, dans la conduite de la vie. **2.** Sentence qui résume une maxime. *Les « Maximes » de La Rochefoucauld (1665), de Vauvenargues (1746), de Chamfort (1795).*

Maxime (en lat. *Magnus Clemens Maximus*) (m. en 388), usurpateur romain. Proclamé empereur d'Occident par les légions de Bretagne, il battit Gratien et le fit tuer (383), tenta de résister aux Barbares, se replia sur l'Italie, qu'il prit à Valentinien II (387), mais fut vaincu et exécuté sur l'ordre de Théodose.

Maximien (en lat. *Aurelius Valerius Maximianus*) (Pannonie, v. 250 – Marseille, 310), empereur romain (286-305 et 306-310). Associé à l'Empire par Dioclétien (286), qui le contraignit à abdiquer en 305, il se dressa contre lui puis contre son propre gendre et allié Constantin, et dut se donner la mort.

Maximilien Ier (Wiener Neustadt, 1459 – Wels, 1519), empereur germanique (1493-1519). Fils de Frédéric III, il épousa en 1477 Marie de Bourgogne, fille de Charles le Téméraire, et pour cette raison s'opposa à Louis XI, qu'il vainquit en 1479 à Guinegatte, obtenant la Franche-Comté et les Pays-Bas (traité d'Arras, 1482). Son règne, que marquèrent de nouvelles alliances (matrimoniales et politiques), renforça la puissance des Habsbourg. – **Maximilien II** (Vienne, 1527 - Ratisbonne, 1576), empereur germanique (1564-1576), petit-fils du préc.; il tenta une politique d'équilibre entre protestants et catholiques. Son règne fut dominé par la lutte contre les Turcs. ▸ illustr. page **1184**

Maximilien Ier de Wittelsbach (Munich, 1573 - Ingolstadt, 1651), duc puis Électeur de Bavière (1597-1651). Il engagea son pays aux côtés de Ferdinand II d'Autriche dans la guerre de Trente Ans.

Maximilien Ier Joseph de Wittelsbach (Schwetzingen, 1756 - Nymphenburg, 1825). Électeur en 1799, puis premier roi de Bavière (1806-1825). Allié de la France et de Napoléon (qu'il abandonna en 1813), il agrandit ses territ. au détriment de l'Autriche. – **Maximilien II Joseph** (Munich, 1811 - id., 1864), roi de Bavière de 1848 à 1864; fils de Louis Ier. Souverain libéral, il se fit le champion de l'union des petits États allemands contre l'Autriche et la Prusse.

Maximilien Ier (Ferdinand Joseph Maximilien de Habsbourg) (Vienne, 1832 - Querétaro, Mexique, 1867), frère de l'empereur François-Joseph et archiduc d'Autriche. En 1864, poussé par sa femme, Charlotte de Belgique, il accepta de Napoléon III la couronne impériale du Mexique, mais le pays se souleva et il fut fusillé.

Maximilien ou **Max de Bade** (Baden-Baden, 1867 - Constance, 1929), prince allemand. Chancelier de Guillaume II (oct.-nov. 1918), il dut négocier les conditions de l'Armistice avant de céder la place à Ebert.

Maximin (en lat. *Caius Julius Verus Maximinus*) (en Thrace, 173 - devant Aquilée, 238), empereur romain (235-238). Il assassina Sévère Alexandre, qu'il remplaça, et fut tué par ses propres soldats.

Maximin Daia (en lat. *Galerius Valerius Maximinus*) (m. à Tarse en 313), empereur romain (308-313). Il persécuta les chrétiens; vaincu par Licinius, il s'empoisonna.

maximisation. V. maximalisation.

maximiser v. tr. [1] **1.** Didac. Syn. de *maximaliser.* **2.** TECH, FIN Pousser à son maximum. *Maximiser le profit d'une entreprise.*

maximum, fém. **maxima,** plur. **maximums** ou **maxima** [maksimɔm, maksima] n. m. et adj. **I.** n. m. **1.** La plus grande valeur qu'une quantité variable puisse prendre. **2.** MATH *Maximum d'une fonction,* valeur de cette fonction, supérieure à toutes les valeurs voisines. **3.** DR *Le maximum (d'une peine) :* (la peine) la plus élevée. **4.** Loc. *Au maximum :* au plus. **II.** adj. Le plus élevé. *Tarif maximum. Hauteur maxima.* (N.B. Dans le langage scientifique, on emploie *maximal, maximale, maximaux,* et non *maximum, maxima.*)

maxwell n. m. PHYS Unité de flux magnétique du système électromagnétique C.G.S., de symbole Mx.

Maxwell (James Clerk) (Édimbourg, 1831 - Cambridge, 1879), physicien anglais; célèbre pour ses travaux sur le magnétisme et l'électricité. ▷ ELECTR *Règle de Maxwell :* un tire-bouchon (hypothétique), placé dans l'axe d'une bobine parcourue par un courant électrique et tournant sur lui-même dans le sens du courant, entre par la face sud

J. C. **Maxwell**

le cardinal de **Mazarin**

de la bobine. ▷ *Équations de Maxwell :* équations relatives à la propagation du champ électromagnétique.

May (Karl Hohenthal, dit Karl) (Hohenstein-Ernstthal, 1842 - Radebeul, 1912), écrivain allemand; auteur prolifique de récits de voyages imaginaires et de romans d'aventures situés en Amérique du Nord *(la Trahison des Comanches)* ou au Proche-Orient.

maya adj. (inv. en genre) et n. m. **1.** adj. Relatif à la civilisation des Mayas. *Architecture maya.* **2.** n. m. LING Famille de langues parlées par les Mayas.

Mayagüez, v. et port de Porto Rico; 102 260 hab. Chantiers navals. Tabac. Zone franche.

Mayapán, localité du Mexique (Yucatán), près d'un centre archéologique maya : vestiges d'une ville importante, fondée en 1007, et qui fut détruite en 1441.

Mayas, peuple indien d'Amérique centrale, auj. peu nombreux et regroupé princ. au Yucatán, fondateur d'une civilisation précolombienne très évoluée qui s'étendit sur les territoires actuels des États mexicains du Yucatán et des Chiapas, et sur ceux du Guatemala et du Honduras. L'origine de cette civilisation remonterait au IVe s. av. J.-C. Deux grandes périodes : l'Ancien Empire (320-987) et le Nouvel Empire (987-1697), font suite à une période dite « formative » (IVe s. av. J.-C. - IVe s. apr. J.-C.). Les VIIe, VIIIe et IXe s. marquent son apogée. Princ. sites mayas : au Guatemala, Tikal (palais, temples-pyramides, dont le plus imposant a 58 m de haut); au Honduras, Copán (stèles colossales, escalier hiéroglyphique, etc.); aux Chiapas, Palenque (temples de la Croix-Feuillue, du Soleil, etc.), Bonampak (fresques); au Yucatán, Uxmal (palais du Gouverneur, Grande Pyramide), Chichén Itzá (pyramide El Castillo, temple maya-toltèque des Guerriers).

Mayence (en all. *Mainz*), v. et port d'Allemagne, au confl. du Main et du Rhin; ch.-l. du Land de Rhénanie-Palatinat; 189 010 hab. Industr. métallurgiques et chimiques. - Évêché. Université. Cath. (XIe-XIIIe s.); musée Gutenberg. - La ville fut occupée en 1792 par les Français qui, assiégés en 1793 par les Prussiens, se rendirent après une héroïque résistance animée par Kléber.

mayennais, aise adj. et n. De la Mayenne. - Subst. *Un(e) Mayennais(e).*

Mayenne (la), riv. de France (200 km), affl. de la Sarthe (r. dr.), qu'elle rejoint en amont d'Angers pour former la Maine; arrose Mayenne, Laval, Château-Gontier.

Mayenne, ch.-l. d'arr. de la Mayenne, sur la Mayenne; 14 583 hab. Imprimerie, fonderie, électroménager. - Basilique gothique N.-D. Égl. romane St-Martin. Vestiges d'un chât. (XIIIe et XVe s.).

Mayenne, dép. franç. (53); 5 171 km²; 278 037 hab.; 53,7 hab./km²; ch.-l. *Laval.* V. Loire (Pays de la) [Région]. ▸ carte page **1188**

Mayenne (Charles de Lorraine, duc de) (Alençon, 1554 - Soissons, 1611), chef de guerre français. Deuxième fils de François de Guise, il fut un des dirigeants de la Ligue. Vaincu par Henri IV à Arques et à Ivry, il se soumit (1595).

Mayer (Julius Robert von) (Heilbronn, 1814 - id., 1878), physicien et médecin allemand. Le premier, il énonça clairement le principe de conservation de l'énergie.

Mayer (Eliezer Mayer, dit Louis B.) (Minsk, 1885 - Los Angeles, 1957), producteur américain. Il dirigea la Metro-Goldwyn-Mayer, de 1924 à 1951, imposant le culte de la star.

Mayerling, local. d'Autriche, proche de Vienne, où, dans un pavillon de chasse (rasé et remplacé par une église), furent trouvés, le 30 janv. 1889, les cadavres de l'archiduc Rodolphe et de la baronne Marie Vetsera.

Mayflower (« Fleur de mai »), navire qui, en 1620, transporta de Southampton vers le territoire correspondant au Massachusetts actuel 102 puritains anglais; ils fondèrent les premières colonies anglaises d'Amérique du Nord.

Maynard. V. Mainard.

Mayne Reid (Thomas Mayne Reid, dit le capitaine) (Ballyroney, 1818 - Londres, 1883), écrivain, voyageur et officier anglais; auteur fécond de

Mayas : temple des Inscriptions à Palenque

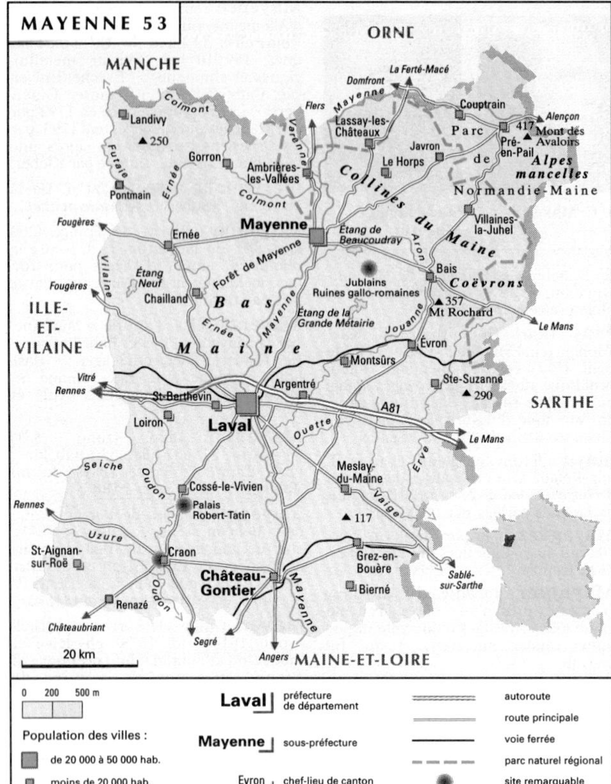

romans d'aventures, presque tous situés dans les territoires indiens d'Amérique du Nord (*les Chasseurs de chevelure,* 1851 ; *le Chef blanc,* 1859).

Mayol (Félix) (Toulon, 1872 - id., 1942), chanteur français. Interprète de titres restés célèbres (*Viens poupoule*) qui firent de lui l'une des gloires du café-concert parisien au début du XXe s.

mayonnaise adj. et n. f. CUIS *Sauce mayonnaise :* sauce froide et épaisse composée d'huile émulsionnée avec un jaune d'œuf et relevée de vinaigre ou de citron. ▷ n. f. *Œufs durs à la mayonnaise* ou, ellipt., *œufs durs mayonnaise.*

Mayotte, île des Comores, collectivité territoriale de la Rép. française ; 374 km²; 68 000 hab. (Mahorais) ; ch.-l. *Mamoudzou.* Cultures tropicales (ylang-ylang, vanille, etc.). - Les Comores ont accédé à l'indépendance en 1975. Mayotte, par le référendum du 8 fév. 1976, s'est prononcée pour son maintien dans la République française.

Ma Yuan (actif entre 1190 et 1225), peintre chinois de l'époque des Song ; l'une des plus grandes figures de l'art du paysage en Chine.

Mazagan. V. Jadida (El-).

mazagran n. m. **1.** Vieilli Café servi dans un verre. ▷ Café étendu d'eau, que l'on consomme froid. **2.** Récipient en faïence, à petit pied, dans lequel on sert le café.

Mazagran, anc. v. d'Algérie, auj. intégrée à la com. de Mostaganem. - Siège célèbre soutenu par 123 soldats français, sous les ordres du capitaine Lelièvre, contre les troupes d'Abd el-Kader (fév. 1840).

Mazamet, ch.-l. de cant. du Tarn (arr. de Castres), au pied de la Montagne Noire ; 13 337 hab. Centre de délainage des peaux ; industr. textiles ; mégisserie ; mécanique de précision.

Mazar-i Charif, v. d'Afghānistān ; 105 000 hab. ; ch.-l. de la province de Balkh. - Mosquée (XVe s.) construite sur le tombeau prétendu du calife Ali ; pèlerinage.

Mazarin (Jules) (en ital. *Giulio Mazarini*) (Pescina, Abruzzes, 1602 - Vincennes, 1661), prélat et homme d'État français d'origine italienne. D'une intelligence subtile, il fut remarqué par Richelieu (1630), qui le fit nommer cardinal (1641). Il succéda à ce dernier comme ministre (1643) et exerça le pouvoir jusqu'à sa mort au nom de la régente, Anne d'Autriche (qu'il a peut-être secrètement épousée). À l'intérieur, il fit triompher l'absolutisme en écrasant la Fronde (1648-1653), dirigée contre lui, et en luttant contre les jansénistes ; à l'extérieur, il abaissa la maison d'Autriche et assit la prépondérance française (traités de Westphalie, 1648 ; traité des Pyrénées, 1659). Il accrut le patrimoine national (Pignerol, Alsace, Cerdagne, Roussillon, villes des Pays-Bas espagnols). Remarquable diplomate mais mauvais gestionnaire, il laissa les finances publiques dans les mains de Fouquet et, à sa mort, le trésor royal était presque vide. Collectionneur avide et passionné, il accumula une énorme fortune personnelle. Ses activités de mécène furent considérables (bibliothèque *Mazarine,* construction du collège des Quatre-Nations, ou palais *Mazarin*). ▸ illustr. page **1187**

Mazarin (palais), nom donné au palais de l'Institut, primitivement collège des Quatre-Nations à Paris.

Mazarine (bibliothèque), bibliothèque nationale de France, dans l'un des bâtiments du palais de l'Institut à Paris. Constituée à l'orig. pour l'usage personnel de Mazarin, ouverte aux savants en 1643, elle dépend auj. de l'Institut de France.

Mazatlán, port du Mexique (État de Sinaloa), sur le Pacifique, à l'entrée du golfe de Californie ; 297 000 hab. Exportation de minerais et de prod. tropicaux.

mazdéen, enne adj. Relatif au mazdéisme.

mazdéisme n. m. Religion de la Perse ancienne, appelée aussi *zoroastrisme* (du nom du prophète Zoroastre ou Zarathoustra).

ENCYCL Les auteurs de l'Antiquité et la tradition iranienne ont vu en Zoroastre (ou Zarathoustra, v. 700, 630 ou 600 av. J.-C.) le fondateur de la religion mazdéenne : il est le dépositaire de la vérité que lui a directement révélée Ahura Mazdâ (le Dieu du bien) et tout ce que contient l'*Avesta* (les livres sacrés) lui est attribué. L'antagonisme du bien et du mal commande dans le mazdéisme une répartition minutieuse et sans nuance de tout ce qui existe, en êtres et choses purs et impurs. C'est une doctrine essentiellement dualiste (manichéenne).

Mazeppa ou **Mazepa** (Ivan Stepanovitch) (près de Kiev, v. 1644 - Bendery, Moldavie, 1709), chef des Cosaques d'Ukraine. Allié de Pierre le Grand puis, pour assurer l'autonomie ukrainienne, de Charles XII de Suède. Il s'enfuit en Moldavie (contrôlée par les Turcs), où il mourut, après la défaite de Poltava (1709). Les romantiques furent inspirés par une de ses aventures : surpris par un mari jaloux, il aurait été attaché nu sur un cheval sauvage et, par extraordinaire, sauvé.

mazette ! interj. (Marque l'étonnement, l'admiration.) *Mazette ! Quel faste !*

mazout [mazut] n. m. Combustible liquide visqueux obtenu par raffinage du pétrole, à pouvoir calorifique élevé.

mazoutage n. m. Pollution par le mazout.

mazouter v. [1] **1.** v. intr. Faire le plein de mazout. **2.** v. tr. Polluer par le mazout. - Pp. adj. *Rivage mazouté. Oiseaux mazoutés.*

Mazovie. V. Masovie.

Mazu, archipel côtier de la Chine, appartenant à l'État de Taiwan.

Mazurie ou **Masurie,** région de l'anc. Prusse-Orientale, rattachée à la Pologne en 1945 ; autref. peuplée de Slaves germanisés. Nombreux lacs.

mazurka n. f. **1.** Danse d'origine polonaise (Mazurie) à trois temps, où le deuxième temps est marqué. **2.** Air de cette danse. ▷ Composition musicale sur le rythme de la mazurka.

Mazzini (Giuseppe) (Gênes, 1805 - Pise, 1872), patriote italien ; promoteur de l'unité italienne. Fondateur d'une société secrète (la Jeune-Italie) qui voulait établir une rép. unitaire, il conspira, à l'étranger, contre l'Autriche, pour préparer la libération de la péninsule. En 1848, il fit partie du triumvirat qui devait proclamer la république à Rome (1849). Auteur de : *Foi et Avenir* (1835), *les Devoirs de l'homme* (1837), *le Manifeste de l'Alliance républicaine* (1866).

M.B.A. [ɛmbie] n. m. (Abrév. de *master of business administration*) (Anglicisme) Diplôme commercial de haut niveau.

M'Ba (Léon) (Libreville, 1902 - Paris, 1967), homme d'État gabonais; président du Conseil en 1958, président de la République de 1961 à sa mort.

Mbabane, cap. du Swaziland; env. 40 000 hab.

Mbandaka (anc. *Coquilhatville*), v. de la Rép. dém. du Congo sur le Congo (r. g.); 125 260 hab.; ch.-l. de rég. Café, cacao.

Mbini (le), princ. cours d'eau du Río Muni, en Guinée équatoriale.

M'Bomou (le), riv. d'Afrique (750 km env.), formant le cours sup. de l'Oubangui et servant de frontière entre la Rép. dém. du Congo et la Rép. centrafricaine.

Mbuji-Mayi (anc. *Bakwanga*), v. de la Rép. dém. du Congo méridionale; 423 360 hab.; ch.-l. de la prov. du Kasaï-Oriental. Gisements et industrie du diamant.

Mc. V. Mac.

Md CHIM Symbole du mendélévium.

me pron. pers. de la 1re pers. du sing. (N.B. *me* s'élide en *m'* devant voyelle ou *h* muet.) **1.** Comp. d'objet dir. *Il me blesse.* **2.** Comp. d'objet indir. À moi. *Il m'a parlé de toi.* ▷ Comp. d'attribution. *Tu me donnes ce livre.* **3.** À la place d'un poss. *(mon, ma, mes). La tête me tourne.* **4.** Sujet d'un inf. régi par *faire, laisser, falloir* ou un v. de perception. *Il m'entend parler.* **5.** Dans les v. pron. *Je me suis blessé. Je me repens.* **6.** (Renforçant un ordre, une exclamation.) *Vous allez me ficher le camp!* **7.** Devant *voici, voilà, revoici, revoilà. Me voici!*

Me Abrév. de *maître* (pour désigner un notaire, un avocat).

mé-, més-. Préfixe péjoratif. (Ex. *mépriser, mésalliance, mésestimer.*)

mea-culpa [meakulpa] n. m. inv. (Mots lat. tirés du *Confiteor.*) Aveu, repentir d'une faute commise.

Mead (Margaret) (Philadelphie, 1901 - New York, 1978), anthropologue américaine. Ses travaux, réalisés à partir d'enquêtes sur le terrain (Nouvelle-Guinée, Samoa, Bali), portent sur l'influence du milieu socioculturel sur l'individu.

Meade (James Edward) (Swanage, Dorset, 1907 - Cambridge, 1995), économiste britannique; connu pour ses travaux sur la théorie de la croissance. P. Nobel 1977.

méandre n. m. **1.** Sinuosité d'un fleuve due à la pente très faible de son cours. ▷ Par anal. *Méandres d'un sentier.* **2.** Fig. Détour, sinuosité. *Les méandres de la politique.*

Méandre. V. Menderes.

méandreux, euse adj. Qui fait des méandres.

méat [mea] n. m. **1.** ANAT Conduit ou orifice d'un conduit. *Méat urinaire :* orifice externe de l'urètre. **2.** BIOL *Méat intercellulaire :* espace persistant entre les cellules d'un être vivant.

Meaux, ch.-l. d'arr. de Seine-et-Marne, sur la Marne, cap. de la Brie; 49 409 hab. (*Meldois* ou *Meldiens*). Constr. électriques et mécaniques; industr. biomédicales. - Siège d'un évêché, dès le IVe s. De nombr. conciles s'y tinrent. - Ruines de remparts gallo-romains. Cath. St-Étienne (XIIIe-XIVe s.). Anc. évêché (XVIIe s.), auj. musée Bossuet.

mec n. m. Fam. **1.** Homme courageux, décidé. *Lui, c'est un mec, un vrai!* **2.** Homme, individu. **3.** Petit ami, mari ou compagnon. *Elle est venue avec son mec.*

mécanicien, enne n. (et adj.) **I.** n. **1.** Didac. Mathématicien, physicien spécialiste de mécanique. **2.** Spécialiste de la conduite, de l'entretien ou de la réparation des machines, des moteurs. **3.** Conducteur de locomotive. **II.** adj. Vieilli Qui concerne la mécanique; caractérisé par le développement de la mécanique. *Civilisation mécanicienne.*

mécanicien-dentiste n. m. Aide-dentiste diplômé qui fabrique des appareils de prothèse dentaire. Syn. prothésiste dentaire. *Des mécaniciens-dentistes.*

mécanique adj. et n. f. **I.** adj. **1.** Relatif à la mécanique, à ses lois. **2.** Exécuté par un mécanisme. *Tissage mécanique.* ▷ Mû par un mécanisme. *Escalier mécanique.* **3.** Vx *Arts mécaniques,* qui nécessitent le travail des mains ou des machines (par oppos. à *arts libéraux*). **4.** Qui agit uniquement d'après les lois du mouvement (et non chimiquement, électriquement). **5.** Fig. Qui semble produit par une machine, sans intervention de l'intelligence, de la volonté. *Gestes, paroles mécaniques.* **II.** n. f. **1.** Partie de la physique ayant pour objet l'étude des mouvements des corps, leurs relations et les forces qui les produisent. ▷ ASTRO *Mécanique céleste,* qui étudie le mouvement des astres. ▷ CHIM *Mécanique chimique,* qui étudie les actions mécaniques et énergétiques accompagnant les réactions chimiques. **2.** Science de la construction et du fonctionnement des machines. **3.** Ensemble de pièces destinées à produire ou à transmettre un mouvement. *La mécanique d'une montre.* ▷ Machine. *Une belle mécanique.* **4.** Fig. Ensemble complexe d'éléments qui concourent à une action, à un résultat. *La mécanique diplomatique.*

ENCYCL **Phys.** - La mécanique comprend deux parties essentielles : la *cinématique,* qui a pour objet la description des mouvements des points matériels en fonction du temps, sans se préoccuper des causes de ces mouvements; la *dynamique,* qui étudie les relations entre les mouvements et leurs causes, qui sont les forces. La cinématique et la dynamique sont complétées par la *cinétique,* qui considère la masse d'un corps en mouvement comme un nombre constant, et par la *statique,* qui étudie les conditions d'équilibre des corps. La mécanique *newtonienne,* ou classique, repose sur l'existence de repères, dits *galiléens,* dans lesquels s'applique la relation $\vec{F} = m\,\vec{a}$: l'accélération $\vec{a}$, communiquée à un corps de masse m sous l'action d'une force $\vec{F}$, est proportionnelle à cette force; elle a le même sens et la même direction que celle-ci. La *mécanique relativiste* (V. relativité) est fondée sur le caractère relatif du temps lorsque les vitesses approchent celle de la lumière (en physique des particules, notam.). Le mouvement contracte les longueurs et dilate les durées, la vitesse de la lumière restant constante quel que soit le repère utilisé. La *mécanique quantique* et la *mécanique ondulatoire* sont nées de la théorie des *quanta* (V. quantum) de Planck. L'idée centrale de la mécanique quantique est que l'énergie cinétique et le moment cinétique (moment de la quantité de mouvement) ne peuvent varier que par sauts et non de façon continue. La mécanique ondulatoire, introduite par L. de Broglie en 1924, part de l'idée qu'à toute particule correspond une onde. Une des affirmations les plus importantes de la mécanique quantique est l'impossibilité de connaître exactement, à un instant donné, à la fois la position et la vitesse d'une particule. L'étude du comportement d'un ensemble de particules est entreprise par la *mécanique statistique.* Elle s'appuie sur les différentes statistiques utilisées pour divers groupes de particules : statistique de Bose-Einstein pour les photons et les mésons (groupe des bosons), statistique de Fermi-Dirac pour les électrons, les protons et les neutrons (groupe des fermions). Aux températures élevées, les prévisions de ces deux statistiques se confondent avec celles de la statistique classique de Maxwell-Boltzmann, qui considère les particules comme des individus discernables. V. interaction et particule.

mécaniquement adv. **1.** D'une façon mécanique. **2.** Du point de vue de la mécanique.

mécanisation n. f. Action de mécaniser; son résultat.

mécaniser v. tr. [1] Introduire l'utilisation de la machine dans (une activité où les tâches étaient accomplies manuellement). *Mécaniser l'agriculture.*

mécanisme n. m. **1.** Agencement de pièces disposées pour produire un mouvement, un effet donné. *Mécanisme d'une montre.* ▷ Par ext. *Le mécanisme du corps humain.* **2.** Manière dont fonctionne un ensemble complexe, manière dont se déroule une action. *Mécanisme du langage, de la pensée. Les mécanismes de la propagande.* **3.** PHILO Système qui explique la totalité ou une partie des phénomènes physiques, biologiques, psychophysiologiques, etc., par le mouvement. *Le mécanisme de Descartes.*

mécaniste adj. et n. PHILO Relatif, propre au mécanisme (sens 3). ▷ Subst. Philosophe adepte du mécanisme.

mécano-. Élément, du gr. *mêkhanê,* « machine ».

mécano n. m. Fam. Ouvrier mécanicien.

mécanographe n. Anc. Employé(e) spécialisé(e) dans les travaux de mécanographie.

mécanographie n. f. Anc. Utilisation des techniques et des procédés permettant la mécanisation du traitement de l'information.

mécanographique adj. Anc. Qui se rapporte à la mécanographie. *Les traitements mécanographiques reposent sur le tri et le classement de cartes perforées.*

mécanothérapie n. f. MED Thérapeutique consistant à favoriser les mouvements articulaires à l'aide d'appareils mécaniques spéciaux.

meccano n. m. (Nom déposé) **1.** Jeu de construction à pièces métalliques boulonnées. **2.** Fig., fam. Construction compliquée. *Un meccano industriel.*

mécénat n. m. Soutien matériel apporté, sans contrepartie directe de la part du bénéficiaire, à une œuvre ou à une personne pour l'exercice d'activités présentant un intérêt général. ▷ *Mécénat d'entreprise :* soutien financier d'une entreprise, d'un club sportif, etc., en vue d'un bénéfice publicitaire.

mécène n. m. Protecteur généreux des lettres, des sciences, des arts, etc.

Mécène (en lat. *Caius Cilnius Mæcenas*) (Arezzo [?], v. 69 - ?, 8 av. J.-C.), chevalier romain. Conseiller d'Auguste, ami d'Horace et de Virgile, il encouragea les sciences, les lettres et les arts.

Méchain (Pierre François André) (Laon, 1744 – Castellón de la Plana, Espagne, 1804), astronome et spécialiste de la géodésie français. En 1787, il détermina avec Cassini et Le Gendre les longitudes de Paris et de Greenwich. Entre 1792 et 1798 (sur l'initiative de la Constituante, qui voulait mesurer le méridien terrestre de façon à déterminer l'exacte mesure du mètre, unité de longueur qu'elle créait), il mesura avec Delambre la longueur de l'arc Dunkerque-Barcelone, mais une très légère anomalie de ses résultats (due à la « déviation relative de la verticale », phénomène astronomique alors inconnu) le bouleversa, et il ne communiqua pas sa mesure.

méchamment adv. Avec méchanceté.

méchanceté n. f. **1.** Penchant à faire du mal. **2.** Action, parole méchante.

méchant, ante adj. et n. **1.** (Devant le nom.) Litt. Mauvais; médiocre, sans intérêt. *Un méchant écrivain.* **2.** Qui se plaît à faire du mal, à nuire à autrui. *Être plus bête que méchant. Chien méchant,* qui mord. **3.** Qui peut faire mal, causer des ennuis graves. *Une méchante affaire. Une méchante langue. Des paroles méchantes.* – Subst. *Faire le (la) méchant(e) :* menacer, chercher à se faire craindre. ▷ Contraire à la justice, à la charité. *Une méchante action.* **4.** Déplaisant, désagréable. *Vous êtes de méchante humeur.* **5.** (Devant le nom.) Fam. Qui sort de l'ordinaire, étonnant, surprenant. *Une méchante voiture.*

1. mèche n. f. **1.** Cordon, assemblage de fils de coton, de chanvre, imprégné d'un combustible, que l'on enflamme à l'une de ses extrémités. *Mèche d'une bougie, d'une chandelle.* **2.** Bande de toile soufrée qu'on fait brûler dans un tonneau pour détruire les moisissures. **3.** Cordon combustible servant à mettre le feu à une charge explosive. ▷ Fig. *Éventer la mèche :* découvrir le secret d'un complot. – *Vendre la mèche :* dévoiler qqch qui devait être tenu secret. **4.** CHIR Petite bande de gaze stérile utilisée pour réaliser une hémostase, le drainage d'un liquide, la cicatrisation d'une plaie. **5.** Ficelle que l'on attache au bout d'un fouet. **6.** *Mèche de cheveux :* petite touffe de cheveux distincte du reste de la chevelure. *Mèche blanche, bouclée.* ▷ *Se faire des mèches,* se faire éclaircir seulement quelques mèches. **7.** Outil servant à percer le bois, la pierre, etc. *Mèche d'un vilebrequin.* **8.** MAR Axe (du gouvernail).

2. mèche n. f. inv. **1.** Fam. *Être de mèche avec qqn,* être de connivence avec lui. **2.** Pop. *Il (n') y a pas mèche :* il n'y a pas moyen.

Meched, Mechhed ou **Meshhad,** v. d'Iran, oasis au N.-E. du pays; 1 750 000 hab.; ch.-l. de la prov. du Khorāsān. Import. centre comm. Industr. textiles et alimentaires. – Mosquée, célèbre sanctuaire chiite.

Méchithar. V. Mékhithar.

méchoui [meʃwi] n. m. **1.** Mouton ou quartier de mouton cuit à la broche sur un feu de bois. **2.** Repas au cours duquel on sert ce mets.

mechta [meʃta] n. f. En Tunisie, en Algérie, petit village.

Mecklembourg (en all. *Mecklenburg*), anc. pays d'Allemagne septentrionale, entre l'Elbe et l'Oder, au N. du Brandebourg. – Land d'Allemagne et région de la C.E. (Mecklembourg-Poméranie antérieure); 23 838 km²; 1 964 000 hab.; cap. *Schwerin.* – En 1611 furent constitués les duchés de *Mecklembourg-Schwerin* et de *Mecklembourg-Güstrow,* puis en 1701 les duchés de *Mecklembourg-Schwerin* (plus étendu que l'État né en 1611) et de *Mecklembourg-Strelitz.* Grands-duchés en 1815, ceux-ci soutinrent la Prusse et formèrent deux républiques (1918), réunies en 1934. La R.D.A. fractionna le territoire en trois districts (1952) : *Schwerin, Rostock* et *Neubrandenburg.*

mécompte [mekɔ̃t] n. m. **1.** Rare Erreur dans un compte. **2.** Espérance trompée, déception.

méconium [mekɔnjɔm] n. m. MED Matière fécale contenue dans l'intestin du fœtus et expulsée peu après la naissance.

méconnaissable adj. Que l'on ne peut pas reconnaître, que l'on a peine à reconnaître.

méconnaissance n. f. Fait de méconnaître; ignorance.

méconnaître v. tr. [73] Ne pas savoir reconnaître, apprécier à sa juste valeur; ignorer.

méconnu, ue adj. (et n.) Qui n'est pas apprécié à sa juste valeur.

mécontent, ente adj. et n. Qui n'est pas content; qui a, ou croit avoir sujet de se plaindre. ▷ Subst. *Le parti des mécontents.*

mécontentement n. m. Déplaisir, manque de satisfaction.

mécontenter v. tr. [1] Rendre mécontent, insatisfait.

mécoptères n. m. pl. ENTOM Ordre d'insectes carnivores dont la panorpe (*mouche-scorpion*) est le représentant le plus cour. en Europe. – Sing. *Un mécoptère.*

Mecque (La) (en ar. *Makkah*), v. d'Arabie Saoudite à l'O. de la péninsule arabique, ch.-l. de la prov. du m. nom; 370 000 hab. env. Patrie de Mahomet, cap. religieuse de l'islam, elle renferme la Ka'ba, vers laquelle les musulmans du monde entier se tournent pour la prière; ils doivent s'y rendre en pèlerinage au moins une fois dans leur vie (env. 2 500 000 pèlerins par an). – La ville existe depuis l'Antiquité, centre de comm. et de cultes fétichistes préislamiques. Ses maîtres successifs lui ont toujours laissé une grande autonomie.

La Mecque : au centre de la Grande Mosquée, la Ka'ba, pierre sacrée d'origine mythique

mécréant, ante adj. et n. **1.** Qui n'a pas la foi considérée comme la seule vraie. **2.** Qui n'est pas croyant. ▷ Subst. *Les mécréants :* autref., les peuples qui n'étaient pas chrétiens.

médaillable adj. SPORT Qui est susceptible de remporter une médaille.

médaille n. f. **1.** Pièce de métal frappée en l'honneur d'un personnage illustre ou commémorant un événement important. **2.** Pièce de métal destinée à récompenser une action méritoire; décoration. **3.** Prix décerné dans un concours. *Médaille d'or des jeux Olympiques.* **4.** Petite pièce de métal représentant un sujet de dévotion. **5.** Plaque de métal servant à l'identification.
▶ pl. **décorations**

médaillé, ée adj. et n. Qui a reçu une médaille. ▷ Subst. *Les médaillés militaires.*

médailler v. tr. [1] Décerner une distinction honorifique, une médaille à.

médailleur n. m. TECH Personne qui grave les coins de médaille.

médaillier n. m. **1.** Vitrine, meuble aménagé pour recevoir des collections de médailles. **2.** Collection de médailles.

médailliste n. **1.** Amateur de médailles. Syn. numismate. **2.** Fabricant, graveur de médailles.

médaillon n. m. **1.** Médaille plus lourde et plus volumineuse que les médailles ordinaires, peinte, gravée ou sculptée. **2.** Portrait miniature entouré d'un cadre circulaire ou ovale. **3.** Bijou de forme circulaire ou ovale dans lequel on enferme un portrait, une mèche de cheveux. **4.** Tranche (de viande, de poisson, etc.) de forme ronde ou ovale. *Médaillon de veau à la crème.*

Medan, v. et port d'Indonésie (N. de Sumatra), sur le détroit de Malacca; 1 379 000 hab.; ch.-l. de province. Exportation de pétrole, de caoutchouc, de bois, etc.

Médan, com. des Yvelines (arr. de Saint-Germain-en-Laye); 1 391 hab. – Maison d'É. Zola, devenue musée.

Médard (saint) (Salency, Île-de-France, v. 456 – Tournai, v. 545), premier évêque de Noyon et de Tournai.

Medawar (Peter Brian) (Rio de Janeiro, 1915 – Londres, 1987), biologiste anglais; auteur de travaux sur la tolérance immunologique. P. Nobel 1960.

mède adj. et n. m. **1.** adj. De la Médie, relatif aux Mèdes. **2.** n. m. Langue des Mèdes.

Médéa (auj. *Lemdiyya*), v. d'Algérie, au S.-O. d'Alger, dans l'Atlas tellien; 85 730 hab.; ch.-l. de la wilaya du m. nom qui s'étend jusqu'aux monts des Ouled Naïl (céréales, vigne, élevage).

médecin n. m. **1.** Personne qui exerce la médecine, qui est habilitée à le faire. *Médecin traitant,* qui soigne un malade pour une affection déterminée. – *Médecin légiste,* habilité à faire des expertises et à déposer des rapports, dans les affaires judiciaires. ▷ (En appos.) *Femme médecin.* **2.** Fig. *Médecin des âmes :* confesseur, directeur de conscience. **3.** Fig. Moyen propre à conserver ou à rendre la santé. *Le sommeil est un excellent médecin.*

médecine n. f. **1.** Vx Remède. **2.** Science des maladies et art de les guérir. *Médecine générale. Médecine interne,* qui s'occupe de l'ensemble de l'organisme et de la pathologie. *Doctorat en médecine. Médecine sociale,* destinée à prévenir ou à combattre les effets nocifs de certains facteurs sociaux. *Médecine du travail,* concernant les accidents ou maladies dus à l'activité professionnelle. ▷ Études de médecine. *Faire sa médecine.* **3.** Système médical; mode de traitement. *Médecine psychosomatique.* – *Médecines naturelles :*

ensemble des modes de traitement (acupuncture, homéopathie, phytothérapie, mésothérapie, etc.) qui font appel aux défenses naturelles de l'organisme en cherchant à les renforcer plutôt qu'à les remplacer, sans pour autant se substituer à la médecine officielle ni s'appliquer aux affections majeures. **4.** Profession, pratique du médecin.

médecine-ball [medsinbol] n. m. Ballon plein, assez lourd, utilisé en gymnastique. *Des médecine-balls.*

Médecins sans frontières (M.S.F.), organisation non gouvernementale (O.N.G.) fondée en 1971, qui a pour mission de venir en aide aux populations éprouvées par la guerre ou victimes de catastrophes.

Médée, dans la myth. gr., célèbre magicienne, fille du roi de Colchide Æétès, petite-fille d'Hélios (le Soleil) et nièce ou sœur de Circé. Elle aida Jason* à conquérir la Toison d'or et l'épousa; abandonnée, elle se vengea en égorgeant ses propres enfants.

Medef, sigle de Mouvement* des entreprises de France.

Medellín, v. de Colombie, dans la Cordillère centrale, à 1 510 m d'alt.; ch.-l. de dép.; 1 418 550 hab. (2e ville du pays). Centre comm. (café) et industriel.

medersa [medɛʀsa] ou **madrasa** [madʀasa] n. f. École coranique.

Mèdes, peuple indo-européen, habitant la Médie depuis le Ier mill. av. J.-C., réuni aux Perses par Cyrus le Grand (v. 550 av. J.-C.).

média n. m. Tout moyen de large diffusion de l'information (radio, télévision, livre, publicité, presse, etc.).

médiacratie n. f. Péjor. Pouvoir social et politique des médias, jugé abusif.

médial, ale, aux adj. et n. f. **1.** adj. GRAM *Une lettre médiale* ou, n. f., *une médiale* : une lettre placée à l'intérieur d'un mot (par oppos. à *initiale* ou *finale*). **2.** n. f. STATIS Valeur qui sépare une série statistique en deux groupes égaux. Syn. médiane.

médian, ane adj. et n. f. **I.** adj. **1.** Placé au milieu. *Ligne médiane.* ▷ ANAT *Nerf médian* : nerf, issu du plexus brachial, qui innerve les muscles de la partie antérieure de l'avant-bras et de la main. **2.** PHON *Une voyelle médiane* ou, n. f., *une médiane,* dont le lieu d'articulation se trouve dans la partie moyenne du canal buccal. **II.** n. f. **1.** GEOM Droite qui joint l'un des sommets d'un triangle au milieu du côté opposé. *Les trois médianes d'un triangle concourent en un point situé au tiers de chacune d'elles à partir de la base et qui constitue le centre de gravité du triangle.* **2.** STATIS Médiale.

médiaplanneur, euse n. Spécialiste du médiaplanning.

médiaplanning n. m. Choix et achat des supports destinés à une campagne publicitaire.

médiascopie n. f. Sondage à chaud auprès des téléspectateurs.

médiastin n. m. ANAT Région médiane du thorax située entre les poumons, le sternum, le rachis, contenant le cœur, les gros vaisseaux, la trachée et les grosses bronches, l'œsophage.

médiastinite n. f. MED Inflammation du médiastin.

médiat, ate adj. Didac. Qui est pratiqué ou qui agit de façon indirecte, par un intermédiaire. ▷ HIST *Prince médiat,* qui, dans l'ancien Empire germanique, tenait son fief d'un autre que de l'empereur. ▷ MED *Auscultation médiate,* pratiquée avec un stéthoscope.

médiateur, trice n. et adj. **I.** n. **1.** Personne qui s'entremet pour opérer un accord entre plusieurs personnes, entre différents partis. ▷ Personnalité officiellement chargée de servir d'intermédiaire entre les administrés et l'État, en cas d'abus de l'Administration. *Le Médiateur* : cf. ombudsman. ▷ adj. *L'action d'une puissance médiatrice.* – *Marie médiatrice de toutes grâces* : la Vierge. **2.** n. m. BIOCHIM *Médiateur chimique* : polypeptide (1 à 20 acides aminés) qui transfère l'information fonctionnelle au sein des cellules d'un même tissu ou organe ou entre les cellules des systèmes nerveux et endocrinien, d'une part, et les tissus et organes, d'autre part. (Les médiateurs forment quatre grandes catégories : neuromédiateurs*, dans les nerfs; neuropeptides*, dans les centres nerveux; hormones*, dans les glandes; cytokines*, dans les cellules.) **II.** adj. GEOM *Plan médiateur :* plan perpendiculaire à un segment de droite en son milieu.

médiathécaire n. Personne qui gère une médiathèque.

médiathèque n. f. Collection de documents sur des supports divers (film, bande magnétique, disque, etc.).

médiation n. f. **1.** Action d'intervenir entre plusieurs personnes, plusieurs partis, pour faciliter un accord. ▷ DR INTERN Action de conciliation que tente un gouvernement entre deux pays qui sont en contestation, ou en guerre, afin de prévenir un conflit ou de mettre un terme aux hostilités. **2.** MUS Pause au milieu du verset d'un psaume qui le partage en deux parties.

médiatique adj. **1.** Relatif aux médias; transmis par les médias. **2.** Célèbre grâce aux médias. *Un coureur très médiatique.*

médiatiquement adv. Par l'intermédiaire des médias.

médiatisation n. f. Action de médiatiser.

médiatiser v. tr. [1] Faire connaître par les médias. *Médiatiser les actions terroristes.*

médiator n. m. MUS Lamelle d'ivoire, de corne, etc., avec laquelle on fait vibrer les cordes de certains instruments (banjo, mandoline). Syn. plectre.

médiatrice n. f. GEOM Droite perpendiculaire à un segment de droite en son milieu.

médiature n. f. Office, locaux du médiateur.

médical, ale, aux adj. Qui concerne la médecine.

médicalement adv. Du point de vue médical.

médicalisation n. f. **1.** Action de médicaliser. **2.** Implantation (dans une région) d'équipements médicaux; développement des soins médicaux.

médicaliser v. tr. [1] **1.** Donner à (un acte, un traitement) le caractère d'un acte médical. *Médicaliser l'avortement.* **2.** Doter d'équipements médicaux, de personnel médical. – Pp. adj. *Résidence médicalisée.* **3.** Soumettre à des soins médicaux. *Médicaliser certaines populations.*

médicament n. m. Substance ou composition possédant des propriétés curatives ou préventives à l'égard des maladies humaines ou animales.

médicamenteux, euse adj. Qui a la propriété d'un médicament.

médicastre n. m. Péjor., vieilli Médecin ignorant, charlatan.

médication n. f. Administration d'agents thérapeutiques pour répondre à une indication déterminée.

médicinal, ale, aux adj. Qui possède des propriétés thérapeutiques.

Medicine Hat, v. du Canada (Alberta), sur la Saskatchewan du S.; 43 600 hab. Gisement de gaz naturel.

Médicis, famille florentine qui domina la vie économique et politique de Florence dès le XVe s.; elle régna sur la ville du XVIe au XVIIIe s. – **Cosme l'Ancien,** dit *le Père de la Patrie* (Florence, 1389 – Careggi, 1464), fit de la compagnie Médicis une très puissante entreprise commerciale et bancaire. Il exerça la réalité du pouvoir à partir de 1434 et pratiqua le mécénat. – **Laurent Ier le Magnifique** (Florence, 1449 – Careggi, 1492), petit-fils du préc.; protecteur des arts et des lettres, lui-même humaniste, il fit de Florence la capitale intellectuelle de l'Europe. Excellent poète, il écrivit *Bois d'amour* (1513), *Chansons carnavalesques,* des *Ballades,* etc. Il laissa trois fils, dont Jean, qui fut le pape Léon X. – **Laurent II** (Florence, 1492 – id., 1519), petit-fils du préc.; père de Catherine* de Médicis. – **Alexandre** (?, v. 1510 – Florence, 1537), fils illégitime du préc.; premier duc de Florence (1532), il fut assassiné par son cousin Lorenzino (Lorenzaccio). – **Cosme Ier** (Florence, 1519 – Villa di Castello, 1574), descendant d'un frère puîné de Cosme l'Ancien; premier grand duc de Toscane (1569). – **François Ier** (Florence, 1541 – id., 1587), fils du préc.; grand-duc de Toscane (1574-1587), père de Marie* de Médicis. – **Ferdinand Ier** (Florence, 1549 – id., 1609), frère du préc.; grand-duc de Toscane (1587-1609). – **Ferdinand II** (Florence, 1610 – id., 1670), petit-fils du préc.; grand-duc de Toscane (1621-1670). – **Jean Gaston** (Florence, 1671 – id., 1737), petit-fils du préc., dernier grand-duc de Toscane (1723-1737); il ne put empêcher que la Toscane revînt au duc François III de Lorraine.

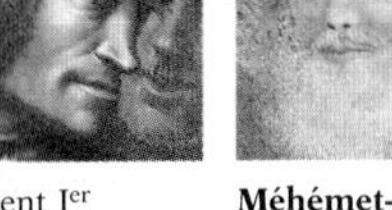

Laurent Ier de **Médicis**

Méhémet-Ali, vice-roi d'Égypte

Médicis (villa), palais de Rome édifié v. 1544 d'après les plans de Lippi et occupé depuis 1803 par l'Académie de France, qui y héberge ses pensionnaires recrutés par concours (avant 1968, lauréats des prix de Rome).

médico-. Élément, du lat. *medicus,* « médecin ».

médico-légal, ale, aux adj. Relatif à la médecine légale. *Institut médico-légal,* nom de la morgue de Paris.

médico-pédagogique adj. Didac. Qui concerne l'enseignement médical. *Des centres médico-pédagogiques.*

médico-social, ale, aux adj. Relatif à la médecine sociale. *Des centres médico-sociaux.*

médico-sportif, ive adj. Qui concerne la médecine adaptée aux athlètes. *Des centres médico-sportifs.*

Médie, anc. contrée de l'Asie, au N.-O. de l'Iran actuel ; cap. *Ecbatane.* (V. médiques [guerres].)

médiéval, ale, aux adj. Relatif au Moyen Âge.

médiéviste n. Didac. Spécialiste de l'histoire médiévale.

médina n. f. En Afrique du Nord, partie ancienne d'une ville, par oppos. aux quartiers nouveaux, de conception européenne.

Medina del Campo, v. d'Espagne (Castille et Léon); 18 890 hab. Centre agricole. Métallurgie. – Château fort de la Mota (XVe s.) où César Borgia et François Ier furent emprisonnés. – La ville fut un import. centre commercial (laine) au Moyen Âge ; Isabelle la Catholique y mourut (1504).

Médine *(al-Madīna)* (anc. *Yaṯrib*), v. d'Arabie Saoudite (Hedjaz), à 350 km au N.-O. de La Mecque ; ch.-l. de la prov. du m. nom ; 198 000 hab. – Chassé de La Mecque, Mahomet s'y réfugia en 622 et y mourut ; la ville prit alors son nom actuel (en ar. *Al-Madīnat an-Nabī,* la « ville du Prophète »). Deuxième ville sainte de l'islam, elle abrite le tombeau de Mahomet et de sa fille Fatima.

Médinet el-Fayoum *(Madīnat al-Fayyūm),* v. d'Égypte ; 170 000 hab. ; ch.-l. du gouvernorat du Fayoum.

médio-. Élément, du lat. *medius,* « moyen ».

médiocratie n. f. Litt. Pouvoir, domination des médiocres.

médiocre adj. et n. **1.** Qui n'est pas très bon ; qui est d'une valeur inférieure à la moyenne. *Un vin médiocre.* **2.** Qui n'a pas beaucoup de talent, de capacités. *C'est un étudiant médiocre.* ▷ Subst. Personne médiocre. **3.** n. m. Ce qui est médiocre. *Être au-dessous du médiocre.*

médiocrement adv. **1.** De façon médiocre. *Il travaille médiocrement.* **2.** Pas beaucoup, pas très. *Être médiocrement surpris.*

médiocrité n. f. **1.** État, caractère de ce qui est médiocre. *La médiocrité de sa fortune.* **2.** Personne médiocre. *Nous sommes entourés de médiocrités.*

médiopalatal, ale, aux adj. et n. f. PHON Se dit d'un phonème qui s'articule à la partie médiane du palais. *Une consonne médiopalatale* ou, n. f., *une médiopalatale.*

médique adj. ANTIQ Qui concerne les Mèdes et, *par ext.,* les Perses, peuples qui occupaient l'actuel Iran. ▷ *Guerres médiques* : guerres qui opposèrent les Grecs et les Perses, ces derniers prétendant établir leur domination sur les Grecs d'Asie et d'Europe.

ENCYCL Les guerres médiques se déroulèrent en trois phases, de 492 à 448 av. J.-C. Durant la prem., les armées perses de Darius échouèrent à Marathon (490). La deuxième guerre, menée par son fils Xerxès, vit la défaite des Spartiates aux Thermopyles (480), la prise et l'incendie d'Athènes, puis la victoire navale des Grecs à Salamine (480) et leur succès à Platées et au cap Mycale (479). Au cours de la troisième phase, Athènes prit l'offensive, chassa les Perses de la mer Égée et fut victorieuse à l'Eurymédon (468). À la faveur de ses victoires, Athènes avait constitué en 476 la *ligue de Délos,* instrument de sa suprématie future et de sa domination sur la mer Égée. La *paix de Callias* (448) mit un terme aux guerres médiques.

médire v. tr. indir. [**65**] Dire du mal (de qqn) sans aller contre la vérité. *Médire de son entourage.*

médisance n. f. **1.** Propos médisant. *Ne pas faire cas des médisances.* **2.** Action de médire. *Être victime de la médisance de ses voisins.*

médisant, ante adj. Qui médit. *Parole médisante. Des gens médisants.*

méditatif, ive adj. (et n.) **1.** Porté à la méditation. *Esprit méditatif.* ▷ Subst. *Les méditatifs sont souvent distraits.* **2.** Qui dénote la méditation. *Un air méditatif.*

méditation n. f. **1.** Action de méditer, d'examiner une question avec grande attention. *S'adonner à la méditation.* **2.** RELIG Oraison mentale. **3.** (Dans le titre de certains écrits philosophiques ou religieux.) *Les « Méditations métaphysiques » de Descartes.*

méditer v. [**1**] **1.** v. tr. Examiner, réfléchir profondément sur (un sujet). *Méditer une question.* ▷ Se proposer de réaliser (qqch) en y réfléchissant longuement. *Méditer un plan.* – *Méditer de* (+ inf.) : projeter de. *Il médite de se retirer.* **2.** v. tr. indir. *Méditer sur (qqch) :* faire longuement porter sa réflexion (sur qqch). *Méditer sur l'avenir de l'humanité.* ▷ (S. comp.) *Passer son temps à méditer.* – RELIG Se livrer à une méditation (sens 2).

Méditerranée (mer), la plus vaste des mers intérieures. Séparant l'Europe méridionale de l'Afrique du Nord, elle communique avec l'Atlantique par le détroit de Gibraltar, et avec la mer Noire par les détroits des Dardanelles et du Bosphore ; le canal de Suez la relie à la mer Rouge. Elle couvre 2 966 000 km², avec ses annexes : mers Tyrrhénienne, Adriatique, Ionienne, Égée, et s'étire sur 3 800 km. Le détroit de Sicile la divise en deux bassins princ. : Méditerranée occid. et Méditerranée orient. (plus ramifiée). Elle est formée de bassins d'effondrement profonds, séparés par des seuils élevés, et atteint sa profondeur maximale (5 121 m) au large du cap Matapan, au S. du Péloponnèse. Sa salinité est très élevée (37 ‰) en raison d'une intense évaporation, que compensent mal les grands fleuves qu'elle reçoit : Nil, Pô, Rhône, Èbre, etc. Les marées y sont de faible amplitude (50 cm à Marseille). Avec ses côtes découpées, propices à l'installation de ports, et ses nombr. îles, favorables aux escales, la Méditerranée est le foyer d'une intense navigation. Mer pauvre en éléments nutritifs, elle détermine un ralentissement général du développement des organismes marins ; en outre, elle est menacée par des pollutions diverses. Sur ses rives, les grandes civilisations de l'Antiquité s'épanouirent. Son rôle dans les relations comm. diminua au bénéfice du trafic atlantique à partir du XVIe s. jusqu'au percement du canal de Suez (1869).

méditerranéen, enne adj. et n. De la Méditerranée. *Climat méditerranéen.* ▷ Subst. Habitant du bassin méditerranéen, des régions qui bordent la Méditerranée. *Un(e) Méditerranéen(ne).*

1. médium [medjɔm] n. Personne qui, selon les spirites, peut communiquer avec les esprits et servir d'intermédiaire entre eux et les humains.

2. médium [medjɔm] n. m. **1.** MUS Portion moyenne de l'étendue d'une voix ou d'un instrument, également distante du grave et de l'aigu. **2.** Moyen technique qui sert de support à un média. **3.** PEINT Préparation liquide à base de résines et d'huiles, que l'on ajoute aux couleurs déjà broyées.

médiumnique [medjɔmnik] adj. Didac. Relatif aux médiums, à leurs pouvoirs surnaturels (V. médium 1).

médiumnité n. f. Didac. Don de médium.

médius [medjys] n. m. Doigt du milieu de la main. Syn. majeur.

Medjerda (la), fl. d'Afrique du Nord (365 km); née dans les *monts de la Medjerda* (Algérie), elle coule en Tunisie et se jette dans le golfe de Tunis par un delta insalubre (75 000 ha) en cours d'aménagement.

médoc n. m. Vin du Médoc.

Médoc, pays de France, sur la r. g. de la Gironde, renommé pour ses vins rouges (bordeaux).

médullaire adj. **1.** ANAT Qui a rapport à la moelle osseuse ou à la moelle épinière. *Canal médullaire.* ▷ BOT Qui se rapporte à la moelle d'une plante. **2.** ANAT Qui a rapport à la partie interne d'un organe (par oppos. à *cortical*). *Zone médullaire du rein.*

médullosurrénale n. f. ANAT Partie interne des glandes surrénales, sécrétant des hormones, dont l'adrénaline.

méduse n. f. Animal marin nageur, translucide et gélatineux, forme libre des cnidaires (par oppos. au *polype,* qui en est la forme fixée). ▷ (En appos.) *Forme, phase méduse.*

méduse *Aurelia aurita,* à g., et individu jeune

Méduse, dans la myth. gr., une des trois Gorgones, dont Athéna, par jalousie, avait transformé les cheveux en serpents et dont le regard pétrifiait les vivants. Persée lui coupa la tête et l'offrit à Athéna ; de son sang naquit le cheval Pégase.

Méduse (naufrage de la), naufrage du bâtiment français la *Méduse* (2 juil. 1816), au large des côtes d'Afrique occidentale. Cent quarante-neuf passagers se réfugièrent sur un radeau et pour la plupart périrent dans des conditions effroyables ; douze jours après, un navire anglais, l'*Argus,* recueillit les quinze survivants. Sujet d'un tableau de Géricault (*le Radeau de la Méduse,* 1819, Louvre).

méduser v. tr. [**1**] Frapper d'étonnement, de stupeur. – Pp. adj. *Devant ce spectacle il resta médusé.*

Meerut, v. de l'Inde (Uttar Pradesh), au N.-E. de Delhi ; 752 000 hab. Industr.

textiles (coton) et chimiques. – Foyer de la révolte des cipayes (1857).

Mée-sur-Seine (Le), chef-lieu de cant. de Seine-et-Marne (arr. de Melun); 20 971 hab.

meeting [mitiŋ] n. m. **1.** Réunion publique ayant pour but de discuter une question d'ordre politique, social. **2.** Réunion sportive; démonstration devant un public. *Des meetings.*

méfait [mefɛ] n. m. **1.** Action nuisible; délit. *C'est un truand qui a commis de nombreux méfaits.* **2.** Conséquence néfaste de l'action de qqch. *Les méfaits du tabac.*

méfiance n. f. Disposition à être méfiant; état de la personne qui se méfie. *Ses arguments ont éveillé ma méfiance. Vivre dans la méfiance.* – (Prov.) *Méfiance est mère de sûreté.*

méfiant, ante adj. et n. Qui se méfie, qui est soupçonneux. ▷ Subst. *C'est un méfiant.*

méfier (se) v. pron. [**2**] *Se méfier de :* ne pas se fier à, ne pas avoir confiance en; se garder de. *Je me méfie de ses inventions.* ▷ (S. comp.) Faire attention. *Méfiez-vous, il y a un virage.*

méforme n. f. SPORT Mauvaise forme physique.

méga-. Élément, du gr. *megas,* « grand ». ▷ PHYS Préfixe signifiant un million. Abrév. : M dans les symboles d'unités. (Ex. *MeV* pour méga-électronvolt, *MHz* pour mégahertz.)

mégabit [megabit] n. m. INFORM Unité de mesure des mémoires d'ordinateurs valant 2^{20} bits.

mégacalorie n. f. PHYS Unité (symbole *Mcal*) valant un million de calories.

mégaceros [megaseʀos] n. m. PALEONT Gros mammifère cervidé fossile (genre *Megaceros*) du quaternaire, dont les bois atteignaient 3,50 m d'envergure.

mégacôlon n. m. MED Dilatation du côlon, congénitale ou acquise.

mégacycle n. m. TELECOM *Mégacycle par seconde :* syn. abusif de *mégahertz.*

mégaélectronvolt n. m. PHYS NUCL Unité (symbole *MeV*) valant un million d'électronvolts, servant à mesurer l'énergie des rayonnements et correspondant à l'énergie acquise par 1 électron, accéléré sous une différence de potentiel de 1 million de volts (1 MeV : $1{,}6.10^{-13}$ J).

mégahertz [megaɛʀtz] n. m. TELECOM Unité de fréquence valant 1 million de hertz (symbole MHz).

mégal(o)-, -mégalie. Éléments, du gr. *megas, megalê,* « grand ».

mégalithe n. m. Monument formé de gros blocs de pierre brute (dolmen, menhir, etc.). *Les mégalithes de Carnac.*

mégalithique adj. Relatif aux mégalithes. *Civilisation mégalithique.*

mégaloblaste n. m. MED Érythroblaste anormal, de grande taille, présent dans la moelle osseuse de sujets atteints de certaines anémies.

mégalocytaire adj. BIOL *Série mégalocytaire :* série de cellules comprenant les promégaloblastes, les mégaloblastes et les mégalocytes.

mégalocyte n. m. BIOL Globule rouge de très grande taille provenant d'un mégaloblaste dont le noyau s'est résorbé.

mégalomane adj. et n. Atteint de mégalomanie.

mégalomaniaque adj. PSYCHOPATHOL Qui concerne la mégalomanie.

mégalomanie n. f. Désir immodéré de puissance, goût des réalisations grandioses. ▷ PSYCHOPATHOL Délire des grandeurs.

mégalopole ou **mégapole** n. f. Grande agglomération urbaine tendant à se former entre plusieurs villes proches, sans discontinuité.

Megalopolis, anc. v. d'Arcadie, fondée par Épaminondas en 370 av. J.-C. et dont il reste des vestiges.

Megalopolis, vaste zone urbaine et industrialisée des É.-U. Elle s'étire sur plus de 850 km entre les Appalaches et l'Atlantique, de Boston (Massachusetts), au N., jusqu'à Washington au S. Elle compte env. 40 millions d'hab.

méga-octet n. m. INFORM Unité de mesure valant un million d'octets (symbole : Mo). *Des méga-octets.*

mégaparsec n. m. ASTRO Unité de longueur valant un million de parsecs (3 261 500 années de lumière).

mégaphone n. m. Appareil servant à amplifier électriquement les sons, utilisé notam. comme porte-voix.

mégapode n. m. ZOOL Nom courant de tout mégapodiidé.

mégapodiidés n. m. pl. ZOOL Famille de l'ordre des galliformes d'Océanie, aux fortes pattes et aux ailes courtes, qui ne couvent pas leurs œufs mais les enfouissent dans le sable ou dans des végétaux en décomposition de manière que la chaleur du soleil ou celle de la fermentation des plantes les fasse éclore. – Sing. *Un mégapodiidé.*

mégapole. V. mégalopole.

mégaptère n. m. ZOOL Cétacé (*Megaptera novæangliæ*) long d'une quinzaine de mètres, lourd et massif, qui vit le long des côtes. Syn. jubarte, baleine à bosse.

mégarde n. f. Vx Manque d'attention. ▷ Mod. *Par mégarde :* par inadvertance.

Mégare, v. de Grèce (Attique), sur l'isthme de Corinthe; 17 720 hab. – Cité rivale de Corinthe et d'Athènes, elle joua un rôle important dans la guerre du Péloponnèse (431 à 404 av. J.-C.).

Mégare (école de), école philosophique grecque créée à Mégare par Euclide à la fin du Ve s. av. J.-C. et dont la doctrine *(éristique)* s'inspire de celles de Zénon d'Élée et de Socrate.

mégatonne n. f. Unité servant à mesurer la puissance d'un explosif nucléaire, correspondant à l'énergie produite par l'explosion d'une charge de 1 million de tonnes de trinitrotoluène (symbole Mt).

mégawatt n. m. ELECTR Unité de puissance électrique valant un million de watts (symbole MW).

mégawattheure n. m. ELECTR Unité d'énergie égale à un million de wattheures (symbole MWh).

mégère n. f. Femme méchante et emportée.

Megève, com. de la Haute-Savoie (arr. de Bonneville), sur l'Arly, près du massif du Mont-Blanc, à 1 113 m d'alt.; 4 876 hab. – Stat. de tourisme estival et stat. de sports d'hiver réputée.

Meggido ou **Megiddo,** local. de l'anc. pays de Canaan. Auj. *Tel Meggido* (Israël), dans la vallée de Jezraël. – Site archéologique.

Meghalaya, État du N.-E. de l'Inde, situé à l'intérieur de l'Assam; 22 356 km^2; 1 336 000 hab.; cap. *Shillong.* Forêts, culture itinérante.

mégir [**3**] ou **mégisser** [**1**] v. tr. TECH Tanner (une peau) en utilisant l'alun.

mégis [meʒi] n. m. et adj. m. **1.** n. m. Vx Solution à base de cendres et d'alun dans laquelle on trempait les peaux pour les mégir. **2.** adj. m. Mod. TECH *Cuir mégis,* qui a trempé dans le mégis.

mégisserie n. f. **1.** TECH Tannage à l'alun des peaux de chevreaux et d'agneaux utilisées en ganterie. ▷ Lieu où l'on effectue ce tannage. **2.** Commerce des peaux ainsi tannées.

mégissier n. m. Ouvrier qui tanne les peaux à l'alun; personne qui vend ces peaux. – (En appos.) *Ouvrier mégissier.*

mégot n. m. Bout de cigare, de cigarette, qui reste non consumé.

mégotage n. m. Pop. Fait de mégoter.

mégoter v. intr. [**1**] Pop. Lésiner, chercher de petits profits.

méhara n. f. Randonnée à dos de méhari.

méhari, plur. **méharis** ou **méhara** [meaʀi, meaʀa] n. m. Dromadaire de selle, rapide et endurant. (*Méharis* est le plur. francisé, le plur. ar. est *méhara.*)

méhariste n. **1.** n. Personne qui monte un méhari. **2.** n. m. Anc. Soldat appartenant aux compagnies montées, au Sahara. – (En appos.) *Compagnies méharistes.*

Méhémet-Ali (Cavalla, Macédoine, 1769 – Alexandrie, 1849), vice-roi d'Égypte. Général ottoman, il vint en Égypte combattre Bonaparte (1798) et se saisit du pouvoir dans ce pays (1803-1804). Reconnu pacha par Istanbul (1804), il élimina les Mamelouks (1811) et fit de l'Égypte un État moderne. Rusant avec la Turquie, qu'il aida contre la Grèce (1825-1828), il dut l'affronter (1831-1839), lui prenant notam. la Syrie, mais la G.-B. réduisit ses ambitions, qu'encourageait la France. En 1840, le traité de Londres le reconnut comme vice-roi héréditaire d'Égypte. Son fils Ibrahim, qui fut chef de l'armée sous son règne, lui succéda. ▸ illustr. page **1191**

Mehmet Ier (?, v. 1380 – Andrinople, 1421), sultan ottoman (1413-1421); fils de Bajazet Ier, il triompha de ses frères aînés. – **Mehmet II,** dit *le Conquérant* (Andrinople, 1432 – Tekfur Çayiri, 1481), sultan (1444-1446 et 1451-1481), il prit Constantinople (1453) et en fit sa capitale (Istanbul), s'empara de la Serbie, d'une partie de la Grèce, de l'Albanie. – **Mehmet III** (?, 1566 – Istanbul, 1603), sultan (1595-1603) au règne sanglant : il tua tous ses frères ainsi que

Mehmet II

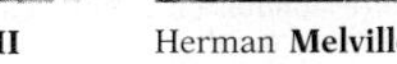

Herman **Melville**

son fils, et périt assassiné. – **Mehmet IV** (Istanbul, 1642 – Andrinople, 1692), sultan (1648-1687); déposé après la défaite de Mohács. – **Mehmet V** (Istanbul, 1844 – id., 1918), sultan (1909-1918); il laissa gouverner le parti des Jeunes-Turcs. – **Mehmet VI** (Istanbul, 1861 – San Remo, Italie, 1926), neveu du préc.; sultan en 1918, il abdiqua en 1922 après la proclamation de la république.

Méhul (Étienne) (Givet, 1763 – Paris, 1817), compositeur français. Il a combiné dans ses opéras le goût mélodique italien avec l'esthétique de Gluck : *Stratonice* (1792), *Joseph* (1807). Il est l'auteur du *Chant du départ* (1794, paroles de M.-J. de Chénier).

Meier (Richard Alan) (Newark, New Jersey, 1934), architecte américain. Hostile à tout maniérisme, il maîtrise le jeu des volumes avec un sens plastique sobre et raffiné. Ses œuvres, le High Museum d'Atlanta (Georgie), le Séminaire de Hartford (Connecticut, 1981) et le musée des Arts décoratifs de Francfort (1984) exercent une influence sur l'architecture contemporaine.

Meije (pic de la), sommet des Alpes françaises (Oisans), dans le Dauphiné, dominant au N. la vallée de la Romanche; 3 983 m.

Meiji (ère), période de l'histoire du Japon (« ère du gouvernement éclairé », dite aussi « ère des Lumières », 1867-1912), qui désigne l'époque au cours de laquelle l'empereur Mutsuhito, reprenant le pouvoir, jusqu'alors détenu par les shōgun, accomplit des réformes profondes, inspirées par les institutions et les mœurs européennes.

Meiji tennō (Mutsuhito, dit, après sa mort) (Kyōto, 1852 – Tōkyō, 1912), empereur du Japon (1867-1912). Il fonda sa cap. à Edo (devenue Tōkyō) et instaura en 1889 une monarchie constitutionnelle, où néanmoins il détenait tous les pouvoirs, assisté d'un ministère et d'un Conseil privé. Durant son règne « éclairé » eurent lieu la guerre sino-japonaise (1894-1895), la guerre russo-japonaise (1904-1905) et l'annexion de la Corée (1910).

Meilhac (Henri) (Paris, 1831 – id., 1897), auteur dramatique français. Il écrivit, en collab. avec Ludovic Halévy*, de nombr. comédies, des livrets d'opéras et d'opérettes. Acad. fr. (1888).

Meillet (Antoine) (Moulins, 1866 – Châteaumeillant, Cher, 1936), linguiste français, spécialiste des langues indo-européennes et de la grammaire comparée : *Traité de grammaire comparée des langues classiques* (1924).

meilleur, eure adj., adv. et n. **I.** Comparatif de supériorité de *bon*. **1.** adj. Qui a un plus haut degré de bonté. *Cet homme est meilleur qu'il n'en a l'air.* ▷ Qui est d'une qualité plus grande. *Sa santé est meilleure.* – *De meilleure heure* : plus tôt. **2.** adv. *Il fait meilleur qu'hier* : le temps est plus beau. **II.** *Le meilleur, la meilleure,* superlatif de bon. **1.** adj. Qui atteint le plus haut degré de bonté, de qualité dans son genre. *Le meilleur des hommes.* ▷ Subst. Personne qui surpasse les autres. *Que le meilleur gagne!* **2.** n. m. *Le meilleur* : ce qui vaut le mieux. *Donner le meilleur de soi-même.* ▷ SPORT *Avoir, prendre le meilleur sur* : l'emporter sur.

méiose n. f. BIOL Mode de division cellulaire conduisant à une réduction de moitié du nombre de chromosomes de chaque cellule fille.

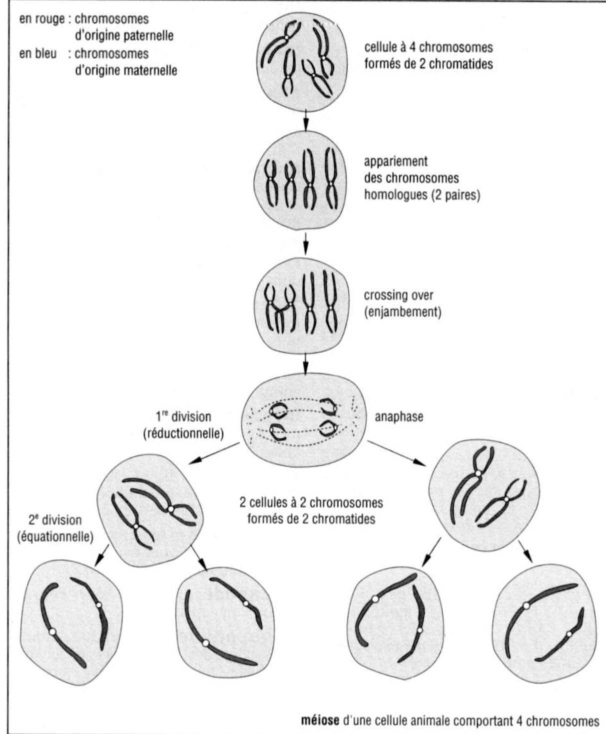

méiose d'une cellule animale comportant 4 chromosomes

ENCYCL La méiose n'affecte que les cellules dont le noyau est diploïde. Elle ne se produit que chez les espèces vivantes soumises à la fécondation, qu'elle précède. Elle comporte deux divisions successives : la première donne deux cellules filles dont le nombre de chromosomes est égal à la moitié de celui de la cellule mère; la seconde est une mitose subie par chacune des deux cellules filles, ce qui donne quatre cellules génétiquement identiques 2 à 2. Lors de la première division, une séparation des gènes allèles s'effectue. La méiose conduit à la formation des gamètes, contenus dans les organes génitaux. La fécondation, en réunissant des gamètes qui ont seulement n chromosomes, donnera à nouveau une cellule comportant 2n chromosomes.

Meir (Golda Mabovitz, Mme Meyerson, dite Golda) (Kiev, 1898 – Jérusalem, 1978), femme politique israélienne. Militante du parti sioniste socialiste (Mapaï), Premier ministre (1969-1974), elle dut faire face à la guerre du Kippour (oct. 1973) et accepta le principe de négociations à Genève. Le mécontentement provoqué par sa politique la conduisit à démissionner (avril 1974).

Meissen, v. d'Allemagne, sur l'Elbe; 39 280 hab. Céramique. – Évêché. Cathédrale gothique. Château d'Albrechtsburg (XVe s.); manufacture de porcelaine depuis le XVIIIe s.

Meissonier (Ernest) (Lyon, 1815 – Paris, 1891), peintre français de genre et de batailles : *Napoléon III à Solférino* (1859).

Meitner (Lise) (Vienne, 1878 – Cambridge, 1968), physicienne autrichienne. Exilée (1938) à Copenhague, elle y découvrit, avec son neveu Frisch, la fission de l'uranium en 1939.

Méjean ou **Méjan** (causse), plateau calcaire (plus de 1 000 m) et aride du Massif central (Lozère), dans les Grands Causses, entre le Tarn et la Jonte.

méjuger v. [**13**] **1.** v. tr. indir. Litt. *Méjuger de qqn, de ses qualités,* le(s) méconnaître. **2.** v. tr. Juger mal. ▷ v. pron. (réfl.) Se juger mal soi-même, se sous-estimer.

Mékhithar ou **Méchithar** (Manouk Petrossian, en relig.) (Sivas, Anatolie, 1676 – Venise, 1749), moine et théologien arménien rallié au catholicisme; fondateur de la congrégation des *Mékhitharistes* (1702), religieux de rite arménien obéissant aux préceptes de saint Antoine d'Égypte et à la règle de saint Benoît.

Meknès, v. du Maroc, entre le Rif et le Moyen Atlas; 320 000 hab.; ch.-l. de la prov. du m. nom. Import. centre comm., dans une riche rég. agricole. – Enceinte percée de la célèbre porte Bab al-Mansur. – Cap. du Maroc sous Moulay Isma'il (1672-1727).

Mékong (le), fl. d'Indochine (4 180 km); naît dans le Tibet, traverse le Yunnan, sert de frontière entre la Birmanie et le Laos puis entre le Laos et la Thaïlande, draine le Cambodge et se jette dans la mer de Chine méridionale par un immense delta, dans le S. du Viêt-nam. Il arrose Luang Prabang, Vientiane, Phnom Penh. Le lac du Tonlé Sap (Cambodge) lui sert de bassin régulateur.

mél n. m. Abrév. de *messagerie électronique,* syn. de *e-mail.*

méla-, mélan-, mélano-. Élément, du gr. *melas, melanos,* « noir ».

mélamine n. f. Résine synthétique servant à faire des revêtements.

mélampyre n. m. BOT Plante herbacée (fam. scrofulariacées) hémiparasite, développant des suçoirs sur les racines de divers végétaux.

Melanchthon (Philipp Schwarzerd, dit) (Bretten, 1497 - Wittenberg, 1560), réformateur religieux allemand; disciple de Luther. Il s'efforça d'établir un accord entre les diverses fractions de la Réforme, et même entre celle-ci et le catholicisme. Auteur de nombr. ouvrages, il rédigea avec Camerarius la *Confession d'Augsbourg* (1530).

mélancolie n. f. **I.** MED PSYCHIAT État dépressif aigu, caractérisé par un sentiment de douleur morale intense, une inhibition psychomotrice, des idées délirantes et une tendance au suicide. **II.** Cour. **1.** Tristesse vague, sans cause définie, souvent accompagnée de rêverie. - Loc. *Cela n'engendre pas la mélancolie :* c'est très gai. **2.** Caractère de ce qui rend mélancolique. *La mélancolie d'un adieu, d'un paysage.*

mélancolique adj. et n. **1.** Propre à, relatif à la mélancolie (sens I). ▷ Subst. *Un mélancolique.* **2.** Où domine la mélancolie. **3.** Qui exprime, qui inspire la mélancolie.

mélancoliquement adv. D'une manière mélancolique.

Mélanésie («îles des Noirs»), une des parties de l'Océanie, comprenant la Papouasie-Nouvelle-Guinée, l'archipel Bismarck, les îles Salomon, la Nouvelle-Calédonie, Vanuatu et les îles Fidji. ► carte **Océanie**

mélanésien, enne adj. et n. **1.** adj. De Mélanésie. ▷ Subst. *Un(e) Mélanésien(ne).* **2.** n. m. LING Ensemble des langues de la famille austronésienne parlées en Nouvelle-Guinée.

Mélanésiens, peuple de Mélanésie. Les Mélanésiens subsistent traditionnellement de la pêche, de la culture itinérante sur brûlis et de l'élevage du porc. Parmi les Mélanésiens, les Papous de Nouvelle-Guinée se distinguent notam. par leur langue et leur art.

mélange n. m. **1.** Action de mêler; fait de se mêler. *On obtient l'orangé par le mélange du jaune et du rouge. Le mélange des peuples.* **2.** Produit résultant de l'union de substances incorporées les unes aux autres. - Fig. *Un mélange de douceur et de gravité. Sans mélange :* pur, que rien ne trouble. *Un bonheur sans mélange.* ▷ CHIM, PHYS Substance résultant de l'union, sans combinaison, de plusieurs corps, par dissémination de leurs molécules au sein les uns des autres. *On peut séparer les constituants d'un mélange par les méthodes de fractionnement de l'analyse immédiate. Mélange homogène* (qui comporte une phase), *hétérogène* (qui comporte plusieurs phases). **3.** (Plur.) Recueil composé d'écrits sur différents sujets. - *Spécial.* Recueil d'articles dédié à un professeur éminent par ses anciens élèves et ses collègues.

mélanger v. tr. [**13**] **1.** Réunir de manière à former un mélange. *Mélanger l'huile et le vinaigre.* Syn. mêler. **2.** Fam. Mettre en désordre. *Elle a mélangé mes papiers.* - Confondre. *Vous mélangez les noms.*

mélangeur, euse n. Appareil servant à opérer un mélange. - *Mélangeur* ou, en appos., *robinet mélangeur,* qui mélange l'eau froide et l'eau chaude. ▷ METALL Réservoir cylindrique tournant, destiné à stocker la fonte provenant du haut fourneau en la maintenant à l'état liquide et en l'homogénéisant avant son traitement dans les convertisseurs.

mélanine n. f. BIOCHIM Pigment foncé de la peau, de la choroïde et des cheveux, particulièrement abondant chez les Noirs. *Certaines tumeurs bénignes* (nævi) *ou malignes* (cancers mélaniques) *sont très riches en mélanine.*

mélanique adj. BIOCHIM, MED Caractérisé par la présence de mélanine.

mélano-. V. méla-.

mélanocyte n. m. BIOL Cellule qui effectue la synthèse de la mélanine.

mélanoderme adj. et n. ANTHROP Se dit d'une personne dont la peau est noire.

mélanodermie n. f. MED Augmentation pathologique de la coloration des téguments, due à une surcharge en mélanine, observée en partic. dans la maladie d'Addison.

mélano-indien, enne adj. et n. *Populations mélano-indiennes :* groupes humains du S. de l'Inde (Dravidiens) et du Sri Lanka, à la peau très foncée. ▷ Subst. *Des Mélano-Indiens.*

mélanome n. m. MED Tumeur mélanique. *Mélanome bénin, malin.*

mélanose n. f. **1.** MED Accumulation anormale dans le derme de mélanine ou d'un autre pigment de couleur noire. **2.** BOT Maladie de la vigne et des agrumes due à divers champignons.

mélasse n. f. **1.** Sous-produit de la fabrication du sucre, matière visqueuse d'un brun plus ou moins foncé utilisée en distillerie, en pharmacie et dans la préparation des aliments destinés au bétail. **2.** Fig., fam. Brouillard très épais. ▷ Fam. Misère, situation pénible. *Être dans la mélasse.* ▷ Fam. Confusion, situation embrouillée.

mélatonine n. f. BIOCHIM Hormone produite dans l'épiphyse à partir de la sérotonine. *La mélatonine participe à la régulation des rythmes circadiens.*

Melba adj. inv. *Pêche, poire, fraises Melba,* servies nappées de gelée de fruits rouges, sur de la glace à la vanille, avec de la crème Chantilly.

Melba (Nelly) (Melbourne, 1861 - Sydney, 1931), cantatrice australienne. L'agilité de sa voix de soprano et la pureté de son style lui permirent de briller, en Europe et aux États-Unis, dans tous les grands rôles du répertoire italien.

Melbourne, deuxième v. d'Australie, cap. de l'État de Victoria, au fond de la baie de Port Phillip; 2 916 600 hab. Premier centre comm. du pays; centre minier (bassin du Murray) et industriel (métall., pétrochim., text., etc.). Port import. Exportation de blé, de viande, de laine. - Fondée en 1835 par des Anglais de Tasmanie, la ville connut un essor rapide (élevage, ruée vers l'or); elle fut capitale de 1901 à 1927. Archevêché catholique. Université. Jeux Olympiques (1956).

Melbourne (William Lamb, vicomte) (Londres, 1779 - Melbourne House, Derbyshire, 1848), homme politique anglais; Premier ministre en 1834 et de 1835 à 1841. Il fit l'éducation politique de la reine Victoria.

melchior [mɛlkjɔʀ] n. m. Maillechort.

Melchior, l'un des trois Rois mages qui, selon la tradition, vinrent adorer Jésus à sa naissance à Bethléem.

Melchisédech, personnage biblique, roi de Salem (Jérusalem), en Canaan, au temps d'Abraham (Genèse, XIV, 18).

melchite. V. melkite.

Méléagre, dans la myth. gr., l'un des Argonautes. Il tua le sanglier de Calydon et l'offrit à Atalante.

mêlé-cassis [mɛlekasis] ou **mêlé-cass(e)** ou **mêlécasse** [mɛlekas] n. m. Pop., vieilli Mélange de cassis et d'eau-de-vie. ▷ *Voix de mêlé-cass,* éraillée, cassée par l'abus de boisson.

mêlée n. f. **1.** Combat confus où deux troupes s'attaquent corps à corps et se mêlent. - Fig. *Au-dessus de la mêlée :* en dehors des conflits. **2.** Cohue, bousculade tumultueuse. **3.** SPORT Au rugby, phase du jeu où deux groupes de joueurs cherchent à s'assurer la possession du ballon en luttant corps à corps. *Mêlée ouverte,* formée spontanément au cours du jeu. *Mêlée fermée,* pénalisant une faute et au cours de laquelle les avants des deux équipes s'arc-boutent épaule contre épaule et tentent de s'assurer le gain du ballon lancé entre eux par le *demi de mêlée* de l'équipe non fautive ou attaquante.

mêler v. [**1**] **I.** v. tr. **1.** Mettre ensemble (plusieurs choses, plusieurs substances) de manière à les confondre, à les unir. *Mêler de l'eau à de la farine.* ▷ (Abstrait) *Mêler le tragique au comique.* - Pp. adj. Péjor. *Une société très mêlée,* où des individus peu estimables côtoient des personnes honorables. **2.** Mettre en désordre, emmêler, embrouiller. *Mêler du fil.* **3.** Associer (qqn) à, impliquer (qqn) dans quelque affaire. *Ne me mêlez pas à vos querelles.* **II.** v. pron. **1.** Se confondre, s'unir. *L'odeur de la lavande se mêlait à celle du romarin.* **2.** *Se mêler de :* s'occuper de. - Pop. *Mêlez-vous de vos affaires!* ▷ *Le diable s'en mêle :* des influences mystérieuses interviennent. **3.** *Se mêler de :* avoir l'idée de, prendre l'initiative de.

mélèze n. m. Conifère de haute montagne, à feuilles caduques. *Le mélèze, dont la résine constitue la térébenthine de Venise, fournit un bois de charpente estimé.*

Melghir ou **Malghir** (chott) *(Malghīr),* grande dépression, lac salé d'Algérie, au sud du massif de l'Aurès, à la limite du Sahara.

Méliès (Georges) (Paris, 1861 - id., 1938), cinéaste français; le prem. en date des metteurs en scène de cinéma. Il construisit les premiers studios de tournage, inventa les fondus, la surimpression, et, au moyen de trucages géniaux, créa un monde fantastique. Il réalisa env. 500 films (*l'Affaire Dreyfus,* 1899; *Voyage dans la Lune,* 1902; *les Hallucinations du baron de Münchhausen,* 1911); en 1912, il cessa de tourner et sombra pour longtemps dans l'oubli. ► illustr. page **1196**

Melilla, v. et enclave espagnole (dépendant admin. de Maluga) au Maroc, port franc sur la Méditerranée; 62 560 hab. Exportation de fer et de plomb. - La ville fut conquise par les Espagnols en 1497.

mélilot [melilo] n. m. Plante dicotylédone (fam. papilionacées) employée comme fourrage *(mélilot blanc)* ou en pharmacopée *(mélilot officinal).*

méli-mélo n. m. Fam. Mélange confus de choses en désordre. *Des mélis-mélos.*

Méline (Jules) (Remiremont, 1838 - Paris, 1925), homme politique français. Député (1872-1903), puis sénateur, il fut ministre de l'Agriculture (1883-1885 et 1915-1916) et président du Conseil

Georges **Méliès** :
À la conquête du pôle, 1912

(1896-1898). Il défendit le protectionnisme.

mélinite n. f. Explosif de grande puissance, constitué d'acide picrique fondu.

mélioratif, ive adj. et n. m. Didac. Se dit d'un terme, d'une expression qui présente la personne, la chose dont on parle, d'une façon avantageuse. Ant. péjoratif. ▷ n. m. *Des mélioratifs.*

mélisse n. f. Plante mellifère et aromatique (fam. labiées) renfermant une essence qui est un tonique nerveux. ▷ *Eau de mélisse* ou *eau des Carmes* : alcoolat préparé avec des feuilles de mélisse fraîches.

mélitte n. f. Plante aromatique et diurétique (fam. labiées), appelée aussi *mélisse sauvage* ou *mélisse des bois.*

Melk, v. d'Autriche (Basse-Autriche), sur le Danube ; 6 000 hab. – Abbaye bénédictine fondée en 1089, rebâtie au XVIIIe s. par J. Prandtauer.

l'abbaye de **Melk**

Melka Kontouré, site préhistorique éthiopien (vallée de l'Aouach), riche en vestiges d'industries lithiques.

Melkart. V. Melqart.

melkite ou **melchite** [mɛlkit] n. RELIG Chrétien d'Orient, de rite byzantin, appartenant soit à une église orthodoxe, soit à l'Église cathol. romaine.

mellah [mɛl(l)a] n. m. Ghetto, au Maroc.

Melle, ch.-l. de cant. des Deux-Sèvres (arr. de Niort) ; 4 349 hab. Industr. chim. – Églises romanes St-Pierre, St-Hilaire et St-Savinien.

mellifère adj. Didac. Qui produit du miel. ▷ *Plantes mellifères,* qui produisent un nectar que les abeilles récoltent pour le transformer en miel.

mellifique adj. Didac. Qui élabore, qui produit du miel. *Abeilles mellifiques.*

Melloni (Macedonio) (Parme, 1798 – Portici, 1854), physicien italien. Il inventa la pile thermoélectrique, qu'il utilisa pour étudier, avec Nobili, la chaleur rayonnante.

mélo-. Élément, du gr. *melos,* « chant ».

mélo n. m. et adj. Abrév. fam. de *mélodrame* et de *mélodramatique.*

mélodica n. m. Petit instrument de musique à bouche, muni d'un clavier.

mélodie n. f. **1.** Succession de sons qui forment une phrase musicale. **2.** Composition instrumentale ou vocale dont les phrases sont ordonnées « selon les lois du rythme et de la modulation » (J.-J. Rousseau) pour produire des sons agréables à entendre. **3.** Fig. Qualité de ce qui charme l'oreille. *La mélodie d'un vers.*

mélodieusement adv. D'une manière mélodieuse.

mélodieux, euse adj. Qui forme une mélodie ; qui produit des sons agréables à l'oreille. *Une voix mélodieuse.*

mélodique adj. MUS Qui appartient à la mélodie (par oppos. à *rythmique,* à *harmonique*).

mélodiste n. Compositeur qui, dans son œuvre, fait une large part à la mélodie.

mélodramatique adj. **1.** Qui a rapport au mélodrame. *Le genre mélodramatique.* (Abrév. fam. : mélo.) **2.** Qui évoque l'outrance du mélodrame. *Des lamentations mélodramatiques.*

mélodrame n. m. **1.** Anc. Drame mêlé de musique. **2.** Mod. Drame populaire qui cherche à produire un effet pathétique en mettant en scène des personnages au caractère outré dans des situations compliquées et peu vraisemblables. (Abrév. fam. : mélo).

mélomane n. Personne qui aime passionnément la musique.

melon n. m. **1.** Plante potagère (fam. cucurbitacées) au fruit comestible. **2.** Fruit de cette plante, relativement volumineux, de forme ovoïde ou sphérique, qui porte selon ses méridiens des divisions (« côtes de melon ») nettement dessinées et dont la pulpe jaunâtre ou orangée, juteuse et parfumée à maturité, entoure une cavité centrale renfermant de très nombreux pépins. ▷ *Melon d'eau* : pastèque. **3.** *Chapeau melon* ou, ellipt., *melon* : chapeau de feutre rigide et bombé. *Des chapeaux melon.* **4.** Péjor., inj. et raciste Arabe.
▶ illustr. **cucurbitacées**

melonnière n. f. Terrain où l'on cultive des melons.

mélopée n. f. Chant, air monotone.

Melozzo da Forli (Forli, 1438 – id., 1494), peintre italien ; l'un des élèves de Piero della Francesca. Maître de la perspective et du raccourci, il répandit à Rome le grand style ornemental.

Melpomène, dans la myth. gr., muse de la Tragédie.

Melqart ou **Melkart,** divinité phénicienne, vénérée à Tyr sous la forme d'un guerrier victorieux ; les Grecs l'assimilèrent à Héraclès.

Melrhir. V. Melghir.

melrose n. f. Variété de grosse pomme à chair juteuse et sucrée.

Melsens (Louis Henri Frédéric) (Louvain, 1814 – Bruxelles, 1886), physicien belge. Il inventa le paratonnerre à pointes et à conducteurs multiples.

melting-pot ou **melting pot** [mɛltiŋpɔt] n. m. (Anglicisme) Creuset, lieu où des peuples d'origines très diverses se mêlent et se confondent. *Le melting-pot américain. Des melting-pots.*

Melun, ch.-l. du dép. de Seine-et-Marne, sur la Seine, au contact de la Brie et du Hurepoix ; 36 489 hab. (*Melunais*) ; env. 107 700 hab. dans l'aggl. Centre agricole, industriel (prod. pharm., électroménager) et commercial. – Égl. N.-D. (XIe, XIIe et XVIe s.) ; égl. St-Aspais (XVe-XVIe s., restaurée après l'incendie de 1944).

Melun-Sénart, v. nouvelle du S.-E. de la Rég. parisienne dont la construction a été décidée en 1966 et qui réunit dix communes entre Melun et la forêt de Sénart (Seine-et-Marne et Essonne).

Mélusine (altér. de *Merlusine,* « Mère Lusigne »), personnage des légendes médiévales ; fille d'une fée, épouse du comte Raymondin, présentée comme protectrice de la maison de Lusignan. Chaque samedi, ses jambes se transformaient en queue de serpent.

Melville (baie de), baie de la mer de Baffin, sur la côte O. du Groenland.

Melville (île de), île australienne (côte N.), près de la terre d'Arnhem.

Melville (île), île de l'archipel arctique de Parry (Canada).

Melville (presqu'île de), péninsule de la côte N. du Canada.

Melville (Herman) (New York, 1819 – id., 1891), romancier américain. Son œuvre, l'une des plus importantes de la littérature anglo-saxonne du XIXe s., brasse de nombreux thèmes modernes : l'amour fou et le rêve surréaliste (*Mardi,* 1849), la grandeur de l'homme dans l'échec (*Moby Dick,* nom d'un cachalot monstrueux, la « baleine blanche », dont la quête, symbolique et tragique, est celle de l'absolu, 1851), la recherche de la liberté (*Israel Potter,* 1855), l'ambiguïté de la morale (*le Grand Escroc,* 1857), l'homme victime de la loi (*Billy Budd,* 1891, publié en 1924). ▶ illustr. page **1193**

membranaire adj. Didac. Relatif aux membranes.

membrane n. f. **1.** ANAT Tissu mince et souple qui enveloppe, tapisse, sépare, etc., des organes. *Membrane muqueuse, séreuse.* ▷ MED *Rupture des membranes* : au cours de l'accouchement, rupture de la poche* des eaux. **2.** BIOL Structure complexe (composée essentiellement de glycoprotéine) enveloppant les cellules *(membrane cytoplasmique)* et, à l'intérieur de celles-ci, le noyau *(membrane nucléaire)* et les organelles. (V. récepteur.) **3.** Feuille, cloison mince, dans un appareil, un dispositif. ▷ TECH Feuille mince du système vibrant d'un haut-parleur, d'un écouteur.

membraneux, euse adj. **1.** BIOL Qui a les caractères d'une membrane. **2.** Formé de membranes. *Ailes membraneuses.*

membranule n. f. ANAT Petite membrane.

membre n. m. **I. 1.** Chacun des appendices articulés disposés sur le tronc par paires latérales, et qui permettent les grands mouvements (locomotion, préhension) chez l'homme et les animaux. *Membres supérieurs et inférieurs* (chez l'homme); *membres antérieurs et postérieurs* (chez les animaux). **2.** Par anal. *Membre viril* ou, absol., *membre* : verge. **II.** Fig. Chacun des éléments (personne, groupe, pays, etc.) composant un ensemble organisé (famille, société, etc.). *Les membres de l'Église.* – (En appos.) *Les États membres de la C.É.E.* **III. 1.** ARCHI Chacune des parties qui composent un édifice. **2.** GRAM Chacune des parties d'une période ou d'une phrase. **3.** MATH Chacune des parties d'une équation ou d'une inéquation séparées par le signe d'égalité ou d'inégalité.

membré, ée adj. *Bien (mal) membré,* dont les membres (ou, absol., le membre*) sont bien (mal) développés, proportionnés.

membru, ue adj. Dont les membres sont forts et vigoureux. *Personne membrue.*

membrure n. f. **1.** Ensemble des membres d'une personne. *Forte membrure.* **2.** MAR Chacun des éléments de la charpente d'un navire perpendiculaires à la quille et auxquels est fixé le bordé.

même adj., pron. et adv. **I.** adj. indéf. Qui n'est pas autre. **1.** Placé devant le nom, exprime l'identité ou la ressemblance. *Elle porte la même robe que sa sœur.* **2.** Placé immédiatement après un nom ou un pronom, *même* a une valeur emphatique et souligne plus expressément la personne ou la chose dont on parle. *C'est le roi même qui le dit,* le roi en personne. *C'est cela même* : c'est exactement cela. – Après un pronom personnel, joint à celui-ci par un trait d'union. *Ils s'abusent eux-mêmes.* **3.** Après un nom exprimant une qualité, indique que cette qualité est au plus haut degré. *Il est la probité même.* **II.** pron. indéf. Toujours précédé de l'article défini. **1.** Marque l'identité de la personne, la permanence de sa façon d'être. *Il ne change pas, il est toujours le même.* **2.** Marque la ressemblance. *Vous avez un beau livre, j'ai le même.* **3.** *Le même* (neutre) : la même chose. *Cela revient au même.* – Pop. *C'est du pareil au même.* **III.** adv. Précédant ou suivant le mot ou la proposition qu'il modifie, indique une gradation entre des termes semblables d'une proposition, ou entre deux propositions, et signifie «aussi, de plus, y compris, jusqu'à». *Tous, même les ignorants, le savent. L'ennemi massacra tout le monde, les femmes, les vieillards, les enfants même.* **IV.** Loc. adv. *À même* : directement en contact avec. *Coucher à même le sol.* – *Être à même de (faire qqch)* : être capable de (faire qqch). – *De même* : de la même manière. *Vous devriez agir de même.* – *Tout de même* : néanmoins, cependant. *On lui a interdit de sortir, il l'a fait tout de même.* – Pour marquer une objection, une désapprobation. *Ne dites pas ça, tout de même!* – *Quand même, quand bien même* : même si. *Quand bien même il me l'aurait dit, je ne m'en souviens plus.* – Exclam. *Quand même!* : malgré tout. *Je sortirai quand même!* ▷ Loc. conj. *De même que* (introduisant une comparaison) : comme, de la même manière que.

mémé n. f. Fam. (Langage enfantin.) Grand-mère. Syn. mamie, mémère. – Péjor. Femme d'un certain âge dépourvue de séduction et de fantaisie.

Memel. V. Klaïpeda.

mêmement adv. Vx De même, pareillement.

mémento [memɛ̃to] n. m. **1.** LITURG Prière du canon de la messe. *Mémento des vivants. Mémento des morts.* **2.** Image d'un défunt, rappelant son souvenir. **3.** Carnet où l'on note ce dont on doit se souvenir, agenda. **4.** Livre où sont résumées les notions essentielles sur une science, une technique. *Mémento du mécanicien. Des mémentos.* Syn. aide-mémoire.

mémère n. f. Pop. **1.** (Langage enfantin.) Grand-mère. **2.** Péjor. Femme d'un certain âge, corpulente.

Memling ou **Memlinc** (Hans) (Seligenstadt, Hesse, v. 1433 – Bruges, 1494), peintre flamand. Il a travaillé toute sa vie à Bruges. Il étudia la tech. et les thèmes de Van Eyck et de Van der Weyden, mais se distingue d'eux par l'idéalisation des personnages : *le Mariage mystique de sainte Catherine* (1479), *la Châsse de sainte Ursule* (1489).

Memnon, dans la myth. gr., fils de l'Aurore et de Tithonos; roi des Éthiopiens. Lors du siège de Troie, il vint au secours de Priam et périt sous les coups d'Achille. Les Romains crurent reconnaître son image dans une des deux statues colossales d'Aménophis III *(colosses de Memnon)* placées à l'entrée du temple funéraire du pharaon, près de Thèbes, qui, fissurée, «chantait» sous l'effet du vent ou de la chaleur naissante, au lever du soleil.

colosses de **Memnon,** temple funéraire d'Aménophis III

1. mémoire n. f. **1.** Fonction par laquelle s'opèrent dans l'esprit la conservation et le retour d'une connaissance antérieurement acquise. *Le siège de la mémoire.* ▷ *De mémoire* : par cœur. *Citer de mémoire.* – Faculté de se souvenir. *Avoir de la mémoire.* **2.** Litt. Fait de se souvenir. *Je n'ai pas mémoire de le lui avoir dit.* ▷ *De mémoire d'homme* : aussi loin que remonte le souvenir. ▷ *Pour mémoire* : à titre de rappel, ou à titre indicatif. **3.** Souvenir laissé par qqn ou qqch. *Saint Louis, d'illustre mémoire. Ce jour, de sinistre mémoire.* ▷ *À la mémoire de, en mémoire de* : pour perpétuer le souvenir de. **4.** Siège de la fonction de la mémoire, réceptacle des souvenirs. *L'incident est gravé dans sa mémoire.* ▷ INFORM Dispositif servant à recueillir et à conserver des informations en vue d'un traitement ultérieur. *Mettre des données en mémoire.* – *Mémoire morte,* dont on ne peut modifier le contenu. *Mémoire vive,* dont on peut modifier le contenu. **5.** Réputation de qqn après sa mort. *Ternir, réhabiliter la mémoire de qqn.*

2. mémoire n. m. **1.** Écrit sommaire destiné à exposer l'essentiel d'une affaire, d'une requête. *Dresser un mémoire.* – DR Exposé des faits relatifs à un procès et servant à l'instruire. **2.** Dissertation sur un sujet de science, d'érudition. *Soutenir un mémoire devant un jury.* ▷ Dissertation lue devant une société savante ou littéraire. – (Plur.) Recueil de ces dissertations. **3.** État définitif, détaillé et chiffré précisant les sommes dues pour les travaux effectués, les fournitures remises, etc. **4.** (Plur.) Relations écrites d'événements auxquels participa l'auteur, ou dont il fut témoin. *«Mémoires d'espoir» du général de Gaulle.* Syn. chronique. – Recueil de souvenirs personnels. *Écrire ses mémoires.* Syn. autobiographie.

mémorable adj. Qui est digne d'être conservé dans la mémoire.

mémorandum [memɔʀɑ̃dɔm] n. m. **1.** Note destinée à rappeler qqch; carnet où sont inscrites ces notes. Syn. agenda, mémento. (Abrév. fam. : mémo). **2.** Note écrite par un diplomate au gouvernement du pays auprès duquel il est accrédité et contenant l'exposé sommaire de l'état d'une question. **3.** Ordre d'achat remis par un commerçant à ses fournisseurs. *Des mémorandums.*

mémorial, aux n. m. **1.** Écrit relatant des faits mémorables ou dont on veut garder le souvenir. *Mémorial de Sainte-Hélène.* **2.** Monument commémoratif.

mémorialiste n. Auteur de mémoires historiques ou littéraires.

mémoriel, elle adj. Didac. De la mémoire.

mémorisable adj. Qui peut être mémorisé. *Un code facilement mémorisable.*

mémorisation n. f. Action de mémoriser; son résultat.

mémoriser v. tr. [1] **1.** Enregistrer (une connaissance) dans sa mémoire. – Pp. adj. *Des consignes bien mémorisées.* **2.** INFORM Mettre (des informations) en mémoire. – Pp. adj. *Des données mémorisées.*

Memphis, anc. cap. de l'Égypte pharaonique, sous l'Ancien Empire. Ses ruines se trouvent à 35 km au S. du Caire.

Memphis, v. des É.-U. (Tennessee), port de comm. sur le Mississippi; 610 300 hab. Ce «Chicago du Sud» est un grand centre industriel (text., constr. auto., chim.) et commercial (coton, bois).

menaçant, ante adj. **1.** Qui laisse craindre qqch de mauvais. **2.** Qui exprime une menace.

menace n. f. **1.** Action de menacer. *Vous n'obtiendrez rien par la menace.* **2.** Parole ou geste signifiant une intention hostile et visant à intimider. *Proférer des menaces de mort. Menace en l'air,* qui n'est suivie d'aucun effet. **3.** Fig. Indice laissant prévoir quelque événement fâcheux, grave ou dangereux. *Menaces de tempête.*

menacer v. tr. [12] **1.** Chercher à intimider, à faire peur à (qqn). *Il l'a menacé du bâton.* **2.** Représenter un danger, un risque imminent. *Un grand péril nous menace.* – (Passif) *Être menacé d'apoplexie.* **3.** Laisser prévoir (qqch de fâcheux). *Ce toit menace de s'écrouler.* ▷ *Menacer ruine* : être près de tomber en ruine. – Absol. *Le temps menace.*

ménade n. f. ANTIQ GR **1.** *Les Ménades* : les femmes attachées au culte de Dionysos. **2.** Bacchante.

Menado. V. Manado.

ménage n. m. **1.** Administration domestique. *Conduire, tenir son ménage.*

▷ *De ménage* : fait chez soi. *Pain, liqueur de ménage.* – Ensemble des objets nécessaires à la vie dans une maison. *Monter son ménage.* **2.** Soin, entretien d'une maison, d'un intérieur. *Faire le ménage. Femme de ménage.* ▷ *Faire des ménages* : faire le ménage chez les autres moyennant rétribution. **3.** Couple d'époux. *Vieux, jeune ménage.* ▷ *Entrer, se mettre en ménage* : se marier ou commencer à vivre sous le même toit. ▷ *Faire bon, mauvais ménage* : s'entendre bien, mal, en parlant de personnes ou d'animaux qui vivent ensemble. ▷ Fam. *Ménage à trois*, constitué par le mari, la femme et l'amant ou la maîtresse. **4.** STATIS Unité élémentaire de population (d'une ou plusieurs personnes) habitant un même logement.

Ménage (Gilles) (Angers, 1613 – Paris, 1692), érudit, philologue et écrivain français; auteur des *Origines de la langue française* (1650), transformé plus tard en *Dictionnaire étymologique*. Molière l'a caricaturé sous les traits de Vadius dans *les Femmes savantes*.

ménagement n. m. Réserve, précaution avec laquelle on traite qqn.

1. ménager, ère adj. et n. f. **1.** adj. Vieilli Économe. *Être ménager de ses deniers.* ▷ Fig. *Être ménager de son indignation.* **2.** Relatif aux travaux du ménage, à l'entretien de la maison. *Arts ménagers. Appareils ménagers.* **3.** n. f. Femme qui s'occupe de son foyer.

2. ménager v. [13] **I.** v. tr. **1.** Employer avec économie. *Ménager ses ressources.* – *Ménager ses forces, sa santé, son temps.* Syn. épargner. **2.** User avec réserve, circonspection, de. *Ménager ses paroles, ses expressions.* Syn. mesurer. **3.** Traiter (qqn) avec égard ou avec précaution. *C'est un homme à ménager.* ▷ Fig. et prov. *Ménager la chèvre et le chou* : V. chèvre. **4.** Préparer habilement et avec soin. *Ménager ses effets.* **5.** Arranger à l'avance. *Ménager une entrevue.* **6.** Prévoir un aménagement; le pratiquer. *Ménager un escalier dans un bâtiment.* **II.** v. pron. Prendre soin de sa santé, éviter de trop se fatiguer. *Il lui faut se ménager.* ▷ Arranger, régler (qqch) pour soi. *Se ménager une issue.*

ménagère n. f. Service de couverts pour la table, présenté dans un écrin.

ménagerie n. f. Lieu où sont rassemblés des animaux rares (dans un jardin zoologique, dans les exhibitions foraines, etc.). *La ménagerie d'un cirque.* ▷ Fig., fam. Rassemblement hétéroclite d'individus. *Une drôle de ménagerie.*

Menai (détroit de), détroit de G.-B., qui sépare l'île d'Anglesey du pays de Galles.

Ménam, Me Nam ou **Chao Phraya** (le), fl. de Thaïlande (1 200 km); arrose Bangkok et se jette dans le golfe de Siam par un vaste delta. C'est une voie de pénétration (navigation, irrigation).

Menama. V. Manāma.

Ménandre (Athènes, v. 342 – id., v. 292 av. J.-C.), poète comique grec; ami d'Épicure. Il est considéré comme le créateur de la comédie de mœurs : *l'Arbitrage, la Belle aux boucles coupées, la Samienne*, etc. La comédie latine (Térence) s'est souvent inspirée de lui.

menchevik [mɛnʃevik] n. m. HIST Membre de l'aile modérée du parti social-démocrate russe, mise en minorité au congrès de Londres (1903). *Les mencheviks et les bolcheviks.*

Menchikov (Alexandre Danilovitch, prince) (Vladimir, 1672 – Beresovo, Sibérie, 1729), maréchal russe au service de Pierre le Grand, vainqueur à Poltava (1709). Favori de Catherine Ire, qu'il fit proclamer impératrice, il exerça le pouvoir sous son règne (1725-1727), puis fut exilé. – **Alexandre Sergheïevitch** (Saint-Pétersbourg, 1787 – id., 1869), arrière-petit-fils du préc.; amiral et diplomate russe, ambassadeur à Constantinople (1853); il dirigea l'armée de Crimée (défaites de l'Alma et d'Inkerman).

Menchú (Rigoberta) (Chimel, Guatemala, 1959), militante révolutionnaire guatémaltèque. Elle combat pour la reconnaissance des droits des Indiens, soumis à une véritable discrimination raciale au Guatemala, et a participé, en 1991, à la préparation par l'ONU d'une «déclaration universelle des droits des peuples indigènes». P. Nobel de la paix 1992.

Mencius, nom latinisé du philosophe chinois *Mengzi* (Zu, Shandong, v. 372 – ?, 289 av. J.-C.). Son traité de morale figure parmi les grands classiques de l'école de Confucius.

Mendaña de Neira (Alvaro de) (?, 1541 – île Santa Cruz, 1595), amiral espagnol. Il découvrit les îles Salomon (1568) et les îles Marquises (1588).

Mende, ch.-l. du dép. de la Lozère, sur le Lot, au pied du causse de Sauveterre; 12 113 hab. – Évêché. Cath. St-Pierre (XIVe-XVe s., détruite au XVIe s., reconstruite en partie au XVIIe s.). Pont (XIVe s.). Maisons anciennes. – Cap. du Gévaudan et résidence de ses évêques, la ville fut saccagée pendant les guerres de Religion.

Mendel (Johann, en relig. Gregor) (Heinzendorf, Moravie, 1822 – Brünn, auj. Brno, Rép. tchèque, 1884), religieux et botaniste autrichien. Augustin, prêtre en 1848, professeur à Brünn en 1853, il entreprit en 1856 ses expériences d'hybridation végétale, et en 1866 énonça ses lois qui fondent la science génétique. Mais il fallut attendre l'année 1900 pour que son ouvrage *Versuche über Pflanzenhybriden* soit révélé au public des biologistes.

Johann **Mendel** Dimitri **Mendeleïev**

Mendeleïev ou **Mendéleiev** (Dimitri Ivanovitch) (Tobolsk, 1834 – Saint-Pétersbourg, 1907), chimiste russe; auteur de la classification périodique des éléments (1869), l'un des fondements de la chimie moderne (V. élément).

mendélévium [mɛ̃delevjɔm] n. m. CHIM Élément radioactif artificiel appartenant à la famille des lanthanides, de numéro atomique Z = 101 et de masse atomique 256 (symbole Md).

mendélien, enne adj. BIOL **1.** *Génétique mendélienne*, fondée par Mendel. **2.** *Caractère mendélien*, qui se transmet conformément aux lois de Mendel. Syn. génétique.

mendélisme n. m. Didac. Théorie génétique de Mendel.

Mendelssohn (Moses) (Dessau, 1729 – Berlin, 1786), philosophe allemand. Il joignit à la culture juive traditionnelle, qui était la sienne, celle de l'Allemagne de l'Aufklärung (mouvement rationaliste allemand) : *Entretiens philosophiques* (1755), *Phédon* (1767).

Mendelssohn-Bartholdy (Felix) (Hambourg, 1809 – Leipzig, 1847), compositeur allemand; petit-fils du philosophe. Son œuvre se situe à mi-chemin

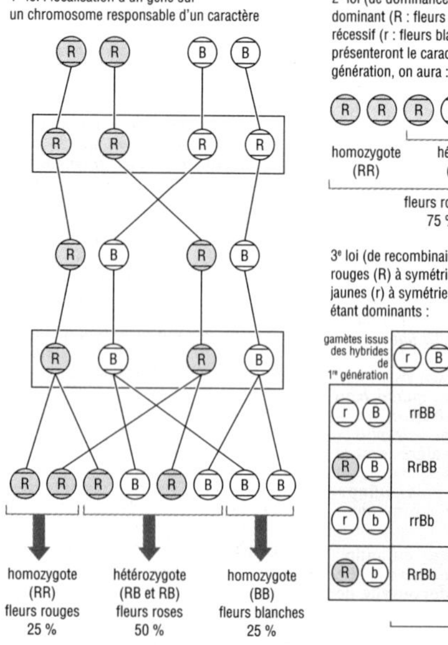
1re loi : localisation d'un gène sur un chromosome responsable d'un caractère
homozygote (RR) fleurs rouges 25 %
hétérozygote (RB et RB) fleurs roses 50 %
homozygote (BB) fleurs blanches 25 %
2e loi (de dominance) : on note un caractère dominant (R : fleurs rouges) et un caractère récessif (r : fleurs blanches) ; les hétérozygotes présenteront le caractère dominant ; dans la 2e génération, on aura :
homozygote (RR)
hétérozygote (Rr et rR)
homozygote (rr)
fleurs rouges 75 %
fleurs blanches 25 %
3e loi (de recombinaison) : croisement de fleurs rouges (R) à symétrie bilatérale B avec des fleurs jaunes (r) à symétrie radiale, les caractères R et B étant dominants :
gamètes issus des hybrides de 1re génération
rB RB rb Rb
rB: rrBB RrBB rrBb RrBb
RB: RrBB RRBB RrBb RRBb
rb: rrBb RrBb rrbb Rrbb
Rb: RrBb RRBb Rrbb RRbb
homozygote
2e génération
loi de **Mendel**

du classicisme (technique du contrepoint) et du romantisme (art de la mélodie) : *Symphonie italienne* (1833), deux concertos pour piano (1831 et 1837), *Songe d'une nuit d'été* (1843), contenant la célèbre *Marche nuptiale*, un concerto pour violon (1844), quarante-huit *Romances sans paroles* pour piano (1829-1845), etc. Il contribua à la redécouverte de la musique de J.-S. Bach, alors tombée dans l'oubli.

Menderes ou **Büyük Menderes** (le) (anc. *Méandre*), fl. de Turquie d'Asie (450 km); se jette dans la mer Égée au S. de l'île de Samos.

Menderes (Adnan) (Aydin, 1899 - Yassi-Ada, 1961), homme politique turc; un des fondateurs du parti démocrate (1946). Premier ministre (1950-1960), partisan de l'alliance avec les É.-U., il fut exécuté après la révolution de 1960.

Mendès (Catulle) (Bordeaux, 1841 - Saint-Germain-en-Laye, 1909), écrivain français; l'un des prem. représentants de l'école parnassienne avec *Philoméla* (recueil de poèmes, 1864). Auteur de contes, d'ouvrages de critique, de pièces de théâtre, etc.

Mendès France (Pierre) (Paris, 1907 - id., 1982), homme politique français. Député radical-socialiste à partir de 1932, il fut membre du gouvernement du Front populaire en mars 1938 (second cabinet Blum). Résistant, combattant dans les Forces aériennes françaises libres, membre du Comité français de libération nationale (dont il démissionne en avril 1945), député en 1946, il fut président du Conseil (1954-1955) et signa, à ce titre, les accords de Genève qui mirent fin à la guerre d'Indochine (juillet 1954). Hostile à la Constitution de 1958, il se retira en 1973, mais apporta son soutien à Fr. Mitterand.

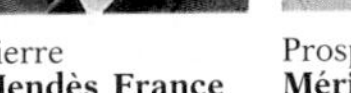

Pierre **Mendès France**

Prosper **Mérimée**

Mendes Pinto (Fernão) (Montemoro-Velho, v. 1510 - Almada, 1583), voyageur portugais; auteur de *Peregrinação* (1614), ouvrage dans lequel il raconte ses aventures en Arabie, aux Indes orientales, etc.

mendiant, ante n. (et adj.) **1.** Personne qui mendie. *Faire l'aumône aux mendiants.* **2.** (Plur.) Ordres religieux (dominicains, franciscains, augustins et carmes) qui vivaient de la charité publique. ▷ adj. *Moines, ordres mendiants.* ▷ Fig., vieilli *Les quatre mendiants* (par allus. à la couleur de l'habit de ces ordres) : dessert groupant quatre sortes de fruits secs (figues sèches, noisettes, amandes, raisins secs). - Par abrév., mod. : *un mendiant.*

mendicité n. f. **1.** Action de mendier. *Vivre de la mendicité.* **2.** État, condition de mendiant. *Réduire qqn à la mendicité.*

mendier v. [2] **I.** v. intr. Demander l'aumône. *Mendier à la porte des églises.* **II.** v. tr. **1.** Demander comme aumône. *Mendier son pain.* **2.** *Par ext.* Solliciter humblement, ou avec bassesse. *Mendier un sourire.*

mendigot, ote n. Pop. Mendiant.

Mendoza, v. d'Argentine, sur le piémont andin (au débouché du Transandin); 119 090 hab. (aggl. urb. 668 000 hab.); ch.-l. de la prov. du m. nom. Région viticole. Gisements de pétrole (pétrochim.) et d'uranium. - Archevêché. - Fondée en 1561 par les Espagnols, elle fut détruite par un tremblement de terre (1861).

Mendoza (Iñigo López). V. López de Mendoza.

Mendoza (Diego Hurtado de). V. Hurtado de Mendoza.

meneau n. m. ARCHI Montant ou traverse qui partage l'ouverture d'une fenêtre en plusieurs compartiments.

menées n. f. pl. Intrigues, machinations. *J'ai découvert ses menées.*

Ménélas, roi légendaire de Sparte, qu'il fonda et dont il développa la puissance par des expéditions de piraterie. Dans l'*Iliade*, il est le frère d'Agamemnon et l'époux d'Hélène, dont l'enlèvement par Pâris déclencha la guerre de Troie.

Ménélik II (dans le Choa, 1844 - Addis-Abeba, 1913), négus d'Éthiopie (1889-1909); fondateur d'Addis-Abeba (1887). Il résista victorieusement aux Italiens (Adoua, 1896), qui durent reconnaître l'indépendance du pays.

Menem (Carlos Saul) (Anillaco, Rioja, 1935), homme politique argentin. Péroniste, gouverneur de la prov. de la Rioja (1973-1989); élu président de la République (juil. 1989), il engage une politique écon. ultra-libérale.

Menéndez Pidal (Ramón) (La Corogne, 1869 - Madrid, 1968), linguiste espagnol. Son *Manuel de grammaire historique espagnole* (1904) fut à l'origine des études linguistiques en Espagne. On lui doit aussi une œuvre d'histoire littéraire : *Histoire des idées esthétiques en Espagne* (1883-1898), *les Origines du roman* (1910).

Menenius Agrippa (VIe-Ve s. av. J.-C.), homme politique romain, consul en 503 av. J.-C. Il conjura la révolte de la plèbe (retirée sur le mont Aventin) par son fameux apologue *les Membres et l'Estomac.*

Méneptah, Merneptah ou **Mineptah** (XIIIe s. av. J.-C.), pharaon de la XIXe dynastie, fils de Ramsès II.

mener v. tr. [16] **I.** Conduire (quelque part). **1.** Faire aller (quelque part) en accompagnant. *Mener les bêtes aux champs.* ▷ (Sujet n. de chose.) *Sa promenade le mena jusqu'au fleuve.* - Fig. *Cette affaire peut vous mener loin*, peut avoir des conséquences graves. Syn. guider, conduire. **2.** (Sujet n. de chose.) Aboutir. *Ce chemin ne mène nulle part.* - Fig. *La débauche mène à la misère.* ▷ Prov. *Tous les chemins mènent à Rome* : on peut atteindre un but par de nombreux moyens. **3.** Tracer. *Mener une droite d'un point à un autre.* **II.** Diriger, être à la tête de. **1.** Conduire, diriger (qqch). *Mener une embarcation.* - Par ext. *Mener sa vie comme on l'entend.* ▷ *Mener à bien, à mal une affaire*, la faire réussir ou échouer. ▷ *Mener la danse* : diriger une affaire, un mouvement. ▷ *Mener le deuil* : marcher en tête du cortège d'un enterrement. ▷ SPORT *Mener le train* : tenir la tête, dans une course. **2.** Conduire, diriger (qqn, des personnes). *Le commandant sait mener son équipage.* **3.** Exercer un ascendant, une influence sur (qqn), faire agir. *Il le mène par le bout du nez*, il en fait ce qu'il veut. ▷ *Mener la vie dure à qqn*, lui rendre la vie difficile, pénible, par un excès d'autorité, d'influence. ▷ Fam. *Mener qqn en bateau*, le berner. **4.** v. intr. SPORT Être provisoirement en tête. *Mener par deux points à zéro.*

Ménès, forme grecque de *Meneï*, nom donné par la tradition égyptienne au fondateur de la Ire dynastie des pharaons (fin du IVe millénaire av. J.-C.), créateur de la ville de Memphis.

ménestrel n. m. Au Moyen Âge, poète et musicien itinérant.

ménétrier n. m. Musicien qui, dans les fêtes villageoises, faisait danser au son du violon.

meneur, euse n. **1.** Personne qui mène, dirige. *Meneur d'hommes.* ▷ *Meneur de jeu*, qui anime et dirige un jeu ou un spectacle. **2.** Personne qui est à la tête d'un mouvement populaire. *Meneur de grèves.* ▷ Absol. *On a arrêté les meneurs.*

Menez Hom, mont du Finistère, point culminant de la Montagne Noire (330 m), à l'entrée de la péninsule de Crozon, près de Douarnenez.

Mengistu (Hailé Mariam) (dans le Harar, 1937), militaire et homme politique éthiopien. Il a dirigé l'Éthiopie de 1977 à 1991; prés. de la République dep. 1987, il a été chassé du pouvoir par les guérillas d'Érythrée et du Tigré.

Mengs (Anton Raphael) (Aussig, Bohême, 1728 - Rome, 1779), peintre allemand; théoricien du néo-classicisme : *Réflexions sur la beauté* et autres écrits rassemblés en 1780.

Mengzi. V. Mencius.

menhir n. m. Monument mégalithique, pierre plus ou moins allongée, brute ou sommairement travaillée et dressée verticalement. *Les menhirs peuvent être isolés, groupés en lignes (alignements mégalithiques) ou disposés en un ou plusieurs cercles (cromlechs).*

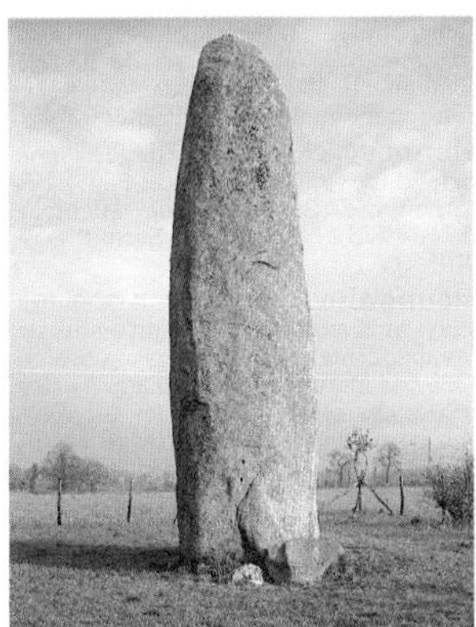

menhir du Champ-Dolent aux environs de Dol-de-Bretagne

Menia ou **Minia (Al-)** (anc. *El-Goléa*), v. et oasis d'Algérie; 21 740 hab.

Ménilmontant, anc. écart de la com. de Belleville, annexé à Paris (XXe arr.) en 1860.

menin, ine n. **1.** n. HIST Jeune homme ou jeune fille noble attaché aux jeunes princes et princesses du sang, en Espagne. - *Les Menines* (en esp. *Las Meninas*) : tableau de Vélasquez (1658,

Prado). **2.** n. m. En France, gentilhomme servant de compagnon au Dauphin.

Menin (en néerl. *Menen*), v. de Belgique (Flandre-Occidentale), sur la Lys, à la frontière française; 33 540 hab. Industr. textiles et mécaniques. – Fortifications de Vauban.

méninge n. f. **1.** ANAT Chacune des trois membranes qui enveloppent le cerveau et la moelle épinière. (On distingue de l'extérieur vers l'intérieur : la dure-mère, au contact de l'os; l'arachnoïde, sous la dure-mère; la pie-mère, qui recouvre étroitement le tissu nerveux. Le liquide céphalo-rachidien circule entre la pie-mère et l'arachnoïde.) **2.** Fam. *Les méninges :* le cerveau. *Ne pas se fatiguer les méninges. Faire travailler ses méninges :* réfléchir.

méningé, ée adj. ANAT, MED Relatif aux méninges. ▷ *Syndrome méningé :* ensemble des signes qui témoignent d'une atteinte méningée diffuse.

méningiome n. m. MED Tumeur bénigne qui se développe à partir des méninges internes de l'arachnoïde.

méningite n. f. MED Inflammation des méninges. *Méningite tuberculeuse, virale. Méningite cérébro-spinale,* à méningocoque.

méningocoque n. m. MICROB Diplocoque constituant l'agent spécifique de la méningite cérébro-spinale épidémique.

Ménippe (Gadara, Cœlésyrie [auj. Umm Qeis, Syrie], IVe-IIIe s. av. J.-C.), poète et philosophe grec de l'école cynique; auteur de satires.

Ménippée (Satire). V. Satire Ménippée.

méniscal, ale, aux adj. ANAT Relatif au ménisque.

ménisque n. m. **1.** ANAT Formation cartilagineuse existant dans certaines articulations (notam. celle du genou), accroissant la surface de contact entre les pièces articulaires. **2.** PHYS Lentille présentant une face convexe et une face concave. **3.** PHYS Surface convexe ou concave d'une colonne de liquide contenue dans un tube de faible section (phénomène de capillarité).

Mennecy, ch.-l. de cant. de l'Essonne (arr. d'Évry); 11 098 hab. Papeterie, parachimie. Porcelaine de Mennecy (1748-1773). – Église Saint-Pierre (XIIe s.).

mennonite n. et adj. RELIG Membre d'un mouvement protestant issu de l'anabaptisme fondé aux Pays-Bas v. 1535 par Menno Simonsz. ▷ adj. *Il existe encore des églises mennonites aux Pays-Bas, en Allemagne, en France, en Suisse, en Amérique du Nord et en Amérique du Sud.*

ménologe n. m. RELIG Martyrologe de l'Église grecque.

ménopause n. f. Cessation de la fonction ovarienne chez la femme, marquée par l'arrêt définitif de la menstruation. *La ménopause se produit entre 45 et 55 ans.*

ménopausée adj. f. Se dit d'une femme dont la ménopause s'est effectuée.

ménopausique adj. MED Relatif à la ménopause.

ménorragie n. f. MED Écoulement menstruel anormalement abondant ou prolongé.

ménorrhée n. f. MED Écoulement menstruel.

menotte n. f. **1.** Petite main. *La menotte d'un enfant.* **2.** (Plur.) Bracelets de métal reliés par une chaîne, que l'on met aux poignets d'un prisonnier. *Passer, mettre les menottes à qqn.*

menotter v. tr. [1] Mettre des menottes à qqn.

Menotti (Gian Carlo) (Cadegliano, 1911), compositeur italien, établi aux É.-U. depuis 1928. Ses opéras apparaissent comme un prolongement du vérisme : *le Médium* (1946), *le Téléphone* (1947), *le Consul* (1950).

Menou (Jacques François, baron de) (Boussay, Touraine, 1750 – Venise, 1810), général français. Il succéda à Kléber (assassiné en 1800) en Égypte. Son armée revint en France après la capitulation d'Alexandrie (1801).

mensonge n. m. **1.** Assertion contraire à la vérité faite dans le dessein de tromper. *Mensonge officieux, pieux mensonge,* dits pour rendre service ou pour ne pas faire de peine. ▷ Pratique, habitude du mensonge. *Vivre dans le mensonge.* **2.** Erreur, illusion. *Tous les songes sont mensonges.*

mensonger, ère adj. **1.** Faux, trompeur. *Un comportement mensonger.* **2.** Qui repose sur une fiction.

mensongèrement adv. D'une manière mensongère.

menstruation n. f. **1.** Ensemble des phénomènes physiologiques qui déterminent l'écoulement menstruel. *Troubles de la menstruation* (V. aménorrhée, dysménorrhée). **2.** Période où se produisent les menstrues.

menstruel, elle adj. Qui a rapport aux menstrues. *Cycle menstruel.*

menstrues n. f. pl. PHYSIOL Écoulement sanguin d'origine utérine, qui se produit durant trois à cinq jours chez la femme non enceinte, selon un rythme approximativement mensuel, de la puberté à la ménopause. Syn. cour. règles.

mensualisation n. f. Action de mensualiser (un salarié, un salaire horaire, un paiement). *Mensualisation de l'impôt.*

mensualiser v. tr. [1] Transformer (un salaire horaire, un paiement) en un salaire mensuel. – Accorder à (un salarié) le statut de mensuel.

mensualité n. f. Somme payée ou reçue chaque mois.

mensuel, elle adj. et n. Qui se fait tous les mois. *Publication mensuelle* ou, n. m., *un mensuel.* – *Salaire mensuel,* calculé sur un mois et versé chaque mois. ▷ Subst. Salarié payé au mois.

mensuellement adv. Tous les mois.

mensuration n. f. Opération qui consiste à mesurer certaines dimensions du corps humain (tour de poitrine, taille, tour de hanches, etc.); ces dimensions elles-mêmes.

-ment. Élément, du lat. *mente,* « dans (tel) esprit, de (telle) manière », qui permet de former la plupart des adverbes de manière à partir du fém. des adjectifs (ex. *gaie, gaiement; grande, grandement,* etc.).

mental, ale, aux adj. et n. m. **I.** adj. **1.** Qui se fait, qui s'exécute dans l'esprit. *Calcul mental. Image, représentation mentale.* **2.** Qui a rapport aux facultés intellectuelles, au fonctionnement psychique. *Maladie mentale.* ▷ *Âge mental :* degré de maturité intellectuelle d'un individu (spécial. d'un enfant) mesuré par des tests. **II.** n. m. **1.** Ensemble des facultés psychiques; l'esprit. **2.** Aptitude d'un sportif à mobiliser son énergie lors d'une compétition.

mentalement adv. **1.** Par la pensée seulement, sans parler ni écrire. *Compter mentalement les jours.* **2.** Sur le plan mental. *Ce chagrin l'a beaucoup éprouvé mentalement.*

mentalité n. f. **1.** État d'esprit; façon, habitude de penser, de se représenter la réalité. **2.** Ensemble des habitudes, des croyances propres à une collectivité et communes à chacun de ses membres. *« La Mentalité primitive », ouvrage de Lévy-Bruhl (1922).*

Mentana, v. d'Italie (Latium), au N.-E. de Rome; 24 460 hab. – Garibaldi y fut vaincu par les troupes franco-pontificales (1867).

menterie n. f. Vieilli Mensonge.

menteur, euse n. et adj. **1.** n. Personne qui ment, qui a l'habitude de dire des mensonges. **2.** adj. Qui ment habituellement. *Un enfant menteur.* ▷ Trompeur. *Des propos menteurs.*

menthe n. f. **1.** Plante (fam. labiées) à fleurs blanches ou roses, courante dans les lieux humides, aux feuilles aromatiques riches en menthol. **2.** Sirop de menthe. ▷ Liqueur de menthe. **3.** Infusion de menthe.

menthe verte

menthol n. m. Alcool secondaire, extrait de l'essence d'une variété de menthe, utilisé pour ses propriétés antiseptiques et anesthésiques.

mentholé, ée adj. Qui contient du menthol.

Menthon-Saint-Bernard, com. de la Haute-Savoie (arr. d'Annecy); 1 527 hab. Station estivale. – Chât. (XIIIe et XVIe s.). – Lieu de naissance de saint Bernard de Menthon (Xe s.), fondateur des hospices du Grand- et du Petit-Saint-Bernard.

mention n. f. **1.** Témoignage, rapport fait de vive voix ou par écrit. *Il a été fait mention de cet événement plusieurs fois.* **2.** Indication, petite note apportant une précision. ▷ *Mention marginale,* inscrite en marge d'un acte pour y apporter des modifications. **3.** Appréciation favorable accordée par un jury d'examen à un candidat. *Être reçu au baccalauréat avec la mention bien.*

mentionner v. tr. [1] Faire mention de.

mentir v. [30] **I.** v. intr. **1.** Donner pour vrai ce que l'on sait être faux; nier ce que l'on sait être vrai, dans l'intention de tromper; ne pas dire la vérité. – *Sans mentir :* en vérité, à vrai dire. ▷ v. pron. (réfl.) *Se mentir à soi-même :* essayer de se convaincre de ce que l'on sait être faux. **2.** Tromper par son apparence. *Un regard qui ne ment pas.* **II.** v. tr. indir. *Mentir à (qqch) :* se mettre en contradiction avec (qqch). *Mentir à sa réputation, à ses promesses.*

menton n. m. **1.** Saillie plus ou moins prononcée de la mâchoire, au-dessous de la lèvre inférieure. *Menton en galoche*. Double, triple menton :* bourrelets de chair sous le menton. **2.** ZOOL Dessous de la mâchoire inférieure, chez certains animaux.

Menton, ch.-l. de cant. des Alpes-Maritimes (arr. de Nice), sur la Méditerranée; 29 474 hab. Stat. climatique réputée. Cult. florales, parfumerie. – Égl. (XVIIe s.). Festival de musique. – Anc. possession des Grimaldi de Monaco, elle devint ville libre en 1848, puis fut, à sa demande, rattachée à la France en 1860.

mentonnet n. m. TECH Pièce saillante servant de butée, d'arrêt.

mentonnière n. f. **1.** Anc. Partie du casque qui couvrait le menton. **2.** Bande étroite passant sous le menton et servant à attacher une coiffure. Syn. jugulaire. **3.** MED Bandage utilisé notam. pour le traitement des fractures du maxillaire inférieur. **4.** Petite plaque qui protège la table d'harmonie d'un violon du contact direct avec le menton de l'instrumentiste.

mentor n. m. Litt. Guide, conseiller.

Mentor, personnage de *l'Odyssée;* ami d'Ulysse, à qui celui-ci confia l'éducation de son fils Télémaque avant de partir pour le siège de Troie.

Mentouhotep ou **Montouhotep,** nom de trois pharaons égyptiens de la XIe dynastie (XXIe s. av. J.-C.).

menu, ue adj., adv. et n. m. **I.** adj. **1.** Qui a peu de volume, de grosseur. *Du menu bois. Découper qqch en menus morceaux.* ▷ (Personnes) Petit et mince, de faible corpulence. *Une jeune femme toute menue.* **2.** Fig. De peu d'importance, de peu de valeur. *Menues dépenses. Menue monnaie.* **II.** adv. En très petits morceaux. *Prendre un oignon et le hacher menu.* ▷ Subst. *Par le menu :* en détail, minutieusement. **III.** n. m. **1.** Liste détaillée des mets qui seront servis au cours d'un repas. ▷ Ensemble déterminé de plats servis pour un prix fixé à l'avance dans un restaurant. ▷ Support sur lequel le menu est indiqué. **2.** INFORM Liste des opérations qu'un logiciel est capable d'effectuer, et qui s'affiche sur l'écran. **3.** TECH Charbon en petits morceaux.

menu-carte n. m. Dans un restaurant, menu offrant un choix pour chaque partie du repas. *Des menus-cartes.*

menuet n. m. **1.** Anc. danse (XVIIe s.) à trois temps. **2.** Air sur lequel s'exécute cette danse. ▷ Morceau à trois temps qui suit l'adagio ou l'andante d'une symphonie, d'une sonate ou d'un quatuor.

Menuhin (Yehudi) (New York, 1916 – Berlin, 1999), violoniste américain, virtuose de réputation internationale.

menuiser v. tr. [1] Travailler en menuiserie. – Pp. adj. *Ouvrage menuisé.*

menuiserie n. f. **1.** Art, métier de celui qui fabrique des ouvrages en bois en assemblant des pièces de dimensions relativement petites. ▷ (Par oppos. à *charpente.*) Confection d'ouvrages en bois destinés à l'équipement et à la décoration des bâtiments (huisseries, cloisons, placards, croisées, persiennes, parquets, etc.); ces ouvrages. ▷ (Par oppos. à *ébénisterie.*) Fabrication de meubles utilitaires en bois massif. **2.** Par ext. *Menuiserie métallique :* confection de châssis et de systèmes métalliques ouvrants pour le bâtiment; ces châssis, ces systèmes. **3.** Par ext. Lieu, atelier où le menuisier exerce sa profession.

menuisier n. m. Entrepreneur, artisan, ouvrier spécialisé dans les travaux de menuiserie.

ménure n. m. Oiseau australien (le plus grand de tous les passériformes, de la taille d'un faisan), appelé aussi *oiseau-lyre* à cause des longues plumes recourbées qui ornent la queue du mâle.

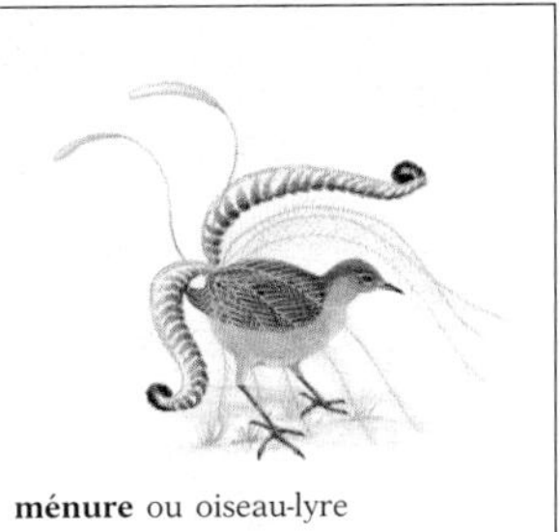

ménure ou oiseau-lyre

ményanthe n. f. BOT Plante aquatique à feuilles trilobées, à fleurs roses ou blanches, appelée aussi *trèfle d'eau.*

Menzel-Bourguiba *(Manzil Bū Rqība)* (anc. *Ferryville*), v. de Tunisie, port au fond du golfe de Bizerte; 51 400 hab. Arsenal. Industr. sidérurgique. Pneumatiques.

Méo(s) ou **Hmong(s),** peuple qui habite le N.-O. du Viêt-nam et le N. du Laos.

Méphistophélès, personnage de la légende de *Faust*.* Simple envoyé du diable à l'orig., il prend chez Marlowe une dimension quasi pathétique (*la Tragique Histoire du docteur Faust,* 1588), puis Goethe (*Faust,* 1808) lui donne la dimension satanique (assurance de soi, ton ironique ou sarcastique) qui sera la sienne dans les nombr. œuvres litt. et musicales consacrées à Faust.

méphistophélique adj. Litt. Qui rappelle Méphistophélès; diabolique. *Un rire méphistophélique.*

méphitique adj. Se dit d'une exhalaison fétide, malsaine ou toxique.

méphitisme n. m. Didac. Corruption de l'air par des gaz méphitiques.

méplat, ate [mepla, at] adj. et n. m. **I.** adj. Didac. Qui est nettement plus large qu'épais. *Planche méplate.* ▷ BX-A *Lignes méplates,* qui établissent le passage d'un plan à un autre. **II.** n. m. **1.** Chacun des plans formant par leur réunion la surface d'un corps. **2.** Partie plane du corps (par oppos. aux parties saillantes). *Méplats des joues.* ▷ TECH Surface plane (sur une arête, sur la surface ronde d'une pièce).

méprendre (se) v. pron. [52] Se tromper; prendre une personne ou une chose pour une autre. *Se méprendre sur les intentions de qqn.* ▷ Loc. *À s'y méprendre :* d'une façon telle que l'on peut facilement s'y tromper.

mépris n. m. **1.** Sentiment, attitude traduisant que l'on juge qqn, qqch indigne d'estime, d'égards ou d'intérêt. *Traiter qqn avec mépris. – Il n'a pour elle que du mépris.* **2.** Indifférence, dédain. *Le mépris de l'argent. – Le mépris du danger.* ▷ Loc. prép. *Au mépris de :* sans prendre en considération.

méprisable adj. Qui ne mérite que le mépris.

méprisant, ante adj. Qui marque du mépris. *Une attitude méprisante.*

méprise n. f. Erreur de qqn qui se méprend. *Il y a méprise sur la personne.*

mépriser v. tr. [1] **1.** Avoir du mépris pour, ne faire aucun cas de (qqch, qqn). *Mépriser les flatteurs.* **2.** Dédaigner (ce qui est généralement recherché, estimé). *Mépriser les honneurs.* – Ne faire aucun cas de (ce qui est habituellement craint). *Mépriser la mort.*

mer n. f. **1.** Vaste étendue d'eau salée qui entoure les continents. ▷ Partie de cette étendue couvrant une surface déterminée. *La mer Baltique. – La mer Morte.* ▷ *Prendre la mer :* s'embarquer. – *Pleine mer, haute mer,* la partie de la mer éloignée des côtes. *Un homme à la mer,* tombé d'un bateau dans la mer; fig., un homme perdu, désemparé. – *Bains de mer. – Mal de mer.* – Fam. *Vacances à la mer,* au bord de la mer. ▷ Loc. fig. *Ce n'est pas la mer à boire :* ce n'est pas un travail, une tâche très difficile. **2.** Fig. Étendue vaste comme la mer. *Le Sahara, vaste mer de sable.* **3.** Importante quantité (de liquide). *Une mer de sang.* ▷ Fig. *Une mer de difficultés.*

mer-air adj. inv. MILIT *Missile mer-air,* lancé à partir d'un navire vers un avion.

Merano, ville d'Italie (Trentin-Haut-Adige); 33 510 hab. Stat. clim. du Tyrol italien. – Cath. du XIVe s. – Cap. *(Méran)* de l'anc. duché de Méranie.

Mercadante (Saverio) (Altamura, prov. de Bari, 1795 – Naples, 1870), compositeur italien, auteur d'ouvrages lyriques qui poursuivent et développent l'héritage de G. Rossini (*Il Giuramento,* 1837).

mercanti n. m. Commerçant avide et peu scrupuleux.

mercantile adj. **1.** Vx Qui concerne le commerce; qui se livre au commerce. ▷ *Système mercantile :* mercantilisme (sens 1). **2.** Péjor. Digne d'un mercanti; avide, âpre au gain. *Calculs mercantiles. Esprit mercantile.*

mercantilisme n. m. **1.** ECON Doctrine économique prônée surtout aux XVIe et XVIIe s., fondée sur le principe de la supériorité des métaux précieux comme source d'enrichissement pour l'État. **2.** Péjor. Esprit mercantile; âpreté au gain, avidité.

mercantiliste n. et adj. **1.** n. Partisan du mercantilisme (sens 1). **2.** adj. Propre au mercantilisme.

Mercantour (le), massif cristallin des Alpes (Alpes-Maritimes), sur la frontière franco-italienne (2 775 m). Englobé dans le *parc national du Mercantour* (72 000 ha), créé en 1979.

mercaptan n. m. CHIM Liquide incolore, très volatil, d'odeur particulièrement repoussante, alcool sulfuré de formule HS-R (R désignant un radical carboné).

mercaticien, enne n. Spécialiste de la mercatique.

mercatique n. f. Syn. (off. recommandé) de *marketing.*

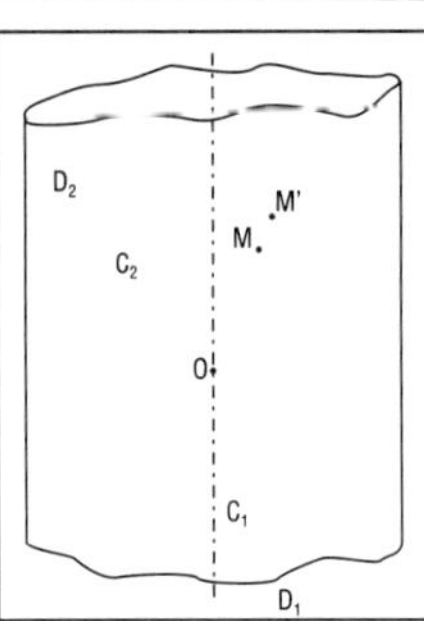

O : centre de la Terre
M : point courant de la sphère terrestre
M' : image (projection) de M sur le cylindre
C_1 : méridien
C_2 : parallèle
D_1 : droite image (projection) du méridien C_1
D_2 : image (projection) du parallèle C_2

la sphère terrestre est inscrite dans un cylindre sur lequel on projette les points de la Terre et qu'on développe (planisphère)

projection de **Mercator**

Mercator (Gerhard Kremer, dit) (Rupelmonde, 1512 - Duisburg, 1594), mathématicien et géographe flamand; inventeur d'un système de représentation cartographique.

mercenaire adj. et n. **I.** adj. **1.** Vx Qui travaille pour un salaire. *Nourrice mercenaire.* **2.** Qui n'agit que moyennant une rémunération. **II.** n. **1.** Soldat de métier à la solde d'un État, d'une milice privée. **2.** Péj. Personne qui défend une cause dans un but lucratif.

Mercenaires (guerre des), révolte des mercenaires employés par Carthage après la première guerre punique, qui fut écrasée par Hamilcar Barca (241-237 av. J.-C.).

mercenariat n. m. Système utilisant des mercenaires; état de mercenaire.

mercerie n. f. Ensemble des fournitures nécessaires à la couture, à la broderie, au tricot. ▷ Commerce de ces fournitures; boutique où elles sont vendues.

mercerisage n. m. TECH Traitement des fibres de coton avec une lessive de soude, donnant un brillant soyeux.

merceriser v. tr. [1] TECH Soumettre (le coton) au mercerisage. - Pp. adj. Cour. *Coton mercerisé.*

merchandising [mərtʃɑ̃dajziŋ; mɛʀʃɑ̃diziŋ] n. m. (Anglicisme) Syn. (off. déconseillé) de *marchandisage.*

merci n. **I.** n. f. **1.** Vx Miséricorde, grâce, pitié. *Demander, crier merci.* ▷ Mod. *Une lutte sans merci,* sans pitié, acharnée. **2.** Loc. prép. *Être à la merci de qqn,* être entièrement dépendant de lui, livré à son bon vouloir. - HIST *Serf taillable et corvéable à merci,* auquel le seigneur pouvait imposer à volonté impôts et corvées. ▷ Fig. *Vous êtes à la merci du moindre imprévu.* ▷ Loc. adv. *Dieu merci :* grâce à Dieu. **II.** n. m. **1.** Formule de remerciement. *Merci beaucoup. Dire merci.* **2.** Remerciement. *Je n'ai même pas eu droit à un merci.* **3.** Formule de politesse servant à refuser. *Prenez-vous du café ? Non, merci.*

Merci (ordre de la), ordre religieux fondé à Barcelone, en 1218, par Pierre Nolasque et Raimond de Peñafort, pour racheter les chrétiens tombés aux mains des musulmans.

Mercie (royaume de), royaume de l'Heptarchie anglo-saxonne, dans les Midlands. Fondé au VIIe s., il fut inclus dans le Wessex (IXe s.).

mercier, ère n. Personne qui vend de la mercerie.

Mercier (Louis Sébastien) (Paris, 1740 - *id.* 1814), écrivain français. Polygraphe abondant, il est en partic. l'auteur d'un roman d'anticipation : *l'an 2440* (1771) et du *Tableau de Paris* (1781-1788).

Eddy **Merckx**

Merckx (Eddy) (Meensel-Kiezegem, Brabant, 1945), coureur cycliste belge. Il domina le cyclisme mondial dans les années 70.

Mercœur (Philippe Emmanuel de Vaudémont, duc de) (Nomeny, Lorraine, 1558 - Nuremberg, 1602), gentilhomme français; dernier chef de la Ligue. Beau-frère d'Henri III, il se soumit à Henri IV (1598).

Mercosur, acronyme pour *Mercado Común del Sur,* Marché commun de l'Amérique du Sud regroupant l'Argentine, la Bolivie, le Brésil, le Paraguay et l'Uruguay. Cette zone de libre-échange est entrée en vigueur en 1995.

mercredi n. m. Troisième jour de la semaine, qui suit le mardi. ▷ *Mercredi des Cendres :* premier jour du carême. ▷ *Mercredi saint :* mercredi de la semaine sainte (avant Pâques).

mercure n. m. Élément métallique de numéro atomique Z = 80 et de masse atomique 200,59 (symbole Hg, de son anc. nom *hydrargyre*). - Métal (Hg) liquide à température ordinaire, de densité 13,6, qui se solidifie à - 39 °C et bout à 357 °C, utilisé comme liquide barométrique.

Mercure, dieu romain, assimilé à l'Hermès des Grecs et généralement représenté avec des ailes aux pieds. Il présidait au commerce, à l'éloquence, transmettait les messages de Jupiter et protégeait les voyageurs. Les poètes en avaient également fait le dieu du Mensonge et du Larcin.

Mercure, la planète la plus proche du Soleil (distance moyenne : 58 millions de km). Elle décrit en 87,97 jours une orbite très excentrique, assez fortement inclinée sur le plan de l'écliptique (7°), en effectuant sur elle-même une rotation dont la période (58,65 jours) vaut exactement les deux tiers de sa révolution orbitale. A peine plus grosse que la Lune (4 878 km de diamètre contre 3 476 km), Mercure a une densité comparable à celle de la Terre (5,44 contre 5,52). Son atmosphère étant quasi inexistante (2.10^{-9} hPa), les écarts de température sont considérables (maximum 400 °C le jour au périhélie, minimum -170 °C la nuit). Le relief de Mercure ressemble à celui de la Lune : régions montagneuses, plaines criblées de cratères creusés par des météorites, longues failles rectilignes.

Mercure de France, revue littéraire française, fondée en 1889 par Alfred Vallette et qui parut jusqu'en 1965. Elle fut l'organe du symbolisme et fut soutenue, à partir de 1894, par une maison d'édition, créée sous le même nom, et qui publia de nombreux écrivains étrangers.

Mercure galant, journal, assimilable à une revue, créé en 1672, devenu *Mercure de France* en 1724, *Mercure français* de 1791 à 1799. Il reparut de 1814 à 1825.

Mercurey, com. de Saône-et-Loire (arr. de Chalon-sur-Saône); 2 028 hab. Vignobles réputés. - Égl. romane (XIIe s.).

mercurey n. m. Bourgogne rouge récolté dans la région de Mercurey.

1. mercuriale n. f. Plante dioïque (fam. euphorbiacées), utilisée autrefois pour ses propriétés laxatives.

2. mercuriale n. f. **1.** HIST À la fin du Moyen Âge et sous l'Ancien Régime, assemblée générale d'un parlement, théoriquement au moins semestrielle, qui se tenait le mercredi et au début de laquelle un magistrat rendait compte de la manière dont avait été rendue la justice au cours de la période précédente; le discours de ce magistrat. **2.** Mod. Discours annuel prononcé à la rentrée des cours et des tribunaux. **3.** Fig., litt. Semonce, réprimande.

3. mercuriale n. f. Liste des prix des denrées sur un marché public; cours officiel de ces denrées.

mercuriel, elle adj. CHIM Contenant du mercure. ▷ PHARM *Dérivés mercuriels,* utilisés en solution pour leurs propriétés antiseptiques.

mercurien, enne adj. **1.** ASTRO Relatif à la planète Mercure. **2.** ASTROL Dont le thème de naissance est marqué par la dominance de la planète Mercure.

mercurique adj. CHIM Qui contient du mercure bivalent.

mercurochrome n. m. (Nom déposé.) PHARM Composé mercuriel de couleur rouge utilisé en application externe comme antiseptique.

Mercy d'Argenteau (Florimund, comte de) (Liège, 1727 - Londres, 1794), diplomate autrichien. Ambassadeur à Paris sous Louis XV et Louis

panorama d'une région de **Mercure** (parsemée de cratères) photographiée par *Mariner 10*

XVI, il servit d'intermédiaire entre Marie-Thérèse et Marie-Antoinette.

merde n. f. et interj. **I.** n. f. Grossier **1.** Excrément, matière fécale. **2.** Fig. Personne ou chose basse, méprisable, sans valeur. **3.** Désordre, confusion. *Mettre, foutre la merde quelque part.* ▷ Situation difficile, inextricable. *Être dans la merde.* **II.** interj. Fam. **1.** Exclamation de colère, d'agacement, de dégoût. *Merde, à la fin!* **2.** Exclamation d'étonnement, d'admiration. *Ah merde alors! pour une surprise, c'est une surprise!*

merder v. intr. [**1**] Très fam. Rater, ne pas réussir ce qu'on a entrepris. *Il a merdé à ses examens, dans son speech.*

merdeux, euse adj. et n. Grossier **1.** adj. Souillé d'excréments. **2.** n. Enfant qui fait l'important; blanc-bec. *Qu'est-ce que c'est que ce merdeux? Petite merdeuse.*

merdier n. m. Grossier Situation confuse, imbroglio, désordre.

merdique adj. Fam. Sans intérêt, sans valeur. *Un bouquin merdique.*

merdoyer v. intr. [**23**] Fam. S'embrouiller, cafouiller.

-mère, -mérie, méro-. Éléments, du grec *meros,* « partie ».

mère n. f. **I. 1.** Femme qui a donné naissance à un ou plusieurs enfants. *Mère de famille.* ▷ RELIG *La mère de Dieu :* la Vierge Marie. ▷ Litt. Femme dont, symboliquement ou par filiation, est issue une lignée. *Ève, la mère de tous les hommes.* – Fig. *La mère patrie :* la patrie. **2.** Femelle d'un animal qui a eu un, des petits. **3.** *La mère supérieure :* la supérieure d'un couvent de femmes. ▷ Titre donné aux religieuses professes de certains ordres. *Mère Teresa.* **4.** Fam. Femme d'un âge avancé. **II. 1.** Terre d'élection, lieu où qqch prend naissance. *La Grèce, mère des arts.* ▷ Fig. *L'oisiveté est mère de tous les vices.* **2.** (En appos.) Source, point de départ. *Langue mère.* ▷ *Maison mère :* V. maison, sens III, 3. ▷ Fig. *Idée mère d'une œuvre.* ▷ CHIM *Eau mère :* solution aqueuse qui a laissé déposer des cristaux. **3.** TECH Pièce obtenue à partir d'un original. – *Spécial.* Pièce qui sert à obtenir la matrice à partir de laquelle les disques sont pressés. ▷ *Mère du vinaigre* ou *mère :* membrane formée par les bactéries qui transforment le vin en vinaigre.

Meredith (George) (Portsmouth, Hampshire, 1828 – Box Hill, Surrey, 1909), écrivain anglais; l'un des maîtres du roman psychologique en G.-B. : *la Carrière de Beauchamp* (1875), *l'Égoïste* (1879). Poèmes : *l'Amour moderne* (recueil, 1862).

mère-grand n. f. Vx ou litt. Grand-mère. *Des mères-grand.*

Merejkovski (Dimitri Sergheïevitch) (Saint-Pétersbourg, 1866 – Paris, 1941), écrivain russe; disciple de Dostoïevski. Il est l'auteur de romans historiques, dont une trilogie où s'opposent paganisme occidental et christianisme russe : *le Christ et l'Anté-Christ* (1892), *Julien l'Apostat* (1894), *les Dieux ressuscités* (1896).

Mergenthaler (Ottmar) (Hachtel, Wurtemberg, 1854 – Baltimore, 1899), inventeur allemand. Il émigra aux É.-U., où il mit au point la linotype moderne (1884).

merguez [mɛʀgɛz] n. f. Petite saucisse fraîche originellement à la viande d'âne, auj. à la viande de bœuf et parfois de mouton, épicée et pimentée.

Méribel-les-Allues, stat. de sports d'hiver de la Savoie (com. des *Allues*), entre 1 600 et 2 700 m d'altitude, au-dessus de la Tarentaise.

Méricourt, com. du Pas-de-Calais (arr. d'Arras); 13 386 hab.

Mérida, v. d'Espagne (Estrémadure), sur le Guadiana; 41 030 hab. Cap. de la communauté auton. d'Estrémadure. – Ruines romaines. – C'est l'antique *Augusta Emerita* (fondée en 25 av. J.-C.), devenue par la suite cap. de la Lusitanie.

Mérida, v. du Mexique, proche du golfe du Mexique; cap. de l'État du Yucatán; 557 340 hab. Centre commercial et industriel (text., alim., etc.). – La ville fut fondée par les Espagnols en 1542. – Université. Cath. (XVIe s.).

Mérida, v. du Venezuela occid., dans la *sierra de Mérida* (5 007 m au *pic Bolívar*), à 1 630 m d'alt.; cap. de l'État du m. nom; 183 050 hab. Textiles.

méridien, enne adj. et n. **I.** adj. **1.** Litt. De l'heure de midi, du milieu du jour. ▷ ASTRO *Plan méridien d'un lieu,* qui passe par la verticale de ce lieu et par l'axe de rotation de la Terre, et dans lequel se trouve le Soleil fictif à midi. **2.** Didac. Qui se rapporte au plan méridien. *Hauteur méridienne d'un astre,* sa hauteur au-dessus de l'horizon à l'instant où il est dans le plan méridien du lieu de l'observateur. ▷ *Lunette méridienne,* mobile autour d'un axe horizontal perpendiculaire au plan méridien. **II.** n. m. **1.** Grand cercle fictif déterminé par l'intersection de la surface du globe et d'un plan quelconque passant par l'axe de la Terre. *Méridien d'origine,* pris comme base du calcul de la longitude d'un lieu (méridien de Greenwich depuis 1914, par convention internationale). **2.** PHYS *Méridien magnétique d'un lieu :* grand cercle passant par ce lieu et par les pôles magnétiques du globe. **3.** MED Ligne le long de laquelle sont répartis des points d'acupuncture*. *Les quatorze méridiens de l'acupuncture.* **III.** n. f. **1.** Sieste après le repas de midi, dans les pays chauds. **2.** Canapé dont les deux chevets, de hauteur inégale, sont reliés par un dossier, et sur lequel on s'étend pour la sieste. **3.** ASTRO *Méridienne d'un lieu :* intersection du plan méridien et du plan horizontal en ce lieu.

méridional, ale, aux adj. et n. **1.** Qui est du côté du midi, du sud. *Partie méridionale de la France.* **2.** Du Midi, propre aux habitants du Midi (spécial., du midi de la France). *Accent méridional.* ▷ Subst. *Les Méridionaux.*

-mérie. V. -mère.

Mérignac, ch.-l. de cant. de la Gironde (arr. de Bordeaux); 58 684 hab. Constr. aéronautiques. Vins de Graves. Aéroport de Bordeaux.

Mérimée (Prosper) (Paris, 1803 – Cannes, 1870), écrivain français. Révélé par la publication de deux supercheries littéraires (*Théâtre de Clara Gazul,* 1825, et *la Guzla,* 1827), il donna en 1829 un roman historique, *Chronique du règne de Charles IX.* Ses nouvelles, par la sobriété stendhalienne des descriptions et du style, assurèrent sa célébrité : *Mateo Falcone* (1829), *Tamango* (1829), *la Vénus d'Ille* (1837), *Colomba* (1840), *Carmen* (1845). Nommé inspecteur général de la Commission des monuments historiques en 1833, il a contribué à sauver le patrimoine architectural de la France. Il a donné également des traductions d'œuvres russes. Acad. fr. (1844). ▶ illustr. page **1199**

Mérinas, population de Madagascar, divisée en castes (andriana, hova, mainty, ondevo).

Mérindol, com. du Vaucluse (arr. d'Apt), au pied du Luberon; 1 522 hab. – En 1545, une communauté vaudoise y fut massacrée.

meringue n. f. Pâtisserie légère faite de blancs d'œufs montés en neige et de sucre, et cuite à four doux.

meringuer v. tr. [**1**] Garnir, recouvrir d'une couche de meringue.

Mérinides ou **Marinides,** dynastie berbère, originaire de Fès, qui succéda aux Almohades en 1269 et régna sur le Maroc jusqu'au XVe s.

mérinos [meʀinos] n. m. **1.** Race de mouton très estimée pour sa laine longue et fine. ▷ Loc. fam. *Laisser pisser le mérinos :* laisser les choses suivre leur cours. **2.** *Laine de mérinos,* étoffe faite avec cette laine.

merise n. f. Fruit du merisier. *Les merises sont utilisées pour la fabrication du kirsch.*

merisier n. m. Arbre sauvage à fleurs en grappes (fam. rosacées), dont le bois, d'un blond roussâtre, est très utilisé en ébénisterie. Syn. putier ou putiet. ▷ Bois de merisier. *Pipe en merisier.*

méristème n. m. BOT Tissu végétal formé de cellules se divisant rapidement, qui constitue la zone de croissance des plantes.

méritant, ante adj. Qui a du mérite.

mérite n. m. **1.** Ce qui rend une personne digne d'estime, de considération. *Elle a du mérite à travailler dans ces conditions.* **2.** Qualité estimable que possède qqn, qqch. *Les mérites comparés de César et de Pompée. Un des mérites de cet ouvrage...* ▷ *Se faire un mérite de qqch,* en tirer gloire. **3.** *Le mérite :* la valeur d'une personne, l'ensemble de ses qualités. *Un homme de mérite. Une promotion due au seul mérite.* ▷ *Ordre national du Mérite*. Mérite agricole, Mérite maritime.* **4.** RELIG *Les mérites d'un chrétien,* ses bonnes œuvres.

Mérite (ordre national du), ordre français qui récompense les services distingués dans une fonction publique ou une activité privée. La création de cet ordre, en 1963, a entraîné la suppression de la plupart des anciens ordres particuliers du Mérite (Mérite artisanal, Mérite civil, Mérite commercial, Mérite postal, etc.), à l'exception du Mérite agricole et du Mérite maritime.

mériter v. [**1**] **I.** v. tr. **1.** Se rendre, par sa conduite, digne de (une récompense) ou passible de (une sanction). *Mériter l'estime de ses concitoyens. Mériter un blâme.* – *Mériter de* (+ inf.). *Il mérite d'être puni.* – *Mériter que* (+ subj.). *Il mérite qu'on fasse une exception.* ▷ *Mériter qqn,* en être digne. *On a les amis qu'on mérite.* **2.** Donner droit à. *Tout travail mérite salaire.* **II.** v. tr. indir. Litt. *Avoir bien mérité de la patrie, de l'État :* avoir rendu de grands services à la patrie, à l'État.

méritocratie [meʀitokʀasi] n. f. Système socioculturel privilégiant les individus dont les diplômes ont consacré la valeur.

méritoire adj. (Choses, actions.) Louable, digne d'estime.

merl. V. maërl.

merlan n. m. **1.** Poisson gadiforme (*Merlangus merlangus*) à trois nageoires dorsales et deux anales, long de 20 à 40 cm, qui vit en bancs près du littoral européen, où il fait l'objet d'une pêche active. ▷ Loc. fam. *Des yeux de merlan frit*, dont seul le blanc apparaît. **2.** Fam., vieilli Coiffeur.

merle n. m. Oiseau passériforme dont une espèce très répandue, le merle noir *(Turdus merula)*, est remarquable pour son dimorphisme sexuel. *Le merle mâle a le plumage noir et le bec jaune, la femelle et les jeunes sont brun-roux. Siffler comme un merle.* ▷ Fig. *Vilain merle* ou, iron., *beau merle* : personnage désagréable, méprisable. ▷ *Merle blanc* : personne, chose très rare, introuvable. ▷ *Merle d'eau* : V. cincle.

merle noir

Merle (Robert) (Tébessa, Algérie, 1908), écrivain français. Marqué par la guerre et la déportation (*Week-end à Zuydcoote*, 1949; *La mort est mon métier*, 1953), il traduit son espérance dans l'homme dans la science-fiction (*Un animal doué de raison*, 1965; *Malevil*, 1972) et dans des cycles historiques (*Fortune de France*, 1978; *la Pique du jour*, 1985).

Merleau-Ponty (Maurice) (Rochefort, 1908 - Paris, 1961), philosophe français, professeur au Collège de France. Il dirigea la revue *les Temps modernes*, en collab. avec J.-P. Sartre, de 1945 à 1953. Son œuvre marie la phénoménologie à l'existentialisme et au personnalisme : *Phénoménologie de la perception* (1945), *Humanisme et Terreur* (1947), *les Aventures de la dialectique* (1955), *Signes* (1961).

Merlebach. V. Freyming-Merlebach.

merlette n. f. Femelle du merle.

merlin n. m. **1.** Hache pour fendre le bois. **2.** Grosse masse servant à abattre les bœufs destinés à la boucherie.

Merlin (Philippe Antoine, comte), dit *Merlin de Douai* (Arleux, près de Douai, 1754 - Paris, 1838), homme politique français. Député à la Législative, conventionnel, il fut l'un des artisans de la réaction thermidorienne. Membre du Conseil des Anciens, ministre de la Justice en 1795, il fut nommé directeur en remplacement de Barthélemy (1797-1799). En 1815 il dut s'exiler, car il avait voté la mort de Louis XVI.

Merlin (Antoine Christophe), dit *Merlin de Thionville* (Thionville, 1762 - Paris, 1833), homme politique français. Conventionnel montagnard, il fut représentant en mission à Mayence lors du siège de la ville (1793). Il contribua à la chute de Robespierre. Il s'opposa à Bonaparte et se retira de la vie politique.

Merlin, dit **l'Enchanteur,** magicien légendaire du roman breton. Il était doué d'un pouvoir magique.

merlon n. m. ARCHI Portion de mur comprise entre deux créneaux.

merlot n. m. Cépage rouge du Bordelais (Pomerol et Saint-Émilion princ.).

merlu n. m. Dial. Poisson gadiforme des eaux profondes (genre *Merluccius*), très répandu dans l'Atlantique, à dos gris et ventre blanc, long d'env. 1 m, souvent vendu sous le nom de *colin*.

merluche n. f. Merlu, morue ou poisson du même genre séché au soleil et non salé.

mer-mer adj. inv. MILIT *Missile mer-mer*, lancé à partir d'un navire vers un autre.

Mermnades, dynastie lydienne fondée au VIIe s. av. J.-C. par le roi Gygès, fils de *Mermnas*, et disparue avec Crésus (546 av. J.-C.).

Mermoz (Jean) (Aubenton, Aisne, 1901 - au large de Dakar, 1936), aviateur français. Ancien pilote militaire, il créa les lignes France-Amérique du Sud et Rio de Janeiro-Santiago du Chili (au-dessus de la cordillère des Andes). Il disparut au cours d'une liaison régulière, à bord de l'hydravion *Croix-du-Sud*.

Jean **Mermoz**

Olivier **Messiaen**

Merneptah. V. Méneptah.

méro-. V. -mère.

Mérode (Cléopâtre Diane, dite Cléo de) (Paris, 1875 - id., 1966), danseuse française; célèbre pour sa beauté, son esprit et la liaison qu'elle entretint avec Léopold II de Belgique.

Méroé, v. du royaume de Couch (auj. au Soudan, au S. de Khartoum, sur le Nil), dont elle fut la cap. v. 400 av. J.-C. D'abord liée à l'Égypte, elle s'africanisa de plus en plus. Ses vestiges (architecturaux et sculpturaux) montrent en la civilisation *méroïtique* une forme originale associant les influences égyptienne et hellénistique.

mérostomes n. m. pl. PALEONT, ZOOL Classe d'arthropodes marins, tous fossiles, la limule exceptée. - Sing. *Un mérostome.*

mérou n. m. Poisson des mers chaudes (divers genres, ordre des perciformes), long de 1 à 2 m, massif, à grosse tête, dont la chair est très estimée. *Certains mérous pèsent plus de 100 kg.*

Mérovée ou **Merowig,** roi légendaire des Francs Saliens (Ve s.). Il aurait été le père de Childéric Ier et aurait participé à la bataille des champs Catalauniques (451) contre Attila. Il donna son nom à la dynastie des Mérovingiens.

mérou tacheté

Mérovée, prince mérovingien, fils de Chilpéric Ier. Frédégonde le fit assassiner (578) parce qu'il avait épousé sa tante Brunehaut.

mérovingien, enne adj. HIST De Mérovée, roi légendaire des Francs Saliens; de sa dynastie. - Qui a rapport à l'époque où régnèrent Mérovée et ses descendants.

Mérovingiens, dynastie de rois francs, issue de Mérovée, qui régna sur la Gaule après les conquêtes de Clovis (481-511) et qui fut évincée en 751 par les Carolingiens.

Merseburg, v. d'Allemagne (distr. de Halle), sur la Saale; 50 930 hab. Lignite. Prod. chimiques. - Cath. (XIIIe s.). Chât. (XIIIe-XVe s.).

Mers el-Kébir (auj. *Al-Marsa Al-Kabīr*, «le Grand Port»), ville d'Algérie (wilaya d'Oran); 11 450 hab. Port de pêche doté d'une rade profonde et bien abritée, sur le golfe d'Oran. - La base navale française (créée en 1935) fut évacuée en 1968. - Le 3 juil. 1940, une escadre française à l'ancre y fut détruite par les Britanniques; son amiral, Gensoul, avait refusé l'alternative britannique : se joindre aux Alliés ou se laisser désarmer; 1 300 marins français périrent.

Mersenne (Marin) (près d'Oizé, Maine, 1588 - Paris, 1648), prêtre, philosophe et savant français; ami de Descartes. On lui doit d'import. découvertes dans le domaine de l'acoustique, notam. dans celui des sons concomitants (ou harmoniques) : *l'Harmonie universelle, contenant la théorie et la pratique de la musique* (1636).

Mersey (la), fl. de G.-B. (113 km); débouche dans la mer d'Irlande par un profond estuaire, qui est l'un des plus industrialisés d'Europe (Liverpool, Birkenhead).

Merseyside, comté du N.-O. de l'Angleterre; 652 km²; 1 376 800 hab.; ch.-l. *Liverpool*.

Mersina ou **Mersin,** v. et port de Turquie, sur la Méditerranée; ch.-l. d'il; 314 360 hab. Import. raff. de pétrole.

mer-sol adj. inv. MILIT *Missile mer-sol*, lancé à partir d'un navire vers un objectif terrestre.

Mertens (Pierre) (Bruxelles, 1939), écrivain belge d'expression française. Romancier du déracinement intime : *l'Inde ou l'Amérique* (1969), *Ombres au tableau* (1982); auteur d'un livret d'opéra : *la Passion de Gilles* (1982).

Méru, ch.-l. de cant. de l'Oise (arr. de Beauvais); 11 986 hab.

mérule n. m. ou f. BOT Moisissure qui se développe sur le bois d'œuvre mal protégé de l'humidité.

Merv. V. Mary.

merveille n. f. **1.** Vx ou litt. Prodige, fait extraordinaire. ▷ Loc. *C'est (ce n'est pas) merveille que...* : c'est (ce n'est pas) surprenant, extraordinaire que... **2.** Chose qui suscite l'admiration; personne remarquable, étonnante. - *Les Sept Merveilles du monde* : les sept ouvrages cités par le Grec Strabon dans sa *Géographie* : le mausolée d'Halicarnasse, le temple d'Artémis à Éphèse, la statue chryséléphantine de Zeus Olympien par Phidias, le colosse de Rhodes, le phare d'Alexandrie, les jardins suspendus de Babylone, les pyramides d'Égypte (seul ouvrage subsistant auj.). - Fig. et souvent iron. *C'est la huitième merveille du monde.* ▷ *Faire merveille* ou *faire des merveilles :* se distinguer par des qualités, une action remarquables. ▷ *Promettre monts et merveilles :* faire des promesses exagérées, que l'on ne pourra tenir. ▷ Loc. adv. *À merveille :* très bien, remarquablement. **3.** CUIS Pâte découpée en morceaux, frite et saupoudrée de sucre vanillé.

merveilleusement adv. D'une façon merveilleuse.

merveilleux, euse adj. et n. **1.** adj. Étonnant, prodigieux, qui suscite l'admiration. *Une œuvre merveilleuse.* ▷ Excellent en son genre. *Un vin merveilleux.* ▷ Magique, surnaturel. *Les pouvoirs merveilleux de la pierre philosophale.* **2.** n. m. Ce qui est extraordinaire, inexplicable. ▷ Intervention d'êtres surnaturels, de phénomènes inexplicables qui concourent au développement d'un récit littéraire. *Le merveilleux dans l'épopée.* – Genre littéraire qui recourt au merveilleux. *Le merveilleux, le fantastique et l'étrange.* **3.** n. f. HIST Jeune femme à l'élégance excentrique sous le Directoire.

merzlota [mɛʀzlɔta] n. f. GEOGR Couche du sol et du sous-sol gelée en permanence dans les régions circumpolaires. V. permafrost, tjäle.

mes. V. mon.

més-. V. mé-.

Mesabi Range, groupe de collines des É.-U. (Minnesota) renfermant d'énormes gisements de minerai de fer (65 % de la production américaine).

mésalliance n. f. Fait de se mésallier.

mésallier (se) v. pron. [2] Épouser une personne d'une condition considérée comme inférieure.

mésange n. f. Oiseau passériforme insectivore, long de 10 à 14 cm, au plumage coloré, aux mouvements vifs, dont les diverses espèces, appartenant pour la plupart au genre *Parus*, sont communes dans toutes les parties du monde. *Mésange bleue, charbonnière, huppée.*

mésaventure n. f. Aventure désagréable, fâcheuse.

mescaline n. f. Alcaloïde doté de propriétés hallucinogènes, extrait du peyotl.

mésange rémiz confectionnant l'ancrage de son nid suspendu

Meschacebé. V. Mississippi.

mesclun [mɛsklœ̃] n. m. Mélange de feuilles de salades diverses.

mesdames, mesdemoiselles. V. madame, mademoiselle.

mésencéphale n. m. ANAT Partie du cerveau de l'adulte qui correspond à la région moyenne de l'encéphale de l'embryon et qui comprend les tubercules quadrijumeaux et les pédoncules cérébraux.

mésenchyme n. m. ANAT Tissu conjonctif embryonnaire.

mésentente n. f. Défaut d'entente, désaccord.

mésentère n. m. ANAT Partie du péritoine unissant l'intestin grêle à la paroi abdominale.

mésestimer v. tr. [1] Litt. Ne pas apprécier à sa juste valeur. *Mésestimer un artiste, son talent.*

Meseta, plateau élevé du centre de l'Espagne présentant une surface grossièrement tabulaire. – *Meseta marocaine :* plateau de même aspect, situé à l'O. du Moyen Atlas marocain.

Meshhad. V. Meched.

Mésie, anc. contrée de l'Europe du S.-E., conquise par les Romains entre 75 et 29 av. J.-C. (Elle correspond à l'actuelle Bulgarie et à la Grèce du Nord.)

mésintelligence n. f. Défaut de compréhension mutuelle, d'entente.

Meskhets, Turcs originaires de Géorgie, déportés par Staline en Ouzbékistan* en 1944, sous prétexte de collaboration avec les armées allemandes.

Mesmer (Franz Anton) (Iznang, Souabe, 1734 – Meersburg, 1815), médecin allemand; auteur de la doctrine du magnétisme animal. Il prétendit avoir trouvé dans les propriétés de l'aimant un moyen de guérir toutes les maladies. Son « baquet magnétique » eut beaucoup de succès, notam. à Paris.

mesmérisme n. m. Didac. Ensemble des idées et des pratiques de Mesmer.

méso-. Préf., du gr. *mesos*, « au milieu, médian ».

mésocarpe n. m. BOT Partie médiane des tissus du fruit. *Le mésocarpe des drupes et des baies est charnu.*

mésoderme ou **mésoblaste** n. m. BIOL Feuillet embryonnaire situé entre l'ectoderme et l'endoderme, qui, au cours du développement, donne naissance aux muscles, au sang, au squelette, aux appareils urogénital et cardiovasculaire.

mésolithique adj. et n. m. PREHIST Se dit de la période préhistorique intermédiaire entre l'épipaléolithique et le néolithique. ▷ n. m. *Le mésolithique (v. 10000 – v. 5000 av. J.-C.) marque les débuts de la sédentarisation agricole.*

mésomérie n. f. CHIM Structure des corps pour lesquels la probabilité de présence des électrons est la même sur chacune des liaisons de la molécule, état intermédiaire entre deux formules limites dans lesquelles les atomes occupent toujours les mêmes places mais où la distribution des électrons varie.

mésomorphe adj. et n. **1.** CHIM Se dit d'états de la matière intermédiaires entre l'état cristallin et l'état liquide. *Les cristaux liquides sont des corps mésomorphes.* **2.** ANTHROP Caractérisé par une forme massive et carrée. – Subst. *Un(e) mésomorphe.*

méson n. m. PHYS NUCL Particule instable subissant l'interaction* forte (hadron) et constituée d'une paire quark-antiquark. *Méson* π (pi) ou « pion ». *Méson K* ou « kaon ». V. muon.

Mésopotamie (du gr. *mesos*, « au milieu », et *potamos*, « fleuve »), région située en Asie occid., entre le Tigre et l'Euphrate. Avant sa transformation en prov. de l'Empire achéménide (539 av. J.-C., conquête de Babylone par Cyrus II le Grand, roi des Perses), la Mésopotamie fut un très brillant foyer de civilisation, dont l'histoire peut se diviser en quatre grandes périodes : *sumérienne et akkadienne* (IVe-IIIe millénaire); *babylonienne* (XVIIIe-XVIe s.); *assyrienne* (XIIe-VIIe s.); *néo-babylonienne* (VIIe-VIe s.). Soumise en 331 av. J.-C. par Alexandre, intégrée dans l'Empire séleucide (321 av. J.-C.), tombée sous la domination des Parthes (141 av. J.-C.), puis temporairement organisée en prov. romaine sous Trajan (117 apr. J.-C.), la Mésopotamie fut définitivement conquise par les Arabes entre 637 et 641. Elle constitue auj. la plus grande partie de l'Irak. – BX-A V. Assyrie, Babylone, Sumer.

mésopotamien, enne adj. et n. De Mésopotamie. *Civilisation mésopotamienne.* ▷ Subst. *Les Mésopotamiens.*

mésosphère n. f. METEO Partie de l'atmosphère située entre 40 et 80 km d'alt., entre la stratosphère et la thermosphère.

mésothérapie n. f. MED Mode d'administration médicamenteuse par une série de micro-injections intradermiques au niveau de la zone malade.

mésothorax n. m. ZOOL Deuxième segment du thorax des insectes (entre le prothorax et le métathorax), qui porte les ailes supérieures ou les élytres.

mésothorium [mezɔtɔʀjɔm] n. m. Isotope radioactif du thorium ou du radium, de masse 228, utilisé dans le traitement de certains cancers.

mésozoïque adj. GEOL, PALEONT De l'ère secondaire. *Terrains mésozoïques.* ▷ n. m. *Le mésozoïque :* le secondaire.

mesquin, ine adj. **1.** (Choses) Qui manque de grandeur, de noblesse, de générosité. *Procédés mesquins.* **2.** (Personnes) Qui est attaché à ce qui est petit, médiocre. – Par ext. *Esprit mesquin.* **3.** Qui témoigne d'une parcimonie excessive. *Somme mesquine.*

mesquinement adv. D'une façon mesquine.

mesquinerie n. f. **1.** Caractère d'une chose ou d'une personne mesquine. *La mesquinerie de ces accusations.* – *Agir avec mesquinerie.* ▷ Avarice, parcimonie excessive. **2.** Action mesquine. *Il est capable de mesquineries sordides.*

mess n. m. Lieu où les officiers, les sous-officiers d'une même unité prennent ensemble leurs repas.

message n. m. **1.** Commission de transmettre qqch. *Être chargé, s'acquitter d'un message.* **2.** Ce que l'on transmet (objet, information, etc.). *Recevoir, transmettre un message.* – *Message téléphoné.* ▷ *Message publicitaire* (off. recommandé pour traduire l'amér. *spot*). **3.** Contenu d'une œuvre considérée comme porteuse d'une révélation ou dotée d'un sens profond et important. *Film à message.* **4.** DR Communication officielle adressée par le chef de l'État au pouvoir législatif. **5.** En sémiologie, en cybernétique, ensemble de signaux organisés selon un code et qu'un émetteur transmet à un récepteur par l'intermédiaire d'un canal. ▷ INFORM Ensemble de données à transmettre par voie de communication informatique.

messager, ère n. 1. Personne chargée d'un message. 2. Ce qui annonce une chose; avant-coureur. *Les hirondelles sont les messagères du printemps.* 3. BIOL *A.R.N. messager* : V. ribonucléique. 4. TELECOM *Messager de poche* : syn. de *pager.*

Messager (André) (Montluçon, 1853 – Paris, 1929), chef d'orchestre et compositeur français; auteur d'opérettes : *la Basoche* (1890), *Véronique* (1898), *Monsieur Beaucaire* (1919), etc.

messagerie n. f. 1. Service de transport de marchandises; bureaux d'un tel service. *Entrepreneur de messageries.* – *Messageries maritimes.* – *Messageries de presse,* qui se chargent d'assurer le routage des périodiques. 2. *Messagerie électronique* : service qui permet à l'utilisateur d'adresser et de recevoir des messages par le truchement d'un terminal informatique. Syn. télémessagerie.

Messagier (Jean) (Paris, 1920), peintre, graveur et sculpteur français. D'abord proche de l'impressionnisme (*le Jour et la Nuit,* 1948), son art évolue vers l'abstraction avec des structures orthogonales (*À même la mer,* 1955), puis les lignes s'incurvent jusqu'à l'entrelacs, dans une dynamique gestuelle (*Après-midi montante,* 1958; *Hiver piétiné,* 1968, etc.).

Messali Hadj (Ahmad) *(Aḥmad Masālī al-Ḥağğ)* (Tlemcen, 1898 – Paris, 1974), homme politique algérien; fondateur de l'Étoile nord-africaine (1924), qui devint en 1937 le Parti populaire algérien, et en 1946 le Mouvement pour le triomphe des libertés démocratiques. Ses partisans, regroupés dans le Mouvement nationaliste algérien (à partir de 1954), s'opposèrent au Front de libération nationale.

Messaline (en lat. Valeria Messalina) (?, v. 25 ap. J.-C. – Rome, 48), impératrice romaine; cinquième femme de Claude, dont elle eut deux enfants : Octavie et Britannicus. Débauchée notoire, elle eut sans doute aussi des ambitions polit. que Claude neutralisa en la faisant assassiner au moment de son scandaleux mariage avec Silius Caius.

messaline n. f. Vieilli Femme débauchée.

Messapie, anc. région de l'Italie (qui correspond à peu près à la Calabre et aux Pouilles actuelles), dans la Grande-Grèce.

messe n. f. 1. Cérémonie rituelle du culte catholique, célébrée par le prêtre qui offre à Dieu, au nom de l'Église, le corps et le sang du Christ sous les espèces du pain et du vin. *Célébrer la messe.* – *Aller à la messe* : se rendre à l'église pour assister à la messe. *Par ext.* Pratiquer (sens I, 3). *Il y a longtemps que je ne vais plus à la messe.* – *Livre de messe* : missel. *Messe de minuit,* célébrée la nuit de Noël. ▷ *Messe basse,* dont aucune partie n'est chantée (par oppos. à *grand-messe*). – Fig., fam. *Faire des messes basses* : parler très bas en présence d'un tiers pour qu'il n'entende pas ce qu'on dit. ▷ *Messe noire* : parodie sacrilège de la messe, cérémonie de sorcellerie en hommage au diable. 2. Musique composée pour une grand-messe. *« Messe en si mineur » de J.-S. Bach.*

Messène, anc. cap. de la Messénie, fondée par Épaminondas près du mont Ithôme en 369 av. J.-C. – Auj. *Messíni* est une petite ville de 6 600 habitants.

Messénie, région du S.-O. du Péloponnèse (Grèce); 2 991 km²; 167 290 hab.; ch.-l. *Kalamáta.* – La Messénie anc. fut soumise par Sparte après trois guerres (fin VIIIe s., VIe s. et Ve s. av. J.-C.). En 369 av. J.-C., elle forma à nouveau un État libre, jusqu'à la conquête romaine (146 av. J.-C.).

messeoir [meswaʀ] v. intr. [41] (Inus. sauf *(il) messied* et *messéant.*) Litt. N'être pas convenable; n'être pas séant. *Ce déguisement messied à votre âge.* – Ppr. adj. *Un comportement messéant.*

Messerschmitt (Willy) (Francfort-sur-le-Main, 1898 – Munich, 1978), ingénieur et industriel allemand. Il construisit notam. des avions de chasse utilisés pendant la Seconde Guerre mondiale, et, en 1938, le premier avion à réaction produit en série (utilisé en nov. 1944 sur le front occidental).

Messiaen (Olivier) (Avignon, 1908 – Paris, 1992), compositeur et organiste français. Il s'est inspiré du plain-chant grégorien, des chants d'oiseaux et des rythmes d'origine orientale pour créer une œuvre savante, élégante et souvent empreinte d'une profonde religiosité : *Quatuor pour la fin des temps* (1941), *Turangalîla-Symphonie* (1949), *Saint François d'Assise* (opéra, 1983).

▶ illustr. page **1204**

messianique adj. Qui a rapport au Messie, à sa venue. *L'attente messianique est une des données permanentes du judaïsme.* – Relatif au messianisme.

messianisme n. m. Croyance en l'avènement du royaume de Dieu sur la terre, dont le Messie sera l'initiateur. ▷ Par ext. *Messianisme révolutionnaire.*

messidor n. m. HIST Dixième mois du calendrier républicain (du 19/20 juin au 19/20 juillet).

messie n. m. Libérateur, rédempteur des péchés, envoyé par Dieu pour établir son royaume sur terre, qui fut promis aux hommes dans l'Ancien Testament, et que les chrétiens reconnaissent en Jésus-Christ. ▷ Fig., fam. *Attendre qqn comme le Messie,* en mettant en lui beaucoup d'espoir.

Messier (Charles) (Badonviller, Lorraine, 1730 – Paris, 1817), astronome français. Spécialiste des comètes, puis des nébuleuses, il établit un catalogue de 103 objets d'aspect nébulaire (désignés par la lettre M suivie d'un numéro d'ordre).

messieurs. V. monsieur.

messin, ine adj. et n. De Metz; de la région de Metz. *Le pays messin.* ▷ Subst. *Un(e) Messin(e).*

Messine (détroit de), détroit (long de 42 km, large de 3 à 18 km) qui sépare la Sicile de l'Italie méridionale (Calabre) et fait communiquer les mers Tyrrhénienne et Ionienne.

Messine (nom gr. antiq. *Zancle,* « faucille », à cause de la forme de sa presqu'île), v. et port d'Italie (Sicile), sur le détroit de Messine; 264 850 hab.; ch.-l. de la prov. du m. nom. Port de voyageurs. Industr. alimentaires et chimiques. – Archevêché. Université. Musée. – La ville fut détruite par un séisme en 1908.

Messine (Antonello de). V. Antonello da Messina.

messire n. m. Ancien titre d'honneur donné à toute personne noble, à tout personnage distingué (prêtre, avocat, etc.), puis exclusivement au chancelier de France.

Messmer (Pierre) (Vincennes, 1916), homme politique français; ministre des Armées (1960-1969), Premier ministre de 1972 à 1974.

Messys. V. Matsys.

mesurable adj. Qui peut être mesuré.

mesurage n. m. TECH Action de mesurer.

mesure n. f. I. 1. Évaluation d'une grandeur par comparaison avec une grandeur constante de même espèce prise comme référence (unité, étalon). *Mesure d'une distance au mètre près.* – *Appareil de mesure.* 2. Quantité, grandeur déterminée par la mesure et, spécial., dimension. *Vérifier une mesure.* – *Prendre les mesures d'une pièce d'étoffe.* ▷ *Spécial.* Dimensions du corps d'une personne. *Vêtement fait aux mesures de qqn, sur mesure.* – Fig. *Sur mesure* : spécialement adapté à une personne, à une situation, à un objectif. 3. Quantité, grandeur servant d'unité; étalon matériel servant à mesurer. *Le mètre, mesure de longueur.* – *Le système des poids et mesures.* ▷ Fig. *Commune mesure* (seulement en tournure négative) : comparaison, rapport qu'il est possible d'établir entre deux personnes, deux choses, deux situations. *Il n'y a pas de commune mesure entre lui et eux.* – *Faire deux poids, deux mesures* : juger différemment deux choses identiques; être partial. 4. Récipient servant de mesure. *Mesures en bois* (pour les grains), *en étain* (pour les liquides). ▷ Quantité contenue dans une mesure. *Versez une mesure de lait pour deux mesures d'eau.* 5. Fig. Valeur, capacité d'une personne. *Il a donné toute sa mesure, toute la mesure de son talent, dans cette affaire,* il a montré ce dont il était capable. 6. Loc. *À la mesure de* : proportionné à. *Une réussite à la mesure de son talent.* ▷ *Dans la mesure où* : dans la proportion où. – *Dans la mesure du possible* : autant qu'il est possible. ▷ Loc. conj. *À mesure que* : simultanément et dans la même proportion que. *Les troupes ennemies fuyaient à mesure que nous avancions.* ▷ adv. *Au fur et à mesure* : V. fur. 7. Division régulière ou périodique de la durée. – MUS Division de la durée musicale en parties égales, marquée dans l'exécution par des séquences rythmiques correspondant à l'espace compris entre deux barres verticales sur la partition écrite. *Barre de mesure.* – *Battre la mesure,* l'indiquer matériellement (en tapant du pied, par ex.). *Mesure à trois temps.* – *Chanter, danser en mesure,* en suivant correctement la mesure. 8. En escrime, distance convenable pour donner ou parer un coup. *Être en mesure, hors de mesure.* ▷ Loc. fig., cour. *Être en mesure de* : être capable, avoir le pouvoir de. II. 1. Limites de la bienséance, de ce qui est considéré comme normal, souhaitable. *Dépasser la mesure.* ▷ *Une jalousie sans mesure.* – *Outre mesure* : d'une manière excessive. 2. Modération, pondération dans sa manière d'agir, de se conduire, de penser, de parler. *Avoir le sens de la mesure.* III. Moyen que l'on se donne pour obtenir qqch. *Il a pris des mesures pour que cela ne se reproduise plus. Mesures fiscales impopulaires.*

mesuré, ée adj. 1. Réglé précisément par la mesure. – *Pas mesurés,* lents. 2. Modéré, qui a de la mesure. *Paroles mesurées.*

mesurément adv. Avec mesure.

mesurer v. [1] **I.** v. tr. **1.** Évaluer (un volume, une surface, une longueur) par la mesure. *Mesurer un champ.* **2.** (Abstrait) Évaluer, apprécier. *Mesurer l'étendue du désastre.* **3.** Essayer (sa force, son talent) contre qqn ou qqch pour déterminer sa valeur. *Mesurer sa force avec* (ou *contre*) *qqn.* **4.** Proportionner. *Mesurer le châtiment à la faute.* **5.** Modérer. *Mesurer ses paroles.* **6.** Donner, distribuer avec parcimonie. *Le temps nous est mesuré,* nous est compté. **II.** v. intr. Avoir pour mesure. *Ce mur mesure deux mètres.* – Avoir pour taille. *Il mesure 1,80 m.* **III.** v. pron. **1.** (Passif) Être mesurable. *Le bois se mesure en stères.* **2.** *Se mesurer à, avec qqn,* essayer ses forces contre lui.

mesurette n. f. Fam. Mesure sans portée réelle.

mesureur n. m. **1.** Celui qui est chargé de mesurer. **2.** Appareil de mesure.

mésusage n. m. Vieilli ou litt. Mauvais usage.

mésuser v. tr. indir. [1] Litt. *Mésuser de :* faire mauvais usage de.

Meta (río), riv. de Colombie (1 046 km), affl. de l'Orénoque (r. g.); naît dans la Cordillère orientale.

méta-. Élément, du gr. *meta,* «après, au-delà de», qui indique le changement. ▷ CHIM Préfixe utilisé pour distinguer certains composés benzéniques de leurs isomères et pour désigner certains polymères. (Abrév. : m-).

méta n. m. (Nom déposé.) Abrév. de *métaldéhyde.*

métabolique adj. BIOL Du métabolisme; relatif au métabolisme.

métaboliser v. tr. [1] BIOL Transformer par métabolisme.

métabolisme n. m. BIOL Ensemble des réactions biochimiques qui se produisent au sein de la matière vivante et par lesquelles certaines substances s'élaborent (anabolisme) ou se dégradent en libérant de l'énergie (catabolisme). ▷ MED *Métabolisme de base* ou *basal :* quantité de chaleur produite par un sujet à jeun et au repos, par heure et par mètre carré de la surface du corps.

métabolite n. m. BIOL Substance résultant de la transformation d'une matière organique au cours d'une réaction métabolique.

métacarpe n. m. ANAT Partie du squelette de la main située entre le carpe (poignet) et les doigts.

métacarpien, enne adj. et n. m. ANAT Du métacarpe, relatif au métacarpe. ▷ n. m. Chacun des cinq os qui forment le métacarpe.

métairie n. f. **1.** Domaine rural exploité par un métayer. **2.** Ensemble des bâtiments d'un tel domaine.

métal, aux n. m. **1.** Corps simple, le plus souvent ductile et malléable, d'un éclat particulier («éclat métallique») et dont un oxyde au moins est basique. *Métaux précieux :* l'or, l'argent, le platine. *Métal natif* ou *vierge,* qui se trouve dans la nature à l'état pur. *Métaux de transition :* V. transition. ▷ Matière métallique (pure ou d'alliage). *Métal blanc :* alliage à prédominance d'étain dont la couleur rappelle l'argent. **2.** HERALD *Les métaux :* l'or (le jaune) et l'argent (le blanc). **3.** Fig., litt. Matière, pâte, étoffe dont une personne est faite; fond du caractère. *De quel métal est-il donc fait ?*

ENCYCL Les métaux sont caractérisés par leur éclat, leur pouvoir réflecteur, leur conductibilité thermique et électrique. Ils ont tendance à perdre des électrons et diffèrent en cela des non-métaux. Dans la classification périodique des éléments, les métaux sont situés sous une diagonale allant du bore au polonium, alors que les non-métaux sont situés au-dessus de cette diagonale. Le long de la diagonale, on trouve des éléments comme le silicium et l'arsenic, les *semi-métaux,* dont les propriétés sont intermédiaires entre celles des métaux et celles des non-métaux. La plupart des métaux cristallisent dans des systèmes simples à structure très compacte. Les propriétés physiques d'un métal, en partic. sa conductivité, s'expliquent par la nature de la liaison entre ses atomes (V. encycl. liaison). Dans la *liaison métallique,* les électrons cédés par les atomes constituent un nuage électronique qui se déplace librement dans le cristal entre les interstices laissés par les ions. Les propriétés mécaniques des métaux (dureté, résistance et malléabilité) sont étroitement liées à leur texture cristalline. Les métaux sont d'autant plus réducteurs que leur potentiel d'oxydoréduction est plus bas; les plus oxydables sont le lithium, le potassium et le rubidium. Les moins oxydables, appelés métaux nobles, sont l'or, le platine, le palladium, le rhodium et l'argent. Les métaux ont la propriété de former des *alliages* entre eux ou avec certains non-métaux. Certains possèdent par ailleurs d'importantes propriétés magnétiques. Les atomes métalliques peuvent former, par association avec d'autres atomes, des *complexes* plus ou moins stables. Dans l'industrie, on distingue les métaux ferreux et les métaux non ferreux. Les métaux entrent sous forme d'oligo-éléments dans la composition des organismes vivants.

métalangage n. m. ou **métalangue** n. f. LING Langage utilisé pour décrire un autre langage, une langue naturelle.

métaldéhyde n. m. CHIM Polymère de l'aldéhyde éthylique, combustible solide utilisé notam. sous le nom commercial de *méta.*

métalinguistique adj. LING Du métalangage ou de la métalangue.

métallerie n. f. CONSTR Fabrication et pose d'ouvrages métalliques (notam. serrurerie).

métallescent, ente [metalesɑ̃, ɑ̃t] adj. Dont la surface présente un éclat métallique.

métallier, ère n. Spécialiste de métallerie.

métallifère adj. Qui contient un métal. *Sol métallifère.*

Métallifères (monts) (en all. *Erzgebirge,* en tchèque *Krušné Hory*), échine montagneuse hercynienne (1 244 m au *Klinovec,* en Bohême), qui sépare l'Allemagne de la Rép. tchèque. Grande rég. industr. en raison de ses ressources minérales (houille, uranium, zinc, etc.).

métallique adj. **1.** Qui est en métal. *Pont métallique.* **2.** Propre au métal. *Un son métallique.* ▷ Fig. *Voix métallique.*

métallisation n. f. TECH Opération consistant à recouvrir un corps d'une mince couche de métal.

métallisé, ée adj. *Peinture métallisée,* contenant une poudre métallique qui lui donne un aspect brillant et pailleté.

métalliser v. tr. [1] **1.** Donner un aspect métallique à. **2.** TECH Procéder à la métallisation de.

métallo-. Élément, du gr. *metallon,* «mine, produit de la mine».

métallo n. m. Fam. Métallurgiste.

métallogénie n. f. Étude de la formation et de la composition des gîtes métalliques.

métallographie n. f. TECH Étude de la structure et des propriétés des métaux et des alliages.

métallographique adj. TECH Relatif à la métallographie.

métalloïde n. m. CHIM **1.** Vieilli Non-métal*. **2.** Mod. Élément intermédiaire entre un métal et un non-métal. Syn. semi-métal.

métalloplastique adj. TECH Qui allie certaines des propriétés du métal et de la matière plastique.

métallurgie n. f. **1.** Ensemble des techniques et des opérations nécessaires à l'extraction, à l'affinage et au travail des métaux. **2.** Ensemble des installations et des établissements industriels qui assurent ces tâches. ▷ *Métallurgie de transformation :* industrie de la construction mécanique (machines, véhicules, etc.).

métallurgique adj. Relatif à la métallurgie.

métallurgiste adj. et n. m. Qui s'occupe de métallurgie, qui travaille dans la métallurgie. *Ingénieur métallurgiste.* ▷ n. m. Ouvrier de la métallurgie. (Abrév. fam. : un métallo).

métalogique adj. et n. f. **1.** adj. LOG Qui sert de fondement à la logique. **2.** n. f. Théorie des énoncés d'une logique formalisée et des règles de son fonctionnement.

métamathématique n. f. LOG Partie de la logique qui a pour objet l'élaboration et l'analyse des méthodes des mathématiques.

métamère n. m. ZOOL Chacun des segments successifs, présentant la même organisation, du corps des annélides et des arthropodes.

métamorphique adj. GEOL Relatif au métamorphisme; produit par métamorphisme. *Le micaschiste est une roche métamorphique.* Syn. cristallophyllien.

métamorphiser v. tr. [1] GEOL Transformer par métamorphisme.

métamorphisme n. m. GEOL Ensemble des transformations (minéralogiques, structurales, etc.) qui affectent une roche soumise à des conditions de température et de pression différentes de celles de sa formation.

métamorphose n. f. **1.** Changement d'une forme en une autre. *La métamorphose des bourgeons en fleurs et en feuilles.* ▷ *Spécial.* Changement d'apparence d'origine surnaturelle qui rend un être méconnaissable. *Les métamorphoses de Jupiter.* **2.** Ensemble des transformations successives que subissent les larves de certains animaux (amphibiens, insectes, etc.) pour atteindre l'état adulte. **3.** Fig. Changement complet dans l'apparence, l'état, la nature d'une personne ou d'une chose. *Métamorphoses d'un comédien, d'un paysage.*

métamorphoser v. [1] **I.** v. tr. **1.** Opérer la métamorphose de. *Zeus métamorphosa Niobé en rocher.* **2.** Fig. Modifier profondément l'apparence, l'état, la nature de (qqn, qqch). *Son succès l'a* *métamorphosé.* ▷ v. pron. *Hypothèses qui se métamorphosent en affirmations.* **II.** v. pron. ZOOL Subir une métamorphose.

métaphase n. f. BIOL Deuxième phase de la division du noyau cellulaire. V. mitose.

métaphore n. f. Figure de rhétorique qui consiste à donner à un mot un sens qu'on ne lui attribue que par une analogie implicite. *« Le printemps de la vie » est une métaphore pour parler de la jeunesse.*

métaphorique adj. **1.** Qui appartient à la métaphore. *Sens métaphorique.* **2.** Qui abonde en métaphores. *Style métaphorique.*

métaphoriquement adv. D'une manière métaphorique.

métaphyse n. f. ANAT Segment d'un os long compris entre la diaphyse et l'épiphyse.

métaphysicien, enne n. Personne qui fait de la métaphysique son étude.

métaphysique n. f. **1.** Recherche rationnelle de la connaissance des choses en elles-mêmes, au-delà de leur apparence sensible et des connaissances que l'on en a grâce aux sciences positives ; *spécial.* Ensemble des spéculations sur les idées, la vérité, Dieu, etc. – *Par ext.* Toute théorie générale abstraite. ▷ adj. Qui concerne la métaphysique. *Certitude métaphysique.* **2.** *Par ext.* Ce qui est très abstrait. *Je n'entends rien à toute cette métaphysique.*

métaplasie n. f. BIOL Transformation d'un tissu différencié en un autre tissu différencié, normal sur le plan cellulaire mais anormal quant à sa localisation dans l'organisme.

métapsychique n. f. et adj. Étude des phénomènes psychiques inexpliqués dans l'état actuel de la science (télépathie, prémonition, etc.). Syn. parapsychologie. ▷ adj. *Phénomènes métapsychiques.*

métastable adj. CHIM Qualifie un système physico-chimique qui n'a pas atteint la stabilité, mais dont la vitesse de transformation est suffisamment faible pour qu'il présente les caractères de la stabilité. *La surfusion d'un liquide est un équilibre métastable.*

métastase n. f. MED Localisation dans un ou plusieurs points du corps de cellules ayant migré d'un foyer primitif infectieux, parasitaire ou cancéreux.

Métastase (Pierre) [en ital. *Pietro Trapassi,* dit *Metastasio*] (Rome, 1698 – Vienne, 1782), poète et dramaturge italien ; auteur de « mélodrames » (tragédies avec accompagnement musical) : *Sémiramis* (1729), *Artaxerxès* (1730), *la Clémence de Titus* (1734), *le Roi pasteur* (1751), etc. Ses textes furent mis en musique par des compositeurs aussi célèbres que J. Ch. Bach, Haendel, Piccinni ou Mozart. Il fut poète de la cour de Vienne de 1730 à sa mort, et publia des poèmes lyriques et religieux ainsi que des essais critiques : *la Poétique d'Aristote ; le Théâtre grec.*

métastaser v. intr. [1] MED Produire des métastases.

métatarse n. m. ANAT Partie du squelette du pied située entre le tarse (cheville) et les orteils.

métatarsien, enne adj. et n. m. ANAT Du métatarse ; relatif au métatarse. ▷ n. m. Chacun des cinq os qui forment le métatarse.

métathériens n. m. pl. ZOOL Sous-classe de mammifères primitifs caractérisés par l'absence de placenta lors de la gestation. – Sing. *Un métathérien.*

métathèse n. f. LING Déplacement ou interversion d'un phonème ou d'une syllabe à l'intérieur d'un mot ou d'un groupe de mots. *« Berbis » (XI*e *s.) est devenu « brebis » en français moderne par métathèse.*

métathorax n. m. ZOOL Troisième et dernier segment du thorax des insectes, qui porte la paire d'ailes postérieures.

Métaure (le), fl. d'Italie centr. (110 km), tributaire de l'Adriatique. – Sur ses rives, Hasdrubal fut défait et tué par les Romains (207 av. J.-C.).

Metaxás (Ioánnis) (Ithaque, 1871 – Athènes, 1941), général et homme politique grec. Président du Conseil (1936), il abolit la Constitution et instaura une dictature à vie (1938).

métayage n. m. Système de louage agricole selon lequel l'exploitant partage les récoltes avec le propriétaire.

métayer, ère n. Personne qui exploite un domaine rural selon le système du métayage.

métazoaire n. m. ZOOL Animal pluricellulaire (par oppos. à *protozoaire*).

Metchnikoff (Ilia Ilitch Metchnikov, dit Élie) (Ivanovka, près de Kharkov, 1845 – Paris, 1916), microbiologiste russe. À Paris, il collabora avec Pasteur. On lui doit la découverte du processus de la phagocytose (1884). P. Nobel de médecine 1908.

méteil n. m. AGRIC Mélange de seigle et de froment semé et récolté dans un même champ.

Metellus Cæcilius. V. Cæcilius Metellus.

métempsycose ou **métempsychose** [metɑ̃psikoz] n. f. PHILO, RELIG Transmigration, après la mort, de l'âme d'un corps dans un autre. *La croyance en la métempsycose, fondement du brahmanisme.*

météo n. f. et adj. Fam. Abrév. de *météorologie, météorologique.*

Meteor Crater, grand cratère, à l'origine creusé par une météorite, situé en Arizona ; son diamètre est de 1 300 m et sa profondeur de 175 m.

météore n. m. **1.** METEO Vx ou didac. Phénomène atmosphérique. *Météores gazeux* (ex. vent), *aqueux* (ex. pluie), *lumineux* (ex. arc-en-ciel), *électriques* (ex. foudre). **2.** ASTRO Cour. Météorite. **3.** Fig. Personne dont la carrière est brillante mais très brève.

Météores (les), monastères de Thessalie bâtis sur des rochers escarpés et d'accès difficile.

météorique adj. Relatif aux météores.

météorisme n. m. MED Accumulation de gaz dans l'intestin.

météorite n. f. ou m. Fragment minéral provenant de l'espace et traversant l'atmosphère terrestre.

météorologie n. f. Science ayant pour objet la connaissance des phénomènes atmosphériques et des lois qui les régissent, et l'application de ces lois à la prévision du temps. (Abrév. : météo).

météorologique adj. Relatif à la météorologie. *Bulletin météorologique.* (Abrév. : météo).

météorologiste ou **météorologue** n. Spécialiste de météorologie.

métèque n. m. Péjor. Étranger (en partic., étranger au teint basané).

Métezeau, famille d'architectes français. – **Louis** (Dreux, v. 1560 – Paris, 1615), architecte du roi ; il commença la grande galerie du Louvre ; il aurait conçu la place Royale (auj. place des Vosges), à Paris. – **Clément II** (Dreux,

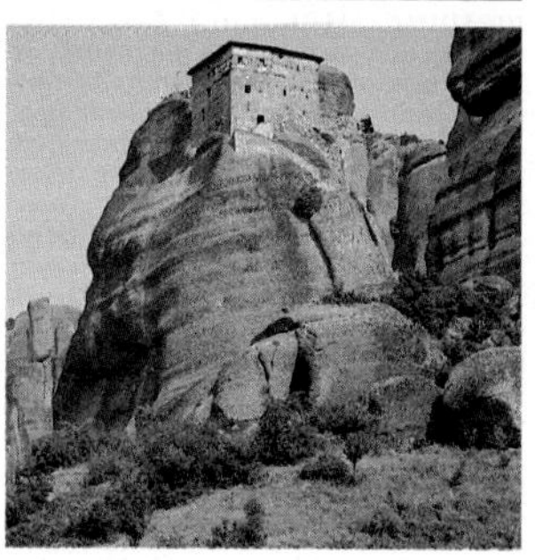

les **Météores :** monastère Saint-Nicolas-Anapausas, XIVe-XVIIe s., orné de fresques dues au moine Théophane (1527)

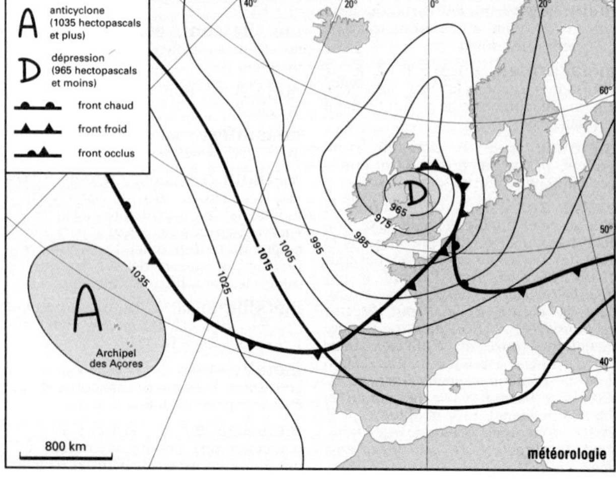

1581 – Paris, 1652), frère du préc.; architecte de Louis XIII, il dessina la place Ducale de Charleville, travailla avec S. de Brosse au palais du Luxembourg, commença l'égl. de l'Oratoire (Paris), construisit la digue de La Rochelle.

méthacrylate n. m. CHIM Sel ou ester de l'acide méthacrylique.

méthacrylique ou **méthylacrylique** adj. CHIM *Acide méthacrylique* ($CH_2=C(CH_3)-COOH$). *Résines méthacryliques,* résultant de la polymérisation des esters de l'acide, utilisées en particulier dans la fabrication des verres organiques (plexiglas, par ex.).

méthadone n. f. PHARM Dérivé de la morphine utilisé dans les cures de sevrage des toxicomanes.

méthanal n. m. CHIM Premier terme des aldéhydes de formule H–CHO. Anc. nom : aldéhyde formique (V. formol).

méthane n. m. CHIM Hydrocarbure saturé, de formule CH_4.
ENCYCL Le méthane est le premier terme de la série des hydrocarbures saturés. À la température ordinaire, c'est un gaz incolore et inodore, plus léger que l'air (densité 0,559). Le méthane est le constituant essentiel du gaz naturel utilisé pour le chauffage.

méthanier adj. et n. m. **1.** adj. Du méthane. *Terminal méthanier.* **2.** n. m. Navire spécialement conçu pour le transport du gaz naturel liquéfié.

méthaniser v. tr. [1] Transformer des déchets organiques en méthane.

méthanol n. m. CHIM Alcool méthylique.

méthionine n. f. BIOL Acide aminé soufré essentiel qui fournit les méthyles dont la cellule a besoin.

méthode n. f. **1.** PHILO Marche rationnelle de l'esprit pour arriver à la connaissance ou à la démonstration de la vérité. *« Discours de la méthode » (Descartes).* **2.** Ensemble de procédés, de moyens pour arriver à un résultat. *Méthode d'enseignement. Méthodes de fabrication d'un produit. Animaux classés selon la méthode de Cuvier.* – Fam. Manière de procéder. *Je connais la méthode pour le convaincre.* **3.** Ouvrage d'enseignement élémentaire. *Méthode de piano.* **4.** Qualité d'esprit consistant à savoir classer et ordonner les idées, à savoir effectuer un travail avec ordre et logique. *Avoir de la méthode.* – Disposition ordonnée et logique. *Livre composé sans méthode.*

Méthode (saint) (Thessalonique, v. 825 – ?, 885), missionnaire byzantin. En 864, l'empereur Michel III, soucieux de donner à l'Église d'Orient une forte audience parmi les Slaves de l'O., envoya Méthode et son frère Cyrille en Moravie, en Pannonie (Hongrie) et en Pologne. Ils traduisirent les textes sacrés (Bible, notam.) en langue slave, utilisant un alphabet dérivé du grec (qu'on appellera plus tard *cyrillique*). Méthode fut nommé évêque de Pannonie, avec juridiction sur presque tous les pays slaves.

méthodique adj. **1.** Fait avec méthode. *Recherches méthodiques.* Syn. systématique. **2.** Qui a de la méthode. *Esprit méthodique.*

méthodiquement adv. Avec méthode.

méthodisme n. m. RELIG Mouvement protestant s'appuyant sur la doctrine de Wesley.

méthodiste adj. et n. RELIG Relatif au méthodisme. *Église méthodiste.* ▷ Subst. Adepte du méthodisme. *Les méthodistes sont environ 20 millions dans le monde.*

méthodologie n. f. **1.** PHILO Partie de la logique qui étudie les méthodes des différentes sciences. V. aussi épistémologie. **2.** Cour. Ensemble des méthodes appliquées à un domaine particulier de la science, de la recherche.

méthodologique adj. Relatif à la méthodologie.

Methuen (John) (Bradford, 1650 – Lisbonne, 1706), diplomate anglais. Il a donné son nom au traité qui plaçait le Portugal sous la dépendance économique de l'Angleterre (1703).

méthylacrylique. V. méthacrylique.

méthyle n. m. CHIM Radical monovalent CH_3. – *Chlorure de méthyle* (CH_3Cl), employé comme agent réfrigérant et anesthésique.

méthylène n. m. CHIM Radical bivalent CH_2. ▷ *Chlorure de méthylène :* liquide volatil de formule CH_2Cl_2, utilisé comme solvant. ▷ *Bleu* de méthylène.*

méthylique adj. CHIM Qui renferme le radical méthyle. *Alcool méthylique* ou *méthanol,* de formule CH_3OH, utilisé dans la fabrication du formol et comme solvant.

méthylorange n. m. CHIM Syn. de *hélianthine.*

méticuleusement adv. D'une manière méticuleuse.

méticuleux, euse adj. **1.** Scrupuleux. **2.** Minutieux. *Esprit méticuleux.* **3.** Qui demande un grand soin. *Travail méticuleux.*

méticulosité n. f. Caractère méticuleux d'une personne, d'une action.

métier n. m. **I. 1.** Occupation manuelle ou mécanique qui permet de gagner sa vie. *Le métier de menuisier. Corps de métier.* **2.** Profession quelconque, considérée relativement au genre de travail qu'elle exige. *Écrivain qui connaît bien son métier. Un homme du métier :* un professionnel, un spécialiste. ▷ Prov. *Il n'y a pas de sot métier :* toutes les professions sont honorables et utiles, même les plus humbles. **3.** Savoir-faire, habileté acquise dans l'exercice d'un métier, d'une profession. *Cet acteur a du métier.* **4.** Chacun des secteurs d'activité d'une entreprise ou d'une groupe industriel. **II.** TECH Machine utilisée pour la fabrication des tissus. *Métier à tisser.* ▷ Châssis sur lequel on tend certains ouvrages. *Métier à broder.* ▷ Loc. fig. *« Vingt fois sur le métier remettez votre ouvrage »* (Boileau).

métis, isse [metis] adj. et n. **1.** Dont les parents sont chacun d'une race différente. – n. *Un Eurasien est un métis.* **2.** ZOOL Issu du croisement de races différentes au sein d'une même espèce. **3.** TECH *Toile métisse,* dans laquelle lin et coton sont mélangés. – n. m. *Du métis.* **4.** Qui résulte d'un métissage culturel. *Un grand concert de musiques métisses.*

métissage n. m. Croisement de races. ▷ Par ext. *Métissage culturel :* mélange de cultures.

métisser v. tr. [1] Croiser (deux races différentes). – Pp. adj. *Une population métissée.*

Metius (Adriaensz) (Alkmaar, 1571 – Franeker, 1635), géomètre hollandais. Il donna au nombre π (rapport de la circonférence au diamètre d'un cercle) la valeur approchée = 355/113.

métonymie n. f. Figure de rhétorique dans laquelle un concept est dénommé au moyen d'un terme désignant un autre concept, lequel entretient avec le premier une relation d'équivalence ou de contiguïté (la cause pour l'effet, la partie pour le tout, le contenant pour le contenu, etc.). *« La salle applaudit »* (pour *« les spectateurs »*) *est une métonymie.*

métonymique adj. Qui a le caractère de la métonymie.

métope n. f. ARCHI Espace de la frise dorique, souvent orné d'un bas-relief.

métrage n. m. **1.** CONSTR Action de métrer. **2.** Longueur en mètres (d'une pièce de tissu, par ex.). **3.** (Dans les loc. ou les mots composés *court(-)métrage, moyen(-)métrage, long(-)métrage.*) Longueur d'un film. *Long(-)métrage :* film qui dure une heure et demie ou plus.

Métraux (Alfred) (Lausanne, 1902 – vallée de Chevreuse, Yvelines, 1963), ethnologue américain d'origine suisse. Il consacra sa carrière à l'étude des populations de l'Amérique latine : *la Religion des Tupi-Guarani* (1928), *l'Île de Pâques* (1941), *le Vaudou haïtien* (1958).

-mètre, -métrie, -métrique, métro-. Éléments, du gr. *metron,* « mesure, évaluation ».

1. mètre n. m. **1.** Unité fondamentale des mesures de longueur (symbole m), définie légalement, à l'origine (1795), comme la dix-millionième partie du quart du méridien terrestre, et, en 1983, comme le trajet parcouru par la lumière dans le vide pendant une durée de 1/299 792 458 de seconde. ▷ *Mètre carré* (m^2) : unité de surface égale à l'aire d'un carré de 1 mètre de côté. ▷ *Mètre cube* (m^3) : unité de volume égale au volume d'un cube de 1 mètre d'arête. ▷ *Mètre par seconde* (m/s) : unité de vitesse. – *Mètre par seconde par seconde* (m/s^2) : unité d'accélération. **2.** Règle, ruban gradué de 1 m de long. *Mètre de couturière.*

2. mètre n. m. **1.** Dans les versifications grecque et latine, unité rythmique, groupe de syllabes longues ou brèves comprenant un temps fort et un temps faible. **2.** En versification française, nombre de syllabes d'un vers.

métré n. m. CONSTR Relevé général et détaillé des différentes quantités entrant dans un ouvrage, en partic. en vue de sa facturation.

métrer v. tr. [14] **1.** Mesurer à l'aide d'un mètre. **2.** CONSTR Établir un métré.

métreur, euse n. CONSTR Personne chargée de l'établissement des métrés. *Métreur-vérificateur.*

-métrie. V. -mètre.

-métrique. V. -mètre.

1. métrique adj. **1.** Relatif au mètre. ▷ Qui a le mètre pour base. *Système métrique :* système rendu légal en France en 1799 et obligatoire en 1840, remplacé en 1962 par le système* international d'unités. **2.** *Tonne métrique :* masse de 1 000 kg (par oppos. aux unités de masse anglo-saxonnes).

2. métrique n. f. et adj. **1.** n. f. Étude de la versification. **2.** adj. Qui concerne la mesure des vers. – *Vers métrique,* qui repose sur la combinaison des syllabes longues et brèves (par oppos. au *vers syllabique*, fondé sur le nombre des syllabes).

métrite n. f. MED Inflammation et infection de l'utérus.

métro-. V. -mètre.

métro n. m. (Abrév. de *métropolitain* 2.) Chemin de fer urbain à traction électrique, partiellement ou totalement souterrain.

métro automatique à Lille

métrologie n. f. Didac. Science des mesures.

métronome n. m. Instrument battant la mesure sur un rythme choisi, utilisé en musique pour l'étude, et qui comporte un balancier à curseur dont le mouvement est entretenu par un mécanisme à échappement.

métropole n. f. **1.** État considéré par rapport aux colonies qu'il a fondées. **2.** Capitale d'un pays, ville principale d'une région. *Métropole régionale.* – *Métropole d'équilibre* : ville destinée à rééquilibrer l'activité d'une région en lui donnant une certaine autonomie par rapport à l'admin. centrale. **3.** RELIG CATHOL Ville possédant un siège archiépiscopal dont relèvent des suffragants.

1. métropolitain, aine adj. **1.** De la métropole. *Le territoire métropolitain et les colonies.* **2.** RELIG CATHOL Qui a rapport à une métropole. *Archevêque métropolitain* ou, n. m., *un, le métropolitain.*

2. métropolitain adj. et n. m. Vx *Chemin de fer métropolitain.* ▷ n. m. *Le métropolitain* : le métro*.

Metropolitan Museum of Art, musée créé à New York en 1872, l'un des plus riches du monde : peinture anc. (Goya, le Greco, Rembrandt, Van Eyck, Vermeer) et contemp. (Pollock, pop art, Kline), archéol. (Orient anc.), statuaire de la Grèce antique, sculptures médiévales européennes, armes, costumes, etc.

métropolite n. m. RELIG Prélat d'un rang élevé, dans l'Église orthodoxe.

métrorragie ou **métrorrhagie** [metʀɔʀaʒi] n. f. MED Hémorragie d'origine utérine.

mets [mɛ] n. m. Aliment préparé qui entre dans la composition d'un repas; plat. *L'art d'apprêter les mets.*

Metsys. V. Matsys.

mettable adj. Qui peut encore être porté (habits, vêtements).

Metternich-Winneburg (Klemens Wenzel Lothar, comte, puis prince de) (Coblence, 1773 - Vienne, 1859), homme politique autrichien. Ambassadeur à Paris de 1806 à 1809, puis ministre des Affaires étrangères et chancelier, il négocia le mariage de Marie-Louise avec Napoléon Ier, dont il fut l'un des plus dangereux adversaires, rompant en 1813 l'alliance avec la France. Après le congrès de Vienne (1815), où son rôle fut prééminent, il s'appliqua à réprimer les mouvements libéraux en Europe. La révolution viennoise de 1848 provoqua sa chute.

metteur, euse n. **1.** TECH *Metteur en œuvre* : ouvrier bijoutier qui monte les joyaux. **2.** TYPO *Metteur en pages* : ouvrier qui rassemble les éléments de composition pour en former des pages. **3.** *Metteur en scène* : personne qui, au théâtre, dirige le jeu des acteurs, les répétitions, règle les décors, etc. ▷ Réalisateur de cinéma ou de télévision. **4.** *Metteur au point* : spécialiste qui règle des machines, des moteurs.

mettre v. tr. [60] **I.** Faire passer dans un lieu. **1.** Placer ou amener (qqch, qqn) dans un endroit déterminé. *Mettre un enfant au lit. Mettre les mains dans les poches. Mettre du vin en bouteilles.* ▷ *Mettre en terre* : enterrer, planter. *Mettre en terre un rosier.* ▷ *Mettre le couvert* : placer sur la table, selon une disposition précise, les différents objets dont on a besoin pour le repas. ▷ *Mettre qqch dans la tête de qqn,* le lui faire comprendre, l'en convaincre. **2.** Placer (qqn) dans un endroit en faisant changer son état, sa situation. *Mettre qqn en prison.* ▷ *Mettre un enfant au monde,* lui donner naissance. ▷ *Mettre bas* : pour les animaux, donner naissance à des petits. *La chienne a mis bas.* ▷ Affecter (qqn) à un travail, placer (qqn) dans une situation professionnelle déterminée. *On m'a mis à ce poste provisoirement. Mettre qqn au chômage.* **3.** Placer à un certain rang (dans une suite, une série, une hiérarchie). *Mettre qqn en tête du cortège.* **4.** Employer (de l'argent, du temps). *Mettre ses fonds dans une entreprise. Mettre trois heures pour aller d'un lieu à un autre.* ▷ *Absol.* Miser. *Mettre mille francs sur le dix-sept.* **5.** Placer sur le corps. *Mettre ses gants.* ▷ Porter habituellement. *Il ne met pas de veste.* **6.** Ajouter (ce qui manque, ce qui est nécessaire). *Mettre un manche à un balai.* **II.** Faire occuper telle position à; placer dans telle situation, tel état. **1.** *Mettre qqch en gage,* le donner à titre de garantie en échange du prêt d'une somme d'argent. ▷ *Mettre qqch à prix,* estimer sa valeur avant de le vendre. ▷ *Mettre à prix la tête de (une personne recherchée par la police, la justice),* promettre une récompense à ceux qui la livreront aux autorités. **2.** Placer dans une certaine position. *Mettre le verrou.* **3.** Noter par écrit. *Mettre son nom au bas d'une page.* **4.** *Mettre... à* : faire consister... à. *Mettre son plaisir à faire du bien.* **III.** Opérer un changement, amener à une autre situation. **1.** *Mettre en* : amener (qqch) à être dans telle situation, tel état. *Mettre une lampe en veilleuse.* ▷ *Mettre une terre en blé, en seigle,* y semer du blé, du seigle. **2.** Faire passer d'une forme d'expression à une autre. *Mettre en vers, en prose.* **3.** Faire marcher, fonctionner. *Mettre la radio.* **4.** Faire passer (qqn) d'un état à un autre. *Mettre qqn en danger, en colère, en garde. Mettre qqn hors de lui. Mettre qqn knock-out.* **IV.** v. pron. **1.** Se placer dans un endroit précis, dans un état déterminé. *Se mettre au lit. Se mettre en colère.* **2.** *Se mettre à faire qqch,* commencer à le faire. **3.** Fig. *Se mettre à la place de qqn,* faire l'effort de le comprendre, de comprendre son état d'esprit, ses réactions. **4.** *Se mettre à table* : s'asseoir devant une table pour manger; fig., arg. avouer, parler, au cours d'un interrogatoire. **5.** Mettre sur soi, porter. *Je n'ai rien à me mettre.* **6.** Loc. fam. *S'en mettre jusque-là* : manger en grande quantité. ▷ *S'en mettre plein les poches* : gagner beaucoup d'argent.

le prince de **Metternich-Winneburg**

Louise **Michel**

Metz, ch.-l. du dép. de la Moselle et de la Rég. Lorraine; 123 920 hab. (*Messins*); env. 193 100 hab. dans l'aggl.; métropole d'équilibre avec Thionville et Nancy. Proche de la zone sidérurgique lorraine, Metz a surtout une fonction tertiaire; toutefois, ses industr. sont nombreuses : métall., méca., auto., électr., alimentaires, etc. Presse. – Évêché. Cath. St-Étienne (XIIIe-XVIe s., vitraux des XVe et XVIe s., verrières contemp.). Place d'Armes du XVIIIe s. Maisons anciennes. Musée. – Grande cité de la Gaule romaine, cap. du royaume d'Austrasie, foyer culturel sous les Carolingiens, Metz, ville libre impériale, fut prise par les Français au printemps 1552, et victorieusement défendue par Fr. de Guise contre Charles Quint d'oct. à déc. de la même année. (V. Trois-Évêchés). Bazaine y capitula (1870). L'Allemagne l'annexa de 1871 à 1918, puis de 1940 à 1944. Sa fonction comm., due à sa situation géographique, fut toujours importante.

Metz : la Moselle et la cathédrale Saint-Étienne

Metzinger (Jean) (Nantes, 1883 - Paris, 1956), peintre français. Il se rallia au mouvement cubiste v. 1908 et publia en 1912, avec Gleizes, *Du cubisme.*

meublant, ante adj. DR *Meubles meublants* : objets mobiles qui garnissent un appartement.

meuble adj. et n. m. **I.** adj. **1.** DR Que l'on peut déplacer. *Biens meubles. Biens meubles par nature* (mobilier, animal, marchandise, etc.). *Biens meubles déterminés tels par la loi* (valeurs immobilières, obligations, droits d'auteur, etc.). **2.** *Sol, terre meuble,* facile à retourner, à labourer; qui se sépare aisément. **II.** n. m. **1.** Tout objet pouvant être déplacé, construit en matériau rigide, employé pour l'aménagement des locaux et des lieux d'habitation. *Meubles de style, de bureau, de jardin.* ▷ *Être, s'installer, se mettre dans ses meubles,* dans un appartement, une maison dont on possède en propre le mobilier. **2.** HERALD Objet figurant dans l'écu.

meublé, ée adj. et n. m. *Chambre, maison meublée,* qui est louée garnie de meubles. ▷ n. m. *Un meublé. Vivre en meublé.*

meubler v. tr. [1] **1.** Garnir de meubles. *Meubler un appartement.* – v. pron. Faire l'acquisition de meubles pour sa maison. ▷ Fig. *Meubler son esprit,* l'enrichir de connaissances. **2.** Décorer (tissus). *Étoffe qui meuble bien.* **3.** Fig. Remplir. *Meubler ses loisirs en collectionnant les timbres.*

Meudon, ch.-l. de cant. des Hauts-de-Seine (arr. de Boulogne-Billancourt), au S.-O. de Paris; 46 173 hab. Vaste zone résidentielle (Meudon-la-Forêt), en bordure de la *forêt de Meudon* (1 150 ha). Constr. aéron., électr. – Observatoire astronomique consacré particulièrement à l'étude du Soleil, situé dans le pavillon central du Château-Neuf construit par Mansart en 1706 (restauré).

meuf n. f. Fam. Femme.

meuglement n. m. Cri des bovins, beuglement.

meugler v. intr. [1] Faire entendre son cri, en parlant des bovins. Syn. beugler.

meulage n. m. Opération effectuée à l'aide d'une meule (1, sens 2).

1. meule n. f. **1.** Pièce massive cylindrique qui sert à broyer, à moudre. **2.** Disque de matière abrasive qui sert à aiguiser, à polir, à rectifier. **3.** Fromage qui a la forme d'un disque épais et de grand diamètre. *Meule de gruyère.*

2. meule n. f. **1.** Amas de blé, de foin, de paille, etc., régulièrement empilé sur une partie sèche du champ ou près de la ferme et permettant de conserver les gerbes et le fourrage jusqu'au battage ou à l'utilisation. **2.** Couche à champignons. – Tas de fumier qui en provient. **3.** Tas de bois préparé pour faire du charbon de bois.

Meulen (Van der). V. Van der Meulen.

meuler v. tr. [1] Passer à la meule (1, sens 2).

meuleuse n. f. TECH Machine-outil munie d'une meule. *Meuleuse d'angle.*

meulier, ère adj. et n. Qui sert à faire des meules. *Silex meulier.* ▷ *Pierre meulière* ou, n. f., *meulière* : roche très dure composée de silice et de calcaire, utilisée dans le bâtiment. *Pavillon en meulière.* – Carrière d'où l'on extrait cette pierre.

meunerie n. f. **1.** Industrie de la fabrication de la farine; commerce du meunier. **2.** Ensemble des meuniers.

Meung (Jean de). V. Jean de Meung.

meunier, ère n. **1.** Personne qui exploite un moulin à céréales, qui fabrique de la farine. – adj. Relatif à la meunerie. *Industrie meunière.* ▷ n. f. Épouse d'un meunier. ▷ *Échelle de meunier* : escalier raide, sans contremarches. **2.** CUIS *À la meunière* ou, ellipt., *meunière* : mode de préparation qui consiste à passer un aliment (surtout le poisson) à la farine avant cuisson au beurre. *Des soles meunière.* **3.** n. m. Nom courant du chevesne.

meurette n. f. CUIS Sauce au vin rouge. *Œufs en meurette.*

meursault n. m. Vin de Bourgogne blanc réputé.

Meursault, com. de la Côte-d'Or (arr. de Beaune), au pied du vignoble de la côte de Beaune; 1 550 hab. – Léproserie (XIIIᵉ s.). Église gothique Saint-Nicolas. Vins blancs réputés.

Meurthe (la), riv. de France (170 km), affl. de la Moselle; naît dans les Vosges; arrose Saint-Dié, Lunéville, Nancy. Sa vallée est très industrialisée.

Meurthe, anc. dép. français. La partie annexée par l'Allemagne en 1871 a été incorporée en 1919 dans le dép. de la Moselle; le reste fait partie du dép. de Meurthe-et-Moselle.

Meurthe-et-Moselle, dép. franç. (54), formé en 1871; 5 235 km^2; 711 822 hab.; 136 hab./km^2; ch.-l. *Nancy.* V. Lorraine (Rég.).

meurtre n. m. Homicide volontaire. *Commettre un meurtre.*

meurtrier, ère n. et adj. **1.** n. Personne qui a commis un meurtre. **2.** adj. Qui cause la mort d'un grand nombre de personnes. *Combat meurtrier.* ▷ Qui provoque, pousse à commettre un meurtre, des meurtres. *Folie meurtrière.*

meurtrière n. f. Ouverture étroite pratiquée dans un mur de fortification et par laquelle on pouvait lancer des projectiles, tirer sur les assiégeants.

meurtrir v. tr. [3] **1.** Faire une meurtrissure à. *Le coup de bâton lui avait meurtri l'épaule.* ▷ Fig. Blesser moralement. *Meurtrir un cœur.* **2.** Endommager par un choc, un contact prolongé (un fruit, un légume).

meurtrissure n. f. **1.** Contusion s'accompagnant d'un changement de coloration de la peau. **2.** Tache sur un fruit, ou sur un légume, provenant d'un choc.

Meuse (la) (en néerl. *Maas*), fl. de France, de Belgique et des Pays-Bas (950 km); née à 384 m d'alt., au pied du plateau de Langres, la Meuse arrose Verdun, Sedan, Charleville-Mézières et traverse l'Ardenne (vallée encaissée); en Belgique (où elle reçoit son princ. affl., la Sambre), elle baigne Dinant, Namur et Liège; aux Pays-Bas, elle arrose Maastricht et Dordrecht, finissant dans la mer du Nord par plusieurs bras, dont certains communiquent avec ceux du Rhin. Le port de Rotterdam est installé sur un de ces bras. C'est un fleuve lent et régulier, propice à la navigation.

Meuse, dép. franç. (55); 6 220 km^2; 196 344 hab.; 31,5 hab./km^2; ch.-l. *Bar-le-Duc.* V. Lorraine (Rég.).

▸ carte page **1212**

Meuse (batailles de la), nom donné à des séries de combats livrés par l'armée française pendant la guerre de 1870 (Sedan), la Première Guerre mondiale (en 1914 et en 1918) et la Seconde Guerre mondiale (mai 1940).

meusien, enne adj. et n. De la Meuse. – Subst. *Un(e) Meusien(ne).*

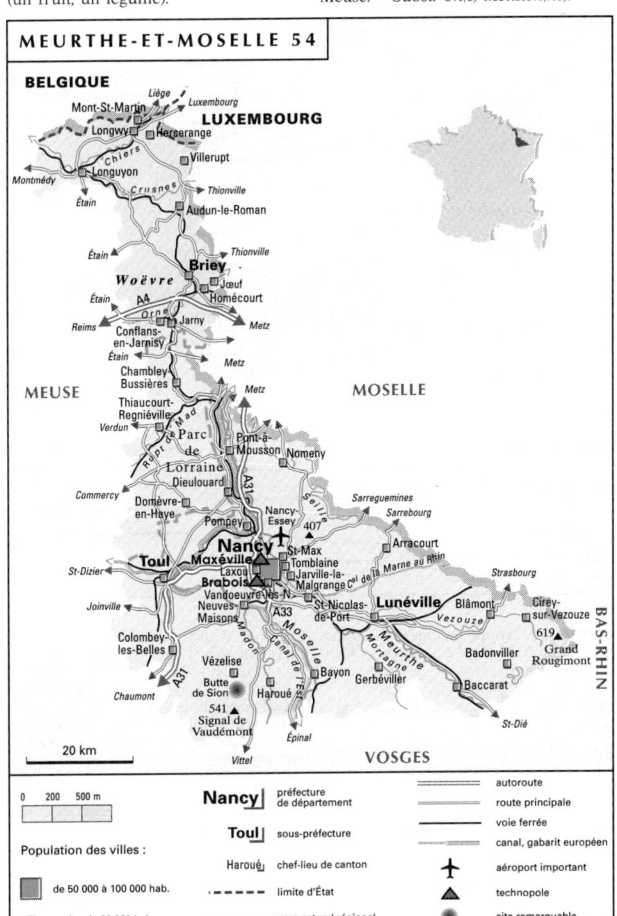

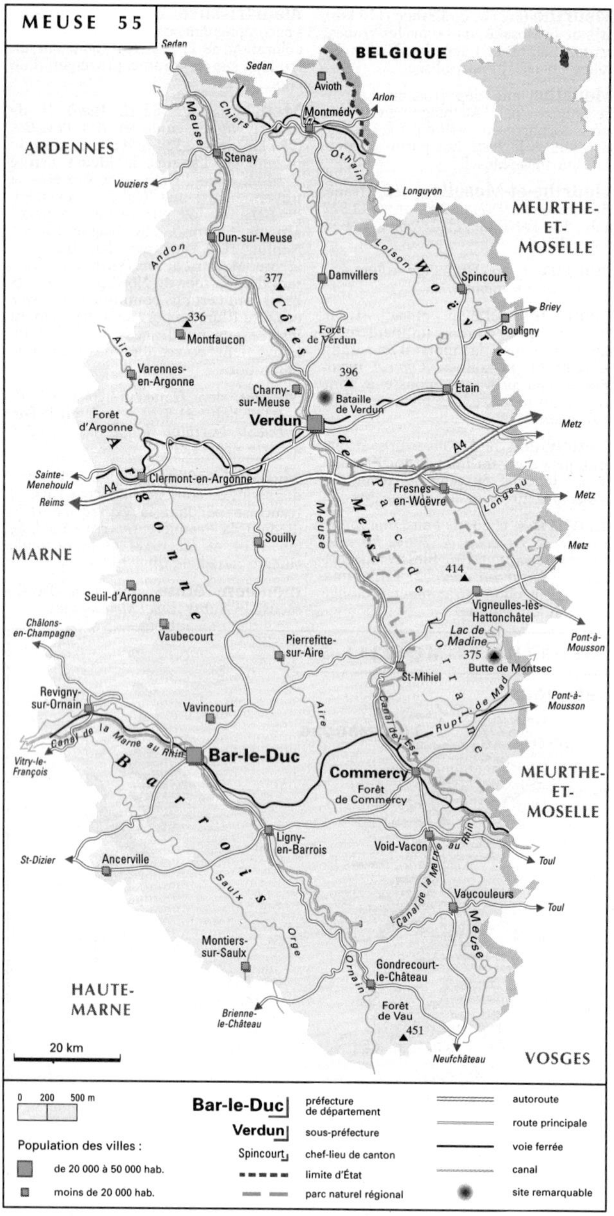

MEUSE 55

Bar-le-Duc	préfecture de département		autoroute
Verdun	sous-préfecture		route principale
Spincourt	chef-lieu de canton		voie ferrée
	limite d'État		canal
	parc naturel régional		site remarquable

0 200 500 m

Population des villes :
de 20 000 à 50 000 hab.
moins de 20 000 hab.

20 km

meute n. f. Troupe de chiens courants dressés pour la chasse à courre. *Chien de meute.* ▷ Fig. Troupe de personnes acharnées contre qqn.

MeV PHYS NUCL Symbole de mégaélectronvolt.

mévente n. f. Mauvaise vente, vente inférieure en quantité à ce qui était escompté.

mexicain, aine adj. et n. Du Mexique. ▷ Subst. *Un(e) Mexicain(e).*

Mexicali, v. du Mexique, près de la frontière des É.-U.; 602 390 hab.; cap. de l'État de Basse-Californie du Nord.

Mexico, cap. du Mexique (distr. féd.), sur le plateau central (Anáhuac), à 2 260 m d'alt.; 8 831 080 hab. (agglomération urb. 13 636 100 hab.). Import. foyer culturel. Premier centre industr. et comm. du pays : sidérurgie, constr. méca. (auto.), industries chim., text., alim., etc. – Archevêché. Université. Cath. baroque (XVIe-XVIIIe s.). Palais national (XVIe s., remanié au XIXe s.). Cité universitaire (1950-1955). Musées. Siège des XVIes jeux Olympiques (1968). – Depuis quelques décennies, sa forte croissance démographique a engendré un import. prolétariat urbain. – Fondée en 1325 par les Aztèques, conquise par H. Cortés en 1521, la ville (alors nommée *Tenochtitlán*) fut rasée et reconstruite; résidence du vice-roi de la Nouvelle-Espagne, elle devint la cap. du

Mexico : la cathédrale

Mexique en 1824. En sept. 1985, un séisme de magnitude 8,2 (échelle de Richter) a ravagé la ville. – L'*État de Mexico* (21 461 km²; 9 793 000 hab.) a pour cap. *Toluca de Lerdo.*

Mexique (golfe du), mer bordière de l'Atlantique, cernée par la côte S. des États-Unis, le N. du Mexique, le Yucatán et Cuba; 1 544 000 km². Le Gulf Stream y prend naissance.

Mexique, État fédéral de l'Amérique septent. et centr., sur le Pacifique et l'Atlantique (golfe du Mexique); 1 972 547 km²; 81 249 600 hab. (31 426 000 hab. en 1957), accroissement démographique : près de 2,5 % par an; cap. *Mexico.* Nature de l'État : rép. fédérale de type présidentiel. Langue off. : espagnol. Monnaie : peso. Population : métis (env. 80 %), Amérindiens (10 %), Blancs (10 %). Relig. : catholicisme.
Géogr. phys. et hum. – Au N. du pays, de hauts plateaux, situés vers 1 000 m, sont encadrés par la sierra Madre occidentale et par la sierra Madre orientale. Ces unités de relief convergent vers le S., pour former un ensemble de hautes terres (bassins et plateaux), situé entre 1 700 et 2 600 m et que dominent de puissants volcans : Orizaba (5 704 m), Popocatepetl (5 452 m). L'ensemble est bordé de plaines côtières, étroites sur le Pacifique, plus larges sur le golfe du Mexique. Le climat tropical, aride au N.-O. (déserts du Sonora et de Basse-Californie centrale), chaud et humide au S. *(tierras calientes),* est tempéré par l'altitude dans les hautes terres qui, dans le triangle Puebla, San Luis Potosí, Guadalajara, groupent la majorité des hab. du pays (dont le district de Mexico, l'une des plus importantes concentrations urbaines du monde, avec plus de 20 millions d'hab.). La population augmente encore, en dépit d'une baisse notable de la natalité. Cette croissance alimente un puissant exode rural et une explosion urbaine incontrôlée (plus de 70 % de citadins), ainsi qu'une importante émigration clandestine vers les É.-U. (plusieurs centaines de milliers de personnes par an).
Écon. – Quatrième puissance écon. du tiers monde, le Mexique dispose d'une agric. diversifiée (maïs, blé, haricots, pomme de terre, élevage bovin), qui emploie le quart des actifs; il exporte du café, du coton, des fruits et légumes et des boissons; cependant l'autosuffisance n'est pas atteinte. Les ressources du sous-sol sont importantes : argent (1er rang mondial), cuivre, fer, zinc, plomb, et surtout pétrole (4e producteur mondial) et gaz. La gamme industrielle est large, les industries de base étant le plus souvent aux mains de l'État. Dans les années 80, le secteur de la sous-traitance est développé et la dépendance vis-à-vis des capitaux nord-américains est considérable; le réseau de communication s'est amélioré, le tourisme gagne en importance. Sans remédier aux inégalités sociales et à la

corruption, les privatisations et la déréglementation douanière, encourageant l'investissement de capitaux étrangers, permettent à l'économie, durant la décennie 90, de se diversifier et de se moderniser. En 1994, il forme l'ALÉNA* avec les É.-U. et le Canada, mais connaît en déc. une grave crise financière (chute du peso de 40 %), qui lui vaut le soutien de la communauté intern. mais lui impose en mars 95 un plan de rigueur draconien.

Hist. – Au Ier millénaire ap. J.-C., les Mayas* fixés aux confins du Mexique, du Guatemala et du Honduras créent une grande civilisation fondée sur des cités-États. À partir du XIe s., des vagues d'envahisseurs venus du N. provoquent de longs bouleversements. Les derniers venus, les Aztèques* (ou *Mexicas*), soumettent les peuples voisins, s'établissent sur le plateau central et fondent Tenochtitlán, centre d'une vaste confédération. De 1519 à 1525, l'Espagnol H. Cortés triomphe des chefs aztèques. Le territoire conquis, baptisé Nouvelle-Espagne, va s'étendre jusqu'à la Californie. La pop. indienne, convertie par les franciscains, est considérablement réduite par les massacres et le travail forcé, mais la société coloniale se métisse peu à peu. À partir de 1810, des révoltes paysannes agitent le pays. Rejoignant finalement les insurgés, les créoles, menés par Iturbide, obtiennent l'indépendance (1821). Santa Anna renverse Iturbide qui s'est proclamé empereur et instaure une république en 1824. Le rôle de l'armée va rester prépondérant : les dissensions internes favorisent les pronunciamientos et les dictatures militaires. L'annexion du Texas par les É.-U. (1845) provoque une guerre (1846-1848) qui se solde par la perte de la haute Californie, de l'Arizona et du Nouveau-Mexique. Après une violente guerre civile (1858-1861), la victoire des libéraux anticléricaux (Juárez) entraîne l'intervention de la France (V. Mexique [campagne du]). La dictature de Porfirio Díaz (1876-1911) est suivie d'une longue révolution (1911-1920) qui plonge le pays dans le chaos. Pancho Villa au Nord, Zapata au Sud mènent ainsi de longs soulèvements paysans. Les présidents Madero (1911-1913), Carranza (1917-1920) et Obregón (1920-1924) sont assassinés. Le président Calles (1924-1928) provoque par sa politique anticatholique le soulèvement des « cristeros » ; il fonde le parti qui deviendra le Parti révolutionnaire institutionnel (P.R.I.), encore au pouvoir aujourd'hui. Lázaro Cárdenas (1934-1940) démocratise la vie politique, accélère la distribution des terres et nationalise le pétrole (1938). Ses successeurs poursuivent la modernisation du pays, développent la scolarisation et l'hygiène, mais la réforme agraire et la demande d'une libéralisation provoquent de graves conflits (répression des manifestations étudiantes à Mexico, en 1968). La crise économique, succédant aux illusions du boom pétrolier, accélère le déclin du régime sous les présidences de J. Lopez Portillo (1976-1982) et M. de La Madrid (1982-1988). C. Salinas de Gortari (1988-1994) met en œuvre une stratégie de rupture sur le plan économique (arrêt des subventions, appel aux investisseurs étrangers et fin du protectionnisme) et signe, en 1992, l'Accord de libre-échange nord-américain (ALÉNA). La persistance de problèmes écon. et l'insurrection du Chiapas, depuis 1994, marquent les limites des réformes du pouvoir, qui reposent sur le président Ernesto Zedillo, élu en 1994. Mais, en juillet 1997, le P.R.I., au pouvoir depuis 70 ans, perd la majorité à l'Assemblée.

Mexique (campagne, expédition ou guerre du), campagne entreprise, en 1862, par Napoléon III, à la suite d'un différend financier avec la République mexicaine, en vue de créer au Mexique un empire catholique capable de contrebalancer la puissance américaine. Rapidement abandonnée par ses alliés (G.-B., Espagne), l'armée française, dirigée par Bazaine, tenta en vain d'imposer l'archiduc Maximilien d'Autriche comme empereur du Mexique. Harcelées par les troupes de Juárez que soutenaient les É.-U., les forces françaises quittèrent le pays en fév. 1867 ; Maximilien, vaincu à Querétaro, fut fusillé en juin.

Meyer (Conrad Ferdinand) (Zurich, 1825 – Kilchberg, 1898), écrivain suisse d'expression allemande. Ses récits, qui s'inspirent de faits historiques, témoignent d'un grand souci de rigueur : *Révolte dans la montagne* (1874), *le Saint* (1879), *les Noces du moine* (1883-1884), *la Tentation de Pescara* (1887).

Meyer (Hannes) (Bâle, 1889 – Crocifisso di Savosa, Tessin, 1954), architecte et urbaniste suisse ; directeur du Bauhaus de Dessau de 1928 à 1930.

Meyerbeer (Jakob Liebmann Beer, dit Giacomo) (Berlin, 1791 – Paris, 1864), compositeur allemand dont la carrière se partagea entre Berlin et Paris ; auteur d'opéras romantiques en forme de mélodrames historiques : *Robert le Diable* (1831), *les Huguenots* (1836), *l'Africaine* (posth., 1865).

Meyerhold (Vsevolod Emilievitch) (Penza, 1874 – ?, 1940 [?]), metteur en scène soviétique; expérimentateur de toutes les formes théâtrales (réalisme, symbolisme, futurisme, etc.). Victime des purges staliniennes, il disparut dans un camp.

Meylan, ch.-l. de cant. de l'Isère (arr. de Grenoble); 17 938 hab. Industr. électroniques et chimiques.

Meyrin, com. de Suisse, près de Genève; 19 000 hab. Siège du Conseil européen pour la recherche nucléaire.

Meyrink (Gustav) (Vienne, 1868 – Starnberg, 1932), romancier autrichien versé dans les sciences occultes. Sa connaissance des vieilles légendes pragoises inspira son roman «fantastique», *le Golem* (1915).

Meyzieu, ch.-l. de cant. du Rhône (arr. de Lyon), sur le Rhône; 28 212 hab. Constr. mécaniques et électriques; industr. biomédicale.

mezcal [meskal] n. m. Alcool mexicain, au goût légèrement fumé, obtenu par fermentation du jus d'agave.

Mézenc (mont), sommet volcanique du Massif central (1 754 m), dans le S.-E. du Velay. Dômes en roche volcanique.

Mézières, anc. com. de France. Sa fusion avec quatre autres com. a donné la com. de Charleville-Mézières. – Anc. place forte enserrée par la Meuse, cette ville frontière fut souvent assiégée, notam. en 1521 par le prince de Nassau, vaincu par Bayard.

mézigue pron. pers. Pop. Moi. *Qui c'est qui va trinquer? C'est encore mézigue!* (Cf. tézigue, sézigue.)

mezzanine [medzanin] n. f. **1.** ARCHI Petit étage pratiqué entre deux plus grands, entresol. – adj. *Fenêtre mezzanine* ou, n. f., *mezzanine* : petite fenêtre donnant du jour à un entresol. ▷ *Spécial.* Étage ménagé entre le parterre et le balcon, dans un théâtre. **2.** *Par ext.* Dans une habitation, construction horizontale sur laquelle on peut se tenir, entre le plancher et le plafond. *Une mezzanine en bois. Son lit est sur la mezzanine.*

mezza voce [medzavɔtʃe] loc. adv. (ital.) À demi-voix. *Chanter mezza voce.*

Mezzogiorno (mot ital. signif. *Midi*), ensemble des régions d'Italie mérid. (Abruzzes, Molise, Campanie, Pouilles, Basilicate, Calabre, Sicile, Sardaigne) : 131 000 km^2; plus de 20 millions d'hab. (37 % de la pop. ital.). Importance de l'agric., faiblesse de l'industrie, chômage endémique ont longtemps caractérisé ces régions, mais, à partir de 1957, des mesures visant à développer l'industrie ont commencé à atténuer le dangereux déséquilibre écon. et social avec l'Italie du Nord. Un tissu industriel s'est constitué en Campanie et dans les Pouilles; le Sud a cessé d'être une région d'émigration.

mezzo-soprano [medzosɔpʀano] n. **1.** n. m. Voix de femme intermédiaire entre le soprano et le contralto. **2.** n. f. Celle qui a cette voix. *Une mezzo-soprano. Des mezzo-sopranos.*

mezzo-tinto [mɛdzotinto] n. m. inv. ART Technique de gravure, dite aussi «à la manière noire», qui consiste à ménager les blancs et les gris au brunissoir sur une planche préalablement hachurée.

M.F. n. f. Sigle de *modulation de fréquence.* Syn. F.M.

mg Symbole du milligramme.

Mg CHIM Symbole du magnésium.

mgr GEOM Symbole du milligrade.

Mgr Abrév. de *monseigneur.*

MHz Symbole du mégahertz.

mi-. Préfixe, du lat. *medius,* «qui est au milieu», qui peut être joint à des adj. *(mi-clos),* ou à des subst. pour former : **1.** Des noms composés. *La mi-août, la mi-carême.* **2.** Des loc. adv. (il est alors précédé de *à*). *À mi-corps, à mi-jambe, à mi-chemin.* **3.** Des loc. adj. *Mi-figue mi-raisin.*

mi n. m. MUS Troisième note de la gamme d'*ut. Mi bécarre, mi bémol.* – Signe qui la représente.

Miami, v. et port des É.-U. (Floride); 358 500 hab. (aggl. urb. 2 799 300 hab.). Grande stat. balnéaire et touristique d'hiver (climat tropical).

miasme n. m. (Surtout au plur.) Émanation putride provenant d'une décomposition.

miaulement n. m. **1.** Cri du chat et de certains félins. **2.** Son analogue au miaulement.

miauler v. intr. [1] **1.** Pousser son cri, en parlant du chat et de certains félins. **2.** Émettre un bruit semblable au miaulement.

mi-bas n. m. inv. Chaussette montant jusqu'au genou.

mica n. m. Minéral formé principalement de silicate d'aluminium et de potassium, caractérisé par sa structure feuilletée, son éclat métallique et sa grande résistance à la chaleur.

micacé, ée adj. **1.** Qui est de la nature du mica; qui contient du mica. **2.** Qui ressemble au mica. ▷ SC NAT Qui a des écailles ressemblant au mica.

mi-carême n. f. Jeudi de la troisième semaine du carême, marqué par des fêtes, des mascarades. *Des mi-carêmes.*

micaschiste [mikaʃist] n. m. PETROG Roche métamorphique composée de mica et de quartz.

micelle n. f. CHIM Agrégat de molécules ou d'ions dont la cohésion est assurée par des forces intermoléculaires.

Michaël (saint). V. Michel (saint).

Michaux (Pierre) (Bar-le-Duc, 1813 – Bicêtre, 1883), ingénieur français; inventeur du pédalier de bicyclette (1861) et d'une motocyclette mue par un moteur à vapeur.

Michaux (Henri) (Namur, 1899 – Paris, 1984), poète et peintre français d'origine belge. Son invention forcenée tient à la fois de l'analyse expérimentale, du cri, de la litanie, du langage inventé. Œuvres poétiques : *Qui je fus* (1927), *La nuit remue* (1931), *Plume* (1938), *Face à ce qui se dérobe* (1975), *Déplacements, dégagements* (posth., 1985). Journaux de bord : *Ecuador* (1929), *Un barbare en Asie* (1932), *Voyage en Grande Garabagne* (1936). Son expérience de la mescaline lui inspira : *Misérable Miracle* (1956), *l'Infini turbulent* (1957), *Connaissance par les gouffres* (1961). Son œuvre picturale se veut aussi une minutieuse exploration de l'inconscient.

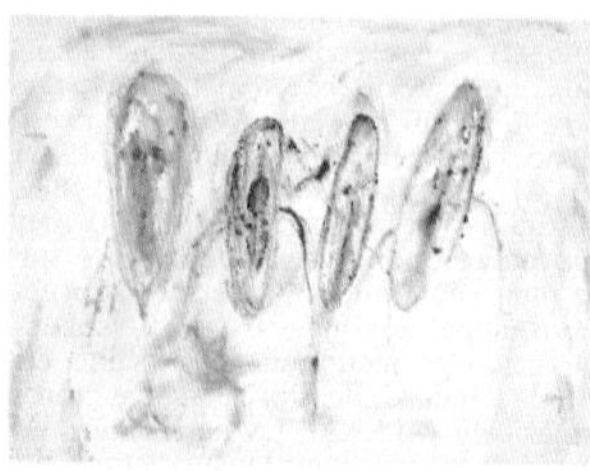

Henri **Michaux :** *Sans titre,* aquarelle et gouache sur papier; MNAM

miche n. f. **1.** Gros pain rond. *Entamer une miche.* **2.** Plur. Pop. Fesses.

miché ou **micheton** n. m. Arg. Client d'une prostituée.

Michée (Maresha, près de Hébron, v. 740 – ?, v. 687 av. J.-C.), sixième des petits prophètes de la Bible.

Michel ou **Michaël** (saint), un des archanges, chef de la milice céleste qui protège Israël, d'après le prophète Daniel (Daniel, X, 13).

Michel Ier Rangabé (m. en 848), empereur byzantin de 811 à 813; défait par les Bulgares. – **Michel II le Bègue** (m. en 829), empereur de 820 à 829; il perdit la Crète et la Sicile. – **Michel III l'Ivrogne** (838-867), empereur de 842 à 867. Sa mère, Théodora, exerça la régence de 842 à 856. La querelle avec Rome s'amplifia sous son règne (concile de Constantinople, 869-870). – **Michel IV le Paphlagonien** (m. à Sant'Argiro en 1041), empereur de 1034 à 1041; il combattit les Bulgares. – **Michel V le Calfat** (m. apr. 1042), neveu et successeur du préc. en 1041; renversé en 1042. – **Michel VI le Stratiotikos** (m. en 1059), empereur de 1056 à 1057; renversé par Isaac Comnène. – **Michel VII Doukas Parapinakès,** empereur de 1071 à 1078; il dut faire face aux attaques des Normands en Italie du S. et en Épire. – **Michel VIII Paléologue** (?, 1224 – en Thrace, 1282), empereur à Nicée (1258-1261), puis à Constantinople (1261-1282). Il reprit Constantinople aux Latins (1261), restaurant l'Empire byzantin, qu'il consolida en Occident : il fut à l'origine des Vêpres siciliennes (1282). – **Michel IX Paléologue** (1277-1320), empereur de 1295 à 1320; fils d'Andronic II, qui l'associa au trône.

Michel ou **dom Miguel** (Queluz, 1802 – Brombach, 1866), roi de Portugal (1828-1834). Devenu régent en 1827, il s'empara du trône de Marie II, sa fiancée, mais son frère Pierre Ier (Pedro Ier), père de Marie et empereur du Brésil, le contraignit à l'exil (1834).

Michel Ier (Sinaia, 1921), roi de Roumanie (1927-1930 et 1940-1947); fils de Charles II; il fut contraint à l'abdication (1947) par les communistes.

Michel III Fiodorovitch (?, 1596 – Moscou, 1645), tsar de Russie de 1613 à 1645 (le premier tsar de la dynastie des Romanov). Il sut écarter, par des compromis avec la Suède et avec la Pologne, les menaces extérieures et institua l'attachement du paysan à la terre (1636).

Michel III Obrenović (Kragujevac, 1823 – Topčider, près de Belgrade, 1868), prince de Serbie (1839-1842 et 1860-1868). Fils de Miloš Obrenović, il succéda à son frère Milan en 1839, fut contraint d'abdiquer en 1842. En 1860, il succéda à son père, revenu au pouvoir en 1858. Il fut assassiné à l'instigation d'Alexandre Karadjordjević.

Michel le Brave (1557-1601), prince de Valachie (1593-1601). Il se révolta contre les Turcs, qu'il vainquit (1595), et put ainsi réunir un moment la Transylvanie, la Moldavie et la Valachie; il fut assassiné.

Michel (Louise) (Vroncourt-la-Côte, Haute-Marne, 1830 - Marseille, 1905), révolutionnaire française. Elle fut déportée à Nouméa (1871) pour son action pendant la Commune, puis amnistiée (1880). Celle qui avait été surnommée la « Vierge Rouge » écrivit plusieurs romans sociaux et des *Mémoires* (1886). ► illustr. page **1210**

Michel-Ange (Michelangelo Buonarroti, dit) (Caprese, Toscane, 1475 - Rome, 1564), sculpteur, peintre, architecte et poète italien. Élève de D. Ghirlandaio (1488), il étudia l'art antique à Florence, chez son protecteur Laurent de Médicis (1489-1492). Entre 1497 et 1499, il exécuta à Rome une *Pietà* (marbre, St-Pierre de Rome); de retour à Florence (1501-1502), il réalisa la statue colossale en marbre de *David* (conservée à l'Académie). En 1505, le pape Jules II lui confia l'érection de son monumental tombeau, dont Michel-Ange, par suite de désaccords avec Jules II et ses successeurs, ne réalisa que quelques sculptures d'une puissance confondante : *Moïse* (St-Pierre-aux-Liens, Rome), *Esclaves* (Louvre et Académie de Florence). En 1508, le pape chargea l'artiste de décorer la voûte de la chapelle Sixtine, travail gigantesque (340 figures réparties sur près de 500 m^2) qu'il acheva quatre ans plus tard. Durant son dernier séjour à Florence (1515-1534), il sculpta les grandes figures de la chapelle funéraire des Médicis à l'égl. San Lorenzo. Installé définitivement à Rome (1534), il travailla encore, de 1535 à 1541, à la fresque du *Jugement dernier*, au-dessus de l'autel de la Sixtine. À la fin de sa vie, le génie de Michel-Ange s'est appliqué également à l'architecture : projet pour St-Pierre de Rome, construction de la Porta Pia (1560), aménagement de la place du Capitole à Rome. Ses *Rimes* comptent parmi les œuvres littéraires les plus originales de son temps.

Michel-Ange : *Esclave agonisant*, 1505; musée du Louvre

Michelet (Jules) (Paris, 1798 - Hyères, 1874), historien et écrivain français. Professeur au Collège de France (1838), ses cours sont des manifestations en faveur du libéralisme et contre le cléricalisme. Suspendu à plusieurs reprises, il perd définitivement sa chaire (1851), puis sa fonction aux Archives (1852). Michelet sait traduire les faits par des images et transformer les êtres en symboles puissants : son *Histoire de France* (6 vol., 1833-1846, et 12 vol., 1855-1867) et son *Histoire de la Révolution française* (7 vol., 1847-1853) sont un hymne au peuple, qu'il considère comme le véritable moteur de l'histoire. Poète visionnaire, il a écrit : *le Peuple* (1846), *l'Amour* (1859), *la Sorcière* (1862), *Journal intime* (publication intégrale posth., 1959-1976).

Jules **Michelet** Henri **Miller**

Michelin (André) (Paris, 1853 - id., 1931) et son frère Édouard (Clermont-Ferrand, 1859 - Orcines, Puy-de-Dôme, 1940), industriels français; inventeurs du pneumatique démontable.

micheline n. f. CH de F Anc. Autorail dont les roues étaient garnies de pneumatiques. ▷ *Abusiv.* Autorail.

Michelozzo (Florence, 1396 - id., 1472), architecte, sculpteur et ornemaniste italien; auteur notam. du palais Medici-Riccardi, à Florence (1444).

Michelson (Albert Abraham) (Strelno, auj. Strzelno, Pologne, 1852 - Pasadena, Californie, 1931), astronome et physicien américain. Il mesura la vitesse de la lumière, confirmant Einstein dans la voie qui le mena à la théorie de la relativité. P. Nobel de physique 1907.

mi-chemin (à) loc. adv. À la moitié d'un trajet, d'un parcours.

Michener (James) (New York, 1907 - Austin, Texas, 1997), écrivain américain, auteur de récits pittoresques (*Contes du Pacifique sud*, 1948) et de fresques historiques (*Chesapeake*, 1978).

micheton. V. miché.

Michigan (lac), un des Grands Lacs américains (57 994 km^2); long de 516 km; largeur max. 200 km. Il est relié au lac Huron par le détroit de Mackinac.

Michigan, État du N. des É.-U., sur les lacs Michigan, Supérieur, Huron et Érié; 150 779 km^2; 9 295 000 hab.; cap. *Lansing*. - L'État comprend deux péninsules, pénéplaines marquées par les glaciations, que sépare le lac Michigan. Princ. ressources agricoles : élevage bovin (lait), céréales, pêche. La richesse du sous-sol (pétrole, gaz naturel, fer, cuivre, etc.) a favorisé l'industrialisation (industr. automobile à Detroit). - La région, explorée par des trappeurs français (XVIIe-XVIIIe s.), fut anglaise à partir de 1763 et devint, après de longues luttes contre les Indiens, le vingt-sixième État de l'Union (1837).

Michna (la). V. Mishna.

Micipsa (m. en 118 av. J.-C.), roi de Numidie (148-118 av. J.-C.); fils de Masinissa.

Mickey Mouse, personnage de dessin animé créé en 1928 par Ub Iwerks (1901 - 1971) et Walt Disney.

Mickiewicz (Adam) (Zaosie, auj. Novogroudok, Biélorussie, 1798 - Istanbul, 1855), poète, dramaturge et militant politique polonais. Ses œuvres, romantiques, exaltent le martyre de la Pologne : *Ode à la jeunesse* (1820, devint le chant des insurgés en 1830), *Ballades et Romances* (1822), *Konrad Wallenrod* (1828), *Pan Tadeusz* (1834).

mi-clos, -close adj. Qui est à moitié clos. *Yeux mi-clos.*

1. micmac, micmaque adj. et n. m. **1.** adj. Propre aux Micmacs. *L'artisanat micmac.* **2.** n. m. Langue des Micmacs, de la famille linguistique algonquienne.

2. micmac n. m. Fam. Intrigue secrète et embrouillée. *Faire des micmacs.* ▷ Désordre; situation embrouillée, confuse.

Micmacs, Indiens, de parler algonquin, de la côte E. du Canada (prov. de Québec, Nouvelle-Écosse, île du Prince-Édouard, Gaspésie), auj. en très faible nombre (de 3 000 à 5 000 individus).

micocoulier n. m. Arbre ornemental (fam. ulmacées) des régions méditerranéennes.

mi-corps (à) loc. adv. Jusqu'au milieu du corps, jusqu'à la taille.

mi-côte (à) loc. adv. Au milieu de la côte.

mi-course n. f. Lieu, moment situé à la moitié d'une course. *La mi-course était déjà un but pour lui.* - Loc. *À mi-course. S'arrêter à mi-course.*

micro-. Élément, du gr. *mikros*, « petit », marquant : **1.** l'idée de petitesse ou d'une action s'exerçant sur un très petit objet; **2.** la division par un million de l'unité (symbole μ).

micro n. m. Abrév. de *microphone* et de *micro-ordinateur*.

micro-ampère ou **microampère** n. m. ELECTR Un millionième d'ampère. *Des micro-ampères.*

micro-analyse ou **microanalyse** n. f. CHIM Analyse pratiquée sur des quantités très petites. *Des micro-analyses.*

microbalance n. f. Balance de grande précision (de l'ordre du centième de milligramme).

microbande n. f. TECH Bande obtenue par tirage à partir d'un microfilm.

microbe n. m. Organisme microscopique unicellulaire (bactérie, virus, etc.). Syn. germe.

microbien, enne adj. Relatif aux microbes.

microbiologie n. f. Science qui étudie les microbes.

microbiologiste n. Spécialiste de la microbiologie.

microcéphale adj. (et n.) MED, ZOOL Dont le crâne et l'encéphale sont anormalement petits.

microchimie n. f. CHIM Ensemble des méthodes et des techniques permettant les recherches sur les très petites quantités de matière, de l'ordre du centigramme ou du décigramme.

microchirurgie n. f. **1.** CHIR Chirurgie pratiquée à l'aide d'un microscope. **2.** BIOL Micromanipulation à caractère chirurgical.

microclimat n. m. Climat propre à une zone de très faible étendue, et dont les caractéristiques dépendent de conditions locales.

microcomposant n. m. TECH Composant électronique de très faibles dimensions.

microcosme n. m. **1.** Monde en réduction (par oppos. à *macrocosme*, le grand monde, l'univers). ▷ *Spécial.* L'homme, considéré comme le résumé et l'abrégé de la création tout entière, pour les philosophes mystiques ou hermétiques du Moyen Âge et de la Renaissance. **2.** Reproduction en miniature de la société. *Le microcosme politique.*

microéconomie n. f. ECON Partie de l'économie qui étudie les comportements économiques individuels (par oppos. à *macroéconomie*).

microédition n. f. Application de la micro-informatique qui permet, même à des non-professionnels de l'édition, de réaliser une mise en pages et une impression.

microélectronique n. f. Ensemble des techniques utilisées pour réaliser des microstructures électroniques.

microfaune n. f. Faune microscopique.

microfibre n. f. TEXT Fibre synthétique dont le titrage est inférieur à 1 décitex.

microfiche n. f. TECH Document de format normalisé (105 × 148 mm) comportant plusieurs microphotographies.

microfilm n. m. TECH Film qui groupe des photographies de format très réduit reproduisant des documents.

microfilmer v. tr. [1] Photographier (des documents) sur microfilm.

microflore n. f. Totalité des micro-organismes végétaux existant dans les cavités naturelles ou sur les tissus de l'organisme.

microforme n. f. TECH Document sur microfilm.

micrographie n. f. **1.** Didac. Science et technique de la préparation des objets en vue de leur étude au microscope; cette étude elle-même. **2.** Photographie d'une préparation microscopique.

microgravité n. f. ESP Champ de force de faible intensité (à l'intérieur d'un véhicule spatial). V. impesanteur.

micro-informatique n. f. INFORM Domaine de l'informatique concernant l'utilisation des microprocesseurs et des micro-ordinateurs.

micromanipulation n. f. BIOL Manipulation faite dans le champ d'un microscope à l'aide d'un appareil permettant d'utiliser de très petits instruments pour effectuer diverses opérations sur les cellules.

micromécanique n. f. Didac. Technique de la fabrication des mécanismes de très petites dimensions.

micromètre n. m. **1.** PHYS Unité de longueur valant un millionième de mètre (symbole µm). **2.** TECH Instrument de précision pour mesurer les petites longueurs.

micrométrie n. f. PHYS Mesure des très petites dimensions.

micrométrique adj. **1.** PHYS Relatif à la micrométrie. **2.** TECH *Vis micrométrique :* vis à très faible pas, utilisée pour parfaire la mise au point ou le réglage de certains appareils (microscope, palmer, etc.).

microminiaturisation n. f. TECH Miniaturisation à l'extrême d'un appareillage électronique.

micromodule n. m. ELECTR Circuit de très faibles dimensions constitué de microcomposants, moulés dans une résine isolante.

micron n. m. Syn. anc. de *micromètre* (sens 1).

Micronésie («petites îles»), ensemble d'îles du Pacifique, situées entre l'Indonésie et les Philippines à l'O., la Mélanésie au S. et la Polynésie à l'E. Princ. archipels : les Mariannes, les Palaos, les Carolines (dont la partie orientale est devenue semi-indépendante, en 1980, sous le nom d'*État fédéré de Micronésie*, État admis à l'O.N.U. en 1991), les Marshall et les Gilbert (auj. Kiribati) dont les habitants sont des Polynésiens. ► carte **Océanie**

micronésien, enne adj. et n. De Micronésie.

micronisation n. f. Didac. Réduction d'un corps solide en particules de l'ordre du micron.

microniser v. tr. [1] Didac. Effectuer une micronisation. – Pp. adj. *Un corps micronisé.*

micronucleus [mikʀonykleys] n. m. MICROBIOL Élément constitutif, avec les macronucleus, du noyau des infusoires.

micronutriment n. m. MED Oligo-élément d'origine alimentaire. *Carence en micronutriment.*

micro-onde n. **I.** n. f. TECH Onde électromagnétique faisant partie des ondes hertziennes et comprise entre 300 MHz et 300 GHz. – *Four à micro-ondes*, dans lequel les aliments absorbent l'énergie de micro-ondes qui se transforme en chaleur, essentiellement du fait des frictions intermoléculaires. **II.** n. m. *Un micro-ondes :* un four à micro-ondes.

micro-ordinateur n. m. INFORM Ordinateur de petit format, souvent individuel, dont l'unité centrale est constituée autour d'un microprocesseur. *Des micro-ordinateurs.* (Abrév. : micro).

micro-organisme ou **microorganisme** n. m. BIOL Organisme microscopique.

microparticule n. f. Particule microscopique présente dans l'air (diamètre inférieur à 10 micromètres).

microphone n. m. ELECTROACOUST Appareil servant à transformer en signaux électriques des vibrations sonores. ▷ *Microphone émetteur*, sans fil, couplé à un émetteur radioélectr. de faible puissance. (Abrév. : micro).

microphotographie n. f. TECH **1.** Photographie sur microfilm. **2.** Reproduction photographique de l'image fournie par un microscope. Syn. photomicrographie.

microphysique n. f. PHYS Partie de la physique qui étudie l'atome et son noyau.

microprocesseur n. m. INFORM Ensemble de circuits intégrés constituant notam., sous un très faible volume, l'unité centrale d'un micro-ordinateur.

microprogrammation n. f. INFORM Programmation dans laquelle chaque instruction commande au niveau programmable le plus élémentaire d'un ordinateur.

microscope n. m. Instrument d'optique permettant d'observer des objets trop petits pour être discernés à l'œil nu.

ENCYCL On peut classer les divers microscopes en fonction de la nature du phénomène utilisé pour former les images. Le *microscope optique* utilise les photons associés aux ondes lumineuses et comporte un objectif qui réalise une image très agrandie de l'objet, tandis qu'un oculaire permet l'observation de celle-ci. Le *microscope électronique* utilise un faisceau d'électrons; il permet d'obtenir une image d'un objet de quelques dizaines de nanomètres. Le *microscope à effet tunnel** utilise des particules (électrons ou ions) accélérées par un champ électrique; il permet d'observer des détails de dimensions inférieures au nanomètre. Le *microscope acoustique* utilise des ondes ultrasonores selon un principe voisin de celui de l'échographie.

Microscope (le), constellation de l'hémisphère austral, située au S. du Capricorne.

microscopie n. f. Observation à l'aide du microscope. – Technique de l'emploi du microscope.

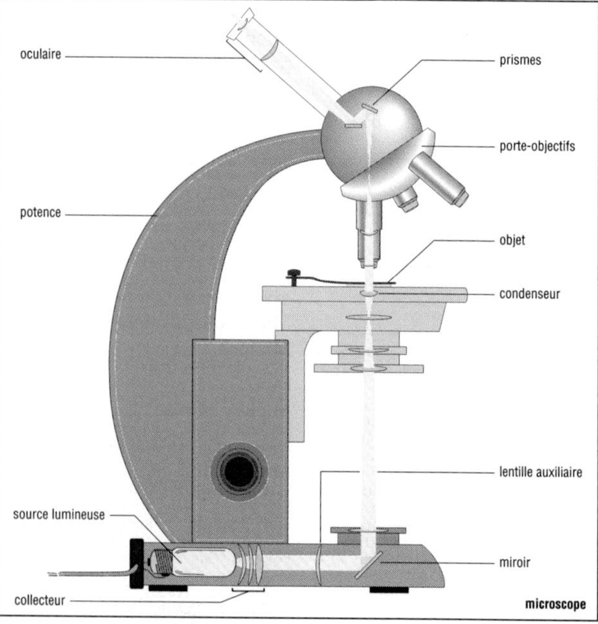

microscope

microscopique adj. **1.** PHYS Réalisé à l'aide du microscope. *Observations microscopiques.* **2.** Qui n'est visible qu'au microscope. *Animaux microscopiques.* – *Par ext.* Minuscule. *Écriture microscopique.*

microseconde n. f. PHYS Millionième de seconde (symbole µs).

microséisme n. m. Bruit de fond sismique, uniquement décelable par des instruments.

microserveur n. m. TELECOM Micro-ordinateur muni d'un modem, qui offre des services.

microsillon n. m. **1.** Sillon d'un disque phonographique de profondeur et de largeur particulièrement faibles. **2.** Cour. Disque gravé en microsillon.

microsociété n. f. SOCIOL Communauté humaine de très petite taille.

microsonde n. f. Sonde permettant l'analyse et le dosage de très petites quantités de matière.

microspore n. f. BOT Spore la plus petite, à potentialité mâle, des végétaux produisant deux types de spores (par oppos. à *macrospore*).

microstructure n. f. Didac. **1.** Structure microscopique. **2.** Structure faisant partie d'une structure plus grande. *On étudie les microstructures en sociologie, en linguistique, etc.*

microtome n. m. HISTOL Instrument servant à préparer des coupes très minces pour le microscope.

micro-trottoir n. m. Sondage rapide, dans la rue, filmé ou enregistré. *Des micros-trottoirs.*

miction n. f. MED Expulsion de l'urine accumulée dans la vessie.

Midas (fin VIIIe s. av. J.-C.), roi de Phrygie, fils ou seulement successeur de Gordias*. – Roi ou nom d'une dynastie dont le plus grand représentant périt lors de l'invasion des Cimmériens. Les Grecs ont fait de ce ou ces souverains un personnage de fable cupide et irréfléchi. Dionysos lui ayant donné le pouvoir de convertir en or tout ce qu'il touchait (notam. les aliments et les boissons), il manqua en mourir de faim et de soif. Apollon l'affubla d'oreilles d'âne pour avoir pris parti contre lui dans un concours musical.

Middelburg, v. des Pays-Bas; dans l'anc. île de Walcheren; 39 150 hab.; ch.-l. de la Zélande. Centre agricole. Industr. (métall., constr. électr., etc.).

Middlesbrough, v. et port de G.-B., ch.-l. du Cleveland, sur l'estuaire de la Tees; 141 100 hab. Centre industriel (sidérurgie; constr. méca.; chim.).

Middlesex, anc. comté de G.-B., au N.-O. de Londres.

Middle West (par abrév. *Midwest*), le centre des É.-U., limité à l'E. par les Appalaches et à l'O. par les montagnes Rocheuses.

Mid Glamorgan, comté du pays de Galles; 1 018 km^2; 526 500 hab.; ch.-l. *Cardiff.*

midi n. m. **1.** Milieu du jour; douzième heure. *En plein midi.* – *Demain à midi* ou, ellipt., *demain midi.* ▷ *Vers les midi :* aux environs de midi. ▷ Fig. *Chercher midi à quatorze heures :* trouver des difficultés inexistantes, compliquer les choses comme à plaisir. **2.** Sud (point cardinal). **3.** (Avec une majuscule.) Région, pays méridional. ▷ Spécial. *Le Midi :* la partie méridionale de la France.

Midi (aiguille du), sommet des Alpes françaises (3 843 m), dans le massif du Mont-Blanc (Haute-Savoie), relié par un téléphérique à la vallée de l'Arve.

Midi (canal du), dit parfois *canal des Deux-Mers* ou *canal du Languedoc,* canal reliant l'Atlantique à la Méditerranée par la Garonne et son canal latéral. Long de 241 km, il part de Toulouse, franchit le seuil de Naurouze et débouche dans l'étang de Thau. Œuvre de P. Riquet (1666-1681).

Midi (pic du), nom de deux sommets des Pyrénées françaises : le *pic du Midi de Bigorre* (Hautes-Pyrénées), culminant à 2 872 m, doté d'un observatoire astronomique; le *pic du Midi d'Ossau* (Pyrénées-Atlantiques), culminant à 2 885 m.

midinette n. f. Anc. Jeune ouvrière ou vendeuse parisienne de la couture ou de la mode. ▷ Mod. Jeune citadine aux idées naïves et romanesques.

Midi-Pyrénées, Région admin. française et région de la C.E., formée des dép. de l'Ariège, de l'Aveyron, de la Haute-Garonne, du Gers, du Lot, des Hautes-Pyrénées, du Tarn et du Tarn-et-Garonne; 45 427 km^2 (la plus vaste des Régions françaises); 2 489 955 hab.; cap. *Toulouse.*
Géogr. phys. et hum. – Région méridionale ensoleillée, marquée par les influences océaniques, le Midi-Pyrénées se partage en trois grandes unités naturelles. Au N.-E., dominant les collines du bas Quercy, la bordure du Massif central oppose de vieux massifs cristallins (Rouergue, Ségala, monts de Lacaune, Montagne Noire) aux causses calcaires (causse de Gramat, de Limogne), qu'entaillent les coulées vertes des vallées. Au centre, les larges vallées de la Garonne, de l'Ariège et du Tarn, artère vitale de la Rég., concentrent les villes et la pop. Au S. se dresse l'imposante barrière des Pyrénées (3 298 m au Vignemale) qui domine le plateau de Lannemezan et les collines de l'Armagnac, où divergent de nombr. cours d'eau. Affectée par une longue émigration et un vieillissement de sa population, la Région connaît un renouveau démographique certain : 220 000 personnes s'y sont installées entre 1968 et 1990.
Écon. – Longtemps traditionnelle, l'agriculture régionale (qui emploie encore plus de 10 % des actifs) a connu un net renouveau. La polyculture intensive (céréales, oléagineux, fruits et légumes) domine dans les plaines et sur les collines, alors qu'en montagne s'impose l'élevage, surtout ovin (fromage de Roquefort). Cahors et Gaillac sont des vignobles réputés. Dès l'entre-deux-guerres, la région a vu s'implanter des industries stratégiques (aéronautique, armement, explosifs) qui sont venues compléter une gamme d'activités anciennes (mégisserie, travail de la laine, agroalimentaire, foyers d'industries lourdes nés sur les bassins houillers de Carmaux et Decazeville). Industries spatiales, chimie, pharmacie, électron. ont connu un essor plus récent. Auj., l'aéronautique, dont Toulouse est la capitale européenne (Airbus, CNES), reste le moteur de l'économie régionale; l'agglomération concentre près de 50 % du potentiel industriel du Midi-Pyrénées alors que beaucoup de foyers d'industries traditionnelles sont en crise. Disposant d'un bon potentiel d'activités tertiaires, la Région connaît aussi un tourisme actif : sports d'hiver, thermalisme, tourisme vert. Mieux desservie que dans un passé recent (modernisation du réseau de transports qui se poursuit avec la transformation de la N. 20 Paris-Toulouse-Espagne en voie rapide), offrant un cadre de vie agréable, le Midi-Pyrénées est devenu une région attractive, qui renforce ses solidarités avec le Languedoc-Roussillon et la Catalogne espagnole voisine.

Midlands, rég. de G.-B., plaine marneuse du centre de l'Angleterre. L'industr. s'y est développée dès le XVIIIe s., grâce aux mines de fer (auj. épuisées) et de houille (auj. en déclin). Ce « Pays noir » reste une grande région industrielle : métallurgie, textile, chimie, etc. Princ. centres : *Birmingham, Nottingham.*

Midlands de l'Est (en angl. *East Midlands*), région du Royaume-Uni et région de la C.E., au centre de l'Angleterre, sur la mer du Nord; 15 630 km^2; 3 902 500 hab.; v. princ. *Leicester.*

Midlands de l'Ouest (en angl. *West Midlands*), région du Royaume-Uni et région de la C.E., au centre de l'Angleterre, sur la mer d'Irlande; 13 013 km^2; 5 066 000 hab.; v. princ. *Birmingham.*

Midou (le), riv. du Gers et des Landes (105 km) qui conflue, à Mont-de-Marsan, avec la Douze (r. g.) pour former la Midouze (43 km), laquelle se jette dans l'Adour (r. dr.).

midship [midʃip] ou **midshipman, men** [midʃipman, mɛn] n. m. MAR Aspirant, dans les marines anglaise et américaine. ▷ Enseigne de deuxième classe, dans la marine française.

Midway (îles), atolls du Pacifique, au N.-O. des îles Hawaii, dépendances des É.-U. depuis 1867. – Import. bataille aéronavale (juin 1942) entre les Américains et les Japonais (qui furent vaincus).

Midwest. V. Middle West.

1. mie n. f. Partie intérieure du pain, qui est molle. *La mie et la croûte.*

2. mie n. f. Vx ou litt. Femme aimée.

Mieczysław Ier. V. Mieszko.

miel n. m. **1.** Matière sucrée plus ou moins épaisse, blanche ou jaune, parfois brune, que les abeilles élaborent à partir du nectar qu'elles recueillent sur les fleurs. **2.** Fig. Ce qui est plein de douceur. *Paroles de miel.* – Loc. *Être tout sucre tout miel :* être d'une douceur, d'une amabilité inhabituelles, en général pour obtenir qqch. ▷ *Lune de miel :* période de bonheur des premiers temps du mariage.

miellat n. m. APIC Liquide sucré plus ou moins visqueux excrété par divers insectes suceurs de sève (pucerons, notam.) et récolté par les abeilles.

miellé, ée adj. **1.** Enduit de miel, sucré au miel. **2.** Qui rappelle le miel (par son goût, son aspect, etc.). *Couleur miellée.*

mielleusement adv. Doucereusement.

mielleux, euse adj. **1.** Qui rappelle le miel, sa saveur. ▷ Péjor. Fade, doucereux. **2.** D'une douceur affectée et obséquieuse. *Un ton mielleux.*

mien, mienne adj. et pron. poss. de la 1re pers. du sing. **I.** adj. poss. Litt. Qui est à moi, qui m'appartient; de moi. *Un mien ami.* ▷ (Attribut.) *Cette maison est mienne.* – *Je fais mienne cette proposition.* **II.** pron. poss. *Le(s) mien(s), la (les) mien-*

ne(s). **1.** Ce qui est mien. *Ta fille et la mienne.* – *Ce livre est le mien.* ▷ *Vos conditions seront les miennes :* les conditions que vous proposerez seront celles-là mêmes que j'accepterai. **2.** n. m. *Le mien :* mon bien, ce qui m'appartient. *Le tien et le mien.* ▷ Fig. *J'y mettais du mien,* de ma personne, de mes capacités, de la bonne volonté. ▷ *Les miens :* mes proches, mes parents.

Mierosławski (Ludwik) (Nemours, 1814 – Paris, 1878), général polonais. Il prit part à la révolution polonaise de 1830 et dirigea les révoltes de 1848 et 1863. En 1849, il fut aux côtés des insurgés de Naples et de Bade.

Miescher (Johannes) (Bâle, 1844 – Davos, 1895), biochimiste suisse. Étudiant les spermatozoïdes du saumon, il isola, en 1868, du noyau cellulaire, la nucléine et supposa qu'elle jouait un rôle génétique primordial.

Mies van der Rohe (Ludwig) (Aix-la-Chapelle, 1886 – Chicago, 1969), architecte américain d'origine allemande. Directeur du Bauhaus de Dessau (1930-1933). Ses constructions à ossature d'acier apparente et à façades de verre donnèrent un nouvel essor à l'archi. américaine.

Mieszko ou **Mieczysław Ier** (m. en 992), prince de Pologne (v. 960-992), premier souverain de la dynastie des Piast. Baptisé en 966, il fit évangéliser la Pologne.

miette n. f. **1.** Petite parcelle de pain, de gâteau qui se détache quand on le coupe, qui reste quand on a mangé. ▷ Fig. *Il n'a recueilli que les miettes de l'héritage.* **2.** Petite parcelle. *Briser un verre en miettes.*

mieux adv., n. m. et adj. Comparatif de *bien.* **I.** adv. **1.** D'une manière plus avantageuse, plus accomplie. *Il peut mieux faire. Il chante mieux que les autres. Il entend beaucoup mieux.* ▷ *Aller mieux :* être en meilleure santé. – *Ses affaires vont mieux,* sont dans un meilleur état. ▷ *Aimer mieux :* préférer. ▷ *Valoir mieux :* être préférable. Prov. *Mieux vaut tard que jamais.* **2.** Loc. adv. *De mieux en mieux :* en faisant toujours des progrès. ▷ *Le mieux du monde :* aussi bien que possible. ▷ *Au mieux :* dans les conditions les plus favorables. *Il l'a vendu au mieux.* – *Être au mieux avec qqn :* être très lié, être en très bons termes avec lui. ▷ Fam. *À qui mieux mieux :* en rivalisant, en cherchant à surpasser l'autre. ▷ *Tant mieux :* interj. marquant la satisfaction. *Il a gagné, tant mieux!* **3.** Superl. de *bien. Le mieux :* de la manière la meilleure. *Le texte le mieux rédigé. Agis le mieux, du mieux que tu peux.* **II.** n. m. Ce qui est meilleur, quelque chose de meilleur. *En attendant mieux.* – *Faute de mieux.* ▷ Prov. *Le mieux est l'ennemi du bien :* on gâte souvent une bonne chose en voulant la rendre meilleure. ▷ *Il y a du mieux,* une amélioration. ▷ *Faire de son mieux :* faire aussi bien que l'on peut. **III.** adj. attribut. **1.** (Choses) Meilleur, plus convenable. *C'est mieux pour lui. Il n'a rien de mieux à vous proposer.* **2.** En meilleure santé. *Il est mieux qu'hier.* ▷ Plus beau; d'une valeur supérieure. *Elle est mieux que lui.*

mieux-être n. m. inv. Bien-être accru.

mièvre adj. D'une grâce un peu fade, affectée.

mièvrement adv. D'une façon mièvre.

mièvrerie n. f. Qualité, état de qqn, de qqch qui est mièvre. – Acte, chose mièvre.

Mi Fei ou **Mi Fu** (1051 – 1107), peintre chinois de l'époque des Song; célèbre paysagiste du Sud.

mignard, arde adj. D'une grâce, d'une douceur délicate, mignonne, recherchée (parfois péjor.). *Une jeune fille mignarde.*

Mignard (Nicolas), dit *Mignard d'Avignon* (Troyes, 1606 – Paris, 1668), peintre français; portraitiste de Louis XIV, il travailla aux Tuileries. – **Pierre,** dit *le Romain* (Troyes, 1612 – Paris, 1695), frère du préc.; peintre français, portraitiste de la cour, il décora le dôme du Val-de-Grâce (1663).

mignardise n. f. **1.** Litt. Délicatesse mignonne. *Mignardise d'un visage.* **2.** Délicatesse, gentillesse affectée. ▷ *Des mignardises :* des manières mignardes. **3.** *Mignardise* ou, en appos., *œillet mignardise :* petit œillet très parfumé.

mignon, onne adj. et n. **1.** adj. Délicat, gentil, gracieux. *Enfant mignon.* ▷ (Surtout au fém.) Aimable, joli. *Une jeune fille très mignonne.* ▷ Fam. Complaisant, gentil. *Sois mignon, va me poster cette lettre.* **2.** Subst. Jeune personne, enfant mignon. ▷ Terme d'affection. *Alors, ma mignonne!* ▷ Pop. Jeune fille, jeune femme. **3.** n. m. Nom donné aux favoris d'Henri III, à ses gitons.

mignonnet, ette adj. (et n.) Délicat et mignon; plutôt mignon.

mignonnette n. f. **1.** Œillet mignardise. **2.** Salade faite avec de jeunes feuilles de chicorée sauvage. **3.** Poivre concassé. **4.** Gravillon roulé d'une granulométrie inférieure à 10 mm. **5.** Petite bouteille échantillon que distribuent les producteurs de spiritueux.

mignoter v. tr. [1] Fam. Cajoler, dorloter.

migraine n. f. MED Douleur d'origine vasomotrice n'affectant qu'un seul côté de la tête, qui s'accompagne parfois de nausées et de vomissements. – Cour. Mal de tête.

migraineux, euse adj. et n. **1.** Relatif à la migraine. **2.** Subst. Personne qui a la migraine, qui y est sujette.

migrant, ante adj. Qui effectue une migration (sens 1). ▷ Subst. Personne qui migre ou a migré depuis peu de temps. – *Spécial.* Travailleur immigré.

migrateur, trice adj. et n. Qui migre.

migration n. f. **1.** Déplacement d'une population passant d'une région dans une autre pour s'y établir. *Les migrations des Barbares.* – *Migration saisonnière,* qui s'effectue en fonction des saisons vers les lieux de travail, de vacances. **2.** Déplacement en groupes qu'effectuent, régulièrement, au cours des saisons, certains animaux. *Migration des hirondelles.* **3.** MED Déplacement (d'un corps étranger, de cellules) dans l'organisme. *Migration d'un calcul. Migration de l'ovule.* **4.** PHYS, METALL Déplacement (de particules) dans une substance sous l'effet d'un facteur extérieur.

migratoire adj. Qui concerne les migrations.

migrer v. intr. [1] Effectuer une, des migrations. *Population qui migre.* – *Oiseaux migrant en Afrique. Les saumons migrent afin de se reproduire dans un milieu favorable.* ▷ PHYS *Les ions migrent à la cathode.*

Miguel (dom). V. Michel (roi de Portugal).

Mihajlović (Draža) (Ivanjica, Serbie, 1893 – Belgrade, 1946), général yougoslave. Il organisa la résistance parmi les Serbes après la défaite d'avril 1941, mais il lutta à la fois contre les Allemands et les partisans de Tito. Jugé pour trahison en 1946, il fut fusillé.

mihrab [miʀab] n. m. Niche à l'intérieur d'une mosquée, orientée vers La Mecque.

mi-jambe (à) loc. adv. Au milieu de la jambe. *Bottes qui montent à mi-jambe, jusqu'à mi-jambe.*

mijaurée n. f. Fille, femme aux manières prétentieuses, affectées. *Faire la mijaurée.*

mijoter v. [1] **I.** v. tr. **1.** Faire cuire lentement, à petit feu. ▷ Cuisiner, préparer avec beaucoup de soin. *Je vous ai mijoté un bon petit plat.* **2.** Fig., fam. Préparer doucement, à loisir, et d'une manière plus ou moins secrète (un projet, un mauvais coup, etc.). *Qu'est-ce que vous mijotez, tous les deux?* **II.** v. intr. Cuire lentement, à petit feu.

mikado n. m. **1.** Empereur du Japon. **2.** Jeu d'adresse ressemblant au jeu de jonchets*.

Mikhalkov (Nikita) (Moscou, 1945), cinéaste russe. Il adapte Tchekhov (*Partition inachevée pour piano mécanique,* 1976; *les Yeux noirs,* 1986), Gontcharov (*Quelques jours de la vie d'Oblomov,* 1979), le dramaturge Volodine (*Cinq Soirées,* 1978), puis s'interroge sur le progrès dans *Urga* (1991).

Miki (Takeo) (Donari, ken de Tokushima, 1907 – Tokyo, 1988), homme politique japonais. Président du parti libéral-démocrate, plusieurs fois ministre, et Premier ministre de 1974 à 1976.

Mikoyan (Anastas Ivanovitch) (Sanain, Arménie, 1895 – Moscou, 1978), homme politique soviétique. Il entra au Comité central du P.C.U.S. dès 1923. Spécialiste de l'économie, président du præsidium du Soviet suprême (1964-1965), il perdit ses pouvoirs en même temps que Khrouchtchev.

1. mil. V. mille 1.

2. mil n. m. Céréale à petits grains cultivée dans les régions chaudes de l'Ancien Monde. ▷ *Gros mil :* V. sorgho. ▸ illustr. **céréales**

milady, plur. **miladys** ou **miladies** [milɛdi, iz] n. f. Vx Titre donné en France à une lady.

milan n. m. Oiseau de proie (*Milvus,* et genres voisins) aux longues ailes (jusqu'à 1,50 m d'envergure).

Milan (en ital. *Milano*), v. d'Italie, au centre de la plaine du Pô; 1 548 580 hab. ; cap. de la Lombardie et ch.-l. de la prov. du m. nom. Située au point de convergence des grandes routes transalpines, c'est la 2e ville d'Italie par sa population et la 1re par son importance économique (métropole industr., comm., financière). Son industrie, très différenciée, est dominée par l'électromécanique et le textile. Elle souffre de pollution. Centre culturel (édition, presse). – Archevêché. Université. Cath. goth. (*il Duomo,* XIVe-XVIe s.). Nombr. égl. : Santa Maria delle Grazie (XVe s.; le cloître renferme la *Cène* de Léonard de Vinci), basilique romane Sant'Ambrogio (XIe s., tour du IXe s.).

Milan : le Duomo

Chât. des Sforza (XVe s., restauré au XIXe s.). Palais et pinacothèque Brera (XVIIe s.). Bibliothèque Ambrosienne. Théâtre de la Scala (XVIIIe s.), l'un des plus célèbres Opéras du monde. – Centre comm., ville stratégique au Bas-Empire en raison des invasions barbares, Milan fut une métropole ecclésiastique après 313 (*édit de Milan*, autorisant la liberté des cultes). Ruinée par les invasions (452, puis 539), elle se releva au IXe s. D'Otton Ier (962) à Napoléon (1805), les empereurs y reçurent la couronne lombarde.

Milan (décrets de), décrets de Napoléon Ier renforçant le Blocus continental (23 novembre et 17 décembre 1807).

milanais, aise adj. et n. **1.** De Milan. ▷ Subst. *Un(e) Milanais(e).* **2.** *Escalope milanaise*, panée et cuite au beurre.

Milanais, anc. État de l'Italie du N., constitué autour de Milan dès le déb. du XIIe s. Les seigneurs de la ville, surtout les Visconti au XIVe s., assirent leur domination sur les cités voisines; les Sforza (XVe s.) continuèrent cette politique. Conquis par les Français (1500), le Milanais fut restitué par François Ier aux Sforza (traité de Madrid, 1526). À la mort du dernier héritier (1535), l'État passa aux Habsbourg (en vertu d'un pacte conclu dès 1524). Donné par Charles Quint à son fils, le futur Philippe II d'Espagne (1540), il fut cédé à l'Autriche. Centre de la république Cisalpine (1797), il fut joint à la Vénétie pour former le royaume lombard-vénitien (1815), fondu dans le royaume d'Italie en 1859.

Milan Obrenović (Mărășești, Moldavie, 1854 – Vienne, 1901), prince (1868-1882), puis roi (1882-1889) de Serbie. Succédant à son cousin Michel, il ne put s'emparer de la Bosnie-Herzégovine (guerre avec les Turcs de 1876 à 1878). Mais l'indépendance de la Serbie fut reconnue par la Turquie (traité de San Stefano, 1878) et il prit le titre de roi (1882). Autoritaire, impopulaire et corrompu, il dut abdiquer.

Milazzo, v. et port de pêche de Sicile, à l'O. de Messine, sur un petit promontoire dirigé vers les îles Éoliennes; 30 400 hab. Station balnéaire. Raff. de pétrole. – Fondée par les Grecs, l'antique *Myles* vit les Romains vaincre, sur mer, les Carthaginois (260 av. J.-C.). Le 20 juil. 1860, la victoire de Garibaldi libéra la Sicile et consomma la défaite des Bourbons.

mildiou n. m. Maladie des plantes (vignes, pommes de terre, etc.) due à des moisissures et qui se manifeste par des taches brunes suivies d'un flétrissement général.

mile [majl; mil] n. m. Unité de mesure de longueur anglo-saxonne équivalant à 1 609 m.

Milet (en gr. *Milêtos*), anc. v. d'Asie Mineure, en Ionie, à l'embouchure du Méandre, que les alluvions ont ensevelie. À partir du VIIIe s. av. J.-C., Milet fut la plus grande métropole grecque d'Asie Mineure, illustrée notam. par son école philosophique (Thalès, Anaximène, Anaximandre). Au Ve s. av. J.-C., elle souffrit cruellement des invasions perses et déclina.

Milford Haven, port pétrolier de G.-B. (pays de Galles), sur la *baie de Milford Haven*; 13 930 hab. Raff. de pétrole, pétrochimie.

Milhaud (Darius) (Aix-en-Provence, 1892 – Genève, 1974), compositeur français. L'écriture contrapuntique et l'invention mélodique caractérisent son œuvre, abondante : *les Malheurs d'Orphée* (1924), *Christophe Colomb* (1928), opéras; *le Bœuf sur le toit* (1919), *la Création du monde* (1923), ballets; *Musique pour Graz* (1969) pour neuf instruments; *Ode pour Jérusalem* (1972) pour orchestre.

miliaire adj. et n. f. MED **1.** adj. Qui présente un aspect granuleux rappelant la semence de mil. **2.** n. f. Éruption de fines vésicules dues à la rétention de la sueur.

milice n. f. **1.** Au Moyen Âge, troupe levée dans une ville affranchie pour défendre celle-ci. **2.** Corps de police supplétif. ▷ Spécial. *La Milice* : l'organisation policière (formée de volontaires) créée par le gouvernement de Vichy pour lutter contre la Résistance (1943-1944). **3.** Formation de police, sans caractère officiel, chargée de défendre des intérêts privés. *Milice patronale.*

milicien, enne n. Personne qui fait partie d'une milice.

milieu n. m. **I. 1.** Centre d'un lieu, point situé à égale distance des extrémités. *Faire un dessin au milieu d'une feuille de papier. Ville située au milieu de la France.* **2.** Période située à égale distance du début et de la fin. *Le milieu du mois.* **3.** Loc. *Au milieu de :* à égale distance des extrémités de, au centre de, en plein dans. *Au milieu de la forêt.* ▷ *Au beau milieu (de)* : tout au milieu, en plein milieu (de). *Au beau milieu de son discours, il a été interrompu.* **4.** Fig. Ce qui est également éloigné de deux excès contraires. *Garder le juste milieu.* – Loc. *Il n'y a pas de milieu* : il faut absolument choisir entre un parti ou l'autre. **II. 1.** Ensemble de conditions naturelles (géographiques, climatiques, etc.) qui régissent la vie d'êtres vivants. *Milieu marin. Adaptation d'un animal à son milieu.* (V. écologie, écosystème, environnement, habitat). **2.** *Milieu intérieur* : ensemble des liquides interstitiels (y compris le sang) qui baignent les cellules de l'organisme. **3.** Entourage, société, sphère sociale où l'on vit. *Influence du milieu. Réunir des amis de milieux différents.* ▷ Absol. *Le milieu* : le monde de la pègre.

Milieu (empire du), nom donné autref. par les Chinois à leur pays, qu'ils considéraient comme le centre du monde. Le terme (en chinois *Zhong Hua*) fut adopté par les géographes occidentaux.

militaire adj. et n. m. **I.** adj. **1.** Relatif à l'armée, aux soldats, à la guerre. *Art militaire. Justice militaire. Autorités militaires* (par oppos. à *autorités civiles*). *Honneurs militaires*, rendus par les troupes en armes. ▷ *L'heure militaire* : l'heure précise. **2.** Qui s'appuie sur l'armée. *Dictature militaire.* **II.** n. m. Membre de l'armée. *Un militaire en uniforme.*

militairement adv. **1.** Par la force armée. *Zone occupée militairement.* **2.** Fig. Avec exactitude; avec résolution.

militant, ante adj. et n. **1.** adj. Qui agit en combattant. *Politique militante.* **2.** n. Adhérent actif d'un parti, d'une organisation. *Les militants d'un parti.*

militantisme n. m. Activité des militants d'une organisation.

militantiste adj. Qui concerne le militantisme; qui en relève. *Une action militantiste.*

militarisation n. f. Action de militariser; son résultat.

militariser v. tr. [1] Pourvoir d'une force armée. ▷ Organiser de façon militaire. ▷ Faire occuper par la force armée. *Militariser une zone.*

militarisme n. m. **1.** Politique s'appuyant sur les militaires, sur l'armée, ou exercée par des militaires. *Le militarisme de l'Allemagne impériale.* **2.** Opinion, tendance de ceux qui sont favorables à l'influence des militaires, de l'armée.

militariste adj. et n. Péjor. Partisan du militarisme. ▷ Subst. *Un militariste chauvin.*

militer v. intr. [1] **1.** Œuvrer activement à la défense ou à la propagation d'une idée, d'une doctrine. ▷ Être militant d'une organisation. *Militer au P.C.* **2.** *Militer pour, contre :* plaider pour, contre. *Cet élément milite pour sa thèse.*

milk-shake [milkʃɛk] n. m. (Anglicisme) Boisson à base de lait frappé et battu avec de la crème glacée ou de la pulpe de fruits. *Des milk-shakes.*

Mill (John Stuart) (Londres, 1806 – Avignon, 1873), philosophe empiriste et économiste anglais, surtout connu pour sa théorie de l'induction (*Logique inductive et déductive*, 1843) et son système de morale utilitariste (*De l'utilitarisme*, 1863). Libéral indépendant en économie politique (*Principes d'économie politique*, 1848), il se passionna également pour les questions sociales, manifestant des sympathies socialistes et féministes (*De l'assujettissement des femmes*, 1869).

Millais (sir John Everett) (Southampton, 1829 – Londres, 1896), peintre anglais préraphaélite puis réaliste : *Ophélie* (1852), *Gladstone* (1879).

Millardet (Alexis) (Montmirey-la-Ville, Jura, 1838 – Bordeaux, 1902), botaniste français. Il préconisa (pour éviter les ravages dus au mildiou) d'hybrider des cépages français et américains, et de traiter les vignes à la bouillie bordelaise.

Millau, ch.-l. d'arr. de l'Aveyron, sur le Tarn, au pied du causse du Larzac et du causse Noir; 22 458 hab. (*Millavois*). Princ. centre français de la ganterie. Papeterie. – Place forte protestante (XVIe s.).

1. mille adj. et n. m. inv. **I.** adj. **1.** adj. num. cardinal. Qui vaut dix fois cent (1 000). *Mille kilomètres.* ▷ N.B. *Mille* peut s'écrire *mil* dans une date inférieure à *deux mille* : *mil neuf cent trente.* **2.** Un grand nombre de. *Je vous remercie mille fois.* **3.** Loc. fam. *Je vous le donne en mille* : je parie, à mille contre un, que vous ne devinerez pas la chose en question. **4.** adj. num. ordinal. Millième. *Le numéro mille d'un journal. L'an mille* ou *l'an mil.* **II.** n. m. inv. **1.** Le nombre mille. *Multiplier par mille.* **2.** Millier. *Le prix au mille.* – Loc. fam. *Des mille et des cents* : beaucoup d'argent. **3.**

Centre d'une cible, qui fait gagner mille points quand on le touche. – Loc. fig. *Mettre, taper, toucher dans le mille* : tomber juste ; réussir pleinement. **4.** Groupe de mille exemplaires d'un ouvrage. *Vingtième mille.*

2. mille n. m. **1.** ANTIQ Unité romaine de mesure des distances, valant mille pas (1 482 m). **2.** *Mille marin* : unité de mesure des distances utilisée en navigation maritime et aérienne, distance entre deux points d'un méridien terrestre séparés par une minute d'arc (1 852 m). **3.** (Au Canada français.) Unité de mesure de longueur anglo-saxonne, valant 1 609 m, comme le mile.

Mille et Une Nuits (les), recueil de contes populaires arabes (X[e]-XIIe s. env.) d'orig. diverses (Perse, Bagdad, Égypte) : *Aladin et la lampe merveilleuse, Ali Baba et les quarante voleurs, Sinbād le marin,* etc.

1. millefeuille n. f. Plante herbacée des terrains incultes (fam. composées) à feuilles finement divisées, et à fleurs blanches ou rosées.

2. millefeuille n. m. Gâteau de pâte feuilletée garnie de crème pâtissière.

millénaire adj. et n. **I.** adj. Qui existe depuis mille ans. *Un monument millénaire.* **II.** n. m. **1.** Période de mille ans. **2.** Millième anniversaire. *Célébrer le millénaire de Paris.*

millénarisme n. m. RELIG Croyance en un règne messianique destiné à durer mille ans.

millénariste adj. et n. RELIG **1.** adj. Du millénarisme. *Théorie millénariste.* **2.** n. Personne qui ajoute foi au millénarisme.

millénium [millenjɔm] n. m. RELIG Règne de mille ans, dans le millénarisme.

mille-pattes n. m. inv. Nom cour. de nombreux myriapodes.

mille-pertuis ou **millepertuis** [milpɛʀtɥi] n. m. inv. Plante dicotylédone herbacée à fleurs jaunes, qui doit son nom aux glandes translucides qui criblent ses feuilles.

millépore n. m. ZOOL Hydrozoaire à squelette calcaire (genre *Millepora*), qui contribue à la construction des récifs coralliens tropicaux.

Miller (Cincinnatus Hiner Miller, dit Joaquin) (Liberty County, Indiana, 1837 – Oakland, Californie, 1913), écrivain américain. Le pittoresque et l'emphase dominent souvent dans ses poèmes, ses drames et ses romans (*Spécimens,* 1868 ; *Poèmes du Pacifique,* 1870 ; *Chants des sierras,* 1871).

Miller (Henry) (New York, 1891 – Pacific Palisades, Californie, 1980), écrivain américain qui vécut à Paris de 1930 à 1938. Son œuvre, presque totalement autobiographique, est un déferlement verbal dans lequel les notations directes, fréquemment obscènes, alternent avec de grands élans lyriques. Elle est en outre une critique impitoyable des É.-U., « cauchemar climatisé » qui le mit longtemps à l'index : *Tropique du Cancer* (1934), *Printemps noir* (1936), *Tropique du Capricorne* (1939) ; la trilogie *Crucifixion en rose,* qui comprend : *Sexus* (1949), *Plexus* (1952) et *Nexus* (1960) ; *Big Sur* (1956), *Virage à 80* (1973), etc. ▸ illustr. page **1215**

Miller (Merle) (Chicago, 1905 – id., 1963), écrivain américain. Pour lui, la guerre et l'effondrement des valeurs traditionnelles entraînent l'immoralité et la superficialité : *l'Île 49* (1945), *Cet hiver-là* (1948), *Pas d'erreur* (1949).

Miller (Arthur) (New York, 1915), auteur dramatique américain ; critique acerbe de la société américaine d'auj. : *Mort d'un commis voyageur* (1949), *les Sorcières de Salem* (1953), *Vu du pont* (1955), etc. Il adapta pour l'écran son roman, *les Misfits* (1960).

mille-raies n. m. inv. Tissu à fines raies ou à fines côtes. – (En appos.) *Velours mille-raies.*

Millerand (Étienne Alexandre) (Paris, 1859 – Versailles, 1943), avocat, journaliste et homme politique français. Socialiste, il participa au gouv. de Waldeck-Rousseau (1899-1902), rompit avec son parti (1905), fut ministre de la Guerre (1912-1913 et 1914-1915). Président du Conseil (1920), puis président de la République (1920-1924), il s'opposa au Cartel des gauches et dut démissionner.

millerandage n. m. VITIC Développement imparfait des grains de raisin, par suite d'une mauvaise fécondation.

millésime n. m. **1.** Chiffre exprimant le nombre mille dans une date. *1 est le millésime de 1950.* **2.** Chiffre marquant l'année de fabrication d'une monnaie, l'année de récolte d'un vin, etc. *Bouteille qui porte le millésime d'une grande année.*

millésimer v. tr. [**1**] Attribuer un millésime à. ▷ Pp. adj. *Un cru millésimé.*

millet [mijɛ] n. m. Nom cour. de diverses graminées céréalières cultivées surtout en Asie et en Afrique.

Millet (Jean-François) (Gréville, Manche, 1814 – Barbizon, 1875), peintre français ; l'un des princ. représentants de l'école de Barbizon, auteur de scènes de la vie rurale à caractère réaliste : *le Semeur* (1850), *les Glaneuses* (1857), *l'Angélus* (1859).

J.-Fr. **Millet :** *la Fileuse,* musée d'Orsay, Paris

Millevaches (plateau de), plateau élevé (900 m en moyenne) du Massif central (Limousin), voué à l'élevage ovin. La Vienne, la Creuse, la Vézère, la Corrèze y ont leur source.

milli-. Élément, du lat. *mille,* « mille », marquant la division par mille de l'unité (abrév. : m).

milliampère n. m. ELECTR Millième d'ampère (symbole mA).

milliard [miljaʀ] n. m. Nombre qui vaut mille millions. – *Par ext.* Nombre indéterminé et très considérable.

milliardaire adj. et n. Dont la fortune dépasse le milliard.

milliardième adj. et n. **1.** adj. numéral ordinal. Dont le rang est marqué par le nombre un milliard. **2.** n. m. Chacune des parties d'un tout divisé en un milliard de parties égales.

millibar [mi(l)libaʀ] n. m. METEO Anc. unité de pression valant un millième de bar, remplacée par l'hectopascal*.

millième adj. et n. **I.** adj. num. ord. Dont le rang est marqué par le nombre 1 000. *La millième heure de vol.* **II.** n. **1.** Personne, chose qui occupe la millième place. *Le millième sur la liste nationale des candidats reçus au concours.* **2.** n. m. Chacune des parties d'un tout divisé en mille parties égales. *Un millième du budget national.*

millier n. m. **1.** Nombre de mille, d'environ mille. *Des milliers de gens.* **2.** Loc. *Par milliers* : en très grand nombre.

milligrade n. m. GEOM Unité de mesure d'angle égale à un millième de grade (symbole mgr).

milligramme n. m. PHYS Unité de mesure de masse, équivalant à la millième partie du gramme (symbole mg).

Millikan (Robert Andrews) (Morrison, Illinois, 1868 – San Marino, Californie, 1953), physicien américain. Il détermina la charge électrique et la masse de l'électron, calcula la valeur de la constante de Planck (1916) et étudia les rayons cosmiques. P. Nobel 1923.

millilitre n. m. PHYS Unité de mesure de volume, équivalant à la millième partie du litre (symbole ml).

millimètre n. m. Unité de longueur valant un millième de mètre (symbole mm). ▷ *Millimètre carré* (mm^2) : unité de surface correspondant à un carré de 1 mm de côté. *Millimètre cube* (mm^3) : unité de volume correspondant à un cube d'arête de 1 mm.

millimétré, ée adj. **1.** Gradué, réglé en millimètres. *Papier millimétré.* **2.** Fig., fam. Extrêmement précis. *Skieur qui suit une trajectoire millimétrée.*

millimétrique adj. **1.** Syn. de *millimétré.* **2.** D'un ordre de grandeur voisin du millimètre.

million [miljɔ̃] n. m. Nombre qui vaut mille fois mille. *Quatre millions d'habitants.* – *Par ext.* Nombre indéterminé et très considérable.

millionième adj. et n. m. **1.** adj. num. ordinal. Dont le rang est marqué par le nombre un million. **2.** n. m. Chacune des parties d'un tout divisé en un million de parties égales.

millionnaire adj. et n. Dont la fortune s'évalue en millions. ▷ *Ville millionnaire,* d'au moins un million d'habitants.

millithermie n. f. PHYS Millième de thermie (symbole mth).

millivolt n. m. ELECTR Millième de volt (symbole mV).

Milly-la-Forêt, ch.-l. de cant. de l'Essonne (arr. d'Évry), à l'orée ouest de la forêt de Fontainebleau ; 4 330 hab. – Halles en bois du XVe s. Chapelle St-Blaise-des-Simples décorée par J. Cocteau (1960) et lieu de sa sépulture.

Milo, île des Cyclades ; 161 km[2] ; 4 500 hab. ; ch.-l. *Mílos.* – L'île fut un des

Vénus de **Milo**, marbre, IIe s. av. J.-C. ; musée du Louvre

centres de la civilisation minoenne. On y a trouvé, en 1820, la statue antique dite *Vénus de Milo*, auj. au Louvre.

Milon de Crotone (né à Crotone au VIe s. av. J.-C.), lutteur grec réputé pour sa force. Selon la tradition, il voulut fendre un chêne avec ses mains, mais les deux parties du tronc se resserrèrent sur l'une d'elles, l'emprisonnant, et il fut dévoré par des loups.

Milon (Titus Annius Papianus) (Lanuvium, v. 95 - Compsa, 48 av. J.-C.), homme politique romain. Gendre de Sylla, il contribua au retour d'exil de Cicéron ; ce dernier le défendit (*Pro Milone*) quand on l'accusa du meurtre de Clodius (52).

milord n. m. **1.** Vx Titre donné en France aux lords britanniques. **2.** Pop., vieilli Homme très riche et élégant.

Milosevic (Slobodan) (Pozarevac, Serbie, 1941), homme politique serbe. Prés. de la Ligue communiste de Serbie de 1986 à 1988, président de la rép. de Serbie (1989-1997), il devient président de la Fédération de Yougoslavie en 1997.

Miloš Obrenović (Dobrinja, 1780 - Topčider, près de Belgrade, 1860), prince de Serbie (1817-1839 et 1858-1860) ; fondateur de la dynastie des Obrenović. Éleveur de porcs, il se distingua dans la révolte contre les Turcs (1804-1813). Il supplanta Karageorges, qu'il fit assassiner (1817). Gouvernant en despote, il dut abdiquer en 1839 puis fut rappelé en 1858.

Milosz (Oscar Vladislas de Lubicz-Milosz, dit O.V. de L.) (Czereïa, auj. en Biélorussie, 1877 - Fontainebleau, 1939), écrivain français d'origine lituanienne. Spiritualiste et mystique, il a écrit des poèmes élégiaques (*les Sept Solitudes*, 1906) ou dramatiques (*Scènes de don Juan*, 1906), des essais philosophiques (*les Arcanes*, 1926) et des travaux d'exégèse (*la Clef de l'Apocalypse*, 1938).

Miłosz (Czesław) (Szetejnie, Lituanie, 1911), écrivain polonais. Poète d'inspiration « catastrophiste », il quitta son pays en 1951. Nombr. essais sur le monde communiste (*la Pensée captive*, 1953), sur la civilisation occidentale moderne (*Visions de la baie de San Francisco*, 1969). P. Nobel 1980.

milouin n. m. Canard plongeur (genre *Aythya*).

mi-lourd adj. et n. m. SPORT Se dit d'un boxeur professionnel pesant entre 76,204 kg et 79,378 kg. ▷ n. m. *Des mi-lourds*.

Miltiade (saint) (m. à Rome en 314), pape de 311 à sa mort.

Miltiade (?, 540 - Athènes, v. 489 av. J.-C.), général athénien. Élu stratège en 491, il fut l'artisan de la victoire de Marathon (490).

Milton (John) (Londres, 1608 - id., 1674), poète anglais. Protégé par Cromwell, qui le fit secrétaire au Conseil d'État pour les langues étrangères, il fut mis en prison quand les Stuarts furent restaurés et échappa de peu à l'échafaud. Ayant recouvré la liberté (1660), aveugle (depuis 1652), ruiné, entouré seulement de ses trois filles, il composa son chef-d'œuvre (1658-1665), *le Paradis perdu* (publié en 1667), *le Paradis reconquis* et *Samson Agonistes* (1671).

Milton Keynes, ville de G.-B. (Buckinghamshire) ; 172 300 hab. - Ville nouvelle (fondée en 1967).

Milvius (pont), pont sur le Tibre, ap. Rome, où Constantin battit Maxence (312), mettant fin à l'empire païen.

Milwaukee, v. des É.-U. (Wisconsin), port sur le lac Michigan, à l'embouchure du *Milwaukee* ; 628 080 hab. (aggl. urb. 1 567 600 hab.). Centre comm. et industr. (sidérurgie, automobile, textile).

mime n. m. (Rare au fém.) Interprète de pantomime, acteur qui s'exprime uniquement par les gestes et les attitudes, sans dire une seule parole. - *Par ext.* Personne qui mime.

mimer v. tr. [1] Imiter, représenter par des gestes, des attitudes.

mimétique adj. Qui se rapporte au mimétisme.

mimétisme n. m. **1.** Aptitude de certaines espèces animales à prendre l'aspect d'un élément de leur milieu de vie. **2.** *Par anal.* Tendance à imiter le comportement d'autrui, à prendre les manières, les habitudes d'un milieu, etc.

mimique n. f. (et adj.) **1.** Rare Art de représenter par le geste, art du mime. ▷ adj. *Langage mimique.* **2.** Représentation par le geste ou par l'expression du visage d'une idée, d'un sentiment, etc. *Une mimique expressive.*

Mimizan, ch.-l. de cant. des Landes (arr. de Mont-de-Marsan) ; 6 827 hab. Stat. balnéaire à *Mimizan-Plage*. Industrie du bois ; papeteries.

mimodrame n. m. Œuvre dramatique dans laquelle les acteurs miment leur rôle sans parler.

mimolette n. f. Fromage de Hollande jaune orangé, à pâte un peu molle.

mimologie n. f. Didac. **1.** Rare Imitation de la voix. **2.** Langage des sourds-muets.

mimosa n. m. **1.** Cour. Arbuste aux feuilles entières ou composées, cultivé pour ses fleurs jaunes ornementales, groupées en petites boules (« glomérules ») très odorantes. **2.** BOT Légumineuse herbacée d'origine américaine, dont une espèce est appelée *sensitive*, parce que ses feuilles se replient quand on les touche.

mimosacées n. f. pl. Famille de légumineuses comprenant les *Mimosa* et les *Acacia*. - Sing. *Une mimosacée.*

Mimoun (Alain) (Telagh, Algérie, 1921), athlète français. Coureur de fond, médaillé olympique (1948 et 1952) ; vainqueur du marathon aux J.O. de Melbourne (1956).

mi-moyen adj. et n. m. SPORT Vieilli Syn. de *welter*.

min Symbole de minute.

MIN n. m. Acronyme pour *marché d'intérêt national.* Marché de produits agricoles ou alimentaires d'une importance particulière, soumis à une réglementation. *Le MIN de Bordeaux.*

minable adj. **1.** Qui fait pitié. *Aspect minable.* **2.** Fam. Médiocre, dérisoire. ▷ Subst. *Un minable.*

minablement adv. D'une façon minable.

minage n. m. MILIT Action de miner (un terrain, un port, etc.).

minaret n. m. Tour d'une mosquée. *Du haut du minaret, le muezzin appelle à la prière.*

Minas de Ríotinto ou **Río Tinto,** v. d'Espagne (Andalousie), au pied de la sierra Morena ; 6 100 hab. Pyrites ferro-cuivreuses exploitées dès l'Antiquité.

Minas Gerais, État intérieur du Brésil oriental ; 587 172 km^2 ; 15 239 000 hab. ; cap. *Belo Horizonte*. Pays de hautes terres (*serra da Mantiqueira*, 2 750 m), c'est une grande rég. d'élevage bovin, extensif et intensif. Les import. richesses minérales (fer, manganèse, bauxite, mica) ont permis l'industrialisation (métall.). - La contrée fut très prospère au XVIIIe s. (mines d'or et de diamants, qui s'épuisèrent).

minauder v. intr. [1] Faire des mines, faire des manières.

minauderie n. f. **1.** Action de minauder ; manque de naturel d'une personne qui minaude. **2.** (Plur.) Manières affectées.

minaudier, ère adj. Qui minaude, qui a l'habitude de minauder.

minbar [minbaʀ] n. m. Chaire à prêcher d'une mosquée.

mince adj. et interj. **I.** adj. **1.** De peu d'épaisseur. *Étoffe mince.* **2.** Svelte. *Femme mince.* **3.** Fig. Peu important, médiocre. *De minces revenus.* **II.** interj. Fam. (Marquant la surprise, l'admiration, etc.) *Mince alors !*

minceur n. f. **1.** Caractère de ce qui est mince, peu épais. **2.** État d'une personne mince.

Mincio (le), riv. d'Italie (194 km), affl. du Pô (r. g.) ; né dans l'Adamello, il traverse le lac de Garde et arrose Mantoue. Import. travaux d'irrigation.

mincir v. intr. [3] S'amincir. *Il a minci très vite.*

Mindanao, grande île des Philippines, au N.-E. de Bornéo ; 99 311 km^2 ; 14 297 430 hab. ; v. princ. *Davao*. Cult. tropicales ; fer. - Au N.-E. de l'île se trouve la *fosse de Mindanao* (10 500 m env.). - L'île fut occupée par les Japonais (1942-1945).

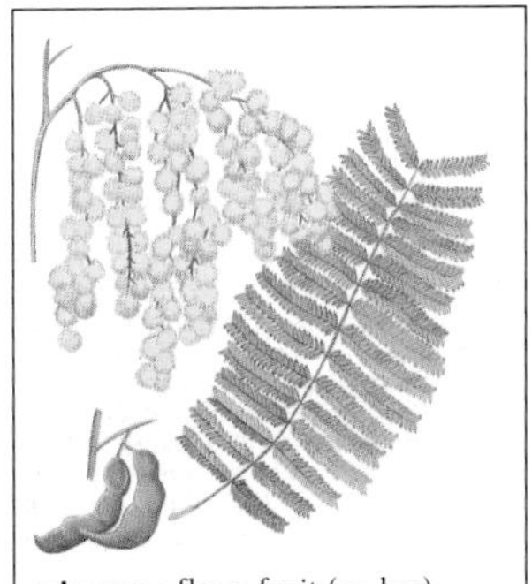
mimosa : fleur, fruit (en bas) et feuille bipennée

mindel [mindɛl] n. m. Deuxième grande glaciation alpine du quaternaire.

Mindel (le), riv. bavaroise (84 km), affl. (r. dr.) du Danube.

Minden, v. d'Allemagne (Rhénanie-du-Nord-Westphalie), sur la Weser; 75 390 hab. Port fluvial. Textile, constr. mécaniques.

Mindoro, île montagneuse des Philippines, au S. de Luçon; 10 245 km²; 832 640 hab.; v. princ. *Calapan.*

Mindszenty (József Pehm, dit József) (Csehimindszent, 1892 – Vienne, 1975), prélat hongrois. Archevêque d'Esztergom et primat de Hongrie (1945), cardinal en 1946, il fut arrêté (1948) et emprisonné pour son opposition au régime communiste. Après l'échec de la révolution hongroise (1956), à l'occasion de laquelle il avait repris ses fonctions, il se réfugia à l'ambassade des É.-U. jusqu'en 1971, puis gagna Vienne. Il fut réhabilité en 1989.

1. mine n. f. **I. 1.** Gisement, le plus souvent souterrain, d'où l'on extrait une substance métallique ou minérale. *Mine de phosphate, de diamant.* ▷ Fig. *Une mine d'or :* une source de profits considérables et continus. – *Cette bibliothèque est une mine de renseignements.* **2.** Excavation pratiquée pour exploiter un tel gisement. *Descendre au fond d'une mine.* **3.** Ensemble des ouvrages, des bâtiments, des machines, des installations nécessaires à cette exploitation. **II. 1.** Excavation dans laquelle on place une charge explosive destinée à détruire un ouvrage; cette charge elle-même. **2.** Engin de guerre conçu de manière à faire explosion lorsqu'un homme, un véhicule, un navire, etc., passe à proximité. *Mine antipersonnel, antichar, sous-marine.* **III.** Mince baguette de graphite ou de matière colorée constituant la partie centrale d'un crayon. – *Mine de plomb :* graphite utilisé pour faire la mine des crayons, plombagine.

2. mine n. f. **1.** Expression du visage, physionomie d'une personne, en tant qu'indice de son état de santé. *Avoir bonne mine, mauvaise mine.* **2.** Expression du visage, physionomie d'une personne, en tant qu'indice de son humeur, de son caractère, de ses sentiments. *Vous avez une mine bien réjouie! Juger qqn sur sa mine.* ▷ Contenance que l'on prend, air que l'on affecte. *Faire bonne (triste, grise) mine à qqn,* bien (mal) l'accueillir. – *Faire mine de* (+ inf.) : faire semblant de; paraître prêt à. – *Mine de rien :* en ayant l'air de rien. ▷ Plur. *Faire des mines :* faire des manières, avoir un comportement affecté, minauder. **3.** Vieilli ou litt. Maintien, tournure. *Un homme de fort belle mine.* ▷ Apparence, aspect (d'une chose). *Voilà un civet de lièvre qui a bonne mine!* ▷ Loc. *Ne pas payer de mine :* ne pas se présenter à son avantage, n'avoir pas bon aspect.

Mineptah. V. Méneptah.

miner v. tr. [1] **I. 1.** Vx Creuser une mine, une sape sous (un ouvrage). **2.** Mod. (Sujet n. de chose.) Creuser en créant un risque d'effondrement. *Fleuve qui mine ses berges pendant une crue.* **3.** Fig. Consumer, détruire peu à peu. – Pp. adj. *Elle est minée par le chagrin.* ▷ v. pron. *Il se mine pour un rien.* **II.** Placer des mines explosives dans (un lieu).

minerai n. m. Corps contenu dans un terrain et renfermant un métal (ou tout autre élément utile) en proportion suffisante pour en permettre l'exploitation. *Un riche minerai.*

minéral, ale, aux n. m. et adj. **1.** n. m. Corps inorganique se trouvant à l'intérieur de la terre ou à sa surface. *Propriétés d'un minéral (densité, dureté, couleur, éclat, propriétés optiques).* **2.** adj. Des minéraux. *Règne minéral* (par oppos. à *règne végétal* et à *règne animal*). *Chimie minérale,* qui a trait à tous les éléments autres que le carbone, et aux combinaisons auxquelles ils peuvent donner lieu (par oppos. à la *chimie organique,* chimie des composés du carbone). **3.** *Eau minérale :* eau provenant du sous-sol et parfois minéralisée.
ENCYCL Selon la classification *chimique,* on divise ainsi les 2 000 espèces minérales existantes : **1.** *Éléments natifs,* c.-à-d. purs, comme l'or, le platine, le cuivre, etc.; **2.** *Oxydes et hydroxydes,* comme la magnétite (Fe_3O_4), le corindon (Al_2O_3), le rutile (TiO_2), etc.; **3.** *Sels* de divers acides, comme les chlorures, fluorures, sulfures, nitrates, borates, etc. **4.** On classe à part les *silicates,* qui constituent près de 90 % de l'ensemble des minéraux terrestres. (V. silicate.) La classification des minéraux étant effectuée, une étude des cristaux constitutifs permet de préciser leur structure. (V. cristal.) Les cristaux sont classés d'après leurs éléments de symétrie (plans, axes et centre de symétrie), ce qui conduit à définir la *maille* du cristal. Les formes, multiples, des différents cristaux peuvent être toutes ramenées à sept polyèdres, ou mailles élémentaires : les mailles *cubique* (6 faces carrées), *quadratique* (prisme droit à base carrée, c.-à-d. 2 faces carrées, 4 rectangulaires), *orthorhombique* (prisme droit à base rectangle ou losange : 6 faces rectangulaires ou 4 rectangulaires et 2 losanges), *monoclinique* (prisme oblique à base rectangulaire : 2 faces rectangulaires, 4 en forme de parallélogramme), *triclinique* (6 faces en forme de parallélogramme), *hexagonale* (prisme droit à base hexagonale : 2 faces hexagonales, 6 faces rectangulaires) et *rhomboédrique* (6 faces égales en forme de losange). Tout cristal étant obtenu par la répétition de la maille élémentaire, sa forme visible à l'œil nu varie considérablement, car le nombre de mailles élémentaires peut être très différent dans les trois directions de l'espace. Cependant, quelle que soit la forme du cristal, l'angle dièdre formé par deux faces sera toujours égal à celui des deux faces homologues de la maille (loi de constance des dièdres). Lorsqu'un minéral cristallise dans plusieurs mailles, on le dit *polymorphe.* Le carbone est polymorphe : le diamant, carbone pur, cristallise dans une maille cubique; le graphite, dans une maille hexagonale. En revanche, deux minéraux différents sont *isomorphes* s'ils cristallisent de la même façon; pouvant se mélanger et cristalliser ensemble, ils ont des propriétés semblables. Lors de la cristallisation, plusieurs cristaux élémentaires peuvent se former simultanément; emmêlés, ils constituent alors une *macle.*

minéralier n. m. Cargo équipé pour le transport des minerais et des cargaisons en vrac. *Minéralier-pétrolier :* minéralier pouvant également transporter des hydrocarbures en vrac.

minéralisation n. f. **1.** Transformation d'un métal en minerai. **2.** État d'une eau qui contient en dissolution certaines substances minérales.

minéraliser v. tr. [1] **1.** Transformer (un métal) en minerai. **2.** Ajouter des substances minérales à (de l'eau).

minéralogie n. f. Science qui étudie les minéraux.

minéralogique adj. **1.** De la minéralogie, relatif à la minéralogie. *Carte minéralogique.* **2.** *Numéro minéralogique :* combinaison de chiffres et de lettres constituant l'immatriculation d'un véhicule automobile. *Plaque minéralogique d'un camion.*

minéralogiste n. m. Spécialiste de minéralogie.

minéralurgie n. f. Didac. Ensemble des techniques de traitement des minerais.

minerve n. f. Appareil d'orthopédie, collerette rigide qui maintient la tête droite et les vertèbres cervicales en extension.

Minerve, dans la myth. rom., déesse de la Sagesse, assimilée à l'Athéna des Grecs; patronne de Rome, elle veillait à la défense des villes.

Minervois, rég. de causses de l'Hérault et de l'Aude, au S.-E. de la Montagne Noire. Aride au N.-O., c'est une riche rég. de grands vignobles dans la plaine qui mène à l'Aude (vin des Corbières, notam.). – Son anc. cap., *Minerve* (com. de l'Hérault, arr. de Béziers; 106 hab.), place albigeoise, fut prise par Simon de Montfort en 1210.

minestrone n. m. Soupe italienne épaisse, aux légumes et au riz (ou aux pâtes).

minet, ette n. Fam. **1.** Petit(e) chat(te). **2.** (Terme d'affection.) *Mon gros minet.* **3.** Jeune homme, jeune fille qui s'habille en suivant la mode de très près. ▷ n. f. Jeune fille, quelle que soit sa mise.

1. mineur, eure adj. et n. **1.** De moindre importance. *Cela n'a qu'un intérêt mineur.* **2.** DR Qui n'a pas atteint l'âge de la majorité (dix-huit ans, en France). *Une fille mineure.* ▷ Subst. *Détournement, enlèvement de mineur.* **3.** GEOGR *L'Asie Mineure :* l'Anatolie, en Turquie. **4.** MUS *Gamme mineure,* dans laquelle la première tierce* et la sixte* sont mineures. – *Ton, mode mineur,* utilisant les notes de la gamme mineure (par oppos. à *ton, mode majeur*). **5.** LOG *Terme mineur d'un syllogisme,* qui est sujet dans la conclusion. ▷ n. f. *La mineure :* la deuxième proposition d'un syllogisme, qui contient le terme mineur. **6.** RELIG CATHOL *Frères mineurs.* V. encycl. franciscain. – *Ordres mineurs :* V. ordre (sens II, 10).

2. mineur n. m. **1.** MINES Ouvrier qui travaille dans une exploitation minière. **2.** MILIT Soldat du génie employé au travail de sape et de mine. – (En appos.) *Sapeur mineur.*

Ming, dynastie qui régna en Chine de 1368 à 1644. Proprement chinoise, elle succéda à la dynastie mongole des Yuan et fut détrônée par la dynastie mandchoue des Qing. Elle fixa sa capitale à Pékin en 1409.

Mingus (Charles, dit Charlie) (Nogales, Arizona, 1922 – Cuernavaca, Mexique, 1979), contrebassiste, compositeur et chef d'orchestre de jazz américain. Il sut innover tout en restant fidèle à la tradition du blues.
► illustr. page **1224**

Minho (le) (en esp. *Miño*), fl. du N.-O. de la péninsule Ibérique (275 km), en Galice; il arrose Orense, sépare l'Espagne du Portugal et se jette dans l'Atlantique.

Minho, région du N.-O. du Portugal à partir de laquelle s'est constitué l'État portugais (XIe-XIIIe s.); v. princ. *Braga.*

mini-. Élément, du lat. *minus,* «moins», par l'angl., impliquant une idée de petitesse, surtout utilisé dans la formation de termes récents (mode, publicité, etc.). *Mini(-)jupe.*

miniature n. f. **1.** Lettre ornée, d'abord peinte au minium, par laquelle on commençait le chapitre d'un manuscrit, au Moyen Âge. **2.** Très petite peinture sur émail, ivoire, vélin, etc. *Des miniatures persanes.* V. aussi enluminure. **3.** Loc. adv. *En miniature :* sous une forme très réduite, condensée. – (En appos.) *Golf miniature.*

miniaturisation n. f. TECH Action de miniaturiser; son résultat.

miniaturiser v. tr. [**1**] TECH Réduire le plus possible l'encombrement de (un appareillage, une machine, etc.).

miniaturiste n. Peintre de miniatures.

minibar n. m. Dans une chambre d'hôtel, petit réfrigérateur contenant des boissons fraîches.

minibus [minibys] n. m. Petit autobus.

minicar n. m. Petit autocar.

minicassette n. (Nom déposé.) **1.** n. f. Boîtier plat en matière plastique renfermant une bande magnétique. **2.** n. m. *Par ext.* Magnétophone dans lequel on utilise ce type de cassette.

minichaîne n. f. Chaîne haute-fidélité dont les éléments sont de petite taille.

Minièh ou **Minya (Al-)** *(Al-Minyā),* v. de la Haute-Égypte, sur le Nil; 183 000 hab.; ch.-l. du gouvernorat du m. nom. Centre cotonnier.

minier, ère adj. Relatif aux mines. *Gisement minier.*

mini-golf n. m. Golf miniature.

mini-jupe ou **minijupe** n. f. Jupe très courte. *Des mini-jupes.*

minima. V. minimum.

minimal, ale, aux adj. Qui a atteint, qui constitue un minimum. *Température minimale.*

minimalisme n. m. **1.** Point de vue, position du minimaliste. **2.** BX-A Tendance de l'abstraction géométrique apparue dans les années 60 aux États-Unis, dans laquelle les éléments de l'œuvre sont réduits au minimum et simplifiés à l'extrême.

minimaliste adj. et n. **1.** Qui défend ou représente une position minimale. ▷ Subst. *Le point de vue des minimalistes.* **2.** BX-A Relatif au minimalisme. ▷ Subst. Adepte du minimalisme.

minime adj. et n. **1.** adj. Très petit. *Valeur minime.* **2.** n. Jeune sportif âgé de 13 à 15 ans. **3.** n. RELIG CATHOL Religieux, religieuse de l'ordre monastique (de spiritualité franciscaine) fondé par saint François de Paule en 1452 à Cosenza et introduit en France sous Louis XI.

minimisation n. f. Action de minimiser.

minimiser v. tr. [**1**] Donner à (un fait, une réalité, une chose, etc.) une importance moins grande que celle qu'on aurait pu ou dû lui accorder.

minimum [minimɔm] n. m. et adj. **I.** n. m. **1.** La plus petite valeur qu'une quantité variable puisse prendre. *Ne pas obtenir le minimum de points requis.* – Loc. adv. *Au minimum :* au moins. **2.** *Minimum vital :* minimum que doit toucher un travailleur pour pouvoir satisfaire ses besoins essentiels. – *Minimum garanti (M.G.) :* indice servant au calcul des avantages en nature et variant en fonction de l'indice des prix. ▷ adj. *Salaire minimum interprofessionnel de croissance (SMIC) :* V. salaire (encycl.). **3.** DR Peine la plus petite. *Le substitut n'a requis que le minimum.* **4.** MATH *Minimum d'une fonction :* valeur de la fonction plus petite que toutes les valeurs immédiatement voisines. **II.** adj. Le plus bas. *Tarif minimum.* (N.B. Dans le langage scientifique, on emploie *minimal.* Dans le langage courant, le plur. est *minimums* ou *minima,* le féminin est *minima.*)

mini-ordinateur n. m. INFORM Ordinateur dont l'unité centrale est miniaturisée. *Des mini-ordinateurs.*

ministère n. m. **1.** Charge de ministre. **2.** Ensemble des ministres constituant un cabinet. *Renverser le ministère.* **3.** Durée des fonctions d'un ministre. *Sous le ministère de Gambetta.* **4.** Ensemble des services publics placés sous la direction d'un ministre; bâtiment qui les abrite. *Le ministère des Affaires étrangères.* **5.** DR *Ministère public :* corps de magistrats formant la magistrature debout (ou parquet), chargés de représenter l'État auprès des tribunaux et de requérir l'exécution des lois. **6.** Sacerdoce. *Le saint ministère.* **7.** Entremise, intervention. *Offrir son ministère.* – *Signifier une décision de justice par ministère d'huissier.*

ministériel, elle adj. **1.** Relatif au ministère. *Crise ministérielle. Arrêté ministériel,* pris par un ministre. **2.** Partisan du ministère en place. *Journal ministériel.* **3.** DR *Officier ministériel :* notaire, huissier ou commissaire-priseur.

ministrable adj. Qui peut devenir ministre.

ministre n. **1.** Membre du gouvernement qui dirige un ensemble de services publics. *Ministre des Finances. Les délibérations du Conseil des ministres. Madame la ministre des Affaires sociales.* – *Ministre d'État :* titre honorifique attribué à certains ministres qui entrent au gouvernement en fonction de leur personnalité ou de leur représentativité. – *Ministre sans portefeuille,* qui, ayant le titre de ministre, fait partie du gouvernement sans être à la tête d'un ministère. ▷ *Premier ministre :* chef du gouvernement. **2.** Agent diplomatique de rang inférieur à celui d'ambassadeur. *Ministre plénipotentiaire.* **3.** (En appos.) *Papier ministre,* de grand format. – *Bureau ministre,* de grande taille. **4.** RELIG Ecclésiastique. *Ministre de Dieu, du culte.* ▷ Pasteur protestant. *Ministre calviniste.*

minitel n. m. (Nom déposé.) INFORM Petit terminal commercialisé par France Télécom, servant à la consultation de banques de données et à l'échange d'informations.

minitéliste n. Utilisateur du minitel.

minium n. m. *Minium de plomb* ou, absol., *minium :* pigment rouge orangé, constitué d'oxyde de plomb de formule Pb_3O_4, utilisé principalement comme antirouille. ▷ Abusiv. *Minium de fer, d'aluminium, de titane :* pigments utilisés à la place du minium de plomb dans les peintures antirouille.

minivague n. f. Type de coiffure consistant en une permanente légère.

Minkowski (Hermann) (Aleksotas, près de Kaunas, 1864 – Göttingen, 1909), mathématicien lituanien. Il fonda une géométrie des nombres.

Minneapolis, v. des É.-U. (Minnesota), sur la r. g. du Mississippi; 368 380 hab. (aggl. urb. 2 300 000 hab.). Marché du blé et des produits laitiers. Industr. alim. Pétrochimie. Industr. informatique. – Université. Institut d'art.

Minnelli (Vincente) (Chicago, 1910 – Los Angeles, 1986), cinéaste américain; célèbre pour ses comédies musicales : *Un Américain à Paris* (1951), *Tous en scène* (1953), *Gigi* (1958). V. aussi Kelly (Gene). Films dramatiques : *la Vie passionnée de Vincent Van Gogh* (1956), *Comme un torrent* (1959). – **Liza** (Los Angeles, 1946), fille du préc. et de Judy Garland (1922 – 1969), chanteuse et actrice de cinéma (*Cabaret,* 1972).

Minnesänger (les), poètes courtois du Moyen Âge allemand (notam. du XIIIe s.) influencés par les troubadours et les trouvères de France.

Minnesota, État du centre-nord des É.-U., limitrophe du Canada, sur le lac Supérieur; 217 735 km^2; 4 375 000 hab.; cap. *Saint Paul.* – Marqué par les glaciations, drainé par le haut Mississippi et son affl. le *Minnesota* (510 km), cet État est une grande rég. agricole : élevage (prod. laitiers), céréales. Autres ressources : fer (plus de la moitié de la prod. américaine), hydroélectricité, industr. alimentaires et métallurgiques. – Territoire fédéral en 1849, trente-deuxième État de l'Union en 1858.

Miño. V. Minho (le).

minoen, enne adj. et n. Qui appartient à la période la plus ancienne de l'histoire crétoise (IIIe mill. – 1300 env. av. J.-C.). *Art minoen.* ▷ n. m. *Le minoen ancien.*

minois [minwa] n. m. Visage frais, délicat d'enfant, de jeune fille, de jeune femme.

minorant n. m. MATH *Minorant d'une partie P d'un ensemble ordonné E :* élément de l'ensemble E, inférieur à tout élément de la partie P.

minoration n. f. Didac. Action de minorer; son résultat.

minorer v. tr. [**1**] Réduire la valeur, l'importance de (qqch).

minoritaire adj. et n. Qui appartient à la minorité.

minorité n. f. **I. 1.** Le plus petit nombre (dans un ensemble). *Dans une minorité de cas.* **2.** Le plus petit nombre des suffrages, dans une réunion, une assemblée où l'on vote. *Être mis en minorité.* ▷ Parti, tendance minoritaire (par oppos. à *majorité*). ▷ Petite collectivité à l'intérieur d'un ensemble. *Les minorités ethniques, religieuses.* **II.** État d'une personne légalement mineure (âgée de moins de dix-huit ans, en France). – Temps pendant lequel on est mineur. ▷ Temps pendant lequel un souverain est trop jeune pour exercer le pouvoir monarchique.

Minorque (en esp. *Menorca*), île des Baléares, au N.-E. de Majorque; 668 km^2; 61 000 hab.; ch.-l. *Mahón.*

minorquin, ine adj. et n. De Minorque. – Subst. *Un(e) Minorquin(e).*

Minos, roi légendaire de Cnossos (Crète), fils de Zeus et d'Europe, époux

Minotaure

de Pasiphaé, père d'Ariane et de Phèdre. Après sa mort, il devint l'un des trois juges des Enfers.

Minotaure, dans la myth. gr., monstre moitié homme, moitié taureau. Enfermé dans le Labyrinthe de Dédale, en Crète, il y fut tué par Thésée.

minoterie n. f. **1.** Meunerie. **2.** Grand moulin industriel.

minotier n. m. Exploitant d'une minoterie.

minou n. m. **1.** Fam. (Langage enfantin.) Chat, petit chat. **2.** Terme affectueux (en parlant à une personne). *Mon petit minou.*

Minquiers (plateau des), écueils situés au S. des îles Anglo-Normandes (Manche); ils appartiennent à la G.-B. depuis 1953.

Minsk, cap. de la Biélorussie; 1 583 000 hab. Import. carrefour routier et ferroviaire. Centre industriel (text., constr. méca.). – Prise par les Allemands en 1941 après une dure bataille, la ville fut reprise par les Soviétiques en 1944.

Minucius Felix (Marcus) (IIIe s.), écrivain latin; apologiste du christianisme dans son *Octavius.*

minuit n. m. **1.** Milieu de la nuit. **2.** Instant où un jour finit et où l'autre commence. *Le jour civil commence à minuit et se compte de 0 à 24 heures.*

minuscule adj. et n. f. **1.** Très petit. *Animal minuscule.* **2.** *Lettre, caractère minuscule* ou, n. f., *une minuscule* : lettre, caractère dont la graphie est petite et particulière par rapport à la majuscule.

minus habens [minysabɛ̃s] ou **minus** [minys] n. inv. (Lat., «ayant moins».) Fam. Personne peu intelligente ou peu capable.

minutage n. m. Décompte précis du temps.

1. minute n. f. **I. 1.** Division du temps, égale à la soixantième partie d'une heure et à 60 secondes (symbole : min). **2.** Espace de temps très court. *Je reviens dans une minute.* – Loc. *À la minute* : immédiatement. *À la minute où* : dès que. – *D'une minute à l'autre* : tout de suite, dans l'instant qui va suivre. – Fam. *Minute!* : attention, doucement! – (En appos.) Très rapide. *Ressemelage minute.* **II.** GEOM *Minute sexagésimale* ou, absol., *minute* : unité de mesure d'arc et d'angle, égale à la soixantième partie d'un degré (symbole : ').

2. minute n. f. DR Original des actes notariés ou des sentences rendues par les tribunaux.

1. minuter v. tr. [1] Déterminer avec précision le déroulement dans le temps, l'horaire de. *Minuter un exposé.*

2. minuter v. tr. [1] DR Rédiger la minute de (un acte juridique).

minuterie [minytʀi] n. f. **1.** TECH Partie d'un mouvement d'horlogerie destinée à marquer les fractions de l'heure. **2.** Cour. Dispositif électrique à mouvement d'horlogerie, servant à établir un contact pendant une durée déterminée, utilisé princ. pour l'éclairage.

minuteur n. m. Dispositif à mouvement d'horlogerie, programmable, déclenchant une sonnerie ou coupant un contact électrique au bout du temps donné.

minutie n. f. Soin extrême, qui se manifeste jusque dans les plus petits détails.

minutieusement [minysjøzmɑ̃] adv. De façon minutieuse.

minutieux, euse adj. **1.** Qui travaille avec minutie, méticuleux. **2.** Qui marque la minutie. *Recherches minutieuses.*

Minya (Al-). V. Minièh.

Minyens, peuple préhellénique de Béotie établi autour d'Orchomène, où régna, dit-on, un héros éponyme, *Minyas.*

miocène n. m. et adj. GEOL *Le miocène* : troisième étage de l'ère tertiaire, après l'oligocène et avant le pliocène, caractérisé par la tendance des mammifères au gigantisme. ▷ adj. *Une couche miocène.*

mioche n. Fam. Enfant.

Miollis (Alexandre François, comte de) (Aix-en-Provence, 1759 – id., 1828), général français. Gouverneur de Rome (1808-1814), il fit arrêter le pape Pie VII (1809).

mi-parti, ie adj. Composé de deux parties d'égale importance mais de nature différente. ▷ HIST *Chambres mi-parties,* composées, à la suite de l'édit de Nantes, pour moitié de juges catholiques et de juges protestants.

Mique (Richard) (Nancy, 1728 – Paris, 1794), architecte français. Successeur de Gabriel comme premier architecte de Louis XVI (1774), il construisit (1782-1784), pour Marie-Antoinette, le hameau du Petit Trianon à Versailles.

Miquelon, île française (216 km²; 709 hab.), près de Terre-Neuve, formée de la Grande Miquelon et de la Petite Miquelon, réunies par un isthme. (V. Saint-Pierre-et-Miquelon.)

mir n. m. HIST Communauté rurale, en Russie, avant 1917.

Mir, station orbitale russe, première base permanente dans l'espace, lancée en 1986. Elle est composée de quatre éléments : la station proprement dite, le cargo approvisionnant la station en matériel, les modules scientifiques et le vaisseau de transport des cosmonautes.

Mirabeau (Honoré Gabriel Riqueti, comte de) (Le Bignon, Gâtinais, 1749 – Paris, 1791), homme politique français. Sa jeunesse, très agitée, fut marquée par des démêlés avec son père qui le fit emprisonner plusieurs fois, notam. au château de Vincennes, où il écrivit ses *Lettres à Sophie* (épouse du marquis de Monnier, avec laquelle il s'était enfui en 1776). Élu député par le tiers état d'Aix en 1789, il s'imposa à l'Assemblée nationale par son éloquence. Quoique instigateur de la mise à la disposition

Charlie **Mingus**

Mirabeau

de la nation des biens du clergé, il chercha à devenir le sauveur de la monarchie. Introduit à la cour, il reçut du roi des subventions pour protéger, à la tribune de l'Assemblée nationale, les intérêts royaux sans cesser de défendre, à l'occasion, les principes révolutionnaires. Accusé de trahison, il mourut brusquement avant que fût démêlé son double jeu.

mirabelle n. f. **1.** Petite prune jaune, ronde et parfumée. **2.** Eau-de-vie de mirabelle.

mirabellier n. m. Prunier qui donne la mirabelle.

miracle n. m. **1.** Événement, phénomène réputé contraire aux lois de la nature et dont l'accomplissement inexpliqué est, pour certains croyants, l'effet de la volonté divine. *Cela tient du miracle.* ▷ *Crier miracle, au miracle* : s'extasier devant une chose fort ordinaire. ▷ *Croire aux miracles* : être trop crédule. ▷ *Cour* des Miracles.* **2.** Effet extraordinaire d'un hasard heureux. *Par miracle il est sauf.* **3.** *Par exag.* Fait, chose extraordinaire qui cause la surprise et l'admiration. *Ce tableau est un miracle d'harmonie.* **4.** LITTER Au Moyen Âge, composition dramatique qui mettait en scène les interventions miraculeuses des saints ou de la Vierge.

miraculé, ée adj. et n. Se dit d'une personne qui a été l'objet d'un miracle. ▷ Subst. *Les miraculés de Lourdes. Les miraculés de la route.*

miraculeusement adv. D'une façon miraculeuse.

miraculeux, euse adj. **1.** Fait par miracle, qui tient du miracle. *Guérison miraculeuse.* **2.** Qui fait des miracles. *Remède miraculeux.* **3.** *Par anal.* Extraordinaire, merveilleux, étonnant. *Tout cela est miraculeux.*

mirador n. m. **1.** ARCHI Belvédère situé au sommet des maisons espagnoles. **2.** Poste d'observation élevé, servant en partic. à surveiller un camp de prisonniers.

mirage n. m. **I. 1.** Phénomène optique propre aux régions chaudes du globe, qui donne l'illusion d'une nappe d'eau lointaine où se reflètent les objets, et qui est dû à la courbure des rayons lumineux dans l'air surchauffé. **2.** Fig. Illusion séduisante. *Le mirage de l'espérance.* Syn. chimère. **II.** Action de mirer (sens 2). *Le mirage des œufs.*

Mirage, nom donné à des avions militaires construits par la firme française Avions Marcel-Dassault.

Miramas, com. des Bouches-du-Rhône (arr. d'Istres), au N. de l'étang de Berre; 21 882 hab. Industr. alim. – Ruines d'un oppidum romain.

Miranda (Francisco) (Caracas, 1750 – Cadix, 1816), patriote vénézuélien. Il servit dans l'armée française sous la Ire République et fut nommé général. À

Caracas, en 1811, il fit voter la Déclaration d'indépendance. Battu par les Espagnols (1812), il mourut en prison.

Mirande, ch.-l. d'arr. du Gers, sur la Grande Baïse; 3 940 hab. - Prod. agricole. - Bastide (XIIIe s.).

Mirandole (Pic de la). V. Pic de la Mirandole.

miraud, aude. V. miro.

Mirbeau (Octave) (Trévières, Calvados, 1848 - Paris, 1917), écrivain français. Son réalisme violent prolonge la tradition naturaliste. Romans : *le Jardin des supplices* (1898), *Journal d'une femme de chambre* (1900), *Dans le ciel* (roman inédit publié en 1990, que l'auteur considérait comme inachevé). Théâtre : *Les affaires sont les affaires* (1903).

mire n. f. **1.** Vx Action de viser. ▷ Mod. *Cran de mire* : V. cran. - *Ligne de mire* : droite qui va de l'œil de l'observateur au point visé. - *Point de mire* : point visé. - Fig. *Être le point de mire de toutes les convoitises.* **2.** TECH Tout signal fixe servant à orienter un instrument, à prendre des repères par visée. ▷ *Spécial.* Règle graduée utilisée pour les relevés topographiques. **3.** *Mire électronique* : image diffusée par un émetteur de télévision et qui sert au réglage des récepteurs.

Mirecourt, ch.-l. de cant. des Vosges (arr. de Neufchâteau), sur le Madon, affl. (r. g.) de la Moselle; 7 434 hab. Abattoirs, prod. agric. - Égl. (XVe s.). Halles en pierre (XVIIe s.). Musée de la lutherie.

Mireille (Mireille Hartuch, dite) (Paris, 1906 - id., 1996), compositrice et chanteuse française. *(Couchés dans le foin, Un petit chemin).* Fondatrice du Petit Conservatoire de la chanson (1954).

mire-œufs [miʀø] n. m. inv. Appareil servant à mirer les œufs.

mirer v. tr. [1] **1.** Vx Observer attentivement. ▷ Viser avant de tirer. **2.** Examiner à la lumière. *Mirer des œufs,* les observer par transparence devant une source de lumière vive pour s'assurer qu'ils sont frais. *Mirer du drap,* le regarder à contre-jour pour en déceler les défauts. **3.** Litt. Regarder dans une surface réfléchissante. *Narcisse mirait son visage dans l'eau des fontaines.* ▷ v. pron. *Se mirer dans une psyché.*

mirettes n. f. pl. Pop. Yeux. *Ouvrez vos mirettes.*

mirifique adj. Iron. Merveilleux.

mirliton n. m. Instrument de musique formé d'un tube percé de deux trous, bouché aux deux extrémités par une membrane. ▷ *Vers de mirliton* : mauvais vers.

mirmidon. V. myrmidon.

Mirnyï, v. de Russie, en Iakoutie; 25 000 hab. Industr. du diamant.

miro [miʀo] ou **miraud, aude** [miʀo, od] adj. et n. Fam. Qui voit mal, myope.

Miró (Joan) (Barcelone, 1893 - Palma de Majorque, 1983), peintre, graveur, sculpteur et céramiste espagnol. Ami des surréalistes à partir de 1924, il a inventé un langage pictural fondé sur l'usage de signes, de lignes sinueuses et de taches, qui témoigne d'un sens plastique constant et d'une grande allégresse.

mirobolant, ante adj. Fam. Magnifique, extraordinaire au point d'en être incroyable.

miroir n. m. **1.** Corps (surface polie, glace de verre étamée, etc.) qui réfléchit les rayons lumineux, qui renvoie l'image des objets. *Miroir concave, convexe.* - PHYS *Miroirs de Fresnel* : V. Fresnel. ▷ *Miroir aux alouettes* : instrument garni de miroirs, que l'on fait tourner au soleil pour attirer de petits oiseaux; fig. moyen d'attirer les gens crédules pour les berner. **2.** Fig. Surface unie réfléchissant les rayons lumineux. *Miroir d'eau.* ▷ CUIS *Œufs au miroir* : œufs sur le plat cuits au four. **3.** Fig., litt. Ce qui reproduit l'image de qqch, de qqn. *Les yeux, miroir de l'âme.*

miroitement n. m. Éclat d'une surface qui miroite.

miroiter v. intr. [1] Renvoyer la lumière en présentant des reflets changeants, scintiller. *Le lac miroite au soleil.* ▷ Fig. *Faire miroiter* : faire valoir (pour séduire, pour tenter qqn).

miroiterie n. f. Commerce, industrie des miroirs. - TECH Fabrique de vitrages épais et de miroirs.

miroitier, ère n. TECH Personne qui vend, qui répare, qui installe des miroirs ou des glaces.

Miromesnil (Armand Thomas Hue de) (près d'Orléans, 1723 - Miromesnil, Normandie, 1796), magistrat français. Garde des Sceaux (1774-1787), il fit interdire la question préparatoire (ou torture dans la recherche des aveux).

Miron (François) (Paris, 1560 - id., 1609), magistrat français. Prévôt des marchands de Paris (1604-1606), il s'éleva contre la réduction des rentes, recevant le surnom de *Père du peuple.*

miroton ou pop. **mironton** n. m. Viande de bœuf bouillie coupée en tranches, et accommodée aux oignons. - (En appos.) *Un bœuf miroton.*

mis, e n. DR *Mis(e) en examen* : personne mise en examen. Syn. anc. inculpé.

mis(o)-. Élément, du gr. *misein,* «haïr».

misaine n. f. MAR *Mât de misaine* : mât vertical à l'avant du navire, entre la proue et le grand mât. - *Voile de misaine* ou *misaine* : voile de ce mât.

misandre adj. et n. f. Qui déteste, qui méprise les hommes.

Joan **Miró** : *Personnages et chien devant le soleil,* 1949; musée des Beaux-Arts, Bâle

misandrie n. f. Aversion, mépris pour le sexe masculin, les hommes.

misanthrope n. et adj. **1.** Personne qui déteste les hommes, le genre humain. Ant. philanthrope. **2.** *Par ext.* Personne bourrue, maussade, qui fuit le commerce des hommes. Ant. sociable. ▷ adj. *Il est devenu complètement misanthrope.*

misanthropie n. f. **1.** Haine des hommes, du genre humain. **2.** *Par ext.* Caractère du misanthrope. Ant. philanthropie.

misanthropique adj. Qui a le caractère de la misanthropie. *Réflexion misanthropique.*

miscible [misibl] adj. CHIM Qui peut se mélanger de manière homogène avec un autre corps.

mise n. f. Action de mettre, son résultat. **1.** Action de placer dans un lieu déterminé. *La mise au tombeau du Christ.* ▷ ELECTR *Mise à la terre* : action de réunir un appareil au sol ou à une prise de terre, par l'intermédiaire d'un conducteur. **2.** Action de placer dans une certaine situation. *Mise à l'épreuve. Mise en vente. Mise à prix.* **3.** Action de disposer d'une certaine manière. *Mise en place.* ▷ PHYS *Mise au point* : réglage d'un instrument d'optique. - *Par ext.* Réglage, en général. ▷ IMPRIM *Mise en page(s)* : agencement des textes et des illustrations sur un feuillet d'un format déterminé. ▷ *Mise en scène* : direction artistique d'une œuvre théâtrale ou cinématographique; fig. ensemble de dispositions prises à l'avance en vue de faire croire qqch. *Il avait organisé une mise en scène compliquée pour nous persuader de son innocence.* ▷ Par ext. *Mise en ondes* : direction artistique d'une émission radiophonique. **4.** *Être, n'être pas de mise* : être, n'être pas convenable, admissible. **5.** Manière de se vêtir. *Mise soignée.* Syn. tenue, toilette. **6.** Somme que l'on engage (au jeu, dans une entreprise, etc.). *Perdre sa mise. Mise de fonds.* ▷ Fig., fam. *Sauver la mise à qqn,* lui épargner un ennui.

Misène (cap), cap d'Italie, à l'extrémité N.-O. du golfe de Naples. - Dans l'Antiquité, port pour la flotte romaine.

miser v. tr. [1] **1.** Déposer comme mise, comme enjeu. *Miser dix francs.* - Absol. *Miser gros.* **2.** (Sans comp. dir.) Compter, faire fond sur. *Je mise sur sa loyauté.* Loc. *Miser sur tous les tableaux* : se garantir de toutes parts.

misérabilisme n. m. Forme de populisme qui s'attache avec complaisance à la description de la misère.

misérabiliste adj. et n. Qui pratique le misérabilisme; qui relève du misérabilisme. *Écrivain misérabiliste.*

misérable adj. et n. **1.** Qui est dans la misère, le dénuement. - Subst. *«Les Misérables», roman de Victor Hugo (1862).* Syn. pauvre, nécessiteux. ▷ (Choses) *Une cabane misérable.* **2.** Qui est malheureux, digne de pitié. *Se sentir misérable.* **3.** Qui est sans valeur. *Des vers misérables.* Syn. méchant, piètre. - Insignifiant. *Ils se battent pour quelques misérables sous.* Syn. malheureux. **4.** Vieilli n. Vil individu. *Misérable! Vous avez trahi!*

misérablement adv. D'une manière misérable.

misère n. f. **I. 1.** État d'extrême pauvreté. *Finir ses jours dans la misère. Au comble de la misère. Misère noire,* totale. - *Crier misère* : (personnes) proclamer sa pauvreté; (choses) être le signe d'un grand dénuement. *Son vieux* manteau crie misère. Syn. indigence. **2.** État, condition malheureuse, pitoyable. *La misère du temps.* **3.** Faiblesse, impuissance de l'homme, néant de sa condition. *Tout ici-bas n'est que misère et vanité.* **4.** Chose pénible, douloureuse. *Quelle misère ! C'est une misère de le voir ainsi diminué !* – (Plur.) Peines, ennuis. *Raconter ses petites misères. Faire des misères à qqn.* Syn. malheurs. **5.** (Canada) Loc. *Avoir de la misère à :* avoir du mal, de la peine à. *Avoir de la misère à marcher. Avoir de la misère à joindre les deux bouts.* – *Donner de la misère (à qqn) :* causer des soucis. *Cet enfant me donne bien de la misère.* – *Manger de la misère :* vivre dans la pauvreté ; traverser des épreuves. **6.** Chose insignifiante. *Se quereller pour une misère.* Syn. bagatelle, vétille. **II.** BOT Nom cour. de plusieurs monocotylédones ornementales à croissance rapide *(Tradescantia)*, vivaces, à tiges retombantes.

miserere ou **miséréré** [mizeʀeʀe] n. m. inv. RELIG CATHOL Psaume qui commence, dans la traduction latine de la Vulgate, par les mots *Miserere mei, Domine* (« aie pitié, Seigneur »). – MUS Musique qui accompagne ce psaume.

miséreux, euse adj. et n. **1.** Qui est dans la misère. ▷ Subst. *Une bande de miséreux.* **2.** Qui dénote la misère. *Air miséreux.*

miséricorde n. f. **1.** Compassion éprouvée aux misères d'autrui. *Ayez miséricorde.* Syn. pitié. **2.** Pardon, grâce accordée à un coupable. *Implorer miséricorde.* ▷ (Prov.) *À tout péché miséricorde :* toute faute peut être pardonnée. **3.** *Miséricorde ! :* exclamation exprimant la surprise, la crainte. **4.** Console sculptée, sous le siège mobile d'une stalle d'église, sur laquelle on peut s'appuyer pendant les offices tout en ayant l'air d'être debout.

miséricordieux, euse adj. Qui a de la miséricorde. *Cœur miséricordieux.* ▷ Subst. *Heureux les miséricordieux !*

Mishima (Kimitake Hiraoka, dit Yukio) (Tōkyō, 1925 – id., 1970), écrivain japonais. Nationaliste intransigeant, il se suicida en public après l'échec d'un coup d'État dont il avait été l'instigateur. Romans : *le Bois du plein de la fleur* (1944), *le Marin rejeté par la mer* (1963) ; sous le titre de *la Mer de la fécondité* (1970) sont groupés quatre romans. Essai : *le Soleil et l'Acier* (1969).

Mishna ou **Michna** (la), commentaires de droit civil, pénal, etc., sur la Torah, qui composent l'une des deux grandes parties du Talmud* (rédigés au IIIe s. apr. J.-C.).

Miskito(s). V. Mosquito(s).

Miskolc, v. du N.-E. de la Hongrie (2e ville du pays) ; ch.-l. de comté ; 211 650 hab. Industr. métallurgiques et textiles.

miso-. Élément, du gr. *misein,* « haïr ».

misogyne adj. et n. Qui déteste, qui méprise les femmes.

misogynie n. f. Aversion, mépris pour les femmes.

miss [mis] n. f. **1.** Mademoiselle, en parlant d'une jeune fille de langue anglaise. **2.** Anc. Institutrice ou gouvernante anglaise employée à l'éducation des enfants. **3.** Titre (en général suivi d'un nom de lieu) donné aux lauréates des concours de beauté. *Miss France. Des misses* ou *des miss.*

missel n. m. LITURG CATHOL Livre d'autel contenant les prières et les indications du rituel de la messe pour les différents jours de l'année. – Abrégé de ce livre à l'usage des fidèles.

missi dominici [misidɔminisi] n. m. pl. (lat.) HIST Envoyés du roi chargés de l'inspection des provinces et de la surveillance des comtés, sous Charlemagne et les premiers Carolingiens.

missile n. m. Engin explosif de grande puissance possédant son propre dispositif de propulsion et de guidage. ENCYCL Un missile comporte un système de propulsion (moteur-fusée), un système de guidage et une charge utile (ogive nucléaire, par ex.). Suivant leur portée, on distingue les *missiles stratégiques* (portée supérieure à 2 000 km), les *missiles antimissiles* (destinés à la destruction des missiles adverses) et les *missiles tactiques* (portée généralement inférieure à 40 km). Suivant leur site de lancement et leur objectif, on distingue les missiles sol-sol, sol-air, mer-mer, etc. Les *missiles de croisière* sont des missiles stratégiques, d'une portée de l'ordre de 4 000 km, qui échappent aux radars adverses en volant à très basse altitude ; ils parviennent à reconnaître leur itinéraire en comparant le relief qu'ils survolent, à l'aide d'un altimètre, avec les informations contenues dans la mémoire d'un ordinateur.

missile français Milan 2 anti-char, terre-terre

mission n. f. **1.** Charge confiée à qqn de faire qqch. *Mission diplomatique. Chargé de mission.* ▷ RELIG Pour les chrétiens, charge apostolique confiée aux évangélisateurs. – Ensemble des activités visant à l'évangélisation. *Société des missions étrangères.* **2.** Ensemble des personnes auxquelles une charge est confiée. *Mission scientifique dans les régions polaires.* ▷ Communauté religieuse travaillant à l'évangélisation. – Établissement où vit cette communauté. *La mission est installée dans la vallée.*

missionnaire n. et adj. **1.** RELIG Celui, celle qui propage l'Évangile au loin. *Les missionnaires de la Nouvelle-France.* – Celui, celle qui propage une foi. *Les missionnaires de l'islam.* ▷ adj. *Père, sœur missionnaire.* ▷ adj. Relatif aux missions. *Congrégation missionnaire.* **2.** *Par ext.* Propagandiste (d'une idée). *Missionnaire de la paix.* **3.** Loc. fam. *Position du missionnaire :* au cours de l'acte sexuel, position dans laquelle l'homme est couché sur la femme et lui fait face.

Missions étrangères de Paris (société des), société missionnaire fondée à Paris en 1664 pour évangéliser l'Extrême-Orient.

Missions évangéliques (société des), association religieuse protestante constituée à Paris en 1824 pour l'évangélisation des non-chrétiens.

Mississippi (le) (anc. *Meschacebé*), princ. fleuve d'Amérique du Nord au débit important (3 780 km ; 6 260 km si on ajoute le Missouri à la partie du fl. qui coule en aval de leur confluence), qui draine la vaste plaine centr. des É.-U. Né dans le Minnesota, près du lac Itasca, grande voie de communication depuis le XVIIe s., il arrose Minneapolis, Saint Paul, Saint Louis, Memphis, Baton Rouge et La Nouvelle-Orléans, et se jette dans le golfe du Mexique par un vaste delta.

Mississippi, État du sud des É.-U., sur le golfe du Mexique, limité à l'O. par le Mississippi ; 123 584 km² ; 2 573 000 hab. (env. 35 % de Noirs) ; cap. *Jackson.* – Pays de plaines, grand producteur de coton. Autres ressources : riz, canne à sucre, élevage bovin, pétrole, gaz naturel. L'industrialisation (text., chim., alim., etc.) progresse. – La région fut cédée par la France à l'Angleterre (1763), forma un territoire américain en 1798 et devint en 1817 le vingtième État de l'Union.

missive n. f. et adj. Lettre, écrit que l'on envoie à qqn. ▷ adj. DR *Lettre missive.*

Missolonghi, v. de Grèce, sur la côte N. du golfe de Patras (mer Ionienne) ; ch.-l. de nome ; 10 160 hab. – La ville se défendit victorieusement contre les Turcs en 1822 et soutint un siège désespéré de 1825 à 1826. Byron y mourut (1824).

Missouri (le), riv. des É.-U. (4 370 km), princ. affl. du Mississippi (r. dr.), le plus long cours d'eau du pays ; né dans les Rocheuses, il arrose notam. Sioux City, Omaha, Saint Joseph, Kansas City, et se jette dans le Mississippi en amont de Saint Louis. Rivière boueuse, peu navigable, aux nombr. aménagements hydroélectriques.

Missouri, État du centre des É.-U., drainé par le Missouri, limité à l'E. par le Mississippi ; 180 486 km² ; 5 117 000 hab. ; cap. *Jefferson City* ; v. princ. : *Saint Louis* et *Kansas City.* – Le relief est formé d'un plateau peu élevé qui retombe, au S.-E., sur une plaine. L'agric. domine : élevage (bovins, porcins, volailles), céréales. Le sous-sol est riche en houille, en fer et, surtout, en plomb. Industr. alimentaires, mécaniques et chimiques. – Cédée par la France à l'Espagne (1762), à nouveau française puis cédée aux É.-U. (1803), la région forma un territoire (1812) et en 1821 devint le vingt-quatrième État de l'Union.

Mistassini (la), riv. du Canada (Québec) (300 km), qui prend sa source à l'E. du *lac Mistassini.* Sous-affluent du Saint-Laurent.

mistelle n. f. VITIC Moût de raisin dont la fermentation a été arrêtée par addition d'alcool.

Misti, volcan des Andes (5 822 m), au Pérou, près d'Arequipa.

mistigri n. m. **1.** Fam. Chat. **2.** JEU Valet de trèfle, dans certains jeux. – Jeu de cartes où le valet de trèfle entre deux cartes de même couleur a l'avantage.

Mistinguett (Jeanne Bourgeois, dite) (Enghien-les-Bains, 1875 – Bougival, 1956), actrice et chanteuse française de music-hall : *Mon homme* (1920), *C'est vrai* (1935). Elle triompha comme meneuse de revues.

mistoufle n. f. Vieilli **1.** (Souvent au plur.) Fam. Méchanceté. **2.** Pop. Misère. *Sombrer dans la mistoufle.*

Mistra ou **Mystra,** village de Grèce, dans le Péloponnèse (Laconie), à l'O. de Sparte. Vestiges import. (XIVe-XVe s.) d'une cité byzantine. – Elle fut la capitale du *despotat de Mistra* ou *Morée**.

mistral, als n. m. Vent violent de secteur nord soufflant le long de la vallée du Rhône et sur la région méditerranéenne.

Mistral (Frédéric) (Maillane, 1830 - id., 1914), écrivain français d'expression provençale ; un des fondateurs du félibrige. Son célèbre poème épique en 12 chants *Mireille* (*Miréio*, publié en 1859) le révéla au grand public. Autres œuvres : *le Trésor du félibrige* (lexique de la langue d'oc, 1878), *les Olivades* (recueil de poésies, 1912). P. Nobel 1904. ► illustr. page **1228**

Mistral (Lucila Godoy y Alcayaga, dite Gabriela) (Vicuña, 1889 - Hempstead, près de New York, 1957), poétesse chilienne : *les Sonnets de la mort* (1914), *Desolación* (1922), *Rondes d'enfants* (1923). P. Nobel 1945.

Misurata *(Masrāṭa)*, v. et port de Libye ; à l'E. de Tripoli, sur la Méditerranée ; 285 000 hab. Artisanat (soie, tapis).

mitaine n. f. **1.** Gant qui laisse découvertes les deux dernières phalanges des doigts. **2.** (Canada) Moufle. - Gant de même forme permettant de saisir un objet chaud. *Mettre des mitaines pour retirer un plat du four.* **3.** (Canada) Fam. *Faire qqch à la mitaine*, à la main, de façon artisanale. - *Conduire à la mitaine* : conduire une voiture à embrayage manuel.

mitan n. m. Vx ou dial. Milieu.

Mitanni (royaume de), État oriental antique établi au IIe mill. av. J.-C. dans la boucle de l'Euphrate.

mitard n. m. Arg. Dans une prison, cellule ou cachot disciplinaire.

Mitau. V. Ielgava.

Mitchell (Margaret) (Atlanta, 1900 - id., 1949), romancière américaine : *Autant en emporte le vent* (1936), roman-fleuve sur la guerre de Sécession.

Mitchell (Joan) (Chicago, 1926 - Paris, 1992), peintre américain. Elle élabora un style se réclamant de l'impressionnisme et de l'expressionnisme abstrait : *Blue Territory* (1972).

Mitchourine (Ivan Vladimirovitch) (Dolgoïe, près de Riazan, 1855 - Kozlov, auj. Mitchourinsk, 1935), arboriculteur soviétique. Ses travaux d'hybridation par greffe le conduisirent à des théories contraires à la génétique mendélienne. Ses idées furent développées par Lyssenko.

Mitchum (Robert) (Bridgeport, Connecticut, 1917 - Santa Barbara, Californie, 1997), acteur américain. Il utilise avec ironie sa nonchalance dans les westerns et les films noirs (*la Vallée de la peur*, 1947 ; *Un si doux visage*, 1953 ; *Adieu ma jolie*, 1977), mais excelle aussi dans des introspections plus complexes : *la Nuit du chasseur* (1955) ; *Celui par qui le scandale arrive* (1960).

Église des Saints-Théodore, XIIIe s., à **Mistra**

mite n. f. **1.** Nom cour. de divers arthropodes vivant sur des aliments. **2.** Cour. Insecte lépidoptère, de la fam. des teignes, dont les chenilles attaquent les tissus et les fourrures.

mité, ée adj. Rongé par les mites.

mi-temps n. **1.** n. f. Temps de repos entre les deux parties d'un jeu d'équipes. *L'arbitre a sifflé la mi-temps.* ▷ Chacune de ces deux parties, d'égale durée. *Seconde mi-temps.* **2.** Loc. adv. *À mi-temps.* ▷ *Travail à mi-temps*, d'une durée équivalente à la moitié du temps de travail normal, du temps complet. - n. m. inv. *Un mi-temps.*

miter (se) v. pron. [1] Être rongé par les mites.

miteux, euse adj. et n. D'aspect misérable, pitoyable.

Mithra, divinité des Perses, probablement issue du dieu indien Mitra qui représentait le Soleil.

Mithra : sculpture romaine, IIIe s. ; Musée archéol., Palerme

mithriacisme ou **mithracisme** n. m. HIST Culte de Mithra, largement célébré dans le monde hellénistique et qui contrecarra les progrès du christianisme jusqu'à la fin du IVe s.

Mithridate VI Eupator, dit *le Grand* (?, v. 132 - Panticapée, auj. Kertch', Ukraine, 63 av. J.-C.), roi du Pont de 111 à 63 av. J.-C. Dès son jeune âge, il avait entraîné son organisme à assimiler sans danger des poisons violents. Devenu roi, il inquiéta Rome par ses grandes conquêtes en Asie Mineure, lutta contre Sylla, puis contre Lucullus et Pompée. Ce dernier le vainquit définitivement sur l'Euphrate en 66 av. J.-C. Victime d'un coup d'État fomenté par son fils, invulnérable au poison, il demanda à un soldat de le tuer.

mithridatisation n. f. MED Action de mithridatiser, fait de se mithridatiser ; son résultat.

mithridatiser v. tr. [1] Immuniser (contre un poison) par l'accoutumance.

mithridatisme n. m. MED Immunité aux substances toxiques acquise par l'ingestion de doses progressives de ces substances.

Mitidja (la), plaine d'Algérie (région d'Alger), longue de 100 km, large de 20 km, très fertile. Princ. cultures : agrumes, vignes, tabac, maraîchage.

mitigé, ée adj. **1.** Peu sévère ; relâché. *Morale mitigée.* **2.** *Abusiv.* Partagé, mêlé. *Une joie mitigée de remords.* Syn. atténué, tempéré.

mitiger v. tr. [13] Vieilli Adoucir, modérer. *Mitiger des propos durs de gestes bienveillants. Mitiger une peine.*

mitigeur n. m. TECH Appareil de robinetterie mélangeur pour régler la température de l'eau.

Mitla, village du Mexique (Oaxaca), célèbre par ses nécropoles antiques. (V. Mixtèques).

mitochondrial, ale, aux adj. BIOL Des mitochondries. *A.D.N. mitochondrial.*

mitochondrie [mitɔkɔ̃dʀi] n. f. BIOL Organelle, présente dans le cytoplasme de toutes les cellules, qui joue un rôle essentiel dans les phénomènes d'oxydation et de stockage de l'énergie sous forme d'A.T.P. Syn. chondriosome.

mitonner v. [1] **I.** v. intr. Cuire doucement dans son jus. **II.** v. tr. **1.** Faire cuire longtemps et à petit feu. ▷ Préparer avec soin, longuement (un mets). *Mitonner de bons petits plats.* Syn. mijoter. - Fig. *Mitonner une affaire*, en préparer longuement le succès. **2.** Fig. *Mitonner qqn*, l'entourer de prévenances.

mitose n. f. BIOL Ensemble des phénomènes de transformation et de division des chromosomes aboutissant, à partir d'une cellule mère, à la formation de deux cellules filles ayant le même nombre de chromosomes.

ENCYCL Précédée par l'*interphase*, pendant laquelle a lieu la duplication de la masse d'A.D.N., la mitose débute par la *prophase* : les chromosomes s'individualisent et se fissurent longitudinalement en deux chromatides. Ensuite, la *métaphase* commence par la formation du fuseau achromatique à partir des asters, puis les chromosomes se groupent dans le plan équatorial du fuseau. L'*anaphase* se caractérise par la scission totale des chromosomes fils et la migration des chromatides vers les extrémités du fuseau. La mitose s'achève par la *télophase* : les chromosomes perdent leur individualité, le fuseau disparaît et une membrane plasmique se forme, qui sépare les deux cellules filles identiques à la cellule mère. V. méiose. ► illustr. page **1228**

mitotique adj. BIOL De la mitose, relatif à la mitose.

mitoyen, enne adj. Qui est entre deux choses, qui sépare deux choses et leur est commun. *Mur mitoyen.* ▷ DR Qui sépare deux propriétés.

mitoyenneté n. f. État, qualité de ce qui est mitoyen.

mitraillade n. f. Décharge de canons chargés à mitraille.

mitraillage n. m. Action de mitrailler.

mitraille n. f. **1.** Menus morceaux de cuivre ; vieille ferraille. ▷ Fam. Menue monnaie. **2.** Vieux fers, puis grosses balles dont on chargeait les canons autrefois. ▷ Décharge de balles, d'obus.

mitrailler v. [1] **I.** v. intr. Tirer à la mitrailleuse, au canon mitrailleur. **II.** v. tr. **1.** Diriger un mitraillage sur. **2.** Fam. Photographier, filmer sous tous les angles. ▷ *Mitrailler de questions* : questionner sans relâche.

mitraillette n. f. Pistolet* mitrailleur.

mitrailleur, euse adj. et n. **1.** adj. *Pistolet* mitrailleur.* ▷ *Fusil-mitrailleur*.* ▷ *Canon* mitrailleur.* **2.** n. f. Arme automatique à tir rapide d'un calibre de 7,5 à 20 mm, montée sur affût, sur tourelle ou à poste fixe. - *Mitrailleuse légère*, d'un calibre inférieur à 8 mm, utilisée dans le combat rapproché. - *Mitrailleuse lourde*, d'un calibre de 8 à 20 mm, utilisée à poste fixe pour la protection antiaérienne ou pour les tirs à longue distance.

mitral, ale, aux adj. En forme de mitre. ▷ ANAT *Valvule mitrale* : valvule du

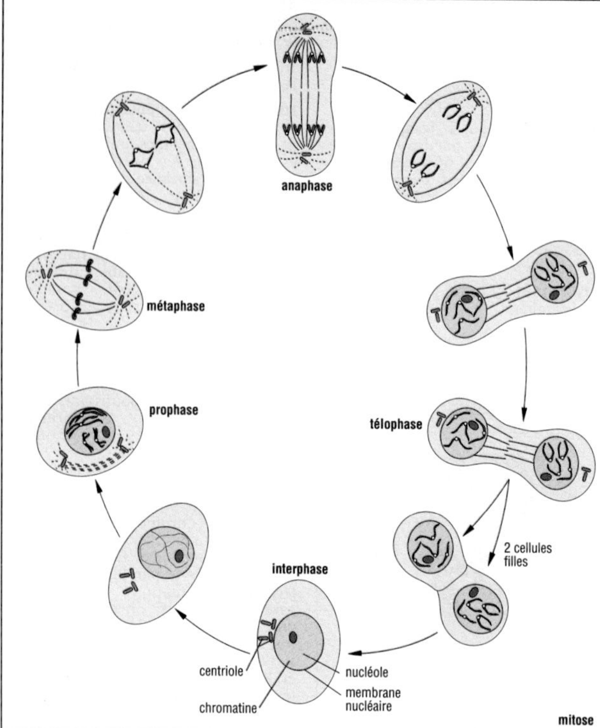

cœur entre l'oreillette et le ventricule gauches. ▷ MED Qui se rapporte à la valvule mitrale. *Maladie mitrale.*

mitre n. f. **1.** ANTIQ Coiffure haute et conique des Assyriens et des Perses. **2.** Coiffure haute et conique portée par les prélats, notam. les évêques, lorsqu'ils officient.

mitré, ée adj. Qui porte la mitre, qui a le droit de la porter. *Abbé mitré.*

mitron n. m. Garçon boulanger.

Mitropoulos (Dimitri) (Athènes, 1896 - Milan, 1960), chef d'orchestre américain d'origine grecque. Il s'est illustré par ses interprétations des œuvres du répertoire romantique, de Mahler et de l'école viennoise.

Mitry-Mory, ch.-l. de cant. de Seine-et-Marne (arr. de Meaux); 15 239 hab. Industr. sidérurgique.

Mitscherlich (Eilhard) (Neuende, 1794 - Berlin, 1863), chimiste allemand. Il découvrit notam. la loi d'isomorphisme (1820).

Mitteleuropa (mot all., «Europe centrale»), pour les pangermanistes, de 1880 à 1918, programme d'une Europe centrale, danubienne et (partiellement) balkanique organisée en un ensemble économique (notam. douanier), satellite de l'Allemagne et portant son influence écon. et polit. jusqu'au Proche-Orient.

Mittellandkanal, grand canal reliant les cours d'eau de l'Allemagne du N., de Duisburg à Magdeburg. À la suite de la division de l'Allemagne, il n'a plus relié que la Ruhr à Brême.

Mitterrand (François) (Jarnac, 1916 - Paris, 1996), homme politique français. Député en 1946, il fut plusieurs fois ministre, notam. de l'Intérieur dans le cabinet Mendès France (1954-1955). Hostile à de Gaulle dès 1958, il participa à la création de la Fédération de la gauche démocrate et socialiste (1965), puis rénova le parti socialiste, dont il fut le premier secrétaire de 1971 à 1981. Candidat de la gauche unie à la présidence de la République en 1965 et en 1974, il signa avec le parti communiste et les radicaux de gauche, en 1972, le programme commun de gouvernement de la gauche, qui ne reçut pas l'approbation des électeurs en mars 1978. Élu président de la République en mai 1981, il nomma successivement deux gouvernements : le premier (P. Mauroy, 1981-1984) mit en œuvre les réformes annoncées par le programme socialiste (nationalisations, décentralisation, etc.), le second (L. Fabius, 1984-1986) inaugura une politique d'orthodoxie financière. Les élections législatives de mars 1986 portèrent la droite au pouvoir (gouv. de J. Chirac) et Fr. Mitterrand devint le premier président de la «cohabitation». Réélu le 8 mai 1988, il vit son second septennat s'achever sur une nouvelle cohabitation (gouv. d'Édouard Balladur, 1993-1995).

mi-voix (à) loc. adv. En ne donnant qu'un faible son de voix.

Frédéric **Mistral**

François **Mitterrand**

mixage n. m. **1.** AUDIOV Opération par laquelle on combine plusieurs signaux (son ou image) sur un même support. **2.** Par ext. Mélange, combinaison formant un tout cohérent.

mixer v. tr. [1] **1.** Faire un mixage, mélanger. **2.** Passer un aliment au mixeur.

mixeur ou **mixer** [miksœʀ] n. m. Appareil ménager électrique pour broyer, mélanger des aliments.

mixité n. f. État, caractère de ce qui est mixte (sens 2).

mixte adj. et n. m. **1.** adj. Qui est formé d'éléments hétérogènes et qui participe de leurs différentes propriétés. *Commission mixte,* composée de personnes représentant des intérêts différents. - ECON *Économie mixte :* système fondé sur la participation de partenaires publics et privés. ▷ Intermédiaire, participant de deux ou de plusieurs genres ou catégories. *Le drame, genre mixte entre la tragédie et la comédie.* ▷ *Mariage mixte,* entre personnes d'obédiences religieuses différentes ou de races différentes. **2.** Qui comprend, qui reçoit des personnes des deux sexes. *École mixte.* - *Double mixte :* match de tennis opposant deux équipes comprenant chacune un homme et une femme. **3.** n. m. Ensemble constitué d'éléments différents, voire opposés. *Un mixte de politique nataliste et de politique sociale.*

Mixtèques, anc. peuple du Mexique précolombien. Apparus vers 300 av. J.-C., d'origine obscure, ils imposèrent leur pouvoir aux Zapotèques (XIIIe s.) avant d'être eux-mêmes en butte à la conquête aztèque (fin XIVe s.). Leur civilisation s'épanouit autour de Mitla. Auj. les Mixtèques (env. 275 000 individus) se cantonnent dans les États d'Oaxaca, de Puebla et de Guerrero.

mixtion [mikstjɔ̃] n. f. PHARM Action de mélanger plusieurs substances ou drogues pour composer un médicament. ▷ Produit ainsi obtenu.

mixture [mikstyʀ] n. f. **1.** CHIM, PHARM Mélange, généralement liquide, de substances chimiques, de médicaments. **2.** Cour. Mélange peu appétissant.

Mizoguchi (Kenji) (Tōkyō, 1898 - Kyōto, 1956), cinéaste japonais; esthète et réaliste, austère et lyrique : *Le jour où revient l'amour* (1922), *Contes de la lune vague après la pluie* (1953), *les Amants crucifiés* (1954).

Mizoram, État du N.-E. de l'Inde, à la frontière du Bangladesh et de la Birmanie; 21 087 km²; 686 200 hab. (94% de chrétiens); cap. *Aizawl.* Créé le 20 fév. 1987, il devient le vingt-troisième État de l'Union indienne.

M.J.C. n. f. (Sigle de *maison des jeunes et de la culture.*) Établissement rattaché au ministère chargé de la Jeunesse et des Sports, et visant à offrir aux jeunes un lieu d'activités socioculturelles.

Mjøsa, le plus grand lac de Norvège (362 km²), au N. d'Oslo; 443 m de profondeur.

ml Symbole du millilitre.

M.L.F. (Sigle de *mouvement de libération des femmes.*) Le M.L.F., influencé par le «Women's Lib» américain (auquel il a emprunté son nom), est né après mai 1968. Il énonce une contestation globale (politique, professionnelle, familiale, etc.) de l'organisation actuelle de la société dirigée, selon les militantes, par et pour les mâles. En France, le M.L.F. a essentiellement lutté pour la généralisation de la contra ception et la libéralisation de l'avortement, contre le viol, pour l'égalité effective des hommes et des femmes.

Mlle ou **Mlle**, plur. **Mlles** ou **Mlles** Abrév. de *mademoiselle, mesdemoiselles.*

mm, mm², mm³, Symbole du *millimètre,* du *millimètre carré,* du *millimètre cube.*

MM. Abrév. de *messieurs.*

Mme ou **Mme,** plur. **Mmes** ou **Mmes** Abrév. de *madame, mesdames.*

Mn CHIM Symbole du manganèse.

MNAM, acronyme pour *musée national d'Art moderne.*

mnémo-. Élément, du gr. *mnêmê,* « mémoire ».

mnémonique adj. et n. m. Didac. Relatif à la mémoire; qui aide la mémoire. *Procédé mnémonique.* ▷ n. m. INFORM Brève séquence de caractères qui représente une commande de façon facilement mémorisable.

Mnémosyne, dans la myth. gr., déesse de la Mémoire, fille d'Ouranos et de Gaia, et mère des Muses.

mnémotechnique adj. Qui aide la mémoire par des procédés d'association mentale. *Procédé mnémotechnique.*

-mnèse, -mnésie, -mnésique. Éléments, du gr. *mnasthai,* « se souvenir ».

Mnésiclès (Ve s. av. J.-C.), architecte grec; un des plus grands bâtisseurs de la période classique; auteur des Propylées de l'Acropole d'Athènes.

mnésique adj. Relatif à la mémoire.

Mnouchkine (Ariane) (Boulogne-sur-Seine, 1939), metteur en scène français, fondatrice de la compagnie du Théâtre du Soleil (1964). Ses spectacles font appel à l'improvisation collective : *1789* (1971), *l'Âge d'or* (1975), *Méphisto* (1979). Depuis 1980, elle se lance dans de grandes réalisations théâtrales : cycle de Shakespeare (1982-1984), *Iphigénie* d'Euripide, *Agamemnon* et *les Choéphores* d'Eschyle (1990-1993).

1. Mo CHIM Symbole du molybdène.

2. Mo INFORM Symbole de méga-octet.

Moab, personnage biblique, fils de Loth, ancêtre éponyme des Moabites.

moabite adj. et n. ANTIQ **1.** adj. Du pays de Moab; du peuple de Moab. **2.** n. m. Langue sémitique des Moabites.

Moabites, peuple sémite qui habitait le pays de Moab, au S.-E. de la Palestine, et qui fut soumis par Saül et par David, puis par les Assyriens.

Moanda, v. du Gabon où se trouve un import. gisement de manganèse.

mobile adj. et n. m. **I.** adj. **1.** Qui se meut; qui peut être mû, déplacé. **2.** Changeant. *Caractère, visage mobile.* **3.** Qui se déplace, qui n'est pas sédentaire. ▷ MILIT *Troupes mobiles. – Garde mobile :* corps de volontaires créé en 1848 pour veiller au maintien de l'ordre dans Paris. **4.** Dont la date varie d'une semaine, d'une année, etc., à l'autre. *Une journée de repos hebdomadaire mobile. Fêtes mobiles :* Pâques, l'Ascension et la Pentecôte. **5.** Dont la valeur varie. *Échelle mobile des salaires.* **6.** Se dit d'un téléphone qui peut être utilisé sans branchement lors de déplacements. ▷ n. m. *Un mobile.* **II.** n. m. **1.** PHYS Corps en mouvement. **2.** Soldat de la garde nationale mobile. *Les mobiles de 1870.* **3.** Ce qui incite à agir. *Le mobile d'un crime.* **4.** SCULP Composition artistique, non figurative, faite de plaques légères agencées sur des tiges articulées et mises en mouvement par le vent ou un moteur. *Les mobiles de Calder.*

Mobile, v. et port des É.-U. (Alabama), sur la *baie de Mobile* (golfe du Mexique); 196 200 hab. (aggl. urb. 465 700 hab.). Import. port de commerce. Industr. métallurgiques (aluminium), mécaniques, textiles, etc.

mobile-home n. m. (Anglicisme) Syn. (off. déconseillé) de *résidence mobile. Des mobile-homes.*

mobilier, ère adj. et n. m. **I.** adj. **1.** Qui consiste en meubles, qui concerne les meubles. **2.** DR Qui est de la nature du meuble. *Biens, effets mobiliers. Valeurs mobilières :* titres, actions, obligations, parts sociales, qui sont, en droit, des biens meubles. ▷ Qui concerne les meubles. **II.** n. m. Ensemble des meubles d'un appartement, d'une maison. ▷ *Mobilier urbain :* ensemble des équipements tels que bancs publics, kiosques, lampadaires, etc., installés dans les lieux publics de plein air.

mobilisable adj. (et n.) Qui peut être mobilisé. ▷ Susceptible d'être appelé sous les drapeaux.

mobilisateur, trice adj. **1.** MILIT Responsable de la mobilisation. *Centre mobilisateur.* **2.** *Par ext.* Susceptible de mobiliser. *Un mot d'ordre mobilisateur.*

mobilisation n. f. **1.** DR Action de considérer fictivement un immeuble comme un meuble. **2.** Action de mobiliser; son résultat. ▷ *Spécial.* Ensemble des opérations permettant de mettre une nation sur le pied de guerre.

mobilisé, ée adj. et n. m. **1.** Qui a été mobilisé (V. mobiliser, sens 1 et 2). **2.** Qui est rappelé sous les drapeaux lors d'une mobilisation. ▷ n. m. *Un mobilisé.*

mobiliser v. tr. [1] **1.** FIN *Mobiliser une créance,* faciliter sa circulation en la constatant par un titre négociable. ▷ *Mobiliser des capitaux,* les débloquer, assurer leur circulation. **2.** MED Faire mouvoir. *Mobiliser un membre pour éviter l'atrophie. Mobiliser un malade.* **3.** Procéder à la mobilisation (d'une armée, de citoyens mobilisables). ▷ Par ext. *Mobiliser son personnel pour organiser une fête. – Parti qui mobilise ses adhérents. –* Fig. *Mobiliser tous ses efforts.*

mobilité n. f. **1.** Caractère de ce qui est mobile. **2.** Qualité de ce qui change d'aspect rapidement. *Mobilité de la physionomie.* ▷ Fig. *Mobilité d'esprit.* **3.** CHIM Aptitude d'une particule chargée électriquement à se déplacer dans un milieu déterminé.

Möbius (August Ferdinand) (Schulpforta, 1790 – Leipzig, 1868), mathématicien et astronome allemand. ▷ GEOM *Bande* ou *ruban de Möbius :* surface qui ne possède qu'une face, obtenue en tordant un ruban dont on joint les extrémités bout à bout.

Mobutu (lac) (*lac Albert* jusqu'en 1973), lac d'Afrique équatoriale, à 618 m d'alt., entre la Rép. dém. du Congo et l'Ouganda; 4 500 km². Le haut Nil y déverse les eaux du lac Victoria.

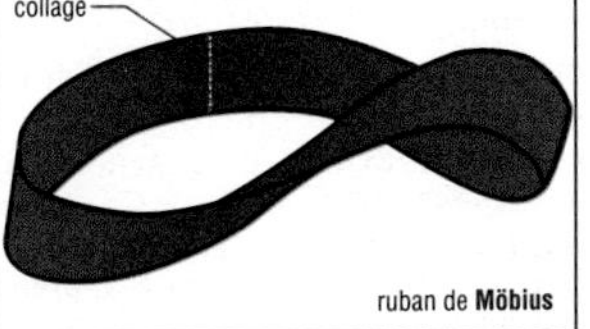

Mobutu (Joseph Désiré, puis Sese Seko) (Lisala, 1930 – Rabat, 1997), général et homme politique zaïrois. Secrétaire d'État (puis chef d'état-major avec le grade de colonel) dans le gouvernement de Lumumba, il fit arrêter ce dernier (1960) et exerça le pouvoir effectif jusqu'en fév. 1961, date à laquelle il le rendit aux civils. En 1965, il reprit le pouvoir, mais dut l'abandonner à L.-D. Kabila en mai 1997 et quitter le pays.

mobylette n. f. (Nom déposé.) Cyclomoteur de la marque de ce nom. – *Par ext.* Cyclomoteur.

mocassin n. m. **1.** Chaussure de peau des Indiens d'Amérique du Nord. **2.** *Par anal.* Chaussure basse, très souple, sans lacets.

Mocenigo, noble famille vénitienne qui compta plusieurs doges du XVe au XVIIIe s.

moche adj. Fam. **1.** Laid, pas beau. *Le temps est moche, aujourd'hui. –* Fig. *C'est moche, ce que tu fais là!* **2.** Désagréable, ennuyeux. *C'est moche ce qui lui est arrivé. –* Indélicat, mesquin, méprisable. *Il a été moche.*

mocheté n. f. Fam. Personne, chose, action laide.

Mochicas, peuple du Pérou précolombien (IIe s. av. J.-C. – VIe s. apr. J.-C.) célèbre pour ses poteries.

Moctezuma ou **Montezuma Ier** (v. 1390 – 1469), empereur aztèque de 1440 à 1469; il réalisa d'importantes conquêtes. – **Moctezuma II** (Mexico, 1466 – id., 1520), empereur de 1502 à 1520. Il accueillit les Espagnols de Cortés (1519).

Moctezuma aperçoit la comète, *Historia de los Indios,* 1579 par Diego Duran; B.N., Madrid

modal, ale, aux adj. (et n. m.) **1.** MUS Relatif aux modes. *Notes modales,* la tierce et la sixte, qui caractérisent le mode majeur ou mineur. **2.** GRAM Relatif aux modes. *Attraction modale :* influence du mode du verbe de la proposition principale sur celui du verbe de la subordonnée. ▷ LING *Auxiliaire modal* ou, n. m., *un modal,* qui exprime la modalité logique. *« Devoir », « pouvoir » sont des auxiliaires modaux.* **3.** Relatif à une modalité. ▷ DR *Clause modale.*

modalité n. f. **1.** MUS Caractère que revêt une phrase musicale selon le mode auquel elle appartient. **2.** Forme particulière que revêt une chose, un acte, une pensée, etc. *Préciser les modalités de paiement.* ▷ DR Disposition d'un acte juridique qui aménage son exécution ou ses effets. **3.** LOG Caractère d'un jugement, selon qu'il énonce une relation existante ou inexistante, possible ou impossible, nécessaire ou contingente.

Modane, ch.-l. de cant. de la Savoie (arr. de Saint-Jean-de-Maurienne), sur l'Arc; 4 373 hab. Gare intern., à l'entrée du tunnel de Fréjus.

1. mode n. f. **1.** Vieilli Manière de vivre, de penser; usages propres à un pays, une région, un groupe social. ▷ CUIS Mod. *À la mode de. Tripes à la mode de Caen.* – *Bœuf à la mode, bœuf mode,* piqué de lard, accompagné de carottes et d'oignons et cuit à feu doux dans son jus. **2.** Usage peu durable, manière collective d'agir, de penser, propre à une époque et à une société données. *Être à la pointe de la mode. C'est passé de mode. Il est de mode de :* il est de bon ton de. ▷ Loc. *À la mode :* au goût du jour. **3.** *La mode :* la mode vestimentaire. *Mode d'hiver. Présentation de mode.* – Ellipt. *Coloris mode.* **4.** Industrie et commerce de l'habillement féminin. *Travailler dans la mode.*

2. mode n. m. **1.** Forme, procédé. *Mode de vie. Mode de gouvernement.* **2.** MUS Système d'organisation des sons, des rythmes, et partic. des différentes gammes. ▷ Échelle limitée de sons. *Mode mineur, majeur :* V. mineur, majeur. **3.** LING Catégorie grammaticale, réalisée le plus souvent par la modification de la forme du verbe, qui exprime l'attitude du sujet parlant envers ce qu'il est en train de dire. (En français il existe des *modes personnels** : indicatif, impératif, conditionnel, subjonctif; et des *modes impersonnels** : infinitif et participe.) **4.** STATIS Valeur correspondant quantitativement à la population la plus dense.

modelage n. m. Action de modeler une substance, un objet; ouvrage ainsi obtenu.

modelé n. m. **1.** Rendu du relief, des formes, en sculpture, en peinture, en dessin. **2.** GEOGR Forme ou figuration du relief.

modèle n. m. **1.** Ce qui sert d'exemple, ce qui doit être imité. *Modèle d'écriture.* **2.** Ce sur quoi on règle sa conduite; exemple que l'on suit ou que l'on doit suivre. *Prendre modèle sur qqn, qqch.* – *Un modèle de vertu.* **3.** BX-A Chose, personne qu'un artiste travaille à représenter. ▷ *Spécial.* Personne qui pose pour un peintre, un sculpteur. **4.** Objet destiné à être reproduit. *Modèle de fonderie.* ▷ Objet reproduit industriellement à de nombreux exemplaires. *Un modèle déjà ancien.* ▷ Représentation d'un ouvrage, d'un objet que l'on se propose d'exécuter. *Modèle réduit :* reproduction à petite échelle. **5.** Didac. Schéma théorique visant à rendre compte d'un processus, des relations existant entre divers éléments d'un système. ▷ MATH *Modèle mathématique :* ensemble d'équations et de relations servant à représenter et à étudier un système complexe. **6.** ASTRO *Modèle d'étoile :* étoile fictive dont on a défini les paramètres à l'état initial.

modeler v. tr. [17] **1.** Façonner (une matière molle) pour en tirer une forme déterminée. *Pâte à modeler :* V. pâte. **2.** Façonner (un objet) en manipulant une matière molle. ▷ *Spécial.* Former avec de la terre glaise, de la cire, etc., le modèle d'un ouvrage à exécuter en marbre, en bronze, etc. **3.** Fig. *Modeler sur :* conformer à. ▷ v. pron. *Se modeler sur les gens de bien.*

modeleur, euse n. (et adj.) **1.** Sculpteur qui façonne des modèles. **2.** Ouvrier qui façonne des modèles (de pièces, de machines, etc.).

modélisation n. f. Didac. Conception, établissement d'un modèle théorique.

modéliser v. tr. [1] Didac. Concevoir, établir le modèle de (qqch); présenter sous forme de modèle (sens 5).

modélisme n. m. Fabrication de modèles réduits.

modéliste n. (et adj.) **1.** Personne qui dessine, qui crée des modèles (partic. des modèles pour la mode). **2.** Spécialiste de la fabrication de modèles réduits.

modem [mɔdɛm] n. m. TELECOM et INFORM Système électronique servant à connecter un terminal ou un ordinateur à une ligne de télécommunication.

Modène (en ital. *Modena*), v. d'Italie (Émilie-Romagne); ch.-l. de la province du m. nom; 178 660 hab. Import. centre industriel (auto., chaussures, text.). – Cap. du duché de Modène, créé en 1452 pour la famille d'Este, la ville fut définitivement annexée au Piémont en 1860. – Archevêché. Université; acad. militaire. Cath. (XIe-XIIe s.). Palais ducal (XVIIe-XIXe s.).

modérantisme n. m. HIST Opinion politique modérée (spécial., pendant la Terreur).

modérateur, trice n. et adj. **1.** Personne qui tempère des opinions exaltées. ▷ adj. *Élément modérateur d'une assemblée.* **2.** *Ticket modérateur :* V. ticket 1. **3.** PHYSIOL Qui ralentit une activité organique.

modération n. f. **1.** Retenue qui porte à garder en toutes choses une certaine mesure. *User de modération.* **2.** Fait de modérer (qqch). **3.** DR Adoucissement. *Modération d'une peine.* **4.** Diminution (d'un prix). *Modération des taxes.*

moderato [mɔdeʀato] adv. (Mot ital.) MUS D'un mouvement au tempo modéré, entre *allegro* et *andante.*

modéré, ée adj. et n. **1.** Éloigné de tout excès. *Prix modéré. Chaleur modérée.* – *Un esprit modéré.* **2.** Dont les opinions politiques sont également éloignées des extrêmes. – Subst. *Les modérés.*

modérément adv. Avec modération. *Boire modérément.*

modérer v. tr. [14] Diminuer, tempérer. *Modérer le zèle de qqn.* ▷ v. pron. Se contenir, rester à l'écart de tout excès.

modern dance [mɔdɛʀndɑ̃s] n. f. Danse contemporaine, issue de la danse classique et marquée par un refus des contraintes de l'académisme.

moderne adj. et n. m. **1.** Actuel, de notre époque ou d'une époque récente. *Les auteurs modernes.* ▷ n. m. LITTER *Les modernes :* les écrivains contemporains (au XVIIe s.), par oppos. aux écrivains de l'Antiquité, *les anciens.* **2.** HIST *Histoire moderne :* histoire comprise entre la prise de Constantinople (1453) ou la découverte de l'Amérique (1492) et la Révolution française (1789). **3.** Nouveau, récent. *Tout le confort moderne.* ▷ n. m. *Le moderne :* l'ameublement contemporain (par oppos. à *rustique,* à *de style*). **4.** Qui est de son époque, qui est au goût du jour. *Jeune femme moderne.*

modernisateur, trice adj. et n. Qui modernise.

modernisation n. f. Action de moderniser; son résultat.

moderniser v. tr. [1] Donner un caractère moderne à (qqch). ▷ v. pron. Devenir moderne.

modernisme n. m. **1.** Tendance à préférer ce qui est moderne. **2.** RELIG Mouvement de renouvellement de la foi catholique. *Le modernisme fut condamné en 1907 par Pie X.*

moderniste adj. et n. **1.** Qui préfère ce qui est moderne. **2.** RELIG Partisan du modernisme.

modernité n. f. Caractère moderne.

modern style [mɔdɛʀnstil] n. m. inv. et adj. inv. V. art nouveau (encycl. art).

modeste adj. **1.** Exempt de vanité, d'orgueil. *Il est resté modeste malgré son succès.* **2.** Plein de pudeur. *Propos modestes.* **3.** Simple, sans faste. *Un modeste présent.* **4.** De moindre importance. *L'accroissement de la population reste modeste dans cette région.*

modestement adv. **1.** Avec modestie. **2.** Avec pudeur. **3.** Avec simplicité, sans dépenser beaucoup. *Vivre très modestement.*

modestie n. f. **1.** Absence de vanité, d'orgueil. **2.** Réserve, pudeur. **3.** Caractère modeste; simplicité.

Modiano (Patrick) (Boulogne-Billancourt, 1945), écrivain français. Ses romans évoquent un univers trouble dans un style d'une grande simplicité : *la Place de l'Étoile* (1968), *Rue des boutiques obscures* (1978), *Voyage de noces* (1990).

modicité n. f. Caractère modique.

modifiable adj. Qui peut être modifié.

modificateur, trice adj. et n. m. Didac. Qui a la capacité, le pouvoir de modifier. *Gène modificateur.* ▷ n. m. Agent propre à modifier.

modification n. f. **1.** Changement qui ne transforme pas complètement qqch. *Modification dans l'état de santé de qqn.* **2.** Changement. *Modifications dans un programme.*

modifier v. tr. [2] Changer (une chose) sans la transformer complètement. *Modifier ses habitudes.* ▷ v. pron. Subir un changement.

Modigliani (Amedeo) (Livourne, 1884 – Paris, 1920), peintre italien de l'école de Paris. Ses portraits comme ses nus sont caractérisés par l'expression linéaire de formes étirées. Il mourut dans la misère, alcoolique et tuberculeux.

Modigliani (Franco) (Rome, 1918), économiste américain d'origine italienne. Keynésien, il a consacré ses travaux à l'économétrie. P. Nobel 1985.

modique adj. Peu considérable, de peu de valeur. *Ressources modiques.*

modiquement adv. De manière modique.

modiste n. f. Personne qui confectionne ou qui vend des chapeaux, des coiffures de femme.

modulable adj. Qu'on peut moduler (sens II, 2).

modulaire adj. Relatif au module; constitué de modules.

modularité n. f. Caractère modulaire d'un espace, d'un logiciel, etc. *Cette voiture offre une bonne modularité.*

modulateur, trice adj. et n. ELECTR Se dit de tout appareil qui sert à moduler le courant électrique.

modulation n. f. **1.** Ensemble des variations d'un son musical, enchaînées sans heurt. *Modulation du chant du rossignol.* **2.** MUS Passage d'une tonalité à une autre; transition au moyen de laquelle s'opère ce passage. **3.** ELECTR Opération qui consiste à faire varier l'une des caractéristiques d'un courant ou d'une oscillation pour transmettre un signal donné. *Modulation d'amplitude. Modulation de fréquence :* procédé permettant une reproduction sonore de qualité (radiodiffusion, télévision).

module n. m. **1.** ARCHI Mesure servant à établir les rapports de proportion entre les parties d'un édifice. ▷ Unité de base, élément simple caractéristique d'une structure répétitive. – Élément participant à la constitution d'un ensemble dans un équipement. *Des modules de cuisine.* ▷ Diamètre d'une monnaie, d'une médaille. **2.** Unité d'enseignement qui, associée à d'autres, permet, par le jeu des options, le choix d'un programme individualisé. **3.** MATH Racine carrée du produit d'un nombre complexe par son conjugué. ▷ *Module d'un vecteur,* sa norme*. **4.** TECH *Module d'élasticité* ou *module de Young :* coefficient qui caractérise l'allongement d'un corps soumis à une traction. ▷ *Module de résistance à la flexion :* coefficient qui caractérise la résistance d'une poutre à la flexion. **5.** ESP Élément d'un vaisseau spatial. *Module lunaire.*
▶ illustr. **station spatiale**

moduler v. [1] **I.** v. intr. MUS Passer d'une tonalité à une autre. **II.** v. tr. **1.** ELECTR Faire subir une modulation à (un courant, une oscillation). **2.** Fig. Adapter aux conditions du moment, aux circonstances.

Modulor n. m. (Nom déposé.) Série harmonique de modules (où intervient le nombre d'or, 1,618) que Le Corbusier a appliqué en architecture.

modus vivendi [mɔdysvivɛ̃di] n. m. inv. (Lat., «manière de vivre».) Accommodement entre deux parties en litige.

moelle [mwal] n. f. **1.** ANAT *Moelle épinière :* partie du système nerveux central contenue dans le canal rachidien, faisant suite au bulbe rachidien et qui se termine au niveau de la deuxième vertèbre lombaire. **2.** ANAT *Moelle osseuse, moelle :* substance molle et graisseuse localisée dans le canal central des os longs et dans les alvéoles des os plats, qui joue un rôle capital dans la formation des globules rouges. ▷ Fig. *Jusqu'à la moelle :* complètement. *Être corrompu jusqu'à la moelle (des os).* **3.** BOT Tissu mou, à grosses cellules, situé dans la tige de certains végétaux.

Amedeo **Modigliani :**
Femme assise en bleu, 1919;
musée d'Art moderne, Stockholm

moelleusement adv. De manière moelleuse.

moelleux, euse [mwalø, øz] adj. Doux, agréable aux sens. *Lit moelleux. Vin moelleux.* ▷ *Formes moelleuses,* aux contours pleins et gracieux.

moellon [mwalɔ̃] n. m. CONSTR Pierre de petite dimension.

moere [mwɛʀ] n. f. (En Flandre et dans le nord de la France.) Lagune d'eau douce que l'on a asséchée et mise en culture.

Moeris (lac de) (auj. *Birket Karoun,* en grande partie asséché), anc. lac d'Égypte qui occupait, à l'époque pharaonique, la dépression du Fayoum.

Moero ou **Mweru,** lac d'Afrique, aux confins de la Rép. dém. du Congo (Shaba) et de la Zambie, au S.-O. du lac Tanganyika; en voie d'assèchement; env. 4 850 km².

mœurs [mœʀ(s)] n. f. pl. **1.** Habitudes de conduite d'une personne. *Cet homme a des mœurs austères.* ▷ DR *Bonnes mœurs :* ensemble des règles conformes à la norme sociale, notam. en matière sexuelle. – *Police des mœurs* ou, ellipt., *les mœurs,* qui s'occupe de réprimer la prostitution. *Attentat aux mœurs :* outrage aux bonnes mœurs, outrage public à la pudeur. **2.** Habitudes, coutumes propres à un groupe humain, un peuple. – (Prov.) *Autres temps, autres mœurs :* chaque époque a ses usages. ▷ *Scène de mœurs :* peinture représentant un épisode de la vie quotidienne. – *Roman de mœurs,* qui décrit les mœurs d'une époque, d'un groupe social, etc. **3.** Habitudes d'une espèce animale. *Les mœurs des rats.*

mofette n. f. **1.** GEOL Émanation de gaz carbonique, dans certains terrains volcaniques. **2.** V. moufette.

Mogadiscio ou **Mogadishu.** V. Muqdisho.

Mogador. V. Essaouira.

Moghilev, v. de Biélorussie, sur le Dniepr; ch.-l. de prov.; 343 000 hab. Métallurgie, constr. mécaniques.

moghol, ole adj. Des Moghols.

Moghols ou **Mogols** (Grands), Timourides qui régnèrent sur l'Inde du N. du XVIe au XVIIIe s. V. Timourides.

Mohács, v. de la Hongrie mérid., sur le Danube; 21 000 hab. – Victoire de Soliman le Magnifique sur les Hongrois (1526) et de Charles V de Lorraine sur les Turcs (1687).

mohair n. m. Poil de chèvre angora; laine filée avec ce poil. ▷ Étoffe légère fabriquée avec du mohair.

Mohammadia *(al-Muḥammadiyya)* (anc. *Perrégaux*), v. d'Algérie, à l'E. d'Oran; 58 970 hab. Centre agric. et comm. (primeurs, agrumes, coton).

Mohammed. V. Mahomet.

Mohammed as-Sadok *(Muḥammad aṣ-Ṣadūq)* (Tunis, 1812 – id., 1882), bey de Tunis (1859-1882). Il dut signer le traité du Bardo (1881), qui imposait le protectorat français.

Mohammed V ben Youssef *(Muḥammad ibn Yūsuf)* (Fès, 1909 – Rabat, 1961), sultan (1927-1953 et 1955-1957), puis roi du Maroc (1957-1961). Il entretint d'excellentes relations avec la France (il fut fait compagnon de la Libération) jusqu'en 1944, puis, progressivement, lui demanda l'indépendance du Maroc. Déposé par la France (1953), rappelé quand les troubles s'aggravèrent (1955), il obtint l'indépendance du pays (mars 1956) et se fit proclamer roi (août 1957).

Mohammedia *(al-Muḥammadiyya)* (anc. *Fédala*), v. du Maroc, sur l'Atlantique, au N.-E. de Casablanca; 105 120 hab. Port de pêche. Raff. de pétrole.

Mohave ou **Mojave** (désert), rég. désertique des É.-U., au S.-E. de la Californie.

Mohawk (la), riv. des É.-U. (État de New York), affl. de l'Hudson (r. dr.), longée par le canal Érié; 257 km.

Mohawks, une des tribus indiennes du Canada qui formaient autref. la Confédération iroquoise. Ils vivent auj. dans l'Ontario et les env. de Montréal.

Mohéli (île). V. Moili.

Mohenjo-Dāro, site archéologique du Pākistān, dans l'État du Sind : mise au jour d'une cité (2500-1500 av. J.-C.), centre important de la «civilisation de l'Indus».

Mohicans, Indiens du groupe tribal des Algonquins. Leurs rares descendants habitent le Connecticut (É.-U.).

Moholy-Nagy (László) (Bácsborsód, près de Kiskunhalas, 1895 – Chicago, 1946), peintre et sculpteur hongrois; professeur au Bauhaus (1922-1929), fondateur du New Bauhaus de Chicago (1937), précurseur de l'art cinétique.

Mohorovičić (Andrija) (Volosko, Croatie, 1857 – Zagreb, 1936), géologue croate. Il mit en évidence la *discontinuité de Mohorovičić,* qui, à env. 10 km de profondeur sous les océans et à 30 km sous les continents, sépare l'écorce terrestre du manteau*.

Mohs (Friedrich) (Gernrode, Harz, 1773 – Agordo, Tyrol, 1839), minéralogiste allemand. Il établit une classification *(échelle de Mohs)* des minéraux selon leur dureté.

1. moi pron. pers. Forme tonique de la 1re personne du sing. et des deux genres, insistant sur la personne qui s'exprime. **1.** (Complément d'objet, après un impératif.) *Laisse-moi.* – (Dans les réponses.) *Qui demande-t-on ? – Moi.* – (Quand le complément d'objet est redoublé.) *Il nous appelle, mon frère et moi.* **2.** (Complément d'objet indirect ou d'attribution, après le verbe.) *Pensez à moi. De vous à moi :* en confidence. **3.** (Complément d'agent.) *Choisi par moi.* **4.** (Complément circonstanciel.) *Sors avec moi.* **5.** (Complément de nom.) *En souvenir de moi.* **6.** (Complément d'adjectif.) *Digne de moi.* ▷ (Complément d'un comparatif.) *Aussi content que moi.* **7.** (Attribut) *«L'État, c'est moi» (Louis XIV).* **8.** (Sujet, renforçant *je.*) *Moi, je travaille, toi, tu t'amuses.* **9.** (Emploi explétif.) *Écoute-moi cet air!* **10.** Loc. *À moi! :* cri pour appeler au secours ou, VX, pour interpeller qqn. *«À moi, comte, deux mots» (Corneille).* ▷ *Pour moi :* à mon avis. *Pour moi, c'est étrange.* ▷ *Quant à moi :* en ce qui me concerne. ▷ *Chez moi :* dans l'endroit où j'habite. – N.B. : devant *en* et *y, moi* devient *m'.* *Passe-m'en. Faites-m'y inscrire, à ce club.*

2. moi n. m. inv. **1.** PHILO Personne humaine en tant qu'elle a conscience d'elle-même, à la fois sujet et objet de la pensée. *«Le moi consiste dans ma pensée» (Pascal).* **2.** Personne de chaque individu, à laquelle il tend à rapporter toute chose. « *Le moi est haïssable* » *(Pascal).* **3.** PSYCHAN Instance qui maintient l'unité de la personnalité en permettant l'adaptation au principe de réalité, la satisfaction partielle du principe de plaisir et le respect des interdits émanant du surmoi.

Moi (Daniel Arap) (Sacho, district de Baringo, 1924), homme politique kenyan, président de la République depuis 1978.

MOI, acronyme pour l'amicale *Main-d'œuvre ouvrière immigrée* (nommée cour. *groupe Manouchian**), groupe de la Résistance proche du Parti communiste français (1942-1944).

moï [mɔj] adj. (inv. en genre) Relatif aux Moïs.

Moï(s), population du sud du Viêtnam habitant les montagnes et plateaux des monts d'Annam. Les guerres d'Indochine les ont décimés.

moignon n. m. **1.** Partie d'un membre amputé située entre la cicatrice et l'articulation. *Moignon de jambe.* **2.** Membre rudimentaire. *Moignon d'aile.* **3.** Ce qui reste d'une grosse branche d'arbre coupée ou cassée.

Moili (anc. *Mohéli*), la plus petite des îles Comores; 290 km²; 21 000 hab.; v. princ. *Fomboni.*

moindre adj. **1.** (Comparatif) Plus petit, moins important. *De moindre valeur.* **2.** (Superlatif) *Le moindre* : le plus petit, le moins important. *C'est la moindre des choses,* le moins qu'on puisse faire. *Un écrivain et non des moindres.*

moindrement adv. Litt. *Le moindrement* : le moins du monde.

moine n. m. **1.** Religieux appartenant à un ordre monastique et, donc, obéissant à des règles de vie (communautaire ou solitaire) fondées sur le renoncement au monde et la prière. ▷ Loc. prov. *L'habit ne fait pas le moine* : on ne doit pas juger les gens sur leur apparence. – *Gras comme un moine* : très gras, très gros. **2.** Nom cour. de divers animaux (notam. d'un papillon nocturne, de phoques et du vautour).

moineau n. m. Oiseau passériforme de petite taille *(Passer domesticus),* à livrée brune et beige, très courant dans les villes. Syn. (fam.) pierrot, (arg.) piaf. ▷ Fig., fam. *Un drôle de moineau* : un drôle d'individu.

moineau

moinillon n. m. Fam., plaisant Jeune moine.

moins adv., prép. et n. m. **1.** Comparatif d'infériorité de *peu. Moins grand que son frère. J'ai trois ans de moins que lui. J'ai reçu mille francs en moins.* – *De moins en moins* : en diminuant peu à peu. – *Moins que jamais* : moins dans ce cas que dans tout autre. – *D'autant moins que* : en proportion inverse du fait que. **2.** *Le moins* : superlatif de *peu. Le moins bon élève de la classe. Parlez-en le moins possible. Pas le moins du monde* : pas du tout. ▷ *Du moins* : cependant, en tout cas. Syn. tout au moins, pour le moins, à tout le moins. ▷ *Au moins* : seulement. *Si au moins il travaillait, au lieu de s'amuser.* – *Il a au moins cinquante ans,* au minimum cinquante ans. ▷ *Des moins* : très peu. *Une soirée des moins réussie.* **3.** Loc. adv. *À moins* : pour qqch de moindre. *On se fâcherait à moins.* ▷ Loc. prép. *À moins de* : à un prix inférieur à. – Sauf dans le cas de. *Présence requise à moins d'une impossibilité dûment attestée.* ▷ Loc. conj. (suivie de « ne » et du subj.). *À moins que* : sauf dans le cas où. *Je n'irai pas à moins que vous ne veniez aussi.* **4.** n. m. *Le moins* : le minimum. *Le moins que l'on puisse dire. C'est bien le moins* : on ne saurait faire moins. – (Prov.) *Qui peut le plus peut le moins.* **5.** n. m. MATH Signe de la soustraction (–). **6.** prép. (employée pour soustraire). *8 moins 5 égale 3. Dix heures moins le quart.* – Loc. fam. *Il était moins cinq, moins une* : il s'en est fallu de peu.

moins-disant n. m. **1.** DR Personne qui, dans une adjudication, fait l'offre la plus basse. **2.** Perspective la moins attrayante dans une circonstance donnée. *Un moins-disant social. Des moins-disants.*

moins-perçu n. m. FIN Différence entre la somme que l'on aurait dû percevoir et la somme perçue. *Des moins-perçus.* Ant. trop-perçu.

moins-value n. f. FIN Diminution de la valeur d'un fonds, d'un revenu; perte de valeur. *Des moins-values.* Ant. plus-value.

Moira, notion religieuse de la Grèce antique; part de vie, de bonheur, de gloire, etc., assignée à chaque mortel et à laquelle les dieux mêmes ne peuvent rien changer.

moirage n. m. TECH Action de moirer une étoffe; son résultat.

moire n. f. **1.** Étoffe de soie à reflets chatoyants. **2.** Apprêt destiné à donner à certaines étoffes une apparence chatoyante. **3.** Litt. Reflet des étoffes moirées. – Effet lumineux évoquant une étoffe moirée.

Moire, dans la myth. gr., chacune des trois divinités qui présidaient à la destinée (Clotho, Lachésis et Atropos).

moiré, ée adj. Qui a les reflets de la moire.

moirer v. tr. [1] TECH Donner à (une étoffe) des reflets chatoyants.

moirure n. f. (Souvent plur.) Effet de ce qui est moiré.

mois n. m. **1.** Chacune des douze parties de l'année. *Le mois de janvier. Mois lunaire*.* **2.** Espace d'environ trente jours. *Il me faudra deux mois pour finir ce travail.* **3.** Prix payé pour un mois de travail. *Payer son mois à un employé.*

moïse n. m. Corbeille qui sert de berceau.

Moïse (en hébr. *Mosché*) (XIIIe s. av. J.-C.), prophète et législateur d'Israël, connu essentiellement par les cinq livres de la Bible (Pentateuque). Fils de parents hébreux, il serait né sous le règne de Ramsès II (1301 à 1235 env.), en Égypte. Après avoir échappé providentiellement à l'extermination des nouveau-nés mâles hébreux de ce pays (légende du berceau d'osier abandonné sur le Nil), il est élevé à la cour du pharaon qui persécute son peuple. Le meurtre d'un fonctionnaire égyptien le contraint à se réfugier dans le désert du Sinaï, où Yahvé lui apparaît sous la forme d'un buisson ardent et lui enjoint de conduire hors d'Égypte les tribus hébraïques captives. Il dirige alors les Hébreux vers le pays de Canaan, leur fait traverser la mer Rouge, dont les eaux se sont ouvertes, reçoit de Dieu les *Tables de la Loi* ou *Dix Commandements* ou *Décalogue.* Cette Loi est d'une grande originalité, car elle affirme l'existence d'un Dieu unique. Moïse est le constructeur de l'arche d'Alliance, symbole de la présence de Yahvé parmi le peuple élu (le peuple juif). Il est dit que Dieu ne lui accorda pas, comme à toute la génération qui avait vécu en Égypte, le droit d'entrer en Terre promise, mais lui permit de la contempler du haut du mont Nebo, où il mourut.

Moïse : sculpture de Michel-Ange prévue pour le tombeau de Jules II (v. 1513-1516), église Saint-Pierre-aux-Liens, Rome

moisi, ie adj. et n. m. **1.** adj. Couvert de moisissures. **2.** n. m. Ce qui est moisi. *Odeur de moisi.*

moisir v. [3] **I.** v. tr. Couvrir de moisissures. **II.** v. intr. **1.** Devenir moisi. **2.** Fig., fam. Attendre trop longtemps, se morfondre. *Je n'ai pas l'intention de moisir ici.*

moisissure n. f. Nom cour. des champignons ne comportant pas de fructifications massives et se développant sur des matières organiques humides ou en décomposition. *On tire la pénicilline d'une moisissure blanche, le pénicillium.*

Moissac, ch.-l. de cant. de Tarn-et-Garonne (arr. de Castelsarrasin), sur le Tarn; 12 213 hab. *(Moissagais).* Chasselas réputé. Prod. agric. – Égl. St-Pierre (XIIe-XVe s.), anc. abb. bénédic-

Moissac : tympan du portail méridional de l'église Saint-Pierre, début XIIe s.

tine avec portail du XIIe s. et cloître des XIIe-XIIIe s.

Moissan (Henri) (Paris, 1852 – id., 1907), chimiste français; inventeur du four électrique. Il isola le fluor. P. Nobel 1906.

Moïsseïev (Igor Alexandrovitch) (Kiev, 1906), danseur et chorégraphe russe; fondateur (1937) de la plus import. compagnie de ballets folkloriques de l'U.R.S.S. *(ballets Moïsseïev).*

moisson n. f. **1.** Action de récolter le blé, les céréales. *Faire la moisson.* **2.** La récolte elle-même. ▷ Fig. *Une ample moisson de renseignements.* **3.** Temps, époque où l'on fait la moisson. *La moisson sera tardive.*

moissonnage n. m. AGRIC Manière de moissonner. *Moissonnage à la machine.*

moissonner v. tr. [1] **1.** Faire la moisson, la récolte de céréales. *Moissonner du blé.* – Par ext. *Moissonner un champ.* **2.** Fig. Remporter, recueillir en abondance. *Moissonner les récompenses, les distinctions.*

moissonneur, euse n. **1.** Personne qui moissonne. **2.** n. f. Machine servant à récolter les céréales.

moissonneuse-batteuse n. f. Machine agricole qui bat le grain et le sépare de la paille. *Des moissonneuses-batteuses.*

moissonneuse-lieuse n. f. Machine agricole qui met les tiges en bottes. *Des moissonneuses-lieuses.*

moite adj. Légèrement humide. *Avoir les mains moites. Chaleur moite qui précède l'orage.*

moiteur n. f. Caractère de ce qui est moite; légère humidité.

moitié n. f. et adv. **I.** n. f. **1.** Chacune des deux parties égales en lesquelles un tout est divisé. *Trois est la moitié de six.* – Partie, portion qui représente environ une moitié d'un tout. *Il passe la moitié de son temps à dormir.* **2.** Milieu. *Être à la moitié du chemin.* **3.** Fig., fam. Épouse. *Ma chère moitié.* **4.** Loc. adv. *À moitié* : à demi et, *par ext.*, en partie. ▷ *Faire les choses à moitié*, ne pas les faire convenablement, complètement. ▷ *De moitié, pour moitié* : pour une part égale à la moitié. *Ce produit a augmenté de moitié. Il est pour moitié responsable de ce qui lui arrive.* ▷ *Être, se mettre de moitié avec qqn*, s'associer avec lui, partager également le gain et la perte. **II.** adv. À demi. *Pain moitié froment, moitié seigle.* ▷ Fam. *Moitié-moitié* : en partageant en deux parts égales. – D'une manière mitigée, à demi. *Vous l'avez apprécié ? – Moitié-moitié.*

Moivre (Abraham de) (Vitry-le-François, 1667 – Londres, 1754), mathématicien anglais d'origine française : calcul des probabilités, trigonométrie des nombres complexes.

Mojave. V. Mohave.

moka n. m. **1.** Café renommé provenant d'Arabie. – Infusion faite avec ce café. **2.** *Par ext.* Café, en général. *Tasse, cuiller à moka.* **3.** Gâteau garni de crème au beurre aromatisée au café (ou au chocolat).

Moka *(Muhā)*, v. et port du Yémen, sur la mer Rouge; 6 000 hab. – Autref. ville princ. (50 000 hab.) de l'« Arabie Heureuse », grâce à son comm. d'épices, de dattes et de café.

1. mol, molle. V. mou.

2. mol CHIM Symbole de la mole.

Mol, com. de Belgique (Anvers), dans la Campine; 29 800 hab. Centrale nucléaire.

1. molaire n. f. Chacune des grosses dents implantées à l'arrière des mâchoires, qui servent à broyer.

2. molaire adj. CHIM Relatif à la mole. ▷ *Masse* moléculaire molaire.* ▷ *Solution molaire*, qui contient une mole de soluté par litre. ▷ *Volume molaire*, occupé par une mole.

môlaire adj. MED Relatif à la môle. *Grossesse môlaire*, dans laquelle se produit une dégénérescence des villosités de la paroi de l'œuf.

molard. V. mollard.

mol(l)asse n. f. GEOL Grès tendre à ciment argilo-calcaire englobant des grains de quartz, des paillettes de mica, etc.

Molay (Jacques de) (Molay, Franche-Comté, 1243 – Paris, 1314), dernier grand maître des Templiers (1298). Philippe le Bel le fit arrêter (1307), torturer et emprisonner; il périt sur le bûcher.

Moldau. V. Vltava.

moldave adj. et n. **1.** adj. De Moldavie. **2.** n. m. Langue roumaine parlée en Moldavie.

Moldavie, région de la Roumanie, entre les Carpates, à l'O., et le Prout, à l'E. Le relief s'abaisse d'O. *(Carpates moldaves)* en E. (plaine moldave, dans la partie septent.); l'eau abonde dans les Carpates, offrant des ressources hydroélectriques et permettant l'irrigation des plaines céréalières. – La principauté de Moldavie se constitua en 1359, au détriment de la Hongrie, sous le voïvode Bogdan Ier, et connut son apogée sous Étienne III (1457-1504); en 1504, celui-ci dut se reconnaître vassal de la Turquie. Le pays fut disputé entre Russes et Autrichiens au XIXe s. Après le traité de Paris (1856), il s'unit à la Valachie pour former la Roumanie, dont l'indépendance fut reconnue par le congrès de Berlin (1878). En déc. 1918, la Bessarabie russe revint à la Roumanie; en réponse, les Soviétiques créèrent à la frontière une petite république autonome de Moldavie (1924), grossie en 1944 d'une grande partie de la Bessarabie (enlevée à la Roumanie) V. Moldavie (république de).

Moldavie (république de) *(Republica Moldoveneasca)*, État d'Europe orientale, limité à l'O. par la Roumanie, à l'E. par l'Ukraine, entre le Dniestr et le Prout; 33 700 km^2; 4 334 000 hab.; cap. *Chisinau.* Nature de l'État : rép. parlementaire. Langue off. : roumain. Monnaie : leu. Pop. : Moldaves (64 %), Ukrainiens (13,8 %), Russes (13 %), Gagaouzes (4 %). Relig. : orthodoxe.
Géogr. – Le relief correspond à une plaine au sol fertile, faiblement ondulée. Riche agriculture : céréales, betterave, fruits, vigne, tabac; élevage important; industr. alimentaires, industr. du cuir; constr. méca. et électriques.
Hist. – Lorsque la Moldavie est créée en 1944 par l'annexion de la province roumaine de Bessarabie, une petite zone sur la rive est du Dniestr, peuplée en majorité de russophones, lui est adjointe. Quand les Moldaves (qui parlent le roumain) proclament leur souveraineté en 1990 (après avoir adopté le roumain comme langue off. et l'alphabet latin), les russophones, craignant le rattachement à la Roumanie, en font autant, puis, à l'instar de la Moldavie, optent pour l'indépendance en 1991. Un conflit éclate alors entre Moldaves et russophones jusqu'à la signature d'un accord de paix (1992). En 1994, les Moldaves renoncent par référendum à la réunification avec la Roumanie. La Constitution, adoptée en 1994, prévoit un statut d'autonomie pour la Transnistrie et la Gagaouzie. Piotr Lutchinski est élu président de la République en 1996. La Moldavie est membre de la C.É.I.
▶ carte **(ex-) U.R.S.S.**

Moldo-Valachie (en roumain *Moldo-Valahia*), nom donné aux principautés danubiennes jusqu'à l'indépendance de la Roumanie (1878).

mole n. f. CHIM Unité de quantité de matière du système international SI (symbole mol), équivalant à la quantité de matière d'un système qui comprend autant d'entités élémentaires (molécules, atomes, ions, électrons) qu'il y a d'atomes dans 12 g de carbone 12 (soit $6{,}022.10^{23}$).

1. môle n. f. MED Dégénérescence des villosités de la paroi de l'œuf en cours de grossesse.

2. môle n. m. MAR Jetée construite à l'entrée d'un port et faisant office de brise-lames. – Terre-plein bordé de quais, le long desquels peuvent accoster les navires, et qui divise un bassin en darses.

3. môle n. f. ICHTYOL Poisson marin *(Mola mola)*, appelé cour. *poisson-lune* ou *lune de mer* à cause de son corps aplati en disque (il peut atteindre 3 m pour 1 500 kg).

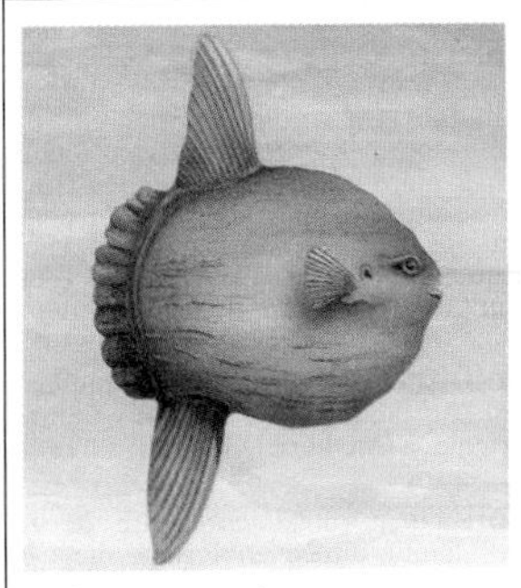

môle ou poisson-lune

Molé (Mathieu), seigneur de Champlâtreux (Paris, 1584 – id., 1656), magistrat français. Premier président au parlement de Paris (1641-1651) durant la Fronde, il exerça sa charge dans un esprit de conciliation et négocia la paix de Rueil (1649). – **Louis Mathieu,** comte Molé (Paris, 1781 – Champlâtreux, 1855), descendant du préc.; homme politique français, il fut l'un des chefs du parti de la « Résistance » (qui soutenait la monarchie orléaniste). Ministre des Affaires étrangères (août-novembre 1830), il fut Premier ministre (1836-1839). Acad. fr. (1840).

moléculaire adj. CHIM Relatif à la molécule.

molécule n. f. CHIM Ensemble d'atomes liés les uns aux autres par des liaisons fortes (de covalence).
▶ illustr. page **1234**

molène n. f. BOT Plante (fam. scrofulariacées) des terres incultes, dont une espèce, la *molène commune*, est appelée aussi *bouillon-blanc.*

moleskine n. f. **1.** Coutil de coton lustré. **2.** Toile cirée imitant le grain du cuir.

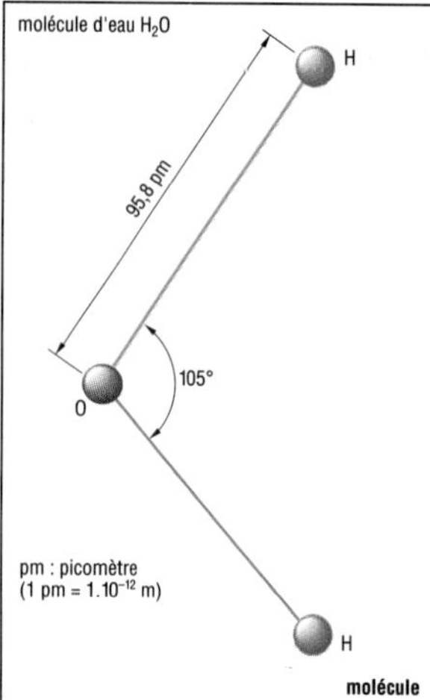

molester v. tr. [1] 1. Vielli ou litt. Tourmenter, tracasser. 2. Faire subir des violences physiques à (qqn). Syn. malmener, brutaliser.

moleté, ée adj. et n. m. TECH Quadrillé, strié à l'aide d'une molette. ▷ n. m. Ornement imprimé à la molette dans une pâte céramique.

moleter v. tr. [20] TECH 1. Travailler à la molette. 2. Strier à la molette. – Pp. adj. *Écrou moleté.*

molette n. f. 1. Roulette garnie de pointes, à l'extrémité d'un éperon. 2. Roulette munie d'un tranchant, de pointes ou d'aspérités, et servant à couper, à marquer, à frotter, etc. – Outil constitué d'un manche muni de cette roulette. *Molette de vitrier.* 3. Petit disque, petit cylindre cannelé que l'on manœuvre pour actionner un mécanisme. *Clé à molette.*

Molfetta, v. et port d'Italie (Pouilles), sur l'Adriatique; 65 950 hab. Centre agricole. – Cité libre (XIIe-XVIIe s.), prospère au XVe s.

molière n. m. Récompense décernée chaque année en France dans le domaine du théâtre.

Molière (Jean-Baptiste Poquelin, dit) (Paris, 1622 – id., 1673), auteur dramatique et comédien français. Son père, tapissier ordinaire du roi, le mit en 1635 au collège de Clermont (auj. lycée Louis-le-Grand), dirigé par les jésuites. Après des études de droit (il avait obtenu le titre d'avocat), il céda à un irrésistible attrait pour le théâtre et fonda avec un groupe d'amis, les Béjart, la troupe de l'Illustre-Théâtre (1643) : ce fut un échec retentissant. Molière et les Béjart, se joignant à une troupe de comédiens ambulants, partirent pour la province et jouèrent de ville en ville pendant treize ans. Rentré à Paris en 1658, avec la troupe, dont il avait pris la tête, Molière bénéficia de la protection de Monsieur, frère du roi. Il obtint son premier triomphe l'année suivante avec *les Précieuses ridicules.* La troupe se fixa alors au Palais-Royal (1661). En quinze ans Molière composa et monta plus de trente pièces : *l'École des maris* (1661), *l'École des femmes* (1662), *Tartuffe* (1664), *Dom Juan* (1665), *le Misanthrope* (1666), *le Médecin malgré lui* (1666), *Amphitryon* (1668), *l'Avare* (1668), *Georges Dandin* (1668), *Monsieur de Pourceaugnac* (1669), *le Bourgeois gentilhomme* (1670), *les Fourberies de Scapin* (1671), *les Femmes savantes* (1672), *le Malade imaginaire* (1673). Bien que jouissant de la faveur du roi, qui riait à ses pièces, Molière fut, sa vie durant, en butte à de nombr. attaques (querelle des *Précieuses,* de *l'École des femmes,* du *Tartuffe,* etc.). Miné par ses luttes, son travail acharné, ses chagrins domestiques (son mariage en 1662 avec Armande Béjart, de vingt-deux ans sa cadette, fut malheureux), il mourut à cinquante et un ans, après avoir dû, à la suite de convulsions, interrompre la représentation du *Malade imaginaire.* En 1680, Louis XIV, en hommage posth. au grand dramaturge, ordonna la fusion de la troupe de Molière avec celle de l'hôtel de Bourgogne, créant la Comédie-Française, la « Maison de Molière ».

moliéresque adj. Relatif à Molière; qui rappelle le style de Molière.

Molina (Luis) (Cuenca, 1536 – Tolède, 1600), jésuite espagnol. Son traité *Accord du libre arbitre avec les dons de la grâce, la prescience divine, la Providence, la prédestination et la réprobation* (1588) est à l'origine du *molinisme,* combattu par les jansénistes et adopté par la plupart des jésuites.

Molina (Tirso de). V. Tirso de Molina.

molinisme n. m. RELIG Doctrine de Luis Molina, selon laquelle l'homme reçoit en naissant une grâce suffisante, qu'il pourra, en vertu de son libre arbitre, rendre efficace.

Molinos (Miguel de). V. quiétisme.

Molise, rég. admin. d'Italie péninsulaire et de la C.E., formée des prov. de Campobasso et d'Isernia; 4 438 km^2; 334 700 hab.; cap. *Campobasso.* Comprenant le revers oriental des Apennins et une plaine bordant l'Adriatique, c'est une région agricole pauvre.

Molitor (Gabriel Jean Joseph, comte) (Hayange, Lorraine, 1770 – Paris, 1849), maréchal de France (1823). Il défendit vaillamment la Hollande (1813) et participa à la campagne d'Espagne (1823) sous Louis XVIII. Grand chancelier de la Légion d'honneur.

mollah [mɔla] n. m. Docteur en droit religieux dans l'islam chiite.

mollard ou **molard** n. m. Grossier Crachat épais.

1. mollasse adj. Péjor. 1. Sans consistance, mou et flasque. *Chair mollasse.* 2. Fig. (Personnes) Sans énergie. *C'est une grande mollasse.* Syn. apathique, indolent.

2. mollasse. V. molasse.

mollasson, onne n. et adj. Fam. Personne molle, mollasse. ▷ adj. *Un enfant mollasson.*

mollement adv. 1. Avec mollesse. *Couché mollement.* 2. Sans vigueur, sans conviction. *Se défendre mollement.*

mollesse n. f. 1. Caractère de ce qui est mou, moelleux. *La mollesse d'un matelas.* Ant. dureté. 2. Manque d'énergie dans le caractère, la conduite. – Excès d'indulgence. *La mollesse d'un père.* Syn. indolence, faiblesse. Ant. fermeté, résolution. 3. Manque de vigueur, de force dans l'expression. *La mollesse des traits d'un visage.* Syn. atonie. 4. Délicatesse d'une vie facile. *Vivre dans la mollesse.*

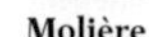
Molière

Gaspard **Monge**

1. mollet, ette adj. (rare au fém.) D'une mollesse douce, agréable. *Pain mollet.* ▷ *Œuf mollet,* cuit dans sa coquille de manière que le blanc soit pris et le jaune onctueux.

2. mollet n. m. Relief musculaire à la face postérieure de la jambe, au-dessous du genou. – Fam. *Mollets de coq,* très maigres.

Mollet (Guy) (Flers, 1905 – Paris, 1975), homme politique français. Secrétaire général de la S.F.I.O. (1946-1969), plusieurs fois ministre, il devint chef du gouv. après la victoire du Front républicain (fév. 1956-mai 1957) et dut faire face à la guerre d'Algérie et à la crise de Suez. En mai 1958, il contribua au retour du général de Gaulle, dont il fut ministre (juin 1958) avant de passer dans l'opposition (janv. 1959).

molletière n. f. et adj. Guêtre protégeant le mollet. ▷ adj. *Bandes molletières :* bandes d'étoffe ou de cuir dont on entoure le mollet.

molleton n. m. Étoffe de laine ou de coton gratté. – Pièce de cette étoffe servant d'épaisseur protectrice et isolante. *Intercaler un molleton entre la nappe et la table.*

molletonné, ée adj. 1. Qui a l'aspect du molleton. 2. Doublé de molleton.

molletonner v. tr. [1] Doubler, garnir de molleton.

molletonneux, euse adj. De la nature du molleton.

Mollien (François Nicolas, comte) (Rouen, 1758 – Paris, 1850), homme politique français. Conseiller financier de Bonaparte, il fut ministre du Trésor de 1806 à 1814 et pendant les Cent-Jours. Membre de la Chambre des pairs en 1819.

mollir v. [3] I. v. intr. 1. Devenir mou. *Ces poires mollissent.* 2. Perdre de sa force. *Le vent mollit.* 3. Fig. Céder sous un effort, faiblir. *Les troupes mollissent.* Syn. fam. flancher. II. v. tr. MAR Détendre. *Mollir un câble.*

mollisol n. m. GEOL Couche superficielle du sol, qui subit l'action du gel et du dégel.

mollo adv. Pop. Doucement, délicatement. *Y aller mollo.*

mollusque n. m. 1. (Plur.) ZOOL Embranchement de métazoaires au corps mou non segmenté souvent pourvu d'une coquille calcaire. – Sing. *L'escargot est un mollusque.* 2. Fig., fam. Individu mou, sans énergie.

moloch [mɔlɔk] n. m. ZOOL Lézard (*Moloch horridus,* fam. agamidés) du désert australien, long d'une vingtaine de cm, couvert d'épines.

Moloch ou **Molk** (en hébr. *Melek,* « roi »), nom par lequel l'Ancien Testament désigne, à tort, une divinité cananéenne à laquelle auraient été offerts des sacrifices d'enfants. On voit plutôt dans le Molk le sacrifice lui-même, au cours duquel de jeunes enfants étaient égorgés et brûlés comme offrandes, en pays cananéen et dans les territoires carthaginois.

molosse n. m. Grand dogue.

Molosses, peuple de l'anc. Épire (Grèce continentale).

Molotov (Viatcheslav Mikhaïlovitch Skriabine, dit) (Koukarki, auj. Sovietsk, rég. de Kirov, 1890 – Moscou, 1986), homme politique soviétique; membre du parti bolchevique dès 1906. Président du Komintern (1930-1934), signataire du pacte germano-soviétique, il dirigea la diplomatie soviétique de 1939 à 1949 et de 1953 à 1956. Ayant pris part à la tentative de déposer Khrouchtchev, qui échoua en juin 1957, il fut écarté.

Molsheim, ch.-l. d'arr. du Bas-Rhin, sur la Bruche; 8 055 hab. – Vignobles réputés *(riesling)*. Constr. mécaniques. – Fortifications et donjon médiévaux.

Moltke (Helmuth, comte von) (Parchim, Mecklembourg, 1800 – Berlin, 1891), feld-maréchal prussien. Chef du grand état-major (1857-1888), il fut l'artisan des victoires contre l'Autriche (1866) et contre la France (1870). – **Helmuth,** dit *le Jeune* (Gersdorff, Mecklembourg, 1848 – Berlin, 1916), neveu du préc.; chef d'état-major général de l'armée allemande de 1906 à 1914. Il fut disgracié après l'échec de son plan pendant la bataille de la Marne.

molto [mɔlto] adv. MUS Très, beaucoup. *Molto vivace.*

Moluques (archipel des), archipel et prov. d'Indonésie, situé entre les Célèbes et la Nouvelle-Guinée; 74 505 km²; 1 608 560 hab.; ch.-l. *Amboine.* Princ. îles : Halmahera, Céram, Buru, Aru. Montagneux et forestier (climat équat.), l'archipel produit surtout des épices (noix de muscade) et du coprah. – Ces îles, où les Hollandais étaient établis dès le XVIIe s., furent incluses dans la République indonésienne en 1949. Le particularisme des Moluquois du S., chrétiens dans un archipel musulman, a entraîné des manifestations indépendantistes.

moly n. m. **1.** MYTH Plante merveilleuse qui préserve Ulysse des enchantements de Circé, dans *l'Odyssée.* **2.** BOT Ail doré.

molybdène n. m. CHIM Élément métallique de numéro atomique Z = 42 et de masse atomique 95,94 (symbole Mo). – Métal (Mo) blanc, qui fond à 2 620 °C et bout à 4 612 °C. *Le molybdène est utilisé pour la fabrication d'aciers inoxydables.*

Mombasa ou **Mombassa,** v. et princ. port de comm. du Kenya, sur l'océan Indien; ch.-l. de prov.; 442 370 hab. La ville est reliée par voie ferrée à Nairobi et à Kampala. Raff. de pétrole.

môme n. **1.** Fam. Enfant. *Un môme insupportable.* **2.** n. f. Pop. Jeune fille. *Une belle môme.*

moment n. m. **A. I. 1.** Petite partie du temps. *Il n'en a que pour un moment. N'avoir pas un moment à soi :* être sans cesse occupé. Syn. instant. **2.** Laps de temps indéterminé. *Attendre un long, un bon moment,* longtemps. *Passer de bons, de mauvais moments,* des moments heureux, pénibles. ▷ *Absol.* Temps présent. *Les vedettes du moment.* **3.** Circonstance, occasion. *C'est le moment, le bon moment. Il a choisi un mauvais moment.* ▷ *Moment psychologique,* propice pour dénouer une situation. **II. 1.** Loc. adv. *Dans un moment :* bientôt. *D'un moment à l'autre :* incessamment. *En un moment :* très rapidement. *Par moments :* de temps en temps. *À tout (tous) moment(s) :* sans cesse. *En ce moment :* à l'heure qu'il est. **2.** Loc. prép. *Au moment de :* sur le point de. **3.** Loc. conj. *Au moment où :* lorsque. – *Du moment que :* puisque. **B. 1.** MATH *Moment d'un vecteur* $\overrightarrow{AB}$ *par rapport à un point O :* vecteur $\overrightarrow{OM}$ tel que $\overrightarrow{OM} = \overrightarrow{OA} \wedge \overrightarrow{AB}$, perpendiculaire au plan OAB dans le sens direct et dont le module est égal au produit de AB par la distance de O à la droite AB. **2.** PHYS *Moment d'une force par rapport à un point :* moment du vecteur représentant cette force, par rapport à ce point. ▷ *Moment d'un couple :* vecteur perpendiculaire au plan des forces constituant le couple dans le sens direct et dont le module est le produit de l'intensité des forces par leur distance. ▷ *Moment cinétique, moment dynamique en un point :* moment du vecteur $m\vec{v}$ (quantité de mouvement), du vecteur $m\vec{\Gamma}$ (force) par rapport à ce point. ▷ *Moment d'inertie d'un système par rapport à un axe :* somme des produits des masses des éléments du système par les carrés des distances de ceux-ci à l'axe.

momentané, ée adj. Qui dure peu. *Plaisir momentané.*

momentanément adv. D'une façon momentanée.

momerie n. f. Fam. Enfantillage.

momie n. f. **1.** Corps embaumé par les anciens Égyptiens. *La momie d'un pharaon.* ▷ *Par ext.* Cadavre desséché et conservé. **2.** Fig. Personne très maigre. ▷ Personne à l'esprit rétrograde.

momie de Pachery, époque ptolémaïque; musée du Louvre

momification n. f. Action de momifier; son résultat.

momifier v. tr. [2] **1.** Transformer (un cadavre) en momie. ▷ v. pron. *Cadavre qui se momifie.* **2.** Fig. Rendre extrêmement maigre. – Figer dans l'inertie ou dans des habitudes surannées.

Mommsen (Theodor) (Garding, Schleswig, 1817 – Charlottenburg, 1903), homme politique et historien allemand. Il a contribué à étendre l'application des méthodes scientifiques à l'histoire de l'Antiquité. P. Nobel de littérature 1902.

mon, ma, mes adj. poss. masc. sing., fém. sing., et plur. de la première personne, marquant : **1.** la possession. *Ma maison. Mon fils;* **2.** des rapports divers (affectifs, sociaux; d'habitude, de convenance, d'intérêt, etc.). *Mon meilleur ami. Mon général. Ma promenade quotidienne. Mon dentiste.* – Fam. *Voilà mon homme qui se met à courir;* **3.** des relations grammaticales (sujet ou objet d'une action). *Veuillez accepter mes excuses,* celles que je vous fais. *Venez à mon secours,* me secourir. (N.B. On emploie *mon* au lieu de *ma* devant un nom fém. commençant par une voyelle ou un *h* muet : *mon île, mon horloge.*)

môn. V. môn-khmer.

mon(o)-. Élément, du gr. *monos,* « seul ».

Môn(s) (État des), État de Birmanie; 11 831 km²; 1 682 000 hab.; cap. *Moulmein.*

Môn(s), population qui constitue l'essentiel de la population birmane.

monacal, ale, aux adj. Propre aux moines, au genre de vie des moines. *Vie monacale.*

monachisme [mɔnaʃism ;mɔnakism] n. m. Vie des moines. ▷ Institution monastique. *Esprit du monachisme.*

Monaco (principauté de), principauté enclavée dans le dép. français des Alpes-Maritimes, sur la Côte d'Azur; 1,5 km²; 27 063 hab. (*Monégasques*); cap. *Monaco.* Langue off. : français. Nature de l'État : monarchie constitutionnelle. Monnaie : franc. Relig. : cathol. – Cet État, limité par le mont Agel (1 100 m) et la Tête-de-Chien (504 m), s'étire sur 3 km et ne dépasse pas 200 à 300 m de largeur. Il a quatre noyaux urbains : Monaco-Ville, Monte-Carlo, La Condamine, Fontvieille. Il doit sa fortune au tourisme et à son casino, fondé en 1862. L'industr. (alim., chim., prod. de beauté, électronique, mécanique de précision, etc.) est active. – Évêché. Cath. (XIXe s.). Musée océanographique. Jardin exotique. Casino de Monte-Carlo. Grand Prix automobile. – Bien protégé, le port fut une escale fréquentée pendant toute l'Antiquité. Le fief de Monaco fut longtemps disputé entre guelfes et gibelins de Gênes (XIIIe-XVe s.). Les Grimaldi l'emportèrent en 1419 et firent reconnaître leur souveraineté. La principauté fut annexée de 1793 à 1814 à la France, et amputée de Menton et de Roquebrune en 1848. Depuis 1865, une union douanière lie Monaco à la France et le traité fondamental de 1918 reconnaît à la principauté le droit à la représentation diplomatique. Prince régnant (depuis 1949) : Rainier III.

monade n. f. PHILO Pour Leibniz, substance simple, irréductible, élément premier de toutes les choses, et qui contient en elle-même le principe et la source de toutes ses actions.

monadisme n. m. ou **monadologie** n. f. PHILO Théorie des monades de Leibniz.

Monaldeschi (Gian Rinaldo, marquis de) (m. à Fontainebleau, 1657), seigneur italien, favori de Christine de Suède, qui le fit assassiner.

Monaco : le rocher vu du jardin exotique

monarchie n. f. **1.** Forme de gouvernement d'un État dans laquelle le pouvoir est détenu par un seul chef, le plus souvent un roi héréditaire. *Selon que l'autorité du souverain est illimitée ou limitée par une constitution, la monarchie est dite « absolue » ou « constitutionnelle ». Monarchie parlementaire :* monarchie constitutionnelle dans laquelle le gouvernement est responsable devant le Parlement. **2.** État gouverné par un seul individu, spécial. par un roi.

monarchique adj. Qui se rapporte à la monarchie.

monarchisme n. m. Doctrine des monarchistes.

monarchiste adj. et n. Qui est partisan de la monarchie. *Partis monarchistes.* ▷ Subst. *Le point de vue des monarchistes.*

monarque n. m. Celui qui détient l'autorité souveraine dans une monarchie.

monastère n. m. Lieu, groupe de bâtiments habité par des moines ou des moniales.

monastique adj. Des moines, de la vie des moines.

Monastir, v. et port de Tunisie, sur le golfe de Hammamet; ch.-l. du gouvernorat du m. nom; 35 550 hab. Pêche; industr. alimentaires. – À proximité, palais de Skanès, édifié pour Bourguiba.

Monastir (Macédoine). V. Bitola.

Monbazillac, com. de la Dordogne (arr. de Bergerac); 1 041 hab. – Vins blancs renommés. – Château (XVIe s.).

monceau n. m. Tas, amas important. *Un monceau de ruines.* ▷ Fig. *Un monceau d'absurdités.*

Monceau (parc), parc de Paris (VIIIe arr., quartier de la Plaine-Monceau), jardin à l'anglaise aménagé en 1778.

Mönchengladbach, v. d'Allemagne (Rhénanie-du-Nord-Westphalie); 255 090 hab. Import. centre textile; industr. métallurgique et mécanique.

Monck. V. Monk (George).

Moncontour, ch.-l. de cant. de la Vienne (arr. de Châtellerault); 935 hab. – Égl. romane. Donjon carré (XIIe s., restauré au XVe s.). – Victoire du duc d'Anjou (futur Henri III) sur les protestants de Coligny (1569).

Moncton, v. du Canada (Nouveau-Brunswick), sur le *Petitcodiac*; 57 000 hab. Industr. du bois. Aéroport. – Université.

mondain, aine adj. et n. **1.** Qui concerne la haute société, ses divertissements. *Vie mondaine.* **2.** Qui fréquente, qui aime le monde, la haute société. *Femme très mondaine.* ▷ Subst. *Un(e) mondain(e).* **3.** *La police mondaine* ou, n. f., *la mondaine :* service de police spécialisé dans les affaires de drogue et de mœurs.

mondanité n. f. **1.** Goût pour les divertissements mondains. *Sa mondanité est excessive.* **2.** (Plur.) Événements, faits de la vie mondaine.

monde n. m. **I. 1.** Ensemble de tout ce qui existe, univers. *La fin du monde.* **2.** Système planétaire; planète. *D'autres mondes habités.* **3.** La planète où vivent les hommes, la Terre. *Courir le monde :* voyager beaucoup. – Fig. *Au bout du monde :* très loin. ▷ *Le Nouveau Monde :* l'Amérique, par oppos. à *l'Ancien Monde,* la partie de la surface terrestre connue avant la découverte de l'Amérique (Europe, Asie, Afrique). ▷ *Tiers* monde.* **4.** RELIG *L'autre monde :* le séjour des morts (par oppos. à *ce monde, ce bas monde,* le séjour des vivants). **5.** Fig. Univers particulier. *Le monde du rêve.* ▷ *Se faire un monde d'une chose,* se l'imaginer comme plus difficile, plus importante qu'elle n'est en réalité. ▷ *C'est un monde ! :* c'est incroyable, insensé ! (avec une nuance d'indignation). **II.** *Le monde.* **1.** Genre humain, humanité. *Ainsi va le monde.* ▷ *Venir au monde :* naître. *Mettre un enfant au monde,* lui donner naissance. **2.** Groupe social défini. *Le monde de la politique. Le monde scientifique.* **3.** Haute société, classes aisées qui ont une vie facile et brillante. *Sortir dans le monde. Le grand monde. Un homme du monde.* **4.** Vie en société. *Fuir le monde.* ▷ *Spécial.* Vie laïque (par oppos. à la vie monastique). *Renoncer au monde.* **III. 1.** Un grand nombre, ou un certain nombre de personnes. *Il y a du monde dans les rues.* ▷ *Recevoir du monde,* des invités, des hôtes. **2.** Entourage de qqn (proches, subordonnés, etc.). *Réunir tout son monde.* **IV. 1.** Loc. *Du monde, au monde.* (Renforçant certaines expressions.) *La plus belle fille du monde. Pour rien au monde.* **2.** Loc. pron. indéf. *Tout le monde :* tous, on. ▷ Fam. *Monsieur Tout-le-Monde :* n'importe qui.

Monde (le), quotidien parisien du soir, fondé en 1944 par Hubert Beuve-Méry. Journal de référence, il a une audience internationale.

Mondego (le), fl. du Portugal (225 km), au centre du pays; naît dans la Serra da Estrela, arrose Coïmbre et se jette dans l'Atlantique.

monder v. tr. [1] Débarrasser (un fruit, une substance) de ses parties inutiles, de ses impuretés.

mondial, ale, aux adj. Qui intéresse, qui concerne le monde entier. *Savant de réputation mondiale.*

mondialement adv. D'une manière mondiale. *Mondialement connu.*

mondialisation n. f. Action de mondialiser ou de se mondialiser.

mondialiser v. tr. [1] Rendre mondial. ▷ v. pron. Devenir mondial.

mondialisme n. m. **1.** Universalisme visant à l'unité politique de la communauté humaine. **2.** Approche des problèmes politiques, économiques et sociaux dans une perspective mondiale et non nationale.

mondialiste adj. et n. **1.** Qui est à l'échelle mondiale. **2.** Qui a rapport au mondialisme. ▷ Subst. Partisan du mondialisme.

mondialité n. f. Caractère mondial. *Adaptation à la mondialité.*

Mondor (Henri) (Saint-Cernin, Cantal, 1885 – Neuilly-sur-Seine, 1962), chirurgien et écrivain français; études sur Mallarmé et Valéry. Acad. fr.

Mondovi, v. d'Italie (Piémont, prov. de Cuneo); 22 100 hab. Aciéries. Gisement d'uranium. – Victoire de Bonaparte sur les Piémontais (1796).

mondovision n. f. Système de transmission dans le monde entier d'émissions de télévision par satellite (système inauguré en 1962 par Telstar).

Mondragon, com. du Vaucluse (arr. d'Avignon); 3 131 hab. Point d'aboutissement du canal de dérivation du Rhône (28 km) qui part de Donzère.

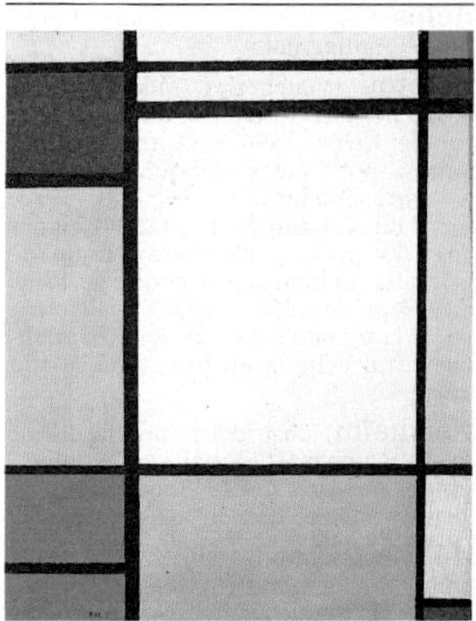

Mondrian : *Composition 1,* 1931; coll. Thyssen-Bornemisza, Lugano

Mondrian (Pieter Cornelis Mondriaan, dit Piet) (Amersfoort, 1872 – New York, 1944), peintre hollandais; un des fondateurs de l'art abstrait, théoricien du néo-plasticisme et promoteur de l'abstraction géométrique.

monégasque adj. et n. De la principauté, de la ville de Monaco.

monème n. m. LING Unité minimale de première articulation obtenue par commutation. *On distingue les monèmes lexicaux, ou* lexèmes (*elle* court, *il* court), *des monèmes grammaticaux, ou* morphèmes (*nous courons, vous courez*).

Monep n. m. Acronyme pour *marché des options négociables,* outil de gestion des actifs financiers ouvert en septembre 1988 dans le cadre des structures de la Bourse de Paris.

Monet (Claude) (Paris, 1840 – Giverny, Eure, 1926), peintre français; chef de file de l'impressionnisme. En compagnie de ses amis Renoir, Sisley, Bazille, il découvre le paysage (v. 1863), met au point une nouvelle technique pour capter le jeu de la lumière et les apparences fugitives de l'instant, posant les couleurs par touches distinctes. Son tableau *Impression, soleil levant,* peint en 1872 et exposé en 1874, donne son nom au mouvement. Séries de la *Gare Saint-Lazare* (1876-1878), des *Peupliers* et des *Meules* (1890-1891), de la *Cathédrale de Rouen* (1892-1894), des *Nymphéas* (à partir de 1900).

Claude **Monet :** *les Coquelicots,* 1873; musée d'Orsay, Paris

monétaire adj. Relatif à la monnaie, aux monnaies. *Système monétaire. Politique monétaire.*

monétarisme n. m. ECON Doctrine qui met au premier plan la monnaie et les phénomènes qui lui sont liés (ex. inflation).

monétariste adj. et n. **1.** ECON Relatif au monétarisme. - Subst. Personne qui défend le monétarisme. **2.** FIN Relatif aux questions monétaires. - Subst. Spécialiste des questions monétaires.

monétique n. f. et adj. Didac. Ensemble des moyens informatiques et électroniques utilisés comme mode de paiement. - adj. *Des transactions monétiques.*

monétisation n. f. ECON Action de monétiser.

monétiser v. tr. [1] ECON Transformer (un métal) en monnaie.

Monfreid (Henri de) (Leucate, Aude, 1879 - Ingrandes, Indre, 1974), écrivain français, auteur de nombr. romans et de souvenirs de voyages inspirés de sa vie aventureuse.

Monge (Gaspard), comte de Péluse (Beaune, 1746 - Paris, 1818), mathématicien français; inventeur de la géométrie descriptive, auteur de travaux sur le calcul intégral des équations aux dérivées partielles. Grand pédagogue, Monge fut un des fondateurs de l'École polytechnique. Ses cendres sont au Panthéon. ▸ illustr. page **1234**

mongol, ole adj. et n. **1.** adj. De Mongolie. ▹ Subst. *Un(e) Mongol(e).* **2.** n. m. Nom générique des langues ouralo-altaïques parlées en Mongolie.

Mongolie, vaste région d'Asie centrale. Le N. forme la rép. auton. des Bouriates*; le centre correspond à la rép. pop. de Mongolie; le S., rattaché à la Chine, forme la rég. auton. de Mongolie-Intérieure. ▸ carte **Chine**

Mongolie (État de), État continental de l'Asie du Centre-Est, situé entre la Russie et la Chine; 1 565 000 km²; 2 300 000 hab., croissance démographique : 3 % par an; cap. *Oulan-Bator.* Nature de l'État : rép. socialiste. Langue off. : mongol (parler khalkha). Monnaie : tugrik. Relig. : lamaïsme.
Géogr. phys. et hum. - Haute pénéplaine rajeunie par les plissements tertiaires (le point le plus bas du pays est à 552 m), la Mongolie correspond pour l'essentiel à une vaste cuvette au centre de laquelle se dresse le massif du Khangaï, bordée à l'O. et au N. par les chaînes d'Asie centrale et de Sibérie méridionale (Altaï, Saïan, monts Iablonovyï), culminant à 4 653 m. Le pays, au climat continental, aux hivers très froids et aux étés torrides, marqués de rares pluies, est continuellement venté. La steppe est la végétation dominante, mais on trouve des forêts sur les montagnes plus humides, alors que le S. du pays, le Gobi, est un véritable désert. Les Mongols khalkhas, dont l'idiome est la langue officielle, sont majoritaires (79 % de la pop.); le reste est composé d'ethnies proches : Kazakhs, Dörbeds, Bayads, Bouriates, Darigangas. La population est, par tradition, nomade mais la sédentarisation, encouragée par la politique officielle, progresse rapidement et plus de 59 % des Mongols vivent en ville.
Écon. - Pendant près de 60 ans, la Mongolie a vécu à l'ombre de l'U.R.S.S., calquant son organisation écon. sur le modèle soviétique. Activité principale, l'élevage a été rationalisé et les cultures fourragères ont permis de généraliser la semi-nomadisation ou la sédentarisation. Une industrie lourde, fondée sur les ressources nationales (charbon, cuivre, molybdène) et les matières premières importées d'U.R.S.S., s'est développée à Oulan-Bator, Darkhan et Erdenet. La politique d'ouverture mise en œuvre depuis 1989, la disparition du Comecon en 1991 (elle était l'un de ses 10 membres) ouvrent à la Mongolie des nouvelles perspectives, mais elle devra toujours composer avec ses deux voisins, la Chine et la Russie, entre lesquels elle est enclavée.
Hist. - Ayant proclamé son autonomie en 1911, la Mongolie (dite alors Mongolie-Extérieure, par oppos. à la Mongolie-Intérieure, demeurée chinoise) a pour chef d'État le Bogdo Gegen (le Bouddha vivant) jusqu'en 1924. Pendant la guerre civile russe, elle est à nouveau occupée par les tsaristes et les Chinois; en 1921, l'armée soviétique donne le pouvoir à un gouv. communiste. République populaire en 1924, alliée de l'U.R.S.S., la Mongolie est définitivement indépendante de la Chine depuis 1946, après référendum. Elle s'est engagée dans la construction du socialisme en éliminant totalement l'influence des lamas. Après la rupture sino-soviétique de 1960, elle s'est retrouvée dans la mouvance soviétique. La position stratégique de la Mongolie a eu diverses conséquences : attachement quasi inconditionnel à l'U.R.S.S., obligation d'entretenir un matériel militaire important et d'accepter le stationnement sur son territoire de divisions soviétiques. L'amorce d'un rapprochement sino-soviétique, sous Andropov, a provoqué, en 1984, la chute de Ioumjaghine Tsedenbal et son remplacement par Jambyn Batmönh. Ce dernier a dû s'effacer, en 1990, devant les communistes réformateurs. Le rôle dirigeant du parti populaire révolutionnaire mongol a été aboli, mais, aux élections de 1990, puis de 1992, l'opposition, légalisée, n'a obtenu qu'une infime minorité des sièges à l'Assemblée nationale. Une nouvelle Constitution a été adoptée en 1992. À Punsalmaagiyn Ochirbat, président de la République (1990-1997), a succédé, en juin 1997, l'ancien communiste Natsagiyn Bagabandi.

Mongolie-Intérieure (en chin. *Neimenggu*), rég. autonome du N. de la Chine; 1 200 000 km²; 20 070 000 hab.; cap. *Hohhot.* La rég. s'étend sur le plateau mongol (alt. moyenne 1 000 m), bordé au N. par le désert de Gobi et au S. par le plateau de l'Ordos. Le climat est rigoureux; la végétation, steppique. Princ. ressources : élevage (chevaux, moutons) pratiqué par les nomades; houille, fer. Hohhot est un centre sidérurgique important. Les colons chinois sont devenus auj. plus nombreux que la pop. proprement mongole.
▸ carte **Chine**

mongolien, enne n. (et adj.) Sujet atteint de mongolisme. Syn. trisomique.

mongolique adj. Qui se rapporte à la Mongolie, à ses habitants.

mongolisme n. m. MED Maladie congénitale due à la présence d'un chromosome supplémentaire sur la paire n° 21 et caractérisée par un aspect physique particulier, des malformations viscérales, notam. cardiaques, et une débilité mentale. Syn. trisomie 21.

mongoloïde adj. MED Qui rappelle le type caractéristique du mongolisme.

Mongols, nom générique donné à des ethnies originaires de l'Asie centrale. Peuples de la steppe, les nomades turcs et mongols, racialement très proches, parlent des langues de la famille altaïque. - Les *Xiongnu* (ou *Hiong-nou,* «les Puants»), sont un peuple proto-turc qui, dès le IXᵉ s. av. J.-C., harcèle les Chinois et les contraint à bâtir la Grande Muraille à partir du IIIᵉ s. av. J.-C. Les empereurs Han parviennent à les diviser. - Les vagues d'envahisseurs ne vont pas cesser; parmi eux, les *Turcs Tuoba (Tabghatch),* qui conquièrent la Chine du Nord, où ils fondent la dynastie des Wei. Immédiatement, ils doivent faire face aux *Ruanruan* (Avares), défaits (552) par les *Turcs Tujue* qui dominent l'Asie centrale, puis s'effondrent. Ils réapparaîtront, sous les noms de Turkmènes (Turkestan russe) et surtout de Turcs, en Turquie, où ils fondent l'empire des Seldjoukides. En Asie centrale, ils laissent la place aux *Ouïgours* qui s'effacent devant les *Turcs Kirghiz,* lesquels sont chassés à leur tour par les *Mongols Kitans* ou *Kitais* qu'expulsent les Tartares et les Djurchets, brisant le premier État mongol. - Après une longue hégémonie turque, la Mongolie devient définitivement le pays des Mongols. Gengis, proclamé khān universel en 1206, se lance à la conquête du monde. À sa mort (1227), l'Asie continentale n'est plus que ruines, jusqu'à l'Ukraine; mais les Mongols ont adopté l'écriture; le bouddhisme se répand parmi eux. L'empire est divisé en quatre entre son petit-fils Bātū et ses fils Djaghataï, Ogoday (khān universel) et Toluy, qui, en 1235, décident une nouvelle offensive générale : la Corée est conquise, la Chine est attaquée (elle résistera quarante-trois ans), les Turcs seldjoukides d'Asie Mineure reconnaissent la suzeraineté mongole. Le principal assaut est donné vers l'O.; Bātū s'empare des riches principautés de la Russie du Nord (Riazan), ravage Kiev (1240) et l'Ukraine, submerge la Hongrie, et les avant-gardes mongoles s'approchent de Vienne. En 1259, Hūlāgū, le fils de Toluy, conquiert le califat de Bagdad et la Syrie mais, vaincu par les mamelouks d'Égypte, il évacue la Syrie, conservant l'Irak et la Perse. En 1279, la Chine entière est annexée par le grand khān Koubilaï, descendant d'Ogoday; la Birmanie l'avait été en 1277. Depuis la mort de Mangū, le fils aîné de Toluy (1259), l'empire avait perdu son unité, et partout surgissaient de nouveaux États mongols. Fortement marqués par la culture de leurs sujets, les successeurs de Koubilaï se convertirent au bouddhisme; ailleurs, les Mongols adoptèrent l'islam des peuples turcs. Au XIIIᵉ s., l'Occident chrétien entre en contact avec les mondes turc et mongol par les voyageurs (Marco Polo) et les missionnaires franciscains (Jean du Plan Carpin). - À la fin du XIVᵉ s., Tamerlan se réclame de la descendance de Gengis, mais l'empire qu'il fonde est turc en réalité (1370-1405). Bāber fondera en Inde l'Empire moghol. - Au XVIIᵉ s., la soumission des Mongols orientaux aux Qing permet aux Mongols occid., les Kalmouks, de reformer l'Empire oïrat (Mongolie, Turkestan, Tibet), qui menace la Chine. L'histoire des Mongols se confond avec celle des deux grands empires qui, du XVIIIᵉ au XXᵉ s., se partagent la haute Asie : la Russie et la Chine.

moniale n. f. Religieuse cloîtrée.

monilia n. m. BIOL Champignon deutéromycète, moisissure qui se développe sur les fruits et provoque leur pourriture par cercles concentriques.

moniliose n. f. Maladie des arbres fruitiers, due au monilia.

Monime (m. en 72 av. J.-C.), reine du Pont, l'une des épouses de Mithridate.

monisme n. m. PHILO Doctrine considérant le monde comme formé d'un seul principe, tel que la matière *(monisme* *matérialiste)* ou l'esprit *(monisme spiritualiste* ou *idéaliste).*

moniste adj. PHILO Qui a les caractères du monisme. *Doctrines monistes.* ▷ Subst. Partisan du monisme.

moniteur, trice n. **1.** Personne chargée d'enseigner certains sports, certaines techniques. *Moniteur de voile, de ski. Moniteur d'auto-école.* ▷ Personne qui dirige les activités d'un groupe d'enfants. *Les moniteurs d'une colonie de vacances.* **2.** n. m. INFORM Programme particulier assurant la gestion de l'ensemble des travaux à réaliser par un ordinateur. – Syn de *écran.* ▷ MED Appareil électronique qui réalise automatiquement certaines opérations de surveillance, des analyses biologiques et la correction de certains déséquilibres biologiques.

Moniteur universel (le) ou **Gazette nationale,** journal fondé en 1789 par Charles Joseph Panckoucke afin de publier les débats de la Constituante. En 1848, cet organe de presse devint le *Journal* officiel de la République française.*

monitoire n. m. DR CANON Lettre d'un official sommant tous ceux qui posséderaient des indications concernant un fait criminel de les révéler.

monitorage n. m. TECH, MED Système de surveillance électronique.

monitorat n. m. Formation, fonction de moniteur.

monitorer v. tr. [1] TECH, MED Surveiller par monitorage.

monitoring [mɔnitɔʀiŋ] n. m. (Anglicisme) Syn. (off. déconseillé) de *monitorage.*

Moniz (António Caetano de Abreu Freire Egas) (Avanca, Estarreja, 1874 – Lisbonne, 1955), physiologiste portugais; promoteur de l'artériographie cérébrale (1927). P. Nobel de médecine 1949.

Monk ou **Monck** (George), 1er duc d'Albemarle (Potheridge, 1608 – Whitehall, 1670), général anglais. Il servit Charles Ier, puis se rallia à Cromwell et combattit les royalistes. Il négocia le retour de Charles II sur le trône (1660).

Monk (Thelonious Sphere) (Rocky Mount, Caroline du N., 1917 – Englewood, New Jersey, 1982), musicien de jazz américain. Pianiste et chef d'orchestre, il fut un des précurseurs du style be-bop (1942). Son phrasé abrupt annonce le jazz moderne.

môn-khmer, ère [monkmɛʀ] adj. LING *Langues môn-khmères,* parlées de la Birmanie au sud du Viêt-nam (bahnar, khasi, môn, khmer, palaung).

Monluc ou **Montluc** (Blaise de Lasseran Massencome, seigneur de) (Saint-Puy, Gascogne, 1502 – Estillac, Agenais, 1577), maréchal de France et chroniqueur. Il se distingua en Italie, notam. à Pavie (1525), à Cérisoles (1544) et dans la défense de Sienne (1554-1555). Il mena une cruelle répression contre les protestants de Guyenne dont il fut nommé lieutenant général (1564). Ses *Commentaires* (posth., 1592) relatent ses campagnes.

Monmouth (James Scott, duc de) (Rotterdam, 1649 – Londres, 1685), fils naturel de Charles II Stuart. Chef de l'opposition protestante, il se révolta (1685) contre Jacques II et fut décapité.

monnaie n. f. **1.** Ensemble des valeurs, matérialisées par des pièces de métal ou des billets de papier ayant cours légal, qui servent de moyen d'échange. *Monnaie d'or, de cuivre, de bronze, d'aluminium. Monnaie métallique. Monnaie de papier* ou *monnaie*

MONNAIES

PAYS	MONNAIE	SUBDIVISION
Afghanistan	*afghani*	*100 puli*
Afrique du S.	*rand*	*100 cents*
Albanie	*lek*	*100 qintars*
Algérie	*dinar alg.*	*100 centimes*
Allemagne	*Mark*	*100 pfennige*
Andorre	*franc*	*100 centimes*
Angola	*kwanza*	*100 lwei*
Antilles néerl.	*florin*	*100 cents*
Arabie Saoudite	*riyal*	*100 halalas*
Argentine	*peso arg.*	*100 centavos*
Arménie	*dram*	*100 lumas*
Australie	*dollar austr.*	*100 cents*
Autriche	*schilling*	*100 groschen*
Azeirbaïdjan	*manat*	*100 giapik*
Bahamas	*dollar*	*100 cents*
Bahreïn	*dinar*	*1 000 fils*
Bangladesh	*taka*	*100 paise*
Barbade	*dollar*	*100 cents*
Belgique	*franc belge*	*100 centimes*
Belize	*dollar*	*100 cents*
Bénin	*franc C.F.A.*	
Bermudes	*dollar*	*100 cents*
Biélorussie	*rouble*	
Bhoutan	*ngultrum*	*100 chetrums*
Birmanie	*kyat*	*100 pyas*
Bolivie	*boliviano*	*100 centavos*
Botswana	*pula*	*100 thebe*
Brésil	*real*	*100 centavos*
Brunéi	*dollar*	*100 cents*
Bulgarie	*lev*	*100 stotinki*
Burkina Faso	*franc C.F.A.*	
Burundi	*franc du Burundi*	
Cambodge	*riel*	*100 sen*
Cameroun	*franc C.F.A.*	
Canada	*dollar can.*	*100 cents*
Cap-Vert	*escudo*	*100 centavos*
centrafricaine (Rép.)	*franc C.F.A.*	
Chili	*peso*	*100 centavos*
Chine	*yuan*	*10 jiao*
Chypre	*livre cypriote*	*100 cents*
Colombie	*peso colomb.*	*100 centavos*
Comores	*franc des Comores*	
Congo	*franc C.F.A.*	
Congo (R.D.C.)	*franc congolais*	
Corée du Nord	*won*	*100 chon*
Corée du Sud	*won*	*100 chon*
Costa Rica	*colón*	*100 centimos*
Côte-d'Ivoire	*franc C.F.A.*	
Croatie	*kuna*	*100 lipas*
Cuba	*peso*	*100 centavos*
Danemark	*couronne*	*100 øre*
Djibouti	*franc de Djibouti*	
dominicaine (Rép.)	*peso*	*100 centavos*
Égypte	*livre égypt.*	*100 piastres*
Émirats ar. unis	*dirham*	*100 fils*
Érythrée	*nakfa*	*100 cents*
Espagne	*peseta*	*100 céntimos*
Estonie	*couronne*	*100 senti*
États-Unis	*dollar*	*100 cents*

PAYS	MONNAIE	SUBDIVISION
Éthiopie	*birr*	*100 cents*
Fidji (îles)	*dollar fidjien*	*100 cents*
Finlande	*markka*	*100 pennia*
France	*franc*	*100 centimes*
Gabon	*franc C.F.A.*	
Gambie	*dalasi*	*100 bututs*
Géorgie	*lari*	
Ghana	*cedi*	*100 pesewas*
Grèce	*drachme*	*100 lepta*
Guatemala	*quetzal*	*100 centavos*
Guinée équat.	*franc C.F.A.*	
Guinée	*franc guinéen*	*100 centimes*
Guinée-Bissau	*franc C.F.A.*	
Guyana	*dollar*	*100 cents*
Haïti	*gourde*	*100 centimes*
Honduras	*lempira*	*100 centavos*
Hongrie	*forint*	*100 filler*
Inde	*roupie*	*100 paise*
Indonésie	*rupiah*	*100 sen*
Irak	*dinar irakien*	*100 fils*
Iran	*riyal*	*100 dinars*
Irlande	*livre*	*100 pence*
Islande	*couronne*	*100 aurar*
Israël	*shequel*	*100 agorots*
Italie	*lire*	*100 centesimi*
Jamaïque	*dollar*	*100 cents*
Japon	*yen*	*100 sen*
Jordanie	*dinar jordan.*	*1 000 fils*
Kazakhstan	*tengué*	*100 tyine*
Kenya	*shilling ken.*	*100 cents*
Koweït	*dinar koweit.*	*1 000 fils*
Laos	*kip*	*100 at*
Lesotho	*loti*	*100 lisente*
Lettonie	*lats*	*100 santimi*
Liban	*livre liban.*	*100 piastres*
Liberia	*dollar liber.*	*100 cents*
Libye	*dinar libyen*	*1 000 dirhams*
Liechtenstein	*franc suisse*	*100 centimes*
Lituanie	*litas*	*100 centas*
Luxembourg	*franc lux.*	*100 centimes*
Madagascar	*franc malg.*	*100 centimes*
Malaisie	*ringgit*	*100 son*
Malawi	*kwacha*	*100 tambalas*
Maldives (îles)	*roupie*	*100 larees*
Mali	*franc C.F.A.*	
Malte	*livre maltaise*	*100 cents*
Maroc	*dirham*	*100 centimes*
Maurice (île)	*roupie*	*100 cents*
Mauritanie	*ouguiya*	*5 khoums*
Mexique	*peso*	*100 centavos*
Moldavie	*leu*	*100 bani*
Monaco	*franc*	*100 centimes*
Mongolie	*tugrik*	*100 mongo*
Mozambique	*metical*	*100 centavos*
Namibie	*dollar namib.*	*100 cents*
Népal	*roupie népal.*	*100 pice*
Nicaragua	*córdoba*	*100 centavos*
Niger	*franc C.F.A.*	
Nigeria	*naira*	*100 kobos*

PAYS	MONNAIE	SUBDIVISION
Norvège	*couronne*	*100 øre*
Nouv.-Calédonie	*franc C.F.P.*	
Nouv.-Zélande	*dollar néozel.*	*100 cents*
Oman	*rial omanais*	*1 000 baizas*
Ouganda	*shilling ougan.*	*100 cents*
Ouzbékistan	*som*	
Pakistan	*roupie pakist.*	*100 paisa*
Panamá	*balboa*	*100 centesimos*
Papouasie-Nouv.-Guinée	*kina*	*100 tosa*
Paraguay	*guaraní*	*100 centesimos*
Pays-Bas	*florin néerlan.*	*100 cents*
Pérou	*sol*	*100 centimos*
Philippines	*peso philippin*	*100 centavos*
Pologne	*zloty*	*100 groszy*
Polynésie franç.	*franc C.F.P.*	
Porto Rico	*dollar*	*100 cents*
Portugal	*escudo*	*100 centavos*
Qatar	*riyal*	*100 dirhams*
Roumanie	*leu*	*100 bani*
Royaume-Uni	*livre sterling*	*100 pence*
Russie	*rouble*	*100 kopecks*
Rwanda	*franc rwandais*	
Salomon (îles)	*dollar*	*100 cents*
Salvador	*colón*	*100 centavos*
Sénégal	*franc C.F.A.*	
Seychelles	*roupie*	*100 cents*
Sierra Leone	*leone*	*100 cents*
Singapour	*dollar singap.*	*100 cents*
Slovaquie	*couronne*	*100 haleru*
Slovénie	*tolar*	*100 centimes*
Somalie	*shilling som.*	*100 centesimi*
Soudan	*dinar soudan.*	*100 piastres*
Sri Lanka	*roupie*	*100 cents*
Suède	*couronne*	*100 øre*
Suisse	*franc suisse*	*100 centimes*
Surinam	*florin*	*100 cents*
Swaziland	*lilangeni*	*100 cents*
Syrie	*livre*	*100 piastres*
Taiwan	*dollar taiwan.*	*100 cents*
Tanzanie	*shilling tanz.*	*100 cents*
Tchad	*franc C.F.A.*	
tchèque (Rép.)	*couronne*	*100 haleru*
Thaïlande	*baht*	*100 satang*
Togo	*franc C.F.A.*	
Trinité-et-Tobago	*dollar*	*100 cents*
Tunisie	*dinar tunisien*	*1 000 millimes*
Turquie	*livre turque*	*100 kurus*
Ukraine	*hryvnia*	
Uruguay	*peso*	*100 centemos*
Vanuatu	*vatu*	
Venezuela	*bolívar*	*100 centimos*
Viêt-nam	*dông*	*10 hao*
Wallis-et-Futuna	*franc C.F.P.*	
Yémen	*riyal*	*100 fils*
Yougoslavie (féd.)	*dinar*	*100 paras*
Zambie	*kwacha*	*100 ngwee*
Zimbabwe	*dollar zimbab.*	*100 cents*

fiduciaire. Monnaie de compte, qui n'est pas représentée matériellement par des pièces ou des billets. – *Fausse monnaie,* fabriquée frauduleusement en dehors des émissions légales. – *Battre monnaie :* faire fabriquer de la monnaie. ▷ Loc. fig. *C'est monnaie courante**. – *Servir de monnaie d'échange :* tenir lieu de moyen d'échange dans une tractation. **2.** Pièces ou billets de faible valeur. *Je n'ai pas de monnaie sur moi, je n'ai qu'un gros billet.* **3.** Ensemble de pièces ou de billets dont la valeur totale équivaut à celle d'une pièce ou d'un billet unique. *Auriez-vous la monnaie de cent francs ?* **4.** Ensemble de pièces ou de billets représentant la différence de valeur entre un prix à payer et le signe monétaire donné en paiement. *Rendre la monnaie.* – Loc. fig. *Rendre à qqn la monnaie de sa pièce,* se venger de lui.

Monnaie (hôtel de la), hôtel construit à Paris, quai de Conti, par J. D. Antoine de 1768 à 1777. Centre de la fabrication monétaire française rattaché au ministère des Finances, il abrite un import. musée de la Monnaie. On y frappe également des médailles.

monnaie-du-pape n. f. Plante appelée aussi *lunaire,* dont les fruits évoquent des pièces de monnaie. *Des monnaies-du-pape.*

monnayable adj. Qui peut être monnayé, vendu. *Métaux monnayables.*

monnayer v. tr. [**21**] **1.** Transformer (un métal) en monnaie. *Monnayer de l'or.* **2.** Donner l'empreinte à (la monnaie). *Cette presse monnaie mille pièces par heure.* **3.** Vendre, transformer en argent liquide. *Monnayer des actions.* **4.** Fig. Tirer argent de (qqch). *Monnayer ses louanges.*

monnayeur n. m. **1.** Rare Ouvrier qui fabrique des monnaies. **2.** Dispositif qui fait automatiquement la monnaie.

Monnerville (Gaston) (Cayenne, 1897 – Paris, 1991), homme politique français; radical-socialiste, président du Conseil de la République (1947-1958), puis président du Sénat (1958-1968); opposant au régime gaulliste.

Monnet (Jean) (Cognac, 1888 – Bazoches-sur-Guyonne, Yvelines, 1979), économiste et homme politique français. Ministre du Commerce du gouvernement provisoire (1944-1946), il conçut, en 1945, un plan de modernisation de l'écon. française (plan Monnet) et fut le premier commissaire général au Plan. Il joua un rôle primordial dans la création de la C.E.C.A., qu'il présida de 1952 à 1955, et fut un des plus ardents partisans de l'unité européenne. Auteur de *Mémoires* (1976). Ses cendres ont été transférées au Panthéon en 1988.

Monnier (Henri) (Paris, 1799 – id., 1877), écrivain, caricaturiste et comédien français; créateur de *Joseph Prudhomme,* type de bourgeois médiocre et vaniteux.

Monnoyer (Jean-Baptiste, dit Baptiste) (Lille, 1634 – Londres, 1699), peintre français. Il travailla pour Versailles, le Trianon, Marly.

Jean **Monnet**

Jacques **Monod**

mono-. V. mon(o)-.

mono adj. inv. Abrév. fam. de *monophonique* (par oppos. à *stéréo*).

monoacide adj. CHIM Qui possède une seule fonction acide.

monoamine-oxydase n. f. Enzyme dégradant les catécholamines, qui joue un rôle très important dans la transmission nerveuse. *Des monoamines-oxydases.* (Abrév. : M.A.O.) *Inhibiteurs de la monoamine-oxydase* ou *I.M.A.O.*

monoatomique adj. CHIM Dont la molécule ne comprend qu'un atome.

monoblaste n. m. BIOL Cellule souche des monocytes.

monobloc adj. inv. et n. m. TECH Constitué d'un seul bloc.

monocamérisme ou **monocaméralisme** n. m. DR En droit constitutionnel, système politique dans lequel il n'existe qu'une seule assemblée de représentants élus.

monocépage adj. et n. m. Se dit d'un vin issu d'un seul cépage.

monochromatique adj. PHYS *Radiation monochromatique,* qui correspond à une longueur d'onde unique et bien déterminée.

monochrome [monokʀom] adj. D'une seule couleur. Syn. unicolore. Ant. polychrome, multichrome.

monochromie n. f. TECH Caractère de ce qui est monochrome.

monocle n. m. Verre correcteur unique que l'on fait tenir entre la pommette et l'arcade sourcilière.

monoclinal, ale, aux adj. GEOL Dont toutes les couches ont la même inclinaison. *Structure monoclinale.*

monoclonal, ale, aux adj. BIOL Qui dérive par clonage* d'une cellule unique.

monocoque adj. et n. m. **1.** AUTO *Carrosserie monocoque,* dont les éléments forment un bloc permettant la suppression du châssis. **2.** MAR *Bateau monocoque* ou, n. m., *un monocoque,* qui n'a qu'une coque (par oppos. à *multicoque*).

monocorde n. m. et adj. **1.** n. m. MUS Instrument d'étude acoustique comportant une seule corde montée sur une caisse de résonance. ▷ adj. *Violon monocorde.* **2.** adj. Cour. Qui a un son uniforme, monotone. *Voix monocorde.*

monocorps adj. et n. m. AUTO Se dit d'un véhicule dont la carrosserie est d'un seul tenant.

monocotylédone adj. et n. f. BOT **1.** adj. Se dit d'une plante dont l'embryon ne possède qu'un cotylédon. **2.** n. f. pl. Groupe de plantes angiospermes caractérisées par un embryon à un seul cotylédon, des feuilles démunies de pétioles à nervures parallèles, à gaine développée. *Les céréales, les lis, les palmiers sont des monocotylédones.* – Sing. *Une monocotylédone.*

monoculaire adj. **1.** MED Qui se rapporte à un seul œil. **2.** OPT À un seul oculaire. *Lunette monoculaire.*

monoculture n. f. Culture d'une seule plante sur un même sol. Ant. polyculture.

monocycle adj. et n. m. Didac. Qui n'a qu'une seule roue. ▷ n. m. Vélocipède d'acrobate, à une seule roue.

monocyclique adj. BIOL Qui n'a qu'un cycle sexuel annuel.

monocylindre n. m. Moteur de moto à un seul cylindre.

monocylindrique adj. TECH Se dit d'un moteur à explosion à un seul cylindre.

monocyte n. m. BIOL Leucocyte* mononucléaire, le plus grand des globules blancs.

Monod (Jacques) (Paris, 1910 – Cannes, 1976), médecin et biologiste français. Ses travaux sur la régulation génétique et la découverte du rôle effectif de l'A.R.N. messager lui ont valu le P. Nobel de médecine 1965 (avec F. Jacob et A. Lwoff). Il fut directeur de l'Institut Pasteur de 1971 à sa mort. Dans *le Hasard et la Nécessité* (1970), il a analysé les répercussions philosophiques des découvertes de la biologie moderne.

monodie n. f. **1.** ANTIQ Monologue lyrique des tragédies grecques. **2.** MUS Écriture mélodique ne comprenant qu'une seule voix (par oppos. à *choral*).

monogame adj. et n. **1.** Qui a une seule femme, un seul mari (par oppos. à *bigame, polygame*). **2.** ZOOL Dans les espèces animales, mâle vivant avec une seule femelle à la fois. **3.** BOT Plante dont chaque pied ne porte que des fleurs d'un seul sexe.

monogamie n. f. Fait d'être monogame. ▷ Régime juridique dans lequel une personne ne peut avoir légalement qu'un seul conjoint.

monogamique adj. Qui a rapport à la monogamie; où la monogamie est en usage. *Société monogamique.*

monogénique adj. BIOL, MED Transmis par un seul gène. *Maladie monogénique.*

monogramme n. m. Chiffre formé des principales lettres, entrelacées, d'un nom.

monographie n. f. Ouvrage traitant d'un sujet précis.

monographique adj. Qui est de la nature de la monographie.

monoï [mɔnɔj] n. m. Huile parfumée tirée de la fleur du frangipanier.

monoïdéisme n. m. PHILO État de l'esprit occupé par une seule idée.

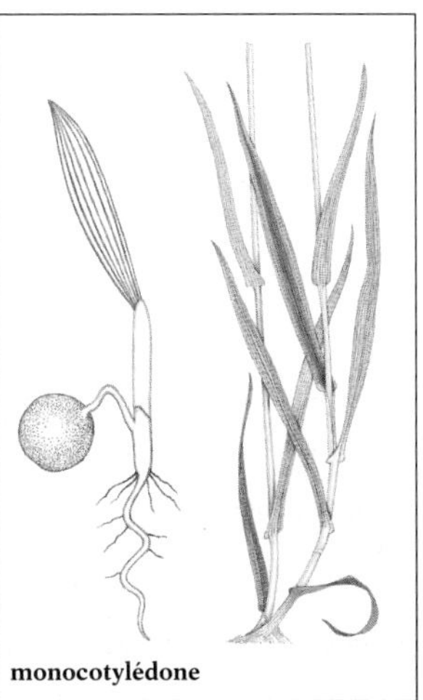

monocotylédone

monoïque adj. BOT Se dit d'une plante qui porte sur le même pied des fleurs mâles et des fleurs femelles.

monokini n. m. Vieilli Maillot de bain féminin ne comportant pas de soutien-gorge.

monolingue adj. et n. Didac. Qui ne parle qu'une seule langue. – Qui ne compte qu'une langue. *Un dictionnaire monolingue.* Syn. unilingue.

monolinguisme [mɔnɔlɛ̃gɥism] n. m. Didac. Utilisation d'une seule langue.

monolithe adj. et n. m. **1.** adj. Qui est formé d'une seule pierre. *Colonne monolithe.* **2.** n. m. Monument fait d'une seule pierre. *Les menhirs sont des monolithes.*

monolithique adj. Fait d'un seul bloc de pierre. ▷ Fig. *Parti, système politique monolithique.*

monolithisme n. m. ARCHI Système de constructions monolithes ou faites avec de grandes pierres. ▷ Fig. Caractère de ce qui est monolithique.

monologue n. m. **1.** Scène d'une pièce de théâtre où un personnage est seul et se parle à lui-même. *Le monologue d'Hamlet.* – Petite composition scénique récitée par une seule personne. **2.** Discours d'une personne qui ne laisse pas parler les autres. **3.** *Monologue intérieur :* discours qu'une personne se tient à elle-même. ▷ LITTER Procédé consistant à reproduire à la première personne le mouvement de la pensée des personnages.

monologuer v. intr. [1] Parler en monologue, parler seul.

monomane ou **monomaniaque** adj. et n. PSYCHOPATHOL Relatif à la monomanie; atteint de monomanie. ▷ Subst. *Un(e) monomane* ou *monomaniaque.*

monomanie n. f. PSYCHOPATHOL Altération partielle de la raison, caractérisée par la divagation sur un seul sujet représentant une obsession.

monôme n. m. **1.** MATH Expression algébrique ne renfermant aucun signe d'addition ou de soustraction. *5 a^2b est un monôme égal à 5 × a × a × b.* **2.** Fig. File de personnes se tenant par les épaules et défilant sur la voie publique (manifestation estudiantine traditionnelle).

monomère adj. et n. m. CHIM Constitué de molécules simples susceptibles de former un ou des polymères. ▷ n. m. *L'acétylène C_2H_2 est un monomère du benzène C_6H_6.*

monométallisme n. m. FIN Système dans lequel un métal seulement constitue l'étalon de monnaie légale (par oppos. à *bimétallisme*).

Monomotapa, royaume bantou de l'Afrique orientale (bassin du Zambèze) qui, vers le Xe s., devint un empire vaste et puissant (grâce à ses mines). À partir du XVIIe s., il passa progressivement sous la domination portugaise.

monomoteur adj. m. (et n. m.) Qui n'a qu'un seul moteur (avion).

mononucléaire adj. (et n. m.) BIOL Se dit des globules blancs ne possédant qu'un seul noyau (lymphocytes et monocytes).

mononucléose n. f. MED Augmentation du nombre des mononucléaires dans le sang. ▷ *Mononucléose infectieuse :* maladie virale se manifestant par une angine et un état asthénique.

monoparental, ale, aux adj. Se dit d'une famille ne comportant qu'un seul parent.

monopartisme n. m. Didac. Régime à parti unique.

monophasé, ée adj. ELECTR Qui ne présente qu'une seule phase. *Courant monophasé.* ▷ *Réseau monophasé,* à deux conducteurs.

monophonie n. f. Procédé de reproduction des sons dans lequel la transmission du signal acoustique se fait par un seul canal (par oppos. à *stéréophonie*).

monophonique adj. Relatif à la monophonie. (Abrév. fam. : mono).

monophysisme n. m. THEOL Doctrine qui ne reconnaît en Jésus-Christ que la nature divine et condamnée au concile de Chalcédoine (451). *Le monophysisme est représenté auj. par trois Églises indépendantes : Église jacobite de Syrie, Église arménienne et Église copte.*

monophysite adj. THEOL Relatif au monophysisme. ▷ Subst. Partisan du monophysisme.

monoplace adj. et n. Qui ne comporte qu'une seule place.

monoplan n. m. Avion qui n'a qu'un plan de sustentation.

monoplégie n. f. MED Paralysie localisée à un seul membre ou à un seul groupe musculaire.

monopole n. m. **1.** Privilège exclusif de fabriquer, de vendre, de faire qqch, que possède un individu, un groupe d'individus ou l'État. ▷ Par ext. *Monopole de fait :* accaparement du marché par une seule entreprise productrice ou distributrice. **2.** Fig. Droit, privilège exclusif que l'on s'attribue. *Il croit avoir le monopole de l'esprit.*

monopoleur, euse n. ECON Syn. de *monopoliste.*

monopolisateur, trice n. et adj. Personne qui monopolise (qqch). ▷ adj. *Des trusts monopolisateurs.*

monopolisation n. f. Action de monopoliser.

monopoliser v. tr. [1] **1.** Exercer le monopole de. **2.** Fig. Accaparer, réserver pour son propre usage. *Monopoliser le temps de parole.*

monopoliste adj. et n. Se dit de qui détient, impose un monopole.

monopolistique adj. ECON Caractérisé par l'existence de monopoles. *Économie monopolistique.*

monopoly n. m. (Nom déposé) Jeu où le joueur doit acquérir un parc immobilier.

monorail n. m. et adj. inv. TECH **1.** Engin de manutention constitué d'un palan se déplaçant le long d'un rail. **2.** Chemin de fer à rail unique. ▷ adj. inv. *Trains monorail.*

monorime adj. et n. m. VERSIF *Poésie monorime,* dont tous les vers ont la même rime. ▷ n. m. *Un monorime :* un poème monorime.

Monory (René) (Loudun, 1923), homme politique français. Centriste, il fut ministre de l'Économie et des Finances (1976-1981), puis de l'Éducation nationale (1986-1988). En oct. 1992, il est élu président du Sénat.

monosaccharide n. m. Syn. de *ose.*

monosémique adj. LING Se dit d'un mot qui n'a qu'un sens.

monoski n. m. SPORT Ski unique recevant les deux pieds; sport pratiqué avec ce ski (sur l'eau ou sur la neige).

monospace n. f. Automobile dont la coque est construite d'un seul tenant.

monosperme adj. BOT Qui contient une seule graine.

monostyle adj. et n. m. ARCHI Se dit d'une colonne à fût unique.

monosyllabe adj. et n. m. GRAM Qui n'a qu'une syllabe. ▷ n. m. *Parler, répondre par monosyllabes,* sans former de phrases.

monosyllabique adj. **1.** Monosyllabe. **2.** Qui ne contient, ne comporte que des monosyllabes. *Langues monosyllabiques* (chinois, vietnamien, etc.).

monothéique adj. Qui appartient au monothéisme.

monothéisme n. m. Foi en un Dieu unique. Ant. polythéisme.

monothéiste adj. et n. Qui croit en un Dieu unique.

monothélisme n. m. THEOL Hérésie de ceux qui, pour se concilier les monophysites, attribuaient à Jésus-Christ une seule volonté, la volonté divine.

monothéliste adj. et n. THEOL Relatif au monothélisme. ▷ Subst. Partisan du monothélisme.

monotone adj. **1.** Qui est toujours ou presque toujours sur le même ton. *Chant monotone.* Syn. monocorde. **2.** Fig. Qui manque de variété; qui ennuie par une uniformité fastidieuse. *Style monotone.*

monotonie n. f. Caractère de ce qui est monotone; uniformité ennuyeuse. *Monotonie du débit.* – Fig. *La monotonie d'un paysage.* Ant. variété, diversité.

monotrèmes n. m. pl. ZOOL Ordre de mammifères regroupant les rares protothériens actuels, ovipares, munis d'un bec corné et couverts de poils ou de piquants (notam. l'ornithorynque). – Sing. *Un monotrème.*

monotype adj. et n. m. **I.** adj. Dont le type est uniforme. **1.** BOT Qualifie un genre qui ne possède qu'une espèce. **2.** MAR Se dit d'un yacht à voiles dont les caractéristiques sont conformes à celles d'une série donnée, et homologuées par les fédérations de yachting. ▷ n. m. *Un monotype.* **II.** n. m. (Nom déposé.) TECH Procédé de dessin au pinceau, à l'encre d'imprimerie, sur plaque de métal, pour tirage d'une épreuve unique; cette épreuve elle-même.

monovalent, ente adj. CHIM Qui possède la valence 1. Syn. univalent.

monoxyde n. m. CHIM Oxyde contenant un seul atome d'oxygène.

monoxyle adj. TECH Fait d'une seule pièce de bois. *Tambour monoxyle.*

monozygote adj. BIOL Se dit de jumeaux issus d'un même œuf. Syn. univitellin. Ant. dizygote, bivitellin.

Monreale, v. d'Italie (Sicile), près de Palerme; 24 050 hab. – Cath. (XIIe s.) aux riches mosaïques; cloître roman.

Monroe (James) (en Virginie, 1758 – New York, 1831), homme politique américain, républicain; président des É.-U. (1817-1825). Son message au Congrès en 1823 posa le principe *(doctrine de Monroe)* de la non-intervention de l'Europe dans les affaires de l'Amérique.

Monroe (Norma Jean Mortenson, dite Marilyn) (Los Angeles, 1926 – id., 1962), actrice américaine de cinéma. «Sex-symbol», dernière star de Hollywood : *la Rivière sans retour* (1954), *Bus Stop* (1956), *Certains l'aiment chaud*

Marilyn **Monroe :** *la Rivière sans retour* d'Otto Preminger, 1954, avec Robert Mitchum

(1959), *The Misfits* («les Désaxés», 1961). Elle se suicida.

Monrovia, cap. et princ. centre économique du Liberia, sur l'Atlantique; 600 000 hab. Exportation de minerais; raff. de pétrole.

Mons (en néerl. *Bergen*), com. de Belgique, ch.-l. du Hainaut, à l'E. du Borinage; 94 420 hab. Métallurgie, industr. mécaniques et chimiques; verrerie. Université. – Collégiale Ste-Waudru (XVe-XVIe s.). Hôtel de ville gothique. Beffroi baroque. – Anc. place forte assiégée de nombr. fois. Elle fut le ch.-l. du dép. français de Jemmapes (1794-1814) puis fut réunie aux Pays-Bas (1814-1830). En 1914, les Britanniques s'y opposèrent aux Allemands.

Môns. V. Môn(s).

monseigneur n. m. **1.** Titre honorifique, qui n'est plus donné aujourd'hui qu'aux archevêques et aux évêques, ainsi qu'aux princes d'une famille souveraine. (Abrév. : Mgr). ▷ Plur. *Messeigneurs; nosseigneurs* (abrév. : NN. SS.). **2.** *Pince-monseigneur**.

Mons-en-Barœul, com. du Nord (arr. de Lille); 23 626 hab.

Mons-en-Pévèle, com. du Nord (arr. de Lille); 2 069 hab. – Victoire de Philippe le Bel sur les Flamands (1304).

monsieur [məsjø], plur. **messieurs** [mesjø] n. m. **1.** Titre donné autrefois aux hommes de condition élevée. ▷ Absol. *Monsieur :* frère puîné du roi de France. **2.** Mod. Titre donné par civilité à tous les hommes. *Je vous prie d'agréer, Monsieur... Monsieur et madame Untel. Messieurs les jurés.* (Abrév. devant un nom : M., plur., MM.) **3.** Titre donné par déférence à un homme à qui l'on parle à la troisième personne. *Comme Monsieur voudra.* **4.** Homme dont le langage, les manières annoncent quelque éducation. *Des allures de monsieur.* Fam. *Un vilain* (ou, par antiphrase, *un joli*) *monsieur :* un homme peu recommandable.

Monsieur (paix de), trêve entre catholiques et protestants (1576) que négocia François* d'Alençon, frère d'Henri III.

monsignor [mɔ̃siɲɔʀ] ou **monsignore** [mɔ̃siɲɔʀe], plur. **monsignori** [mɔ̃siɲɔʀi] n. m. Prélat de la cour papale.

Monsigny (Pierre Alexandre) (Fauquembergues, Flandre, 1729 – Paris, 1817), compositeur français; un des créateurs de l'opéra-comique : *Rose et Colas* (1764), *le Déserteur* (1769).

monstre n. m. et adj. **I.** n. m. **1.** Être fantastique des légendes et des traditions populaires. *Persée combattit le monstre.* – Fig. *Monstre sacré :* acteur très célèbre. **2.** Animal de taille exceptionnelle. *Monstres marins.* **3.** Être organisé dont la conformation s'écarte de celle qui est naturelle à son espèce ou à son sexe. *Monstre à deux têtes.* **4.** Personne extrêmement laide. ▷ Personne très méchante, dénaturée. *Un monstre de cruauté.* **II.** adj. Fam. Exceptionnellement grand, important. *Un banquet monstre.*

monstrueusement adv. D'une manière monstrueuse.

monstrueux, euse adj. **1.** Qui a la conformation d'un monstre. **2.** Dont les proportions sont démesurées; gigantesque, colossal. **3.** Horrible, effroyable, épouvantable.

monstruosité n. f. **1.** Anomalie dans la conformation. **2.** Caractère de ce qui est monstrueux. **3.** Chose monstrueuse. *Cette calomnie est une monstruosité.*

Monsù Desiderio (Monsieur Didier), nom par lequel on a désigné, en les confondant, deux peintres lorrains qui travaillèrent à Naples dans la prem. moitié du XVIIe s. – **Didier Barra** ou **Barat** (Metz, v. 1590 – Naples, v. 1650), auteur de vues de villes, d'une facture assez sèche. – **François Didier Nomé** ou **de Nome** (Metz, v. 1593 – Naples, av. 1650) peignit des architectures fantastiques.

Fr. D. Nomé **Monsù Desiderio :** *Architecture imaginaire,* huile; musée de Rohrau, Autriche

mont n. m. **1.** Élévation de terrain de quelque importance. ▷ Loc. *Aller par monts et par vaux :* voyager beaucoup, dans toutes sortes de pays. ▷ Fig. *Promettre monts et merveilles :* promettre de grands avantages, de grandes richesses. **2.** En chiromancie, éminence charnue située sous chaque doigt dans la face interne de la main. *Mont de Jupiter.* **3.** ANAT *Mont de Vénus :* saillie du pubis de la femme. Syn. pénil.

montage n. m. **1.** Rare Action de transporter qqch de bas en haut. **2.** Action d'assembler différentes parties pour former un tout. *Atelier de montage.* ▷ AUDIOV Opération par laquelle on assemble les différentes séquences d'un film (ou d'une bande sonore). **3.** Ensemble d'éléments montés, assemblés. *Montage photographique.* ▷ ELECTR Assemblage de composants selon un schéma déterminé. *Montage en triangle**. **4.** TECH Action de sertir une pierre précieuse. **5.** FIN *Montage financier :* ensemble des démarches suivies par une société pour se procurer des capitaux sur le marché financier.

Montagnais, Indiens du Canada qui parlent une langue algonquine et vivent au Québec, entre le bas Saint-Laurent et le Labrador.

montagnard, arde adj. et n. **1.** Relatif à la montagne et à ses habitants. *Mœurs montagnardes.* **2.** Qui habite la montagne. ▷ Subst. *Un vrai montagnard.* – HIST *Les Montagnards :* les députés membres de la Montagne. (V. ce nom).

montagne n. f. **1.** Relief important du sol s'élevant à une grande hauteur. *Le pied d'une montagne. Chaîne de montagnes.* ▷ Loc fig., fam. *Se faire une montagne de qqch,* s'en exagérer les difficultés. **2.** Région montagneuse (par oppos. à *plaine*). *Habiter en montagne.* – (Par oppos. à *campagne,* à *mer.*) *Vacances à la montagne.* **3.** Fig. Grande quantité de choses amoncelées. *Une montagne de paperasses.* **4.** *Montagnes russes :* jeu forain, suite de pentes et de contre-pentes qu'un véhicule sur rails parcourt à grande vitesse.

Montagne (la), groupe de députés qui siégeaient sur les bancs les plus élevés de la Législative, de la Convention puis de la IIe République. Extrémistes révolutionnaires, partisans d'un régime centralisateur, les Montagnards, s'appuyant sur la Commune insurrectionnelle de Paris, gouvernèrent du 2 juin 1793 (chute des Girondins) au 27 juillet 1794 (9 thermidor an II). Princ. chefs : Danton, Marat et Robespierre.

Montagne Blanche (la), colline proche de Prague. – En 1620, les Tchèques y furent battus par les Impériaux *(bataille de la Montagne Blanche),* ce qui fit tomber la Bohême sous la tutelle des Habsbourg.

Montagne Noire. V. Noire (Montagne).

Montagnes Noires. V. Noires (Montagnes).

montagneux, euse adj. Où il y a des montagnes; constitué de montagnes. *Région montagneuse.*

Montagnier (Luc) (Chabris, 1932), médecin français. Il a découvert, avec son équipe de l'Institut Pasteur, le virus (H.I.V.) lié au sida. Auteur de *Vaincre le Sida* (1986).

Montaigne (Michel Eyquem de) (chât. de Montaigne, Périgord, 1533 – id., 1592), écrivain français. Conseiller à la Cour des aides de Périgueux, puis au parlement de Bordeaux (1557) où il se lie d'une vive amitié avec La Boétie, il se démet de ses fonctions et, en 1571, se retire sur ses terres pour se consacrer à la composition de ses *Essais* (prem. éd. livres I et II, 1580). Élu maire de Bordeaux en 1581, il administre cette ville avec prudence et fermeté, surtout durant son second mandat (1583-1585), qui couvre la période troublée de la Ligue. Il passe les dernières années de sa vie, enfermé dans la fameuse «librairie» de son château, à corriger, enrichir et compléter son livre (éd. des trois livres, 1588; éd. définitive posth., 1595). Plus qu'un système philosophique, la pensée de Montaigne est une sagesse qui, sous des aspects tantôt stoïciens, tantôt sceptiques, s'efforce, en prenant appui tour à tour sur la Raison et sur la Nature, de pré-

Montaigne

le marquis de **Montcalm de Saint-Véran**

server le loisir, le bonheur et la liberté de l'homme. Combattu par Pascal, Bossuet et Malebranche au XVIIe s., Montaigne fut, au contraire, loué au XVIIIe s. par Voltaire et Diderot, qui saluèrent sa lucidité. Son *Journal de voyage* (en Europe et, surtout, en Italie, 1580-1581) a été publié en 1774.

Montaigus. V. Capulets.

montaison n. f. Migration des saumons et des truites qui remontent les fleuves et les rivières où ils doivent frayer; époque où s'effectue cette migration.

montalbanais, aise adj. et n. De Montauban. – Subst. *Un(e) Montalbanais(e).*

Montale (Eugenio) (Gênes, 1896 – Milan, 1981), poète italien de l'école dite « hermétiste » (1920-1945), au pessimisme total : *Os de seiche* (1925), *les Occasions* (1939), *la Tempête et autres poèmes* (1956). P. Nobel 1975.

Montalembert (Charles Forbes, comte de) (Londres, 1810 – Paris, 1870), homme politique (chef des catholiques libéraux), écrivain (*les Moines d'Occident*, 7 vol., 1860-1877) et journaliste français. Ami de Lamennais, il participa avec lui à l'aventure du journal *l'Avenir* (1830), mais rompit avec lui en 1834, après sa condamnation par Rome. Acad. fr. (1851).

Montan ou **Montanus** (Phrygie, IIe s. apr. J.-C.), prêtre hérésiarque, fondateur du montanisme.

Montana, État du N.-O. des É.-U., à la frontière canadienne; 381 086 km^2; 799 000 hab.; cap. *Helena.* – À l'O. se dressent les Rocheuses; à l'E. s'étend un plateau, qui fait partie des Grandes Plaines. Le climat est continental. Les cours d'eau (haut Missouri, Yellowstone) sont aménagés (hydroélectricité). Princ. ressources agricoles : céréales, élevage bovin, exploitation forestière. La richesse essentielle provient du sous-sol : or, argent, zinc, chrome, étain et surtout cuivre; import. réserves de lignite. L'industr. est fondée sur la métallurgie des non-ferreux. – Vendue par la France en 1803, la région forma, après la découverte des mines d'or, un territoire (1864) et, en 1889, le quarante et unième État de l'Union.

Montand (Ivo Livi, dit Yves) (Monsummano, prov. de Florence, 1921 – Senlis, 1991), chanteur et comédien. Interprète, notam. de chansons écrites par J. Prévert et J. Kosma. Il a tourné dans : *le Salaire de la peur* (1953), *le Milliardaire* (1960), *Z* (1966), *César et Rosalie* (1973), etc.

montanisme n. m. RELIG Doctrine de Montan, qui prétendait apporter une troisième révélation, celle du Paraclet (après celle de Moïse et du Christ), et qui annonçait l'imminence de la fin du monde.

1. montant, ante adj. **1.** Qui monte, qui va de bas en haut. *Marée montante* : V. flux. ▷ MUS *Gamme montante,* qui va des notes graves aux notes aiguës. Syn. ascendant. Ant. descendant. **2.** MILIT *Garde montante,* celle qui vient relever la garde descendante. **3.** Qui recouvre vers le haut. *Chaussures montantes.*

2. montant n. m. **1.** Pièce longue disposée verticalement. *Les montants d'une échelle.* **2.** Total d'un compte. *Quel est le montant des dépenses?* ▷ ECON *Montants compensatoires monétaires* : taxes et subventions sur les produits agricoles circulant à l'intérieur de la C.É.E. destinées à compenser les variations de taux de change entre les monnaies afin de maintenir des prix uniques. **3.** Fig. Saveur, goût relevé. *Le montant d'une sauce.*

Montanus. V. Montan.

Montargis, ch.-l. d'arr. du Loiret, sur le Loing, à la jonction des canaux de Briare, d'Orléans et du Loing; 16 570 hab. (*Montargois*). Industr. radioélectr., métall.; prod. pharm. – Égl. de la Madeleine (XIIe-XVIe s.). Musée Girodet.

Montataire, ch.-l. de cant. de l'Oise (arr. de Senlis); 12 390 hab. Centre métallurgique.

Montauban, ch.-l. du dép. du Tarn-et-Garonne, sur le Tarn; 53 278 hab. (*Montalbanais*). Marché agric. (primeurs, fruits). Industr. alimentaires, électroniques. – Évêché. Cath. (XVIIe-XVIIIe s.). Musée Ingres. – Centre protestant, la ville résista à deux sièges (1562 et 1621) et fut victime des dragonnades.

Montausier (Charles de Sainte-Maure, marquis, puis duc de) (?, 1610 – Paris, 1690), gentilhomme français. Il épousa, en 1645, Julie d'Angennes (Paris, 1607 – id., 1671), à qui il avait offert en 1634 *la Guirlande de Julie,* recueil calligraphié de vers composés à sa louange par des familiers de l'hôtel de Rambouillet.

Montbard, ch.-l. d'arr. de la Côte-d'Or, sur le canal de Bourgogne; 7 397 hab. Port fluvial. Métall. – Chât., demeure de Buffon (auj. musée).

Montbéliard, ch.-l. d'arr. du Doubs, sur le canal qui relie le Rhône au Rhin; 30 639 hab. (env. 117 500 hab. dans l'aggl.) (*Montbéliardais*). Centre industriel : textiles, horlogerie, constr. automobiles (Peugeot). – Anc. château des comtes de Montbéliard (XVe-XVIIIe s.). – La ville fut le centre du comté, puis de la principauté (XVIe s.) de Montbéliard; ce fief fut annexé à la France en 1793 par la Convention, annexion définitivement reconnue par le traité de Lunéville (1801).

mont-blanc n. m. Dessert composé de crème de marrons surmontée de crème fraîche ou de crème chantilly. *Des monts-blancs.*

Mont-Blanc (massif du). V. Blanc (mont).

Montbrison, ch.-l. d'arr. de la Loire, au pied des monts du Forez; 14 591 hab. Industr. métall.; imprimerie. – Anc. cap. du comté de Forez, ch.-l. du dép. de la Loire de 1801 à 1856.

Montbrun (Charles Dupuy, seigneur de) (Montbrun, près du Ventoux, v. 1530 – Grenoble, 1575), capitaine français. Chef des protestants du Dauphiné à partir de 1567, il fut décapité.

Montcalm (pic de), pic des Pyrénées ariégeoises (3 078 m), à la frontière espagnole.

Montcalm de Saint-Véran (Louis Joseph, marquis de) (chât. de Candiac, près de Nîmes, 1712 – Québec, 1759), général français. Il lutta, au Canada, contre des forces anglaises (1756-1759) et fut blessé mortellement en défendant Québec.

Montceau-les-Mines, ch.-l. de cant. de Saône-et-Loire (arr. de Chalon-sur-Saône), sur le canal du Centre; 23 308 hab. (*Montcelliens*). Houillères en déclin. Import. centre industriel.

Mont-Cenis. V. Cenis (Mont-).

Mont-de-Marsan, ch.-l. du dép. des Landes, au confl. du Midou et de la Douze, à l'orée de la forêt landaise; 31 864 hab. (*Montois*). Centre comm. Industr. alim. (foie gras); mat. agricole.

mont-de-piété n. m. Anc. Crédit* municipal. *Des monts-de-piété.*

Montdidier, ch.-l. d'arr. de la Somme (Picardie); 6 506 hab. Prod. agricole; abattoirs; cartonnage. – Église St-Pierre (XVe-XVIe s.). – La ville, prise le 27 mars 1918 par les Allemands, fut sinistrée au cours de la *bataille de Montdidier* (1918).

Mont-Dore (massif du) ou **monts Dore,** chaîne volcanique portant le point culminant du Massif central (1 886 m au puy de Sancy). Élevage. Tourisme.

Mont-Dore (Le), com. du Puy-de-Dôme (arr. de Clermont-Ferrand), sur la haute Dordogne, au pied du puy de Sancy; 2 006 hab. Stat. thermale réputée. Sports d'hiver.

monte n. f. **1.** Accouplement des étalons et des juments. – Temps, saison de cet accouplement. **2.** Action, manière de monter un cheval.

Monte (Philippus de) (Malines, 1521 – Prague, 1603), compositeur flamand; un des plus import. compositeurs de madrigaux de la seconde moitié du XVIe s.

Monte Albán, v. précolombienne du Mexique, non loin d'Oaxaca. Fondée au VIIIe s. av. J.-C., elle fut d'abord une cité des Olmèques, puis des Zapotèques et enfin des Mixtèques.

Monte Albán : temples zapotèques, VIe-VIIe s. (forme pyramidale, terrasses étagées, usage des colonnes)

Montebello della Battaglia, bourg d'Italie (Lombardie). – Victoire de Lannes (9 juin 1800) et de Forey (20 mai 1859) sur les Autrichiens.

Monte-Carlo, un des quatre noyaux urbains de la principauté de Monaco. – Casino, œuvre de C. Garnier (1879). Rallye automobile.

Montecatini-Terme, v. d'Italie (Toscane, prov. de Pistoia); 21 510 hab. Stat. therm. internationale.

monte-charge n. m. Appareil élévateur pour le transport vertical des objets pesants. *Des monte-charges.*

Montéclair (Michel Pignolet de) (Andelot, Haute-Marne, 1667 - Paris, 1737), compositeur français. Ses œuvres instrumentales et ses cantates ont eu une influence moins durable que son opéra biblique *Jephté* (1733), qui lui valut une grande renommée.

Montecristo, îlot rocheux de la mer Tyrrhénienne (Italie), à 40 km au S. de l'île d'Elbe.

montée n. f. **1.** Action de se porter vers un endroit plus élevé. - *Montée de la sève.* - Par ext. *Montée laiteuse* ou *montée de lait* : apparition de la sécrétion lactée. **2.** Pente, en tant qu'elle conduit vers le haut. *Sa maison se situe au milieu de la montée.* **3.** ARCHI Hauteur d'une voûte. **4.** Augmentation, élévation. *La montée des prix, des eaux.*

monte-en-l'air n. m. inv. Arg., vieilli Cambrioleur.

Montefeltro, famille italienne gibeline qui régna sur Urbino du XIVe au XVIe s. Principal représentant : **Federico III,** duc d'Urbino (Gubbio, 1422 - Ferrare, 1482), condottiere et mécène.

Montélimar, ch.-l. de cant. de la Drôme (arr. de Valence); 31 386 hab. (*Montiliens*). Centre agricole, renommé pour ses nougats. Prod. pharm., cartonnage. - Égl. Ste-Croix (XVe-XVIe s.). Chât. (XIIe et XVe s.).

monte-meuble n. m. Rampe élévatrice à moteur, servant aux déménagements. *Des monte-meubles.*

monténégrin, ine adj. et n. Du Monténégro.

Monténégro (en serbo-croate *Crna Gora*), rép. fédérée de Yougoslavie de 1945 à 1991, entre la Serbie, la Bosnie-Herzégovine, la Croatie et l'Albanie; 13 812 km^2; 620 000 hab.; cap. *Podgorica.* Nature de l'État : rép. parlementaire. Langue off. : serbo-croate. Monnaie : dinar yougoslave. Pop. : Monténégrins (61 %), Musulmans (20,5 %), Albanais (10,7 %). Relig. : orthodoxes, musulmans.
Géogr. - La plaine littorale est dominée par les chaînes Dinariques. Princ. ressources : élevage ovin, oliviers, agrumes, bauxite, zinc, charbon.
Hist. - Principauté ecclésiastique, le Monténégro résiste à l'emprise des Turcs. En 1910, avec Nicolas Ier, il s'agrandit grâce aux guerres balkaniques. En 1918, il s'unit à la Serbie et est bientôt inclus dans la Yougoslavie, dont il constitue une république fédérée à partir de 1945. Après la dislocation de la Yougoslavie (1991), les Monténégrins optent, par référendum, pour le maintien dans une structure fédérale et constituent le 27 avril 1992, avec la Serbie, une nouvelle Rép. fédérale de Yougoslavie*.

Montenotte (auj. *Cairo-Montenotte*), v. d'Italie (Ligurie), sur la *Bormida*; 14 410 hab. - Victoire de Bonaparte sur les Autrichiens (1796).

Montépin (Xavier de) (Apremont, Haute-Saône, 1823 - Paris, 1902), auteur français de romans-feuilletons et de drames pop. : *la Porteuse de pain* (1889).

monte-plat n. m. Monte-charge servant au transport des plats entre la cuisine et la salle à manger. *Des monte-plats.*

monter v. [1] **A.** v. intr. **I.** (Sujet n. de personne.) **1.** Se transporter dans un lieu plus haut que celui où l'on était. *Monter au haut d'un arbre, sur une chaise.* **2.** Prendre place (dans un véhicule, un avion, etc.). *Monter en avion, en ballon, en train.* ▷ *Monter à cheval, à bicyclette.* - *Absol.* Faire de l'équitation. *Il monte chaque jour.* - Pp. adj. *Police montée,* à cheval. **3.** Fam. Se déplacer vers le nord ou se rendre à la capitale. *Monter à Paris.* **4.** Passer à un degré supérieur. *Monter en grade.* **5.** Surenchérir, partic. au jeu, fournir une carte plus forte. *Monter sur la dame.* **II.** (Sujet n. de chose.) **1.** S'élever, se porter vers un point élevé. *Le ballon monta dans le ciel. Le brouillard monte. Des odeurs grasses montaient des cuisines.* ▷ Atteindre, gagner un point élevé (du corps). *Le sang lui monta au visage.* ▷ *Vin qui monte à la tête,* qui enivre. - Fig. *Le succès lui est monté à la tête.* **2.** Augmenter de niveau, de volume, de prix, etc. *La mer monte sous l'effet de la marée. Le prix de l'or a beaucoup monté. Il sentit sa colère monter.* ▷ Pousser, croître (en hauteur). *Les salades commencent à monter.* - *Monter à fleurs, à graines* ou *monter en graine* : quitter l'état végétatif pour produire fleurs ou graines. - Fig., fam. *Jeune fille qui monte en graine,* qui vieillit et tarde à se marier. ▷ Fig. Prendre de l'importance, arriver. *La génération qui monte.* **3.** S'élever en pente. *Rue qui monte en pente raide.* - Conduire vers un point élevé. *Escalier qui monte au grenier.* **4.** S'étendre de bas en haut. *Robe qui monte jusqu'au cou.* **B.** v. tr. **I. 1.** Gravir, franchir (une élévation). *Monter un escalier.* **2.** Porter dans un lieu élevé. *Monter des meubles dans une chambre.* **3.** Chevaucher (un animal). *Monter un cheval.* **4.** Accroître, hausser. *Monter trop haut sa dépense.* **5.** MUS Parcourir (l'échelle des sons) en allant du grave à l'aigu. *Monter la gamme.* - Accorder (un instrument) à un ton, à un diapason plus haut. *Monter un violon.* **6.** Fig. *Monter la tête à qqn,* ou *monter qqn,* l'exciter contre qqn ou qqch. **7.** *Monter la garde* : assurer le service de garde. **II. 1.** Ajuster, assembler différentes parties pour former un tout. *Monter une machine. Monter une tente. Monter les manches d'un vêtement.* ▷ MUS *Monter un violon, une guitare,* y tendre des cordes. **2.** Installer, insérer dans un cadre, une garniture. *Monter un diamant, une estampe.* **3.** Disposer (les éléments de base d'un ouvrage). *Monter les mailles d'un tricot.* ▷ *Monter un métier à tisser,* y tendre les fils de chaîne. **4.** Préparer, organiser. *Monter une pièce de théâtre. Monter un coup.* **5.** Pourvoir du nécessaire; réunir les éléments de, constituer (un ensemble). *Monter son ménage.* **C.** v. pron. **1.** S'exalter, s'irriter. *Se monter contre qqn.* - Absol. *Il se monte aisément.* **2.** Se pourvoir. *Se monter en livres.* **3.** S'élever à (en parlant d'un total). *La dépense se monte à mille francs.*

Montereau-Faut-Yonne ou **Montereau,** ch.-l. de cant. de Seine-et-M. (arr. de Provins), au confl. de la Seine et de l'Yonne; 18 936 hab. (*Monterelais*). Port fluvial. Centre industriel (métall., mat. agric.). - Jean sans Peur y fut assassiné (1419). Victoire de Napoléon sur Schwarzenberg (18 fév. 1814).

Montérégie, rég. admin. du Québec au S. de Montréal; 1 200 000 hab.; v. princ. *Longueuil.*

Monterrey, ville du N.-E. du Mexique; 1 084 700 hab. (3e ville du pays); cap. de l'État du *Nuevo León.* Centre industriel (métall., chim., raff. de pétrole) dans une région riche en or, en argent, en plomb et en antimoine.

monte-sac n. m. Appareil élévateur servant au transport des sacs dans les docks. *Des monte-sacs.*

Montespan (Françoise Athénaïs de Rochechouart de Mortemart, marquise de) (Lussac-les-Châteaux, Poitou, 1640 - Bourbon-l'Archambault, 1707), maîtresse de Louis XIV à partir de 1667; elle eut de ce dernier huit enfants, dont six (légitimés) survécurent; elle tomba définitivement en disgrâce en 1684.

Montesquieu (Charles de Secondat, baron de La Brède et de) (chât. de La Brède, Bordelais, 1689 - Paris, 1755), écrivain français. Il devient conseiller au parlement de Bordeaux en 1714, et «président à mortier» en 1716. Le succès de ses *Lettres persanes* (1721), reportage critique sur la société française par un Persan fictif, l'attache à la littérature. En 1728, songeant à écrire un grand ouvrage politique, il voyage à travers l'Europe pour se documenter, puis compose les *Considérations sur les causes de la grandeur des Romains et de leur décadence* (1734). Son œuvre maîtresse, *De l'esprit des lois,* qui paraît anonymement à Genève en 1748, a un grand retentissement; aux attaques des jansénistes et des jésuites répond une *Défense de «l'Esprit des lois»* (1750). Montesquieu a, le premier, mis en lumière l'interdépendance de tous les aspects de la vie sociale (juridiques, économiques, moraux, religieux), sans toutefois les inclure dans un système déterminé; libéral, il croit à la nécessité de réformes et ne désire pour la France qu'une monarchie constitutionnelle, calquée sur le modèle anglais : s'il a fortement inspiré les législateurs en 1791, il sera rapidement dépassé par les conventionnels. Acad. fr. (1727).

Montesquieu Claudio **Monteverdi**

Montesquiou, anc. famille de l'Armagnac. - **Charles de Batz,** dit **d.** V. Artagnan (comte d'). - **Pierre,** comte d'Artagnan (chât. d'Armagnac, 1645 - Le Plessis-Piquet, 1725), maréchal de France; il combattit à Malplaquet et à Denain.

Montesquiou-Fezensac (François Xavier, duc de) (chât. de Marsan, Gascogne, 1756 - chât. de Cirey-sur-Blaise, Hte-Marne, 1832), député du clergé aux États généraux, il émigra (1792-1795) et fut ministre de l'Intérieur de Louis XVIII (1814-1815). Acad. fr. (1816).

Montesson, com. des Yvelines (arr. de Saint-Germain-en-Laye); 12 403 hab. - Matériel électrique, robinetterie. - Église Notre-Dame (XVIIe s.).

Montessori (Maria) (Chiaravalle, près d'Ancône, 1870 - Noordwijk, Pays-Bas, 1952), médecin et pédagogue italien; créatrice de jardins d'enfants, où elle laissait se développer librement l'intelligence des petits à travers un apprentissage sensoriel. Ses méthodes ont été adoptées en France.

monteur, euse n. **1.** Personne qui effectue des montages, des installations. *Monteur électricien.* - AUDIOV Personne chargée du montage. **2.** Fig. Personne qui organise, qui prépare. *Monteur d'affaires.*

Monteux (Pierre) (Paris, 1875 - Hancock, Maine, 1964), chef d'orchestre français, naturalisé américain en 1942. Après avoir assuré, pour les Ballets russes, la création de *Petrouchka* et *le Sacre du printemps*, de Stravinski, celle de *Daphnis et Chloé*, de Ravel, et celle de *Jeux*, de Debussy, il partagea sa carrière entre les États-Unis et l'Europe, dirigeant successivement les orchestres symphoniques de Boston, Amsterdam, Paris, San Francisco et Londres.

Monteverdi (Claudio) (Crémone, 1567 - Venise, 1643), compositeur italien. Véritable créateur de l'opéra, il élabora son œuvre à partir de trois conceptions musicales distinctes : l'exploitation de toutes les possibilités du style polyphonique traditionnel (les quatre premiers *Livres de madrigaux*, 1586-1603 ; deux messes, 1610 et 1641) ; le principe moderne de la subordination de la mus. au texte poétique (*Orfeo*, 1607 ; *Arianna* et *il Ballo delle ingrate*, 1608 ; *Vêpres de la Vierge*, av. 1610) ; la monodie accompagnée (*Septième Livre* et *Huitième Livre de madrigaux*, 1619 et 1638 ; *le Couronnement de Poppée*, opéra, 1642). ► illustr. page **1243**

Montevideo, cap. de l'Uruguay, sur la rive N. du río de La Plata ; 1 247 920 hab. (42 % de la pop. du pays). Port d'escale et d'exportation (viandes, cuirs, laines). Princ. centre industriel du pays (chimie, textiles, constr. mécaniques). - Archevêché. Université.

Montezuma. V. Moctezuma.

Montfaucon, anc. lieu-dit, à Paris, entre le fbg Saint-Martin et le fbg du Temple. Sur une éminence fut dressé un gibet (XIIIe s.), qui cessa d'être utilisé au XVIIe s.

Montfaucon (Bernard de) (chât. de Soulage, Languedoc, 1655 - Paris, 1741), érudit et religieux français. Bénédictin de la congrégation de Saint-Maur, il est l'auteur de *Monuments de la monarchie française* (1729-1733).

Montfermeil, ch.-l. de cant. de la Seine-St-Denis (arr. du Raincy), à l'E. de Paris ; 25 695 hab.

Montferrat (en ital. *Monferrato*), rég. et anc. marquisat d'Italie (Piémont). Vignobles réputés (vin d'Asti).

Montferrat, anc. famille d'Italie du N., issue d'Aléran (ou Alérame), marquis de Montferrat (m. v. 991). – **Boniface I**[er] (m. en Anatolie, 1207), un des chefs de la 4e croisade, fut roi de Thessalonique en 1204.

Montfort (Simon IV le Fort, comte de) (?, v. 1150 - Toulouse, 1218), chef de la croisade contre les albigeois. Il fut tué en défendant les terres qu'il avait enlevées à Raimond VI de Toulouse. – **Simon,** comte de Leicester (?, v. 1208 - Evesham, 1265), troisième fils du préc. ; il dirigea la révolte des barons anglais contre son beau-frère Henri III (1258). D'abord victorieux, il obtint du roi d'importantes réformes (Provisions d'Oxford), qu'Henri III voulut abolir ensuite (1261). Une longue guerre civile s'ensuivit ; Montfort, qui s'était aliéné la noblesse anglaise par son alliance avec le roi de Galles, fut tué.

Montfort-l'Amaury, ch.-l. de cant. des Yvelines (arr. de Rambouillet) ; 2 762 hab. - Égl. du XVIe s. Vest. d'un chât. (X[e]-XVe s.). Musée Maurice-Ravel.

Montgenèvre (col du), col des Alpes françaises (1 850 m), près de Briançon, qui relie les vallées de la Durance et de la Doire Ripaire (Italie).

Montgeron, ch.-l. de cant. de l'Essonne (arr. d'Évry), en bordure de la forêt de Sénart ; 21 818 hab.

Montgolfier (Joseph de) (Vidalon-lès-Annonay, Vivarais, 1740 - Balaruc-les-Bains, Hérault, 1810), et son frère, **Étienne** (Vidalon-lès-Annonay, 1745 - Serrières, Ardèche, 1799), industriels français. Ils perfectionnèrent l'industrie du papier et inventèrent les montgolfières.

montgolfière [mɔ̃gɔlfjɛʀ] n. f. AERON Aérostat qui tire sa force ascensionnelle de l'air chaud.

montgolfière : essai d'ascension en 1783

Montgomery, v. des É.-U., sur l'Alabama ; cap. de l'Alabama ; 187 100 hab. Import. marché de bétail.

Montgomery (Gabriel de Lorges, comte de) (?, v. 1530 - Paris, 1574), seigneur français. Il blessa accidentellement et mortellement Henri II dans un tournoi (1559). Converti au calvinisme, chef de guerre, il fut vaincu et exécuté.

Montgomery of Alamein (Bernard Law Montgomery, 1er vicomte) (Londres, 1887 - Alton, Hampshire, 1976), maréchal britannique. Commandant la VIIIe armée en Égypte, il lutta contre les forces de l'Axe et vainquit Rommel (Al-Alamein, 1942), puis combattit en Sicile, en Italie, dirigea les forces terrestres du débarquement de Normandie et reçut le commandement du 21e groupe d'armées. Il fut commandant adjoint des forces atlantiques en Europe (1951-1958).

Montherlant (Henry Millon de) (Paris, 1896 - id., 1972), écrivain français. Son style, classique, très travaillé, volontiers sentencieux, sa philosophie à la fois héroïque et nihiliste visent à la grandeur antique. Romans : *les Bestiaires* (1926), *les Célibataires* (1934), le cycle des *Jeunes Filles* (1936-1939). Théâtre : *la Reine morte* (1942), *Fils de personne* (1943), *Malatesta* (1946), *le Maître de Santiago* (1948), *la Ville dont le prince est un enfant* (1951). Essais : *les Olympiques* (1924). Il s'est suicidé. Acad. fr. (1960).

Montgomery of Alamein

Alberto **Moravia**

Monthey, com. de Suisse (Valais), sur la Vièze, affl. du Rhône ; 11 500 hab. Électrochimie, constr. mécaniques. Vins. - Château (XIVe s., reconstruit au XVIIe s.).

Montholon (Charles Tristan, comte de) (Paris, 1783 - id., 1853), général français. Il accompagna Napoléon à Sainte-Hélène et publia avec Gourgaud les *Mémoires pour servir à l'histoire de France sous Napoléon* (1822-1825).

monticule n. m. Petite élévation de terrain. Syn. éminence, butte.

Montigny-en-Gohelle, chef-lieu de cant. du Pas-de-Calais ; 11 142 hab.

Montigny-le-Bretonneux, com. des Yvelines (arr. de Versailles) ; 31 744 hab. - Industrie automobile, inform., électron. ; ingénierie nucléaire.

Montigny-lès-Cormeilles, com. du Val-d'Oise (arr. d'Argenteuil) ; 17 110 hab. - Église Saint-Martin (XVIe-XIXe s.).

Montigny-lès-Metz, ch.-l. de cant. de la Moselle (arr. de Metz-Campagne), dans l'aggl. de Metz ; 23 731 hab.

Montijo, v. d'Espagne (Estrémadure, prov. de Badajoz) ; 13 320 hab. - Château des *comtes de Montijo*, famille dont est issue l'impératrice Eugénie.

montilien, enne adj. et n. De Montélimar. - Subst. *Un(e) Montilien(ne).*

Montivilliers, ch.-l. de cant. de la Seine-Mar. (arr. du Havre) ; 17 126 hab. Abbat. (XIe-XIIe s., remaniée au XVIe s.).

montjoie [mɔ̃ʒwa] n. f. **1.** Monceau de pierres servant de monument commémoratif, de point de repère, etc. Syn. cairn. **2.** *Montjoie !* : cri de ralliement et de guerre des troupes de divers pays, du XIIe au XVIIIe s.

Montlhéry, ch.-l. de cant. de l'Essonne (arr. de Palaiseau), au flanc d'une colline ; 5 545 hab. Mat. électr. Le *circuit automobile de Montlhéry* a pour site la com. voisine de Linas. - En 1465, bataille entre Louis XI et la ligue du Bien public, soutenue par Charles le Téméraire.

Mont-Louis, ch.-l. de cant. des Pyrénées-Orientales (arr. de Prades) ; 395 hab. Stat. estivale et de sports d'hiver (alt. 1 600 m). Laboratoire de recherche sur l'énergie solaire (four solaire). - Place fortifiée par Vauban.

Montluc. V. Monluc.

Montluçon, ch.-l. d'arr. de l'Allier, sur le Cher ; 46 660 hab. Centre industriel (pneumatiques ; constr. méca. et électr. ; prod. chim.). - Égl. Notre-Dame (XVe s.) et St-Pierre (romane et XVe s.). Château des ducs de Bourbon (XVe et XVIe s.).

Montmagny, com. du Val-d'Oise (arr. de Montmorency) ; 11 564 hab. - Église Saint-Thomas (XVIIIe s.). Église Sainte-Thérèse d'Auguste Perret (première église en béton armé ; 1925).

Montmajour, écart de la com. d'Arles (Bouches-du-Rhône). - Vestiges d'une abb. bénédictine fondée au Xe s. : égl. du XIIe s., cloître de la fin du XIIe s.

Montmartre (anc. *mons Martyrum*, « mont des Martyrs », ou *mons Martis*, « mont de Mars »), com. de l'anc. banlieue de Paris, rattachée à la cap. en 1860 (XVIIIe arr.). Vieux cabarets (le

Lapin Agile, etc.). Égl. St-Pierre (XIIe s.). Basilique du Sacré-Cœur (1876) au sommet de la *butte Montmartre*. Cimetière.

montmartrois, oise [mɔ̃maʀtʀwa, waz] adj. et n. De Montmartre.

Montmélian, ch.-l. de cant. de la Savoie (arr. de Chambéry), sur l'Isère; 4 001 hab. Industr. électr. et méca. Vins blancs. – Anc. place forte des princes de Savoie, très disputée aux XVIe et XVIIe s.

Montmirail, ch.-l. de cant. de la Marne (arr. d'Épernay), sur le Petit Morin; 3 826 hab. – Égl. des XIVe et XVIe s. Chât. de style Louis XIII terminé par Louvois. – Victoire de Napoléon sur Blücher (11 fév. 1814).

montmorency [mɔ̃mɔʀɑ̃si] n. f. inv. Cerise à queue courte, au goût acidulé.

Montmorency (chute), chute située à l'E. de la v. de Québec. Avec ses 83 m de hauteur, elle est une fois et demie plus haute que celles du Niagara.

Montmorency, ch.-l. d'arr. du Val-d'Oise, au S.-E. de la *forêt de Montmorency*; 21 003 hab. Ville résidentielle. – Égl. Renaissance (vitraux). Musée Jean-Jacques Rousseau dans sa maison de Montlouis.

Montmorency, famille française, connue dès le Xe s. – **Mathieu II** (v. 1174 – 1230), connétable de France en 1218. Il combattit à Bouvines (1214) et contre les albigeois. – **Anne,** 1er duc de Montmorency (Chantilly, 1493 – Paris, 1567), connétable de France. Politique médiocre, il exerça une influence sur François Ier et sur Henri II, et s'opposa aux calvinistes. Il fut un grand mécène. – **Henri II** (?, 1595 – Toulouse, 1632), maréchal de France. Ayant donné son appui à Gaston d'Orléans contre Richelieu, il fut décapité.

Montmorillon, ch.-l. d'arr. de la Vienne, sur la Gartempe; 7 276 hab. Industr. du meuble. Emballages plastiques. – Église Notre-Dame (XIIIe-XIVe s.).

Montoire-sur-le-Loir, ch.-l. de cant. de Loir-et-Cher (arr. de Vendôme); 4 315 hab. – Pétain et Hitler s'y rencontrèrent le 24 oct. 1940.

Montouhotep. V. Mentouhotep.

Montparnasse (quartier du), quartier de Paris (dans les VIe et XIVe arr.) habité durant l'entre-deux-guerres par des peintres et par une société cosmopolite qui lui donnèrent une physionomie pittoresque. Un vaste plan d'urbanisme (1961) a modifié l'aspect du quartier, où s'élève auj. la *tour Maine-Montparnasse*.

montparno [mɔ̃paʀno] n. et adj. Fam. Peintre ou écrivain de Montparnasse entre 1918 et 1930, époque où ce quartier était le centre de la vie artistique française.

Montpelier, v. des États-Unis, cap. de l'État du Vermont; 8 200 hab.

Montpellier, ch.-l. du dép. de l'Hérault et de la Rég. Languedoc-Roussillon, dans le bas Languedoc; 210 866 hab., et env. 248 300 hab. dans l'aggl. (forte expansion démographique depuis 1962, due en partie à l'afflux des rapatriés d'Algérie). Aéroport *(Fréjorgues)*. Centre commercial (vins), industriel (constr. méca. et électron.; industr. bioméd. et alim.) et culturel. Centre de recherche agronomique. Opéra et palais des Congrès. – Évêché. Université. Faculté de médecine fondée au déb. du XIIIe s. Jardin botanique (1593). Nombr. hôtels des XVIIe et XVIIIe s. Musée Fabre (Véronèse, Courbet, Delacroix). – Import. centre commercial (épices d'Orient) au Moyen Âge grâce à son port de Lattes (envasé au XVIe s.); la ville, rattachée à la Couronne en 1349, fut un foyer du calvinisme aux XVIe et XVIIe s.

Montpellier : place de la Comédie, créée au XVIIIe s., réaménagée en 1900 et en 1986; centre actuel de l'agglomération

montpelliérain, aine adj. et n. De Montpellier. – Subst. *Un(e) Montpelliérain(e).*

Montpellier-le-Vieux, chaos de rochers ruiniformes dolomitiques de 120 ha, en Aveyron (causse Noir), dominant la Dourbie.

Montpensier (Catherine Marie de Lorraine, duchesse de) (Joinville, 1552 – Paris, 1596), sœur de Henri de Guise et de Mayenne, épouse de Louis II de Bourbon, duc de Montpensier. Ligueuse convaincue, elle fomenta la journée des Barricades (12 mai 1588).

Montpensier (Anne Marie Louise d'Orléans, duchesse de) (Paris, 1627 – id., 1693), fille de Gaston d'Orléans, frère de Louis XIII; connue sous le nom de *la Grande Mademoiselle*. S'étant jetée dans la Fronde, elle permit à Condé de se dégager en faisant tirer le canon de la Bastille contre les troupes royales (bataille du fbg Saint-Antoine, 1652). Elle épousa Lauzun en 1681 qu'elle quitta après qu'il l'eut ruinée.

Montpensier (Antoine Marie Philippe Louis d'Orléans, duc de) (Neuilly-sur-Seine, 1824 – Sanlùcar, près de Séville, 1890), cinquième fils de Louis-Philippe. Après avoir combattu en Algérie, il épousa l'infante Marie-Louise (1846), sœur d'Isabelle II d'Espagne. Après l'abdication de la reine, il réussit à placer sur le trône son neveu et futur gendre Alphonse XII.

montrable adj. Que l'on peut montrer; présentable.

Montrachet, vignoble de la Côte-d'Or (com. de Chassagne-Montrachet et Puligny-Montrachet) qui donne un vin réputé.

1. montre n. f. **1.** Vx Action de montrer. ▷ Loc. *Faire montre de :* faire étalage, faire parade de; exhiber. – Mod. Donner des marques, des preuves de. *Faire montre de courage.* **2.** Vitrine, éventaire où sont exposées des marchandises; ensemble des marchandises exposées. *Bijoux en montre.* ▷ *Pour la montre :* pour être montré; en manière de décoration, d'ornement. **3.** MUS Ensemble des tuyaux formant la façade d'un buffet d'orgue.

2. montre n. f. **1.** Instrument portatif qui indique l'heure. *Une montre de gilet et sa chaîne. Montre électrique, électronique, à quartz.* **2.** SPORT *Course contre la montre,* dans laquelle chaque coureur ou chaque équipe de coureurs, partant seul(e), est classé(e) selon le temps qu'il (elle) a mis à parcourir la distance fixée; fig. lutte contre le temps pour accomplir une action, mener à bien une affaire, etc.

Montréal, v. et région admin. du Canada (Québec), sur l'île de Montréal (entre le Saint-Laurent et la rivière des Prairies); 1 017 660 hab. (aggl. urb. 3 127 240 hab., dont près des 2/3 de langue franç.). Import. port fluvial et maritime. Grand centre industr. et comm.; métropole culturelle et financière. – Archevêché cathol. Universités. Musée des beaux-arts. *Biodôme* (musée de la nature et de l'environnement). Exposition universelle en 1967. Jeux Olympiques en 1976. – La ville, fondée en 1642 et baptisée alors *Ville-Marie,* se développa autour du mont Royal. Elle prit son essor au XIXe s.

Montréal : le vieux port

montréalais, aise adj. et n. De Montréal. – Subst. *Un(e) Montréalais(e).*

montre-bracelet n. f. Vieilli Montre que l'on porte au poignet. *Des montres-bracelets.*

montrer v. [1] **I.** v. tr. **1.** Faire voir. *Montrer sa maison. Dessin qui montre des objets.* **2.** Indiquer par un geste, un signe. *Montrer qqn du doigt.* – *Montrer la porte à qqn,* l'inviter à sortir. ▷ (Sujet n. de chose.) *Panneau qui montre une direction.* **3.** Enseigner, apprendre. *Montrer à lire à un enfant.* **4.** Laisser voir, exposer à la vue. *Robe qui montre les genoux.* **5.** Faire ou laisser paraître; manifester. *Montrer sa douleur. Montrer du courage.* ▷ Révéler. *Montrer son vrai visage.* **6.** Exposer ou établir (par la description, le témoignage, la démonstration, etc.). *Montrer le bon côté d'une chose. Montrez-moi que j'ai tort.* ▷ (Sujet n. de chose.) *Bilan qui montre des carences.* **II.** v. pron. **1.** Se faire voir, paraître. *Il n'ose plus se montrer.* **2.** (Suivi d'un adj.) Se révéler, s'avérer. *Se montrer généreux.*

Montreuil ou **Montreuil-sous-Bois,** ch.-l. de cant. de la Seine-St-Denis (arr. de Bobigny), à l'E. de Paris; 95 038 hab. Grand centre industr. : métallurgie de transformation, meubles, bureautique, verre, etc.

Montreuil ou **Montreuil-sur-Mer,** ch.-l. d'arr. du Pas-de-Calais, sur la Canche, 2 676 hab. - Remparts (XIIIe-XVIIe s.). Citadelle du XVIe s.

Montreuil (Pierre de). V. Pierre de Montreuil.

montreur, euse n. *Montreur de :* personne dont le métier est de montrer (tel spectacle). *Montreur de marionnettes, d'animaux savants.*

Montreux, v. de Suisse (Vaud), sur la rive N.-E. du lac Léman; 20 000 hab. Import. stat. touristique et climatique. Festivals de musique. - La *convention de Montreux* (1936) réglemente le droit de passage dans les détroits du Bosphore et des Dardanelles.

Montrichard, ch.-l. de cant. de Loir-et-Cher (arr. de Blois), sur le Cher; 3 814 hab. Emballages. Champagnisation de vins blancs. - Égl. de Nanteuil (XIIe, XIIIe et XVe s.); ruines d'un chât. du XVe s. avec donjon du XIIe s.

Montrose (James Graham, marquis de) (Montrose, 1612 - Édimbourg, 1650), général écossais. Il souleva son pays en faveur de Charles Ier (1644-1646), puis de Charles II (1649). Vaincu et trahi, il fut pendu.

Montrouge, ch.-l. de cant. des Hauts-de-Seine (arr. d'Antony), au S. de Paris; 38 333 hab. Centre industriel : constr. aéronautiques et électroniques; reliure; prod. pharmaceutiques.

Monts (Pierre du Gua, sieur de) (en Saintonge, v. 1568 - ?, v. 1630), colonisateur français. Il prospecta l'Acadie (1604) où il fonda en 1605 Port-Royal (auj. *Annapolis Royal,* Nouvelle-Écosse).

Mont-Saint-Aignan, ch.-l. de cant. de la Seine-Mar.; 20 329 hab. Chocolaterie. - Université et banlieue résidentielle de Rouen.

Mont-Saint-Martin, ch.-l. de cant. de Meurthe-et-Moselle (arr. de Briey); 8 730 hab. Centre sidérurgique.

Mont-Saint-Michel (Le), com. de la Manche (arr. d'Avranches), sur un îlot rocheux relié au continent par la digue de Pontorson (prochainement remplacée par une passerelle), près de l'embouchure du Couesnon et dans la *baie du Mont-Saint-Michel* (marées à très fortes amplitudes); 72 hab. Tourisme import. - Remparts (XIIIe et XVe s.). Célèbre abb. bénédictine (XIIe-XIIIe s.) dominée par une égl. abbat. à nef et transept romans précédant un chœur de style flamboyant (XVe-XVIe s.).

la baie du **Mont-Saint-Michel**

monts Dore. V. Mont-Dore (massif du).

Montségur, com. de l'Ariège (arr. de Foix); 125 hab. - Ruines d'une forteresse, dernier refuge des albigeois en 1244.

Montserrat, petit massif montagneux d'Espagne (Catalogne); 1 237 m. - Couvent de bénédictins fondé v. 1030 : pèlerinage (Vierge noire); centre d'études théologiques et catalanes.

Henry **Moore :** *Draped reclining mother and baby,* 1983, bronze; fondation Pierre-Gianadda, Martigny, Suisse

Montserrat, île britannique des Antilles; 106 km^2; 12 000 hab.; ch.-l. *Plymouth* (3 200 hab.). Coton, sucre, bananes, pêche. L'île et sa capitale ont été ravagées, en août 1997, par l'éruption de la Soufrière.

Montsouris (parc), jardin de Paris (XIVe arr.) aménagé entre 1867 et 1878.

monture n. f. **1.** Animal de selle; animal que l'on utilise pour se faire porter. - (Prov.) *Qui veut voyager loin ménage sa monture.* **2.** Pièce qui sert à maintenir la partie principale d'un objet ou à faire tenir ensemble ses parties constitutives. *Monture d'un diamant, de lunettes. Monture de parapluie,* son armature métallique.

monument n. m. **1.** Ouvrage d'architecture ou de sculpture édifié pour conserver la mémoire d'un homme illustre ou d'un grand événement. *Monument funéraire* (tombeau, mausolée, etc.). *Monument aux morts* (d'une guerre). **2.** Édifice, ouvrage considéré pour sa grandeur, sa valeur ou sa signification (religieuse, esthétique, historique, etc.). *Monuments de l'Antiquité.* - *Monument historique :* V. classer (sens 5). **3.** Fig. Œuvre considérable par ses dimensions ou ses qualités. *Les monuments de l'art, de la littérature.* **4.** Fam. Personne, chose de vastes proportions. *C'est un monument de muscles.* - Plaisant *Ce livre est un monument de sottise.*

Montségur : ruines de l'ultime place forte des cathares

Montserrat : le monastère bénédictin fondé au XIe s.

monumental, ale, aux adj. **1.** Relatif aux monuments. **2.** Qui forme un monument ou qui en fait partie. *Fontaine monumentale.* **3.** Imposant (de grandeur, de proportions, etc.). *Une œuvre monumentale.* **4.** Fam. Énorme en son genre. *Un orgueil monumental.*

monumentalité n. f. Caractère monumental d'un bâtiment.

Monza, v. d'Italie (Lombardie), au N. de Milan; 122 450 hab. Import. centre industr. : méca., text. et alim. - Cath. des XIIIe et XIVe s. Palais (XVIIIe s.). Circuit automobile.

Monzon (Carlos) (Santa Fe, 1942 - *id.,* 1995), boxeur argentin. Champion du monde des poids moyens (1970-1977).

Moore (Thomas) (Dublin, 1779 - Sloperton, 1852), poète romantique irlandais : *Mélodies irlandaises* (1808-1834), *Lalla Rookh* (1817, poème oriental).

Moore (Henry) (Castleford, Yorkshire, 1898 - Much Hadham, Hertfordshire, 1986), sculpteur anglais. Il travaillait la pierre, le bois, le ciment et le bronze. Ses œuvres, souvent imposantes, sont abstraites ou figuratives.

Moore (Stanford) (Chicago, 1913 - New York, 1982), biochimiste américain. Il étudia, avec W. Stein, la structure des protéines et de l'acide ribonucléique. P. Nobel de chimie 1972.

Moorea, île française de l'archipel de la Société (Polynésie française), à l'O. de Tahiti; 5 600 hab.

Mopti, v. du Mali, port sur le Niger; 78 000 hab.; ch.-l. de la région du m. nom. Pêche.

moquer v. [1] **I.** v. tr. Vieilli ou litt. *Moquer qqn* (ou *qqch*), le railler, le tourner en ridicule. **II.** v. pron. *Se moquer de.* **1.** Railler, tourner en ridicule. **2.** Mépriser, braver, ne faire aucun cas de (qqn, qqch). *Se moquer du danger.* - Fam. *Se moquer du tiers comme du quart,* de tout, de tout le monde. ▷ Traiter avec une trop grande légèreté; abuser (qqn). *Il se moque du monde.* **3.** *Absol.* Litt. Ne pas parler, ne pas agir sérieusement. *Je crois bien qu'il se moque.*

moquerie n. f. **1.** Action de se moquer. *Être enclin à la moquerie.* **2.** Parole, action par laquelle on se moque. *Accabler qqn de moqueries.*

moquette n. f. Tapis cloué ou collé qui recouvre uniformément le sol d'une pièce ou d'un appartement sur toute sa surface. ▷ Étoffe qui sert à fabriquer de tels tapis.

moquetter v. tr. [1] Recouvrir de moquette.

moqueur, euse adj. et n. **I.** adj. **1.** Qui se moque, qui est porté à la moquerie. *Esprit moqueur.* ▷ Subst. *Un moqueur impénitent.* **2.** Qui exprime ou marque de la moquerie. *Regard moqueur.* **II.** n. m. ORNITH Oiseau africain, à bec incurvé et à longue queue. ▷ Oiseau passériforme américain. – (En appos.) *Merle moqueur.*

moracées n. f. pl. BOT Famille d'arbres ou d'arbustes dicotylédones apétales, surtout tropicaux, dont certains genres sont cultivés en Europe (mûrier, figuier). – Sing. *L'arbre à pain est une moracée.*

Morādābād, v. de l'Inde (Uttar Pradesh), sur la Rāmganga, affl. du Gange; 417 000 hab. Métallurgie et textile (coton). – Mosquée (XVIIe s.).

moraillon n. m. TECH Pièce métallique de fermeture à charnière, avec un évidement pour le passage d'un anneau.

moraine n. f. Amas de débris de natures diverses arrachés et transportés par un glacier.

morainique adj. Qui se rapporte aux moraines.

Morais (Francisco de) (Bragance, v. 1500 – Évora, 1572), écrivain portugais : *Palmerin d'Angleterre,* célèbre roman de chevalerie.

moral, ale, aux adj. et n. m. **I.** adj. **1.** Qui concerne les mœurs, les règles de conduite en usage dans une société. *Jugement moral. Obligation morale.* ▷ Relatif au bien, au devoir, aux valeurs qui doivent régler notre conduite. *Conscience, doctrine morale.* – *Sens moral* : faculté de discerner le bien du mal en conformité avec les règles de la conduite sociale, ou avec ce qui est tenu pour bon ou édifiant. *Écrivain, livre moral.* **2.** Relatif à l'esprit, au mental. *Santé morale.* ▷ DR *Personne morale* : être collectif ou impersonnel auquel la loi reconnaît une partie des droits civils exercés par les citoyens. **II.** n. m. Disposition d'esprit. *Avoir bon moral. Remonter le moral d'une troupe. Au moral* : sur le plan intellectuel ou spirituel.

morale n. f. **1.** Ensemble des principes de jugement et de conduite qui s'imposent à la conscience individuelle ou collective comme fondés sur les impératifs du bien; cet ensemble érigé en doctrine. *Morale épicurienne, chrétienne.* **2.** Tout ensemble de règles, d'obligations, de valeurs. *Morale rigoureuse. Morale politique.* **3.** Leçon, admonestation à caractère moral. *Faire la morale à qqn.* **4.** Enseignement moral, conclusion morale. *La morale d'une fable.* ▷ *Par ext.* Enseignement quelconque. *La morale de cette affaire, c'est qu'on nous a bernés.*

moralement adv. **1.** Conformément à la morale, à ses règles. **2.** Du point de vue moral, au plan des sentiments, de l'opinion, etc. *Être moralement certain que...* ▷ *Soutenir moralement une entreprise.*

moralisant, ante adj. Qui moralise (sens 2).

moralisateur, trice adj. et n. (Souvent péjor.) Qui fait la morale; qui édifie ou prétend édifier.

moralisation n. f. Action de moraliser, de rendre moral.

moraliser v. [1] **1.** v. tr. *Moraliser qqn,* lui faire la morale, l'admonester. **2.** v. intr. Faire des réflexions morales. *Moraliser sur l'inconstance.*

moralisme n. m. **1.** Attitude ou système fondés sur la prééminence de la morale. **2.** Formalisme moral.

moraliste n. (et adj.) **1.** Philosophe qui traite de la morale. **2.** Auteur d'observations critiques sur les mœurs, la nature humaine. **3.** Personne qui aime à faire la morale. ▷ adj. *Il est un peu trop moraliste.*

moralité n. f. **1.** Conformité aux principes, aux règles de la morale. *Moralité d'une action.* **2.** Sens moral d'une personne, tel qu'il peut se manifester dans sa conduite. *Un homme de moralité douteuse.* **3.** Enseignement moral. *Moralité d'un événement.* **4.** LITTER Pièce de théâtre, généralement allégorique et à intention moralisatrice, au Moyen Âge.

Morand (Paul) (Paris, 1888 – id., 1976), diplomate et écrivain français. Grand voyageur, il a posé le regard du globe-trotter sur un monde qui disparaissait : *Ouvert la nuit* (1922), *Fermé la nuit* (1923), *Lewis et Irène* (1924), *l'Homme pressé* (1941), *Hécate et ses chiens* (1954). Acad. fr. (1968).

Morandi (Giorgio) (Bologne, 1890 – id., 1964), peintre et graveur italien. Admirateur de Cézanne, il peignit de subtiles natures mortes puis s'orienta vers le cubisme.

Giorgio **Morandi** : *Nature morte,* 1929; coll. part.

Morane (Léon) (Paris, 1885 – id., 1918) et son frère **Robert** (Paris, 1886 – id., 1968), industriels et aviateurs français qui se spécialisèrent dans la construction d'avions rapides.

Morante (Elsa) (Rome, 1912 – id., 1985), romancière italienne. Sous le réalisme descriptif, elle laisse percer une poésie qui est au cœur de son œuvre (*Mensonge et Sortilège,* 1948; *la Storia,* 1974; *Aracoeli,* 1982).

morasse n. f. IMPRIM Dernière épreuve, avant l'impression, d'un journal mis en pages.

Morat (en all. *Murten*), com. de Suisse (Fribourg), sur le *lac de Morat* (relié par la Broye au lac de Neuchâtel); 4 600 hab. Horlogerie. – Remparts (XVe s.). Maisons anciennes. – Victoire des Suisses, alliés à Louis XI, sur Charles le Téméraire (1476).

1. moratoire adj. DR Qui accorde un délai. *Sentence moratoire.* – *Intérêts moratoires,* dus, par décision de justice, à compter du jour d'exigibilité d'une créance.

2. moratoire ou **moratorium** n. m. DR Décision légale de suspendre provisoirement l'exigibilité de certaines créances. *Des moratoires* ou *des moratoriums.*

Morava (la), riv. de la Serbie, du Kosovo et du Monténégro (245 km), affl. du Danube (r. dr.), formée par la jonction à Stalać de la *Morava de l'Ouest* (298 km) et de la *Morava du Sud* (318 km).

Morava (la), riv. de Moravie (378 km), affl. du Danube (r. g.).

morave adj. et n. **1.** De Moravie. ▷ Subst. *Les Moraves.* **2.** HIST *Frères moraves :* membres d'une communauté de hussites, fondée en Bohême v. 1450, dont l'influence s'exerça surtout en Moravie et qui se dispersa en 1620; les groupes les plus importants se trouvent auj. en Amérique du Nord.

Moravia (Alberto Pincherle, dit Alberto) (Rome, 1907 – id., 1990), romancier italien. Avec amertume et, parfois, ironie, il montre la désagrégation des valeurs morales dans la société italienne contemporaine : *les Indifférents* (1929), *Agostino* (1944), *la Belle Romaine* (1947), *le Mépris* (1954), *l'Ennui* (1960), *Moi et Lui* (1971).

▸ illustr. page **1244**

Moravie (en tchèque *Morava*), rég. centrale de la Rép. tchèque; 26 094 km^2; 4 017 520 hab. Elle est divisée en deux rég. admin., la *Moravie-Méridionale* (cap. *Brno*) et la *Moravie-Septentrionale* (cap. *Ostrava*). C'est un riche pays de collines, drainé par la Morava. Princ. ressources : céréales, vigne, élevage bovin et porcin, charbon, lignite. – Occupée successivement par les Boïens, les Quades, les Avares (567) et, au VIIIe s., par des Slaves, la Moravie forma au IXe s. le noyau d'un grand royaume que christianisèrent Cyrille et Méthode, mais qui fut conquis par les Magyars (908). En 1029 elle fut unie à la Bohême.

Moray (Jacques Stuart). V. Murray.

Moray Firth, vaste baie du N.-E. de l'Écosse, prolongée par le golfe d'Inverness.

morbide adj. **1.** MED Qui tient de la maladie, qui en est l'effet. *État morbide.* **2.** Qui provient d'un dérèglement de l'esprit, de la sensibilité, de la volonté. *Curiosité, jalousie morbide.* **3.** Qui flatte, qui indique un goût délibéré pour ce qui est jugé inquiétant, malsain, anormal. *Littérature morbide.*

morbidesse n. f. **1.** PEINT Mollesse et délicatesse dans le rendu des chairs. **2.** Litt. Grâce nonchalante, alanguie.

morbidité n. f. **1.** MED Caractère morbide. **2.** Rapport du nombre des malades au nombre des personnes saines dans une population donnée et pendant un temps déterminé. *Morbidité cancéreuse.*

morbier n. m. Fromage du Jura, au lait de vache.

Morbihan (golfe du) (mot breton signif. « petite mer »), golfe presque fermé, à l'E. de la presqu'île de Quiberon, parsemé d'écueils et d'îlots.

Morbihan, dép. franç. (56); 6 763 km^2; 619 838 hab.; 94,4 hab./km^2; ch.-l. *Vannes.* V. Bretagne (Rég.).

▸ carte page **1248**

morbihannais, aise adj. et n. Du Morbihan. – Subst. *Un(e) Morbihannais(e).*

morbleu ! interj. Vx Ancien juron, euphémisme pour *mort de Dieu !*

morceau n. m. **1.** Partie séparée (bouchée, portion) d'un aliment solide. *Morceau de brioche.* ▷ Fam. *Manger un morceau :* prendre une collation, se res-

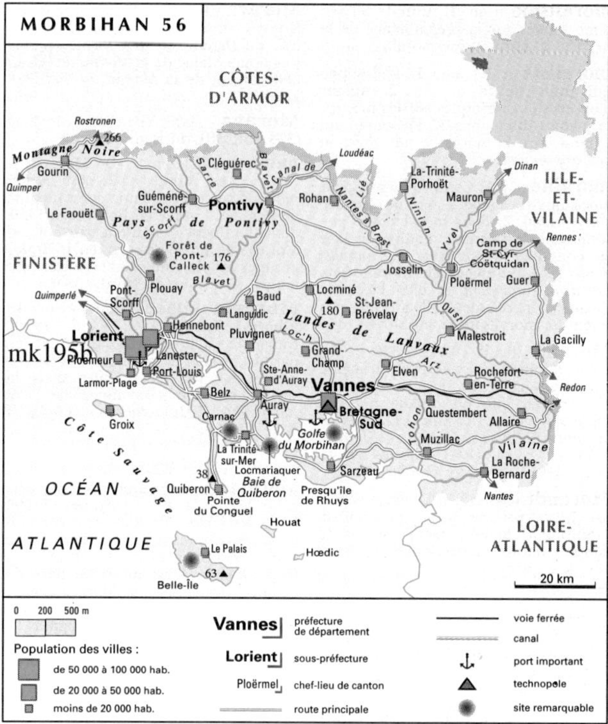

taurer rapidement. – Fig., fam. *Manger, cracher, lâcher le morceau* : passer aux aveux, dénoncer ses complices. – *Enlever, emporter le morceau* : parvenir à ses fins, avoir gain de cause. ▷ Pièce de bête de boucherie ou de volaille. *Morceau de choix. Les bas morceaux.* **2.** Partie d'un corps ou d'une matière solide; partie d'un objet brisé. *Morceau de bois, d'assiette. Mettre en morceaux.* – *Être fait de pièces et de morceaux*, d'éléments disparates. ▷ Partie non séparée, mais distincte, d'un tout. *Morceau de ciel.* **3.** Partie, fragment d'une œuvre (d'art, de littérature, etc.). *Recueil de morceaux choisis.* ▷ Objet, ouvrage pris dans sa totalité. *Un beau morceau d'architecture.* **4.** MUS Partie distincte d'une œuvre instrumentale, d'un concert. *Cette ouverture est un morceau célèbre.* ▷ Œuvre courte; partition musicale. *Morceau de violon.* **5.** Fam. *Un beau morceau, un morceau de roi* : une belle femme.

morcelable adj. Qui peut être morcelé.

morceler v. tr. [**19**] Diviser en morceaux, en parties.

morcellement n. m. Action de morceler; état de ce qui est morcelé. *Morcellement des terres.*

mordache n. f. TECH Pièce que l'on adapte aux mâchoires d'un étau pour ne pas endommager l'objet à serrer.

mordant, ante adj. et n. m. **I.** adj. **1.** Qui mord. **2.** *Par ext.* Corrosif. *Acide mordant.* ▷ Fig. Caustique (dans la critique, la raillerie, etc.). *Esprit, pamphlet mordant.* **II.** n. m. **1.** Agent avec lequel on corrode les surfaces métalliques. *L'eau-forte est le mordant employé en gravure.* ▷ Substance dont on imprègne une matière pour qu'elle fixe les colorants. **2.** Fig. Causticité. *Le mordant d'une satire.* ▷ Caractère incisif; vivacité, énergie. *Voix qui a du mordant.* **3.** MUS Ornement bref faisant alterner la note principale et le ton ou demi-ton immédiatement inférieur, pour s'achever sur la principale.

mordicus [mɔrdikys] adv. Fam. Avec opiniâtreté, obstinément. *Soutenir mordicus une opinion.*

mordiller v. tr. et intr. [**1**] Mordre légèrement et à petits coups.

mordoré, ée adj. (et n. m.) D'un brun chaud, à reflets dorés.

mordorure n. f. Couleur mordorée.

Mordovie (république autonome de), rép. de Russie, au S. de la boucle de la Volga; 26 200 km²; 964 000 hab.; cap. *Saransk.* C'est un pays agricole (céréales) et d'élevage, dans une région de steppes et de forêts, habité par les *Mordves*, peuple d'origine finnoise.

mordre v. [**6**] **I.** v. tr. **1.** Saisir, serrer, entamer avec les dents. *Mordre qqn jusqu'au sang.* ▷ Loc. fig. *Mordre la poussière* : être terrassé dans un combat; subir une défaite. – v. pron. *Se mordre les doigts (d'une chose)* : se repentir (de l'avoir faite). *Se mordre les lèvres*, pour s'empêcher de parler ou de rire, ou par dépit. **2.** Piquer, blesser, en parlant d'un insecte, d'un serpent, etc. *Être mordu par un insecte.* **3.** Entamer, pénétrer (en rongeant, en creusant, etc.). *Lime qui mord un métal.* – Fig. *Froid qui mord.* **4.** Avoir prise, s'engrener. *Foret, engrenage qui mord.* **II.** v. tr. indir. *Mordre à* : prendre avec les dents, avec la bouche. *Poisson qui mord à l'appât* ou, absol., *qui mord.* – Fig. *Mordre à l'appât, à l'hameçon* : se laisser prendre (à des propositions, à des flatteries, etc.). ▷ Fig. *Mordre à* : avoir des dispositions, du goût pour. **III.** v. intr. **1.** *Teinture qui mord*, qui prend, qui se fixe bien. *Étoffe qui mord*, qui prend la teinture. **2.** *Mordre dans* : enfoncer les dents dans; pénétrer, entamer. **3.** *Mordre sur* : attaquer en corrodant. **4.** Empiéter. *Les coureurs ne doivent pas mordre sur la ligne de départ.*

mordu, ue adj. et n. Fam. **1.** adj. *Il est mordu* : il est amoureux. **2.** n. Personne passionnée. *Un mordu de rugby.*

more. V. maure.

More. V. Thomas More (saint).

Moréas (Jean Papadiamantopoulos, dit Jean) (Athènes, 1856 – Paris, 1910), poète français d'origine grecque. Avec *les Cantilènes*, il se rallia d'abord au mouvement symboliste (dont il publia le Manifeste, en 1886) puis, faisant volte-face, il fonda avec Ch. Maurras l'école romane avant de revenir au classicisme (*Stances*, 1899-1901).

Moreau (Jean Victor) (Morlaix, 1763 – Laun, auj. Louny, Bohême, 1813), général français. Il commanda l'armée du Nord (1794), puis celle de Rhin-et-Moselle (1796). Il aida Bonaparte lors du 18 Brumaire. En 1800, il vainquit l'archiduc Jean à Hohenlinden. Manquant de docilité, compromis dans les intrigues royalistes, il encourut la prison mais fut gracié (1804) et s'exila aux É.-U. En 1813, il devint conseiller du tsar Alexandre Ier et fut tué près de Dresde.

Moreau (Gustave) (Paris, 1826 – id., 1898), peintre français; visionnaire fantastique, précurseur du symbolisme et du surréalisme : *Salomé dansant devant Hérode* (1876).

Moreau (Jeanne) (Paris, 1928), comédienne française. Elle devint une vedette avec *Ascenseur pour l'échafaud* (1957) et mit son talent au service de films de qualité : *les Amants* (1958), *la Nuit* (1960), *Jules et Jim* (1962), *La mariée était en noir* (1968). ▶ illustr. **Antonioni**

Morée, nom donné au Péloponnèse (*morea*, en lat., signif. « mûrier ») par les croisés (4e croisade, 1202-1204), qui en firent une principauté latine, dite de *Morée* ou d'*Achaïe*, fondée en 1205 par Guillaume* Ier de Champagne. Geoffroi Ier de Villehardouin en devint le prince (v.1209-v.1228); lui et ses héritiers y instituèrent un régime féodal original. En 1259, Byzance annexa la cap., Mistra, qui fut érigée en despotat

Gustave **Moreau** : *l'Apparition* (v. 1874-1876); musée Gustave-Moreau, Paris

(fief tenu par un *despote*, haut personnage de la hiérarchie byzantine), et ne cessa d'affronter les Latins, définitivement vaincus en 1430; les Turcs s'emparèrent du pays après 1460. La Morée ne revint à la Grèce qu'en 1828.

Morelia (anc. *Valladolid*), v. du Mexique central; 489 750 hab.; cap. d'État *(Michoacán)*. Industr. alimentaires. – Archevêché.

morelle n. f. BOT Plante (fam. solanacées) dont les espèces les plus connues sont la pomme de terre, le tabac, la tomate et qui comprend également des espèces sauvages. *La morelle noire est toxique, la douce-amère médicinale.*

Morelos y Pavón (José María) (Valladolid, auj. Morelia, 1765 – San Cristóbal Ecatepec, 1815), patriote mexicain. Curé de Caracuaro, il prit la tête de l'insurrection contre les Espagnols (1810-1812). Fait prisonnier par Iturbide, il fut fusillé.

Morena (sierra), chaîne du S. de l'Espagne (alt. max. 1 323 m) qui s'étend d'O. en E., de la frontière portugaise à la Murcie, longeant, au N., le cours du Guadalquivir.

Moreno (Jacob Levy) (Bucarest, 1892 – Beacon, État de New York, 1974), psychosociologue américain d'origine roumaine. Il a étudié les structures de groupe : *Fondements de la sociométrie* (1934), *Psychodrame et Sociodrame* (1944-1954).

Moreno (Roland) (Le Caire, 1945). Il a déposé, en 1974, le brevet de la carte à mémoire dite « carte à puce ».

moresque. V. mauresque.

Moret-sur-Loing, ch.-l. de cant. de Seine-et-Marne (arr. de Fontainebleau); 4 217 hab. – Anc. ville fortifiée.

Moretti (Marino) (Cesenalico, 1888 – id., 1979), écrivain italien. Poète et romancier d'inspiration crépusculaire : *Poésies* (1919), *le Soleil du samedi* (1916), *les Époux Allori* (1946), *la Chambre des époux* (1958).

Morez, ch.-l. de cant. du Jura (arr. de Saint-Claude), sur la Bienne; 7 209 hab. Lunetterie. Stat. de sports d'hiver.

morfal, ale adj. et n. Arg. Se dit d'une personne qui mange beaucoup.

morfil n. m. Petites barbes ou aspérités qui adhèrent au tranchant d'une lame fraîchement affûtée.

morfler v. intr. [**1**] Pop. Subir une punition, recevoir des coups.

morfondre (se) v. pron. [**6**] S'ennuyer à attendre. *Laisser qqn se morfondre.*

Morgagni (Giambattista) (Forli, 1682 – Padoue, 1771), anatomiste italien; fondateur de l'anatomie pathologique.

Morgan (Lewis Henry) (près d'Aurora, État de New York, 1818 – Rochester, 1881), anthropologue et ethnologue américain. Théoricien de l'évolutionnisme, il a inauguré l'étude scientifique des problèmes de la parenté : *Systèmes de consanguinité et d'affinité de la famille humaine* (1871).

Morgan (John Pierpont) (Hartford, Connecticut, 1837 – Rome, 1913), financier américain. Il fonda un trust de l'acier. – **John Pierpont** (Irvington, 1867 – Boca Grande, 1943), fils du préc.; il prit sa succession et apporta une aide import. aux Alliés durant la Première Guerre mondiale.

Morgan (Thomas Hunt) (Lexington, Kentucky, 1866 – Pasadena, Californie, 1945), biologiste américain, un des fondateurs de la génétique moderne. Étudiant la drosophile (mouche du vinaigre aux chromosomes géants), il détermina, le premier, la position des gènes les uns par rapport aux autres. P. Nobel de médecine 1933.

Thomas Hunt **Morgan**

Jean **Moulin**

Morgan (Charles Langbridge) (Bromley, Kent, 1894 – Londres, 1958), écrivain anglais. Il est surtout connu pour ses romans philosophiques et lyriques : *Fontaine* (1932), *Sparkenbroke* (1936). Théâtre : *le Fleuve étincelant* (1938). Essais critiques : *Libertés de l'esprit* (1950).

Morgan (Simone Roussel, dite Michèle) (Neuilly-sur-Seine, 1920), comédienne française, une des stars de l'après-guerre, célèbre pour la beauté de ses yeux clairs : *Quai des brumes* (1938), *la Symphonie pastorale* (1946), *les Orgueilleux* (1953), *Marie-Antoinette* (1956). ▶ illustr. **Carné**

morganatique adj. DR, HIST Se dit du mariage d'un prince avec une femme de condition inférieure à la sienne, et qui, bien que légitime, exclut épouse et enfants des prérogatives nobiliaires et des droits dynastiques.

Morgane (la fée), personnage fabuleux des romans du cycle breton.

Morgarten, chaînon montagneux et col de la Suisse centrale (cant. de Zoug et de Schwyz). – En 1315, victoire décisive des Suisses des Trois-Cantons sur Léopold Ier de Habsbourg.

Morgenstern (Oskar) (Görlitz, 1902 – Princeton, 1977), économiste américain d'origine autrichienne; auteur d'ouvrages sur les comportements économiques et la théorie des jeux.

morgon n. m. Cru du Beaujolais.

1. morgue n. f. Contenance hautaine et méprisante.

2. morgue n. f. Lieu où sont déposés les cadavres non identifiés ou soumis à expertise médico-légale. ▷ Salle froide où sont déposés provisoirement les morts, dans un hôpital, une clinique.

Morhange, com. de la Moselle (arr. de Forbach); 5 398 hab. – L'armée de Castelnau dut se replier lors de la *bataille de Morhange* (18-20 août 1914).

moribond, onde adj. et n. Qui est près de mourir. ▷ Subst. *Un(e) moribond(e).* ▷ Fig. (Choses) *Entreprise moribonde.*

moricaud, aude adj. et n. **1.** adj. Fam. Qui a la peau très brune. ▷ Subst. *Un(e) moricaud(e).* **2.** n. Péjor., raciste Personne de couleur.

Morienval, com. de l'Oise (arr. de Senlis); 1 041 hab. – Égl. Notre-Dame (XIe-XIIe s.), l'une des plus belles églises romanes d'Île-de-France.

morigéner v. tr. [**14**] Réprimander, tancer.

Mörike (Eduard) (Ludwigsburg, 1804 – Stuttgart, 1875), poète et pasteur allemand. Il s'inspira de la nature, de la vie populaire et de sujets antiques pour une œuvre alliant le classicisme au romantisme : *Idylle sur le lac de Constance* (1846). On lui doit aussi une nouvelle célèbre : *le Voyage de Mozart à Prague* (1855).

morille n. f. Champignon ascomycète comestible, dont le chapeau alvéolé a l'aspect d'une éponge.
▶ pl. **champignons**

morillon n. m. **1.** Canard plongeur *(Aythia fuligula)* huppé noir et blanc, commun en Europe. **2.** Émeraude brute.

Morin (le **Grand** et le **Petit**), affluents de la Marne (r. g.). Le *Grand Morin* (112 km) passe à Coulommiers. Le *Petit Morin* (90 km) arrose Montmirail. – Du 5 au 10 septembre 1914, de violents combats *(bataille des Deux-Morin)* se déroulèrent entre les deux rivières.

Morin (Paul) (Montréal, 1889 – id., 1963), poète québécois : *le Paon d'émail* (1911).

Morin (Edgar) (Paris, 1921), sociologue français : *le Paradigme perdu* (1973), *la Méthode* (4 vol. parus de 1977 à 1991).

Morins, anc. peuple celtique de la Gaule Belgique, rebelle à César qui finit par le soumettre v. 56-55 av. J.-C.

morio n. m. ENTOM Grand papillon *(Euvanessa antiopa)* aux ailes brunes bordées de jaune. ▶ pl. **papillons**

Morioka, v. du Japon, dans le N. de Honshū; 235 470 hab.; ch.-l. de ken.

Morisot (Berthe) (Bourges, 1841 – Paris, 1895), peintre français. Ses toiles et aquarelles figurent parmi les œuvres importantes du mouvement impressionniste. Elle épousa le frère de Manet.

morisque n. HIST Musulman d'Espagne converti au catholicisme sous la contrainte, au XVIe s. ▷ adj. *Un costume morisque.*

Moritz (Karl Philipp) (Hameln, 1756 – Berlin, 1793), écrivain allemand. Il annonce le mouvement du Sturm und Drang : *Anton Reiser* (1785-1790).

Morlaix, ch.-l. d'arr. du Finistère, au fond de l'estuaire du Dossen *(rivière de Morlaix)*; 17 607 hab. Abattoirs; industr. alim.; presse. Manuf. de tabac. – Égl. goth. St-Melaine, de style flamboyant. Musée.

Morley (Thomas) (Norwich, v. 1557 – id., v. 1603), compositeur anglais de l'époque élisabéthaine; auteur de « canzonettes » (2 à 6 voix), de madrigaux et de ballets.

mormon, one n. et adj. Membre d'un mouvement religieux (« Église de Jésus-Christ des saints des derniers jours ») fondé aux États-Unis à partir de 1830, dont la doctrine repose sur l'Ancien Testament mêlé d'emprunts à diverses religions (partic. au judaïsme). *Les mormons (plus de 5 millions) constituent l'une des communautés les plus riches des É.-U.* ▷ adj. *La foi mormone.*

Mornay (Philippe de, seigneur du Plessis-Marly), dit *Duplessis-Mornay* (Buhy, Vexin, 1549 – La Forêt-sur-Sèvre, Saintonge, 1623), calviniste qui joua un rôle de pacificateur auprès du futur Henri IV et dans l'organisation du culte réformé, ce qui le fit surnommer le Pape des huguenots.

1. morne adj. **1.** Abattu, morose; empreint d'une sombre tristesse. *Un* *homme, un air morne.* **2.** Qui engendre la tristesse ; maussade, terne. *Pays, ciel morne. Existence morne.*

2. morne n. f. Anc. Anneau, bouton dont on garnissait le fer des armes de tournoi pour les rendre inoffensives.

3. morne n. m. Colline ronde et isolée, dans les Antilles, à la Réunion.

Morne-à-l'Eau, com. de la Guadeloupe (arr. de Pointe-à-Pitre), dans le N.-O. de la Grande-Terre ; 16 058 hab. Centre agric. (bananes, canne à sucre).

mornifle n. f. Fam. Coup de la main sur le visage, gifle.

Morny (Charles, duc de) (Paris, 1811 – id., 1865), homme politique français ; fils naturel de la reine Hortense et du comte de Flahaut, demi-frère de Napoléon III. Il fut l'un des auteurs du coup d'État du 2 décembre 1851 et présida le Corps législatif de 1854 à 1856 et de 1858 à sa mort. Il encouragea l'expédition du Mexique.

Moro (Antoon Mor Van Dashorst, dit Antonio) (Utrecht, v. 1519 – Anvers, 1576), peintre hollandais ; portraitiste officiel de la cour d'Espagne. Il a profondément marqué l'art du portrait espagnol au XVIe s.

Moro (Aldo) (Maglie, Lecce, 1916 – Rome, 1978), homme politique italien. Secrétaire général de la Démocratie chrétienne (1959), ministre puis président du Conseil (1974-1976), partisan du « compromis historique » avec les communistes, il fut enlevé (1978) par les Brigades rouges et assassiné.

Moroni, cap. des Comores, sur l'île Ngazidja (anc. *Grande-Comore*) ; 17 270 hab. Pêche.

Moronobu (Hishikawa) (Hota, auj. Chiba, v. 1618 – Edo, auj. Tōkyō, v. 1694), peintre japonais. Maître de l'estampe, initiateur de l'ukiyo-e.

1. morose adj. **1.** Qui est d'humeur chagrine ; triste, maussade. *Air morose.* **2.** Fig. Peu actif, atone, en parlant de l'activité économique ou politique.

2. morose adj. THEOL *Délectation morose* : V. délectation.

Morosini, famille patricienne vénitienne, connue dès le XIe s. Elle compta plusieurs doges, dont **Francesco** (Venise, 1619 – Nauplie, 1694), qui combattit les Turcs à Candie.

morosité n. f. Caractère morose ; maussaderie, atonie.

morph(o)-, -morphe, -morphique, -morphisme. Éléments, du gr. *morphê*, « forme ».

Morphée, dans la myth. gr., dieu des Songes, fils du Sommeil et de la Nuit.

morphème n. m. LING **1.** Monème grammatical. **2.** *Morphème lexical* : lexème.

morphine n. f. CHIM Principal alcaloïde de l'opium, antalgique puissant mais toxique à fortes doses, et qui entre dans la catégorie des stupéfiants. *Morphine-base,* non purifiée.

morphing [mɔʀfiŋ] n. m. (Anglicisme) Transformation dynamique d'une image sur support numérique par des procédés informatiques.

morphinique adj. et n. m. **1.** adj. De la morphine. *Intoxication morphinique.* **2.** n. m. Médicament à base de morphine.

morphinisme n. m. MED Intoxication chronique par la morphine ou par ses sels (héroïne, codéine, etc.).

morphinomane adj. et n. Qui s'intoxique à la morphine.

morphinomanie n. f. Toxicomanie des morphinomanes.

-morphique, -morphisme. V. morph(o)-.

morphisme n. m. MATH Application d'un ensemble E dans un ensemble F, E et F étant munis chacun d'une loi de composition interne.

morpho n. m. Papillon d'Amérique du Sud, aux ailes bleu irisé.

morphogenèse ou **morphogénie** n. f. BIOL Ensemble des processus qui déterminent la structure des tissus et des organes d'un être vivant au cours de sa croissance ; leur étude.

morphologie n. f. **1.** Étude de la configuration et de la structure des formes externes des êtres vivants et de leurs organes. **2.** Forme, conformation ; aspect général. *Morphologie d'un muscle, d'un relief.* **3.** LING Étude de la formation, de la structure des mots et des variations de leurs formes.

morphologique adj. Didac. Relatif à la morphologie, aux formes (en biologie, géologie, etc.).

morphologiquement adv. Didac. Relativement à la morphologie.

morphopsychologie n. f. Étude des correspondances entre la psychologie des individus et leur aspect physique, leur morphologie.

morpion n. m. **1.** Arg. Pou du pubis *(Phtirius pubis).* **2.** Pop. Enfant, gamin. **3.** Jeu qui se joue sur du papier quadrillé et qui oppose deux joueurs (quelquefois plus) dont chacun doit tenter de placer en ligne droite cinq de ses marques (croix, points, etc.).

Morrice (James Wilson) (Montréal, 1865 – Tunis, 1924), peintre canadien. L'exotisme des couleurs s'allie à la rigueur des formes : *la Traversée de Québec* (v. 1909).

Morris (William) (Walthamstow, Essex, 1834 – Londres, 1896), artiste et écrivain anglais ; pionnier du modern style dans son pays. Disciple de Ruskin, il fonda à Londres, en 1861, les ateliers de métiers d'art Morris, Marshall, Faulkner et Cie. Militant socialiste, il est l'auteur d'une utopie communiste : *Nouvelles de nulle part* (1890).

Morris (Maurice de Bevère, dit) (Courtrai, 1923), dessinateur et scénariste de bandes dessinées. Créateur de *Lucky Luke* (1947).

Morrison (Chloe Anthony Wofford, dite Toni) (Lorrain, Ohio, 1931), écrivain américain. Elle consacre ses romans au passé et à la condition des Noirs américains : *Beloved* (1987), *Jazz* (1992). P. Nobel 1993.

mors [mɔʀ] n. m. **1.** Pièce métallique que l'on place dans la bouche d'un cheval, et qui, agissant comme un levier sur les barres, permet de le diriger. ▷ Loc. *Prendre le mors aux dents* (pour un cheval), le serrer entre les incisives, et rendre de la sorte son action inefficace ; s'emballer. Fig. (Personnes) Se laisser emporter par la passion, la colère, etc. ; entreprendre une tâche avec une ardeur inaccoutumée. **2.** TECH Partie de la mâchoire d'un étau qui serre l'objet à travailler. ▷ Mâchoire d'une pince.

Morsang-sur-Orge, ch.-l. de cant. de l'Essonne (arr. d'Évry) ; 19 461 hab.

1. morse n. m. Grand mammifère marin des régions arctiques (genre *Odobenus*), long de 3 à 5 m, pouvant peser jusqu'à une tonne, aux canines supérieures développées en défenses.

2. morse n. m. TELECOM Code inventé par S. Morse, dont chaque signe est constitué de points (correspondant à des impulsions brèves) et de traits (impulsions longues). ▷ adj. *Appareil morse,* qui utilise ce code.

Morse (Samuel Finley Breese) (Charlestown, Massachusetts, 1791 – New York, 1872), peintre et physicien américain ; inventeur du télégraphe électrique qui utilise le code portant son nom.

morsure n. f. **1.** Action de mordre ; marque ou plaie qui en résulte. *Une morsure de chien.* ▷ Fig. *Les morsures du froid.* **2.** Action d'une substance corrosive. *Morsure d'un acide.*

Morsztyn (Jan Andrzej) (près de Cracovie, v. 1613 – Châteauvillain, 1693), diplomate et poète polonais ; princ. représentant de la littérature baroque dans son pays : *la Canicule* (1647), *le Luth* (1661), recueils de poèmes.

1. mort [mɔʀ] n. f. **1.** Fin de la vie, cessation définitive de toutes les fonctions corporelles. *Le critère médico-légal de la mort est la cessation complète de l'activité cérébrale, attestée par deux électro-encéphalogrammes à vingt-quatre heures d'intervalle.* – *Se donner la mort* : se tuer, se suicider. *Être à la mort, à l'article de la mort,* sur le point de mourir. – *Arrêt, sentence de mort.* – Loc. adv. *À mort* : de telle sorte que la mort survient. *Être frappé à mort. Combat à mort,* qui doit se terminer par la mort de l'un des combattants. – Fig. *En vouloir à mort à qqn,* lui en vouloir tellement que l'on souhaite sa mort (*par exag.,* lui garder une rancune extrêmement vive). *Par ext.,* fam. Beaucoup, extrêmement, très fort, à fond. *Serrer un écrou à mort.* – Interj. *À mort! Mort à...!* : cris par lesquels on réclame la mort de qqn (ou par lesquels on proclame son hostilité à qqn, à qqch). *À mort les traîtres! Mort aux vaches!* – *À la vie (et) à la mort* : pour toujours. ▷ BIOL Cessation définitive des fonctions biologiques. *Mort d'une cellule.* **2.** Ensemble des circonstances qui accompagnent la fin de la vie ; ensemble des causes qui déterminent cette fin, manière de mourir. *Mourir de mort naturelle, violente. Mourir de sa belle mort,* de vieillesse et sans souffrance. **3.** Fig. Souffrance physique ou morale extrêmement vive ; désarroi, désespoir. *Souffrir mille morts. Avoir la mort dans l'âme.* ▷ THEOL *Mort de l'âme* : état où l'âme tombe par le péché. – *Mort éternelle* : état des pécheurs condamnés aux peines de l'enfer. **4.** Extinction, destruction, disparition (de qqch). *C'est la mort de toutes nos espérances. L'avènement des grandes minoteries à vapeur a entraîné la mort de la meunerie traditionnelle.* **5.** DR ANC *Mort civile* : situation de certains condamnés, dont la condamnation (peine capitale, travaux forcés à perpétuité, déportation) produisait les mêmes effets juridiques que la mort physique effective (ouverture de la suc-

morse

cession, liens de parenté, y compris le mariage, rompus, etc.). *La mort civile a été supprimée en 1854.* **6.** *La Mort* : personnification de la mort, souvent représentée sous l'aspect d'un squelette armé d'une faux.

2. mort, morte [mɔʀ, mɔʀt] adj. et n. **I.** adj. **1.** Qui a cessé de vivre. *Il est mort vieux.* – (Animaux, végétaux, tissus, etc.) *Cheval mort. Bois mort. Cellule morte.* **2.** Qui semble privé de vie, qui semble être dans un état voisin de la mort. *Ivre mort. Être mort de peur, plus mort que vif,* saisi d'une frayeur paralysante. – Loc. *C'est un homme mort,* qui ne peut plus échapper à une mort prochaine. ▷ *Regard mort,* sans expression, vide. **3.** (Choses) Sans apparence de vie, sans activité. *Ville morte. Eau morte,* stagnante. – *Langue morte,* que l'on ne parle plus. *Angle mort* : partie du champ de vision qui se trouve masquée par un obstacle. – MECA *Point mort* : point où un organe mécanique ne reçoit plus d'impulsion motrice; *spécial.* position du levier de commande de la boîte de vitesses d'un véhicule automobile, dans laquelle aucun pignon n'est enclenché. – Fig. *L'affaire est au point mort,* elle est laissée en l'état, elle n'avance plus. – *Poids mort* : poids propre d'une machine, qui réduit son travail utile; fig. (personne) se dit de qqn d'encombrant, qui est inutile de sa personne. – SPORT *Temps mort* : temps d'un arrêt de jeu; fig. temps de diminution ou de cessation de l'activité, de l'intérêt, etc. **II.** n. **1.** Personne qui a cessé de vivre. *L'incendie a fait deux morts.* – *Sonnerie aux morts* : sonnerie militaire d'hommage aux soldats morts pour la patrie. ▷ Cadavre. *Enterrer un mort.* – Loc. *Faire le mort* : feindre l'immobilité d'un mort; fig. s'abstenir de toute réaction, de toute intervention; ne pas se manifester. – Fam. *La place du mort,* à côté du conducteur, dans une automobile. **2.** Personne morte mais considérée seulement comme soustraite au monde des vivants. *Culte, messe des morts.* **3.** n. m. JEU Au bridge, celui des quatre joueurs qui étale ses cartes; le jeu, étalé, de ce joueur.

Mort (Vallée de la) (en angl. *Death Valley*), profond et aride fossé d'effondrement des É.-U. (en Californie, près de la frontière du Nevada).

mortadelle n. f. Gros saucisson d'Italie, fait avec du bœuf et du porc.

Mortagne-au-Perche, ch.-l. d'arr. de l'Orne; 4 943 hab. – Égl. Notre-Dame de style goth. flamboyant.

Mortain, ch.-l. de cant. de la Manche (arr. d'Avranches), au cœur de la Suisse normande; 2 612 hab. Industr. électr. – Égl. St-Évroult (XIIIe s.). – La ville, qui fut ch.-l. d'arr. jusqu'en 1926, a été détruite en août 1944 *(bataille de Mortain).*

mortaise n. f. TECH **1.** Cavité pratiquée dans une pièce pour recevoir le tenon d'une autre pièce. **2.** Ouverture de la gâche d'une serrure, où s'engage le pêne.

mortaiser v. tr. [1] TECH Faire une mortaise dans.

mortalité n. f. Ensemble des morts (d'hommes ou d'animaux) survenues dans un certain temps pour une même raison. *Mortalité du bétail.* ▷ *Taux de mortalité* ou *mortalité* : rapport entre le nombre des décès et le nombre des individus d'une population, pour un temps et en un lieu donnés. *Mortalité infantile. Tables de mortalité.*

mort-aux-rats n. f. inv. (Rare au plur.) Poison, à base d'arsenic, destiné à la destruction des rongeurs.

Morte (mer), lac aux confins d'Israël et de la Jordanie, alimenté par le Jourdain, à 393 m env. au-dessous du niveau de la mer; 1 015 km^2; longueur, 85 km; largeur moyenne, 17 km. Les eaux sont sursaturées de sels minéraux (26 %).

Morte (manuscrits de la mer), manuscrits (datant du IIe s. av. J.-C. à la fin du Ier s. de notre ère) découverts entre 1946 et 1956 dans les grottes de falaises voisines de la mer Morte, à Qirbet Qumran (Jordanie). L'attribution de ces manuscrits à la secte juive des esséniens est auj. admise. Les textes (une dizaine de rouleaux de parchemin à peu près complets et des milliers de fragments), écrits bibliques (un quart) et non bibliques (trois quarts), écrits en hébreu et en araméen, permettent de mieux situer le contexte historique dans lequel est né le christianisme.

Morteau, ch.-l. de cant. du Doubs (arr. de Pontarlier), dans le Jura plissé, sur le haut Doubs; 6 791 hab. Horlogerie. Industr. alimentaire (saucisses).

morte-eau n. f. *Marée de morte-eau* : marée d'amplitude relativement faible, qui se produit lorsque le Soleil et la Lune sont en quadrature. *Les mortes-eaux.*

mortel, elle adj. et n. **1.** Sujet à la mort. *Tous les hommes sont mortels.* – *La dépouille mortelle de qqn,* son cadavre. ▷ Subst. Être humain. *Un heureux mortel. Le commun des mortels* : les hommes en général. **2.** Qui cause ou qui peut causer la mort. *Danger mortel.* – *Ennemi mortel d'une personne,* qui souhaite sa mort, ennemi implacable. – RELIG CATHOL *Péché mortel,* qui donne la mort à l'âme en lui ôtant la grâce sanctifiante. **3.** *Par exag.* Extrême dans son genre. *Ennui mortel.* ▷ Excessivement ennuyeux. *Attente mortelle.* – Fam. *Il est mortel, avec ses sermons.*

mortellement adv. **1.** À mort. *Blesser mortellement.* **2.** Fig. Extrêmement. *Être mortellement inquiet.*

Mortemart, branche de la famille de Rochechouart dont est issue Mme de Montespan.

morte-saison n. f. Temps où la terre ne produit rien. ▷ *Par ext.* Période de l'année pendant laquelle l'activité économique diminue. *Des mortes-saisons.*

mortier n. m. **I.** Mélange de ciment ou de chaux, de sable et d'eau, utilisé en construction comme matériau de liaison. **II. 1.** Récipient aux parois épaisses utilisé pour broyer, au moyen d'un pilon, certaines substances. **2.** Pièce d'artillerie à canon court et à tir courbe, pour les objectifs rapprochés et masqués. *Mortier d'infanterie,* portatif. **3.** Anc. Coiffure que portaient les présidents de parlement et le chancelier de France. – Mod. Toque portée par certains magistrats.

Mortier (Édouard Adolphe Casimir Joseph) (Le Cateau-Cambrésis, 1768 – Paris, 1835), maréchal de France. Il se distingua sous l'Empire (notam. pendant la campagne de Prusse) et fut fait duc de Trévise (1807). Député sous la Restauration, président du Conseil et ministre de la Guerre (1834-1835), il fut tué lors de l'attentat de Fieschi.

mortifère adj. Qui cause la mort. ▷ Plaisant D'un ennui extrême.

mortifiant, ante adj. Qui mortifie.

mortification n. f. **1.** RELIG Souffrance, privation que l'on s'inflige pour se préserver ou se purifier de tentations, de péchés. **2.** Blessure d'amour-propre, humiliation. **3.** MED Altération et destruction d'un tissu, d'un organe (par gangrène ou nécrose). **4.** CUIS Faisandage.

mortifier v. tr. [2] **1.** RELIG Soumettre à quelque mortification spirituelle ou corporelle. *Mortifier sa chair, ses passions.* ▷ v. pron. *Se mortifier en secret.* **2.** Fig. Blesser moralement, humilier. *Ce refus l'a mortifié.* **3.** CUIS Faisander. – Attendrir. ▷ v. pron. *Viande qui se mortifie.*

Mortillet (Gabriel de) (Meylan, Isère, 1821 – Saint-Germain-en-Laye, 1898), archéologue et préhistorien français : *le Préhistorique : antiquité de l'homme* (1882).

Mortimer de Wigmore, famille galloise. – **Roger,** comte de La Marche (?, 1287 – Londres, 1330), dirigea la révolte de 1326 contre Édouard II, le força à abdiquer, le fit assassiner et exerça le pouvoir en profitant de la jeunesse d'Édouard III; en 1330, ce dernier le fit condamner à mort.

mortinatalité n. f. En démographie, nombre des mort-nés au sein d'une population pour une période donnée. *Taux de mortinatalité.*

mort-né, -née adj. et n. **1.** Mort à sa mise au monde. *Une enfant mort-née.* ▷ Subst. *Un mort-né, des mort-nés* (inus. au f.). **2.** Fig. Qui ne voit pas le jour, qui ne reçoit même pas un début de réalisation. *Projet mort-né.*

Morton (Ferdinand Joseph La Menthe, dit Jelly Roll) (Gulfport, Louisiane, 1885 – Los Angeles, 1941), pianiste, compositeur et chef d'orchestre de jazz américain : *The Pearls* (1923), *Doctor Jazz* (1926), *Original Jelly Roll Blues* (1926).

mortuaire adj. Relatif à un mort, à une cérémonie funèbre. *Couronne mortuaire.* – *Masque mortuaire* : empreinte, moulage du visage d'un défunt. – *Registre mortuaire,* où sont inscrits les noms des personnes décédées, dans une localité. *Extrait mortuaire* : copie d'un acte de ce registre.

morue n. f. **1.** Poisson (genre *Gadus,* fam. gadidés) des régions froides de l'Atlantique Nord (Terre-Neuve, Islande, Norvège), long d'un à deux mètres. *Huile de foie de morue.* – *Morue fraîche* : cabillaud. ▷ Par métaph. *Queue de morue* : pans longs et étroits du frac. **2.** Vulg. Prostituée.

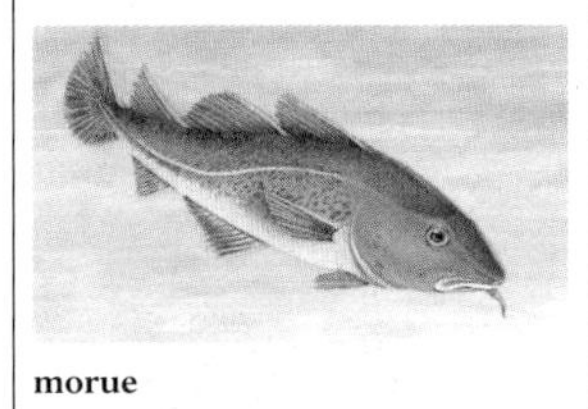
morue

morula n. f. EMBRYOL Petite sphère pleine, ayant l'aspect d'une mûre, constituée par les cellules (blastomères) provenant de la division de l'œuf. (V. encycl. embryogenèse.)

Morus. V. Thomas More (saint).

morutier, ère adj. et n. m. **1.** adj. Relatif à la morue. *Pêche morutière.* **2.** n. m. Pêcheur ou bateau qui fait la pêche à la morue.

Morvan, massif granitique de France (902 m au signal du Bois-du-Roi), bordure N.-E. du Massif central. Rég. au climat rude et pluvieux, couverte de forêts et de prairies. Élevage. Tourisme.

morvandiau, aux ou **morvandeau, elle, eaux** adj. et n. Du Morvan. – Subst. *Les Morvandiaux* ou *les Morvandeaux.* ▷ n. m. Dialecte parlé dans le Morvan.

morve n. f. **1.** Humeur visqueuse sécrétée par les muqueuses nasales et s'écoulant par le nez. **2.** MED VET Maladie contagieuse des équidés, transmissible à l'homme.

morveux, euse adj. et n. **I. 1.** adj. Qui a la morve au nez. – Prov. *Qui se sent morveux (qu'il) se mouche* : que celui qui se sent visé par une critique en fasse son profit. **2.** n. Fam. Jeune enfant. ▷ Personne très jeune et sans expérience qui veut trancher de tout. *Traiter qqn de morveux.* **II.** adj. MED VET Atteint de la morve.

Morzine, com. de la Haute-Savoie (arr. de Thonon-les-Bains), dans le Chablais; 3 014 hab. Stat. de sports d'hiver.

1. mosaïque n. f. **1.** Ouvrage décoratif composé de petites pièces (en pierre, en verre, en émail, etc.) de différentes couleurs, assemblées et jointoyées de manière à former un pavage ou un revêtement mural; art de composer de tels ouvrages. **2.** Fig. Juxtaposition d'éléments nombreux et divers. *Mosaïque de fleurs. Mosaïque d'États.* **3.** BOT Maladie virale de certaines plantes (tabac, pomme de terre, etc.), caractérisée par des taches vert clair ou jaunes sur les feuilles.

2. mosaïque adj. RELIG Relatif à Moïse, au mosaïsme. *Loi mosaïque.*

mosaïsme n. m. RELIG Ensemble des institutions que le peuple d'Israël reçut de Moïse.

mosaïste n. ART, TECH Artiste, artisan qui compose des mosaïques. – (En appos.) *Maître mosaïste.*

mosan, ane adj. De la Meuse ou de sa région.

Moscou (en russe *Moskva*), cap. de la Russie, sur la Moskova, au centre de la grande plaine russe; 8 675 000 hab. Import. port fluvial. Grand centre industriel (industr. text., alim., méca., chim., etc.), financier et commercial. – Universités. Le Kremlin* est séparé de la vieille ville par la célèbre place Rouge. Mausolée de Lénine. Égl. Basile-le-Bienheureux (XVIe s.). Égl. de la Vierge-de-Géorgie (XVIIe s.). Grand Théâtre (en russe *Bolchoï Teatr,* 1824, reconstruit en 1856 apr. un incendie); Petit Théâtre (en russe *Malyi Teatr*). Musée d'art Pouchkine; galerie Tretiakov; musée des Arts orientaux. Conservatoire Tchaïkovski. Bibliothèque nationale. – Centre de la principauté de Moscou (XIIIe s.), la ville devint la cap. religieuse du pays en 1326 et prospéra sous Ivan III (1462-1505). Elle fut cap. polit. jusqu'en 1703 et à partir de 1918. Prise par Napoléon, puis à demi détruite par un incendie (1812), elle résista victorieusement aux Allemands en 1941. Elle connaît depuis 1918 une grande expansion démographique. Ses diverses fonctions (politiques, commerciales, industrielles, culturelles, etc.) ont été facilitées par la création de son métro, inauguré en 1935, partic. grandiose. Elle a organisé les jeux Olympiques de 1980.

Moscou : église de Basile-le-Bienheureux, XVe s.

Moscovie, anc. nom porté par l'État russe (XVe-XVIIe s.), qui s'est constitué autour de la grande principauté de Moscou.

moscovite adj. et n. De Moscou. ▷ Subst. *Un(e) Moscovite.*

Moseley (Henry Gwyn Jeffreys) (Weymouth, 1887 – Gallipoli, 1915), physicien anglais. Il procéda au classement des éléments en fonction de la fréquence des rayons X émis.

mosellan, ane adj. De la Moselle ou de sa région.

Moselle (la), riv. de France, du Luxembourg et de l'Allemagne (550 km), affl. du Rhin (r. g.); née dans les Vosges, elle passe à Épinal, Toul, Metz, Thionville, constitue la frontière entre le Luxembourg et l'Allemagne, traverse Trèves et le Massif schisteux rhénan, où elle forme de nombr. méandres, et rejoint le Rhin à Coblence. Sa vallée est industrialisée. Canalisée, elle est accessible aux chalands de 1 500 t jusqu'à Metz.

Moselle, dép. franç. (57); 6 214 km^2; 1 011 302 hab.; 162,7 hab./km^2; ch.-l. *Metz.* V. Lorraine (Rég.).

Moses (Anna Mary Robertson, Mme Thomas Moses, dit Grandma) (Greenwich Village, New York, 1860 – Hoosick Falls, New York, 1961), peintre américain. Paysanne, elle ne se mit à peindre qu'après avoir élevé dix enfants et avoir pris sa retraite. Ses tableaux naïfs et raffinés sont devenus immédiatement célèbres.

Moskova (la) (en russe *Moskva*), riv. de Russie (508 km), affl. de l'Oka (r. dr.); elle donne son nom à Moscou, qu'elle traverse; elle est reliée à la Volga supérieure par un canal. – La *bataille de la Moskova* (qui eut lieu, en fait, à Borodino) vit la victoire de Napoléon sur Koutouzov (7 sept. 1812).

mosquée n. f. Édifice réservé au culte musulman.

ENCYCL Une grande mosquée comprend traditionnellement : une vaste cour à ciel ouvert et une salle de prière couverte. Le mur de *qibla,* le long duquel les fidèles s'alignent pour prier, est désigné par une niche (le *mihrab*), qui indique la direction de La Mecque. À côté se trouve une chaire (le *minbar*). La mosquée, parfois surmontée d'une ou de plusieurs coupoles, est flanquée d'un minaret, du haut duquel, cinq fois par jour, retentit la voix du muezzin,

qui convie les fidèles à la prière. Parmi les plus belles mosquées du monde, citons celles de Kairouan (Tunisie), du Caire (Al-Azhar), de Cordoue, de Jérusalem (Al-Aqsā), d'Ispahan.

Mosquito(s) ou **Miskito(s),** Indiens d'Amérique centrale établis sur la côte de la mer des Antilles, au Nicaragua et au Honduras.

Mossadegh ou **Musaddaq** (Muhammad Hidāyāt, dit) (Téhéran, 1881 - id., 1967), homme politique iranien. Il occupa divers ministères sous les Qādjārs, puis après le coup d'État (1921) de Rīza Pahlavi, il se brouilla avec ce dernier et connut pendant des années la prison, la résidence surveillée ou l'exil intérieur. Il revint à la vie politique en 1944. En 1949, il créa le Front national. Premier ministre (1951-1953), il se dressa contre les intérêts britanniques, nationalisant le pétrole; le coup d'État qui rétablit le pouvoir du schah entraîna sa condamnation à mort; Mossadegh fut gracié, et libéré en 1956.

Mössbauer (Rudolf) (Munich, 1929), physicien nucléaire allemand. P. Nobel 1961. ▷ PHYS NUCL *Effet Mössbauer* : émission (ou absorption) d'un rayonnement gamma* par les noyaux d'un échantillon cristallin qui s'effectue sans recul des noyaux (liés dans la structure du cristal).

Mossi(s), peuple du Burkina Faso, dont il constitue l'ethnie la plus importante. En grand nombre, ils quittent leur territoire surpeuplé pour émigrer en Côte-d'Ivoire et au Ghana. Du XIIe au XVIe s. ils formèrent un grand royaume. - Leur art (masques à échafaudages, de structure géométrique) s'apparente à celui des Dogons.

Mossoul ou **Mosul** (en ar. *Al-Mawṣil*), v. d'Irak, port sur le Tigre, dans une rég. pétrolifère; 600 000 hab.; ch.-l. de prov. Grand centre commercial et industriel (raff. de pétrole, industr. alim. et text.). - Fondée après la destruction de Ninive (VIIe s. av. J.-C.), la ville fut conquise par les Arabes en 641. Les Ottomans la prirent en 1638, et elle fut rattachée à l'Irak sous mandat britannique en 1918.

Most, v. de la Rép. tchèque (Bohême); 61 000 hab. Lignite. Métallurgie et carbochimie.

Mostaganem *(Mustağānim),* v. d'Algérie, port sur le golfe d'Arzew; 116 570 hab.; ch.-l. de la wil. du m. nom. Centre comm. (vins, primeurs). Industr. alimentaires.

Mostar, v. de Bosnie-Herzégovine; cap. de l'Herzégovine occid.; 63 000 hab. (av. le conflit). Textile. Manuf. de tabac. - Les Croates ont assiégé la v. en 1993 et des vestiges ottomans (le pont du XVIe s.) ont été détruits.

Mosul. V. Mossoul.

mot n. m. **1.** Son ou groupe de sons d'une langue auquel est associé un sens, et que les usagers de cette langue considèrent comme formant une unité autonome; lettre ou suite de lettres comprise entre deux espaces blancs, transcrivant un tel son ou un tel groupe de sons, en français et dans les langues de tradition graphique comparable. *Mot savant, mot courant. Épeler un mot. Chercher ses mots* : parler avec difficulté, en hésitant. *Manger ses mots,* mal les prononcer. *Ce sont des mots, ce ne sont que des mots,* des paroles creuses, qui ne veulent rien dire. *Grands mots* : mots trop solennels, qui dénotent l'emphase, l'affectation sentencieuse. *Gros mot* : mot grossier. - *Le mot de Cambronne,* euph. pour *merde* (mot que Cambronne aurait lancé au général anglais qui le sommait de se rendre, à Waterloo). - *Le mot de l'énigme* : le mot que l'on propose à deviner, dans une énigme; fig. ce qui éclaire une affaire demeurée longtemps mystérieuse. - *Le fin mot,* celui qui vient en dernier, et qui permet de comprendre le reste. *J'ai su le fin mot de l'affaire.* - *Maître mot* : mot qui résume la pensée (de qqn), la volonté (d'un groupe). - *Jeu de mots* : équivoque plaisante jouant sur les similitudes phonétiques et les rencontres de sens, calembour. - *Mot à mot* : un mot après l'autre; littéralement, sans dégager le sens général de l'expression, de la phrase, du texte. *Traduire mot à mot.* - n. m. *Faire du mot à mot.* - *Mot pour mot* : textuellement, sans changer un seul mot. *Je lui ai répété mot pour mot ce que vous m'aviez dit.* ▷ *Mots croisés* : V. croisé. **2.** Ce que l'on dit en peu de paroles; bref énoncé, courte phrase. *Dites-lui un mot en ma faveur. Placer son mot dans la conversation. J'ai deux mots à vous dire.* ▷ Loc. *Avoir son mot à dire* : être fondé à donner son avis, ou en avoir le droit. - *Ne pas souffler mot* : se taire, demeurer silencieux. - Prov. *Qui ne dit mot consent.* - *Trancher le mot* : dire nettement ce que l'on pense. - *Avoir le dernier mot* : avoir le dessus, l'emporter dans une discussion. - *C'est mon dernier mot,* ma dernière proposition, mon ultime conclusion. - *Je n'ai pas dit mon dernier mot* : je n'ai pas renoncé à avoir le dessus (dans une affaire, une action mal engagée, etc.). - *Avoir des mots avec qqn,* une querelle. - *Au bas mot* : en évaluant au plus bas. - *À demi-mot* : V. demi-mot (à). - *Toucher un mot d'une affaire à qqn,* lui en parler, la porter à sa connaissance. - *Prendre qqn au mot,* prendre ce qu'il dit au pied de la lettre, tenir pour assurées ses assertions, ses promesses. - *Mot d'ordre* : consigne d'action, résolution commune à un groupe. - *Mot de passe* : formule qui permet de se faire reconnaître d'un parti ami, d'une sentinelle, etc. Fig. *Se donner le mot* : se mettre d'accord, convenir par avance de qqch. - *En un mot* : en bref, pour résumer. **3.** Parole remarquable ou mémorable; sentence. *Citer un mot historique. Mot d'auteur, d'enfant.* - *Le mot de la fin* : l'expression qui conclut heureusement un discours, un entretien. ▷ Parole amusante ou spirituelle. *Mot d'esprit. Bon mot.* **4.** Courte missive, billet. *Envoyer un mot à qqn.*

motard n. m. Fam. Motocycliste. - *Spécial.* Motocycliste de la police, de la gendarmerie, de l'armée.

mot-clé n. m. **1.** Mot qui résume un problème ou en donne l'explication. **2.** Mot servant à indexer un article dans un fichier. *Des mots-clés.*

motel n. m. Hôtel aménagé spécialement pour les automobilistes.

motet n. m. MUS Chant d'église à plusieurs voix, sur des textes différents, parfois dans des langues différentes. - Pièce vocale destinée à l'église, chantée a cappella et dont les paroles latines ne sont pas celles de l'office.

moteur, trice n. et adj. **I. 1.** n. m. PHILO Anc. Principe, agent premier; force qui imprime un mouvement. ▷ Cour. Personne qui dirige, inspire ou anime. *Le moteur d'une politique.* ▷ Cause, motif. *L'intérêt, moteur de nos actions.* **2.** adj. Qui produit ou communique le mouvement. *Muscles moteurs. Force, roue motrice.* ▷ Relatif aux organes du mouvement. *Troubles moteurs.* **II.** n. m. **1.** Appareil conçu pour la transformation d'une énergie quelconque en énergie mécanique. **2.** INFORM *Moteur de recherche* : logiciel qui permet d'identifier et d'exploiter sur Internet des informations définies par thèmes, mots-clés, etc. **III.** n. f. V. motrice.

ENCYCL **Moteur à vapeur.** Il utilise l'énergie de la vapeur qui, produite dans un générateur, alimente une machine à piston (anciennes locomotives à vapeur) ou une turbine (centrales électriques, propulsion des navires). - **Moteur à combustion interne.** L'énergie est fournie par la combustion et la détente d'un gaz. - **Moteur à explosion.** Moteur à combustion interne. - **Moteur à étincelles.** Moteur à allumage commandé (par oppos. à *moteur Diesel*). - **Moteur hydraulique.** Il transforme l'énergie hydraulique (chute d'eau, huile sous pression) en énergie mécanique. - **Moteur électrique.** Il transforme l'énergie électrique en énergie mécanique. - **Moteur à réaction.** Il tire sa force motrice de l'éjection d'un fluide (le plus souvent les gaz résultant d'une combustion). - **Moteur-fusée.** Moteur à réaction capable de fonctionner sans recourir à l'oxygène de l'air comme carburant, constitué d'une chambre de combustion et d'une tuyère qui assure l'éjection à grande vitesse des gaz résultant de la combustion des propergols. - **Moteur à plasma** et **moteur ionique.** Un *moteur à plasma* comprend un générateur de plasma (hydrogène, vapeur de lithium) et un dispositif qui accélère le jet de plasma (par détente ou par action d'un champ électromagnétique). Un *moteur ionique* tire son énergie motrice de l'éjection d'un faisceau d'ions accélérés par un puissant champ électrique. ► pl. page **1255**

Motherwell (Robert) (Aberdeen, Washington, 1915 - Provincetown, Massachusetts, 1991), peintre américain. Un des fondateurs de l'école «Subjects of the Artists». Son œuvre (surtout grands formats et noir et blanc) est marquée par l'abstraction lyrique, sa vaste culture et son intérêt pour les problèmes politiques : *Élégie* (série de collages, 1948), *Élégies pour la République espagnole* (plus de 80 toiles, 1961), *Open Series* (début 1967).

motif n. m. **1.** Raison qui détermine ou explique un acte, une conduite. *Les motifs d'un refus. Se tourmenter sans motif,* sans raison. ▷ DR *Motifs d'un jugement,* exposé des raisons de droit et de fait qui le justifient. **2.** Sujet d'un tableau. *Travailler sur le motif,* d'après nature. **3.** Dessin, ornement répété. *Motifs décoratifs.* ▷ MUS Partie délimitée d'une ligne mélodique, dont l'articulation est caractéristique.

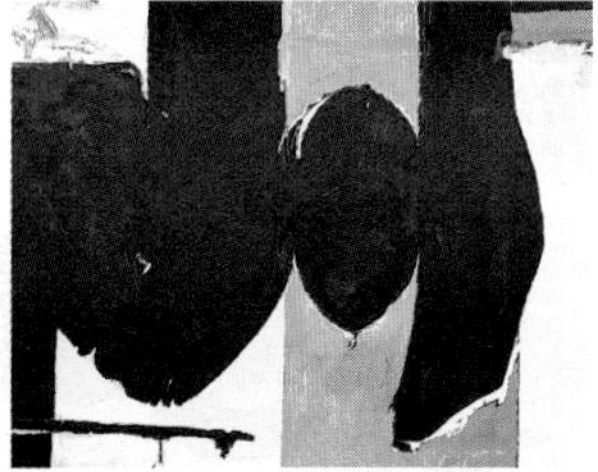

Robert **Motherwell :** *Elegy to the Spanish Republic n° 132* (1975-1985), acrylique sur toile; galerie Arcurial, Paris

motilité n. f. Didac. Faculté de se mouvoir. *Motilité musculaire.*

motion n. f. Proposition faite dans une assemblée délibérante par un ou plusieurs de ses membres. *Rejeter une motion. Motion de censure :* motion proposée au vote de l'Assemblée nationale pour mettre en cause l'action du gouvernement et le faire démissionner.

motivant, ante adj. Qui fournit une motivation à une conduite.

motivation n. f. **1.** PHILO Relation d'un acte à ses motifs. **2.** PSYCHO Ensemble des facteurs conscients ou inconscients qui déterminent un acte, une conduite. **3.** ECON Ensemble des facteurs déterminant le comportement d'un individu en tant qu'agent économique (plus partic., en tant que consommateur). *Étude de motivation.*

motivé, ée adj. Soutenu, stimulé par une motivation.

motiver v. tr. [1] **1.** Expliquer, justifier par des motifs. *Motiver un arrêt, un choix.* **2.** Servir de motif à, être le motif de. *Nécessité qui motive une démarche.* **3.** Fournir une motivation à (qqn), déterminer ses actes, sa conduite. *C'est surtout l'intérêt financier qui le motive.*

moto-. Élément, tiré de *moteur* (n. m.).

1. moto n. f. Cour. Motocyclette.

2. moto n. m. MUS *Con moto :* d'une manière animée.

motoball [motobol] n. m. Football pratiqué à moto.

motobineuse n. f. TECH Machine à biner à moteur.

motociste n. m. COMM Spécialiste de la vente et de la réparation des motocycles.

motocross n. m. inv. Course de motos sur parcours naturel fortement accidenté.

motoculteur n. m. Appareil automoteur conduit à la main, pour les petits travaux agricoles, la viticulture.

motoculture n. f. Utilisation dans l'agriculture de machines mues par des moteurs.

motocycle n. m. ADMIN Tout engin à deux roues équipé d'un moteur.

motocyclette n. f. Motocycle équipé d'un moteur d'une cylindrée supérieure à 125 cm^3. (Abrév. : moto).

motocyclisme n. m. **1.** Pratique de la motocyclette. **2.** Ensemble des activités sportives pratiquées sur motocyclette et sur side-car.

motocycliste n. et adj. **1.** n. Personne qui monte une motocyclette. **2.** adj. Relatif au motocyclisme.

motomarine n. f. Véhicule à moteur glissant sur des skis à la surface de l'eau. Syn. scooter des mers.

motonautisme n. m. Pratique sportive de la navigation sur de petits bateaux à moteur.

motoneige n. f. (Canada) Petit véhicule sur chenille, muni d'un guidon et de skis à l'avant, pour se déplacer sur la neige. Syn. motoski.

motoneigiste n. (Canada) Personne qui fait de la motoneige.

motoneurone n. m. Neurone moteur, intermédiaire entre la moelle épinière et le muscle.

motopompe n. f. Pompe entraînée par un moteur. – *Par ext.* Véhicule automobile équipé d'une motopompe.

motorisation n. f. **1.** Action de motoriser; son résultat. **2.** Équipement d'une automobile avec un certain type de moteur. *Modèle disponible en trois motorisations.*

motoriser v. tr. [1] **1.** Rare Doter d'un moteur. **2.** Cour. Doter de véhicules, de machines automobiles. – Pp. adj. *Troupes motorisées,* dotées de moyens de transport automobiles. **3.** Fam. *Être motorisé :* avoir à sa disposition une automobile, une motocyclette, etc.

motoriste n. m. TECH **1.** Mécanicien spécialisé dans l'entretien et la réparation des moteurs. **2.** Constructeur de moteurs (d'avion, en partic.).

motoski n. m. Syn. de *motoneige.*

mototracteur n. m. AGRIC Tracteur équipé d'outils pour la culture.

motrice n. f. Voiture munie d'un moteur, destinée à la traction des rames, des convois. *Motrice d'un autorail.*

motricité n. f. PHYSIOL Ensemble des fonctions permettant le mouvement. ▷ Faculté motrice du corps ou d'une partie du corps. *La motricité gastrique.*

motte n. f. **1.** Petite masse de terre compacte. *Briser à la herse les mottes d'un champ.* **2.** *Motte de beurre :* masse de beurre pour la vente au détail.

motter (se) v. pron. [1] CHASSE En parlant d'un animal, se cacher derrière les mottes de terre.

motteux n. m. Oiseau passereau, traquet *(Œnanthe œnanthe)* à croupion blanc, dit aussi *cul-blanc.*

motus ! Fam. interj. invitant qqn à garder le silence. *Motus et bouche cousue !*

mot-valise n. m. Mot formé d'éléments d'autres mots (ex. *motel* formé à partir de *motor[car]* et de *hôtel; franglais,* de *français* et *anglais; caméscope,* de *caméra* et *magnétoscope*).

1. mou ou **mol** devant une voyelle ou un h muet, **molle** adj., n. m. et adv. **I.** adj. **1.** Qui cède facilement au toucher, qui s'enfonce à la pression (par oppos. à *dur, ferme*). *Fromage mou. Oreiller mou.* **2.** Qui plie facilement, qui manque de rigidité. *Tige molle.* – *Chapeau mou.* **3.** Fig. Qui manque d'énergie, de résolution, de vigueur morale. *Caractère mou. N'adresser à qqn qu'un mol avertissement.* **4.** Qui manque de vigueur (dans le style, l'exécution). *Le jeu du violoniste était trop mou. Dessin au trait mou.* **5.** *Le temps, l'air est mou,* chaud, humide et lourd. **II.** n. m. **1.** Homme qui manque de fermeté, de caractère. *Un mou.* **2.** Ce qui est mou. **3.** *Donner, reprendre du mou à un cordage,* le détendre, le retendre. **III.** adv. Pop. Doucement. *Y aller mou.*

2. mou n. m. **1.** Poumon de certains animaux de boucherie. *Mou de veau.* **2.** Pop. *Bourrer le mou à qqn,* lui bourrer le crâne, le tromper.

Mouaskar. V. Mascara.

Moubarak (Hosni) (Kafr al-Musilha, 1928), homme politique égyptien; chef d'état-major de l'armée de l'air lors de la guerre israélo-arabe de 1973. Il succéda à Anouar el-Sadate à la présidence de la Rép. en 1981 et fut réélu en 1987 et en 1993.

moucharabieh [muʃaʀabjɛ] n. m. ARCHI Balcon protégé par un grillage en bois pour voir dehors sans être vu, dans les pays arabes; ce grillage lui-même.

mouchard, arde n. **1.** Péjor. Indicateur, espion. – Par ext. Fam. Dénonciateur. **2.** n. m. Nom de certains appareils de contrôle et de surveillance.

mouchardage n. m. Fam. Action de moucharder.

moucharder v. tr. [1] Fam. Espionner et rapporter ce que l'on a vu, entendu. ▷ (Sans compl.) *Honte à qui mouchardel!*

mouche n. f. **I. 1.** Insecte de l'ordre des diptères, dont les espèces sont très nombreuses; spécial., insecte de la fam. des muscidés dont l'espèce la plus commune est la mouche domestique *(Musca domestica). Mouches qui volent autour d'un plat. Les mouches sont les*

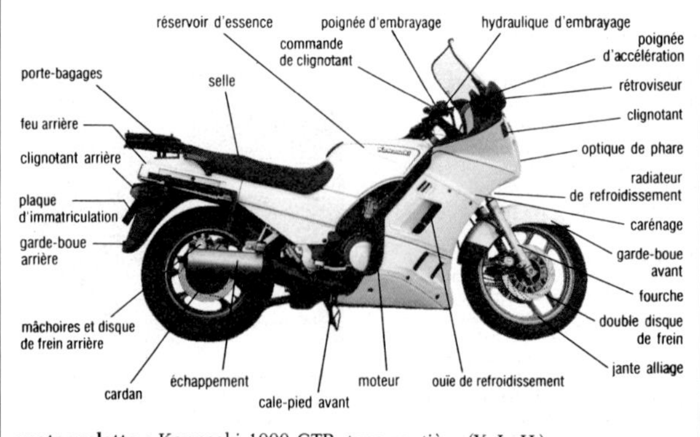

motocyclette : Kawasaki 1000 GTR, type routière (Y. L. H.)

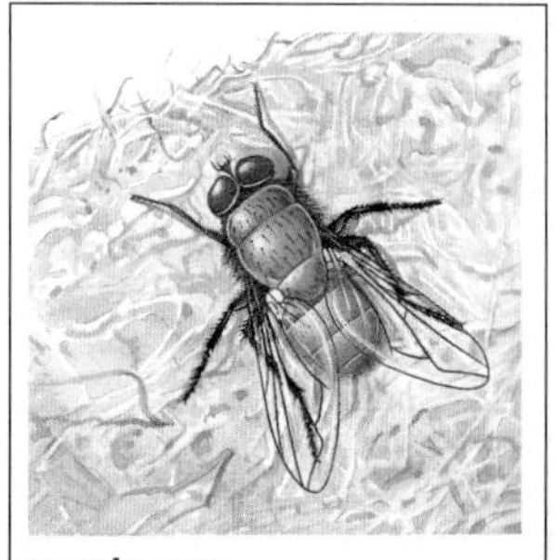

mouche verte

MOTEUR À EXPLOSION – CYCLE 4 TEMPS

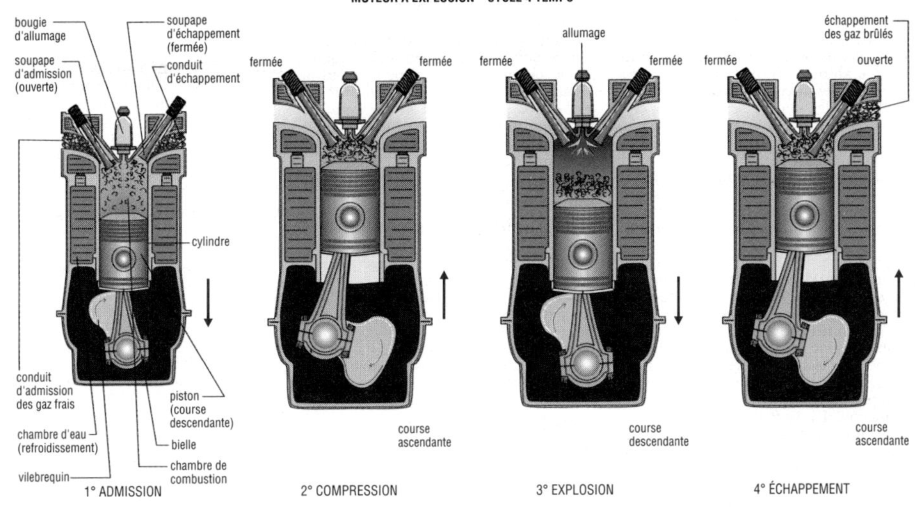

MOTEUR À EXPLOSION – CYCLE 2 TEMPS

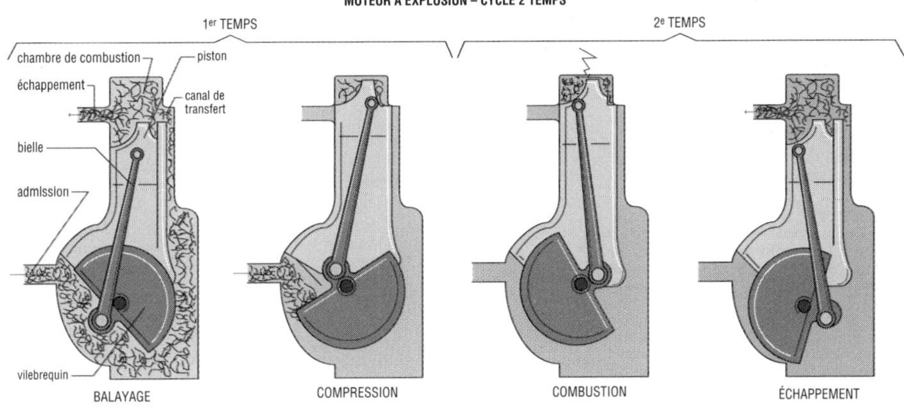

MOTEUR ASYNCHRONE MONOPHASÉ À SPIRES

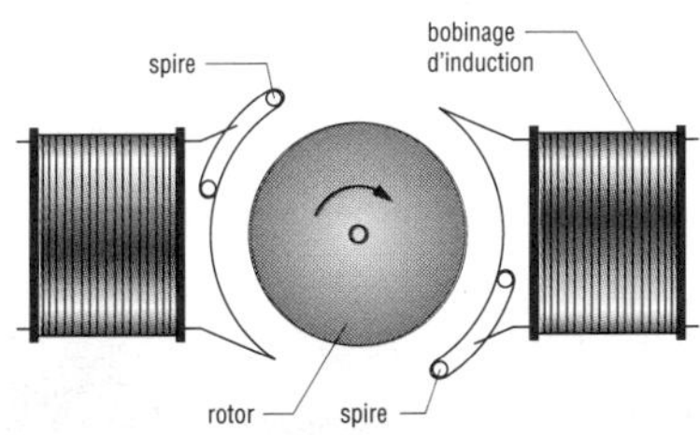

chaque spire crée un champ magnétique opposé à celui de l'autre spire ; le rotor (auquel on a imprimé une vitesse initiale) est repoussé de l'un vers l'autre champ

PRINCIPE DU MOTEUR À RÉACTION (v. réacteur)

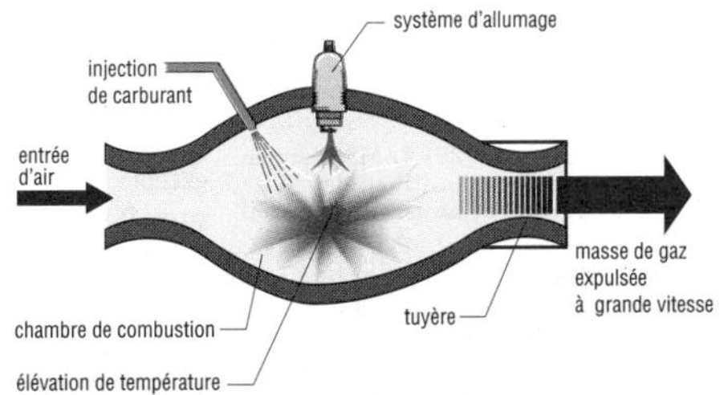

l'élévation de la température des gaz dans la chambre de combustion augmente la pression ; la géométrie des tuyères d'éjection provoque la détente des gaz, transforme la pression en vitesse

agents vecteurs de diverses maladies. ▷ (Insectes volants d'ordres divers.) *Mouche à bœuf* : taon. – Anc. *Mouche d'Espagne* : cantharide. **2.** Loc. *On aurait entendu une mouche voler* : il régnait un silence absolu. – (Prov.) *On ne prend pas les mouches avec du vinaigre* : on ne rallie pas les gens à soi avec des procédés désagréables. ▷ Fam. *Mourir, tomber comme des mouches,* en grand nombre. – *Il ne ferait pas de mal à une mouche* : il n'est absolument pas violent; il est inoffensif. – *La mouche du coche* : personne qui s'agite beaucoup, qui agit avec un empressement bruyant et importun, sans rendre service efficacement. – *Quelle mouche le pique?* : pourquoi s'emporte-t-il si brusquement? – *Prendre la mouche* : se vexer. – *Pattes de mouche* : écriture dont le caractère menu et mal formé est difficilement lisible. – *Fine mouche* : personne fine et rusée. **3.** *Mouche (artificielle)* : assemblage de petites plumes pour servir d'appât, que l'on fixe au bout d'un hameçon. **II. 1.** Petite rondelle de taffetas noir que les dames se mettaient sur la peau pour en faire valoir la blancheur. **2.** *Mouches volantes* : petites taches sombres ou brillantes se déplaçant dans le champ visuel. **3.** SPORT Petite boule de protection que l'on fixe à la pointe d'un fleuret. – *Poids mouche,* en boxe, catégorie d'athlètes pesant entre 48,99 et 50,80 kg (professionnels). *Poids mi-mouche,* entre 47,63 et 48,98 kg (professionnels). *Poids super-mouche,* entre 50,80 et 52,16 kg (professionnels). **4.** Point noir marquant le centre d'une cible. – *Faire mouche* : atteindre le centre d'une cible; fig. toucher juste. *Sa repartie a fait mouche.* **5.** Petite touffe de barbe qu'on laisse pousser juste en dessous de la lèvre inférieure.

Mouche (la), constellation australe de treize étoiles, située près de la Croix du Sud.

moucher v. tr. [1] **1.** Débarrasser (le nez) des mucosités qui l'encombrent en expirant fortement tout en pressant les narines. *Mouche ton nez!* – *Moucher un enfant.* ▷ v. pron. *Se moucher bruyamment.* **2.** Rejeter par le nez. *Moucher du sang.* **3.** Fig., fam. *Moucher qqn,* le remettre à sa place; le réprimander vertement. **4.** *Moucher une chandelle,* couper l'extrémité carbonisée de sa mèche ou l'éteindre avec ses doigts.

moucheron n. m. Nom courant des petits insectes volants.

Mouchet (mont), sommet de la Margeride (1 465 m), en Haute-Loire. – Combats entre F.F.I. et Allemands (mai-juin 1944).

moucheté, ée adj. **1.** Marqué de mouchetures ou de taches de couleurs différentes. *Soie mouchetée.* – *Pelage moucheté d'un animal.* **2.** Garni d'une mouche (fleuret, sabre).

moucheter v. tr. [20] **1.** Marquer de petites taches d'une autre couleur que le fond. **2.** SPORT Garnir (un fleuret) d'une mouche.

mouchetis [muʃti] n. m. CONSTR Crépi projeté sur un mur extérieur et qui présente de petites aspérités.

moucheture n. f. **1.** Petite tache d'une autre couleur que le fond. **2.** Tache naturelle du pelage, de la peau ou du plumage de certains animaux.

Mouchez (Ernest) (Madrid, 1821 – Wissous, Essonne, 1892), amiral et astronome français. Il fonda l'Observatoire du parc Montsouris (Paris); sous sa direction fut commencée la carte photographique du ciel.

mouchoir n. m. Linge de forme carrée qui sert à se moucher. – *Mouchoir en papier* (ouate de cellulose), que l'on jette après usage. – *Faire un nœud à son mouchoir* (pour se rappeler qqch). *Agiter son mouchoir* (en signe d'adieu). ▷ *Terrain grand comme un mouchoir de poche,* très petit. – SPORT *Arriver dans un mouchoir,* avec une très petite avance. – Par ext. *La bataille électorale va se jouer dans un mouchoir.*

mouchure n. f. Mucosité nasale que l'on extrait en se mouchant.

moudjahid, plur. **moudjahidin** [mudʒaid, mudʒaidin] n. m. et adj. Combattant musulman engagé pour défendre ou faire triompher l'islam. ▷ Combattant pour l'indépendance, dans les pays musulmans occupés par des forces coloniales ou étrangères. *Les moudjahidin algériens* (de 1954 à 1962). *Les moudjahidin afghans* (depuis 1979). ▷ adj. (inv. en genre) *La lutte moudjahid. Des combattants moudjahidin.*

moudre v. tr. [77] **1.** Broyer, réduire en poudre (des grains) avec une meule ou un moulin. *Moudre du café.* **2.** Jouer (un air), dire (un texte), mécaniquement.

moue n. f. Grimace faite en rapprochant, en avançant les lèvres et qui manifeste le mécontentement. *Moue de dédain, de mépris, de dépit.* – *Faire la moue* : prendre, avoir un air mécontent.

mouette n. f. Oiseau marin lariforme voisin du goéland mais plus petit. *Mouette rieuse* ou *mouette blanche (Larus ridibundus),* espèce la plus répandue en Europe, commune le long des grands fleuves. *Mouette tridactyle (Rissa tridactyla),* dépourvue de pouce, qui niche en colonie sur les falaises, de l'Arctique à la Bretagne.

mouette rieuse

moufeter. V. moufter.

mouf(f)ette n. f. Mammifère carnivore d'Amérique (genres *Mephitis, Spilogale, Conepatus,* fam. mustélidés) au pelage noir orné de blanc, qui projette la sécrétion malodorante de ses glandes anales lorsqu'il est attaqué. *Fourrure de la moufette (sconse* ou *skunks).* Syn. mofette.

moufle n. f. Gros gant ne comportant pas de séparations pour les doigts, excepté pour le pouce.

mouflet, ette n. Fam. Jeune enfant.

mouflon n. m. Ovin sauvage des montagnes d'Europe *(Ovis ammon musimon)* dont le mâle porte des cornes recourbées en volutes.

moufter ou **moufeter** [mufte] v. intr. [1] Fam. Protester.

Mougins, ch.-l. de cant. des Alpes-Maritimes (arr. de Grasse); 13 091 hab. Huileries; horticulture. – Vestiges d'enceinte du XIVe s.

mouillage n. m. **1.** Action de mouiller (qqch). **2.** Action d'ajouter frauduleusement de l'eau à une boisson. **3.** MAR Action de mettre à l'eau. – *Spécial.* Action de mouiller l'ancre. *Manœuvres de mouillage.* **4.** Endroit où un navire mouille.

mouillant, ante adj. et n. m. TECH Se dit de produits qui, abaissant la tension superficielle d'un liquide, permettent à celui-ci de mieux imprégner une surface, de s'y étaler plus uniformément. *Passer des photos dans un bain mouillant avant séchage* (pour éviter la formation de traînées).

Mouillard (Louis) (Lyon, 1834 – Le Caire, 1897), ingénieur français. Ses études sur le vol des oiseaux le conduisirent à réaliser des appareils qui font de lui l'un des pionniers de l'aviation.

mouillé, ée adj. **1.** Rendu humide; trempé. *Linge mouillé.* **2.** Plein de larmes. *Yeux mouillés.* – Par ext. *Voix mouillée,* pleine d'émotion. **3.** PHON *Consonne mouillée,* articulée avec le son [j] (ex. *l* et *n* dans *paille* [paj], *montagne* [mɔ̃taɲ]).

mouiller v. tr. [1] **1.** Tremper, rendre humide. ▷ v. pron. *Il n'a pas envie de se mouiller sous l'orage.* ▷ v. intr. Pop. Avoir peur. **2.** Étendre d'eau. *Mouiller du lait.* ▷ CUIS Ajouter un liquide (eau, vin, etc.) à un mets pendant la cuisson pour faire une sauce. **3.** MAR Mettre à l'eau. *Mouiller des mines.* – *Mouiller l'ancre* ou, sans comp., *mouiller* : laisser tomber l'ancre de manière qu'elle morde le fond et retienne le navire. **4.** Fig., fam. Compromettre, impliquer (qqn). *Mouiller qqn dans un scandale.* ▷ v. pron. Se compromettre, prendre des risques. **5.** PHON *Mouiller une consonne,* la prononcer en y adjoignant le son [j]. **6.** v. impers. (Canada) Fam. Pleuvoir. *Mouiller à boire debout, à verse,* abondamment.

mouillette n. f. Fam. Morceau de pain long et mince, que l'on trempe dans les œufs à la coque, dans du vin, etc.

mouilleur n. m. **1.** Instrument pour humecter le dos des étiquettes, des timbres, etc. **2.** MAR Dispositif destiné à libérer l'ancre et la chaîne au moment du mouillage. **3.** MAR *Mouilleur de mines* : bâtiment spécialement équipé pour mouiller des mines.

mouillure n. f. **1.** Action de mouiller. – État de ce qui est mouillé. **2.** *Une mouillure* : une tache d'humidité. **3.** PHON Caractère d'une consonne mouillée.

mouise n. f. Pop. Misère.

moujik n. m. Paysan russe.

Moukden. V. Shenyang.

moukère ou **mouquère** [mukɛʀ] n. f. Arg. Femme.

moulage n. m. **1.** Action de mouler. *Pièce obtenue par moulage.* **2.** Objet obtenu par moulage, spécial. reproduction d'une œuvre sculptée.

moulant, ante adj. Qui moule le corps. *Une jupe moulante.*

mouflon

Moulay-Idris ou **Mulay-Idris,** v. sainte du Maroc (prov. de Meknès); 11 130 hab. – Pèlerinage au tombeau d'Idris Ier, fondateur de Fès.

1. moule n. m. **1.** Corps solide creux et façonné, destiné à recevoir une matière pâteuse plus ou moins fluide pour lui donner une forme qu'elle conservera en se solidifiant. *Verser, couler du plâtre, du métal en fusion, dans un moule.* – CUIS *Moule à gaufre, à tarte.* **2.** Pièce pleine sur laquelle on applique une matière malléable pour lui donner une forme. **3.** Fig. Type, modèle qui imprime sa marque (sur le caractère, le comportement, etc.). *Homme d'affaires formé au moule* (ou *dans le moule*) *des écoles américaines.* **4.** Loc. *Être fait au moule,* parfaitement fait.

2. moule n. f. **1.** Mollusque lamellibranche marin, comestible, pourvu d'une coquille à deux valves oblongues articulées, qui vit en colonies, fixé par son byssus aux corps immergés (rochers, pieux, etc.), dans la zone de balancement des marées. **2.** Fam. Personne molle, sans caractère; imbécile. *Quelle moule !*

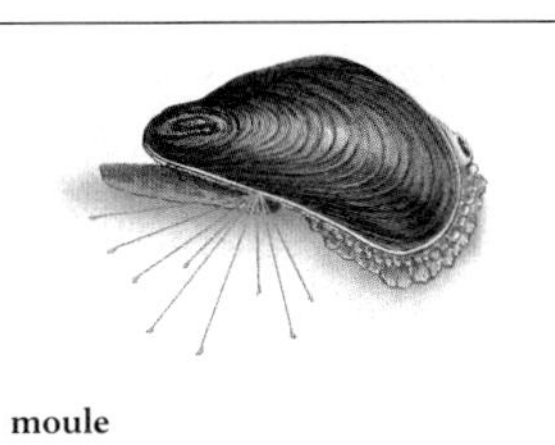
moule

Moule (Le), com. de la Guadeloupe (arr. de Pointe-à-Pitre), port sur la côte N.-E. de la Grande-Terre; 18 086 hab. Sucreries. Distilleries.

moulé, ée adj. **1.** Obtenu, reproduit par moulage. *Frise moulée.* – METALL *Acier moulé,* mis en forme dans un moule (par oppos. à *forgé, laminé*). – *Pain moulé,* cuit dans un moule. **2.** Serré; dont la forme est dessinée (par un vêtement ajusté). *Corps moulé dans un maillot.* – *Lettre moulée,* imprimée ou imitant l'imprimé. *Écriture moulée,* bien formée.

mouler v. tr. [1] **1.** Fabriquer, mettre en forme, reproduire au moyen d'un moule. *Mouler une médaille.* **2.** Prendre une empreinte pour qu'elle puisse servir de moule. *Mouler un bas-relief.* **3.** Fig. *Mouler sur :* faire coïncider avec, ajuster à. **4.** Épouser la forme de. *Robe qui moule le corps.*

mouleur, euse n. TECH Ouvrier, ouvrière qui exécute des moulages (partic. d'ouvrages sculptés).

moulière n. f. Zone naturelle où se développent les moules. – Parc où l'on pratique l'élevage des moules.

moulin n. m. **1.** Machine à moudre les grains des céréales. *Moulin à vent, à eau.* – Établissement où est installé un moulin. ▷ Loc. fig. *Entrer quelque part comme dans un moulin,* très facilement, comme on veut. – *Faire venir l'eau au moulin :* procurer à soi ou aux siens avantages et profits. – *Apporter de l'eau au moulin de qqn :* apporter des arguments à l'appui de ce qu'il dit. – (Prov.) *On ne peut être à la fois au four et au moulin :* on ne peut pas faire deux choses à la fois, être à deux endroits en même temps. – *Se battre contre des moulins à vent,* contre des adversaires imaginaires que l'on s'est créés. **2.** Machine servant à écraser des graines, à les broyer pour en extraire un suc. *Moulin à huile.* ▷ Petit appareil ménager pour broyer. *Moulin à poivre, à café. Moulin à légumes.* **3.** Fam. Moteur (de voiture, d'avion). *Faire tourner son moulin.* **4.** *Moulin à prières :* instrument sacré des bouddhistes tibétains, composé d'un cylindre creux qui renferme une formule sacrée inscrite sur une bande d'étoffe ou de papier et qui tourne autour d'un axe (chaque tour qu'on fait faire au cylindre équivaut à une prière). **5.** Fam. *Moulin à paroles :* personne très bavarde.

Moulin (Jean) (Béziers, 1899 - 1943), homme politique et résistant français; un des chefs de la Résistance. Préfet d'Eure-et-Loir en 1940, il se rallia à de Gaulle (qu'il rejoignit à Londres) et fonda, sur le territoire français, en 1943, le Conseil national de la Résistance, qu'il présida. Arrêté à Caluire-et-Cuire (juin 1943), il mourut dans le train qui l'emportait en Allemagne des suites des tortures qu'il avait endurées. Ses cendres sont au Panthéon.
▸ illustr. page **1249**

moulinage n. m. **1.** TEXT Opération consistant à tordre ensemble les fils de soie grège tirés des cocons et, par ext., d'autres fibres textiles. **2.** Action de presser au moulin à légumes.

Moulin-à-Vent, vignoble de Saône-et-Loire (com. de Romanèche-Thorins, arr. de Mâcon) qui fournit un vin rouge léger et fruité (moulin-à-vent).

mouliner v. tr. [1] **1.** TEXT Procéder au moulinage de la soie et, par ext., d'autres fibres textiles. **2.** Presser au moulin à légumes.

moulinet n. m. **I. 1.** Petit tambour commandé par une manivelle, placé sur une canne à pêche et sur lequel est enroulée la ligne. **2.** Objet, appareil fonctionnant par un mouvement de rotation. **II.** Mouvement de rotation d'une canne, d'une épée, etc., que l'on fait tournoyer. – Par ext. *Faire des moulinets avec les bras.*

moulinette n. f. (Nom déposé.) Petit moulin à légumes. ▷ Loc. fig., fam. *Passer à la moulinette :* critiquer sans faire grâce de rien.

Moulin-Rouge (le), célèbre salle de bal, puis de music-hall (auj. cabaret à grand spectacle), située place Blanche, à Paris. Le « quadrille naturaliste » (futur french cancan), immortalisé par Toulouse-Lautrec, fit le succès de cette salle à la fin du XIXe s.

Moulins, ch.-l. du dép. de l'Allier, sur l'Allier; 23 353 hab. Marché à bestiaux. Constr. mécaniques et électriques; chaussures. – Évêché. Cath. Notre-Dame (triptyque du Maître de Moulins, v. 1498). Beffroi (XVe s.). – La ville, résidence des ducs de Bourbon à partir du XIVe s., fut la capitale du duché à partir de la fin du XVe s.

Moulins (le Maître de) (fin XVe s.), peintre non identifié qui travailla dans le Bourbonnais entre 1480 et 1500; auteur du triptyque du *Couronnement de la Vierge* (v. 1498, cath. de Moulins).

Moulmein, v. et port de Birmanie, au débouché du Salouen; cap. de l'État des Môns; 219 990 hab.

Mouloud, fête musulmane commémorant la naissance du Prophète.

Moulouya (oued), fl. du Maroc orient. (450 km); né dans le Moyen Atlas, il se jette dans la Méditerranée. Barrages pour l'irrigation.

moult [mult] adj. indéfini Vx ou fam. En grand nombre, maint.

moulu, ue adj. **1.** Broyé, réduit en poudre. *Café moulu.* **2.** Fig. Meurtri (de coups); brisé (de fatigue).

moulure n. f. **1.** Ornement allongé d'architecture, creux ou saillant. *Moulures décorant un plafond.* – *Par anal.* Ornement taillé ou rapporté, en ébénisterie. **2.** *Moulure électrique :* baguette creusée de rainures destinées à recevoir des fils électriques.

moulurer v. tr. [1] Orner de moulures. – Pp. adj. *Panneau mouluré.*

moumoute n. f. **1.** Fam. Coiffure postiche, perruque. **2.** Fam. Veste en peau de mouton, en fourrure.

Moundou, v. du Tchad; 87 000 hab.; ch.-l. de la préf. du Logone-Occidental. Centre admin. Industr. agro-alimentaire.

Mounet-Sully (Jean Sully Mounet, dit) (Bergerac, 1841 - Paris, 1916), acteur français; sociétaire de la Comédie-Française (1874), il interpréta les rôles d'Oreste, de Hamlet, d'Œdipe.

Mounier (Jean-Joseph) (Grenoble, 1758 - Paris, 1806), homme politique français. Député du tiers état en 1789, il fit adopter le serment du Jeu de paume. Chef des *monarchiens* (partisans d'une monarchie parlementaire à l'anglaise), il émigra (1790-1801).

Mounier (Emmanuel) (Grenoble, 1905 - Châtenay-Malabry, 1950), philosophe français. Il fonda, en 1932, la revue *Esprit,* dans laquelle il diffusa sa doctrine, le « personnalisme communautaire » (*Qu'est-ce que le personnalisme ?,* 1947).

Mounikhia. V. Mounychia.

Mountbatten, famille anglaise d'origine allemande. – **Louis,** 1er comte Mountbatten of Burma (Windsor, 1900 - en mer, près de Mullaghmore, Eire, 1979); officier de marine, il commanda les forces alliées dans le S.-E. asiatique (1943-1945). Dernier vice-roi des Indes (1946-1947), premier lord de la Mer (1955), amiral de la flotte (1956), il fut chef d'état-major de la défense (1959-1965). Il périt victime d'un attentat organisé par des membres de l'IRA provisoire. – **Philip** (Corfou, 1921), neveu du préc.; fils d'André de Grèce et d'Alice de Battenberg; prince de Grèce et de Danemark, il fut élevé en Angleterre par son oncle et adopta en 1947 la nationalité britannique et le nom de Mountbatten. Il épousa en nov. de la même année la future Élisabeth II et fut fait duc d'Édimbourg.

Mount Vernon, local. des É.-U. (Virginie), sur le Potomac, où mourut et fut enterré George Washington.

Mounychia ou **Mounikhia** (en fr. *Munychie*), un des trois ports de l'anc. Athènes.

mouquère. V. moukère.

mourant, ante adj. et n. **1.** Qui se meurt. *Le malade est mourant.* ▷ Subst. *Se tenir au chevet d'un mourant.* **2.** Fig. Qui va faiblissant. *Voix, lumière mourante.*

Mouraviev ou **Mouraviov,** famille russe originaire de Moscovie. – **Nikolaï Nikolaïevitch,** dit *prince Mouraviev-Karski* (Saint-Pétersbourg, 1794 - près de Lipetsk, 1866), s'empara (1855) de Kars, en Arménie turque (d'où son surnom : *Karski*). – **Mikhaïl Nikolaïevitch,** dit *le Pendeur* (?, 1796 - Saint-Pétersbourg, 1866), frère du préc.; général russe, il réprima cruellement les insurrections polonaises de 1831 et 1863-1864. – **Sergheï Mouraviev-Apostol** (Saint-Pétersbourg, 1796 - id., 1826), parent des préc.; il participa à l'insurrection décabriste (déc. 1825) et fut pendu. – **Nikolaï Nikolaïevitch,** dit *prince Mouraviev-Amourski* (Saint-Pétersbourg, 1809 - Paris, 1881), parent des préc.; général russe, il conquit le territ. de l'Amour (d'où son surnom : *Amourski*). – **Mikhaïl Nikolaïevitch** (Grodno, 1845 - Saint-Pétersbourg, 1900), fils du préc.; diplomate, ministre des Affaires étrangères (1897), il renforça l'alliance franco-russe et obtint de la Chine la cession à bail de Port-Arthur.

Mouret (Jean Joseph) (Avignon, 1682 - Charenton, 1738), compositeur français : opéras-ballets (*les Festes ou le Triomphe de Thalie; Ariane*), motets, cantates, divertissements.

mourir **I.** v. intr. [**34**] **1.** Cesser de vivre. *Mourir de maladie. Mourir noyé. Mourir au champ d'honneur. Mourir de sa belle mort,* de mort naturelle. ▷ (Végétaux) *Les fleurs coupées meurent très vite.* **2.** Fig. Ressentir vivement les atteintes de (une sensation pénible, une passion violente). *Mourir de faim, de peur, d'amour. Mourir d'envie. Mourir de rire.* - *S'ennuyer à mourir,* profondément. **3.** (Choses) Cesser d'exister. *Laisser mourir le feu.* - Fig. *Passion qui meurt.* **II.** v. pron. Litt. Être sur le point de mourir. *«Madame se meurt, Madame est morte» (Bossuet).* ▷ Fig. *Le jour se meurt.*

Mourmansk, v. et import. port de pêche de Russie, sur la mer de Barents (presqu'île de Kola); ch.-l. de rég.; 419 000 hab. Constr. navales; industr. alimentaires, industr. du bois. - De 1941 à 1945, le matériel de guerre des Alliés destiné aux Soviétiques transita par ce port, aménagé en 1916 pour permettre aux Alliés d'acheminer du matériel destiné à l'armée russe.

Mourmelon-le-Grand, com. de la Marne (arr. de Châlons-en-Champagne); 6 460 hab. Camp militaire de *Mourmelon-Moronvilliers* (11 000 ha).

mouroir n. m. **1.** Péjor. Hospice, asile ou hôpital où l'on ne dispense aux vieillards qu'un minimum de soins médicaux, en raison de leur mort prochaine. **2.** Lieu où l'on meurt en masse.

mouron n. m. **1.** Cour. Nom de diverses herbes de petites dimensions (fam. primulacées), à fleurs rouges, toxiques pour certains animaux. *Mouron rouge, mouron bleu* ou *mouron des champs.* ▷ *Mouron des oiseaux* ou *mouron blanc.* **2.** Loc. pop. *Se faire du mouron,* du souci.

mouscaille n. f. Arg. Excrément. - Fig. *Être dans la mouscaille :* avoir des ennuis, des problèmes; être dans la déconfiture, dans la misère.

Mouscron, com. de Belgique (Hainaut), à la frontière française; 54 590 hab. Textile.

mousmé n. f. Pop. Femme.

mousquet n. m. Ancienne arme à feu portative, à mèche, en usage avant le fusil, que l'on appuyait pour tirer sur une fourche spéciale.

mousquetaire n. m. **1.** Anc. Soldat armé d'un mousquet. ▷ Gentilhomme d'une compagnie montée faisant partie de la garde du roi aux XVIIe et XVIIIe s. *«Les Trois Mousquetaires», roman d'Alexandre Dumas.* **2.** *Poignet mousquetaire, bottes à la mousquetaire,* à revers.

mousqueton n. m. **1.** Fusil à canon court. **2.** Boucle métallique qu'une lame formant ressort ou un ergot

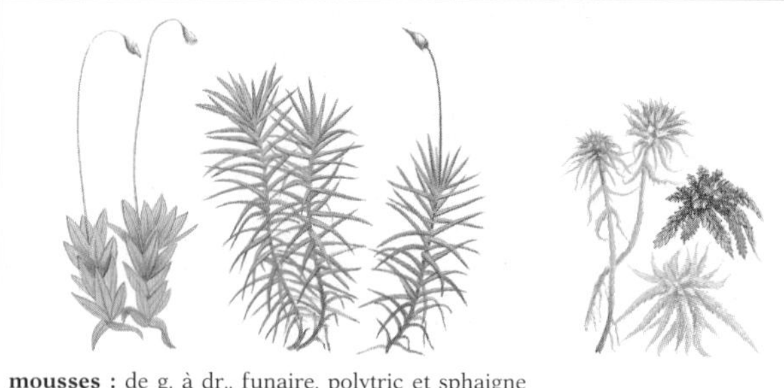

mousses : de g. à dr., funaire, polytric et sphaigne

articulé maintient fermée, constituant une agrafe de sûreté. *Mousqueton d'alpiniste.* - MAR *Mousqueton de foc.*

moussaillon n. m. Fam. Petit mousse.

moussaka n. f. Plat d'origine turque, constitué d'un gratin d'aubergines, à la viande hachée et à la sauce tomate, souvent recouvert d'une béchamel.

moussant, ante adj. Susceptible de produire de la mousse. *Produit moussant.* ▷ CHIM *Pouvoir moussant :* aptitude à former des mousses. - *Agent moussant :* produit tensio-actif qui favorise la formation de mousse (savon, par ex.).

1. mousse n. m. Jeune apprenti marin.

2. mousse n. f. **I.** Plante rase des lieux humides, vivant en touffes serrées et volumineuses. - (Prov.) *Pierre qui roule n'amasse pas mousse :* qui change souvent d'état, court le monde, ne s'enrichit pas. ▷ (En appos.) *Vert mousse :* nuance de vert clair. **II. 1.** Amas de petites bulles en suspension à la surface d'un liquide; émulsion d'un gaz à l'intérieur d'un liquide. *Mousse de la bière, de la lessive.* ▷ CUIS Crème à base de blancs d'œufs battus en neige. *Mousse au chocolat.* - Sorte de pâté à texture fine. *Mousse de foies de volaille.* ▷ Cour. Produit moussant. *Mousse à raser.* ▷ TECH *Mousse carbonique,* formée de bulles de dioxyde de carbone. *Extincteurs à mousse carbonique.* **2.** (Désignant une matière spongieuse. En appos.) *Caoutchouc mousse :* caoutchouc à alvéoles, de faible densité. ▷ *Point mousse,* obtenu au tricot en faisant tous les rangs à l'endroit.

3. mousse adj. Émoussé. *Instrument, pointe mousse.* ▷ Qui n'est ni pointu ni tranchant. *Ciseaux à pointes mousses.*

mousseline n. f. et adj. inv. **1.** n. f. Toile de coton et, par ext., de laine ou de soie, très fine et transparente. **2.** adj. inv. *Porcelaine mousseline,* d'une grande finesse. ▷ CUIS *Gâteau mousseline :* brioche à pâte légère. *Sauce mousseline :* V. sauce. *Pommes mousseline* ou *purée mousseline :* purée de pommes de terre fouettée.

mousser v. intr. [**1**] **1.** Produire de la mousse. *Le champagne mousse.* **2.** Fig., fam. *Faire mousser qqn, qqch,* le présenter sous un jour trop favorable. - *Se faire mousser :* se mettre en valeur de façon exagérée, se vanter.

mousseron n. m. Champignon des prés proche des agarics, comestible. *Le tricholome de la Saint-Georges est un mousseron. Faux mousseron, mousseron d'automne, petit mousseron des prés :* marasme.

mousseux, euse adj. et n. m. **1.** Qui mousse; qui constitue une mousse. *Crème mousseuse.* ▷ n. m. Vin mousseux (à l'exception du champagne). **2.** Fig. Qui évoque la mousse. *Des dentelles mousseuses.*

mousson n. f. Régime de vents (notam. en Asie) dont la direction, constante au cours d'une saison, s'inverse brutalement d'une saison à l'autre, produisant des variations climatiques importantes (sécheresse, pluie). ▷ *Par méton.* Époque où se produit ce phénomène.

Moussorgski (Modest Petrovitch) (Karevo, 1839 - Saint-Pétersbourg, 1881), compositeur russe; un des membres du groupe des Cinq. Son style récitatif, le rôle dévolu à l'orchestre, ses audaces harmoniques commandées par l'expression, sa recherche du vrai font de lui un pionnier, qui eut une grande influence, notam. sur Debussy. Opéras : *Boris Godounov* (1re version, 1868-1870; 2e version, 1870-1872), *la Khovanchtchina* (1872-1880, inachevé). Pièces pour piano : *Intermezzo* (1861), *Tableaux d'une exposition* (1874, orchestrés par Ravel). Œuvres symphoniques : deux scherzos (1858), *Une nuit sur le mont Chauve* (1867). Cycles de mélodies : *la Chambre d'enfants* (1868-1870), *Sans soleil* (1874), etc.

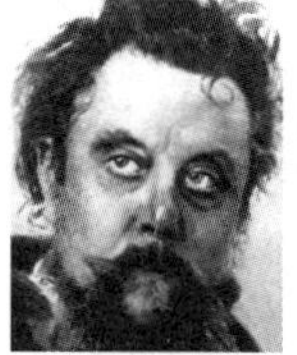

Moussorgski **Mozart**

moussu, ue adj. Couvert de mousse (2, sens I). *Vieil arbre moussu.*

moustache n. f. **1.** Poils qu'on laisse pousser au-dessus de la lèvre supérieure. *Homme qui porte la moustache.* **2.** (Plur.) Longs poils (vibrisses*) qui poussent à la pointe du museau de nombre d'animaux carnivores et rongeurs.

moustachu, ue adj. (et n. m.) Qui porte la moustache, qui a de la moustache. ▷ n. m. *Un moustachu.*

moustérien, enne adj. et n. m. PREHIST Se dit de l'ensemble des industries du paléolithique moyen connu en Europe (homme de Néandertal), en Asie et en Afrique du N. ▷ n. m. *Le moustérien.*

Moustier, écart de la com. de Peyzac-le-Moustier (Dordogne); site archéologique éponyme de moustérien, où fut découvert notam. un squelette de néandertalien.

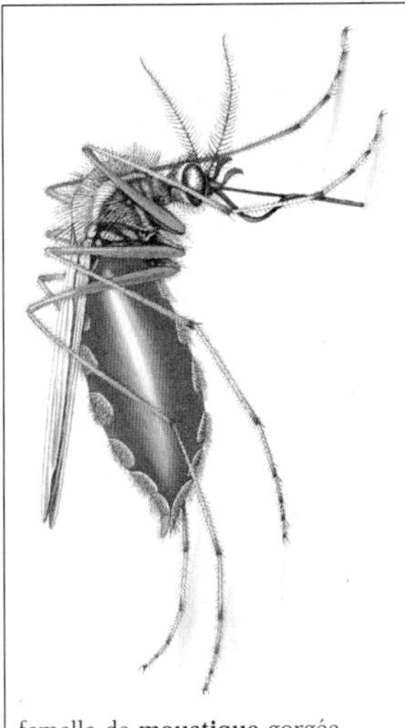
femelle de **moustique** gorgée de sang

Moustiers-Sainte-Marie, ch.-l. de cant. des Alpes-de-Haute-Provence (arr. de Digne-les-Bains), au pied des Préalpes de Castellane; 589 hab. Tourisme. Faïences. - Musée de la faïence.

moustiquaire n. f. Rideau de gaze, de mousseline entourant un lit pour protéger des moustiques. ▷ Toile métallique tendue sur les ouvertures d'une habitation pour arrêter les insectes.

moustique n. m. Petit insecte ailé (nématocère) dont la larve prolifère dans les eaux dormantes et dont la piqûre cause de vives démangeaisons. *Les femelles de diverses espèces de moustiques (qui seules se nourrissent de sang) transmettent des maladies infectieuses telles que le paludisme.*

moût [mu] n. m. Jus (de raisin, de pomme, de poire, etc.) qui n'a pas encore fermenté. ▷ *Par anal.* Jus extrait de certains végétaux dont la fermentation donnera une boisson alcoolique.

moutard n. m. Pop. Petit garçon; enfant. *Moutard qui braille.*

moutarde n. f. (et adj. inv.) **1.** Nom cour. de diverses crucifères (genre *Sinapis*). **2.** Graines de ces plantes. **3.** Condiment à base de graines ou de farine de moutarde. ▷ Loc. fig., fam. *La moutarde lui monte au nez* : la colère le gagne. ▷ adj. inv. Couleur jaune orangé tirant sur le vert. ▷ (Par anal. d'odeur.) *Gaz moutarde* : ypérite (gaz de combat).

moutardier n. m. **1.** Petit pot dans lequel on présente la moutarde. **2.** Personne qui fabrique ou qui vend de la moutarde.

moutazilite ou **mutazilite** [mutazilit] n. m. RELIG Membre d'une secte musulmane fondée par Wasil ibn 'Ata au VIIIe s. pour lutter contre l'islam orthodoxe (sunnisme).

Moûtiers, ch.-l. de cant. de la Savoie (arr. d'Albertville), sur l'Isère, anc. cap. de la Tarentaise; 4 904 hab. - Cath. St-Pierre (XVe s.) renfermant un trésor.

mouton n. m. **1.** Mammifère ruminant *(Ovis aries)* à l'épaisse toison frisée, au cri (bêlement) caractéristique, élevé pour sa laine, son lait et sa viande. *Troupeau de moutons. Le mouton mâle est le bélier, le mouton femelle, la brebis.* - *Spécial.* Mâle castré de cet animal, élevé pour la boucherie. (par oppos. à *bélier*). ▷ Loc. fig. *Revenons à nos moutons*, au sujet que nous avons quitté. - Péjor. *Moutons de Panurge* : personnes qui imitent stupidement les autres. *C'est un mouton*, une personne trop soumise et dépourvue de sens critique. *Un mouton enragé* : personne calme de tempérament qui s'emporte avec violence. *Mouton à cinq pattes* : chose rarissime; personne exceptionnelle. **2.** Viande de mouton. *Du mouton très tendre.* **3.** Peau de mouton tannée. *Une veste de mouton.* **4.** Fig. (Souvent au plur.) Petite vague au sommet couvert d'écume. - Petit nuage. ▷ Fam. Petit flocon de poussière. **5.** TECH Lourde masse utilisée pour le battage des pieux. ▷ Grosse pièce de bois dans laquelle sont engagées les anses d'une cloche. **6.** Arg. Compagnon de cellule placé par la police auprès d'un détenu pour gagner sa confiance et découvrir ses secrets.

Mouton (Georges, comte de Lobau) (Phalsbourg, 1770 - Paris, 1838), maréchal (1831) et pair (1833) de France. Il s'illustra durant les guerres de la Révolution et de l'Empire, notam. à Iéna, à Essling et en Russie. Député libéral (1828-1830), il fut nommé commandant de la Garde nationale (1830).

Mouton-Duvernet (Régis Barthélemy, baron) (Le Puy-en-Velay, 1769 - Lyon, 1816), général français (1811). Il fut nommé gouverneur de Valence par Louis XVIII (1814). Rallié à Napoléon, député durant les Cent-Jours, il fut fusillé au retour des Bourbons.

moutonné, ée adj. **1.** Frisé. *Chevelure moutonnée.* **2.** *Ciel moutonné*, couvert de petits nuages floconneux.

moutonnement n. m. Action de moutonner.

moutonner v. intr. [1] Prendre un aspect floconneux, ondulant, qui fait songer à la toison du mouton. *Mer qui moutonne*, qui se couvre de vagues écumeuses. *Un banc de nuages moutonne.*

moutonneux, euse adj. Qui moutonne.

moutonnier, ère adj. **1.** Qui ressemble ou qui évoque le mouton. **2.** Fig. Qui suit niaisement les autres, comme les moutons.

moutarde blanche : à g., tige fleurie; à dr., siliques renfermant les graines

mouton mérinos

mouture n. f. **1.** Action de moudre le grain. **2.** Produit qui en résulte. *Une excellente mouture.* **3.** (Souvent péjor.) Fig. Version remaniée d'un sujet déjà traité. *Auteur qui fait paraître une nouvelle mouture d'une œuvre ancienne.*

mouvance n. f. FEOD Dépendance d'un domaine qui relève d'un fief supérieur. - *Par ext.* Relation de supériorité d'un fief à l'égard d'un domaine qui en relève. ▷ Fig. Domaine, sphère d'influence. *Petit pays qui est dans la mouvance d'un voisin puissant.*

mouvant, ante adj. **1.** Changeant, instable. *Des reflets mouvants. Des opinions mouvantes.* **2.** Qui manque de solidité, de stabilité (sol). *Sables mouvants.*

Mouvaux, com. du Nord (arr. de Lille); 13 613 hab. Textile. - Chapelle baroque.

mouvement n. m. **I. 1.** Changement de place, de position d'un corps (par rapport à un autre corps ou par rapport à un système de référence). *Le mouvement des vagues, d'un bateau amarré.* ▷ ASTRO *Mouvement diurne* : mouvement apparent de rotation de la sphère céleste, lié à la rotation de la Terre, qui s'effectue en 23 h 56 min 4 s. *Mouvement propre* : déplacement angulaire d'une étoile par rapport à l'ensemble des étoiles voisines. ▷ PHYS *Quantité de mouvement* : produit de la masse par la vitesse. **2.** Déplacement d'un organisme vivant ou de l'une de ses parties; action, manière de mouvoir son corps. *Mouvements de danse.* - Loc. *En deux temps, trois mouvements* : très rapidement. ▷ *Prendre, se donner du mouvement* : faire de l'exercice. **3.** Évolution, déplacement d'un groupe de personnes. *Mouvement de reflux d'une foule. Surveiller les mouvements de l'ennemi.* **4.** Animation, passage. *Il y a du mouvement dans la rue.* **5.** Fig. Série de changements, de mutations dans un corps militaire ou civil. *Mouvement préfectoral.* **6.** Circulation des biens, de la monnaie. *Mouvement de fonds.* ▷ Opération de débit ou de crédit sur un compte bancaire. **7.** Variation en quantité. *Mouvement des prix.* **8.** Ce qui évoque le mouvement; ce qui est ou semble être le résultat d'un mouvement. *Le mouvement d'un drapé sur une statue.* ▷ *Mouvement de terrain* : accident de terrain, éminence ou vallonnement. ▷ LITTER *Mouvement oratoire.* **9.** MUS Degré de vitesse ou de lenteur à donner à la mesure. (Principaux mouvements : *largo, lento, adagio, andante, allegro, presto.*) ▷ Partie d'une œuvre musicale qui doit être jouée dans un mouvement donné. *Le premier mouvement de la symphonie « Jupiter » de Mozart est un allegro vivace.* **II. 1.** Passage d'un état affectif à un autre. *Un mouvement de colère. Agir de son propre mouvement*, de sa propre initiative. **2.** Évolution sociale. *Le mouvement des idées, des mœurs. Être dans le* *mouvement* : suivre la mode, le progrès. **3.** Action collective qui tend à produire un changement dans l'ordre social. *Mouvement séditieux, populaire.* **4.** Groupe humain qui s'est formé pour accomplir une action déterminée. *Mouvement surréaliste, anarchiste.* – Association, groupement. *Mouvements de jeunesse.* **III.** Mécanisme produisant un mouvement régulier et servant en général à la mesure du temps. *Le mouvement et le boîtier d'une montre. Mouvement d'horlogerie commandant un contact électrique. Mouvement perpétuel,* celui d'une machine qui fonctionnerait sans recevoir d'énergie du milieu extérieur ou en ne puisant de l'énergie qu'à une seule source de chaleur.

Mouvement contre le racisme et pour l'amitié entre les peuples (MRAP), association fondée en 1947, pour lutter contre toute forme de racisme et de discrimination.

Mouvement des entreprises de France (Medef), nouvelle appellation, prise en 1998, du Conseil national du patronat français.

mouvementé, ée adj. Où règne le mouvement, agité. *Séance mouvementée.*

mouvementer v. tr. [1] Modifier le montant d'un compte bancaire.

mouvoir **I.** v. tr. [43] **1.** Faire changer de position. *Le mécanisme qui meut un automate.* **2.** Fig. Faire agir (qqn). *Être mû par l'ambition.* **II.** v. pron. Se déplacer, bouger. *Se mouvoir péniblement.*

moviola n. f. (Nom déposé.) CINE Visionneuse servant au montage.

mox n. m. (Abrév. de *mixed oxyde fuel*) (Anglicisme) Combustible nucléaire constitué d'uranium appauvri et de plutonium recyclé.

1. moyen, enne [mwajɛ̃ (ou mwajɛn devant une voyelle ou un h muet), fém. ɛn] adj. (et n. m.) **1.** Qui est au milieu (dans l'espace, dans le temps, dans une série). *Le cerveau moyen. Momie égyptienne datant du Moyen Empire.* ▷ LING *Moyen français :* langue parlée et écrite en France du XIVe au XVIe s. (intermédiaire entre l'ancien français et le français moderne). ▷ MATH *Termes moyens* ou, n. m. pl., *les moyens :* dans deux fractions égales, le dénominateur de la première et le numérateur de la seconde. ▷ LOG *Moyen terme,* celui qui, dans un syllogisme, est commun à la majeure et à la mineure. – Fig. Solution intermédiaire entre des extrêmes. *Chercher un moyen terme qui puisse satisfaire chacune des parties.* **2.** Qui est également éloigné des deux extrêmes (par la quantité ou par la qualité). *Corpulence moyenne. Âge moyen. Intelligence moyenne. Les classes moyennes,* intermédiaires entre le prolétariat et la haute bourgeoisie. – *Cours moyen,* entre le cours élémentaire et la classe de sixième. ▷ n. m. *Les moyens,* groupe des enfants situés, en fonction de l'âge, entre les grands et les petits, dans les écoles maternelles, les colonies de vacances, etc. ▷ SPORT *Poids moyen :* catégorie de poids variant de 72 à 75 kg suivant les disciplines. **3.** Commun, ordinaire; qui appartient au genre le plus répandu. *Français moyen,* dont le mode de vie, la mentalité, etc., sont proches de ceux de la majorité des Français. **4.** Obtenu, calculé en faisant la moyenne de plusieurs valeurs. *La consommation moyenne d'électricité par personne et par an.*

2. moyen n. m. **I.** n. m. **1.** Ce que l'on fait ou ce que l'on utilise pour parvenir à une fin. *Moyen honnête. C'est le seul moyen.* – *Moyens de communication, de transport. Moyens de production. La fin justifie les moyens :* tous les moyens sont bons pour obtenir le résultat désiré. – Fam. *Employer les grands moyens :* recourir à des mesures particulièrement énergiques ou spectaculaires. ▷ *Il y a, il n'y a pas moyen de :* il est possible, il est impossible de. ▷ DR Chacune des raisons sur lesquelles on se fonde pour tirer une conclusion. *Moyens de nullité.* **2.** (Plur.) Capacités naturelles (physiques ou intellectuelles). *Écolier qui a peu de moyens.* **3.** (Plur.) Ressources pécuniaires. *Ne pas avoir les moyens de s'offrir qqch.* – Absol. Fam. *Il a les moyens.* **II.** Loc. prép. *Au moyen de :* en se servant de, à l'aide de. ▷ *Par le moyen de :* par l'intermédiaire de, grâce à.

Moyen Âge, nom donné traditionnellement à la période qui s'étend entre 476 (chute de l'Empire romain d'Occident) et 1453 (prise de Constantinople par les Turcs) ou 1492 (découverte de l'Amérique).

moyenâgeux, euse adj. **1.** Qui évoque le Moyen Âge. *Costumes moyenâgeux.* **2.** Fig. Archaïque, retardataire. *Une mentalité, des coutumes moyenâgeuses.*

moyen-courrier n. m. et adj. Avion de transport dont l'autonomie ne dépasse pas 4 000 km. ▷ adj. *Des avions moyen-courriers.*

moyen-métrage. n. m. V. métrage.

moyennant prép. **1.** Au moyen de. *Moyennant finance :* en payant. – *Moyennant quoi :* grâce à quoi. **2.** Litt. Loc. conj. *Moyennant que :* à condition que.

moyenne n. f. **1.** Ce qui tient le milieu entre les extrêmes. *Être plus riche que la moyenne.* **2.** MATH *Moyenne arithmétique de plusieurs valeurs :* quotient de la somme de ces valeurs par leur nombre. – *Moyenne quadratique de deux nombres positifs :* racine carrée de la moyenne arithmétique de leur carré. – *Moyenne harmonique de deux nombres :* quotient de 2ab par a + b. *Les nombres 2 et 8 ont 5 pour moyenne arithmétique, 5,8 pour moyenne quadratique et 3,2 pour moyenne harmonique.* **3.** Nombre de points égal à la moitié de la note maximale. *Avoir la moyenne à un devoir.* **4.** *En moyenne :* selon une moyenne approximative. *Cet automobiliste fait en moyenne 20 000 km par an.*

moyennement adv. D'une manière moyenne, modérément, médiocrement.

Moyen-Orient, expression désignant les rég. riveraines de la Méditerranée orientale, de la mer Rouge, du golfe d'Oman et du golfe Persique (par oppos. à *Extrême-Orient*). L'expression Proche-Orient désigne un ensemble géogr. plus restreint.

moyen-oriental, ale, aux adj. et n. Syn. de *proche-oriental.*

moyeu n. m. Partie centrale de la roue d'un véhicule, traversée par l'essieu, et sur laquelle sont éventuellement assemblés les rayons. – Par ext. *Moyeu d'un volant, d'une poulie.*

Moyeuvre-Grande, ch.-l. de cant. de la Moselle (arr. de Thionville-Ouest); 9 237 hab. Complexe sidérurgique.

Moynier (Gustave) (Genève, 1826 – id., 1910), philanthrope suisse; l'un des fondateurs de la Croix-Rouge (1863).

mozabite. V. mzabite.

Mozac, com. du Puy-de-Dôme (arr. de Riom); 3 551 hab. – Égl. St-Pierre, ancienne abbatiale bénédictine.

mozambicain, aine adj. et n. Du Mozambique. ▷ Subst. *Un(e) Mozambicain(e).*

Mozambique (canal de ou du), partie de l'océan Indien, entre l'Afrique et Madagascar.

Mozambique (République de) *(República de Moçambique),* État d'Afrique orient., sur l'océan Indien (canal de Mozambique); 784 692 km²; env. 14 millions d'hab. (croissance démographique : plus de 2,5 % par an); cap. *Maputo* (anc. *Lourenço Marques*). Nature de l'État : rép. populaire. Langue off. : portug. Monnaie : metical. Population : Noirs bantous (en grande majorité). Relig. : animisme (70 %), christianisme (20 %), islam (10 %).
Géogr. phys., hum. et écon. – Étiré en latitude, le Mozambique comprend une plaine littorale (45 % de la superficie du pays), bordée de mangrove, inhospitalière au centre mais qui groupe l'essentiel de la population du pays. On trouve ensuite des plateaux de moyenne altitude (200 à 600 m), que dominent de hauts plateaux (600 à 1 000 m), ces hauteurs étant surtout développées au N.-E. Au climat, tropical assez humide, correspond la savane en plaine et la forêt claire sur les versants (jusqu'à 600 m d'altitude). Les fleuves, bien alimentés, ont un important potentiel hydraulique. Malgré une forte mortalité, la croissance démographique est importante. La population, rurale à 80 %, vit surtout de l'agriculture : productions vivrières (maïs, manioc, sorgho), cultures d'exportation (thé, coton, canne à sucre, noix de cajou). Les ressources du sous-sol sont notables (charbon, fer, or, gaz), mais peu exploitées et l'industrie se limite à quelques productions textiles et agroalimentaires. L'économie, désorganisée par le départ des Portugais et la collectivisation, affectée par des calamités successives (sécheresses, inondations) et la guerre civile (sabotages qui ont, par exemple, interrompu les livraisons d'électricité à l'Afrique du Sud de 1981 à 1990), est en situation très critique. Le Mozambique fait partie des pays les moins avancés (P.M.A.), c'est l'un des plus pauvres du monde, il ne survit que grâce à l'aide internationale.
Hist. – À la fin du XVe s., les Portugais s'installèrent sur les côtes, connues des commerçants arabes depuis le Xe s. L'intérieur ne fut définitivement conquis qu'en 1917. Prov. portugaise d'outre-mer en 1951, le Mozambique acquit son indépendance en 1975, après une guérilla menée dès 1962 par le Frelimo (Front de libération du Mozambique) d'Eduardo Mondlane, puis de Samora Machel, qui, après la « révolution des Œillets » (avril 1974), négocia avec la junte de Lisbonne. L'orientation socialiste du Frelimo suscita, à partir de 1979, une rébellion dirigée par la Renamo (*Resistencia Nacional Moçambicana*) et appuyée par l'Afrique du Sud. À la mort de Samora Machel (1986), Joaquim Chissano fut nommé président du Frelimo et chef de l'État. Dès lors, la rupture avec le socialisme est sanctionnée par l'adoption d'une Constitution pluraliste (nov. 1990); des pourparlers sont engagés en 1990 avec le mouvement rebelle de la Renamo : ils aboutissent aux accords de Rome (1992) et permettent la mise en place des premières structures pour la reconstruction du pays. Joaquim Chissano est élu à la présidence de la Rép. en 1994.

mozarabe n. et adj. **1.** n. HIST Espagnol chrétien autorisé à pratiquer sa

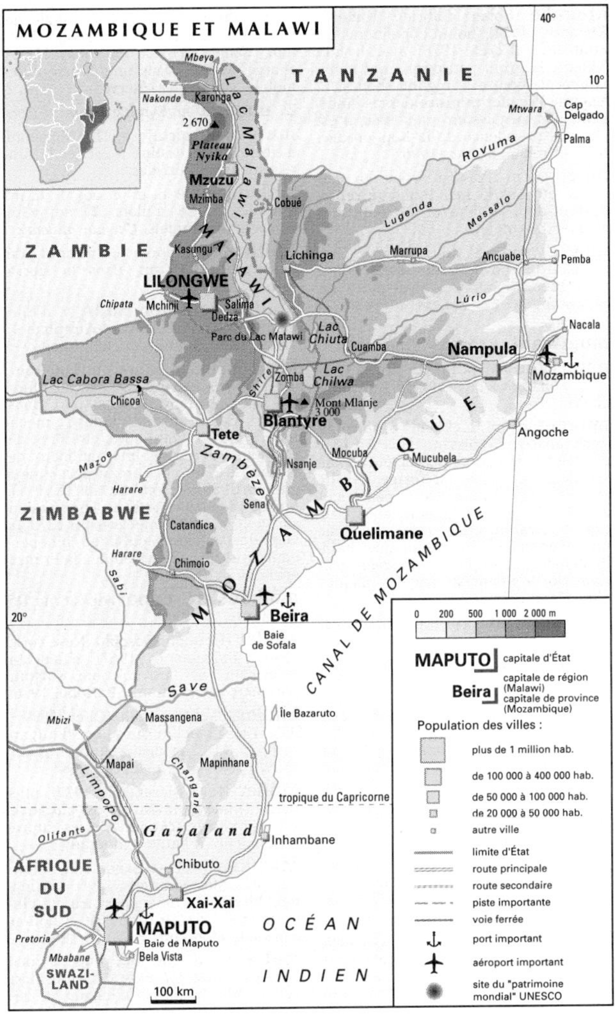

MOZAMBIQUE ET MALAWI

0 200 500 1 000 2 000 m

MAPUTO capitale d'État

Beira capitale de région (Malawi) capitale de province (Mozambique)

Population des villes :

plus de 1 million hab.

de 100 000 à 400 000 hab.

de 50 000 à 100 000 hab.

de 20 000 à 50 000 hab.

autre ville

limite d'État

route principale

route secondaire

piste importante

voie ferrée

port important

aéroport important

site du "patrimoine mondial" UNESCO

100 km

religion, au temps de la domination maure sur l'Espagne. **2.** adj. *Art mozarabe :* art chrétien fortement influencé par l'islam, qui se répandit en Espagne aux Xe et XIe s.

Mozart (Wolfgang Amadeus) (Salzbourg, 1756 - Vienne, 1791), compositeur autrichien. Son génie émerveille par sa précocité (dès l'âge de six ans, il composait des pièces pour clavecin et improvisait) et sa variété. En proie, la plupart du temps, à de graves soucis matériels, il s'épuisa rapidement dans un labeur acharné et mourut dans un état voisin de la misère. Pour le théâtre : *l'Enlèvement au sérail* (1782), *les Noces de Figaro* (1786), *Don Giovanni* (1787), *Cosi fan tutte* (1790), *la Flûte enchantée* (1791), œuvres maîtresses dans l'histoire de l'opéra ; pour l'église : messes, dont la *Messe solennelle en* ut *mineur,* K 427 (1783), motets, *Kyrie,* K 341, vêpres, et le célèbre *Requiem* (1791) ; symphonies (les n°s 40, en *sol* mineur, et 41, dite « Jupiter », comptant parmi ses chefs-d'œuvre) ; concertos pour violon, piano, etc. ; musique de chambre : sonates pour piano, trios, quatuors à cordes, quintettes à cordes, etc. Mozart est à la charnière de deux époques : dépassant tous ses prédécesseurs, à l'exception de Bach, qu'il égale souvent dans la polyphonie, il annonce le romantisme musical.
► illustr. page **1258**

mozartien, enne [mɔzaʀsjɛ̃, ɛn] adj. et n. **1.** Propre à Mozart, à sa musique. **2.** Qui aime la musique de Mozart.

mozzarella [mɔdzaʀɛlla] n. f. Fromage italien (Latium, Campanie) de bufflonne ou de vache, à pâte molle et élastique.

MRAP, acronyme pour *Mouvement* contre le racisme et pour l'amitié entre les peuples.*

M.R.J.C. Sigle de *Mouvement rural de la jeunesse chrétienne.* Mouvement d'action catholique des jeunes ruraux. Il prit en 1964 la succession de la Jeunesse agricole chrétienne (J.A.C., fondée en 1929).

Mrożek (Sławomir) (Borzęcin, 1930), auteur et dramaturge polonais : *l'Éléphant* (1957), *la Pluie* (1962), *Tango* (1964).

M.R.P. Sigle de *Mouvement républicain populaire.* Parti démocrate-chrétien fondé en nov. 1944. Influent au début de la IVe République, il vit son audience s'amenuiser à partir de 1947 et, surtout, de 1951. Après 1958, divisé sur l'affaire algérienne, il connut divers clivages et disparut en 1968.

m/s PHYS Symbole du mètre par seconde (unité de vitesse). ▷ *m/s*^{2} : symbole du mètre par seconde carrée (unité d'accélération).

M'sila, v. d'Algérie, au N. du Hodna ; 82 880 hab. ; ch.-l. de la wil. du m. nom. Artisanat.

M.S.T. Sigle de *maladie sexuellement transmissible.*

mu n. m. Douzième lettre de l'alphabet grec (μ, M) utilisée en français pour noter le préfixe *micro-,* qui indique la division de l'unité par un million. (Ex. : 1 μm = 1 micromètre = 1 millionième de mètre.)

mû, mue Pp. du v. mouvoir. Plur. *mus, mues.*

Mu'awiyah Ier *(Mu'āwiya)* (La Mecque, v. 603 - Damas, 680), secrétaire de Mahomet. Gouverneur de Syrie (641), il s'opposa à Ali (gendre de Mahomet), qu'il fit déposer en 659. Calife de 661 à 680, il fonda la dynastie des Omeyyades.

Mucha (Alfons) (Ivančice, Moravie, 1860 - Prague, 1939), peintre, dessinateur, lithographe et affichiste tchèque ; un des artistes les plus représentatifs de l'art nouveau.

mucilage n. m. Substance végétale sécrétée par les cellules de certaines plantes, qui, en présence d'eau, gonfle et forme une gelée. *Le mucilage est émollient et laxatif.*

mucilagineux, euse adj. (et n.) Didac. Qui contient un mucilage ; qui rappelle le mucilage par sa consistance, son aspect. ▷ Subst. *Un mucilagineux.*

Mucius Scævola (« Mucius le Gaucher ») [Caius] (fin du VIe s. av. J.-C.), héros légendaire romain. Il se brûla la main droite pour se punir d'avoir échoué dans sa tentative d'assassinat du roi étrusque Porsenna, qui assiégeait Rome.

mucosité n. f. Amas de mucus épais.

mucoviscidose n. f. MED Affection héréditaire, caractérisée par une trop

Mucha : affiche pour le *Salon des Cents,* 1896 ; musée des Arts décoratifs, Paris

grande viscosité des sécrétions bronchiques et digestives.

mucus [mykys] n. m. Sécrétion protectrice des muqueuses. *Mucus nasal.* ▷ ZOOL Substance visqueuse sécrétée par les téguments de certains animaux.

mudéjar ou **mudéjare** [mudexaʀ; mudeʒaʀ] n. et adj. **1.** n. HIST Musulman d'Espagne devenu sujet des chrétiens par suite de la reconquête (XIe-XVe s.). **2.** adj. *Art mudéjar* : forme d'art aux caractères à la fois mauresques et chrétiens, qui s'est développée en Espagne du XIIe au XVIe s., après la reconquête.

mue n. f. **I. 1.** Changement de poil, de plumes, de peau, de cornes, etc., qui s'opère chez certains animaux, à des périodes déterminées. **2.** Dépouille d'un animal qui a mué. **3.** Changement dans le timbre de la voix, qui devient plus grave au moment de la puberté. ▷ Temps où s'opère ce changement. **II.** Cage sous laquelle on met la volaille à engraisser.

muer v. [1] **I.** v. intr. **1.** Changer de pelage, de plumage, de carapace, etc., en parlant d'un animal. **2.** Changer de ton et devenir plus grave, en parlant de la voix d'un adolescent. – Par ext. *Jeune homme qui mue,* qui acquiert sa voix d'homme. **II.** v. tr. Vx Changer. ▷ Mod., litt. *Muer en* : transformer en. – v. pron. *Il s'est mué en cuisinier pour la circonstance.*

muesli [mɥesli] ou **musli** [mysli] n. m. Mélange de céréales et de fruits sur lequel on verse du lait.

muet, ette adj. et n. **1.** Privé de l'usage de la parole. ▷ Subst. *Un(e) muet(te).* **2.** Qui se tait. *Rester muet comme une carpe.* – Loc. fig. *La grande muette* : l'armée, censée n'exprimer aucune opinion politique. ▷ THEAT *Jeu muet,* dans lequel l'acteur ne recourt pour s'exprimer qu'aux mouvements du corps et de la physionomie. *Rôle muet,* dans lequel il n'y a pas de texte. **3.** Qui n'est pas exprimé, prononcé. *Les grandes douleurs sont muettes.* **4.** *Film, cinéma muet,* qui ne comporte pas l'enregistrement du son, des paroles des personnages. ▷ n. m. *Le muet* : le cinéma muet. *Une star du muet.* **5.** Qui ne se prononce pas. *Dans «allemand», l'«e» est muet.* **6.** Sur quoi rien n'est écrit. *Carte muette.*

muezzin [mɥedzin; mɥedzɛ̃] n. m. Fonctionnaire religieux attaché à une mosquée, qui appelle les fidèles à la prière du haut du minaret.

Muffat (Georg) (Megève, 1653 – Passau, 1704), organiste et compositeur autrichien d'origine française. Synthèse des grands courants européens, son style a influencé J.-S. Bach et G. F. Haendel.

muffin [mœfin] n. m. (Anglicisme) Petit pain rond moulé en pâte à brioche.

mufle n. m. et adj. **1.** Extrémité nue du museau de certains mammifères. *Mufle d'un taureau, d'un lion.* **2.** Fig. Individu mal élevé, grossier, spécial. envers les femmes. *Vous êtes un mufle, monsieur!* ▷ adj. *Il est assez mufle.*

muflerie n. f. Comportement, caractère ou agissement d'un mufle.

muflier n. m. Plante ornementale (fam. scrofulariacées) dont les fleurs, de couleurs variées, ont la forme d'un mufle. Syn. gueule-de-loup.

mufti ou **muphti** [myfti] n. m. Docteur de la loi musulmane, jugeant les questions de dogme et de discipline.

Mugabe (Robert Gabriel) (Kutama, Rhodésie, 1924), homme politique du Zimbabwe. Il créa (1976), avec Joshua Nkomo, le Front patriotique qui mena la guérilla contre le régime rhodésien. Nommé Premier ministre depuis l'indépendance du pays en mars 1980, il est élu à la présidence de la Rép. en déc. 1987 et réélu en mars 1996.

muge n. m. Poisson vivant en eau douce et dans la mer (où il se reproduit) et dont la chair et les œufs sont estimés. Syn. mulet.

mugir v. intr. [3] Pousser son cri, en parlant des bovinés. *La vache mugit.* ▷ Fig. Produire un son analogue à un mugissement. *Les sirènes du paquebot mugirent.*

mugissant, ante adj. Qui mugit.

mugissement n. m. Cri des bovins. ▷ Fig. Son grave et prolongé rappelant ce cri.

muguet n. m. **1.** Plante à rhizome (fam. liliacées) croissant dans les bois des régions tempérées, caractérisée par ses fleurs blanches en forme de clochettes, au parfum suave et pénétrant. **2.** MED Affection de la muqueuse buccale et pharyngienne, provoquée par un champignon microscopique habituellement saprophyte *(Candida albicans),* qui se manifeste par des plaques d'un blanc crémeux.

Muhammad. V. Mahomet et Mohammed.

Muhammad Ahmad ibn Abdallah *(Muḥammad Aḥmad ibn 'Abd Allāh),* dit *le Mahdī* (près de Khartoum, 1844 – Omdurman, 1885), révolutionnaire arabe. Se proclamant *mahdi* (1881), il se rebella contre les Britanniques et leurs alliés égyptiens, acquérant une popularité extrême. Il prit Khartoum (1885), contrôla tout le Soudan, mais mourut la même année.

Muhammad Rīza. V. Pahlavi.

Mühlberg an der Elbe, v. d'Allemagne, en Saxe, sur l'Elbe; 4 000 hab. – Victoire de Charles Quint (1547) sur les protestants de la ligue de Smalkalde.

Muir (Edwin) (Deerness, Orcades, 1887 – Cambridge, 1959), poète écossais. Il concilie protestation sociale, lucidité intellectuelle et aspirations religieuses, dans des transpositions de mythes antiques ou bibliques : *Transition* (1927), *l'Histoire et la Fable* (1940), *le Labyrinthe* (1949), *Prométhée* (1954).

Muisca(s). V. Chibcha(s).

Mukalla *(Mukallā),* port du Yémen, sur le golfe d'Aden; 58 000 hab. Pêche.

mulard n. m. Canard hybride.

mulassier, ère adj. Du mulet. ▷ *Jument mulassière,* élevée en vue de la production des mulets.

mulâtre, mulâtresse n. et adj. Personne née d'un Noir et d'une Blanche, ou d'un Blanc et d'une Noire (le fém. *mulâtresse* est vieilli).

Mulay-Idris. V. Moulay-Idris.

mulch [mœltʃ] n. m. (Anglicisme) AGRIC Couche de fumier, de compost, etc. destinée à protéger les plantations.

mulching [mœltʃiŋ] n. m. (Anglicisme) AGRIC Syn. de *paillage.*

1. mule n. f. Hybride femelle de l'âne et de la jument. ▷ Loc. fig., fam. *Être têtu comme une mule. C'est une vraie tête de mule,* un(e) entêté(e).

2. mule n. f. Pantoufle sans quartier. ▷ Pantoufle blanche du pape, ornée d'une croix brodée.

1. mulet n. m. **1.** Hybride mâle de l'âne et de la jument. V. bardot. – Loc. fam. *Chargé comme un mulet* : très chargé. **2.** SPORT Dans une course automobile, voiture de réserve.

2. mulet n. m. Syn. de *muge.*

muleta [mulɛta] n. f. Morceau d'étoffe rouge destiné à exciter le taureau dans les corridas.

muletier, ère n. m. et adj. **1.** n. m. Conducteur de mulets. **2.** adj. Qui convient aux mulets. *Chemin muletier.*

Mulhacén, point culminant de l'Espagne (3 482 m), dans la sierra Nevada.

Mülheim an der Ruhr, v. d'Allemagne (Rhénanie-du-Nord-Westphalie); 170 390 hab. Houille; métallurgie.

Mulhouse, ch.-l. d'arr. du Haut-Rhin, sur l'Ill et le canal du Rhône au Rhin; 109 905 hab. (env. 223 900 hab. dans l'aggl.). Centre textile; industr. mécaniques (auto.), chimiques, etc. Près de Mulhouse, aéroports internationaux de Mulhouse-Bâle et Euro-Airport (inauguré en 1990). – Hôtel de ville (XVIe s.). Musées des beaux-arts, de l'impression sur étoffes. – Cité impériale en 1273, la ville devint une république indépendante en 1586, elle se réunit à la France en 1798.

mulhousien, enne adj. et n. De Mulhouse.

Muller (Hermann Joseph) (New York, 1890 – Indianapolis, 1967), généticien américain. Ses travaux ont surtout porté sur les mutations. P. Nobel 1946.

Müller (Paul Hermann) (Olten, 1899 – Bâle, 1965), biochimiste suisse. Il mit au point le D.D.T. et divers autres insecticides. P. Nobel de médecine 1948.

Müller (Karl Alexander) (1927), physicien suisse, prix Nobel de physique 1987 pour ses travaux sur les supraconducteurs à haute température.

Mulliken (Robert Sanderson) (Newburyport, Massachusetts, 1896 – Arlington, Virginie, 1986), physicien et chimiste américain. Il découvrit la notion d'orbitale atomique. P. Nobel 1966.

mulot n. m. Rat des bois et des champs (genre *Sylvanus,* fam. muridés) aux grandes oreilles et à longue queue.

Mulroney (Brian) (Baie-Comeau, 1939), homme politique canadien. Chef du parti progressiste conservateur, Premier ministre de 1984 à 1993.

Multān, v. du Pākistān (Pendjab), sur la Chenāb; 730 000 hab.

multi-. Élément, du lat. *multus,* «nombreux».

multicarte adj. Se dit d'un représentant qui représente plusieurs firmes.

multicaule adj. À plusieurs tiges.

multicellulaire adj. BIOL Qui est formé de plusieurs cellules.

multicolore adj. Qui présente des couleurs variées.

multiconfessionnel, elle adj. Didac. Où coexistent plusieurs religions.

multicoque n. m. Bâteau à plusieurs coques ou flotteurs (ex. trimaran).

multicouche adj. TECH Qui est composé de plusieurs couches.

multicritère adj. Didac. Qui fait rentrer en jeu plusieurs critères.

multiculturalisme n. m. **1.** Coexistence de plusieurs cultures dans le même espace social. **2.** Mouvement qui exalte les valeurs multiculturelles.

multiculturel, elle adj. Où coexistent plusieurs cultures.

multidiffusion n. f. Diffusion répétée à différentes heures d'un programme par une chaîne de télévision.

multidimensionnel, elle adj. Qui concerne plusieurs dimensions, plusieurs niveaux de compréhension.

multidisciplinaire adj. Syn. de *pluridisciplinaire.*

multiethnique adj. Syn. de *pluriethnique.*

multifenêtre adj. INFORM Qui permet de faire apparaître plusieurs fenêtres à la fois sur un écran d'ordinateur.

multifilaire adj. TECH Qui comporte plusieurs fils. *Câble multifilaire.*

multiflore adj. BOT Qui a de nombreuses fleurs.

multifonction ou **multifonctionnel, elle** adj. Qui a plusieurs fonctions.

multiforme adj. Qui a ou qui peut prendre des formes diverses, variées.

multigrade adj. TECH *Huile multigrade,* dont la viscosité varie peu.

multilatéral, ale, aux adj. POLIT Qui concerne plus de deux États.

multilingue adj. Syn. de *plurilingue.*

multilinguisme [myltilɛ̃gɥism] n. m. Didac. Syn. de *plurilinguisme.*

multimédia n. m. et adj. **1.** n. m. Technique permettant de rassembler sur un même support des moyens audiovisuels (textes, sons, images fixes et animées) et des moyens informatiques (programmes, données) pour les diffuser simultanément et de manière interactive; équipement, industrie se rapportant à cette technique. **2.** adj. Qui utilise plusieurs médias. *Un groupe de communication multimédia.* **3.** adj. Qui concerne le multimédia. *Un dictionnaire multimédia.*

multimédiatique adj. Qui concerne le multimédia.

multimètre n. m. ELECTR Appareil donnant la valeur d'une grandeur électrique (tension, intensité, résistance, etc.).

multimilliardaire adj. et n. Plusieurs fois milliardaire.

multimillionnaire adj. et n. Plusieurs fois millionnaire.

multimodal, ale, aux adj. Qui combine plusieurs modes de transport (rail, route, air, etc.).

multinational, ale, aux adj. (et n. f.) Qui concerne plusieurs nations. ▷ *Société multinationale* ou, n. f., *une multinationale :* grande firme dont les activités s'exercent dans plusieurs États.

multipare adj. (et n.) **1.** ZOOL Se dit d'une femelle qui a plusieurs petits en une seule portée. **2.** MED Se dit d'une femme qui a accouché plusieurs fois (par oppos. à *nullipare, primipare).*

multiparité n. f. Caractère multipare.

multipartisme n. m. POLIT Système parlementaire caractérisé par l'existence de plus de deux partis.

multipartite adj. POLIT Qui est constitué de plusieurs partis.

multiple adj. et n. m. **1.** Composé, constitué d'éléments différents; complexe. *Organe multiple,* composé de plusieurs pièces élémentaires. *Poulie multiple,* à plusieurs gorges. – GEOM *Point multiple d'une courbe :* point par lequel passent plusieurs branches de cette courbe. ▷ Qui présente divers aspects. *La nature est multiple.* **2.** *Par ext.* Qui existe en grand nombre. *De multiples cas.* Syn. nombreux. **3.** MATH Qualifie un nombre égal au produit d'un nombre donné par un nombre entier. *15 est multiple de 3 et de 5.* ▷ n. m. Nombre multiple. *8 est un multiple de 2, et 2 est un sous-multiple de 8.* – *Plus petit commun multiple* (abrév. : P.P.C.M.) : plus petit parmi les nombreux multiples que certains nombres ont en commun.

multiplet n. m. MATH Association ordonnée d'éléments appartenant à des ensembles différents.

multiplex adj. et n. m. inv. TELECOM *Dispositif multiplex* ou, n. m., *un multiplex :* dispositif permettant de transmettre plusieurs communications avec une seule voie de transmission.

multiplexe n. m. Complexe comprenant une dizaine de salles de cinéma.

multiplicande n. m. MATH Nombre que multiplie un autre nombre.

multiplicateur, trice adj. et n. m. Qui multiplie, qui a pour fonction de multiplier. ▷ n. m. MATH Nombre par lequel on multiplie un autre nombre.

multiplicatif, ive adj. Qui multiplie. ▷ MATH *Loi multiplicative,* qui confère les propriétés de la multiplication. *Groupe multiplicatif,* muni d'une loi multiplicative.

multiplication n. f. **1.** Augmentation en nombre. *Multiplication des espèces.* Syn. accroissement, prolifération. **2.** MATH Opération, notée [×] ou [.], consistant à additionner à lui-même un nombre (multiplicande), un nombre de fois égal à un autre nombre (multiplicateur). ▷ *Table de multiplication :* tableau donnant les produits des premiers nombres (de 1 à 10 ou 12) entre eux. **3.** TECH Rapport des vitesses angulaires d'un arbre entraîné et d'un arbre moteur, quand l'arbre moteur tourne moins vite que l'arbre entraîné.

multiplicité n. f. **1.** Caractère de ce qui est multiple. **2.** Grande quantité. *Multiplicité des lois.* Syn. pluralité.

multiplier v. [2] **I.** v. tr. **1.** Augmenter le nombre, la quantité de. Syn. accroître. – *Par ext.* Produire en grand nombre, accumuler. *Multiplier les erreurs.* **2.** MATH Faire la multiplication de. *Multiplier 2 par 3.* **II.** v. intr. Rare, vx Augmenter en nombre par voie de génération. *« Croissez et multipliez » (Bible).* **III.** v. pron. **1.** Croître en nombre. *Les obstacles se multipliaient.* **2.** Se reproduire. *Animaux qui se multiplient.* **3.** Fig. Sembler être en plusieurs lieux à la fois, à force d'activité.

multipolaire adj. ELECTR Qui comporte plus de deux pôles.

multiprise n. f. Prise de courant électrique qui permet de brancher plusieurs prises. Syn. prise multiple.

multiprocesseur n. m. INFORM Ordinateur qui possède plusieurs unités centrales de traitement.

multiprogrammation n. f. INFORM Mode de fonctionnement d'un ordinateur permettant l'exécution simultanée de plusieurs programmes.

multipropriété n. f. Forme de copropriété consistant à jouir d'un bien à tour de rôle.

multiracial, ale, aux adj. Didac. Qui comporte plusieurs groupes raciaux humains. *Une société multiraciale.*

multirécidiviste adj. et n. Auteur de plusieurs délits.

multirésistant, ante adj. Se dit d'un germe infectieux qui résiste aux traitements habituels.

multirisque adj. FIN Qui couvre des risques de natures différentes.

multisalles adj. Qui comporte plusieurs salles. *Un cinéma multisalles.*

multistandard adj. m. inv. et n. m. Se dit d'un téléviseur acceptant des normes différentes.

multitude n. f. **1.** Grand nombre. *Une multitude de spectateurs.* **2.** Le commun des hommes. Syn. foule, masse.

Mumbai. V. Bombay.

Mummius (Lucius) (IIe s. av. J.-C.), général romain. Consul en 146 av. J.-C., il triompha de la ligue Achéenne et réduisit la Grèce à une prov. romaine.

Mun (Albert, comte de) (Lumigny, Seine-et-Marne, 1841 – Bordeaux, 1914), homme politique français. Il fonda la première association ouvrière catholique (1871) et lutta contre le socialisme révolutionnaire et contre l'anticléricalisme. Député monarchiste, il se rallia à la république à la demande de Léon XIII. Acad. fr. (1897).

Munch (Edvard) (Løten, 1863 – Ekely, près d'Oslo, 1944), peintre et graveur norvégien. Son œuvre, expressionniste, est inspirée par le sentiment tragique de l'existence : *le Cri* (1893).

Munch (Charles) (Strasbourg, 1891 – Richmond, Virginie, 1968), chef d'orchestre français.

Münchhausen (Karl Hieronymus, baron von) (Gut Bodenwerder, Hanovre, 1720 – id., 1797), officier allemand. Engagé dans l'armée russe, il fit campagne contre les Turcs en

Edvard **Munch :** *Salle de jeux à Monte-Carlo,* période impressionniste, 1892; Munchmuseet, Oslo

1740-1741. Son personnage de soldat hâbleur a été popularisé par R. E. Raspe (*les Aventures du baron de Münchhausen*, 1785) et Collin d'Harleville (*Monsieur de Crac dans son petit castel*, 1791).

Munda, anc. v. d'Espagne, en Bétique (auj. *Ronda*, prov. de Málaga), où César battit Cneius et Sextus Pompée (45 av. J.-C.).

Muni (Río), rio de Guinée équatoriale qui donne son nom à la partie continentale du pays recouverte par la forêt vierge.

Munia (pic de la), sommet des Pyrénées (3 150 m), à la frontière franco-espagnole.

Munich (en all. *München*), v. d'Allemagne, cap. de la Bavière, sur l'Isar; 1 274 720 hab.; 3e ville du pays. Grand centre culturel, commercial, financier et industriel (brasseries, porcelaine, prod. chim., fonderies; constr. méca., électr. et électron.). – Archevêché. Université. Cath. du XVe s. Anc. hôtel de ville (XVe s.). Pinacothèque. Glyptothèque. Musée national bavarois. Stade et centre olympiques. – La ville fut le siège des jeux Olympiques de 1972 (assassinat de 11 athlètes israéliens par un commando de Septembre noir). – Fondé v. 1158 par Henri le Lion sur un territoire occupé par des moines (München, en latin *Monachium*), Munich fut la résidence (1255) des ducs de Wittelsbach. Détruite par un incendie en 1327, la ville prospéra au XVIIe s. En 1806, Maximilien IV de Wittelsbach devint roi (Maximilien Ier) et en fit sa capitale, que ses descendants (notam. Louis Ier) développèrent et embellirent. C'est à Munich qu'éclata le premier soulèvement révolutionnaire en Allemagne (nov. 1918-mai 1919). En nov. 1923, Hitler tenta un putsch dans cette ville, particulièrement acquise au nazisme. – *Accords de Munich* (29-30 sept. 1938) : accords entre la G.-B. (Chamberlain), la France (Daladier), l'Allemagne (Hitler) et l'Italie (Mussolini) qui imposèrent le démembrement de la Tchécoslovaquie, le territoire des Sudètes revenant à l'All. Par cet accord, les démocraties, dans le souci de maintenir la paix, encouragèrent l'expansionnisme d'Hitler.

Munich : l'ancien hôtel de ville (XVe s., style Renaissance) sur la Marienplatz

munichois, oise [mynikwa, waz] adj. et n. **1.** De Munich. ▷ Subst. *Un(e) Munichois(e)*. **2.** HIST Péjor. Partisan des accords de Munich.

municipal, ale, aux adj. et n. f. pl. Relatif à une commune et à son administration. *Conseil municipal. Les élections municipales* ou, n. f. pl., *les municipales*.

municipalisation n. f. Action de municipaliser. ▷ *Municipalisation des sols*, qui fait de la commune l'acheteur exclusif des terrains à bâtir situés sur son territoire.

municipaliser v. tr. [1] Soumettre au contrôle d'une municipalité.

municipalité n. f. **1.** Corps d'élus qui administre une commune, comprenant le maire et les conseillers municipaux. – DR ADMIN Ensemble du maire et de ses adjoints. **2.** Lieu où siège le conseil municipal; mairie. **3.** Circonscription municipale; commune.

municipe n. m. ANTIQ Cité sous dépendance romaine qui jouissait du droit de s'administrer elle-même.

munificence n. f. Grande libéralité, générosité, largesse.

munificent, ente [mynifisɑ̃, ɑ̃t] adj. D'une grande générosité.

munir v. tr. [3] **1.** Pourvoir du nécessaire. *Munir des voyageurs de vivres.* ▷ v. pron. *Se munir contre la pluie.* – Fig. *Se munir de patience.* – Pp. adj. *Il est mort muni des sacrements de l'Église.* **2.** Garnir, équiper. *Munir des fauteuils de housses.*

munitions n. f. pl. Approvisionnement pour les armes à feu (cartouches, obus, grenades, etc.).

munster [mœ̃stɛʀ] n. m. Fromage de lait de vache, à pâte grasse, fabriqué dans les Vosges.

Munster, ch.-l. de cant. du Haut-Rhin (arr. de Colmar), sur la Fecht; 4 702 hab. Textile. Fromage réputé (munster).

Munster, prov. du S.-O. de l'Eire; 24 126 km^2; 1 008 440 hab.; ch.-l. *Cork*. C'est une rég. de montagnes (alt. max. 1 041 m) et de plaines. Princ. ressources : céréales, betterave à sucre, élevage (lait). Industr. mécaniques et chimiques. – Autrefois un des cinq royaumes de l'Irlande, le Munster fut à son apogée au Ve s.

Münster, v. d'Allemagne (Rhénanie-du-Nord-Westphalie), au cœur du *bassin de Münster*; 267 630 hab. Centre industriel (text., constr. méca., etc.). – Évêché. Université. Cath. (XIIIe s.). Hôtel de ville gothique (XIVe s.). – La ville, qui adhéra à la Hanse, fut un foyer anabaptiste (1533-1535). En 1648 y fut signé le *traité de Münster*, préliminaire de la paix de Westphalie.

Munténie (en roumain *Muntenia*), rég. historique de Roumanie, en Valachie orientale; ville princ. *Bucarest*.

Munthe (Axel) (Oskarshamn, 1857 – Stockholm, 1949), médecin et écrivain suédois : *le Livre de San Michele* (autobiographie romancée évoquant Capri, 1929).

Munychie. V. Mounychia.

Münzer ou **Müntzer** (Thomas) (Stolberg, Harz, 1489 [?] – Mühlhausen, Thuringe, 1525), réformateur religieux allemand; un des fondateurs de la secte des anabaptistes. Il dirigea la révolte des paysans; battu par les princes à Frankenhausen (15 mai 1525), il fut décapité.

muon n. m. PHYS NUCL Lepton négatif instable de masse égale à 207 fois celle de l'électron (symbole μ^-). *Le muon fut appelé à tort méson* μ.

muphti. V. mufti.

Muqdisho (anc. *Mogadishu* et, en ital., *Mogadiscio*), cap. de la Somalie, sur l'océan Indien; 500 000 hab. Princ. centre commercial du pays.

Muqi (XIIIe s.), peintre chinois, moine de la secte bouddhique Chan (Zen). Ses œuvres sont le fruit d'une longue contemplation : *les Six Kakis*.

muqueux, euse adj. et n. f. MED **1.** De la nature du mucus. **2.** Qui sécrète du mucus. ▷ n. f. ANAT Membrane qui tapisse l'intérieur des organes creux communiquant directement avec l'extérieur, et qui sécrète du mucus. *Muqueuse buccale.*

mur n. m. **1.** Ouvrage de maçonnerie servant à soutenir un plancher ou une charpente *(mur porteur)*, ou à cloisonner un espace. *Mur de brique. Mur de refend**. ▷ Loc. fig., fam. *Aller dans le mur* : mener une action vouée à l'échec. – *Coller qqn au mur*, pour le fusiller. – Arg., fig. *Faire le mur* : sortir en cachette (de la caserne, du lycée, etc.) en sautant par-dessus le mur. – Prov. *Les murs ont des oreilles* : il faut se méfier, on peut être entendu. – *Mettre qqn au pied du mur*, le mettre en demeure de prendre une décision, de faire qqch, etc. ▷ (Plur.) *Les murs* : l'enceinte d'une ville. – *Par ext.* La ville elle-même. **2.** *Par ext.* Toute barrière. *Un mur de rondins.* **3.** Fig. Limite fictive. *Le mur de la vie privée.* – Ce qui constitue un obstacle. *Il se heurta à un mur de silence.* ▷ AVIAT *Mur du son* : ensemble des phénomènes aérodynamiques qui font obstacle au franchissement de la vitesse du son par un avion, un missile, etc. ▷ *Mur de la chaleur* : limite au-delà de laquelle l'échauffement aérodynamique dû au déplacement d'un engin risque d'endommager ses structures.

Mur (la), riv. d'Autriche, de Slovénie et de Croatie (445 km), affl. de la Drave (r. g.); passe à Graz. Nombr. centrales hydroélectriques.

mûr, mûre adj. **1.** (En parlant d'un fruit, d'une céréale.) Parvenu à un point de développement qui le rend propre à propager l'espèce ou à être consommé. *Blé, raisin mûrs.* **2.** *Par ext.* Qui est prêt à être réalisé, à remplir une fonction, etc., dans des conditions idéales. *L'affaire n'est pas encore mûre.* – (Personnes) *Être mûr pour qqch*, être en âge, en situation de l'obtenir. **3.** Qui a atteint son développement complet, physique ou intellectuel. *Homme mûr. Âge mûr.* ▷ *Abcès mûr*, près de percer. **4.** Qui a un jugement sage et réfléchi. *Fillette mûre pour son âge.* ▷ *Après mûre réflexion* : après avoir longuement réfléchi. **5.** Fam. *Étoffe mûre*, usée, près de se déchirer. ▷ Pop. *Être mûr* : être ivre.

Murad. V. Murat.

murage n. m. Action de murer.

muraille n. f. **1.** Mur épais et assez haut. *Pan de muraille.* ▷ *Couleur de muraille* : couleur grise, qui se confond avec celle des murs. **2.** (Souvent au plur.) Construction servant de clôture, de défense; fortification. *Muraille crénelée.* Syn. rempart, enceinte. **3.** MAR Partie de la coque du navire comprise entre la flottaison et le plat-bord.

Muraille (Grande) ou **Muraille de Chine,** mur de fortification monumental (de 6 à 18 m de hauteur pour une épaisseur de 8 à 10 m) qui part du golfe du Bohai et passe au N. de Pékin pour se prolonger à l'O., en bordure du désert de Gobi (plus de 5 000 km de fortifications). Érigée au IIIe s. av. J.-C. (dynastie Qin), la Grande Muraille fut modernisée (brique) et achevée sous les Ming (XVe-XVIIe s.).

mural, ale, aux adj. Qui se fixe, s'applique au mur. *Four, réfrigérateur mural.* ▷ BX-A *Peinture murale*, faite directement sur un mur.

Murano, îlot de la lagune de Venise. Fabriques de glaces, dites de Venise, et verreries d'art (dès le XIIIe s.). – Basilique Santa Maria (XIIe s.).

Murasaki (Shikibu) (?, v. 978 –?, v. 1020), écrivain japonais, dame d'honneur à la cour de l'impératrice Shōshi. Elle a laissé un chef-d'œuvre, le *Genji monogatari*, fresque romanesque de la société courtoise en 54 livres.

Murat, ch.-l. de cant. du Cantal (arr. de Saint-Flour), sur l'Alagnon, affl. (r. g.) de l'Allier; 2744 hab. Minoterie. – Égl. N.-D.-des-Oliviers (XVe s.).

Murat ou **Murad** (en fr. *Amurat*) nom de cinq sultans ottomans. – **Murat Ier** (?, v. 1320 – Kosovo, 1389), sultan de 1359 à 1389; il prit Andrinople, dont il fit sa capitale. Vainqueur des Serbes à Kosovo, il périt durant la bataille. – **Murat II** (Amasya, v. 1401 – Andrinople, 1451), sultan de 1421 à 1451; en lutte contre Jean Hunyadi, régent de Hongrie. – **Murat III** (Manisa, 1546 – Istanbul, 1595), sultan de 1574 à 1595; il vécut dans les plaisirs; ses armées triomphèrent des Perses. – **Murat IV** (Istanbul, v. 1609 – id., 1640), sultan de 1623 à 1640; il s'empara de Bagdad. – **Murat V** (Istanbul, 1840 – id., 1905) ne régna que quelques mois en 1876.

Murat (Joachim) (Labastide-Fortunière, auj. Labastide-Murat, 1767 – Pizzo, Calabre, 1815), maréchal de France, roi de Naples. Fils d'aubergiste, aide de camp de Bonaparte, général pendant la campagne d'Italie, il épousa en 1800 Caroline Bonaparte. Brillant cavalier, il se distingua notam. à Marengo. Promu maréchal (1804) et prince d'Empire (1805), il devint grand-duc de Berg et de Clèves (1806-1808) puis roi de Naples (1808-1815). Il abandonna Napoléon en 1814 pour tenter de fléchir les Alliés en sa faveur. Le congrès de Vienne lui ôta ses États. Il tenta de les reconquérir, mais fut pris et fusillé. ► illustr. page **1267**

Muratori (Ludovico Antonio) (Vignola, 1672 – Modène, 1750), prêtre et érudit italien, il fit preuve d'un esprit de rigueur qui fit de lui le maître de l'histoire italienne : *Rerum italicarum scriptores* (25 vol., 1723-1751).

Murayama (Tomiichi) (Oita, 1924), homme politique japonais; prés. du parti social-démocrate (PSDJ) depuis 1993, il a été Premier ministre (1994-1996).

la **Grande Muraille**

Murcie, v. d'Espagne méridionale, sur le Segura, 322 900 hab., cap. de la communauté autonome et de la région de la C.E. du même nom; 11 317 km^2; 17 062 060 hab. Centre agricole et industriel (alim., text., chim.). – Université; musée Salzillo (consacré aux groupes sculptés des processions de la semaine sainte).

Mur des lamentations, mur occidental du Temple de Jérusalem devant lequel les juifs viennent traditionnellement prier. C'est un vestige du mur qui soutenait la terrasse du temple d'Hérode.

le **Mur des lamentations**

Murdoch (Jean, Mrs. Bayley, dite Iris) (Dublin, 1919 – Oxford, 1999), femme de lettres irlandaise (romans, poèmes, pièces de théâtre). Sous la trame de ses romans psychologiques et allégoriques, semi-policiers, perce une interrogation métaphysique sur la nature humaine : *le Château de la Licorne* (1963), *l'Élève du philosophe* (1986).

mûre n. f. **1.** Fruit comestible du mûrier. *Sirop de mûre.* **2.** Fruit comestible de la ronce.

Mureaux (Les), com. des Yvelines (arr. de Mantes-la-Jolie), sur la Seine (r. g.); 33 365 hab. Constructions aéronautiques et automobiles.

mûrement adv. Avec une réflexion approfondie. *Mûrement réfléchi.*

Murena (Lucius Licinius) (Ier s. av. J.-C.), légat de Lucullus. Élu consul (62), il fut accusé de brigue par Sulpicius; Cicéron obtint son acquittement par le célèbre plaidoyer *Pro Murena.*

murène n. f. Poisson apode des côtes rocheuses, au corps mince et long, très vorace.

murène

murer v. tr. [1] **1.** Entourer de murs, de murailles. *Murer une ville.* **2.** Fermer par une maçonnerie. *Murer une porte.* **3.** Enfermer en maçonnant les issues. *Murer un prisonnier.* **4.** Fig. Soustraire à toute influence extérieure. *Murer sa vie privée.* ▷ v. pron. S'enfermer pour s'isoler. *Elle se mura chez elle pour réfléchir.* – Fig. *Se murer dans son obstination.*

Mureş (le) (en hongrois *Maros*), riv. de Roumanie et de Hongrie (900 km), affl. de la Tisza (r. g.); naît dans les Carpates orient., arrose Tîrgu-Mureş, Alba-Iulia et Arad avant de passer en Hongrie.

muret n. m. ou **murette** n. f. Mur de faible hauteur.

Muret, ch.-l. d'arr. de la Haute-Garonne, sur la Garonne; 18 604 hab. Poudrerie; industr. métallurgiques, briqueterie. – Égl. du XIIe s., restaurée. Maisons anciennes. – Anc. cap. du comté de Comminges. Les albigeois, soutenus par Raimond VI, comte de Toulouse, et Pierre II d'Aragon, y furent défaits par Simon de Montfort (1213).

murex n. m. Mollusque gastéropode dont la coquille est garnie d'épines, de tubercules, et prolongée en siphon tubulaire. *Les Anciens extrayaient la pourpre du murex.*

Murger (Henri) (Paris, 1822 – id., 1861), écrivain français. Il s'est inspiré des années de misère de sa propre existence dans ses *Scènes de la vie de bohème* (1847-1849).

muridés n. m. pl. ZOOL Famille de rongeurs à museau pointu (rats, souris et mulots). – Sing. *Un muridé.*

mûrier n. m. *Mûrier blanc* (fam. moracées) : arbre haut d'une vingtaine de mètres, originaire d'Extrême-Orient, cultivé en France pour ses feuilles qui servent de nourriture aux vers à soie et utilisé en ébénisterie et en industr. papetière. – *Mûrier noir :* arbre haut d'environ 6 m, originaire de Perse, cultivé dans le Midi et dont les fruits noirâtres ont des propriétés astringentes.

mûrier blanc : tige feuillée et fruits

Murillo (Bartolomé Esteban) (Séville, 1618 – id., 1682), peintre espagnol, auteur essentiellement d'œuvres religieuses (*l'Immaculée Conception*, v. 1668, cath. de Séville) et de scènes de genre (*le Jeune Mendiant*, Louvre). ► illustr. page **1266**

murin n. m. Chauve-souris insectivore, commune en Europe.

mûrir v. [3] **I.** v. intr. **1.** Devenir mûr. *Les fruits mûrissent en été.* – Fig. *Laisser mûrir une affaire.* **2.** Acquérir du jugement. *Esprit qui mûrit.* **II.** v. tr. **1.** Rendre mûr. *Le soleil mûrit les blés.* **2.** Former (qqn), lui donner de la sagesse. *Ces épreuves l'ont mûri.* **3.** Mettre au point peu à peu. *Mûrir un projet.*

mûrissant, ante adj. Qui est en train de mûrir. ▷ Fig. Se dit d'une personne qui n'est plus jeune.

mûrissement n. m. Venue à maturation (des fruits).

mûrisserie n. f. TECH Local où on laisse mûrir certains fruits.

murmel n. m. Fourrure de marmotte rappelant la martre ou le vison.

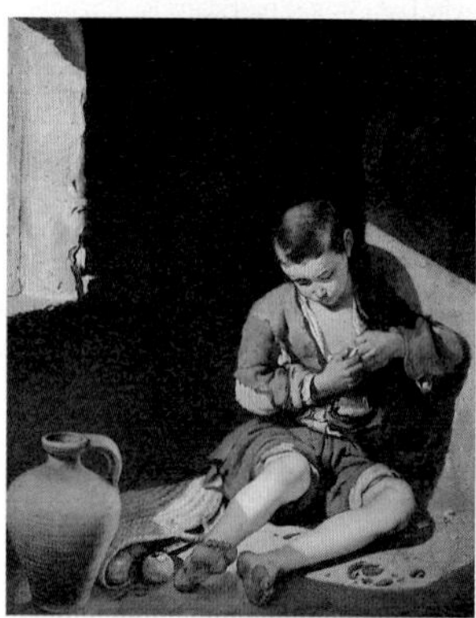
Bartolomé Esteban **Murillo :** *le Jeune Mendiant*, v. 1650; musée du Louvre

murmure n. m. **1.** Bruit continu, sourd et confus, de voix humaines. *Il entra et le murmure cessa brusquement. Murmure d'approbation.* **2.** *Par anal.* Bruit léger et régulier produit par des eaux qui coulent, le vent dans les feuilles, etc. *Le murmure du ruisseau.* **3.** (Souvent plur.) Plaintes, commentaires plus ou moins malveillants exprimés à mi-voix par des personnes mécontentes. *Des murmures de protestation.* ▷ On-dit, bruit qui court. *Faire cesser les murmures.*

murmurer v. intr. [1] **1.** Parler, prononcer à voix basse. *Elle murmurait plus qu'elle ne parlait.* ▷ v. tr. *Il lui murmura quelques mots à l'oreille.* Syn. chuchoter. **2.** Émettre un murmure, un bruit léger et régulier. *Le vent murmure dans le feuillage.* **3.** Se plaindre, protester sourdement. *Murmurer entre ses dents. Murmurer contre un ordre reçu.* ▷ Faire des commentaires à voix basse, de bouche à oreille; jaser.

Murnau (Friedrich Wilhelm Plumpe, dit) (Bielefeld, 1888 - Hollywood, 1931), cinéaste allemand; l'un des maîtres du cinéma muet : *Nosferatu le Vampire* (1922), *le Dernier des hommes* (1924), *l'Aurore* (1927), *Tabou** (avec Flaherty, 1931).

Muroran, v. du Japon (Hokkaidō), port import. sur la côte S.; 136 210 hab. Centre sidérurgique.

Murray (le), grand fl. du S.-E. de l'Australie (2 574 km); né dans la Cordillère australienne, il sert de frontière entre les États de Nouvelle-Galles du Sud et de Victoria, et se jette dans l'océan Indien austral. Il est aménagé pour l'irrigation et l'hydroélectricité.

Murnau : *Nosferatu le Vampire*, 1922, avec Max Schreck

Murray ou **Moray** (Jacques Stuart, comte de) (?, v. 1531 - Linlithgow, 1570), fils naturel de Jacques V d'Écosse, demi-frère et adversaire de Marie Stuart; régent d'Écosse (1567-1570), il fut assassiné.

Murray (James) (Ballencrief, Écosse, 1721 - Battle, Sussex, 1794), général britannique. Il combattit au Canada, dont il fut le premier gouverneur civil anglais (1763-1766).

mur-rideau n. m. ARCHI Mur extérieur d'un bâtiment, non porteur et largement vitré. *Des murs-rideaux.*

Murrumbidgee (le), riv. d'Australie (1 680 km), affl. (r. dr.) du Murray.

Mururoa, atoll de la Polynésie française (îles Tuamotu); 3 000 hab. (dont 1 500 militaires). Centre d'essais nucléaires français de 1966 à 1996.

Musa ibn Nusayr *(Mūsā ibn Nuṣayr)* (La Mecque, v. 640 - id., 718), général arabe. Il conquit le Maghreb jusqu'au Maroc (708) puis l'Espagne, avec l'aide de Tariq ibn Ziyad (711-713).

musacées n. f. pl. Famille de monocotylédones tropicales comprenant le bananier. - Sing. *Une musacée.*

Musaddaq. V. Mossadegh.

musaraigne n. f. Petit mammifère insectivore au museau pointu (genres *Sorex* et voisins, fam. soricidés), dont une espèce, la *musaraigne carrelet*, détruit les insectes, les vers, les limaces.

musaraigne

musarder v. intr. [1] Flâner.

musc [mysk] n. m. **1.** Substance très odorante extraite des glandes abdominales du chevrotain porte-musc mâle. **2.** Parfum à base de musc.

muscade n. f. et adj. f. **1.** n. f. Graine d'un arbre tropical (muscadier) qui, réduite en poudre, est utilisée comme condiment. ▷ adj. f. *Noix muscade.* **2.** adj. f. *Rose muscade :* variété de rose rouge. **3.** n. f. Petite boule de la grosseur d'une muscade dont se servent les escamoteurs dans leurs tours. ▷ Loc. fig. *Passez muscade ! :* le tour a réussi, le tour est joué !

muscadet n. m. Cépage blanc des vignobles de l'embouchure de la Loire. ▷ Vin blanc sec issu de ce cépage.

muscadier n. m. Arbuste tropical qui donne un fruit dont l'amande est la noix de muscade.

muscadin n. m. **1.** Vx Jeune fat. **2.** HIST Jeune homme qui, après le 9 Thermidor, arborait une élégance recherchée (et se parfumait au musc).

muscardin n. m. Petit rongeur au pelage roux doré, long d'une quinzaine de centimètres, qui construit un nid en boule dans les buissons.

muscari n. m. Plante ornementale (fam. liliacées) à fleurs en grappes bleues ou blanches à odeur musquée.

muscat [myska] n. m. et adj. **1.** Variété de raisin parfumé, à l'odeur musquée. ▷ adj. *Raisin muscat.* **2.** Famille de cépages blancs. ▷ Vin issu de ces cépages.

muscidés n. m. pl. ENTOM Famille de diptères comprenant les mouches proprement dites. - Sing. *Un muscidé.*

muscinées n. f. pl. BOT Classe de végétaux bryophytes appelés couramment *mousses.* - Sing. *Une muscinée.*

muscle n. m. Organe contractile assurant le mouvement, chez l'homme et chez les animaux. *Gonfler ses muscles.* ▷ Fam. *Avoir du muscle :* être très fort.
ENCYCL Selon les fibres qui les composent, on distingue : les *muscles rouges striés* (appelés aussi muscles squelettiques, car ils sont en relation avec les os), agents de la mobilité volontaire; les *muscles lisses*, ou involontaires, qui obéissent au système neurovégétatif. Le *muscle cardiaque* doit être classé à part, car il possède à la fois des fibres lisses et des fibres striées.

musclé, ée adj. **1.** Qui a les muscles volumineux, bien dessinés. *Athlète musclé.* **2.** Fig. Qui a du nerf, qui est fort, qui a du corps. *Musique musclée.* **3.** Fig. Brutal, autoritaire. *Une intervention musclée.*

muscler v. tr. [1] **1.** Développer les muscles de (qqn). ▷ v. pron. *Faire des exercices pour se muscler.* **2.** Fig. Renforcer. *Muscler la gestion de l'entreprise.*

muscovite n. f. MINER Mica blanc.

musculaire adj. Des muscles, qui a rapport aux muscles.

musculation n. f. Développement de la musculature ou de certains groupes musculaires. - Ensemble d'exercices spécialement étudiés pour favoriser ce développement.

musculature n. f. Ensemble des muscles du corps.

musculeux, euse adj. **1.** ANAT Composé de fibres musculaires. **2.** Qui a une forte musculature.

muse n. f. **1.** (Avec une majuscule.) MYTH Chacune des neuf déesses qui présidaient aux arts libéraux*. *Calliope était la Muse de l'éloquence, Clio de l'histoire, Érato de l'élégie, Euterpe de la musique, Melpomène de la tragédie, Polymnie de la poésie lyrique, Terpsichore de la danse, Thalie de la comédie et Uranie de l'astronomie.* **2.** (Parfois avec une majuscule.) *La Muse, les Muses :* la poésie. ▷ Litt., plaisant *Taquiner la Muse :* composer à l'occasion des poèmes, par divertissement. **3.** (Avec une minuscule.) Vieilli Femme qui inspire un poète, un artiste.

muscade

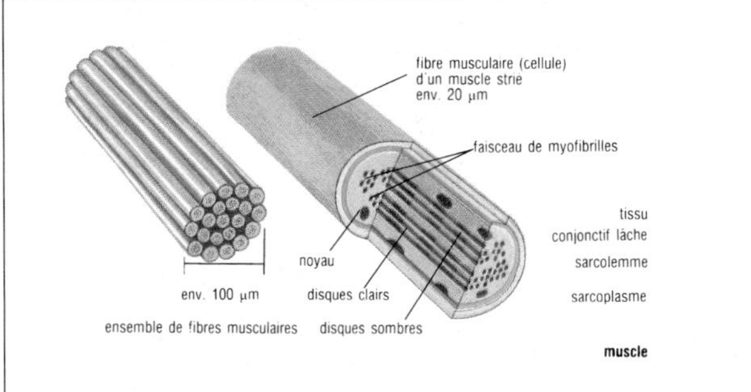

museau n. m. **1.** Partie antérieure de la tête de certains animaux (mammifères, sauf le cheval; poissons) comprenant la gueule et le nez. *Museau de chien, de requin.* **2.** Fam. Visage. *Vilain museau.* **3.** CUIS Préparation faite avec la chair cuite des têtes de bœuf ou de porc. *Museau à la vinaigrette.*

musée n. m. Lieu public où sont rassemblées des collections d'objets d'art, ou des pièces présentant un intérêt historique, scientifique, technique. ▷ Par anal. *Ville musée,* riche en monuments historiques et œuvres d'art.

museler v. tr. [19] **1.** Mettre une muselière à (un animal). **2.** Fig. Empêcher de s'exprimer. *Museler la presse.*

muselet n. m. TECH Armature en fil de fer qui tient le bouchon d'une bouteille de vin mousseux.

muselière n. f. Appareil que l'on met au museau de certains animaux, pour les empêcher de mordre ou de manger.

musellement n. m. Action de museler.

muséographie n. f. Description des musées; description, étude de leurs collections.

muséologie n. f. Ensemble des connaissances scientifiques et techniques concernant la conservation et la présentation des collections des musées.

muser v. intr. [1] Vieilli ou litt. Perdre son temps à des riens.

Muset (Colin). V. Colin Muset.

1. musette n. f. (et n. m.) **I. 1.** Instrument de musique populaire, sorte de cornemuse. **2.** Air fait pour la musette. **3.** (En appos.) *Bal musette* ou, n. m., *musette* : bal populaire. **II.** Sac en toile que l'on peut porter en bandoulière.

2. musette n. f. Musaraigne.

muséum [myzeɔm] n. m. Musée consacré aux sciences naturelles.

Muséum national d'histoire naturelle, établissement scientifique français, fondé à Paris, en 1635, par Gui de La Brosse et nommé *Jardin du roi* jusqu'en 1794. Buffon, Lamarck, Cuvier et bien d'autres naturalistes ont fait sa renommée. De nombr. établissements, dont le Jardin des Plantes, le parc zoologique de Vincennes, le musée de l'Homme en dépendent.

Music (Zoran Antonio) (Gorizia, 1909), peintre et graveur italien d'origine yougoslave. Après une phase figurative marquée par les paysages arides de sa jeunesse, puis une phase non figurative (*Nus,* 1947-1950, *Colline dalmate,* 1966), il revient au figuratif pour exprimer son expérience de la déportation à Dachau (*Nous ne sommes pas les derniers,* 1970).

musical, ale, aux adj. **1.** Relatif à la musique. *Composition musicale.* **2.** Où l'on donne de la musique. *Soirée musicale.* **3.** Qui a le caractère de la musique; harmonieux, chantant. *Phrase musicale. L'italien est une langue musicale.* ▷ Par ext. *Avoir l'oreille musicale* : être apte à saisir, à reconnaître les sons musicaux et leurs combinaisons.

musicalement adv. **1.** D'une façon musicale, harmonieuse. **2.** Conformément aux règles de la musique. **3.** Pour ce qui est de la musique.

musicalité n. f. Qualité de ce qui est musical. *Musicalité d'un enregistrement. – Musicalité d'un vers de Racine.*

music-hall [myzikol] n. m. **1.** Établissement où se donnent des spectacles de variétés. *Des music-halls.* **2.** Ce genre de spectacle.

musicien, enne n. et adj. **1.** Personne qui connaît, pratique l'art de la musique. ▷ adj. *Il est très musicien. Avoir l'oreille musicienne.* **2.** Personne dont la profession est de composer ou de jouer de la musique. *Bach est son musicien préféré. Un orchestre de soixante musiciens. Un musicien de jazz.*

musicographe n. Auteur, critique qui écrit sur la musique.

musicographie n. f. Art, travail du musicographe.

musicologie n. f. Étude de la musique dans ses rapports avec l'histoire, l'art, l'esthétique.

musicologue n. Spécialiste de musicologie.

musicothérapie n. f. PSYCHIAT Utilisation de la musique à des fins thérapeutiques.

Musigny, vignoble de la Côte-d'Or (com. de Chambolle-Musigny, arr. de Dijon), qui donne un vin rouge renommé, le *musigny.*

Musil (Robert von) (Klagenfurt, 1880 – Genève, 1942), écrivain autrichien : *les Désarrois de l'élève Törless* (roman, 1906); *les Exaltés* (drame, 1921); *Trois Femmes* (nouvelles, 1924). Son chef-d'œuvre est un roman, *l'Homme sans qualités* (1930-1933, 1943 et 1952, inachevé), qui, par la profondeur des analyses psychologiques et sociologiques, par la beauté du style, compte parmi les grands livres de la littérature moderne.

Joachim **Murat**

Robert von **Musil**

musique n. f. **1.** Art de combiner les sons suivant certaines règles. ▷ Ensemble des productions de cet art; œuvre musicale. *Musique religieuse. Musique de chambre,* pour petit orchestre. *Musique atonale, dodécaphonique, sérielle. Musique enregistrée. Musique de film. Préférez-vous la musique classique ou la musique contemporaine ?* **2.** Musique écrite. *Copier de la musique. Savoir déchiffrer la musique.* **3.** Société de musiciens exécutant de la musique ensemble. *Une musique militaire. Chef de musique.* **4.** Loc. fig. et fam. *En avant la musique !* : allons-y ! – *C'est toujours la même musique,* toujours la même chose, en parlant de qqch qu'on désapprouve. – *Connaître la musique* : savoir à quoi s'en tenir. – *Réglé comme du papier à musique* : très bien organisé, méthodique; qui se produit inévitablement. **5.** Fig. Suite de sons qui produisent une impression agréable. *La musique d'une source.* ► pl. page **1269**

musiquette n. f. Péjor. Musique facile, sans valeur. *Ce n'est que de la musiquette.*

musli. V. muesli.

musqué, ée adj. **1.** Parfumé au musc. **2.** Dont l'odeur rappelle le musc. *Poire musquée.* **3.** ZOOL *Bœuf musqué* : V. ovibos. – *Rat musqué* : V. ondatra.

Musschenbroek (Petrus Van). V. Van Musschenbroek.

Musset (Alfred de) (Paris, 1810 – id., 1857), écrivain français. Admis dans le cénacle romantique de C. Nodier, il en devint l'enfant terrible. Il publia à vingt ans son prem. vol. de vers, *Contes d'Espagne et d'Italie,* qui le fit connaître. Il entreprit alors d'écrire pour le théâtre, mais l'échec de *la Nuit vénitienne* le dégoûta de présenter ses pièces au public. En 1833, il partit pour l'Italie avec George Sand. Il en revint seul, le cœur brisé. Cette aventure lui inspira *les Nuits* (1835-1837) et un roman autobiographique, *la Confession d'un enfant du siècle* (1836). Jusqu'en 1839, il écrivit de nombr. pièces, destinées uniquement à la lecture. Puis, en proie au « mal de vivre », il sombra dans la débauche, l'alcoolisme et la paresse : ses œuvres se raréfièrent. Son œuvre poétique fut définitivement publiée en 1852 et forme deux recueils : *Premières poésies* (1829-1835) et *Nouvelles poésies* (1835-1852). Son théâtre, réuni sous le titre général de *Comédies et Proverbes* (1853), comprend notam. : *les Caprices de Marianne* (1833), *Fantasio* (1834), *On ne badine pas avec l'amour* (1834), *Lorenzaccio* (1834), *le Chandelier* (1835), *Il ne faut jurer de rien* (1836), *Un caprice* (1837). Musset est le poète de la jeunesse, de la fantaisie et de la passion. Dans ses meilleures pièces, il sait réconcilier le désenchantement et l'idéalisme, le badinage et l'éloquence, le romantisme et le classicisme. Dans sa vie, l'illusion naïve côtoie le cynisme du viveur. Cette permanente contradiction illustre sa modernité. Acad. fr. (1852). ► illustr. page **1268**

Mussolini (Benito) (près de Dovia di Predappio, Romagne, 1883 – Giulino di Mezzegra, Côme, 1945), homme politique italien. Militant socialiste, il fut rédacteur en chef d'*Avanti !* (1912-1914),

Alfred de **Musset** **Mussolini**

qu'il quitta pour fonder son propre journal, *Il Popolo d'Italia*, où il faisait campagne pour l'entrée en guerre de l'Italie aux côtés de l'Entente. En 1919, il fonda les premiers faisceaux italiens de combat dont il était le Duce (le «chef»). Face à la menace de l'extrême gauche, dans un pays en proie à une grave crise économique, sociale et politique, le parti fasciste, soutenu par la bourgeoisie, prit très vite une ampleur considérable. En 1922, le succès de sa marche sur Rome amena le roi à entériner le coup de force en lui confiant le pouvoir; celui-ci devint dictatorial dès 1924. En 1936, après la conquête de l'Éthiopie, Mussolini fit de son pays, jusqu'alors allié à la France et à la G.-B., le partenaire du IIIe Reich (axe Rome-Berlin) et, en juin 1940, le lança dans la guerre. Les désastres subis par l'Italie valurent au Duce l'hostilité des principaux dirigeants fascistes et son arrestation (juil. 1943). Délivré par les Allemands (sept.), il tenta d'instaurer en Italie du N. (Salo) une «République sociale italienne». Pris par les partisans antifascistes (27 avril 1945), il fut fusillé le lendemain.

must [moest] n. m. (Anglicisme) Fam. Ce qu'il faut faire pour être à la mode; ce qu'il y a de mieux.

Mustafa Ier (Manisa, 1591 - Istanbul, 1639), sultan ottoman. Bien que faible d'esprit, il accéda légalement au trône en 1617 et en 1622, mais fut déposé en 1618 et en 1623. – **Mustafa II** (Andrinople, 1664 - Istanbul, 1703), sultan de 1695 à 1703; déposé par les janissaires révoltés. – **Mustafa III** (Istanbul, 1717 - id., 1774), sultan de 1757 à 1774. Contraint à la guerre contre Catherine de Russie (1768), il fut vaincu. – **Mustafa IV** (Istanbul, 1779 - id., 1808), sultan en 1807; exécuté en 1808.

Mustafa Kemal. V. Kemal.

Mustaghanim. V. Mostaganem.

mustang [mystɑ̃g] n. m. Cheval importé d'Europe et redevenu sauvage, dans l'ouest des États-Unis.

mustélidés n. m. pl. ZOOL Famille de mammifères à fourrure, carnivores, pourvus de glandes à musc. *L'hermine, la loutre, la fouine, le putois, le vison sont des mustélidés.* - Sing. *Un mustélidé.*

musulman, ane adj. et n. **1.** Qui professe la religion islamique. ▷ Subst. *Un(e) musulman(e).* **2.** De la religion islamique. *Les fêtes musulmanes.*

mutabilité n. f. **1.** Litt. Caractère de ce qui peut changer. **2.** BIOL Caractère de ce qui peut subir une mutation.

mutable adj. Qui peut changer.

mutage n. m. TECH Opération consistant à arrêter la fermentation du jus de raisin en y ajoutant certains produits (alcool, notam.).

mutagène adj. BIOL Qui produit une mutation.

mutagenèse n. f. BIOL Formation d'une mutation.

Mutanabbi (Al-) *(Abū ṭ-Ṭayyib al-Mutanabbī*, «Celui qui se prend pour un prophète») (Kufah, 915 - Bagdad, 965), poète arabe. Utilisant un style recherché et précieux, il a écrit un diwan fort abondant. Il fut assassiné.

mutant, ante n. et adj. **1.** BIOL Être vivant qui subit ou qui a subi une ou plusieurs mutations. ▷ adj. *Type mutant.* **2.** n. Personnage de science-fiction qui subit une mutation.

Mutare (anc. *Umtali*), v. de l'E. du Zimbabwe; 74 000 hab.; ch.-l. de prov. À Feruka, raff. de pétrole reliée par oléoduc au port de Beira (Mozambique).

mutation n. f. **1.** Changement. **2.** Remplacement d'une personne par une autre, changement d'affectation. *Mutation d'un fonctionnaire.* **3.** BIOL Modification du génome (patrimoine héréditaire) d'un être vivant, apparaissant brusquement et se transmettant aux générations suivantes. **4.** DR Transmission de la propriété. *Droits de mutation.*

mutationnisme n. m. BIOL Théorie émise en 1901 par H. De Vries (1848-1935), qui explique l'évolution des êtres vivants par les mutations.

mutatis mutandis [mytatismytɑ̃dis] loc. adv. (lat.) En faisant les changements nécessaires.

mutazilite. V. moutazilite.

muter v. tr. [1] Changer d'affectation.

mutilant, ante adj. Qui mutile.

mutilation n. f. **1.** Amputation accidentelle d'un membre, d'une partie du corps. - *Mutilation volontaire :* blessure volontaire que s'inflige une personne pour se soustraire à ses obligations militaires (infraction justiciable des tribunaux militaires). **2.** Dégradation. *Mutilation d'une œuvre d'art.* **3.** Suppression fâcheuse d'une partie d'un tout, partic., retranchement d'un passage d'un ouvrage.

mutilé, ée n. Personne qui a subi une mutilation. *Mutilé de guerre.*

mutiler v. tr. [1] **1.** Amputer (une personne, un animal) d'un membre, lui infliger une blessure grave qui porte atteinte irréversiblement à son intégrité physique. *Ancien combattant mutilé d'un bras.* **2.** Détériorer gravement, tronquer (une chose). *Mutiler une sculpture.* - *Mutiler un texte,* l'amputer d'une partie essentielle. ▷ Fig. *Mutiler la vérité.*

mutin, ine n. et adj. **1.** n. Personne qui est entrée en rébellion ouverte contre un pouvoir établi. **2.** adj. Espiègle, vif et taquin. *Garçonnet mutin.* - Par ext. *Air mutin.*

mutiner (se) v. pron. [1] Refuser d'obéir au pouvoir hiérarchique; se révolter. *Les soldats se sont mutinés.*

mutinerie n. f. Action de se mutiner.

mutique adj. MED Qui est atteint de mutisme.

mutisme n. m. **1.** PSYCHIAT Attitude de celui qui refuse de parler, déterminée par des facteurs psychologiques (névrose, psychose). **2.** Cour. État, attitude de celui qui refuse volontairement de parler, de s'exprimer ou qui est contraint au silence. *S'enfermer dans un mutisme obstiné.* ▷ Fig. *L'étrange mutisme des autorités sur cette affaire.*

mutité n. f. Impossibilité physiologique de parler, déterminée par des lésions des centres cérébraux du langage articulé, des organes phonateurs, ou par suite de surdité *(surdi-mutité).*

Mutsuhito. V. Meiji tennō.

Muttra. V. Mathurā.

mutualisation n. f. Action de mutualiser qqch.

mutualiser v. tr. [1] Partager qqch en le faisant passer à la charge d'une collectivité solidaire. *Mutualiser une dépense.*

mutualisme n. m. ECON Doctrine qui préconise la mutualité.

mutualiste adj. et n. Relatif au mutualisme; fondé sur ses principes. *Société mutualiste.* ▷ Subst. Membre d'une société mutualiste.

mutualité n. f. Système de solidarité sociale (assurance, prévoyance) fondé sur l'entraide mutuelle des membres cotisants groupés au sein d'une même société à but non lucratif. *La mutualité fut une des formes de socialisme préconisées par Proudhon.* - Ensemble des sociétés mutualistes.

mutuel, elle adj. et n. f. **1.** Réciproque, fondé sur un ensemble d'actes, de sentiments qui se répondent. *Haine mutuelle. Torts mutuels,* partagés. **2.** Fondé sur les principes de la mutualité. *Société d'assurance mutuelle* (à but non lucratif). ▷ n. f. *Une mutuelle :* une société mutualiste.

mutuellement adv. Réciproquement.

mutule n. f. ARCHI Ornement de la corniche dans l'ordre dorique, placé sous le larmier.

Muybridge (Edward Muggeridge, dit Eadweard) (Kingston-on-Thames, 1830 - id., 1904), photographe anglais qui, dans le même temps que Marey, fit des expériences analogues et complémentaires sur la décomposition du mouvement (galop du cheval, notam.).

MW Symbole du mégawatt.

Mwanza, v. de Tanzanie, sur le lac Victoria; 252 000 hab.; ch.-l. de la rég. du m. n. Centre industr. (or, diamants; coton).

Mweru. V. Moero.

Mx PHYS Symbole du maxwell.

my(o)-. Élément, du gr. *mus,* «muscle».

myalgie n. f. MED Douleur musculaire.

Myanmar (Union de). V. Birmanie.

myasthénie n. f. MED Affection musculaire caractérisée par une fatigabilité anormale des muscles volontaires, avec épuisement de la force musculaire.

myatonie n. f. MED Absence de tonus musculaire.

Mycale, promontoire de la côte d'Asie Mineure (Ionie), sur le détroit de Samos. Les Grecs y détruisirent la flotte perse en 479 av. J.-C.

-myce, myc(o)-. Éléments, du gr. *mukês,* «champignon».

mycélien, enne adj. Du mycélium.

mycélium [miseljɔm] n. m. BOT Appareil végétatif des champignons, formé de filaments plus ou moins ramifiés, cloisonnés (hyphes) ou non (siphons).

mycène n. m. BOT Champignon basidiomycète à lamelles, à spores blanches, très grêle, comestible.

Mycènes (en gr. *Mykênai* ou *Mikínes*), anc. ville de Grèce au N.-E. d'Argos (Argolide), royaume d'Atrée, puis d'Agamemnon. Occupée dès le IIIe millé-

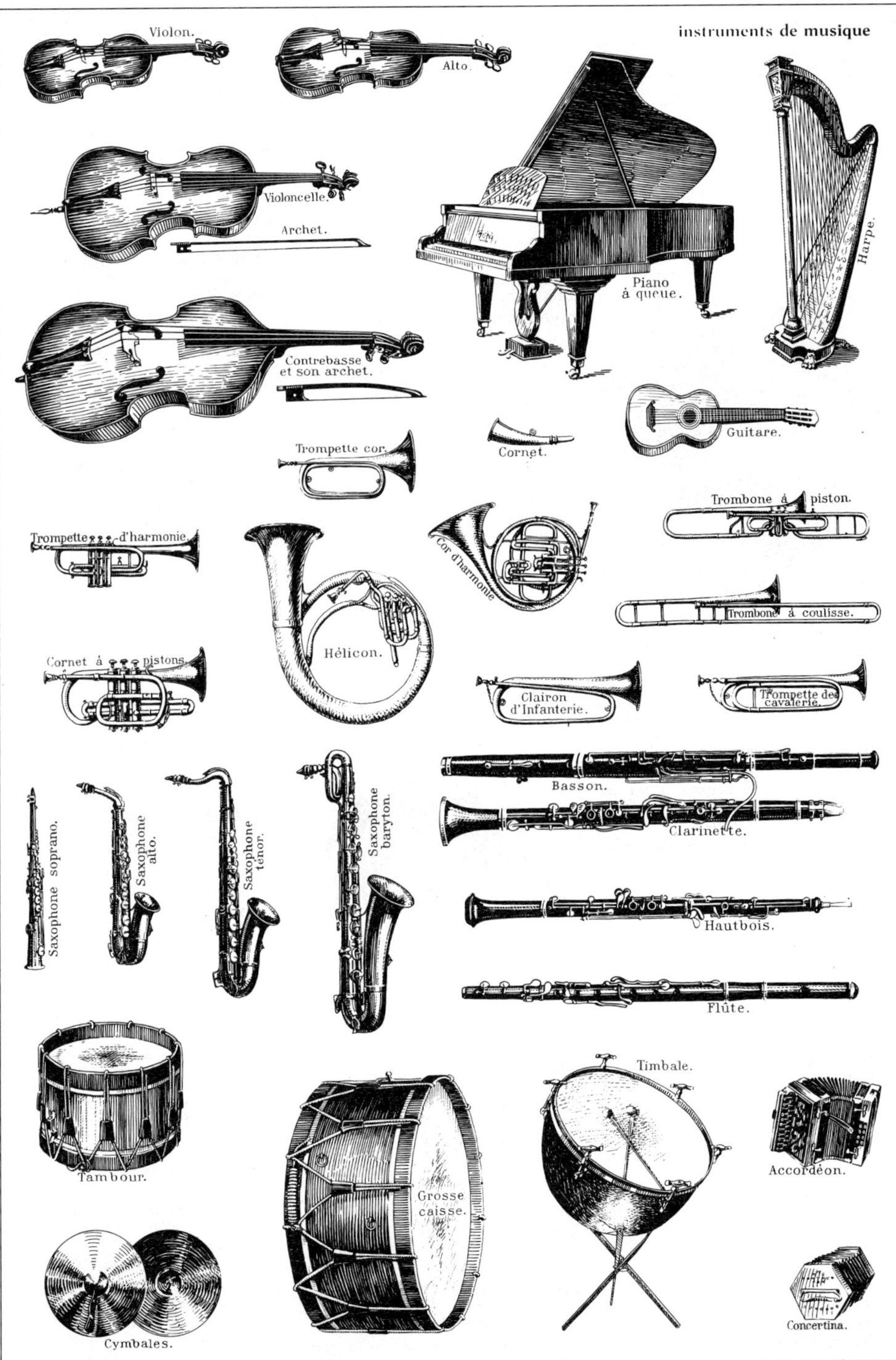
instruments de musique
Violon.
Alto.
Violoncelle.
Archet.
Piano
à queue.
Harpe.
Contrebasse
et son archet.
Guitare.
Cornet.
Trompette cor.
Trombone à piston.
Trompette d'harmonie.
Cor d'harmonie.
Hélicon.
Trombone à coulisse.
Cornet à pistons.
Clairon
d'Infanterie.
Trompette de
cavalerie.
Basson.
Clarinette.
Saxophone soprano.
Saxophone
alto.
Saxophone
ténor.
Saxophone
baryton.
Hautbois.
Flûte.
Timbale.
Tambour.
Grosse
caisse.
Accordéon.
Cymbales.
Concertina.

naire, la bourgade reçut au déb. du IIe millénaire une population achéenne (grecque) qui recueillit l'héritage des peuples préhelléniques et, sous l'influence crétoise, développa une civilisation brillante (XVIe-XIIIe s. av. J.-C.), que, v. 1200 av. J.-C., l'invasion dorienne détruisit brutalement. En 1876, l'Allemand H. Schliemann commença de mettre au jour ses ruines : *trésor d'Atrée* (v. 1330 av. J.-C.), vaste salle funéraire de plan circulaire, en dehors de la ville, dont la coupole était composée de trente-trois assises annulaires disposées en encorbellement ; *porte des Lionnes* (v. 1300-1200 av. J.-C.), l'un des premiers exemples de la sculpture monumentale en Grèce ; *acropole* ; etc.

Mycènes : la porte des Lionnes

mycénien, enne adj. et n. **1.** De Mycènes. ▷ Subst. *Les Mycéniens.* **2.** Relatif à Mycènes, à sa civilisation. **3.** n. m. Langue grecque archaïque.

-mycète. Suffixe servant à former des mots savants désignant des champignons (ex. *basidiomycètes*).

myciculture n. f. Culture des champignons.

myco-. V. -myce.

mycobactérie n. f. BIOL Bactérie ayant des caractères proches de certains champignons.

mycoderme n. m. BOT Levure qui se forme en voile à la surface des liquides fermentés ou sucrés. *Mycoderme acétique* (« fleur de vin »), qui transforme le vin en vinaigre.

mycologie n. f. Didac. Partie de la botanique qui a pour objet l'étude des champignons.

mycologique adj. Didac. Relatif à la mycologie, aux champignons.

mycologue n. Botaniste spécialisé dans l'étude des champignons.

mycoplasme n. m. BIOL Bactérie polymorphe de petite taille, dépourvue de paroi et parfois pathogène pour l'homme.

mycorhize n. m. BOT Champignon associé par symbiose aux racines d'un végétal.

mycose n. f. MED Affection due à un champignon parasite.

mycosique adj. De la mycose. *Herpès mycosique.*

mydriase n. f. MED Dilatation de la pupille, spontanée (accommodation), pathologique (paralysie de l'iris) ou provoquée (par des médicaments : atropine, notam.)

mye [mi] n. f. ZOOL Mollusque marin bivalve, comestible, qui vit enfoui dans le sable.

myél(o)-, -myélite. Éléments, tirés du gr. *muelos,* « moelle ».

myéline n. f. ANAT Substance constituée principalement de lipides et qui forme l'essentiel de la gaine du cylindraxe de certaines cellules nerveuses.

-myélite. V. myél(o)-.

myélite n. f. MED Inflammation de la moelle épinière. *La poliomyélite est une myélite virale.*

myéloblaste n. m. BIOL Cellule souche des myélocytes dont dérivent les leucocytes granuleux (polynucléaires).

myélocyte n. m. BIOL Cellule jeune de la moelle osseuse, précurseur des leucocytes polynucléaires.

myélogramme n. m. MED Détermination de la nature et du pourcentage des différentes cellules qui constituent la moelle osseuse.

myélographie n. f. MED Radiographie de la moelle épinière après injection dans le canal rachidien d'un produit opaque aux rayons X.

myélome n. m. MED Tumeur maligne caractérisée par une prolifération de cellules médullaires et par la sécrétion excessive d'une immunoglobuline particulière. Syn. maladie de Kahler.

myélopathie n. f. MED Affection de la moelle épinière ou osseuse.

myélosarcome n. m. MED Sarcome de la moelle osseuse.

mygale n. f. Grosse araignée venimeuse des régions tropicales (nombr. genres), qui creuse un terrier qu'elle ferme par un opercule.

mygale

Myingyan, v. de Birmanie, sur l'Irrawaddy, au S.-O. de Mandalay ; 220 130 hab. Huilerie, coton.

Mykérinos (v. 2500 av. J.-C.), l'un des derniers pharaons de la IVe dynastie ; bâtisseur de la troisième des grandes pyramides de Gizeh (la plus petite).

Mykonos, une des Cyclades (Grèce), au N.-E. de Délos ; 85 km² ; 3 500 hab. Centre touristique.

mylar n. m. (Nom déposé) Fibre de polyester fournissant des films très fins et très résistants.

mylonite n. f. GEOL Roche à grain très fin, du fait de l'écrasement tectonique.

myo-. V. my(o)-.

myoblaste n. m. BIOL Cellule dont dérivent les fibres musculaires.

myocarde n. m. ANAT Tunique du cœur, constituée de fibres musculaires striées. *Infarctus du myocarde.*

myocardie n. f. MED Atteinte du myocarde aboutissant à une insuffisance cardiaque.

myocardiopathie n. f. MED Maladie du myocarde. Syn. cardiomyopathie.

myocardite n. f. MED Atteinte inflammatoire, aiguë, subaiguë ou chronique, du myocarde, due à un rhumatisme articulaire aigu, à une scarlatine, à une infection virale, à la syphilis, etc.

myocastor n. m. Autre nom du ragondin.

myoglobine n. f. BIOL Protéine du tissu musculaire, dont la structure, proche de celle de l'hémoglobine, permet le stockage de l'oxygène.

myographie n. f. PHYSIOL Enregistrement graphique des contractions musculaires.

myologie n. f. Didac. Partie de l'anatomie qui traite des muscles.

myome n. m. MED Tumeur bénigne formée de tissu musculaire.

myopathe adj. et n. MED Se dit d'un sujet atteint de myopathie.

myopathie n. f. MED Affection du tissu musculaire, acquise ou congénitale, d'origine métabolique, neurologique, endocrinienne ou toxique.

myope adj. et n. Atteint de myopie. *L'œil myope est trop convergent, sa correction exige le port de verres divergents.* ▷ Fig. Peu perspicace, borné.

myopie n. f. Trouble de la vision des objets lointains, dû à un défaut optique du cristallin, qui forme l'image de l'objet en avant de la rétine. ▷ Fig. *Myopie intellectuelle.*

myorelaxant, ante adj. et n. m. MED Qui favorise la relaxation musculaire. – n. m. *Prendre un myorelaxant.* Syn. décontracturant.

myosine n. f. BIOCHIM Fibrine musculaire qui joue un rôle important dans la contraction musculaire.

myosis [mjɔzis] n. m. MED Diminution du diamètre de la pupille.

myosotis [mjɔzɔtis] n. m. Petite plante (fam. borraginacées) à feuilles velues et à fleurs bleues, blanches ou roses, appelée aussi *ne-m'oubliez-pas* et *oreille-de-souris.*

Myrdal (Karl Gunnar) (Gustafs, Dalécarlie, 1898 – Stockholm, 1987), économiste et homme politique suédois ; connu pour ses travaux sur le tiers monde : *le Défi du monde pauvre* (1970). P. Nobel de sciences économiques 1974. – **Alva** (Uppsala, 1902 – Stockholm, 1986), femme politique suédoise ; épouse du préc. P. Nobel de la paix 1982 pour son action en faveur des femmes, des handicapés et des peuples du tiers monde.

myria-, myrio-. Élément, du gr. *murias,* « dizaine de mille ».

myriade n. f. Quantité immense et innombrable. *Des myriades d'étoiles.*

myriapodes n. m. pl. ZOOL Classe d'arthropodes terrestres dont le corps est formé d'un grand nombre de segments presque identiques portant chacun une ou deux paires de pattes. (La morsure de certaines espèces de grande taille est venimeuse.) – Sing. *Un myriapode.* Syn. cour. mille-pattes.

myrmidon ou **mirmidon** n. m. Fam., vieilli Homme chétif, de petite taille. –

Fig., vieilli Homme sans importance, sans valeur.

Myrmidons, anc. peuple de Thessalie qui, selon la légende, serait issu de fourmis que Zeus transforma en êtres humains. Achille en aurait été le roi.

Myron (Éleuthères, Béotie, prem. moitié du Ve s. av. J.-C.), sculpteur grec. Son œuvre représente l'épanouissement des tendances préclassiques caractérisées par les recherches sur le mouvement : *le Discobole* (répliques à Rome et à Londres).
▸ illustr. **discobole**

myrrhe [miʀ] n. f. Gomme résine aromatique produite par un arbre d'Arabie et que l'on utilise dans la préparation de certains cosmétiques et produits pharmaceutiques. *La myrrhe offerte par un des Mages à l'Enfant Jésus.*

myrtacées n. f. pl. BOT Famille de dicotylédones dialypétales voisine des rosacées, essentiellement tropicale (eucalyptus, giroflier, etc.). – Sing. *Une myrtacée.*

myrte n. m. **1.** Arbuste ornemental méditerranéen à feuilles persistantes coriaces, à fleurs blanches odorantes et à baies bleu-noir comestibles. **2.** ANTIQ ou litt. Feuille de myrte, comme symbole de la gloire, de l'amour.

myrtille n. f. **1.** Petit arbrisseau (fam. éricacées) à fleurs blanches, poussant dans les forêts de montagne, aux baies bleu noir comestibles. **2.** Fruit de cet arbrisseau.

Mysie, anc. région du N.-O. de l'Asie Mineure, comprenant les villes de Pergame, Cyzique, Lampsaque, etc.

Mysore ou **Maisūr,** v. de l'Inde (Karnātaka), dans le S. du Dekkan; 480 000 hab. Industr. textile, alimentaires, chimiques. – Temples (XIIe-XIVe s.). – La ville fut la capitale de l'*État de Mysore,* auj. Karnātaka.

mystère n. m. **I. 1.** ANTIQ Doctrine religieuse qui n'était révélée qu'aux seuls initiés. – (Plur.) Cérémonies du culte

myosotis des marais

myrte

qui se rapportaient à ces doctrines. *Les mystères grecs d'Éleusis.* **2.** THEOL Dogme révélé du christianisme, inaccessible à la raison. *Le mystère de la Trinité.* **3.** Ce qui n'est pas accessible à la connaissance humaine. *Les mystères de la nature, du cœur humain.* **4.** Ce qui est inconnu, incompréhensible (mais virtuellement connaissable). *Cette disparition reste un mystère pour la police. Percer un mystère.* **5.** Ce qui est tenu secret. *Les mystères de la politique.* ▷ Ensemble des précautions dont on s'entoure pour tenir une chose secrète (souvent sans raisons sérieuses). *Expliquez-nous, au lieu de faire des mystères! Il y est allé et n'en fait pas mystère,* et ne s'en cache pas. **6.** Crème glacée avec de la meringue et des amandes pilées. **II.** LITTER Drame religieux qui se jouait au Moyen Âge sur le parvis des églises. *« Le Mystère de la Passion », d'Arnoul Gréban (1452).*

mystérieusement adv. D'une façon mystérieuse, cachée. *Agir mystérieusement.*

mystérieux, euse adj. **1.** Qui est de la nature du mystère, qui contient un mystère, un sens caché. *Prophétie mystérieuse.* **2.** Cour. Qui fait des mystères. *Un homme mystérieux.* **3.** Sur qui ou sur quoi plane un mystère. *Personnage mystérieux.*

mysticètes n. m. pl. ZOOL Sous-ordre de cétacés comprenant les espèces pourvues de fanons (baleines). – Sing. *Un mysticète.*

mysticisme n. m. **1.** Doctrine philosophique, tour d'esprit religieux qui suppose la possibilité d'une communication intime de l'homme avec la divinité (communication qui procéderait d'une connaissance intuitive, immédiate) par la contemplation et l'extase. *Mysticisme chrétien, bouddhiste.* **2.** *Par ext.* Doctrine philosophique fondée sur l'intuition immédiate, sur une foi absolue en son objet.

mysticité n. f. Litt. ou didac. Foi mystique. ▷ Pratique de dévotion empreinte de mysticisme.

mystificateur, trice n. et adj. Personne qui aime mystifier. *L'œuvre d'un mystificateur.* ▷ adj. Qui mystifie.

mystification n. f. **1.** Acte, propos par lesquels on mystifie qqn. *Être victime d'une mystification.* **2.** Tromperie ou illusion collective (morale ou intellectuelle). *Marx considère que la religion est une mystification.*

mystifier v. tr. [2] **1.** Tromper (qqn) en abusant de sa crédulité pour s'amuser à ses dépens. **2.** Tromper (qqn) en donnant d'une chose une idée séduisante, mais fallacieuse. *Se laisser mystifier par une propagande démagogique.*

mystique adj. et n. **1.** Relatif au mystère d'une religion. *Le corps mystique du Christ :* l'Église. **2.** Qui procède du mysticisme. *Foi, expérience, connaissance mystiques.* **3.** Prédisposé au mysticisme ou dont la foi en procède. ▷ Subst. *Les mystiques du XVIIIe s.* **4.** Dont le caractère est exalté, dont les idées sont absolues. *Un progressiste mystique.* ▷ Subst. *Les mystiques de la révolution.* **5.** n. f. *La mystique :* l'ensemble des pratiques et des connaissances liées au mysticisme. *La mystique juive.* ▷ *Par anal.* Manière plus passionnelle que rationnelle d'envisager une idée, une doctrine. *La mystique révolutionnaire.*

Mystra. V. Mistra.

mythe n. m. **1.** Récit légendaire transmis par la tradition, qui, à travers les exploits d'êtres fabuleux (héros, divinités, etc.), fournit une tentative d'explication des phénomènes naturels et humains (naissance du monde, de l'homme, des institutions; acquisition des techniques). *Les mythes égyptiens, grecs. Le mythe d'Œdipe, de Prométhée.* **2.** Représentation, amplifiée et déformée par la tradition populaire, de personnages ou de faits historiques, qui prennent force de légende dans l'imaginaire collectif. *Le mythe napoléonien.* **3.** Représentation traditionnelle, simpliste et souvent fausse, mais largement partagée. *Le mythe de la galanterie française.* **4.** Croyance entretenue par la crédulité ou l'ignorance. *Le mythe de l'alcool qui fortifie.* **5.** Allégorie destinée à présenter sous une forme concrète et imagée une idée abstraite, une doctrine philosophique. *Le mythe platonicien de la caverne.* ▷ Fiction admise comme porteuse d'une vérité symbolique. *Le mythe de l'éternel retour.*

-mythie, mytho-. Éléments, du gr. *muthos,* « fable ».

mythification n. f. Didac. Action de mythifier; son résultat.

mythifier v. tr. [2] Didac. Conférer à (une chose, un fait, un personnage) une dimension mythique, quasi sacrée.

mythique adj. Qui a rapport au mythe, qui lui appartient ou qui en a le caractère. *Récits mythiques.*

My Tho, v. du Viêt-nam, sur un bras du delta du Mékong; 130 000 hab. Centre commercial (riz, canne à sucre).

mythologie n. f. **1.** Ensemble des mythes propres à une civilisation, à un peuple, à une religion. *La mythologie aztèque.* – *Spécial.* Mythologie de l'Antiquité gréco-latine. **2.** Discipline ayant pour objet l'étude des mythes. **3.** Ensemble de représentations idéalisées d'un objet investi de valeurs imaginaires liées à la mode, à la tradition, à des aspirations collectives inconscientes. *La mythologie de la star.*
▸ tableau page **1272**

mythologique adj. Qui a rapport ou qui appartient à la mythologie.

mythologue n. Spécialiste de l'étude des mythes.

mythomane adj. et n. Qui relève de la mythomanie; qui en est atteint. *Délire mythomane.* ▷ Subst. *Un(e) mythomane.*

mythomanie n. f. Tendance pathologique à dire des mensonges, à fabuler, à simuler.

mytil(i)-, mytilo-. Élément, du lat. *mytilus,* gr. *mutilos,* « coquillage, moule ».

MYTHOLOGIE : GRANDES DIVINITÉS HELLÉNIQUES ET DIVINITÉS LATINES LEUR CORRESPONDANT

divinités helléniques	*divinités italiques et latines*	
Amphitrite	**Amphitrite**	déesse de la Mer
Aphrodite	**Vénus**	déesse de la Beauté et de l'Amour
Apollon ou **Phoibos**	**Apollon** ou **Phébus**	dieu de la Lumière, de la Divination, de la Musique et de la Poésie, protecteur des Muses (Musagète)
Arès	**Mars**	dieu de la Guerre
Artémis	**Diane**	déesse de la Chasse
Asclépios	**Esculape**	dieu de la Médecine
Athéna	**Minerve**	déesse de l'Intelligence, de la Raison, des Arts, de la Littérature et de l'Industrie
Cronos	**Saturne**	Titan, père de Zeus
Cybèle	**Cybèle**	déesse de la Fécondité (divinité d'origine phrygienne)
Déméter	**Cérès**	déesse de la Terre cultivée
Dionysos	**Liber, Bacchus**	dieu de la Vigne, du Vin, du Délire extatique
Enyo	**Bellone**	déesse de la Guerre
Éos	**Aurore**	déesse de l'Aurore
Éris	**Discorde**	déesse mère de tous les fléaux
Éros	**Cupidon**	fils d'Aphrodite, dieu de l'Amour
Gaia ou **Gê**	**Tellus**	déesse personnifiant la Terre en voie de formation ; ancêtre maternel des dieux et des monstres
Hadès ou **Ploutôn**	**Pluton, Dis Pater**	dieu des Enfers, régnant sur les morts ; dieu des richesses de la Terre
Hébé	**Juventus**	déesse de la Jeunesse
Héphaïstos	**Vulcain**	dieu du Feu, des Forges et des potiers
Héra	**Junon**	déesse du Mariage, protectrice des femmes mariées
Hermès	**Mercure**	dieu messager des Olympiens, guide des voyageurs, conducteur des âmes des morts (Psychopompe); protecteur des marchands, des voleurs et des orateurs
Hestia	**Vesta**	déesse du Foyer domestique
Hygie	**Salus**	déesse de la Santé
Ino ou **Leucothéa**	**Mater Matuta**	déesse marine bienfaisante
Iris	**Iris**	déesse messagère des Olympiens ; personnification de l'arc-en-ciel
Léto	**Latone**	mère d'Apollon et d'Artémis (associée au culte de ses enfants)
Pan	**Faunus, Sylvain**	dieu des bergers d'Arcadie, divinité de la Fécondité, puis incarnation de l'Univers
Perséphone ou **Coré**	**Proserpine**	reine des Enfers
Poséidon	**Neptune**	dieu des Mers, de l'Élément liquide et des Tremblements de terre
Priape	**Priape**	dieu protecteur des vergers et des vignobles ; personnification de la virilité
Renommée ou **Phêmê**	**Fama** ou **Rumor**	déesse allégorique, messagère de Zeus
Rhéa	**Rhéa Cybèle**	Titanide, mère de Zeus
Satyres	**Faunes**	demi-dieux champêtres et forestiers associés au culte de Dionysos ; âgés, on les appelle Silènes
Séléné	**Luna**	déesse de la Lune assimilée à Artémis
Silène	**Silène**	père nourricier de Dionysos
Thanatos	**Orcus**	dieu ou messager de la Mort
Zeus	**Jupiter**	divinité suprême du panthéon des Anciens, dieu des phénomènes physiques (foudre, pluie, cycle des saisons), puis ordonnateur et intelligence du monde ; dieu justicier protecteur des serments

Mytilène, ch.-l. de l'île grecque de Lesbos (parfois nommée également *Mytilène*); 24 120 hab.

mytiliculture n. f. Élevage des moules.

myxœdème n. m. MED Affection due à l'insuffisance ou à la suppression de la sécrétion thyroïdienne, caractérisée par un œdème blanchâtre de la peau et par des troubles sexuels et intellectuels (arriération mentale).

myxomatose n. f. MED VET Maladie infectieuse, mortelle et très contagieuse, causée aux lapins par un virus et transmise par les puces.

myxomycètes n. m. pl. BOT Champignons inférieurs proches du règne animal. – Sing. *Un myxomycète.*

myxovirus [miksoviʀys] n. m. BIOL *Les myxovirus* : groupe de virus qui comprend ceux de la grippe, de la pneumonie virale et des oreillons.

Mzab, rég. du Sahara algérien ; centre princ. *Ghardaïa.* Palmeraies.

mzabite [mzabit] ou **mozabite** [mɔzabit] adj. et n. **1.** adj. Du Mzab. *L'architecture mozabite.* **2.** Subst. Habitant du Mzab. *Les Mzabites.* ▷ Musulman d'une secte schismatique dont la terre d'élection est le Mzab. ▷ *Le mzab :* la langue berbère parlée au Mzab.

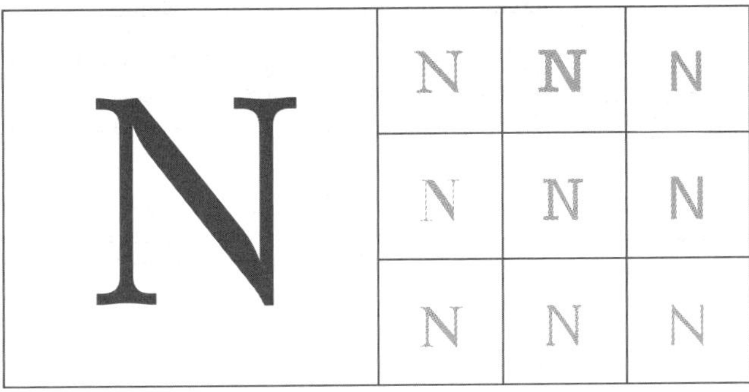

n [ɛn] n. m. Quatorzième lettre et onzième consonne de l'alphabet. (Employé seul, *n* note l'occlusive nasale dentale [n]; devant une consonne ou en fin de mot, il transforme en un son nasal la voyelle qui le précède, comme dans *anse* [ɑ̃s], *ronce* [ʀɔ̃s], *jardin* [ʒaʀdɛ̃], etc. Combiné avec *g* (*gn*), il note la palatale nasale [ɲ] : *peigne* [pɛɲ], *montagne* [mɔ̃taɲ], etc.) ▷ N. : abrév. de *nord.* – N° ou n° : abrév. de *numéro.* – N* ou N**, désigne une personne dont on ignore ou dont on préfère taire le nom. ▷ MATH N : symbole de l'ensemble des entiers naturels. – N* (on dit «n étoile») : symbole de l'ensemble des entiers naturels autres que zéro. – n : désigne souvent un nombre indéterminé. ▷ BIOL *n* (ou *N*) : nombre haploïde de chromosomes (V. encycl. chromosome). ▷ PHYS N : symbole du neutron. – n : symbole de nano-. – N : symbole du nombre d'Avogadro. – N : symbole du newton. ▷ CHIM N : symbole de l'azote, autrefois nommé *nitrogène.*

na! interj. Exclamation enfantine renforçant une affirmation ou une négation. *J'irai pas, na!*

Na CHIM Symbole du sodium (abrév. de *natrium,* anc. nom du sodium).

nabab [nabab] n. m. **1.** HIST Titre donné dans l'Inde musulmane aux gouverneurs des provinces, aux grands officiers de la cour des sultans. **2.** Mod. et plaisant Homme très riche qui fait étalage de sa fortune.

Nabatéens, anc. peuple de l'Arabie du N.-O. Ils fondèrent au Ve s. av. J.-C. un puissant roy. dont la cap. était *Pétra* (conquise sur les Édomites). Trajan les soumit en 106 apr. J.-C.

Nabeul, ville de Tunisie, sur le cap Bon; 39 530 hab.; ch.-l. de gouvernorat du m. nom. Marché import. Arboriculture. Célèbres poteries.

nabis [nabi] n. m. pl. BX-A Groupe de peintres (M. Denis, É. Bernard, É. Vuillard, P. Bonnard, etc.) qui se constitua autour de P. Sérusier, son princ. animateur, en 1888.

ENCYCL S'inspirant du synthétisme de Gauguin et de l'esthétique symboliste, les nabis (de l'hébreu *nabi,* «prophète») révolutionnèrent les techniques décoratives (vitrail, détrempe, lithographie, affiche, illustration de livres). La dernière exposition des nabis (regroupés autour d'O. Redon) eut lieu en 1899.

Nabis (m. en 192 av. J.-C.), tyran de Sparte de 207 à 192 av. J.-C.

V. **Nabokov**

Napoléon 1er

nabla n. m. MATH Opérateur utilisé dans les calculs vectoriel et différentiel (symbole ∇).

Nabokov (Vladimir Vladimirovitch) (Saint-Pétersbourg, 1899 – Montreux, 1977), romancier américain d'origine russe, et d'expression russe, anglaise et française. Il se caractérise par la nouveauté des sujets traités et le sens de l'absurde et de la dérision avec lesquels il retourne les conventions culturelles et sociales : *la Défense Loujine* (1929), *l'Invitation au supplice* (1935), *la Méprise* (1939), *Lolita* (1955), *Feu pâle* (1962), *Ada ou l'Ardeur* (1969).

Nabonide ou **Nabounaïd** (m. en Carmanie, anc. prov. perse, au S. de l'Iran, v. 539 av. J.-C.), dernier roi de Babylone (556-539 av. J.-C.). Il mourut captif de Cyrus II le Grand.

Nabopolassar, roi de Babylone (626 – 605 av. J.-C.); fondateur de la dynastie chaldéenne de Babylone. Son fils, Nabuchodonosor II, lui succéda.

nabot, ote n. et adj. Péjor. Personne de très petite taille, presque naine.

peinture des **nabis :** Édouard Vuillard, *la Robe à ramages,* 1891, huile sur toile; musée d'Art, São Paulo

nabuchodonosor [nabykɔdɔnɔzɔʀ] n. m. Grande bouteille de champagne dont la contenance est égale à vingt fois celle de la bouteille ordinaire, soit 15 litres.

Nabuchodonosor Ier, roi de Babylone de 1129 à 1106 env. av. J.-C. – **Nabuchodonosor II,** roi de Babylone de 605 à 562 av. J.-C.; fils et successeur de Nabopolassar. Il écrasa les Égyptiens à Karkemish (605) et s'empara de Jérusalem, qu'il détruisit (587), déportant les Juifs à Babylone (586). Babylone lui doit d'importantes réalisations architecturales.

nacelle n. f. **1.** Vx, litt. Petite embarcation à rames, sans mât ni voile. **2.** Mod. Panier fixé sous un aérostat et dans lequel prennent place les aéronautes. ▷ TECH Légère plate-forme suspendue munie d'un garde-corps. *Nacelle de laveur de carreaux.*

nacre n. f. **1.** Substance calcaire et organique, dure, brillante, à reflets irisés et chatoyants, qui recouvre la face interne de la coquille de certains mollusques et que l'on utilise en bijouterie et en marqueterie. *Perles véritables en nacre pure. Boutons de nacre.* **2.** Litt. Couleur nacrée.

nacré, ée adj. Qui a l'éclat, l'aspect de la nacre.

nacrer v. tr. [1] **1.** TECH Donner (aux fausses perles de verre) l'aspect de la nacre. **2.** Donner l'irisation de la nacre.

Nadar (Félix Tournachon, dit) (Paris, 1820 – id., 1910), photographe, aéronaute, dessinateur et écrivain français; prem. photographe à avoir opéré à bord d'un aérostat (1858). Il a laissé d'admirables portraits : Ch. Baudelaire, E. Delacroix, A. Dumas, G. Sand, S. Bernhardt, etc.

Nadeau (Maurice) (Paris, 1911), journaliste, écrivain et éditeur français. Directeur des *Lettres nouvelles* et de la *Quinzaine littéraire,* il a écrit des essais critiques : *Histoire du surréalisme* (1945-1948), *Gustave Flaubert écrivain* (1969). Il a également œuvré pour la réhabilitation de Sade : *Exploration de Sade* (1948).

Nader (Ralph) (Winsted, Connecticut, 1934), avocat américain; pionnier de la défense des consommateurs. Dès 1965, il dénonça un manque de sécurité des automobiles, ce qui conduisit les constructeurs à adopter de nouvelles normes dans ce domaine.

nadir n. m. ASTRO Point imaginaire de la sphère céleste locale, opposé au zénith, situé à la verticale de l'observateur sous le plan horizontal.

Nādir chāh (près de Kalāt, 1688 – Fathābād, 1747), roi de Perse (1736-1747). Aventurier au service des Séfévides, il vainquit les Afghans et les Ottomans, accéda au trône et entreprit de grandes conquêtes (Afghānistān, 1738; N.-O. de l'Inde, 1739). Il fut assassiné. Son empire ne lui survécut pas.

Nādir khān ou **Nādir chāh** (Dehra Dūn, 1880 – Kaboul, 1933), roi d'Afghānistān (1929-1933). Il tenta de moderniser le pays et fut assassiné (le trône revint à son fils Muhammad Zāhir chāh).

Nadjd ou **Nedjd,** région d'Arabie Saoudite; 1 390 300 km² (env. 3,5 millions d'hab.); ch.-l. *Riyad.* Ce plateau (en ar. *naǧd*) cristallin, fortement relevé (jusqu'à 1 800 m) et désertique, a été aménagé sur le plan agricole, mais la région vaut surtout par les richesses, considérables, en pétrole du Hasa. – En 1924, l'émir du Nadjd conquit le Hedjaz voisin, s'en proclama roi en 1926 et adopta le titre de roi d'Arabie Saoudite en 1932.

Nadjef ou **Najaf** *(an-Naǧaf),* v. d'Irak; 147 860 hab.; ch.-l. du gouvernorat du m. nom. Lieu de pèlerinage chiite.

Nador, v. du Maroc, près de la Méditerranée, au S. de Melilla; 62 040 hab. (aggl. urb. 115 300 hab.); ch.-l. de la prov. du m. nom. Fer. Complexe sidérurgique.

nævocarcinome [nevɔkaʀsinom] n. m. MED Mélanome malin.

nævus [nevys], plur. **nævi** [nevi] n. m. MED Tache colorée de la peau, d'origine congénitale. *Certains nævi peuvent dégénérer en cancer.* Syn. grain de beauté.

Nafoud ou **Nufud** *(an-Nufūd),* désert de sable du N. de l'Arabie; plus de 50 000 km².

Naft-é-Shah, centre pétrolier iranien, près de l'Irak.

Naft Khanah *(Naft Ḫāna),* centre pétrolier de l'Irak, au N.-E. de Bagdad.

Nagaland, État montagneux du N.-E. de l'Inde, dans l'Assam, à la frontière birmane; 16 527 km²; 1 215 570 hab.; cap. *Kohīma.* Thé, riz. – Cet État, créé en 1963, est peuplé par les *Nagas,* tribus d'origine tibéto-birmane.

Nagano, v. du Japon (Honshū); 337 000 hab.; ch.-l. du ken du m. nom. Meubles, text. – Temple bouddhique.

Nagano (Osami) (Kōchi, 1880 – Tōkyō, 1947), amiral japonais; chef d'état-major de la marine pendant la Seconde Guerre mondiale. Considéré comme un des grands responsables de la guerre, il fut incarcéré de 1945 à sa mort.

Nagare (Masayuki) (Nagasaki, 1923), sculpteur japonais. Ses œuvres, abstraites, à surfaces polies, sont souvent conçues en fonction de l'espace paysager des jardins nippons.

nāgarī. V. devanāgarī.

Nagasaki, v. et port du Japon, sur la côte N.-O. de Kyūshū; 449 000 hab.; ch.-l. du ken du m. nom. Constr. navales, industr. textiles, pêche. – La seconde bombe atomique y fut lancée par l'armée américaine, le 9 août 1945 (80 000 victimes).

nage n. f. **1.** Action de nager. *Passer une rivière à la nage* : en nageant. ▷ Manière de nager. *Le crawl est la nage la plus rapide.* – SPORT *Nage libre* : épreuve de natation où le type de nage n'est pas imposé. *En nage libre, les concurrents choisissent habituellement le crawl.* **2.** MAR Action, manière de ramer. *Bancs de nage,* sur lesquels sont assis les rameurs. *Chef de nage,* qui dirige les rameurs. **3.** Loc. fam. *Être en nage,* tout mouillé de sueur. **4.** *Écrevisses, homard à la nage,* que l'on sert dans le court-bouillon de cuisson.

nageoire n. f. Organe locomoteur et stabilisateur, en forme de palette, des poissons. *Nageoires paires* : nageoires pectorales, pelviennes. *Nageoires impaires* : nageoires dorsale (homocerque ou hétérocerque, selon les groupes), caudale, anale. – *Par ext.* Organe natatoire de certains animaux aquatiques (marsouins, phoques, etc.); à propos de ces animaux, les zoologistes préfèrent parler de *palette natatoire*).

nager v. intr. [13] **1.** Se soutenir et avancer sur l'eau, ou sous l'eau, par des mouvements adéquats. *Nager comme un poisson. Apprendre à nager.* ▷ Fig., fam. *Savoir nager* : savoir manœuvrer, être habile en affaires, et souvent peu scrupuleux. – *Nager contre le courant* : lutter contre le cours des choses. **2.** (Choses) Être plongé, noyé, dans un liquide; flotter. *Quelques morceaux de viande nageant dans la sauce.* **3.** Fig. Être pleinement dans tel état, telle situation. *Nager dans le bonheur, dans l'opulence.* **4.** Fam. Être très au large (dans un vêtement). **5.** Fam. Se trouver très embarrassé, ne savoir que faire. *Tout cela le dépasse, il nage complètement.* **6.** MAR Ramer.

nageur, euse n. **1.** Celui, celle qui nage. *C'est un très bon nageur.* ▷ Sportif qui dispute des épreuves de natation. **2.** MAR Rameur.

Nagorno-Karabakh. V. Karabakh (Haut-).

Nagoya, v. et port du Japon, au S. de Honshū; 2 127 580 hab.; ch.-l. de ken. Grand centre industr. (métall.; industr. chim., méca. et text.; céramiques, etc.). – Université. Temples bouddhiques et shintoïstes; château (XVIIe s.).

Nāgpur, v. de l'Inde (Mahārāshtra), au N. du Dekkan; 1 622 000 hab. Centre cotonnier; industries textiles; métallurgie.

naguère adv. **1.** Il y a peu de temps, récemment. **2.** Cour. et *abusiv.* Jadis, autrefois.

Nagy (Imre) (Kaposvár, 1896 – Budapest, 1958), homme politique hongrois. Membre du parti communiste dès 1917, Premier ministre de 1953 à 1955, il fut exclu du comité central puis du parti (avr. 1956). Rappelé lors de la révolte d'oct. 1956 à la tête du gouvernement, il proclama son intention de transformer radicalement le régime et de retirer la Hongrie du pacte de Varsovie. L'intervention militaire des troupes soviétiques (4 nov. 1956) mit fin à cette tentative. Nagy fut destitué (au profit de Kádár), condamné à mort et exécuté. Il a été réhabilité en 1989.

Naha, ch.-l. et port de comm. des îles Ryūkyū (Japon), dans l'île d'Okinawa; 303 670 hab.

nahuatl n. m. et adj. inv. Langue indienne parlée au Mexique, qui fut celle de l'Empire aztèque. – adj. inv. *La langue nahuatl.*

Nahum (VIIe s. av. J.-C.), prophète juif : le *livre de Nahum* (3 chapitres).

1. naïade n. f. **1.** MYTH Nymphe, divinité des rivières et des fontaines. **2.** Litt. ou plaisant Baigneuse, nageuse.

2. naïade [najad] n. f. ou **naias** [najas] n. m. BOT Plante monocotylédone aquatique (genre *Naias*) d'Europe centrale, à feuilles allongées, à fleurs sans pédoncule.

naïf, ïve adj. et n. **I. 1.** Qui est, par manque d'expérience, d'un naturel candide, simple et ingénu. *La fillette répondit avec une candeur naïve et charmante.* **2.** Qui est d'une simplicité un peu niaise, d'une crédulité excessive. *On lui fait faire n'importe quoi tant il est naïf.* ▷ Subst. *Un naïf, une naïve.* **II. 1.** Vx ou litt. Apporté en naissant, natif, originaire. ▷ BIOL Se dit, en expérimentation, d'un animal vierge de toute manipulation, de tout traitement antérieurs. **2.** Naturel, ingénu, sans artifice. *Les élans naïfs de l'enfance.* ▷ Mod. et didac. Se dit d'un comportement qui fait appel à l'intuition dans le domaine des connaissances au lieu de s'appuyer sur une démarche scientifique. **3.** BX-A *Art naïf* : nom donné à l'art de certains autodidactes dont les œuvres ont un caractère ingénu qui évoque la vision « primitive » (peu soumise aux lois de la perspective) des maîtres de la fin du Moyen Âge. – Par ext. *Peintre naïf.* ▷ Subst. *Un naïf.*

art **naïf** : Camille Bombois, détail de la *basilique du Sacré-Cœur*; MNAM

nain, naine n. et adj. **I.** n. **1.** Personne d'une taille anormalement petite; personne atteinte de nanisme. **2.** JEU *Nain jaune* : jeu de cartes dans lequel on utilise un plateau au centre duquel est représenté un nain jaune, portant le 7 de carreau, pour collecter les jetons symbolisant les mises. **II.** adj. **1.** Qui est d'une extrême petitesse (objets, végétaux, animaux). *Plante naine. Pois nain. Caniche nain.* **2.** (Personnes) Atteint de nanisme. *Il est presque nain.* **3.** ASTRO *Étoile naine* ou, n. f., *une naine* : étoile dont le diamètre et la luminosité sont relativement faibles (par oppos. aux *étoiles géantes* et *supergéantes*). *Les naines rouges. Les naines blanches.*

Naipaul (Vidiadhar Surajprasad) (Chaguanas, Trinité, 1932), journaliste et écrivain de la Trinité, d'origine indienne. Il évoque, dans ses romans (*Une maison pour Mr. Biswas,* 1961; *Guérilleros,* 1975), ses reportages et ses essais, la vie et les contradictions des sociétés du tiers monde.

Nairobi, cap. du Kenya, à 1 660 m d'alt.; 1 162 190 hab. Princ. centre comm. et industr. du pays; desservi par la voie ferrée Kampala-Mombasa.

naissain n. m. Ensemble des très jeunes moules ou huîtres (à l'état larvaire ou embryonnaire) d'un élevage.

naissance n. f. **1.** Commencement de la vie indépendante, caractérisée par l'établissement de la respiration pulmonaire. *Date de naissance. Donner naissance à* : enfanter. – DR *Déclaration, acte de naissance.* – *Nombre des naissances et des décès. Régulation, contrôle, limitation des naissances.* ▷ Loc. adv. *De naissance* : dès la naissance, de manière congénitale. *Aveugle de naissance.* **2.** Accouchement. *Naissance difficile.* **3.** Vx ou litt. Origine, extraction. *Un homme de bonne, de haute naissance.* **4.** Fig. Origine, commencement. *La naissance d'une nation. La naissance du jour.* **5.** Point où commence une chose. *La naissance de l'épaule. La naissance d'une voûte,* le commencement de sa courbure.

naissant, ante adj. **1.** Qui commence à se former, à se développer. *Barbe naissante. Sentiments naissants.* **2.** CHIM *État naissant* : état d'un corps qui vient de se former dans une réaction.

naisseur n. m. Éleveur spécialisé dans la production d'animaux jeunes (par oppos. à *nourrisseur*).

naître v. intr. [74] **1.** Venir au monde; sortir du ventre de sa mère. *Un enfant qui vient de naître.* – (Suivi d'un attribut.) *Il est né sourd-muet.* **2.** *Naître à* : s'ouvrir à. *Naître à une vie nouvelle.* **3.** Fig. Commencer à exister. *La Ve République est née en 1958.* – *Naître de* : prendre son origine dans (telle cause). *Cette idée est née de la volonté de mieux servir le public.* ▷ *Faire naître* : produire, provoquer, susciter. *Ce voyage a fait naître chez lui un goût très vif pour l'art persan.* **4.** Commencer à paraître, à se manifester. *Le jour allait naître.*

naïvement adv. De façon naïve.

naïveté n. f. **1.** Ingénuité. *Il a gardé une naïveté d'enfant.* **2.** Péjor. Simplicité niaise. *Ne pas avoir la naïveté de croire ce charlatan.* **3.** Propos naïf qui échappe par ignorance ou par gaucherie.

naja n. m. ZOOL Nom scientif. du cobra. *Naja hannah* : cobra royal.

Najaf. V. Nadjef.

Nakasone (Yasuhiro) (Takasaki, Tōkyō, 1918), homme politique japonais. Président du parti libéral-démocrate et Premier ministre (1982-1987).

Nakhitchevan, rép. autonome de l'Azerbaïdjan, dont elle est séparée par l'Arménie; 5 500 km^2; 295 000 hab. Cap. *Nakhitchevan* (33 000 hab.).

Nakhodka, v. et port de Russie, sur la mer du Japon; 152 000 hab. Avant-port de Vladivostok. Pêche et conserveries de poissons.

Nakhon Pathom, v. de Thaïlande; 45 000 hab. – Site archéologique. Bâti à la fin du XIXe s., un stupa gigantesque attire les pèlerins.

Nakhon Ratchasima (anc. *Khorat* ou *Korat*), v. de Thaïlande, au N.-E. de Bangkok; 206 760 hab.; ch.-l. de la prov. du m. nom. Centre comm. important.

Naktong, fl. de Corée du S. (520 km). Il se dirige vers le S. et se jette dans la mer du Japon, près du port de Pusan.

Nakuru, v. du Kenya; 93 000 hab.; ch.-l. de la prov. de la Rift Valley.

Naltchik, v. de Russie, au N. du Caucase; cap. de la rép. auton. de *Kabardino-Balkarie*; 227 000 hab.

Namangan, v. d'Ouzbékistan, dans le Fergana; 275 000 hab.; ch.-l. de la prov. du m. nom. Centre textile.

Nam Dinh, v. du Viêt-nam, sur le delta du fleuve Rouge; env. 100 000 hab. Textiles, commerce.

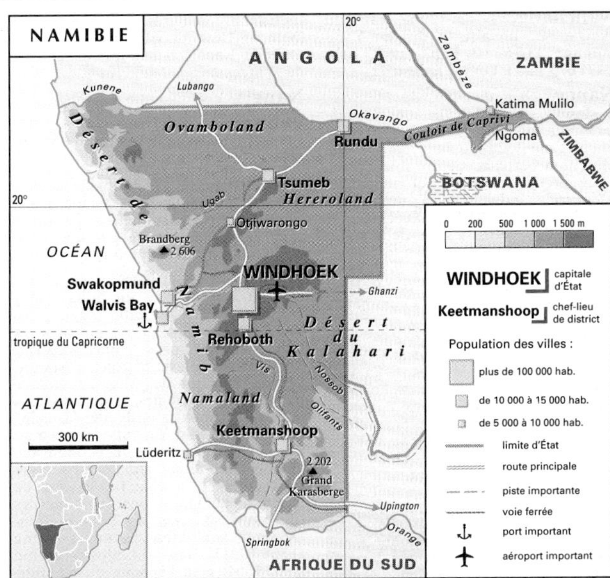

Namib (désert du), désert côtier du S.-O. de l'Afrique; il a donné son nom à la Namibie.

Namibie (anc. *Sud-Ouest africain*), État de l'Afrique australe, sur l'Atlantique, indépendant depuis le 21 mars 1990; 824 292 km^2; env. 1,5 million d'hab., croissance démographique : 3 % par an; cap. *Windhoek.* Nature de l'État : république. Monnaie : dollar namibien. Langues off. : angl. et afrikaans. Population : Noirs bantous (85 %), Blancs (6 %) et métis. Relig. : christianisme (80 %), animisme.

Géogr. phys., hum. et écon. – Un haut plateau central, culminant à 2 606 m, groupe l'essentiel de la population. Il retombe à l'O. sur le désert côtier du Namib (lié au courant froid du Benguela) et à l'E. sur la cuvette semi-désertique du Kalahari. Le climat aride, un peu plus humide au N., ne permet qu'une très faible densité (1,5 hab./km^2). La population, urbaine à 55 %, compte encore des ethnies aborigènes (Hottentots, Boschimans). L'activité minière domine l'économie (diamants, uranium, cuivre, plomb, zinc, argent, cadmium); l'élevage et la pêche arrivent au second rang. Le pays reste dépendant de l'Afrique du Sud.

Hist. – Colonie allemande en 1892, la région fut conquise en 1915 par les Sud-Africains, qui reçurent un mandat de la S.D.N. en 1920. En 1946, l'Afrique du Sud demanda l'annexion du pays, requête rejetée par l'O.N.U. qui, en 1966, révoqua le mandat de Pretoria et plaça la Namibie sous son autorité (toute théorique). Un mouvement de libération, la South West African People's Organization (Swapo), apparu en 1966, a mené la guérilla, dep. des bases stratégiques en Angola, contre le régime mis en place et défendu militairement par l'Afrique du Sud. Un accord fut finalement signé, en déc. 1988, qui prévoyait des élections libres et l'accession de la Namibie à l'indépendance avant avr. 1990, sous contrôle de l'O.N.U. En nov. 1989, les premières élections générales ont donné à la Swapo une confortable majorité (57 % des voix), insuffisante toutefois pour élaborer seule la nouvelle constitution. Le 21 mars 1990, la Namibie est devenue indépendante et Sam Nujoma, dirigeant de la Swapo, premier président de la nouvelle République.

namibien, enne adj. et n. Relatif à la Namibie; de Namibie. ▷ Subst. *Un(e) Namibien(ne).*

Nampula, v. du Mozambique, sur la voie ferrée reliant le lac Malawi à la côte du Mozambique; 126 000 hab.; ch.-l. du district du m. nom.

Namur (en néerl. *Namen*), v. de Belgique, au confl. de la Meuse et de la Sambre; ch.-l. de la prov. du m. nom; cap. de la Wallonie; 102 320 hab. (Namurois). Industr. chimiques et textiles; coutellerie; tourisme. – Évêché. Cath. St-Aubin (XVIIIe s.). Égl. St-Loup (baroque). Citadelle (XVIIIe s.). Musées. – La cité fut importante au Moyen Âge. Place forte, elle soutint de nombr. sièges à partir du XVIIe s. Elle fut le ch.-l. du dép. de Sambre-et-Meuse (1794-1814). – La *province de Namur* (3 660 km^2; 415 300 hab.), située au S. de la Belgique, s'étend sur des plateaux qui culminent, à l'E., dans l'Ardenne (400 m). Les productions agricoles sont variées : céréales, fourrages, élevage, bois. L'industrie (métall., text. et chim.) se concentre dans le sillon de la Sambre et de la Meuse.

namurien, enne n. m. et adj. GEOL *Le namurien* : étage du carbonifère, caractéristique de la région de Namur.

nana n. f. Fam. **1.** Maîtresse. **2.** Femme, fille. *Sortir avec une nana.*

Nānak ou **Nanek** (Talvandī, Lahore, 1469 – Kartarpur, 1538), écrivain mystique hindou; fondateur de la secte des sikhs.

Nana-Sahib (Dandhu Panth, dit) (?, 1825 – au Népal, v. 1862), prince mahratte; chef de la révolte des cipayes contre les Anglais (1857).

Nançay, com. du Cher (arr. de Vierzon), en Sologne; 834 hab. Stat. de radioastronomie (puissant radiotélescope).

nancéien, enne adj. et n. De Nancy. – Subst. *Un(e) Nancéien(ne).*

Nanchang, v. de Chine, cap. du Jiangxi, sur un affl. (r. dr.) du Yangzijiang; 1 075 710 hab. (aggl. urb. 2 471 070 hab.). Centre industriel.

Nancy, ch.-l. du dép. de Meurthe-et-Moselle, sur la Meurthe et le canal de la Marne au Rhin; 102 410 hab. (*Nancéiens*); env. 329 450 hab. dans l'aggl. Marché à bestiaux. Centre intellectuel, commercial, financier et industriel (sidérurgie; industr. méca., text., chim. et alim.; cristallerie). – Évêché. Université. Égl. goth. des Cordeliers (fin XVe s.). Cath. du XVIIIe s. (trésor). Place Stanislas, célèbre ensemble architectural réalisé de 1750 à 1755 par E. Héré (grilles de J. Lamour) sur la commande de Stanislas Leczinsky pour réunir la Vieille-Ville à la Ville-Neuve. Parc de la Pépinière (1765). Palais ducal (XVIe s., restauré au XIXe). Musées. – La ville devint résidence des ducs de Lorraine au XIIIe s. Charles le Téméraire mourut sous ses murs en 1477. Elle devint française en 1766. L'annexion de l'Alsace-Lorraine par l'Allemagne (1870-1918) favorisa son développement.

place Stanislas à **Nancy :** les grilles baroques de Jean Lamour

Nancy (école de), groupe de décorateurs et d'artisans d'art, formé à Nancy v. 1890 autour du verrier É. Gallé, comprenant notam. L. Majorelle, les frères Daum, V. Prouvé, E. Vallin, et qui a contribué à l'éclosion de l'art nouveau.

Nanda Devi (la), sommet de l'Himalaya (7 816 m), en Inde; conquis, en 1936, par deux Anglais, Odell et Tilman.

nandou n. m. Oiseau ratite (genre *Rhea*) de la pampa sud-américaine, ressemblant à une petite autruche. – *Nandou de Darwin :* petit nandou qui vit sur les hauts plateaux andins.

nandrolone n. f. Stéroïde anabolisant dérivé de la testostérone, qui permet d'accroître la masse musculaire et renforce la résistance à la douleur.

Nanek. V. Nānak.

Nangal, v. de l'Inde (Pendjab); 50 000 hab. Usine d'eau lourde; engrais.

Nānga Parbat (le), sommet himalayen (8 126 m), au Cachemire (partie pakistanaise); conquis, en 1953, par une équipe austro-allemande, après 60 ans de vaines tentatives.

Nangis, ch.-l. de cant. de Seine-et-Marne (arr. de Provins); 7 223 hab. Industr. alimentaires. – Égl. St-Martin (XIIIe s.). Hôtel de ville (XVIe s.). – Victoire de Napoléon sur les Autrichiens de Wittgenstein (17 fév. 1814).

Nangis. V. Guillaume de Nangis.

naniser ou **nanifier** v. tr. [**1**] TECH Empêcher de grandir, rendre nain (une plante).

nanisme n. m. MED Anomalie liée en général à des troubles endocriniens (insuffisances thyroïdienne, hypophysaire, etc.), caractérisée par une taille de beaucoup inférieure à la moyenne.

Nankin ou **Nanjing,** v. de Chine, cap. du Jiangsu, port sur le bas Yangzijiang; 2 091 400 hab. (aggl. urb. 3 682 270 hab.). Centre culturel et industriel (text., prod. chim., constructions méca., raff. de pétrole). – Nombr. vest. de l'époque des Ming : remparts, portes monumentales, tombeaux des empereurs (aux abords de la ville). Mausolée de Sun Yat-sen. – Fondée au Ve s. av. J.-C., berceau du bouddhisme chinois (le premier temple y fut construit en 247), la ville fut la cap. de la Chine au temps des Six Dynasties (IIIe s.-VIe s.), sous les Tang du Sud (Xe s.), sous les premiers Ming (1368-1421), les rebelles Taiping (1853-1864) et à l'époque du Guomindang (1927-1939). – Le *traité de Nankin* (1842) entre la G.-B. et la Chine mit fin à la guerre de l'Opium et ouvrit des ports chinois au comm. étranger.

Nanning, v. et import. port fluvial de la Chine mérid., cap. du Guangxi; 1 050 000 hab. Centre agric. et comm.

nano-. Élément, du gr. *nanos,* «petit». ▷ PHYS Préfixe (symbole n) qui, accolé au nom d'une unité de mesure, forme le nom du milliardième (10^{-9}) de cette unité. (Ex. *nanomètre, nanoseconde.*)

nanoréseau n. m. (Nom déposé) INFORM Réseau local regroupant des micro-ordinateurs autour d'un serveur.

nanotechnologie n. f. Technologie qui opère à l'échelle du nanomètre.

Nansei. V. Ryūkyū.

Nansen (Fridtjof) (Store-Frán, près de Christiania, 1861 – Lysaker, 1930), océanographe et homme politique norvégien. Il explora les régions polaires à bord du *Fram* (1893-1896). Il œuvra pour la séparation de la Norvège et de la Suède (traité de Karlstadt, 1905) et fut délégué à la S.D.N., responsable des prisonniers et des réfugiés consécutifs à la Première Guerre mondiale. Il a publié *À travers le Groenland* (1871), *Vers le pôle* (1897). P. Nobel de la paix 1922. L'Office international Nansen (Suisse), qui délivrait le *passeport Nansen,* a reçu le prix Nobel de la paix en 1938.

nantais, aise adj. et n. De Nantes.

Nanterre, ch.-l. du dép. des Hauts-de-Seine, à l'O. de Paris; 86 627 hab. L'aménagement de la ville est coordonné avec celui du quartier de la Défense. Centre admin. Mat. électr.; informatique; prod. pharm. et chim. – Évêché. Université. Basilique Ste-Geneviève (nef du XVe s.). Théâtre des Amandiers.

Nantes, ch.-l. du dép. de la Loire-Atlantique et de la Rég. Pays de la Loire; 252 029 hab. (*Nantais*); aggl. urb. 496 000 hab.; port marit. et fluv. au fond de l'estuaire de la Loire; aéroport (*Nantes-Château-Bougon*). Forte activité portuaire (complexe de Nantes-Saint-Nazaire-Donges), fondée surtout sur l'importation du pétrole. Industr. liées à la fonction portuaire : constr. navales et méca., industr. chim. et alim., etc. Comm. des vins du pays nantais. MIN. – Évêché. Université. Palais ducal, forteresse gothique et Renaissance, construit à partir de 1466 par le duc François II de Bretagne (abrite auj. plusieurs musées). Cath. gothique St-Pierre, commencée en 1434 (tombeaux de François II, de Lamoricière). Porte St-Pierre (XVe s.), vestiges des anc. fortifications. Hôtels des XVIIe et XVIIIe s. – Cap. de la Bretagne de 1213 à 1524, la ville se développa à partir du XVIe s. Le comm. maritime, en grand essor aux XVIIe et XVIIIe s. grâce à la traite des Noirs, déclina avec la Révolution et l'Empire. Républicaine, la ville résista aux Vendéens (1793), mais connut l'atroce terreur de Carrier *(noyades de Nantes).*

port de **Nantes :** quai de la Fosse

Nantes (édit de), édit rendu par Henri IV, le 13 avril 1598, pour donner un statut légal à l'Église réformée en France qui obtenait liberté de conscience et de culte. Les mesures politiques faisaient des protestants un «État dans l'État». Elles provoquèrent de fortes oppositions. Les privilèges militaires furent abolis en 1629 par Richelieu (paix d'Alès) qui enleva aux protestants leurs «places de sureté». Louis XIV restreignit progressivement les droits accordés, usant à partir de 1681 de la violence (dragonnades) pour contraindre les protestants à passer au catholicisme. Le 18 oct. 1685, il signa l'édit de Fontainebleau, *révocation de l'édit de Nantes :* 200 000 à 300 000 sujets émigrèrent en Allemagne, en Hollande et en Suisse, où ils contribuèrent à susciter une forte hostilité à la monarchie française; dans les Cévennes, les protestants se révoltèrent en 1704 (V. camisards).

Nantes à Brest (canal de), canal de Bretagne, ouvert en 1838; il est auj. partiellement désaffecté.

nanti, ie adj. et n. Bien pourvu, riche. ▷ Subst. *Spécial.* Péjor. *Les nantis :* les riches, les privilégiés.

nantir v. tr. [**3**] DR **1.** Pourvoir (un créancier) de gages pour la garantie d'une dette, d'un prêt. – v. pron. *Se nantir des effets d'une succession,* s'en saisir comme y ayant droit, avant liquidation. **2.** Pourvoir, mettre en possession de (qqn). *Nanti par l'Assemblée de pouvoirs exceptionnels.*

nantissement n. m. DR Contrat par lequel un débiteur met en possession effective d'un bien son créancier pour sûreté de la dette qu'il contracte; ce bien.

Nantua, ch.-l. d'arr. de l'Ain, sur le *lac de Nantua* (1,4 km²), dans le Jura; 2 678 hab. Industr. du plastique. Stat. touristique et climatique.

Nantucket, île côtière des É.-U. (Massachusetts); 130 km². Nombr. stations balnéaires. Base de baleiniers jusqu'au XIXe s.

naos [naos] n. m. **1.** ANTIQ GR Partie intérieure et principale d'un temple, abritant la statue d'une divinité et où seuls les prêtres avaient accès. **2.** Partie d'une église chrétienne orientale où se tiennent les fidèles.

napalm n. m. Essence gélifiée par du palmitate d'aluminium ou de sodium, dont on se sert pour fabriquer des bombes incendiaires. *Les bombes au napalm projettent, en explosant, des gouttes enflammées.*

napel n. m. Nom vulg. d'un aconit à fleurs bleues dont on tire l'aconitine.

naphta n. m. CHIM Mélange d'hydrocarbures, constituant du pétrole brut ou extrait des essences par raffinage et des supercarburants par reformage.

naphtalène n. m. CHIM Hydrocarbure de formule $C_{10}H_8$, formé de deux noyaux benzéniques accolés, extrait par distillation des goudrons de houille, et qui se présente sous forme de cristaux blancs brillants d'odeur aromatique.

naphtaline n. f. Naphtalène impur utilisé notam. comme antimite.

naphte n. m. **1.** Huile minérale, pétrole brut. **2.** PETROCHIM Partie légère du pétrole distillé, de densité 0,70 env., utilisée comme dissolvant, dégraisseur, etc.

naphtol n. m. CHIM Phénol dérivé du naphtalène, utilisé dans la fabrication des matières colorantes et comme antiseptique.

Napier. V. Neper.

Naples (golfe de), golfe de l'Italie du S. (mer Tyrrhénienne), entre les caps Misène, que prolonge Ischia, et Campanella, que prolonge Capri. Au fond du golfe : Naples, Herculanum, Pompéi.

Naples (en ital. *Napoli*), v. d'Italie (Campanie), au fond du golfe de Naples, sur la mer Tyrrhénienne; 1 207 750 hab.; cap. et ch.-l. de prov. Port de voyageurs et de comm. (pétrole surtout). Grand centre industr. du Mezzogiorno : sidérurgie; constr. navales et méca.; raff. de pétrole; industr. chim., alim., etc. (mais chômage import.). Tourisme. – Archevêché. Université. Nombr. chât. : Castel Capuano (XIIe s.), Castel Nuovo (XIIIe-XVIIe s.), Castel dell'Ovo (XVIIe s.), Saint-Elme (XIVe-XVIIe s.). Égl. : Dôme (avec la chapelle Saint-Janvier), XIVe s., basilique San Gennaro extra Moenia (fondée au Ve s.). Palais royal (XVIIe-XVIIIe s.). Théâtre San Carlo (XVIIIe s.). Musée archéologique. Pinacothèque. Musée Capodimonte (porcelaines). – La ville (baptisée *Parthénope*) fut fondée v. 600 av. J.-C. par les Grecs; elle fusionna au IVe s. av. J.-C. avec la ville voisine de Neapolis. Import. centre commercial au Moyen Âge, elle fit partie du royaume de Sicile (XIe s.), et devint la cap. du *royaume de Naples* lorsque la Sicile insulaire fut perdue par la dynastie angevine (1282). Pris par le roi d'Aragon en 1442, le royaume, occupé par les Français en 1495, fut rattaché à l'Aragon (1504), gouverné par un vice-roi jusqu'en 1734, puis directement par les Bourbons d'Espagne. De 1799 à 1800, il forma la république Parthénopéenne, puis fut donné par Napoléon à son frère Joseph (1806), ensuite à Murat (1808). Ferdinand IV, rétabli en 1815, le réunit à la Sicile; ce royaume dit «des Deux-Siciles» fut annexé à l'Italie en 1861.

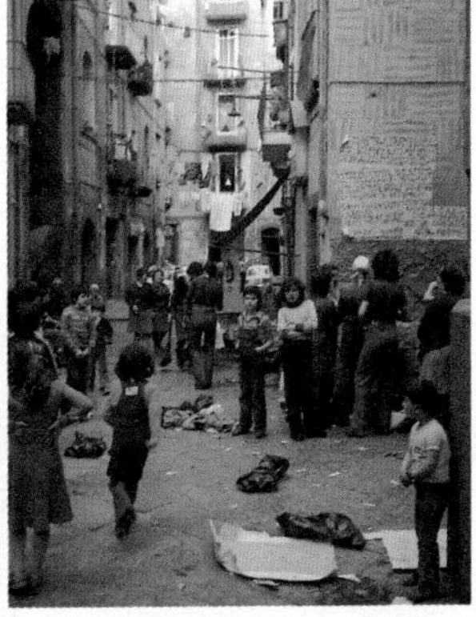

une rue de **Naples**

Naplouse (en ar. *Nāblus*), v. de Cisjordanie (Samarie); env. 50 000 hab.; ch.-l. du district du m. nom. Centre commercial. – Vestiges de l'anc. Sichem, dont Jéroboam fit la cap. d'Israël (Xe s. av. J.-C.) et que les Romains détruisirent pour fonder, à proximité, Flavia Neapolis (72 apr. J.-C.). À Naplouse vivent les derniers Samaritains. La ville est dotée d'un régime d'autonomie palestinienne (1995).

napoléon n. m. **1.** Pièce d'or de 20 francs, à l'effigie de Napoléon Ier ou de Napoléon III. **2.** Variété de bigarreau à chair blanche et ferme.

Napoléon Ier (Ajaccio, 1769 – Sainte-Hélène, 1821), empereur des Français (1804-1815), deuxième fils de Charles-Marie Bonaparte et de Letizia Ramolino. Issu de la petite noblesse, il entra à l'école militaire de Brienne (1779-1784) et sortit en 1785 lieutenant d'artillerie de l'École militaire de Paris. Il joua un rôle militaire décisif dans la prise de Toulon (1793), puis tomba en disgrâce après le 9 Thermidor. Grâce à Barras, qu'il aida en réprimant l'insurrection royaliste du 13 Vendémiaire, il fut nommé commandant en chef de l'armée d'Italie (1796) quelques jours avant d'épouser Joséphine de Beauharnais. Ses nombr. et éblouissantes victoires (Millesimo, Arcole, Rivoli, etc.), couronnées par le traité de Campoformio (1797), assirent sa popularité et confortèrent son ambition. Chargé de lutter contre la G.-B., il mena l'expédition d'Égypte (1798-1799), marquée par la victoire des Pyramides et la défaite navale d'Aboukir. Laissant son armée, il revint en France, où le Directoire chancelait, et participa au coup d'État du 18 Brumaire (9 nov. 1799), fomenté par Sieyès : il fit en sorte d'en être le principal, puis le seul bénéficiaire, troquant le titre de Premier consul (Constitution de l'an VIII) contre celui de consul à vie (Constitution de l'an X), en 1802. Entre-temps, il contraignit l'Autriche et la G.-B. à traiter, réorganisa l'administration, la justice (Code civil) et l'économie (en partic. les finances), et, par le Concordat de 1801, qui assujettissait en fait l'Église à l'État, obtint la pacification religieuse. Il se fit nommer empereur des Français par le Sénat (Constitution de l'an XII), le 18 mai 1804; le pape le couronna le 2 déc., et il se fit nommer roi d'Italie en 1805. À partir de cette date, il dut affronter l'hostilité des grandes puissances, surtout de la G.-B., effrayées par l'extension territoriale et l'influence françaises en Europe. Ayant vaincu les 3e et 4e coalitions (victoires d'Austerlitz en 1805 sur les Austro-Russes, d'Iéna en 1806 sur les Prussiens, de Friedland en 1807 sur les Russes), il établit le Blocus continental (1806-1808) en vue de diminuer la puissance de la G.-B. Cette stratégie le contraignit à contrôler l'Europe : Étrurie, Hollande, États pontificaux, Portugal, Espagne. Après sa victoire sur les Autrichiens à Wagram (1809), Napoléon fit dissoudre son mariage avec Joséphine de Beauharnais, dont il n'avait pas eu d'enfant, pour épouser en 1810 Marie-Louise de Habsbourg, fille de l'empereur d'Autriche; celle-ci lui donna un fils l'année suivante. Alors à son apogée, l'Empire napoléonien devenait de plus en plus despotique et voyait ses bases s'effriter : la dure guerre d'Espagne (1808-1813) constitua un terrain favorable aux Anglais; les difficultés économiques dues à l'effort de guerre et au Blocus continental allèrent en s'aggravant; l'opposition du clergé, après l'emprisonnement du pape (1809), étaya la résistance intérieure. La campagne de Russie, entreprise en 1812, fut fatale à l'Empereur. En oct., la Grande Armée dut battre en retraite, essuya le désastre de la Berezina (nov.) puis, malgré une suite de victoires sur les «Alliés», fut défaite à Leipzig (oct. 1813). Napoléon ne put arrêter l'invasion du pays ni l'entrée des Alliés à Paris (janv.-mars 1814). Le Sénat ayant proclamé sa déchéance, il dut abdiquer le 6 avril. Relégué à l'île d'Elbe, il s'en échappa pour reprendre le pouvoir; ce furent les Cent-Jours (20 mars-22 juin 1815). Il fut battu à Waterloo (18 juin) par l'Europe coalisée. Ayant confié sa personne à la G.-B., il fut interné jusqu'à sa mort à Sainte-Hélène, où Las Cases recueillit ses propos (*Mémorial de Sainte-Hélène*). Les cendres de l'Empereur furent rendues à la France en 1840 et déposées aux Invalides. La France a conservé diverses institutions majeures mises en place par Napoléon Ier : Code civil, Université, administration préfectorale, Légion d'honneur, Banque de France. ► illustr. page **1273**

Napoléon II (François Charles Joseph Napoléon Bonaparte) (Paris, 1811 – Schönbrunn, 1832), fils de Napoléon Ier et de Marie-Louise. Proclamé roi de Rome dès sa naissance, il fut, mais en vain, reconnu empereur par les Chambres en juin 1815. Il vécut en Autriche à partir de 1814, prenant le nom de duc de Reichstadt. Sa brève existence inspira à E. Rostand un drame en vers, *l'Aiglon* (1900). Ses cendres furent remises à la France par Hitler en 1940 et déposées aux Invalides.

Napoléon III (Charles Louis Napoléon Bonaparte) (Paris, 1808 – Chislehurst, Kent, 1873), empereur des Français (1852-1870); fils de Louis Bonaparte et d'Hortense de Beauharnais. Il vécut en exil après la chute du Premier Empire, participa aux mouvements révolutionnaires en Italie et, à la mort de Napoléon II, devint le chef du parti bonapartiste. En 1836 à Strasbourg, en 1840 à Boulogne, il tenta de renverser Louis-Philippe. Condamné à la prison à vie, il s'évada en 1846 du fort de Ham (ayant endossé les vêtements de l'ouvrier Badinguet) et gagna la G.-B. Il revint en France après la révolution de 1848. La popularité attachée à son nom facilita ses succès à la députation. Considéré comme le défenseur de l'ordre, il fut élu à une large majorité (qui surprit fortement les

Napoléon III

Gamal Abdel **Nasser**

milieux politiques) président de la République (10 déc. 1848). Le 2 déc. 1851, éliminant les opposants républicains et royalistes, il procéda à un coup d'État, qu'il fit approuver par le plébiscite du 21-22 déc. 1851. Après un nouveau plébiscite (21 nov. 1852), il se fit proclamer empereur des Français (2 déc. 1852). Napoléon III exerça un pouvoir absolu jusqu'en 1860 (« empire autoritaire »), puis, sous la pression de l'opposition, accorda un certain nombre de libertés (« empire libéral »), qu'il voulut même étendre à l'Algérie (« empereur des Arabes »); l'appel à É. Ollivier pour former le cabinet, au début de 1870, marqua une tardive orientation parlementaire. Il se concilia l'appui de la bourgeoisie en favorisant l'import. essor économique qui marqua son règne, et tenta de rallier le monde ouvrier (droit de grève, 1864), mais le paternalisme de l'empereur fut vite dépassé par le développement des idées républicaines et socialistes. Voulant que la France jouât un grand rôle en Europe, il eut une politique extérieure très active, caractérisée par le souci d'effacer les désastreux traités de 1815, de défendre le principe des nationalités et d'aider l'expansion coloniale. Il s'engagea dans la guerre de Crimée (1854-1856), d'Italie (1859), qui permit l'annexion de Nice et de la Savoie, et dans la conquête de la Cochinchine (1859-1863). L'expédition du Mexique (1862-1867) fut un échec. Ayant dû capituler à Sedan lors de la guerre franco-allemande de 1870, dans laquelle il s'était engagé sans discernement, Napoléon III fut déclaré déchu (4 sept.). Après une courte captivité en Allemagne, il se retira en G.-B. En 1853, il avait épousé Eugénie de Montijo.

Napoléon (Eugène Louis) (Paris, 1856 – Ulundi, Natal, Afrique du S., 1879), fils unique du préc. et de l'impératrice Eugénie; prince impérial. Il reçut une formation militaire en Angleterre (1872-1875); admis dans l'armée brit. (1878), il fut tué par les Zoulous.

Napoléon (route), nom donné à la route que suivit Napoléon, de Cannes à Grenoble, à son retour de l'île d'Elbe en 1815.

napoléonien, enne adj. Relatif à Napoléon Ier, à sa dynastie, à son système, etc. *La légende napoléonienne.*

napolitain, aine adj. et n. De Naples. – Subst. *Un(e) Napolitain(e).*

nappage n. m. Action de napper (sens 2); résultat de cette action. *Le nappage d'un gâteau.*

nappe n. f. **I.** Linge destiné à couvrir une table. *Nappe blanche, à fleurs, brodée.* ▷ *Nappe d'autel.* **II. 1.** Toute masse étalée ou formant une couche d'un corps fluide. *Nappe d'huile. Nappe de gaz, de brouillard.* – *Nappe d'eau* : grande étendue d'eau tranquille. ▷ GEOL *Nappe phréatique* : V. phréatique. **2.** GEOL Couche de matières éruptives ou sédimentaires. *Nappe volcanique.* **3.** GEOM Portion illimitée d'une surface courbe.

napper v. tr. [1] **1.** Couvrir d'une nappe ou comme d'une nappe. – Pp. adj. *Socle nappé de velours.* **2.** CUIS Recouvrir un mets d'une préparation d'accompagnement (sauce, crème). – Pp. adj. *Gâteau nappé de chocolat.*

napperon n. m. Petite pièce d'étoffe ou de papier servant à protéger ou à décorer une nappe, une table, etc.

Nara, v. du Japon (Honshū), à l'E. d'Ōsaka; 327 700 hab.; ch.-l. du ken du m. nom. Industr. text. Tourisme. – Cap. du Japon de 710 à 794, Nara donna son nom à la prestigieuse *époque Nara* (VIIe-VIIIe s.) qui vit, en partic., la naissance d'une littérature nationale.

Narayanan (Kocheril Raman) (Ozhavoor, Kerala, 1921), homme politique indien, premier « intouchable » à être élu président de la République, en juillet 1997.

époque **Nara** : vase à pied en terre cuite; musée Guimet, Paris

Nārāyanganj, v. et port de comm. du Bangladesh, près de Dacca; 300 000 hab. Textiles (jute).

Narbadā (la), un des fl. sacrés de l'Inde (1 230 km); elle marque la frontière entre l'Hindoustan et le Dekkan et se jette dans la mer d'Oman (golfe de Cambay). Aménagée depuis 1961 (réseau de 165 barrages).

Narbonnaise, l'une des quatre provinces de la Gaule romaine issues de la division admin. fixée par Auguste en 27 av. J.-C. Villes princ. : Narbonne, Toulouse, Valence, Aix, Marseille. Elle fut divisée au IVe s. en Narbonnaise Ire, Narbonnaise IIe et Viennoise.

Narbonne, ch.-l. d'arr. de l'Aude, dans la plaine du bas Languedoc, au pied des Corbières; 47 086 hab. Grand marché de vins. Transformation de matières fissibles; mat. électr. Stat. baln. à *Narbonne-Plage.* – Palais des Archevêques (XIIe-XIVe s.) qui abrite auj. l'hôtel de ville et des musées. Cath. St-Just (fin du XIIIe s., inachevée). Basilique goth. St-Paul-Serge (XIIe-XIIIe s., remaniée). – Importante cité romaine *(Narbo Martius)* fondée en 118-117 av. J.-C., cap. de la Narbonnaise Ire; port maritime actif jusqu'au XIVe s., puis en déclin du fait de la modification du cours de l'Aude et du comblement du golfe.

1. narcisse n. m. Plante ornementale (fam. amaryllidacées), bulbeuse à fleurs jaunes ou blanches très parfumées. Syn. jonquille, coucou.

2. narcisse n. m. Homme exclusivement ou complaisamment attaché à sa propre personne.

Narcisse, dans la myth. gr., jeune homme d'une grande beauté épris de ses propres traits; il périt de langueur en contemplant son visage dans l'eau d'une fontaine et fut changé en la fleur qui porte son nom.

Narcisse (m. en 54 apr. J.-C.), affranchi de l'empereur Claude et son conseiller influent. Partisan de Britannicus, il fut mis à mort sur l'ordre d'Agrippine à l'avènement de Néron.

narcissique adj. De la nature du narcissisme. *Une admiration narcissique.*

narcissisme n. m. **1.** Cour. Admiration plus ou moins exclusive de sa propre personne. **2.** PSYCHAN Amour morbide de soi-même.

1. narco-. Élément, du gr. *narkê,* « engourdissement ».

2. narco-. Préfixe, de l'anglais *narcotics,* servant à former des mots liés au trafic de stupéfiants.

narcoanalyse n. f. PSYCHAN Procédé thérapeutique utilisant la levée de certains contrôles psychologiques obtenue grâce à un narcotique.

narcodollars n. m. pl. Ressources, notam. en devises, tirées du commerce de la drogue.

narcolepsie n. f. MED Besoin irrépressible de dormir, survenant par accès, d'origine pathologique.

narcose n. f. Sommeil provoqué artificiellement par une substance chimique; anesthésie générale.

narcotique n. m. et adj. **1.** n. m. Substance dont l'absorption provoque l'engourdissement intellectuel, la résolution musculaire et l'affaiblissement de la sensibilité, en agissant sur le système nerveux central. **2.** adj. Qui affaiblit la sensibilité, provoque l'engourdissement, l'assoupissement. *Propriétés narcotiques de la morphine.*

narcisse

narcotrafic n. m. Trafic de stupéfiants, spécial. de cocaïne.

narcotrafiquant n. m. Trafiquant de stupéfiants, spécial. de cocaïne.

nard [naʀ] n. m. **1.** Plante d'Asie, dont les racines fournissent un parfum fort estimé autrefois; ce parfum. **2.** Herbe des prés (fam. cypéracées), aux feuilles coriaces et piquantes.

Narew (le) (en russe *Narev*), riv. de la Pologne et de la Biélorussie (480 km), qui se jette dans le Bug (r. dr.) près de son confl. avec la Vistule.

narguer v. tr. [**1**] Braver par l'attitude ou la parole, avec une insolence dédaigneuse ou moqueuse.

narguilé, narghilé ou **narghileh** n. m. Grande pipe à tuyau souple, en usage au Moyen-Orient, comportant un réservoir d'eau aromatisée que la fumée traverse avant d'arriver à la bouche du fumeur.

narine n. f. Chacun des deux orifices du nez, chez l'homme et la plupart des mammifères.

narquois, oise adj. Qui exprime une malice railleuse; goguenard. *Air narquois. Propos narquois.* – (Personnes) *Il m'a paru plutôt narquois.*

narquoisement adv. D'une façon narquoise.

narrateur, trice n. Personne qui raconte, qui fait un récit.

narratif, ive adj. En forme de récit; propre au récit. *Style narratif.*

narration n. f. **1.** Récit ou relation d'un fait, d'un événement. **2.** Exercice scolaire qui consiste à imaginer un récit sur un sujet donné et à le développer par écrit.

narrativité n. f. LITTER Structure narrative d'un récit, d'un texte.

narratologie n. f. LITTER Théorie du récit, des structures narratives.

narrer v. tr. [**1**] Litt. Raconter, faire connaître par un récit.

Narsès (?, v. 478 – Rome, 568), général byzantin d'origine arménienne. Il sauva Justinien Ier lors de la sédition Nika à Constantinople (532); il lutta avec Bélisaire contre les Barbares en Italie, pays qu'il gouverna.

narthex n. m. ARCHI Vestibule ou porche couvert, fermé vers l'extérieur, précédant la nef des basiliques romanes et byzantines, et où se tenaient les catéchumènes.

Narva, ville forte d'Estonie, sur la *Narva* (72 km); 72 000 hab. Port fluvial. – Charles XII de Suède y battit en 1700 Pierre le Grand, qui reprit la v. en 1704. En 1918, l'armée Rouge y repoussa l'armée allemande qui menaçait Petrograd.

Narváez (Ramón María, duc de Valence) (Loja, Andalousie, 1800 – Madrid, 1868), général et homme politique espagnol. Fidèle à la régente Marie-Christine de Bourbon, il la rappela en Espagne, après avoir renversé Espartero (1844). Il fut président du Conseil et imposa une Constitution autoritaire (1845) qui contribua à provoquer la révolution de 1868.

narval, als n. m. Mammifère cétacé odontocète *(Monodon monoceros)*, long de 4 à 5 m, vivant en bandes dans l'Arctique et remarquable par le développement, chez le mâle, de l'incisive supérieure gauche en une défense torsadée qui peut mesurer jusqu'à 2 m. Syn. licorne de mer.

Narvik, port du N. de la Norvège (Nordland); 13 870 hab. Exportation du minerai de fer suédois. – En 1940, durs combats entre les Alliés et les Allemands, qui voulaient garder ouverte la « route du fer ».

Narychkine, famille noble russe. – **Nathalie Kirillovna** (?, 1651 – Moscou, 1694), deuxième épouse (1671) du tsar Alexis; elle fut (1672) la mère de Pierre le Grand et exerça le pouvoir de 1689 à sa mort.

NASA, acronyme pour *National Aeronautics and Space Administration*, organisme créé aux États-Unis en 1958 pour coordonner les travaux de recherche et d'exploration aéronautiques et spatiales civiles.

nasal, ale, als ou **aux** adj. et n. **I.** adj. (plur. *nasals*) **1.** Du nez; relatif au nez. *Les fosses nasales :* les deux cavités qui communiquent en avant avec les narines, en arrière avec le pharynx, et qui forment la partie supérieure des voies respiratoires. *Les fosses nasales sont le siège de l'odorat.* **2.** PHON *Son nasal*, dont l'émission se caractérise par la vibration de l'air dans les fosses nasales. *Consonnes nasales* (m [ɛm], n [ɛn], gn [ɲ]). *Voyelles nasales* (an, am, en, etc. [ɑ̃]; in, aim, etc. [ɛ̃]; on, om, etc. [ɔ̃]; un, eun [œ̃]). ▷ n. f. *Une nasale :* une consonne ou une voyelle nasale. **II.** n. m. (plur. *nasaux*) Partie du casque qui protégeait le nez.

nasalisation n. f. PHON Caractère d'un son nasalisé ; transformation d'un son oral en son homologue nasal.

nasaliser v. tr. [**1**] PHON Transformer en un son nasal ; prononcer avec un son nasal. – Pp. adj. *Une voyelle nasalisée.*

nasalité n. f. PHON Caractère nasal d'un son. *Nasalité d'une diphtongue.*

1. nase ou **naze** n. m. Pop. Nez.

2. nase ou **naze** adj. Fam. En mauvais état.

naseau n. m. Chacune des narines du cheval et de quelques mammifères.

Naseby, village de G.-B. (500 hab.), au N. de Northampton. – Cromwell y vainquit Charles Ier (juin 1645).

Nash (John) (Londres [?], 1752 – île de Wight, 1835), architecte anglais; auteur du pavillon royal de Brighton (1817-1821).

Nashville-Davidson (anc. *Nashville*), v. des É.-U., cap. du Tennessee; 488 370 hab. (aggl. urb. 890 300 hab.). Import. activité dans les domaines de l'imprimerie, de la presse et de la musique. – Évêché. – Victoire des nordistes en 1864.

Nāsik, v. de l'Inde (Mahārāshtra), au N.-E. de Bombay; 262 430 hab. (aggl. urb. 429 030 hab.). – Grottes bouddhiques.

nasillard, arde adj. Se dit du timbre qu'a la voix d'une personne qui nasille. – Se dit d'un son. *Le son nasillard de la cornemuse.*

nasillement n. m. **1.** Fait de nasiller. **2.** MED Altération de la voix d'une personne qui ne peut parler qu'en nasillant. **3.** Cri du canard.

nasiller v. intr. [**1**] **1.** Parler en laissant passer de l'air par le nez, parler du nez. ▷ v. tr. *Nasiller un refrain.* **2.** Émettre des sons nasillards. *Haut-parleur qui nasille.* **3.** Pousser son cri, en parlant du canard.

nasique n. m. **1.** Singe cercopithèque (*Nasalis larvatus*, fam. cercopithécidés) de Bornéo, au nez très long (surtout chez le mâle) et tombant. **2.** Couleuvre d'Asie au long museau, de mœurs arboricoles.

nasitort [nazitɔʀ] n. m. Rég. Plante crucifère à la saveur rappelant celle du cresson de fontaine. Syn. cresson alénois.

Naskapis, peuple autochtone d'Amérique du N. installé dans le territ. de Nunavik*. On ne compte plus auj. qu'env. 400 Naskapis, habitant pour la plupart le village de *Kawawachikamach.*

nasique

nasonnement n. m. MED Altération de la voix (nasalisation des voyelles orales) due à l'exagération de la perméabilité nasale.

Nassau, cap. des îles Bahamas, dans l'île de New Providence; 135 430 hab. Centre touristique.

Nassau (maison de), famille originaire de Rhénanie. À partir du XIIIe s., elle se divisa en plusieurs branches. Issus de la branche de *Walram* (qui compta un empereur germanique en la personne d'Adolphe, empereur de 1292 à 1298), les *Nassau-Weilburg* firent de leurs possessions le duché de Nassau (1816) qui fut réuni à la Prusse en 1866 (il est auj. inclus dans la Hesse). De la branche d'Otton Ier le Grand sortit au XVIe s. celle d'*Orange-Nassau*, qui régna sur les Provinces-Unies. Ses membres les plus connus sont Guillaume Ier le Taciturne, Frédéric-Henri, Guillaume II, Maurice, Guillaume III (roi d'Angleterre en 1689) (V. ces noms).

nasse n. f. **I. 1.** Engin de pêche en osier ou en fil métallique, de forme oblongue, à ouverture conique. **2.** Filet destiné à capturer les petits oiseaux, les rongeurs. **II.** Mollusque gastéropode marin à coquille, qui se nourrit de proies mortes.

Nasser (lac), lac d'Égypte formé sur le Nil par le barrage d'Assouan; 60 000 km^2.

Nasser (Gamal Abdel) (Beni Mor, 1918 – Le Caire, 1970), officier et homme politique égyptien. Inspirateur du mouvement des Officiers libres, qui renversa le roi Farouk (22-23 juil. 1952) et proclama la république (juin 1953), il remplaça le général Néguib en oct. 1954, devenant le maître absolu (*ra'īs*, « le chef ») de l'Égypte; en 1956, il fut élu président de la République. Il entreprit une réforme agraire limitant la propriété privée à une quarantaine d'hectares et donna à son pays de nouvelles orientations : panarabisme, non-alignement (conférence de Bandung, avril 1955), nationalisations (canal de Suez, 26 juil. 1956), union à la Syrie

(République arabe unie de 1958 à 1961), soutien militaire au Yémen, industrialisation du pays (haut barrage d'Assouan).

Nat (Yves) (Béziers, 1890 - Paris, 1956), pianiste et compositeur français : compositions pour piano, fresque symphonique (*l'Enfer*, 1942).

natal, ale, als adj. Où l'on est né. *Pays natal, ville natale.*

Natal, prov. d'Afrique du Sud, sur l'océan Indien; 86 967 km² (la plus petite prov. mais la plus densément peuplée); env. 6 millions d'hab. (Zoulous en majorité); ch.-l. *Pietermaritzburg*; v. princ. *Durban*. Canne à sucre. Houille, fer, manganèse. Princ. centres industr. : Durban, Newcastle.

Natal, v. du Brésil, cap. de l'État de Rio Grande do Norte, sur l'Atlantique; 512 240 hab. Industr. alim., text. et chim. Aéroport. Tourisme.

nataliste adj. et n. Qui vise à favoriser l'accroissement des naissances. *Politique, mesures natalistes.* ▷ Subst. Partisan de l'augmentation de la natalité.

natalité n. f. Rapport du nombre des naissances à la population totale, dans un temps (en général l'année) et un lieu donnés. *Pays à forte natalité.*

Natanya ou **Netanya,** v. et port d'Israël, au N. de Tel-Aviv; 109 600 hab. Industr. alimentaires; taille du diamant.

Roxana Marcineanu (FRA)

natation n. f. Activité physique qui consiste à nager; cette activité, en tant que sport de compétition. *Pratiquer la natation. Épreuves de natation des jeux Olympiques* (courses dans les diverses catégories de nage; plongeons; water-polo, etc.). ▷ *Natation artistique* ou *natation synchronisée* : épreuve sportive comportant des figures libres et des figures imposées.

natatoire adj. **1.** Rare Qui concerne la natation. **2.** *Vessie natatoire* : vessie remplie d'un mélange gazeux que l'on trouve dans le corps des poissons.

Natchez, anc. tribu d'Indiens d'Amérique du Nord. Installés dans le S.-O. du Mississippi, ils furent anéantis par les Français (1716-1731).

Nathan, prophète juif. Il reprocha à David le meurtre d'Urie et son mariage avec Bethsabée (Bible, Samuel, XII).

natice n. f. Mollusque gastéropode marin dont la coquille rappelle celle de l'escargot.

natif, ive adj. et n. **1.** *Natif de* : né à, originaire de. *Natif de Paris.* ▷ Subst. *Les natifs du Tibet.* **2.** Que l'on a de naissance, inné. *Qualité, grâce native.* **3.** Se dit d'un corps simple que l'on trouve dans la nature sous une forme non combinée. *Or, soufre natif.*

nation n. f. **1.** Communauté humaine caractérisée par la conscience de son identité historique ou culturelle, et souvent par l'unité linguistique ou religieuse. *La nation kurde.* ▷ HIST Groupe ethnique amérindien formé de communautés établies sur un territoire déterminé, liées par une même origine et une évolution historique commune. *La famille linguistique algonquienne regroupe de nombreuses nations, notam. les Algonquins, les Attikameks, les Cris, les Montagnais.* **2.** Communauté (sens 1), définie comme entité politique, réunie sur un territoire ou un ensemble de territoires propres, et organisée institutionnellement en État. *La nation française. L'Organisation des Nations unies (O.N.U.).* ▷ DR Personne juridique dotée de la souveraineté et distincte de l'ensemble des individus qui la composent en tant que nationaux. *Le droit des nations.* ▷ HIST *La Société* des Nations (S.D.N.).*

national, ale, aux adj. et n. **I.** adj. **1.** Relatif ou propre à une nation. *Hymne national.* **2.** Qui concerne la nation entière, en tant qu'ensemble d'individus ou de biens, ou en tant qu'institution (par oppos. à *privé*, à *local*, etc.). *Assemblée nationale. Défense nationale.* - *Route nationale* ou, n. f., *une nationale,* dont la construction et l'entretien incombent à l'État. **II.** n. m. pl. Personne qui a telle nationalité. *Les consuls défendent à l'étranger les intérêts de leurs nationaux.*

National Gallery, l'un des plus importants musées de peinture du monde, fondé à Londres en 1824 et installé, en 1838, à Trafalgar Square.

National Gallery of Art, musée d'art de Washington, inauguré en 1941 et agrandi en 1978. Riche collection d'impressionnistes.

nationalisation n. f. Transfert du domaine privé au domaine public de la propriété de biens ou de moyens de production.

nationaliser v. tr. [1] Procéder à la nationalisation de. *Nationaliser les grandes industries.*

nationalisme n. m. **1.** Attachement exclusif à la nation dont on fait partie et à tout ce qui lui est propre. **2.** Doctrine politique revendiquant la primauté de la puissance nationale sur toute autre considération de rapports internationaux. **3.** Mouvement fondé sur la prise de conscience, par une communauté, de ses raisons de fait et de droit de former une nation. *Le nationalisme italien au XIXe s.*

nationaliste adj. et n. Relatif au nationalisme. ▷ Subst. Partisan du nationalisme.

nationalité n. f. **1.** Ensemble des caractères propres à une nation (sens 1). - *Principe des nationalités,* en vertu duquel les communautés humaines qui forment une nation (au sens 1) ont le droit de former un État politiquement indépendant. **2.** Lien d'appartenance d'une personne physique ou morale à un État déterminé. *Nationalité d'origine, acquise. Nationalité d'une société, d'une entreprise.*

national-socialisme n. m. sing. Doctrine du Parti ouvrier allemand national-socialiste (NSDAP) qui avait pour chef Adolf Hitler. Syn. nazisme.

national-socialiste adj. et n. Relatif au national-socialisme. *Politique national(e)-socialiste.* - Subst. Partisan de cette doctrine; membre du parti nazi. *Des nationaux-socialistes.*

Nations unies (Organisation des). V. Organisation des Nations unies.

nativement adv. D'une façon native, de naissance.

nativisme n. m. PHILO Théorie selon laquelle la perception de l'espace est donnée immédiatement avec la sensation et non acquise par un travail de l'esprit.

nativité n. f. **1.** RELIG Naissance (de Jésus, de la Vierge, de Jean-Baptiste). ▷ Fête anniversaire de cette naissance. - Absol. (Avec une majuscule.) *La Nativité* : la naissance de Jésus; la fête de Noël. ▷ BX-A *Une nativité* : une œuvre gravée, peinte ou sculptée représentant la naissance de Jésus. **2.** ASTROL *Thème de nativité* : thème astral, représentation de la position des astres au moment de la naissance.
▶ illustr. maître de **Flémalle**

NATO, acronyme pour *North Atlantic Treaty Organization.* V. Organisation du traité de l'Atlantique Nord (OTAN).

Natoire (Charles) (Nîmes, 1700 - Castelgandolfo, 1777), peintre et graveur français; l'un des maîtres du style rococo. Il travailla à l'hôtel de Soubise, à Paris (*Histoire de Psyché*) et à Versailles.

natrémie n. f. MED Taux de sodium du sang.

natron [natʀɔ̃] ou **natrum** [natʀɔm] n. m. CHIM Carbonate de sodium hydraté naturel. *Les Égyptiens utilisaient le natron pour déshydrater les corps à momifier.*

Natsume. V. Soseki (Natsume).

natte n. f. **1.** Ouvrage fait de brins d'une matière végétale entrelacés à plat. *Une natte de jonc. Dormir sur une natte.* **2.** Tresse de cheveux.

natter v. tr. [1] Tresser une natte (sens 2).

nattier adj. inv. *Bleu nattier* : bleu profond et mat, plus clair que le marine.

Nattier (Jean-Marc) (Paris, 1685 - id., 1766), peintre et pastelliste français; portraitiste de la cour de Louis XV, célèbre représentant du portrait mythologique.

naturalisation n. f. **I. 1.** Action de naturaliser (sens I, 1); fait d'être naturalisé. *Étranger qui demande sa naturalisation.* **2.** Acclimatation. *Naturalisation d'une espèce végétale.* - Fig. *Naturalisation d'une invention.* **II.** Opération par laquelle on donne à une plante coupée, à un animal mort, l'apparence de la nature vivante.

naturalisé, ée adj. et n. **1.** Qui a obtenu une naturalisation (sens I, 1). - Subst. *Les nationaux et les naturalisés.* **2.** Se dit d'un animal mort, d'une plante coupée qui ont été traités selon des techniques permettant de conserver l'aspect du vivant.

naturaliser v. tr. [1] **I. 1.** Accorder à (un étranger) telle nationalité. *Se faire naturaliser français.* **2.** Acclimater complètement (un animal, une plante). ▷ Fig. Introduire dans un pays. *Naturaliser un usage.* **II.** Préparer (un animal mort, une plante coupée) de manière à leur conserver l'aspect du vivant.

naturalisme n. m. **I.** PHILO **1.** Doctrine qui prétend opérer à partir des données naturelles, refusant le surnaturel. **2.** Doctrine qui prend ses critères dans la nature, faisant ainsi de la vie morale le prolongement de la vie biologique. **II.** BX-A, HIST, LITTER Théorie suivant laquelle l'art, la littérature se doivent de dépeindre la nature et ses réalités et non de la rêver ou de l'interpréter. *Émile Zola, théoricien du naturalisme littéraire.*

naturaliste n. et adj. **I.** n. **1.** Spécialiste de sciences naturelles. **2.** Personne qui prépare les animaux morts pour les conserver, qui procède à leur naturalisation. Syn. taxidermiste. **II.** adj. **1.** PHILO Adepte du naturalisme (sens 1). **2.** BX-A, HIST, LITTER Partisan du naturalisme artistique ou littéraire. *Les peintres, les romanciers naturalistes.* ▷ Subst. *Les naturalistes du XIXe siècle.*

nature n. f. (et adj. inv.) **I. 1.** Ensemble des caractères, des propriétés d'un être ou d'une chose, qui définissent son appartenance à une catégorie, à un genre déterminés. *Déterminer la nature d'un phénomène. – Il a reçu des offres de toute nature,* de toute sorte. ▷ Loc. *De nature à* (+ inf.) : qui, par sa nature même, est susceptible de. *Des propositions de nature à le satisfaire.* **2.** (Appliqué à l'homme.) *La nature humaine* et, sans comp., *la nature* : l'ensemble des caractères innés, fondamentaux (physiques et moraux), propres à l'être humain (par oppos. aux caractères acquis du fait de l'éducation, de la coutume, etc.). – *L'homme dans l'état de nature* (par oppos. à l'état *civil, social*), avant toute organisation sociale, toute civilisation. **3.** *Spécial.* Ce qui, en l'homme, relève de l'instinct; les pulsions instinctives (partic. celles de la chair). *Refréner en nous la nature.* **4.** Conscience morale; raison comme principe de la loi et de la morale idéales. – *Vices contre nature* : perversions sexuelles. **5.** Complexion, tempérament. *Ils ont des natures, ce sont des natures très différentes.* – Par ext. *Une nature violente, impulsive. Une heureuse nature.* ▷ Absol. Fam. *C'est une nature* : il a une forte nature, un fort tempérament. ▷ Loc. *De nature, par nature* : du fait même de sa nature, de façon innée. *Ils sont avares de nature.* **II.** (Concret) **1.** Principe actif d'organisation du monde, qui préside à la production des phénomènes dans l'univers et anime les êtres vivants. *Les lois de la nature. – La nature, opposée à la culture.* – (Personnifiée, souvent avec une majuscule.) *La Nature ne fait rien en vain. Laisser faire la nature* : laisser aller le cours habituel et normal des choses. **2.** Ensemble, organisé selon un certain ordre, de tout ce qui existe, choses et êtres; l'Univers et les phénomènes qui s'y produisent. *La place de l'homme dans la nature.* ▷ *Spécial.* Monde physique et ses lois. *Les sciences de la nature* (par oppos. aux *sciences humaines*). **3.** Monde sensible, Univers considéré indépendamment des transformations opérées par l'homme. ▷ *Spécial.* Environnement, monde physique et biologique (éléments, faune, flore, etc.) dans le rapport affectif ou esthétique qu'entretient l'homme avec eux. *Nature sauvage, hostile, riante. Les beautés de la nature. – La protection de la nature. Détester la ville, n'aimer que la nature. Le spectacle de la nature en hiver.* **4.** Être, objet servant de modèle à un artiste (seulement dans des expressions telles que *d'après nature, plus grand que nature,* etc.). *Peindre d'après nature. Figure plus grande que nature.* – (En appos.) *Grandeur nature* : de mêmes dimentions que l'original. ▷ *Nature morte* : groupe d'êtres ou d'objets inanimés (animaux morts, fruits, objets divers) formant le sujet d'un tableau; tableau représentant un tel groupe. *« Le Bœuf écorché », nature morte de Rembrandt.* **5.** *En nature* : en prestations, en objets réels (sans intermédiaire monétaire). *Rémunération en nature.* **III.** adj. inv. **1.** Préparé ou consommé tel quel, sans autres adjuvants que les agents habituels de sapidité (sel, poivre...). *Bœuf nature* : bœuf bouilli servi sans sauce. *Deux omelettes nature.* **2.** Fam. (Personnes) Naturel, sans affectation. *Il est très nature.*

naturel, elle adj. et n. m. **I.** adj. **1.** Relatif à la nature d'une chose, d'un être. *Propriétés naturelles.* ▷ THEOL *Religion naturelle,* que l'homme posséderait de nature (par oppos. à *révélée*). **2.** De la nature, qui appartient à la nature; qui relève du monde physique et de ses lois. *Les forces, les phénomènes naturels.* – *Sciences naturelles* (on disait autref. *histoire naturelle*). **3.** Qui existe dans la nature préalablement à toute pensée réfléchie. – MATH *Nombres naturels* : les entiers positifs (0, 1, 2, 3, 4, etc.). ▷ LING *Langues naturelles* : le français, l'anglais, etc., par oppos. aux *langages* (systèmes de signes) *artificiels* (de la logique, de l'informatique, etc.). **4.** (Par oppos. à *humain,* à *artificiel.*) Qui est le fait de la nature. *Ressources naturelles d'un pays. Les Pyrénées, frontière naturelle entre la France et l'Espagne.* **5.** Qu'on trouve tel quel dans la nature. *Gaz naturel* (gaz de Lacq, par ex.). *Aspect d'une pierre précieuse à l'état naturel,* à l'état brut, non taillée. **6.** Qui est tel qu'il existe dans la nature; qui n'a pas été modifié, altéré, falsifié. *Produits alimentaires naturels.* **7.** MUS *Note naturelle,* sans dièse ni bémol. **8.** Fondé sur la nature (au sens I, 4), et non sur des dispositions relevant de la coutume ou de la volonté du législateur. *Droit naturel* (par oppos. au *droit positif*). ▷ (Par oppos. à *légitime.*) *Enfant naturel,* né en dehors du mariage. **9.** Conforme à la nature, au cours habituel et normal des choses. *Cela est naturel, tout naturel* : cela va de soi. **II.** adj. (Appliqué à l'homme.) **1.** Qui appartient à la nature humaine (dans l'ordre physique, physiologique ou psychique). *Fonctions naturelles.* **2.** Qui fait partie de la nature de qqn, qui lui est inné. *Dispositions, penchants naturels. Sa gentillesse naturelle.* **3.** Conforme à la nature profonde d'un individu, et, par suite, exempt d'affectation, de recherche. *Se comporter de manière simple et naturelle. – Rester naturel en toutes circonstances.* **III.** n. m. **1.** Ensemble des caractères (physiques ou moraux) qu'une personne tient de naissance. *Il est d'un naturel peu aimable.* **2.** Manière d'être exempte de toute affectation. *Savoir se comporter avec le naturel, la simplicité, qui convient.* **3.** Loc. *Au naturel* : sans assaisonnement, sans préparation particulière. *Riz au naturel.* **4.** Vx Habitant originaire d'un lieu. *Les naturels de Polynésie.*

naturellement adv. **1.** D'une façon naturelle; conformément aux propriétés, aux caractères naturels d'une chose, d'un être. *Substance naturellement radioactive. – C'est un homme naturellement bon.* **2.** Par une suite logique, un enchaînement naturel. *Nous avons été naturellement, tout naturellement, amenés à...* ▷ Évidemment, bien sûr. *Naturellement, elle a refusé. « Vous irez ? – Naturellement ! »* **3.** Avec naturel, simplement; sans affectation. *Parler naturellement.*

naturisme n. m. **1.** PHILO Doctrine selon laquelle l'adoration des forces naturelles serait la source essentielle de la religion. **2.** MED Système thérapeutique préconisant le recours aux médications naturelles (bains, massages, exercice physique, etc.). **3.** Doctrine de ceux qui préconisent le retour à la nature et à un mode d'existence primitif où la vie en commun, la pratique du sport, la suppression des vêtements, l'alimentation végétarienne, la simplicité de l'habitat sont la règle. ▷ Cour. Fait de ne pas porter de vêtements; nudisme. *Pratiquer le naturisme.*

naturiste n. et adj. Adepte du naturisme (sens 3). ▷ adj. *Plage naturiste.*

naturopathe adj. et n. Qui pratique la naturopathie.

naturopathie n. f. Méthode thérapeutique reposant sur l'idée que la plupart des maladies peuvent être évitées ou traitées par la diététique (régime végétarien, produits naturels) et des moyens naturels (repos, massages, thermalisme, phytothérapie, etc.).

Naucratis, v. de l'anc. Égypte où les citoyens de Milet fondèrent un comptoir au VIIe s. av. J.-C. Au VIe s. av. J.-C., elle devint une véritable ville grecque et monopolisa le commerce entre le monde grec et l'Égypte. L'essor d'Alexandrie au IIIe s. av. J.-C. la ruina. – Ruines à Tell el-Birèh.

Naudé (Gabriel) (Paris, 1600 – Abbeville, 1653), écrivain, médecin et bibliothécaire français. Érudit et libertin, il pensait qu'une rigoureuse méthode historique permettait d'éliminer préjugés et miracles : *Addition à l'histoire de Louis XI* (1630), *Considérations politiques sur le coup d'État* (1639). Il a rassemblé 40 000 volumes pour Mazarin, noyau de l'actuelle bibliothèque Mazarine.

Naudin (Charles Victor) (Autun, 1815 – Antibes, 1899), botaniste français. Ses travaux sur les hybrides furent, avec ceux de Mendel, à la base de la génétique moderne.

naufrage n. m. **1.** Perte totale ou partielle d'un navire en mer par suite d'un accident. **2.** Fig. Grande perte, grand malheur. *Il n'a pas survécu au naufrage de sa fortune.* – Loc. *Faire naufrage au port* : subir un échec au moment où l'on était tout près de réussir.

naufragé, ée adj. et n. Qui a fait naufrage. *Navire naufragé. – Marins naufragés.* ▷ Subst. *Recueillir à son bord des naufragés.*

naufrager v. intr. [**13**] Rare Faire naufrage.

naufrageur, euse n. **1.** Pilleur d'épaves qui, par de faux signaux (feux allumés sur les côtes, par ex.), provoquait le naufrage des navires. **2.** Fig. Personne qui cause la perte, l'effondrement de qqch. *Les naufrageurs de l'équilibre monétaire.*

naumachie n. f. ANTIQ ROM **1.** Représentation d'un combat naval. **2.** Bassin (creusé dans un amphithéâtre, une arène, un cirque) où ce spectacle avait lieu.

Naumburg, v. d'Allemagne, sur la Saale; 33 590 hab. Industr. textiles, mécaniques et alimentaires. – Cath. du XIIe s. (sculptures du XIIIe s.).

Naundorff (Karl Wilhelm) (Potsdam, 1787 – Delft, 1845), aventurier prussien, horloger à Spandau, qui prétendit être Louis XVII.

Naupacte *(Naupaktos),* v. et port de Grèce (nome d'Acarnanie-et-Étolie), à l'entrée du golfe de Corinthe; 8 000 hab. – C'est la *Lépante* du Moyen Âge.

naupathie n. f. MED Mal de mer.

Nauplie (*Náfplion*), port de Grèce (Péloponnèse), au fond du *golfe de Nauplie;* 10 610 hab.; ch.-l. du nome d'Argolide. – Citadelle vénitienne. Musée archéologique. – Anc. port d'Argos, la ville fit partie de la principauté de Morée (1212-1388) et appartint à Venise de 1388 à 1540; les Turcs l'occupèrent alors; elle fut de nouveau vénitienne de 1686 à 1718; prise par les Grecs insurgés en 1822, elle fut leur capitale de 1829 à 1834.

Naurouze (seuil ou col de), passage, à 190 m d'alt., reliant le Bassin aquitain au Languedoc; emprunté par le canal du Midi et la route Toulouse-Carcassonne.

Nauru (république de), État de Polynésie, membre du Commonwealth, situé sur un atoll de 21 km²; 8 000 hab.; cap. *Yaren.* Langues : nauruan (off.), anglais. Monnaie : dollar australien. Population : Polynésiens, Chinois, Européens. Relig. : protestantisme, catholicisme. – La population vit du rapport de l'importante production de phosphates de l'île. – Découverte en 1798 par les Britanniques, l'île, allemande de 1888 à 1914, passa sous mandat britannique, puis sous l'administration conjointe de l'Australie, de la Nouvelle-Zélande et de la G.-B. Elle est indépendante depuis 1968.
► carte **Océanie**

nauruan, ane adj. et n. **1.** De Nauru. – Subst. *Un(e) Nauruan(e).* **2.** Langue parlée à Nauru.

nauséabond, onde adj. **1.** Qui provoque le dégoût, qui cause des nausées (en parlant d'une odeur). *Odeur nauséabonde.* **2.** Fig. Dégoûtant, répugnant. *Une publication nauséabonde.*

nausée n. f. **1.** Envie de vomir. *Avoir des nausées.* **2.** Fig. Dégoût, écœurement profond. *Ce spectacle me donne la nausée. J'en ai la nausée.*

nauséeux, euse adj. **1.** Qui provoque des nausées. **2.** Fig. Qui provoque la répugnance, un dégoût profond. *Des propos nauséeux.* **3.** Qui éprouve des nausées. *Se sentir nauséeux.*

Nausicaa, dans la myth. gr., fille d'Alcinoos, roi des Phéaciens. Selon l'*Odyssée,* elle recueillit Ulysse naufragé.

-naute, -nautique. Éléments, du gr. *nautês,* « navigateur », *nautikos,* « relatif à la navigation ».

nautile n. m. ZOOL Mollusque céphalopode des mers chaudes, dont la coquille spiralée et cloisonnée atteint 25 cm de diamètre.

nautique adj. et n. m. **1.** Relatif à l'art et aux techniques de la navigation. *Cartes nautiques.* **2.** Relatif à la navigation de plaisance, aux jeux et sports pratiqués sur l'eau. *Fête nautique. Ski nautique.* **3.** MAR *Mille nautique* ou, n. m., *nautique* : mille marin.

nautisme n. m. Ensemble des sports nautiques.

nautonier, ère n. Vx Personne qui conduit une embarcation. ▷ MYTH *Le nautonier des Enfers :* Charon. Syn. nocher.

Navaho(s) ou **Navajo(s),** Amérindiens qui vivent auj. dans des réserves de l'Arizona et du Nouveau-Mexique, formant le groupe indien le plus important des É.-U. (env. 130 000 personnes). Ils rejettent ce nom pour celui de *Dineh.*

navaja [navaxa; navaʒa] n. f. Poignard espagnol à lame légèrement courbe et très effilée.

naval, ale, als adj. et n. f. **1.** Qui concerne les navires. *Constructions navales. Les chantiers navals du Havre.* **2.** Qui concerne les navires de guerre, la marine militaire. *Bataille navale.* – *L'École navale,* qui forme les officiers de marine militaire. ▷ n. f. (Avec majuscule.) *Il a fait Navale.*

navarin n. m. CUIS Ragoût de mouton accompagné d'oignons, de navets et de pommes de terre.

Navarin (auj. *Pylos*), port de Grèce où les escadres française, britannique et russe anéantirent la flotte turco-égyptienne lors de la guerre d'indépendance de la Grèce (1827).

navarque n. m. ANTIQ GR Commandant d'une flotte ou d'un vaisseau de guerre.

Navarre, anc. royaume, fondé au IXe s. en Espagne, autour de Pampelune, peuplé de Basques. Il comprit à partir du XIe s. la *Basse-Navarre* ou *Navarre française* (rég. de Saint-Jean-Pied-de-Port). De 1284 à 1328, il eut pour souverains les rois de France, puis passa à la maison d'Évreux et en 1484 à la maison d'Albret. En 1512, Ferdinand le Catholique s'empara de la *Haute-Navarre* (Navarre espagnole). En 1589, Henri IV (Henri III de Navarre) unit la Basse-Navarre à la France (dont le roi se nomma alors « roi de France et de Navarre »). Celle-ci s'étend à l'O. de la Soule; elle est auj. incluse dans le dép. des Pyrénées-Atlantiques. – La *Navarre espagnole* forme une communauté autonome et une région de la C.E.; 10 421 km²; 527 300 hab.; cap. *Pampelune.*

nautile

Navas de Tolosa (Las), bourg du S. de l'Espagne (prov. de Jaén) où les rois d'Aragon, de Castille et de Navarre vainquirent les Almohades en 1212 (un des plus import. épisodes de la Reconquista).

navel n. f. Variété d'orange qui porte, dans la partie apicale, une dénivellation de la peau en forme de nombril et un fruit secondaire interne. – (En appos.) *Orange navel.*

navet n. m. **1.** Plante potagère (*Brassica napus,* fam. crucifères) cultivée pour sa racine comestible; cette racine. **2.** Fig. Œuvre d'art sans valeur. – *Spécial.* Très mauvais film. ► illustr. **crucifères**

1. navette n. f. **1.** Dans un métier à tisser, instrument pointu aux deux extrémités qui sert à faire courir le fil de trame et à le croiser avec le fil de chaîne. ▷ Dans une machine à coudre, organe qui supporte et guide la canette. **2.** Fig. *Faire la navette :* faire des allées et venues répétées. *Son travail l'oblige à faire la navette entre Paris et Marseille.* ▷ Engin, service de transport qui effectue des allers et retours réguliers sur une courte distance. – *Navette spatiale :* véhicule spatial en grande partie récupérable, utilisé comme vaisseau habité et comme convoyeur vers l'espace de charges utiles de grandes dimensions. *Une navette spatiale, lancée comme une fusée, atterrit comme un avion.*

2. navette n. f. Crucifère utilisée comme fourrage vert et dont les graines fournissent une huile.

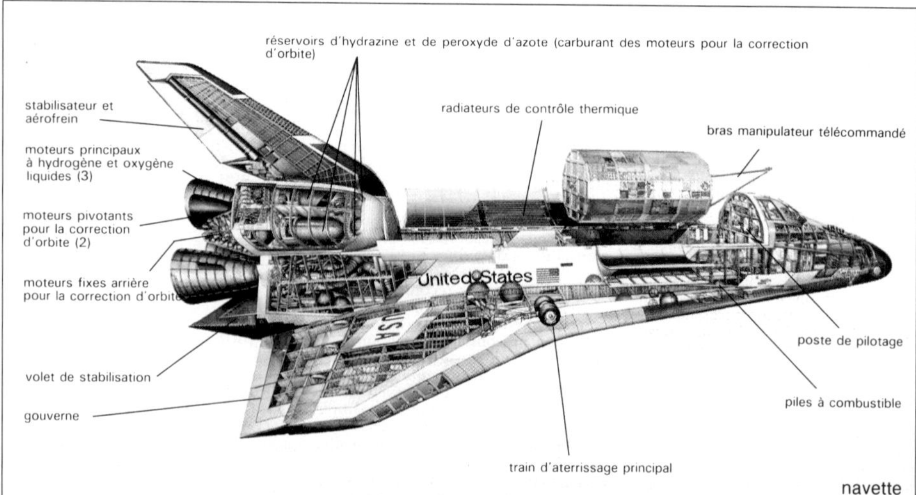

navette

naviculaire adj. ANAT Qui a la forme d'une nacelle. *Os naviculaire.*

navicule n. f. BOT Algue diatomée de forme elliptique, commune dans les eaux douces et salées. (Une espèce est responsable du verdissement de certaines huîtres.)

navigabilité n. f. **1.** État de ce qui est navigable. **2.** Aptitude pour un navire à prendre la mer, pour un aéronef à prendre l'air, et cela dans les conditons de sécurité requises.

navigable adj. Où l'on peut naviguer. *Rivière navigable.*

navigant, ante adj. et n. Se dit du personnel qui navigue dans l'aviation ou la marine, par oppos. à celui qui reste à terre.

navigateur, trice n. **1.** Personne qui navigue. ▷ Litt. Marin qui fait des voyages au long cours. – HIST *Les grands navigateurs,* ceux qui, aux XVe et XVIe s., contribuèrent par leurs voyages à la découverte de nouvelles terres, de nouvelles voies maritimes (C. Colomb, Vasco de Gama, etc.). ▷ adj. Qui s'adonne à la navigation. *Peuple navigateur.* **2.** Personne chargée de la navigation à bord d'un navire, d'un avion. ▷ Dans un rallye automobile, personne qui assiste le pilote. **3.** n. m. *Navigateur automatique :* appareil permettant de déterminer automatiquement le point d'un avion, d'un navire ou d'un char. **4.** INFORM Logiciel de navigation dans un document multimédia.

navigation n. f. **1.** Action de naviguer. *Navigation maritime, fluviale, sous-marine.* **2.** Art et technique de la conduite des navires (détermination de la position et tracé de la route). *Apprendre quelques rudiments de navigation.* – *Navigation en vue de terre,* qui consiste à définir la position du navire en relevant les azimuts de plusieurs amers situés le long de la côte. – *Navigation à l'estime,* dans laquelle on trace sur la carte la route suivie par le navire en relevant les caps successifs, ainsi que la vitesse du navire. – *Navigation astronomique,* qui consiste à relever au sextant, à des instants déterminés, la hauteur du Soleil ou d'autres astres. – *Navigation radioélectrique :* radionavigation. (V. sonar et encycl. radar). **3.** Ensemble du trafic, de la circulation sur l'eau. *Compagnie, ligne de navigation.* **4.** AVIAT Art de déterminer la route que doit suivre un avion, la position en vol de cet avion et les corrections éventuelles à apporter à la route suivie pour rallier la destination prévue. *Procédés de navigation aérienne. Dispositifs d'aide à la navigation.* – Circulation, trafic aériens. ▷ Par anal. *Navigation spatiale.* **5.** Aide à la conduite automobile. *Voitures qui disposent, en option, de systèmes de navigation intégrés.* **6.** INFORM Fait de naviguer dans un ensemble de données informatiques, un réseau télématique.

naviguer v. intr. [1] **1.** Voyager sur mer, sur l'eau. *Ce navire n'est plus en état de naviguer.* **2.** (Personnes) Pratiquer la navigation; conduire un navire. *Aimer naviguer.* **3.** (Navires) Se comporter à la mer. *Un trois-mâts qui naviguait remarquablement bien.* **4.** Diriger la marche d'un avion. *Naviguer à basse altitude.* **5.** Fig., fam. Voyager, se déplacer beaucoup et souvent. *Il a beaucoup navigué dans sa vie.* **6.** Fig. Se diriger habilement dans des affaires troubles ou difficiles. *Savoir naviguer.* **7.** INFORM Se déplacer à l'intérieur d'un ensemble de données informatiques ou d'un réseau télématique grâce à des liens établis entre les documents que l'on affiche sur l'écran.

Naville (Pierre) (Paris, 1904 - id., 1993), sociologue français; l'un des fondateurs, en France, de la sociologie du travail : *l'Automation et le travail humain* (1961), *le Nouveau Léviathan* (5 vol., 1957-1977).

naviplane n. m. (Nom déposé.) Véhicule sur coussin d'air utilisé pour le transport maritime.

navire n. m. Bâtiment ponté conçu pour la navigation en haute mer. (Moins cour. que *bateau.* Désigne surtout les bâtiments de fort tonnage.) *Navire de commerce, de guerre.* – *Navire-hôpital,* aménagé pour le transport des malades et des blessés. *Des navires-hôpitaux.* – *Navire-citerne :* navire équipé pour le transport des liquides (pétrole et gaz liquéfiés). *Des navires-citernes.* – *Navire-usine :* navire équipé pour le traitement du poisson qui lui est livré par des chalutiers ou qu'il pêche lui-même. *Des navires-usines.*

navrant, ante adj. Qui navre, qui cause une profonde affliction. *Un spectacle assez navrant.* ▷ Cour. Regrettable, fâcheux. *Un contretemps navrant.*

Navratilova (Martina) (Řevnice, près de Prague, 1956), joueuse de tennis américaine d'origine tchèque. Elle domina le tennis féminin de 1982 à 1987.

navrement n. m. Litt. Affliction profonde. *Le navrement se lit sur sa mine.*

navrer v. tr. [1] Affliger, causer une grande peine à. ▷ Cour. Désoler. *Je suis navré, mais c'est impossible.*

Naxos, île grecque, la plus grande des Cyclades; 450 km²; 15 000 hab.; v. princ. *Naxos.* Vins. – Duché vénitien de 1207 à 1566.

nazairien, enne adj. et n. De Saint-Nazaire. – Subst. *Un(e) Nazairien(ne).*

nazaréen, enne adj. et n. De Nazareth. ▷ Nom donné aux premiers chrétiens. – *Le Nazaréen :* Jésus.

nazaréens n. m. pl. BX-A Groupe de peintres allemands (J. Overbeck, F. Pforr, etc.) constitué à Rome v. 1810-1812 et qui prônait un retour à l'esthétique d'inspiration chrétienne des primitifs italiens.

Nazareth (en ar. *An-Naşirah*), v. d'Israël, en Galilée; 44 780 hab.; ch.-l. de district. – Égl. de l'Annonciation (XVIIIe s.), abattue en 1955 et reconstruite. Séjour de la Sainte Famille jusqu'au baptême de Jésus («Jésus de Nazareth»).

Nazca, site archéol. précolombien (IIe s. av. J.-C.-VIIe s. ap. J.-C.) de la côte S. du Pérou. Ses nécropoles ont livré un matériel abondant (céramiques à décor polychrome, pièces d'orfèvrerie, tissus). La culture Nazca est également célèbre pour ses immenses figures (plus. centaines de m) tracées sur le sol, et dont la signification nous est inconnue.

naze. V. nase.

nazi, ie adj. et n. Qui se rapporte au nazisme. *Propagande nazie. Barbarie nazie.* ▷ Subst. *Les nazis.*

nazisme n. m. Mouvement, régime et doctrine nazis. Syn. national-socialisme. ENCYCL Élaboré par Hitler dans *Mein Kampf,* le nazisme fut la doctrine officielle de l'État allemand de 1933 à 1945. Les nazis exaltaient la supériorité des Germains, considérés comme le rameau le plus pur de la race blanche, digne de dominer les peuples inférieurs (parmi lesquels les hommes de couleur) et, de ce fait, en droit d'éliminer les races considérées par eux comme impures : Juifs, Tziganes furent exterminés dans des camps de concentration. La conception de l'État nazi était totalitaire; de la naissance à la mort, et en tous domaines (éducation, presse, arts), la nation allemande était embrigadée. Les jeunes Allemands, enrôlés dès leur plus jeune âge, se voyaient inculquer le culte fanatique du chef, le Führer, en même temps que la négation de l'individu au profit du groupe. Toute velléité d'opposition au régime se trouvait neutralisée par l'action du parti ou impitoyablement réduite par la Gestapo. Anticapitaliste dans la mesure où elle prônait l'étatisation de la politique économique et où elle répandait des slogans contre la grande propriété, la doctrine nazie cherchait plutôt à rallier la classe ouvrière qu'à bouleverser les structures sociales. Enfin, le nazisme était expansionniste. Hitler demandait la réunion de tous les Allemands dans le cadre d'une Grande Allemagne après abrogation du traité de Versailles. Il préconisait la constitution d'une armée nationale (au lieu de l'armée de métier). La politique d'annexion des régions en partie peuplées de germanophones fut le prélude à la Seconde Guerre mondiale.

Nb CHIM Symbole du niobium.

N.B. Abrév. des mots latins *nota bene,* «remarquez bien».

N.B.C. Sigle angl. pour *nuclear bacteriological chemical,* «nucléaire, bactériologique, chimique». *Armes N.B.C.*

Nd CHIM Symbole du néodyme.

N'Djamena *(Ngămĭnā)* (*Fort-Lamy* jusqu'en 1973), cap. du Tchad, sur le Chari; 303 000 hab. (47 000 hab. en 1955). Industr. alimentaires.

N.D.L.R. Abrév. de *note de la rédaction,* mention que l'on trouve dans le corps d'un article de journal pour préciser la position de celui-ci.

Ndola, v. de Zambie, près de la frontière de la Rép. dém. du Congo; 282 440 hab.; ch.-l. de la prov. du Copperbelt. Raffinage du cuivre; raff. de pétrole; constr. métall. (auto.); sucreries.

Ndzouani. V. Anjouan.

Ne CHIM Symbole du néon.

ne (*n'* devant une voyelle ou un *h* muet) adv. **A.** *Ne* marquant la négation. **I.** *Ne* employé seul. **1.** (Dans une principale ou une indépendante, seulement dans certaines tournures ou expressions.) *N'avoir cure, n'avoir garde. N'importe! Qu'à cela ne tienne. Que ne le disiez-vous!* **2.** (Dans une subordonnée relative au subj., après une principale négative ou interrogative; dans certaines loc.; dans quelques constructions.) *Il n'est pas d'instant qu'il n'y pense.* – *Si je ne me trompe; si je ne m'abuse.* – *Voici bientôt trois jours qu'il n'est venu.* **II.** *Ne* employé en corrélation avec un mot négatif ou restrictif. **1.** *Ne... pas; ne... point; ne... plus; ne... jamais. Il n'ira pas.* – Litt., vx ou rég. *Il n'ira point.* – *Il n'ira plus.* – *Jamais il n'ira.* ▷ *Ne... que. Je n'irai que si on me le demande :* j'irai seulement si on me le demande. **2.** (Avec un indéfini négatif placé avant ou après.) *Personne n'y est allé. Je n'ai rien vu.* ▷ (Avec *ni* répété.) *Ni lui ni moi n'y sommes allés.* **3.** (Affirmation renforcée par double négation.) *Vous n'êtes pas sans savoir qu'il vous attend :* vous savez très bien qu'il vous attend. **B.** *Ne* employé sans valeur négative (emploi dit *explétif*). **1.** (Après les verbes d'empêchement, de défense, de crainte.) *J'interdirai, j'éviterai* *qu'il ne vienne. J'ai peur, je crains qu'il n'arrive.* **2.** (En phrase négative ou interrogative après les verbes exprimant le doute ou la négation.) *Je ne doute pas une seconde qu'il ne renonce. Je ne nie pas qu'il ne soit venu. Niez-vous qu'il n'y soit parvenu?* **3.** (Après les propositions comparatives d'inégalité introduites par *autrement, meilleur, mieux, moindre, pire,* etc., si la principale est affirmative.) *Vous le ferez mieux que je ne le ferais moi-même.* **4.** Après *à moins que, sans que* (emploi du *ne* explétif critiqué), *il s'en faut que, avant que, que. Allez-y avant qu'il n'arrive. Vous ne sortirez que vous ne m'ayez livré votre secret.*

né, née adj. **1.** Venu au monde. *Le premier-né, le dernier-né* : le premier, le dernier des enfants d'une famille. *C'est la dernière-née.* – *Né de* : issu de. *Né d'une famille bourgeoise. Né de père inconnu.* – *Né pour* : naturellement disposé pour. *Il est né pour faire de la musique.* **2.** *Bien né, mal né* : qui a de bonnes, de mauvaises inclinations, un bon, un mauvais naturel. *Âme bien née.* – VX et absol. *Un homme né,* issu d'une famille noble. **3.** De naissance, naturellement. *Un orateur(-)né.*

Neagh (lough), lac d'Irlande du Nord (396 km^2), à l'O. de Belfast, traversé par le Bann (fleuve côtier qui communique avec la mer par le canal Lagar). Tourisme.

Néandert(h)al, vallée du Neander, près de Düsseldorf, où l'on découvrit des restes humains. ▷ PREHIST *Homme de Néandertal* ou *néandertalien* : homme fossile du pléistocène constituant une race primitive d'*Homo sapiens,* appelée *Homo sapiens neandert(h)alensis.* D'autres restes de néandertaliens ont été trouvés en France (notam. en Dordogne), en Asie et en Afrique.

néandert(h)alien, enne adj. et n. PREHIST De Néandert(h)al. ▷ Subst. *Un néandert(h)alien.*

néanmoins adv. Malgré cela; mais, toutefois, cependant, pourtant. *Il est très jeune et néanmoins fort raisonnable.*

néant n. m. **1.** Rien; état de ce qui n'existe pas. – Loc. *Réduire à néant* : anéantir, détruire complètement. *Tous ces projets réduits à néant.* ▷ *Ellipt.* Aucun. *Signes particuliers : néant.* – *J'accepte le premier point, mais pour le reste, néant!,* non, pas question. **2.** Absence de valeur d'une chose. *Il a parfaitement conscience du néant des honneurs qu'on lui rend.* ▷ *Tirer qqn du néant,* le tirer d'une condition obscure pour le placer dans une situation honorable. **3.** PHILO Ce qui n'a pas d'être, le non-être (par oppos. à *l'être.*) *«L'Être et le Néant», essai de Jean-Paul Sartre (1943).*

néanthropien, enne n. m. et adj. PREHIST Vieilli Homme fossile dont l'apparition coïncide avec la fin de la dernière glaciation. – adj. *Des fossiles néanthropiens.*

néantiser v. tr. [1] **1.** PHILO Concevoir comme néant, comme non-être. **2.** Réduire à néant, anéantir.

Néarque (IVe s. av. J.-C.), navigateur crétois, amiral d'Alexandre le Grand. Il explora les côtes asiatiques de l'Indus à l'Euphrate.

Nébo (mont), montagne du pays biblique de Moab, à l'E. de la mer Morte, d'où Moïse contempla la Terre promise.

Nebraska, État du centre des É.-U., dans les Grandes Plaines, limité à l'E. par le Missouri; 200 017 km^2; 1 578 000 hab.; cap. *Lincoln.* Grande rég. agricole : céréales, élevage (bovin surtout). Pétrole. – Explorée au XVIIIe s. par des Espagnols et des Français, la région, devenue territoire en 1854, forma le trente-septième État de l'Union, en 1867. – Son nom vient du *Nebraska,* ou *Platte River* (527 km), affl. du Missouri (r. dr.), formé par la réunion de la North Platte (990 km) et de la South Platte (685 km).

nébulaire adj. Propre ou relatif à une nébuleuse.

nébuleuse n. f. ASTRO Objet céleste qui, contrairement aux étoiles et aux planètes, nettement délimitées, présente un aspect diffus et vaporeux. *Nébuleuse à émission* : concentration de gaz interstellaire ionisé (en général, par la présence d'étoiles chaudes) et qui apparaît comme une nébulosité lumineuse aux contours diffus. *Nébuleuse obscure* : nuage dense de gaz interstellaire froid, riche en poussières interstellaires, qui trahit sa présence en masquant les étoiles plus éloignées.

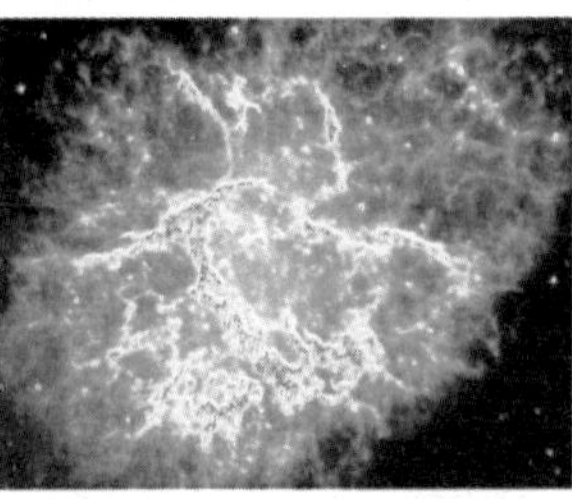

nébuleuse du Crabe, dans la constellation du Taureau, vestige d'une explosion de supernova observée en 1054 par des astronomes chinois

nébuleux, euse adj. **1.** Obscurci par les nuages. *Ciel nébuleux.* **2.** Fig. Qui manque de clarté; fumeux. *Théories, projets nébuleux.*

nébulisation n. f. TECH Action de nébuliser; son résultat.

nébuliser v. tr. [1] TECH Projeter, vaporiser (un liquide) en fines gouttelettes à l'aide d'un nébuliseur.

nébuliseur n. m. TECH Appareil servant à projeter un liquide en fines gouttelettes.

nébulosité n. f. **1.** Caractère, état de ce qui est nébuleux. – METEO Surface de ciel couverte par des nuages. **2.** Fig. *La nébulosité d'une théorie.*

nécessaire adj. et n. m. **I.** adj. **1.** Se dit de ce qui constitue une condition indispensable à la réalisation de qqch. *La respiration est nécessaire à la vie.* – MATH *Condition nécessaire et suffisante,* qui rend vraie une proposition si, et seulement si, cette condition est remplie. **2.** Se dit de ce qui est indispensable, de ce dont on ne saurait se passer pour répondre à un besoin. *Une voiture m'est absolument nécessaire pour mon travail. Il est nécessaire d'en discuter, que nous en discutions.* – *Se rendre nécessaire* : se rendre indispensable. **3.** LOG Qui découle logiquement et inévitablement de conditions ou d'une hypothèse déterminées. *Le syllogisme est un type formellement parfait d'enchaînement nécessaire.* ▷ Cour. Inéluctable. **4.** Qui ne peut pas ne pas être ni être autrement (par oppos. à *contingent*). *«Les lois, dans la signification la plus étendue, sont des rapports nécessaires qui dérivent de la nature des choses»* (Montesquieu). **II.** n. m. **1.** Ce qui est absolument indispensable pour vivre. *Le nécessaire et le superflu. Manquer du plus strict nécessaire.* **2.** Ce qu'il faut faire pour arriver à un résultat déterminé. *Je compte sur vous pour faire le nécessaire.* **3.** PHILO *Le nécessaire et le contingent.* **4.** *Un nécessaire* : un coffret garni des objets nécessaires pour un usage déterminé. *Un nécessaire de toilette, de couture.*

nécessairement adv. **1.** Par un besoin impérieux; absolument. *Il faut nécessairement qu'on trouve une solution.* **2.** D'une manière nécessaire, logique et inévitable.

nécessité n. f. **1.** Caractère de ce qui est nécessaire; chose nécessaire; obligation. *La nécessité de manger pour vivre.* – *Nécessité vitale,* absolue. **2.** Besoin impérieux; ce qui est indispensable dans une situation donnée. *Pourvoir aux urgentes nécessités de l'État.* – *Les nécessités de la vie.* ▷ *Objets de première nécessité,* ceux qui sont vraiment indispensables pour vivre. **3.** Loc. *Nécessité fait loi* : certains actes se justifient d'eux-mêmes par leur caractère inévitable. – *Faire de nécessité vertu* : s'acquitter, en y cherchant une occasion de mérite, d'une chose nécessaire. **4.** PHILO, LOG Caractère nécessaire d'un enchaînement de causes et d'effets.

nécessiter v. tr. [1] **1.** Rendre indispensable; exiger. *Cela nécessite un prêt. Cette opération nécessite une grande maîtrise de la technique.* **2.** PHILO Impliquer logiquement et inéluctablement.

nécessiteux, euse adj. et n. Qui est dans le besoin, qui manque du nécessaire. *Vieillard nécessiteux.* – Subst. *Secourir les nécessiteux,* les indigents.

Nechako (la), riv. du Canada (400 km), en Colombie britannique, affl. (r. dr.) du Fraser.

Néchao ou **Nékao Ier** (VIIe s. av. J.-C.), prince saïte d'Égypte; père de Psammétik Ier, qui fonda la XXVIe dynastie. – **Néchao II** (m. en 594 av. J.-C.), fils de Psammétik et son successeur sur le trône d'Égypte (609-594 av. J.-C.). Il rétablit l'influence égyptienne en Syrie par sa victoire de Meggido sur le roi de Juda Josias (609 av. J.-C.), mais fut battu à Karkamish par Nabuchodonosor II (605 av. J.-C.) et dut renoncer à ses conquêtes.

neck n. m. GEOL Piton rocheux provenant d'une ancienne cheminée volcanique remplie de lave solidifiée et dégagée par l'érosion des formations encaissantes.

Neckar (le), riv. d'Allemagne (367 km); conflue avec le Rhin (r. dr.) à Mannheim; arrose Tübingen, Stuttgart, Heidelberg; canalisé, et accessible aux chalands de 1 350 t en aval de Stuttgart.

Necker (Jacques) (Genève, 1732 – Coppet, près de Genève, 1804), financier et homme d'État suisse. Issu d'une famille protestante allemande installée

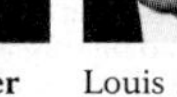

Jacques **Necker** Louis **Néel**

à Genève, il vint à Paris en 1747, devint banquier et, une fois fortune faite, se consacra à la politique. Directeur général des Finances (1777), il pratiqua une politique d'économies et voulut réformer l'impôt en créant (1778) des assemblées provinciales, mesure mal acceptée par les parlements. Ayant publié l'état des finances du royaume, dans son *Compte rendu au roi*, il dut démissionner (1781). Rappelé sous la pression de l'opinion (25 août 1788), il fit convoquer les états généraux. Renvoyé le 11 juil. 1789, rappelé le 16, impuissant à contrôler les événements, il se retira en 1790 en Suisse, avec sa fille, Mme de Staël.

nec plus ultra [nɛkplysyltʀa] n. m. inv. (loc. lat.) Ce qui constitue un terme, un état qui n'a pas été ou ne saurait être dépassé. *Le nec plus ultra de l'élégance.*

nécr(o)-. Élément, du gr. *nekros*, « mort ».

nécrobie adj. et n. 1. adj. et n. m. BIOL Se dit d'un organisme vivant sur les cadavres. 2. n. f. ZOOL Coléoptère qui vit sur les matières animales en décomposition.

nécrologe n. m. RELIG CATHOL Liste des personnes défuntes d'une paroisse. – *Par ext.* Liste des personnes mortes au cours d'une catastrophe.

nécrologie n. f. 1. Notice biographique sur un personnage décédé récemment. 2. Liste de personnes décédées pendant un laps de temps déterminé. – Avis des décès survenus à une date ou pendant une période déterminées, et publiés. *La nécrologie d'un journal.*

nécrologique adj. Qui concerne la nécrologie. *Un article nécrologique. Rubrique nécrologique d'un quotidien.*

nécrologue n. m. Didac. Auteur de nécrologies, d'articles nécrologiques.

nécromancie n. f. Science occulte qui prétend, par l'évocation des morts, révéler l'avenir.

nécromancien, enne n. Personne qui s'occupe de nécromancie.

nécrophage adj. et n. Qui se nourrit de cadavres. *Animal, insecte nécrophage.* ▷ Subst. PSYCHIAT Malade commettant des actes de nécrophagie.

nécrophagie n. f. PSYCHIAT Cannibalisme perpétré sur des cadavres.

nécrophile adj. et n. MED Se dit d'une personne atteinte de nécrophilie.

nécrophilie n. f. PSYCHIAT Attirance sexuelle morbide pour les cadavres.

nécrophore n. m. ENTOM Coléoptère noir (genre *Necrophorus*), long d'environ 25 mm, qui pond ses œufs sur des charognes qu'il a enterrées.

nécropole n. f. 1. ANTIQ Vaste ensemble de sépultures. *Les nécropoles de Thèbes, en Égypte. Nécropole souterraine. Nécropole à ciel ouvert.* 2. Litt. Vaste cimetière d'une grande ville moderne. 3. Édifice (église, etc.) qui contient les tombeaux d'une famille princière ou royale. *Le* Panteón de los reyes, *dans l'Escurial, est la nécropole des rois d'Espagne.*

nécrose n. f. MED, BIOL Mort cellulaire ou tissulaire.

nécroser v. tr. [1] MED, BIOL Provoquer la nécrose de. ▷ v. pron. Être atteint de nécrose.

nécrosique ou **nécrotique** adj. MED, BIOL Atteint de nécrose.

Nectanibis ou **Nectanebo,** nom de deux pharaons de la XXXe dynastie. – **Nectanibis Ier** (m. en 360 av. J.-C.), fondateur de la XXXe dynastie, dite sébennytique (originaire de Sebennytos, auj. Semenoud, ville du delta du Nil); il s'opposa victorieusement à une tentative de reconquête de l'Égypte par le roi perse Artaxerxès II (373 av. J.-C.). – **Nectanibis II,** roi d'Égypte de 359 à 341 av. J.-C.; vaincu par Artaxerxès III v. 342 av. J.-C. C'est le dernier pharaon indépendant avant la domination perse.

nectar n. m. 1. MYTH Breuvage des dieux. ▷ Litt. Breuvage délicieux. *Ce vin est un nectar.* 2. Liquide sucré, très riche en glucose, sécrété par certaines plantes et utilisé par les abeilles pour faire le miel.

nectarine n. f. Hybride de pêche à peau lisse et noyau libre.

necton n. m. OCEANOGR Ensemble des animaux marins qui se déplacent en nageant (par oppos. à *plancton*).

Nedjd. V. Nadjd.

Néel (Louis) (Lyon, 1904), physicien français. On lui doit des travaux sur le magnétisme. Il découvrit le ferrimagnétisme et l'antiferromagnétisme. P. Nobel 1970.

néerlandais, aise adj. et n. 1. adj. Des Pays-Bas. ▷ Subst. *Un(e) Néerlandais(e).* 2. n. m. *Le néerlandais* : la langue germanique parlée aux Pays-Bas et dans le nord de la Belgique (flamand).

Neerwinden, anc. local. de Belgique (Brabant), auj. rattachée à Landen. Le maréchal de Luxembourg y vainquit Guillaume III d'Orange (1693); et le prince de Cobourg, Dumouriez (1793).

nef [nɛf] n. f. 1. Vx ou litt. Navire. 2. Partie d'une église qui va du portail à la croisée du transept et qui est comprise entre les deux murs latéraux (église à nef unique), entre une rangée de piliers et un mur latéral, ou entre deux rangées de piliers (église à trois, à cinq nefs).

néfaste adj. 1. ANTIQ ROM *Jours néfastes*, où il était interdit par la loi divine de s'occuper des affaires publiques. 2. Malheureux, désastreux. *Journée néfaste.* ▷ Qui porte malheur. *Personnage néfaste. – Idée néfaste.*

Néfertiti (XIVe s. av. J.-C.), reine d'Égypte, femme d'Aménophis IV Akhenaton. Selon toute vraisemblance, elle participa à la révolution religieuse accomplie par Aménophis IV, qui abolit le culte d'Amon et le remplaça par le culte d'Aton, qu'elle maintint après la disparition de son époux.

nèfle n. f. Fruit du néflier, que l'on consomme blet. ▷ Pop. *Des nèfles!* : rien du tout! Pas question!

néflier n. m. Rosacée arborescente aux fruits comestibles, qui pousse spontanément dans les régions tempérées.

Nefta, v. et vaste oasis du S. de la Tunisie (gouvernorat de Gafsa); 15 510 hab. Métropole religieuse du Djérid.

négateur, trice adj. et n. Litt. Qui nie, qui a l'habitude de nier. ▷ Subst. *Un négateur de Dieu.*

négatif, ive adj. et n. 1. Qui exprime une négation, qui marque un refus (par oppos. à *affirmatif*). *La réponse est négative. – Assertion négative.* ▷ n. f. *Ils nous ont encore répondu par la négative*, négativement. 2. Qui n'est pas constructif, qui ne fait que s'opposer. *Critique négative.* 3. Qui ne consiste qu'en l'absence de son contraire (par oppos. à *positif*). *Bonheur, plaisir négatif.* 4. MATH *Nombre négatif*, inférieur ou égal à zéro. *Nombre strictement négatif*, inférieur à zéro. ▷ *Exposant négatif*, affecté du signe moins. ▷ METEO *Température négative*, inférieure à 0 °C. 5. *Électricité négative*, constituée d'électrons. ▷ *Pôle négatif* : pôle par lequel le courant arrive, dans un générateur de courant continu. ▷ CHIM *Ion négatif* : anion. 6. PHOTO *Épreuve négative* ou, n. m., *un négatif* : phototype dans lequel les parties claires et les parties sombres ou les tons sont inversés par rapport au modèle.

négation n. f. 1. Action de nier; son expression verbale, écrite, etc. ▷ LOG *Négation d'une proposition P* : proposition, notée non P ou $\bar{P}$, qui est fausse si P est vraie et inversement. ▷ Comportement, acte qui est en contradiction complète avec qqch. *Accepter, ce serait la négation de tout ce que nous avons fait jusqu'à présent.* 2. Mot, groupe de mots qui sert à rendre un énoncé négatif. *« Non », « ne... pas » sont des négations.*

négationnisme n. m. Syn. de *révisionnisme* (sens 3).

négationniste adj. et n. Syn. de *révisionniste* (sens 2).

négativement adv. D'une manière négative.

négativisme n. m. 1. PHILO Système niant toute croyance à une réalité. 2. PSYCHIAT Trouble de l'activité volontaire caractérisé par le refus passif ou actif de répondre à toute sollicitation, interne ou externe. 3. Didac. Attitude caractérisée par la négation, le refus systématique de tout.

négativité n. f. 1. PHYS Caractère d'un corps porteur d'une charge négative. 2. Caractère de ce qui est négatif (sens 2).

négaton n. m. PHYS NUCL Syn. de *électron* (par oppos. à l'électron positif ou *positon*).

négatoscope n. m. TECH Écran lumineux pour l'examen des clichés radiographiques.

Negeri Sembilan (anc. *Negri Sembilan*), État de Malaisie, au N. de Malacca; 6 643 km²; 679 000 hab.; cap. *Seremban*. Agriculture; étain.

négligé, ée adj. et n. m. I. adj. 1. Dont on n'a pas pris un soin suffisant. *Barbe, tenue négligée.* ▷ Pour qui l'on manque d'égards, d'attentions. 2. Qui néglige sa personne, sa tenue. II. n. m.

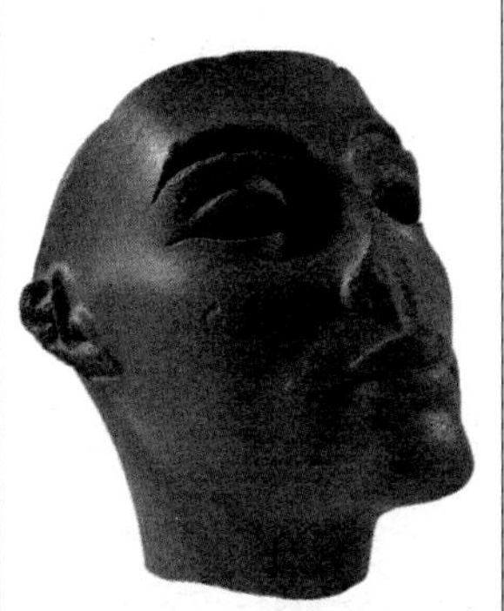

tête inachevée de **Néfertiti,** prov. de Tell-el-Amarna, 1365-1349 av. J.-C.; Musée archéologique, Le Caire

1. État d'une personne dont la toilette est sans recherche. *Le négligé lui va bien. Être toujours en négligé.* **2.** Vieilli Syn. de *déshabillé* (sens 2).

négligeable adj. Qui peut être négligé, sans importance. *Efforts négligeables.* ▷ MATH *Quantité négligeable* : quantité suffisamment faible pour que l'on puisse ne pas en tenir compte dans les calculs. ▷ Cour., péjor. Ce qui est sans intérêt, ne compte pas.

négligemment [negliʒamɑ̃] adv. **1.** Avec négligence. *S'habiller négligemment.* **2.** Avec indifférence. *Répondre négligemment.*

négligence n. f. **1.** Défaut de soin, d'application; manque d'attention. ▷ *Spécial.* Manque de soin dans la tenue. *Vêtu avec négligence.* **2.** Faute, erreur due à un manque de soin, d'application. *Commettre une, des négligences. – Négligences de style.*

négligent, ente adj. Qui fait preuve de négligence.

négliger v. tr. [**13**] **1.** Ne pas s'occuper de (qqch) avec autant de soin, d'attention qu'on le devrait. *Négliger sa santé, ses intérêts. – Négliger sa mise, sa toilette.* ▷ v. pron. Prendre moins soin qu'à l'ordinaire de sa personne. **2.** Ne pas montrer à (qqn) autant d'attention, d'affection qu'on le devrait. *Négliger sa femme, ses amis.* **3.** Ne pas mettre en usage ou à profit. *Négliger un avertissement. – Négliger une occasion.*

négoce n. m. Vieilli Commerce en gros.

négociabilité n. f. COMM Qualité de ce qui peut être négocié (sens II, 1). *Négociabilité d'un effet de commerce.*

négociable adj. Que l'on peut négocier. *Titre négociable.*

négociant, ante n. Personne qui fait du négoce, du commerce en gros. *Négociant en tissus.*

négociateur, trice n. **1.** Personne chargée de négocier une affaire. **2.** Diplomate, personne qui a pour mission de mener des négociations avec les parties intéressées (spécial. en matière sociale, politique).

négociation n. f. **I. 1.** Action de négocier; l'affaire que l'on négocie. *Une négociation difficile.* **2.** COMM Action de négocier (un billet, une traite). **II.** Ensemble des démarches entreprises pour conclure un accord, un traité, pour rechercher une solution à un problème social ou politique; résultat de ces démarches. *Préférer la négociation à l'affrontement. Le problème des salaires n'a pu être réglé par la négociation. Engager, rompre des négociations.*

négocier v. [**2**] **I.** v. intr. Engager des pourparlers, procéder à des échanges de vues dans l'intention de traiter une affaire. ▷ *Spécial.* Aboutir par la négociation à; rechercher un accord social, politique par la négociation (sens II). **II.** v. tr. **1.** COMM Céder (un effet, une lettre de change) à un tiers contre de l'argent liquide. **2.** Se concerter sur les conditions de réalisation de qqch. *Négocier une affaire importante. – Négocier un règlement de paix.* **3.** SPORT, AUTO *Négocier un virage,* le prendre, à grande vitesse, le mieux possible.

nègre, négresse n. et adj. **A.** n. **I. 1.** Vieilli (Souvent employé avec une intention péjor. et raciste, sauf par les Noirs eux-mêmes.) Personne de race noire. **2.** Esclave noir employé autrefois dans les colonies. *La traite des nègres.* ▷ Fam. *Travailler comme un nègre,* beaucoup, durement. **II.** n. m. Fig. Personne qui prépare ou fait le travail d'un écrivain célèbre, d'une personne connue qui signe de son nom un ouvrage qu'il n'a pas écrit. **B.** adj. **1.** De race noire; relatif à la race, aux ethnies noires. *Coutumes nègres.* ▷ *Art nègre* : art de l'Afrique noire, spécial. tel que l'Occident l'a découvert au début du XXe s. *L'art nègre a contribué à la naissance du cubisme.* V. encycl. **2.** adj. inv. *Nègre* ou, plus cour., *tête-de-nègre* : marron foncé. *Un manteau tête-de-nègre.* ▷ *Nègre blanc* : équivoque, dont les termes, les conclusions sont contradictoires. *Réponse nègre blanc.*

ENCYCL **Art.** – La sculpture d'Afrique noire, riche de l'art de cour des roy. d'Ifé et du Bénin, a surtout connu un extraordinaire développement en tant qu'art à fonction cultuelle (animisme, fétichisme) des peuples africains à organisation tribale. Cet art, représenté le plus souvent par des objets sculptés en bois (statuettes, masques), offre une extrême diversité de styles. Parmi les peuples dont la production artistique fut le plus remarquable, il faut citer : au Cameroun, les Bamilékés; au Congo, les Bakongos; au Zaïre, les Bakoubas, notam.; en Côte d'Ivoire, les Baoulés, les Dans et les Sénoufos; au Bénin, les Fons et les Yoroubas; au Gabon, les Fangs; au Ghana, les Achantis; en Guinée, les Bagas et les Kissis; au Burkina Faso, les Bobos; au Mali, les Dogons, les Bambaras et les Sénoufos; au Nigeria, les Ibos et les Yoroubas. Rares sont les objets africains en bois qui remontent à plus de deux siècles; mais il existe des exceptions, par ex. certaines statuettes Tellem (ancêtres des Dogons) que l'on date des XIIIe-XIVe s.

Nègrepont. V. Eubée.

négrier, ère adj. et n. m. **I.** adj. Qui a rapport à la traite des Noirs; qui se livre, qui sert à la traite des Noirs. *Capitaine négrier. Navire négrier.* **II.** n. m. **1.** Celui qui faisait la traite des Noirs. – Navire qui servait à faire la traite des Noirs. **2.** Fig. Chef d'entreprise dur et âpre comme un marchand d'esclaves.

négrillon, onne n. Vx ou péjor. et raciste Petit enfant de race noire.

Negri Sembilan. V. Negeri Sembilan.

Négritos, populations primitives mélano-indonésiennes (Philippines, Malaisie, îles Andaman). Leur petite taille et leurs caractères négroïdes les ont fait comparer aux Pygmées, auxquels ils ne sont pas apparentés.

négritude n. f. **1.** Fait d'appartenir à la race noire. **2.** Ensemble des caractéristiques culturelles, historiques, des nations, des peuples noirs.

Negro (rio), riv. d'Amérique du S. (600 km), affl. de l'Uruguay (r. g.). Il draine le Rio Grande do Sul, au Brésil, et l'Uruguay.

Negro (río), riv. d'Amérique du S. (2 200 km), affl. de l'Amazone (r. g.) en aval de Manaus. Il arrose la Colombie, le Venezuela et le Brésil septentrional.

Negro (río), fl. d'Argentine (1 000 km), qui draine le N. de la Patagonie et se jette dans l'Atlantique.

négro-africain, aine adj. Relatif aux peuples d'Afrique noire. ▷ Subst. *Les Négro-Africains.*

négro-américain, aine adj. Qui appartient aux Noirs d'Amérique. *La musique négro-américaine.* ▷ Subst. *Les Négro-Américains.*

négroïde adj. (et n.) Qui présente, dans le visage, certaines des caractéristiques du type noir.

Negros, île des Philippines (archipel des Visayas), au N. de Mindanao; 13 671 km²; 3 182 220 hab.; v. princ. *Bacolod.* Canne à sucre.

negro-spiritual [negʀospiritɥɔl] n. m. Chant religieux des Noirs chrétiens des États-Unis. *Les negro-spirituals.*

Negruzzi (Constantin) (près de Iaşi, 1808 – id., 1868), écrivain moldave; le véritable créateur de la nouvelle historique en Roumanie : *Alexandru Lăpuşneanu* (1840).

Néguev, rég. en partie désertique du S. de l'État d'Israël, ayant un débouché sur le golfe d'Akaba, mise en valeur depuis 1948; les ressources agricoles (cult. irriguées) et du sous-sol (cuivre, pétrole, phosphates, etc.) sont importantes.

Néguib (Mohammed) (Khartoum, 1901 – Le Caire, 1984), général et homme politique égyptien. Chef du coup d'État de juil. 1952 qui renversa le roi Farouk, il proclama la république en 1953 et la présida jusqu'en 1954. Nasser le remplaça.

négus [negys] n. m. HIST Titre des empereurs d'Éthiopie.

Néhémie (Ve s. av. J.-C.), personnage biblique; gouverneur de Judée, il obtint du roi de Perse, Artaxerxès Ier, l'autorisation de reconstruire les murs de Jérusalem (v. 445) et de reformer avec Esdras la communauté juive.

Nehru (Çrī Jawāharlāl) (Allahābad, 1889 – New Delhi, 1964), homme politique indien. Rallié aux idées nationalistes de Gandhi, devenu président du parti du Congrès en 1929, il œuvra pour l'indépendance de l'Inde et fut Premier ministre de 1947 à sa mort. En politique internationale, il se réclama du neutralisme, dont il fut l'un des champions.

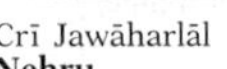

Crī Jawāharlāl **Nehru**

l'amiral **Nelson**

neige n. f. **1.** Eau congelée qui tombe en flocons blancs et légers. *Chute de neige, boule de neige.* – Fig. *Être blanc comme neige* : être innocent, ne rien avoir à se reprocher. ▷ *Neiges persistantes* ou, cour., *neiges éternelles,* qui (à une altitude supérieure à 2 700 m en France) ne fondent pas en été. **2.** *De neige* : qui a rapport aux sports d'hiver. *Train de neige. Vacances de neige. – Classe de neige* : enseignement organisé en montagne à l'époque des sports d'hiver pour une classe scolaire. **3.** *Neige carbonique* : anhydride carbonique solide (CO^2) utilisé dans les extincteurs et comme réfrigérant. ▷ *Neige artificielle,* obtenue par pulvérisation d'eau froide. **4.** Arg. Cocaïne. **5.** CUIS *Œufs en neige* : blancs d'œufs battus formant une masse blanche compacte. ▷ *Œufs à la neige* : œufs en neige cuits servis sur une crème anglaise.

Neige (crêt de la), point culminant du Jura (1 723 m), au S.-O. de Gex (Ain).

neiger v. impers. [**13**] Tomber, en parlant de la neige.

Neiges (piton des), point culminant de la Réunion (3 069 m), au centre-ouest de l'île.

neigeux, euse adj. **1.** Couvert de neige. **2.** Qui rappelle la neige par sa blancheur immaculée, sa consistance.

Neill (Alexander Sutherland) (Forfar, 1883 - Aldeburgh, Suffolk, 1973), pédagogue britannique. Il expérimenta, dans son école de Summerhill, une méthode d'éducation fondée sur l'« autogouvernement » des enfants (*Libres enfants de Summerhill*, 1960).

Neimenggu. V. Mongolie-Intérieure.

Neipperg (Adam Albrecht, comte von) (Vienne, 1775 - Parme, 1829), général et diplomate autrichien ; grand maître du palais de l'impératrice Marie-Louise, qu'il épousa en 1821.

Neisse de Lusace ou **Nysa Łuzycka** (la), riv. d'Europe centrale (256 km), affl. de l'Oder (r. g.). Une partie de son cours marque la frontière entre l'Allemagne et la Pologne *(ligne Oder-Neisse)*.

Neiva, v. de Colombie ; 178 130 hab. ; ch.-l. du dép. de Huíla. Port fluvial sur le río Magdalena. Centre commercial.

Nékao Ier. V. Néchao.

Nekrassov (Nikolaï Alexeïevitch) (Iouzvino, 1821 - Saint-Pétersbourg, 1877), journaliste et poète lyrique russe d'inspiration populaire. Il milita pour l'affranchissement des serfs dans ses *Poésies*. Princ. œuvres : *Femmes russes* (1872-1873), *Qui peut vivre heureux en Russie ?* (1863-1877).

Nélaton (Auguste) (Paris, 1807 - id., 1873), chirurgien français (*Éléments de pathologie chirurgicale*, 1844-1860).

Nelligan (Émile) (Montréal, 1879 - id., 1941), poète québécois qu'influencèrent Baudelaire, Rimbaud et les symbolistes. Il cessa d'écrire en 1899, alors qu'il commençait à sombrer dans la folie.

nélombo ou **nélumbo** [nelɔ̃bo] n. m. BOT Plante d'eau douce (fam. nymphéacées) dont une espèce indienne à grandes fleurs blanches est le *lotus sacré*.

Nelson (le), fl. du Canada (Manitoba) ; 650 km ; issu du lac Winnipeg, il se jette dans la baie d'Hudson.

Nelson (Horatio, vicomte de) (Burnham Thorpe, Norfolk, 1758 - au large de Trafalgar, 1805), amiral britannique. Chargé d'intercepter Bonaparte en route pour l'Égypte, il vainquit la flotte française à Aboukir (1798). En 1799, il reprit Naples aux révolutionnaires (et fut fait duc de Bronte en 1800). Nelson triompha de l'escadre française, commandée par l'amiral Villeneuve, à Trafalgar (1805), victoire qu'il paya de sa vie mais qui assura à la G.-B. la maîtrise des mers.

nem [nɛm] n. m. Mets asiatique, petite crêpe de riz fourrée et frite.

Nemanjić, dynastie serbe issue d'Étienne Nemanja, qui régna de 1170 à 1371 ; les Turcs la détrônèrent.

némat(o)-. Élément, du gr. *nêma, nêmatos*, « fil ».

némathelminthes n. m. pl. ZOOL Embranchement de vers au corps cylindrique non segmenté, appelés aussi *vers ronds*. - Sing. *Un némathelminthe*.

nématique adj. PHYS *État nématique* : état mésomorphe dans lequel les molécules d'un cristal liquide sont orientées dans une même direction en l'absence d'influence extérieure. *Les propriétés de l'état nématique sont utilisées pour l'affichage de lettres ou de chiffres dans les calculatrices.*

nématocères n. m. pl. ENTOM Sous-ordre d'insectes diptères comprenant notam. les moustiques. - Sing. *Un nématocère.*

nématodes n. m. pl. ZOOL Classe très import. de némathelminthes comprenant des espèces marines, d'eau douce ou terrestres, caractérisées par un tube digestif complet. *L'ascaris, la trichine, les filaires sont des nématodes parasites de l'homme.* - Sing. *Un nématode.*

nématorhynques n. m. pl. ZOOL Embranchement de métazoaires pseudocœlomates marins ou d'eau douce, microscopiques, les plus primitifs des vers. - Sing. *Un nématorhynque.*

Némée, vallée de l'Argolide (Péloponnèse), où Hēraklès tua un lion redoutable. - Les *jeux Néméens* y étaient organisés par les Grecs tous les deux ans (depuis 374 av. J.-C.) en l'honneur de Zeus Néméen et d'Hēraklès.

némertiens [nemɛʀsjɛ̃] n. m. pl. ZOOL Embranchement de métazoaires cœlomates, vers marins ou d'eau douce au tube digestif complet. - Sing. *Un némertien.*

Némésis, dans la myth. gr., déesse de la Vengeance des dieux ; par son action justicière, elle personnifie, rythme et équilibre le destin des hommes.

Nemeyri *(Ğa'far an-Numayrī)* (Omdurman, 1930), homme politique soudanais. Général, il dirigea le coup d'État de 1969 et gouverna d'abord avec l'appui des communistes, qu'il élimina ensuite par des exécutions massives (1971). Son alliance avec les Frères musulmans et la crise générale du pays (guérilla sudiste de John Gareng, délabrement économique) entraînèrent son renversement en 1985.

Némirovski (Irène) (Kiev, 1903 - en déportation, 1942), écrivain français d'origine russe. Elle a laissé des romans au réalisme amer (*David Golder*, 1929 ; *Jézabel*, 1936).

Nemours, ch.-l. de cant. de Seine-et-Marne (arr. de Fontainebleau), sur le Loing ; 12 115 hab. - Église (XVIe s.). Château du XIIe s., remanié aux XVe et XVIIe s. - Le duché de Nemours, créé en 1404 pour Charles III de Navarre, revint ensuite à la Couronne. Donné par Louis XIV à son frère Philippe d'Orléans, il resta dans la maison d'Orléans jusqu'à la Révolution.

Nemours (Jacques d'Armagnac, comte de Castres, puis duc de) (Paris, 1433 - id., 1477), gouverneur de Paris et de l'Île-de-France ; adversaire de Louis XI, qui le fit arrêter, torturer et décapiter.

Nemours (Louis Charles Philippe d'Orléans, duc de) (Paris, 1814 - Versailles, 1896), prince français, second fils de Louis-Philippe. Il se distingua lors du siège d'Anvers (1832) et de la prise de Constantine (1837).

Nemrod, petit-fils de Cham. La Bible l'appelle *vaillant chasseur devant l'Éternel* et le donne comme fondateur de l'Empire babylonien (Genèse, X, 8-12).

néné n. m. Pop. Sein de femme.

nenni adv. Vx Non.

Nenni (Pietro) (Faenza, 1891 - Rome, 1980), homme politique italien ; secrétaire général du parti socialiste en exil (1931), du P.S.I. (1944-1963), puis président du parti socialiste unifié (1966), plusieurs fois ministre dans des gouvernements de centre-gauche.

nénuphar n. m. Plante aquatique des eaux tranquilles (fam. nymphéacées) aux feuilles flottantes et aux fleurs solitaires diversement colorées.

néo-. Préfixe, du gr. *neos*, « nouveau ».

néoblaste n. m. BIOL Cellule de régénération existant chez certains groupes d'animaux primitifs (planaires, annélides).

néo-calédonien, enne adj. et n. De Nouvelle-Calédonie ; relatif aux Néo-Calédoniens. ▷ Subst. *Les Néo-Calédoniens.*

néo-capitalisme n. m. ECON Forme moderne du capitalisme qui accepte l'intervention de l'État dans certains secteurs.

néo-celtique adj. Se dit des langues vivantes dérivées de l'ancien celte telles que le breton et le gaélique. *Les langues néo-celtiques.*

Néo-Césarée, anc. v. du Pont (Asie Mineure), sur le Lycos (auj. *Niksar*, Turquie) ; 12 000 hab. ; import. centre chrétien aux IIIe et IVe s.

néo-chrétien, enne adj. et n. Qui est partisan du néo-christianisme ; qui le pratique.

néo-christianisme n. m. Système de philosophie chrétienne, datant de la fin du XIXe s., qui tend à constituer une religion sans dogme.

néo-classicisme n. m. **1.** LITTER Mouvement littéraire français du début du XXe s. qui s'est attaché à renouveler les formes poétiques modernes en prenant pour modèle l'idéal classique. *Le néo-classicisme est issu de l'« école romane » de J. Moréas.* **2.** BX-A Mouvement artistique de retour à l'Antiquité gréco-romaine.

ENCYCL **BX-A.** - Apparu v. le milieu du XVIIIe s. à Rome, le néo-classicisme se répandit dans tous les pays européens et aux É.-U. (*Capitole* de Washington), et se prolongea jusqu'en 1830 env. À l'origine, on voit généralement une réaction contre l'art « aristocrate » (baroque, rococo), ainsi qu'une admiration pour la République romaine. L'art antique, que les fouilles d'Herculanum (1720) et de Pompéi (1748) commençaient à faire mieux connaître, prit force de symbole. La génération des architectes néo-classiques français comprend notam. E. L. Boullée, C. de Wailly (Odéon), C. N. Ledoux, A. T. Brongniart (Bourse de Paris), J.-F. Chalgrin (arc de triomphe de l'Étoile), P.A. Vignon (égl. de la Madeleine). Le sculpteur ital. A. Canova fut celui qui soumit le plus facilement son art à l'esthétique du « noble contour ». En peinture, le *Serment des Horaces*, de David (1784), se présenta comme le manifeste de la nouvelle école (F. Gérard, Girodet, etc.).

néo-classique adj. et n. m. Relatif au néo-classicisme, qui appartient au néo-classicisme. - n. m. *Les néo-classiques.*

néo-colonialisme n. m. État de domination économique et culturelle maintenu par des voies détournées sur d'anciennes colonies.

néo-colonialiste adj. et n. Qui a les caractères du néo-colonialisme ; qui pratique le néo-colonialisme. ▷ Subst. *Des néo-colonialistes.*

néo-confucianisme n. m. Doctrine inspirée du confucianisme, qui se développa en Chine au Xe s.

néocortex n. m. Couche de substance grise occupant, chez les mammifères, la plus grande partie de la surface des hémisphères cérébraux.

néo-criticisme n. m. PHILO Doctrine philosophique d'inspiration kantienne.

néo-darwinisme n. m. BIOL Théorie de l'évolution fondée sur la seule sélection de l'espèce par le milieu, qui nie l'hérédité des caractères acquis.

néodyme n. m. CHIM Élément appartenant à la famille des lanthanides, de numéro atomique Z = 60, de masse atomique 144,24 (symbole Nd). – Métal (Nd) qui fond à 1 021 °C et bout à 3 068 °C.

néo-fascisme n. m. Tendance politique inspirée du fascisme* italien.

néo-fasciste adj. et n. Du néo-fascisme. ▷ Subst. *Les néo-fascistes.*

néoformation n. f. MED Tumeur maligne. Syn. néoplasie.

néogaulliste adj. et n. Se dit du mouvement gaulliste après la mort du général de Gaulle.

néogène n. m. et adj. GEOL Dernière partie de l'ère tertiaire, qui comprend le miocène et le pliocène.

néoglucogenèse ou **néoglycogenèse** n. f. BIOCHIM Transformation des protéines en glucose par le foie.

néognathes [neognat] n. m. pl. ORNITH Syn. de *carinates.* – Sing. *Un néognathe.*

néo-gothique adj. et n. m. ARCHI Qui s'inspire du gothique. ▷ n. m. *Le néo-gothique,* style architectural et décoratif de la fin du XIXe s.

néo-grec, -grecque adj. **1.** Relatif à la Grèce, au grec moderne. **2.** Qui s'inspire de l'art de la Grèce antique.

néo-guinéen, enne adj. De la Nouvelle-Guinée.

néo-impressionnisme n. m. Bx-A Mouvement pictural qui s'affirma entre 1884 et 1891, et dont les adeptes (Seurat, Signac, Cross, etc.) utilisaient la division systématique du ton. (V. divisionnisme, pointillisme.)

néo-impressionniste adj. et n. Bx-A Du néo-impressionnisme.

néo-kantisme n. m. PHILO Doctrine philosophique de la seconde moitié du XIXe s., qui s'inspire de l'idéalisme transcendantal de Kant.

néo-lamarckisme n. m. Didac. Théorie transformiste qui s'inspire des idées de Lamarck mais qui tient l'hérédité et la sélection pour secondaires et considère le milieu comme déterminant dans l'évolution des espèces.

néo-libéralisme n. m. ECON, POLIT Forme renouvelée du libéralisme, qui permet à l'État une intervention limitée sur le plan économique et juridique.

néolithique n. m. et adj. Dernière période de la préhistoire, à laquelle succède la protohistoire. ▷ adj. *Âge néolithique.*

ENCYCL Le néolithique (de l'Europe occidentale) débute v. 5000 et s'achève v. 2500 av. J.-C., mais ces dates varient avec les sites. Ainsi, la ville néolithique la plus anc. que l'on connaisse est Jéricho (v. 8000 ou 7000 av. J.-C.).

néolithisation n. f. Période de la préhistoire marquée par le passage à la sédimentarisation et par la naissance de l'agriculture.

néologie n. f. Invention, introduction de mots nouveaux dans une langue. ▷ LING Processus de formation de mots nouveaux dans le lexique d'une langue par emprunt, dérivation, composition, suffixation, abréviation populaire, etc.

néologique adj. Relatif à la néologie; par néologie. *Formation néologique.*

néologisme n. m. **1.** Usage d'un mot nouveau; emploi d'un mot dans un sens nouveau. **2.** Mot, sens nouveau.

néomortalité n. f. Mortalité néonatale.

néomycine n. f. PHARM Antibiotique à large spectre obtenu à partir de *Streptomyces fradiæ.*

néon n. m. Élément de numéro atomique Z = 10, de masse atomique 20,17 (symbole Ne). – Gaz rare (Ne) de l'air qui se liquéfie à −246 °C et se solidifie à −248,7 °C, utilisé pour l'éclairage par tubes luminescents.

néonatal ou **néo-natal, ale, als** adj. MED Relatif aux premiers jours qui suivent la naissance; du nouveau-né. *Médecine néonatale.*

néonatalogie n. f. MED Discipline spécialisée dans les maladies du nourrisson dans la période qui suit immédiatement la naissance.

néonazi ou **néo-nazi, ie** adj. et n. Du néonazisme. ▷ Subst. Partisan du néonazisme. *Les néo-nazis.*

néonazisme ou **néo-nazisme** n. m. Mouvement politique d'extrême droite qui s'inspire du nazisme.

néophyte n. et adj. **1.** HIST RELIG Païen nouvellement converti, dans l'Église primitive. **2.** Personne nouvellement convertie à une doctrine, à une religion, etc. *L'ardeur du néophyte.* ▷ adj. *Un fanatisme néophyte.*

néoplasie n. f. Tumeur maligne.

néoplasique adj. MED De la nature de la néoplasie; tumoral, cancéreux.

néoplasme n. f. MED Syn. de *tumeur.*

néo-plasticisme n. m. BX-A Doctrine picturale qui prône l'usage exclusif de figures géométriques simples et des trois couleurs primaires (auxquelles peuvent être jointes les trois non-couleurs : noir, blanc, gris). *Mondrian, théoricien du néo-plasticisme.*

néo-platonicien, enne adj. et n. De l'école néo-platonicienne. *Plotin, philosophe néo-platonicien.*

néo-platonisme n. m. PHILO ANC Doctrine, élaborée à Alexandrie au IIIe s. apr. J.-C. et qui se développa jusqu'au VIe s., tentant de concilier les doctrines religieuses de l'Orient avec la philosophie de Platon.

reconstitution d'une habitation **néolithique** du site de Cury-lès-Chaudardes (Aisne)

néo-positivisme n. m. PHILO Mouvement philosophique du XXe s., dit aussi *positivisme logique,* issu du cercle de Vienne* (Schlick, Carnap, Reichenbach, Wittgenstein, etc.).

néo-positiviste adj. et n. Qui appartient au néo-positivisme. ▷ Subst. Philosophe de l'école néo-positiviste. *Les néo-positivistes ont étudié le langage, les systèmes de symboles et la logique formelle.*

néoprène n. m. (Nom déposé.) TECH Caoutchouc synthétique incombustible, résistant aux huiles et au froid.

néoptères n. m. pl. ENTOM Vaste division regroupant les insectes dont les ailes, au repos, sont repliées vers l'arrière, les ailes antérieures recouvrant les ailes postérieures (orthoptères, coléoptères, hyménoptères, diptères, etc.). – Sing. *Un néoptère.*

Néoptolème. V. Pyrrhos.

néo-québécois, oise adj. et n. Relatif ou propre aux immigrés établis au Québec. ▷ Subst. *Un(e) Néo-Québécois(e).*

néo-réalisme n. m. CINE École italienne qui se manifesta de 1942 à 1953, marquée par le réalisme des décors, des situations, et par un intérêt pour les problèmes sociaux.

néo-réaliste adj. (et n.) Relatif au néo-réalisme. *Les cinéastes néo-réalistes.*

néotectonique n. f. GEOL Tectonique récente, postérieure aux plissements tertiaires.

néoténie n. f. ZOOL Possibilité pour certains animaux de se reproduire à l'état larvaire. (V. axolotl.)

néo-thomisme n. m. PHILO Doctrine philosophique contemporaine qui intègre au thomisme les acquisitions de la science moderne.

Néouvielle, massif des Hautes-Pyrénées, au N.-E. du cirque de Gavarnie; 3 092 m au *pic de Néouvielle.* Réserve naturelle.

néo-zélandais, aise adj. et n. De la Nouvelle-Zélande. – Subst. *Un(e) Néo-Zélandais(e).*

néozoïque adj. et n. m. GEOL Syn. de *tertiaire.*

NEP, acronyme pour *Novaïa Ekonomitcheskaïa Politika,* « nouvelle politique économique ». Politique élaborée par Lénine, qui notam. restaura (en partie) l'entreprise privée de 1921 à 1929.

Népal (royaume du) *(Srī Nepalā Sarkār),* État d'Asie centrale situé, au cœur de l'Himalaya, entre la Chine, au N., et l'Inde, au S.; 140 797 km²; 17 400 000 hab., croissance démographique : 2,5 % par an; cap. *Katmandou.* Nature de l'État : monarchie constitutionnelle. Langue off. : népalais. Monnaie : roupie népalaise. Relig. : hindouisme (relig. off., 82 %), bouddhisme (16 %), islam.

Géogr. phys. et hum. – Le relief s'ordonne du S. au N. en bandes parallèles. Le Teraï est un piémont marécageux bordant la plaine du Gange; il est adossé à la chaîne des Siwāliks (2 000 m), suivie au N. d'un ensemble dépassant 3 000 m, le Mahābhārat (Moyen Himalaya). Ces régions, soumises au climat de mousson (fortes précipitations d'été), sont couvertes de forêts tropicales. Au N. s'étend le Moyen Pays, encore humide mais aux températures plus saines, ouvert de larges bassins comme ceux de Katmandou et de Pokharā. Il est dominé par la

puissante muraille du Haut Himalaya, domaine des neiges et des glaciers, que coupent d'impressionnantes vallées et qui compte les plus hauts sommets du monde (Everest, Annapūrnā, Dhaulagiri); une chaîne moins élevée fait ensuite transition avec le Tibet. La population se concentre dans le Teraï et les bassins du Moyen Pays (celui de Katmandou est le cœur historique du Népal); elle est composée de nombreuses ethnies mais les Indo-Népalais, hindouistes, majoritaires, ont imposé le système des castes. Ces peuples, qui comptent 90% de ruraux et 75 % d'analphabètes, sont parmi les plus déshérités du monde.
Écon. – Le Népal est l'un des rares pays qui vit encore d'une écon. agraire traditionnelle, quelques lieux seulement s'étant ouverts au monde avec le tourisme (Katmandou, circuits d'alpinisme et de randonnée). Riz, canne à sucre, jute sont cultivés au S. et dans les fonds de vallées, alors que les bassins et plateaux du Moyen Pays se consacrent au maïs, au blé, à l'orge, à la pomme de terre. Un élevage important complète ces cultures vivrières. L'artisanat donne lieu à quelques export. (tapis, en partic.). Le potentiel hydroélectrique est peu exploité et l'absence d'infrastructures modernes limite tout développement. Très dépendant de l'Inde et, secondairement, de la Chine, le Népal fait partie des pays les moins avancés; l'aide internationale est essentielle à sa survie.
Hist. – Jusqu'au XVIIIe s., de nombreuses principautés se partagèrent le territoire népalais. En 1768, des guerriers hindous, les Gurkhas, conquirent toutes les principautés et unifièrent le pays, avec à leur tête Prithuri Narayana, dont les descendants règnent encore. Après plusieurs échecs militaires (1767-1814), les Britanniques étendirent progressivement leur influence commerciale puis administrative, grâce au soutien de la famille Rānā qui exerçait le pouvoir («maires du palais») depuis 1846. Dès 1923, l'indépendance du pays fut reconnue. En 1951, le roi reprit aux Rānā la direction des affaires et institua une monarchie constitutionnelle; après 1960, le régime, malgré quelques phases d'ouverture, maintint son orientation autoritaire, sous les règnes de Mahendra Bir Bikram (1955-1972) puis de Birendra Bir Bikram. En 1990, le roi Birendra fut contraint d'accepter le retour à la démocratie après trente ans de pouvoir absolu. ► carte **Inde**

népalais, aise adj. et n. **1.** adj. Du Népal. ▷ Subst. *Un(e) Népalais(e).* **2.** n. m. *Le népalais* : la langue indo-européenne parlée au Népal.

nèpe n. f. Punaise carnassière d'eau douce. Syn. scorpion d'eau.

népenthès n. m. **1.** ANTIQ GR Breuvage qui, selon Homère, avait la propriété de dissiper le chagrin. **2.** BOT Plante carnivore des forêts tropicales.

néper [nepɛʀ] n. m. PHYS Unité, utilisée en radioélectricité, servant à mesurer le rapport de deux grandeurs de même nature (tension, puissance, etc.). (Symbole Np; 1 Np = 8,69 dB.)

Neper ou **Napier** (John, baron de Merchiston) (Merchiston, 1550 – id., 1617), mathématicien écossais. Il publia la première table de logarithmes et inventa un instrument appelé *bâtons de Neper,* ancêtre de la règle à calcul.

népérien, enne adj. MATH *Logarithme népérien,* dont la base est le nombre *e* (symbole Log ou ln).

népète n. f. BOT Plante herbacée (fam. labiées) comportant de nombreuses espèces, et notam. la cataire, ou *herbe aux chats.*

néphélion n. m. MED Tache translucide de la cornée

Néphéritès, nom du premier et du dernier pharaon de la XXIXe dynastie (IVe s. av. J.-C.).

néphr(o)-. Élément, du gr. *nephros,* «rein».

néphrectomie n. f. CHIR Ablation chirurgicale du rein.

néphrétique adj. et n. MED *Colique néphrétique* : crise douloureuse souvent due à la migration d'un calcul dans l'uretère. ▷ Subst. Personne sujette aux coliques néphrétiques.

néphrite n. f. MED Atteinte inflammatoire du rein.

néphro-. V. néphr(o)-.

néphrologie n. f. MED Partie de la médecine qui traite de la physiologie et de la pathologie rénales.

néphrologue n. MED Spécialiste de néphrologie.

néphron n. m. ANAT Unité fonctionnelle rénale qui comprend le glomérule et le tubule. *Le rein compte environ un million de néphrons.*

néphropathie n. f. MED Affection touchant le rein.

néphrose n. f. MED Affection dégénérative du rein.

Nephtali, personnage biblique, l'un des fils de Jacob et l'ancêtre éponyme de l'une des douze tribus d'Israël.

Nepos (Cornelius). V. Cornelius Nepos.

Nepos (Flavius Julius) (en Dalmatie, ? – Salone, auj. Split, 480 apr. J.-C.), empereur d'Occident (474-475).

népotisme n. m. **1.** HIST RELIG Forme de favoritisme qui sévissait à la cour pontificale, notam. au XVIe s., et qui consistait à réserver dignités et bénéfices ecclésiastiques à des parents du pape (en partic. à des neveux). **2.** Abus d'influence d'un notable qui distribue des emplois, des faveurs à ses proches.

Neptune, dans la myth. rom., dieu de la Mer, identifié à Poséidon.

Neptune, la plus lointaine des planètes géantes du système solaire, découverte en 1846 par Galle à partir des calculs de Le Verrier. Elle parcourt en 164 ans et 280 jours une orbite quasi circulaire, de 30 UA de rayon, inclinée de 1° 47' par rapport au plan de l'écliptique. Son diamètre atteint 50 000 km, sa densité moyenne est voisine de 1,5 et sa période de rotation sur elle-même de l'ordre de 16 h. La dernière des planètes survolées par la sonde américaine *Voyager 2* (août 1989), Neptune se révéla constituée d'un noyau dense, riche en fer, entouré d'un manteau de glace, et enveloppée d'une épaisse atmosphère composée d'hydrogène, d'hélium et de méthane. En plus des deux satellites repérés depuis la Terre (Triton, diamètre 2 720 km, découvert dès 1846 par l'Anglais William Lassell; Néréide, diamètre 340 km, découvert en 1948 par l'Américain Gerard Kuiper), *Voyager 2* a identifié six autres satellites (dont les diamètres s'échelonnent de 50 à 420 km) et un système complexe d'anneaux.

John **Neper**

Pablo **Neruda**

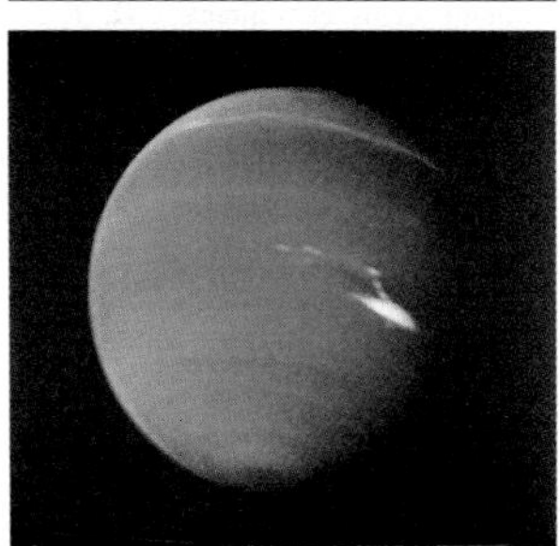

Neptune photographiée par *Voyager 2*

neptunium [nɛptynjɔm] n. m. CHIM Élément artificiel de numéro atomique Z = 93, dont l'isotope le plus stable a pour masse atomique 237 (symbole Np).

Nérac, ch.-l. d'arr. de Lot-et-Garonne, sur la Baïse; 7 571 hab. Vignobles; distill. (armagnac), mat. thermique. – Chât. (XIVe-XVIe s.). Pont-Vieux, goth. Maisons anciennes. – Un des centres du protestantisme français au XVIe s. avec Marguerite de Valois, Jeanne d'Albret et le futur Henri IV, qui y séjournèrent.

Nérée, dans la myth. gr., un des plus anciens dieux de la Mer; fils de Pontos et père des Néréides.

néréide n. f. ZOOL Ver annélide polychète marin carnassier, pourvu de quatre ocelles et d'antennes.

Néréides, dans la myth. gr., nom générique des cinquante filles de Nérée et de Doris. Souvent représentées chevauchant des monstres marins, ces nymphes symbolisent le mouvement de la mer.

nerf [nɛʀ] n. m. **I. 1.** Chacun des filaments blanchâtres qui mettent les différentes parties du corps en relation avec l'encéphale et la moelle épinière. *Nerfs sensitifs,* qui transmettent les sensations de la périphérie vers le névraxe. *Nerfs moteurs,* qui transmettent aux muscles l'excitation motrice. *Nerfs mixtes,* à la fois sensitifs et moteurs. **2.** (Plur.) *Les nerfs* (considérés comme le siège d'émotions telles que l'agacement, l'irritation, la colère). *Crise de nerfs,* extériorisation soudaine, bruyante et désordonnée, d'une tension affective devenue insupportable (sous forme de pleurs, de cris, de gesticulations diverses). – Loc. fam. *Avoir ses nerfs, les nerfs en boule, les nerfs en pelote* : être très agacé. *Taper sur les nerfs de qqn,* l'agacer considérablement. *Paquet de nerfs* : personne très nerveuse. *Être, vivre sur les nerfs,* dans un état de grand énervement. *Être à bout de nerfs* : être sur le point de ne plus pouvoir maîtriser la tension nerveuse que l'on était parvenu jusque-là à contenir. **3.** Loc. fig. *Guerre des nerfs* : ensemble des procédés de démoralisation qu'emploient des pays en conflit pour affaiblir le moral de l'ennemi (civils et militaires). **II. 1.** Fig. Vigueur. *Avoir du nerf,* du ressort. – Prov. *L'argent est le nerf de la guerre,* ce qui la permet et l'entretient. **2.** Cordelette reliant les fils d'assemblage des cahiers d'un livre, en reliure traditionnelle. **3.** *Nerf de bœuf :* cravache, matraque faite d'une verge de bœuf ou de taureau étirée et durcie par dessiccation.

ENCYCL **Anat. et physiol.** – Le système nerveux est un ensemble de structures, très complexes et hétérogènes, qui concourent à l'activité consciente ou inconsciente, volontaire ou involontaire de l'homme. On peut le diviser en deux grands systèmes : le système cérébrospinal et le système neurovégétatif, ou sympathique. Le *système cérébrospinal* est constitué par deux ensembles : le système nerveux central (ou névraxe), qui se compose de l'encéphale et de la moelle épinière, et le système nerveux périphérique, qui comprend les nerfs et les ganglions nerveux. Il permet la relation avec le milieu extérieur. Le *système neurovégétatif,* ou *sympathique,* se subdivise en systèmes sympathique, dit également orthosympathique, et parasympathique, qui innervent les viscères et règlent leur fonctionnement suivant les besoins de l'organisme. Il coordonne les fonctions de l'organisme humain en contrôlant la vie végétative (ou viscérale). Les nerfs crâniens, au nombre de 12 paires, se détachent de l'encéphale, du bulbe et de la protubérance. Les nerfs rachidiens (31 paires) se détachent de la moelle épinière par deux racines (antérieure et postérieure), se réunissent en un tronc commun pour sortir du canal rachidien, puis se séparent à nouveau. Les nerfs du système sympathique se détachent des ganglions de la chaîne sympathique, avec lesquels ils forment des plexus : plexus cardiaque, pulmonaire, solaire, hypogastrique, etc. Les nerfs sympathiques ont une action antagoniste de celle des nerfs parasympathiques. Tout nerf est composé par la réunion des fibres nerveuses (axones) qui prolongent les cellules nerveuses (neurones). V. encycl. neurone.

▸ pl. système **nerveux**

Neri (Philippe). V. Philippe Neri (saint).

Néris-les-Bains, com. de l'Allier (arr. de Montluçon); 2 926 hab. Stat. thermale, connue dès l'Antiquité, traitant les affections nerveuses. – Nombr. vestiges gallo-romains. Église romane.

Nernst (Walther) (Briesen, 1864 – Ober-Zibelle, 1941), physicien et chimiste allemand; connu pour ses travaux sur les équilibres chimiques et les propriétés des corps à basse température. P. Nobel de chimie 1920.

néroli n. m. TECH *Essence de néroli :* huile essentielle tirée de la fleur du bigaradier et utilisée en parfumerie.

Néron (Lucius Domitius Claudius Nero) (Antium, 37 – Rome, 68 ap. J.-C.), empereur romain (54-68). Fils d'Agrippine la Jeune et de Cneius Domitius Ahenobarbus, il fut adopté par l'empereur Claude après le mariage de ce prince avec Agrippine. Il eut comme gouverneur Burrus, un soldat, et comme précepteur le philosophe Sénèque. Le début de son règne fut heureux, puis il fit mettre à mort ceux qui pouvaient gêner sa tyrannie, notam. : Britannicus, fils de Claude, au détriment de qui il avait usurpé l'Empire; sa mère, Agrippine; sa femme, Octavie; Sénèque. Accusé d'avoir provoqué l'incendie de Rome

profil de **Néron,** monnaie romaine en or; Rijksmuseum G. M. Kam, Nimègue

(64), il rejeta le crime sur les chrétiens, qu'il persécuta. Quand les prétoriens eurent proclamé empereur Galba, il quitta Rome, et, sur le point d'être rejoint, se fit volontairement égorger par un affranchi en s'écriant : *Qualis artifex pereo!* («Quel grand artiste périt avec moi!»).

nerprun [nɛʀpʀœ̃] n. m. Arbuste à feuilles caduques (fam. rhamnacées), dont les fruits, généralement noirs, donnent des teintures jaunes ou vertes suivant les espèces. *La bourdaine est un nerprun.*

Nerthe (la), massif au N.-O. de Marseille, traversé par un tunnel ferroviaire (long de 4 638 m).

Neruda (Neftalí Ricardo Reyes Basoalto, dit Pablo) (Parral, 1904 – Santiago, 1973), poète et homme politique chilien. Son chef-d'œuvre, *le Chant général* (1950), est une geste héroïque et satirique qui exalte les combats des peuples d'Amérique latine contre leurs oppresseurs. Autres œuvres : *l'Espagne au cœur* (1937), *Tout l'amour* (1953), *Mémorial de l'île Noire* (1964), *J'avoue que j'ai vécu* (posth., 1974), etc. Il fut ambassadeur du Chili en France sous le gouvernement Allende. P. Nobel 1971. ▸ illustr. page **1289**

Nerva (Marcus Cocceius) (Narni, 26 – Rome, 98 apr. J.-C.), empereur romain (96-98). Successeur de Domitien, il gouverna avec sagesse et adopta Trajan, qui lui succéda.

Nerval (Gérard Labrunie, dit Gérard de) (Paris, 1808 – id., 1855), écrivain français. La passion malheureuse qu'il éprouva pour la comédienne Jenny Colon est pour une grande part à la source de l'exaltation romantique, puis mystique, qui hante ses œuvres maîtresses : *les Filles du feu* (nouvelles, comprenant notam. *Sylvie,* 1854), *les Chimères* (12 sonnets hermétiques en alexandrins, 1854), *Aurélia ou le Rêve et la Vie* (prose, inachevé; éd. posth., 1855). Atteint v. 1841 de troubles mentaux, il fut interné dans la clinique du docteur Blanche. En 1843 il voyagea en

Gérard de **Nerval**

sir Isaac **Newton**

Orient (*Voyage en Orient,* 1851). Son œuvre comprend également des essais (*les Illuminés,* 1852) et une remarquable trad. du *Faust* de Goethe (1826-1827).

nervation n. f. **1.** BOT Nervures d'une feuille; disposition de ces nervures. **2.** ZOOL Ensemble, disposition des nervures des ailes des insectes.

nerveusement adv. **I. 1.** Quant au système nerveux, en ce qui concerne le système nerveux. *Il est épuisé nerveusement.* ▷ *Pleurer nerveusement,* sous l'effet d'une trop forte tension nerveuse. **2.** Avec nervosité. *Parler nerveusement.* **II.** Fig. Avec nerf, avec vigueur. *Tableau nerveusement brossé.*

nerveux, euse adj. (et n.) **I. 1.** Qui appartient, qui a rapport aux nerfs. *Centre nerveux. Influx nerveux. Système nerveux* (V. encycl. nerf). **2.** Relatif aux nerfs, au système nerveux considéré comme le siège de l'affectivité et de l'émotivité. *Maladies nerveuses,* affectant les nerfs en l'absence de lésions organiques. *Dépression nerveuse.* **3.** (Personnes) Agité, excité. *Un enfant nerveux.* – Subst. *C'est un grand nerveux.* **II. 1.** Fort, musclé. *Des bras nerveux.* **2.** Rempli de tendons, filandreux, en parlant d'une viande. *Morceau trop nerveux.* **3.** Fig. Vigoureux. *Un discours nerveux.* ▷ *Moteur nerveux,* qui a de bonnes reprises.

nervi n. m. Péjor. Homme de main.

Nervi (Pier Luigi) (Sondrio, Lombardie, 1891 – Rome, 1979), ingénieur et architecte italien; styliste du béton armé, spécialiste des couvertures à grande portée : palais de l'Unesco à Paris (1954-1958, en collab. avec Breuer et Zehrfuss).

nervosité n. f. Énervement, irritabilité.

nervure n. f. **1.** Saillie longue et fine à la surface d'une chose. **2.** BOT Faisceau composé de liber et de bois d'une feuille, qui fait généralement saillie sur la face inférieure du limbe. **3.** ZOOL Renforcement, en saillie, des ailes membraneuses des insectes. **4.** En reliure, saillie au dos d'un livre, formée par les cordelettes (nerfs) qui relient les cahiers entre eux. **5.** TECH Renforcement formant saillie à la surface d'une pièce et destiné à assurer sa rigidité.

nervurer v. tr. [1] TECH Orner, garnir de nervures.

nescafé n. m. (Nom déposé) Café soluble.

Nesle (tour de), tour de l'enceinte de Philippe Auguste à Paris, sur la r. g. de la Seine; démolie en 1663 pour permettre la construction du collège des Quatre-Nations, auj. l'Institut.

Ness (loch), lac d'Écosse, près d'Inverness, dans la dépression du Glen More; il doit sa célébrité, en partie, au *monstre du loch Ness,* animal d'une espèce inconnue censé vivre dans ses eaux.

Nessos ou **Nessus,** un des centaures de la myth. gr. Ayant tenté d'enlever Déjanire, il est tué par Héraklès. En mourant, il donne à Déjanire une tunique trempée de son sang et censée lui ramener son mari s'il devenait infidèle. Héraklès, lorsqu'il l'eut revêtue, éprouva de telles douleurs qu'il se jeta dans les flammes d'un bûcher sur l'Œta.

Neste d'Aure ou **Grande Neste** (la), riv. des Hautes-Pyrénées (65 km), affl. de la Garonne (r. g.); alimente le *canal de la Neste* ou *de Lannemezan.* Nombr. centrales hydroélectriques.

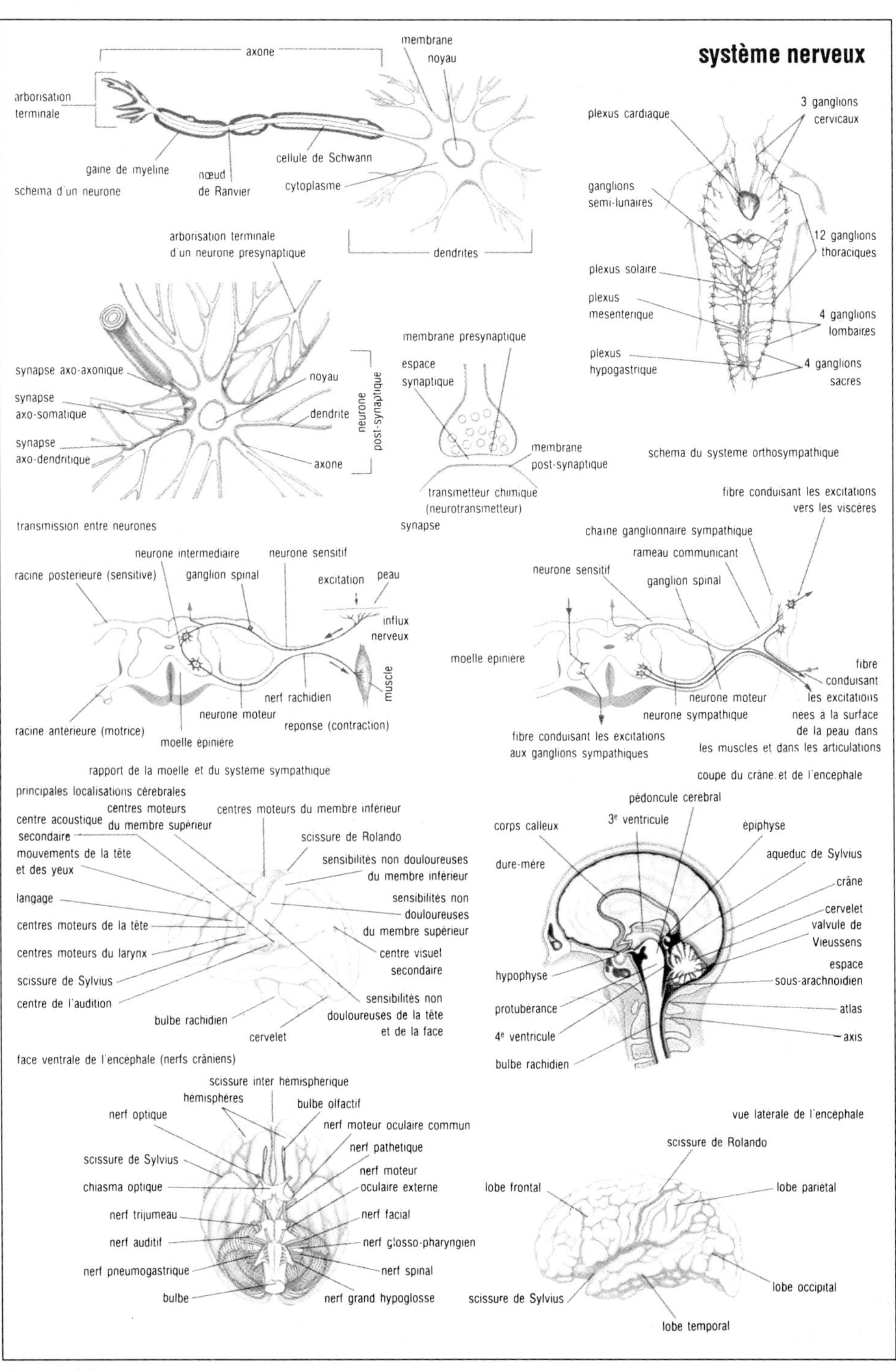
système nerveux
axone
membrane
noyau
arborisation terminale
gaine de myeline
nœud de Ranvier
cellule de Schwann
cytoplasme
schema d'un neurone
dendrites
arborisation terminale d'un neurone presynaptique
synapse axo-axonique
synapse axo-somatique
synapse axo-dendritique
noyau
dendrite
axone
neurone post-synaptique
transmission entre neurones
membrane presynaptique
espace synaptique
membrane post-synaptique
transmetteur chimique (neurotransmetteur)
synapse
plexus cardiaque
3 ganglions cervicaux
ganglions semi-lunaires
12 ganglions thoraciques
plexus solaire
plexus mesenterique
4 ganglions lombaires
plexus hypogastrique
4 ganglions sacres
schema du systeme orthosympathique
neurone intermediaire
neurone sensitif
racine posterieure (sensitive)
ganglion spinal
excitation
peau
influx nerveux
muscle
nerf rachidien
neurone moteur
reponse (contraction)
racine antérieure (motrice)
moelle épinière
rapport de la moelle et du systeme sympathique
fibre conduisant les excitations vers les viscères
chaine ganglionnaire sympathique
rameau communicant
neurone sensitif
ganglion spinal
moelle epinière
fibre conduisant les excitations nees à la surface de la peau dans les muscles et dans les articulations
neurone moteur
neurone sympathique
fibre conduisant les excitations aux ganglions sympathiques
principales localisations cérébrales
centre acoustique secondaire
centres moteurs du membre supérieur
centres moteurs du membre inférieur
scissure de Rolando
mouvements de la tête et des yeux
sensibilités non douloureuses du membre inférieur
langage
sensibilités non douloureuses du membre supérieur
centres moteurs de la tête
centres moteurs du larynx
centre visuel secondaire
scissure de Sylvius
centre de l'audition
sensibilités non douloureuses de la tête et de la face
bulbe rachidien
cervelet
coupe du crâne et de l'encéphale
pédoncule cerebral
corps calleux
3e ventricule
épiphyse
dure-mère
aqueduc de Sylvius
crâne
cervelet
valvule de Vieussens
hypophyse
espace sous-arachnoïdien
protubérance
atlas
4e ventricule
axis
bulbe rachidien
face ventrale de l'encéphale (nerfs crâniens)
scissure inter hemisphérique
hémisphères
bulbe olfactif
nerf optique
nerf moteur oculaire commun
nerf pathetique
scissure de Sylvius
nerf moteur oculaire externe
chiasma optique
nerf trijumeau
nerf facial
nerf auditif
nerf glosso-pharyngien
nerf pneumogastrique
nerf spinal
bulbe
nerf grand hypoglosse
vue latérale de l'encéphale
scissure de Rolando
lobe frontal
lobe pariétal
scissure de Sylvius
lobe occipital
lobe temporal

Nestor, guerrier de l'*Iliade* d'Homère, vieux roi de Pylos, célèbre par sa prudence et sa sagesse.

nestorianisme n. m. HIST RELIG Doctrine hérétique de Nestorius.

nestorien, enne n. et adj. **1.** n. Disciple de Nestorius. **2.** adj. De Nestorius; qui suit la doctrine de Nestorius. *Hérésie nestorienne. Il existe encore des nestoriens au Kurdistān et en Inde du Sud.*

Nestorius (Germanica Caesarea, auj. Maraş, Turquie, v. 380 – Khargèh, apr. 451), patriarche de Constantinople (428-431), d'où il chassa les disciples d'Arius. Il fut lui-même condamné comme hérésiarque par le concile d'Éphèse (431) et excommunié; il enseignait qu'il existe deux personnes distinctes en Jésus-Christ (l'une divine, l'autre humaine) et que la Vierge n'est pas la mère de Dieu, mais seulement du Christ.

1. net, nette [nɛt] adj., n. m. et adv. **I.** adj. **1.** Propre. *Une chambre nette.* – Fig. *Il est sorti net de cette fâcheuse affaire.* ▷ Loc. fig. *Avoir les mains nettes* : avoir la conscience tranquille. **2.** Nettoyé. ▷ Loc. *Faire place nette* : nettoyer un endroit; fig. éliminer ce dont on veut se débarrasser. *Faire place nette en entrant dans un meublé. Le nouveau patron a licencié pour faire place nette.* **3.** FIN Tous frais et charges déduits (par oppos. à *brut*). *Bénéfice, prix, salaire nets.* **4.** *Poids net* : poids du seul contenu (par oppos. à *poids brut* : poids du contenu et du contenant). **5.** Dont les contours sont bien visibles, bien détachés; qui n'est ni brouillé ni flou. *Une image nette.* **6.** Clair, précis. *Une voix nette. Avoir l'esprit net.* – Fig. *Cette affaire n'est pas nette,* n'est pas honnête. **II.** n. m. *Au net* : au propre. *Mettre un écrit au net.* **III.** adv. **1.** Clairement. *Parler net.* **2.** Uniment et tout d'un coup. *La branche a cassé net.*

2. net. V. let.

Netanya. V. Natanya.

Netanyahou (Benyamin) (Tel-Aviv, 1949), homme politique israélien. Vice-ministre des Affaires étrangères (1988-1991), président du Likoud depuis 1993, il est élu Premier ministre en 1996.

Nèthe (la), riv. de Belgique (Campine), formée par la *Grande Nèthe* (90 km) et la *Petite Nèthe* (64 km). Réunie à la Dyle, elle forme le Rupel.

Néthou. V. Aneto.

Neto (Agostinho) (Cachicane, auj. Kaxikane, 1922 – Moscou, 1979), homme politique et poète angolais. Principal dirigeant du Mouvement populaire de libération de l'Angola (M.P.L.A.), il dirigea la lutte pour l'indépendance et devint, en 1975, le premier président de la rép. pop. d'Angola.

netsuké [nɛtsuke] n. m. inv. Petite figurine japonaise sculptée en bois, en ivoire, servant d'attache.

netsurfeur, euse n. Syn. de *internaute.*

nettement adv. **1.** Avec netteté. *On discerne nettement la maison d'ici.* **2.** D'une manière claire, évidente. *Expliquer nettement qqch.* **3.** Fam. Incontestablement; beaucoup. *Il paraît nettement plus âgé que vous.*

netteté n. f. **1.** Propreté. *La netteté d'un miroir.* **2.** Clarté, précision. *S'exprimer avec netteté.*

nettoiement [nɛtwamɑ̃] n. m. Ensemble des opérations de nettoyage. *Le service de nettoiement de la ville.*

nettoyable adj. Qui peut être nettoyé.

nettoyage n. m. **1.** Action de nettoyer. **2.** *Nettoyage par le vide,* par aspirateur; fig., fam. action de débarrasser un endroit sans rien y laisser.

nettoyant, ante n. m. et adj. Produit qui nettoie. *Les nettoyants ménagers.*

nettoyer v. tr. [23] **1.** Rendre propre, net. *Nettoyer un habit, une maison.* ▷ v. pron. (Passif) *Cette moquette se nettoie facilement.* – (Réfl.) Se laver. **2.** Fig., fam. Dégarnir, vider, dépouiller. *Les cambrioleurs ont nettoyé l'appartement. Il s'est fait nettoyer au casino.* **3.** Fam. Éliminer les gens indésirables ou dangereux, les ennemis de (une position, un lieu). *La brigade des stups a fait une descente pour nettoyer le quartier.*

nettoyeur, yeuse n. **1.** Personne qui nettoie. **2.** n. m. Machine à nettoyer.

Neubrandenburg, v. d'Allemagne (Mecklembourg); 85 490 hab. Centre industr. (machines agric., matériaux de construction).

Neuchâtel (en all. *Neuenburg*), v. de Suisse, sur la rive N.-O. du lac du m. nom; 34 430 hab.; ch.-l. du *cant. de Neuchâtel* (797 km^2; 154 900 hab.). Centre industriel (horlogerie, industr. méca. et alim.) et touristique. – Université. Chât. (XIIe-XVIe s., restaurations du XIXe s.). Collégiale des XIIe, XIIIe et XIVe s. Maison des Halles (XVIe s.). – La *principauté de Neuchâtel,* reconnue souveraine en 1648, appartint aux Orléans-Longueville de 1504 à 1707, puis au roi de Prusse, dont elle fut la propriété personnelle. Donnée par Napoléon à Berthier en 1806, elle fut rendue au roi de Prusse en 1815 et devint un canton helvétique. En 1857, le roi renonça à ses droits effectifs, et Neuchâtel devint une république. – Le *lac de Neuchâtel* (216 km^2, longueur 38 km, largeur 3 à 8 km), au pied du Jura, est relié au lac de Bienne par la Thièle et au lac de Morat par la Broye.

Neuengamme, local. d'Allemagne, dans la banlieue S.-E. de Hambourg. Camp de concentration nazi de 1939 à 1945.

1. neuf adj. num. inv. et n. m. inv. **I.** adj. num. inv. **1.** (Cardinal) Huit plus un (9). *Les neuf Muses.* (N. B. Le *f* se prononce *v* devant une voyelle ou un *h* muet dans certains systèmes usuels. *Neuf ans* [nœvɑ̃]. *Neuf heures* [nœvœʀ].) **2.** (Ordinal) *Page neuf. Charles IX.* – Ellipt. *Le neuf janvier.* **II.** n. m. inv. **1.** Le nombre neuf. *Divisibilité par neuf.* – *Preuve par neuf* : calcul rapide destiné à vérifier l'exactitude d'une multiplication, d'une division ou de l'extraction d'une racine carrée; fig. preuve irréfutable. ▷ Chiffre représentant le nombre neuf (9). *Faites bien vos neuf.* ▷ Numéro neuf. *Pour avoir cette communication, il faut faire le neuf.* ▷ *Le neuf* : le neuvième jour du mois. **2.** JEU Carte portant neuf marques. *Neuf de trèfle.*

2. neuf, neuve adj. et n. m. **I.** adj. **1.** Qui est fait depuis peu. *Maison neuve.* **2.** Qui n'a pas encore servi. *Un habit neuf.* – Loc. *Faire peau neuve* : muer, en parlant du serpent; fig. se transformer entièrement. *Salle de spectacle qui fait peau neuve,* qui est entièrement réaménagée, refaite. **3.** Plus récent (par oppos. à *ancien,* à *vieux*). *La vieille ville et la ville neuve.* **4.** Novice. *Être neuf dans un métier.* **5.** Nouveau, original. *Des idées neuves.* **6.** Qui n'est pas émoussé par l'habitude. *Porter un regard neuf sur qqch de banal.* **7.** Fam. *Qqch de neuf,* de nouveau. *Rien de neuf aujourd'hui?* **II.** n. m. **1.** Ce qui est neuf. *Le neuf et l'occasion.* **2.** *À neuf* : de manière à restituer l'aspect du neuf. **3.** *De neuf* : avec qqch de neuf. *Être habillé de neuf.*

Neuf-Brisach, ch.-l. de cant. du Haut-Rhin (arr. de Colmar), sur le grand canal d'Alsace; 2 101 hab. Métallurgie. – Anc. place forte construite par Vauban en 1699.

Neufchâteau, ch.-l. d'arr. des Vosges, sur la Meuse; 15 118 hab. Industr. alim. – Égl. St-Christophe (XIIIe-XIVe s.), St-Nicolas (deux parties : égl. haute, XIIIe-XVIe s.; chapelle basse, XIIIe s.), hôtel de ville Renaissance.

neufchâtel n. m. Fromage au lait de vache du pays de Bray, à pâte onctueuse.

neuf-huit (à) loc. adj. MUS Se dit d'une mesure ternaire à trois temps, ayant la noire pointée (ou trois croches) pour unité de temps.

Neuhausen am Rheinfall, com. de Suisse (cant. de Schaffhouse), sur le Rhin; 11 500 hab. Matériel ferroviaire; aluminium. – Chutes du Rhin.

Neuhof (Theodor, baron de) (Cologne, 1694 – Londres, 1756), aventurier qui se fit proclamer roi de Corse (Théodore Ier, 1736-1738).

Neuilly-Plaisance, ch.-l. de cant. de la Seine-St-Denis (arr. du Raincy); 18 235 hab. (*Nocéens*).

Neuilly-sur-Marne, ch.-l. de cant. de la Seine-St-Denis (arr. du Raincy), sur la Marne; 31 603 hab. (*Nocéens*). Électroménager. Hôpitaux psychiatriques de Ville-Évrard et de Maison-Blanche. – Égl. gothique (fin du XIIe s.).

Neuilly-sur-Seine, ch.-l. de cant. des Hauts-de-Seine (arr. de Nanterre), en bordure du bois de Boulogne; 62 033 hab. (*Nocéens*). Constr. auto.; industr. méca., chim.; prod. pharm., plastiques, etc. – Le *traité de Neuilly* (nov. 1919), entre les Alliés et la Bulgarie, réduisit les frontières de celle-ci, qui perdit son accès à la mer Égée.

Neumann (Johann Balthasar) (Eger, auj. Cheb, Rép. tchèque, 1687 – Würzburg, 1753), architecte baroque allemand (résidence des princes-évêques de Würzburg, 1720-1750; église des Vierzehnheiligen, près de Cobourg, 1734-1772).

Neumann (Johannes von) (Budapest, 1903 – Washington, 1957), mathématicien américain d'origine hongroise; connu pour ses travaux de mécanique quantique et par sa théorie des jeux (*Théorie des jeux et du comportement économique,* 1944). Il participa à la conception de la bombe H, analysa la structure des calculateurs et fut à l'origine de l'enregistrement des programmes dans la mémoire des ordinateurs.

Neumünster, v. d'Allemagne (Schleswig-Holstein); 77 890 hab. Constructions méca. et électriques.

Neunkirchen, v. d'Allemagne (Sarre); 49 540 hab. Houille, métallurgie.

neur(o)-. Élément, du gr. *neuron,* « nerf ».

neural, ale, aux adj. BIOL Qui a rapport au système nerveux dans sa période embryonnaire. *Plaque neurale.*

neurasthénie n. f. **1.** MED Vx État dépressif caractérisé par une grande fatigue, accompagnée de mélancolie. **2.** Cour. Disposition générale à la tristesse, à la mélancolie. Syn. dépression.

neurasthénique adj. et n. Vieilli **1.** Relatif à la neurasthénie. **2.** Affecté de neurasthénie.

neurinome n. f. MED Tumeur développée au niveau de la gaine des fibres nerveuses.

neuro-. V. neur(o)-.

neurobiologie n. f. BIOL Étude du fonctionnement des tissus nerveux et des cellules.

neurobiologique adj. Didac. Relatif à la neurobiologie.

neuroblaste n. m. BIOL Cellule souche des neurones.

neuroblastome n. m. MED Tumeur maligne développée à partir des cellules embryonnaires du tube neural.

neurochimie n. f. BIOCHIM Partie de la biochimie qui concerne le fonctionnement chimique du système nerveux.

neurochirurgical, ale, aux adj. Didac. Relatif à la neurochirurgie.

neurochirurgie n. f. Chirurgie du système nerveux.

neurochirurgien, enne n. Spécialiste de neurochirurgie.

neurodégénératif, ive adj. MED Marqué par une neurodégénérescence.

neurodégénérescence n. f. MED Dégénérescence du système nerveux.

neurodépresseur adj. et n. m. PHARM Se dit d'un médicament qui déprime l'activité du système nerveux central.

neuro-endocrinologie n. f. Étude des relations entre le système endocrinien et le système nerveux central.

neurofibrille n. f. ANAT Structure microscopique du neurone, qui se prolonge dans l'axone.

neurofibromatose n. f. MED Affection héréditaire d'évolution lente, caractérisée surtout par la présence de tumeurs cutanées, de tumeurs des nerfs ou du système nerveux central et de taches pigmentaires de la peau. Syn. maladie de Recklinghausen.

neurogène adj. Qui est causé par une atteinte du système nerveux. *Douleurs neurogènes.*

neurohormone n. f. BIOCHIM Hormone sécrétée par les cellules nerveuses.

neuroleptique adj. et n. m. MED Qui exerce une action sédative sur le système nerveux. Syn. neuroplégique. ▷ n. m. PHARM Médicament neuroleptique. *Les neuroleptiques sont utilisés dans le traitement des psychoses accompagnées d'excitation et comme réducteurs des mécanismes délirants et hallucinatoires.*

neurolinguistique n. f. Didac. Branche de la neuropsychologie qui traite des rapports entre le langage et les structures cérébrales.

neurologie n. f. MED Branche de la médecine qui étudie les affections du système nerveux.

neurologique adj. MED Qui a rapport à la neurologie ou à son objet.

neurologue ou, rare, **neurologiste** n. Spécialiste de neurologie.

neuromédiateur n. m. BIOCHIM Neurotransmetteur transmettant l'influx nerveux aux neurones périphériques et aux jonctions neuromusculaires. *L'adrénaline, l'acétylcholine, la sérotonine sont des neuromédiateurs.*

neuromoteur, trice adj. PHYSIOL Relatif aux nerfs moteurs.

neuromusculaire adj. Qui concerne les muscles et leur innervation.

neuronal, ale adj. Du neurone.

neurone n. m. **1.** ANAT Cellule qui assure la conduction de l'influx nerveux. ▷ Fig., fam. L'esprit, l'intelligence. *Se torturer les neurones.* **2.** INFORM *Neurone formel* : modèle informatique visant à reproduire le fonctionnement des neurones du cerveau.
ENCYCL Chaque neurone comprend : – un corps, entouré par une membrane, et pourvu d'un noyau et d'un cytoplasme; – des prolongements courts et très ramifiés, les dendrites, qui transmettent l'influx au corps cellulaire; – un axone, ou cylindraxe, comprenant, de l'intérieur vers l'extérieur : une enveloppe; une gaine de myéline, interrompue par places et délimitant des segments annulaires; une couche de protoplasme, contenant des noyaux. Certains neurones sont sensitifs, d'autres moteurs. Les synapses permettent la transmission de l'influx nerveux de neurone à neurone et de neurone à organe récepteur. V. encycl. nerf. ► pl. système **nerveux**

neuropathie n. f. Didac. Affection nerveuse en général.

neuropathologie n. f. MED Étude des maladies nerveuses.

neuropeptide n. m. BIOCHIM Neurotransmetteur, constitué d'un faible nombre d'acides aminés (1 à 5), uniquement présent dans le système nerveux central. *L'endorphine, l'enképhaline, la substance P sont des neuropeptides.*

neurophysiologie n. f. Didac. Étude du métabolisme et des mécanismes du système et des tissus nerveux.

neuroplégique adj. MED Syn. de *neuroleptique.*

neuropsychiatre n. Médecin spécialiste de neuropsychiatrie.

neuropsychiatrie n. f. Discipline qui regroupe la neurologie et la psychiatrie.

neuropsychologie n. f. Didac. Étude des fonctions mentales supérieures dans leurs rapports avec les structures cérébrales.

neurosciences n. f. pl. BIOL Ensemble des disciplines scientifiques étudiant l'anatomie, la physiologie et la pathologie du système nerveux.

neurosécrétion n. f. BIOCHIM Sécrétion endocrine de certains neurones.

neurostimulant, ante adj. et n. m. MED Qui stimule le système nerveux.

neurotoxine n. f. BIOCHIM Toxine agissant sur le système nerveux central et causant la paralysie ou la contracture.

neurotoxique adj. Qui est toxique pour le système nerveux.

neurotransmetteur n. m. BIOCHIM Molécule capable de transporter l'information d'un neurone vers un autre (neuromédiateur, neuropeptide).

neurotransmission n. f. Transmission de l'influx nerveux par les neurotransmetteurs.

neurotrope adj. BIOCHIM Qui se fixe électivement sur le système nerveux (substance chimique, germe, etc.).

neurovégétatif, ive adj. PHYSIOL *Système neurovégétatif* ou *système nerveux autonome* : partie du système nerveux qui régule les fonctions végétatives de l'organisme (fonctions circulatoire, respiratoire, digestive, métabolique, reproductive, endocrinienne).

neurula [nøʀyla] n. f. EMBRYOL Embryon de vertébré parvenu au stade de la formation de l'axe cérébrospinal. V. encycl. embryogenèse.

Neusiedl (lac de) (en hongrois *lac Fertö*), lac austro-hongrois (env. 200 km^2).

Neuss, v. d'Allemagne (Rhénanie-du-Nord-Westphalie), sur le Rhin, face à Düsseldorf; 143 380 hab. Port fluvial. Métall.; industr. chim. et alimentaires.

Neustrie, l'un des royaumes francs formés en 561, s'étendant sur la majeure partie du Bassin parisien; v. princ. *Paris, Soissons.* – Rivale de l'Austrasie, la Neustrie fut conquise par Pépin de Herstal en 687.

Neutra (Richard Joseph) (Vienne, 1892 – Wuppertal, 1970), architecte américain d'origine autrichienne; élève et disciple de Fr. L. Wright. Il conçut des résidences particulières où nature et habitation s'interpénètrent : la maison Kaufmann (1946-1947), à Palm Springs, Californie.

neutralisant, ante adj. et n. m. Qui neutralise; propre à neutraliser. ▷ CHIM *Substance neutralisante.*

neutralisation n. f. **1.** Action de neutraliser; fait de se neutraliser. **2.** Attribution du statut de neutre (à un territoire, un navire, une personne, etc.). **3.** CHIM Diminution de l'acidité d'un corps, d'une solution, sous l'effet d'une base (ou, inversement, de l'alcalinité sous l'effet d'un acide); opération par laquelle on provoque une telle diminution. *Neutralisation complète, partielle. Mesure du titre d'une solution par neutralisation.* **4.** LING Disparition, dans certains contextes, de l'opposition ordinairement pertinente entre deux phonèmes. *Neutralisation de l'opposition é fermé - è ouvert* ([e]-[ɛ]) *en finale fermée au profit du è ouvert* ([ɛ]), *en français* (ex. *fer, air*).

neutraliser v. [1] **I.** v. tr. Rendre neutre. **1.** Donner la qualité, le statut de neutre à. *Neutraliser un territoire.* **2.** Supprimer ou amoindrir considérablement l'effet de. *Neutraliser l'influence d'une doctrine.* ▷ MILIT Annihiler les possibilités d'action de (une troupe, une batterie, etc.). *Neutraliser un nid de mitrailleuses.* – *Par ext.,* cour. Empêcher d'agir, maîtriser (un individu dangereux, animé d'intentions hostiles, etc.). *Des passants sont parvenus à neutraliser le dément et à le désarmer.* **3.** CHIM Effectuer la neutralisation de. *Neutraliser une solution, un acide.* **II.** v. pron. **1.** Se compenser, s'annuler mutuellement. *Forces égales et de sens contraire qui se neutralisent.* **2.** LING Disparaître en parlant de l'opposition pertinente de deux phonèmes.

neutralisme n. m. Doctrine selon laquelle une puissance rejette toute alliance militaire.

neutraliste adj. et n. **1.** Qui est par principe partisan de la neutralité. **2.** Qui est partisan du neutralisme.

neutralité n. f. **1.** État d'une personne qui reste neutre, qui évite de prendre parti. *Observer une stricte neutralité.* ▷ État d'une puissance souveraine qui n'adhère à aucun système d'alliances militaires ou qui se tient en dehors d'un conflit entre d'autres puissances. **2.** CHIM *Neutralité d'une solution :* (du point de vue acide/ base) état d'une solution dont le pH est égal à 7; (du point de vue électrique) état d'une solution dans laquelle la somme des charges positives apportées par les cations est égale à la somme des charges négatives apportées par les anions. **3.** ELECTR État d'un corps ou d'un système qui porte des charges électriques dont la somme algébrique est nulle.

neutre adj. et n. m. **A.** adj. **I. 1.** Qui ne prend pas parti dans une discussion, un différend. *Ils se disputaient, j'ai préféré rester neutre.* ▷ Qui n'adhère pas à un système d'alliances militaires; qui ne prend pas part à un conflit armé. *État neutre.* – Par ext. *Pavillon neutre. Négocier en terrain neutre.* **2.** Qui n'a pas de caractère marqué (d'expression, d'éclat, etc.). *Voix neutre. Couleur neutre.* **3.** GRAM Qui n'entre pas dans la catégorie grammaticale du masculin ni dans celle du féminin. **II. 1.** ELECTR Se dit d'un corps qui ne porte aucune charge électrique ou dont les charges, de signe contraire, se compensent exactement. *Conducteur neutre d'un réseau de distribution triphasé.* – PHYS NUCL *Particules neutres :* V. neutrino et neutron. **2.** CHIM Qui n'est ni acide ni basique. **B.** n. m. **1.** Individu, nation neutre. *Le droit des neutres.* **2.** GRAM *Le neutre :* le genre neutre. *Le neutre existe notamment en latin et en grec.*

neutrino n. m. PHYS NUCL Particule (symbole ν) de masse nulle et dénuée de charge électrique, émise dans la radioactivité bêta en même temps que l'électron, et appartenant à la famille des leptons.

neutron n. m. PHYS NUCL Particule fondamentale, constituant du noyau atomique (symbole n, n° ou $\frac{1}{0}$n). V. encycl. atome et particule. – ASTRO *Étoile à neutrons :* étoile effondrée hypothétique, de densité très élevée, qui serait constituée essentiellement de neutrons. – *Bombe à neutrons :* bombe thermonucléaire de faible puissance dont l'explosion s'accompagne d'un intense flux de neutrons annihilant toute vie sur une grande étendue, mais provoquant peu de destructions matérielles.

ENCYCL **Phys. nucl.** – Le neutron a une masse très voisine de celle du proton, une charge électrique nulle. Un noyau atomique comprend Z protons (Z = numéro atomique) et [A – Z] neutrons (A = nombre de masse). Protons et neutrons sont liés au sein du noyau par les forces internucléaires. Lors de réactions nucléaires, des neutrons peuvent être libérés par le noyau. Ils constituent alors des projectiles qui, s'ils sont suffisamment ralentis (neutrons thermiques), provoquent la fission de certains noyaux (utilisée dans les réacteurs nucléaires et dans la bombe atomique).

neutronique adj. et n. f. PHYS NUCL **1.** adj. Qui a rapport aux neutrons. **2.** n. f. Branche de la physique nucléaire qui s'attache à l'étude des neutrons.

neuvaine n. f. RELIG CATHOL Suite d'actes de dévotion répétés pendant neuf jours consécutifs.

neuvième adj. et n. **I.** adj. numéral ord. Dont le rang est marqué par le nombre 9. *La neuvième fois. Le neuvième étage* ou, ellipt., *le neuvième. Le neuvième arrondissement* ou, ellipt., *le neuvième.* **II.** n. **1.** Personne, chose qui occupe la neuvième place. **2.** n. f. Seconde année du cours élémentaire dans l'enseignement primaire. **3.** n. m. Chaque partie d'un tout divisé en neuf parties égales. *Un neuvième du gain.* **4.** n. f. MUS Intervalle de neuf degrés, d'une note à une autre.

Neuvy-Saint-Sépulcre, ch.-l. de cant. de l'Indre (arr. de La Châtre); 1 752 hab. – Égl. circulaire (XIe-XIIe s.) bâtie sur le modèle du Saint Sépulcre de Jérusalem. Pèlerinage annuel.

Neva (la), fl. de Russie (74 km), émissaire du lac Ladoga; arrose Saint-Pétersbourg et se jette dans le golfe de Finlande par un vaste delta. Fort débit.

Nevada (sierra), massif montagneux de l'Espagne méridionale; 3 478 m au Mulhacén.

Nevada (sierra), chaîne de l'O. des É.-U.; 4 418 m au mont Whitney. Elle sépare la Grande Vallée (Californie) du Grand Bassin.

Nevada, État de l'O. des É.-U.; 286 297 km²; 1 202 000 hab.; cap. *Carson City;* v. princ. : *Las Vegas, Reno.* – L'État s'étend sur la majeure partie du Grand Bassin (hauts plateaux secs) et, à l'O., sur la sierra Nevada. Agric. faible. Sous-sol riche : cuivre, fer, mercure, or, etc. Tourisme import. (jeux). – Rég. de passage vers la Californie, exploré à partir de 1841, le Nevada fut cédé aux É.-U. par le Mexique (1848) et inclus dans l'Utah (1850). Territoire autonome en 1861, il devint en 1864 le trente-sixième État de l'Union.

ne varietur [nevaʀjetyʀ] loc. adv. et adj. (Mots lat.) DR Pour qu'il ne soit plus changé. (Se dit pour attester qu'une pièce de procédure a reçu sa rédaction définitive.) ▷ Loc. adj. *Édition ne varietur,* définitive.

névé n. m. Amas de neige dont la base, transformée en glace sous l'effet de la pression, donne naissance à un glacier, en haute montagne.

Nevelson (Louise) (Kiev, 1900 – New York, 1988), peintre et sculpteur, célèbre pour ses grands murs de bois noirs et ses constructions monumentales liés au paysage urbain. *Jardin de lune + un* (1958).

Nevers, ch.-l. du dép. de la Nièvre, au confl. de la Loire et de la Nièvre; 43 889 hab. (*Nivernais*). Aux activités traditionnelles (faïencerie, confiserie) s'ajoutent des industr. modernes (constr. électr. et méca., prod. chim., etc.). – Évêché. Égl. romane St-Étienne (XIe s.). Cath. St-Cyr-et-Ste-Juliette (XIIIe, XIVe et XVIe s.). Palais ducal, mi-gothique, mi-Renaissance. Porte du Croux (fin du XIVe s.). – Évêché au Ve s., la ville fut la cap. du Nivernais.

neveu n. m. Fils du frère ou de la sœur, du beau-frère ou de la belle-sœur. – *Petit-neveu :* fils du neveu ou de la nièce. *Des petits-neveux.* – *Neveu à la mode de Bretagne :* fils d'un cousin ou d'une cousine.

Neville (Richard), comte de Warwick, dit *le Faiseur de rois* (?, 1428 – Barnet, 1471), homme de guerre anglais qui, pendant la guerre des Deux-Roses, combattit dans le camp de Richard d'York et fit élire Édouard IV. En conflit avec le roi, il passa dans le camp des Lancastre et fut vaincu et tué à Barnet.

Nevis. V. Saint-Christophe et Niévès.

névr(o)-. Élément, du gr. *neuron,* « nerf ».

névralgie n. f. **1.** MED Douleur siégeant sur le trajet d'un nerf. **2.** *Abusiv.* Mal de tête.

névralgique adj. **1.** Relatif à la névralgie. **2.** Fig. *Point névralgique :* point sensible, critique (d'une situation, d'une affaire, etc.). – *Centre névralgique :* centre d'importance capitale (dans une organisation, un réseau de communication, etc.).

névraxe n. m. ANAT Système nerveux central, ensemble formé par le cerveau et la moelle épinière.

névrite n. f. MED Lésion inflammatoire des nerfs.

névritique adj. MED Qui a rapport à la névrite.

névro-. V. névr(o)-.

névroglie n. f. ANAT Tissu interstitiel nourricier du système nerveux.

névropathe adj. (et n.) Vieilli Qui souffre de névropathie.

névropathie n. f. MED Vieilli Affection psychique et fonctionnelle liée à des troubles du système nerveux.

névrose n. f. PSYCHIAT Affection nerveuse, caractérisée par des conflits psychiques, qui détermine des troubles du comportement, mais n'altère pas gravement la personnalité du sujet (à la différence de la *psychose*). *Névrose obsessionnelle,* caractérisée par un comportement de type rituel destiné à parer à des représentations ou à des impulsions obsédantes. *Névrose d'angoisse, d'échec.*

névrosé, ée adj. et n. PSYCHIAT Atteint de névrose. ▷ Subst. *Un(e) névrosé(e).*

névrotique adj. PSYCHIAT Qui a rapport à la névrose; qui est de la nature de la névrose.

Nevski (Alexandre). V. Alexandre Nevski.

New Age, mouvement de pensée né aux É.-U. vers 1970, qui repose sur l'idée de l'avènement d'un « âge nouveau » et met en œuvre des croyances et des pratiques ésotériques ou issues d'autres groupes religieux (mystiques orientales, croyance en la réincarnation, astrologie, macrobiotique, médecines alternatives, etc.).

Newark, v. et port des É.-U. (New Jersey), sur la *baie de Newark,* près de New York; 275 200 hab. (aggl. urb. 1 882 000 hab.). Métallurgie; raff. de pétrole. Aéroport.

Newcastle, v. et port d'Australie (Nouvelle-Galles du Sud); 423 300 hab. La proximité d'un important bassin houiller a favorisé l'expansion de la ville et de ses activités industrielles : métall., text., pétrochimie.

Newcastle-upon-Tyne ou **Newcastle,** v. de G.-B., sur la Tyne, ch.-l. du comté de Tyne and Wear et du comté de Northumberland; 263 000 hab. Centre houiller (extraction et exportation) et industriel (métall.; constr. navales; pétrochimie). – Évêché anglican. Université. Maisons anciennes. Vestiges d'un château fort édifié en 1080.

Newcomen (Thomas) (Darmouth, 1663 – Londres, 1729), mécanicien anglais. Il réalisa, en 1712, la première machine à vapeur utilisée dans l'industrie. ► illustr. **machine** à vapeur

New Deal (« nouvelle donne »), nom donné aux mesures économiques et sociales prises par Roosevelt à partir de 1933 pour lutter contre la crise économique aux É.-U. Elles s'inspiraient des théories de Keynes.

New Delhi. V. Delhi.

Newfoundland. V. Terre-Neuve.

New Hampshire, État du N.-E. des É.-U., sur l'Atlantique; 24 097 km²; 1 109 000 hab.; cap. *Concord.* – Cet État, essentiellement montagneux et forestier, au climat rude, est drainé à l'O. par le Connecticut. Élevage (bovins, volailles). Industr. modestes (text. surtout). – Explorée au XVIIe s., annexée à la Nouvelle-Angleterre (1686), la région forma en 1692 une province royale. Elle proclama son indépendance en 1776 et ratifia la Constitution fédérale en 1788.

New Haven, v. et port des É.-U. (Connecticut), sur la *baie de New Haven* ; 130 470 hab. (aggl. urb. 506 000 hab.). Centre industriel et universitaire (Yale).

Newhaven, port de G.-B. (East Sussex), sur la Manche, relié par transbordeur à Dieppe ; 9 860 hab.

Ne Win (Maung Shu Maung, dit Bo) (Paungdale, 1911), général et homme politique birman. Premier ministre de 1958 à 1960 et de 1962 à 1974, chef de l'État de 1974 à 1981, il a défini la « voie birmane vers le socialisme », sorte d'autarcie sous contrôle militaire.

New Jersey, État du N.-E. des É.-U., sur l'Atlantique ; 20 295 km^2 ; 7 730 000 hab. ; cap. *Trenton.* – Le piémont de la chaîne des Appalaches retombe sur une plaine côtière au sol riche. L'État, très urbanisé et industrialisé, a une forte densité : 375 hab./km^2. Import. cultures maraîchères. Tourisme sur la côte. – Reconnu au XVIe s., annexé par les Anglais en 1664, le New Jersey proclama son indépendance en 1776 et ratifia la Constitution fédérale en 1787.

new-look [njuluk] n. m. inv. et adj. inv. Style des années 50. – *Par ext.* Aspect, style nouveau. ▷ adj. inv. *Politique new-look.*

Newman (John Henry) (Londres, 1801 – Edgbaston, 1890), prélat et écrivain anglais. Ecclésiastique anglican, promoteur avec Pusey* du mouvement d'Oxford*, il se convertit au catholicisme (1845) et fut nommé cardinal en 1879. Princ. œuvres : *Apologia pro vita sua* (1864), *la Grammaire de l'assentiment* (1870).

Newman (Barnett) (New York, 1905 – id., 1970), peintre américain. Ses compositions abstraites visent à réduire l'espace pictural au plan même de la toile, contrairement à l'expressionnisme.

Newman (Paul) (Cleveland, 1925), comédien et cinéaste américain. Il teinte d'humour son jeu formé par l'Actor's Studio : *le Gaucher* (1958), *l'Arnaqueur* (1961), *le Verdict* (1982). Mise en scène : *Rachel, Rachel* (1968).

New Orleans. V. Nouvelle-Orléans (La).

Newport, v. et port charbonnier de G.-B. (pays de Galles), près du canal de Bristol ; comté de Gwent ; 129 900 hab. Centre industr. (métallurgie, textiles, aluminium).

Newport News, v. et port des É.-U. (Virginie), sur la rade de Hampton Roads ; 170 000 hab. Chantiers navals.

New Providence, île de l'archipel des Bahamas ; 207 km^2 ; 350 500 hab. ; v. princ. *Nassau,* cap. de l'État.

newsmagazine [njuzmagazin] ou **news** [njuz] n. m. (Anglicisme) Type d'hebdomadaire consacré à l'actualité sous tous ses aspects.

newton [njutɔn] n. m. PHYS Unité de force du système SI (symbole N), force qui communique à un corps dont la masse est de 1 kg une accélération de 1 m/s^2. – *Newton-mètre :* unité de mesure du système SI (symbole Nm) ; moment, par rapport à un axe, d'une force de 1 newton dont le support, perpendiculaire à cet axe, se trouve à une distance de 1 m de celui-ci.

Newton (sir Isaac) (Woolsthorpe Manor, Grantham, 1642 – Kensington, 1727), mathématicien, physicien et astronome anglais. Il établit v. 1665 les lois de la gravitation universelle et calcula la force qui retient la Lune sur son orbite ; il abandonna alors ses travaux astronomiques, qui ne furent publiés qu'en 1687 *(Principes mathématiques de philosophie naturelle),* et revint aux mathématiques, tout en s'adonnant à l'optique (son *Traité d'optique* fut publié en 1704). Il montra que la lumière blanche est formée de plusieurs couleurs (1669) et passe pour avoir réalisé le premier télescope à réflexion (1671). Avant Leibniz, il établit les fondements du calcul différentiel et intégral, qu'il nomma « méthode des fluxions ». À partir de 1672, les honneurs occupèrent sa vie. Il fut enterré à l'abbaye de Westminster. ▷ MATH *Binôme de Newton :* formule donnant le développement en série de $(a+b)^n$. ▷ PHYS *Expérience du tube de Newton :* expérience destinée à montrer que des objets de masses volumiques différentes ont la même vitesse de chute dans le vide. ▷ OPT *Anneaux de Newton :* phénomène dû à l'interférence des rayons lumineux dans certaines conditions et utilisé pour mesurer les très faibles épaisseurs. ▶ illustr. page **1290**

newtonien, enne [njutɔnjɛ̃, ɛn] adj. et n. Relatif au système de Newton. ▷ HIST *Les newtoniens :* les partisans du système de Newton (par oppos. aux *cartésiens*), dans les polémiques scientifiques du XVIIIe s.

New Windsor. V. Windsor.

New York, la plus grande v. des É.-U. (État de New York) et une des plus grandes conurbations du monde, sur l'Atlantique, à l'embouchure de l'Hudson ; 7 322 500 hab. La ville est formée de cinq quartiers (boroughs) : *Manhattan,* dans l'île du m. nom ; *Queens* et *Brooklyn,* dans Long Island, au-delà de l'East River ; *Richmond,* dans Staten Island ; *Bronx,* sur le continent. New York (2e port du monde après Rotterdam) est la 1re place financière (Wall Street, bourses des céréales, de la laine, etc.) et commerciale, une métropole industrielle, un foyer culturel. L'ONU y siège depuis 1946. Ville d'immigration, New York voit coexister des groupes culturels très différents : Noirs (Harlem), Portoricains, Italiens, Anglo-Saxons, Juifs, etc. – Archevêché. Universités (N.Y. University, Columbia, Princeton). Musées : Metropolitan Museum of Art, Brooklyn Museum, Frick Collection, Solomon R. Guggenheim Museum (art contemp.), Museum of Modern Art, etc. Théâtres (notam. à Broadway). Metropolitan Opera. – Fondée en 1626 par les Hollandais sous le nom de Nieuwe Amsterdam, la ville fut conquise en 1664 par les Anglais, qui lui donnèrent son nom actuel en l'honneur du duc d'York, futur Jacques II. Le King's College (future université Columbia) fut fondé en 1754, et en 1760 la ville comptait 15 000 hab. Avec plus de 600 000 hab. en 1850, l'expansion de New York s'intensifia grâce à l'immigration.

New York

New York, État du N.-E. des É.-U., sur les lacs Érié et Ontario, et sur l'Atlantique ; 128 401 km^2 ; 17 990 000 hab. ; cap. *Albany ;* v. princ. : *New York, Buffalo.* – Cet État montagneux (1 628 m au *mont Marcy,* dans les Adirondacks) est bordé au N.-O. par la plaine qui jouxte les Grands Lacs et au S.-E. par la plaine côtière. Ces deux plaines, que relient les vallées du Mohawk et de l'Hudson, sont deux grands pôles industriels. L'agric. est bien représentée (élevage, cult. maraîchères). L'État est le plus puissant des É.-U. par son industrie, son commerce, ses activités financières et son rôle politique. – En 1664, les Anglais annexèrent la colonie fondée par les Hollandais et l'inclurent dans la Nouvelle-Angleterre (1688). Elle proclama son indépendance en 1776 et ratifia la Constitution fédérale en 1788.

new-yorkais, aise adj. et n. De la ville ou de l'État de New York.

ney n. m. Flûte de roseau arabo-persane, percée de sept trous.

Ney (Michel) (Sarrelouis, 1769 – Paris, 1815), maréchal de France. Il s'illustra dans les guerres de la République et de l'Empire et fut fait duc d'Elchingen (1808) et prince de la Moskova (1812). Créé pair de France par Louis XVIII (1814), il se rallia en 1815 à Napoléon, qu'il avait été chargé d'arrêter à son retour de l'île d'Elbe. Il fut condamné à mort par la Cour des pairs et fusillé.

le maréchal **Ney**

saint **Nicolas**

nez [ne] n. m. **1.** (Chez l'homme.) Partie du corps faisant saillie au milieu du visage, entre la bouche et le front, qui participe à la fonction respiratoire et, par ses récepteurs olfactifs, à l'odorat. *Nez aquilin, épaté, camus. Parler, chanter du nez :* nasiller. – Fam. *Ça sent* (telle chose ou odeur) *à plein nez,* très fort. – Fig., fam. *Gagner* (une course, etc.) *les doigts dans le nez,* facilement, sans effort. ▷ (Animaux) Museau. *Nez de chien, de renard* (se dit seulement des animaux doués de flair). **2.** Loc. fig. *Cela se voit comme le nez au milieu du visage, de la figure :* c'est flagrant. – *Mener qqn par le bout du nez,* lui faire faire ce que l'on veut. – *Cela m'est passé sous le nez :* c'est un plaisir, un avantage, etc., qui m'a échappé. – *Cela lui pend au nez :* cela risque fort de lui arriver ; cela va lui arriver sous peu. – *À vue de nez :* approximativement. – *Ne pas voir plus loin que le bout de son nez :* manquer absolument de discernement, de prévoyance. – *Faire un pied de nez à qqn :* tenir sa main grande ouverte, le pouce sur le nez, pour narguer qqn. –

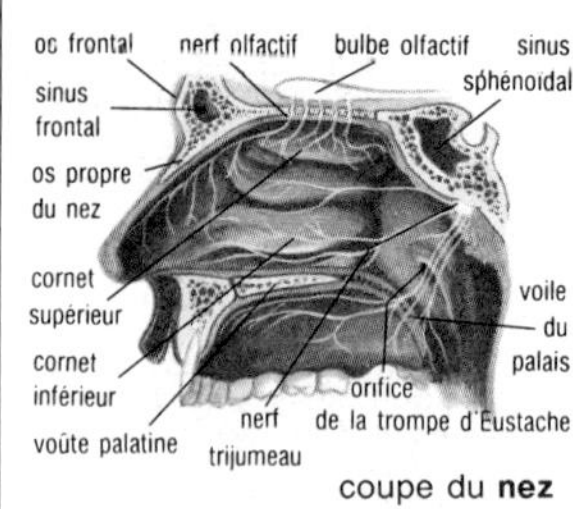

coupe du **nez**

Mettre le nez dans une chose, commencer à l'examiner, à l'étudier; s'en mêler indiscrètement. *Il met (fourre) son nez partout.* – *Montrer le bout du* (ou *de son*) *nez* : commencer à se montrer; commencer à montrer ses intentions. – *Se casser le nez* : trouver porte close; échouer dans une entreprise. – Fam. *Avoir un coup dans le nez* : être gris. – Fam. *Avoir qqn dans le nez,* éprouver pour lui de l'antipathie, de l'aversion. **3.** Visage. *On m'a fermé la porte au nez.* – *Nez à nez* : face à face. – *Au nez de qqn,* en sa présence; en le bravant. *Le prisonnier s'est évadé au nez et à la barbe de ses gardiens.* **4.** Odorat, flair. *Chien qui a du nez.* ▷ Fig. Sagacité. *Avoir du nez, le nez fin, le nez creux.* **5.** Partie allongée ou fuselée qui forme l'avant d'une chose. *Nez d'un avion. Bateau trop chargé de l'avant qui pique du nez dans la lame.* **6.** TECH Saillie se terminant en pointe ou en biseau. *Nez de marche, de gouttière.* **7.** GEOGR Avancée de terre dans la mer. *Le nez de Jobourg.*

Nezāmi. V. Nizāmī.

Nez-Percés, Indiens d'Amérique du Nord; leur territoire correspondait à l'Idaho et à l'Oregon.

N.F., abrév. de *norme française,* label garantissant la conformité d'une marque, d'un produit, aux normes françaises officielles, accordé sous la responsabilité de l'AFNOR.

Ngazidja (anc. *Grande-Comore*), île principale de l'archipel des Comores; 1 148 km²; 220 000 hab.; v. princ. : *Moroni* (cap. de la Rép. fédérale islamique des Comores).

Ngô Dinh Diêm (Quang Binh, 1901 – Saigon, 1963), homme politique vietnamien. Il fit destituer l'empereur Bao-Daï et devint en 1955 le chef de l'État sud-vietnamien. Il fut tué lors d'un coup d'État militaire.

Nguyên, dynastie qui régna, à partir de 1600, sur la Cochinchine; aux XVIIe et XVIIIe s., ses possessions s'étendirent à la quasi-totalité du Viêt-nam; en 1802, avec Gia Long, elle fonda un nouvel empire d'Annam. Bao-Daï fut le dernier empereur de cette dynastie.

Nguyên Van Thiêu (Phan Rang, 1923), homme politique sud-vietnamien. Général, il fut placé à la tête de la junte militaire en juin 1965. Élu président de la République en sept. 1967, réélu en 1971, il fut contraint par les É.-U. de négocier avec le Front national de libération du Viêt-nam du Sud et le Nord-Viêt-nam; il démissionna en avril 1975, quelques jours seulement avant la chute de Saigon, et s'exila.

Nha Trang, v. et port du Viêt-nam, sur la mer de Chine; 195 000 hab. Raff. de pétrole.

ni conj. S'emploie pour réunir (avec valeur de *et* ou de *ou*) des propositions négatives ou les différents termes d'une proposition négative. *Je ne l'aime ni ne l'estime. Ni les honneurs ni les richesses ne rendent heureux. Sans tambour ni trompette.* – Litt. (Dans les phrases ou la négation est implicite.) «*Patience et longueur de temps / Font plus que force ni que rage*» (La Fontaine).

Ni CHIM Symbole du nickel.

niable adj. Que l'on peut nier. (Surtout en tournure négative.) *Voilà un fait qui n'est pas niable.*

Niagara (le), petit fl. d'Amérique du Nord (54 km), qui forme frontière entre le Canada et les É.-U. et unit les lacs Ontario et Érié. Les chutes canadienne et américaine (hautes respectivement de 57 et 59 m et larges de 640 et 328 m), que double le canal Welland, alimentent d'import. centrales hydroélectriques et constituent un centre touristique.

chutes du **Niagara :** au premier plan, chutes canadiennes en «fer à cheval» et au second plan, les chutes américaines

Niagara Falls, v. des É.-U. (État de New York), face à la v. canadienne du m. nom (72 110 hab.), sur le Niagara; 61 800 hab. Hydroélectricité; industr. électriques, chimiques. Tourisme.

niais, niaise adj. et n. D'une naïveté ou d'une inexpérience extrêmes; sot et emprunté. – Subst. *Jouer les niais.* ▷ Par ext. *Un rire niais. Voilà un roman bien niais.*

niaisement adv. D'une manière niaise.

niaiser v. [1] (Canada) Fam. **I.** v. intr. **1.** Faire, dire des niaiseries. **2.** Perdre son temps à ne rien faire qui vaille, lambiner. – Tergiverser. *Arrête de niaiser, décide-toi!* **II.** v. tr. Prendre (qqn) pour un niais, un niaiseux; narguer (qqn). *Se faire niaiser.*

niaiserie n. f. **1.** Caractère d'une personne ou d'une chose niaises. *Sa niaiserie est fort affligeante.* – *Niaiserie d'une remarque.* **2.** Action, parole niaise. *Dire des niaiseries.* – *Par ext.* Futilité, fadaise. *Perdre son temps à des niaiseries.*

niaiseux, euse adj. et n. (Canada) Fam. **1.** Qui est dénué d'intelligence, dont l'ignorance, la naïveté va jusqu'à la sottise. *Être, avoir l'air niaiseux.* – Subst. *Faire le niaiseux* : faire, dire des niaiseries. – (Comme insulte.) *Grand niaiseux!* **2.** Se dit d'une personne qui n'est pas débrouillarde, pas dégourdie. – *Spécial.* Qui n'est pas déluré. *Être niaiseux avec les filles.* **3.** (Choses) Stupide, insignifiant; simplet. *Un accident niaiseux. Une réponse niaiseuse. Un raisonnement niaiseux.* – Simple, facile à faire. *Une recette niaiseuse. Un examen niaiseux.*

Niamey, cap. du Niger, sur la r. g. du Niger, dans le S.-O. du pays; 540 000 hab. Centre commercial; industr. alimentaires.

Niaux, com. de l'Ariège (arr. de Foix); 229 hab. – Grotte préhistorique ornée de peintures pariétales du magdalénien moyen (v. 12 000 av. J.-C.).

Nibelungen, dans la myth. germanique (Allemagne, Scandinavie, Islande), nains possesseurs de prodigieuses richesses et soumis au roi Nibelung («Fils du brouillard», c.-à-d. du monde souterrain). Les compagnons de Siegfried, puis les Burgondes, prirent l'appellation de Nibelungen après s'être emparés de leurs trésors. – *Chanson des Nibelungen* : épopée héroïque allemande anonyme du déb. du XIIIe s. De ce poème, qu'il modifia fortement, Wagner a tiré sa célèbre tétralogie *l'Anneau du Nibelung,* et Fritz Lang son film *les Nibelungen.*

Nicaragua (république du) *(República de Nicaragua),* État d'Amérique centrale, sur le Pacifique et l'Atlantique; 139 000 km²; 3 500 000 hab., croissance démographique : 3 % par an; cap. *Managua.* Nature de l'État : rép. de type présidentiel. Langue off. : espagnol. Monnaie : nouveau córdoba. Population : métis (71 %), Blancs, Noirs, Amérindiens (5 %). Relig. : cathol. (90 %).
Géogr. phys. et hum. – La côte pacifique est dominée par une étroite chaîne volcanique (alt. max. 1 780 m) qui retombe sur une dépression occupée par les lacs Nicaragua (8 400 km²) et Managua. Vers l'E. s'étendent de hauts plateaux, entaillés de fertiles vallées, qui s'abaissent vers l'Atlantique par une plaine couverte d'une forêt dense (côte des Mosquitos). Le climat est tropical. La population compte 60 % de citadins.
Écon. – L'agriculture emploie le quart des actifs et a permis le développement d'industries de transformation. Le maïs est la princ. culture vivrière, café, coton, viande de bœuf et bananes représentant 80 % des exportations. La décennie 80 s'est soldée par un appauvrissement du pays ruiné par la guerre civile, l'expérience collectiviste des sandinistes et l'embargo américain décrété en 1984. Le Nicaragua souffre d'une inflation considérable et d'un endettement élevé.
Hist. – Exploré par les Espagnols au XVIe s., inclus dans la capitainerie générale du Guatemala, le pays accéda à l'indépendance en 1821. Membre des Provinces-Unies de l'Amérique centrale de 1823 à 1838, il fut occupé par les É.-U. de 1912 à 1933, avec une brève interruption en 1925. La famille Somoza, au pouvoir depuis 1936 grâce à Anastasio Somoza (m. en 1956), fut chassée en 1979, après le succès de la révolution menée par le Front sandiniste de libération nationale sur les forces d'Anastasio Somoza II, dit Tachito. Le nouveau pouvoir, aux mains des sandinistes, confronté à une opposition intérieure (partis «bour-

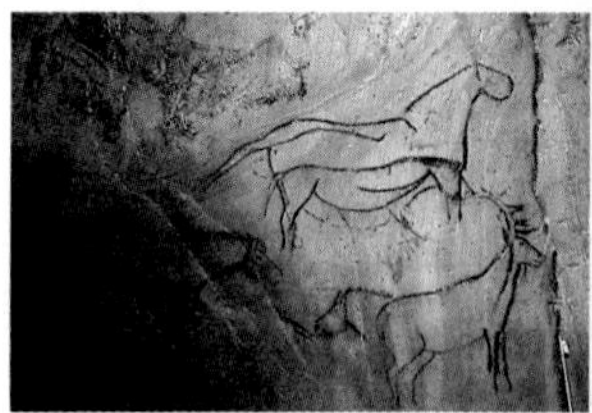
grotte de **Niaux :** décor du salon noir exécuté au noir de manganèse; un bison (en haut à g.) des chevaux et un cervidé (à dr.); magdalénien moyen

geois») et extérieure (commandos installés au Honduras, les «contras» soutenus par les É.-U.), s'est appuyé sur l'U.R.S.S. et Cuba. Malgré les réticences du Congrès américain, le gouvernement de R. Reagan a voulu abattre les sandinistes par une intervention indirecte (minage des ports, embargo commercial, aide aux «contras»). Mais la majorité des États centre-américains ont recommandé un règlement global des conflits en Amérique centrale (plan Arias, prix Nobel de la paix en 1987). Violeta Chamorro, leader de l'opposition réunie dans l'UNO, a été élue à la présidence de la République (1990-1996). Arnoldo Aleman, conservateur, lui succède. ► carte **Amérique centrale**

nicaraguayen, enne [nikaʀagwejɛ̃, ɛn] adj. et n. Du Nicaragua.

Nice, ch.-l. du dép. des Alpes-Maritimes, v. princ. de la Côte d'Azur, au pied des *Préalpes de Nice;* 345 674 hab. Stat. touristique. Centre commercial (MIN) et industriel (constr. méca., industr. électron., alim., etc.); presse. Port de voyageurs vers la Corse. Aéroport *(Nice-Côte d'Azur).* – Évêché. Université. Cath. Sainte-Réparate (XVIIe s.). Arènes romaines de Cimiez (IIIe s.). Musées. – Vers le début du Ve s. av. J.-C., la colonie grecque de Massalia (Marseille) fonda Nice (*Nikaia,* «la Victorieuse»). Le *comté de Nice,* possession de la maison de Savoie depuis 1388, fut rattaché à la France de 1793 à 1814, et à nouveau en 1860, un plébiscite approuvant la cession du comté par le Piémont.

Nice : fontaine du Soleil, place Masséna

Nicée, anc. v. de Bithynie (Asie Mineure), auj. *Iznik.* Deux conciles œcuméniques s'y tinrent; le premier (325) excommunia Arius et ses partisans; un second concile (787) y condamna les iconoclastes. Nicée fut également la cap. de l'*empire grec de Nicée* (1204-1261) constitué par Théodore Ier Lascaris après la prise de Constantinople par les croisés; il comprenait la Lydie, la Bithynie et une partie de la Phrygie.

Nicéphore Ier le Logothète (en Silésie,? – en Bulgarie, 811), empereur byzantin de 802 à 811. Il détrôna Irène. Il fut défait par Harun ar-Rachid (807) puis vaincu et tué par les Bulgares (811). – **Nicéphore II Phokas** (en Cappadoce, v. 913 – Constantinople, 969), empereur de 963 à 969, successeur de Romain II, dont il épousa la veuve, Théophano. Il fut tué par Jean Tzimiskès. – **Nicéphore III Botanéiatès** (m. apr. 1081), empereur de 1078 à 1081. Il fut détrôné par Alexis Comnène et enfermé dans un couvent.

1. niche n. f. **1.** Enfoncement pratiqué dans l'épaisseur d'un mur pour y placer une statue, un buste, un vase, etc. ▷ Alcôve. **2.** Petite loge, en forme de maison, destinée à servir d'abri à un chien. **3.** ECOL *Niche écologique :* place (d'un organisme, d'une espèce) dans un biotope, déterminée par son alimentation et ses relations avec les autres espèces. **4.** ECON *Niche technologique :* domaine à l'intérieur duquel il est rentable de créer des entreprises mettant en œuvre les techniques de pointe. **5.** *Niche fiscale :* profession, investissement bénéficiant de réductions d'impôts particulières.

2. niche n. f. Farce, espièglerie. *Faire des niches à qqn.*

nichée n. f. Ensemble des petits oiseaux d'une même couvée, encore dans le nid. ▷ Fig. *Une nichée d'enfants.*

nicher v. [1] **I.** v. intr. **1.** Établir son nid. *Les fauvettes nichent dans les buissons.* **2.** Être dans son nid. **3.** Fig., fam. Se loger; habiter. *Où niche-t-il, en ce moment?* **II.** v. pron. **1.** Établir son nid. **2.** Fig., fam. Se mettre, se cacher (comme des oisillons blottis dans le nid). *Où est-il donc allé se nicher?* ▷ Se placer, se loger. – Fig. *Où l'orgueil se niche-t-il?*

nicheur, euse adj. ORNITH Qui construit des nids.

nichoir n. m. Cage, boîte, panier, où les oiseaux viennent nicher.

Nicholson (William) (Londres, 1753 – id. 1815), physicien et chimiste anglais, inventeur de l'aréomètre à volume constant qui porte son nom, et découvreur, avec Carlisle, de l'électrolyse de l'eau.

Nicholson (Ben) (Denham, Buckinghamshire, 1894 – Londres, 1982), peintre anglais. D'abord influencé par le cubisme, il évolua vers l'art abstrait. *Reliefs blancs* (1934-1939).

nichon n. m. Fam. Sein de femme.

Nicias (?, v. 470 – Syracuse, 413 av. J.-C.), homme d'État et général athénien, chef des modérés. Il négocia la *paix de Nicias* (421) avec Sparte. Stratège, il fut avec Alcibiade, en 415, l'un des chefs de l'expédition de Sicile contre Syracuse où, capturé, il fut exécuté.

nickel [nikɛl] n. m. (et adj. inv.) **1.** n. m. Élément métallique de numéro atomique Z = 28 et de masse atomique 58,71 (symbole Ni). – Métal (Ni) blanc de densité 8,9, qui fond à 1 455 °C et bout vers 2 900 °C. *Le nickel entre dans la composition de nombreux alliages, notam. des aciers inoxydables.* **2.** adj. inv. Pop. (Par allus. au brillant du nickel poli.) D'une extrême propreté. *Il avait tout nettoyé, c'était nickel.*

nickelage n. m. Action de nickeler; son résultat. – Opération qui consiste à déposer une couche protectrice de nickel sur un objet en métal.

nickeler [nikle] v. tr. [**19**] Recouvrir d'une couche de nickel par électrolyse. ▷ Pp. adj. *Acier nickelé.*

Nicobar (îles), archipel indien (territ. des îles Andaman et Nicobar), dans le golfe du Bengale; 1 645 km²; 30 000 hab. Forêts. Pêche.

Nicodème (saint) (Ier s.), Juif pharisien, disciple de Jésus-Christ. L'Évangile (apocryphe) de Nicodème raconte la descente de Jésus aux Enfers.

niçois, oise adj. et n. De Nice.

nicola n. f. Variété de pomme de terre à chair jaune et ferme.

Nicolaier (Arthur) (Cosel, haute Silésie, 1862 – Berlin, 1945), médecin allemand. Il identifia le bacille du tétanos en 1884 *(bacille de Nicolaier).*

nicolaïte n. RELIG **1.** Membre d'une communauté chrétienne hétérodoxe du Ier s., proche des gnostiques. **2.** Adversaire du célibat ecclésiastique, aux Xe et XIe s.

Nicola Pisano (Pise [?], v. 1220 – id. [?], av. 1287), sculpteur italien. Il s'inspira des modèles antiques romains ainsi que du gothique français : chaires du baptistère de Pise (1260) et de la cath. de Sienne (1266-1268), fontaine de Pérouse (1278) avec son fils Giovanni.

Nicolas (saint) (IVe s.), évêque de Myre (en Lycie; ruines près de Finike, Turquie); on lui a attribué des miracles, le plus connu est la résurrection d'enfants assassinés pour être mangés. Ses reliques sont déposées à Bari. Protecteur des petits enfants, il joue le rôle de «Père Noël» dans le N. de l'Europe. ► illustr. page **1295**

Nicolas, nom de cinq papes, dont : – **Nicolas II** (Gérard de Bourgogne) (Chevron, Savoie, v. 980 – Florence, 1061), pape de 1059 à 1061; il commença à affranchir la papauté de la tutelle impériale. – **Nicolas V** (Tommaso Parentucelli) (Sarzana [?], v. 1398 – Rome, 1455), pape de 1447 à 1455; il fonda la Bibliothèque vaticane.

Nicolas Ier ou Nikita Ier Petrović Njegoš (Njegoš, auj. Njeguši, 1841 – Antibes, 1921), prince (1860-1910) puis roi du Monténégro (1910-1918). Il modernisa son pays et l'agrandit par ses luttes contre les Turcs (1876-1878 et 1912-1913). En 1914, il se rangea aux côtés des Alliés, fut vaincu par les Autrichiens, capitula (1915) et fut déchu en 1918 (réunion du Monténégro à la Yougoslavie).

Nicolas Ier (Tsarskoïe Selo, 1796 – Saint-Pétersbourg, 1855), empereur de Russie (1825-1855), fils de Paul Ier. Tsar autocrate, il renforça le dispositif policier et bureaucratique de ses États et agit comme le «gendarme de l'Europe» : il fit de la Pologne une prov. russe après la révolte de 1830 et aida l'Autriche lors de la révolution hongroise de 1848. Afin d'assurer à la Russie un débouché sur la Méditerranée (V. Orient [question d']), il se posa en protecteur de la Turquie, puis engagea les hostilités contre elle, provoquant ainsi la guerre de Crimée (1854). – **Nicolas II** (Tsarskoïe Selo, 1868 – Iekaterinbourg, 1918), dernier empereur de Russie (1894-1917), fils et successeur d'Alexandre III. Les désastres de la guerre contre le Japon (1904-1905) provoquèrent les troubles révolutionnaires de 1905, qui l'amenèrent à promettre un régime constitutionnel (élection des doumas). La révolution de février 1917 contraignit le tsar à abdiquer (15 mars). Il fut exécuté avec sa famille (17 juil. 1918) par les bolcheviks. Ses restes, et ceux de la famille impériale, identifiés grâce aux empreintes génétiques en 1997, ont été inhumés à Saint-Pétersbourg en 1998.

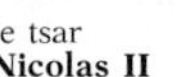

le tsar **Nicolas II**

Nicéphore **Niepce**

Nicole (Pierre) (Chartres, 1625 - Paris, 1695), écrivain français; l'un des princ. maîtres des Petites Écoles de l'abbaye de Port-Royal. Il collabora avec Arnauld à la *Logique de Port-Royal* (1662) et traduisit en latin les *Lettres provinciales* de Pascal; son œuvre la plus connue reste les *Essais de morale* (1671-1678).

Nicolle (Charles) (Rouen, 1866 - Tunis, 1936), bactériologiste français. Directeur de l'institut Pasteur de Tunis (1903-1936), il réalisa d'importants travaux sur les maladies infectieuses, notam. sur le typhus. P. Nobel de médecine 1928.

Nicomède, nom de quatre rois de Bithynie. – **Nicomède Ier** (m. v. 250 av. J.-C.) régna de 279 à 250 env. av. J.-C.; il fonda Nicomédie. – **Nicomède II Épiphane** (m. v. 128 av. J.-C.) régna de 149 av. J.-C. à sa mort; il fit assassiner son père, Prusias II, et s'allia aux Romains. – **Nicomède III Évergète** (m. v. 94 av. J.-C.), fils du préc., régna de 128 à 94 env. av. J.-C. – **Nicomède IV Philopator** (m. en 74 av. J.-C.), fils du préc., régna de 94 à 74 av. J.-C.; ennemi de Mithridate, il légua son royaume aux Romains.

Nicomédie (auj. *Izmit*), anc. v. et cap. de la Bithynie (Asie Mineure), fondée v. 264 av. J.-C. par Nicomède Ier. Dioclétien et Constantin en firent leur résidence.

Nicopolis (auj. *Nikopol*, en Bulgarie), anc. v. de Dacie, sur le Danube. - La ville fut fondée par Trajan. Le sultan Bajazet Ier y écrasa les armées chrétiennes de Sigismond de Luxembourg, roi de Hongrie (1396).

Nicosie, cap. de Chypre, dans le N. de l'île; 180 000 hab.; coupée en deux dep. la partition de l'île en 1974. Centre commercial. - Vest. d'une enceinte vénitienne érigée en 1567. Cathédrale Ste-Sophie (XIIIe-XIVe s.), auj. mosquée. Abbaye de Bellepais (XIIe-XVIe s.). Musée d'art byzantin.

Nicot (Jean) (Nîmes, v. 1530 - ?, 1600), diplomate français. Il rapporta le tabac du Portugal v. 1561.

nicotinamide n. f. BIOCHIM Amide de l'acide pyridine 3 carbonique (acide nicotinique) constituant de nucléotides qui assurent le rôle de transporteur d'hydrogène. (La carence en nicotinamide - vitamine B 3 ou PP - provoque de graves troubles physiologiques : pellagre chez l'homme, notam.)

nicotine n. f. BIOCHIM Alcaloïde contenu dans le tabac, stimulant de la sécrétion d'adrénaline, qui a des effets extrêmement nocifs à haute dose.

nicotinique adj. Didac. De la nicotine.

nictitant, ante adj. ZOOL *Paupière nictitante :* troisième paupière des oiseaux, qui clignote et se déplace horizontalement pour préserver l'œil de la lumière vive. (Elle est réduite à l'état de membrane non fonctionnelle chez d'autres animaux, notam. le chat.)

nid n. m. **1.** Abri construit par les oiseaux pour pondre et couver leurs œufs, pour élever leurs petits. ▷ *Par ext.* Lieu qu'aménagent certains animaux (pour y pondre, y mettre bas, élever leurs petits). *Nid de souris. Nid de fourmis. Nid de guêpes.* **2.** Fig. *Nid-de-poule :* petite cavité dans une chaussée défoncée. *Des nids-de-poule.* - *Nid d'aigle :* habitation presque inaccessible, en un lieu escarpé, élevé. - MAR *Nid-de-pie :* poste d'observation sur le mât d'un navire. *Des nids-de-pie.* ▷ TECH *Nid(s)-d'abeilles :* structure alvéolaire formée par un assemblage de rubans métalliques. - Tissage formant des alvéoles. *Serviette de toilette (en) nid(s)-d'abeilles. Des nids-d'abeilles.* **3.** *Par métaph.* Habitation de l'homme. *Rentrer au nid. Un nid douillet.* **4.** *Nid de... :* endroit où se trouvent rassemblées des choses ou des personnes qu'on a toute raison de craindre. *Nid de brigands.* Syn. repaire. - MILIT *Nid de mitrailleuses.*

nidation n. f. BIOL Implantation de l'œuf fécondé des mammifères sur la muqueuse utérine, au début de la gestation.

nider (se) v. pron. [1] S'implanter par nidification.

nidicole adj. ORNITH Qui demeure longtemps au nid (en parlant de jeunes oiseaux).

nidification n. f. Action, manière de nidifier; construction d'un nid.

nidifier v. intr. [2] Construire son nid.

nidifuge adj. ORNITH Qui quitte rapidement le nid (en parlant de jeunes oiseaux).

Nidwald. V. Unterwald.

nièce n. f. Fille du frère ou de la sœur. *Je suis son oncle, elle est ma nièce.*

Niedermeyer (Louis) (Nyon, 1802 - Paris, 1861), compositeur français d'origine suisse : romances sur des poèmes de Lamartine *(le Lac)* et de V. Hugo; opéras (*Marie Stuart*, 1844). Il fonda (1853) à Paris une école de musique classique et religieuse qui porta son nom.

Niel (Adolphe) (Muret, 1802 - Paris, 1869), maréchal de France. Ministre de la Guerre en 1867, il entreprit de réorganiser l'armée, fit adopter le fusil Chassepot et créa la garde nationale mobile.

1. nielle n. f. Maladie des céréales (blé, notam.) provoquée par un nématode microscopique. *Les épis atteints de la nielle sont remplis d'une fine poussière noire.*

2. nielle n. m. TECH Incrustation noire sur fond blanc ornant certaines pièces d'orfèvrerie.

1. nieller v. tr. [1] Attaquer, gâter par la nielle. - Pp. adj. *Blé niellé.*

2. nieller v. tr. [1] TECH Orner de nielles.

Niemcewicz (Julian Ursyn) (Skoki, Lituanie, 1757 - Paris, 1841), homme politique et écrivain polonais; auteur des *Chants historiques* (1816), de pièces de théâtre (*le Retour du député*, comédie, 1790), de fables et de romans. Il participa à la révolution de 1830-1831, puis s'exila en France.

Niémen (le), fl. de Biélorussie et de Lituanie (880 km); naît près de Minsk, arrose Kaunas et se jette dans la Baltique.

Niemeyer (Oscar) (Rio de Janeiro, 1907), architecte et urbaniste brésilien, élève de Le Corbusier; auteur des princ. bâtiments de Brasília, du siège de l'O.N.U., du siège du parti communiste français à Paris (1971), de la maison de la culture du Havre (1982).

Niepce (Joseph Nicéphore) (Chalon-sur-Saône, 1765 - Saint-Loup-de-Varennes, 1833), physicien et inventeur français. Dès 1812, il parvint à obtenir en lithographie des négatifs (grâce au chlorure d'argent) et des positifs (bitume de Judée); aussi Daguerre fit-il appel à lui, en 1829, pour fixer les images de la chambre noire, mais seul Daguerre tira profit de cette invention, qui était celle de la photographie. – **Niepce de Saint-Victor** (Abel) (Saint-Cyr, près de Chalon-sur-Saône, 1805 - Paris, 1870), neveu du préc.; militaire, physicien et chimiste français. Il mit au point des procédés d'héliogravure et de photographie sur verre.
► illustr. page **1297**

nier v. tr. [2] **1.** Rejeter comme faux, comme inexistant. *Nier un fait. Nier l'évidence. Nier les conclusions d'une théorie.* ▷ *Nier* (+ inf.). *Il nie être venu.* ▷ *Nier que* (+ indic.). *Il nie que je suis venu.* - *Nier que* (+ subj.). *Il nie que je sois venu.* **2.** *Nier un dépôt, une dette :* déclarer n'avoir pas reçu de dépôt, n'avoir pas fait de dette.

Nietzsche (Friedrich) (Röcken, Prusse, 1844 - Weimar, 1900), philosophe allemand. Nommé à vingt-cinq ans professeur de philologie à Bâle, il occupa son poste jusqu'en 1878; il fut alors influencé par la pensée de Schopenhauer et par certaines idées esthétiques de son ami R. Wagner. Brouillé avec Wagner (1878), malade, malheureux dans sa vie privée (en 1882, sa demande en mariage de Lou Andréas Salomé échoua), il voyagea. Sa maladie (d'orig. syphilitique ?) s'aggrava; en 1889, à Turin, une crise de démence le terrassa en pleine rue. Il finira ses jours soigné à Weimar par sa sœur Elisabeth Foerster Nietzsche, qui porte la responsabilité de la publication partiale des œuvres du philosophe. À la métaphysique traditionnelle occidentale, qui présente l'être comme un donné absolu et immuable, Nietzsche oppose une analyse généalogique des valeurs en s'efforçant de découvrir la croyance, la force créatrice ou destructrice dont le concept n'est, en fait, que le reflet rationalisé, voire le déguisement. À une métaphysique de l'essence, il substitue ainsi une analyse nouvelle : le concept n'a pas de valeur en soi; c'est un signe qui renvoie à une signification. Il affirme en outre que l'être n'est pas « tout-fait » : il n'est ni Dieu ni vérité établie, mais devenir, et donc (comme la vie) création toujours renouvelée, incessante fuite vers un « autre chose », ce en quoi il se dépasse constamment. Ses grandes formules (volonté de puissance, éternel retour, surhomme, etc.) ont donné lieu à des interprétations contradictoires. On peut affirmer que l'activité artistique créatrice de formes nouvelles symbolise et réalise le plus complètement le projet nietzschéen; pour Nietzsche, l'art s'élance à la recherche de l'être en un jeu sans fin. Princ. œuvres : *la Naissance de la tragédie* (1872), où Nietzsche distingue dimensions dionysiaque et apollinienne; *Considérations inactuelles* (1873-1876); *Humain, trop humain* (1878); *Aurore* (1881); *le Gai Savoir*

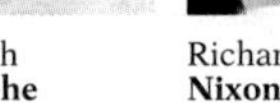

Friedrich **Nietzsche**   Richard **Nixon**

(1881-1887); *Ainsi parlait Zarathoustra* (1883-1885); *la Volonté de puissance* (1884-1888), vaste recueil d'aphorismes arbitrairement réunis par sa sœur; *Au-delà du bien et du mal* (1886); *la Généalogie de la morale* (1887); *le Crépuscule des idoles* (1888); *le Cas Wagner* (1888); *Ecce Homo* (1888).

nietzschéen, enne [nitʃeɛ̃, ɛn] adj. et n. Didac. Relatif à Nietzsche, à sa philosophie. ▷ Partisan de la philosophie de Nietzsche.

Nieuport (en néerl. *Nieuwpoort*), com. de Belgique (Flandre-Occidentale), sur l'Yser, à 3 km de la mer du Nord; 8 200 hab. Pêche; tourisme. – Victoire de Maurice de Nassau sur l'archiduc Albert (1600). Combats en 1914.

Nieuport (Édouard de Niéport, dit Édouard) (Blida, 1875 – Charny, Meuse, 1911), ingénieur et aviateur français; l'un des premiers constructeurs d'avions. Le *chasseur Nieuport* fut utilisé pendant la Première Guerre mondiale.

Nievo (Ippolito) (Padoue, 1831 – près d'Ischia, 1861), écrivain italien. Patriote, chasseur à cheval de Garibaldi, il fit partie de l'expédition des Mille : *Amours garibaldiennes* (1858), drame lyrique; *les Confessions d'un Italien* (posth., 1867), roman réaliste.

Nièvre (la), riv. de France (53 km), affl. de la Loire (r. dr.), avec laquelle elle conflue à Nevers.

Nièvre, dép. franç. (58); 6 837 km^2; 233 278 hab.; 34,1 hab./km^2; ch.-l. *Nevers*. V. Bourgogne (Rég.).

nifé ou **nife** n. m. GEOL Vieilli Noyau de la Terre, qui serait constitué principalement de nickel et de fer. Syn. barysphère.

nigaud, aude adj. et n. Qui se conduit de manière sotte ou niaise. ▷ Subst. *Quel nigaud!*

nigelle n. f. Plante herbacée (fam. renonculacées), ornementale, aux fleurs bleues ou blanches et aux feuilles découpées en fines lanières, dont une espèce est aromatique.

Niger (le), grand fl. d'Afrique occid. (4 200 km env.); né sur le versant S. du Fouta-Djalon, il décrit une large boucle et forme un delta intérieur en amont de Tombouctou, arrosant Bamako, Gao, Niamey et Onitsha avant de se jeter dans le golfe de Guinée (à l'O.) par un vaste delta très ramifié. Son régime est complexe et, peu utilisable pour la navigation en raison de ses rapides et de l'irrégularité de son débit, il sert surtout à la pêche et à l'irrigation.

Niger (république du), État continental d'Afrique occid.; 1 267 000 km^2; env. 9 600 000 hab., croissance démographique : 3 % par an; cap. *Niamey*. Nature de l'État : rép., dirigée par un conseil militaire. Langue off. : français. Monnaie : franc C.F.A. Princ. ethnies : Haoussas (53 %), Djermas-Songhaïs (22 %), Peuls (8,5 %) et Touareg. Relig. : islam (97,8 %).

Géogr. phys., hum. et écon. – Le pays est un vaste plateau, appartenant pour l'essentiel au désert du Sahara où se dresse le massif de l'Aïr (séparant le bassin du Niger à l'O. de celui du Tchad à l'E.). La frange S., avec 2 à 5 mois de saison des pluies, constitue le Niger utile qui groupe l'essentiel de la population. L'élevage extensif – qui est l'activité agricole dominante –, les cultures vivrières (mil, sorgho) et quelques cultures d'exportation (arachide, coton, tabac) constituent l'essentiel de l'agriculture. Second producteur mondial d'uranium (gisements d'Arlit et d'Akouta), le Niger a des difficultés pour l'exporter. La chute des revenus de l'uranium, l'intense contrebande avec le Nigeria, la forte dette extérieure et la dévaluation du franc CFA (1994) ont conduit le pays au bord de la faillite.

Hist. – Scindée en plusieurs royaumes, la région fut explorée par les Français après 1850 et constituée en colonie (1922), rattachée à l'A.-O.F., qui devint indépendante en 1960 sous la présidence d'Hamani Diori. En 1974, le lieutenant-colonel Seyni Kountché prend le pouvoir et institue un régime militaire au nom de la lutte contre la corruption. Dans les années 80, le pays connaît une aggravation de sa situation économique due à la chute des cours de l'uranium, à la sécheresse et au déficit des entreprises publiques. À la mort de Seyni Kountché en 1987, le Conseil militaire suprême désigne le colonel Ali Seibou pour lui succéder. Une conférence nationale (juil.-nov. 1991) suspend la Constitution, instaure le multipartisme et prive Ali Seibou du pouvoir exécutif. L'adoption, en 1992, d'une Constitution démocratique permet l'investiture de Mahamane Ousmane à la tête de l'État (1993-1996). En janv. 1996, le colonel Ibrahim Barré Maïnassara accède au pouvoir à la suite d'un coup d'État. Alors que le règlement du conflit touarègue traîne en longueur, l'élection présidentielle de juillet 1996 est émaillée de nombreux incidents. En nov. 1997, Ibrahim Hassane Mayaki est nommé Premier ministre.

▸ carte page **1300**

Nigeria (République fédérale du), État d'Afrique occid., sur le golfe de Guinée; 923 768 km^2; 95 000 000 hab., État le plus peuplé d'Afrique, croissance démographique : 3 % par an; cap. *Abuja*. Nature de l'État : rép. fédérale, membre du Commonwealth. Langue off. : anglais. Monnaie : naira. Princ. ethnies : Haoussas-Peuls (32,5 %), Yorubas (21,3 %), Ibos (18 %). Relig. : islam (50 %), christianisme (40 %).

Géogr. phys. – Le Nigeria s'étend sur des morceaux du socle précambrien, séparés par les effondrements qui ont guidé les cours du Niger et de son affluent, la Bénoué, et sur des bassins sédimentaires périphériques. Les plateaux dominent au centre (Jos, Bauchi) et au S.-E. (Gotel, Shebshi), et, plus bas, au S.-O. (Yoruba). Les plaines sont nombreuses : plaine littorale du golfe de Guinée, bassins sédimentaires, plaines des vallées du Niger et de la Bénoué. Le Niger se termine par un vaste delta. D'équatorial au S., le climat évolue progressivement vers des caractéristiques sahéliennes au N. Cette diversité climatique explique la variété des types de végétation, qui, du sud au nord, passe de la forêt à la savane, puis à la steppe.

Écon. – Le décollage économique du Nigeria, amorcé au début des années 80, ne s'est pas confirmé dix ans plus tard. L'agriculture reste une activité essentielle : les principales cultures vivrières sont le sorgho et le millet; les grandes cultures d'exportation sont le cacao et le caoutchouc. La richesse du Nigeria se trouve dans le sous-sol : pétrole (delta du Niger) et gaz naturel. Le retournement du marché pétrolier et les grandes évolutions de l'économie planétaire ont mis à mal l'eldorado nigérian. Le revenu par habitant n'a cessé de décroître, passant de 1 000 dollars en 1980 à 250 au début des années 90. L'adoption d'une politique déflationniste destinée à rétablir les

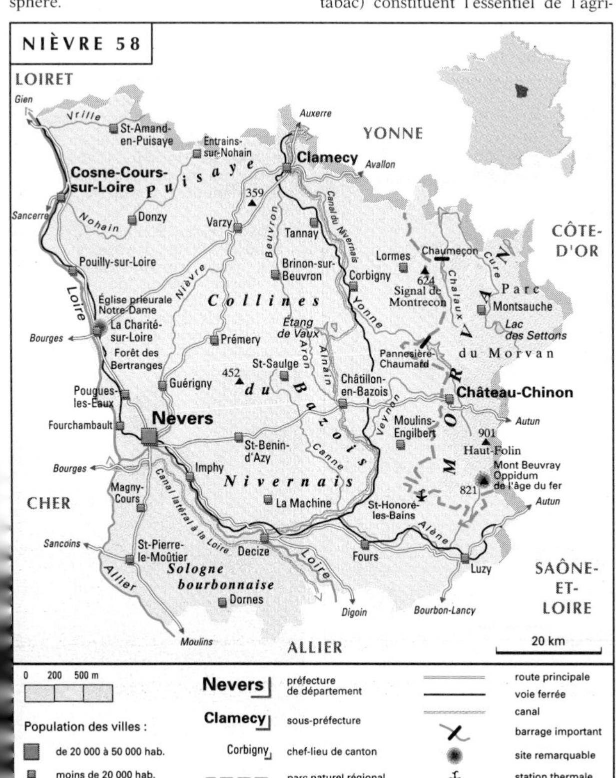

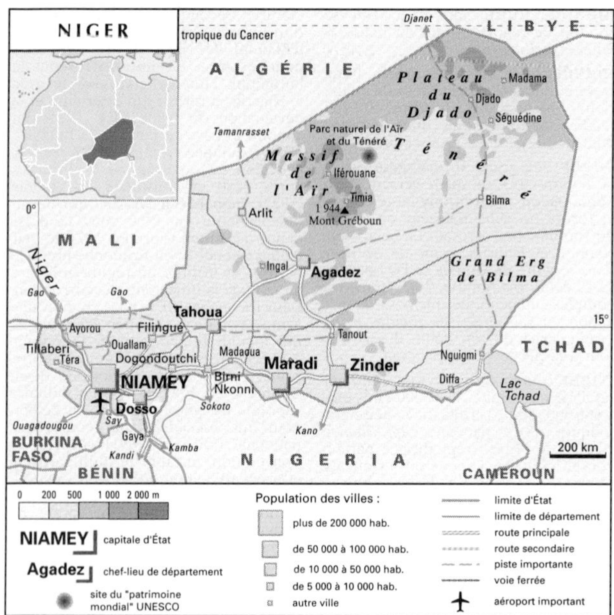

grands équilibres a engendré des conséquences sévères sur le plan social pour les populations. Dans le même temps, l'économie s'est profondément criminalisée du fait du trafic de drogue. Le pays compte plusieurs cartels très puissants.

Hist. – Après les Portugais (XVe s.), les Anglais s'installèrent sur la côte (XVIe s.), pratiquant la traite des Noirs. L'intérieur du pays fut reconnu à partir de 1849. Les plus puissants royaumes du Sud étaient alors le Bénin et le royaume yoruba. L'installation britannique se fit progressivement : Lagos en 1861, protectorat en 1885, colonie et protectorat sur tout le Nigeria en 1906 (Nord) et 1914 (Nord et Sud). Le Nigeria accéda à l'indépendance en 1960 et forma une république en 1963. Les oppositions ethniques provoquèrent la sécession du Biafra (1967-1970), province du S.-E. riche en pétrole. En 1975, le général Gowon, chef de l'État depuis 1966, fut renversé par le général Mohammed, lui-même renversé (1976) par le général O. Obasanjo. Après la défaite biafraise, la conjoncture écon. intern. (hausse des cours du pétrole) a fait du Nigeria un pays riche, consommant beaucoup mais investissant peu. Le régime militaire ne fit rien pour réprimer une corruption qui s'amplifia encore sous le gouvernement civil du prés. A. S. Shagari (1979 à 1983). Ayant repris le pouvoir en 1983, l'armée dut tenir compte de la chute des cours du pétrole. Après le coup d'État du g^{al} Babangida en 1985, le clientélisme et la corruption sont restés de règle, tandis que la polit. d'austérité, en accord avec le F.M.I., a provoqué des émeutes de la faim en 1992. En juin 1993, Babangida, qui s'était engagé à remettre le pouvoir aux civils, suspend le processus de transition, politique maintenue par le g^{al} Sani Abacha qui prend le pouvoir en nov. 1993. Celui-ci décède brusquement en juin 1998 et son successeur, le g^{al} A. Abubakar organise des élections présidentielles qui voient le retour au pouvoir du g^{al} O. Obasanjo.

nigérian, ane adj. et n. Du Nigeria.

nigérien, enne adj. et n. Du Niger.

nigéro-congolais, aise adj. et n. Se dit d'une famille de langues africaines, comprenant les langues d'Afrique de l'Ouest (ouolof, peul, etc.) et les langues bantoues.

night-club [najtklœb] n. m. (Anglicisme) Boîte de nuit. *Des night-clubs.*

Nightingale (Florence) (Florence, 1820 – Londres, 1910), philanthrope anglaise qui organisa le secours aux blessés pendant la guerre de Crimée.

nihilisme n. m. **1.** PHILO Scepticisme absolu. **2.** POLIT Doctrine qui n'admet aucune contrainte de la société sur l'individu, formée en Russie au XIXe s.

nihiliste adj. et n. Relatif au nihilisme. ▷ Subst. Adepte du nihilisme.

Niigata, v. et port du Japon, sur la côte N.-O. de Honshū; 475 630 hab.; ch.-l. du ken du m. nom. Industr. textiles, chimiques; raffinerie (pétrole d'Echigo).

Nijinski (Vaslav Fomitch) (Kiev, 1890 – Londres, 1950), danseur et chorégraphe russe d'origine polonaise; le plus illustre danseur de son temps, étoile des Ballets russes de Diaghilev, pour lesquels il créa *l'Après-midi d'un faune* (1912), *Jeux* et *le Sacre du prin-*

NIGERIA

0 500 1 000 1 500 2 000 m
ABUJA capitale fédérale
Calabar capitale d'État
Population des villes :
plus de 1 000 000 hab.
de 500 000 à 1 000 000 hab.
de 100 000 à 500 000 hab.
de 50 000 à 100 000 hab.
autre ville
limite d'État
limite de région
route principale
voie ferrée
port important
aéroport important

Nijinski dansant *le Festin de l'araignée*

temps (1913). Il sombra dans la folie après 1917. – **Bronislava Fominitchna Nijinskaïa** (Minsk, 1891 – Los Angeles, 1972), sœur du préc., danseuse et chorégraphe.

Nijni-Novgorod (*Gorki* de 1932 à 1991), v. de Russie, au confl. de la Volga et de l'Oka ; ch.-l. de la prov. du m. nom ; 1 438 000 hab. Grand port fluv. et centre industr. (constr. méca. et auto. ; text. ; raff. de pétrole). – Nombr. monuments. Foire très import. au XIXe s.

Nijni-Taghil, v. de Russie, dans l'Oural ; 419 000 hab. Métall., houille.

Nika ou **Nikê,** révolte du peuple de Constantinople (janv. 532), aux cris de *Nika !* (« Victoire ! »), contre Justinien Ier, qui la noya dans le sang avec l'aide de Bélisaire.

Nikè (en gr. *Victoire*), déesse de la Victoire chez les Grecs. ▷ Terme apposé au nom de certaines déesses grecques.

Nikita Ier. V. Nicolas Ier.

Nikkei (indice), abrév. de *Nihon Keizai Shimbun* (titre d'un journal financier japonais). Index des prix relatifs de valeurs représentatives de la Bourse de Tokyo.

Nikkō, v. du Japon, au N. de Tōkyō ; env. 40 000 hab. – Nombr. monuments du XVIIe s., dont le temple Rinnō-ji (secte Tendai) et le sanctuaire Tōshōgū, célèbre pour son portail du Crépuscule (Yōmeimon).

Nikolaïev, v. et port d'Ukraine, sur la mer Noire et l'estuaire du Bug ; 509 000 hab. ; ch.-l. de la prov. du m. nom. Métallurgie, constr. navales.

Nikolais (Alwin) (Southington, Connecticut, 1912 – New York, 1993), chorégraphe et compositeur américain ; promoteur d'un « théâtre total », pour lequel il a écrit de nombr. œuvres musicales. Il a fondé, en 1956, sa propre troupe.

Nikon (Nikita Minine, en relig.) (près de Nijni-Novgorod, 1605 – Iaroslavl', 1681), prélat russe. Patriarche de Moscou (1652), il réforma la liturgie russe, qu'il rapprocha de la liturgie orthodoxe grecque, suscitant en réaction un mouvement d'opposition, tenu pour schismatique, le *raskol.*

Nikopol, v. d'Ukraine, sur le Dniepr ; 155 000 hab. Import. gisement de manganèse.

Nil (le), le plus long fl. d'Afrique (6 671 km env.), tributaire de la Méditerranée orientale, de direction S.-N. Émissaire du lac Victoria, qui reçoit la branche mère du fl., la Kagera, née au N. du lac Tanganyika, il traverse les lacs Kioga et Mobutu, puis la plaine soudanaise, où il prend le nom de Bahr el-Djebel. Il porte ensuite le nom de *Nil Blanc* jusqu'à Khartoum, lieu où il conflue avec le *Nil Bleu.* Il s'engage en Égypte au niveau de la deuxième cataracte (on a donné le nom de « cataractes » aux six rapides situés entre Khartoum et Assouan). Après Assouan, il s'encaisse entre des déserts, creusant une vallée fertile grâce au limon déposé lors de sa crue (estivale). Cette vallée est large de 10 à 25 km. Le delta, vaste et marécageux, débute au Caire. La navigation est active en Égypte. De grands barrages (Assouan, Assiout, etc.) ont développé l'irrigation. Ce fleuve a fait l'unité ethnique, politique et économique de l'Égypte depuis la protohistoire.

Nīlgiri (monts), montagnes de l'Inde mérid. (2 635 m au *Doda Betta*), au N. de Coimbatore.

nille n. f. TECH Manchon mobile entourant le manche d'une manivelle et tournant autour de lui.

nilo-. Élément, tiré de *Nil.* (Ex. *nilo-saharien.*)

nilotique adj. GEOGR Relatif au Nil. ▷ LING *Langues nilotiques* : langues négro-africaines de la région soudanaise.

Nilotiques, ensemble des populations noires établies dans le bassin du haut Nil Blanc (Soudan mérid., Ouganda, Kenya occid. et Tanzanie septent.) parlant des langues nilotiques. Remarquables par leur haute taille, les Nilotiques sont traditionnellement des pasteurs nomades.

Nimayri (Dja'far Al-). V. Nemeyri (Gaafar El-).

Nimba (mont), point culminant de la dorsale guinéenne (1 752 m), en Afrique occid. Import. gisement de fer.

nimbe n. m. BX-A Auréole, cercle lumineux représenté autour de la tête de Dieu, des anges ou des saints. ▷ Par ext., litt. *Un nimbe de cheveux blonds.*

nimber v. tr. [1] Orner d'un nimbe. ▷ Litt. Auréoler, faire comme un nimbe autour de. *Le soleil nimbait son visage.* – Fig. *Il était nimbé d'une auréole de sainteté.*

nimbo-stratus ou **nimbostratus** [nɛ̃bostʀatys] n. m. inv. METEO Nuage très développé verticalement et très étendu, dont la base, souvent sombre, présente un aspect flou dû aux chutes de pluie ou de neige qui en tombent.

Nimègue (en néerl. *Nijmegen*), v. des Pays-Bas (Gueldre), sur le Waal (r. g.), près de l'Allemagne ; 145 820 hab. Centre industriel (constr. méca. et électron., fibres artificielles). – Université cathol. Égl. St-Étienne (XVe s.). Hôtel de ville du XVIe s. – Les *traités de Nimègue,* qui mirent fin à la guerre de Hollande, marquèrent l'apogée du règne de Louis XIV. Le premier avec les Provinces-Unies (août 1678), le deuxième avec l'Espagne (sept. 1678), le troisième avec le Saint Empire (fév. 1679) lui permirent l'annexion de la Franche-Comté, du Cambrésis et du S. du Hainaut.

Nîmes, ch.-l. du dép. du Gard, au pied des Garrigues ; 133 607 hab. Marchés à bestiaux et agricole (vins, fruits) ; industr. alim., méca., chim. et text. Tourisme. Écoles militaires. – Évêché. Nombr. monuments de l'époque romaine : les Arènes (amphithéâtre), la Maison carrée, le temple de Diane, la tour Magne, etc. Musée archéologique. Musée des beaux-arts. – Carré d'art dû à Norman Foster (1993). – Nîmes, cité romaine en 120 av. J.-C., fut très prospère sous les Antonins. Rattachée au comté de Toulouse en 1185, elle fut cédée à la France en 1229. Nîmes devint un foyer calviniste aux XVIe et XVIIe s. Jean Cavalier, chef des camisards, y traita avec Villars (1704).

Nîmes : la Maison carrée (au centre), Ier s. av. J.-C.

Nimier (Roger Nimier de La Perrière, dit Roger) (Paris, 1925 – id., 1962), écrivain français ; témoin d'une jeunesse désengagée : *les Épées* (1948), *le Hussard bleu* (1950).

Nimitz (Chester William) (Fredericksburg, Texas, 1885 – San Francisco, 1966), amiral américain ; commandant de la flotte américaine du Pacifique de 1941 à 1945.

nîmois, oise adj. et n. De Nîmes. – Subst. *Un(e) Nîmois(e).*

Nimroud, v. d'Irak, sur le Tigre. C'est l'anc. *Calach,* dont Assurnazirpal II fit sa capitale (IXe s. av. J.-C.). Les fouilles (dès le XIXe s.) ont dégagé de beaux monuments de cette époque.

Nin (Anaïs) (Neuilly-sur-Seine, 1903 – Los Angeles, 1977), écrivain américain. Cosmopolite, liée aux Américains de Paris (H. Miller, notam.), elle a écrit des romans autobiographiques. Son *Journal,* entrepris à partir de 1931 et écrit d'abord en français, explore l'inconscient féminin et le mystère de la création artistique et littéraire.

niñas [niɲas] n. m. inv. Petit cigare.

Ningbo, v. et port de Chine (Zhejiang) ; 1 070 000 hab. Conserveries ; laques. Monuments anciens.

Ningxia, rég. auton. du N.-O. de la Chine, au S. de la Mongolie ; 170 000 km^{2} ; 4 150 000 hab. ; cap. *Yinchuan.*

Ninive, cap. de l'empire d'Assyrie, sur le Tigre. Elle s'élevait sur la r. g. du fleuve en face de la ville actuelle de Mossoul (Irak). Déjà habitée au IIIe millénaire, elle fut portée à son apogée par le roi assyrien Sennachérib (705-681 av. J.-C.) et conservée comme cap. par ses successeurs ; elle fut détruite en 612 av. J.-C. – Les fouilles entreprises par l'Anglais Layard en 1847 ont mis au jour de brillants vestiges : ruines du palais, bas-reliefs, tablettes cunéiformes.

ninja n. m. Dans l'ancien Japon, espion ou homme de main d'un puissant personnage.

Niño (El), courant qui, dans le Pacifique, entraîne les eaux chaudes de l'Asie vers l'Amérique du Sud.

Nió. V. Íos.

Niobé, dans la myth. gr., fille de Tantale et femme d'Amphion, roi de Thèbes ; fière de ses sept fils et de ses sept filles, elle railla Léto, qui n'avait engendré qu'Apollon et Artémis. Ceux-ci tuèrent tous ses enfants. Zeus, accédant alors à sa demande, la métamorphosa en un rocher qui prit la forme d'une effigie pleurante.

niobium [njɔbjɔm] n. m. CHIM Élément métallique de numéro atomique Z = 41, de masse atomique 92,906 (symbole Nb). – Métal (Nb) gris et brillant, qui fond à 2 468 °C et bout à 2 742 °C. *Très rare, le niobium est toujours associé au tantale dans ses minerais.*

niôle. V. gnôle.

Niort, ch.-l. du dép. des Deux-Sèvres, sur la Sèvre Niortaise ; 58 660 hab. Travail du cuir ; constr. électriques ; industr. du bois, etc. Siège de sociétés d'assurances mutualistes. – Égl. Notre-Dame (XVe-XVIe s., remaniée au XVIIIe s.). Donjon (XIIe-XIIIe s.). Hôtel de ville (XVIe s.), maisons anciennes. – Niort, princ. port du Poitou au Moyen

Âge, pris par Du Guesclin aux Anglais (1372), fut un foyer calviniste aux XVIe et XVIIe s.

Nipigon, lac du Canada (Ontario), qui se déverse dans le lac Supérieur; 4 450 km².

nipper v. tr. [1] Fam. Habiller, vêtir. ▷ v. pron. *Il eut à peine le temps de se nipper.* ▷ Pp. adj. *Il est bien nippé.*

nippes n. f. pl. Fam. Vêtements usés; hardes. *De vieilles nippes.* ▷ Pop. Vêtements.

nippon, one ou **onne** adj. et n. Du Japon. ▷ Subst. *Un Nippon, une Nippon(n)e.* Syn. cour. japonais.

nippon (Empire). V. Japon.

Nippour, v. sumérienne (auj. *Niffer,* Irak), fort importante du IIIe au Ier millénaire av. J.-C. Les fouilles (dès le XIXe s.) ont dégagé de beaux monuments et des tablettes cunéiformes.

nique n. f. *Faire la nique à qqn,* lui adresser un geste de mépris ou de moquerie.

niquer v. tr. [1] **1.** Arg. Avoir des relations sexuelles avec. **2.** Fig., vulg. *Niquer qqn,* le duper, l'attraper.

Nirenberg (Marshall Warren) (New York, 1927), biochimiste anglais; auteur de travaux de génétique sur les enzymes. P. Nobel 1968.

nirvāna ou **nirvana** [niʀvana] n. m. RELIG Dans le bouddhisme, suprême félicité dont jouit celui qui s'est défait de tout attachement; extinction du karma, du désir humain, permettant de s'affranchir du cycle des réincarnations.

Niš, v. de Serbie; 161 380 hab. Centre agricole et industriel.

nit [nit] n. m. PHYS Unité SI de luminance (symbole nt).

Niterói, v. et port du Brésil, anc. cap. de l'État de Rio de Janeiro, sur la baie de Guanabara, dans l'aggl. de Rio; 442 710 hab. Métallurgie, textiles.

nitouche. V. sainte nitouche.

nitr(o)-. Élément, du lat. *nitrum,* « nitre », indiquant la présence d'un nitrate dans un composé chimique.

nitratation n. f. CHIM Transformation, dans le sol, des nitrites en nitrates par les bactéries nitriques (genre *Nitrobacter*).

nitrate n. m. CHIM Sel ou ester de l'acide nitrique (on disait autrefois *azotate*). *Les nitrates de sodium, de potassium, de calcium, de magnésium et surtout d'ammonium sont des engrais très utilisés. Le nitrate d'argent est employé comme cautérisant.*

nitration n. f. CHIM Action de nitrer.

nitré, ée adj. CHIM Obtenu par nitration. *Les dérivés nitrés sont des oxydants.*

nitrer v. tr. [1] CHIM Introduire, en remplacement d'un atome d'hydrogène, le radical nitryle (NO_2) dans une molécule.

nitreux, euse adj. **1.** CHIM Se dit des dérivés oxygénés de l'azote, au degré d'oxydation + 1 ou + 3. ▷ *Acide nitreux* (HNO_2), qui se décompose en acide nitrique. **2.** MICROB Se dit des bactéries qui réalisent la nitrosation.

nitrière n. f. TECH Lieu d'où l'on extrait des nitrates. *Les nitrières du Chili.*

nitrifiant, ante adj. CHIM Qui assure la nitrification. *Bactéries nitrifiantes* (ou *nitrobactéries*).

nitrification n. f. CHIM Transformation, dans le sol, des composés organiques azotés en nitrates facilement assimilables par les plantes chlorophylliennes. *La nitrification se fait en deux temps : nitrosation* et nitratation*.*

nitrifier v. tr. CHIM Transformer en nitrates. ▷ v. pron. Se transformer en nitrates.

nitrile n. m. CHIM Produit de déshydratation d'un amide, comportant le radical −C≡N.

nitrique adj. **1.** CHIM Se dit des dérivés oxygénés de l'azote, au degré d'oxydation +2 ou +5. ▷ *Acide nitrique* : acide HNO_3, utilisé dans l'industrie chimique (explosifs, vernis, etc.) et en gravure (eau-forte). **2.** Par ext. *Bactéries nitriques,* qui opèrent la nitratation.

nitro-. V. nitr(o)-.

nitrobacter n. m. ou **nitrobactérie** n. f. CHIM Bactérie aérobie qui provoque la nitrification.

nitrobenzène n. m. CHIM Dérivé nitré du benzène utilisé en parfumerie, dans la fabrication de certains explosifs et dans l'industrie chimique (colorants).

nitrocellulose n. f. CHIM Ester résultant de l'action de l'acide nitrique sur la cellulose (nitrate de cellulose), utilisé notam. pour fabriquer des vernis et des explosifs (dynamite-gomme : V. dynamite).

nitrogène n. m. CHIM Anc. nom de l'azote.

nitroglycérine n. f. CHIM et cour. Ester nitrique de la glycérine, liquide jaunâtre et huileux qui détone violemment au choc. *La dynamite est constituée de nitroglycérine absorbée par de la silice poreuse.*

nitrosation n. f. Transformation, dans le sol, des composés organiques azotés (amines, ammoniac) en nitrites, par des bactéries nitreuses. ▷ CHIM Introduction du radical nitrosyle dans une molécule.

nitrosyle n. m. CHIM Radical monovalent (NO).

nitrotoluène n. m. CHIM Dérivé nitré du toluène. (L'un des nitrotoluènes, le *trinitrotoluène,* ou T.N.T., est un explosif.)

nitruration n. f. METALL Traitement de surface des aciers par formation de nitrures (cémentation), destiné à leur donner de la dureté.

nitrure n. m. CHIM Combinaison de l'azote avec un corps simple (métal, en partic.).

nitrurer v. tr. [1] METALL Soumettre à la nitruration.

nitryle n. m. CHIM Radical monovalent $-NO_2$, contenu dans les composés nitrés.

Ni Tsan. V. Ni Zan.

Niue (île), île du Pacifique, à 2 400 km au N. de la Nouvelle-Zélande; 259 km²; 4 000 hab.; chef-lieu : *Alofi.* Rép. autonome depuis 1974, sous administration néo-zélandaise.

nival, ale, aux adj. GEOGR Relatif à la neige; dû à la neige. ▷ *Régime nival,* d'un cours d'eau alimenté par la fonte des neiges (hautes eaux au printemps, basses eaux en hiver).

nive n. f. Rég. Rivière, torrent, dans les Pyrénées.

Nive ou **Grande Nive** (la), riv. du Pays basque (78 km) formée par la réunion de plus. torrents (*Nive de Béhérobie, Nive de Baïgorry,* etc.); confl. avec l'Adour (r. g.) à Bayonne.

nivéal, ale, aux adj. BOT Qui fleurit en hiver.

niveau n. m. **I. 1.** Instrument servant à vérifier ou à obtenir l'horizontalité d'une surface plane. *Niveau d'eau* : instrument formé de deux fioles de verre ajustées à un support et contenant un liquide; la droite passant par les surfaces des liquides indiquant l'horizontalité. **2.** Instrument servant à déterminer la différence d'altitude entre deux points. **II. 1.** Degré d'élévation d'un plan horizontal ou de plusieurs points dans le même plan horizontal par rapport à un plan parallèle pris comme référence. *L'évaporation a fait baisser le niveau de l'eau de ce bassin. La piscine est au même niveau que la terrasse; elle est de niveau avec la terrasse.* – *Courbe de niveau,* reliant sur une carte, un plan, les points situés à une même altitude. – *Angle au niveau* : angle de la ligne de tir avec l'horizontale. – *Au niveau de* : à la même hauteur que. **2.** Par métaph. *Texte que l'on peut lire à différents niveaux* (littéraire, historique, psychologique, etc.). – *Au niveau psychologique* : par rapport à la psychologie, du point de vue de la psychologie. **3.** Fig. Degré plus ou moins élevé dans une échelle de grandeurs. *Niveau des prix, du pouvoir d'achat. Niveau de vie.* – *Le niveau de la mortalité baisse grâce aux progrès de l'hygiène.* – *Niveau social* : degré occupé dans la hiérarchie sociale. ▷ Valeur comprise par rapport à une valeur de référence. *Artisan d'un haut niveau professionnel. Niveau intellectuel, moral.* – *Être au niveau* : être à la hauteur. *Cet élève n'est pas au niveau (de sa classe).* ▷ LING *Niveau de langue* : marque stylistique (choix du vocabulaire, des formes syntaxiques) renvoyant à un classement hiérarchisé des pratiques langagières en fonction des situations de communication ou de caractéristiques socioculturelles. *On distingue divers niveaux de langue : courant, familier, populaire, littéraire, etc.* **4.** PHYS *Niveau d'énergie d'un atome* : valeur caractéristique de l'énergie d'un électron sur chacune des couches électroniques entourant le noyau. (Ces niveaux sont repérés par les lettres K, L, M, etc., dans cet ordre, à partir du noyau, et correspondent aux nombres quantiques principaux 1, 2, 3, etc.)

nivelage n. m. Action de niveler; son résultat.

niveler v. tr. [19] **1.** Rendre (une surface) horizontale ou plane. *Niveler le sol.* **2.** Fig. Rendre égal, mettre au même niveau. *Niveler les fortunes, les conditions sociales.* **3.** TECH Mesurer ou vérifier avec un niveau.

niveleur, euse n. **1.** Personne qui nivelle, égalise, met au niveau. **2.** Fig., péjor. Personne qui aspire à une égalité sociale par le nivellement. ▷ HIST Nom porté par les républicains anglais les plus hostiles à la monarchie, au XVIIe s., et opposés à l'autoritarisme de Cromwell.

niveleuse n. f. TRAV PUBL Engin de terrassement muni d'une lame orientable et qui sert à profiler la surface d'un sol. (Syn. off. recommandé de *grader.*)

Nivelle (Jean de) (v. 1422 – apr. 1480), fils aîné de Jean II de Montmorency, déshérité par son père pour avoir refusé de marcher contre Charles le Téméraire. Son père l'aurait, en outre, traité de « chien », d'où le dicton : *C'est le chien* (pour *ce chien*) *de Jean de Nivelle qui s'enfuit quand on l'appelle.*

Nivelle (Robert Georges) (Tulle, 1856 – Paris, 1924), général français. Chef de la IIe armée à Verdun, il remplaça Joffre comme généralissime des armées du N. et du N.-E. en déc. 1916. L'échec de son offensive au Chemin des Dames, dans l'Aisne, en avril 1917 entraîna son remplacement par Pétain.

nivellement n. m. **1.** TECH Action de déterminer, avec un niveau*, l'altitude des différents points d'une surface. *Le nivellement s'effectue à l'aide d'un niveau à lunette ou par photogrammétrie.* **2.** Action de niveler une surface, de la rendre plane. **3.** Fig. Action de niveler (sens 2). *Le nivellement des fortunes.*

Nivelles (en néerl. *Nijvel*), com. de Belgique (Brabant); 21 580 hab. Métallurgie; papeteries. – Collégiale Ste-Gertrude (XIe-XIIIe s.).

nivernais, aise adj. (et n.) De Nevers ou du Nivernais.

Nivernais (le), rég. et anc. prov. de France, correspondant à l'actuel dép. de la Nièvre et à une faible partie des dép. de l'Yonne et du Cher; cap. *Nevers.* – Le comté de Nevers, puissant dès le XIe s., érigé en duché-pairie (1539), appartint à plusieurs maisons. En 1659, Mazarin l'acheta pour son neveu Philippe Julien Mancini, dont le petit-fils (m. en 1798) fut le dernier duc de Nivernais. – Le *canal du Nivernais* (174 km), achevé en 1842, relie la Loire à l'Yonne, d'Auxerre à Decizes; auj., il est en partie désaffecté.

nivo-. Préfixe, du lat. *niveus,* «de neige».

nivo-glaciaire adj. GEOGR *Régime nivo-glaciaire :* régime d'un cours d'eau alimenté par la fonte des neiges et des glaciers (V. nival). *Des régimes nivo-glaciaires.*

nivologie n. f. Étude scientifique de la neige.

nivo-pluvial, ale, aux adj. GEOGR *Régime nivo-pluvial :* régime d'un cours d'eau alimenté par la fonte des neiges et les pluies (hautes eaux au printemps et en automne, basses eaux en été). *Des régimes nivo-pluviaux.*

nivôse n. m. HIST Quatrième mois du calendrier républicain (du 21/23 déc. au 19/21 janv.).

Nixon (Richard Milhous) (Yorba Linda, Californie, 1913 – New York, 1994), homme politique américain. Républicain, vice-président des É.-U. de 1953 à 1960, il se présenta alors à la présidence et fut battu de peu par Kennedy. À nouveau candidat en 1968, il fut élu, son mandat étant renouvelé en 1972. Impliqué dans le scandale politique (écoutes téléphoniques) dit «du Watergate», il dut démissionner en août 1974. Ses mandats (1969-1974) furent marqués par les négociations avec l'U.R.S.S. sur la limitation des armements, l'établissement de relations avec la Chine populaire, la guerre (bombardements de Hanoi et de Haiphong) puis le cessez-le-feu au Viêtnam (3 janv. 1973). ► illustr. page **1298**

Nizāmī ou **Nezāmi** (Iliās ibn Youssouf) (Gandja, Caucase, v. 1140 – id., v. 1203), poète persan; auteur d'un recueil de cinq poèmes didactiques, dont le *Trésor des mystères,* exposé des principes fondamentaux du soufisme.

Ni Zan ou **Ni Tsan** (1301 – 1374), peintre et lettré chinois; l'un des quatre grands maîtres du paysage sous la dynastie des Yuan.

Paul **Nizan** Alfred **Nobel**

Nizan (Paul) (Tours, 1905 – Audruicq, près de Dunkerque, 1940), écrivain français. Pamphlets : *Aden Arabie* (1931), *les Chiens de garde* (1932). Essais : *les Matérialistes de l'Antiquité* (1936). Romans : *Antoine Bloyé* (1933), *la Conspiration* (1938). Militant et journaliste communiste jusqu'à la signature du pacte germano-soviétique, il est mort au combat.

Njegoš (Petrović). V. Pierre Ier Petrović Njegoš.

N'kongsamba, v. du Cameroun, au N. de Douala; 123 150 hab. Café.

Nkrumah (Kwame) (Nkroful, près d'Axim, 1909 – Bucarest, 1972), homme politique ghanéen, Premier ministre de la Côte-de-l'Or (1952), puis du Ghana indépendant (1957), président de la République en 1960, renversé par une junte en 1966, il fut l'un des fondateurs de l'O.U.A. et l'un des leaders du neutralisme (conférences d'Accra en 1958 et 1960).

N.K.V.D. Sigle de *Narodnyï Komissariat Vnoutrennikh Diel* («Commissariat du peuple aux Affaires intérieures»). Nom de la police politique soviétique de 1934 à 1943.

No CHIM Symbole du nobélium.

nô n. m. inv. Drame lyrique chanté et mimé, avec accompagnement orchestral, au Japon; genre théâtral traditionnel auquel appartient ce type de pièce.

Nô (lac), cuvette lacustre du Soudan méridional, d'où sort le Nil Blanc.

Noah (Yannick) (Sedan, 1960), joueur de tennis de double nationalité française et camerounaise; victorieux aux Internationaux de France à Roland-Garros en 1983; sélectionneur et entraîneur de l'équipe de France qui remporta la coupe Davis en 1991.

Yannick **Noah**

Noailles (maison de), famille française originaire de Noailles (Corrèze). – **Antoine** (Noailles, 1504 – Bordeaux, 1562), homme de guerre français; il se distingua à Cérisoles (1544). – **François** (Noailles, 1519 – Bayonne, 1585), frère du préc.; évêque de Dax, il fut ambassadeur à Venise, puis à Istanbul, où il obtint l'alliance turque (1573). – **Anne Jules** (Paris, 1650 – Versailles, 1708), comte d'Ayen et duc de Noailles, maréchal de France (1693); descendant d'Antoine. Gouverneur du Languedoc (1682), il usa de la violence (dragonnades) envers les calvinistes. – **Louis Antoine** (chât. de Peynières, Cantal, 1651 – Paris, 1729), frère du préc. Archevêque de Paris (1695), il se refusa à accabler le jansénisme. – **Adrien Maurice** (Paris, 1678 – id., 1766), comte d'Ayen et duc de Noailles, fils d'Anne Jules; il présida le Conseil des finances (1715-1718); maréchal de France en 1734, il se distingua en Allemagne. – **Louis Marie** (Paris, 1756 – La Havane, 1804), chevalier d'Arpajon et vicomte de Noailles, petit-fils du préc.; général, il combattit en Amérique aux côtés de La Fayette. Député de la noblesse aux états généraux, il demanda l'abolition des privilèges (nuit du 4 août 1789). Il émigra aux É.-U. en 1792 et rejoignit Rochambeau à Saint-Domingue.

Noailles (Anna, princesse Brancovan, comtesse Mathieu de) (Paris, 1876 – id., 1933), poétesse néo-romantique française : *le Cœur innombrable* (1901), *les Vivants et les Morts* (1913).

Nobel (Alfred) (Stockholm, 1833 – San Remo, 1896), chimiste suédois; inventeur de la dynamite. Il fit don de sa fortune pour la création des prix qui portent son nom et qui, depuis 1901, récompensent les bienfaiteurs de l'humanité dans les domaines suivants : physique, chimie, physiologie et médecine, littérature, contribution à l'amélioration des relations entre les peuples (prix Nobel de la paix) et, depuis 1969, sciences économiques.

nobélium [nɔbeljɔm] n. m. CHIM Élément radioactif artificiel appartenant à la famille des actinides, de numéro atomique Z = 102, de masse atomique 254 (symbole No).

Nobile (Umberto) (Lauro, Avellino, 1885 – Rome, 1978), aviateur et explorateur italien. Il fit partie avec Amundsen de la première expédition polaire en dirigeable (1926).

Nobili (Leopoldo) (Trassilico, 1787 – Florence, 1835), physicien italien. Il mit au point, en 1830, la première pile thermoélectrique.

nobiliaire adj. et n. m. **1.** adj. Qui appartient à la noblesse, qui lui est propre. *Titres nobiliaires.* **2.** n. m. Catalogue des familles nobles d'un pays.

noble adj. et n. **1.** Qui fait partie de la noblesse; dont les ancêtres appartenaient à cette classe. ▷ Subst. *Les nobles étaient exempts de taille.* **2.** Propre à ce groupe social, à ses membres. *Un nom, un sang noble.* **3.** Qui a ou qui dénote des sentiments élevés, de la grandeur, de la distinction. *Se montrer noble et généreux. Un maintien noble. Un style noble.* ▷ THEAT *Père noble :* rôle de personnage digne et d'un certain âge. **4.** Supérieur aux choses de même catégorie. *Le cœur, organe noble.* – *Métaux nobles :* métaux précieux (or et platine), difficilement oxydables.

noblement adv. De manière noble.

PRIX NOBEL

ANNÉE	PHYSIQUE	CHIMIE	PHYSIOLOGIE – MÉDECINE	LITTÉRATURE	PAIX
1901	Röntgen (Wilhelm Conrad) (All.)	Van't Hoff (Jacobus Henricus) (P.-B.)	Behring (Emil von) (All.)	Sully Prudhomme (René François Armand Sully, dit) (Fr.)	Dunant (Henri) (Suisse) Passy (Frédéric) (Fr.)
1902	Lorentz (Hendrik Antoon) (P.-B.) Zeeman (Pieter) (P.-B.)	Fischer (Emil) (All.)	Ross (sir Ronald) (G.-B.)	Mommsen (Theodor) (All.)	Ducommun (Élie) (Suisse) Gobat (Charles Albert) (Suisse)
1903	Becquerel (Henri) (Fr.) Curie (Pierre et Marie) (Fr.)	Arrhenius (Svante) (Suède)	Finsen (Niels Ryberg) (Dan.)	Bjørnson (Bjørnstjerne) (Norv.)	Cremer (sir William) (G.-B.)
1904	Rayleigh (John William Strutt) (G.-B.)	Ramsay (sir William) (G.-B.)	Pavlov (Ivan Petrovitch) (Russie)	Echegaray (José) (Esp.) Mistral (Frédéric) (Fr.)	Institut de droit international de Gand (Belgique)
1905	Lenard (Philipp) (All.)	Baeyer (Adolf von) (All.)	Koch (Robert) (All.)	Sienkiewicz (Henryk) (Pol.)	Suttner (Bertha Kinsky, b[onne] von) (Autr.)
1906	Thomson (sir Joseph John) (G.-B.)	Moissan (Henri) (Fr.)	Golgi (Camillo) (Ital.) Ramón y Cajal (Santiago) (Esp.)	Carducci (Giosue) (Ital.)	Roosevelt (Theodore) (É.-U.)
1907	Michelson (Albert Abraham) (É.-U.)	Buchner (Eduard) (All.)	Laveran (Alphonse) (Fr.)	Kipling (Rudyard) (G.-B.)	Moneta (Ernesto Teodoro) (Ital.) Renault (Louis) (Fr.)
1908	Lippmann (Gabriel) (Fr.)	Rutherford of Nelson (lord Ernest) (G.-B.)	Ehrlich (Paul) (All.) Metchnikoff (Élie) (Russie)	Eucken (Rudolf) (All.)	Arnoldson (Klas) (Suède) Bajer (Frederik) (Dan.)
1909	Braun (Karl Ferdinand) (All.) Marconi (Guglielmo) (Ital.)	Ostwald (Wilhelm) (All.)	Kocher (Emil Theodor) (Suisse)	Lagerlöf (Selma) (Suède)	Balluat d'Estournelles de Constant (Paul) (Fr.) Beernaert (Auguste) (Belg.)
1910	Van der Waals (Johannes) (P.-B.)	Wallach (Otto) (All.)	Kossel (Albrecht) (All.)	Heyse (Paul von) (All.)	Bureau intern. de la paix (Berne)
1911	Wien (Wilhelm) (All.)	Curie (Marie) (Fr.)	Gullstrand (Allvar) (Suède)	Maeterlinck (Maurice) (Belg.)	Asser (Tobias Michael) (P.-B.) Fried (Alfred Hermann) (Autr.)
1912	Dalén (Nils Gustaf) (Suède)	Grignard (Victor) (Fr.) Sabatier (Paul) (Fr.)	Carrel (Alexis) (Fr.)	Hauptmann (Gerhart) (All.)	Root (Elihu) (É-U.)
1913	Kamerlingh Onnes (Heike) (P.-B.)	Werner (Alfred) (Suisse)	Richet (Charles) (Fr.)	Tagore (Rabindranath) (Inde)	La Fontaine (Henri) (Belg.)
1914	Laue (Max von) (All.)	Richards (Theodore William) (É.-U.)	Bárány (Robert) (Autr.)	*non décerné*	*non décerné*
1915	Bragg (sir William Henry) (G.-B.) Bragg (William Lawrence) (G.-B.)	Willstätter (Richard) (All.)	*non décerné*	Rolland (Romain) (Fr.)	*non décerné*
1916	*non décerné*	*non décerné*	*non décerné*	Heidenstam (Verner von) (Suède)	*non décerné*
1917	Barkla (Charles Glover) (G.-B.)	*non décerné*	*non décerné*	Gjellerup (Karl) (Dan.) Pontoppidan (Henrik) (Dan.)	Comité international de la Croix-Rouge (Genève)
1918	Planck (Max) (All.)	Haber (Fritz) (All.)	*non décerné*	*non décerné*	*non décerné*
1919	Stark (Johannes) (All.)	*non décerné*	Bordet (Jules) (Belg.)	Spitteler (Carl) (Suisse)	Wilson (Thomas Woodrow) (É.-U.)
1920	Guillaume (Charles Édouard) (Suisse)	Nernst (Walther) (All.)	Krogh (August) (Dan.)	Hamsun (Knut) (Norv.)	Bourgeois (Léon) (Fr.)
1921	Einstein (Albert) (All.)	Soddy (sir Frederick) (G.-B.)	*non décerné*	France (Anatole) (Fr.)	Branting (Karl Hjalmar) (Suède) Lange (Christian) (Norv.)
1922	Bohr (Niels) (Dan.)	Aston (Francis William) (G.-B.)	Hill (Archibald Vivian) (G.-B.) Meyerhof (Otto Fritz) (All.)	Benavente (Jacinto) (Esp.)	Nansen (Fridtjof) (Norv.)
1923	Millikan (Robert Andrews) (É.-U.)	Pregl (Fritz) (Autr.)	Banting (sir Frederick Grant) (Can.) Macleod (John James Rickard) (Can.)	Yeats (William Butler) (Irl.)	*non décerné*
1924	Siegbahn (Manne Karl) (Suède)	*non décerné*	Einthoven (Willem) (P.-B.)	Reymont (Wladislaw Stanislaw) (Pol.)	*non décerné*
1925	Franck (James) (All.) Hertz (Gustav) (All.)	Zsigmondy (Richard) (Autr.)	*non décerné*	Shaw (George Bernard) (Irl.)	Chamberlain (sir Joseph Austen) (G.-B.) Dawes (Charles Gates) (É.-U.)
1926	Perrin (Jean) (Fr.)	Svedberg (Theodor) (Suède)	Fibiger (Johannes) (Dan.)	Deledda (Grazia) (Ital.)	Briand (Aristide) (Fr.) Stresemann (Gustav) (All.)
1927	Compton (Arthur Holly) (É.-U.) Wilson (Charles Thomson Rees) (G.-B.)	Wieland (Heinrich) (All.)	Wagner-Jauregg (Julius) (Autr.)	Bergson (Henri) (Fr.)	Buisson (Ferdinand) (Fr.) Quidde (Ludwig) (All.)
1928	Richardson (sir Owen Williams) (G.-B.)	Windaus (Adolf) (All.)	Nicolle (Charles) (Fr.)	Undset (Sigrid) (Norv.)	*non décerné*
1929	Broglie (Louis Victor de) (Fr.)	Euler-Chelpin (Hans von) (Suède) Harden (sir Arthur) (G.-B.)	Eijkman (Christiaan) (P.-B.) Hopkins (sir Frederick Gowland) (G.-B.)	Mann (Thomas) (All.)	Kellogg (Frank Billings) (É.-U.)

Aucun prix n'a été décerné de 1940 à 1942

PRIX NOBEL *(suite)*

ANNÉE	PHYSIQUE	CHIMIE	PHYSIOLOGIE – MÉDECINE	LITTÉRATURE	PAIX
1930	Raman (sir Chandrasekhara Venkata) (Inde)	Fischer (Hans) (All.)	Landsteiner (Karl) (Autr.)	Lewis (Sinclair) (É.-U.)	Söderblom (Nathan) (Suède)
1931	*non décerné*	Bergius (Friedrich) (All.) Bosch (Carl) (All.)	Warburg (Otto Heinrich) (All.)	Karlfeldt (Erik Axel) (Suède)	Addams (Jane) (É.-U.) Butler (Nicholas Murray) (É.-U.)
1932	Heisenberg (Werner) (All.)	Langmuir (Irving) (É.-U.)	Adrian (sir Edgar Douglas) (G.-B.) Sherrington (sir Charles Scott) (G.-B.)	Galsworthy (John) (G.-B.)	*non décerné*
1933	Dirac (Paul) (G.-B.) Schrödinger (Erwin) (Autr.)	*non décerné*	Morgan (Thomas Hunt) (É.-U.)	Bounine (Ivan Alexeievitch) (d'orig. russe)	Angell (sir Norman) (G.-B.)
1934	*non décerné*	Urey (Harold Clayton) (É.-U.)	Minot (George Richards) (É.-U.) Murphy (William Parry) (É.-U.) Whipple (George H.) (É.-U.)	Pirandello (Luigi) (Ital.)	Henderson (Arthur) (G.-B.)
1935	Chadwick (sir James) (G.-B.)	Joliot-Curie (Frédéric et Irène) (Fr.)	Spemann (Hans) (All.)	*non décerné*	Ossietzky (Carl von) (All.)
1936	Anderson (Carl David) (É.-U.) Hess (Victor Franz) (Autr.)	Debye (Petrus) (P.-B.)	Dale (sir Henry Hallett) (G.-B.) Loewi (Otto) (All.)	O'Neill (Eugene Gladstone) (É.-U.)	Saavedra Lamas (Carlos) (Arg.)
1937	Davisson (Clinton Joseph) (É.-U.) Thomson (sir George Paget) (G.-B.)	Haworth (sir Walter Norman) (G.-B.) Karrer (Paul) (Suisse)	Szent-Györgyi (Albert) (Hongr.)	Martin du Gard (Roger) (Fr.)	Cecil of Chelwood (lord Robert) (G.-B.)
1938	Fermi (Enrico) (Ital.)	Kuhn (Richard) (All) *prix refusé*	Heymans (Cornelius) (Belg.)	Buck (Pearl) (E.-U.)	Office international Nansen pour les réfugiés (Suisse)
1939	Lawrence (Ernest Orlando) (É.-U.)	Butenandt (Adolf) (All.) Ruzicka (Leopold) (Suisse)	Domagk (Gerhard) (All.) *prix refusé*	Silanpää (Frans Eemil) (Finl.)	*non décerné*
1943	Stern (Otto) (É.-U.)	Hevesy de Heves (Georg) (Hongr.)	Dam (Henrik) (Dan.) Doisy (Edward Adelbert) (É.-U.)	*non décerné*	*non décerné*
1944	Rabi (Isaac Isidor) (É.-U.)	Hahn (Otto) (All.)	Erlanger (Joseph) (É.-U.) Gasser (Herbert Spencer) (É.-U.)	Jensen (Johannes Vilhelm) (Dan.)	Comité international de la Croix-Rouge (Genève)
1945	Pauli (Wolfgang) (Autr.)	Virtanen (Artturi Ilmari) (Finl.)	Chain (Ernst Boris) (G.-B.) Fleming (sir Alexander) (G.-B.) Florey (sir Howard Walter) (G.-B.)	Mistral (Gabriela) (Chili)	Hull (Cordell) (É.-U.)
1946	Bridgman (Percy Williams) (É.-U.)	Northrop (John Howard) (É.-U.) Stanley (Wendell Meredith) (É.-U.) Sumner (James Batcheller) (É.-U.)	Muller (Hermann Joseph) (É.-U.)	Hesse (Hermann) (Suisse)	Balch (Emily Greene) (É.-U.) Mott (John Raleigh) (É.-U.)
1947	Appleton (sir Edward Victor) (G.-B.)	Robinson (sir Robert) (G.-B.)	Cori (Carl Ferdinand et Gerty Theresa) (É.-U.) Houssay (Bernardo Alberto) (Arg.)	Gide (André) (Fr.)	The American Friends Service Committee (É.-U.) The British Society of Friends Service Council (G.-B.)
1948	Blackett (Patrick Maynard Stuart) (G.-B.)	Tiselius (Arne Wilhelm) (Suède)	Müller (Paul Hermann) (Suisse)	Eliot (Thomas Stearns) (G.-B.)	*non décerné*
1949	Yukawa (Hideki) (Jap.)	Giauque (William Francis) (É.-U.)	Hess (Walter Rudolf) (Suisse) Moniz (António Caetano de Abreu Freire Egas) (Port.)	Faulkner (William) (É.-U.)	Boyd Orr (lord John) (G.-B.)
1950	Powell (Cecil Frank) (G.-B.)	Alder (Kurt) (R.F.A.) Diels (Otto) (R.F.A.)	Hench (Philip S.) (É.-U.) Kendall (Edward Calvin) (É.-U.) Reichstein (Tadeusz) (Suisse)	Russell (Bertrand) (G.-B.)	Bunche (Ralph Johnson) (É.-U.)
1951	Cockcroft (sir John Douglas) (G.-B.) Walton (Ernest Thomas) (Irl.)	McMillan (Edwin Mattison) (É.-U.) Seaborg (Glenn Theodore) (É.-U.)	Theiler (Max) (Afr. du S.)	Lagerkvist (Pär) (Suède)	Jouhaux (Léon) (Fr.)
1952	Bloch (Felix) (É.-U.) Purcell (Edward Mills) (É.-U.)	Martin (Archer) (G.-B.) Synge (Richard Laurence M.) (G.-B.)	Waksman (Selman A.) (É.-U.)	Mauriac (François) (Fr.)	Schweitzer (Albert) (Fr.)
1953	Zernike (Fritz Frederik) (P.-B.)	Staudinger (Hermann) (R.F.A.)	Krebs (sir Hans Adolf) (G.-B.) Lipmann (Fritz Albert) (É.-U.)	Churchill (sir Winston) (G.-B.)	Marshall (George Catlett) (É.-U.)
1954	Born (Max) (G.-B.) Bothe (Walter Wilhelm) (R.F.A.)	Pauling (Linus) (É.-U.)	Enders (John F.) (É.-U.) Robbins (Frederick C.) (É.-U.) Weller (Thomas H.) (É.-U.)	Hemingway (Ernest Miller) (É.-U.)	Haut-Commissariat des Nations unies pour les réfugiés
1955	Kusch (Polykarp) (É.-U.) Lamb (Willis Eugene) (É.-U.)	Du Vigneaud (Vincent) (É.-U.)	Theorell (Hugo) (Suède)	Laxness (Halldór Kiljan) (Isl.)	*non décerné*

PRIX NOBEL *(suite)*

ANNÉE	PHYSIQUE	CHIMIE	PHYSIOLOGIE – MÉDECINE	LITTÉRATURE	PAIX
1956	Bardeen (John) (É.-U.) Brattain (Walter Houser) (É.-U.) Shockley (William) (É.-U.)	Hinshelwood (sir Cyril) (G.-B.) Semenov (Nikolaï Nikolaïevitch) (U.R.S.S.)	Cournand (André) (É.-U.) Forssmann (Werner) (R.F.A.) Richards (Dickinson) (É.-U.)	Jiménez (Juan Ramón) (Esp.)	*non décerné*
1957	Shen Ningyang, Tsung Dao-lee (Chine)	Todd (sir Alexander) (G.-B.)	Bovet (Daniel) (Ital.)	Camus (Albert) (Fr.)	Pearson (Lester Bowles) (Can.)
1958	Frank (Ilya Mikhaïlovitch) (U.R.S.S.) Tamm (Igor Ievguenievitch) (U.R.S.S.) Tcherenkov (Pavel Alexeïevitch) (U.R.S.S.)	Sanger (Frederick) (G.-B.)	Tatum (Edward Laurie) (É.-U.) Beadle (George Wells) (É.-U.) Lederberg (Joshua) (É.-U.)	Pasternak (Boris Leonidovitch) (U.R.S.S.) *prix refusé*	Pire (Dominique) (Belg.)
1959	Chamberlain (Owen) (É.-U.) Segrè (Emilio) (É.-U.)	Heyrovsky (Jaroslav) (Tchécosl.)	Kornberg (Arthur) (É.-U.) Ochoa (Severo) (É.-U.)	Quasimodo (Salvatore) (Ital.)	Noel-Baker (Philip) (G.-B.)
1960	Glaser (Donald Arthur) (É.-U.)	Libby (Willard Frank) (É.-U.)	Burnet (sir Frank Macfarlane) (Austr.) Medawar (Peter Brian) (G.-B.)	Saint-John Perse (Fr.)	Luthuli (Albert John) (Afr. du S.)
1961	Hofstadter (Robert) (É.-U.) Mössbauer (Rudolf) (R.F.A.)	Calvin (Melvin) (É.-U.)	Békésy (Georg von) (É.-U.)	Andric (Ivo) (Yougosl.)	Hammarskjöld (Dag) (Suède)
1962	Landau (Lev Davidovitch) (U.R.S.S.)	Kendrew (John) (G.-B.) Perutz (Max Ferdinand) (G.-B.)	Crick (Francis Harry Compton) (G.-B.) Watson (James Dewey) (É.-U.) Wilkins (Maurice Hugh) (G.-B.)	Steinbeck (John) (É.-U.)	Pauling (Linus) (É.-U.)
1963	Goeppert-Mayer (Maria) (É.-U.) Jensen (Hans) (R.F.A.) Wigner (Eugene Paul) (É.-U.)	Natta (Giulio) (Ital.) Ziegler (Karl) (R.F.A.)	Eccles (sir John Carew) (Austr.) Hodgkin (Alan Lloyd) (G.-B.) Huxley (Andrew F.) (G.-B.)	Séféris (Georges) (Grèce)	Comité international de la Croix-Rouge; Ligue internationale des sociétés de la Croix-Rouge
1964	Bassov (Nikolaï Guennadievitch) (U.R.S.S.) Prokhorov (Alex. Mikhaïlovitch) (U.R.S.S.) Townes (Charles Hard) (É.-U.)	Hodgkin (Dorothy) (G.-B.)	Bloch (Konrad) (É.-U.) Lynen (Feodor) (R.F.A.)	Sartre (Jean-Paul) (Fr.) *prix refusé*	King (Martin Luther) (É.-U.)
1965	Feynman (Richard Phillips) (É.-U.) Schwinger (Julian Seymour) (É.-U.) Tomonaga (Sinitiro) (Jap.)	Woodward (Robert Burns) (É.-U.)	Jacob (François) (Fr.) Lwoff (André) (Fr.) Monod (Jacques) (Fr.)	Cholokhov (Mikhaïl Alexandrovitch) (U.R.S.S.)	UNICEF (FISE): Fonds international de secours à l'enfance
1966	Kastler (Alfred) (Fr.)	Mulliken (Robert S.) (É.-U.)	Huggins (Charles Brenton) (É.-U.) Rous (Francis Peyton) (É.-U.)	Agnon (Samuel Joseph) (Israël) Sachs (Nelly) (Suède)	*non décerné*
1967	Bethe (Hans Albrecht) (É.-U.)	Eigen (Manfred) (R.F.A.) Norrisch (Ronald) (G.-B.) Porter (sir George) (G.-B.)	Granit (Ragnar) (Suède) Hartline (Haldan) (É.-U.) Wald (George) (É.-U.)	Asturias (Miguel Ángel) (Guat.)	*non décerné*
1968	Alvarez (Luis) (É.-U.)	Onsager (Lars) (É.-U.)	Holley (Robert) (É.-U.) Khorana (Har Gobind) (É.-U.) Nirenberg (Marshall Warren) (É.-U.)	Kawabata (Yasunari) (Jap.)	Cassin (René) (Fr.)
1969	Gell-Mann (Murray) (É.-U.)	Barton (sir Derek Harold) (G.-B.) Hassel (Odd) (Norv.)	Delbrück (Max) (É.-U) Hershey (Alfred) (É.-U.) Luria (Salvador) (É.-U.)	Beckett (Samuel) (Irl.)	Organisation internationale du travail
1970	Alfvén (Hannes) (Suède) Néel (Louis) (Fr.)	Leloir (Luis F.) (Arg.)	Axelrod (Julius) (É-U.) Euler (Ulf Svante von) (Suède) Katz (sir Bernard) (G.-B.)	Soljenitsyne (Alexandre Issaïevitch) (U.R.S.S.)	Borlaug (Norman E.) (É.-U.)
1971	Gabor (Dennis) (G.-B.)	Herzberg (Gerhard) (Can.)	Sutherland (Earl Wilbur) (É.-U.)	Neruda (Pablo) (Chili)	Brandt (Willy) (R.F.A.)
1972	Bardeen (John) (É.-U.) Cooper (Leon N.) (É.-U.) Schrieffer (John R.),	Anfinsen (Christian) (É.-U.) Moore (Stanford) (É.-U.) Stein (William H.) (É.-U.)	Edelman (Gerald) (É.-U.) Porter (Rodney) (G.-B.)	Böll (Heinrich) (R.F.A.)	*non décerné*
1973	Esaki (Leo), Giaever (Ivar) (É.-U.) Josephson (Brian David) (G.-B.)	Fischer (Ernst Otto) (R.F.A.) Wilkinson (Geoffrey) (G.-B.)	Frisch (Karl von), Lorenz (Konrad) (Autr.) Tinbergen (Nikolaas) (P.-B.)	White (Patrick) (Austr.)	Kissinger (Henry Alfred) (É.-U.) Lê Duc Tho (Viêt-nam *prix refusé*)
1974	Hewish (Antony) (G.-B.) Ryle (sir Martin) (G.-B.)	Flory (Paul John) (É.-U.)	Claude (Albert) (Belg.) Duve (Christian de) (Belg.) Palade (George Emil) (É.-U.)	Johnson (Eyvind) (Suède) Martinson (Harry) (Suède)	McBride (Sean) (Irl.) Sato Eisaku (Jap.)
1975	Bohr (Aage) (Dan.) Mottelson (Ben) (Dan.) Rainwater (James) (É.-U.)	Cornforth (John) (Austr.) Prelog (Vladimir) (Suisse)	Baltimore (David) (É.-U.) Dulbecco (Renato) (É.-U.) Temin (Howard Martin) (É.-U.)	Montale (Eugenio) (Ital.)	Sakharov (Andreï Dimitrievitch) (U.R.S.S.)
1976	Richter (Burton) (É.-U.) Ting (Samuel Chao Chung) (É.-U.)	Lipscomb (William Nunn) (É.-U.)	Blumberg (Baruch Samuel) (É.-U.) Gajdusek (Daniel Carleton) (É.-U.)	Bellow (Saul) (É.-U.)	Corrigan (Mairead) (Ulster) Williams (Betty) (Ulster)

PRIX NOBEL *(suite)*

ANNÉE	PHYSIQUE	CHIMIE	PHYSIOLOGIE — MÉDECINE	LITTÉRATURE	PAIX
1977	Anderson (Philip) (É.-U.) Mott (sir Nevill) (G.-B.) Van Vleck (John Hasbrouck) (É.-U.)	Prigogine (Ilya) (Belg.)	Guillemin (Roger) (É.-U.) Schally (Andrew) (É.-U.) Yalow (Rosalyn) (É.-U.)	Aleixandre y Merlo (Vicente) (Esp.)	Amnesty International
1978	Kapitsa (Piotr Leonidovitch) (U.R.S.S.) Penzias (Arno) (É.-U.) Wilson (Robert Woodrow) (É.-U.)	Mitchell (Peter) (G.-B.)	Arber (Werner) (Suisse) Nathans (Daniel) (É.-U.) Smith (Hamilton) (É.-U.)	Singer (Isaac Bashevis) (É.-U.)	Begin (Menahem) (Israël) Sadate (Anouar-el-) (Égypte)
1979	Glashow (Sheldon Lee) (É.-U.) Salam (Abdus) (Pakistan) Weinberg (Steven) (É.-U.)	Brown (Herbert Charles) (É.-U.) Wittig (Georg) (R.F.A.)	Cormack (Allan MacLeod) (É.-U.) Hounsfield (Godfrey Newbold) (G.-B.)	Elytis (Odysseus) (Grèce)	Mère Teresa (Inde)
1980	Cronin (James Watson) (É.-U.) Fitch (Val Logsdon) (É.-U.)	Berg (Paul) (É.-U.) Gilbert (Walter) (É.-U.) Sanger (Frederick) (G.-B.)	Benacerraf (Baruj) (É.-U.) Dausset (Jean) (Fr.) Snell (George Davis) (É.-U.)	Milosz (Czeslaw) (Pol.)	Pérez Esquivel (Adolfo) (Arg.)
1981	Bloembergen (Nicolaas) (É.-U.) Schawlow (Arthur Leonard) (É.-U.) Siegbahn (Kai) (Suède)	Fukui (Kenishi) (Jap.) Hoffmann (roald) (É.-U.)	Hubel (David Hunter) (É.-U.) Sperry (Roger Wolcott) (É.-U.) Wiesel (Torsten Nils) (Suède)	Canetti (Elias) (G.-B.)	Haut-Commissariat des Nations unies pour les réfugiés
1982	Wilson (Kenneth Geddes) (É.-U.)	Klug (Aaron) (G.-B.)	Bergström (Sune) (Suède) Samuelsson (Bengt) (Suède) Vane (John Robert) (G.-B.)	García Márquez (Gabriel) (Colombie)	García Robles (Alfonso) (Mex.) Myrdal (Alva) (Suède)
1983	Chandrasekhar (Subrahmanyan) (É.-U.) Fowler (William Alfred) (É.-U.)	Taube (Henry) (É.-U.)	McClintock (Barbara) (É.-U.)	Golding (William) (G.-B.)	Walesa Lech) (Pol.)
1984	Rubbia (Carlo) (Ital.) Van der Meer (Simon) (P.-B.)	Merrifield (Robert Bruce) (É.-U.)	Jerne (Niels Kaj) (Dan.) Köhler (Georges) (R.F.A.) Milstein (Cesar) (G.-B.)	Seifert (Jaroslav) (Tchécosl.)	Tutu (Desmond) (Afr. du S.)
1985	Kiltzing (Klaus von) (R.F.A.)	Hauptman (H.), Karle (J.) (É.-U.)	Brown (Michael S.) (É.-U.) Goldstein (Joseph L.) (É.-U.)	Simon (Claude) (Fr.)	Association mondiale des médecins contre la guerre nucléaire
1986	Binnig (Georg) (R.F.A.) Rohrer (Heinrich) (Suisse) Ruska (Ernst) (R.F.A.)	Herschbach (Dudley R.) (É.-U.) Polanyi (John Charles) (Can.) Yuan Tseh Lee (É.-U.)	Cohen (Stanley) (É.-U.) Levi-Montalcini (Rita) (Ital.)	Soyinka (Wole) (Nigeria)	Wiesel (Élie) (É.-U.)
1987	Bednorz (Johannes Georg) (R.F.A.) Müller (Karl Alexander) (Suisse)	Cram (Donald) (É.-U.) Lehn (Jean-Marie) (Fr.) Pedersen (Charles) (É.-U.)	Susumu Tonegawa (Jap.)	Brodsky (Joseph) (É.-U.)	Arias Sánchez (Oscar) (Costa Rica)
1988	Lederman (Leon) (É.-U.) Schwartz (Melvin) (É.-U.) Steinberger (Jack) (É.-U.)	Deisenhofer (Johann) (R.F.A.) Huber (Robert) (R.F.A.) Michel (Hartmut) (R.F.A.)	Black (sir James) (G.-B.) Elion (Gertrud B.) (É.-U.) Hitchings (George H.) (É.-U.)	Mahfouz (Naguib) (Égypte)	ONU (Casques bleus)
1989	Dehmelt (Hans) (É.-U.) Paul (Wolfgang) (R.F.A.) Ramsey (Norman) (É.-U.)	Cech (T.), Altman (S.) (É.-U.)	Bishop (Michael) (É.-U.) Varmus (Harold) (É.-U.)	Cela (Camilo José) (Esp.)	Dalaï-lama: Tenzin Gyatso (Tibet)
1990	Friedman (Jerome I.), (É.-U.) Kendall (Henry W.) (É.-U.) Taylor (Richard E.) (Can.)	Corey (Elias James) (É.-U.)	Murray (Joseph E.) (É.-U.) Thomas (E. Donnall) (É.-U.)	Paz (Octavio) (Mex.)	Gorbatchev (Mikhaïl) (U.R.S.S.)
1991	Gennes (Pierre-Gilles de) (Fr.)	Ernst (Richard) (Suisse)	Neher (Ezwin) (All.) Sakmann (Bert) (All.)	Gordimer (Nadine) (Afr. du S.)	Aung San Suu Kyi (Birmanie)
1992	Charpak (Georges) (Fr.)	Marcus (Rudolph A.) (É.-U.)	Fischer (E.), Krebs (E. G.) (É.-U.)	Walcott (Derek) (Sainte-Lucie)	Menchú (Rigoberta) (Guatemala)
1993	Hulse (Russell A.) (É.-U.) Taylor (Joseph H.) (É.-U.)	Mullis (Kary B.) (É.-U.)	Roberts (Richard J.) (É.-U.) Sharp (Philip A.) (É.-U.)	Morrison (Toni) (É.-U.)	De Klerk (Frederik Willem) (Afr. du S.) Mandela (Nelson) (Afr. du S.)
1994	Brockhouse (Bertram N.) (Can.) Shull (Clifford G.) (É.-U.)	Olah (George A.) (É.-U.)	Gilman (Alfred G.) (É.-U.) Rodbell (Martin) (É.-U.)	Oe (Kenzaburô) (Jap.)	Arafat (Yasser) (Palestine) Peres (Sh.), Rabin (Y.) (Israël)
1995	Perl (M.), Reines (F.) (É.-U.)	Crutzen (Paul) (P.-B.) Rowland (Franck) (É.-U.) Molina (Mario) (É.-U.)	Lewis (Edward) (É.-U.) Nuesslein-Volhard (Christine) (All.) Wieschaus (Eric) (É.-U.)	Heaney (Seamus) (Irl.)	Rotblat (Joseph) (G.-B.)
1996	Lee (D. M.), Richardson (R. C.), Osheroff (D.) (É.-U.)	Curl Jr. (Robert F.) (É.-U.), Kroto (Harold) (G.-B.), Smalley (Richard) (É.-U.)	Doherty (Peter C.) (Aus.), Zinkernagel (Rolf M.) (Suisse)	Szymborska (Wyslawa) (Pol.)	Belo (Mgr Carlos Felipe) (Timor-Oriental), Horta (José R.) (Timor-Oriental)
1997	Cohen-Tannoudji (Cl.) (Fr.), Chu (S.), Phillips (W. D.) (É-U.)	Boyer (P.) (É.-U.), Walker (J.) (G.-B.), Skou (J.) (Dan.)	Prusiner (S. B.) (É-U.)	Fo (Dario) (Ital.)	Williams (Jody) (É.-U.)
1998	Tsui (D. C.), Laughlin (R. B.) (É.-U.), Stormer (H. L.) (All.)	Pople (J. A.) (G.-B.), Kohn (W.) (É.-U.)	Murad (F.), Ignarro (L. J.), Furchgott (R. F.) (É.-U.)	Saramago (José) (Port.)	Trimble (D.), Humes (J.) (Irl. du N.)

PRIX NOBEL *(fin)*

Prix en la mémoire d'Alfred Nobel en sciences économiques de la Banque de Suède					
1969	Frisch (Ragnar) (Norv.)	**1978**	Simon (Herbert) (É.-U.)	**1990**	Markowitz (Harry) (É.-U.)
	Tinbergen (Jan) (P.-B.)	**1979**	Lewis (sir Arthur) (G.-B.)		Miller (Merton) (É.-U.)
1970	Samuelson (Paul A.) (É.-U.)		Schultz (Theodore William) (É.-U.)		Sharpe (William) (É.-U.)
1971	Kuznets (Simon) (É.-U.)	**1980**	Klein (Lawrence Robert) (É.-U.)	**1991**	Coase (Ronald) (G.-B.)
1972	Arrow (Kenneth) (É.-U.)	**1981**	Tobin (James) (É.-U.)	**1992**	Becker (Gary) (É.-U.)
	Hicks (sir John Richard) (G.-B.)	**1982**	Stigler (George) (É.-U.)	**1993**	Fogel (Robert W.), North (D. C.) (É.-U.)
1973	Leontief (Wassily) (É.-U.)	**1983**	Debreu (Gerard) (É.-U.)	**1994**	Harsanyi (J. C.), Nash (J. F.) (É.-U.)
1974	Hayek (Fridrich August von) (G.-B.)	**1984**	Stone (sir Richard) (G.-B.)		Selten (Reinhard) (All.)
	Myrdal (Karl Gunnar) (Suède)	**1985**	Modigliani (Franco) (É.-U.)	**1995**	Lucas (Robert) (É.-U.)
1975	Kantorovitch (Leonid V.) (U.R.S.S.)	**1986**	McGill Buchanan (James) (É.-U.)	**1996**	Mirrlees (James A.) (G.-B.)
	Koopmans (Tjalling Carl) (É.-U.)	**1987**	Solow (Robert) (É.-U.)		Vickrey (William) (Can.)
1976	Friedman (Milton) (É.-U.)	**1988**	Allais (Maurice) (Fr.)	**1997**	Merton (R. C.), Scholes (M. S.) (É.-U.)
1977	Meade (James Edward) (G.-B.)	**1989**	Haavelmo (Trygve) (Norv.)	**1998**	Sen (Amartya) (Inde)
	Ohlin (Bertil G.) (Suède)				

noblesse n. f. **1.** Dans certaines sociétés et à certaines époques, classe sociale dont les membres jouissent légalement de privilèges. *La noblesse d'Ancien Régime. La noblesse d'Empire.* – *Par ext.* Catégorie sociale constituée par les descendants des membres de cette classe. **2.** Condition, état de noble. *Noblesse d'épée, de robe. Lettres* de noblesse.* – Prov. *Noblesse oblige* : une personne noble ou occupant une position élevée doit se conduire en fonction de son rang. **3.** Élévation des sentiments, grandeur d'âme. *Attitude pleine de noblesse.* ▷ Élégance, grande distinction. *Noblesse des gestes, du visage.*

nobliau n. m. Péjor. Noble de petite noblesse ; dont la noblesse est douteuse.

noce n. f. **1.** (Plur.) Mariage. *Voyage de noces. Justes noces* : mariage légitime. ▷ *Noces d'argent, d'or, de diamant* : vingt-cinquième, cinquantième, soixantième anniversaire de mariage. **2.** Fête organisée lors d'un mariage. *Les parents et les amis invités à la noce.* **3.** Ensemble des personnes qui assistent à un mariage. *La noce est arrivée en retard à l'église.* **4.** Loc. fam. *Faire la noce* : se divertir, ripailler en joyeuse compagnie. – Fig., fam. *N'être pas à la noce* : être dans une situation pénible.

noceur, euse n. Fam. Personne qui fait la noce. Syn. fêtard, viveur.

nocher n. m. Litt. Celui qui conduit un bateau. ▷ MYTH *Le nocher des Enfers* : Charon.

nocif, ive adj. Susceptible de nuire, qui peut causer un dommage. *Produit nocif.* – Fig. *Répandre des idées nocives.*

nocivité n. f. Propriété de ce qui est nocif.

noctambule n. et adj. Personne qui passe ses nuits à se divertir, à faire la fête. ▷ adj. *Un fêtard noctambule.*

noctiluque n. f. ZOOL Organisme marin unicellulaire (classe des péridiniens), luminescent, qui prolifère parfois en quantité telle que la surface de la mer en est éclairée.

noctuelle n. f. Papillon de nuit de couleur sombre, aux ailes allongées ou triangulaires et au thorax velu.

noctule n. f. ZOOL Grande chauve-souris arboricole (genre *Nyctalus*), commune en Europe.

nocturne adj. et n. **I.** adj. **1.** Qui a lieu pendant la nuit. *Visite nocturne.* **2.** Qui a une vie active la nuit. **II.** ORNITH n. m. pl. Division des oiseaux rapaces, regroupant ceux dont la vie active est nocturne. **III.** n. m. **1.** LITURG CATHOL Partie de l'office de nuit comprenant des psaumes et des leçons. **2.** MUS Morceau pour piano, de forme libre, d'un caractère tendre et mélancolique, propre à être exécuté en sérénade. *Un nocturne de Chopin.* **IV.** n. m. ou n. f. **1.** Match, compétition sportive qui a lieu en soirée. **2.** Prolongation dans la soirée de l'ouverture d'un magasin.

nocuité n. f. Didac. Caractère nocif. Syn. nocivité. Ant. innocuité.

nodal, ale, aux adj. **1.** ANAT, PHYSIOL *Tissu nodal* : tissu du myocarde renfermant les nœuds cardiaques, et qui est à l'origine du fonctionnement automatique du cœur. **2.** PHYS Relatif à un nœud* de vibration. ▷ *Points nodaux*, situés sur l'axe d'un système optique et tels que tout rayon incident passant par l'un de ces points est parallèle au rayon émergent passant par l'autre. **3.** Qui constitue le nœud, le centre d'une question.

Nodier (Charles) (Besançon, 1780 – Paris, 1844), écrivain français. Il groupa dans son salon de l'Arsenal (où il était bibliothécaire) le premier cénacle romantique (1824-1830). Précurseur de Nerval et du surréalisme dans plusieurs de ses *Contes*, il écrivit aussi des poèmes, des romans, un *Dictionnaire raisonné des onomatopées* (1808) et des livres d'histoire. Acad. fr. (1833).

nodosité n. f. **1.** MED Petite tumeur dure et circonscrite, en général indolore. **2.** État d'un végétal qui a des nœuds. **3.** Nœud dans le bois. ▷ BOT Renflement des radicelles de certaines plantes, notam. des légumineuses, dû à des bactéries qui transforment l'azote atmosphérique en azote organique.

nodulaire adj. **1.** Didac. Qui présente des nœuds, des nodules. *Tige nodulaire.* **2.** METALL *Fonte nodulaire* : fonte résistante, ductile et usinable, contenant de petites sphères de graphite.

nodule n. m. **1.** Petit nœud, petite protubérance. **2.** MED Petite nodosité. **3.** TECH *Nodules polymétalliques* : petites sphères de quelques centimètres de diamètre contenant du manganèse, du nickel, du cobalt, du cuivre et des minéraux divers, qui tapissent le fond de certaines régions océaniques.

noduleux, euse adj. Qui présente des nodules.

Noé, patriarche biblique, fils de Lamech. Son nom est lié au célèbre épisode du déluge. Sur l'ordre de Dieu, il construisit l'arche, où il réunit sa famille ainsi que des couples de tous les animaux, pour les préserver des eaux du déluge. L'arche aborda au mont Ararat (?), et ce fut un nouveau départ pour l'humanité dont les premiers ancêtres furent les fils de Noé : Sem, Japhet et Cham.

noël n. **1.** n. m. (Avec une majuscule.) Fête de la nativité de Jésus-Christ, célébrée le 25 déc. ▷ n. f. *La Noël* : la période de Noël, la fête de Noël. ▷ *Père Noël* : personnage imaginaire, portant une barbe blanche et un manteau rouge, censé apporter des jouets aux enfants pendant la nuit de Noël. *Écrire au Père Noël.* – Fam. *Le petit noël* : le cadeau fait à Noël. **2.** Chant religieux ou profane pour le temps de Noël.

Noël (Marie Rouget, dite Marie) (Auxerre, 1883 – id., 1967), poétesse française d'inspiration chrétienne : *les Chansons et les Heures* (1921), *Chants et psaumes d'automne* (1947).

noème n. m. PHILO Objet de la pensée (par oppos. à *noèse*).

noèse n. f. PHILO Acte de la pensée (par oppos. à *noème*).

nœud n. m. **I.** **1.** Enlacement étroit obtenu soit en entrecroisant les extrémités d'une corde (d'un ruban, d'un lacet, etc.) puis en tirant sur celles-ci, soit en liant une corde (un ruban, etc.)

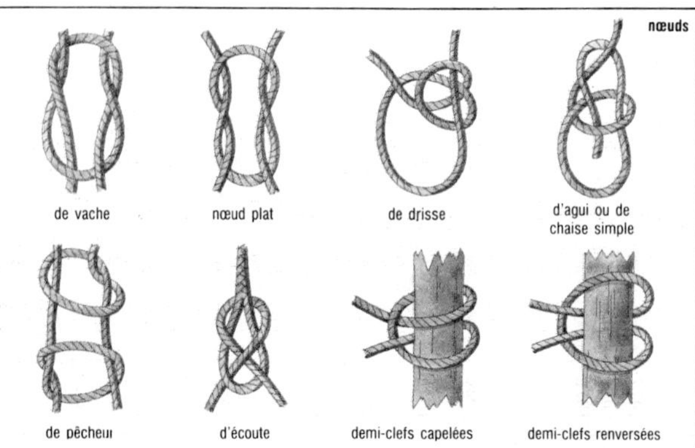

à une ou plusieurs autres. *Nœud simple, double. Corde à nœuds.* ▷ *Nœud gordien*.* ▷ *Nœud de vipères :* entrelacement formé du corps de plusieurs vipères. **2.** Ornement en nœud de ruban ou en forme de nœud. *Robe garnie de nœuds. Nœud de diamants.* **3.** Fig., litt. Lien entre personnes. *Les nœuds de l'amitié.* **4.** Point essentiel d'une question, d'une difficulté. *Le nœud de l'affaire.* **5.** LITTER, THEAT Moment capital d'une pièce, d'un roman, à partir duquel l'intrigue s'achemine vers son dénouement. **6.** Point d'un réseau de communication où plusieurs voies se croisent. *Nœud routier, ferroviaire.* ▷ ELECTR Point d'un circuit où plusieurs conducteurs se trouvent reliés. **7.** MATH Point commun aux extrémités de plusieurs arcs d'un graphe. **8.** PHYS Point d'une onde stationnaire où l'amplitude de la vibration est nulle (par oppos. au *ventre,* où elle est maximale). **9.** ASTRO Chacun des deux points où l'orbite d'un corps céleste qui gravite autour d'un autre coupe le plan de référence (plan de l'écliptique pour la Lune et les planètes; plan équatorial pour un satellite artificiel, etc.). *Nœud ascendant (descendant),* correspondant au passage d'un astre du sud vers le nord (du nord vers le sud). *Ligne des nœuds,* droite reliant les nœuds ascendant et descendant. **10.** ANAT *Nœud vital :* point du bulbe rachidien contenant les centres nerveux vitaux (notam. respiratoires). **II. 1.** BOT Point de la tige d'une plante où s'insère une feuille portant un bourgeon axillaire, à l'origine d'une ramification. ▷ Petit noyau de bois de cœur adhérant plus ou moins au reste du tissu ligneux. – Défaut du bois correspondant au point d'insertion d'une ramification sur l'arbre. **2.** ANAT *Nœuds cardiaques :* formations spécialisées du myocarde, qui commandent les contractions du cœur. **III.** MAR Unité de vitesse utilisée pour les navires, équivalant à 1 mille (1 852 m) par heure. *Filer 15 nœuds.*

Nœux-les-Mines, ch.-l. de cant. du Pas-de-Calais (arr. de Béthune); 12 421 hab.

Nogaret (Guillaume de) (v. 1260 – 1313), légiste français. Au service de Philippe le Bel à partir de 1296, il mena la lutte contre la papauté (arrestation de Boniface VIII à Anagni, 1303) et contre les Templiers.

Nogent (anc. *Nogent-en-Bassigny*), ch.-l. de cant. de la Haute-Marne (arr. de Chaumont); 4 800 hab. Coutellerie.

Nogent-le-Rotrou, ch.-l. d'arr. d'Eure-et-Loir, sur l'Huisne; 12 556 hab. Constr. mécaniques et électriques. – Égl. Notre-Dame (en majeure partie du XIIIe s.). Chât. St-Jean (donjon carré du XIe s.). Maisons anciennes.

Nogent-sur-Marne, ch.-l. d'arr. du Val-de-Marne; 25 386 hab. Prod. pharm. Cité résidentielle. – Égl. St-Saturnin (XIIe, XIIIe, XVe s.). Maison nat. de retraite des artistes.

Nogent-sur-Oise (anc. *Nogent-les-Vierges*), ch.-l. du cant. de Creil-Nogent-sur-Oise (Oise, arr. de Senlis); 20 053 hab. Industr. diverses. – Égl. des XIIe, XIIIe et XVIe s.

Nogent-sur-Seine, ch.-l. d'arr. de l'Aube, sur la Seine; 5 566 hab. Minoteries. Constr. métall. Centrale nucléaire. – Égl. St-Laurent (XIVe et XVIe s.).

Noguès (Charles Auguste Paul) (Monléon-Magnoac, Hautes-Pyrénées, 1876 – Paris, 1971), général français. Résident général au Maroc (1936), il s'opposa au débarquement allié (nov. 1942), se rallia à Darlan et à Giraud, puis dut démissionner (juin 1943).

Nohant-Vic, com. de l'Indre (arr. de La Châtre); 483 hab. – À *Vic :* égl. du XIe s. avec peintures murales du déb. du XIIe s. À *Nohant :* chât. où demeura George Sand (musée).

noir, noire adj. et n. **I.** adj. **1.** Qui est de la couleur la plus sombre, propre aux corps dont la surface ne réfléchit aucune radiation visible. *Noir comme du jais.* ▷ PHYS *Corps noir :* corps qui absorbe totalement le rayonnement thermique qu'il reçoit. – *Lumière noire :* rayonnement ultraviolet utilisé pour obtenir certains effets décoratifs de fluorescence. **2.** De teinte relativement foncée. *Raisin noir. Pain noir. Blé noir :* sarrasin. ▷ *Spécial.* Que la poussière, la saleté a foncé, assombri. *Chemise dont le col est tout noir.* **3.** Où il n'y a pas de lumière. *Cachot noir. Nuit noire.* **4.** Fig. Caractérisé par la tristesse, le malheur. *Des idées noires. Une période noire.* **5.** Inspiré par ce qu'il y a de plus mauvais en l'homme. *De noirs desseins. Une noire ingratitude.* – *Messe noire :* parodie sacrilège de la messe, célébrée en l'honneur du Diable. ▷ *Roman, film noir,* sombre, pessimiste ou traitant de crimes et de violence. ▷ *C'est sa bête noire :* la chose, la personne qu'il déteste le plus au monde. **6.** Qui est à la fois illégal et secret. *Marché* noir. Travail (au) noir,* qui n'est pas déclaré. *Liste* noire. Caisse noire,* constituée de fonds qui ne sont pas comptabilisés. **7.** Fam. *Être noir,* ivre. **II.** adj. et n. Qui appartient à la race humaine caractérisée par une pigmentation très prononcée de la peau. *Des enfants noirs.* – Subst. *La traite* des Noirs.* ▷ Par ext. *Le quartier noir d'une ville,* le quartier habité par des personnes de race noire (dans les pays où la ségrégation raciale est marquée). **III.** n. m. **1.** Couleur noire. *Un noir profond et mat. S'habiller en noir en signe de deuil.* – Fig. *C'est écrit noir sur blanc,* clairement, d'une manière qui ne prête pas à équivoque. ▷ Fig. *Voir tout en noir :* être très pessimiste. **2.** Substance de couleur noire utilisée comme colorant. *Noir animal. Noir de fumée, de carbone, d'aniline.* ▷ Fig. *Broyer du noir :* être très triste, déprimé. **3.** Obscurité. *Avancer à tâtons dans le noir.* **4.** Ce qui est noir. *Les noirs d'un tableau,* ses parties les plus foncées. – Pop. *Un noir, un petit noir :* une tasse de café.

Noir (causse), plateau calcaire de l'Aveyron et du Gard, entre les gorges de la Jonte et de la Dourbie.

Noir (le Prince). V. Édouard, dit *le Prince Noir.*

Noir (Yvan Salmon, dit Victor) (Attigny, Vosges, 1848 – Paris, 1870), journaliste français tué d'un coup de pistolet par Pierre Bonaparte (fils de Lucien) alors qu'il avait été envoyé comme témoin auprès du prince par le journaliste Grousset à la suite d'une polémique de presse.

noirâtre adj. D'une couleur qui tire sur le noir.

noiraud, aude adj. (et n.) Qui a le teint et les cheveux très bruns.

noirceur n. f. **1.** Litt. Qualité de ce qui est noir, couleur noire. *La noirceur de l'ébène.* **2.** (Canada) Cour. Obscurité. *Avoir peur dans la noirceur.* – *Travailler à la noirceur,* dans la pénombre. – Tombée du jour. *Rentrer avant la noirceur.* **3.** Fig., litt. Vilenie, méchanceté, bassesse. *La noirceur de son âme.* ▷ Action, parole qui dénote une telle vilenie, une telle méchanceté. *Commettre des noirceurs.*

noircir v. [3] **I.** v. tr. **1.** Rendre noir, colorer en noir. *Noircir ses cils avec du fard.* – Fam. *Noircir du papier :* écrire des choses sans grande valeur. **2.** Fig. Diffamer, porter atteinte à la réputation de. ▷ Présenter (qqch) d'une façon exagérément pessimiste. *Noircir la situation.* **II.** v. intr. Devenir noir. *L'argent noircit à l'air.* **III.** v. pron. **1.** Devenir noir. *Ciel se noircissant de nuages.* **2.** Fam. S'enivrer.

noircissement n. m. Action de rendre noir; fait de devenir noir.

noircissure n. f. Tache de noir. ▷ Altération du vin, qui devient noir.

noire n. f. Note de musique valant le quart d'une ronde, représentée par un ovale noir muni d'une queue simple.

Noire (mer) (anc. *Pont-Euxin**), mer intérieure entre l'Europe du S.-E. et l'Asie (435 000 km² env.), qui s'ouvre sur la Méditerranée par le Bosphore et les Dardanelles, détroits qui enserrent la mer de Marmara. Elle est reliée à la mer d'Azov par le détroit de Kertch'. Peu poissonneuse, elle abrite de nombr. ports de commerce et des stat. balnéaires. Elle eut une grande import. stratégique, notam. dans la *question d'Orient.* En 1919, la marine française y opéra contre les bolcheviks; une révolte se déclencha alors sur un bâtiment («mutins de la mer Noire»). En 1992, les onze pays riverains de la mer Noire (Albanie, Arménie, Azerbaïdjan, Bulgarie, Géorgie, Grèce, Moldavie, Roumanie, Russie, Turquie et Ukraine) ont créé à Istanbul la Zone de coopération économique de la mer Noire (C.E.N.).

Noire (Montagne), massif cristallin du S. du Massif central; 1 210 m au pic de Nore. Élevage ovin.

Noires (Montagnes) ou **Noire** (Montagne), alignement de roches dures, en Bretagne, au S. du bassin de Châteaulin.

Noirmoutier, île française de l'Atlantique, séparée de la côte par le *goulet de Fromentine*; 48,86 km². Un pont et une route, découverte à marée basse (passage du Gois), la relient au continent. Elle forme un cant. de la Vendée (arr. des Sables-d'Olonne) : 9 170 hab. (*Noirmoutrins*); ch.-l. *Noirmoutier-en-l'Île* (5 353 hab.). Pêche, tourisme.

noise n. f. Querelle. (Vx, sauf dans la loc. *Chercher (des) noise(s) à qqn.*)

noisetier n. m. Arbuste des bois, des haies et des jardins (fam. bétulacées), dont le fruit est la noisette.

noisette n. f. et adj. inv. **1.** Fruit du noisetier, constitué d'une coque résistante, de couleur brun-roux à maturité, renfermant une amande oléagineuse comestible, au goût fort apprécié. ▷ adj. inv. Qui est de la couleur de la noisette. *Des yeux noisette.* **2.** *Par ext.* Morceau gros comme une noisette. *Faire fondre une noisette de beurre.*

Noisiel, ch.-l. de cant. de Seine-et-Marne (arr. de Meaux); 16 544 hab. Industr. alim. (confiserie).

Noisy-le-Grand, ch.-l. de cant. de la Seine-St-Denis. (arr. du Raincy), sur la Marne; 54 112 hab. Informatique; prod. pharmaceutiques.

Noisy-le-Sec, ch.-l. de cant. de la Seine-St-Denis (arr. de Bobigny); 36 402 hab. Industr. métallurgiques; mat. électr. Centre ferroviaire (triage).

noix [nwa] n. f. **1.** Fruit (drupe) du noyer commun, constitué d'un péricarpe charnu extérieurement (brou), ligneux intérieurement, renfermant une graine oléagineuse à gros cotylédons, de forme irrégulière. *La noix est un fruit sec très apprécié. Huile de noix.* **2.** Fruit de divers arbres. *Noix de cajou*. Noix de coco*. Noix de cola* ou *de kola*. Noix muscade*. Noix vomique*.* **3.** *Par ext.* Morceau de la grosseur d'une noix. *Noix de margarine.* **4.** CUIS *Noix de veau,* morceau de choix placé dans le cuisseau. **5.** TECH Partie renflée de certains axes. – Rainure à fond semi-cylindrique solidaire du châssis d'une fenêtre et à l'intérieur de laquelle vient s'encastrer la languette de rive (ou *de noix*) du battant. **6.** Fig., fam. *Une noix :* un imbécile. ▷ Pop. *À la noix, à la noix de coco :* sans valeur, défectueux, mauvais. *Qui est-ce qui m'a fichu ce système à la noix ?* ▶ illustr. **noyer**

Nok, local. du Nigeria, qui a donné son nom à une culture archaïque (*culture de Nok,* Ve s. av. J.-C. – IIe s. apr. J.-C.), caractérisée par des statues (têtes humaines, représentations animales) en terre cuite ; c'est la plus ancienne civilisation africaine actuellement connue.

Nol (Lon). V. Lon Nol.

Nolasque (saint Pierre). V. Pierre Nolasque (saint).

Nolde (Emil Hansen, dit Emil) (Nolde, Schleswig, 1867 – Seebüll, 1956), peintre et graveur expressionniste allemand, membre du groupe Die Brücke en 1906-1907.

noli-me-tangere n. m. inv. (Lat. « ne me touche pas ».) Balsamine. Syn. impatiente.

noliser v. tr. [1] TRANSP Syn. de *affréter.* – Pp. adj. *Vol nolisé :* vol à la demande, vol en charter.

nom [nɔ̃] n. m. **I. 1.** Mot qui sert à désigner un être vivant, une chose (abstraite ou concrète), un groupe. Syn. substantif. ▷ *Nom propre,* qui désigne un être singulier, unique (ex. *Napoléon, Paris*). – *Nom commun,* donné à toutes les choses, à tous les êtres conçus comme appartenant à une même catégorie (ex. *homme, arbre, cheval*). ▷ *Appeler les choses par leur nom :* donner sans ménagement aux personnes ou aux choses les noms qu'elles méritent, parfois au mépris de la bienséance. ▷ *Une chose sans nom, qui n'a pas de nom,* inqualifiable ou indicible. *Une horreur sans nom.* **2.** Appellation qui fonde l'identité de l'individu qu'elle désigne, qui permet de le distinguer d'un autre dans le langage. *Afficher les noms des candidats reçus.* ▷ (Par oppos. à *prénom.*) *Nom de famille* ou, absol., *nom :* nom que portent les personnes d'une même famille (et qui se transmet, en France, par les hommes sauf dans certains cas de filiation naturelle) ; patronyme. *Déclinez vos nom, prénom, qualités.* ▷ Prénom, nom de baptême. *Jean est un nom courant.* – Fam. *Petit nom.* ▷ (En tant que patronyme d'une famille noble.) *Un nom qui s'éteint :* une famille dont le nom disparaît, faute d'héritier mâle. ▷ *Nom de guerre,* que l'on prend lorsqu'on ne veut pas être connu sous le sien propre, pseudonyme. ▷ *Se faire un nom :* faire connaître son nom, devenir célèbre. **3.** Le mot opposé à la chose ; l'apparence. *La gloire n'est qu'un vain nom.* **II.** Loc. interj. (dans des jurons). *Nom d'un chien ! Nom de nom !* **III.** Loc. prép. *Au nom de.* **1.** De la part de. *Emprunter de l'argent au nom d'un ami.* **2.** En vertu de, en considération de. *Au nom de la loi, ouvrez !* **3.** RELIG CATHOL *Au nom du Père, du Fils et du Saint-Esprit :* invocation aux trois personnes de la Trinité.

nomade adj. et n. Qui n'a pas d'habitation fixe. *Peuples nomades de chasseurs ou de pasteurs.* – Par ext. *Vie nomade.* ▷ Subst. *Terrain interdit aux nomades.*

nomadiser v. intr. [1] Didac. Vivre en nomade. *Peuples qui nomadisent aux confins du Sahel et du Sahara.*

nomadisme n. m. Genre de vie d'un groupe humain que la nature de ses activités contraint à des déplacements saisonniers ou étendus sur un certain nombre d'années. *Nomadisme de cueillette, de pêche, de chasse. Nomadisme pastoral.*

no man's land [nomanslɑ̃d] n. m. (En angl. « terre d'aucun homme ».) Zone séparant les premières lignes de deux armées ennemies. ▷ *Par anal.* Terrain neutre. *Des no man's land(s).*

nombrable adj. Didac. Qui peut être compté.

nombre n. m. **I. 1.** Unité ou collection, soit d'unités, soit de parties de l'unité. *Multiplier un nombre par un autre. Nombre cardinal,* qui sert à marquer la quantité (un, deux, etc.), par oppos. à *nombre ordinal,* qui sert à marquer l'ordre (premier, deuxième, etc.). *Nombre entier,* sans décimale. *Nombre entier naturel :* nombre entier positif (0, 1, 2, 3...), appartenant à l'ensemble noté ℕ. *Nombre entier relatif :* nombre entier positif ou négatif (..., – 3, – 2, – 1, 0, 1, 2, 3,...), appartenant à l'ensemble noté ℤ. *Nombre décimal,* qui s'exprime sous la forme d'une partie entière et d'une partie décimale, séparées par une virgule. *Nombre rationnel :* nombre qui peut s'exprimer sous la forme d'une fraction et appartient à l'ensemble noté ℚ (par oppos. à *nombre irrationnel*). *Nombre réel :* nombre appartenant à l'ensemble, noté ℝ, qui comprend tous les nombres rationnels et irrationnels. *Les nombres décimaux font partie des nombres réels. Nombre complexe,* qui peut s'écrire sous la forme a + i × b, a et b étant deux nombres réels et i la quantité définie par l'égalité $i^2 = -1$. (L'ensemble des nombres complexes est noté ℂ.) *Nombre algébrique,* qui est la solution d'une équation de la forme $a_0 + a_1x + a_2x^2 + ... + a_nx^n = 0$, par oppos. à *nombre transcendant*.* (L'ensemble des nombres algébriques réels est noté 𝔸.) *Nombre premier,* qui n'admet comme diviseurs que lui-même et l'unité. (Ex. : 1, 2, 3, 5, 7, 11, 13, 17, etc.) *Nombres premiers entre eux,* qui n'admettent que l'unité comme diviseur commun (18 et 25, par ex.). *Nombre positif,* supérieur à zéro et affecté ou non du signe +, par oppos. à *négatif,* inférieur à zéro et affecté du signe –. (Zéro est à la fois positif et négatif.) *Nombre parfait,* égal à la somme de tous ses diviseurs (par ex. 6 = 1 + 2 + 3). – *Théorie des nombres :* branche de l'arithmétique élémentaire. – *Loi des grands nombres :* si l'on effectue un grand nombre d'expériences, le nombre d'apparitions d'un résultat donné tendra vers la probabilité de ce résultat. ▷ PHYS, CHIM *Nombre d'Avogadro*.* – *Nombre de masse :* nombre de nucléons (neutrons et protons) contenus dans le noyau d'un atome. ▷ CHIM *Nombre d'oxydation :* V. oxydation. ▷ ASTRO *Nombre d'or :* rang de l'année dans le cycle lunaire de 19 années juliennes. ▷ BX-A, ARCHI *Nombre d'or :* nombre correspondant au partage considéré comme le plus harmonieux d'une grandeur en deux parties inégales, qui est exprimé par la formule : $\frac{a+b}{a} = \frac{a}{b}$; si b = 1, $a = \frac{1+\sqrt{5}}{2} = 1{,}618...$ **2.** Quantité indéterminée. *Un petit nombre de personnes. Le nombre croissant des chômeurs.* – *Le grand, le plus grand nombre :* la majorité. **3.** Grande quantité. *Être écrasé sous le nombre.* – *Faire nombre :* donner une impression de grande quantité, de multitude. **4.** GRAM Forme que prend un mot pour exprimer l'unité ou la pluralité. *Le grec connaît trois nombres : le singulier, le duel et le pluriel.* **5.** LITTER Harmonie résultant du rythme, de la succession des sons, en prose ou en poésie. **II. 1.** Loc adv. *Dans le nombre :* dans la quantité, dans la masse. *Passer inaperçu dans le nombre.* – *Sans nombre :* en quantité considérable. *Se heurter à des difficultés sans nombre.* – *En nombre :* en grande quantité. **2.** Loc. prép. *Au nombre de, du nombre de :* parmi. *On le compte au nombre des grands hommes. Il est du nombre des victimes.* **3.** Loc. adj. *Nombre de, bon nombre de :* beaucoup de. *Nombre de gens pensent que...*

Nombres (livre des), quatrième livre du Pentateuque (36 chapitres), ainsi nommé parce qu'il débute par un dénombrement des Hébreux au Sinaï avant le départ infructueux vers Canaan et le séjour à Cadès, dans l'extrême sud du pays.

nombreux, euse adj. **1.** Dont les éléments sont en grand nombre. *Une famille nombreuse.* **2.** En grand nombre. *De nombreux spectateurs.* **3.** LITTER Qui crée une impression d'harmonie par une disposition heureuse des sonorités et des mots, par le nombre (sens I, 5). *Vers nombreux.*

nombril [nɔ̃bʀi(l)] n. m. Cicatrice de la section du cordon ombilical chez l'homme et les mammifères. Syn. ombilic. ▷ Fig., fam. *Se prendre pour le nombril du monde :* accorder à sa personne une importance excessive, être égocentrique.

nombrilisme n. m. Fam. Attitude d'une personne obnubilée par ses propres problèmes.

-nome, -nomie, -nomique, nomo-. Éléments, du gr. *nomos,* « ce qui est attribué en partage, loi ».

nome n. m. **1.** HIST Division administrative de l'Égypte ancienne. **2.** Mod. Division administrative de la Grèce.

nomenclature n. f. **1.** Ensemble des termes propres à un art, à une science, à une technique, strictement définis et classés ; méthode de classification de ces termes. *Nomenclature biologique, chimique.* – *Nomenclature de Linné*.* **2.** Répertoire, liste, catalogue concernant des éléments classés et définis pour un usage précis. *Nomenclature des actes médicaux remboursés par la Sécurité sociale.* **3.** Ensemble des mots constituant les entrées d'un dictionnaire. *Faire entrer un néologisme dans la nomenclature d'un dictionnaire.*

nomenklatura [nɔmɛnklatuʀa] n. f. POLIT Groupe social aux prérogatives exceptionnelles, dans le régime soviétique ou les régimes bureaucratiques.

-nomie. V. -nome.

nominal, ale, aux adj. **I.** (Par oppos. à *réel,* à *effectif.*) **1.** Qui n'existe que de nom, et pas en réalité. *Le pouvoir que lui confère ce poste est purement nominal.* **2.** ECON *Valeur nominale :* valeur théorique qui est inscrite sur un billet de banque, un effet de commerce, une obligation. **3.** TECH *La puissance, la vitesse nominale d'une machine*, celle annoncée par le fabricant. **II.** Qui a rapport au nom, qui dénomme (des choses ou des personnes). *Erreur nominale :* erreur sur le nom. *Appel nominal*, qui se fait en appelant les noms. **III.** GRAM Qui a rapport au nom ; qui équivaut à un nom. *Formes nominales et formes verbales. Emploi nominal d'un adjectif.*

nominalement adv. **1.** De nom seulement. *Il en est nominalement propriétaire.* **2.** Par son nom. *Nous avons été appelés nominalement.* Syn. nominativement. **3.** LING Comme un nom. *Adjectif employé nominalement.* Syn. substantivement.

nominalisme n. m. PHILO **1.** Doctrine selon laquelle les idées abstraites et générales se réduisent à des noms, à des mots. **2.** Mod. *Nominalisme scientifique :* doctrine qui voit dans la science une simple construction de l'esprit, de valeur purement pratique, ne pouvant atteindre la nature réelle des objets auxquels elle s'applique.

nominaliste adj. et n. Qui a rapport au nominalisme. ▷ Subst. Partisan du nominalisme.

1. nominatif, ive adj. Qui dénomme ; qui contient des noms. *La liste nominative des électeurs.* ▷ *Titre nominatif*, sur lequel est porté le nom du possesseur (par oppos. à *titre au porteur*).

2. nominatif n. m. LING Cas sujet dans les langues à déclinaison.

nomination n. f. **1.** Action de nommer à un emploi, une fonction, une dignité ; fait d'être nommé. ▷ *Par méton.* Document faisant foi d'une nomination. **2.** Dans le langage des médias, sélection (d'une personne, d'une œuvre, etc.) pour l'attribution d'un prix. *Ce film a obtenu trois nominations pour les césars.*

nominativement adv. Par son nom. *Désigner nominativement une personne.* Syn. nominalement.

nominé, ée adj. et n. Dans le langage des médias, qui fait l'objet d'une nomination (en parlant d'une personne, d'une œuvre). Syn. (off. recommandé) sélectionné.

Nominoë (?, fin du VIIIe s. - Vendôme, 851), roi de Bretagne. Il battit Charles le Chauve, qui reconnut sa royauté (846).

-nomique. V. -nome.

nommé, ée adj. (et n.) **1.** Qui a pour nom. *Un homme nommé Lebrun.* ▷ Subst. (Dans le style jurid., ou péjor.) *Le, un nommé Dupont.* **2.** Loc. adv. *À point nommé :* fort à propos. *Il arriva à point nommé.* **3.** Cité. *Les personnes nommées ci-après...* **4.** Désigné par nomination (par oppos. à *élu*).

nommément adv. En désignant par le nom. *On l'accuse nommément.*

nommer v. tr. [1] **I. 1.** Donner un nom à ; désigner par un nom. *Comment allez-vous nommer votre fils ?* ▷ v. pron. *Il se nomme Paul.* **2.** Dire le nom d'une personne, d'une chose ; la désigner par son nom. *Refuser, par discrétion, de nommer qqn.* **II.** Désigner (qqn) pour remplir un office, l'investir d'une fonction, d'une charge, d'un titre. (Souvent opposé à *élire*.) *Il a été nommé ministre de l'Intérieur. Il a été nommé à Paris.*

nomo-. V. -nome.

nomogramme n. m. Didac. Table graphique cotée destinée à faciliter les calculs pratiques.

nomothète n. m. ANTIQ GR **1.** Membre d'une commission athénienne chargée de réviser les lois. **2.** Législateur. *Solon et Lycurgue furent les plus illustres nomothètes de la Grèce.*

non adv. et n. m. inv. **I.** adv. de négation. **1.** (Par oppos. à *oui*.) Refus, réponse négative. *Viendrez-vous ? - Non. Est-il venu ? - Non.* ▷ *Il dit que oui, moi non. Il a déclaré que non.* ▷ En début de phrase, pour insister. *Non, je ne viendrai pas.* ▷ Fam. (Exclamatif) Marquant la protestation, l'indignation. *Non, par exemple !* - (Interrogatif) Marquant le doute, l'étonnement. *Non, pas possible ?* **2.** Accompagné d'un autre adv. et en double négation. *Je partis, non sans avoir remercié.* **3.** Loc. adv. *Non plus* (pour *aussi*, dans les phrases négatives). *Vous n'en voulez pas ? Moi non plus.* ▷ *Non seulement... mais* ou *mais encore. Il fut battu non seulement sur mer, mais encore* (ou *mais aussi*) *sur terre.* **II.** n. m. inv. *Un non, des non. Un non très sec.* **III.** (En composition.) Devant un nom, un adjectif ou un verbe pour donner au mot un sens négatif. (Rem. : Les mots composés s'écrivent avec un trait d'union mais en fonction d'adjectif ils n'en prennent pas.) *Non-activité. Non recevable.*

non-accompli, ie adj. et n. m. LING Syn. de *imperfectif*. *Les verbes non accomplis.*

non-activité n. f. Situation d'un fonctionnaire, partic. d'un officier, qui, provisoirement, n'exerce aucune fonction.

nonagénaire adj. et n. Qui a entre quatre-vingt-dix et cent ans.

non-agression n. f. Fait de ne pas attaquer (un pays, un État). *Pacte de non-agression.*

non-aligné, ée adj. (et n.) Qui pratique le non-alignement. *Les pays non alignés du tiers monde.* - Subst. *Les non-alignés.*

non-alignement n. m. Politique des pays qui ne s'alignent pas sur la politique étrangère d'autres pays (l'*alignement* se faisant généralement sur les positions d'une grande puissance, les États-Unis, notam.).

nonante adj. numéral cardinal. Vx ou rég. (Belgique, Suisse romande.) Quatre-vingt-dix.

non-assistance n. f. DR Délit qui consiste à s'abstenir volontairement de porter secours à qqn. *Non-assistance à personne en danger.*

non-belligérance n. f. Position d'un État qui, sans se déclarer neutre lors d'un conflit armé, ne s'y engage pas militairement.

non-belligérant, ante n. et adj. Personne ou groupe qui s'abstient de participer militairement à un conflit. *Les non-belligérants.* ▷ adj. *Pays non belligérant.*

nonce n. m. Ambassadeur du Saint-Siège auprès d'un gouvernement étranger. (On dit aussi *nonce apostolique*.)

nonchalamment adv. Avec nonchalance.

nonchalance n. f. **1.** Fait d'être nonchalant, manque d'ardeur, de vivacité. **2.** Manque de soin ; négligence.

nonchalant, ante adj. Qui manque d'ardeur, de vivacité, d'activité (par insouciance, par indifférence). *Personne nonchalante.* ▷ Par ext. *Une pose nonchalante.*

non-chalcédonien, enne [nɔ̃kalsedɔnjɛ̃, ɛn] adj. et n. Se dit des chrétiens, des Églises qui ne reconnurent pas les décisions du concile de Chalcédoine (451) établissant comme dogme la double nature, humaine et divine, du Christ.

nonciature n. f. Charge d'un nonce. - Exercice de cette charge. ▷ Résidence d'un nonce.

non-combattant, ante n. et adj. Personne ou groupe qui ne prend pas une part effective au combat, en parlant de certains personnels militaires (aumôniers, médecins, etc.). *Les non-combattants.* ▷ adj. *Les services non combattants.*

non-comparant, ante n. et adj. DR Personne qui, faute de comparaître, fait défaut en justice. *Jugement prononcé aux torts du non-comparant. Les non-comparants.* ▷ adj. *La partie non comparante.*

non-comparution n. f. DR Fait de ne pas se présenter devant la justice.

non-conciliation n. f. DR Défaut de conciliation. *Ordonnance de non-conciliation. Des non-conciliations.*

non-conducteur n. m. Corps qui n'est pas conducteur de l'électricité ou de la chaleur. *Des non-conducteurs.*

non-conformisme n. m. **1.** HIST Doctrine des non-conformistes. **2.** *Par ext.* Attitude d'un non-conformiste.

non-conformiste n. et adj. **1.** HIST En Angleterre, protestant qui n'appartient pas à l'Église anglicane. **2.** *Par ext.* Personne qui ne se conforme pas aux traditions, aux mœurs, aux manières d'être en usage. *Des non-conformistes.* ▷ adj. *Intellectuel non conformiste.* - *Attitude non conformiste.*

non-conformité n. f. Défaut de conformité.

non-contradiction n. f. PHILO *Principe de non-contradiction*, selon lequel une chose ne peut pas être à la fois elle-même et autre qu'elle-même.

non-croyant, ante n. (et adj.) Personne qui n'est adepte d'aucune religion. *Des non-croyants.* - adj. *Elle est non croyante.*

non directif, ive adj. Qui n'est pas directif. *Des méthodes pédagogiques non directives.* ▷ PSYCHO, SOCIOL *Entretien non directif*, dans lequel l'enquêteur s'efforce de conserver une attitude neutre, de manière à ne pas orienter les réponses de son (ou ses) interlocuteur(s).

non-directivité n. f. Didac. Caractère non directif.

non-dissémination n. f. **1.** Syn. de *non-prolifération*. **2.** Fait de ne pas disséminer (spécial. un produit dangereux). *La non-dissémination de déchets radioactifs.*

non-dit n. m. Ce qui se comprend, bien que non exprimé. *Des non-dits.*

non-engagé, ée adj. et n. POLIT Qui n'est pas engagé dans un système d'alliances militaires. *Les nations non engagées.* ▷ Subst. *Les non-engagés.*

non-engagement n. m. POLIT Attitude des non-engagés.

nones n. f. pl. ANTIQ Une des dates fixes du calendrier romain, le 9e jour avant les ides.

non-être n. m. inv. PHILO Ce qui n'a pas d'existence, de réalité (par oppos. à *être*).

non euclidien, enne adj. Se dit d'une géométrie qui n'obéit pas aux axiomes d'Euclide. *Les géométries non euclidiennes.* V. encycl. géométrie.

non-exécution n. f. DR Défaut d'exécution d'un acte, d'une sentence. *Des non-exécutions.*

non-existence n. f. PHILO Fait de ne pas exister. *Des non-existences.*

non-figuratif, ive adj. et n. BX-A Qui ne s'attache pas à représenter le réel. *Art, peintre non figuratif.* ▷ Subst. *Des non-figuratifs.*

non-fumeur, euse n. Personne qui ne fume pas (par oppos. à *fumeur*). *Les non-fumeurs.* – (En appos.) *Compartiment non-fumeur.*

non-ingérence n. f. POLIT Non-intervention dans les affaires intérieures d'un pays étranger. *Des non-ingérences.*

non-initié, ée n. Personne qui n'est pas initiée. *Les non-initiés.*

non-inscrit, ite n. et adj. Député ou sénateur qui ne fait pas partie d'un groupe parlementaire. *Les non-inscrits.* ▷ adj. *Sénateur non inscrit.*

non-intervention n. f. Attitude d'un gouvernement qui s'abstient d'intervenir dans les affaires d'autres pays (politique étrangère, conflits entre pays étrangers et, spécial., affaires intérieures de ces pays). *Politique de non-intervention.*

non-interventionniste adj. et n. Qui pratique ou qui est partisan de la non-intervention. *Attitude non interventionniste.* ▷ Subst. *Les non-interventionnistes.*

Nonius (Pedro Nunes, connu sous le nom lat. de) (Alcácer do Sal, 1492 – ?, 1577), astronome et mathématicien portugais. Il démontra que le trajet le plus court entre deux points de la surface de la Terre est l'arc de grand cercle (orthodromie), et non, comme on le pensait à son époque, la courbe coupant les méridiens sous un angle constant (loxodromie).

non-lieu n. m. DR Décision par laquelle un juge d'instruction, ou la chambre des mises en accusation, déclare qu'il n'y a pas lieu de poursuivre en justice la personne contre laquelle une procédure d'instruction avait été engagée. *Une déclaration, ordonnance de non-lieu* ou, ellipt., *un non-lieu. Des non-lieux.*

non-métal, aux n. m. CHIM Tout élément qui n'est pas un métal.

non-moi n. m. inv. PHILO Tout ce qui est distinct du moi du sujet, du locuteur.

nonne n. f. Vx ou plaisant Religieuse.

nonnette n. f. **1.** Vx ou plaisant Jeune religieuse. **2.** (Par anal. d'aspect avec le costume de certaines religieuses.) Mésange à tête noire. – (En appos.) *Mésange nonnette.* **3.** Petit pain d'épice rond (autrefois fabriqué dans certains couvents).

Nono (Luigi) (Venise, 1924 – id., 1990), compositeur italien, élève de Scherchen et de Maderna. Son œuvre, qui se rattache au dodécaphonisme sériel, reflète son engagement politique marxiste : *le Manteau rouge* (ballet, 1954), *Incontri* (1956), *Intolleranza 1960* (opéra, 1960-1961), *Per Bastiana Tai-Yang Cheng* (1967), *Come una ola de fuerza* (1972), *Journal polonais* (1982).

nonobstant [nɔnɔpstɑ̃] prép. et adv. **1.** prép. Vx Malgré l'existence de, en dépit de. ▷ DR *Le tribunal a prononcé l'exécution de l'obligation nonobstant les voies de recours.* **2.** adv. Vx ou litt. Néanmoins.

non-paiement n. m. Défaut de paiement. *Des non-paiements.*

non-prolifération n. f. POLIT Arrêt ou limitation du développement de l'armement nucléaire. *Des non-proliférations.*

non-recevoir n. m. DR *Fin de non-recevoir* : V. fin 1, II, sens 3.

non-résident, ente n. (et adj.) Personne qui ne réside pas de façon permanente dans son pays, qui n'y est pas domiciliée. *Les non-résidents.* ▷ adj. *Les citoyens non résidents.*

non-retour n. m. Seulement dans la loc. *Point de non-retour* : moment à partir duquel l'autonomie d'un aéronef ne lui permet plus de revenir à son point de départ. ▷ Fig. Moment à partir duquel un processus est engagé de manière irréversible.

non-salarié, ée adj. et n. Qui n'est pas rétribué sous forme de salaire. – Subst. *Les représentants des professions libérales sont des non-salariés.*

non-sens n. m. inv. **1.** Parole, action absurde, dépourvue de sens. **2.** Défaut de sens, de signification. ▷ Phrase, énoncé, raisonnement dépourvu de sens. *Faire des non-sens dans une traduction.*

nonsense [nɔnsɛns] n. m. (Anglicisme) Caractère absurde et paradoxal, d'un texte. – *Par ext.* Texte, récit, film ayant ce caractère, notam. dans la littérature britannique. *Les œuvres de Lewis Carroll illustrent particulièrement le nonsense.*

non-stop [nɔnstɔp] adj. inv. et n. m. inv. (Américanisme) **1.** adj. inv. AERON *Vol non-stop,* sans escale. ▷ Fig. Sans interruption. *Émission radiophonique non-stop.* **2.** n. m. inv. Absence d'interruption, continuité. *Retransmission télévisée en non-stop d'une épreuve sportive.*

non-tissé n. m. TECH Matériau constitué de fibres textiles agglomérées par un procédé physique, chimique ou mécanique (à l'exclusion du tissage ou du tricotage). *Les non-tissés sont utilisés notam. dans la fabrication des revêtements muraux et des nappes.*

Nontron, ch.-l. d'arr. de la Dordogne ; 3 665 hab. Text. ; Chaussures. – Château du XVIIIe s. Maisons anciennes.

non-usage n. m. Fait de ne pas, de ne plus se servir de qqch. *Des non-usages.*

non-valeur n. f. **1.** DR Défaut, manque de productivité d'une terre, d'un bien ; cette terre, ce bien. **2.** FIN Créance que l'on n'a pas pu recouvrer. **3.** Fig. Personne, chose sans valeur, sans utilité. *Des non-valeurs.*

non viable adj. Didac. Se dit d'un fœtus dont le stade de développement n'est pas suffisant pour assurer sa survie extra-utérine ou d'un nouveau-né présentant des lésions incompatibles avec sa survie. *Des fœtus non viables.*

non-violence n. f. Attitude, doctrine philosophique et politique de ceux qui refusent d'opposer la violence à la violence, et qui prônent le recours aux moyens pacifiques (résistance passive, par ex.) pour résister aux agressions et à la force brutale.

non-violent, ente n. et adj. **1.** n. Partisan, adepte de la non-violence. *Les non-violents.* **2.** adj. Qui se réclame de la non-violence ou qui s'y rapporte. *Marche de protestation non violente.*

non-voyant, ante adj. et n. Se dit d'une personne aveugle ou presque aveugle. *Des non-voyants.*

noosphère n. f. Didac. Monde de la pensée.

nopal, als n. m. BOT Plante grasse des régions méditerranéennes (fam. cactacées) dont la tige est constituée de segments aplatis pourvus d'épines et dont le fruit charnu *(figue de Barbarie)* est comestible. *Les nopals étaient autrefois cultivés pour l'élevage des cochenilles, qui se nourrissaient de leur sève.*

noradrénaline n. f. BIOCHIM Précurseur de l'adrénaline sécrété par les fibres sympathiques et par la médullosurrénale, important médiateur chimique de la synapse nerveuse.

Norbert (saint) (Gennep, près de Xanten, v. 1080 – Magdeburg, 1134), prélat allemand ; fondateur de l'ordre des prémontrés (1120), archevêque de Magdeburg (1126).

nord [nɔʀ] n. m. et adj. inv. **I.** n. m. **1.** Celui des quatre points cardinaux auquel on fait face (dans l'hémisphère boréal) lorsqu'on a l'ouest à gauche et l'est à droite. (Abrév. : N.) ▷ *Au nord de :* dans la région située vers le nord par rapport à (tel lieu). *Au nord de Paris.* – *La côte qui s'étend au nord de la Méditerranée.* ▷ Loc. fig. *Perdre le nord :* n'être plus tout à fait lucide et raisonnable, perdre la tête. – (En tournure négative.) *Il ne perd pas le nord :* il sait défendre ses intérêts, il sait se défendre. **2.** Partie septentrionale (située vers le nord) d'une région, d'un pays, d'un continent. *Le nord de la Bretagne, de la France, de l'Europe.* ▷ Absol. (Avec une majuscule.) *Les peuples du Nord,* des pays septentrionaux. *Les grandes villes industrielles du Nord,* du nord de la France (Somme, Aisne, Nord, Pas-de-Calais). **3.** (Avec une majuscule.) Ensemble des pays industrialisés. **II.** adj. inv. Situé au nord. *Le pôle Nord. La porte nord de la ville.*

Nord (canal du), détroit entre l'Irlande et l'Écosse ; il fait communiquer la mer d'Irlande et l'Atlantique.

Nord (cap), cap de Norvège sur l'île de Magerøy, point le plus septent. d'Europe (71° 11' de lat. N.).

Nord (mer du), mer bordière de l'Atlantique (env. 547 000 km^2), cernée par les côtes de G.-B., de France, de Belgique, des Pays-Bas, d'Allemagne, du Danemark et de la Norvège. S'ouvrant sur l'Atlantique par un large seuil que jalonnent les îles Orcades et Shetland, elle est reliée à la Manche par le pas de Calais et à la Baltique par les détroits du Skagerrak, du Kattégat, du Sund et du Belt. Peu profonde, elle a un rôle économique considérable : elle borde des pays industrialisés (import. ports de comm.) et elle est très poissonneuse ; elle recèle d'immenses réserves de pétrole et de gaz naturel, au large de l'Écosse, de la Norvège et du Danemark.

Nord, dép. franç. (59) ; 5 739 km^2 ; 2 531 855 hab. ; 441,1 hab./km^2 ; ch.-l. *Lille.* V. Nord-Pas-de-Calais.

Nord (en portug. *Norte*), région du Portugal et de la C.E., au N. du pays, sur le bassin du Douro (régions du Minho, du Douro Littoral et du Trás-os-Montes et Haut-Douro) ; 21 194 km^2 ; 3 591 500 hab. ; cap. *Porto.*

Nord (en angl. *North*), région du Royaume-Uni et de la C.E., au N. de l'Angleterre ; 15 401 km^2 ; 3 005 400 hab. ; v. princ.. *Newcastle-upon-Tyne.*

Nord (guerre du), guerre menée (1700-1709) par Charles* XII de Suède

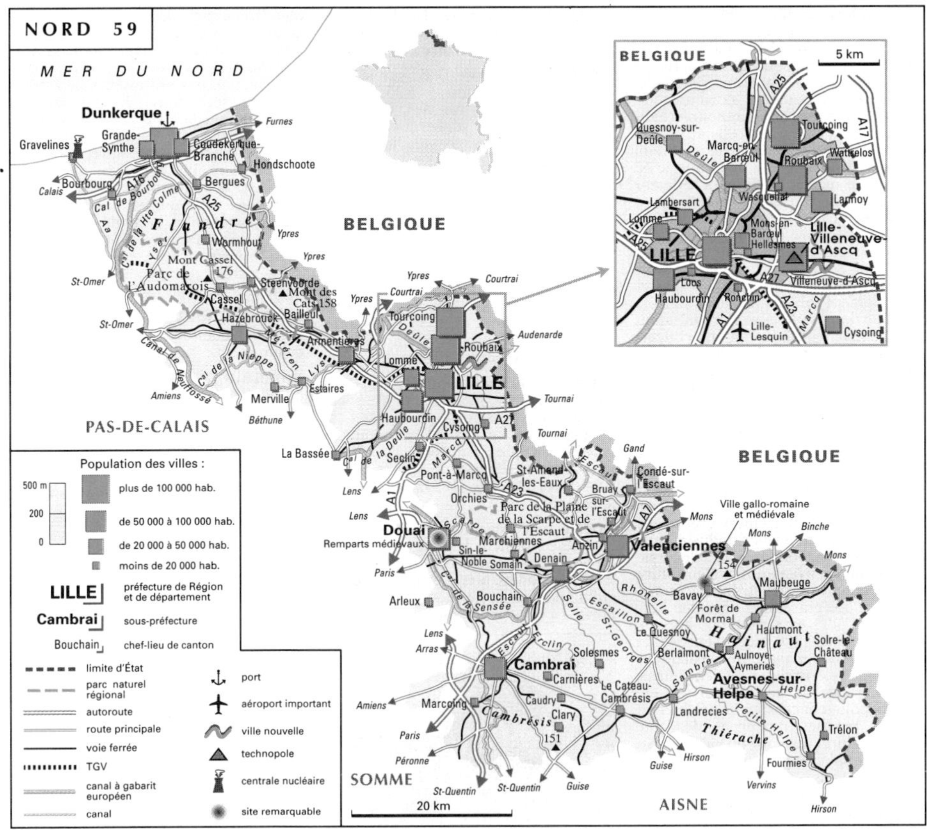

contre les États riverains de la Baltique (Danemark, Saxe, Pologne, Russie).

nord-africain, aine adj. et n. D'Afrique du Nord, du Maghreb. ▷ Subst. *Des Nord-Africains.*

nord-américain, aine adj. et n. D'Amérique du Nord. *Le continent nord-américain.* ▷ Subst. *Des Nord-Américains.*

nord-coréen, enne adj. et n. De Corée du Nord. ▷ Subst. *Un Nord-Coréen, des Nord-Coréens.*

Nord-du-Québec, rég. admin. du Québec, la plus vaste mais la moins peuplée de la prov.; 36 700 hab. V. princ. : *Chibougamau.*

Nordenskjöld (Adolf Erik, baron) (Helsinki, 1832 - Dalbjö, Lund, 1901), naturaliste suédois et explorateur des régions arctiques. En 1878-1879, à bord de la *Vega,* il découvrit le passage du Nord-Est. – **Otto** (Sjögelö, 1869 - Göteborg, 1928), neveu du préc., explora l'Antarctique.

nord-est [nɔʀɛst; nɔʀdɛst] n. m. et adj. inv. **1.** n. m. Point de l'horizon situé à égale distance, angulairement, du nord et de l'est. ▷ Région située vers le nord-est. *Le nord-est des États-Unis.* **2.** adj. inv. *La côte nord-est de l'Afrique.* (Abrév. : N.-E.)

Nord-Est (passage du), voie maritime (praticable de juin à sept.) reliant l'Atlantique au Pacifique par l'océan Arctique, le long de la côte russe. Recherchée dès le XVe s., cette route fut découverte par A. E. Nordenskjöld (1878-1879).

Nordeste, partie N.-E. du Brésil, couvrant neuf États. Autrefois riche (les cultures coloniales bénéficiaient des débouchés portuaires les plus proches de l'Europe), la région est aujourd'hui sous-développée. Le plateau intérieur, domaine du sertão, souffre tantôt de la sécheresse, tantôt des inondations; la population rurale afflue notam. vers les ports : Recife (anc. Pernambouc), Salvador et Fortaleza.

nordet [nɔʀdɛ] n. m. MAR Nord-est. *L'épave est dans le nordet des dangers.* ▷ Vent de nord-est. *Port mal abrité du nordet.* (On écrit aussi *nordé.*)

nordique adj. et n. Relatif aux peuples, aux pays du nord de l'Europe (spécial. islandais et scandinaves). *Langues nordiques.* ▷ Subst. *Des Nordiques.* – *Le nordique* : V. norois 2.

nordiste n. (et adj.) **1.** HIST Partisan, soldat des États du Nord, dans la guerre de Sécession, aux États-Unis. (V. yankee.) **2.** Habitant du nord de la France (département du Nord, Région Nord-Pas-de-Calais).

Nordling (Raoul) (Paris, 1882 - id., 1962), diplomate suédois qui exerça (en tant que consul général à Paris) une action décisive, pendant l'occupation de la France au cours de la Seconde Guerre mondiale, pour sauver de nombreux prisonniers politiques et sauvegarder Paris lors des combats de la Libération.

Nördlingen, ville d'Allemagne (Bavière), sur l'Eger; 18 080 hab. – Fortifications des XIVe et XVIe s. Hôtel de ville du XVIe s. – Victoire des Impériaux sur les Suédois (sept. 1634), puis de Turenne et du Grand Condé sur les Bavarois commandés par Mercy (1645).

nord-ouest [nɔʀwɛst; nɔʀdwɛst] n. m. et adj. inv. **1.** n. m. Point de l'horizon situé à égale distance, angulairement, du nord et de l'ouest. ▷ Région située vers le nord-ouest. *Le nord-ouest de l'Espagne.* **2.** adj. inv. *Les arrondissements nord-ouest de Paris.* (Abrév. : N.-O.)

Nord-Ouest (passage du), voie maritime reliant l'Atlantique au Pacifique par l'archipel arctique canadien. Recherchée dès le XVIe s., elle fut découverte par le Norvégien Roald Amundsen (1903-1906).

Nord-Ouest (en angl. *North-West*), région du Royaume-Uni et de la C.E., centrée sur le comté du Lancashire, entre la chaîne Pennine et le pays de Galles, sur la mer d'Irlande; 7 331 km^2; 6 134 000 hab.; v. princ. *Liverpool* et *Manchester.* Puissante région urbaine, industrielle et marchande, développée au XVIe s. sur le charbon, la sidérugie et le textile; économie en reconversion.

Nord-Ouest (Territoires du), division administrative du Canada septentrional située dans les zones arctique et subarctique, entre le Yukon et la baie d'Hudson; 3 426 320 km^2; 57 600 hab. (env. 1 000 francophones); ch.-l. *Yellowknife.* Pêche, chasse; sous-sol riche (or, radium, uranium, nickel, pétrole).

Nord-Pas-de-Calais, Région admin. française et rég. de la C.E., formée des dép. du Nord et du Pas-de-Calais; 12 378 km^2; 4 011 952 hab.; cap. *Lille.*

Géogr. phys. et hum. – Plat pays (alt. max. 266 m), au climat frais et humide, le Nord est cependant une terre de nuances. Au contact du Bassin parisien, de l'Ardenne et de la plaine flamande, il oppose les hauteurs crayeuses de l'Artois (ouvertes par la boutonnière du Boulonnais) et du Cambrésis au S. aux croupes bocagères et boisées du vieux massif ardennais à l'E., alors que le N. forme une mosaïque de pays reflétant la variété du sous-sol : plaines de la Scarpe et de la Lys, Pévèle, Mélantois, Flandre intérieure et Flandre maritime (conquise par assèchement de marais littoraux). Seules les falaises du Boulonnais interrompent un littoral bas et généralement sableux. La forte densité (320 hab./km^2) et le taux d'urbanisation (90 %) rattachent la région aux concentrations humaines du Benelux. Grâce à une fécondité encore élevée et à un fort excédent naturel, la pop. s'accroît modérément malgré un déficit migratoire très lourd : 430 000 personnes ont quitté la Région entre 1968 et 1990, le plus souvent en raison de la crise économique.
Écon. – Le Nord est une région économique clé arrivant au 4e rang français pour la production intérieure brute. Cependant, la puissance industr., fondée sur les charbonnages, la sidérurgie et le textile, activités qui avaient attiré une main-d'œuvre étrangère nombreuse, a été gravement ébranlée dep. les années 60. L'extraction du charbon, commencée en 1720, a cessé en 1990 et la construction navale a disparu; les vieux sites sidérurgiques (Valenciennes, Denain, vallée de la Sambre) ont été fermés pour concentrer la production sur les aciéries modernes de Dunkerque, alors que le textile perdait 100 000 emplois entre 1960 et 1990. Au total, en 30 ans, 250 000 emplois industriels ont été supprimés, le développement d'activités nouvelles (automobile, chimie, industries mécaniques, papier) étant bien loin de compenser ces pertes. La crise a permis de redécouvrir que la Région dispose d'une agriculture riche et intensive (céréales, cultures industrielles, maraîchage, porcs, bovins, volaille) et d'une importante filière agroalimentaire (sucre, huiles, industries de la viande et du lait, brasseries), alors que Boulogne, premier port de pêche français, produit 70 % du poisson surgelé national. De surcroît, quelques branches sont très performantes (industries du verre, matériel ferroviaire, grande distribution, vente par correspondance), alors que les activités de pointe se développent (technopole de Lille-Villeneuve-d'Ascq). La création de pôles de conversion en 1984, de la zone d'entreprises de Dunkerque en 1986 (3e port français), ainsi que les aides de la C.É.E. ont beaucoup contribué à diversifier l'économie régionale. Dotée d'un réseau de communication de premier plan (débouché de la liaison à travers la Manche), disposant d'une trame urbaine remarquable et d'un vaste potentiel humain, la Région sort progressivement d'une crise profonde.
Hist. – V. Flandre.

Nord-Sud adj. inv. POLIT, ECON Se dit des relations entre les pays développés et les pays les moins avancés (les premiers se trouvant généralement dans l'hémisphère Nord, les seconds dans l'hémisphère Sud).

nord-vietnamien, enne adj. et n. Du Nord-Viêt-nam (au temps où les provinces nord et sud du Viêt-nam formaient deux États distincts). ▷ Subst. *Les Nord-Vietnamiens.*

Norfolk, v. et port des É.-U. (Virginie); 261 200 hab. (aggl. urb. 1 261 200 hab.). Complexe portuaire et industriel.

Norfolk, comté de G.-B., sur la mer du Nord (Est-Anglie); 5 355 km^2; 736 400 hab.; ch.-l. *Norwich.* C'est une région de plaines, vouée aux cultures (céréales) et à l'élevage (volaille). Pêche.

Norfolk (Thomas Howard, comte de Surrey, 2e duc de) (1443 - 1524), homme de guerre anglais; il battit les Écossais à Flodden (1513). – **Thomas Howard,** 3e duc de Norfolk (?, 1473 - Kenninghall, Norfolk, 1554), fils du préc.; oncle de Catherine Howard et d'Anne Boleyn, il présida le tribunal qui condamna celle-ci. – **Thomas Howard,** 4e duc de Norfolk (?, 1538 - Londres, 1572), petit-fils du préc.; décapité pour avoir conspiré contre Élisabeth Ire.

Norge (George Mogin, dit Géo) (Bruxelles, 1898 - Mougins, 1990), poète belge d'expression française. Il conjugue avec virtuosité l'invention verbale, la langue populaire, l'ironie et le lyrisme : *l'Imposteur* (1937), *Râpes* (1949), *les Oignons* (1953), *le Vin profond* (1968).

noria n. f. Machine à élever l'eau, constituée principalement d'une roue ou d'une chaîne sans fin à laquelle sont fixés des godets. ▷ Fig. Ce qui évoque la circulation sans fin des godets d'une noria. *La noria d'un pont aérien.*

norias sur l'Oronte

Noriega (Manuel) (Panamá, 1940), général et homme politique panaméen. Devenu chef de la Garde nationale en 1983, il contrôla le pouvoir au Panamá*, au mépris des institutions démocratiques. Les États-Unis demandèrent, à partir de 1987, l'extradition de cet ancien agent de la C.I.A. accusé de meurtre et de trafic de drogue; en 1989, intervenant au Panamá, ils chassèrent du pouvoir Noriega, qui se rendit en janv. 1990. Il est détenu aux É.-U.

Norilsk, v. de Sibérie orientale; 180 000 hab. Centre minier (houille, cuivre, nickel) et métallurgique.

Norique, anc. prov. de l'Empire romain; rég. comprise entre le Danube et les Alpes Carniques, annexée par Auguste en 16 av. J.-C.

normal, ale, aux adj. et n. f. **I.** adj. **1.** Conforme à la règle commune ou à la règle idéale, ou à la moyenne statistique. *Un phénomène normal.* ▷ Habituel, naturel. – PHYS *Conditions normales de température et de pression,* correspondant à une température de 0 °C et à une pression de 1 013,25 hectopascals. ▷ Qui n'est pas altéré par la maladie. *Être dans son état normal.* ▷ Dont les aptitudes intellectuelles et physiques, le comportement sont conformes à la moyenne. *Une personne normale.* **2.** *École normale,* où étaient formés les instituteurs. *Les écoles normales ont été remplacées par des Instituts universitaires de formation des maîtres.* ▷ *École normale supérieure* (ellipt. *Normale,* arg. scol. *Normale Sup),* destinée à l'origine à la formation des professeurs de l'enseignement secondaire. **3.** Qui sert de règle, de modèle. ▷ CHIM *Solution normale,* qui contient une mole d'éléments actifs (protons, électrons) par litre. – *Chaîne normale :* chaîne carbonée non ramifiée. **4.** GEOM Perpendiculaire. **II.** n. f. **1.** *La normale :* ce qui est habituel, régulier, conforme à la règle commune. *Intelligence supérieure à la normale.* **2.** GEOM *Normale en un point d'une courbe, d'une surface,* perpendiculaire en ce point à la tangente, au plan tangent.

normalement adv. **1.** De manière normale, habituelle. **2.** GEOM Perpendiculairement.

normalien, enne n. (et adj.) Élève ou ancien élève d'une École normale. – *Spécial.* Ancien élève de l'École normale supérieure, à Paris. ▷ adj. *La tradition normalienne.*

normalisateur, trice adj. Qui normalise. *Des mesures normalisatrices.*

normalisation n. f. **1.** Établissement et mise en application d'un ensemble de règles et de spécifications (normes), ayant pour objet de simplifier, d'unifier et de rationaliser les produits industriels, les unités de mesure, les symboles, etc. *Les normes françaises sont élaborées par l'AFNOR.* **2.** Action de normaliser (sens 2).

normaliser v. tr. [1] **1.** Rendre conforme à une norme. ▷ Procéder à la normalisation (sens 1) de. – Pp. adj. *Appareil de contrôle normalisé.* **2.** Rendre normal, conforme aux usages généralement en vigueur (ce qui ne l'était pas ou ne l'était plus). *Normaliser les relations diplomatiques entre deux États.*

normalité n. f. Caractère de ce qui est normal. ▷ CHIM *Normalité d'une solution :* nombre de moles d'éléments actifs (protons, électrons) par litre.

Norman (Jessye) (Augusta, Georgie, 1945), cantatrice américaine, soprano au répertoire très vaste.

normand, ande n. et adj. **1.** n. m. pl. HIST *Les Normands :* les pillards scandinaves (alors appelés aussi *Northmen*), connus aussi sous les noms de Vikings et de Varègues, qui firent de nombreuses incursions en France et en Europe jusqu'à la mer Noire (VIIIe-IXe s.), et dont certains s'installèrent dans l'actuelle Normandie. ▷ adj. *Les*

Jessye **Norman** dans *Didon et Énée,* opéra de Henry Purcell

invasions normandes. **2.** n. Habitant, personne originaire de Normandie. – *Réponse de Normand,* ambiguë. **3.** adj. Relatif à la Normandie, aux Normands. *La campagne normande.* **4.** ELEV *Race normande :* race bovine de grande taille, dont la robe tachetée inclut toujours le blond, le noir et le blanc, bonne laitière élevée aussi pour la viande.

Normandie, anc. prov. de France, qui constitue auj. deux Régions : Basse-Normandie et Haute-Normandie. – Peuplée de Ligures, d'Ibères, de Celtes et de Belges, la région normande fut conquise par les Romains (56 av. J.-C.) et incluse dans la Lyonnaise sous Auguste. Prise par Clovis, englobée plus tard dans la Neustrie, elle fut un foyer du monachisme bénédictin (Jumièges, Fécamp, etc.). Envahie par les Normands dès le début du IXe s., elle leur fut cédée partiellement (haute Normandie) par Charles le Simple lors du traité de St-Clair-sur-Epte (911), et en totalité par Louis IV en 933. Fief anglais après la conquête de l'Angleterre, en 1066, par le duc Guillaume le Bâtard (Guillaume le Conquérant), la Normandie, prise aux Plantagenêts (1204) par Philippe Auguste, fut très éprouvée par la guerre de Cent Ans. En 1468, Louis XI la rattacha au domaine royal. La Normandie fut, en 1944, le théâtre du débarquement des forces alliées commandées par Eisenhower (*bataille de Normandie :* juin-août 1944).

Normandie (Basse-), Région admin. française et rég. de la C.E., formée des dép. du Calvados, de la Manche et de l'Orne; 17 583 km^2; 1 422 874 hab.; cap. *Caen.*
Géogr. phys. et hum. – Région d'altitude modeste (alt. max. 417 m, au S.), au climat doux et humide, la Basse-Normandie s'ouvre sur la Manche par un littoral de 500 km, bas et régularisé à l'E., très découpé en Cotentin. La Normandie occidentale cristalline (Normandie armoricaine), rurale et bocagère, s'oppose à la Normandie orientale sédimentaire (Normandie parisienne), plus variée et plus urbanisée (campagne de Caen, collines du Perche, pays d'Auge). Seul l'excédent naturel permet une croissance modérée de la pop. (qui profite surtout au Calvados), mais le solde migratoire est traditionnellement déficitaire.
Écon. – Dominée par l'élevage bovin et assurant plus de 10 % de la pêche et de l'aquaculture du pays, la Région a développé une industrie agroalim. puissante et tire sa réputation de quelques spécialités (camembert, pont-l'évêque, livarot, carré d'Auge, calvados). L'agriculture laitière du bocage souffre cependant d'une crise d'adaptation, alors que les régions d'openfield (campagne de Caen) se sont modernisées plus tôt. Enfin, il faut ajouter l'élevage de chevaux pur sang. Les activités industrielles anciennes (travail des métaux, dentelle, sidérurgie développée sur le minerai de fer local) sont en recul, mais des branches nouvelles ont diversifié l'activité régionale : constructions électriques et électron., auto., pharmacie. Caen est le principal pôle écon. régional, mais le nucléaire a permis de créer un important foyer d'activité dans le Cotentin (centrale de Flamanville et usine de retraitement de la Hague). Le tourisme est important (Deauville, Trouville, Cabourg, Mont-Saint-Michel). L'aménagement de liaisons rapides, qui a longtemps privilégié Caen et le littoral, permet de mieux intégrer la Région au grand marché européen.

Normandie (Haute-), Région admin. française et rég. de la C.E., formée des dép. de l'Eure et de la Seine-Maritime; 12 258 km^2; 1 763 615 hab.; cap. *Rouen.*
Géogr. phys. et hum. – Traversée par la basse Seine, axe majeur d'urbanisation qui s'ouvre sur la Manche par un profond estuaire, la Région s'étend sur les plateaux occid. du bassin de Paris. Le N., encore très rural, est formé du Vexin normand, du pays de Bray et du pays de Caux, dont le littoral, aux puissantes falaises, n'est coupé que de rares vallées. Le S., plus contrasté et plus urbanisé, oppose des campagnes ouvertes (campagnes du Neubourg, de Saint-André, Roumois) aux pays bocagers (Lieuvin, pays d'Ouche). La croissance démographique profite surtout à l'E., sous influence parisienne, qui bénéficie d'un excédent migratoire élevé.
Écon. – Malgré son exiguïté, la Haute-Normandie est une région économique importante. Elle figure parmi les premières pour le revenu par habitant. L'agriculture se transforme : l'élevage laitier reste essentiel mais recule, alors que colza, pois, fourrages progressent à côté des cultures traditionnelles (céréales, betterave à sucre, lin); ajoutées à une pêche active (Dieppe, Fécamp), ces productions débouchent sur une importante industrie agroalimentaire. La crise a durement touché les activités traditionnelles comme le textile, la papeterie, les chantiers navals. Les industries qui avaient assuré la croissance dans les années 60 ont été restructurées : réduction de la capacité de raffinage, baisse de l'emploi dans l'automobile, deux branches qui restent cependant essentielles. La décentralisation d'activités vers l'E. de la Région (électronique, constructions électriques, pharmacie, parfumerie) a beaucoup contribué à diversifier le tissu industriel. Enfin, Le Havre et Rouen, respectivement 2e et 5e ports français, desservent le puissant arrière-pays parisien. De ce fait, la Région dispose d'un excellent réseau de transport; les liaisons nord-sud, longtemps difficiles et concentrées sur Rouen et Tancarville, sont auj. grandement améliorées par le pont de Normandie qui relie Honfleur au Havre. La Haute-Normandie affirme sa spécificité dans le grand marché européen mais reste trop dépendante de Paris.

Normandie-Niémen (escadrille), formation aérienne française qui combattit aux côtés des Soviétiques de 1943 à 1945; elle doit son nom au groupe de chasse «Normandie», formé en Syrie en 1942, et aux batailles auxquelles elle participa dans le bassin du Niémen.

normanno-picard, arde adj. et n. m. LING Se dit des parlers d'origine normande et picarde qui se mêlèrent à la langue anglaise au XIIe s. *Les parlers normanno-picards.* – n. m. *Le normanno-picard.*

normatif, ive adj. Qui a force de règle, qui pose une norme; qui a les caractères d'une norme; relatif à une norme. *Jugements normatifs.* – *Grammaire normative,* qui prescrit des règles conformes à un état de la langue reconnu correct. ▷ *Sciences normatives :* l'esthétique, la logique et la morale (parce qu'elles déterminent une norme, édictent des règles).

norme n. f. **1.** Règle, loi à laquelle on doit se conformer; état habituel conforme à la moyenne des cas, à la normale. *Ne pas s'écarter de la norme.* ▷ *Spécial.* TECH Règle, spécification à laquelle un produit doit être conforme. – *Norme française* ou *norme N.F. :* document de l'AFNOR où sont définies les prescriptions techniques de produits et de méthodes déterminés. **2.** MATH *Norme d'un vecteur :* généralisation à un espace vectoriel quelconque de la notion de longueur d'un vecteur de l'espace physique. Syn. anc. module.

normographe n. m. TECH Instrument de dessinateur, plaque dans laquelle des évidements ont été pratiqués à la forme des lettres, des chiffres, des symboles usuels, etc., pour servir de gabarits.

Norodom Ier (1835 - 1904), roi du Cambodge (1859-1904). Il signa le traité qui établit le protectorat français (1863) et lui assura le trône, que lui avait ravi son frère en 1861. – **Norodom Suramarit** (?, 1896 - Phnom Penh, 1960), petit-neveu du préc.; roi du Cambodge (1955-1960). – **Norodom Sihanouk** (Phnom Penh, 1922), fils du préc.; roi du Cambodge (1941 à 1955 et dep. 1993). En fév. 1955, il abdiqua en faveur de son père, peu après avoir obtenu l'indép. de son pays (déc. 1954), mais continua à gouverner, comme président du Conseil puis, à la mort de son père, comme chef de l'État (sans reprendre le titre de roi). En 1963, le prince Sihanouk rompit avec les É.-U. et se fit l'apôtre du neutralisme. Renversé par son ministre Lon Nol en mars 1970, il gagna Pékin, d'où il encouragea les Khmers rouges. Quand ceux-ci triomphèrent (1975), il revint à la tête de l'État (rôle purement officiel) puis démissionna en 1976. À l'arrivée des Vietnamiens dans son pays, il s'exila de nouveau à Pékin (1979). En déc. 1982, il présida un gouv. de coalition, dont il démissionna en 1988 pour favoriser les négociations avec le gouv. provietnamien de Phnom Penh. Il est devenu en 1991 président du Conseil national suprême, puis chef de l'État en juin 1993. En sept., il est remonté sur le trône.

1. norois ou **noroît** [nɔʀwa] n. m. MAR Nord-ouest. ▷ Vent de nord-ouest.

2. norois, oise ou **norrois, oise** [nɔʀwa, waz] n. m. et adj. Langue des anciens Scandinaves, appelée aussi *nordique.* ▷ adj. *Inscription nor(r)oise.*

Norris (Franck) (Chicago, 1870 - San Francisco, 1902), journaliste et écrivain américain, romancier naturaliste : *McTeague* (1899, dont Stroheim tira *les Rapaces*), *la Pieuvre* (1901), *la Fosse* (posth., 1903).

Norrköping, v. et port de la Suède méridionale, sur la Baltique; 118 570 hab. Nombr. industr. : textile, constr. navale et mécanique, etc. – Gravures rupestres de l'âge du bronze.

Norrland, partie septentrionale de la Suède, peu fertile et peu habitée.

norrois. V. norois 2.

Northampton, v. du centre de l'Angleterre; 178 200 hab.; chef-lieu du *Northamptonshire* (2 367 km^2; 554 400 hab.). Industr. mécanique; chaussures. – Évêché catholique. Église du St-Sépulcre (fin XIe s.), de forme ronde.

Northrop (John Howard) (Yonkers, État de New York, 1891 - Wickenberg, Arizona, 1987), biochimiste américain; spécialiste des protéines (enzymes, virus). P. Nobel 1946.

Northumberland, comté du nord de la G.-B., sur la mer du N., drainé par la Tyne; 5 033 km^2; 300 600 hab.; ch.-l. *Newcastle-upon-Tyne.*

Northumbrie, un des royaumes de l'Heptarchie ; cap. *Eoforwic* (York).

North Yorkshire, comté d'Angleterre ; 8 309 km^2 ; 698 700 hab. ; ch.-l. *Northallerton.*

Norton (Thomas) (Londres, 1532 – Sharpenhoe, 1584), dramaturge anglais ; *Gorboduc* ou *Ferrex et Porrex* (1561-1562, en collab. avec Th. Sackville) est la prem. tragédie anglaise de forme régulière, imitée de Sénèque.

Norvège (mer de), nom (peu usité) de la portion de l'Atlantique comprise entre la Norvège et l'Islande.

Norvège (royaume de) *(Kongeriket Norge),* État d'Europe septent., en Scandinavie, baigné par l'Atlantique et par la mer du Nord ; 323 886 km^2 ; 4 274 000 hab., croissance démographique : 0,2 % par an ; cap. *Oslo.* La souveraineté norvégienne s'étend sur plusieurs îles de l'océan Arctique (Spitzberg) et de l'océan Antarctique. Nature de l'État : monarchie constitutionnelle. Langue off. : norvégien (bokmål, surtout, et nynorsk ou néo-norvégien). Monnaie : couronne norvégienne. Relig. : protestantisme (relig. d'État, Église luthérienne).
Géogr. phys. et hum. – Étirée en latitude sur 1 750 km, la Norvège est un pays de hautes terres (Alpes scandinaves culminant à 2 648 m), modelé par les glaciers quaternaires qui ont ouvert de profondes vallées littorales submergées par la mer : les fjords. Le climat, océanique frais sur la côte O. jusqu'à Bergen (adouci par la dérive nord-atlantique), est continental vers l'intérieur et subarctique au N. La forêt mixte du S. fait place à la forêt boréale de conifères dans la plus grande partie du pays, la toundra dominant au N. L'abondance des eaux donne au pays un potentiel hydroélectrique de premier plan. La population, citadine à 75 %, est groupée dans le S. et sur le littoral ; elle est vieillissante (16 % de plus de 65 ans) et marquée par la dénatalité.
Écon. – Pénalisée par le climat difficile et l'exiguïté des terres arables (3 % du territoire), l'agric. est marginale (orge, avoine, pomme de terre) mais la pêche (2e rang européen) et la sylviculture dégagent d'importantes ressources. Les principales richesses du pays sont énergétiques (pétrole et gaz de la mer du Nord, 1er rang européen pour l'hydroélectricité) et minérales (fer, cuivre, zinc, plomb). Ces matières premières constituent 60 % des exportations et sont la base d'une importante industrie de transformation (pétrochimie, électrochimie, métallurgie de l'aluminium), que complètent la constr. navale, les industries textile, mécanique, électrique et électronique. La Norvège appartient à l'Espace économique européen (E.É.E.) et effectue la majeure partie de son important commerce extérieur avec l'Union européenne (61 %). Son niveau de vie élevé souffre cependant de la faiblesse de la demande intérieure, du manque de diversification de ses exportations.
Hist. – L'hist. de la Norvège, comme celle des pays scandinaves, est connue à partir du IXe s., époque où les Vikings se lancèrent sur les mers : raids de pillage vers l'Angleterre et les côtes hollandaise et belge, exploration vers l'ouest (Irlande, 874, et Groenland, v. 980). Unifiée une première fois par Harald Ier Hårfager v. 872, puis par Olav Ier (995-1000), la Norvège s'ouvrit au christianisme sous Olav II le Saint (1016-1030). Après deux siècles de guerres civiles, souvent dues à des crises dynastiques, elle connut son apogée au XIIIe s. (rattachement de l'Islande et du Groenland). Le déclin s'annonça dès le XIVe s., avec la concurrence commerciale de la Hanse. Par le jeu des successions et des mariages, la reine Marguerite, fille de Valdemar IV de Danemark, unit la Norvège au Danemark (1380) puis, en 1397, à la Suède (union de Kalmar), laquelle fit sécession en 1523. La Norvège, qui resta province danoise jusqu'en 1814, devint luthérienne. Cédée à la Suède (traité de Kiel, 1814) et bien que jouissant d'une large autonomie (Constitution de 1814), elle revendiqua son indépendance, devenue effective en 1905 (traité de Karlstad). De 1940 à 1945, elle fut occupée par les Allemands, qui organisèrent un gouvernement de collaboration dirigé par V. Quisling. La vie politique a été marquée par l'existence d'un fort parti travailliste qui a exercé le pouvoir de 1935 à 1965, et, depuis cette date, on a assisté à une alternance entre les travaillistes et les coalitions groupant conservateurs, libéraux et agrariens. En 1991, Harald V a succédé au roi Olaf V. La Norvège a rejeté par référendum l'entrée dans la C.E.E. (1972), puis dans l'U.E. (1994). Après les gouvernements travaillistes de Mme Gro Harlem Brundtland de 1986 à 1989 et de 1990 à 1996, Thorbjörn Jagland lui succède. Mais il démissionne en sept. 1997 à la suite de l'échec de son parti aux législatives. Kjell Magne Bondevik devient Premier ministre.

norvégien, enne adj. et n. **I. 1.** adj. De Norvège. ▷ CUIS *Omelette norvégienne :* crème glacée recouverte d'une croûte de meringue chaude. – *Marmite* norvégienne.* **2.** n. m. Langue scandinave parlée en Norvège. **II.** MAR n. f. Barque à l'avant relevé et arrondi.

Norwich, v. de G.-B. ; ch.-l. du comté de Norfolk ; 120 700 hab. Centre industriel (chaussure ; text. ; industr. alim. ; constr. méca.). – Cath. des XIe et XIIe s. – Grande cité drapière au Moyen Âge.

nos. V. notre.

noso-. Élément, du gr. *nosos,* « maladie ».

nosocomial, ale, aux adj. MED Se dit d'une infection qui se contracte lors d'une hospitalisation.

nosoconiose n. f. MED Nom générique des affections produites par l'action de poussières.

nosographie n. f. MED Classification analytique des maladies.

nosologie n. f. MED Étude des caractères distinctifs des maladies en vue de leur classification.

nosophobie n. f. Crainte morbide de la maladie.

Nossack (Hans Erich) (Hambourg, 1901 – id. 1977), écrivain allemand. Ses romans et récits évoquent la rencontre avec la mort : *Interview avec la mort* (1948), *le Frère cadet* (1958).

Nossi-Bé ou **Nosy-Bé,** île malgache, au N.-O. de Madagascar ; 270 km^2 ; 38 720 hab. Tourisme. Aéroport.

nostalgie n. f. **1.** Tristesse de la personne qui souffre d'être loin de son pays. **2.** Mélancolie causée par un regret. *Avoir la nostalgie du passé.*

nostalgique adj. **1.** Qui souffre de nostalgie. **2.** Qui évoque, qui exprime la nostalgie. *Un chant nostalgique.*

nostoc n. m. BOT Algue bleue (cyanophycées) formée de chapelets de cellules globuleuses.

Nostradamus (Michel de Nostre-Dame, dit) (Saint-Rémy-de-Provence, 1503 - Salon, 1566), médecin et astrologue français. Il est célèbre par son recueil de prédictions, *Centuries astrologiques* (1555). Appelé à la cour par Catherine de Médicis, il fut médecin de Charles IX.

Nosy-Bé. V. Nossi-Bé.

nota [nɔta] ou **nota bene** [nɔta bene] n. m. inv. Mots latins signifiant «remarquez bien», placés avant une remarque importante pour attirer l'attention du lecteur (abrév. : N.B.).

notabilité n. f. **1.** Notable (sens II, 1). *Les notabilités de la politique.* Syn. personnalité. **2.** Rare Fait d'être un notable; caractère d'une personne notable.

notable adj. et n. m. **I.** adj. Qui mérite d'être noté, pris en considération. *Différence notable.* Syn. remarquable. **II.** n. m. **1.** Personnage important par sa situation sociale. *Inviter les notables de la ville.* **2.** HIST *Assemblée de notables :* assemblée dont les attributions étaient les mêmes que celles des états généraux mais dont les membres, généralement des privilégiés, étaient nommés par le roi (XVIe-XVIIIe s.).

notablement adv. D'une manière notable.

notaire n. m. **1.** Officier public établi pour recevoir tous les actes et contrats auxquels les parties doivent ou veulent faire donner un caractère d'authenticité. **2.** *Notaire apostolique :* au Vatican, personne chargée de rédiger et notifier les décisions d'ordre ecclésiastique.

notamment adv. Spécialement, entre autres.

notarial, ale, aux adj. Qui appartient au notariat.

notariat n. m. **1.** Charge, profession de notaire. **2.** Ensemble des notaires.

notarié, ée adj. Passé devant notaire. *Un acte notarié.*

Notat (Nicole) (Châtrices, Marne, 1947), syndicaliste française, secrétaire générale de la C.F.D.T. depuis 1992.

notation n. f. **1.** Action, manière de représenter par des signes conventionnels. *Notation algébrique. Notation musicale :* figuration des sons musicaux, de leur valeur, de leur durée, etc. *Notation chimique :* système conventionnel de représentation des espèces chimiques par des lettres symbolisant les éléments et des formules figurant leurs combinaisons. **2.** Ce que l'on note par écrit; brève remarque. *Pensée exprimée par quelques notations précises.* **3.** Action de donner une note, une appréciation. *Barème de notation.* **4.** FIN Appréciation par une agence spécialisée de la capacité d'un émetteur d'obligations ou de titres à en assurer le remboursement. Syn. (off. déconseillé) rating.

note n. f. **I. 1.** Bref commentaire sur un passage d'un texte. *Notes au bas de la page.* **2.** Communication succincte faite par écrit. *Rédiger une note de service. Note diplomatique,* adressée par un agent diplomatique à un autre ou par un ambassadeur au gouvernement auprès duquel il est accrédité. **3.** Indication sommaire que l'on consigne pour ne pas oublier qqch. *Prendre des notes à un cours.* **4.** Décompte d'une somme due. *Acquitter, payer une note.* **5.** Appréciation concernant le travail, le comportement de qqn (élève, fonctionnaire), généralement exprimée par un chiffre ou une lettre. *Le carnet de notes d'un élève.* **II. 1.** MUS Caractère de l'écriture musicale utilisé pour représenter un son. *Il sait lire les* (ou *ses*) *notes.* **2.** Son représenté par un tel caractère. *Les sept notes de la gamme* (do ou ut, ré, mi, fa, sol, la, si). *Fausse note :* note discordante, dont l'émission est défectueuse ou dont l'intonation est trop haute ou trop basse; fig. ce qui détonne dans un ensemble. *Sa présence est la seule fausse note de la soirée.* ▷ Loc. fig. *Être dans la note :* être en harmonie (avec le reste). *Cette réflexion est bien dans la note du personnage.* - *Donner la note :* indiquer ce qu'il convient de faire. - *Forcer la note :* exagérer. **3.** Détail, touche. *Une note gaie, originale, dans un costume.*

noter v. tr. [1] **1.** Affecter d'une marque. *Noter d'un trait rouge les passages à corriger sur un manuscrit.* **2.** Inscrire (qqch) pour s'en souvenir. *Noter des citations sur un cahier.* **3.** Remarquer (qqch). *Noter une amélioration dans l'état d'un malade.* **4.** Porter une appréciation, le plus souvent chiffrée, sur les qualités de (qqn, qqch). *Noter des copies.* - Pp. adj. *Employé mal noté.* **5.** MUS Écrire (de la musique) avec les signes destinés à cet usage. *Noter un air.* ▷ Représenter par (un signe). - v. pron. *Le son* [y] *se note u.*

notice n. f. Texte bref donnant des indications, des explications sur un sujet. *Notice biographique, nécrologique. Notice de montage d'un appareil.*

notification n. f. Action de notifier; acte par lequel on notifie. ▷ DR *Notification d'un jugement, d'un procès-verbal.*

notifier v. tr. [2] *Notifier qqch à qqn,* le porter à sa connaissance de manière officielle ou dans les formes légales. *Je lui ai notifié ma décision par lettre recommandée.* Syn. signifier, informer.

notion n. f. **1.** Connaissance immédiate, plus ou moins confuse. *La notion du beau. N'avoir aucune notion du danger.* **2.** Concept, idée. *«Les notions primitives sont comme des originaux sur le patron desquels nous formons toutes nos autres connaissances» (Descartes).* **3.** Connaissance élémentaire d'une langue, d'une science. *Notions d'allemand, de géométrie.*

notionnel, elle adj. **1.** Didac. Relatif à une notion, aux notions (sens 2). ▷ *Grammaire notionnelle,* qui repose sur l'hypothèse que le langage traduit une pensée universelle, indépendamment du contexte linguistique. **2.** FIN Se dit d'un emprunt d'État fictif, servant aux cotations sur le Matif.

notoire adj. Connu de beaucoup; public. *Fait notoire. Tricheur notoire.* Syn. manifeste.

notoirement adv. De façon notoire.

notonecte n. m. ou f. ENTOM Punaise aquatique qui peut nager sur le dos à l'aide de pattes postérieures en forme de rames.

notoriété n. f. **1.** Caractère d'un fait notoire. *Il est de notoriété publique que...* ▷ DR *Acte de notoriété,* par lequel des témoins attestent un fait quelconque, devant un officier public. **2.** Fait d'être connu (en bonne part), célébrité. *Avoir une certaine notoriété.* Syn. réputation.

notre plur. **nos** adj. poss. de la 1re pers. du plur. **1.** Qui nous appartient ou se rapporte à nous. *Notre chien. Notre père. Notre pays.* - Plaisant *Notre cher président...* **2.** Empl. à la place de *mon, ma* ou *mes* (plur. de majesté ou de modestie). *Il est de notre devoir, en tant qu'auteur de cet ouvrage...*

nôtre, nôtres adj., pron. et n. **1.** adj. poss. de la 1re pers. du plur. (Empl. comme attribut.) À nous. *Cette terre est nôtre.* **2.** pron. poss. *Le nôtre, la nôtre, les nôtres :* celui, celle, ceux que nous possédons. *C'est votre chien, ce n'est pas le nôtre.* - Loc. *Nous y avons mis du nôtre :* nous avons fait des efforts, des concessions. ▷ n. m. pl. *Les nôtres :* les membres du groupe (famille, amis, société) auquel nous appartenons. *Serez-vous des nôtres? :* vous joindrez-vous à nous?

Notre-Dame, nom que les catholiques donnent à la Vierge Marie. ▷ Nom donné aux sanctuaires qui lui sont consacrés.

Notre-Dame-de-Gravenchon, com. de la Seine-Maritime (arr. du Havre); 8 957 hab. - Raff. de pétrole, génie climatique.

Notre-Dame-de-Lorette, colline du Pas-de-Calais, dans le N. de l'Artois. Violents combats en 1914 et 1915.

Notre-Dame de Paris, égl. métropolitaine de Paris, de style goth., située dans l'île de la Cité. Commencée en 1163, elle fut terminée, pour le gros œuvre, v. 1250. Saccagée et mutilée pendant la Révolution, elle a été restaurée de 1845 à 1864 par Viollet-le-Duc, qui a reconstruit une flèche.

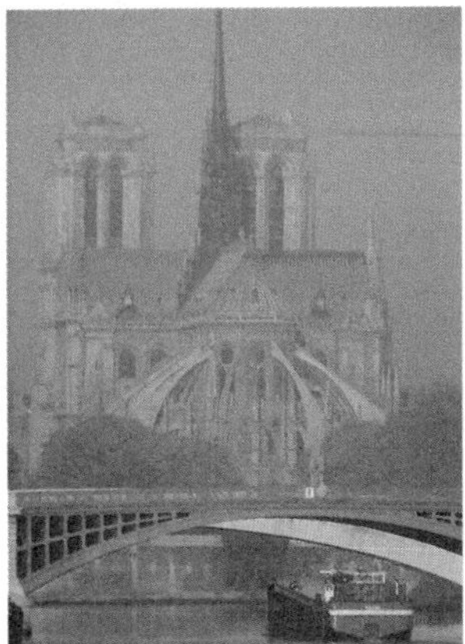

Notre-Dame de Paris

Nottingham, ville de G.-B., sur la Trent; 261 500 hab.; ch.-l. du *Nottinghamshire* (2 164 km²; 1 006 400 hab.; forêts, céréales, houille). Industr. mécanique, chimique et textile. - Évêché cathol. Université. Chât. reconstruit au XVIIe s. (auj. musée des beaux-arts). Égl. du XVe s.

notule n. f. Brève annotation.

Nouadhibou (anc. *Port-Étienne*), port de Mauritanie; ch.-l. de région; 22 000 hab. Port d'exportation du minerai de fer de F'Derick, auquel il est relié par voie ferrée (675 km). Pêche. Aéroport.

nouage n. m. **1.** Action de nouer. **2.** TECH En tissage, opération consistant à nouer l'extrémité d'une chaîne terminée à l'extrémité de la suivante.

Nouakchott

nouaison n. f. AGRIC, ARBOR Transformation de la fleur fécondée en fruit, début de la formation du fruit (on dit aussi *nouure*).

Nouakchott, cap. de la Mauritanie, près de l'Atlantique; 500 000 hab. (135 000 hab. en 1976). Centre commercial. Usine de dessalement de l'eau de mer. – Ville créée en 1958.

nouba n. f. Anc. Fanfare des tirailleurs d'Afrique du Nord, avec fifres et tambourins indigènes. ▷ Fig., fam. *Faire la nouba*, la noce (sens 4).

noue n. f. CONSTR **1.** Angle rentrant formé par la rencontre de deux combles. **2.** Élément creux (tuile, lame de zinc), placé dans cet angle pour collecter l'eau de pluie.

noué, ée adj. À quoi l'on a fait un nœud; lié au moyen d'un nœud. ▷ Fig. *Avoir la gorge nouée*, contractée par l'émotion, l'anxiété, etc.

nouer v. [1] **I.** v. tr. **1.** Faire un nœud à; réunir au moyen d'un nœud les extrémités de (un lien, une corde, etc.). *Nouer une ficelle autour d'un colis.* – Lier par un nœud deux ou plusieurs liens, cordes, etc. **2.** Réunir, rassembler, serrer au moyen d'un ou de plusieurs nœuds. *Nouer ses cheveux avec un ruban.* Syn. attacher. **3.** Fig. *Nouer une amitié* : établir un lien amical avec qqn. *Nouer de nouvelles relations.* ▷ *Nouer l'action, l'intrigue d'une pièce*, en former le nœud, combiner les événements à partir desquels l'action, l'intrigue pourra se développer. **II.** v. pron. S'entrelacer, s'attacher. ▷ BOT Commencer à se former à partir de la fleur fécondée, en parlant d'un fruit. – Fig. *Le drame se noue.*

Nouers. V. Nuers.

noueux, euse adj. Se dit du bois qui comporte de nombreux nœuds. *Le tronc noueux d'un vieil aulne.* ▷ Fig. Dont l'aspect évoque les nodosités d'un tronc, d'une branche d'arbre. *Membres noueux.*

nougat n. m. **1.** Confiserie à base d'amandes, de sucre et de miel. *Nougat de Montélimar.* **2.** (Plur.) Arg. *Les nougats* : les pieds.

nougatine n. f. Confiserie faite de sucre caramélisé et de menus morceaux d'amandes ou de noix, souvent utilisée en pâtisserie.

nouille n. f. (et adj.) **1.** (Plur.) Pâtes alimentaires en forme de lamelles minces et allongées. **2.** Fig., fam. Personne molle et indolente, sans initiative. ▷ adj. *Ce qu'il est nouille!* **3.** *Style nouille* : V. encycl. art.

Noukous, ville d'Ouzbékistan, sur l'Amou-Daria; cap. de la rép. auton. de Karakalpakie; 146 000 hab.

noulet n. m. CONSTR **1.** Assemblage de pièces de charpente qui, à la rencontre de deux combles de hauteur différente, soutient le faîtage et les pannes du comble le moins élevé. **2.** Canal pour l'écoulement des eaux, fait avec des noues (sens 2).

Nouméa, port et ch.-l. de la Nouvelle-Calédonie; 60 200 hab. Aéroport. Archevêché. – Métallurgie (nickel) à Doniambo; industries alimentaires.

nouménal, ale, aux adj. PHILO Relatif au noumène.

noumène n. m. PHILO Chez Kant, la chose en soi, telle qu'elle existe indépendamment de qui peut la connaître ou la sentir (par oppos. à *phénomène*).

nounou n. f. Nourrice, dans le langage enfantin.

Noureïev (Rudolf) (Razdolnaïa, près d'Irkoutsk, 1938 – Paris, 1993), danseur et chorégraphe autrichien (1982) d'origine soviétique. Danseur étoile du ballet du Kirov (Leningrad), puis du Royal Ballet (Londres), il a été, de 1983 à 1989, directeur de la danse de l'Opéra de Paris.

Rudolf **Noureïev**

Nourissier (François) (Paris, 1927), écrivain français. Dans un style classique, il excelle dans la confession et décrit le désenchantement de la jeunesse : série *le Malaise général* (1958-1965), *les Orphelins d'Auteuil* (1956), *la Crève* (1970), *l'Empire des nuages* (1981).

nourri, ie adj. **1.** Qui reçoit de la nourriture. *Un chat bien nourri.* **2.** Fig. Riche, abondant, substantiel. *Style nourri.* – *Fusillade nourrie*, dans laquelle les décharges sont fréquentes et nombreuses.

nourrice n. f. **1.** Femme qui allaite un enfant (le sien ou celui d'une autre). **2.** Femme qui, moyennant une rétribution, s'occupe chez elle d'enfants qui ne sont pas les siens. *Les nourrices agréées ont le statut d'assistantes maternelles depuis le 1er janv. 1978.* – *Mettre un enfant en nourrice*, le placer chez une nourrice. **3.** Bidon contenant une réserve de liquide (eau, essence, etc.). ▷ TECH Réservoir auxiliaire de carburant. – Réservoir constitué par une tuyauterie de gros diamètre placée à l'embranchement de plusieurs canalisations plus petites, qui sert à opérer des mélanges de fluides ou à équilibrer des pressions.

nourricier, ère adj. **1.** *Père nourricier* : homme qui élève un enfant qui n'est pas le sien; père adoptif; mari de la nourrice. **2.** Qui fournit la nourriture. *Terre nourricière.* **3.** Qui a des propriétés nutritives. *Suc nourricier.* ▷ ANAT *Artères nourricières*, qui irriguent les os.

nourrir v. [3] **I.** v. tr. **1.** Fournir en aliments (une personne, un animal). *Nourrir un enfant. Nourrir des poules au maïs.* – *Mère qui nourrit son bébé*, qui l'allaite. Syn. alimenter. **2.** Subvenir aux besoins matériels de (qqn). *Nourrir sa femme et ses enfants.* ▷ Par ext. *Son travail ne le nourrit pas.* **3.** Entretenir; faire durer. *Le bois nourrit le feu.* **4.** Fig., litt. Entretenir intérieurement. *Nourrir des craintes.* **5.** Fig. Former, instruire (l'esprit). *La lecture nourrit l'intelligence.* **6.** Vx Élever. – Pp. adj. *«Nourri dans le sérail, j'en connais les détours» (Racine).* **II.** v. pron. **1.** Consommer (tel ou tel aliment). *Se nourrir de lait.* – *Absol.* Manger. **2.** Par métaph., fig. *Se nourrir de poésie.*

nourrissage n. m. ELEV Action, manière de nourrir des bestiaux, de les élever.

nourrissant, ante adj. Qui nourrit, qui a valeur nutritive. *Régimes peu nourrissants.* ▷ *Absol.* Qui nourrit bien; substantiel. *Un aliment nourrissant.*

nourrisseur n. m. ELEV **1.** Éleveur qui engraisse le bétail pour la boucherie ou qui élève des vaches pour leur lait, sans cultiver le fourrage. **2.** Mangeoire qui débite automatiquement la nourriture aux animaux au fur et à mesure des besoins.

nourrisson n. m. Jeune enfant qui n'est pas encore sevré. ▷ MED Jeune enfant, entre la fin de la période néonatale et la fin de la première dentition (2e année).

nourriture n. f. **1.** Ce dont on se nourrit. *Ne pas avoir assez de nourriture.* **2.** Fig. Ce qui forme, enrichit. *Les nourritures de l'esprit.*

nous [nu] pron. pers. de la 1re pers. du plur., sujet ou complément. **1.** (Désignant un ensemble de personnes qui inclut la personne qui parle.) *Nous partons. Il nous regarde. Suivez-nous. Il l'a dit à nous et à nos amis. Il nous l'a dit.* – *Chez nous* : dans notre maison, notre pays. ▷ *Nous autres* (marquant l'opposition entre un groupe dont la personne qui parle fait partie et les autres). *Nous autres, travailleurs.* **2.** Remplaçant *je* (*nous* de majesté ou de modestie). *Nous, maire de...* **3.** Fam. (Employé pour *tu* ou *vous*.) *Nous avons été sages?* **4.** (Employé comme indéterminé.) *Il nous arrive à tous de nous tromper.*

nouveau ou **nouvel** (devant un nom commençant par une voyelle ou un *h* muet), **nouvelle** adj. et n. **A.** adj. **I. 1.** Qui n'existe que depuis peu; qui est apparu très récemment. *Pommes de terre nouvelles. Vin nouveau. Procédé nouveau. Mot nouveau. Quoi de nouveau?* : quels sont les faits récents? **2.** Que l'on ne connaissait pas jusqu'alors. *Un nouveau visage. Ce milieu est nouveau pour lui.* ▷ Neuf, original. *La ligne de cette voiture est tout à fait nouvelle.* **3.** Qui vient après, qui remplace (telle autre chose, telle autre personne). *Un nouveau vin. Un nouvel emploi. C'est un nouveau César. Le nouvel an.* – *Le Nouveau Monde* : l'Amérique. – *Le Nouveau Testament*, ensemble de livres saints constitué par les Évangiles, les Actes des Apôtres, les Épîtres et l'Apocalypse. – *Le nouveau roman, le nouveau réalisme, la nouvelle critique* : V. ces noms. **II.** Qui est tel depuis peu. *Un nouveau riche*. Des nouveaux venus.* **B.** n. **I.**

Personne qui vient d'entrer dans une collectivité (école, entreprise, etc.). **II.** n. m. *Du nouveau.* **1.** Des événements, des faits nouveaux. *J'ai appris du nouveau.* **2.** Des choses originales, inédites. *Il nous faut du nouveau.* **C.** Loc. adv. **1.** *De nouveau* : encore une fois. *Il est de nouveau malade.* **2.** *À nouveau* : une fois de plus et d'une façon différente. *Rédiger à nouveau un rapport.* ▷ FIN *Créditer, porter à nouveau,* sur un nouveau compte.

Nouveau (Germain) (Pourrières, Var, 1851 - id., 1920), poète français, ami de Rimbaud et de Verlaine. Il est l'auteur d'une poésie tour à tour sensuelle, mystique et lyrique : *Valentines* (1886-1887), *Ave maris stella* (1912).

Nouveau-Brunswick (en angl. *New Brunswick*), une des prov. marit. du Canada, sur l'Atlantique; 73 437 km^2; 723 900 hab. (dont env. 40 % de francophones); cap. *Fredericton.* À l'O. s'étendent des plateaux des Appalaches (alt. max. 810 m au mont Carleton), à l'E. une plaine. La forêt couvre les trois quarts de la région, dont le climat est rude et humide. Princ. ressources : élevage (lait), exploitation forestière, pêche, houille blanche. – Découverte par J. Cartier (1534), la région, cédée par la France aux Anglais (1713) et incluse dans la Nouvelle-Écosse, en fut séparée pour former une province en 1784 et adhéra à la confédération du Canada en 1867.

Nouveau-Mexique (en angl. *New Mexico*), État du S.-O. des É.-U., à la frontière mexicaine; 315 113 km^2; 1 515 000 hab.; cap. *Santa Fe.* – À l'O. et au N. s'étendent les Rocheuses méridionales, dont l'alt. dépasse parfois 4 000 m; à l'E., des hauts plateaux. Le climat est désertique, l'agric. faible (élevage extensif, cult. irriguées), le sous-sol riche (pétrole, gaz naturel, uranium, potasse). La population, très peu nombr., ainsi que l'industrie se concentrent notam. autour du Rio Grande (Santa Fe, Albuquerque). Grand centre atomique à Los Alamos. – Colonisée par les Espagnols (XVIe s.), la région fit partie du Mexique indépendant, et les É.-U. la conquirent en 1848. Territoire en 1850, longtemps troublée par les guerres avec les Apaches, elle forma en 1912 le quarante-septième État de l'Union.

nouveau-né, -née adj. et n. **1.** adj. Qui vient de naître. *Des enfants nouveau-nés, une fille nouveau-née. Un agneau nouveau-né.* **2.** n. Enfant ou animal qui vient de naître. *Des nouveau-nés.* ▷ MED Enfant de moins de 28 jours.

Nouveau-Québec. V. Nunavik.

nouveau réalisme, mouvement artistique français, parallèle au pop'art, fondé en 1960 par le critique Pierre Restany, avec Arman, Hains, Klein, Raysse, Spoerri, Tinguely, Dufrêne, auxquels s'ajoutèrent par la suite César, Christo, Rotella et Niki de Saint-Phalle. Leur art se propose de refléter la réalité sociologique sans intention polémique.

nouveau roman, terme générique désignant les recherches sur l'écriture romanesque menées, à partir des années 50, par certains écrivains (N. Sarraute, A. Robbe-Grillet, M. Butor, Cl. Simon, R. Pinget, etc.). Son action essentielle a été de pratiquer une remise en question du récit linéaire traditionnel, déjà amorcée par Flaubert, Proust, Joyce, Virginia Woolf. Il manifestait, à la suite de ces écrivains, fort dissemblables, l'ambition de rendre compte des nouveaux rapports des hommes au monde.

nouveauté n. f. **I.** Caractère de ce qui est nouveau. *La nouveauté d'une doctrine.* **II.** Chose nouvelle. *Aimer les nouveautés. Cette prétendue invention est loin d'être une nouveauté.* – *Spécial.* **1.** Publication nouvelle. *Le rayon des nouveautés dans une librairie.* **2.** Production récente dans le domaine de la mode. *Journal de mode qui présente les dernières nouveautés. Magasin de nouveautés,* spécialisé dans les articles de mode.

Nouvel (Jean) (Fumel, 1945), architecte français. Soucieux de préserver la spécificité du lieu, il lie les traces du passé à la modernité par l'emploi de technologies et de matériaux les plus représentatifs du moment. Institut du monde arabe (1987) à Paris.

nouvelle n. f. **I. 1.** Annonce d'un événement récent. *Répandre une nouvelle. Fausse nouvelle. Écouter les nouvelles à la radio.* – *Première nouvelle!* : ce que vous m'annoncez me surprend! **2.** (Plur.) Renseignements relatifs à la situation, à la santé de qqn. *Prendre des nouvelles d'un malade.* – Prov. *Pas de nouvelles, bonnes nouvelles* : quand on ne reçoit pas de nouvelles de qqn, on peut présumer qu'il va bien. ▷ (Par menace.) *Vous aurez de mes nouvelles!* ▷ *Vous m'en direz des nouvelles* : vous m'en ferez des compliments, à coup sûr cela vous plaira. *Prenez de ce petit fromage, vous m'en direz des nouvelles!* **II.** LITTER Brève composition littéraire de fiction. *Un recueil de nouvelles.*

Nouvelle-Amsterdam, île française (depuis 1893) du S. de l'océan Indien; 55 km^2 env.; inhabitée. Stat. météorologique.

Nouvelle-Angleterre (en angl. *New England*), rég. du N.-E. des É.-U., qui correspond aux six colonies anglaises fondées au XVIIe s. : New Hampshire, Massachusetts, Rhode Island, Connecticut, Maine, Vermont.

Nouvelle-Bretagne (en angl. *New Britain*), île princ. de l'archipel Bismarck, au N.-E. de la Nouvelle-Guinée, incluse dans la Papouasie-Nouvelle-Guinée; 36 519 km^2; env. 290 000 hab.; v. princ. *Rabaul.* Forêts; cocotiers et cacaoyers. – Annexée par l'Allemagne de 1884 à 1914 (Nouvelle-Poméranie), l'île fut sous mandat australien jusqu'en 1975. Les Japonais l'occupèrent de 1942 à 1944. – L'art y est représenté par des masques rehaussés de couleurs vives, production des Sulkas et des Bainings.

Nouvelle-Calédonie, île du Pacifique S., territ. français d'outre-mer, à env. 1 500 km de l'Australie orient.; 19 058 km^2 avec ses dépendances (notam. îles Loyauté); 152 000 hab.(*Néo-Calédoniens*); ch.-l. *Nouméa,* où vit la moitié de la pop. – L'île, qui s'allonge du N.-O. au S.-E. sur 400 km, est montagneuse (alt. max. 1 650 m au mont Panié) et ceinturée par un récif-barrière. Son climat est subtropical, mais salubre. Elle est peuplée de Mélanésiens (Canaques, 42 %), les premiers occupants de l'île, d'Européens (caldoches, 37 %), de Polynésiens (venus notam. de Wallis-et-Futuna et de Tahiti), d'Indonésiens. L'agriculture est peu développée (café, coprah) et l'élevage extensif. La princ. ressource est le nickel (4e rang mondial, 25 % des réserves mondiales; découvert en 1873 et traité en partie sur place), exposé aux fluctuations des cours mondiaux; on trouve également du cobalt, du fer, du chrome et du manganèse. – L'art néo-calédonien «primitif» est princ. représenté par les ensembles sculptés des portes de cases monumentales (chambranles, etc.), par des masques et par des armes, dont la hache-ostensoir à lame de serpentine en forme de disque plat. – Découverte par Cook (1774), l'île devint franç. en 1853 et servit de colonie pénitentiaire de 1864 à 1896. Spoliés de leur terre, les Canaques se révoltent plusieurs fois. Devenue un TOM en 1946, elle voit naître, dans la période 1970-1980, un mouvement indépendantiste canaque (Union calédonienne et, en 1982, Front de libération nationale kanak et socialiste, F.L.N.K.S.) auquel s'oppose la majorité des caldoches. Après plusieurs incidents sanglants, un accord entre les deux communautés, sanctionné par un référendum national en 1988, régionalise l'île. En avril 1998, un nouvel accord intervient créant une phase transitoire de 20 ans avant le choix définitif pour ou contre l'indépendance.

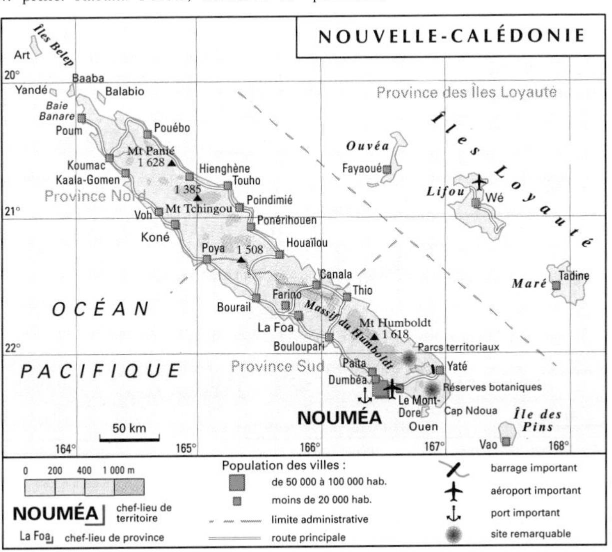

nouvelle critique, mouvement d'analyse et de critique littéraire qui se développa en France au début des années 60. S'inspirant, selon les auteurs, des méthodes de la psychanalyse, du structuralisme, de la linguistique ou de la sociologie, il affirma l'autonomie de l'œuvre littéraire, irréductible à une causalité extérieure, biographique et événementielle.

Nouvelle-Écosse, une des prov. marit. du Canada, formée d'une vaste presqu'île et de l'île du Cap-Breton ; 55 490 km^2 ; 899 900 hab. (36 000 francophones) ; cap. *Halifax*. – Le relief correspond à une succession de plateaux des Appalaches (alt. max. 400 m) et de dépressions. Le climat est froid et humide. La pêche, l'élevage et la forêt sont des ressources importantes. Le sous-sol est riche : fer, zinc, cuivre et, surtout, houille. Industr. métallurgique et mécanique. – Disputée dès le début du XVIIe s. entre les Français (qui l'appelèrent *Acadie*) et les Anglais, la région appartint définitivement à la G.-B. en 1713. Les Acadiens en furent expulsés (1755-1758), et le pays fut peuplé d'Anglais loyalistes ayant quitté les États-Unis.

Nouvelle-France, nom des possessions françaises du Canada jusqu'en 1763. – *Les martyrs de la Nouvelle-France* : jésuites martyrisés lors de l'évangélisation du Canada, canonisés en 1930.

Nouvelle-Galles du Sud (en angl. *New South Wales*), État du S.-E. de l'Australie ; 801 600 km^2 ; 5 600 000 hab. ; cap. *Sydney*. Import. élevage ovin ; céréales. Hydroélectricité ; houille.

Nouvelle-Grenade, nom de la Colombie jusqu'en 1886.

Nouvelle-Guinée, la plus grande île du monde (après le Groenland), au N. de l'Australie, dont elle est séparée par le détroit de Torres ; 785 000 km^2 ; env. 4 300 000 hab. – L'île s'allonge du N.-O. au S.-E. Très montagneuse (alt. max. 5 040 m au mont Jaya, ex-Sukarno), humide et volcanique, elle est habitée par des Papous, qui appartiennent à divers groupes ethniques. Cult. d'exportation : noix de coco, cacao, thé. Pétrole. À l'O. s'étend l'*Irian Jaya*, prov. d'Indonésie, à l'E. l'État de *Papouasie-Nouvelle-Guinée*. – La Nouvelle-Guinée fut l'un des centres de sculpture « primitive » les plus importants d'Océanie. Les princ. régions où l'art s'est épanoui sont la vallée du Sepik (plaques de bois sculptées polychromes, avants de pirogue, masques en vannerie, crânes surmodelés et peints, etc.), le lac Santani, le pays des Asmat (boucliers), le golfe de Papouasie (masques, plaques votives en bois, etc.).

Nouvelle-Irlande (anc. *Nouveau-Mecklembourg*) (en angl. *New Ireland*), île de l'archipel Bismarck qui dépend de la Papouasie-Nouvelle-Guinée ; 9 600 km^2 ; 74 800 hab. ; v. princ. *Kavieng*. – L'art y est représenté par des mâts polychromes taillés en ronde bosse, appelés *malanggans* (terme désignant aussi des rituels funéraires), des masques et des statues en pied, dites *uli*.

nouvellement adv. Depuis peu. *Maison nouvellement bâtie.*

Nouvelle-Orléans (La) (en angl. *New Orleans*), v. des É.-U. (Louisiane) ; port import. (deuxième des É.-U.) sur le Mississippi, à 170 km de son delta ; 496 900 hab. (aggl. urb. 1 318 800 hab.). Marché du coton. Nombr. industries (notam. méca., chim. et alim.). Raff. de pétrole. Tourisme. – La Nouvelle-Orléans, v. coloniale française jusqu'en 1803, fut, v. 1900, le berceau du jazz. Elle a conservé de la période coloniale de nombr. maisons fort pittoresques, réunies autour de la cath. St-Louis, dans le quartier du Vieux Carré.

Nouvelle-Poméranie. V. Nouvelle-Bretagne.

Nouvelle Revue française (la) (N.R.F.), revue littéraire mensuelle fondée en 1909 par André Gide, Jean Schlumberger, Jacques Copeau, Gaston Gallimard, etc. Dirigée par Drieu La Rochelle de 1941 à 1943, elle fut interdite en 1945, reparut en 1953 sous le titre *la Nouvelle Nouvelle Revue française*, reprit son anc. titre en 1959. Les plus célèbres « secrétaires de rédaction » furent Jacques Rivière (1919 à sa mort, en 1925) et Jean Paulhan (1925 à 1940, puis, avec M. Arland, de 1953 à sa mort en 1968).

Nouvelles-Hébrides. V. Vanuatu.

Nouvelle-Sibérie (en russe *Novossibirskié Ostrova*), archipel russe de l'Arctique, au N.-E. de la Sibérie.

Nouvelle Vague, mouvement cinématographique français né à la fin des années 50, qui regroupe notam. Chabrol, Truffaut et Godard. Ces jeunes cinéastes, anc. critiques pour la plupart, s'opposent à la « qualité française » de l'après-guerre en tournant leurs films dans la rue avec une grande liberté narrative et en utilisant des acteurs débutants : *les Quatre Cents Coups* (1959) de Truffaut, *À bout de souffle* (1960) de Godard, etc.

Nouvelle-Zélande (en angl. *New Zealand*), État d'Océanie, formé par un archipel qui s'étire sur 1 500 km, à 2 000 km au S.-E. de l'Australie ; 268 675 km^2 ; 3 435 000 hab. (*Néo-Zélandais*), croissance démographique : 1 % par an ; cap. *Wellington* (dans l'île du Nord). Nature de l'État : rép. parlementaire membre du Commonwealth. Langue off. : angl. Monnaie : dollar néo-zélandais. Population : Européens (90 %), Maoris (10 %) dont le taux de natalité est très élevé. Relig. : protestants (en majorité).

Géogr. phys. et écon. – L'*île du Nord*, volcanique, groupe 75 % des hab. du pays dans les plaines littorales (ville princ. *Auckland*) ; l'*île du Sud*, montagneuse (Alpes néo-zélandaises culminant à 3 764 m au mont Cook), est surtout peuplée sur la côte E. (ville princ. *Christchurch*). Le climat, océanique humide, est favorable aux forêts et aux herbages. La population compte plus de 80 % de citadins. L'élevage ovin, très important, fournit les premières ressources d'exportation (viande, laine) ; l'industrie (textile, métallurgie, papeterie) dispose d'une hydroélectricité abondante et bon marché. La Nouvelle-Zélande fait partie des pays développés à hauts revenus ; ses principaux partenaires économiques sont les É.-U., le Japon, l'Australie et la G.-B.

Hist. – Découverte par le Hollandais Tasman (1642), la Nouvelle-Zélande, reconnue par Cook (1769), tomba sous contrôle britannique en 1840, le traité de Waitangi consacrant l'abandon par les Maoris de leur souveraineté à la G.-B., contre la garantie de possession de leurs terres. Le non-respect de cette disposition entraîna plusieurs guerres entre Maoris et Européens (1840-1847, 1860-1870). Dominion en 1907, elle eut dès cette époque une législation sociale très avancée et devint indépendante au sein du Commonwealth en 1931. Les conservateurs dominent la politique du pays (malgré le passage au pouvoir des travaillistes de 1972 à 1975 et de 1984 à 1990) sous la direction de Jim Bolger. La Nouvelle-Zélande œuvre pour la dénucléarisation totale de la région. Elle a d'autre part entrepris de promouvoir la culture maorie et engagé un programme de restitution de terres aux tribus (1994). En 1997, Jenny Shipley est devenue la première femme Premier ministre du pays.

Nouvelle-Zemble (en russe *Novaïa Zemlia*, « Terre nouvelle »), archipel montagneux de Sibérie, dans l'Arctique, formé de deux îles, entre les mers de Barents et de Kara ; 82 600 km^2.

nouvelliste n. LITTER Auteur de nouvelles.

nova, plur. **novæ** n. f. ASTRO Étoile dont l'éclat augmente brusquement (de plus de 10 magnitudes en quelques jours) puis décline lentement (en plusieurs mois) jusqu'au retour à l'état initial. V. supernova.

Nova Iguaçu, v. du Brésil, dans la banlieue de Rio de Janeiro ; 1 094 650 hab. Nombr. industries (métall. du zinc).

Novalis (Friedrich, baron von Hardenberg, dit) (Oberwiederstedt, 1772 –

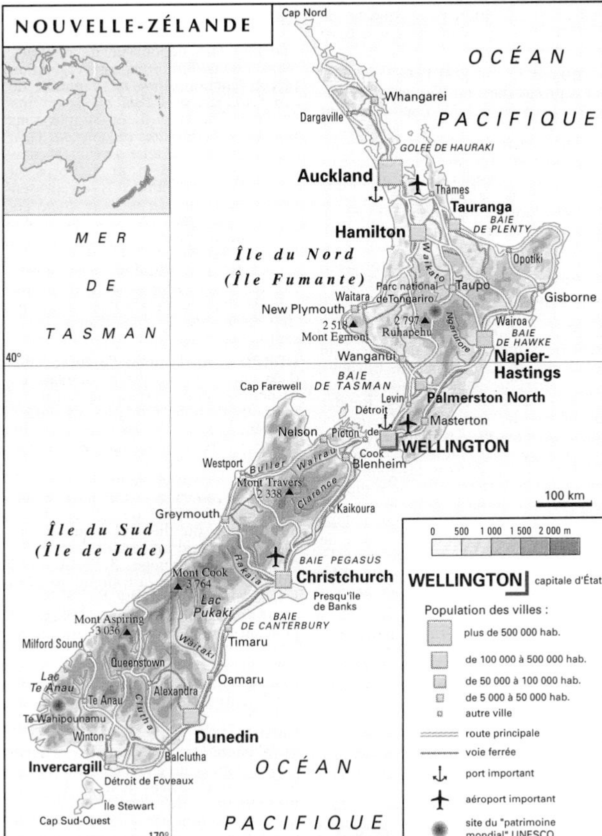

Weissenfels, 1801), poète allemand. *Hymnes à la nuit* (1800) et *Cantiques spirituels*, poèmes en forme de prières où se mêlent symbolisme et mysticisme, composent son œuvre poétique proprement dite. L'essai poético-philosophique *les Disciples à Saïs* (1798), où apparaît la notion d'« idéalisme magique », et son roman inachevé *Henri d'Ofterdingen* (posth., 1802) expriment les ambitions fondamentales du romantisme allemand (« la poésie est le réel absolu »).

Nova Lisboa. V. Huambo.

Novare, v. d'Italie (Piémont), au pied des Alpes; 102 430 hab.; ch.-l. de la prov. du m. nom. – Marché agric. Industr. text., électr., chim. et alim. (gorgonzola, notam.). Imprimerie. – Défaite française (1513) par les Suisses de Maximilien Sforza. En 1849, le roi de Sardaigne Charles-Albert y fut battu par les Autrichiens.

Novalis — Charles **Nungesser**

novateur, trice n. et adj. Personne qui fait ou qui tente de faire des innovations. ▷ adj. *Tendances novatrices.*

novation n. f. DR Substitution d'une obligation à une autre, extinction d'une dette par création d'une dette nouvelle.

novélisation n. f. (Anglicisme) Adaptation littéraire d'un succès du cinéma ou de la télévision.

novéliser v. tr. [1] (Anglicisme) Écrire la novélisation d'un film.

novembre n. m. Onzième mois de l'année, comprenant trente jours. *Le 11 Novembre :* jour férié, en commémoration de l'armistice de 1918.

Noves (Laure de) (?, 1308 – Avignon [?], 1348), dame provençale, célèbre par sa beauté, que Pétrarque chanta dans son *Canzoniere*. On l'identifie généralement à la fille du seigneur de Noves, épouse d'Hugues de Sade.

Novgorod, ville de Russie, au S. de Saint-Pétersbourg; 220 000 hab.; ch.-l. de prov. Centre commercial et textile (lin), traitement du bois. – Important foyer artistique du XIe au XVIe s. : cath. Ste-Sophie (1045-1052), St-Nicolas-le-Thaumaturge (1113), St-Georges (1130), égl. de la Transfiguration (1374), etc., fresques, icônes, miniatures. – Fondée par les Varègues (IXe s.), la ville, d'abord dépendante de Kiev, fut aux XIIe et XIIIe s. le centre d'un puissant État qui participa au trafic entre l'Orient et la Baltique. Ivan III l'annexa (1475-1478) à l'État moscovite, ce qui entraîna son déclin.

novice n. et adj. **I.** n. **1.** RELIG Personne qui passe dans un couvent un temps d'épreuve avant de prononcer ses vœux. **2.** Personne qui est encore peu expérimentée dans une activité, un métier. ▷ adj. *Un avocat novice.* **3.** MAR Apprenti marin, entre le mousse et le matelot. **II.** adj. Qui n'a pas l'expérience du monde; candide, innocent.

noviciat n. m. **1.** État de novice dans un ordre religieux. – Temps que dure cet état. ▷ Fig. Apprentissage. *Faire son noviciat dans l'atelier d'un grand maître.* **2.** Bâtiment où logent les novices.

Novi Sad, cap. de la Vojvodine, sur le Danube; 170 020 hab. Port fluvial. Centre industriel.

novocaïne n. f. (Nom déposé.) Succédané de la cocaïne, utilisé comme anesthésique local.

Novochakhtinsk (*Komintern* de 1929 à 1939), v. de Russie, dans le Donbass oriental; 106 000 hab. Houille.

Novokouznetsk (*Stalinsk* de 1932 à 1961), v. de Sibérie occid., dans le Kouzbass; 600 000 hab. Sidérurgie, métallurgie, carbochimie.

Novorossisk, port de Russie, sur la mer Noire; 175 000 hab. Cimenteries, métallurgie, textiles.

Novossibirsk, v. de Sibérie occid., sur l'Ob; 1 440 000 hab.; ch.-l. de la prov. du m. nom. Import. industr. métallurgique et mécanique. Centre administratif et culturel. – Université.

Novotný (Antonín) (Letňany, près de Prague, 1904 – Prague, 1975), homme politique tchécoslovaque. Président de la République (1957), il se démit en mars 1968.

Nowa Huta, v. de Pologne (voïvodie et aggl. de Cracovie); 200 000 hab. Complexe métallurgique.

noyade n. f. Action de noyer une personne, un animal; fait de se noyer. ▷ MED Asphyxie mécanique provoquée soit par l'invasion des voies respiratoires par un liquide, soit par un arrêt cardiorespiratoire réflexe au contact de l'eau (hydrocution).

noyau n. m. **I. 1.** Partie centrale dure de certains fruits, résultant de la lignification de l'endocarpe et contenant la graine. *Noyau de prune.* – Fam. *Siège, matelas rembourré avec des noyaux de pêche,* très dur. **2.** *Par ext.* Petit amas de matière au sein d'un solide, d'une densité différente de celle du reste de la masse. *Les nœuds du bois constituent des noyaux durs, peu adhérents et tendant à se fendre.* **II.** Fig. **1.** Petit groupe humain à partir duquel un groupe plus vaste se constitue. *Le noyau d'une colonie.* **2.** Petit

Novgorod : façade de la cathédrale Sainte-Sophie (XIe s.)

groupe humain envisagé quant à sa stabilité, à sa cohésion. *Il avait conservé autour de lui un noyau de fidèles.* ▷ *Noyau dur* : dans le langage des affaires, groupe d'actionnaires stable qui contrôle une société. **3.** Groupe de quelques personnes qui mènent, au sein d'un milieu donné, une action particulière, généralement de nature politique ou militaire. *Noyau de propagandistes. Noyau de résistance.* **III. 1.** BIOL Organelle cellulaire de forme approximativement sphérique, limitée par une membrane percée de pores, qui contient les chromosomes et un ou plusieurs nucléoles. V. encycl. chromosome. **2.** PHYS NUCL Partie centrale de l'atome autour de laquelle gravitent les électrons. (V. encycl.) **3.** CONSTR Partie centrale d'un bâtiment. ▷ *Noyau d'escalier* : partie centrale d'un escalier en hélice, à laquelle sont fixées les marches. **4.** ELECTR Pièce ferromagnétique autour de laquelle sont enroulées les spires d'un bobinage. *Noyau d'une bobine d'induction.* **5.** ASTRO Partie solide au centre de la tête d'une comète. **6.** CHIM Chaîne cyclique particulièrement stable, conférant à la molécule dont elle fait partie certaines propriétés caractéristiques. *Noyau benzénique des composés aromatiques.* **7.** METALL Pièce en matière réfractaire que l'on place à l'intérieur d'un moule de fonderie pour obtenir un creux dans la pièce coulée. **8.** GEOL Partie centrale de la sphère terrestre. V. encycl. terre. **9.** ANAT Petit amas de substance grise dans un centre nerveux. **10.** FIN Liste de produits contingentés.

ENCYCL **Phys. nucl.** – Le noyau d'un atome est constitué de protons et de neutrons, rassemblés sous le nom de nucléons. Les réactions entre noyaux sont appelées *réactions nucléaires.* La *fission* d'un noyau d'uranium 235 s'obtient par un bombardement de neutrons. La différence de masse entre ce noyau et les fragments résultant de la fission libère une quantité considérable d'énergie, ainsi que des neutrons, qui permettent à la réaction de se poursuivre (réaction en chaîne). La fission nucléaire est utilisée à des fins pacifiques pour produire de l'électricité (réacteurs nucléaires). La *fusion* des noyaux légers (deutérium, tritium) en un noyau plus lourd (hélium) s'accompagne également d'une perte de masse libérant de l'énergie. Elle n'est possible qu'à des températures très élevées, atteignant plusieurs millions de kelvins (bombe à hydrogène, fusion thermonucléaire contrôlée); elle s'effectue naturellement dans les étoiles. Certains noyaux, qualifiés de *radioactifs,* sont instables car ils contiennent relativement trop de protons ou de neutrons. Ils ont tendance à se transformer en d'autres noyaux plus stables, en émettant des rayonnements. On dit qu'ils se désintègrent. V. encycl. nucléaire et radioactivité.

noyautage n. m. Système qui consiste à introduire dans un milieu donné des individus isolés chargés de mener une action de propagande ou de subversion.

noyauter v. tr. [1] S'implanter par noyautage dans (un milieu). *Mouvement politique qui noyaute une administration.*

noyé, ée adj. et n. **I.** adj. **1.** Mort par asphyxie dans un liquide. **2.** Mouillé, baigné. *Des yeux noyés de larmes.* **3.** TECH *Noyé dans la masse* : enrobé d'une matière formant un bloc. **4.** Fig. *Être noyé* : être incapable de surmonter les difficultés à affronter. **II.** n. Personne asphyxiée par immersion (morte ou simplement sans connaissance). *Secours aux noyés.*

1. noyer I. v. tr. [23] **1.** Faire mourir par asphyxie dans un liquide. *Noyer une portée de chiots.* ▷ Loc. *Noyer le poisson,* le promener au bout de l'hameçon, la tête plus ou moins hors de l'eau, pour le fatiguer; fig. se perdre dans des digressions, des considérations générales oiseuses pour éluder une question embarrassante. ▷ Fig. *Noyer son chagrin dans l'alcool,* tenter de l'oublier en buvant. – *Noyer une révolte dans le sang,* en venir à bout par une répression meurtrière, par des massacres. **2.** Inonder, submerger, engloutir. *Les crues ont noyé les champs près de la rivière.* ▷ AUTO *Noyer le carburateur,* y laisser arriver une trop grande quantité d'essence, qui l'empêche de fonctionner. **3.** Enrober, faire disparaître dans une masse. *Noyer une poutrelle dans du béton.* **4.** Rendre indiscernable, indistinct. *La brume noyait les silhouettes des arbres.* – Fig. *Noyer sa pensée dans des phrases interminables.* ▷ BX-A *Noyer les couleurs,* les fondre les unes dans les autres en les détrempant. **II.** v. pron. **1.** Mourir asphyxié par submersion. *Se noyer dans un puits.* ▷ Loc. fig. *Se noyer dans un verre d'eau* : ne pouvoir surmonter le moindre obstacle, ne pouvoir résoudre une petite difficulté. **2.** Fig. Se perdre. *Se noyer dans les détails.*

2. noyer n. m. Grand arbre des régions tempérées à feuilles composées, à fleurs mâles groupées en chatons, à fleurs femelles souvent solitaires, dont le fruit est la noix. *Le noyer commun comprend de nombreuses variétés.* ▷ Bois de cet arbre, recherché en ébénisterie pour ses veines brunâtres, son grain serré et sa dureté. *Armoire en noyer.*

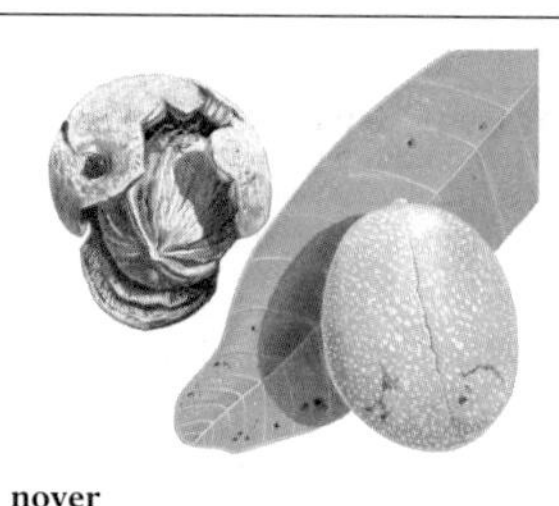
noyer

Noyon, ch.-l. de cant. de l'Oise (arr. de Compiègne), port sur le canal du Nord; 14 628 hab. Constr. mécaniques. – Cath. goth. N.-D. (fin XIIe-déb. XIIIe s.). Maison natale de Calvin (reconstruite). – En 1516, un traité d'alliance y fut signé entre François Ier et Charles Quint. Violents combats pendant la Première Guerre mondiale.

Np CHIM Symbole du neptunium. – PHYS Symbole du néper.

N.P.I. Sigle pour *nouveau pays industrialisé.*

N.R.F. Sigle de *Nouvelle* Revue Française (la).*

nt PHYS Symbole du nit (unité de luminance).

1. nu n. m. Treizième lettre de l'alphabet grec (N, ν), correspondant à *n.*

2. nu, nue adj. et n. m. **I.** adj. **1.** Qui n'est couvert d'aucun vêtement. *Être tout nu. Avoir la tête nue. Être nu-tête, nu-jambes, nu-pieds* : avoir la tête, les jambes, les pieds nus. **2.** Sans enveloppe, sans revêtement, sans ornement. *Épée nue,* hors de son fourreau. *Chambre nue,* dépourvue de meubles, d'ornements. *Terrain nu,* sans végétation ni construction. *Arbre nu,* dépouillé de son feuillage. ▷ *À l'œil nu* : sans instrument d'optique. **3.** Fig. Simple, sans fioritures. *Écrire dans un style nu. Voilà la vérité toute nue,* telle qu'elle est, sans en rien cacher. **II.** n. m. **1.** Corps ou partie du corps dénudé(e); sa représentation dans l'art. *Le nu et le drapé. Nu artistique.* **2.** CONSTR *Nu du mur* : surface unie de parement par rapport à laquelle on mesure les retraits et les saillies. **III.** Loc. adv. *À nu* : à découvert. *Enlever l'écorce pour mettre le bois à nu.* ▷ Fig. *Montrer, mettre son cœur à nu* : ne rien cacher de ses états d'âme, de ses sentiments.

nuage n. m. **1.** Amas de gouttelettes d'eau ou de petits cristaux de glace en suspension dans l'atmosphère. *Un ciel sans nuages.* ▷ Fig. *Être dans les nuages,* distrait, absent. – Fam. *Être sur un nuage* : être euphorique. **2.** Ce qui évoque un nuage par son aspect. *Un nuage de poussière. Mettre un nuage de poudre sur son visage.* – *Un nuage de lait* : une petite quantité de lait ajoutée à du café ou du thé, qui, avant de s'y mélanger, prend un instant l'aspect floconneux d'un nuage. **3.** Fig. Ce qui trouble la sérénité, la tranquillité. *Bonheur sans nuages.* **4.** CHIM *Nuage électronique* : ensemble des points de l'espace plus ou moins proches du noyau de l'atome et susceptibles d'être occupés par un électron (modèle théorique représentant le domaine de probabilité de présence de l'électron unique – hydrogène – ou des électrons de l'atome).

ENCYCL **Météo.** – Les gouttelettes d'eau et les cristaux de glace constitutifs des nuages sont animés d'un très faible mouvement de chute (quelques dixièmes de mm par seconde), de sorte que le moindre mouvement ascendant de l'air suffit à les maintenir en altitude. Suivant leur forme et par altitude décroissante, on distingue : cirrus (filaments), cirrostratus (voiles transparents), cirrocumulus (nappes blanches), altocumulus (balles), altostratus (aspect grisâtre ou bleuâtre), nimbostratus (nuages de pluie, très épais), strato-cumulus (balles ou rouleaux), stratus (couche nuageuse à basse altitude), cumulus (nuages séparés aux contours nets) et cumulonimbus (nuages d'orage caractérisés par un fort développement vertical). Les nuages sont généralement associés en de vastes ensembles appelés *systèmes nuageux.*

nuageux, euse adj. **1.** Couvert partiellement ou entièrement par les nuages. *Ciel nuageux.* **2.** METEO Des nuages, qui a rapport aux nuages. *Système nuageux.* **3.** Fig. Confus, obscur. *Esprit nuageux.*

nuance n. f. **1.** Chacun des degrés par lesquels peut passer une couleur. *Les nuances produites par la dégradation d'une couleur.* **2.** Fig. Différence délicate, subtile (entre des choses de même genre). *Style sans nuance. Il y a une nuance entre «juste» et «équitable».* **3.** MUS Degré d'intensité que l'on doit donner aux sons.

nuancé, ée adj. Qui présente des nuances. *Teinte nuancée.* – Fig. *Pensée nuancée.*

nuancer v. tr. [12] Introduire des nuances dans. *Nuancer un bleu.* ▷ Fig. *Nuancer un jugement.*

nuancier n. m. Carton, petit cahier, etc., sur lequel est présenté un échantillonnage des couleurs proposées à la clientèle. *Nuancier d'un fabricant de peinture, d'une marque de rouge à lèvres.*

Nubie, rég. désertique s'étendant en Égypte et au Soudan. – De très beaux temples (Derr, Ouadi Es-Sébouah, Abu Simbel) y furent élevés par Ramsès II.

nubien, enne adj. et n. De Nubie. ▷ Subst. *Les Nubiens.*

nubile adj. **1.** Qui est en âge de se marier. *Selon le Code civil, les filles sont réputées nubiles à quinze ans révolus, et les garçons à dix-huit.* **2.** Qui est en âge de procréer.

nubilité n. f. État d'une personne nubile ; âge nubile.

nubuck n. m. Cuir de bœuf présentant un aspect velouté.

nuclé(o)-. Élément, du lat. *nucleus,* « noyau ».

nucléaire adj. et n. m. **A.** adj. **1.** BIOL Du noyau de la cellule ; qui a rapport au noyau de la cellule. *Membrane nucléaire.* **2.** ETHNOL Se dit de la famille au sens restreint (le père, la mère et les enfants). **B. I.** adj. **1.** Didac. Du noyau de l'atome ; qui a rapport au noyau de l'atome. *Physique nucléaire. Chimie nucléaire :* partie de la physique nucléaire qui s'intéresse plus particulièrement à l'étude des réactions entre noyaux et particules. (V. encycl. ci-après.) *Réaction nucléaire :* réaction qui affecte les constituants du noyau de l'atome (V. encycl. fission et encycl. fusion). *Énergie nucléaire :* énergie dégagée par une réaction nucléaire. **2.** Cour. Qui a trait à l'énergie nucléaire, qui l'utilise ou la produit. *Centrale nucléaire,* qui utilise l'énergie nucléaire pour produire de l'électricité. *Armes nucléaires.* ▷ Par ext. *Guerre nucléaire. Les puissances nucléaires :* les pays qui possèdent des armes nucléaires. **II.** n. m. *Le nucléaire :* l'énergie nucléaire ; l'ensemble de ses utilisations industrielles, militaires, etc.
ENCYCL **Phys. nucl.** – La *physique nucléaire* est l'étude des constituants du noyau atomique. L'étude des interactions des particules aux hautes énergies nécessite l'emploi d'appareils destinés à communiquer aux particules une énergie élevée, les accélérateurs de particules (cyclotron, synchrotron, accélérateurs linéaires). Ces appareils provoquent des transmutations artificielles, c.-à-d. des transformations d'un élément en un autre. Ils ont une importance considérable : recherche de nouvelles particules, détermination de la constitution de la matière. L'étude de ces transmutations appartient au domaine de la *chimie nucléaire.* Ces réactions s'accompagnent d'échanges de quantités d'énergie considérables et d'émission de particules. De telles réactions se produisent dans les étoiles ; il s'agit, dans ce cas, de réactions thermonucléaires, c.-à-d. de réactions de fusion entre des noyaux d'atomes légers. L'énergie nucléaire due à la *fission* du noyau de l'atome (V. encycl. noyau) est utilisée pour produire de l'électricité ou de la chaleur (centrales nucléaires, propulsion des navires et des sous-marins, alimentation en énergie électrique des satellites). Les premières bombes atomiques étaient fondées sur ce phénomène de fission.
▸ illustr. **centrales**

nucléarisation n. f. **1.** Installation de sources nucléaires d'énergie en remplacement des sources traditionnelles. **2.** Équipement en armement nucléaire.

nucléariser v. tr. [**1**] Procéder à la nucléarisation de.

nucléariste n. Partisan de l'utilisation de l'énergie nucléaire, des centrales nucléaires.

nucléase n. f. BIOCHIM Enzyme du groupe des hydrolases, qui scinde les acides nucléiques.

nucléé, ée adj. BIOL Pourvu d'un ou de plusieurs noyaux. *Cellule nucléée.*

nucléide n. m. PHYS NUCL Noyau atomique défini par son numéro atomique Z et son nombre de masse A.

nucléique adj. *Acides nucléiques :* constituants fondamentaux de la cellule vivante, porteurs de l'information génétique, polymères constitués de très nombreuses unités de nucléotides.
ENCYCL Les acides nucléiques furent d'abord mis en évidence dans le noyau cellulaire ; c'est à cette circonstance qu'ils doivent leur nom. On divise ces acides en deux groupes selon le type d'ose (sucre) qui entre dans leur composition : l'acide désoxyribonucléique* (A.D.N.), essentiellement localisé dans le noyau ; les acides ribonucléiques* (A.R.N.), plus abondants dans le cytoplasme.

nucléo-. V. nuclé(o)-.

nucléole n. m. BIOL Corpuscule nucléaire qui joue un rôle important dans la physiologie de la cellule (synthèse des protéines et de l'A.R.N.).

nucléon n. m. PHYS NUCL Particule constitutive du noyau de l'atome (proton ou neutron).

nucléoprotéine n. f. BIOCHIM Association basique formée par une protéine et un acide nucléique.

nucléoside n. m. BIOCHIM Substance formée d'un sucre et d'une base purique ou pyrimidique.

nucléosynthèse n. f. ASTRO Ensemble des réactions nucléaires qui permettent d'expliquer la formation (à partir du noyau d'hydrogène) de tous les éléments chimiques présents dans l'Univers.

nucléotide n. m. BIOCHIM Unité élémentaire des acides nucléiques, constituée par la liaison d'un sucre, d'un acide phosphorique et d'une base purique ou pyrimidique. (Les nucléotides entrent aussi dans la composition des coenzymes transporteurs d'énergie tels que l'adénosine-phosphate.)

nucléus ou **nucleus** [nykleys] n. m. PREHIST Bloc ou rognon de roche dure (partic., de silex) ayant subi un débitage.

nudisme n. m. Doctrine invitant à vivre nu en plein air ; la pratique de cette doctrine. Syn. naturisme.

nudiste adj. et n. Relatif au nudisme. *Un camp nudiste.* ▷ Subst. Adepte du nudisme.

nudité n. f. **1.** État d'une personne nue. *La nudité d'Ève.* ▷ Fig. *Vice qui s'étale dans toute sa nudité,* sans voile, effrontément. **2.** Partie du corps habituellement dérobée aux regards par un vêtement. *Voiler sa nudité.* **3.** BX-A Représentation du corps nu. *Peindre des nudités.* **4.** État de ce qui n'a pas de revêtement, d'ornement ; dépouillement. *La nudité d'une cellule de moine.* ▷ Fig. *La nudité du style.*

nue n. f. Vx ou litt. Nuages. ▷ *Par ext.* Partie de l'espace occupée par les nuages ; le ciel. *Oiseau qui prend son essor vers la nue.* ▷ Loc. fig. Cour. *Porter aux nues :* louer exagérément. – *Tomber des nues :* éprouver une grande surprise.

nuée n. f. **1.** Litt. Nuage épais et de grande taille. *Nuées noires annonçant un orage.* **2.** *Nuée ardente :* projection de cendres accompagnées de gaz en combustion à très haute température, qui émane d'un volcan. **3.** Multitude d'insectes, d'oiseaux, etc., évoquant un nuage. *Une nuée de sauterelles.* ▷ Très grande quantité (d'éléments distincts). *Une nuée d'assaillants.*

nuement. V. nûment.

nue-propriété n. f. DR *Avoir la nue-propriété d'une chose,* en avoir la propriété sans en avoir la jouissance (celle-ci étant réservée à l'*usufruitier*). *Des nues-propriétés.*

Nuers ou **Nouers,** population nilotique du Soudan. Les Nuers sont des éleveurs de bovins.

Nuevo Laredo, ville du Mexique, sur le río Grande, en face de Laredo (Texas) ; 217 900 hab. Centre comm.

Nufud. V. Nafoud.

nugget [nœgɛt] n. m. (Anglicisme) Petit beignet de poisson ou de poulet.

nuire v. tr. indir. [**69**] Causer du tort, un dommage (à qqn, qqch). *Il cherche à me nuire. Les gelées tardives nuisent aux récoltes.* – Absol. *Volonté de nuire.* Syn. desservir, léser.

nuisance n. f. Ensemble des facteurs techniques ou sociaux (bruit, pollution, etc.) qui nuisent à la qualité de la vie.

nuisette n. f. Chemise de nuit de femme, très courte.

nuisible adj. Qui nuit. *Fumer est nuisible à la santé. Animal nuisible.* Syn. préjudiciable, dommageable.

nuit [nɥi] n. f. **1.** Temps pendant lequel le soleil reste au-dessous de l'horizon. *Les chaudes nuits d'été. Passer une bonne, une mauvaise nuit :* bien, mal dormir. *Passer une nuit blanche,* sans sommeil. ▷ (Personnifiée, avec une majuscule.) *Le Sommeil, fils de la Nuit.* ▷ Loc. adv. *Nuit et jour :* sans cesse. – *De nuit :* pendant la nuit. *Voyager de nuit.* ▷ (Précédé d'un subst.) *De nuit :* qui s'effectue la nuit, qui est actif ou fonctionne pendant la nuit, qui sert la nuit. *Travail de nuit. Équipe de nuit. Oiseau de nuit. Train de nuit. Table, chemise de nuit.* **2.** Obscurité de la nuit. *Une nuit noire. S'enfuir à la faveur de la nuit.* ▷ Loc. fig. *C'est le jour et la nuit :* ce sont deux personnes, deux choses très différentes. – *La nuit des temps :* les temps les plus reculés. **3.** Litt., fig. Aveuglement moral ou aveuglement des sens. *La nuit de l'ignorance.* **4.** Par métaph. *La nuit du tombeau, la nuit éternelle :* la mort.
ENCYCL **Hist.** – **Nuit des longs couteaux.** Nuit du 29 au 30 juin 1934 au cours de laquelle Hitler fit procéder à l'élimination des chefs des S.A.*, dont Röhm, par les S.S. – **Nuit de cristal.** Nuit du 9 au 10 nov. 1938 durant laquelle les nazis se livrèrent à un pogrom dans l'Allemagne entière en représailles de l'assassinat du conseiller de l'ambassade d'Allemagne par un jeune juif. – **Nuit et brouillard** (décret) (en all. *Nacht und Nebel*), promulgué par Hitler en déc. 1941 pour la déportation clandestine de prisonniers politiques destinés à disparaître dans les camps de concentration.

nuitamment adv. Litt. De nuit. *Molière fut enterré nuitamment.*

nuitée n. f. Durée pendant laquelle on peut rester dans un hôtel, un camping, en payant le prix d'une nuit.

Nuits-Saint-Georges, ch.-l. de cant. de la Côte-d'Or (arr. de Beaune); 5 596 hab. Vins réputés. – Égl. romane Saint-Symphorien (fin XIIIe s.).

Nujiang. V. Salouen.

Nuku-Hiva, la plus grande des îles Marquises (Polynésie française); 482 km²; 2 500 hab.

nul, nulle adj., pron. et n. **I.** adj. indéf. (placé avant le nom). Aucun, pas un. *Nul homme n'est infaillible. Je n'en ai nul besoin.* ▷ pron. indéf. masc. (Empl. comme sujet.) Personne. *Nul n'est censé ignorer la loi.* **II.** adj. qualificatif (placé après le nom). **1.** Qui équivaut à rien, qui est réduit à rien. *Bénéfice nul. Visibilité nulle.* – *Match nul,* sans vainqueur ni vaincu. ▷ MATH Égal à zéro. – *Vecteur nul,* dont toutes les composantes sont nulles. **2.** DR Entaché de nullité. *Testament nul. Élection nulle.* Syn. caduc. **3.** Sans aucune valeur, très mauvais. *Devoir nul. Son interprétation de la Cinquième Symphonie est nulle.* **4.** Qui manque de capacité (dans tel domaine). *Il est nul en anglais, en cuisine.* ▷ Absol. *Ce candidat est absolument nul.*

nullard, arde adj. et n. Fam. Nul, bon à rien. *Il est plutôt nullard en math.* ▷ Subst. *C'est un nullard.*

nullement adv. En aucune façon, pas du tout. *Il n'est nullement déçu.*

nullipare adj. et n. f. **1.** MED Se dit d'une femme qui n'a jamais accouché (par oppos. à *multipare*). **2.** ZOOL Se dit d'une femelle de mammifère avant sa première gestation.

nullité n. f. **1.** DR Caractère d'un acte juridique qui n'a pas de valeur légale par suite d'un vice de forme, d'un défaut de procédure. *Acte frappé de nullité.* Ant. validité. **2.** Caractère d'une chose, d'une personne nulle, sans valeur. *La nullité d'un argument. Nullité d'une copie, d'un élève.* **3.** Personne nulle, incapable. *Elle a épousé une nullité.*

Numance, anc. v. d'Espagne, détruite en 133 av. J.-C. par Scipion Émilien, après une résistance héroïque. Vestiges archéologiques.

Numa Pompilius (v. 715 – v. 672 av. J.-C.), deuxième roi légendaire de Rome, souverain pacifique qui se prétendait inspiré par la nymphe Égérie.

Numazu, v. du Japon, dans l'île de Honshū; 210 490 hab. Centre industr. Stat. balnéaire.

nûment ou **nuement** adv. Litt. Sans déguisement, simplement. *Dire nûment ce qu'on pense.*

numéraire n. m. et adj. **1.** n. m. Monnaie métallique. – *Par ext.* Toute monnaie ayant cours légal (par oppos. à *effets de commerce, titres,* etc.). *Payer en numéraire.* ▷ adj. *Espèces numéraires,* monnayées. **2.** adj. *Pierres numéraires,* dont on se servait autrefois pour mesurer les distances sur les routes.

numéral, ale, aux adj. (et n. m.) Qui désigne un nombre; qui symbolise, figure un nombre. I, V, X, L, C, D, M *sont des lettres numérales dans la numération romaine.* ▷ GRAM *Adjectif numéral cardinal,* exprimant le nombre (un, deux, dix, etc.). *Adjectif numéral ordinal,* exprimant l'ordre, le rang dans une série (premier, deuxième, centième, etc.). ▷ n. m. *Un numéral, les numéraux.*

numérateur n. m. MATH Nombre placé au-dessus de la barre d'une fraction, qui indique combien celle-ci contient de divisions égales de l'unité. *Dans la fraction* $\frac{7}{8}$, *7 est le numérateur et 8 le dénominateur.*

numération n. f. **1.** Façon d'énoncer ou d'écrire les nombres. *Numération romaine, arabe.* ▷ Système qui organise la suite des nombres en séries hiérarchisées. *Numération à base 10 ou décimale. Numération à base 2 ou binaire.* **2.** Opération qui consiste à compter, à dénombrer. – MED *Numération globulaire :* détermination de la concentration sanguine en globules rouges, en globules blancs et en plaquettes.

numérique adj. **1.** Relatif aux nombres. *Opération numérique.* – *Calcul numérique,* qui s'effectue uniquement avec des nombres (par oppos. au *calcul algébrique* qui, outre les nombres, utilise des lettres). ▷ MATH *Droite numérique :* ensemble ordonné des nombres réels. *Fonction numérique :* application de la droite numérique dans elle-même. **2.** Considéré du point de vue du nombre. *La supériorité numérique de l'ennemi.* **3.** TECH Qui utilise des nombres (par oppos. à *analogique*). *Calculateur, système d'affichage numérique.*

numériquement adv. En nombre, quant au nombre. *Deux groupes numériquement égaux.*

numérisation n. f. INFORM Action de numériser; résultat de cette action.

numériser v. tr. [1] INFORM Représenter (un signal) sous forme numérique. *Numériser une image.*

numéro n. m. (N°, n° par abrév. devant un nombre en chiffres.) **1.** Chiffre, nombre que l'on inscrit sur une chose, et qui sert à la reconnaître, à la classer. *Le numéro d'une page, d'un immeuble, d'une carte d'identité. Le numéro des aiguilles à tricoter indique leur grosseur.* – *Numéro gagnant :* billet de loterie sortant au tirage. *Tirer le bon numéro,* tirer celui qui, autref., exemptait du service militaire; fig., être favorisé par la chance. – *Numéro vert* (Nom déposé.) : numéro de téléphone qui permet à une entreprise abonnée de recevoir des communications dont le coût est à sa charge, l'appel étant gratuit pour ses correspondants. – CHIM *Numéro atomique* d'un élément.* ▷ *Le numéro un :* le membre le plus important (du gouvernement d'un pays, d'un groupement politique, etc.). **2.** Chacune des livraisons d'un périodique. *Un numéro de revue.* – Fig., fam. *La suite au prochain numéro,* remise à plus tard. **3.** Partie du programme d'un spectacle de variétés, de cirque, présentée par un même artiste ou un même groupe d'artistes. *Un numéro de chant, d'acrobatie.* ▷ Fig., fam. Comportement d'une personne qui prend des attitudes outrées, qui se donne en spectacle; exhibition déplacée. *C'est bientôt fini, ton petit numéro ?* **4.** Fig., fam. Personne originale. *C'est un numéro, un drôle de numéro !* **5.** Loc. adj. Fig., fam. *Numéro un :* essentiel, primordial, principal. *La règle numéro un est de...*

numérologie n. f. Science ésotérique des nombres fondée sur leur signification symbolique.

numérotage n. m. Action de numéroter.

numérotation n. f. **1.** Syn. anc. de *numérotage.* **2.** Mod. Résultat du numérotage; ordre des numéros.

numéroter v. tr. [1] Pourvoir d'un numéro, distinguer par un numéro (chacun des éléments d'une série ordonnée). *Numéroter des pages.*

numéroteur n. m. et adj. m. Petit appareil à main servant à imprimer des numéros. ▷ adj. m. *Timbre numéroteur.*

numerus clausus [nymeʀysklozys] n. m. (Mots lat.) Nombre limite de candidats que l'on admet à un concours, à une fonction. *Le numerus clausus a souvent été appliqué à des minorités religieuses ou ethniques, en particulier aux juifs, en Russie tsariste et en Europe centrale.*

numide adj. et n. De Numidie.

Numidie, anc. nom de l'Afrique du Nord, entre le pays de Carthage et la Mauritanie et correspondant à une partie de l'Algérie actuelle. *Cirta* (auj. *Qoussantîna*) en fut la capitale. Les Numides, peuple semi-nomade, sont les ancêtres des Berbères actuels. Leur pays, unifié par Masinissa, fut divisé en royaumes tributaires de Rome, puis réunifié par César en une prov. romaine d'Africa nova en 44 av. J.-C. (V. aussi Maurétanie). La christianisation débuta au IIe s.; au IVe s. le pays devint le foyer du donatisme. Après avoir été conquise par les Vandales (429-456), puis par Justinien (533-534), la Numidie passa sous la domination arabe (VIIIe s.).

numismate n. Personne versée dans la numismatique.

numismatique n. f. et adj. Étude, science des monnaies et des médailles. ▷ adj. *Recherches numismatiques.*

nummulite n. f. PALEONT Foraminifère du tertiaire dont le test calcaire spiralé peut atteindre une dizaine de centimètres de diamètre.

nummulitique adj. et n. m. **1.** adj. PEDOL Se dit d'un terrain riche en nummulites. **2.** n. m. GEOL Première partie du tertiaire, caractérisée par l'expansion des nummulites. *Le nummulitique, dit aussi paléogène, comprend le paléocène, l'éocène et l'oligocène.*

nunatak n. m. GEOGR Piton rocheux escarpé, libre de glace, traversant la calotte glaciaire.

Nunavik (anc. *Nouveau-Québec*), territoire du nord du Québec où, entre les baies d'Hudson et d'Ungava, vivent plus de 6 000 Inuit dans des villages récents.

Nunavut (Territoire de la fédération Tungavik du), territoire situé au nord de la baie d'Hudson et à l'est des Territoires du Nord-Ouest, dont il fit partie jusqu'en 1993; 2,2 millions de km²; 22 000 hab., dont 80 % d'Inuit; cap. *Iqaluit.* En 1993, les Inuit ont obtenu la propriété de ce territoire dont un gouvernement élu est entré en fonctions le 1er avril 1999.

nunchaku [nunʃaku] n. m. Arme d'origine japonaise formée de deux bâtons reliés par une chaîne ou une corde fixée à l'une de leurs extrémités.

Nuneaton, v. de G.-B. (Warwickshire); 71 530 hab. Industr. de la laine, chapellerie, briqueterie.

Núñez (Álvaro) (Jerez de la Frontera, 1507 – Séville, v. 1560), navigateur espagnol. Il explora la Floride (1528).

Nungesser (Charles) (Paris, 1892 – en mer, 1927), aviateur français. Il s'illustra pendant la Première Guerre mondiale. Il périt à bord de l'*Oiseau-Blanc,* avec son coéquipier Coli, alors qu'ils tentaient la traversée France-Amérique. ► illustr. page **1321**

nunuche adj. Fam. Un peu niais.

nuoc-mâm [nɥɔkmam] n. m. inv. Sauce à base de poisson fermenté, condiment très utilisé dans la cuisine vietnamienne.

nu-pieds n. m. inv. Sandale légère laissant le dessus du pied largement découvert.

nu-propriétaire, nue-propriétaire n. Personne qui a la nue-propriété d'un bien (par oppos. à *usufruitier*). *Des nus-propriétaires. Des nues-propriétaires.*

nuptial, ale, aux [nypsjal, o] adj. Des noces; relatif aux noces, à la cérémonie du mariage. *Anneau nuptial. Bénédiction nuptiale.* ▷ Par ext. (Animaux) *Mœurs nuptiales de certaines espèces.*

nuptialité n. f. STATIS Nombre annuel des mariages dans une population donnée.

nuque n. f. Partie postérieure du cou, au-dessous de l'occiput.

nuraghe [nuʀag], plur. **nuraghi** [nuʀagi] n. m. ARCHEOL Construction cyclopéenne de l'âge du bronze, en Sardaigne. *Les nuraghi sont des ouvrages de défense.*

nuraghe de San-Antine, Sardaigne

Nuremberg (en all. *Nürnberg*), v. d'Allemagne (Bavière), sur la Regnitz; 467 400 hab. Grand centre industriel (constr. méca., électr., chim.; jouets). – Jusqu'à la guerre de 1939-1945, au cours de laquelle de nombr. monuments furent détruits ou endommagés, la ville (importante aux XVe et XVIe s.) avait conservé son aspect médiéval : remparts (XVe-XVIe s.), vieilles maisons, églises (dont l'égl. goth. St-Laurent, XIVe-XVe s., restaurée), chât. impérial (XIIe s., restauré). – La ville fut le siège du parti nazi. – Au *procès de Nuremberg* (20 nov. 1945-1er oct. 1946), les chefs nazis furent jugés par un tribunal de guerre, qui, pour la première fois dans l'histoire, précisa les notions de crime de guerre et de génocide. Sur les 24 accusés, 3 ne comparurent pas, 12 furent condamnés à mort (dont Bormann, par contumace), 7 à des peines de prison et 3 furent acquittés.

Nūristān (anc. *Kāfiristān*), région montagneuse de l'est de l'Afghānistān.

nursage n. m. MED Syn. (off. recommandé) de *nursing*.

nurse [nœʀs] n. f. Femme chargée de s'occuper des enfants dans une famille.

nursery [nœʀsəʀi] n. f. Partie d'une habitation, pièce, salle réservée aux jeunes enfants. *Des nurserys* ou *des nurseries.*

nursing n. m. (Anglicisme) MED Ensemble des soins apportés par le personnel infirmier, destinés à l'entretien d'un malade grabataire et à la prévention, ou à la limitation, des complications secondaires. Syn. (off. recommandé) nursage.

nutriment n. m. BIOL Toute substance nutritive qui peut être assimilée directement par l'organisme, sans passer par le tube digestif.

nutritif, ive adj. **1.** Qui a la propriété de nourrir. *Substance nutritive.* **2.** Qui a rapport à la nutrition. *Valeur nutritive d'un aliment.*

nutrition n. f. Processus par lequel les organismes vivants utilisent les aliments pour assurer leur croissance et leurs fonctions vitales.

nutritionnel, elle adj. Relatif à la nutrition.

nutritionniste n. MED Spécialiste des problèmes d'alimentation, de diététique.

Nu u (Wakema, Myaungmya, 1907), homme politique birman. Premier ministre de 1948 (proclamation de l'indépendance) à 1958, puis de 1960 à 1962, date à laquelle il fut renversé, sans que, pour autant, son influence ait cessé.

Nuuk (anc. *Godthåb*), cap. du Groenland, située sur un fjord de la côte S.-O. de l'île; 11 650 hab.

Nyassa (lac). V. Malawi (lac).

Nyassaland. V. Malawi (rép. du).

nyct(o)-. Élément, du grec *nux, nuktos*, «nuit».

nyctalope adj. et n. Didac. Doué (ou affecté) de nyctalopie.

nyctalopie n. f. Didac. Faculté de voir dans l'obscurité, propre à certains animaux (hibou, chat). *La nyctalopie constitue une anomalie chez l'être humain.*

nycthéméral, ale, aux adj. MED, BIOL Qui a rapport au nycthémère. *Rythme nycthéméral.*

nycthémère n. m. BIOL Durée de vingt-quatre heures, correspondant à un cycle biologique réglé par l'alternance du jour et de la nuit.

Nyerere (Julius Kambarage) (Butiama, 1922), homme politique tanzanien. Premier ministre (1961), président de la République du Tanganyika (1962), puis de la Tanzanie (1964-1985), il mena une politique progressiste et non alignée.

Nyiragongo, volcan de la Rép. dém. du Congo (3 470 m).

Nyíregyháza, v. de Hongrie; 116 600 hab.; ch.-l. du comté de *Szabolcs-Szatmár.* Industr. du caoutchouc. Stat. thermale.

Nyköping, v. et port de Suède, sur la mer Baltique; 64 200 hab.; ch.-l. du län de *Södermanland.* Aciéries. Constr. méca. et auto. Industr. text. Maisons préfabriquées.

nylon n. m. (Nom déposé.) Textile synthétique à base de polyamide, utilisé pour fabriquer des fils et des tissus. *La résistance du nylon à la traction est égale à celle de l'acier. Des bas en nylon* ou, ellipt., *des bas nylon.*

nymphe n. f. **1.** MYTH Divinité subalterne des bois, des montagnes, des eaux, dans la mythologie gréco-romaine. *Les naïades, nymphes des ruisseaux et des fontaines, les oréades, nymphes des montagnes, les hyades et les hamadryades, nymphes des forêts.* **2.** Fig. Jeune fille bien faite. **3.** ENTOM Deuxième état larvaire, entre la larve et l'imago, des insectes à métamorphose, caractérisé par des ébauches alaires visibles. **4.** (Plur.) ANAT Petites lèvres de la vulve.

nymphéa n. m. BOT Nénuphar blanc.

nymphéacées n. f. pl. BOT Famille de dicotylédones dialypétales aquatiques (ordre des ranales) comprenant les nénuphars. – Sing. *Une nymphéacée.*

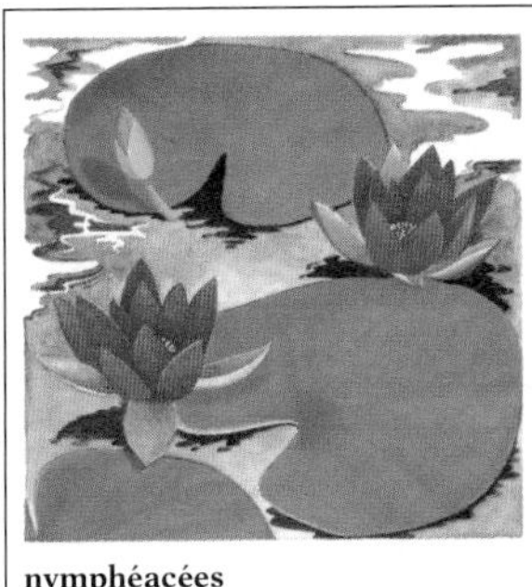

nymphéacées

nymphée n. m. ANTIQ Grotte naturelle ou petit temple (avec fontaine) consacré aux nymphes.

nymphette n. f. Adolescente faussement ingénue, aux manières provocantes.

nymphomane adj. et n. f. Qui est atteinte de nymphomanie. ▷ n. f. *Une nymphomane.*

nymphomanie n. f. Exagération pathologique des désirs sexuels chez la femme ou, VX, chez la femelle.

nymphose n. f. ENTOM Transformation d'une larve d'insecte en nymphe.

Nyon, com. de Suisse (Vaud), sur le lac Léman; 12 500 hab. Faïence. Tourisme. – Chât. du XIIe s. (modifié au XVIe s.) abritant un musée (archéologie, histoire, porcelaine).

Nyons, ch.-l. d'arr. de la Drôme; 6 570 hab. Industr. alim. – Pittoresque quartier des Forts (ruelles voûtées). Pont du XIVe s. sur l'Eygues.

Nysa Łuzycka. V. Neisse de Lusace.

Nysse, anc. v. de Cappadoce (Asie Mineure). Vestiges de constructions romaines, près de l'actuel village de Sultanhisar (Turquie).

Nystad (auj. *Uusikaupunki*), v. de Finlande, sur le golfe de Botnie; 12 500 hab. Constr. auto. – En 1721 y fut signé un traité, mettant fin à la guerre du Nord, par lequel la Suède cédait à la Russie ses provinces de la Baltique.

nystagmus [nistagmys] n. m. MED Suite de mouvements saccadés et rapides des globes oculaires, indépendants de la volonté, souvent symptomatiques d'une affection des centres nerveux.

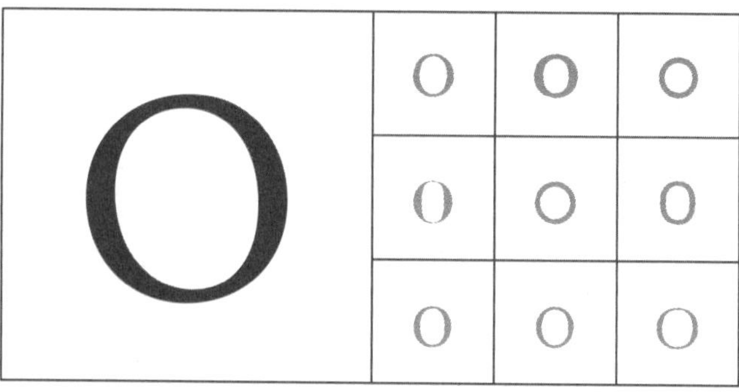

o [o] n. m. **1.** Quinzième lettre (o, O) et quatrième voyelle de l'alphabet, notant les sons [ɔ] ou o ouvert (ex. *fiole*), [o] ou o fermé (ex. *dôme*), [ɔ̃] ou o nasal (ex. *bombé, bond*) et, en composition, les sons [wa] (ex. *roi*), [u] (ex. *coup*), [œ] (ex. *œil*) et [e] (ex. *œdème*), restant muette dans certains mots (ex. *paon* [pɑ̃]). **2.** *O* : abrév. de *ouest.* **3.** PHYS ° : symbole du degré de température et du degré d'angle. **4.** CHIM O : symbole de l'oxygène.

O (François, marquis d') (Paris, v. 1535 - id., 1594), homme politique français; surintendant des Finances (1585-1594).

ô interj. **1.** (Dans une apostrophe, une invocation.) *Ô mon Dieu!* **2.** (Marquant l'émotion.) *Ô joie!*

O' Particule précédant les noms propres irlandais, qui signifie «fils de».

O.A.C.I. Sigle de *Organisation* de l'aviation civile internationale.*

Oahu, la plus peuplée des îles Hawaii; 1 555 km²; 762 500 hab. *Honolulu* et la base militaire de *Pearl Harbor* s'y trouvent.

Oakland, v. des É.-U. (Californie), sur la baie de San Francisco; 372 200 hab. Port. Centre industriel.

Oak Ridge, v. des É.-U. (Tennessee); 27 300 hab. Le premier centre atomique américain y fut créé.

O.A.S. Sigle de *Organisation* de l'armée secrète.*

oasien, enne adj. et n. Qui a rapport aux oasis. ▷ Subst. Habitant(e) d'une oasis.

oasis [ɔazis] n. f. **1.** Lieu qui, au milieu d'un désert, est couvert d'une végétation liée à la présence d'eau en surface ou à faible profondeur. *Les palmiers d'une oasis.* **2.** Fig. Endroit ou moment plaisant, formant contraste avec le désagrément d'un milieu ou d'une époque.

Oasis (les), anc. dép. du Sahara algérien, divisé, depuis l'indépendance, en plusieurs wilayas.

Oates (Titus) (Oakham, 1649 - Londres, 1705), aventurier anglais. Sa dénonciation d'un prétendu complot papiste provoqua une violente persécution contre les catholiques (1678).

Oates (Joyce Carol) (Lockport, 1938), romancière et nouvelliste américaine. Elle jette un regard angoissé sur la question de l'identité dans l'Amérique contemporaine. *Eux* (1969), *Corps* (1970), *Son of the Morning* (1978).

Oaxaca de Juárez ou **Oaxaca,** v. du Mexique méridional, à 1 500 m d'alt.; 212 900 hab. Cap. de l'*État d'Oaxaca* (95 364 km²; 3 019 560 hab.). Import. richesses minières. Industries textiles et alimentaires.

ob-. Élément, du lat. *ob,* «en face de, à l'encontre de», qui prend selon la lettre qu'il précède les formes *oc-, of-, op-, os-* ou *o- (occasion, offenser, omettre).*

Ob ou **Obi,** grand fl. de Sibérie occid. (4 012 km env.); il naît dans l'Altaï, arrose Novossibirsk et Tomsk, et se jette dans l'Arctique (*golfe de l'Ob,* sur 1 000 km). Crues violentes.

Obadya. V. Abdias.

Obaldia (René de) (Hong Kong, 1918), écrivain français. Ses pièces allient les jeux poétiques ou absurdes sur le langage et une construction dramatique traditionnelle (*Du vent dans les branches de sassafras,* 1965).

obédience n. f. **1.** Vx Obéissance d'un religieux à ses supérieurs. ▷ HIST Ensemble des pays qui reconnaissaient l'un ou l'autre des papes rivaux, en temps de schisme. - *Ambassade d'obédience,* envoyée au pape par un monarque en témoignage de son obéissance. **2.** Permission écrite qu'un supérieur donne à un religieux de se déplacer. - HIST *Lettre d'obédience* : brevet accordé par un supérieur à un religieux à qui devait être confiée la direction d'une école, de 1850 à 1881. **3.** HIST *Pays d'obédience* : provinces où le roi n'avait pouvoir de nommer les ecclésiastiques et de leur attribuer des bénéfices que sous certaines conditions, sous l'Ancien Régime. **4.** Mod. *D'obédience* (+ adj.) : qui reconnaît (telle autorité spirituelle). *Être d'obédience israélite.* ▷ *Par ext.* Qui se rattache à (telle tendance). *Groupement communiste d'obédience maoïste.*

Obeïd (El-), site mésopotamien, un peu à l'O. de la ville d'Ur (auj. en Irak), qui donna son nom à une phase de la protohistoire sumérienne (4400 à 3500 av. J.-C. env.).

Obeïd (El-) ou **Ubayyid (Al-)** (*Al-'Ubayyid*), v. du Soudan central (Kordofan); 250 630 hab. Centre comm. (gomme arabique).

obéir v. tr. indir. [3] **1.** Se soumettre (à qqn), accomplir sa volonté, ses ordres. *Obéir à ses chefs.* - (Passif) *Vous serez obéi.* ▷ Par ext. *Obéir au règlement.* - Fig. *Obéir à la force, à un caprice.* **2.** (Choses) Être soumis, sensible (à une action). *Les corps obéissent aux lois de la gravitation universelle.*

obéissance n. f. Action, état de celui qui obéit; disposition à obéir. *Obéissance à ses parents.*

obéissant, ante adj. Qui obéit, qui fait preuve d'obéissance.

obélisque n. m. Monolithe quadrangulaire en forme d'aiguille surmontée d'une petite pyramide. *L'obélisque érigé place de la Concorde, en 1836, vient de Louxor.*

Oberammergau, v. d'Allemagne (Bavière); 4 660 hab. - Son théâtre populaire représente tous les dix ans la passion du Christ; les rôles sont tenus par les habitants de la ville.

obéré, ée adj. Chargé de dettes.

obérer v. tr. [14] Endetter.

Oberhausen, v. d'Allemagne (Rhénanie-du-Nord-Westphalie), dans la Ruhr; 221 540 hab. Houille, fer, zinc; métall.

Oberkampf (Christophe Philippe) (Weissenbach, Bavière, 1738 - Jouy-en-Josas, 1815), industriel allemand naturalisé français. Il créa la première manufacture française de tissus imprimés (Jouy-en-Josas, 1759) et la première filature de coton (Essonnes, auj. Corbeil-Essonnes).

Oberland bernois, rég. de Suisse (Berne), s'étendant sur les Alpes (Jungfrau, Mönch, etc.) et les Préalpes, entre le Rhin et l'Aar. Tourisme.

Obernai, ch.-l. de cant. du Bas-Rhin (arr. de Sélestat-Erstein); 10 077 hab. Vignobles. Brasserie. Constr. électr., textile. - Hôtel de ville et halle aux blés du XVIe s.

Oberon ou **Alberon,** roi des génies de l'air (elfes).

obèse adj. et n. D'un embonpoint excessif. ▷ Subst. *Un(e) obèse.*

obésité n. f. **1.** État d'une personne obèse. **2.** Accumulation excessive de graisses dans l'organisme.

obi n. f. Longue ceinture en soie, nouée dans le dos, du costume japonais traditionnel.

Obi. V. Ob.

obier n. m. Espèce de viorne (fam. caprifoliacées), arbuste appelé aussi *boule-de-neige.*

Obiou, point culminant du Dévoluy (2 793 m), dans les Alpes du Dauphiné.

obit [ɔbit] n. m. LITURG CATHOL Service anniversaire célébré pour le repos de l'âme d'un mort.

objectal, ale, aux adj. PSYCHAN Qui est extérieur à la personne du sujet, dont l'objet est indépendant du moi. *Relation objectale.*

objecter v. tr. [1] Opposer (un argument) à une affirmation, à une demande. *On nous a objecté la nécessité de réduire les dépenses.*

objecteur n. m. *Objecteur de conscience* : homme qui refuse d'accomplir ses obligations militaires par scrupule de conscience philosophique ou religieux.

objectif, ive adj. et n. m. **A.** adj. **1.** PHILO Qui existe en dehors de l'esprit (par oppos. à *subjectif*). *Réalité objective.* **2.** Qui n'est pas influencé par les préjugés, le parti pris. *Une analyse objective de la situation. Historien objectif.* **B.** n. m. **I.** PHYS Système optique qui, dans un instrument, est tourné vers l'objet. *Objectif et oculaire d'une lunette, d'un microscope. Objectif à miroir d'un télescope. Objectif d'un appareil photo.* **II. 1.** MILIT Cible sur laquelle on dirige le feu d'une arme. **2.** Fig. But que l'on se propose d'atteindre. *Son objectif, c'est le pouvoir.*

objection n. f. Ce que l'on objecte. *Faire une objection.* ▷ Spécial. *Objection de conscience* : refus du service militaire, fondé sur des opinions philosophiques ou religieuses.

objectivation n. f. PHILO Action d'objectiver.

objectivement adv. De manière objective.

objectiver v. tr. [1] PHILO Rendre objectif ; considérer comme objectif.

objectivisme n. m. PHILO **1.** Doctrine qui pose l'existence d'une réalité objective. **2.** Attitude intellectuelle qui consiste à s'efforcer d'éliminer les éléments d'appréciation subjectifs, à s'en tenir à la stricte objectivité.

objectivité n. f. **1.** PHILO Qualité de ce qui existe en dehors de l'esprit. **2.** Attitude objective, impartiale. *Objectivité d'un journaliste.*

objet n. m. **1.** Ce qui peut être perçu par les sens, spécial. la vue. *Les hallucinogènes déforment la perception des objets.* **2.** Chose, généralement maniable, destinée à un usage particulier. *Objet en métal, en bois. Objet fragile. Objet d'art,* qui est le résultat d'une création artistique. **3.** ASTRO Corps céleste dont les caractéristiques sont encore imparfaitement connues. ▷ *Objet volant non identifié* : V. ovni. **4.** PHYS Tout corps lumineux ou éclairé dont un système optique forme l'image. **5.** Ce qui occupe l'esprit, ce à quoi s'applique la pensée, l'entendement. *Le vrai est l'objet de l'entendement.* ▷ PHILO La chose même qui est pensée, par oppos. au sujet qui pense. **6.** Ce à quoi est consacrée une activité de l'esprit. *L'objet des mathématiques.* ▷ Matière, sujet. *Objet d'une note de service.* **7.** But, fin. *Son objet est de nous convaincre.* **8.** Personne, chose à laquelle s'adresse un sentiment. *Être un objet de respect.* **9.** GRAM Complément du verbe (mot ou groupe de mots) indiquant l'être ou la chose qui subit l'action réalisée par le sujet. *Le sujet et l'objet du verbe. Complément d'objet direct* ou *objet direct* : complément d'un verbe transitif direct, construit sans préposition (ex. : *le vase* dans *il a cassé le vase*). *Complément d'objet indirect* ou *objet indirect* : complément d'un verbe transitif indirect, construit avec une préposition (ex. : *un malade* dans *cela ne convient pas à un malade*).

objurgation n. f. (Généralement au plur.) Intervention pressante visant à détourner qqn de ses intentions. *Je me suis rendu à ses objurgations.*

oblat, ate [ɔbla, at] n. RELIG CATHOL **1.** Laïc qui se joint à une communauté religieuse sans prononcer les vœux de pauvreté, de chasteté et d'obéissance. ▷ Religieux de certains ordres. *Les oblats de Marie-Immaculée.* **2.** n. m. pl. LITURG Offrandes faites lors de l'eucharistie (pain, vin, cierge, etc.).

oblatif, ive adj. Didac. Qui porte à faire don de soi-même. *Sentiments oblatifs.*

oblation n. f. RELIG Action par laquelle on offre (qqch) à Dieu. *Oblation du pain et du vin.* ▷ LITURG Partie de la messe où le prêtre, avant de consacrer le pain et le vin, les offre à Dieu.

oblativité n. f. Didac. Acte de faire don ; générosité désintéressée.

obligataire n. FIN Porteur d'obligations. ▷ adj. *Emprunt obligataire,* en obligations.

obligation n. f. **1.** Ce qui est imposé par la loi, la morale ou les circonstances. *Satisfaire à ses obligations familiales et professionnelles. Être dans l'obligation de déménager.* ▷ RELIG CATHOL *Fête d'obligation,* qui comporte les mêmes obligations (assistance à la messe, notam.) que le dimanche. **2.** DR Lien astreignant à effectuer une prestation ou à s'abstenir d'un acte déterminé. *Obligation alimentaire entre parents.* – *Par ext.* Acte par lequel une personne s'engage à faire ou à ne pas faire qqch. *Souscrire une obligation.* **3.** FIN Valeur mobilière négociable émise par une société ou une collectivité publique et qui donne droit à des intérêts. ▷ *Obligation convertible,* susceptible d'être transformée en action.

obligatoire adj. **1.** Qui constitue une obligation. *Clause obligatoire. Arrêt obligatoire.* **2.** Fam. Forcé, immanquable.

obligatoirement adv. D'une manière obligatoire.

obligé, ée adj. et n. **I.** adj. **1.** Contraint, forcé. *Vous serez obligé d'accepter.* **2.** Reconnaissant. *Je vous suis obligé de votre attention.* **3.** Dont on ne peut se dispenser. *Corvée obligée.* – Fam. *C'est obligé* : cela ne peut pas être autrement. **II.** n. **1.** Personne à qui l'on a rendu un service. *Je suis votre obligé.* **2.** DR *Le principal obligé* : le principal débiteur.

obligeamment adv. D'une manière obligeante.

obligeance n. f. Disposition à être obligeant. *Il a eu l'obligeance de me raccompagner.*

obligeant, ante adj. Qui aime à rendre service. *Voisin obligeant.* – Par ext. *Attitude obligeante.*

obliger v. tr. [13] **1.** *Obliger à* : contraindre, forcer à ; mettre dans la nécessité de. *La crainte l'oblige à se taire. Son état de santé l'oblige à suivre un régime.* – Vieilli ou litt. *Obliger de.* **2.** DR Lier juridiquement. *La loi oblige tous les citoyens.* **3.** Rendre service, faire plaisir à (qqn).

oblique adj. et n. **1.** Qui s'écarte de la direction droite ou perpendiculaire. *Ligne oblique. Les pans obliques d'un prisme.* – Fig. *Regard oblique.* ▷ n. f. GEOM Droite inclinée, non perpendiculaire (à une autre droite, à un plan). ▷ n. m. ANAT Se dit de muscles dont les fibres sont obliques chez un sujet debout. *Le grand oblique de l'abdomen.* **2.** DR *Action oblique,* par laquelle le créancier se substitue au débiteur pour l'exercice de certains droits. **3.** GRAM *Cas obliques,* qui n'expriment pas un rapport direct (génitif, datif, ablatif). **4.** Loc. adv. *En oblique* : en suivant une ligne oblique.

obliquement adv. De biais, en oblique.

obliquer v. intr. [1] Aller en oblique. *Obliquer vers la droite.*

obliquité [ɔblikɥite] n. f. Position de ce qui est oblique ; inclinaison d'une ligne, d'une surface sur une autre. *Obliquité des rayons du soleil.* ▷ ASTRO *Obliquité de l'écliptique* : angle que fait le plan de l'écliptique avec le plan de l'équateur (23° 27' en moyenne).

oblitérateur, trice adj. et n. m. Qui oblitère. ▷ n. m. Instrument pour oblitérer des timbres.

oblitération n. f. **1.** Action d'oblitérer ; son résultat. *Oblitération d'un timbre.* **2.** MED État d'un conduit, d'une cavité obstruée.

oblitérer v. tr. [14] **1.** Litt. Effacer peu à peu, insensiblement. *Le temps a oblitéré ces inscriptions.* ▷ Fig. Supprimer. *Son snobisme oblitère parfois son bon sens.* **2.** *Oblitérer un timbre,* l'annuler par l'apposition d'un cachet. **3.** MED Boucher, obstruer (une cavité, un conduit).

oblong, ongue [ɔblɔ̃, ɔ̃g] adj. Plus long que large. *Figure oblongue.*

obnubilation [ɔbnybilasjɔ̃] n. f. Obscurcissement d'un esprit obnubilé. ▷ PSYCHIAT Diminution du niveau de vigilance accompagnée d'une torpeur intellectuelle.

obnubiler [ɔbnybile] v. tr. [1] Priver de lucidité en envahissant l'esprit. *La passion obnubile son jugement. Il est obnubilé par cette idée.* – *Par ext.* Obséder.

Obock, port de la république de Djibouti, sur la mer Rouge ; ch.-l. du distr. du m. nom. – Ch.-l. de la *colonie d'Obock* (1862-1896), il fut supplanté par Djibouti.

obole n. f. **1.** La plus petite unité monétaire grecque à l'époque classique. **2.** Petite somme d'argent, petite contribution. *Apporter son obole.*

Obote (Apollo Milton) (Ankokora, 1925), homme politique ougandais. Premier ministre en 1962, il renversa le roi en 1966 et fut à son tour renversé, en 1971, par Amin Dada. Revenu après la chute de ce dernier, il fut élu président de la République en déc. 1980 et à nouveau chassé du pouvoir en juil. 1985.

Obradović ou **Obradovitch** (Dositej) (Čakovo, Banat, 1742 – Belgrade, 1811), écrivain serbe ; le véritable créateur de la langue littéraire moderne en Serbie : *Conseils d'un esprit saint* (1784), *Fables* (1788).

Obrenović ou **Obrénovitch,** dynastie serbe fondée par Miloš Obrenović (1817). Elle fut évincée par celle des Karageorgevitch (Karadjordjević) de 1842 à 1858 et après 1903.

O'Brien, famille irlandaise qui régna au XIe s.

O'Brien (William Smith) (Dromoland, 1803 – Bangor, Caernarvon, 1864), nationaliste irlandais. Le soulèvement qu'il tenta contre les Anglais (1848) échoua. Condamné à mort, il fut gracié.

O'Brien (Edna) (Tuamgraney, comté de Clare, 1932), femme de lettres irlandaise. Ses romans prennent en compte les nouvelles aspirations féminines : *les Paysannes* (1960), *le Joli Mois d'août* (1965), *les Païens d'Irlande* (autobiographique, 1970).

obscène [ɔpsɛn] adj. Qui offense la pudeur. *Propos obscènes.*

obscénité [ɔpsenite] n. f. **1.** Caractère de ce qui est obscène. **2.** Parole, action obscène.

obscur, ure adj. **1.** Privé de lumière. *Cour obscure.* Syn. sombre. **2.** Foncé (couleurs). *Des sapins d'un vert obscur.* **3.** Fig. Difficile à saisir, à comprendre. *Discours obscur.* ▷ Vague, confus, qui ne se manifeste pas clairement. *Être tourmenté par d'obscurs désirs.* **4.** Qui n'est pas connu, qui n'a pas de notoriété. *Un chercheur obscur. Né de parents obscurs,* d'un milieu modeste.

obscurantisme n. m. Hostilité systématique au progrès de la civilisation, des « lumières ».

obscurantiste adj. et n. Qui concerne l'obscurantisme. ▷ Subst. Partisan de l'obscurantisme.

obscurcir v. [3] **I.** v. tr. **1.** Rendre obscur. *Les nuages obscurcissent le ciel.* **2.** Fig. Frapper d'aveuglement (l'esprit). *Les préjugés obscurcissent son intelligence.* **3.** Rendre peu compréhensible. *Tournures compliquées qui obscurcissent le style.* **II.** v. pron. **1.** Devenir obscur. *Le ciel s'obscurcit.* **2.** Fig. Se troubler, se brouiller (esprit). *Sa raison s'obscurcit.*

obscurcissement n. m. Action d'obscurcir, fait de s'obscurcir; son résultat. *Obscurcissement du jour.* – Fig. *Obscurcissement de la conscience.*

obscurément adv. **1.** D'une façon peu claire, confuse. *Écrire, percevoir obscurément.* **2.** De façon à rester inconnu. *Vivre obscurément.*

obscurité n. f. **1.** Absence de lumière. *Chambre plongée dans l'obscurité.* **2.** Fig. Manque d'intelligibilité. *Obscurité d'un texte.* **3.** État de ce qui est difficilement connaissable. *L'obscurité de ses antécédents.* **4.** Absence de notoriété. *Préférer l'obscurité à la gloire.*

obsédant, ante adj. Qui obsède.

obsédé, ée n. et adj. Qui a une obsession. – *Par exag.* Maniaque.

obséder v. tr. [14] S'imposer sans relâche à l'esprit. *Cette vision m'obsède.*

obsèques n. f. pl. Cérémonie accompagnant un enterrement.

obséquieusement adv. D'une manière obséquieuse.

obséquieux, euse adj. D'une politesse, d'une prévenance excessive, servile. *Vendeur obséquieux.*

obséquiosité n. f. Caractère, comportement obséquieux.

observabilité n. f. Didac. Qualité de ce qui est observable.

observable adj. Qui peut être observé.

observance n. f. **1.** Exécution de ce que prescrit une règle (en partic. une règle religieuse). *Observance des cérémonies.* **2.** Pratique de la règle par un ordre religieux; la règle elle-même. *La stricte observance de Cîteaux.*

observateur, trice n. et adj. **I.** n. **1.** Personne qui s'applique à observer les hommes, les choses, les phénomènes. *Ce peintre est un bon observateur de la nature.* **2.** Personne qui assiste à un événement qu'elle observe, sans y prendre part, pour son compte personnel ou celui d'un autre. *Observateur officiel envoyé par son pays à un congrès.* **3.** MILIT Personne (artilleur, aviateur) chargée d'observer les positions ennemies. **II.** adj. Porté à observer. *Esprit observateur.*

observation n. f. **I.** Action d'observer ce qui est prescrit. *Observation d'une règle.* **II. 1.** Action d'étudier avec attention. *Observation des étoiles, des hommes. Observation scientifique. Avoir l'esprit d'observation* : être apte à observer. **2.** Action de surveiller, d'épier. *Poste d'observation.* ▷ *Mettre un malade en observation,* surveiller particulièrement l'évolution de son cas pour établir un diagnostic. **3.** Réflexion, remarque portant sur ce que l'on a observé. *Une observation juste. Observation sur un auteur.* **4.** Léger reproche. *Faire une observation à qqn.*

observatoire n. m. **1.** Établissement destiné aux observations astronomiques ou météorologiques. – Par ext. *Observatoire économique* : établissement officiel chargé d'observer les variations des principaux facteurs économiques d'une région. **2.** MILIT Point d'où l'on peut observer les positions ennemies.

observatoire Canada-France-Hawaii de Mauna Kea sur l'île d'Hawaii : avec l'étoile polaire et les traces des étoiles circumpolaires.

Observatoire de Paris, établissement scientifique fondé par Louis XIV en 1667 et construit par Cl. Perrault (1667-1672), siège du Bureau international de l'heure et de l'« horloge parlante ».

observer v. [1] **A.** v. tr. **I.** Suivre, respecter (ce qui est prescrit). *Observer le règlement, le silence.* **II. 1.** Considérer, étudier avec soin (qqn, qqch). *Observer un nouveau venu. Observer un phénomène dans un but scientifique.* **2.** Surveiller, épier. *Observer les allées et venues de ses voisins.* **3.** Remarquer (qqch). *On observe un ralentissement de la production. Faire observer qqch à qqn.* **B.** v. pron. Prendre garde à ce qu'on dit, à ce qu'on fait. *Il était obligé de s'observer dans cette réunion guindée.*

obsession n. f. Pensée obsédante. *Avoir l'obsession de l'échec.* ▷ PSYCHOPATHOL Trouble mental caractérisé par une idée fixe, une crainte ou une impulsion qui s'impose à l'esprit et détermine une sensation d'angoisse.

obsessionnel, elle adj. et n. **1.** adj. Relatif à l'obsession. – PSYCHOPATHOL *Névrose obsessionnelle* : trouble mental dans lequel le conflit psychique s'exprime par des idées obsédantes, une compulsion* à accomplir certains actes, un mode de pensée (doute, rumination mentale) provoquant l'inhibition*. **2.** n. Personne dominée par ses obsessions.

obsidienne [ɔpsidjɛn] n. f. MINER Roche éruptive dont l'aspect rappelle celui du verre et qui présente une structure particulière due au refroidissement très rapide de la lave.

obsolescence [ɔpsɔlɛsɑ̃s] n. f. Didac. Fait de se périmer, de devenir désuet. – ECON Dépréciation (d'un outillage) résultant d'un vieillissement lié au progrès technique.

obsolescent, ente adj. ECON Frappé d'obsolescence.

obsolète adj. Périmé, désuet.

obstacle n. m. **1.** Ce qui s'oppose au passage, à la progression. *Il y a un obstacle sur la route.* ▷ SPORT *Course d'obstacles,* qui s'effectue sur un parcours où sont disposés des fossés, des haies, etc. **2.** Fig. Ce à quoi on se heurte dans l'exécution d'un projet. *Faire obstacle à un plan.*

obstétrical, ale, aux adj. Relatif à l'obstétrique.

obstétricien, enne n. MED Médecin spécialiste en obstétrique.

obstétrique n. f. MED Partie de la médecine qui traite de la grossesse et des accouchements.

obstination [ɔpstinasjɔ̃] n. f. Caractère d'une personne obstinée, opiniâtre.

obstiné, ée adj. et n. Qui a de l'obstination; qui dénote l'obstination. ▷ Subst. *Un(e) obstiné(e).*

obstinément adv. D'une manière obstinée.

obstiner (s') v. pron. [1] Persister opiniâtrement. *S'obstiner dans son erreur. S'obstiner à faire qqch.*

obstructif, ive adj. Qui provoque une obstruction.

obstruction [ɔpstʀyksjɔ̃] n. f. **1.** MED Engorgement ou occlusion d'un conduit de l'organisme. **2.** Manœuvre dilatoire destinée à retarder ou empêcher l'aboutissement d'un débat. *Faire de l'obstruction dans une assemblée.* **3.** SPORT Au football, au rugby, irrégularité (sanctionnée par un coup franc) qui consiste à entraver l'action d'un adversaire en lui barrant le passage alors qu'il n'est pas en possession du ballon.

obstructionnisme n. m. POLIT Tactique de ceux qui font de l'obstruction systématique.

obstruer v. tr. [1] Boucher (un conduit, un passage, un canal). *Caillot qui obstrue une artère.*

obtempérer [ɔptɑ̃peʀe] v. tr. indir. [14] DR ADMIN *Obtempérer à un ordre, à une sommation, etc.,* y obéir, s'y soumettre. – Absol. *Refus d'obtempérer.* ▷ Cour. Obéir sous la menace.

obtenir v. tr. [36] **1.** Réussir à se faire accorder (ce que l'on demande). *Obtenir une place, une permission.* **2.** Parvenir à (tel résultat). *Obtenir un bon rendement de ses terres.*

obtention n. f. Fait d'obtenir. *Obtention d'un titre.*

obturateur, trice adj. et n. m. **1.** adj. Qui sert à obturer. **2.** n. m. Objet, mécanisme servant à obturer. ▷ TECH Pièce servant au réglage ou à l'arrêt du débit d'un liquide, d'un gaz. ▷ PHOTO Dispositif qui laisse pénétrer la lumière dans un appareil photographique pendant le temps de pose fixé.

obturation [ɔptyʀasjɔ̃] n. f. Action d'obturer; état de ce qui est obturé. *Obturation d'une dent cariée.*

obturer v. tr. [1] Boucher (une cavité, un trou).

obtus, use [ɔpty, yz] adj. **1.** Rare Émoussé, arrondi. *Oiseau au bec obtus.* **2.** GEOM *Angle obtus,* plus grand que l'angle droit. **3.** Fig., vx *Sens obtus,* qui manque d'acuité. ▷ Mod. *Esprit obtus,* peu pénétrant, sans finesse.

obtusangle adj. GEOM *Triangle obtusangle,* qui a un angle obtus.

obus [oby] n. m. Projectile explosif de forme généralement cylindro-ogivale, tiré par une pièce d'artillerie.

obusier n. m. Pièce d'artillerie courte, généralement de fort calibre et à tir courbe, qui permet d'atteindre des objectifs défilés.

obvenir v. intr. [36] DR Échoir.

obvie adj. Didac. *Sens obvie :* sens le plus courant d'un mot.

obvier v. tr. indir. [2] Litt. *Obvier à :* prendre les précautions, les mesures nécessaires pour éviter, prévenir (un mal, un inconvénient).

Obwald. V. Unterwald.

oc partic. affirmative signifiant «oui» dans les dialectes de la France du sud de la Loire, couramment parlés au Moyen Âge. – *Langue d'oc :* ensemble des dialectes de la France du sud de la Loire (à l'exception du basque et du catalan) et dans lesquels «oui» se dit *oc* (par oppos. à *langue d'oïl*). V. oïl.

O.C.A.M. Sigle de *Organisation* commune africaine et malgache* (puis *africaine et mauricienne*).

ocarina n. m. Petit instrument à vent de musique populaire.

O'Casey (Sean) (Dublin, 1880 – Torquay, 1964), auteur dramatique irlandais. Lyrique, épris de rigueur, il peignit la vie des quartiers pauvres de Dublin et chanta la lutte pour l'indépendance de l'Irlande : *la Charrue et les étoiles* (1926), *Roses rouges pour moi* (1943).

Occam (Guillaume d'). V. Guillaume d'Occam.

occasion n. f. **1.** Circonstance, conjoncture favorable, qui vient à propos. *Profiter de l'occasion. Manquer l'occasion.* ▷ Loc. adv. *À l'occasion :* si une circonstance favorable se présente. **2.** Circonstance, moment. *Montrer du sang-froid en toute occasion.* **3.** Circonstance qui donne lieu à telle ou telle action, qui a pour conséquence tel ou tel fait. *Avoir l'occasion de rendre service.* – *Occasions de réjouissance.* ▷ Loc. adv. *À l'occasion de. Banquet à l'occasion d'un anniversaire.* – *Par occasion :* fortuitement. – *D'occasion :* que des circonstances accidentelles ont suscité. *Un héroïsme d'occasion.* **4.** Marché, achat conclu dans des conditions avantageuses. ▷ *Vêtements, voitures d'occasion,* qui ne sont pas neufs, qui ont déjà servi. ▷ Ellipt. *Vendre du neuf et de l'occasion.*

occasionnel, elle adj. **1.** PHILO *Cause occasionnelle :* cause qui est seulement l'occasion offerte à la véritable cause de produire son effet. **2.** Que l'occasion seule fait naître, qui arrive fortuitement.

occasionnellement adv. Par occasion, de manière occasionnelle.

occasionner v. tr. [1] Donner lieu à, être la cause, l'occasion de (un inconvénient, une gêne, un malheur).

occident [ɔksidɑ̃] n. m. **1.** Celui des quatre points cardinaux qui est du côté où le soleil se couche. Syn. ouest, couchant. **2.** Région située à l'ouest par rapport à un lieu donné. ▷ (Avec une majuscule.) Ensemble des pays situés à l'ouest du continent eurasiatique. – (Dans un certain type de discours politique.) Ensemble des peuples qui habitent ces pays, en tant que dépositaires de valeurs (religieuses, notam.) considérées comme essentielles par celui qui parle. *Défendre l'Occident chrétien.* ▷ POLIT Ensemble atlantique constitué par les pays d'Europe de l'Ouest, le Canada et les États-Unis. ▷ *Spécial.* Ensemble des pays membres de l'OTAN.

Occident (empire d'), l'un des deux empires issus du démembrement de l'Empire romain à la mort de Théodose Ier (395 apr. J.-C.). Il subsista jusqu'en 476 (prise de Rome par le Barbare Odoacre) et fut rétabli par Charlemagne en 800. (V. aussi Saint Empire romain germanique.)

occidental, ale, aux [ɔksidɑ̃tal, o] adj. et n. **1.** Qui est à l'occident. *Peuples de l'Europe occidentale.* **2.** Qui a rapport à l'Occident. *Mode de vie occidental. S'habiller à l'occidentale,* à la manière des Occidentaux. ▷ POLIT *Les puissances occidentales.* – *Le bloc occidental* (par oppos. aux pays de *l'Europe de l'Est*). **3.** Subst. Habitant, personne originaire de l'Occident. *Les Occidentaux.*

occidentalisation n. f. Action d'occidentaliser, fait de s'occidentaliser; son résultat.

occidentaliser v. tr. [1] Transformer en prenant comme modèle les valeurs, la culture de l'Occident. ▷ v. pron. *Habitudes de vie qui s'occidentalisent.*

occipital, ale, aux [ɔksipital, o] adj. et n. m. ANAT De l'occiput. ▷ *Os occipital* ou, n. m., *l'occipital :* os situé à la partie inférieure de l'arrière du crâne et traversé par un large orifice, le *trou occipital,* qui livre passage au bulbe rachidien.

occiput [ɔksipyt] n. m. Didac. ou plaisant Partie postérieure de la tête, au-dessus de la nuque.

occire [ɔksiʀ] v. tr. Vx ou plaisant Tuer (empl. seulement à l'inf. et au pp., *occis, ise,* dans les temps composés).

occitan, ane [ɔksitɑ̃, an] adj. et n. **1.** adj. Relatif à l'Occitanie, à la langue d'oc. *Littérature, culture occitane.* ▷ Subst. *Un(e) Occitan(e).* **2.** n. m. Langue d'oc : V. oc.

Occitanie, ensemble des pays de langue d'oc : trente et un départements du sud de la France, douze vallées des Alpes italiennes, une vallée pyrénéenne d'Espagne.

occlure v. tr. [78] MED Fermer (un conduit, un orifice). ▷ CHIR Pratiquer l'occlusion de (un orifice naturel).

occlus, use [ɔkly, yz] adj. **1.** CHIM Se dit d'un gaz inclus dans un solide. **2.** METEO *Front occlus :* V. front.

occlusif, ive adj. et n. f. **1.** MED Qui produit l'occlusion. *Bandage occlusif.* **2.** PHON *Consonne occlusive* ou, n. f., *une occlusive :* consonne dont l'articulation se fait par une fermeture complète et momentanée du conduit buccal suivie ou non d'une ouverture brusque. *Occlusives bilabiales* ([p], [b]), *occlusives dentales* ([t], [d]), etc.

occlusion n. f. Rapprochement des bords d'une ouverture naturelle. *L'occlusion des paupières, du chenal expiratoire.* ▷ MED *Occlusion intestinale :* oblitération interrompant le transit des matières fécales et des gaz.

occultation n. f. **1.** ASTRO Passage d'un astre derrière un autre qui le masque à la vue de l'observateur terrestre. **2.** Action d'occulter; son résultat.

occulte adj. **1.** Caché. *Cause occulte.* **2.** Qui s'exerce en secret; clandestin. *Pressions occultes faites sur un juré.* **3.** *Sciences occultes :* doctrines et pratiques présentant généralement un caractère plus ou moins ésotérique, et reposant sur la croyance en des influences, des forces que la connaissance rationnelle serait impuissante à expliquer (astrologie, alchimie, divination, etc.).

occulter v. tr. [1] **1.** ASTRO Cacher (un astre) en passant devant lui, en parlant d'un autre astre. **2.** Rendre difficilement visible (un signal lumineux) dans une zone déterminée. ▷ (Abstrait) Dissimuler. *Occulter un fait gênant.*

occultisme n. m. Connaissance, pratique des sciences occultes.

occultiste n. et adj. **1.** n. Adepte des sciences occultes. **2.** adj. Qui appartient aux sciences occultes, à l'occultisme.

occupant, ante n. et adj. **1.** n. DR et cour. Personne qui occupe un local, un emplacement. ▷ *Spécial.* DR Personne qui occupe un local d'habitation ou un local professionnel sans être titulaire d'un bail ou d'un engagement de location. ▷ *Premier occupant :* celui qui le premier prend possession d'un lieu. **2.** adj. Qui occupe militairement un pays. *Troupes occupantes.* ▷ n. m. *Lutter contre l'occupant.*

occupation n. f. **1.** Affaire, activité à laquelle on est occupé. *Il a de multiples occupations.* **2.** Place, emploi. *Il n'a pas d'occupation actuellement.* **3.** Habitation, jouissance d'un lieu, d'un local. *Loyer payé à proportion de l'occupation.* **4.** DR Mode d'acquisition originaire de la propriété d'un meuble sans maître par une appréhension matérielle. *Occupation des épaves, des produits de la chasse ou de la pêche.* **5.** Action de se rendre maître d'un pays par les armes et d'y maintenir des forces militaires. *Armée d'occupation.* ▷ Période pendant laquelle un pays est occupé par une puissance étrangère. – Spécial. *L'Occupation :* la période pendant laquelle la France fut occupée par les armées allemandes, de 1940 à 1944. **6.** Fait d'occuper un lieu. *Après un mois d'occupation, l'usine a été évacuée par les forces de l'ordre.*

occupationnel, elle adj. PSYCHIAT Qui utilise les activités (travaux, jeux) dans le traitement des troubles mentaux.

occupé, ée adj. **1.** Qui a une occupation, qui s'occupe de qqch. *Il est occupé à terminer ce travail.* ▷ Qui a de l'occupation; actif. *Un homme très occupé.* **2.** Placé sous l'autorité de troupes d'occupation. *Zone occupée.* **3.** Où quelqu'un est déjà installé. *Fauteuil occupé.*

occuper v. [1] **I.** v. tr. **1.** Se rendre maître, demeurer maître de (un lieu).

L'ennemi occupait toutes les villes frontalières. Occuper le terrain conquis. ▷ Par ext. *Ouvriers en grève qui occupent une usine.* **2.** DR Acquérir par occupation (sens 4). **3.** Remplir (une étendue d'espace ou de temps). *Un grand lit occupait la moitié de la chambre. Ce travail a occupé la plus grande partie de ma journée.* ▷ Absorber (qqn), lui prendre son temps. *Sa famille et sa carrière l'occupent tout entier.* **4.** Habiter. *Il occupait le rez-de-chaussée et sa fille le premier étage.* **5.** Remplir, exercer (une fonction, un emploi). *Il occupe un poste très important au ministère.* **6.** Employer, donner de l'occupation à. *Il occupe plusieurs ouvriers. Occuper qqn à qqch.* **II.** v. pron. **1.** Vieilli *S'occuper à :* travailler à, employer son temps à. *S'occuper à jardiner.* **2.** Mod. *S'occuper de qqch,* y consacrer son temps, son attention. *S'occuper d'œuvres sociales. Occupez-vous de ce qui vous regarde.* ▷ *S'occuper de qqn,* lui consacrer son temps, veiller sur lui. *Son mari s'occupe bien des enfants.* **3.** (S. comp.) Employer pleinement son temps, ne pas rester inactif. *Aimer, savoir s'occuper.* **III.** v. intr. DR Défendre en justice les intérêts d'un client, en parlant d'un avocat (et, anc., d'un avoué). *C'est maître Untel qui occupe pour moi dans cette affaire.*

occurrence n. f. **1.** Litt. Occasion, circonstance. – Loc. *En l'occurrence :* dans le cas envisagé. **2.** LING Apparition d'une unité linguistique dans un énoncé.

O.C.D.É. Sigle de *Organisation* de coopération et de développement économiques.*

océan n. m. **1.** Vaste étendue d'eau salée baignant une grande partie de la Terre. ▷ Partie de cette étendue. *L'océan Atlantique, Pacifique.* ▷ *L'Océan :* en France, l'océan Atlantique. *Les plages de l'Océan.* **2.** Fig. *Océan de :* grande étendue. *Le désert, vaste océan de sable.* ▷ Ce qui évoque la succession des tempêtes et des calmes de l'océan. *L'océan de la vie.*

Océan. V. Océanos.

océane adj. f. Litt. Océanique.

océanides, dans la myth. gr., nymphes, filles d'Océanos et de Téthys.

Océanie, une des cinq parties du monde; env. 8 500 000 km²; 28 000 000 hab.
Géogr. phys. et hum. – Située dans le Pacifique Sud, l'Océanie se compose de l'Australie (85 % de la superficie et deux tiers des hab.), de la Nouvelle-Guinée, de la Nouvelle-Zélande (éléments d'un socle ancien remaniés par la tectonique récente) et d'environ 10 000 îles d'origine volcanique ou corallienne, réparties en trois archipels : Mélanésie, Micronésie, Polynésie. Les climats chauds (équatorial et tropical insulaire) dominent, mais l'Australie, du fait de son ampleur, connaît aussi des climats arides et méditerranéens, alors que le climat néo-zélandais est océanique tempéré. L'isolement et le morcellement des terres expliquent la relative pauvreté de la faune et de la flore et leur caractère endémique. Si les populations autochtones (Mélanésiens, Micronésiens, Polynésiens) sont encore majoritaires dans la plupart des îles, elles ne sont plus que marginales en Australie et en Nouvelle-Zélande, où elles ont été refoulées par la colonisation européenne; les apports asiatiques (Indiens, Chinois, Vietnamiens) sont notables et le métissage est important. Australie et Nouvelle-Zélande appartiennent au monde riche, de même que les îles dépendant de grandes puissances (Hawaii, Nouvelle-Calédonie, Polynésie française); le reste du continent fait partie du tiers monde.
Hist. – Le peuplement des îles océaniennes fut progressif à partir de 20000 av. J.-C. et, dans certains cas, tardif (vers l'an 1000 pour les Fidji). Les Européens abordèrent la région au XVIe s., avec Magellan. À une phase d'exploration (scientifiquement organisée seulement à la fin du XVIIIe s. : Bougainville, Cook) succéda, au XIXe s., la période du partage des terres entre les puissances coloniales (G.-B., É.-U., Allemagne, France) dont les missionnaires ont précédé le plus souvent les commerçants et les soldats. Les dominions britanniques (Australie et Nouvelle-Zélande) mis à part, la décolonisation ne commença que vers 1960; de nombr. îles sont encore auj. possessions européennes ou américaines. Le genre de vie traditionnel, fondé sur la cueillette, la pêche et le cocotier, ébranlé dès le début du XXe s., a été définitivement détruit par la guerre nippo-américaine (1941-1945), et remplacé par le développement des plantations (ananas, bananes), l'exploitation des mines (phosphates de Nauru, cuivre de Bougainville, nickel de Nouvelle-Calédonie), avec l'immigration de main-d'œuvre indienne, japonaise et chinoise. Les deux seuls pays à connaître un réel essor industriel sont la Nouvelle-Zélande et l'Australie. En revanche, le tourisme, qui n'a qu'un intérêt local en Australie et en Nouvelle-Zélande, devient une industrie prospère dans les îles polynésiennes, tout particulièrement à Hawaii et à Tahiti. L'Océanie, devenue enjeu stratégique, voit son économie transformée par l'installation de bases militaires. Le Forum du Pacifique-Sud, réunissant des États souverains (quatorze îles du Pacifique, l'Australie et la Nouvelle-Zélande), tente de faire prévaloir les intérêts régionaux (dénucléarisation, respect des zones économiques exclusives de pêche, protection des ressources marines).

Océanie (Établissements français de l'), nom porté de 1885 à 1958 par la *Polynésie française.*

océanien, enne adj. et n. De l'Océanie; relatif à ses habitants. ▷ Subst. *Les Océaniens.*

océanique adj. **1.** De l'océan. *Flore océanique.* **2.** Qui est proche de l'océan, qui en subit l'influence. *Climat océanique :* climat doux et humide que l'influence des océans fait régner sur les îles et les façades maritimes de la zone tempérée.

océanographe n. Spécialiste d'océanographie.

océanographie n. f. Science qui a pour objet l'étude des océans.

océanographique adj. Relatif à l'océanographie. *Études océanographiques. Le Musée océanographique de Monaco.*

océanologie n. f. Océanographie appliquée à l'exploitation des ressources océaniques et à la protection des mers.

océanologue n. Spécialiste d'océanologie.

Océanos ou **Océan,** dans la myth. gr., divinité personnifiant l'eau qui entoure la terre. Fils d'Ouranos et de Gaia, c'est l'aîné des Titans; époux de Téthys, il est le père des fleuves et des océanides.

ocelle n. m. ZOOL **1.** Tache arrondie dont le centre est d'une autre couleur que la circonférence. *Les ocelles des ailes de papillon, des plumes caudales du paon.* **2.** Œil simple de certains arthropodes.

ocelot n. m. **1.** Félin *(Felis pardalis)* d'Amérique du Sud, long de 1,50 m avec la queue, grimpeur agile, dont la fourrure tachetée est très recherchée. **2.** Fourrure de l'ocelot.

-oche. Suffixe argotique, diminutif.

Ochosias (m. en 851 av. J.-C.), roi d'Israël (853-852 av. J.-C.), fils d'Achab. Il persécuta le prophète Élie.

Ochosias (m. en Samarie en 841 av. J.-C.), roi de Juda (841 av. J.-C.), fils de Joram de Juda et d'Athalie. Il fut tué par Jéhu. Athalie lui succéda.

Ockeghem ou **Okeghem** (Johannes) (Termonde, v. 1410 – Tours, v. 1497), compositeur franco-flamand; musicien de Charles VII, de Louis XI et de Charles VIII : messes, motets, chansons polyphoniques.

O'Connel (Daniel) (près de Cahirciveen, Kerry, 1775 – Gênes, 1847), homme politique irlandais. Adepte de la non-violence, il fonda en 1823 la Catholic Association et obtint en 1829 le *bill* d'émancipation des catholiques. Dans la lutte pour l'indépendance irlandaise, ses tergiversations (1843-1844) lui aliénèrent les extrémistes, qui fondèrent le mouvement Jeune-Irlande (1845).

O'Connor, famille irlandaise qui régna sur le Connacht aux XIe et XIIe s.

O'Connor (Flannery) (Savannah, 1925 – Milledgeville, 1964), femme de lettres américaine. Elle dénonce la violence et montre la souffrance en utilisant la caricature, un humour féroce et l'horreur : *la Sagesse dans le sang* (1952), *Les violents réussissent* (1960).

ocre n. f. **1.** Argile friable, de couleur jaune, rouge ou brune selon la nature des oxydes qu'elle contient. **2.** Couleur, colorant à base d'ocre. **3.** Couleur d'un brun tirant sur le jaune ou le rouge. ▷ adj. inv. *Des murs ocre.*

ocrer v. tr. [1] Colorer en ocre. ▷ Pp. adj. Coloré, teinté en ocre. – Qui se rapproche de la couleur ocre.

oct-, octa-, octi-, octo-. Éléments, du lat. *octo,* « huit ».

octaèdre n. m. (et adj.) GEOM Polyèdre à huit faces.

octal, ale, aux adj. INFORM Se dit d'un système de numération à base huit.

octane n. m. CHIM Hydrocarbure saturé de formule C_8H_{18}. ▷ *Indice d'octane,* qui mesure le pouvoir antidétonant d'un carburant.

octant n. m. GEOM Huitième partie d'un cercle, arc de 45°.

octante adj. num. card. Vx ou rég. (Belgique, Suisse romande). Quatre-vingts.

octave n. f. **1.** LITURG CATHOL Espace de huit jours suivant une grande fête. – Huitième jour qui suit cette fête. **2.** MUS Intervalle dans lequel la note la plus haute a pour fréquence le double de la plus basse, chacune de ces notes donnant leur nom à la succession des gammes. ▷ Huitième degré de l'échelle diatonique. – *Jouer un passage à l'octave,* une octave plus haut (ou, moins souvent, plus bas).

Octave (en lat. *Octavius*), nom de famille du futur empereur Auguste*, qui prit le surnom d'Octavien (en lat. *Octavianus*) quand César l'adopta.

Octavie (en lat. *Octavia*) (v. 70 – 11 av. J.-C.), sœur d'Auguste; épouse (40-32) de Marc Antoine, qui lui préféra Cléopâtre.

Octavie (en lat. *Octavia*) (?, v. 42 – île de Pandataria, 62), impératrice

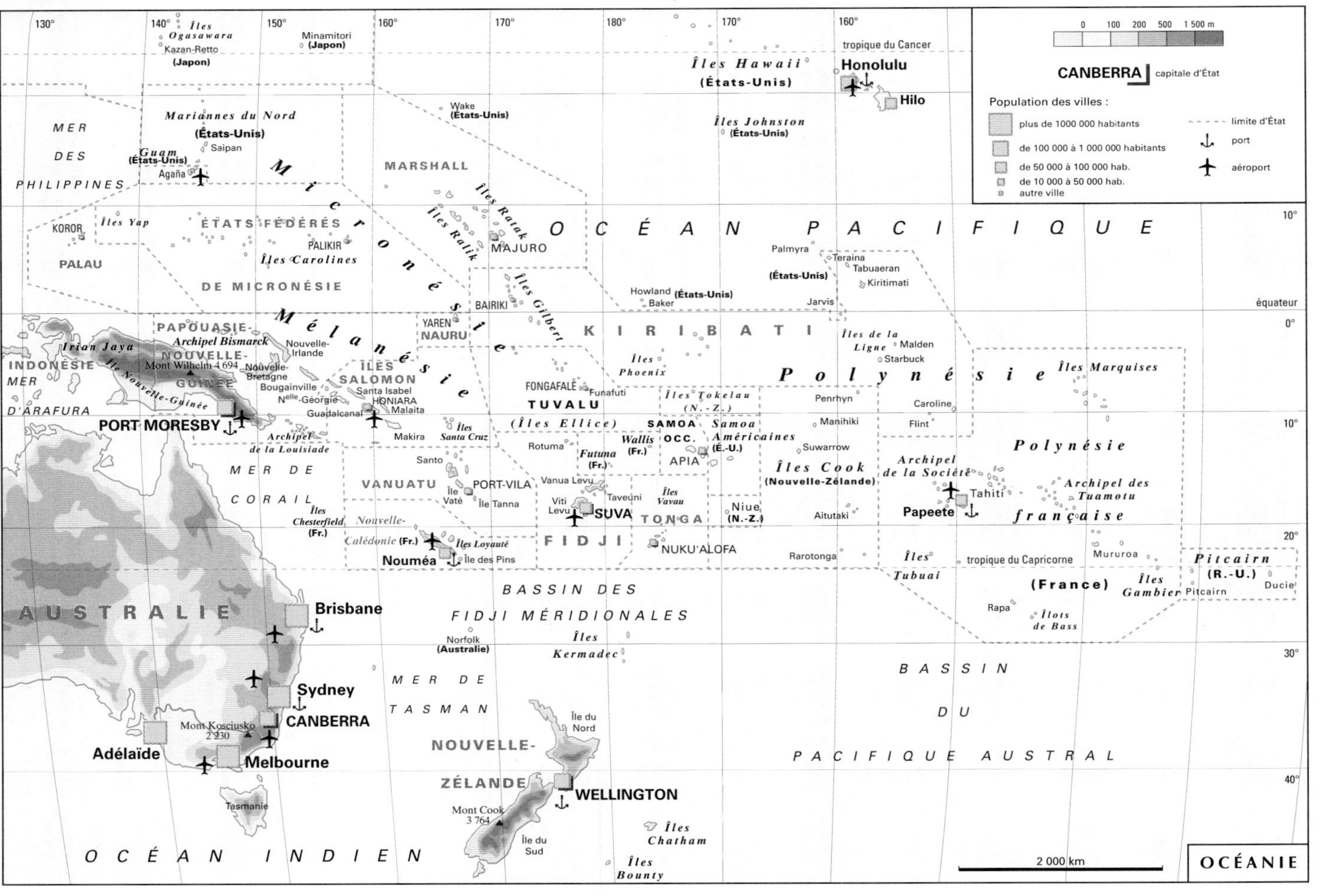
OCÉANIE
CANBERRA capitale d'État
Population des villes :
plus de 1000 000 habitants
de 100 000 à 1 000 000 habitants
de 50 000 à 100 000 hab.
de 10 000 à 50 000 hab.
autre ville
limite d'État
port
aéroport
0 100 200 500 1 500 m
2 000 km
tropique du Cancer
équateur
tropique du Capricorne
OCÉAN PACIFIQUE
OCÉAN INDIEN
MER DES PHILIPPINES
MER D'ARAFURA
MER DE CORAIL
MER DE TASMAN
BASSIN DES FIDJI MÉRIDIONALES
BASSIN DU PACIFIQUE AUSTRAL
Micronésie
Mélanésie
Polynésie
Îles Ogasawara
Kazan-Retto (Japon)
Minamitori (Japon)
Mariannes du Nord (États-Unis)
Saipan
Guam (États-Unis)
Agaña
Wake (États-Unis)
MARSHALL
Îles Ratak
Îles Ralik
MAJURO
Îles Hawaii (États-Unis)
Honolulu
Hilo
Îles Johnston (États-Unis)
KOROR
Îles Yap
PALAU
ÉTATS FÉDÉRÉS DE MICRONÉSIE
PALIKIR
Îles Carolines
Palmyra (États-Unis)
Teraina
Tabuaeran
Kiritimati
Howland (États-Unis)
Baker
Jarvis
BAIRIKI
Îles Gilbert
YAREN
NAURU
KIRIBATI
Îles de la Ligne
Malden
Starbuck
Îles Phoenix
Îles Marquises
INDONÉSIE
Irian Jaya
PAPOUASIE-NOUVELLE-GUINÉE
Archipel Bismarck
Mont Wilhelm 4 694
Île Nouvelle-Guinée
Nouvelle-Irlande
Nouvelle-Bretagne
Bougainville
Nelle-Géorgie
ÎLES SALOMON
Santa Isabel
HONIARA
Malaita
Guadalcanal
PORT MORESBY
Makira
Îles Santa Cruz
Archipel de la Louisiade
FONGAFALE
Funafuti
TUVALU
(Îles Ellice)
Rotuma
Îles Tokelau (N.-Z.)
SAMOA OCC.
APIA
Samoa Américaines (É.-U.)
Wallis (Fr.)
Futuna (Fr.)
Penrhyn
Manihiki
Suwarrow
Îles Cook (Nouvelle-Zélande)
Aitutaki
Rarotonga
Caroline
Flint
Archipel de la Société
Tahiti
Papeete
Archipel des Tuamotu
Polynésie française (France)
Mururoa
Îles Tubuai
Îles Gambier
Pitcairn (R.-U.)
Pitcairn
Ducie
Rapa
Îlots de Bass
Santo
VANUATU
PORT-VILA
Île Vaté
Île Tanna
Vanua Levu
Viti Levu
Taveuni
SUVA
FIDJI
Îles Vavau
TONGA
NUKU'ALOFA
Niue (N.-Z.)
Îles Chesterfield (Fr.)
Nouvelle-Calédonie (Fr.)
Nouméa
Îles Loyauté
Île des Pins
Norfolk (Australie)
Îles Kermadec
AUSTRALIE
Brisbane
Sydney
CANBERRA
Mont Kosciusko 2 230
Adélaïde
Melbourne
Tasmanie
NOUVELLE-ZÉLANDE
Île du Nord
Île du Sud
WELLINGTON
Mont Cook 3 764
Îles Chatham
Îles Bounty
130°
140°
150°
160°
170°
180°
170°
160°
10°
0°
10°
20°
30°
40°

romaine; fille de Claude et de Messaline, sœur de Britannicus. En 53, elle épousa Néron, qui, devenu empereur, la répudia, puis la contraignit à se tuer.

Octavien (en lat. *Octavianus*). V. Octave.

octavon, onne adj. et n. Se dit d'une personne née d'un quarteron et d'une Blanche ou d'un Blanc et d'une quarteronne.

octet [ɔktɛ] n. m. INFORM Groupe de huit bits.

Octeville, ch.-l. de cant. de la Manche (arr. de Cherbourg); 18 322 hab.

octi-. V. oct-.

octo-. V. oct-.

octobre n. m. Dixième mois de l'année, comprenant trente et un jours. ▷ *Les journées d'octobre* : V. encycl. – *La révolution d'Octobre* : V. encycl.

ENCYCL **Hist.** – *Les journées d'octobre 1789* (journées des 5 et 6) furent des journées d'émeutes qui, commencées le 5 à Paris, virent la foule marcher sur Versailles; elle imposa à Louis XVI et à sa famille de venir résider aux Tuileries, où ils furent en réalité prisonniers du peuple. – *La révolution d'Octobre,* insurrection dirigée par les bolcheviks, renversa à Petrograd le gouv. socialiste de Kerenski en 1917. Lénine et Trotski la déclenchèrent le 24 oct. (du calendrier russe, c.-à-d. le 6 nov.); elle triompha le 26 oct. (8 nov.). Lénine constitua alors le Conseil des commissaires du peuple, qu'il présida, et instaura la dictature du prolétariat.

octocoralliaires n. m. pl. ZOOL Classe de cnidaires anthozoaires qui comprend notam. les alcyons et le corail rouge. – Sing. *Un octocoralliaire.*

octogénaire adj. et n. Qui a entre quatre-vingts et quatre-vingt-dix ans. ▷ Subst. *Un(e) octogénaire.*

octogonal, ale, aux adj. En forme d'octogone.

octogone n. m. GEOM Polygone qui a huit angles (et donc huit côtés).

octopode adj. et n. m. **1.** adj. Qui a huit pieds, huit tentacules. **2.** n. m. pl. ZOOL Ordre de mollusques céphalopodes dibranchiaux dépourvus de coquille et possédant huit bras, qui comprend notam. la pieuvre et l'argonaute. – Sing. *Un octopode.*

octosyllabe [ɔktosil(l)ab] adj. et n. m. Qui a huit syllabes. ▷ n. m. Vers octosyllabe.

octroi n. m. **1.** Action d'octroyer. *Octroi d'un privilège.* **2.** Anc. Impôt perçu par les villes sur certaines des marchandises qui y entraient. ▷ *Par ext.* Administration qui percevait cet impôt. – Bureau où il était versé.

octroyer v. tr. [**23**] **1.** Concéder, accorder comme une faveur. *Octroyer une grâce.* ▷ v. pron. Fam. *S'octroyer un peu de repos.* **2.** Allouer. *La maigre pension qu'on lui octroie.*

octuor [ɔktɥɔʀ] n. m. MUS **1.** Morceau écrit pour huit voix ou huit instruments. **2.** Groupe de huit musiciens ou de huit chanteurs.

oculaire adj. et n. m. **I.** adj. **1.** Qui a rapport à l'œil, de l'œil. *Globe oculaire.* **2.** *Témoin oculaire,* qui a vu une chose de ses propres yeux. **II.** n. m. Lentille ou système de lentilles qui, dans un instrument d'optique, est proche de l'œil de l'observateur (par oppos. à *objectif*).

ocularist e n. Didac. Fabricant de pièces de prothèse oculaire.

oculiste n. Vieilli Syn. de *ophtalmologiste.*

oculomoteur, trice adj. MED Relatif aux mouvements des yeux.

oculus [ɔkylys] n. m. ARCHI Syn. de *œil-de-bœuf. Des oculi* ou *des oculus.*

ocytocine n. f. BIOCHIM Hormone post-hypophysaire qui stimule les contractions du muscle utérin lors de l'accouchement et qui active l'hormone antidiurétique.

ocytocique adj. BIOCHIM Qui stimule les contractions du muscle utérin.

od(o)-, -ode. Éléments, du grec *hodos,* « route » (ex. *cathode, anode, diode*).

odalisque n. f. **1.** Anc. Esclave remplissant les fonctions de femme de chambre auprès des femmes du sultan. **2.** Cour. Femme de harem.

Odawara, v. du Japon (Honshū), sur la baie de Sagami; 185 940 hab. – Temple bouddhique du XVe s.

-ode. V. od(o)-.

ode n. f. LITTER **1.** Poème chanté, chez les anciens Grecs. **2.** Poème lyrique d'inspiration élevée, composé de strophes le plus souvent symétriques ou de stances.

odelette n. f. LITTER Petite ode.

Odense, port de comm. du Danemark, ch.-l. de l'île de Fionie; 177 600 hab. Industr. métallurgiques, alimentaires, textiles; constr. navales. – Égl. Notre-Dame (XIIe s.), St-Knud (XIVe s.; tombeaux royaux).

Odenwald, massif montagneux (alt. max. 626 m au Katzenbuckel) d'Allemagne, dans la Hesse. Il borde le fossé rhénan.

odéon n. m. **1.** ANTIQ Théâtre couvert, consacré à la musique et au chant dans le monde grec et le monde romain. *L'odéon de Périclès à Athènes.* **2.** Nom donné à certaines salles de spectacle, généralement consacrées à l'art dramatique ou à l'art lyrique.

Odéon (Théâtre national de l'), théâtre de Paris construit de 1779 à 1782 par Peyre et Wailly; incendié en 1799, reconstruit par Chalgrin (1808), incendié de nouveau en 1818, il fut rebâti par Baraguey et Prévost, et rouvert en 1820. Théâtre subventionné, il accueille aujourd'hui le Théâtre de l'Europe.

Oder (en polonais *Odra*), fl. de Pologne (848 km); il naît dans les Sudètes, en Rép. tchèque, arrose Ostrava, Wrocław, Francfort-sur-l'Oder, Szczecin et se jette dans la Baltique après avoir servi de frontière avec l'Allemagne.

Oder-Neisse (ligne) (en polonais *Odra-Nysa*), frontière occid. de la Pologne, dont le tracé fut décidé par les accords de Potsdam (1945). Ce tracé, reconnu par la R.D.A. en 1950, fut ratifié par la Pologne et par l'Allemagne réunifiée en 1990 (traité de Varsovie).

Odessa, v. d'Ukraine, princ. port sur la mer Noire; 1 148 000 hab.; ch.-l. de la prov. du m. nom. Métallurgie; constr. mécaniques et navales; industr. textiles et alimentaires; raff. de pétrole. – Créée (1796) par Catherine de Russie sur le site d'*Odessos,* anc. colonie grecque, la ville grandit rapidement et devint, au XIXe s., le premier port de la Russie (export. de céréales). En 1905, les marins du cuirassé *Potemkine* se révoltèrent en rade d'Odessa.

Odet, fl. côtier de Bretagne (56 km); arrose Quimper, où il s'élargit en ria jusqu'à Bénodet (station touristique).

Odets (Clifford) (Philadelphie, 1906 – Los Angeles, 1963), écrivain américain. Dans ses pièces de théâtre (bon nombre furent adaptées à l'écran), il traite des thèmes sociaux, avec un optimisme souvent utopique : *En attendant Lefty* (1935), *Musique de nuit* (1940), *Une fille de la campagne* (1950).

odeur n. f. Émanation volatile produite par certains corps et perçue par l'organe de l'odorat. *Bonne, mauvaise odeur. Une odeur de moisi.* ▷ Loc. fig. *Mourir en odeur de sainteté* : mourir saintement après une vie de piété. (À cause d'une croyance selon laquelle les cadavres de certains saints particulièrement vénérables auraient exhalé une odeur exquise.) – Par ext. *N'être pas en odeur de sainteté auprès de qqn,* ne pas jouir de son estime.

-odie. Élément, du gr. *ôdê,* « chant ».

odieusement adv. D'une manière odieuse.

odieux, euse adj. **1.** Qui suscite l'aversion, l'indignation. *Se rendre odieux. Mensonge odieux.* **2.** (Personnes) Très désagréable; méchant et grossier. *Il a été odieux avec elle.*

Odile (sainte) (?, v. 660 – Hohenburg, v. 720), fondatrice et prem. abbesse du monastère de Hohenburg (sur le *mont Sainte-Odile,* en Alsace). Patronne de l'Alsace.

Odin ou **Odinn,** divinité princ. de la myth. scandinave, assimilé au Wotan des Germains. Il est le dieu de la Sagesse, de la Poésie et surtout de la Guerre.

odo-. V. od(o)-.

Odoacre (?, v. 434 – Ravenne, 493), roi des Hérules. Il prit Rome en 476 et mit fin à l'empire d'Occident. Vaincu et assassiné par Théodoric, roi des Ostrogoths, à l'issue du siège de Ravenne (490-493).

odomètre n. m. Didac. Syn. de *podomètre.*

odonates n. m. pl. ENTOM Ordre d'insectes de type broyeur, à longues ailes. – Sing. *La libellule est un odonate.*

odontalgie n. f. MED Mal de dent.

odont(o)-. Élément, du gr. *odous, odontos,* « dent ».

odontocètes n. m. pl. ZOOL Sous-ordre de cétacés pourvus de dents (dauphins, cachalots, narvals, etc.). – Sing. *Un odontocète.*

odontologie n. f. MED Étude des dents et de leurs affections, médecine dentaire.

odontologiste n. Didac. Spécialiste de l'odontologie.

odontostomatologie n. f. MED Discipline regroupant l'odontologie et la stomatologie, médecine de la bouche et des dents.

odorant, ante adj. Qui répand une odeur (partic. une bonne odeur). *Substance odorante.* Ant. inodore.

odorat n. m. Sens par lequel l'homme et les animaux perçoivent et reconnaissent les odeurs.

odoriférant, ante adj. Qui répand une odeur agréable.

Odra. V. Oder.

odyssée n. f. **1.** Didac. Récit d'un voyage riche en péripéties. **2.** Cour. Voyage plein de péripéties; vie mouvementée.

Odyssée, poème épique grec en 24 chants attribué à Homère et princ. consacré aux péripéties du retour d'Ulysse* à Ithaque, son royaume, après la chute de Troie.

Oe (Kenzaburo) (Ose, île de Shikoku, 1935), écrivain japonais : *Une affaire personnelle* (1964), *Dites-nous comment survivre à notre folie* (1969), *Parents de la vie* (1989). P. Nobel 1994.

O.É.A. Sigle de *Organisation* des États américains.*

Œben (Jean François) (Eusbern, v. 1720 - Paris, 1763), ébéniste français d'origine allemande; créateur du style dit «de transition» Louis XV-Louis XVI.

œcoumène. V. écoumène.

œcuménique [ekymenik; økymenik] adj. **1.** RELIG Universel. ▷ *Conseil œcuménique des Églises :* association créée en 1948 pour la communion fraternelle des Églises chrétiennes non catholiques en quête d'unité. ▷ *Patriarche œcuménique :* titre que se donnaient les patriarches de Constantinople. ▷ *Concile œcuménique :* V. concile. **2.** Relatif à l'œcuménisme. - Qui rassemble les Églises.

œcuménisme n. m. RELIG Mouvement visant la réunion de toutes les Églises chrétiennes.

œcuméniste adj. et n. De l'œcuménisme. ▷ Subst. Partisan de l'œcuménisme.

œdémateux, euse adj. MED **1.** De la nature de l'œdème. **2.** Atteint d'œdème.

œdème [edɛm; ødɛm] n. m. MED Infiltration séreuse d'un tissu, qui se traduit par un gonflement localisé ou diffus.

œdipe [edip; ødip] n. m. PSYCHAN *Œdipe* ou *complexe d'Œdipe :* ensemble des désirs amoureux et des sentiments d'hostilité éprouvés par l'enfant à l'égard de ses parents.

Œdipe, héros de la myth. gr., fils de Laïos, roi de Thèbes, et de Jocaste. L'oracle de Delphes ayant prédit qu'il tuerait son père et épouserait sa mère, Œdipe fut abandonné à sa naissance par ses parents. Recueilli et élevé par Polybos, roi de Corinthe, il apprend qu'il n'est qu'un enfant trouvé et va consulter l'oracle de Delphes, qui lui révèle la terrible vérité. Effrayé, il fuit Corinthe. Sur la route, il se querelle avec un étranger, qui n'est autre que Laïos, son père, et le tue. Aux portes de Thèbes, il affronte le Sphinx et résout sa célèbre énigme, ce qui provoque la mort du Sphinx; comme Créon offrait alors la couronne de Thèbes et la main de Jocaste au vainqueur du monstre, il est proclamé roi (en grec *tyran*) de Thèbes et épouse sa propre mère. Mais le couple découvre la vérité : Jocaste se pend; Œdipe se crève les yeux et part en exil, avec sa fille Antigone.

Œdipe et le Sphinx

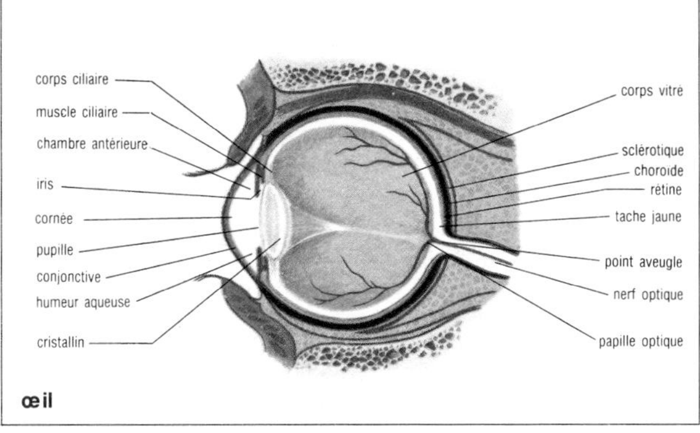

œil

œdipien, enne adj. PSYCHAN Qui a trait à l'œdipe; qui est de la nature de l'œdipe. *Situation œdipienne.*

Oehlenschläger (Adam Gottlob) (Copenhague, 1779 - id., 1850), écrivain danois. Il introduit le romantisme au Danemark avec ses poésies (*les Cornes d'or,* 1801; *les Dieux nordiques,* poèmes mythologiques, 1818) et ses tragédies (*Palmatoke,* 1809; *la Saga de Hour,* 1817).

Oehmichen (Étienne) (Châlons-sur-Marne, 1884 - Paris, 1955), ingénieur français qui effectua le premier vol en hélicoptère (1924).

œil [œj], plur. **yeux** [jø] n. m. **I. 1.** Organe de la vue (le globe oculaire : iris, pupille, etc.; les paupières). *Avoir les yeux bleus, noirs.* - Fig. et prov. (Allus. biblique.) *Œil pour œil, dent pour dent,* formule de la loi du talion*. - *Avoir de bons yeux,* une bonne vue. - Loc. fig. *Avoir bon pied, bon œil :* être en bonne santé. - *Faire les gros yeux à qqn, à un enfant,* le regarder en prenant un air sévère. **2.** *Ouvrir, fermer les yeux,* les paupières. *Ouvrir des yeux ronds* (sous l'effet de la surprise). - Fig. *Ouvrir* (ou *avoir*) *l'œil :* être très attentif. - Fig. *Ouvrir les yeux à qqn,* faire en sorte qu'il se rende à l'évidence. ▷ Fig. *Fermer les yeux :* mourir. *Fermer les yeux à qqn,* l'assister dans ses derniers moments. - Fig. *Fermer les yeux sur une chose,* faire semblant, par complicité, par indulgence ou par lâcheté, de ne pas la voir. - *Ne pas fermer l'œil (de la nuit) :* ne pas trouver le sommeil. ▷ *Cligner de l'œil, des yeux. Faire un clin d'œil à qqn.* **3.** Regard. *L'œil du maître. Jeter un œil sur qqch,* l'examiner rapidement. - Fam. *Faire de l'œil à (qqn) :* cligner de l'œil avec un regard appuyé pour exprimer la connivence ou une invite amoureuse. - *Ses yeux sont tombés sur moi :* il m'a aperçu subitement. - *Sous les yeux de qqn :* à sa vue; juste devant lui. - *Cela saute aux yeux, crève les yeux :* cela est d'une évidence criante. - *Ne pas avoir les yeux dans sa poche :* voir (souvent en faisant preuve d'une certaine indiscrétion) ce qui normalement n'attirerait pas l'attention de qqn d'autre. - *Visible à l'œil nu,* sans l'aide d'un instrument d'optique. - Fig. *Surveiller d'un œil,* distraitement. ▷ *Coup d'œil :* regard rapide. *Jeter un coup d'œil sur qqch.* - *Avoir le coup d'œil :* avoir le regard exercé, voir les choses promptement et avec exactitude. ▷ *Mauvais œil :* regard qui est censé porter malheur, faculté de porter malheur. **4.** Loc. fig. *Coûter les yeux de la tête :* coûter excessivement cher. - Fam. *Sortir par les yeux :* exaspérer à force d'insistance. - *Pour les beaux yeux de (qqn) :* sans contrepartie. - *Tourner de l'œil :* s'évanouir. - Pop. *Se battre l'œil de qqch,* s'en moquer, n'y attacher aucune importance. - Pop. *Se mettre le doigt dans l'œil :* se tromper lourdement. ▷ Loc. exclam. fam. *Mon œil!* (exprimant l'incrédulité). ▷ Loc. adv. *À l'œil :* gratuitement (propr. vx : en faisant crédit à qqn sur sa mine). **5.** (En tant qu'indice des qualités de l'âme, du caractère.) *L'œil mauvais, fourbe,* etc. ▷ Disposition, état d'esprit. *Voir qqn, qqch, d'un bon œil, d'un mauvais œil :* considérer qqn, qqch, favorablement, défavorablement. **II.** *Par anal.* (de fonction). **1.** *Œil de verre :* œil artificiel en verre ou en émail qui remplace, dans l'orbite, un œil perdu. **2.** *Œil électrique :* cellule photoélectrique. **III.** *Par anal.* (de forme). **1.** TECH (Plur. *œils*). Ouverture, trou, sur divers articles ou instruments. *L'œil d'une aiguille,* son chas. *Œil d'une roue,* par lequel passe son axe. *Œil d'un marteau,* dans lequel on fixe le manche. ▷ IMPRIM Relief qui constitue la lettre, sur un caractère. **2.** Bulle de graisse qui nage à la surface d'un bouillon. ▷ Chacun des trous qui se trouvent dans la mie de pain, dans certains fromages. **3.** ARBOR Bouton, bourgeon.

ENCYCL **Anat.** - L'œil humain est un organe irrégulièrement sphérique, de 2 à 3 cm de diamètre, qui pèse de 7 à 8 g. Calé dans l'orbite par un coussinet adipeux, il est fixé à l'os par 6 muscles moteurs. L'œil est formé de 3 enveloppes (de l'extérieur vers l'intérieur) : la *sclérotique,* la *choroïde* et la *rétine.* La sclérotique (le «blanc» de l'œil), cartilagineuse, devient transparente à la partie antérieure de l'œil, formant la *cornée.* Derrière, la choroïde se prolonge par les *procès ciliaires* et l'*iris,* qui limite la *pupille,* ouverture à diamètre variable, derrière laquelle se trouve une lentille biconvexe, le *cristallin.* La rétine, seule membrane sensible aux rayons lumineux, contient les cellules visuelles à cônes et à bâtonnets. On distingue sur la rétine deux points spéciaux : la *tache jaune,* où se forment le plus nettement les images, et le *point aveugle,* où s'épanouit le nerf optique et qui est insensible aux rayons lumineux. Entre la cornée et le cristallin se trouve un liquide, l'*humeur aqueuse* et, à l'intérieur de l'œil, l'*humeur vitrée.* Les anomalies de l'œil entraînent des troubles de la vision : anomalies de courbure du cristallin ou de la rétine *(hypermétropie, presbytie, astigmatisme);* anomalie chromatique *(daltonisme).*

œil-de-bœuf n. m. Ouverture ronde ou ovale destinée à donner du jour. *Des œils-de-bœuf.* Syn. oculus.

œil-de-chat n. m. Chrysobéryl chatoyant dont les nuances peuvent varier du jaune-vert au mauve-gris. *Des œils-de-chat.*

œil-de-perdrix n. m. Cor entre deux orteils. *Des œils-de-perdrix.*

œil-de-tigre n. m. Quartz à inclusions d'amiante silicifiée présentant des fibres parallèles à reflets jaune d'or. *Des œils-de-tigre.*

œillade [œjad] n. f. Coup d'œil furtif, clin d'œil en signe de connivence, spécial. en signe d'invite amoureuse.

œillère [œjɛʀ] n. f. **1.** Chacune des deux pièces de cuir attachées au montant de la bride d'un cheval pour l'empêcher de voir sur les côtés. ▷ Fig. *Avoir des œillères :* avoir une vue étroite ou partisane des choses; être borné. **2.** Petit récipient ovale pour les bains d'œil.

1. œillet [œjɛ] n. m. **1.** Petit trou rond, souvent bordé d'un renfort, servant à passer un cordon, un lacet, un cordage, un bouton, etc. **2.** Petite pièce métallique circulaire qui sert à renforcer la bordure d'un œillet. *Pince à œillet.* – Toute pièce servant à renforcer les bordures d'une perforation circulaire.

2. œillet [œjɛ] n. m. **1.** Plante ornementale dicotylédone dialypétale, à fleurs très odorantes de diverses couleurs. **2.** *Œillet d'Inde :* tagète (fam. composées).

1. œilleton [œjtɔ̃] n. m. Pièce adaptée à l'oculaire d'un instrument d'optique, d'un appareil photo, etc., pour permettre une meilleure position de l'œil de l'observateur. ▷ Petit viseur circulaire qui remplace le cran de mire sur certaines armes.

2. œilleton [œjtɔ̃] n. m. BOT Rejet (sens II) de certaines plantes qu'on utilise pour leur reproduction. *Des œilletons d'artichaut.*

œilletonner v. tr. [1] ARBOR **1.** Multiplier (une plante) en séparant les œilletons. **2.** Débarrasser (un arbre fruitier) de ses œilletons à feuilles; débarrasser (un arbre) de ses bourgeons à bois.

œillette [œjɛt] n. f. Pavot *(Papaver somniferum* var. *nigrum)* aux graines oléagineuses, dont on extrait l'*huile d'œillette.*

œkoumène. V. écoumène.

œn(o)-. Élément, du gr. *oinos,* « vin ».

œnanthe [ønɑ̃t] n. f. BOT Plante herbacée aquatique (genre *Œnanthe,* fam. ombellifères), glabre et vénéneuse.

œnologie [enɔlɔʒi; ønɔlɔʒi] n. f. Technique de la fabrication et de la conservation des vins.

œnologique adj. Didac. Relatif à l'œnologie.

œnologue n. Spécialiste d'œnologie.

œnométrie [enɔmetʀi; ønɔmetʀi] n. f. TECH Analyse des caractéristiques d'un vin.

œnothera [enɔteʀa; ønɔteʀa] ou **œnothère** [enɔtɛʀ; ønɔtɛʀ] n. m. BOT Onagre (plante).

œnothéracées [ønɔteʀase] n. f. pl. BOT Famille de plantes dicotylédones dialypétales, fréquentes dans les lieux humides, qui comprend notam. l'épilobe et le fuchsia. Syn. onagrariacées. – Sing. *Une œnothéracée.*

Œrsted ou **Ørsted** (Hans Christian) (Rudkå bing, 1777 – Copenhague, 1851), physicien danois; il découvrit l'existence du champ magnétique créé par un courant électrique (1820).

Œsel ou **Ösel** (île d'). V. Saarema.

Œsling. V. Ösling.

œsophage [ezɔfaʒ] n. m. ANAT Segment du tube digestif qui relie le pharynx à l'estomac.

œsophagien, enne [ezɔfaʒjɛ̃, ɛn] adj. ANAT, MED Relatif à l'œsophage.

œsophagite [ezɔfaʒit] n. f. MED Inflammation de l'œsophage.

œsophagoscope [ezɔfagɔskɔp] n. m. MED Instrument servant à explorer l'œsophage.

œstradiol [østʀadjɔl] n. m. BIOL Œstrogène naturel très actif, considéré comme la véritable hormone femelle. (V. encycl. œstrogène.)

œstral, ale, aux [østʀal, o] adj. BIOL Relatif à l'œstrus. – *Cycle œstral :* succession de modifications cycliques affectant l'appareil génital des femelles des mammifères durant la période où elles sont aptes à la reproduction.

œstre [østʀ] n. m. ENTOM Mouche au corps épais et velu, qui dépose ses œufs sous la peau ou dans les fosses nasales (*œstre du mouton*) des animaux domestiques.

œstrogène [østʀɔʒɛn; ɛstʀɔʒɛn] adj. et n. m. BIOL Qui déclenche l'œstrus chez la femme et les femelles des mammifères. *Hormones œstrogènes.* ▷ n. m. *Les œstrogènes.*

ENCYCL Chez la femme, les œstrogènes naturels, œstradiol et œstrone (ou folliculine), sont synthétisés par l'ovaire et par le placenta au cours de la grossesse et, chez l'homme, dans les testicules. En dehors de la grossesse, la sécrétion d'œstrogènes par la femme est cyclique, avec un pic au 14e jour du cycle, correspondant à l'ovulation. Cette sécrétion dépend des hormones hypophysaires.

œstrone [østʀɔn; ɛstʀɔn] n. f. BIOL Syn. de *folliculine.*

œstrus [østʀys] n. m. BIOL Phase du cycle œstral de la femme et des femelles des mammifères, correspondant à l'ovulation et à la période où la fécondation est possible.

Œta, montagne de Grèce (S. de la Thessalie, 2 152 m) qui domine le défilé des Thermopyles.

œuf [œf], plur. **œufs** [ø] n. m. **I. 1.** Produit de la ponte externe des oiseaux, de forme caractéristique *(ovoïde),* comprenant une coquille, des membranes, des réserves. *Le blanc et le jaune de l'œuf. Œuf d'autruche.* ▷ ZOOL Produit de la ponte des reptiles, des poissons, des insectes. *Œuf de serpent. Œufs de cabillaud. Œufs d'esturgeon* (caviar). **2.** Œuf de poule, en tant qu'aliment. *Œuf à la coque, en gelée, sur le plat. Œuf dur.* **3.** Loc. fig. *Mettre tous ses œufs dans le même panier :* faire dépendre d'une seule chose une entreprise. – *Marcher sur des œufs :* se conduire avec une circonspection extrême dans des circonstances délicates. – *Tondre un œuf :* tenter de tirer profit des plus petites choses, être sordidement avare. – *Plein comme un œuf :* tout à fait plein, dans quoi il ne reste pas la moindre place. – *Étouffer, tuer dans l'œuf :* faire avorter (une entreprise à l'état de projet). – *C'est l'œuf de Colomb :* c'est une solution simple mais à laquelle il fallait penser

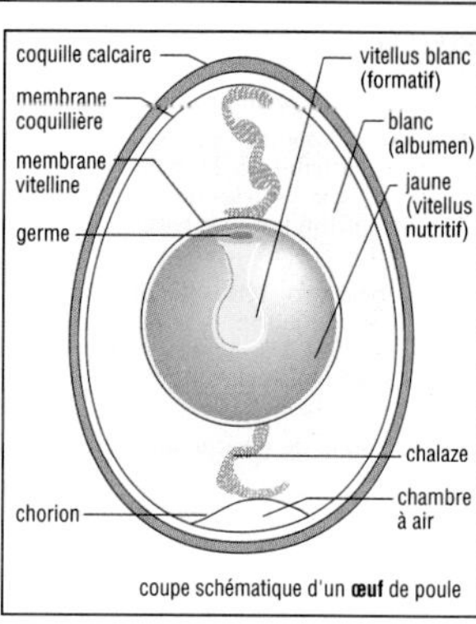

coupe schématique d'un **œuf** de poule

(allusion à une anecdote selon laquelle Christophe Colomb aurait fait tenir debout un œuf, en en écrasant légèrement le bout). – Pop. *Va te faire cuire un œuf! :* va au diable, va te faire pendre ailleurs! **4.** Par anal. *Œuf de Pâques :* confiserie en forme d'œuf, en sucre ou en chocolat, que l'on offre (aux enfants, en partic.) à l'occasion de Pâques. **II.** BIOL Cellule résultant de la fécondation du gamète femelle par le gamète mâle et dont le développement donnera un nouvel être vivant, animal ou végétal. Syn. zygote.

œuvé, ée [œve] adj. Se dit d'un poisson femelle qui porte des œufs. *Hareng œuvé.*

œuvre [œvʀ] n. **I.** n. f. **1.** Ce qui est fait, produit par quelque agent et qui subsiste après l'action. *Faire œuvre utile.* – Loc. *Être le fils de ses œuvres :* être arrivé au succès par son propre mérite. **2.** Action, activité, travail. Prov. *À l'œuvre on connaît l'ouvrier* (ou *l'artisan*). – *Être, se mettre à l'œuvre.* – *Mettre qqch en œuvre :* employer (qqch) pour un usage déterminé; fig. avoir recours à (qqch). *Mettre tout en œuvre pour réussir.* ▷ Vieilli *Œuvre de chair :* relations sexuelles, dans le vocabulaire de la morale chrétienne. **3.** Organisation charitable. *Œuvre de bienfaisance. Laisser une partie de sa fortune à des œuvres.* **4.** Ouvrage littéraire, production artistique. *Œuvres choisies, complètes d'un écrivain. Une œuvre de jeunesse, de maturité.* **5.** MAR (Plur.) *Œuvres vives d'un navire :* partie de la coque qui est au-dessous de la ligne de flottaison. *Œuvres mortes,* au-dessus de la ligne de flottaison. **II.** n. m. **1.** ALCHIM *Le grand œuvre :* la recherche de la pierre philosophale. **2.** Litt. Ensemble des œuvres (plastiques, en partic.) d'un artiste. *L'œuvre peint de Michel-Ange.* **3.** CONSTR *Gros œuvre :* ensemble des ouvrages qui assurent la stabilité et la résistance d'une construction. *Second œuvre :* ensemble des aménagements. *En œuvre, hors œuvre :* dans le corps, hors du corps du bâtiment. – Loc. *À pied d'œuvre :* très près de la construction que l'on élève. *Apporter des matériaux à pied d'œuvre.* – Fig., cour. *Être à pied d'œuvre :* être sur le point d'entreprendre une besogne.

œuvrer [œvʀe] v. intr. [1] Travailler, agir. *Œuvrer pour une cause.*

œuvrette n. f. Petite œuvre littéraire; œuvre mineure.

1. off [ɔf] adj. inv. Syn. de *hors champ.*

2. off [ɔf] adj. inv. Se dit d'un spectacle ne figurant pas à l'affiche d'un programme officiel mais qui est donné en marge de celui-ci. *Festival officiel et festival off.*

Offenbach, v. d'Allemagne (Hesse), sur le Main, dans l'aggl. de Francfort; 107 080 hab. Industr. du cuir; métallurgie; prod. chimiques. – Château (XVIe s.)

Offenbach (Jacques) (Cologne, 1819 – Paris, 1880), compositeur français d'origine allemande; le grand maître de l'opérette au XIXe s. : *Orphée aux enfers* (1858), *la Belle Hélène* (1864), *la Vie parisienne* (1866), *la Grande-Duchesse de Gerolstein* (1867), *la Périchole* (1868), sur des livrets de Meilhac et Halévy. Son opéra fantastique, *les Contes d'Hoffmann,* fut créé en 1881 à l'Opéra-Comique.

Jacques **Offenbach**

Georg Simon **Ohm**

offensant, ante adj. Qui offense. *Des paroles offensantes.*

offense n. f. **1.** Injure, affront. *Faire, recevoir une offense. Offense envers un chef d'État.* **2.** RELIG Péché (outrage fait à Dieu).

offensé, ée adj. et n. Qui a reçu une offense. *Susceptibilité offensée.* ▷ Subst. *C'était l'offensé qui, dans un duel, avait le choix des armes.*

offenser v. [1] **I.** v. tr. **1.** Heurter, blesser, froisser. *Offenser un ami.* – Vieilli ou litt. *Offenser la morale. Un spectacle qui offense la vue.* **2.** RELIG *Offenser Dieu,* par le péché. **II.** v. pron. Se fâcher, se vexer, se considérer comme offensé.

offenseur n. m. Celui qui offense.

offensif, ive adj. et n. f. **I.** adj. Qui attaque; qui sert à attaquer. *Grenade offensive.* **II.** n. f. **1.** Initiative des opérations militaires. *Prendre l'offensive.* – Par ext. *Une offensive diplomatique.* **2.** Fig. Attaque.

offertoire n. m. LITURG Moment de la messe où le prêtre fait l'oblation du pain et du vin.

office n. **I.** n. m. **1.** Vx Devoir. **2.** Vieilli Fonction. – Loc. Mod. *Remplir son office. Faire office de :* servir de. ▷ Loc. *D'office :* sans l'avoir demandé, par ordre d'une autorité supérieure. *Avocat désigné d'office.* – PSYCHIAT *Hospitalisation d'office :* hospitalisation d'un malade mental susceptible de troubler l'ordre public ou d'atteindre à la sûreté des personnes, sur ordre de l'autorité administrative et sur avis médical. **3.** (Plur.) *Bons offices :* services. *Offrir ses bons offices à qqn.* – Médiation diplomatique. **4.** Anc. Charge avec juridiction. **5.** Fonction publique conférée à vie. *Office de notaire.* **6.** Bureau, agence. *Office touristique.* **7.** ADMIN Établissement d'État ou d'une collectivité publique doté de la personnalité morale et de l'autonomie financière. *Office national des forêts.* **8.** LITURG *Office divin* ou, absol., *office :* service religieux. *L'office des morts.* **II.** n. f. (rare ou rég.) ou m. (cour.) Pièce proche de la cuisine où les gens de maison préparent le service de la table.

Office de radiodiffusion télévision française (O.R.T.F.), établissement public qui, par la loi du 27 juin 1964, succéda à la Radio-Télévision française (R.T.F.). Supprimé en juillet 1974, l'O.R.T.F. a fait place à 6 entreprises indépendantes créées par la loi du 7 août 1974 et qui entrèrent en service le 1er janv. 1975 : Radio-France*, TF1*, Antenne 2 (V. France 2), FR3 (V. France 3), S.F.P.*, T.D.F.* La R.T.F., l'O.R.T.F. et ces 6 entreprises étaient ou sont des établissements publics, mais en 1987, TF1 est devenue une société privée.

Office national d'études et de recherches aérospatiales (O.N.É.R.A.), créé en France en 1946 (sous le nom d'*Office national d'études et de recherches aéronautiques*).

Offices (en ital. *Uffizi*) (palais ou galerie des), palais de Florence construit de 1560 à 1580 par Vasari pour Cosme Ier et où siégèrent les services administratifs *(uffizi)* de la rép. de Florence. Il est occupé auj. par un riche musée.

officialisation n. f. Action d'officialiser.

officialiser v. tr. [1] Rendre officiel.

officiant n. m. (et adj. m.) RELIG CATHOL Prêtre qui célèbre l'office.

officiel, elle adj. et n. m. **1.** Qui émane d'une autorité constituée. *Mettre en doute l'interprétation officielle d'un événement. Avis officiel d'une nomination. Le « Journal officiel ».* **2.** Qui représente une telle autorité. *Les personnages officiels.* ▷ n. m. *L'entrée des officiels.* – *Par ext.* Responsable, organisateur d'une compétition sportive.

officiellement adv. D'une manière officielle. *Candidat officiellement désigné.*

1. officier v. intr. [2] **1.** LITURG Célébrer l'office divin. **2.** Fig., plaisant Faire une chose banale en s'entourant d'une certaine solennité. *Il faut découper le poulet, voulez-vous officier ?*

2. officier n. m. **1.** Personne qui remplit une charge civile. *Officier ministériel. Officier de police judiciaire, de l'état civil.* **2.** Militaire qui exerce un commandement avec un grade allant de celui de sous-lieutenant (armée de terre, aviation) ou d'enseigne de vaisseau (marine) à celui de général ou d'amiral. *Officier de l'armée active* (ou *d'active*), *de réserve. Officiers supérieurs, officiers généraux.* ▷ Membre du commandement d'un navire marchand. ▷ Membre du personnel d'encadrement de l'Armée du Salut. **3.** Titulaire d'un grade, dans un ordre honorifique. *Officier de la Légion d'honneur,* qui possède le grade supérieur à celui de chevalier. *Grand officier de la Légion d'honneur,* entre commandeur et grand-croix. *Officier du Mérite agricole.*

officière n. f. Femme officier, dans l'Armée du Salut.

officieusement adv. D'une manière officieuse.

officieux, euse adj. Qui émane d'une source autorisée, mais qui n'a pas de caractère officiel. *La nouvelle est encore officieuse.*

officinal, ale, aux adj. Didac. Qui entre dans les préparations pharmaceutiques. *Plantes officinales.*

officine n. f. **1.** Laboratoire d'un pharmacien. **2.** Fig., péjor. Lieu où se trament des choses louches.

offlag. V. oflag.

offrande n. f. **1.** Litt. Don. *Apporter son offrande à une souscription.* **2.** Don fait à une divinité, à ses ministres. **3.** LITURG Partie de certaines messes solennelles où sont reçus les dons des fidèles.

offrant n. m. Loc. *Le plus offrant :* celui qui offre le prix le plus élevé. *Adjudication au plus offrant.*

offre n. f. **1.** Action d'offrir qqch. – *Spécial.* Fait de proposer un prix pour qqch; somme proposée. *Faire une offre.* V. offrir (sens 3). ▷ Ce qui est offert. *Accepter, repousser une offre.* **2.** DR Action de proposer le paiement d'une dette ou l'exécution d'une obligation pour éviter des poursuites. **3.** Quantité de marchandises ou de services proposée sur le marché. *La loi de l'offre et de la demande.* – *Appel d'offres :* V. appel. ▷ *Offre publique d'achat* (abrév. : O.P.A.) : offre publique faite par une société aux actionnaires d'une autre société de racheter leurs actions à un prix supérieur à celui coté en Bourse. – *Offre publique d'échange* (abrév. : O.P.E.), par laquelle une société fait connaître publiquement son intention d'échanger ses titres propres avec ceux d'une autre société.

offreur, euse n. et adj. ECON Se dit d'une personne, d'une société, d'un secteur économique qui offre un bien, un service. Ant. demandeur.

offrir v. [4] **I.** v. tr. **1.** Présenter, proposer (qqch à qqn). *Offrir ses services à qqn. Offrir des gâteaux. Offrir son bras à qqn,* en signe de civilité. **2.** Donner comme cadeau. *Offrir un disque à qqn pour Noël.* **3.** Proposer en échange (de qqch). *Il offre tant de la maison.* **4.** Présenter à la vue, à l'esprit. *Ce tableau offre un exemple de la seconde manière du peintre.* **II.** v. pron. *S'offrir à* (+ inf.) : se proposer pour (faire telle chose). *Je m'offre à vous reconduire.* ▷ Se présenter. *Une occasion s'offre à vous.*

offset [ɔfsɛt] n. m. inv. IMPRIM Procédé d'impression industrielle dérivé de la lithographie, dans lequel le report du texte ou de l'image à imprimer se fait d'abord de la forme d'impression sur un rouleau spécial (blanchet en caoutchouc), puis de ce rouleau au papier. – (En appos.) *Machine offset,* qui permet d'imprimer en offset.
▸ illustr. **imprimerie**

off shore ou **offshore** [ɔfʃɔʀ] adj. inv. et n. m. (Américanisme) **1.** TECH Qui a rapport aux techniques de recherche, de forage et d'exploitation des gisements pétroliers marins. *Prospection off shore.* ▷ n. m. *L'off shore :* l'ensemble de ces techniques. **2.** Par ext. ECON Se dit d'un établissement financier établi à l'étranger. Syn. (off. recommandé) extraterritorial.

offusquer v. tr. [1] **1.** Vieilli Obscurcir. *« Le soleil offusqué » (Paul Morand).* **2.** Choquer, porter ombrage à. *Son franc-parler offusque les gens.* ▷ v. pron. réfl. Être choqué, froissé. *S'offusquer d'une remarque.*

oflag ou **offlag** [ɔflag] n. m. Camp d'officiers prisonniers, en Allemagne, pendant les deux guerres mondiales.

Ogaden, région de plaines et de plateaux au S.-E. de l'Éthiopie, peuplée de Somalis nomades, et qui se prolonge en république de Somalie. – En 1977, une guerre a opposé l'Éthiopie à la Somalie dans l'Ogaden éthiopien révolté (Front de libération de l'Ogaden) contre Addis-Abeba. La paix entre les deux pays ne fut officiellement proclamée qu'en 1988.

Ogbomosho, v. du S.-O. du Nigeria (État de l'Ouest); 527 000 hab. Centre commercial (coton, cacao).

Ogino (Kyusaku) (Toyohashi, 1882 – Niigata, 1975), gynécologue japonais qui, avec l'Autrichien *Hermann Knaus* (Sank Veit, 1892 – Graz, 1970), mit au point en 1923 une méthode de contrôle naturel des naissances, fondée sur la détection de la date d'ovulation.

ogival, ale, aux adj. En forme d'ogive.

ogive n. f. **1.** Arc bandé en diagonale sous une voûte pour la renforcer. *Croisée d'ogives*, formée par deux arcs qui se croisent à la clef de voûte. *La voûte d'ogives est caractéristique des monuments du Moyen Âge de style gothique, du XIIe au XIVe s.* **2.** *Par ext., abusiv.* Arcade formée de deux arcs qui se coupent à angle aigu. **3.** Partie d'un objet dont le profil est en forme d'ogive. *L'ogive d'un obus.* – *Ogive nucléaire :* ogive d'une bombe ou d'un missile, contenant une charge nucléaire.

Oglio, riv. d'Italie (280 km), qui se jette dans le Pô (r. g.) au S. de Mantoue.

O.G.M. n. m. (Sigle de *organisme génétiquement modifié*) Organisme dont le matériel génétique a été modifié autrement que par multiplication ou recombinaison naturelle.

Ognon, riv. de France (190 km), qui conflue avec la Saône (r. g.) au S. de Gray (Haute-Saône).

Ogoday (v. 1185 – 1241), empereur mongol (1229-1241); troisième fils de Gengis khān.

Ogooué, fl. de l'Afrique équatoriale (970 km); il naît au N.-O. de Brazzaville, draine le Gabon et se jette dans l'Atlantique par un vaste delta.

ogre, ogresse n. Personnage mythique (légendes, contes de fées), géant(e) avide de chair humaine. – Loc. *Manger comme un ogre*, énormément.

oh! [o] interj. **1.** (Marquant la surprise ou l'admiration.) *Oh! c'est toi!* **2.** (Insistant de manière expressive sur ce que l'on dit.) *Oh! si je pouvais réussir!*

Ohana (Maurice) (Casablanca, 1914 – Paris, 1992), compositeur français d'origine espagnole. Il privilégie le lyrisme et l'expressivité : *Llanto por Ignacio Sánchez Mejías* (1950), *Autodafé* (cantate, 1971, et opéra, 1972), *la Celestina* (opéra, 1988).

ohé! [ɔe] interj. (Pour appeler.) *Ohé! du bateau!*

O. Henry (William Sidney Porter, dit) (Greensboro, Caroline du Nord, 1862 – New York, 1910), écrivain américain. Ses nouvelles sont empreintes d'un fatalisme teinté d'humour et du goût du paradoxe : *les Quatre Millions* (1906), *Pierres qui roulent* (posth., 1912).

O'Higgins (terre de). V. Graham (terre de).

O'Higgins (Bernardo) (Chillán, 1776 – Lima, 1842), général et homme politique chilien. Lieutenant de San Martín, il gouverna le Chili à partir de 1817, proclama l'indépendance en 1818 et engagea le pays sur la voie de son développement. Le général Freire le renversa en 1823.

Ohio, riv. de l'est des É.-U. (1 580 km), affluent du Mississippi (r. g.); né à Pittsburgh de la confluence de l'Allegheny et de la Monongahela, il passe à Cincinnati, Louisville, Evansville.

Ohio, État du N.-E. des É.-U., sur le lac Érié, bordé à l'E. et au S. par l'Ohio; 106 765 km^2; 10 847 000 hab.; cap. *Colombus.* – L'État, qui s'étend sur des plaines souvent limoneuses, a une agriculture puissante ainsi qu'un actif élevage bovin et porcin. La présence de houille, de pétrole et de gaz naturel a fait de l'Ohio un des États les plus industriels de l'Union. – Acquis par les Britanniques sur les Français (1763), cédé aux É.-U. (1783), l'Ohio devint le dix-septième État de l'Union (1803).

Ohlin (Bertil) (Klippan, 1899 – Vålådalen, 1979), économiste suédois (travaux sur les échanges internationaux). P. Nobel 1977.

ohm n. m. ELECTR Unité de résistance, de symbole Ω; résistance d'un conducteur que traverse un courant de 1 ampère lorsqu'une différence de potentiel de 1 volt est appliquée à ses extrémités.

Ohm (Georg Simon) (Erlangen, 1787 – Munich, 1854), physicien allemand. Ses travaux sur les courants électriques font de lui le fondateur de l'électrocinétique. ▷ ELECTR *Loi d'Ohm* (énoncée en 1826) : la différence de potentiel U aux extrémités d'une résistance R est égale au produit de cette résistance et de l'intensité I du courant qui la traverse (U = RI). ▶ illustr. page **1335**

ohmmètre n. m. ELECTR Instrument de mesure des résistances électriques.

Ohře (en all. *Eger*), riv. de la Rép. tchèque, affl. de l'Elbe (r. g.); naît en Allemagne; 310 km. Gisements de lignite dans sa vallée.

Ohrid, v. de Macédoine occid., sur le *lac d'Ohrid* (348 km^2), à la frontière albanaise; 26 500 hab. – Égl. Ste-Sophie, basilique byzantine des XIe et XIVe s. (fresques), St-Clément (XIIIe s.).

-oïde, -oïdal. Éléments, du gr. *-eidês*, de *eidos*, « aspect », indiquant l'idée de ressemblance.

oïdium [ɔidjɔm] n. m. **1.** BOT Moisissure microscopique, redoutable parasite des plantes. *Oïdium de la vigne, du houblon, du rosier.* **2.** Maladie due à ce champignon.

oie [wa] n. f. **1.** Oiseau migrateur (fam. anatidés, ordre des ansériformes) qui passe l'été dans les régions nordiques et l'hiver dans le sud de l'Europe, et dont une espèce est domestiquée depuis l'Antiquité. *On engraisse les oies domestiques pour obtenir le foie gras. Plume d'oie*, utilisée autref. pour écrire. **2.** *Jeu de l'oie :* jeu consistant à faire avancer un pion selon le nombre de points obtenus aux dés, sur un tableau à cases numérotées, où sont figurées des oies. ▷ *Pas de l'oie :* pas de parade en usage dans certaines armées qui s'effectue sans plier les jambes. **3.** Fig. et péjor. Personne fort niaise. *Oie blanche :* jeune fille candide et niaise.

Oignies, com. du Pas-de-Calais (arr. de Lens); 10 698 hab.

oignon [ɔɲɔ̃] n. m. **I. 1.** Plante potagère (fam. liliacées) cultivée pour ses bulbes, de saveur et d'odeur fortes, composés de plusieurs tuniques s'enveloppant les unes dans les autres. **2.** Bulbe de l'oignon. *Pleurer en épluchant des oignons* (à cause de l'huile volatile lacrymogène que renferme la plante). *Soupe, tarte à l'oignon.* **3.** Loc. fig., fam. *Aux petits oignons :* très bien. – *Se mêler de ses oignons :* s'occuper de ses affaires et non de celles des autres. – *En rang d'oignons :* aligné. **4.** Bulbe de diverses plantes, liliacées notam. *Oignons de tulipe.* **II.** Fig. **1.** Induration douloureuse qui se développe surtout près des orteils. **2.** Montre de gilet à verre bombé.

oie cendrée

oignonade n. f. Mets à base d'oignons.

oignonière [ɔɲɔnjɛʀ] n. f. AGRIC Terrain semé d'oignons.

oïl [ɔjl] Particule affirmative, forme anc. de « oui ». ▷ *Langue d'oïl*, parlée en France au Moyen Âge au nord de la Loire (par oppos. à *langue d'oc*). V. oc.

oindre v. tr. [**56**] **1.** Vx ou litt. Enduire d'une substance grasse. – (Prov.) *Oignez vilain, il vous poindra, poignez vilain, il vous oindra :* caressez un rustre, il vous rebutera; rebutez-le, il vous caressera (il faut en user rudement avec les gens grossiers si l'on veut être respecté). **2.** RELIG CATHOL Frotter avec les saintes huiles.

oint, ointe [wɛ̃, wɛ̃t] adj. et n. m. **I.** adj. **1.** Enduit d'une substance grasse, d'huile. **2.** Consacré avec une huile bénite. **II.** n. m. RELIG CATHOL Personne consacrée par l'onction. *L'Oint du Seigneur :* Jésus.

Oïrotes, peuple mongol de l'Altaï.

Oisans, région des Alpes du Dauphiné, au S.-E. de Grenoble, drainée par la Romanche. Hydroélectricité.

Oise, riv. de France (302 km), qui conflue avec la Seine (r. dr.) à Conflans-Sainte-Honorine; née en Belgique près de Chimay, elle arrose Compiègne, Creil, Pontoise. Navigable, elle est unie par de nombr. canaux aux rég. du Nord et de l'Est.

Oise, dép. franç. (60); 5 857 km^2; 725 603 hab.; 123,9 hab./km^2; ch.-l. *Beauvais.* V. Picardie (Rég.).

oiseau [wazo] n. m. **1.** Vertébré ovipare, couvert de plumes, ayant deux pattes et deux ailes, à la tête munie d'un bec et généralement adapté au vol. – *Chant, cri, gazouillis, sifflement des oiseaux. Migration des oiseaux. La classe des oiseaux.* – Litt. *L'oiseau de Jupiter :* l'aigle. *L'oiseau de Minerve :* la chouette. **2.** Loc. fig. *L'oiseau s'est envolé :* la personne que l'on venait chercher est déjà partie. *Être comme l'oiseau sur la branche**. – Prov. *Petit à petit l'oiseau fait son nid :* des efforts patients conduisent au but. ▷ *À vol d'oiseau :* en ligne droite. **3.** Fam., péjor. Individu. *En voilà un drôle d'oiseau! Oiseau de malheur, de mauvais augure**. – Plaisant, souvent iron. *Oiseau rare :* personne douée de qualités exceptionnelles. **4.** TECH Chevalet de couvreur.

oiseau-lyre n. m. Ménure. *Des oiseaux-lyres.*

oiseau-mouche n. m. Colibri. *Des oiseaux-mouches.*

oiseler v. tr. [**19**] Dresser (un oiseau) pour la chasse au vol.

oiseleur n. m. Celui qui fait métier de prendre les oiseaux.

oiselier, ère n. Personne qui élève des oiseaux et les vend.

oiselle n. f. **1.** Vx Femelle d'oiseau. **2.** Mod., fam. et péjor. Jeune fille niaise et naïve.

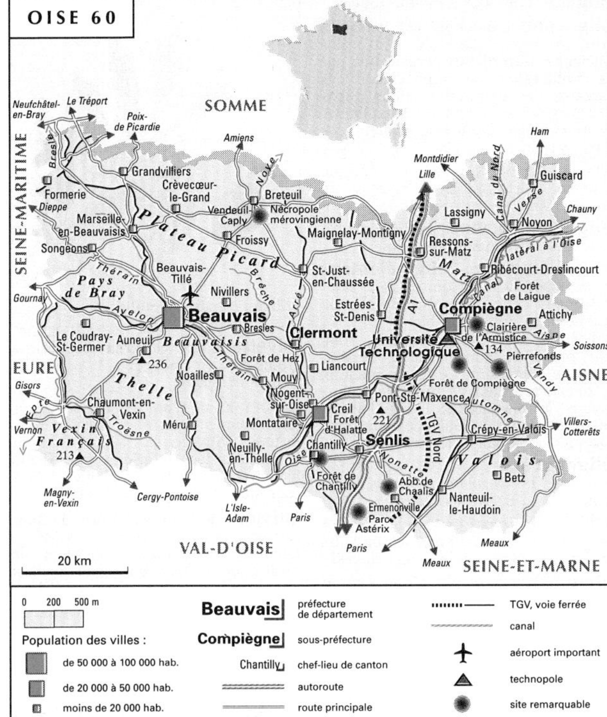

oisellerie n. f. **1.** Métier de l'oiselier. **2.** Endroit où l'on élève des oiseaux.

oiseux, euse adj. Inutile, vain. *Discours oiseux.*

oisif, ive adj. et n. **1.** adj. Inactif, désœuvré, sans occupation. **2.** n. Personne qui n'exerce aucune profession, dont tout le temps est libre.

oisillon n. m. Petit oiseau. – Jeune oiseau.

oisivement adv. D'une manière oisive.

oisiveté n. f. État d'une personne oisive; désœuvrement.

oison n. m. Jeune oie.

Oissel, com. de la Seine-Maritime (arr. de Rouen), sur la Seine; 12 697 hab. Centre industriel.

Oïstrakh (David Feodorovitch) (Odessa, 1908 – Amsterdam, 1974), violoniste russe virtuose.

O.I.T. Sigle de *Organisation* internationale du travail.*

Ōita, port du Japon (Kyūshū); 398 100 hab.; ch.-l. du ken du m. nom. Industr. textiles; papeteries.

O.K. adv. et adj. inv. Fam. D'accord. ▷ adj. inv. Correct, convenable. *Tout est O.K.*

Oka, riv. de Russie (1 480 km), principal affluent de la Volga (r. dr.); elle draine la plaine russe au S. de Moscou.

okapi n. m. Ruminant artiodactyle des forêts de la Rép. dém. du Congo, haut de 1,60 m au garrot, au pelage marron, à la croupe et aux pattes antérieures rayées de blanc.

Okayama, v. du Japon, dans l'E. de Honshū; 572 500 hab.; ch.-l. du ken du m. nom; industr. chimiques et textiles. Porcelaines.

Okazaki, v. du Japon, dans l'île de Honshū; 285 000 hab.

O'Keefe (Georgia) (Sun Prairie, Wisconsin, 1887 – Santa Fe, 1986), peintre américaine. Épouse d'A. Stieglitz, elle tire du réel une vision fantastique et visionnaire.

Okeghem. V. Ockeghem.

Okhotsk (mer d'), mer bordière du Pacifique (env. 1 590 000 km^2), entre les côtes de la Sibérie et l'archipel des Kouriles; très poissonneuse.

Okinawa, principale île de l'archipel japonais des Ryūkyū. Le *ken d'Okinawa* (2 245 km^2; 1 179 000 hab.) a pour ch.-l. *Naha.* Riz, canne à sucre, banane, ananas. Bois, pêche. Centr. nucléaire. – En 1945, de durs combats y opposèrent Américains et Japonais.

okapi

Oklahoma, État du centre-ouest des É.-U., limité au S. par la Red River; 181 089 km^2; 3 146 000 hab.; cap. *Oklahoma City.* – C'est un pays de plaines, au sol riche et au climat sec : cult. des céréales et du coton; élevage bovin. Le sous-sol recèle du pétrole et du gaz naturel. – Partie de la Louisiane (1682-1803), la rég., réserve pour les Indiens des Cinq Nations de 1834 à 1889, forma en 1907 le quarante-sixième État de l'Union.

Oklahoma City, v. des É.-U., cap. de l'Oklahoma; 444 700 hab. (aggl. urb. 962 600 hab.).

Okoudjava (Boulat) (Moscou, 1924 – Meudon, 1997), romancier, poète et chanteur russe (*Pauvre Avrossimov,* 1969; *Arbat, mon Arbat;* 1976.

okoumé n. m. Arbre d'Afrique équatoriale dont le bois rose et tendre est utilisé en ébénisterie et dans la fabrication du contre-plaqué.

okra n. m. Autre nom du *gombo.*

Ōkyo (Maruyama) (Anau, 1733 – Kyōto, 1795), peintre japonais; fondateur de l'école réaliste.

-ol. Élément, du lat. *oleum,* « huile ».

ola n. f. Manifestation enthousiaste du public, dans une enceinte circulaire, figurant le mouvement d'une vague.

Olaf Ier Hunger (1052 – 1095), roi de Danemark (1086-1095); successeur de son frère Knud le Saint. – **Olaf II Haakonsson** (Akershus, 1370 – Falsterbo, 1387), roi de Danemark (1376-1387) et de Norvège (1380-1387).

Öland, île suédoise de la Baltique, à l'E. du détroit de Kalmar; 22 000 hab.; v. princ. *Borgholm.* Uranium.

Olav Ier Tryggvesson (?, 969 – Svolder, 1000), roi de Norvège de 995 à 1000 : il œuvra à la propagation du christianisme dans ses États. – **Olav II Haraldsson,** dit *le Saint* ou *le Gros* (?, v. 995 – Stiklestad, 1030), roi de 1016 à 1030; il voulut imposer le christianisme et fut tué dans une guerre contre Knud le Grand. – **Olav III Kyrre,** dit *le Tranquille* (m. en 1093), roi de 1066 à 1093. – **Olav IV Magnusson** (m. en 1115), roi de 1103 à 1115. – **Olav V** (Appleton House, G.-B., 1903 – Oslo, 1991), roi de 1957 à sa mort.

Oldenbarnevelt (Johan Van) (Amersfoort, 1547 – La Haye, 1619), grand pensionnaire de Hollande. Il contribua à créer les Provinces-Unies (1609). Ses idées religieuses et républicaines l'opposèrent au stathouder Maurice de Nassau, qui le fit décapiter.

Oldenbourg (en all. *Oldenburg*), anc. État d'Allemagne; comté dès le XIe s., duché en 1777, grand-duché en 1815. La majeure partie de son territ. est auj. incluse dans la Basse-Saxe. Après que l'héritier du comté eut été élu roi de Danemark (1448), l'Oldenbourg appartint à la famille royale danoise, jusqu'en 1773, date à laquelle il échut à Paul de Holstein-Gottorp; les Holstein y régneront jusqu'en 1918.

Oldenbourg (en all. *Oldenburg*), v. d'Allemagne (Basse-Saxe); 139 260 hab. Centre comm. et industr. (constr. méca.). – Chât. des XVIIe et XVIIIe s.

Oldenbourg (Zoé) (Saint-Pétersbourg, 1916), romancière et historienne française d'origine russe. Auteur de romans historiques (*la Pierre angulaire,* 1953).

Oldenburg (Claes) (Stockholm, 1929), peintre américain d'origine suédoise; représentant du pop'art et promoteur du happening.

Oldham, v. de G.-B., dans la banlieue N.-E. de Manchester; 211 400 hab.

Olduvai ou **Oldoway,** important site préhistorique de la Rift Valley au nord de la Tanzanie, où les restes les plus anciens datent de 1 800 000 ans. On y découvrit les restes de trois types d'hominidés : l'australopithèque *(Australopithecus boisei),* l'*Homo habilis* et l'*Homo erectus.*

olé-, oléi-, oléo-. Élément, du lat. *olea,* «olivier», *oleum,* «huile».

olé! ou **ollé!** [ɔlle] interj. espagnole qui sert à encourager (en particulier dans les corridas).

oléacées n. f. pl. Famille de dicotylédones gamopétales comprenant des arbres (olivier, frêne) et des arbustes (lilas, troène). – Sing. *Une oléacée.*

oléagineux, euse adj. et n. m. **1.** De la nature de l'huile. **2.** Qui contient, qui peut fournir de l'huile. *Graine oléagineuse.* ▷ n. m. Plante oléagineuse.

olécrane ou **olécrâne** [ɔlekʀan; ɔlekʀɑn] n. m. ANAT Apophyse de l'extrémité supérieure du cubitus (coude).

oléfiant, ante adj. CHIM Qui produit de l'huile.

oléfine n. f. CHIM Syn. de *alcène.*

oléiculture n. f. ARBOR Culture des oliviers.

oléifère adj. Didac. Qui fournit de l'huile (en parlant de plantes).

oléine n. f. CHIM Ester triglycérique de l'acide oléique, constituant principal des huiles fluides non siccatives et des matières grasses.

oléique adj. CHIM *Acide oléique :* acide gras naturel très répandu dans les graisses animales et végétales.

oléoduc n. m. Conduite servant au transport des hydrocarbures liquides.

oléolat n. m. PHARM Huile essentielle.

oléoprotéagineux n. m. AGRIC Plante dont les graines ou les fruits sont riches en lipides et en protéines.

Oléron, île côtière de l'Atlantique (Charente-Maritime), près de l'embouchure de la Charente; 175 km²; 18 539 hab. Un viaduc de près de 3 km la relie au continent, dont elle est séparée par le pertuis de Maumusson; celui d'Antioche la sépare de l'île de Ré. Elle forme deux cant. (arr. de Rochefort); v. princ. *Saint-Pierre-d'Oléron* (5 382 hab.). Ostréiculture, pêche, tourisme.

olfactif, ive adj. Relatif à l'odorat.

olfaction n. f. Didac. Sens de l'odorat.

olibrius [ɔlibʀijys] n. m. **1.** (Avec une majuscule.) Dans les mystères du Moyen Âge, personnage bravache et fanfaron. **2.** Fam., péjor. Personnage ridicule, pédant et importun.

Olier (Jean-Jacques) (Paris, 1608 – id., 1657), prêtre français; fondateur de la compagnie des Prêtres de Saint-Sulpice; *Lettres spirituelles* (1672).

olifant n. m. Petit cor d'ivoire que portaient les chevaliers. *Roland à Roncevaux sonna de l'olifant.*

olig(o)-. Élément, du gr. *oligos,* «petit, peu nombreux».

oligarchie n. f. Didac. Régime politique dans lequel le pouvoir est aux mains d'un petit nombre d'individus ou de familles; ces individus ou ces familles.

oligarchique adj. Didac. Relatif à l'oligarchie. *État oligarchique.*

oligiste n. m. MINER Hématite rouge.

oligocène n. m. et adj. GEOL Partie du nummulitique (période la plus ancienne du tertiaire), caractérisée par la prolifération des nummulites, des oiseaux, des mammifères, des angiospermes, et au cours de laquelle les Alpes commencèrent à se former.

oligochètes [ɔligɔkɛt] n. m. pl. ZOOL Classe d'annélides dont chaque segment porte un petit nombre de soies. – Sing. *Un oligochète.*

oligodendrocyte n. m. Cellule de la névroglie, fabriquant la myéline.

oligoélément ou **oligo-élément** n. m. BIOCHIM Élément qui existe à l'état de traces dans l'organisme, à la vie duquel il est indispensable.

ENCYCL Les princ. oligoéléments sont, par ordre de concentration décroissante, le magnésium, le fer, le silicium, le zinc, le rubidium, le cuivre, le brome, l'étain, le manganèse, l'iode, l'aluminium, le plomb, le molybdène, le bore, l'arsenic, le cobalt et le lithium.

oligophrénie n. f. MED Arriération mentale. ▷ *Oligophrénie phénylpyruvique :* syn. de *phénylcétonurie.*

oligopole n. m. ECON Marché caractérisé par un petit nombre de vendeurs face à un grand nombre d'acheteurs.

oligopsone n. m. ECON Marché caractérisé par un petit nombre d'acheteurs face à de nombreux vendeurs.

oligothérapie n. f. MED Traitement par les oligoéléments.

oligurie n. f. MED Diminution de la quantité d'urine émise en un temps donné.

Olinda, v. du N.-E. du Brésil (Pernambouc); 335 890 hab. Sucreries. – Monuments des XVIIe et XVIIIe s.

olivaie ou **oliveraie** n. f. Lieu planté d'oliviers. Syn. olivette.

Olivares (Gaspar de Guzmán, comte-duc d') (Rome, 1587 – Toro, 1645), homme d'État espagnol. Favori de Philippe IV, il exerça le pouvoir de 1621 à 1643. Tentant de relever la monarchie, il assainit les finances et engagea l'Espagne dans la guerre de Trente Ans. Il fut disgracié.

olivâtre adj. Qui tire sur le vert olive. *Teint olivâtre,* bistre, mat.

olive n. f. **1.** Fruit (drupe) comestible de l'olivier, dont la pulpe pressée fournit de l'huile. *Huile d'olive. Olives vertes,* cueillies avant maturité et conservées dans la saumure. *Olives noires,* cueillies mûres, ébouillantées et conservées dans l'huile. *Olives farcies.* **2.** (En appos.) *Couleur olive, vert olive* ou, absol., *olive :* couleur verdâtre tirant sur le brun. *Des robes olive.* **3.** ARCHI Motif décoratif en forme d'olive. **4.** TECH Objet ayant la forme d'une olive (bouton de porte, interrupteur électrique, etc.).

Oliveira (Manoel de) (Porto, 1908), cinéaste portugais. Il est l'auteur d'une œuvre nombreuse, éclectique et raffinée : *Aniki-Bobo* (1942), *les Cannibales* (1987).

Oliver (Joe, dit King) (La Nouvelle-Orléans, 1885 – Savannah, Georgie, 1938), jazzman américain; un des pionniers du style «Nouvelle-Orléans».

Olivet, ch.-l. de cant. du Loiret (arr. d'Orléans), sur le Loiret; 18 406 hab.

olivétain, aine n. RELIG Moine, moniale de la congrégation bénédictine fondée au XIVe s. par Bernardo Tolomei sur le mont Olivet (Monte Oliveto), proche de Sienne.

olivier : fruit et feuille

olivette n. f. **1.** Oliveraie. **2.** Raisin à grains de forme allongée. **3.** Variété de tomate oblongue.

olivier n. m. Arbre des régions méditerranéennes (fam. oléacées) au tronc tortueux, aux feuilles simples argentées à leur face inférieure, aux fleurs blanches, dont le fruit est l'olive. ▷ Bois clair, dur et odorant de cet arbre.

Olivier (sir Laurence Kerr, dit Laurence) (Dorking, Surrey, 1907 – Londres, 1989), acteur, directeur de théâtre et metteur en scène anglais; grand interprète de Shakespeare (*Hamlet* notam.).

Laurence **Olivier** jouant *Titus Andronicus,* de Shakespeare; avec Vivian Leigh

Oliviers (mont des), lieu ainsi nommé parce que s'y trouvait un pressoir à huile, près de Jérusalem, où Jésus alla prier la veille de sa mort.

olivine n. f. MINER Variété très répandue de péridot.

ollé! V. olé!

Ollier (Claude) (Paris, 1922), écrivain français, l'un des représentants du nouveau roman : *Été indien* (1963), *Navettes* (1967), *Fuzzy sets* (1975), *Mon double à Malacca* (1982).

Ollivier (Émile) (Marseille, 1825 – Saint-Gervais-les-Bains, 1913), homme politique français. Rallié au Tiers Parti (1863), dont il devint le chef (1869) après avoir combattu le régime autoritaire de Napoléon III, il forma le cabinet en janvier 1870 et commença la transformation du régime. Il assuma la responsabilité de la guerre et de la défaite. Acad. fr. (1870).

Olmèques, peuple précolombien établi dans la grande plaine côtière du golfe du Mexique au IIe millénaire av. J.-C. On a retrouvé des vestiges de constructions (temples, pyramides, stèles,

art des **Olmèques :** tête colossale en basalte prov. de La Venta; musée national d'Anthropologie, Mexico

autels), de sculptures (notam. hommes-jaguars) et de peintures murales. Sur des bas-reliefs et des vases apparaissent des traces de hiéroglyphes.

Olmütz. V. Olomouc.

Olof Skötkonung (m. en 1022), roi de Suède (994-1022). Vainqueur d'Olav Ier (1000), il annexa des territ. norvégiens. Baptisé (1008), il contribua à l'évangélisation de la Suède.

olographe adj. DR Se dit d'un testament daté, signé et écrit en entier de la main du testateur.

Olomouc (en all. *Olmütz*), v. de la Rép. tchèque (région de la Moravie-Septentrionale), sur la Morava; 105 910 hab. Industr. métallurgiques et alimentaires. – L'empereur Ferdinand Ier y abdiqua (1848). En 1850, le roi de Prusse renonça, sous la pression autrichienne, à y établir son pouvoir sur l'Allemagne du N. *(reculade d'Olmütz).* La ville est tchèque depuis 1918.

Oloron (gave d'), riv. des Pyrénées-Atlantiques (120 km), affl. du gave de Pau (r. g.), formé par la réunion des gaves d'Aspe et d'Ossau (confl. à Oloron-Sainte-Marie).

Oloron-Sainte-Marie, ch.-l. d'arr. des Pyrénées-Atlantiques, au confl. des gaves d'Aspe et d'Ossau; 11 770 hab. Constr. aéronautiques. Chocolaterie. – Égl. Ste-Croix (romane), Ste-Marie (XIVe s., nef goth. du XIIe s.).

O.L.P. Sigle de *Organisation* de libération de la Palestine.*

Olson (Charles) (Worcester, 1910 – New York, 1970), écrivain américain. En poésie, il définit le vers comme une structure composée de la syllabe et du souffle; en critique, il allie l'analyse littéraire et l'anthropologie : *Appelez-moi Ismaël* (1947), *Lettres mayas* (1953), *les Distances* (1961).

Olsztyn (en all. *Allenstein*), v. du N.-E. de la Pologne; 148 270 hab.; ch.-l. de la voïévodie du m. nom. Centre agricole; pneumatiques.

Olt, riv. de Roumanie (600 km), affl. du Danube (r. g.); naît dans les monts Caliman (Carpates méridionales).

Olten, ville de Suisse (Soleure), sur l'Aar; 19 000 hab. Centre ferroviaire. Constructions méca., industr. text., chim.

Olténie, rég. de Roumanie, dans la plaine de Valachie, à l'O. de l'Olt; v. princ. *Craiova.*

Olympe, massif montagneux du N. de la Grèce; culmine à 2 911 m. – Séjour des dieux dans la myth. gr. et, par ext., l'ensemble des dieux de cette myth. – Poét. Le ciel.

Olympia, v. des É.-U., cap. de l'État de Washington; 33 800 hab. (aggl. urb. 138 300 hab.). Port de pêche et de commerce (bois). Tourisme.

olympiade n. f. **1.** Espace de quatre ans qui séparait deux célébrations consécutives des jeux Olympiques grecs. **2.** (Plur.) Jeux Olympiques. *Les prochaines olympiades.*

Olympias (?, v. 375 – Pydna, 316 av. J.-C.), épouse de Philippe II de Macédoine (qui la répudia), mère d'Alexandre le Grand. Pendant les campagnes d'Alexandre, elle disputa le pouvoir au régent Antipatros; à sa mort elle devint régente de Macédoine (319), mais Cassandre, le fils d'Antipatros, l'assassina.

Olympie, grand sanctuaire du Péloponnèse (Élide), lieu des jeux Olympiques (V. encycl. jeu), célèbre par le temple de Zeus que les Éléens y édifièrent (468-456 av. J.-C.), où Phidias sculpta la colossale statue chryséléphantine de Zeus (haute de 10 m), l'une des Sept Merveilles du monde.

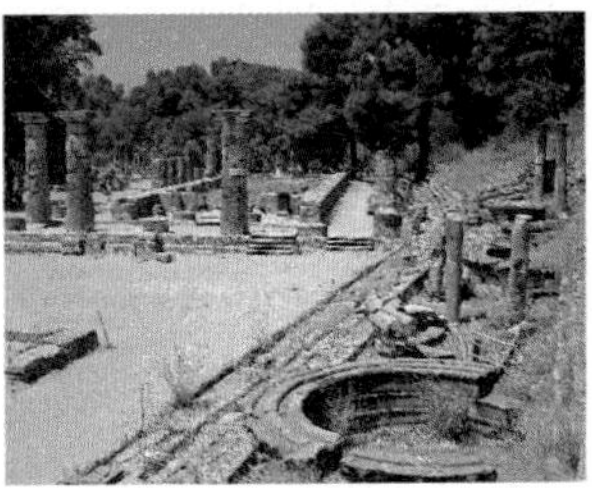
Olympie : vestiges du temple dorique consacré à Héra v. 600 av. J.-C.; les colonnes de pierre ont remplacé progressivement les colonnes d'origine, en bois de chêne

olympien, enne adj. **1.** MYTH Qui habite l'Olympe, le séjour des dieux. *Zeus olympien.* **2.** Litt. D'une noblesse sereine et majestueuse. *Calme olympien.*

olympique adj. **1.** ANTIQ GR Relatif à Olympie. *Jeux Olympiques :* V. encycl. jeu. *Comité international olympique* (C.I.O.), fondé en 1894 et qui a la responsabilité de l'organisation des jeux Olympiques. **2.** Qui se rapporte aux jeux Olympiques. *Record olympique.*

olympisme n. m. Didac. **1.** Ensemble des règles et de l'organisation des jeux Olympiques. **2.** Esprit, idéal olympique.

Omaha, v. des É.-U. (Nebraska), sur le Missouri; 335 790 hab. (aggl. urb. 607 400 hab.). Port. Industr. agricole; raff. de plomb.

Omaha-Beach, nom de code donné aux plages de Vierville, Saint-Laurent-sur-Mer et Colleville (Calvados) où les Américains débarquèrent le 6 juin 1944.

Oman (mer d'), mer de l'océan Indien, entre l'Inde et l'Arabie. Le *golfe d'Oman* communique avec le golfe Persique par le détroit d'Ormuz.

Oman (sultanat d') *(Saltanat 'Umān),* État du S.-E. de l'Arabie, sur la *mer* et le *golfe d'Oman;* 212 457 km^2; env. 1 380 000 hab.; cap. *Mascate.* Nature de l'État : monarchie absolue. Langue off. : arabe. Monnaie : rial d'Oman. Population : Arabes (en majorité). Relig. : islam sunnite (25 %) et ibadite, secte liée au kharidjisme (75 %). – L'intérieur est montagneux (alt. max. 3 020 m à la montagne Verte), les côtes sont très découpées. Princ. ressources : pétrole, gaz. – Le pays se livra tôt au commerce en raison de sa situation géographique et domina aux XVIIe et XVIIIe s. les régions du golfe Persique et une partie de la côte orientale de l'Afrique, Zanzibar notam. Lié à la G.-B. par un traité (1891), il a porté jusqu'en 1970 le nom de sultanat de *Mascate-et-Oman.* De 1970 à 1979, une rébellion, dirigée par le Front populaire de libération d'Oman et soutenue par le Yémen du Sud, occupa le Dhofar. Elle fut écrasée par l'armée iranienne, à laquelle le sultan Qabus avait fait appel. Ce dernier a doté son pays de sa première Constitution, qui consacre Oman comme une monarchie absolue et qui codifie la transmission du pouvoir de manière héréditaire. ► carte **Arabie**

omanais, aise adj. et n. Du sultanat d'Oman. ▷ Subst. *Un(e) Omanais(e).*

Omar. V. Umar (ibn-i-l-Khattab).

Omayyades. V. Omeyyades.

ombelle n. f. BOT Type d'inflorescence formée d'axes secondaires qui partent tous en rayonnant du même point de l'axe principal.

ombellifère adj. et n. f. BOT **1.** adj. Qui porte des ombelles. *Plante ombellifère.* **2.** n. f. pl. Famille de dicotylédones dialypétales comprenant des plantes généralement herbacées, caractérisées essentiellement par leur inflorescence en ombelle et par leur fruit formé d'un double akène, dont certaines espèces sont comestibles (carotte, cerfeuil, persil, angélique), d'autres vénéneuses (ciguë, œnanthe). – Sing. *Une ombellifère.*

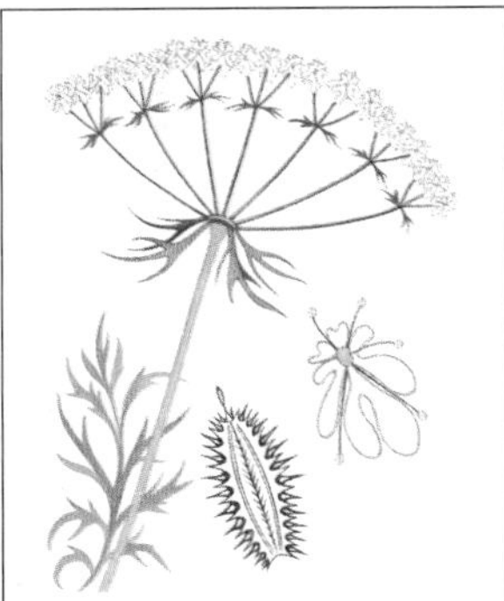
vue en coupe d'une **ombellifère,** la carotte : à g., l'ombelle; au centre, une graine; à dr., une fleur

ombelliforme adj. Didac. En forme d'ombelle.

ombilic n. m. **1.** ANAT Ouverture de la paroi abdominale du fœtus, par laquelle passe le cordon ombilical. – Cicatrice à laquelle cette ouverture laisse place peu de temps après la naissance; nombril. **2.** Fig., litt. Point central. *«L'Ombilic des limbes», d'Antonin Artaud.*

ombilical, ale, aux adj. ANAT Qui a rapport à l'ombilic. *Hernie ombilicale. Cordon ombilical,* qui met en relation l'organisme (et notam. le système circulatoire) du fœtus avec celui de la mère par l'intermédiaire du placenta.

omble n. m. ICHTYOL Grand salmonidé (jusqu'à 80 cm) dont on distingue deux espèces : l'*omble chevalier (Salvelinus alpinus)*, aux flancs tachetés, qui vit dans les lacs d'Europe de l'Ouest et dont la chair est très estimée ; et l'*omble de fontaine* ou *saumon de fontaine (Salvelinus fontinalis)*, aux flancs et au dos zébrés, importé d'Amérique, qui vit dans les eaux courantes.

ombrage n. m. **1.** Ombre produite par les feuillages des arbres ; ces feuillages eux-mêmes. **2.** Fig. *Porter ombrage à qqn*, blesser sa susceptibilité. *Prendre ombrage de qqch*, s'en offenser.

ombragé, ée adj. Protégé par un (des) ombrage(s). *Parc ombragé.*

ombrager v. tr. [**13**] Couvrir d'ombre.

ombrageux, euse adj. **1.** Qui a peur de son ombre, des ombres, en parlant d'un animal craintif. *Cheval, âne ombrageux.* **2.** Fig. Qui prend facilement ombrage ; soupçonneux ou susceptible.

1. ombre n. f. **I. 1.** Obscurité provoquée par un corps opaque qui intercepte la lumière. *L'ombre qui règne dans les forêts.* ▷ Par ext. *L'ombre, les ombres de la nuit*, son obscurité. ▷ Fig., fam. *Faire de l'ombre à qqn* : le gêner en lui faisant concurrence. **2.** Image, silhouette sombre projetée par un corps qui intercepte la lumière. *Voir son ombre sur la route.* ▷ *Ombres chinoises* : ombres de figures découpées ou de mains dans différentes positions, portées sur un écran et figurant des animaux, des personnages, etc. – *Théâtre d'ombres.* ▷ Loc. fig. *Suivre qqn comme son ombre, être l'ombre de qqn*, le suivre partout. – *Courir après une ombre* : poursuivre des chimères. *Lâcher la proie pour l'ombre*, un avantage réel pour un faux-semblant. – *Avoir peur de son ombre* : être très craintif. – *L'ombre de* : l'apparence de. *Il n'y a pas l'ombre d'un doute.* **3.** Partie couverte de couleurs plus sombres, de hachures, etc., représentant les ombres, dans un tableau, un dessin. *Impression de relief créée par les ombres.* ▷ Loc. fig. *Il y a une ombre au tableau*, qqch qui fait que la situation n'est pas totalement satisfaisante. **4.** Fantôme, apparence à demi matérialisée d'un mort, dans certaines croyances. *Royaume des ombres.* – Fig. *Être l'ombre de soi-même* : être diminué, affaibli au point de paraître à peine vivant. **5.** Fig. Obscurité, incognito. *Votre nom ne sera pas mentionné, vous resterez dans l'ombre.* **II.** Loc. adv. *À l'ombre*, dans un endroit abrité du soleil. – Fig., fam. *Mettre qqn à l'ombre*, en prison. ▷ Fig., litt. *À l'ombre de* : dans le voisinage de ; sous la protection de.

2. ombre n. m. ICHTYOL Poisson salmonidé *(Thymallus)* long de 25 à 40 cm, brunâtre, qui vit dans les eaux courantes de l'Europe, à la chair estimée.

ombrelle n. f. **1.** Petit parasol de dame. **2.** ZOOL Partie gélatineuse, en forme de cloche, d'une méduse.

ombrer v. tr. [**1**] Figurer une ombre, les ombres sur (un dessin, un tableau).

ombreux, euse adj. **1.** Litt. Qui donne de l'ombre. *Ramure ombreuse.* **2.** Plein d'ombre. *Vallons ombreux.*

Ombrie, rég. admin. d'Italie centrale et rég. de la C.E., formée des prov. de Pérouse et de Terni ; 8 456 km^2 ; 818 000 hab. ; cap. *Pérouse.* Cette rég. montagneuse (Apennins) est drainée par le Tibre. Oliviers, vigne, élevage bovin import. L'hydroélectricité a permis l'industrialisation, notam. à Terni (sidérurgie, industr. méca. et chim.). – Au XVe s., l'école (picturale) d'Ombrie, à Pérouse, a regroupé le Pérugin, il Pinturicchio, Raphaël.

ombrien, enne adj. et n. **1.** adj. De l'Ombrie. ▷ Subst. *Un(e) Ombrien(ne).* **2.** n. m. *L'ombrien* : la langue du groupe italique parlée en Ombrie.

ombudsman [ɔmbydzman] n. m. Personne chargée d'arbitrer les différends qui peuvent survenir entre l'Administration et les citoyens et de défendre les droits de ces derniers, dans certains pays (Suède, notam.).

O.M.C. V. Organisation mondiale du commerce.

Omdurman, v. du Soudan, sur le Nil, en face de Khartoum ; 648 700 hab. – Le Mahdi (V. Muhammad Ahmad) en fit sa cap., en 1884. Lord Kitchener la reprit, en 1898, à son successeur Abd Allah.

-ome. MED Suffixe impliquant l'idée de tumeur (ex. *fibrome, carcinome*).

oméga n. m. **1.** Vingt-quatrième et dernière lettre de l'alphabet grec (Ω, ω), correspondant à *o* long. ▷ Fig. *L'alpha et l'oméga* : le commencement et la fin (Bible). **2.** PHYS ω : symbole d'une vitesse angulaire ou de la pulsation d'une grandeur sinusoïdale. – Ω : symbole de l'ohm. **3.** PHYS NUCL Nom commun de particules dont certaines (w) appartiennent à la famille des mésons et d'autres (W) à celle des hypérons.

omelette n. f. Mets fait d'œufs battus, additionnés ou non d'ingrédients divers et cuits à la poêle. *Une omelette aux champignons.* ▷ Loc. prov. *On ne fait pas d'omelette sans casser des œufs* : on n'obtient pas de résultats sans sacrifices.

omerta n. f. Loi du silence, imposée par une mafia.

omettre v. tr. [**60**] Passer, oublier, négliger ; s'abstenir volontairement (de faire, d'agir). *Omettre un mot dans une lettre. Omettre de saluer.*

omeyyade, omayyade ou **umayyade** [ɔmɛjad] adj. Relatif aux Omeyyades.

Omeyyades, Omayyades ou **Umayyades** (*Banū 'Umayya* : « les descendants d'Umayya »), dynastie de califes qui gouverna de 660 à 750 le monde musulman alors à l'apogée de son expansion. Mu'awiyah, son fondateur, appartenait à la tribu des Koraïchites ; gouverneur de Syrie, il se fit proclamer calife en 661. Deux branches se succédèrent au pouvoir : les Sufyanides et les Marwanides. Ils furent évincés par les Abbassides. Tous les membres de la famille furent massacrés, mais Abd al-Rahman, petit-fils du calife Hicham, parvint à s'enfuir au Maghreb et, de là, débarqua avec quelques troupes en Espagne et conquit Cordoue (756), où il fonda un émirat. Abd al-Rahman III (912-961) acheva l'unité du territoire et se déclara calife. Cordoue devint la capitale, à la civilisation brillante.

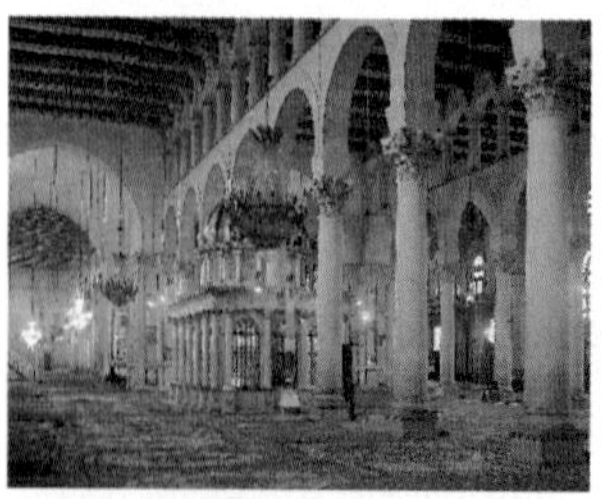

vue intérieure de la Grande Mosquée de Damas construite sous les **Omeyyades** (706-715)

omicron n. m. Quinzième lettre de l'alphabet grec (O, o), correspondant à *o* bref.

omis, ise adj. et n. m. Qui a été oublié, négligé, passé, dans une phrase, une liste, etc. ▷ n. m. MILIT *Les omis du service national*, qui n'ont pas été recensés avec leur classe d'âge.

omission n. f. Action d'omettre ; chose omise. *Signaler une omission.* – *Péché d'omission, par omission*, consistant à ne pas faire ce qui devrait être fait.

Ōmiya, v. du Japon (Honshū), satellite de Tōkyō ; 373 020 hab. Constr. mécaniques. Industr. textiles.

omni-. Élément, du lat. *omnis*, « tout ».

omnibus [ɔmnibys] n. m. et adj. inv. **1.** Anc. Voiture publique accomplissant dans une ville des trajets déterminés. **2.** *Train omnibus* ou, n. m., *omnibus*, qui dessert toutes les stations sur son parcours. Ant. express, rapide.

omnidirectionnel, elle adj. TECH Qui a les mêmes propriétés, la même efficacité dans toutes les directions. *Antenne omnidirectionnelle.*

omnipotence n. f. Faculté de décider souverainement ; toute-puissance.

omnipotent, ente adj. Dont le pouvoir est absolu ; tout-puissant. *Chef omnipotent.*

omnipraticien, enne n. Médecin généraliste.

omniprésence n. f. Présence en tous lieux.

omniprésent, ente adj. Présent partout. *Dieu est omniprésent.*

omniscience [ɔmnisjɑ̃s] n. f. Science universelle, infinie. *Omniscience divine.*

omniscient, ente adj. Qui sait tout.

omnisports adj. inv. Qui concerne tous les sports. – Où l'on pratique plusieurs sports. *Gymnase omnisports.*

omnium [ɔmnjɔm] n. m. **1.** SPORT Compétition cycliste comprenant plusieurs courses différentes. ▷ Course à laquelle participent des chevaux de tous âges. **2.** FIN Société financière ou commerciale dont les activités s'étendent à toutes les branches d'un secteur économique.

omnivore adj. et n. m. Qui se nourrit aussi bien d'aliments végétaux que d'aliments animaux.

Omo, riv. d'Éthiopie (env. 650 km), tributaire du lac Turkana. La vallée de l'Omo (quaternaire) comporte des sédiments lacustres dont les datations absolues et les vestiges apportent un matériau d'une grande importance pour l'histoire de l'homme.

omoplate n. f. Os pair, triangulaire et plat, qui est appliqué contre la partie postérieure et supérieure du thorax.

Omphale, dans la myth. gr., reine de Lydie, à qui Héraclès fut vendu comme esclave. Omphale l'affranchit et l'épousa ; la tradition veut qu'Héraclès s'amollit au point de porter des vêtements de femme et de filer à ses pieds.

Omri. V. Amri.

O.M.S. Sigle de *Organisation* mondiale de la santé.*

Omsk, v. de Russie, au confl. de l'Om (770 km) et de l'Irtych; 1 150 000 hab.; ch.-l. de la prov. du m. nom. Nombr. industr. : métall., méca., alim.; raff. de pétrole.

Ōmuta, port du Japon (Kyūshū); 159 420 hab. Industr. chim. et méca.

on pron. pers. indéf. Pron. de la 3e pers., inv., ayant toujours fonction de sujet. **I.** Désignant une ou plus. pers. non déterminées. **1.** L'homme, les hommes en général. *Autrefois, on vivait mieux.* – (Emploi fréquent dans les proverbes, les sentences.) *Quand on veut, on peut. On n'aime qu'une fois.* **2.** Un certain nombre (plus ou moins grand) de personnes. *Ici, on est plutôt de gauche.* **3.** Les gens, l'opinion. *On dit, on raconte que* (cf. on-dit, qu'en-dira-t-on). ▷ Loc. *On dirait* (introduisant une comparaison). *Il gesticule et parle tout seul, on dirait un fou.* – *On dirait que* : il semble que. *On dirait qu'il arrive.* **4.** Une personne quelconque (connue ou non), qqn. *On frappe. On vous demande au secrétariat.* – (Emploi correspondant à un passif sans compl. d'agent.) *On sert le dîner. On a interdit ce passage.* ▷ Loc. *On ne peut plus* (exprimant un superlatif). *Il est on ne peut plus bête.* – *On ne sait jamais* (indiquant une éventualité peu probable). *Il peut encore venir, on ne sait jamais.* **II.** Désignant une ou plus. pers. déterminées. **1.** (Représentant une 1re pers. sing. ou plur.) Fam. Je, moi. *Oui, on arrive.* – Litt. *On a voulu montrer dans ce chapitre...* ▷ Fam. Nous. *Chez nous, généralement, on n'agit pas ainsi. Nous, on va au cinéma.* **2.** Fam. (Représentant une 2e pers. sing. ou plur.) Tu, toi, vous. *Alors? on ne dit pas bonjour?* **3.** (Représentant une 3e pers. sing. ou plur.) Il(s), elle(s). *Nous sommes encore très liés : on me raconte ses secrets.* – Rem. *On* est en principe masc. sing., toutefois le part. passé ou l'adj. qui le suit s'accorde en genre et en nombre avec la ou les pers. représentées par *on. Quand on est belle et coquette. On est tous frères.* – Pour éviter un hiatus, on emploie souvent *l'on* au lieu de *on. Si l'on réfléchit.*

onagrariacées ou **onagrariées** n. f. pl. BOT Syn. de *œnothéracées.* – Sing. *Une onagrariacée* ou *une onagrariée.*

1. onagre n. m. Âne sauvage *(Equus onager)* vivant en Iran et en Inde.

2. onagre n. f. Plante dicotylédone produisant spontanément de nombreux hybrides et dont certaines variétés sont cultivées pour leurs grandes fleurs jaunes.

Onan, personnage biblique, second fils de Juda; contraint par la loi des patriarches à «susciter une postérité» à la veuve de son frère, il éluda cette obligation en «fraudant par terre» (Genèse, XXXVIII); aussi l'Éternel le fit-il périr.

onanisme n. m. Masturbation.

1. once [ɔ̃s] n. f. **1.** Ancienne unité de poids. *Once romaine* : le douzième de la livre. *Once de Paris* : le seizième de la livre. ▷ Mesure de poids anglo-saxonne (s'écrit *ounce* en angl. – symbole oz) valant un seizième de livre, soit 28,35 g. **2.** Fig. *Une once de* : une très petite quantité de. *Ne pas avoir une once de bon sens.*

2. once [ɔ̃s] n. f. Grand félidé *(Panthera uncia)* au pelage clair, tacheté et épais, des montagnes d'Asie centrale. Syn. panthère des neiges.

onchocercose [ɔ̃kosɛʀkoz] n. f. MED Parasitose fréquente en Afrique, due à une filaire *(Onchocerca volvulus)* et caractérisée par des nodules, des lésions cutanées et de graves atteintes oculaires.

oncle n. m. **1.** Frère du père ou de la mère. *Oncle paternel, maternel.* ▷ *Par ext.* Mari de la tante. **2.** *Oncle à la mode de Bretagne* : cousin germain du père ou de la mère. ▷ *Oncle d'Amérique* : parent riche et éloigné laissant un héritage inattendu.

oncogène adj. et n. m. MED Qui provoque l'apparition de tumeurs cancéreuses. *Virus oncogène. Substance, rayonnement oncogène.* – n. m. *Il existe plusieurs types d'oncogènes.*

oncogenèse n. f. MED Développement d'un cancer. Syn. cancérogenèse.

oncologie n. f. Didac. Étude des tumeurs cancéreuses.

onction n. f. **1.** LITURG Geste rituel consistant à oindre une personne avec les saintes huiles pour la bénir ou la consacrer. *Onction du baptême.* – *Onction* ou *sacrement des malades* (appelée *extrême-onction* jusqu'en 1963) : cinquième sacrement de l'Église catholique, conféré aux fidèles en danger de mort. **2.** Litt. Douceur de la parole ou des manières, évoquant la piété.

onctueusement adv. De manière onctueuse.

onctueux, euse adj. **1.** Qui évoque au toucher la fluidité ou la douceur de l'huile. *Pâte, crème onctueuse.* **2.** Fig. (Souvent péjor.) Qui a de l'onction (sens 2). *Une éloquence, des manières onctueuses.*

onctuosité n. f. Caractère de ce qui est onctueux.

ondatra n. m. ZOOL Rongeur *(Ondatra zibethicus)* originaire d'Amérique du Nord acclimaté en Europe, long d'une quarantaine de centimètres, aux pattes palmées, adapté à la vie dans les marais, où il construit des huttes d'herbes et de roseaux. Syn. rat musqué.

onde n. f. **I. 1.** Litt. Déformation qui se propage à la surface d'une nappe

once

ondatra sur la berge d'un lac; nageant (en noir); à l'arrière-plan, sa hutte aquatique

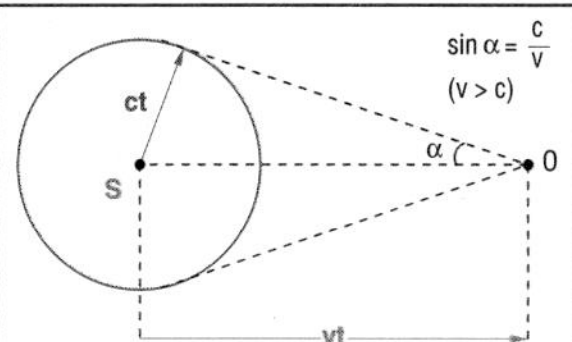

les ondes émises aux instants successifs ont pour enveloppe un cône (de sommet O et de demi-angle au sommet α); cette enveloppe (onde de choc) n'existe que si la vitesse v de la source S des ondes est supérieure à leur célérité c **onde**

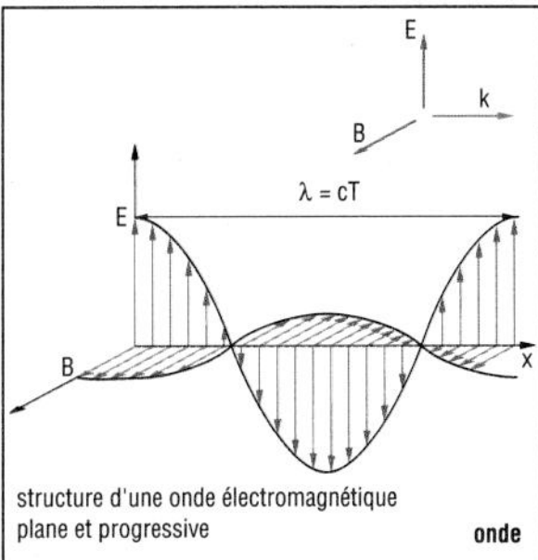

structure d'une onde électromagnétique plane et progressive **onde**

liquide, caractérisée par une succession de bosses et de creux. *Le vent fait des ondes sur le lac.* ▷ Ornement dessiné ou sculpté, ou forme naturelle évoquant une onde. *Les ondes d'une colonne torse, d'une chevelure.* **2.** Litt., vieilli Eau (de la mer, d'une rivière, d'un lac). *Une onde limpide. Voguer sur les ondes.* **II.** PHYS **1.** Déformation d'un milieu fluide, qui se propage à partir d'un point. *Onde de marée. Onde acoustique. Onde de choc,* engendrée par un corps qui se déplace dans un fluide à une vitesse supérieure à celle de la propagation du son dans ce fluide. **2.** Tout phénomène vibratoire qui se propage. *Onde sismique. Onde lumineuse. Onde stationnaire,* résultant de l'interférence de deux vibrations et caractérisée par des *nœuds,* où l'amplitude de vibration est nulle, et des *ventres,* où l'amplitude est maximale. *Onde amortie,* dont l'amplitude décroît. *Ondes électromagnétiques* : V. encycl. électromagnétisme et encycl. rayonnement. *Ondes radioélectriques* ou *hertziennes.* (Cour. : *grandes ondes, ondes moyennes, petites ondes. Émission sur ondes courtes.*) – Loc. fig., fam. *Être sur la même longueur d'onde* : parler le même langage, bien se comprendre mutuellement. ▷ TELECOM *Onde porteuse* : onde électromagnétique de haute fréquence dont la modulation permet la transmission de signaux. **3.** (Plur.) *Les ondes* : les émissions radiodiffusées, la radio. *Retransmission sur les ondes. Mise en ondes d'une émission.* **4.** PHYS *Fonction d'onde* : fonction mathématique qui permet de calculer la probabilité de présence d'une particule en un point. **5.** MUS *Ondes Martenot* : V. Martenot.

ondée n. f. Pluie subite et de courte durée. Syn. averse.

ondin, ine n. **1.** MYTH (Rare au masc.) Génie, déesse des eaux dans la mythologie nordique. **2.** n. f. Fig. Nageuse jeune et gracieuse.

on-dit n. m. inv. Propos, bruit qui court. *Se méfier des on-dit.*

ondoiement [ɔ̃dwamɑ̃] n. m. **1.** Action d'ondoyer, mouvement de ce qui ondoie. *Ondoiement des blés sous le* *vent.* **2.** LITURG CATHOL Baptême d'urgence, réduit à l'essentiel (effusion d'eau accompagnée des paroles sacramentelles), conféré à un nouveau-né ou à une personne en danger de mort.

ondoyant, ante adj. **1.** Qui ondoie. **2.** Fig. Versatile.

ondoyer v. [**23**] **1.** v. intr. Faire des mouvements évoquant une onde (sens I, 1); être animé de tels mouvements. *Les drapeaux ondoient au vent.* **2.** v. tr. LITURG CATHOL Baptiser par ondoiement.

ondulant, ante adj. **1.** Qui ondule. - Qui présente une ondulation. **2.** Qui varie en intensité. *Une fièvre ondulante.*

ondulation n. f. **1.** Mouvement des ondes (sens I, 1). *Ondulations de la houle.* **2.** Ligne, contour sinueux, évoquant le mouvement des ondes.

ondulatoire adj. **1.** Qui a le caractère d'une onde (sens I, 1). *Mouvement ondulatoire des vagues.* **2.** PHYS Relatif aux ondes. ▷ *Mécanique ondulatoire :* théorie physique, due à L. de Broglie (1923), qui joue un rôle fondamental en physique nucléaire et en astrophysique.

ondulé, ée adj. Qui ondule. *Cheveux ondulés.* ▷ Dont la surface présente des ondulations. *Tôle ondulée.*

onduler v. [**1**] **1.** v. intr. Avoir un mouvement d'ondulation, des ondulations. *Les herbes ondulent sous le vent. Ses cheveux ondulent naturellement.* **2.** v. tr. Rendre ondulé. *Onduler ses cheveux.*

onduleux, euse adj. Qui ondule, qui présente des ondulations. *Démarche, draperie onduleuse.*

Onega (lac), lac de Russie (9 900 km²), en Carélie, relié au lac Ladoga par la Svir et à la mer Blanche par le canal Baltique-mer Blanche.

O'Neill, famille irlandaise qui régna sur l'Ulster du Ve s. au XVIIe s.

O'Neill (Eugene Gladstone) (New York, 1888 - Boston, 1953), auteur dramatique américain. Son œuvre, profondément pessimiste, est tour à tour dominée par le naturalisme (*Anna Christie,* 1922), le symbolisme poétique (*le Singe velu,* 1922), le tragique expressionniste (*Le deuil sied à Électre,* 1931), l'évocation autobiographique (*Long voyage dans la nuit,* 1939-1941, créé en 1955). P. Nobel 1936.

one man show [wanmanʃo] n. m. (Anglicisme) Spectacle de variétés donné par un artiste seul en scène. Syn. spectacle solo ou solo.

ONÉRA, acronyme pour *Office* national d'études et de recherches aérospatiales.*

onéreux, euse adj. Qui occasionne des frais, des charges. *Un logement onéreux.* ▷ *À titre onéreux :* en payant.

Onetti (Juan Carlos) (Montevideo, 1909 - Madrid, 1994), écrivain uruguayen. Ses personnages, voués à l'échec, évoluent dans une sombre fresque sociologique, à la fois réaliste et mythique : *le Puits* (1939), *Trousse-Vioques* (1964).

O.N.G. n. f. (Sigle de *organisation non gouvernementale.*) Organisation qui tire ses ressources de dons privés et qui se voue à l'aide des populations menacées par la famine, la guerre, les catastrophes naturelles, etc.

ongle n. m. **1.** Chez l'homme, lame cornée implantée à l'extrémité dorsale de la dernière phalange des doigts et des orteils. *Racine de l'ongle. Se faire les ongles.* ▷ Loc. fig. *Avoir les ongles crochus :* être avare. *Avoir de l'esprit (de l'humour,* etc.) *jusqu'au bout des ongles,* en avoir beaucoup. *Savoir qqch sur le bout des ongles,* parfaitement, à fond. **2.** Griffe des carnassiers; serre des rapaces. ▷ Loc. fig. *Avoir bec* (ou *dents*) *et ongles :* être capable de se défendre.

onglée n. f. Engourdissement douloureux du bout des doigts, causé par le froid. *Avoir l'onglée.*

onglet n. m. **1.** TECH (Menuiserie) Assemblage formé par la juxtaposition de deux biseaux pratiqués aux extrémités de deux pièces de bois (baguettes, moulures, liteaux, etc.) selon la bissectrice de l'angle que forment celles-ci; chacun des biseaux (le plus souvent à quarante-cinq degrés) ainsi pratiqués. *Assemblage à onglet. Boîte à onglets :* outil formé de trois planches assemblées en U et convenablement entaillées, qui permet de guider la lame d'une scie lorsqu'on pratique un onglet. **2.** Muscle pilier du diaphragme du bœuf, qui fournit un morceau très estimé en boucherie; bifteck coupé dans ce morceau. *Onglet à l'échalote.* **3.** Petite entaille pratiquée dans le couvercle d'une boîte, la lame d'un canif, etc., pour donner prise à l'ongle. **4.** GEOM Portion de volume délimitée par une surface de révolution, et comprise entre deux plans passant par l'axe de révolution. **5.** BOT Partie rétrécie d'un pétale ou d'un sépale qui s'insère sur le réceptacle. **6.** IMPRIM Bande de papier ou de toile fixée au dos des cahiers d'un livre pour permettre l'insertion des hors-texte.

onglon n. m. ZOOL Sabot qui enveloppe chacun des doigts des ruminants.

onguent [ɔ̃gɑ̃] n. m. Médicament à usage externe, de consistance molle, se liquéfiant à la chaleur de la peau.

onguiculé, ée adj. et n. m. ZOOL *Mammifères onguiculés,* dont les doigts sont terminés par des griffes ou par des ongles. ▷ n. m. *Les onguiculés.*

ongulé, ée adj. et n. m. ZOOL Se dit d'un mammifère dont la dernière phalange des doigts est protégée par un étui corné. ▷ n. m. *Le cheval est un ongulé.*

onguligrade adj. ZOOL Se dit des quadrupèdes dont les membres reposent sur des sabots.

onir(o)-. Élément, du grec *oneiros,* « rêve ».

onirique adj. **1.** Qui est de la nature du rêve, qui concerne les rêves. **2.** Qui est analogue au rêve, qui rappelle les rêves par son caractère étrange, irréel.

onirisme n. m. **1.** Activité mentale propre aux états oniriques. **2.** MED État de délire aigu dominé par des hallucinations visuelles souvent terrifiantes apparentées aux images du rêve.

onirologie n. f. Étude des rêves.

onirologue n. Spécialiste de l'onirologie.

oniromancie n. f. Divination par les songes.

Onitsha, v. du Nigeria (État d'Anambra), sur le Niger; 269 000 hab. Centre commercial.

Onk (djebel), massif de l'Algérie orientale. Phosphates.

onomastique adj. et n. f. LING **1.** adj. Qui a rapport aux noms propres. *Table onomastique.* **2.** n. f. Étude des noms propres.

onomatopée n. f. LING Création d'un mot dont le son suggère celui de la chose qu'il dénomme; un tel mot. *Cliquetis, glouglou, clapoter, crac, boum sont des onomatopées.*

onomatopéique adj. Didac. Qui a les caractères de l'onomatopée.

Ontario, le plus oriental des Grands Lacs (18 800 km²), formant frontière entre le Canada et les É.-U. Il communique avec le lac Érié par le Niagara et avec l'Atlantique par le Saint-Laurent.

Ontario, prov. du Canada (la plus riche et la plus peuplée); 1 068 852 km²; 10 084 880 hab. (475 000 francophones); cap. *Toronto.* Le relief correspond en majeure partie à un vaste plateau marqué par l'érosion glaciaire. En bordure de la baie d'Hudson et des Grands Lacs s'étendent des plaines. Le climat, continental, est très rude dans le Nord. Nombr. lacs et cours d'eau (hydroélectricité). Princ. ressources agric. : céréales, élevage, pêche, fourrures et exploitation forestière. Import. richesses minières (dans le N.-O., surtout) : nickel, cuivre, platine, or, fer, houille, etc. Industr. diversifiées localisées dans le S. - Cédée par la France aux Britanniques (1763), l'Ontario fut une des quatre prov. fondatrices de la Confédération canadienne (1867).

onto-. Élément, du gr. *ôn, ontos,* « l'étant, l'être, ce qui est ».

ontogenèse ou **ontogénie** n. f. BIOL Science qui étudie la croissance et le développement des individus, de l'œuf à l'âge adulte.

ontogénétique adj. BIOL Qui se rapporte à l'ontogenèse.

ontologie n. f. PHILO Connaissance de l'être en tant qu'être, de l'être en soi.

ontologique adj. PHILO Qui a rapport à l'ontologie.

ONU ou **O.N.U.** Acronyme pour ou sigle de *Organisation* des Nations unies.*

onusien, enne adj. Fam. De l'ONU.

onych(o)-. Élément, du gr. *onux, onukhos,* « ongle ».

onychophagie n. f. MED Habitude de se ronger les ongles.

onyx [ɔniks] n. m. Agate semi-transparente présentant des couches annulaires, concentriques, de couleurs variées.

onyxis n. m. MED Inflammation du derme sous un ongle.

onze adj. inv. et n. m. inv. **I.** adj. num. inv. **1.** (Cardinal) Dix plus un (11). *Onze (personnes) à table.* **2.** (Ordinal) Onzième. *Louis XI. Page onze.* - Ellipt. *Le onze octobre.* **II.** n. m. inv. **1.** Le nombre onze. ▷ Chiffres représentant le nombre onze (11). *Un onze mal formé.* ▷ Numéro onze (11). *Composer le onze.* ▷ *Le onze :* le onzième jour du mois. **2.** SPORT Équipe de football (formée de onze joueurs). *Le onze de France.*

onzième adj. et n. **I.** adj. num. ord. Dont le rang est marqué par le nombre onze. *La onzième fois. Le onzième arrondissement* ou, ellipt., *le onzième.* ▷ Loc. *Les ouvriers de la onzième heure :* selon l'Évangile de saint Matthieu, les travailleurs du dernier moment, comparés aux croyants tardifs. **II.** n. **1.** Personne, chose qui occupe la onzième place. *Le onzième de la liste.* **2.** n. m. Chaque partie d'un tout divisé en onze parties égales. *Héritier pour un onzième.*

oo-. Élément, du gr. *ôon,* « œuf ».

Oô (lac d'), lac des Pyrénées centrales, près de Bagnères-de-Luchon, formé par la *Neste d'Oô.* Réservoir hydroélectrique.

oocyte [ɔɔsit] ou **ovocyte** [ɔvɔsit] n. m. BIOL Gamète femelle non encore parvenu à la maturité.

Oort (Jan Hendrik) (Franeker, Pays-Bas, 1900-Wassenaar, id., 1992), astronome néerlandais connu pour ses travaux sur la structure de la Galaxie.

oosphère [ɔɔsfɛʀ] n. f. BOT Gamète femelle végétal.

oospore n. f. BOT Cellule de fécondation des algues et des champignons.

op. Abrév. de *opus.*

O.P.A. n. f. ECON Sigle pour *offre* publique d'achat.*

opacification n. f. Action d'opacifier; fait de s'opacifier.

opacifiant, ante adj. Qui opacifie.

opacifier v. tr. [2] Rendre opaque. ▷ v. pron. Devenir opaque.

opacimètre n. m. TECH Appareil servant à mesurer l'opacité d'une substance.

opacité n. f. Propriété des corps opaques. ▷ PHYS Rapport entre le flux lumineux transmis et le flux incident.

opale n. f. Pierre fine, à reflets irisés, constituée de silice hydratée. ▷ adj. inv. *Des perles opale.*

opalescence [ɔpalɛsɑ̃s] n. f. Litt. Aspect irisé qui rappelle celui de l'opale.

opalescent, ente adj. Litt. Dont l'aspect irisé rappelle celui de l'opale.

opalin, ine adj. et n. f. **1.** adj. Qui a une teinte laiteuse, des reflets irisés. *Porcelaine opaline.* **2.** n. f. Verre à l'aspect blanc laiteux et aux reflets irisés. ▷ Bibelot en opaline.

opaliser v. tr. [1] TECH Rendre translucide et laiteux comme l'opale. – Pp. adj. *Verre opalisé.*

opaque adj. **1.** Qui n'est pas transparent, qui ne laisse pas passer la lumière. *Corps opaque.* **2.** PHYS *Opaque à :* qui ne laisse pas passer (telles radiations). *Corps opaque aux rayons X.* **3.** Qui ne laisse passer que peu de lumière; épais, impénétrable à la vue. *Brouillard opaque.*

op'art [ɔpaʀt] n. m. Mouvement d'art abstrait qui prit naissance aux É.-U. v. 1960 et qui recouvre l'ensemble des recherches visuelles fondées sur les effets optiques et chromatiques de certaines compositions élaborées à partir d'éléments de la géométrie et de la physique. V. aussi cinétique.

Opava (en all. *Troppau*), v. de la Rép. tchèque (Moravie-Septentrionale); 60 000 hab. Textiles; papeteries. – Cath. gothique; hôtels baroques. – Anc. cap. de la principauté de Troppau.

-ope, -opie. Éléments, du gr. *ôps, opis,* « vue ».

ope n. m. ou f. ARCHI Emplacement ménagé dans une maçonnerie pour recevoir l'extrémité d'une poutre, d'un madrier d'échafaudage. Syn. trou de boulin. ▷ Trou d'évacuation pour la fumée.

O.P.E. n. f. ECON Sigle pour *offre* publique d'échange.*

opéable adj. ECON Qualifie une société susceptible de faire l'objet d'une offre publique d'achat (O.P.A.) ou d'une offre publique d'échange (O.P.E.).

open [ɔpɛn] adj. inv. (et n. m.) **1.** SPORT Se dit d'une compétition ouverte à la fois aux professionnels et aux amateurs. *Tournoi open de golf, de tennis.* – n. m. *L'open de Roland-Garros.* **2.** *Billet open :* billet d'avion non daté.

openfield ou **open field** [ɔpɛnfild] n. m. GEOGR Territoire composé de portions de terre cultivable non closes.

open market [ɔpɛnmaʀkɛt] n. m. ECON Politique permettant à un État d'intervenir sur le marché monétaire par un achat ou une vente massifs d'effets de commerce afin d'influencer le taux d'intérêt sur ce marché.

OPEP, acronyme pour *Organisation* des pays exportateurs de pétrole.*

opéra n. m. **1.** Œuvre dramatique, représentée au théâtre avec un accompagnement de musique orchestrale et dont toutes les paroles sont chantées (récitatifs, airs, etc.). *Les opéras de Mozart, de Verdi.* – *Opéra bouffe :* V. bouffe. – *Grand opéra* ou opéra sérieux, dont l'action est tragique. **2.** Genre lyrique constitué par ces ouvrages. *Amateur d'opéra.* – *L'opéra italien.* **3.** Théâtre où l'on joue des opéras. ▷ *L'Opéra :* l'Opéra de Paris. *Les chœurs de l'Opéra.*

Opéra (théâtre de l'), théâtre national consacré à l'origine aux spectacles lyriques et chorégraphiques et auj. uniquement à la danse. Construit à Paris de 1862 à 1874 par l'architecte C. Garnier. – Plafond de Chagall (1964).

opéra-ballet n. m. Opéra avec danses. *Des opéras-ballets.*

Opéra-Bastille, théâtre lyrique national, construit à Paris par Carlos Ott, inauguré en 1989.

l'**Opéra-Bastille**

opérable adj. Qu'on peut opérer (sens II, 2). *Malade, tumeur opérables.*

opéra-comique n. m. **1.** Drame musical lyrique dans lequel des parties dialoguées s'intercalent entre les parties chantées. *Des opéras-comiques.* **2.** Théâtre où l'on joue ce genre d'ouvrage.

Opéra-Comique (théâtre de l'), théâtre national consacré aux spectacles lyriques. Construit à Paris en 1898, par L. S. Bernier, sur l'emplacement de la salle Favart*.

opérande n. m. MATH Élément sur lequel porte une opération.

opérant, ante adj. Qui agit, qui produit un effet.

opérateur, trice n. **1.** Personne chargée de la commande d'une machine. ▷ AERON, MAR *Opérateur radio,* chargé des télécommunications à bord. ▷ INFORM Personne chargée de la commande et de la surveillance d'un ordinateur. ▷ CINE Responsable de la prise de vues, de l'enregistrement sonore ou de la projection d'un film. **2.** FIN Personne ou organisme habilités à faire des opérations financières. Syn. donneur d'ordre. **3.** MATH Symbole représentant une opération ou une suite d'opérations à effectuer sur un concept quelconque (par ex. d'ordre logique, mathématique ou physique).

opération n. f. **I.** Action d'un pouvoir, d'une faculté, d'un organe, etc., qui agit selon sa nature pour produire un effet. *Les opérations de l'esprit, de la mémoire.* – *Les opérations de la fécondation.* ▷ THEOL Action de Dieu sur la volonté humaine. *Opération du Saint-Esprit :* intervention mystérieuse du Saint-Esprit dans l'Incarnation. – Plaisant, fam. *Ce portefeuille n'a tout de même pas disparu par l'opération du Saint-Esprit!* **II.** **1.** Action, suite ordonnée d'actes qui suppose une méthode, une recherche et une combinaison de moyens mis en œuvre en vue de produire un résultat précis. *Tenter, réussir une opération de sauvetage en mer.* **2.** MILIT Ensemble de mouvements stratégiques destinés à faire réussir une attaque, à organiser une défense. *Base d'opérations,* où sont rassemblés le personnel et les moyens logistiques. – *Salle d'opérations,* où sont centralisées toutes les informations relatives au mouvement des troupes. **3.** Cour. Action, ensemble de mesures en vue d'obtenir un résultat. *Monter une opération publicitaire.* **4.** FIN *Opérations boursières :* transactions opérées sur des valeurs mobilières ou des marchandises. ▷ Cour. Affaire. *Faire une bonne opération.* **III.** **1.** MATH Ensemble de démarches méthodiques de la pensée procédant de la déduction et s'appliquant sur les parties d'un ou de plusieurs ensembles en suivant une loi déterminée. ▷ *Spécial.* Application d'un ensemble sur lui-même. *L'addition et la multiplication sont des opérations dans l'ensemble des nombres réels.* ▷ Cour. *Les quatre opérations :* l'addition, la soustraction, la multiplication et la division. **2.** CHIR Cour. Intervention chirurgicale.

opérationnel, elle adj. **1.** Qui a trait à des opérations militaires. *Secteur opérationnel.* **2.** Prêt à être mis en service. *Cette usine sera opérationnelle à la fin de l'année.* ▷ Fig. Efficace, pratique. **3.** MATH, TECH *Recherche opérationnelle :* ensemble des méthodes mises en œuvre pour analyser les problèmes d'organisation (d'une armée, d'une entreprise, etc.), à des fins stratégiques, commerciales, etc.

opératoire adj. **1.** Relatif aux interventions chirurgicales. *Choc opératoire. Bloc opératoire.* – *Champ opératoire.* V. champ (sens III, 2). **2.** Didac. Relatif à une opération, qui a les caractères d'une opération (sens II, III, 1).

opercule n. m. **I.** TECH Pièce mobile servant à fermer une ouverture, à recouvrir une cavité. **II.** BOT Pièce qui ferme l'urne des mousses. **III.** ZOOL **1.** Lamelle de mucus desséché et calcifié qui ferme la coquille de certains animaux (escargots en hiver, bigorneaux, etc.). **2.** Membrane recouvrant l'ouverture des narines à la base du bec, chez les oiseaux. **3.** Pièce osseuse paire recouvrant les branchies des poissons. **4.** Membrane qui clôt les alvéoles des abeilles.

operculé, ée adj. Clos par un opercule.

opéré, ée adj. **1.** Qui vient d'être soumis à une intervention chirurgicale. ▷ Subst. *L'état de l'opéré est satisfaisant.* **2.** (Choses) Effectué, réalisé.

opérer v. [14] **I.** v. intr. Produire un effet, agir. *Laisser opérer la nature.* ▷ THEOL *La grâce opère dans l'âme.* **II.** v. tr. **1.**

Effectuer, réaliser par une série ordonnée d'actes. *Troupes qui opèrent leur fonction.* – *Opérer des réformes.* ▷ (S. comp.) Agir. *Les cambrioleurs ont opéré en toute tranquillité.* **2.** Pratiquer une intervention chirurgicale sur. *Opérer un malade. Se faire opérer des amygdales.* ▷ *Opérer qqn d'une tumeur,* pratiquer l'ablation de celle-ci. **III.** v. pron. S'effectuer, s'accomplir. *Changements qui s'opèrent.*

opérette n. f. Œuvre théâtrale composée sur un sujet gai et dans laquelle une musique légère accompagne les parties chantées. *Les opérettes d'Offenbach.* ▷ *Soldats, conspirateur, héros d'opérette,* qui semblent faire partie d'une opérette ; que l'on ne peut prendre au sérieux.

opéron n. m. BIOCHIM Unité d'information fonctionnant sous le contrôle de deux gènes antagonistes.

ophi(o)-. Élément, du gr. *ophis,* « serpent ».

ophidien, enne adj. et n. m. **1.** adj. Didac. De la nature du serpent, relatif aux serpents. **2.** n. m. pl. ZOOL *Ophidiens :* sous-ordre de reptiles dépourvus de pattes, possédant de nombreuses côtes. *Les ophidiens, ou serpents, sont apparus au crétacé.* – Sing. *Un ophidien.*

ophioglosse n. m. BOT Fougère (genre *Ophioglossum*) des lieux humides, aux frondes ovales non découpées prolongées par un épi qui porte les sporanges, appelée cour. *langue-de-serpent.* ▶ illustr. **fougères**

ophiolâtrie n. f. Didac. Culte des serpents.

ophiolite n. f. GEOL Ensemble de roches, principalement éruptives, qui se forme dans les rifts océaniques. *Les ophiolites font partie de la croûte océanique mais on les trouve fréquemment sur les continents, dans les chaînes de montagnes récentes, du fait des mouvements de l'écorce terrestre.*

ophiolitique adj. GEOL Relatif aux ophiolites. *Cortège ophiolitique :* syn. de *ophiolite.*

ophiologie n. f. ZOOL Partie de la zoologie qui traite des serpents.

ophiure n. f. ZOOL Échinoderme de la sous-classe des ophiurides.

ophiurides ou **ophiuridés** n. m. pl. ZOOL Sous-classe d'échinodermes dont le corps est constitué d'un disque central et de cinq bras rayonnants longs et grêles. – Sing. *Un ophiuride* ou *un ophiuridé.*

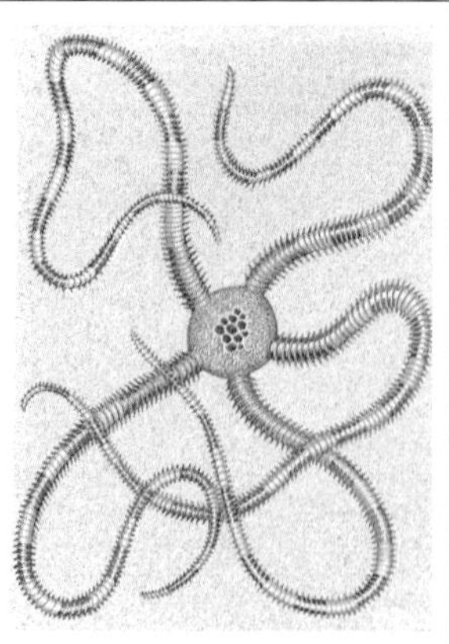

ophiure à longue queue

ophrys [ɔfʀis] n. m. ou f. BOT Orchidée européenne dont le labelle très coloré rappelle l'aspect de divers insectes. ▶ illustr. **orchidées**

ophtalm(o)-, -ophtalmie. Éléments, du gr. *ophtalmos,* « œil ».

ophtalmie n. f. MED Maladie inflammatoire de l'œil. *Ophtalmie des neiges :* inflammation aiguë de la cornée et de la conjonctive, due à l'exposition à la lumière des yeux non protégés, en haute montagne.

ophtalmique adj. ANAT, MED Des yeux, relatif aux yeux. *Migraine ophtalmique.*

ophtalmologie n. f. Branche de la médecine qui traite des affections des yeux et de leurs annexes.

ophtalmologique adj. Relatif à l'ophtalmologie.

ophtalmologiste ou **ophtalmologue** n. Médecin spécialisé en ophtalmologie. (Abrév. fam. : ophtalmo).

ophtalmomètre n. m. MED Instrument d'optique servant à mesurer les rayons de courbure de la cornée et son indice de réfraction.

ophtalmoscope n. m. MED Appareil permettant l'examen du fond de l'œil.

ophtalmoscopie n. f. MED Examen du fond de l'œil.

Ophuls (Max Oppenheimer, dit Max) (Sarrebruck, 1902 – Hambourg, 1957), cinéaste français d'orig. allemande ; réalisateur de comédies dramatiques d'inspiration baroque : *Liebelei* (1932), *Divine* (1935), *Lettre d'une inconnue* (1948), *la Ronde* (1950), *le Plaisir* (1951), *Lola Montès* (1955). – **Marcel** (Francfort-sur-le-Main, 1927), fils du préc., cinéaste français auteur de documentaires polémiques : *le Chagrin et la Pitié* (1969), sur l'Occupation ; *Hôtel Terminus* (1988, É.-U.), sur Klaus Barbie.

opiacé, ée adj. et n. m. Qui contient de l'opium ou qui en a l'odeur, le goût. *Médicament opiacé. Cigarettes opiacées.* ▷ n. m. Médicament à base d'opium.

-opie. V. -ope.

opilions n. m. pl. ZOOL Ordre d'arachnides appelés cour. *faucheurs* ou *faucheux,* aux pattes longues et grêles. – Sing. *Un opilion.*

opimes adj. f. pl. ANTIQ ROM *Dépouilles opimes,* celles qu'un général prenait sur le général ennemi qu'il avait tué de sa main ; fig., litt. riche butin, riche profit.

Max **Ophuls :** *Lola Montès,* 1955, avec Martine Carol

opinel n. m. (Nom déposé.) Couteau pliant à manche de bois.

opiner v. intr. [1] DR ou litt. Donner son avis dans une assemblée sur un sujet mis en délibération. *Opiner sur, pour ou contre une clause.* – *Opiner à :* être d'avis de, en faveur de. *« Chacun opine à la vengeance » (La Fontaine).* ▷ Mod. (Souvent par plaisant.) *Opiner du bonnet :* marquer d'un signe (autref., en ôtant son bonnet) son acquiescement. – Par ext. *Opiner de la tête, du chef.*

opiniâtre adj. (et n.) **1.** Tenace dans sa volonté. *Caractère opiniâtre.* ▷ Subst. *Un(e) opiniâtre.* **2.** Où il entre de la persévérance, de l'obstination, de l'acharnement. *Zèle, travail, lutte opiniâtre.* ▷ Persistant. *Fièvre opiniâtre.*

opiniâtrement adv. Avec opiniâtreté. *Se défendre opiniâtrement.*

opiniâtreté n. f. Volonté persévérante, tenace.

opinion n. f. **1.** Jugement qu'on se forme ou qu'on adopte sur un sujet ; assertion ou conviction personnelle plus ou moins fondée. *Se faire, avoir, soutenir, émettre une opinion.* **2.** Jugement favorable ou défavorable (sur qqn, son caractère, ses actes, etc.). *Avoir bonne ou mauvaise opinion de qqn.* **3.** (Surtout au plur.) Manière de penser, doctrine, croyance (en matière morale, politique, etc.). *Opinions libérales, avancées.* **4.** Jugement commun, ensemble des idées ou des convictions communes à une collectivité. *L'opinion publique* ou, absol., *l'opinion. Braver l'opinion. Sondage d'opinion.*

opiomane n. et adj. Toxicomane qui fume ou qui mâche l'opium.

opiomanie n. f. Toxicomanie des opiomanes.

opisthobranches n. m. pl. ZOOL Sous-classe de mollusques gastéropodes marins hermaphrodites. – Sing. *Un opisthobranche.*

Opitz (Martin) (Bunzlau, Silésie, 1597 – Dantzig, 1639), poète baroque allemand. Théoricien de l'imitation, notam. de la *Pléiade,* il réforma la métrique en prônant un vers fondé sur l'accentuation : *Livre de la poésie allemande* (1624) ; *Poèmes de consolation contre la guerre* (1633).

opium [ɔpjɔm] n. m. **1.** Suc narcotique tiré de certains pavots, fumé ou mâché comme excitant et comme stupéfiant. **2.** Fig. Ce qui assoupit insidieusement (la volonté, l'esprit critique, etc.). *Marx disait de la religion qu'elle était « l'opium du peuple ».*

Opium (guerre de l'), conflit qui opposa la Chine et la Grande-Bretagne de 1839 à 1842. En 1839, l'empereur de Chine interdit l'importation d'opium indien et fit détruire à Canton 20 000 caisses d'opium. En 1840, les Britanniques occupèrent Shanghai. En 1842, le traité de Nankin leur donna Hong Kong, autorisa les États européens à commercer avec 5 ports (dont Canton et Shanghai), abaissa à 5 % les tarifs douaniers et accorda aux divers consulats européens le droit de juger leurs ressortissants.

O.P.J. n. Abrév. de *officier de police judiciaire.*

opo-. Élément, du gr. *opos,* « suc ».

Opole, v. de Pologne, sur l'Oder ; 124 720 hab. ; ch.-l. de la voïévodie du m. nom. Port fluvial. Constr. mécaniques ; textiles.

opossum de Virginie

oponce. V. opuntia.

opossum [ɔpɔsɔm] n. m. Marsupial d'Amérique (genre *Didelphis*), long d'une cinquantaine de centimètres sans la queue, au pelage gris fort recherché. ▷ Fourrure de cet animal.

Oppenheimer (Julius Robert) (New York, 1904 - Princeton, 1967), physicien américain; connu pour ses travaux de mécanique quantique. Il dirigea à Los Alamos le centre de recherches où fut construite la première bombe atomique.

oppidum [ɔpidɔm] n. m. ANTIQ Site fortifié, camp retranché, le plus souvent sur une hauteur. *Des oppidums* ou *des oppida.*

opportun, une adj. Qui vient à propos. *Mesure opportune.* ▷ Qui convient. *Au moment opportun,* convenable, favorable.

opportunément adv. De façon opportune.

opportunisme n. m. Attitude consistant à agir selon les circonstances, à en tirer le meilleur parti, en faisant peu de cas des principes.

opportuniste adj. et n. **1.** Qui fait preuve d'opportunisme. *Conduite opportuniste.* ▷ Subst. *C'est un(e) opportuniste.* **2.** MED Se dit d'un microorganisme normalement présent dans la flore d'un individu et qui devient pathogène lors d'un affaiblissement des défenses de l'organisme.

opportunité n. f. Caractère de ce qui est opportun. *L'opportunité d'une démarche.* ▷ Occasion favorable. *Saisir une opportunité inespérée.*

opposabilité n. f. **1.** Caractère de ce qui est opposable. *Opposabilité du pouce.* **2.** DR Caractère de ce qui est juridiquement opposable.

opposable adj. **1.** Qui peut être mis vis-à-vis de (qqch). *Le pouce est opposable aux autres doigts.* ▷ Qui peut être opposé à (qqch). *Décision opposable à une autre.* **2.** DR Dont on peut se prévaloir contre un tiers.

opposant, ante adj. et n. **1.** Qui s'oppose. ▷ Subst. Personne qui, en matière politique, appartient à l'opposition. *Les opposants au régime.* **2.** ANAT Se dit d'un muscle de certains doigts. - n. m. *L'opposant du pouce,* qui permet un mouvement en avant et en dedans.

opposé, ée adj. et n. m. **I.** adj. **1.** Placé en vis-à-vis. *Rives opposées.* ▷ Orienté en sens inverse. *Direction opposée.* ▷ GEOM *Angles opposés (par le sommet),* formés par deux droites qui se coupent. - MATH *Nombres opposés* ou *symétriques,* de même valeur absolue mais de signes contraires (par ex., + 1 et - 1). **2.** Qui diffère totalement; contraire, contradictoire. *Intérêts, caractères opposés.* **3.** Qui est défavorable ou hostile à; qui lutte contre. *Partis opposés.* **II.** n. m. Ce qui est opposé (par sa place, sa direction, sa nature, etc.). *L'opposé de l'avers est le revers.* - Fam. *Elle est tout l'opposé de son mari.* ▷ Loc. adv. ou prép. *À l'opposé (de) :* au contraire (de), en opposition (avec).

Julius Robert **Oppenheimer**

opposer **I.** v. tr. [1] **1.** Présenter, mettre en face de (comme réplique, résistance, obstacle, etc.). *Je lui ai opposé mon mutisme, mes intérêts. Opposer une digue à un torrent.* - DR *Opposer la caducité d'un acte.* **2.** Mettre en lutte, en rivalité. *Rivalité qui oppose deux personnes.* **3.** Mettre en vis-à-vis; disposer de manière à faire contraste. *Opposer deux miroirs. Opposer du rouge à du noir.* **4.** Comparer en soulignant les différences. *Opposer Aristote à Platon.* **II.** v. pron. **1.** Faire obstacle, empêcher. *S'opposer à une entreprise.* **2.** Faire front, s'affronter. *Orateurs, armées qui s'opposent.* **3.** Être vis-à-vis; former un contraste. *Ornements qui s'opposent.*

opposite n. m. et adj. **1.** Vx *L'opposite :* l'opposé, le contraire. **2.** Mod. Loc. adv. ou prép. *À l'opposite (de) :* du côté opposé (à); vis-à-vis (de).

opposition n. f. **1.** Position ou rapport de choses situées en vis-à-vis ou qui s'opposent, s'affrontent. *Opposition de deux couleurs. Opposition d'intérêts.* ▷ ASTRO Position de deux corps célestes diamétralement opposés par rapport à la Terre ou au Soleil. ▷ PHYS *Grandeurs sinusoïdales en opposition de phase,* dont la différence de phase est de 180°. ▷ ELECTR *Générateurs en opposition,* associés de telle façon que chacun des pôles de l'un soit relié au pôle de même nom de l'autre. ▷ (Personnes) *Opposition de deux concurrents.* ▷ *Être, entrer en opposition avec qqn.* ▷ Loc. adv. ou prép. *Par opposition (à) :* à la différence, au contraire (de). **2.** Résistance qu'oppose une personne, un groupe. *Opposition à un projet.* - *Faire opposition à un paiement.* ▷ DR Voie de recours ouverte à toute personne condamnée par une décision de justice rendue contre elle par défaut. **3.** Parti ou ensemble de personnes opposés au gouvernement, au régime politique en place.

oppositionnel, elle adj. et n. De l'opposition, qui appartient à l'opposition politique.

oppressant, ante adj. Qui oppresse. *Chaleur oppressante.* ▷ Fig. Qui étreint, accable. *Un regard oppressant.*

oppresser v. tr. [1] **1.** Presser fortement la poitrine de (qqn) de manière à gêner sa respiration; donner une impression de gêne respiratoire à (qqn). *L'asthme l'oppresse.* **2.** Fig. Faire subir un tourment moral, une angoisse à. *Une attente qui oppresse.*

oppresseur n. m. Celui qui opprime. ▷ adj. m. *Pouvoir oppresseur.*

oppressif, ive adj. Qui sert à opprimer, qui vise à opprimer. *Mesures oppressives.*

oppression n. f. **I. 1.** Sensation d'un poids sur la poitrine. **2.** *Par ext.* Malaise physique ou psychique d'une personne oppressée. **II. 1.** Action d'opprimer; contrainte tyrannique. *Oppression policière.* **2.** État d'opprimé. *Vivre dans l'oppression.*

opprimant, ante adj. Qui opprime.

opprimé, ée adj. et n. Qui est soumis à une oppression. - Subst. *Défendre les opprimés.*

opprimer v. tr. [1] Accabler par abus de pouvoir, par violence. *Opprimer les faibles.* - Fig. *Opprimer les esprits, l'opinion.*

opprobre n. m. Litt. **1.** Honte extrême et publique, déshonneur. *Couvrir, charger qqn d'opprobre.* **2.** Cause de honte. *Être l'opprobre de sa famille.* **3.** État d'abjection. *Vivre dans l'opprobre.*

-opsie. Élément, du gr. *opsis,* « vue, vision ».

opsonine n. f. BIOCHIM Substance soluble du sérum, proche des anticorps, qui se combine aux bactéries pour les rendre vulnérables aux leucocytes.

optatif, ive adj. et n. m. LING Qui exprime le souhait. ▷ *Mode optatif :* mode verbal exprimant le souhait, dans certaines langues (sanskrit, grec). - n. m. *L'optatif.*

opter v. intr. [1] Choisir, se déterminer entre deux ou plusieurs choses qu'on ne peut obtenir ou exécuter à la fois. *Opter pour une politique.*

opticien, enne n. (et adj.) Personne qui fabrique ou vend des instruments d'optique (et partic. des lunettes). ▷ adj. *Ingénieur opticien.*

optimal, ale, aux adj. Qui est le meilleur possible. *Rendement optimal d'un moteur.* ▷ Qui correspond à l'optimum. *Valeur optimale.*

optimisation n. f. Action d'optimiser; son résultat. ▷ Action de rechercher par le calcul les conditions qui assurent le fonctionnement optimal d'une machine, l'utilisation la meilleure d'un matériel, les bénéfices les plus élevés d'une entreprise, etc.

optimiser v. tr. [1] Rendre optimal; procéder à l'optimisation de.

optimisme n. m. **1.** PHILO Système philosophique, développé partic. par Leibniz, selon lequel le monde est le meilleur possible, le mal n'y ayant de sens qu'en fonction du bien. *Voltaire a fait dans « Candide » la satire de l'optimisme.* **2.** Cour. Attitude ou disposition d'esprit consistant à voir le bon côté des choses. *Optimisme béat.* ▷ Espérance confiante. *Nouvelle qui incite à l'optimisme.* Ant. pessimisme.

optimiste adj. (et n.) **1.** PHILO Relatif à l'optimisme ou qui en est partisan. - Subst. *Les optimistes.* **2.** Cour. Qui prend les choses du bon côté, qui présage heureusement de l'avenir. *Attitude optimiste.* - Subst. *C'est un optimiste de nature.*

optimum [ɔptimɔm] n. m. et adj. **I.** n. m. **1.** État le plus favorable, le meilleur possible d'une chose. *L'optimum d'un fonctionnement.* ▷ ECON *Optimum de population :* point d'équilibre entre le nombre des individus d'une population et les ressources disponibles. **2.** Didac. Valeur qui résulte d'un calcul d'optimisation. *Des optimums* ou (vx) *des optima.* **II.** adj. *Conditions optimums* ou *optima.*

option n. f. **1.** Faculté d'opter; action d'opter. *Avoir l'option entre deux avantages.* - *Matières à option,* entre lesquelles un candidat peut choisir, dans un concours, un examen. **2.** DR Faculté de choisir entre plusieurs possibilités légales ou conventionnelles. ▷ Promesse d'achat ou de vente, sans engagement de l'acheteur, et moyennant ou non des arrhes. *Prendre, accorder une*

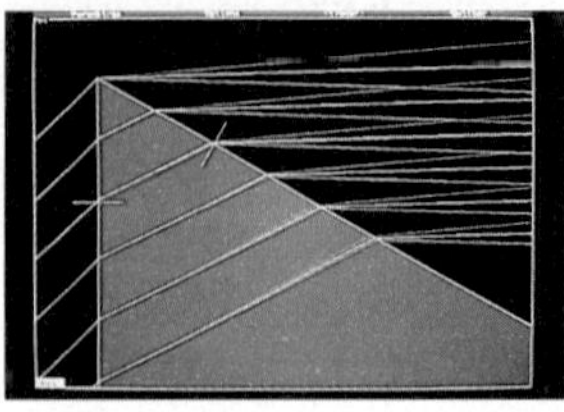
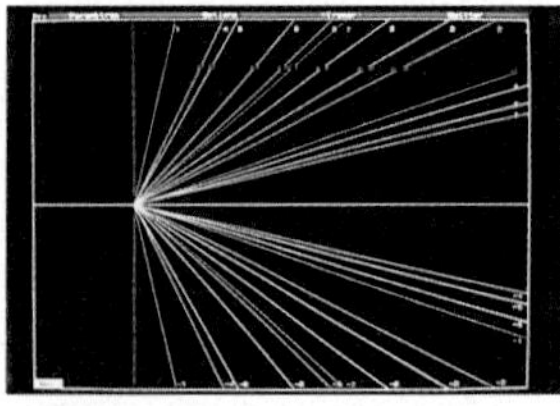

décomposition de la lumière blanche (dispersion) par deux systèmes; à g., le prisme dévie plus les radiations bleues que les rouges; à dr., un réseau de diffraction donne plusieurs spectres; dans chacun, le rouge est la couleur la plus déviée

option sur une terre. ▷ COMM *En option* : ajouté au modèle de série, contre le paiement d'un supplément.

optionnel, elle adj. Qui donne la possibilité d'un choix.

optique adj. et n. f. **I.** adj. **1.** Relatif ou propre à la vision, à l'appareil de la vision. *Nerf optique.* **2.** Relatif à l'optique, propre à l'optique (voir sens II). – PHYS *Système optique* : association de lentilles, de miroirs, de prismes, etc. *Axe optique* : axe de révolution d'un système optique centré. *Centre optique* : point d'un système optique centré, tel que le rayon incident passant par ce point n'est pas dévié. *Chemin, longueur optique* : produit de la longueur d'un rayon par l'indice du milieu. **II.** n. f. **1.** Partie de la physique qui étudie les lois de la lumière et de la vision. *Optique géométrique, physique. Optique électronique* : technique permettant de former l'image d'un objet à l'aide d'un faisceau d'électrons soumis à l'action d'un champ électrique ou magnétique (télévision, microscope électronique, etc.). ▷ Traité sur l'optique. *« L'Optique » de Newton (1704).* ▷ Industrie ou commerce des instruments d'optique. *Travailler dans l'optique.* **2.** Ensemble du système optique d'un instrument. *L'optique d'un spectrographe.* **3.** Perspective, aspect d'un objet vu à distance ou sous un certain angle. *La mise en scène doit tenir compte de l'optique du théâtre.* – *Illusion d'optique* : V. illusion. ▷ Fig. Manière de juger, point de vue.

optoélectronique n. f. TECH Ensemble des techniques permettant de transmettre des informations à l'aide d'ondes électromagnétiques dont les longueurs d'onde sont proches de celles de la lumière visible.

optométrie n. f. **1.** MED Mesure des amétropies. **2.** PHYS Partie de l'optique qui a trait à la vision.

optronique n. f. et adj. Optoélectronique appliquée au domaine militaire. – adj. *Systèmes de détection optroniques.*

opulence n. f. **1.** Abondance de biens, de ressources; richesse. *Vivre dans l'opulence.* **2.** Fig. Plénitude des formes. *L'opulence des nus de Rubens.*

opulent, ente adj. **1.** Qui est dans l'opulence; qui manifeste l'opulence. **2.** Fig. Qui présente des formes amples, pleines. *Poitrine opulente.*

opuntia [ɔpɔ̃sja] ou **oponce** [ɔpɔ̃s] n. m. BOT Plante grasse (fam. cactacées) aux rameaux épineux aplatis en forme de raquette (figuier de Barbarie, nopal, raquette). ▸ illustr. **cactus**

opus [ɔpys] n. m. MUS Morceau numéroté de l'œuvre complète d'un musicien. (Abrév. : op.)

opus citatum [ɔpyssitatɔm] loc. (Mots lat.) Ouvrage déjà cité. (Abrév. : op. cit.)

opuscule n. m. Petit ouvrage de science, de littérature, etc.

Opus Dei (prélature de la Sainte-Croix et), structure pastorale appartenant à l'organisation hiérarchique de l'Église catholique fondée en 1928 par un prêtre espagnol, José María Escrivá de Balaguer (1902-1975), afin de favoriser dans toutes les couches de la société la pratique des principes de l'Évangile, notam. dans l'exercice du travail professionnel. L'Opus Dei est dirigé actuellement par Mgr Javier Echevarria.

opus incertum [ɔpysɛ̃sɛʀtɔm] n. m. inv. (Mots lat.) ARCHI Assemblage apparent de moellons ou de dalles de formes irrégulières, avec des joints d'épaisseur constante.

1. or n. m. **1.** Élément métallique de numéro atomique Z = 79 et de masse atomique 196,967 (symbole Au). – Métal (Au) précieux, mou, ductile et malléable, jaune par réflexion et vert par transparence, de densité 19,3, qui fond à 1 063 °C et bout vers 2 600 °C. *L'or est quasiment inaltérable, mais forme avec le mercure un amalgame pulvérulent.* ▷ CHIM *Or colloïdal* : suspension colloïdale d'or. **2.** Ce métal, monnayé ou non, considéré pour sa valeur. *Payer en or.* – *Étalon-or* : V. étalon 2. **3.** (Dans certaines loc. fig.) Richesse, valeur considérable. *Être cousu d'or, rouler sur l'or* : être très riche. *Acheter, vendre à prix d'or,* très cher. *Valoir son pesant d'or* : valoir très cher, être très précieux. *C'est de l'or en barre, c'est une affaire d'or* (ou *en or*) : c'est une affaire très fructueuse. *Je n'en voudrais pas pour tout l'or du monde,* à aucun prix. **4.** Couleur, aspect de l'or (souvent au plur.); objet ou substance de cette couleur, de cet aspect. *Les ors d'une icône.* ▷ Fig. *« L'or des cheveux »* (Verlaine). **5.** HERALD Un des deux métaux employés, représenté en gravure par des pointillés. **6.** (Pour signifier l'excellence, la perfection, la rareté, etc.) *Être bon, franc comme l'or. Un cœur d'or,* bon, généreux. *Parler d'or* : prononcer des paroles sages, judicieuses. – Fam. *Un ami, un public en or.* **7.** *L'or noir* : le pétrole.

2. or ou (vx) **ore, ores** conj. et adv. **1.** conj. Sert à lier deux termes d'un raisonnement (notam. la majeure à la mineure d'un syllogisme), à introduire certaines phases d'un récit, ou certaines incidentes (d'explication, d'objection, etc.) d'un discours. *Il rêvait de voyages, or il était pauvre.* **2.** adv. Vx Maintenant. ▷ Mod. *D'ores et déjà* : dès maintenant. *Il est d'ores et déjà certain du succès.*

oracle n. m. **1.** ANTIQ Réponse d'une divinité à ceux qui la consultaient; la divinité elle-même. ▷ Lieu où étaient rendus ces oracles. *L'oracle de Delphes.* **2.** (Souvent iron.) Décision, opinion émanant d'une personne détenant l'autorité, le savoir. *Les oracles de la science.* **3.** Personne autorisée, compétente. *Passer pour un oracle.*

oraculaire adj. Litt. Qui a le caractère d'un oracle. *Annonce oraculaire.*

Oradea (anc. *Nagyvárad*), v. de Roumanie, à la frontière hongroise; 206 060 hab.; ch.-l. de district. Centre industriel. – Cath. catholique baroque (1752-1780); égl. orthodoxe « à la Lune » (1784); palais baroque (1762-1770).

Oradour-sur-Glane, com. de la Haute-Vienne (arr. de Rochechouart); 2 010 hab. – Le 10 juin 1944, les Allemands massacrèrent, en représailles des attaques du maquis du Limousin, 642 hab., fusillant les hommes et incendiant l'église où ils avaient rassemblé les femmes et les enfants.

orage n. m. **1.** Violente agitation de l'atmosphère accompagnée d'éclairs et de tonnerre, de pluie, de grêle, etc. *L'orage gronde, éclate.* ▷ GEOPH *Orage magnétique,* qui se produit lors des éruptions solaires, l'énergie des particules émises étant telle qu'elles parviennent à pénétrer dans l'ionosphère, au niveau des pôles. **2.** Fig. Trouble violent dans la vie personnelle ou sociale; tumulte ou éclat de sentiments, de passions. *Il est en colère, laissez passer l'orage.* – Fam. *Il y a de l'orage dans l'air,* une nervosité qui menace de se manifester avec soudaineté et violence.

orageusement adv. (Surtout fig.) D'une manière orageuse. *L'entrevue commença orageusement.*

orageux, euse adj. **1.** Qui menace d'orage. *Temps orageux.* ▷ Sujet aux orages. *Climat orageux.* ▷ Troublé par l'orage. *Nuit orageuse.* **2.** Fig. Tumultueux. *Séance orageuse.*

oraison n. f. **1.** Prière. *Faire une oraison.* **2.** Vx Discours. ▷ Mod. *Oraison funèbre* : éloge d'un mort, solennel et public.

oral, ale, aux adj. et n. m. **1.** adj. Transmis ou exprimé par la bouche, la voix (par oppos. à *écrit*). *Tradition orale.* ▷ *Épreuves orales d'un concours.* – n. m. *Échouer à l'oral,* aux épreuves orales. **2.** adj. Qui a rapport à la bouche. *Cavité orale* : bouche. *Soigner par voie orale.* ▷ PHON *Phonème oral* ([a], [o], etc.), par oppos. à *phonème nasal* ([ɑ̃], [ɔ̃], etc.). ▷ PSYCHAN *Stade oral* : première phase d'organisation libidinale (de la naissance au sevrage), dans laquelle la satisfaction auto-érotique est liée à l'activité de la zone érogène buccale.

oralement adv. De vive voix (par oppos. à *par écrit*).

oralité n. f. **1.** Caractère oral. *L'oralité d'une tradition.* **2.** PSYCHAN Ensemble des caractéristiques du stade oral.

-orama, -rama. Élément, du gr. *orama,* « spectacle ».

Oran (auj. *Wahrān*), v. d'Algérie occidentale, sur la Méditerranée; 610 380 hab.; ch.-l. de la wilaya du m. nom. Port de commerce. Exportation de gaz naturel et de prod. agricoles. Centre industr. actif : aciéries, métallurgie, textiles. – Évêché. Université. Mosquée du Pacha (XVIIIe s.). – La ville, fondée v. 903, fut occupée par les Français en 1831.

oranais, aise adj. et n. D'Oran. ▷ Subst. *Un(e) Oranais(e).*

orange n. et adj. inv. **1.** n. f. Fruit comestible de l'oranger, de forme sphérique, dont la pulpe juteuse et par-

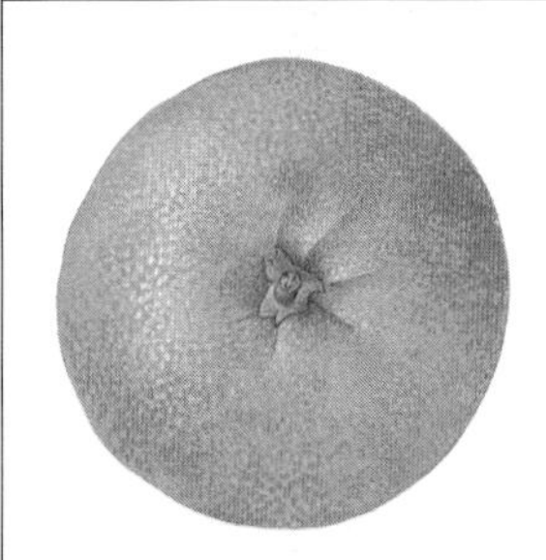
orange douce

fumée est protégée par une écorce épaisse et souple, de couleur jaune-rouge. *Orange amère, orange douce.* **2.** adj. inv. De la couleur de l'orange. *Des robes orange.* ▷ n. m. *Soleil d'un bel orange.*

Orange, fl. d'Afrique australe (env. 1 860 km), qui naît dans les Drakensberg et se jette dans l'Atlantique. Peu navigable, il sert surtout à l'irrigation.

Orange, ch.-l. de cant. du Vaucluse (arr. d'Avignon); 28 136 hab. Teintures; industr. alim. – Théâtre antique bâti v. 120 apr. J.-C. Arc de triomphe datant probabl. du règne d'Auguste (les inscriptions, postérieures, datent du règne de Tibère). Anc. cath. (XIIe s.). – La cité devint colonie romaine sous Auguste. Elle fut la cap. d'une principauté qui appartint aux Nassau (princes d'Orange) de 1544 à 1673 et qui fut réunie définitivement à la France en 1713 (traités d'Utrecht).

Orange : mur de scène du théâtre antique, époque d'Auguste

Orange (État libre d'), prov. d'Afrique du Sud; 127 993 km²; 1 932 000 hab.; ch.-l. *Bloemfontein.* Céréales; import. élevage bovin et ovin. Mines d'or, de diamants et de charbon. – Les Britanniques reconnurent en 1854 l'indépendance de la colonie fondée v. 1836 par les Boers lors de leur migration vers le nord. L'Orange lutta avec le Transvaal contre les Britanniques (1900-1902), obtint son autonomie (1907) et entra dans l'Union sud-africaine (1910).

Orange (Guillaume d'). V. Guillaume III, roi d'Angleterre.

orangé, ée adj. et n. m. **I.** adj. De couleur orange. *Teinte orangée.* **II.** n. m. **1.** Couleur orange. *On obtient l'orangé par le mélange du jaune et du rouge.* **2.** Pigment ou colorant de couleur orange.

orangeade n. f. Boisson composée d'orange, d'eau et de sucre.

Orange-Nassau, nom que prirent (et conservèrent) les Nassau quand la principauté d'Orange revint, par héritage, à la famille de Nassau (1544). En 1892, l'ordre d'Orange-Nassau fut créé; c'est la princ. décoration, civile et militaire, des Pays-Bas.

oranger n. m. Arbre (fam. rutacées) des régions chaudes, aux feuilles épaisses et persistantes, dont le fruit est l'orange. *Eau de fleur d'oranger :* eau aromatisée sédative, faite avec de l'essence extraite des fleurs d'oranger.

orangeraie n. f. Terrain planté d'orangers.

orangerie n. f. Serre où l'on garde pendant l'hiver les orangers en caisse et les plantes qui craignent le froid. – Partie d'un jardin où sont placés les orangers.

Orangerie (musée de l'), musée situé dans le jardin des Tuileries, à Paris, autrefois consacré aux impressionnistes et auj. à l'art contemporain.

orangiste n. m. et adj. HIST **1.** Partisan de la dynastie d'Orange. – adj. *Dynastie orangiste.* **2.** Protestant d'Irlande du Nord partisan de l'union de l'Ulster et de l'Angleterre, qu'avait réalisée Guillaume III d'Orange-Nassau, roi d'Angleterre (1689-1702) en 1690. *Les orangistes se manifestèrent surtout à la fin du XVIIIe s. et à la fin du XIXe s.* – adj. *Pamphlet orangiste.*

orang-outan ou **orang-outang** [ɔʀɑ̃utɑ̃] n. m. Grand singe anthropomorphe (*Pongo pygmæus,* fam. pongidés) des forêts de Sumatra et de Bornéo, dont la taille atteint 1,40 m. *Les orangs-outans sont arboricoles et frugivores.*

orang-outan

Oranienburg, v. d'Allemagne (distr. de Potsdam); 36 370 hab. Industr. chimiques. – Chât. royal baroque. – Camp de concentration nazi *(Oranienburg-Sachsenhausen)* implanté dès 1933.

orant, ante n. et adj. BX-A Personnage représenté en train de prier. *Les orantes des catacombes.* ▷ adj. *Vierge orante.*

orateur, trice n. **1.** Personne qui prononce un discours. *Interrompre l'orateur. Les grands orateurs grecs.* **2.** Personne qui a le don de la parole. *C'est un orateur-né.*

1. oratoire adj. Relatif à l'éloquence, à l'art de bien parler. *Formules oratoires.*

2. oratoire n. m. Pièce d'une habitation destinée à la prière. ▷ Petite chapelle.

Oratoire (l'), temple réformé parisien. (La chapelle édifiée rue Saint-Honoré, à partir de 1621, pour la congrégation de l'Oratoire, a été attribuée au culte protestant en 1811.) Il abrite le consistoire réformé.

Oratoire ou **Oratoire d'Italie (congrégation de l'),** société de prêtres séculiers fondée en 1564 à Rome par Philippe Néri.

Oratoire de France ou **Oratoire de Jésus et de Marie immaculée,** société de prêtres séculiers fondée en 1611 par Pierre de Bérulle.

oratorien n. m. Membre de la congrégation religieuse française de l'Oratoire. ▷ adj. *Père oratorien.*

oratorio n. m. Drame lyrique à caractère le plus souvent religieux, dont la facture s'apparente à celle de l'opéra, mais qui est destiné à être exécuté sans décors ni costumes. *Les oratorios de Haendel, de Haydn.*

Orb (l'), fl. torrentueux du Languedoc (145 km); naît au S. des Cévennes, arrose Béziers, se jette dans la Méditerranée. Hydroélectricité.

Orbay (François D'Orbay ou d') (Paris, 1634 – id., 1697), architecte et graveur français. Il collabora au Louvre, aux Tuileries et au château de Versailles.

1. orbe adj. CONSTR *Mur orbe,* sans ouverture.

2. orbe n. m. **1.** ASTRO Espace circonscrit par l'orbite d'une planète ou de tout corps céleste. **2.** Poét. Globe d'un astre. *L'orbe du soleil.*

Orbe, riv. du Jura (57 km); née au S.-E. de Morez, elle passe en Suisse, alimente le lac de Joux, arrose Orbe (cant. de Vaud, 4 500 hab.), puis, sous le nom de *Thièle,* se jette dans le lac de Neuchâtel.

orbiculaire adj. (et n. m.) Didac. **1.** De forme arrondie. ▷ ANAT Se dit de muscles à fibres circulaires. *Muscle orbiculaire,* ou, n. m., *orbiculaire des lèvres, des paupières.* **2.** Didac. Qui décrit une circonférence. *Mouvement orbiculaire.*

orbitaire adj. ANAT Qui a rapport à l'orbite de l'œil.

orbital, ale, aux adj. et n. f. **1.** adj. ASTRO, ESP Relatif à l'orbite d'une planète, d'un satellite. **2.** n. f. PHYS NUCL, CHIM Région de l'espace, autour du noyau de l'atome, où la probabilité de présence d'un électron donné est maximale. (V. encycl. liaison.)

orbite n. f. **1.** ANAT Cavité de la face dans laquelle est logé l'œil. **2.** ASTRO Trajectoire décrite par un corps céleste, naturel ou artificiel, autour d'un autre. **3.** Fig. Sphère dans laquelle se manifeste l'influence, l'activité (de qqn, de qqch). *Politiciens qui gravitent dans l'orbite du pouvoir.*

orbiteur n. m. ESP Élément principal d'une navette spatiale.

Orcades (en angl. *Orkney*), archipel britannique, au N.-E. de l'Écosse, qui comprend env. 90 îles, dont une vingtaine seulement sont habitées (île princ. *Mainland*). Il forme une région de la G.-B. : 975 km²; 19 570 hab.; ch.-l. *Kirkwall.* Pêche, élevage bovin et ovin. Tourisme.

Orcades du Sud, archipel britannique de l'Antarctique (622 km²), au S.-E. de l'Argentine, qui le revendique. Depuis 1962, il fait partie du Territoire antarctique britannique.

Orcagna (Andrea di Cione Arcangelo, dit l') (actif à Florence entre 1343 et 1368), peintre, sculpteur et architecte italien (tabernacle en marbre polychrome d'Orsanmichele, à Florence; 1352-1359).

orcéine n. f. **1.** TECH Matière colorante rouge tirée de l'orseille*. **2.** CHIM Mélange de colorants utilisé en microscopie et dans les analyses biologiques.

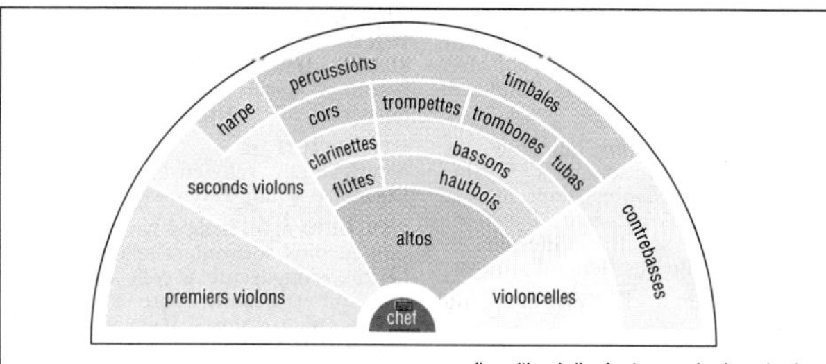

disposition de l'**orchestre** symphonique classique

orchestral, ale, aux [ɔʀkɛstʀal, o] adj. Qui a rapport à un orchestre, à l'orchestre. *Musique orchestrale*, destinée à être jouée par un orchestre (par oppos. à *vocal*).

orchestrateur, trice n. Celui, celle qui conçoit une orchestration.

orchestration n. f. **1.** Art d'orchestrer. *Traité d'orchestration.* **2.** Adaptation d'une œuvre musicale en vue de son exécution par un orchestre.

orchestre [ɔʀkɛstʀ] n. m. **I. 1.** ANTIQ GR Partie du théâtre située entre le public et la scène, et où évoluait le chœur. **2.** Dans une salle de spectacle, ensemble des places situées au niveau inférieur (par oppos. à *balcon*). **II.** Ensemble des instrumentistes qui participent à l'interprétation d'une œuvre musicale. *L'orchestre de l'Opéra.* – *Chef d'orchestre* : musicien qui dirige un orchestre en lui indiquant, par des gestes, la mesure et les nuances expressives. ▷ Troupe de musiciens qui jouent habituellement ensemble. *Orchestre de jazz.*

orchestrer v. tr. [1] **1.** Écrire (une œuvre musicale) en combinant les parties instrumentales. **2.** Fig. Diriger (une action concertée). *Orchestrer une campagne de presse.*

orchi-, orchido-. Élément, du gr. *orkhis*, « testicule ».

orchidacées [ɔʀkidase] n. f. pl. BOT Famille de plantes monocotylédones phanérogames, angiospermes, aux fleurs généralement très décoratives. – Sing. *Une orchidacée.*

orchidée [ɔʀkide] n. f. **1.** Plante de la famille des orchidacées (environ 15 000 espèces), à fleurs ornementales; la fleur de cette plante. *La vanille est une orchidée.* **2.** (Plur.) Syn. de *orchidacées.*

orchis [ɔʀkis] n. m. Orchidée dont les fleurs portent un éperon, rattaché au labelle et qui possède deux tubercules, l'un qui a donné naissance à la plante, l'autre lui permettant de se reproduire l'année suivante.

orchidées : à g., orchis tacheté; au centre, sabot de Vénus; à dr. Ophrys abeille

orchite [ɔʀkit] n. f. MED Inflammation aiguë ou chronique du testicule.

Orchomène, cap. de l'Arcadie antique.

Orchomène, anc. v. de Béotie, dévastée par Thèbes en 364 av. J.-C., où Sylla fut vainqueur d'Archélaos, général de Mithridate (86 av. J.-C.). Vest. archéologiques.

Orcival, com. du Puy-de-Dôme; 284 hab. – Égl. romane.

ordalie n. f. HIST, ETHNOL Épreuve judiciaire dont l'issue, réputée dépendre de Dieu ou d'une puissance surnaturelle, établit la culpabilité ou l'innocence d'un individu.

ordinaire adj. et n. m. **I.** adj. **1.** Qui ne sort pas de l'ordre commun, de l'usage habituel. *Il lui est arrivé une chose peu ordinaire.* **2.** De qualité moyenne, courante. *Du papier ordinaire.* – Péjor. *Des gens très ordinaires*, de condition modeste ou de manières vulgaires. **II.** Loc. adv. *À l'ordinaire, d'ordinaire* : d'habitude, en général. *Agir comme à l'ordinaire. C'est ce qu'on fait d'ordinaire dans ces cas-là.* **III.** n. m. **1.** Ce qui est ordinaire, courant. *Cela ne change pas de l'ordinaire.* **2.** Ce que l'on sert habituellement aux repas (en partic. dans l'armée). *Dans cette caserne, l'ordinaire est mauvais.* ▷ MILIT Service chargé de l'alimentation d'une troupe. **3.** LITURG *L'ordinaire de la messe* : les prières fixes qui sont dites dans toutes les messes (par oppos. aux textes du *propre*).

ordinairement adv. D'ordinaire, d'habitude. *Il est ordinairement à l'heure.*

ordinal, ale, aux adj. Qui marque le rang, l'ordre. *Nombre ordinal* (V. nombre). ▷ GRAM *Adjectif numéral ordinal* : adjectif qui exprime le rang dans une série ordonnée (ex. premier, deuxième, troisième, etc.).

ordinateur n. m. INFORM Machine capable d'effectuer automatiquement des opérations arithmétiques et logiques (à des fins scientifiques, administratives, comptables, etc.) à partir de programmes définissant la séquence de ces opérations. *Ordinateur individuel. Ordinateur domestique.*

ENCYCL L'utilisation de l'ordinateur est fondée sur l'*informatique*. Un ordinateur est constitué d'éléments physiques appelés *matériel* (*hardware* en anglais) et fonctionne à partir d'un ensemble de programmes appelé *logiciel* (*software* en anglais). Un ordinateur est caractérisé par sa grande rapidité de calcul et par sa capacité de stocker des informations dans des organes appelés *mémoires*. Les opérations successives qu'on doit effectuer pour traiter des informations sont inscrites à l'intérieur d'un programme rédigé dans un langage conventionnel. Les *unités d'entrée* (lecteur de disquettes, lecteur optique, clavier, etc.) permettent d'introduire le programme et les données initiales. L'*unité centrale* reçoit les informations fournies par les unités d'entrée et exécute les instructions du programme. Les *mémoires auxiliaires* (bandes magnétiques, disques magnétiques, disques optiques) servent à stocker les informations avant ou après leur transfert en mémoire centrale. Les *unités de sortie* (imprimante, table traçante, écran, etc.) fournissent les résultats du traitement. Les organes d'entrée-sortie et les mémoires auxiliaires sont appelés des *périphériques*. L'ordinateur peut servir à la fois à plusieurs utilisateurs équipés de *terminaux*, organes d'entrée-sortie reliés à l'ordinateur par des lignes de transmission, ou au contraire fonctionner de manière autonome lorsqu'il est installé dans les locaux de l'utilisateur. Le traitement peut s'effectuer *par lots* (en regroupant les programmes à exécuter), *en temps partagé* ou *en temps réel*. V. temps.

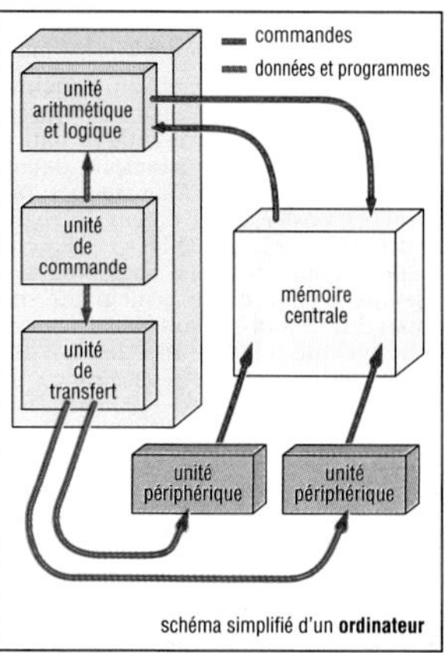

schéma simplifié d'un **ordinateur**

ordination n. f. LITURG CATHOL Action de conférer ou de recevoir le sacrement de l'ordre (sens II, 9). *L'archevêque procéda à l'ordination.* – Cérémonie au cours de laquelle ce sacrement est conféré.

Ordjonikidze. V. Vladikavkaz.

Ordjonikidze (Grigori Konstantinovitch) (Gorecha, Géorgie, 1886 – Moscou, 1937), révolutionnaire soviétique; l'un des dirigeants bolcheviks lors de l'insurrection de Petrograd en 1917.

ordonnance n. f. **I.** Disposition ordonnée des éléments d'un ensemble. *L'ordonnance d'un tableau.* ▷ ARCHI Disposition des différentes parties d'un édifice. **II.** Ce qui est prescrit par une autorité compétente. **1.** Acte législatif d'un gouvernement. – HIST *Ordonnances des rois de France*, qui avaient un caractère général et étaient applicables à tout le royaume. **2.** DR Décision émanant du président de la juridiction ou d'un juge d'instruction. *Une ordonnance de référé, de non-lieu.* **3.** Ensemble des prescriptions faites par un praticien (médecin, dentiste, etc.). ▷ Écrit daté et signé contenant ces prescriptions. **III.** n. f. ou m. Anc. Soldat affecté au service personnel d'un officier. ▷ *Officier d'ordonnance* : syn. de *aide de camp.* (V. aide 2.)

ordonnancement n. m. **1.** Action de régler suivant un certain ordre. *Ordonnancement d'une cérémonie.* **2.** FIN

Action d'ordonnancer un paiement. **3.** TECH Recherche de la meilleure utilisation du personnel et du matériel lors de la fabrication d'un produit ou de la construction d'un ouvrage.

ordonnancer v. tr. [**12**] **1.** Régler selon un ordre déterminé. *Ordonnancer une fête.* **2.** FIN Donner l'ordre de payer (une dépense publique) après qu'en ont été contrôlés le montant et la légitimité. **3.** TECH Effectuer l'ordonnancement de (une fabrication, une construction).

ordonnancier n. m. **1.** Registre dans lequel le pharmacien doit consigner les préparations et les produits vendus sur ordonnance. **2.** Bloc de papier à l'en-tête d'un praticien et destiné à faire des ordonnances.

ordonnateur, trice n. **1.** Personne qui dispose, règle selon un ordre. *L'ordonnateur d'une fête. Ordonnateur des pompes funèbres,* chargé de régler la marche des convois funèbres. **2.** FIN Personne habilitée à ordonnancer un paiement.

ordonné, ée adj. **1.** Qui est en ordre, rangé, bien tenu. *Une maison ordonnée.* **2.** Qui est naturellement enclin à mettre de l'ordre, à ranger. *Un garçon soigneux et ordonné.* **3.** Dont les éléments sont classés, disposés selon leur rang, hiérarchisés. ▷ MATH *Ensemble ordonné,* muni d'une relation d'ordre (sens I, 1). **4.** RELIG Qui a reçu le sacrement de l'ordre (sens II, 9).

ordonnée n. f. MATH Coordonnée verticale qui permet, avec l'abscisse, de définir la position d'un point dans un espace à deux dimensions. (On la représente par le symb. y).

ordonner v. tr. [**1**] **1.** Mettre en ordre. *Ordonner les diverses parties d'un manuscrit.* ▷ MATH *Ordonner un polynôme,* ranger ses termes suivant les puissances croissantes ou décroissantes de l'une des variations. **2.** Commander, donner un ordre. *Ordonner à qqn de partir. Je fais ce qu'on m'ordonne. – Le médecin lui a ordonné un régime.* **3.** RELIG Conférer le sacrement de l'ordre (sens II, 9) à (qqn).

Ordos (en chin. *Hetao*), plateau de Chine, dans la boucle du Huanghe, habité par les Mongols *Ordos.* Élevage.

ordovicien, enne adj. et n. m. GEOL Relatif à la première partie du silurien. – n. m. *On fait parfois de l'ordovicien une période à part.*

ordre n. m. **I. 1.** Organisation d'un tout en ses parties; relation entre les éléments d'un ensemble, qui associe à chacun de ceux-ci un rang, une importance par rapport à tous les autres. *Ordre alphabétique, chronologique. Procédons par ordre.* ▷ MATH *Relation d'ordre dans un ensemble :* relation binaire R qui est réflexive ($\forall x \in E$, xRx), transitive (xRy et yRz $\Rightarrow$ xRz) et antisymétrique (xRy et yRx $\Rightarrow$ y = x). *L'ensemble N des entiers naturels est muni de la relation d'ordre notée* $\leqslant$. ▷ *Ordre du jour :* ensemble des questions, classées dans un certain ordre, sur lesquelles doit délibérer une assemblée. – Fig. *C'est un problème qui est à l'ordre du jour,* dont il est beaucoup question en ce moment, qui est d'actualité. **2.** Arrangement régulier dans l'espace. *L'ordre d'un jardin à la française.* ▷ MILIT Disposition d'une troupe sur le terrain. *Ordre de bataille. Progresser en ordre dispersé.* ▷ Bonne organisation, fonctionnement normal, régulier. *Remettre de l'ordre dans les affaires d'une entreprise.* ▷ Disposition régulière d'un ensemble d'objets, destinée à réduire l'espace qu'ils occupent et permettant de trouver facilement ceux dont on a besoin. *Outils disposés en bon ordre.* **3.** Méthode, exactitude, précision de l'esprit. *Un homme d'ordre.* ▷ Tendance spontanée à disposer les objets en ordre (sens 2), à ranger. *Elle a beaucoup de soin et d'ordre.* **4.** Organisation sociale; stabilité des institutions, paix civile. *Interdire une réunion susceptible de troubler l'ordre public. Maintien de l'ordre.* **5.** Ensemble des lois naturelles. *L'ordre de l'univers, des choses.* Loc. *C'est dans l'ordre (des choses) :* c'est normal. **II. 1.** HIST Chacune des trois grandes classes de la société sous l'Ancien Régime. *Les états généraux rassemblaient des représentants des trois ordres : noblesse, clergé et tiers état.* **2.** Corps composé de membres élus de certaines professions libérales. *Ordre des avocats, des médecins, des architectes.* **3.** Société religieuse dont les membres ont fait solennellement vœu de vivre selon une règle. *L'ordre des Bénédictins, des Jésuites, des Carmélites.* **4.** Anc. *Ordres de chevalerie :* associations religieuses et militaires formées pour combattre les infidèles, au Moyen Âge. *Ordre de Malte, des Templiers.* **5.** Société dont on est admis à faire partie à titre de récompense honorifique. *Ordre de la Légion d'honneur.* **6.** Catégorie d'êtres ou de choses; division, espèce. *Dans un autre ordre d'idées. Un travail d'ordre intellectuel.* ▷ *De l'ordre de :* d'environ (telle grandeur, telle quantité). *Somme de l'ordre d'un million.* **7.** BIOL Unité systématique faisant suite à la classe et précédant la famille. *L'ordre des carnivores, des ongulés. Les ordres, parfois divisés en sous-ordres, peuvent être regroupés en super-ordres.* **8.** ARCHI Chacun des styles de construction de l'architecture antique (ou imités de cette architecture), caractérisés par la structure et la décoration des colonnes, des chapiteaux et des entablements. *Les ordres ionique, dorique et corinthien.* **9.** LITURG CATHOL *Sacrement de l'ordre :* sacrement donnant pouvoir d'exercer certaines fonctions ecclésiastiques. **10.** RELIG CATHOL Degré dans la hiérarchie ecclésiastique. *Ordres majeurs :* le diaconat et le sacerdoce (prêtre, évêque). *Ordres mineurs* (appelés aujourd'hui *ministères*) : lecteur et servant à l'autel. – *Entrer dans*

les ordres : se faire prêtre, religieux, religieuse. **11.** Fig. Degré établi par comparaison. *Ouvrage de premier, de second ordre,* de première, de seconde importance. **III. 1.** Commandement, prescription. *Donner, exécuter un ordre.* – *Jusqu'à nouvel ordre* : jusqu'à ce que les dispositions actuelles aient été modifiées. **2.** FIN *Billet à ordre* : effet de commerce endossé par le bénéficiaire et payé à la personne désignée par celui-ci. ▷ *Ordre de Bourse* : ordre d'effectuer une transaction, donné à un agent de change. *Donneur d'ordres* : syn. de *opérateur.* **3.** COMM Commande. *Feuille d'ordres.* **4.** INFORM Directive qui commande un organe périphérique d'ordinateur.

ordure n. f. **1.** Matière vile, malpropre. – *Spécial.* Excrément. *L'ordure d'un chien.* **2.** (Plur.) Déchets, matières de rebut. *Boîte à ordures. Collecte des ordures ménagères.* **3.** Fig., litt. Abjection. *Se complaire dans l'ordure.* **4.** Parole, écrit infâme ou obscène. *Ce texte est un tissu d'ordures.* **5.** Vulg., inj. Personne très méprisable. *C'est une belle ordure.*

ordurier, ère adj. Qui se plaît à dire, à écrire des ordures, des obscénités. *Être ordurier.* ▷ Qui contient des obscénités. *Un texte ordurier.*

ore. V. or 2.

öre n. m. Centième partie de l'unité monétaire du Danemark, de la Norvège et de la Suède.

Örebro, v. de Suède, à l'O. de Stockholm, sur le *lac Hjälmar;* 118 040 hab.; ch.-l. du län du m. nom. Chaussures, industr. text. et alim., constr. mécaniques.

orée n. f. Lisière, bordure. *L'orée d'un bois.* ▷ Fig., litt. *L'orée du jour.*

Oregon. V. Columbia (fl.).

Oregon, État du N.-O. des É.-U., sur le Pacifique; 251 180 km²; 2 842 000 hab.; cap. *Salem;* v. princ. *Portland.* – À l'E. s'étendent de hauts plateaux (alt. moyenne 1 500 m), que surplombent des montagnes (Blue Mountains, jusqu'à 2 700 m); à l'O. des chaînes montagneuses (chaîne Côtière et chaîne des Cascades). Climat océanique. Princ. ressources : exploitation forestière, pêche, élevage, céréales, hydroélectricité. Ressources minières et industrielles (bois et électrométallurgie). Tourisme en essor. – Explorée à la fin du XVIIIe s., la région devint un territoire en 1848, et forma le trente-troisième État de l'Union en 1859. Le territoire de Washington en avait été détaché en 1853.

oreillard n. m. Chauve-souris aux grandes oreilles de l'hémisphère Nord.

oreille n. f. **1.** Organe de l'ouïe. *Se boucher les oreilles.* ▷ ANAT Chacun des trois segments de l'appareil auditif. *Oreille externe, oreille moyenne, oreille interne* (V. encycl.). ▷ Loc. *Parler à l'oreille de qqn.,* de manière à n'être entendu que de lui. – Fig. *Prêter l'oreille* : écouter attentivement. – Fig. *Choses qui viennent aux oreilles,* dont on entend parler. – Fig., fam. *Ça lui entre par une oreille et ça sort par l'autre* : il ne fait pas attention à ce qu'on lui dit, ou il l'oublie très vite. **2.** Ouïe, perception des sons. *Musique qui flatte l'oreille. Être dur d'oreille,* un peu sourd. – *Faire la sourde oreille* : feindre de ne pas entendre ce que l'on dit, ce que l'on demande. – Absol. *Avoir de l'oreille* : avoir une bonne ouïe, bien distinguer les sons musicaux. **3.** Pavillon de l'oreille. *Boucles d'oreilles. Si tu continues, tu vas te faire tirer les oreilles.* – Fig. *Se faire tirer l'oreille pour...* : n'accepter qu'avec réticence de... ▷ Loc. fig. *Avoir l'oreille basse* : être mortifié. *Mettre la puce à l'oreille* : éveiller les soupçons. *Échauffer les oreilles* : impatienter vivement, mettre en colère. *Montrer le bout de l'oreille* : laisser entrevoir sa véritable personnalité, ses intentions cachées. **4.** Ce qui rappelle une oreille par sa forme, son aspect. *Les oreilles d'un récipient* : les deux appendices situés de part et d'autre de celui-ci et qui servent à le tenir. ▷ TECH *Écrou à oreilles,* muni de deux ailettes qui permettent de le manœuvrer sans utiliser de clé. ▷ MAR Partie saillante de la patte d'une ancre. ▷ *Oreille-de-mer* : haliotide. ▷ *Oreille-de-souris* : myosotis. ▷ *Oreille-de-Judas* : champignon en forme de coupelle, irrégulière et translucide, d'un brun-rouge violacé, croissant surtout sur les vieux sureaux, comestible (une espèce asiatique est le champignon noir des Chinois).

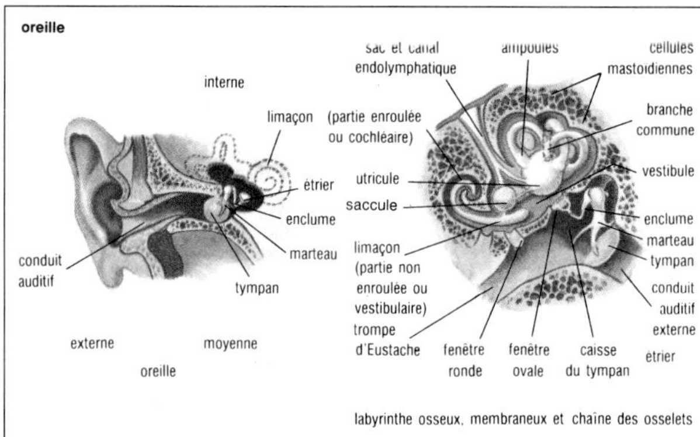

ENCYCL **Anat.** – L'oreille est un organe d'audition mais également d'équilibre. L'oreille externe se compose du pavillon de l'oreille et du conduit auditif externe. L'oreille moyenne est constituée par plusieurs cavités situées dans le rocher et qui communiquent entre elles : la caisse du tympan, la trompe d'Eustache et les cavités mastoïdiennes; le tympan est une membrane qui transmet ses vibrations à l'oreille interne par l'intermédiaire de 3 osselets : le marteau, l'enclume et l'étrier. L'oreille interne se compose de deux parties : le labyrinthe, membraneux, qui, formé des canaux semi-circulaires et du vestibule, est responsable des fonctions d'équilibre; le limaçon, ou cochlée, qui possède la fonction d'audition proprement dite. Le récepteur sensoriel de l'ouïe est l'organe de Corti, qui contient les cellules sensorielles et se prolonge à son extrémité inférieure par le nerf cochléaire, branche du nerf auditif qui gagne le lobe temporal.

oreiller n. m. Coussin destiné à soutenir la tête d'une personne couchée. *Taie d'oreiller.*

oreillette n. f. **1.** ANAT Chacune des deux cavités supérieures du cœur, où arrive le sang. *L'oreillette droite reçoit le sang des veines caves, l'oreillette gauche, celui des veines pulmonaires.* **2.** Partie d'une coiffure qui couvre l'oreille.

oreillon n. m. **1.** Partie du casque d'une armure qui protégeait l'oreille. **2.** (Plur.) MED Infection virale, contagieuse et immunisante qui se manifeste le plus souvent par la tuméfaction de certaines glandes, notam. des parotides. **3.** Abricot au sirop, dénoyauté et en moitiés.

Orel, v. de Russie, sur l'Oka; 328 000 hab.; ch.-l. de la prov. du m. nom. Textiles; constr. mécaniques. – Combats violents en 1941 et 1943.

Orellana (Francisco de) (Trujillo, Estrémadure, ? – Amazonie, v. 1546), explorateur espagnol; compagnon de Pizarro. Il prospecta le cours de l'Amazone, qu'il nomma « rivière des Amazones ».

orémus [ɔʀemys] n. m. LITURG Mot (signifiant « nous prions » en lat.) prononcé durant la messe en latin par le prêtre pour inviter les fidèles à prier avec lui.

Orenbourg (*Tchkalov* de 1938 à 1957), v. de Russie, sur l'Oural; 544 000 hab.; ch.-l. de la prov. du m. nom. Industr. mécaniques. Gisement de gaz naturel. – Combats en 1917 entre les adversaires de la révolution d'Octobre et les rouges.

Orénoque (en esp. *Orinoco*), fl. du Venezuela (2 160 km); se jette dans l'Atlantique par un vaste delta (23 000 km²). Son débit est considérable, son cours inférieur est navigable.

Orense, v. d'Espagne, sur le Miño; ch.-l. de la prov. du m. nom (Galice); 109 280 hab. Centre comm. – Cath. de style roman et gothique (XIIe-XIIIe s., remaniée au XVe et au XVIIIe s.).

ores. V. or 2.

Oreste, dans la myth. gr., fils d'Agamemnon et de Clytemnestre, frère d'Électre et d'Iphigénie. Il tua sa mère et Égisthe, l'amant de celle-ci, pour venger le meurtre de son père.

Oreste (m. à Plaisance en 476), homme politique romain. Il gouverna effectivement l'empire d'Occident à la place de son fils Romulus Augustule, qu'il avait fait proclamer empereur (475) avec l'appui des chefs germains. Ayant failli à ses promesses, il fut mis à mort par l'un d'entre eux, Odoacre.

Øresund. V. Sund.

orfèvre n. Personne qui fabrique ou qui vend des objets d'ornement en métaux précieux. ▷ *Être orfèvre en la matière* : avoir une connaissance parfaite de ce dont il est question.

orfèvrerie n. f. **1.** Art, commerce de l'orfèvre. **2.** Ouvrages de l'orfèvre. *Articles d'orfèvrerie.*

Orff (Carl) (Munich, 1895 – id., 1982), compositeur lyrique allemand : *Carmina Burana* (cantate sur des chansons et chants de divers pays des XIe-XIIIe s., 1937).

Orfila (Mathieu) (Mahón, Baléares, 1787 – Paris, 1853), médecin et chimiste français d'origine espagnole; auteur de travaux de toxicologie.

orfraie n. f. Aigle de grande taille, appelé aussi *aigle de mer.* (Ne pas confondre avec l'effraie, chouette commune en Europe.) ▷ *Pousser des cris d'orfraie* (pour *d'effraie*) : crier très fort.

organdi n. m. Mousseline de coton très légère raidie par un apprêt.

organe n. m. **I. 1.** Partie d'un corps organisé remplissant une fonction déterminée. *Les organes des sens.* – *Organe de Corti,* situé dans le canal cochléaire, récepteur de l'audition. **2.** Moyen, instrument. *Les lois sont les organes de la justice.* **3.** Institution chargée de faire fonctionner une catégorie déterminée de services. *Les organes du pouvoir.* **4.** Pièce d'une machine, d'un mécanisme, remplissant une fonction déterminée. *Organes de freinage.* **II. 1.** *Absol.* Voix. *Avoir un bel organe.* **2.** Fig. Personne, chose par l'entremise de laquelle on fait connaître sa pensée, son opinion. *Servir d'organe auprès de qqn.* ▷ *Par ext.* Publication périodique, journal. *Organe de presse. L'organe officiel d'un parti.*

organelle n. f. BIOL Microstructure intracellulaire présentant une architecture et des fonctions métaboliques propres (dictyosomes, mitochondries, lysosomes). Syn. vieilli organite.

organicien, enne n. Didac. Spécialiste de chimie organique.

organicisme n. m. **1.** PHILO Théorie selon laquelle la vie résulte non d'une force qui anime les organes, mais de l'activité propre des organes eux-mêmes. **2.** MED Théorie qui rattache toute maladie à une lésion organique. **3.** SOCIOL Doctrine qui assimile les sociétés à des organismes vivants.

organiciste adj. et n. Qui relève de l'organicisme, qui en est partisan.

organigramme n. m. Schéma représentant l'organisation générale d'une administration, d'une entreprise, et faisant ressortir les attributions et les liaisons hiérarchiques et organiques de ses divers éléments.

organique adj. **1.** Qui a rapport aux organes ou aux organismes vivants. *Vie organique.* ▷ MED *Maladie organique,* liée à une altération de la structure d'un organe ou d'un tissu (par oppos. à *fonctionnelle*). **2.** Qui provient d'organismes, de tissus vivants. *Matières organiques.* ▷ *Chimie organique :* partie de la chimie qui étudie les composés du carbone (par oppos. à *chimie minérale*). **3.** DR Qui a trait aux parties essentielles de la constitution d'un État, d'un traité. *Loi organique.* **4.** Constitutif de qqch, de sa structure. *Les défauts organiques d'un raisonnement.*

organiquement adv. De façon organique, constitutivement.

organisable adj. Qui peut être organisé.

organisateur, trice adj. et n. Qui organise. *Principe organisateur.* ▷ Subst. Personne qui organise, sait organiser. *C'est un excellent organisateur.*

organisation n. f. **1.** Manière dont un corps est organisé; structure. *Organisation des reptiles, d'une cellule.* **2.** Action d'organiser. *Voulez-vous vous charger de l'organisation de la fête?* **3.** Manière dont un ensemble quelconque est constitué, réglé. *Organisation judiciaire.* **4.** Association, groupement.

Organisation de l'armée secrète (O.A.S.), mouvement qui tenta de s'opposer à la politique menée en Algérie par le général de Gaulle. Fondée, immédiatement après le putsch manqué d'avril 1961, par Salan et Jouhaud, elle accomplit des actes terroristes en Algérie et en métropole, notam. après les accords d'Évian (mars 1962).

Organisation de l'aviation civile internationale (O.A.C.I.), institution de l'ONU (depuis 1947) dont le siège est à Montréal. Sa compétence s'exerce dans le domaine de l'économie, du droit international et de la technique aéronautiques.

Organisation commune africaine et malgache (O.C.A.M.), organisme créé en 1965 par les États africains francophones en vue de resserrer leurs liens, économiques notam. L'île Maurice y adhéra en 1970; divers États, notam. Madagascar (1973), s'en retirèrent. En 1985, cette *Organisation commune africaine et mauricienne* a prononcé sa dissolution.

Organisation de coopération et de développement économiques (O.C.D.E.), succédant en 1961 à l'*Organisation européenne de coopération économique,* elle a pour fonction de coordonner les politiques économiques des États membres (29 en 1997).

Organisation des États américains (O.É.A.) (en angl. *Organization of American States,* O.A.S.), organisme créé en 1948, regroupant les É.-U. et les principaux États d'Amérique latine (à l'exception de Cuba, exclue en 1962). Elle est soumise à l'influence des É.-U.

Organisation internationale de police criminelle (O.I.P.C.). V. Interpol.

Organisation internationale du travail (O.I.T.), organisme de l'ONU (depuis 1946), qui siège à Genève. Créée en 1919, reconstituée en 1946-1948, l'O.I.T. se propose d'améliorer les conditions de travail dans le monde. Le *Bureau international du travail* (B.I.T.) est son secrétariat permanent. P. Nobel de la paix 1969.

Organisation de libération de la Palestine (O.L.P.), organisation de la résistance palestinienne, fondée en 1964 à Jérusalem en vue de libérer la Palestine de l'occupation israélienne et de créer une entité palestinienne souveraine. Regroupant plusieurs mouvements, elle est présidée depuis 1969 par Yasser Arafat, qui dirige le princ. d'entre eux, le Fatah. Elle privilégia d'abord l'action militaire, connut quelques succès mais se heurta à certains États arabes (Jordanie, 1970). Les accords de Camp David entre Israël et l'Égypte (1977) puis le départ du Liban, consécutif au siège de Beyrouth par l'armée israélienne (1982), lui ôtant l'espoir d'une solution militaire, l'O.L.P. a peu à peu mis l'accent sur l'action diplomatique et limité ses objectifs à la création d'un État dans les territoires occupés par Israël en 1967 (l'existence de cet État fut proclamée unilatéralement, en 1988, par les Palestiniens, à l'occasion de l'Intifada*). Reconnue par l'ONU en 1974, l'O.L.P. est membre de la Ligue arabe depuis 1976. L'O.L.P. a signé avec Israël un accord de reconnaissance mutuelle (1993) et a adopté une nouvelle charte sur la création d'un État palestinien (1996).

Organisation mondiale du commerce (O.M.C.), créée en 1995 après la conclusion des négociations douanières de l'Uruguay Round, elle regroupe 120 pays qui ont ratifié l'accord du GATT* et est chargée de promouvoir la libération des échanges internationaux. Son siège est à Genève.

Organisation mondiale de la santé (O.M.S.), organisme de l'ONU créé en 1948 et siégeant à Genève.

Organisation des Nations unies (ONU), organisation internationale créée en 1945 en vue de maintenir la paix entre les États et de promouvoir l'entraide économique, sociale et culturelle. Elle siège à New York et a succédé à la S.D.N. (créée en 1919). Les États membres souscrivent à la Charte des Nations unies, signée à San Francisco par cinquante États le 26 juin 1945. Une Assemblée générale groupe tous les États membres (une voix par État). Au début de 1994, l'ONU compte 184 membres. Sur le plan politique, l'ONU dispose d'un organe exécutif : le Conseil de sécurité, formé par quinze États, dont dix sont élus pour deux ans; cinq d'entre eux, les membres permanents (É.-U., R.-U., U.R.S.S., puis Russie en 1991, France, Chine), peuvent exercer leur droit de veto, ce qui paralyse souvent son pouvoir effectif. Autres organes centraux : Conseil économique et social, Conseil de tutelle, Cour internationale de justice (siège à La Haye) et Secrétariat général. Lors de conflits militaires, l'ONU peut, aux termes de la résolution du 3 nov. 1950, créer une force d'urgence (les «casques bleus»), composée de contingents appartenant à des États membres et dont elle assure le commandement.

Organisation des pays exportateurs de pétrole (OPEP), organisme siégeant à Vienne qui regroupe depuis 1960 les princ. pays exportateurs de pétrole afin d'appliquer une politique tarifaire commune.

Organisation du traité de l'Asie du Sud-Est (OTASE), organisme créé en 1954 sur l'initiative des É.-U. en vue du maintien de la paix dans le S.-E. asiatique. Elle siégeait à Bangkok et fut dissoute en 1977.

Organisation du traité de l'Atlantique Nord (OTAN, acronyme angl. : NATO), organisation issue du traité d'alliance (pacte de l'Atlantique Nord) signé le 4 avril 1949 par douze États. Comportant des structures civiles et militaires, elle a pour but de «sauvegarder la paix et la sécurité, et de développer la stabilité et le bien-être dans l'Atlantique Nord». États membres depuis sa création : Belgique, Canada, Danemark, É.-U., France, G.-B., Islande, Italie, Luxembourg, Norvège, Pays-Bas, Portugal; en 1952, Grèce et Turquie; en 1955, R.F.A.; en 1982, Espagne; en 1997, Hongrie, Pologne et République tchèque. La France s'était retirée de 1966 à 1995 de l'organisation militaire, rejetant la formule de l'intégration des forces. Le Conseil de l'Atlantique Nord siège à Bruxelles.

Organisation de l'unité africaine (O.U.A.), organisme créé en 1963 et groupant tous les États indépendants d'Afrique (hormis l'Afrique du Sud et ses anc. bantoustans) en vue d'appliquer des politiques communes. Le dernier membre admis (nov. 1984) est la République arabe sahraouie démocratique (ce qui a eu pour conséquence le retrait du Maroc en 1984). Siège à Addis-Abeba.

organisationnel, elle adj. Qui concerne l'organisation.

organisé, ée adj. **1.** BIOL Pourvu d'organes. *Êtres organisés.* **2.** Constitué, agencé pour tel usage, telle fonction. *Groupe organisé. Atelier bien organisé.* **3.** (Personnes) Ordonné, méthodique, prévoyant. *Une ménagère bien organisée.* – (Choses) Conçu pour être efficace; réglé d'avance. *Voyage organisé.* **4.** Qui fait partie d'une organisation (sens 4).

organiser v. [1] **I.** v. tr. **1.** Mettre en place (les éléments d'un ensemble) en vue d'une fonction, d'un usage déterminés. *Organiser un service.* **2.** Préparer, monter. *Organiser un voyage.* ▷ Régler, aménager. *Organiser ses loisirs, son temps.* **II.** v. pron. Devenir organisé. *Les secours s'organisent.* ▷ Prendre ses dispositions pour agir efficacement.

organiseur n. m. (Anglicisme) Agenda électronique de poche.

organisme n. m. **1.** Ensemble des organes constituant un être vivant; cet être vivant, en tant que corps organisé doué d'autonomie. ▷ *Spécial.* Corps humain. *Votre organisme a besoin de repos.* **2.** Groupement, association. *Organisme politique.* **3.** Ensemble de services administratifs remplissant une fonction déterminée. *Organisme d'aide sociale.*

organiste n. Musicien, musicienne qui joue de l'orgue.

organite n. m. BIOL Syn. de *organelle.*

organo-. Élément signifiant «organe» ou «organique».

organochloré, ée adj. et n. m. CHIM Se dit d'un produit organique dérivé du chlore. ▷ n. m. *Les organochlorés sont des produits de synthèse employés notam. comme insecticides et comme réfrigérants.*

organogenèse ou **organogénèse** n. f. EMBRYOL Formation des organes d'un être vivant au cours de son développement embryonnaire.

organoleptique adj. Qui a une action sur les organes des sens, en partic. sur le goût et l'odorat.

organologie n. f. Étude des instruments de musique.

organométallique adj. et n. m. CHIM Se dit d'un composé organique contenant un atome de métal directement lié à un atome de carbone.

Organon, titre des ouvrages de logique écrits par Aristote.

organophosphoré, ée adj. et n. m. CHIM Se dit d'un produit organique de synthèse dérivé du phosphore.

orgasme n. m. Paroxysme du plaisir sexuel.

orgastique adj. Didac. Propre, relatif à l'orgasme.

orge n. **1.** n. f. Plante herbacée (fam. graminées), céréale annuelle à épi simple; grain de cette plante. ▷ *Sucre d'orge :* V. sucre. **2.** n. m. *Orge mondé :* grain d'orge dépouillé de ses enveloppes. *Orge perlé :* orge mondé réduit en semoule. ▶ illustr. **céréales**

Orge, affl. de la Seine (r. g.) (50 km), en Île-de-France.

orgeat [ɔʀʒa] n. m. *Sirop d'orgeat* ou *orgeat,* fait autref. avec de l'orge, auj. avec des amandes et du sucre.

orgelet n. m. Petit furoncle du bord libre de la paupière, en forme de grain d'orge. Syn. cour. compère-loriot.

orgiaque adj. **1.** ANTIQ Relatif aux mystères de Dionysos, à Athènes, de Bacchus, à Rome. *Délire orgiaque.* **2.** Qui a les caractères d'une orgie.

orgie n. f. **1.** ANTIQ (Plur.) Fêtes consacrées à Dionysos chez les Grecs, à Bacchus chez les Romains. **2.** Partie de débauche où, aux excès de la table, s'ajoutent des débordements sexuels. **3.** Profusion; luxuriance.

Orgnac (aven d'), grotte de l'Ardèche. Site préhistorique (paléolithique inférieur et supérieur).

orgue n. m. au sing., et au plur. lorsque le mot désigne plusieurs instruments; n. f. au plur. (souvent emphatique) lorsque le mot désigne un seul instrument. **I. 1.** Grand instrument à vent composé de tuyaux de différentes grandeurs, d'un ou de plusieurs claviers et d'une soufflerie fournissant le vent. *Un bel orgue. Les grandes orgues de Notre-Dame.* ▷ *Orgue électrique, électronique :* instrument à clavier, sans tuyaux, dans lequel le son est produit par un signal électrique convenablement amplifié et modulé. ▷ *Orgue de Barbarie* (par altér. de *Barberis,* n. d'un fabricant d'orgues de Modène) : orgue mécanique portatif dans lequel la distribution de l'air mettant en vibration les tuyaux sonores est réglée par une bande de carton perforée que l'on fait défiler au moyen d'une manivelle. **2.** *Point d'orgue :* prolongation de la durée d'une note ou d'un silence, laissée à la discrétion de l'instrumentiste; signe (𝄐) indiquant cette prolongation. **II.** PETROG *Orgues basaltiques :* formation prismatique de basalte, dont l'aspect rappelle celui des tuyaux d'un orgue.

orgueil n. m. **1.** Opinion trop avantageuse de soi-même, de son importance. **2.** (En bonne part.) Sentiment légitime de sa valeur, de sa dignité.

orgueilleusement adv. D'une manière orgueilleuse.

orgueilleux, euse adj. (et n.) **1.** Qui a de l'orgueil. *Un personnage orgueilleux.* – *Être orgueilleux de son rang,* en tirer orgueil. ▷ Subst. *C'est une orgueilleuse.* **2.** Qui dénote l'orgueil. *Ton orgueilleux.*

Orhan (v. 1288 – v. 1359), sultan ottoman (1326-1359). Il établit sa capitale à Brousse en 1326 et soumit militairement une grande partie de l'Anatolie.

Oribase (Pergame, Mysie, 325 – Byzance, 403), médecin grec attaché à l'empereur Julien.

oriel n. m. ARCHI Syn. off. recommandé de *bow-window.*

orient n. m. **I. 1.** Celui des quatre points cardinaux qui est du côté où le soleil se lève; est, levant. **2.** Partie d'une région, d'un pays, d'un continent située vers l'est. ▷ *Spécial.* (Par rapport à l'Europe occidentale.) Les régions de l'est de l'Ancien Monde. – HIST *L'Orient ancien :* l'ensemble constitué par les grandes civilisations de l'Antiquité entourant la Méditerranée orientale jusqu'à l'Iran inclus (Mésopotamie, Égypte, etc.). **II.** Partie d'une loge maçonnique où se tient le vénérable; lieu où se réunit cette loge. *Orient de Nîmes, de Paris. Grand Orient :* fédération de loges pratiquant des rites différents (français, écossais, etc.). *Grand*

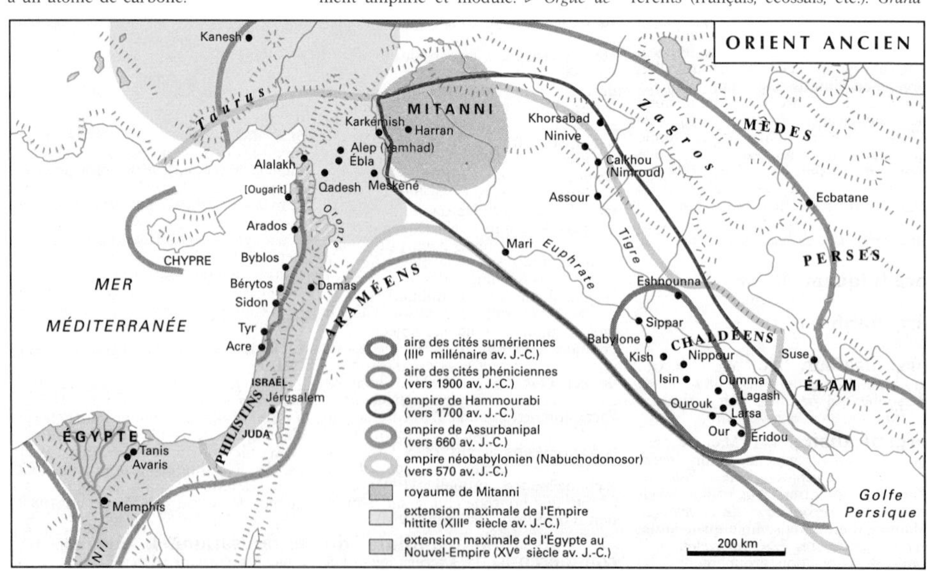

Orient de France : principale obédience maçonnique de France (plusieurs dizaines de milliers de membres). **III.** *L'orient d'une perle,* son reflet nacré.

Orient (Empire latin d'). V. Constantinople (Empire latin de).

Orient (Empire romain d'). V. byzantin (Empire).

Orient (question d'), ensemble des problèmes internationaux créés à partir du XVIIIe s. par le recul de l'Empire ottoman, notam. en Europe. L'Autriche-Hongrie, la Russie, la G.-B. et la France cherchèrent à tirer profit de cette situation, mais sans vouloir laisser une quelconque puissance en profiter particulièrement. Ayant des visées divergentes, elles usèrent d'un jeu politique subtil, qui, entremêlant alliances et guerres, permit à l'empire, devenu «l'homme malade» de l'Europe, de se maintenir jusqu'en 1920. Après l'émancipation de certains peuples chrétiens (autonomie, puis indépendance du Monténégro, de la Serbie, de la Grèce et de la Roumanie), la Russie, dont le but princ. était le contrôle des Détroits (Bosphore et Dardanelles), se heurta aux puissances occidentales (guerre de Crimée, 1854-1856), puis à la Turquie (1877-1878). Le traité de Berlin (1878) ne mit pas fin à la compétition austro-russe, qui se manifesta dans l'affaire de Bosnie-Herzégovine (1908) et provoqua les guerres balkaniques (1912-1913) : la Turquie perdit presque toutes ses possessions en Europe. Après 1920, la question d'Orient fut en fait la *question des Détroits.* Devenus zone internationale (1920), les Détroits furent restitués à la Turquie (traité de Lausanne, 1923), qui, à partir de 1936, reçut l'autorisation de les défendre, repoussant, avec l'appui américain, les tentatives de contrôle par l'U.R.S.S. après 1945.

Orient (schisme d'). V. schisme.

orientable adj. Qui peut être orienté. *Antenne orientable.*

oriental, ale, aux adj. et n. **1.** Qui est situé du côté de l'orient, à l'est. *Pyrénées orientales.* **2.** Originaire de l'Orient; propre aux pays, aux peuples de l'Orient. *Langues orientales* (hébreu, arabe, chinois, etc.). ▷ Subst. *Les Orientaux.*

orientalisme n. m. **1.** Étude de l'Orient, de ses peuples, de leurs civilisations, etc. **2.** Goût des choses de l'Orient.

orientaliste n. et adj. **1.** Personne versée dans la connaissance de l'Orient (notam. de ses langues et civilisations). **2.** Personne (partic., artiste) attachée à l'orientalisme (sens 2). - adj. *Peintre orientaliste.*

orientation n. f. **1.** Détermination du lieu où l'on se trouve, à l'aide des points cardinaux ou de tout autre repère. *Avoir le sens de l'orientation. Table* d'orientation.* **2.** Action d'orienter (sens 1) une chose, de régler sa position par rapport aux points cardinaux. *Orientation d'un édifice.* **3.** Fig. Action de diriger dans telle ou telle direction. *Orientation des recherches. Orientation scolaire et professionnelle,* vers telles études, tel métier.

orienté, ée adj. **1.** Disposé, construit de telle ou telle manière par rapport aux points cardinaux. *Maison bien orientée.* **2.** MATH *Droite orientée,* sur laquelle on a choisi un vecteur unité. **3.** Qui manifeste ou trahit une certaine tendance politique, doctrinale, etc. *Commentaire orienté.*

orienter v. [1] **I.** v. tr. **1.** Disposer une chose par rapport aux points cardinaux ou dans une direction déterminée. *Orienter au sud, vers la mer.* **2.** *Orienter une carte, un plan,* y porter les points cardinaux. **3.** Indiquer une direction à (qqn). *Orienter un passant.* ▷ Fig. Faire prendre telle ou telle direction à. *Orienter une enquête. Orienter un enfant vers les sciences.* **4.** GEOM *Orienter une droite* : définir un sens positif sur cette droite. **II.** v. pron. **1.** Déterminer sa position par des repères, par les points cardinaux. *S'orienter à la boussole.* **2.** Prendre telle direction, telle voie. *S'orienter vers le nord, le sud.* - Fig. *S'orienter vers la politique.*

orienteur, euse n. **1.** n. Personne qui s'occupe d'orientation scolaire et professionnelle. **2.** n. m. MILIT (En appos.) *Officier orienteur,* chargé de jalonner l'itinéraire d'une formation militaire.

orifice n. m. Ouverture qui sert d'entrée ou d'issue à une cavité, un conduit. *Orifice d'un tube, d'un puits. Orifice naturel,* du corps humain ou animal (bouche, anus, etc.).

oriflamme n. f. **1.** HIST Bannière de l'abbaye de Saint-Denis, puis des rois de France (XIIe-XVe s.). **2.** Bannière d'apparat, de décoration.

origan n. m. Plante aromatique (*Origanum vulgare,* fam. labiées) à fleurs rougeâtres.

Origène (Alexandrie, v. 185 - Tyr, v. 254), théologien et Père de l'Église grecque. Philosophe, il enseigna à Alexandrie, puis fonda une école de théologie à Césarée de Palestine. Il a donné notam. des *Commentaires* de l'Écriture, a réfuté les thèses antichrétiennes de Celse (*Contre Celse*) et laissé des traités de morale et de pratiques chrétiennes. On a retenu de ses travaux un recours excessif à l'interprétation allégorique de la Bible; il a utilisé les enseignements de la philosophie grecque pour l'expression de la doctrine chrétienne.

originaire adj. **1.** Qui tire son origine de (tel lieu). *Plante originaire de Chine.* **2.** Qui existe depuis l'origine. *Déformation originaire.*

originairement adv. À l'origine, primitivement. ▷ Par son origine, du fait de son origine.

original, ale, aux adj. et n. **I. 1.** adj. Qui est de l'auteur même, qui constitue la source première. *Dessin original. Copie d'un acte original. Édition originale (d'un texte, d'une gravure),* la première parue. **2.** n. m. Ouvrage, document, modèle primitif. *L'original d'un traité. Reproductions d'après l'original.* ▷ Modèle artistique ou littéraire. *Ressemblance d'un portrait avec l'original.* **II.** adj. **1.** D'une singularité neuve ou personnelle. *Idée originale. Artiste original.* **2.** *Par ext.* D'une singularité bizarre, excentrique. *Manières originales.* ▷ Subst. *C'est une originale.*

originalité n. f. **1.** Caractère d'une personne ou d'une chose originale (sens II). *Originalité d'un artiste, d'un décor.* - *Manquer d'originalité,* d'invention, de personnalité. **2.** Ce qui est original (sens II).

origine n. f. **1.** Principe, commencement. *L'origine de la vie.* - (Plur.) *Des origines à nos jours.* ▷ Loc. adv. *À* (ou *dès*) *l'origine* : au (ou dès le) commencement. *À l'origine, les ailes des avions étaient entoilées.* **2.** Cause, source. *L'origine d'une guerre.* **3.** Point de départ généalogique, milieu d'extraction (d'une personne, d'un groupe). *Origine des Celtes. Être d'origine paysanne.* **4.** Temps, lieu, milieu dont une chose est issue; provenance. *Tradition d'origine médiévale, occitane. Mot d'origine slave.* - *Origine d'un envoi.* - *Produit d'origine,* dont l'origine (de lieu ou de fabrication) est attestée. **5.** MATH Point à partir duquel sont définies les coordonnées d'un point.

originel, elle adj. **1.** De l'origine, qui remonte à l'origine. *Instinct originel.* **2.** THEOL Qui remonte à la création, à la faute d'Adam. *Le péché originel.*

originellement adv. Dès l'origine, primitivement.

orignal, aux ou **orignac** n. m. Nom cour. de l'élan d'Amérique du Nord.

Orion, dans la myth. gr., géant célèbre par sa beauté et son habileté à la chasse. Selon Horace, Artémis le changea en constellation.

Orion, grande constellation équatoriale, composée de quatre étoiles très brillantes formant un quadrilatère, au milieu duquel se trouvent trois étoiles alignées en biais *(Baudrier d'Orion). La nébuleuse d'Orion* : la plus spectaculaire des nébuleuses* à émission, visible à l'œil nu.

nébuleuse d'**Orion**

oripeaux n. m. pl. Vieux habits d'apparat.

Orissa, État du N.-E. de l'Inde, sur le golfe du Bengale; 155 842 km²; 31 512 070 hab.; cap. *Bhubaneswar.* Couvert de forêts, il s'étend sur les plateaux du Dekkan. Riz, millet. Charbon, fer, manganèse. Faible industrialisation.

Orizaba (volcan d'), point culminant du Mexique (5 700 m), dominant la *ville d'Orizaba* (115 000 hab.; centre textile).

Orkney. V. Orcades.

O.R.L. Abréviation de *oto-rhino-laryngologie.*

Orlando, v. des É.-U. (Floride); 164 690 hab. (aggl. urb. 824 100 hab.). Électron. Agrumes. Centre admin. et tourist. (porte d'accès à Disney World).

Orlando (Vittorio Emanuele) (Palerme, 1860 - Rome, 1952), homme politique italien. Président du Conseil (oct. 1917-juin 1919), il joua un rôle actif dans l'organisation de la paix, mais abandonna la vie politique durant le fascisme.

orle n. m. **1.** ARCHI Filet sous l'ove d'un chapiteau. **2.** HERALD Bordure intérieure ne touchant pas les bords de l'écu.

orléanais, aise adj. et n. D'Orléans. - Subst. *Un(e) Orléanais(e).*

Orléanais, anc. prov. de France dont la cap. était Orléans. Elle a formé les dép. du Loiret, de Loir-et-Cher et d'Eure-et-Loir. Partie du domaine royal sous les Capétiens, érigée en duché en 1344, elle constitua à deux reprises un apanage et fut réunie définitivement à la Couronne en 1626.

orléanisme n. m. HIST Doctrine des royalistes partisans de la maison d'Orléans.

orléaniste adj. et n. HIST Qui relève de l'orléanisme. *Le parti orléaniste.* – Partisan de l'orléanisme.

Orléans (île d'), île du fleuve Saint-Laurent, au N.-E. de la ville de Québec; 190 km²; 6 800 hab.

Orléans, ch.-l. du dép. du Loiret et de la Région Centre, sur la Loire; 107 965 hab. (243 150 hab. dans l'aggl.). Centre comm. (prod. agric.); industries alim. (conserves, vinaigre, chocolat), électr., du verre, etc. Industr. et admin. dans la banlieue (cité de La Source). – Évêché. Cath. Ste-Croix, ruinée durant les guerres de Religion, rebâtie aux XVIIe et XVIIIe s. Hôtel de ville du XVIe s. Musée des Beaux-Arts. Forêt domaniale (34 246 ha; chênes, pins sylvestres) au N.-E. de la ville. – L'anc. cité gauloise *Cenabum,* évêché au IVe s., devint avec Clovis la capitale du *royaume d'Orléans* et fut la résidence de plusieurs rois. Bastion des Armagnacs durant la guerre de Cent Ans, assiégée par les Anglais en 1428, elle fut délivrée par Jeanne d'Arc en 1429. Son commerce fut actif jusqu'au XIXe s. (navigation sur la Loire). Elle souffrit des bombardements en 1940 et 1944.

Orléans : la Loire, en arrière-plan, la cathédrale Sainte-Croix, XVIIe-XVIIIe s.

Orléans (maisons d'), nom de quatre familles princières de France. **1.** La première eut pour unique représentant **Philippe** (1336 – 1375), cinquième fils de Philippe VI de Valois, qui reçut le duché d'Orléans en apanage (1344) et mourut sans héritier. **2.** La deuxième fut fondée par **Louis Ier** (Paris, 1372 – id., 1407), frère de Charles VI, qui reçut le duché en 1392. Il fut tué par les partisans de Jean sans Peur, son rival dans la lutte pour le pouvoir royal, ce qui déclencha la guerre entre les Armagnacs et les Bourguignons. – **Charles d'Orléans** (Paris, 1391 – Amboise, 1465), fils du préc.; poète français. Chef des Armagnacs, il participa à la bataille d'Azincourt (1415), puis resta vingt-cinq ans prisonnier des Anglais. À son retour, il réunit autour de lui, à Blois, une cour raffinée. Ses œuvres (ballades, rondeaux) constituent un des sommets de la poésie courtoise. – **Louis II,** fils du préc., duc d'Orléans en 1465, devint roi de France (V. Louis XII). **3.** La troisième famille eut pour seul représentant **Gaston** (Fontainebleau, 1608 – Blois, 1660), Monsieur, frère de Louis XIII (V. monsieur), qui reçut le titre de duc d'Orléans en 1626. Il fut de tous les complots contre Richelieu et Mazarin. **4.** La quatrième fut fondée par **Philippe Ier** (Saint-Germain-en-Laye, 1640 – Saint-Cloud, 1701), Monsieur, frère de Louis XIV, duc d'Orléans en 1660. Célèbre pour ses amitiés masculines, il épousa cependant Henriette d'Angleterre (1661), puis Charlotte Élisabeth, princesse palatine (1671). – **Philippe II** (Saint-Cloud, 1674 – Versailles, 1723), fils du préc., duc d'Orléans en 1701; régent de France de 1715 à 1723. Il tenta de rétablir les finances publiques, mais ne put empêcher la banqueroute. – **Louis Philippe Joseph** (Saint-Cloud, 1747 – Paris, 1793), dit *Philippe Égalité,* arrière-petit-fils du préc., duc d'Orléans en 1785. Député de la noblesse aux états généraux, conventionnel, il vota la mort de Louis XVI et fut néanmoins décapité. – **Louis-Philippe,** fils du préc., duc d'Orléans en 1793; il accéda au trône (V. Louis-Philippe). – **Ferdinand-Philippe** (Palerme, 1810 – Neuilly-sur-Seine, 1842), fils du préc., duc d'Orléans en 1830; il participa au siège d'Anvers (1832) et à la conquête de l'Algérie (1835). – **Henri d'Orléans,** comte de Paris*, arrière-petit-fils du préc., a donné successivement le titre de duc d'Orléans à ses fils **François** (tué en Algérie en 1960) et **Jacques** (né en 1941).

Charles d'Orléans, comte d'Angoulême

le régent **Philippe d'Orléans**

Orléansville. V. Cheliff (Ech-).

Orley (Bernard Van). V. Van Orley.

orlon n. m. (Nom déposé.) Fibre textile synthétique fabriquée à partir d'un nitrile acrylique.

Orlov (Grigori Grigorievitch, comte) (Lioutkino, 1734 – Neskouchnoïe, près de Moscou, 1783), officier russe. Favori de Catherine II (dont il eut un fils), il contribua à l'arrestation puis à l'élimination de Pierre III.

Orly, ch.-l. de cant. du Val-de-Marne (arr. de Créteil), au S. de Paris; 21 824 hab. Jouets; emballage. L'aéroport d'Orly forme, avec les aéroports Charles-de-Gaulle (Roissy) et du Bourget, l'*Aéroport de Paris.*

Ormandy (Jenö Blau, dit Eugene) (Budapest, 1899 – Philadelphie, 1985), chef d'orchestre et violoniste américain d'origine hongroise. Il a dirigé l'orchestre de Philadelphie de 1936 à 1980 et joué un rôle de pionnier dans la diffusion des œuvres symphoniques contemporaines.

Ormazd. V. Ahura Mazdâ.

orme n. m. Arbre de nos régions (fam. des ulmacées), aux feuilles alternes dentelées, aux fleurs rougeâtres, hermaphrodites, dont le fruit est un akène ailé. *Les ormes sont menacés par une maladie due à un champignon.* ▷ Bois de cet arbre.

1. ormeau n. m. **1.** Petit orme, jeune orme. **2.** Syn. de *orme.*

2. ormeau, ormet ou **ormier** n. m. Mollusque marin comestible (genre *Haliotis*).

Ormesson (Lefèvre d'), famille française qui a donné des magistrats et des diplomates. – **Olivier III** (?, 1617 – Paris, 1686), rapporteur (intègre) au procès de Fouquet. – **Wladimir,** comte d'Ormesson (Saint-Pétersbourg, 1888 – Ormesson-sur-Marne, 1973), ambassadeur au Vatican (mai-oct. 1940 et 1948-1956) et en Argentine (1945-1948); auteur des *Enfances diplomatiques* (1931). Acad. fr. (1956). – **Jean,** comte d'Ormesson (Paris, 1925), neveu du préc.; écrivain : *Au plaisir de Dieu* (1974), *Mon dernier rêve sera pour vous* (1982). Acad. fr. (1973).

Ormesson-sur-Marne, ch.-l. de cant. du Val-de-Marne (arr. de Nogent-sur-Marne); 10 057 hab. – Château d'Ormesson (XVIe, XVIIe et XVIIIe s.), entouré d'un parc dessiné par Le Nôtre.

Ormonde (James Butler, 1er duc d') (Londres, 1610 – ?, 1688), homme politique irlandais. Il tenta de défendre l'Irlande contre Cromwell et contribua à la restauration monarchique de 1660 (Charles II) et à l'avènement de Jacques II.

Ormuz, détroit qui relie le golfe Persique à la mer d'Oman. Dep. la guerre irano-irakienne, ce point de passage obligé des pétroliers a perdu beaucoup de son importance; les deux tiers du pétrole en provenance de cette rég. sont auj. acheminés par oléoduc. L'*île d'Ormuz,* au N. du détroit, appartient auj. à l'Iran.

Ormuzd. V. Ahura Mazdâ.

Ornain, affluent (120 km) de la Saulx (affl. de la Marne, r. dr.), que suit le canal de la Marne au Rhin; il passe à Bar-le-Duc.

ornais, aise adj. et n. De l'Orne. – Subst. *Un(e) Ornais(e).*

Ornano, famille d'origine corse. – **Sampiero** (Bastelica, 1501 – La Rocca, 1567), dit *Sampiero Corso,* patriote corse qui lutta contre Gênes. – **Jean-Baptiste** (Sisteron, 1581 – Vincennes, 1626), petit-fils du préc.; maréchal de France, gouverneur du frère de Louis XIII, Gaston, futur duc d'Orléans, il fut emprisonné pour ses intrigues et décapité. – **Philippe Antoine,** comte d'Ornano (Ajaccio, 1784 – Paris, 1863), fut fait maréchal de France (1861) pour avoir commandé la cavalerie de la Vieille Garde (1813-1814). En 1816, il épousa Marie Walewska.

Ornans, ch.-l. de cant. du Doubs (arr. de Besançon), sur la Loue; 4 080 hab. – Égl. du XVIe s. Musée Courbet.

orne n. m. Rég. Frêne à fleurs (*Fraxinus ornus*).

Orne, fl. côtier de Normandie (152 km), qui traverse Argentan et se jette dans la Manche à Ouistreham.

Orne, riv. de Lorraine (86 km), affl. de la Moselle (r. g.). Sa vallée rassemble de nombr. industries sidérurgiques.

Orne, dép. franç. (61); 6 100 km²; 293 204 hab.; 48 hab./km²; ch.-l. *Alençon.* V. Normandie (Basse-) [Région].

ornemaniste n. BX-A Artiste, ouvrier qui ne conçoit ou ne réalise que des ornements.

ornement n. m. **1.** Rare Action d'orner; son résultat. ▷ *D'ornement :* qui sert à orner. *Plantes d'ornement.* **2.** Élément ajouté qui sert à orner, à embellir. *Robe unie et sans ornements.* – *Spécial.* BX-A Élément décoratif (sculpture, moulure) ajouté à un ensemble. ▷ Fig., litt. *Être l'ornement de :* faire honneur, donner du lustre à. **3.** MUS Note ou groupe

de notes d'agrément (souvent conventionnelles) ajoutées à une mélodie. **4.** LITURG CATHOL (Surtout au plur.) Habits sacerdotaux des cérémonies du culte.

ornemental, ale, aux adj. **1.** Relatif à l'ornement, qui use d'ornements. *Style ornemental.* **2.** Qui sert à orner. *Plante ornementale.* Syn. décoratif.

ornementation n. f. **1.** Art d'ornementer. *Un spécialiste de l'ornementation.* **2.** Disposition des ornements. *L'ornementation d'un chapiteau.*

ornementer v. tr. [1] Embellir par des ornements.

orner v. tr. [1] **1.** Embellir, décorer (qqch). – Pp. adj. Absol. *Lettres ornées,* enluminées. *Style orné,* très travaillé, qui use abondamment des figures de rhétorique. – Servir d'ornement à. *Des guirlandes ornaient les façades des maisons.* **2.** Fig., litt. Rendre plus agréable, donner plus d'éclat à.

ornière n. f. **1.** Trace profonde creusée par des roues de voitures dans un chemin. *S'enfoncer dans une ornière.* ▷ Loc. fig. *Sortir de l'ornière :* se sortir d'une situation difficile. **2.** Fig. Voie toute tracée que l'on suit par routine. *L'ornière des préjugés.*

ornith(o)-. Élément, du gr. *ornis, ornithos,* « oiseau ».

ornithogale n. m. BOT Petite plante bulbeuse herbacée (genre *Ornithogalum,* fam. liliacées), à fleurs blanches, jaunes ou vertes. *(Ornithogalum umbellatum* est la *dame-d'onze-heures.)*

ornithologie n. f. Partie de la zoologie qui étudie les oiseaux.

ornithologique adj. Didac. Qui a rapport à l'ornithologie. *Recherches ornithologiques.*

ornithologiste ou **ornithologue** n. Spécialiste de l'étude des oiseaux.

ornithomancie n. f. ANTIQ Divination par le chant ou par le vol des oiseaux.

ornithopodes n. m. pl. PALEONT Sous-ordre de dinosaures bipèdes herbivores, aux pieds courts munis de trois doigts, proches des kangourous. – Sing. *Un ornithopode.*

ornithorynque n. m. Mammifère ovipare d'Australie (ordre des monotrèmes), au bec corné aplati, aux pattes palmées, à la fourrure brune.

ornithorynque en plongée

ornithose n. f. MED Infection pulmonaire aiguë d'origine virale, transmise par certains oiseaux (perroquets, notam.).

oro-. Élément, du gr. *oros,* « montagne ».

orobanche n. f. BOT Plante dicotylédone herbacée dépourvue de chlorophylle, qui vit en parasite sur la racine des plantes légumineuses.

Orodès Ier (Ier s. av. J.-C.), roi des Parthes (55 à 37 av. J.-C.), successeur de son frère Mithridate III. Il lutta contre les Romains, battant Crassus à Carrhae (53 av. J.-C.), et fut assassiné par son fils, Phraatès IV.

orogenèse ou **orogénèse** n. f. GEOL Ensemble des phénomènes géologiques qui entraînent la formation des montagnes.

orogénie n. f. GEOL **1.** Étude de la formation des montagnes. **2.** Syn. de *orogenèse.*

orographie n. f. Didac. Étude descriptive du relief terrestre. ▷ *Par ext.* Système montagneux d'un pays, d'une région du monde.

Oromo(s), peuple chamito-sémitique d'Éthiopie, largement islamisé.

oronge n. f. Champignon comestible au chapeau rouge-orange, aux lamelles jaunes, appelé aussi *amanite des Césars (Amanita cæsarea).* ▷ *Fausse oronge* ou *amanite tue-mouches (Amanita muscaria) :* champignon toxique au chapeau rouge tacheté de blanc, aux lamelles blanches.

Oronte (en ar. *Nahr al-'Āṣī*), fl. du Proche-Orient (570 km); né dans le S. du Liban, il draine la Syrie occidentale, passe à Homs et se jette dans la Méditerranée après avoir arrosé Antioche (Turquie).

Orozco (José Clemente) (Zapotlán, 1883 – Mexico, 1949), peintre mexicain; représentant de l'expressionnisme latino-américain : peintures murales à caractère sociopolitique.

orpailleur n. m. TECH Ouvrier qui extrait, par lavage, les paillettes d'or des sables aurifères. ▷ *Par ext.* Chercheur d'or.

Orphée, dans la myth. gr., aède légendaire de Thrace, fils d'Œagre et de la muse Calliope. Le mythe le plus célèbre le concernant est celui de sa descente aux Enfers pour en ramener son épouse Eurydice. Hadès consent à la lui rendre à condition qu'il ne la regarde qu'au sortir du royaume des Morts. Orphée ne respecte pas cette injonction et provoque ainsi la seconde mort de sa femme. LITT Virgile a consacré au mythe d'Orphée 5 vers des *Géorgiques* (29 av. J.-C.); ces 5 vers ont inspiré la quasi-totalité des œuvres ultérieures, littéraires ou musicales.

Orphée, *Eurydice et Hermès,* copie romaine en marbre de l'original grec; musée du Louvre

orphelin, ine n. et adj. Enfant qui a perdu son père et sa mère, ou l'un des deux. *Un orphelin de père. Défendre la veuve et l'orphelin.* ▷ adj. *Une jeune fille orpheline.*

orphelinat n. m. Établissement qui recueille des orphelins.

orphéon n. m. Fanfare.

orphie n. f. ICHTYOL Poisson des mers d'Europe *(Belone belone),* au long bec fin et denté, appelé également *bécassine, aiguille de mer, aiguillette.*

orphique adj. Didac. **1.** Relatif à Orphée. *Culte orphique.* **2.** Relatif à l'orphisme; qui se rattache à l'orphisme.

orphisme n. m. **1.** ANTIQ GR Courant théologique et philosophique qui se développa en Grèce du VIIe au IVe s. av. J.-C. (V. encycl.). **2.** PEINT Tendance picturale élaborée par R. Delaunay et fondée sur l'organisation harmonique des couleurs selon la loi des contrastes simultanés.

ENCYCL **Antiq.** – L'orphisme était un ensemble de doctrines sur les origines et la fin du monde (immortalité de l'âme et cycle des réincarnations). Il comprenait des rites mystiques. Ces conceptions nouvelles exercèrent une influence profonde, à la fois sur la religion gr. (d'où la vogue des « mystères ») et sur le pythagorisme naissant.

orpin n. m. Plante (fam. crassulacées) à fleurs blanches ou jaunes, aux feuilles charnues, qui croît sur les murs, les toits, etc. Syn. sedum.

orque n. f. Cétacé odontocète (*Orcinus orca*, fam. delphinidés), long de 6 à 9 m, à aileron dorsal élevé, très vorace. Syn. épaulard.

orque ou épaulard

Orsay, ch.-l. de cant. de l'Essonne (arr. de Palaiseau), sur l'Yvette; 14 931 hab. Prod. pharm., plastiques. Centre universitaire (sciences) et laboratoires de recherches scientifiques, notam. de physique nucléaire.

Orsay (musée d'), musée du XIXe s. français, aménagé dans l'anc. gare d'Orsay, à Paris, ouvert en 1986.

ORSEC, acronyme pour *or(ganisation des) sec(ours).* – *Plan ORSEC* : plan d'organisation des secours lors de catastrophes et d'urgences collectives, qui permet au préfet de mobiliser tous les moyens d'intervention de son département.

orseille n. f. Nom cour. de divers lichens méditerranéens.

Orsini, famille romaine, guelfe, rivale des Colonna. Elle donna trois papes : Célestin III, Nicolas III, Benoît XIII.

Orsini (Felice) (Meldola, 1819 – Paris, 1858), patriote italien qui tenta d'assassiner Napoléon III (14 janv. 1858), auquel il reprochait de trahir la cause de l'unité italienne. Il fut condamné à mort et exécuté.

Orsk, v. de Russie, sur l'Oural; 266 000 hab. Centre métallurgique (fer et non-ferreux).

Ørsted. V. Œrsted.

ORSTOM, acronyme pour *Office de la recherche scientifique et technique outre-mer*, établissement public, créé en 1943, devenu dep. 1984 l'*Institut français de recherche scientifique pour le développement en coopération*, qui a pour vocation d'aider, par des actions sur le terrain, la réalisation de travaux dans les pays en voie de développement.

Ortega (Daniel) (La Libertad, Chontales, 1945), homme politique nicaraguayen. Un des dirigeants du Front sandiniste; chef de l'État de 1984 à 1990.

Ortega y Gasset (José) (Madrid, 1883 – id., 1955), philosophe et essayiste espagnol : *l'Espagne invertébrée* (1921), *la Déshumanisation de l'art* (1925), *la Révolte des masses* (1930).

orteil n. m. Doigt de pied. *Le gros orteil* : le pouce du pied.

O.R.T.F. Sigle de *Office* de radiodiffusion télévision française.*

orth(o)-. Élément, du gr. *orthos,* « droit », et, au fig., « correct ».

orthèse n. f. MED Appareil qui pallie une déficience corporelle de nature mécanique. *Les chaussures orthopédiques sont des orthèses.*

Orthez, ch.-l. de cant. des Pyrénées-Atlantiques (arr. de Pau), sur le gave de Pau; 10 760 hab. Industr. alimentaires (jambon de Bayonne); papeterie. – Égl. (XVe s.); pont Vieux, fortifié (XIIIe-XIVe s.); tour Moncade (XIIIe s.), donjon du château des comtes de Foix.

orthocentre n. m. GEOM Point de rencontre des hauteurs d'un triangle.

orthodontie [ɔʀtodɔ̃si] n. f. Partie de la dentisterie qui a pour objet le traitement des anomalies de position des dents.

orthodontiste n. Praticien qui exerce l'orthodontie.

orthodoxe adj. et n. **1.** Conforme au dogme, à la doctrine d'une religion. *Doctrine orthodoxe.* Ant. hérétique. ▷ Se dit des Églises chrétiennes d'Orient qui n'admettent pas l'autorité de Rome (dont elles se sont séparées en 1054). *Églises orthodoxes grecque, russe.* ▷ Subst. *Les orthodoxes russes.* **2.** Conforme à une tradition, à une doctrine établies. ▷ Cour. (En phrase négative.) *Des conceptions qui ne sont pas orthodoxes,* qui sont originales, qui rompent avec la routine, le conformisme. – Péjor. *Des pratiques peu orthodoxes.*

orthodoxie n. f. **1.** Doctrine officiellement enseignée par une Église. **2.** *Par ext.* Ensemble des dogmes, principes établis. **3.** Caractère de ce qui est orthodoxe. *L'orthodoxie d'un essai théologique.* – *L'orthodoxie d'une théorie scientifique.* **4.** Ensemble des Églises orthodoxes.

orthodromie n. f. MAR, AVIAT Trajet le plus court reliant deux points de la surface de la Terre, arc de grand cercle passant par ces points.

orthogenèse ou **orthogénèse** n. f. BIOL Processus évolutif dans lequel une série de variations se produit dans le même sens à travers différentes espèces ou genres.

orthogénie n. f. MED Contrôle des naissances.

orthogonal, ale, aux adj. GEOM Qui forme un angle droit; qui se fait à angle droit. *Plans orthogonaux,* qui se coupent à angle droit. *Projection orthogonale,* obtenue au moyen des perpendiculaires abaissées des différents points d'une figure au plan de projection.

orthogonalement adv. GEOM À angle droit, perpendiculairement.

orthographe n. f. **1.** Ensemble des règles régissant l'écriture des mots d'une langue. *Réforme de l'orthographe.* ▷ Application effective de ces règles. *Avoir une bonne orthographe.* **2.** Manière correcte d'écrire un mot. *Pourriez-vous me rappeler l'orthographe de « rhododendron »?* **3.** Système orthographique propre à une époque. *L'orthographe du XVIe s.*

orthographier v. tr. [2] Écrire (un mot, une phrase) selon les règles de l'orthographe. ▷ v. pron. *Ballottage s'orthographie avec deux l et deux t.*

orthographique adj. Relatif à l'orthographe.

orthonormé, ée adj. MATH *Base orthonormée* : base d'un espace vectoriel constituée de vecteurs unitaires orthogonaux deux à deux.

orthopédie n. f. **1.** Branche de la médecine qui étudie et traite les lésions congénitales ou acquises des os, des articulations, des muscles et des tendons. **2.** Cour. Orthopédie des membres inférieurs.

orthopédique adj. Relatif à l'orthopédie. *Appareil orthopédique.*

orthopédiste n. et adj. **1.** Praticien qui exerce l'orthopédie. – adj. *Chirurgien orthopédiste.* **2.** Personne qui fabrique ou qui vend des appareils orthopédiques.

orthophonie n. f. MED Correction des troubles du langage parlé et écrit.

orthophoniste n. MED Spécialiste de l'orthophonie.

orthoptères n. m. pl. ENTOM Ordre d'insectes (sauterelles, criquets, etc.) dont les ailes postérieures, à plis droits, se replient, comme un éventail, sous les élytres. – Sing. *Un orthoptère.*

orthoptie n. f. MED Rééducation de l'œil (atteint de strabisme, notam.).

orthoptiste n. Spécialiste de la rééducation de l'œil.

orthorhombique adj. MINER Se dit d'un cristal en forme de prisme droit à base en losange (ou en rectangle).

orthostatique adj. MED Relatif à la station debout. – Qui se produit en station debout. *Hypotension orthostatique.*

orthosympathique adj. ANAT, PHYSIOL Syn. de *sympathique.*

ortie n. f. **1.** Plante herbacée dont les feuilles dentées et les tiges sont couvertes de poils qui libèrent un liquide irritant. **2.** *Ortie blanche, ortie rouge* : noms cour. de lamiers.

Ortler, massif des Alpes italiennes (3 899 m), entre les hautes vallées de l'Adda et de l'Adige (Trentin).

ortolan n. m. Bruant européen (*Emberiza hortulana*) à gorge jaune dont la chair est très estimée.

Oruro, v. de Bolivie occid., à 3 800 m d'alt.; 178 690 hab.; ch.-l. du dép. du m. nom. Métallurgie de l'étain.

Orval (abbaye d'), célèbre abbaye de Belgique (prov. du Luxembourg), fondée v. 1070, cistercienne à partir de 1132. Ruines de l'église. – Bière.

Orvault, ch.-l. de cant. de la Loire-Atlantique (arr. de Nantes); 23 327 hab. Industr. diverses.

orvet [ɔʀvɛ] n. m. Reptile saurien (*Anguis fragilis*), long de 30 à 50 cm, dépourvu de pattes, ovovivipare, appelé aussi *serpent de verre* à cause de la grande fragilité de sa queue.

orviétan n. m. **1.** Vx Médicament à base de simples. **2.** *Marchand d'orviétan :*

charlatan, exploiteur de la crédulité publique.

Orvieto, v. d'Italie (Ombrie); 22 510 hab. Centre agricole (vin réputé) et artisanal. – Musée d'archéol. (Étrusques). Riche cath. romane et gothique (fin XIIIe - déb. XIVe s.), décorée de fresques dues à Fra Angelico, Signorelli, etc. Palais des papes (XIIIe s.).

Orwell (Eric Arthur Blair, dit George) (Motihāri, Bengale, 1903 – Londres, 1950), écrivain anglais. Il a dénoncé les dangers d'un monde guetté par la déshumanisation et le totalitarisme : *la Ferme des animaux* (1945), *1984* (1949).

oryctérope n. m. ZOOL Mammifère des savanes africaines (seul représentant de l'ordre des tubulidentés), muni d'un museau en forme de groin et de griffes puissantes, qui vit dans des terriers et se nourrit de termites et de fourmis. Syn. cochon de terre.

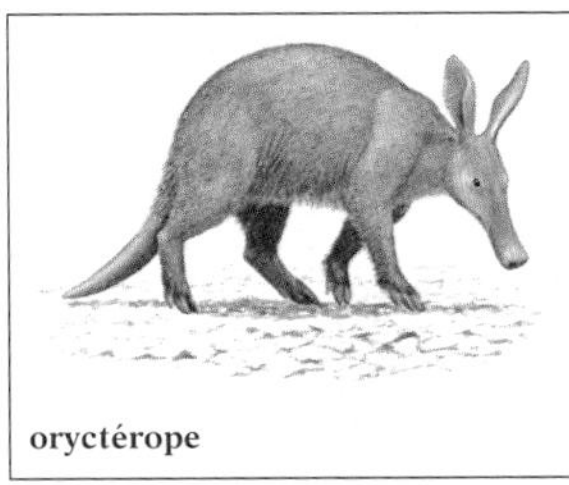

oryctérope

oryx [ɔʀiks] n. m. Antilope aux longues cornes striées, vivant dans les zones désertiques d'Afrique et d'Arabie.

os [ɔs, plur. o] n. m. **1.** Élément dur et calcifié du corps de l'homme et des vertébrés servant à soutenir les parties du corps entre elles, et dont l'ensemble constitue le squelette. ▷ Loc. fig., fam. *En chair et en os* : en personne. – *Donner un os à ronger à qqn*, lui accorder un petit avantage pour tromper son impatience ou son avidité. – *Il y laissera ses os* : il s'engage dans une aventure qui fera sa perte. – *Jusqu'aux os, jusqu'à la moelle des os* : entièrement, complètement. – *N'avoir que les os et la peau, n'avoir que la peau sur les os* : être très maigre. – *Ne pas faire de vieux os* : mourir jeune. ▷ Loc. fig., pop. *Tomber sur un os* : rencontrer une difficulté, un obstacle. **2.** (Plur.) Ossements, restes d'un être vivant après sa mort. **3.** *Os de seiche* : coquille interne de la seiche.

Os CHIM Symbole de l'osmium.

O.S. Abrév. de *ouvrier, ouvrière spécialisé(e).*

Ōsaka, deuxième v. du Japon (dans le S. de Honshū), grand port sur le Pacifique; ch.-l. du ken du m. nom; 2 642 270 hab. Centre d'une puissante et vaste conurbation industrielle. – Chât. féodal.

Ōsaka : le château féodal d'Hideyoshi (XVIe s.)

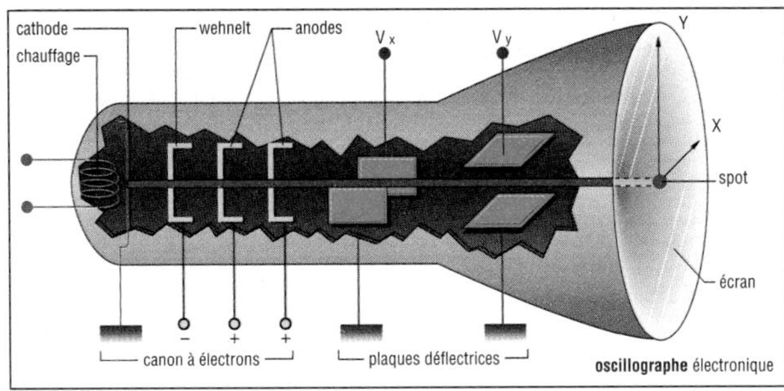

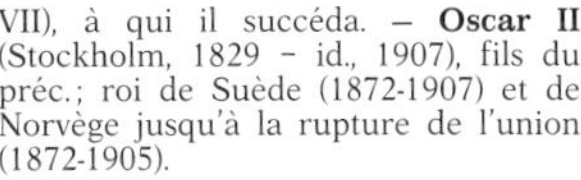

oscillographe électronique

Osborne (Thomas), comte de Danby, 1er duc de Leeds (Kiveton, Yorkshire, 1632 – Easton, Northamptonshire, 1712), homme politique anglais; ministre de Charles II (1674-1679), puis partisan actif de Guillaume d'Orange, qui fit de lui son Premier ministre (1689-1696).

Osborne (John) (Londres, 1929 – Shrewsbury, 1994), auteur dramatique et comédien anglais. Chef de file du groupe des *Young Angry Men* (« Jeunes Hommes en colère »), il exprime le rejet d'une société murée dans ses conformismes (*la Paix du dimanche*, 1956; *Temps présent*, 1968).

oscar n. m. Récompense, matérialisée par une statuette, décernée chaque année aux É.-U. à un film (pour son scénario, sa mise en scène, son interprétation, sa musique, etc.) par l'Académie des arts et sciences du cinéma. – Cette statuette. ▷ Par ext. *L'oscar de la publicité, de la chanson.*

Oscar Ier (Paris, 1799 – Stockholm, 1859), roi de Suède et de Norvège (1844-1859); fils de Bernadotte (Charles VII), à qui il succéda. – **Oscar II** (Stockholm, 1829 – id., 1907), fils du préc.; roi de Suède (1872-1907) et de Norvège jusqu'à la rupture de l'union (1872-1905).

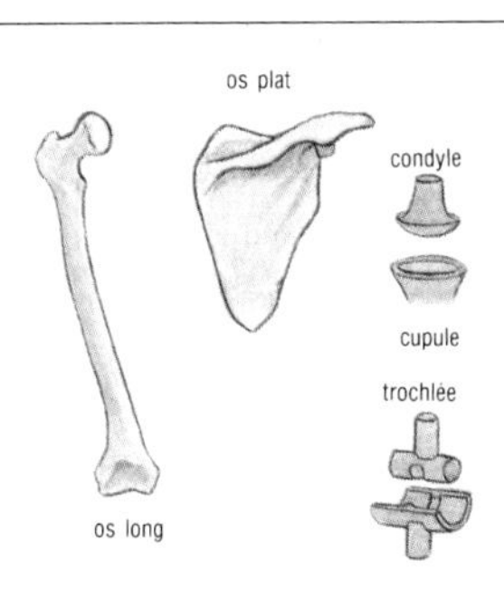

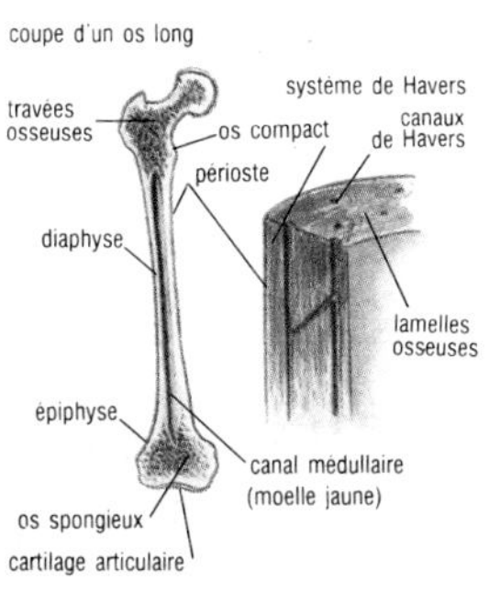

os et articulations

O.S.C.E., sigle de l'*Organisation pour la sécurité et la coopération en Europe*.*

oscillant, ante adj. **1.** Qui oscille. *Pendule oscillant.* ▷ PHYS Qui change périodiquement de sens. ▷ ELECTR *Circuit oscillant,* qui comprend une inductance et un condensateur associés en série ou en parallèle. **2.** Fig. Qui varie. *Actions et obligations oscillantes.*

oscillateur n. m. **1.** PHYS Dispositif générant des oscillations électriques, lumineuses, mécaniques ou sonores. **2.** TELECOM Appareil servant à produire des signaux sinusoïdaux de fréquence déterminée.

oscillation [ɔsilasjɔ̃] n. f. **1.** Mouvement d'un corps qui oscille. ▷ Mouvement de va-et-vient ne s'effectuant pas toujours entre les mêmes limites. **2.** PHYS Mouvement d'un point ou d'un système de part et d'autre d'une position d'équilibre; variation périodique d'une grandeur. **3.** Fig. Fluctuation. *Oscillations des cours de la Bourse.*

oscillatoire adj. PHYS Caractérisé par des oscillations. *Mouvement oscillatoire.*

osciller [ɔsile] v. intr. [1] **1.** Se mouvoir alternativement en deux sens contraires autour d'un point fixe. *Le pendule oscille.* **2.** Fig. Hésiter, fluctuer.

oscillographe n. m. PHYS Appareil permettant de tracer sur un écran ou d'enregistrer la courbe qui représente les variations d'une tension électrique en fonction du temps.

oscillomètre n. m. MED Appareil permettant de mesurer la pression artérielle.

oscilloscope n. m. ELECTR Oscillographe à écran cathodique.

1. -ose. Suffixe, tiré de *(gluc)ose,* servant à former les noms des glucides.

2. -ose. Suffixe, du gr. *-ôsis,* désignant des maladies non inflammatoires.

ose n. m. BIOCHIM Sucre simple non hydrolysable contenant plusieurs fonctions alcool et une fonction réductrice. V. encycl. glucide.

osé, ée adj. **1.** Audacieux. *Entreprise osée.* Syn. hardi, téméraire. **2.** Scabreux, licencieux. *Plaisanterie osée.*

Osée (VIIIe s. av. J.-C.), l'un des douze petits prophètes d'Israël (*Livre d'Osée,* Bible, 14 chapitres).

Osée, dernier roi d'Israël (732-724 av. J.-C.). Il fut renversé par Salmanasar V.

oseille n. f. **1.** Plante potagère (fam. polygonacées) cultivée pour ses feuilles à la saveur acide. **2.** Arg. Argent (sens 2).

Ösel. V. Saarema.

oser v. tr. [1] **1.** Entreprendre hardiment. *Homme à tout oser.* Syn. risquer, tenter. **2.** (Suivi d'un inf.) Avoir l'audace, le courage de. *Oseriez-vous l'affirmer?* - (Sens atténué.) *Personne n'ose lui apprendre la nouvelle.* ▷ Se permettre de. *Si j'ose dire.*

Oshawa, v. du Canada (Ontario), sur le lac Ontario; 129 300 hab. Constr. automobiles.

Oshima (Nagisa) (Kyōto, 1932), cinéaste japonais. Ses films traitent avec audace de la sexualité et de la mort : *Contes cruels de la jeunesse* (1960), *la Cérémonie* (1971), *l'Empire des sens* (1975), *Furyo* (1983).

Oshogbo, v. du S.-O. du Nigeria; 345 000 hab. Industr. alim. (cacao).

oside n. m. BIOCHIM Composé donnant par hydrolyse un ou plusieurs oses.

osier n. m. **1.** Nom cour. de divers saules dont certains sont utilisés en vannerie. **2.** Rameau flexible de ces arbres, employé en vannerie et pour la fabrication de liens. *Panier d'osier.*

osiériculture n. f. Didac. Culture de l'osier.

Osijek, ville de Croatie, sur la Drave; 104 780 hab. Textiles; constr. mécaniques.

Osiris, une des princ. divinités de l'anc. Égypte; frère et époux d'Isis et père d'Horus. C'est le dieu du Bien, de la Végétation et de la Vie éternelle. ▶ illustr. **Isis**

Ösling ou **Œsling,** région du Luxembourg septent., dans l'Ardenne.

Oslo (anc. *Christiania*), cap. de la Norvège, au fond d'un fjord s'ouvrant sur le Skagerrak; 458 360 hab. Port actif et princ. centre industriel du pays. Tourisme. - Évêché catholique. Université. Forteresse d'Akershus (XIIIe s.). Musée national (Van Gogh, Cézanne, Matisse, etc.). Musée de la Navigation. - Fondée au XIe s., la ville fut détruite par un incendie en 1624. Reconstruite, elle prit le nom de *Christiania*, qu'elle garda jusqu'en 1924.

Oslo : le fjord et la presqu'île de Bigdoy

Osman Ier Gazi («le Victorieux») (Söğüt, près d'Eskişehir, 1258 - id., 1326), le premier sultan ottoman (1281-1326). Chef de clan, il se libéra de la tutelle des Seldjoukides v. 1290, fondant la dynastie des *Osmanlis*, nommés *Ottomans* par les Occidentaux. – **Osman II** (Istanbul, v. 1603 - id., 1622), sultan ottoman (1618-1622). Succéda à son oncle Mustafa Ier. – **Osman III** (Istanbul, v. 1699 - id., 1757), sultan ottoman (1754-1757); il succéda à son frère Mahmut Ier.

Osman pacha Gazi (Amasya, 1837 - Istanbul, 1900), maréchal turc. Il résista aux Russes (1877) et commanda victorieusement la campagne contre la Grèce (1897).

osmium [ɔsmjɔm] n. m. CHIM Élément métallique de numéro atomique Z = 76, de masse atomique 190,2 (symbole Os). - Métal (Os) de couleur gris-bleu, de densité 22,57, qui fond vers 3 045 °C et bout vers 5 027 °C.

Osmond (Floris) (Paris, 1849 - Saint-Leu-la-Forêt, 1912), chimiste et métallurgiste français; créateur de l'étude micrographique des alliages.

osmonde n. f. BOT Grande fougère de nos forêts, appelée aussi *fougère aquatique.*

osmose n. f. **1.** CHIM, PHYS, BIOL Diffusion entre deux fluides séparés par des parois semi-perméables. **2.** Fig. Influence mutuelle, interpénétration profonde, intime.

osmotique adj. Relatif à l'osmose (sens 1).

Osnabrück, v. d'Allemagne (Basse-Saxe); 153 780 hab. Centre industr. (sidérurgie, constr. mécaniques, etc.). - Évêché catholique. Cath. (XIIe et XIIIe s.). - En 1648 y fut signé l'un des traités de Westphalie.

Osorno, v. du S. du Chili; 122 460 hab. Centre agricole; industr. alim. - Université.

osque adj. et n. **1.** adj. Relatif aux Osques. **2.** n. m. *L'osque* : le parler des Osques, voisin du latin.

Osques, anc. peuple italique, de langue sabellique, qui habitait le Latium et dont le parler contribua à la formation du latin.

Ossa, montagne de Grèce (1 978 m), en Thessalie, au S.-E. du mont Olympe.

ossature n. f. **1.** Ensemble des os constitutifs du corps humain. *Ossature puissante.* Syn. squelette. **2.** Assemblage régulier d'éléments, qui soutient un ouvrage et en assure la rigidité. *Ossature métallique, en béton d'un bâtiment.* Syn. charpente, armature, structure.

Ossau (gave d'), torrent des Pyrénées-Atlantiques (80 km); né près du *pic du Midi d'Ossau*, il s'unit au gave d'Aspe à Oloron-Sainte-Marie pour former le gave d'Oloron.

osséine n. f. BIOCHIM Protéine constitutive de la substance osseuse.

osselet n. m. **1.** Petit os. *Osselets de l'oreille.* **2.** Chacun des petits os tirés de la jointure du gigot de mouton (*ou* : petit élément de métal, de matière plastique, etc., moulé à la forme d'un osselet), que les enfants jouent à lancer et à rattraper sur le dos de la main. - (Plur.) Ce jeu. *Une partie d'osselets.*

ossements n. m. pl. Os décharnés et desséchés d'hommes ou d'animaux morts.

Osservatore Romano (l') («l'Observateur romain»), quotidien italien créé en 1861, l'organe officieux de la papauté.

Ossètes, peuple du Caucase central de langue iranienne, descendants des Scythes et des Alains, qui habitent deux rép. auton. de Géorgie et de Russie.

Ossétie, nom de deux rép. auton. de Russie et de Géorgie. ▷ L'**Ossétie du Nord** (8 000 km², 638 000 hab.), rattachée à la Russie, est peuplée majoritairement de musulmans. ▷ L'**Ossétie du Sud** (3 900 km², 100 000 hab.), rattachée à la Géorgie, est peuplée majoritairement de chrétiens qui, lors de la montée des nationalismes en ex-U.R.S.S., élisent leur propre Parlement. La Géorgie annule alors son statut de rép. autonome. Un conflit éclate (1990), faisant plus. centaines de victimes. En 1992, un accord de paix est signé et une force d'intervention de la C.É.I. est déployée.

osseux, euse adj. **1.** Relatif aux os. *Système osseux.* - De la nature des os. *Substance osseuse* - Qui a des os. *Poissons osseux.* **2.** Dont les os sont gros ou saillants. *Main osseuse.*

Ossian, barde écossais légendaire du IIIe s. Les poèmes épiques qui lui sont attribués étaient inconnus en Angleterre quand, en 1760, James Macpherson en publia une édition sous forme de paraphrase (*Fragments de poésie ancienne*) qui eut un immense succès et excita l'admiration des romantiques. Les poèmes originaux furent publiés en 1807.

Ossietzky (Carl von) (Hambourg, 1889 - Berlin, 1938), journaliste allemand. Pacifiste, son opposition au nazisme le fit interner dans un camp de concentration (1933-1936). P. Nobel de la paix 1935.

Carl von **Ossietzky**

ossification n. f. PHYSIOL Formation du tissu osseux par élaboration et minéralisation de la substance fondamentale de l'os.

ossifier v. tr. [2] Changer en os, en tissu osseux (les parties membraneuses et cartilagineuses). ▷ v. pron. Devenir osseux.

osso buco ou **ossobuco** [ɔsobuko] n. m. (Mots ital.) Jarret de veau avec son os, cuit à l'étouffée, avec des tomates et divers aromates. *Des osso buco* ou *des ossobucos.*

ossuaire n. m. Lieu où l'on dépose les ossements extraits de cimetières désaffectés, ou provenant de cadavres recueillis sur un champ de bataille. *L'ossuaire de Douaumont.*

Ossun, ch.-l. de cant. des Hautes-Pyrénées (arr. de Tarbes); 2 092 hab. Constr. aéronautiques. Aéroport (Tarbes-Ossun-Lourdes).

Ostade (Adriaen Van). V. Van Ostade.

osté(o)-. Préfixe, du gr. *osteon*, «os».

ostéalgie n. f. MED Douleur osseuse aiguë.

ostéichthyens [ɔsteiktjɛ̃] n. m. pl. ICHTYOL Classe de poissons à squelette ossifié, dits aussi *poissons osseux.* - Sing. *Un ostéichthyen.*

ostéite n. f. MED Affection inflammatoire du tissu osseux.

Ostende (en néerl. *Oostende*), v. et port de Belgique (Flandre-Occidentale), sur la mer du Nord et le canal de Bruges à Ostende; 69 000 hab. Pêche. Constr. navales et méca.; industr. chim. Stat. balnéaire. - Musée (partiellement consacré à James Ensor).

ostensible adj. Qu'on affiche, qu'on laisse voir à dessein. *Mépris ostensible.*

ostensiblement adv. De façon ostensible. *Agir ostensiblement.*

ostensoir n. m. LITURG Dans la religion cathol., support d'or ou d'argent servant à exposer l'hostie consacrée à l'adoration des fidèles.

ostentation n. f. Insistance excessive pour montrer une qualité, un avantage. *Être généreux avec ostentation.*

ostentatoire adj. Qui témoigne de l'ostentation.

ostéo-. V. osté(o)-.

ostéoblaste n. m. BIOL Cellule indispensable au processus d'ossification, qui élabore les fibres collagènes et l'osséine, en se transformant en ostéocyte.

ostéochondrite [ɔsteokɔ̃dʀit] ou **ostéochondrose** [ɔsteokɔ̃dʀoz] n. f. MED Inflammation de l'os encore partiellement cartilagineux, chez l'enfant. ▷ Inflammation affectant à la fois l'os et le cartilage articulaire.

ostéocyte n. m. ANAT Cellule osseuse définitive. V. ostéoblaste.

ostéolyse n. f. MED Destruction du tissu osseux.

ostéomalacie n. f. MED Affection caractérisée par un ramollissement général du squelette, et due, soit à une carence en calcium et en phosphore, soit à une carence en vitamine D_2. *Ostéomalacie de l'enfant, ou rachitisme.*

ostéomyélite n. f. MED Inflammation simultanée de l'os et de la moelle osseuse, aiguë ou chronique, due à un staphylocoque et observée le plus souvent chez l'adolescent.

ostéopathe n. Personne qui pratique l'ostéopathie (sens 2).

ostéopathie n. f. **1.** Nom générique des maladies des os. **2.** Méthode thérapeutique qui accorde une place prépondérante aux manipulations vertébrales et articulaires.

ostéophyte n. m. MED Production osseuse pathologique, née du périoste dans le voisinage d'une articulation malade ou d'une zone d'ostéite chronique.

ostéoplastie n. f. CHIR Restauration chirurgicale d'un os.

ostéoporose n. f. MED Raréfaction pathologique du tissu osseux.

ostéosarcome [ɔsteosaʀkom] n. m. MED Tumeur maligne primitive des os.

ostéosynthèse n. f. CHIR Réunion de deux segments d'os fracturés à l'aide de matériaux étrangers (clou, plaque, vis, fixateur externe, etc.).

ostéotomie n. f. CHIR Résection partielle ou complète d'un os dans un but thérapeutique.

Ostende : le port de pêche

Östersund, v. de Suède ; 56 660 hab. ; ch.-l. du län de Jämtland. Centre industr., comm. et culturel.

ostiak adj. et n. (inv. en genre) **1.** Relatif aux Ostiaks, peuple de Sibérie occid. établi entre l'Ob moyen et l'Oural. *Une tribu ostiak.* ▷ Subst. *Un(e) Ostiak.* **2.** n. m. Langue finno-ougrienne de ce peuple.

Ostie, bourg d'Italie (com. de Rome), non loin de l'embouchure du Tibre. Port maritime de l'anc. Rome, auj. ensablé. Importantes ruines antiques. Tourisme (plage de Rome).

ostiole n. m. BIOL Petit orifice. ▷ BOT Petit orifice par lequel s'effectuent les échanges gazeux de la feuille.

ostpolitik n. f. Politique d'un pays vis-à-vis des pays de l'Europe de l'Est.

ostracisme n. m. **1.** ANTIQ GR À Athènes, au Vᵉ s. av. J.-C., procédure d'exclusion temporaire à l'égard d'un citoyen jugé dangereux pour la démocratie. **2.** Exclusion d'une personne décidée par un groupe, une collectivité. ▷ Attitude de réserve et d'hostilité plus ou moins larvée qu'un groupe, une société manifeste à l'égard de qqn.

Ostrava, ville de la Rép. tchèque (Moravie), proche de la Pologne ; cap. de la Moravie-Septentrionale ; 326 810 hab. Centre industriel (houille, sidérurgie, carbochimie).

ostréi-. Élément, du lat. *ostrea,* gr. *ostreon,* « huître ».

ostréicole adj. Didac. Relatif à l'ostréiculture.

ostréiculteur, trice n. Personne qui élève des huîtres.

ostréiculture n. f. Élevage des huîtres.

ostrogoth, gothe ou **ostrogot, gote** [ɔstʀɔgo, got] adj. et n. **1.** adj. Relatif aux Ostrogoths. **2.** n. Fam., péjor. Rustaud, malappris. – *Par ext.* Individu bizarre, singulier. *Un drôle d'ostrogoth.*

Ostrogoths, nom donné aux Goths orientaux. Asservis par les Huns en 370, ils combattirent à leurs côtés dans l'expédition qu'Attila conduisit en Gaule et en Italie. Après la désintégration de l'empire des Huns, leur roi Théodoric se rendit maître de l'Italie. À la fin du règne de Théodoric (526), l'empereur romain d'Orient, Justinien, entreprit la conquête de l'Occident et détruisit le royaume des Ostrogoths (535-555).

Ostrogradski (Mikhaïl Vassilievitch) (Pachennaïa, Ukraine, 1801 – Poltava, 1862), mathématicien russe ; connu pour sa formule permettant de transformer une intégrale triple en intégrale double.

Ostrołęka, v. de Pologne, sur la Narew ; ch.-l. de la voïévodie du m. nom ; 36 000 hab. – Victoires des Français sur les Russes (1807) et des Russes sur les Polonais insurgés (1831).

Ostrovski (Alexandre Nikolaïevitch) (Moscou, 1823 – Chtchelykovo, gouv. de Kostroma, 1886), auteur dramatique russe d'inspiration réaliste : *l'Orage* (1860), *la Forêt* (1871).

Ostrovski (Nikolaï Alexeïevitch) (Vilija, Volhynie, 1904 – Moscou, 1936), écrivain soviétique : *Et l'acier fut trempé* (1934), *Engendrés par la tempête* (1936).

Osuna (duc d'). V. Téllez Girón y Guzmán.

otage n. m. Personne remise en garantie de l'exécution d'une convention. ▷ Personne que l'on arrête ou que l'on enlève et que l'on retient pour se garantir contre d'éventuelles représailles, ou pour obtenir ce que l'on exige. *Prise d'otages.*

Otakar ou **Ottokar Iᵉʳ Přemysl** (m. en 1230), duc (1197-1198) puis roi de Bohême (1198-1230). – **Otakar II Přemysl** (?, 1230 – Dürnkrut, 1278), petit-fils du préc. ; roi de Bohême à partir de 1253. Il acquit l'Autriche, la Styrie, la Carinthie et la Carniole. Candidat à la couronne impériale (1273), il fut exclu au profit de Rodolphe Iᵉʳ de Habsbourg, qui le vainquit à la bataille de Marchfeld (1278).

otalgie n. f. MED Douleur localisée à l'oreille.

OTAN, acronyme pour *Organisation* du traité de l'Atlantique Nord.*

otarie n. f. Mammifère marin du Pacifique et des mers australes, voisin du phoque mais qui s'en distingue par des oreilles externes pourvues d'un pavillon, et par des membres postérieurs dirigés vers l'avant.

otarie

Otaru, port du Japon (Hokkaidō) ; 172 490 hab. Pêche. Constr. navales ; caoutchouc ; papier.

OTASE, acronyme pour *Organisation* du traité de l'Asie du Sud-Est.*

ôter v. [1] **I.** v. tr. **1.** Enlever (d'un endroit). *Ôtez cette table de là.* – (En parlant de vêtements.) Enlever, quitter. *Ôter son manteau.* **2.** Enlever, prendre, ravir (à qqn). *Ôter la vie, l'honneur.* ▷ Fig. *Ôter le pain de la bouche à qqn,* lui enlever ce qui lui est nécessaire pour subsister. **3.** Retrancher, soustraire. – Pp. *Deux ôté de trois, reste un.* **4.** Enlever en séparant. *Ôter un nom d'une liste.* **5.** Faire disparaître. *Frottez fort pour ôter la saleté.* **II.** v. pron. Se retirer, s'éloigner. – Fam. *Ôte-toi de là !*

Othe (pays d'), rég. du Bassin parisien, au S.-O. de la Champagne. Grande forêt.

Othello, personnage de Shakespeare, général maure au service de Venise qui, rendu fou de jalousie par le traître Iago, étouffe Desdémone qui l'aime. Rossini et Verdi ont tiré des opéras de ce drame.

Othman. V. Uthman ibn Affan.

Othon (en lat. *Marcus Salvius Otho*) (Ferentinum, auj. Ferentino, Latium, 32 – Brixellum, auj. Bruscello, Lombardie, 69), empereur romain (69). Écrasé par Vitellius à Bedriac, il se suicida.

oti-, oto-. Éléments, du gr. *oûs, ôtos,* « *oreille* ».

otique adj. ANAT Qui appartient à l'oreille.

otite n. f. Inflammation de l'oreille.

otologie n. f. Didac. Branche de la médecine qui étudie l'oreille et ses maladies.

oto-rhino-laryngologie n. f. Branche de la médecine qui traite des maladies des oreilles, de la gorge et du nez. (Abrév. : O.R.L.)

oto-rhino-laryngologiste n. Médecin spécialiste d'oto-rhino-laryngologie. (Abrév. : O.R.L. ; cour. otorhino).

otorragie n. f. MED Hémorragie par l'oreille.

otorrhée n. f. MED Écoulement par l'oreille.

otoscope n. m. MED Instrument optique permettant l'examen du conduit auditif externe et du tympan.

Otrante (canal d'), détroit qui joint l'Adriatique à la mer Ionienne, entre l'Italie du S.-E. (Pouilles) et l'Albanie. Il borde la *Terre d'Otrante,* la partie la plus orientale de l'Italie, entre Brindisi et *Otrante* (5 000 hab., cath. du XIe s.).

Ott (Carlos) (Montevideo, 1946), architecte et urbaniste canadien d'orig. uruguayenne : Opéra-Bastille (1989).

Ottawa, cap. fédérale du Canada (Ontario), port fluv. sur la rivière des *Outaouais;* 313 980 hab. (aggl. urb. 777 700 hab.). Centre politique et administratif. Industr. du bois ; métallurgie ; constr. mécaniques. Tourisme. – Archevêché catholique. Universités. Musées. – Cap. depuis 1858. – En août 1932, la *conférence d'Ottawa* réunit autour du R.-U. ses dominions et l'Inde ; les *accords d'Ottawa* visèrent à resserrer les relations commerciales entre ces pays par l'application de tarifs douaniers assez faibles.

Ottawa en hiver : le Parlement, style néogothique

Ottmarsheim, com. du Haut-Rhin (arr. de Mulhouse), sur le grand canal d'Alsace ; 1 901 hab. Import. centrale hydroélectrique. Port fluvial. Industr. chimiques. – Égl. abbatiale (XIe s.).

Otto (Nikolaus) (Holzhausen, 1832 – Cologne, 1891), ingénieur allemand. Il mit au point le moteur à quatre temps.

Ottokar. V. Otakar.

ottoman, ane adj. et n. **I.** adj. HIST Qui concerne la Turquie, la dynastie fondée par Osman Ier Gazi. *Le dernier sultan ottoman fut renversé par Mustafa Kemal en 1922.* **II. 1.** n. HIST Habitant de la Turquie des sultans. *Les Ottomans.* **2.** n. m. Étoffe à grosses côtes, de soie et coton. **3.** n. f. Long canapé à dossier enveloppant.

Otton Ier le Grand (Walhausen, 912 – Memleben, 973), roi de Germanie (936-973) et d'Italie (951-973), premier empereur du Saint Empire romain germanique (962-973), fils d'Henri Ier l'Oiseleur. Après avoir assuré sa domination sur la Germanie et l'Italie en s'appuyant sur l'Église, il repoussa les Hongrois et les Slaves (955). Il tenta de mettre la papauté sous tutelle. – **Otton II** (?, 955 – Rome, 983), fils du préc. ; roi de Germanie (961-973), empereur germanique (973-983), il repoussa les Danois et fut vaincu par les Sarrasins en Calabre (982). – **Otton III** (Kessel, 980 – Paterno, près de Viterbe, 1002), fils du préc. ; roi de Germanie (983-996), empereur germanique (996-1002). Il gouverna depuis Rome. – **Otton IV de Brunswick** (en Normandie, v. 1175 – Harzburg, 1218), empereur germanique (1209-1218). Vaincu à Bouvines par Philippe Auguste (1214), il fut détrôné par Frédéric II de Hohenstaufen.

l'empereur **Otton II** recevant l'hommage des nations, miniature du Xe s. ; musée Condé, Chantilly

Otton Ier (Salzbourg, 1815 – Bamberg, 1867), roi de Grèce (1832-1862) ; fils de Louis Ier de Bavière. Il dut abdiquer.

Otton Ier (Munich, 1848 – chât. de Fürstenried, 1916), roi de Bavière (1886-1913) ; frère de Louis II de Bavière, à qui il succéda. Interné pour aliénation mentale, il fut détrôné au profit de son cousin Louis III.

Ötztal (Alpes de l'), massif montagneux à la frontière austro-italienne ; culmine à la Wildspitze (3 774 m).

ou conj. de coord. **1.** (Marquant l'alternative.) *L'un ou l'autre. Oui ou non.* – *Ou..., ou... Ou il part, ou il reste. Choisissez : ou lui, ou moi.* (N.B. Dans une proposition négative, on emploie *ni.*) **2.** (Marquant l'équivalence.) Autrement dit, en d'autres termes. *Le lynx ou loup-cervier.* **3.** (Marquant l'évaluation.) *Il pouvait être trois ou quatre heures.* (N.B. Quand *ou* exprime une exclusion, le verbe, l'adj. ou le participe qui suit est sing., sinon il est plur.)

où pron., adv. relat. et adv. interrog. **I.** pron., adv. relat. **1.** pron., adv. relat., loc. adv. relat. (Sens spatial.) Dans lequel, dans laquelle. *La maison où il habite. Voilà où il vit.* – Vers lequel, vers laquelle. *La ville où je vais.* – Duquel, de laquelle. *La maison d'où il sort.* – Par lequel, par laquelle. *Le chemin par où je suis passé.* **2.** pron., adv. relat. (Sens temporel.) Pendant lequel. *Le moment où je parle.* **II.** adv. **1.** adv., loc. adv. (Sens spatial.) À l'endroit où. *Je vais où il fera beau. On ne voit rien d'où je suis placé.* – Fig. *Où il se trompe, c'est quand il prétend que ...* ▷ (Dans le titre d'un chapitre.) *Où notre héros prend des risques.* **2.** Loc. adv. *Où que* : en quelque lieu que. *Où qu'il aille.* **3.** Loc. adv. *D'où.* (Marquant la conséquence.) *D'où je conclus que...* **III.** adv. et loc. adv. interrog. En, vers quel lieu ? *Où es-tu ? Par où passer ?*

vue aérienne de **Ouagadougou**

O.U.A. Sigle de *Organisation* de l'unité africaine.*

Ouaddaï, Ouadaï ou **Wadday** *(Wadā'ī),* rég. steppique du Tchad, aux confins du Sahara. Centre d'un royaume, islamisé au XVIIe s. et rattaché au Tchad en 1912.

Ouad-Medani *(Wād Madanī),* v. du Soudan, sur le Nil Bleu ; 250 000 hab. ; ch.-l. de la rég. du Centre. Centre comm. de la prov. de Gezireh.

Ouagadougou, cap. du Burkina Faso, reliée par voie ferrée à Abidjan ; 442 220 hab. (72 000 hab. en 1965). Centre commercial ; industries alimentaires. Depuis 1977, a lieu dans cette ville la plus importante manifestation culturelle du continent noir, le Festival panafricain du cinéma. – Archevêché.

ouaille [waj] n. f. **1.** Vx Brebis. **2.** (Surtout au plur.) Chrétien, par rapport à son pasteur. *Le curé et ses ouailles.*

ouais ! interj. Fam. Oui (avec l'idée de surprise ou d'ironie).

ouananiche n. f. (Canada) Salmonidé (*Salmo salar ouananiche*), sous-espèce du saumon atlantique, vivant dans les eaux douces de l'est du Canada, notam. dans celles du Lac-Saint-Jean et de la Côte-Nord. *Poisson combatif, la ouananiche est appréciée des pêcheurs sportifs.*

ouaouaron n. m. (Canada) Grenouille de grande taille (de 8 à 20 cm de longueur) à pigmentation verte, qui vit en Amérique du Nord et dont le coassement, à la saison des amours, ressemble à un meuglement.

Ouargla, v. d'Algérie, ch.-l. de la wilaya du m. nom ; 75 270 hab. Palmeraie.

Ouarsenis, massif d'Algérie (1 985 m au Kef Sidi-Amar), dans l'Atlas tellien, au S. du Chélif.

Ouarzazate, v. du Maroc, au S.-O. du Haut Atlas ; ch.-l. de la prov. du m. nom ; 17 230 hab. – Centre artisanal, palmeraie. Tourisme.

ouate [wat] n. f. **1.** Textile spécialement préparé et cardé pour garnir des doublures, servir de bourre, etc. **2.** Coton soyeux cardé fin et destiné aux soins d'hygiène, de chirurgie, etc. *De l'ouate* ou *de la ouate.*

ouaté, ée adj. Garni d'ouate. ▷ Fig. Feutré, étouffé, doux. *Un son ouaté.*

ouatine n. f. Étoffe ayant l'apparence de l'ouate, utilisée pour faire des doublures.

ouatiné, ée adj. Doublé de ouatine. ▷ Fig. Doux.

Oubangui (l'), riv. d'Afrique équat. (1 160 km), affl. du Congo (r. dr.). Navigable toute l'année, elle sépare la Rép. dém. du Congo de la Rép. centrafricaine et du Congo.

Oubangui-Chari. V. centrafricaine (Rép.).

oubli n. m. **1.** Défaillance momentanée ou permanente de la mémoire; fait d'oublier. *Avoir un (des) oubli(s),* un (des) moment(s) de distraction. *Un oubli fâcheux. Tirer un artiste de l'oubli,* lui rendre la notoriété. **2.** Manquement à ses obligations, à ses devoirs. *Oubli du respect dû à soi-même.* **3.** Désintéressement. *L'oubli des choses terrestres.* – *Oubli de soi-même :* abnégation. ▷ *Oubli des injures :* pardon des injures.

oublie n. f. Vieilli Pâtisserie très mince roulée en cornet.

oublier v. [2] **I.** v. tr. **1.** Perdre le souvenir de (qqch, qqn). *Oublier sa leçon.* **2.** Ne plus vouloir se souvenir de (qqch). *Oublier une injure.* **3.** Négliger; délaisser. *Oublier ses devoirs.* ▷ Par ext. *Oublier quelqu'un,* ne plus penser à lui. **4.** Laisser par inadvertance. *Oublier ses clefs.* **5.** Omettre par inattention. *Oublier un nom sur une liste.* ▷ *Oublier l'heure :* laisser passer le moment où l'on avait qqch à faire. **6.** Refuser de prendre en considération. *Vous oubliez qui je suis.* ▷ *Se faire oublier :* Cesser de se faire remarquer, passer inaperçu. **II.** v. pron. **1.** (Passif) Sortir de la mémoire. *Les détails s'oublient.* **2.** Manquer à ce qu'on doit aux autres, à soi-même. *Il s'est oublié jusqu'à l'injurier.* **3.** Par euph. *Le chien s'est oublié sur le tapis,* il y a fait ses besoins.

oubliette n. f. (Surtout au plur.) Cachot souterrain. – Fig., fam. *Jeter aux oubliettes :* abandonner un projet.

oublieux, euse adj. Sujet à oublier. – *Oublieux des bienfaits :* ingrat.

Ouche, riv. de Bourgogne (85 km), affl. de la Saône (r. dr.); passe à Dijon.

Ouche (pays d'), rég. de Haute-Normandie (Eure et Orne), entre la Touques et l'Iton. Élevage bovin.

Oudh. V. Aoudh.

Oudinot (Nicolas Charles), duc de Reggio (Bar-le-Duc, 1767 – Paris, 1847), maréchal de France; il fit les campagnes de la Révolution et de l'Empire. Il se rallia à Louis XVIII. – **Nicolas Charles Victor** (Bar-le-Duc, 1791 – Paris, 1863), fils du préc.; général, il reprit Rome aux républicains, rétablissant le pape dans ses pouvoirs (1849).

oudler [udlœʀ] n. m. Au jeu de tarot, nom de trois cartes (le petit, l'excuse et le 21 d'atout).

Oudmourtes ou **Votiaks,** peuple finno-ougrien, établi en Russie, dans la république autonome des Oudmourtes (42 100 km²; 1 586 000 hab.); située entre les riv. Kama et Viatka.

Oudry (Jean-Baptiste) (Paris, 1686 – Beauvais, 1755), peintre animalier et graveur français; illustrateur célèbre des *Fables* de La Fontaine.

oued [wɛd] n. m. Cours d'eau saisonnier des régions arides.

Oued (El-) *(al-Wādī),* oasis du Sahara algérien, dans le Souf, près de la Tunisie; ch.-l. de la wilaya du m. nom; 70 910 hab.

Oued-Zem *(Wād Zamm),* v. du Maroc (prov. de Casablanca); 58 740 hab. – Phosphates.

Ouen (saint) (Sancy, Soissonnais, v. 600 – Clichy, v. 684), évêque de Rouen; conseiller du roi Dagobert Ier. Il est l'auteur d'une *Vie de saint Éloi.*

Ouenza (djebel), massif d'Algérie (1 272 m), près de la Tunisie. – Fer.

Ouessant, île rocheuse et pointe la plus occid. de la France (Finistère); 15,6 km²; 1 255 hab.; forme un cant. d'une seule com. Pêche; moutons de prés salés.

ouest [wɛst] n. m. et adj. inv. **I.** n. m. **1.** Point cardinal qui est au soleil couchant, à l'opposé de l'est. *Le vent souffle de l'ouest.* **2.** (Avec majuscule.) Partie d'une région, d'un pays, d'un continent située à l'ouest. *Les provinces de l'Ouest.* ▷ Absol. *L'Ouest :* l'Europe occidentale et l'Amérique du Nord (par oppos. aux pays de *l'Europe de l'Est* et aux pays de *l'ex-U.R.S.S.*). **II.** adj. inv. Situé à l'ouest. *La côte ouest.*

ouest-allemand, ande adj. De l'Allemagne de l'Ouest.

ouf! [uf] interj. et n. m. Onomatopée exprimant le soulagement. ▷ n. m. *Pousser un ouf de soulagement.*

Oufa, cap. de la Bachkirie, au pied de l'Oural, au confluent de l'*Oufa* et de la *Bielaïa;* 1 109 000 hab. Raff. de pétrole; pétrochimie; métallurgie.

Ouganda (république de l') *(Republic of Uganda),* État continental d'Afrique orientale, coupé par l'équateur; 236 860 km² (dont env. 39 000 km² de lacs); env. 15,5 millions d'hab., croissance démographique : 3,5 % par an; cap. *Kampala.* Nature de l'État : rép. membre du Commonwealth. Langues off. : anglais, swahili. Monnaie : shilling ougandais. Ethnies : Bantous, Nilotiques. Relig. : catholiques (47 %), protestants (30 %), animistes (13 %), musulmans (10 %).
Géogr. phys. et écon. – Un haut plateau accidenté, qui retombe au S. sur le lac Victoria, occupe la majorité du territoire. Il est traversé par le haut Nil (dans la vallée duquel on trouve le lac Kyoga) et longé à l'O. par le fossé du rift occidental, où se trouvent les lacs Édouard, George et Mobutu Sese Seko (anc. lac Albert), et en bordure duquel s'élève le Ruwenzori (5 119 m). Le pays connaît un climat équatorial d'altitude, auquel correspond la savane arborée. L'Ouganda est peuplé de deux groupes ethniques : dans le Nord, les tribus pastorales nilotiques et nilo-hamitiques, proches des Tutsis, et dans le Sud, les groupes bantous, proches des Hutus. La population vit surtout de cultures vivrières et d'élevage; le café constitue l'essentiel des exportations, avec un peu de coton et de thé. Les ressources minières (cuivre, cobalt, tungstène, phosphates) et l'hydroélectricité (Owen Falls) ont permis un début d'industrialisation. L'Ouganda appartient au groupe des pays les moins avancés; son économie, ruinée par vingt ans de troubles, se reconstruit avec l'aide internationale.
Hist. – Protectorat britannique (1894), l'Ouganda accéda à l'indépendance en 1962. Le chef de l'État (1966-1971), Milton Obote, fut évincé par Idi Amin Dada, dictateur bouffon et sanguinaire renversé par l'armée tanzanienne en avril 1979. Après de nombr. changements, Obote revint au pouvoir (mai 1980), mais son régime se révéla aussi tyrannique que le précédent (exactions de l'armée), paralysant l'activité économique du pays. Obote fut chassé en juillet 1985 par les hommes du général Basilio Ikello. En janv. 1986, un coup d'État porte au pouvoir Yoweri Museveni, qui promulgue une nouvelle Constitution (1995) et remporte l'élection présidentielle de 1996.

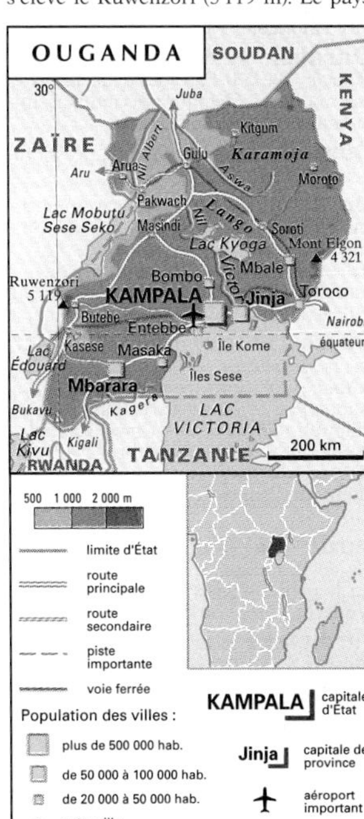

Ouganda (martyrs de l'), vingt-deux jeunes Africains convertis au catholicisme et martyrisés sur la rive N. du lac Victoria entre 1885 et 1887; canonisés par Paul VI en 1964.

ougandais, aise adj. et n. D'Ouganda. ▷ Subst. *Un(e) Ougandais(e).*

Ougarit ou **Ugarit,** anc. cité cananéenne dont les ruines, découvertes à *Ras Shamra* (Syrie), ont été mises au jour à partir de 1929. Ses plus anc. vestiges remontent au néolithique; elle fut détruite par les Peuples de la Mer vers 1200 av. J.-C.

ougrien, enne adj. *Les langues ougriennes :* sous-groupe de la famille finno-ougrienne (V. finno-ougrien).

oui [wi] adv. et n. m. inv. **I.** adv. Particule affirmative inv. **1.** *« Oui, je viens dans Son temple adorer l'Éternel »* (Racine). – *Vient-il avec nous? – Oui!* **2.** (En association avec un adv. ou une interj. marquant l'insistance.) *Oui vraiment! Mais oui!* **3.** (Avec une valeur interrogative.) *C'est bien ici, oui?* **II.** n. m. inv. *Le oui et le non.* – Loc. *Pour un oui pour un non :* sans motifs sérieux.

Ouidah, port du Bénin; 25 460 hab. – Grand centre du commerce des esclaves au XVIIIe s.

ouï-dire n. m. inv. Ce que l'on ne sait que par la rumeur publique. *Apprendre une nouvelle par ouï-dire.*

ouïe [wi] n. f. **1.** Sens qui permet d'entendre. *Avoir l'ouïe fine.* – Loc. fam. *Être tout ouïe :* écouter avec attention. **2.** (Plur.) Ouvertures situées sur les côtés de la tête d'un poisson, qui font communiquer la cavité branchiale avec le milieu extérieur. **3.** TECH Ouverture pratiquée sur une machine. *Les ouïes d'aération d'un réacteur.* **4.** MUS Syn. de *esse* 2.

ouïgour ou **ouighour** adj. et n. **1.** adj. Relatif aux Ouïgours. **2.** n. m. Langue des Ouïgours. *L'ouïgour moderne, voisin du turc, écrit en caractères arabes, latins (entre 1930 et 1947) ou cyrilliques, est parlé par une importante fraction de la population du Xinjiang.*

Ouïgours ou **Ouighours,** peuple turc qui, au milieu du VIIIe s., établit un empire dans la région de l'actuelle Mongolie (entre l'Altaï et le lac Baïkal), ruiné par les Kirghiz en 840. Les Ouïgours se dispersèrent, gagnant surtout la Chine, où ils se convertirent au bouddhisme. La langue, la littérature, la civilisation des Ouïgours exercèrent une grande influence sur les Mongols, dont ils devinrent les vassaux. Auj. la moitié de la pop. du Xinjiang est formée par des Ouïgours qui ont été islamisés à partir du XIVe s.

ouille! ou **ouïe!** [uj] interj. Onomatopée exprimant la douleur.

ouïr [wiʀ] v. tr. [**38**] Vx Entendre, écouter. *Oyez, bonnes gens!* - Mod. *J'ai ouï dire que...* : j'ai entendu dire que...

ouistiti n. m. Singe d'Amérique du S. (genre *Callithrix*), de très petite taille.

ouistiti

Ouistreham, ch.-l. de cant. du Calvados (arr. de Caen), sur la Manche, à l'embouchure de l'Orne; 6734 hab. Stat. balnéaire. - Égl. romane et gothique (XIIe-XIIIe s.).

Oujda *(Wuğda),* v. du Maroc oriental, proche de l'Algérie; 260080 hab. (aggl. urb. 470500 hab.); ch.-l. de la prov. du m. nom. Centre agricole.

oukase. V. ukase.

Oulan-Bator (anc. *Ourga*), cap. de la république de Mongolie, située dans la vallée de la Tola, à la limite du désert de Gobi, à 1500 m d'alt.; 550000 hab. Premier centre industriel du pays.

Oulan-Oude (anc. *Verkhne-Oudinsk*), v. de Russie, cap. de la république auton. de Bouriatie; 360000 hab. Centre culturel. Verrerie, industrie alimentaire (viande).

Ouled Naïl *(Awlād Nāyil),* (monts des), un des princ. massifs (1491 m au djebel Al-Azrag) de l'Atlas saharien, en Algérie, domaine des *Ouled Naïl,* confédération de tribus nomades en voie de sédentarisation.

ouléma. V. uléma.

Oulès (Firmin) (Saint-Pierre-de-Trévisy, Tarn, 1904 - Lutry, Suisse, 1992), économiste français. Successeur de Léon Walras et de Vilfredo Pareto, il est le fondateur de la Nouvelle École de Lausanne.

Oulianovsk. V. Simbirsk.

Oulipo, acronyme de *Ouvroir de littérature potentielle,* désignant un groupe de recherches de littér. expérimentale fondé en 1960 par François Le Lionnais (1901 - 1984) et Queneau. Ce groupe comprend des écrivains et des scientifiques (mathématiciens, linguistes).

Oullins, ch.-l. de cant. du Rhône (arr. de Lyon), sur le Rhône; 26400 hab. Industr. diverses. - Trois châteaux (XVIe et XVIIe s.).

Oulu (en suédois *Uleåborg*), port de Finlande, sur le golfe de Botnie; ch.-l. du län du m. nom; 102280 hab. Industr. chim., industr. du bois et du cuir; minoteries. Université.

Oum er-R'bia *(Umm ar-Rabī'),* fl. du Maroc occidental (556 km), tributaire de l'Atlantique. Nombreux barrages (Im-Fout, Sidi-Machou, Daourat).

Oum Kalsoum. V. Umm Kulthum.

ounce. V. once 1.

ouolof, Ouolofs. V. wolof, Wolofs.

Our. V. Ur.

ouragan n. m. **1.** Tempête très violente caractérisée par des vents tourbillonnants. ▷ METEO, MAR Tempête très violente dans laquelle les vents atteignent ou dépassent la vitesse de 118 km/h (force 12). **2.** Tourmente orageuse. - Fig. *Arriver en ouragan,* avec une violence impétueuse. **3.** Fig. Trouble violent. *Ouragan politique.*

Oural (monts ou chaîne de l'), chaîne de montagnes de Russie, formant une limite conventionnelle entre l'Europe et l'Asie. Elle s'allonge de la Caspienne à l'Arctique sur 2400 km (1894 m à la montagne Narodnaïa). - Chaîne hercynienne usée puis rajeunie au tertiaire, l'Oural a un sous-sol riche : fer, cuivre, manganèse, chrome, or, potasse, etc. Sur sa bordure occidentale, le gisement de pétrole du Second-Bakou est l'un des plus import. du monde. Les industries sont nombr. - La région fut une import. zone de repli durant la Seconde Guerre mondiale.

Oural, fl. de Russie (2534 km); né dans l'Oural méridional, il arrose Magnitogorsk, Orsk, Ouralsk et se jette dans la Caspienne.

ouralien, enne adj. De l'Oural, des monts Oural. ▷ LING *Famille ouralienne* ou, n. m., *l'ouralien* : syn. de *langues finno-ougriennes.*

ouralo-altaïque adj. LING *Langues ouralo-altaïques* : nom collectif parfois donné aux familles de langues finno-ougriennes (finnois, hongrois, etc.), et turco-mongoles (turc, par ex.).

Ouralsk, v. du Kazakhstan, sur l'Oural; 192000 hab.; ch.-l. de la prov. du m. nom. Métallurgie; industr. alimentaires et mécaniques.

Ouranos, dans la myth. gr., personnification du Ciel.

Ourartou ou **Urartu,** royaume de l'Asie occidentale anc. qui se développa aux marches septentrionales de l'Assyrie autour du lac de Van (Arménie actuelle) et dont l'apogée se situe au VIIIe s. av. J.-C.

Ourcq (l'),riv. de France (80 km), affl. de la Marne (r. dr.). - Le *canal de l'Ourcq* (108 km) relie l'Ourcq à la Seine, qu'il rejoint à Paris (bassin de la Villette). - *Bataille de l'Ourcq* : bataille livrée du 5 au 9 septembre 1914 sur l'Ourcq par la VIe armée française de Maunoury contre la Ire armée de von Kluck.

ourdir v. tr. [**3**] **1.** TECH Préparer (les fils de la chaîne) avant de les monter sur le métier à tisser. **2.** Fig., litt. Machiner, préparer. *Ourdir un complot.* Syn. tramer.

ourdissage n. m. TECH Opération qui consiste à ourdir; son résultat.

ourdou. V. urdu.

-oure. Élément, du gr. *oura,* «queue».

Ourga. V. Oulan-Bator.

ourlé, ée adj. Garni d'un ourlet. ▷ Fig. Garni d'une bordure visible. *Vagues ourlées d'écume.*

ourler v. tr. [**1**] Faire un ourlet à.

ourlet n. m. Bord d'une étoffe replié et cousu pour empêcher qu'il ne s'effile. *Faux ourlet* : ourlet fait avec un morceau d'étoffe ajouté.

Ourmia (anc. *Rezāye*), v. du N.-O. de l'Iran, proche du lac du m. nom; 164000 hab.; ch.-l. de la prov. d'Azerbaïdjan-Occidental. Marché agricole. - Le *lac d'Ourmia* (Azerbaïdjan-Occidental) est le plus grand lac d'Iran (eaux peu profondes et très salées).

Ouro Prêto, v. du Brésil; cap. du Minas Gerais jusqu'en 1897; 61500 hab. Tourisme. - Nombr. mon. et vest. : égl. du XVIIIe s., chemins de croix, fontaines, etc. - Centre de production de l'or aux XVIIIe et XIXe s.

Ourouk ou **Uruk** (auj. *Warka*), v. de la basse Mésopotamie, sur la r. g. de l'Euphrate, au N. d'Ur. Ce fut un important foyer de la civilisation sumérienne (V. Sumer).

Ouroumtsi. V. Urumqi.

ours, ourse n. (et adj. inv.) **I. 1.** Grand mammifère carnivore, au corps massif couvert d'une épaisse toison, au museau pointu, à la démarche plantigrade, dont les diverses espèces habitent l'Arctique et les régions froides d'Eurasie et d'Amérique. *Ours blanc, brun.* ▷ Jouet d'enfant figurant un ours. *Ours en peluche.* - Loc. fig. *Vendre la peau de l'ours avant de l'avoir tué* : spéculer sur ce qui n'est qu'une espérance. **2.** Fig. Personne peu sociable, renfermée, et d'allures bourrues. - adj. inv. *Ce qu'elle peut être ours!* - *Ours mal léché* : personne mal élevée, aux manières grossières. **II.** *Ours de mer* : otarie à fourrure. **III.** PRESSE, EDITION Liste des collaborateurs (directeur, imprimeur, journalistes, etc.) qui figure dans un journal, un ouvrage, etc.

ours brun

Ours (grand lac de l'), lac du Canada (Territoires du Nord-Ouest), relié au Mackenzie par la *rivière de l'Ours;* 29000 km^2. À proximité, mines de radium et d'uranium.

Ourse *La Grande* et *la Petite Ourse* : constellations boréales appelées aussi Grand Chariot et Petit Chariot. *L'étoile polaire est située à une extrémité de la Petite Ourse.*

oursin n. m. Animal marin comestible, échinoderme au test rigide et globuleux hérissé de piquants.

oursin crayon

ourson n. m. Petit de l'ours.

Ourthe, riv. de Belgique (165 km), confl. avec la Meuse (r. dr.) à Liège.

Ouse, fl. d'Angleterre (269 km); arrose Bedford, se jette dans la mer du Nord (golfe du Wash). Trois autres rivières portent ce nom : la *Petite Ouse,* affl. de la préc.; l'*Ouse du Yorkshire* (102 km), qui forme avec la Trent l'estuaire du Humber; l'*Ouse du Sussex* (50 km), qui se jette dans la Manche à Newhaven.

Ousmane (Sembene) (Ziguinchor, Casamance, 1923), écrivain et cinéaste sénégalais. Dans son œuvre transparaît son engagement socialiste. Romans : *le Docker noir* (1956); *le Mandat* (1966); *le Dernier de l'Empire* (1981). Films : *la Noire de...* (1966), *Xala* (1974), *Ceddo* (1977).

Oussouri, riv. de la Chine du N.-E. (907 km), affl. de l'Amour (r. dr.), formant, sur une grande distance, frontière entre la Russie et la Chine. Elle a été le théâtre de nombr. incidents entre Chinois et Soviétiques.

Oussourisk (de 1935 à 1957 *Vorochilov*), v. de Russie, au nord de Vladivostok; 156 000 hab. Industr. alimentaires; chaussures.

oust ! ou **ouste !** [ust] interj. Fam. (Pour chasser qqn ou le faire se hâter.) *Allez, ouste, dehors !*

Oust, riv. de Bretagne (155 km), confl. avec la Vilaine (r. dr.) à Redon.

Oustacha, société révolutionnaire et nationaliste croate créée en 1930 par Ante Pavelić. Ses membres, les *oustachis* (« insurgés »), organisèrent l'attentat de Marseille, qui coûta la vie à Alexandre Ier de Yougoslavie (1934) et se signalèrent par leurs atrocités, notam. contre les Serbes, lors de la Seconde Guerre mondiale.

Oustinov. V. Ijevsk.

Oust-Kamenogorsk, ville du Kazakhstan, sur l'Irtych; 307 000 hab.; ch.-l. de prov. Métallurgie.

Oust-Ourt (plateau d'), plateau désertique du Kazakhstan, entre la mer d'Aral et la Caspienne.

out [awt] adv. et adj. inv. (Anglicisme) TENNIS En dehors des limites du terrain. ▷ adj. inv. *Balle out.* – Fig., fam. *Être out,* hors du coup, dépassé.

outaouais, aise adj. et n. D'Ottawa. ▷ Subst. *Un(e) Outaouais(e).*

Outaouais (rivière des), la plus longue riv. du Québec (1 270 km) et le princ. affl. du fl. Saint-Laurent; on y a aménagé huit centrales hydroél. Elle délimite sur une bonne partie de son cours la frontière entre le Québec et l'Ontario.

Outaouais, rég. admin. du Québec située au S.-O. de la prov., à la frontière de l'Ontario; 256 650 hab. Exploitation forest.; parcs nationaux; musée des Civilisations; tourisme.

outarde n. f. 1. Oiseau gruiforme des steppes d'Eurasie, d'Afrique et d'Australie. 2. Oie sauvage du Canada.

outil [uti] n. m. Instrument qui sert à effectuer un travail. – *Spécial.* Instrument destiné à être tenu par la main, qui sert à façonner la matière. *Outil de maçon, de plombier, de sculpteur.*

outillage n. m. Ensemble des outils et des machines utilisés par un artisan, une entreprise, une industrie.

outiller v. tr. [1] Munir d'outils. *Outiller un apprenti.* – Pp. adj. *Un atelier bien outillé.* ▷ v. pron. *Entreprise qui commence à s'outiller.*

outilleur n. m. TECH Ouvrier hautement qualifié chargé des outillages.

outlaw [awtlo] n. m. (Anglicisme) HIST Bandit, aventurier, rebelle, hors-la-loi dans les pays anglo-saxons. *Des outlaw(s).*

outplacement [awtplasmɑ̃] n. m. (Anglicisme) Syn. de *décrutement.*

output [awtput] n. m. (Anglicisme) INFORM Sortie de données dans un traitement (par oppos. à *input*).

outrage n. m. 1. Injure grave, de fait ou de parole. ▷ Par euph. *Faire subir les derniers outrages à une femme,* la violer. ▷ Fig. *Faire outrage à la raison, à la morale,* faire, dire qqch qui y soit contraire. 2. DR Injure grave commise envers un personnage officiel dans l'exercice de ses fonctions. *Outrage à agent de la force publique. Outrage à magistrat.* ▷ *Outrage aux bonnes mœurs :* délit consistant à porter atteinte à la moralité publique par des paroles, des écrits ou des représentations graphiques, cinématographiques ou télévisées contraires à la décence. ▷ *Outrage public à la pudeur :* délit consistant en un acte volontaire de nature à blesser la pudeur de ceux qui, même fortuitement, en ont été témoins.

outragé, ée adj. Litt. Qui a subi un outrage. – Loc. *Prendre un air outragé,* l'attitude scandalisée d'une personne offensée par un outrage.

outrageant, ante adj. Qui outrage. *Paroles outrageantes.*

outrager v. tr. [13] 1. Offenser gravement (qqn) par un outrage. *Outrager qqn dans son honneur.* 2. Porter atteinte à (qqch). *Outrager la morale, le bon sens.*

outrageusement adv. 1. De façon outrageuse. *Injurier outrageusement qqn.* 2. Excessivement. *Elle s'était outrageusement maquillée.*

outrageux, euse adj. Litt. Qui fait outrage.

outrance n. f. 1. Excès. *De regrettables outrances de langage.* 2. Loc. adv. *À outrance :* exagérément. ▷ Loc. adj. *Combat, guerre à outrance,* sans merci.

outrancier, ère adj. Exagéré, excessif; outrepassant ce qui est convenable, admis.

1. outre n. f. Peau de bouc cousue comme un sac et servant à contenir des liquides. *Outre de vin.*

2. outre adv. et prép. I. adv. 1. Vieilli Au-delà. *Ne pas aller outre.* ▷ *Passer outre :* aller plus loin. – Fig. *Passer outre à* (une opposition, une interdiction, etc.), ne pas en tenir compte. 2. Loc. adv. (Surtout en tournure négative.) *Outre mesure :* plus qu'il ne convient. ▷ *En outre :* de plus, par ailleurs. 3. Loc. conj. *Outre que :* non seulement... mais encore. *Outre qu'il écrit, il illustre ses textes.* II. prép. 1. En plus de. *Outre son salaire, il reçoit une prime.* 2. En loc. (Avec un trait d'union.) Au-delà de. *Outre-Atlantique, outre-Manche, outre-mer, outre-Rhin, outre-tombe :* V. ces mots.

outarde barbue

outré, ée adj. 1. Litt. Excessif. *Compliments outrés.* 2. Mod. Indigné, révolté. *Je suis outré de ces mensonges.*

outre-Atlantique adv. Au-delà de l'Atlantique. – *Spécial.* Aux États-Unis.

Outreau, ch.-l. de cant. du Pas-de-Calais (arr. de Boulogne-sur-Mer); 15 414 hab. Industr. du bois.

outrecuidance n. f. Impertinence envers autrui. *Affirmer avec outrecuidance que...*

outrecuidant, ante adj. Qui fait preuve d'outrecuidance.

outre-Manche adv. Au-delà de la Manche. – *Spécial.* En Grande-Bretagne.

outremer [utʀəmɛʀ] n. m. et adj. inv. 1. MINER Pierre fine bleue appelée aussi *lapis-lazuli, lazurite.* 2. Couleur bleue soutenue. *Reflets d'outremer de l'eau.* ▷ adj. inv. *Des jupes outremer.*

outre-mer adv. (Par rapport à la France.) Situé au-delà des mers. *Territoires d'outre-mer :* V. TOM.

outrepassé, ée adj. ARCHI *Arc outrepassé,* dont le tracé forme un cintre plus grand que la demi-circonférence.

outrepasser v. tr. [1] Dépasser la limite de (ce qui est convenable, permis, prescrit). *Outrepasser ses droits, des ordres.*

outrer v. tr. [1] 1. Exagérer. *Cet acteur outre ses effets.* 2. (Aux temps composés.) Indigner, révolter. *Sa conduite m'avait outré.*

outre-Rhin adv. Au-delà du Rhin. – *Spécial.* En Allemagne.

outre-tombe loc. adv. Au-delà de la tombe, après la mort. – Loc. adj. *D'outre-tombe. « Mémoires d'outre-tombe » (F.R. de Chateaubriand).*

outsider [awtsajdœʀ] n. m. (Anglicisme) TURF Cheval qui n'est pas parmi les favoris. ▷ Fig. *Le jury du festival a couronné cette année un outsider.*

Ouvakhshatra. V. Cyaxare.

Ouvéa. V. Uvéa.

Ouvéa (île), une des îles Loyauté (Nouvelle-Calédonie), où se déroulèrent, en 1988, des événements sanglants (prise d'otages) au terme desquels fut adopté un nouveau statut en Nouvelle-Calédonie.

ouvert, erte adj. 1. Qui n'est pas fermé. *Bouche ouverte. Livre ouvert.* – Loc. *Traduire à livre ouvert,* directement. 2. PHON *Voyelle ouverte,* prononcée avec ouverture du canal buccal (ex. [ɛ], [ɔ]) – *Syllabe ouverte,* terminée par une voyelle. 3. MATH *Intervalle ouvert,* qui ne comprend pas les bornes qui le limitent. 4. ELECTR *Circuit ouvert,* présentant une interruption et dans lequel le courant ne passe pas. 5. Fendu, coupé, entamé. *Il a eu l'arcade sourcilière ouverte.* 6. Libre d'accès. *Ville ouverte.* ▷ Loc. *Tenir table ouverte :* recevoir même ceux que l'on n'a pas invités. 7. Commencé. *La séance est ouverte.* 8. Franc, sincère. *Visage, caractère ouvert.* ▷ Éveillé. *Esprit ouvert.* 9. Déclaré, public, manifeste. *Être en guerre ouverte avec qqn.*

ouvertement adv. Franchement; sans détour, sans dissimulation. *Parler ouvertement.*

ouverture n. f. **1.** Espace vide, libre, faisant communiquer l'intérieur et l'extérieur. *Ouverture d'une grotte.* **2.** Action d'ouvrir ce qui était fermé; fait de s'ouvrir. *Ouverture d'un coffre, d'un parachute.* **3.** Commencement. *Ouverture de la campagne électorale. Ouverture de la chasse, de la pêche* : le premier jour, chaque année, où il est permis de chasser, de pêcher. ▷ SPORT *Demi d'ouverture* : joueur chargé de lancer les attaques, au rugby. **4.** Fig. Première démarche qui précède une négociation. *Ouverture de paix* (souvent au plur.). – *Ouverture d'un compte, d'un crédit.* **5.** Fig. *Ouverture d'esprit* : facilité à comprendre et à admettre ce qui est nouveau, inhabituel. ▷ *Ouverture de cœur* : franchise, tendance à l'épanchement amical. **6.** Attitude politique visant à rechercher une majorité, un consensus plus larges. *Orateur qui préconise l'ouverture au centre.* **7.** MUS Morceau de musique instrumentale exécuté au début d'une œuvre lyrique. *L'ouverture des «Maîtres Chanteurs de Nuremberg» de Wagner.*

ouvrable adj. *Jour ouvrable,* où l'on travaille normalement (par oppos. à *férié*).

ouvrage n. m. (et f.) **1.** Besogne, travail. *Se mettre à l'ouvrage.* – *Ouvrages de dame* : travaux d'aiguille. ▷ n. f. Pop. ou plaisant *De la belle ouvrage* : du beau travail. **2.** Résultat du travail d'un ouvrier. *Ouvrage de maçonnerie.* **3.** *Par ext.* Construction, bâtiment. *Maître de l'ouvrage.* ▷ *Ouvrages d'art* : travaux nécessités par la construction d'une route ou d'une voie ferrée (tranchée, viaduc, tunnel, etc.). ▷ MILIT Fortification. *Ouvrage avancé.* **4.** Texte relativement long, imprimé ou destiné à l'impression. *Publier un ouvrage de droit.* **5.** Fig. Œuvre. *Ce succès est l'ouvrage du hasard.*

ouvragé, ée adj. **1.** Ouvré. **2.** Minutieusement travaillé.

ouvrager v. tr. [13] Ouvrer avec délicatesse, minutie. ▷ Enrichir d'ornements.

ouvrant, ante adj. Qui s'ouvre. *Le toit ouvrant d'une automobile.*

ouvré, ée adj. **1.** Travaillé, façonné. *Bois ouvré.* ▷ Orné, décoré. **2.** *Jour ouvré,* où l'on travaille effectivement (par oppos. à *chômé*).

ouvre-boîte(s) n. m. Instrument coupant utilisé pour ouvrir les boîtes de conserve. *Des ouvre-boîtes électriques.*

ouvre-bouteille(s) n. m. Petit instrument formant levier utilisé pour décapsuler les bouteilles. *Des ouvre-bouteilles.* Syn. décapsuleur.

ouvrer v. tr. [1] Travailler, façonner. ▷ Mettre en œuvre (des matériaux). *Ouvrer des pièces de bois.*

ouvreur, euse n. **1.** SPORT Skieur qui ouvre une piste. **2.** Personne qui place le public dans une salle de spectacle. **3.** Aux cartes, personne qui ouvre les enchères.

ouvrier, ère n. et adj. **I.** n. **1.** Personne rémunérée pour effectuer un travail manuel. *Ouvrier menuisier. Ouvrier d'usine. Ouvrier agricole.* ▷ *Ouvrier spécialisé,* qui effectue une tâche particulière, mais ne nécessitant aucune qualification professionnelle. *Ouvrier qualifié,* qui est titulaire d'un certificat d'aptitude professionnelle. **2.** Litt. Personne qui fait tel ou tel travail. *Pièce de théâtre faite par un bon ouvrier.* ▷ *Cheville ouvrière* : V. cheville (sens 2). **3.** n. f. ENTOM Femelle stérile, chez les insectes sociaux (abeilles, guêpes, fourmis). **II.** adj. Des ouvriers, relatif aux ouvriers. *La classe ouvrière.*

ouvriérisme n. m. POLIT Théorie selon laquelle seuls les ouvriers sont qualifiés pour diriger le mouvement révolutionnaire et pour gérer l'économie.

ouvriériste adj. et n. Relatif à l'ouvriérisme, qui en relève. ▷ Subst. Partisan de l'ouvriérisme.

ouvrir v. [32] **I.** v. tr. **1.** Faire que ce qui était fermé ne le soit plus; faire communiquer l'extérieur et l'intérieur en ménageant une ouverture, en séparant ce qui était rapproché. *Ouvrir une porte.* – Absol. *Ouvrez!* – *Ouvrir une lettre,* la décacheter. – *Ouvrir la bouche, les yeux.* – Loc. fig. *Ouvrir l'œil* : faire attention. **2.** Rendre libre (un accès). *Ouvrir un chemin.* – Fig. *Ouvrir la voie.* **3.** Fig. Découvrir. *Ouvrir son cœur à qqn.* – *Ouvrir l'esprit à qqn,* le rendre plus apte à penser, à comprendre. *Ouvrir les yeux à qqn,* le mettre en face de la réalité, de la vérité. **4.** Commencer, entamer. *Ouvrir le bal, le feu.* – *Ouvrir la marche* : marcher en tête. ▷ *Ouvrir une piste de ski,* effectuer le premier le parcours sur cette piste. **5.** Fonder, créer. *Ouvrir une école, une boutique.* **II.** v. intr. **1.** Être ouvert. *Porte bloquée qui n'ouvre plus. Ce magasin n'ouvre pas le lundi.* **2.** Commencer. *La saison ouvre par cette fête.* **III.** v. pron. **1.** Devenir ouvert. *Les fleurs s'ouvrent au soleil.* **2.** Se faire une plaie ouverte sur. *S'ouvrir le genou.* **3.** Être ou devenir libre (en parlant d'un accès, d'une voie de communication). *La route s'ouvre à eux.* – Fig. *Des perspectives inattendues s'ouvrent désormais.* **4.** (Personnes) *S'ouvrir à qqn,* lui faire des confidences. – *Esprit qui s'ouvre,* s'éveille. **5.** (Choses) Commencer. *La réunion s'est ouverte par un tour de table.*

ouvroir n. m. **1.** Lieu réservé aux travaux d'aiguille, dans un couvent. **2.** Fondation charitable dont les membres exécutent bénévolement des travaux d'aiguille pour les nécessiteux.

ouzbek [uzbɛk] adj. et n. Qui se rapporte à l'Ouzbékistan, à sa langue. ▷ Subst. *Un(e) Ouzbek.*

Ouzbékistan *(Ozbekiston respublikasy),* État d'Asie centrale, bordé à l'ouest par la mer d'Aral et frontalier du Kazakhstan au nord, du Kirghizstan et du Tadjikistan à l'est, du Turkménistan au sud; 449 600 km^2; 19 906 000 hab.; cap. *Tachkent.* Nature de l'État : rép. présidentielle. Langue : ouzbek. Monnaie : som. Pop. : Ouzbeks (71,4 %), Russes (7,1 %), Tadjiks (4,4 %), Kazakhs (3,7 %). Relig. : islam sunnite. **Géogr. et écon.** – Une plaine désertique coupée d'oasis et de bassins (Samarkand, Boukhara, Fergana, etc.) est dominée à l'E. par des montagnes (Pamir, Tianshan) d'où descendent le Syr-Daria et l'Amou-Daria. L'irrigation assure la prospérité de l'agriculture (38 % de la population active) : fruits, primeurs, riz, luzerne, vigne et, surtout, coton. La sériciculture et les moutons astrakans fournissent des ressources importantes. Les richesses minières (charbon, pétrole, gaz naturel, uranium, cuivre, etc.) ont permis un essor industr. récent. **Hist.** – Les Ouzbeks descendent de Mongols qui à partir du XVe s. s'installèrent dans l'anc. Transoxiane (nommée ensuite Turkestan). En 1924, le pouvoir sov. divisa le Turkestan* russe en plus. républiques fédérées; l'Ouzbékistan fut l'une d'elles. En 1989, des violences contre les Meskhets* qui réclamaient une représentation au Congrès des députés, agitèrent le pays. En août 1991, l'indépendance de la République a été proclamée par le Parlement. Islam Karimov a été élu président de la République (1991), un référendum (1995) prolonge son mandat jusqu'en 2000. L'Ouzbékistan est membre de la C.É.I. ► carte **(ex-) U.R.S.S.**

ouzo n. m. Alcool grec parfumé à l'anis.

ov(o)-, ovi-. Éléments, du lat. *ovum,* «œuf».

ovaire n. m. **1.** BIOL Organe reproducteur femelle où se forment les ovules. *Organes pairs, situés dans la cavité péritonéale, les ovaires produisent la folliculine et la progestérone.* **2.** BOT Organe femelle où se forment les ovules, et qui donne le fruit. ► illustr. appareil **génital**

ovalaire adj. De forme à peu près ovale.

ovalbumine n. f. BIOCHIM Protéine du blanc d'œuf.

ovale adj. et n. m. **1.** adj. Qui a la forme d'une courbe fermée et allongée, semblable à celle d'un œuf. *Table ovale.* **2.** n. m. GEOM Figure de cette forme, composée de quatre arcs de cercle, égaux deux à deux.

ovalisation n. f. TECH Défaut d'une pièce cylindrique dont la section devient ovale par suite d'usure.

ovaliser v. tr. [1] TECH Rendre ovale.

ovariectomie n. f. CHIR Ablation chirurgicale d'un ou des deux ovaires.

ovarien, enne adj. Relatif à l'ovaire.

ovation n. f. Acclamation, démonstration bruyante d'enthousiasme en l'honneur de (qqn).

ovationner v. tr. [1] Saluer par des ovations, des acclamations.

ove n. m. Didac. Ornement décoratif en forme d'œuf.

Overbeck (Johann Friedrich) (Lübeck, 1789 – Rome, 1869), peintre allemand; l'un des fondateurs du groupe des «nazaréens» (V. ce nom).

overdose [ɔvəʀdoz] n. f. (Américanisme) **1.** Absorption d'une forte dose de drogue pouvant entraîner la mort. Syn. (off. recommandé) surdose. **2.** Fig., fam. Quantité excessive, difficilement supportable, de qqch. *Une overdose de travail.*

overdrive [ɔvəʀdʀajv] n. m. (Anglicisme) AUTO Organe de la boîte de vitesses de certaines automobiles, permettant d'augmenter légèrement la possibilité de surmultiplier.

Overijssel, prov. des Pays-Bas, à la frontière allemande; 3 801 km^2; 1 010 000 hab.; ch.-l. *Zwolle.* Ce pays de collines sableuses et de vallées marneuses pratique surtout l'élevage. L'Est a quelques industries.

ovi-. V. ov(o)-.

ovibos [ɔvibɔs] n. m. ZOOL Bœuf musqué, bovidé à la toison brune laineuse et aux cornes plates recourbées, qui vit dans les régions arctiques américaines.

Ovide (en lat. *Publius Ovidius Naso*) (Sulmona, Abruzzes, 43 av. J.-C. – Tomes, auj. Constanţa, Roumanie, 17 ou 18 apr. J.-C.), poète latin : *l'Art d'aimer,* à caractère érotique; *les Métamorphoses,* poème épique et mythologique. Relégué à vie en 8 apr. J.-C., il mourut en exil où il composa des élégies : *les Tristes* et *les Pontiques.*

Oviedo, v. du N.-O. de l'Espagne, anc. cap. du royaume des Asturies; cap. de la communauté auton. des Asturies; 194 600 hab. Centre métallurgique. – Archevêché. Université. Cath. goth. flamboyant (XVe-XVIe s.). Nombr. églises. Anc. palais royal (IXe s.), transformé en église (Santa María), sur le Monte Naranco. – En 1934, l'insurrection des mineurs y fut durement réprimée.

ovin, ine adj. et n. m. Du mouton, qui a rapport au mouton. *Race ovine.* ▷ n. m. pl. *Les ovins :* les moutons et les mouflons. – Sing. *Un ovin.*

ovinés n. m. pl. ZOOL Syn. de *caprins.* – Sing. *Un oviné.*

ovipare adj. et n. ZOOL Qui pond des œufs.

oviparité n. f. ZOOL Mode de reproduction des animaux ovipares.

ovni [ɔvni] n. m. Acronyme pour *objet volant non identifié,* calque de l'amér. U.F.O. pour *Unidentified Flying Object. Des ovnis.*

ovo-. V. ov(o)-.

ovocyte. V. oocyte.

ovogenèse n. f. BIOL Formation des ovules, chez les animaux.

ovoïdal, ale, aux adj. Dont la forme ressemble à celle d'un œuf.

ovoïde adj. Qui a la forme d'un œuf.

ovonique n. f. ELECTRON Branche de l'électronique, technique fondée sur la propriété que présentent les combinaisons en couches minces de certains éléments (tellure, silicium, germanium et arsenic, en partic.) de voir leur résistance s'abaisser brusquement lorsque la tension qui leur est appliquée dépasse une certaine valeur.

ovovivipare adj. ZOOL Se dit des animaux ovipares chez lesquels l'incubation des œufs se fait dans les voies génitales de la femelle. *La vipère est ovovivipare.*

ovulaire adj. BIOL Relatif à l'ovule. *Ponte ovulaire* ou *ovulation.*

ovulation n. f. BIOL Rupture du follicule, libérant l'ovule.

ovule n. m. **1.** BOT Petit corps arrondi contenu dans l'ovaire des végétaux et renfermant le gamète femelle, ou *oosphère.* **2.** BIOL Gamète femelle. **3.** PHARM Corpuscule contenant une substance médicamenteuse, destiné à être introduit dans le vagin.

ovuler v. intr. [**1**] Didac. Avoir une ovulation.

Owen (Robert) (Newtown, 1771 – id., 1858), théoricien socialiste anglais. Pionnier du mouvement syndicaliste et du coopératisme social anglais. Il critique le capitalisme et croit au progrès et au bonheur. Son influence est profonde sur le milieu ouvrier et une partie de la bourgeoisie (*le Livre du nouveau monde moral,* 1828-1844).

Owen (sir Richard) (Lancaster, 1804 – Londres, 1892), naturaliste et paléontologue évolutionniste anglais.

Owens (James Cleveland, dit Jesse) (Decatur, Alabama, 1914 – Tucson, Arizona, 1980), athlète américain qui remporta quatre médailles d'or aux jeux Olympiques de Berlin (1936) : le 100 m, le 200 m, le saut en longueur, le relais 4 × 100 m.

ox(y)-. CHIM Élément, du gr. *oxus,* « aigu, acide », qui, le plus souvent, sert à indiquer la présence d'oxygène dans une molécule.

oxacide n. m. CHIM Acide dont la molécule contient de l'oxygène.

oxalique adj. CHIM *Acide oxalique :* diacide de formule HOOC-COOH présent dans de nombreux végétaux (oseille, notam.), utilisé comme détartrant et comme décolorant.

Oxenstierna (Axel Gustavsson), comte de Södermöre (Fånö, 1583 – Stockholm, 1654), homme d'État suédois. Chancelier à partir de 1612, il appliqua la politique de Gustave II Adolphe et la poursuivit avec succès sous le règne de Christine, dont il fut le tuteur.

oxford n. m. Toile de coton rayée ou quadrillée, à grain marqué.

Oxford, v. de G.-B., sur le cours supérieur de la Tamise, à l'O. de Londres; 109 000 hab.; ch.-l. du comté d'Oxford (2 612 km², 574 700 hab.). Industries (auto., aluminium) implantées depuis 1920. – Évêché. Célèbre université fondée en 1163. Cath. romane et gothique (XIIe-XVe s.).

Oxford (mouvement d'), mouvement de réforme de l'Église anglicane appelé aussi *tractarianisme* et *puseyisme**, condamné par l'épiscopat anglican en 1843.

Oxford (statuts ou provisions d'), réformes imposées à Henri III par les barons anglais révoltés, en 1258. Le roi les abrogea en 1266.

oxhydrique adj. CHIM Qui contient de l'oxygène et de l'hydrogène.

Oxus. V. Amou-Daria.

oxy-. V. ox(y)-.

oxyacétylénique adj. TECH *Chalumeau oxyacétylénique,* dont la flamme est produite par la combustion d'un mélange d'oxygène et d'acétylène.

oxycarboné, ée adj. CHIM Combiné à de l'oxyde de carbone.

oxychlorure n. m. CHIM Composé résultant de l'union d'un corps avec l'oxygène et le chlore.

oxydable adj. Qui peut s'oxyder.

oxydant, ante adj. et n. Qui oxyde, peut capter des électrons.

oxydase n. f. BIOCHIM Enzyme qui active la fixation de l'oxygène sur d'autres corps.

oxydation n. f. Cour. Fixation d'oxygène sur un corps. ▷ CHIM Réaction au cours de laquelle un corps perd des électrons. *La corrosion des métaux est due à une oxydation.* ▷ *Nombre* ou *degré d'oxydation d'un élément dans une combinaison :* nombre (positif ou négatif) caractérisant l'état d'oxydation de l'élément dans la combinaison.

Jesse **Owens,** aux jeux Olympiques de Berlin, en 1936

oxyde n. m. CHIM et cour. Composé résultant de la combinaison de l'oxygène avec un autre élément.

oxyder 1. v. tr. [**1**] CHIM Produire l'oxydation de. **2.** v. pron. CHIM Se transformer en oxyde. ▷ Être attaqué superficiellement par l'oxydation.

oxydoréduction n. f. CHIM Réaction chimique au cours de laquelle un oxydant et un réducteur échangent des électrons.

oxygénation n. f. **1.** CHIM Oxydation par l'oxygène. **2.** Action d'oxygéner, de s'oxygéner; son résultat. **3.** Action d'appliquer de l'eau oxygénée.

oxygène n. m. **1.** CHIM Élément de numéro atomique Z = 8 et de masse atomique 15,9994 (symbole O). – Gaz (O_2 : *dioxygène*) incolore, insipide et inodore, qui se liquéfie à – 182,96 °C et se solidifie à – 218,4 °C. **2.** Cour. Air pur. *J'ai pris un bol d'oxygène à la montagne.*

ENCYCL L'oxygène est l'élément le plus abondant de la couche terrestre (89 % en masse des eaux naturelles et 47 % des roches). Il représente 21 % du volume de l'atmosphère et est indispensable à la vie. Les combinaisons de l'oxygène avec les autres éléments (sauf avec le fluor) s'appellent des oxydes.

oxygéné, ée adj. Qui renferme de l'oxygène. ▷ *Eau oxygénée :* peroxyde d'hydrogène, de formule H_2O_2.

oxygéner 1. v. tr. [**14**] CHIM Combiner un corps avec l'oxygène. **2.** v. pron. Fam. Respirer de l'air pur (en faisant un séjour à la campagne, en se promenant, etc.).

oxygénothérapie n. f. MED Administration thérapeutique d'oxygène.

oxyhémoglobine n. f. BIOCHIM Composé formé par la fixation réversible de l'oxygène sur l'hémoglobine, qui assure le transport de l'oxygène des alvéoles pulmonaires aux cellules, et qui donne au sang sa couleur rouge vif.

oxymoron ou **oxymore** n. m. RHET Alliance de deux mots de sens incompatibles. *« Cette obscure clarté... »* (Corneille) *est un oxymoron.*

oxysulfure n. m. CHIM Composé résultant de l'union d'un corps avec l'oxygène et le soufre.

oxyton n. m. PHON Mot dont l'accent tonique porte sur la dernière syllabe.

oxyure n. m. MED Petit ver blanc long de quelques millimètres, parasite de la portion terminale de l'intestin de l'homme.

oxyurose n. f. MED Parasitose due aux oxyures.

Oyama (Iwao) (Kagoshima, 1842 – Tōkyō, 1916), maréchal japonais. Victorieux des Chinois à Port-Arthur (1894), il fut généralissime durant la guerre de 1904-1905 contre la Russie.

Oyapoc ou **Oyapock,** fl. de Guyane (500 km); se jette dans l'Atlantique. Il sépare la Guyane française du Brésil.

Oya-shio ou **Oya-shivo,** courant froid du Pacifique; issu de la mer de Béring, il longe les îles Kouriles et les côtes orientales de Honshū.

oyat [ɔja] n. m. Plante herbacée (fam. graminées) dont les racines fixent les dunes.

Oyonnax, ch.-l. de cant. de l'Ain (arr. de Nantua), dans le Jura; 23 992 hab.

Industr. des plastiques ; lunetterie. – Les maquisards occupèrent la ville pendant la journée du 11 nov. 1943.

oz Symbole de l'ounce (V. once 1).

Ozal (Turgut) (Malatya, 1927 – Ankara, 1993), homme politique turc. Chef du parti de la Mère patrie (de tendance libérale), fondé en mai 1983, il fut élu Premier ministre de 1983 à 1989, puis prés. de la République turque de 1989 à sa mort (premier civil à ce poste dep. trente ans).

ozalid n. m. (Nom déposé.) IMPRIM Papier sensible utilisé pour le tirage d'une épreuve d'ultime contrôle. – (En appos.) *Papier ozalid.* ▷ Cette épreuve elle-même.

Ozanam (Frédéric) (Milan, 1813 – Marseille, 1853), écrivain, professeur et historien français. Il fut l'un des fondateurs de la Société de Saint-Vincent-de-Paul (1833). *Essai sur la philosophie de Dante* (1839), *la Civilisation au VI*[e] *s.* (posth., 1856).

Ozenfant (Amédée) (Saint-Quentin, 1886 – Cannes, 1966), peintre français ; signataire avec Le Corbusier du manifeste du purisme (1918).

Ozias. V. Azarias.

Ozoir-la-Ferrière, com. de Seine-et-Marne (arr. de Melun) ; 19 067 hab. Industr. chim. et métall. ; imprimerie.

ozone n. m. CHIM Variété allotropique de l'oxygène, de formule O_3, gaz légèrement bleuté qui se forme dans l'air ou dans l'oxygène soumis à des décharges électriques ou traversé par des rayons ultraviolets. ▷ *Couche d'ozone :* couche atmosphérique, située entre 20 et 30 km d'altitude, où la concentration d'ozone est maximale.

ozonisation n. f. **1.** CHIM Transformation de l'oxygène en ozone. **2.** TECH Stérilisation de l'air ou des eaux au moyen de l'ozone.

ozoniser v. tr. [1] **1.** CHIM Convertir l'oxygène en ozone. **2.** TECH Stériliser par l'ozone.

ozoniseur, **ozonateur** ou **ozonisateur** n. m. TECH Appareil servant à produire de l'ozone.

ozonosphère n. f. Zone de la haute atmosphère terrestre particulièrement riche en ozone.

Ozu (Yasujiro) (Tōkyō, 1903 – id., 1963), cinéaste japonais intimiste : *Été précoce* (1951), *Voyage à Tōkyō* (1953), *le Goût du saké* (1963).

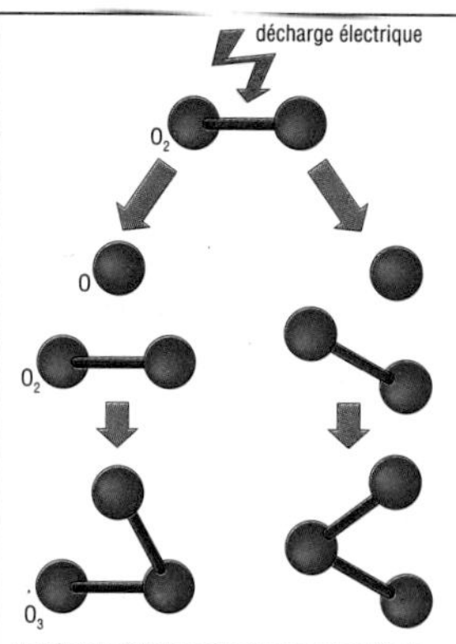

un mélange d'oxygène décompose une molécule de dioxygène atmosphérique (O_2) et deux atomes d'oxygène (O) qui se combinent avec deux molécules d'O_2 pour constituer des molécules d'ozone (O_3)

fabrication industrielle de l'**ozone**

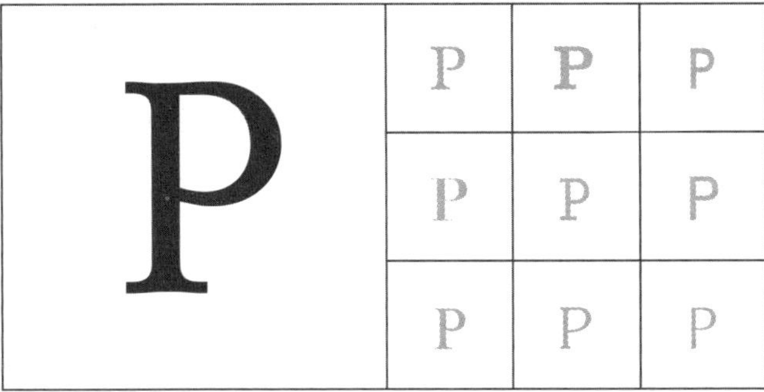

p [pe] n. m. **1.** Seizième lettre (p, P) et douzième consonne de l'alphabet, notant l'occlusive labiale sourde [p] (ex. *cep* [sɛp], *nappe* [nap]) ou, dans la combinaison *ph*, la fricative labiodentale sourde [f] (ex. *photographie* [fɔtɔgʀafi]); restant parfois muette, à l'intérieur de certains mots (ex. *compte* [kɔ̃t]) ou en position finale (ex. *coup* [ku]; *drap* [dʀɑ]); ne se faisant entendre dans les adverbes *trop* et *beaucoup* que sous forme de liaison (ex. *trop occupé* [tʀopɔkype]; *beaucoup à faire* [bokupafɛʀ]). **2.** P., devant le nom d'un ecclésiastique : abrév. de *père*. **3.** CHIM P : symbole du phosphore. ▷ PHYS p : symbole du préfixe *pico*; p : symbole de la pression. – P : symbole de la puissance. ▷ BIOCHIM *Substance P* : V. substance. **4.** MUS p. : abrév. de *piano* (adv.).

1. Pa PHYS Symbole du pascal.

2. Pa CHIM Symbole du protactinium.

Paasikivi (Juho Kusti) (Tampere, 1870 – Helsinki, 1956), homme politique finlandais. Il négocia les armistices soviéto-finlandais de 1940 et 1944. Président de la République de 1946 à sa mort.

Pablo (Luis de) (Bilbao, 1930), compositeur espagnol. Musicien sériel, il s'est attaché ensuite à la notion de forme « mobile », laissant une certaine initiative aux interprètes (série des 5 *Módulos* pour divers ensembles instrumentaux, 1964-1967).

Pabst (Georg Wilhelm) (Raudnitz, auj. Roudnice, Rép. tchèque, 1885 – Vienne, 1967), cinéaste allemand. Ses œuvres les plus célèbres valent par une atmosphère à la fois réaliste et romantique : *la Rue sans joie* (1925), *Loulou* (1928), *l'Opéra de quat' sous* (1931 ; deux versions : all. et fr.), *la Tragédie de la mine* (1931).

Georg Wilhelm **Pabst** : *Loulou, 1928*, avec Louise Brooks

PAC, acronyme pour *politique agricole commune*.

PACA, acronyme pour *Provence-Alpes-Côte d'Azur*.

pacage n. m. **1.** Lieu où l'on fait paître les bestiaux. **2.** Action de faire paître les bestiaux. *Droit de pacage*.

pacager v. tr. [**13**] Faire paître (des bestiaux). ▷ v. intr. Paître.

pacane n. f. BOT Syn. de *pécan*.

pacanier n. m. BOT Arbre (genre *Carya*) originaire d'Amérique du Nord, produisant une noix lisse comestible (*pacane* ou *noix de pécan*).

pacemaker [pɛsmekœʀ] n. m. (Anglicisme) Syn. (off. déconseillé) de *stimulateur* cardiaque*.

pacha n. m. **1.** Gouverneur de province, dans l'ancien Empire ottoman. ▷ Titre honorifique conféré avant 1923 à certains grands personnages, notam. en Turquie. **2.** Loc. fam. *Mener la vie de pacha* : vivre dans l'opulence et l'oisiveté. ▷ *Faire le pacha* : se faire servir. **3.** Fam. Surnom du commandant d'un navire de guerre.

pachalik n. m. HIST Territoire gouverné par un pacha.

Pacheco (Francisco) (Sanlúcar de Barrameda, 1564 – Séville, 1654), peintre espagnol ; maître et beau-père de Vélasquez.

Pachelbel (Johann) (Nuremberg, 1653 – id., 1706), compositeur et organiste allemand ; auteur de nombr. œuvres pour orgue et pour clavecin.

pachinko n. m. Sorte de billard vertical, jeu très populaire au Japon.

pachtou [paʃtu] n. m. Langue indo-européenne, parlée en Afghānistān et au Pākistān.

Pachtouns, groupe ethnique d'Afghānistān et du Pākistān. *Un Pachtoun*.

Pachuca de Soto, v. du centre du Mexique, à 2 450 m d'alt. ; 179 400 hab. ; cap. d'État *(Hidalgo)*. Import. mines d'argent.

pachydermes [paʃidɛʀm] n. m. pl. Ancien ordre de mammifères comprenant l'éléphant, le rhinocéros, l'hippopotame, etc. ▷ (Au sing.) Cour. Éléphant. – Fig. Personne d'allure massive.

pachyure [paʃjyʀ] n. f. ZOOL Minuscule musaraigne. *La pachyure étrusque (Suncus etruscus), qui mesure moins de 8 cm, queue comprise, est le plus petit des mammifères.*

pacificateur, trice n. Personne qui pacifie. ▷ adj. *Action pacificatrice*.

pacification n. f. Action de pacifier.

pacifier v. tr. [**2**] **1.** Rétablir la paix dans (une région, un pays). ▷ *Par euph.* Écraser la rébellion dans (une province, un pays). **2.** Fig. Apaiser, calmer. *Pacifier les esprits*.

pacifique adj. et n. m. **I. 1.** Qui aime la paix, qui est attaché à la paix. – Par ext. *Mener une vie pacifique*. – n. m. *C'est un pacifique*. **2.** Qui se passe dans la paix ; exempt de troubles, de violence. *Manifestation pacifique*. **3.** Qui amène la paix ou la favorise. *Politique pacifique*. **II.** De l'océan Pacifique.

Pacifique (océan) (anc. *Grand Océan*, dénomination donnée par son découvreur, Magellan), le plus vaste des océans : env. 180 000 000 de km², soit 30 % de la surface du globe. Il s'étend entre l'Asie, l'Amérique, l'Australie et la Nouvelle-Guinée. Au N., le détroit de Béring l'isole de l'océan Arctique. Au S., il s'ouvre largement sur l'océan Antarctique. Par rapport aux autres océans, il présente une triple originalité : son fond est sialique (composé de roches extrêmement denses) ; il est bordé de fosses profondes et étroites (plus de 11 520 m dans la fosse du Challenger, à l'O. de la fosse des Mariannes) ; ses îles, d'origine volcanique, forment sur ses bords une « ceinture de feu » : certaines îles dépassent 4 000 m d'alt. ; d'autres, qui affleurent, servent de support à des constructions coralliennes (atolls, récifs-barrières). La navigation est plus dense dans le Pacifique N. Ses eaux froides et la zone côtière de l'Amérique du Sud sont le centre d'import. pêcheries.

Pacifique (Centre d'expérimentation du), organisme militaire français qui, siégeant à Tahiti dep. 1964, a organisé les tirs destinés (de 1966 à 1996) à tester les bombes thermonucléaires dans les atolls de Mururoa et de Fangataufa.

Pacifique (guerre du), conflit qui opposa le Chili, à partir de 1879, au Pérou jusqu'en 1883 et à la Bolivie jusqu'en 1884. Le Chili enleva des territoires à ses deux adversaires. – Série d'opérations militaires qui se déroulèrent dans le Pacifique entre le Japon et les États-Unis appuyés de leurs alliés, à partir de l'attaque de Pearl Harbor (déc. 1941) jusqu'au largage de bombes atomiques sur Hiroshima et Nagasaki (août 1945), qui mit fin au conflit.

pacifiquement adv. De manière pacifique.

pacifisme n. m. Doctrine politique des pacifistes. Ant. bellicisme.

pacifiste n. et adj. Partisan de la paix entre les États. *Une manifestation de pacifistes.* ▷ adj. *Propagande pacifiste.* Ant. belliciste.

Pacioli (Luca) (Borgo San Sepolcro, v. 1445 - Rome, v. 1510), franciscain italien, professeur de mathématiques. Œuvre de compilation, sa *Summa* (1494) expose notam. l'algèbre arabe.

1. pack [pak] n. m. OCEANOGR Banquise dérivante disloquée en grands plateaux séparés par des chenaux.

2. pack [pak] n. m. (Anglicisme) **1.** SPORT Ensemble des huit avants, au rugby. **2.** Emballage de bouteilles, de petits pots, etc.

package [pakɛdʒ] n. m. (Anglicisme) COMM Ensemble de biens ou de services fournis à la clientèle en un seul lot indissociable.

packageur [pakɛdʒœʀ] n. m. (Anglicisme) Entreprise qui se charge de la réalisation d'un livre pour le compte d'un éditeur ou d'un distributeur.

packaging [pakɛdʒiŋ] n. m. (Anglicisme) **1.** Syn. de *conditionnement.* **2.** Activité du packageur.

packam n. f. Variété de poire voisine de la williams.

Pacôme (saint) (en Haute-Égypte, v. 290 - id., 346), fondateur du premier monastère chrétien, à Tabennisi (r. dr. du Nil), en 320.

pacotille n. f. **1.** Anc. Assortiment de verroteries et de marchandises diverses qui étaient destinées au troc avec les pays d'Afrique et d'Orient. **2.** Mod., péjor. Marchandise de peu de valeur. ▷ *De pacotille :* sans valeur; de mauvaise qualité. *Une montre de pacotille.* - Factice. *Un exotisme de pacotille.*

pacte n. m. Convention solennelle entre deux ou plusieurs États, partis, individus. *Conclure, rompre un pacte. Pacte de non-agression.* ▷ HIST *Pacte de Famille**. *Pacte de Famine**. ▷ Fig. *Faire, signer un pacte avec le diable,* lui livrer son âme pour obtenir la puissance, la richesse, la jeunesse, etc.

Pacte de l'Atlantique Nord. V. Organisation du traité de l'Atlantique Nord.

pactiser v. intr. [1] **1.** Faire un pacte (avec qqn). **2.** Fig. Transiger (avec qqn, qqch). *Pactiser avec sa conscience.*

pactole n. m. Source importante de richesses.

Pactole (le), petite rivière de Lydie (Asie Mineure), affl. de l'*Hermos,* célèbre par les paillettes d'or qu'il roulait. Crésus lui devait ses richesses.

padan, ane adj. Du Pô, de sa région.

Padang, v. d'Indonésie, port de comm. sur l'océan Indien (côte O. de Sumatra); 481 000 hab.; ch.-l. de prov. Cimenterie.

paddock n. m. **1.** Enclos, dans une prairie, réservé aux juments poulinières et à leurs poulains, ou à un pur-sang. **2.** Enceinte, dans le pesage d'un champ de courses, où les chevaux sont promenés en main. **3.** Sur un circuit automobile, espace réservé à chacune des marques en compétition. **4.** Arg. Lit.

paddy n. m. Riz non décortiqué.

Paderborn, ville d'Allemagne (Rhénanie-du-Nord-Westphalie), sur la *Pader,* rivière formée par les nombr. sources qui jaillissent et se réunissent dans la ville même; 110 300 hab. Industr. mécaniques et alimentaires; cimenterie. - Archevêché. Cath. des XIe et XIIIe s. - La ville fut une résidence de Charlemagne; en 777, un célèbre baptême collectif y fut donné au peuple saxon qu'il avait soumis.

Paderewski (Ignacy) (Kuryłówka, 1860 - New York, 1941), pianiste, compositeur (opéras *Manru* et *Sakuntala,* symphonie, mélodies, pièces pour piano) et homme politique polonais. Il fut président du Conseil de la République polonaise en 1919 et signataire du traité de Versailles.

Padirac, com. du Lot (arr. de Gourdon), sur le causse de Gramat; 167 hab. - Le *gouffre de Padirac* (75 m) conduit à une riv. souterraine (6,6 km) qui se jette dans la Dordogne. Tourisme.

Padma (la), fl. de l'Inde et du Bangladesh, princ. bras du delta du Gange (300 km); reçoit le Brahmapoutre.

padouan, ane adj. et n. De Padoue.

Padoue (en ital. *Padova*), v. d'Italie (Vénétie); 229 950 hab.; ch.-l. de la prov. du m. nom. Centre commercial et industriel (chim., alim., text.). - Université. Cathédrale du XVIe s. Basilique Sant'Antonio, dite «Il Santo» (XIIIe s.), qui renferme le tombeau de saint Antoine. Chap. de l'Arena ou des Scrovegni (fresques de Giotto). - Cité anc., étrusque puis romaine, qui entra dans le royaume carolingien d'Italie. Venise l'annexa en 1405.

paella [paelja; paela] n. f. Plat espagnol composé de riz au safran cuit à la poêle avec des moules, des crustacés, des morceaux de volaille, etc.

Pæstum, v. de l'Italie anc., au S. de Naples, fondée par les Sybarites à la fin du VIIe s. av. J.-C. Ruines célèbres (trois temples grecs d'archi. dorique).

Pæstum : ruines du sanctuaire dédié à Héra, VIe-Ve s. av. J.-C.

Páez (José Antonio) (Acarigua, 1790 - New York, 1873), homme politique vénézuélien. Chef militaire (1822), puis dictateur (1826), il proclama l'indépendance du pays (1830), dont il fut président à trois reprises.

1. paf adj. inv. Pop. Ivre. *Ils sont complètement paf.*

2. paf! interj. (Exprimant le bruit d'une chute, d'un coup, etc.)

PAF, acronyme pour *paysage audiovisuel français.*

pagaie [pagɛ] n. f. Rame courte, à large pelle, utilisée pour la propulsion des pirogues et de certaines embarcations de sport, que l'on manie sans l'appuyer à un point fixe (à la différence de l'aviron). *Pagaie simple des canoës et pagaie double des kayaks.*

pagaille n. f. Fam. **1.** Grand désordre. *En voilà une pagaille!* **2.** Loc. adv. *En pagaille :* en désordre. *Il a tout jeté en pagaille dans un tiroir.* - En grande quantité. *Pêcher du poisson en pagaille.*

Pagalu (île) (anc. *Annobón*), île de la Guinée équatoriale, dans le golfe de Guinée (17 km²).

Pagan, v. historique de Birmanie, sur l'Irrawaddy, cap. du pays du XIe au XIIIe s. Nombr. temples.

Paganini (Niccolo) (Gênes, 1782 - Nice, 1840), compositeur et violoniste italien. D'une virtuosité éblouissante, il généralisa pour le violon des procédés alors rarement utilisés (emploi des harmoniques, accompagnement en pizzicato de la main gauche) et composa *Vingt-Quatre Caprices* pour violon seul, des concertos, des sonates, etc.

Niccolo **Paganini**

paganiser v. tr. [1] Rendre païen.

paganisme n. m. Nom donné, lors du triomphe du christianisme, aux religions polythéistes. *Le paganisme romain.* - *Par ext.* Ce qui rappelle les tendances, les mœurs des païens.

pagayer v. [21] **1.** v. intr. Ramer avec une pagaie. **2.** v. tr. Faire avancer (une embarcation) à la pagaie.

pagayeur, euse n. Personne qui pagaie.

1. page n. f. **1.** Côté d'un feuillet de papier, de parchemin, etc. *Une feuille comporte deux pages. Cahier de 100 pages. Écrire une page sur deux.* - *Par ext.* Feuillet. *Déchirer, corner une page.* **2.** INFORM Unité de découpage de la mémoire centrale d'un ordinateur. **3.** Texte écrit, imprimé sur une page. *Page de trente lignes. Lire quelques pages avant de s'endormir.* - Fig. Contenu de ce texte, relativement à sa valeur littéraire, musicale. *Les plus belles pages d'un auteur.* **4.** Fig. Époque de l'histoire, période d'une vie, considérée quant aux événements qui l'ont marquée. *C'est une page sinistre de l'histoire de France.* ▷ *Tourner la page :* changer de mode de vie, oublier le passé. ▷ Fam. *Être à la page,* au courant des dernières nouveautés.

2. page n. m. Anc. Jeune noble placé auprès d'un souverain, d'un seigneur, pour faire le service d'honneur et apprendre le métier des armes.

pagel n. m., **pagelle** n. f. ou **pageot** n. m. Poisson téléostéen (genre *Pagellus*) des mers chaudes et tempérées, parfois confondu avec la daurade et vendu sous ce nom.

pageot ou **page** n. m. Pop Lit.

pager [pɛdʒœr] n. m. (Anglicisme) Petit récepteur radioportatif, relié à une radiomessagerie, qui affiche les messages sur écran.

Paget (maladie de) MED **1.** Maladie caractérisée par un placard ressemblant à de l'eczéma, le plus souvent sur le mamelon. **2.** Ostéopathie déformante touchant surtout les os du rachis, du bassin, des fémurs et du crâne.

pagination n. f. **1.** Action de paginer. – Série des numéros des pages d'un livre. **2.** INFORM Découpage de la mémoire d'un ordinateur.

paginer v. tr. [**1**] Numéroter les pages de (un livre, un cahier, un registre, etc.). Syn. folioter.

pagne n. m. Morceau d'étoffe ou de matière végétale tressée, couvrant le corps le plus souvent de la ceinture aux mollets, dont les habitants des régions tropicales se ceignent les reins.

Pagnol (Marcel) (Aubagne, 1895 – Paris, 1974), écrivain et cinéaste français. *Topaze* (1928), *Marius* (1929) et *Fanny* (1932) sont ses œuvres dramatiques les plus célèbres, portées à l'écran. Il réalisa lui-même *César* (1936), qui forme avec *Marius* et *Fanny* une savoureuse trilogie marseillaise, puis *Manon des sources* (1953), *la Femme du boulanger* (1938), etc. Souvenirs : *la Gloire de mon père* (1957), *le Château de ma mère* (1958). Acad. fr. (1946).

Marcel **Pagnol :** *Marius*, 1929, avec Raimu (à g.) et P. Fresnay

pagode n. f. **1.** Temple des peuples d'Extrême-Orient. ▷ *Spécial.* Temple des brahmanes ou des bouddhistes. (N.B. On tend aujourd'hui à employer *temple* plutôt que *pagode.*) **2.** Ancienne monnaie d'or de l'Inde. **3.** (En appos.) *Manches pagode(s),* serrées jusqu'au coude et s'évasant jusqu'au poignet.

pagre n. m. Poisson téléostéen marin voisin de la daurade.

pagure n. m. ZOOL Crustacé décapode dissymétrique (genre *Pagurus*), démuni de coquille, qui loge son corps mou dans une coquille de mollusque abandonnée. Syn. cour. bernard-l'ermite.

Pahang, État de Malaisie, au centre de la péninsule malaise, drainé par le *Pahang* (env. 400 km), tributaire de la mer de Chine; 35 965 km^2; 988 000 hab.; cap. *Kuantan* (140 000 hab.).

pahlavi. V. pehlevi.

Pahlavi ou **Pahlevi** (Rīza, chāh) (Sevād Kūh, 1878 – Johannesburg, 1944), schah de Perse en 1925, élu après la déposition de la dynastie des Qādjārs; fondateur de la dynastie des Pahlavi. Souverain autoritaire, il s'attacha à moderniser le pays, et, pour ce faire, fit appel à l'Allemagne. Son attitude pro-allemande provoqua, en 1941, l'entrée en Iran des troupes anglo-soviétiques, qui le contraignirent à abdiquer. – **Muhammad Rīza** (Téhéran, 1919 – Le Caire, 1980), fils du préc.; schah d'Iran en 1941. Éliminé du pouvoir, en 1952, par Mossadegh (qu'il avait appelé au gouv. en 1951), il fut rétabli en 1953 par le général Zahedi. S'appuyant sur les É.-U., il poursuivit la modernisation du pays tout en éliminant les opposants à sa politique. Chassé du pouvoir en fév. 1979 par un mouvement populaire conduit par l'aile radicale du clergé chiite, il s'exila.

Pahouins. V. Fang(s).

paie [pɛ] ou **paye** [pɛj] n. f. **1.** Action de payer (un salaire, etc.). ▷ Loc. pop. *Il y a une paye que :* il y a longtemps que. **2.** Salaire, solde. *Toucher sa paye.*

paiement [pɛmɑ̃] ou **payement** [pɛjmɑ̃] n. m. **1.** Action de payer, d'acquitter une dette, un droit, etc. **2.** Somme payée. ▷ Fig. *Le paiement d'une dette morale.*

païen, enne adj. et n. **1.** Relatif à une religion autre que les grandes religions monothéistes (se dit surtout par oppos. à *chrétien*). *Dieux, temples païens. Fêtes païennes.* ▷ Subst. *Les Grecs et les Romains étaient des païens.* **2.** *Par ext.* Qui n'a pas de religion; non croyant. ▷ Subst. *Jurer comme un païen.* Syn. impie.

paierie [pɛʀi] n. f. Centre administratif chargé des paiements.

Paik (Name June) (Séoul, 1932), artiste coréen. Il est l'auteur d'installations mettant en jeu la vidéo.

paillage n. m. AGRIC Opération qui consiste à étaler sur le sol une couche de débris végétaux (tontes de gazon, écorces de pin, etc.) ou un film de plastique. Syn. mulching.

paillard, arde adj. et n. **1.** Enclin au libertinage, à la licence sexuelle. ▷ Subst. *Un vieux paillard.* Syn. libertin. **2.** Qui exprime la paillardise; grivois. *Chanson paillarde.*

paillardise n. f. **1.** Libertinage, licence sexuelle. **2.** Action, parole grivoise. *Écrire des paillardises.*

1. paillasse n. f. **1.** Grand sac cousu rembourré avec de la paille, des feuilles de maïs, etc., qui sert de matelas. **2.** TECH Dallage à hauteur d'appui sur lequel on effectue les manipulations, dans un laboratoire de chimie, de pharmacie, etc. ▷ Surface horizontale d'un évier, à côté de la cuve.

2. paillasse n. m. Anc. Bateleur, pitre des théâtres forains.

paillasson n. m. **1.** AGRIC Claie, faite avec de la paille longue, destinée à protéger les couches et les espaliers. **2.** Natte, tapis-brosse placé devant une porte, sur lequel on s'essuie les pieds. **3.** Péjor., fig. Individu bassement servile.

paille n. f. et adj. inv. **A.** n. f. **I. 1.** Tige creuse des graminées. ▷ Chaume desséché des graminées dépouillées de leur épi. *Ballot de paille. Lit, litière de paille.* – Loc. fam. *Être sur la paille :* être ruiné; être dans la misère. – Fig. *Homme de paille :* prête-nom. – *Vin de paille :* vin blanc liquoreux fait de raisins mûris sur la paille. ▷ Cette matière employée à des ouvrages de vannerie. *Chapeau de paille.* **2.** Brin de paille. – *Tirer à la courte paille :* tirer au sort avec des brins de paille de longueur inégale. – Fam. *Une paille :* presque rien ou, par antiphrase, beaucoup, énormément. – *Parabole de la paille et la poutre* ou, prov., *voir une paille dans l'œil de son voisin et ne pas voir une poutre dans le sien :* remarquer mieux les défauts d'autrui que les siens propres. ▷ Petit tuyau en carton ou en plastique, chalumeau servant à aspirer un liquide. *Boire de l'orangeade avec une paille.* **3.** *Paille de fer :* tampon fait de longs copeaux de métal, dont on se sert pour gratter, récurer, décaper. *Passer un parquet à la paille de fer.* **II.** TECH **1.** Défaut (fissure, cavité, impureté) dans le métal forgé ou laminé. **2.** Défaut d'une pierre précieuse. Syn. crapaud. **B.** adj. inv. D'un jaune brillant. *Des cheveux paille. Jaune paille.*

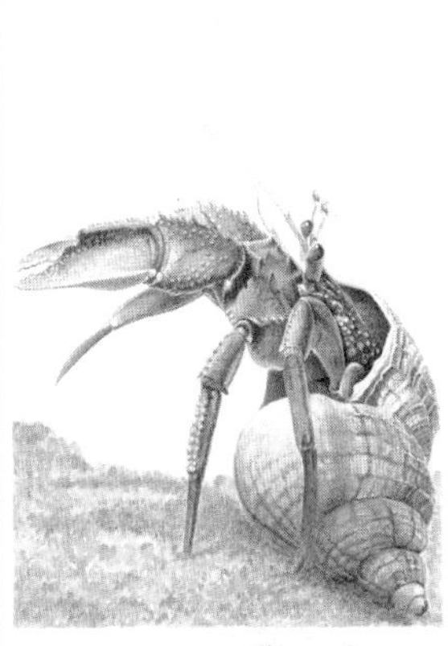

pagure en posture d'agression

1. paillé n. m. AGRIC Fumier dont la paille n'est pas encore décomposée.

2. paillé, ée adj. **1.** Qui a la couleur de la paille. **2.** Garni de paille. *Chaise paillée.*

paille-en-queue n. m. Phaéton (oiseau). *Des pailles-en-queue.*

1. pailler n. m. AGRIC Lieu (cour, hangar, grenier, etc.) où l'on entrepose la paille.

2. pailler v. tr. [**1**] **1.** AGRIC Opérer le paillage. **2.** Garnir de paille tressée. *Pailler des chaises.*

pailletage n. m. Action de pailleter; son résultat.

pailleté, ée adj. Semé de paillettes (sens 2). *Robe pailletée.*

pailleter v. tr. [**20**] Parsemer de paillettes. ▷ Fig. *La nuit tombait, pailletant le ciel d'étoiles.*

paillette n. f. **1.** MINER Mince lamelle détachée par exfoliation. *Paillette de mica.* – Parcelle d'or que l'on trouve dans le sable de certaines rivières. ▷ *Par ext.* Mince lamelle. *Savon en paillettes.* **2.** Mince lamelle brillante que l'on coud comme ornement sur un tissu. *Habit à paillettes.*

paillis [paji] n. m. AGRIC Fumier de paille à demi décomposé dont on couvre les semis.

paillon n. m. **1.** En joaillerie, lamelle de métal battu, placée sous une pierre pour faire valoir sa transparence et son éclat. **2.** Manchon de paille dont on entoure une bouteille.

paillote n. f. Construction, hutte de paille des pays chauds.

Paimbœuf, ch.-l. de cant. de la Loire-Atlantique (arr. de Saint-Nazaire), port sur la rive S. de l'estuaire de la Loire; 2 928 hab. Industr. chimiques. – Port import. aux XVIIe et XVIIIe s.

Paimpol, ch.-l. de cant. des Côtes-d'Armor (arr. de Saint-Brieuc), au fond de l'*anse de Paimpol;* 8 521 hab. Anc. port de pêche hauturière (morue), auj. tourné vers la pêche côtière. Stat. balnéaire. École nationale de la marine marchande.

Paimpont (forêt de), forêt de Bretagne, à l'O. de Rennes (Ille-et-Vilaine).

pain n. m. **1.** Aliment fait de farine additionnée d'eau et de sel, pétrie, fermentée et cuite au four. *Baguette, miche* *de pain. Pain de seigle. Pain complet*.* – *Pain azyme,* sans levain. *Les hosties sont faites de pain azyme.* – Masse façonnée de cet aliment. *Un pain bien cuit.* ▷ Loc. fig. *Avoir du pain sur la planche :* avoir beaucoup de travail en perspective. – *Bon comme le bon pain :* d'une grande bonté. – *Long comme un jour sans pain :* très long. – *Manger son pain blanc le premier :* avoir des débuts faciles, heureux. – *Pour une bouchée de pain :* pour un prix très bas. – *C'est pain bénit :* c'est une aubaine, une chance. **2.** (Dans les noms de diverses pâtisseries.) *Pain aux raisins :* petit gâteau fait de pâte briochée garnie de raisins secs. *Pain au chocolat. Pain au lait. Pain perdu :* entremets fait de tranches de pain trempées dans du lait et des œufs battus, et frites. *Pain d'épice(s) :* V. épice. **3.** (En tant que symbole de la nourriture.) *Le pain quotidien.* ▷ *Gagner son pain à la sueur de son front :* gagner sa vie durement. ▷ *Ôter le pain de la bouche à qqn,* le priver du nécessaire. **4.** CUIS *Par ext.* Préparation moulée en forme de pain. *Pain de viande, de poisson, de fruits.* **5.** TECH Matière moulée formant une masse. *Pain de savon, de cire, de dynamite.* – *Pain de sucre :* masse de sucre de canne coulée dans un moule de forme conique. – GEOMORPH *Pain de sucre :* dôme résultant de l'altération très violente, sous le climat tropical, d'un relief de roches cristallines. *Le Pain de Sucre de Rio de Janeiro.* **6.** BOT *Arbre à pain :* V. artocarpus. **7.** Pop. Coup. *Recevoir un pain.*

Paine ou **Payne** (Thomas) (Thetford, Norfolk, 1737 – New York, 1809), journaliste et homme politique américain d'origine anglaise. Défenseur enthousiaste des idées de la Révolution française, il fut élu à la Convention (1792). Princ. œuvres : *le Sens commun* (1776), *les Droits de l'homme* (1791-1792), *l'Âge de raison* (1794-1796).

Painlevé (Paul) (Paris, 1863 – id., 1933), mathématicien et homme politique français. Ses travaux scientifiques ont surtout porté sur l'analyse mathématique et sur l'aérodynamisme. Plusieurs fois ministre (1917-1933), il fut président du Conseil et ministre de la Guerre de sept. à nov. 1917. Républicain, socialiste, un des fondateurs du Cartel des gauches (1924), il fut, de nouveau, chef du gouvernement en 1925.

1. pair n. m. **I. 1.** Personne placée sur un pied d'égalité avec une autre. *Être jugé par ses pairs.* – *Traiter qqn de pair à compagnon, de pair à égal,* en égal ou comme s'il était un égal. **2.** ECON, FIN Égalité de valeur. *Pair de l'or d'une monnaie :* égalité de valeur de l'unité monétaire envisagée et du poids légal de métal fin qu'elle renferme. *Pair du change :* égalité des rapports de deux monnaies à leurs parités-or respectives. *Pair d'un titre boursier :* valeur de ce titre lorsque son cours coté est représenté par sa valeur nominale. **3.** Loc. *Au pair :* se dit d'un employé logé et nourri mais non rémunéré. ▷ *Hors (de) pair :* sans égal. *Un administrateur hors de pair.* – *Aller de pair,* ensemble sur le même plan. **II. 1.** FEOD Grand vassal du roi. – Seigneur d'une terre érigée en pairie. *Duc et pair.* **2.** HIST Membre de la Chambre haute sous la Restauration et sous Louis-Philippe. **3.** En Grande-Bretagne, membre de la Chambre des lords (en angl. *peer*).

2. pair, paire adj. **1.** *Nombre pair,* qui, divisé par deux, donne un nombre entier. ▷ MATH *Fonction paire :* fonction f(x) qui ne change pas quand on remplace x par – x. **2.** ANAT *Organes pairs :* organes doubles et symétriques. *Les yeux, les poumons sont des organes pairs.*

paire n. f. **1.** Groupe de deux objets allant ordinairement ensemble. *Une paire de gants, de chaussures.* – Loc. fam. *C'est une autre paire de manches :* c'est une affaire toute différente. ▷ Objet composé de deux pièces symétriques. *Une paire de lunettes.* **2.** *Par ext.* Ensemble de deux choses, de deux êtres. *Une paire de claques.* ▷ Ensemble de deux animaux de la même espèce. *Une paire de pigeons* (le mâle et la femelle). *Une paire de bœufs de trait.* ▷ Plaisant, fam. (Personnes) *Une paire d'amis.* – *Les deux font la paire :* ils ont les mêmes défauts. ▷ JEU Ensemble de deux cartes de même figure. *Paire d'as.* **3.** Pop. *Se faire la paire :* filer, s'éclipser.

pairesse n. f. En Grande-Bretagne, femme possédant une pairie. – Épouse d'un membre de la Chambre des lords.

pairie n. f. **1.** Titre, dignité de pair. **2.** FEOD Domaine auquel cette dignité était attachée.

pairle n. m. HERALD Pièce en forme d'Y dont les deux branches aboutissent aux angles du chef.

paisible adj. **1.** Qui aime la paix; doux et tranquille. *Un homme paisible.* Syn. pacifique. **2.** DR Qui n'est pas troublé dans la possession d'un bien. *Paisible possesseur d'une terre.* **3.** Que rien ne vient troubler. *Sommeil paisible.* ▷ Où règne la paix. *Royaume paisible. Forêts paisibles.* Syn. tranquille, calme.

paisiblement adv. D'une manière paisible, en paix.

Paisley, v. d'Écosse, dans les Lowlands (Strathclyde), à l'O. de Glasgow; 84 950 hab. Centre industriel (text., métall., chim.). – Aéroport de Glasgow.

paître v. [74] – (Ni au passé simple, ni aux temps composés.) **I.** v. tr. **1.** Vx Nourrir (un oiseau de proie). *Paître un faucon.* ▷ v. pron. (Ne se dit que des oiseaux carnassiers.) *Les corbeaux se paissent de charogne.* **2.** (En parlant d'animaux.) Brouter, manger. *Des alpages où les troupeaux paissent une herbe grasse.* **II.** v. intr. **1.** Brouter l'herbe. *Mener paître des moutons.* **2.** Fig., fam. *Envoyer paître (qqn) :* renvoyer (qqn) avec humeur. *Envoyer paître un importun.*

paix [pɛ] n. f. **1.** Concorde, absence de conflit entre les personnes. *Vivre en paix avec autrui.* **2.** Situation d'un pays qui n'est pas en état de guerre. *Temps de paix.* ▷ *Par ext.* Traité de paix. *Faire, signer la paix. Paix avantageuse, honteuse.* **3.** Tranquillité, quiétude que rien ne trouble. *Cet enfant ne la laisse jamais en paix.* – Fam. *Fichez-moi la paix !* (Ellipt.) *La paix !* ▷ Absence d'agitation, état de calme silencieux et reposant. *La paix des forêts.* **4.** Tranquillité sereine de l'âme. *Mettre sa conscience en paix.* ▷ *Qu'il repose en paix !* (trad. du lat. *Requiescat in pace*) : souhait du repos éternel pour un mort. **5.** *Paix de Dieu :* protection accordée par l'Église aux non-combattants lors des conflits opposant les seigneurs du haut Moyen Âge. (Cette institution tomba en désuétude à partir du XIIIe s.)

Paix (rivière de la), riv. du Canada occidental (1 700 km), affl. de la riv. de l'*Esclave* (r. dr.); confluence près du lac Athabasca. Aménagements hydroélectriques.

Pa Kin. V. Ba Jin.

Pākistān (république islamique du), État d'Asie, situé au N.-O. de l'Inde et à l'E. de l'Iran et de l'Afghānistān; 796 098 km²; env. 115 millions d'hab. (croissance démographique 3,1 % par an); cap. *Islamabad.* Nature de l'État : rép. islamique. Langues off. : urdu et anglais. Monnaie : roupie pakistanaise. Relig. : islam (sunnites, 74 %; chiites, 26 %).

Géogr. phys. et hum. – Le N., montagneux, est occupé par le haut Himalaya (plus de 8 000 m dans l'Hindou Kouch) et ses bordures des confins afghans, auxquels font suite, à l'O., les chaînes moins élevées du Béloutchistan. De rares passes (Khayber, Quetta), voies d'échanges essentielles depuis l'Antiquité, franchissent ces obstacles. L'ensemble domine à l'E. la vallée de l'Indus, dont l'amont est constitué par le piémont du Pendjab, « pays des cinq

rivières» (l'Indus et quatre de ses affluents), et l'aval par une plaine, le Sind, désertique avant d'être irriguée. L'Indus se termine par un puissant delta que borde une côte inhospitalière. À l'E. de la vallée de l'Indus, on trouve les bordures sableuses du désert de Thar. Le climat est aride, à peine touché par la mousson, mais les eaux abondantes issues de l'Himalaya ont permis, grâce à l'irrigation, une transformation complète du milieu. Le Pākistān est un carrefour ethnique mais présente une forte unité religieuse depuis la partition de 1947 (départ des hindous et afflux des musulmans qui vivaient en Inde). Le Pendjab et la basse vallée de l'Indus groupent l'essentiel des hab. Près de 70 % des Pakistanais sont encore des ruraux mais la croissance démographique et l'exode rural renforcent le poids des villes.

Écon. – Le Pākistān a connu un véritable décollage agricole grâce à l'irrigation. Les grands travaux d'hydraulique sur le bassin de l'Indus (en particulier le barrage de Tarbela, achevé en 1976) ont permis de multiplier par quatre la superficie irriguée depuis 1947. Elle dépasse aujourd'hui 16 millions d'ha, principalement dans le Pendjab et le Sind, soit 75 % des terres arables. En quinze ans, de 1975 à 1990, le Pākistān est parvenu à satisfaire ses besoins alimentaires; la prod. de blé, principale céréale vivrière, a doublé, celle de maïs a augmenté de 50 % et celle de riz de 40 %. La grande culture d'exportation est le coton, qui fournit 20 % des recettes extérieures. L'élevage extensif domine dans les montagnes du N. et les régions sèches de l'O. qui sont aussi une grande zone de production d'opium et de cannabis et où se pratique la contrebande de marchandises variées. L'agriculture souffre encore d'inégalités foncières graves; les puissantes familles des zamindars ne représentent que 10 % des propriétaires mais contrôlent près de 50 % des terres. La faiblesse des ressources énergétiques et minérales nat. (production notable de gaz et d'hydroélectricité et un peu de pétrole) explique que l'industrie se soit développée à partir des matières premières agric.; textile, travail du coton, tapis représentent 40 % des export. du pays, qui dispose aussi d'une industr. agroalimentaire et de pôles chimiques et de raffinage à Karāchi et à Lahore. La conjoncture du début de la décennie 90 est difficile : déficit commercial, endettement, moindres devises envoyées par les émigrés, 3 millions de réfugiés afghans, troubles polit. et sociaux, contentieux frontalier avec l'Inde. Un vaste programme de privatisation est mis en place dep. 1991.

Hist. – Zone de passage et terre de conquête, la vallée de l'Indus a connu de nombreuses vagues d'envahisseurs, dont la première, indo-européenne, repoussa, v. le milieu du IIe mill. av. J.-C., les peuples noirs dravidiens vers le sud de l'Inde. En 712, les Arabes pénétrèrent dans le Sind, et, notam. sous l'impulsion de Mahmūd de Ghaznī (999-1030), l'islam se propagea dans toute la vallée de l'Indus. Tour à tour sous la domination de dynasties turques et afghanes, puis de la dynastie moghole, la plaine de l'Indus a une histoire peu différente de celle de l'Inde jusqu'à la fin du XIXe s. Dans la lutte contre la présence brit. naquit l'idée d'un État autonome islamique; ainsi, en 1906, est fondée la Ligue musulmane, qui lutta sur deux fronts : aux côtés du Congrès indien, contre la domination brit., et contre l'hégémonie des hindous. Revendiquée par 'Alī Jinnah à partir de 1940, la partition de l'empire fut acceptée par les Britanniques en 1947. Cet État, regroupant tous les territoires à majorité musulmane, se trouva divisé en une partie occid. et une partie orientale (le Bengale), séparées de 1 700 km. De plus, les États princiers d'Hyderābād et du Cachemire refusèrent le principe de la partition (celle du Cachemire entre l'Inde et le Pākistān résultant de trois guerres). La première phase de l'histoire du nouvel État s'acheva en 1971, avec la révolte des Bengalis du Pākistān oriental, qui se considéraient comme les «parents pauvres» de l'association. Aidés militairement par l'Inde, ils firent sécession et créèrent le Bangladesh. Après 1971, le Pākistān fut dirigé par Ali Bhutto, renversé et assassiné en 1977 par un coup d'État du gal Zia Ul-Haq, qui instaura une dictature militaire. Le Pākistān a joué un rôle actif dans la guerre d'Afghanistan (1979-1989) en aidant la résistance contre l'envahisseur soviétique. Après la mort accidentelle de Zia Ul-Haq (1988), les élections ont été remportées par le Parti du peuple pakistanais (P.P.P.) de Benazir Bhutto, mais elle a été évincée par l'action conjuguée de l'armée et des traditionalistes religieux (1990). Nawaz Sharif, dirigeant de la Ligue musulmane pakistanaise (P.L.M.), lui a succédé, mais un conflit constitutionnel avec le président Ishaq Khan l'a contraint à démissionner. Le caractère islamique de l'État s'est accentué, tandis que sunnites et chiites se déchirent au Baloutchistan, au Pendjab, dans le Sind et à Karachi, créant un climat insurrectionnel. Revenue au pouvoir de 1993 à 1996, B. Bhutto perd les élections législatives de février 1997, remportées par N. Sharif. Celui-ci oblige le président Farooq Leghari à se retirer en déc. 1997 : Mohammad Rafiq Tahar lui succède.

pakistanais, aise adj. et n. Du Pākistān. ▷ Subst. *Un(e) Pakistanais(e).*

pal, pals n. m. **1.** Pieu dont une extrémité est aiguisée. ▷ Spécial. *Supplice du pal* (V. empaler). **2.** HERALD Large bande traversant l'écu du haut jusqu'à la pointe. **3.** AGRIC Plantoir de vigneron.

PAL n. m. et adj. inv. (Acronyme pour l'angl. *phase alternative line.*) Système de télévision en couleurs d'origine allemande.

Pāla, dynastie indienne du Bengale, dont les souverains bouddhistes régnèrent sur le Bihār, la vallée du Gange et le Bengale de 765 env. à 1086.

palabre n. f. **1.** (Africanisme) Débat réglé entre les hommes d'un village sur un sujet intéressant la communauté. **2.** (Surtout au plur.) Péjor. Discours interminable, conversation oiseuse.

palabrer v. intr. [1] **1.** (Africanisme) Délibérer, tenir une palabre (sens 1). **2.** Faire de longs discours oiseux, converser interminablement.

palace n. m. Hôtel de luxe.

paladin n. m. **1.** Seigneur de la suite de Charlemagne. *Le paladin Roland.* **2.** *Par ext.* Chevalier du Moyen Âge, en quête de causes justes.

palafitte n. m. ARCHEOL Ensemble d'habitations du néolithique récent, construit sur pilotis dans les zones marécageuses du bord des lacs.

1. palais n. m. **1.** Vaste et somptueuse résidence d'un chef d'État, d'un haut personnage, d'un riche particulier. *Le palais de l'Élysée. Le palais ducal de Nevers.* – Par exag. *Cette maison est un palais!* **2.** Ancien palais rendu public ou vaste édifice spécialement construit pour abriter diverses manifestations (culturelles, sportives, etc.), un grand organisme de l'État, etc. *Le palais du Louvre. Palais des Sports. Le Palais-Bourbon.* **3.** *Le palais de justice* ou, absol., *le palais* : édifice où siègent les cours et les tribunaux. – *Les gens du* ou *de palais* : les juges, les avocats, etc. – *Le style du palais* : le langage particulier des plaidoiries, des actes juridiques, etc.

2. palais n. m. **1.** Partie supérieure de la cavité buccale, séparant les fosses nasales de la bouche. *Voûte du palais,* ou *palais dur* (osseux; partie antérieure). *Voile du palais,* ou *palais mou* (musculeux; partie postérieure). **2.** Fig. Sens gustatif. *Avoir le palais fin.*

Palais (Grand et Petit), monuments construits à Paris pour l'Exposition universelle de 1900, entre les Champs-Élysées et la Seine. Le *Grand Palais,* édifié par Deglane, Louvet et Thomas, comprend un grand hall vitré (200 m de long, 55 m de large) qui accueille des salons et des expositions. Le *Petit Palais,* élevé par Ch. Girault, abrite un musée de peinture et accueille des expositions temporaires.

Palais-Bourbon. V. Bourbon (palais).

Palaiseau, ch.-l. d'arr. de l'Essonne, sur l'Yvette, au S. de Paris; 29 398 hab. Centre résidentiel. Horticulture et arboriculture. Prod. pharm.; textiles. École polytechnique.

Palais-Royal, ensemble de bâtiments de Paris, construit par Lemercier, pour Richelieu, en 1633. Le ministre en fit don à Louis XIII (1643). Anne d'Autriche et Louis XIV y résidèrent et l'édifice, jusque-là appelé Palais-Cardinal, prit le nom de Palais-Royal. Remaniés au XVIIIe s. et au XIXe s., ses bâtiments sont auj. affectés au Conseil d'État, au Conseil constitutionnel et à l'administration des Beaux-Arts.

Palamas (Kostis) (Patras, 1859 – Athènes, 1943), poète grec. Il fut le chef de file des partisans de la langue populaire dans la querelle des langues littéraires : *les Douze Paroles du tsigane* (1907), *la Flûte du roi* (1910), longs poèmes épico-lyriques.

palan n. m. Appareil de levage constitué par deux systèmes de poulies qui permettent de réduire, en la démultipliant, la force à exercer pour soulever, pour déplacer une charge. *Palan électrique.*

palanche n. f. Tige de bois légèrement incurvée, que l'on pose sur l'épaule pour porter deux charges, deux seaux à la fois, aux extrémités.

palangre ou **palancre** n. f. PECHE Longue et grosse ligne, soutenue par des flotteurs, à laquelle sont attachées des lignes plus petites munies d'hameçons.

palangrier n. m. Bateau de pêche équipé de palangres.

palangrotte n. f. PECHE Petite ligne à main à plusieurs hameçons, pour la pêche au fond.

palanque n. f. FORTIF Mur de défense constitué de gros pieux jointifs plantés verticalement.

palanquer v. intr. [1] Lever avec un palan.

palanquin n. m. **1.** Chaise ou litière portée à bras d'hommes, en Extrême-Orient. **2.** Abri, nacelle que l'on installe sur le dos des chameaux, des éléphants.

palastre ou **palâtre** n. m. TECH Boîtier d'une serrure; plaque de fond de ce boîtier.

palatal, ale, aux adj. (et n. f.) PHON Se dit d'un phonème dont le point d'articulation est situé dans la région du palais dur. *Voyelles palatales* ([i], [e], par ex.). *Consonnes palatales* ([g], [j], par ex.). ▷ n. f. [ɲ] *et* [k] *sont des palatales.*

palatalisation n. f. PHON Modification subie par un phonème dont le point d'articulation est reporté dans la région du palais dur. *Palatalisation des consonnes sifflantes devant une voyelle mouillée, en russe.*

palataliser v. tr. [1] PHON Transformer par palatalisation.

palatial, ale, aux adj. D'un palais. *Architecture palatiale.*

1. palatin, ine adj. ANAT Du palais. *Voûte palatine.*

2. palatin, ine adj. et n. Appartenant à un palais. *La chapelle palatine, à Aix-la-Chapelle.* ▷ HIST Qui occupait une charge dans le palais d'un prince. *Comte palatin.* – Subst. *Un palatin.* ▷ *La Palatine* : la princesse Palatine*.

Palatin (mont), une des sept collines de Rome, située à 300 m du Tibre, culminant à 52 m. C'est le site le plus archaïque de Rome. Nombreuses ruines.

palatinat n. m. HIST **1.** Dignité de palatin. **2.** Territoire administré par un palatin.

Palatinat (en all. *Pfalz*), rég. d'Allemagne, sur la r. g. du Rhin, au N. de l'Alsace. État du Saint Empire (électorat en 1356), il était composé du *Palatinat rhénan* et du *Haut-Palatinat* (au N. de la Bavière); bastion calviniste, tête de l'Union évangélique, il fut dévasté pendant la guerre de Trente Ans. À partir de 1648, le Haut-Palatinat fit partie de la Bavière. Les troupes de Louis XIV ravagèrent systématiquement (1673, 1674, 1699) le Palatinat rhénan (Bas-Palatinat), qui échut à Charles-Théodore de Sulzbach, lequel hérita plus tard de la Bavière (1777). À nouveau partagé entre 1801 et 1815, il fut reconstitué en 1815, mais limité aux territoires rhénans de la rive gauche que la Bavière recouvra. En 1919, le territoire de la Sarre fut constitué à ses dépens. Il fait auj. partie du Land de Rhénanie-Palatinat, constitué en 1946.

Palatine (princesse). V. Gonzague (Anne de) et Charlotte-Élisabeth de Bavière.

Palatine (école), groupe de savants que Charlemagne réunit autour de lui pour développer les études littéraires et scientifiques.

palâtre. V. palastre.

Palau ou **Belau** (république de). État de la Micronésie, dans les Carolines occidentales; 488 km²; 15 900 hab.; cap. *Koror*. Formé de 326 îles ou îlots volcaniques ou coralliens, le pays a pour principales ressources la pêche et le tourisme. – L'Espagne acquiert ces îles en 1886 et les vend à l'Allemagne en 1899. Sous mandat du Japon (1919-1944), elles deviennent territoire de l'ONU sous tutelle américaine (1947-1994). Indépendance en oct. 1994.

Palauan ou **Palawan,** longue île des Philippines (400 km), au N.-E. de Bornéo; env. 14 000 km²; 372 000 hab.; ch.-l. *Puerto Princesa* (60 000 hab.). C'est une île montagneuse (plus de 2 000 m) et forestière. Caoutchouc. Pêche. Manganèse.

Palavas-les-Flots, com. de l'Hérault (arr. de Montpellier), à l'embouchure du *Lez*; 4 760 hab. Stat. balnéaire de Montpellier.

palé(o)-. Élément, du gr. *palaios,* « ancien ».

1. pale n. f. **1.** Partie plate d'un aviron, qui entre dans l'eau. ▷ Aube de la roue d'un bateau à vapeur. ▷ Chacun des éléments de forme vrillée, fixés au moyeu d'une hélice (de bateau, d'avion) ou d'un rotor (d'hélicoptère). **2.** TECH Petite vanne qui ferme un réservoir.

2. pal(l)e n. f. LITURG CATHOL Carton garni de toile blanche qui couvre le calice pendant la messe.

pâle adj. **1.** Blême, d'une blancheur sans éclat, en parlant du teint d'une personne. *Une figure très pâle, marquée par la maladie.* – *Les Visages pâles* : les Blancs, pour les Indiens d'Amérique (expression que la littérature a contribué à répandre). ▷ (Personnes) Qui a le teint pâle. *Je l'ai trouvé bien pâle, il doit être malade.* **2.** Arg. (des militaires) *Se faire porter pâle,* malade. **3.** Qui a peu d'éclat, qui a peu de couleurs; blafard. *Une lumière pâle,* terne. ▷ Se dit d'une couleur à laquelle on a mélangé beaucoup de blanc. *Un bleu pâle.* **4.** Fig. Médiocre, terne. *Une pâle copie des classiques.*

pale-ale [pelel] n. f. Bière blonde anglaise. *Des pale-ales.*

paléanthropiens n. m. pl. PALEONT Vieilli Hominidés fossiles du pléistocène. – Sing. *Un paléanthropien.* – adj. *Les fossiles paléanthropiens.*

palefrenier, ère n. Employé(e) chargé(e) du soin des chevaux.

palefroi n. m. Anc. Cheval de marche ou de parade (par oppos. à *destrier,* cheval de bataille).

Palembang, v. et princ. port d'Indonésie, dans le S.-E. de Sumatra; 788 000 hab.; ch.-l. de prov. Exportation et raff. de pétrole. Grand centre industriel.

palémon n. m. ZOOL Grosse crevette *(Crangon crangon),* abondante en mer du Nord, appelée aussi *crevette rose,* ou *bouquet.*

Palencia, ville d'Espagne; ch.-l. de la prov. du m. nom (Castille et Léon); 77 460 hab. Industries chim., métall. et auto. – Cath. XIVe-XVIe s.

Palenque, ensemble de ruines, vestiges d'une anc. cité maya (600-950 apr. J.-C.) du Mexique, au N. de l'État de Chiapas. ▶ illustr. **Mayas**

paléobotanique n. f. Didac. Paléontologie végétale.

paléocène adj. et n. m. GEOL Qui correspond à l'étage géologique du paléogène inférieur. – n. m. *Le paléocène.*

paléochrétien, enne adj. Didac. Des premiers chrétiens (Ier-VIe s.).

paléoclimat n. m. Didac. Climat d'une région à une période géologique ancienne.

paléoclimatologie n. f. Didac. Partie de la paléogéographie qui étudie les paléoclimats.

paléoécologie n. f. Étude des relations entre les organismes fossiles et le paléoenvironnement.

paléoenvironnement n. m. Environnement prévalant dans telle région du globe à telle époque géologique.

paléoethnologie. V. palethnologie.

paléogène n. m. GEOL Première partie (paléocène, éocène et oligocène) du tertiaire. Syn. nummulitique.

paléogénétique n. f. Étude des gènes d'organismes fossiles.

paléogéographie n. f. Didac. Partie de la géographie qui s'attache à la description et à l'étude de la Terre (relief, hydrographie, climat, etc.) aux diverses périodes géologiques.

paléographe n. Didac. Spécialiste de la paléographie. – (En appos.) *Archiviste paléographe,* diplômé de l'École nationale des chartes.

paléographie n. f. Didac. Science du déchiffrage des écritures anciennes (inscriptions, manuscrits, chartes, etc.).

paléolithique adj. et n. m. Relatif à l'âge de la pierre taillée. ▷ n. m. *Le paléolithique* : la période archéologique couvrant la majeure partie du quaternaire (selon les continents, de 1,8 million d'années à 18 000 ans av. notre ère), au cours de laquelle les premières industries humaines (pierre taillée) firent leur apparition.

Paléologue, famille byzantine qui donna, de 1261 à 1453, plusieurs empereurs d'Orient. Elle accéda au trône avec Michel VIII.

paléomagnétisme n. m. Variations du géomagnétisme (et de l'effet de thermorémanence) au cours des temps géologiques, telles que les roches en conservent la trace.

paléontologie n. f. Science des êtres vivants (animaux, végétaux) qui ont peuplé la Terre au cours des temps géologiques, fondée sur l'étude des fossiles.

paléontologiste ou **paléontologue** n. Spécialiste de la paléontologie.

paléosibérien, enne adj. et n. *Peuples paléosibériens* : peuples aux caractères mongoliques peu marqués, qui habitent l'Oural et l'est de la Sibérie (ex. : les Ostiaks). ▷ Subst. *Les Paléosibériens ont sans doute été les ancêtres des Aïnous du Japon. Langues paléosibériennes.*

paléosol n. m. PALEONT Sol fossile.

paléothérium [paleoteʀjɔm] n. m. PALEONT Mammifère (genre *Paleotherium*) périssodactyle fossile, à allure de tapir, qui vécut à l'éocène.

paléozoïque adj. et n. m. GEOL Ère primaire.

Palerme (en ital. *Palermo*), cap. de la Sicile; ch.-l. de la région Sicile et d'une des prov. siciliennes. Port sur la côte N.-O. (mer Tyrrhénienne); 714 250 hab. Exportation de vin, d'agrumes, de soufre. Industr. diverses. – Archevêché. Université. Cathédrale (XIIe, XVe et XVIIIe s.). Nombr. églises de style byzantin. Palais royal, avec chapelle palatine

Palerme : fontaine monumentale de la piazza Pretoria, XVIe s.

du XIIe s.; église et palais baroques. Musées. – Cité phénicienne *(Panormos)*, la ville devint romaine en 254 av. J.-C. Les Arabes l'enlevèrent (831) aux Byzantins puis la ville fut prise en 1072 par Roger de Hauteville, qui acheva en 1091 la conquête de l'île (V. Sicile).

paleron n. m. Partie plate et charnue de l'épaule de certains mammifères. ▷ En boucherie, morceau du bœuf ou du porc qui se trouve sur la partie arrière de l'épaule près de l'omoplate.

Palés Matos (Luis) (Guayama, 1898 - San Juan, 1959), poète portoricain, marqué par les thèmes populaires et ethnographiques : *Tam-tam pour cheveux crépus* (1950).

Palestine, contrée du Proche-Orient, entre la Méditerranée, le Liban, la dépression du Ghor (drainée par le Jourdain) et le Néguev. Ses limites ont varié au cours des siècles. Berceau du judaïsme et du christianisme, c'est une terre de très anc. peuplement, soumise à de nombr. invasions. Peuplée de Cananéens, des Sémites installés sur les régions côtières, de la Syrie du Nord à l'Égypte (fin IIIe mill. av. J.-C.), la Palestine a subi la pénétration d'autres Sémites nomades pendant le IIe mill. Parmi eux les Hébreux*, qui s'installèrent progressivement dans cette *Terre promise* (par Dieu). Du XVIIIe s. (époque où l'on situe le personnage d'Abraham) au XIe s. av. J.-C., les Hébreux, devenus les Israélites, s'installèrent progressivement. La fin de la conquête correspond au règne de David (v. 1000 av. J.-C.) qui vainquit définitivement les Philistins, un rameau des Peuples de la Mer, installés sur la côte vers 1000 et qui donnèrent leur nom au pays. Politiquement, la Palestine a été un enjeu permanent entre les grandes puissances (empires égyptien, babylonien, perse, assyrien, royaumes hellénistiques). Le cœur de la culture israélite s'est établi en Judée, autour de Jérusalem, et le terme de «Juif» est alors apparu. L'occupation romaine commença en 63 av. J.-C. (prise de Jérusalem par Pompée); voulant secouer la tutelle romaine, les Juifs se révoltèrent vainement (66-70 et 132-135 apr. J.-C.); interdits de séjour à Jérusalem, beaucoup d'entre eux durent quitter la Palestine, qui fut rattachée à la province de Syrie. Possession byzantine, conquise par les musulmans, redevenue chrétienne au temps des croisades, la Palestine a finalement partagé la destinée de l'Empire ottoman jusqu'en 1922, date à laquelle elle fut placée sous mandat britannique; l'immigration juive, qui avait commencé dès la fin du XIXe s. sous l'impulsion du mouvement sioniste, fut sanctionnée par la déclaration Balfour (1917). Dès 1929, Juifs et Arabes furent en lutte ouverte («Grande Révolte» palestinienne de 1936). La proclamation de l'État d'Israël* en 1948 provoqua la riposte armée des États arabes voisins, qui furent vaincus (1949). La Palestine fut partagée entre Israël et la Jordanie. La guerre des Six Jours (1967) a permis à Israël d'étendre son occupation jusqu'au Jourdain. Proclamée État indépendant par l'O.L.P., elle obtient, grâce aux accords palestino-israéliens, signés à Washington en 1993 et à Taba en 1995, l'autonomie des enclaves de Gaza et de Jéricho, de six villes de Cisjordanie, et de Hébron (1997).

palestinien, enne adj. et n. De Palestine. ▷ Subst. *Un(e) Palestinien(ne)*.

Palestiniens, peuple arabe originaire de Palestine (env. 4 000 000 de personnes). Relig. : islam, christianisme (10 %). La majorité fut contrainte de quitter, à partir de 1948, le nouvel État d'Israël. Les Palestiniens vivent auj. regroupés dans des camps, dans les territoires occupés par Israël (Cisjordanie et Gaza : 1 000 000), en Jordanie (1 000 000) et dans les autres États arabes du Proche-Orient, dans les pays du Golfe et dans des pays occidentaux.

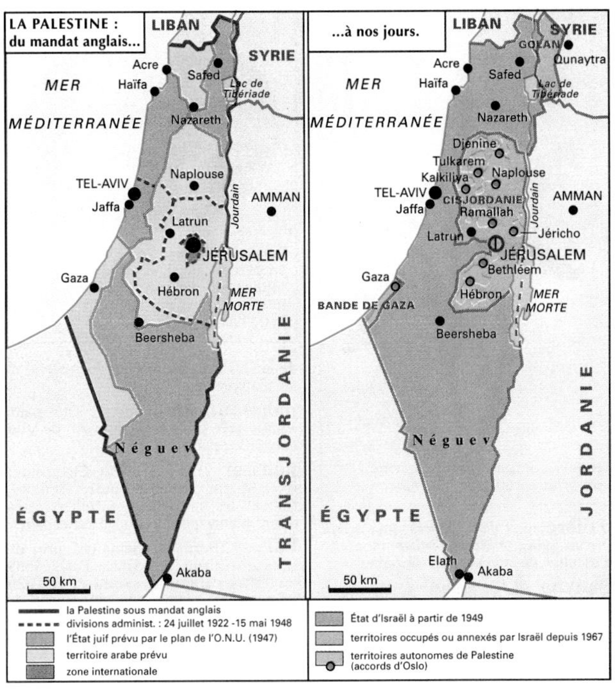

palestre n. f. ANTIQ Lieu public réservé aux exercices physiques, notam. à la lutte, dans la civilisation gréco-romaine.

Palestrina (Giovanni Pierluigi da) (Palestrina, 1525 - Rome, 1594), compositeur italien. Son œuvre, essentiellement religieuse, porte à sa perfection l'art polyphonique : cent quatre messes, dont l'admirable *Assumpta est Maria* (1585), près de quatre cents motets, des psaumes, des madrigaux, etc.

Palestro, bourg d'Italie (Lombardie), où les Piémontais, aidés par les Français, vainquirent les Autrichiens (1859).

Palestro. V. Lakhdaria.

palet n. m. Pierre plate et ronde ou disque épais qu'on lance vers un but, dans certains jeux (marelle, hockey).

palethnologie ou **paléoethnologie** n. f. Didac. Étude des peuples disparus.

paletot n. m. Veste à manches ouverte sur le devant que l'on porte par-dessus d'autres habits. ▷ Fam. Tout vêtement de dessus tricoté. ▷ Loc. fig. *Tomber sur le paletot de qqn*, l'assaillir.

palette n. f. **I.** Objet de forme aplatie, d'une certaine largeur. **1.** Petite raquette en bois servant à jouer à la paume, au volant. **2.** Plaque mince percée d'un trou pour passer le pouce, sur laquelle les peintres travaillent leurs couleurs. – Fig. Ensemble des couleurs, des nuances utilisées par un peintre. *Artiste qui a une riche palette.* ▷ INFORM *Palette graphique* : logiciel offrant un certain nombre d'outils (graphismes, couleurs) destinés à la création d'images. **3.** Fig. Choix, gamme, éventail. *Un voyagiste qui cherche à élargir sa palette de destinations.* **4.** MILIT Petit disque placé au bout d'une tige, servant à indiquer les points d'impact sur une cible. **5.** TECH Aube d'une roue. ▷ Plateau servant à la manutention des marchandises. **II.** En boucherie, morceau de porc, de mouton provenant de la région de l'omoplate. *Palette de porc aux lentilles.*

palettisation n. f. TECH Action de palettiser. – Emploi des palettes lors des manutentions.

palettiser v. tr. [1] TECH **1.** Charger (des marchandises) sur une palette. **2.** Équiper de palettes; réorganiser en généralisant l'emploi des palettes.

palétuvier n. m. Arbre des mangroves caractérisé par des racines en partie aériennes adaptées à la vase. Syn. manglier. ► illustr. page **1374**

pâleur n. f. Teinte de ce qui est pâle.

pāli n. m. Ancienne langue de l'Inde, très proche du sanskrit, encore parlée par les prêtres bouddhistes du Sri Lanka.

pâlichon, onne adj. Fam. Un peu pâle; pâlot.

palier n. m. **1.** Plan horizontal reliant deux volées d'escalier ou servant d'accès à des locaux situés au même niveau. *Voisins de palier.* **2.** Tronçon horizontal d'une route, situé entre deux pentes. *Faire 100 km à l'heure en palier.* ▷ Fig. Phase de stabilité dans le cours d'une évolution. *L'expansion économique a atteint un palier.* ▷ *Par paliers* : par étapes, degrés successifs. ▷ PHYS Partie d'une courbe parallèle à l'axe des abscisses. *Palier de liquéfaction.* **3.** MECA Pièce à l'intérieur de laquelle tourne un arbre de transmission.

rameau de **palétuvier :** germe du fruit sortant de la graine

palière adj. f. *Porte palière,* qui s'ouvre sur un palier. ▷ *Marche palière :* marche d'escalier de niveau avec le palier.

Palikao *(Baliqiao),* bourg de Chine, près de Pékin, où les Français commandés par Cousin-Montauban et les Britanniques battirent les Chinois (1860). Napoléon III donna à Cousin-Montauban le titre de comte de Palikao.

palilalie n. f. MED Trouble de la parole consistant en la répétition involontaire des mots.

palimpseste n. m. Parchemin manuscrit dont le texte primitif a été gratté et sur lequel un nouveau texte a été écrit.

palin-. Élément, du gr. *palin,* «de nouveau».

palindrome adj. et n. m. Se dit d'un mot, d'un vers, d'une phrase que l'on peut lire de gauche à droite et de droite à gauche (ex. : Un roc cornu). ▷ MATH *Nombre palindrome,* dont les chiffres présentent une symétrie (ex. : 328823; 3287823).

palingénésie n. f. **1.** PHILO Régénération universelle cyclique du monde et de tous les êtres. **2.** Fig. Renouvellement moral.

palinodie n. f. **1.** ANTIQ Pièce de vers dans laquelle l'auteur rétractait ce qu'il avait exprimé auparavant. **2.** Fig., péjor. Rétractation, changement d'opinion. *Les palinodies des politiciens.*

pâlir v. [3] **I.** v. intr. **1.** Devenir pâle. *Ses amies en ont pâli de jalousie.* Syn. blêmir. **2.** (Choses) Prendre une teinte moins vive, moins soutenue; passer. *Cette étoffe a pâli au soleil.* **II.** v. tr. Litt. Rendre pâle. *La fièvre l'a pâli.*

palis [pali] n. m. Petit pieu pointu que l'on assemble à d'autres pour former une clôture. ▷ Clôture ainsi formée.

palissade n. f. **1.** Barrière, clôture faite de palis. **2.** Mur de verdure, haie. *Palissade de houx.*

palissader v. tr. [1] Entourer, protéger par une palissade.

palissage n. m. ARBOR Action de palisser; son résultat.

palissandre n. m. Bois brun à reflets violacés, au beau veinage, fourni par plusieurs espèces de bignoniacées de la Guyane et utilisé en ébénisterie et en marqueterie.

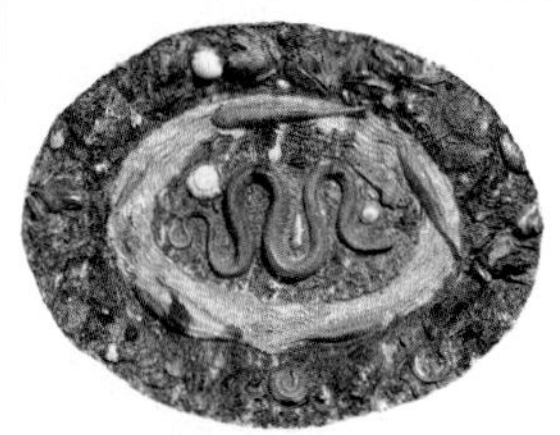
Bernard **Palissy :** plat ovale en céramique, XVIe s.; décor en semi-relief (couleuvre et crustacés) moulé d'après nature; Petit Palais, Paris

pâlissant, ante adj. **1.** Qui pâlit. *Visage pâlissant.* **2.** Qui perd de son éclat. *Jour pâlissant.*

palisser v. tr. [1] ARBOR Étendre et fixer à un support (mur, treillage, tuteur) les branches ou les pousses d'une plante pour en faire un espalier.

Palissy (Bernard) (Saint-Avit, près de Lacapelle-Biron, v. 1510 – Paris, 1589 ou 1590), céramiste, savant et écrivain français. Soucieux de découvrir le secret des émailleurs italiens ou allemands, il travailla seul durant près de quinze ans, sacrifiant tout à ses recherches. Auteur de plusieurs traités, notam. du *Discours admirable de l'art de terre, de son utilité, des esmaux et du feu* (1580), Palissy s'intéressa également à la géologie et à l'agronomie. Il serait mort à la Bastille, où les ligueurs (il était huguenot) l'avaient fait incarcérer en 1589.

paliure n. m. BOT Arbrisseau méditerranéen épineux, appelé aussi *épine du Christ* (fam. rhamnacées), utilisé pour constituer des haies.

Palk (détroit de), détroit entre l'Inde et le Sri Lanka; largeur max. 100 km. Navigation périlleuse.

Palladio (Andrea di Pietro dalla Gondola, dit) (Padoue, 1508 – Vicence, 1580), architecte italien; le plus grand représentant de l'architecture classique de la Renaissance italienne. À Venise, il réalisa notam. les églises San Giorgio Maggiore (1566-1580) et du Rédempteur (1577-1580). Ses écrits (*Quatre livres d'architecture,* 1570), inspirés de Vitruve, ont largement contribué à répandre ses idées sur les modèles antiques et à fonder le classicisme des XVIIe et XVIIIe s. Introduit par I. Jones en Angleterre, le *palladianisme* y fit école entre 1720 et 1770 et fut déterminant pour l'épanouissement du néo-classicisme européen et du style Empire.

1. palladium [paladjɔm] n. m. **1.** ANTIQ Statue de Pallas, considérée comme un gage de salut public, notam. chez les Troyens. **2.** Litt. Ce que l'on considère comme une protection, une sauvegarde, une garantie. *La Constitution, palladium des libertés fondamentales.*

2. palladium [paladjɔm] n. m. CHIM Élément métallique de numéro atomique Z = 46, de masse atomique 106,4 (symbole Pd). – Métal (Pd) blanc, très dur et très ductile, de densité 11,92, qui fond à 1 552 °C et bout vers 2 900 °C.

Pallas, dans la myth. gr., géant parfois présenté comme le père d'Athéna; il aurait tenté de violer sa fille, qui l'écorcha vif et fit de sa peau une cuirasse qu'elle revêtit; aussi la surnomma-t-on *Pallas Athéna.* Une autre légende fait de Pallas la fille de Triton, tuée par Athéna, laquelle aurait pris son nom.

Pallas (m. en 63 apr. J.-C.), affranchi et favori de l'empereur Claude. Il intrigua pour que son maître épousât Agrippine; devenu l'amant de celle-ci, il fit empoisonner l'empereur avec la complicité de sa maîtresse.

Pallava, dynastie de l'Inde anc. qui, du IVe au XIIe s., régna sur la partie orientale du Dekkan, et notam. sur la région de Madras, où l'architecture et la sculpture de style pallava ont produit des chefs-d'œuvre de l'art dravidien au VIe-VIIIe s. Princ. sites : Kānchīpuram, Māvalipuram.

palle. V. pale 2.

palliatif, ive adj. et n. m. **1.** adj. Qui pallie, dont l'efficacité n'est qu'apparente. *Remède palliatif.* – *Soins palliatifs :* traitement qui ne vise qu'à atténuer la douleur. **2.** n. m. Mesure provisoire, insuffisante; expédient. *Cette décision hâtive n'est qu'un palliatif.*

Pallice (La). V. Rochelle (La).

pallier v. tr. [2] **1.** Déguiser, présenter sous un jour favorable en dénaturant la vérité. *Pallier les fautes d'un subordonné.* **2.** Ne résoudre qu'en apparence ou provisoirement; atténuer. *Pallier une difficulté.* (N.B. La construction *pallier à* est considérée comme fautive.)

pallikare n. m. HIST Au XIXe s., partisan grec ou albanais combattant contre les occupants turcs.

pallium [paljɔm] n. m. **1.** ANTIQ ROM Manteau d'origine grecque, que les Romains portaient le plus souvent pardessus la tunique. **2.** LITURG Ornement sacerdotal, bande de laine blanche ornée de croix noires.

Palma (La), île volcanique des Canaries (prov. de Santa Cruz de Tenerife), au N.-O. de l'archipel; 726 km^2; 90 000 hab.; ch.-l. *Santa Cruz de La Palma.* Cultures fruitières d'exportation.

Palma de Majorque ou **Palma,** v. et port d'Espagne, dans l'O. de l'île de Majorque *(baie de Palma);* 325 100 hab.; cap. de la communauté auton. des îles Baléares. Centre comm. et touristique. – Cath. gothique de style catalan (XIIIe-XIVe s.), couvent San Francisco, nombreux palais (XVIe-XVIIIe s.), égl. baroques.

palmaire adj. ANAT Qui a rapport à la paume des mains.

Palma le Vieux (Iacopo Nigretti, dit) (Serina, v. 1480 – Venise, 1528),

Palma de Majorque : la cathédrale et le port de plaisance

peintre italien, dans la manière de Giorgione et de Titien : polyptyque de l'égl. Sainte-Barbe (v. 1510, Santa Maria Formosa, Venise). – **Palma le Jeune** (Iacopo Nigretti, dit) (Venise, 1544 – id., 1628), petit-neveu du préc., peintre et graveur italien, représentant du maniérisme vénitien : décoration de l'oratoire des Crociferi (1578-1590, Venise).

palmarès [palmaʀɛs] n. m. **1.** Liste des lauréats d'un concours, d'une distribution de prix, etc. *Le palmarès du festival de Cannes.* **2.** AUDIOV Classement de productions de variétés. (Mot off. recommandé pour *hit-parade.*)

Palmas (Las), v. et port de l'île de la Grande Canarie; 373 800 hab.; cap. de la communauté auton. des Canaries; ch.l. de la prov. du m. nom. Commerce des agrumes et des primeurs; pêche; constr. navales. Tourisme.

Palm Beach, station balnéaire de Floride; 9 800 hab.

palme n. f. **1.** Feuille du palmier. ⊳ (En tant que symbole de la victoire, du triomphe.) *Remporter la palme.* – *La palme du martyre* : la gloire éternelle dont jouissent les martyrs. **2.** (Dans quelques loc.) Palmier. *Vin de palme.* ⊳ *Huile de palme* ou *beurre de palme* : matière grasse extraite du fruit d'un palmier, utilisée notam. en savonnerie. **3.** ARCHI Ornement en forme de palme. *Palmes sculptées.* **4.** Insigne d'une distinction honorifique. *Palmes* académiques.* ⊳ MILIT Petit insigne agrafé sur la croix de guerre (ou sur la croix de la valeur militaire), qui représente une citation à l'ordre de l'armée. **5.** Palette de caoutchouc que l'on adapte au pied pour rendre la nage plus rapide.

Palme (Olof) (Stockholm, 1927 – id., 1986), homme politique suédois. Social-démocrate, Premier ministre de 1969 à 1976, puis de 1982 à son assassinat.

palmé, ée adj. **1.** BOT Qui a la forme d'une main, d'une palme. *Feuille palmée.* **2.** ZOOL Qui possède une palmure. *Patte palmée. Pied palmé.*

1. palmer [palmɛʀ] n. m. TECH Instrument à tambour micrométrique, servant à mesurer avec précision le diamètre ou l'épaisseur d'une pièce.

2. palmer v. intr. [1] SPORT Nager à l'aide de palmes. *Palmer en plongée.*

Palmer (terre de). V. Graham (terre de).

palmeraie n. f. Plantation de palmiers.

Palmerston (Henry Temple, 3e vicomte) (Broadlands, Hampshire, 1784 – Brocket Hall, Hertfordshire, 1865), homme politique britannique; député tory rallié aux whigs. Ministre des Affaires étrangères (1830-1841 et 1846-1851), Premier ministre de 1855 à 1858 et de 1859 à 1865, il défendit avec fermeté les intérêts britanniques (contre la France et la Russie, notamment).

Palmes académiques, décoration créée en 1808 pour récompenser les membres de l'Université et les personnes qui ont rendu des services à l'enseignement et aux beaux-arts.

palmette n. f. **1.** ARCHI Ornement en forme de feuille de palmier. **2.** ARBOR Disposition symétrique des branches des arbres fruitiers en espalier.

palmier n. m. **1.** Arbre monocotylédone d'origine tropicale, à feuilles très découpées, disposées en bouquet au sommet du tronc, et qui compte de

palmier sabal et feuille palmée

nombreuses espèces (cocotier, palmier-dattier, raphia, etc.). ⊳ *Cœur de palmier* : chou-palmiste. V. palmiste. **2.** Petit gâteau de pâte feuilletée.

palmipède adj. et n. m. ZOOL Dont les pieds sont palmés. ⊳ n. m. pl. *Les palmipèdes* : anc. ordre d'oiseaux aquatiques aux pattes palmées. – Sing. *L'oie est un palmipède.*

Palmira, v. de Colombie, dans la vallée du Cauca, à 1 010 m d'alt.; 175 190 hab. Agric. (café, tabac).

palmiste n. m. BOT Nom vulgaire des palmiers à bourgeons comestibles. *L'arec, le palmier à huile sont des palmistes.* ⊳ Amande de la drupe du palmier à huile, qui donne l'*huile de palmiste,* utilisée en savonnerie.

palmitate n. m. CHIM Sel ou ester de l'acide palmitique. V. napalm.

palmitique adj. CHIM *Acide palmitique* : acide gras présent dans la plupart des graisses animales et végétales.

palmure n. f. ZOOL Membrane réunissant les doigts de divers vertébrés aquatiques (canard, loutre, grenouille, etc.).

Palmyre, anc. v. de Syrie, entre l'Oronte et l'Euphrate, au N.-E. de Damas. Antique *Tadmor* («Ville des palmiers»), fondée à la fin du IIIe millénaire, elle devint une riche cité caravanière alliée de Rome, qui atteignit son apogée sous le règne de Zénobie (266-272 apr. J.-C.). Saccagée par Aurélien en 273, Palmyre a laissé des ruines

ruines antiques de **Palmyre**

(grand temple de Bêl, portiques, thermes, etc.) parmi les plus importantes du monde gréco-romain.

palois, oise adj. et n. De Pau. – Subst. *Un(e) Palois(e).*

Palomar (mont), montagne des É.-U. (Californie); 1 871 m. – L'*observatoire du mont Palomar* est doté d'un télescope de 5,08 m d'ouverture.

palombe n. f. Rég. (Midi, Sud-Ouest.) Pigeon ramier.

palomet n. m. BOT Champignon (russule) comestible, au chapeau craquelé, couleur vert-de-gris.

palonnier n. m. **1.** Pièce du train d'une voiture à laquelle les traits des chevaux sont attachés. **2.** AVIAT Ensemble des deux pédales qui commandent la gouverne de direction. **3.** AUTO Dispositif destiné à équilibrer entre les deux roues l'effort transmis par le frein à main.

Palos (cap), cap du S.-E. de l'Espagne (prov. de Murcie), sur la Méditerranée.

Palos de la Frontera, bourg d'Espagne (prov. de Huelva), sur l'estuaire du río Tinto. – Port, auj. ensablé, où s'embarqua Christophe Colomb en 1492.

pâlot, otte adj. Fam. Un peu pâle.

palourde n. f. Mollusque lamellibranche *(Tapes decussatus),* comestible, qui vit enfoui dans le sable. Syn. clovisse.

palpable adj. **1.** Perceptible par le toucher. *Un objet palpable.* **2.** Évident, patent. *Vérité palpable.*

palpation n. f. MED Partie de l'examen clinique du malade reposant sur l'exploration manuelle.

palpébral, ale, aux adj. ANAT De la paupière, relatif à la paupière. *Réflexe palpébral.*

palper v. tr. [1] **1.** Examiner en tâtant, en touchant avec les mains, les doigts. *Médecin qui palpe l'abdomen d'un malade.* **2.** Fam. *Palper de l'argent* ou, absol., *palper* : recevoir de l'argent.

palpeur n. m. TECH **1.** Organe servant à explorer le contour d'une pièce. **2.** Dispositif à ressort placé au centre d'une plaque de cuisson, agissant sur le thermostat et régulant la température du récipient se trouvant en contact avec la plaque. **3.** *Palpeur ultrasonore* : appareil de sondage à tête sensible comportant un cristal récepteur ou émetteur d'ultrasons, qui, par l'intermédiaire d'eau ou d'huile, est en contact avec le matériau à sonder.

palpitant, ante adj. **1.** Qui palpite. ⊳ n. m. Arg. *Le palpitant* : le cœur. **2.** Qui passionne, intéresse vivement. *Écouter une histoire palpitante.*

palpitation n. f. Mouvement de ce qui palpite. *Palpitation des artères.* ⊳ (Surtout au plur.) Battements accélérés du cœur.

palpiter v. intr. [1] **1.** Avoir des mouvements convulsifs, des battements désordonnés (organe, organisme). *Elle avait peur et son cœur palpitait. Le corps de la victime palpitait encore faiblement.* ⊳ Fig. *Feu qui palpite.* **2.** Être ému au point d'avoir des palpitations cardiaques. *Palpiter d'espoir.*

paltoquet n. m. Homme insignifiant et vaniteux.

Palu, v. d'Indonésie; 298 580 hab.; ch.-l. de la prov. de Sulawesi Tengah (Célèbes du centre).

paluche n. f. Pop. Main.

palud [paly], **palude** [palyd] ou **palus** [paly] n. m. **1.** Rég. Marais. **2.** Dial. (Bordelais) Terrain formé par alluvionnement ou situé sur l'emplacement d'un ancien marais.

paludéen, enne adj. et n. **1.** Des marais, propre aux marais. *Plante paludéenne.* **2.** MED Relatif au paludisme. *Fièvre paludéenne.* ▷ Atteint de paludisme. – Subst. *Un(e) paludéen(ne).*

paludier, ère n. Personne qui travaille dans les marais salants.

paludine n. f. ZOOL Mollusque gastéropode vivipare des eaux douces (genre *Vivipara*), dont la coquille ressemble à celle de l'escargot.

paludisme n. m. MED Maladie infectieuse fréquente dans les régions marécageuses, due à un protozoaire transmis par la piqûre de l'anophèle et se traduisant essentiellement par une fièvre intermittente. Syn. malaria.

Paluel, com. de Seine-Maritime (arr. de Dieppe); 570 hab. – Centre de production nucléaire.

palus. V. palud.

palustre adj. **1.** De la nature du marais. *Terrain palustre.* ▷ Qui vit, qui croît dans les marais. **2.** MED Paludéen. *Fièvre palustre.*

palynologie n. f. Didac. Étude du pollen et des spores des plantes actuelles et fossiles.

pâmer (se) v. pron. [1] **1.** Vx ou plaisant Défaillir, s'évanouir. **2.** Être comme sur le point de défaillir, par l'intensité d'une émotion ou d'une sensation. *Se pâmer d'aise.* – (Passif) *Être pâmé d'effroi, d'admiration.*

Pamiers, ch.-l. d'arr. de l'Ariège, sur l'Ariège; 14731 hab. Centre agricole. Métallurgie; parachimie. – Évêché. Égl. N.-D.-du-Camp (XVIIe-XVIIIe s., façade fortifiée en brique du XIVe s.).

Pamir, rég. montagneuse d'Asie centrale, s'étendant en grande partie au Tadjikistan et se prolongeant en Afghānistān. Des plateaux (alt. moyenne 4500 m) sont dominés par de hauts sommets (7495 m au pic Communisme). De nombr. cours d'eau y prennent naissance.

pâmoison n. f. Vx Évanouissement. ▷ Mod., plaisant État d'une personne qui se pâme. *Tomber en pâmoison.*

pampa n. f. Vaste plaine d'Amérique du Sud, à végétation principalement herbacée.

Pampa (la), vaste plaine herbeuse d'Argentine centrale, entre les Andes et l'Atlantique S., au sol fertile. Le N.-E., plus humide, est une région de culture (blé, maïs) et d'élevage bovin (lait, viande). Dans l'O. et le S., on élève surtout des ovins. La prov. de *La Pampa* (ch.-l. *Santa Rosa*) s'étend sur une partie de cette plaine, au N. de la Patagonie.

Pampelune (en esp. *Pamplona*, en basque *Iruña*), v. d'Espagne; 183500 hab.; cap. de la communauté auton. de Navarre. Centre industriel actif (text., constr. méca., prod. chim.). – Cath. (XIVe-XVe s., façade du XVIIIe s.). – Cap. du royaume de Navarre en 905, la ville fut prise par les Espagnols de Ferdinand le Catholique (1512) à Jean III d'Albret, qui tenta en vain de la reprendre (1521).

pamphlet n. m. Petite brochure satirique, court écrit qui s'en prend avec vigueur à une personne, au régime, aux institutions en place, etc.

pamphlétaire n. Auteur de pamphlets. ▷ adj. *Ton pamphlétaire.*

Pamphylie, anc. contrée d'Asie Mineure, entre la Cilicie, à l'E., et la Lycie, à l'O., et traversée par le Taurus. C'est l'arrière-pays du golfe d'Antalya en Turquie.

pampille n. f. Petite pendeloque, formant avec d'autres une frange ornementale, dans un ouvrage de bijouterie ou de passementerie.

pamplemousse n. m. ou f. Fruit du pamplemoussier, grosse baie jaune, comestible, au goût acidulé et légèrement amer.

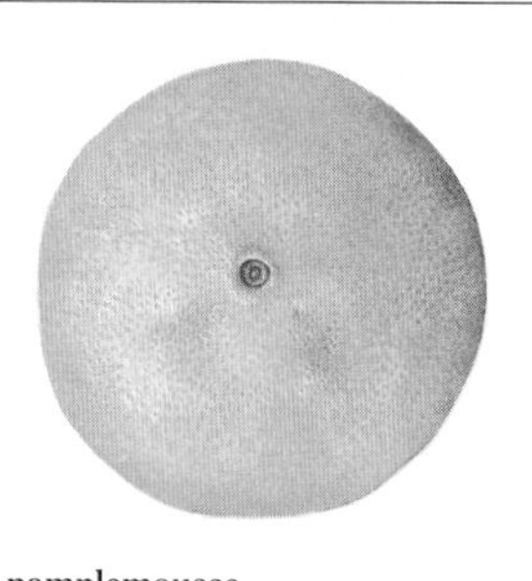

pamplemousse

pamplemoussier n. m. Arbre (fam. rutacées) des régions chaudes, cultivé pour ses fruits (pamplemousses).

pampre n. m. **1.** Branche de vigne avec ses feuilles et ses fruits. ▷ Par méton. Litt. Vigne, raisin. **2.** ARCHI Ornement imitant une branche de vigne.

pan-, pant(o)-. Élément, du gr. *pân*, neutre de *pas*, *pantos*, « tout ».

1. pan n. m. **1.** Partie tombante ou flottante d'un vêtement. *Pan de chemise.* **2.** CONSTR Partie plane d'un ouvrage de maçonnerie ou de charpente. *Pan de comble. Pan de mur* : partie plus ou moins large d'un mur. *Pan coupé* : mur oblique, de faible largeur, reliant deux murs contigus et évitant leur rencontre à angle vif. ▷ Ossature d'un mur. *Pan de bois, pan de fer.* ▷ Fig. Partie, morceau. *Un pan de ciel. Des pans entiers du passé qui remontent à la mémoire.* **3.** Face d'un polyèdre.

2. pan! [pɑ̃] interj. Onomatopée qui exprime un bruit de heurt ou d'éclatement, un coup, une détonation.

Pan, dans la myth. gr., dieu des bergers d'Arcadie (puis dieu des bergers), fils d'Hermès et d'une nymphe; représenté cornu, barbu, le bas de son corps étant celui d'un bouc. Dieu fondamental des forces de la nature; à l'origine divinité puissante et brutale, à la sexualité exigeante. Son apparition crée l'effroi (la *panique*). On le représente souvent une flûte de roseau (syrinx) à la main.

panacée n. f. Remède universel. ▷ Fig. Ce que l'on présente comme un remède à tous les maux, à toutes les difficultés dans un domaine donné.

panachage n. m. Action de panacher, de mélanger; son résultat. ▷ Spécial. *Panachage d'une liste électorale.* (V. panacher.)

panache n. m. **1.** Faisceau de plumes flottantes servant d'ornement à une coiffure, un dais, etc. **2.** Ce qui évoque un panache. *Panache de fumée. Queue en panache.* **3.** TECH Partie supérieure d'une lampe d'église, à laquelle est suspendu le réservoir d'huile. ▷ ARCHI Ornement en forme de plumes (au lieu de feuilles) d'un chapiteau. – Surface triangulaire du pendentif d'une voûte. **4.** Fig. Ce qui a fière allure; ce qui est la marque de la générosité valeureuse dans une action, une conduite. *Le goût du panache.*

panaché, ée adj. **1.** Rare Orné d'un panache. **2.** Bigarré. *Tulipe panachée.* ▷ Composé d'éléments divers. *Liste (électorale) panachée. Salade, glace panachée.* – *Un demi panaché* ou, n. m., *un panaché* : un demi de bière mélangée de limonade.

panacher v. tr. [1] **1.** Rare Orner d'un panache. **2.** Composer de couleurs diverses, bigarrer. *Panacher des fleurs, un bouquet.* ▷ Composer d'éléments divers. – *Panacher une liste électorale* : composer la liste que l'on veut faire élire avec les noms de candidats appartenant à des partis différents.

panachure n. f. Tache ou ensemble de taches de couleur qui tranchent sur la couleur du fond. *Panachures d'un fruit, d'un plumage.*

panade n. f. **1.** Soupe de pain, d'eau et de beurre, agrémentée parfois d'un jaune d'œuf et de lait. **2.** Pop. *Être dans la panade*, dans la misère; dans une situation embrouillée, confuse.

panafricain, aine adj. POLIT Relatif au panafricanisme, à l'ensemble des pays ou des peuples d'Afrique.

panafricanisme n. m. POLIT Mouvement politique et culturel qui tend à instituer ou à resserrer l'unité et la solidarité des peuples africains.

panais n. m. Plante herbacée (fam. ombellifères), bisannuelle, à racine charnue, utilisée comme légume.

Panaji ou **Panjim** (anc. *Nova Goa*), v. et port de l'Inde; 40000 hab.; cap. du territoire de Goa.

panama n. m. Chapeau d'homme léger et souple, de forme ronde, tressé avec la feuille d'un arbuste d'Amérique centrale. ▷ *Par ext.* Chapeau de paille de forme ronde.

Panamá (canal de), canal reliant le Pacifique à l'Atlantique à travers l'isthme de Panamá (long d'env. 80 km; largeur minimale 91,4 m; profondeur entre 12,5 et 13,7 m). Longé par une voie ferrée et une route, il est protégé par de puissantes fortifications, et compte six écluses. Avec un trafic de plus de 150000000 de t par an, il est d'un grand intérêt commercial et stratégique pour les É.-U., qui assurent plus de la moitié du trafic. – Le percement de l'isthme, entrepris en 1881 à l'instigation de F. de Lesseps, se heurta à de graves difficultés techniques et dut être interrompu en 1888 faute de capitaux. En 1904, les É.-U. reprirent les travaux sur d'autres plans (canal à écluses) et en employant des moyens sanitaires efficaces (fièvre jaune et paludisme avaient décimé les ouvriers durant la phase initiale des travaux); le canal fut ouvert en 1914. Le problème de son élargissement et de son approfondissement est posé, un second canal est aussi envisagé. – L'*affaire de Panamá*, un des grands scandales financiers de la IIIe République, qui éclata lors de la faillite (1889) de la compagnie du canal fondée par F. de Lesseps (celle-ci ayant acheté des parlementaires pour faciliter son financement) et qui ruina une multitude de petits épargnants.

Panamá (isthme de), langue de terre longue de 250 km et large de 70 km en moyenne, qui unit les deux grandes masses du continent américain.

Panamá (zone du canal de), territoire formant de part et d'autre du canal de Panamá une bande d'env. 8 km de largeur; 1 432 km^2; 29 000 hab.; v. princ. *Balboa*. Bases militaires américaines. – Cédée (1903) à perpétuité aux É.-U. par la république de Panamá contre une forte indemnité annuelle, la zone, suite au traité de 1977 conclu entre les deux États, est redevenue panaméenne en 1979, les É.-U. conservant jusqu'en 1999 le contrôle du canal et des bases militaires adjacentes.

Panamá, cap. de la rép. de Panamá, port sur le *golfe de Panamá* (Pacifique), près du *canal de Panamá;* 440 000 hab. Import. centre commercial et industriel. – La ville fut fondée en 1519.

Panamá (république de) *(República de Panamá)*, État le plus orient. d'Amérique centrale, entre le Pacifique et l'Atlantique, coupé en deux par la *zone du canal de Panamá;* 75 650 km^2; env. 2 230 000 hab.; cap. *Panamá*. Nature de l'État : rép. de type présidentiel. Langue off. : espagnol. Monnaie : dollar américain (la monnaie officielle, le balboa, ne sert que sous forme de petite monnaie). Population : métis (57 %), Noirs (15 %), Blancs (18 %), Indiens (10 %). Relig. : christianisme, cathol. (en grande majorité).
Géogr. phys. et écon. – Isthme montagneux (3 478 m au volcan Chiriquí), au climat tropical humide, dont la population se concentre dans les plaines côtières du littoral pacifique (55 % de citadins). Les principaux produits d'exportation sont les bananes, les crevettes, le café et le sucre; d'importantes recettes sont tirées du pavillon de complaisance (2e flotte mondiale), du trafic sur le canal et du transit pétrolier (par oléoduc). La zone franche de Colón est très active. Le P.I.B. par hab. est le plus élevé d'Amérique centrale.
Hist. – L'isthme fut colonisé dès le début du XVIe s. par les Espagnols, qui y ouvrirent des routes pour transporter l'or et l'argent du Pérou, de Panamá vers l'Atlantique (ce qui explique les raids des pirates et flibustiers). Comprise dans la vice-royauté du Pérou puis rattachée à la Nouvelle-Grenade, la région fit partie de la Grande-Colombie après l'indépendance (1819). Elle fit sécession en 1903, avec l'aide des Américains, formant une république. De nombr. troubles sociaux (notam. contre les Antillais noirs) et politiques l'agitèrent. Le général Torrijos renégocia en 1977 les accords sur le canal et sa zone (V. Panamá [zone du canal de]). Mais les termes de cet accord rencontrèrent une forte opposition des États-Unis, surtout après que, à la suite de la mort accidentelle du gal Torrijos en 1981, les chefs de la garde nationale eurent repris le contrôle du pouvoir. Après le gal Paredes, le gal Noriega anima un mouvement de caractère populiste, nationaliste et très hostile aux É.-U. En juillet 1987, les É.-U. tentèrent d'obtenir l'extradition de Noriega, pour trafic de drogue, puis soumirent le pays à un blocus écon. Mais les pressions exercées par les É.-U. renforcèrent le sentiment national : destitution du président Delvalle (1988), annulation des élections (1989) par Noriega, homme fort du pays. Les É.-U. intervinrent militairement en déc. 1989 et installèrent Guillermo Endara. En 1994 Ernesto Perez Balladares est élu prés. de la Rép. ► carte **Amérique centrale**

Paname. Pop. Paris.

panaméen, enne adj. et n. De Panamá. ▷ Subst. *Un(e) Panaméen(ne)*.

panaméricain, aine adj. Relatif au panaméricanisme, à l'ensemble des pays d'Amérique. ▷ *Route panaméricaine :* réseau routier reliant les grandes villes d'Amérique latine, dont la branche princ. part de Laredo (Texas) et aboutit à Santiago du Chili.

panaméricanisme n. m. POLIT Mouvement tendant à regrouper les États du continent américain.

panarabe adj. POLIT Relatif au panarabisme, à l'ensemble des pays arabes.

panarabisme n. m. POLIT Mouvement visant à l'union des pays de langue, de civilisation arabes.

panard n. m. Fam. Pied.

panaris [panaʀi] n. m. Inflammation aiguë d'un doigt ou d'un orteil.

panathénées n. f. pl. ANTIQ GR Fêtes célébrées à Athènes en l'honneur de la déesse Athéna.

panax n. m. BOT Arbre ou arbrisseau tropical dont la racine est utilisée sous le nom de *ginseng*.

Panay, une des îles Visayas, archipel central des Philippines; 12 250 km^2; 2 000 000 d'hab.; v. princ. *Iloilo*.

pan-bagnat n. m. Sorte de sandwich rond, garni de salade niçoise. *Des pans-bagnats*.

pancake [pankɛk] n. m. (Anglicisme) Petite crêpe épaisse. *Des pancakes nappés de sirop d'érable*.

pancarte n. f. Plaque, panneau portant une inscription. *Pancarte indiquant la sortie*.

pancetta [pɑ̃tʃɛta] n. f. Poitrine de porc salée, roulée et séchée.

panchen-lama [panʃɛnlama] n. m. Chef religieux tibétain, placé sous l'autorité du dalaï-lama. *Des panchen-lamas*.

panchromatique [pɑ̃kʀɔmatik] adj. PHOTO Se dit des émulsions sensibles à toutes les couleurs du spectre visible.

pancrace n. m. ANTIQ GR Combat gymnique combinant la lutte et le pugilat.

pancréas [pɑ̃kʀeas] n. m. Glande située derrière l'estomac qui sécrète d'une part le suc pancréatique (qui contient des enzymes digestives) d'autre part des hormones (le glucagon et l'insuline).

pancréatique adj. Didac. Du pancréas.

pancréatite n. f. MED Inflammation aiguë ou chronique du pancréas.

panda n. m. Mammifère d'Asie dont il existe deux espèces, le petit panda de l'Himalaya (*Ailurus fulgens*, fam. procyonidés, long d'une cinquantaine de cm), au pelage roux vif, à la queue annelée de blanc, et le panda géant des montagnes de Chine (*Ailuropoda melanoleuca*, fam. ursidés, long d'env. 1,50 m), noir et blanc, qui se nourrit exclusivement de bambou.

panda géant

Pandateria, île de la mer Tyrrhénienne, sur la côte de Campanie. Julie, Agrippine et Octavie y furent exilées.

pandémie n. f. MED Épidémie qui atteint, dans sa presque totalité, la population d'une région ou d'un pays.

pandémonium [pɑ̃demɔnjɔm] n. m. **1.** (Avec une majuscule.) Capitale imaginaire de l'enfer. **2.** *Par ext.* Lieu où règnent tous les genres de corruption et de désordre.

pandiculation n. f. Didac. Action de s'étirer, tête renversée, poitrine bombée, bras et jambes tendus, accompagnée souvent de bâillement.

pandit [pɑ̃di(t)] n. m. Titre honorifique donné en Inde aux savants et aux érudits de la caste des brahmanes.

Pandore, dans la myth. gr., la première femme, selon Hésiode; elle reçut la vie d'Héphaïstos, qui la façonna avec de la terre et de l'eau, afin qu'elle devînt l'instrument de la vengeance divine. Épiméthée l'épousa malgré l'interdiction de son frère Prométhée. Lorsque Pandore ouvrit la jarre que Zeus lui avait confiée après y avoir enfermé tous les maux de l'humanité, ceux-ci se répandirent sur la Terre; seule l'espérance resta au fond. – *Boîte de Pandore :* ce qui, malgré sa belle apparence, peut causer bien des maux.

pané, ée adj. Enrobé de panure avant la cuisson. *Côtelette panée*.

panégyrique n. m. (et adj.) **1.** LITTER Discours à la louange d'une ville, d'un personnage, d'un saint. ▷ adj. *Sermon panégyrique*. **2.** Cour. Éloge sans réserve. *Faire le panégyrique d'un artiste, de son œuvre*. ▷ Péjor. Éloge outré.

panégyriste n. LITTER Auteur d'un panégyrique. *Les panégyristes chrétiens*. ▷ Personne qui fait l'éloge de qqn.

panel n. m. (Anglicisme) **1.** Groupe de personnes, constitué pour l'étude d'une question. **2.** STATIS Échantillon de personnes soumises à des interviews répétées, dans certaines enquêtes.

panéliste n. Personne qui fait partie d'un panel.

paner v. tr. [**1**] Enrober (une viande, un poisson, etc.) de panure.

panetière n. f. **1.** Vx Petit sac à pain. **2.** Coffre à pain.

paneton n. m. TECH Petite corbeille doublée de toile dans laquelle les boulangers mettent le pâton.

paneuropéanisme [panøʀɔpeanism] n. m. POLIT Mouvement visant à l'unité européenne.

paneuropéen, enne adj. Attaché à l'unité politique de l'Europe.

Pangée (la), continent qui aurait compris toutes les terres émergées et se serait fragmenté, pendant le secondaire, en deux blocs : le *Gondwana* (correspondant à l'Amérique du Sud, l'Afrique du Sud, l'Antarctique, l'Inde et l'Australie) et la *Laurasie* (Europe, Amérique du Nord, Asie sans l'Inde). ► illustr. page **1378**

Pangée, montagne de Macédoine, autrefois célèbre pour ses mines d'or et d'argent.

pangermanisme [pɑ̃ʒɛʀmanism] n. m. POLIT Doctrine visant à grouper dans

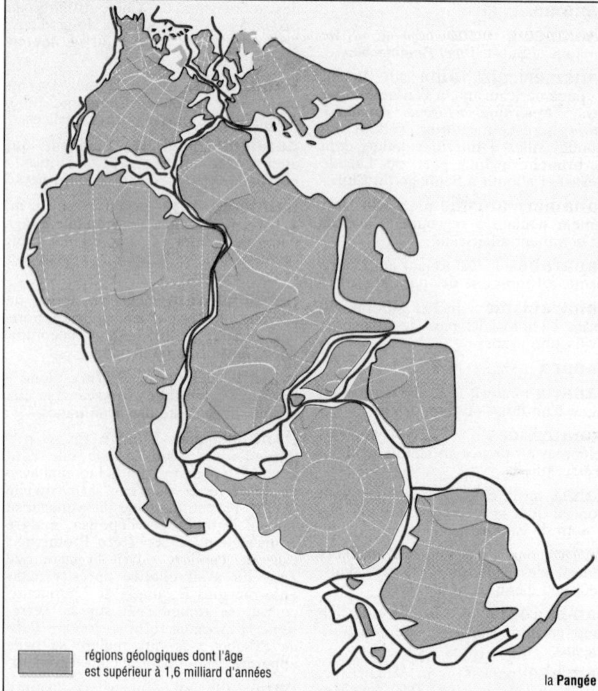

la Pangée

un même État tous les peuples réputés germaniques.

pangermaniste adj. et n. POLIT Relatif au pangermanisme. ▷ Subst. Partisan du pangermanisme.

pangolin n. m. ZOOL Mammifère insectivore d'Afrique et d'Asie du S.-E. (genre *Manis,* dont les diverses espèces forment l'ordre des pholidotes), édenté, au corps couvert d'écailles. *Le pangolin géant d'Afrique atteint 1,50 m.*

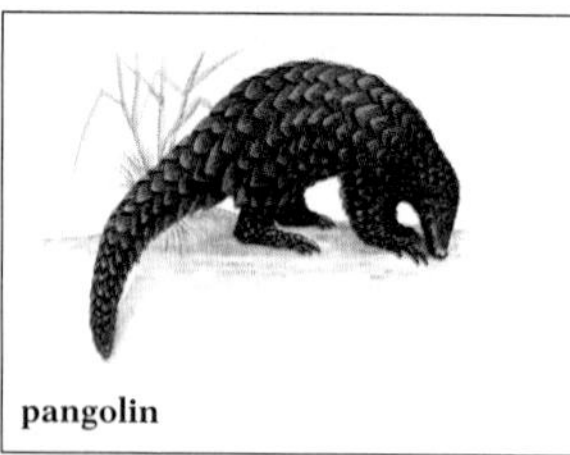
pangolin

Panhard, famille d'ingénieurs et de constructeurs d'automobiles français. – **René** (Paris, 1841 – La Bourboule, 1908) fonda avec É. Levassor la société Panhard et Levassor (1886), qui mit sur le marché la première voiture automobile à essence (1891).

panhellénique adj. ANTIQ Qui concernait la Grèce tout entière. *Jeux panhelléniques.*

panhellénisme [panɛllenism] n. m. ANTIQ ou POLIT Doctrine visant au regroupement de tous les Grecs en une seule nation.

panicaut n. m. BOT Plante (fam. ombellifères) des terrains incultes et des sables littoraux, à feuilles épineuses, appelée aussi *chardon bleu, chardon Roland* (pour *chardon roulant*).

panicule n. f. BOT Inflorescence en grappe d'épillets. *Panicule d'avoine.*

paniculé, ée adj. BOT En forme de panicule ou dont les fleurs sont disposées en panicule.

panicum [panikɔm] n. m. BOT Genre de graminées comprenant certains millets.

panier n. m. **1.** Ustensile portatif fait à l'origine d'osier, de jonc, etc., ordinairement muni d'une anse, et qui sert à transporter des denrées et autres objets. *Panier à provisions. Panier à bouteilles,* divisé en compartiments. – *Panier à salade :* panier ajouré dans lequel on secoue la salade pour l'égoutter; fig., fam. voiture cellulaire. ▷ Fig., fam. *Panier percé :* personne très dépensière. **2.** Contenu d'un panier. ▷ Fig. *Panier de la ménagère,* budget qu'elle consacre à ses dépenses en denrées alimentaires. ▷ Fig., fam. *Le dessus du panier :* ce qu'il y a de mieux. **3.** Anc. Jupon garni de tiges d'osier, de baleines, etc., destiné à donner de l'ampleur aux robes, en faveur au XVIIIe s. **4.** ARCHI *Arc en anse de panier,* surbaissé. **5.** SPORT Filet tronconique sans fond monté sur une armature circulaire rigide, fixé à 3,05 m du sol, par lequel un joueur de basket-ball doit faire passer le ballon pour marquer un ou des points. ▷ Point(s) ainsi marqué(s). *Réussir un panier.*

panière n. f. Grand panier, grande corbeille à deux anses; son contenu.

panifiable adj. Dont on peut faire du pain. *Farine panifiable.*

panification n. f. Transformation de la farine en pain.

panifier v. tr. [2] Transformer (de la farine) en pain.

panini n. m. Sandwich à l'italienne, qui se consomme chaud. *Le panini fait concurrence au hamburger.*

Pānini (V[e] ou IVe s. av. J.-C.), grammairien indien. Il fixa les règles de la grammaire sanskrite.

paniquant, ante adj. Fam. Qui cause la panique.

paniquard, arde adj. et n. Fam., péjor. Qui cède facilement à la panique.

panique adj. et n. f. **1.** adj. *Peur, terreur panique :* peur incontrôlable et soudaine, souvent dénuée de fondement. **2.** n. f. Frayeur subite et irraisonnée, de caractère souvent collectif.

paniquer v. [1] **1.** v. tr. Fam. Affoler; angoisser. *Il a réussi à paniquer tout le monde.* **2.** v. intr. ou pron. *Paniquer, se paniquer :* céder à l'affolement ou à l'angoisse.

panislamique adj. Qui concerne le panislamisme.

panislamisme [panislamism] n. m. POLIT Doctrine, mouvement politique et culturel visant à l'union de tous les peuples musulmans.

Panizza (Oskar) (Bad Kissingen, 1853 – Mainschloss, près de Bayreuth, 1921), dramaturge allemand. *Le Concile d'amour* (1894), violente satire du catholicisme, fit scandale; condamné à un an de prison, Panizza sombra dans la folie.

Panjim. V. Panaji.

Pankow, quartier du N. de Berlin; siège du gouv. de la R.D.A. de 1949 à 1968.

Panmunjom, local. de Corée, près du 38e parallèle, où se tint la conférence (1951-1953) qui aboutit à la signature d'un armistice, prélude à la fin de la guerre de Corée.

1. panne n. f. Étoffe de soie, de coton, etc., fabriquée comme le velours, mais à poils plus longs et moins serrés.

2. panne n. f. Tissu adipeux sous-cutané du cochon et de certains animaux.

3. panne n. f. CONSTR Élément horizontal d'une charpente de couverture, qui supporte les chevrons.

4. panne n. f. Cour. Arrêt accidentel de fonctionnement. *Tomber en panne. Panne d'électricité.* – AUTO *Panne sèche :* arrêt du moteur par manque de carburant. ▷ Fig. *Être en panne :* rester court, ne pas pouvoir continuer. – Fam. *Être en panne de qqch,* en manquer.

5. panne n. f. TECH Partie étroite de la tête d'un marteau, opposée à la face *(table)* avec laquelle on frappe habituellement. ▷ Biseau d'un fer à souder.

panneau n. m. **1.** Élément plan, avec ou sans bordure, d'un ouvrage de menuiserie, d'architecture, etc. *Panneau d'une porte.* ▷ CONSTR Élément préfabriqué, plaque en béton, en bois, etc. *Panneau de particules, de fibres.* **2.** Plaque de bois ou de métal servant de support à des indications, à une affiche, etc. *Panneau de signalisation. Panneau à message variable :* panneau de signalisation comportant un dispositif télécommandé permettant d'afficher des messages instantanément modifiables. ▷ BX-A Support de bois d'une peinture. *Panneaux d'un diptyque.* **3.** COUT Pièce de tissu fixée à un vêtement pour l'orner ou lui donner de l'ampleur. **4.** CHASSE Filet pour prendre du gibier. ▷ Fig. *Tomber, donner dans le panneau,* dans le piège.

panneton n. m. TECH Partie de la clef qui fait mouvoir le pêne.

pannicule n. m. ANAT *Pannicule adipeux :* tissu graisseux sous-cutané.

Pannonie, anc. contrée d'Europe centrale, entre le Danube et l'Illyrie. Les Romains la soumirent de 35 av. J.-C. à 95 apr. J.-C.

pannonien, enne adj. et n. *Bassin pannonien :* ensemble des plaines comprises entre les Alpes orient. et les Carpates. ▷ Subst. *Les Pannoniens :* les habitants de cette région.

Panofsky (Erwin) (Hanovre, 1892 – Princeton, 1968), historien de l'art américain, d'origine allemande : *Essais d'iconologie* (1939).

panonceau n. m. **1.** FEOD Écusson d'armoiries qui marquait la limite d'une juridiction. **2.** Écusson placé à la porte d'un officier ministériel. **3.** Petit panneau portant une indication quelconque.

panoplie n. f. **I. 1.** Décoration constituée d'une collection d'armes fixées sur un panneau. **2.** Ensemble de jouets d'enfant, constituant un déguisement présenté sur un carton. *Panoplie de cow-boy.* **II.** Fig. Assortiment d'éléments de même nature; ensemble de moyens utilisés pour une même fin. *La panoplie des antibiotiques.*

panorama n. m. **1.** Grand tableau circulaire et continu, peint en trompe l'œil sur les murs d'une rotonde éclairée par en haut, représentant un paysage. *Les panoramas connurent une grande vogue au XIX*[e] *siècle.* **2.** Vue circulaire découverte d'un point élevé. *Le panorama s'étend jusqu'aux Alpes.* **3.** Fig. Étude complète d'un sujet relativement vaste. *Panorama des théories sociologiques contemporaines.*

panoramique adj. et n. **1.** adj. Propre à un panorama. *Vue panoramique :* série de photographies juxtaposées restituant une grande partie de l'horizon. ▷ *Une radiographie panoramique* ou, n. f., *une panoramique :* en dentisterie, radiographie qui montre la totalité de la denture. ▷ Par ext. *Restaurant, car panoramique,* offrant une vue sur le panorama. *Papier panoramique :* papier peint reproduisant un paysage. **2.** n. m. AUDIOV Prise de vue effectuée en explorant l'espace environnant par une rotation de la caméra dans le plan horizontal.

panoramiquer v. intr. [1] AUDIOV Faire un panoramique.

panorpe n. f. ENTOM Insecte cour. nommé mouche-scorpion à cause de la pince qui termine l'abdomen du mâle.

pansage n. m. Action de panser (un animal).

panse n. f. **1.** Première poche de l'estomac des ruminants. Syn. rumen. **2.** Fam. Ventre. *Avoir la panse pleine.* **3.** Partie la plus renflée d'un objet. *Panse d'une bouteille.* **4.** Partie arrondie d'une lettre. *La panse d'un « a ».*

pansement n. m. **1.** Action de panser (une plaie). **2.** Ensemble des éléments (bande, gaze, coton, médicaments, etc.) qui sont appliqués sur une plaie pour la protéger des agents infectieux et la soigner. ▷ *Pansement gastrique :* préparation médicamenteuse absorbée par voie orale et destinée à préserver une muqueuse gastrique malade du contact direct des aliments et de l'action des sucs digestifs.

panser v. tr. [1] **1.** Appliquer un pansement sur. *Panser une blessure.* ▷ Par ext. *Panser un blessé.* **2.** Étriller, brosser (un animal, spécial. un cheval). *Panser un cheval.*

panslavisme n. m. HIST Système, doctrine tendant à favoriser l'union des peuples slaves sous l'autorité de la Russie.

pansu, ue adj. **1.** Qui a une grosse panse. **2.** Renflé. *Cruchon pansu.*

pant-. V. pan-.

Pantagruel, héros de Rabelais, géant plein d'appétit et de sagesse, fils de Gargantua.

pantagruélique adj. Digne de l'appétit gigantesque de Pantagruel, personnage de Rabelais*. *Festin pantagruélique.*

pantalon n. m. **1.** Culotte couvrant les jambes jusqu'aux pieds. *Porter un pantalon large, serré.* **2.** Anc. (Généralement plur.) Pièce de lingerie féminine qui couvrait de la taille aux cuisses.

pantalonnade n. f. Péjor. **1.** Petite pièce, farce de mauvais goût. **2.** Subterfuge grotesque, hypocrite.

pantelant, ante adj. **1.** Haletant. **2.** *Chair pantelante,* d'un animal qui vient d'être tué, et qui palpite encore. **3.** Fig. Violemment ému.

panteler v. intr. [19] **1.** Vx Haleter. **2.** Fig. et litt. Être agité (par une émotion violente). *Panteler de terreur.*

panthéisme n. m. PHILO Croyance métaphysique qui identifie Dieu et le monde, doctrine selon laquelle « tout ce qui est est en Dieu » (Spinoza). ▷ Cour. Divinisation de la nature.

panthéiste adj. PHILO Relatif au panthéisme. ▷ Subst. Partisan du panthéisme.

panthéon n. m. **1.** ANTIQ Temple consacré à tous les dieux. **2.** Ensemble des dieux d'une mythologie, d'une religion. *Le panthéon égyptien, germanique.* **3.** Monument à la mémoire des grands hommes d'un pays. **4.** Fig. Ensemble de personnages illustres. *Le panthéon de la musique.*

Panthéon, temple de Rome situé au milieu du Champ de Mars; achevé par Agrippa en 27 av. J.-C., brûlé en 80 apr. J.-C., reconstruit sous Hadrien, Antonin le Pieux et Septime Sévère. Initialement dédié à Jupiter Vengeur, il fut ensuite consacré au culte de tous les dieux. En 609, le pape Boniface IV le fit transformer en l'église Santa Maria ad Martyres.

Panthéon, monument de Paris primitivement conçu pour être une église consacrée à sainte Geneviève. Il fut commencé en 1764 par Soufflot, continué par Rondelet de 1780 à 1789 et terminé en 1812. En 1791, la Constituante en fit un temple destiné à recevoir les cendres des grands hommes. Redevenu église en 1806, il fut à nouveau transformé en panthéon en 1830 avant d'être rendu au culte en 1851. Depuis 1885 (funérailles de V. Hugo), il est redevenu un lieu de sépulture des grands hommes de la nation.

panthère n. f. Grand félidé *(Panthera pardus)* d'Afrique et d'Asie, à la robe jaune mouchetée de noir. Syn. léopard. *La panthère noire doit sa couleur à une mutation.* ▷ *Panthère des neiges :* V. once 2.

pantin n. m. **1.** Jouet d'enfant, figurine articulée dont on fait bouger les membres au moyen d'un fil. **2.** Péjor. Personne qui gesticule, qui s'agite beaucoup. **3.** Fig., péjor. Fantoche.

Pantin, ch.-l. de cant. de la Seine-St-Denis (arr. de Bobigny), au N.-E. de Paris; 47 444 hab. Port sur le canal de l'Ourcq. Centre industriel (métall. jouets, imprimerie, etc.).

panto-. V. pan-.

pantocrator adj. m. et n. m. Didac. *Le Christ pantocrator* ou, n. m., *le Pantocrator :* Christ tout-puissant, maître du monde, tel que le représentent les œuvres d'art byzantines.

pantographe n. m. **1.** TECH Instrument constitué de quatre tiges articulées, qui permet de reproduire mécaniquement un dessin, éventuellement en le réduisant ou en l'agrandissant. **2.** CH de F Dispositif articulé, sur le toit d'une locomotive ou d'une motrice électrique, destiné à capter le courant de la caténaire.

pantois, oise adj. (Fém. peu usité.) **1.** Vx Haletant. **2.** Stupéfait. *J'en suis resté tout pantois.*

pantomètre n. m. TECH Instrument d'arpentage servant à mesurer les angles.

pantomime n. f. **1.** Art d'exprimer des sentiments, des idées, par des attitudes, des gestes, sans paroles. **2.** Pièce mimée.

pantothénique adj. BIOCHIM *Acide pantothénique :* vitamine B 5, qui joue un rôle important dans le métabolisme et la résistance des muqueuses aux infections.

pantouflard, arde adj. et n. Fam. Casanier; qui aime ses aises, son confort. ▷ Subst. *Un(e) pantouflard(e).*

pantoufle n. f. Chaussure d'intérieur sans talon, légère et confortable. ▷ Fam., vieilli Niais, maladroit.

pantoufler v. intr. [1] Fig., fam. Quitter la fonction publique pour entrer dans le secteur privé, en parlant d'un fonctionnaire.

pantoum n. m. POET Poème à forme déterminée, emprunté par les romantiques à la poésie malaise.

panure n. f. Croûte de pain râpée qui sert à paner.

Panurge, personnage du *Pantagruel* de Rabelais. Une de ses malices a donné la loc. *mouton de Panurge* (V. mouton).

panzer [pɑ̃dzɛʀ] n. m. Char de combat de l'armée allemande. – *Panzerdivision :* division blindée allemande. (N.B. Ces deux termes ne s'emploient que pour désigner les chars et les divisions blindées de la Seconde Guerre mondiale.)

P.A.O. Sigle de *publication* assistée par ordinateur.*

Paoli (Pascal) (Morosaglia, 1725 – Londres, 1807), patriote corse qui combattit successivement les Génois et les Français.

paon, paonne [pɑ̃, pan] n. **1.** Oiseau galliforme (genre *Pavo*) originaire d'Asie, dont le mâle possède un magnifique plumage vert et bleu aux reflets métalliques. (Le fém. est rare, on dit plus souvent *paon femelle.*) *Chez le paon,*

panthère d'Afrique

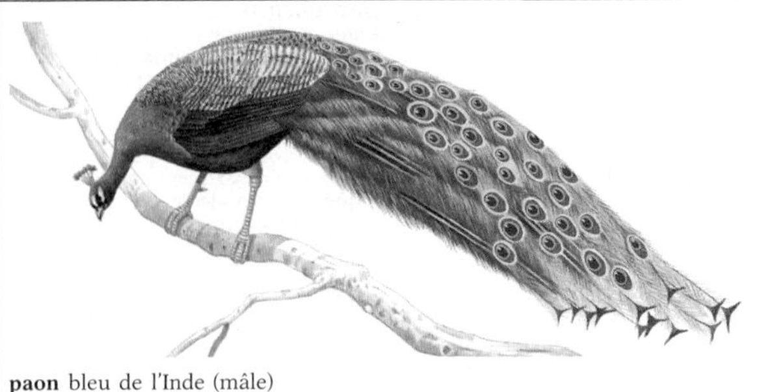
paon bleu de l'Inde (mâle)

le mâle fait la roue en dressant les plumes, tachetées d'ocelles, de sa queue. **2.** Loc. fig. *Être vaniteux comme un paon,* très vaniteux. – *Le geai paré des plumes du paon :* se dit de qqn qui se vante de ce qui ne lui appartient pas (allusion à une fable de La Fontaine). **3.** n. m. Nom cour. de divers papillons dont les ailes portent des ocelles. *Paon de jour. Le petit paon et le grand paon sont des papillons nocturnes.* ► pl. **papillons**

papa n. m. **1.** Terme affectueux utilisé par les enfants et ceux qui leur parlent, à la place de *père. Papa et maman.* ▷ *Bon-papa, grand-papa :* grand-père. **2.** Loc. fam. *À la papa :* sans se presser. – *De papa :* d'hier. *Les chansons de papa se portent bien.* – *Fils à papa :* V. fils. – *Papa gâteau :* V. gâteau.

Papadhópoulos (Gheórghios) ou **Papadopoulos** (Georges) (Heliokhorion, 1919), général et homme politique grec ; chef du gouvernement à la suite du coup d'État militaire (avr. 1967) qui instaura le « régime des colonels ». Président de la République en 1973, il fut renversé la même année par une fraction de l'armée, puis déporté à Keôs (1974), condamné à mort en 1985 et gracié.

Papághos (Aléxandros) ou **Papagos** (Alexandre) (Athènes, 1883 – id., 1955), maréchal et homme politique grec. Chef de l'armée, il lutta, de 1940 à 1941, contre les Italiens et les Allemands (qui le firent prisonnier jusqu'en 1945), puis écrasa les forces communistes lors de la guerre civile (1949). Chef du gouvernement (1952-1955), il favorisa la restauration monarchique.

papaïne n. f. BIOCHIM Enzyme extraite du latex du papayer, utilisée en thérapeutique comme substitut de la pepsine.

papal, ale, aux adj. Du pape, qui appartient au pape.

Papandhréou (Gheórghios) ou **Papandréou** (Georges) (Patras, 1888 – Athènes, 1968), homme politique grec. Plusieurs fois ministre avant 1939, il forma un gouvernement grec en exil au Caire (1944). Chef de l'union du centre, il devint président du Conseil (1964), mais, en désaccord avec le roi Constantin, dut démissionner (1965). – **Andhréas** ou **André** (Chio, 1919 – Athènes, 1996), fils du préc. ; homme politique grec ; fondateur du Mouvement socialiste panhellénique (PASOK), Premier ministre de 1981 à 1989 et de 1993 à 1996.

paparazzi [papaʀadzi] n. m. pl. Photographes spécialisés dans la prise de clichés indiscrets de personnages connus.

papauté n. f. **1.** Dignité de pape ; durée de l'exercice de cette dignité. Syn. pontificat. **2.** Pouvoir, gouvernement du ou des papes. *La lutte entre l'Empire byzantin et la papauté, au Moyen Âge.*

papaver n. m. BOT Nom scientifique du pavot.

papavéracées n. f. pl. BOT Famille de plantes dicotylédones dialypétales, généralement herbacées, à fruit en forme de capsule ou de silique, dont le type est le pavot. – Sing. *Une papavéracée.*

papavérine n. f. BIOCHIM Un des alcaloïdes de l'opium, aux propriétés narcotiques et anticonvulsives.

papaye n. f. Fruit comestible du papayer, semblable à un gros melon. ► pl. **fruits exotiques**

papayer n. m. Arbre originaire de Malaisie, cultivé pour son fruit, la papaye, et pour son latex dont on tire la papaïne.

pape n. m. **1.** Chef suprême de l'Église catholique romaine et évêque de Rome. *Le pape est élu en conclave.* ▷ Loc. fam. *Être sérieux comme un pape,* très sérieux. ▷ Chef suprême de l'Église copte. **2.** *Par anal.* Personnalité considérée comme le chef d'un mouvement. *André Breton, le pape du surréalisme.*

Pape-Carpantier (Marie) (La Flèche, 1815 – Villiers-le-Bel, 1878), pédagogue française ; une des fondatrices des écoles maternelles, alors nommées « salles d'asile ».

Papeete, ch.-l. de la Polynésie française ; port dans l'île de Tahiti ; 23 500 hab. Centre touristique. Aéroport à *Faaa.* – Archevêché.

1. papelard, arde n. Vx Faux dévot ; hypocrite. ▷ adj. Litt. *Manières papelardes :* manières patelines*.

2. papelard n. m. Fam. Morceau de papier. – Papier écrit ou imprimé.

Papeete

Papen (Franz von) (Werl, Westphalie, 1879 – Obersasbach, Bade-Wurtemberg, 1969), homme politique allemand. Il fut chancelier de juin à nov. 1932, puis vice-chancelier en 1933. Il se consacra, dès 1934, à des missions diplomatiques (il prépara l'Anschluss comme ambassadeur en Autriche de 1934 à 1938). Le tribunal de Nuremberg l'acquitta.

paperasse n. f. Papier, écrit considéré comme sans valeur, inutile. – (Sens collectif.) *Crouler sous la paperasse.*

paperasserie n. f. Amas de paperasses. ▷ Tendance à accumuler les paperasses. *Paperasserie administrative.*

paperassier, ère n. Qui se complaît dans la paperasse.

papesse n. f. **1.** Femme pape (selon une légende). *La papesse Jeanne*.* **2.** Femme qui exerce une autorité morale ou intellectuelle sur un mouvement.

papet n. m. CUIS Plat de saucisses aux pommes de terre et aux poireaux, spécialité du canton de Vaud.

papeterie [papetʀi] n. f. **1.** Fabrication du papier ; industrie du papier. **2.** Manufacture de papier. **3.** Commerce du papier. ▷ Magasin où l'on vend du papier, des fournitures de bureau.

papetier, ère n. et adj. **1.** n. Personne qui fabrique du papier ou qui en vend. ▷ Commerçant qui tient une papeterie. **2.** adj. Du papier. *Industrie papetière.*

Paphlagonie, anc. contrée d'Asie Mineure, entre la Bithynie, le Pont et la Galatie ; v. princ. *Sinope* (auj. *Sinop,* en Turquie), sur la mer Noire.

Paphos, nom de deux villes anc. de Chypre ; *Pale-Paphos* (auj. Koúklia) est connue pour le culte qu'on y rendait à Aphrodite. Fondée par les Phéniciens au Xe s. av. J.-C., la ville, détruite par un tremblement de terre, fut restaurée sous Auguste, qui lui donna le nom de *Sébaste.* Une nouvelle Paphos, fondée à 15 km, devint, sous les Romains, plus importante que la précédente.

papi ou **papy** n. m. Fam. Grand-père. – Homme âgé.

papier n. m. **1.** Matière faite d'une pâte de fibres végétales étalée en couche mince et séchée. *Papier à dessin, à cigarettes, d'emballage. Papier peint :* papier décoré, dont on tapisse les murs d'une pièce. ▷ (Spécial., papier à usage d'écriture ou d'impression.) *Papier d'écolier. Papier à lettres. Papier réglé*.* ▷ *Papier mâché :* pâte de papier encollée, plastique et se prêtant bien au modelage de menus objets. *Marionnettes en papier mâché.* – Loc. fig., fam. *Figure, mine de papier mâché,* blême, maladive. ▷ (Associé à certains produits.) *Papier carbone :* V. carbone. *Papier (d')émeri, de verre,* utilisé comme abrasif. *Papier sensible pour la photographie.* ▷ INFORM *Papier digital :* support de données numériques permettant l'enregistrement et la lecture par laser, se présentant comme une feuille de papier et constitué d'une couche d'un métal réfléchissant entre deux couches d'un polymère, et d'une couche protectrice. ▷ *Papier-monnaie :* monnaie fiduciaire, sans garantie d'encaisse métallique. V. monnaie. ▷ FIN *Papier bancable :* titre bancable. ▷ En loc. *Mettre, coucher ses idées sur le papier,* par écrit. **2.** Feuille très mince (de métal). *Papier d'argent, d'étain.* **3.** Feuille, morceau de papier, et, par ext., feuille écrite ou imprimée. *Inscrire qqch sur un papier. Vieux papiers.* – *Papier timbré,*

LISTE DES PAPES

En italique : antipapes

Papes romains et antipapes

st Pierre	† 64 ou 67
st Lin	67-76
st Clet ou Anaclet	76-88
st Clément Ier	88-97
st Évariste	97-105
st Alexandre Ier	105-115
st Sixte Ier	115-125
st Télesphore	125-136
st Hygin	136-140
st Pie Ier	140-155
st Anicet	155-166
st Soter	166-175
st Éleuthère	175-189
st Victor Ier	189-199
st Zéphyrin	199-217
st Calixte	217-222
Hippolyte	217-235
st Urbain Ier	222-230
st Pontien	230-235
st Antère	235-236
st Fabien	236-250
st Corneille	251-253
Novatien	251
st Lucius Ier	253-254
st Étienne Ier	254-257
st Sixte II	257-258
st Denys	259-268
st Félix Ier	269-274
st Eutychien	275-283
st Caïus	283-296
st Marcellin	296-304
(Vacance du Saint-Siège)	
st Marcel Ier	308-309
st Eusèbe	309
st Miltiade	311-314
st Sylvestre Ier	314-335
st Marc	336
st Jules Ier	337-352
Libère	352-366
Félix II	355-365
st Damase Ier	366-384
Ursin	366-367
st Sirice	384-399
st Anastase Ier	399-401
st Innocent Ier	401-417
st Zosime	417-418
st Boniface Ier	418-422
Eulalius	418-419
st Célestin Ier	422-432
st Sixte III	432-440
st Léon Ier le grand	440-461
st Hilaire	461-468
st Simplice	468-483
st Félix III (II)	483-492
st Gélase Ier	492-496
Anastase II	496-498
st Symmaque	498-514
Laurent	498 et 501-505
st Hormisdas	514-523
st Jean Ier	523-526
st Félix IV (III)	526-530
Boniface II	530-532
Dioscore	530
Jean II	533-535
st Agapet	535-536
st Silvère	536-537
Vigile	537-555
Pélage Ier	556-561
Jean III	561-574
Benoît Ier	575-579
Pélage II	579-590
st Grégoire Ier le Grand	590-604
Sabinien	604-606
Boniface III	607
st Boniface IV	608-615
Dieudonné Ier ou st Adéodat Ier	615-618
Boniface V	619-625
Honorius Ier	625-638
(Vacance du Saint-Siège)	
Séverin	640
Jean IV	640-642
Théodore Ier	642-649
st Martin Ier	649-655
st Eugène Ier	654-657
st Vitalien	657-672
Dieudonné II ou Adéodat II	672-676
Donus ou Domnus	676-678
st Agathon	678-681
st Léon II	682-683
st Benoît II	684-685
Jean V	685-686
Conon	686-687
Théodore	687
Pascal	687
st Serge ou Sergius Ier	687-701
Jean VI	701-705
Jean VII	705-707
Sisinnius	708
Constantin	708-715
st Grégoire II	715-731
st Grégoire III	731-741
st Zacharie	741-752
Étienne II (III)	752-757
st Paul Ier	757-767
Constantin	767-769
Philippe	768
Étienne III (IV)	768-772
Adrien Ier	772-795
st Léon III	795-816
Étienne IV (V)	816-817
st Pascal Ier	817-824
Zizime	824
Eugène II	824-827
Valentin	827
Grégoire IV	827-844
Jean	844
Serge ou Sergius II	844-847
st Léon IV	847-855
Benoît III	855-858
Anastase le Bibliothécaire	855
st Nicolas Ier le Grand	858-867
Adrien II	867-872
Jean VIII	872-882
Marin Ier	882-884
st Adrien III	884-885
Étienne V (VI)	885-891
Formose	891-896
Sergius	891
Boniface VI	896
Étienne VI (VII)	896-897
Romain	897
Théodore II	897
Jean IX	898-900
Benoît IV	900-903
Léon V	903
Christophore	903-904
Serge ou Sergius III	904-911
Anastase III	911-913
Landon	913-914
Jean X	914-928
Léon VI	928
Étienne VII (VIII)	928-931
Jean XI	931-935
Léon VII	936-939
Étienne VIII (IX)	939-942
Marin II	942-946
Agapet II	946-955
Jean XII	955-964
Léon VIII	963-965
Benoît V	964-966
Jean XIII	965-972
Benoît VI	973-974
Benoît VII	974-983
Boniface VII	974 et 984-985
Jean XIV	983-984
Jean XV	985-996
Grégoire V	996-999
Jean XVI	997-998
Sylvestre II	999-1003
Jean XVII	1003
Jean XVIII	1004-1009
Serge ou Sergius IV	1009-1012
Benoît VIII	1012-1024
Grégoire VI	1012
Jean XIX	1024-1032
Benoît IX	1032-1044
Sylvestre III	1045
Benoît IX (2e fois)	1045
Grégoire VI	1045-1046
Clément II	1046-1047
Benoît IX (3e fois)	1047-1048
Damase II	1048
st Léon IX	1049-1054
Victor II	1055-1057
Étienne IX (X)	1057-1058
Benoît X	1058-1059
Nicolas II	1059-1061
Alexandre II	1061-1073
Honorius II	1061-1072
st Grégoire VII	1073-1085
Clément III	1080 et 1084-1100
Victor III	1086-1087
Urbain II	1088-1099
Pascal II	1099-1118
Théodoric	1100
Albert	1102
Sylvestre IV	1105-1111
Gélase II	1118-1119
Grégoire VIII	1118-1121
Calixte II	1119-1124
Honorius II	1124-1130
Célestin II	1124
Innocent II	1130-1143
Anaclet II	1130-1138
Victor IV	1138
Célestin II	1143-1144
Lucius II	1144-1145
Eugène III	1145-1153
Anastase IV	1153-1154
Adrien IV	1154-1159
Alexandre III	1159-1181
Victor IV (V)	1159-1164
Pascal III	1164-1168
Calixte III	1168-1178
Innocent III	1179-1180
Lucius III	1181-1185
Urbain III	1185-1187
Grégoire VIII	1187
Clément III	1187-1191
Célestin III	1191-1198
Innocent III	1198-1216
Honorius III	1216-1227
Grégoire IX	1227-1241
Célestin IV	1241
(Vacance du Saint-Siège)	
Innocent IV	1243-1254
Alexandre IV	1254-1261
Urbain IV	1261-1264
Clément IV	1265-1268
(Vacance du Saint-Siège)	
Grégoire X	1271-1276
Innocent V	1276
Adrien V	1276
Jean XXI	1276-1277
Nicolas III	1277-1280
Martin IV	1281-1285
Honorius IV	1285-1287
Nicolas IV	1288-1292
st Célestin V	1294
Boniface VIII	1294-1303
Benoît XI	1303-1304
Clément V	1305-1314
(Vacance du Saint-Siège)	
Jean XXII	1316-1334
Nicolas V	1328-1330
Benoît XII	1334-1342
Clément VI	1342-1352
Innocent VI	1352-1362
Urbain V	1362-1370
Grégoire XI	1370-1378

Grand schisme d'Occident

(1378-1417)

papes romains

Urbain VI	1378-1389
Boniface IX	1389-1404
Innocent VII	1404-1406
Grégoire XII	1406-1415

papes d'Avignon

Clément VII	1378-1394
Benoît XIII	1394-1423

antipapes d'Avignon

Clément VIII	1423-1429
Benoît XIV	1415-1430

papes de Pise

Alexandre V	1409-1410
Jean XXIII	1410-1415

antipape de Pise

Félix V	1439-1449

Martin V	1417-1431
Eugène IV	1431-1447
Nicolas V	1447-1455
Calixte III	1455-1458
Pie II	1458-1464
Paul II	1464-1471
Sixte IV	1471-1484
Innocent VIII	1484-1492
Alexandre VI	1492-1503
Pie III	1503
Jules II	1503-1513
Léon X	1513-1521
Adrien VI	1522-1523
Clément VII	1523-1534
Paul III	1534-1549
Jules III	1550-1555
Marcel II	1555
Paul IV	1555-1559
Pie IV	1559-1565
st Pie V	1566-1572
Grégoire XIII	1572-1585
Sixte V	1585-1590
Urbain VII	1590
Grégoire XIV	1590-1591
Innocent IX	1591
Clément VIII	1592-1605
Léon XI	1605
Paul V	1605-1621
Grégoire XV	1621-1623
Urbain VIII	1623-1644
Innocent X	1644-1655
Alexandre VII	1655-1667
Clément IX	1667-1669
Clément X	1670-1676
Innocent XI	1676-1689
Alexandre VIII	1689-1691
Innocent XII	1691-1700
Clément XI	1700-1721
Innocent XIII	1721-1724
Benoît XIII	1724-1730
Clément XII	1730-1740
Benoît XIV	1740-1758
Clément XIII	1758-1769
Clément XIV	1769-1774
Pie VI	1775-1799
Pie VII	1800-1823
Léon XII	1823-1829
Pie VIII	1829-1830
Grégoire XVI	1831-1846
Pie IX	1846-1878
Léon XIII	1878-1903
st Pie X	1903-1914
Benoît XV	1914-1922
Pie XI	1922-1939
Pie XII	1939-1958
Jean XXIII	1958-1963
Paul VI	1963-1978
Jean-Paul Ier	1978
Jean-Paul II	élu en 1978

revêtu du timbre de l'État, exigé pour dresser certains actes (par oppos. à *papier libre*). ▷ *Journaliste qui rédige un papier*, un article. ▷ Note; document. *Classer des papiers.* – Loc. fig., fam. *Être dans les petits papiers de quelqu'un*, jouir de son estime, de sa faveur. – MAR (Au plur.) *Papiers de bord* : rôles d'équipage, brevets, connaissements, etc. ▷ (Au plur.) *Papiers d'identité* et, absol., *papiers* : pièces d'identité. *Vos papiers ne sont pas en règle.* ▷ Effet de commerce. *Papier au porteur.*

papilionacé, ée adj. et n. f. BOT **1.** adj. Didac. Qui ressemble à un papillon. ▷ *Fleur papilionacée* : fleur symétrique par rapport à un plan, comprenant cinq pétales libres, le plus grand enveloppant les autres et redressé en étendard, les deux latéraux, ou *ailes*, symétriques sur les côtés de la fleur, les deux inférieurs se touchant par leur bord et formant la *carène*. **2.** n. f. pl. *Les papilionacées* : la plus importante sous-famille de légumineuses (8 000 espèces env.). – Sing. *Une papilionacée.*

une **papilionacée,** le petit pois : à g., coupes d'une fleur (en haut) et d'une gousse contenant les graines (en bas); à dr., tige fleurie avec vrilles et gousse

papillaire adj. ANAT, MED Relatif à la papille; formé ou pourvu de papilles. – *Tumeur papillaire*, qui présente à sa surface des bourgeons analogues à des papilles hypertrophiées.

papille n. f. **1.** ANAT et cour. Petite éminence charnue à la surface de la peau, des muqueuses, qui a généralement une fonction sensorielle. *Papilles gustatives.* – *Papille optique* : terminaison du nerf optique au niveau de la rétine. **2.** BOT Émergence épidermique qui donne son aspect velouté à un fruit, un pétale, etc.

papilleux, euse adj. Didac. Pourvu de papilles.

papillomavirus n. m. MED Virus provoquant des papillomes.

papillome n. m. MED Tumeur bénigne de la peau et des muqueuses, caractérisée par l'hypertrophie des papilles. *Les verrues sont des papillomes.*

papillon n. m. **I.** Insecte diurne ou nocturne caractérisé par quatre grandes ailes diversement colorées, dont il existe de très nombreuses espèces, regroupées par les zoologistes dans l'ordre des lépidoptères (V. ce mot). ▷ *Papillon de mer* : V. chétodon. ▷ Fig. *C'est un vrai papillon*, une personne versatile, inconstante; une personne volage. ▷ Fig. *Papillons noirs* : sujets de tristesse, idées mélancoliques. **II.** Par anal. **1.** *Nœud papillon* : cravate courte nouée en forme de papillon. **2.** *Brasse papillon*, dans laquelle les deux bras accomplissent simultanément une courbe au-dessus de l'eau. **3.** Pièce pivotant autour d'un axe, qui sert à masquer une ouverture en vue de régler un débit. *Papillon des gaz d'un carburateur.* ▷ *Papillon, écrou papillon* : écrou à ailettes. **4.** Petit feuillet de papier ou de carton mince. *Papillon publicitaire.* ▷ Fam. *Spécial.* Avis de contravention. *Trouver un papillon sous son essuie-glace.*

papillonnage ou **papillonnement** n. m. Action de papillonner.

papillonner v. intr. [1] **1.** Battre à la manière des ailes de papillon. *Paupières qui papillonnent.* **2.** Aller d'une chose, d'une personne à une autre sans s'arrêter à aucune. ▷ *Spécial.* Se montrer inconstant, volage.

papillotage n. m. **1.** Fatigue des yeux due à un scintillement, un papillotement. **2.** Mouvement des yeux ou des paupières qui papillotent.

papillotant, ante adj. **1.** Qui papillote, scintillant. *Lumière papillotante.* **2.** Qui papillote (en parlant des yeux, des paupières).

papillote n. f. **1.** Morceau de papier sur lequel on roule les cheveux pour les faire boucler. – Fig. *Cela n'est bon qu'à faire des papillotes*, se dit d'un écrit, d'un papier sans valeur. **2.** Papier qui enveloppe un bonbon. ▷ CUIS Papier huilé ou beurré dans lequel on met à cuire une viande, un poisson. *Côtelette en papillote.*

papillotement n. m. **1.** Éparpillement de points lumineux vifs et instables, scintillement qui trouble et fatigue la vue. **2.** Fluctuation de brillance ou de couleur d'un objet ou d'une image.

papilloter v. [1] **I.** v. tr. Garnir de papillotes; envelopper dans une (des) papillote(s). **II.** v. intr. **1.** Produire un papillotement, scintiller. **2.** (En parlant des yeux ou des paupières.) Être animés d'un mouvement involontaire qui empêche de fixer les objets.

Papin (Denis) (Chitenay, près de Blois, 1647 – Londres, 1714), physicien français. Il découvrit la force élastique de la vapeur. Il inventa l'autocuiseur avec la soupape de sûreté *(marmite de Papin).*

Papineau (Louis Joseph) (Montréal, 1786 – Montebello, 1871), homme politique canadien. Bon orateur, président de l'Assemblée de 1815 à 1823 et de 1825 à 1837, il soutint les revendications des Canadiens français et fut l'un des artisans de la rébellion de 1837.

Papini (Giovanni) (Florence, 1881 – id., 1956), écrivain futuriste italien : *Un homme fini* (1912), *Histoire du Christ* (1921), *le Diable* (1953).

Papinien (en lat. *Aemilius Papinianus*) (m. à Rome en 212 ap. J.-C.), jurisconsulte romain. Préfet du prétoire sous Septime Sévère (205), il fut mis à mort par Caracalla.

papisme n. m. HIST, RELIG CATHOL Doctrine des partisans de l'autorité absolue du pape. ▷ Péjor. Nom sous lequel les réformés désignent le catholicisme romain.

papiste n. et adj. Péjor. Catholique romain, dans le langage des réformés (surtout du XVIe au XIXe s.). ▷ adj. *L'Église papiste.*

papivore n. et adj. Fam. Se dit d'une personne qui lit beaucoup de journaux.

papotage n. m. Action de papoter; conversation insignifiante ou frivole.

papoter v. intr. [1] Bavarder sur des sujets insignifiants, frivoles.

papou, oue adj. et n. **1.** adj. Relatif aux Papous. ▷ Subst. *Un(e) Papou(e).* **2.** n. m. LING Famille linguistique formée par les langues non austronésiennes parlées en Océanie.

Papouasie-Nouvelle-Guinée, État d'Océanie, comprenant la partie orientale de la Nouvelle-Guinée, l'archipel Bismarck et plusieurs autres archipels et îles de moindre importance; 461 691 km^2; env. 3 800 000 hab., croissance démographique : 3 % par an. Cap. *Port Moresby.* Nature de l'État : rép. membre du Commonwealth. Population : en majorité Papous. Langues off. : anglais, néo-mélanésien; 700 dialectes. Relig. : animisme; fortes minorités catholique et protestante. Monnaie : kina.

Géogr. phys. et écon. – Mal connu et peu pénétré, le pays s'ordonne autour d'une chaîne centrale (4 508 m au mont Wilhelm) qui se termine en péninsule effilée à l'E. et domine des plaines marécageuses à l'O. Le climat équatorial très humide entretient une forêt dense sur 95 % du territoire. La population est très clairsemée (85 % de ruraux, vivant, pour la plupart en écon. de subsistance). Les cultures couvrent 1 % du sol : patates douces, taros, ignames pour l'autoconsommation, café, cacao, hévéa, noix de coco pour l'exportation. Les ressources minières sont abondantes mais sous-exploitées (exportation de cuivre et d'or). L'Australie (qui se désengage progressivement) et le Japon sont les principaux partenaires économiques du pays.

Hist. – La Papouasie proprement dite (S.-E. de l'île) fut administrée par l'Australie à partir de 1906; en 1921, la Société des Nations y ajouta les anciennes colonies allemandes de Nouvelle-Guinée du N.-E. et l'archipel Bismarck (1884-1914). L'autonomie interne fut accordée au territoire en 1973, et l'indépendance en 1975. Paias Wingti, Premier ministre, a succédé en 1985 à Michael Somare. La Papouasie revendique la partie occidentale de l'île, possession indonésienne sous le nom d'Irian Jaya. La vie politique est troublée par les tentatives séparatistes de l'île de Bougainville*.

▸ carte **Nouvelle-Guinée**

papouille n. f. Fam. Frôlement, chatouillement en manière de caresse.

Papous ou **Papoua,** population à l'origine incertaine, divisée en de nombr. tribus, habitant la Nouvelle-Guinée et les îles avoisinantes. – Habitants de la Papouasie-Nouvelle-Guinée.

Pappus ou **Pappos** (fin du IIIe ou déb. du IVe s. ap. J.-C.), mathématicien d'Alexandrie; auteur d'une *Collection mathématique*, abrégé de divers ouvrages des géomètres anc., auxquels il a ajouté un certain nombre de propositions.

paprika n. m. Piment doux de Hongrie, que l'on utilise broyé comme condiment.

papule n. f. MED Petite saillie cutanée, rose ou rouge, ne renfermant pas de liquide. *Papule syphilitique.*

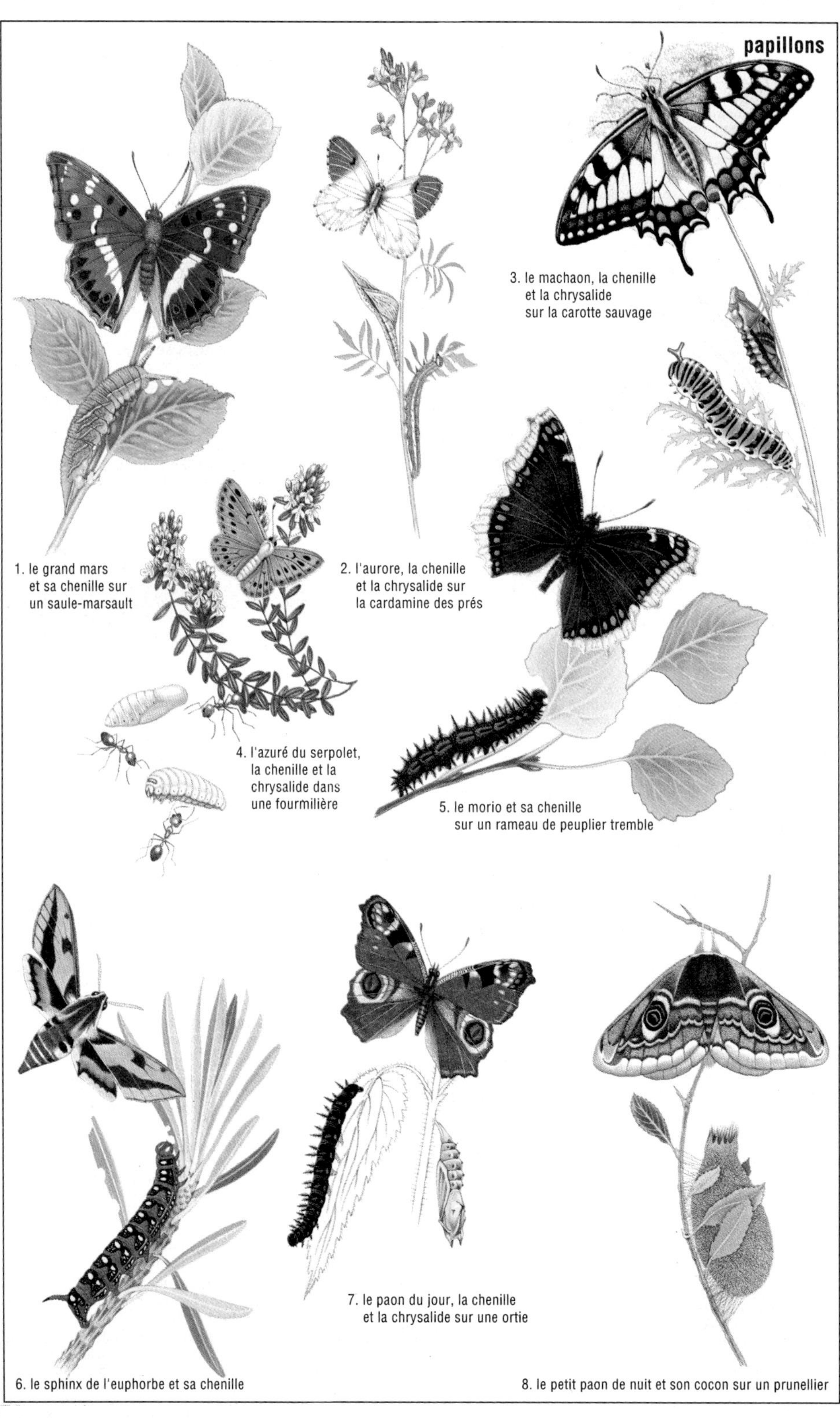
papillons
1. le grand mars
et sa chenille sur
un saule-marsault
2. l'aurore, la chenille
et la chrysalide sur
la cardamine des prés
3. le machaon, la chenille
et la chrysalide
sur la carotte sauvage
4. l'azuré du serpolet,
la chenille et la
chrysalide dans
une fourmilière
5. le morio et sa chenille
sur un rameau de peuplier tremble
6. le sphinx de l'euphorbe et sa chenille
7. le paon du jour, la chenille
et la chrysalide sur une ortie
8. le petit paon de nuit et son cocon sur un prunellier

papuleux, euse adj. MED Relatif à la papule, formé ou couvert de papules.

papy. V. papi.

papyrologie n. f. Étude des textes grecs et romains de l'Antiquité égyptienne, écrits sur papyrus, sur bois, ou, le plus souvent, sur des tessons de poterie (ostraca).

papyrus [papiʀys] n. m. **1.** Plante des bords du Nil (fam. cypéracées) que les anc. Égyptiens transformaient en feuille pour écrire. **2.** Feuille obtenue par ce procédé. ▷ Manuscrit sur papyrus.

pâque, pâques n. **I.** n. f. *La Pâque.* **1.** Fête annuelle des juifs, qui commémore leur sortie d'Égypte. **2.** Agneau* pascal, dans le rite mosaïque. *Immoler, manger la pâque.* **3.** Vx Pâques. *La pâque russe.* **II.** *Pâques.* (Avec une majuscule.) **1.** n. m. sing. (Sans article.) Fête annuelle des chrétiens, qui commémore la résurrection du Christ. *Lorsque Pâques sera passé. Le lundi, la semaine de Pâques,* qui suivent Pâques. ▷ Loc. *À Pâques ou à la Trinité :* à une date incertaine; jamais. – *Œuf* de Pâques.* **2.** n. f. plur. (Avec une épithète.) *Joyeuses Pâques. Pâques fleuries :* le dimanche des Rameaux. *Pâques closes :* le premier dimanche après Pâques. ▷ *Faire ses pâques* (ou, plus rare, *Pâques*) : recevoir à Pâques la communion prescrite par l'Église à tous les catholiques.

paquebot n. m. Grand navire aménagé pour le transport des passagers.

pâquerette n. f. Petite plante (fam. composées), à fleur blanche ou rosée; la fleur de cette plante.
▶ illustr. **composée**

Pâques (île de) (en esp. *Isla de Pascua*), île volcanique du Pacifique oriental (Polynésie), chilienne depuis 1888; 162 km²; 2 000 hab. – Elle fut découverte en 1772, le jour de Pâques, par le Hollandais Roggeveen. L'île possède des statues monumentales (les *moai,* apparentées aux statues des autres îles polynésiennes, les *tikis*), taillées dans le tuf volcanique.

île de **Pâques**

paquet n. m. **1.** Assemblage de plusieurs choses attachées ou enveloppées ensemble. *Expédier un paquet.* ▷ Objet, produit dans son emballage. *Fumer un paquet de cigarettes.* **2.** TYPO Ensemble de lignes de composition destinées au metteur en pages. **3.** Quantité, masse importante. *Paquet de billets.* – Fam. *Toucher un* (ou *le*) *paquet,* beaucoup d'argent. – *Paquet de mer :* masse d'eau de mer projetée sur le pont d'un bateau. **4.** Fig. Ensemble de propositions, de mesures formant un tout indissociable. **5.** INFORM Ensemble de données acheminées en bloc dans un réseau. **6.** Loc. fig., fam. *Lâcher le paquet :* dire sans ménagement tout ce que l'on a envie de dire. *Mettre le paquet :* y aller de toute sa force. – *Recevoir son paquet :* être sévèrement critiqué. – *Risquer le paquet :* engager gros dans une affaire incertaine.

paquetage n. m. Ensemble des effets d'habillement et de campagne d'un soldat.

1. par prép. et adv. **A.** prép. **I.** Marquant : **1.** Le lieu. À travers, en passant au milieu de. *Passer par la porte de derrière. Passer par Vienne.* **2.** Le temps. Pendant. *Comme par le passé.* **II.** Marquant : **1.** La cause, l'agent, l'auteur. *Agir par intérêt. Joseph vendu par ses frères. « Britannicus », par Racine.* **2.** Le moyen, l'instrument. *Voyage par avion. Par le fer et par le feu.* **3.** La manière. *Ranger des livres par ordre de grandeur.* **4.** L'idée de distribution. *Cent francs par personne.* **B.** Loc. prép. *De par :* au nom de; par l'ordre de. *De par la loi.* **C.** adv. *Par trop :* beaucoup trop.

2. par n. m. SPORT Au golf, nombre minimal de coups nécessaires à un très bon joueur pour effectuer un parcours donné.

1. para-. Élément, du gr. *para,* « à côté de ». ▷ CHIM Sert à désigner les dérivés isomériques ou polymériques.

2. para-, pare-. Éléments, du lat. *parare,* « protéger ».

para n. m. Fam. Abrév. de *parachutiste.*

Pará, État du N. du Brésil, sur l'Atlantique, drainé par l'Amazone; 1 248 042 km²; 4 617 000 hab.; cap. *Belém.* La forêt dense couvre la majeure partie de l'État; l'économie de cueillette (caoutchouc, noix de Pará) est encore pratiquée, mais elle recule devant la colonisation (grandes exploitations). Gisements de fer.

parabellum [paʀabɛllɔm] n. m. Anc. Pistolet automatique, autrefois utilisé dans l'armée allemande. *Des parabellum(s).*

1. parabole n. f. Récit allégorique (partic. de l'Évangile) qui renferme une vérité, un enseignement. *La parabole de l'enfant prodigue.*

2. parabole n. f. **1.** GEOM Courbe constituant le lieu géométrique des points équidistants d'un point fixe, appelé *foyer,* et d'une droite fixe, appelée *directrice.* **2.** Antenne parabolique, permettant de capter les programmes de télévision retransmis par satellite.
▶ illustr. **courbes**

1. parabolique adj. Rare Relatif à la parabole, à l'image allégorique.

2. parabolique adj. (et n. m.) GEOM **1.** Relatif à la parabole. **2.** En forme de parabole. *Miroir, antenne parabolique.* ▷ *Radiateur parabolique,* à réflecteur parabolique. **3.** Se dit d'un ski plus large aux extrémités et plus étroit au niveau de la chaussure qu'un ski ordinaire.

paraboloïde n. m. GEOM Surface du second degré dont le centre est rejeté à l'infini et qui admet une infinité de plans diamétraux, tous parallèles à une même droite. *Paraboloïde de révolution,* engendré par la rotation d'une parabole autour de son axe. *Paraboloïde elliptique,* engendré par une ellipse dont les extrémités d'un des diamètres décrivent une parabole. *Paraboloïde hyperbolique,* engendré par une droite mobile qui s'appuie sur trois droites comprises dans des plans différents et parallèles à un même plan.

Paracelse (Philippus Aureolus Theophrastus Bombastus von Hohenheim, dit) (Einsiedeln, près de Zurich, v. 1493 – Salzbourg, 1541), médecin suisse. Il jeta l'anathème, à Bâle (1526-1528), sur la médecine « nouvelle » de son époque. Ses théories ésotériques reposent sur l'analogie structurelle du monde extérieur et du corps humain.

paracentèse [paʀasɛ̃tɛz] n. f. CHIR Ponction pratiquée pour évacuer un liquide séreux ou purulent (plèvre, péritoine, oreille, etc.).

paracétamol n. m. PHARM Dérivé de l'aniline aux propriétés analgésiques et antipyrétiques.

parachèvement n. m. Action de parachever; son résultat.

parachever v. tr. [16] Conduire à son total achèvement, terminer avec le plus de perfection possible.

parachimie n. f. Ensemble des activités concernant les produits dérivés de l'industrie chimique.

parachutage n. m. Action de parachuter (qqch ou qqn).

parachute n. m. **1.** Appareil destiné à ralentir la chute des corps tombant d'une grande hauteur, constitué essentiellement d'une voilure en toile de soie ou de nylon, reliée à un système d'attaches entourant le parachutiste ou les objets à larguer. **2.** Organe de sécurité qui bloque la cabine d'un ascenseur en cas de besoin.

atterrissage en **parachute**

parachuter v. tr. [1] **1.** Larguer d'un aéronef avec un parachute. *Parachuter du matériel, des troupes.* **2.** Fig., fam. Désigner inopinément pour un emploi, une tâche, une entreprise. *Parachuter un candidat dans une circonscription au moment des élections.*

parachutisme n. m. Pratique du saut en parachute.

parachutiste n. et adj. **1.** Personne qui pratique le parachutisme. – adj. *Équipement parachutiste.* **2.** Militaire entraîné spécialement au parachutisme. (Abrév. fam. : para).

Paraclet (Le), hameau de la com. de Quincey (arr. de Nogent-sur-Seine) où Abélard fonda, en 1129, un couvent de femmes dont Héloïse fut la première abbesse. Il en subsiste la crypte, où les restes des amants reposèrent.

Paraclet, nom donné au Saint-Esprit dans l'évangile de Jean.

paraclinique adj. MED Se dit des examens médicaux recourant à d'autres moyens que les sens.

1. parade n. f. **1.** Étalage, exhibition de qqch que l'on juge enviable. *Faire parade de sa beauté, de son savoir.* **2.** Loc. adj. *De parade :* qui ne sert qu'à l'ornement. *Des vêtements de parade.* – Fig. Qui n'est pas sincère. *Une amabilité de* *parade.* **3.** Scène burlesque donnée par les bateleurs pour engager le public à aller voir le spectacle proposé. *Parade de cirque.* **4.** ZOOL *Parade nuptiale :* ensemble des comportements qui précèdent l'accouplement, chez de nombreux animaux (oiseaux, reptiles, poissons, insectes, etc.). *La parade des coqs de bruyère.* **5.** Défilé militaire où les troupes sont passées en revue.

2. parade n. f. **1.** SPORT Action de parer un coup (escrime, boxe, etc.). **2.** Fig. Riposte.

parader v. intr. [1] Se pavaner.

paradichlorobenzène n. m. CHIM Dérivé dichloré du benzène, employé comme insecticide (notam. pour protéger des mites).

paradigme n. m. **1.** GRAM Mot qui sert de modèle pour une conjugaison, une déclinaison. *Le verbe « finir » est le paradigme du deuxième groupe.* **2.** LING Ensemble des formes d'un morphème lexical combiné avec ses désinences. (Ex. : dans le cas d'un verbe, l'ensemble des formes qui constituent sa conjugaison.)

paradis [paʀadi] n. m. **1.** Selon plusieurs religions, lieu où séjournent les bienheureux, les élus, après leur mort. – Loc. fig., fam. *Il ne l'emportera pas au, en paradis :* il s'en repentira. **2.** *Le Paradis terrestre :* le jardin habité par Adam et Ève, selon la Genèse. **3.** Fig. Séjour de bonheur parfait. *Un paradis tropical.* – *Paradis fiscal :* pays où le régime fiscal est particulièrement avantageux pour les capitaux étrangers. **4.** *Les paradis artificiels :* les sensations procurées par les drogues; *par ext.,* les drogues elles-mêmes. **5.** Balcon, galerie tout en haut d'une salle de spectacle. **6.** *Oiseau de paradis :* paradisier.

Paradis (Grand) (en ital. *Gran Paradiso*), massif des Alpes occidentales (4 061 m), en Italie, près de la frontière française. – Parc national (56 000 ha) créé en 1922, auquel fait suite le parc français de la Vanoise.

paradisiaque adj. Qui appartient au paradis; digne du paradis. *Un séjour paradisiaque.* Syn. édénique.

paradisier n. m. Oiseau passériforme de Nouvelle-Guinée et d'Australie, appelé aussi *oiseau de paradis,* dont les plumes magnifiques ont des reflets métalliques.

Paradjanov (Paradjanian Sarkis, dit Serge) (Tbilissi, 1924 – Erevan, 1990), cinéaste soviétique de nat. arménienne. Emprisonné sous Staline, Brejnev et Andropov, censuré, il fut connu en Occident par son chef-d'œuvre *les Chevaux de feu* (1965). On lui doit aussi *Sayat Nova* (1969), *la Légende de la forteresse de Souram* (1984), *Achik Kerib* (1988) et de multiples courts métrages.

paradoxal, ale, aux adj. **1.** Qui tient du paradoxe. *Une affirmation paradoxale.* **2.** Qui aime le paradoxe. *Un esprit paradoxal.* **3.** MED *Sommeil paradoxal :* V. sommeil.

paradoxalement adv. D'une manière paradoxale.

paradoxe n. m. **1.** Proposition contraire à l'opinion commune. **2.** *Par ext.* Ce qui est en contradiction avec la logique, avec le bon sens.

parafe, parafer, parafeur. V. paraphe, parapher, parapheur.

paraffine n. f. **1.** CHIM Nom générique des hydrocarbures saturés de formule C_nH_{2n+2}. Syn. alcane. ▷ Cour. Solide gras, de consistance cireuse, constitué d'un mélange de ces hydrocarbures. **2.** MED *Huile de paraffine,* utilisée comme laxatif.

paraffiné, ée adj. Enduit ou imprégné de paraffine.

parafiscal, ale, aux adj. Qui a rapport à la parafiscalité.

parafiscalité n. f. Ensemble de charges ou de taxes que les particuliers ou les entreprises doivent acquitter, mais qui ne sont pas à proprement parler des impôts (notam. parce que leur produit n'est pas destiné à alimenter le budget de l'État ou les budgets des collectivités publiques).

parafoudre n. m. TECH Appareil servant à protéger les installations électriques des effets de la foudre.

parage n. m. En boucherie, préparation des morceaux de viande, avant la vente au détail.

parages n. m. pl. **1.** MAR *Parages de... :* espace, étendue de mer proche de (tel lieu). *Les parages de Terre-Neuve.* **2.** *Par ext.,* cour. Environs.

paragraphe n. m. **1.** Subdivision d'un texte en prose, constituée d'une ou de plusieurs phrases présentant une certaine unité de sens, typographiquement définie par un alinéa initial et un alinéa final. **2.** Signe typographique (§) qui signifie paragraphe (ex. *Voir page 6 § 2*).

paragrêle n. m. AGRIC Appareil servant à protéger les cultures contre la grêle en transformant celle-ci en pluie. ▷ adj. inv. *Canons paragrêle.*

Paraguay (le), riv. d'Amérique du Sud (2 206 km), affl. du Paraná (r. dr.); né au Brésil, dans le Mato Grosso, il traverse le Paraguay, arrosant Concepción et Asunción, et conflue avec le Paraná à Corrientes, en Argentine. Sur une partie de son cours, il forme frontière entre le Paraguay et le Brésil, et entre le Paraguay et l'Argentine. Il est navigable.

Paraguay (république du) *(República del Paraguay),* État continental d'Amérique du Sud, au N. de l'Argentine; 406 752 km²; 3 790 000 hab., croissance démographique : près de 3 % par an; cap. *Asunción.* Nature de l'État : rép. de type présidentiel. Langue off. : espagnol, mais le guarani est la langue usuelle. Monnaie : guarani. Population : métis (95 %), Blancs (3 %), Guaranis (2 %). Relig. officielle : cathol.

Géogr. phys. et écon. – Le pays, au relief peu accidenté (alt. max. 1 000 m), est drainé du N. au S. par le Paraguay, qui divise le territoire en deux parties. À l'E. et jusqu'au Paraná (qui sert de frontière avec le Brésil et l'Argentine), s'étend un bas plateau boisé, coupé de vallées fertiles, au climat tempéré chaud et humide; cette région groupe plus de 95 % des hab. sur 40 % de l'espace national. À l'O. s'étend le vaste Chaco, constitué du piémont andin et de plaines argileuses; plus continental et plus sec, il est couvert de prairies, presque vide d'habitants et voué à l'élevage extensif. La population est encore en majorité rurale. L'agriculture, fortement exportatrice, est fondée sur le soja, le maïs, le coton et l'élevage bovin. L'hydroélectricité est l'autre grande ressource : le barrage d'Itaipú, sur le Paraná, construit avec le Brésil, permet d'exporter du courant; l'aménagement du barrage de Yacireta, plus au S., est en cours avec l'Argentine. Le trafic illicite (contrebande, drogue) est très développé.

Hist. – Colonisé par les Espagnols (XVIe s.), le pays fut évangélisé à partir de 1585 par les jésuites. Ceux-ci tentèrent une expérience originale : avec l'autorisation de Philippe III, ils fondèrent les « réductions » (en esp. *reducciones,* de *reducir,* « adoucir », « civiliser »); ces communautés indigènes, gérées par les Indiens eux-mêmes, étaient peu ouvertes sur l'extérieur et solidement organisées. À partir de 1639, ces réductions assurèrent leur propre défense contre les Portugais du Brésil en quête d'esclaves. Après l'expulsion des jésuites (1768), les Guaranis se virent dépouillés et furent exterminés ou dispersés par les Portugais et les Espagnols, mais la vie dans les réductions a permis aux guerriers guaranis de sauver leur culture. Indépendant en 1811, le Paraguay continua à vivre, notam. sous la dictature de Francia (1814-1840), en économie fermée. En effet, le pays était très peu hispanisé par rapport à ses voisins, et les successeurs de Francia, ses neveu et petit-neveu López, s'attachèrent à maintenir cette originalité, ce qui provoqua la guerre de 1865-1870 contre le Brésil, l'Argentine et l'Uruguay. Défait, sa population diminuée des deux tiers, le Paraguay vit son territoire amputé. Les guerres contre la Bolivie (1928-1929 et 1932-1935) lui rendirent 120 000 km² dans le Chaco, enjeu de la lutte en raison de ses possibles réserves pétrolières. Le général Stroessner a exercé, à partir de 1954, un pouvoir dictatorial, soutenu par les É.-U. En 1988, il obtint 90 % des suffrages, mais fut renversé en févr. 1989 par un soulèvement armé que dirigeait le général Andrès Rodriguez, élu en mai à la prés. de la République. En 1993, le conservateur Juan Carlos Wasmosy lui a succédé.

paraguayen, enne [paʀagwejɛ̃, ɛn] adj. et n. Du Paraguay. ▷ Subst. *Un(e) Paraguayen(ne).*

Paraíba, État du N.-E. du Brésil, sur l'Atlantique; 56 372 km²; 3 146 000 hab.; cap. *João Pessoa.* – Des plateaux de faible altitude, au climat semi-aride, dominent la plaine côtière, où l'on pratique surtout la culture du coton et l'élevage bovin. Exploitation de tungstène et d'étain.

Paraíba do Sul (la), fl. du Brésil (1 058 km), qui draine les États de São Paulo et de Rio de Janeiro.

Parain (Brice) (Jouarre, Seine-et-Marne, 1897 – Paris, 1971), écrivain et philosophe français. Rebelle à l'arbitraire du langage, il trouve unité entre celui-ci et son mouvement vers la connaissance et le pouvoir contraignant de la vérité : *Recherches sur la nature et les fonctions du langage* (1942), *Sur la dialectique* (1953), *De fil en aiguille* (1960). Ses thèmes philosophiques sont présents dans ses romans : *la Mort de Socrate* (1950), *Petite métaphysique de la parole* (1969).

paraître v. [73] (et n. m.) **A.** v. **I.** v. intr. **1.** Commencer à être visible, à exister; apparaître. *Elle lisait toujours lorsque le soleil parut.* **2.** Se montrer, être visible. *Son chagrin paraît, bien qu'elle le cache.* – *Sans qu'il y paraisse* : sans que cela se voie. – *Dans une heure, il n'y paraîtra plus,* cela ne sera plus visible, sensible. **3.** Se montrer, manifester sa présence alors qu'on est attendu. *Paraître sur la scène.* **4.** Être publié, mis en vente. *Son dernier livre vient de paraître.* ▷ (Emploi impers.) *Il paraît chaque jour plusieurs journaux.* **5.** *Paraître* (+ attribut du sujet ou inf.) : avoir l'apparence de, sembler. *Votre histoire me paraît bizarre. Il paraît souffrir beaucoup.* **6.** *Absol.* Briller, se faire remarquer. *Il cherche trop à paraître.* **II.** v. impers. **1.** *Il paraît, il paraîtrait que* : on dit que, le bruit court que. – (En propos. incidente.) *Son frère, paraît-il, va se marier.* **2.** *Il (me, te,...) paraît* : il (me, te,...) semble. **B.** n. m. PHILO *Le paraître* : l'apparence.

Parakou, v. du Bénin; 66 000 hab.; ch.-l. de la prov. de Borgou. Industr. textile.

paralittérature n. f. Didac. Ensemble des productions littéraires de caractère populaire, exclues de la «littérature» proprement dite (chansons, romans-photos, bandes dessinées, etc.).

parallaxe n. f. **1.** ASTRO *Parallaxe d'un astre* : angle sous lequel on verrait, depuis cet astre, un rayon terrestre. – *Parallaxe trigonométrique* : triangulation prenant pour base le diamètre de l'orbite terrestre, seule méthode qui permet de mesurer la distance des étoiles. **2.** TECH *Correction de parallaxe* : angle dont on doit corriger une visée pour tenir compte de la distance entre l'axe de visée et l'axe optique d'un appareil (appareil photo, par ex.). ▷ *Erreur de parallaxe,* commise lorsqu'on lit obliquement une graduation.

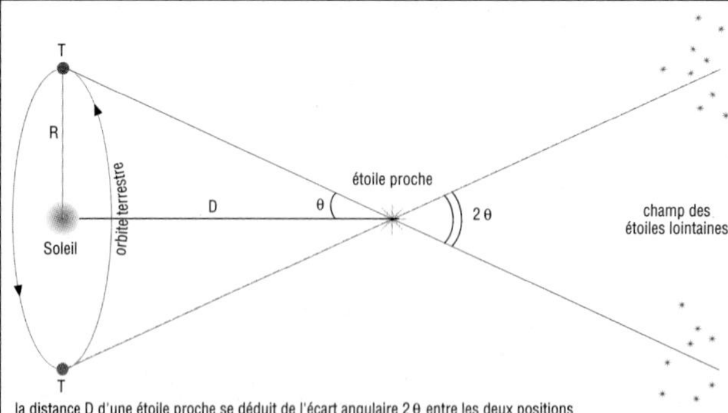

la distance D d'une étoile proche se déduit de l'écart angulaire 2θ entre les deux positions de l'étoile (par rapport au champ des étoiles plus lointaines) mesurées à 6 mois d'intervalle

parallaxe

parallèle adj. et n. **A.** adj. **I.** GEOM **1.** Se dit d'une ligne, d'une surface, également distante d'une autre ligne, d'une autre surface dans toute son étendue. *Lignes, plans parallèles.* ▷ n. f. *Par un point extérieur à une droite, il passe une seule parallèle à cette droite* (postulat d'Euclide). **2.** *Cercle parallèle* ou, n. m., *un parallèle* : cercle obtenu en coupant une surface de révolution par un plan perpendiculaire à son axe de révolution. ▷ *Spécial.* Chacun des cercles fictifs de la sphère terrestre parallèles au plan de l'équateur. *Parallèles et méridiens.* **II.** Fig. **1.** Semblable, qui se déroule dans des conditions analogues. *Deux destins parallèles.* **2.** Qui vise au même résultat. *Mener des actions parallèles.* **3.** Qui existe, qui se déroule en même temps qu'un autre ordre de choses ou de faits de même nature, mais sans en avoir l'aspect officiel, organisé. *Marché des changes parallèle.* ▷ *Police parallèle.* **B.** n. m. Comparaison suivie entre deux personnes, deux objets. *Établir un parallèle entre deux événements semblables.*

parallèlement adv. De manière parallèle.

parallélépipède n. m. GEOM Prisme dont les six faces sont des parallélogrammes. ▷ *Parallélépipède rectangle,* dont les faces sont des rectangles.
▸ pl. **géométrie**

parallélépipédique adj. Qui a la forme d'un parallélépipède.

parallélisme n. m. **1.** État de droites, de plans, d'objets parallèles. *Parallélisme des roues d'un véhicule.* **2.** Fig. Correspondance suivie, progression parallèle (entre des personnes, des choses que l'on compare).

parallélogramme n. m. GEOM Quadrilatère dont les côtés opposés sont parallèles (et donc égaux).
▸ pl. **géométrie**

paralogisme n. m. LOG Raisonnement faux, mais fait sans intention d'induire en erreur (à la différence du sophisme).

paralympique adj. SPORT *Jeux paralympiques,* auxquels participent des athlètes handicapés physiquement.

paralysant, ante adj. Qui entraîne la paralysie.

paralysé, ée adj. et n. Atteint de paralysie. ▷ Subst. *Un(e) paralysé(e).* ▷ Fig. *Pays paralysé par une grève générale.*

paralyser v. tr. [1] **1.** Frapper (qqn) de paralysie (sens 1). **2.** *Par ext.* Rendre inerte (une partie du corps). *Le froid paralysait ses doigts.* **3.** Fig. Frapper d'inertie; empêcher d'agir, de fonctionner.

paralysie n. f. **1.** Perte ou déficience des mouvements volontaires dans une région du corps, due à une affection musculaire ou, plus souvent, à une lésion nerveuse centrale ou périphérique. **2.** Fig. Impossibilité d'agir; arrêt du fonctionnement de l'activité. *Paralysie d'une usine privée d'électricité.*

paralytique adj. et n. Atteint de paralysie. – Subst. *Un(e) paralytique.*

paramagnétique adj. PHYS *Substance paramagnétique,* qui, placée dans un champ magnétique, s'aimante faiblement dans le sens du champ.

paramagnétisme n. m. PHYS Propriété des substances paramagnétiques.

Paramaribo, cap. du Surinam, port à l'embouchure du *Surinam*; 160 000 hab. Exportation de produits tropicaux et de bauxite.

paramécie n. f. ZOOL Gros protozoaire cilié (jusqu'à 0,2 mm de long) commun dans les eaux douces stagnantes.
▸ illustr. **protozoaires**

paramédical, ale, aux adj. Qui appartient au domaine de la santé et des soins sans toutefois relever des attributions du personnel médical.

paramètre n. m. MATH Lettre désignant dans une équation une grandeur donnée, mais à laquelle on peut envisager d'attribuer des valeurs différentes. ▷ Didac., fig. Donnée dont il faut tenir compte pour juger d'une question, régler un problème.

paramétrer v. tr. [1] MATH Établir les paramètres de. ▷ INFORM Remplacer certaines variables par des paramètres.

paramétrique adj. MATH Qui comporte un ou des paramètres.

paramétrisation n. f. INFORM Traitement d'un problème grâce à des paramètres.

paramilitaire adj. Qui est organisé comme une armée, qui en a les caractéristiques (armement, organisation, entraînement, discipline).

paramnésie n. f. MED Trouble de la mémoire caractérisé par l'oubli des mots, l'emploi de mots étrangers à ce que veut exprimer le sujet, une localisation erronée des souvenirs, etc.

paramunicipal, ale, aux adj. Qui seconde l'action de la municipalité. *Une association paramunicipale d'aide aux sans-abri.*

Paraná (le), fl. d'Amérique du Sud (3 300 km); né au Brésil de la réunion du Paranaíba (957 km) et du rio Grande, il sépare le Brésil du Paraguay, puis ce pays de l'Argentine, et forme, avec le fl. Uruguay, le río de La Plata. Des chutes y entravent la navigation.

Paraná, ville d'Argentine, sur le Paraná; 178 000 hab.; ch.-l. de la prov. d'Entre Ríos. Import. port fluvial. Industr. alim.

Paraná, État du S. du Brésil, entre le Paraná et l'Atlantique; 199 554 km^2; 8 308 000 hab.; cap. *Curitiba.* – État montagneux et boisé. Culture du café (auj. en recul), du coton, du blé et du soja, exploitation forestière, industr. alimentaires, mécaniques et textiles.

parangon n. m. Litt. *Parangon de...* : modèle de... *Parangon de vertu.*

parangonner v. tr. [1] IMPRIM Assembler sur une même ligne (des caractères typographiques de famille ou de corps différents).

paranoïa n. f. PSYCHIAT Psychose caractérisée par la surestimation du moi, la méfiance, la susceptibilité, l'agressivité et qui engendre un délire de persécution.

paranoïaque adj. et n. PSYCHIAT **1.** Relatif à la paranoïa. *Délire paranoïaque.* **2.** Atteint de paranoïa. ▷ Subst. *Un(e) paranoïaque.* **3.** Cour. Se dit d'un comportement révélant une méfiance ou une prétention exagérées. - Subst. Personne qui a ce type de comportement. (Abrév. fam. : parano).

paranoïde adj. PSYCHOPATHOL Qui rappelle la paranoïa, qui lui ressemble. *Psychose paranoïde.*

paranormal, ale, aux adj. Se dit d'un certain nombre de phénomènes, avérés ou non, qui ne pourraient être expliqués que par l'intervention de forces inconnues dans l'état actuel de nos connaissances.

parapente n. m. Sport qui consiste à sauter avec un parachute spécial, en décollant du sol, à partir d'un terrain fortement en pente, et non plus en se faisant larguer par un avion.

parapente à skis

parapet n. m. Cour. Mur à hauteur d'appui servant de garde-fou.

parapharmacie n. f. Ensemble des produits non thérapeutiques vendus en pharmacie (savon, shampooing, cosmétiques, etc.).

paraphasie n. f. MED Trouble du langage consistant en la substitution de syllabes ou de mots les uns aux autres.

paraphe ou **parafe** n. m. Marque mise avec la signature. *Une signature au paraphe compliqué.* ▷ Signature abrégée (souvent sous forme d'initiales).

parapher ou **parafer** v. tr. [1] Apposer son paraphe sur (qqch).

paraphernal, ale, aux adj. DR *Biens paraphernaux :* biens d'une femme mariée qui ne sont pas constitués en dot.

parapheur ou **parafeur** n. m. Dossier à compartiments destiné à recevoir des lettres soumises à la signature d'un responsable.

paraphrase n. f. Développement explicatif d'un terme ou d'un texte. ▷ *Spécial.* Énoncé synonyme d'un autre énoncé. *« Marie est aimée de Pierre » est la paraphrase de « Pierre aime Marie ».*

paraphraser v. tr. [1] Faire la paraphrase de, expliquer par une paraphrase.

paraphrastique adj. Didac. Qui tient de la paraphrase. *Commentaire paraphrastique.* ▷ LING *Transformation paraphrastique,* qui n'apporte pas d'information supplémentaire par rapport à la phrase sur laquelle a été réalisée l'opération. (Ex. : la transformation de nominalisation : Pierre a menti ⇒ le mensonge de Pierre.)

paraphrénie n. f. PSYCHOPATHOL État pathologique où coexistent constructions délirantes, conservation de la lucidité et adaptation au réel, avec passage de l'un à l'autre.

paraplégie n. f. MED Paralysie des deux membres supérieurs ou inférieurs.

paraplégique adj. et n. MED **1.** Qui présente le caractère de la paraplégie. **2.** Atteint de paraplégie. ▷ Subst. *Un, une paraplégique.*

parapluie n. m. Objet portatif pour se protéger de la pluie, fait d'une pièce d'étoffe circulaire tendue sur une carcasse légère de minces tiges flexibles se repliant le long d'un manche. ▷ Fig., fam. *Ouvrir le parapluie :* prendre des précautions pour n'avoir pas à endosser une responsabilité.

parapsychique adj. Qui a rapport à la parapsychologie; qui relève de la parapsychologie.

parapsychologie n. f. Étude des phénomènes psychiques inexpliqués (prémonition, télépathie, télékinésie, etc.).

parapublic, ique adj. Partiellement public. *Une institution parapublique.*

pararthropodes n. m. pl. ZOOL Embranchement d'invertébrés plus primitifs que les arthropodes. - Sing. *Un pararthropode.*

parasciences n. f. pl. Ensemble de croyances et de pratiques (astrologie, parapsychologie, radiesthésie, notam.) se revendiquant comme sciences, alors que le rationalisme scientifique les rejette.

parascolaire adj. Qui complète l'enseignement donné à l'école. *Activités parascolaires.*

parasismique adj. Qui vise à protéger des effets des séismes.

parasitaire adj. **1.** BIOL Relatif aux parasites. ▷ MED *Maladie parasitaire,* due à la présence de parasites dans l'organisme. **2.** Fig. Qui vit en parasite.

parasite n. m. et adj. **I.** n. m. Personne qui vit aux dépens d'autrui. *Vivre en parasite.* **II.** n. m. et adj. BIOL Être vivant qui puise les substances qui lui sont nécessaires dans l'organisme d'un autre *(hôte),* auquel il cause un dommage plus ou moins grave. *Le ténia est un parasite du tube digestif des vertébrés.* - adj. *Un animal parasite.* **III. 1.** n. m. Perturbation dans la réception des signaux radioélectriques. **2.** adj. Fig. Inutile et superflu, qui alourdit. *Mots parasites.*

parasiter v. tr. [1] **1.** Vivre aux dépens de (qqn). **2.** BIOL Vivre aux dépens de (un organisme, un être vivant). **3.** Perturber par des parasites (la réception de signaux électriques).

parasiticide adj. et n. m. Didac. Qui tue les parasites. ▷ n. m. Produit parasiticide.

parasitisme n. m. **1.** État du parasite, de la personne qui vit aux dépens d'autrui. **2.** BIOL Condition de vie d'un parasite.

parasitologie n. f. MED Étude des maladies parasitaires.

parasitose n. f. MED Maladie causée par un parasite.

parasol n. m. **1.** Écran pliant, semblable à un grand parapluie, que l'on déploie pour se protéger du soleil. **2.** *Pin parasol :* pin pignon, dont la ramure étalée horizontalement évoque un parasol.

parasympathique adj. et n. m. PHYSIOL *Le système nerveux parasympathique* ou, n. m., *le parasympathique :* la partie du système végétatif innervant notamment le cœur, les poumons, le tube digestif et les organes génitaux.

parasympathomimétique adj. BIOCHIM Se dit des substances capables de provoquer des effets physiologiques comparables à ceux de l'acétylcholine, médiateur du système nerveux parasympathique.

parasynthétique adj. et n. m. LING Qui est formé par l'adjonction de plusieurs affixes à une base. ▷ n. m. *Anti-constitution-nelle-ment est un parasynthétique.*

parataxe n. f. LING Procédé syntaxique consistant à juxtaposer des phrases, sans expliciter par des particules de subordination ou de coordination le rapport qui les lie. (Ex. *Il pleut, je ne sortirai pas,* au lieu de : *je ne sortirai pas parce qu'il pleut.*)

parathormone n. f. BIOL Hormone synthétisée par les glandes parathyroïdes et qui joue un rôle dans l'équilibre phosphocalcique.

parathyroïde n. f. ANAT Chacune des quatre glandes situées sur la face postérieure de la thyroïde et qui sécrètent la parathormone.

paratonnerre n. m. Appareil destiné à protéger les bâtiments de la foudre, ordinairement constitué d'une tige conductrice pointue placée au sommet de l'édifice et reliée à une prise de terre par un conducteur de forte section.

parâtre n. m. **1.** Vx Beau-père. **2.** Fig. Mauvais père.

paratyphique adj. et n. **1.** MED Relatif à la paratyphoïde. ▷ *Bacille paratyphique :* bacille, voisin du bacille d'Eberth, qui détermine les paratyphoïdes. **2.** Atteint de paratyphoïde. ▷ Subst. *Un(e) paratyphique.*

paratyphoïde n. f. MED Maladie infectieuse due au bacille paratyphique A ou B, proche de la fièvre typhoïde, mais occasionnant généralement des troubles moins graves.

paravalanche adj. TECH Qui est destiné à protéger des avalanches. *Mur paravalanche.*

paravent n. m. **1.** Ensemble de panneaux verticaux articulés et souvent décorés, pouvant s'étendre ou se replier les uns sur les autres, servant à empêcher les courants d'air ou à dissimuler à la vue. **2.** Fig. Ce qui sert à masquer, à dissimuler.

paravivipare adj. BIOL Qualifie le mode de reproduction où l'œuf est gardé par le père ou par la mère, dans une cavité du corps, jusqu'à éclosion. *L'hippocampe est paravivipare.*

Paray-le-Monial, ch.-l. de cant. de Saône-et-Loire (arr. de Charolles), sur la Bourbince; 11 312 hab. Industr. alim. – Égl. romane N.-D. (XIIe s.), dédiée au Sacré-Cœur, qui a rang de basilique depuis 1875. Couvent de la Visitation, où vécut sainte Marguerite-Marie Alacoque.

parbleu! interj. Juron atténué (*par Dieu!*) marquant l'affirmation d'une évidence.

parc n. m. **I. 1.** ELEV Clôture faite de claies, où l'on enferme les moutons. – Pâture entourée de fossés, où l'on engraisse les bœufs. **2.** PECHE Clôture de filets pour prendre le poisson. – Lieu clos où l'on élève des coquillages. *Parc à huîtres.* **3.** Petite clôture mobile à l'intérieur de laquelle on laisse jouer un très jeune enfant. **4.** TECH Emplacement de stockage à l'air libre. *Parc à ferrailles.* **5.** AUTO *Parc de stationnement* : emplacement, construction aménagés pour le stationnement des véhicules. (Syn. off. recommandé de *parking.*) *Parc à étages* : parc de stationnement souterrain ou aérien à plusieurs niveaux. **6.** TECH Ensemble des véhicules d'une entreprise, d'un pays. *Parc de camions d'une société de transports.* – *Par ext.* Ensemble de biens d'équipement, de marchandises industrielles de même nature dont dispose une population. *Le parc français de téléviseurs.* **II. 1.** Grande étendue boisée et close, réserve de gibier. ▷ *Parc régional, national* : zone à l'intérieur de laquelle sont protégées les richesses naturelles d'une région, d'une nation (notam. les espèces végétales et animales). ▷ *Parc zoologique* : lieu où sont maintenus captifs des animaux présentés au public. Syn. zoo. **2.** Grand jardin d'agrément dépendant d'une habitation importante. *Le parc de Versailles.* **3.** Terrain clos servant à la promenade; grand jardin public.

parcage n. m. **1.** Action de parquer. **2.** Action de faire séjourner un troupeau dans un endroit clos, en partic. pour y fumer le sol. **3.** Action de garer un véhicule. (Syn. officiellement recommandé de *parking.*)

parcellaire [paʀsel(l)ɛʀ] adj. Qui est fait par parcelles; qui est divisé en parcelles. *Cadastre parcellaire.*

parcelle n. f. **1.** Très petit morceau, petit fragment. *Une parcelle de pain.* ▷ Fig. *Il n'est pas disposé à céder la moindre parcelle de son indépendance.* **2.** Portion de terrain de même culture.

parcellisation n. f. Didac. Action de parcelliser; fragmentation. *La parcellisation des tâches dans le travail à la chaîne.*

parcelliser v. tr. [1] Diviser en parcelles, en petits éléments. Syn. fragmenter, morceler. – Fig. *Parcelliser une tâche.*

parce que loc. conj. (Introduisant l'expression de la cause.) *Il le fera parce qu'on l'y oblige.* ▷ (Employé seul.) (Dans une phrase elliptique de la proposition causale, pour marquer un refus de donner des raisons.) *Pourquoi n'obéis-tu pas? – Parce que.* ▷ (Dans une phrase elliptique de la proposition principale, comme liaison entre deux membres de phrase.) *Vous y tenez? Parce que nous pourrions nous arranger.*

parchemin n. m. **1.** Peau finement tannée, utilisée autrefois comme support de l'écriture et employée aujourd'hui en reliure et pour l'habillage de certains objets de luxe. **2.** Fam. Diplôme universitaire.

parcheminé, ée adj. Qui a la consistance ou l'aspect du parchemin. *Papier parcheminé.* ▷ Fig. *Vieillard à la peau parcheminée,* dont la peau est ridée et desséchée.

parcheminer v. tr. [1] Donner l'aspect, la consistance du parchemin à. – Fig. *Le travail dans les champs a parcheminé sa peau.* ▷ v. pron. *Son visage s'est parcheminé,* s'est tanné et ridé.

parcimonie n. f. Épargne portant sur les petites choses. *User de qqch avec parcimonie.* ▷ Fig. *Distribuer des éloges avec parcimonie.* Ant. prodigalité, profusion.

parcimonieusement adv. Avec parcimonie.

parcimonieux, euse adj. Qui témoigne de parcimonie. Ant. prodigue.

parclose n. f. CONSTR **1.** Moulure servant à fixer une vitre dans la feuillure d'un châssis. **2.** Petite baguette servant à clore un interstice.

parcmètre ou **parcomètre** n. m. Appareil servant à contrôler la durée du stationnement payant des véhicules automobiles.

parcotrain n. m. Parc de stationnement installé près d'une gare.

parcourir v. tr. [26] **1.** Visiter dans toute son étendue, aller d'un bout à l'autre de. *Parcourir une rue, une ville.* ▷ Fig. *Un frisson la parcourut.* **2.** Effectuer (un trajet). *Parcourir une longue distance.* **3.** Fig. Lire rapidement et superficiellement.

parcours n. m. **1.** Action de parcourir. – Distance parcourue. *Prix du parcours.* **2.** Chemin, itinéraire suivi pour aller d'un point à l'autre. *Parcours d'un fleuve, d'un autobus.* ▷ SPORT Circuit déterminé sur lequel s'effectue une épreuve. *Reconnaître un parcours.* – *Spécial.* Trajet qu'un joueur de golf doit effectuer durant une partie, en plaçant la balle successivement dans chacun des trous du terrain. ▷ MILIT *Parcours du combattant,* effectué par des soldats à l'entraînement sur un circuit comportant de nombreux obstacles.

par-delà. V. delà.

par-derrière. V. derrière.

par-dessous. V. dessous1, sens II.

par-dessus. V. dessus 1.

pardessus n. m. Vêtement de ville masculin porté par-dessus les autres vêtements quand il fait froid.

par-devant. V. devant.

par-devers. V. devers.

pardi! ou **pardieu!** interj. Exclamations marquant l'affirmation d'une évidence.

Pardo Bazán (Emilia, comtesse de) (La Corogne, 1851 – Madrid, 1921), femme de lettres espagnole. Elle a introduit le naturalisme français dans le roman espagnol : *Un voyage de noces* (1881), *le Château d'Ulloa* (1886), *la Sirène noire* (1908).

pardon n. m. **1.** Action de pardonner. *Accorder son pardon.* **2.** Pèlerinage solennel réunissant tous les ans à date fixe un grand nombre de fidèles, en Bretagne. *Le pardon de Sainte-Anne d'Auray.* **3.** *Grand Pardon* : V. Yom Kippour. **4.** *Je vous demande pardon* ou, ellipt., *pardon* : formules de politesse prononcées pour s'excuser. – *Pardon?* : avec une intonation interrogative, pour prier un interlocuteur de répéter ce que l'on n'a pas entendu ou compris.

pardonnable adj. Qui peut être pardonné. Syn. excusable.

pardonner v. [1] **I.** v. tr. **1.** Accorder la rémission de (une faute), renoncer à la punir. *Pardonner une faute à qqn.* ▷ Absol. *Pardonner à ses ennemis.* **2.** Considérer sans sévérité, excuser. *Vous voudrez bien me pardonner cette digression.* **II.** v. intr. (Toujours en tournure négative.) Épargner. *La mort ne pardonne à personne. – Ce poison ne pardonne pas,* il est mortel. **III.** v. pron. **1.** (Passif) Être digne de pardon, excusable. *Une telle faute ne se pardonne pas.* **2.** (Récipr.) *Se pardonner mutuellement.* **3.** (Réfl.) *Je ne me le pardonnerai jamais.*

-pare, -parité. Éléments, du lat. *-parus,* de *parere,* « engendrer ».

pare-. V. para- 2.

1. paré, ée adj. **1.** Orné, embelli. **2.** Arrangé, préparé pour un usage déterminé. ▷ Spécial. CUIS *Volaille parée,* prête pour la cuisson.

2. paré, ée adj. **1.** Qui a pris les dispositions nécessaires pour se protéger. **2.** MAR Prêt, préparé. *Le mouillage est paré.* – (Pour donner un ordre.) *Paré à déborder!*

Paré (Ambroise) (Bourg-Hersent, près de Laval, v. 1509 – Paris, 1590), chirurgien français. Il s'illustra par ses travaux sur la circulation du sang et par sa technique de ligature des vaisseaux dans les amputations. Il prit part à de nombreuses campagnes militaires et fut attaché à Henri II, François II, Charles IX et Henri III.

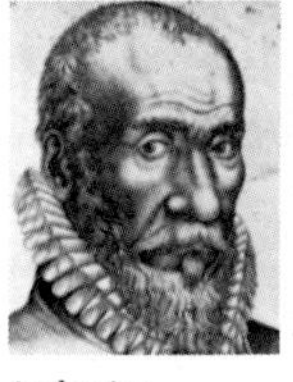

Ambroise **Paré**

Antoine Augustin **Parmentier**

pare-balles n. m. inv. Dispositif servant à protéger des balles. ▷ adj. inv. *Gilet pare-balles.*

pare-boue n. m. inv. Feuille de caoutchouc placée derrière une roue de camion pour protéger la carrosserie des projections de boue.

pare-brise n. m. inv. Plaque de matière transparente située à l'avant d'un véhicule pour protéger les passagers du vent, des intempéries, des projections de gravillons.

pare-chocs n. m. inv. Chacune des deux pièces, en général métalliques, fixées à l'avant et à l'arrière d'un véhicule automobile pour amortir les chocs.

pare-étincelles n. m. inv. Écran destiné à arrêter les étincelles projetées par le foyer d'une cheminée.

pare-feu n. m. inv. Dispositif destiné à empêcher la propagation du feu. – (En appos.) *Portes pare-feu.* ▷ *Spécial.* Coupe, tranchée ménagée à cet effet dans une forêt.

parégorique adj. MED *Élixir parégorique* : préparation opiacée utilisée dans le traitement de certaines diarrhées.

pareil, eille adj., adv. et n. **I.** adj. **1.** Semblable, identique, analogue. ▷ *L'an* *passé, à pareille époque,* à la même époque. **2.** Tel, de cette nature. *Vous n'allez pas sortir par un temps pareil!* **II.** adv. Pop. De la même manière. *Elles sont coiffées pareil.* **III.** n. **1.** Personne égale, semblable à une autre; pair. ▷ *Il n'a pas son pareil au monde* : il est extraordinaire, sans égal. **2.** Chose équivalente, semblable à une autre. *J'ai un chandelier et je cherche le pareil.* ▷ Loc. adj. *Sans pareil(le)* : incomparable, inégalable. ▷ Pop. *C'est du pareil au même* : c'est exactement la même chose. **3.** n. f. *Rendre la pareille à qqn,* lui faire subir le même traitement que celui qu'on a reçu de lui.

pareillement adv. **1.** De la même manière. **2.** Aussi. *Vous le pensez, et moi pareillement.*

Pareja (Juan de) (Séville, v. 1606 – Madrid, v. 1670), peintre espagnol. Esclave de Vélasquez, il fut affranchi par Philippe IV, mais resta près de son maître; on lui doit notam. *l'Ensevelissement de Jésus-Christ.*

par(h)élie n. f. ou m. Didac. Phénomène lumineux ayant l'apparence d'une tache colorée, dû à la réflexion des rayons du soleil sur des nuages formés de cristaux de glace.

Pareloup (lac de), lac de barrage sur le *Vioulou* (dép. de l'Aveyron).

parement n. m. **1.** Morceau d'étoffe riche ou de couleur tranchante ornant un vêtement. ▷ *Spécial.* Bande d'étoffe de couleur, au bas des manches et aux revers d'une veste d'uniforme. **2.** CONSTR Face visible d'un ouvrage de maçonnerie. *Parement de plâtre.* **3.** LITURG Ornement dont on pare un autel.

parenchymateux, euse adj. ANAT, MED Qui a rapport au parenchyme. *Lésion parenchymateuse.* – Qui est formé d'un parenchyme.

parenchyme [paʀɑ̃ʃim] n. m. **1.** ANAT Tissu fonctionnel d'un organe (par oppos. au tissu conjonctif). *Parenchyme hépatique, rénal, pancréatique.* **2.** BOT Tissu végétal de réserve ou de remplissage.

parent, ente n. et adj. **A.** n. **I. 1.** *Les parents* : le père et la mère. *Association de parents d'élèves.* – DR *Le parent survivant.* ▷ *Parents adoptifs.* ▷ ZOOL Être vivant par rapport à l'être qu'il a engendré. **2.** (Plur.) Personnes dont on descend. *Nos lointains parents de l'âge de pierre.* **II.** Personne avec laquelle il existe un lien de parenté. *C'est un parent de mon mari. Parents et amis.* ▷ Fig. *Traiter en parent pauvre* : n'accorder que peu de soin et d'intérêt à (qqn, qqch); négliger. **B.** adj. Fig. Comparable, analogue. *Ses conceptions sont parentes des miennes.*

parental, ale, aux adj. Didac. Qui appartient aux parents, relatif aux parents. *Autorité parentale,* attribuée par la loi, conjointement et à égalité, au père et à la mère. ▷ BIOL Propre au parent en tant que géniteur.

parenté n. f. **1.** Rapport entre personnes qui descendent les unes des autres ou qui ont un ascendant commun; rapport entre personnes unies par une alliance (mariage) ou par une adoption. ▷ Fig. RELIG *Parenté spirituelle* : pour les chrétiens, relation existant entre le parrain ou la marraine et le filleul ou la filleule; *par ext.,* affinité intellectuelle. ▷ SOCIOL *Système de parenté* : ensemble des relations qui, dans toute société, définissent un certain nombre de groupes et de sous-groupes, et déterminent les obligations et les interdictions auxquelles doivent se soumettre leurs membres. *Parenté matrilinéaire, patrilinéaire.* **2.** Ensemble des parents et des alliés d'une même personne. **3.** Rapport (entre deux ou plusieurs choses, classes d'objets, etc.) fondé sur une communauté d'origine. *Parenté entre deux langues latines.* ▷ Affinité, analogie, ressemblance. *La parenté de deux peintres.*

parentèle n. f. **1.** Vx ou litt. Parenté (sens 2). **2.** ETHNOL Consanguinité.

parentéral, ale, aux adj. MED *Voie parentérale* : voie d'introduction d'une substance autre que la voie digestive.

parenthèse n. f. **1.** Insertion dans une phrase, un discours, d'un développement accessoire mais complémentaire; ce développement. **2.** Chacun des deux signes typographiques ( ) qui enferment les mots d'une parenthèse. *Mettez la phrase entre parenthèses.* – Fig. *Ouvrir, fermer une parenthèse* : entamer une digression, la terminer. ▷ MATH Ces signes, isolant une expression algébrique et notant qu'une même opération doit s'appliquer à cette expression tout entière. ▷ Loc. adv. *Entre parenthèses, par parenthèse* : incidemment. ▷ Fig. *Mettre entre parenthèses* : faire momentanément abstraction de.

Parentis-en-Born, ch.-l. de cant. des Landes (arr. de Mont-de-Marsan), près de l'*étang de Biscarrosse et de Parentis;* 4 249 hab. Pétrole (en voie d'épuisement); gaz naturel.

paréo n. m. Vêtement traditionnel des femmes tahitiennes, pièce d'étoffe drapée autour du corps, couvrant le buste. ▷ Vêtement de plage imitant le paréo tahitien.

1. parer v. [1] **I.** v. tr. **1.** Litt. Garnir d'ornements, d'objets qui embellissent. *Parer une salle pour une cérémonie.* – *Spécial.* Vêtir (qqn) d'habits de fête. *On l'avait paré de son plus joli costume.* – Fig. *Parer qqn de tous les mérites.* ▷ (Sujet n. de chose.) *Les fleurs qui parent le jardin.* **2.** Arranger, préparer pour un usage déterminé. ▷ CUIS Arranger, préparer pour rendre propre à l'usage, à la consommation. *Parer de la viande, une volaille.* **3.** MAR Préparer pour la manœuvre. **II.** v. pron. Se vêtir avec soin de beaux vêtements, bijoux, etc. ▷ Fig., litt. *Se parer des vertus qu'on n'a pas.*

2. parer v. [1] **1.** v. tr. dir. *Parer un coup, une attaque,* s'en protéger en l'écartant ou en l'esquivant. – Fig. *Parer le coup* : éviter par des moyens appropriés une éventualité fâcheuse. ▷ MAR *Parer un abordage,* manœuvrer de manière à l'éviter. *Parer un cap,* le doubler en passant au large. **2.** v. tr. ind. *Parer à* : se garantir contre; prendre toutes les mesures appropriées pour faire face à.

parésie n. f. MED Paralysie partielle ou incomplète, parfois transitoire, d'un ou de plusieurs muscles.

pare-soleil n. m. inv. Écran destiné à protéger des rayons directs du soleil.

paresse n. f. **1.** Tendance à éviter toute activité, à refuser tout effort. **2.** MED Manque d'activité d'un organe. *Paresse intestinale.*

paresser v. intr. [1] Se laisser aller à la paresse; ne rien faire.

paresseusement adv. **1.** Avec paresse. **2.** Fig. Avec lenteur.

1. paresseux, euse adj. et n. **1.** Qui aime à éviter le travail, l'effort. *Être paresseux comme un loir, comme une couleuvre.* ▷ Subst. *Un paresseux, une paresseuse.* **2.** Qui dénote une certaine paresse. *Gestes paresseux.* ▷ MED Dont l'activité est anormalement faible, lente. *Intestin paresseux.*

2. paresseux n. m. ZOOL Mammifère xénarthre aux mouvements très lents (genre *Choloepus,* comprenant les unaus, et genre *Bradypus,* comprenant les aïs).

paresthésie n. f. MED Trouble de la sensibilité; anesthésie légère.

Pareto (Vilfredo Frederigo Samaso) (Paris, 1848 – Céligny, Suisse, 1923), économiste et sociologue italien. Il s'efforça d'établir la science économique sur des bases mathématiques.

parfaire v. tr. [10] **1.** Compléter en ajoutant ce qui manque. *Parfaire une somme.* **2.** Achever, mener jusqu'à son terme. *Parfaire un ouvrage.*

parfait, aite adj. et n. m. **A.** adj. **I. 1.** Qui réunit toutes les qualités; sans nul défaut. *Ce travail est parfait.* **2.** Aussi accompli qu'il est possible; qui ne saurait être amélioré, dépassé dans son genre. *Un travail parfait.* ▷ Irréprochable. *Sa mère a été parfaite en toutes circonstances.* **II. 1.** Complet, total; qui correspond exactement à un modèle, un idéal. *Vivre dans une tranquillité parfaite. Filer le parfait amour.* – Iron. *Un parfait imbécile.* ▷ MATH *Nombre parfait* : nombre égal à la somme de ses diviseurs. (Ex. : 6 = 1 + 2 + 3.) **2.** PHYS *Gaz* parfait.* **3.** MUS *Accord parfait,* formé de la tonique, de la tierce et de la quinte (do, mi, sol, dans le ton de do majeur). **B.** n. m. **1.** LING Aspect* du verbe présentant l'action non pas dans son déroulement mais comme achevée, ou comme un procès pur, indépendamment de toute relation temporelle. Syn. perfectif. **2.** Crème glacée. *Parfait au café.*

parfaitement adv. **1.** De manière parfaite. **2.** D'une manière absolue, complète. **3.** Oui, certainement, assurément.

parfois adv. Quelquefois, de temps à autre.

parfum [paʀfœ̃] n. m. **1.** Odeur aromatique qui s'exhale d'une substance. *Le parfum du muguet, de la violette.* **2.** Substance odorante, naturelle ou synthétique; mélange de ces substances. *Un flacon de parfum.* **3.** Fig. Vague impression. *Un parfum de scandale.* **4.** Arg. *Être au parfum* : être au courant.

parfumage n. m. TECH Opération qui consiste à parfumer un produit. *Le parfumage d'une crème.*

parfumé, ée adj. **1.** Qui exhale un parfum agréable. **2.** Qui a une saveur prononcée. *Une pêche parfumée.* **3.** Qui est imprégné de parfum.

parfumer v. tr. [1] **1.** Remplir d'une bonne odeur. *Les fleurs parfument l'air.* **2.** Répandre du parfum sur. *Parfumer son bain.* ▷ v. pron. Imprégner ses vêtements, son corps de parfum. *Vous parfumez-vous souvent?* **3.** Aromatiser (un mets).

parfumerie n. f. **1.** Fabrication, commerce des parfums et des produits de beauté. **2.** Ensemble des professionnels de la parfumerie.

parfumeur, euse n. **1.** Fabricant, créateur de parfums. **2.** Personne qui vend des parfums, des produits de beauté.

parhélie. V. parélie.

pari n. m. **1.** Gageure, promesse réciproque par laquelle plusieurs personnes, qui soutiennent des avis contraires, s'engagent à payer une certaine somme à celui qui se trouvera avoir raison. **2.** Jeu d'argent dans lequel les gains reviennent aux joueurs qui ont désigné par avance le gagnant ou les concurrents les mieux placés d'une compétition (d'une course de chevaux ou de lévriers, notam.). *Pari mutuel urbain* (P.M.U.). – Fig. *Les paris sont ouverts*, se dit à propos d'une affaire incertaine sur l'issue de laquelle les opinions sont partagées. **3.** PHILO *Pari de Pascal* : argument des *Pensées* destiné aux incroyants et qui montre la disproportion des enjeux selon que l'on croit ou non à l'existence de Dieu : « Si vous gagnez (Dieu existe), vous gagnez tout; si vous perdez (Dieu n'existe pas), vous ne perdez rien. »

paria n. m. En Inde, individu hors caste, considéré comme appartenant au dernier degré de l'échelle sociale, privé de droits, contraint de vivre exclu. V. intouchable. *La classe des parias a été officiellement abolie en 1947.* ▷ Fig., cour. Personne méprisée, exclue du groupe social.

pariade n. f. **1.** ZOOL Saison où les oiseaux s'apparient pour l'accouplement; cet accouplement. **2.** *Par ext.* Couple d'oiseaux.

Paricutín, volcan du Mexique, à l'O. de Morelia; né d'une éruption en 1943, il s'est élevé en quelques jours d'env. 300 m.

parier v. tr. [1] **1.** Faire un pari, une gageure. *Veux-tu parier que j'ai raison?* **2.** Engager (telle somme) dans un jeu d'argent fondé sur la mise en compétition de concurrents (chevaux ou lévriers opposés en une course, notam.). *Parier cent francs sur le favori.* **3.** *Par ext.* Affirmer, soutenir avec assurance. *Je parie que vous êtes sorti hier*, j'en suis à peu près certain. *Il y a gros à parier que...* : il y a de fortes raisons de croire que...

pariétaire n. f. Plante herbacée (genre *Parietaria*) qui croît le long des murs.

pariétal, ale, aux adj. et n. **I.** adj. **1.** ANAT Relatif à la paroi d'une cavité. *Os pariétal*, ou, n. m., *un, le pariétal* : chacun des deux os qui forment les côtés de la voûte crânienne. **2.** PREHIST *Peintures, gravures pariétales*, faites sur les parois rocheuses des grottes. **II.** n. f. pl. Groupe de plantes dicotylédones, dont les placentas sont logés dans les parois du pistil. – Sing. *Une pariétale.*

parieur, euse n. Personne qui parie.

parigot, ote n. et adj. Fam. Parisien.

Parini (Giuseppe) (Bosisio, près de Côme, 1729 – Brera, 1799), poète italien. En rupture avec le maniérisme, il fut un précurseur du Risorgimento : *le Jour* (1763-1801).

Paris, cap. de la France, sur la Seine, dans le Bassin parisien; 2 152 423 hab.; 20 499,2 hab./km²; (2 790 000 hab. en 1962; 2 590 000 hab. en 1968, 2 188 000 hab. en 1982). La ville de Paris forme à elle seule un dép. (75), qui couvre 105 km² et fait partie de la Région Île-de-France, dont elle est le ch.-l. – Archevêché. – L'aggl. parisienne, quant à elle, s'étend sur 12 001 km² et compte 10 660 554 hab.; 888,3 hab./km².

Situation géogr. – Paris occupe le cœur d'une zone où convergent des riv. navigables : Seine, Marne et Oise. La ville présente un amphithéâtre de buttes (Chaillot, Montmartre, buttes Chaumont, Belleville, Ménilmontant, montagne Sainte-Geneviève, Butte-aux-Cailles) autour d'une plaine formée par la Seine, qui décrit un méandre et que sépare en deux bras un groupe d'îles, dont la plus vaste est l'île de la Cité.

Fonctions. – Centre politique et administratif d'un État centralisé, Paris est aussi le centre de gestion des affaires françaises : toutes les grandes banques et 64 % des sociétés françaises y ont leur siège; la Bourse traite 95 % du volume des transactions. Paris est sur le plan architectural une des villes les plus remarquables du monde (V. [hôtel des] Invalides, [palais de] Chaillot, [Grand] et [Petit] Palais, Louvre, Marais, Notre-Dame de Paris, Opéra, Opéra-Bastille, Pompidou [CNAC], [Tour] Eiffel, [rond-point de la] Défense). Ses nombreux musées sont particulièrement riches (Louvre, musée d'Orsay, musée national d'Art moderne, Muséum national d'histoire naturelle, etc.). Ses universités sont réputées. Le rayonnement culturel de la capitale s'exerce au détriment de la province. Paris joue aussi un rôle économique considérable par l'existence d'un important débouché (marché de consommation) et d'une main-d'œuvre abondante et qualifiée. La grande industrie s'est entièrement déplacée vers la banlieue. La ville s'est spécialisée dans les produits finis de haute technicité : électronique, matériel électrique, produits pharmaceutiques, etc., et a conservé de petites industr. de luxe traditionnelles (articles de Paris). La capitale est le premier centre comm. français, doté du premier port fluvial. Les routes, les voies ferrées convergent vers l'agglomération. C'est aussi le siège de nombreux organismes internationaux (Unesco, O.C.D.É., etc.); les jeux Olympiques s'y sont déroulés en 1900 et 1924.

Statut et problèmes. – Divisé depuis 1861 en vingt arrondissements, dont chacun, de 1871 à 1976, avait à sa tête un maire nommé par le gouvernement, Paris est devenu une ville-département en 1964. La fonction de maire de Paris, abolie en 1871, a été rétablie en 1976 (loi de déc. 1975). Le dépeuplement de la ville intra-muros s'accentue : l'habitat se déplace vers la banlieue, alors que les bureaux se multiplient. Un des problèmes majeurs reste celui de la circulation automobile, étroitement lié à la question de la pollution, des espaces verts, etc.; le métro*, l'un des plus importants du monde, connaît un trafic considérable, une modernisation constante et une extension soutenue, notam. par le R.E.R.

Hist. – La cité des Parisii, tribu celte installée dans l'île de la Cité, prit le nom de *Lutèce* après la conquête romaine (52 av. J.-C.). Ravagée par les invasions germaniques à partir du IIIe s., elle fut réduite à l'île de la Cité et prit alors le nom de Paris. En 360, Julien y fut proclamé empereur. Capitale de Clovis, la ville de Paris fut christianisée au Ve s.; préservée des Huns grâce à sainte Geneviève (451), elle se développa (nombr. implantations religieuses) sous les premiers Mérovingiens. Délaissée par les Carolingiens, elle subit les raids des Normands, auxquels elle résista en 885-886. Cap. des Capétiens, la ville déborda sur la r. dr. et connut un grand essor, surtout à partir de Philippe Auguste (1180-1223), qui la dota d'une enceinte. Paris resta sous le contrôle du pouvoir royal et de la bourgeoisie, que représentait le prévôt des marchands. Son histoire fut marquée au XIVe s. par la révolte d'Étienne Marcel, celle des Maillotins et les luttes entre Armagnacs et Bourguignons. Acquise aux Anglais, la ville fut reprise par Charles VII (1436). À la fin du XVe s., ses 200 000 hab. font d'elle la princ. ville d'Occident, et un grand foyer intellectuel et artistique. Déchirée par les guerres de Religion, troublée par la Fronde, elle fut abandonnée, et ce au profit de Versailles, en tant que résidence privilégiée par Louis XIV et ses successeurs. Elle joua un rôle politique considérable durant la Révolution. Théâtre de grandes parades sous le Consulat et l'Empire, elle se transforma profondément au cours du XIXe s. avec le développement économique et l'essor démographique (714 000 hab. en 1817; 2 714 000 hab.

vue aérienne de **Paris :** au premier plan, à g., le palais du Trocadéro face à la tour Eiffel et au Champ-de-Mars; au second plan, l'hôtel des Invalides et la tour Montparnasse (à dr.); au centre, la Seine; à g., le Grand Palais et le Petit Palais

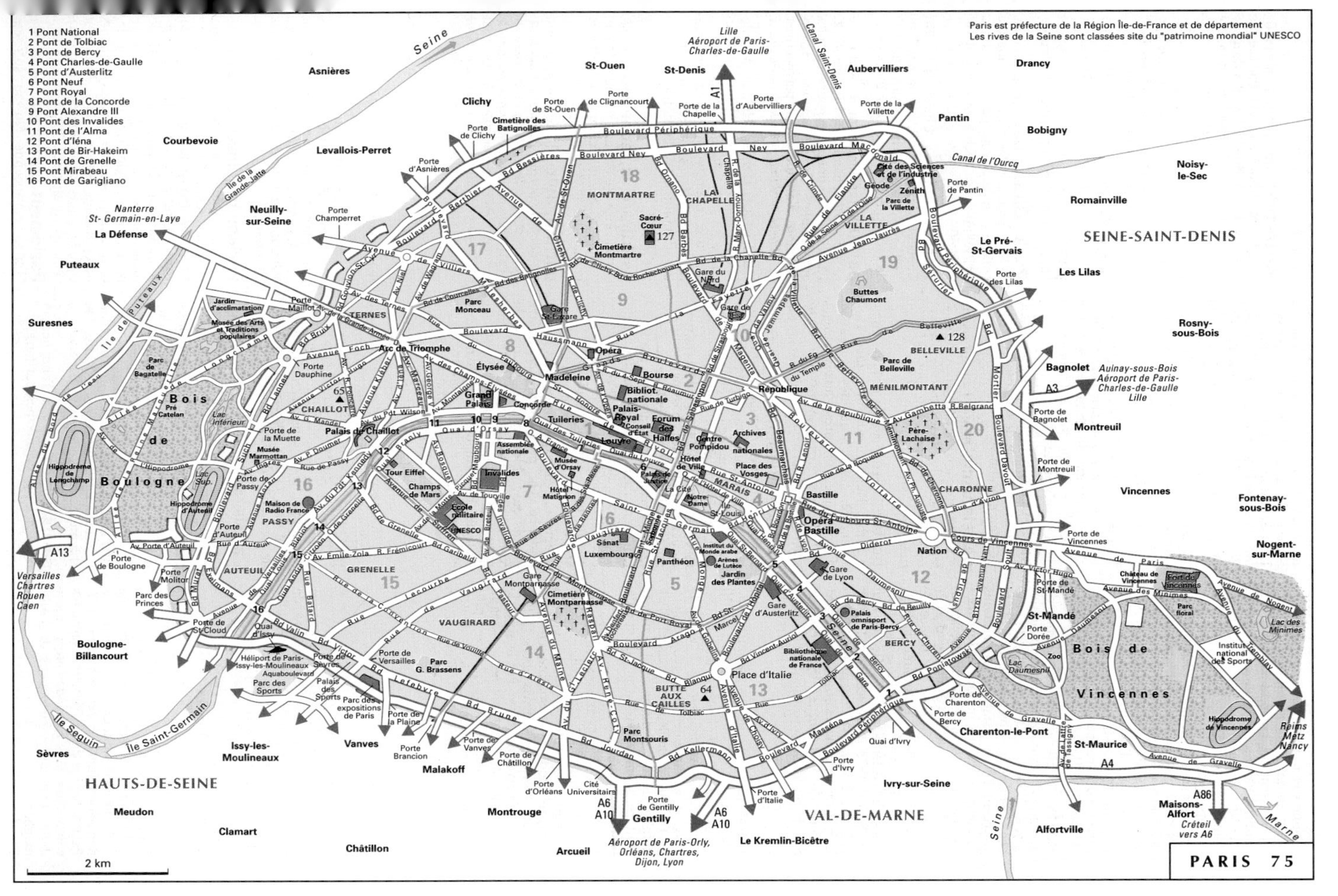

PARIS 75
Paris est préfecture de la Région Île-de-France et de département
Les rives de la Seine sont classées site du "patrimoine mondial" UNESCO
1 Pont National
2 Pont de Tolbiac
3 Pont de Bercy
4 Pont Charles-de-Gaulle
5 Pont d'Austerlitz
6 Pont Neuf
7 Pont Royal
8 Pont de la Concorde
9 Pont Alexandre III
10 Pont des Invalides
11 Pont de l'Alma
12 Pont d'Iéna
13 Pont de Bir-Hakeim
14 Pont de Grenelle
15 Pont Mirabeau
16 Pont de Garigliano
SEINE-SAINT-DENIS
HAUTS-DE-SEINE
VAL-DE-MARNE
Lille
Aéroport de Paris-Charles-de-Gaulle
Aulnay-sous-Bois
Aéroport de Paris-Charles-de-Gaulle
Lille
Aéroport de Paris-Orly, Orléans, Chartres, Dijon, Lyon
Versailles
Chartres
Rouen
Caen
Nanterre
St- Germain-en-Laye
Reims
Metz
Nancy
Créteil vers A6
Asnières
St-Ouen
St-Denis
Aubervilliers
Drancy
Clichy
Pantin
Bobigny
Courbevoie
Levallois-Perret
Noisy-le-Sec
Romainville
Neuilly-sur-Seine
La Défense
Puteaux
Le Pré-St-Gervais
Les Lilas
Suresnes
Rosny-sous-Bois
Bagnolet
Montreuil
Vincennes
Fontenay-sous-Bois
Nogent-sur-Marne
St-Mandé
Boulogne-Billancourt
Charenton-le-Pont
St-Maurice
Sèvres
Issy-les-Moulineaux
Vanves
Malakoff
Ivry-sur-Seine
Meudon
Montrouge
Gentilly
Maisons-Alfort
Clamart
Châtillon
Arcueil
Le Kremlin-Bicêtre
Alfortville
MONTMARTRE
LA CHAPELLE
LA VILLETTE
BELLEVILLE
MÉNILMONTANT
CHARONNE
TERNES
CHAILLOT
PASSY
AUTEUIL
GRENELLE
VAUGIRARD
MARAIS
BUTTE AUX CAILLES
BERCY
Bois de Boulogne
Bois de Vincennes
Sacré-Cœur
Cimetière Montmartre
Cimetière des Batignolles
Cité des Sciences et de l'Industrie
Géode
Zénith
Parc de la Villette
Buttes Chaumont
Parc de Belleville
Père-Lachaise
Gare du Nord
Gare de l'Est
Gare St-Lazare
Parc Monceau
Arc de Triomphe
Élysée
Opéra
Madeleine
Bourse
Bibliot. nationale
Palais-Royal
Conseil d'État
Forum des Halles
Centre Pompidou
Archives nationales
République
Place des Vosges
Hôtel de Ville
Palais de Justice
La Cité
Notre-Dame
Île St-Louis
Bastille
Opéra Bastille
Nation
Louvre
Tuileries
Concorde
Grand Palais
Assemblée nationale
Musée d'Orsay
Invalides
Hôtel Matignon
Palais de Chaillot
Tour Eiffel
Champs de Mars
École militaire
UNESCO
Maison de Radio France
Musée Marmottan
Sénat
Luxembourg
Panthéon
Institut du Monde arabe
Arènes de Lutèce
Jardin des Plantes
Gare de Lyon
Gare d'Austerlitz
Palais omnisport de Paris-Bercy
Bibliothèque nationale de France
Place d'Italie
Gare Montparnasse
Cimetière Montparnasse
Parc G. Brassens
Parc Montsouris
Cité Universitaire
Parc des expositions de Paris
Palais des Sports
Héliport de Paris-Issy-les-Moulineaux
Aquaboulevard
Parc des Sports
Parc des Princes
Jardin d'acclimatation
Musée des Arts et Traditions populaires
Parc de Bagatelle
Pré Catelan
Lac Inférieur
Lac Sup.
Hippodrome de Longchamp
Hippodrome d'Auteuil
Château de Vincennes
Fort de Vincennes
Parc floral
Lac Daumesnil
Zoo
Lac des Minimes
Institut national des Sports
Hippodrome de Vincennes
Porte de St-Ouen
Porte de Clignancourt
Porte de la Chapelle
Porte d'Aubervilliers
Porte de la Villette
Porte de Pantin
Porte des Lilas
Porte de Bagnolet
Porte de Montreuil
Porte de Vincennes
Porte de St-Mandé
Porte Dorée
Porte de Charenton
Porte de Bercy
Quai d'Ivry
Porte d'Ivry
Porte d'Italie
Porte de Gentilly
Porte d'Orléans
Porte de Châtillon
Porte de Vanves
Porte Brancion
Porte de la Plaine
Porte de Versailles
Porte de Sèvres
Porte de St-Cloud
Porte Molitor
Porte de Boulogne
Porte d'Auteuil
Porte de Passy
Porte de la Muette
Porte Dauphine
Porte Maillot
Porte Champerret
Porte d'Asnières
Porte de Clichy
Boulevard Périphérique
Canal de l'Ourcq
Canal Saint-Denis
Seine
Marne
Île de la Grande-Jatte
Île de Puteaux
Île Seguin
Île Saint-Germain
A1
A3
A4
A6
A10
A13
A86
127
128
65
64
2 km

en 1900). Paris fut le théâtre de révolutions qui marquèrent l'histoire du XIXe s. (1830, 1848, 1871). À cette époque furent réalisés d'importants travaux, notam. sous l'impulsion du préfet Haussmann (Second Empire), qui donna à Paris sa physionomie actuelle. La IIIe République poursuivit les grands travaux d'urbanisme. En 1918, la cap. essuya les tirs à longue portée des canons allemands. Elle souffrit des raids aériens des Allemands et des Alliés lors de la Seconde Guerre mondiale, en 1940 et 1944 notam. Les Allemands, qui l'occupaient depuis le 14 juin 1940, durent capituler après l'arrivée des troupes du général Leclerc (25 août 1944).

Paris (conférences de), nom de diverses réunions internationales tenues à Paris, notam. : – celle de nov.-déc. 1945 dont l'objet était de fixer le pourcentage du total des réparations de guerre dues aux nations victorieuses devant être attribué à chaque pays; – celle de juil.-oct. 1946, dite des *21 Nations*, jetant les bases des traités de paix avec l'Italie, la Roumanie, la Hongrie, la Bulgarie et la Finlande, pays alliés de l'Allemagne; – celle de mai 1968-janv. 1973 entre les É.-U., le Viêt-nam du Nord, le Viêt-nam du Sud et le gouvernement révolutionnaire provisoire du Viêt-nam du Sud en vue d'élaborer un accord (signé le 27 janv. 1973) pour mettre fin à la guerre du Viêt-nam.

Paris (congrès de), congrès (fév.-avr. 1856) organisé à Paris par Napoléon III après la guerre de Crimée. L'acte final, signé le 30 mars, par la France, la G.-B., le royaume de Piémont-Sardaigne, la Turquie et la Russie, consacrait la défaite de cette dernière. L'Autriche était représentée, avec rang de médiateur.

Paris (école de), désignation collective d'un certain nombre de peintres étrangers, figuratifs pour la plupart (Chagall, Modigliani, Soutine, etc.), qui vinrent travailler à Paris après la Première Guerre mondiale. Par la suite, le terme d'école de Paris sera entendu dans une acception de plus en plus large pour s'appliquer à tout artiste, français ou étranger, travaillant à Paris et dont l'œuvre est censée être novatrice.

Paris (traités de), nom de nombreux traités signés à Paris, dont nous citerons les princ. – *1229* : entre le roi de France (Louis IX sous la régence de Blanche de Castille) et Raimond VII de Toulouse, qui céda à la Couronne le duché de Toulouse et la vicomté de Carcassonne (fin de la guerre des albigeois). – *1258-1259* : entre Louis IX et Henri III d'Angleterre, qui se reconnut le vassal du roi de France pour ses possessions françaises (fin de la « première guerre de Cent Ans »). – *1763* : entre, d'une part, l'Angleterre et, d'autre part, l'Espagne et la France, qui durent céder à l'Angleterre la plupart de leurs colonies (fin de la guerre de Sept Ans). – *1814* et *1815* : entre l'Europe coalisée et la France vaincue (fin des guerres napoléoniennes). – *Fév.-avril 1856* : V. Paris (congrès de). – *Fév. 1947* : entre les vainqueurs de la Seconde Guerre mondiale et les alliés européens de l'Allemagne.

Paris (Henri d'Orléans, comte de) (Le Nouvion-en-Thiérache, 1908), prince français; fils de Jean, duc de Guise. Il est le chef de la maison de France. V. Orléans (maisons d').

Pâris (surnommé *Alexandre*), dans la myth. gr., prince troyen, fils de Priam et d'Hécube, amant d'Œnone. Aphrodite lui avait promis l'amour d'Hélène de Sparte, la plus belle des mortelles. L'enlèvement d'Hélène, femme de Ménélas, déclencha la guerre de Troie; Pâris tua Achille, mais il fut tué par Philoctète. – *Jugement de Pâris*, qui trancha en faveur d'Aphrodite le différend qui opposait cette dernière à Héra et à Athéna, chacune réclamant la pomme d'or du jardin des Hespérides, destinée à la plus belle.

Pâris (François de) (Paris, 1690 – id., 1727), religieux français; diacre janséniste. Sa tombe, au cimetière de Saint-Médard, devint le lieu de rendez-vous des convulsionnaires*.

paris-brest n. m. inv. Gâteau en pâte à choux en forme de couronne, fourré de crème pralinée.

parisianisme n. m. **1.** Expression, tour propre au français parlé à Paris. **2.** Péjor. Ensemble des caractéristiques propres au cercle fermé des intellectuels parisiens à la mode.

parisien, enne adj. et n. **1.** De Paris. ▷ Subst. Habitant de Paris. *Un(e) Parisien(ne).* **2.** Qui a les qualités d'élégance, d'esprit que l'on prête aux Parisiens. **3.** PHON *R parisien*, grasseyé (par opposition au *r roulé*).

parisien (Bassin), vaste ensemble sédimentaire qui occupe le quart du territoire français entre le Massif armoricain, les collines de l'Artois, l'Ardenne, les Vosges et le Massif central. – La disposition des couches géologiques est caractéristique des bassins sédimentaires, mais n'est bien réalisée qu'à l'E. : les terrains (surtout calcaires, mais également marneux, argileux, sableux) sont disposés en auréoles concentriques, les plus anc. occupant la périphérie. Le réseau hydrographique (Seine, Loire, Meuse, Moselle et leurs affl.) s'est adapté au relief, que l'érosion a mis en évidence. On peut distinguer quatre grands ensembles : à l'O. et au N., la Normandie, le pays de Caux, la Picardie (plateaux crayeux, surtout); à l'E., les plateaux bourguignons, la Champagne et la Lorraine (relief de cuestas); au S., le pays de la Loire (plaines parfois marécageuses, plateaux); au centre, des terrains tertiaires (succession de plateaux souvent limoneux, Beauce notam.). Le climat subit des influences océaniques. La géographie humaine et économique est très marquée par l'attraction qu'exerce la région parisienne. L'agriculture intensive s'est développée pour satisfaire aux besoins de la cap., notam. sur les riches terres de Beauce et de Picardie.

Parisis, petit pays de l'Île-de-France, au N.-O. de Paris. Il fait partie du Val-d'Oise.

parisyllabique adj. et n. m. GRAM Se dit d'un mot latin qui a le même nombre de syllabes au nominatif et au génitif singulier.

paritaire adj. Qui est formé d'un nombre égal de représentants de chaque partie. *Commission paritaire.*

paritarisme n. m. Didac. Tendance au recours à des organismes paritaires.

parité n. f. **1.** Égalité, similitude parfaite. **2.** FIN Équivalence entre la valeur relative de l'unité monétaire d'un pays et celle de l'unité monétaire d'un autre pays. *La dévaluation réduit la parité d'une monnaie.* – *Parité des changes* : équivalence des cours du change sur deux places. **3.** MATH Caractère pair ou impair. *Parité d'une fonction.*

Parizeau (Jacques) (Montréal, 1930), homme politique canadien. Partisan de la souveraineté du Québec, il a dirigé le Parti québécois (1988-1996) et a été Premier ministre (1994-1996).

parjure n. **1.** n. m. Faux serment; violation de serment. *Commettre un parjure.* **2.** n. Personne qui fait un faux serment, qui viole son serment.

parjurer (se) v. pron. [1] Violer son serment, faire un faux serment.

parka n. m. ou f. Longue veste à capuche, en tissu imperméable doublé.

Park Chung-hee (Sonsan-gun, 1917 – Séoul, 1979), général et homme politique sud-coréen; président de la République de 1961 à sa mort. Il fut assassiné.

Parker (Charles Christopher, dit Charlie) (surnommé Bird) (Kansas City, 1920 – New York, 1955), saxophoniste de jazz américain, créateur du be-bop.

parking [paʀkiŋ] n. m. **1.** Action de parquer un véhicule. *Parking interdit.* **2.** Parc de stationnement pour véhicules automobiles. *Parking complet.* **3.** Fam. Solution d'attente, sans perspectives. *Des stages parkings pour les chômeurs.*

Parkinson (James) (Hoxton, Middlesex, 1755 – Londres, 1824), médecin anglais. ▷ MED *Maladie de Parkinson* : affection neurologique dont les principaux symptômes sont le tremblement, une diminution de la motricité et une hypertonie.

parkinsonien, enne [paʀkinsɔnjɛ̃, ɛn] adj. et n. Relatif à la maladie de Parkinson*. ▷ Subst. Personne atteinte de la maladie de Parkinson.

parlant, ante adj. **1.** Qui parle, qui est doué de parole. **2.** *Par ext.* Expressif. *Des gestes parlants.* ▷ Fig. Très ressemblant (œuvre d'art). *Portrait parlant.* ▷ Évident. *Preuves parlantes.* **3.** Qui est accompagné de paroles. *Cinéma parlant*, par oppos. à *cinéma muet.* ▷ *Horloge parlante.*

parlé, ée adj. Exprimé par la parole. *La langue parlée et la langue écrite.*

parlement n. m. **1.** HIST *Un parlement* : en France, sous l'Ancien Régime, cour souveraine de justice. **2.** *Le Parlement* : l'ensemble des assemblées législatives d'un pays. *Le Parlement français* (Sénat et Assemblée nationale), *anglais* (Chambre des lords et Chambre des communes).

Parlement (Long), nom du Parlement convoqué par Charles Ier d'Angleterre en oct. 1640, après que le *Court Parlement* (convoqué en avril et renvoyé en mai) lui eut refusé les subsides attendus. Le *Long Parlement* fit de même, ce qui déclencha la première révolution d'Angleterre. En déc. 1648, Cromwell l'épura de tous les éléments non puritains, d'où le nom de *Parlement croupion* que lui donnèrent, par dérision, les royalistes.

Parlement européen, organe de l'Union européenne élu au suffrage universel. Il est compétent, aux côtés du Conseil des ministres, comme colégislateur, et donne son approbation pour l'admission de nouveaux États membres.

parlementaire adj. et n. **I.** adj. **1.** HIST Qui est relatif à un parlement (sens 1). **2.** Qui est relatif au Parlement (sens 2). *Commissions, débats parlementaires.* ▷ *Régime parlementaire :* régime politique dans lequel la prépondérance appartient au pouvoir législatif. ▷ *Monarchie parlementaire :* V. monarchie. **3.** Qui est lié aux fonctions de membre du Parlement. *Immunité, indemnité parlementaire.* **II.** n. **1.** Membre d'une assemblée législative. **2.** n.m. Délégué envoyé pour parlementer avec l'ennemi, en temps de guerre.

parlementarisme n. m. Ensemble des institutions caractérisant les régimes parlementaires.

parlementer v. intr. [1] Échanger des propositions pour arriver à une convention quelconque entre adversaires, entre belligérants. ▷ *Par ext.* Discuter longuement.

1. parler v. [1] **I.** v. intr. **1.** Articuler des sons appartenant à une langue; prononcer des mots. *Cet enfant a parlé tôt. Il parle avec un léger zézaiement.* **2.** Manifester sa pensée, ses sentiments par la parole; s'exprimer. – *Parler en l'air,* à tort et à travers, sans réfléchir, sans peser ses mots. – *Parler pour qqn,* s'exprimer en son nom, intercéder en sa faveur. ▷ *Par anal.* Communiquer par un code autre que la parole. *Les muets parlent par signes.* **3.** Faire des aveux, révéler ce qui devait être tenu secret. *Il a parlé sous la menace.* ▷ *Faire parler qqn,* l'amener à dire ce qu'il voulait tenir caché. **II.** v. tr. indir. **1.** *Parler à (avec) qqn :* s'adresser à qqn, dialoguer avec lui. – Fig. *Parler à un mur :* tenter vainement de convaincre qqn, parler à qqn qui refuse d'écouter. **2.** *Parler de qqch, de qqn :* donner son avis, révéler ses sentiments sur qqch, sur qqn. ▷ *Parler de la pluie et du beau temps :* dire des banalités; s'entretenir de choses et d'autres, sans sujet de conversation précis. **3.** *Parler de qqch à qqn :* s'entretenir avec qqn d'un sujet précis. ▷ Fam. (Marquant l'incrédulité, le doute, l'assentiment ironique.) *Lui, généreux? Vous parlez!* **III.** v. tr. **1.** *Parler une langue,* pouvoir s'exprimer, converser dans cette langue. *Parler le chinois.* ▷ v. pron. Être parlé. *Le catalan se parle encore dans le Roussillon.* **2.** *Parler affaires, peinture, politique,* etc. : s'entretenir d'affaires, etc.

2. parler n. m. **1.** Manière de parler. *Un parler soigné, négligé.* **2.** LING Langue propre à une région, à l'intérieur d'un grand domaine linguistique. *Les parlers franco-provençaux.*

parleur, euse n. et adj. **1.** n. *Un beau parleur :* une personne qui parle avec une élocution affectée, qui s'écoute. **2.** adj. *Oiseau parleur,* capable d'imiter le son de la parole.

parloir n. m. Salle pour recevoir les visiteurs dans les collèges, les communautés, les prisons, etc.

parlot(t)e n. f. Fam. Bavardage oiseux.

parme adj. inv. et n. m. D'une couleur violet pâle. *Des murs parme.* ▷ n. m. Cette couleur.

Parme, v. d'Italie (Émilie-Romagne), sur la *Parma,* affl. du Pô (r. dr.); 177 100 hab. (Parmesans); ch.-l. de la prov. du m. nom. Centre agricole (vins, jambon, fromages, fleurs) et industr. (text., parfumerie, machines agric.). – Université. Cath. du XIIe s. à campanile gothique. Baptistère romano-gothique des XIIe et XIIIe s. Égl. San Giovanni Evangelista (XVIe-XVIIe s. , fresques du Corrège et du Parmesan). Musées. – Fondée par les Étrusques, colonie romaine en 183 av. J.-C., la ville fut la cap. d'un duché créé en 1545 par Paul III pour son fils Pier Luigi Farnèse. En 1815, il revint, à titre viager, avec Plaisance et Guastalla, à l'impératrice Marie-Louise, à laquelle succéda, en 1847, une branche des Bourbons (dite, depuis, Bourbon-Parme). Le duché fut réuni au Piémont en 1860.

parmélie n. f. BOT Lichen (genre *Parmelia*) à thalle foliacé poussant sur les troncs d'arbre, les vieux murs, etc. ▶ illustr. **lichens**

Parménide (VIe-Ve s. av. J.-C.), philosophe grec de l'école d'Élée; Platon le surnomma «le Grand». On peut le considérer comme le père de l'ontologie.

Parmentier (baron Antoine Augustin) (Montdidier, 1737 – Paris, 1813), pharmacien, diététicien et agronome français. Il vulgarisa la consommation de la pomme de terre en France (1785). ▶ illustr. page **1388**

parmesan, ane adj. et n. **1.** adj. De la ville de Parme. ▷ Subst. *Un(e) Parmesan(e).* **2.** n. m. Fromage cuit à pâte très dure, de texture granuleuse, au goût et au parfum prononcés, fabriqué dans la région de Parme.

Parmesan (Francesco Mazzola, dit le), en ital. *il Parmigianino* (Parme, 1503 – Casalmaggiore, 1540), peintre italien; l'un des princ. initiateurs du maniérisme (*la Madone au long cou,* v. 1535).

parmi prép. **1.** Au milieu de, entre. *Se frayer un passage parmi les nombreux visiteurs.* **2.** Au nombre de. *Il compte parmi mes amis.*

Parnasse, mont célèbre de la Grèce, au N.-E. de Delphes (Phocide, 2 457 m), qui, dans l'Antiquité, était consacré à Apollon et aux Muses.

Parnasse (le), séjour des poètes. – (Collectif) Les poètes, la poésie, leur monde symbolique. ▷ Mouvement littéraire apparu en réaction contre le romantisme, qui commença à s'exprimer en 1866 dans un recueil, *le Parnasse contemporain,* et qui élabora une poésie ayant notam. pour fondement le culte de la beauté impassible – l'art pour l'art – et les recherches érudites.

parnassien, enne n. et adj. Poète du groupe du Parnasse. *Les parnassiens.* – adj. *Un poète parnassien.*

Parnell (Charles Stewart) (Avondale, Wicklow, 1846 – Brighton, 1891), homme politique irlandais. D'origine anglaise, protestant, grand propriétaire foncier, élu aux Communes (1875), il prit fait et cause pour les nationalistes irlandais, dont il dirigea le parti dès 1877, lui donnant une nouvelle vigueur.

parodie n. f. **1.** Imitation burlesque d'une œuvre littéraire célèbre. Syn. pastiche. **2.** *Par ext.* Imitation grotesque, cynique. *Il a été fusillé après une parodie de procès.*

parodier v. tr. [1] **1.** Faire la parodie de (une œuvre). **2.** Imiter, contrefaire (qqn), ses gestes, ses manières.

parodique adj. Qui appartient à la parodie; qui est de la nature de la parodie.

parodiste n. Auteur de parodies.

parodonte n. m. ANAT Ensemble des tissus de soutien (gencives, ligaments, etc.) qui fixent la dent au maxillaire.

parodontologie n. f. Didac. Partie de l'art dentaire qui concerne les maladies du parodonte.

parodontose n. f. MED Affection qui atteint le parodonte.

paroi n. f. **1.** Cloison séparant deux pièces contiguës. ▷ Surface interne d'un objet creux. *Paroi d'un vase.* – ANAT Partie qui limite une cavité du corps. *Paroi nasale.* **2.** Surface latérale d'une excavation, d'une cavité naturelle. *Les parois d'une grotte.* **3.** Versant montagneux abrupt et sans aspérités.

paroisse n. f. **1.** Territoire sur lequel un curé, un pasteur exerce son ministère. **2.** Ensemble des habitants de ce territoire.

paroissial, ale, aux adj. D'une paroisse, de la paroisse.

paroissien, enne n. Fidèle d'une paroisse.

parole n. f. **I.** Mot ou ensemble de mots servant à exprimer la pensée. **1.** Discours, propos. *Ne pas dire une parole. Paroles amicales, encourageantes.* **2.** Sentence, expression remarquable et forte d'une pensée originale. *Connaissez-vous cette parole de Socrate?* **3.** Assurance, promesse verbale. *Donner sa parole d'honneur.* ▷ *N'avoir qu'une parole :* respecter ses engagements premiers. ▷ *Sur parole :* sur la foi de la promesse donnée. *Prêter sur parole.* ▷ Fam. *Parole d'honneur! Parole!* (pour insister sur la véracité d'une déclaration). ▷ (Plur.) Promesses vagues. *Assez de belles paroles!* **4.** (Plur.) Texte d'une chanson, d'un opéra (par oppos. à *musique*). **II. 1.** Faculté de parler, d'exprimer la pensée au moyen de la voix. *Avoir le don de la parole :* parler, s'exprimer naturellement avec facilité. **2.** LING Utilisation, mise en acte du code qu'est la langue par les sujets parlants, dans les situations concrètes de communication. *Langue et parole, code et message.* **3.** RELIG *La parole de Dieu* ou, absol., *la Parole :* l'Écriture sainte.

parolier, ère n. Auteur de textes destinés à être mis en musique.

paronomase n. f. RHET Figure qui assemble des paronymes (ex. *Qui se ressemble s'assemble. Qui terre a guerre a*).

paronyme n. m. Didac. Mot offrant une ressemblance de forme et de prononciation avec un autre (ex. *avènement* et *événement*).

Paros, île des Cyclades, à l'O. de Naxos; 186 km^2; 8 000 hab.; célèbre dans l'Antiquité pour son marbre blanc.

parotide n. f. ANAT Glande salivaire placée devant l'oreille, près de l'angle inférieur du maxillaire.

parousie n. f. THEOL Second avènement du Christ, lorsqu'il redescendra sur Terre à la fin des siècles.

paroxysme n. m. **1.** MED Période pendant laquelle les symptômes d'une maladie se manifestent avec le plus d'intensité. **2.** Point le plus aigu (d'une passion, d'une sensation, etc.). *Paroxysme de la colère, du plaisir.*

paroxysmique adj. Didac. Relatif au (à un) paroxysme.

paroxystique adj. MED ou litt. Qui présente un (des) paroxysme(s).

paroxyton adj. m. LING Qui porte l'accent sur l'avant-dernière syllabe.

parpaillot, ote n. Vx, péjor. ou mod., plaisant Protestant, pour les catholiques.

parpaing [paʀpɛ̃] n. m. Pierre, moellon qui tient toute l'épaisseur d'un mur. ▷ *Par ext.* Élément de construction préfabriqué, parallélépipède en aggloméré, généralement creux.

Parques (les), dans la myth. romaine, les trois divinités (Nona, Decima, Morta), assimilées aux Moires grecques, qui présidaient à la destinée. – *La Parque :* la destinée, la mort.

parquer v. tr. [1] **1.** Mettre dans un parc, dans une enceinte. *Parquer des bestiaux, un véhicule.* **2.** Garer un véhicule. ▷ Stationner.

parquet n. m. **I.** Revêtement de sol constitué de lames de bois assemblées. *Un parquet bien ciré. Parquet à l'anglaise,* dont les lames sont parallèles et en coupe droite. **II. 1.** Local réservé aux membres du ministère public. **2.** Ensemble des magistrats composant le ministère public auprès d'une cour, d'un tribunal. **3.** Enceinte où se réunissent les agents de change dans une Bourse.

parqueter v. tr. [20] TECH Revêtir d'un parquet.

parquetier n. m. DR Magistrat du parquet.

Parr (Catherine). V. Catherine Parr.

parrain n. m. **1.** Celui qui, s'étant engagé à veiller sur l'éducation religieuse d'un enfant, le tient sur les fonts baptismaux. **2.** Celui qui préside à la cérémonie du baptême d'un navire, d'une cloche. **3.** Celui qui introduit un nouveau membre dans un cercle, une association. **4.** Fam. Chef d'un clan de malfaiteurs important.

parrainage n. m. **1.** Qualité, obligations du parrain ou de la marraine. **2.** Caution morale donnée par qqn. **3.** Soutien matériel apporté à une manifestation, à une personne, à un produit ou à une organisation en vue d'en retirer un bénéfice direct.

parrainer v. tr. [1] **1.** Accorder son parrainage à (qqch, qqn). **2.** Syn. (off. recommandé) de *sponsoriser.*

1. parricide n. m. Crime de celui qui tue son père, sa mère ou tout autre de ses ascendants.

2. parricide n. Personne qui a commis un parricide.

Parrot (André) (Désandans, Doubs, 1901 – Paris, 1980), archéologue français. Il travailla notam. sur les sites mésopotamiens de Lagash (auj. *Tello,* 1931-1933) et Mari (1933-1957).

Parsa. V. Persépolis.

parsec n. m. ASTRO Unité de longueur utilisée pour exprimer les distances stellaires (symbole pc), qui représente la distance à laquelle le rayon moyen de l'orbite terrestre (valant 1 UA) est vu sous un angle de 1 " (1 parsec = 3,2616 années de lumière, soit 206 265 UA ou $3{,}0856.10^{13}$ km). *Le mot parsec est une contraction de parallaxe-seconde.*

parsemer v. tr. [16] **1.** Mettre, jeter çà et là. *Les amis des mariés avaient parsemé de fleurs d'oranger le parvis de l'église.* ▷ Fig. Pp. *Une version latine parsemée d'embûches.* **2.** Être dispersé, éparpillé sur. *Des motifs très colorés parsèment ce tapis.*

parsi, ie n. et adj. **1.** En Inde, descendant des anciens Perses resté fidèle à la religion de Zoroastre. ▷ adj. *Religion parsie.* **2.** n. m. Ancienne langue indo-européenne dérivant du vieux perse.

Parsons (Talcott) (Colorado Springs, 1902 – Munich, 1979), sociologue américain; auteur d'une sociologie de l'action, d'inspiration fonctionnaliste (*The Structure of Social Action,* 1937).

1. part [paʀ] n. m. DR *Substitution de part :* action de substituer un enfant nouveau-né à un autre.

2. part [paʀ] n. f. **I. 1.** Partie, fraction d'une chose affectée à qqn, à qqch. *Une part de gâteau. Les parts d'un héritage.* ▷ Loc. fig. *La part du lion,* la plus grosse. – *Faire la part du feu :* sacrifier une partie pour sauver le reste. *Faire la part des choses :* tenir compte des circonstances. ▷ *Avoir part à :* bénéficier d'une part de. ▷ *Prendre part à :* avoir un rôle actif dans. *Prendre part à une discussion.* – Participer, prendre intérêt à. *Je prends part à votre douleur.* ▷ *Faire part de qqch à qqn,* l'en informer. – *Billet, lettre de faire-part :* V. faire-part. ▷ *Prendre en bonne, en mauvaise part :* interpréter en bien, en mal. **2.** Unité de base du calcul de l'impôt sur le revenu. **3.** DR, COMM *Part de marché,* exprimée sous forme d'un pourcentage qui indique la position d'une entreprise sur le marché d'un produit, d'un service. ▷ *Part sociale* ou *part :* fraction déterminée du capital d'une société de personnes ou d'une S.A.R.L., donnant à son propriétaire certains droits (notam. participation à l'administration). – *Part d'intérêt :* portion du capital social appartenant à un associé en nom collectif. **II.** Loc. adv. **1.** *Quelque part :* dans un endroit quelconque. ▷ Par euph. *Donner un coup de pied quelque part à qqn,* au derrière. – *Nulle part :* en aucun endroit. – *De part et d'autre :* de deux côtés opposés. – *De toute(s) part(s) :* de tous côtés. – *De part en part :* en passant complètement à travers. – *Autre part, d'autre part :* V. autre. – *Pour ma part, pour sa part,* etc. : quant à moi, quant à lui, etc. – *Pour une part :* dans une certaine mesure. *À part entière.* ▷ Loc. prép. *De la part de (qqn)* (pour indiquer de quelle personne provient qqch). **2.** *À part :* séparément. – *À part moi, à part soi :* en moi-même, en soi-même. ▷ Loc. adj. Qui se distingue des autres. *C'est un enfant à part.* ▷ Loc. prép. Excepté. *À part cela, il n'y a rien à lui reprocher.*

partage n. m. **I. 1.** Division en plusieurs parts. *Le partage d'un butin, d'une succession.* ▷ *Sans partage :* sans restriction, en entier. **2.** Répartition des suffrages en nombre égal d'un côté comme de l'autre, dans une assemblée délibérante. *Partage des voix.* **3.** GEOGR *Ligne de partage des eaux :* crête, ligne de plus faible pente séparant deux bassins fluviaux. **II.** Part assignée à qqn. *Recevoir une maison en partage.*

partagé, ée adj. **1.** Divisé, réparti. **2.** Réciproque. *Un amour partagé.* **3.** INFORM *Travail en temps partagé :* V. temps.

partageable adj. Qui peut être partagé.

partager v. [13] **I.** v. tr. **1.** Diviser en plusieurs parts destinées à être distribuées. *Partager ses biens entre ses enfants.* **2.** Donner une partie de (ce qui est à soi). *Partager son déjeuner avec un ami.* **3.** Avoir en commun avec qqn. *Partager la même chambre.* – Fig. *Partager l'avis de qqn,* être du même avis que lui. **4.** Séparer (un tout) en parties distinctes. *La bissectrice partage un angle en deux parties égales.* **5.** Diviser (un groupe) en partis opposés. *Question qui partage l'opinion.* **6.** (Passif) Être en proie à des tendances, des sentiments contradictoires. *Être partagé entre la crainte et l'espoir.* **7.** *Être bien, mal partagé :* être avantagé, désavantagé. **II.** v. pron. **1.** Être partagé, divisé. *L'opinion s'est partagée en trois grandes tendances.* **2.** Partager entre soi. *Elles se sont partagé les avantages.*

partageur, euse adj. Qui partage volontiers ce qu'il a.

partance n. f. *En partance :* sur le point de partir, en parlant d'un navire, d'un avion, d'un train, etc. ▷ *En partance pour... :* dont la destination est...

1. partant, ante n. et adj. **1.** n. Celui, celle qui part. ▷ n. m. SPORT Cheval qui prend le départ d'une course. **2.** adj. Fam. *Être partant pour :* être tout à fait disposé à.

2. partant conj. Litt. Par conséquent, par suite. *Elle manquait de douceur, partant de charme.*

partenaire n. **1.** Associé(e) avec qui l'on joue contre d'autres joueurs. *Avoir un bon partenaire au bridge.* **2.** Personne avec qui l'on pratique certaines activités. *La partenaire d'un danseur.* ▷ *Spécial.* Personne qui a des relations sexuelles avec une autre. **3.** n. m. Pays ayant des liens politiques, économiques, avec un autre. **4.** *Partenaires sociaux :* agents économiques (patrons, syndicats, pouvoirs publics) impliqués dans des négociations d'ordre social.

partenarial, ale, aux adj. Qui concerne un partenariat. *Financement partenarial.*

partenariat n. m. Fait d'être partenaire. *Le partenariat d'entreprises.*

parterre n. m. **1.** Partie d'un jardin où l'on cultive des fleurs, des plantes d'agrément. *Un parterre de géraniums.* **2.** Partie d'une salle de théâtre située derrière les places d'orchestre; les spectateurs qui s'y trouvent.

Parthenay, ch.-l. d'arr. des Deux-Sèvres, sur le Thouet; 11 163 hab. Marché à bestiaux; industr. alimentaires. – Remparts (XIIIe s.) et portes. Égl. Ste-Croix (XIIe s.). Château du XIIIe s.

parthénocarpie n. f. BOT Développement du fruit sans fécondation de l'ovule et sans formation de graine.

parthénogénèse ou **parthénogenèse** n. f. BIOL Mode de reproduction animale dans lequel un ovule non fécondé se développe et donne un individu normal.

Parthénon, temple d'Athènes, sur l'Acropole, dédié à *Athéna Parthénos.* Ce chef-d'œuvre de l'architecture antique fut construit sous Périclès, de 447 à 438 av. J.-C., par les architectes Ictinos et Callicratès, Phidias assumant la surveillance des travaux et la décoration sculptée (auj. au musée de l'Acropole, au Louvre et, surtout, au British Museum). Temple dorique périptère en marbre. ► illustr. **acropole**

Parthénope, anc. v. d'Italie, fondée par les Rhodiens et les Grecs de Cumes v. 600 av. J.-C. dans le voisinage immédiat de l'actuelle ville de Naples.

Parthénopéenne (république), éphémère république fondée par les Français (janv.-juin 1799) sur le territoire du royaume de Naples, après la prise de Naples par Championnet.

Parthes, peuple originaire de Scythie, établi au IIIe s. av. J.-C. en Asie occidentale, au S.-E. de la mer Caspienne. Sous Mithridate Ier (v. 170-138 av. J.-C.) leur empire s'étendit à la Médie, à l'Assyrie et à la Babylonie, à la Bactriane, à la Perse et à une partie de l'Inde. Guerriers redoutables, ils luttèrent contre les Romains. Ils furent battus par Marc Aurèle et par Septime

Sévère, avant de succomber, en 224 apr. J.-C., sous les coups des Sassanides.

Parthie ou **Parthiène,** anc. pays des Parthes, correspondant à la région de l'Iran actuel qui se trouve au S.-E. de la mer Caspienne (Khorāsān).

1. parti n. m. **I. 1.** Groupe de personnes ayant les mêmes opinions, les mêmes intérêts. **2.** Association de personnes organisée en vue d'une action politique. *Le parti socialiste.* – Absol. *Le Parti* : le parti communiste. – *Esprit de parti* : partialité en faveur de son parti. – *Parti unique* : seul parti officiellement reconnu dans un régime de type présidentiel. **II.** Résolution; solution. *Choisir entre plusieurs partis.* ▷ *Prendre un parti* : arrêter une décision. ▷ *Prendre son parti de qqch*, s'y résigner. ▷ *Prendre parti* : prendre position. ▷ *Parti pris* : opinion préconçue, préjugé. *Être de parti pris* : montrer de la partialité. **III. 1.** *Faire un mauvais parti à qqn*, lui infliger de mauvais traitements. **2.** Vieilli Personne à marier, considérée par rapport à sa fortune, à sa situation. *Un beau parti.* **3.** *Tirer parti de qqch*, l'utiliser au mieux.

2. parti, ie ou **ite** adj. HERALD Divisé verticalement en deux parties égales.

partial, ale, aux [paʀsjal, o] adj. Qui manifeste des préjugés, qui manque d'équité dans ses jugements.

partialement adv. Avec partialité.

partialité [paʀsjalite] n. f. Attitude d'une personne partiale. ▷ Par ext. *Partialité d'un jugement.*

partibus (in). V. in partibus.

participant, ante n. et adj. Qui participe (à qqch). *Les participants à un concours.*

participatif, ive adj. Qui fait appel, qui correspond à une participation. – *Gestion participative* : gestion d'une entreprise qui fait appel au consensus, à la participation active de tous les salariés.

participation n. f. **1.** Action de prendre part à qqch; son résultat. *Participation à un débat.* **2.** Fait d'être intéressé (à un profit). *Participation des travailleurs à la gestion, aux bénéfices de l'entreprise.* – Absol. *Promouvoir la participation.* ▷ *Association en participation* : société commerciale dont le gérant agit pour le compte commun. **3.** Action de participer (à une dépense).

participe n. m. Forme adjective du verbe «participant» à la fois de la nature du verbe (il admet des compléments) et de celle de l'adjectif (il peut s'accorder en genre et en nombre et servir d'épithète ou d'attribut). *Le participe présent à valeur d'adjectif (ou adjectif verbal) s'accorde en genre et en nombre avec le nom auquel il se rapporte.* – *Le participe passé conjugué avec «être» s'accorde en genre et en nombre avec le sujet; conjugué avec «avoir», il s'accorde avec son complément d'objet direct quand ce complément le précède.* (Cette règle schématique ne tient pas compte de cas particuliers comme celui des verbes pronominaux.)

participer v. tr. indir. [1] **I.** *Participer à.* **1.** Avoir droit à une part de. *Participer aux bénéfices.* **2.** Prendre part à. *Participer à une manifestation.* ▷ Fig. *Participer à la douleur de qqn.* **3.** Payer une part de. *Participer à un achat.* **II.** *Participer de.* Litt. Tenir de la nature de, avoir certains traits de.

participial, ale, aux adj. Relatif au participe. *Forme participiale.* – *Proposition participiale*, dont le verbe est au participe présent ou passé.

particularisation n. f. Didac. Fait de particulariser; son résultat.

particulariser 1. v. tr. [1] Rendre particulier. *Particulariser un problème.* Ant. généraliser. **2.** v. pron. Se singulariser.

particularisme n. m. Attitude d'un groupe social, d'une ethnie qui, appartenant à un ensemble plus vaste, cherche à préserver ses caractéristiques; ces caractéristiques elles-mêmes.

particularité n. f. **1.** Caractère de ce qui est particulier. *La particularité d'une coutume.* **2.** Trait particulier. *Se distinguer par certaines particularités.*

particule n. f. **1.** Minuscule partie d'un corps. *Particules de poussière qui voltigent.* **2.** PHYS NUCL *Particule élémentaire* ou, absol., *particule* : constituant fondamental de la matière que l'on suppose ultime, c.-à-d. dépourvu de structure interne. **3.** GRAM Petit mot invariable, élément de composition (préfixe, suffixe) ou élément de liaison (conjonction, préposition). **4.** *Particule nobiliaire* ou, absol., *particule* : préposition *de* qui précède le nom de beaucoup de familles nobles. *Avoir un nom à particule.*

ENCYCL **Phys.** – La physique des particules, constituée vers le milieu des années 1930, professe que l'atome est constitué d'un noyau entouré de particules porteuses d'une charge électrique négative (les électrons), le noyau étant lui-même un assemblage de particules env. 1 800 fois plus massives que l'électron (le neutron, dépourvu de charge électrique, et le proton, de charge positive), et que la lumière est constituée de photons, de masse nulle. Hormis le neutron, dont la durée de vie est de 920 secondes, les particules citées ci-dessus sont toutes stables, c.-à-d. ont une durée de vie infinie. La construction, à partir de 1945, d'accélérateurs* de particules de plus en plus performants a permis de découvrir un très grand nombre de particules instables et l'on a classé les particules en fonction de la nature des interactions* qu'elles subissent ou qu'elles transmettent. Les *particules de matière* (électron, proton, neutron, etc.) subissent diverses interactions qui sont véhiculées par des *particules de champ.* Par ex., le photon est le véhicule (on dit aussi le *médiateur*) de l'interaction électromagnétique. Les particules de matière qui subissent l'interaction forte sont appelées *hadrons*, celles qui y sont insensibles sont des *leptons.* Les particules peuvent être aussi classées suiv. leur comportement statist. en *fermions** et *bosons**. On est amené à subdiviser ainsi la famille des hadrons : les *baryons* (protons, neutrons, diverses particules massives appelées *hypérons*) sont des fermions; les *mésons* (pion, kaon, rhô, etc.) sont des bosons. À partir des années 1960, on a découvert que les hadrons sont constitués d'entités plus élémentaires qui ont reçu le nom de *quarks**. À chaque particule citée ci-dessus correspond une *antiparticule** de même masse et de charge opposée.

▶ illustr. page **1397**

particulier, ère adj. et n. **I.** adj. **1.** Propre à une seule personne, une seule chose, un seul groupe. *Usage particulier à un peuple.* **2.** Qui appartient ou est réservé à une seule personne. *Cours particulier.* – *Secrétaire particulier.* **3.** Qui n'est pas commun, courant. *Un cas très particulier.* **II.** n. **1.** n. m. Ce qui ne concerne qu'une partie d'un tout. *Conclure du particulier au général.* **2.** n. Personne privée (par oppos. à *homme public*). *Un simple particulier.* **III.** Loc. adv. *En particulier.* **1.** Séparément des autres personnes. *Voir qqn en particulier.* **2.** Notamment, spécialement.

particulièrement adv. **1.** En particulier (sens III, 1). **2.** Tout spécialement. **3.** D'une manière privée, intimement.

partie n. f. **A. I. 1.** Élément, fraction d'un tout. *Les parties du corps. La majeure partie du temps. La première partie d'un livre.* – *Faire partie de* : être un élément constitutif de. ▷ MATH *Partie d'un ensemble E* : ensemble F inclus dans E. ▷ COMPTA *Comptabilité en partie double* : V. double. ▷ GRAM *Les parties du discours* : V. discours. ▷ Vieilli *Les parties honteuses* ou, absol., mod. et fam., *les parties* : les organes génitaux masculins. **2.** MUS Ce qu'une voix, un instrument doit exécuter dans un morceau d'ensemble. *La partie de ténor, de contrebasse.* **3.** Profession, spécialité. *Il est très compétent dans sa partie.* **II.** DR Chacune des personnes qui plaident l'une contre l'autre ou qui passent un contrat l'une avec l'autre. *La partie adverse. Partie civile*, qui demande réparation du préjudice que lui a causé l'infraction. *Les parties contractantes.* ▷ *Parties belligérantes* : puissances en guerre les unes contre les autres. – Loc. *Prendre qqn à partie*, s'en prendre à lui. *Avoir affaire à forte partie*, à un adversaire puissant, redoutable. **III. 1.** Temps pendant lequel les adversaires sont opposés dans un jeu, un sport. *Une longue partie d'échecs.* **2.** Compétition, lutte. *La partie est inégale.* **3.** Divertissement organisé par plusieurs personnes pour elles-mêmes. *Partie de chasse. Partie de plaisir.* – Loc. *Ce n'est que partie remise* : ce n'est que remis à plus tard. ▷ *Partie carrée* : partie de débauche sexuelle réunissant deux couples. **B.** Loc. adv. *En partie* : partiellement.

partiel, elle [paʀsjɛl] adj. et n. **1.** Qui n'est qu'une partie d'un tout. *Somme partielle.* ▷ n. m. Examen universitaire qui a lieu plusieurs fois par an. **2.** Qui n'existe, ne se produit qu'en partie. *Éclipse partielle.* ▷ *Élections partielles* ou, ellipt., *partielles*, qui ne portent que sur quelques sièges.

partiellement adv. D'une façon partielle.

1. partir v. tr. [30] Vx Diviser en plusieurs parts. (Usité auj. seulement dans la loc. *Avoir maille à partir avec qqn.* V. maille.)

2. partir I. v. intr. [30] **1.** S'en aller, se mettre en route. *Voyageur, train qui part. Partir à, pour la montagne.* ▷ Fig. *Partir (pour un monde meilleur)* : mourir. **2.** (Choses) Disparaître. *L'émail de la cuvette est parti par endroits.* **3.** Être projeté, envoyé au loin. *Flèche qui part.* ▷ Par ext. *Faire partir un engin*, le faire exploser. *Coup de feu qui part*, qui est tiré. ▷ Fig. *Ma réponse est partie trop vite.* **4.** Commencer. *Bien, mal partir* : bien, mal débuter. **5.** Avoir son origine, son point de départ (dans qqch). *Les rayons d'une roue partent du centre.* ▷ Fig. *Cela part d'un bon naturel.* **6.** Se fonder, s'appuyer (sur qqch). *Partir d'un principe, d'une donnée.* **II.** Loc. prép. *À partir de.* **1.** À dater de. *À partir du 1er janvier.* **2.** Au-delà de. *À partir d'ici, la route est mauvaise.* **3.** Cour. (Emploi critiqué.) *Obtenir un produit à partir d'une matière première*, l'en tirer.

partisan, ane n. et adj. **I.** n. (Rare au fém.) **1.** Personne qui prend parti pour qqn ou pour un système, une doctrine. **2.** Combattant de troupes irrégulières. *Partisans qui mènent une guérilla.* **II.** adj. **1.** Qui défend (une opinion). *Il est partisan du changement.* **2.** Qui manifeste du parti pris. *Esprit partisan.*

partita n. f. MUS Pièce pour clavier ou pour orchestre de chambre comprenant généralement une suite de danses ou des variations.

partitif, ive adj. GRAM Qui désigne une partie (par oppos. au tout). *Articles partitifs :* du, de la, des (ex. *manger du pain*).

1. partition n. f. **1.** Division, partage (d'un territoire). **2.** HERALD Division de l'écu par des lignes.

2. partition n. f. MUS **1.** Réunion de toutes les parties séparées d'une composition. **2.** Texte d'une œuvre musicale; partie jouée par un instrument. *Partition de hautbois.*

partouse ou **partouze** n. f. Fam. Partie de débauche sexuelle collective.

partout adv. En tout lieu. *Je l'ai cherché partout.* ▷ JEU, SPORT (Quand des adversaires totalisent le même nombre de points.) *Dix partout,* pour chacun.

parturiente n. f. MED Femme qui accouche.

parturition n. f. MED Accouchement naturel. – Fait de mettre bas (animaux).

paruline n. f. ZOOL Syn. de *fauvette* (sens 2).

parure n. f. **I. 1.** Action de parer, de se parer. **2.** Ce qui sert à parer (vêtements, bijoux, etc.). ▷ Fig. *N'avoir pour parure que la beauté et la jeunesse.* **3.** Ensemble assorti (sous-vêtements féminins, linge de table, etc.). **4.** Ensemble de bijoux (collier, bracelet, boucles d'oreilles, etc.). *Une parure de perles.* **II.** En boucherie, *parure de graisse :* graisse que l'on retire des morceaux de viande.

parurerie [paʀyʀʀi] n. f. TECH, COMM Fabrication, commerce des bijoux, des ornements de fantaisie.

parution n. f. Fait, pour un article, pour un livre, de paraître, d'être publié.

Pārvatī, déesse du brahmanisme.

parvenir v. tr. indir. [**36**] **1.** Arriver (à un point déterminé) dans une progression. *Parvenir à un croisement.* **2.** (Choses) Arriver à destination. *Ce chèque lui est parvenu.* **3.** *Parvenir à* (+ inf.) : arriver à.

parvenu, ue n. et adj. Péjor. Personne qui, s'étant élevée au-dessus de sa condition, en a gardé les manières.

parvis [paʀvi] n. m. Place ménagée devant la façade principale d'une église, d'un grand bâtiment public.

1. pas n. m. **1.** Mouvement consistant à mettre un pied devant l'autre pour marcher. *Marcher à grands pas.* – *Marcher à pas comptés,* lentement, solennellement. *À pas de loup :* silencieusement. ▷ *Pas à pas :* lentement, précautionneusement. ▷ *Faire un faux pas :* trébucher; fig. commettre une faute, une erreur. ▷ Fig. *Faire les premiers pas,* des avances. – *C'est un grand pas de fait,* un gros progrès qui est accompli. **2.** Façon de se déplacer en marchant. *Presser le pas.* – *Cheval qui va au pas,* de son allure la plus lente (par oppos. à *trot,* à *galop*). – Loc. *J'y vais de ce pas,* à l'instant même. ▷ MILIT Manière de marcher réglée pour les troupes. *Marcher au pas.* – Fig. *Mettre qqn au pas,* le contraindre à obéir. ▷ CHOREGR Série de mouvements de pieds d'un danseur. *Pas de valse.* – *Par ext.* Ensemble des figures exécutées par un seul danseur ou un petit groupe de danseurs, indépendamment du corps de ballet. *Pas de deux.* **3.** Trace de pied. *Des pas sur le sable.* ▷ *Retourner sur ses pas,* d'où l'on vient, par le même chemin. **4.** Distance que l'on franchit d'un pas. *Il habite à deux pas, à quelques pas,* tout près. **5.** *Le pas d'une porte,* le seuil. **6.** (Dans quelques noms de lieu.) Passage étroit et difficile; détroit. *Le pas de Calais.* ▷ Loc. fig. *Sauter le pas :* trouver le courage de franchir un obstacle. *Se tirer d'un mauvais pas,* d'une situation difficile. **7.** Loc. *Céder le pas à qqn,* le laisser passer; fig. lui laisser l'avantage. – Loc. fig. *Prendre le pas sur :* prendre le dessus, l'emporter sur. **8.** GEOM Distance entre deux spires consécutives d'une hélice, mesurée le long d'une génératrice. ▷ Distance entre deux filets d'une vis, d'un écrou. *Pas de vis.*

2. pas adv. de nég. **I.** (En corrélation avec *ne.*) **1.** (Après le verbe ou après l'auxiliaire.) *Je ne parle pas.* **2.** (Avant le verbe à l'infinitif et, le cas échéant, avant les pronoms atones.) *Ne pas fumer.* **II.** (Empl. seul.) **1.** *Ellipt.* (Dans une réponse, une exclamation.) *Êtes-vous inquiet? – Pas tant que vous le pensez. Pas si vite!* **2.** (Devant un adj. ou un participe, emploi critiqué.) *Un garçon pas sérieux.* **3.** Fam. (Empl. sans la particule *ne.*) *Elle a dit qu'elle savait pas.*

Pasadena, v. des É.-U. (Californie), dans la banlieue N.-E. de Los Angeles; 131 590 hab. Cité résidentielle. Centre de recherches spatiales.

Pasargades, anc. cap. de la Perse (avant Persépolis), fondée sans doute par Cyrus II le Grand v. 556 av. J.-C. Ruines (tombeau de Cyrus II) près de Chirāz. ▶ illustr. **Cyrus II**

1. pascal, ale, als ou **aux** adj. **1.** Qui concerne la fête de Pâques des chrétiens. *Temps pascal.* **2.** Qui concerne la Pâque juive. *L'agneau pascal.*

2. pascal, als n. m. PHYS Unité de mesure de contrainte et de pression du système international (symbole Pa), équivalant à la pression uniforme due à une force de 1 newton exercée perpendiculairement sur une surface de 1 m^2 (1 Pa = 1 N/m^2).

3. pascal n. m. INFORM Langage de programmation.

Pascal (Blaise) (Clermont, auj. Clermont-Ferrand, 1623 – Paris, 1662), savant, philosophe et écrivain français. Inventeur à dix-neuf ans d'une machine arithmétique, il entreprit ensuite d'importantes études sur la pesanteur de l'air et le vide (à la suite de Galilée et de Torricelli), jeta les bases du calcul des probabilités et étudia le calcul infinitésimal et l'analyse combinatoire. En 1654, il se tourna définitivement vers la religion (expérience mystique de la nuit du 23 novembre 1654, consignée dans le *Mémorial*). Défenseur acharné des jansénistes dans la lutte qui les opposait aux jésuites, Pascal écrivit contre ceux-ci les dix-huit *Lettres provinciales* (1656-1657), admirable pamphlet. Vers 1656, il conçut l'idée d'une *Apologie de la religion chrétienne,* à l'adresse des incrédules, mais mourut sans l'avoir terminée. Des fragments de cet ouvrage furent groupés et publiés après sa mort sous le titre de *Pensées* (1670). Dans ces «notes», Pascal, niant toute certitude logique absolue, s'interroge sur la nature de l'homme, sa destinée, et en vient à conclure que la religion seule peut lui venir en aide. Mais comment acquérir la foi? Faire appel à la raison est sans effet : l'homme devra croire parce qu'il y a intérêt (argument du *pari**) et parce que, en dehors des preuves rationnelles, nous pouvons nous appuyer sur les miracles accomplis par le Christ et sur notre intuition (la connaissance par le «cœur»), en attendant la grâce.

pascalien, enne adj. Relatif à la philosophie de Pascal, à ses thèses.

Pascin (Julius Pinkas, dit Jules) (Vidin, 1885 – Paris, 1930), peintre et graveur américain d'origine bulgare, de l'école de Paris («belles de nuit», aux poses lascives).

Pascoli (Giovanni) (San Mauro di Romagna, 1855 – Bologne, 1912), écrivain italien. Poète lyrique de l'âme latine : *Chants de Castelvecchio* (1903), *Poèmes italiques* (1911).

pascuan, ane adj. et n. De l'île de Pâques.

Pas-de-Calais, dép. franç. (62); 6 639 km^2; 1 433 203 hab.; 215,9 hab./km^2; ch.-l. *Arras.* V. Nord-Pas-de-Calais (Rég.). ▶ carte page **1398**

pas-de-géant n. m. inv. TECH Appareil de gymnastique constitué principalement d'une couronne pivotante fixée à un point élevé (sommet d'un mât, charpente d'un bâtiment, etc.), à laquelle sont accrochées des cordes auxquelles on se suspend pour faire de grandes enjambées en tournant.

Pasdeloup (Jules Étienne) (Paris, 1819 – Fontainebleau, 1887), chef d'orchestre français; fondateur en 1861 des Concerts populaires de musique classique, qui prirent son nom en 1920.

pas-de-porte n. m. inv. COMM Indemnité versée par le nouveau locataire d'un local au propriétaire ou à l'ancien locataire.

pas-de-tir n. m. inv. **1.** Emplacement aménagé pour le tir à la cible. **2.** Site de lancement de missiles, d'engins spatiaux.

pasionaria [pasjɔnaʀja] n. f. Militante politique active et passionnée, parfois violente.

Pasiphaé, dans la myth. gr., reine de Cnossos, fille d'Hélios, épouse du roi Minos, de qui elle eut Androgée, Ariane et Phèdre. Poséidon lui inspira un amour monstrueux pour un taureau blanc; de cette union naquit le Minotaure.

Paskievitch (Ivan Fiodorovitch) (Poltava, 1782 – Varsovie, 1856), maréchal russe. Il enleva le Caucase du Sud à la Perse (1825-1828), puis battit les Turcs (1829). Nommé gouverneur de Pologne et prince de Varsovie (1832) après avoir maîtrisé l'insurrection polonaise de 1831, il écrasa en 1849 la révolution hongroise.

paso doble [pasɔdɔbl] n. m. inv. Danse d'origine sud-américaine sur une musique à deux ou quatre temps.

Pasolini (Pier Paolo) (Bologne, 1922 – Ostie, 1975), écrivain et cinéaste ita-

Blaise **Pascal**

Boris **Pasternak**

CLASSEMENT EN TROIS CATÉGORIES (APPELÉES ARBITRAIREMENT GÉNÉRATIONS) DES CONSTITUANTS DES PARTICULES DE MATIÈRE

exemple : le proton, particule stable, est constitué de deux quarks *u* et d'un quark *d*

quarks	leptons	générations
u (up) *d* (down)	e^- (électron) ν_e (neutrino électronique)	première génération : particules stables
c (charme) *s* (strange)	μ^- (muon) ν_μ (neutrino muonique)	deuxième génération : particules instables
t (top) *b* (bottom)	τ^- (tauon ou tau) ν_τ (neutrino tauonique)	troisième génération : particules très instables

CLASSEMENT DES PARTICULES LES PLUS STABLES

les antiparticules (positons par exemple) ne sont pas mentionnées, leurs caractéristiques se déduisant de celles des particules correspondantes ; les particules dont le symbole comporte un + ont une charge *e*, celles dont le symbole comporte un – une charge –*e*, les autres ont une charge nulle

interaction	particule				symbole	masse (MeV/c²)	durée de vie (en secondes)	spin
électromagnétique				photon	γ	0 (< 6.10^{-22})	∞	(bosons) 1
gravitationnelle				graviton		0	∞	2
forte				gluons				1
faible				bosons faibles	W^+, W^-, Z°	82 000, 91 100	$1{,}3.10^{-24}$	1
	leptons			électron	e^-	0,511003	∞ (> 2.10^{-5} ans)	(fermions) 1/2
	leptons			muon	μ^-	105,6594	$2{,}1971.10^{-6}$	1/2
	leptons			tau	τ^-	1784	< 5.10^{-13}	1/2
	leptons			neutrinos	ν_e	0 (< 5.10^{-5})	∞	1/2
	leptons				ν_u	< 0,5	∞	1/2
	leptons				ν_τ	< 250	∞	1/2
	hadrons	mésons		pion	π^-	139,567	$2{,}6.10^{-8}$	(bosons) 0
	hadrons	mésons			π^0	134,963	$8{,}3.10^{-17}$	0
	hadrons	mésons		kaon	K^+	493,67	$1{,}24.10^{-8}$	0
	hadrons	mésons			K^0	497,7	< 10^{-8}	0
	hadrons	mésons		êta	η	549	10^{-19}	0
	hadrons	mésons		psi	ψ	3 097	10^{-20}	1
	hadrons	mésons		phi	Φ	1 020	10^{-22}	1
	hadrons	mésons		rho	ρ^+	780	10^{-23}	1
	hadrons	mésons			ρ^0	780	10^{-23}	1
	hadrons	mésons		oméga	ω	783	10^{-13}	1
	hadrons	mésons		déon	D^+	1 869	10^{-13}	0
	hadrons	mésons			D^0	1 865	10^{-13}	0
	hadrons	mésons			F^+	2 020	10^{-13}	0
	hadrons	mésons		upsilon	Y^0	9 460	10^{-13}	1
	hadrons	baryons	nucléons	proton	p^+	938,280	> 8.10^{30} ans	(fermions) 1/2
	hadrons	baryons	nucléons	neutron	n	939,573	925	1/2
	hadrons	baryons	hypérons	lambda	A^0	1 115,6	$2{,}63.10^{-10}$	1/2
	hadrons	baryons	hypérons		A^+	2 282	$8{,}0.10^{-13}$	1/2
	hadrons	baryons	hypérons	sigma	Σ^+	1 189,4	$8{,}0.10^{-11}$	1/2
	hadrons	baryons	hypérons		Σ^-	1 197,3	$1{,}5.10^{-10}$	1/2
	hadrons	baryons	hypérons		Σ^0	1 192,5	$5{,}8.10^{-20}$	1/2
	hadrons	baryons	hypérons	ksi	Ξ^-	1 321,3	$1{,}6.10^{-10}$	1/2
	hadrons	baryons	hypérons		Ξ^0	1 315	$2{,}9.10^{-10}$	1/2
	hadrons	baryons	hypérons	Oméga	Ω^-	1 672	$8{,}2.10^{-11}$	3/2

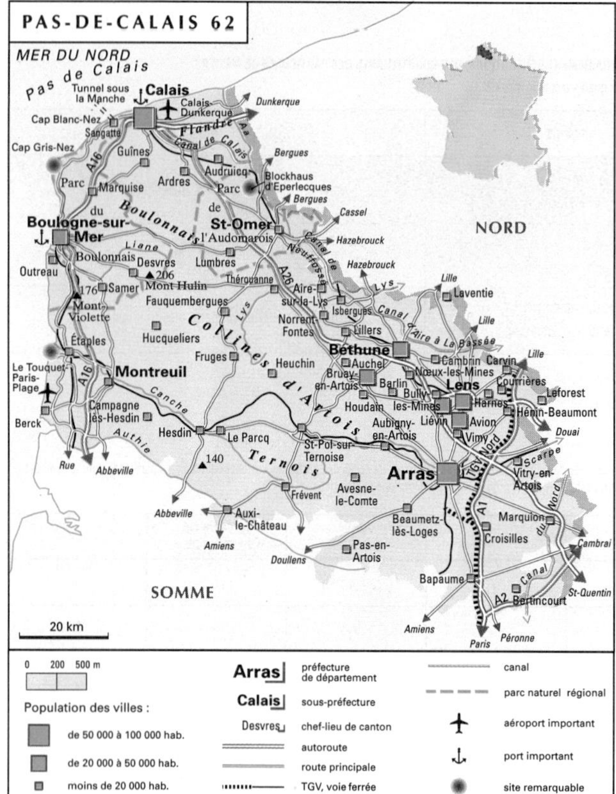

lien. Attiré par les milieux populaires marginaux, il a mêlé la critique marxiste et la mystique chrétienne. Romans : *Une vie violente* (1959). Poèmes : *Poésie en forme de rose* (1964). Films : *Œdipe roi* (1967), *Théorème* (1968), *le Décaméron* (1971), *Salo ou les Cent Vingt Journées de Sodome* (1975). Il fut assassiné.

Pasqual (Lluis) (Reus, 1951), metteur en scène de théâtre espagnol : *El Publico* (1986), *Sans titre* (1990). Il est directeur de l'Odéon-Théâtre de l'Europe dep. 1990. Mise en scène d'opéras : *l'Enlèvement au sérail* (1991).

passable adj. Qui, sans être vraiment bon, est d'une qualité suffisante. – Spécial. *Mention « passable »* (à un examen).

passablement adv. **1.** D'une manière passable. **2.** *Par ext.* Assez. – Iron. D'une façon notable. *Il était passablement ivre.*

passacaille n. f. Danse à trois temps d'origine espagnole (fin XVIe-déb. XVIIe s.). – MUS Pièce instrumentale composée pour clavecin ou pour orgue.

Pier Paolo **Pasolini** : *Mamma Roma*, 1962-1963, avec A. Magnani

passade n. f. Liaison amoureuse de courte durée. ▷ *Par ext.* Caprice, engouement passager.

passage n. m. **1.** Action, fait de passer. *Le passage d'un col. Le passage d'une frontière.* ▷ *Attendre le passage du car*, le moment où il passe. *Ils se retournaient sur son passage.* – *Au passage* : en passant. – *Lieu de passage*, où l'on ne fait que passer, où il passe beaucoup de monde. *De passage* : qui ne reste que très peu de temps. ▷ (D'un lieu à un autre.) *Le passage de Calais à Douvres.* – Traversée d'un voyageur sur un navire. *Payer le prix du passage.* ▷ (Changement d'état.) *Le passage de l'état solide à l'état liquide.* **2.** ASTRO *Passage d'un astre au méridien d'un lieu*, moment où il traverse le plan méridien de ce lieu. Syn. culmination. **3.** Fig. *Examen de passage*, que subit un élève pour être admis dans la classe supérieure. **4.** Loc. *Avoir un passage à vide* : être momentanément incapable de poursuivre normalement ses activités. **5.** Endroit par où l'on passe. *Encombrer le passage.* ▷ Petite rue, souvent couverte, galerie, réservée aux piétons et par laquelle on peut passer d'une rue à une autre. – *Passage souterrain* : tunnel sous une voie de communication. – *Passage protégé* : passage clouté*. – *Passage à niveau* : endroit où une route coupe, de niveau, une voie ferrée. **6.** Morceau d'une œuvre. *Un passage particulièrement représentatif d'un auteur.*

passager, ère adj. et n. **I.** adj. **1.** Qui ne fait que passer. *Hôte passager.* **2.** Qui ne dure que peu de temps. *Un engouement passager.* **II.** n. Personne qui, sans en assurer la marche ni faire partie de l'équipage, voyage à bord d'un navire, d'un avion, d'une voiture.

passagèrement adv. Pour très peu de temps.

passant, ante adj. et n. **I.** adj. Où il passe beaucoup de monde. *Une rue très passante.* **II.** n. **1.** Personne qui passe à pied dans une rue, dans un lieu. **2.** n. m. Anneau aplati dans lequel passe une courroie, une ceinture.

Passarowitz (auj. *Požarevac*), v. de Serbie où fut signée la paix de 1718 entre la Turquie, l'Autriche (qui acquit le Temesvár et une partie de la Valachie et de la Serbie) et Venise (qui garda ses possessions dalmates, mais perdit la Morée).

passation n. f. DR **1.** Action de passer (un acte, un contrat, une écriture comptable). **2.** *Passation des pouvoirs* : action de passer, de transmettre les pouvoirs.

Passau, v. d'Allemagne (Bavière), à la frontière autrichienne, port au confl. du Danube et de l'Inn; 52 730 hab. Industr. textiles, chimiques, alimentaires. – Cath. baroque; égl. romanes, gothiques, baroques; château.

passavant n. m. DR COMM Document délivré par l'administration des contributions indirectes, autorisant le transport de marchandises qui circulent en franchise, ou pour lesquelles les droits de circulation ont été acquittés antérieurement.

1. passe n. f. **I.** Lieu où l'on passe. **1.** Chenal étroit. *Navire qui pénètre dans une passe.* **2.** *Être en passe de* : être en position favorable pour; être sur le point de. *Être dans une bonne, dans une mauvaise passe* : être dans une bonne, une mauvaise période. **II. 1.** SPORT Action de passer le ballon à un coéquipier. *Faire une passe à l'ailier droit.* **2.** En escrime, action d'avancer sur l'adversaire. – Fig. *Passe d'armes* : vif échange d'arguments polémiques. ▷ En tauromachie, mouvement par lequel le matador fait passer le taureau près de lui. **3.** *Passes (magnétiques)* : mouvements que fait le magnétiseur avec les mains pour agir sur un sujet. **4.** TECH Chaque passage de l'outil d'une machine-outil dans une opération cyclique. *Usinage en une, deux passes.* **5.** *Mot de passe* : mot convenu pour passer librement, par lequel on se fait reconnaître. **6.** *Maison, hôtel de passe*, de prostitution. **III.** JEU À la roulette, la deuxième moitié des 36 numéros (le zéro étant excepté), soit de 19 à 36 inclus (par oppos. à *manque*).

2. passe n. m. Abrév. de *passe-partout* (sens I, 1).

1. passé n. m. **1.** Ce qui a été; partie du temps (par oppos. à *présent* et à *avenir*) qui correspond aux événements révolus. *Songer au passé.* – *Par le passé* : autrefois. **2.** *Le passé de qqn*, sa vie écoulée, les événements qui la marquèrent. **3.** GRAM Temps du verbe indiquant que l'événement ou l'état auquel on fait référence est révolu. *Les temps du passé* (imparfait, passé simple, passé composé, plus-que-parfait, passé antérieur).

2. passé prép. Après, au-delà. *Passé dix heures, ne faites plus de bruit.* – *Passé ce mur, vous serez libre.*

3. passé, ée adj. **1.** Qui n'est plus; révolu. *Le temps passé.* – *Il est six heures passées.* **2.** (Couleurs) Éteint, défraîchi.

Un bleu passé. – Par ext. *La tapisserie est passée.*

passe-crassane n. f. inv. Variété de poire d'hiver.

passe-droit n. m. Faveur qu'on accorde contre le droit, contre le règlement, contre l'usage ordinaire. *Des passe-droits.*

passéisme n. m. Péjor. Goût exagéré ou exclusif pour le passé.

passéiste adj. et n. Péjor. Qui manifeste un attachement excessif au passé.

passe-lacet n. m. Grosse aiguille à long chas et à pointe mousse, servant à passer un lacet (un cordon, un élastique, etc.) dans un œillet, une coulisse. ▷ Loc. fam. *Raide comme un passe-lacet* : sans argent, sans un sou. *Des passe-lacets.*

passement n. m. Bande de tissu, galon qui borde et orne un habit, des rideaux, etc.

passementer v. tr. [1] Orner, border de passements.

passementerie n. f. Commerce, industrie de celui qui fabrique ou qui vend des bandes de tissu, des ganses, des galons, etc., destinés à l'ornement de vêtements, de meubles, etc.; l'ensemble de ces accessoires destinés à l'ornement.

passementier, ère n. et adj. **1.** n. Personne qui fabrique ou qui vend de la passementerie. **2.** adj. De la passementerie.

passe-montagne n. m. Coiffure en tricot, qui enveloppe la tête et le cou, laissant découverts les yeux, le nez et la bouche. *Des passe-montagnes.*

passe-partout n. m. inv. et adj. inv. **I.** n. m. inv. **1.** Clef faite de façon qu'elle puisse ouvrir plusieurs serrures différentes. (Abrév. : passe). **2.** Cadre à fond mobile qui permet de remplacer facilement la gravure qu'on y a placée. **3.** TECH Scie dont la lame est munie d'une poignée à chaque extrémité de façon à pouvoir être manœuvrée par deux personnes. **II.** adj. inv. Fig. Qui convient partout, à tout. *Une réponse passe-partout.*

passe-passe n. m. inv. *Tour de passe-passe* : tour d'adresse que font les prestidigitateurs. – Fig. Tromperie adroite.

passe-plat(s) n. m. Ouverture ménagée dans la cloison qui sépare une cuisine d'une salle à manger et destinée au passage des plats. *Des passe-plats.*

passepoil n. m. Liseré qui borde certaines parties d'un habit, ou la couture de certains vêtements.

passepoiler v. tr. [1] Orner d'un passepoil.

passeport n. m. Document délivré à ses ressortissants par l'Administration d'un pays, certifiant l'identité de son détenteur pour lui permettre de circuler à l'étranger. ▷ *Spécial.* Passeport diplomatique. *Ambassadeur qui demande, qui reçoit ses passeports,* qui sollicite son départ ou qui reçoit l'ordre de quitter le pays auprès duquel il est accrédité.

passer v. [1] **A.** v. intr. (Avec l'auxiliaire *avoir* pour marquer l'action; avec *être* pour marquer un état résultant d'une action. Auj., l'auxiliaire *être* est le plus cour. utilisé dans tous les cas.) **I.** (Déplacement, mouvement continu.) **1.** Être à un moment à tel endroit au cours d'un déplacement. *Il est passé à Paris hier.* – (Avec inf.) *Il est passé nous rendre visite.* – *Ne faire que passer* : ne rester que très peu de temps. ▷ *En passant* : alors qu'on passe, sans s'attarder. – Fig. *Je vous fais remarquer en passant que... Soit dit en passant* : cela dit incidemment. – Ne pas s'attarder, ne pas insister (sur un sujet). *Passons sur les détails.* – (S. comp.) *Passons!* **2.** Être projeté (en parlant d'un film). *Un film qui passe en exclusivité.* – Avoir lieu (en parlant d'un spectacle). *Le spectacle est passé au Zénith.* – Être présenté (en parlant d'une personne). *Il est passé à la télévision, à la radio pour son livre.* **3.** *Passer sur, passer dessus. Passer sur un pont.* – *Spécial.* Écraser. *La voiture est passée sur un piéton.* – Fig. *Il n'hésiterait pas à passer sur le corps de ses meilleurs amis pour réussir.* **4.** Fig. *Passer avant, après* : être plus important, moins important que. **5.** (Choses) Traverser. *L'autoroute passe à Lyon, par Lyon.* – (En parlant de personnes ou d'objets en mouvement.) *Passer par un endroit,* le traverser au cours d'un déplacement, d'un trajet. ▷ Prendre, emprunter (tel chemin). *Passer par l'escalier de service.* – Fig. *Passer par une grande école,* y faire des études. ▷ Fig. *Une idée qui m'est passée par la tête,* qui m'a traversé l'esprit. ▷ *Passer par* : utiliser, pour servir d'intermédiaire, les services de. *Louer un appartement directement, sans passer par une agence.* **6.** Spécial. *Passer par une épreuve,* la subir. *Je suis passé par là* : moi aussi, j'ai subi ces épreuves. – Fam. *Y passer* : subir une épreuve sans possibilité de s'y dérober; mourir. **7.** (S. comp.) Continuer son chemin (avec l'idée d'un obstacle à franchir, d'une difficulté à surmonter). *La route est coupée par les inondations, impossible de passer.* – *Laissez passer* : V. laissez-passer (n. m.). ▷ (Aliments) Fam. Être digéré (avec l'idée d'un obstacle possible à la digestion). *Il peut manger n'importe quoi, ça passe toujours bien.* – Loc. fig., fam. *Le, la sentir passer* : souffrir de qqch de pénible ou de douloureux (comme un repas qui ne passerait pas). ▷ (Abstrait) (S. comp.) Être admis, accepté. *La loi est passée.* – (En parlant du comportement, de l'attitude d'une personne.) *Cela peut passer pour cette fois, mais ne recommencez pas.* – (Emploi impers.) *Passe* ou *passe encore* : on peut admettre, à la rigueur. **II.** (Changement de lieu ou d'état.) **1.** Aller d'un lieu à un autre. *Passer de la salle à manger au salon.* ▷ Fig. *Passer d'un sujet à un autre.* – Aborder. *Passer à un autre sujet.* ▷ (Choses) Se transmettre. *Charge héréditaire, qui passe de père en fils.* **2.** Rejoindre un lieu (en fuyant qqch). *Passer dans un pays voisin pour échapper aux recherches.* – Se joindre à. *Passer à l'ennemi* : trahir. **3.** (Changement d'état.) *Passer de l'opulence à la misère.* – *Passer de vie à trépas* ou, s. comp., *passer* : mourir. – *Passer de seconde en troisième* (vitesse); – *Passer dans une classe supérieure,* à l'école. – *Expression qui passe en proverbe,* qui devient proverbiale. ▷ Être promu (à un grade, à un titre, etc.). *Il est passé lieutenant.* – Fig. *Passer maître en (dans) l'art de* : devenir très habile à. **III.** (Verbe d'état, auxiliaire *avoir.*) *Passer pour* : être regardé comme. *Il a passé pour un idiot.* – *Se faire passer pour...* : faire croire que l'on est... **IV.** (Temporel) **1.** S'écouler (en parlant du temps). *Les heures qui passent.* **2.** Avoir une fin, une durée limitée. *Les modes passent.* **3.** Finir, disparaître. *La douleur va passer.* – *Style passé de mode,* démodé. **4.** Perdre ses qualités, son intensité (en parlant des couleurs). *Le bleu de cette étoffe a passé au soleil.* **B.** v. tr. **I. 1.** Traverser, franchir (un lieu). *Passer un fleuve à la nage.* **2.** Fig. *Passer un examen,* en subir les épreuves; les réussir. **3.** Aller au-delà, dépasser en laissant derrière soi (un lieu). *Nous avions passé la maison.* – Fig. *Passer les bornes, les limites* : exagérer. ▷ (Temporel) *Il a passé la date limite d'inscription.* – *Il ne passera pas la nuit* : il ne vivra pas jusqu'au jour (en parlant d'un malade, d'un mourant). **4.** Faire traverser. *Passer de la marchandise en fraude* (à la douane). – Mettre en circulation. *Passer une fausse pièce.* **5.** Filtrer; faire traverser un tamis, un crible à. *Passer du bouillon.* – Fig. *Passer qqch au crible,* l'examiner dans ses moindres aspects. **6.** Employer, laisser s'écouler (un temps). *Passer une heure à faire une chose.* – *Jouer aux cartes pour passer le temps,* pour s'occuper. **7.** Satisfaire, assouvir. *Passer sa colère sur qqn.* **8.** Omettre, sauter. *Passer une ligne, une page.* – *Passer son tour.* – (S. comp.) *Je passe!* (dans les jeux de cartes). **9.** Pardonner, tolérer. *Passer tous ses caprices à un enfant.* **II. 1.** Donner, remettre. *Passez-moi les ciseaux.* ▷ Fam. *Il m'a passé sa voiture pour quelques jours,* il me l'a prêtée. *Il m'a passé son vieux vélo après s'en être acheté un neuf,* il me l'a donné. – Fig. *Passer des renseignements à qqn,* les lui communiquer. ▷ *Passer un coup de fil* : donner un coup de téléphone. – *Passer une personne à une autre,* mettre l'une en communication téléphonique avec l'autre. **2.** *Passer qqch sur* : étendre, étaler (qqch sur qqch d'autre). *Passer une seconde couche de peinture sur un mur.* **3.** Faire aller. *Passer son bras sur les épaules de qqn.* **4.** (Sur un véhicule automobile.) Enclencher (une vitesse). *Passer la troisième.* **5.** Soumettre à l'action de. *Passer la pointe d'une aiguille à la flamme.* – *Passer qqn par les armes,* le fusiller. *Passer qqn à tabac,* le rouer de coups. **6.** *Passer un film,* le projeter. – *Passer un disque à la radio.* **7.** Mettre (un vêtement). *Passer une veste.* **III. 1.** DR COMM Inscrire (une somme, une écriture comptable). *Passer une écriture.* **2.** Dresser, établir (un acte). *Passer commande de tant de pièces à un fournisseur. Passer un accord,* le conclure. **C.** v. pron. **I. 1.** S'écouler dans toute sa durée. *Il faut que jeunesse se passe.* **2.** Avoir lieu. *L'action se passe à Paris.* **II.** *Se passer de* : se priver, s'abstenir de. – *Cela se passe de commentaire* : cela parle de soi-même.

passereau n. m. V. passériformes.

passerelle n. f. **1.** Pont étroit réservé aux piétons. **2.** Plan incliné, sorte de pont léger établi entre un navire accosté et le quai, entre un avion et le terrain d'atterrissage. ▷ MAR Plate-forme couverte située dans la partie la plus élevée des superstructures et d'où est dirigé le navire. **3.** Fig. Moyen de passage. *Passerelle entre deux sections scolaires.*

passériformes ou **passereaux** n. m. pl. ORNITH Ordre d'oiseaux, le plus important par le nombre d'espèces qu'il comporte (plus de 5 000), dont font partie les moineaux, les merles, les corbeaux. – Sing. *Un passériforme* ou *un passereau.* – (En appos.) *Oiseaux passériformes, oiseaux passereaux.*

Passero (cap), cap de l'*île de Passero* (Italie), au S.-E. de la Sicile. – Victoire de l'amiral anglais Byng sur l'escadre espagnole (1718).

passe-temps n. m. inv. Occupation agréable pour passer le temps; divertissement.

passeur, euse n. **1.** Personne qui conduit un bac, un bateau pour traverser un cours d'eau. **2.** *Par ext.* Personne qui fait passer clandestinement les frontières, traverser les lieux interdits.

Passeur (Étienne Morin, dit Stève) (Sedan, 1899 - Paris, 1966), journaliste et dramaturge français, caractérisé par la création de personnages outrés (*les Tricheurs*, 1932; *Traîtresse*, 1940) ou romanesques (*N'importe quoi pour elle*, 1954).

passe-vues n. m. inv. Dans un appareil de projection de diapositives, châssis coulissant servant à mettre en place les diapositives.

passible adj. *Passible de* : qui encourt (telle peine). *Être passible d'une amende.*

1. passif, ive adj. et n. m. **1.** Dont le caractère essentiel réside dans le fait de subir, de recevoir, d'éprouver. **2.** Qui se contente de subir (l'action), de recevoir (l'impression), sans agir; qui n'agit pas. ▷ *Résistance passive*, non violente, qui agit par la force de l'inertie. **3.** GRAM Se dit des formes verbales qui indiquent que le sujet de la phrase subit l'action (celle-ci étant réalisée par l'*agent*). *La forme passive*, ou, n. m., *le passif, se forme avec l'auxiliaire «être» suivi du participe passé du verbe* (ex. : *«le chat mange la souris»* donne *«la souris est mangée par le chat»*). **4.** *Défense passive* : dispositif militaire destiné à protéger les populations civiles contre les attaques aériennes et, le cas échéant, à porter assistance à ces populations.

2. passif n. m. Ensemble des dettes et des charges qui pèsent sur un patrimoine. *Le passif et l'actif d'une succession. Le passif d'une société. Le passif du bilan d'une entreprise*, qui donne l'origine des fonds, par ordre d'exigibilité croissant (capitaux propres, dettes à long et moyen terme, avances reçues des clients et dettes à court terme).

passiflore n. f. Liane tropicale ornementale qui tire son nom de la forme de ses pièces florales, évoquant les instruments de la Passion (couronne d'épines, clous, lance) et dont le fruit (fruit de la Passion ou grenadille) est très utilisé en pâtisserie.

passim [pasim] adv. (Mot latin) Çà et là (dans un ouvrage). *Vous trouverez ces références dans tel ouvrage, pages 12, 24 et passim.*

passing-shot [pɑsiŋʃɔt] n. m. (Anglicisme) TENNIS Coup tendu destiné à «passer», à déborder l'adversaire monté au filet. *Des passing-shots.*

passion n. f. **1.** (Le plus souvent au plur.) Mouvement violent de l'âme résultant d'un désir intense, d'un penchant irrésistible. *Être esclave de ses passions.* **2.** Affection très vive, presque irrésistible qu'on éprouve pour une chose. *La passion du jeu.* - Objet de cette affection. *Sa passion, c'est la musique.* **3.** Amour ardent; affection si intense qu'elle peut paraître déraisonnable. *Aimer qqn avec passion.* **4.** Prévention exclusive, opinion irraisonnée, où l'affectivité perturbe le jugement et la conduite. *Le déchaînement des passions politiques.* **5.** (Avec une majuscule.) *La Passion* : les souffrances du Christ sur le chemin de la Croix et son supplice. - Partie de l'Évangile où est racontée la Passion. *La Passion selon saint Matthieu.* ▷ MUS Oratorio ayant pour thème la Passion. *La «Passion selon saint Jean», de J.-S. Bach (1723).* ▷ *Fruit de la Passion* : fruit de la passiflore. Syn. maracudja. ▸ pl. **fruits exotiques**

passionnant, ante adj. Qui passionne.

passionné, ée adj. et n. **1.** Rempli de passion. ▷ Subst. *Un(e) passionné(e) de musique.* **2.** Qui exprime la passion; ardent, fervent.

passionnel, elle adj. Relatif aux passions. - *Spécial.* Déterminé par la passion amoureuse. *Crime passionnel.*

passionnellement adv. D'une manière passionnelle.

passionnément adv. D'une manière passionnée; avec passion.

passionner v. tr. [1] **1.** Inspirer un très vif intérêt à (qqn). *Ce problème le passionne.* ▷ v. pron. *Se passionner pour* : prendre un très vif intérêt à. **2.** *Passionner un débat, une discussion*, les rendre plus animés, plus violents en attisant les passions.

passivation n. f. CHIM Fait de rendre insensible à la corrosion un métal ou un alliage par formation d'une couche protectrice à sa surface.

passivement adv. D'une manière passive.

passivité n. f. État, caractère de celui ou de ce qui est passif.

passoire n. f. Ustensile creux, percé de petits trous, servant de filtre pour séparer les aliments solides d'un liquide. ▷ Fig. *C'est une vraie passoire* : il (elle) oublie tout.

Passy, anc. com. de la Seine, annexée à Paris (XVIe arr.) en 1860.

Passy, com. de la Haute-Savoie (arr. de Bonneville), qui domine l'Arve; 9 491 hab. Centre hydroélectrique. Stat. climatique au plateau d'Assy.

Passy (Hippolyte Philibert) (Garches, 1793 - Paris, 1880), homme politique et économiste français. Plusieurs fois ministre sous Louis-Philippe, il fut l'un des promoteurs du libre-échange. - **Frédéric** (Paris, 1822 - Neuilly-sur-Seine, 1912), neveu du préc.; économiste, il fonda la Ligue internationale de la paix. P. Nobel de la paix (1901), avec H. Dunant.

1. pastel n. m. Crucifère à fleurs jaunes dont on tire un colorant bleu indigo.

2. pastel n. m. **1.** Bâtonnet fait d'une pâte colorée solidifiée (à base d'argile blanche et de gomme arabique ou de gomme adragante). **2.** Œuvre exécutée au pastel. *Un pastel de Quentin de La Tour.* **3.** n. m. inv. (En appos.) *Des tons pastel*, qui ont la douceur, la délicatesse du pastel.

pastelliste n. Peintre qui fait des pastels.

pastèque n. f. Plante méditerranéenne (fam. cucurbitacées) cultivée pour ses gros fruits lisses, gorgés d'eau. - Ce fruit, à chair pourpre, blanchâtre ou verdâtre, selon les espèces. Syn. melon d'eau. ▸ illustr. **cucurbitacées**

Pasternak (Boris Leonidovitch) (Moscou, 1890 - Peredelkino, près de Moscou, 1960), écrivain soviétique. Auteur de poèmes (*Ma sœur la vie*, 1922; *la Seconde Naissance*, 1931), il fit éditer en Italie (sans l'autorisation des autorités sov.), en 1957, un roman, *le Docteur Jivago*, somme philosophico-littéraire à la Tolstoï qui le rendit célèbre dans le monde entier. En 1958, il fut contraint de refuser le prix Nobel. ▸ illustr. page **1396**

pasteur n. m. **1.** Vx, poét. Celui qui garde les troupeaux; berger. ▷ ETHNOL Celui qui vit essentiellement d'élevage. - (En appos.) *Peuple pasteur.* **2.** *Par métaph.* Conducteur, chef qui exerce sur une communauté humaine une autorité paternelle, spirituelle. ▷ *Le bon pasteur* : le berger symbolique de l'Évangile, qui ramène les brebis égarées. - (Avec majuscules.) Jésus-Christ. **3.** Ministre du culte protestant.

Louis **Pasteur**

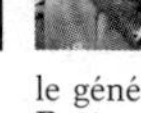

le général **Patton**

Pasteur (Louis) (Dole, 1822 - Villeneuve-l'Étang, com. de Marnes-la-Coquette, 1895), biologiste français; créateur de la microbiologie. Le premier, il découvrit que la fermentation était due à des organismes vivants, les microbes, et que ceux-ci étaient aussi à l'origine de certaines maladies appelées infectieuses, notam. la maladie du charbon. Il créa l'asepsie et les méthodes aseptiques, et mit au point une technique de vaccination contre la rage (1885). Secrétaire perpétuel de l'Académie des sciences, membre de l'Acad. fr. (1881).

Pasteur (Institut), institut privé de recherches biologiques et médicales (microbiologie, génétique, immunologie, allergologie et épidémiologie), fondé en 1888, qui assure aussi la mise au point et la diffusion de vaccins et sérums divers. Situé à Paris, ce centre compte de nombreuses filiales en France et à l'étranger. Par décret du 24 février 1967, l'Institut Pasteur est devenu une fondation financièrement indépendante (reconnue d'utilité publique).

pasteurien, enne ou **pastorien, enne** adj. et n. **1.** adj. MED Relatif à Pasteur, à ses découvertes et à leurs applications. **2.** n. Chercheur travaillant pour l'Institut Pasteur.

pasteurisateur n. m. TECH Appareil servant à la pasteursiation.

pasteurisation n. f. Opération qui consiste à chauffer, jusque vers 75 °C, certains liquides fermentescibles (vin, bière, lait, etc.), puis à les refroidir brusquement afin de détruire la plupart des germes pathogènes qu'ils contiennent et d'augmenter ainsi leur durée de conservation.

pasteuriser v. tr. [1] Soumettre à la pasteurisation. ▷ *Par ext.* Stériliser. - Pp. adj. *Lait pasteurisé.*

pastiche n. m. Imitation du style, de la manière d'un écrivain, d'un artiste; œuvre littéraire ou artistique produite par une telle imitation.

pasticher v. tr. [1] Faire un pastiche de.

pasticheur, euse n. Auteur de pastiches.

pastille n. f. **1.** Petit bonbon ou pilule médicamenteuse de forme généralement ronde et aplatie. **2.** Motif décoratif en forme de disque, de rond. **3.** TECH Petite pièce rappelant la forme d'une pastille.

pastis [pastis] n. m. Boisson apéritive alcoolisée à base d'anis, que l'on boit additionnée d'eau.

Pasto ou **San Juan de Pasto,** v. du S. de la Colombie, dans la Cordillère centrale, au pied du volcan de Galeras, sur la route panaméricaine; 245 000 hab.; ch.-l. de dép. Centre minier.

pastoral, ale, aux adj. et n. f. **1.** Litt. Relatif aux bergers, aux pasteurs; qui a les caractères de la vie rustique. **2.** Qui évoque la vie des pasteurs, des bergers. *Roman pastoral. La «Symphonie pastorale»* ou, ellipt., *«la Pastorale» :* la sixième symphonie de Beethoven. ▷ n. f. Œuvre littéraire, plastique, musicale, qui met en scène des pasteurs, des bergers, qui traite un sujet champêtre. **3.** Relatif à l'activité des pasteurs spirituels. *Ministère pastoral. Lettre pastorale* (d'un évêque) ou, n. f., *une pastorale.*

pastorat n. m. RELIG Dignité, fonction d'un pasteur spirituel, spécial., d'un pasteur protestant. - Durée de cette fonction.

pastorien, enne. V. pasteurien.

pastoureau, elle n. **1.** n. Litt. Petit berger, petite bergère. **2.** n. f. LITTER Genre lyrique du Moyen Âge qui faisait dialoguer un chevalier et une bergère.

Pa-ta Chan-jen. V. Bada Shanren.

patachon n. m. Loc. fam. *Une vie de patachon,* dissolue.

Patagonie, partie méridionale de l'Argentine, entre les Andes, la Pampa et l'Atlantique; 786 983 km^2; 1 296 000 hab. Ce plateau peu fertile (élevage ovin extensif), au climat sec et froid, a un sous-sol riche en gaz naturel et en pétrole. Princ. gisements à Comodoro Rivadavia et à Cerro Redondo.

Pātaliputra. V. Patnā.

Pātan, v. du Népal, dans la vallée de Katmandou; ch.-l. de rég.; 120 000 hab. - Nombr. temples bouddhiques.

pataphysique n. f. Didac., plaisant «Science des solutions imaginaires», d'après son créateur, Alfred Jarry.

patapouf interj. et n. m. **1.** interj. Exprime le bruit d'un corps qui tombe. **2.** n. m. Fam. *Un gros patapouf* : un enfant, un homme gros et lourd.

pataquès [patakɛs] n. m. inv. **1.** Faute de liaison. (Ex. *«ce n'est pas-t-à moi* [pɑtamwa]*» au lieu de «pas à moi* [pɑzamwa]*».*) **2.** Gaffe, complication due à la maladresse.

patate n. f. **1.** Plante (fam. convolvulacées) cultivée dans les pays chauds pour ses tubercules au goût sucré et pour son feuillage, utilisé comme fourrage vert. - Le tubercule lui-même, appelé aussi *patate douce.* **2.** Fam. Pomme de terre. ▷ (Canada) Loc. *Patates frites :* frites. *Patates chips :* chips. Syn. croustilles. **3.** Loc. fig., fam. *En avoir gros sur la patate :* en avoir gros sur le cœur. ▷ (Canada) *Être dans les patates,* dans l'erreur. - *Faire patate :* échouer, manquer son coup. - *Patate chaude* (dans les mains d'un politicien, d'un administrateur) : question délicate, embarrassante.

patati, patata onomat. fam. qui suggère, par moquerie, un long bavardage inutile. *Il n'arrête pas de jacasser, et patati et patata.*

patatras! [patatʀa] interj. Exprime le bruit d'un corps qui tombe avec fracas.

pataud, aude n. et adj. **1.** n. m. Jeune chien qui a de grosses pattes. **2.** n. Fig., vieilli Personne lourde et lente, maladroite. ▷ adj. Cour. *Allure pataude.*

pataugas [patogas] n. m. (Nom déposé.) Chaussure de toile montante solide, à semelle de caoutchouc, utilisée notam. pour les longues marches.

pataugeoire n. f. Bassin peu profond destiné aux enfants (le plus souvent dans une piscine).

patauger v. intr. [**13**] Marcher dans un endroit bourbeux, sur un sol boueux. ▷ Fig., fam. S'embrouiller, s'empêtrer.

Patay, ch.-l. de cant. du Loiret (arr. d'Orléans); 1 953 hab. - Victoire de Jeanne d'Arc et de Richemont sur les Anglais de Talbot (18 juin 1429). Défaite de la Ire armée de la Loire devant les Prussiens (2 et 4 déc. 1870).

patch n. m. (Anglicisme) **1.** CHIR Pièce de matière synthétique ou de tissu prélevé sur le sujet, servant à fermer une incision ou une perte de substance. **2.** MED Syn. de *timbre* (sens 7).

Patch (Alexander McCarrell) (Fort Huachuca, Arizona, 1889 - San Antonio, Texas, 1945), général américain. À la tête de la VIIe armée, il débarqua en Provence, en liaison avec l'armée de De Lattre; il libéra la Franche-Comté et pénétra en Lorraine et en Alsace (1944); la division Leclerc lui fut rattachée. Après avoir franchi le Rhin, il prit la Bavière (1945).

Patchen (Kenneth) (Niles, Ohio, 1911 - Palo Alto, 1972), peintre et écrivain américain. Auteur de vers lyriques qui évoluent du surréalisme au mysticisme (*Premières et dernières volontés,* 1939; *Vive n'importe quoi,* 1957) et de romans (*À demain, mon amour,* 1948).

patchouli n. m. **1.** Plante dicotylédone aromatique d'Asie (*Pogostemon patchouli,* fam. labiées). **2.** Parfum extrait de cette plante.

patchwork [patʃwɔʀk] n. m. Pièce de tissu faite d'un assemblage cousu de morceaux tissés ou tricotés, souvent de couleurs vives. ▷ Fig. *Un patchwork de populations.*

pâte n. f. **I. 1.** Farine détrempée et pétrie dont on fait le pain, les gâteaux, etc. *Pâte sablée, feuilletée.* ▷ Loc. fig., fam. *Une bonne pâte :* une brave personne. - *Mettre la main à la pâte :* participer en personne à l'exécution d'une tâche. **2.** Substance de consistance analogue, résultant d'une préparation. *Pâte à modeler. Pâte à papier.* **II.** *Pâtes alimentaires* ou *pâtes :* petits fragments séchés d'une pâte à base de semoule de blé dur, auxquels on donne diverses formes (spaghettis, nouilles, etc.).

pâté n. m. **1.** Préparation de viande, de poisson ou de légumes hachés, cuite dans une croûte de pâte ou dans une terrine. **2.** Tache d'encre faite sur du papier en écrivant. **3.** *Pâté de maisons :* groupe de maisons accolées, limité par des rues. **4.** *Pâté (de sable) :* petit tas de sable moulé que les enfants façonnent par jeu.

pâtée n. f. **1.** Mélange plus ou moins épais d'aliments variés, dont on nourrit certains animaux domestiques (volailles, chiens, chats, porcs). **2.** Fig., pop. Volée de coups; correction. *On leur a flanqué la pâtée.*

1. patelin n. m. Fam. Village, pays, région.

2. patelin, ine adj. Doucereux, hypocrite. *Air patelin.*

Patelin ou **Pathelin (la Farce de Maître),** farce anonyme du XVe s., véritable comédie de mœurs.

patelle n. f. Mollusque gastéropode à coquille conique, commun sur les côtes françaises, appelé cour. *bernique* ou *bernicle.*

patène n. f. LITURG Vase sacré en forme de petite assiette, qui sert à couvrir le calice et à recevoir l'hostie.

Patenier. V. Patinir.

patenôtre n. f. Vieilli ou plaisant Prière. *Réciter, marmonner des patenôtres.*

patent, ente adj. **1.** Évident, manifeste. *Une erreur patente.* **2.** HIST *Lettres patentes,* que le roi adressait ouvertes au parlement.

patente n. f. Impôt direct qui était perçu à l'occasion d'une activité industrielle ou commerciale. *La patente a été remplacée en 1975 par la taxe professionnelle.* ▷ *Par ext.* Certificat constatant le paiement de cet impôt.

patenté, ée adj. **1.** Assujetti à la patente, qui paie patente. *Commerçant patenté.* **2.** Fig., fam. Reconnu comme tel; attitré. *Ivrogne patenté.*

pater [patɛʀ] n. m. Fam. Père. *Mon pater est furieux.*

Pater n. m. inv. *Le Pater :* l'oraison, commune à tous les chrétiens, enseignée par le Christ à ses disciples (Matthieu VI, 9-13), qui commence, en latin, par les mots *Pater noster,* «Notre Père». *Dire un Pater.*

Pater (Walter Horatio) (Londres, 1839 - Oxford, 1894), écrivain anglais. Il proposa un hédonisme intégral dans le roman *Marius l'épicurien* (1885) et publia surtout des essais critiques : *la Renaissance* (1873), *Portraits imaginaires* (1887), *Appréciations* (1889).

patère n. f. Portemanteau fixé à un mur.

pater familias ou **paterfamilias** [patɛʀfamiljas] n. m. inv. **1.** Chef de la famille romaine. **2.** Litt. ou plaisant Père de famille imposant et autoritaire.

paternalisme n. m. Péjor. Conception selon laquelle les personnes qui détiennent l'autorité doivent jouer, vis-à-vis de ceux sur qui elle s'exerce, un rôle analogue à celui du père vis-à-vis de ses enfants; bienveillance condescendante dans l'exercice de l'autorité.

paternaliste adj. et n. Qui a rapport au paternalisme. - Qui indique du paternalisme. *Un ton paternaliste.* ▷ Subst. *C'est un paternaliste de l'ancien temps.*

paterne adj. Vieilli ou litt. D'une bonhomie doucereuse. *Prendre un ton paterne.*

paternel, elle adj. et n. m. **I.** adj. **1.** Du père; qui appartient, qui se rapporte au père. *La maison paternelle.* **2.** Qui est du côté du père. *Oncle paternel.* **3.** Qui évoque la bienveillance du père. *Une semonce paternelle.* **II.** n. m. Pop. Père.

paternellement adv. D'une façon paternelle, bienveillante.

paternité n. f. **1.** État, qualité de père. ▷ DR *La paternité est dite «légitime» ou «naturelle» selon que l'enfant a été conçu ou non pendant le mariage; elle est dite «adoptive» lorsque l'enfant est adopté.* **2.** Fig. Qualité d'auteur, de créateur. *Désavouer la paternité d'un livre.*

Paterson, v. des É.-U. (New Jersey), au N.-O. de New York; 140 890 hab. Centre industriel (notam. sidérurgie, carbochimie et textile).

pâteux, euse adj. **1.** Qui a la consistance de la pâte. *Substance pâteuse.* ▷ Trop épais, en parlant d'un liquide. *Encre pâteuse.* **2.** Loc. *Avoir la bouche, la* *langue pâteuse,* emplie, chargée d'une salive épaisse qui en altère la sensibilité.

-pathe. V. -pathie.

Pathé (Charles) (Chevry-Cossigny, Seine-et-Marne, 1863 – Monte-Carlo, 1957), ingénieur et industriel français; promoteur avec son frère **Émile** (Paris, 1860 – id., 1937) de l'industrie phonographique française. Il créa aussi le premier laboratoire de tirage de films de cinéma (1905) et lança, en 1909, le premier journal d'actualités cinématographiques.

Pathelin. V. Patelin.

pathétique adj. Qui émeut profondément. *Son désarroi était pathétique.* ▷ n. m. *Le pathétique d'une scène.*

pathétiquement adv. De manière pathétique.

pathétisme n. m. Litt. Caractère de ce qui est pathétique.

Pathet Lao, front de libération laotien fondé en 1950 par le prince Souphanouvong et dont la force princ. fut le parti communiste. Il lutta contre la France puis contre le gouv. de Souvanna Phouma qu'il supplanta en 1975. Souphanouvong devint le premier président de la république populaire du Laos*.

-pathie, -pathique, -pathe. Éléments, du gr. *-patheia, -pathês,* de *pathos,* «ce que l'on éprouve, affection, maladie».

patho-. Élément, du gr. *pathos,* «affection, maladie».

pathogène adj. MED Qui peut engendrer une maladie.

pathogenèse ou **pathogénie** n. f. Didac. Processus d'installation et d'évolution d'une maladie. ▷ Étude de la cause des maladies et de leur processus.

pathognomonique adj. MED Se dit des signes caractéristiques d'une maladie, qui permettent de la diagnostiquer sans ambiguïté.

pathologie n. f. MED **1.** Étude scientifique, systématique, des maladies. **2.** Ensemble des signes pathologiques par lesquels une maladie se manifeste. *Une pathologie complexe. Pathologie mentale, cardiaque.*

pathologique adj. Qui a le caractère de la maladie. *Troubles pathologiques.*

pathologiquement adv. **1.** Didac. D'un point de vue pathologique. **2.** D'une façon pathologique.

pathologiste n. et adj. Didac. Spécialiste de la pathologie. – *Spécial.* Spécialiste de l'anatomie pathologique.

pathos [patos] n. m. inv. Litt., péjor. Pathétique exagéré dans un discours, et, par ext., dans le ton et les gestes.

patibulaire adj. *Visage, mine patibulaire,* d'un individu qui semble mériter la potence; sinistre, louche.

patiemment [pasjamɑ̃] adv. Avec patience.

1. patience [pasjɑ̃s] n. f. et interj. **I.** n. f. **1.** Vertu qui permet de supporter ce qui est irritant ou pénible. *La patience d'un grand malade.* **2.** Persévérance dans une longue tâche. *Ouvrage de patience.* **3.** Calme, sang-froid dans l'attente. *S'armer de patience.* **4.** *Jeu de patience* : puzzle. **5.** Syn. de *réussite* (sens 2). **II.** interj. (Pour inciter qqn à garder son calme.) *Patience! ce sera bientôt fini.* ▷ (Marquant une intention menaçante.) *Patience! je lui revaudrai ça.*

2. patience [pasjɑ̃s] n. f. Plante dicotylédone (fam. polygonacées). Syn. oseille épinard.

patient, ente [pasjɑ̃, ɑ̃t] adj. et n. **I.** adj. **1.** Qui fait preuve de patience. *Être patient avec les enfants.* **2.** Qui n'est pas découragé par la longueur d'un travail. *Un chercheur patient.* – Par ext. *Recherches patientes.* **II.** n. Personne qui subit une opération chirurgicale, un traitement médical.

patienter [pasjɑ̃te] v. intr. [1] Attendre patiemment.

1. patin n. m. **1.** Pièce de tissu servant à se déplacer sur un parquet pour ne pas le salir. **2.** *Patin à glace* : semelle munie d'une lame, que l'on fixe sous une chaussure spéciale pour glisser sur la glace. – *Par méton.* Chaussure à tige haute sous laquelle est fixée une lame en acier. ▷ (Canada) Loc. *Être vite sur ses patins* : agir, comprendre rapidement. – *Accrocher ses patins* : terminer la saison de hockey, cesser de jouer; *par ext.* mettre un terme à une activité, à une carrière. ▷ *Le patin* : le patinage. **3.** *Patin (à roulettes)* : semelle rigide munie de roulettes, que l'on fixe à la chaussure par des courroies. – Chaussure à tige haute sous laquelle sont fixées des roulettes et parfois un frein. ▷ *Patin en ligne* : patin dont les quatre roues sont en ligne. **4.** Pièce de métal ou de bois servant de support. ▷ (Canada) *Spécial.* Chacune des deux pièces longues et étroites qui supportent le corps d'une voiture d'hiver (traîneau, carriole) et lui permettent de glisser sur la neige ou la glace. **5.** TECH Pièce mobile dont le frottement contre la jante d'une roue permet le freinage. ▷ Pièce d'une motrice électrique, qui glisse le long du rail conducteur et qui capte le courant.

2. patin n. m. Loc. pop. *Rouler un patin à qqn,* l'embrasser sur la bouche.

Patin (Gui) (Hodenc-en-Bray, 1601 – Paris, 1672), médecin et écrivain français; auteur de *Lettres,* chronique spirituelle et caustique, relative à la Fronde (publiées en 1692, 1695 et 1718).

patinage n. m. **1.** Pratique du patin à glace ou du patin à roulettes. ▷ SPORT *Patinage artistique, patinage de vitesse* : sports de glace. **2.** Fait de patiner 2.

patine n. f. **1.** Teinte unie que certaines matières prennent avec le temps, ternissure qui adoucit leur éclat et égalise leurs couleurs. *La patine des ivoires anciens.* ▷ *Patine du bronze, du cuivre* : vert-de-gris. **2.** Coloration ou lustrage artificiels de divers objets, destinés à les protéger ou à les décorer.

1. patiner v. intr. [1] **1.** Se déplacer avec des patins; pratiquer le patinage. ▷ (Canada) Fam. *Patiner sur la (les) bottine(s)* : patiner maladroitement. – Fig. Chercher à éluder une question embarrassante, tergiverser. *Un politicien qui sait bien patiner.* **2.** Glisser par manque d'adhérence (roues de véhicule, disque d'embrayage, etc.).

2. patiner v. tr. [1] Donner une patine naturelle ou artificielle à (qqch).

patinette n. f. Jouet d'enfant constitué d'un bâti équipé de deux roues de faible diamètre et d'un guidon. Syn. trottinette.

patineur, euse n. Personne qui patine.

Patinir ou **Patenier** (Joachim) (Dinant ou Bouvignes, v. 1480 – Anvers, 1524), peintre flamand, élève de Matsys; l'un des prem., il privilégia le paysage au détriment de la scène religieuse : *la Fuite en Égypte.*

patinoire n. f. **1.** Endroit aménagé pour le patinage. **2.** Fig. Surface glissante. *La route est une vraie patinoire.*

patio [patjo; pasjo] n. m. Cour intérieure d'une maison, le plus souv. découverte.

pâtir v. intr. [3] *Pâtir de* : éprouver un dommage, un préjudice du fait de.

pâtis [pɑti] n. m. Vx ou rég. Terrain inculte où l'on fait paître les bestiaux.

pâtisser v. intr. [1] Faire de la pâtisserie.

pâtisserie n. f. **1.** Pâte sucrée, généralement garnie de fruits, de crème, etc., que l'on fait cuire au four; gâteau. **2.** Confection des gâteaux. **3.** Commerce, magasin du pâtissier. **4.** Motif décoratif en stuc.

pâtissier, ère n. et adj. **1.** n. Personne qui fabrique ou qui vend de la pâtisserie. **2.** adj. *Crème pâtissière,* à base de lait, de farine, d'œufs et de sucre, avec laquelle on garnit divers gâteaux.

pâtisson n. m. Courge dite aussi *bonnet-de-prêtre, artichaut d'Espagne, artichaut de Jérusalem.*
► illustr. **cucurbitacées**

Pátmos, île grecque (Dodécanèse), au S. de Samos; 2 500 hab. L'apôtre saint Jean y aurait écrit le livre de l'Apocalypse.

Patnā (anc. *Pātaliputra*), v. de l'Inde, sur le Gange; cap. du Bihār; 917 000 hab. Import. centre commercial. Industr. textiles (coton). – Évêché catholique. Université. Vestiges de fortifications en bois et du palais d'Açoka (v. 264-226 av. J.-C.). – *Pātaliputra* fut la cap. (IIIe s. av. J.-C.-Ve s. ap. J.-C.) du royaume Magadha, berceau du bouddhisme et du jaïnisme.

patois, oise n. m. et adj. **1.** n. m. Parler rural utilisé par un groupe restreint. *Patois lorrain, picard.* **2.** adj. Propre au patois.

patoisant, ante adj. et n. Se dit d'une personne qui parle patois. ▷ adj. Qui renferme des éléments de patois. *Un style, un auteur patoisant.*

patoiser v. intr. [1] Parler patois; employer des expressions patoises.

pâton n. m. TECH Morceau de pâte. – *Spécial.* Morceau de pâte à pain prêt à être enfourné.

patouiller v. [1] **1.** v. intr. Fam. Patauger. *Patouiller dans la vase.* ▷ Fig. *Il a patouillé lamentablement devant l'examinateur.* **2.** v. tr. Tripoter brutalement ou indiscrètement.

patraque adj. Fam. Légèrement malade, souffrant.

Patras, v. de Grèce (N.-O. du Péloponnèse), sur le *golfe de Patras* (mer Ionienne); 141 600 hab.; ch.-l. du nome d'Achaïe. Port actif. Exportation de vins, de raisins; pneumatiques. – Anc. cap. de la principauté d'Achaïe.

pâtre n. m. Litt. Celui qui garde, fait paître des troupeaux.

patriarcal, ale, aux adj. **1.** Qui a rapport aux patriarches bibliques; qui rappelle la simplicité de leurs mœurs. *Vie patriarcale.* **2.** Qui concerne la dignité de patriarche. *Croix patriarcale.* **3.** SOCIOL Relatif au patriarcat. *Société patriarcale.*

patriarcat n. m. **1.** RELIG Dignité de patriarche (sens 3). – Étendue de territoire soumise à sa juridiction. *Le patriarcat d'Antioche.* **2.** SOCIOL Régime social dans lequel la filiation est patrilinéaire et l'autorité du père prépondérante dans la famille (par oppos. à *matriarcat*).

patriarche n. m. **1.** Un des chefs de famille auxquels l'Ancien Testament attribue une extraordinaire longévité et une très nombreuse descendance. *Le patriarche Mathusalem.* **2.** Titre honorifique donné, dans l'Église catholique romaine, aux évêques de certains sièges, notam. des plus anciens. **3.** Chef de certaines Églises chrétiennes orthodoxes ou d'une Église catholique orientale non romaine. **4.** Vieillard vénérable vivant au milieu d'une nombreuse famille.

patrice n. m. ANTIQ ROM Dignitaire de l'Empire romain, à partir de Constantin, au rang prestigieux.

patricien, enne n. et adj. **I.** n. **1.** ANTIQ ROM Personne qui, à Rome, descendait d'une famille de la classe noble et jouissait de privilèges particuliers. **2.** Membre de la noblesse. **II.** adj. **1.** ANTIQ ROM Relatif aux patriciens. **2.** Litt. Aristocratique. *Orgueil patricien.* Ant. plébéien.

Patrick (saint) (en G.-B., v. 385 – en Irlande, v. 461), apôtre de l'Irlande. Emmené dans ce pays par des pirates, il fut libéré et se rendit à Auxerre, où il fut ordonné puis, en 432, consacré évêque par saint Germain. Il repartit à cette date pour l'Irlande, dont il organisa l'Église selon le rite latin. Saint patron de l'Irlande.

patrie n. f. **1.** Pays dont on est originaire, nation dont on fait partie ou à laquelle on se sent lié. **2.** Région, localité où l'on est né. **3.** Fig. *La patrie des sciences, des arts :* le pays où les sciences, les arts sont particulièrement en honneur.

patrilinéaire adj. ETHNOL Se dit d'un type de filiation ou d'organisation sociale qui ne prend en compte que l'ascendance paternelle. Ant. matrilinéaire.

patrilocal, ale, aux adj. ETHNOL Se dit d'un mode de résidence qui impose aux couples de venir habiter, après le mariage, dans la famille du père du mari. Ant. matrilocal.

patrimoine n. m. **1.** Biens que l'on a hérités de son père et de sa mère; biens de famille. *Gérer le patrimoine familial.* **2.** DR Ensemble des biens, des charges et des droits d'une personne évaluables en argent. **3.** Fig. Ce qui constitue le bien, l'héritage commun. *Le patrimoine artistique d'un pays.* **4.** BIOL *Patrimoine héréditaire, génétique :* génotype.

patrimonial, ale, aux adj. DR Relatif au patrimoine (sens 1 et 2). *Biens patrimoniaux.*

patriote n. et adj. Qui aime sa patrie, la sert avec dévouement.

patriotique adj. Propre au patriote; inspiré par le patriotisme.

patriotisme n. m. Amour de la patrie, dévouement à la patrie.

patristique n. f. Didac. Partie de la théologie qui étudie la doctrine des Pères de l'Église. ▷ adj. Relatif aux Pères de l'Église.

Patrocle, dans la myth. gr., héros ami d'Achille. Il fut tué par Hector au siège de Troie. Achille le vengea, en tuant Hector.

patrocline adj. GENET Se dit des caractères héréditaires transmis par le père.

1. patron, onne n. **I. 1.** Chef d'une entreprise industrielle ou commerciale privée; employeur par rapport à ses employés. *Le patron d'un bar, d'une aciérie. Mon patron :* le patron de l'entreprise dans laquelle je travaille. **2.** Professeur, maître dirigeant certains travaux. *Patron de thèse.* **3.** MAR Celui qui commande un bateau de pêche. **II. 1.** Saint ou sainte dont on porte le nom; saint ou sainte sous le vocable duquel ou de laquelle une église est placée. **2.** Saint (sainte) qu'un pays, une ville, un groupe social a reçu ou choisi pour protecteur (protectrice).

2. patron n. m. **1.** Modèle à partir duquel sont exécutés des travaux artisanaux. *Patron de broderie.* ▷ Modèle en papier, en toile ou en carton, utilisé pour tailler un vêtement. *Patron de robe.* **2.** Carton ajouré servant à colorier; pochoir.

patronage n. m. **1.** Soutien moral explicite accordé par un personnage influent, une organisation, à une personne, une organisation, une manifestation. *Exposition organisée sous le patronage de la municipalité.* **2.** Protection d'un saint, d'une sainte. **3.** Organisation de bienfaisance, religieuse ou laïque, veillant à l'éducation morale des enfants, spécial. en organisant leurs loisirs. *Patronage municipal, paroissial.* ▷ Siège d'une telle organisation.

patronal, ale, aux adj. **1.** Relatif au patron, au saint du lieu. *Fête patronale.* **2.** Qui concerne le patron, le chef d'une entreprise. *Exigences patronales.* ▷ Du patronat. *Syndicat patronal.*

patronat n. m. Ensemble des patrons (par oppos. à *salariat*). *Le patronat et les syndicats.*

patronner v. tr. [1] Protéger, appuyer de son crédit. *Patronner un candidat, une entreprise.*

patronnesse adj. f. Souvent iron. *Dame patronnesse,* qui patronne une œuvre de bienfaisance.

patronyme n. m. Nom de famille.

patronymique adj. **1.** ANTIQ *Nom patronymique,* porté par les descendants d'un ancêtre illustre, légendaire ou réel. *Les Atrides, nom patronymique des descendants d'Atrée.* **2.** Mod., cour. *Nom patronymique,* de famille.

patrouille n. f. **1.** Petite troupe de soldats, d'agents de la force publique, etc., chargés d'une ronde de surveillance. – Détachement de soldats chargés d'une mission de reconnaissance. ▷ La mission même d'une telle troupe, d'un tel détachement. *Partir en patrouille.* **2.** AVIAT, MAR Formation réduite d'avions ou de bâtiments chargés d'une mission (de surveillance, de protection, etc.).

patrouiller v. intr. [1] Aller en patrouille; faire une, des patrouilles.

patrouilleur n. m. **1.** Militaire qui effectue une patrouille. **2.** Avion qui effectue une patrouille. ▷ Petit bâtiment de guerre utilisé pour la surveillance du littoral, l'escorte des convois et la chasse anti-sous-marine.

Patru (Olivier) (Paris, 1604 – id., 1681), avocat français; ami de Boileau. Reçu à l'Acad. fr. (1640), il fit un discours de remerciement si goûté que cette pratique, devenue tradition, constitue l'acte essentiel de la réception à l'Académie. Il participa à la rédaction du dictionnaire de Richelet.

patte n. f. **I. 1.** Organe de locomotion des animaux. ▷ Fig. *Pattes de mouche**. – *Pattes de lapin* ou, absol., *pattes :* favoris coupés court. **2.** Loc. fig. (En parlant de personnes.) *Marcher à quatre pattes,* en prenant appui à la fois sur les pieds ou les genoux et sur les mains. – *Montrer patte blanche :* se faire reconnaître pour pouvoir entrer dans

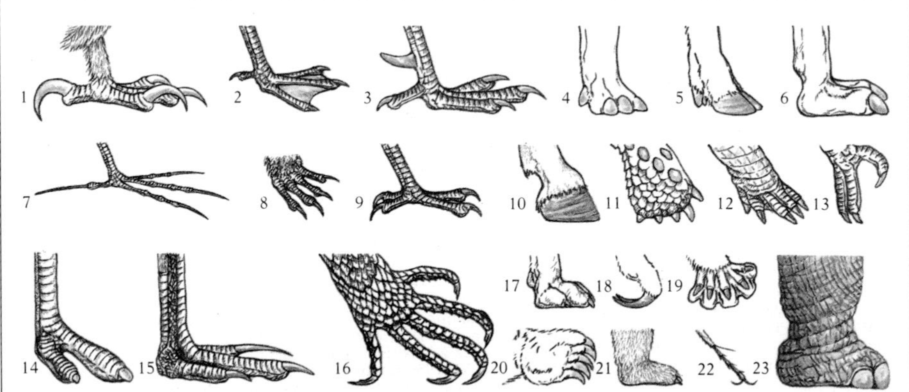

pattes : 1. aigle; 2. canard; 3. dindon; 4. tapir; 5. sanglier; 6. dromadaire; 7. jacana; 8. martinet; 9. perroquet; 10. cheval; 11. tortue; 12. crocodile; 13. caméléon; 14. autruche; 15. casoar casqué; 16. iguane; 17. chien; 18. unau; 19. ornithorynque; 20. taupe; 21. panda; 22. mouche; 23. éléphant

un lieu dont l'accès est contrôlé. – *Faire patte de velours* : V. velours. **3.** Fam. Jambe. *Patte folle* : jambe légèrement boiteuse. **4.** Fam. Main. *Bas les pattes!* : ne touchez pas à cela! Ne me touchez pas! ▷ Fig. *Graisser la patte à qqn*, le soudoyer. **II.** Pièce longue et plate servant à fixer, retenir, assembler, etc. *Patte à scellement.* ▷ Courte bande d'étoffe, de cuir, etc., dont une extrémité est fixée à une partie d'un vêtement et dont l'autre porte un bouton, une boutonnière.

patté, ée adj. HERALD *Croix pattée*, dont les branches vont en s'élargissant à leurs extrémités.

patte-d'oie n. f. **1.** Endroit où une route se divise en plusieurs embranchements. **2.** Rides divergentes à l'angle externe de l'œil. *Des pattes-d'oie.*

pattemouille n. f. Linge que l'on humecte et que l'on interpose entre le tissu à repasser et le fer.

pattern [patɛʀn] n. m. (Anglicisme) Didac. En sciences humaines, modèle simplifié, schéma à valeur explicative, représentant la structure d'un phénomène complexe.

Patti (Adelina) (Madrid, 1843 – Craig-y-Nos Castle, pays de Galles, 1919), cantatrice italienne; célèbre soprano léger (*Lucie de Lammermoor, Don Juan, Faust*).

Patton (George Smith) (San Gabriel, Californie, 1885 – Heidelberg, 1945), général américain; spécialiste de l'arme blindée dès la Première Guerre mondiale. Chef de la IIIe armée, il opéra la percée d'Avranches (août 1944), libéra Rennes et Nantes, et fonça vers l'E. (entrée dans Metz, nov. 1944). Il reçut l'ordre d'arrêter son avance à 90 km de Prague (avr. 1945).
▶ illustr. page 1400

pattu, ue adj. Qui a de grosses pattes. *Chien pattu.* ▷ (En parlant des oiseaux.) Dont le haut des pattes est emplumé. *Pigeon pattu.*

pâturage n. m. **1.** Prairie naturelle dont l'herbe est consommée sur place par les bestiaux. **2.** Action de faire paître les bestiaux.

pâture n. f. **1.** Ce qui sert à la nourriture des animaux. – *Spécial.* Plantes dont on nourrit le bétail, fourrage. ▷ Fig., litt. et vieilli Ce qui sert d'aliment à l'esprit. *Trouver chez un auteur une riche pâture.* – Mod., litt. Ce qui permet de satisfaire tel besoin, telle exigence. *Jeter un nom en pâture à la curiosité du public.* **2.** Action de pâturer. *Bétail en pâture.* **3.** Terrain, pré où les bêtes pâturent.

pâturer v. [1] **1.** v. intr. Paître, prendre sa pâture. **2.** v. tr. *Moutons qui pâturent un pré.*

pâturin n. m. Graminée très commune utilisée comme fourrage.

paturon ou **pâturon** n. m. Partie de la jambe du cheval comprise entre le boulet et la couronne.

Pau (gave de), riv. des Pyrénées françaises (120 km), affl. de l'Adour (r. g.), formée de plusieurs gaves (*Gavarnie* et *Héas*); elle descend du cirque de Gavarnie et arrose Lourdes et Pau.

Pau, ch.-l. de dép. des Pyr.-Atl., sur le gave de Pau; 83 928 hab. (*Palois*); env. 144 700 hab. dans l'aggl. Aéroport (*Pau-Pyrénées*). L'expansion industrielle (métall. spécialisée, prod. chim.) est due au gaz de Lacq et à l'énergie électrique. Stat. climatique. – Université. Chât. du XIIIe s. Musées. – Cap. du Béarn (XVe s.), puis des rois de Navarre (1512), Pau vit naître Henri IV (1553) et fut réuni à la Couronne en 1620.

Pauillac, ch.-l. de cant. de la Gironde (arr. de Lesparre-Médoc), sur la Gironde, avant-port maritime de Bordeaux; 5 855 hab. Crus renommés (haut Médoc).

Paul (saint) (Tarse, auj. Tarsus, en Turquie, entre 5 et 15 apr. J.-C. – Rome, v. 62 ou 67), apôtre du christianisme, surnommé *l'Apôtre des gentils.* Juif et citoyen romain, hostile aux disciples de Jésus, converti à la suite d'une vision foudroyante du Christ sur le chemin qui le conduisait à Damas, il prêcha l'Évangile en Asie Mineure, en Macédoine, en Grèce, et y fonda diverses communautés auxquelles, par la suite, il adressa des lettres (épîtres). Arrêté à Jérusalem (58) selon certains, il fut remis en liberté en 62 et, après avoir voyagé en Orient ou en Espagne, il aurait été de nouveau arrêté en 66 et exécuté aux portes de Rome (67). Selon d'autres, il aurait été mis à mort dès sa première captivité.

Paul de la Croix (saint) (Paolo Francesco Danei) (Ovada, 1694 – Rome, 1775), religieux italien; fondateur de la congrégation des Passionistes.

Paul, nom de six papes dont : – **Paul III** (Alessandro Farnèse) (Canino, 1468 – Rome, 1549), pape de 1534 à 1549, qui rétablit l'Inquisition (1542), réunit le concile de Trente (1545) et confia à Michel-Ange les travaux de la basilique Saint-Pierre de Rome. – **Paul V** (Camillo Borghèse) (Rome, 1552 – id., 1621), pape de 1605 à 1621, qui fit achever la basilique Saint-Pierre par le Bernin. – **Paul VI** (Giovanni Battista Montini) (Concesio, près de Brescia, 1897 – Castel Gandolfo, 1978), pape de 1963 à 1978; successeur de Jean XXIII, il continua son œuvre œcuménique, conciliaire et sociale. Ses voyages dans le monde entier (Terre sainte et Inde, 1964; Istanbul, 1967, etc.) ont constitué une grande nouveauté.

le pape **Paul VI** Wolfgang **Pauli**

Paul Ier Petrovitch (Saint-Pétersbourg, 1754 – id., 1801), empereur de Russie (1796-1801), fils de Catherine II et de Pierre III. Hostile à la poussée révolutionnaire, il lutta contre la France (1799), puis, s'alliant à Bonaparte, créa la ligue des Neutres (1800) en vue de contrecarrer les Anglais aux Indes. Son fils Alexandre participa au complot qui aboutit à son assassinat.

Paul Ier (Athènes, 1901 – id., 1964), roi de Grèce (1947-1964). Il succéda à Georges II, son frère, et eut pour successeur Constantin II, son fils.

Paul-Boncour (Joseph) (Saint-Aignan, Loir-et-Cher, 1873 – Paris, 1972), homme politique français. Délégué permanent à la S.D.N., prés. du Conseil de déc. 1932 à janv. 1933, plus. fois ministre jusqu'en 1939, il refusa les pleins pouvoirs au maréchal Pétain en 1940 et ne reprit son activité politique qu'en 1944.

Paul Émile (en lat. *Lucius Æmilius Paulus*) (m. à Cannes en 216 av. J.-C.),

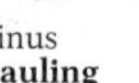

Linus **Pauling** Luciano **Pavarotti**

général romain; consul en 219 puis en 216 av. J.-C., vaincu et tué à la bataille de Cannes. – **Paul Émile le Macédonique** (en lat. *Lucius Æmilius Macedonicus*) (v. 230 – 160 av. J.-C.), fils du préc.; général romain, consul en 182 puis en 168 av. J.-C., il vainquit le roi de Macédoine Persée à Pydna (168).

Paulhan (Jean) (Nîmes, 1884 – Boissise-la-Bertrand, Seine-et-Marne, 1968), écrivain français; directeur de la *Nouvelle Revue française* de 1925 à 1940 et de 1953 à sa mort, auteur de brèves études sur le langage, la rhétorique, l'écriture (*Entretiens sur des faits divers*, 1930; *les Fleurs de Tarbes*, 1941; *Clefs de la poésie*, 1944) et l'art (*Braque le patron*, 1946; *l'Art informel*, 1962). Acad. fr. (1963).

Pauli (Wolfgang) (Vienne, 1900 – Zurich, 1958), physicien suisse d'origine autrichienne. Il élabora la théorie quantique du magnétisme nucléaire et émit l'hypothèse de l'existence du neutrino. P. Nobel 1945.

paulien, enne adj. DR *Action paulienne*, intentée par un créancier contre un débiteur frauduleux.

Pauling (Linus) (Portland, Oregon, 1901 – Big Sur, Californie, 1994), chimiste américain. Il fit progresser considérablement la biochimie des protéines. Prix Nobel de chimie 1954, prix Nobel de la paix 1962.

paulinien, enne adj. RELIG Qui a rapport à saint Paul, à sa doctrine.

paulinisme n. m. RELIG Doctrine de saint Paul.

1. pauliste n. m. RELIG CATHOL Membre d'une société de missionnaires catholiques, fondée à New York en 1858 et placée sous le patronage de saint Paul.

2. pauliste adj. et n. De São Paulo.

paulownia [polɔ(v)nja] n. m. Arbre ornemental (fam. scrofulariacées) aux fleurs mauves odorantes, qui éclosent avant la feuillaison.

Paulus (Friedrich) (Breitenau, Hesse, 1890 – Dresde, 1957), maréchal allemand. Spécialiste des blindés, chef de la VIe armée, il dut capituler à Stalingrad (1943). Interné en U.R.S.S., il fut, en 1953, remis aux autorités de la R.D.A.

paume n. f. **1.** Dedans de la main, entre le poignet et les doigts. **2.** Jeu de balle, ancêtre du tennis, qui se joua d'abord avec la paume de la main puis avec une batte ou une raquette, en terrain libre *(longue paume)* ou dans un lieu clos aménagé *(courte paume).* ▷ *Jeu de paume* : terrain, salle de courte paume. *Serment du Jeu de paume.* V. Jeu de paume (serment du). *Musée du Jeu de paume* : V. Jeu de paume.

paumé, ée adj. Fam. Perdu. *Je suis paumé dans cette ville.* ▷ Fig. *Elle est complètement paumée.* – Subst. *C'est un(e) paumé(e).*

1. paumelle n. f. Pièce métallique double qui permet le pivotement d'une porte, d'une fenêtre, d'un volet, etc., et dont les deux parties peuvent être désolidarisées.

2. paumelle n. f. Orge commune à rangs, dont l'épi est en forme de palme.

paumer v. tr. [1] Pop. Perdre. *J'ai paumé mon trousseau de clés.* ▷ v. pron. Se perdre.

paupérisation n. f. Didac. Appauvrissement continu d'une population, d'un groupe humain.

paupériser v. tr. [1] Didac. Entraîner la paupérisation de. – Pp. adj. *Une population paupérisée.* ▷ v. pron. *La région s'est rapidement paupérisée.*

paupérisme n. m. Didac. État permanent d'indigence d'un groupe humain, envisagé en tant que phénomène social.

paupière n. f. Chacune des membranes mobiles qui recouvrent, en se rapprochant, la partie externe de l'œil, et qui lui servent de protection. *Paupière supérieure, inférieure.*

paupiette n. f. Tranche de viande, roulée et farcie.

Paurava. V. Pôros.

Pausanias (IIe s. apr. J.-C.), géographe et historien grec : *Description de la Grèce* (10 livres).

pause n. f. **1.** Suspension momentanée d'une activité, d'un travail. *Orateur qui fait une pause.* ▷ SPORT Repos entre deux périodes de jeu, de combat. ▷ Fam. Court séjour. *En revenant d'Espagne, j'ai fait une pause à Royan.* **2.** MUS Silence de la durée d'une ronde; signe (barre horizontale sous la quatrième ligne de la portée) qui sert à le noter.

pause-café n. f. Pause ménagée dans une journée de travail pour prendre une boisson. *Des pauses-café.*

pauvre adj. et n. **1.** Qui n'a pas le nécessaire; qui manque de biens, d'argent. *Être très pauvre, être pauvre comme Job.* – Qui dénote la gêne, le dénuement. *Une pauvre demeure.* ▷ *Pauvre de, pauvre en* : qui manque de, qui est dépourvu de. – Fam. *Pauvre d'esprit.* ▷ Subst. Personne sans ressources, indigent. *Les riches et les pauvres. Nouveau pauvre* : victime de la crise (S.D.F., chômeur en fin de droits, etc.). **2.** (Choses) Improductif, infécond, stérile. *Une terre pauvre.* **3.** Qui inspire la compassion. *Le pauvre homme!* – Subst. *Le (la) pauvre!* ▷ Spécial. (À propos d'une personne décédée.) *C'était avant la mort de ce pauvre Paul.* ▷ Piteux, lamentable. *Un pauvre type.*

pauvrement adv. **1.** Dans l'indigence, la pauvreté. *Vivre pauvrement.* – *Être vêtu pauvrement,* d'une manière qui dénote la pauvreté. **2.** Litt. D'une manière insuffisante, médiocre. *Raisonner pauvrement.*

pauvresse n. f. Vieilli Femme pauvre; *spécial.* mendiante. – Mod., péjor. *C'est une pauvresse.*

pauvret, ette n. et adj. (Avec une nuance d'affection ou de commisération.) Pauvre petit(e). ▷ adj. *Il a l'air tout pauvret.*

pauvreté n. f. **1.** Manque de biens, insuffisance des choses nécessaires à la vie. ▷ Loc. prov. *Pauvreté n'est pas vice.* – *Par ext.* État de celui qui ne possède rien. *Religieux qui fait vœu de pauvreté.* ▷ Apparence, aspect de ce qui dénote la gêne, le manque d'argent. *La pauvreté d'un intérieur.* **2.** Insuffisance, stérilité. *La pauvreté du terrain ne permet pas la culture intensive.*

pavage n. m. **1.** Action de paver. **2.** Revêtement de pavés, de dalles, etc. *Pavage en granit.*

pavane n. f. Ancienne danse, de caractère lent et grave, en vogue aux XVIe et XVIIe s.; air sur lequel elle se dansait.

pavaner (se) v. pron. [1] Marcher en essayant de se faire remarquer. – Prendre des airs avantageux.

Pavarotti (Luciano) (Modène, 1935), chanteur lyrique italien; ténor spécialisé dans le répertoire italien.

pavé n. m. **1.** Morceau de grès, de pierre dure, de bois, etc., généralement taillé en parallélépipède, qui sert au revêtement d'un sol, d'une chaussée. **2.** Revêtement de pavés. *Le pavé d'une cour.* – Par ext. *Le pavé* : la chaussée, la rue. – Loc. fig. *Battre le pavé* : flâner en désœuvré. *Être sur le pavé* : être sans domicile, sans emploi. *Tenir le haut du pavé* : être au premier rang, par le pouvoir, la notoriété, etc. **3.** Gros morceau, de forme régulière, d'une matière quelconque. *Le pavé de bœuf grillé aux herbes.* ▷ Fam. Volume imprimé fort épais. *Un pavé de quinze cents pages.* ▷ Loc. fig., fam. *Un pavé dans la mare* : un événement inattendu qui trouble une situation jusque-là tranquille et sans surprise. **4.** Espace d'une certaine importance occupé dans un journal par un article, une réclame. *Pavé publicitaire.*

Pavelić (Ante) (Bradina, Herzégovine, 1889 – Madrid, 1959), homme politique croate; fondateur de l'Oustacha*. Éphémère (1941) chef de l'État croate allié aux Allemands et aux Italiens, il parvint à s'enfuir en 1945.

pavement n. m. Pavage (sens 2) fait avec de beaux matériaux.

paver v. tr. [1] Couvrir (un sol, une surface) de pavés, de dalles, de mosaïque, etc. *Paver une rue, un parvis.*

Pavese (Cesare) (San Stefano Belbo, Piémont, 1908 – Turin, 1950), écrivain italien. Ses traductions de romans américains influencèrent son œuvre et la littérature italienne. Il évoque une société sans idéaux après la guerre, l'opposition entre les classes, la ville et la campagne : *Avant le chant du coq* (1949), *La mort viendra et elle aura tes yeux* (posth., 1951). Il a écrit également des poèmes *(Travailler fatigue,* 1936) et des essais politiques (*Prison,* 1949; *la Lune et les feux de joie,* 1950).

pavie n. f. Variété de pêche dont la chair ferme adhère fortement à l'épiderme et au noyau. *Pavies au sirop.*

Pavie, v. d'Italie (Lombardie), sur le Tessin, dans la plaine padane; 85 060 hab.; ch.-l. de la prov. du m. nom. Centre agricole et industriel (constr. méca., industr. text. et alim.). – Université. Égl. San Michele et San Pietro in Ciel d'Oro (XIIe s.). Chât. des Visconti (XIVe s.). Célèbre chartreuse (à l'extérieur de la ville). – Cap. des Lombards, cité gibeline opposée à Milan, qui réussit à l'assujettir au XIVe s., Pavie vit sous ses murs la défaite de François Ier, fait prisonnier par les Espagnols (24 fév. 1525).

Pavie (Auguste) (Dinan, 1847 – Thourie, Ille-et-Vilaine, 1925), explorateur français de la Cochinchine, du Cambodge et du Laos. Auteur de *la Mission Pavie* (10 vol., 1894-1919).

pavillon n. m. **I. 1.** Maisonnette construite dans un jardin. *Pavillon de banlieue.* ▷ Petite construction isolée. *Pavillon de chasse.* ▷ Construction liée au corps d'un bâtiment, mais qui s'en distingue par ses dimensions, son architecture, etc. *Le pavillon de Flore, aux Tuileries.* **2.** Partie extérieure, visible, de l'oreille. ▷ Extrémité évasée de certains instruments à vent. *Le pavillon d'un cor, d'une trompette.* – Par ext. *Pavillon des anciens phonographes.* **3.** Partie supérieure de la carrosserie d'une voiture. **4.** LITURG CATHOL Pièce d'étoffe dont on couvre le ciboire, le tabernacle. **II.** MAR Drapeau. *Pavillon national. Pavillon de complaisance,* arboré par certains navires que leurs armateurs ont soustraits aux lois fiscales de leur pays et aux conventions sur la navigation et la sécurité en mer en les faisant naviguer sous une nationalité d'emprunt. *Amener son pavillon,* en signe de reddition. – Loc. fig. *Baisser pavillon* : reculer, céder, capituler.

▶ illustr. pages **1406-1409**

pavillonnaire adj. Occupé par des pavillons (sens I, 1), où sont construits des pavillons. *Banlieue pavillonnaire.* – Qui a rapport aux pavillons.

Pavillons-sous-Bois (Les), ch.-l. de cant. de la Seine-St-Denis (arr. de Bobigny), au N.-E. de Paris; 17 423 hab.

Pavin (lac), lac du Massif central (Puy-de-Dôme), au creux d'un cratère, à 1 192 m d'altitude (44 ha).

Pavlodar, v. du Kazakhstan, sur l'Irtych; 315 000 hab.; ch.-l. de prov. Métall. de l'aluminium; industr. alimentaires.

Pavlov (Ivan Petrovitch) (Riazan, 1849 – Leningrad, 1936), médecin et physiologiste russe. En 1903, il exposa ses théories sur le réflexe conditionné, découverte capitale dans l'histoire de la physiologie; ensuite, ses travaux sur la fonction cérébrale firent considérablement progresser la psychologie expérimentale. P. Nobel 1904.

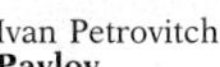

Ivan Petrovitch **Pavlov**

Octavio **Paz**

Pavlova (Anna Matveïeva) (Saint-Pétersbourg, 1882 – La Haye, 1931), danseuse russe; partenaire de Nijinski, dans la compagnie des Ballets russes.

pavlovien, enne adj. Didac. De Pavlov. – Qui a rapport aux travaux de Pavlov sur le réflexe conditionné.

pavois n. m. **1.** Grand bouclier de forme ovale ou rectangulaire en usage au Moyen Âge. ▷ HIST *Élever sur le pavois* : chez les Francs, hisser sur un bouclier (celui qui venait d'être proclamé roi). **2.** MAR Partie de la muraille d'un navire située au-dessus du pont. ▷ (Seulement dans les loc. *petit pavois* et *grand pavois.*) Ornementation de fête d'un navire.

pavoisement n. m. Action de pavoiser; son résultat.

pavoiser v. [1] **I.** v. tr. et intr. **1.** MAR Hisser le pavois. **2.** Décorer de drapeaux (un édifice, une rue, etc.). **II.** v.

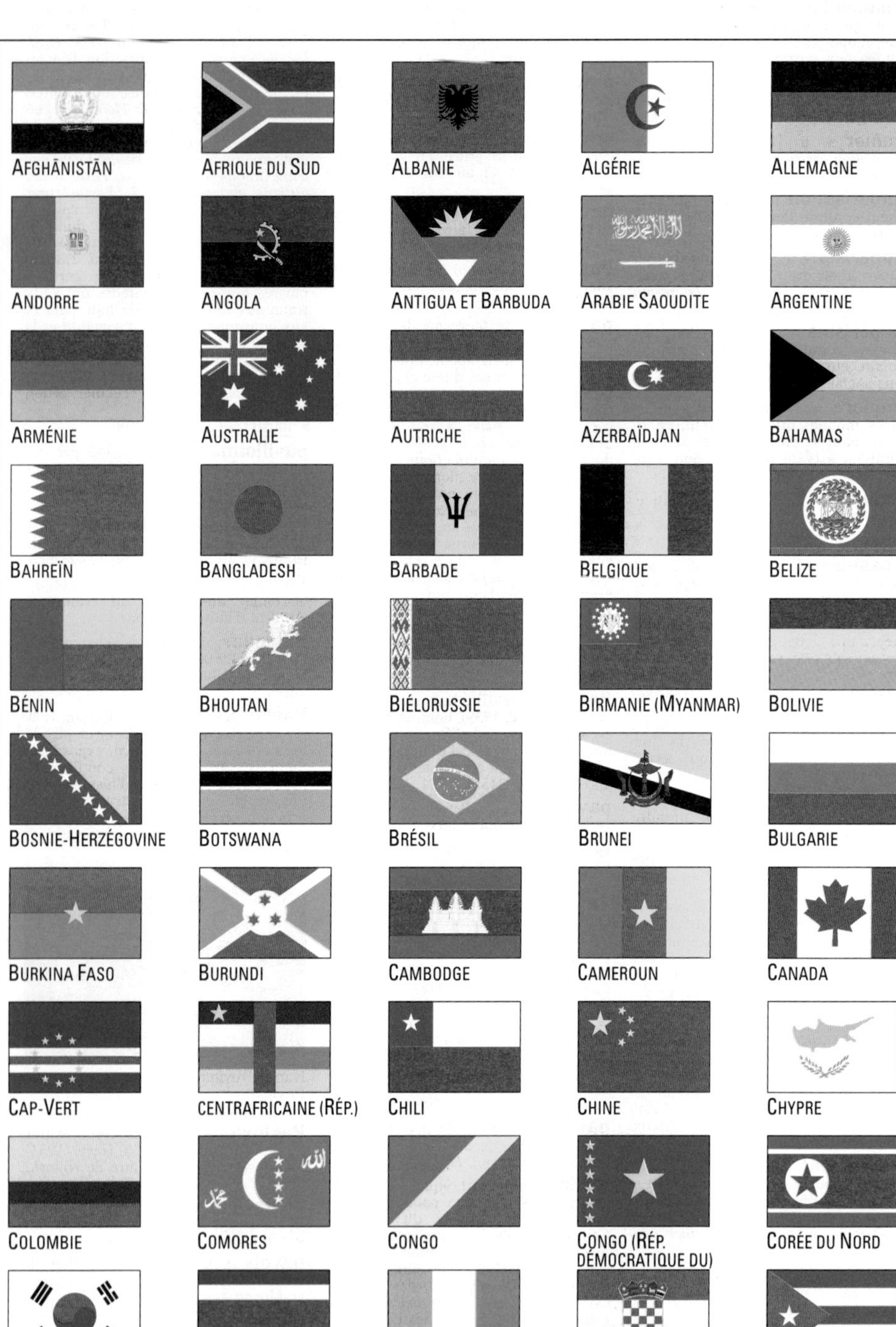
Afghānistān
Afrique du Sud
Albanie
Algérie
Allemagne
Andorre
Angola
Antigua et Barbuda
Arabie Saoudite
Argentine
Arménie
Australie
Autriche
Azerbaïdjan
Bahamas
Bahreïn
Bangladesh
Barbade
Belgique
Belize
Bénin
Bhoutan
Biélorussie
Birmanie (Myanmar)
Bolivie
Bosnie-Herzégovine
Botswana
Brésil
Brunei
Bulgarie
Burkina Faso
Burundi
Cambodge
Cameroun
Canada
Cap-Vert
Centrafricaine (Rép.)
Chili
Chine
Chypre
Colombie
Comores
Congo
Congo (Rép. démocratique du)
Corée du Nord
Corée du Sud
Costa Rica
Côte-d'Ivoire
Croatie
Cuba

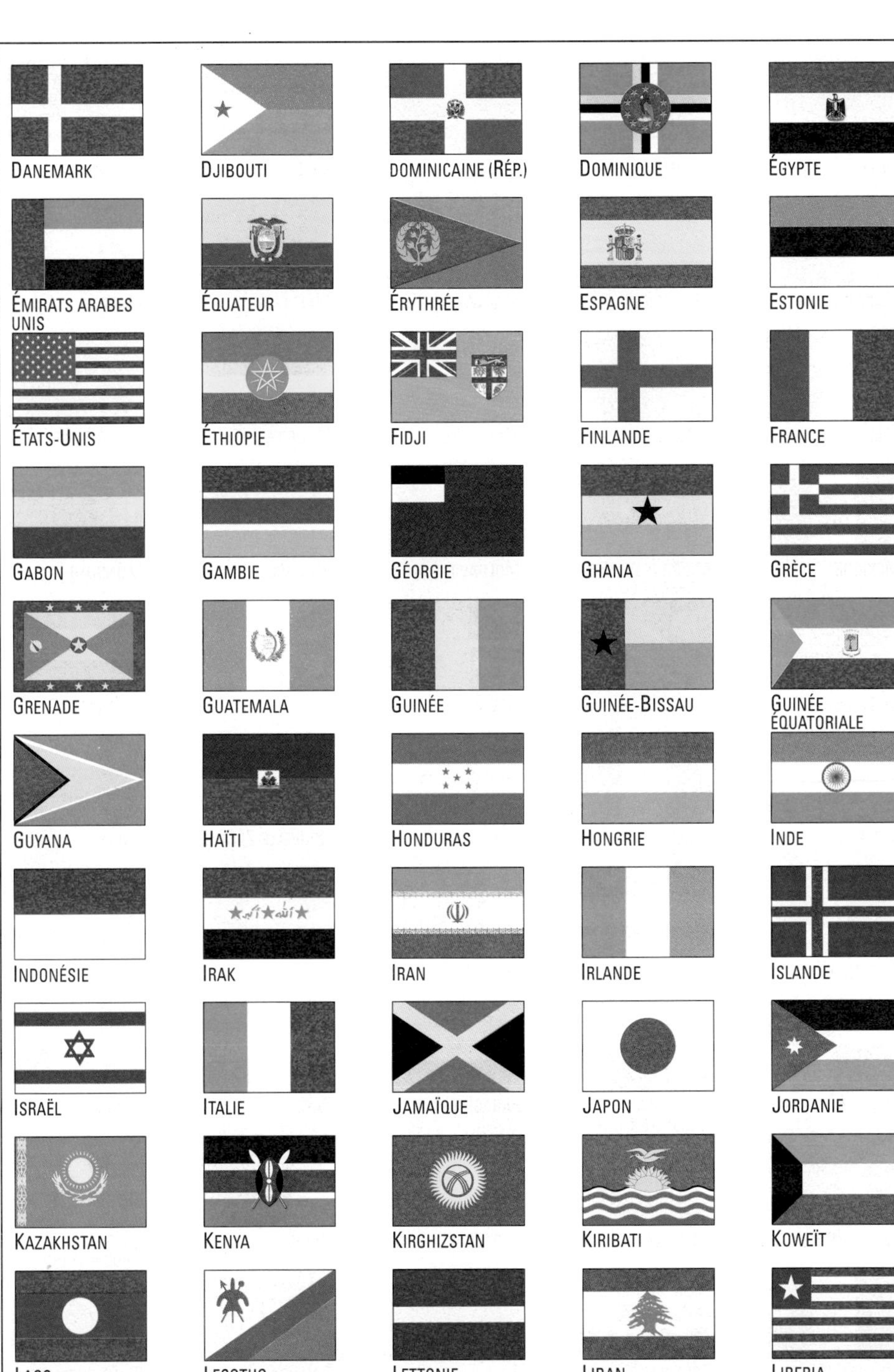

DANEMARK
DJIBOUTI
DOMINICAINE (RÉP.)
DOMINIQUE
ÉGYPTE
ÉMIRATS ARABES UNIS
ÉQUATEUR
ÉRYTHRÉE
ESPAGNE
ESTONIE
ÉTATS-UNIS
ÉTHIOPIE
FIDJI
FINLANDE
FRANCE
GABON
GAMBIE
GÉORGIE
GHANA
GRÈCE
GRENADE
GUATEMALA
GUINÉE
GUINÉE-BISSAU
GUINÉE ÉQUATORIALE
GUYANA
HAÏTI
HONDURAS
HONGRIE
INDE
INDONÉSIE
IRAK
IRAN
IRLANDE
ISLANDE
ISRAËL
ITALIE
JAMAÏQUE
JAPON
JORDANIE
KAZAKHSTAN
KENYA
KIRGHIZSTAN
KIRIBATI
KOWEÏT
LAOS
LESOTHO
LETTONIE
LIBAN
LIBERIA

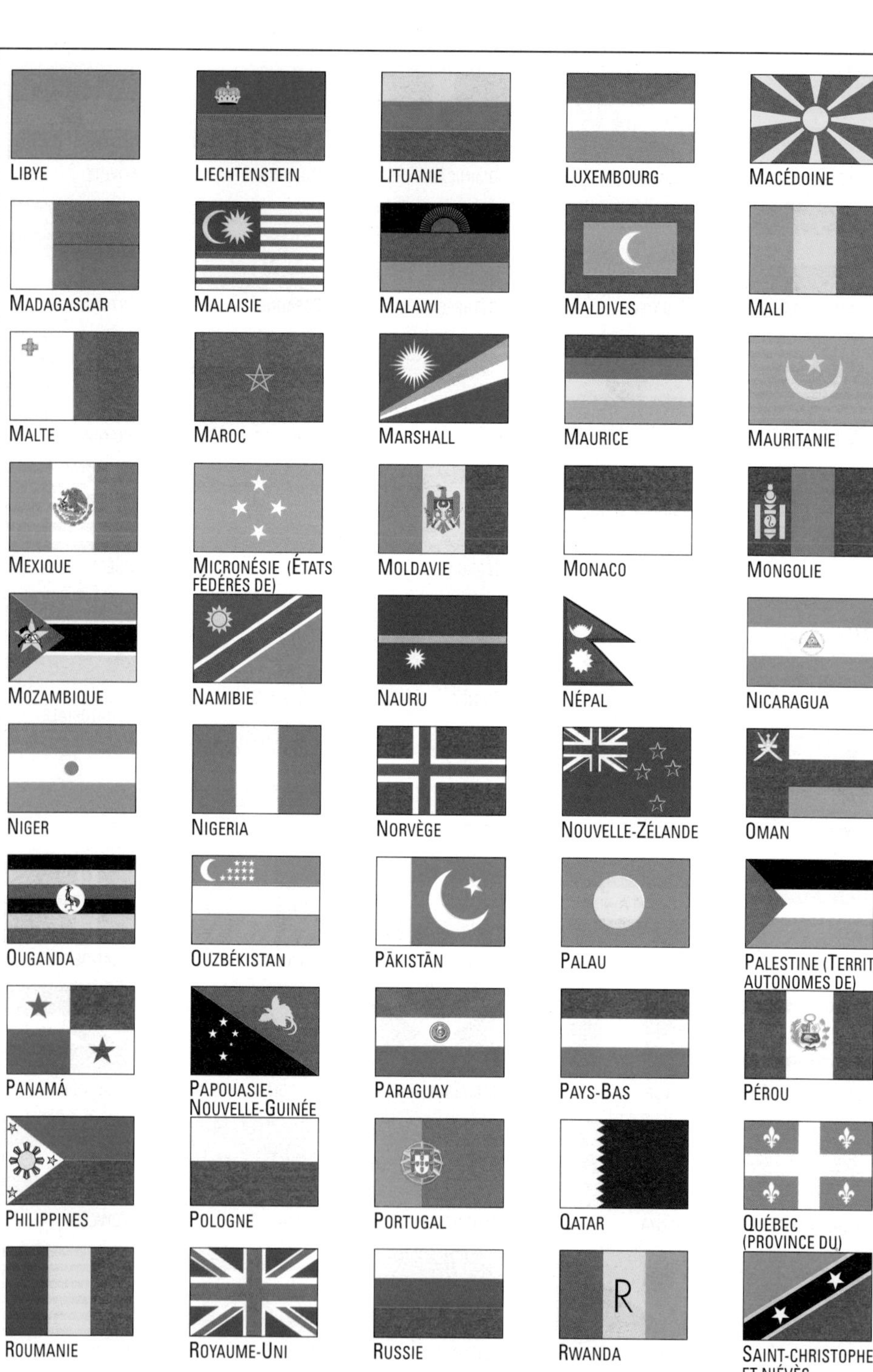

Libye
Liechtenstein
Lituanie
Luxembourg
Macédoine
Madagascar
Malaisie
Malawi
Maldives
Mali
Malte
Maroc
Marshall
Maurice
Mauritanie
Mexique
Micronésie (États fédérés de)
Moldavie
Monaco
Mongolie
Mozambique
Namibie
Nauru
Népal
Nicaragua
Niger
Nigeria
Norvège
Nouvelle-Zélande
Oman
Ouganda
Ouzbékistan
Pākistān
Palau
Palestine (Territ. autonomes de)
Panamá
Papouasie-Nouvelle-Guinée
Paraguay
Pays-Bas
Pérou
Philippines
Pologne
Portugal
Qatar
Québec (province du)
Roumanie
Royaume-Uni
Russie
Rwanda
Saint-Christophe et Niévès

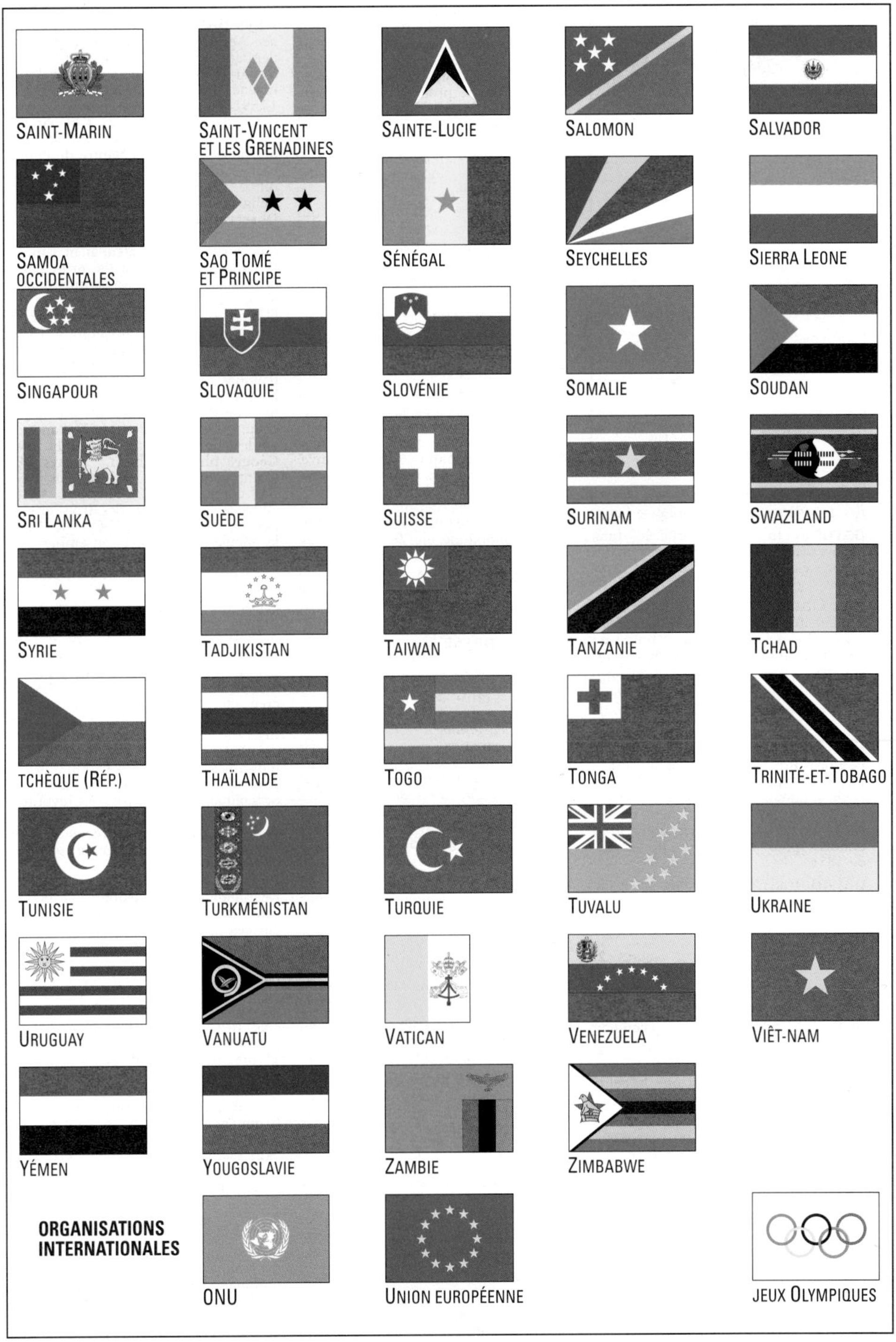

SAINT-MARIN

SAINT-VINCENT ET LES GRENADINES

SAINTE-LUCIE

SALOMON

SALVADOR

SAMOA OCCIDENTALES

SAO TOMÉ ET PRINCIPE

SÉNÉGAL

SEYCHELLES

SIERRA LEONE

SINGAPOUR

SLOVAQUIE

SLOVÉNIE

SOMALIE

SOUDAN

SRI LANKA

SUÈDE

SUISSE

SURINAM

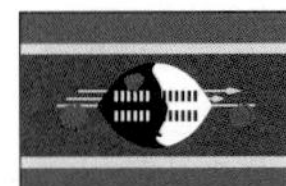
SWAZILAND

SYRIE

TADJIKISTAN

TAIWAN

TANZANIE

TCHAD

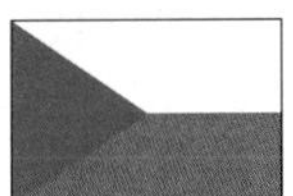
TCHÈQUE (RÉP.)

THAÏLANDE

TOGO

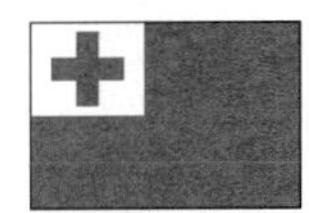
TONGA

TRINITÉ-ET-TOBAGO

TUNISIE

TURKMÉNISTAN

TURQUIE

TUVALU

UKRAINE

URUGUAY

VANUATU

VATICAN

VENEZUELA

VIÊT-NAM

YÉMEN

YOUGOSLAVIE

ZAMBIE

ZIMBABWE

ORGANISATIONS INTERNATIONALES

ONU

UNION EUROPÉENNE

JEUX OLYMPIQUES

pavot somnifère : tige fleurie avec feuilles et capsule verte contenant l'opium

intr. Fig., fam. Manifester sa joie. – *Il n'y a pas de quoi pavoiser,* de quoi être fier.

pavot n. m. Plante herbacée (fam. papavéracées) dont une espèce a des propriétés somnifères. *Le pavot blanc fournit l'opium.*

Pax Christi («Paix du Christ»), mouvement international catholique conçu à Lourdes en mars 1945 et fondé en 1950 pour militer en faveur de la paix.

paxille n. m. BOT Champignon basidiomycète à lamelles, au chapeau légèrement déprimé en son centre, enroulé sur les bords. Très toxique cru.

Paxton (sir Joseph) (Milton Bryant, Bedfordshire, 1801 – Sydenham, 1865), jardinier, paysagiste et architecte anglais; auteur des premières constructions britanniques entièrement en fer et en verre : Crystal Palace, construit à Londres pour l'Exposition universelle de 1851.

payable adj. Qui doit être payé (de telle façon, à telle date, etc.). *Payable à vue, au porteur.*

payant, ante adj. **1.** Qui paie. *Visiteurs payants.* ▷ n. m. *Les payants.* **2.** Pour quoi l'on paie. *Entrée payante.* **3.** Fam. Avantageux, bénéfique. *Opération payante.*

paye, payement. V. paie, paiement.

Payen (Anselme) (Paris, 1795 – id., 1871), chimiste français. Il isola une diatase de l'amidon ainsi que la cellulose végétale.

payer v. [21] **I.** v. tr. **1.** Acquitter (une dette, un droit, etc.) par un versement. *Payer ses dettes, ses impôts.* – *Payer son loyer.* ▷ (Sujet nom de chose.) *Produit qui paie un droit de douane.* **2.** Remettre à (qqn) ce qui lui est dû (généralement en argent). *Payer un commerçant.* – *Payer qqn par chèque.* – *Payer en nature* : en argent. ▷ Fig., fam. *Être payé pour savoir telle chose,* en avoir fait la fâcheuse expérience. ▷ Récompenser; dédommager. *Payer qqn de ses efforts.* **3.** Verser une somme correspondant au prix de (telle chose). *Payer des denrées.* – Fam. Offrir. *Payer la tournée.* – Absol. *Payer comptant. Payer rubis*sur l'ongle.* – Fam. (Anglicisme) *Payer cash*.* ▷ *Payer pour* : payer ou, fig., subir, expier, à la place de. *Payer pour les autres.* ▷ Fam. *Il me le paiera* : je me vengerai de lui. ▷ Obtenir au prix de sacrifices, de dommages. *Payer cher sa réussite.* **II.** v. intr. **1.** *Payer de* : user de, faire preuve de. *Payer d'audace.* – *Payer de sa personne* : s'exposer, agir personnellement. **2.** (Sujet nom de chose.) Fam. Être profitable, rapporter. *Travail qui paie.* **III.** v. pron. **1.** Retenir telle somme; être payé. *Payez-vous sur ce billet.* ▷ Loc. fig. *Se payer de mots* : se contenter de parler, sans agir. **2.** Fam. S'offrir. *Se payer un chapeau.* ▷ *Se payer la tête de qqn,* se moquer de lui. ▷ *Se payer du bon temps.*

payeur, euse n. **1.** Personne qui paie. *Un mauvais payeur.* **2.** (Dans des syntagmes.) Fonctionnaire chargé de payer les dépenses publiques; comptable des deniers publics. *Trésorier-payeur général.*

Payne (Thomas). V. Paine.

pay per view [pepɛʀvju] n. m. (Anglicisme) Système de paiement à la séance des programmes de télévision.

1. pays [pei] n. m. **1.** Territoire d'un État; État. *Les pays de la Communauté économique européenne.* ▷ Patrie; lieu, région d'origine. *Revenir au pays.* ▷ Région géographique, administrative, etc. *Le pays de Caux.* ▷ Absol. *Les coutumes du pays.* **2.** Population d'un pays. *Le pays est en effervescence.* **3.** Contrée, région considérée du point de vue physique, économique, etc. *Les pays chauds.* – Loc. *Voir du pays* : voyager. **4.** Localité, village. *Un pays perdu.* **5.** ADMIN Ensemble de communes voisines qui se regroupent autour d'un thème pour une action concertée.

2. pays, payse [pei, peiz] n. Rég. ou plaisant Compatriote.

paysage [peizaʒ] n. m. **1.** Étendue de pays qui s'offre à la vue. ▷ Nature, aspect d'un pays, d'un site, etc. *Le paysage méditerranéen.* – *Paysage urbain.* **2.** Représentation picturale ou graphique d'un paysage (partic. champêtre); cette représentation en tant que genre. *Les maîtres du paysage.* ▷ Loc. fig., fam. *Faire bien dans le paysage* : produire un bon effet. **3.** Fig. Configuration générale, aspect général. *Paysage audiovisuel français (PAF).*

paysager, ère ou **paysagé, ée** adj. Arrangé à la manière d'un paysage naturel. *Jardin paysager. Parc paysagé.* ▷ *Bureau paysager* : grand bureau collectif, à cloisons basses, généralement orné de plantes vertes.

paysagisme n. m. Métier, art du paysagiste.

paysagiste n. **1.** Peintre de paysages. **2.** Créateur, architecte de jardins, de parcs. – (En appos.) *Jardinier paysagiste.*

paysan, anne [peizɑ̃, an] n. et adj. **I.** n. **1.** Personne de la campagne, qui vit du travail de la terre. (N.B. Ce terme tend à être remplacé par *agriculteur, exploitant agricole,* etc.) **2.** Péjor. Rustre, balourd. **II.** adj. Relatif aux paysans.

Paysandú, v. d'Uruguay, port sur l'Uruguay; ch.-l. de dép.; 75 080 hab. Industr. alimentaires et du cuir.

paysannat n. m. SOCIOL Classe sociale constituée par les paysans.

paysannerie n. f. Ensemble des paysans.

Paysans (guerre des), révolte des paysans d'Allemagne centrale (1524-1525), au moment où les débuts de la Réforme suscitaient les espérances les plus folles; leurs troupes furent souvent menées par les chefs du mouvement anabaptiste. Luther condamna la révolte et la répression fut implacable (plus de 100 000 morts).

Pays-Bas (royaume des) *(Koninkrijk der Nederlanden),* État d'Europe occidentale, sur la mer du Nord, bordé au S. par la Belgique et à l'E. par l'Allemagne; 33 935 km² de terres émergées; 14 892 600 hab. (*Néerlandais*); croissance démographique : 0,4 % par an; cap. *Amsterdam, La Haye* étant le siège des pouvoirs publics. Nature de l'État : monarchie constitutionnelle. Langue off. : néerlandais. Monnaie : florin. Relig. : cathol. (36 %), protestants (27 %).

Observation. – Le terme de *Pays-Bas* désigna d'abord le groupe de provinces qui, au XIVᵉ s., s'étendaient sur la Hollande, la Belgique (la principauté épiscopale de Liège non comprise) et le N. de la France. La formation de l'Union d'Utrecht (1579) puis de la république des Provinces-Unies (1588), provinces du N. dont la plus importante était la Hollande, fut à l'origine des Pays-Bas actuels, mais de 1579 à 1795 les provinces du S. portèrent seules le nom de Pays-Bas (espagnols puis autrichiens). Quant au nom de Hollande, il ne désigne qu'une des parties du pays.

Géogr. phys. et hum. – Pays plat (point culminant à 321 m), les Pays-Bas correspondent à la basse vallée alluviale et au delta des trois grands fleuves d'Europe du N.-O. : le Rhin, la Meuse et l'Escaut, ensemble que bordent au S. les collines du Limbourg. 27 % du territoire sont au-dessous du niveau de la mer et ont été gagnés sur celle-ci sous forme de polders (avec digues protectrices, canaux de décharge, stations de pompage remplaçant les moulins de jadis). Les conquêtes se poursuivent toujours autour de l'IJsselmeer («lac d'IJssel»), créé en 1932 par la fermeture du Zuyderzee («mer du Sud») par un barrage. Ces régions basses groupent 60 % des hab. du pays, soit des densités moyennes de 1 000 hab./km² (433,4 pour l'ensemble national). Le climat océanique, doux et arrosé, est favorable aux herbages. Près de 90 % des hab. vivent dans les villes. La fécondité s'est effondrée. Le pays compte plus de 500 000 étrangers.

Écon. – Sur un territoire exigu, les Néerlandais ont développé une économie puissante aux performances enviées. L'agriculture reste essentielle (30 % du P.N.B. pour l'ensemble de la filière agroalim.). Fondée sur une polyculture hautement intensive, elle associe à l'élevage bovin et porcin les grandes cultures et la production horticole. Troisième exportateur mondial de produits agricoles, le pays occupe le 1ᵉʳ rang pour les fromages, les légumes et les fleurs. Le gaz naturel est la grande ressource du sous-sol (4ᵉ producteur mondial). Le vaste gisement de Groningue, dans le N., fournit encore les 2/3 du gaz mais sa prod. diminue alors que celle des gisements off shore de la mer du Nord monte en puissance; distribué chez les proches voisins européens, le gaz représente près de 10 % des exportations nat. Fondée sur une tradition très ancienne du négoce et un capitalisme marchand dynamique, représentée par de grandes multinationales, comme Shell, Unilever et Philips, une puissante industrie s'est développée : elle associe aux spécialités traditionnelles, comme le travail du diamant, une gamme complète de productions, qui assurent 50 % des exportations du pays. Le secteur tertiaire (70 % de l'emploi et 63 % du P.N.B.) a développé les filières du com-

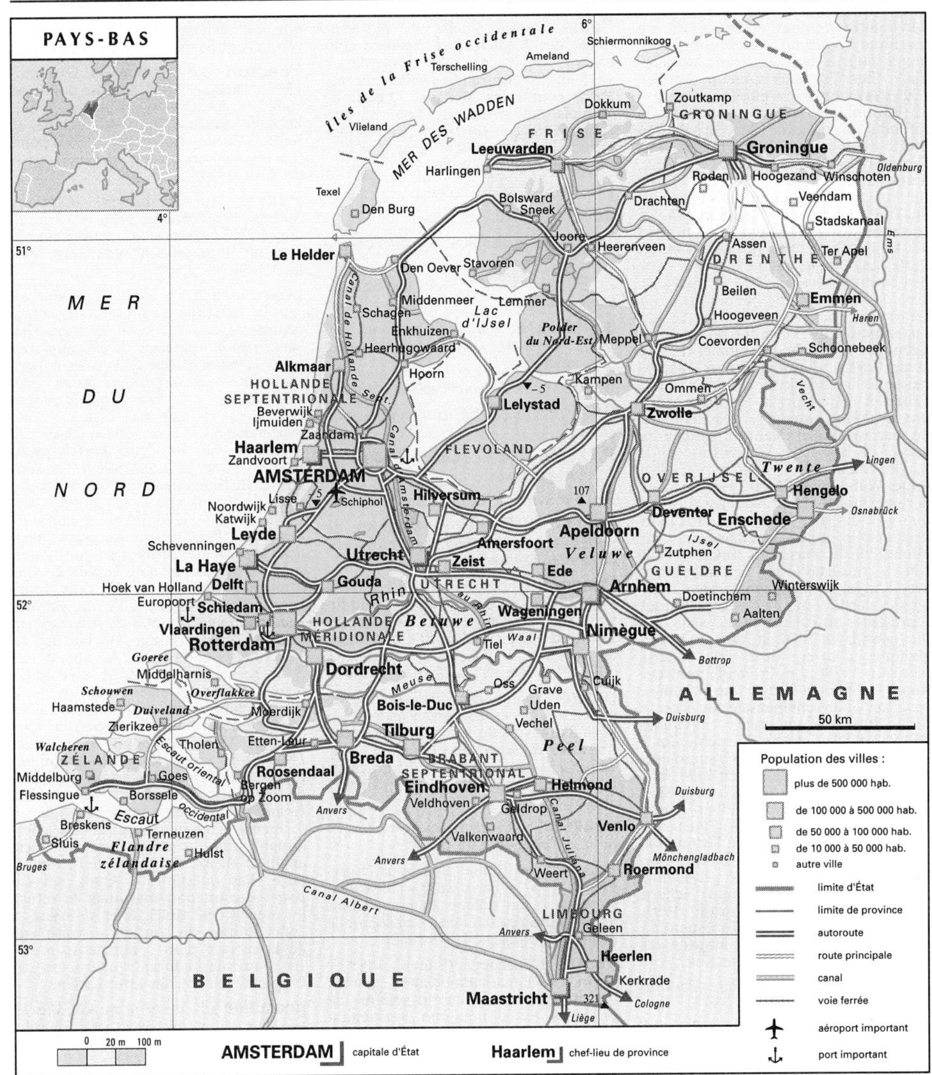

merce internat. et de la finance et compte de nombreux holdings étrangers, attirés par une fiscalité avantageuse. Premier port mondial, desservi par un excellent réseau de transports, Rotterdam est la plus importante place internationale de négoce du pétrole. L'endettement public élevé a conduit à l'adoption d'un plan d'austérité pour la période 1991-1994 et le pays souffre d'une crise de société, le haut niveau de protection sociale qu'il offre agissant comme un frein sur l'activité ; devant la gravité des problèmes écologiques, un plan national pour l'environnement a été adopté pour la période 1990-2000.

Hist. – Les Romains soumirent les tribus celtes au S. du Rhin (formation de la Gaule Belgique, 15 av. J.-C.), les Bataves et les Frisons, peuples germaniques, au N. Au IVe s., ils durent reculer devant de nouveaux envahisseurs germaniques (Francs et Saxons). À la fin du VIIIe s., le pays était christianisé (Willibrord, saint Boniface) et il fut intégré à l'Empire carolingien. Rattaché au duché de Basse-Lorraine au Xe s., il se morcela en seigneuries indépendantes au XIIe s. : Hollande, Gueldre, Flandre, etc. La reconquête des terres sur la mer commença au XIIe-XIIIe s., avec l'utilisation de pompes mues par les moulins à vent. La maison de Bourgogne unifia ces territoires (XIVe-XVe s.), devenus prospères grâce au commerce et à l'industrie. Les Habsbourg en héritèrent (1477). Charles Quint les regroupa (1548) à l'intérieur du cercle de Bourgogne (le cercle était une division administrative et judiciaire du Saint Empire) ; il imposa une administration forte et favorisa l'essor maritime. Il combattit le calvinisme qui s'était développé dans les provinces du Nord. De 1566 à 1573, celles-ci se révoltèrent contre Philippe II d'Espagne (révolte des *gueux*, nom que se donnèrent nobles et bourgeois calvinistes) et, malgré la terrible répression menée par le duc d'Albe, proclamèrent leur indépendance en 1572. En 1579, les 7 provinces du Nord (Hollande, Zelande, Frise, etc.) conclurent l'Union d'Utrecht, qui fit d'elles la république des Provinces-Unies. L'Espagne dut accepter celle-ci, mais ne la reconnut pas. En 1609, le stathouder Maurice de Nassau parvint à conclure une trêve, dite *trêve de Douze Ans*, avec l'Espagne, mais la lutte reprit : les Provinces-Unies furent les alliées de la France dans la guerre de Trente Ans, à l'issue de laquelle l'Espagne reconnut enfin leur indépendance (traité de Münster, 1648). Les Provinces-Unies connurent au XVIIe s. un apogée intellectuel, artistique et économique et constituèrent un empire colonial (V. notam. Indonésie). Cette suprématie écon. fut à l'origine, dès 1652, de guerres difficiles contre l'Angleterre et la France. En 1672, lors de l'invasion française, le pouvoir passa de Jean de Witt (1653-1672) à Guillaume III d'Orange-Nassau et les Provinces-Unies furent pour longtemps alliées à l'Angleterre pour contrebalancer la puissance française. Quant aux Pays-Bas espagnols, ils devinrent autrichiens en 1713. Le XVIIIe s. fut, pour les Provinces-Unies, une période de recul politique et l'Angleterre domina désormais la vie maritime; pourtant Amsterdam développa son rôle de place financière mondiale. Les Français l'occupèrent en 1795, formant une république « sœur », la République batave. Napoléon la refondit en royaume des Pays-Bas au profit de son frère Louis (1806), puis l'annexa (1810). Les puissances alliées, après la défaite de Napoléon, constituèrent pour Guillaume de Nassau, fils de l'anc. stathouder Guillaume V, le royaume des Pays-Bas, accru en 1815 de la Belgique, qui fit sécession en 1830. Les limites actuelles des Pays-Bas furent fixées au XIXe s. : partage, avec la Belgique, de la province du Limbourg; séparation définitive du Luxembourg. Le royaume, amputé au début du XIXe s. de ses colonies du Cap et de Ceylan, développa alors l'exploitation de l'Indonésie, dite Indes néerlandaises. À l'intérieur, la Hollande suivit une évolution rapide vers la démocratie parlementaire. Neutre pendant la guerre de 1914-1918, le pays fut occupé par les Allemands de 1940 à 1945. À la reine Wilhelmine (1890-1948) succéda la reine Juliana. L'après-guerre fut marqué par la perte définitive de l'Indonésie (1949) et par la relance de l'économie. Si le Parti du travail (socialiste) a gouverné le pays en alternance avec l'Appel chrétien-démocrate, l'éventail des partis et mouvements politiques représentés au Parlement est beaucoup plus grand. En 1980, la reine Juliana a abdiqué en faveur de sa fille Beatrix (née en 1938). Le Premier ministre, Ruud Lubbers, a dirigé une première coalition gouvernementale de centre droit (chrétiens-démocrates et libéraux) de 1982 à 1989 et une deuxième coalition de centre gauche (chrétiens-démocrates et socialistes) jusqu'en 1994. Malgré les tensions créées par la récession économique, le gouvernement a pratiqué une sévère politique d'austérité, qui a permis la relance de l'économie après 1984. Favorable à l'unification européenne, c'est sous la présidence des Pays-Bas qu'a été conclu l'accord de Maastricht en décembre 1991. Depuis août 1994, un gouvernement de coalition, formé par les socialistes et les libéraux, est dirigé par Wim Kok.

Pays de la Loire. V. Loire (Pays de la).

Pays des Cafres. V. Cafrerie.

Paz (La), v. de Bolivie, dans les Andes, à 3 658 m d'alt.; 992 590 hab. Siège du gouv. (la cap. constitutionnelle étant *Sucre*) et ch.-l. du dép. du m. nom. Centre commercial et industriel (text., prod. chim. et alim.), relié par voie ferrée au port chilien d'Arica. – Archevêché. Université. – Ville fondée en 1548 par les Espagnols.

Paz (Octavio) (Mexico, 1914 – id., 1998), écrivain mexicain. Son œuvre a pour fondements essentiels la culture amérindienne et l'inspiration surréaliste : *Pierre de soleil* (1957), *Salamandre 1958-1961* (1962), *L'arbre parle* (1990), poèmes; *le Labyrinthe de solitude* (1951), *le Singe grammairien* (1974), essais. P. Nobel 1990. ► illustr. page **1405**

Pazardžik, v. de Bulgarie, à l'O. de Plovdiv; 77 800 hab.; ch.-l. de la prov. du m. nom Centre industr. et comm. (prod. agricole).

Paz Estenssoro (Víctor) (Tarija, 1907), homme politique bolivien. Président de la République de 1952 à 1956 et de 1960 à 1964, il tenta diverses réformes et fut renversé par Barrientos en 1964. Il revint au pouvoir de 1985 à 1989.

Pazzi, famille guelfe de Florence, rivale des Médicis. – **Francesco** (Florence, 1444 – id., 1478) fomenta en 1478 une conspiration *(conjuration des Pazzi)* contre les Médicis : Julien de Médicis fut assassiné; Laurent, qui échappa aux meurtriers, fit exécuter Francesco et son oncle Iacopo, et bannit le reste de la famille.

Pb CHIM Symbole du plomb.

pc ASTRO Symbole du parsec.

1. P.C. n. m. MILIT Sigle de *parti communiste.*

2. P.C. n. m. MILIT Sigle de *poste de commandement.*

3. P.C. n. m. INFORM Sigle de l'angl. *personal computer,* « ordinateur à usage personnel ».

p.c.c. Abrév. de *pour copie conforme.*

P.C.F. Sigle de *Parti communiste français.*

P.C.U.S. Sigle de *Parti communiste de l'Union soviétique.*

Pd CHIM Symbole du palladium.

P.-D.G. ou **P.-d.g.** n. Fam. Abrév. de *président-directeur général* ou, plus rare, de *présidente-directrice générale.*

Peacock (Thomas Love) (Weymouth, Dorset, 1785 – Lower Halliford, Middlesex, 1866), écrivain anglais. Ses romans satiriques et spirituels sont entrecoupés de poèmes : *le Château de la bizarrerie* (1816), *l'Abbaye du cauchemar* (1818).

péage n. m. Droit d'accès ou de passage à payer par les usagers d'un port, d'une voie de communication, etc. *Autoroute à péage.* – *Chaîne (de télévision) à péage* : syn. de *chaîne cryptée.* ▷ Lieu de perception de ce droit. *S'arrêter au péage.*

péagiste n. Personne qui est chargée de la perception d'un péage.

Péan (Jules Émile) (Marboué, Eure-et-Loir, 1830 – Paris, 1898), chirurgien français. Il mit notam. au point l'ablation des ovaires. Il a laissé des *Leçons de clinique chirurgicale* (1879-1883).

Peano (Giuseppe) (Cuneo, 1858 – Turin, 1932), mathématicien et logicien italien. Il mit au point un système de symboles et de notations permettant d'exprimer les propositions logiques et mathématiques.

Pearl Harbor, base aéronavale des É.-U., dans l'île d'Oahu (une des Hawaii). Le 7 déc. 1941, sans déclaration de guerre, les Japonais (sous les ordres de l'amiral Yamamoto) y détruisirent une partie très importante de la flotte américaine du Pacifique ainsi que 159 avions; cette agression provoqua l'entrée en guerre des États-Unis.

Pearson (Lester Bowles) (Toronto, 1897 – Ottawa, 1972), homme politique canadien. Chef du parti libéral (1958), Premier ministre de 1963 à 1968, il reçut le P. Nobel de la paix (1957) pour son rôle de conciliateur lors de la crise de Suez (1956).

Peary (Robert Edwin) (Cresson Springs, Pennsylvanie, 1856 – Washington, 1920), explorateur américain. Il atteignit le premier le pôle Nord, le 6 avril 1909.

peau n. f. **I. 1.** Tissu résistant et souple, constitué de plusieurs couches cellulaires, qui recouvre le corps des vertébrés. **2.** Épiderme de l'homme. *Les pores, la pigmentation de la peau.* ▷ Loc. fam. *N'avoir que la peau sur les os* : être très maigre. – *Se faire trouer la peau* : être blessé ou tué par balles. – *Être bien, mal dans sa peau* : être à l'aise, mal à l'aise. – Pop. *Avoir qqn dans la peau,* l'aimer d'une passion violente et sensuelle. **II.** (Dans des expr. fig.) **1.** Fam. *La peau de qqn,* sa vie, sa personne. ▷ Pop. *J'aurai sa peau* : je le tuerai; fig. j'aurai le dessus. **2.** Personnalité de qqn. *Entrer dans la peau d'un personnage,* pour jouer un rôle. – *Se mettre dans la peau de qqn,* s'imaginer à sa place. **III.** Cuir, fourrure dont on a dépouillé un animal. *Peaux de lapin.* ▷ *Gants de peau, sac en peau,* en fin cuir souple. **IV.** Loc. fig. **1.** *Vendre la peau de l'ours* : V. ours. **2.** Pop. *Peau de vache* : personne méchante, aigrie et sans indulgence. **3.** Fam. *Peau d'âne* : parchemin, diplôme. **4.** *Vieille peau* (terme d'injure adressé à une femme). **V. 1.** Enveloppe d'un fruit. *Peau d'une pêche.* **2.** Pellicule qui se forme à la surface de certains liquides, de certaines substances. *Peau du lait bouilli.* **3.** Fausses membranes qui se forment pendant certaines maladies (notam. dans la gorge dans certaines angines). **4.** Pop. *Peau de balle!* : rien à faire! Pas question! – Absol. Vieilli *La peau!,* exclamation marquant le refus, le mépris. **5.** ELECTR *Effet de peau* : concentration du courant au voisinage de la surface d'un conducteur, observée pour des courants alternatifs de fréquence élevée. Syn. effet Kelvin.

peaucier adj. m. et n. m. ANAT *Muscle peaucier* ou, n. m., *peaucier* : muscle attaché à l'hypoderme, qui fait se plisser la peau.

peaufinage n. m. **1.** Action de peaufiner (sens 1); son résultat. **2.** Fig., fam. Fignolage.

peaufiner v. tr. [1] **1.** Passer à la peau de chamois. **2.** Fig., fam. Parachever avec un soin extrême, fignoler.

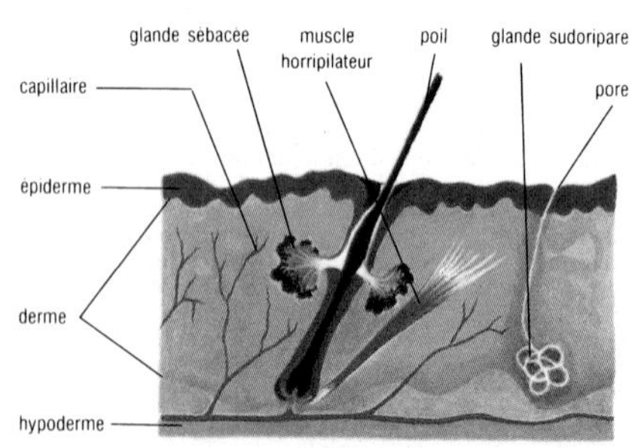

coupe histologique de la **peau**

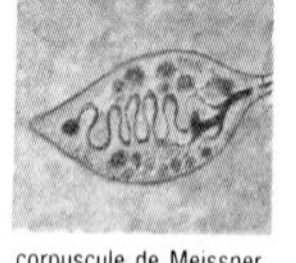
corpuscule de Meissner

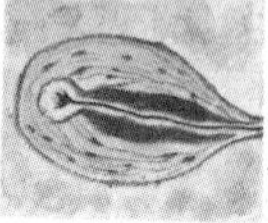
corpuscule de Pacini

peau-rouge adj. Vieilli Qui se rapporte aux Indiens de l'Amérique du N.

peausserie n. f. Art, commerce du peaussier. ▷ Marchandise vendue par celui-ci.

peaussier n. m. Artisan qui prépare les peaux ou en fait le commerce.

Peaux-Rouges, nom autref. donné aux Indiens de l'Amérique du Nord, à cause de la teinture rouge dont ils se recouvraient le corps.

pebble culture [pɛbəlkœltʃəʀ; pɛbœlkyltyʀ] n. f. (Anglicisme) PREHIST Civilisation du galet* aménagé, forme élémentaire de l'industr. lithique.

pébroc ou **pébroque** n. m. Arg. Parapluie.

Peć, v. de Serbie (Kosovo); 60 000 hab. – Anc. patriarcat serbe, dont il reste les églises de la Vierge (XIVe s.), des Saints-Apôtres (XIIIe s.), Saint-Démètre (XIVe s.) et la chapelle Saint-Nicolas (XIVe s.).

pécan n. m. Fruit d'un hickory d'Amérique, dont l'amande oléagineuse est comestible. *Noix de pécan.* Syn. pacane.

pécari n. m. Mammifère suidé d'Amérique (genre *Tayassu*) proche du cochon par ses soies et son groin, et des ruminants par sa denture, son estomac et ses pattes. ▷ Peau apprêtée de cet animal.

peccadille n. f. Faute légère.

pechblende [pɛʃblɛ̃d] n. f. MINER Minerai d'uranium.

1. pêche n. f. **1.** Manière, action de pêcher. *Filet de pêche. Pêche à la ligne.* **2.** Droit de pêcher. **3.** Portion de rivière ou d'étang où l'on peut pêcher. *Pêche réservée.* **4.** Poissons, produits que l'on a pêchés. *Faire cuire sa pêche.*

2. pêche n. f. Fruit comestible du pêcher, au noyau dur, à la chair jaune ou blanche, tendre et sucrée, à la peau rose et duveteuse. ▷ Loc. fig. *Peau de pêche,* veloutée et rose. ▷ Loc. fam. *Se fendre la pêche* : rire aux éclats. – *Avoir la pêche* : être en pleine forme.

péché n. m. RELIG Transgression de la loi divine. *Absoudre qqn de ses péchés.* – *Péché originel,* commis par Adam et Ève et qui entache toute leur postérité. – *Péché mortel*. Péché véniel*. Péchés capitaux* : les sept péchés (avarice, colère, envie, gourmandise, luxure, orgueil, paresse) considérés comme les plus graves et comme la source des autres péchés. ▷ Fig. *Péché mignon* : petit travers, penchant.

Pechelbronn, écart de la com. de *Merkwiller-Pechelbronn* (Bas-Rhin, arr. de Strasbourg-Campagne). Un gisement de pétrole y fut exploité de 1735 à 1963.

pécher v. intr. [14] **1.** Commettre un, des péchés. **2.** *Pécher contre* : manquer à (une règle de morale). *Pécher contre l'honnêteté.* ▷ Commettre une erreur contre. *Pécher contre le bon sens.* **3.** Être insuffisant. *Ce projet pèche sur un point.*

1. pêcher v. tr. [1] **1.** Prendre, tenter de prendre (du poisson). *Pêcher la sardine.* ▷ Absol. *Pêcher à la ligne, à l'épervier.* – *Pêcher à la mouche.* – Fig. *Pêcher en eau* trouble.* **2.** Retirer de l'eau (des animaux autres que les poissons). *Pêcher l'oursin, la grenouille.* **3.** Fam. Trouver, découvrir (qqch de surprenant). *Où as-tu pêché ce chapeau ?*

2. pêcher n. m. Petit arbre (fam. rosacées) originaire d'Asie, dont le fruit est la pêche.

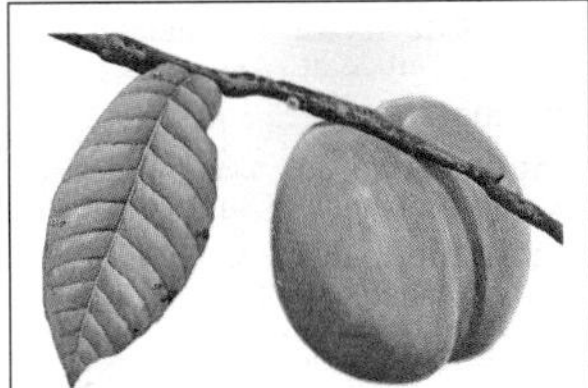

rameau de **pêcher**, avec feuille et fruit mûr

pêcherie n. f. **1.** Lieu où l'on a coutume de pêcher. *Les pêcheries de Terre-Neuve.* **2.** Industrie de conservation et de transformation des produits de la mer (surgélation, salaison, etc.).

pécheur, pécheresse n. et adj. Personne qui commet des péchés, qui est en état de péché. ▷ adj. *Âme pécheresse.*

pêcheur, euse n. Personne qui fait métier de pêcher ou qui pêche par plaisir. – (En appos.) *Bateau pêcheur.* ▷ Par anal. *Pêcheur de perles.*

Pech-Merle (grotte de), grotte proche de Cabrerets (Lot), ornée de gravures et de peintures paléolithiques.

P.E.C.O., abréviation désignant les pays d'Europe centrale et orientale.

pécore n. f. Vieilli Femme stupide et prétentieuse.

pécorino n. m. Fromage de brebis italien, à pâte cuite, de saveur piquante.

Pecq (Le), ch.-l. de cant. des Yvelines (arr. de Saint-Germain-en-Laye), sur la Seine; 17 063 hab. Aggl. résidentielle.

pecquenaud (var. **péquenaud**), **aude** ou **pecquenot** (var. **péquenot**), **otte** n. Fam., péjor. Paysan.

Pécs, v. de Hongrie, proche de la Croatie; 176 290 hab.; ch.-l. de comté. Ville industrielle (constr. méca., prod. chim., etc.), dans une région minière (houille, uranium, bauxite). – Évêché. Université. Cath. St-Étienne (XIe s.)

pecten [pɛktɛn] n. m. ZOOL Mollusque lamellibranche (genre *Pecten*) dont une espèce est la coquille Saint-Jacques.

pectine n. f. BIOCHIM Substance glucidique très répandue chez les êtres vivants et provenant du pectose.

pectinidés n. m. pl. Famille de mollusques bivalves comprenant le pecten, le pétoncle. – Sing. *Un pectinidé.*

pectique adj. BIOCHIM Qualifie certains polyosides végétaux qui donnent par hydrolyse du galactose et des dérivés du galactose.

pectoral, ale, aux n. m. et adj. **I.** n. m. ANTIQ Plaque ornementale ou de protection portée sur la poitrine. **II.** adj. **1.** ANAT Qui appartient à la poitrine. *Les muscles pectoraux* ou, n. m. pl., *les pectoraux.* ▷ *Nageoires pectorales* : nageoires antérieures, chez les poissons. **2.** Qui est utilisé dans le traitement des affections des bronches, des poumons. *Sirop pectoral.* **3.** Qui se porte sur la poitrine. *Croix pectorale.*

pectose n. m. BIOCHIM Composé pectique formé de la combinaison de pectine et de cellulose, qui se trouve surtout dans les fruits et les racines charnues avant leur maturité.

péculat n. m. DR Détournement de fonds publics.

pécule n. m. **1.** Somme d'argent économisée petit à petit. *Il a amassé un petit pécule.* **2.** Somme qu'un militaire qui n'a pas droit à une retraite reçoit quand il quitte l'armée. ▷ Somme prélevée sur le produit du travail d'un prisonnier et dont une partie lui est remise à sa libération.

pécuniaire adj. Qui consiste en argent; qui a rapport à l'argent. *Problèmes pécuniaires.*

pécuniairement adv. Quant à l'argent, sur le plan pécuniaire.

péd(i)-, -pède, -pédie. Éléments, du lat. *pes, pedis,* « pied ».

1. péd(o)-, -pédie. Éléments, du gr. *pais, paidos,* « enfant, jeune garçon », ou de *paideuein,* « élever, instruire ».

2. péd(o)-. Élément, du gr. *pedon,* « sol ».

pédagogie n. f. **1.** Science de l'éducation. **2.** Ensemble des qualités du pédagogue. *Manquer de pédagogie.*

pédagogique adj. **1.** Relatif à la pédagogie. **2.** Conforme aux exigences de la pédagogie.

pédagogiquement adv. Au point de vue de la pédagogie.

pédagogue n. et adj. **1.** Personne chargée de l'éducation d'un enfant, d'un adolescent. **2.** Spécialiste de la pédagogie. **3.** Personne qui sait enseigner. ▷ adj. *Il est très pédagogue.*

pédalage n. m. Action de pédaler.

pédale n. f. **1.** Organe mécanique mû par le pied, qui commande le fonctionnement d'un appareil, d'une machine, ou qui communique un mouvement de rotation à un appareil. *Pédale de frein, d'accélérateur. Pédale de bicyclette.* ▷ Loc. fig., fam. *Mettre la pédale douce* : agir sans précipitation, ne pas insister. *Perdre les pédales* : perdre le fil de son discours, perdre ses moyens. **2.** Touche d'un instrument de musique mue par le pied. *Pédales du piano. Clavier à pédales de l'orgue,* qui fait entendre les basses. **3.** Fam. et injur. Homosexuel.

pédaler v. intr. [1] **1.** Faire mouvoir des pédales, spécial. les pédales d'une bicyclette. **2.** Fig., pop. *On est en retard, il va falloir pédaler,* se dépêcher. ▷ Loc. fig., fam. *Pédaler dans la choucroute, la semoule* : être désorienté, sans efficacité.

pédaleur, euse n. SPORT Cycliste considéré dans sa manière de pédaler.

pédalier n. m. **1.** Clavier de l'orgue actionné par des pédales. **2.** Ensemble

pectoral au scarabée, ajouré et cloisonné (or et incrustations : améthystes, lapis-lazuli, turquoises, etc.), prov. de la tombe de Toutankhamon, XVIIIe dyn.; Musée égyptien, Le Caire

des manivelles, des pédales et du plateau d'une bicyclette.

pédalo n. m. (Nom déposé.) Petite embarcation utilisée le long des plages et sur les plans d'eau, mue par une roue à aubes ou une hélice actionnées par des pédales.

pédant, ante n. et adj. Personne qui affecte d'être savante, qui fait étalage de ses connaissances avec vanité. ▷ adj. *Un ton pédant.*

pédanterie n. f. Air, manière d'un pédant; vain étalage d'érudition.

pédantesque adj. Litt. Digne d'un pédant.

pédantisme n. m. Caractère du pédant, de ce qui est pédant.

-pède. V. péd(i)-.

pédéraste n. m. Celui qui s'adonne à la pédérastie. – *Abusiv.* Homosexuel. (Abrév. pop. et péjor. : pédé).

pédérastie n. f. Attirance sexuelle ressentie par un homme pour les jeunes garçons; relations sexuelles d'un homme avec un jeune garçon. – *Abusiv.* Homosexualité masculine.

pédérastique adj. Relatif à la pédérastie.

pédestre adj. Qui se fait à pied. *Rallye, sports pédestres.*

pédestrement adv. Rare À pied.

pédi. V. péd(i).

pédiatre n. Médecin spécialiste de pédiatrie.

pédiatrie n. f. Branche de la médecine concernant les enfants.

pédiatrique adj. Relatif à la pédiatrie.

pédicelle n. m. **1.** BOT Dernière ramification du pédoncule, qui porte la fleur. **2.** ZOOL Pièce allongée servant de support à divers organes. Syn. pédicule.

pédicule n. m. **1.** BOT Support allongé et grêle, dans certaines plantes. **2.** ZOOL Syn. de *pédicelle.* **3.** ANAT Ensemble des éléments vasculaires et nerveux qui rattachent un organe au reste du corps ou à un ensemble fonctionnel.

pédiculé, ée adj. SC NAT Qui est porté par un pédicule, qui en est muni.

pédiculose n. f. MED Ensemble des lésions cutanées dues aux poux.

pédicure n. Personne spécialisée dans les soins des pieds.

pédicurie n. f. Didac. Pratique du pédicure; métier de pédicure.

1. -pédie. V. péd(i)-.

2. -pédie. V. péd(o)- 1.

pedigree [pedigʀe] n. m. Généalogie d'un animal de race pure; document qui l'atteste.

pédiluve n. m. Bassin peu profond, destiné aux soins de propreté des pieds. *Douches et pédiluves d'une piscine.*

pédo-. V. péd(o)-.

pédodontie [pedodɔ̃si] n. f. Didac. Chirurgie dentaire adaptée aux enfants.

pédogenèse n. f. GEOL Ensemble des processus de formation et d'évolution des sols.

pédologie n. f. Didac. Branche de la géologie qui étudie les caractères chimiques, physiques et biologiques des sols, leur évolution et leur répartition.

pédologique adj. Didac. Relatif à la pédologie.

pédologue n. Didac. Personne spécialisée dans l'étude des sols.

pédomètre. V. podomètre.

pédonculaire adj. Didac. Qui se rapporte au pédoncule. – Sur pédoncule.

pédoncule n. m. **1.** ANAT Pièce mince et allongée qui relie deux organes ou deux parties d'organe. *Pédoncules cérébraux.* **2.** BOT Ramification terminale de la tige portant la fleur. **3.** ZOOL Pièce allongée portant un organe (œil de l'écrevisse, par ex.) ou un organisme entier. V. pédicelle.

pédonculé, ée adj. Didac. Muni d'un pédoncule; porté par un pédoncule.

pédophile adj. et n. Didac. Qui manifeste une tendance à la pédophilie. ▷ Subst. *Des pédophiles.*

pédophilie n. f. Didac. Attirance sexuelle pour les enfants.

pédophilique adj. De la pédophilie. *Pratiques pédophiliques.*

pédopsychiatre n. Spécialiste de pédopsychiatrie.

pédopsychiatrie n. f. Psychiatrie de l'enfant et de l'adolescent.

Pedro Ier. V. Pierre Ier (Brésil).

Peel (sir Robert) (Chamber Hall, près de Bury, 1788 – Londres, 1850), homme politique britannique. Député tory à partir de 1809, ministre de l'Intérieur (1822-1827 et 1828-1830), Premier ministre (1834-1835 et 1841-1846), il restructura son parti après 1832 et fit adopter d'importantes réformes, notam. l'émancipation des catholiques (1829), pour conjurer un éventuel soulèvement de l'Irlande. L'abrogation des lois sur les céréales (1846) divisa les tories. Une partie d'entre eux, avec à leur tête B. Disraeli, provoqua sa chute.

peeling [piliŋ] n. m. (Anglicisme) MED Traitement de la peau qui consiste à faire desquamer la couche superficielle de l'épiderme afin de provoquer la repousse d'une nouvelle couche épidermique. Syn. exfoliation.

Peenemünde, petit port d'Allemagne sur la Baltique et la *Peene* (fl. de 180 km), qui fut à partir de 1935 une base de fabrication et de lancement des V1 et, surtout, des V2.

peepshow [pipʃo] n. m. (Anglicisme) Établissement où l'on peut voir en solitaire des spectacles pornographiques.

pégase n. m. ZOOL Poisson téléostéen cuirassé des mers asiatiques, aux nageoires pectorales en forme d'ailes.

Pégase, dans la myth. gr., cheval ailé né du sang de Méduse lorsque Persée lui coupa la tête.

Pégase, constellation de l'hémisphère boréal, proche d'Andromède*.

P.E.G.C. n. m. Sigle pour *professeur d'enseignement général de collège.*

pegmatite n. f. MINER Granit formé de très gros cristaux de quartz, de feldspath et de mica blanc.

pègre n. f. Monde des voleurs, des escrocs, des gens douteux.

Pegu, vaste rég. et anc. royaume de basse Birmanie; 49 787 km²; 3 800 240 hab. Forêts de tecks, cultures tropicales; v. princ. *Rangoun* et *Pegu.*

Pegu, v. de Birmanie, au N.-E. de Rangoun; 254 000 hab.; ch.-l. de la division du m. n. Centre agric. et comm. – Import. monastère bouddhique.

Charles **Péguy**

Georges **Perec**

Péguy (Charles) (Orléans, 1873 – Villeroy, Seine-et-Marne, 1914), écrivain français. Militant dreyfusard, acquis au socialisme et à l'internationalisme pacifiste, il renoua avec une tradition nationale, patriotique et religieuse, par laquelle il s'efforça de ranimer l'idéal ancien de la France. Tué au début de la bataille de la Marne, il laissa une œuvre de poète (*le Mystère de la charité de Jeanne d'Arc,* 1910; *les Tapisseries,* 1913; *Ève,* 1913), d'essayiste et de polémiste (*Notre jeunesse,* 1910; *Victor-Marie, comte Hugo,* 1910; *l'Argent,* 1913).

pehlevi [pɛlevi], **pehlvi** [pɛlvi] ou **pahlavi** [palavi] n. m. LING Langue iranienne, dérivée de l'ancien perse, parlée en Perse sous les Sassanides.

Pei ou **Pei Ieoh Ming** (Canton, 1917), architecte et urbaniste américain d'origine chinoise. Il conçut d'importantes réalisations urbaines (notam. à Montréal, New York, Singapour, Hong Kong) et muséographiques (extension de la National Gallery à Washington, 1971-1978; pyramide du Louvre, 1986-1988, musée Miho, au Japon, 1994-1997). ► illustr. **Louvre**

peignage n. m. TEXT Opération qui consiste à peigner les fibres textiles (laine, coton, lin, etc.).

peigne n. m. **I. 1.** Instrument de corne, d'écaille, de matière plastique, etc., à dents fines, longues et serrées, qui sert à démêler et à lisser les cheveux. **2.** Loc. *Sale comme un peigne* : très sale. ▷ Loc. fig. *Passer au peigne fin* : soumettre à un contrôle minutieux. **3.** Accessoire de toilette à dents fines et serrées servant à maintenir ou à orner les cheveux des femmes. **II. 1.** TEXT Appareil, outil muni de dents, servant à démêler des fibres textiles ou à maintenir un écartement régulier entre les fils de chaîne d'un métier à tisser. **2.** Poils à l'extrémité des pattes des arthropodes.

peigné, ée adj. et n. **1.** adj. TEXT Dont les fibres parallèles et allongées présentent un aspect lisse. *Laine peignée.* ▷ n. m. Étoffe tissée de longues fibres de laine peignée. **2.** n. f. Fam. Correction, volée. *Flanquer une peignée à qqn.*

peigne-cul n. m. inv. Grossier Personne médiocre, minable.

peigner v. tr. [1] **1.** Démêler, arranger (les cheveux) avec un peigne. *Peigner sa chevelure.* – *Peigner qqn.* ▷ Loc. fig., fam. *Peigner la girafe*.* ▷ v. pron. (Réfl.) Peigner ses cheveux. **2.** Démêler (des fibres textiles). *Peigner de la laine.* **3.** Fig., vieilli (Au pass. et au pp.) Orner, soigner excessivement (un texte, une œuvre artistique).

peignoir n. m. **1.** Vêtement de protection dont on couvre le buste des clients chez un coiffeur. **2.** Vêtement ample que l'on porte au sortir du bain. ▷ Vêtement d'intérieur long et ample, en tissu léger.

peinard, arde ou **pénard, arde** adj. Pop. Qui jouit tranquillement de la vie, paisible. *Rester peinard dans son coin.* – *Un père peinard* : un homme paisible.

peinardement ou **pénardement** adv. Fam. Paisiblement, tranquillement.

peindre v. tr. [73] **I. 1.** Couvrir, recouvrir de peinture. **2.** Embellir, décorer avec de la couleur. *L'église du plateau d'Assy a été peinte par Chagall.* **II. 1.** Dessiner, inscrire avec de la peinture. *Peindre une inscription.* **2.** Représenter par des traits et des couleurs, par l'art de la peinture. *Peindre un portrait, un nu, une nature morte.* ▷ (S. comp.) *Il n'est pas seulement écrivain, il peint.* **III.** Fig. Décrire, représenter par le discours. *Peindre les passions.* ▷ v. pron. Se manifester par des signes sensibles. *La terreur se peignait sur ses traits.*

peine n. f. **A.** Châtiment, punition. **1.** DR *Peine afflictive et infamante,* infligée par le pouvoir public à un individu reconnu judiciairement coupable d'avoir commis un crime. *La peine de mort a été abolie en France en 1981.* – *Peine de police* : sanction de la contravention. – *Peine correctionnelle* : sanction du délit. – *Peine criminelle* : sanction du crime. **2.** Loc. prép. *Sous peine de* : sous risque de, sous menace de. ▷ Par ext. *Partez vite sous peine d'arriver en retard.* **3.** THEOL *Peines éternelles, peines de l'enfer* : damnation. **B. I.** Chagrin, souffrance morale, affliction. – *Faire peine à voir* : inspirer la compassion. ▷ État de qqn qui est inquiet, tourmenté. – Loc. *Être, errer comme une âme en peine.* (V. sens A, 3.) **II. 1.** Occupation, activité qui demande un effort. *Résultat qui a exigé beaucoup de peine.* ▷ (Formules de politesse.) *Voulez-vous prendre, vous donner la peine de* (+ inf.). ▷ *Homme de peine,* qui effectue les travaux pénibles. ▷ Loc. *À chaque jour suffit sa peine.* – *Ce n'est pas la peine* : ce n'est pas nécessaire. *Ça vaut la peine.* – *Pour votre peine, pour la peine* : en compensation. **2.** Difficulté, embarras. *Avoir de la peine à parler.* **3.** Loc. *Sans peine* : aisément, sans difficulté. ▷ *Avec peine* : difficilement. **III.** Loc. adv. *À peine.* **1.** Depuis peu de temps. *À peine arrivé, il a dû repartir.* **2.** Presque pas. *Il sait à peine écrire.* ▷ Tout juste. *Voilà à peine deux heures qu'il est parti.*

peiner v. [1] **1.** v. intr. Se fatiguer, éprouver des difficultés. *Peiner à monter.* **2.** v. tr. Faire de la peine à (qqn), attrister. *Vos paroles l'ont peiné.* – Pp. adj. *Un regard peiné.*

peint, peinte adj. **1.** Recouvert de peinture. **2.** Orné de motifs peints, de couleur. *Papiers peints.* **3.** Trop fardé. *Un visage peint.*

peintre n. **1.** *Peintre en bâtiment* ou, absol., *peintre* : personne spécialisée dans la peinture des murs, des plafonds, etc., et dans la pose des papiers peints. **2.** Artiste qui exerce l'art de la peinture. ▷ (En appos.) *Des artistes peintres.* **3.** Personne, écrivain qui peint (sens III) les hommes, les mœurs. *Racine, peintre de l'amour passion.*

peinture n. f. **I.** Action de peindre, d'appliquer des couleurs sur une surface. **II. 1.** Art, manière de peindre (sens II, 2). **2.** Ouvrage d'un artiste peintre. **3.** Loc. fig., fam. *Ne pas pouvoir voir qqn en peinture,* ne pas le supporter, le détester. **4.** Litt. Description particulièrement évocatrice. *Peinture de mœurs.* **III. 1.** Couche de couleur couvrant une surface, un objet. **2.** Matière servant à peindre. *Peintures à l'huile.*

peinturer v. tr. [1] (Canada) Peindre. *Faire peinturer sa maison.*

peinturlurer v. tr. [1] Fam. Barbouiller de tons voyants. ▷ v. pron. *Se peinturlurer (le visage)* : se farder à l'excès, de manière voyante.

Peïpous ou **Tchoudsk** (lac), lac (3 583 km^2) situé entre l'Estonie et la Russie. La Narva le relie au golfe de Finlande.

Peirce (Charles Sanders) (Cambridge, Massachusetts, 1839 – Milford, Pennsylvanie, 1914), philosophe et logicien américain ; promoteur du pragmatisme et de la sémiologie. Ses écrits ont été recueillis dans *Collected Papers* (1931-1935 et 1957-1958).

Peisson (Édouard) (Marseille, 1896 – Ventabren, Bouches-du-Rhône, 1963), romancier français inspiré par sa vie de marin : *Parti de Liverpool* (1932), *le Voyage d'Edgar* (1940), *le Quart de nuit* (1960).

Peixoto (Floriano Vieira) (Maceió, Alagoas, 1842 – Rio de Janeiro, 1895), maréchal et homme d'État brésilien ; un des artisans du coup d'État qui chassa Pierre II en 1889 ; président de la Rép. (1891-1894).

péjoratif, ive adj. et n. m. Se dit d'une expression, d'un mot, d'un suffixe, d'un préfixe, d'une intonation qui comporte un sens défavorable, implique un jugement dépréciatif. ▷ n. m. *Les péjoratifs.*

péjoration n. f. LING Ajout d'une valeur péjorative à un mot, à un énoncé.

péjorativement adv. Dans un sens péjoratif.

Pekalongan, port de comm. d'Indonésie, dans le N. de Java ; 133 000 hab. Industr. textiles (coton) ; sucreries ; manuf. de tabac.

pékan n. m. Martre du Canada *(Mustela pennauti).* ▷ Fourrure de cet animal.

1. pékin n. m. **1.** Étoffe de soie à motifs peints. **2.** Étoffe dont les rayures sont dues à une alternance de fils brillants et de fils mats, ou de fils de couleurs différentes.

2. pékin ou **péquin** [pekɛ̃] n. m. **1.** Arg. (des militaires) Civil. *S'habiller en pékin.* **2.** Fam. Individu quelconque, type, mec.

Pékin ou **Beijing,** cap. de la Rép. pop. de Chine, dans le N.-E. du pays ; 6 920 000 hab. *(Pekinois)* ; aggl. urb. 9 600 000 hab. La ville, qui forme, à l'intérieur de la prov. du Heibei, une municipalité autonome (17 800 km^2) sous le contrôle direct du pouvoir central, est un grand foyer culturel, administratif, commercial et industriel. – Le vieux Pékin se compose de deux villes juxtaposées, entourées de murailles : la « Ville extérieure » et la « Ville intérieure » (cette dernière renferme la Cité interdite). – Université du Peuple (1912) ; palais impérial, qui abrite auj. un musée historique et des services administratifs ; porte Tian'anmen (« de la Paix céleste »), percée dans les remparts de la cité impériale ; temple du Ciel (un des rares monuments chinois de forme circulaire) ; pagode Blanche du parc Beihai. Bibliothèque nationale. – Bien situé, au débouché de la grande plaine du N., Pékin fut très disputé. Cap. intermittente, la ville se développa partic. sous la domination mongole (c'est la *Cambaluc* de Marco Polo), puis sous les Ming. Les Occidentaux y eurent leur quartier en 1860. Les communistes y entrèrent en janv. 1949, en firent à nouveau la cap. de la Chine et y proclamèrent la République populaire (oct. 1949).

Pékin : la Cité interdite

pékiné, ée adj. et n. m. *Tissu pékiné,* qui présente des bandes alternativement claires et foncées, ou brillantes et mates. ▷ n. m. *Du pékiné.*

pékinois, oise adj. et n. **1.** adj. De Pékin. **2.** n. m. Dialecte du chinois, parlé à Pékin et dans le nord de la Chine. **3.** n. m. Petit chien de luxe au poil long, à la tête ronde, au museau écrasé.

pelade n. f. Chute des poils ou des cheveux par plaques, pouvant évoluer vers la calvitie totale.

pelage n. m. Ensemble des poils d'un mammifère. *Le pelage fauve du lion.*

Pélage (en G.-B., v. 360 – en Égypte, v. 422), moine hérésiarque qui vécut dans le bassin méditerranéen, dont la doctrine, le pélagianisme*, fut dénoncée notam. par saint Augustin.

Pélage (m. à Cangas, 737), roi des Asturies (v. 717-737) ; initiateur de la Reconquista*.

pélagianisme n. m. RELIG Doctrine hérétique du moine Pélage, qui niait le péché originel et affirmait que l'homme peut faire son salut par ses seuls mérites.

pélagie n. f. ZOOL Méduse acalèphe luminescente de l'Atlantique, formant des bancs en haute mer.

pélagien, enne n. et adj. Didac. Partisan du pélagianisme. ▷ adj. Qui a rapport à cette doctrine.

pélagique ou, vx, **pélagien, ienne** adj. BIOL, GEOL Qui est relatif à la haute mer, qui vit en haute mer.

pélamide ou **pélamyde** n. f. ZOOL **1.** Poisson téléostéen de Méditerranée *(Pelamys sarda* et *Thynnus pelamys)* voisin du thon. Syn. bonite. **2.** Serpent de mer venimeux de l'océan Indien et du Pacifique.

pélardon n. m. Fromage de chèvre fabriqué en Lozère.

pélargonium [pelaʀgɔnjɔm] n. m. BOT Plante ornementale cultivée pour ses nombreuses fleurs de couleurs variées (appelée à tort géranium).

Pélasges, nom donné, dans la tradition grecque classique, aux populations ayant précédé l'installation hellénique sur les deux rives de la mer Égée, en Asie Mineure et en Grèce péninsulaire. Elles semblent avoir occupé surtout une partie de la Thessalie.

pélasgique [pela(s)ʒik] ou **pélasgien, ienne** [pela(s)ʒjɛ̃, jɛn] adj. Des Pélasges. ARCHEOL *Murailles pélasgiques,* cyclopéennes.

Pelat (mont), sommet des Alpes du Sud (3 053 m), entre le Var et le Verdon.

pelé, ée adj. (et n.) **1.** Qui n'a plus de poils, de cheveux. ▷ Subst. Surtout dans la loc. fam. *quatre pelés et un tondu* : un tout petit nombre de personnes. **2.** Dépourvu de végétation, sec, aride.

Pelé (Edson Arantes do Nascimento, dit) (Três Corações, Minas Gerais, 1940), footballeur brésilien, surnommé *le Roi* ou *le roi Pelé*. Trois fois vainqueur de la coupe du monde avec l'équipe du Brésil (1958, 1962, 1970).

pélécaniformes n. m. pl. ORNITH Ordre d'oiseaux comprenant les pélicans, les cormorans, etc. – Sing. *Un pélécaniforme.*

Pelée (montagne), volcan (1 397 m) de la Martinique, sur la côte N.-O. L'éruption du 8 mai 1902 détruisit Saint-Pierre, qui avait alors 30 000 hab.

Pélée, dans la myth. gr., roi des Myrmidons, fils d'Éaque, époux de Thétis et père d'Achille.

péléen, éenne adj. GEOGR Qui est du même type que la montagne Pelée, en parlant d'un volcan. ▷ *Éruption péléenne* : éruption de laves formant des dômes ou des aiguilles.

pêle-mêle adv. et n. m. inv. **I.** adv. Confusément, en désordre. **II.** n. m. inv. **1.** Vieilli ou litt. Mélange inextricable. **2.** Cadre qui peut recevoir plusieurs photographies.

peler v. [**20**] **1.** v. tr. Ôter la peau de (un fruit). *Peler une pomme.* **2.** v. intr. Perdre de son épiderme par petits morceaux, en parlant de l'homme. *Avoir le nez qui pèle après un coup de soleil.*

pèlerin, ine n. (rare au f.) **I.** Personne qui fait un voyage vers un lieu de dévotion. **II. 1.** (En appos.) ZOOL *Requin pèlerin* : V. encycl. requin. **2.** ZOOL *Faucon pèlerin* : grand faucon *(Falco peregrinus)* d'Europe. **3.** ENTOM *Criquet* pèlerin.*

pèlerinage n. m. **1.** Voyage que fait un pèlerin. *Aller en pèlerinage.* **2.** Lieu où va un pèlerin, où viennent des pèlerins. *Le pèlerinage de Saint-Jacques-de-Compostelle.*

pèlerine n. f. Vêtement sans manches, souvent muni d'un capuchon.

Peletier (Jacques) (Le Mans, 1517 – Paris, 1582), humaniste français ; traducteur de l'*Art poétique* d'Horace (1545), membre de la Pléiade.

péliade n. f. Vipère *(Vipera berus)* à museau arrondi, qui porte une bande noire sur le dos.

Pélias, dans la myth. gr., roi d'Iolcos (Thessalie), fils de Poséidon. Il détrôna son frère Éson, puis le fit périr, s'attirant ainsi la haine de Jason (fils d'Éson) et de Médée* ; cette dernière conseilla perfidement aux filles de Pélias (les *Péliades*) de dépecer leur père et de le jeter dans un chaudron d'eau bouillante pour qu'il retrouve la jeunesse, et le fit ainsi périr.

pélican n. m. Oiseau palmipède de grande taille (genre *Pelecanus*, ordre des pélécaniformes), au long cou, qui peut accumuler dans son bec en forme de vaste poche les poissons qu'il a capturés.

Pélion (le), mont de Thessalie (1 651 m), au S. de l'Olympe et de l'Ossa. Selon la myth. gr., les Géants entassèrent le Pélion sur l'Ossa pour escalader l'Olympe et attaquer Zeus.

pelisse n. f. Vêtement doublé de fourrure.

Pélissier (Aimable Jean Jacques) (Maromme, 1794 – Alger, 1864), maréchal de France, et duc de Malakoff après sa victoire à Sébastopol (1855). Il fut gouverneur de l'Algérie de 1860 à sa mort.

Pella, anc. v. de Grèce, cap. de la Macédoine de la fin du Ve s. au IIe s. av. J.-C. Vestiges.

pellagre n. f. MED Maladie due à une carence en vitamine PP et qui se manifeste par des lésions cutanées, muqueuses, digestives, et des troubles nerveux.

Pellan (Alfred) (Québec, 1906 – id., 19880, peintre et décorateur québécois. Son œuvre subit des influences variées (cubisme et surréalisme notam.).

pelle n. f. **1.** Outil fait d'une plaque de métal munie d'un long manche, servant notam. à creuser ou à déplacer la terre, le sable, etc. ▷ Par anal. *Pelle à gâteau, à tarte* : large spatule munie d'un manche avec laquelle on sert les gâteaux. ▷ Loc. fam. *À la pelle* : en grande quantité. – *Ramasser une pelle* : faire une chute ; fig. échouer. **2.** *Pelle mécanique* : engin servant à creuser des tranchées, à niveler le sol, à effectuer des dragages.

Pellerin (Jean Charles) (Épinal, 1756 – id., 1836), imprimeur français ; fondateur de la plus célèbre fabrique d'images d'Épinal.

pellet [pɛlɛ] n. m. (Anglicisme) PHARM Petit comprimé à implanter sous la peau, ce qui permet une diffusion lente du produit.

pelletage n. m. Action de pelleter.

pelletée n. f. **1.** Ce que peut contenir une pelle. **2.** Fig., fam. Grande quantité. *Des pelletées d'injures.*

pelleter v. tr. [**23**] Remuer à la pelle.

pelleterie [pɛltʀi] n. f. **1.** Art de préparer les peaux pour en faire des fourrures. **2.** Fourrure préparée selon cet art. **3.** Commerce des fourrures.

pelleteuse n. f. Engin qui sert à excaver un terrain et à charger les déblais sur un véhicule.

pelletier, ère n. Personne qui fait commerce des peaux, ou qui les prépare pour les transformer en fourrures. ▷ (En appos.) *Marchand pelletier.*

Pelletier (Pierre Joseph) (Paris, 1788 – Clichy-la-Garenne, Seine, 1842), pharmacien français. Il isola la strychnine et la quinine.

Pelletier-Doisy (Georges) (Auch, 1892 – Marrakech, 1953), aviateur français ; « as » de la guerre de 1914-1918. Il a inauguré de nombr. liaisons aériennes en Europe et en Asie.

Pellico (Silvio) (Saluces, 1789 – Turin, 1854), écrivain italien. Patriote, libéral, il fut incarcéré neuf ans à Brünn (auj. Brno), où il écrivit ses mémoires : *Mes prisons* (1832). On lui doit également une tragédie, *Francesca da Rimini* (1815).

pélican

pelliculage n. m. **1.** TECH Application d'une pellicule transparente, en matière plastique, sur un support, pour le protéger et le rendre plus brillant. **2.** PHOTO Séparation de la couche de gélatine de son support.

pelliculaire adj. **1.** Qui forme une pellicule. *Couche pelliculaire.* **2.** ELECTR *Effet pelliculaire* : syn. de *effet de peau**.

pellicule n. f. **1.** Membrane très mince. **2.** Petite écaille produite par la desquamation du cuir chevelu. **3.** Couche peu épaisse. *Une pellicule de peinture.* **4.** Feuille de matière plastique recouverte d'une émulsion photosensible. *De la pellicule vierge.* Syn. film.

pelliculée, ée adj. Recouvert par une pellicule.

pelliculeux, euse adj. Didac. Couvert de pellicules (sens 2).

Pelliot (Paul) (Paris, 1878 – id., 1945), sinologue français. Il découvrit d'importants manuscrits chinois et tibétains, datant du VIe au XIe s., dans les grottes de Touenhouang : *la Mission Pelliot en Asie centrale* (1924).

Pelloutier (Fernand) (Paris, 1867 – Sèvres, 1901), syndicaliste français ; secrétaire (1895) de la Fédération des Bourses du travail, précurseur du syndicalisme révolutionnaire.

pélobate n. m. ZOOL Amphibien voisin du crapaud, qui s'enfouit dans le sol grâce à l'éperon corné de sa patte.

Pélopidas (?, v. 420 – Cynoscéphales, 364 av. J.-C.), général de Thèbes, ami d'Épaminondas. Il chassa les Spartiates de Thèbes en 379 av. J.-C. et fut victorieux à la bataille de Cynoscéphales, où il périt.

Péloponnèse (« île de Pélops »), presqu'île constituant le S. de la Grèce, reliée au continent par l'isthme de Corinthe, percé du canal de Corinthe ; région de la Grèce et région de la C.E., formée de l'Arcadie, l'Argolide, la Corinthie, la Laconie, la Messénie. Géographiquement, le Péloponnèse comprend aussi l'Élide et l'Achaïe, rattachées à la région de Grèce occidentale ; 21 439 km^2 ; 1 077 000 hab. ; cap. *Tripolis*. Pays montagneux aux côtes découpées (notam. dans le S., où s'allongent des péninsules). Principales ressources : élevage (ovins), vignes, oliviers, mûriers. – La presqu'île fut appelée *Morée* pendant l'occupation latine et turque (V. Morée).

Péloponnèse (guerre du), grande guerre entre Sparte et Athènes (431-404 av. J.-C.) qui se solda par l'abaissement de la puissance athénienne et par l'intrusion des Perses dans les affaires grecques. Après une période de luttes indécises (431-421) conclues par la paix de Nicias, Athènes commit la faute (V. Alcibiade) d'entreprendre une désastreuse expédition en Sicile (415-413) ; elle fut alors attaquée par les Spartiates, qui s'étaient alliés aux Perses. En 405, Lysandre remporta la victoire navale d'Ægos-Potamos et, l'année suivante, s'empara d'Athènes. La chute de la ville marqua la fin de la prépondérance athénienne en Grèce.

Pélops, dans la myth. gr., fils de Tantale, roi de Phrygie (ancêtre éponyme du Péloponnèse). Il fut tué par son père, servi aux dieux au cours d'un banquet, puis ressuscité par Zeus.

pelotage n. m. **1.** TECH. Confection d'une pelote de fil. **2.** Fam. Caresses sensuelles.

pelotari n. m. SPORT Joueur de pelote basque. *Des pelotaris.*

Pelotas, v. du Brésil (Rio Grande do Sul), port relié par un canal à la Lagoa dos Patos; 278 430 hab. Industr. alimentaires (viande) et textiles.

pelote n. f. **1.** SPORT Jeu de balle qui se pratique contre un mur; balle servant à ce jeu. ▷ *Pelote basque :* sport d'origine basque qui se joue avec une balle lancée contre un fronton, soit à main nue, soit au moyen d'une raquette en bois *(pala)* ou d'un gant en forme de panier allongé *(chistéra).* **2.** Boule formée d'un ou de plusieurs fils. *Pelote de laine.* **3.** Loc. fig., fam. *Faire sa pelote :* épargner petit à petit quelque argent. – *Avoir les nerfs en pelote :* être très énervé. **4.** *Pelote à épingles :* coussinet sur lequel on pique des épingles.

peloter v. [1] **I.** v. tr. **1.** Mettre en pelote (du fil). **2.** Fam. Caresser sensuellement le corps de (qqn). **II.** v. intr. SPORT Jouer à la paume sans faire une partie.

peloteur, euse n. (et adj.) **1.** TECH Personne qui fait des pelotes de fil. ▷ n. f. Machine servant à enrouler le fil. **2.** Fam. Personne qui pelote (sens I, 2). ▷ adj. *Des gestes peloteurs.*

peloton n. m. **1.** Petite pelote de fil. **2.** MILIT Petite unité de la cavalerie ou de l'armée blindée commandée par un lieutenant. ▷ Groupe de militaires du contingent qui reçoivent une formation pour devenir sous-officiers ou officiers. *Suivre le peloton.* ▷ *Peloton d'exécution :* groupe de militaires commandés pour fusiller un condamné. **3.** SPORT Groupe de coureurs qui demeurent ensemble au cours d'une épreuve. *Peloton de tête.*

pelotonnement n. m. Action de pelotonner, de se pelotonner.

pelotonner 1. v. tr. [1] Mettre en peloton (du fil). **2.** v. pron. Se ramasser en boule.

pelouse n. f. **1.** Terrain couvert d'une herbe épaisse et courte. **2.** Partie gazonnée d'un champ de courses, d'un stade. **3.** Partie d'un champ de courses que délimite la piste (par oppos. au *pesage* et aux *tribunes.*)

Pelouze (Jules) (Valognes, 1807 – Paris, 1867), chimiste français. Il découvrit les nitriles (1834) et réalisa la synthèse des acides organiques.

Peltier (Jean Charles Athanase) (Ham, 1785 – Paris, 1845), physicien français. ▷ ELECTR *Effet Peltier :* dégagement ou absorption de chaleur à la jonction de deux métaux de nature différente parcourus par un courant électrique.

peluche n. f. Étoffe de laine, de soie, de coton, analogue au velours mais de poil plus long. *Ours en peluche.* – Objet en peluche.

pelucher [pəlyʃe] ou **plucher** [plyʃe] v. intr. [1] Prendre l'aspect de la peluche (en parlant d'une étoffe).

pelucheux, euse ou **plucheux, euse** adj. Qui peluche, dont l'aspect rappelle la peluche.

pelure n. f. **1.** Peau d'un fruit ou d'un légume épluché. *Pelure de poire.* – *Pelure d'oignon,* interposée entre les couches qui forment le bulbe de l'oignon. **2.** (En appos.) *Papier pelure :* papier fin servant, en dactylographie, à faire des doubles d'un texte. **3.** Fig., pop. Vêtement (manteau en partic.).

Péluse, v. de l'anc. Égypte, à l'embouchure la plus orientale du Nil. Ruines près de l'actuelle Tell Faramèh.

pelvien, enne adj. ANAT Relatif au bassin. *Cavité pelvienne.*

pelvis [pɛlvis] n. m. ANAT Bassin.

Pelvoux, puissant massif cristallin des Alpes du Dauphiné (4 103 m à la *barre des Écrins;* 3 946 m à la *pointe Puiseux*).

Pematang Siantar, v. d'Indonésie, dans le N. de Sumatra; 150 380 hab. Import. centre commercial.

Pemba, île tanzanienne de l'océan Indien, au N. de Zanzibar; 984 km²; 210 000 hab. – Girofliers.

pembina. V. pimbina.

pemmican n. m. Viande séchée, réduite en poudre et comprimée.

pénal, ale, aux adj. Qui concerne les peines. – *Lois pénales.* ▷ *Code pénal :* recueil de textes fixant les peines à appliquer pour les infractions recensées.

pénalement adv. En matière pénale (par oppos. à *civilement*).

pénalisant, ante adj. Qui pénalise, désavantageux. *Passer un examen dans des conditions pénalisantes.*

pénalisation n. f. **1.** SPORT Désavantage infligé à un concurrent qui a enfreint les règlements au cours d'une épreuve sportive. **2.** Sanction. **3.** Fait de donner un caractère pénal à un acte.

pénaliser v. tr. [1] **1.** SPORT Frapper d'une pénalisation. **2.** Frapper d'une peine, sanctionner.

pénaliste n. DR Spécialiste du droit pénal.

pénalité n. f. **1.** Système des peines établies par la loi. ▷ *Par ext.* Peine. **2.** Sanction qui frappe un délit fiscal ou la non-exécution d'une ou de plusieurs clauses d'un contrat. **3.** SPORT Pénalisation.

penalty [penalti] n. m. (Anglicisme) SPORT Au football, sanction qui frappe l'équipe défendante, lorsque l'un de ses joueurs commet une faute grave à l'intérieur de sa propre surface de réparation, et qui consiste en la possibilité accordée à l'équipe lésée de faire tirer un coup de pied par l'un de ses joueurs à courte distance (11 m) du but adverse, défendu par son seul gardien. *Des penaltys* ou *des penalties.* Syn. (off. recommandés) coup de pied de réparation, tir de réparation ou onze mètres.

Penang (île de), île de Malaisie, formant, avec une bande continentale de la péninsule malaise, l'*État de Penang,* à la population extrêmement dense; 1 033 km²; 1 087 000 hab.; cap. *Penang.* Mines et fonderies d'étain.

Penang ou **George Town,** v. et port de Malaisie, dans l'île de Penang; 248 240 hab.; cap. de l'État du m. n. Import. port de transit (étain, caoutchouc).

pénard, pénardement. V. peinard, peinardement.

Peñarroya-Pueblonuevo, ville d'Espagne (Andalousie); 13 580 hab. Houille, plomb, zinc; sidérurgie et métallurgie du plomb.

pénates n. m. pl. **1.** ANTIQ Dieux domestiques des Romains, qui présidaient au maintien et à l'accroissement de la prospérité du foyer. – (En appos.) *Les dieux pénates.* ▷ Représentation de ces dieux. **2.** Fig., fam. Habitation, foyer. *Regagner ses pénates.*

penaud, aude adj. Confus, honteux.

pence. V. penny.

penchant n. m. Inclination, goût. *Se laisser aller à ses penchants.* ▷ Spécial. Sentiment d'attirance amoureuse envers qqn. *Éprouver un doux penchant pour une personne.*

penché, ée adj. Qui penche; incliné. *Écriture penchée.* ▷ Loc. fig. *Prendre des airs penchés :* V. air.

pencher v. [1] **I.** v. tr. Incliner vers le bas, ou de côté. *Pencher la tête vers l'avant, à droite.* **II.** v. intr. **1.** S'écarter de la position verticale (en perdant ou en risquant de perdre son équilibre); être incliné vers le bas. *Ce mur penche dangereusement. Tableau qui penche sur la gauche.* **2.** Fig. *Pencher vers, pour :* avoir tendance à préférer, à choisir (telle chose, tel parti, telle opinion). **III.** v. pron. **1.** S'incliner vers l'avant, en parlant d'une personne. *Se pencher à la fenêtre.* ▷ S'incliner, en parlant d'une chose. *L'arbre se penchait sous la rafale.* **2.** Fig. *Se pencher sur (qqch) :* considérer, examiner (qqch) avec intérêt.

Penck (Albrecht) (Leipzig, 1858 – Prague, 1945), géographe allemand; spécialiste des Alpes, et notam. des grandes glaciations du quaternaire.

pendable adj. Vx Qui mérite la corde, la pendaison. ▷ Mod., fig. *Jouer un tour pendable à qqn,* un mauvais tour.

pendage n. m. GEOL Inclinaison d'une couche, des couches d'un terrain sur l'horizontale. *Le pendage du filon,* dans une mine.

pendaison n. f. **1.** Action de pendre qqn, de se pendre. *Exécuté par pendaison.* **2.** Action de pendre qqch. – *Pendaison de crémaillère :* fête que l'on donne pour célébrer son installation dans un logement.

1. pendant, ante adj. et n. m. **I.** adj. **1.** Qui pend. *Marcher les bras pendants.* ▷ DR *Fruits pendants :* produits de la terre (fruits ou autres) non encore récoltés. ▷ ARCHI *Clef de voûte pendante,* munie d'un élément ornemental formant une retombée. **2.** DR Qui n'est pas encore jugé. *Cause pendante.* – Par ext., cour. *Affaire pendante,* en suspens. **II.** n. m. **1.** *Pendant d'oreille :* boucle d'oreille à pendeloques. *Des pendants d'oreilles.* **2.** Chacun des éléments d'une paire d'objets d'art, de mobilier destinés à être exposés ensemble, à former une symétrie. *Vases qui sont le pendant l'un de l'autre.*

2. pendant prép. **1.** Durant. *Pendant l'hiver.* **2.** Loc. conj. *Pendant que :* tandis que, dans le même temps que. ▷ (Marquant l'opposition et la simultanéité.) *Ils s'amusent pendant que nous travaillons.*

pendard, arde n. Vx Vaurien, fripon.

pendeloque n. f. **1.** Élément suspendu à un bijou. **2.** Ornement suspendu à un lustre.

pendentif n. m. Bijou suspendu autour du cou à une chaîne, un collier.

Penderecki (Krzysztof) (Debica, 1933), compositeur polonais; explorant les effets de masse, il a signé des œuvres d'une grande force expressive; *Thrênos* (1961), à la mémoire des victimes d'Hiroshima; *Passion selon saint Luc* (1963-1965); *les Diables de Loudun* (opéra, 1969); *Te Deum* (1979).

penderie n. f. Placard, partie d'une armoire où l'on suspend les vêtements.

pendiller v. intr. [1] Être suspendu en l'air et s'agiter, se balancer. *Linge qui pendille à la fenêtre.*

Pendjab ou **Penjab** (« pays des cinq rivières »), rég. du sous-continent indien, qui s'étend sur le bassin de l'Indus moyen et de ses affl. (Jhelam, Chenāb, Rāvi, Sutlej, *Biās*), divisée depuis 1947 entre le Pākistān (prov. du Pendjab : 205 345 km², 47 300 000 hab. ; ch.-l. *Lahore*) et l'Inde (États du Pendjab : 50 362 km², 16 789 000 hab., et de l'Haryana : 44 222 km², 12 923 000 hab. ; leur cap. commune est *Chandigarh*). Riche rég. agricole grâce à l'irrigation (blé, riz, coton, canne à sucre, etc.). C'est au Pendjab indien que se développe le séparatisme des sikhs (près de 60 % de la population), dont les plus extrémistes réclament la création d'un État indépendant, le Khalistan.

pendouiller v. intr. [1] Fam. Pendre mollement, d'une manière ridicule.

pendre v. [6] **I.** v. tr. **1.** Attacher (une personne, une chose) de façon qu'elle ne touche pas le sol. *Pendre qqn par les pieds. Pendre un jambon dans la cheminée.* ▷ *Spécial.* Mettre à mort en suspendant par le cou. *Pendre qqn haut et court.* **2.** Loc. fig. *Dire pis que pendre de qqn,* en dire tout le mal possible. – *Qu'il aille se faire pendre ailleurs,* se dit d'une personne qui vous a fait du tort et que l'on préfère ignorer. **II.** v. intr. **1.** Être suspendu, fixé par une extrémité (l'autre restant libre). *Lampions qui pendent.* **2.** Descendre trop bas. *Robe qui pend d'un côté.* **3.** Loc. fig. *Cela lui pend au nez :* cela risque fort de lui arriver (en parlant d'un désagrément, d'un malheur). **III.** v. pron. **1.** S'accrocher à qqch par une partie du corps, sans autre appui. *Acrobate qui se pend à un trapèze.* **2.** *Absol.* Se suicider par pendaison.

pendu, ue adj. et n. **1.** adj. Qui pend. *Jambon pendu à une poutre.* ▷ Loc. fig., fam. *Avoir la langue bien pendue :* être très bavard ; avoir de la repartie. **2.** n. Personne morte par pendaison.

pendulaire adj. **1.** PHYS Du pendule. ▷ *Mouvement pendulaire,* dont l'équation est une fonction sinusoïdale du temps. **2.** Fig. Qui rappelle le mouvement d'oscillation du pendule. *Politique pendulaire.* **3.** Se dit de déplacements quotidiens entre le domicile et le lieu de travail. **4.** CH de F Se dit d'une voiture munie d'un système qui lui permet de s'incliner pour compenser la force centrifuge.

1. pendule n. m. **1.** PHYS Système matériel oscillant autour d'un axe sous l'action d'une force qui tend à le ramener à sa position d'équilibre. *Pendule de torsion,* constitué par un barreau horizontal suspendu à un fil métallique vertical. **2.** Petite masse, souvent sphérique, suspendue à un fil et qui permettrait par ses oscillations de détecter certaines « ondes » émises par les minéraux, les substances organiques, l'eau, etc.

2. pendule n. f. HORL Horloge dont le mouvement est réglé par les oscillations d'un pendule. ▷ Cour. Petite horloge d'appartement.

pendulette n. f. Petite pendule.

pêne n. m. TECH Pièce mobile d'une serrure, qui bloque le battant de la porte en pénétrant dans la gâche.

Pénée (le), fl. de Grèce (200 km), en Thessalie ; né dans le Pinde, il est tributaire du golfe de Salonique.

Pénée (le), fl. de Grèce (80 km), dans le Péloponnèse ; il se jette dans la mer Ionienne.

Pénélope, dans la myth. gr., femme d'Ulysse et mère de Télémaque. Pendant l'absence d'Ulysse, pour échapper aux sollicitations de ses prétendants, elle déclara qu'elle fixerait son choix lorsqu'elle aurait fini une tapisserie qu'elle avait entreprise ; chaque nuit elle défaisait son travail de la journée. Le *travail de Pénélope* est devenu le symbole de l'entreprise jamais achevée.

pénéplaine n. f. GEOGR Surface plane de faible altitude résultant de l'érosion d'une région plissée.

pénétrabilité n. f. Didac. Caractère de ce qui est pénétrable.

pénétrable adj. **1.** Où l'on peut pénétrer ; qui peut être pénétré. **2.** Fig. Intelligible, compréhensible.

pénétrant, ante adj. et n. f. **I.** adj. **1.** Qui pénètre. ▷ *Spécial.* Qui traverse les vêtements, en parlant du froid, du vent, etc. **2.** Fig. Qui laisse une forte impression. *Discours pénétrant.* **3.** Apte à pénétrer les choses difficiles ; perspicace. *Intelligence pénétrante.* **II.** n. f. Grande voie de circulation menant au cœur d'une grande agglomération.

pénétration n. f. **1.** Action, fait de pénétrer. *Pénétration des eaux dans le sol.* **2.** Sagacité d'esprit ; facilité à approfondir, à connaître. **3.** Rapport sexuel. *Pénétration vaginale, anale.* **4.** ECON Présence d'un produit sur un marché. *Taux de pénétration du téléphone mobile.*

pénétré, ée adj. **1.** Imprégné. **2.** (Abstrait) Rempli (d'un sentiment) ; convaincu (d'une opinion). *Être pénétré de reconnaissance. Soyez bien pénétré de cette vérité.* – *Air, ton pénétré,* convaincu (ou, iron., plein d'affectation).

pénétrer v. [14] **I.** v. intr. **1.** Entrer, s'introduire (à l'intérieur de). *Pénétrer dans un appartement par effraction. Cire qui pénètre dans le bois,* qui l'imprègne, l'imbibe. **2.** *Pénétrer dans :* avoir la compréhension intime de. *Pénétrer dans la pensée de qqn.* **II.** v. tr. **1.** Percer, passer au travers de, entrer dans. *Un froid qui vous pénètre jusqu'aux os.* **2.** Influencer profondément. *Idée qui pénètre qqn.* ▷ Toucher intimement. *Sa douleur me pénètre le cœur.* **3.** Parvenir à connaître, à comprendre (ce qui jusque-là était resté caché). *Pénétrer les intentions de qqn.* **III.** v. pron. **1.** (Passif) Être découvert, compris, connu. *Ses intentions ne se pénètrent pas.* **2.** (Récipr.) Se mélanger intimement. **3.** Fig. Se remplir, s'imprégner (d'une pensée, d'un sentiment). *Se pénétrer du sentiment de ses devoirs.*

Penghu (îles). V. Pescadores.

pénibilité n. f. Didac. Caractère de ce qui est pénible (partic. en parlant d'un travail). *Atténuer la pénibilité des tâches.*

pénible adj. **1.** Qui se fait avec peine, avec fatigue. *Travail pénible.* **2.** Qui cause de la peine, du désagrément. *Situation pénible.* ▷ Fam. (Personnes) Irritant, insupportable. *Ce que tu peux être pénible, quand tu t'y mets !*

péniblement adv. Avec peine, avec effort. *Marcher, écrire péniblement.* ▷ À peine. *On arrive péniblement à une production de onze millions de tonnes.*

Pénicaud, famille d'émailleurs de Limoges dont **Léonard** ou **Nardon** (v. 1470 – v. 1542) et **Jean III** (m. v. 1585), le plus célèbre (portraits de Luther, d'Érasme).

péniche n. f. **1.** Grand bateau à fond plat qui sert au transport fluvial des marchandises. **2.** *Péniche de débarquement :* bâtiment de guerre, à fond plat, permettant de débarquer des hommes et du matériel sur une plage.

pénicille [penisil] ou **pénicillium** [penisiljɔm] n. m. BOT Champignon ascomycète qui se développe sous forme de moisissure sur les matières alimentaires en voie de décomposition.

pénicilline [penisilin] n. f. Antibiotique isolé à partir de *Penicillium notatum,* par sir A. Fleming en 1928. *Pénicilline naturelle, synthétique.*

pénicillino-résistant, ante adj. MED Se dit des germes pathogènes sur lesquels la pénicilline est sans action. *Des germes pénicillino-résistants.*

-pénie. Élément, du gr. *penia,* « pauvreté, manque ».

pénien, enne adj. ANAT Du pénis, relatif au pénis.

pénil [penil] n. m. ANAT Large saillie arrondie, au-dessus du sexe de la femme, qui se couvre de poils à la puberté. Syn. mont de Vénus.

péninsulaire adj. Relatif à une péninsule, à ses habitants.

péninsule n. f. Grande presqu'île. ▷ *La péninsule Ibérique* ou, absol., *la Péninsule :* l'Espagne et le Portugal.

pénis [penis] n. m. Organe mâle de la copulation dans l'espèce humaine et chez les animaux supérieurs. Syn. verge.

pénitence n. f. **1.** Regret d'avoir offensé Dieu qui porte à réparer la faute commise et sincèrement avouée, et qu'accompagne la ferme décision de ne plus recommencer. ▷ RELIG CATHOL *Sacrement de pénitence :* auj. appelé sacrement de réconciliation. **2.** Peine imposée par le prêtre comme sanction des péchés confessés. ▷ Austérité que l'on s'impose pour l'expiation de ses péchés. *Faire pénitence.* **3.** *Par ext.,* vieilli Punition. *Mettre un enfant en pénitence dans sa chambre.* ▷ *Pour pénitence, en pénitence, pour votre pénitence :* en punition.

pénitencerie n. f. RELIG CATHOL *Pénitencerie apostolique* ou *Sacrée Pénitencerie* ou, absol., *Pénitencerie :* tribunal ecclésiastique qui siège à Rome et est chargé de donner l'absolution pour des péchés que seul le pape peut absoudre. ▷ Fonction, dignité de pénitencier.

pénitencier n. m. **1.** RELIG CATHOL Prêtre que l'évêque de chaque diocèse charge d'absoudre certains cas réservés*. ▷ *Grand pénitencier :* cardinal qui préside la Pénitencerie. **2.** Bâtiment civil ou militaire où purgeaient leur peine les condamnés aux travaux forcés, à la réclusion.

pénitent, ente adj. et n. **I.** adj. **1.** Qui manifeste le regret d'avoir offensé Dieu et qui se livre à des exercices de pénitence. *Pécheur pénitent.* **2.** Consacré à la pénitence. *Vie pénitente.* **II.** n. **1.**

péniche sur la Seine entre l'île de la Cité et l'île Saint-Louis

HIST RELIG Pécheur momentanément exclu du bénéfice des sacrements, à la suite d'une faute grave. **2.** Personne qui confesse ses péchés au prêtre. **3.** Membre de certaines confréries qui se livrent à des exercices de pénitence.

pénitentiaire [penitɑ̃sjɛʀ] adj. et n. f. **1.** adj. Relatif aux prisons, aux condamnés à des peines de prison ou de réclusion. *Régime pénitentiaire.* **2.** n. f. Administration pénitentiaire.

pénitentiel, elle [penitɑ̃sjɛl] adj. et n. m. RELIG CATHOL **1.** adj. Relatif à la pénitence. *Œuvres pénitentielles.* **2.** n. m. Ancien recueil répertoriant les pénitences (sens 2) selon les péchés auxquels elles étaient affectées.

Penjab. V. Pendjab.

Penly, com. de Seine-Maritime (arr. de Dieppe); 306 hab. – Centrale nucléaire.

Penmarch, com. du Finistère (arr. de Quimper), sur l'Atlantique, près de la *pointe de Penmarch* (qui porte le phare d'Eckmühl); 6 315 hab., groupés surtout hors du centre, à Saint-Guénolé et Kérity (port de pêche). Conserveries (poissons, légumes). – Égl. St-Nonna (gothique flamboyant; déb. XVIe s.); chap. N.-D.-de-la-Joie (XVIe s.); ruines de la chap. de Languidou (XIIIe s.).

Penn (William) (Londres, 1644 – près de Londres, 1718), quaker anglais qui parvint non seulement à fuir les persécutions, mais encore à obtenir du roi Charles II, en 1681, le territoire américain nommé auj. *Pennsylvanie,* dont il fit une colonie modèle (peuplée de quakers).

Penn (Arthur) (Philadelphie, 1922), cinéaste et metteur en scène de théâtre américain. Parmi ses films : *le Gaucher* (1958), *Bonnie and Clyde* (1966), *Little Big Man* (1970), *Georgia* (1981).

pennage n. m. CHASSE Plumage des oiseaux de proie, qui se renouvelle à différents âges.

penne n. f. **1.** ORNITH Grande plume des ailes *(rémige)* et de la queue *(rectrice)* des oiseaux. **2.** Par anal. MAR ANC Extrémité supérieure d'une antenne. **3.** Chacun des ailerons en plume qui constituent l'empennage d'une flèche.

penné, ée adj. BOT *Nervation pennée, feuille composée pennée,* dont les nervures secondaires et les folioles sont disposées comme les barbes d'une plume.

Pennes-Mirabeau (Les), ch.-l. de cant. des Bouches-du-Rhône (arr. d'Aix-en-Provence); 18 729 hab. Huileries, cosmétiques.

Pennine (chaîne) ou **Pennines** (les), chaîne de monts hercyniens usés du N. de l'Angleterre (881 m au *Cross Fell*), qui s'étend des monts Cheviot aux Midlands. Riches bassins houillers sur ses flancs : Lancashire, Yorkshire, Durham.

Pennsylvanie, État du N.-E. des États-Unis, entre le lac Érié et la Delaware; 117 412 km^2; 11 880 000 hab.; cap. *Harrisburg.* – Cet État appalachien a de nombr. ressources agricoles (élevage bovin, céréales, exploitation forestière), mais le charbon et les hydrocarbures en ont fait un puissant État industriel. Ces gisements, qui sont auj. en déclin, ont permis l'essor d'industries très diversifiées, notam. dans la rég. de *Philadelphie, Pittsburgh* (sidérurgie) et *Erie.* – Reconnue au XVIIe s. par les Européens, donnée par Charles II (1681) à W. Penn, qui dès 1682 la dota d'institutions libérales, la région joua un rôle primordial dans la révolution américaine.

penny [peni] n. m. **1.** Monnaie anglaise, valant le centième de la livre. *Des pence* [pɛns]. **2.** Pièce de cette valeur. *Des pennies.*

pénologie n. f. DR Étude des peines, de leurs modalités d'application.

pénombre n. f. **1.** Demi-jour, lumière faible et douce. **2.** PHYS Partie d'un objet qui reçoit certains des rayons lumineux émis par une source non ponctuelle.

pensable adj. Qui peut être conçu, imaginé. *Ce n'est pas pensable* : c'est impossible à envisager, à imaginer.

pensant, ante adj. (et n.) **1.** Qui pense, qui est capable de penser. **2.** *Bien-pensant, mal-pensant :* V. ces mots.

pense-bête n. m. Moyen employé pour ne pas oublier qqch qu'on doit dire ou faire. *Faire un nœud à son mouchoir en guise de pense-bête. Des pense-bêtes.*

1. pensée n. f. **1.** Faculté de réfléchir, intelligence. **2.** Opération de l'intelligence, idée, jugement, réflexion qui sont produits par la faculté de penser. *Avoir de profondes pensées. Être complètement perdu dans ses pensées.* **3.** Souvenir. *Avoir une pensée pour un disparu.* **4.** Intention. *Je n'ai jamais eu la pensée de vous offenser.* **5.** Esprit, en général. *Cela m'est venu à (dans) la pensée.* **6.** Opinion, façon de penser. *Dites-moi votre pensée sur ce point.* ▷ Ensemble des idées, des opinions habituellement reçues par un individu, au sein d'un groupe humain, etc. *Les nouvelles tendances de la pensée politique américaine.* ▷ *Libre pensée* : V. ce mot. ▷ *La pensée unique* : ensemble des idées les plus couramment admises en matière d'organisation économique, sociale et politique. **7.** Brève maxime, aphorisme. *Les «Pensées» de Marc Aurèle.*

2. pensée n. f. Plante ornementale (fam. violacées) dont les fleurs ont de larges pétales veloutés et colorés.

1. penser v. [1] **I.** v. intr. Concevoir (par le travail de l'esprit, la réflexion, l'intelligence) des idées, des opinions, des notions intellectuelles. *«Je pense, donc je suis» (Descartes).* – *Façon de penser* : raisonnement, jugement. *Cette façon de penser n'engage que toi.* **II.** v. tr. **1.** Avoir dans l'esprit. *Dire tout ce qu'on pense.* **2.** Imaginer, concevoir du point de vue de la commodité. *Penser un appartement en fonction de ses occupants.* **3.** Rapporter par l'esprit à ce que l'on connaît déjà, à une théorie particulière, etc. *Penser l'événement en marxiste.* **4.** Croire, juger, estimer. *Penser du bien, du mal de qqn.* – Fam. *Tu penses! :* effectivement! Comme tu peux bien l'imaginer! *Penses-tu! Pensez-vous! :* certainement pas! Cela ne risque pas d'arriver, d'exister! **5.** *Penser* (+ inf.) : envisager de, compter. *Je pense partir ce soir.* **6.** *Penser que* : croire que. *Je pense que tu as raison.* **III.** v. tr. indir. *Penser à.* **1.** Réfléchir à (qqch). *Pensez bien à ma proposition.* **2.** S'intéresser à, tenir compte de, faire attention à (qqn, qqch). *La chose mérite qu'on y pense.* **3.** Ne pas oublier (qqn, qqch), se souvenir de (qqn, qqch). *C'était une erreur, n'y pensez plus. J'ai pensé à vous en cette occasion.* **4.** Loc. *Sans penser à mal :* en toute innocence. ▷ *Honni soit qui mal y pense :* honte à celui qui verrait du mal à cela (devise de l'ordre de la Jarretière, le plus anc. et le plus élevé des ordres de chevalerie anglais).

2. penser n. m. **1.** Vx Faculté de penser. **2.** Poét. Pensée. *«Sur des pensers nouveaux faisons des vers antiques» (A. Chénier).*

penseur n. m. **1.** Personne qui pense, qui s'applique à penser. *«Le Penseur», statue de Rodin.* **2.** Personne qui conçoit des idées nouvelles, et les organise en système; personne dont la pensée, particulièrement originale et profonde, exerce une influence marquante. *Les penseurs du XIXe siècle.* ▷ *Libre penseur :* V. ce mot.

pensif, ive adj. Occupé profondément par ses pensées. *Avoir l'air pensif.*

pension n. f. **1.** Somme que l'on donne pour être logé et nourri. – Fait d'être logé et nourri contre rétribution. *Prendre des enfants en pension chez soi.* **2.** Établissement qui loge et nourrit qqn contre rétribution. *Pension de famille :* hôtel dont les clients mènent une vie comparable à la vie de famille. ▷ Pensionnat. *Pension pour jeunes filles.* **3.** Allocation versée régulièrement à qqn. *Pension viagère.* ▷ *Spécial.* Allocation versée régulièrement par un organisme social. *Toucher sa pension.*

pensionnaire n. **1.** Personne qui verse une pension pour être logée et nourrie (chez des particuliers, dans un hôtel, une maison de retraite, un établissement scolaire). *Les pensionnaires d'un collège.* **2.** Titre des étudiants, des artistes de l'Académie de France à Rome. *Bourse de pensionnaire à la villa Médicis.* **3.** THEAT *Pensionnaire de la Comédie-Française :* acteur, actrice qui reçoit de la Comédie-Française un salaire fixe (par oppos. à *sociétaire,* qui participe en plus aux bénéfices). **4.** HIST Gouverneur de province, dans les Provinces-Unies (1579-1795). – *Le grand pensionnaire de Hollande* ou, ellipt., *le grand pensionnaire :* le secrétaire des états généraux, souvent responsable des Affaires étrangères de la république des Provinces-Unies.

pensionnat n. m. **1.** Établissement scolaire dont les élèves sont pensionnaires. **2.** Ensemble des élèves de cet établissement.

pensionné, ée n. et adj. Personne qui jouit d'une pension, d'une retraite.

pensionner v. tr. [1] Vx ou ADMIN Faire bénéficier d'une pension. *Louis XIV pensionnait écrivains et artistes.*

pensivement adv. D'une manière pensive, avec un air pensif.

pensum [pɛ̃sɔm] n. m. **1.** Vieilli Travail supplémentaire donné à un écolier pour le punir. ▷ Litt. Travail fastidieux, corvée. **2.** Texte ennuyeux.

pent(a)-. Élément, du gr. *pente,* «cinq».

pentaèdre [pɛ̃taɛdʀ] n. m. et adj. GEOM Polyèdre à cinq faces. – adj. *Un solide pentaèdre.*

pentagonal, ale, aux [pɛ̃tagɔnal, o] adj. Qui a la forme d'un pentagone.

pentagone [pɛ̃tagon] n. m. **1.** GEOM Polygone qui a cinq angles et cinq côtés. **2.** *Le Pentagone :* vaste bâtiment pentagonal, où siègent le secrétariat d'État à la Défense et l'état-major des armées américaines, à Washington, depuis 1942. – *Par ext.* L'état-major lui-même.

pentamètre [pɛ̃tamɛtʀ] adj. et n. m. METR ANC *Vers pentamètre :* vers grec ou latin de cinq pieds qui suit un hexamètre et forme avec celui-ci le *distique élégiaque.* – n. m. *Un pentamètre.*

Pentateuque, nom grec donné aux cinq premiers livres de la Bible (la Genèse, l'Exode, le Lévitique, les Nombres et le Deutéronome) dont les diverses rédactions, dites yahviste, élohiste, deutéronomiste, sacerdotale, s'échelonnent du Xe au VIe s. av. J.-C.

pentathlon [pɛ̃tatlɔ̃] n. m. ANTIQ Ensemble de cinq exercices (saut, course, disque, javelot, lutte) auxquels se livraient les athlètes grecs et romains. ▷ Mod. *Pentathlon moderne* : discipline et épreuve olympique pour les hommes, combinant l'escrime, l'équitation, le tir, la natation et le cross-country.

pentatome [pɛ̃tatɔm] n. m. ENTOM Insecte hétéroptère à l'odeur désagréable. Syn. cour. punaise des bois.

pentatonique [pɛ̃tatɔnik] adj. MUS Qui est formé de cinq tons. *Gamme pentatonique.*

pente n. f. **1.** Inclinaison (d'un terrain, d'une surface). *La pente d'un toit. Ligne de plus grande pente. Rupture de pente* : changement brusque de l'inclinaison d'une pente. ▷ Surface, chemin inclinés par rapport à l'horizontale. *Grimper une pente abrupte.* **2.** Loc. fig. *Être sur une mauvaise pente, sur une pente dangereuse* : se laisser entraîner par ses mauvais penchants. *Remonter la pente* : se trouver en meilleure situation, en meilleur état. **3.** GEOM *Pente d'une droite* : valeur de la tangente de l'angle que forme cette droite avec sa projection orthogonale sur le plan horizontal. ▷ TECH Inclinaison d'un axe, d'une route, exprimée en centimètres par mètre de longueur horizontale. *Pente de quatre pour cent.*

Pentecôte 1. Fête juive commémorant la remise des Tables de la Loi à Moïse, au Sinaï, célébrée sept semaines après le second jour de la Pâque. **2.** Fête chrétienne commémorant la descente du Saint-Esprit sur les Apôtres, célébrée le septième dimanche après Pâques.

pentecôtisme n. m. RELIG Mouvement religieux chrétien, né aux É.-U. en 1906, qui met l'accent sur la nécessaire réactualisation des charismes de l'Église primitive, dons de l'Esprit-Saint (don des langues, des miracles, etc.).

pentecôtiste n. RELIG Adepte du pentecôtisme.

Pentélique, montagne de Grèce (Attique), au N.-E. d'Athènes, célèbre dans l'Antiquité pour ses carrières de marbre blanc.

Penthésilée, dans la myth. gr., reine des Amazones, fille d'Arès. Elle fut tuée par Achille devant Troie.

Penthièvre (comté, puis duché de), anc. pays de Bretagne, entre Guingamp, Lamballe et Loudéac.

Penthièvre (Louis Jean Marie de Bourbon, duc de) (Rambouillet, 1725 - Bizy, près de Vernon, 1793), grand amiral de France; fils du comte de Toulouse et beau-père de la princesse de Lamballe et de Philippe Égalité. Mécène, il tint une cour brillante à Sceaux et à Anet.

penthiobarbital, als [pɛ̃tjɔbaʀbital] n. m. MED Barbiturique soufré, anesthésique d'action brève, notam. employé dans la narco-analyse. Syn. penthotal.

penthotal [pɛ̃tɔtal] n. m. (Nom déposé.) MED Barbiturique soufré, anesthésique général, cour. appelé *sérum* de vérité.*

pentose [pɛ̃toz] n. m. BIOCHIM Sucre à cinq atomes de carbone possédant une fonction cétone ou aldéhyde, et qui joue un rôle important dans le métabolisme des glucides et dans la formation et le stockage des réserves énergétiques.

pentu, ue adj. En pente.

penture n. f. TECH Bande métallique, souvent ouvragée, fixée transversalement et à plat sur un vantail, un panneau mobile, pour le soutenir sur le gond.

pénultième adj. (et n. f.) Didac. Avant-dernier. ▷ n. f. LING Avant-dernière syllabe d'un mot.

pénurie n. f. Manque, défaut, carence. *Pénurie d'argent, de vivres.* Ant. abondance. - *Absol.* Pauvreté, misère. *Période de pénurie.*

Penza, v. de Russie, sur la *Soura*, affl. de la Volga; 547 000 hab.; ch.-l. de la prov. du m. nom. Industr. text., méca., chim.; papeteries.

Penzias (Arno) (Munich, 1933), radioastronome américain. Il a observé, en 1965, avec R. Wilson, l'existence dans l'Univers d'un rayonnement à 2,7 K, apportant une confirmation expérimentale à la pertinence de la théorie du big bang. P. Nobel de physique 1978.

péon [peɔ̃] n. m. Berger, ouvrier agricole, en Amérique du Sud.

Pepe (Florestano) (Squillace, Calabre, 1778 - Naples, 1851), patriote et général napolitain. Il servit les Français à Naples (Murat notam.), puis participa à la révolution de 1820. - **Guglielmo** (Squillace, 1783 - Turin, 1855), frère du préc., servit principalement Joseph Bonaparte. En 1820, il dirigea l'insurrection napolitaine, fut battu par les Autrichiens à Rieti (1821) et dut s'exiler jusqu'en 1848.

pépé n. m. Pop. (Langage enfantin.) Grand-père.

pépée n. f. Pop. Jeune fille ou jeune femme. *Une pépée bien roulée.*

pépère n. m. et adj. **I.** n. m. **1.** Pop. Grand-père (mot enfantin). **2.** Fam. Homme ou enfant gros et d'allure tranquille. *Un gros pépère.* **II.** adj. Fam. Calme, tranquille. *Une vie pépère.*

pépètes ou **pépettes** n. f. pl. Pop., vieilli Argent. *Avoir des pépètes.*

Pépi, nom des deux premiers pharaons de la VIe dynastie (v. 2400-2200 av. J.-C.) dont les pyramides furent élevées à Saqqarah.

pépie n. f. Fam. *Avoir la pépie* : avoir très soif.

pépiement [pepimɑ̃] n. m. Action de pépier; cri des jeunes oiseaux.

pépier v. intr. [**1**] Crier, en parlant des jeunes oiseaux.

1. pépin n. m. **1.** Graine de certains fruits. *Pépins de raisin, de pomme,* etc. *Fruits à pépins* (par oppos. à *fruits à noyau* ou *drupes*). **2.** Fig., fam. Difficulté, anicroche. *Que ferez-vous en cas de pépin ?*

2. pépin n. m. Fam. Parapluie.

Pépin de Landen ou **l'Ancien** (saint) (v. 580 - 640), maire du palais d'Austrasie à partir de 615, sous Clotaire II, Dagobert Ier et Sigebert II; père de Grimoald. Son «règne» marque les débuts du pouvoir des maires du palais (d'abord en Austrasie puis en Neustrie). - **Pépin de Herstal** ou **le Jeune** (?, v. 640 - Jupille, 714), petit-fils par sa mère (Begga) du préc.; maire du palais d'Austrasie (680). Il réunit la Neustrie, dont il triompha à Tertry (687), la Bourgogne et l'Austrasie sous son gouvernement. Père de Charles Martel. - **Pépin le Bref** (Jupille, v. 715 - Saint-Denis, 768), maire du palais en 741, puis roi des Francs (751-768), le premier des Carolingiens. Fils de Charles Martel, héritier de la Neustrie, de la Bourgogne et de la Provence avec son frère Carloman, qui abdiqua en 747, il déposa le Mérovingien Childéric III (751), après s'être assuré l'appui de la papauté, qui le sacra roi. Celle-ci l'appela à l'aide contre les Lombards, qu'il vainquit, et il lui céda l'exarchat de Ravenne (756). Ses fils, Carloman et Charlemagne, héritèrent du royaume. - **Pépin** (?, v. 777 - Milan, 810), roi d'Italie (781-810); second fils de Charlemagne (Carloman), il prit le nom de Pépin en 781; il reçut en 806 l'Alémanie (territoire occupé par les Alamans) et la Bavière. - **Pépin Ier** (?, 803 - Poitiers, 838), roi d'Aquitaine (817-838); il se révolta, avec ses frères Lothaire et Louis, contre son père, Louis le Débonnaire (830 et 831-833). - **Pépin II** (?, v. 823 - Senlis, apr. 865), roi d'Aquitaine (838-856), fils du préc.; il tenta de garder son royaume, attribué par Louis le Débonnaire à Charles le Chauve, qui l'emprisonna en 852.

sacre de **Pépin le Bref,** par saint Boniface (évêque); miniature du XVIe s.; bibliothèque des Arts décoratifs, Paris

pépinière n. f. **1.** Plant de jeunes arbres obtenus par semis et élevés jusqu'à un âge permettant la transplantation et le repiquage. - Terrain où sont plantés ces jeunes arbres. **2.** Fig. Lieu, établissement où sont rassemblées et formées des personnes destinées à un état, à une profession. *Le Conservatoire est une pépinière de musiciens.*

pépiniériste n. (et adj.) Personne qui cultive des pépinières. ▷ adj. *Jardinier pépiniériste.*

pépite n. f. Petite masse de métal natif, et, particulièrement, d'or.

péplum [peplɔm] n. m. **1.** ANTIQ Tunique de laine d'une seule pièce, portée par les femmes, drapée et agrafée sur l'épaule par deux fibules. **2.** Fam. Film à grand spectacle consacré à un épisode de l'histoire antique.

peppermint [pepɛʀmɛ̃t] n. m. (Anglicisme) Liqueur faite avec de la menthe poivrée.

-pepsie. Élément, du gr. *pepsis,* «digestion».

pepsine n. f. BIOCHIM Enzyme sécrétée par les cellules de la muqueuse gastrique, qui décompose les protéines et les transforme en peptones.

peptide n. m. BIOCHIM Protide formé d'un petit nombre d'acides aminés.

peptique adj. BIOCHIM Relatif à la pepsine, à son action.

peptisation n. f. CHIM Transformation d'une substance colloïdale solide en une solution. *La peptisation est l'inverse de la floculation.*

peptone n. f. BIOCHIM Substance protidique résultant de l'action d'enzymes sur les protéines.

Pepys (Samuel) (Londres, 1633 - Clapham, Londres, 1703), mémorialiste anglais. Secrétaire de l'Amirauté, il tint un *Journal* (retrouvé en 1818), évocation cynique de lui-même et des mœurs de la société et de la cour.

péquenaud, péquenot. V. pecquenaud.

péquin. V. pékin 2.

péquiste adj. et n. (Canada) Partisan du Parti Québécois (P.Q.).

per-. CHIM Préfixe qui servait à désigner les composés au degré d'oxydation le plus élevé ou contenant le plus d'oxygène. (Pour les composés contenant le *pont peroxo,* il a été remplacé par le préfixe *peroxo.*)

Perak, État de Malaisie, dans la péninsule malaise, sur le détroit de Malacca; 21 005 km²; 2 110 000 hab.; cap. *Ipoh.* Riches mines d'étain.

péramèle n. m. ZOOL Marsupial australien terrestre (genre *Perameles*), de la taille d'un lapin, au museau allongé.

perborate n. m. CHIM *Perborate de sodium :* peroxohydrate entrant dans la composition de lessives.

perçage n. m. Action de percer; son résultat.

percale n. f. Toile de coton fine et serrée. *Une brassière de percale.*

percaline n. f. Toile de coton servant à faire des doublures.

perçant, ante adj. **1.** Très vif, en parlant du froid. *Froid perçant.* **2.** Aigu et qui s'entend de loin, en parlant du son. *Voix, cris perçants.* **3.** *Vue perçante, œil perçant :* grande acuité visuelle.

perce n. f. **1.** TECH Outil pour percer. **2.** Loc. *Mettre (un tonneau) en perce,* y faire une ouverture pour en tirer le vin. **3.** MUS Trou d'un instrument à vent.

Percé, v. du Québec, en Gaspésie; 4 839 hab. Site touristique célèbre pour son *rocher,* île de 88 m de haut creusée d'une arche, et par l'île Bonaventure, où nichent 50 000 fous de Bassan.

percée n. f. **1.** Ouverture pratiquée pour faire un chemin ou ménager un point de vue. *Faire une percée dans un bois.* **2.** Action de pénétrer, de rompre la ligne de défense de l'ennemi, de l'adversaire. **3.** Réussite acquise en triomphant des obstacles, de la concurrence, etc.

percement n. m. Action de percer. *Le percement d'un mur.*

perce-neige n. m. ou f. inv. Petite plante ornementale (fam. amaryllidacées), dont les fleurs blanches s'épanouissent à la fin de l'hiver.

perce-oreille n. m. Insecte dont l'abdomen se termine par une sorte de pince. *Des perce-oreilles.* (On dit aussi *pince-oreille.*) Syn. forficule.

percept n. m. PSYCHO Objet dont la représentation nous est donnée par la perception sensorielle.

percepteur, trice adj. et n. m. **1.** adj. Qui perçoit. *Organe percepteur.* **2.** n. m. Agent du Trésor public chargé du recouvrement des contributions directes et de certaines taxes.

perceptible adj. **1.** Qui peut être perçu par les sens. *Son perceptible.* ▷ Qui peut être perçu par l'esprit, compris. *Une subtilité peu perceptible.* **2.** FIN Qui peut être perçu, en parlant d'une taxe, d'un impôt.

perceptiblement adv. De manière perceptible.

perceptif, ive adj. Relatif à la perception d'un objet, à son appréhension.

perception n. f. **1.** FIN Recouvrement (des impôts). *Perception d'une taxe.* - Emploi de percepteur. ▷ Local où le percepteur a sa caisse. **2.** PSYCHO Représentation d'un objet, construite par la conscience à partir des sensations. ▷ Cour., *abusiv.* Sensation. *Les perceptions lumineuses.*

perceptionnisme n. m. PHILO Théorie selon laquelle le monde extérieur est immédiatement perçu comme tel, par une sorte d'intuition.

perceptuel, elle adj. Didac Qui relève de la perception en tant que faculté. *Phénomènes perceptuels.*

percer v. [12] **I.** v. tr. **1.** Faire un trou dans, forer. *Percer une planche, un mur.* ▷ Pénétrer, traverser de part en part. *La pluie perce les habits. Lumière qui perce les ténèbres.* - Loc. *Percer (qqch) à jour :* découvrir (qqch de caché, de secret). **2.** Pratiquer une ouverture, un passage. *Percer une fenêtre, une porte.* **3.** Blesser ou tuer en traversant le corps ou une partie du corps. *Percer qqn de coups d'épée, de poignard.* - Fig. *Percer le cœur de qqn,* l'atteindre profondément, le faire souffrir moralement. **II.** v. intr. **1.** Commencer à apparaître, à se manifester. *Dents qui percent.* - *La vérité finira bien par percer.* **2.** Devenir célèbre, faire son chemin. *Jeune chanteur qui perce.* **3.** *Abcès qui perce,* qui s'ouvre spontanément et se vide de son pus.

perceur, euse n. Personne qui perce. *Un perceur de coffres-forts.*

perceuse n. f. Machine, outil qui sert à percer.

perceuse-visseuse n. f. Outil qui sert à percer ou à visser. *Des perceuses-visseuses.*

percevable adj. FIN Qui peut être perçu. *Impôt percevable.*

Perceval, personnage du roman breton, héros du roman de Chrétien de Troyes, *Perceval ou le Conte du Graal.*

percevoir v. tr. [5] **1.** Recueillir (de l'argent; les revenus d'une propriété, un impôt, etc.). *Percevoir un loyer, des droits de douane.* **2.** Prendre conscience de, connaître (qqch) par les sens. *Percevoir une couleur.* ▷ Concevoir, discerner (qqch) par l'esprit, comprendre. *Percevoir le sens d'une phrase.*

1. perche n. f. Poisson d'eau douce, à la chair estimée, de l'ordre des perciformes, caractérisé par deux nageoires dorsales, dont la première est épineuse. *Perche commune. Perche goujonnière* ou *grémille.* ▷ *Perche soleil* ou *arc-en-ciel :* poisson perciforme *(Eupomotis gibbosus)* aux couleurs vives, originaire des États-Unis. *Perche de mer :* serran.

2. perche n. f. **1.** Pièce de bois, de métal, etc., de section circulaire, longue et mince. ▷ AUDIOV *Perche (à son),* à l'extrémité de laquelle un micro est fixé. ▷ SPORT *Saut à la perche :* saut en hauteur dans lequel on prend appui sur une perche (naguère en bois ou en métal, auj. en fibre de verre). ▷ TRANSP Tige permettant à un véhicule électrique (trolleybus, tramway, etc.) de capter le courant sur le câble conducteur. **2.** Loc. fig. *Tendre la perche à qqn,* lui donner la possibilité de se sortir d'une situation fâcheuse, lui venir en aide. **3.** Fam. *Une grande perche :* une personne grande et maigre.

Perche (col de la), col des Pyrénées-Orientales (1 577 m), qui relie la vallée de la Têt à celle de la Sègre.

Perche (le), rég. et anc. pays de France, drainé par l'Huisne, entre la Normandie, le Maine et la Beauce, et réparti entre les dép. de l'Orne et d'Eure-et-Loir; anc. cap. *Corbon,* puis *Mortagne;* v. princ. *Nogent-le-Rotrou.* C'est une région de collines herbagères (bocage). Princ. ressources : pommiers à cidre et, surtout, élevage bovin.

perché, ée adj. Posé, placé à un endroit élevé. ▷ n. m. CHASSE *Au perché :* au moment où les oiseaux sont perchés. *Tirer des faisans au perché.*

percher v. [1] **I.** v. tr. Placer (qqch) à un endroit élevé. *Elle a perché les confitures sur le dessus de l'armoire.* **II.** v. intr. **1.** Se poser sur une branche, un endroit élevé, en parlant d'un oiseau. **2.** Fam. Demeurer en un lieu élevé, en parlant d'une personne. *Percher au septième.* - *Par ext.* Habiter. *Où perche votre ami ?* **III.** v. pron. Se poser sur un endroit élevé. *Un bouvreuil se perche dans le cerisier.* - Se jucher, en parlant d'une personne. *La fille se percha sur la barrière.*

percheron, onne adj. et n. Du Perche. ▷ n. m. *Spécial.* Grand cheval de trait, lourd et puissant, élevé dans le Perche.

percheur, euse adj. Qui a l'habitude de se percher. *Oiseaux percheurs.*

perchiste n. **1.** SPORT Sauteur à la perche. **2.** AUDIOV Technicien qui tient la perche à son. (Syn. off. recommandé de *perchman.*)

perchlorate [pɛʀklɔʀat] n. m. CHIM Sel de l'acide perchlorique, oxydant puissant utilisé notam. dans la fabrication des explosifs.

perchlorique [pɛʀklɔʀik] adj. CHIM *Acide perchlorique :* acide fort, de formule $HClO_4$, très oxydant à chaud.

perchman [pɛʀʃman] n. m. Syn. (off. déconseillé) de *perchiste* (sens 2).

perchoir n. m. **1.** Lieu où les volailles se perchent. ▷ Support sur lequel un oiseau se perche. **2.** Fig., fam. Siège, lieu d'habitation élevé. *Descendre de son perchoir.* ▷ *Spécial.* Tribune élevée du président de l'Assemblée nationale. - *Par ext.* Présidence de l'Assemblée nationale.

Percier (Charles) (Paris, 1764 - id., 1838), architecte français. Son œuvre est inséparable de celle de Pierre Fontaine*.

perche commune

perciformes n. m. pl. ICHTYOL Ordre de poissons téléostéens acanthoptérygiens dont la vessie gazeuse ne communique pas avec l'œsophage (perche, daurade, etc.) – Sing. *Un perciforme.*

perclus, use adj. Paralytique, impotent partiellement ou totalement. *Perclus de rhumatismes :* rendu impotent par les rhumatismes. ▷ Fig. *Perclus de timidité.*

percnoptère n. m. ORNITH Petit vautour *(Neophron percnopterus)* du bassin méditerranéen, d'Afrique et d'Asie, au plumage blanchâtre tacheté de noir sur les ailes.

percnoptère

percolateur n. m. Appareil à vapeur permettant de faire du café en grande quantité.

percolation n. f. PHYS Circulation à travers une substance d'un liquide soumis à une pression. – *Spécial.* Circulation de l'eau dans un milieu poreux.

percussion n. f. **1.** Choc, action par laquelle un corps en frappe un autre. ▷ MECA, PHYS Produit de la somme des forces, au cours d'un choc, par la durée de ce choc. – *Fusil à percussion,* dans lequel le feu est communiqué à la charge par le choc d'une pièce métallique (percuteur) sur la capsule. – *Perceuse à percussion.* **2.** MED Mode d'examen consistant à déterminer l'état de certains organes en écoutant la transmission d'un son émis en frappant la peau au niveau d'une cavité du corps (thorax, abdomen). **3.** MUS *Instruments de percussion* (ou *à percussion*), dont on joue en les frappant (timbales, tambour, gong, cymbales, triangle, etc.) ou en les entrechoquant (castagnettes, grelots, cymbales, etc.).

percussionniste n. MUS Musicien qui joue d'un ou de plusieurs instruments à percussion.

percutané, ée adj. Didac. Qui se fait à travers la peau.

percutant, ante adj. **1.** Qui agit par percussion. ▷ ARTILL *Obus percutant,* qui explose en touchant le sol ou la cible. **2.** Fig. Qui frappe, qui fait beaucoup d'effet. *Un argument percutant.*

percuter v. [1] **I.** v. tr. **1.** Frapper, heurter violemment (qqch). *Le véhicule a percuté le mur.* ▷ TECH Frapper (l'amorce), en parlant du percuteur d'une arme à feu. **2.** MED Examiner (un organe, une région du corps) par la percussion. **II.** v. intr. **1.** Frapper en éclatant. *L'obus a percuté contre le parapet.* **2.** *Par ext.* Heurter un obstacle avec violence. *L'automobile percuta contre un arbre.*

percuteur n. m. Pièce, outil agissant par percussion. ▷ *Spécial.* Dans une arme à feu, tige métallique munie d'une pointe dont le choc contre l'amorce du projectile fait partir le coup. ▷ PREHIST Outil servant à fracturer les roches pour les façonner en outils.

perdant, ante adj. et n. **1.** adj. Qui perd. *Numéro perdant.* **2.** n. Personne qui perd. *Être le perdant dans une affaire.*

Perdiccas, nom de trois rois de Macédoine. – **Perdiccas Ier** (VIIIe-VIIe s. av. J.-C.). – **Perdiccas II** (m. v. 413 av. J.-C.) . – **Perdiccas III** (m. en 359 av. J.-C.).

Perdiccas (m. en 321 av. J.-C.), général macédonien, lieutenant d'Alexandre le Grand. Régent de l'Empire à la mort du conquérant (323), il fut vaincu et tué par les autres généraux d'Alexandre.

Perdiguier (Agricol) (Morières-lès-Avignon, 1805 – Paris, 1875), compagnon menuisier (compagnon du Devoir sous le nom d'*Avignonnais la Vertu*) et homme politique français. Député de 1848 à 1851, emprisonné puis proscrit lors du 2 Décembre, il publia le *Livre du compagnonnage* (1839) et les *Mémoires d'un compagnon* (1855).

perdition n. f. **1.** THEOL État d'une personne qui s'éloigne de l'Église ou du salut, qui vit dans le péché. *Être dans une voie de perdition.* ▷ Vieilli ou iron. *Lieu de perdition,* de débauche, où l'on est exposé à toutes les tentations du péché. **2.** *Navire en perdition,* en danger d'être perdu, de faire naufrage. – Par anal. *Avion en perdition.*

perdre v. [6] **A.** v. tr. **I.** Être privé de la disposition, de la possession, de la présence de qqn, de qqch. **1.** Cesser de posséder, d'avoir à soi, près de soi ou à sa disposition : (un bien, un avantage). *Perdre son argent, ses biens, sa place.* – (une partie de soi, de son corps). *Perdre un bras, un œil.* – (un caractère essentiel, une qualité, un comportement, etc.). *Perdre sa gaieté. Perdre l'habitude de fumer. Argument qui perd de sa force.* – (qqch qui a été égaré, oublié). *Perdre une adresse, son stylo, son chien.* – (qqn que l'on ne retrouve plus). *Enfant qui a perdu ses parents dans la foule.* **2.** Être quitté par (qqn). *Perdre un ami, un adjoint.* ▷ Être privé de (qqn) par la mort. *Perdre ses parents.* **3.** Cesser de suivre; laisser échapper (qqch). *Perdre son chemin. Ne pas perdre une bouchée de qqch.* ▷ *Perdre qqn, qqch de vue,* ne plus le voir, ne plus en entendre parler. ▷ Absol. *Le tonneau perd,* fuit. **4.** Mal employer (qqch). *Perdre son temps.* ▷ *Perdre une occasion,* la laisser échapper. **5.** N'avoir pas le dessus dans (une compétition, un conflit, etc.). *Perdre la partie, une bataille, un procès.* **II.** Porter un préjudice matériel ou moral. **1.** Ruiner, discréditer. *Cet homme vous perdra.* **2.** Vieilli Corrompre, pervertir. *Lectures qui perdent la jeunesse.* **B.** v. pron. Être perdu, en train de se perdre. **1.** Cesser d'exister. *Usages qui se perdent.* **2.** Disparaître. *Se perdre dans la foule.* ▷ Fig. *Se perdre dans la rêverie,* s'y absorber. **3.** S'égarer. *Se perdre dans une forêt.* ▷ Fig. S'embrouiller, s'embarrasser, ne plus s'y reconnaître. *On me demande d'accomplir tant de formalités que je m'y perds.* ▷ Fig. *Se perdre en conjectures :* faire en vain toutes les suppositions possibles.

perdreau n. m. Jeune perdrix de l'année.

perdrix [pɛʀdʀi] n. f. **1.** Oiseau galliforme, sédentaire et vivant en troupes, recherché comme gibier. **2.** *Perdrix des neiges :* lagopède. – *Perdrix de mer :* glaréole.

perdu, ue adj. (et n.) **A. I.** (Correspondant aux emplois de *perdre* A, I.) **1.** Dont on n'a plus la disposition, la possession. *Argent perdu.* « *À la recherche du temps perdu* », œuvre de Marcel Proust. **2.** Égaré, oublié, que l'on ne retrouve plus. *Objets perdus. Chien perdu. Enfant perdu.* **3.** Employé inutilement, dont on ne peut ou dont on n'a pu profiter. *Peine perdue. Occasion perdue.* ▷ *À temps perdu :* dans les moments de loisir. **4.** Difficile à trouver, isolé, écarté, en parlant d'un lieu, d'une localité. *Coin, pays, village perdu.* **5.** Dans quoi l'on n'a pas eu le dessus, où l'on a été vaincu. *Cause perdue.* **II.** (Correspondant aux emplois de *perdre* A, II.) **1.** Atteint irrémédiablement, dont le cas est désespéré. *Malade perdu. Homme perdu* (dans sa fortune, sa réputation). **2.** Corrompu, débauché. ▷ Spécial. *Femme, fille perdue :* prostituée. **III.** (Correspondant aux emplois de *perdre* B.) **1.** Qui n'existe plus. *Espèce animale perdue.* **2.** Qui disparaît, qui a disparu. *Perdu dans la foule.* ▷ Fig. *Perdu dans la rêverie,* absorbé. **3.** Qui s'est égaré. **B.** Subst. (En loc.) *Comme un perdu :* de toutes ses forces. *Crier comme un perdu.*

Perdu (mont) (en esp. *Monte Perdido*), sommet des Pyrénées centrales (3 355 m), en Espagne, au S.-E. du cirque de Gavarnie.

perdurer v. intr. [1] Litt. Se perpétuer, durer longtemps.

père n. m. **1.** Homme qui a engendré un ou plusieurs enfants. *De père en fils :* par transmission du père aux enfants. ▷ *Père de famille,* qui élève un ou plusieurs enfants. – DR *En bon père de famille :* avec la sagesse, l'esprit d'économie qu'un père de famille est censé posséder. **2.** Géniteur d'un animal. *Le père de ce veau a été primé au concours agricole.* **3.** RELIG *Dieu le Père, le Père éternel :* la première personne de la Trinité. **4.** *Révérend père* ou, absol., *père :* titre donné à la plupart des prêtres catholiques membres du clergé régulier. *Les pères jésuites. Le père Lacordaire.* – *Le Saint-Père :* le pape. – *Les Pères de l'Église :* les apologistes et les docteurs des cinq premiers siècles de l'Église chrétienne. – *Les Pères du désert :* les anciens anachorètes. – *Les Pères du concile* (ou *conciliaires*) : les évêques qui ont voix délibérante aux débats d'un concile. **5.** Créateur, fondateur (d'une œuvre, d'une doctrine). *Freud, père de la psychanalyse.* **6.** Celui qui se conduit, qui est considéré comme un père. *Vous avez été un père pour moi.* **7.** (Suivi d'un nom, pour désigner un homme d'un certain âge et de milieu social modeste.) *Le père Jérôme.* – Marquant la condescendance. *Dites-moi, père Untel...* ▷ *Gros père :* gros

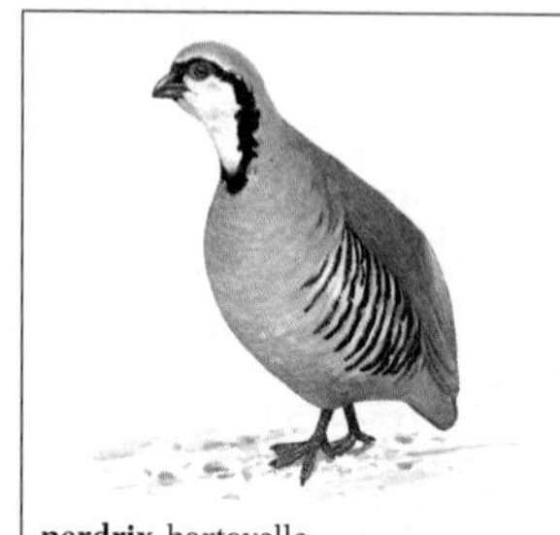

perdrix bartavelle

homme d'allure bonasse; enfant joufflu, replet. **8.** (Plur.) Ancêtres, aïeux. *Le sang de nos pères.*

Perec (Georges) (Paris, 1936 - id., 1982), écrivain français. Du roman «sociologique» (*les Choses*, 1965) à la fresque hyperréaliste (*la Vie mode d'emploi*, 1978), il a cherché, au travers de multiples expériences formelles, à manifester un univers poétique et tourmenté. ▶ illustr. page **1414**

Pérec (Marie-José) (Basse-Terre, Guadeloupe, 1968), athlète française. Championne olympique du 200 m et du 400 m en 1996. Elle avait été championne olympique du 400 m en 1992, championne du monde en 1991 et 1995 et championne d'Europe en 1994.

Père Duchesne (le). V. Duchesne.

Pérée, anc. contrée de Palestine, à l'E. du Jourdain.

pérégrination n. f. **1.** Vx ou litt. Voyage dans des pays lointains. **2.** Plur. Mod. Nombreux déplacements, allées et venues.

Pereira, v. de Colombie, dans la vallée du Cauca; ch.-l. de dép.; 400 000 hab. Comm. (café), agroalim.

Pereire (Jacob Émile) (Bordeaux, 1800 - Paris, 1875), banquier, économiste et homme politique français, comme son frère et collaborateur **Isaac** (Bordeaux, 1806 - Armainvilliers, Seine-et-M., 1880). Saint-simoniens, ils créèrent le Crédit mobilier (1852), qui favorisa l'essor économique français, et fondèrent des compagnies de chemin de fer en France et à l'étranger. Leur influence fut ébranlée par la faillite du Crédit mobilier (1867). Jacob Émile fut député de la Gironde, et Isaac des Pyr.-Orient., de 1863 à 1869.

Perekop (isthme de), isthme qui rattache la Crimée au continent, entre la mer d'Azov et la mer Noire.

Père-Lachaise (cimetière du), cimetière situé à Paris (XXe arr.), aménagé en 1803 sur l'emplacement d'un domaine appartenant à la Compagnie de Jésus où séjourna le père La Chaise, confesseur de Louis XIV. Il contient les sépultures de nombr. hommes illustres : Musset, Chopin, Balzac, etc. Dans sa partie N.-E., le mur des Fédérés rappelle le souvenir des membres de la Commune fusillés en 1871.

péremption [perɑ̃psjɔ̃] n. f. **1.** DR Anéantissement, après un certain délai, de procédures non continuées, de jugements par défaut non exécutés, d'inscriptions hypothécaires non renouvelées. **2.** *Date de péremption*, au-delà de laquelle un médicament, un produit de consommation ne doit plus être utilisé.

péremptoire [perɑ̃ptwaʀ] adj. **1.** DR Relatif à la péremption. **2.** Décisif, contre quoi il n'y a rien à répliquer. *Argument péremptoire.* - (Personnes) *Il est très péremptoire* : il n'admet pas la contradiction.

péremptoirement adv. D'une manière péremptoire.

pérennant, ante adj. BOT **1.** Se dit d'une plante annuelle ou bisannuelle qui peut devenir vivace. **2.** Se dit de la partie d'une plante vivace qui reste vivante en hiver (bulbes, rhizomes, tubercules).

pérenne adj. GEOGR *Rivière pérenne*, qui coule toute l'année.

pérennisation n. f. Didac. Action de pérenniser; son résultat.

pérenniser v. tr. [1] Didac. Rendre durable.

pérennité n. f. Litt., DR État de ce qui dure longtemps ou toujours; continuité. *Assurer la pérennité des institutions.*

péréquation n. f. ECON Répartition équitable des ressources ou des charges entre ceux (personnes, entreprises, régions, etc.) qui doivent les recevoir ou les supporter. ▷ Réajustement des traitements et des pensions. ▷ Disposition, mesure visant à fournir au consommateur des marchandises de provenance diverse à des prix identiques.

Peres (Shimon) (en Pologne, 1923), homme polit. israélien. Chef du parti travailliste de 1977 à 1992 et depuis 1995, il est Premier ministre en 1977, de 1984 à 1986 et de 1995 à 1996. Il a occupé plus. postes ministériels : aux Affaires étrangères (1986-1988 et 1992-1995) et aux Finances (1988-1990). Il est l'un des principaux protagonistes de l'accord israélo-palestinien (1993). P. Nobel de la paix, 1994.

perestroïka [perɛstʀɔika] n. f. HIST Restructuration (de la société civile soviétique) dans le sens de la libéralisation.

Péret (Benjamin) (Rezé, 1899 - Paris, 1959), poète français; l'un des rares membres du groupe surréaliste qui demeura fidèle à André Breton : *le Passager du transatlantique* (1921), *le Grand Jeu* (1928), *Je sublime* (1936), *le Déshonneur des poètes* (1945), *Mort aux vaches et au champ d'honneur* (1953), etc.

Perey (Marguerite) (Villemomble, 1909 - Louveciennes, 1975), physicienne nucléaire française. Elle découvrit en 1939 le francium.

Pérez (Carlos Andrés) (Rubio, près de San Cristóbal, 1922), homme politique vénézuélien; il a été président de la République de 1974 à 1979 et de 1988 à 1994.

Pérez de Ayala (Ramón) (Oviedo, 1880 - Madrid, 1962), écrivain espagnol. Sa poésie (*le Sentier innombrable*, 1921) et ses romans (*Ténèbres sur les cimes*, 1907-1911; *le Tigre Juan*, 1926) donnent un point de vue ironique et poétique sur la réalité espagnole.

Pérez de Cuellar (Javier) (Lima, 1920), diplomate péruvien; secrétaire général de l'ONU de 1982 à 1991.

Pérez de Cuéllar

Benito **Pérez Galdós**

Pérez de Hita (Ginés) (Mula, v. 1545 - Murcie, v. 1619), romancier et historien espagnol. Il écrivit le premier roman historique, *Guerres civiles de Grenade* (sur la lutte entre Maures et chrétiens).

Pérez de Montalbán (Juan) (Madrid, 1602 - id., 1638), écrivain espagnol. Auteur de l'*Orphée* en castillan (1624), des *Aventures et prodiges d'amour* (1624), et d'une soixantaine de pièces religieuses, historiques et de mœurs, dont *les Amants de Teruel* (1638).

Pérez Esquivel (Adolfo) (Buenos Aires, 1931), architecte et sculpteur argentin; défenseur des libertés dans son pays. P. Nobel de la paix 1980.

Pérez Galdós (Benito) (Las Palmas, 1843 - Madrid, 1920), journaliste et écrivain espagnol. Ses romans de mœurs régionaux, qu'il adapta pour un certain nombre à la scène, sont un mélange d'humour et de réalisme. Les 43 vol. de ses *Épisodes nationaux* (1873-1912) sont une vaste épopée sur l'Espagne au XIXe s.

perfectibilité n. f. Litt. Qualité de ce qui est perfectible.

perfectible adj. Susceptible d'être perfectionné.

perfectif adj. et n. m. LING *Aspect perfectif* ou, n. m., *le perfectif* : aspect du verbe présentant l'action comme achevée ou comme ponctuelle.

perfection n. f. **1.** Qualité de ce qui est parfait, état de ce qui a une qualité au degré le plus élevé. *Atteindre la perfection. La perfection du style.* - *À la perfection* : parfaitement. ▷ THEOL, PHILO Somme de toutes les qualités à leur degré le plus élevé. *La perfection de Dieu.* **2.** Qualité excellente, remarquable. **3.** (Précédé de l'art. indéf.) Chose ou personne parfaite (dans un rôle, une fonction). *Cette secrétaire est une perfection.*

perfectionné, ée adj. Qui a été doté de perfectionnements. *Machine perfectionnée.*

perfectionnement n. m. Action de perfectionner, de rendre meilleur.

perfectionner 1. v. tr. [1] Rendre meilleur, faire tendre davantage vers la perfection. *Perfectionner un mécanisme.* **2.** v. pron. Devenir meilleur. *Se perfectionner en anglais.*

perfectionnisme n. m. Souci excessif d'atteindre la perfection.

perfectionniste n. et adj. Personne scrupuleuse à l'excès, qui cherche à atteindre la perfection dans tout ce qu'elle fait. ▷ adj. *Vous êtes trop perfectionniste.*

perfide adj. (et n.) **1.** (Personnes) Qui manque à sa parole, à la confiance mise en lui; traître. ▷ Subst. *Un(e) perfide.* **2.** (Choses) Qui est peu fiable, trompeur. *Une parole perfide.*

perfidement adv. Avec perfidie.

perfidie n. f. **1.** Action perfide. *Tramer une perfidie.* **2.** Caractère perfide; déloyauté.

perforage n. m. Action de perforer.

perforant, ante adj. Qui perfore. ▷ MILIT *Projectile perforant*, destiné à perforer les blindages. ▷ MED *Mal perforant* : ulcération gagnant en profondeur.

perforateur, trice adj. et n. f. **1.** adj. Qui sert à perforer. **2.** n. f. Machine à perforer. ▷ MINES Machine servant à forer des trous de mine.

perforation n. f. **1.** Action de perforer. **2.** Trou fait en perforant. **3.** MED Ouverture accidentelle ou pathologique d'un organe. *Perforation de l'intestin.*

perforer v. tr. [1] Percer en faisant un ou plusieurs trous.

perforeuse n. f. Syn. de *perforatrice.*

performance n. f. **1.** Résultat chiffré obtenu par un sportif ou un cheval de course lors d'une épreuve, d'une compétition, d'une exhibition, etc. *Performance homologuée.* ▷ *Spécial.* Résultat particulièrement remarquable, exploit. *Cet athlète a réussi là une performance.* - Par ext. *Lire tout Balzac en un* *mois, quelle performance !* **2.** TECH Résultat optimal obtenu par un matériel. **3.** LING Acte de production, d'interprétation ou de compréhension d'un énoncé réalisé par un sujet parlant à partir de la compétence*. **4.** SPECT Mode d'expression artistique, événement, représentation comportant une part d'improvisation.

performant, ante adj. Capable de performances élevées. *Un appareil performant. Une entreprise performante.*

performatif n. m. LING Énoncé constituant, accomplissant l'acte qu'il énonce, par le fait même qu'il l'énonce. (Ex. : *Je promets. Je déclare la séance ouverte.*)

perfuser v. tr. [1] MED Faire une perfusion sur. *Perfuser un malade.*

perfusion n. f. **1.** MED Injection lente et continue, dans la circulation sanguine, de sérum, de sang ou de substances médicamenteuses en solution. *Un malade sous perfusion.* **2.** Fig. Apport de subventions à un secteur, une région économiquement déprimés.

Pergame (auj. *Bergama*, Turquie), anc. v. de Mysie, sur les rives du *Caïcos*, cap. d'un puissant royaume hellénistique aux IIIe et IIe s. av. J.-C. Attale Ier Sôter y créa la fameuse *bibliothèque de Pergame* (200 000 vol.), rivale de celle d'Alexandrie. Le royaume de Pergame fut légué aux Romains en 133 av. J.-C. par Attale III Philométôr. C'est un site archéologique important : ruines de nombr. temples, d'un grand théâtre, d'un autel dédié à Zeus, etc.

Pergaud (Louis) (Belmont, Doubs, 1882 - Marchéville-en-Woëvre, près de Verdun, 1915), écrivain français; observateur attentif des bêtes et des mœurs rurales : *De Goupil à Margot* (1910, prix Goncourt), *la Guerre des boutons* (1912).

pergélisol n. m. Syn. de *permafrost.*

pergola n. f. Construction de jardin légère constituée de poutrelles à clairevoie formant toiture, que recouvrent des plantes grimpantes.

Pergolèse (Jean-Baptiste), en ital. *Giovanni Battista Pergolesi* (Jesi, 1710 - Pouzzoles, 1736), compositeur italien de l'école napolitaine : opéras (*la Servante maîtresse*, 1733), oratorios, cantates profanes, messes, *Stabat Mater*, motets, etc.

péri-. Élément, du gr. *peri*, «autour».

Péri (Gabriel) (Toulon, 1902 - Paris, 1941), journaliste et homme politique français. Membre du comité central du parti communiste (1929), député de Seine-et-Oise en 1932, il fut fusillé par les Allemands.

Périandre (VIIe - VIe s. av. J.-C.), tyran de Corinthe (627 à 585 av. J.-C.), qui fut un des Sept Sages*.

périanthe n. m. BOT Ensemble des enveloppes florales (sépales et pétales).

périarthrite n. f. MED Atteinte inflammatoire douloureuse des tissus avoisinant une articulation.

périarticulaire adj. MED Qui siège autour d'une articulation. *Douleurs périarticulaires.*

périastre n. m. ASTRO Point de l'orbite d'un objet céleste le plus proche de l'astre autour duquel il gravite.

péribole n. m. ANTIQ Espace clos, le plus souvent planté d'arbres, orné de statues, ménagé autour d'un temple grec.

Péribonca ou **Péribonka** (la), riv. du Québec (480 km), tributaire du lac Saint-Jean.

péricarde n. m. ANAT Membrane qui enveloppe le cœur, formée d'un feuillet interne, séreux, et d'un feuillet externe, fibreux.

péricardique adj. ANAT Du péricarde.

péricardite n. f. MED Atteinte inflammatoire ou infectieuse, chronique ou aiguë, du péricarde.

péricarpe n. m. BOT Ensemble des tissus (épicarpe, mésocarpe, endocarpe) qui, dans un fruit, entourent la graine.

Périclès (?, v. 495 - Athènes, 429 av. J.-C.), homme d'État athénien, membre de la grande famille des Alcméonides, fils de Xanthippos et d'Agaristê. Il acquit de bonne heure une grande renommée par son éloquence et devint, en 459 av. J.-C. , le chef du parti démocratique, dont le principal adversaire était le stratège Cimon. Ayant réussi à éliminer tous ses rivaux, il demeura à la tête de l'État de 443 à 429 avec la seule fonction de stratège, renouvelée chaque année par des élections. Sa compagne Aspasie réunit autour d'eux les plus brillants esprits de l'Attique. Son administration fut marquée par d'importantes réformes démocratiques; ainsi, les charges, rétribuées, furent accessibles à tous les citoyens. À l'extérieur, Périclès porta à son apogée la puissance navale et coloniale d'Athènes en luttant sur un double front : contre les Perses et contre Sparte. En 454, il fit transférer le trésor de guerre de Délos sur l'Acropole; ainsi, responsable officiel des travaux publics, il put utiliser ce capital pour embellir la cité : construction du Parthénon (sous la responsabilité de Phidias), des nouveaux Propylées, du nouvel Érechthéion, etc. En fait, il personnifia si bien la gloire et la puissance athéniennes que la civilisation grecque de son époque prit le nom de «siècle de Périclès». Cependant, le destin historique de cet homme d'État se trouva lié aux erreurs qui entraînèrent Athènes et, avec elle, toute la Grèce dans les désastres d'une guerre sanglante et interminable, la guerre du Péloponnèse (431-404), opposant Athènes à Sparte. Périclès, qui assista aux débuts malheureux du conflit, mourut de la peste après s'être vu graduellement discrédité.

péricliter v. intr. [1] (Sujet n. de chose.) Aller à sa ruine, décliner. Ant. prospérer.

péridiniens n. m. pl. BOT Classe d'algues brunes planctoniques unicellulaires, généralement marines, à deux flagelles. - Sing. *Un péridinien.*

péridot [peʀido] n. m. MINER Minéral constitutif des roches éruptives, formé de silicates de fer et de magnésium en proportions variables (la variété la plus courante est l'olivine).

péridotite n. f. GEOL Roche constituée principalement d'olivine, de pyroxène et de grenat, et qui est le constituant principal du manteau terrestre.

Périclès

Fernando **Pessoa**

péridural, ale, aux adj. MED *Anesthésie péridurale :* anesthésie locale, surtout utilisée en obstétrique, réalisée en injectant un anesthésique entre le canal rachidien et la dure-mère.

Perier (Claude) (Grenoble, 1742 - Paris, 1801), industriel français; il fit fortune sous la Révolution, soutint financièrement Bonaparte et participa à la création de la Banque de France (1801). - **Casimir** (Grenoble, 1777 - Paris, 1832), fils du préc.; banquier et homme politique. Un des chefs de l'opposition libérale sous la Restauration, il se rallia à Louis-Philippe. Président du Conseil et ministre de l'Intérieur en 1831, il mena une politique répressive, notam. lors des troubles de Paris et de Lyon (révolte des canuts), et mourut lors de l'épidémie de choléra de 1832. - Depuis 1873, le nom officiel de cette famille est Casimir*-Perier.

périf ou **périph** n. m. Fam. Boulevard périphérique.

périgée n. m. ASTRO Point de l'orbite d'un astre ou d'un satellite le plus rapproché de la Terre (par oppos. à l'*apogée*). - Époque où un astre se trouve en ce point.

périglaciaire adj. GEOL *Érosion périglaciaire*, due à l'alternance du gel et du dégel.

Pérignon (dom Pierre) (Sainte-Menehould, 1638 - abb. d'Hautvillers, près d'Épernay, 1715), bénédictin français qui perfectionna le procédé de champagnisation des vins.

Pérignon (Dominique Catherine, marquis de) (Grenade-sur-Garonne, 1754 - Paris, 1818), homme politique français (député à la Législative et aux Cinq-Cents) et maréchal de France. Il combattit sous la Révolution contre l'Espagne (1792-1794) et devint maréchal (1804) et diplomate sous l'Empire. Il se rallia aux Bourbons.

Périgord, rég. et anc. pays de France, au N.-E. du Bassin aquitain, inclus en majeure partie dans le dép. de la Dordogne; v. princ. *Périgueux, Sarlat-la-Canéda*. Adossé au Massif central, il est composé de plateaux et de collines calcaires qui enserrent de riches vallées : cult. maraîchères, vigne, noyers, tabac. Les chênes truffiers des forêts constituent une import. ressource. - De peuplement très anc., le Périgord compte de nombr. sites préhistoriques (dans les vallées, notam.) : Les Eyzies, Lascaux, etc. Peuplé par les Celtes, il forma sous les Mérovingiens un comté. Pays frontière, il souffrit lors de la guerre de Cent Ans. Henri IV le réunit au domaine royal en 1607.

périgordien adj. et n. m. PREHIST De la culture du paléolithique supérieur contemporain de l'aurignacien.

périgourdin, ine adj. Du Périgord ou de Périgueux. ▷ n. f. Danse du Périgord. - CUIS *À la périgourdine*, se dit d'une garniture aux truffes.

Périgueux, ch.-l. du dép. de la Dordogne, sur l'Isle, anc. cap. du Périgord; 32 848 hab. (*Périgourdins* ou *Pétrocoriens*). Centre commercial. Industr. alim. (conserveries de truffes et de foie gras), text., électron. et métall.; manuf. de tabac. - Évêché. Musée. Arènes romaines du IIIe s. Cath. St-Front, romano-byzantine (XIIe s., fortement restaurée et défigurée de 1852 à 1901 par Abadie). Égl. St-Étienne

(XIIe s., restaurée). Tour Mataguerre (XVe s.).

périhélie n. m. ASTRO Point de l'orbite d'une planète ou d'une comète qui est le plus proche du Soleil. Ant. aphélie.

péri-informatique n. f. Didac. Ensemble des matériels annexes d'un système informatique (imprimante, terminaux, etc.).

péril [peʀil] n. m. **1.** Litt. État, situation où il y a un danger à craindre. *Être en péril de mort.* **2.** Risque, danger. *Braver mille périls.* ▷ *À ses risques et périls* : en acceptant de courir tous les risques, tous les dangers qu'implique la situation, l'entreprise. – *Péril jaune,* que, selon certains, les Extrême-Orientaux, feraient courir aux Occidentaux.

périlleusement adv. Litt. D'une façon périlleuse; dangereusement.

périlleux, euse adj. Qui présente du danger, des risques. *Situation périlleuse.* Syn. dangereux. ▷ *Saut* périlleux.*

Perim, île fortifiée (13 km²) du Yémen, dans le détroit de Bab al-Mandab, près de la côte d'Arabie.

périmé, ée adj. **1.** Qui a dépassé le délai de validité. *Son abonnement est périmé.* **2.** Fig. Dépassé, qui n'a plus cours. *Théories périmées.* Syn. caduc, désuet.

périmer (se) v. pron. [**1**] DR Se dit d'une instance qui vient à périr faute d'avoir été poursuivie dans les délais, d'une inscription qu'on n'a pas renouvelée à temps, etc. ▷ Cour. (Avec ellipse du pronom.) Devenir caduc, perdre sa validité. *Il a laissé périmer son billet de retour.*

périmètre n. m. **1.** GEOM Contour d'une figure plane; longueur de ce contour. **2.** *Par ext.* Contour d'un espace quelconque.

périnatal, ale, als adj. MED Relatif à la période qui précède et suit immédiatement la naissance. *Médecine périnatale.*

périnatalité n. f. MED Période périnatale.

périnatalogie n. f. MED Partie de la médecine qui traite de la périnatalité.

périnéal, ale, aux adj. Didac. Du périnée. *Incision périnéale* (V. épisiotomie).

périnée n. m. ANAT Région comprise entre l'anus et les parties génitales.

Périgueux : la cathédrale Saint-Front et la vieille ville

période n. f. **I. 1.** Espace de temps. *Il s'est absenté pour une période indéterminée. La période d'imposition correspond à l'année civile pour l'impôt sur le revenu.* ▷ Espace de temps caractérisé par telle ou telle situation, tels ou tels événements. *La période révolutionnaire.* – Phase dans le cours d'une évolution. *Période d'invasion, d'état, de déclin d'une maladie.* ▷ *Spécial.* MILIT Temps pendant lequel un réserviste est convoqué, en temps de paix, pour recevoir un complément d'instruction. ▷ GEOL Chacune des grandes divisions des ères géologiques. ▷ SPORT Syn. de *mi-temps.* **2.** Espace de temps déterminé par le retour, à époques fixes, d'un phénomène donné. ▷ ASTRO Durée mise par un astre pour parcourir son orbite. ▷ PHYS Intervalle de temps qui s'écoule entre deux passages successifs par le même état d'un système vibratoire. *La période est égale à l'inverse de la fréquence.* ▷ PHYS NUCL Temps nécessaire pour que l'activité d'un corps radioactif diminue de moitié par désintégration. ▷ PHYSIOL *Périodes menstruelles* : menstrues. **II.** Ensemble d'éléments, de phénomènes formant un tout, susceptible de se reproduire. **1.** MATH Suite de chiffres qui se reproduit dans un nombre fractionnaire. (Ex. : 2, 7 et 0 dans le nombre $\frac{100}{37}$ = 2,702 702...) ▷ Nombre qui ne change pas la valeur d'une fonction périodique lorsqu'on l'ajoute à la variable. **2.** CHIM Ensemble des éléments qui se trouvent sur une même ligne du tableau de la classification périodique des éléments. **III. 1.** RHET Phrase composée de plusieurs propositions se succédant harmonieusement et dont la réunion forme un sens complet. **2.** *Par anal.* MUS Suite de phrases mélodiques formant un tout.

périodicité n. f. Nature de ce qui est périodique, de ce qui survient, se produit à intervalles réguliers.

périodique adj. et n. m. **1.** Qui se reproduit à des intervalles de temps réguliers. *Phénomènes périodiques.* ▷ *Publication (journal, etc.) périodique,* qui paraît à intervalles réguliers. – n. m. Revue, magazine périodique. ▷ *Spécial.* Qui a rapport à la menstruation, aux précautions d'hygiène qu'elle impose. *Serviette* périodique.* **2.** PHYS Se dit d'une grandeur qui reprend la même valeur, d'un phénomène qui retrouve le même état au bout d'un intervalle de temps déterminé. – MATH *Fonction périodique,* qui reprend la même valeur si on ajoute à la variable une quantité fixe (période). ▷ *Fraction périodique* : nombre fractionnaire qui possède une période. **3.** CHIM *Classification périodique* : classification en tableau des éléments chimiques. (V. ce tableau à élément.) **4.** RHET *Style périodique,* dans lequel dominent les périodes (sens III, 1).

périodiquement adv. De façon périodique.

périoste n. m. ANAT Membrane fibreuse qui entoure les os et joue un rôle important dans leur croissance et leur vascularisation.

périostique adj. ANAT Relatif au périoste.

péripatéticien, enne adj. et n. PHILO Qui suit la doctrine d'Aristote. – Relatif à la doctrine d'Aristote. ▷ Subst. *Les péripatéticiens.*

péripatéticienne n. f. Plaisant Prostituée qui racole dans la rue.

péripétie [peʀipesi] n. f. **1.** LITTER Chacun des changements qui affectent la situation dans une œuvre narrative. – *Spécial.* Brusque revirement menant au dénouement d'une intrigue. **2.** *Par ext.* Incident, circonstance imprévue. *Son voyage a été riche en péripéties.*

périphérie n. f. **1.** GEOM Contour d'une figure curviligne. – Surface extérieure d'un corps. **2.** Par ext. *La périphérie* : les quartiers d'une ville les plus éloignés du centre; les faubourgs.

périphérique adj. et n. m. **1.** adj. Qui est situé à la périphérie. *Quartiers périphériques. Le boulevard périphérique* ou, n. m., *le périphérique.* ▷ *Radio périphérique,* qui émet à partir d'un pays limitrophe. ▷ ANAT *Système nerveux périphérique* : partie du système cérébrospinal comprenant les nerfs et les ganglions nerveux. **2.** n. m. INFORM Appareil relié à un ordinateur (organe d'entrée-sortie, mémoire auxiliaire, etc.). – adj. *Les organes périphériques d'un ordinateur.*

périphlébite n. f. MED Inflammation du tissu conjonctif qui entoure les veines.

périphrase n. f. **1.** Figure consistant à dire en plusieurs mots ce qu'on pourrait dire en un seul. (Ex. : *l'astre du jour,* pour *le Soleil.*) **2.** Circonlocution, détour de langage.

périphrastique adj. Didac. **1.** Qui est de la nature de la périphrase. **2.** Qui abonde en périphrases. *Style périphrastique.*

périple n. m. **1.** Voyage maritime autour d'une mer ou d'un continent. **2.** *Par ext.* Grand voyage touristique.

périptère n. m. et adj. ARCHI Temple, édifice entouré d'un seul rang de colonnes isolées du mur. ▷ adj. *Temple périptère.*

périr v. intr. [**3**] Litt. **1.** Mourir. *« Sachons vaincre ou sachons périr » (Chant du départ).* **2.** MAR Disparaître (en mer), sombrer. **3.** (Choses) Tomber en ruine, disparaître. *Sa gloire ne périra pas.*

périscolaire adj. Qui coexiste avec l'enseignement scolaire (clubs sportifs, colonies de vacances, etc.).

périscope n. m. Appareil d'optique à prismes (ou à miroirs) et à lentilles, permettant l'observation d'objets situés en dehors du champ de vision de l'observateur. *Périscope d'un sous-marin.*

périscopique adj. **1.** OPT *Verres périscopiques* : verres correcteurs à grand champ. **2.** MAR *Immersion périscopique* : immersion d'un sous-marin à une profondeur faible qui permet l'usage du périscope.

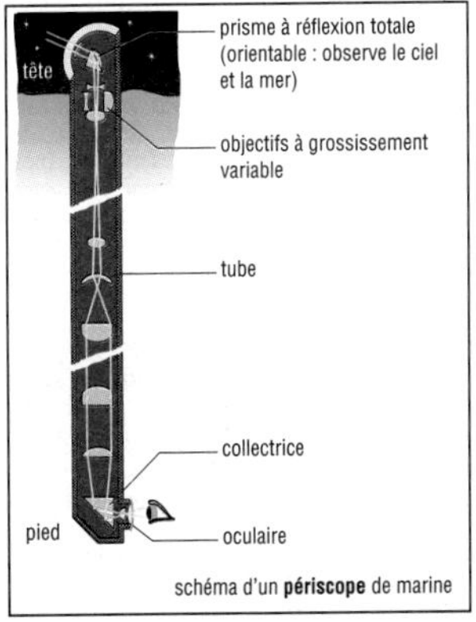

schéma d'un **périscope** de marine

périssable adj. Qui est appelé à périr. *Un bonheur périssable.* Syn. fragile, éphémère. Ant. durable. ▷ *Denrées périssables,* qui se conservent peu.

périssodactyles n. m. pl. ZOOL Ordre de mammifères ongulés dont le pied repose sur le sol par un nombre impair de doigts. – Sing. *Le cheval est un périssodactyle.*

périssoire n. f. Petite embarcation plate et allongée, manœuvrée au moyen d'une pagaie double.

périssologie n. f. **1.** GRAM Pléonasme. (Ex. : *Descendre en bas.*) **2.** RHET Procédé de style consistant à répéter plusieurs fois sous diverses formes la même idée, sur laquelle on veut insister.

péristaltique adj. PHYSIOL Relatif au péristaltisme. *Mouvement péristaltique.*

péristaltisme n. m. PHYSIOL Onde de contraction automatique et conjuguée des fibres longitudinales et circulaires de l'œsophage et de l'intestin, assurant le cheminement du contenu du tube digestif.

péristyle n. m. ARCHI Colonnade qui entoure un édifice, une cour intérieure, etc. – *Par ext.* Galerie constituée sur une de ses faces par des colonnes et sur l'autre par le mur même du monument. ► illustr. **Baalbek**

péritel adj. inv. (Nom déposé) De péritélévision. *Prise péritel.*

péritéléphonie n. f. Didac. Ensemble des services et appareils associés au téléphone (ex. répondeur).

péritélévision n. f. Ensemble des appareils qui peuvent être connectés à un poste de télévision (magnétoscope, jeux électroniques, etc.).

péritoine n. m. ANAT Membrane séreuse constituée d'un feuillet pariétal appliqué contre les parois abdominale et pelvienne, et d'un feuillet viscéral qui recouvre ou engaine les organes de la cavité abdomino-pelvienne.

péritonéal, ale, aux adj. ANAT Relatif au péritoine.

péritonite n. f. MED Inflammation du péritoine.

périurbain, aine adj. Qui est situé à la périphérie immédiate d'une ville.

perle n. f. **1.** Concrétion globuleuse d'un blanc irisé, formée de couches de nacre concentriques extrêmement minces, que certains mollusques lamellibranches sécrètent autour des corps étrangers. *Perle fine, de culture.* **2.** *Par ext.* Petite boule percée en bois, en métal, en verre, etc. *Enfiler des perles pour faire un collier.* ▷ Fig., fam. *Enfiler des perles :* perdre son temps à des futilités. **3.** (Par comparaison.) Ce qui ressemble à une perle, qui est rond et brillant comme une perle. *Perles de sang, de sueur.* ▷ Litt., fig., vx Dent fine et très blanche. *Son sourire découvrait une rangée de perles.* **4.** ARCHI Petit grain rond, taillé dans une moulure appelée *baguette.* **5.** Fig. Personne, chose sans défaut. *La perle des maris.* ▷ *Spécial.* Employée de maison irréprochable. **6.** (Par antiphrase.) Absurdité, ineptie, chargée involontairement d'un sens burlesque. *Perle trouvée dans une copie d'examen.* **7.** ENTOM Insecte ptérygote, proche de l'éphémère.

perlé, ée adj. **1.** Orné de perles. **2.** En forme de perle. *Orge perlé.* ▷ Fig. À la suite (à la manière dont sont enfilées les perles). *Grève perlée :* V. grève 2. **3.** Qui a des reflets nacrés comme la perle. *Coton perlé.* **4.** Litt., fig. *Rire perlé,* frais et clair.

perlèche ou **pourlèche** n. f. MED Ulcération contagieuse de la commissure des lèvres.

perler v. [1] **1.** v. tr. Vieilli Soigner, faire parfaitement. – Pp. adj. *Un ouvrage perlé.* **2.** v. intr. Former des gouttes (en parlant d'un liquide). *Un front où perle la sueur.*

perliculture n. f. Élevage d'huîtres perlières.

perlier, ère adj. Relatif aux perles. *Industrie perlière.* ▷ *Huître perlière,* qui peut produire, sécréter des perles.

perlimpinpin n. m. V. poudre.

perlingual, ale, aux [pɛʀlɛ̃gɥal ; pɛʀlɛ̃gwal, o] adj. MED Qui est résorbé par la langue. *Médicament absorbé par voie perlinguale,* qu'on laisse fondre sous la langue.

perluète n. f. TYPO Signe (&) signifiant « et », surtout utilisé auj. dans les dénominations de maisons de commerce et d'industrie.

Perm (de 1940 à 1957 *Molotov*), v. de Russie, dans l'Oural, sur la Kama ; ch.-l. de prov. ; 1 087 000 hab. Raff. de pétrole, industr. chimiques, métallurgiques et mécaniques.

permafrost [pɛʀmafʀɔst] n. m. (Anglicisme) PEDOL et GEOMORPH Couche du sous-sol gelée en permanence, dans les régions froides. Syn. pergélisol.

permanence n. f. **1.** Caractère de ce qui est constant, immuable. *Le transformisme nie la permanence des espèces.* **2.** Service assurant le fonctionnement d'un organisme de façon continue ; local où il fonctionne. *La permanence d'un commissariat de police.* **3.** Dans un collège, un lycée, salle d'études surveillée où restent les élèves qui ne sont pas en cours. **4.** Loc. adv. *En permanence :* sans interruption.

permanencier, ère n. Personne qui assure une permanence.

permanent, ente adj. et n. **I.** adj. **1.** Qui dure sans s'interrompre, ni changer. *Assurer une veille permanente.* Syn. constant, continu. Ant. passager. ▷ *Cinéma, spectacle permanent,* dont les séances se succèdent sans interruption. ▷ *Ondulation permanente* ou, n. f., *une permanente :* traitement destiné à donner aux cheveux une ondulation durable. **2.** Qui est établi à demeure ; qui existe quelle que soit la situation. *Armée permanente. Comité permanent.* Ant. provisoire, extraordinaire. **II.** n. m. Membre d'une organisation (en partic., d'un parti, d'un syndicat) qui est rémunéré pour pouvoir s'occuper à plein temps des tâches administratives.

permanenter v. tr. [1] Faire une permanente à (qqn). *Se faire permanenter :* se faire faire une permanente. – Pp. adj. *Cheveux permanentés.*

permanganate n. m. CHIM Sel d'un composé oxygéné du manganèse, de formule $HMnO_4$. – (En appos.) *Ion permanganate :* ion oxydé du manganèse (MnO_4). – *Permanganate de potassium* ($KMnO_4$) : oxydant puissant en milieu acide, utilisé comme antiseptique (épuration des eaux, teinturerie, etc.).

perme n. f. Fam. Abrév. de *permission* (sens 2).

perméabilité n. f. PHYS Propriété des corps perméables. ▷ *Perméabilité magnétique :* aptitude d'un corps à se laisser traverser par un flux d'induction. ▷ BIOL *Perméabilité membranaire :* perméabilité sélective de la membrane cellulaire, qui ne laisse passer que certaines substances.

perméable adj. **1.** Qui peut être pénétré ou traversé par un liquide, en partic. par l'eau. *Terrain perméable.* ▷ *Perméable à :* qui se laisse pénétrer, traverser par. *Matière perméable à la lumière.* **2.** Fig. Qui se laisse toucher par une idée, une influence. *Il est perméable aux idées nouvelles.*

perméance n. f. ELECTR Pénétrabilité d'un circuit par un flux magnétique.

Permeke (Constant) (Anvers, 1886 – Ostende, 1952), peintre et sculpteur expressionniste belge : *l'Étranger* (1916).

permettre v. [60] **I.** v. tr. **1.** Ne pas interdire, ne pas empêcher (qqch). *Permettre qqch à qqn.* ▷ *Permettre de* (+ inf.) : donner liberté, pouvoir de. *Permettez-moi de sortir.* – *Permettre que* (+ subj.). *Permettez-vous qu'il vienne ?* ▷ (Dans une formule de politesse.) *Permettez-moi de me retirer.* **2.** (Sujet n. de chose.) Ne pas s'opposer à ; rendre possible. *Laisser-aller qui permet tous les excès. Sa fortune lui permettait des caprices coûteux.* ▷ *Permettre de* (+ inf.) : donner le moyen, la possibilité de. *Dès que mes affaires me permettront d'aller vous voir...* ▷ Impers. *Il est permis,* possible. *Il est permis de penser qu'il se trompe.* – *Il vous est permis de,* loisible de. **II.** v. pron. **1.** S'accorder, s'allouer. *Il ne se permet que quelques instants de repos.* ▷ S'autoriser. *Elle se permet bien des familiarités.* – (Pour atténuer la formulation d'une observation, d'un reproche.) *Je me permettrai une petite critique.* **2.** Se donner la licence, prendre la liberté de. *Il s'est permis de dire que...*

permien, enne adj. et n. m. GEOL Se dit de la période terminale du primaire, qui succéda au carbonifère. – n. m. *Le permien a duré env. 40 millions d'années.*

permis n. m. Autorisation écrite délivrée par une administration. *Permis de conduire.* – *Permis à points :* permis de conduire entré en vigueur en France en 1992, constitué d'un certain nombre de points qui peuvent être retranchés selon un barème correspondant aux diverses infractions.

permissif, ive adj. Qui admet facilement, qui permet ou tolère des comportements, des pratiques que d'autres réprouveraient ou tendraient à réprimer.

permission n. f. **1.** Action de permettre ; son résultat. *Demander, accorder une permission.* **2.** Congé accordé à un militaire. – Temps de ce congé. – Titre qui l'atteste. *Faire signer sa permission.* (Abrév. fam. : perme).

permissionnaire n. m. **1.** Soldat en permission. **2.** Porteur d'un permis, d'une permission.

permissivité n. f. Fait d'être permissif.

permittivité n. f. ELECTR Caractéristique électrique d'un milieu peu conducteur. *Permittivité absolue* (exprimée en farads par mètre) : quotient de l'excitation électrique par le champ électrique. *Permittivité relative* (nombre sans dimension) : quotient de la permittivité absolue du milieu par celle du vide.

permutabilité n. f. Caractère de ce qui est permutable.

permutable adj. Qui peut être permuté. ▷ MATH *Éléments permutables,* que l'on peut intervertir sans changer le résultat.

permutation n. f. **1.** Action de permuter; échange d'emploi, de poste, d'heures de service. – *Par ext.* Transposition effectuée entre deux choses. ▷ MATH *Permutation de* n *objets*, ensemble d'arrangements différents que peuvent prendre ces *n* objets. *Le nombre de permutations possibles de* n *objets est égal à* n! (factorielle $n : 1 \times 2 \times 3 \times ... \times n$). **2.** CHIM *Permutation d'atomes.*

permuter v. [1] **1.** v. tr. Mettre une chose à la place d'une autre et réciproquement. *Permuter les chiffres d'un nombre.* **2.** v. intr. Échanger son emploi, son poste, ses heures de service, etc. (avec qqn).

Pernambouc, État du N.-E. du Brésil, sur l'Atlantique; 98 281 km²; 7 106 000 hab.; cap. *Recife* (anc. *Pernambouc*). – À l'O. s'étend une région de plateaux arides (élevage extensif, coton), à l'E. une région riche au climat humide (canne à sucre, café). Industr. textiles et alimentaires.

Pernes-les-Fontaines, ch.-l. de cant. du Vaucluse (arr. de Carpentras); 8 350 hab. – Enceinte du XVᵉ s. Chapelle et porte Notre-Dame; égl. romane.

pernicieusement adv. D'une manière pernicieuse.

pernicieux, euse adj. **1.** Vx Nocif. ▷ Mod. Nuisible moralement, malfaisant. *Exemple pernicieux.* **2.** MED Se dit de certaines formes graves de maladies, dues à la nature même de celles-ci. *Fièvre, anémie pernicieuse.*

Pernik (de 1949 à 1962 *Dimitrovo*), v. de Bulgarie, près de Sofia; ch.-l. du distr. du m. nom; 95 000 hab. Centre minier (lignite) et industriel (sidérurgie).

Pernis, fbg de Rotterdam, sur la Meuse. Complexe pétrolier et pétrochimique.

Pérochon (Ernest) (Courlay, Deux-Sèvres, 1885 – Niort, 1942), écrivain français, chantre de la Vendée : *Nêne* (1920), *le Chanteur de villanelles* (posth., 1943).

Perón (Juan Domingo) (Lobos, Buenos Aires, 1895 – Buenos Aires, 1974), officier et homme politique argentin. Président de la République (1946-1955), il s'appuya sur les classes pauvres et relança l'économie. Sa politique reposait sur le *justicialisme* (nommé plus cour. auj. *péronisme**). Le soulèvement de l'armée l'ayant obligé à se démettre (1955), il se réfugia en Espagne. Très populaire, ayant gardé de nombr. partisans malgré la division du péronisme en une gauche et une droite, il bénéficia de la victoire électorale (mars 1973) du péroniste Cámpora, qui se démit (juil.) pour lui permettre d'être élu président (sept.). – **Eva Duarte,** dite *Evita* (Los Toldos, Buenos Aires, 1919 – Buenos Aires, 1952), deuxième épouse du préc.; elle joua un grand rôle dans les affaires sociales. La dévotion qu'on lui portait accrut le prestige de son mari. – **María Estela Martínez,** dite *Isabelita* (La Rioja, 1931), troisième épouse de J. Perón; vice-présidente de la République (1973), elle succéda à son mari mort soudainement (juil. 1974). Une junte, dirigée par le général Videla, la renversa (mars 1976).

Eva et Juan **Perón**

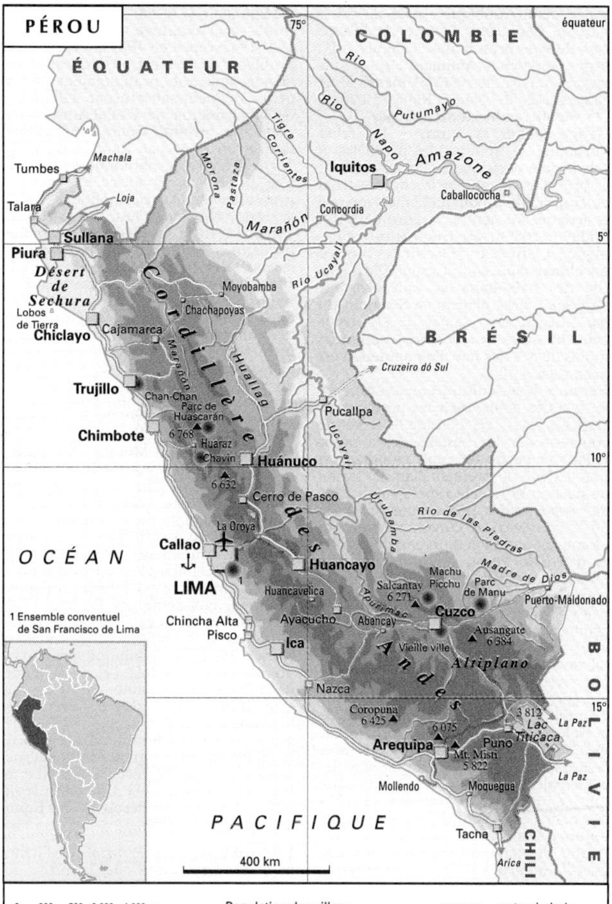

péroné n. m. ANAT Os long, situé à la partie externe de la jambe, parallèle au tibia, et qui s'articule en bas avec le calcanéum et l'astragale.

péronisme n. m. HIST, POLIT Système politique instauré en Argentine par le président Perón, inspiré du corporatisme mussolinien, qui alliait réformes sociales et dirigisme.

Péronne, ch.-l. d'arr. de la Somme, sur la Somme; 9 159 hab. Industr. textiles (laine), alim. – Vest. de remparts. Chât. du XIIIᵉ s. et fortifications des XVIᵉ-XVIIᵉ s. – Cap. du Vermandois, la ville fut une place forte disputée au XVᵉ s. entre la Bourgogne et la France. En 1468, Charles le Téméraire y retint prisonnier son hôte Louis XI qui venait de pousser Liège à se révolter contre lui, et l'obligea à signer un traité humiliant que celui-ci dénonça en 1470. La ville fut plus. fois prise et reprise durant la Première Guerre mondiale.

péronnelle n. f. Fam., vieilli Femme sotte, bavarde et impertinente.

péroraison n. f. Conclusion d'un discours. ▷ *Par ext.* Dernière partie. *Péroraison d'une cantate.*

pérorer v. intr. [1] Parler longuement et avec prétention, emphase.

per os [pɛʀɔs] loc. lat. Par la bouche. *Médicament à prendre per os.*

Pérotin (fin XIIᵉ s. – déb. XIIIᵉ s.), compositeur français de l'école de Notre-Dame de Paris. Il contribua à développer plusieurs genres (motet, notam.).

Pérou (république du) *(República del Perú),* État andin d'Amérique du S., sur le Pacifique, au S. de l'Équateur et au N. du Chili; 1 285 215 km²; 20 200 000 hab. (10 213 000 hab. en 1958), croissance démographique : près de 2,5 % par an. Cap. *Lima*. Nature de l'État : rép. de type présidentiel. Langues off. : esp. et quechua. Monnaie : sol. Population : Amérindiens (46 %), métis (38 %), Blancs (12 %), Noirs. Relig. : cathol. (95 %), off.; cultes amérindiens.

Géogr. phys. et hum. – Le relief s'ordonne en trois bandes parallèles. À l'O., la côte pacifique est un désert frais et brumeux, longé par le courant froid de Humboldt et ponctuellement peuplé et irrigué. Au centre, la cordillère des Andes (6 768 m au Huascarán), volcanique et affectée de séismes, connaît un climat plus sain et groupe la majorité des hab. dans les vallées et sur l'*Altiplano*, large plateau au S. autour du lac Titicaca. Les plaines de l'E., tropicales humides et forestières, comptent moins de 5 % des hab. La population est urbanisée à 70 %.

Écon. – L'agriculture emploie encore le tiers des actifs, mais les productions vivrières (maïs, riz, pomme de terre) ne couvrent pas les besoins de la population; la pêche (4e rang mondial) est une activité de premier plan. La farine de poisson et le café représentent 20 % des exportations péruviennes, près de 50 % revenant au cuivre, au zinc, au plomb, à l'argent et à un peu de pétrole et d'or : le Pérou est une puissance minière importante. La culture de la coca s'est considérablement développée (1er rang mondial, avec 60 % de la production); elle couvre 300 000 hectares dans les vallées du versant oriental des Andes (Huallaga et Apurimac), fait vivre 200 000 familles de paysans et représenterait un revenu illicite de 2,5 milliards de dollars par an (70 % de la valeur des exportations officielles). Agroalimentaire, métallurgie des non-ferreux et constr. mécaniques sont les principales branches d'une industrie qui n'emploie qu'un peu plus de 10 % des actifs. Sous-équipé, le pays souffre aujourd'hui d'une situation économique dramatique, aggravée par une guérilla meurtrière : le revenu moyen a été amputé de 50 % entre 1985 et 1990 et la misère s'étend, ainsi que la violence urbaine. La nouvelle admin., mise en place en 1990, a adopté des mesures draconiennes pour rétablir l'économie mais leur coût social est élevé. Cette politique de sacrifices imposés à la population a permis au pays de réintégrer la communauté financière internationale. En contrepartie d'un rééchelonnement de la dette extérieure, le Pérou libéralise son commerce.

Hist. – Terre d'anc. civilisation, le Pérou fit partie (XIIe s.) de l'Empire inca, dont la cap. était Cuzco (V. Inca). Après la destruction de cet empire par Pizarro (1533), le Pérou constitua la base des conquêtes espagnoles, avec Lima pour métropole. Les mines d'argent de Potosí (auj. en Bolivie), exploitées dès 1545, assurèrent la richesse du Trésor espagnol jusqu'au XVIIIe s., époque de crise écon. (fuite de la main-d'œuvre indienne, archaïsme des tech.); la vice-royauté du Pérou, créée en 1543, se scinda et cessa de couvrir toute l'Amérique espagnole. L'indépendance, proclamée en 1821 par San Martín, fut définitivement acquise par la victoire de Sucre à Ayacucho (1824), mais le Pérou fut gouverné par des dictateurs qui encouragèrent l'appropriation des terres indiennes par les latifundia. Le pays sortit épuisé de la guerre du Pacifique (1879-1883) qui l'opposa au Chili, pays auquel il dut céder ses provinces méridionales. En revanche, le conflit séculaire pour trois provinces disputées à l'Équateur (170 000 km²), qui se termina à l'avantage du Pérou en 1941-1942, reprit en 1981 et en 1995. Le problème de la terre et la question de la pop. indienne, pratiquement exclue de la vie nationale, furent à l'origine de la formation de l'A.P.R.A. (Alliance populaire révolutionnaire américaine), fondée en 1924 par Raúl Haya de la Torre. D'abord révolutionnaire, puis de plus en plus conservatrice, elle marqua profondément la vie politique péruvienne, jusqu'à nos jours. À partir de 1961, la lutte contre les guérillas paysannes renforça le pouvoir de l'armée. En 1968, une junte, dirigée par Juan Velasco Alvarado, renversa Fernando Belaunde Terry, président depuis 1963, entreprit des réformes et tenta une ouverture vers les pays socialistes, mais l'autoritarisme des «officiers progressistes» et l'isolement accru du pays (les É.-U. cessèrent toute aide écon.) accentuèrent la crise économique. En août 1975, Velasco Alvarado fut démis par la junte, et son successeur, le général Morales Bermúdez, remit le pouvoir aux civils en 1980. Belaunde Terry, élu à nouveau président de la République, dut faire face à la dégradation de la situation économique ainsi qu'à la guérilla maoïste du Sentier lumineux. Son successeur, Alan Garcia (1985-1990), après quelques succès initiaux, s'est heurté à l'opposition des conservateurs. En juin 1990, Alberto Fujimori est élu à la présidence de la République. Il décrète, en février 1992, la dissolution provisoire du Parlement jusqu'à l'élection d'une Assemblée constituante (nov.) : une Constitution est adoptée en 1993. L'arrestation de A. Guzman (1992), dirigeant du Sentier lumineux, a conforté la politique antiterroriste du gouvernement et a assuré la réélection d'Alberto Fujimori en avril 1995. Un conflit frontalier a opposé le Pérou avec l'Équateur (janv.-fév. 1995).

Pérouse (en ital. *Perugia*), v. d'Italie, près du Tibre; ch.-l. de la prov. du m. nom et de l'Ombrie; 144 510 hab. Industr. alimentaires et textiles; céramiques. – Archevêché. Université, fondée en 1307. Remparts antiques entourant la v. qui domine la vallée du Tibre (portes étrusques); le palais des Prieurs (XIIIe-XVe s.); la fontaine Majeure (XIIIe s.) et la cath. gothique (XVe s.).

peroxo-. CHIM Préfixe indiquant la présence du groupement –O–O–, appelé *pont peroxo*, dans un composé.

peroxyde n. m. CHIM Composé contenant le pont peroxo. *Peroxyde d'hydrogène* (H_2O_2) : eau* oxygénée.

perpendiculaire adj. et n. f. **1.** Qui forme un angle droit. *Droites, plans perpendiculaires.* – *Perpendiculaire à* : qui forme un angle droit avec. *Le garage est perpendiculaire au corps de logis.* ▷ n. f. *Abaisser une perpendiculaire*, une droite perpendiculaire (dite aussi *normale*). **2.** Litt. Perpendiculaire au plan de l'horizon; vertical. *Falaise perpendiculaire.* **3.** ARCHI *Style perpendiculaire* : variété du gothique anglais (XIVe-XVIe s.) caractérisée par la substitution de lignes droites aux courbes du flamboyant.

perpendiculairement adv. **1.** De façon perpendiculaire. **2.** Verticalement.

perpendicularité n. f. État, caractère de ce qui est perpendiculaire.

perpète ou **perpette (à)** loc. adv. Pop. À perpétuité, indéfiniment. ▷ Très loin.

perpétration n. f. DR ou litt. Accomplissement (d'un acte malfaisant ou criminel).

perpétrer v. tr. [**14**] DR ou litt. Commettre (un acte criminel). *Perpétrer un meurtre.*

perpétuation n. f. Litt. Action de perpétuer; son résultat.

perpétuel, elle adj. **1.** Qui ne finit jamais, qui ne doit jamais finir; qui ne cesse pas. ▷ *Mouvement perpétuel* : mouvement qui ne cesserait jamais, une fois amorcé; mouvement d'une machine qui produirait au moins autant d'énergie qu'elle en consommerait. **2.** Qui dure toute la vie. *Pension perpétuelle.* ▷ (Personnes) Qui est tel à vie. *Secrétaire perpétuel.* **3.** Continuel, incessant. *Une perpétuelle hantise de la maladie.* **4.** *Par ext.* (Plur.) Fréquents, qui reviennent sans cesse. *Des reproches perpétuels.*

perpétuellement adv. **1.** Toujours; sans cesse. *Être perpétuellement inquiet.* **2.** Fréquemment, habituellement. *Ils se disputent perpétuellement.*

perpétuer **1.** v. tr. [**1**] Rendre perpétuel, faire durer toujours ou longtemps. *Perpétuer le souvenir de qqn.* **2.** v. pron. Durer, se maintenir. *Coutume qui se perpétue. Espèces qui se perpétuent.*

perpétuité n. f. Caractère de ce qui est perpétuel; durée perpétuelle ou très longue. ▷ Loc. adv. *À perpétuité* : pour toujours; pour toute la vie. *Détention à perpétuité.*

Perpignan, ch.-l. du dép. des Pyrénées-Orientales, sur la Têt, dans la plaine du Roussillon, dont il fut la cap.; 108 049 hab. (*Perpignanais*); env. 157 900 hab. dans l'aggl. Aéroport (*Rivesaltes*). Centre comm. (fruits, légumes, vins); industr. alim. et métall.; papeteries. – Évêché de Perpignan et Elne. Forteresse du Castillet (XIVe-XVe s.). Cath. St-Jean (XIVe-XVe s.); chap. renfermant le célèbre Dévot Christ (crucifix en bois du déb. du XIVe s.). Citadelle (XVIe s.) englobant l'anc. palais des rois de Majorque (XIIIe-XIVe s.). Loge de Mer (XIVe s.). – Cap. du royaume de Majorque (1276-1344), la ville fut réunie à l'Aragon avant d'être cédée à la France, en 1659.

perplexe adj. Irrésolu, hésitant sur le parti à prendre. *Cette histoire me laisse perplexe.*

perplexité n. f. État d'une personne perplexe; irrésolution, embarras.

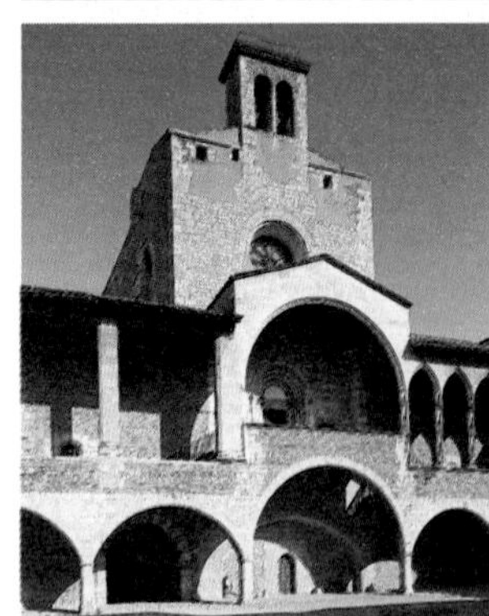

Perpignan : façade de l'ancien palais des rois de Majorque (XIIIe-XIVe s.), situé dans la citadelle du XVIe s.

perquisition n. f. Recherche opérée dans un lieu (généralement au domicile d'un prévenu) pour trouver des objets, des documents, etc., utiles à une enquête, une instruction. ▷ *Mandat de perquisition :* acte par lequel un juge d'instruction charge un officier de police de procéder à une perquisition.

perquisitionner v. intr. [1] Faire une perquisition.

Perrache (Antoine Michel) (Lyon, 1726 - id., 1779), sculpteur français. Il a conçu les travaux d'agrandissement de Lyon (quartier nommé ensuite Perrache).

Perrault (Charles) (Paris, 1628 - id., 1703), écrivain français. Adversaire de Boileau dans la «querelle des Anciens et des Modernes», il défendit le point de vue des Modernes (*le Siècle de Louis le Grand*, 1687; *Parallèles des Anciens et des Modernes*, 1688-1698). Mais il est surtout connu pour ses *Contes de ma mère l'Oye*, composés d'après d'anciens récits traditionnels et dont la prem. éd. (1697) parut sous le nom de son fils, Perrault d'Armancour (alors âgé de dix-neuf ans). Acad. fr. (1671). — **Claude** (Paris, 1613 - id., 1688), frère du préc.; architecte, médecin et physicien français. On le considère généralement comme l'un des auteurs du projet de la colonnade du Louvre. Il a construit l'Observatoire de Paris (1667-1672).

Charles **Perrault :** *le Chat botté*, lithographie de la Fabrique de Metz

Perrault (Pierre) (Montréal, 1927), cinéaste canadien. Ses films-documents visent à restituer la mémoire collective d'un peuple : *Pour la suite du monde* (1963) et *l'Acadie, l'Acadie* (coréalisé avec M. Brault, 1971).

Perrault (Dominique) (Clermont-Ferrand, 1953), architecte français. Auteur de l'École supérieure d'ingénieurs en électrotechnique et électronique (ÉSIÉÉ) de Marne-la-Vallée, il a été lauréat, en 1989, du concours pour la construction de la bibliothèque de France à Paris.

Perret (Auguste) (Ixelles, 1874 - Paris, 1954), architecte français. Avec ses frères **Gustave** (Ixelles, 1876 - Paris, 1952) et **Claude** (Ixelles, 1880 - Paris, 1960), ses associés, il utilisa le premier le béton. Mariant l'art à la technique du béton, il a utilisé les possibilités de ce matériau : maison du 25 *bis*, rue Franklin à Paris (1902-1903); théâtre des Champs-Élysées (1911-1913); égl. Ste-Thérèse de Montmagny (1925-1926); Garde-Meuble national (1936); musée des Travaux publics (1937-1938), auj. Conseil économique et social; reconstruction du Havre (1946).

Perret (Jacques) (Trappes, 1901 - Paris, 1992), écrivain français. Auteur de romans d'un pessimisme ironique et désinvolte : *le Caporal épinglé* (1947), *Bande à part* (1952), *Belle lurette* (1983). Pamphlets : *les Salades de saison* (1957), *Raisons de famille* (1977).

Perreux-sur-Marne (Le), ch.-l. de cant. du Val-de-Marne (arr. de Nogent-sur-Marne); 28 540 hab.

Perrin (Jean) (Lille, 1870 - New York, 1942), physicien français; connu pour ses travaux sur les rayons cathodiques. Il mesura le nombre d'Avogadro. P. Nobel 1926. — **Francis** (Paris, 1901 - id., 1992), fils du préc.; physicien nucléaire, il établit théoriquement la possibilité des réactions en chaîne; il fut haut-commissaire à l'énergie atomique de 1951 à 1970.

perron n. m. Escalier extérieur se terminant par un palier de plain-pied avec la porte d'entrée d'une maison, d'un édifice.

Perronet (Jean Rodolphe) (Suresnes, 1708 - Paris, 1794), ingénieur français. Il conçut et fit construire de nombreux ponts (ponts de Neuilly et de Nogent, sur la Seine, de Pont-Sainte-Maxence, sur l'Oise) et contribua à la création de l'École des ponts et chaussées.

perroquet n. m. **I. 1.** Grand oiseau percheur (fam. psittacidés) au plumage généralement orné de couleurs éclatantes, au fort bec arqué, capable d'imiter la parole humaine. ▷ Fig. Personne qui répète sans comprendre ce qu'elle a entendu. **2.** Pastis additionné de sirop de menthe. **II.** MAR ANC Voile carrée qui surmonte le hunier. ▷ *Perroquet de fougue :* hunier du mât d'artimon.

Perros-Guirec, ch.-l. de cant. des Côtes-d'Armor (arr. de Lannion); 7 582 hab. Stat. balnéaire et port de pêche.

Perroux (François) (Lyon, 1903 - Stains, 1987), économiste français. Il a renouvelé l'analyse des faits économiques et posé le problème des rapports entre les systèmes capitaliste et socialiste (*l'Économie du XXe siècle*, 1961).

perruche n. f. **1.** Oiseau grimpeur des pays chauds, semblable à un petit perroquet. ▷ Fig. Femme bavarde, évaporée et sans cervelle. **2.** MAR Voile qui surmonte le hunier du mât d'artimon (V. perroquet de fougue).

perruque n. f. **1.** Coiffure postiche. **2.** PECHE Ligne emmêlée, entortillée. **3.** Fig., vx *Vieille perruque :* personne âgée aux idées étroites et rétrogrades. **4.** Pop. Travail que l'employé fait en fraude, pour son propre compte, pendant les heures ouvrables ou en se servant de la matière première, des pièces, etc., appartenant à son employeur. - *Par ext.* (Dans la presse, l'édition, etc.) Travail effectué pour son propre compte au siège de l'entreprise.

perruquier n. m. Fabricant de perruques, de postiches.

pers, perse [pɛʀ, pɛʀs] adj. Litt. D'une couleur entre le bleu et le vert. *Athéna, la déesse aux yeux pers.*

persan, ane adj. et n. **1.** adj. De Perse (de la conquête arabe - VIIe s. - jusqu'en 1935). *Tapis persan. Miniature persane.* - *Chat persan :* chat à longs poils soyeux de couleurs variées, aux yeux orangés, bleus ou verts. ▷ Subst. *Un(e) Persan(e) :* un(e) habitant(e) de la Perse. **2.** n. m. Langue de la famille iranienne, issue du moyen perse, ou *pehlvi*, et notée en caractères arabes. *Le persan, langue nationale de l'Iran, est également l'une des deux langues officielles de l'Afghānistān.* ► pl. **chats**

1. perse adj. et n. De l'ancienne Perse (av. la conquête arabe). *La civilisation, la religion perses.* ▷ Subst. *Les Mèdes et les Perses.*

2. perse n. f. Toile imprimée fabriquée autrefois en Inde (mais supposée persane).

Perse, auj. Iran. (V. ce nom pour la géographie et l'histoire moderne.)
Hist. - À partir du Xe s. av. J.-C., la lente migration des Iraniens (Aryens venus d'Asie centrale) à travers le plateau d'Iran s'acheva dans les vallées du Zagros. Ces Aryens (les Mèdes et les Perses) sont mentionnés, pour la première fois, dans les annales assyriennes en 844 et 836 av. J.-C. Les Mèdes furent les premiers maîtres du pays, et leur royaume eut pour cap. Ecbatane (auj. Hamadhan), mais l'hégémonie mède (VIIe-VIe s. av. J.-C.), assurée par la destruction de Ninive en 612, ne dura pas. Un Perse de la famille des Achéménides, Cyrus II le Grand, renversa le roi Astyage et fonda en 550 l'Empire achéménide. Après avoir réalisé l'union des Mèdes et des Perses, il soumit Crésus, roi de Lydie (546), puis Nabonide, prince de Babylone (539). L'Empire perse s'étendait alors de l'Indus à l'Anatolie et à la Palestine. À la mort de Cyrus (528), son fils Cambyse II lui succéda; il s'empara de l'Égypte en 525. Cambyse disparu, Darios Ier (522-486) prit le pouvoir. «Roi des rois», il devint le maître d'un État (divisé en une vingtaine de satrapies) dont les frontières allaient de l'Inde à l'Égypte et qui comptait près de 40 millions d'hab. Sous son règne, la richesse de la Perse achéménide fut à son apogée : la ville de Persépolis, fondée à cette époque, en est un vestige grandiose. En revanche, le règne de Darios vit le début d'un conflit alors marginal entre la Grèce et la Perse, connu sous le nom de «guerres médiques*». L'expédition de Darios échoua à Marathon (490). Son successeur, Xerxès Ier (486-465), fut également vaincu à Salamine (480) et à

perruche ondulée d'Australie dans sa livrée sauvage

Platées (479). Artaxerxès Ier (465-424) signa la paix de Callias (449) avec les Grecs. Artaxerxès II Mnémon fut vaincu par le corps expéditionnaire grec des Dix Mille à la bataille de Counaxa (401), mais Cyrus le Jeune, qui avait organisé cette expédition pour prendre le trône, fut tué dans ce combat. Artaxerxès III et Darios III Codoman furent les derniers Achéménides; leur royaume s'effondra sous l'assaut d'Alexandre le Grand (défaite de Darios à Gaugamèles, ou défaite d'Arbèles, en 331). Les successeurs d'Alexandre en Perse, les Séleucides (descendants de Séleucos Ier, un des lieutenants d'Alexandre), eurent, en Iran comme ailleurs, une politique de fondation de villes grecques. Cette hellénisation devait durer même lorsque les Séleucides reculèrent, à partir de la fin du IIIe s. av. J.-C., devant les Parthes Arsacides. Ayant occupé l'Iran et la Mésopotamie, les Parthes entamèrent une lutte de trois siècles contre les Romains. En 224 apr. J.-C., Ardachêr Ier, ayant mis fin au règne des Arsacides, fonda la dynastie des Sassanides. Avec lui apparut un nouvel État fort et indépendant. Son successeur, Châhpuhr Ier (241-272), prit l'Arménie et la Mésopotamie aux Romains. Sous Châhpuhr II (310-379), la Perse connut l'une des périodes les plus glorieuses de son histoire, mais, à partir du Ve s., sans cesse en lutte contre les Huns à l'E. et les Byzantins à l'O., l'Empire sassanide faiblit. En 637, les derniers feux de la civilisation de la Perse antique s'éteignirent lorsque les envahisseurs arabes entrèrent à Ctésiphon. Dès 633, les Arabes attaquèrent la Perse, dont ils furent maîtres en 642. Islamisé (chiisme), le pays fit partie de l'Empire omeyyade, puis de l'Empire abbasside. À partir du IXe s., la faiblesse de l'autorité centrale entraîna l'effritement du pays, où régnèrent, notam. sur l'Est, les Tāhirides (820-873), les Saffārides (863-902), les Sāmānides (874-v. 999); les Buwayhides (932-1055) parvinrent à unifier les régions occidentales. En 1055, les Turcs Seldjoukides s'imposèrent, puis les Mongols déferlèrent (XIIIe s.) et se maintinrent jusqu'à la fin du XIVe s. Après l'invasion encore plus destructrice de Tamerlan (1360), la Perse fut réunifiée grâce à une dynastie locale, les Séfévides; son chef Isma'īl prit le pouvoir (1501), s'installa à Bagdad et imposa le chiisme comme religion d'État par opposition aux Ottomans sunnites. Le danger ottoman fut écarté par 'Abbas Ier le Grand (1587-1629) qui reprit la Mésopotamie et fut le fondateur d'Ispahan. Après une éphémère domination afghane, les Séfévides, affaiblis par des luttes intestines, furent renversés en 1736 par Nādir chāh, qui se lança dans de vastes mais fragiles conquêtes. En 1786, les Qādjārs saisirent le pouvoir et firent de Téhéran leur capitale. Le XIXe s. fut marqué par les luttes d'influence entre Russes, Français et Britanniques; les Russes conquirent la Géorgie et l'Arménie dès le début du XIXe s. En 1919, les Britanniques confièrent la direction militaire des forces persanes à Rīza khān pour conjurer la menace soviétique. Rīza s'empara bientôt de tous les pouvoirs (1921), monta sur le trône en 1925 sous le nom de Rīza chāh Pahlavi, fondant ainsi la dynastie des Pahlavi. En 1935, il donna au pays le nom officiel d'empire d'Iran.

Art – L'art perse naît dès le VIe millénaire av. J.-C., avec la poterie, et s'épanouit à partir du IIIe millénaire av. J.-C. jusqu'à la pénétration islamique (VIIe s. apr. J.-C.). Il est d'abord représenté par de la céramique et des tablettes pictographiques en argile (site de Sialk, début du IIIe millénaire av. J.-C.), puis, à la fin du IIe millénaire, par les bronzes du Luristān. La tradition animalière de cette civilisation se poursuit avec les artisans scythes du bronze (VIIe-IVe s. av. J.-C.). L'art perse se manifeste ensuite à travers les réalisations de l'époque achéménide (550-331 av. J.-C.), qui sont à la mesure de la grandeur de ses souverains. Les palais de Suse, Persépolis, Ecbatane, Pasargades, dont l'architecture combine des apports égyptiens, grecs et assyriens, ont des dimensions impressionnantes, comme en témoigne encore auj. l'*apadâna* (ou grande salle du trône hypostyle) de Persépolis. Leurs frises de bas-reliefs sont parfois en brique émaillée polychrome. La conquête d'Alexandre le Grand (331 av. J.-C.) et l'apport hellénique dû aux Séleucides entraînent la naissance d'un art hybride (temple de Kengāvar, IIIe s. av. J.-C.). Les Parthes (IIIe s. av. J.-C. -IIIe s. apr. J.-C.) réalisent mieux le compromis entre la Grèce et Rome, d'une part, et l'héritage de l'Orient, d'autre part. Enfin, du IIIe au VIIe s. apr. J.-C., l'art sassanide, avec ses palais à coupoles (Gur), ses reliefs rupestres des rochers du Fārs, ses objets d'or et ses luxueuses étoffes, annonce les richesses de l'art persan qui suivra la conquête du pays par les Arabes et son islamisation.

Perse (en lat. *Aulus Persius Flaccus*) (Volterra, 34 apr. J.-C. – Rome, 62), poète latin; auteur de *Satires* d'inspiration stoïcienne (six nous sont parvenues).

persécuté, ée adj. (et n.) **1.** Qui est en butte à des persécutions. **2.** PSYCHO Qui est atteint du délire de persécution.

persécuter v. tr. [1] **1.** Faire souffrir par des traitements tyranniques et cruels. *Néron persécuta les chrétiens.* **2.** Importuner, harceler. *Ses créanciers le persécutent.*

persécuteur, trice adj. et n. Qui persécute. ▷ Subst. Tourmenteur, bourreau.

persécution n. f. **1.** Action de persécuter. ▷ Tourment physique ou moral infligé avec opiniâtreté. *Les persécutions subies par les premiers chrétiens.* **2.** *Par ext.* Vexation, méchanceté que l'on fait subir à qqn. *Persécutions mesquines.* **3.** PSYCHO *Délire de persécution :* délire d'interprétation d'une personne qui croit être l'objet de malveillances systématiques.

Persée, dans la myth. gr., fils de Zeus et de Danaé. Il décapita Méduse, délivra Andromède qu'un dragon allait dévorer, l'épousa, vint débarrasser sa mère de Polydectès, qui la tyrannisait, devint roi de Tirynthe et fonda Mycènes.

Persée, constellation boréale proche d'Andromède.

Persée (?, v. 212 – Alba Fucens, 166 av. J.-C.), dernier roi de Macédoine (179-168 av. J.-C.); fils illégitime et successeur de Philippe V. Il fut vaincu par Paul Émile à Pydna (168).

Perséides, essaim d'étoiles filantes, observables en août, dont le radiant est situé dans Persée.

Perséphone ou **Coré,** dans la myth. gr., fille de Déméter et de Zeus. Hadès l'enleva et en fit la reine des Enfers. Zeus obtint qu'elle passât huit mois de l'année sur terre (du déb. du printemps à l'automne, époque de la végétation). Les Romains l'identifièrent à Proserpine.

Persépolis : salle des cent colonnes, époque achéménide, VIe-Ve s. av. J.-C.

Persépolis (anc. *Parsa*), une des cap. de l'anc. Perse (auj. en Iran, à l'E. de Chirāz), fondée dans le Fārs par Darios Ier (fin VIe s. av. J.-C.), embellie par Xerxès Ier. Elle fut incendiée par Alexandre le Grand (330 av. J.-C.). Ses ruines imposantes (palais de Darios et de Xerxès) font apparaître la synthèse que réalisa l'art de cour achéménide en s'inspirant des arts de la Mésopotamie, de l'Égypte et de l'Ionie.

persévérance n. f. Constance dans l'effort, dans l'action; qualité d'une personne persévérante.

persévérant, ante adj. Qui persévère. ▷ Qui a pour habitude de persévérer, de mener à bien ce qu'il a entrepris sans se décourager.

persévérer v. intr. [14] **1.** Poursuivre avec une longue constance; persister dans une résolution, un sentiment. *Persévérer dans un dessein, dans l'erreur.* – Litt. *Il persévère à nier.* **2.** (Choses) Vx ou didac. Durer, continuer. *Son mal persévère.*

Pershing (John Joseph) (Laclede, Missouri, 1860 – Washington, 1948), général américain, chef des forces américaines en France en 1917-1918.

persienne n. f. Contrevent formé d'un châssis muni de lames disposées de manière à arrêter les rayons directs du soleil tout en laissant l'air circuler.

persiflage n. m. Action de persifler; propos, paroles d'une personne qui persifle.

persifler v. tr. [1] Tourner en ridicule sur le ton de la moquerie ou de l'ironie.

persifleur, euse n. et adj. Personne qui persifle, qui a l'habitude de persifler. ▷ adj. *Un ton persifleur.*

Persigny (Jean Gilbert Victor Fialin, duc de) (Saint-Germain-Lespinasse, Loire, 1808 – Nice, 1872), homme politique français. Bonapartiste, attaché à Louis Napoléon dès 1835, il participa au coup d'État du 2 décembre 1851. Par deux fois ministre de l'Intérieur (1852-1854 et 1860-1863), et ambassadeur à Londres, il dut se retirer en raison de la libéralisation relative du régime (1863). Auteur de *Mémoires* (publiés en 1896).

persil [pɛʀsi(l)] n. m. Plante odorante (fam. ombellifères) dont les feuilles, très divisées, sont utilisées comme condiment.

persillade n. f. Assaisonnement à base de persil haché.

persillé, ée adj. **1.** *Fromage persillé,* dont la pâte est ensemencée d'une moisissure spéciale. ▷ *Viande persillée,* parsemée d'infiltrations graisseuses. **2.** Assaisonné de persil haché.

persique adj. **1.** Vx De la Perse ancienne. **2.** ARCHI *L'ordre persique :* l'un des aspects de l'ordre dorique.

Persique (golfe) (dans les pays arabes *golfe Arabique*), vaste golfe de l'océan Indien (230 000 km^2), entre l'Arabie, l'Irak (immense cône alluvial du Chatt al-Arab) le Koweït et l'Iran; relié au golfe d'Oman par le détroit d'Ormuz (env. 80 km), il dépasse rarement 100 m de profondeur; la forte évaporation crée une très haute teneur en sel. Les États du golfe Persique subissent des températures qui oscillent entre 20 et 50 °C; la végétation y est très rare; pendant des siècles, les perles ont constitué la seule richesse de ces territoires, dont le rôle fut toutefois important dans les échanges entre l'Orient et l'Occident (ce qui explique la présence anglaise, depuis le XVIIe s.; V. Ormuz). Auj., leurs richesses pétrolières confèrent à ces États une grande importance (V. Golfe [guerre du]).

persistance n. f. **1.** Action de persister. *Sa persistance à nier l'évidence les accable.* – Fait de persister. *Persistance d'un courant perturbé d'ouest.* **2.** Caractère de ce qui est persistant, durable. *La persistance d'un remords.*

persistant, ante adj. Qui dure, qui ne faiblit ou ne disparaît pas. *Bruit persistant.* ▷ *Feuillage persistant,* qui subsiste l'hiver.

persister v. intr. [1] **1.** *Persister dans un état d'esprit, un sentiment,* continuer de se trouver dans cet état d'esprit, d'éprouver ce sentiment. *Il persiste dans sa résolution.* ▷ *Persister à* (+ inf.) : continuer à. *Je persiste à penser que...* – Continuer avec détermination, opiniâtreté à. *« S'il persiste à demeurer chrétien... »* (Corneille). ▷ *Persiste et signe :* formule juridique terminant un procès-verbal, souvent utilisée pour affirmer qu'on persévère dans son opinion .**2.** (Choses) Durer, subsister. *Toux qui persiste.*

persona grata loc. adj. inv. (lat.) **1.** Se dit d'un représentant diplomatique lorsqu'il est agréé par le pays où il va résider. Ant. persona non grata. **2.** En faveur, bien considéré. *Il est persona grata dans la haute finance.*

personnage n. m. **1.** Personne importante ou célèbre. *Personnage influent.* **2.** Personne fictive d'une œuvre littéraire ou théâtrale; rôle joué par un acteur. *Les personnages de Racine.* ▷ *Jouer un personnage :* adopter un comportement d'emprunt, tenter de se faire passer pour ce qu'on n'est pas. **3.** Personne considérée dans son apparence, son comportement. *Un curieux personnage.* **4.** BX-A Représentation d'un être humain dans une œuvre d'art.

personnalisation n. f. Action de personnaliser.

personnaliser v. tr. [1] **1.** Adapter à chacun. *Personnaliser le crédit.* **2.** Donner à (ce qui existe à de multiples exemplaires) un caractère personnel, unique. *Personnalisez votre voiture.*

personnalisme n. m. PHILO Tout système fondé sur la valeur spécifique, absolue ou transcendante de la personne. *Le personnalisme de E. Mounier.*

personnaliste adj. et n. PHILO Relatif au personnalisme; partisan du personnalisme.

personnalité n. f. **1.** PSYCHO et cour. Ce qui caractérise une personne, dans son unité, sa singularité et sa permanence. *Troubles de la personnalité :* effets psychiques ou troubles du comportement dus à la dégradation de l'unité du moi. – *Test de personnalité :* test projectif*. **2.** Singularité naturelle ou acquise; originalité de caractère, de comportement. *Avoir une forte personnalité.* **3.** Personnage important (par sa fonction, sa position sociale, etc.). *Une personnalité politique.* **4.** Caractère de ce qui est personnel ou personnalisé. *Personnalité de l'impôt.* **5.** DR *Personnalité juridique :* capacité d'être sujet de droit.

1. personne n. f. **1.** Individu, homme ou femme. *Un groupe de dix personnes.* ▷ *Spécial.* Jeune fille, jeune femme. *« Je dévorais d'un œil ardent les belles personnes »* (Rousseau). ▷ *Une (les) grande(s) personne(s) :* un (les) adulte(s). **2.** Individu considéré en lui-même. *« Je chéris sa personne et je hais son erreur »* (Corneille). ▷ Individu considéré quant à son apparence, à sa réalité physique, charnelle. *Il est assez bien fait de sa personne. Attenter à la personne de qqn,* à sa vie. ▷ *En personne :* soi-même (insistant sur la présence réelle, physique de qqn). *J'y étais, en personne.* – *C'est l'avarice en personne,* personnifiée. **3.** Être humain. *Le respect de la personne.* ▷ PHILO Être humain considéré en tant qu'individu conscient (du bien et du mal), doué de raison, libre et responsable. **4.** THEOL *Les personnes divines :* les trois personnes de la Trinité, Père, Fils et Saint-Esprit. (V. hypostase.) **5.** DR Individu ou être moral doté de l'existence juridique. *Personne civile* ou *personne morale :* être moral, collectif ou impersonnel (par opposition à *personne physique, individu*), auquel la loi reconnaît une partie des droits civils exercés par les citoyens. *Une commune est une personne civile.* **6.** GRAM *« Indication du rôle que tient celui qui est en cause dans l'énoncé, suivant qu'il parle en son nom (1re personne), qu'on s'adresse à lui (2e personne) ou qu'on parle de lui (3e personne) »* (Marouzeau). *Première, deuxième, troisième personne du singulier, du pluriel.*

2. personne pron. indéf. m. **1.** Quelqu'un, quiconque. *Il joue mieux que personne.* **2.** Nul, aucun, pas un. *Personne n'est dupe. « Qui a sonné ? – Personne. »*

personnel, elle adj. et n. m. **I.** adj. **1.** Qui est propre à une personne; qui la concerne ou la vise particulièrement. *C'est son style personnel. Une attaque personnelle.* **2.** Relatif à la personne, aux personnes en général. *Une créance est un droit personnel* (opposé à *réel*). ▷ THEOL Relatif à la personne divine. **3.** GRAM Se dit des formes du verbe quand elles caractérisent une personne *(il chante),* par opposition à *impersonnel* (il pleut). ▷ *Pronom personnel,* qui représente l'une des trois personnes. – *Modes personnels :* modes du verbe dont les désinences indiquent les personnes grammaticales (indicatif, impératif, conditionnel, subjonctif). **4.** Vx Égoïste. ▷ Mod. *Joueur personnel,* sans esprit d'équipe. **II.** n. m. Ensemble des personnes employées dans un service, un établissement, etc., ou exerçant la même profession. *Le personnel d'une entreprise.*

personnellement adv. **1.** En personne. *Contrôler personnellement.* **2.** Quant à (moi, toi, etc.). *Personnellement, je ne le blâme pas.* **3.** À titre personnel. *Une lettre adressée à qqn personnellement.*

personnification n. f. **1.** Action de personnifier; ce qui est personnifié. **2.** Type, incarnation. *Il est la personnification du courage.*

personnifié, ée adj. **1.** Figuré comme une personne. *« La Marseillaise » personnifiée par Rude.* **2.** *Il est la bonté personnifiée,* en personne, incarnée.

personnifier v. tr. [1] **1.** Attribuer à (une chose abstraite ou inanimée) la figure, le langage, etc., d'une personne. *Personnifier la mort.* **2.** Constituer en soi le modèle, l'exemple de. *Saint Louis personnifie la justice.*

perspectif, ive adj. Didac. Qui représente selon les lois de la perspective. *Dessin perspectif.*

perspective n. f. **1.** Art de représenter les objets en trois dimensions sur une surface plane, en tenant compte des effets de l'éloignement et de leur position dans l'espace par rapport à l'observateur. **2.** Aspect que présentent un paysage, des constructions, etc., vus de loin. *Une agréable perspective.* **3.** Fig. Idée que l'on se fait d'un événement à venir. *La perspective de cette rencontre m'est désagréable.* ▷ Loc. adv. *En perspective :* en vue; dans l'avenir. **4.** Point de vue. *Se placer dans une perspective historique.*

perspectivisme n. m. PHILO Fait que toute connaissance est « perspective », c.-à-d. relative aux besoins vitaux de l'être connaissant. ▷ Doctrine qui pose l'existence de ce fait.

perspicace adj. Qui a de la perspicacité.

perspicacité n. f. Capacité d'apercevoir, de juger de manière pénétrante, sagace.

perspiration n. f. PHYSIOL Ensemble des échanges respiratoires qui se font à travers la peau (avec élimination de vapeur d'eau, indépendamment des phénomènes de sudation).

Persson (Göran) (Vingaker, 1949), homme politique suédois, Premier ministre depuis 1996.

persuader v. [1] **1.** v. tr. et v. tr. indir. Amener (qqn) à croire, à vouloir, à faire (qqch). *Je l'ai persuadé de la nécessité d'agir.* ▷ (Au passif.) *Nous en sommes persuadés,* convaincus. **2.** v. pron. (Réfl.) Se faire croire à soi-même.

persuasif, ive adj. Qui a le pouvoir de persuader. *Ton, orateur persuasif.*

persuasion n. f. **1.** Action de persuader. *Obtenir par la persuasion.* **2.** Don de persuader. *Manquer de persuasion.* **3.** Fait d'être persuadé; conviction. *Avoir la persuasion de son infaillibilité.*

persuasivement adv. De façon persuasive.

perte n. f. **I. 1.** Fait d'être privé de qqch que l'on avait, que l'on possédait. *Perte d'un droit, d'un membre.* **2.** Dommage pécuniaire; quantité perdue (d'argent, de produits, etc.). *Essuyer des pertes. Perte sèche,* que rien ne vient compenser. *Vendre une marchandise à perte,* à un prix inférieur au prix d'achat ou de revient. **3.** Fait d'avoir égaré, perdu. *Perte d'un document.* **4.** Loc. *À perte de vue :* jusqu'au point extrême où porte la vue. – Fig. *Discourir à perte de vue,* interminablement, vainement. **II. 1.** Fait d'être privé par la mort de la présence d'une personne. *Éprouver une perte cruelle en la personne de...* **2.** Plur. (En parlant de personnes tuées dans une guerre, une catastrophe.) *Ce régiment a subi de grosses pertes.* **III. 1.** Ruine matérielle ou morale. *Courir à sa perte.* ▷ *Jurer la perte de qqn,* sa mort, sa ruine. **2.** Insuccès; issue malheureuse. *Perte d'un procès.* **3.** Mauvais emploi; gaspillage. *Perte de temps et d'argent.* ▷ *En pure perte :* sans utilité, sans résultat.

Se dépenser en pure perte. **IV. 1.** AERON *Avion en perte de vitesse,* dont la vitesse n'est plus suffisante pour le soutenir dans l'air. **2.** ELECTR *Perte en ligne :* perte d'énergie dans un conducteur, sous forme de chaleur. **3.** MED Plur. *Pertes de sang* ou *pertes :* hémorragie utérine. Syn. métrorragie. ▷ *Pertes blanches :* leucorrhée. **4.** PHYS *Perte de charge :* chute de pression dans un fluide en mouvement, due aux frottements.

Perth, cap. de l'Australie-Occidentale, à 20 km de l'océan Indien ; 983 000 hab. (pour l'aggl. urb.). Industr. portuaires à Fremantle : raff. de pétrole, métallurgie. Exportation de produits miniers et agricoles.

Perth, v. d'Écosse (rég. de Tayside), à l'O. de Dundee, sur le Tay ; 43 000 hab. Distilleries (whisky). – La ville fut la cap. de l'Écosse (XIIIe-XVe s.).

Perthois, petit pays boisé de la Champagne humide (entre la Marne et l'Ornain), autour de Perthes (Haute-Marne, arr. de Saint-Dizier) et de Vitry-le-François (Marne).

Perthus (col du), défilé des Pyrénées-Orientales (290 m), à la frontière franco-espagnole.

pertinemment [pɛʀtinamɑ̃] adv. De façon pertinente, judicieuse. – *Je sais pertinemment que,* de façon certaine, en toute connaissance de cause.

pertinence n. f. **1.** DR et cour. Caractère de ce qui est pertinent. **2.** Didac. Caractère d'un trait pertinent.

pertinent, ente adj. **1.** DR Qui se rapporte exactement à la question, au fond de la cause. *Faits pertinents.* ▷ Cour. Approprié ; judicieux. *Remarque pertinente.* **2.** Didac. Se dit de tout trait caractéristique ou fonctionnel (partic. d'une langue) envisagé du point de vue choisi pour l'étude ou la description.

Pertini (Alessandro Pertini, dit Sandro) (Stella, près de Gênes, 1896 – Rome, 1990), homme politique italien. Socialiste, victime du fascisme, il fut emprisonné ou dans la clandestinité de 1927 à 1943. Il fut président de la République de 1978 à 1985.

pertuis [pɛʀtɥi] n. m. **1.** Vx ou rég. Ouverture, trou. **2.** GEOGR Détroit resserré entre une île et la terre, ou entre deux îles. *Le pertuis d'Antioche,* entre les îles de Ré et d'Oléron. *Le pertuis Breton,* entre la côte N. de l'île de Ré et la côte vendéenne.

Pertuis, ch.-l. de cant. du Vaucluse (arr. d'Apt) ; 15 861 hab. Centre commercial (fruits, primeurs). Industr. alimentaire.

pertuisane n. f. HIST Hallebarde à fer long muni de deux oreillons symétriques (XVe-XVIIIe s.).

perturbateur, trice adj. et n. Qui cause du trouble, du désordre. *Force perturbatrice.* – Subst. *Des perturbateurs ont troublé la séance.*

perturbation n. f. **1.** Trouble, dérèglement dans l'état ou le fonctionnement d'une chose. ▷ ASTRO *Perturbation d'une planète,* écart entre la position qu'elle occupe réellement et la position qu'elle occuperait si elle était soumise à la seule action du Soleil. *L'étude des perturbations d'Uranus a permis à Le Verrier de prouver par le calcul l'existence de la planète Neptune.* ▷ METEO Ensemble de phénomènes atmosphériques (vent, nuages, précipitations) qui accompagnent la rencontre de deux masses d'air d'origines et de caractéristiques différentes, ou qui prennent naissance au sein d'une masse d'air instable. **2.** Trouble, bouleversement. *Perturbations sociales. Jeter la perturbation dans les esprits.*

perturber v. tr. [1] Troubler ; empêcher le déroulement ou le fonctionnement normal de. *Perturber une réunion.*

Pertusato (cap), cap à l'extrémité S. de la Corse.

Pérugin (Pietro Vannucci, dit le) [en ital. *il Perugino*] (Città della Pieve, près de Pérouse, 1445 – Fontignano, près de Pérouse, 1523), peintre italien. Élève de Verrocchio et maître de Raphaël. *Le Combat de l'amour et de la chasteté* (1497, Louvre).

le **Pérugin :** *la Vierge et l'Enfant*

péruvien, enne adj. et n. Du Pérou. ▷ Subst. *Un(e) Péruvien(ne).*

Peruzzi (Baldassare) (Sienne, 1481 – Rome, 1536), peintre et architecte italien. Il construisit à Rome la villa Farnésine (1508-1511).

pervenche n. f. (et adj. inv.) **1.** Plante dicotylédone, liane des sous-bois, rampante, aux fleurs tubulaires bleu-mauve. **2.** Couleur bleu-mauve. – adj. inv. *Des yeux pervenche.* **3.** Fam. Contractuelle de la ville de Paris, vêtue d'un uniforme bleu.

pervers, erse adj. et n. **1.** Litt. Porté à faire le mal, méchant. – Qui dénote la perversité. *« Une belle enfant méchante dont les yeux pervers... »* (Verlaine). ▷ Corrompu, dépravé. **2.** PSYCHO Atteint de perversion. – Subst. *Un(e) pervers(e).* ▷ *Spécial.* Atteint de perversion sexuelle. **3.** Loc. *Effet pervers :* conséquence indirecte, inattendue et fâcheuse.

perversion n. f. **1.** Action de pervertir, fait de se pervertir ; changement en mal. *Perversion des mœurs.* **2.** PSYCHO Déviation des tendances, des instincts, qui se traduit par un trouble du comportement. ▷ *Perversion sexuelle :* recherche plus ou moins exclusive de la satisfaction des pulsions sexuelles par des pratiques telles que sadisme, masochisme, fétichisme, exhibitionnisme, etc.

perversité n. f. **1.** Tendance à faire le mal et à en éprouver de la joie ; méchanceté. **2.** Action perverse.

pervertir v. tr. [3] **1.** Faire changer en mal. *L'oisiveté et le luxe l'ont complètement perverti.* ▷ v. pron. *« Cet aimable enfant... n'avait pas tardé à se pervertir »* (Aymé). **2.** Dénaturer, altérer. *Interprétation qui pervertit le sens d'un texte.*

pervertissement n. m. Litt. Action de pervertir, perversion.

pesage n. m. **1.** Action de peser ; mesure des poids. **2.** TURF Action de peser les jockeys avant une course. ▷ Enceinte réservée où l'on procède à cette opération.

pesamment adv. **1.** D'une manière pesante, en pesant d'un grand poids. *Sauter pesamment.* **2.** Fig. Avec lourdeur, sans grâce. *Écrire pesamment.*

pesant, ante adj. (et n. m.) **1.** Qui pèse, qui est lourd. *Fardeau pesant.* ▷ n. m. (En loc.) *Valoir son pesant d'or :* avoir une grande valeur, être d'un grand prix. **2.** PHYS Qui tend vers le centre de la Terre par l'action de la pesanteur. *Tous les corps sont pesants.* **3.** Lourd, lent. *Une démarche pesante.* – Fig. Qui manque de vivacité, de légèreté. *Quelle femme pesante ! Des plaisanteries pesantes.* **4.** Fig. Pénible, que l'on a du mal à supporter. *Une atmosphère pesante.*

pesanteur n. f. **1.** Nature de ce qui est pesant. **2.** PHYS Force qui tend à entraîner les corps vers le centre de la Terre. – *Par ext.* Force d'attraction d'un astre quelconque. **3.** Défaut de vivacité, de légèreté, de grâce. *Pesanteur du style.* **4.** Sensation de poids due à une indisposition, à un malaise. *Pesanteur d'estomac.* Syn. lourdeur.

ENCYCL **Phys.** – Un corps placé à la surface de la Terre est soumis à une force de gravitation dirigée vers le centre de la Terre et à une force centrifuge due à la rotation de la Terre ; la résultante de ces deux forces est la force de pesanteur, dont le module F, appelé poids de ce corps, est égal au produit de la masse m du corps par l'intensité g de l'accélération de la pesanteur : $F = mg$ (F s'exprime en newtons, m en kilogrammes et g en m/s^2). La valeur de g est de 9,81 m/s^2 à Paris ; elle est plus forte aux pôles ($g = 9{,}83\ m/s^2$) et plus faible à l'équateur ($g = 9{,}78\ m/s^2$) ; à l'équateur, en effet, la force centrifuge est plus forte qu'aux pôles.

Pesaro, v. d'Italie (Marches), sur l'Adriatique, à l'embouchure de la Foglia ; 90 150 hab. ; ch.-l. de la prov. de Pesaro-et-Urbino. Stat. balnéaire. Raffinerie de soufre. – Évêché. Palais ducal (XVe s.). Ville renommée pour ses majoliques du XVe au XVIIIe s.

Pescadores (îles) ou **Penghu,** archipel de la Chine nationaliste, à l'O. de Taiwan ; 127 km^2 ; 99 000 hab. Pêche. – Îles occupées par les Japonais de 1895 à 1945.

Pescara, v. d'Italie (Abruzzes), sur l'Adriatique, à l'embouchure de la *Pescara* ; 132 000 hab. ; ch.-l. de la prov. du m. nom. Stat. balnéaire. Import. centre industriel.

Peschiera del Garda, v. d'Italie (Vénétie), sur le Mincio et le lac de Garde ; 8 740 hab. – Une des quatre places fortes qui, jusqu'à la fin du XIXe s., commandaient la route des Alpes.

pèse. V. pèze.

pèse-alcool n. m. Syn. de *alcoomètre. Des pèse-alcool(s).*

pèse-bébé n. m. Balance ou bascule conçue pour peser les nourrissons. *Des pèse-bébés.*

pesée n. f. **1.** Quantité pesée en une fois. **2.** Action de peser, de mesurer un poids. **3.** Force, pression exercée sur qqch. *Faire pesée sur un levier.*

pèse-lettre n. m. Petite balance servant à peser les lettres. *Des pèse-lettres.*

pèse-personne n. m. Petite bascule plate à ressort, munie d'un cadran permettant la lecture directe, sur laquelle on monte pour se peser. *Des pèse-personnes.*

peser v. [16] **I.** v. tr. **1.** Mesurer le poids de. *Peser un bébé.* ▷ v. pron. Mesurer son propre poids. **2.** Fig. Examiner attentivement. *Bien peser une décision.* – Pp. *Tout bien pesé :* tout bien considéré, à la réflexion. **II.** v. intr. **1.** Avoir un certain poids. *Ce paquet pèse trois kilos.* **2.** Fam. Avoir telle fortune, représenter telle valeur. *Peser un million de dollars.* **3.** *Peser sur :* exercer une force, une pression sur. *Peser sur un levier.* – (Canada) Appuyer (sans idée de force). *Peser sur un bouton,* (fam.) *sur un piton**. ▷ Fig. *Cela a pesé sur ma décision,* cela l'a influencée. – *Aliment qui pèse sur l'estomac,* indigeste. **4.** Fig. *Peser à (qqn) :* être pénible à supporter pour (qqn).

peseta [pezeta] n. f. Unité monétaire de l'Espagne et d'Andorre.

pesette n. f. Petite balance de précision pour les monnaies.

Peshāwar, v. du Pākistān, à l'entrée de la passe de Khayber* ; 550 000 hab. ; ch.-l. de prov. de la frontière du Nord-Ouest. Import. place forte et centre commercial. – Université. Musée (collections de l'art du Gandhāra). La ville fut la cap. du Gandhāra (V. Inde).

peso [peso] n. m. Unité monétaire de plusieurs États d'Amérique du Sud. V. monnaies (tableau).

peson n. m. Petite balance à levier. – Dispositif à ressort destiné à mesurer les poids, dynamomètre.

Pessac, ch.-l. de cant. de la Gironde (arr. de Bordeaux) ; 51 424 hab. Vignobles (cru du Haut-Brion). Industr. diverses (électron., radioélectr., etc.). – Cité-jardin de Le Corbusier (1925).

pessaire n. m. MED **1.** Anneau que l'on place dans le vagin pour maintenir l'utérus en cas de rétroversion utérine ou pour éviter un prolapsus génital. **2.** Préservatif féminin, diaphragme.

pessimisme n. m. **1.** Tournure d'esprit qui porte à penser que tout va mal, que tout finira mal. **2.** PHILO Doctrine qui soutient que le monde est mauvais, ou que la somme des maux l'emporte sur celle des biens. *Le pessimisme de Schopenhauer.*

pessimiste adj. et n. **1.** Enclin au pessimisme. **2.** PHILO Qui a rapport au pessimisme (sens 2).

Pessoa (Fernando) (Lisbonne, 1888 – id., 1935), poète portugais. Son œuvre, publiée sous son nom et sous divers pseudonymes, domine la littérature contemporaine de son pays : *Poésies d'Álvaro de Campos* (posth., 1944).
▶ illustr. page **1424**

Pessõa Câmara (Helder) (Fortaleza, 1909), prélat brésilien, archevêque de Recife (1964-1985) ; connu pour son action en faveur des opprimés dans les pays du tiers monde.

Pest, quartier administratif et culturel et partie basse de Budapest, sur le Danube (r. g.).

Pestalozzi (Johann Heinrich) (Zurich, 1746 – Brugg, 1827), pédagogue suisse. Il mit en application et développa les thèses soutenues dans l'*Émile* par Rousseau.

peste n. f. **1.** Maladie infectieuse et épidémique très grave, due au bacille de Yersin. ▷ Loc. *Fuir qqn, qqch comme la peste,* tout faire pour l'éviter. – Fam. *La peste et le choléra :* deux solutions entre lesquelles il est impossible de choisir. ▷ Vx *Peste soit de... :* maudit soit... – Mod. (Juron plaisant.) *Peste ! C'est une assez jolie somme !* **2.** MED VET *Pestes aviaire, bovine, porcine :* maladies virales des animaux de basse-cour, des bovins, des porcins. **3.** *Peste végétale :* plante introduite dans un milieu et qui s'y reproduit d'une manière foudroyante et anarchique aux dépens des plantes indigènes. **4.** Litt., fig. Chose ou personne pernicieuse, nuisible, dangereuse. ▷ *La peste brune :* le nazisme et les idéologies qui s'en inspirent. ▷ *Une peste, une petite peste :* une femme, une fillette méchante, sournoise, médisante, etc.
ENCYCL De grandes épidémies de peste marquèrent l'histoire. Maladie du rat, la peste se transmet à l'homme par l'intermédiaire d'une puce ; elle se transmet également d'homme à homme en cas de peste pulmonaire. La *peste bubonique,* la plus fréquente, est marquée par la formation de bubons aux aines et aux aisselles. La *peste pulmonaire* se traduit par une pneumopathie aiguë.

peste noire (la) ou **Grande Peste (la),** terrible épidémie de peste bubonique qui, entre 1346 et 1353, tua un tiers de la pop. en Europe occidentale. Venue de Crimée, elle ravagea les pays méditerranéens puis, de France, elle gagna le reste de l'Europe.

pester v. intr. [1] Manifester de la mauvaise humeur par des paroles de mécontentement, des imprécations. *Pester contre le mauvais temps.* ▷ *Absol.* Fam. Rouspéter.

pesteux, euse adj. Didac. **1.** De la peste. *Bacille pesteux.* **2.** Contaminé par la peste. *Rat pesteux.*

pesticide n. m. Produit qui empêche le développement des animaux ou des plantes nuisibles, ou qui les détruit.
ENCYCL Les *fongicides,* aussi appelés *anticryptogamiques,* détruisent les champignons parasites et donc les « moisissures ». Les *bactéricides* sont constitués d'antibiotiques. Les *insecticides,* destinés à détruire les insectes nuisibles aux cultures et en partic. les insectes rongeurs (coléoptères, lépidoptères, hyménoptères, orthoptères), comprennent les *organochlorés,* comme le D.D.T. et les *organophosphorés.* Les *herbicides,* ou *désherbants,* utilisés pour détruire les mauvaises herbes soit brûlent la matière végétale, soit dérèglent la fonction chlorophyllienne des plantes, soit inhibent leur développement.

pestiféré, ée adj. et n. Infecté de la peste, atteint de la peste.

pestilence n. f. Odeur infecte.

pestilentiel, elle [pɛstilɑ̃sjɛl] adj. Qui dégage une odeur infecte, nauséabonde. *Vapeurs pestilentielles.*

P.E.T. n. m. Abrév. de *polyéthylène téréphtalate,* matière plastique recyclable, résistante et transparente, utilisée pour les emballages de boissons.

pet [pe] n. m. **1.** Fam. Gaz intestinal qui sort de l'anus avec bruit. **2.** Loc. fam. *Ça ne vaut pas un pet (de lapin) :* ça ne vaut rien. – *Il va y avoir du pet :* du scandale. – *Porter le pet :* porter plainte.

peta-. PHYS Élément (symbole P) qui, placé devant le nom d'une unité, indique que celle-ci est multipliée par un million de milliards (10^{15}).

Petah Tikvah, ville d'Israël, à l'E. de Tel-Aviv ; 129 000 hab. Industr. textiles.

Pétain (Philippe) (Cauchy-à-la-Tour, Pas-de-Calais, 1856 – Port-Joinville, île d'Yeu, 1951), maréchal de France et homme politique français. Chef de la IIe armée en 1915, il organisa la défense de Verdun, qu'il sauva (1916), puis il remplaça Nivelle en tant que commandant en chef (15 mai 1917). Promu maréchal en 1918, il combattit au Maroc contre Abd el-Krim (1925). Ministre de la Guerre (1934), ambassadeur à Madrid (1939), il fut appelé par P. Reynaud le 18 mai 1940 (après les premiers revers militaires) à la vice-présidence du Conseil. Nommé président du Conseil le 16 juin, il demanda aux Allemands de signer l'armistice, conclu le 22. Devenu chef de l'État (le 11 juillet, après que l'Assemblée nationale réunie à Vichy le 10 juillet lui eut délégué les pleins pouvoirs), résidant à Vichy, Pétain oscilla tout d'abord entre une politique de collaboration avec l'occupant allemand et une certaine résistance aux exigences nazies. Mais il ne put longtemps tenir tête aux injonctions de Hitler qui lui imposa en 1942 le retour de Pierre Laval. Il apporta désormais sa caution à l'occupant au sein d'un État hiérarchisé et autoritaire. Enlevé par les Allemands après le débarquement allié (août 1944), il revint volontairement en France (avril 1945), où il fut jugé et condamné à mort, mais cette peine fut commuée en détention perpétuelle à l'île d'Yeu. Acad. fr. (1929 ; radiation en 1945).

Philippe **Pétain**

Gérard **Philipe**

pétale n. m. Chacune des pièces qui forment la corolle d'une fleur.

Pétange, v. du S.-O. du Luxembourg ; 12 100 hab. Fer, métallurgie.

pétanque n. f. Jeu de boules originaire du midi de la France, dans lequel le but est constitué par une boule plus petite appelée « cochonnet ».

pétant, ante adj. Fam. *À dix heures pétantes :* à dix heures très exactement.

pétaradant, ante adj. Qui pétarade.

pétarade n. f. **1.** Suite de pets accompagnant les ruades des équidés. **2.** Série de brèves détonations.

pétarader v. intr. [1] Faire entendre une pétarade.

pétard n. m. **1.** TECH Charge d'explosif que l'on utilise pour faire sauter un obstacle. ▷ Petit cylindre de papier bourré d'une composition détonante, que l'on s'amuse à faire exploser. ▷ Fig., fam. *Pétard mouillé :* action qui se voulait spectaculaire et qui a manqué son effet. **2.** Fam. *Faire du pétard :* faire du tapage. – *Être en pétard,* en colère. **3.** Arg. Cigarette de haschisch. **4.** Arg. Pistolet. **5.** Pop. Derrière.

pétaudière n. f. Maison, assemblée où il n'y a ni ordre ni autorité.

pétauriste n. m. **1.** ANTIQ GR Danseur, sauteur de corde. **2.** ZOOL Marsupial australien (genre *Petaurus*), appelé aussi *écureuil volant*, qui peut exécuter des vols planés grâce à la membrane qui relie ses membres antérieurs et postérieurs.

Petchenègues, peuplades mongoles qui s'établirent sur les rives de la mer Noire au IXe s. et menacèrent Byzance. Elles furent définitivement anéanties par Jean II Comnène en 1122-1123.

Petchora (la), fl. de Russie (env. 1 800 km); naît dans l'Oural septentrional et se jette dans la mer de Barents. Son bassin est riche en houille et en pétrole.

pet-de-nonne n. m. Beignet soufflé. *Des pets-de-nonne.*

pétéchie n. f. MED Petite tache cutanée rouge violacé due à une infiltration de sang sous la peau. (V. purpura).

Petén, dép. du N. du Guatemala; 35 854 km^2; 131 930 hab.; ch.-l. *Flores.* Nombr. vestiges mayas.

péter v. [14] **I.** v. intr. Fam. **1.** Lâcher un pet. – Loc. fig. *Vouloir péter plus haut que son cul* : avoir des prétentions qui dépassent ses capacités, sa condition. – *Péter dans la soie* : être luxueusement habillé; être riche. **2.** Exploser, éclater. *Son fusil lui a pété au nez.* **3.** Se casser. *Le câble était trop faible, il a pété.* **II.** v. tr. Fam. **1.** Casser. *Il a pété la lame de son couteau.* – Fig., fam. *Péter les plombs* : perdre le contact avec la réalité, avoir un coup de folie, disjoncter. **2.** Fig. *Péter des flammes, péter le feu* : être plein de vivacité, d'enthousiasme, d'entrain.

Peterborough, v. d'Angleterre (Cambridgeshire), sur la Nene; 148 800 hab. Cité industrielle en expansion (industr. méca. et électr., sidér.). – Cath. des XIIe et XIIIe s. (remaniée).

Peterborough, v. du Canada (Ontario); 68 370 hab. Centre industr. (text., alim.).

Peterhof. V. Petrodvorets.

pète-sec n. inv. et adj. inv. Fam. Personne autoritaire, au ton bref et cassant. – adj. inv. *Elle est un peu pète-sec.*

péteux, euse n. Fam. **1.** Couard, poltron. **2.** Personne prétentieuse. *Quel petit péteux!*

pétillant, ante adj. Qui pétille. *Boisson pétillante. Regard pétillant.*

pétillement n. m. **1.** Bruit de ce qui pétille. *Le pétillement du bois vert dans le feu.* **2.** Effervescence d'une boisson qui pétille. *Le pétillement du champagne.* **3.** Fig. (Correspondant aux emplois de *pétiller*, sens 3.) *Le pétillement d'un regard.*

pétiller v. intr. [1] **1.** Faire entendre des petits bruits d'éclatement secs et répétés. *Feu, bois qui pétille.* **2.** Dégager des bulles qui éclatent à petit bruit, en parlant d'une boisson gazeuse. **3.** Fig. *Pétiller d'ardeur, de malice* : manifester une vive ardeur, etc. ▷ *Yeux qui pétillent de joie, d'impatience,* qui brillent de joie, d'impatience.

pétiole [petjɔl; pesjɔl] n. m. BOT Partie étroite de la feuille qui relie le limbe à la tige.

Pétion (Anne Alexandre Sabès, dit) (Port-au- Prince, 1770 – id., 1818), officier et homme politique haïtien. Il combattit aux côtés de Toussaint Louverture (1791), l'abandonna et se rendit en France (1801-1802), puis revint avec les troupes françaises de Leclerc, mais il rallia les insurgés après l'arrestation de Toussaint. En 1806, il fit assassiner Dessalines, rompit avec Christophe, et fonda la république d'Haïti (1807) dont il fut président jusqu'à sa mort.

Pétion de Villeneuve (Jérôme) (Chartres, 1756 – Saint-Émilion, 1794), homme politique français. Député aux états généraux (1789), maire de Paris (1791), président de la Convention (1792), il fut inclus dans les proscrits girondins du 2 juin 1793. Il tenta vainement de soulever la Normandie et se réfugia dans le Bordelais où, traqué, il se suicida.

petiot, ote adj. et n. Fam. (Avec une valeur affectueuse.) Petit, tout petit. *Il est vraiment petiot.* ▷ Subst. *Son petiot, sa petiote.*

Petipa (Marius) (Marseille, 1822 – Saint-Pétersbourg, 1910), danseur et chorégraphe français; un des créateurs de l'école russe de ballet.

petit, ite adj., n. et adv. **A.** adj. **I. 1.** Se dit d'un objet dont les dimensions (hauteur, longueur, surface, volume, etc.) sont inférieures à celles des objets de même espèce. *Une petite table. Un appartement très petit. C'est ce qui se fait de plus petit.* **2.** Dont l'importance en nombre, en intensité, en durée, etc., est faible. *Un petit groupe de gens. Rester encore un petit moment.* – *À petit feu* : à feu doux. – *Le petit jour, le petit matin* : l'aube (quand la lumière est encore faible). ▷ (Grandeurs mesurables.) *Rouler à petite vitesse.* **3.** (Placé avant le nom, pour indiquer l'appartenance de la chose à une catégorie particulière.) *Des petits pois. Le petit doigt* : l'auriculaire. – *Le petit déjeuner**. ▷ (Qualifiant un objet appartenant à un ensemble au sein duquel la taille permet de distinguer deux classes, deux types.) *Le petit modèle et le grand modèle. Un petit (café) crème ou un grand? Grand l, petit l (L, l).* **II.** (Êtres vivants.) **1.** (Se place le plus souvent après le nom, en partic. pour éviter la confusion avec les sens III.) Dont la taille est inférieure à la moyenne. *Une femme petite, très petite.* – *Sélectionner une race de chevaux plus petits.* ▷ Loc. fig. *Se faire tout petit* : faire en sorte de ne pas se faire remarquer, tâcher de passer inaperçu. **2.** Qui n'a pas encore atteint la taille, et par ext., l'âge adulte; jeune. *Il est trop petit pour comprendre.* – *Son petit frère, sa petite sœur* : son frère, sa sœur plus jeunes. **III.** (Employé avant le nom avec diverses valeurs affectives.) **1.** Se dit de ce qu'on trouve attendrissant, charmant, etc. *Les petits secrets d'un enfant.* ▷ *Avoir de petites attentions, être aux petits soins pour qqn,* l'entourer tout particulièrement d'attentions délicates. **2.** Fam. (Associé à l'idée de plaisir.) *Préparer une bonne petite sauce. Fumer une petite cigarette avant de partir.* **3.** (Après un possessif, marquant l'affection, la familiarité, etc.) *Ma petite femme chérie. Allons-y, mon petit Paul!* **4.** (Dépréciatif) *Petit monsieur. Petit voyou! Le petit Untel est une vraie fripouille.* **5.** Par euph. *C'est son petit ami, sa petite amie,* son amant, sa maîtresse. **IV.** (Qualitatif) **1.** (Choses) Qui a peu d'importance. *Avoir quelques petites choses à régler. Ne pas négliger les petits détails.* **2.** (Personnes) Dont la situation, la condition est modeste. *Les petites gens. La petite bourgeoisie.* – Dont l'importance est mineure. *Un petit fonctionnaire.* ▷ Subst. *Les petits et les grands de ce monde.* **3.** *Par ext.* Qui manque de grandeur; étriqué, bas, mesquin. *Napoléon le Petit* : surnom donné par V. Hugo à Napoléon III. *Ces procédés sont petits. Vous êtes petit!* **B.** n. (Correspondant au sens A, II, 2.) **1.** Enfant encore petit. *Faites d'abord manger les petits.* ▷ Enfant par rapport à ses parents. *Les petits Untel.* ▷ Fam. Jeune homme, jeune fille. *Une brave petite.* ▷ Très jeune élève. *La classe des petits.* **2.** Animal qui vient de naître ou qui n'est pas encore adulte. *Le petit du lion.* ▷ Loc. *Faire des petits* : mettre bas; fig., fam. croître, se multiplier. *Ses économies ont fait des petits.* **C.** adv. **1.** *En petit* : en raccourci, en réduction. **2.** *Petit à petit* : peu à peu. – (Prov.) *Petit à petit, l'oiseau fait son nid* : c'est progressivement qu'on bâtit une fortune, une renommée, etc.

Petit (Roland) (Villemomble, 1924), danseur et chorégraphe français : *Carmen* (1949), *le Loup* (1953), *l'Éloge de la folie* (1966), *Turangalila* (1968), *l'Arlésienne* (1975).

petit-beurre n. m. Gâteau sec rectangulaire, au beurre. *Des petits-beurre(s).*

petit-bois n. m. TECH Montant ou traverse en bois d'une fenêtre, qui maintient les vitres. *Des petits-bois.*

Petit-Bourg, ch.-l. de cant. (arr. de Basse-Terre) de la Guadeloupe; 14 935 hab. Cult. tropicales; distilleries.

petit-bourgeois, petite-bourgeoise n. et adj. **1.** n. (Souvent péjor.) Personne issue des couches les moins fortunées de la bourgeoisie. *Des petit(e)s-bourgeois(es).* **2.** adj. Péjor. Qui dénote l'étroitesse d'esprit, le conformisme considérés comme typiques des petits-bourgeois. *Goûts petits-bourgeois.*

Petit-Couronne (Le), com. de la Seine-Maritime (arr. de Rouen); 8 133 hab. Raff. de pétrole; pétrochimie.

petite-fille. V. petit-fils.

petitement adv. **1.** À l'étroit. *Être logé petitement.* **2.** Fig. Chichement. *Vivre petitement.* **3.** Fig. D'une manière basse, mesquine. *Agir petitement.*

petite-nièce. V. petit-neveu.

petitesse n. f. **1.** Caractère de ce qui est petit. *La petitesse de sa taille.* – *La petitesse de ses revenus.* **2.** Fig. Caractère mesquin, bas; mesquinerie. *La petitesse de ce procédé.*

Petites Sœurs des pauvres, congrégation de religieuses fondée à Saint-Servan, en 1839, par Jeanne Jugan. Elles consacrent leur existence aux vieillards nécessiteux.

petit-fils n. m., **petite-fille** n. f. Fils, fille du fils ou de la fille par rapport à un grand-père, une grand-mère. *Des petits-fils. Des petites-filles.*

petit-gris n. m. **1.** Écureuil d'Europe du N. et de Sibérie, dont la fourrure gris argenté est utilisée en pelleterie; cette fourrure. **2.** Escargot *(Helix aspersa)* comestible, à la coquille blanc jaunâtre rayée de brun. *Des petits-gris.*

pétition n. f. **1.** Demande, plainte ou vœu adressés par écrit à une autorité quelconque par une personne ou un groupe. *Déposer une pétition dans une ambassade.* **2.** *Pétition de principe* : raisonnement erroné consistant à tenir pour vrai ce qu'il s'agit précisément de démontrer.

pétitionnaire n. Personne qui signe, qui présente une pétition.

Petitjean. V. Sidi-Kacem.

petit-lait n. m. Liquide qui se sépare du lait caillé. *Des petits-laits.* Syn. lactosérum.

petit-nègre n. m. Fam. Français incorrect, à la grammaire rudimentaire.

petit-neveu n. m., **petite-nièce** n. f. Fils, fille du neveu, de la nièce, par rapport à un grand-oncle, à une grand-tante. *Des petits-neveux. Des petites-nièces.*

pétitoire adj. et n. m. DR *Action pétitoire* ou, n. m., *un pétitoire* : action qui a pour but de vérifier le bien-fondé des titres de propriété d'un bien immobilier.

Petit-Quevilly (Le), ch.-l. de cant. de la Seine-Maritime (arr. de Rouen), sur la Seine ; 22 718 hab. Métallurgie ; industr. mécaniques.

petits-enfants n. m. pl. Enfants d'un fils ou d'une fille, par rapport au grand-père et à la grand-mère.

petit-suisse n. m. Petit cylindre de fromage frais. *Sucrer un petit-suisse. Des petits-suisses.*

Petlioura (Simon Vassilievitch) (Poltava, 1877 - Paris, 1926), homme politique ukrainien. Il tenta, en nov. 1918, d'établir en Ukraine une république indépendante de type autoritaire. Chassé par les bolcheviks (1919), il s'allia aux Polonais (1920) lors de la guerre polono-soviétique. Vaincu, il gagna la Pologne, puis la France (1921), où il fut assassiné par un juif russe, révolté par les pogroms dont il fut responsable en 1918.

pétochard, arde n. Pop. Personne craintive, pusillanime. ▷ adj. *Il est très pétochard.*

pétoche n. f. Pop. Peur. *Il a la pétoche.*

Petöfi (Sándor) (Kiskörös, 1823 - Segesvár, auj. Sighişoara, Roumanie, 1849), poète romantique hongrois (*Jean le Preux*, 1845), héros de la révolution nationale magyare de 1848 *(Debout, Magyar !)*. Il fut tué lors de la bataille de Segesvár.

pétoire n. f. Fam. **1.** Arme à feu d'un modèle désuet, qui fait plus de bruit que de mal. **2.** Deux-roues pétaradant.

peton n. m. Fam. Petit pied.

pétoncle n. m. Mollusque lamellibranche comestible (genre *Petonculus*, fam. arcidés) commun sur les fonds rocheux.

Pétra (auj. *Al-Batrā'*, en Jordanie), anc. v. d'Arabie, entre la mer Morte et la mer Rouge. Cap. des Nabatéens (VIe s. av. J.-C. - IIe s. apr. J.-C.), elle devint cité romaine sous Trajan (106 apr. J.-C.). - Importantes ruines de temples funéraires taillés dans le roc.

Pétrarque (Francesco Petrarca, dit en fr.) (Arezzo, 1304 - Arqua, près de Padoue, 1374), poète et humaniste italien. Après des études à Montpellier et à Bologne, il reçut, en 1326, les ordres mineurs à Avignon, ce qui lui permit de mener la vie de cour à laquelle il aspirait. Plaisirs, richesses, voyages n'empêchèrent pas l'élaboration d'une considérable œuvre littéraire dont la postérité ne retint que *Rimes* et *Triomphes*, publiés en 1470 dans le recueil *Canzoniere*. Ces 367 pièces en toscan (pour la plupart des sonnets) célèbrent Laure (V. Noves) dont il donna les traits à l'amour idéal, platonique, symbolique, allégorique, qu'il opposa à la vie agitée que le plus souvent il mena. L'influence de son œuvre poétique s'exerça jusqu'au XVIe s., mais la plupart des *pétrarquisants* se contentèrent souvent d'imiter ses procédés stylistiques. ► illustr. **Dante Alighieri**

pétrarquiser v. intr. [1] LITTER Imiter le style de Pétrarque. - P. prés. adj. *Un poète pétrarquisant.*

pétré, ée adj. Rare Couvert de pierres, de rochers. ▷ GEOGR Vieilli *Arabie Pétrée* : partie aride et pierreuse de l'Arabie.

pétrel n. m. Oiseau marin (ordre des procellariiformes) au bec crochu, aux pieds palmés, qui vit presque exclusivement au large et ne vient à terre que pour nicher. ► illustr. **becs**

Petri (Elio) (Rome, 1929 - id., 1982), cinéaste italien. Son œuvre propose une analyse de la crise de la société italienne (*Enquête sur un citoyen au-dessus de tout soupçon*, 1970).

pétrifiant, ante adj. Qui pétrifie (sens 2). *Fontaine pétrifiante.* ▷ Fig. *Une terreur pétrifiante.*

pétrification n. f. **1.** Phénomène par lequel les corps organiques plongés dans certaines eaux (calcaires en partic.) se couvrent d'une couche minérale ; corps organique ainsi pétrifié. **2.** Fig. Immobilisation.

pétrifier v. [1] **I.** v. tr. **1.** Changer en pierre. **2.** Imprégner, recouvrir de calcaire, de silice, etc. **3.** Fig. Rendre immobile en causant une émotion violente. *Cette vision l'a pétrifié.* **II.** v. pron. Être changé en pierre. ▷ Fig. S'immobiliser, se raidir.

pétrin n. m. **1.** Coffre dans lequel on pétrit le pain. ▷ *Pétrin mécanique* : appareil pour le pétrissage de la pâte à pain. **2.** Fig., fam. Situation fâcheuse, embarras. *Être dans le pétrin.*

pétrir v. tr. [3] **1.** Malaxer (une substance préalablement détrempée) pour en faire une pâte ; brasser, malaxer, travailler (une pâte). *Pétrir de l'argile, de la pâte à pain.* ▷ Fig. Façonner, donner une forme à. - Pp. adj. *Pétri de* : composé de, fait de. *Être pétri d'orgueil, de contradictions.* **2.** Presser avec force, à plusieurs reprises, entre les mains ou dans la main. *Pour vous dire bonjour, il se croit obligé de vous pétrir les doigts.*

pétrissage n. m. **1.** Action de pétrir. **2.** MED Technique de massage dans laquelle les tissus sont pressés et comme pétris entre les doigts.

pétrisseur, euse n. **1.** Ouvrier, ouvrière en boulangerie, qui pétrit la pâte. - En appos. *Ouvrier pétrisseur.* **2.** n. f. Machine à pétrir.

1. pétro-. Préfixe, du gr. *petros*, « pierre ».

2. pétro-. Élément, de *pétrole*.

pétrochimie n. f. Branche de l'industrie chimique qui utilise les dérivés du pétrole et des gaz naturels.

pétrodollar n. m. FIN, ECON Dollar provenant d'un pays exportateur de pétrole, sur le marché des eurodollars.

Petrodvorets (jusqu'en 1944 *Peterhof*), v. de Russie, sur le golfe de Finlande ; 43 000 hab. - Anc. palais des tsars, fondé par Pierre le Grand (1714), agrandi surtout sous Catherine II (de 1747 à 1752) sur le modèle de Versailles ; fortement restauré ; auj. musée.

pétrogale n. m. ZOOL Petit kangourou appelé aussi *wallaby des rochers.*

pétrogenèse n. f. GEOL Formation des roches ; étude de ce processus.

pétroglyphe n. m. ARCHEOL Gravure sur pierre.

Petrograd. V. Saint-Pétersbourg.

pétrographie n. f. GEOL Étude et description systématique des roches, de leur répartition.

pétrole n. m. Huile minérale d'origine organique, composée d'un mélange d'hydrocarbures. *Gisement de pétrole. Pétrole brut*, non encore raffiné. *Gaz* de pétrole liquéfié.* - Un des produits de distillation de cette huile. *Lampe à pétrole.* ▷ En appos. *Bleu pétrole* : bleu tirant sur le vert.
ENCYCL Le pétrole est le résultat de la transformation en hydrocarbures de matières organiques (plancton et substances humiques déposés sur les plateaux continentaux), sous l'action de bactéries anaérobies. Ces hydrocarbures sont contenus dans des roches poreuses et perméables situées dans des configurations géologiques appelées *pièges*, qui favorisent l'accumulation du pétrole (plis anticlinaux, failles, etc.). ► illustr. page **1437**

pétrolette n. f. Fam. Petite moto.

pétroleuse n. f. **1.** HIST Nom donné à des femmes qui auraient allumé des incendies en se servant de pétrole, pendant la Commune de 1871. **2.** *Par ext.*, péjor. Femme qui professe des idées politiques progressistes et qui les défend avec ardeur. ▷ Femme au comportement violent.

pétrolier, ère adj. et n. m. **1.** adj. Du pétrole, qui a rapport au pétrole. *Industrie pétrolière.* **2.** n. m. Navire aménagé pour transporter du pétrole. ▷ Technicien, industriel du pétrole.

pétrolifère adj. Qui contient du pétrole. *Roches pétrolifères.*

pétrologie n. f. GEOL Étude scientifique des roches, de leur formation, de leur structure et de leurs constituants.

Pétrone (en lat. *Caius Petronius Arbiter*) (m. à Cumes, 66 apr. J.-C.), écrivain latin ; auteur présumé du *Satiricon*, roman réaliste (dont divers chapitres ont été perdus), mélange de vers et de prose, écrit dans une langue savoureuse et crue, dépeignant les mœurs corrompues de l'époque. Familier de Néron, Pétrone fut impliqué dans le complot de Pison et contraint de se donner la mort.

Petropavlovsk, v. du Kazakhstan, sur l'Ichim ; ch.-l. de prov. ; 226 000 hab. Constr. de machines agricoles, industr. alimentaires. Station du transsibérien.

Petropavlovsk-Kamtchatski, v. de Russie, dans le Kamtchatka, sur le Pacifique ; 245 000 hab. ; ch.-l. de prov. Import. pêcheries, conserveries.

Petrópolis, v. du Brésil, cap. de l'État de Rio de Janeiro de 1894 à 1903 ; 275 080 hab. Stat. d'été à 810 m d'altitude. - Palais impérial. Musée.

Petrovaradin, écart de la v. de Novi Sad, en Serbie (Vojvodine). - Victoire du Prince Eugène sur les Turcs (1716).

Petrozavodsk, cap. de la Carélie, sur le lac Onega ; 255 000 hab. Industr. du bois, constr. mécaniques.

Petrucci (Ottaviano) (Fossombrone, Urbino, 1466 - Venise, 1539), imprimeur italien du prem. livre de musique, *Harmonicae Musicae Odhecaton* (1501).

Petrucciani (Michel) (Orange, 1962 - New-York, 1999), jazzman français, pianiste virtuose au jeu subtil.

petsaï n. m. Chou chinois, de forme allongée, à feuilles vert pâle.

Petsamo (en russe *Petchenga*), v. de Russie, près de l'Arctique ; 4 000 hab. Nickel. - Finlandaise en 1918, la ville revint à l'U.R.S.S. au traité de Paris (1947).

pétulance n. f. Vivacité, impétuosité, fougue.

pétulant, ante adj. Vif, impétueux, fougueux.

pétuner v. intr. [1] Vx Fumer, priser.

pétunia n. m. Plante herbacée annuelle (fam. solanacées), à grandes fleurs blanches, roses ou violettes, originaire d'Amérique du Sud.

peu adv. **I.** (Emploi nominal.) Petite quantité, quantité insuffisante. **1.** *Un peu de :* une petite quantité de. *Mangez un peu de soupe. Accordez-lui un peu de temps pour s'habituer.* ▷ *Peu de* (+ compl.). *Expliquez-vous en peu de mots. Dans peu de temps :* bientôt. – *C'est peu de chose :* c'est négligeable, c'est sans grande importance. **2.** *Le peu (de) :* la petite quantité (de). *Le peu (de temps) qu'il lui reste à passer ici.* **3.** *C'est peu (que) de :* il ne suffit pas de. *C'est peu (que) de donner, il faut le faire de bon cœur.* **II.** (Emploi adverbial.) **1.** En petite quantité, en petit nombre, modérément, faiblement (opposé à *beaucoup*). *Manger peu. Peu s'en faut.* ▷ *Un tant soit peu, un petit peu, quelque peu. Il est quelque peu prétentieux.* ▷ (Par antiphrase.) Trop. *C'est un peu fort!* – (Pour insister, par euph.) Fam. *Un peu, qu'elle est belle!* **2.** Loc. adv. *Pour un peu :* un peu plus, et... *Pour un peu il se serait emporté.* ▷ *Peu à peu :* lentement, progressivement. *Il découvrit peu à peu la vérité.* ▷ *Sous peu :* dans peu de temps. *Il va pleuvoir sous peu.* ▷ *De peu :* d'un rien. *Vous l'avez manqué de peu.* ▷ *Si peu que* (+ subj.). *Si peu que ce soit :* en quelque petite quantité que ce soit. ▷ *Pour peu que* (+ subj.). *Il le fera, pour peu que vous lui demandiez,* pourvu que vous lui demandiez. ▷ *À peu près, à peu de chose près :* presque; environ. *Ils sont à peu près du même âge.*

Peugeot (Eugène) (Hérimoncourt, 1844 – id., 1907) et son cousin germain **Armand** (Valentigney, 1849 – Neuilly-sur-Seine, 1915), industriels français. Ils construisirent des cycles et (à partir de 1890) des automobiles à essence. Les fils d'Eugène se joignirent à Armand, à la mort de leur père, pour fonder la Société anonyme des automobiles Peugeot (1910).

peuh! interj. (Marquant le scepticisme, le dédain, l'indifférence.) *Peuh! ça n'a aucun intérêt!*

peul ou **peuhl, e** [pøl] adj. et n. **1.** adj. Des Peuls. *Traditions peules.* ▷ Subst. *Un(e) Peul(e).* **2.** n. m. LING Langue nigéro-congolaise parlée du Sahel au Cameroun.

Peuls ou **Foulbés,** ensemble de populations de l'Afrique de l'O. (Sénégal, Guinée, Mali, Cameroun, etc.). Descendants probables des pasteurs du Sahara préhistorique, ils connurent une grande période d'extension entre le XVe et le XVIIe s. Ils se convertirent à l'islam au XVIIIe s. et fondèrent plusieurs royaumes. Leur organisation sociale a pour traits dominants la filiation patrilinéaire et l'endogamie. Ils sont auj. en voie de sédentarisation.

peuplade n. f. Petit groupe humain dans une société primitive.

peuple n. m. **1.** Ensemble d'êtres humains vivant sur le même territoire ou ayant en commun une culture, des mœurs, un système de gouvernement. *Les peuples d'Extrême-Orient. Le peuple juif.* **2.** Vx Population. *Le peuple de Paris.* **3.** Ensemble des citoyens d'un État. *Dans une démocratie, le peuple gouverne. Lancer un appel au peuple.* **4.** Vieilli Foule, multitude. *Un grand concours de peuple.* ▷ Fam. *Du peuple :* du monde, un grand nombre de personnes. *Quand la famille se rassemble, ça fait du peuple!* – *Il se fout du peuple,* du monde, des gens. **5.** *Le peuple :* l'ensemble des citoyens de condition modeste, par oppos. aux catégories privilégiées par la naissance, la culture ou la fortune. *Un homme, une femme, des gens du peuple.* – Vieilli *Le petit peuple, le bas peuple :* la partie la plus humble, la plus défavorisée de la population.

peuplé, ée adj. Où il y a des habitants. *Un pays très peuplé.*

peuplement n. m. **1.** Action de peupler; fait de se peupler. *Peuplement d'une région. Colonie de peuplement,* où des colons se fixent et font souche. **2.** Manière dont un territoire, un pays est peuplé. *Étude du peuplement d'une région.* **3.** Ensemble des organismes vivants d'une région, d'un milieu déterminés. *Le peuplement d'un étang.* **4.** ECOL Ensemble des espèces (végétaux et animaux) d'un biotope*. *Le peuplement d'une forêt.*

peupler v. [1] **I.** v. tr. **1.** Faire occuper (un endroit) par des végétaux, des animaux. *Peupler un bois, un étang.* **2.** Occuper (un endroit, un territoire), en constituer la population. *Diverses ethnies peuplent cette région.* **3.** Fig. Emplir. *Les mythes qui peuplent l'imaginaire.* **II.** v. pron. Devenir habité, peuplé. *Cette bourgade se peuple l'été.*

Peuples de la Mer, populations indo-européennes qui déferlèrent en Asie Mineure, en Syrie, en Phénicie et dans les îles égéennes (XIIIe-XIIe s. av. J.-C.) et causèrent notam. la destruction de l'Empire hittite.

peuplier n. m. Grand arbre (fam. salicacées), aimant les sols humides, cultivé pour son bois blanc et léger (mobilier, pâte à papier).

peuplier d'Italie : feuilles (à g.,) et silhouette fastigiée

peur n. f. **1.** Crainte violente éprouvée en présence d'un danger réel ou imaginaire. *Une peur panique. En être quitte pour la peur :* n'avoir subi d'autre dommage que d'avoir eu peur. – Fam. *Une peur bleue :* une grande peur. – *Laid à faire peur :* très laid. ▷ HIST *La Grande Peur :* panique qui se répandit dans les campagnes françaises à la fin de juillet et au début d'août 1789 et qui donna lieu à des actions violentes contre les nobles. **2.** (Sens atténué.) Légère crainte, légère appréhension. *J'ai peur qu'il ne vienne pas. N'avoir pas peur des mots :* appeler les choses par leur nom, ne pas craindre de les désigner clairement, au risque de choquer. **3.** Loc. prép. *De peur de* (+ inf.) : par crainte de. *Il n'est pas sorti de peur d'attraper froid.* ▷ Loc. conj. *De peur que* (+ *ne* + subj.) : dans la crainte que. *Couvrez bien cet enfant, de peur qu'il ne prenne froid.*

peureusement adv. De manière craintive, en manifestant de la peur. *Se blottir peureusement.*

peureux, euse adj. et n. **1.** Craintif, sujet à la peur. *Il est trop peureux pour courir ce risque.* ▷ Subst. *Un peureux, une peureuse.* **2.** Qui dénote la peur. *Un regard peureux.*

peut-être adv. (et n. m.) **1.** (Marquant le doute; indiquant que l'on n'évoque un événement, un ordre de fait qu'à titre de probabilité, d'éventualité douteuse.) *Viendra-t-il? Peut-être.* – *Peut-être est-il plus riche qu'il ne le dit.* **2.** *Peut-être que :* il peut se faire que. *Peut-être qu'il a raison. Peut-être bien que...* **3.** n. m. *Un peut-être, un grand peut-être :* qqch qui paraît incertain, improbable.

Peutinger (Konrad) (Augsbourg, 1465 – id., 1547), humaniste et collectionneur allemand. Il a donné son nom (*Table de Peutinger*) à une copie médiévale d'une carte des routes de l'Empire romain (IIIe-IVe s.).

Pevsner (Anton ou Antoine) (Orel, 1886 – Paris, 1962), sculpteur et peintre français d'origine russe. Il fut avec N. Gabo, son frère, l'un des créateurs du constructivisme et le premier à utiliser des éléments cinétiques et dynamiques en sculpture.

Anton **Pevsner :** *Monde,* sculpture en bronze oxydé, 1947; musée d'Art moderne, Paris

-pexie. MED Suffixe, du gr. *pêksis,* « fixation », qui sert à former les noms d'opérations destinées à remédier à la mobilité anormale ou à la ptôse d'un organe.

Peyo (Pierre Culliford, dit) (Bruxelles, 1928 – id., 1992), dessinateur belge de bandes dessinées, créateur des *Schtroumpfs* (1958).

peyotl [pɛjɔtl] n. m. Cactacée des montagnes mexicaines, qui renferme un alcaloïde hallucinogène, la mescaline.

Peyre (Marie-Joseph) (Paris, 1730 – Choisy-le-Roi, 1785), architecte néo-classique français; auteur, avec Ch. de Wailly, du théâtre de l'Odéon, à Paris (1779-1782).

Peyrefitte (Roger) (Castres, 1907), écrivain français. Auteur prolixe de souvenirs de voyages, de récits autobiographiques, d'enquêtes sociales ou politiques, de contes licencieux ayant pour thème la désillusion de l'amour : *les Amitiés particulières* (1945), *les Ambassades* (1951), *les Clés de Saint-Pierre, Des Français* (1970), *Propos secrets* (1972).

Peyrefitte (Alain) (Najac, Aveyron, 1925), homme politique et écrivain français. Dirigeant gaulliste, plusieurs fois ministre, il est l'auteur d'essais : *Quand la Chine s'éveillera* (1973), *le*

production d'hydrocarbures en fonction de la profondeur

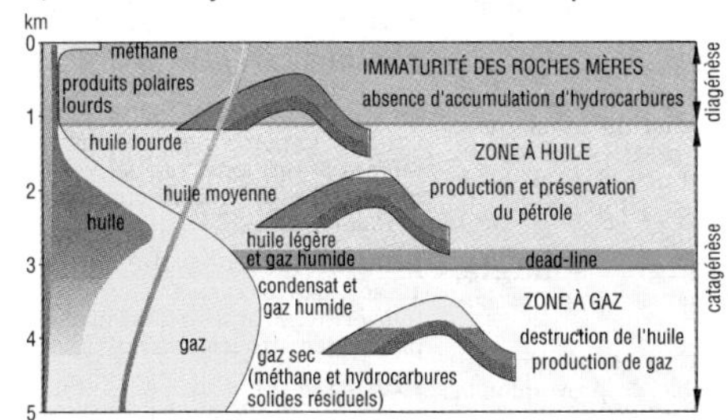

schéma d'un appareil de forage

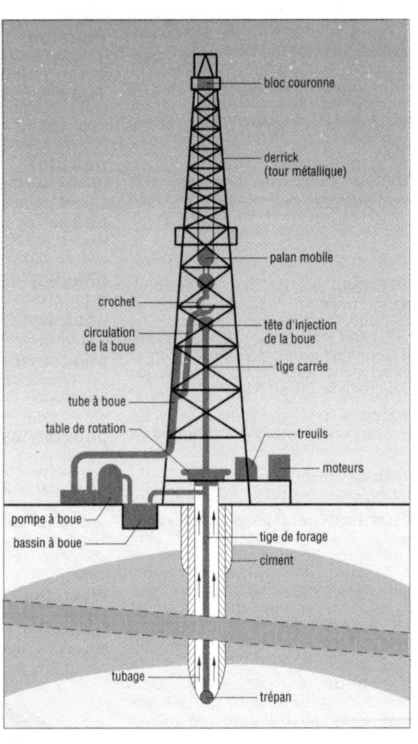

les pièges à pétrole

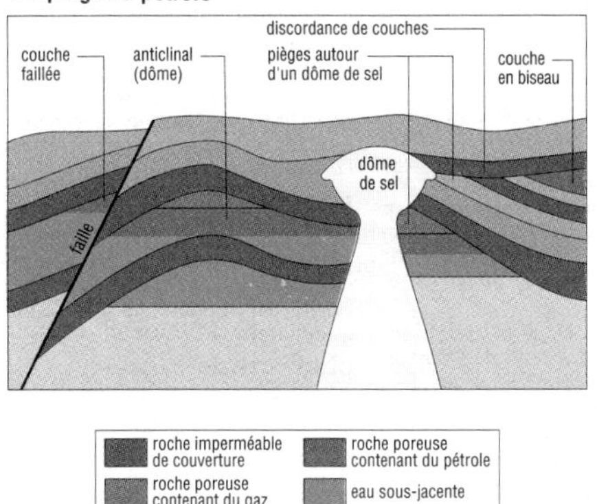

schéma simplifié d'une raffinerie

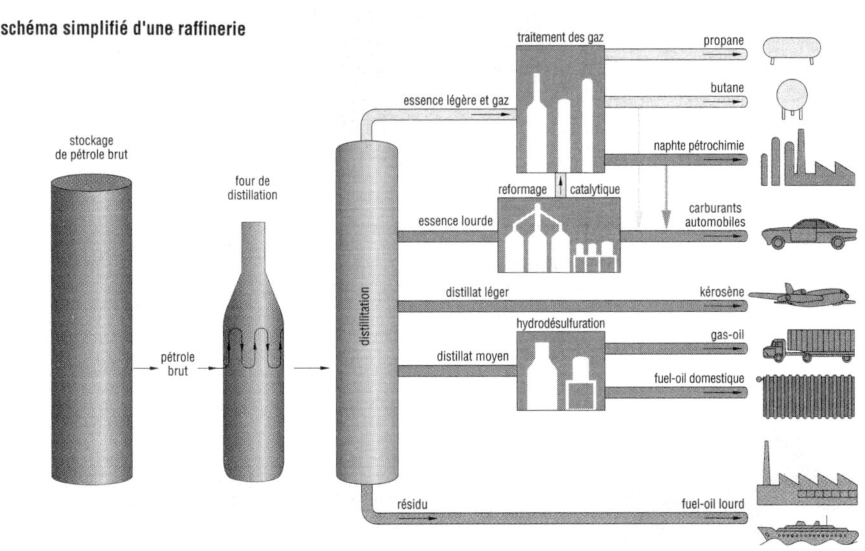

Mal français (1976), *l'Empire immobile* (1988). Acad. fr. (1977).

Peyresourde (col de), col abrupt des Pyrénées centrales, entre Arreau et Bagnères-de-Luchon ; 1 563 m.

Peyronnet (Charles Ignace, comte de) (Bordeaux, 1778 – chât. de Montferrand, Gironde, 1854), homme politique français. Garde des Sceaux (1821-1828), il fit voter des lois « ultras ». Ministre de l'Intérieur en 1830, il soutint les ordonnances de Juillet. Condamné à la prison perpétuelle (déc. 1830), il fut amnistié (1836).

Peyrou (promenade du), promenade de Montpellier, commencée en 1689 par Daviler, achevée en 1776 par J.A. Giral et son gendre Donnat.

pèze ou **pèse** [pɛz] n. m. Arg. Argent.

Pézenas, ch.-l. de cant. de l'Hérault (arr. de Béziers); 7 921 hab. (*Piscénois*). Vins, cult. maraîchères; bauxite. – La vieille ville offre un ensemble architectural, unique en France, de maisons et d'hôtels anc. (de la fin de l'époque gothique à la fin du XVIIIe s.).

pézize n. f. Champignon ascomycète des bois, brun ou orangé, en forme de coupe, comestible.

pfennig [pfenig] n. m. Monnaie allemande, centième partie du mark.

Pfitzner (Hans) (Moscou, 1869 – Salzbourg, 1949), compositeur et chef d'orchestre allemand. Dans ses prises de position contre Schönberg comme dans ses ouvrages lyriques (*Palestrina*, 1912-1915) s'exprime un attachement à la tradition qui l'a fait considérer comme l'un des musiciens les plus conservateurs de son époque.

Pforzheim, v. d'Allemagne (Bade-Wurtemberg), dans le N. de la Forêt-Noire ; 104 450 hab. Industr. des métaux précieux et de la bijouterie ; prod. chimiques.

p.g.c.d. MATH Abrév. de *plus grand commun diviseur.*

ph PHYS Symbole du phot.

pH [peaʃ] n. m. CHIM (Abrév. de *potentiel hydrogène.*) Coefficient caractérisant l'état acide ou basique d'une solution. (Le pH d'une solution est le cologarithme décimal de sa concentration en ions H^+ : $pH = -\log_{10}[H^+]$. Une solution est neutre si son pH est égal à 7, acide s'il est inférieur à 7, basique s'il est supérieur à 7.)

phacélie n. f. Plante herbacée à fleurs bleues, originaire d'Amérique, utilisée pour les jachères et comme engrais vert.

phacochère n. m. Mammifère suidé des savanes africaines, aux défenses courbes, voisin du sanglier.

phacochère mâle apeuré dressant sa queue à la verticale

phaéton n. m. **1.** Anc. Petite calèche découverte à quatre roues, haute et légère. ▷ Ancien modèle d'automobile découverte, à deux ou quatre places. **2.** ORNITH Oiseau pélécaniforme des mers chaudes, à longue queue. Syn. paille-en-queue.

Phaéton, dans la myth. gr., fils d'Hélios (le Soleil). Il pria son père de le laisser conduire le char du Soleil, mais, incapable d'en maîtriser les chevaux, il faillit incendier la Terre, dont il s'était trop approché. Zeus le foudroya et le précipita dans l'Éridan.

phag(o)-, -phage, -phagie, -phagique. Éléments, du gr. *phagein*, « manger ».

phage n. m. MICROB Bactériophage, virus à A.D.N. capable de provoquer la lyse de certaines bactéries.

phagocytaire adj. BIOL Qui concerne la phagocytose. *Cellule phagocytaire.*

phagocyte n. m. BIOL Leucocyte apte à la phagocytose.

phagocyter v. tr. [1] **1.** BIOL Détruire par phagocytose. **2.** Fig. Absorber, faire disparaître en intégrant à soi. *Grosse société qui phagocyte une petite entreprise.*

phagocytose n. f. **1.** BIOL Capture, ingestion et digestion, par un leucocyte polynucléaire ou un macrophage, d'une particule étrangère. *La phagocytose constitue le plus important moyen de défense de l'organisme contre l'infection bactérienne.* **2.** Fig. Disparition par absorption évoquant une phagocytose (sens 1).

Phaïstos, v. du S.-O. de la Crète dont l'apogée correspond à celui de Cnossos. La ville fut ruinée au XVe s. av. J.-C. Import. vestiges. ▸ illustr. **Crète**

disque de **Phaïstos,** terre cuite, art minoen 1700-1600 av. J.-C.; musée d'Héraklion, Crète

phalange n. f. **1.** ANTIQ GR Corps d'infanterie de l'armée grecque. **2.** Poét. Armée, troupe. ▷ HIST *La Phalange* : la formation politique d'extrême droite, fondée en Espagne en 1933 par José Antonio Primo de Rivera et qui, fusionnant en 1937 avec d'autres formations, devint le parti unique destiné à soutenir l'action du général Franco. **3.** ANAT Segment articulé des doigts, des orteils. *Les deux phalanges du pouce. Les trois phalanges de l'index.*

phalanger n. m. ZOOL Petit marsupial australien dont le corps atteint 40 à 50 cm, qui vit dans les arbres et, par ses allures lentes, évoque le paresseux (sens 3).

phalangette n. f. ANAT Dernière phalange du doigt et de l'orteil, sur laquelle est implanté l'ongle.

phalangien, enne adj. ANAT Propre aux phalanges.

phalangine n. f. ANAT Seconde phalange du doigt, que ne possèdent ni le pouce ni le gros orteil.

phalangiste n. HIST Membre de la Phalange, en Espagne. – adj. *Parti phalangiste.*

phalanstère n. m. Didac. **1.** Communauté de travailleurs, dans le système de Fourier ; lieu où elle vit. **2.** *Par ext.* Groupe de personnes qui partagent les mêmes aspirations, les mêmes idées, et qui vivent et travaillent ensemble ; communauté.

phalanstérien, enne adj. et n. Didac. **1.** adj. Qui a rapport au phalanstère fouriériste. **2.** n. Habitant, partisan des phalanstères fouriéristes.

Phalaris (VIe s. av. J.-C.), tyran d'Agrigente (v. 570-554 av. J.-C.). On dit qu'il faisait brûler ses victimes à l'intérieur d'un taureau d'airain.

phalène n. f. Grand papillon nocturne ou crépusculaire (fam. géométridés) dont les chenilles s'attaquent aux plantes cultivées et aux arbres.

phallique adj. **1.** Qui a rapport au phallus. *Emblème phallique.* **2.** PSYCHAN *Stade phallique* : phase d'organisation de la libido de l'enfant survenant après les stades oral et anal, et précédant l'organisation génitale pubertaire.

phallo-. Élément, du gr. *phallos*, « phallus ».

phallocrate n. m. et adj. Homme qui estime bénéficier d'une certaine supériorité par rapport au sexe féminin et qui cherche à l'affirmer.

phallocratie [falɔkʀasi] n. f. Domination exercée par les hommes sur les femmes. ▷ *Par ext.* Attitude, état d'esprit du phallocrate.

phallocratique adj. Qui a rapport à la phallocratie ; qui participe de l'état d'esprit des phallocrates ; qui dénote un tel état d'esprit. *Discours phallocratique.*

phalloïde adj. Didac. Qui a la forme d'un phallus. *Amanite phalloïde.*

phallus [falys] n. m. **1.** ANTIQ Représentation du membre viril en érection, symbole de la force reproductrice de la nature. ▷ Cour. Symbole de l'organe sexuel masculin. **2.** PHYSIOL Organe sexuel masculin. Syn. pénis. **3.** BOT Champignon basidiomycète formé d'un pied sortant d'une volve et d'un chapeau conique perforé d'alvéoles contenant une substance visqueuse d'odeur repoussante. Syn. cour. satyre.

Phalsbourg, ch.-l. de cant. de la Moselle (arr. de Sarrebourg) ; 4 408 hab. – Vest. des fortifications de Vauban. Hôtel de ville du XVIIe s.

Pham Van Dong (Mo Duc, prov. de Quang Ngai, 1906), homme politique vietnamien ; collaborateur de Hô Chi Minh dès 1925, négociateur à la conférence de Genève (mai 1954). Président du Conseil de la république démocratique du Viêt-nam en 1955. Il gouverna, jusqu'en 1986, la république socialiste du Viêt-nam (réunifié en 1976) au sein d'une direction collégiale.

Phanar, quartier d'Istanbul, autref. habité exclusivement par des Grecs (les *Phanariotes*), dont certains occupèrent, du temps de l'Empire ottoman, de hautes fonctions dans des pays chrétiens (Moldavie et Valachie, notam.) soumis à la Porte (V. porte I, 4).

phanère n. m. Toute production épidermique apparente (plumes, poils, ongles, cornes, etc.).

phanérogame adj. et n. f. pl. **1.** adj. BOT *Plante phanérogame* : plante à fleurs et à graines. **2.** n. f. pl. Embranchement du règne végétal regroupant les plantes aux structures de reproduction facilement observables (cônes, fleurs), les plus évolués des végétaux. – Sing. *Une phanérogame.*

phantasme. V. fantasme.

Phan Thiêt, v. et port de pêche du Viêt-nam, à l'E. de Hô Chi Minh-Ville, sur la mer de Chine ; 77 000 hab.

pharamineux. V. faramineux.

Pharamond, roi franc légendaire, descendant de Priam.

pharaon n. m. **1.** ANTIQ Souverain de l'Égypte, dans l'Antiquité. *Le pharaon Ramsès II.* **2.** Jeu de cartes qui ressemble au baccara.

pharaonique ou **pharaonien, enne** adj. **1.** Qui se rapporte aux pharaons. *L'Égypte pharaonique.* **2.** Fig. Qui évoque le gigantisme des monuments de l'Égypte antique.

phare n. m. **1.** Tour surmontée d'un foyer lumineux, établie le long des côtes, sur certains récifs, etc., pour guider la marche des navires pendant la nuit ou par temps de brume. *Phare à feu fixe, à feu tournant.* **2.** Projecteur placé à l'avant d'un véhicule pour éclairer la route. *Allumer les phares la nuit, dans le brouillard.* **3.** Fig. Ce qui éclaire, guide, sert de point de repère. *La liberté sera le phare qui éclairera notre combat.*

pharillon n. m. PECHE Réchaud où brûle un feu vif, suspendu la nuit à l'avant d'un bateau pour attirer le poisson. Syn. lamparo.

pharisaïque adj. **1.** HIST, RELIG Des pharisiens. **2.** Fig., péjor. Hypocrite.

pharisaïsme n. m. **1.** Didac. Doctrine des pharisiens. **2.** Fig., péjor. Hypocrisie ; affectation de dévotion, de vertu.

pharisien, enne n. et adj. **1.** HIST, RELIG Membre d'une secte juive contemporaine du Christ. – adj. *Le formalisme pharisien.* **2.** Personne qui observe avec une rigueur pointilleuse les préceptes d'une morale étroite et toute formelle, et qui se pose en modèle de moralité, de vertu. – adj. *Une attitude pharisienne.*

ENCYCL La secte des pharisiens se distinguait par son respect pointilleux de la Loi écrite (Torah) et des traditions orales. Ce formalisme étroit et l'orgueil qu'en tiraient ses représentants lui ont valu d'être âprement critiquée tant par les juifs que par les chrétiens. Pourtant, les pharisiens furent en définitive les garants de la survie du judaïsme après la fin du royaume d'Israël (70 apr. J.-C.) et leur pensée nourrit la littérature rabbinique (le Talmud, notam.).

pharmac(o)-. Élément, du gr. *pharmakon,* « remède ».

pharmaceutique adj. De la pharmacie. *Produits pharmaceutiques.*

pharmacie n. f. **1.** Science de la préparation et de la composition des médicaments. *Faculté de pharmacie.* **2.** Magasin où l'on fait des préparations pharmaceutiques et où l'on vend des médicaments et de la parapharmacie. *Ce produit de beauté ne se trouve qu'en pharmacie.* – *La pharmacie d'un hôpital,* où l'on distribue des médicaments dans les divers services. **3.** Assortiment de médicaments. *Pharmacie de voyage.* **4.** Petite armoire à médicaments.

pharmacien, enne n. Personne qui exerce la pharmacie.

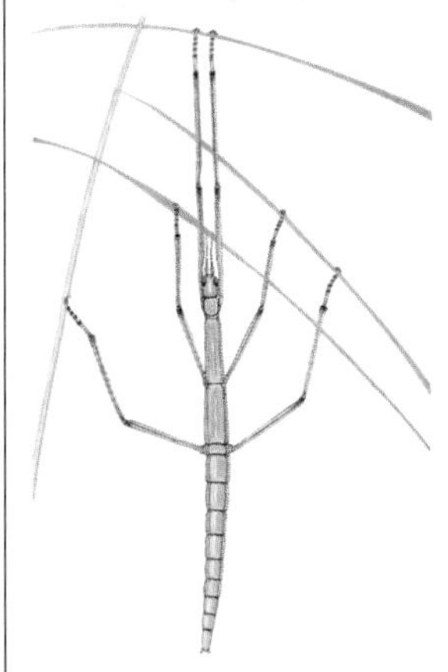

phasme, dit *bacille de Rossi*

pharmacochimie n. f. Chimie appliquée à la fabrication de médicaments.

pharmacocinétique n. f. MED Étude du devenir d'un médicament dans l'organisme, en fonction du temps et de la dose administrée.

pharmacodépendance n. f. MED Dépendance à l'égard d'une substance ayant une action pharmacologique, plus spécialement psychotrope.

pharmacodynamie n. f. Étude des effets des médicaments sur les êtres vivants.

pharmacodynamique adj. Relatif à l'action des médicaments.

pharmacognosie n. f. Étude des médicaments d'origine naturelle (plantes, minéraux).

pharmacologie n. f. Didac. Science qui étudie les médicaments, leur composition, leur mode d'action, etc.

pharmacologique adj. Relatif à la pharmacologie.

pharmacologue n. Spécialiste de pharmacologie.

pharmacomanie n. f. Toxicomanie causée par des médicaments.

pharmacopée n. f. **1.** Didac. Ouvrage officiel énumérant les médicaments, leur composition et leurs effets, naguère appelé *Codex.* **2.** Ensemble des médicaments utilisés par l'art médical. *La pharmacopée chinoise traditionnelle.*

pharmacorésistance n. f. MED Résistance d'un microbe à un médicament.

pharmacovigilance n. f. MED Collecte et analyse des observations sur les effets secondaires des médicaments, effectuées dans le but d'éviter d'éventuels effets nocifs.

Pharnace II (v. 97 – 47 av. J.-C.), roi du Bosphore Cimmérien (63-47 av. J.-C.) ; fils de Mithridate le Grand. Vaincu à Zéla (47 av. J.-C.) par César, ce dernier annonça sa victoire au Sénat par les mots fameux *Veni, vidi, vici* (« Je suis venu, j'ai vu, j'ai vaincu »).

Pharos, petite île de l'anc. Égypte en face d'Alexandrie, où, en 285 av. J.-C., Ptolémée II Philadelphe fit élever le célèbre « phare », une des Sept Merveilles du monde (détruit en 1302).

Pharsale (auj. *Farsala*), v. de Grèce (Thessalie) ; 7 090 hab. – Victoire de César sur Pompée (48 av. J.-C.).

pharyngal, ale, aux adj. et n. f. PHON Se dit des consonnes articulées avec la langue fortement repoussée vers le pharynx.

pharyngé, ée adj. MED Relatif au pharynx ; qui appartient au pharynx.

pharyngien, enne adj. ANAT Du pharynx, qui a rapport au pharynx.

pharyngite n. f. MED Inflammation de la muqueuse pharyngée.

pharyngo-laryngite n. f. MED Inflammation du pharynx et du larynx. *Des pharyngo-laryngites.*

pharynx n. m. ANAT Conduit de nature à la fois musculaire et membraneuse qui s'étend verticalement de la cavité buccale à l'œsophage, et par lequel les fosses nasales et le larynx communiquent. *Le pharynx est le carrefour des voies de la déglutition et de la respiration.*

phasage n. m. Didac. Établissement des différentes phases d'un processus.

phase n. f. **1.** ASTRO Aspect variable que présentent la Lune et les planètes du système solaire selon leur position par rapport à la Terre et au Soleil. *Phases de la Lune* : nouvelle lune, premier quartier, pleine lune et dernier quartier. **2.** CHIM Chacune des parties homogènes, limitées par des surfaces de séparation, d'un système chimique. *Les deux phases d'une émulsion d'eau et d'huile.* **3.** PHYS *Phase d'un mouvement sinusoïdal* : angle que forment le rayon origine et le rayon vecteur à l'instant t. – *Différence de phase* : différence entre les phases de deux mouvements sinusoïdaux de même fréquence. Syn. déphasage. – *Mouvements périodiques en phase* : mouvements périodiques de même fréquence dont les élongations sont maximales au même instant. **4.** ELECTR *Conducteur de phase,* ou *phase* : conducteur autre que le neutre, dans un réseau électrique. **5.** Cour. Chacune des périodes marquant l'évolution d'un processus, d'un phénomène. *Les phases d'une maladie.* **6.** Loc. fig., fam. *Être en phase avec (qqn, qch),* en harmonie.

phasemètre n. m. ELECTR Appareil servant à mesurer la différence de phase entre deux courants alternatifs de même fréquence.

phasme n. m. Insecte orthoptère allongé, remarquable par son adaptation mimétique qui lui donne l'aspect d'une brindille ou d'une branche.

phatique adj. LING *Fonction phatique* : fonction du langage dont l'objet est uniquement d'établir et de maintenir le contact entre les interlocuteurs. *Certaines formules de politesse ont une fonction phatique.*

Phéaciens, dans la myth. gr., peuple, cité dans *l'Odyssée,* qui habitait l'île de

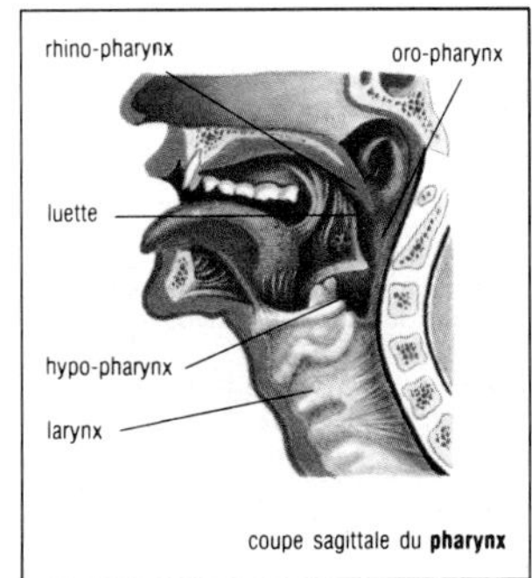

coupe sagittale du **pharynx**

Skhéria (assimilée à Corcyre, auj. *Corfou*) et dont Alcinoos était le roi.

Phébé, dans la myth. gr., deesse de la Lune, identifiée à Artémis.

Phébus ou **Phoebus,** dans la myth. gr., nom donné à Apollon en tant que dieu de la Lumière.

Phédon d'Élis (IVe s. av. J.-C.), philosophe grec; ami et disciple de Socrate, qu'il assista dans sa prison jusqu'à sa fin. Il fonda l'école d'Élis.

Phèdre, dans la myth. gr., fille de Minos et de Pasiphaé, sœur d'Ariane et épouse de Thésée. Éprise de son beau-fils Hippolyte, mais repoussée par lui, elle se venge en l'accusant d'avoir voulu la séduire. Thésée implore Poséidon de punir son fils. Hippolyte est tué par un monstre marin. Phèdre, désespérée, s'empoisonne. ▷ LITT *Phèdre*, tragédie de Racine (1677).

Phèdre (en lat. *Caius Julius Phædrus* ou *Phæder*) (Macédoine, v. 15 av. J.-C. - ?, v. 50 apr. J.-C.), fabuliste latin (123 fables), imitateur d'Ésope.

Phélypeaux. V. Pontchartrain et Maurepas.

phénanthrène n. m. CHIM Hydrocarbure cyclique $C_{14}H_{10}$, employé dans l'industrie des colorants.

Phénicie, anc. nom donné à la bande côtière du littoral syro-libanais, cernée au N. par la chaîne de l'Amanus, au S. par le mont Carmel, à l'O. par la mer Méditerranée et à l'E. par le mont Liban. Dès le IIIe millénaire, un peuple d'origine sémitique s'y installe et fonde les ports d'Ougarit (auj. *Ras Shamra*) et de Byblos (auj. *Djebail*). À partir du IIe millénaire et jusqu'à 1200 av. J.-C., la côte phénicienne apparaît comme un chapelet de cités-États non fédérées, vassales tantôt de l'Égypte, tantôt des Hittites. Libérée de leur joug par l'invasion des Peuples de la Mer, la Phénicie est à son apogée du Xe au VIIe s. av. J.-C. Ses navires atteignent les rivages de l'Afrique du Nord et de l'Espagne, jalonnant leurs routes de comptoirs (Chypre, Malte, Crète, Sicile, Sardaigne). La fondation de Carthage (814 av. J.-C.) marque le point culminant de cette expansion commerciale. Les Phéniciens sont alors les plus actifs commerçants de la Méditerranée. Ils vont chercher en Espagne l'argent et l'étain, sur les côtes d'Afrique le murex dont ils tirent la pourpre. Ils exportent des verreries, du bois de construction et même de la main-d'œuvre. Vers 850 av. J.-C., les cités phéniciennes, dont la plus florissante est Tyr, commencent à tomber sous la dépendance politique des Assyriens. Elles sont ensuite dominées par les Babyloniens (604-539 av. J.-C.) et les Perses (539-332 av. J.-C.), aux côtés desquels les Phéniciens se battent contre les Grecs. La victoire d'Alexandre réduit la Phénicie à l'état de colonie grecque (332-63 av. J.-C.), qui passera sous l'administration des Romains (province de Syrie, 64-63 av. J.-C.). - Dans différents domaines (économique, commercial, culturel), les Phéniciens ont apporté des innovations remarquables. Ils ont introduit l'usage d'un alphabet permettant une écriture simplifiée et facilitant le développement des relations commerciales.

phénicien, enne adj. et n. **1.** adj. De la Phénicie. *Comptoirs phéniciens.* ▷ Subst. *Les Phéniciens furent parmi les plus actifs commerçants de la Méditerranée.* **2.** n. m. Langue sémitique du groupe cananéen parlée par les anciens Phéniciens.

phénicoptéridés. V. phœnicoptéridés.

phénique adj. CHIM Vieilli *Acide phénique* : phénol ordinaire.

phéniqué, ée adj. CHIM Qui renferme de l'acide phénique.

phénix [feniks] n. m. **1.** MYTH Oiseau fabuleux qui, après avoir vécu plusieurs siècles, se brûle lui-même sur un bûcher pour renaître de ses cendres. **2.** Fig. Personne exceptionnelle, unique en son genre. *« Vous êtes le phénix des hôtes de ces bois »* (La Fontaine). **3.** Coq domestique du Japon dont la queue a de longues plumes. **4.** Palmier ornemental (V. phœnix).

phéno-, -phén-, -phène. CHIM Élément, du gr. *phainô*, « j'éclaire », qui indique la présence d'un radical benzénique dans la molécule d'un composé.

phénobarbital, als n. m. PHARM Barbiturique utilisé comme antispasmodique.

phénol n. m. CHIM Tout composé dérivant d'un hydrocarbure benzénique par substitution d'un ou plusieurs hydroxyles sur le noyau. *Les phénols sont utilisés pour fabriquer des résines, des colorants, des matières plastiques, des médicaments (aspirine), des insecticides.* ▷ Spécial. *Phénol ordinaire* ou, vieilli, *acide phénique* : dérivé hydroxylé du benzène (C_6H_5OH).

phénologie n. f. Didac. Étude de l'influence des climats sur les phénomènes périodiques de la végétation et du règne animal.

phénoménal, ale, aux adj. **1.** Qui tient du phénomène; surprenant, extraordinaire. *Récoltes d'une abondance phénoménale.* **2.** PHILO De l'ordre du phénomène. ▷ Spécial. (chez Kant). *Le monde phénoménal* (par oppos. à *nouménal*).

phénoménalement adv. **1.** Extraordinairement. **2.** PHILO Du point de vue des phénomènes.

phénoménalisme n. m. PHILO Doctrine d'après laquelle les phénomènes seuls sont connaissables.

phénoménalité n. f. PHILO Caractère du phénomène.

phénomène n. m. **1.** Tout fait extérieur qui se manifeste à la conscience par l'intermédiaire des sens; toute expérience intérieure qui se manifeste à la conscience. *Phénomène sensible, affectif. Phénomène d'hystérie collective.* ▷ PHILO Chez Kant, tout ce qui est l'objet d'une expérience sensible, appréhendé dans l'espace et dans le temps et, donc, se manifestant à la conscience (par oppos. à *noumène*). **2.** Tout ce qui apparaît comme remarquable, nouveau, extraordinaire. *Le succès de ce livre est un phénomène inattendu.* **3.** Être vivant (animal ou humain) qui présente quelque particularité rare, et qu'on exhibe en public. *Phénomène de foire.* **4.** Fam. Personne originale, bizarre, excentrique. *Ah! celui-là, quel phénomène!*

art **phénicien** : sphinx en ivoire

phénoménisme n. m. PHILO Doctrine d'après laquelle seuls existent des phénomènes, au sens kantien de ce terme.

phénoménologie n. f. PHILO **1.** Vx Traité, dissertation sur les phénomènes. **2.** *« Phénoménologie de l'esprit » (Hegel)* : « science de la conscience », qui prend en compte la manifestation dialectique de l'esprit au travail dans l'histoire. **3.** Chez Husserl, méthode philosophique qui cherche à revenir « aux choses mêmes » et à les décrire telles qu'elles apparaissent à la conscience, indépendamment de tout savoir constitué.

phénoménologique adj. PHILO Qui concerne la phénoménologie.

phénoménologue n. PHILO Philosophe qui emploie les méthodes de la phénoménologie.

phénothiazine n. f. PHARM Substance cristalline jaune ($C_{12}H_9NS$) dont des dérivés ont des propriétés thérapeutiques, notam. neuroleptiques et antihistaminiques.

phénotype n. m. BIOL Ensemble des caractères somatiques apparents d'un individu (par oppos. au *génotype*).

phényl-. CHIM Préfixe indiquant la présence du radical phényle dans la molécule d'un composé.

phénylalanine n. f. BIOCHIM Acide aminé précurseur de la tyrosine.

phénylbutazone n. f. PHARM Dénomination internationale de la dioxodiphényl-butyl pyrazolidine, produit utilisé comme anti-inflammatoire et antipyrétique.

phénylcétonurie n. f. MED Maladie héréditaire caractérisée par un déficit en une enzyme, la *phénylalanine-hydroxylase*, et qui se traduit par des signes neurologiques, des altérations du comportement et un défaut de pigmentation des phanères. Syn. oligophrénie* phénylpyruvique.

phényle n. m. CHIM Radical monovalent C_6H_5 contenu dans le benzène et ses dérivés.

phéophycées n. f. pl. BOT Embranchement d'algues brunes. - Sing. *Une phéophycée.*

phéromone ou **phérormone** n. f. ZOOL Hormone de la communication, qui joue (en particulier chez les insectes sociaux) un rôle très important dans la régulation de certains comportements (comportement sexuel des papillons, construction des alvéoles chez les abeilles, etc.).

phi n. m. **1.** Vingt et unième lettre de l'alphabet grec (Φ, ϕ), notant un [p] aspiré en grec ancien, et un [f] en grec moderne. ▷ PHYS ϕ : symbole de la phase. **2.** PHYS NUCL Particule de la famille des mésons.

Phidias (v. 490 - 431 av. J.-C.), architecte et sculpteur grec. Encouragé par Périclès, il semble avoir exercé une surveillance générale sur l'ensemble des travaux entrepris par celui-ci à Athènes. Ses œuvres les plus célèbres, outre le *Zeus* chryséléphantin d'Olympie, sont les sculptures du Parthénon, en partic. les frises représentant les combats des Centaures et des Lapithes, la frise intérieure des Panathénées, la statue chryséléphantine d'*Athéna Parthénos.*

phil(o)-, -phile, -philie. Éléments, du gr. *philos,* « ami », ou *philein,* « aimer ».

Philadelphie, v. des É.-U. (Pennsylvanie), port sur la Delaware; 1 585 570 hab. (aggl. urb. 5 755 300 hab.). Grand centre industriel : métallurgie, constr. navales; industr. textiles et chimiques; raff. de pétrole, etc. – Université. Musées, dont le très riche musée d'Art. – Fondée par W. Penn (1682), la ville eut un grand rayonnement culturel au XVIIIe s.; la déclaration d'Indépendance (1776) y fut signée, et le gouvernement fédéral y siégea de 1790 à 1800.

Philae, île du Nil, à l'entrée de la 1re cataracte. Ruines d'un temple d'Isis fondé par Nectanibis II (remanié sous Ptolémée II et ses successeurs) et de divers monuments construits par les Antonins (pavillon de Trajan). L'Unesco prit en charge le transfert du temple dans un site voisin (île d'Agilkia) avant la construction du haut barrage d'Assouan.

philanthrope n. **1.** Ami(e) du genre humain; qui aime tous les hommes. **2.** Celui, celle qui contribue par son action personnelle, par des dons en argent, par la fondation d'œuvres, à l'amélioration des conditions de vie des hommes. *Deux lits ont été fondés dans cet hôpital par un généreux philanthrope.* **3.** *Par ext.* Personne qui agit avec désintéressement.

philanthropie n. f. Amour de l'humanité. ▷ Activité du philanthrope.

philanthropique adj. Qui a rapport à la philanthropie; inspiré par la philanthropie. *Œuvre philanthropique.*

philatélie n. f. **1.** Étude des timbres-poste. **2.** Action, fait de collectionner les timbres-poste.

philatélique adj. Qui se rapporte à la philatélie. *Exposition philatélique.*

philatéliste n. Personne qui s'adonne à la philatélie.

-phile. V. phil(o)-.

Philémon et Baucis, dans la myth. gr., couple d'une légende contée par Ovide dans ses *Métamorphoses.* Paysans miséreux et âgés de Phrygie, ils offrirent l'hospitalité à Zeus et à Hermès, ce qui les fit échapper au déluge. Leur cabane fut transformée en un temple, dont ils furent les prêtres. Ils moururent le même jour; Philémon fut métamorphosé en chêne et Baucis en tilleul. Ils symbolisent l'amour conjugal.

Phidias : *Athéna Parthénos,* copie réduite (marbre, IIe s.) de la statue chryséléphantine; musée national d'Archéologie, Athènes

temple de **Philae** sur le lac Nasser, près d'Assouan; les pylones du grand temple d'Isis

philharmonie n. f. Société musicale.

philharmonique adj. *Société philharmonique :* groupe d'amateurs de musique; petit orchestre de musiciens amateurs. – *Orchestre philharmonique :* grand orchestre symphonique.

philhellène n. et adj. **1.** n. HIST Partisan de l'indépendance grecque. **2.** adj. *Par ext.* Ami de la Grèce.

philhellénisme n. m. HIST Soutien donné à la Grèce luttant pour son indépendance.

Philibert Ier le Chasseur (Chambéry, 1465 – Lyon, 1482), duc de Savoie (1472-1482) sous la tutelle de sa mère, Yolande de France. – **Philibert II le Beau** (Pont-d'Ain, 1480 – id., 1504), duc de Savoie (1497-1504); gendre de l'empereur Maximilien; sa veuve, Marguerite, fit édifier à sa mémoire l'église de Brou.

Philidor (François André Danican, dit) (Dreux, 1726 – Londres, 1795), compositeur français; l'un des créateurs de l'opéra-comique en France : *Blaise le savetier* (1759), *Tom Jones* (1765), *le Bon Fils* (1773), etc. Il passait pour être le meilleur joueur d'échecs d'Europe (*Analyse du jeu d'échecs,* 1749).

-philie. V. phil(o)-.

Philipe (Gérard) (Cannes, 1922 – Paris, 1959), acteur français de théâtre (Théâtre national populaire : *le Cid, le Prince de Hombourg, Lorenzaccio*) et de cinéma (*le Diable au corps, Fanfan la Tulipe, Monsieur Ripois*).
▶ illustr. page **1433**

Philippe (saint) (Ier s.), un des douze apôtres. Il aurait évangélisé la Scythie et la Phrygie, avant de mourir martyr à Hiérapolis.

Philippe Neri (saint) (Florence, 1515 – Rome, 1595), fondateur de la congrégation de l'Oratoire à Rome (1564).

ANTIQUITÉ

Philippe II (?, v. 382 – Aigai, auj. Édessa, 336 av. J.-C.), roi de Macédoine de 356 à sa mort. Devenu régent à la mort de son frère Perdiccas III (359), il évinça le fils de ce dernier, Amyntas IV, héritier légitime du trône, pour s'emparer du pouvoir. Il réorganisa le gouvernement et les finances, fit de la phalange macédonienne la meilleure de la Grèce, puis étendit peu à peu son royaume, s'emparant notam. des colonies athéniennes d'Amphipolis, Potidée et Pydna (357-356). À Athènes, Démosthène essaya vainement, pendant dix ans, de mettre en garde (dans ses *Philippiques*) ses concitoyens contre l'expansion macédonienne, mais les Athéniens s'aperçurent trop tard que les divisions des Grecs faisaient le jeu de Philippe : les forces coalisées de Thèbes et d'Athènes furent écrasées à Chéronée en 338, et cette victoire donna la Grèce entière (sauf Sparte) au Macédonien. Alors qu'il préparait une grande expédition contre les Perses, il mourut assassiné, meurtre attribué par la tradition à l'une de ses épouses, Olympias, mère d'Alexandre le Grand. – **Philippe V** (v. 237 – 179 av. J.-C.), avant-dernier roi de Macédoine (221-179 av. J.-C.); il soutint victorieusement la ligue Achéenne contre la ligue Étolienne (219-217), s'allia avec Hannibal (215), mais fut vaincu par Flamininus à Cynoscéphales (197). Il laissa son trône à son fils aîné Persée.

Philippe l'Arabe (en lat. *Marcus Julius Philippus*) (Idumée, Néguev actuel, v. 204 – Vérone, 249), empereur romain (244-249); ancien préfet du prétoire de Gordien III qu'il fit assassiner. Un de ses lieutenants, Decius, se révolta, le battit et le tua à Vérone.

ALLEMAGNE

Philippe de Souabe (?, v. 1177 – Bamberg, 1208), empereur germanique (1198-1208), fils de Frédéric Barberousse. Évêque de Würzburg (1191), duc de Souabe (1196), il reçut des gibelins la couronne impériale et se heurta au candidat des guelfes, Otton de Brunswick. Il fut assassiné par Otton de Wittelsbach.

BOURGOGNE

Philippe Ier de Rouvres (Rouvres, 1346 – id., 1361), duc de Bourgogne (1349-1361); petit-fils d'Eudes IV et de Jeanne de Bourgogne, héritier de nombr. domaines, démembrés après sa mort, dernier représentant de la première maison capétienne de Bourgogne. – **Philippe II le Hardi** (Pontoise, 1342 – Hal, 1404), duc de Bourgogne (1363-1404), duché qu'il reçut en apanage de son père, Jean le Bon, roi de France. Fondateur de la deuxième maison de Bourgogne, il hérita, par son mariage avec Marguerite de Flandre, des comtés de Flandre, d'Artois, de Rethel, de Nevers, de Bourgogne (1354), et acquit le Charolais en 1390. Il assit son pouvoir en dotant d'une forte administration ses diverses possessions. Corégent pendant la minorité de Charles VI, puis durant la démence du roi, il défendit exclusivement les intérêts de ses propres États. – **Philippe III le Bon** (Dijon, 1396 – Bruges, 1467), duc de Bourgogne (1419-1467), fils de Jean sans Peur. L'assassinat de son père par les Armagnacs le poussa immédiatement à s'allier aux Anglais, contre le Dauphin (en reconnaissant Henri V comme héritier du trône de France);

Philippe III le Bon, duc de Bourgogne

Philippe II d'Espagne

mais en 1435 (traité d'Arras), il se réconcilia avec Charles VII, accrut sa puissance déjà considérable (annexion des villes de la Somme, qui seront rachetées par la France en 1463 ; achat du Luxembourg en 1441) et poursuivit l'œuvre administrative de Philippe II. Ce prince éclairé, protecteur des arts, fut le père de Charles le Téméraire.

ESPAGNE

Philippe Ier le Beau (Bruges, 1478 - Burgos, 1506), fils de Maximilien d'Autriche et de Marie de Bourgogne ; prince des Pays-Bas (1482-1506), et roi de Castille (1504-1506) par son mariage avec Jeanne la Folle, dont il eut six enfants, parmi lesquels les futurs empereurs Charles Quint et Ferdinand Ier. – **Philippe II** (Valladolid, 1527 - Escorial, 1598), fils de Charles Quint et d'Isabelle de Portugal ; roi d'Espagne (1556-1598), de Naples, de Sicile, de Portugal (1580-1598), seigneur des Pays-Bas, etc. Dès le début de son règne il signa avec le roi de France Henri II le traité du Cateau-Cambrésis (1559) ; le roi de France lui abandonna pratiquement l'Italie et lui donna en mariage sa fille Élisabeth. Prince autoritaire et d'une grande piété, il se fit le défenseur du catholicisme : à l'intérieur, il élimina le protestantisme (1559-1560) et écrasa la révolte des morisques de Grenade (1568-1571) ; contre les Turcs, il remporta une grande victoire navale (Lépante, 1571) ; contre les Pays-Bas calvinistes, il prit des mesures violentes (envoi du duc d'Albe) qui aboutirent à la sécession des Provinces-Unies (1579) et à la guerre ; en France, il soutint la Ligue contre Henri III, puis Henri IV, mais dut signer avec ce dernier la paix de Vervins (1598) ; contre l'Angleterre, il lança en 1588 l'Invincible Armada, dont la déroute marqua la fin de la suprématie maritime de l'Espagne. Le principal succès de son règne fut la mainmise sur le Portugal (1580). Toutes ces actions, très coûteuses, contribuèrent à ruiner l'État (banqueroute de 1596). Pourtant, Philippe II avait tenté d'instaurer un minutieux appareil administratif et s'était également fait le protecteur des arts et des lettres (construction de l'Escorial) ; c'est sous son règne que s'ouvrit le « Siècle d'Or ». – **Philippe III** (Madrid, 1578 - id., 1621), fils du préc. et de sa quatrième épouse, Anne d'Autriche ; roi d'Espagne, de Portugal, etc. (1598-1621). Il laissa le pouvoir à des favoris. – **Philippe IV** (Valladolid, 1605 - Madrid, 1665), fils du préc. et de Marguerite de Styrie ; roi d'Espagne, de Naples, etc. (1621-1665), roi de Portugal (1621-1640). Il laissa gouverner Olivares et Luis de Haro. Sous son règne, la guerre contre les Provinces-Unies aboutit à leur indépendance (1648). La lutte contre la France se prolongea au-delà de la guerre de Trente Ans et se termina par le traité des Pyrénées (1659) qui obligea l'Espagne à céder à la France le Roussillon et l'Artois. – **Philippe V** (Versailles, 1683 - Madrid, 1746), petit-fils de Louis XIV ; roi d'Espagne (1700-1746), premier représentant de la branche des Bourbons d'Espagne. Il dut supporter la guerre de la Succession d'Espagne pour s'assurer la couronne, qui lui fut définitivement reconnue en 1713 (paix d'Utrecht). La politique de son ministre Alberoni provoqua en 1718 la formation de la Quadruple-Alliance, qui lui infligea la défaite navale de Passero. En 1739, l'Angleterre, mécontente de l'expansion maritime et coloniale de l'Espagne, lui déclara la guerre. Philippe V se rapprocha alors de la France et s'engagea dans la guerre de la Succession d'Autriche.

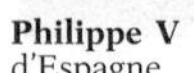

Philippe V d'Espagne

Philippe VI, roi de France

FRANCE

Philippe Ier (?, v. 1052 - Melun, 1108), roi de France (1060-1108), fils et successeur d'Henri Ier et d'Anne de Kiev. Il régna jusqu'en 1066 sous la tutelle de Baudouin V de Flandre. Attaché à reconstituer le domaine royal, il renforça l'administration aux dépens des féodaux et procéda à l'annexion du Vermandois, du Gâtinais, du Vexin et de la vicomté de Bourges ; mais en Flandre, il s'opposa en vain à Robert le Frison (défaite de Cassel, 1071). Sensible à la menace anglo-normande, il soutint Robert Courteheuse, révolté contre son père Guillaume le Conquérant (1066-1087), puis contre Guillaume II le Roux (1087-1100). Son excommunication (1095), due à la répudiation de Berthe de Hollande et à son remariage avec Bertrade de Montfort (1092), ayant affaibli son pouvoir, il se réconcilia avec l'Église en 1104. En 1098, il avait associé à la couronne son fils, le futur Louis VI. – **Philippe II Auguste** (Paris, 1165 - Mantes, 1223), roi de France (1180-1223), le premier qui se donna officiellement ce titre ; fils de Louis VII et d'Adèle de Champagne. Dernier Capétien sacré du vivant de son prédécesseur, il établit solidement la puissance de la dynastie, quadruplant le domaine royal. À l'O., il mena une longue lutte contre les Plantagenêts, exploitant leurs dissensions familiales ; vaincu par Richard Cœur de Lion (avec qui il avait participé à la 3e croisade) à Fréteval (1194) et à Courcelles (1198), il s'opposa dès 1199 à Jean sans Terre, frère de Richard Cœur de Lion et nouveau roi d'Angleterre. Ayant fait appel aux milices communales, il vainquit à Bouvines (1214) et finalement écrasa la coalition formée par Jean sans Terre, l'empereur Otton et le comte de Flandre, s'assurant ainsi la possession des terres annexées : Vexin normand, pays d'Évreux et Berry (1200), Normandie (1204). Au N., au S. et à l'E., Philippe Auguste acquit, respectivement, l'Amiénois (1185), l'Auvergne (1201) et la Champagne (1213). L'extension du domaine l'amena à consolider le pouvoir royal, notam. en affaiblissant celui des seigneurs, en multipliant les chartes communales, en protégeant les marchands, et surtout en créant des baillis et des sénéchaux sur le modèle des shérifs anglais. À partir de 1200, il fut en difficulté avec la papauté pour avoir répudié Isambour (Ingeborg) de Danemark et s'être marié avec Agnès de Méran. – **Philippe III le Hardi** (Poissy, 1245 - Perpignan, 1285), roi de France (1270-1285) ; fils et successeur de Louis IX et de Marguerite de Provence. Il recueillit l'héritage d'Alphonse de Poitiers, notam. le comté de Toulouse (1271). Il entra en conflit avec Pierre III d'Aragon, un des responsables des Vêpres siciliennes (V. encycl. vêpres), que le pape excommunia et dont il attribua le royaume au troisième fils de Philippe, Charles de Valois. Il mourut au cours de la « croisade d'Aragon », qui fut un échec. – **Philippe IV le Bel** (Fontainebleau, 1268 - id., 1314), roi de France (1285-1314) ; fils du préc. et d'Isabelle d'Aragon. En 1284, par son mariage avec Jeanne de Navarre, il agrandit le domaine royal de la Champagne et de la Navarre. Remarquable chef d'État, il se distingua par son réalisme politique, fondé sur le sentiment de la toute-puissance de l'État, et prit pour conseillers des hommes de valeur non issus de l'aristocratie féodale : les légistes (c.-à-d. les spécialistes de droit romain), dont les plus importants furent Guillaume de Nogaret et Enguerrand de Marigny. Il reprit la lutte contre l'Angleterre (1294-1297), sans résultat probant, et contre la Flandre, qu'il replaça sous sa suzeraineté (victoire de Mons-en-Pévèle, 1304), après avoir été battu par les villes flamandes à Courtrai (bataille des Éperons d'or, 1302). Peut-être dans l'espoir de relever les finances du royaume, il entama un procès contre les Templiers (1307-1314), dont il confisqua les biens : l'ordre fut supprimé (1312), ses dignitaires furent brûlés (1314). Il accomplit une importante œuvre de centralisation, et même de « planification » : établissement d'un budget annuel, amélioration des services du Trésor, perfectionnement des divers rouages de l'administration (notam. le Conseil du roi, la Chancellerie royale, les parlements) et augmentation du nombre des officiers royaux (baillis et sénéchaux). Quant au violent conflit qui opposa le roi à la papauté, il se termina à l'avantage du roi : ayant débuté en 1296 (affaire des décimes, impôt que le roi voulut lever sur le clergé), il se poursuivit par l'arrestation de l'évêque de Pamiers (1301) et atteignit son point culminant en 1303, Nogaret giflant et arrêtant Boniface VIII à Anagni. Après la mort de ce dernier, Philippe soutint l'élection d'un pape français, Clément V, qui s'installa à Avignon (1309), plaçant ainsi la papauté sous la tutelle du roi de France. – **Philippe V le Long** (?, v. 1293 - Longchamp, 1322), roi de France (1316-1322), deuxième fils du préc. ; régent puis roi après les quelques jours de règne de Jean Ier, son neveu (1316). Pour accéder au trône, il obtint que Jeanne, fille de son frère Louis X le Hutin, renonçât à ses droits à la couronne (il donna ainsi des arguments à ceux qui plus tard invoquèrent la loi salique pour écarter les femmes du trône de France). Il mit fin à la guerre de Flandre et poursuivit l'organisation

couronnement de **Philippe II Auguste,** miniature, XVe s., *les Grandes Chroniques de France,* par Jean Fouquet ; B.N.

premier sceau de **Philippe IV le Bel,** 1286 : le roi assis sur quatre lions tient une fleur de lis dans la main droite et le sceptre dans la gauche ; Archives nationales, Paris

du pouvoir royal, ébranlé après la mort de Philippe le Bel. Sa consultation fréquente des états généraux donna une plus grande assise à cette assemblée. – **Philippe VI de Valois** (?, 1293 – Nogent-le-Roi, 1350), roi de France (1328-1350); fils de Charles de Valois (frère de Philippe le Bel) et de Marguerite de Sicile, successeur de Charles IV le Bel. Premier roi de la dynastie des Valois, Charles IV n'ayant laissé qu'une fille, Blanche, Philippe fut choisi comme roi malgré les prétentions d'Édouard III d'Angleterre, qui revendiquait la couronne en tant que petit-fils (par sa mère Isabelle) de Philippe le Bel. Cette querelle marqua le début de la guerre de Cent Ans : les défaites de L'Écluse (1340) et de Crécy-en-Ponthieu (1346), ainsi que la chute de Calais (1347) affaiblirent le royaume, en proie à une terrible épidémie de peste (1347-1348). Philippe acquit le Dauphiné (1343) et Montpellier (1349). Il fut le créateur (1341) d'un impôt sur le sel, la gabelle.

Philippe d'Orléans. V. Orléans (maisons d').

Philippe Égalité. V. Orléans (maisons d').

HESSE

Philippe le Magnanime (Marburg, 1504 – Kassel, 1567), landgrave de Hesse (1509-1567). Converti à la Réforme (1524), il dirigea la ligue de Smalkalde (1531-1547) contre Charles Quint, qui le fit prisonnier à Mühlberg (1547); il fut libéré en 1552, grâce à Maurice de Saxe.

◊ ◊ ◊

Philippe de Vitry (Vitry, 1291 - Meaux, 1361), prélat, théoricien de la musique et compositeur français. Son traité *Ars nova musicæ* expose les principes de la notation mesurée et du contrepoint. Il fut nommé évêque de Meaux en 1351.

Philippe d'Édimbourg. V. Mountbatten (Philip).

Philippes, anc. v. macédonienne (Thrace), nommée d'abord *Crénides*, dont Philippe II s'empara en 358 av. J.-C. Elle fut le centre des exploitations minières du mont Pangée. Octave et Antoine y écrasèrent l'armée de Brutus et de Cassius en 42 av. J.-C.

Philippeville. V. Skikda.

philippin, ine adj. et n. Des îles Philippines. ▷ Subst. *Un(e) Philippin(e).*

philippine n. f. Jeu dans lequel deux personnes se partagent deux amandes jumelles (la première qui salue l'autre d'un « Bonjour Philippine ! » est la gagnante).

Philippines (mer des), partie de l'océan Pacifique s'étendant au N. et à l'E. des îles Philippines.

Philippines (rép. des), archipel et État d'Asie du Sud-Est situé entre l'archipel indonésien et Taiwan, bordé à l'O. par la mer de Chine et à l'E. par l'océan Pacifique ; 300 000 km^2 ; 60 684 880 hab., croissance démographique : plus de 2,5 % par an ; cap. *Manille*. Les plus import. des 7 000 îles sont Luçon et Mindanao, suivies de Samar, Negros, Leyte, Cebu, Palauan, Mindoro, Panay, Masbate, Bohol. Nature de l'État. : rép. Langue off. : tagalog (pilipino). Monnaie : peso philippin. Religion : catholicisme (85 %), islam (4 %).

Géogr. phys. et hum. – Les Philippines appartiennent à la « ceinture de feu » du Pacifique et sont bordées à l'E. d'une des fosses marines les plus profondes du monde (– 10 800 m). L'archipel, marqué par un volcanisme actif et d'importants séismes, est formé de plus de 7 000 îles (dont moins de 1 000 habitées) et compte 23 000 km de côtes. Le relief montagneux (culminant au volcan Apo à 2 955 m) est soumis à une violente érosion par des cours d'eau nombreux et courts. Les vallées et les rares plaines, aux sols volcaniques fertiles, portent les plus fortes concentrations humaines. Le climat est tropical humide, l'E. du pays étant toujours pluvieux, alors que l'O. connaît une saison sèche (pluies de mousson en été). La forêt dense, en recul, est la végétation dominante et la savane couvre 40 % du territoire. La population, d'origine malaise pour l'essentiel, compte quelques minorités ethniques (Négritos, Igorot, Moro); divers apports extérieurs s'y sont ajoutés (Chinois, Indonésiens, Européens). L'influence espagnole a été décisive quant à la religion (85 % de catholiques) alors que l'influence américaine se traduit

dans le mode de vie et la pratique de l'anglais (40 % des hab.). Les régions ouest de Luçon et Cebu sont surpeuplées et une émigration importante se poursuit vers Mindanao, en dépit de la résistance des musulmans de l'île. La population et les villes (plus de 40 % des hab.) sont en croissance rapide.
Écon. – L'agriculture occupe plus de 40 % des actifs. 10 % des grands propriétaires possèdent 80 % des terres et la réforme agraire promise par C. Aquino n'a été suivie que de peu d'effets. La colonisation spontanée permet d'étendre la surface agricole, consacrée pour 85 % au riz et au maïs (cultures vivrières), à la noix de coco et à la canne à sucre. Coprah, fruits et légumes constituent les principales export. agricoles, avec les produits de la pêche et le bois. Les investissements japonais et américain ont soutenu une croissance industrielle rapide, en particulier dans les zones franches de Manille : sidérurgie, raffinage, agroalimentaire, confection, montage d'appareils électriques et électron. Les produits manufacturés représentent 45 % des exportations et les Philippines font partie des prétendants au statut de nouveau pays industriel (N.P.I.). Les troubles intérieurs, l'instabilité politique, le surendettement, sont autant d'incertitudes qui pèsent sur les perspectives de développement écon. du pays.
Hist. – Les Philippines appartinrent à divers empires maritimes, et notam. aux royaumes indo-malais de Crīvijaya et de Madjapalut (VIIe-XVIe s.). En 1521, Magellan découvrit l'archipel. En 1543, Villalobos lui donna son nom actuel en l'honneur de l'infant d'Espagne, le futur Philippe II. Quatre siècles de tutelle coloniale suivirent, marqués par la christianisation profonde du pays, jusque-là gagné à l'islam. À la fin du XIXe s., les mouvements nationalistes philippins, un moment écrasés par les troupes espagnoles, profitèrent de la guerre hispano-américaine (1897), et de la défaite espagnole, pour proclamer une indépendance sans lendemain : les É.-U. annexèrent les Philippines en 1898, mais durent lutter contre le héros de l'indépendance, E. Aguinaldo, jusqu'en 1901. Peu à peu ils concédèrent des réformes, puis l'autonomie, dont le principe fut obtenu en 1916 par Manuel Quezón, qui devint en 1935 président d'un pays autonome, mais non encore indépendant. En décembre 1941, les Japonais débarquèrent et conquirent l'archipel, chassant en 1942 MacArthur des positions qu'il y détenait. Des maquis philippins s'organisèrent, probablement sous la direction des communistes; en oct. 1944, MacArthur revint dans l'île et livra, jusqu'en avril 1945, une des plus dures batailles de la Seconde Guerre mondiale. En 1946, les Philippines accédèrent à l'indépendance, avec le libéral Roxas pour président. Les liens allaient demeurer étroits avec les É.-U., qui, en contrepartie d'une importante aide financière et économique, conservèrent dans le pays, jusqu'en 1992, les plus importantes installations militaires hors de leurs frontières. Élu président de la République en 1965, Ferdinand Marcos se maintint au pouvoir jusqu'en 1986. Il réalisa une réforme agraire mais gouverna de manière autoritaire, notam. de 1972 à 1981, au travers de la loi martiale proclamée pour combattre la guérilla, d'inspiration maoïste, de la Nouvelle Armée du peuple (N.A.P.) et celle, autonomiste musulmane, du Front de libération nationale Moro (F.L.N.M.). L'assassinat, en 1983, de l'opposant Benigno Aquino déclencha un mouvement populaire qui aboutit, malgré le soutien accordé au régime par R. Reagan, au départ en exil de Marcos en fév. 1986 et à son remplacement par la veuve de B. Aquino, Corazon Aquino. Le rétablissement de la démocratie a permis le retour au pouvoir de l'oligarchie terrienne, évincée par Marcos. Corruption, clientélisme et népotisme n'ont pas été éliminés. Les guérilleros (les communistes de la N.A.P., les indépendantistes de l'île de Mindanao, les séparatistes musulmans du F.L.N.M.) n'ont pas rendu les armes. Malgré d'importants succès électoraux, le régime de C. Aquino (1986-1992) s'est s'appuyé de façon croissante sur la fraction légaliste de l'armée pour déjouer diverses tentatives de coup d'État (dont le plus grave en déc. 1989). Après l'éruption du volcan Pinabuto en juin 1991, le site de la base aérienne de Clark, très endommagé, a été abandonné par les États-Unis. En sept. 1991, le Sénat philippin n'a pas renouvelé le traité relatif à la présence des bases américaines. En mai 1992, des élections générales portent Fidel Ramos, militaire de carrière, à la présidence. En sept., il a légalisé le parti communiste. En 1996, un accord pour la paix et le développement des Philippines du Sud a été conclu entre le gouvernement et le Front de libération nationale moro (F.L.N.M.). En mai 1998, Joseph Estrada a été élu président de la République.

philippique n. f. Litt. Harangue, discours violent dirigé contre qqn.

philistin, ine n. et adj. **1.** n. m. (Rare au fém.) Personne peu ouverte à la nouveauté, bornée. **2.** adj. Propre aux Philistins.

Philistins, peuple de l'Antiquité qui fit partie de la grande migration des Peuples de la Mer. Refoulés d'Égypte par Ramsès III au début du XIIe s. av. J.-C., les Philistins s'installèrent sur la côte S. de la Palestine (dont le nom signifie : «pays des Philistins»), où ils créèrent une confédération de cinq cités : Gaza, Ascalon, Eqron, Gat, Asdod. Ils luttèrent contre les Hébreux, à l'époque des Juges (Samson est le héros semi-légendaire de ces luttes) et furent définitivement vaincus par David (Xe s. av. J.-C.).

Phillips (Stephen) (Summertown, Oxford, 1864 – Deal, Kent, 1915), écrivain anglais. Poète symboliste, puis auteur de drames en vers : *Paolo et Francesca* (1899), *Néron* (1906).

philo-. V. phil(o)-.

philo n. f. Fam. Philosophie. *Un bouquin de philo.* ▷ *Classe de philo* ou *philo* : autref., une des classes terminales, qui dispensait cet enseignement. *Il a fait philo.*

Philoctète, dans la myth. gr., héros de la guerre de Troie; héritier de l'arc et des flèches d'Héraclès. Mordu par un serpent dans l'île de Lemnos, abandonné par ses compagnons d'armes car sa blessure exhale une odeur fétide, il y séjourne dix ans. Un oracle ayant révélé aux Grecs qu'ils ne s'empareraient de Troie que s'ils possèdaient l'arc et les flèches d'Héraclès, Ulysse vient les chercher. Guéri par le fils d'Asclépios, Machaon, Philoctète prend part aux combats et tue Pâris.

philodendron n. m. Arbuste (fam. aracées), originaire d'Amérique centrale, aux feuilles décoratives.

philologie n. f. Didac. Étude d'une langue, de sa grammaire, de son histoire d'après les textes. *Philologie grecque, latine, anglaise, etc.*

philologique adj. Didac. Qui concerne la philologie.

philologue n. Personne spécialiste de philologie.

Philomèle, dans la myth. gr., fille du roi d'Athènes Pandiôn, sœur de Procné. Le mari de cette dernière, Térée, lui coupa la langue pour qu'elle ne révèle pas les violences qu'il lui avait fait subir. Procné la vengea en tuant Itys, le fils qu'elle avait eu de Térée, qu'elle servit à son mari au cours d'un repas. Philomèle et Procné, pourchassées par Térée, furent changées par les dieux, la première en rossignol, la seconde en hirondelle. Quant à Térée, il fut changé en huppe.

Philon d'Alexandrie ou **Philon le Juif** (Alexandrie, v. 20 av. J.-C. – ?, v. 45 apr. J.-C.), philosophe grec d'origine juive. Il entreprit de concilier la doctrine biblique et la pensée hellénistique (platonisme, stoïcisme). Ses idées influencèrent les néo-platoniciens.

Philopœmen (Megalopolis, 253 – Messène, 184 av. J.-C.), général grec; chef de la ligue Achéenne, surnommé *le Dernier des Grecs.* Il s'empara de Sparte (188 av. J.-C.), mais succomba devant les Messéniens, soutenus par Rome, et fut condamné à s'empoisonner.

philosophale adj. f. *Pierre philosophale* : pierre qui, d'après les alchimistes, pouvait transmuter en or les métaux vils.

philosophe n. et adj. **I.** n. **1.** Personne qui étudie la philosophie, qui s'efforce de découvrir les principes des sciences, de la morale, de la vie en général, et qui tente d'organiser ses connaissances en un système cohérent. **2.** Cour. Personne qui fait preuve d'égalité d'âme, qui supporte tout avec sérénité. *Il a pris en philosophe ce revers de fortune.* **II.** adj. Sage, tolérant, serein. *Savoir être philosophe.*

philosopher v. intr. [1] **1.** Traiter de sujets philosophiques. **2.** Argumenter, raisonner, discuter sur un sujet quelconque. ▷ Péjor. Argumenter de façon oiseuse.

philosophie n. f. **1.** Branche du savoir qui se propose d'étudier les principes et les causes au niveau le plus général, d'étudier les fondements des valeurs morales, et d'organiser les connaissances en un système cohérent. **2.** Recherche, étude des principes qui fondent une science, un art. *Philosophie de l'histoire, de la peinture.* **3.** Doctrine philosophique. *La philosophie de Descartes, de Heidegger.* **4.** Cour. Égalité d'humeur, calme, courage. *Supporter une disgrâce avec philosophie.* **5.** Matière d'enseignement comprenant la psychologie, la morale, la logique et la métaphysique. ▷ Anc. Classe où l'on enseignait la philosophie (correspond auj. aux sections A et B de la classe terminale de l'enseignement secondaire). (Abrév. fam. : philo).
ENCYCL Jusqu'à Descartes et Leibniz (XVIIe-déb. XVIIIe s.), la philosophie englobe l'ensemble des sciences et des recherches théoriques, inséparables d'une perspective métaphysique. Constatant les divergences idéologiques des philosophes et la certitude des mathématiques, Kant, à la fin du XVIIIe s., oriente la philosophie vers une théorie de la connaissance. La philosophie

devient un retour critique du savoir sur lui-même. Au début du XIXe s., Hegel est le dernier philosophe qui tente une récapitulation du savoir (à l'aide de la dialectique) : la philosophie rencontre l'histoire et le devenir. Ses successeurs, néo-kantiens ou jeunes hégéliens, se trouveront face à une triple opposition où Marx, Nietzsche et Freud se proposent de démystifier l'*illusion philosophique*, de mettre à nu ce qu'elle déforme : la justification du système social, la dynamique de la création des valeurs, les déterminations inconscientes de la conscience. Au XXe s., le développement des sciences humaines a amorcé la crise définitive de la philosophie en tant que réflexion totalisante sur le devenir humain.

philosophique adj. **1.** Qui appartient à la philosophie. *Mener des recherches philosophiques.* **2.** Empreint de sagesse. *La tranquillité philosophique de ceux qui ont beaucoup vécu.*

philosophiquement adv. **1.** Du point de vue de la philosophie. **2.** À la manière des philosophes, avec sérénité. *Se résigner philosophiquement à la mort.*

philtre n. m. Breuvage magique propre à inspirer l'amour.

phimosis [fimozis] n. m. MED Étroitesse anormale du prépuce, qui empêche de découvrir le gland.

phléb(o)-. Élément, du gr. *phlebs, phlebos*, « veine ».

phlébite n. f. Thrombose veineuse siégeant en général aux membres inférieurs et survenant le plus souvent chez les cardiaques, les accouchées, les opérés récents.

phlébographie n. f. MED Radiographie des veines après injection d'un produit de contraste.

phlébologie n. f. MED Branche de la médecine qui étudie les veines et le traitement de leurs affections.

phlébologue n. Spécialiste de phlébologie.

phlébotome n. m. **1.** CHIR Anc. Lancette utilisée autrefois pour les saignées. **2.** ZOOL Petit moustique (genre *Phlebotomus*) des régions méditerranéennes et tropicales, vecteur de la leishmaniose.

phlébotomie n. f. CHIR Incision de la paroi d'une veine.

phlegmon n. m. Infiltration purulente aiguë du tissu sous-cutané ou du tissu conjonctif d'un organe. *Phlegmon circonscrit, diffus.*

Phlégréens (champs), région volcanique d'Italie, à l'O. de Naples.

phléole. V. fléole.

phlox [flɔks] n. m. inv. Plante ornementale herbacée aux fleurs de couleurs variées, originaire d'Amérique.

phlyctène n. f. MED Vésicule souscutanée remplie de sérosité transparente. Syn. cour. ampoule.

pH-mètre n. m. TECH Appareil servant à la mesure du pH. *Des pH-mètres.*

Phnom Penh, cap. et principal port fluvial du Cambodge, au confl. du Mékong et du Tonlé Sap; env. 800 000 hab. (env. 1 800 000 hab. av. 1975). Centre commercial; industr. alimentaires, textiles et du bois. – Fondée au XVe s., cap. du pays jusqu'au XVIe s., elle redevint cap. en 1867. Les Khmers rouges entrèrent dans la ville le 17 avril 1975 et entreprirent d'en déporter les habitants à la campagne. En 1979, les Khmers rouges en furent chassés par les troupes vietnamiennes.

-phobe, -phobie. Éléments, du gr. *phobos*, « crainte ».

phobie n. f. **1.** PSYCHIAT Peur irraisonnée, angoissante et obsédante, de certains objets, de certaines situations. **2.** Cour. Crainte ou aversion. *Il a la phobie du travail.*

phobique adj. PSYCHIAT **1.** Qui a rapport à la phobie. *Névrose phobique.* **2.** Atteint de phobie. ▷ Subst. *Un, une phobique.*

Phobos, l'un des deux satellites de Mars. De forme ovoïdale (27 km sur 19 km), il gravite à 6 000 km de la surface de la planète.

Phocée, anc. v. d'Asie Mineure (Ionie), dans le golfe de Smyrne, fondée probablement par des Phocidiens et des Athéniens. Une colonie de Phocéens fonda *Massalia* (l'actuelle Marseille) au VIe s. av. J.-C.

phocéen, enne adj. et n. **1.** ANTIQ GR De Phocée. *Navigateur phocéen.* ▷ Par ext. *Comptoir phocéen.* ▷ Subst. *Les Phocéens.* **2.** Litt. Marseillais. *La cité phocéenne* : Marseille (V. Phocée).

Phocide, contrée montagneuse de la Grèce, au N. du golfe de Corinthe, entre la Thessalie et la Béotie. La Phocide, où se trouvaient le Parnasse et le sanctuaire de Delphes, était un territoire sacré. Elle forme auj. *le nome de Phocide* : 2 121 km^2; 43 880 hab.; ch.-l. *Amphissa.*

Phocion (?, v. 402 – Athènes, 318 av. J.-C.), général et orateur athénien; adversaire de Démosthène, un des chefs du parti aristocratique, partisan d'une attitude conciliatrice vis-à-vis de Philippe II de Macédoine, sur lequel il remporta pourtant des succès militaires (Chersonèse, 340 av. J.-C.). Accusé injustement de trahison par les Athéniens, il dut boire la ciguë.

phocomèle adj. et n. MED Se dit d'un handicapé congénital dont les mains (ou les pieds) sont soudés au tronc, les membres supérieurs (ou inférieurs) faisant défaut.

Phoebus. V. Phébus.

phœnicoptéridés [fenikɔpteʀide] ou **phénicoptéridés** n. m. pl. ZOOL Famille d'ansériformes comprenant les flamants. – Sing. *Un phœnicoptéridé* ou *un phénicoptéridé.*

phœnix [feniks] ou **phénix** n. m. BOT Palmier, dont une espèce, le *phœnix des Canaries*, est cultivé comme plante d'appartement et dont une autre espèce est le dattier.

Phoenix, v. des É.-U., cap. de l'Arizona, sur la Salt River; 983 400 hab. (aggl. urb. 1 714 800 hab.). Marché d'une oasis prospère grâce à l'irrigation (barrage Roosevelt). Industr. aéronautique, électroniques, textiles.

Phokas, famille byzantine originaire de Cappadoce. – **Nicéphore** (IXe s.), général byzantin qui lutta contre les Arabes en Italie du Sud et contre les Bulgares. – **Léon** (m. en 919) et **Bardas** (Xe s.), fils du préc.; généraux et administrateurs. – **Nicéphore,** fils de Bardas. V. Nicéphore II. – **Léon** (m. en 971), frère du préc., occupa de hautes fonctions à la cour. – **Bardas** (m. en 989), fils du préc., lutta contre Jean Tsimiskès et fut deux fois empereur (971 et 987-989).

pholidotes n. m. pl. ZOOL Ordre de mammifères qui ne comprend que les pangolins. – Sing. *Un pholidote.*

pholiote n. f. BOT Champignon basidiomycète comestible, à lamelles jaunes ou brunes et à anneau, qui pousse en touffes sur les souches et à la base des vieux arbres.

pholque n. m. ENTOM Aranéide commune à très longues pattes et à petit corps.

phon-, phono-, -phone, -phonie. Éléments, du gr. *phônê*, « voix, son ».

phonateur, trice ou **phonatoire** adj. PHYSIOL, LING Qui a rapport à la phonation. *La fonction phonatoire du larynx.*

phonation n. f. PHYSIOL, LING Production des sons par les organes vocaux.

-phone. V. phon-.

phone n. m. PHYS Unité sans dimension mesurant l'intensité subjective des sons et des bruits.

phonématique n. f. et adj. LING Partie de la phonologie qui étudie uniquement les phonèmes, excluant de ses analyses les faits d'intonation, d'accentuation, etc. – adj. *Niveau phonématique*, où les phrases sont perçues comme des suites de phonèmes.

phonème n. m. LING Unité fondamentale de la description, en phonologie, segment indécomposable défini par ceux de ses caractères qui ont valeur distinctive; son du langage.

phonéticien, enne n. Spécialiste de phonétique.

phonétique adj. et n. f. LING **1.** adj. Relatif aux sons du langage. *Alphabet phonétique international. Description phonétique.* **2.** n. f. Branche de la linguistique ayant pour objet la description des sons de la parole, indépendamment de leur valeur dans le système de la langue (cf. phonologie). *Phonétique articulatoire*, qui étudie l'émission des sons par les organes de la parole. *Phonétique acoustique*, qui étudie la structure physique des sons. *Phonétique historique*, qui étudie les changements des sons intervenus au cours de l'histoire d'une langue.

phonétiquement adv. Du point de vue de la phonétique; de manière phonétique.

phonétisme n. m. LING Structure phonétique (d'une langue).

phoniatre n. Didac. Médecin spécialiste de phoniatrie.

phoniatrie n. f. Didac. Branche de la médecine qui étudie la phonation et le traitement de ses troubles.

-phonie. V. phon-.

phonie n. f. RADIOELECTR Transmission des messages par la voix (par oppos. à *graphie*, transmission par signaux morse).

phonique adj. Relatif aux sons ou à la voix.

phono-. V. phon-.

phono n. m. Fam., vieilli Phonographe. – *Par ext.* Électrophone.

phonocardiographie n. f. MED Enregistrement des bruits du cœur.

phonogramme n. m. **1.** Didac. Tracé de l'enregistrement des vibrations sonores de la voix humaine. **2.** LING Signe qui représente un son (par oppos. à l'*idéogramme*).

phonographe n. m. Ancien appareil mécanique servant à reproduire les sons, auj. remplacé par l'électrophone. (Abrév. : phono).

phonographique adj. Qui a rapport à l'enregistrement sonore (notam. à l'enregistrement sur disque). *Droits de reproduction phonographique.*

phonolit(h)e n. m. ou f. GEOL Roche volcanique microlithique qui résonne quand on la frappe. *Phonolithe du Velay.*

phonologie n. f. LING Branche de la linguistique qui s'attache à décrire les systèmes de phonèmes des langues en termes de différences et de ressemblances fonctionnelles (pertinentes pour la communication).

phonologue n. LING Spécialiste de l'étude fonctionnelle des sons du langage, de phonologie.

phonométrie n. f. TECH Mesure de l'intensité des sons.

phonon n. m. PHYS Quantum d'énergie du champ d'agitation thermique des noyaux. (Il transporte l'énergie *hf*, *h* étant la constante de Planck et *f* la fréquence d'oscillation.)

phonothèque n. f. Établissement où sont conservés des documents sonores (disques, bandes magnétiques, etc.).

phoque n. m. Mammifère des mers froides (ordre des pinnipèdes), de grande taille (de 1,50 m à plus de 5 m), aux oreilles sans pavillon, à la fourrure rase, aux pattes postérieures inaptes à la locomotion terrestre. *Les phoques se nourrissent de poissons et de mollusques. Le phoque commun est couramment appelé veau marin en France (loup-marin, au Canada). La chasse aux bébés-phoques est interdite.* ▷ Fourrure de cet animal. *Bottillons en phoque.*

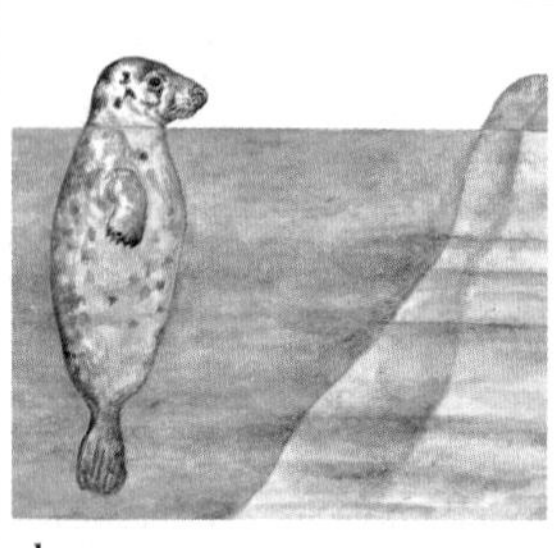
phoque

-phore. Élément, du gr. *pherein*, « porter ».

phosgène [fɔsʒɛn] n. m. CHIM Gaz très toxique ($COCl_2$) résultant de la combinaison du chlore et de l'oxyde de carbone, utilisé pendant la Première Guerre mondiale comme gaz de combat.

phosphatage n. m. AGRIC Action de phosphater le sol.

phosphate n. m. **1.** CHIM Anc. Sel ou ester de l'acide phosphorique. ▷ Mod. (Dans la nouvelle nomenclature.) Anion oxygéné du phosphore. **2.** Engrais constitué d'un mélange de phosphates.

phosphaté, ée adj. **1.** Didac. Qui est à l'état de phosphate. ▷ Qui renferme des phosphates. *Engrais phosphaté.* **2.** Cour. Se dit de préparations contenant du phosphate de calcium. *Bouillie phosphatée.*

phosphater v. tr. [1] Fertiliser (une terre) avec des phosphates.

phosphaturie n. f. MED Élimination des phosphates par l'urine.

phosphène n. m. PHYSIOL Sensation lumineuse provoquée par un choc sur le globe oculaire ou par une excitation électrique, la paupière étant fermée.

phospho-. CHIM Élément, de *phosphore.*

phosphocalcique adj. Didac. Qui concerne le phosphore (sous forme de phosphate) et le calcium, spécial. en médecine. *Bilan phosphocalcique.*

phospholipide n. m. BIOCHIM Lipide phosphoré présent dans toutes les cellules vivantes, dont le rôle métabolique est très important.

phosphore n. m. Élément non métallique de numéro atomique Z = 15, de masse atomique 30,97 (symbole P). *L'élément phosphore est indispensable à l'organisme.* – Corps simple (P), solide à température ordinaire et dont il existe deux variétés allotropiques : le *phosphore blanc*, très toxique, qui fond à 44 °C et le *phosphore rouge*, non toxique. *Le phosphore rend la fonte cassante et doit en être éliminé. Luminescence du phosphore blanc* : V. phosphorescence.

phosphoré, ée adj. Additionné de phosphore ; qui contient du phosphore.

phosphorer v. intr. [1] Fam. Réfléchir intensément ; se livrer avec ardeur, opiniâtreté, à un travail intellectuel.

phosphorescence [fɔsfɔʀesɑ̃s] n. f. **1.** Cour. Luminescence du phosphore blanc, due à son oxydation spontanée à l'air libre. – *Par ext.* Luminescence d'un corps quelconque. ▷ Luminescence d'un être vivant. *La phosphorescence du ver luisant.* **2.** PHYS Propriété que présentent certains corps d'émettre de la lumière après avoir été soumis à un rayonnement, visible ou non (lumière, rayons ultraviolets, chaleur, etc.).

phosphorescent, ente adj. **1.** Qui émet une lueur dans l'obscurité sans dégagement de chaleur. *La noctiluque est phosphorescente.* ▷ Qui semble émettre une lueur (en réfléchissant la moindre lumière captée). *Les yeux phosphorescents des chats.* **2.** PHYS Luminescent par phosphorescence (au sens 2). ▷ Cour. Qui évoque la lumière émise par les corps phosphorescents (au sens 2). *Un vert phosphorescent.*

phosphoreux, euse adj. Didac. Qui contient du phosphore. *Fonte phosphoreuse.* ▷ CHIM *Anhydride phosphoreux*, de formule P_2O_3, obtenu lors de la combustion lente du phosphore. – *Acide phosphoreux*, de formule H_3PO_3.

phosphorique adj. CHIM *Anhydride phosphorique*, de formule P_2O_5, obtenu lors de la combustion vive du phosphore. ▷ *Acide phosphorique*, de formule H_3PO_4.

-phot, -phote, photo-. Éléments, du gr. *phôs, phôtos*, « lumière ».

phot [fɔt] n. m. PHYS Unité d'éclairement égale à 10 000 lux, soit 1 lumen par cm^2 (symbole ph).

Photius ou **Photios** (Constantinople, v. 820 – id., 895), patriarche de Constantinople. Luttant contre l'autorité du pape Nicolas Ier, il fit prononcer sa déposition par le 4e concile de Constantinople (869-870). Malgré le rétablissement rapide de l'union entre Byzance et Rome, Photius a rendu possible, dès le IXe s., le schisme finalement survenu deux siècles plus tard.

photo. V. photographie.

photobactérie n. f. MICROB Bactérie luminescente.

photobiologie n. f. BIOL Étude de l'action de la lumière sur les organismes vivants.

photochimie n. f. CHIM Étude des réactions chimiques produites ou favorisées par la lumière.

photochimique adj. CHIM Qui a rapport à la photochimie, aux effets chimiques de la lumière.

photochromique ou **photochrome** adj. TECH *Verre photochromique* : verre dont la teinte change suivant l'intensité lumineuse, utilisé notam. dans la fabrication de certaines lunettes de soleil.

photochromisme n. m. TECH Phénomène caractérisé par une variation réversible du spectre d'absorption d'un corps suivant l'intensité lumineuse qu'il reçoit.

photocomposeuse n. f. TECH Appareil pour la photocomposition.

photocomposition n. f. TECH Composition photographique d'un texte destiné à l'impression.

photoconducteur, trice adj. ELECTR Se dit d'un corps conducteur dont la résistivité varie sous l'action d'un rayonnement lumineux.

photoconduction n. f. ELECTR Variation de la résistivité d'un corps conducteur sous l'action de la lumière.

photocopie n. f. Procédé de reprographie ; phototype ainsi obtenu.

photocopier v. tr. [1] Effectuer la photocopie de. *Photocopier un rapport.*

photocopieur n. m. ou **photocopieuse** n. f. Appareil pour la photocopie.

photocopillage n. m. Pratique illicite consistant à photocopier un livre (ou de larges extraits) pour éviter de l'acheter.

photodégradable adj. TECH Se dit d'une matière susceptible de subir la photodégradation.

photodégradation n. f. TECH Dégradation de certaines matières plastiques sous l'action des rayons ultraviolets.

photodiode n. f. ELECTRON Diode dans laquelle un rayon lumineux incident provoque une variation du courant électrique et peut, ainsi, déclencher un mécanisme électronique. *Une photodiode (quelques millimètres cubes) est utilisée notam. pour les systèmes de comptage et les systèmes de sécurité divers.*

photoélectricité n. f. ELECTR Ensemble des phénomènes électriques liés à l'action des radiations (visibles ou non) sur certains corps. ▷ *Spécial.* Photoémission.

photoélectrique adj. ELECTR *Effet photoélectrique* : émission d'électrons sous l'effet de la lumière (photoémission), ou, plus généralement, sous l'action d'un rayonnement électromagnétique. ▷ *Cellule photoélectrique* : dispositif fondé sur l'effet photoélectrique, destiné à mesurer l'intensité d'un flux lumineux. – *Par ext.* Tout dispositif de mesure d'un flux lumineux.

photoémetteur, trice ou **photoémissif, ive** adj. PHYS Qui émet des électrons sous l'action de la lumière.

photoémission n. f. ELECTRON Émission d'électrons sous l'action de la lumière.

photo-finish ou **photofinish** [fɔtofiniʃ] n. f. (Anglicisme) Photographie, film pris par un appareil photographique, une caméra, qui enregistre automatiquement l'arrivée d'une course. *Des photos-finish ou des photofinish.*

photofission n. f. PHYS NUCL Fission d'un atome sous l'action de photons.

photogénie n. f. Qualité de ce qui est photogénique.

photogénique adj. **1.** Qui donne des images photographiques nettes, de bonne qualité. *Texture, matière photogénique.* **2.** Cour. Dont l'image photographique est plaisante à regarder. ▷ Auquel la photographie confère une beauté, un charme parfois trompeurs.

photogrammétrie n. f. TECH Ensemble des techniques permettant de mesurer et de situer les objets dans les trois dimensions de l'espace par l'analyse d'images perspectives (le plus souvent photographiques) en deux dimensions. *Traçage des cartes par photogrammétrie à partir de vues aériennes.*

photographe n. **1.** Personne qui photographie. *Photographe amateur.* – Professionnel de la photographie. *Photographe de presse, de mode.* **2.** Commerçant, professionnel qui se charge du développement et du tirage des films qu'on lui confie, de la vente de matériel photographique.

photographie ou, cour., **photo** n. f. **1.** Art de fixer durablement l'image des objets par utilisation de l'action de la lumière sur une surface sensible. *Les applications de la photographie dans le domaine des sciences. Histoire de la photographie.* – Art et technique de la prise de vue photographique (on dit presque exclusivement *photo,* en ce sens). *Faire de la photo; aimer la photo. Des appareils photo.* **2.** Image obtenue par photographie. *Prendre, développer, tirer des photos.* – *Spécial.* Image d'une personne obtenue par photographie. *Photo d'identité. Prendre une photo de qqn; prendre qqn en photo.* ▷ Fam. *Il n'y a pas photo* : il n'y a aucun doute, c'est évident. **3.** Fig. Image, reproduction exacte. *Son rapport était une photographie de la situation.*

ENCYCL Le procédé photographique repose sur deux principes : la formation de l'image dans la chambre noire, et la sensibilité à la lumière des composés halogénés de l'argent. Un appareil photographique se compose essentiellement : d'une chambre noire; d'un objectif avec diaphragme; d'un dispositif de mise au point déplaçant tout ou partie de l'objectif par rapport au plan de la surface sensible; d'un viseur destiné au cadrage et, parfois, au contrôle de la mise au point et des différents réglages; d'un obturateur; éventuellement d'appareils permettant de mesurer l'éclairement du sujet et la distance; enfin d'un dispositif servant à contenir ou à introduire la surface sensible. La photographie, en outre, fonctionne selon d'autres procédés que ceux utilisant les composés halogénés d'argent. – *Les polymères photosensibles* ont la propriété de perdre leur solubilité sous l'action de la lumière ou d'une autre radiation. Ils sont utilisés en photogravure, pour la fabrication des micro-éléments des circuits imprimés ainsi que pour l'usinage chimique des grandes pièces en aluminium et en alliages légers. – *L'électrophotographie* utilise certaines substances photoconductrices (oxyde de zinc, par ex.), non conducteurs à l'obscurité; l'image se forme sur une surface sensible, chargée par un puissant champ électrique avant son exposition.

photographier v. tr. [1] **1.** Enregistrer l'image de (qqn, qqch) par la photographie. *Photographier un monument.* **2.** Fig. Enregistrer avec précision dans son esprit l'image de (qqn, qqch). ▷ Faire une peinture, une description très minutieuse de. *Balzac a photographié la société de son temps.*

photographique adj. Qui appartient, qui sert à la photographie. *Appareil photographique* ou, abrév., *appareil photo.* – Obtenu par photographie. *Cliché photographique.* ▷ Fig. *Une précision photographique.*

photographiquement adv. **1.** Par des moyens photographiques. **2.** Fig. Avec l'exactitude de la photographie.

photograveur n. m. Spécialiste de la photogravure.

photogravure n. f. Ensemble des opérations conduisant à l'obtention, par voie photographique, de clichés dont les éléments imprimants sont en relief, en creux ou à plat, selon le procédé d'impression; image obtenue, reproduite d'après ce cliché.

photo-interprétation n. f. TECH Analyse de photographies aériennes en vue d'établir des cartes (topographiques, pédologiques, etc.).

photojournalisme n. m. Activité du reporter photographe.

photolithographie n. f. **1.** Ensemble des procédés de gravure photochimique où la forme imprimante ne comporte ni relief ni creux. **2.** ELECTRON Technique de fabrication de circuits intégrés consistant à créer des parties oxydées sur la surface d'une puce de silicium exposée aux ultraviolets.

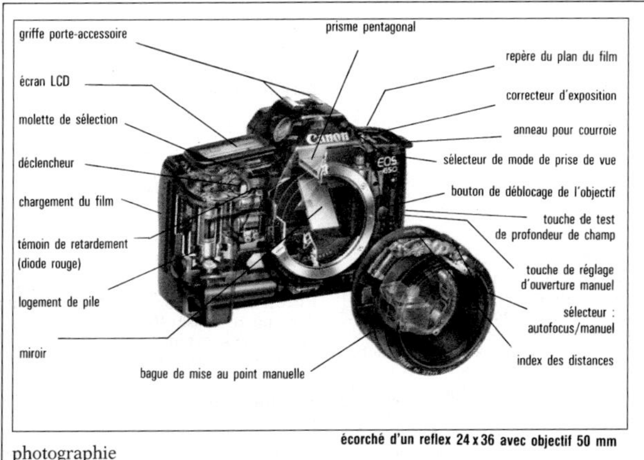

photographie

écorché d'un reflex 24 x 36 avec objectif 50 mm

photoluminescence n. f. Didac. Luminescence d'un corps qui renvoie une radiation d'une longueur d'onde différente de celle qu'il absorbe.

photolyse n. f. CHIM Décomposition chimique sous l'action de la lumière.

photomacrographie n. f. Syn. de *macrophotographie.*

photomaton n. m. (Nom déposé.) Installation de photographie payante, dotée d'un dispositif mixte pour prendre, développer et tirer automatiquement et instantanément les clichés. – Cliché ainsi obtenu.

photomécanique adj. TECH Se dit de tout procédé de reproduction qui permet de créer des clichés, des matrices ou des planches d'impression par des moyens photographiques ou photochimiques.

photomètre n. m. TECH Appareil servant à mesurer l'intensité lumineuse.

photométrie n. f. PHYS Mesure de l'intensité d'une source lumineuse.

photomicrographie n. f. Syn. de *microphotographie.*

photomontage n. m. Montage de photographies.

photon n. m. PHYS Particule de masse et de charge nulles associée à un rayonnement lumineux ou électromagnétique.

photonique adj. Des photons.

photopériode n. f. BIOL Durée de lumière diurne affectant un organisme.

photopériodisme n. m. BOT Ensemble des phénomènes liés à la succession du jour et de la nuit, qui affectent la vie des plantes.

photophobie n. f. MED Crainte pathologique de la lumière liée à certaines affections oculaires ou cérébrales.

photophore n. m. **1.** Lampe à réflecteur. *Photophore de mineur, de spéléologue,* destiné à être fixé au casque. ▷ Lampe portative à manchon incandescent. **2.** Coupe décorative en verre, destinée à recevoir une bougie.

photopile n. f. TECH Générateur de courant continu qui transforme en électricité l'énergie lumineuse qu'il reçoit, appelé aussi *batterie* (ou *pile*) *solaire. Satellite alimenté par photopiles.*

photorécepteur, trice n. m. et adj. BIOL Zone d'un organisme spécialisée dans la réception des ondes lumineuses. ▷ adj. *Cellule photoréceptrice.*

photoreportage n. m. Reportage photographique.

photorésistance n. f. ELECTR Résistance constituée de semi-conducteurs, dont la résistivité diminue lorsque l'éclairement augmente.

photorésistant, ante adj. ELECTR Qui a les propriétés d'une photorésistance.

photosensibilisation n. f. MED État d'hypersensibilité de la peau aux rayons solaires, qui entraîne une réaction inflammatoire ou allergique (démangeaisons, eczéma, etc.).

photosensible adj. TECH Sensible à la lumière, qui peut être impressionné par la lumière.

photosphère n. f. ASTRO La plus profonde des couches observables du Soleil, épaisse de quelques centaines de kilomètres, d'où provient la quasi-totalité du rayonnement solaire.

photostoppeur, euse n. Personne qui photographie les passants dans la rue, les lieux publics puis leur propose d'acheter la photo ainsi prise.

photostyle n. m. INFORM Dispositif d'entrée, en forme de crayon, que l'opérateur pointe directement sur un écran d'ordinateur.

photosynthèse n. f. BIOL, BOT Synthèse de substances organiques effectuée par les plantes vertes exposées à la lumière. ENCYCL La photosynthèse consiste en la transformation de l'énergie lumineuse en énergie chimique : à partir du gaz carbonique atmosphérique et de l'eau, les plantes vertes réalisent la synthèse de glucides (substances organiques riches en énergie) grâce à l'énergie lumineuse emmagasinée par la chlorophylle, pigment contenu dans les feuilles de ces plantes.

phototactisme n. m. BIOL Tactisme commandé par la lumière.

photothèque n. f. Lieu où l'on conserve une collection de documents photographiques; cette collection.

photothérapie n. f. MED Utilisation thérapeutique de la lumière.

phototropisme n. m. BOT Tropisme commandé par la lumière. *Phototropisme positif des fleurs et des feuilles. Phototropisme négatif des racines.*

phototype n. m. TECH Image photographique obtenue directement à partir du sujet.

phototypie n. f. TECH Procédé de reproduction par tirage aux encres grasses, dans lequel on insole une plaque sensible placée sous un phototype.

photovoltaïque adj. TECH *Effet photovoltaïque* : apparition d'une différence de potentiel entre deux couches d'une plaquette de semi-conducteur dont les conductibilités sont opposées, ou entre un semi-conducteur et un métal, sous l'effet d'un flux lumineux. *Cellule photovoltaïque* : générateur, appelé aussi *photopile*, qui utilise l'effet photovoltaïque.

Phraatès, nom de plusieurs rois parthes. – **Phraatès Ier** (m. v. 171 av. J.-C.), roi de 178 env. à sa mort. – **Phraatès II** (m. en 127 av. J.-C.), roi de 138 à sa mort. – **Phraatès III** (m. v. 57 av. J.-C.), roi de 69 à sa mort. Ses fils Mithridate III et Orodès Ier l'empoisonnèrent. – **Phraatès IV** (m. v. 2 apr. J.-C.), roi de 37 av. J.-C. à sa mort. Il vainquit les Romains en Arménie (36 av. J.-C.) et conclut une paix honorable avec Auguste.

phragmite n. m. **1.** BOT Plante herbacée (fam. graminées) dont une espèce est le roseau commun ou roseau à balais. **2.** ORNITH Fauvette des roseaux (genre *Acrocephalus*).

phrase n. f. **1.** Assemblage de mots, énoncé, qui présente un sens complet. *Phrase correcte, élégante, mal construite, boiteuse. Sujet et prédicat d'une phrase. Phrase ne comportant qu'un mot*, ou *mot-phrase.* (Ex. : *Cours!*) ▷ Au plur. *Faire des phrases, de grandes phrases* : avoir un langage affecté, tenir des discours vains et prétentieux. – *Petite phrase* : propos d'un homme politique repris par les médias pour leur impact supposé sur le public. – *Sans phrases* : sans ambages, sans détours. **2.** MUS Suite de notes ou d'accords présentant une certaine unité et dont la fin est marquée par un repos (cadence ou silence).

phrasé n. m. MUS Art de phraser; façon de phraser.

phraséologie n. f. **1.** Manière de construire les phrases, particulière à un milieu, à une époque, etc., ou propre à un écrivain. *La phraséologie de Zola.* **2.** Péjor. Usage de phrases verbeuses, de mots prétentieux et vides de sens.

phraséologique adj. Qui a rapport à la phraséologie.

phraser v. [1] **1.** v. intr. Faire des phrases, déclamer. **2.** v. tr. MUS Jouer ou chanter (un air, un fragment de mélodie) en faisant clairement sentir le développement des phrases musicales, en accentuant correctement celles-ci ou en posant les respirations là où elles sont nécessaires.

phraseur, euse n. Personne qui phrase, déclamateur prétentieux.

phrastique adj. LING De la phrase; qui a rapport à la phrase. *Analyse phrastique du discours.*

phratrie n. f. **1.** ANTIQ GR Subdivision de la tribu à Athènes. **2.** ETHNOL Groupe de clans au sein d'une tribu.

phréatique adj. GEOL *Nappe phréatique* : nappe d'eau souterraine, permanente ou temporaire, alimentée par les eaux d'infiltration. ▷ *Éruption phréatique* : éruption volcanique explosive, déclenchée par l'interaction du magma et de l'eau des nappes souterraines.

phrénique adj. (et n. m.) ANAT Du diaphragme, qui a rapport au diaphragme. *Nerf phrénique* ou, n. m., *le phrénique.*

phrénologie n. f. Anc. Étude des facultés intellectuelles et du caractère d'après les bosses et les dépressions crâniennes. *La phrénologie, fondée par Gall, est depuis longtemps abandonnée.*

phrygane n. f. ENTOM Insecte dont les larves, aquatiques, se protègent en construisant un fourreau à l'aide de divers matériaux (grains de sable, brindilles, etc.). Syn. cour. traîne-bûches.

Phrygie, anc. contrée du N.-O. de l'Asie Mineure, entre le Pont-Euxin et la mer Égée (ses limites ont considérablement varié au cours du temps); v. princ. Gordion, Dorylée, Hiérapolis, Colosses, Laodicée. Les Phrygiens, Indo-Européens qui émigrèrent de Thrace et de Macédoine pour s'installer dans cette contrée v. le XIIe s. av. J.-C., constituèrent le puissant royaume de Midas (VIIIe s. av. J.-C.), démantelé par les Cimmériens au VIIe s. av. J.-C. La Phrygie, tombée un siècle plus tard sous la domination de la Lydie, puis conquise par les Perses (546 av. J.-C.), passa ensuite successivement aux mains des Galates (v. 275 av. J.-C.), des rois de Pergame (188 av. J.-C.) et des Romains (133 av. J.-C.).

phrygien, enne adj. **1.** ANTIQ GR De Phrygie; relatif à la Phrygie, à ses habitants. ▷ Subst. *Un(e) Phrygien(ne).* **2.** Mod. *Bonnet* phrygien.*

Phryné (Thespies, auj. Thespiai, près de Thèbes, IVe s. av. J.-C.), courtisane grecque; maîtresse et modèle de Praxitèle. Elle aurait été accusée d'impiété mais acquittée par les juges, éblouis par sa beauté : Hypéride, son défenseur, la leur montra nue.

Phrynichos (fin du VIe s. – déb. du Ve s. av. J.-C.), poète tragique d'Athènes; l'un des pères de la tragédie. Il aurait introduit l'usage du masque et les rôles féminins sur la scène.

phtaléine n. f. CHIM Matière colorante formée par l'union de l'anhydride phtalique et d'un phénol.

phtalique adj. CHIM *Acide phtalique* : diacide de formule $C_6H_4(CO_2H)_2$ utilisé dans la fabrication des résines glycérophtaliques et de certains textiles synthétiques. – *Anhydride phtalique*, de formule $C_6H_4(CO)_2O$, utilisé dans la fabrication de parfums, de colorants, de plastifiants, etc.

Phthiotide, rég. de la Grèce antique, au N. du Parnasse, auj. nome dont le ch.-l. est *Lamia.*

phtisie n. f. Vx Tuberculose pulmonaire. *Phtisie galopante* : tuberculose pulmonaire évoluant très rapidement.

phtisiologie n. f. MED Partie de la médecine qui étudie et traite la tuberculose (et partic. la tuberculose pulmonaire).

phtisiologue n. MED Médecin spécialiste de phtisiologie.

phtisique adj. Vx Atteint de tuberculose pulmonaire. ▷ Subst. *Un(e) phtisique.*

Phuket, île et prov. de la Thaïlande, à l'entrée du détroit de Malacca; 543 km²; 147 500 hab. env.; ch.-l. *Phuket* (50 000 hab.). Gisements d'étain.

phyco-, -phycée. Éléments, du gr. *phukos*, « algue ».

phycologie n. f. BOT Partie de la botanique qui étudie les algues.

phycomycètes n. m. pl. BOT Classe de champignons primitifs à thalle non cloisonné et cellules reproductrices flagellées, souvent aquatiques, généralement parasites, que certains de leurs caractères rapprochent des algues brunes. – Sing. *Un phycomycète.*

phylactère n. m. **1.** RELIG Petite boîte contenant un parchemin où sont inscrits des versets de la Bible, que les juifs pieux portent attachée au bras et au front pendant la prière du matin. **2.** BX-A Banderole aux extrémités enroulées, portant la légende du sujet représenté, que certains artistes du Moyen Âge et de la Renaissance faisaient figurer entre les mains des statues, dans les tableaux, etc. ▷ Espace cerné d'un trait, à l'intérieur duquel sont inscrites les paroles que les personnages d'une bande dessinée sont censés prononcer (V. bulle 2, sens 2).

phyll-, -phylle, phyllo-. Éléments, du gr. *phullon*, « feuille ».

phyllie n. f. Insecte orthoptère tropical, au corps aplati, ressemblant à une feuille verte.

phyllotaxie n. f. BOT Ordre selon lequel les feuilles sont disposées sur la tige d'une plante.

phylloxéra n. m. Insecte hétéroptère dont une espèce *(Phylloxera vastatrix)* parasite la vigne. ▷ Maladie de la vigne provoquée par cet insecte.

phylloxérien, enne ou **phylloxérique** adj. Relatif au phylloxéra.

phylogenèse [filɔʒənɛz] ou **phylogénèse** [filɔʒenɛz] ou **phylogénie** [filɔʒeni] n. f. BIOL Mode de formation des espèces, évolution des organismes vivants. ▷ Science qui étudie cette évolution.

phylogénique ou **phylogénétique** adj. BIOL De la phylogenèse.

phylum [filɔm] n. m. BIOL Série animale ou végétale constituée d'espèces, de genres, de familles, etc., voisins ou descendant les uns des autres selon les lois de l'évolution.

physalie n. f. ZOOL Grande méduse des mers chaudes, remarquable par la volumineuse poche d'air qui lui sert de flotteur.

-physe. Élément, du gr. *phusis*, « action de faire naître, formation, production ».

physicalisme n. m. PHILO Doctrine empiriste qui fait de la physique et de sa terminologie un modèle pour les sciences humaines.

physicien, enne n. Spécialiste de physique.

physico-. Élément, de *physique*.

physico-chimique adj. Qui relève à la fois de la physique et de la chimie. *Des phénomènes physico-chimiques.*

physico-mathématique adj. et n. f. **1.** adj. Anc. Qui relève à la fois de la physique et des mathématiques. *Des questions physico-mathématiques.* **2.** n. f. Mod. Physique mathématique (V. physique 2).

physio-. Élément, du gr. *phusis*, « nature ».

physiocrate n. m. HIST, ECON Partisan de la physiocratie. *Turgot, Malesherbes étaient des physiocrates.*

physiocratie [fizjɔkʀasi] n. f. HIST, ECON Doctrine économique du XVIIIe s. qui faisait de l'agriculture la principale source de richesse et qui prônait la liberté du commerce et de l'entreprise. *Quesnay, principal représentant de la physiocratie.*

physiognomonie [fizjɔgnɔmɔni] n. f. Vieilli Art de connaître le caractère des hommes d'après l'examen de leur physionomie.

physiognomoniste [fizjɔgnɔmɔnist] n. Vieilli Personne qui étudie, qui pratique la physiognomonie.

physiologie n. f. **1.** Science qui étudie les phénomènes dont les êtres vivants sont le siège, les mécanismes qui règlent le fonctionnement de leurs organes, les échanges qui ont lieu dans leurs tissus. *Anatomie et physiologie. Physiologie végétale, animale, humaine.* ▷ *Par ext.* Ces phénomènes, ces mécanismes, ces échanges eux-mêmes. *Physiologie de la respiration. Physiologie du tube digestif.* **2.** HIST, LITTER Ouvrage littéraire qui s'attache à la description objective d'un fait humain, et dont le genre fut en grande vogue pendant la première moitié du XIXe s. *« Physiologie du goût ou Méditations de gastronomie transcendante » par Brillat-Savarin (1825).*

physiologique adj. **1.** De la physiologie, qui a rapport à la physiologie en tant que science. **2.** Qui a rapport à la physiologie, au fonctionnement d'un organisme ou d'un organe. ▷ Qui se manifeste dans le fonctionnement normal de l'organisme (par oppos. à *pathologique*). *Palpitations physiologiques,* dues à une émotion, un effort violent.

physiologiquement adv. Du point de vue de la physiologie.

physiologiste n. Médecin, chercheur spécialiste de physiologie.

physionomie n. f. **1.** Ensemble des traits, des caractères qui donnent au visage une expression particulière. *Une physionomie douce, spirituelle.* **2.** Ensemble des traits qui donnent son caractère particulier à une chose, à un lieu, etc. *La physionomie politique d'un pays.*

physionomiste adj. et n. **1.** adj. Se dit d'une personne qui a la mémoire des visages. **2.** n. Employé d'un casino chargé de reconnaître les personnes auxquelles le règlement ou une mesure d'éviction interdit l'accès aux salles de jeu.

physiopathologie n. f. MED Physiologie pathologique, étude des organismes malades.

physiothérapie n. f. MED Utilisation thérapeutique des agents physiques (eau, air, lumière, chaleur, froid, etc.).

1. physique adj. et n. m. **I.** adj. **1.** Qui se rapporte aux corps matériels, à la nature matérielle des corps. *Cause, effet physiques.* **2.** Qui concerne la nature, la matière, à l'exclusion des êtres vivants. *Géographie physique. Sciences physiques* : la chimie et la physique. **3.** Relatif à la physique (par oppos. à *chimique*). *Les propriétés physiques des corps.* **4.** Du corps humain, qui a rapport au corps humain. *Aspect physique d'une personne. – Culture physique* : gymnastique. ▷ Instinctif, incontrôlable. *Une peur physique de l'obscurité.* ▷ Qui concerne les sens. *Plaisir, amour physique.* **II.** n. m. **1.** Constitution, état de santé du corps humain. *Le physique et le moral.* **2.** Apparence, aspect extérieur d'une personne. *Avoir un physique séduisant.*

2. physique n. f. Science qui a pour objet l'étude des propriétés de la matière et la détermination des lois qui la régissent. *Expériences de physique. Physique atomique, nucléaire* : partie de la physique qui étudie la structure de l'atome et de son noyau, les propriétés des particules élémentaires et des forces qui s'exercent entre elles (fission*, fusion*, etc.). *Physique expérimentale**. ▷ *Physique de...* : discipline qui s'attache à l'étude des phénomènes physiques de... *Physique des surfaces. Physique du globe* ou *géophysique**. *Physique de l'Univers* ou *astrophysique**.
ENCYCL La distinction entre physique et chimie est auj. purement conventionnelle, notam. au niveau de la structure de la matière à l'échelle des particules élémentaires. Les frontières s'estompent a fortiori entre les différents chapitres qui subdivisent la physique. La physique moderne tend à faire dériver les lois physiques des lois d'interaction à l'échelle des particules, rendant ainsi intelligible l'infiniment grand par la connaissance de l'infiniment petit. Mais la voie inverse est également possible, qui fait de la physique à notre échelle un cas particulier d'une physique à l'échelle de l'Univers (astrophysique). Ces deux voies sont sans doute complémentaires et l'établissement d'une science unifiée de la matière passe par l'intégration de ces différents niveaux. Les différents chapitres de la physique sont les suivants : métrologie (mesure des grandeurs); mécanique (classique, relativiste et quantique); étude de la structure de la matière (solide, liquide, gaz, plasma); thermodynamique; étude des vibrations et des rayonnements; acoustique; optique (physique et géométrique); électricité (électrostatique, électrocinétique, magnétisme, électromagnétisme, courant alternatif); physique atomique; électronique; physique nucléaire et des particules.

physiquement adv. **1.** D'une manière réelle et physique; d'un point de vue physique. *C'est physiquement impossible.* **2.** Quant au physique (par oppos. à *moralement*). *Physiquement, il se porte bien.*

phyt(o)-, -phyte. Éléments, du gr. *phuton*, « plante ».

phytéléphas [fitelefas] n. m. BOT Palmier d'Amérique tropicale dont une espèce *(Phytelephas macrocarpa)* produit le corozo.

phythormone ou **phytohormone** n. f. BOT Hormone végétale. *Les phytohormones favorisent la croissance de la cellule et déterminent sa division.*

phyto-. V. phyt(o)-.

phytobiologie n. f. BOT Biologie végétale.

phytochrome [fitɔkʀom] n. m. BOT Pigment doué de propriétés enzymatiques, qui joue un rôle important dans le développement et la floraison des plantes et dans la germination des graines.

phytocide adj. et n. m. Qui est susceptible de détruire les plantes. ▷ n. m. Produit susceptible de détruire les plantes.

phytogéographie n. f. BOT Partie de la géographie qui étudie la répartition des végétaux.

phytohormone. V. phythormone.

phytoparasite n. m. BOT Parasite d'un végétal.

phytopathologie n. f. BOT Partie de la botanique qui étudie les maladies des végétaux.

phytophage adj. ZOOL Qui se nourrit de substances végétales. *Insectes phytophages.*

phytopharmacie n. f. Didac. Étude et fabrication des produits permettant de combattre les maladies des plantes et les animaux nuisibles aux cultures et aux denrées utilisées par l'homme.

phytophthora n. m. BOT Champignon (fam. péronosporacées) parasite des plantes supérieures, dont une espèce, le *Phytophthora infestans*, est l'agent du mildiou de la pomme de terre et du chêne.

phytoplancton n. m. BIOL Plancton végétal (par oppos. à *zooplancton*).

phytoproduction n. f. Didac. Production de substances naturelles par culture de cellules.

phytosanitaire [fitosanitɛʀ] adj. Qui concerne la préservation de la santé des végétaux.

phytosociologie n. f. BOT Étude des associations végétales.

phytothérapie n. f. Traitement de certaines affections par les plantes.

phytotron n. m. BOT Laboratoire spécialement aménagé et équipé pour l'étude des mécanismes de la vie végétale, composé d'un ensemble de salles dans lesquelles il est possible de recréer artificiellement l'activité biologique des plantes et de faire varier les différents facteurs qui la gouvernent (température, lumière, humidité, etc.).

phytozoaire n. m. ZOOL Animal dont la symétrie rayonnée évoque l'aspect d'une plante (spongiaires, cnidaires, etc.). Syn. zoophyte.

pi n. m. **1.** Seizième lettre de l'alphabet grec (Π, π), correspondant au p de l'alphabet français. **2.** MATH Nombre transcendant, de symbole π, égal au rapport de la circonférence d'un cercle à son diamètre et dont la valeur approche 3,1416. **3.** PHYS NUCL *Méson* π : V. pion 2.

piaf n. m. Arg. Moineau.

Piaf (Édith Giovanna Gassion, dite Édith) (Paris, 1915 – id., 1963), chanteuse française; célèbre pour la singularité de sa voix, ses interprétations pathétiques de chansons dites réalistes : *Mon légionnaire, la Vie en rose, l'Hymne à l'amour, Milord.*

Edith **Piaf**

Jean **Piaget**

piaffement n. m. Action de piaffer; son qui en résulte.

piaffer v. intr. [**1**] Frapper la terre avec les pieds de devant sans avancer, en parlant d'un cheval. ▷ Fig. (En parlant de personnes.) *Piaffer d'impatience* : manifester son impatience par une agitation, une nervosité excessives; être très impatient.

Piaget (Jean) (Neuchâtel, 1896 – Genève, 1980), psychologue suisse. Il a étudié l'acquisition du langage et des diverses fonctions logiques par l'enfant (*la Psychologie de l'intelligence,* 1947; *Introduction à l'épistémologie génétique,* 1950).

piaillard, arde. V. piailleur, euse.

piailler v. intr. [**1**] **1.** Pousser de petits cris aigus et répétés, en parlant d'un oiseau. ▷ Par ext., fam. *Bébé qui piaille.* **2.** Fam. Crier, criailler continuellement; récriminer.

piaillerie n. f. ou **piaillement** n. m. **1.** Cri d'un oiseau qui piaille. **2.** Criaillerie, récrimination.

piailleur, euse ou **piaillard, arde** adj. (et n.) Fam. Qui a l'habitude de piailler. ▷ Qui ne cesse de piailler. *Marmot piaillard.* ▷ Subst. *Ces piaillards!*

Pialat (Maurice) (Cunlhat, Puy-de-Dôme, 1925), cinéaste français; il filme la vie avec crudité, voire cruauté : *Nous ne vieillirons pas ensemble* (1972), *Loulou* (1980), *À nos amours* (1983), trois films sur l'illusion de la liberté sexuelle; *Sous le soleil de Satan* (1987); *Van Gogh* (1991), libre représentation des derniers mois de la vie du peintre.

pian n. m. MED Maladie cutanée contagieuse due à un tréponème voisin de celui de la syphilis, mais non vénérienne, qui sévit à l'état endémique dans les pays tropicaux.

Piana, ch.-l. de cant. de la Corse-du-Sud (arr. d'Ajaccio); 506 hab. – Calanques de granit rouge. – Égl. du XVIIIe s.

pianissimo [pjanisimo] adv. et n. m. **1.** MUS Avec beaucoup de douceur. (Abrév. : pp.) ▷ n. m. Passage qui doit être joué pianissimo. *Des pianissimo(s).* **2.** Fam. Très doucement.

pianiste n. Musicien, musicienne qui joue du piano. *Une pianiste virtuose.*

pianistique adj. Relatif au piano, à l'art de jouer du piano. *Technique pianistique.*

1. piano n. m. **1.** Instrument de musique à clavier et à cordes frappées qui a remplacé le clavecin. *Piano droit,* dont les cordes et la table d'harmonie sont placées verticalement. *Piano à queue,* dont les cordes et la table d'harmonie sont disposées horizontalement. *Piano demi-queue, piano quart-de-queue* ou *crapaud,* plus petits que le piano à queue. *Piano mécanique. Piano électronique.* – Fam. *Piano à bretelles* : accordéon. ▷ *Par méton.* Technique, art de jouer du piano. *Apprendre le piano.* **2.** Arg. *Passer au piano* : avoir ses empreintes digitales relevées par les services de l'anthropométrie judiciaire.
► pl. instruments de **musique**

2. piano adv. et n. m. **1.** MUS Doucement. (Abrév. : p.) *Il a exécuté ce morceau piano.* ▷ n. m. Passage qui doit être joué piano. *Des piano(s).* **2.** Fam. Doucement, lentement. *Vas-y piano!*

Piano (Renzo) (Gênes, 1937), architecte italien. Attentif aux matériaux, à leur résistance et à leurs qualités plastiques, il met les technologies nouvelles au service de ses réalisations inventives et audacieuses. CNAC Georges-Pompidou (avec Rogers), Lingotto de Turin et Musée de Houston.

piano-bar n. m. Café dans lequel un piano crée un fond musical. *Des pianos-bars.*

piano(-)forte [pjanofɔʀte] n. m. inv. Vx Nom donné d'abord au piano, parce que, contrairement au clavecin, il permettait de jouer à volonté *piano,* «doucement», ou *forte,* «fort».

pianotage n. m. Action de pianoter.

pianoter v. [**1**] **1.** v. tr. Jouer maladroitement ou distraitement du piano. *Pianoter un air de danse.* ▷ (S. comp.) *Il ne sait pas vraiment jouer, il pianote tout juste.* **2.** v. intr. *Par anal.* Tapoter avec les doigts (sur un objet) comme qqn qui joue du piano (souvent en signe d'énervement, d'impatience). *Il pianotait sur le coin de la table en regardant la pendule.*

Piast, dynastie issue des Polanes (tribu slave) qui fonda le premier État polonais et le gouverna de la fin du Xe s. à 1370.

piastre n. f. **1.** Unité monétaire principale ou monnaie divisionnaire, actuelle ou ancienne, de plusieurs pays. *Piastre égyptienne* (1/100 de la livre). **2.** Fam. Au Québec, dollar. – Pièce d'un dollar.

Piatra Neamţ, v. de Roumanie (Moldavie); 109 390 hab.; ch.-l. du distr. de Neamţ. Comm. du bois. Papeteries. – Égl. de style moldave (1498).

Piauí, État du N.-E. du Brésil, à l'E. du rio Parnaíba; 250 934 km^2; 2 584 000 hab.; cap. *Teresina.* Élevage extensif.

piaule n. f. Arg. Chambre; logement.

piaulement n. m. Cri d'un oiseau qui piaule. ▷ *Par anal.,* fam. *Piaulements d'un bébé.*

piauler v. intr. [**1**] Crier, en parlant d'un petit oiseau. – *Par anal.,* fam. *Marmot qui piaule.* ▷ v. impers. MAR Arg. *Ça piaule* : il vente fort.

Piave (la ou le), fl. de l'Italie du N. (220 km); né dans les Alpes Carniques, il passe à Bellune et se jette dans l'Adriatique. – Théâtre de violents et importants combats en 1917 et 1918.

Piazza Armerina, v. de Sicile (prov. d'Enna); 20 990 hab. – Villa romaine décorée de 3 500 m^2 de riches mosaïques (IVe s.).

P.I.B. n. m. Sigle de *produit* intérieur brut.*

1. pic n. m. Oiseau grimpeur (ordre des piciformes) doté de pattes robustes, d'ongles puissants et d'un long bec droit et pointu avec lequel il fend l'écorce des arbres pour trouver les insectes et les larves dont il se nourrit. (Le *pic-vert* ou *pivert [Picus viridis],* le *grand pic noir [Dryocopus martius]* et le *pic épeiche [Dendrocopos]* vivent en Europe.)

2. pic n. m. Instrument fait d'un fer pointu muni d'un manche, qui sert à creuser le roc, à abattre le minerai, etc. *Pic de mineur.*

3. pic n. m. Montagne élevée, au sommet très pointu. *Le pic de Ténériffe.* ▷ *Par anal.* Sommet d'une courbe (sens II, 2) de forme pointue.

pic (à) loc. adv. et n. m. **1.** Verticalement. *Les falaises qui s'élèvent à pic au-dessus de la mer.* – *Couler à pic,* directement au fond de l'eau. ▷ n. m. *Un à-pic*.* **2.** Fig., fam. *Tomber, arriver à pic,* à point nommé, très à propos.

pica n. m. **1.** MED Perversion du goût qui porte à manger des substances non comestibles. **2.** TYPO Mesure équivalant à 4,21 mm.

Picabia (Francis) (Paris, 1879 – id., 1953), peintre et écrivain français; précurseur de l'art abstrait (*Caoutchouc,* 1909) et l'un des princ. représentants du mouvement dada. Il a publié des poèmes *(Pensées sans langage).*

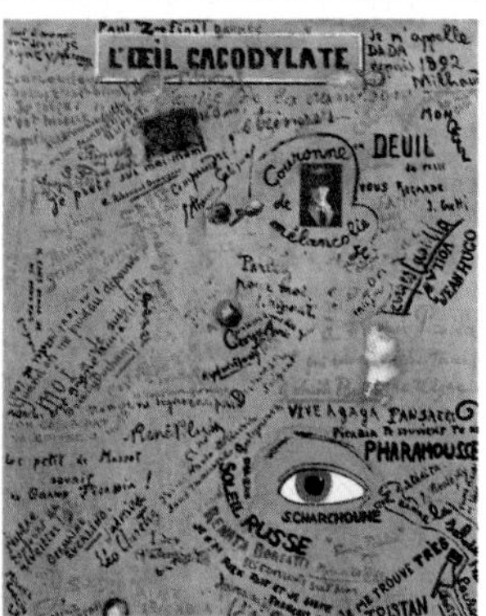

Francis **Picabia** : *l'Œil cacodylate;* MNAM

picador n. m. Cavalier qui, dans les courses de taureaux, attaque et fatigue l'animal avec une pique. *Des picadors.*

picaillons n. m. pl. Pop. Argent. *Avoir des picaillons.*

picard, arde adj. et n. De Picardie. ▷ n. m. *Le picard* : dialecte de la langue d'oïl.

Picard (abbé Jean) (La Flèche, 1620 – Paris, 1682), astronome français. Il détermina une valeur approchée du rayon de la Terre en mesurant un arc de méridien entre Paris et Amiens.

Picard (Émile) (Paris, 1856 – id., 1941), mathématicien français; auteur de travaux sur les fonctions analytiques uniformes. Acad. fr. (1924).

Picard (Charles) (Arnay-le-Duc, 1883 – Paris, 1965), archéologue français; directeur de l'École française d'Athènes de 1919 à 1925 : *Manuel d'archéologie grecque* (8 vol., 1935-1954).

Picardie, anc. prov. française, située entre l'Artois au N. et l'Île-de-France au S. Elle couvrait le dép. de la Somme (augmenté de la bande côtière du Pas-de-Calais), le N. de l'Oise et la moitié septentrionale de l'Aisne. – Enjeu des rivalités franco-anglaises pendant la guerre de Cent Ans, un moment partiellement réunie aux possessions des ducs de Bourgogne (1er traité d'Arras, 1435), elle devint définitivement française en 1482 (2e traité d'Arras signé avec Maximilien d'Autriche). Elle souffrit des invasions espagnoles aux XVIe et XVIIe s. et fut un champ de bataille lors des deux guerres mondiales.

Picardie, Région admin. française et rég. de la C.E., formée des dép. de l'Aisne, de l'Oise et de la Somme; 19 443 km²; 1 853 550 hab.; cap. *Amiens*.
Géogr. phys. et hum. – Région de climat océanique, marqué de nuances continentales vers l'intérieur, la Picardie s'ouvre sur la Manche par une courte façade littorale, de part et d'autre de la baie de Somme. Au S. s'étendent les plateaux tertiaires du bassin de Paris : Tardenois, Valois, Soissonnais, surmontés de buttes et fortement compartimentés; ils portent d'opulentes campagnes ouvertes mais aussi de vastes forêts (Compiègne, Senlis, Villers-Cotterêts) et se terminent, à l'O., sur la boutonnière bocagère du pays de Bray. Au N., les plaines et les collines de craie abritent de beaux openfields sur les limons (Santerre, Vermandois, Laonnois), alors que les zones argileuses ont un paysage plus boisé et verdoyant (Vimeu, Amiénois); on ne trouve cependant le vrai bocage qu'au N.-E., en Thiérache. Traversant la région en diagonale, la vallée de l'Oise est le grand axe de peuplement et de passage. La croissance modérée de la population cache un contraste entre le N. et l'O. (Aisne et Somme), qui ont un solde migratoire négatif (70 000 départs de 1968 à 1990) que compense tout juste l'excédent naturel, et le S. (Oise principalement), proche de Paris, dont le solde migratoire est très positif (80 000 installations de 1968 à 1990).
Écon. – À l'image de l'Île-de-France voisine, l'agriculture est dominée par les grandes cultures : betterave (1er rang national), céréales, pomme de terre, fourrage, légumes de plein champ (haricots, pois); l'élevage laitier s'impose en pays de Bray et en Thiérache et occupe une place importante à l'O. de la région, alors que la polyculture des Bas-Champs et du Marquenterre ainsi que les hortillonages d'Amiens rappellent la tradition flamande. Une importante industrie agroalimentaire s'est développée sur ces productions variées. Marquée par l'influence de la région industrielle du Nord (foyers d'industries lourdes de Creil-Montataire et de Chauny-Tergnier), forte de traditions locales vivaces (verrerie de Saint-Gobain, serrurerie et métallurgie du Vimeu), la Région a bénéficié de la décentralisation d'activités parisiennes (automobile, chimie, pneumatiques, matériel de bureau, électro-ménager) qui ont diversifié le tissu industriel. Le tourisme ne joue qu'un rôle modeste, les stations importantes du littoral de la Manche étant extérieures à la Région. La Picardie jouit d'une position stratégique dans les échanges européens; elle est le passage obligé pour les liaisons entre le Benelux, l'axe transmanche et le S. de la C.E., et dispose, à ce titre, d'un réseau de transports très performant. Pourtant, la Région affirme difficilement son autonomie et souffre de n'être trop souvent qu'une zone de passage entre Paris et les puissants ensembles économiques de l'Europe du Nord.

picaresque adj. LITTER Propre aux picaros. *Aventures picaresques.* – Qui met en scène des picaros. *Le roman picaresque* : le genre littéraire (XVIe-XVIIIe s.) d'inspiration réaliste, né en Espagne avec le *Lazarillo de Tormes* (1554) attribué à Hurtado de Mendoza, premier roman décrivant toutes les classes de la société.

picaro n. m. Aventurier de la tradition littéraire espagnole. V. picaresque.

Picasso (Pablo Ruiz Blasco y Picasso, dit Pablo) (Málaga, 1881 – Mougins, 1973), peintre, dessinateur, graveur, sculpteur et céramiste espagnol; l'artiste le plus célèbre du XXe s. Attaché à la représentation traditionnelle dans sa « période bleue » (1901-1904) et sa « période rose » (1905-1907), il jette les bases du cubisme* avec *les Demoiselles d'Avignon* (1907), puis invente le collage (*Nature morte à la chaise cannée*, 1912). Vers 1920-1921, la période dite « romaine » et, dans une certaine mesure, la manière néo-classique dont il fait usage parallèlement semblent traduire une nostalgie du volume sculptural, mais il revient aussitôt à une certaine forme de cubisme (*Trois musiciens*, 1921). En 1925, *la Danse* annonce le style qui demeurera le sien jusqu'à sa mort. Tout au long de sa vie, il a exécuté un nombre considérable d'œuvres « expressionnistes » ou « baroques », avec fougue, violence (*Guernica*, 1937), verve et, parfois, précipitation. – Des musées Picasso existent à Antibes, Barcelone et Paris.

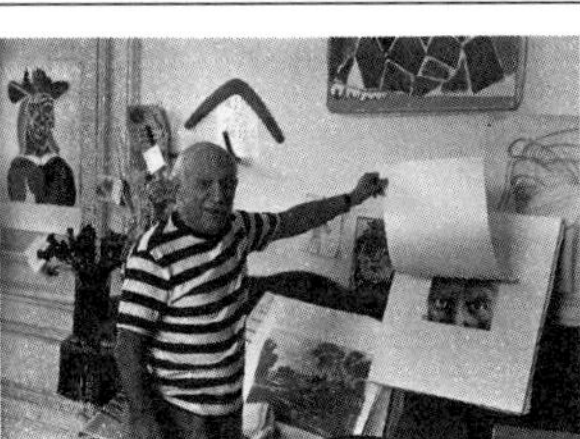
Pablo **Picasso**

Piccadilly, grande artère londonienne reliant Hyde Park à Piccadilly Circus, d'où part Regent Street.

Piccard (Auguste) (Bâle, 1884 – Lausanne, 1962), physicien suisse. Il effectua plusieurs ascensions en ballon dans la stratosphère (il atteignit 16 000 m en 1932). Il conçut et fit réaliser le premier bathyscaphe (premières plongées en 1948).

Piccinni (Niccolo) (Bari, 1728 – Paris, 1800), compositeur italien d'opéras. Appelé à Paris en 1776 par Marie-Antoinette, il fut le rival de Gluck (querelle des *gluckistes* et des *piccinnistes*). *Roland* (1778), *Iphigénie en Tauride* (1781), *Didon* (1783).

Piccoli (Michel) (Paris, 1925), comédien français. D'une grande sobriété de jeu, il s'est vu souvent confier des rôles de séducteur : *la Mort en ce jardin* (1960), *le Journal d'une femme de chambre* (1965), *Benjamin* (1968), *Dillinger est mort* (1969), *l'Attentat* (1971), *les Uns et les Autres* (1980).

piccolo ou **picolo** [pikɔlo] n. m. MUS Petite flûte traversière qui sonne à l'octave de la grande flûte.

Pic de la Mirandole (Giovanni Pico della Mirandola, en fr. Jean) (chât. de la Mirandole, duché de Ferrare, 1463 – Florence, 1494), humaniste et philosophe italien d'expression latine. Homme d'une érudition considérable, il publia à vingt-trois ans les *Conclusiones philosophicæ, cabalisticæ et theologicæ*, qui montraient dans le christianisme l'aboutissement de tous les courants de pensée antérieurs, et fut déclaré hérétique (1487). S'étant réfugié en France, il y fut emprisonné (1488), puis revint à Florence, auprès de Laurent le Magnifique, et fréquenta Savonarole. Il travaillait à un grand ouvrage sur l'astrologie judiciaire lorsqu'il mourut, très certainement empoisonné par son secrétaire, Cristoforo De Casalmaggiore. – L'expression *un Pic de la Mirandole* signifie « un homme pourvu d'un savoir universel ».

Jean **Pic de la Mirandole**

Pie VII

Picenum, rég. de l'Italie anc., entre l'Apennin et l'Adriatique; v. princ. *Ancône, Asculum* (auj. Ascoli Piceno).

Pichegru (Charles) (Les Planches-près-Arbois, 1761 – Paris, 1804), général français. Il conquit la Belgique et les Pays-Bas (1795), mais, rallié à la cause royaliste, soupçonné de trahison, il dut démissionner (1796). En 1797, élu au Conseil des Cinq-Cents, dont il fut le président royaliste (mai), il fut arrêté après le 18-Fructidor (sept.); déporté en Guyane, il s'en évada et gagna l'Angleterre (1798). En 1804, il prit part à la conspiration de Cadoudal. Arrêté à Paris, on le retrouva étranglé dans sa prison.

pichenette n. f. Chiquenaude, coup donné avec un doigt replié contre le pouce et brusquement détendu.

pichet n. m. Petit broc à anse destiné à contenir une boisson. *Pichet en grès.* – Son contenu. *Boire un pichet de cidre.*

Pichette (Henri) (Châteauroux, 1924), écrivain français. Poète lyrique influencé par le surréalisme (*Apoèmes*, 1946), puis militant (*les Revendications*, 1957), il est également un auteur dramatique préoccupé de recherche linguistique : *les Épiphanies* (mystère profane, 1949-1969).

picholine [pikɔlin] n. f. Variété de petite olive verte que l'on sert, marinée, en hors-d'œuvre.

Pichon (Stephen) (Arnay-le-Duc, 1857 – Vers-en-Montagne, Jura, 1933), homme politique français. Diplomate, ministre des Affaires étrangères à plusieurs reprises, il régla le différend franco-allemand sur le Maroc en 1909 et, rappelé au Quai d'Orsay par Clemenceau de 1917 à 1920, signa le traité de Versailles.

piciformes n. m. pl. ORNITH Ordre d'oiseaux, comprenant notam. les pics et les toucans, dont les pattes sont munies de deux doigts dirigés vers l'avant et de deux doigts dirigés vers l'arrière. – Sing. *Un piciforme.*

Pickering, v. du Canada, proche du lac Ontario ; 68 600 hab. Centrale nucléaire.

Pickford (Gladys Smith, dite Mary) (Toronto, 1893 – Santa Monica, 1979), actrice américaine ; célèbre au temps du cinéma muet (*Papa Longues Jambes*, 1919). Elle fonda avec Charlie Chaplin, Douglas Fairbanks et David Griffith la maison de production des Artistes associés (1919).

pickles [pikəls] n. m. pl. Légumes conservés dans du vinaigre et fortement épicés, utilisés comme condiment.

pickpocket [pikpɔkɛt] n. m. Voleur à la tire.

pick-up [pikœp] n. m. inv. (Anglicisme) **1.** TECH Dispositif de lecture servant à transformer en oscillations électriques les vibrations mécaniques enregistrées sur disque. ▷ *Par ext.* Vieilli Électrophone. **2.** TECH Dispositif qui, sur une machine agricole, sert au ramassage, au pressage du foin. **3.** Véhicule à plateau découvert.

pico-. PHYS Élément (symbole p) qui, placé devant le nom d'une unité, indique que celle-ci est divisée par 10^{12} (soit par un million de millions).

picoler v. intr. [1] Pop. Boire (de l'alcool, en partic. du vin).

picolo. V. piccolo.

picorer v. [1] **1.** v. intr. Chercher sa nourriture (en parlant des oiseaux). *Poules qui picorent.* **2.** v. tr. Piquer çà et là avec le bec. *Moineaux qui picorent des miettes.* ▷ Fig. (Personnes) *Enfant qui picore des grains de raisin.*

picot n. m. **1.** TECH Petite pointe restant sur du bois qui n'a pas été coupé net. **2.** TECH Marteau pointu utilisé dans les carrières. – Instrument, pic, pour dégrader les joints de maçonnerie. **3.** Petite dent qui orne le bord d'une dentelle, d'un galon. **4.** PECHE Filet pour la pêche aux poissons plats.

picotage n. m. Action de picoter.

picoté, ée adj. Marqué de petites piqûres, de petits points. *Visage picoté de petite vérole.*

picotement n. m. Impression de piqûres légères et répétées (sur la peau, sur les muqueuses).

picoter v. tr. [1] **1.** Trouer de nombreuses petites piqûres. ▷ *Spécial.* Becqueter. *Oiseaux qui picotent des fruits.* **2.** Causer des picotements à.

picotin n. m. Mesure de capacité (env. 3 l) pour l'avoine destinée aux chevaux ; son contenu. ▷ Ration d'avoine, de nourriture destinée à une bête de somme.

Picpus, anc. village, à l'E. de Paris, auj. incorporé au XIIe arr. – Le *cimetière de Picpus*, où furent enterrées 1 300 victimes de la Terreur (la guillotine était installée en 1794 sur la place du Trône-Renversé, auj. place de la Nation), est situé à l'emplacement du jardin de l'anc. couvent des chanoinesses (auj. couvent du Sacré-Cœur de Picpus).

Picquart (Georges) (Strasbourg, 1854 – Amiens, 1914), officier français. Chef du bureau des renseignements en 1895, il acquit la conviction de l'innocence de Dreyfus ; une mission en Tunisie (1896) l'éloigna de Paris. Nommé général en 1906, il devint ministre de la Guerre dans le cabinet Clemenceau (1906-1909).

picr(o)-. Élément, du gr. *pikros*, « amer ».

picrate n. m. **1.** CHIM Sel de l'acide picrique (souvent utilisé comme explosif). **2.** Pop. Vin rouge aigre, de mauvaise qualité.

picrique adj. CHIM *Acide picrique* : acide dérivé du phénol. *L'acide picrique fondu constitue la mélinite, explosif puissant.*

Pictaves ou **Pictons,** peuple de la Gaule celtique, établi dans le S. de la basse Loire et dont la cap. était *Limonum* ou *Pictavi* (Poitiers).

Pictes, anc. peuple celte des basses terres de l'Écosse. – Le *mur d'Hadrien* ou *mur des Pictes* est un monumental ouvrage de défense contre leurs incursions et celles des Scots, élevé par les Romains sous Hadrien (122-127 apr. J.-C.).

Pictet (Raoul Pierre) (Genève, 1846 – Paris, 1929), physicien suisse ; spécialiste du froid, pionnier de la liquéfaction des gaz (oxygène et azote en 1877).

pictogramme n. m. **1.** LING Représentation graphique figurative ou symbolique propre aux écritures pictographiques. **2.** Cour. Dessin schématique (souvent normalisé) élaboré afin de guider les usagers et figurant dans divers lieux publics, sur des cartes géographiques, etc.

pictographique adj. LING Se dit d'une écriture qui représente les idées par des pictogrammes.

Pictons. V. Pictaves.

pictural, ale, aux adj. Qui a rapport à la peinture. *Art pictural. Œuvre picturale.*

pic-vert [pivɛʀ] n. m. Syn. de *pivert. Des pics-verts.*

pic-vert : mâle creusant le bois avec son bec

pidgin [pidʒin] n. m. En Asie, système linguistique composite utilisé comme langue de relation et comportant des éléments empruntés d'une part à l'anglais, d'autre part à une langue autochtone. *Pidgin de Chine* (anglais et chinois). *Pidgin mélanésien* ou *bichlamar* (anglais et malais). – *Par ext.* Système linguistique composite (quelles que soient les langues concernées) servant à la communication entre gens de parlers différents (plus complet que le sabir*).

pie commune

1. pie n. f. et adj. inv. **I.** n. f. **1.** Oiseau noir (ou bleu) et blanc (genre *Pica*, fam. corvidés) à longue queue, au jacassement caractéristique, commun en Europe. ▷ Loc. prov. *Bavarder, jaser comme une pie* : être très bavard, parler beaucoup. **2.** *Fromage à la pie* : fromage blanc aux fines herbes. **II.** adj. inv. Dont la robe est de deux couleurs (se dit surtout des chevaux et des bêtes à cornes). *Cheval pie. Vaches pie.*

2. pie adj. f. Surtout dans la loc. *Œuvre pie* : œuvre pieuse.

Pie, nom de 12 papes dont : – **Pie II** (Enea Silvio Piccolomini) (Corsignano, auj. Pienza, 1405 – Ancône, 1464), pape de 1458 à 1464 ; humaniste et poète latin – **Pie V** (saint) (Antonio Ghislieri) (Bosco Marengo, 1504 – Rome, 1572), pape de 1566 à 1572 ; il réforma l'Église, excommunia Élisabeth d'Angleterre (1570) et coalisa les forces chrétiennes contre les Turcs. – **Pie VI** (Giannangelo Braschi) (Cesena, 1717 – Valence, France, 1799), pape de 1775 à 1799 ; il condamna, non sans hésitation, la Constitution civile du clergé (1791). Bien qu'il eût reconnu la République française (1796), ses États furent envahis, et en partie annexés, par Bonaparte (traité de Tolentino, 1797) qui le fit prisonnier et le détint à Valence où il mourut. – **Pie VII** (Gregorio Luigi Barnaba Chiaramonti) (Cesena, 1742 – Rome, 1823), pape de 1800 à 1823. Il négocia le Concordat avec Bonaparte (1801), sacra Napoléon empereur (1804), puis entra en conflit avec lui ; ses États furent occupés, et il fut enlevé de Rome et amené à Fontainebleau (1812), où il dut accepter un nouveau concordat (1813) qu'il désavoua la même année. – **Pie IX** (Giovanni Maria Mastai Ferretti) (Senigallia, 1792 – Rome, 1878), pape de 1846 à 1878. Il encouragea d'abord le mouvement patriotique italien puis, à partir de 1848, entra en conflit avec les patriotes pour défendre sa souveraineté temporelle. Cette lutte aboutit, en 1870, à la prise de Rome, à l'annexion des États pontificaux par l'Italie et à la rupture du pape (qui se considérait comme un prisonnier volontaire au Vatican) avec le gouvernement italien. Sur le plan spirituel, Pie IX, fidèle à son attitude intransigeante, condamna le socialisme, le rationalisme et le libéralisme du monde moderne (encyclique *Quanta*

Saint **Pie X**

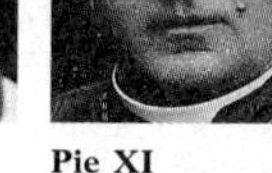

Pie XI

cura, 1864). Il proclama le dogme de l'Immaculée Conception (1854), et réunit le Ier concile du Vatican, qui définit le dogme de l'infaillibilité pontificale (1870). – **Pie X** (saint) (Giuseppe Sarto) (Riese, 1835 – Rome, 1914), pape de 1903 à 1914. Il entra en conflit avec la France, à l'occasion de la séparation de l'Église et de l'État, en 1905; il condamna le mouvement « le Sillon* » de Marc Sangnier (1910) et le modernisme.– **Pie XI** (Achille Ratti) (Desio, 1857 – Rome, 1939), pape de 1922 à 1939. Il signa avec l'État italien les accords du Latran (1929), qui donnèrent naissance à l'État du Vatican. Il condamna l'Action française (1926), certains aspects du fascisme, le national-socialisme et le bolchevisme. Précisant, dans *Quadragesimo anno* (1931), la doctrine sociale élaborée par Léon XIII, il encouragea l'Action catholique. – **Pie XII** (Eugenio Pacelli) (Rome, 1876 – Castel Gandolfo, 1958), pape de 1939 à 1958. Durant la Seconde Guerre mondiale, il donna asile à de nombr. persécutés et créa un Office d'information pour les prisonniers et les réfugiés; mais son manque de prise de position officielle lors de l'extermination des Juifs par les nazis lui a été reproché. Pie XII a accentué le caractère international de l'Église romaine en créant de nombr. cardinaux non italiens. Il proclama le dogme de l'Assomption en 1950; sur le plan théologique, il adopta une attitude conservatrice.

▸ illustr. page **1451**

pièce n. f. **A. I. 1.** Élément d'un assemblage; chacune des parties dont l'agencement forme un tout organisé. *Pièce de charpente* (poutre, poutrelle, etc.). – *Remplacer une pièce défectueuse dans un mécanisme. Pièces de rechange. Pièces détachées**. **2.** Élément qu'on rapporte (sur un vêtement ou sur la surface d'un objet) pour réparer une déchirure, une coupure. *Mettre des pièces en cuir aux genoux d'un pantalon.* **3.** Loc. *Tout d'une pièce* : d'un seul morceau, d'un seul tenant. Fig. *Être tout d'une pièce* : être d'un caractère entier. ▷ *Fait de pièces et de morceaux*, d'éléments hétéroclites, disparates. ▷ Fig. *Inventer, forger de toutes pièces (une histoire, un mensonge, etc.)*, l'inventer entièrement, sans s'appuyer sur aucun fondement réel. **II.** Partie déchirée, brisée, d'un tout. *En pièces* : en morceaux, en fragments. *Vase brisé en mille pièces.* – *Mettre en pièces* : déchirer, briser; fig., démolir, éreinter. – *Tailler une armée en pièces*, la défaire entièrement. **B. 1.** Élément d'un ensemble, d'une collection, considéré séparément des autres éléments, et formant un tout par lui-même; unité. *Service à thé de douze pièces. Les pièces d'un jeu d'échecs* (spécial., le roi, la reine, le fou, le cavalier et la tour, par oppos. aux *pions*). – *C'est une véritable pièce de musée, de collection*, un objet de valeur qui pourrait figurer dans un musée, dans une collection. – *Article vendu au cent ou à la pièce.* – *Être payé à la pièce*, au nombre d'unités qu'on a produit, fabriqué. ▷ (En parlant de vêtements.) *Costume deux-pièces* (veston, pantalon), *trois-pièces* (avec un gilet). – *Maillot de bain deux-pièces, une pièce*, ou, ellipt. *un deux-pièces, un une-pièce.* ▷ HERALD *Pièces honorables* : meubles héraldiques simples couvrant au moins le tiers de l'écu (ex. : bande, chef, chevron, etc.). **2.** Individu (de telle espèce animale). *Pièce de bétail* : tête de bétail. – *Pièce de gibier.* ▷ (S. comp.) *Chasseur qui revient avec de belles pièces.* **3.** Quantité déterminée d'une matière, considérée comme une

Pie XII

Pierre Ier, tsar de Russie

unité distincte formant un tout. *Pièce de drap. Pièce de viande.* – *Pièce montée* : grand gâteau constituant un échafaudage de pâtisserie. – Spécial. *Pièce de vin* : contenu d'un fût; ce fût lui-même, de 200 à 300 l, selon les régions. **4.** *Pièce de terre* : espace continu de terre cultivable. *Pièce de blé, d'avoine, etc.* : pièce de terre vouée, dans une exploitation, à la culture du blé, de l'avoine, etc. ▷ *Pièce d'eau* : petit étang, bassin, dans un jardin, un parc. **5.** Chacune des salles, des chambres que comporte un logement, à l'exclusion des cuisines et annexes, salles d'eau, entrées, couloirs. *Un appartement de trois pièces.* Ellipt. *Un deux-pièces, cuisine, salle de bains.* **6.** *Pièce d'artillerie* ou, absol., *pièce* : bouche à feu, canon, obusier, mortier. *Une pièce de soixante-quinze (mm).* – Unité élémentaire d'une batterie* d'artillerie. **7.** *Pièce de monnaie* ou, absol., *pièce* : morceau de métal plat et généralement circulaire, marqué d'une empreinte caractéristique de sa valeur, servant de monnaie. *Pièce de dix francs.* – Loc. *Donner, glisser la pièce à qqn*, lui donner un pourboire. – Fig. *Rendre à qqn la monnaie de sa pièce*, user de représailles à son égard, se venger de lui en lui rendant la pareille. **8.** (De *pièce d'écriture.*) Document écrit servant à établir une preuve, un droit. *Pièces justificatives. Pièce d'identité.* – *Pièce à conviction* : tout objet attestant matériellement la réalité d'un délit, dans un procès. **C.** Ouvrage artistique. **1.** Ouvrage littéraire. *Une pièce de vers.* ▷ Morceau (de musique). *Une pièce de Bach.* **2.** Spécial. *Pièce de théâtre* ou, absol., *pièce* : ouvrage dramatique. *Une pièce en cinq actes.* ▷ Fig., vx Farce, mauvais tour. – Mod., dans la loc. *faire pièce à qqn*, s'opposer à lui, lui faire échec.

piécette n. f. Petite pièce de monnaie.

Pieck (Wilhelm) (Guben, auj. Wilhelm-Pieck-Stadt, Brandebourg, 1876 – Berlin, 1960), homme politique allemand; l'un des fondateurs du parti communiste allemand (1918), président de la R.D.A. de 1949 à sa mort.

pied n. m. **A. I.** (Chez l'homme.) **1.** Partie du membre inférieur qui, posé sur le sol, supporte le corps en station debout et sert à la marche. *Pied droit, gauche.* – *Marcher pieds nus. Être nu-pieds.* – *Avoir les pieds plats, un pied bot**. – Loc. adv. *À pied sec* : sans se mouiller les pieds. – Loc. fig. *Pieds et poings liés* : réduit à l'impuissance. – Loc. *De pied en cap* : V. cap. – *Coup de pied* : coup donné avec le pied. ▷ Loc. (avec *mettre*). *Je n'y ai jamais mis les pieds* : je n'y suis jamais allé. *Mettre le pied dehors* : sortir. *Mettre pied à terre* : descendre de cheval, de voiture, de bateau, etc. – Fam. *Il ne peut plus mettre un pied devant l'autre* : il est si faible, si fatigué qu'il ne peut même plus marcher. – Fig., fam. *Mettre les pieds dans le plat* : V. plat, 2. ▷ *Aux pieds de qqn*, par terre, juste devant ses pieds. *L'animal gisait à ses pieds.* – *Se jeter aux pieds de qqn* (pour se prosterner, marquer sa soumission, etc.). – Fig. *Il est à ses pieds*, il lui est complètement soumis. ▷ *À pied* : en marchant, sans l'aide d'un véhicule. *Aimer la marche à pied*, les randonnées pédestres. – SPORT *Course* à pied.* – *Sauter à pieds joints*, les pieds étant serrés, rapprochés. ▷ *Sur pied* : debout. *À sept heures, il était sur pied.* – *Dans deux jours ce malade sera sur pied*, il sera rétabli. – Fig. *Mettre qqch (une affaire, etc.) sur pied*, l'établir, la constituer, l'organiser. ▷ *Portrait en pied*, où le sujet est représenté entièrement et debout. ▷ Vx *Les gens de pied* : les fantassins. – *Valet* de pied.* **2.** Loc. fam. *Être bête comme ses pieds*, très bête. *Jouer comme un pied*, très mal. – *Faire du pied à qqn*, lui toucher le pied avec le sien pour l'avertir, lui signifier un désir amoureux. ▷ Loc. fig., fam. *Casser les pieds de qqn*, l'importuner, l'embêter. – *Mettre à pied* : renvoyer. *Mise à pied.* – *Marcher sur les pieds de qqn*, empiéter sur son domaine en cherchant à le supplanter; lui manquer d'égards. – *Retomber sur ses pieds* : se tirer avantageusement d'une situation fâcheuse. – *Ne pas savoir sur quel pied danser* : ne pas savoir quel parti prendre, quelle attitude adopter. – *Faire des pieds et des mains* : se démener, essayer tous les moyens possibles. – *Il s'est levé du pied gauche* : il est de fort mauvaise humeur. – *Avoir un pied dans la tombe* : être tout près de la mort. – *De pied ferme* : avec l'intention de ne pas céder, de résister énergiquement. *Attendre qqn de pied ferme.* ▷ Vx *Lever le pied* : partir, sortir; mod. s'enfuir avec la caisse, avec l'argent confié; (dans la conduite automobile) ralentir. – *Au pied levé* : sans préparation. **3.** (Après un verbe et sans article.) *Avoir pied* : pouvoir toucher le fond en gardant la tête hors de l'eau. *À cet endroit de la rivière, on n'a plus pied.* – *Perdre pied* : n'avoir plus pied; fig., se troubler, ou ne plus pouvoir se sortir d'une situation fâcheuse. – Fig. *Prendre pied* : s'établir solidement. **4.** Pas; manière de marcher. *Aller, marcher du même pied que qqn. Pied à pied* : pas à pas. ▷ Manière de se tenir. *Avoir le pied marin* : être capable de se tenir sur un bateau en mouvement; fig., savoir louvoyer. – Loc. *Avoir bon pied, bon œil* : avoir toute sa santé, toute sa vigueur, toute sa lucidité. **5.** *Le pied du lit* (par oppos. à la *tête*, au *chevet*) : la partie du lit où reposent les pieds. *S'asseoir au pied du lit.* **II.** (Chez l'animal.) **1.** Extrémité inférieure de la jambe ou de la patte de certains animaux. (V. aussi patte.) *Pied de cheval.* ▷ Loc. fig., fam. *Faire le pied de grue.* V. grue. **2.** Chez certains mollusques, organe musculeux qui sert à la locomotion. *Le pied d'un escargot.* **3.** VEN Trace (de pas) d'un animal qu'on chasse. **B. 1.** Partie d'un objet par laquelle il repose sur le sol, est en contact avec le sol. *Le pied d'une échelle.* ▷ Fig. *Mettre qqn au pied du mur*, le forcer à prendre parti immédiatement, à agir sur-le-champ. ▷ Partie basse d'un relief. *Un petit village au pied des Alpes.* ▷ Loc. *À pied d'œuvre* : sur le chantier même, à la base de l'ouvrage en construction. – Fig. *Après un an d'étude du projet, les voilà maintenant à pied d'œuvre.* **2.** (Végétaux) *Le pied et le chapeau d'un champignon. Assis au pied d'un chêne.* – *Récolte sur pied*, non encore coupée, non encore cueillie. ▷ Plant (de certains végétaux). *Pied de salade. Pied de vigne* : cep. **3.** Partie d'un objet qui sert à le supporter. *Les pieds d'un meuble. Verre à pied.* ▷ Support qu'on adapte à certains instruments (appareils photo, télescopes, etc.). **C. 1.** METROL Ancienne unité de mesure de longueur (0,3248 m), valant 12 pouces

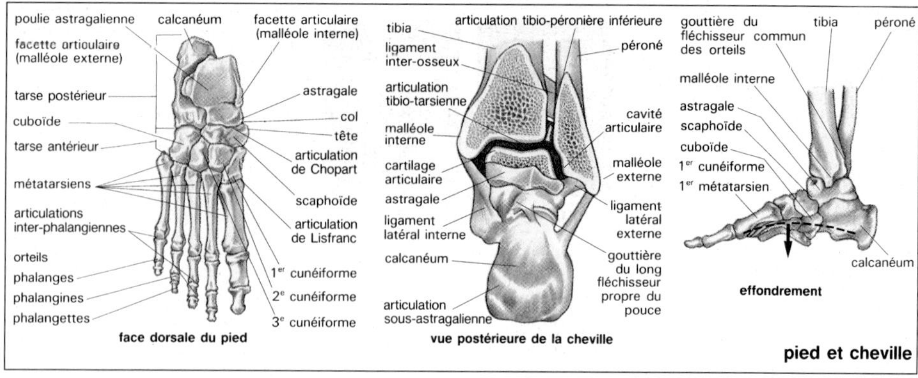

pied et cheville

(*pied de roi*). ▷ Loc. fig. *Il voudrait être (à) cent pieds sous terre* : il est si confus, si gêné, qu'il voudrait être caché. ▷ (Partic. au Canada français, pour traduire l'angl. *foot.*) Mesure de longueur anglo-saxonne valant 0,3048 m. *Un pied (foot) égale 12 pouces (inches).* **2.** Fig., vx Mesure, base. *« Est-ce au pied du savoir qu'on mesure les hommes ? » (Boileau).* ▷ Loc. mod. *Au petit pied* : en petit, en raccourci. – *Vivre sur le pied de...,* avec le train de vie de... *Vivre sur le pied d'un grand bourgeois. Vivre sur un grand pied,* en faisant beaucoup de dépenses. – *Sur le même pied que* : sur le même plan que. *Sur un pied d'égalité* : d'égal à égal. – *Armée sur le pied de guerre,* préparée, prête à faire la guerre. – *Au pied de la lettre* : littéralement. **3.** Par ext., fam. *Prendre son pied* : éprouver du plaisir ; spécial. du plaisir sexuel. ▷ *C'est le pied ! Ce concert, quel pied !* **4.** *Pied à coulisse* : instrument pour mesurer les épaisseurs et les diamètres, constitué de deux becs à écartement variable et d'un vernier. **D.** En métrique ancienne, ensemble de syllabes constituant une unité rythmique (spondée, dactyle, etc.). ▷ *Abusiv.* Chaque syllabe d'un vers, dans la versification française.

pied-à-terre n. m. inv. Logement que l'on n'occupe qu'occasionnellement.

pied-bleu n. m. Champignon violet, à chair appréciée, appelé aussi *tricholome nu. Des pieds-bleus.*

pied-bot [pjebo] n. m. Personne qui a un pied bot*. *Des pieds-bots.*

pied-d'alouette n. m. Delphinium. *Des pieds-d'alouette.*

pied-de-biche n. m. **1.** Outil formé d'une barre de fer recourbée et fendue à une extrémité, destiné à servir de levier et à arracher les clous. ▷ Pièce coudée plate et fendue d'une machine à coudre, qui maintient l'étoffe sur la tablette et entre les deux branches de laquelle l'aiguille monte et descend. **2.** Poignée de sonnette en forme de pied de biche, ou faite d'un véritable pied de biche naturalisé. **3.** Pied de meuble galbé, caractéristique du style Louis XV, en forme de sabot fourchu. *Des pieds-de-biche.*

pied-de-loup n. m. BOT Syn. de *lycopode. Des pieds-de-loup.*

pied-de-mouton n. m. Hydne. *Des pieds-de-mouton.*

pied-de-poule n. m. (et adj. inv.) Se dit d'un tissu dont les motifs croisés rappellent les empreintes des pattes de poule. *Des pieds-de-poule.*

pied-droit ou **piédroit** n. m. CONSTR **1.** Mur ou pilier qui soutient une voûte, une arcade, le tablier d'un pont. **2.** Jambage d'une porte, d'une fenêtre. *Des pieds-droits.*

piédestal, aux n. m. Massif de maçonnerie qui supporte une colonne. – Support élevé formant le socle d'une statue, d'un vase, etc. ▷ Loc. fig. *Mettre qqn sur un piédestal,* lui vouer de l'admiration (souvent excessive). *Tomber de son piédestal* : perdre son prestige.

piedmont. V. piémont.

pied-noir n. et adj. Fam. Français d'Algérie. *Un(e) pied-noir. Les pieds-noirs.* – adj. *Il a l'accent pied-noir.*

piédroit. V. pied-droit.

piège n. m. **1.** Engin qui sert à prendre des animaux. *Piège à rats.* **2.** Fig. Artifice utilisé pour tromper qqn, ou pour le mettre dans une situation défavorable ou dangereuse. *Tomber dans le piège.* ▷ Difficulté ou danger cachés. *Les pièges d'une traduction. Tendre un piège à un malfaiteur.* **3.** ELECTRON *Piège à ions* : dispositif magnétique utilisé dans certains tubes cathodiques et destiné à empêcher les ions négatifs formés dans le voisinage de la cathode d'aller heurter l'écran.

piégeage n. m. **1.** Chasse à l'aide de pièges. **2.** Action de piéger (un engin explosif, un phénomène physique, une substance, etc.

piéger v. tr. [15] **1.** Prendre à l'aide de pièges. ▷ *Absol.* Tendre des pièges. **2.** Fig. *Piéger qqn,* le prendre à un piège, le mettre par artifice dans une situation difficile et sans issue. – Fam. *Il s'est fait piéger* : il s'est fait avoir. **3.** MILIT *Piéger une mine, une grenade,* la munir d'un dispositif qui provoque son explosion si on la bouge ou la manipule. – Par ext. *Piéger une maison, une voiture,* etc., y installer des engins explosifs qui éclatent lorsqu'on y pénètre. – Pp. adj. *Voiture piégée.* **4.** PHYS Parvenir à fixer, à canaliser (un phénomène). *Piéger l'énergie. Piéger des particules.*

piégeur n. m. Celui qui tend des pièges, qui chasse à l'aide de pièges.

pie-grièche n. f. **1.** Oiseau passériforme (genre *Lanius*) dont la mandibule supérieure se termine par une dent cornée. **2.** Vx Femme acariâtre et querelleuse. *Des pies-grièches.*

pie-mère n. f. ANAT La plus interne des méninges, en contact avec la masse cérébrospinale. *Des pies-mères.*

piémont ou **piedmont** n. m. GEOGR Plaine alluviale formant glacis et résultant de l'accumulation, au pied d'une chaîne de montagnes récente, des matériaux arrachés à cette chaîne par l'érosion.

Piémont (en ital. *Piemonte*), région admin. d'Italie et de la C.E., frontalière de la France et de la Suisse, au N.-O. de la péninsule, formée des prov. d'Alexandrie, d'Asti, de Cuneo, de Novare, de Turin et de Verceil ; 25 399 km² ; 4 389 430 hab. ; cap. *Turin.* – À l'O. et au N. du territoire s'étend l'arc alpin, qui porte de hauts sommets (mont Rose, 4 633 m ; mont Cervin, 4 478 m) et domine une région de plaines et de collines drainée par le Pô et ses affluents. – Grâce à l'irrigation, les cultures connaissent un haut rendement : blé, riz, maïs, vigne (Asti). Les vallées alpestres vivent de l'élevage et du tourisme d'hiver. L'hydroélectricité a permis l'essor industriel : textiles, métallurgie, constr. mécaniques. Le grand centre économique est Turin (constr. automobiles). – Le Piémont appartint à la maison de Savoie à partir du XIe s. et lui fut définitivement attribué en 1418. C'est autour de lui *(royaume de Piémont-Sardaigne)* que se fit l'unité italienne au XIXe s.

piémontais, aise adj. et n. Du Piémont. ▷ Subst. *Un(e) Piémontais(e).*

Pierce (Franklin) (Hillsboro, New Hampshire, 1804 – Concord, New Hampshire, 1869), homme politique américain. Président des É.-U. (1853-1857), il voulut freiner l'ardeur des abolitionnistes.

piercing [piʀsiŋ] n. m. (Anglicisme) Pratique consistant à se transpercer certaines parties du corps au moyen d'aiguilles ou d'anneaux.

piéride n. f. Papillon (genre *Pieris*) aux ailes blanches, tachetées ou non de noir suivant les espèces, dont les chenilles se nourrissent de feuilles de crucifères (chou, navet, etc.).

Pierné (Gabriel) (Metz, 1863 – Ploujean, Finistère, 1937), compositeur, chef d'orchestre et organiste français : *la Coupe enchantée* (opéra-comique, 1895), *l'An Mil* (oratorio, 1897), *Cydalise et le Chèvrepied* (ballet, 1923), mélodies pour piano, etc.

Piero della Francesca (Borgo San Sepolcro, v. 1410 ou 1420 – id., 1492), peintre italien. Disciple de Masaccio, il fit faire à la peinture des progrès considérables en alliant le génie du trait à la pureté de la perspective et des couleurs ; sa contribution fut aussi importante à l'art du paysage qu'à celui du portrait : *la Légende de la Croix* (fresques de Saint-François d'Arezzo, 1452-1459), *Federico da Montefeltro et Battista Sforza* (Offices), *la Flagellation du Christ* (Urbino, v. 1455).

Piero di Cosimo (Piero di Lorenzo di Chimenti, dit) (Florence, v. 1462 – id.,

1521), peintre italien. Son art, mis au service de sujets étranges (*la Mort de Procris*), reflète l'influence de différents maîtres, Signorelli notamment.

pierrade n. f. (Nom déposé) Pierre chauffée sur laquelle on cuit des aliments à table. *Viande cuite sur la pierrade.*

pierraille n. f. Amas de petites pierres. *Un chemin de pierraille.*

pierre n. f. **1.** *(La pierre.)* Matière minérale solide et dure, qu'on trouve en abondance sur la Terre sous forme de masses compactes, et dont on se sert notam. pour la construction. *Bloc de pierre. Dur comme pierre, comme la pierre,* très dur. – Fig. *Un cœur de pierre,* dur et insensible. – *Spécial.* (Matériau) *Un escalier en pierre. Pierre de taille,* qu'on peut tailler et qu'on utilise pour bâtir. – PALEONT *L'âge de (la) pierre :* la période préhistorique caractérisée par la fabrication d'outils en pierre taillée (le paléolithique) puis polie (le néolithique). ▷ (Variétés diverses de cette matière.) *Pierre ponce :* V. ponce. *Pierre à chaux* (calcaire pur), *à plâtre* (gypse), *à ciment* (marne). *Pierre meulière.* Cf. aussi encycl. roche. **2.** *(Une pierre.)* Morceau, fragment de cette matière qui peut avoir été façonnée ou non. *Chemin plein de pierres.* Syn. caillou. – *Lancer des pierres. Casser qqch à coups de pierres.* – Loc. fig. *Faire d'une pierre deux coups :* obtenir deux résultats par un même acte. – *Jeter la pierre à qqn* (allusion à la femme adultère de l'Évangile, que la foule s'apprêtait à lapider), le blâmer, l'accuser. ▷ *Spécial.* Bloc de pierre servant à la construction. *Les pierres d'un mur. Une pierre de taille,* taillée. *Construction en pierres sèches,* en pierres posées directement les unes sur les autres, sans mortier. – *Pierre d'autel :* pierre consacrée, enchâssée dans l'autel et sur laquelle le prêtre officie. – *La première pierre d'une construction,* qu'on pose solennellement au cours d'une cérémonie. ▷ *Par ext.* Monument, stèle, constitués d'une pierre. *Pierre tombale.* – *Pierre levée :* menhir, mégalithe. **3.** Morceau d'une variété de cette matière, qui sert à un usage déterminé. *Pierre à feu, à fusil :* silex qui sert à produire des étincelles. *Pierre à aiguiser. Pierre lithographique*.* – Par anal. *Une pierre à briquet* (alliage de fer et de cérium). **4.** *Pierre précieuse,* ou *pierre :* minéral (souvent cristallin) auquel sa rareté, son éclat, sa beauté confèrent une grande valeur. *Pierre brute. Pierre travaillée,* taillée. – *Spécial.* (En joaillerie.) *Pierres précieuses* (diamant, rubis, saphir et émeraude) et *pierres fines* (les autres gemmes). **5.** Vx Calcul (vésical, en partic.). **6.** Petite concrétion ligneuse se formant dans certains fruits. *Une poire pleine de pierres.* **7.** Composé artificiel ressemblant à de la pierre. *Pierre infernale :* nitrate d'argent. – Spécial. *Pierre philosophale*.*

Piero della Francesca : *la Vierge de la miséricorde,* détail ; Musée civique, Borgo San Sepolcro, Italie

Pierre, v. des États-Unis, cap. de l'État du Dakota du Sud ; 12 900 hab.

SAINTS

Pierre (saint) (Bethsaïde, près de Capharnaüm, Galilée, ? – Rome, v. 64 apr. J.-C.), l'un des douze apôtres ; le chef du collège apostolique, premier évêque de Rome, à ce titre considéré par les catholiques comme le fondateur de la papauté. C'était un pêcheur de Capharnaüm dont Jésus changea le nom de Simon en celui de Pierre (« Tu es Pierre et sur cette pierre je bâtirai mon Église », Matthieu, XVI, 18) après l'avoir invité à le suivre. Devenu, avec Jacques et Jean, l'un des disciples les plus proches de Jésus, il fut le porte-parole des douze apôtres auprès du Maître, qu'il renia par trois fois peu avant la Crucifixion, mais une triple protestation d'amour répara ce triple reniement (Jean, XXI, 15-18). Il œuvra à la conversion des Juifs, visitant les communautés de Galilée, de Judée et de Samarie. Pierre aurait également prêché en Asie Mineure avant d'aller à Rome, où la tradition la plus digne de foi affirme qu'il est mort martyr au temps de Néron.

Pierre Canisius (saint) (Nimègue, 1521 – Fribourg, Suisse, 1597), jésuite hollandais ; un des plus actifs artisans de la Contre-Réforme en Allemagne. Docteur de l'Église (1925).

Pierre Célestin (saint). V. Célestin V (pape).

Pierre Chrysologue (saint) (Imola, 406 – id., v. 450), archevêque de Ravenne (433) ; auteur de *Sermons* et de *Discours* en latin. Docteur de l'Église (1729).

Pierre Damien (saint) (Ravenne, 1007 – Faenza, 1072), religieux italien ; auteur de biographies de saints, de poèmes, de traités polémiques, etc. Il contribua, avec Hildebrand, le futur Grégoire VII, à la réforme du clergé. Docteur de l'Église (1828).

Pierre Fourier (saint) (Mirecourt, 1565 – Gray, 1640), prêtre français ; fondateur de la congrégation des chanoinesses régulières de Notre-Dame, ordre œuvrant pour l'éducation des jeunes filles pauvres.

Pierre Nolasque (saint) (en Languedoc, v. 1182 ou 1189 – Barcelone, v. 1256), religieux du Languedoc. Il prit part à la croisade contre les albigeois et fonda l'ordre de la Merci pour le rachat des chrétiens captifs des musulmans.

CONSTANTINOPLE

Pierre II de Courtenay (v. 1167 – 1217), empereur latin de Constantinople (1217) par son mariage avec Yolande de Flandre, sœur des empereurs Baudouin Ier et Henri de Flandre et de Hainaut. Il fut capturé par Théodore Ange.

ARAGON

Pierre Ier (?, v. 1074 – Huesca, 1104), roi d'Aragon et de Navarre (1094-1104) ; fils de Sanche Ier Ramirez. Il combattit les Arabes et soutint le Cid à Valence. – **Pierre II** (?, v. 1174 – Muret, 1213), roi d'Aragon (1196-1213) ; il participa glorieusement à la bataille de Las Navas de Tolosa (1212). Allié du comte de Toulouse, il périt à la bataille de Muret. – **Pierre III le Grand** (?, v. 1239 – Villafranca del Penedés, Catalogne, 1285), petit-fils du préc. ; roi d'Aragon (1276-1285) et de Sicile (sous le nom de Pierre Ier, 1282-1285). Époux de Constance de Hohenstaufen, il provoqua les Vêpres siciliennes (1282) et se fit couronner roi de Sicile. Excommunié, il lutta avec succès contre Philippe III le Hardi, venu porter secours à la maison d'Anjou. – **Pierre IV le Cérémonieux** (Balaguer, 1319 – Barcelone, 1387), arrière-petit-fils du préc. ; roi d'Aragon (1336-1387). Il prit Majorque et le Roussillon (1344), occupa une partie de la Sardaigne (1354) et fut l'allié d'Henri de Trastamare.

BRÉSIL

Pierre Ier ou **Pedro Ier** (Queluz, 1798 – id., 1834), empereur du Brésil (1822-1831) ; fils de Jean VI, roi de Portugal, qui s'était exilé avec sa famille au Brésil (1808). Régent du Brésil lors du retour de son père à Lisbonne (1821), il proclama l'indépendance du pays (1822) avant de devenir empereur. Il abdiqua (1831) en faveur de son fils, Pierre II. Roi de Portugal en 1826 (Pierre IV) à la mort de son père, il laissa la couronne à sa fille, Marie II. – **Pierre** ou **Pedro II** (Rio de Janeiro, 1825 – Paris, 1891), fils du préc. ; empereur du Brésil (1831-1889). Majeur en 1840, il s'allia à l'Uruguay et au Paraguay contre le dictateur argentin Rosas, puis à l'Argentine et à l'Uruguay contre le dictateur paraguayen López. Il abolit l'esclavage (1888), suscitant une forte opposition, et fut renversé par un coup d'État militaire. La république fut proclamée.

BRETAGNE

Pierre Ier de Dreux, dit *Mauclerc* (m. en 1250), duc de Bretagne (1213-1237). Fils du Capétien Robert de Dreux, il épousa Alix de Thouars (1212) et, tuteur de Jean Ier le Roux, il exerça le pouvoir, s'opposant notam. à Blanche de Castille et au clergé breton. Quand Jean Ier le Roux fut devenu majeur, il suivit Saint Louis en Égypte.

BULGARIE

Pierre Ier (m. en 969), tsar de Bulgarie (927-969), fils de Siméon Ier. Il ne put sauvegarder l'œuvre de son père ; la décadence bulgare commença sous son règne. – **Pierre II Asen** (m. en 1197), roi de Bulgarie (1196-1197) ; frère et successeur de Jean Ier, qu'il soutint dans son entreprise de restauration de l'État. Il fut assassiné.

CASTILLE

Pierre le Cruel (Burgos, 1334 – Montiel, 1369), roi de Castille et de Léon (1350-1369). Prince despotique, il fit assassiner nombre de ses proches. Son frère naturel Henri de Trastamare revendiqua la couronne (1366) et le tua après la victoire de Montiel.

MONTÉNÉGRO

Pierre Ier Petrović Njegoš (Njegoš, auj. Njeguši, v. 1747 – Cetinje, 1830), prince-évêque de Monténégro (1782-1830). Il fit publier un code de droit coutumier (1798) et lutta pour l'indépendance nationale. – **Pierre II Petrović Njegoš** (Njegoš, 1813 – Cetinje, 1851), neveu et successeur du préc. Il modernisa l'État et s'attacha à l'instruction de ses sujets. Poète, il chanta dans *les Lauriers de la montagne* la lutte contre les Turcs au XVIIIe s.

PORTUGAL

Pierre Ier le Justicier (Coimbra, 1320 – Estremoz, 1367), roi de Portugal (1357-1367), fils d'Alphonse IV. Il épousa secrètement Inès de Castro, qu'Alphonse IV fit assassiner (1355). Roi, il lutta contre les abus du clergé. – **Pierre II** (Lisbonne, 1648 – id., 1706), roi de Portugal (1683-1706), régent de son frère Alphonse de 1668 à 1683. Il fit reconnaître par l'Espagne l'indépendance du Portugal (1668). En 1703, il signa avec lord Methuen un accord qui plaçait le pays sous la dépendance économique de l'Angleterre.

– **Pierre III** (Lisbonne, 1717 – id., 1786), roi de Portugal (1777-1786); il partagea le trône avec sa nièce Marie Ire, qu'il avait épousée en 1760. Ils chassèrent Pombal du pouvoir. – **Pierre IV,** roi de Portugal (1826). V. Pierre Ier, empereur du Brésil. – **Pierre V** (Lisbonne, 1837 – id., 1861), roi de Portugal (1853-1861); fils de Marie II.

RUSSIE

Pierre Ier Alexeïevitch, dit *Pierre le Grand* (Moscou, 1672 – Saint-Pétersbourg, 1725), tsar de Russie (1682-1725); fils du tsar Alexis. Il est le créateur de la Russie moderne, dont il fit une puissance européenne. Proclamé tsar en 1682 avec son demi-frère Ivan V, il fit enfermer sa demi-sœur Sophie (régente) dans un couvent en 1689. En 1696, Ivan mourut, et il détint seul le pouvoir. Cette même année il prit aux Turcs la forteresse d'Azov (qu'il perdra en 1711); en 1698, il noya dans le sang la révolte de la garde des tsars. La constitution d'une armée instruite à l'européenne et d'une marine puissante lui permit d'affronter Charles XII de Suède, qu'il battit en 1709 à Poltava, et d'occuper l'Ingrie, l'Estonie et la Livonie, que lui reconnaîtra (avec une partie de la Carélie, l'île d'Œsel) le traité de Nystad (1721). Possédant ainsi une « fenêtre sur l'Europe » il fit, dès 1715, sa capitale de Saint-Pétersbourg, qu'il avait fondée sur la Baltique en 1703. S'inspirant des grandes monarchies occidentales, auxquelles il rendit visite en 1697-1698 et en 1717, Pierre entreprit une profonde réforme de l'administration, de l'armée et de l'économie : centralisation du pouvoir, création d'une noblesse de service, essor remarquable donné au commerce et à l'industrie (métall., notam.). Par la création du Saint-Synode (1721), il contrôla l'Église russe. Il s'efforça d'occidentaliser les mœurs. Ses réformes, appliquées avec une autorité despotique (il n'hésita pas à faire mettre à mort son fils Alexis qui s'opposait à lui), soulevèrent l'hostilité de ses contemporains, mais lui survécurent en grande partie. Catherine Ire, sa seconde épouse, lui succéda. – **Pierre II Alexeïevitch** (Saint-Pétersbourg, 1715 – id., 1730), tsar de Russie (1727-1730); petit-fils de Pierre le Grand, successeur de Catherine Ire, il fut le dernier héritier mâle des Romanov en ligne masculine. – **Pierre III Fédorovitch** (Kiel, 1728 – chât. de Ropcha, près de Peterhof, 1762), tsar de Russie (janv.-juil. 1762), petit-fils de Pierre le Grand par sa mère. Fantasque, puéril, germanophile, il fut renversé par son épouse Catherine II, qui le fit assassiner. ► illustr. page **1453**

SERBIE ET YOUGOSLAVIE

Pierre Ier Karadjordjević (Belgrade, 1844 – id., 1921), roi de Serbie (1903-1918), puis des Serbes, des Croates et des Slovènes (1918-1921). Il combattit l'emprise autrichienne avec l'aide du parti favorable aux Russes. – **Pierre II** (Belgrade, 1923 – Los Angeles, 1970), roi de Yougoslavie (1934-1945); fils d'Alexandre Ier Karadjordjević et petit-fils du préc. Il renversa en mars 1941 le régent Paul, germanophile, et dut quitter le pays lorsqu'il fut envahi (avr. 1941) par les Allemands. En 1945, Tito proclama la république.

SICILE

Pierre Ier, roi de Sicile (1282-1285). V. Pierre III le Grand, roi d'Aragon.

◊ ◊ ◊

Pierre l'Ermite (Amiens, v. 1050 – Neufmoustier, près de Huy, 1115), religieux français; le plus célèbre des prédicateurs de la Ire croisade.

Pierre le Vénérable (Montboissier, Auvergne, v. 1092 – Cluny, 1156), abbé de Cluny (1122-1156). Il rétablit la discipline clunisienne. Il fit traduire le Coran.

Pierre de Montreuil (Montreuil, v. 1200 – Paris, 1267), maître d'œuvre français. Il travailla à la basilique de Saint-Denis et à N.-D. de Paris (façade S. du transept); on lui attribue l'édification de la Sainte-Chapelle.

Pierre de Chelles (XIVe s.), maître d'œuvre français; vraisemblablement l'auteur des chapelles latérales du chœur et de l'abside de N.-D. de Paris.

Pierre de Cortone (Pietro Berritini, dit *Pietro da Cortona*, en fr.) (Cortona, 1596 – Rome, 1669), peintre et architecte italien du début du baroque : fresques des palais Barberini (Rome) et Pitti (Florence); égl. St-Luc-et-Ste-Martine et façade de Ste-Marie-de-la-Paix (Rome).

Pierre (Henri Grouès, dit l'abbé) (Lyon, 1912), prêtre français connu pour son action en faveur des défavorisés. Il est le fondateur d'un mouvement d'entraide (hébergement, collectes, récupération), *Emmaüs* (1949), constitué en communauté et devenu international.

l'abbé **Pierre**

Pilâtre de Rozier

Pierre-Bénite, com. du Rhône (arr. de Lyon), sur le Rhône; 9 469 hab. Industr. chimiques, textiles et électroniques. Usine de raffinage de minerai d'uranium. Grand barrage et centr. hydroélectriques.

Pierrefitte-sur-Seine, ch.-l. de cant. de la Seine-St-Denis (arr. de Bobigny), au N. de Paris; 22 882 hab. Cartonnage.

Pierrefonds, com. de l'Oise (arr. de Compiègne), à la lisière de la forêt de Compiègne; 1 663 hab. – Chât. féodal du XIe s., reconstruit dès 1390 par Louis d'Orléans, démantelé par Richelieu et reconstitué par Viollet-le-Duc pour Napoléon III.

Pierrelatte, ch.-l. de cant. de la Drôme (arr. de Nyons), près du Rhône; 11 918 hab. Canal d'irrigation dérivé du Rhône. Import. usines traitant l'uranium (séparation isotopique), l'une à des fins militaires, l'autre pour alimenter en combustible les centrales nucléaires.

pierreries n. f. pl. Pierres précieuses travaillées, utilisées comme ornement. *Diadème serti de pierreries.*

Pierre-Saint-Martin (gouffre de la), gouffre des Pyrénées-Atlantiques : – 1 332 m (cote établie en 1978).

pierreux, euse adj. **1.** Plein de pierres. *Chemin pierreux.* ▷ *Une poire pierreuse.* V. pierre (sens 6). **2.** De la nature de la pierre. *Concrétion pierreuse.*

pierrot n. m. **1.** (Avec une majuscule.) Nom donné à un personnage de l'anc. comédie italienne et de la pantomime, vêtu de blanc, au visage enfariné. **2.** (Avec une minuscule.) Homme déguisé en Pierrot. **3.** Fam. Moineau.

pietà [pjeta] n. f. inv. Statue ou tableau représentant la Vierge assise portant sur ses genoux le corps du Christ détaché de la croix.

piétaille n. f. **1.** Vx Infanterie. **2.** Péjor. Ensemble des gens de petite condition, de fonction subalterne. **3.** Plaisant Ensemble des piétons.

piété n. f. **1.** Sentiment de dévotion et de respect pour Dieu, pour les choses de la religion. *Exercices de piété.* **2.** Litt. Sentiment d'affection et de respect. *Piété filiale.*

piètement n. m. Ensemble des pieds d'un meuble et des traverses qui les relient.

piéter v. [14] **1.** v. intr. CHASSE Faire quelques pas en courant, au lieu de s'envoler, en parlant d'une bête à plumes. **2.** v. pron. Litt. Se raidir sur ses pieds, en se haussant ou pour résister. *« Comme une statue qui se piète sur son socle » (Gautier).*

Pietermaritzburg, v. d'Afrique du Sud; cap. du Natal; 192 420 hab. Industr. métallurgique; matériaux de construction. Commerce.

piéteur, euse adj. et n. CHASSE Se dit d'un oiseau qui marche et court au lieu de voler.

piétin n. m. **1.** MED VET Maladie du pied du mouton caractérisée par une nécrose sous-ongulée. **2.** Maladie cryptogamique des céréales causée par des champignons microscopiques.

piétinement n. m. Action de piétiner. ▷ Bruit d'une foule qui piétine.

piétiner v. [1] **I.** v. intr. **1.** Remuer, frapper des pieds sur place. *Piétiner d'impatience.* **2.** Remuer des pieds sans avancer ou en avançant très peu. *File d'attente qui piétine.* ▷ Fig. Ne pas progresser. *Les tractations piétinent.* **II.** v. tr. Fouler aux pieds. – Pp. adj. *Une pelouse piétinée.* – Fig. *Son honneur a été piétiné.*

piétisme n. m. RELIG Doctrine d'un mouvement religieux luthérien (XVIIe s.) préconisant le renouveau de la piété personnelle contre le dogmatisme orthodoxe.

piéton, onne n. et adj. **1.** n. Personne qui va à pied. **2.** adj. Réservé aux piétons. *Rue piétonne.* Syn. piétonnier.

piétonnier, ère adj. Des piétons. – Réservé aux piétons. *Passerelle piétonnière.* Syn. piéton.

piètre adj. Vieilli ou litt. (Avant le nom.) Médiocre, sans valeur. *Un piètre comédien. Avoir piètre mine.*

piètrement adv. Rare Médiocrement.

Pietro da Cortona. V. Pierre de Cortone.

1. pieu n. m. Pièce de bois pointue à un bout, destinée à être enfoncée en terre. *Les pieux d'une clôture.* ▷ CONSTR Élément long que l'on enfonce par battage ou forage (bois, métal) ou que l'on coule (béton) dans le sol pour servir de fondement à un ouvrage.

2. pieu n. m. Pop. Lit.

pieusement adv. **1.** Avec piété. *Vivre pieusement.* **2.** Avec un attachement respectueux. *Conserver pieusement des souvenirs.*

pieuter (se) v. pron. [1] Pop. Se mettre au lit. ▷ v. intr. Dormir. *Tu pieutes où, cette nuit ?*

pieuvre n. f. **1.** Mollusque céphalopode (genre *Octopus*), au corps globuleux, aux huit tentacules munis de ventouses, disposés en couronne autour de l'orifice buccal, commun sur les côtes rocheuses. Syn. poulpe. **2.** *Par métaph.* Ce qui enserre, entoure à la manière d'une pieuvre. *« C'est la ville tentaculaire. La pieuvre ardente et l'ossuaire »* (Verhaeren). ▷ Fig. Personne avide, qui ne lâche pas ce dont elle s'est emparée. – Pouvoir, entreprise qui étend insatiablement son emprise.

pieux, pieuse adj. **1.** Qui a de la piété. *Homme pieux.* ▷ Qui dénote de la piété. *Acte pieux.* **2.** Animé ou inspiré par une affection respectueuse. *Fils pieux. Devoirs pieux.*

Pieyre de Mandiargues (André) (Paris, 1909 – id., 1991), poète, romancier et nouvelliste français. Esthète érotique et ésotérique, il a créé une forme de fantastique intimement mêlé au quotidien : *le Musée noir* (1946), *Soleil des loups* (1951), *la Motocyclette* (1963), *la Marge* (1967, prix Goncourt), *Mascarets* (1976), *le Deuil des roses* (1983).

pièze n. f. PHYS Unité de pression hors système (symbole pz), pression exercée uniformément sur un mètre carré par une force de 1 000 newtons.

piézo-. Élément, du gr. *piezein*, « presser ».

piézoélectricité n. f. PHYS Phénomène caractérisé par l'apparition de charges électriques à la surface de certains cristaux lorsqu'ils sont soumis à des contraintes mécaniques.

piézoélectrique adj. PHYS Relatif à la piézoélectricité ; doué de piézoélectricité.

piézométrie n. f. PHYS Étude de la compressibilité des liquides.

1. pif n. m. Pop. Nez. ▷ *Au pif* : au pifomètre*.

2. pif ! interj. Onomatopée (souvent redoublée ou suivie de *paf !*), imitant un bruit sec (détonation, soufflet, etc.).

pifer ou **piffer** v. tr. [1] Pop. *Ne pas pouvoir pifer (qqn, qqch),* ne pas pouvoir le supporter.

pifomètre n. m. Pop. Flair. *Au pifomètre* : à vue de nez, approximativement.

Pigalle (Jean-Baptiste) (Paris, 1714 – id., 1785), sculpteur français, d'inspiration mi-baroque, mi-classique : tombeau du maréchal de Saxe (1777), *l'Enfant à la cage* (1750).

1. pige n. f. **1.** Longueur arbitraire prise comme mesure. – Tige graduée servant à mesurer une hauteur, un niveau. **2.** Arg. Année d'âge. *Il a vingt piges.* **3.** Tâche accomplie par un typographe dans un temps donné, et qui sert de base à sa rémunération. ▷ Mode de rémunération d'un journaliste payé à la tâche. – Article ainsi payé. *Travailler à la pige.*

2. pige n. f. Pop. *Faire la pige à qqn,* faire mieux que lui, le dépasser.

pigeon n. m. **1.** Oiseau columbiforme au corps trapu, à la poitrine pleine, au plumage épais, au bec pourvu d'une cire (membrane où s'ouvrent les narines). *Pigeons voyageurs,* appartenant à des espèces chez lesquelles la faculté d'orientation est particulièrement développée, et utilisés (surtout autref.) pour porter des messages. – *Pigeon ramier* : V. ramier. ▷ *Pigeon vole* : jeu d'enfants dans lequel un meneur de jeu énumère rapidement, en commençant par « pigeon », des noms qu'il fait suivre du mot « vole » (les joueurs doivent lever la main lorsque ce qui est nommé est effectivement capable de voler). **2.** Fig., fam. Personne qui se laisse facilement duper. *Elle a été le pigeon dans cette affaire.* **3.** TECH Poignée de plâtre gâché (pour dresser une cloison, etc.). **4.** *Pigeon d'argile* : disque d'argile cuite qui sert de cible mobile, dans le tir à la fosse ou *tir au pigeon.*

pigeon ramier

pigeonnant, ante adj. Fam. Se dit d'une poitrine de femme haute et rebondie. ▷ Par méton. *Un soutien-gorge pigeonnant.*

pigeonne n. f. Femelle du pigeon.

pigeonneau n. m. Jeune pigeon.

pigeonner v. tr. [1] **1.** Fam. Traiter (qqn) en pigeon (sens 2), duper. **2.** CONSTR Plâtrer avec des pigeons (sens 3), exécuter avec du plâtre levé à la truelle ou à la main, sans le lancer ni le plaquer.

pigeonnier n. m. Petite construction destinée à abriter des pigeons domestiques. Syn. colombier. ▷ Par anal. Fam. Logement exigu et élevé.

piger v. tr. [13] **1.** Fam. Comprendre. *Tu piges la combine ?* **2.** (Canada) Prendre au hasard, tirer au sort. *Piger un nom, un numéro pour connaître le gagnant d'un concours. Piger une carte.*

pigiste n. Typographe, journaliste payé à la pige.

pigment [pigmɑ̃] n. m. **1.** BIOL Substance synthétisée par les êtres vivants, qui donne leur coloration aux tissus. ▷ BOT Substance colorante des plantes. **2.** TECH Matière d'origine minérale, organique ou métallique, généralement réduite en poudre et que l'on utilise comme colorant.

pigmentaire adj. Relatif aux pigments. – Qui contient des pigments.

pigmentation n. f. **1.** BIOL Formation et accumulation, normale ou pathologique, de pigment dans certains tissus. **2.** TECH Coloration par un ou des pigments.

pigmenté, ée adj. Qui est coloré par des pigments.

pigmenter v. tr. [1] Colorer par un ou des pigments.

pigne n. f. Rég. Pomme de pin (spécial., de pin pignon). ▷ Graine de pin.

Pignerol, v. d'Italie (prov. de Turin) ; 35 860 hab. – Import. place forte tenant le Piémont, la ville fut française (1536-1574, 1631-1696 et 1801-1814).

pignocher v. intr. [1] Fam., vieilli Manger sans appétit, par petits morceaux.

1. pignon n. m. Partie supérieure triangulaire d'un mur, sur laquelle portent les pannes d'un toit à deux pentes. ▷ *Avoir pignon sur rue* : posséder en propre une maison, un magasin, etc. ; fig., être dans une situation notoirement établie, aisée.

2. pignon n. m. Roue dentée. ▷ *Spécial.* La plus petite des deux roues d'un engrenage.

3. pignon n. m. *Pin pignon* ou *pignon* : pin parasol. ▷ Graine comestible du pignon.

Pignon (Édouard) (Bully-les-Mines, 1905 – La Couture-Boussey, Eure, 1993), peintre français d'inspiration expressionniste : séries des *Combats de coqs,* des *Battages de blé,* etc.

pignoratif, ive adj. DR *Contrat pignoratif,* par lequel un débiteur vend, sous faculté de rachat, un bien à son créancier, qui le lui laisse en location.

pignouf n. m. Pop. Individu sans éducation.

pilaf n. m. Plat épicé composé de riz mêlé de viande, de poisson, de coquillages, etc. ▷ (En appos.) *Riz pilaf.*

pilage n. m. Action de piler.

pilaire adj. Didac. Qui a rapport aux poils.

pilastre n. m. **1.** Pilier adossé à un mur ou engagé dans celui-ci. **2.** Montant à jour placé dans la travée d'une grille, d'une rampe d'escalier ou d'un balcon pour la renforcer.

Pilat (mont), montagne du Massif central (1 434 m au *Crêt de la Perdrix*), dans le N. du Vivarais.

Pilate (mont), massif de Suisse (2 132 m), au S. de Lucerne, en bordure du lac des Quatre-Cantons.

Pilate (Ponce) (en lat. *Pontius Pilatus*) (Ier s.), procurateur romain de Judée (26-36). Peu favorable aux Juifs qui réclamaient la mort de Jésus, mais craignant d'être disgracié par l'empereur, il le leur livra et déclara, en se lavant les mains : « Je suis innocent du sang de ce juste » (d'où l'expression *s'en laver les mains* : décliner toute responsabilité).

Pilâtre de Rozier ou **du Rosier** (Jean-François) (Metz, 1756 – Wimereux, près de Boulogne, 1785), aéronaute français ; le premier homme qui s'éleva dans les airs en ballon (1783). Il tenta de traverser le pas de Calais, mais son ballon prit feu et il périt.

pilchard n. m. Grosse sardine.

Pilcomayo (le), rivière d'Amérique du Sud (2 500 km), affl. du Paraguay (r.

dr.), formant frontière entre l'Argentine et le Paraguay.

1. pile n. f. **I. 1.** Ensemble d'objets placés les uns sur les autres. *Une pile de livres.* **2.** Massif de maçonnerie servant de support intermédiaire au tablier d'un pont. **II.** *Pile électrique* ou *pile :* générateur de courant, appareil qui transforme l'énergie dégagée au cours d'une réaction chimique en courant électrique. ▷ *Pile photovoltaïque* ou *pile solaire.* V. photopile. – *Pile thermoélectrique.* V. thermopile. ▷ PHYS NUCL *Pile nucléaire :* réacteur nucléaire utilisé pour la recherche, les essais ou la production de radioéléments.

2. pile n. f. **1.** TECH Bac servant à préparer la pâte à papier. **2.** Fam. Volée de coups. – Défaite écrasante. *On va leur flanquer une de ces piles !*

3. pile n. f. et adv. **1.** n. f. Côté d'une pièce de monnaie opposé à la *face* portant, en général, la valeur de cette pièce. *Jouer à pile ou face :* essayer de deviner quel côté présentera une pièce en tombant, après avoir été lancée en l'air ; fig. décider au hasard. **2.** adv. Fig., fam. *Tomber pile,* juste ou à point. – *S'arrêter pile,* tout d'un coup.

pile-poil adv. Fam. Au bon moment, très précisément, parfaitement. *Ça tombe pile-poil.*

1. piler v. tr. [1] **1.** Écraser, broyer en frappant. *Piler des amandes.* **2.** Fig., fam. Battre (qqn) à un jeu, dans un combat. *Se faire piler.*

2. piler v. intr. [1] Fam. S'arrêter, freiner brusquement.

pilet n. m. *Canard pilet* ou *pilet (Anas acuta) :* canard sauvage des étangs d'Europe, à longue queue et à tête brune.

pileux, euse adj. Qui a rapport aux poils, aux cheveux. *Système pileux :* ensemble des poils recouvrant le corps.

pilier n. m. **1.** Massif de maçonnerie constituant un support, dans un édifice. *Les piliers d'une cathédrale.* ▷ Chacun des supports en fer, en bois, etc. soutenant une construction. *Pilier métallique.* **2.** ANAT Portion d'un muscle ou d'un organe ayant une fonction de soutien. *Les piliers du diaphragme, du voile du palais.* **3.** Fig., péjor. Personne fréquentant assidûment quelque lieu. *Pilier de bar.* **4.** Fig. Personne ou chose sur laquelle s'appuie qqch. *Les piliers d'un régime politique.* **5.** SPORT Au rugby, chacun des deux avants de première ligne qui encadrent le talonneur dans les mêlées.

pili-pili n. m. inv. Piment rouge au goût très fort.

pillage n. m. Action de piller.

pillard, arde adj. et n. Qui pille, qui a l'habitude de piller.

piller v. tr. [1] **1.** S'emparer de force des biens qui se trouvent dans (une ville, une maison, etc.). *L'ennemi a pillé ce village.* **2.** Voler (qqch) en saccageant, en ruinant. *Piller les œuvres d'art d'une église.* **3.** Fig. Plagier, copier de façon éhontée.

Pillnitz, village de Saxe, sur l'Elbe. – Au *château de Pillnitz,* l'empereur Léopold II et Frédéric-Guillaume II de Prusse signèrent une déclaration de soutien au roi de France (août 1791).

Pilniak (Boris Andreïevitch Vogau, dit Boris) (Mojaïsk, 1894 – ?, 1937), écrivain soviétique ; chantre romantique de la révolution d'Octobre (*L'Année nue,* 1922). Il fut arrêté en 1937 et probablement exécuté la même année.

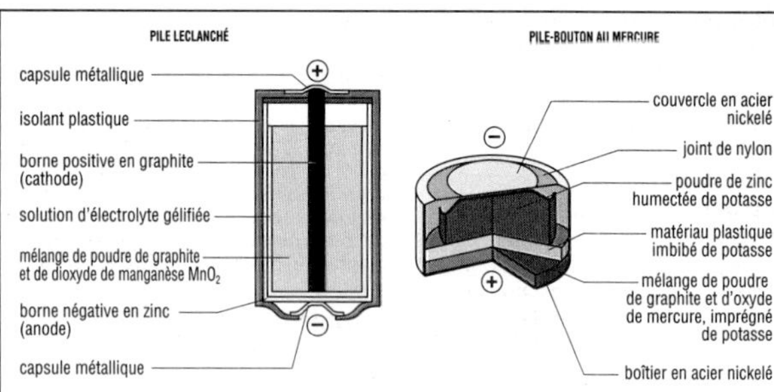

à la borne négative en zinc, une réaction chimique due à l'électrolyte libère des électrons ; ceux-ci migrent vers la borne positive en graphite, créant ainsi un courant (inverse au sens des électrons) mis à profit à l'extérieur de la pile ; le dioxyde de manganèse sert à réduire l'hydrogène qui formerait obstacle autour du graphite

le zinc étant un métal plus réducteur que le mercure, deux réactions se produisent simultanément : à la borne négative, oxydation du zinc et libération d'électrons, mis à profit à l'extérieur de la pile ; à la borne négative, réduction de l'oxyde de mercure

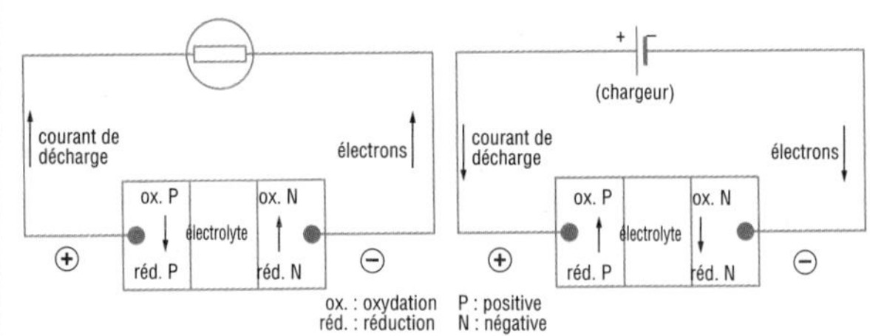

au cours de la décharge, un accumulateur se comporte comme une pile ; au cours de la charge effectuée par un générateur d'électricité (ou chargeur), l'apport d'électrons inverse les phénomènes d'oxydation et de réduction

pile électrique et accumulateur

pilocarpe n. m. BOT Arbrisseau d'Amérique du Sud (fam. rutacées) dont une espèce est le jaborandi.

pilocarpine n. f. PHARM Alcaloïde extrait des feuilles de jaborandi.

pilon n. m. **1.** Instrument servant à écraser ou tasser. *Broyer des épices, du grain dans un mortier avec un pilon.* – *Marteau-pilon :* V. ce mot. ▷ *Mettre un livre au pilon,* en détruire l'édition. **2.** Partie inférieure de la cuisse d'une volaille cuite. **3.** Jambe de bois.

Pilon (Germain) (Paris, v. 1535 – id., 1590), sculpteur français ; import. représentant de la Renaissance en France (monument du cœur d'Henri II, dit *les Trois Grâces,* 1561), portraitiste (statue du chancelier de Birague, 1583-1585), auteur de médaillons en bronze.

pilonnage n. m. Action de pilonner.

pilonner v. tr. [1] **1.** Écraser avec un pilon. **2.** MILIT Bombarder (une position ennemie) de façon intensive avec des projectiles de gros calibre.

pilori n. m. Poteau auquel était attachée une personne condamnée à être exposée publiquement. ▷ Fig. *Clouer qqn au pilori,* le désigner à l'indignation publique.

pilo-sébacé, ée adj. ANAT Qui a rapport au poil et à la glande sébacée.

piloselle n. f. BOT Plante aux propriétés diurétiques (fam. composées) appelée aussi *épervière.*

pilosisme n. m. MED Pilosité anormale dans un endroit déterminé.

pilosité n. f. **1.** Présence de poils. **2.** Ensemble des poils.

pilotage n. m. Action, art de piloter un navire, un aéronef.

pilote n. m. **I. 1.** MAR Celui qui est chargé de diriger un navire dans les passages difficiles, à l'entrée des ports. **2.** AVIAT Personne qui tient les commandes d'un aéronef ; spécialiste du pilotage. *Pilote d'essai. Pilote de ligne.* ▷ *Pilote automatique :* dispositif qui corrige automatiquement, par action sur les gouvernes, les mouvements tendant à modifier la stabilité d'un avion (en cap et en altitude), le cap d'un bateau. **3.** SPORT Spécialiste de la conduite automobile. *Pilote de course.* **II.** (En apposition à un subst. et parfois uni à lui par un trait d'union.) **1.** *Bateau-pilote,* qui conduit le pilote d'un port à bord du navire qu'il doit guider. *Des bateaux-pilotes.* **2.** *Poisson pilote* ou *pilote :* poisson perciforme *(Naucrates ductor)* qui accompagne les requins, les raies, les navires, en quête de la nourriture que ceux-ci abandonnent. **3.** Fig. Qui s'engage dans une voie nouvelle, à titre expérimental. *Classe pilote.*

piloter v. tr. [1] **1.** Conduire (un navire, un aéronef, une automobile) en tant que pilote. *Piloter un avion.* **2.** Fig. Guider (qqn) dans des lieux qu'il ne connaît pas. *Piloter un étranger.*

pilotis [pilɔti] n. m. Ensemble de pieux servant d'assise à un ouvrage construit au-dessus de l'eau ou d'un sol mouvant. – Chacun de ces pieux. *Hutte sur pilotis.*

pilou n. m. Tissu de coton pelucheux.

Pilpay ou **Bidpay,** nom arabe ou persan donné au VIIIe s. apr. J.-C. à un brahmane indien (IIIe s. av. J.-C. [?]) dont on faisait l'auteur de célèbres apologues, qui furent en partie repris par La Fontaine dans ses fables.

pilpil n. m. Blé complet précuit, utilisé dans la cuisine végétarienne.

Pilsen. V. Plzeň.

Piłsudski (Józef) (Zułowo, Lituanie, 1867 - Varsovie, 1935), maréchal (1920) et homme politique polonais. Un des fondateurs du parti socialiste polonais (1892), il organisa l'agitation terroriste en Pologne pendant la révolution russe de 1904-1905 et milita pour l'indépendance de son pays. En 1914, il combattit dans la Légion polonaise, aux côtés des Empires centraux. Promu en 1919 chef de l'État et commandant en chef par la diète polonaise, il dirigea les opérations militaires contre les bolcheviks. Il quitta le pouvoir en 1922 et le reprit en 1926 (coup d'État du 12 mai) pour le garder jusqu'à sa mort.

Piltdown, local. du S. de l'Angleterre (Sussex) où furent découverts, en 1912, les restes d'un homme que certains crurent un ancêtre direct d'*Homo sapiens*. Une étude effectuée en 1953 conclut à une mystification.

pilule n. f. **1.** PHARM Médicament de forme sphérique qu'on absorbe par voie orale. ▷ Fig., fam. *Dorer la pilule à qqn*, essayer de lui faire prendre pour séduisante une chose désagréable. - *Avaler la pilule* : supporter une chose déplaisante sans réagir, sans se rebeller. ▷ *Pilule contraceptive* ou, absol., *la pilule* : pilule de substance hormonale bloquant l'ovulation, utilisée comme contraceptif. **2.** Fig., pop. *Prendre une pilule* : essuyer un échec.

pilulier n. m. **1.** PHARM Instrument servant à préparer les pilules. **2.** Petite boîte à pilules, à comprimés.

pimbêche n. f. Femme affectant des airs pincés.

pimbina ou **pembina** n. m. (Canada) Nom cour. de deux variétés indigènes de viornes à fruits rouges comestibles (*Viburnum edule* et *trilobum*). - Fruits de ces arbrisseaux. *Gelée de pimbina.*

piment n. m. **1.** Nom de diverses solanacées cultivées pour leurs fruits. ▷ Fruit de ces diverses plantes utilisé comme condiment (paprika, poivre de cayenne) ou comme légume (piment doux ou poivron). - *Spécial.* Piment fort. **2.** Fig. Ce qui donne de la saveur, du piquant. *Mettre du piment dans un récit.*

pimenter v. tr. [1] **1.** Assaisonner avec du piment. *Pimenter un mets.* **2.** Fig. Donner du piquant à. *Pimenter ses propos.*

pimpant, ante adj. Qui donne une impression de fraîcheur et d'élégance. *Jeune fille pimpante. Robe pimpante.*

piment fort de Cayenne : feuilles et fruits (mûr et vert)

pin : silhouette du pin parasol (en haut à dr.); pin pignon (en bas, de g. à dr., extrémité d'une tige avec chaton mâle; graines ou pignons; cône)

pimprenelle n. f. Petite plante herbacée (fam. rosacées), très commune, aux fleurs en capitules verdâtres ou roses, et dont les feuilles sont utilisées comme condiment.

pin n. m. Conifère à feuillage persistant (aiguilles). *Pin sylvestre, pin parasol et pin pignon sont communs en France.*

pinacées n. f. pl. BOT Famille de conifères comprenant les sapins vrais. - Sing. *Une pinacée.*

pinacle n. m. **1.** Partie la plus haute d'un édifice. **2.** ARCHI Couronnement d'un contrefort gothique. **3.** Fig. *Porter qqn au pinacle*, en faire grand cas, le couvrir d'éloges.

pinacothèque n. f. Musée de peinture (en Italie, en Allemagne). *La pinacothèque de Munich.*

pinaillage n. m. Fam. Action de pinailler.

pinailler v. intr. [1] Fam. Se montrer exagérément minutieux, ergoter sur des riens.

pinailleur, euse n. et adj. Fam. Personne qui a l'habitude de pinailler, d'ergoter. - adj. *Elle est un peu pinailleuse.*

pinard n. m. Pop. Vin.

Pinar del Río, v. de l'O. de Cuba; 118 250 hab.; ch.-l. de la prov. du m. nom. Manufactures de tabac, industries alimentaires. - Évêché.

pinardier n. m. Fam. **1.** Négociant en vin. **2.** Navire-citerne servant au transport du vin.

pinasse n. f. MAR **1.** Anc. Embarcation longue et légère, propre à la course. **2.** Petit bateau de pêche rapide. *Les pinasses d'Arcachon.*

Pinay (Antoine) (Saint-Symphorien-sur-Coise, Rhône, 1891 - Saint-Chamond, 1994), homme politique français. Industriel, maire de Saint-Chamond (de 1929 à 1977), député à partir de 1936, il fut l'un des créateurs, en 1945, du Centre national des indépendants et paysans (C.N.I.). Plusieurs fois ministre, chef du gouvernement en 1952, il lutta pour la stabilisation des prix et lança l'*emprunt Pinay* (à garantie or). Ministre des Finances de 1958 à 1960, il contribua au rétablissement du franc et institua le franc lourd. Il fut médiateur (le premier à occuper ce poste) en 1973.

pince n. f. **1.** Instrument composé de deux branches articulées, servant à saisir ou à serrer des objets. *Pince à linge*, qui sert à fixer du linge sur une corde. *Pince coupante.* ▷ *Pince-monseigneur* : V. ce mot. **2.** Appendice préhenseur des crustacés, patte antérieure fourchue et articulée qui leur sert à saisir, à pincer. *Pinces d'écrevisse, de homard.* ▷ Pop. Main. *Serrer la pince à qqn.* **3.** Extrémité antérieure du pied des mammifères ongulés. ▷ Pop. Pied. *Faire 10 km à pinces.* **4.** Dent incisive des herbivores, et partic. du cheval. **5.** COUT Pli cousu fait pour ajuster un vêtement. *Pinces de taille, de poitrine.*

pincé, ée adj. **1.** MUS *Cordes pincées*, que l'on fait vibrer en les pinçant avec les doigts (par oppos. à *cordes frappées* et à *cordes frottées*). **2.** Serré et mince. *Lèvres pincées.* ▷ *Air pincé*, mécontent, maniéré, distant.

pinceau n. m. **1.** Instrument formé d'un faisceau de poils attaché au bout d'un manche, et qui sert à appliquer les couleurs, la colle, etc. **2.** Fig. Manière de peindre d'un artiste. *Il a le pinceau délicat.* **3.** Étroit faisceau de rayons lumineux. **4.** Pop. Pied.

pincée n. f. Quantité (d'une matière en poudre, en grains) que l'on peut prendre en la pinçant du bout de deux doigts. *Une pincée de sel.*

pincement n. m. Action de pincer. ▷ Sensation vive et quelque peu douloureuse. *Le pincement de la faim. Pincement au cœur.*

pince-monseigneur n. f. Levier qu'utilisent en partic. les cambrioleurs pour forcer les portes. *Des pinces-monseigneur.*

pince-nez n. m. inv. Binocle fixé sur le nez par un ressort.

pince-oreille. V. perce-oreille.

pincer v. tr. [12] **1.** Serrer étroitement avec les doigts, avec une pince, etc. *Pincer une barre de fer avec des tenailles.* ▷ MUS *Pincer les cordes d'un instrument*, les faire vibrer avec les doigts. **2.** Serrer la peau fortement entre les doigts ou autrement, en provoquant une sensation douloureuse. - Fig. Produire une sensation vive, semblable à un pincement. *Le froid pince les joues.* - Absol. Fam. *Ça pince, ce matin*, il fait très froid. ▷ v. pron. *Se pincer les doigts dans une porte.* **3.** Rapprocher en serrant et en faisant paraître plus mince. *Pincer les lèvres. Corsage pinçant la taille.* ▷ *Pincer un vêtement*, le resserrer à l'aide de pinces (sens 5). **4.** ARBOR *Pincer les bourgeons* : supprimer les bourgeons axillaires pour arrêter la croissance des ramifications. **5.** Fig., fam. Prendre, surprendre (qqn). *Pincer qqn la main dans le sac.* ▷ Pop. *Être pincé* : être amoureux. - v. intr. *En pincer pour* : être épris de.

pince-sans-rire n. m. inv. Personne qui plaisante, qui raille tout en restant impassible.

pincette n. f. **1.** Petite pince. **2.** (Au plur.) Longue pince en fer servant à saisir les tisons dans le feu. ▷ Loc. fig., fam. *N'être pas à prendre avec des pincettes* : être de très mauvaise humeur.

Pincevent, site préhistorique sur la r. g. de la Seine, près de Montereau; l'un des plus import. gisements magdaléniens d'Europe occidentale, découvert en 1964.

pinçon n. m. Trace d'un pincement sur la peau.

pinctadine n. f. ZOOL Mollusque bivalve de la mer Rouge et de l'Indo-Pacifique, élevé industriellement au Japon pour la production des perles. *La pinctadine est couramment appelée « huître perlière ».*

Pincus (Georgy Goodwin) (Woodbine, New Jersey, 1903 - Boston, 1967), biologiste américain. Ses travaux sont à l'origine de la pilule contraceptive.

Pindare (Cynoscéphales, près de Thèbes, 518 – Argos [?], 438 av. J.-C.), poète lyrique grec. De son œuvre, considérable, qui illustre toutes les variétés de la poésie chorale (dithyrambes, hymnes), il ne nous reste intactes que ses *Odes triomphales* (ou *Épinicies*), au nombre de 45 et divisées, selon les noms des jeux auxquels elles ont trait, en 14 *Olympiques*, 12 *Pythiques*, 11 *Néméennes*, 8 *Isthmiques*.

pindarique adj. LITTER Qui est dans la manière lyrique de Pindare. *Odes pindariques.*

Pinde (le), chaîne montagneuse de la Grèce centrale (2 637 m au Smolíkas), séparant l'Épire (à l'ouest) de la Thessalie (à l'est).

pinéal, ale, aux adj. ANAT Relatif à l'épiphyse. ▷ ZOOL *Organe pinéal :* organe céphalique pariétal postérieur, formé d'une vésicule aplatie photosensible.

pineau n. m. VITIC Vin charentais liquoreux obtenu en ajoutant du cognac au jus de raisin avant la fermentation.

pinède n. f. Terrain planté de pins.

Pinel (Philippe) (Jonquières, Tarn, 1745 – Paris, 1826), médecin aliéniste français. Nommé médecin-chef à l'hôpital de Bicêtre (1793), il abolit les traitements violents jusqu'alors en usage.

Pingdong, v. de Taiwan, dans le S. de l'île ; 165 360 hab. ; ch.-l. du comté du m. nom. Centre commercial.

Pinget (Robert) (Genève, 1919), écrivain français d'origine suisse. Son œuvre romanesque s'inscrit dans le mouvement du « nouveau roman » : *Baga* (1958), *l'Inquisitoire* (1962), *Passacaille* (1969), *Monsieur Songe* (1982). Théâtre : *Lettre morte* (1959), *l'Architruc* (1961).

pingouin n. m. Oiseau marin des régions arctiques (fam. alcidés) au plumage noir et blanc, aux ailes courtes et aux orteils palmés. ▷ Cour. Oiseau de la famille des alcidés (macareux, guillemots). – *Abusiv.* Manchot.

pingouin torda

ping-pong [piŋpɔ̃ŋ] n. m. inv. (Nom déposé.) Tennis de table.

pingre n. et adj. Personne avare, mesquine. ▷ adj. *Être pingre.*

pingrerie n. f. Avarice mesquine.

Pink Floyd, groupe britannique de musique pop qui fut, de 1968 à 1983, une des formations majeures de ce courant musical. Albums : *Ummagumma* (1969), *The Wall* (1979).

pinnipèdes n. m. pl. ZOOL Sous-ordre de mammifères carnivores marins dont les membres ont évolué en palettes natatoires (otaries, phoques, morses). – Sing. *Un pinnipède.*

pinnotère ou **pinnothère** [pinɔtɛʀ] n. m. ZOOL Petit crabe qui vit en symbiose avec divers bivalves.

pinnule n. f. **1.** BOT Partie la plus petite du limbe des feuilles divisées (frondes des fougères, notam.). **2.** TECH Plaque percée d'un trou ou d'une fente traversée par un fil, servant à faire des visées topographiques.

Pinocchio, héros du roman du m. nom (1883) de Carlo Collodi, turbulente marionnette qui connaît mille mésaventures avant d'être métamorphosée en enfant.

Pinochet Ugarte (Agusto) (Valparaíso, 1915), général et homme politique chilien. Général de division en 1972, il fut nommé chef des armées en août 1973 par le prés. Allende, qu'il renversa le 11 sept. à la tête d'une junte militaire. En déc. 1974, cette junte le nomma officiellement président de la République. Il entreprit une répression féroce contre les anciens partisans d'Allende et institua un régime dictatorial. Après les élections présidentielles de déc. 1989 auxquelles il ne pouvait, institutionnellement, se présenter, Pinochet conserva le contrôle de l'armée.

pinocytose n. f. BIOL Endocytose des substances liquides.

pinot n. m. VITIC Cépage constituant notam. une grande partie du vignoble bourguignon. *Pinot blanc, gris, meunier, noir.* ▷ Vin issu de ce cépage.

pin's [pins] n. m. inv. (Anglicisme) Badge qui se fixe au moyen d'une pointe retenue par un embout. Syn. (off. recommandé) épinglette.

Pins (île des), île franç. du Pacifique, au S.-E. de la Nouvelle-Calédonie, dont elle dépend ; 153 km^2 ; 1 095 hab. ; ch.-l. *Vao.* – Île pénitentiaire pour les déportés simples de la Commune, de 1872 à 1879.

pinscher [pinʃɛʀ] n. m. Chien d'agrément, doberman nain.

pinson n. m. Petit oiseau passériforme migrateur (genre *Fringilla*, fam. fringillidés), au plumage nuancé (bleu, verdâtre, noir, roux), bon chanteur. ▷ Loc. *Gai comme un pinson :* très gai.

pintade n. f. Oiseau galliforme, originaire d'Afrique, au plumage gris perlé de blanc (*Numida meleagris* et espèces voisines), dont la chair est très estimée.

pintade vulturine d'Afrique

pintadeau n. m. Jeune pintade.

pinte n. f. **1.** Anc. mesure de capacité, variable selon les lieux, valant env. un litre. **2.** Récipient contenant une pinte ; son contenu. **3.** Mesure de capacité anglo-saxonne valant 0,568 l en Grande-Bretagne, 0,473 l aux États-Unis, et 1,136 l au Canada. (Abrév. : pte.) *La pinte n'est plus officielle en Grande-Bretagne et au Canada depuis l'adoption du système métrique.*

pinter v. [1] **1.** v. intr. Pop. Boire avec excès. ▷ v. pron. S'enivrer. – *Être pinté,* ivre. **2.** v. tr. Pop., vieilli Boire. *Pinter un litre de rouge.*

Pinter (Harold) (Londres, 1930), acteur et auteur dramatique anglais ; l'un des représentants du « théâtre de l'absurde » : *le Gardien* (1959), *la Collection* (1962), *l'Amant* (1962), *le Retour* (1965), *No Man's Land* (1975).

Pinto (Fernão Mendes). V. Mendes Pinto (Fernão).

Pinturicchio (Bernardino di Betto, dit il) (Pérouse, v. 1454 – Sienne, 1513), peintre italien ; il travailla avec le Pérugin : compositions des appartements Borgia au Vatican (1493-1494).

pin-up [pinœp] n. f. inv. (Anglicisme) Jolie fille peu vêtue dont on épingle la photo au mur. – *Par ext.* Jolie fille d'allure affriolante.

pinyin [pinjin] n. m. LING Système de transcription de la langue chinoise en caractères latins, rendu officiel par le gouvernement chinois en 1958.

Pinzón (Martín Alonso Yáñez) (Palos de Moguer, Huelva, 1440 – La Rábida, Huelva, 1493), navigateur espagnol ; commandant de la *Pinta*, une des caravelles de C. Colomb en 1492. – **Vicente Yáñez** (m. apr. 1523), frère du préc. ; également compagnon de C. Colomb en 1492 (il commandait la *Niña*), il découvrit l'embouchure de l'Amazone.

piochage n. m. **1.** Action de piocher. **2.** Travail fait à la pioche.

pioche n. f. **1.** Outil formé d'un fer pointu ou plat muni d'un manche, qui sert à creuser la terre. ▷ Fig., fam. *Tête de pioche :* individu têtu et borné. **2.** JEU Tas de cartes, de dominos non distribués dans lequel on pioche.

piocher v. [1] **I.** v. tr. **1.** Creuser, remuer avec une pioche. *Piocher une vigne.* **2.** Fig., fam. Préparer avec ardeur, travailler beaucoup sur. *J'avais bien pioché cette question. Piocher un examen.* **II.** v. intr. JEU Puiser dans le tas de cartes, de dominos non distribués jusqu'à ce que l'on rencontre la carte, le domino que l'on peut jouer. ▷ *Par ext.* Puiser dans un tas.

piolet n. m. Courte pioche utilisée en alpinisme.

Piombino, v. d'Italie (Toscane), port en face de l'île d'Elbe ; 39 390 hab. Centre sidérurgique traitant le fer de l'île. – Principauté en 1594, Piombino fut rattachée à la France en 1802. Napoléon la donna à sa sœur Élisa en 1805, puis elle fut réunie à la Toscane (1808).

Piombo (Sebastiano del). V. Sebastiano del Piombo.

1. pion n. m. **1.** JEU Chacune des huit plus petites pièces du jeu d'échecs. ▷ Chacune des pièces du jeu de dames. – Fig. *N'être qu'un pion (sur l'échiquier) :* n'avoir aucune prise sur les événements, être manœuvré. – Loc. fig., fam. *Damer le pion à qqn,* prendre l'avantage sur lui. **2.** Arg. (des écoles) Surveillant d'études (fém. *pionne*).

2. pion n. m. PHYS NUCL Particule associée au champ nucléaire, responsable des interactions entre nucléons. Syn. méson π.

pioncer v. intr. [**12**] Pop. Dormir.

Pioneer (« Pionnier »), nom donné par les Américains à une série de sondes spatiales destinées à l'exploration du système solaire.

pionnier, ère n. et adj. **1.** n. m. MILIT Militaire du génie spécialiste des travaux de terrassement. **2.** n. Colon qui défriche et cultive des contrées inhabitées. *Les pionniers de l'Amérique du Nord.* ▷ adj. *Les régions pionnières.* – Fig. Personne qui ouvre une voie nouvelle. *Les pionniers de la science.*

Piotrków Trybunalski, v. de Pologne, au S.-E. de Łódź; 79 000 hab.; ch.-l. de la voïévodie du m. nom. Textiles, constr. mécaniques. – Siège des diètes de la Couronne polonaise puis du Tribunal suprême (XVIe-XVIIIe s.).

Piovene (Guido) (Vicence, 1907 – Londres, 1974), journaliste et romancier italien. Décadentiste, il fut influencé par Soldati : *la Novice* (1942), *les Étoiles froides* (1970). Reportage : *Madame la France* (1968).

pipa n. m. Gros crapaud d'Amérique tropicale (genre *Pipa*).

pipe n. f. **1.** Ustensile servant à fumer, composé d'un tuyau aboutissant à un fourneau contenant le tabac. *Allumer, fumer sa pipe.* – *Par ext.* Tabac contenu dans le fourneau. *Fumer une pipe.* ▷ Pop. Cigarette. *Un paquet de pipes.* **2.** (En loc.) Pop. *Casser sa pipe* : mourir. – Fam. *Par tête de pipe* : par personne. *Cela revient à vingt francs par tête de pipe.* – Pop. *Se fendre la pipe* : rire de bon cœur. – Fam. *Nom d'une pipe!* : juron marquant l'étonnement, l'indignation. **3.** TECH Élément de tuyauterie, conduit. *Pipe d'aération.*

pipeau n. m. **1.** Flûte champêtre, chalumeau. *Danser au son du pipeau.* **2.** CHASSE Syn. de *appeau.* – (Plur.) Petites branches enduites de glu pour prendre les oiseaux.

pipelet, ette n. **1.** Pop. Concierge. **2.** Fam. (Surtout au fém.) Personne bavarde, commère.

pipeline n. m. (Anglicisme) Canalisation servant au transport des liquides, des gaz ou des matières pulvérulentes.

piper v. [**1**] **I.** v. intr. Vx Pousser un cri, en parlant d'un oiseau. ▷ Fig., fam. *Ne pas piper* : ne pas dire un mot. *Il obéit sans piper.* **II.** v. tr. **1.** Prendre au pipeau. *Piper des oiseaux.* **2.** *Piper des dés, des cartes,* les truquer pour tricher au jeu. – Fig. *Les dés sont pipés* : les données du problème ont été truquées, faussées.

pipéracées n. f. pl. BOT Famille de dicotylédones herbacées ou arbustives des régions chaudes, possédant des propriétés aromatiques, astringentes et narcotiques, dont le poivre noir est le type. – Sing. *Une pipéracée.*

piperade n. f. CUIS Omelette basque aux tomates et aux poivrons.

piper-cub [pipəʀkœb] n. m. AVIAT Avion d'observation léger de deux à quatre places (1939-1945). *Des piper-cubs.*

pipéronal, als n. m. CHIM Syn. de *héliotropine.*

pipette n. f. Tube mince, généralement gradué, utilisé en laboratoire pour prélever des liquides.

pipi n. m. Fam. Urine. – *Faire pipi* : uriner.

pipistrelle n. f. La plus petite des chauves-souris (*Pipistrellus pipistrellus,* 4 cm de long). ► illustr. **chauve-souris**

pipit [pipi(t)] n. m. Petit oiseau passériforme (genre *Anthus*) au plumage terne, de la taille d'un moineau.

piquage n. m. Action de piquer; son résultat.

piquant, ante adj. et n. **I.** adj. **1.** Qui pique ou peut piquer. *Les épines sont piquantes.* **2.** Qui produit une sensation vive, comparable à une, à des piqûres. *Froid piquant.* **3.** Fig. Mordant, satirique. *Critique piquante.* – Qui plaît par sa finesse, sa vivacité. *Conversation piquante.* **II.** n. m. **1.** SC NAT Appendice acéré de divers organes végétaux (syn. épine), ou d'animaux. *Les piquants d'une châtaigne, d'un hérisson.* **2.** Fig. Ce qui est plaisant, piquant. *Le piquant d'une aventure.*

1. pique n. **1.** n. f. Arme d'hast*, fer aigu au bout d'une hampe. **2.** n. m. JEU Couleur noire d'un jeu de cartes, représentée par une figure évoquant un fer de pique. *Atout pique. Roi de pique.* – Carte de cette couleur. *Avoir six piques dans la main.*

2. pique n. f. Propos aigre, malintentionné, destiné à agacer, à vexer. *Envoyer des piques.*

piqué, ée adj. et n. **I.** adj. **1.** Cousu par un point de couture. **2.** Parsemé de trous dus à des insectes. *Bois piqué.* ▷ Fam., iron. *Ne pas être piqué des vers, des hannetons* : être parfait dans son genre. **3.** Taché par l'humidité, attaqué par la rouille. *Miroir piqué. Carrosserie piquée.* **4.** Qui s'est aigri sous l'influence de moisissures. *Vin piqué.* **5.** MUS *Notes piquées,* surmontées de points indiquant qu'elles doivent être jouées accentuées et détachées. **6.** Fig. Vexé, dépité. *Il a été piqué par ces remarques.* **7.** Fig., fam. Étrange, un peu fou. ▷ Subst. *N'écoute pas cette piquée!* **II.** n. m. **1.** AVIAT Vol descendant, très fortement incliné. *Bombardement en piqué.* **2.** TECH Étoffe dont le tissage forme des dessins en relief.

pique-assiette n. m. et f. inv. Péjor. Personne qui cherche toujours à se faire inviter à la table d'autrui, parasite.

pique-bœuf n. m. Oiseau passériforme (genre *Buphagus*) d'Afrique, de la taille d'un étourneau, qui se nourrit des petits animaux parasites vivant sur la peau des grands mammifères (bœuf, éléphant, etc.). *Des pique-bœufs* [pikbø].

pique-feu n. m. inv. Tisonnier.

pique-fleurs n. m. inv. Socle garni de pointes ou demi-sphère percée de trous ou morceau de mousse en matière plastique que l'on pose au fond d'un vase pour y piquer les tiges des fleurs et les maintenir ainsi dans la position désirée.

pique-nique n. m. Repas pris en plein air au cours d'une excursion. *Des pique-niques champêtres.*

pique-niquer v. intr. [**1**] Faire un pique-nique.

pique-niqueur, euse n. Personne qui participe à un pique-nique.

piquer v. [**1**] **I.** v. tr. **1.** Percer, entamer légèrement avec un objet pointu. *Piquer qqn avec une aiguille. Épines qui piquent les doigts.* **2.** Fig. Produire une sensation de piqûre, de picotement, de brûlure sur. *La fumée pique les yeux.* – Absol. *Moutarde qui pique.* **3.** Ficher (qqch de pointu) dans. *Piquer une épingle dans une pelote.* ▷ Fam. Faire une piqûre à. *Piquer un enfant contre le tétanos.* – *Piquer un animal,* lui faire une piqûre pour qu'il meure sans souffrance. ▷ Blesser avec son crochet, son dard, son aiguillon (en parlant d'animaux). *Une abeille l'a piqué.* – CUIS Introduire des lardons, de l'ail dans (une viande). *Piquer un gigot.* **4.** Fixer à l'aide d'une pointe, d'une aiguille. *Piquer une gravure au mur.* ▷ (S. compl.) Faire des points de couture dans (de l'étoffe). *Piquer à la machine.* **5.** Parsemer de petits trous. *Les vers ont piqué ce meuble.* – Fig. Parsemer de points, de taches. *Pâquerettes qui piquent un gazon.* **6.** Frapper, toucher (un animal) au moyen d'une pointe pour le faire avancer, l'exciter. *Piquer un cheval, des bœufs.* ▷ Fig. Produire une vive impression sur, exciter. *Piquer la curiosité de qqn.* – *Ce discours l'a piqué au vif,* l'a blessé dans son amour-propre. **7.** Fig. Séparer, détacher nettement. ▷ MUS *Piquer des notes,* les jouer accentuées et détachées. ▷ Absol. PHOTO *Objectif qui pique,* qui a un grand pouvoir séparateur. – Pp. adj. *Photo très piquée.* **8.** Fig., fam. Manifester brusquement par quelque signe physique. *Piquer une colère. Piquer un fard* : rougir. ▷ *Piquer un cent mètres* : se mettre brusquement à courir, sur cent mètres, *par extens.,* sur une courte distance. **9.** Fig., pop. Prendre, voler. *On lui a piqué son portefeuille.* Syn. faucher. – *Se faire piquer* : se faire prendre, se faire arrêter. **II.** v. intr. **1.** AVIAT Effectuer un piqué. ▷ *Piquer sur* : aller tout droit vers. *L'avion piqua sur son objectif.* ▷ Fam. *Piquer du nez* : tomber en avant; baisser la tête en signe de confusion. **2.** EQUIT *Piquer des deux* : faire sentir les deux éperons à un cheval; fig. s'élancer rapidement. **III.** v. pron. **1.** *Se piquer en cousant.* **2.** Fig. *Se piquer au jeu* : s'obstiner à jouer malgré la perte; *par ext.* s'obstiner à venir à bout de qqch. **3.** Fig. *Se piquer de* : avoir la prétention de.

1. piquet n. m. **1.** Petit pieu que l'on fiche en terre. *Piquet de tente.* ▷ Fam. *Planté comme un piquet* : debout et immobile. **2.** Punition infligée à un élève, consistant à le faire rester debout dans un coin, tourné vers le mur. *Envoyer un chahuteur au piquet.* **3.** MILIT Groupe de soldats prêts à marcher au premier ordre. *Piquet d'incendie.* ▷ Par ext. *Piquet de grève* : groupe de grévistes veillant en partic. à interdire l'accès aux lieux de travail.

2. piquet n. m. Jeu qui se joue avec trente-deux cartes.

piqueter v. tr. [**20**] **1.** Parsemer de points, de petites taches. – Pp. adj. *Ciel piqueté d'étoiles.* **2.** TRAV PUBL Tracer sur un terrain, à l'aide de piquets, les contours d'un bâtiment, l'emprise d'une route à construire, etc.

1. piquette n. f. Boisson obtenue en jetant de l'eau sur du marc de raisin, ou sur d'autres fruits, et en laissant fermenter. – *Par ext.* Vin aigrelet, sans force ni couleur.

2. piquette n. f. Pop. Volée, raclée; défaite écrasante. *Ils ont pris une sacrée piquette!*

piqueur, euse n. et adj. **A.** n. **I.** n. m. **1.** EQUIT Celui qui surveille les écuries, dans un manège, un élevage. **2.** VEN Valet de chiens qui dirige la meute et suit la chasse à cheval. (Dans ce sens, on dit plus souvent *piqueux.*) **3.** TECH Ouvrier qui travaille au pic ou au marteau pneumatique. **4.** TECH Celui qui surveille les ouvriers sur un chantier de travaux publics. **II.** n. Celui, celle qui

Luigi **Pirandello**

Francisco **Pizarro**

pique (des étoffes, des peaux, etc.). *Atelier de piqueuses.* **B.** adj. *Insectes piqueurs,* qui sont capables de piquer.

piqueux. V. piqueur (sens A, I, 2).

piqûre n. f. **1.** Petite plaie faite par un instrument aigu ou par le dard de certains animaux. *Piqûre d'épingle, de guêpe.* **2.** Sensation produite par qqch de piquant. *Ressentir une piqûre.* – Fig. Petite blessure morale. *Piqûres d'amour-propre.* **3.** MED Injection sous-cutanée, intramusculaire ou intraveineuse faite avec une seringue munie d'une aiguille. **4.** Rang de points servant à assembler des pièces d'étoffe, ou à orner. *Robe garnie de piqûres.* **5.** Petit trou dû à des vers, des insectes, etc. **6.** Tache d'humidité. – TECH Attaque d'un métal par la rouille.

pirandellien, enne adj. et n. LITTER Relatif à Pirandello. ▷ *Personnage pirandellien,* qui ressemble à un personnage des pièces de Pirandello.

Pirandello (Luigi) (Agrigente, 1867 – Rome, 1936), écrivain italien. Ayant constaté qu'il existe une opposition entre la conscience, qui se veut une, et la vie, créatrice de formes toujours nouvelles, il eut le génie, dans ses romans mais surtout dans son théâtre, de mettre en scène avec ironie les instants où cette opposition se révèle irréductible : il affirmait l'impossibilité de se connaître soi-même, et partant l'impossibilité de parvenir à la connaissance d'autrui. Romans : *Feu Mathias Pascal* (1904), *Son mari* (1911), *Un, personne et cent mille* (1926). Théâtre : *Chacun sa vérité* (1917), *Six Personnages en quête d'auteur* (1921), *Henri IV* (1922), *Ce soir, on improvise* (1930). Pirandello fut également un grand nouvelliste : *Nouvelles pour une année* (15 vol.). P. Nobel 1934.

Piranèse (Giambattista Piranesi, dit en fr.) (Mogliano Veneto, 1720 – Rome, 1778), architecte et graveur italien. Sa célèbre série d'eaux-fortes *les Prisons* (14 planches) révèle en lui un visionnaire qui annonce le romantisme.

piranha [piʀana] n. m. Poisson téléostéen carnivore (genre *Serrasalmus*), commun dans les fleuves d'Amérique du Sud.

piratage n. m. **1.** Fait de pirater (sens 1). **2.** Fait de reproduire et de commercialiser une œuvre sans payer leur dû aux ayants droit.

pirate n. m. **1.** Aventurier qui court les mers pour piller les navires dont il parvient à se rendre maître. *Pirates barbaresques.* ▷ Navire monté par des pirates. *Couler un pirate.* **2.** Par ext. *Pirate de l'air* : personne qui détourne par la menace un avion de sa destination. **3.** Fig. Individu sans scrupules qui s'enrichit aux dépens des autres. *Ce commerçant est un vrai pirate.* **4.** (Adj. ou comme second élément de noms composés.) Qui ne respecte pas les lois, les règlements; illicite, clandestin. *Enregistrement pirate. Radio-pirate.*

piranha

pirater v. [1] **1.** v. intr. Se livrer à la piraterie; agir en pirate. **2.** v. tr. Se livrer au piratage. *Pirater un logiciel.*

piraterie n. f. **1.** Agissements de pirate. *Exercer la piraterie.* ▷ *Piraterie aérienne* : détournement d'avions commerciaux, éventuellement accompagné de prise d'otages, à des fins politiques ou crapuleuses. **2.** Fig. Exaction, escroquerie.

Pirates (Côte des). V. Côte de la Trêve et Émirats arabes unis.

pire adj. et n. m. **1.** Comparatif synthétique pouvant remplacer *plus mauvais,* lorsque ce mot n'est pas pris dans le sens de «fâcheux, impropre». *Le remède est pire que le mal.* **2.** Superlatif. (Précédé de l'article défini ou de l'adjectif possessif.) *C'est son pire ennemi. Un gredin de la pire espèce. Ce sont les pires.* ▷ n. m. Ce qu'il y a de plus mauvais. *S'engager pour le meilleur et pour le pire.*

Pirée (Le), v. et port de Grèce; 196 390 hab. Port d'Athènes, très actif, princ. débouché commercial de la Grèce; son essor rapide est dû à l'industrialisation : industr. méca., constr. navales, prod. chimiques, etc. – Le Pirée devint le port d'Athènes au moment des guerres médiques (Ve s. av. J.-C.), en remplacement de Phalère. Détruite par Lysandre (404 av. J.-C.), la ville fut reconstruite par Conon (394). À nouveau détruite (86 av. J.-C.), Le Pirée n'a retrouvé son importance qu'au XIXe s.

Pirenne (Henri) (Verviers, 1862 – Uccle-lès-Bruxelles, 1935), historien belge, spécialiste du Moyen Âge. Son *Histoire de la Belgique* (1889-1932) reste un ouvrage de premier ordre; *Mahomet et Charlemagne* (1935), une œuvre pionnière sur les relations de l'Occident et de l'Islam naissant. – **Jacques** (Gand, 1891 – Hierges, Ardennes, France, 1972), fils du préc.; auteur des *Grands Courants de l'histoire universelle* (1945-1956).

piriforme adj. En forme de poire.

Pirithoos, dans la myth. gr., héros thessalien, roi des Lapithes, fils de Zeus. Il accompagna son ami Thésée aux Enfers pour enlever Perséphone, mais il ne put en revenir.

pirogue n. f. Embarcation longue et étroite, faite d'un tronc d'arbre creusé ou de peaux cousues.

piroguier n. m. Personne qui se sert d'une pirogue, qui la conduit.

pirojki [piʀoʒki] n. m. pl. CUIS Mets russe, petits pâtés en croûte, fourrés de viande, de poisson, de légumes, servis comme hors-d'œuvre.

Piron (Alexis) (Dijon, 1689 – Paris, 1773), poète et auteur comique français : tragédies, comédies (*la Métromanie,* 1738), poésies licencieuses, épigrammes raillant notam. Voltaire.

pirouette n. f. **1.** CHOREGR Tour complet sur soi-même exécuté en pivotant sur la pointe du pied d'appui. *Faire une pirouette.* – Fig. Réponse en forme de plaisanterie à une question embarrassante. *S'en tirer par une pirouette.* **2.** Fig. Brusque changement d'opinion. Syn. revirement; volte-face.

pirouetter v. intr. [1] Faire une (des) pirouette(s).

1. pis [pi] n. m. Mamelle d'un animal femelle. *Pis d'une vache, d'une brebis.*

2. pis [pi] adv., adj. et n. m. **I.** Comparatif synthétique de *mal.* **1.** adv. Plus mal. – Loc. adv. *De mal en pis, de pis en pis* : de mal en plus mal; de plus en plus mal. *Aller de mal en pis.* **2.** adj. (Neutre de *pire,* comme attribut ou complément d'un pronom neutre.) Plus mauvais, plus fâcheux. *Il n'y a rien de pis que cela.* **3.** n. m. (Sans article.) Chose plus mauvaise, plus fâcheuse. *Il a fait pis que trahir. Dire, penser pis que pendre de qqn. Elle est laide, et, qui pis est, méchante.* **II.** n. m. Superlatif de *mal.* La pire chose. *Le pis qui puisse arriver, c'est qu'il n'y parvienne pas. Mettre, prendre les choses au pis.* ▷ Loc. adv. *Au pis aller* : en mettant les choses au pis.

pis-aller [pizale] n. m. inv. Ce dont on doit se contenter faute de mieux.

pisan, ane adj. De Pise. ▷ Subst. *Un(e) Pisan(e).*

Pisan (Christine de). V. Christine de Pisan.

Pisanello (Antonio Pisano, dit) (Pise, v. 1395 – id., v. 1455), peintre italien; import. représentant de l'art gothique courtois : *Saint Georges délivrant la princesse de Trébizonde.* Médailles : *Jean VIII Paléologue, Lionel d'Este.*

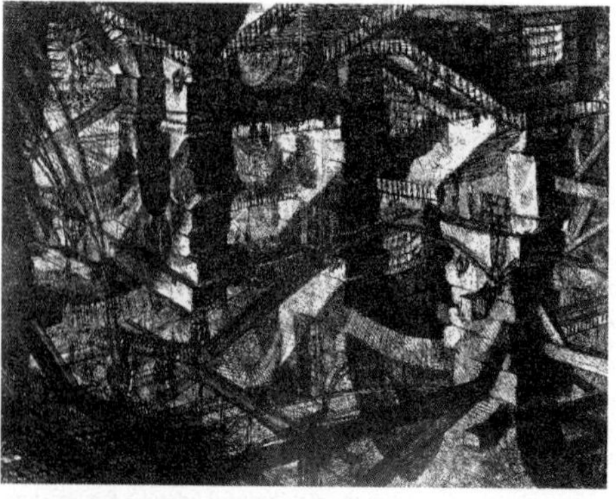
Piranèse : gravure à l'eau-forte (architecture fantastique) extraite de la série *Prisons* (1744-1750)

Pisano (Andrea da Pontedera, dit) (Pontedera [?], près de Pise, v. 1295 – Orvieto, v. 1349), sculpteur et architecte italien. À Florence, il réalisa la première porte du baptistère (1330-1336), puis, succédant à Giotto, il exécuta le campanile (1337-1343).

Pisano (Giovanni). V. Giovanni Pisano.

Pisano (Nicola). V. Nicola Pisano.

Piscator (Erwin) (Ulm, 1893 – Starnberg, Bavière, 1966), metteur en scène et directeur de théâtre allemand. Il a monté, avec de grandes audaces formelles, de nombr. pièces antifascistes et d'esprit progressiste.

pisci-. Élément, du lat. *piscis,* « poisson ».

piscicole [pisikɔl] adj. Relatif à la pisciculture.

pisciculteur, trice n. Personne qui pratique la pisciculture.

pisciculture [pisikyltyʀ] n. f. Élevage de poissons comestibles.

pisciforme adj. Didac. Qui a la forme d'un poisson.

piscine [pisin] n. f. **1.** Dans certaines religions, bassin destiné à des rites lustraux. **2.** Bassin destiné à la natation. – Bâtiment abritant ce bassin.

piscivore adj. et n. m. ZOOL Qui se nourrit de poissons. *Animal piscivore.* ▷ n. m. *Un piscivore.*

pisé n. m. CONSTR Matériau fait de terre argileuse mêlée de paille, que l'on a comprimée pour la rendre dure et compacte.

Pise (en ital. *Pisa*), v. d'Italie (Toscane), sur l'Arno; 104 050 hab. (*Pisans*); ch.-l. de la prov. du m. nom. Centre industriel (constr. méca., text., chim., etc.) et touristique. – Archevêché. Université (fondée en 1343). Nombr. monuments anciens : cath. des XIe-XIIe s. (chaire de Giovanni Pisano, 1302-1310); baptistère des XIIe et XIIIe s. (chaire de Nicola Pisano, 1260), campanile, dit Tour penchée (XIIe-XIVe s., 56 m de haut); égl. Santa Maria della Spina (XIVe s.) et plusieurs autres égl. des XIIe et XIIIe s.; palais Galileo; palais Médicis (XIIIe et XIVe s.); Camposanto (cimetière), fin du XIIIe-XIVe s.; musée. – L'importance de

Pisanello : *la Madone à la caille,* peinture sur bois, début du XVe s.; musée du Castelvecchio, Vérone

Pise : le Dôme et le campanile

son commerce maritime fit de Pise une grande cité au XIe s.; elle fonda des colonies sur les côtes de la Méditerranée orientale et se trouva en rivalité avec les cités voisines. Après la défaite qui lui fut infligée par Gênes (1284), elle déclina. Florence s'en empara en 1406.

Pisistrate (v. 600 – 527 av. J.-C.), tyran d'Athènes. Aristocrate, il devint le chef des Diacriens (représentants de la paysannerie pauvre) et prit le pouvoir par la force (560 av. J.-C.). Renversé et exilé par deux fois, il rétablit définitivement son autorité après dix années d'exil. Gouvernant alors avec prudence, il favorisa l'agriculture et le commerce, prolongea l'œuvre sociale de Solon, organisa de grandes fêtes civiques, fit élever de nombr. monuments et ouvrit une bibliothèque, où il rassembla les œuvres de l'époque homérique.

Pison. V. Calpurnius Pison.

pissaladière n. f. Tarte en pâte à pain, garnie de purée d'oignons, d'olives noires et d'anchois.

Pissarro (Camille) (île Saint-Thomas, Antilles, 1830 – Paris, 1903), peintre français; l'un des principaux représentants de l'impressionnisme : *la Diligence de Louveciennes* (1870), *les Toits rouges* (1877), *Avenue de l'Opéra* (1897).

pissat n. m. Urine de certains animaux. *Pissat de cheval.*

pisse n. f. Vulg. Urine.

pisse-copie n. inv. Fam., souvent péjor. Écrivain, journaliste qui écrit beaucoup, sur n'importe quel sujet.

pisse-froid n. m. inv. Fam. Homme froid, ennuyeux.

pissenlit [pisɑ̃li] n. m. Plante (fam. composées) à feuilles dentelées, à fleurs jaunes, à fruits groupés en boule duveteuse, que le vent disperse facilement. *Salade de pissenlits.* Syn. dent-de-lion. ▷ Loc. fig., fam. *Manger les pissenlits par la racine* : être mort et enterré.

pisser v. [1] **1.** v. intr. Fam. ou vulg. Uriner. – Loc. pop. *Autant pisser dans un violon* : cela ne sert à rien, c'est absolument inutile. **2.** v. tr. Pop. Évacuer avec l'urine. *Pisser du sang.* ▷ Laisser s'échapper (un liquide). *Blessure qui pisse le sang.* – (S. comp.) *Cette vieille bassine pisse par le fond.* ▷ Fig., fam. *Pisser de la copie* : écrire abondamment mais très médiocrement.

pisseur, euse n. Vx Personne qui pisse. ▷ n. f. Fig., fam., péjor. (sexiste) *Une pisseuse* : une fillette, une jeune fille. ▷ Fig., péjor. *Pisseur de copie.* V. pisse-copie.

pisseux, euse adj. **1.** Fam. Imprégné d'urine; qui sent l'urine. **2.** Qui a l'aspect de l'urine; d'une couleur jaunâtre, passée. *Ton pisseux.*

pistachier : en haut, feuilles; en bas, de g. à dr., tige feuillée avec fruits immatures, fruit mûr et graine (pistache)

pisse-vinaigre n. m. inv. Fam. **1.** Avare. **2.** Personne morose et renfrognée. V. pisse-froid.

pissotière n. f. Fam. Urinoir public, vespasienne.

pistache n. f. et adj. inv. **1.** n. f. Rare Fruit du pistachier. – Cour. Graine comestible de ce fruit, amande verdâtre. **2.** adj. inv. *Couleur pistache, vert pistache.*

pistachier n. m. Térébinthacée des régions tropicales dont le fruit est la pistache.

pistage n. m. Action de pister.

pistard, arde n. Cycliste sur piste (par oppos. à *routier*).

piste n. f. **1.** Trace laissée par un homme ou un animal là où il a marché. *Suivre la piste d'un animal.* **2.** Fig. Voie qui conduit à une personne, à une chose que l'on recherche; élément, indice qui permet sa découverte. *Malfaiteur qui brouille les pistes. Être sur la piste d'une découverte.* **3.** Terrain aménagé pour y disputer des courses (de chevaux, de voitures, d'athlètes, etc.). *Piste d'un stade.* – Chaque bande tracée sur laquelle court un concurrent. **4.** Emplacement souvent circulaire servant de scène dans un cirque, d'espace pour danser dans une boîte de nuit, etc. **5.** Chemin réservé (aux cavaliers, aux cyclistes, aux skieurs, etc.). *Piste cyclable.* ▷ Partie d'un terrain d'aviation réservée au décollage et à l'atterrissage des avions. ▷ Voie d'accès aux pompes à essence d'une station-service. **6.** Route de terre, dans des régions arides, étendues ou peu développées. *Piste tracée à travers brousse.* **7.** TECH Ligne continue d'un support magnétique, sur laquelle sont enregistrés des signaux. *Bande magnétique à deux pistes.* – Par ext. *Magnétophone quatre pistes,* qui utilise des bandes à quatre pistes. ▷ *Piste sonore* : partie de la bande d'un film affectée à l'enregistrement et à la reproduction du son.

pister v. tr. [1] Suivre la piste de; suivre, filer.

pisteur, euse n. **1.** Chasseur qui piste le gibier, qui le suit à la trace. **2.** Personne chargée de la surveillance, de l'entretien et de la signalisation des pistes de ski.

pistil [pistil] n. m. BOT Organe reproducteur femelle de la fleur de diverses angiospermes. Syn. gynécée.

Pistoia, v. d'Italie (Toscane), au pied de l'Apennin; 93 520 hab.; ch.-l. de la prov. du m. nom. Centre comm. et industr. (constr. méca., industr. alim., etc.). – Cath. du XIIe s. Baptistère (déb. XIVe s.). Égl. Sant'Andrea (XIIe s., chaire de Giovanni Pisano). Palais communal (XIIIe-XIVe s.). – Cité indépendante (XIe s.) et prospère, Pistoia, en déclin au XIIIe s., fut annexée par Florence en 1401.

pistolage n. m. TECH Action de peindre au pistolet; son résultat.

pistole n. f. Anc. Monnaie d'or dont la valeur variait selon les pays (Italie, Espagne).

pistolet n. m. **1.** Arme à feu individuelle à canon court, qui se tient à la main. *Tir au pistolet. Pistolets automatiques à chargeur (browning, lüger, etc.).* **2.** Instrument ou jouet similaire. *Pistolet de starter,* qui tire des cartouches à blanc pour donner le départ d'une course. – *Pistolet à eau.* ▷ Instrument servant à planter des clous, des rivets, etc. ▷ Pulvérisateur de peinture. *Peindre au pistolet.* **3.** Embout métallique d'un tuyau de distribution de carburant, que l'on peut introduire dans l'orifice d'un réservoir. **4.** Fam. Urinal.

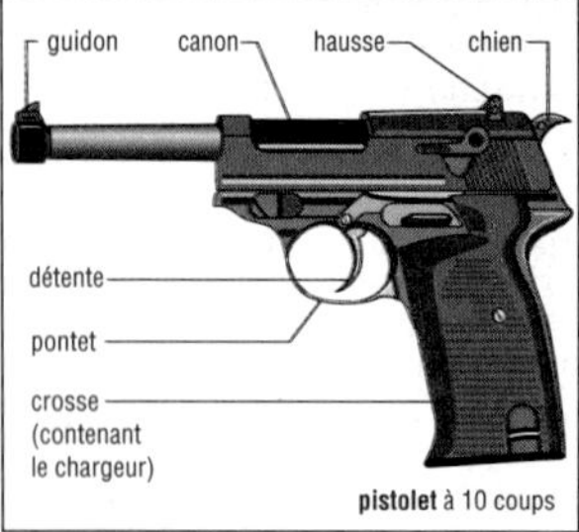

pistolet à 10 coups

pistolet-mitrailleur n. m. Arme à feu individuelle automatique, à tir par rafales. Syn. mitraillette. *Des pistolets-mitrailleurs.* (Abrév. : P.-M.)

piston n. m. **1.** Pièce cylindrique qui coulisse dans le cylindre d'un moteur, dans le corps d'une pompe, et qui sert à produire un mouvement sous l'effet de la pression d'un fluide ou à comprimer un fluide sous l'effet d'un travail mécanique. **2.** MUS Dispositif qui, sur certains instruments à vent, règle le passage de l'air (et donc la hauteur des notes). *Cornet à pistons.* **3.** Fig., fam. Recommandation, protection dont bénéficie une personne pour se faire attribuer une place, un avantage, etc. *Il a eu cette place par piston.* **4.** Arg. (des écoles) École centrale* des arts et manufactures. ▷ Élève de cette école.

pistonner v. tr. [1] Fam. Appuyer, recommander (qqn).

pistou n. m. Rég. (Provence) Pâte obtenue après pilage de basilic et que l'on utilise pour parfumer la soupe ou une sauce.

pita n. m. Pain sans levain du Proche-Orient.

pitance n. f. Péjor. ou litt. Nourriture. *Une maigre pitance.*

pitbull [pitbyl] n. m. (Anglicisme). Sorte de bouledogue, souvent dressé pour l'attaque et les combats de chiens (pratique interdite en France).

Pitcairn, île volcanique du Pacifique, au S.-E. de Tuamotu; 4,6 km^2; 59 hab. Peuplée auj. par les descendants des révoltés du *Bounty* (qui y abordèrent en 1789) et de Tahitiennes.

pitch n. m. SPORT Au golf, balle qui reste à l'endroit où elle est tombée.

pitchoun, e [pitʃun] n. Dial. Petit, petite (pour un enfant). *Qu'il est mignon le pitchoun!*

pitchpin [pitʃpɛ̃] n. m. Variété de pin américain dont le bois, jaune à veines rouges, est utilisé en menuiserie; ce bois.

Pite älv (le), fl. de la Suède du N. (370 km), tributaire du golfe de Botnie.

Piteşti, v. de Roumanie méridionale, en bordure des Carpates; 151 740 hab.; ch.-l. de district. Complexe pétrochimique; industr. text. et alim. Vins.

piteusement adv. D'une manière piteuse.

piteux, euse adj. Qui inspire une pitié mêlée de mépris par sa médiocrité ou son aspect misérable. *Être en piteux état. Faire piteuse mine. Être tout piteux,* tout honteux.

pithéc(o)-, -pithèque. Éléments, du gr. *pithêkos,* « singe ».

pithécanthrope n. m. PREHIST Hominien fossile *(Homo erectus)* dont le premier fut découvert à Java en 1891.

pithiatique adj. PSYCHIAT Se dit des troubles fonctionnels, à composante hystérique, que l'on peut reproduire ou faire disparaître par suggestion.

pithiviers n. m. CUIS Gâteau feuilleté à la pâte d'amande.

Pithiviers, ch.-l. d'arr. du Loiret, sur l'Œuf, branche de l'Essonne; 9 596 hab. (*Pithivériens*). Prod. alimentaires (gâteaux, pâtés d'alouette). Prod. pharm. – Égl. (XVIe s., clocher du XIIe s.). Chât. (XVIe s.).

pitié n. f. **1.** Sentiment de sympathie qu'inspire le spectacle des souffrances d'autrui. *Inspirer la pitié, faire pitié.* ▷ *Par pitié! :* de grâce! Je vous en prie! **2.** Sentiment de dédain, de mépris. – *Par ext.* Ce qui inspire un tel sentiment. *Quelle pitié! :* quelle chose, quel spectacle dérisoire!

Pitoëff (Georges) (Tiflis, auj. Tbilissi, 1884 – Genève, 1939), acteur et directeur de théâtre français d'origine russe; animateur et interprète, avec sa femme **Ludmilla** (Tiflis, 1895 – Rueil-Malmaison, 1951), du théâtre contemporain à Paris : Tchekhov, Shaw, Ibsen, Pirandello, Strindberg, etc.

piton n. m. **I. 1.** Clou ou vis dont la tête a la forme d'un anneau ou d'un crochet. **2.** Pointe, généralement isolée, d'une montagne élevée. *Piton rocheux.* **II.** (Canada) Fam. Bouton, touche servant à actionner un mécanisme, à commander un appareil. *Tourner le piton d'un appareil. Peser sur le piton de l'ascenseur.*

pitonner v. [1] **1.** v. intr. En alpinisme, poser des pitons. **2.** v. tr. et intr. (Canada) Fam. Appuyer sur les touches d'un appareil. *Pitonner un numéro de téléphone.* ▷ *Spécial.* Entrer des données dans un ordinateur. – Zapper.

Pitot (Henri) (Aramon, Languedoc, 1695 – id., 1771), ingénieur et physicien français. Autodidacte, il se spécialisa dans l'hydraulique. ▷ PHYS *Tube de Pitot :* dispositif permettant de mesurer la vitesse de l'écoulement d'un fluide.

pitoyable adj. **1.** Digne de pitié. *Situation pitoyable.* **2.** Piteux, lamentable.

pitoyablement adv. D'une manière pitoyable, lamentable.

pitre n. m. Bouffon. – *Faire le pitre :* faire le clown, faire des facéties.

pitrerie n. f. Action de pitre; facétie. *Les pitreries d'un clown.* ▷ Plaisanterie d'un clown. *Je ne veux pas de pitreries en classe.*

Pitt (William), 1er comte de Chatham, dit *le Premier Pitt* (Londres, 1708 – Hayes, Kent, 1778), homme politique anglais. Député whig aux Communes de 1735 à 1766, puis membre de la Chambre des lords, excellent orateur, il eut une influence profonde sur la vie politique anglaise. Nationaliste, il défendit la puissance maritime et coloniale de son pays. Il se distingua par son incorruptibilité. Payeur général de l'armée (1746-1755) puis Premier ministre et ministre de la Guerre (1756-1761) durant la guerre de Sept Ans, il fut le princ. artisan de la victoire. Le nouveau roi George III l'obligea à démissionner. Les difficultés qui surgirent dans les colonies d'Amérique amenèrent le retour de Pitt au poste de Premier ministre (1766-1768). – **William,** dit *le Second Pitt* (Hayes, 1759 – Londres, 1806), fils du préc.; homme politique anglais. Premier ministre de 1783 à 1801 et de 1804 à sa mort, défenseur passionné de l'Empire britannique, bon économiste (s'inspirant de A. Smith), il accomplit un travail considérable (notam. sur le plan financier) dans une des périodes les plus difficiles de l'histoire de la G.-B. À partir de 1793, l'expansionnisme de la France révolutionnaire l'engagea à devenir l'âme des coalitions contre la France. Le triomphe de sa politique fut la victoire de Nelson à Trafalgar (1805). Les efforts de Pitt furent gênés par la révolte de l'Irlande (1798). Il la réprima, tenta de persuader le roi d'accorder certaines libertés aux Irlandais et fit voter, en 1800, l'Acte d'Union, qui intégra l'Irlande à l'Angleterre.

Pitti, famille florentine de commerçants et de banquiers, qui rivalisa un moment avec les Médicis. – Le *palais Pitti,* à Florence, construit v. 1445 d'après les plans de Brunelleschi, transformé plus tard par Bartolomeo Ammannati (v. 1558), abrite auj. un riche musée de peinture (XVe-XVIIIe s.).

pittoresque adj. et n. m. **I.** adj. **1.** Digne d'être peint; qui frappe par sa beauté originale. *Un site pittoresque.* **2.** Qui dépeint les choses de manière imagée, frappante. *Style pittoresque.* **II.** n. m. Ce qui est pittoresque, caractère pittoresque de qqch. *Le pittoresque de cette ville.*

Pittsburgh, v. des É.-U. (Pennsylvanie), au confl. de l'Alleghany et de la Monongahela, qui forment, en aval, l'Ohio; 369 870 hab. (aggl. urb. 2 372 000 hab.). Un des centres mondiaux de l'acier. Important port fluvial.

pituitaire adj. **1.** ANAT *Muqueuse pituitaire,* qui tapisse les fosses nasales. **2.** MED Vx *La glande pituitaire :* l'hypophyse.

pituite n. f. MED Humeur que certains malades (alcooliques, notam.) rendent le matin à jeun.

Piura, v. du Pérou; 265 870 hab.; ch.-l. du dép. du m. nom. Centre comm. (coton). – La ville fut fondée par les Espagnols en 1532.

pivert n. m. Pic à plumage vert et jaune, à tête rouge. Syn. pic-vert.

pivoine n. f. Plante bulbeuse ou arbustive (fam. renonculacées) cultivée pour ses grosses fleurs rouges, roses ou blanches; la fleur de cette plante. – Loc. fig. *Être rouge comme une pivoine,* très rouge.

pivot n. m. **1.** Extrémité inférieure d'un arbre vertical tournant. *Pivot d'un tour de potier. Support d'un pivot* (V. crapaudine). ▷ Axe fixe autour duquel peut tourner une pièce mobile. *Pivot d'une aiguille de boussole.* **2.** Support d'une dent artificielle enfoncé dans la racine. **3.** BOT Racine principale d'une plante, qui s'enfonce verticalement dans le sol. **4.** MILIT Point autour duquel une troupe effectue une conversion. **5.** Fig. Ce qui sert d'appui, de base. ▷ Principe fondamental. *L'égalité devant la loi, pivot de la démocratie.* ▷ Personne sur qui repose une organisation, une institution.

pivotant, ante adj. **1.** Qui pivote, qui peut pivoter. *Porte pivotante.* **2.** BOT *Plante pivotante,* qui développe un pivot.

pivotement n. m. Fait de pivoter; mouvement de ce qui pivote.

pivoter v. intr. [1] **1.** Tourner sur un pivot ou comme sur un pivot. **2.** BOT Développer un pivot. *Les chênes pivotent.*

pixel n. m. TECH Plus petit élément constitutif d'une image (photographie, image de télévision, télécopie).

Pixerécourt (René Charles Guilbert de) (Nancy, 1773 - id., 1844), auteur dramatique français; considéré comme le maître du mélodrame, extrêmement fécond (111 pièces de 1797 à 1827) : *Victor ou l'Enfant de la forêt* (1798), *Cœlina ou l'Enfant du mystère* (1800), *le Chien de Montargis* (1814).

Pizarro (Francisco) [en fr. *François Pizarre*] (Trujillo, prov. de Cáceres, v. 1475 - Lima, 1541), conquistador espagnol. Il tenta deux expéditions (qui devaient être désastreuses) vers le Pérou, à partir de Panamá (1524, 1526). En 1528, il regagna l'Espagne et, ayant obtenu l'appui de Charles Quint, il repartit pour le Pérou (1530), qu'il conquit et pilla avec ses frères et son associé, Almagro. Très vite une lutte violente opposa ce dernier aux Pizarro qui le vainquirent; en 1541, Francisco fut victime d'une conspiration. – **Gonzalo** (Trujillo, v. 1502 - près de Cuzco, 1548), frère du préc., qu'il vengea en assassinant le vice-roi de Lima en 1546. Dictateur du Pérou, il fut renversé et exécuté par l'envoyé de Charles Quint. – **Juan** (Trujillo, 1505 - Cuzco, 1535), frère des préc. Gouverneur de Cuzco (1535), il périt lors du siège de la ville. – **Hernando** (Trujillo, v. 1508 - id., 1578), frère des préc. À Cuzco, il succéda à Juan et vainquit Almagro, qui assiégeait la ville (1537). Après qu'il eut exécuté ce dernier (1538), il fut rappelé en Espagne et emprisonné de 1539 à 1560. ▶ illustr. page **1462**

pizza [pidza] n. f. Mets italien fait de pâte à pain façonnée en galette plate et garnie de tomates, d'olives, etc.

tige fleurie de **pivoine** corail

pizzeria [pidzeʀija] n. f. Restaurant italien où l'on mange principalement des pizzas. *Des pizzerias.*

pizzicato [pidzikato] n. m. MUS Manière de produire le son sur les instruments à archet, en pinçant les cordes. *Des pizzicatos* ou *des pizzicati.*

P.J. n. f. Fam. Sigle de *police* judiciaire.*

pK [peka] n. m. CHIM Constante caractérisant la force d'un électrolyte à une température donnée.

Pl PHYS Symbole du poiseuille.

PL/1 [peɛlœ̃] n. m. INFORM Langage de programmation utilisé pour le calcul scientifique et la gestion.

placage n. m. **I. 1.** Action de plaquer; opération qui consiste à recouvrir un matériau ordinaire d'une plaque, d'une couche d'un matériau de plus grande valeur. *Placage de l'argent sur le cuivre par cuisson et laminage.* **2.** Matériau avec lequel on plaque. ▷ *Spécial.* Mince feuille de bois, généralement précieux, avec laquelle on recouvre des bois de moindre valeur. *Placage de palissandre, de bois de rose. Placage déroulé, tranché.* **II.** SPORT (Au rugby.) V. plaquage.

placard n. m. **I.** Renfoncement dans un mur, fermé par une porte et servant d'espace de rangement. *Placard formant penderie.* ▷ *Par ext.* Vaste armoire. – Fig. (Langage des entreprises et des médias.) Emploi peu intéressant bien que correctement rémunéré d'un salarié (cadre supérieur notam.) auquel on retire tout pouvoir sans pour autant le licencier. *Un placard doré.* **II. 1.** Écrit ou imprimé affiché pour informer le public de qqch. ▷ *Placard publicitaire* : annonce publicitaire occupant un espace relativement important, dans un journal. **2.** IMPRIM Épreuve imprimée d'un seul côté et sans pagination. ▷ (Plur.) Premières épreuves (d'un texte). **3.** MED Plaque cutanée. *Placard eczémateux.*

placardage n. m. Action de placarder.

placarder v. tr. [1] **1.** Afficher. *Placardez cet avis à chaque carrefour.* **2.** Couvrir de placards (sens II, 1). *Placarder un mur.*

place n. f. **A. 1.** Dans une ville, une agglomération, espace découvert, lieu public, qui est le plus souvent entouré de bâtiments et où aboutissent plusieurs rues. *La place de la Concorde, à Paris. Place publique.* – Fig. *Crier qqch sur la place publique,* le faire savoir à tout le monde (cf. *crier qqch sur les toits**). **2.** *Place forte* ou, ellipt., *place* : forteresse; ville protégée par des ouvrages de défense. *Assiéger, prendre une place forte. Le général commandant la place.* ▷ Loc. fig. *Être dans la place* : avoir réussi à s'introduire dans un groupe, un milieu fermé. *Avoir des amis, des complicités dans la place.* **3.** COMM, FIN Ville où se font les opérations boursières, bancaires ou commerciales; corps des négociants, banquiers, etc., d'une ville. *La place de Paris. Il est bien connu sur la place.* ▷ *Chèque sur place* ou *sur rayon,* qui dépend du même établissement de la Banque de France (par oppos. à *hors place* ou *hors rayon*). ▷ *Faire la place* : aller chez les commerçants leur proposer une marchandise. **4.** Vx *Place* (de voiture, de fiacre) : lieu où stationnent des voitures de louage. ▷ *Voiture de place,* de louage. **B. I. 1.** Partie d'espace, endroit. *De place en place s'élevaient quelques ruines.* Syn. lieu. **2.** *Spécial.* Lieu où l'on se trouve. ▷ Loc. *En place. Ne pas rester, ne pas tenir en place* : être sans cesse en mouvement, être très agité. ▷ *Sur place* : sur les lieux mêmes de l'événement. *En cinq minutes, les pompiers étaient sur place.* – n. m. *Faire du sur-place* ou *du sur-place* : ne pas se déplacer; en cyclisme, se tenir en équilibre, immobile, prêt à démarrer dans une course de vitesse. **3.** Portion d'espace déterminée, position qu'une chose occupe, peut ou doit occuper. *Ranger chaque chose à sa place.* ▷ Lieu pouvant servir au stationnement d'un véhicule. *Il a trouvé une place juste devant la maison.* ▷ *En place* : à sa place, en ordre. *Tout est en place,* prêt à fonctionner. ▷ Espace où l'on peut mettre une chose. *Gagner de la place.* **4.** Portion d'espace déterminée, position (notam. siège) qu'une personne occupe, peut ou doit occuper. *S'asseoir à sa place.* – *Faire place à qqn* : s'effacer pour le laisser passer. – Vieilli *Faites place! Place!* ▷ *Spécial.* Emplacement, siège, dans un véhicule, un moyen de transport, une salle de spectacle, etc. *Places debout et places assises. Réserver, céder sa place.* ▷ *Par ext.* Droit d'occuper une telle place; le titre qui confère ce droit. *Avoir des places gratuites pour un spectacle.* **II.** (Fig. et abstrait.) **1.** Appartenance à un ensemble (conçu comme spatial). *La place de l'homme dans la nature.* ▷ Fait d'être présent dans les pensées, les sentiments, etc., de qqn (en parlant d'une personne). *Il a toujours une place dans mon cœur.* **2.** Situation, condition dans laquelle se trouve une personne. *Il ne donnerait, ne céderait sa place pour rien au monde.* – *À la place de qqn,* dans sa situation. *Se mettre à la place de qqn,* s'imaginer soi-même dans la situation où il est. ▷ Spécial. *La place de qqn,* la position, la condition qui lui convient ou qu'il se doit de respecter. *Remettre qqn à sa place,* le rappeler aux convenances, aux égards qu'il doit. **3.** Rang, position dans une hiérarchie. ▷ Rang obtenu dans un classement. *Terminer une course en bonne place.* **4.** Situation, emploi. *Une place de dactylo. Perdre sa place.* ▷ *Être en place* : avoir une situation qui confère l'autorité, force la considération. *Les gens en place,* haut placés, bien placés. **5.** Loc. *À la place (de)* : au lieu de, en remplacement de. ▷ *Faire place à* : être remplacé, suivi par.

placé, ée adj. **1.** Qui est dans telle position, dans telle situation. *Personnage haut placé. Être bien, mal placé pour faire qqch,* être en situation, ou non, de le faire. *Vous êtes mal placé pour lui faire des reproches.* **2.** TURF Se dit d'un cheval qui se classe dans les deux premiers (s'il y a de quatre à sept partants) ou dans les trois premiers (s'il y a plus de sept partants).

placebo ou **placébo** [plasebo] n. m. MED Préparation ne contenant aucune substance active, que l'on substitue à un médicament pour évaluer la part du facteur psychique dans l'action de celui-ci, ou destinée à agir par suggestion.

placement n. m. **1.** Action de placer de l'argent; l'argent ainsi placé. – *Fonds commun de placement* : fonds placés en copropriété (valeurs mobilières, placement à court terme ou à vue). **2.** Action de procurer une place, un emploi. *Bureau de placement.*

placenta n. m. **1.** PHYSIOL Masse charnue d'apparence spongieuse, richement vascularisée, formée par l'imbrication étroite des villosités du chorion (membrane entourant le fœtus) et de la muqueuse utérine, et qui assure chez les mammifères supérieurs (dits *mam-*

mifères placentaires) les échanges entre l'organisme du fœtus et celui de la mère, pendant la gestation. **2.** BOT Partie de la paroi des carpelles où s'insèrent les ovules.

placentaire adj. et n. m. **1.** Didac. adj. Relatif au placenta. **2.** ZOOL n. m. pl. Sous-classe de mammifères possédant un placenta (tous les mammifères à l'exclusion des monotrèmes* et des marsupiaux*). Syn. euthériens. – Sing. *Un placentaire.*

placer v. [12] **A.** v. tr. **I.** (Concret) Mettre (qqch ou qqn) à une certaine place. **1.** Assigner une certaine place à (qqn). *Placer les convives autour de la table.* **2.** Mettre (qqch) à une certaine place, à un certain endroit, et, spécial., d'une certaine façon. *Placer sa main sur l'épaule de qqn.* – *Placer des fleurs sur une table.* **II.** (Abstrait) **1.** Mettre (qqn) dans une certaine situation. *Placer qqn devant le fait accompli*, le mettre dans telle situation sans qu'il ait pu choisir ou décider quoi que ce soit. ▷ Procurer une place, un emploi à (qqn). *Placer qqn comme apprenti.* **2.** Assigner une place, un rang à (qqch). *Placer le courage au-dessus des autres qualités.* **3.** Situer (dans le temps ou dans l'espace). *Il a placé son roman au XVIIIe siècle.* **4.** *Placer bien, mal son amitié, sa confiance*, la donner à des gens qui en sont dignes, indignes. – *Placer en qqn tous ses espoirs.* **5.** Introduire (dans le cours d'un récit, d'une conversation). *Placer une anecdote, un bon mot.* **6.** Trouver preneur pour (une marchandise); vendre, écouler pour le compte d'autrui. *Placer des billets de tombola.* **7.** Prêter (de l'argent) à intérêt; employer (un capital) pour lui conserver sa valeur ou en tirer un bénéfice. *Placer ses économies à la caisse d'épargne.* **B.** v. pron. **1.** (Personnes) Prendre une place. *Placez-vous où vous voulez.* ▷ Prendre un emploi (d'employé de maison). *Il s'est placé comme valet de chambre.* ▷ (Abstrait) Se mettre (dans un état, une position). *Se placer sur un terrain favorable pour négocier.* **2.** (Choses) Se mettre à une place. *Le couteau se place à droite de l'assiette.* ▷ COMM Se vendre. *Un produit qui se place facilement.*

placet n. m. **1.** Vx ou HIST Demande écrite présentée à un souverain, à un ministre pour obtenir une grâce, une faveur, etc. **2.** DR Acte rédigé par l'avocat du demandeur et déposé au greffe du tribunal pour faire mettre l'affaire au rôle.

placeur, euse n. **1.** Personne qui s'occupe de placer, de conduire à leur place, les spectateurs d'une salle de spectacle (au fém., on emploie plutôt *ouvreuse*). **2.** Personne qui, dans une cérémonie, est chargée d'indiquer à chacun la place qu'il doit occuper. **3.** FIN *Placeur* ou, en appos., *organisme placeur* : établissement qui intervient dans le placement de valeurs immobilières.

placide adj. (Personnes) Tranquille, paisible. ▷ Calme et bonhomme. *Une physionomie placide.*

placidement adv. D'une manière placide, paisiblement, calmement.

Placidia. V. Galla Placidia.

placidité n. f. Caractère placide.

placier, ère n. COMM **1.** Personne qui loue les places sur les marchés après les avoir elle-même prises à ferme. **2.** Personne qui fait la place, qui s'occupe de vendre pour le compte d'une maison de commerce. *Voyageur représentant placier* (V.R.P.).

placodermes n. m. pl. PALEONT Sous-classe de poissons cartilagineux à la tête recouverte de plaques osseuses. – Sing. *Un placoderme.*

placoplâtre n. m. (Nom déposé.) CONSTR Matériau se présentant sous forme de plaques de plâtre.

plafond n. m. **I. 1.** Surface horizontale formant intérieurement la partie supérieure d'une pièce, d'un lieu couvert. *Plafond en plâtre, en stuc. Plafond à caissons. Faux plafond*, en matériau léger, ménagé sous un plafond en maçonnerie pour isoler une pièce, rendre ses proportions plus harmonieuses, etc. ▷ *Le plafond d'une galerie de mine*, sa paroi supérieure. ▷ Loc. fig., fam. *Avoir une araignée au* (ou *dans le*) *plafond* : être fou. **2.** BX-A Peinture décorant un plafond. *Le plafond de Chagall, à l'Opéra de Paris.* **3.** METEO *Plafond nuageux* ou, absol., *plafond* : couche nuageuse constituant la limite de visibilité à partir du sol. **II. 1.** Limite supérieure que l'on ne peut ou que l'on ne doit pas dépasser. *Plafond de vitesse, de température.* ▷ (En appos.) *Prix plafond* : prix maximum. **2.** AVIAT Limite supérieure d'altitude que peut atteindre un aéronef. **3.** FIN Limite légale de la quantité d'émission d'un billet de banque. ▷ FIN Limite des dépenses autorisées par la loi de finances*. *Plafond des charges budgétaires.*

plafonnage n. m. CONSTR Opération, travail qui consiste à plafonner, à pourvoir d'un plafond.

plafonnant, ante adj. **1.** Qui plafonne (sens II). **2.** Qui sert de plafond. ▷ Qui orne un plafond.

plafonnement n. m. Action de plafonner, de limiter. *Le plafonnement des salaires.*

plafonner v. [1] **I.** v. tr. **1.** CONSTR Pourvoir d'un plafond. *Plafonner une salle de spectacle avec un matériau isolant.* **2.** Assigner une limite à. *Plafonner les prix, les bénéfices.* – Pp. adj. *Salaire plafonné* : fraction maximale d'un salaire soumise aux cotisations de la Sécurité sociale. **II.** v. intr. **1.** Atteindre une limite maximale. *Les exportations plafonnent.* **2.** AVIAT Atteindre son plafond, en parlant d'un aéronef.

plafonnier n. m. Appareil d'éclairage électrique fixé au plafond.

plage n. f. **1.** Partie basse d'une côte, couverte de sable ou de galets, où se brisent les vagues. ▷ *Par ext.* Station balnéaire. *Deauville, Trouville, Cabourg, plages de la Manche.* **2.** *Par ext.* Partie plate et sableuse de la rive d'un cours d'eau ou d'un lac, où l'on peut se baigner. **3.** MAR Partie dégagée du pont, à l'avant ou à l'arrière d'un navire. *Plage avant, arrière.* **4.** *Plage d'un disque* : ensemble de spires gravées sur une même face et correspondant à une partie ininterrompue d'enregistrement. **5.** *Plage arrière* (d'une automobile) : tablette horizontale entre la vitre et la banquette arrière. **6.** Espace de temps (dans un planning, un programme, etc.). **7.** Fig. Ensemble de valeurs comprises entre deux limites. ▷ Ensemble d'éventualités, de possibilités.

plagiaire n. Personne qui s'approprie les idées d'autrui, qui copie ses œuvres.

plagiat n. m. Action de plagier; copie, imitation réalisée par un plagiaire.

plagier v. tr. [2] S'approprier les idées de (qqn); copier (les œuvres de qqn).

plagioclase n. m. PETROG Feldspath contenant du calcium, du sodium, mais pas de potassium.

plagiste n. Exploitant d'une plage payante. ▷ Concessionnaire ou employé qui, sur une plage, loue des cabines de bain, des parasols, vend des rafraîchissements, etc.

plaid [plɛd] n. m. **1.** Anc. Couverture de laine à carreaux que les montagnards écossais portaient en guise de manteau. **2.** Mod. Couverture de voyage écossaise.

plaidable adj. DR Qui peut être plaidé avec quelque chance de succès. *Cette cause n'est pas plaidable.*

plaidant, ante adj. DR Qui plaide. *Les parties plaidantes.*

plaider v. [1] **I.** v. intr. **1.** Porter une affaire devant les tribunaux. *Nous plaiderons si cela est nécessaire. Plaider contre qqn.* **2.** Défendre oralement une cause devant les juges. *Cet avocat plaide pour, contre un tel.* ▷ Par ext. *Plaider en faveur de qqn*, prendre sa défense, tenter de le justifier, de l'excuser. **II.** v. tr. **1.** Défendre en justice. *Plaider une cause, une affaire.* **2.** Invoquer dans un plaidoyer. *L'avocat plaidera la démence de son client.* ▷ Loc. fig. *Plaider le faux pour savoir le vrai* : soutenir ce que l'on sait être faux pour tenter d'obtenir de qqn la vérité.

plaideur, euse n. **1.** Personne qui plaide, qui est en procès. **2.** Personne procédurière, qui aime à plaider.

plaidoirie n. f. DR **1.** Action de plaider; plaidoyer. *La plaidoirie des avocats a pris trois séances.* ▷ Par ext. *Il a fait paraître une vibrante plaidoirie en faveur de la protection de la nature.* **2.** Art de plaider.

plaidoyer n. m. **1.** Discours prononcé à l'audience par un avocat pour défendre une cause. **2.** *Par ext.* Exposé oral ou écrit en faveur d'un système, d'une idée.

plaie n. f. **1.** Ouverture des parties molles du corps produite par un agent mécanique externe ou une cause pathologique, avec ou sans perte de substance. *Rapprocher les lèvres d'une plaie.* ▷ Loc. fig. *Ne rêver que plaies et bosses* : être très batailleur. **2.** Fig. Déchirement, blessure. *Les plaies du cœur.* ▷ Loc. fig. *Mettre le doigt sur la plaie* : indiquer avec précision la cause gênante du mal. – *Retourner le couteau, le fer dans la plaie* : faire souffrir qqn en évoquant avec insistance un souvenir, un sujet qui lui est pénible. ▷ (Prov.) *Plaie d'argent n'est pas mortelle* : une perte pécuniaire peut se réparer. **3.** Vx Fléau. *Les dix plaies d'Égypte* (Bible). ▷ Mod. Chose, personne dangereuse, nuisible ou pénible.

plaignant, ante n. DR Personne qui dépose une plainte en justice. ▷ adj. *La partie plaignante.*

plain, plaine adj. et n. m. **1.** adj. Vx Plat, uni. ▷ Mod. Loc. adv. *De plain-pied* : sur le même plan. *Pièces situées de plain-pied.* – Fig. *Se sentir de plain-pied avec qqn.* **2.** n. m. MAR Le plus haut niveau de la marée. *Aller, se mettre au plain*, s'échouer à marée haute.

plain-chant n. m. MUS Musique liturgique vocale, monodique, en langue latine, de l'Église catholique. *Des plains-chants.*

plaindre v. [54] **I.** v. tr. **1.** Témoigner de la compassion à (qqn). *Plaindre un malheureux.* **2.** Dial. Donner à regret; n'utiliser qu'avec parcimonie, lésiner sur. **II.** v. pron. **1.** Manifester sa souffrance, sa douleur. *Se plaindre d'une douleur au côté.* **2.** Témoigner son mécontentement (au sujet de qqn, de qqch). *Se plaindre de son sort.*

plaine n. f. **1.** Grande étendue de terre plate et unie. *La plaine de la Beauce.* **2.** HIST *La Plaine* : les membres modérés de l'Assemblée, sous la Convention.

plain-pied (de). V. plain.

plainte n. f. **1.** Gémissement, cri de souffrance. *Les plaintes d'un blessé.* **2.** Récrimination, expression de mécontentement. **3.** DR Dénonciation, par la victime, d'une infraction pénale. *Porter plainte contre qqn.*

plaintif, ive adj. Qui a l'accent de la plainte. *Chant plaintif.*

plaintivement adv. D'un ton plaintif.

plaire v. [59] **A.** v. tr. indir. **I. 1.** (Personnes) *Plaire à qqn,* exercer sur lui un certain attrait, lui procurer de l'agrément. *On ne peut pas plaire à tout le monde. Décidément, vous me plaisez !* – (S. comp.) *Plaire* (aux autres). *Il plaît :* tout le monde le trouve charmant, agréable, etc. *Le désir, le besoin de plaire.* ▷ *Spécial.* Inspirer l'amour. *Homme qui plaît à une femme.* ▷ (Par antiphrase.) Fam. *Il commence à me plaire, celui-là !,* à m'ennuyer sérieusement. **2.** (Choses) Être agréable à, convenir à. *Le film documentaire m'a beaucoup plu.* – (S. comp.) *Ça plaît :* c'est la mode. **II.** (Impersonnel) **1.** *Il... plaît. S'il me plaît, si ça me plaît d'y renoncer, j'y renoncerai :* si je veux y renoncer... **2.** *S'il vous (te) plaît :* formule de politesse employée pour une demande, un conseil, un ordre. *Quelle heure est-il, s'il te plaît? Silence ! s'il vous plaît.* (Abrév. : S.V.P.) ▷ Fam. Pour attirer l'attention sur ce qu'on vient de dire. *Il y avait du monde, et du beau monde, s'il vous plaît.* **3.** Vieilli ou rég. *Plaît-il ?* : formule pour faire répéter ce que l'on a mal entendu. **4.** (Au subj.) Litt. *Plaise, plût à Dieu, au ciel que...* (suivi du subj.) : formule marquant le souhait ou le regret de qqch. *Plût au ciel qu'il fût encore vivant.* ▷ Vieilli *À Dieu ne plaise que... :* pourvu que cela n'arrive pas. **B.** v. pron. **1.** (Réfl.) Être content, satisfait de soi-même. **2.** (Récipr.) *Jean et Marie se sont plu* (l'un à l'autre) *tout de suite.* **3.** Se trouver bien (dans un lieu, une situation, une compagnie, etc.). *Elles se sont plu dans ce village.* ▷ (Animaux, végétaux.) *Plante qui se plaît dans les lieux humides,* qui y prospère, qui y pousse bien. **4.** *Se plaire à :* trouver du plaisir, de l'agrément à (une chose). *Se plaire à l'effort.*

plaisamment adv. **1.** D'une manière plaisante, agréable. *Un appartement plaisamment arrangé.* **2.** Litt. D'une manière risible, comique.

plaisance n. f. Vx Agrément, plaisir. ▷ Loc. adj. Mod. *De plaisance :* destiné à l'agrément, à l'exclusion de toute fonction utilitaire. *Maison de plaisance. La navigation de plaisance* ou *la plaisance :* la navigation pratiquée pour le plaisir par des amateurs.

Plaisance (en ital. *Piacenza*), v. d'Italie (Émilie-Romagne), près du Pô; 107 310 hab.; ch.-l. de la prov. du m. nom. Centre agricole; industr. méca., textiles et alim. – Palais communal (XIIIe s.). Palais Farnèse (XVIe s., plans dessinés par Vignola). – Commune libre au XIIe s., la ville passa en de nombr. mains à partir du XIIIe s. Le pape Paul III ayant constitué le duché de Parme et Plaisance (1545), elle suivit le sort de Parme jusqu'en 1860 (réunion au Piémont).

plaisancier, ère n. Personne qui pratique la navigation de plaisance.

plaisant, ante adj. et n. m. **I.** adj. **1.** Qui plaît, agréable. *Un endroit plaisant.* **2.** Qui plaît en faisant rire, amusant. *Une histoire assez plaisante.* **II.** n. m. **1.** Ce qui est plaisant. *Le plaisant de* (ou *dans*) *cette affaire,* le côté plaisant. **2.** *Mauvais plaisant :* personne qui fait des plaisanteries de mauvais goût.

plaisanter v. [1] **I.** v. intr. **1.** Dire (ou, quelquefois, faire) des choses destinées à faire rire, à amuser. *Il aime bien plaisanter. Plaisanter sur qqch.* **2.** Dire ou faire qqch sans vouloir se faire prendre au sérieux, par jeu. *Il a fait cela pour plaisanter.* – *Ne pas plaisanter avec... :* être intraitable, intransigeant quant à... **II.** v. tr. *Plaisanter qqn,* le railler légèrement, le taquiner.

plaisanterie n. f. **1.** Propos destiné à faire rire, à amuser. *Plaisanterie fine.* **2.** Propos ou acte destinés à se moquer; raillerie. *Être en butte aux plaisanteries de ses collègues.* – (Au sing.) *Il ne comprend pas la plaisanterie :* il s'offense chaque fois qu'on le plaisante. **3.** Chose, parole ridicule, risible tant elle est ou paraît peu sérieuse. *Être prêt dès demain ? C'est une plaisanterie !* ▷ Chose dérisoire, très facile. *Ce problème est une aimable plaisanterie.* **4.** Action, fait de plaisanter. *Faire, dire une chose par plaisanterie.*

plaisantin n. m. **1.** Celui qui fait des plaisanteries déplacées. **2.** Celui dont les propos, les actes manquent de sérieux; farceur. ▷ Personne sur qui on ne peut compter.

plaisir n. m. **A. I. 1.** État affectif lié à la satisfaction d'un désir, d'un besoin, d'une inclination; sensation, sentiment agréable. *Le plaisir et la douleur.* – PHILO *Morales du plaisir :* cf. épicurisme, hédonisme. ▷ (Lié à l'exercice d'une fonction ou d'une faculté particulière.) *Plaisir physique, sexuel; plaisir intellectuel, esthétique.* – *Le plaisir de :* le plaisir causé par (qqch). *Le plaisir des sens. Plaisir d'offrir. Prendre, avoir plaisir à une chose, à faire une chose. Faire plaisir à qqn,* lui être agréable. *Nous ferez-vous le plaisir de déjeuner avec nous ?* – *Spécial.* (Formule d'insistance polie ou menaçante.) *Faites-moi le plaisir d'accepter. Faites-moi le plaisir de vous taire.* ▷ *Le plaisir de qqn,* celui qu'il éprouve. *Prendre son plaisir où on le trouve.* ▷ *Un plaisir, des plaisirs :* émotion agréable; joie, satisfaction. *Accordez-lui ce petit plaisir.* **2.** Spécial. *Le plaisir :* le plaisir des sens; plus partic., le plaisir sexuel. **3.** Distraction agréable. ▷ Loc. *Partie de plaisir. Ce n'est pas une partie de plaisir :* ce n'est pas agréable. ▷ (Sens affaibli, partic., dans des formules polies.) *Se faire un plaisir de :* faire (qqch) bien volontiers. *J'ai le plaisir de vous annoncer, de vous faire part de...* ▷ *Avec plaisir. « Voulez-vous venir ? – Avec plaisir, avec grand plaisir. »* – Loc. adv. *Par plaisir, pour le plaisir, pour son plaisir :* sans autre raison que l'agrément que l'on en tire; par simple divertissement. *L'argent ne l'intéresse pas, il peint par plaisir.* ▷ Iron. *Je vous (lui, etc.) souhaite bien du plaisir :* se dit à qqn (ou de qqn) qui va avoir à faire qqch de difficile ou de peu agréable. **II.** *Par ext.* (Souvent au pl.) Objet ou action qui cause du plaisir. **1.** Ce qui procure du plaisir; divertissement, distraction. **2.** *Spécial.* Plaisirs sensuels. *Vie de plaisirs.* **B. 1.** Ce qui est la volonté de qqn, ce qu'il lui plaît de faire. *Tel est notre (bon) plaisir :* formule par laquelle le roi marquait sa volonté dans les édits. – *Le bon plaisir de qqn,* sa volonté arbitraire. **2.** Loc. adv. *À plaisir :* comme par caprice; sans motif, sans raison valable. *Se tourmenter à plaisir.* ▷ *Il a inventé, menti, à plaisir,* comme il lui a plu, autant qu'il lui a plu.

Plaisir, ch.-l. de cant. des Yvelines (arr. de Versailles); 25 949 hab. Industr. aéron. et électronique.

1. plan n. m. **1.** Surface plane. *Plan vertical, horizontal. Plan d'eau :* étendue d'eau calme et unie. – *Plan incliné,* en pente. *Accès en plan incliné.* ▷ *Plan de travail :* dans une cuisine, surface plane horizontale qui sert à diverses opérations. **2.** GEOM Dans la géométrie euclidienne, surface telle que toute droite qui y a deux de ses points y est entièrement contenue. *Plans sécants, tangents, perpendiculaires.* – TECH *Plan de tir :* plan vertical qui passe par la ligne de tir. **3.** Chacune des parties d'une image définie par son éloignement (réel ou figuré en perspective) de l'œil. *Premier plan, arrière-plan.* ▷ *Spécial.* Au théâtre, partie de la scène matérialisée par un plan vertical (rideau, décor, toile de fond). **4.** Fig. Importance relative (de qqn ou de qqch). *Personnage de premier, de tout premier plan,* d'une importance primordiale. *Mettre deux choses sur le même plan,* sur un pied d'égalité; leur accorder la même importance. ▷ Loc. *Sur le plan* (+ adj.), *sur le plan de* (+ subst.) : du point de vue (de). **5.** PHOTO, CINE Image, prise de vue définie par l'éloignement de l'objectif par rapport à la scène représentée, par le cadrage. *Gros plan :* prise de vue rapprochée. **6.** *Par ext.* CINE Suite d'images enregistrée par la caméra en une seule fois. – *Plan séquence :* longue séquence en un plan unique.

2. plan n. m. **A. 1.** Représentation graphique (d'une ville, d'un bâtiment, d'une construction, etc.) en projection horizontale. *Lever, dresser, tracer un plan.* ▷ *Par ext.* Représentation graphique (d'une machine, d'un appareil), le plus souvent en projection orthogonale. **2.** Cour. Carte à grande échelle (d'une ville, d'un lieu, etc.). *Plan de Paris. Plan du métro.* **B. I.** Fig. **1.** Disposition des différentes parties d'un ouvrage littéraire, considérée à titre de projet de composition d'un texte à rédiger ou, après coup, dans un travail d'analyse du texte. *Plan d'un roman, d'une dissertation, d'un article.* **2.** COMM *Plan comptable :* ensemble des règles édictées pour la présentation des bilans, des comptabilités. **II. 1.** Ensemble ordonné de dispositions arrêtées en vue de l'exécution d'un projet. *Arrêter, exécuter un plan d'action.* – ECON *Plan de redressement* (de l'économie). ▷ *Par ext.* Projet supposant une suite d'opérations. *Faire des plans pour l'avenir.* **2.** *Spécial.* ECON Ensemble des directives plus ou moins impératives décidées par les pouvoirs publics, concernant les orientations, les objectifs et les moyens d'une politique économique sur plusieurs années. *Le Plan :* le plan économique d'une nation. *Les objectifs du Plan.* **III.** Loc. fam. *En plan.* **1.** *Laisser qqn en plan,* sur place, sans s'en occuper davantage. **2.** *Rester en plan,* en suspens.

3. plan, ane adj. **1.** (En parlant d'une surface.) Qui ne présente aucune inégalité de niveau, aucune aspérité, aucune courbure; plat et uni. *Surface parfaitement plane.* **2.** *Géométrie plane,* qui étudie les figures contenues dans le plan (par oppos. à *géométrie dans l'espace*). ▷ GEOM *Angle plan, courbe plane,* inscrits dans un plan.

planaire n. f. ZOOL Petit ver plat des eaux douces (genre *Planaria*).

planant, ante adj. Fam. Qui fait planer (2, sens 3). *Musique planante.*

Plan Carpin (Giovanni da Pian del Carpine, en fr. Jean du) (Pian del Carpine, Ombrie, v. 1182 - Antivari, auj. Bar, Monténégro, 1252), franciscain italien. Envoyé par Innocent IV auprès du khān de Tartarie en 1245, il a laissé une riche et intéressante relation de voyage.

planche n. f. **I. 1.** Pièce de bois plate, nettement plus longue que large et relativement peu épaisse. ▷ SPORT *Planche à voile :* planche munie d'une voile sur mât articulé, d'une dérive et d'un aileron, qui permettent de la diriger sur l'eau dans toutes les directions. - *Planche à roulettes :* planche dont une face est pourvue de roulettes, qui permet de se déplacer et d'exécuter des figures; sport pratiqué avec une telle planche. ▷ *Planche à repasser,* sur laquelle on repasse le linge. ▷ *Planche à dessin :* plateau de bois parfaitement plan sur lequel on fixe les feuilles de papier à dessin. ▷ *Planche à pain,* sur laquelle on coupe le pain. ▷ Loc. fig. *Avoir du pain sur la planche :* V. pain. - (Se dit d'une femme.) *C'est une planche, une planche à pain :* elle est maigre, plate. - *Planche de salut :* dernière ressource, ultime recours. - Fam. *Planche pourrie :* personne en qui on ne peut avoir confiance. **2.** *Faire la planche :* en natation, se laisser flotter sur le dos. **3.** *Planche de bord :* tableau de bord d'une automobile. **4.** MAR Pièce de bois, passerelle jetée entre le pont d'un navire et le quai. - *Jours de planche :* temps accordé à un navire pour effectuer le chargement ou le déchargement de son fret. **5.** n. f. pl. *Les planches :* la scène, au théâtre. *Monter sur les planches :* se faire comédien; faire du théâtre. *Brûler les planches :* jouer avec un talent exceptionnel. **6.** IMPRIM Plaque de métal ou de bois préparée pour la gravure, pour la reproduction par impression. ▷ *Par ext.* Estampe tirée sur une planche gravée. - Feuille contenant les illustrations, jointe à un ouvrage. *Planches hors texte en couleur.* **II.** Petit espace de terre cultivée, de forme allongée, dans un jardin. *Une planche de salades.*

planche-contact n. f. PHOTO Tirage par contact sur une feuille de papier de toutes les photos d'un film. *Des planches-contacts.*

planchéier v. tr. [2] TECH Revêtir de planches. ▷ Pourvoir (une pièce) d'un plancher.

1. plancher n. m. **1.** TECH Séparation horizontale entre deux étages. **2.** Cour. Partie supérieure d'un plancher, constituant le sol d'un appartement; ce sol, recouvert d'un assemblage de menuiserie plus grossier qu'un parquet. ▷ *Par ext.* Paroi inférieure de la caisse d'un véhicule, d'un ascenseur, etc. **3.** Loc. fig., fam. *Le plancher des vaches :* la terre ferme (par oppos. à la *mer,* aux *airs*). ▷ Fam. *Débarrasser le plancher :* sortir, déguerpir. **4.** Fig. Niveau, seuil minimal (par oppos. à *plafond*). *Plancher des cotisations.*

2. plancher v. intr. [1] Arg. (des écoles) Subir une interrogation au tableau. ▷ Cour., fam. Faire un exposé. - *Par ext.* Travailler. *Plancher sur un devoir.*

planchette n. f. **1.** Petite planche. **2.** TECH Tablette munie d'une règle à viseur, qui sert à lever les plans.

planchiste n. Personne qui fait de la planche à voile.

Planchon (Roger) (Saint-Chamond, 1931), homme de théâtre français. Directeur, depuis 1957, du théâtre de la Cité de Villeurbanne (devenu Théâtre national populaire en 1972).

Planck (Max) (Kiel, 1858 - Göttingen, 1947), physicien allemand. Il révolutionna la physique moderne en élaborant (1900) sa théorie des quanta (V. quantum). P. Nobel 1918. ▷ PHYS *Loi de Planck :* loi permettant de calculer la luminance du corps noir à une température et pour une longueur d'onde données. - *Constante de Planck :* constante universelle dont la valeur est h = 6,6252 × 10^{-34} joules-seconde.

Max **Planck** **Plutarque**

plan-concave adj. OPT Qui a une face plane et une face concave. *Des lentilles plan-concaves.*

plan-convexe adj. OPT Qui a une face plane et une face convexe. *Des lentilles plan-convexes.*

plancton [plɑ̃ktɔ̃] n. m. Ensemble des êtres vivants, pour la plupart microscopiques ou de très petite taille, que les eaux marines et les eaux douces entraînent dans leurs mouvements (à la différence du *necton* et du *benthos*). *Le plancton constitue la principale nourriture de nombreux animaux marins. Plancton végétal, ou phytoplancton* (diatomées, sargasses, etc.). *Plancton animal, ou zooplancton* (radiolaires, méduses, œufs de poissons, larves de crustacés, etc.).

planctonique adj. Didac. Du plancton. *Animaux et végétaux planctoniques.*

plane n. f. TECH Outil pour le travail du bois, destiné à être manié des deux mains, constitué par une lame tranchante portant une poignée à chaque extrémité.

plané adj. m. et n. m. *Vol plané* ou, n. m., *plané :* vol d'un oiseau, d'un avion qui plane. ▷ Fam. *Faire un vol plané :* faire une chute spectaculaire.

planéité n. f. Caractère plan d'une surface.

1. planer v. tr. [1] TECH Rendre plan. *Planer une tôle.* ▷ Débarrasser de ses aspérités; rendre plat, uni.

2. planer v. intr. [1] **1.** En parlant d'un oiseau, se soutenir en l'air sur ses ailes étendues, sans paraître les remuer. ▷ Voler avec le moteur arrêté ou au ralenti, en parlant d'un avion; voler, en parlant d'un avion sans moteur (ou *planeur*). ▷ Être en suspension dans l'air. **2.** Fig. *Planer au-dessus de :* considérer dans l'ensemble, sans s'arrêter aux détails; survoler, dominer. *Planer au-dessus des contingences.* ▷ (S. comp.) Fam. N'avoir pas le sens des réalités; être distrait. **3.** Fam. Se sentir particulièrement bien; éprouver une sensation de détachement et de sérénité euphorique (partic. sous l'effet d'une drogue). **4.** (Sujet n. de chose.) *Planer sur :* peser comme une menace sur.

planétaire adj. et n. m. **1.** adj. Relatif aux planètes. *Système planétaire.* **2.** Relatif à la Terre, mondial. *Une guerre planétaire.* **3.** n. m. TECH Pignon conique porté par chaque demi-arbre d'un différentiel.

planétarisation n. f. Rare Extension d'un phénomène à l'échelle de notre planète.

planétarium [planetaʀjɔm] n. m. Salle de démonstration cosmographique comportant un plafond en coupole qui figure la voûte céleste, sur lequel sont projetés des points lumineux représentant les astres (étoiles, planètes, etc.) et leurs mouvements.

planète n. f. **1.** Corps céleste dépourvu de lumière propre, de volume assez important (à la différence des *astéroïdes*), décrivant autour du Soleil une orbite elliptique de faible excentricité (à la différence des *comètes*) dont le plan diffère peu, en général, de celui de l'orbite terrestre. ▷ *Par ext.* Tout corps céleste analogue gravitant autour d'une étoile autre que le Soleil. **2.** ASTROL Chacune des sept planètes des Anciens, supposées exercer une influence sur la destinée humaine. **3.** Fig. Secteur d'activité aux contours plus ou moins flous. *La planète cinéma.* ENCYCL Les planètes du système solaire se répartissent entre *planètes telluriques* (Mercure, Vénus, la Terre et Mars), les plus proches du Soleil, et *planètes géantes* (Jupiter, Saturne, Uranus et Neptune), les plus éloignées. Entre les deux groupes circulent plusieurs milliers d'astéroïdes, parfois dénommés *petites planètes.* Au-delà du groupe des planètes géantes se situe Pluton, la plus petite planète du système solaire, qui constitue, avec son satellite Charon, un système unique, considéré par certains astronomes comme une *planète double.*

planétoïde n. m. ASTRO Objet théorique grossi par accrétion de la matière primitive, dont la taille va du mètre au kilomètre.

planétologie n. f. ASTRO Branche de l'astronomie consacrée à l'étude des planètes (physique des atmosphères planétaires, relief des planètes telluriques, structure interne), et plus généralement de tous les corps du système solaire (V. astronomie).

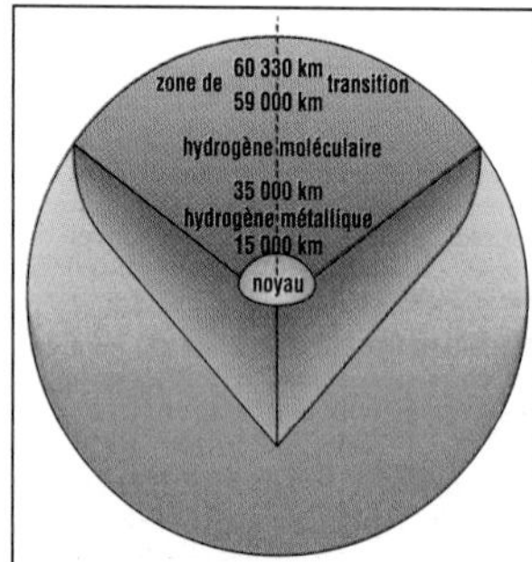

coupe d'une planète géante (Saturne); le modèle a été élaboré à partir des observations des sondes Voyager

planétologie

1. planeur, euse n. TECH **1.** n. m. Ouvrier qui plane les métaux. **2.** n. f. Machine à planer.

2. planeur n. m. Avion à voilure fixe, sans moteur, à bord duquel on pratique le vol à voile.

planèze n. f. GEOL Plateau de basalte volcanique délimité par des vallées rayonnantes.

planifiable adj. Qui peut être planifié.

planificateur, trice n. et adj. Personne qui planifie, s'occupe de planification. – adj. *Une action planificatrice.*

planification n. f. ECON Organisation des moyens et des objectifs d'une politique économique pendant un nombre d'années à venir.

planifier v. tr. [2] Organiser, prévoir selon un plan.

planimétrie n. f. 1. TRAV PUBL Représentation d'un terrain, d'une route par sa projection horizontale. 2. GEOM Partie de la géométrie consacrée aux surfaces planes.

planisme n. m. 1. ECON Doctrine ou ensemble des techniques des partisans ou des spécialistes de la planification. 2. *Planisme familial :* V. planning.

planisphère n. m. Carte sur laquelle est représentée en entier la sphère terrestre ou céleste en projection plane.

plan(-)masse n. m. ARCHI Syn. de *plan de masse*.*

planning [planiŋ] n. m. (Anglicisme) 1. Programme qui décompose le travail à accomplir en tâches élémentaires et qui définit l'échelonnement de celles-ci dans le temps. ▷ Représentation graphique de ce programme. Syn. (off. recommandé) programme. 2. *Planning familial :* organisation du contrôle volontaire des naissances. Syn. (off. recommandé) planisme familial.

planorbe n. f. ZOOL Mollusque gastéropode pulmoné d'eau douce (genre *Planorbis*), à coquille enroulée dans un plan.

planque n. f. Fam. 1. Cachette, lieu où l'on met à l'abri des regards qqch, qqn. 2. Poste agréable, peu exposé; place où le travail est peu fatigant.

planqué n. m. Arg. Celui qui, dans l'armée, est affecté à un poste peu exposé, peu pénible.

planquer v. tr. [1] Fam. Cacher, dissimuler pour mettre à l'abri. ▷ v. pron. *Il se planque pour être tranquille.*

Planquette (Robert) (Paris, 1848 – id., 1903), compositeur français d'opérettes : *les Cloches de Corneville* (1877), *la Cantinière* (1880), *Rip* (1884).

plan-relief n. m. Maquette d'une ville, d'une place forte. *Des plans-reliefs.*

plant [plɑ̃] n. m. 1. Jeune plante issue d'un semis et destinée à être transplantée. *Acheter des plants de salade* ou, collect., *du plant de salade.* 2. Ensemble des plantes de même espèce élevées sur une même parcelle de terrain; cette parcelle.

plantage n. m. Fam. Fait de se planter.

Plantagenêt, surnom donné à Geoffroi V le Bel, comte d'Anjou, et qui désigna par la suite la dynastie anglaise qui régna sur l'Angleterre de 1154 à 1485.

1. plantain n. m. 1. Plante herbacée à feuilles en forme de rosette, à fleurs en épis ou en capitules, dont les graines constituent une nourriture de choix pour les oiseaux de volière. 2. *Plantain d'eau :* plante monocotylédone aquatique fréquente dans les zones humides (fam. alismatacées).

2. plantain n. m. Variété de bananier dont les fruits se consomment cuits. – (En appos.) *Banane plantain.*

plantaire adj. Qui appartient à la plante du pied.

plantation n. f. I. 1. Action de planter ou de repiquer des plantes. *Faire des plantations dans un parc.* 2. Ensemble des végétaux dont un terrain est planté. 3. Terrain planté. ▷ *Spécial.* Terrain planté de végétaux d'une même espèce. 4. Exploitation agricole (champs et bâtiments) pratiquant la monoculture de végétaux de grande taille, dans les pays tropicaux. II. Manière dont est plantée la chevelure sur le crâne; limite de la chevelure.

1. plante n. f. *Plante du pied :* face inférieure du pied.

2. plante n. f. 1. Tout végétal. *Les plantes et les animaux de la Terre.* ▷ *Spécial.* Végétal supérieur. *Plantes alimentaires, potagères, fourragères. – Plantes industrielles, textiles, tinctoriales, aromatiques, médicinales.* 2. Fig. Personne, chose dont la vie, le développement rappellent ceux d'une plante. *Une belle plante :* une personne saine et bien faite (se dit en général d'une jeune fille, d'une jeune femme). *Plante de serre :* personne fragile dont on s'occupe avec beaucoup de soins, d'attention.

planté, ée adj. I. (Personnes) 1. *Bien planté :* bien bâti, bien fait. *Un jeune homme bien planté.* 2. Debout et immobile. *Ne reste pas planté là comme un piquet!* II. Posé, disposé d'une certaine manière (en parlant de certaines parties du corps). *Un cou bien planté sur les épaules.*

Planté (Gaston) (Orthez, 1834 – Bellevue, Seine, 1889), physicien français. Il inventa en 1859 le premier accumulateur électrique (au plomb).

planter v. [1] I. v. tr. 1. Mettre en terre (une plante) pour qu'elle prenne racine et croisse. *Planter un arbre.* 2. Mettre (des graines, des tubercules, etc.) en terre. *Planter des tulipes, des haricots.* 3. Ensemencer, garnir (une terre de végétaux). 4. Enfoncer, ficher (dans le sol, dans un matériau résistant). *Planter un poteau. Planter des clous dans un mur.* 5. Fixer, placer droit. *Planter un drapeau au sommet d'un édifice.* 6. Appliquer avec force, brusquement. *Planter un baiser sur la joue de qqn.* 7. Fam. *Planter là :* abandonner brusquement. II. v. pron. 1. (Passif) *Les arbres se plantent en automne.* ▷ *Le couteau s'est planté à deux centimètres de son pied.* 2. *Se planter quelque part,* s'y placer et y rester sans bouger. *Venir se planter devant qqn.* 3. Fam. Avoir un accident (véhicules). *Il s'est planté dans le décor.* ▷ Se tromper. *Il s'est planté dans ses calculs.* – Échouer. *Je me suis planté à mon examen.*

Geoffroi V le Bel, dit **Plantagenêt,** 1151; musée du Tessé, Le Mans

Plantes (Jardin des), jardin botanique de Paris, à l'origine du Muséum* national d'histoire naturelle.

planteur, euse n. I. 1. Rare Personne qui plante des arbres, des végétaux. 2. n. m. Exploitant d'une plantation (sens I, 4). II. n. f. AGRIC Machine servant à planter les tubercules.

plantigrade adj. et n. m. ZOOL 1. adj. Qui marche sur la plante des pieds. 2. n. m. Mammifère qui pose toute la surface du pied sur le sol (par oppos. à *digitigrade*).

Plantin (Christophe) (Saint-Avertin, près de Tours, v. 1520 – Anvers, 1589), imprimeur français. Il imprima la fameuse *Biblia Regia* ou *Biblia Poliglotta* (8 vol., 1569-1572).

plantoir n. m. AGRIC Outil conique servant à faire des trous dans le sol pour y repiquer des plants ou y semer des graines.

planton n. m. 1. Soldat affecté auprès d'un officier, d'un bureau, pour porter les plis, assurer les liaisons utiles. ▷ Service assuré par le planton. *Être de planton.* 2. Fig., fam. *Faire le planton, rester de planton :* attendre qqn debout pendant un long moment.

plantule n. f. BOT Embryon végétal qui commence à se développer.

plantureux, euse adj. 1. Copieux, abondant (en parlant de la nourriture). *Un dîner plantureux.* 2. *Une femme plantureuse,* grande et bien en chair.

plaquage n. m. 1. SPORT Au rugby, action de plaquer un adversaire. 2. Fam. Action de plaquer (sens 6), d'abandonner (qqn, qqch).

plaque n. f. 1. Morceau, de faible épaisseur, d'une matière rigide (métal, bois, verre, etc.). 2. *Spécial.* Plaque (sens 1) portant une inscription. *Plaque minéralogique,* portant le numéro d'immatriculation d'un véhicule. ▷ Insigne de certaines fonctions. *Plaque de garde champêtre, de commissionnaire.* – Insigne porté par les dignitaires de différents ordres. *La plaque de grand officier de la Légion d'honneur.* 3. ELECTRON Anode d'un tube électronique. 4. PHOTO *Plaque sensible :* plaque (à l'orig., en verre, auj. en matière souple) recouverte d'une couche sensible à la lumière. *Appareil à plaques.* 5. CH de F *Plaque tournante :* plaque métallique circulaire de grand diamètre, mobile sur pivot et portant des rails, qui permet de diriger les locomotives ou les wagons sur l'une ou l'autre des voies qui convergent vers elle; fig. lieu par lequel passent des personnes venues de pays divers pour se rendre ailleurs, par où circulent des marchandises; fig. institution, personne par qui passent des informations, des documents, etc. 6. GEOL Élément rigide formé de croûte et de manteau supérieur, constituant, avec d'autres éléments semblables, l'enveloppe externe de la Terre. V. encycl. 7. Tache, lésion superficielle à contour imprécis apparaissant sur la

LES DOUZE PLAQUES DE LA LITHOSPHÈRE

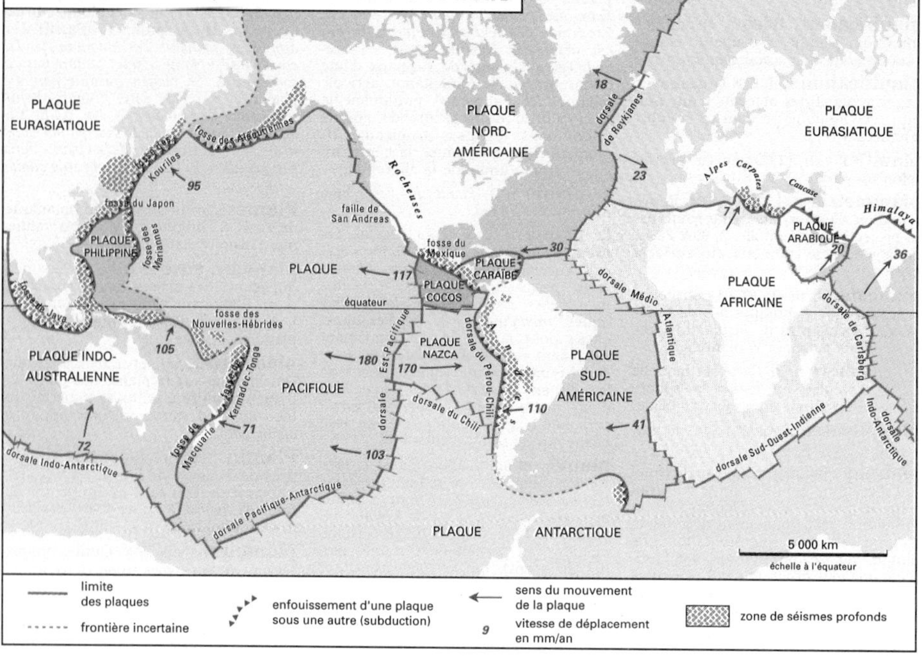

limite des plaques — frontière incertaine — enfouissement d'une plaque sous une autre (subduction) — sens du mouvement de la plaque — 9 vitesse de déplacement en mm/an — zone de séismes profonds

peau ou les muqueuses. *Plaque muqueuse* : lésion syphilitique secondaire qui apparaît à la surface de la peau ou des muqueuses, au voisinage d'un orifice naturel. *Sclérose* en plaques.* ▷ *Plaque dentaire* : dépôt à la surface des dents, constitué notam. de débris alimentaires et bactériens, qui joue un rôle dans la formation des caries. **8.** JEU Grand jeton rectangulaire. **9.** Loc. fam. *Être à côté de la plaque* : être à côté du sujet, se fourvoyer.

ENCYCL **Géol.** – Selon la théorie de la *tectonique des plaques*, conçue dans les années 1960, l'enveloppe externe de la Terre est constituée d'une mosaïque de plaques rigides, animées de mouvements relatifs. Ces plaques, épaisses d'une centaine de kilomètres, sont formées de lithosphère, c'est-à-dire de croûte océanique (basalte) ou continentale (granite) et de manteau supérieur. Elles se déplacent sur une zone plastique, partiellement fondue, l'asthénosphère, ce qui explique les déplacements relatifs des continents. Les plaques se renouvellent perpétuellement, car les dorsales océaniques sont le lieu d'énormes épanchements volcaniques. Cet apport de matière (accrétion) provoque l'accroissement et la migration latérale des plaques, symétriquement par rapport à l'axe de la dorsale. À l'autre extrémité, une plaque se détruit en plongeant dans le manteau sous la plaque voisine (subduction). Les zones de subduction, matérialisées par des fosses océaniques, sont le siège d'une forte sismicité et d'une intense activité volcanique. C'est également dans ces zones, où deux plaques adjacentes s'affrontent, que se forment les chaînes de montagnes.

plaqué n. m. **1.** Métal commun recouvert d'une mince couche de métal précieux. *Bracelet en plaqué or. Montre en plaqué.* **2.** Bois recouvert de placage (sens 2). *C'est du massif ou du plaqué ?*

plaqueminier n. m. BOT Arbre des régions chaudes à bois très dur (fam. ébénacées) dont les espèces indiennes et ceylanaises fournissent une variété d'ébène et dont le fruit est le kaki.

plaquer v. tr. [1] **1.** Appliquer (une plaque, une feuille mince) sur une surface. *Plaquer de l'acajou sur du chêne.* **2.** Recouvrir (un objet) d'une couche (de métal précieux). *Plaquer un briquet d'argent.* ▷ Pp. adj. *Plaqué or.* – Fig. Artificiel, qui semble surajouté. *Un sourire plaqué*, faux. **3.** Aplatir, maintenir contre (qqch). *Plaquer une mèche de cheveux sur son front.* **4.** MUS *Plaquer un accord* : frapper simultanément sur le clavier les notes qui le composent. **5.** *Plaquer qqn contre, sur qqch*, l'y projeter et l'y maintenir avec force. *Le souffle de l'explosion l'a plaqué au sol.* ▷ v. pron. *Se plaquer à, contre un arbre.* ▷ SPORT Au rugby, saisir dans sa course (un adversaire) aux jambes et l'envoyer à terre. **6.** Fam. Quitter, abandonner. *Il a plaqué sa femme.*

plaquette n. f. **1.** Petite plaque. *Plaquette de chocolat.* **2.** Mince volume. *Une plaquette de poésie.* **3.** BIOL Élément figuré du sang, dépourvu de noyau, qui joue un rôle important dans la coagulation du sang et l'hémostase primaire. Syn. thrombocyte.

plas-, -plasie. Éléments, du gr. *plasis*, « action de modeler ». V. -plaste.

plasma [plasma] n. m. **1.** BIOL Partie liquide du sang, au sein de laquelle les éléments figurés (hématies, leucocytes, plaquettes) sont en suspension. **2.** PHYS Gaz porté à haute température, formé d'un ensemble d'électrons négatifs et d'ions positifs en équilibre avec des molécules ou des atomes non ionisés dont le nombre est d'autant plus faible que la température est plus élevée.

plasmalemme n. m. BIOL Syn. de *membrane plasmique** (ou *cytoplasmique*).

plasmaphérèse n. f. MED Technique qui consiste à faire passer par dérivation le sang d'un malade dans un appareil où s'effectue un échange de plasma.

plasmatique adj. BIOL Qui se rapporte au plasma sanguin.

-plasme, plasmo-. Éléments, du gr. *plasma*, « chose façonnée », ou du fr. *plasma* (sens 1).

plasmide n. f. BIOL Unité d'A.D.N. indépendante du chromosome, dans une bactérie.

plasmine n. f. BIOCHIM Enzyme plasmatique capable de dégrader la fibrine et le fibrinogène.

plasmique adj. BIOL *Membrane plasmique* ou *cytoplasmique* : membrane lipoprotéique qui limite toutes les cellules. Syn. plasmalemme.

plasmo-. V. -plasme.

plasmocyte n. m. BIOL Cellule conjonctive pathologique, d'un diamètre de 15 à 20 µm, à noyau excentrique.

plasmocytose n. f. MED Prolifération des plasmocytes dans la moelle osseuse ou le sang.

plasmode n. m. BIOL Masse cytoplasmique renfermant, sous une seule

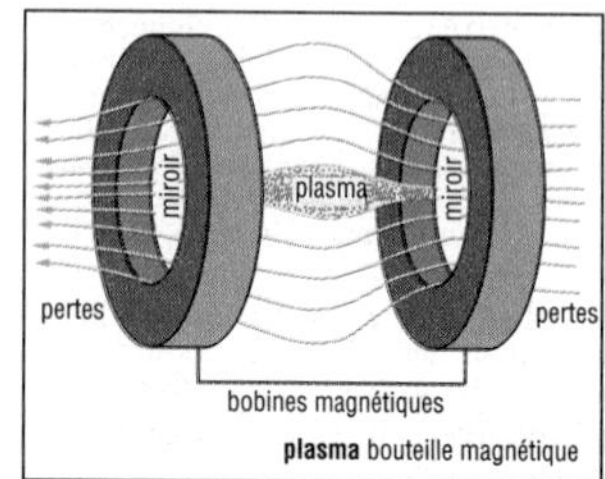

plasma bouteille magnétique

membrane cellulaire, de nombreux noyaux.

plasmodium [plasmɔdjɔm] n. m. MED Hématozoaire agent du paludisme.

plasmolyse n. f. BIOL Perte d'eau, par osmose, d'une cellule placée dans un milieu hypertonique.

-plaste, -plastie. Éléments, du gr. *plassein*, « modeler ».

plaste n. m. BOT Organite cellulaire caractéristique de tous les végétaux autres que les champignons.

plastic n. m. Explosif ayant la consistance du mastic.

plasticage ou **plastiquage** n. m. Action de plastiquer.

plasticien, enne n. **1.** Didac. Artiste qui se consacre aux recherches sur la plastique. **2.** TECH Ouvrier spécialisé dans le travail des matières plastiques. **3.** CHIR Médecin spécialiste de la chirurgie plastique*.

plasticité n. f. **1.** Aptitude d'une matière à prendre différentes formes. *Plasticité de l'argile.* ▷ BX-A *Plasticité d'un sujet*, son caractère sculptural. **2.** Fig. Souplesse morale. *Plasticité du caractère.*

plasticulture n. f. AGRIC Culture sous abri de matière plastique.

-plastie. V. -plaste.

plastie n. f. CHIR Opération destinée à rétablir un organe dans son fonctionnement ou sa morphologie.

plastifiant, ante adj. et n. m. TECH Se dit d'une substance que l'on introduit dans un mélange pour augmenter sa plasticité et sa résistance à l'humidité et aux agents chimiques. ▷ n. m. *Un plastifiant.*

plastification n. f. TECH Action de plastifier.

plastifier v. tr. [2] **1.** Rendre plastique par l'utilisation d'un plastifiant. **2.** Recouvrir d'une feuille ou d'un enduit en matière plastique. – Pp. adj. *Cahier à couverture plastifiée.*

plastiquage. V. plasticage.

plastique adj. et n. **A. I.** adj. **1.** Qui a rapport aux formes matérielles et à leur harmonie. ▷ *Chirurgie plastique* : partie de la chirurgie ayant pour but la réparation ou la correction fonctionnelle ou esthétique de certaines malformations, de certaines lésions post-traumatiques. **2.** Qui concerne l'art, les techniques de la forme. *Arts plastiques*, qui ont pour but de reproduire, d'élaborer des formes (modelage, peinture, sculpture, etc.). **3.** De forme harmonieuse. *Pose plastique.* **II.** n. f. **1.** Ensemble des formes (d'une statue, d'un corps) considérées du point de vue de leur harmonie. *La plastique d'une danseuse.* **2.** Art de donner forme à une substance; intelligence de la forme. *La plastique grecque.* **B.** adj. et n. m. **1.** Qui peut être modelé, qui est malléable. ▷ *Argile plastique*, utilisée en céramique. **2.** *Matière plastique* ou, n. m., *le, du plastique* : produit constitué de substances organiques de grande masse molaire (macromolécules) auxquelles on a ajouté des composés (plastifiants, charges, stabilisants) destinés à améliorer leurs caractéristiques. *Lunettes, sac en plastique.*

ENCYCL On distingue : **1.** Les matières plastiques *naturelles* (ex. : la corne, l'écaille, la gélatine). **2.** Les matières plastiques *artificielles*, obtenues à partir de produits naturels (ex. : la nitrocellulose, la cellophane). **3.** Les matières plastiques *synthétiques*, fabriquées à partir des dérivés du pétrole (pétroléochimie) ou du charbon (carbochimie) : a) Les *matières thermoplastiques* (plastomères) sont constituées de macromolécules linéaires obtenues par polymérisation ou polycondensation (polyacryliques, polyamides, polystyrènes, polythènes, polychlorure de vinyle, polyuréthanes, téflon, etc.); b) Les *matières thermodurcissables* ont une structure tridimensionnelle (polyesters, résines époxydes, silicones, etc.). Les matières plastiques ont tendance à remplacer tous les produits naturels dans les diverses applications industrielles et quotidiennes, du fait de leurs propriétés : elles résistent aux chocs, même à basse température; elles permettent de réaliser les formes les plus diverses; elles résistent aux rayonnements U.V. et ne se corrodent pas.

plastiquement adv. Du point de vue de la plastique.

plastiquer v. tr. [1] Faire sauter avec une, des charges de plastic.

plastiqueur, euse n. Auteur d'un plasticage.

Plastiras (Nikolaos) (Karditsa, 1883 – Athènes, 1953), général et homme politique grec. Partisan de Venizelos (1917), il contribua au renversement du roi Constantin (1922). Après la restauration de 1935, il se réfugia en France (1935-1944); il fut chef du gouvernement en 1945, 1950 et 1951-1952.

plastron n. m. **1.** Anc. Partie de la cuirasse protégeant la poitrine. ▷ SPORT En escrime, pièce de cuir matelassée qui protège la poitrine. **2.** Pièce d'étoffe, fixe ou non, appliquée sur le devant d'un corsage ou d'une chemise d'homme.

plastronner v. [1] **1.** v. tr. TECH Garnir d'un plastron; protéger avec un plastron. **2.** v. intr. Cour. Bomber la poitrine. ▷ Fig. Prendre des airs avantageux; triompher sans modestie.

plasturgie n. f. TECH Technologie des matières plastiques.

plasturgiste n. Professionnel(le) de la plasturgie.

1. plat, plate adj. et n. m. **A.** adj. **I.** **1.** Se dit d'une surface plane, unie et en partic. horizontale. *Terrain plat. Bateau à fond plat. Pays plat*, qui a peu de relief. – Spécial. *Le plat pays* : la Flandre. **2.** À fond plat (sens 1); peu profond. *Assiette plate* (par oppos. à *creuse*). **3.** Qui n'est pas saillant. *Pommettes plates. Cheveux plats*, ni frisés ni bouclés. *Avoir la poitrine plate*, et par ext. *être plate* (en parlant d'une femme). ▷ GEOM *Angle plat*, de 180°. **4.** Qui a peu d'épaisseur. *Poissons plats* (sole, limande, etc.). – *Sa bourse est plate*, vide. – Qui a peu de hauteur. *Talons plats* (par oppos. à *hauts*), et, par ext., *souliers plats.* **5.** Loc. adv. *À plat* : horizontalement, sur la partie la plus large. *Ranger des livres, des disques, à plat.* ▷ *Pneu à plat*, entièrement dégonflé. ▷ *À plat ventre* : couché sur le ventre, la face tournée vers le sol. – Fig. *Être à plat ventre devant qqn*, lui être servilement dévoué. ▷ Loc. fig. *Mettre à plat* : considérer dans toutes ses implications (un problème). – Fam. *Être à plat*, épuisé. **II.** **1.** Sans qualités marquantes; sans caractère, sans personnalité. *Style plat.* **2.** Fade, insipide. *Un vin plat.* ▷ *Eau plate*, non gazeuse. **3.** Servile, obséquieux. *Être plat devant ses supérieurs.* **B.** n. m. Ce qui est plat. **1.** Partie plate de qqch. *Le plat de la main* (par oppos. au *dos*). *Le plat d'une lame* (par oppos. au *tranchant*). ▷ Loc. *Faire du plat à qqn*, le flatter servilement. – *Faire du plat à une femme*, la courtiser ostensiblement. **2.** En reliure, chacune des deux faces de la couverture d'un livre relié ou, par ext., broché. *Les plats et le dos d'un volume.*

2. plat n. m. **1.** Pièce de vaisselle plus grande que l'assiette, dans laquelle on sert les mets. *Plat à poisson.* ▷ *Œufs au plat, sur le plat*, que l'on casse sur un récipient métallique plat et que l'on fait cuire sans les brouiller. ▷ Loc. fig. *Mettre les petits plats dans les grands* : recevoir à grands frais pour faire honneur à ses invités. – Fam. *Mettre les pieds dans le plat* : commettre une maladresse; ne pas ménager son auditoire, entrer dans le vif du sujet au risque de heurter les bienséances. **2.** Mets contenu dans un plat. *Un plat de frites, de moules.* **3.** Mets d'un menu. *Plat de viande.* ▷ *Plat garni* : constitué de viande ou de poisson servis avec des légumes. ▷ *Plat du jour* : mets confectionné pour le jour même et différent chaque jour, dans un restaurant. ▷ *Plat de résistance* : plat principal d'un repas. **4.** Fig., fam. *Faire (tout) un plat d'une chose*, lui donner une importance qu'elle n'a pas. **5.** *Plat à barbe* : bassin creux, ovale et échancré, utilisé autref. par les barbiers.

Plata (Río de La), profond estuaire des fl. Paraná et Uruguay séparant l'Argentine de l'Uruguay.

Plata (La), v. d'Argentine, près du *Río de La Plata*, à 65 km au S.-E. de Buenos Aires (avec lequel elle forme une conurbation); 459 050 hab.; ch.-l. de la prov. de Buenos Aires. Grand centre industriel, traitant notam. les prod. agricoles; raff. de pétrole, constr. mécaniques. – Université. – La ville, fondée en 1882, a porté le nom d'*Eva Perón* de 1952 à 1955.

Plata (La). V. Sucre.

platane n. m. **1.** Arbre de grande taille dont l'écorce blanc verdâtre se détache par larges plaques, à fleurs unisexuées groupées en capitules globuleux. *Place ombragée de platanes.* **2.** *Faux platane* : syn. de *sycomore.*

plat-bord n. m. MAR Surface horizontale qui termine le bordé d'un navire à sa partie supérieure. *Des plats-bords.*

plate n. f. **1.** ARCHEOL Chacune des plaques qui composaient une armure. **2.** Petite embarcation à fond plat.

plateau n. m. **I.** **1.** Plaque, tablette en matériau rigide destinée à servir de support. – *Plateaux d'une balance*, où l'on pose les poids et la marchandise à peser. *Plateau d'un pèse-bébé.* **2.** Grand plat de bois, de métal, de porcelaine, etc., pour présenter le café, le thé, l'apéritif, etc. **3.** *Plateau d'un électrophone* : plaque rotative circulaire sur laquelle on pose les disques. **4.** TECH Disque d'un frein, d'un embrayage. ▷ Roue dentée d'un pédalier de bicyclette. ▷ Élément mobile qui reçoit la pièce à usiner, sur une machine-outil. ▷ CH de F Syn. de *plateforme* (sens I, 3). **5.** *Le plateau d'un théâtre* : la scène. *Le plateau d'un studio de cinéma, de télévision* : l'espace où sont plantés les décors et où les acteurs évoluent. ▷ Ensemble du personnel, du matériel et des installations nécessaires à la prise de vues en studio ou à la représentation sur scène. *Frais de plateau.* **II.** **1.** Grande surface plane située en altitude. *Haut plateau des Andes.* **2.** *Plateau continental* : haut-fond qui borde un continent.

Plateau d'Assy, écart de la com. de Passy (Hte-Savoie, arr. de Bonneville). – Égl. N.-D.-de-Toute-Grâce (1950, Novarina architecte; décorée par F. Léger, J. Lurçat, G. Richier, M. Chagall, P. Bonnard, H. Matisse).

plateau-repas n. m. Plateau divisé en compartiments contenant un repas servi dans un avion, un self-service, etc. *Des plateaux-repas.*

plate-bande n. f. **1.** ARCHI Moulure plate et large. ▷ Architrave ou linteau qui forment une bande horizontale sans ornements. **2.** Bande de terre, entourant un carré de jardin, plantée de fleurs, d'arbustes, etc. ▷ Fig., fam. *Marcher sur les plates-bandes de qqn,* empiéter sur ses droits, sur son domaine. *Des plates-bandes.*

1. platée n. f. TECH Massif de fondation d'un bâtiment.

2. platée n. f. Contenu d'un plat.

Platées, anc. v. de Béotie (Grèce) où Pausanias et Aristide battirent les Perses de Mardonios en 479 av. J.-C. Cette victoire mit fin à la seconde guerre médique.

plate-forme n. f. **I. 1.** Surface plane horizontale, généralement surélevée et soutenue par de la maçonnerie. *Des plates-formes.* – Couverture d'un bâtiment sans combles, en forme de terrasse. ▷ TRAV PUBL Surface préparée pour établir une route, une voie ferrée. **2.** TECH Surface plate équipée de différents matériels. *Plate-forme de forage,* servant au forage de puits de pétrole en mer. **3.** CH de F Wagon plat sans ridelles pour le transport des marchandises. **4.** Partie non close d'un véhicule public où les voyageurs se tiennent debout. *Plate-forme d'un autobus.* **5.** MILIT Emplacement aménagé pour recevoir du matériel et des hommes. *Une plate-forme de tir.* **6.** Support électronique d'un média ou d'un logiciel. **7.** Structure destinée à recevoir des équipements. *Les avionneurs, fabricants de plates-formes aériennes.* **8.** Structure munie d'un équipement adéquat pour telle activité économique. *La plate-forme de distribution d'un ensemble d'éditeurs.* **II.** GEOGR Plateau. *Plate-forme structurale :* surface d'une couche dure dégagée par l'érosion. **III.** Programme, ensemble d'analyses et de revendications qui servent de point de départ à une politique commune. *Plate-forme électorale.*

platement adv. D'une manière plate. *Écrire platement. S'excuser platement.*

plateresque adj. BX-A *Style plateresque :* style architectural et décoratif très chargé de la première Renaissance espagnole.

plathelminthes n. m. pl. ZOOL Embranchement de vers dont le corps aplati est muni d'un tube digestif en cul-de-sac, dépourvu d'anus (douves, ténias, etc.). – Sing. *Un plathelminthe.*

1. platine n. f. TECH Pièce plate, support plat. **1.** Plaque sur laquelle est fixé le mécanisme de percussion, dans les armes à feu anciennes. **2.** Plaque métallique qui donne passage à la clef, dans une serrure. **3.** Plaque qui soutient le mécanisme d'un mouvement d'horlogerie. *Platine d'une montre.* **4.** Ensemble constitué par le plateau et les organes moteurs d'un électrophone. **5.** Plateau d'un microscope, sur lequel on place la préparation à examiner. **6.** Partie plate d'un roller, supportant la chaussure.

2. platine n. m. et adj. inv. **1.** n. m. Élément métallique de numéro atomique Z = 78, de masse atomique 195,09 (symbole Pt). – Métal (Pt) précieux très ductile, de densité 21,4, qui fond à 1 770 °C et bout à 3 800 °C. **2.** adj. inv. De la couleur du platine. *Cheveux teints en blond platine.* V. platiné.

platiné, ée adj. **1.** AUTO *Vis platinée :* pastille de contact d'un système d'allumage. **2.** Qui rappelle la couleur du platine, d'un blond très pâle. *Cheveux platinés.* – Par ext. *Une blonde platinée,* aux cheveux blond platine.

platiner v. tr. [1] **1.** TECH Recouvrir de platine. **2.** Donner la teinte du platine à.

Platini (Michel) (Jœuf, Meurthe-et-M., 1955), footballeur français. Champion d'Europe avec l'équipe de France en 1984, demi-finaliste de la coupe du monde avec l'équipe de France en 1982, en Espagne, puis troisième de la coupe du monde en 1986 au Mexique. Il fut sélectionneur des équipes de France de 1988 à 1992.

Michel **Platini**

platinifère adj. MINER Qui contient du platine. *Roche platinifère.*

platinoïde n. m. **1.** CHIM Nom générique des éléments dont les propriétés sont analogues à celles du platine (iridium, osmium, palladium, rhodium et ruthénium), et qui lui sont associés dans les gisements. – *Les platinoïdes :* ces éléments, avec le platine lui-même. **2.** TECH Alliage de maillechort et de tungstène, succédané industriel du platine.

platitude n. f. **1.** Défaut de ce qui est plat, sans originalité; acte, propos plat. *Dire des platitudes.* **2.** Caractère d'un individu plat, obséquieux. – Acte, comportement servile. *Faire des platitudes.*

Platon (Athènes, v. 428 – id., 348 ou 347 av. J.-C.), philosophe grec. Issu d'une famille aristocratique, il fut d'abord élève du philosophe, disciple d'Héraclite, Cratyle, puis disciple de Socrate. Après la mort de celui-ci (399), il voyagea, puis, vers 387, fonda, à Athènes, dans les jardins d'Académos, une école dont l'enseignement «ésotérique» n'est connu que par certains textes du plus illustre de ses élèves : Aristote. En revanche, nous possédons la quasi-totalité de ses écrits, rédigés sous forme de dialogues dans une prose attique admirable. On les classe habituellement en trois grands groupes : les dialogues socratiques *(Hippias majeur* et *mineur, Alcibiade, Ion, Criton, Charmidès, Lachès, Lysis, Euthyphron, Protagoras, Apologie de Socrate),* œuvres de jeunesse consacrées à la défense de la mémoire de Socrate ou à des recherches morales selon la méthode socratique; les dialogues systématiques *(Gorgias, Ménexène, Euthydème, Ménon, Cratyle, Phédon, le Banquet, la République, Phèdre),* qui développent la théorie des Idées; les dialogues critiques et métaphysiques *(Parménide, Théétète, Sophiste, Politique, Philèbe, Timée, Critias, Lois),* œuvres difficiles où cette théorie est révisée et complétée. Ayant étendu au domaine philosophique tout entier la méthode socratique de la recherche de la vérité *(maïeutique),* Platon aborde le monde des Idées, formes intelligibles, éternelles et parfaites, archétypes des choses sensibles, lesquelles n'en sont que des reflets instables et imparfaits. Il existe donc un Beau, un Juste en soi, auxquels les choses belles ou justes empruntent leur réalité passagère. La connaissance suprême qui procure une vision *(théôria)* d'ensemble de ce monde intelligible est la *dialectique,* qui exige du philosophe l'étude préalable de quatre sciences : arithmétique, géométrie, astronomie, musique. Dans ses derniers dialogues, Platon, élargissant et approfondissant sa doctrine, ne considère plus les Idées comme une pluralité de réalités distinctes; ce sont des *mixtes,* constitués par un mélange (du *même* et de l'*autre,* de l'*un* et du *multiple,* du *fini* et de l'*indéfini*). De même, l'Idée et la réalité sensible sont chacune des mélanges. Les mixtes successivement formés n'en manifestent pas moins une finalité réelle : l'Univers, dans ses moindres détails, est le règne de l'harmonie et du divin; aussi l'homme doit-il «se rendre, autant qu'il se peut, semblable à l'Être absolu», soit à l'Intelligence parfaite, au Bien universel, «commencement, milieu et fin de toutes choses». L'influence du platonisme a été considérable sur Plotin, sur les théologiens chrétiens (V. néo-platonisme).

platonicien, enne adj. et n. Relatif à la philosophie de Platon; qui s'inspire du platonisme. ▷ Subst. Disciple de Platon; adepte du platonisme.

platonique adj. **1.** PHILO Vx Relatif à la pensée de Platon, partic. à l'idéalisme platonicien. **2.** Mod. Purement idéal. *Amour platonique,* exempt de toute relation charnelle. ▷ Sans résultat pratique, sans efficacité.

platoniquement adv. De manière platonique. *Aimer une femme platoniquement.*

platonisme n. m. **1.** PHILO Doctrine de Platon et de ses disciples. **2.** Caractère de l'amour platonique.

plâtrage n. m. Action, façon de plâtrer.

Platon et ses disciples, mosaïque; Musée archéologique, Naples

plâtras [plɑtʀa] n. m. Débris de plâtre ouvré.

plâtre n. m. **1.** Gypse, sulfate de calcium. *Une carrière de plâtre.* **2.** Matériau de construction provenant de la calcination du gypse ; poudre blanche qui, mélangée à de l'eau, forme une pâte plastique qui se solidifie rapidement. *Gâcher du plâtre,* le mélanger à de l'eau. ▷ Fig. *Battre qqn comme plâtre,* très fort. **3.** *Les plâtres :* les ouvrages mettant en œuvre du plâtre (enduits intérieurs, plafonds, etc.). *Essuyer les plâtres :* habiter le premier une maison nouvellement bâtie ; fig. subir le premier les désavantages d'une situation nouvelle, d'une découverte qui n'est pas encore au point, etc. **4.** *Un plâtre :* un ouvrage moulé en plâtre. *Les plâtres d'une frise.* **5.** MED Appareil de contention, formé de bandelettes plâtrées, utilisé pour le traitement de nombreuses fractures.

plâtrer v. tr. [1] **1.** Couvrir, enduire de plâtre. **2.** AGRIC *Plâtrer une prairie,* l'amender en y répandant du plâtre. **3.** VITIC *Plâtrer du vin,* le clarifier à l'aide de plâtre. **4.** Mettre (un membre fracturé) dans un plâtre. *Plâtrer un bras.*

plâtrerie n. f. **1.** Travail du plâtrier. **2.** Usine où l'on prépare le plâtre. Syn. plâtrière.

plâtreux, euse adj. **1.** Qui contient du plâtre (sens 1). **2.** Recouvert de plâtre. **3.** Qui a la couleur blafarde du plâtre. *Teint plâtreux.* ▷ Qui rappelle la consistance du plâtre. *Fromage plâtreux.*

plâtrier, ère n. Personne qui travaille le plâtre ou qui vend du plâtre. ▷ *Spécial.* Ouvrier spécialisé dans l'exécution des plâtres (sens 3). (Rare au fém.)

plâtrière n. f. **1.** Carrière de gypse. **2.** Four où l'on cuit le plâtre. ▷ Syn. de *plâtrerie* (sens 2).

platy-. Élément, du gr. *platus,* « large ».

platyr[r]hiniens n. m. pl. ZOOL Sous-ordre de singes du Nouveau Monde vivant dans les forêts et caractérisés par leurs narines écartées et une longue queue souvent préhensile. - Sing. *Un platyr(r)hinien.*

Plauen, v. d'Allemagne, sur l'Elster Blanche ; 77 410 hab. Industr. méca. et text. (coton, laine). - Mon. anc. ; musée.

plausibilité n. f. Didac. Caractère de ce qui est plausible.

plausible adj. Qui peut être considéré comme vrai, que l'on peut admettre. *Une explication plausible.*

plausiblement adv. Didac. D'une manière plausible.

Plaute (en lat. *Titus Maccius Plautus*) (Sarsina, Ombrie, v. 254 - Rome, 184 av. J.-C.), poète comique latin. Vingt et une de ses comédies, authentifiées, ont été conservées (Aulu-Gelle en dénombrait 130) : *Amphitryon, Aulularia* (« la Marmite »), qui inspira *l'Avare* de Molière), *les Ménechmes, Casina, Curculio* (« le Charançon »), *Miles gloriosus* (« le Soldat fanfaron »), *Rudens* (« le Câble »), etc.

play-back [plɛbak] n. m. inv. (Anglicisme) AUDIOV Technique qui consiste à faire jouer ou chanter un acteur, un chanteur, etc., en synchronisme avec un enregistrement de sa voix effectué préalablement. *Chanter en play-back.* - L'enregistrement effectué au préalable. Syn. (off. recommandé) présonorisation.

play-boy [plɛbɔj] n. m. (Anglicisme) Jeune homme au physique séduisant, connu pour sa vie facile et ses succès féminins. *Des play-boys.*

plèbe n. f. **1.** ANTIQ À Rome, la classe populaire (par oppos. à *patriciat*). **2.** Vieilli, péjor. Bas peuple.

plébéien, enne n. et adj. **1.** ANTIQ ROM Homme, femme de la plèbe (par oppos. à *patricien*). ▷ adj. *Magistrat plébéien.* **2.** Litt. Homme, femme du peuple. ▷ adj. (Souvent péjor.) *Des mœurs plébéiennes.*

plébiscitaire [plebisitɛʀ] adj. POLIT Relatif au plébiscite.

plébiscite [plebisit] n. m. **1.** ANTIQ ROM Loi votée par l'assemblée de la plèbe. **2.** Vote direct du peuple, par lequel il est appelé à un choix ou à une approbation. (La notion inclut le référendum.)

plébisciter [plebisite] v. tr. [1] Élire, approuver par un plébiscite ; élire, approuver à une très forte majorité. *Se faire plébisciter.*

plectre n. m. MUS **1.** ANTIQ Petite baguette de bois, d'ivoire, qui servait à toucher les cordes de la lyre. **2.** Mod. Médiator.

-plégie. Élément, du gr. *plêssein,* « frapper ».

pléiade n. f. **1.** *Les Pléiades :* dans la myth. gr., les sept filles d'Atlas et de Pléioné. Désespérées du sort que Zeus avait réservé à leur père, elles se donnèrent la mort et furent métamorphosées en étoiles. **2.** ASTRO *Les Pléiades :* groupe de sept étoiles dans la constellation du Taureau. **3.** LITTER *La Pléiade :* groupe de sept poètes grecs d'Alexandrie (IIIe s. av. J.-C.), Alexandre l'Étolien, Philiscos de Corcyre, Sosithée d'Alexandrie, Sosiphanes de Syracuse, Dionysiades ou Æantides de Tarse, Homère de Byzance et Lycophron de Chalcis. - Groupe de sept poètes français de la Renaissance qui réunissait, autour de Ronsard et de J. du Bellay, J. Peletier, puis, à sa mort, Dorat, J.A. de Baïf, Pontus de Tyard, É. Jodelle, R. Belleau. **4.** Groupe de personnes illustres ou remarquables. *Une pléiade de vedettes.*

plein, pleine adj., adv., prép. et n. m. **A.** adj. **I. 1.** Qui contient tout ce qu'il lui est possible de contenir (par oppos. à *vide*). *Un verre plein, presque plein, à moitié plein.* - (Personnes) Pop. *Être plein,* ivre. ▷ (Avant le nom.) *Une pleine bassine d'eau.* - (Précédé de *à.*) *Puiser à pleines mains.* **2.** Qui contient toutes les personnes qu'il lui est possible de contenir. *Le stade était plein, plein à craquer. Plein comme un œuf*.* **3.** (Temps) *Une journée bien pleine,* bien remplie. **4.** (Sens faible.) *Plein de :* rempli de ; qui contient une grande quantité de, qui a beaucoup de. *La place était pleine de gens. Une chemise pleine de taches,* couverte de taches. - (Abstrait) *Une entreprise pleine de risques.* **5.** Qui porte des petits, en parlant d'une femelle animale. *Cette vache est pleine.* **6.** (Abstrait) « *Mieux vaut une tête bien faite que bien pleine* » (de connaissances) (Montaigne). *Avoir le cœur plein :* être rempli de tristesse. ▷ *Être plein de qqch, de qqn,* en être entièrement occupé. *Être plein de son sujet.* - *Être plein de soi :* être infatué de sa personne. **II. 1.** Dont la matière occupe la masse entière (par oppos. à *creux*). *Brique pleine.* ▷ *Par ext.* (Personnes) *Formes pleines,* rondes, replètes. **2.** *Un son plein,* riche, nourri. **III. 1.** Qui est complet, entier ; qui est à son maximum. *La lune est pleine, c'est la pleine lune,* sa face visible apparaît éclairée tout entière. *La mer est pleine :* la marée est haute. - *Un jour plein :* vingt-quatre heures. ▷ Loc. adj. *À plein temps :* dont la durée égale celle de la journée légale de travail. *Travail à plein temps.* - n. m. *Un plein temps* ou *un plein-temps. Des pleins-temps.* ▷ *Un salarié à plein temps,* dont la durée de travail est un plein temps. ▷ Loc. adv. *Travailler à plein temps.* **2.** Total, entier. *Être en pleine possession de ses moyens.* **3.** Loc. adv. *À plein :* entièrement, totalement. *Argument, objection qui porte à plein.* **IV.** *En plein(e)* (+ subst.). **1.** Au milieu (d'un espace, d'une durée). *Perdu en plein désert. En pleine mer :* au large. *En plein air :* dehors. *En plein été :* au milieu de l'été, au plus fort de l'été. ▷ Au point, au moment le plus fort (d'un phénomène, d'un état). *Tué en pleine gloire.* **2.** (Renforçant une localisation.) *Façade exposée en plein sud* ou, ellipt., *plein sud,* exactement au sud. ▷ Loc. adv. Fam. *En plein sur, en plein dans :* juste, exactement. *En plein dans le mille.* **B.** prép. ou adv. **1.** prép. Autant qu'il se peut, beaucoup. *Il y avait de l'eau plein la bouteille.* ▷ Loc. prép. *Plein de :* beaucoup. *Il y a plein de gens.* **2.** adv. Fam. Beaucoup. *Je l'aime tout plein. Il a plein, tout plein d'argent.* **C.** n. m. **1.** Endroit, volume plein. *Les pleins et les vides.* **2.** Partie grasse d'un caractère calligraphié (par oppos. à *délié*). **3.** *Le plein (de) :* l'état de ce qui est plein. *Le plein de la mer :* la marée haute. ▷ *La mer bat son plein,* elle bat le rivage, la marée étant haute. - Fig. *Battre son plein :* être à son plus haut degré d'intensité. *La fête bat son plein.* **4.** *Faire le plein :* emplir complètement le réservoir d'une voiture avec du carburant. - Fig. *Faire le plein de voix dans une campagne électorale.*

pleinement adv. D'une manière pleine, entière ; totalement. *Être pleinement satisfait.*

plein-emploi ou **plein emploi** n. m. sing. ECON Situation où toute la main-d'œuvre d'un pays peut trouver un emploi.

plein-jeu n. m. **1.** Registre de l'orgue. **2.** Mélange de jeux à l'orgue. *Des pleins-jeux.*

plein-temps. V. plein (sens A, III, 1).

plein-vent n. m. Arbre fruitier qui croît en plein vent. *Des pleins-vents.*

pléistocène n. m. GEOL Étage le plus ancien du quaternaire*. ▷ adj. Relatif à cette période.

Plekhanov (Gheorghi Valentinovitch) (Goudalovka, 1856 - Terijoki, Finlande, 1918), homme politique et écrivain russe. Il introduisit le marxisme en Russie en traduisant le *Manifeste du parti communiste.* Il formula les méthodes d'une critique matérialiste et d'une sociologie de l'art. *Le Socialisme et la lutte politique* (1883), *Nos différences* (1885).

plénier, ère adj. **1.** *Réunion, assemblée plénière,* à laquelle tous les membres d'un corps sont convoqués. **2.** THEOL *Indulgence plénière :* remise totale des peines attachées aux péchés.

plénipotentiaire n. m. Agent diplomatique investi des pleins pouvoirs, en vue d'une mission particulière. ▷ adj. *Ministre plénipotentiaire,* de rang immédiatement inférieur à celui d'ambassadeur.

plénitude n. f. Litt. État de ce qui est complet ; totalité, intégrité. *Conserver la plénitude de ses moyens.* ▷ Richesse, ampleur. *Plénitude d'un son.*

plénum ou **plenum** [plenɔm] n. m. POLIT Réunion plénière (d'une assemblée, d'un comité, etc.). *Le plénum du comité central du parti communiste.*

pléonasme n. m. LING Emploi de mots ou d'expressions superflus, mais destinés à renforcer l'idée (ex. *je l'ai vu de mes yeux*), ou qui ne font qu'ajouter, par une répétition fautive, à ce qui vient d'être exprimé (ex. *descendre en bas*).

pléonastique adj. Didac. Qui constitue un pléonasme.

Plérin, com. des Côtes-d'Armor (arr. de Saint-Brieuc); 12 277 hab. – Industrie alim.

plésiosaure n. m. PALEONT Grand reptile marin fossile du secondaire (genre *Plesiosaurus*), atteignant 10 m de long.

Plessis (Joseph-Octave) Montréal, 1763 – Québec, 1825), prélat canadien, premier archevêque au Québec (1819).

Plessis-lez-Tours, écart de la com. de La Riche, près de Tours. Château, séjour de prédilection de Louis XI, qui l'acquit en 1463, l'agrandit et y mourut; il n'en reste qu'une aile (musée). – Dans ce château, en avr. 1589, Henri III et Henri de Navarre s'allièrent contre la Ligue.

Plessis-Robinson (Le), ch.-l. de cant. des Hauts-de-Seine (arr. d'Antony), au S. de Paris; 21 349 hab. (*Robinsonnais*). Métallurgie; prod. pharmaceutiques.

Plessis-Trévise (Le), com. du Val-de-Marne (arr. de Nogent-sur-Marne); 14 609 hab.

pléthore n. f. Abondance excessive. *Il y a pléthore de postulants.*

pléthorique adj. Surabondant. *Un personnel pléthorique*, en nombre excessif.

Pleumeur-Bodou, com. des Côtes-d'Armor (arr. de Lannion), au N.-O. de Lannion; 3 711 hab. Stat. de télécommunications spatiales, inaugurée en 1962.

pleur(o)-. Élément, du gr. *pleuron*, « côté ».

pleur n. m. **1.** Plaisant Larme. *Il a versé un pleur.* **2.** (Plur.) Litt. *Essuyer, sécher ses pleurs*, ses larmes. *« Vois ce visage en pleurs » (Racine).* ▷ Fig. Suintement de sève. *Les pleurs de la vigne.*

pleurage n. m. ELECTROACOUST Déformation d'un son enregistré, due à l'irrégularité de la vitesse de défilement du support, soit à l'enregistrement, soit à la lecture.

pleural, ale, aux adj. ANAT Relatif à la plèvre.

pleurant n. m. BX-A Statue funéraire dans l'attitude de la désolation.

pleurer v. [1] **I.** v. intr. **1.** Verser des larmes. *Pleurer de joie, de honte.* – *Pleurer de rire*, à force de rire. ▷ Loc. fig. *N'avoir plus que les yeux pour pleurer* : avoir tout perdu. ▷ *Pleurer sur qqn, qqch*, en déplorer l'infortune, la perte, etc. **2.** Fig. Se plaindre; demander qqch avec une insistance plaintive. *Pleurer auprès de qqn pour obtenir une faveur.* – Pop. *Pleurer après une augmentation.* **II.** v. tr. **1.** *Pleurer qqn*, s'affliger de sa perte. ▷ Déplorer; regretter avec affliction. *Pleurer la mort d'un ami.* – *Pleurer ses belles années.* **2.** *Pleurer des larmes*, les laisser couler (dans des loc. telles que *pleurer des larmes amères, des larmes de sang*, etc.). **3.** Fam. (Surtout en tournure négative.) Employer, accorder à regret; ménager. *Il ne pleure pas son argent, ses efforts.*

pleurésie n. f. Inflammation aiguë ou chronique de la plèvre, avec ou sans épanchement.

pleureur, euse adj. Se dit de certains arbres dont les branches retombent. *Frêne, saule pleureur.*

pleureuse n. f. Femme payée pour assister à des funérailles et pleurer le défunt, dans certaines sociétés, certaines civilisations.

pleurite n. f. Pleurésie sèche.

pleurnichage, pleurnichement n. m. ou **pleurnicherie** n. f. Fam. Action de pleurnicher.

pleurnicher v. intr. [1] Fam. Pleurer ou feindre de pleurer sans raison; prendre un ton larmoyant.

pleurnicheur, euse ou **pleurnichard, arde** adj. et n. Qui pleurniche sans cesse. *Un enfant pleurnichard.* – Subst. *Un pleurnichard.* ▷ Par ext. *Ton pleurnicheur*, geignard.

pleuro-. V. pleur(o)-.

pleuronectes ou **pleuronectidés** n. m. pl. ICHTYOL Genre (pleuronectes) et famille (pleuronectidés) de poissons plats comportant notam. le carrelet, la limande, le turbot. – Sing. *Un pleuronecte* ou *un pleuronectidé.*

pleuropneumonie n. f. MED Pneumonie accompagnée d'une pleurésie.

pleurote n. m. Champignon (agaric) parasite des troncs d'arbres, dont certaines espèces sont comestibles, auj. cultivé.

pleutre n. m. et adj. Litt. Homme sans courage. ▷ adj. *Attitude pleutre.* Syn. lâche, poltron.

pleutrerie n. f. Litt. Poltronnerie, lâcheté.

pleuvasser ou **pleuvoter** v. impers. [1] Pleuvoir légèrement, à petites gouttes.

pleuviner ou **pluviner** v. impers. [1] Pleuvoir à fines gouttes, bruiner.

pleuvoir v. impers. [39] Tomber, en parlant de la pluie. *Il pleut à verse, à seaux*, abondamment. – Fam. *Il pleut des cordes, des hallebardes*, abondamment, à grosses gouttes. ▷ v. pers. intr. Tomber en grande quantité. *Les obus pleuvent.* – Fig. *Les punitions pleuvent.*

Pleven (anc. *Plevna*), v. de Bulgarie septentrionale; 129 770 hab.; ch.-l. du distr. du m. nom. Centre agricole et industriel (alim., méca., text.). – En 1877, la ville fut enlevée aux Turcs par les Russes après de durs combats.

Pleven (René) (Rennes, 1901 – Paris, 1993), homme politique français. Plusieurs fois ministre sous les IVe et Ve Républiques, il fut deux fois président du Conseil sous la IVe Rép. (1950-1951 et 1951-1952).

plèvre n. f. ANAT Membrane séreuse enveloppant les poumons.

plexiglas [plɛksiglas] n. m. (Nom déposé.) Matière plastique transparente et flexible.

plexus [plɛksys] n. m. ANAT Entrelacement de filets nerveux ou de vaisseaux qui s'anastomosent. *Plexus solaire* : centre neurovégétatif de l'abdomen, situé entre l'estomac et la colonne vertébrale.

Pleyben, ch.-l. de cant. du Finistère (arr. de Châteaulin); 3 713 hab. Élevage porcin. – Église du XVIe s. précédée d'un clocher-porche; calvaire du XVIe-XVIIe s.

Pleyel (Ignaz) (Ruppersthal, près de Vienne, 1757 – Paris, 1831), compositeur autrichien. Il fonda à Paris une maison d'édition musicale puis, en 1807, une fabrique de pianos.

pli n. m. **1.** Rabat d'une matière souple sur elle-même, formant une double épaisseur. *Jupe à plis.* **2.** Marque qui reste à l'endroit où une chose a été pliée. *Pli d'un pantalon.* ▷ *Faux pli*, ou *pli* : pli fait à une étoffe là où il ne devrait pas y en avoir. – Fig., fam. *Ça ne fait pas un pli* : cela ne peut manquer de se produire, d'arriver. ▷ Fig. *Prendre un pli* : contracter une habitude. *Il a pris un mauvais pli.* **3.** Chacune des ondulations que fait une étoffe, une draperie. *Les plis d'un rideau.* ▷ *Le pli d'une étoffe* : la manière dont cette étoffe forme naturellement des plis. **4.** GEOL Chacune des articulations que forment une ou plusieurs couches de terrain sous l'action d'une poussée tangentielle et dont l'ensemble constitue un plissement*. *Pli convexe* (anticlinal), *concave* (synclinal). **5.** *Mise en plis* : opération qui consiste à donner une forme aux cheveux mouillés et à les sécher à chaud pour qu'ils la conservent. **6.** Bourrelet ou ride de la peau. *Les plis du front.* ▷ Marque sur la peau à la pliure d'une articulation; creux d'une telle pliure. *Le pli du bras.* **7.** Enveloppe (faite de papier replié) d'une lettre. *Envoyer plusieurs lettres sous le même pli.* ▷ *Par ext.* Lettre. *J'ai reçu votre pli.* **8.** Levée, aux cartes. *Faire deux plis.*

pliable adj. Qui peut se plier; aisé à plier.

pliage n. m. Action de plier; manière dont une chose est pliée.

pliant, ante adj. et n. m. **1.** adj. Se dit d'objets spécialement conçus pour pouvoir être pliés en cas de besoin. *Lit pliant.* **2.** n. m. Petit siège de toile pliant, sans bras ni dossier.

plie n. f. Poisson plat, dit aussi *carrelet.*

plié n. m. CHOREGR Mouvement de danse qui s'exécute en pliant les genoux.

plier v. [2] **A.** v. tr. **I. 1.** Mettre en double, une ou plusieurs fois, en rabattant sur lui-même (un objet fait d'une matière souple). *Plier une couverture.* – Fam. *Plier ses affaires*, les ranger. ▷ Fig. *Plier bagage* : fuir, s'en aller en emportant ses affaires. **2.** Rabattre les unes sur les autres (les parties articulées d'un objet); fermer (cet objet). *Plier les panneaux d'un paravent. Plier un éventail.* ▷ Accomplir une flexion (d'une articulation). *Plier le bras, les genoux.* **3.** Ployer, courber (une chose flexible). *Plier une branche.* **II.** Fig. Assujettir. *Plier qqn à sa volonté.* ▷ v. pron. *Se plier à* : céder, se soumettre à. *Se plier aux exigences de la situation.* **B.** v. intr. **1.** Se courber, ployer. *« L'arbre tient bon, le roseau plie » (La Fontaine).* **2.** Fig. (Personnes) Céder, se soumettre. *Il ne pliera pas devant des menaces.*

plieur, euse n. **1.** Ouvrier, ouvrière chargé(e) du pliage. *Plieuse de parachutes.* **2.** n. f. Machine à plier le papier.

Pline l'Ancien (en lat. *Caius Plinius Secundus*) (Côme, 23 apr. J.-C. – Stabies, auj. Castellammare di Stabia, 79), écrivain latin. Il est l'auteur d'ouvrages de grammaire et d'érudition, auj. disparus. Nous connaissons seulement son *Histoire naturelle* en 37 livres, qui constitue une encyclopédie des connaissances des Anciens. Titus lui ayant confié le commandement de la flotte stationnée à Misène, il périt asphyxié en voulant observer de trop près l'éruption du Vésuve qui détruisit Herculanum et

Pompéi. – **Pline le Jeune** (en lat. *Caius Plinius Cæcilius Secundus*) (Côme, 61 ou 62 - ?, v. 114), écrivain latin; neveu du préc. Consul en 100 ou 101, il reçut de Trajan la charge de légat impérial en Bithynie (111-112). Dans son *Panégyrique de Trajan*, il loue avec emphase les qualités de l'empereur; ses *Lettres*, destinées à être lues en public, nous donnent une bonne représentation de la société romaine de l'époque.

plinthe n. f. **1.** ARCHI Moulure carrée servant de base à une colonne, une statue. **2.** CONSTR Bande (de menuiserie, de plastique, etc.) posée le long des murs ou des cloisons pour masquer le raccord avec le plancher.

pliocène n. m. GEOL Dernier étage du tertiaire, entre le miocène et le pléistocène, qui a duré env. 10 millions d'années. ▷ adj. De cette période. *Terrain pliocène.*

Plisnier (Charles) (Ghlin, 1896 - Bruxelles, 1952), écrivain belge d'expression française : *Figures détruites* (1932), *Mariages* (1936), *Faux Passeports* (prix Goncourt 1937), *Meurtres* (cycle romanesque, 1939-1941), *Mères* (cycle romanesque, 1946-1950). Ces romans sont une violente protestation contre l'hypocrisie bourgeoise.

plissage n. m. Action de plisser (une matière souple).

plissé, ée adj. et n. m. Qui comporte des plis; qui a été marqué de plis. ▷ n. m. Aspect des plis de ce qu'on a plissé. *Une jupe au plissé parfait.*

plissement n. m. **1.** Action de plisser. *Un plissement d'yeux.* **2.** GEOL Déformation de l'écorce terrestre qui donne naissance à un système de plis*; ce système lui-même.

plisser v. [1] **I.** v. tr. **1.** Orner de plis (une étoffe, du papier, etc.). *Plisser une jupe.* **2.** Marquer de plis en contractant certains muscles. *Plisser le front.* **II.** v. intr. Faire des faux plis.

Plissetskaïa (Maïa Mikhaïlovna) (Moscou, 1925), danseuse russe qui s'est imposée dans le répertoire classique et contemporain.

plisseur, euse n. **1.** Personne chargée du plissage des étoffes. **2.** n. f. Machine à plisser les étoffes.

plissure n. f. Rare Arrangement de plis.

pliure n. f. **1.** Action de plier des feuilles de papier (pour le brochage, la reliure, etc.). **2.** Endroit où se forme un pli; marque du pli.

ploc! interj. Onomatopée du bruit d'une chute dans l'eau.

plocéidés n. m. pl. ORNITH Famille d'oiseaux passériformes qui bâtissent des nids en boule (moineaux, tisserins, bengalis, etc.). - Sing. *Un plocéidé.*

Płock, v. de Pologne, au N.-O. de Varsovie; 116 300 hab.; ch.-l. de la voïévodie du m. n. Port fluvial sur la Vistule. Raff. de pétrole, pétrochimie.

Ploemeur, ch.-l. de cant. du Morbihan (arr. de Lorient); 14 008 hab.

ploiement [plwamɑ̃] n. m. Action, fait de ployer; son résultat.

Ploieşti, v. de Roumanie, au N. de Bucarest; 232 460 hab.; ch.-l. de distr. - Grand centre de l'industr. du pétrole, situé dans une zone pétrolifère d'exploitation ancienne.

plomb [plɔ̃] n. m. **1.** Élément métallique de numéro atomique Z = 82 et de masse atomique 207,19 (symbole Pb). - Métal (Pb) d'un gris bleuâtre, de densité 11,34, qui fond à 327,5 °C et bout à 1 740 °C, utilisé pour la fabrication de couvertures d'édifices, conduites d'eau et de gaz, accumulateurs électriques, plombs de chasse, etc., et pour la protection contre les rayonnements X et γ qu'il absorbe. ▷ *De plomb, en plomb* : très lourd (au propre et au fig.). *Jambes de plomb. Soleil de plomb.* - Loc. *N'avoir pas de plomb dans la tête, dans la cervelle* : être léger, étourdi. ▷ *Mine de plomb* : V. mine 1, sens III. **2.** Chacun des petits grains de plomb qui constituent le chargement d'une cartouche de chasse. - (Collectif) *Du gros plomb* (chevrotine), *du petit plomb.* - Fig. *Avoir du plomb dans l'aile* : être en mauvaise posture, en mauvais état. **3.** *Un plomb* : chacun des petits morceaux de plomb qui lestent une ligne de pêche. ▷ COUT Chacune des petites pastilles qu'on coud dans l'ourlet d'un vêtement, d'un rideau, etc., pour qu'il tombe bien droit. ▷ *Fil à plomb* : V. fil (sens I, 2). - Loc. adv. *À plomb* : verticalement, perpendiculairement. **4.** Sceau en plomb. *Les plombs d'un compteur à gaz.* **5.** TECH Chacune des baguettes de plomb qui maintiennent les pièces d'un vitrail. **6.** Coupe-circuit en alliage fusible (le plus souvent à base de plomb). *Un court-circuit a fait sauter les plombs.* **7.** IMPRIM *Le plomb* : l'ensemble des caractères d'une composition typographique.

plombage n. m. **1.** Action de plomber, de garnir de plomb. **2.** Action de plomber (une dent). ▷ *Par ext.* Alliage, amalgame qui plombe une dent. *Perdre un plombage.* **3.** Action de sceller au moyen d'un plomb (sens 4).

plombagine n. f. TECH Vx Mine de plomb. Syn. mod. graphite.

Plomb du Cantal, sommet le plus élevé (1 855 m) du massif du Cantal, en Auvergne.

plombe n. f. Arg. Heure.

plombé, ée adj. **1.** Garni de plomb. **2.** Obturé par un plombage. *Dent plombée.* **3.** Scellé par un plomb (sens 4). **4.** Qui a la couleur grisâtre du plomb. *Teint plombé*, livide.

plombémie n. f. MED Présence de plomb dans le sang.

plomber **I.** v. tr. [1] **1.** Garnir de plomb. *Plomber une ligne, un filet.* **2.** Fig., fam. Alourdir, déséquilibrer, couler. *Un bilan plombé par la crise immobilière.* **3.** *Plomber une dent*, en obturer les cavités pathologiques avec un alliage, un amalgame. **4.** Sceller avec un plomb (sens 4). *Plomber un colis sous douane.* **5.** Vérifier à l'aide du fil à plomb la verticalité de. *Plomber un mur.* **II.** v. pron. Prendre la couleur du plomb. *Le ciel se plombe.*

plomberie n. f. **I. 1.** Industrie de la fabrication des objets de plomb. **2.** Atelier où l'on coule, où l'on travaille le plomb. **II. 1.** Métier du plombier (pose des canalisations domestiques d'eau et de gaz, des installations sanitaires, des couvertures de plomb ou de zinc). **2.** Ensemble de ces canalisations domestiques. **3.** Atelier d'un plombier.

plombier n. m. Ouvrier ou entrepreneur en plomberie. ▷ Spécial. *Plombier-couvreur*, qui pose des couvertures en plomb ou en zinc *(plombier-zingueur).*

plombières n. f. Dessert glacé aux fruits confits.

Plombières-les-Bains, ch.-l. de canton des Vosges (arr. d'Épinal); 2 100 hab. Stat. thermale (eaux radioactives soignant les rhumatismes, les troubles neurovégétatifs et intestinaux). - Entrevue célèbre (1858) entre Napoléon III et Cavour, qui cherchait l'alliance française en vue de l'unité italienne.

plombifère adj. Didac. Qui contient du plomb. *Minerai plombifère.*

Plombs (les), prison de Venise, sous les toits (recouverts de plomb) du palais ducal de Saint-Marc.

plomb-tétraéthyle n. m. CHIM Dérivé organométallique du plomb, que l'on ajoute au carburant pour empêcher sa détonation dans un moteur à explosion.

plonge n. f. *Faire la plonge* : laver la vaisselle, dans un restaurant, une communauté.

plongeant, ante adj. Dirigé de haut en bas. *Tir plongeant.*

plongée n. f. **1.** Action de s'enfoncer dans l'eau et d'y demeurer un certain temps. *Sous-marin en plongée.* **2.** Fig. Mouvement de descente, chute brutale. *La plongée des cours de l'or.* **3.** CINE Prise de vues effectuée en dirigeant la caméra vers le bas (par oppos. à *contre-plongée*). **4.** MILIT Talus d'une fortification, incliné vers l'extérieur.

plongeoir n. m. Tremplin, ou plate-forme, utilisé pour faire des plongeons.

1. plongeon n. m. **1.** Saut dans l'eau la tête la première, accompli d'une certaine hauteur, souvent avec élan. ▷ Loc. fig., fam. *Faire le plongeon* : subir un revers financier important. **2.** Action de plonger vers la terre.

2. plongeon n. m. ORNITH Oiseau aquatique (genre *Gavia*) des régions septentrionales, long de 60 à 80 cm, aux pattes palmées.

plonger v. [13] **I.** v. tr. **1.** Enfoncer dans un liquide. *Plonger du linge dans l'eau.* **2.** Faire pénétrer profondément et d'un seul coup (dans qqch). *Plonger un poignard dans la poitrine de qqn.* **3.** Jeter (dans une situation, un état). *Cette nouvelle l'a plongé dans le désespoir.* ▷ *Être plongé dans* : avoir l'esprit entièrement occupé par. *Être plongé dans ses rêveries, dans la lecture.* **II.** v. intr. **1.** S'immerger en faisant un plongeon ou une plongée. **2.** Suivre une direction de haut en bas. *D'ici, la vue plonge sur la vallée.* **3.** Fig. Se jeter à terre avec un mouvement analogue à celui du plongeur qui se jette dans l'eau. *Gardien de but qui plonge pour attraper le ballon.* **4.** Fig., fam. Voir sa valeur, sa cote diminuer brusquement. *Le dollar a plongé.* **III.** v. pron. **1.** Immerger son corps en laissant dépasser la tête. *Se plonger dans l'eau.* **2.** Fig. Se livrer tout entier (à une occupation).

plongeur, euse n. **1.** Personne qui plonge, qui fait des plongeons. ▷ Personne qui effectue des plongées. *Plongeur sous-marin.* **2.** n. m. Oiseau qui plonge pour se nourrir. - (En appos.) *Oiseaux plongeurs.* **3.** Celui, celle qui fait la plonge, dans un restaurant.

plot [plo] n. m. **1.** ELECTR Petite pièce métallique servant à établir un contact. **2.** Dans une piscine, cube numéroté d'où partent les nageurs.

Plotin (Lycopolis, auj. Assiout, Égypte, v. 205 - en Campanie, v. 270), philosophe grec; fondateur du néo-platonisme. Sa doctrine, *doctrine du salut*, qui nous enseigne la démarche par laquelle notre âme peut retrouver l'unité originelle et se fondre en elle (presque une mystique au sens chrétien du terme, bien que Plotin ait défendu le polythéisme hellénique traditionnel), a exercé une influence considérable sur la théologie chrétienne.

plouc n. Fam., péjor. Paysan; personne fruste. ▷ adj. (inv. en genre) *Ce qu'il (elle) peut être plouc!*

plouf! interj. et n. m. Onomatopée imitant le bruit d'un objet qui tombe dans l'eau. – n. m. Ce bruit. *La chute de l'objet a fait un énorme plouf.*

Plougastel-Daoulas, com. du Finistère (arr. de Brest), sur une presqu'île de la rade de Brest et sur la rive S. de l'estuaire de l'Élorn; 11 170 hab. Primeurs réputées (fraises). – Calvaire du déb. du XVIIe s.

Plouha, ch.-l. de cant. des Côtes-d'Armor (arr. de Saint-Brieuc); 4 235 hab. – À proximité, chapelle de Kermaria-an-Isquit (XIIIe-XVe s.), ornée de peintures du XVe s.

ploutocrate n. m. Didac. Homme puissant du fait de ses richesses.

ploutocratie [plutɔkʀasi] n. f. Didac. Gouvernement par les riches.

Ploutos ou **Plutus,** dans la myth. gr., dieu de la Richesse agricole.

Plouzané, com. du Finistère (arr. de Brest); 11 428 hab. – École supérieure de Télécommunications de Bretagne. Centre océanographique.

Plovdiv, v. de la Bulgarie méridionale, sur la Maritza; 342 130 hab.; ch.-l. du distr. du m. nom. Centre agricole et industriel : constr. mécaniques, industr. textiles (coton) et alimentaires. – Cité des Thraces, la ville fut nommée *Philippopolis* par Philippe II de Macédoine (341 av. J.-C.). Sous le nom de *Trimontium,* elle fut une cité romaine.

ployer v. [23] **1.** v. tr. Litt. Courber (qqch). *Ployer une branche. – Ployer les genoux,* les plier. ▷ Fig. *Ployer le dos, l'échine :* se soumettre, céder. **2.** v. intr. Fléchir sous un poids, une pression. *Poutre qui ploie.* ▷ Fig. *Ployer sous la tâche.*

plucher. V. pelucher.

pluches n. f. pl. Fam. Épluchage. *Corvée de pluches.*

plucheux. V. pelucheux.

Plücker (Julius) (Elberfeld, 1801 – Bonn, 1868), mathématicien et physicien allemand. Ses travaux sur les courbes algébriques l'amenèrent à inventer des coordonnées plus complexes que les coordonnées cartésiennes.

pluie n. f. **1.** Eau qui tombe en gouttes des nuages. *Pluie d'orage. La saison des pluies.* ▷ Loc. fig. *Parler de la pluie et du beau temps,* de choses insignifiantes. – *Faire la pluie et le beau temps :* être influent, avoir de vastes possibilités d'action grâce à son influence, sa position. – ECOL *Pluies acides,* qui ont subi une diminution de leur pH par suite de la dispersion dans l'atmosphère de composés acides dus à la pollution industrielle et automobile. **2.** Ce qui semble tomber du ciel comme la pluie. *Pluie de cendres.* ▷ Fig., litt. *Une pluie de maux.*

plumage n. m. Ensemble des plumes d'un oiseau.

plumaison n. f. Action de plumer un oiseau.

plumard n. m. Pop. Lit.

plumassier, ère n. et adj. TECH Personne qui prépare les plumes, qui fabrique ou vend des garnitures de plumes. ▷ adj. *Industrie plumassière.*

plumbicon n. m. (Nom déposé.) ELECTRON Tube analyseur d'images dérivé du vidicon, utilisé dans les caméras de télévision en couleurs.

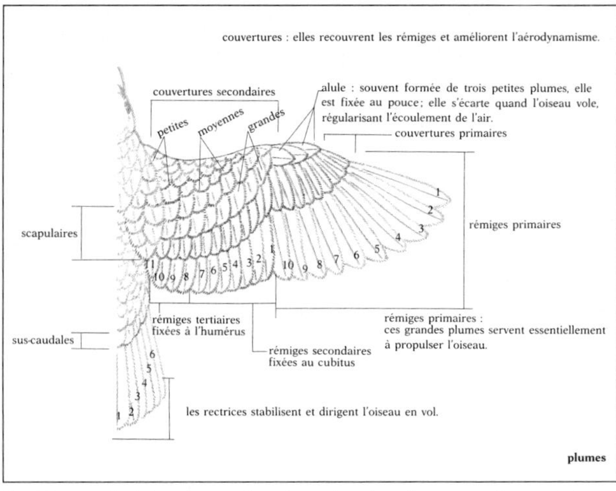
couvertures : elles recouvrent les rémiges et améliorent l'aérodynamisme.
couvertures secondaires
petites
moyennes
grandes
alule : souvent formée de trois petites plumes, elle est fixée au pouce; elle s'écarte quand l'oiseau vole, régularisant l'écoulement de l'air.
couvertures primaires
scapulaires
rémiges primaires
rémiges tertiaires fixées à l'humérus
sus-caudales
rémiges secondaires fixées au cubitus
rémiges primaires : ces grandes plumes servent essentiellement à propulser l'oiseau.
les rectrices stabilisent et dirigent l'oiseau en vol.
plumes

plume n. f. **1.** Production caractéristique de l'épiderme des oiseaux, phanère* composé d'un tuyau transparent (le *calamus*) implanté dans la peau et prolongé par un axe effilé (le *rachis*) sur lequel s'insèrent de très fines lamelles (les *barbes*). ▷ *Plume d'oie,* qui, convenablement taillée, servait autref. à écrire. ▷ Loc. fig., fam. *Laisser* des plumes. Voler dans les plumes (à) de qqn,* l'attaquer, le corriger. **2.** Petite pièce métallique fendue dont le bec sert à écrire et à dessiner. *Changer la plume d'un stylo. Mettre une plume dans un porte-plume.* ▷ Loc. fig. *Avoir la plume facile :* écrire volontiers ou facilement. *Vivre de sa plume :* faire profession d'écrivain. **3.** SPORT *Catégorie des poids plume :* catégorie de boxeurs pesant entre 55,34 et 57,15 kg (professionnels).

plumeau n. m. Petite balayette garnie de plumes que l'on utilise pour l'époussetage.

plumer v. tr. [1] **1.** Dépouiller (un oiseau) de ses plumes. *Plumer un poulet.* **2.** Fig., fam. *Plumer qqn,* le voler, lui faire perdre son argent (au jeu).

plumet n. m. Bouquet de plumes garnissant certaines coiffures militaires ou servant d'ornement.

plumetis [plymti] n. m. Étoffe légère brodée de petits pois en relief.

plumeux, euse adj. Dont l'aspect évoque la plume. *Roseaux plumeux.*

plumier n. m. Boîte allongée dans laquelle on range les plumes, les crayons, etc.

plumitif n. m. **1.** DR Registre sur lequel sont consignés les sommaires des arrêts et des sentences d'une audience. **2.** Fam. Commis aux écritures. ▷ Mauvais écrivain.

plum-pudding [plumpudiŋ] n. m. V. pudding. *Des plum-puddings.*

plumule n. f. **1.** BOT Première feuille des graminées, lors de la germination. **2.** Didac. Fine plume du duvet.

plupart (la) n. f. **1.** *La plupart de* (suivi d'un nom plur.) : le plus grand nombre, la majorité de. *La plupart des gens en sont persuadés.* ▷ Absol. *La plupart étaient déçus.* **2.** Loc. adv. *Pour la plupart :* quant au plus grand nombre. *Ces fruits sont pourris pour la plupart. – La plupart du temps :* le plus souvent, ordinairement.

plural, ale, aux adj. Didac. Qui renferme plusieurs unités. ▷ *Vote plural,* dans lequel certains votants disposent de plusieurs voix.

pluralisation n. f. Didac. Action de pluraliser; fait de se pluraliser.

pluraliser v. tr. [1] Didac. Rendre multiple. ▷ v. pron. Devenir multiple.

pluralisme n. m. **1.** PHILO Doctrine d'après laquelle les êtres sont multiples, individuels et irréductibles à une substance unique. **2.** POLIT Système où sont reconnus les divers organismes représentant les courants d'opinion.

pluraliste adj. et n. Qui se rapporte au pluralisme; qui en est partisan.

pluralité n. f. Fait d'exister à plusieurs, de n'être pas unique. *La pluralité des tendances politiques.*

pluri-. Élément, du lat. *plures,* « plusieurs ».

pluriactif, ive adj. Qui exerce plusieurs activités, plusieurs professions.

pluriactivité n. f. ECON Fait d'être pluriactif.

pluriannuel, elle adj. Qui s'étend, qui porte sur plusieurs années. *Programme pluriannuel.* ▷ BOT Qui vit plusieurs années. Syn. vivace.

pluricausal, ale, aux adj. Qui a plusieurs causes.

pluricellulaire adj. BIOL Syn. de *multicellulaire.*

pluricentrisme n. m. POLIT Doctrine qui préconise l'existence de plusieurs centres de direction (au sein d'un parti, d'un organisme).

pluricitoyenneté n. f. Possibilité d'être citoyen dans plusieurs pays.

pluriculturel, elle adj. Qui est commun à plusieurs cultures, réunit plusieurs cultures.

pluridimensionnel, elle adj. Qui a plusieurs dimensions.

pluridisciplinaire adj. Didac. Qui réunit, porte sur plusieurs disciplines, plusieurs sciences.

pluridisciplinarité n. f. Didac. Caractère de ce qui est pluridisciplinaire.

pluriel, elle n. m. (et adj.) **1.** n. m. Catégorie grammaticale caractérisée par des marques morphologiques déterminées, portant sur certains mots (noms et pronoms, verbes, adjectifs), en général lorsqu'ils correspondent à une pluralité nombrable. *En français, les noms et les adjectifs prennent le plus souvent un «s» au pluriel.* – *Pluriel de majesté, de modestie (nous* employé pour *je).* **2.** adj. Qui émane de plusieurs sources, fait appel à plusieurs éléments. *Gouvernement qui s'appuie sur une majorité plurielle.* Syn. varié, composite.

pluriethnique adj. ETHNOL Qui est composé de plusieurs ethnies.

plurifonctionnel, elle adj. Didac. Qui a plusieurs fonctions.

plurilatéral, ale, aux adj. DR, POLIT Qui concerne, engage plusieurs parties.

plurilingue adj. et n. Didac. Qui utilise plusieurs langues. Syn. multilingue.

plurilinguisme [plyʀilɛ̃gɥism] n. m. Didac. Fait d'être plurilingue. Syn. multilinguisme.

plurinational, ale, aux adj. POLIT Qui concerne plusieurs pays. – Qui engage plusieurs pays.

plurinominal, ale, aux adj. POLIT Qui donne lieu à un vote pour plusieurs candidats.

plurinucléé, éée adj. BIOL Qui est pourvu de plusieurs noyaux.

pluripartisme n. m. POLIT Existence simultanée de plusieurs partis.

pluriracial, ale, aux adj. Syn. de *multiracial.*

plurivalence n. f. Didac. Caractère plurivalent.

plurivalent, ente adj. **1.** CHIM Vieilli Qui a plusieurs valences. Syn. polyvalent. **2.** LOG Se dit des logiques qui admettent plus de deux valeurs de vérité.

plurivoque adj. Didac. Qui a plusieurs valeurs. – Polysémique. Ant. univoque.

plus ([ply] devant une consonne, [ply] ou [plys] et, en final, [plys] ou [plyz] devant une voyelle ou un *h* muet) adv., n. m. et conj. **A.** adv. **I. 1.** Comparatif de supériorité. *Il est plus vieux que moi. Aller plus loin. Pas un mot de plus.* – *Plus... plus, plus... moins* (indiquant une variation proportionnelle, dans le même sens ou en sens contraire, de deux termes que l'on compare). *Plus je le connais, plus je l'apprécie.* ▷ Loc. adv. *De plus* [dəply; dəplys] : par surcroît. *Il est paresseux et, de plus, menteur.* Syn. en outre, qui plus est. – *De plus en plus* : en augmentant peu à peu. – *D'autant plus que* (établissant un rapport de degré entre deux membres d'une proposition). *Il est d'autant plus à craindre qu'il est puissant.* – *Plus ou moins* : un peu plus ou un peu moins (que ce qui est énoncé); d'une manière indéfinie, incertaine, indécise. *Des vêtements plus ou moins propres.* – *Ni plus ni moins* : exactement. *C'est une trahison, ni plus ni moins.* – *Tant et plus* : beaucoup; abondamment. – *Sans plus* [sɑ̃ply; sɑ̃plys] : et seulement cela. *Il a été aimable sans plus.* – *Non plus* [nɔ̃ply] (remplaçant *aussi*, en tournure négative). *Vous n'en voulez pas? Moi non plus.* **2.** Superlatif relatif de supériorité. *La plus belle de toutes.* – *Au plus* [oply; oplys] : au maximum. *Il a 30 ans au plus.* Syn. tout au plus. ▷ *Des plus* : extrêmement. *Un homme des plus loyal.* **II.** adv. de négation. *Ne... plus* ([nə... ply] devant consonne ou en finale, [nə... plyz] devant voyelle ou *h* muet) indique la cessation d'une action, d'un état, l'absence de qqch que l'on avait auparavant. *N'y pense plus. Il n'est plus malade. Je n'en ai plus.* ▷ *Sans plus* : sans... davantage. *Partons sans plus attendre* [sɑ̃plyzatɑ̃dʀ]. **B.** n. m. **1.** *Le plus* [ləply; ləplys] : le maximum. *Le plus que je puisse faire.* **2.** Signe de l'addition (+). *Un plus.* **3.** *Un plus* : un élément supplémentaire qui constitue une amélioration, un progrès. **C.** conj. Et, en additionnant. *4 plus 2* [plysdø] *égale 6. 2 plus 11* [plysɔ̃z]. – *Il a mangé sa part plus* [plys] *la mienne.*

plusieurs [plyzjœʀ] adj. (Indiquant un nombre indéfini, généralement peu important.) *Il faudra plusieurs semaines.* ▷ (En emploi nominal, avec la prép. «de» et un complément.) *Plusieurs d'entre eux.* – (Indéterminé) *Se mettre à plusieurs pour...*

plus-que-parfait n. m. GRAM Temps de l'indicatif et du subjonctif marquant le passé par rapport à un temps déjà passé. (Ex. *J'avais prévu qu'il échouerait.*) (N.B. Le plus-que-parfait du subjonctif peut être employé avec la valeur d'un conditionnel passé. Ex. *Qui l'eût cru?*)

plus-value n. f. **1.** Augmentation de la valeur d'un bien qui n'a pas subi de transformation matérielle. *Les plus-values mobilières.* **2.** Excédent de recettes par rapport aux prévisions. **3.** Majoration du prix de certains travaux par rapport au devis initial. **4.** Dans le marxisme, différence, constituant la rémunération du capitaliste, entre le salaire payé au travailleur et ce que sa force de travail rapporte.

Plutarque (Chéronée, v. 50 – id., v. 125 ap. J.-C., historien et moraliste grec. Un grand nombre de ses ouvrages ne nous sont pas parvenus. Les autres ont été classés en deux groupes : les *Vies parallèles* et les *Œuvres morales.*
▶ illustr. page **1468**

pluton n. m. GEOL Masse de magma qui s'est solidifiée en profondeur.

Pluton, dans la myth. rom., dieu des Morts (ainsi que chez les Grecs, qui lui donnaient plus souvent son nom initial de Hadès), fils de Saturne et d'Ops, frère de Jupiter et de Neptune. Il avait épousé Proserpine, fille de Cérès.

Pluton et Perséphone, détail d'une plaque votive, fin VIe s.-début Ve s. av. J.-C., prov. de Locri; Musée archéol., Reggio di Calabria, Italie

Pluton, la plus petite des planètes du système solaire (diamètre 2 300 km, masse 400 fois inférieure à celle de la Terre), découverte en 1930 par l'Américain Clyde Tombaugh. Contrairement aux autres planètes, Pluton a une orbite très allongée. Au cours de sa révolution de 247 ans et 249,7 jours, sa distance au Soleil varie de 30 à 50 U.A.; elle est parfois plus proche du Soleil que Neptune (notam. entre 1979 et 1999). En outre, l'orbite de Pluton est inclinée de 17° par rapport au plan de l'écliptique, bien plus que celle de n'importe quelle autre planète. Composée d'un noyau rocheux recouvert de méthane solidifié, Pluton est entourée d'une très mince couche atmosphérique de méthane, d'argon, d'azote et de monoxyde de carbone. On considère que cette planète serait un résidu quasi inaltéré de la nébuleuse dont est issu le système solaire.

plutonigène adj. PHYS NUCL *Réacteur plutonigène,* destiné à la production de plutonium.

plutonique adj. GEOL Se dit de roches magmatiques* à structure grenue, formées en profondeur, comme le granit.

plutonisme n. m. GEOL **1.** Mise en place du magma en profondeur. **2.** Anc. Théorie, en vogue à la fin du XVIIIe s., qui attribuait à l'action du «feu central» la formation des roches et de la croûte terrestre.

plutonium [plytɔnjɔm] n. m. CHIM Élément radioactif artificiel appartenant à la famille des actinides, de nombre atomique Z = 94 et de masse atomique 239 (symbole Pu).

plutôt adv. **1.** De préférence. *Adressez-vous plutôt à ce guichet* (qu'à un autre). *Partons, plutôt que de perdre notre temps.* **2.** Plus exactement, plus précisément. *Il est économe plutôt qu'avare.* **3.** Assez, passablement. *Il est plutôt maigre.* ▷ Fam. (Par euph.) Très. *Il est plutôt embêtant.*

Plutus. V. Ploutos.

pluvial, ale, aux adj. et n. m. **1.** GEOGR De la pluie, qui a rapport à la pluie. *Les eaux pluviales.* – *Régime pluvial* : régime d'un cours d'eau qui est alimenté principalement par les pluies. **2.** n. m. Période marquée par la pluie au cours des temps préhistoriques ou géologiques.

pluvian n. m. Oiseau charadriiforme (genre *Pluvianus*) de la vallée du Nil.

pluvier n. m. Oiseau charadriiforme (genre *Charadrius*), gibier très estimé.

pluvieux, euse adj. Caractérisé par l'abondance des pluies.

pluviner. V. pleuviner.

pluvio-. Élément, du lat. *pluvia,* «pluie».

pluviomètre n. m. TECH Instrument servant à mesurer la quantité d'eau de pluie tombée dans un lieu donné.

pluviométrie n. f. Didac. Mesure de la quantité d'eau de pluie tombée.

pluviométrique adj. Didac. Relatif à la pluviométrie.

pluvio-nival, ale, aux adj. GEOGR Qualifie les cours d'eau alimentés par les pluies et par les neiges fondantes.

pluviôse n. m. HIST Cinquième mois du calendrier républicain (du 20/22 janvier au 18/20 février).

pluviosité n. f. Quantité de pluie tombée dans une région pendant un temps déterminé.

P.L.V. n. f. COMM (Sigle pour *publicité sur le lieu de vente.*) Publicité chez le détaillant au moyen d'un matériel spécial (présentoirs, affichettes, etc.).

Plymouth, ville d'Angleterre (Devon); 238 800 hab. Grand port militaire, de commerce et de pêche. Constr. mécaniques et électriques.

Plzeň (en all. *Pilsen*), v. de la Rép. tchèque; ch.-l. de la prov. de Bohême-Occidentale; 175 060 hab. Centre industriel (sidérurgie, métall., méca., brasseries); porcelaine.

Pm CHIM Symbole du prométhium.

p. m. Abrév. (anglaise) de la loc. lat. *post meridiem,* «après midi».

P.M. n. MILIT **1.** n. m. Abrév. de *pistolet-mitrailleur.* **2.** n. f. Abrév. de *préparation militaire.*

P.M.A. (Sigle de *pays les moins avancés.*) Pays classés par l'ONU comme les moins favorisés sur les plans du revenu par habitant, de la contribution du secteur industriel au P.I.B. et du taux d'alphabétisation, soit auj. 44 pays dont 29 en Afrique.

P.M.E. n. f. Sigle de *petites et moyennes entreprises.*

P.M.I. n. f. **1.** Sigle de *petites et moyennes industries.* **2.** Sigle de *protection maternelle et infantile.*

P.M.U. n. m. Sigle de *pari mutuel urbain.*

P.N.B. n. m. Sigle de *produit* national brut.*

pneu [pnø] n. m. **1.** Bandage pneumatique d'une roue, constitué d'une carcasse en textile et fils d'acier recouverte de caoutchouc, qui le plus souvent enveloppe et protège une chambre à air. *Changer un pneu. Des pneus.* **2.** TELECOM Anc. Abrév. de *pneumatique.*

pneum(o)-. Élément, du gr. *pneumôn,* «poumon».

pneumallergène n. m. MED Allergène qui provoque une réaction allergique respiratoire.

pneumat(o)-. Élément, du gr. *pneuma, pneumatos,* «souffle».

pneumatique adj. et n. m. **I.** adj. **1.** Relatif à l'air ou aux corps gazeux. ▷ *Machine pneumatique :* appareil de laboratoire servant à faire le vide. **2.** Qui fonctionne à l'air comprimé. *Horloge pneumatique. Marteau pneumatique.* ▷ TELECOM Anc. *Tube pneumatique,* propulsé par air comprimé dans des canalisations souterraines, et permettant d'acheminer la correspondance urgente vers un bureau distributeur. – n. m. *Pneumatique* (abrév. *pneu*) : missive acheminée par tube pneumatique. **3.** Rempli, gonflé d'air. *Canot, matelas pneumatique.* **II.** n. m. Vieilli Bandage pneumatique d'une roue. (V. pneu.)

pneumatophore n. m. BOT Excroissance des racines particulière aux arbres de la mangrove, qui émerge de l'eau et assure la respiration des parties noyées.

pneumectomie ou **pneumonectomie** n. f. CHIR Excision partielle ou ablation d'un poumon.

pneumo-. V. pneum(o)-.

pneumoconiose n. f. MED Affection chronique des poumons et des bronches liée à l'inhalation répétée de poussières minérales, métalliques ou organiques.

pneumocoque n. m. MED Bacille groupé par paires *(diplocoque)* ou en courtes chaînettes, agent de la pneumonie et de quelques autres infections (méningites et péritonites, notam.).

pneumocystose n. f. MED Maladie pulmonaire due à un parasite, rare dans la population normale, fréquente chez les sujets immunodéprimés.

pneumogastrique adj. et n. m. ANAT *Nerf pneumogastrique* ou *nerf vague,* ou, n. m., *pneumogastrique :* chacun des deux nerfs sensitifs et moteurs, de la dixième paire crânienne, qui se ramifient vers le larynx, le pharynx, le cœur, l'estomac, les intestins et le foie, et qui constituent la voie principale du système nerveux parasympathique.

pneumographie n. f. MED Enregistrement des mouvements respiratoires.

pneumologie n. f. MED Étude du poumon et de ses maladies.

pneumologue n. MED Spécialiste de pneumologie.

pneumonectomie. V. pneumectomie.

pneumonie n. f. Inflammation aiguë du poumon causée par le pneumocoque. ▷ Inflammation du poumon, en général.

pneumopathie n. f. MED Nom générique des affections pulmonaires.

pneumopéritoine n. m. MED Épanchement gazeux dans la cavité péritonéale. – Introduction de gaz dans cette cavité, pour un examen radiologique ou dans un but thérapeutique.

pneumophtisiologie [pnømoftizjɔlɔʒi] n. f. Didac. Branche de la médecine consacrée à la tuberculose pulmonaire.

pneumothorax n. m. MED **1.** Épanchement d'air dans la cavité pleurale. **2.** *Pneumothorax thérapeutique :* insufflation d'air dans la cavité pleurale, méthode auj. à peu près abandonnée.

p. o. Abrév. de *par ordre.*

Po CHIM Symbole du polonium.

Pô (le), fl. de l'Italie du N. (652 km), qui draine un bassin de 70 742 km²; né au mont Viso, dans les Alpes, à 2 022 m d'alt., il débouche rapidement dans la plaine piémontaise. À partir de Turin, il s'oriente vers l'E. et décrit de nombr. méandres en raison de sa faible pente et de l'action de ses affl. (Tanaro, Tessin, Adda, Oglio, etc.), gonflés d'alluvions. Endigué à partir de Crémone, il se jette dans l'Adriatique par un vaste delta à cinq bras principaux; il est sujet à de redoutables crues. La *plaine du Pô* ou *plaine padane,* étendue sur le Piémont, la Lombardie, l'Émilie-Romagne et la Vénétie, entre les Alpes et les Apennins, est une très riche région agricole et le princ. foyer industriel de l'Italie.

Pobiedy, sommet princ. (7 439 m) du massif du Tianshan, aux confins du Kirghizistan et de la Chine.

Poblet (Santa María de), monastère cistercien de Catalogne (prov. de Tarragone), fondé au XIIe s.

pochade n. f. **1.** BX-A Peinture exécutée en quelques coups de pinceau. **2.** *Par ext.* Œuvre littéraire sans grande portée, légère et rapidement écrite.

pochage n. m. CUIS Action de pocher; son résultat.

pochard, arde n. Fam. Ivrogne, ivrognesse.

poche n. f. **I. 1.** Partie d'un vêtement (petit sac cousu ou pièce rapportée), destinée à contenir ce que l'on veut porter sur soi. – Par anal. *Poches latérales d'un sac de voyage.* ▷ *Argent de poche,* réservé aux menues dépenses personnelles. ▷ Loc. adj. *De poche :* suffisamment petit pour tenir dans la poche. *Livre de poche* (nom déposé; fam., n. m., *un poche*). *Couteau, mouchoir de poche.* – *Par ext.* Très petit par rapport aux choses de même espèce. *Sous-marin de poche.* ▷ Loc. fig., fam. *Connaître comme sa poche,* parfaitement. – *De sa poche :* avec son argent personnel. *Payer, en être de sa poche.* – *Mettre qqn dans sa poche,* se jouer de lui, le circonvenir. – *N'avoir pas sa langue dans sa poche :* s'exprimer avec aisance et vivacité, avoir de la repartie. – *N'avoir pas les yeux dans sa poche :* être très observateur. – *C'est dans la poche :* c'est une affaire considérée comme acquise. **2.** Sac. *Poche de papier, de plastique.* **3.** Filet en forme de poche. **4.** METALL *Poche de coulée :* récipient servant au transport du métal en fusion. **II. 1.** Cavité, creux où une substance s'est accumulée. *Poche d'eau,* dans une mine. *Poche de gaz naturel. Poche de pus d'un abcès.* **2.** MED *Poche des eaux :* saillie que forment les membranes de l'œuf à l'orifice du col utérin, lors de l'accouchement, sous la poussée du liquide amniotique. – ZOOL *Poche marsupiale :* V. marsupial. **III.** Renflement que fait un vêtement, un tissu déformé, distendu. *Pantalon défraîchi qui fait des poches aux genoux.* ▷ Par anal. *Avoir des poches sous les yeux.*

poché, ée adj. **1.** Fam. *Œil poché,* meurtri, tuméfié. **2.** Qu'on a fait pocher. *Œuf poché. Sole pochée.*

pocher v. [1] **I.** v. tr. **1.** CUIS *Pocher des œufs,* les faire cuire sans leur coquille dans un liquide bouillant. ▷ Faire cuire dans un liquide très chaud. *Pocher un poisson, un fruit.* **2.** Fam. *Pocher l'œil à qqn,* lui donner un coup qui occasionne une meurtrissure, une contusion autour de l'œil. **II.** v. intr. Faire une poche, en parlant d'un vêtement. *Cette robe poche dans le dos.*

pochette n. f. **1.** Petite poche. *Pochette d'un gilet :* gousset. **2.** *Par ext.* Petit mouchoir fin qui orne la poche de poitrine d'un veston d'homme. **3.** Enveloppe, sachet. *Pochette de disque.* – *Pochette-surprise,* contenant des friandises et de menus objets, et que l'on achète sans en connaître le contenu. *Des pochettes-surprises.*

pocheuse n. f. CUIS Ustensile servant à pocher les œufs.

pochoir n. m. Plaque découpée selon les contours d'un ornement, d'un caractère, etc., et permettant de reproduire celui-ci en frottant avec une brosse, un pinceau imprégné de couleur, les parties ajourées.

pochothèque n. f. Librairie ou rayon d'une librairie spécialisés dans la vente des livres au format de poche.

poco [pɔko] adv. MUS Un peu. *Poco presto.* ▷ Loc. adv. *Poco a poco :* peu à peu.

-pode, podo-. Éléments, du gr. *pous, podos,* «pied».

Poděbrady (Georges de). V. Georges de Poděbrady.

podestat [pɔdɛsta] n. m. HIST Premier magistrat de certaines villes d'Italie et de Provence au Moyen Âge.

Podgorica, (*Titograd* de 1948 à 1992) cap. du Monténégro; 96 000 hab. Industr. de l'aluminium, mécan. et alimentaires.

Podgorny (Nicolaï Victorovitch) (Karlovka, Ukraine, 1903 – Moscou, 1983), homme politique soviétique. Ancien ouvrier spécialiste de l'industrie et des questions alimentaires, il présida le Præsidium du Soviet suprême de 1965 à 1977.

podium [pɔdjɔm] n. m. **1.** ANTIQ ROM Mur qui entourait l'arène d'un amphithéâtre, d'un cirque; partie élargie de ce mur, formant une tribune où prenaient place les spectateurs de marque. **2.** ARCHEOL Muret à hauteur d'appui; soubassement destiné à servir d'étagère. **3.** Cour. Estrade sur laquelle les sportifs vainqueurs d'une épreuve sont présentés au public et reçoivent leur prix. *Monter sur le podium.* ▷ Fig., fam. Place d'honneur, médaille dans une compétition sportive. *Des podiums.*

podo-. V. -pode.

Podolie, rég. fertile d'Ukraine, en avant des Carpates, entre le Bug et le Dniestr. – D'abord polonaise (XIVe s.), la région appartint aux Turcs de 1672 à 1699. La *Podolie occidentale,* acquise par les Habsbourg en 1772, revint à la Pologne indépendante en 1918, puis fut annexée par l'U.R.S.S. (Ukraine) en 1945. La *Podolie orientale* fait partie de l'Ukraine depuis 1793.

podologie n. f. MED Étude du pied et de ses maladies.

podologue n. Spécialiste de la podologie.

Podolsk, v. de Russie, au S. de Moscou; 208 000 hab. Ciment. Métallurgie.

podomètre ou **pédomètre** n. m. Appareil qui enregistre les pas d'un piéton. Syn. odomètre, hodomètre.

podzol [pɔdzɔl] n. m. GEOL Sol formé sur une roche mère siliceuse couverte d'une végétation acidifiante.

Poe (Edgar Allan) (Boston, 1809 – Baltimore, 1849), écrivain américain. Critique littéraire qui récusa la toute-puissance de l'inspiration pour définir la poésie comme «la création rythmique de la beauté» (*le Principe de la poésie,* posth., 1850), auteur de poèmes savants et néanmoins «inspirés» (*le Corbeau,* trad. en français par Mallarmé, *Ulalume, les Cloches, Annabel Lee, Pour Annie*), romancier du réalisme fantastique (*les Aventures d'Arthur Gordon Pym,* 1837), métaphysicien (*Eureka,* 1848), il est surtout célèbre par ses *Contes* (prem. recueil, 1840), récits d'épouvante que Baudelaire, leur traducteur, préféra nommer *Histoires extraordinaires.* Ces histoires, souvent pleines d'humour noir, sont presque toujours dominées par une logique du cauchemar; certaines, construites à partir de subtils raisonnements, consacrent la naissance du roman policier : *le Double Assassinat dans la rue Morgue, le Mystère de Marie Roget.*

Edgar Allan **Poe**

Henri **Poincaré**

pœcilotherme. V. poïkilotherme.

1. poêle [pwal] n. m. Drap noir (blanc, pour un enfant) dont on couvre le cercueil pendant un enterrement. *Les cordons du poêle,* qui sont aux quatre coins et que tiennent les amis, les proches du défunt.

2. poêle [pwal] n. m. **1.** Appareil de chauffage à foyer clos. *Poêle à bois.* **2.** *Par ext.* (Canada) Cuisinière.

3. poêle [pwal] n. f. Ustensile de cuisine en métal, peu profond, muni d'un long manche, utilisé en partic. pour les fritures. ▷ Fig., fam. *Tenir la queue de la poêle :* avoir la direction d'une affaire.

poêlée n. f. Contenu d'une poêle.

poêler [pwale] v. tr. [1] Cuire, passer à la poêle. – Pp. adj. *Viande poêlée.*

poêlon [pwalɔ̃] n. m. Casserole, en terre ou en métal, épaisse, à manche creux, utilisée pour une cuisson lente.

poème n. m. **1.** Ouvrage en vers, de forme fixe (quatrain, sonnet, rondeau, ballade, etc.) ou libre. *«Poèmes antiques et modernes», d'Alfred de Vigny.* ▷ *Poème en prose :* texte dont le style et l'inspiration relèvent de la poésie, mais qui n'est pas versifié. ▷ MUS *Poème symphonique :* composition orchestrale de forme libre, illustrant un sujet poétique. **2.** Litt. Ce qui présente un caractère poétique (sens I, 2); ce que l'on compare à un poème. *L'enfance, ce long poème.* **3.** Loc. fam. *C'est tout un poème,* d'un pittoresque hors du commun.

poésie n. f. **1.** Forme d'expression littéraire caractérisée par une utilisation harmonieuse des sons et des rythmes du langage (notam. dans le vers) et par une grande richesse d'images. *Poésie lyrique, épique.* **2.** Manière particulière dont un poète, une école pratique cet art; ensemble des œuvres où cette manière apparaît. *La poésie de V. Hugo. La poésie classique.* **3.** Poème. *Un choix de poésies.* **4.** Caractère poétique.

poète n. **1.** Écrivain qui s'adonne à la poésie. *Les poètes courtois, symbolistes.* **2.** Personne qui, même si elle n'écrit pas, a une vision poétique des choses. *«Les Poètes de sept ans», poème d'A. Rimbaud.* **3.** Personne qui manque de réalisme.

poétesse n. f. Femme poète.

poétique adj. et n. f. **I.** adj. **1.** Qui a rapport à la poésie, qui lui appartient. *Expression, style poétique.* **2.** Qui suscite une émotion esthétique du même ordre que celle qu'inspire la poésie. *Paysage poétique.* **II.** n. f. **1.** Ensemble de préceptes, de règles pratiques concernant la poésie. *Écrire une poétique.* **2.** Conception de la poésie. *La poétique de Mallarmé.*

poétiquement adv. D'une manière poétique.

poétisation n. f. Action de poétiser.

poétiser v. tr. [1] Rendre poétique, idéaliser. *Poétiser la réalité.*

Pogge (Gian Francesco Poggio Bracciolini, dit en fr. le) (Terranuova, 1380 – Florence, 1459), écrivain italien de langue latine. Humaniste, il découvrit de nombr. manuscrits d'œuvres antiques et écrivit une *Histoire de Florence* ainsi que des *Facéties* (1438-1452), historiettes souvent très libres.

pogne n. f. Pop. Main.

pognon n. m. Pop. Argent.

pogonophores n. m. pl. ZOOL Embranchement d'invertébrés marins vermiformes qui vivent en eau profonde dans des tubes de chitine qu'ils sécrètent. – Sing. *Un pogonophore.*

pogrom ou **pogrome** [pɔgʀɔm] n. m. Émeute antisémite (d'abord dans la Russie tsariste) souvent accompagnée de pillages et de massacres. ▷ *Par ext.* Toute émeute raciste.

Poher (Alain) (Ablon-sur-Seine, 1909 – Paris, 1996), homme politique français. Centriste, président du Sénat (1968-1992), il fut président de la République par intérim en 1969 (après la démission du général de Gaulle) et en 1974 (après la mort de G. Pompidou).

poids [pwɑ] n. m. **I. 1.** Force qui s'exerce sur un corps soumis à l'attraction terrestre et qui le rend pesant; mesure de cette force. ▷ *Poids brut :* poids d'une marchandise y compris les déchets, l'emballage, etc. (par oppos. à *poids net*). – *Poids vif :* poids d'un animal de boucherie vivant. – *Poids mort :* poids propre d'une machine, qui en réduit le travail utile; fig. personne ou chose inutile qui entrave une action. – PHYS *Poids volumique* (anc. *spécifique*) : poids de l'unité de volume d'un corps homogène. **2.** SPORT Catégorie dans laquelle on classe les boxeurs, les lutteurs, les haltérophiles, etc., selon leur poids. *Poids mouche*, coq*, plume*, légers*, mi-moyens*, moyens*, mi-lourds*, lourds*.* – Par ext. *Un poids moyen :* un boxeur classé dans cette catégorie. ▷ Loc. fig. *Ne pas faire le poids :* ne pas avoir les aptitudes, les qualités requises. **3.** Masse de métal marquée servant à peser. *Assortiment de poids en laiton.* ▷ Loc. fig. *Avoir deux poids, deux mesures :* se montrer partial. **4.** Masse pesante. *Horloge ancienne à poids.* ▷ SPORT Masse métallique d'un poids défini, destinée à être lancée ou soulevée. *Lancer le poids. Poids et haltères.* **II.** (Emplois figurés.) **1.** Ce qui accable, oppresse. *Le poids des années, des soucis. Avoir un poids sur la conscience.* **2.** Importance, force (de qqch ou de qqn). *Le poids d'une déclaration. Un homme de poids.*

poids lourd n. m. **1.** Gros camion ou semi-remorque destiné au transport des marchandises. **2.** Fig., fam. Personne ou entreprise qui compte dans son domaine.

poignant, ante adj. Qui cause une impression vive et pénible; qui étreint le cœur. *Douleur poignante.* – Fig. *Récit poignant,* très émouvant.

poignard n. m. Arme de main, couteau à lame courte et large, à l'extrémité pointue. ▷ Fig. *Coup de poignard dans le dos :* attaque lâche ou traîtresse.

poignarder v. tr. [1] **1.** Frapper, tuer avec un poignard. **2.** Fig. Causer une vive douleur morale à (qqn).

poigne n. f. **1.** Force du poignet, de la main. *Avoir une bonne poigne.* **2.** Fig. Autorité, énergie (pour se faire obéir). *Avoir de la poigne.*

poignée n. f. **I. 1.** Quantité que peut contenir la main fermée. *Une poignée de blé.* ▷ *À* (ou *par*) *poignées :* à pleines mains, en grande quantité. **2.** Fig. Petit nombre (de personnes). *Une poignée de fidèles.* **3.** *Poignée de main :* geste de salutation ou d'accord qui consiste à serrer dans sa main la main de qqn. *Ils ont échangé une poignée de main.* **II. 1.** Partie d'un objet destinée à être tenue dans la main fermée. *Poignée d'une valise.* ▷ Pièce de tissu ou ustensile permettant de saisir un objet chaud. **2.** Fam. *Poignée d'amour :* bourrelet adipeux au niveau des hanches.

poignet n. m. **1.** Articulation de l'avant-bras avec la main. ▷ *À la force du poignet :* à la force des bras; fig. à force d'énergie, de travail personnel. **2.** Extrémité de la manche d'un vêtement, qui couvre le poignet. **3.** Bande de tissu ou de cuir qui maintient le poignet.

poignet-éponge n. m. Poignet en tissu éponge, utilisé par un sportif pour s'essuyer le visage. *Des poignets-éponges.*

poïkilotherme ou **pœcilotherme** adj. et n. m. ZOOL Dont la température corporelle varie avec celle du milieu ambiant, en parlant de certains vertébrés (poissons, amphibiens et reptiles), dits aussi à *sang froid.* Ant. homéotherme. ▷ n. m. *Un (les) poïkilotherme(s)* ou *pœcilotherme(s).*

poil [pwal] n. m. **1.** Production filamenteuse de la peau des mammifères. *Poil noir, laineux. Poil de chèvre.* **2.** *Le poil :* l'ensemble des poils, le pelage. *Chien à poil ras. Gibier à poil.* ▷ La peau et les poils de certains animaux. *Col en poil de lapin.* **3.** (Chez l'homme.) Cette production, à l'exception des cheveux. *Poil des bras. – Avoir du poil au menton,* de la barbe. ▷ Loc. fig., fam. *Brave à trois, à quatre poils :* homme très brave. – *N'avoir pas un poil de sec :* être trempé de pluie, de sueur. **4.** Loc. *De tout poil* ou *de tous poils :* de toute nature, de toute espèce, en parlant de personnes. *Gens de lettres, artistes et intellectuels de tout poil. – Reprendre du poil de la bête*.* ▷ Fam. *Un poil :* un peu. *À un poil près :* à peu de chose près. – *Avoir un poil dans la main :* être très paresseux. – *Être de bon, de mauvais poil,* de bonne, de mauvaise humeur. – *Tomber sur le poil de qqn,* lui tomber dessus, le malmener en actes ou en paroles. – *À poil :* tout nu. – *Au poil :* très bon, parfait. – *Au poil, au quart de poil :* parfaitement. *Tu arrives au poil,* au bon moment. **5.** *Par anal.* Chacun des filaments très fins dont certaines plantes, ou certaines parties des plantes, sont couvertes. *Les poils des orties. Poils absorbants des racines.* **6.** Partie velue de certaines étoffes.

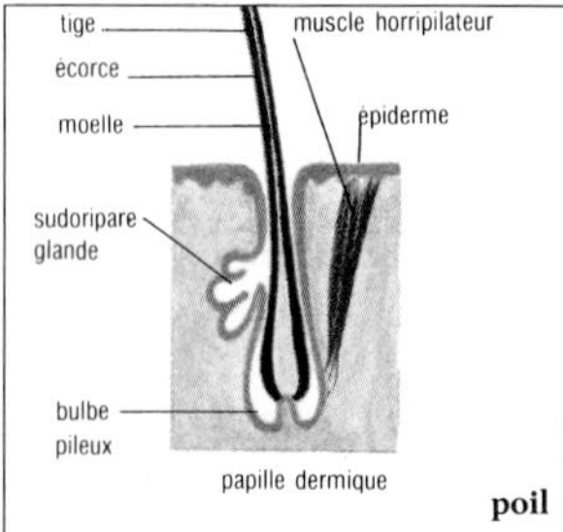

poil

poilant, ante adj. Fam. Drôle.

poiler (se) v. pron. [1] Pop. Rire.

poilu, ue adj. et n. m. **1.** adj. Couvert de poils abondants. Syn. velu. **2.** n. m. Fam. Surnom du combattant français de la guerre de 1914-1918.

Poincaré (Henri) (Nancy, 1854 – Paris, 1912), mathématicien français. Son examen critique de la mécanique newtonienne contribua à la découverte de la théorie de la relativité. Il a résolu des problèmes sur les équations différentielles dont on croyait les solutions inaccessibles et fit faire un pas décisif à la théorie des fonctions d'une variable complexe. ► illustr. page **1479**

Poincaré (Raymond) (Bar-le-Duc, 1860 – Paris, 1934), cousin du préc.; avocat et homme politique français. Député de la Meuse dès 1887 au sein de l'Union des gauches, de tendance modérée, excellent orateur; il obtint divers ministères (1893, 1895, 1906) et fut président du Conseil en 1912-1913. Président de la République (1913-1920), il soutint avec énergie l'effort de guerre. Président du Conseil (1922-1924 et 1926-1929), il fit occuper la Ruhr (1923) et combattit une grave crise financière en stabilisant le franc (*franc Poincaré,* 1926). Acad. fr. (1909).

poinçon n. m. **1.** Outil de métal, tige à extrémité pointue, conique ou cylindrique, qui sert à percer, découper, emboutir. **2.** Instrument dont une extrémité, gravée, sert à marquer les objets en métal précieux ou soumis à un contrôle; marque produite par cet instrument. **3.** Modèle original qui sert à fabriquer la matrice d'une monnaie, d'une médaille, ou d'un caractère d'imprimerie. **4.** CONSTR Pièce verticale d'une ferme, sur laquelle viennent s'assembler les arbalétriers.

poinçonnage ou **poinçonnement** n. m. Action de poinçonner.

poinçonner v. tr. [1] **1.** Marquer au poinçon. *Poinçonner un bijou.* **2.** Percer, découper avec un poinçon, une poinçonneuse. **3.** Perforer, oblitérer (un billet de train, etc.).

poinçonneur, euse n. **I. 1.** Personne qui poinçonne les tôles. **2.** n. f. Machine à poinçonner les tôles. **II. 1.** Vieilli Personne qui poinçonne les billets de train, etc.; contrôleur. **2.** n. f. Machine à poinçonner les billets.

poindre v. [56] **1.** v. tr. Litt. Meurtrir, blesser moralement. *Un regret le poignait.* **2.** v. intr. Commencer à paraître. *Le jour point.*

poing [pwɛ̃] n. m. Main fermée. *Fermer, serrer le poing :* fermer la main, la tenir serrée. ▷ Loc. *Faire le coup de poing :* se battre à coups de poing. – Fig. *Dormir à poings fermés,* profondément. – Fig. *Être pieds et poings liés :* être réduit à l'impuissance.

poinsettia n. m. BOT Plante buissonnante (fam. euphorbiacées) originaire du Mexique, aux bractées terminales colorées, appelée cour. *étoile-de-Noël.*

Poinsot (Louis) (Paris, 1777 – id., 1859), mathématicien français; un des rénovateurs de la mécanique.

1. point [pwɛ̃] n. m. **I. 1.** Signe de ponctuation (.) marquant la fin d'une phrase. *Point final. Points de suspension* (...). *Deux points (:). Point-virgule*.* ▷ Par ext. *Point d'interrogation* (?), *point d'exclamation* (!). **2.** Petite marque ronde placée au-dessus du i et du j minuscules. ▷ Loc. fig., fam. *Mettre les points sur les i :* préciser une chose, l'expliquer de manière à lever toute ambiguïté. **3.** MUS Signe qui, placé après une figure de note ou un silence, prolonge cette note ou ce silence de la moitié de sa durée initiale. ▷ *Point d'orgue :* signe (𝄐) suspendant la mesure et indiquant un repos plus ou moins prolongé sur une note ou un silence. **4.** Corps matériel, objet, dont on ne distingue pas les contours en raison de sa petitesse ou de l'éloignement. *Le bateau n'était plus qu'un point à l'horizon.* ▷ *Point noir :* comédon*. **5.** Très petite quantité, parcelle (de certaines matières). *Fixer une photo avec un point de colle.* **6.** IMPRIM *Point* Didot ou, absol., *point :* unité de mesure des caractères d'imprimerie, équivalant à 0,3759 mm. **II. 1.** Endroit fixe, déterminé. *Point de départ, d'arrivée.* ▷ *Point d'appui :* point sur lequel une chose est appuyée. *Point d'appui d'un levier.* – MILIT Place, base sur laquelle s'appuie une armée, une flotte; élément de base d'un dispositif de défense. – *Point chaud,* où ont lieu des combats, des événements particulièrement intenses. – *Point d'eau :* endroit où l'on trouve de l'eau (source, puits, mare, etc.). – *Point de non-retour*.* – *Point mort*.* – *Point de repère*.* – *Point de mire*.* **2.** GEST, COMM *Point de commande :* niveau de stock indiquant la nécessité de le réapprovisionner. **3.** GEOM Lieu sans étendue, défini conventionnellement comme la plus petite portion d'espace qu'il soit possible de concevoir. **4.** Lieu sans étendue, considéré quant aux caractéristiques, aux propriétés qui permettent de le situer. ▷ ASTRO *Points équinoxiaux :* points d'intersection de l'écliptique avec l'équateur. – *Point vernal* ou *point* γ : V. gamma. – *Points solsticiaux :* points où le Soleil atteint sa plus grande déclinaison boréale et australe. ▷ Cour. *Points cardinaux :* V. cardinal. ▷ PHYS *Point événement :* tout phénomène physique ponctuel caractérisé par ses coordonnées d'espace et de temps. ▷ GEOL *Point chaud :* zone atypique du manteau à l'aplomb de laquelle on constate une activité volcanique intense. **5.** *Mettre au point un instrument d'optique,* le régler de manière que l'image se forme au point voulu et soit ainsi parfaitement nette. ▷ Par ext. *Mettre au point une machine, une mécanique, etc.,* la régler, la mettre en état de fonctionner. – Fig. *Mettre au point un plan d'action.* – Loc. adj. *Au point. Projet bien au point,* entièrement élaboré, prêt à être mis en application. **6.** MAR Position d'un navire en mer. *Faire le point :* déterminer la position du navire; fig. examiner la situation dans laquelle on se trouve. **7.** *Point de presse :* rendez-vous entre un homme public et les médias pour faire le point de la situation. **III.** (En loc.) Moment précis, instant. ▷ *Sur le point de :* au moment de. – *Être sur le point de partir :* s'apprêter à partir immédiatement. ▷ *À point, à point nommé :* au bon moment, à propos. *Vous arrivez à point.* **IV. 1.** Question, difficulté particulière. *Éclaircir un point d'histoire. Le point capital d'une affaire. Le point sensible.* **2.** Division d'un discours, d'un ouvrage. *Ce sera le dernier point de mon exposé.* ▷ *De point en point :* exactement, sans rien omettre. ▷ *De tout point, en tout point :* absolument, parfaitement. *Un ouvrage en tout point remarquable.* **3.** Degré, période dans le cours d'une évolution. *Nous en sommes toujours au même point.* ▷ Loc. adv. *À point :* au degré ou dans l'état qui convient. *Viande cuite à point,* moyennement cuite (ni «saignante» ni «bien cuite»). **4.** Degré dans une hiérarchie, une progression. *Être au plus haut point de la célébrité.* **5.** PHYS *Point critique :* point correspondant à la température et à la pression critiques d'un fluide. – *Point fixe :* température de changement d'état d'un corps pur pour une pression donnée. *Point de fusion, de liquéfaction.* – *Point triple,* correspondant à l'équilibre des trois phases (solide, liquide, gazeuse) d'un même corps pur. – *Point de rosée*.* **V. 1.** Unité de notation d'un travail scolaire, d'une épreuve d'examen ou de concours. **2.** Unité qui permet de comptabiliser les avantages de chacun des adversaires ou des concurrents, dans un jeu, une compétition sportive. *Marquer un point. Partie en mille points.* – SPORT *Vainqueur aux points :* à la boxe, vainqueur d'après le décompte des points effectué par les juges (par oppos. à *par K.-O., par abandon,* etc.). ▷ *Rendre des points à qqn,* lui accorder un avantage qui compense

Raymond **Poincaré**

Madame de **Pompadour**

son infériorité. **3.** *Permis* à points.* **4.** Unité de calcul, dans un barème. *Points de retraite.* **VI.** Ce qui point (V. poindre), pique. **1.** Chacune des piqûres faites dans une étoffe, dans du cuir, etc., avec une aiguille enfilée. *Coudre à points serrés.* – *Points de suture*.* ▷ Façon donnée à ces piqûres, manière de coudre. *Point d'ourlet, de surjet, de croix.* – *Par ext.* Façon donnée aux mailles d'un tricot, manière de tricoter. *Point à l'endroit, à l'envers.* **2.** Douleur poignante, aiguë et bien localisée. *Point de côté.* **3.** *Point du jour* : moment où le jour point, se lève.

2. point [pwɛ̃] adv. Vx, litt. ou rég. **1.** (Avec *ne.*) Deuxième élément de la négation. *On ne l'aime point.* **2.** (Sans *ne.*) *Ici, point de luxe.* – *Point du tout* : nullement.

pointage n. m. **1.** Action de pointer. ▷ *Spécial.* Action de pointer (une arme, une pièce). *Pointage d'un canon.* **2.** Marque en vue d'un contrôle. ▷ Ce contrôle lui-même. ▷ Contrôle des entrées et des sorties du personnel d'une entreprise à l'aide d'une pointeuse.

point de vue n. m. **1.** Lieu où l'on doit se placer pour bien voir qqch. *Vous aurez un meilleur point de vue sur la vallée du haut du donjon.* ▷ Paysage vu d'un endroit déterminé. *De jolis points de vue.* **2.** Fig. Aspect sous lequel on envisage une question. *Le point de vue politique.* ▷ Loc. prép. *Au* (ou *du*) *point de vue de* : relativement à. *Du point de vue de la moralité, il est irréprochable. Au point de vue philosophique.* **3.** Manière de voir. *Exposer son point de vue.*

pointe n. f. **I. 1.** Bout piquant, aigu. *La pointe d'une aiguille, d'un couteau, d'une épée.* **2.** Extrémité effilée d'un objet. *Pointe d'asperge.* ▷ *Pointe du pied* : partie opposée au talon. – Fig. *Marcher sur la pointe des pieds,* sans faire de bruit. **3.** CHORÉGR Chausson à semelle courte et étroite dont le bout est plat et rigide. – *Faire des pointes* : se tenir, évoluer sur l'extrémité des orteils avec des pointes. **4.** Langue de terre qui avance dans la mer; cap. *La pointe du Raz.* ▷ Fig. Ce qui est le plus en avant, le plus exposé. *Être à la pointe du combat.* – *De pointe* : d'avant-garde. *Techniques de pointe.* **5.** Fig. Très petite quantité. *Une pointe d'ail, de vinaigre.* – Touche légère. *Une pointe d'ironie.* **6.** Loc. adv. *En pointe* : en forme de pointe. *Tailler une baguette en pointe.* **II. 1.** Objet pointu, piquant. *Grille de clôture surmontée de pointes.* ▷ SPORT *Chaussures à pointes,* utilisées par les coureurs à pied pour mieux accrocher le sol. – Ellipt. *Mettre des pointes,* des chaussures à pointes. **2.** Clou, avec ou sans tête, de grosseur égale de bout en bout. **3.** TECH Instrument acéré utilisé pour graver, pour tailler, etc. *Pointe à tracer. Pointe de diamant des vitriers.* ▷ *Pointe sèche* : stylet d'acier servant à graver sur cuivre ou sur zinc. – *Par ext.* Procédé de gravure dans lequel on utilise cet outil. – *Une pointe-sèche* : une gravure dessinée à la pointe sèche. *Des pointes-sèches.* **4.** Triangle d'étoffe. – Petit châle triangulaire. **5.** MÉD *Pointes de feu* : petites brûlures faites avec un cautère en pointe. **6.** Fig. Trait mordant, sarcasme. *Lancer des pointes.* Syn. flèche, pique. **III. 1.** Vx ou litt. Action de poindre. *La pointe du jour.* **2.** Action d'aller en avant (dans les loc. *faire, pousser une pointe*). *Détachement, patrouille qui pousse une pointe de reconnaissance.* **3.** *Par ext.* Accélération momentanée. *Pointe de vitesse. Faire des pointes à 200 à l'heure.* ▷ *Vitesse de pointe,* maximale. – *Par anal.* Moment de plus grande intensité d'un phénomène, d'une activité. *Pointe de consommation du gaz, de l'électricité. Éviter de circuler en ville pendant les heures de pointe.*

Pointe-à-Pitre, ch.-l. d'arr. de la Guadeloupe, dans la Grande-Terre; 26 083 hab. Port import. Aéroport. – Centre comm. et industr.

la marina de **Pointe-à-Pitre**

pointeau n. m. TECH **1.** Outil en acier trempé, tige terminée par une pointe conique, sur laquelle on frappe avec un marteau. **2.** Tige munie d'une pointe qui, en appuyant sur l'épaulement d'une canalisation, permet de régler le débit d'un fluide.

Pointe-Noire, princ. port et centre économique du Congo, relié par voie ferrée à Brazzaville (ligne Congo-Océan); 298 010 hab.; ch.-l. de région.

1. pointer v. [1] **I.** v. tr. **1.** Marquer d'un point, d'un signe (les mots, les noms d'une liste) en vue de contrôler, de compter, etc. – *Par ext.* Contrôler. *Pointer les entrées et les sorties.* ▷ v. intr. *Ouvrier qui pointe à l'entrée de l'usine,* qui se soumet au pointage. **2.** MUS Faire suivre (une note, un silence) d'un point qui en augmente de moitié la valeur temporelle. – Pp. adj. *Blanche, croche pointée.* **3.** Diriger vers un point, un but; braquer. *Pointer un canon. Pointer l'index vers qqn.* ▷ Fam. *Pointer son nez* : arriver quelque part, se pointer. **4.** Fig. Signaler, montrer du doigt, dénoncer. *Pointer les déficiences d'un raisonnement.* **5.** Au jeu de boules, lancer la boule le plus près possible du but en la faisant rouler (par oppos. à *tirer*). **II.** v. pron. Pop. Arriver. *Il s'est pointé en retard.*

2. pointer v. [1] **I.** v. tr. **1.** TECH Former, façonner la pointe de. *Pointer des aiguilles.* **2.** Dresser en pointe. *Chien qui pointe les oreilles.* **II.** v. intr. **1.** Dresser sa pointe. *Pic qui pointe vers le ciel.* **2.** (Pour *poindre.*) Commencer à paraître, à pousser. ▷ Fig. *Son génie pointa de bonne heure.*

3. pointer [pwɛ̃tɛʀ] n. m. Chien d'arrêt de race anglaise. ▶ pl. **chiens**

pointeur, euse n. **1.** Personne qui effectue un pointage, un contrôle. ▷ adj. *Horloge pointeuse* ou, n. f., *une pointeuse.* **2.** n. m. Artilleur qui pointe le canon. **3.** Aux boules, joueur qui pointe (par oppos. à *tireur*). **4.** INFORM Icône que l'on déplace sur l'écran d'un ordinateur pour piloter les opérations.

pointillé n. m. **1.** Ligne formée d'une suite de petits points, de petits trous. *Découper suivant le pointillé.* **2.** Dessin exécuté à l'aide de points. **3.** Fig. *En pointillé* : de façon encore indécise, peu explicite.

pointiller v. [1] **1.** v. tr. Marquer de points. **2.** v. intr. BX-A Dessiner, peindre, graver par points.

pointilleux, euse adj. Qui se montre exigeant dans les moindres détails. Syn. minutieux, vétilleux.

pointillisme n. m. PEINT Technique picturale qui consiste à juxtaposer des touches très petites, des points de couleurs pures (V. aussi divisionnisme). *Le pointillisme a surtout été utilisé par les néo-impressionnistes.*

pointilliste n. et adj. PEINT Peintre adepte du pointillisme. ▷ adj. *L'école pointilliste.*

pointu, ue adj. et n. m. **1.** Qui se termine en pointe, qui présente une, des pointes aiguës. *Bâton pointu. Grille pointue.* **2.** (Son, voix.) Qui se développe surtout dans les aigus. ▷ Fig., fam. *Accent pointu* : accent parisien, pour les Méridionaux. **3.** Fig. *Esprit, caractère pointu,* qui cherche à subtiliser sur tout, pointilleux à l'excès. – Très raffiné, très subtil. *Raisonnement pointu.* ▷ Très spécialisé. *Formation pointue.* **4.** n. m. Bateau de pêche à fond plat du Midi.

pointure n. f. **1.** Nombre qui indique la taille d'une paire de chaussures ou de gants, d'un chapeau, etc. **2.** Fig., fam. Personnage important dans son domaine.

point-virgule n. m. Signe de ponctuation (;) qui indique une pause plus marquée que la virgule et s'emploie pour séparer deux énoncés distincts. *Des points-virgules.*

poire n. f. (et adj.) **1.** Fruit comestible du poirier, de forme oblongue, à la chair parfumée. ▷ Loc. fig. *Entre la poire et le fromage* : à la fin du repas, lorsque l'atmosphère est détendue. – *Garder une poire pour la soif* : se réserver des ressources, des moyens pour les besoins à venir. – *Couper la poire en deux* : se faire des concessions mutuelles pour régler un différend. **2.** Objet en forme de poire. *Poire en caoutchouc pour les lavements, les injections.* ▷ Interrupteur placé à l'extrémité d'un fil électrique. **3.** Pop. Tête, figure. *Il a reçu le coup en pleine poire.* **4.** Fam. Personne naïve, qui se laisse exploiter. *Quelle bonne poire !* ▷ adj. *Tu es trop poire.*

poiré n. m. Boisson provenant de la fermentation du jus de poire.

poireau n. m. Plante potagère (fam. liliacées) à bulbe blanc et à longues feuilles vertes. *Manger le blanc* (le bulbe) *et le vert* (les feuilles) *du poireau.* ▷ Loc. fig., fam. *Faire le poireau* : attendre longtemps.

poireauter v. intr. [1] Fam. Faire le poireau, attendre.

poirée n. f. Plante potagère dont on consomme les larges pétioles blancs et les feuilles. Syn. bette.

Poiret (Paul) (Paris, 1879 – id., 1944), couturier et décorateur français. Ses vêtements, souples, dépourvus d'ornements, taillés dans des étoffes somptueuses, ont profondément modifié la mode. Il s'est intéressé à la parfumerie, à la décoration et au théâtre.

poirier n. m. Arbre fruitier (fam. rosacées) originaire de la zone tempérée d'Europe et d'Asie, à feuilles ovales simples et à fleurs blanches, qui produit la poire. ▷ Bois de cet arbre, rougeâtre, utilisé en lutherie et en ébénisterie. ▷ *Faire le poirier* : se tenir en équilibre, la tête et les mains appuyées sur le sol. ▶ illustr. page **1478**

pois [pwa] n. m. **1.** Plante potagère (fam. papilionacées) dont les gousses et les graines fournissent un légume apprécié. ▷ Plur. *Petits pois* : graines de cette plante. ▷ *Pois mange-tout,* dont on consomme la gousse entière. ▷ *Pois cassés* : pois secs écossés et séparés en deux, qui se mangent en purée. ▷ *Pois chiche* : plante voisine du pois, cultivée dans les régions méditerranéennes; graine comestible de cette

poirier commun : branche avec feuilles et fruits

plante. **2.** *Pois de senteur* : plante ornementale cultivée pour ses fleurs odorantes, de couleurs variées. Syn. gesse odorante. **3.** Petit disque d'une couleur ou d'une texture différente de celle du fond, sur un tissu, un papier, etc. *Foulard à pois.* ► illustr. **papilionacée**

poiseuille n. m. PHYS Unité de viscosité du système international, de symbole Pl (1 poiseuille = 1 pascal-seconde).

Poiseuille (Jean-Louis Marie) (Paris, 1799 - id., 1869), médecin et physicien français; connu pour ses études sur la viscosité.

poison n. m. **1.** Toute substance qui, introduite dans un organisme vivant, peut le tuer ou altérer ses fonctions vitales. **2.** Fig. Substance préjudiciable à la santé. *L'alcool est un poison.* ▷ Aliment, boisson de goût désagréable. ▷ Litt. Ce qui corrompt ou exerce une influence pernicieuse. **3.** n. Fam. Personne méchante, acariâtre. *Quelle poison!* ▷ Personne très agaçante, insupportable. **4.** Fig. Activité, tâche ennuyeuse. *Quel poison ces paperasses!*

poisons (Affaire des), affaire criminelle qui débuta v. 1675 avec l'arrestation de la marquise de Brinvilliers, exécutée en 1676. Menée par La Reynie, l'enquête mit au jour une organisation criminelle (usage de poisons, messes noires, avortements); de hauts personnages de la cour (dont Mme de Montespan) furent compromis. Louis XIV, inquiet de l'extension de l'affaire, fit arrêter la procédure publique de la Chambre ardente créée en 1679. 34 accusés furent exécutés, parmi lesquels une sage-femme, la Voisin.

poissard, arde n. et adj. **1.** n. f. Femme de la halle; femme aux manières et au langage hardis, grossiers. ▷ (Par attract. de *poisson.*) Vieilli Marchande de poisson. **2.** adj. Litt., vx Qui utilise ou imite le langage des femmes de la halle, du bas peuple. *Le style poissard.* ▷ n. m. Vx *Le poissard* : le genre poissard.

poisse n. f. Pop. Malchance, déveine. *Porter la poisse.*

poisser v. tr. [1] **1.** Enduire de poix. *Poisser du fil.* **2.** Salir avec une substance gluante. *La confiture lui poissait les mains.* **3.** Pop. Prendre, arrêter (un malfaiteur, un voleur, etc.).

poisseux, euse adj. Collant, gluant comme la poix.

poisson n. m. **1.** Vertébré aquatique à branchies, possédant des nageoires. (V. encycl.) *Poissons d'eau douce, poissons de mer.* - (Collectif) *Du poisson. Préférer le poisson à la viande.* ▷ *Poisson de mai* : alose. *Poisson-chat* : silure. *Poisson-clown* : amphiprion. *Poisson-épée* : espadon. *Poisson-globe* : tétrodon. *Poisson-lune* : môle. *Poisson rouge* : cyprin doré. *Poisson scie*. Poisson volant* : exocet. ▷ *Petit poisson d'argent* : lépisme (insecte). **2.** Loc. fig. *Être comme un poisson dans l'eau* : être parfaitement à l'aise dans telle ou telle situation. - *Finir en queue de poisson* : avoir une fin qui ne constitue pas un aboutissement véritable. ▷ *Poisson d'avril* : attrape, mystification que l'on fait le 1er avril. **3.** ASTRO *Les Poissons* : constellation zodiacale de l'hémisphère boréal. ▷ ASTROL Signe du zodiaque* (19 fév.-20 mars). - Ellipt. *Il est poissons.*

ENCYCL Les poissons sont les premiers vertébrés et ils ont donné naissance aux premiers tétrapodes terrestres (V. crossoptérygiens). On distingue radicalement les *poissons cartilagineux*, ou *chondrichthyens* (requins, raies), et les *poissons osseux*, ou *ostéichthyens*, dont les téléostéens constituent la quasi-totalité. Parmi les fossiles, les *placodermes* (cartilagineux) constituent le groupe le plus important.

Poisson (Siméon Denis) (Pithiviers, 1781 - Paris, 1840), mathématicien et homme politique français; connu pour ses travaux de mécanique rationnelle, de physique mathématique et sur le calcul des probabilités. ▷ MATH *Loi de Poisson* : loi de probabilité régissant les événements qui se réalisent un petit nombre de fois.

poissonnerie n. f. Magasin où l'on vend du poisson. ▷ Commerce du poisson et des animaux vivant en eau douce ou dans la mer (coquillages, crustacés).

poissonneux, euse adj. Qui abonde en poisson.

poissonnier, ère n. Commerçant qui vend du poisson.

poissonnière n. f. Plat de forme allongée servant à faire cuire le poisson.

Poissy, ch.-l. de cant. des Yvelines (arr. de Saint-Germain-en-Laye), sur la Seine (r. g.), à la lisière de la forêt de Saint-Germain; 36 864 hab. (*Pisciacais*). Constr. automobiles. - Égl. Notre-Dame (XIIe s., remaniée aux XIIIe, XVe et XVIe s., restaurée par Viollet-le-Duc). - Le *colloque de Poissy* (1561), où Catherine de Médicis et Michel de L'Hospital avaient réuni des théologiens catholiques et calvinistes (dont Théodore de Bèze), en vue de tenter un rapprochement, fut un échec.

poitevin, ine adj. et n. **1.** adj. De Poitiers, du Poitou. *Région poitevine. Race poitevine.* ▷ Subst. *Les Poitevins. Un(e) Poitevin(e).* **2.** n. m. *Le poitevin* : dialecte d'oïl parlé autrefois dans le Poitou.

Poitiers, ch.-l. du dép. de la Vienne et de la Rég. Poitou-Charentes, dominant le Clain; 82 507 hab. (env. 107 600 hab. dans l'aggl.). La ville, nœud routier et ferroviaire, a bénéficié de la décentralisation : constr. mécaniques et électriques; industr. chim.; pneumatiques. Parc d'attractions. - Évêché. Université. Égl. romane N.-D.-la-Grande (façade du XIIe s.). Cath. St-Pierre (XIIe-XIIIe s.). Égl. Ste-Radegonde (XIe-XIIIe s.). Baptistère St-Jean (IVe-VIIe s.), l'un des monuments chrétiens les plus anciens de France. Égl. romane St-Hilaire-le-Grand (XIe-XIIe s.). Hypogée des Dunes (VIIe-VIIIe s.). Palais de justice (XIXe s.). Musée Ste-Croix (Bx-A. et archéol.). Maisons anciennes (XVe-XVIe s.). - Cap. des Pictaves, Poitiers (alors *Limonum*), siège d'un évêché dès le IVe s., fut un des grands centres chrétiens. Pendant la bataille de Poitiers (livrée entre Tours et Poitiers), Charles Martel battit les Arabes (732). En 1356 le Prince Noir y écrasa Jean le Bon; la ville fut cédée aux Anglais (1360), mais Du Guesclin la reprit en 1372. Poitiers fut la cap. du dauphin Charles, qui y établit son parlement (1423) et y fonda une université (1431). En 1577, l'*édit de Poitiers* y fut promulgué, qui restreignait les libertés accordées aux protestants par le traité de Beaulieu (paix de Monsieur*). Poitiers prit rang de capitale du Poitou en 1654.

Poitou, anc. prov. française, correspondant aux dép. des Deux-Sèvres, de la Vendée et de la Vienne. La région, peuplée par les Pictaves, fut soumise par les Romains (56 av. J.-C.). Envahie par les Wisigoths (Ve s.), elle passa sous la domination franque après la bataille de Vouillé (507), puis forma le noyau du duché d'Aquitaine (IXe s.) qui, par le mariage d'Aliénor d'Aquitaine avec Henri II Plantagenêt, échut aux Anglais au XIIe s. Confisqué par Philippe Auguste, le Poitou, rattaché à la Couronne en 1271, fut ravagé lors de la guerre de Cent Ans; disputé entre la France et l'Angleterre (V. Poitiers), il fut définitivement réuni à la Couronne par le dauphin Charles, devenu comte de Poitiers en 1417.

Poitou-Charentes, Région admin. française et rég. de la C.E., formée des dép. de la Charente, de la Charente-Maritime, des Deux-Sèvres et de la Vienne; 25 822 km^2; 1 637 625 hab.; cap. *Poitiers.*

Géogr. phys. et hum. - Largement ouverte sur l'Atlantique par un littoral où alternent marais maritimes et promontoires calcaires (prolongés au large par l'île de Ré et l'île d'Oléron), la Région est réputée pour la douceur de son climat. Les altitudes sont modestes, plaines et bas plateaux ne se redressant qu'aux abords du Massif central (Confolentais) et du Massif armoricain (Gâtine vendéenne). La croissance démographique modeste profite surtout aux zones littorales et à la région de Poitiers; Charentes et Deux-Sèvres ont un solde migratoire négatif. L'armature urbaine est lâche et les campagnes abritent encore près de 50 % des hab.

Écon. - L'agriculture régionale repose sur trois grandes spécialités : le vignoble de Cognac, mondialement réputé, qui couvre près de 100 000 ha et exporte les 4/5 de sa production, l'élevage laitier de la Charente-Maritime mais aussi ovin et caprin du Haut-Poitou et la prod. de viande bovine du Confolentais, et enfin les céréales. La mer fournit d'abondantes ressources : pêche à La Rochelle et dans les îles, huîtres et moules des

région de **Poitiers** : le Futuroscope, parc futuriste, créé en 1987 (à Jaunay Clan)

parcs de Marennes-Oléron (50 % de la prod. française de coquillages), et donne lieu à un tourisme très actif (Royan, Saint-Georges-de-Didonne, Oléron, Ré). Demeurée longtemps sous-industrialisée, la Région a progressivement comblé son retard, grâce en particulier à la décentralisation des années 50-60 : automobile, machinisme agricole, matières plastiques, constructions électriques, alors que des branches traditionnelles comme le bois, l'habillement, la réparation navale connaissaient de sérieuses difficultés. Aujourd'hui, Poitou-Charentes mise sur sa bonne position, au cœur des axes d'échanges de la façade atlantique de la C.É.E. et développe les activités de haute technologie (Futuroscope de Poitiers).

poitrail n. m. **1.** Anc. Harnachement fixé sur la poitrine du cheval. **2.** Partie antérieure du corps des équidés, entre les épaules et la base du cou. **3.** TECH Pièce de bois ou de fer formant linteau au-dessus d'une grande baie.

poitrinaire adj. et n. Vieilli Tuberculeux.

poitrine n. f. **1.** Partie du tronc qui contient les poumons et le cœur. *Gonfler la poitrine.* – *Voix de poitrine* : voix au son plein (par oppos. à *voix de tête*). **2.** Devant du thorax. **3.** Partie antérieure des côtes d'un animal de boucherie, avec la chair qui y adhère. **4.** Seins de la femme.

poivrade n. f. **1.** Sauce au poivre déglacée au vin et au vinaigre. **2.** Petit artichaut violet pouvant se manger cru à la croque au sel.

poivre n. m. **1.** Fruit du poivrier; épice de saveur piquante faite de ce fruit séché. *Poivre en grains. Moulin à poivre.* – *Poivre noir* (ou *gris*), formé des graines et de leur enveloppe. – *Poivre blanc,* dont les grains sont décortiqués. *Poivre vert,* qui n'est pas arrivé à maturité. ▷ Fig. *Cheveux poivre et sel,* grisonnants. **2.** Nom courant de diverses plantes dont les graines, utilisées comme épices, ont un goût proche de celui du poivre. *Poivre de Cayenne.*

poivré, ée adj. Assaisonné avec du poivre. ▷ Par ext. *Parfum poivré.*

poivrer 1. v. tr. [1] Assaisonner avec du poivre. **2.** v. pron. Fam. S'enivrer.

poivrier n. m. **1.** Arbrisseau grimpant (fam. pipéracées) originaire de l'Inde, cultivé dans toutes les régions tropicales, et qui donne le poivre. **2.** Petit récipient où l'on met le poivre, ou qui sert à moudre le poivre. Syn. poivrière.

poivrière n. f. **1.** Boîte où l'on met les épices. ▷ *Spécial.* Ustensile de table pour le poivre, à bouchon perforé. Syn. poivrier. **2.** Plantation de poivriers. **3.** ARCHI Guérite à toit conique située en surplomb à l'angle d'un bastion. *Tour en poivrière,* surmontée d'une toiture en forme de cône.

poivron n. m. Fruit du piment doux, vert, jaune ou rouge, qui se consomme cru ou cuit.

poivrot, ote n. Pop. Ivrogne.

poix [pwa] n. f. Matière résineuse ou bitumineuse provenant d'une distillation, de consistance visqueuse.

poker [pɔkɛʀ] n. m. **1.** Jeu de cartes d'origine américaine. ▷ Réunion de quatre cartes de même valeur, à ce jeu. *Poker de rois.* Syn. carré. ▷ Partie de poker. ▷ Loc. fig. *Coup de poker :* action audacieuse où entre une large part de bluff. **2.** *Poker d'as :* jeu de dés inspiré du poker dans lequel on utilise cinq dés spéciaux dont les faces portent, au lieu des points habituels, les figures des jeux de cartes.

Pokrovsk (*Engels* de 1931 à 1991), v. de Russie, sur la Volga, face à Saratov; 177 000 hab. Industr. textiles. – La ville fut, de 1924 à 1941, la cap. de la rép. autonome des Allemands de la Volga.

Pola. V. Pula.

Polabí, plaine limoneuse de la Rép. tchèque (Bohême), drainée par la *Labe* (qui prend le nom d'*Elbe* en Allemagne); riche région agricole (céréales, betterave à sucre, pommes de terre), où l'industrie s'est fortement développée depuis le XIXe s.

polaire adj. et n. f. **1.** Relatif aux pôles, qui est près des pôles. *Régions, terres polaires.* ▷ *L'étoile polaire* ou, n. f., *la Polaire :* l'étoile de la Petite Ourse qui indique le pôle Nord. **2.** Qui caractérise les régions voisines des pôles. *Glaces polaires.* – Par ext. *Froid polaire,* glacial. **3.** GEOM Relatif aux pôles d'une sphère, d'un cercle. *Coordonnées polaires.* ▷ n. f. *Polaire d'un point P par rapport à un cercle :* droite qui relie les points de contact des deux tangentes menées par P au cercle. **4.** n. f. AVIAT *Polaire d'une aile :* courbe qui représente la portance en fonction de la traînée pour une incidence donnée. **5.** CHIM *Molécule polaire,* dans laquelle le barycentre des charges positives ne coïncide pas avec le barycentre des charges négatives. – *Solvant polaire,* dont les molécules sont polaires. (Les composés ioniques sont solubles dans les solvants polaires, comme l'eau.) **6.** ELECTR Relatif aux pôles d'un aimant, d'un circuit électrique. **7.** *Laine polaire :* fibre synthétique isolante et légère, obtenue par le recyclage de contenants en plastique. – n. f. *Veste en polaire.*

Polanski (Raymond, dit Roman) (Paris, 1933), cinéaste et comédien français d'origine polonaise. Ses films, d'une grande maîtrise technique, déploient dérision et humour : *Cul de sac* (1965), *le Bal des vampires* (1967), *Rosemary's Baby* (1968), *Chinatown* (1974), *Tess* (1979), *Pirates* (1986).

Polanyi (John Charles) (Berlin, 1929), chimiste canadien d'orig. hongroise. Spécialiste de la chimie moléculaire, il a mis au point un appareil à rayons laser utilisé en industrie et en médecine. P. Nobel de chimie 1986.

tige feuillée du **poivrier** *ou poivre noir,* avec fruits immatures

Roman **Polanski :** *le Bal des vampires,* 1967

polaque n. m. **1.** HIST Cavalier polonais, mercenaire enrôlé dans les armées françaises au XVIIIe s. **2.** Pop., péjor. Polonais.

polar n. m. Fam. Roman, film policier.

polard, arde adj. et n. Fam. Qui est obsédé par un seul problème, une unique spécialité.

Polaris, type de missiles balistiques intercontinentaux américains.

polarisant, ante ou **polarisateur, trice** adj. PHYS Qui provoque la polarisation.

polarisation n. f. **1.** PHYS Phénomène par lequel les vibrations lumineuses s'orientent dans un plan. (V. encycl.) **2.** ELECTR Phénomène dû à une accumulation d'ions, à un dégagement d'hydrogène ou à la formation d'une pellicule résistante sur les électrodes d'une pile et qui se traduit par une augmentation de la résistance interne et une diminution du courant débité. **3.** Fig. Action de polariser; fait de se polariser (sens 2).

ENCYCL **Phys.** – Toute lumière réfléchie est partiellement ou totalement polarisée, c.-à-d. que les vecteurs qui représentent la vibration des rayons lumineux sont contenus dans un plan, appelé *plan de polarisation,* perpendiculaire à la direction de propagation. Diverses substances ont la propriété de ne transmettre les vibrations que dans un plan de polarisation déterminé.

polarisé, ée adj. ELECTR, PHYS Qui a subi la polarisation.

polariser v. tr. [1] **1.** ELECTR Provoquer la polarisation (d'un appareil, d'un dispositif). – v. pron. *Pile qui se polarise,* qui subit la polarisation. ▷ PHYS Donner la propriété de polarisation (aux rayons lumineux). **2.** Fig. Orienter vers soi, attirer à soi. *Cette personnalité fascinante polarisait l'intérêt de toute l'assemblée.* ▷ v.

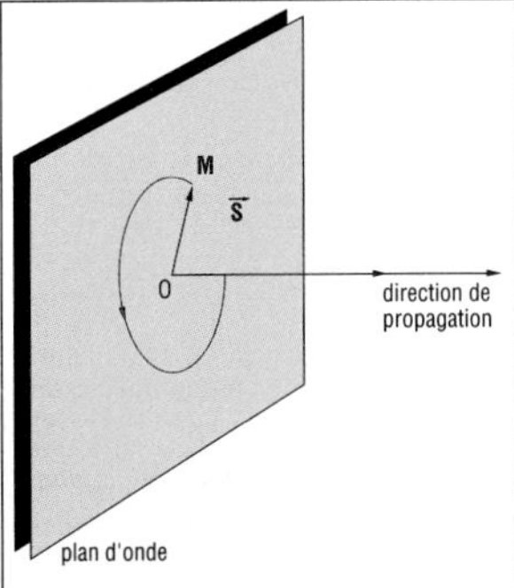

une onde transversale (caractérisée par une grandeur vectorielle $\vec{s}$) est polarisée si, pendant une période, l'extrémité M de $\vec{OM}=\vec{s}$ décrit une courbe déterminée

polarisation

pron. Fam. Se fixer, se concentrer. *L'attention se polarisa sur cet événement.*

polariseur n. m. PHYS Appareil qui polarise la lumière.

polarité n. f. MATH, PHYS État d'un corps, d'un système dans lequel on peut distinguer deux pôles opposés.

polaroid [pɔlaʀɔid] n. m. (Nom déposé.) PHYS Polariseur constitué d'une lame transparente. ▷ Cour. Appareil photographique à développement instantané.

polatouche n. m. Écureuil gris de Russie possédant entre les membres antérieurs et postérieurs une membrane qui lui permet de planer sur de courtes distances. Syn. écureuil volant.

polder [pɔldɛʀ] n. m. GEOGR Terre située au-dessous du niveau de la mer, endiguée et asséchée de manière à permettre sa mise en valeur.

poldérisation n. f. GEOGR Action de poldériser; son résultat.

poldériser v. tr. [1] GEOGR Transformer en polder (un terrain, une région).

-pole, -polite. Éléments, du gr. *polis*, « ville ».

pôle n. m. **1.** ASTRO Chacun des points où l'axe imaginaire de rotation de la Terre rencontre la sphère céleste. *Pôle boréal, austral.* ▷ *Pôles de l'écliptique :* points où une perpendiculaire au plan de l'écliptique coupe la sphère céleste. **2.** GEOGR et cour. Chacune des extrémités de l'axe de rotation de la Terre sur elle-même. *Pôle Nord, pôle Sud.* ▷ Région de la Terre située près d'un pôle et limitée par le cercle polaire. *Calotte glaciaire du pôle boréal.* **3.** Fig. *Les deux pôles :* les deux extrêmes. **4.** Fig. Point qui attire l'attention, l'intérêt. *Pôle d'attraction.* **5.** GEOM Point qui sert à définir des coordonnées polaires. **6.** ELECTR Chacune des bornes d'un circuit électrique. *Pôles d'une pile.* ▷ *Pôles d'une barre aimantée,* ses extrémités qui s'orientent, l'une vers le pôle Nord (magnétique), l'autre vers le pôle Sud de la Terre. **7.** GEOGR *Pôles magnétiques :* points du globe où l'inclinaison magnétique est de 90°.

polémique adj. et n. f. **1.** adj. Qui appartient à la dispute, à la polémique; qui incite à la dispute, à la discussion par son ton agressif. **2.** n. f. Querelle, débat par écrit.

polémiquer v. intr. [1] Engager une polémique; faire de la polémique.

polémiste n. Personne (spécial. journaliste) qui a l'habitude de la polémique, qui aime polémiquer.

polémologie n. f. Didac. Étude scientifique de la guerre considérée comme phénomène social.

polenta [pɔlɛnta] n. f. **1.** Bouillie de farine de maïs, en Italie. **2.** Bouillie de farine de châtaignes, en Corse.

pole position [polpozisjɔ̃] n. f. (Anglicisme) **1.** SPORT Dans une course automobile, meilleure place sur la grille de départ accordée au véhicule qui a réalisé les meilleurs temps aux essais. Syn. (off. recommandé) position de tête. **2.** Fig. Meilleure place dans une compétition quelconque. *Des pole positions.*

Polésie, plaine marécageuse, drainée par le Pripet, aux confins de la Pologne, de la Biélorussie et de l'Ukraine.

Polevoï (Boris Nicolaïevitch Kampov, dit Boris) (Moscou, 1908 – id., 1981), écrivain soviétique. Il observe la vie contemporaine et l'artiste en conflit avec la société : *Un homme véritable* (roman, 1946).

1. poli, ie adj. **1.** Qui respecte les règles de la politesse. *Un homme poli.* **2.** Qui exprime la politesse. *Un ton poli.*

2. poli, ie adj. et n. m. **1.** adj. Lisse et luisant. *Galets polis.* **2.** n. m. Lustre, éclat (d'une chose que l'on a polie). *Donner du poli à un meuble.*

Poliakoff (Serge) (Moscou, 1906 – Paris, 1969), peintre français d'origine russe; une des figures marquantes de la peinture abstraite.

Poliakov (Léon) (Saint-Pétersbourg, 1910 – Paris, 1997), historien français d'origine russe : *Histoire de l'antisémitisme* (4 vol., 1955-1978). Il s'est livré à une analyse sociologique approfondie du phénomène raciste (*le Mythe aryen,* 1971; *la Causalité diabolique,* 1980).

1. police n. f. **1.** Maintien de l'ordre public et de la sécurité des citoyens dans un groupe social. ▷ DR *Peine de police :* contravention. *Tribunal de police,* qui juge les contraventions. ▷ *Salle de police,* où l'on consigne les soldats ayant commis des fautes légères, dans l'armée. **2.** Administration, ensemble des agents de la force publique chargés du maintien de l'ordre et de la répression des infractions. *Agent, officier de police. Police judiciaire (P.J.) :* service de police chargé de « constater les infractions à la loi pénale, [d']en rassembler les preuves et [d']en rechercher les auteurs » (Code de procédure pénale). **3.** *Par ext.* Organisme privé chargé d'une mission de surveillance.

2. police n. f. **1.** DR Document fixant les conditions générales d'un contrat d'assurance. **2.** IMPRIM Liste de tous les caractères d'imprimerie qui constituent un assortiment. ▷ Ensemble de ces caractères.

policé, ée adj. Litt. Dont les mœurs sont adoucies; civilisé.

policeman [pɔlisman], plur. **policemen** [pɔlismɛn] n. m. Agent de police, en Grande-Bretagne, aux États-Unis.

policer v. tr. [12] Litt. Civiliser, adoucir les mœurs (d'un pays).

polichinelle n. m. **1.** (Avec une majuscule.) Personnage balourd des farces italiennes. **2.** (Avec une majuscule.) Personnage bossu, aux vêtements grotesques, du théâtre de marionnettes. – *Secret de Polichinelle :* chose que l'on croit secrète mais qui est connue de tous. ▷ (Avec une minuscule.) Jouet, marionnette qui représente Polichinelle. – Vulg. *Avoir un polichinelle dans le tiroir :* être enceinte. **3.** (Avec une minuscule.) Fig. Personnage ridicule, grotesque; personne sans caractère, aux opinions changeantes. *Mener une vie de polichinelle,* une vie déréglée.

policier, ère adj. et n. m. **I.** adj. **1.** Relatif à la police (1, sens 2); qui appartient à la police. ▷ *État policier,* où la police est l'outil principal du pouvoir. **2.** *Roman, pièce, film policiers,* qui mettent en scène principalement des personnages de policiers, de détectives, en lutte contre des gangsters ou des criminels. ▷ n. m. Fam. *Un policier :* un roman, un film policier. **II.** n. Personne qui appartient à la police. ▷ Membre d'une police privée.

ENCYCL **Litt.** – On attribue la paternité du roman policier à Edgar Poe. En France, on peut citer parmi ceux qui assurèrent le succès du genre : É. Gaboriau (princ. héros : Lecoq), G. Leroux (Rouletabille et Chéri-Bibi), M. Leblanc (Arsène Lupin); en Angleterre, Conan Doyle (Sherlock Holmes). Après 1918, le genre est illustre par deux Anglaises : Agatha Christie (Hercule Poirot) et Dorothy Sayers, et par deux Américains : E. Queen et J. Dickson Carr. Aujourd'hui, on tend à délaisser l'énigme au profit d'une peinture âpre, tragique, violente de la société. Citons, parmi d'autres, les Anglo-Saxons : Peter Cheyney, J. Hadley Chase, Carter Brown, Chester Himes, D. Hammett, R. Chandler, H. MacCoy, P. Highsmith; les Belges : S.A. Steeman et G. Simenon; les Français : Boileau-Narcejac, F. Dard, S. Japrisot, J.-P. Manchette, G. de Villiers. Le roman d'espionnage est largement représenté : I. Fleming, J. Le Carré notam.

policlinique n. f. Établissement où les malades reçoivent des soins, mais ne sont pas hospitalisés, et où l'on dispense un enseignement médical. (Ne pas confondre avec *polyclinique.*)

Polidoro da Caravaggio (Polidoro Caldara, dit) [en fr. *Polydore de Caravage*] (Caravaggio, v. 1495 – Messine, 1546), peintre italien, élève de Raphaël; connu pour ses fresques en clair-obscur.

Polignac (Jules Auguste Armand Marie de) (Versailles, 1780 – Paris, 1847), homme politique ultraroyaliste; ministre des Affaires étrangères et président du Conseil (1829), il décida l'expédition d'Alger et rédigea les ordonnances de juillet 1830, qui provoquèrent la révolution.

Poligny, ch.-l. de cant. du Jura (arr. de Lons-le-Saunier) sur l'*Orain*; 5 234 hab. Vignobles, fromages, sel gemme. – Égl. gothique St-Hippolyte (XVe s.). Hôtel-Dieu (XVIIe s.). Hôtel de ville (XVIIIe s.).

poliment adv. D'une manière polie.

polio n. Abrév. de *poliomyélite,* ou de *poliomyélitique.*

poliomyélite [pɔljɔmjelit] n. f. Maladie infectieuse aiguë, due à un virus neurotrope qui, lésant les cornes antérieures motrices de la moelle, provoque des paralysies locales parfois mortelles et des atrophies musculaires souvent irréversibles. (Abrév. : polio).

poliomyélitique adj. et n. Qui a rapport à la poliomyélite; atteint de poliomyélite. ▷ Subst. *Un(e) poliomyélitique.* (Abrév. : polio).

polir v. tr. [3] **1.** Rendre lisse et luisant à force de frotter. *Polir le marbre.* ▷ v. pron. *Bois qui s'est poli avec le temps, l'usage.* – Fig. S'adoucir, s'affiner. **2.** Litt. Corriger avec soin, parfaire (un discours, un écrit, etc.).

Polisario (Front), abréviation de *Front populaire pour la libération de Saguia el-Hamra et Río de Oro,* mouvement de libération du peuple sahraoui (créé en 1973). Il lutte pour l'indépendance du Sahara* occidental, colonie espagnole jusqu'en fév. 1976, que se partagent alors le Maroc et la Mauritanie et qui sera occupé tout entier par le Maroc à partir d'août 1979.

polissable adj. Qui est susceptible d'être poli.

polissage n. m. Opération qui consiste à donner un poli, un brillant poussé. *Polissage du verre.*

polisseur, euse n. Ouvrier, ouvrière qui polit les glaces, les métaux, etc.

polissoir n. m. Instrument, machine servant à polir.

polissoire n. f. Brosse douce pour faire briller les chaussures.

polisson, onne n. et adj. **1.** Fam. Enfant dissipé, espiègle. ▷ adj. *Un écolier polisson.* **2.** Personne portée à la licence, libertin. ▷ adj. Égrillard, licencieux. *Chanson polissonne.*

polissonner v. intr. [1] Se comporter en polisson.

polissonnerie n. f. **1.** Vieilli Acte, propos polisson (sens 2). **2.** Parole, tour d'un enfant polisson.

Politburo, bureau politique du Comité central du parti communiste de l'U.R.S.S., créé en oct. 1917.

-polite. V. -pole.

politesse n. f. **1.** Ensemble des règles, des usages qui déterminent le comportement dans un groupe social, et qu'il convient de respecter. ▷ Observance de ces règles. *La politesse orientale. Manquer de politesse.* **2.** Acte, comportement conforme à ces usages.

politicard, arde n. m. et adj. Fam., péjor. Politicien douteux. ▷ adj. *Une magouille politicarde.*

politicien, enne n. et adj. Personne qui s'occupe de politique. *Un jeune politicien plein d'avenir.* ▷ adj. *Arguments politiciens.* – Péjor. *La politique politicienne.*

Politien (Angelo Ambrogini, dit *il Poliziano,* nommé en France Ange) (Montepulciano, 1454 – Florence, 1494), poète et humaniste italien; précepteur des fils de Laurent de Médicis, auteur en toscan des *Stances pour le tournoi* (1478) et de la *Fable d'Orphée* (1480).

politique adj. et n. **I.** adj. **1.** Relatif au gouvernement d'un État. *Institutions politiques.* ▷ Relatif aux relations mutuelles des divers États. *Frontières politiques.* **2.** Qui a rapport aux affaires publiques d'un État. *Homme politique. Milieu, monde politique.* **3.** Relatif à une manière de gouverner, à une théorie de l'organisation d'un État. *Parti politique. Doctrines, opinions politiques.* **4.** Qui montre une prudence calculée. *Une conduite très politique.* **II.** n. f. **1.** Science ou art de gouverner un État; conduite des affaires publiques. *Traité de politique. Faire de la politique.* **2.** Ensemble des affaires publiques d'un État, des événements les concernant et des luttes des partis. **3.** Manière de gouverner. *Politique sage, prévoyante. Politique de gauche, de droite.* – *Par ext.* Manière de mener une affaire. *Adopter une politique et s'y tenir.* **4.** Fig. Conduite calculée pour atteindre un but précis. *Il s'est incliné par pure politique.* **III.** n. m. **1.** Personne qui s'applique à la connaissance des affaires publiques, du gouvernement des États. *Talleyrand fut un grand politique.* **2.** (Rare au fém.) Fig. Personne habile, avisée. *Un fin politique.* **3.** n. Homme ou femme politique. **4.** n. Prisonnier, prisonnière politique.

politique-fiction n. f. Fiction reposant sur l'évolution imaginaire d'une situation politique actuelle.

politiquement adv. **1.** Du point de vue politique. ▷ *Politiquement correct :* qui prétend défendre les minorités victimes d'une discrimination en bannissant du langage tout ce qui serait susceptible de les offenser. **2.** Fig. D'une manière fine, adroite.

politiquer v. intr. [1] Vx, fam. Discourir sur les affaires publiques.

Polítis (Nikolaos) (Corfou, 1872 – Cannes, 1942), homme politique grec; président de la S.D.N. (1932) et de l'Institut de droit international (1937).

politisation n. f. Action de politiser; résultat de cette action.

politiser v. tr. [1] **1.** Donner un caractère politique à. **2.** Donner une conscience politique à. – Pp. adj. *Jeunesse politisée.*

politologie n. f. Didac. Observation, étude des faits politiques.

politologue n. Didac. Spécialiste de politologie.

Politzer (Georges) (Nagyvárad, auj. Oradea, Roumanie, 1903 – mont Valérien, 1942), philosophe français d'origine hongroise. Antibergsonien (*le Bergsonisme, une mystification philosophique,* posth., 1947), marxiste (*Principes élémentaires de philosophie,* posth., 1948); il fut fusillé par les Allemands.

poljé n. m. GEOL Vaste dépression karstique, dont le fond, tapissé d'argile de décalcification, est souvent bordé d'escarpements.

Polk (James Knox) (en Caroline du Nord, 1795 – Nashville, Tennessee, 1849), onzième président des É.-U. (1845-1849).

polka n. f. Ancienne danse, d'origine polonaise, à deux temps, d'un rythme vif et enlevé. – Air sur lequel elle se dansait.

Pollack (Sydney) (South Bend, Indiana, 1934), cinéaste américain. Touchant à tous les genres (western, film de guerre, suspense, cinéma social, etc.), il s'est affirmé comme le réalisateur le plus lyrique de sa génération : *On achève bien les chevaux* (1969), *Jeremiah Johnson* (1972), *Tootsie* (1983), *Out of Africa* (1985).

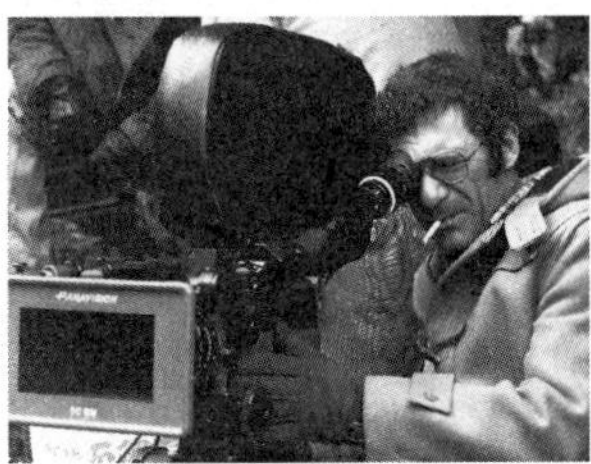

Sydney **Pollack,** sur le tournage de son film *Yacusa,* en 1974

Pollaiolo ou **Pollaiuolo** (Antonio Benci, dit Antonio del) (Florence, v. 1432 – Rome, 1498), peintre, graveur, sculpteur et orfèvre italien remarquable par sa connaissance de l'anatomie : tombeaux de Sixte IV et Innocent VIII (St-Pierre de Rome).

pollakiurie [pɔlakiyʀi] n. f. MED Fréquence exagérée de mictions peu abondantes. (Ne pas confondre avec *polyurie.*)

pollen [pɔlɛn] n. m. Poussière colorée, le plus souvent jaune, élaborée dans l'anthère des végétaux phanérogames et dont les grains renferment les noyaux mâles fécondants.

Pollini (Maurizio) (Milan, 1942), pianiste italien, interprète de renommée internationale. Son répertoire, particulièrement varié, s'étend de Bach à Pierre Boulez et Luigi Nono, en passant par Chopin, Bartók et Schönberg.

pollinifère adj. Qui porte du pollen.

pollinique adj. BOT Relatif au pollen.

Pollaiolo : *Portrait de femme,* galerie des Offices, Florence

pollinisation n. f. BOT Transport du pollen depuis l'étamine jusqu'au stigmate de l'ovaire.

Pollock (Jackson) (Cody, Wyoming, 1912 – East Hampton, Long Island, 1956), peintre américain; chef de file du mouvement pictural Action* painting. Il inventa le *dripping,* procédé de projection de la peinture à l'aide d'instruments divers.

▶ illustr. **Action painting**

polluant, ante adj. et n. m. Qui pollue. *Civilisation polluante.* – n. m. *Un polluant.*

polluer v. tr. [1] Souiller, rendre malsain ou impropre à la vie. *Fumées qui polluent l'atmosphère.*

pollueur, euse adj. et n. Responsable de pollution (personne, industrie, groupe).

pollution n. f. Souillure, infection contribuant à la dégradation d'un milieu vivant. *Pollution atmosphérique. Pollution des eaux.* ▷ *Par ext.* Nuisance de natures diverses (bruit, notam.).

Pollux. V. Castor et Pollux.

polo n. m. **1.** SPORT Jeu opposant deux équipes de cavaliers, qui, chacun, à l'aide d'un long maillet, essaient de pousser une boule de bois dans le camp adverse. *Les Anglais pratiquèrent, les premiers, le polo dans l'empire des Indes.* **2.** Chemise en tricot à col rabattu.

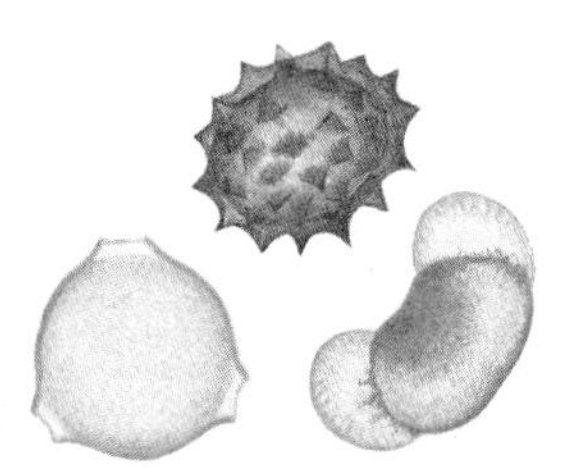

grains de **pollens :** marguerite-chrysanthème (en haut; couleur chimique); bouleau (en bas à g.); pin (en bas à dr.)

Polo (Marco) (Venise, 1254 - id., 1324), voyageur vénitien. Accompagnant son père, Niccolo, et son oncle, Matteo, commerçants, il accomplit une longue et périlleuse traversée de l'Asie par le Turkestan et le désert de Gobi (1271-1275). Arrivés à la cour de Koubilaï khān, empereur mongol de Chine, les Polo y demeurèrent seize ans, servant ce monarque qui confia à Marco de nombreuses missions, et le fit gouverneur de Yangzhou. Ils regagnèrent Venise, par Sumatra, en 1295. Emprisonné par les Génois (en guerre avec Venise), Marco dicta en 1298 ses souvenirs, *le Devisement du monde* (dit aussi *le Livre des merveilles du monde*).

Marco **Polo** recevant les tables d'or des mains de Koubilaï khān, enluminure du *Livre des merveilles du monde*, début du XVe s.; B.N.

polochon n. m. Fam. Traversin. *Bataille de polochons.*

Pologne (république de) *(Rzeczpospolita Polska)*, État d'Europe orient., sur la Baltique, frontalier de la Russie (région de Kaliningrad) et de la Lituanie au nord, de la Biélorussie et de l'Ukraine à l'est, de la Rép. tchèque et de la Slovaquie au sud et de l'Allemagne à l'ouest; 312 677 km²; 38 200 000 hab., croissance démographique : plus de 0,5 % par an. Cap. *Varsovie*. Langue off. : polonais. Monnaie : zloty. Relig. : cathol. (env. 95 % de Polonais sont baptisés et 78 % pratiquants).

Géogr. phys. et hum. - La Pologne, «plaine» au sens littéral, compte plus de 90 % de son territoire à moins de 200 m d'altitude. Ces bas pays, au climat semi-continental, ont été modelés par les glaciers quaternaires qui ont déterminé au N. (Poméranie et Mazurie) un paysage de collines morainiques et de lacs. Ils sont drainés par la Vistule et l'Odra (Oder), qui se jettent dans la Baltique, au littoral sableux et rectiligne, ouvert par les baies profondes de Szczecin et de Gdańsk. Des montagnes et leur piémont occupent les régions méridionales : Carpates au S.-E. (2 499 m dans les Hautes Tatras), massif de Bohême au S.-O. La population, assez jeune, groupée au centre et au S., est urbanisée à plus de 60 %.

Écon. - Pendant plus de quarante ans, l'économie polonaise, collectivisée et planifiée, a fonctionné selon un modèle socialiste, en gardant néanmoins des traits spécifiques, en particulier une agriculture familiale privée dominante (75 % des terres); membre du Comecon, dont elle était la seconde puissance après l'U.R.S.S., la Pologne réalisait les deux tiers de ses échanges avec les pays membres. Les bases économiques héritées de cette période révolue souffrent d'archaïsme et de faible productivité. L'agriculture, fondée sur les céréales (avec en tête le seigle), la pomme de terre, la betterave à sucre et l'élevage bovin et porcin, ne suffit pas aux besoins alimentaires de la population, même si la pêche constitue un complément important. L'industrie lourde, disposant d'abondantes ressources de charbon (la haute Silésie est le premier bassin producteur d'Europe), de cuivre, de plomb et de zinc, et des importations de fer et de pétrole soviétiques, souffre d'installations souvent vétustes alors que les industries de biens d'équipement et de consommation restent insuffisantes, en dépit des efforts de développement consentis depuis 1970. Enfin, les transports et les circuits de distribution déficients engendrent gaspillage et pénurie. Les réformes mises en œuvre en 1989 ont pris place sur fond de crise économique aiguë : baisse de la prod., appareil industriel et commercial désorganisé, surendettement. Appliqué avec vigueur et bénéficiant de l'aide du F.M.I., un plan d'assainissement a permis de réduire les déficits publics et de stabiliser la monnaie; il est complété, depuis juil. 1990, par un ambitieux programme de privatisations qui devrait toucher, en trois ans, 50 % de l'économie. La réorientation des échanges polonais vers les pays de l'Ouest, depuis 1989, devrait s'accélérer avec la dissolution du Comecon en 1991. La Pologne est membre de l'Accord de libre-échange d'Europe centrale, créé en 1993 avec la Hongrie, la Rép. tchèque et la Slovaquie.

Hist. - L'existence, sur le territoire de la Pologne, de tribus slaves est attestée aux Ve et VIe s. Un premier *État polane* (entre l'Oder, le Bug, la Baltique et les Carpates) se forma au Xe s. autour de Gniezno et de Poznań avec Mieszko Ier (v. 960-992), qui se convertit en 966 au christianisme et plaça la Pologne sous la protection pontificale. Son fils Boleslas Ier le Vaillant (992-1025), premier roi de Pologne de la dynastie des Piast, couronné en 1025, agrandit le territoire. Dès l'an 1000, la création d'un archevêché métropolitain assura l'autonomie de l'Église de Pologne. Mais, divisée entre les quatre fils de Boleslas III (m. en 1138), la Pologne souffrit des attaques et des annexions opérées par ses voisins (chevaliers Teutoniques, princes russiens) et des invasions mongoles. Ladislas Ier (1320-1333) réunifia le pays (moins la Silésie et la Poméranie, qui restèrent germaniques). La Pologne, accrue de la Galicie et de la Volhynie, connut une ère florissante sous le dernier des Piast, Casimir III le Grand (1333-1370). Son successeur, le roi de Hongrie Louis Ier d'Anjou, dut accorder des privilèges à la noblesse en échange de la reconnaissance du droit à la succession de sa fille Hedwige. Celle-ci régna conjointement avec son époux, le grand-prince de Lituanie Ladislas Jagellon, devenu Ladislas II, qui vainquit les chevaliers Teutoniques à Tannenberg (1410). Au XVe s. et surtout au XVIe s., la Pologne fut à l'apogée de sa puissance territoriale (union avec la Lituanie, 1569), politique et économique. Elle participa au renouveau culturel (Copernic), notam. sous Sigismond Auguste (1548-1572). Toutefois, l'étendue du pays, la puissance croissante de la noblesse qui aboutit au principe d'une monarchie élective, effectif à partir de 1573, contribuèrent à affaiblir la Pologne : la noblesse s'arrogea des droits régaliens en matière de législation et de juridiction. Le XVIIe s. fut une époque de luttes incessantes contre la Russie, la Suède, le Brandebourg et les Turcs. Dès 1648, les révoltes des Cosaques ruinèrent le pays qui, entre 1655 et 1667, dut céder d'import. territoires (la Livonie intérieure à la Suède; l'Ukraine, à l'E. du

Dniepr, à la Russie) et abandonner la suzeraineté sur le duché de Prusse. En revanche, les Turcs furent arrêtés devant Vienne par Jean Sobieski (1683). La vie intérieure polonaise demeurait entravée par le *liberum veto*, une pratique introduite en 1652 : les décisions de la diète, où siégeait la noblesse, devaient être prises à l'unanimité. Au XVIIIe s., les grandes puissances rivalisèrent pour placer chacune son candidat sur le trône et faire échouer toute tentative de réforme. La Russie s'imposa et tint en sujétion le pays, qui subit un premier partage en 1772 (Russie, Prusse, Autriche), sous Stanislas II Poniatowski (1764-1795), après l'échec de l'insurrection des patriotes (Confédération de Bar), laquelle tenta, de 1768 à 1772, de s'opposer aux diktats prussorusses. Un deuxième partage eut lieu en 1793, puis un troisième, après l'insurrection de Kościuszko, en 1795 : le royaume de Pologne disparut. À partir du duché de Varsovie, Napoléon Ier rétablit une entité polit. polonaise, mais sans en proclamer l'indépendance (1807-1814). Le congrès de Vienne fut l'occasion d'un nouveau partage, dans lequel la Russie eut la plus grosse part (1815); elle constitua la Pologne centrale en royaume autonome. Mais l'oppression tsariste et l'irréductibilité des Polonais provoquèrent le soulèvement de 1830-1831; celui-ci fut noyé dans le sang, et les libertés furent supprimées. Le régime russe appliqua alors une politique d'assimilation qui exacerba le sentiment national, et qui se renforça après l'échec de la révolte de 1861-1863 où la révolte héroïque des «Faucheurs» fut sévèrement réprimée. La germanisation continua dans les terres prussiennes, mais l'Autriche tint compte, à partir de 1861, du particularisme polonais; l'instauration de la monarchie constitutionnelle en Autriche (1869) entraîna une large autonomie pour les Polonais de Galicie. Envahie par l'Allemagne en 1914, la Pologne ressuscita en 1918. Elle fut aussitôt confrontée à de difficiles problèmes : celui des frontières (à l'E. notam.) déclencha la guerre polono-soviétique, conclue par le traité de Riga (1921) au bénéfice de la Pologne; celui du règlement des territoires enlevés à l'Allemagne et dont certains furent l'objet de plébiscites âprement disputés (haute Silésie notam.). La Constitution démocratique de 1921 ne put résister aux crises, économique notam., qui amenèrent la dictature de Piłsudski (1926-1935), puis celle des militaires (1935-1939). Alliée avec la France et l'Angleterre, la Pologne prit des garanties auprès de l'Allemagne (traité de non-agression en 1934), et participa au dépeçage de la Tchécoslovaquie en annexant Teschen (sept. 1938). Les revendications d'Hitler (Dantzig restée ville libre, passage à travers le «corridor» polonais pour relier l'Allemagne à la Prusse orient.) ramenèrent tardivement les dirigeants polonais vers l'alliance franco-anglaise. Attaquée le 1er sept. 1939 par l'armée allemande, puis par l'armée soviétique le 17, la Pologne disparut, partagée entre les vainqueurs. De juillet 1941 à l'automne 1944, toute la Pologne fut soumise à l'Allemagne et connut alors de terribles souffrances : 6 millions de Polonais, dont 3 millions de juifs, moururent; Varsovie fut rasée après l'insurrection de l'été 1944. En 1945, le pays fut «déplacé» de 300 km vers l'ouest, échangeant 170 000 km^2, cédés à l'U.R.S.S., contre un territoire d'un peu plus de 100 000 km^2, d'où les Allemands furent expulsés (frontière Oder-Neisse*). Sous la pression soviétique, un gouvernement procommuniste prit le pouvoir dès 1945. En 1947, la Pologne devint une démocratie populaire, dominée par le Parti ouvrier unifié (POUP; communistes et socialistes ralliés), alignant sa politique sur celle de l'U.R.S.S. Le mécontentement dû aux difficultés matérielles qu'entraînait l'industrialisation à outrance et l'influence de la déstalinisation menée par Khrouchtchev menèrent à une crise politique, l'«octobre polonais» (1956), dénouée par l'arrivée au pouvoir de W. Gomułka. Mais en déc. 1970 des manifestations ouvrières, durement réprimées, provoquèrent la chute de Gomułka. Son successeur, E. Gierek, tenta une politique d'expansion industrielle accélérée et noua des relations avec l'Occident. Mais la situation se dégrada à nouveau à partir de 1976 et aboutit à un vaste mouvement de grèves en 1980. En sept. 1980, Gierek fut remplacé à la tête du parti par S. Kania; puis les syndicats libres Solidarność, animés par Lech Wałęsa, furent autorisés. Les revendications populaires, l'influence du clergé, renforcée par l'élection du pape polonais Jean-Paul II (1978), et la méfiance du puissant allié soviétique plaçaient les dirigeants polonais dans une situation difficile. En oct. 1981, le général Jaruzelski devint chef du parti et chef du gouvernement, et l'«état de guerre» fut proclamé peu après, le 13 déc. : les syndicats Solidarność furent suspendus, leurs chefs arrêtés, des milliers de personnes emprisonnées. Des grèves éclatèrent aussitôt, durement réprimées. La répression, la pénurie et la désorganisation du mouvement syndical découragèrent la population, ce qui permit au pouvoir d'instaurer assez rapidement la «normalisation»; L. Wałęsa fut libéré en nov. 1982, l'état de guerre suspendu en juillet 1983, mais la situation écon. ne cessa de se détériorer. En 1988, le gouvernement fut contraint de négocier avec L. Wałęsa et Solidarność la fin des grèves qui paralysaient le pays. En échange, le syndicat obtint des élections (juin 1989), au terme desquelles T. Mazowiecki, membre de la direction de Solidarność, forma un gouv. de coalition avec les communistes du POUP (scindé en deux partis sociaux-démocrates en 1990). En 1990, L. Wałęsa remporta l'élection présidentielle. Le gouv. formé en janv. 1991 par J. K. Bielecki n'a pu combattre la récession due à une libéralisation hâtive de l'économie. Les législatives de 1991 ont porté à la Diète une trentaine de partis et plusieurs gouv. sans majorité parlementaire se sont succédé. Les législatives de sept. 1993 voient la victoire des partis de gauche ex-communistes avec, comme Premier ministre, Waldemar Pawlak, chef du Parti paysan polonais (P.S.L.), puis Josef Oleksy en mars 1995. Alexandre Kwasniewski, artisan de la conversion du parti communiste à la social-démocratie, est élu à la présidence de la Rép. en nov. En fév. 1996, Wlodzimierz Cimoszewicz, social-démocrate, forme un nouveau gouvernement. Mais une coalition de droite remporte les législatives de sept. 97 : Jerzy Buzek devient Premier ministre. En janv. 1998, un concordat est signé avec le Vatican.

polonais, aise adj. et n. **1.** De Pologne. **2.** n. m. *Le polonais :* la langue slave parlée en Pologne.

polonaise n. f. Danse nationale de Pologne. – Air à trois temps sur lequel on exécute cette danse.

Polonceau (Antoine Rémy) (Reims, 1778 – Roche, Doubs, 1847), ingénieur français. Il introduisit en France le macadam et l'usage du rouleau compresseur. Il construisit la route du Simplon (1801) et celle du Lautaret (1808).

polonium [pɔlɔnjɔm] n. m. CHIM Élément radioactif de numéro atomique Z = 84 et de masse atomique 210 (symbole Po).

Polonnaruwa, v. de Sri Lanka; 5 900 hab.; ch.-l. du district du m. nom. – Cap. religieuse de l'île du VIIIe au XIIIe s. – Ruines du XIIe s.

Pol Pot (Saloth Sor ou Sar, connu sous le nom de) (prov. de Kompong Thom, 1928 – près d'Anlong Veng, 1998), homme politique cambodgien. Secrétaire général du parti communiste khmer en 1962, il combat le régime de Lon Nol (1970-1975) et, après la chute de celui-ci, devient Premier ministre. Principal responsable du génocide commis par son régime, il reprend le maquis en 1979.

Poltava, v. d'Ukraine, sur la *Vorskla*, affl. du Dniepr (r. g.); 302 000 hab.; ch.-l. de la rég. du m. nom. Import. marché agricole. Industr. du bois et textiles. – Pierre le Grand y vainquit le roi de Suède Charles XII (1709).

poltron, onne adj. et n. Qui manque de courage. Syn. lâche, peureux, couard.

poltronnerie n. f. Manque de courage, lâcheté.

Poltrot (Jean de), sieur de Méré (en Angoumois, v. 1537 – Paris, 1563), gentilhomme français qui, converti au protestantisme, assassina François de Guise au siège d'Orléans (1563).

poly-. Élément, du gr. *polus*, «nombreux».

poly n. m. Fam. Cours polycopié.

polyacide n. m. CHIM Corps possédant plusieurs fonctions acide.

polyacrylique adj. et n. m. CHIM *Résine polyacrylique :* résine thermoplastique obtenue à partir de l'acide acrylique (ex. : orlon, crylor, plexiglas).

polyalcool [pɔlialkɔl] ou **polyol** [pɔljɔl] n. m. CHIM Corps possédant plusieurs fonctions alcool.

polyamide n. m. CHIM Polymère obtenu par condensation de polyacides et de polyamines ou par polycondensation d'acides aminés (ex. : nylon).

polyamine n. f. CHIM Corps possédant plusieurs fonctions amine.

polyandre adj. **1.** Qui a plusieurs époux. **2.** BOT Qui a plusieurs étamines.

polyandrie n. f. **1.** Situation d'une femme mariée à plusieurs hommes. **2.** BOT Caractère d'un végétal polyandre.

polyarthrite n. f. MED Inflammation portant sur plusieurs articulations.

Polybe (Megalopolis, v. 200 – ?, entre 125 et 120 av. J.-C.), historien grec. Déporté comme otage à Rome, en 168, il se lia d'amitié avec Scipion Émilien, qu'il accompagna dans ses campagnes contre Carthage (146) et Numance (133). Ses *Histoires*, dont il nous reste plusieurs livres, sont une source inégalée sur l'histoire romaine et hellénistique entre 264 et 146 av. J.-C.

polycarbonate n. m. Matière plastique très utilisée dans l'industrie pour sa dureté, sa résistance, ses propriétés isolantes (emballages, disques compacts).

polycarpique adj. BOT *Plante polycarpique*, dont les fleurs possèdent de nombreux carpelles libres.

polycentrique adj. Didac. Qui a plusieurs centres.

polycentrisme n. m. Didac. Existence de plusieurs centres de pouvoir au sein d'une organisation.

polycéphale adj. Didac. Qui a plusieurs têtes. *Dragon polycéphale.*

polychètes [pɔlikɛt] n. m. pl. Classe de vers annélides au corps couvert de poils, qui vivent dans la mer ou les eaux saumâtres. – Sing. *Un polychète.*

polychlorure n. m. *Polychlorure de vinyle :* P.V.C.

polychrome [pɔlikʀom] adj. Peint de plusieurs couleurs. *Statue polychrome.*

polychromie n. f. **1.** État d'un objet polychrome. **2.** Peinture polychrome.

Polyclète (né à Sicyone, près de Corinthe, ou à Argos, v. 480 av. J.-C. – ?), sculpteur grec. Ses œuvres, connues seulement par des répliques (le *Doryphore,* le *Diadumène*), furent inspirées par la recherche de proportions idéales et chiffrées qu'il exposa dans un traité (aujourd'hui perdu), le *canon.*

polyclinique n. f. Clinique où l'on soigne diverses sortes de maladies. (Ne pas confondre avec *policlinique.*)

polycondensat n. m. CHIM Polymère obtenu après des réactions de polycondensation.

polycondensation n. f. CHIM Succession de réactions de condensation donnant naissance à une macromolécule.

polycopie n. f. **1.** Reproduction d'un document par décalque sur une pâte à la gélatine, ou au moyen d'un stencil. **2.** Chacun des exemplaires reproduits.

polycopié, ée adj. et n. m. Reproduit par polycopie. *Tract polycopié.* ▷ n. m. Document, cours polycopié.

polycopier v. tr. [2] Reproduire par polycopie.

Polycrate (m. à Magnésie du Méandre, 522 av. J.-C.), tyran de Samos de 533 à 522 av. J.-C., qui fit de sa patrie une puissance maritime. Pris par les Perses, il mourut crucifié.

polycristal n. m. CHIM Solide formé de plusieurs cristaux.

polycristallin, ine adj. CHIM Formé de plusieurs cristaux.

polyculture n. f. Pratique simultanée de plusieurs cultures dans une même exploitation agricole. *Région de polyculture.* Ant. monoculture.

polycyclique adj. **1.** CHIM *Composé polycyclique,* dont la formule développée contient plusieurs noyaux. **2.** ELECTR Qui concerne plusieurs phénomènes périodiques de fréquences différentes.

polydactyle adj. Didac. Qui a des doigts en surnombre.

polydipsie n. f. MED Soif excessive. Syn. anadipsie.

Polydore de Caravage. V. Polidoro da Caravaggio.

polyèdre n. m. et adj. GEOM Solide dont les faces sont des polygones. – *Polyèdre régulier,* dont les faces sont des polygones réguliers égaux. – *Polyèdre convexe,* dont l'une quelconque des faces, prolongée indéfiniment, laisse toute la figure du même côté. ▷ adj. *Angle polyèdre :* figure formée, dans un polyèdre, par les faces et les arêtes qui ont un sommet commun.

polyédrique adj. Qui a la forme d'un polyèdre.

polyembryonie n. f. BIOL Formation de plusieurs embryons à partir d'un même œuf.

polyester [pɔliɛstɛʀ] n. m. Polymère obtenu par condensation de polyacides et de polyalcools.

polyestérification n. f. CHIM Nom générique des réactions qui produisent des polyesters.

polyéthylène n. m. Matière plastique obtenue par polymérisation de l'éthylène, utilisée notam. pour fabriquer des récipients souples, des tuyaux et des feuilles pour l'emballage.

polygame adj. et n. **1.** Qui a plusieurs conjoints. ▷ Subst. *Un(e) polygame.* **2.** BOT Qui porte des fleurs hermaphrodites et des fleurs unisexuées.

polygamie n. f. **1.** État d'une personne polygame. **2.** BOT Qualité d'une plante polygame.

polygamique adj. Qui a rapport à la polygamie; où la polygamie est pratiquée. *Société polygamique.*

polygénique adj. **1.** Du polygénisme. **2.** MED Qui est dû à une anomalie de plusieurs gènes. *Pathologie polygénique.* **3.** Se dit d'un relief formé par des processus successifs.

polygénisme n. m. ANTHROP Théorie selon laquelle les différentes races humaines actuelles dériveraient de races distinctes à l'origine.

polyglobulie n. f. MED Augmentation du nombre des globules rouges.

polyglotte adj. et n. **1.** Écrit en plusieurs langues. *Dictionnaire polyglotte.* **2.** Qui connaît plusieurs langues. ▷ Subst. *Un(e) polyglotte.*

polygonacées n. f. pl. BOT Famille de plantes monocotylédones souvent herbacées, comprenant la renouée, le sarrasin, l'oseille, la rhubarbe, etc. – Sing. *Une polygonacée.*

polygonal, ale, aux adj. **1.** En forme de polygone. **2.** Dont la base est un polygone.

polygonation n. f. TECH Opération de topographie qui consiste à assimiler le contour d'un terrain à un polygone.

polygone n. m. **1.** Figure plane limitée par des segments de droite. *Polygone régulier,* dont les angles et les côtés sont égaux. *Polygone convexe, concave,* dont l'un quelconque des côtés, prolongé indéfiniment, laisse, ou non, toute la figure du même côté. **2.** PHYS *Polygone de forces :* construction géométrique qui permet de faire la somme des vecteurs qui représentent un système de forces. **3.** MILIT Lieu où les artilleurs s'exercent au tir. ► pl. géométrie

polygraphe n. (Souvent péjor.) Didac. Auteur qui écrit sur des sujets et dans des genres variés.

polyholoside n. m. BIOCHIM Syn. de *polyoside.*

polymère adj. et n. m. CHIM Se dit d'un composé provenant de la polymérisation des molécules d'un même composé, appelé *monomère.*

polymérie n. f. **1.** CHIM Propriété de deux corps possédant la même composition centésimale, mais dont l'un a une masse moléculaire 2, 3,... n fois plus grande que celle de l'autre corps. **2.** BIOL Intervention de plusieurs gènes dans la détermination d'un caractère héréditaire.

polymérisation n. f. CHIM Réaction chimique consistant en l'union de molécules d'un même composé (monomères) en une seule molécule plus grosse (macromolécule).

polymériser v. tr. [1] CHIM Effectuer la polymérisation de.

polymétallique adj. Qui comporte, contient plusieurs métaux. *Des nodules polymétalliques* (V. nodule).

polyméthacrylate n. m. CHIM *Polyméthacrylate de méthyle :* macromolécule obtenue par polymérisation du méthacrylate de méthyle et utilisée comme substitut du verre (fenêtres, murs antibruit).

Polymnie, dans la myth. gr., Muse de la Poésie lyrique.

polymorphe adj. **1.** CHIM Qui se présente sous plusieurs formes cristallines dont les propriétés physiques sont différentes. **2.** Qui peut prendre plusieurs formes.

polymorphisme n. m. **1.** Didac. Caractère de ce qui est polymorphe. **2.** CHIM Caractère des corps polymorphes. **3.** BIOL Caractéristique d'un organisme qui peut se présenter sous diverses formes sans changer de nature.

Polynésie, partie orientale de l'Océanie, comprenant les îles du Pacifique situées à l'E. de l'Australie, de la Micronésie et de la Mélanésie. Outre les possessions françaises (Polynésie française, territoire de Wallis-et-Futuna), anglaises (Pitcairn), américaines (Hawaii, Samoa orientales) et chiliennes (île de Pâques), elles comprennent les États indépendants suivants : la Nouvelle-Zélande, les Samoa (occidentales), Tuvalu, Nauru et Tonga. – À l'exception de la Nouvelle-Zélande (dont le climat est océanique tempéré), toutes les îles polynésiennes (le plus souvent d'origine volcanique et garnies d'anneaux de corail) ont un climat tropical océanique, plus ou moins humide selon le relief et l'exposition (côtes E. au vent, très humides, côtes O. sous le vent, plus sèches). Le peuplement y est homogène, sauf en Nouvelle-Zélande, mais le métissage tend à s'accentuer. – Le peuple polynésien est représenté par des individus de haute taille, de peau brunâtre ou olivâtre, et aux cheveux noirs et lisses; il n'y a eu de forts métissages qu'aux îles Hawaii. Leur origine est incertaine, leur installation récente (début de l'ère chrétienne). Au nombre d'env. 1,3 million d'hab., leur système social, autrefois très élaboré, a été altéré par la colonisation. ► carte **Océanie**

Polynésie française, territoire français d'outre-mer, appelé jusqu'en 1957 *Établissements français de l'Océanie.* Elle comprend l'archipel de la Société (Tahiti et ses dépendances), les Tuamotu et les Gambier, les Marquises, les îles Australes (ou Tubuaï) et l'îlot de Clipperton; 4 200 km^2 éparpillés sur 5 millions de km^2 d'océan; 189 000 hab. env.; ch.-l. *Papeete* (Tahiti). – Ces îles, sauf les Tuamotu uniquement coralliennes, sont d'origine volcanique et soumises à un climat tropical humide. La faiblesse des ressources agricoles (cocotiers, tubercules, canne à sucre, café) et de la pêche nécessite l'importation de prod. alimentaires. Le sous-sol est pauvre; les rares industries se concentrent à Papeete (constr. navales, sucreries) : le Centre d'expérimentation (nucléaire) du Pacifique y avait installé sa base arrière de 1946 à 1996. L'espoir d'un développement repose sur le tourisme. – Conduite par des marins anglais ou français (Bougainville, La Pérouse, etc.), l'exploration des îles polynésiennes fut la grande entreprise

maritime de la fin du XVIIIe s. La France établit progressivement son protectorat sur les îles de l'actuelle Polynésie française, christianisée par des missionnaires. Organisés par décret en 1885, les Établissements français de l'Océanie devinrent en 1946 un territoire français d'outre-mer, statut confirmé en 1958 par référendum, l'autonomie interne étant accordée au territoire en 1977 (Assemblée de 41 membres élus); la réforme de 1984 (modifiée en 1990 dans le sens d'un accroissement du pouvoir de l'exécutif) a renforcé l'autonomie du territoire vis-à-vis de la France. Ces îles ont servi de base aux Alliés contre le Japon pendant la Seconde Guerre mondiale.
► carte **Océanie**

polynésien, enne adj. et n. **1.** De Polynésie. ▷ Subst. *Un(e) Polynésien(ne).* **2.** n. m. LING Ensemble des langues austronésiennes parlées en Polynésie.

polynévrite n. f. MED Affection d'origine infectieuse ou toxique qui touche de façon bilatérale et symétrique plusieurs nerfs périphériques, et qui provoque des troubles moteurs et sensitifs.

Polynice, dans la myth. gr., fils d'Œdipe. Il réunit six chefs d'Argos pour reprendre le trône de Thèbes à son frère Étéocle*. Les deux frères s'entretuèrent. Antigone*, sa sœur, lui donna une sépulture malgré l'interdiction de Créon.

polynôme n. m. MATH Somme de monômes.

polynucléaire adj. BIOL *Cellule polynucléaire* : cellule qui comporte plusieurs noyaux.

polynucléotide n. m. BIOCHIM Composé constitué d'un grand nombre de nucléotides associés par des liaisons phosphate (A.R.N., A.D.N.).

polyol. V. polyalcool.

polyoside [pɔliɔsid] n. m. BIOCHIM Composé constitué par la polycondensation d'une grande quantité de molécules d'oses (amidon, cellulose, etc.). Syn. polyholoside; polysaccharide.

polype n. m. **1.** ZOOL Forme fixée des cnidaires (par oppos. à la forme libre ou *méduse*); individu qui présente cette forme. **2.** MED Excroissance de la muqueuse des cavités naturelles. *Généralement bénins, les polypes peuvent se transformer en cancers.*
ENCYCL **Zool.** – Le polype a la forme d'un sac dont la paroi est constituée de deux couches de cellules; il comprend un seul orifice, situé à la partie supérieure et entouré de tentacules pourvus de cellules urticantes *(cnidoblastes).* Il se reproduit par bourgeonnement et par voie sexuée.

polypeptide n. m. BIOCHIM Molécule résultant de la condensation de plusieurs acides aminés.

polypétale adj. BOT *Fleur polypétale,* à pétales distincts. V. aussi dialypétale.

polypeux, euse adj. MED De la nature du polype.

polyphasé, ée adj. ELECTR Constitué par plusieurs grandeurs sinusoïdales de même nature, de même fréquence et déphasées les unes par rapport aux autres. *Courant polyphasé.* ▷ Par ext. *Réseau polyphasé.*

Polyphème, dans la myth. gr., le plus fameux des Cyclopes, fils de Poséidon.

polyphonie n. f. MUS Ensemble de voix, d'instruments, ordonnés suivant le principe du contrepoint. – Chant à plusieurs voix.

polyphonique adj. MUS Qui crée une polyphonie.

polyphoniste n. MUS Musicien pratiquant la polyphonie.

polypier [pɔlipje] n. m. ZOOL Squelette corné ou calcaire des anthozoaires.

polyplacophores n. m. pl. ZOOL Classe de mollusques marins primitifs. – Sing. *Un polyplacophore.*

polypnée [pɔlipne] n. f. Fréquence respiratoire anormalement rapide.

polypode n. m. BOT Fougère aux longues frondes profondément découpées, dont le rhizome se développe au-dessus du sol. ► illustr. **fougères**

polypodiacées n. f. pl. Famille de fougères à laquelle appartiennent presque toutes les fougères des pays tempérés. – Sing. *Une polypodiacée.*

polypore n. m. BOT Champignon basidiomycète coriace, dont l'hyménium est formé de petits tubes. *Les polypores parasitent les arbres.*

polypose n. f. MED Multiplication de polypes sur la muqueuse du côlon.

polyprène n. m. CHIM Macromolécule constituant le caoutchouc naturel.

polypropylène n. m. Didac. Matière plastique issue du propylène.

polyptère n. m. ICHTYOL Poisson actinoptérygien des eaux douces d'Afrique centrale, à la nageoire dorsale très longue et divisée.

polyptyque n. m. BX-A Peinture exécutée sur plusieurs panneaux qui se rabattent ou restent fixes.

polysaccharide [pɔlisakaʀid] n. m. BIOCHIM Syn. de *polyoside.*

polysémie [pɔlisemi] n. f. LING Pluralité de sens d'un mot, d'une phrase.

polysémique adj. LING Qui a trait à la polysémie, qui a plusieurs sens.

polystyle adj. ARCHI Dont les colonnes sont nombreuses. *Temple polystyle.*

polystyrène n. m. CHIM Matière plastique synthétique obtenue par polymérisation du styrène.

polysulfure n. m. CHIM Sulfure dont la molécule contient plus d'atomes de soufre que celle des composés normaux.

polysyllabe [pɔlisil(l)ab] adj. (et n. m.) ou **polysyllabique** [pɔlisil(l)abik] adj. GRAM Qui a plusieurs syllabes. *Mot polysyllabe* (ou *polysyllabique*). – n. m. *Un polysyllabe.*

polysynodie [pɔlisinɔdi] n. f. HIST Système de gouvernement pratiqué en France, sous la Régence, entre 1715 et 1718, après que le Régent eut remplacé les secrétaires d'État par des conseils.

polysynthétique adj. LING *Langue polysynthétique,* où les formes liées dominent et dans laquelle on ne peut distinguer le mot de la phrase (esquimau, par ex.).

polytechnicien, enne n. Élève ou ancien élève de Polytechnique.

polytechnique adj. (et n. f.) **1.** Vx Qui embrasse, qui concerne plusieurs sciences. **2.** *École polytechnique* ou, n. f., *Polytechnique* : établissement militaire d'enseignement supérieur qui forme des ingénieurs des corps de l'État et des officiers des armes spécialisées. (En arg. l'*X, Pipo.*)

polythéisme n. m. Religion qui admet l'existence de plusieurs dieux.

polythéiste adj. et n. Relatif au polythéisme. *Doctrine polythéiste.* ▷ Subst. Adepte d'un polythéisme.

polytonal, ale, als adj. MUS Caractérisé par la polytonalité.

polytonalité n. f. MUS Indépendance complète des différentes parties d'une polyphonie au point de vue tonal.

polytoxicomanie n. f. Association de plusieurs drogues (stupéfiants, alcool, médicaments) dans une toxicomanie.

polytransfusé, ée adj. et n. MED Se dit d'une personne qui a reçu plusieurs transfusions de sang provenant de donneurs multiples.

polytraumatisé, ée adj. et n. MED Qui a subi plusieurs traumatismes, plusieurs lésions graves.

polytraumatisme n. m. MED Traumatisme multiple résultant du même accident.

polytric n. m. BOT Mousse commune à tige dressée, d'une dizaine de centimètres de hauteur. ► illustr. **mousses**

polyuréthane ou **polyuréthanne** [pɔliyʀetan] n. m. CHIM, TECH Matière plastique servant à fabriquer des produits à structure cellulaire de très faible densité.

polyurie n. f. MED Émission excessive d'urine.)

polyvalence n. f. Nature de ce qui est polyvalent.

polyvalent, ente adj. (et n.) **1.** (Choses) Qui peut servir à plusieurs usages. **2.** (Canada) *École polyvalente* ou, n. f., *une polyvalente* : au Québec, grand établissement public dispensant un enseignement général et professionnel de niveau secondaire. **3.** (Personnes) Doué de capacités diverses, de talents variés. – FIN *Inspecteur polyvalent* : fonctionnaire chargé de la vérification, chez les commerçants, de l'exactitude des déclarations fiscales intéressant plusieurs administrations. ▷ n. m. *Un polyvalent.* **4.** CHIM Dont la valence est supérieure à 1.

polyvinyle n. m. CHIM Composé obtenu par polymérisation des composés vinyliques de formule générale $CH_2{=}CHX$, dans laquelle X peut représenter un groupe quelconque (chlore, acétyle, acide, ester, etc.).

polyvinylique adj. et n. m. CHIM Se dit d'une matière thermoplastique résultant de la polymérisation d'un composé vinylique. – n. m. *Un polyvinylique.*

Pomaré, dynastie qui régna à Tahiti de la fin du XVIIIe s. à la fin du XIXe s. – **Pomaré IV** (Aïmata) (Tahiti, 1813 – id., 1877) accepta le protectorat français (1847). – **Pomaré V** (Ariiaue) (Tahiti, 1842 – id., 1891), fils de la préc., abdiqua en 1880, laissant le gouvernement direct à la France.

Pombal (Sebastião José de Carvalho e Melo, marquis de) (Lisbonne, 1699 – Pombal, près de Coimbra, 1782), homme d'État portugais. Principal ministre (1755) de Joseph Ier, jusqu'à la mort de ce souverain (1777), tenant du despotisme éclairé, il réorganisa l'armée, développa l'économie et lutta contre la noblesse et l'Église.

pomélo ou **pomelo** n. m. **1.** Arbre (genre *Citrus*). **2.** Fruit de cet arbre, ressemblant au pamplemousse mais moins amer. ► illustr. page **1490**

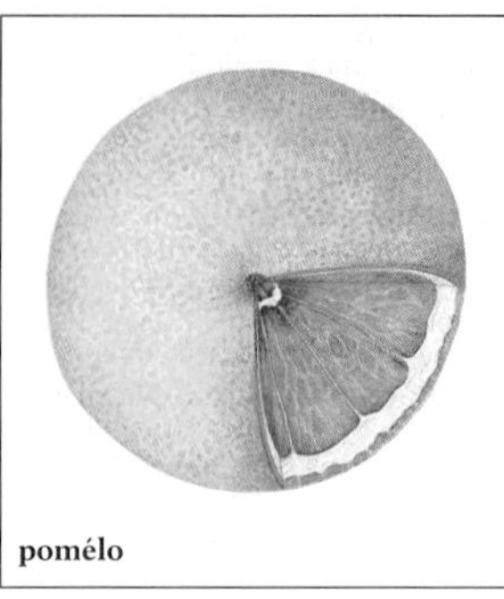
pomélo

Poméranie, rég. de Pologne, sur la Baltique. Ses limites ont varié au cours des siècles. Occupée par des peuples slaves, les Poméraniens (présence attestée au IXe s.), elle fut revendiquée par l'ordre Teutonique, puis par la Prusse et la Suède qui se la disputèrent. Elle échut en totalité à la Prusse en 1815. En 1945, la majeure partie de la Poméranie revint à la Pologne.

Poméranie (Nouvelle-). V. Nouvelle-Bretagne.

poméranien, enne adj. De Poméranie. ▷ Subst. *Un(e) Poméranien(ne).*

Pomérélie, territoire autour de Gdańsk (autref. Dantzig); partagé en 1919 entre la Pologne et la ville libre de Dantzig, réunifié en 1945 au bénéfice de la Pologne.

Pomerol, com. de la Gironde (arr. de Libourne); 878 hab. Vins rouges réputés.

pommade n. f. **1.** Vieilli Cosmétique parfumé. ▷ Loc. fig. *Passer de la pommade à qqn,* le flatter. **2.** Préparation médicamenteuse, pâte obtenue en mélangeant un excipient gras et une substance active, que l'on utilise en onctions locales.

pommader v. tr. [1] Enduire de pommade.

pommard n. m. Vin de Bourgogne de la région de Pommard (Côte-d'Or, arr. de Beaune).

pomme n. f. **I. 1.** Fruit comestible du pommier, à la chair croquante et parfumée, à la peau fine et coriace, colorée, selon les variétés, de diverses nuances de rouge, de vert, de jaune ou de gris-brun. *Pomme douce* ou *pomme à couteau,* à pulpe sucrée, qui se mange crue. *Pomme à cidre,* dont le jus fermenté fournit cette boisson. *Tarte aux pommes.* – CUIS *Pommes en l'air* (par oppos. à *pommes de terre*). ▷ Loc. fig., fam. *Tomber dans les pommes :* s'évanouir. – *Aux pommes :* très bien, très soigné. – *Haut comme trois pommes :* tout petit (généralement, en parlant d'un enfant). ▷ Par ext., fam. *Ma* (*ta, sa,* etc.) *pomme :* moi (toi, lui, etc.). *Les ennuis, c'est pour ma pomme.* **2.** *Pomme d'Adam :* saillie du cartilage thyroïde, à la partie antérieure du cou de l'homme. **3.** CUIS *Ellipt.* Pomme de terre. **4.** Nom cour. du fruit de divers végétaux. *Pomme d'amour :* tomate. ▷ *Pomme de pin :* cône de pin, constitué d'écailles lignifiées entre lesquelles sont insérées les graines. **II. 1.** Boule compacte formée par les feuilles intérieures du chou, de certaines salades. **2.** Ornement en forme de pomme, de boule. **3.** *Pomme de douche :* pièce perforée de multiples trous, qui s'adapte à la tuyauterie d'alimentation d'une douche et qui disperse l'eau en pluie. – *Pomme d'arrosoir :* tête perforée du tuyau d'un arrosoir.

pommé, ée adj. Rond et compact comme une pomme, en parlant d'un chou, d'une salade. *Laitue pommée.*

pommeau n. m. **1.** Boule servant de poignée à une canne. **2.** Pièce arrondie à l'extrémité de la poignée d'un sabre, d'une épée. **3.** Éminence arrondie au milieu de la partie antérieure de l'arçon d'une selle.

pomme de terre n. f. **1.** Tubercule comestible de la morelle tubéreuse. *Pommes de terre cuites à l'eau, frites.* Syn. fam. patate. ▷ (Ellipt.) *Bifteck pommes sautées* (cf. pomme, sens I, 3). **2.** Plante annuelle (fam. solanacées) herbacée, à fleurs blanches, dont la partie souterraine de la tige développe des tubercules (*pommes de terre,* sens 1) très riches en amidon.

ENCYCL La pomme de terre ou *morelle tubéreuse,* originaire des Andes chiliennes et péruviennes, a été introduite en Europe au XVIe s. par les Espagnols, mais ne se répandit en France que sous Louis XVI, grâce à Parmentier et Turgot.

plant complet de la **pomme de terre :** de haut en bas, fleurs, feuilles, racines et tubercules

pommelé, ée adj. **1.** *Cheval pommelé,* dont la robe, à fond blanc, est couverte de taches grises arrondies. **2.** *Ciel pommelé,* couvert de petits nuages arrondis blancs ou grisés.

pommeler (se) v. pron. [**19**] Devenir pommelé (ciel).

pommelle n. f. TECH Plaque perforée placée à l'ouverture d'un tuyau d'évacuation pour éviter l'obstruction de la canalisation par les détritus.

pommer v. intr. [**1**] En parlant des choux, des salades, devenir pommé, se former en boule.

pommeraie n. f. Terrain planté de pommiers.

pommette n. f. **1.** Partie saillante de la joue, au-dessous de l'angle externe de l'œil. **2.** HERALD Ornement en forme de petite pomme, de petite boule.

pommier n. m. **1.** Arbre (fam. rosacées) aux feuilles ovales dentées, aux fleurs blanches plus ou moins rosées, qui produit la pomme. – *Pommier du Japon, de Chine :* variétés exotiques cultivées comme plantes d'ornement.

branche de **pommier** avec feuilles et fruits

2. Bois de cet arbre, au grain très fin, utilisé en ébénisterie.

Pomone, dans la myth. rom., déesse des Fruits et des Jardins.

pompadour adj. inv. Se dit du style rococo mis à la mode par Mme de Pompadour. ▷ n. m. *Le pompadour,* ce style.

Pompadour (Jeanne Antoinette Poisson, marquise de) (Paris, 1721 – Versailles, 1764), maîtresse de Louis XV de 1745 à 1750. Fille d'un intendant enrichi, mariée à un fermier général, Charles Guillaume Le Normant d'Étiolles, riche et cultivée, elle fréquenta la haute bourgeoisie. Aimée par le roi, qui lui accorda le titre de marquise de Pompadour (1745), elle eut sur lui une influence qui dura jusqu'à sa mort. Mécène, amie des philosophes, elle favorisa l'épanouissement des arts (manufacture de Sèvres) et des lettres (l'*Encyclopédie,* notam.).
► illustr. page **1480**

pompage n. m. **1.** Action de pomper. **2.** PHYS *Pompage optique :* technique permettant de créer des populations d'ions, d'atomes et de molécules différentes de celles qui correspondent à l'équilibre thermique.

1. pompe n. f. **1.** Cérémonial somptueux. *La pompe des triomphes romains.* – Loc. *En grande pompe :* en grande cérémonie. **2.** Plur. *Pompes funèbres :* service chargé des cérémonies funéraires, des enterrements. **3.** Péjor. Emphase, solennité affectée. **4.** RELIG *Renoncer au monde et à ses pompes,* à ses vains plaisirs. *Renoncer à Satan, à ses pompes et à ses œuvres.*

2. pompe n. f. **1.** Machine mettant un fluide en mouvement, soit pour l'extraire de son gisement naturel ou d'un récipient, soit pour le faire circuler dans une canalisation. *Pompe à eau, à essence. Pompe à incendie.* – *Pompe à chaleur :* syn. de *thermopompe.* **2.** *Serrure à pompe :* serrure de sûreté dans laquelle la clé doit repousser des ressorts avant de faire jouer le pêne. **3.** Pop. Chaussure. ▷ Loc. fig., fam. *Être à côté de ses pompes :* dire n'importe quoi, faire les choses n'importe comment. – *Coup de pompe :* sensation soudaine d'épuisement, de grande fatigue (cf. *coup de barre*). **4.** Fam. Exercice de flexion des bras, en station allongée face au sol. *Faire des pompes.*

Pompée (en lat. *Cneius Pompeius Magnus*) (?, 106 – Péluse, près de Tell Faramèh, Égypte, 48 av. J.-C.), général et homme politique romain. Fidèle au parti conservateur, il soutint Sulla contre Marius. Après avoir pacifié l'Espagne (77-71), il écrasa les derniers partisans de Spartacus (71); sa popularité lui assura alors le consulat (avec Crassus). Ayant obtenu des pouvoirs exceptionnels, il dirigea la guerre d'Orient contre Mithridate (66-63) et réorganisa les provinces conquises. De retour à Rome (62), il forma avec César et Crassus le premier triumvirat (60). À la mort de Crassus (53), Pompée, consul unique grâce au sénat, se déclara hostile à César qui, en 49, franchit le Rubicon et le battit à Pharsale (48). Pompée se réfugia en Égypte, où, croyant plaire à César, Ptolémée le fit assassiner. — **Sextus Pompeius Magnus** (?, 75 - Milet, 35 av. J.-C.), deuxième fils du préc. ; il poursuivit la lutte contre César. Proscrit lors du second triumvirat, il se rendit maître de la Sicile, de la Sardaigne et de la Corse (traité de Misène, 38). Vaincu par Agrippa à Nauloque (36), il se replia à Milet, où il fut tué par un officier d'Antoine.

Pompéi, v. antique de Campanie, à 25 km au S.-E. de Naples, fondée par les Osques au VIe s. av. J.-C., en bordure de mer et au pied du Vésuve. En 79 apr. J.-C., lors d'une éruption du volcan, elle fut brusquement ensevelie sous une couche de roches volcaniques et de cendres, qui décima ses habitants. Les fouilles, commencées en 1748 (mais qui ne furent méthodiquement entreprises qu'après 1860), ont déblayé une grande partie de la ville, donnant de précieux renseignements sur la vie quotidienne et les mœurs privées des Anciens. Préservées par les dépôts volcaniques, plusieurs demeures patriciennes ont livré des trésors d'art : statues, orfèvrerie, mosaïques et, surtout, fresques ; celles-ci permettent de juger de la peinture grecque qui les inspirait (villa des Mystères, maison de Cornelius Rufus, des Vettii, etc.).

1. pompéien, enne adj. et n. HIST Qui se rapporte au général romain Pompée. ▷ Subst. Partisan de Pompée.

2. pompéien, enne adj. et n. ANTIQ De la v. antique de Pompéi. ▷ Subst. *Un(e) Pompéien(ne).*

pomper v. tr. [1] **1.** Puiser, aspirer ou refouler avec une pompe. *Pomper l'eau d'un puits.* **2.** Aspirer (un liquide) par une voie naturelle. *Mouche qui pompe une goutte de jus de viande.* ▷ Fam. Boire (du vin, de l'alcool). **3.** Absorber (un liquide). *L'éponge pompe l'eau répandue.* ▷ Fig. Attirer à soi, s'emparer de. *Pomper les économies de qqn.* **4.** Loc. fig., fam. *Être pompé,* épuisé. ▷ *Il nous pompe l'air :* il nous fatigue, il nous ennuie. **5.** Arg. (des écoles) Copier.

Pompéi : temple d'Apollon, colonnade ionique et statue d'Apollon

pompette adj. Fam. Légèrement ivre.

pompeusement adv. Péjor. Avec emphase.

pompeux, euse adj. **1.** Vx Fastueux. **2.** Péjor. Emphatique, d'une solennité quelque peu ridicule.

Pompidou (Georges) (Montboudif, Cantal, 1911 - Paris, 1974), homme politique français. Chargé de mission au cabinet du général de Gaulle (1944-1946), il fut directeur de la banque Rothschild (1954). Il revint à la vie politique à l'avènement de la Ve République. De Gaulle le nomma Premier ministre (1962-1968). Ayant su résoudre la crise de mai-juin 1968, il fut mis « en réserve de la République » par le général de Gaulle. Quand celui-ci démissionna, il rassembla immédiatement la majorité gaulliste et fut élu président de la République (1969). Dans une conjoncture économique prospère, il favorisa l'industrialisation accélérée du pays. La mort interrompit son mandat.

Georges **Pompidou** Francis **Ponge**

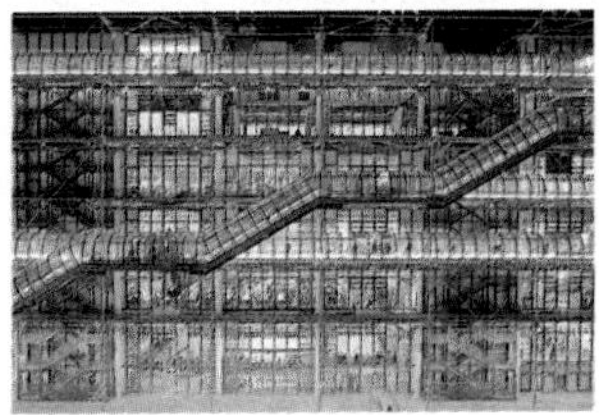
le **Centre national d'art et de culture Georges-Pompidou**

Pompidou (Centre national d'art et de culture Georges-) (CNAC), établissement créé sur décision (1971) du président Pompidou, inauguré en 1977, qui abrite notam. l'IRCAM, le musée national d'Art moderne, le Centre de création industrielle, une importante bibliothèque publique d'information, une cinémathèque et des lieux d'expositions temporaires. Il occupe un bâtiment inspiré du brutalisme*, œuvre de Rogers et Piano, situé sur le plateau Beaubourg, à Paris.

1. pompier n. m. Homme faisant partie d'un corps organisé pour combattre les incendies et les sinistres.

2. pompier adj. et n. m. Péjor. Conventionnel et emphatique. *Un discours pompier.* ▷ BX-A Qui traite avec recherche et réalisme des sujets conventionnels. *Un peintre pompier* ou, n. m., *un pompier. Le style pompier* ou, n. m., *le pompier.*

pompiérisme n. m. Péjor. Style pompier.

Pompignan (Jean-Jacques Lefranc, marquis de) (Montauban, 1709 - Toulouse, 1784), écrivain français. Auteur de pièces à sujet mythologique (*Didon,* 1734 ; *Léandre et Héro,* 1750) et de poèmes (*Poésies sacrées,* 1751-1763) à l'imitation des Psaumes. Il attaqua les philosophes. Acad. fr. 1759.

pompile n. m. ENTOM Hyménoptère porte-aiguillon, à l'abdomen rayé de noir, commun en Europe.

pompiste n. Personne qui distribue l'essence aux automobilistes, dans une station-service.

pompon n. m. **1.** Houppe ronde de brins de laine, de soie, etc., qui sert d'ornement. ▷ (En appos.) *Rose pompon :* variété de roses à petites fleurs globuleuses. **2.** Loc. fig., fam. *Avoir, tenir le pompon :* l'emporter sur les autres (souvent iron.). *C'est le pompon ! :* c'est le comble !

Pomponne (Simon Arnauld, marquis de) (Paris, 1618 - Fontainebleau, 1699), homme d'État français, fils d'Arnauld d'Andilly. À la tête de la diplomatie française (1672-1679), il négocia la paix de Nimègue.

pomponner v. tr. [1] Parer avec beaucoup de soin. ▷ v. pron. *Elle se pomponne devant la glace.*

ponant n. m. **1.** Vx Occident, couchant. *Le levant et le ponant.* ▷ *Le Ponant :* l'océan Atlantique. *La flotte du Ponant,* qui croisait dans l'Atlantique. **2.** Rég. (Côte de la Méditerranée.) Vent d'ouest.

ponçage n. m. Action, manière de poncer.

1. ponce n. f. **1.** Roche poreuse très légère, d'origine volcanique, appelée plus cour. *pierre ponce.* **2.** TECH Petit sachet de toile rempli d'une poudre colorante qui sert à poncer (sens 2) un dessin.

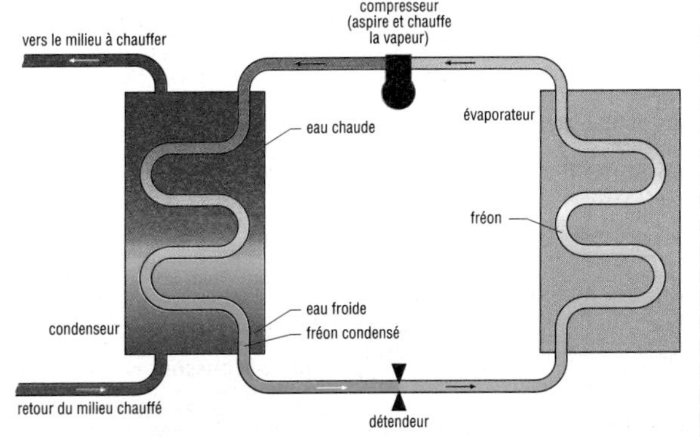

en s'évaporant, le fréon absorbe de la chaleur dans le milieu froid ; dans le condenseur, la vapeur cède sa chaleur à l'eau qui chauffera la maison

principe de la **pompe à chaleur**

2. ponce n. f. (Canada) Grog fait avec du gin.

Ponce, v. de Porto Rico, dans le S. de l'île; 190 610 hab. Centre commercial; raff. de pétrole.

1. ponceau n. m. et adj. inv. **1.** n. m. Rég. Coquelicot. **2.** adj. inv. De la couleur rouge vif du coquelicot.

2. ponceau n. m. Petit pont à une seule arche.

Poncelet (Jean Victor) (Metz, 1788 – Paris, 1867), général et mathématicien français; connu pour ses travaux de mécanique et de géométrie.

Ponce Pilate. V. Pilate.

poncer v. tr. [**12**] **1.** Décaper, polir au moyen de la pierre ponce, et, par ext., d'un abrasif quelconque. **2.** TECH Reproduire au poncif. *Poncer un dessin.*

ponceur, euse n. **1.** n. Ouvrier, ouvrière qui opère le ponçage. **2.** n. f. Machine à poncer.

ponceux, euse adj. MINER Qui est de la nature de la ponce.

poncho [pɔ̃ʃo] n. m. Manteau fait d'une couverture percée au centre pour y passer la tête, en usage en Amérique latine chez les gauchos, les paysans.

poncif n. m. **1.** TECH Dessin dont le contour est piqué de multiples trous et que l'on peut reproduire en l'appliquant sur une surface quelconque et en y passant une ponce (sens 2). **2.** Fig. Idée conventionnelle, rebattue; lieu commun, cliché.

ponction n. f. **1.** MED, CHIR Prélèvement d'un liquide dans une cavité du corps, opéré au moyen d'une aiguille creuse, d'un trocart. **2.** Fig. Prélèvement (d'argent, notam.).

ponctionner v. tr. [**1**] MED, CHIR Opérer la ponction de, une ponction dans. ▷ Fig., fam. *Il m'a ponctionné toutes mes économies.*

ponctualité n. f. Exactitude à faire les choses en temps voulu. – (En parlant de choses.) *La ponctualité d'un paiement.* ▷ *Spécial.* Habitude, fait d'être à l'heure.

ponctuation n. f. **1.** Système de signes graphiques permettant de séparer les phrases d'un texte, d'indiquer certains rapports syntaxiques à l'intérieur de celles-ci et de noter divers faits d'intonation. *Signes de ponctuation :* point, virgule, point-virgule, guillemets, etc. **2.** Utilisation de ces signes; action, manière de ponctuer.

ponctuel, elle adj. **1.** Exact, régulier, qui fait à point nommé ce qu'il doit faire. **2.** OPT Qui se présente comme un point. *Source lumineuse ponctuelle.* **3.** Fig. Qui porte sur un point, une partie seulement, et non sur l'ensemble.

ponctuellement adv. Avec ponctualité.

ponctuer v. tr. [**1**] **1.** Marquer de signes de ponctuation (un texte). ▷ (S. comp.) *Il ne sait pas ponctuer.* **2.** Accompagner, souligner (ses paroles) de gestes, de bruits.

pondérable adj. Didac. Dont le poids peut être déterminé.

pondéral, ale, aux adj. Relatif au poids. *Analyse pondérale.*

pondérateur, trice adj. **1.** Qui a une influence modératrice, qui atténue, tempère. *Élément pondérateur.* **2.** MATH, STATIS Qui pondère. *Coefficient pondérateur.*

pondération n. f. **1.** Action, fait de pondérer; son résultat. **2.** Fig. Calme, équilibre, modération. **3.** MATH, STATIS Opération qui consiste à pondérer (une variable).

pondéré, ée adj. **1.** Qui fait preuve de pondération. **2.** MATH, STATIS Qui a subi une pondération (en parlant d'une variable). – ECON *Indice pondéré.*

pondérer v. tr. [**14**] **1.** Équilibrer (des forces, des tendances). Syn. modérer, tempérer. **2.** MATH, STATIS Affecter (une variable) d'un coefficient qui modifie son incidence sur un résultat. – ECON *Pondérer un indice de prix.*

pondéreux, euse adj. Se dit d'une matière très pesante. ▷ n. m. *Les pondéreux.*

pondeur, euse n. et adj. **1.** n. f. Femelle d'oiseau qui pond. ▷ adj. *Poule pondeuse.* **2.** Subst. Fig., fam., souvent péjor. *Un pondeur de romans.*

Pondichéry, v. de l'Inde, sur la côte de Coromandel; 162 640 hab.; cap. du *territoire de Pondichéry* (480 km²; 789 400 hab.). Port. – Siège de la Compagnie des Indes (XVIIe s.), elle fut la cap., jusqu'en 1954, des Établissements français dans l'Inde.

pondoir n. m. TECH Nid, panier, case, dispositif industriel où pondent les poules.

pondre v. tr. [**6**] **1.** Expulser, donner (un, des œufs), en parlant des femelles des animaux ovipares. ▷ Absol. *Cette poule pond tous les jours.* **2.** Fig., fam. Mettre au monde (un enfant). *Elle l'a pondu, son marmot?* **3.** Fig., fam. Produire (un texte écrit). *Pondre une lettre* (V. accoucher sens I, 2).

ponette n. f. Poney femelle.

poney [pɔnɛ] n. m. Cheval de petite taille (moins de 1,47 m au garrot), de trait ou de selle.

Ponge (Francis) (Montpellier, 1899 – Le Bar-sur-Loup, Alpes-Mar., 1988), poète français. Il s'est attaché au monde des objets (*le Parti pris des choses,* 1942) pour tenter de capter et de transposer leur matérialité familière et énigmatique, grâce aux ressources «cachées» du langage (étymologie, etc.) : *Pour un Malherbe* (1965), *le Savon* (1967), *la Fabrique du pré* (1971).

▸ illustr. page **1491**

pongé n. m. Étoffe légère, faite de bourre de soie.

pongidés n. m. pl. ZOOL Famille de grands singes dépourvus de queue, aux membres supérieurs plus longs que les membres inférieurs, aux pieds préhensiles, qui comprend notam. le gorille, le chimpanzé et l'orang-outan. – Sing. *Un pongidé.*

pongiste n. SPORT Joueur, joueuse de ping-pong.

Poniatowski (Józef ou Joseph, prince) (Vienne, 1763 – Leipzig, 1813), général polonais. Il combattit pour l'indépendance de la Pologne (1792-1794). En 1807, Napoléon le plaça à la tête de l'armée polonaise. Il lutta contre les Autrichiens (1809) et prit part à la campagne de Russie. Fait maréchal sur le champ de bataille de Leipzig (16 oct. 1813), il se noya dans l'Elster en protégeant la retraite (19 oct.).

Ponsard (François) (Vienne, Isère, 1814 – Paris, 1867), poète dramatique français de tradition classique. Le succès de sa tragédie *Lucrèce* (1843) souligna l'échec des *Burgraves* de Victor Hugo. Acad. fr. (1855).

Ponson du Terrail (Pierre Alexis, vicomte) (Montmaur, Hautes-Alpes, 1829 – Bordeaux, 1871), romancier français (feuilletons) : *les Cavaliers de la nuit* (1855), *les Exploits de Rocambole* (1859).

pont n. m. **1.** Ouvrage d'art, construction permettant de franchir un obstacle encaissé, un cours d'eau, un bras de mer, etc. ▷ Par anal. *Faire le pont :* se renverser en arrière jusqu'à ce que les mains touchent terre, les pieds restant à plat sur le sol. ▷ *Pantalon à pont,* comportant sur le devant un large pan rectangulaire boutonné. **2.** Fig. Ce qui sert de lien entre deux choses. ▷ Loc. fig. *Couper les ponts avec qqn,* rompre toute relation avec lui. – *Faire le pont :* ne pas travailler entre deux jours fériés. **3.** *Ponts et Chaussées :* service public qui s'occupe de la construction et de l'entretien des ponts, des routes, des voies navigables et des installations portuaires. **4.** Par anal. *Pont aérien :* va-et-vient d'avions destiné à établir une liaison d'urgence pour ravitailler un lieu isolé, apporter une aide, fournir du matériel, etc. **5.** MILIT *Tête de pont :* V. tête. **6.** TECH *Pont roulant :* engin de manutention constitué par un portique roulant sur deux rails et par un chariot, mobile le long de ce portique, muni d'un treuil de levage. **7.** AUTO Ensemble des organes mécaniques servant à transmettre le mouvement du moteur aux roues d'un véhicule. ▷ *Pont de graissage* ou *pont,* utilisé pour soulever les automobiles afin de les graisser, de les réparer. **8.** CHIM Configuration de structure constituée par un atome ou une chaîne atomique non ramifiée reliant deux atomes d'une molécule liés par ailleurs. ▷ *Pont hydrogène :* liaison due aux forces électrostatiques qui s'exercent entre le dipôle électrique formé par un atome d'hydrogène lié à un atome très électronégatif (oxygène, azote), et un atome électronégatif appartenant à la même molécule *(pont hydrogène intramoléculaire* ou *chélation)* ou à une autre *(pont hydrogène intermoléculaire).* ▷ *Pont peroxo :* V. peroxo-. **9.** ELECTR Dispositif à quatre éléments de circuits, dont l'une des diagonales est occupée par une source de courant, et l'autre par un appareil de mesure. **10.** MUS Passage de transition entre deux thèmes. **11.** Ensemble de bordages horizontaux qui couvrent le creux de la coque d'un navire ou qui divisent celle-ci en étages appelés *entreponts.*

Pont, royaume d'Asie Mineure, sur le Pont-Euxin; anc. satrapie perse (v. 520 av. J.-C.) que Mithridate Ier Ktistês proclama royaume indépendant en 301 av. J.-C. Son dernier roi, Mithridate VI Eupator, annexa plusieurs territoires et entra en conflit avec Rome (V. Pompée).

Ponta Delgada, port et ch.-l. de la rég. autonome des Açores (île de São Miguel); 21 200 hab.

pontage n. m. **1.** Action de construire un pont. **2.** CHIR Dérivation pratiquée sur une artère obstruée, par greffe d'un morceau de veine ou d'artère. **3.** Didac. Réunion d'éléments par un pont (sens 8 et 9).

Pont-à-Mousson, ch.-l. de cant. de Meurthe-et-Moselle (arr. de Nancy), sur la Moselle; 15 294 hab. (*Mussipontains*). Métallurgie. Matériel électr. – Églises St-Laurent (XVe-XVIe s., remaniée) et St-Martin (XVe s., restaurée). Maisons Renaissance.

Pontarlier, ch.-l. d'arr. du Doubs, sur le Doubs supérieur; 18 884 hab. (*Pontissaliens*). Distillerie, fromagerie, horlogerie, industr. électrique.

Pont-Audemer, ch.-l. de cant. de l'Eure (arr. de Bernay), sur la Risle; 9 358 hab. Industr. du cuir; papeterie.

Pontault-Combault, ch.-l. de cant. de Seine-et-Marne (arr. de Melun), dans la Brie; 26 834 hab. Industr. électriques, mécaniques. – Égl. des XIIIe et XIVe s.

Pont-Aven, ch.-l. de cant. du Finistère (arr. de Quimper), sur la *riv. de Pont-Aven;* 3 054 hab. Stat. touristique et balnéaire. – *École de Pont-Aven :* groupe de peintres (Émile Bernard, Paul Sérusier, Maurice Denis, etc.) qui se forma à Pont-Aven et au Pouldu autour de Gauguin de 1888 à 1890. Des échanges d'idées à l'intérieur de ce groupe naquirent le synthétisme puis l'esthétique symboliste.

Pontchartrain (Louis Phélypeaux, comte de) (Paris, 1643 – Pontchartrain, 1727), homme d'État français. Contrôleur général des Finances (1689-1699), secrétaire d'État à la Marine et à la Maison du roi (1690-1699), il créa notam. la capitation (1695). Chancelier de 1699 à 1714, il se retira à l'Oratoire.

Pont-de-Claix (Le), com. de l'Isère (arr. de Grenoble), sur le Drac; 11 880 hab. Centre industriel : chimie, métallurgie, papeterie.

1. ponte n. f. **1.** Action de pondre. ▷ Ensemble des œufs pondus en une seule fois. **2.** PHYSIOL *Ponte ovulaire :* ovulation.

2. ponte n. m. **1.** Personne qui joue contre le banquier, dans les jeux de hasard. **2.** Fam. Personnage important.

Ponte (Lorenzo Da). V. Da Ponte.

ponté, ée adj. **1.** MAR Dont le creux de la coque est recouvert par un ou plusieurs ponts, en parlant d'une embarcation. *Canot ponté.* **2.** CHIM Se dit d'une molécule qui comporte un ou plusieurs ponts (sens 8).

Pontecorvo, v. d'Italie (Campanie), sur le *Liri;* 12 220 hab. – Napoléon l'érigea en principauté pour Bernadotte (1806).

1. ponter v. tr. [1] **1.** MAR Munir d'un pont. *Ponter un bateau.* **2.** Réaliser un pontage (sens 2 et 3).

2. ponter v. intr. [1] Aux jeux de hasard, jouer contre le banquier.

pontet n. m. TECH Demi-cercle d'acier qui protège la détente d'une arme à feu.

Pontet (Le), com. du Vaucluse (arr. d'Avignon); 15 917 hab. Prod. réfractaires; matériel agricole.

Pont-Euxin (le) (en gr. *Pontos Euxeinos,* « mer hospitalière »), nom donné par antiphrase, dans l'Antiquité, à la mer Noire, rendue souvent dangereuse par le brouillard.

Pontevedra, v. d'Espagne (Galice), port de pêche sur l'Atlantique; 70 350 hab.; ch.-l. de la province du même nom.

Ponthieu, petit pays de France (Picardie, entre l'Authie et la Somme, autour d'Abbeville). Élevage bovin. – Le *comté de Ponthieu* passa de la Castille (XIIIe s.) à l'Angleterre (XIIIe-XIVe s.) puis à la Bourgogne. Il fut rattaché à la France en 1477.

Ponti (Giovanni, dit Gio) (Milan, 1891 – id., 1979), architecte et designer italien. Pionnier de l'architecture moderne dans son pays, il a notam. construit, à Milan, le siège de la Montecatini (1936) et la Torre Pirelli (en collab. avec P.L. Nervi, 1958).

Pontiac (dans l'Ohio, v. 1720 – près de Saint Louis, 1769), chef d'une coalition de tribus indiennes. Allié des Français, il combattit, de 1755 à 1766, les Anglais, auxquels il dut finalement se soumettre et qui l'assassinèrent.

Pontianak, port d'Indonésie; 304 780 hab.; ch.-l. de la prov. de Kalimantan-Occidental. Exportation de caoutchouc, de coprah, etc.

pontier n. m. TECH Celui qui manœuvre, conduit un pont roulant. Syn. pontonnier.

pontife n. m. **1.** ANTIQ ROM Gardien de la religion. *Grand pontife :* chef de la religion qui présidait le collège des pontifes. **2.** Haut dignitaire de l'Église catholique. *Le souverain pontife :* le pape. **3.** Fig., fam. Personne qui se prend très au sérieux.

pontifiant, ante adj. Qui pontifie.

pontifical, ale, aux adj. et n. m. **I.** adj. **1.** Qui appartient à la dignité de pape, d'évêque. **2.** Qui a rapport au pape. *Gardes pontificaux.* – HIST *États pontificaux :* partie de l'Italie placée sous l'autorité temporelle des papes de 756 à 1870. **II.** n. m. LITURG CATHOL Livre contenant le rituel observé par le pape et les évêques au cours des cérémonies pontificales et épiscopales.

pontificat n. m. **1.** ANTIQ Dignité de grand pontife, chez les anciens Romains. **2.** Dignité de pape. ▷ Temps pendant lequel un pape occupe le Saint-Siège.

pontifier v. intr. [2] **1.** RELIG CATHOL Rare Officier en qualité de pontife. **2.** Fig., fam. Faire le pontife (sens 3); discourir de manière solennelle et emphatique.

Pontigny, com. de l'Yonne (arr. d'Auxerre); 784 hab. – Abbaye cistercienne fondée en 1114; il reste un long corps de bâtiment du XIIe s. ainsi que l'égl. gothique. Depuis 1954, Pontigny est le siège de la Mission de France.

Pontine (plaine) (anc. *marais Pontins*), plaine d'Italie (Latium), sur la mer Tyrrhénienne. Abandonnée après avoir été cultivée à l'époque romaine, elle devint marécageuse et propice à la malaria. Des travaux accomplis entre 1926 et 1939 en ont fait une région fertile.

Pontivy (*Napoléonville* de 1805 à 1814 et de 1848 à 1871), ch.-l. d'arr. du Morbihan, sur le Blavet; 14 512 hab. Centre commercial. Industr. du cuir; I.A.A. – Égl. N.-D.-de-la-Joie (XVe s.). Chât. des Rohan (XVe s.). Le sud de la ville a été édifié par Napoléon.

Pont-l'Abbé, ch.-l. de cant. du Finistère (arr. de Quimper), port près de l'anse de Bénodet; 7 892 hab. Stat. balnéaire. – Égl. N.-D.-des-Carmes (XIVe-XVIIe s.), du Lambour (XIIIe-XVe s.).

pont-l'évêque n. m. inv. Fromage de lait de vache à pâte molle, fabriqué dans la région de Pont-l'Évêque (Calvados, arr. de Lisieux).

pont-levis n. m. Pont mobile qui, dans un château fort ou un ouvrage fortifié entouré de fossés, permet le passage lorsqu'il est abaissé et ferme la porte d'accès lorsqu'il est levé. *Des ponts-levis.*

Pont-Neuf (le), pont de Paris (le plus ancien), construit de 1578 à 1606 sur la partie aval de l'île de la Cité, dont il traverse la pointe.

Pontoise, ch.-l. du Val-d'Oise, sur l'Oise, qui forme avec Cergy le noyau de la ville nouvelle de *Cergy-Pontoise;* 28 463 hab. Industr. électriques. Abattoirs. – Évêché. Cath. St-Maclou (XIIe, XVe et XVIe s.). Musée dans un hôtel de style gothique flamboyant du XVe s. – Anc. cap. du Vexin.

ponton n. m. **1.** Plate-forme flottante reliée à la terre, servant à divers usages, et notam. à l'amarrage des bateaux, dans un port. **2.** MAR Navire désaffecté transformé en dépôt de matériel, en caserne, en prison, etc., dans un port.

pontonnier n. m. **1.** MILIT Soldat du génie chargé de la mise en œuvre et de l'entretien des ponts mobiles. **2.** TECH Pontier.

Pontoppidan (Henrik) (Fredericia, 1857 – Copenhague, 1943), romancier naturaliste danois : *Pierre le Chanceux* (8 vol., 1898-1904), *le Royaume des morts* (5 vol., 1912-1916), etc. P. Nobel 1917 (avec Karl Gjellerup).

Pontormo (Iacopo Carrucci, dit le) (Pontormo, près d'Empoli, 1494 – Florence, v. 1556), peintre maniériste italien (*Déposition de Croix,* 1526).

Pont-Sainte-Maxence, ch.-l. de cant. de l'Oise (arr. de Senlis); 11 001 hab. (*Maxipontains*). – Port fluvial. – Papeterie, prod. agricoles. – Égl. (XVe-XVIe s.).

Pont-Saint-Esprit, ch.-l. de cant. du Gard (arr. de Nîmes), sur le Rhône; 9 402 hab. (*Spiripontains*). – Pont sur le Rhône, construit de 1265 à 1307. Vestiges de la citadelle (déb. du XVIIe s.).

Ponts-de-Cé (Les), ch.-l. de cant. de Maine-et-Loire (arr. et aggl. d'Angers), sur la Loire; 11 448 hab. – Pépinières. – Place forte très disputée, la ville vit la victoire de Louis XIII sur les partisans de sa mère (1620) et, sous la Révolution, la défaite des Vendéens (1793).

Pontus de Tyard ou **Thiard** (chât. de Bissy, Mâconnais, 1521 – Bragny-sur-Saône, 1605), écrivain français; poète et humaniste (*Discours philosophiques,* 1587), évêque de Chalon-sur-Saône. Ses *Erreurs amoureuses* (1549-1555) font de lui un disciple de Maurice Scève; son *Livre des vers lyriques* (1555) lui valut d'entrer dans le groupe de la Pléiade.

pool [pul] n. m. **1.** Vieilli Groupement provisoire de producteurs dont les bénéfices vont à une caisse commune. ▷ Groupement provisoire entre des agents économiques ou des nations, qui a pour but de maîtriser le prix ou la quantité d'un bien sur le marché. *Pool charbon-acier :* Communauté* européenne du charbon et de l'acier (C.E.C.A.). **2.** Ensemble de personnes exerçant un même travail dans une entreprise, ou concourant à un même but. *Pool de donneurs de sang.* **3.** BIOL *Pool génétique :* ensemble des caractères génétiques propres à une population.

poolage [pulaʒ] n. m. (Anglicisme) MED Mélange de sérums de diverses provenances pour la préparation d'un produit destiné à la transfusion sanguine.

Poole, port de G.-B. (Dorset); 130 900 hab. Constr. navales. Stat. balnéaire.

Pool Malebo (anc. *Stanley Pool*), lac (450 km^2) long de 40 km (largeur max. 25 km), formé par les eaux étalées du Zaïre (Congo inférieur).

Poona, v. de l'Inde (Mahārāshtra), au S.-E. de Bombay; 1 203 350 hab. Import. centre commercial et militaire. Industr.

diverses. – Cap. des Mahrattes au XVIIIe s.

pop n. f. et adj. inv. Abrév. de *pop music*. – adj. inv. Relatif à la pop music. *Des disques pop.*

pop'art ou **pop art** [pɔpaʀ(t)] n. m. BX-A (Anglicisme) Mouvement artistique contemporain, mode de création plastique recourant largement aux objets les plus quotidiens ainsi qu'aux procédés graphiques de la publicité et de la mode. (Né en Angleterre entre 1954 et 1957, le pop'art s'imposa à partir de 1959 aux É.-U.; princ. représentants : Roy Lichtenstein, Andy Warhol, Tom Wesselmann, James Rosenquist, Claes Oldenburg.)

un procédé **pop'art** très utilisé par A. Warhol, la sérigraphie industrielle appliquée sur toile : *Early colored Liz*, 1963; coll. part.

pop-corn [pɔpkɔʀn] n. m. inv. Friandise faite de grains de maïs soufflés à chaud, sucrés ou salés.

pope n. m. Prêtre de l'Église orthodoxe.

Pope (Alexander) (Londres, 1688 – Twickenham, 1744), poète classique anglais : *Essai sur la critique* (poème didactique, 1711), *la Boucle de cheveux volée* (poème héroï-comique à la manière du *Lutrin* de Boileau, 1712-1714), *la Dunciade* (poème satirique, 1728 et 1742). Il a également publié une trad. de *l'Iliade* et de *l'Odyssée*.

popeline n. f. **1.** Étoffe à chaîne de soie et trame de laine. **2.** Tissu léger, de soie ou de coton, dont la texture rappelle celle de la popeline proprement dite.

poplité, ée adj. ANAT Du jarret. *Creux poplité* : région postérieure du genou.

pop music [pɔpmyzik] n. f. (Anglicisme) Musique d'origine anglo-américaine issue pour l'essentiel du rock and roll et enrichie par des apports très divers (jazz, folk, blues, musique savante contemporaine, musique indienne, etc.) (Abrév. : pop).

Popocatepetl, volcan du Mexique (5 452 m), à 60 km de Mexico.

Popol Vuh, poème épique en langue quiché, du XVIe s., relatant les origines du monde, fondement des traditions religieuses des Mayas.

popote n. f. et adj. inv. Fam. **I.** n. f. **1.** Cuisine. *Faire la popote.* **2.** Groupe de militaires qui prennent leur repas en commun. **II.** adj. inv. Excessivement attaché à son foyer, à son ménage; casanier et terre à terre.

popotin n. m. Fam. Fesses, derrière (d'une personne).

Popov (Alexandre Stepanovitch) (Tourinskii Roudnik, auj. Krasnotourinsk, 1859 – Saint-Pétersbourg, 1906), physicien russe; pionnier de la radioélectricité. Il construisit le premier radiorécepteur (1896) et parvint à émettre et à recevoir des signaux en morse.

Poppée (m. en 65 apr. J.-C.), épouse d'Othon, elle devint la favorite (58) puis la femme (62) de Néron, qui la tua d'un coup de pied dans le ventre puis la fit diviniser.

Popper (sir Karl Raimund) (Vienne, 1902 – Londres, 1994), philosophe britannique d'origine autrichienne. Il a consacré ses travaux princ. à l'épistémologie, et a défini les critères de démarcation entre science et métaphysique : *Logique de la connaissance scientifique* (1934); *la Société ouverte et ses ennemis* (1962-1966).

poppers [pɔpɛʀs] n. m. pl. (Anglicisme) Toxique (isobutylnitrate) utilisé comme excitant et euphorisant.

populace n. f. Péjor. Classes populaires pauvres; le peuple lui-même.

populacier, ère adj. Litt. Propre à la populace.

populage n. m. Plante herbacée (fam. renonculacées) des lieux humides, à grosses fleurs jaune doré. Syn. cour. souci d'eau.

populaire adj. **1.** Qui fait partie du peuple. *Les classes populaires.* **2.** Constitué, organisé par le peuple. *Gouvernement populaire. Front* populaire. – Démocratie* populaire.* **3.** Propre au peuple; destiné au peuple. **4.** Qui se concilie l'affection du peuple, qui est connu et aimé du peuple. *Henri IV fut un roi populaire.*

populairement adv. De manière populaire. ▷ Dans le langage populaire.

popularisation n. f. Action d'être popularisé, de se populariser.

populariser v. tr. [1] Rendre populaire, célèbre; faire connaître du plus grand monde.

popularité n. f. Fait d'être populaire, de plaire au plus grand nombre.

population n. f. **1.** Ensemble des habitants d'un pays, d'une ville, etc. *Recenser la population.* ▷ Par anal. *La population d'une ruche.* **2.** Ensemble des membres d'une classe, d'une catégorie sociale particulière. *Population rurale, scolaire.* – *Population active* : ensemble des personnes exerçant habituellement une activité professionnelle. **3.** BIOL Ensemble des individus d'une même espèce animale ou végétale, vivant dans une même région. **4.** STATIS Ensemble d'objets, d'unités sur lesquels portent des observations, ou donnant lieu à un classement statistique.

populationnisme n. m. ECON Théorie des populationnistes.

populationniste adj. et n. ECON Se dit d'une personne favorable à l'accroissement de la population.

populeux, euse adj. Où la population est nombreuse.

populisme n. m. **1.** HIST Idéologie et mouvement politique russes de la fin du XIXe s., sorte de socialisme fondé sur la transformation des communautés agraires traditionnelles. **2.** HIST Idéologie de certains mouvements politiques se référant au peuple mais rejetant la notion de lutte des classes (notam. en Amérique latine depuis le début du XXe s.). **3.** POLIT Courant politique qui se proclame le défenseur du peuple contre les puissances d'argent et les étrangers. **4.** Courant littéraire ou artistique qui s'attache à la représentation de la vie des petites gens.

populiste adj. et n. Du populisme. ▷ Subst. Partisan du populisme.

populo [pɔpylo] n. m. Pop. **1.** Le peuple, les petites gens. *Ces coins-là, c'est pas pour le populo.* **2.** Foule, multitude.

Poquelin (Jean-Baptiste). V. Molière.

poquer v. intr. [1] Au jeu de boules, jeter sa boule en l'air, de telle manière qu'elle retombe sans rouler.

poquet n. m. AGRIC Trou dans lequel on dépose plusieurs semences.

Porbus. V. Pourbus.

porc [pɔʀ] n. m. **1.** Mammifère domestique omnivore (*Sus scrofa domesticus*, type de la fam. des suidés) au corps trapu couvert de soies, à la tête allongée terminée par un solide groin fouisseur, élevé pour sa chair et secondairement pour son cuir. ▷ *Porc sauvage* : sanglier. **2.** Viande de cet animal. ▷ Cuir de porc. **3.** Fig., fam. Homme malpropre ou grossier. ▷ Homme grossièrement libidineux.

porc : verrat du Yorkshire

porcelaine n. f. **I.** ZOOL Mollusque gastéropode (genre *Cypræa*), assez commun dans les mers chaudes, dont la coquille vernissée est parsemée de taches colorées. **II.** (Par anal. d'aspect.) **1.** Produit céramique non coloré, fin et translucide, à pâte non poreuse, recouvert d'un enduit vitrifié. *Vase, tasses de porcelaine.* **2.** Objet de porcelaine. *Une porcelaine de Sèvres.*

porcelainier, ère adj. et n. **1.** adj. Relatif à la porcelaine. **2.** n. Celui, celle qui fabrique ou qui vend de la porcelaine.

porcelet n. m. Jeune porc.

porc-épic [pɔʀkepik] n. m. Mammifère rongeur dont le corps est couvert de longs piquants. *Des porcs-épics.*

porc-épic

porche n. m. **1.** Avant-corps d'un édifice, donnant accès à la porte d'entrée. *Le porche d'une église.* **2.** Vestibule d'un palais, d'un hôtel. **3.** Embrasure d'une porte cochère.

porcher, ère n. Personne qui garde ou qui soigne les porcs.

porcherie n. f. **1.** Bâtiment dans lequel on loge, on élève les porcs. **2.** Fig. Lieu très sale.

Porcia (m. en 43 av. J.-C.), fille de Caton d'Utique, femme de Brutus, le meurtrier de César.

porcin, ine adj. et n. m. **I.** adj. **1.** Qui a rapport au porc. *La race porcine.* **2.** Dont l'apparence évoque celle du porc. *Visage porcin.* **II.** n. m. *Les porcins* : les porcs domestiques; *par ext.* les suidés.

Pordenone (Giovanni Antonio de Sacchis, dit il [en fr. le]) (Pordenone, v. 1484 - Ferrare, 1539), peintre italien. Son style, proche du maniérisme, annonce le Tintoret : compositions pour l'égl. San Giovanni Elemosinario à Venise (1530).

pore n. m. **1.** Chacun des orifices microscopiques, à la surface de la peau, où débouchent les canaux des glandes sudoripares. - Fig. *Suer la vanité, la peur par tous les pores,* en manifester tous les signes. ▷ Par ext. BOT *Pores d'une feuille.* **2.** Chacune des très petites cavités que présentent certaines matières minérales.

poreux, euse adj. Qui a des pores, qui est perforé de très nombreux petits trous. *Roche poreuse.*

Pori (en suédois *Björneborg*), port de Finlande, sur le golfe de Botnie; 76 400 hab. Centre industriel important.

porion n. m. Contremaître, dans une mine de houille.

Pornic, ch.-l. de cant. de la Loire-Atlantique (arr. de Saint-Nazaire); 9 908 hab. Stat. balnéaire et port de pêche.

porno adj. et n. m. Fam. **1.** adj. Pornographique. **2.** n. m. Pornographie. - *Spécial.* Cinéma pornographique. - Film pornographique.

pornographe n. et adj. Auteur, artiste spécialisé dans les œuvres obscènes. ▷ adj. *Éditeur pornographe.*

pornographie n. f. Production de livres, de films, etc., d'une obscénité à caractère sexuel; caractère obscène de ceux-ci.

pornographique adj. Qui a rapport à la pornographie. (Abrév. fam. : porno).

Pôros (nom grec de *Paurava*) (m. v. 317 av. J.-C.), roi indien. Il fut vaincu en 326 av. J.-C. par Alexandre le Grand.

porosité n. f. État d'un corps poreux. *La porosité d'une poterie.*

porphyra n. f. Fine algue rouge comestible.

porphyre n. m. Roche d'origine volcanique, très dure, formée d'une pâte feldspathique vitreuse présentant de grosses inclusions cristallines. *Porphyre rouge, vert, bleu, noir.*

Porphyre (en gr. *Porphurios*) (Tyr, auj. Sour, Liban, 234 - Rome, v. 305), philosophe néo-platonicien de l'école d'Alexandrie. Disciple, éditeur, biographe et exégète de Plotin, défenseur de l'hellénisme, il écrivit de nombreux livres (brûlés en 448) contre le christianisme.

porphyrine n. f. BIOL Pigment de structure polycyclique jouant un rôle important dans les phénomènes respiratoires. *Porphyrines ferrugineuses* : hème et hématine.

porphyrique adj. MINER Qualifie une roche magmatique contenant quelques gros cristaux visibles à l'œil nu.

porphyrogénète adj. ANTIQ Se disait des enfants des empereurs d'Orient nés pendant le règne de leur père.

Porpora (Nicola) (Naples, 1686 - id., 1768), compositeur et pédagogue italien. Auteur de nombreux opéras, il fut surtout célèbre à travers l'Europe pour son enseignement du chant. Il eut notamment pour élèves J. Haydn et le castrat Farinelli.

Porquerolles (île de), la plus occidentale des îles d'Hyères; 12,5 km². Stat. balnéaire.

Porrentruy (en all. *Pruntrut*), com. de Suisse (Jura), près de la frontière française; 7 900 hab. Horlogerie, industr. chimiques et textiles. - Chât. (XVe-XVIIe s.), anc. résidence des princes-évêques de Bâle (1527-1792).

porridge [pɔʀidʒ] n. m. Bouillie de flocons d'avoine.

Porsenna (VIe s. av. J.-C.), roi étrusque de Clusium (auj. *Chiusi*). Il tenta de s'emparer de Rome (V. Horatius Cocles).

1. port [pɔʀ] n. m. **1.** Abri naturel ou artificiel aménagé pour recevoir les navires, charger ou décharger leur cargaison, assurer leur entretien, etc. *Port de guerre, de commerce, de pêche, de plaisance.* *Port d'attache* : port où un navire est immatriculé; fig. lieu où l'on retourne régulièrement, auquel on est affectivement attaché. ▷ Loc. fig. *Arriver à bon port* : arriver à destination sans accident. **2.** Ville bâtie auprès, autour d'un port. *Le Havre est un port important.* **3.** Col, dans les Pyrénées.

2. port [pɔʀ] n. m. (Anglicisme) INFORM Interface électronique entre une unité centrale et des périphériques, servant à entrer ou à sortir des données.

3. port [pɔʀ] n. m. **1.** Action, fait de porter sur soi. *Le port d'un uniforme. Port d'armes.* **2.** Façon de se tenir, maintien. *Un port altier.* **3.** Allure générale d'une plante, d'un arbre. *Le port majestueux du cèdre.* **4.** Prix du transport d'un colis, d'une lettre. *Port dû,* qui sera payé par le destinataire. *Port payé,* réglé par l'expéditeur. **5.** MAR *Port en lourd* : poids maximal total qu'un navire peut embarquer.

Port (Le), ch.-l. de cant. de la Réunion (arr. de Saint-Paul), princ. port de l'île, sur la côte N.-O.; 34 806 hab. I.A.A.

portable adj. et n. m. **1.** Que l'on peut porter. **2.** DR Se dit d'une rente qui doit être acquittée dans le lieu désigné par une convention ou par une décision de justice (par oppos. à *quérable*). **3.** n. m. Micro-ordinateur facile à transporter. - adj. *Un ordinateur portable.* **4.** Téléphone mobile.

portage n. m. Transport d'une charge à dos d'homme. ▷ *Spécial.* (Canada) Action de transporter une embarcation par terre pour éviter une chute, un rapide.

portail n. m. Entrée principale d'un édifice, d'un parc, etc., souvent à caractère monumental. ▷ Porte monumentale d'un édifice religieux.

portal, ale, aux adj. ANAT Relatif à la veine porte (V. porte 2).

Portal (Antoine, baron) (Gaillac, 1742 - Paris, 1832), médecin français; fondateur de l'Académie royale (auj. nationale) de médecine (1820).

Portal (Michel) (Bayonne, 1935), clarinettiste, saxophoniste et compositeur français, reconnu internationalement tant pour ses qualités d'interprète des œuvres classiques, romantiques et d'avant-garde que pour ses qualités de jazzman.

Portalis (Jean Étienne) (Le Beausset, Provence, 1746 - Paris, 1807), jurisconsulte et homme politique français; il participa à la rédaction du Code civil. Directeur des Cultes (1801), négociateur du Concordat, il fut ministre des Cultes (1804-1807). — **Joseph** (Aix, 1778 - Passy, 1858), fils du préc.; magistrat, pair (sous la Restauration), ministre des Affaires étrangères (1828-1829), sénateur sous le Second Empire.

portance n. f. **1.** AERON Composante verticale de la poussée de l'air sur une aile d'avion. **2.** TRAV PUBL Capacité d'un terrain à supporter des charges.

portant, ante adj. et n. m. **I.** adj. **1.** Qui porte, dont le rôle est de porter, de soutenir. *Mur portant.* **2.** *Bien, mal portant* : en bonne, en mauvaise santé. - Subst. *Les bien, les mal portants.* **3.** Loc. adv. *À bout portant* : V. bout. **4.** MAR *Allures portantes,* celles qui sont comprises entre le vent arrière et le vent de travers. **II.** n. m. **1.** THEAT Châssis vertical fixe qui soutient les décors mobiles, les appareils d'éclairage. **2.** Dispositif servant à suspendre des vêtements pour les présenter à la vente.

Port Arthur V. Thunder Bay.

Port-Arthur (auj. *Lüshun,* en jap. *Ryūjun*), port de Chine (Liaoning), au S. de l'anc. Mandchourie; 150 000 hab. env. - Cédé aux Russes en 1898 (territoire à bail), il fut pris par les Japonais en 1905 après un siège célèbre. Sous administration sino-soviétique à partir de 1945, il revint à la Chine en 1954.

portatif, ive adj. Conçu pour pouvoir être transporté facilement. *Téléviseur portatif.*

Port-au-Prince, cap. et princ. port de comm. de la république d'Haïti, au fond d'un golfe profond et dans la *baie de Port-au-Prince*; 494 000 hab. Centre économique du pays (sucreries, rhum, manuf. de tabac). - Fondé en 1749 sous le nom de *L'Hôpital.*

Port-Cros, une des îles d'Hyères, classée parc national; 6,4 km².

Port-de-Bouc, com. des Bouches-du-Rhône (arr. d'Istres), à l'entrée de l'étang de Berre; 18 861 hab. Industr. chimiques et pétrochimiques. - Fort et enceinte de Vauban.

porte-. Élément, du verbe *porter.*

1. porte n. f. **I. 1.** Ouverture pratiquée dans un mur, une clôture quelconque, et qui permet d'entrer dans un lieu fermé ou d'en sortir. - Loc. fig. *Défendre, consigner sa porte* : refuser de recevoir quiconque. - *Mettre* (fam. *flanquer, foutre*) *qqn à la porte,* le chasser, le renvoyer. **2.** Panneau mobile qui ferme une porte (sens 1), une baie. *Porte en bois, en fer forgé. Porte à deux battants.* **3.** Battant, vantail (fermant une ouverture autre qu'une baie). *Porte de voiture, de réfrigérateur.* **4.** HIST *La Sublime Porte, la Porte* : le gouvernement des anciens sultans turcs; la Turquie elle-même. **II. 1.** Ouverture pratiquée dans l'enceinte d'une ville fortifiée. **2.** Emplacement d'une porte de l'ancienne enceinte, dans une ville moderne; quartier qui l'environne. *Il habite à Paris, porte d'Orléans.* **III.** SPORT Chacun des couples de piquets qui délimitent, pour le skieur, le passage à emprunter, sur une piste de slalom.

2. porte adj. ANAT *Veine porte,* qui amène au foie le sang provenant des organes digestifs.

porté, ée adj. et n. m. **I.** adj. **1.** *Être porté à* : avoir tendance à. *Être porté à médire. Être porté au pessimisme.* ▷ *Être porté sur* : avoir un goût prononcé pour.

Il est porté sur la bonne chère. **2.** PEINT *Ombre portée*, projetée par un corps sur une surface; représentation picturale d'une telle ombre. **II.** n. m. CHOREGR Mouvement du danseur qui maintient sa partenaire au-dessus du sol.

porte-aéronefs n. m. inv. MAR Bâtiment de guerre aménagé pour transporter des aéronefs et leur permettre de décoller et d'atterrir.

porte-à-faux n. m. inv. et loc. adj. CONSTR Partie d'un ouvrage qui n'est pas d'aplomb, qui est mal assurée, en position instable. ▷ Loc. adj. *En porte à faux* : en position instable; fig. dans une situation mal assurée.

porte-aiguilles n. m. inv. Étui servant à ranger des aiguilles à coudre.

porte-aiguillon n. m. et adj. ENTOM Hyménoptère dont la femelle est munie d'une tarière transformée en aiguillon. *Des porte-aiguillons.*

porte-à-porte n. m. inv. Méthode de vente qui consiste à proposer des produits, des services à des particuliers à leur domicile. *Faire du porte-à-porte.*

porte-avions n. m. inv. MAR Bâtiment de guerre spécialement aménagé pour transporter des avions de combat ou de reconnaissance et leur permettre de décoller et d'atterrir.

le **porte-avions** *Foch*

porte-bagages n. m. inv. **1.** Filet, grillage, casier, etc., destiné à recevoir les bagages, dans un véhicule de transports en commun. **2.** Petit panneau, le plus souvent à claire-voie, sur lequel on peut assujettir des paquets sur une bicyclette, une motocyclette, etc.

porte-balais n. m. inv. TECH Dispositif servant à maintenir les balais d'une machine électrique dans une position convenable.

porte-bannière n. Personne qui porte une bannière. *Des porte-bannière(s).*

porte-bébé n. m. Couffin, panier, siège ou sac (porté sur le dos ou la poitrine) qui sert à transporter un bébé. *Des porte-bébé(s).*

porte-billets n. m. inv. Portefeuille où l'on range exclusivement les billets de banque.

porte-bonheur n. m. inv. Objet qui est censé porter chance. – (En appos.) *Un bracelet porte-bonheur.*

porte-bouquet n. m. Très petit vase à fleurs destiné à être accroché. *Des porte-bouquet(s).*

porte-bouteilles n. m. inv. **1.** Casier destiné à ranger des bouteilles horizontalement. **2.** Panier à cases pour le transport des bouteilles.

porte-cartes n. m. inv. **1.** Petit étui, comportant quelquefois plusieurs pochettes, destiné à protéger les papiers que l'on a habituellement sur soi (documents d'identité, cartes de crédit, titres de transport, etc.). **2.** Étui destiné au rangement de cartes géographiques, routières, etc.

porte-chars n. m. inv. Véhicule destiné à transporter des chars.

porte-chéquier n. m. Couverture souple destinée à protéger un chéquier. *Des porte-chéquier(s).*

porte-cigares n. m. inv. Étui, boîte à cigares.

porte-cigarettes n. m. inv. Étui, boîte à cigarettes.

porte-clefs ou **porte-clés** n. m. inv. Anneau ou étui pour porter des clés.

porte-conteneurs n. m. inv. MAR Navire aménagé pour le transport des conteneurs.

porte-couteau n. m. Ustensile de table, petit support destiné à empêcher la lame du couteau de salir la nappe. *Des porte-couteau(x).*

porte-cravates n. m. inv. Support destiné au rangement des cravates.

porte-crayon n. m. Petit tube métallique dans lequel on insère, pour l'utiliser, un bout de crayon, un fusain, etc. *Des porte-crayon(s).*

porte-croix n. m. inv. RELIG CATHOL Personne qui porte la croix dans une procession.

porte-documents n. m. inv. Serviette plate qui sert à porter des papiers, des documents; cartable sans soufflets.

porte-drapeau n. m. **1.** Celui qui porte le drapeau d'un régiment. **2.** Fig. Chef de file et propagandiste actif d'un mouvement, d'une organisation. *Des porte-drapeau(x).*

portée n. f. **I. 1.** Distance à laquelle une arme, une pièce d'artillerie peut lancer un projectile. *La portée d'un canon.* **2.** Distance à laquelle on peut voir, se faire entendre, toucher qqch. *Restez à portée de voix.* ▷ *À (la) portée (de), hors de (la) portée (de)* : qui peut, qui ne peut pas être atteint (par). **3.** Distance entre les points d'appui d'une pièce qui n'est soutenue que par quelques-unes de ses parties. *Portée d'un pont, d'un arc.* **4.** (Abstrait) *À la portée, hors de portée* : accessible, inaccessible; *spécial.* accessible, inaccessible à la compréhension. *Être, se mettre à la portée de qqn,* à son niveau d'intelligence, de culture, de compréhension. **5.** Fig. Importance des conséquences (d'une idée, d'un fait). *Invention d'une portée incalculable.* **II. 1.** Ensemble des petits qu'une femelle mammifère met bas à chaque gestation. **2.** MAR Vx *Portée en lourd* : capacité de charge d'un navire. **III.** MUS Ensemble des cinq lignes horizontales, équidistantes et parallèles utilisées pour noter la musique.

porte-enseigne n. m. Vx Porte-drapeau. *Des porte-enseigne(s).*

porte-étendard n. m. Officier qui porte l'étendard d'un régiment de cavalerie. ▷ Pièce de cuir attachée à la selle, où s'appuie le bout de la hampe de l'étendard. *Des porte-étendard(s).*

portefaix n. m. Anc. Homme de peine qui portait des fardeaux; débardeur.

porte-fenêtre n. f. Grande porte vitrée qui donne accès à une terrasse de plain-pied, à un balcon, etc. *Des portes-fenêtres.*

portefeuille n. m. **I.** Étui, enveloppe en cuir, en matière plastique, etc., comportant généralement plusieurs poches, et destiné à contenir les papiers et l'argent que l'on porte sur soi. **II. 1.** Vx Serviette pour le rangement des papiers, des documents. **2.** Fonction de direction d'un département ministériel. *Ministre sans portefeuille* ou *ministre d'État,* qui n'est pas à la tête d'un département. **3.** Ensemble de valeurs mobilières et d'effets de commerce appartenant à une personne morale ou physique. *Portefeuille d'actions.*

Porte-Glaive (chevaliers), ordre religieux créé en 1197 à Brême par Albert de Buxhövden, évêque de Riga, qui en fit une organisation militaire en 1202 pour christianiser, par la force, les pays baltes. En 1237, l'ordre s'unit à celui des chevaliers Teutoniques. En 1561, son grand maître le sécularisa.

porte-greffe n. m. ARBOR Sujet sur lequel on fixe un ou des greffons. *Des porte-greffes.*

porte-hélicoptères n. m. inv. Navire de guerre spécialement aménagé pour le transport, le décollage et l'atterrissage des hélicoptères.

porte-jarretelles n. m. inv. Sous-vêtement féminin, ceinture à laquelle sont fixées les jarretelles.

Portel (Le), ch.-l. de cant. du Pas-de-Calais (arr. et aggl. de Boulogne-sur-Mer), sur le pas de Calais; 11 711 hab. Pêche, conserveries.

porte-lame n. m. TECH Support de lame (d'une moissonneuse ou d'une faucheuse; d'une machine-outil). *Des porte-lame(s).*

Port Elizabeth, port d'Afrique du Sud (prov. du Cap), sur l'océan Indien; 522 880 hab. Import. marché de la laine. Industr. alim., text., chimiques.

porte-lunettes n. m. inv. Support destiné au rangement des lunettes.

portemanteau n. m. **1.** Applique murale ou support sur pied portant des crochets, des patères, pour suspendre les vêtements. *Des portemanteaux.* **2.** MAR Potence placée sur le pont supérieur d'un navire qui sert à hisser ou à mettre à l'eau les embarcations.

portement n. m. *Portement de croix* : tableau, sculpture qui représente le Christ chargé de la croix.

porte-menu n. m. Support présentant le menu d'un restaurant. *Des porte-menus.*

portemine n. m. Petit tube en forme de crayon, à l'intérieur duquel on place une mine et qui sert à écrire, à dessiner.

porte-monnaie n. m. inv. **1.** Petite pochette, petit sac en cuir, en matière plastique, etc., pour les pièces de monnaie. **2.** *Porte-monnaie électronique* : carte à puce rechargeable permettant de régler diverses menues dépenses.

porte-mors n. m. inv. TECH Partie latérale de la bride qui soutient le mors.

porte-musc n. m. inv. ZOOL Petit cervidé *(Moschus moschiferus)* d'Asie orientale dont les canines supérieures sont transformées en défenses et dont le mâle possède une poche à musc près de l'ombilic.

porteño [pɔʀteɲo] adj. et n. De Buenos Aires. ▷ Subst. *Les Porteños.*

porte-objet n. m. TECH Platine d'un microscope. ▷ Lame sur laquelle on place un objet à examiner au microscope. – (En appos.) *Lame porte-objet.* – *Des porte-objet(s).*

porte-outil n. m. Support de l'outil d'une machine-outil. *Des porte-outil(s).*

porte-parapluies n. m. inv. Support ou récipient qui sert à ranger les parapluies, les cannes.

porte-parole n. inv. Personne qui parle au nom d'une autre, d'un groupe.

porte-plume n. m. inv. Instrument muni d'une plume à écrire.

1. porter v. [1] **I.** v. tr. **1.** Soutenir, maintenir, soulever (un poids). *Porter un fardeau.* ▷ Fig. *Porter tout le poids, toute la responsabilité de qqch,* en être seul chargé. **2.** Avoir en soi, dans sa matrice (un enfant, un petit), en parlant de la femme, des femelles des mammifères. *Femme qui porte un enfant dans son sein.* – Absol. *La chienne porte neuf semaines.* ▷ Produire (des graines, des fruits), en parlant de plantes. *Vigne qui porte de belles grappes.* **3.** Prendre avec soi et mettre en un lieu déterminé. *Porter ses chaussures chez le cordonnier.* **4.** Inscrire, enregistrer, coucher par écrit. *Vous porterez sur ce registre les noms des absents.* **5.** Avoir sur soi. *Porter un manteau. Porter la barbe.* ▷ Par méton. *Porter les armes, la robe, la soutane :* être militaire, magistrat, ecclésiastique. **6.** Avoir, garder (une trace, une marque). *Billet de loterie qui porte tel numéro.* ▷ Avoir pour patronyme, pour surnom. *Le nom que je porte.* **7.** Tenir de telle ou telle façon (le corps, une partie du corps). *Porter la tête haute.* **8.** Faire aller (qqch) vers. *Porter des aliments à sa bouche.* ▷ *Porter la main sur qqn, porter un coup à qqn,* le frapper. – (Au sens moral.) *La mort de sa femme lui a porté un rude coup.* ▷ En loc. *Porter un sentiment à qqn,* éprouver à son égard ce sentiment. – *Porter secours à qqn,* le secourir. – *Porter bonheur, malheur :* apporter la chance, la malchance. – *Porter préjudice à qqn,* lui nuire. – *Porter témoignage :* apporter, fournir (personnes), constituer (choses) un témoignage. – *Porter un jugement,* l'émettre, l'exprimer. **9.** *Porter à :* inciter, entraîner à. *Ses déboires l'ont porté à se méfier.* **10.** Amener, pousser à un degré d'intensité supérieur; élever à une quantité plus grande. *Porter un métal au rouge cerise. Cette mort porte à vingt-huit le nombre des victimes.* ▷ Élever professionnellement, socialement. *Porter qqn aux plus hautes fonctions.* **II.** v. tr. indir. **1.** *Porter sur :* avoir pour point d'appui, pour support, pour fondement. *Tout l'édifice porte sur ces colonnes.* ▷ *Porter à faux :* ne pas reposer directement sur son support, ou n'avoir pas le centre de gravité à la verticale du point d'appui, en parlant d'une partie de construction, d'un objet quelconque. – *Remarque qui porte sur un point important,* qui a pour objet un point important. – Fam. *Porter sur les nerfs de qqn,* l'irriter, l'exaspérer. **2.** *Porter contre :* aller heurter, entrer rudement en contact avec. *Sa tête a porté contre le pare-brise.* **III.** v. intr. Avoir une portée, en parlant d'une arme à feu, d'une pièce d'artillerie. *Les mortiers ne portent pas jusqu'ici.* – Fig. *Sa critique a porté,* elle a atteint son but. ▷ *Une voix qui porte :* une voix que l'on entend de loin. **IV.** v. pron. **1.** Aller, se diriger. *Son cheval s'est porté brusquement sur la droite.* ▷ Fig. *L'intérêt se portait tout d'un coup sur lui.* **2.** Se laisser aller, en venir (à). *Se porter à des excès.* **3.** Se présenter en tant que. *Se porter candidat à une élection.* **4.** Être habituellement porté (vêtements). *Les robes se portent plus longues cet hiver.* **5.** *Se porter bien, mal :* être en bonne, en mauvaise santé.

2. porter [pɔʀtɛʀ] n. m. Bière anglaise brune et forte.

Porter (Cole) (Peru, Indiana, 1893 – Santa Monica, Californie, 1964), compositeur américain, auteur de chansons *(Night and Day),* de comédies musicales (*Cancan,* 1953) et de musiques de films (*High Society,* 1956).

Porter (Katherin Ann) (Indian Creek, Texas, 1894 – Silver Spring, Maryland, 1980), écrivain américain. Dans *la Nef des fous* (1962), elle représente l'existence comme un voyage.

porte-revues n. m. inv. Dispositif léger destiné au rangement des revues en cours de lecture.

porte-savon n. m. Petit ustensile, petit récipient disposé près d'un lavabo, d'une baignoire, etc., pour recevoir le savon. *Des porte-savon(s).*

Portes de Fer (les), défilé du Danube entre les Carpates (Roumanie) et les Balkans (Serbie). Import. installation hydroélectrique.

porte-serviettes n. m. inv. Support muni de tringles destiné à recevoir des serviettes de toilette.

Port-Étienne. V. Nouadhibu.

porteur, euse n. et adj. **I.** n. **1.** Personne dont le métier est de porter des fardeaux. ▷ *Spécial.* Celui qui porte les bagages, dans une gare. ▷ SPORT Fam. *Porteur d'eau :* dans une compétition par équipes, celui qui se met au service d'un leader, d'un attaquant. **2.** n. m. Personne chargée de remettre une lettre. **3.** n. m. FIN Possesseur (d'un titre). *Porteur d'une action.* ▷ *Petit porteur :* actionnaire individuel d'une société anonyme. ▷ *Billet, chèque au porteur,* qui peut être encaissé par toute personne qui le détient, qui n'est pas nominatif. **4.** n. m. *Porteur de... :* personne qui détient, porte sur soi. *Porteur d'une fausse carte d'identité.* – MED *Porteur de germes* ou *porteur sain :* personne dont l'organisme contient des germes pathogènes, mais qui ne présente pas les signes cliniques de la maladie correspondante. **II.** adj. **1.** *Gros porteur :* se dit d'un avion, d'un camion de grande capacité. **2.** Qui porte. *Essieux porteurs et essieux moteurs d'une locomotive.* **3.** RADIOELECTR *Onde porteuse,* employée pour la transmission d'un signal. **4.** ECON Qui offre des débouchés. *Marché porteur.* **5.** Fig. Qui est riche de possibilités, de potentialités. *Le thème porteur de l'écologie.* **6.** *Mère porteuse :* femme qui, après transfert d'embryon, porte un enfant à la place d'une autre femme.

porte-voix n. m. inv. Instrument portatif destiné à faire entendre la voix à grande distance, constitué d'un grand pavillon tronconique dont l'extrémité la plus étroite enserre la bouche; appareil électrique destiné au même usage.

portfolio n. m. TECH Support rigide, assemblage de feuillets mobiles ou non, servant à la présentation de photographies, d'estampes, etc.

Port-Gentil, princ. port du Gabon, à l'embouchure de l'Ogooué; ch.-l. de prov.; 85 000 hab. Industr. du bois; raff. de pétrole.

Port Harcourt, port du Nigeria, sur le delta du Niger; 242 000 hab.; cap. d'État *(Rivers).* Raff. de pétrole.

Portici, port d'Italie (Campanie), au pied du Vésuve, sur le golfe de Naples; 79 260 hab. Industr. chimiques. – Palais royal du XVIIIe s.

portier, ère n. **1.** Vx Concierge. **2.** n. m. Employé qui garde l'entrée de certains établissements publics (hôtels, notam.). **3.** Personne qui garde la porte d'un couvent. – (En appos.) *La sœur portière.* **4.** n. m. *Portier électronique :* système électronique qui permet l'ouverture automatique d'une porte.

Portier (Paul) (Bar-sur-Seine, 1866 – Bourg-la-Reine, 1962), médecin français. Il découvrit, avec Richet, l'anaphylaxie et étudia les bactéries marines.

1. portière adj. f. ELEV Se dit d'une femelle en âge de porter des petits. *Vache portière.*

2. portière n. f. **1.** Tenture destinée à masquer une porte. **2.** Porte d'automobile, de voiture de chemin de fer. **3.** V. portier, sens 3.

portillon n. m. Porte à battant généralement bas, qui ferme un passage public.

Portillon (lac du), lac des Pyrénées centrales, à 2 650 m d'alt. Aménagement hydroélectrique.

portion n. f. **1.** Partie d'un tout divisé. *Une portion de droite. La portion enneigée de l'autoroute.* **2.** Ce qui revient à chacun dans un partage. **3.** Quantité d'un mets destinée à un convive, dans un repas.

portionnaire n. DR Personne qui a droit à une portion d'héritage.

portique n. m. **1.** Galerie à l'air libre dont le plafond est soutenu par des colonnes, des arcades. ▷ PHILO ANC *Le Portique :* la philosophie stoïcienne (qui était enseignée sous un portique, le pœcile, à Athènes). **2.** Support constitué de deux éléments verticaux reliés à leur sommet par un élément horizontal. *Portique de gymnastique,* auquel sont accrochés des agrès. *Portique de levage,* roulant sur des rails et comportant un chariot mobile auquel est accroché un palan. **3.** *Portique (de sécurité) :* dans les aéroports, dispositif détecteur de métal permettant de vérifier que les voyageurs ne portent pas d'armes.

Port-Jérôme, écart de la com. de Notre-Dame-de-Gravenchon (Seine-Maritime, arr. du Havre), sur la basse Seine. Complexe pétrochimique.

portland n. m. CONSTR Ciment hydraulique obtenu autrefois par la calcination des calcaires silico-alumineux de la presqu'île de Portland (G.-B.) et fabriqué auj. avec un mélange d'argile et de carbonate de calcium *(portland artificiel).*

Portland, v. des É.-U. (Oregon), grand port sur la Willamette, avant le confl. de cette riv. et du fl. Columbia; 437 300 hab. (aggl. urb. 1 340 900 hab.).

Port-la-Nouvelle (*La Nouvelle* jusqu'en 1953), com. de l'Aude (arr. de Narbonne). Port à l'extrémité de l'étang de Sigean; 4 842 hab. Raff. de soufre, pétrochimie. Stat. balnéaire.

Port-Louis, cap. et port de l'île Maurice; 136 320 hab. Princ. centre économique de l'île : raff. de pétrole; sucreries; constr. mécaniques. – La ville fut fondée par La Bourdonnais (1735).

Port-Lyautey. V. Kenitra.

Port Moresby, cap. et port de Papouasie-Nouvelle-Guinée, sur la côte S.-E. de l'île; 118 420 hab. Exportation de cuivre, or, argent, etc.

porto n. m. Vin liquoreux, rouge ou blanc, produit à partir de raisin récolté dans le nord du Portugal.

Porto (golfe de), golfe pittoresque de la côte O. de la Corse.

Porto, v. et port du Portugal, à l'embouchure du Douro; ch.-l. du distr. du m. nom et cap. de la région Nord; 327 370 hab. (2e v. du pays). Industr. div.; raff. de pétrole. – Évêché. Univ.

Cath. romane (XIIe-XIIIe s., remaniée). Égl. dos Clérigos (XVIIe-XVIIIe s.).

Pôrto Alegre, v. et port du Brésil, sur le lac dos Patos; 1 275 480 hab.; cap. de l'État de Rio Grande do Sul. Industries alimentaires (viande), textiles, chimiques. – Archevêché.

Portoferraio, v. d'Italie (Toscane), v. princ. et port de l'île d'Elbe; 10 760 hab. – Napoléon Ier y résida de mai 1814 à février 1815.

Port of Spain, cap. et port de l'État de Trinité-et-Tobago, dans l'île de la Trinité; 59 650 hab. Exportation de sucre et de cacao.

Porto Marghera, zone portuaire de Venise, puis de Mestre, qui fait de Venise le 3e port italien. Centre industriel (pétrochim.) en expansion démographique. Le poids des constructions est responsable de l'affaissement de la lagune.

Porto-Novo, cap. du Bénin, sur une lagune du golfe de Guinée; 144 000 hab. Industr. alimentaires.

portoricain, aine adj. et n. De Porto Rico. ▷ Subst. *Un(e) Portoricain(e).*

Porto-Riche (Georges de) (Bordeaux, 1849 – Paris, 1930), écrivain français. Auteur de drames passionnels et sentimentaux (*le Passé,* 1898; *le Marchand d'estampes,* 1918), de poésies (*Prima verba,* 1872) et d'essais (*Anatomie sentimentale,* 1920).

Porto Rico ou **Puerto Rico,** la plus orientale des Grandes Antilles, formant, avec ses dépendances (Mona, Culebra, Vieques), un État libre associé aux É.-U.; 8 897 km²; env. 3 400 000 hab. (*Portoricains*); cap. *San Juan.* Langue off. : angl.; langue usuelle : esp. Monnaie : dollar U.S. Pop. : Blancs (80 %), Noirs. Relig. : cathol. (85 %). – Une chaîne montagneuse (1 341 m au Cerro de Punta) traverse l'île d'O. en E., délimitant une zone tropicale humide au N., une zone tropicale sèche au S. L'île est souvent touchée par les typhons. L'émigration (plus de 2 millions de Portoricains résident aux É.-U.) est un palliatif du surpeuplement; le taux de natalité demeure très élevé. Princ. ressources : tourisme, sucre, tabac, café, agrumes, cacao. Les capitaux des É.-U., pays avec lequel se font les trois quarts du commerce portoricain, ont permis le développement de l'industrie (alim., text., chim.). – Découverte par C. Colomb (1493), l'île, aussitôt colonisée par les Espagnols, leur fut disputée aux XVIe et XVIIe s. par les Anglais et les Hollandais. L'Espagne dut la céder aux É.-U. en 1898 (guerre hispano-américaine). Par la Constitution de 1952, le pays est devenu un État libre associé aux États-Unis. Ce statut est contesté par les partisans d'une intégration complète aux États-Unis, et par les indépendantistes dont certains adoptent Cuba comme modèle.

Porto-Vecchio, ch.-l. de cant. de la Corse-du-Sud (arr. de Sartène), au fond du *golfe de Porto-Vecchio* (côte S.-E.); 9 391 hab. Mat. de constr. Stat. balnéaire. Centre commercial.

Pôrto Velho, cap. de l'État brésilien du Rondônia; 135 000 hab.

Portoviejo, v. de l'Équateur; 120 900 hab.; ch.-l. de la prov. de Manabí. Chapeaux de paille (panamas).

Port Radium, local. du Canada (Territoire du Nord-Ouest), sur la côte E. du Grand Lac de l'Ours. Gisements d'argent, de plomb et de zinc.

portrait n. m. **1.** Représentation d'une personne par le dessin, la peinture, la photographie. – *Spécial.* Représentation de son visage. *Portrait en pied,* représentant le corps et le visage. ▷ Loc. fig. *Être le portrait de qqn,* lui ressembler beaucoup. **2.** Pop. Figure, visage. **3.** *Par anal.* Description d'une personne, d'une chose.

portraitiste n. Artiste spécialisé dans le portrait.

portrait-robot n. m. Portrait d'un individu recherché par la police, réalisé d'après les indications fournies par les témoins. *Des portraits-robots.*

portraiturer v. tr. [1] Litt. Faire le portrait de qqn. ▷ Fig. Décrire (qqn).

Port-Royal, célèbre abbaye de femmes fondée en 1204 dans la vallée de Chevreuse (auj. Yvelines) et rattachée à l'ordre de Cîteaux en 1225. L'abbesse Angélique Arnauld* y introduisit des réformes radicales. Les religieuses de l'abbaye, dont le nombre croissait rapidement, s'établirent en 1625 à Paris, faubourg Saint-Jacques. À partir de 1635, elles eurent pour maître spirituel l'abbé de Saint-Cyran, augustin, ami de Jansénius; par lui, elles furent mêlées à la querelle janséniste, dans laquelle les «solitaires» (Antoine Arnauld, Pierre Nicole, Lemaistre de Sacy, Lancelot, Arnauld d'Andilly, etc.) jouèrent le rôle essentiel. Installés en 1637 dans la maison abandonnée de Chevreuse, ils y fondèrent les *Petites Écoles* (Racine fut leur élève). L'abbaye de la vallée de Chevreuse, dite Port-Royal des Champs, où de nombreuses religieuses étaient revenues en 1648, devint un centre d'intense activité intellectuelle et spirituelle. En 1656, de violentes persécutions émanant de l'autorité politique s'abattirent sur Port-Royal et les Petites Écoles furent supprimées. En 1665, Port-Royal de Paris passait sous le patronage des Jésuites. Après une première persécution (1665-1669), Port-Royal des Champs retrouva une vie normale; mais le pouvoir royal, exaspéré par les jansénistes, lui interdit de recevoir des novices (1706), dispersa les religieuses avec l'accord du pape (1709) et fit raser l'abbaye (1710). Sur le plan de l'enseignement, de la littérature (Pascal, Racine), de la linguistique, son influence fut considérable. – *L'abbaye de Port-Royal de Paris* se sépara de *Port-Royal des Champs* en 1669. L'institution fut supprimée en 1790, l'abbaye devint une prison. Depuis 1814, une maternité y est installée.

Port-Saïd, v. et port d'Égypte, à l'entrée N. du canal de Suez; 364 000 hab.; ch.-l. du gouvernorat du m. nom.

vue générale de l'abbaye **Port-Royal des Champs,** peinture attribuée à Madeleine Boulogne, XVIIe s.; château de Versailles

Port-Saint-Louis-du-Rhône, ch.-l. de cant. des Bouches-du-Rhône (arr. d'Arles), port actif sur le Grand Rhône; 8 648 hab.

Portsall, petit port de pêche (com. de Ploudalmézeau, arr. de Brest). Le naufrage d'un pétrolier géant, l'*Amoco Cádiz,* devant Portsall provoqua en 1978 la pollution des côtes sur plus de 150 km.

port-salut n. m. inv. (Nom déposé.) Fromage à pâte ferme, de couleur jaunâtre, fabriqué avec du lait de vache.

Portsmouth, v. des É.-U. (New Hampshire), sur l'Atlantique; 25 900 hab. (aggl. urb. 206 500 hab.).– Le *traité de Portsmouth* (1905) mit fin (avec la médiation américaine) à la guerre entre les Japonais et les Russes.

Portsmouth, port des É.-U. (Virginie), proche de Norfolk; 103 900 hab. Constr. navales.

Portsmouth, v. de G.-B. (Hampshire), dans la presqu'île de Portsea, face à l'île de Wight; 174 700 hab. Premier port militaire de G.-B.

Portsmouth (duchesse de). V. Kéroualle (Louise de).

Port-Soudan, princ. port de comm. du Soudan, sur la mer Rouge; ch.-l. de rég.; 227 970 hab. Raff. de pétrole.

Port Talbot, port de G.-B. (pays de Galles), sur la baie de Swansea (canal de Bristol); 49 900 hab. Import. centre sidérurgique.

portuaire adj. Qui a trait à un port; propre aux ports. *Installations portuaires.*

portugais, aise adj. et n. **I. 1.** adj. Du Portugal. ▷ Subst. *Un(e) Portugais(e).* **2.** n. m. *Le portugais :* la langue romane parlée au Portugal et au Brésil et dans quelques pays d'Afrique (Angola, Mozambique, notam.). **II. 1.** adj. *Huître portugaise* ou, n. f., *portugaise :* huître unisexuée et ovipare, aux valves inégales. ▷ n. f. *Par comp.* Pop. Oreille. (Surtout dans la loc. *avoir les portugaises ensablées :* avoir les oreilles bouchées, mal entendre.) **2.** MAR *Amarrage à la* (ou *en*) *portugaise* ou, n. f., *une portugaise :* amarrage de deux cordages constitué de nombreux tours d'un mince filin.

Portugal *(République portugaise),* État d'Europe mérid., dans l'O. de la péninsule Ibérique, sur l'Atlantique; 91 985 km² et 10 336 900 hab. avec ses dépendances (les Açores et Madère); cap. *Lisbonne.* Nature de l'État : rép. parlementaire. Langue off. : portugais. Monnaie : escudo. Relig. : cathol (90 %).
Géogr. phys. et hum. – Au N. du pays dominent les hautes terres : plateaux élevés, échines montagneuses (1 991 m dans la Serra de Estrella), au climat méditerranéen humide, alors que le S. est constitué pour l'essentiel de plaines et de bas plateaux au climat plus chaud et plus sec. Trois grands fleuves nés en Espagne, le Douro, le Tage et le Guadiana drainent le pays. Le littoral s'étire sur 850 km; le plus souvent bas et rectiligne, il correspond à des plaines intérieures (Beira littorale, Ribatejo, Bas Alentejo, Algarve) qui groupent les deux tiers de la population du pays et les principales villes. À la période de croissance démographique élevée des années 50 et 60, accompagnée d'une émigration massive (la France, première destinataire, accueille 850 000 Portugais), a succédé une nouvelle phase : la croissance est ralentie (effondrement de la fécondité) et le solde migratoire est excédentaire depuis le

début des années 70. Les ruraux sont encore majoritaires.
Écon. – L'agriculture emploie 20 % des actifs et reste déficitaire : polyculture des petites exploitations du N., céréaliculture et élevage extensifs des grands domaines du S. Liège et vin de Porto sont les deux grands produits d'exportation. Depuis 1986, la croissance industr. est forte, soutenue par l'afflux de capitaux étrangers et les aides communautaires (50 milliards de francs pour la période 1989-1993). La branche textile-habillement arrive largement en tête, avec 28 % des salariés de l'industrie et 30 % des export., devant le matériel de transport, l'agro-alimentaire et la chaussure. Porto et Lisbonne sont les deux grands centres industriels, Sines étant le pôle pétrochimique. Le tourisme et les transferts de fonds des 3 millions de Portugais de l'étranger assurent des recettes importantes. La politique de privatisation, lancée en 1989, a marqué la fin de l'expérience socialiste. Depuis 1991, le pays a accéléré sa convergence avec ses partenaires européens : l'inflation est passée de 14 % à moins de 3 % en 1997; la croissance (3 % en 1996-1997) est une des meilleures de l'U.E. Le Portugal est candidat à l'entrée dans l'euro en 1999.
Hist. – Occupée dans l'Antiquité par les Lusitaniens, tribus ibères, la région fut définitivement conquise au Ier s. av. J.-C. par les Romains, qui maintinrent leur domination jusqu'au Ve s. apr. J.-C. Envahie par les Alains, les Suèves et les Wisigoths (Ve s.), ensuite par les Arabes (711), elle suivit le sort de l'Espagne. En 1097, Henri de Bourgogne reçut d'Alphonse VI de Castille et de Léon, son beau-père, le comté de Portugal (entre Minho et Mondego); en 1139, ce comté forma un royaume indépendant, dont le souverain, Alphonse Ier Henriques, repoussa les Maures jusqu'à Lisbonne (1147). Ses successeurs poursuivirent la reconquête, qui fut totale en 1249. Denis le Libéral (1279-1325) donna un grand essor au pays, préparant ainsi l'époque des grandes expéditions marit. : Jean Ier (1385-1433), assisté par son fils Henri le Navigateur, Jean II (1481-1495) et Manuel Ier le Fortuné (1495-1521) entreprirent l'exploration et l'exploitation des côtes africaines, indiennes et brésiliennes. L'extinction de la dynastie d'Aviz (1383-1580), poussa Philippe II d'Espagne à faire valoir ses droits à la couronne. Lié à l'Espagne, le Portugal déclina : son empire maritime, attaqué par les Anglais et les Hollandais, s'effrita. En 1640, les Portugais se révoltèrent contre le gouv. espagnol, se donnèrent pour roi Jean IV de Bragance et, au prix d'une guerre qui dura vingt-sept ans, acquirent leur complète indépendance (traité de Lisbonne, 1668). Régnant sur des terres vastes et lointaines, cette petite nation ne put garder toutes ses colonies des Indes et d'Afrique; en revanche, elle s'attacha à exploiter le Brésil. En 1703, par le traité de Methuen, le Portugal, soucieux de se préserver définitivement de la puissance espagnole, tomba pour longtemps sous la dépendance économique de l'Angleterre, dépendance que ne purent entamer les grandes réformes de Pombal, le ministre de Joseph Ier (1750-1777). Napoléon Ier fit occuper le Portugal (1807), qui se libéra complètement avec l'aide des Anglais en 1811. Jean VI de Bragance, réfugié au Brésil dès 1807, n'en revint qu'en 1821. En 1910, un coup d'État militaire renversa la royauté. Un régime républicain, très instable, fit place à une république unitaire corporative instaurée par Salazar, président du Conseil à partir de 1932, qui, sans porter officiellement le titre de chef de l'État, gouverna en dictateur jusqu'en 1968, assurant au pays la stabilité financière et politique. L'ère de la décolonisation fut fatale au régime; Diu, Goa et Damão (Damān) furent annexés par l'Inde en 1961; des troubles graves, suivis d'une guerre difficile, éclatèrent la même année en Angola, tandis que l'agitation s'étendait au Mozambique et à la Guinée-Bissau. En 1968, frappé d'une congestion cérébrale, Salazar laissa le pouvoir à Caetano qui, tout en libéralisant la vie politique et écon., ne voulut pas arrêter la guerre de répression coloniale, trop lourde pour les forces réelles du Portugal. Le 25 avril 1974, une junte, composée d'officiers supérieurs hostiles à la poursuite des guerres coloniales et appuyés par l'ensemble des forces armées, renversa Caetano et le salazarisme. Lors du « printemps portugais », dit « révolution des œillets », les partis de gauche se révélèrent puissants à l'intérieur du pays comme au sein du Mouvement des forces armées (M.F.A.), lequel prit la direction des affaires et procéda à une rapide décolonisation. Mais bientôt les socialistes accusèrent les communistes de vouloir établir un régime totalitaire; ils remportèrent les élections constituantes d'avril 1975. Les communistes furent écartés du pouvoir après une tentative de putsch (nov. 1975), et, en déc., le M.F.A. laissa le pouvoir aux civils. En juin 1976, le général Eanes fut élu président de la République tandis que les élections législatives donnaient la majorité aux socialistes et à leurs alliés du centre droit. Durant ses deux mandats (il fut réélu en 1980), les gouvernements de gauche et du centre, présidés par le socialiste Mario Soares, alternèrent avec des coalitions de droite ou de centre droit. En 1985 fut signé le traité d'adhésion à la C.É.E.; l'année suivante, Mario Soares accéda à la présidence de la République. Cependant, le Parti social-démocrate (centre droit) d'Anibal Cavaco Silva remporta les élections législatives de juil. 1987. En 1988, une modification constitutionnelle autorisa les dénationalisations et la privatisation de l'information. Antonio Guterres en oct. 1995, comme Premier ministre, et Jorge Sampaio en janv. 1996, comme président de la Rép., furent élus.

portune n. m. ZOOL Crabe dont une espèce (*Portunus puber* : étrille) est commune sur les côtes de l'Atlantique et de la Manche.

Port-Vendres, ch.-l. de cant. des Pyrénées-Orientales (arr. de Céret); 5 444 hab. Port de commerce actif. Pêche (langouste); vins. Stat. balnéaire.

Port-Vila. V. Vila.

Portzamparc (Christian, Gubert, Marie Urvoy de) (Casablanca, 1944), architecte français. On lui doit, en particulier, la Cité de la musique, au parc de la Villette (1985-1995), qui renouvelle le style international à partir des acquis du fonctionnalisme.

P.O.S. n. m. Sigle pour *plan d'occupation des sols*.*

Posadas, v. d'Argentine, sur le Paraná; 191 000 hab.; ch.-l. de la prov. de Misiones. Port fluvial. Industr. alimentaires.

pose n. f. **1.** Action de poser; mise en place, montage. *Pose d'un lavabo.* **2.** Attitude que prend un modèle devant un peintre, un sculpteur, un photographe. *Prendre la pose.* ▷ Attitude, maintien du corps. *Une pose gracieuse, indolente.* **3.** Fig. Attitude affectée. **4.** PHOTO Exposition à la lumière de la surface sensible; durée de cette exposition. *Temps de pose.* – *Absol.* Exposition de quelque durée (par oppos. à *instantané*).

posé, ée adj. **1.** Sérieux, calme, pondéré. *Une jeune fille très posée.* **2.** PHOTO Exposé à la lumière. *Cliché trop posé.* **3.** MUS *Une voix posée* : V. poser, sens I, 7.

Poséidon, dans la myth. gr., dieu des Mers, des Sources et des Fleuves, dieu

statue en bronze de **Poséidon,** par Calamis, v. 460 av. J.-C.

qui ébranle la terre, le Neptune des Romains. Fils de Cronos et de Rhéa, frère de Zeus et de Hadès, il est l'époux d'Amphitrite. Les Grecs le représentaient armé d'un trident et lui attribuaient la domestication du cheval.

posément adv. D'une façon posée, calmement, tranquillement.

posemètre n. m. PHOTO Appareil servant à déterminer le meilleur temps de pose pour une photographie.

poser v. [1] **I.** v. tr. **1.** Placer, mettre. *Poser un vase sur un meuble.* – (S. comp. de lieu.) Cesser de porter, déposer. *Il posa ses valises.* **2.** Disposer, installer, fixer à l'endroit approprié. *Poser un câble téléphonique.* **3.** Coucher sur le papier, disposer par écrit. *Poser une multiplication.* **4.** Fig. Établir. *Poser en principe. Posons comme hypothèse que...* **5.** *Poser une question,* la formuler; demander qqch. ▷ *Poser un problème à qqn,* être pour lui une cause d'ennui, de désagrément; faire difficulté. *Votre absence risque de nous poser un problème.* **6.** (Sujet n. de chose.) Contribuer à établir la réputation de (qqn), lui conférer importance et prestige. *Le succès de son roman a posé ce jeune auteur.* **7.** MUS *Poser sa voix,* bien la contrôler, la faire sonner juste et avec un volume égal dans toutes les tonalités. **8.** Abandonner, déposer. *Poser les armes :* capituler. **II.** v. intr. **1.** Rare Être appuyé, porter (sur qqch). *Cette poutre pose sur le mur.* Syn. (cour.) reposer. **2.** Prendre la pose devant un peintre, un sculpteur, un photographe, etc. ▷ Fam., vieilli *Faire poser qqn,* le faire attendre ou l'amuser de vaines promesses. **3.** Fig., péjor. Étudier ses attitudes, ses gestes, chercher à faire de l'effet. *Poser pour la galerie.* ▷ Fam. *Poser à :* tenter de se faire passer pour, jouer les. *Poser au génie méconnu.* **III.** v. pron. **1.** (Personnes) Se placer, se mettre quelque part. **2.** Toucher terre ou se percher, en parlant d'un oiseau. *Moineau qui se pose sur une branche.* ▷ Atterrir, en parlant d'un aéronef. **3.** Requérir une réponse, une solution, en parlant d'une question, d'un problème. *Le problème ne se pose plus.* **4.** Loc. *Se poser comme :* s'affirmer en tant que. ▷ *Se poser en :* se présenter comme, s'ériger en. ▷ Fam. *Se poser là :* avoir dans son genre une importance qui n'est pas négligeable, tenir sa place (presque toujours iron.). *Comme imbécile, il se pose là!*

poseur, euse n. (et adj.) **1.** n. Personne qui pose, qui met en place (certains matériaux, certains objets). *Poseur de carreaux.* **2.** adj. et n. Fig. Se dit d'une personne qui adopte une attitude affectée et prétentieuse.

posidonie n. f. BOT Plante aquatique à longues feuilles, à fleurs verdâtres, qui constitue des herbiers sous-marins.

positif, ive adj. (et n. m.) **I. 1.** Qui exprime une affirmation (par oppos. à *négatif*). *Sa réponse a été positive.* ▷ GRAM *Degré positif de l'adverbe, de l'adjectif,* exprimant une qualité, sans idée de comparaison. – n. m. *Le positif, le comparatif et le superlatif.* **2.** MATH Supérieur à zéro. *Strictement positif :* supérieur à zéro et non nul. **3.** PHYS *Électricité positive,* acquise par le verre lorsqu'on le frotte avec une étoffe (appelée autrefois *électricité vitreuse,* par oppos. à *électricité résineuse* – dite auj. *négative* – dont se charge la résine frottée avec une fourrure). *Un corps acquiert une charge positive lorsqu'il perd des électrons.* – Par ext. *La borne positive d'un générateur.* ▷ CHIM *Ion positif* ou *cation**. **4.** Qui se traduit par des effets que l'on peut constater; sensible, manifeste. ▷ MED *Réaction positive,* qui a lieu. *Cuti-réaction positive. Un examen bactériologique positif,* qui décèle la présence du microbe recherché. **5.** PHOTO *Épreuve positive* ou, cour., n. m., *un positif :* épreuve définitive tirée à partir d'un négatif et sur laquelle les valeurs apparaissent comme dans la réalité (blanc rendu par du blanc, noir rendu par du noir, à l'inverse du négatif). **II. 1.** Certain, constant, assuré. *C'est un fait positif, constaté par plusieurs témoins.* **2.** Qui comporte des éléments constructifs; qui peut amener une évolution favorable, un progrès. *Cet échange de vues a été positif à bien des égards.* ▷ n. m. *Le positif :* ce qui est avantageux, favorable, ce dont on peut espérer tirer profit. **III. 1.** Didac. Fondé sur l'expérience. *Connaissance intuitive et connaissance positive. Sciences positives,* fondées sur l'observation des faits et sur l'expérimentation. ▷ PHILO *Philosophie positive :* positivisme. **2.** (Personnes) Qui ne tient pour assuré que ce qui a été dûment vérifié, prouvé; qui a pour habitude de chercher la cause des faits inexpliqués plutôt dans l'ordre du naturel que dans celui du surnaturel. *Un esprit positif.* – Par ext. *Le XX*ᵉ *siècle, époque positive.* **3.** (Personnes) Qui fait preuve de réalisme, de sens pratique. **IV.** Didac. Qui résulte d'une institution, qui a été établi, fondé. (Surtout dans l'expression *droit positif :* ensemble des règles juridiques qui régissent une société donnée à une époque déterminée, par oppos. à *droit naturel.*)

position n. f. **I. 1.** Situation en un lieu; endroit où (qqn, qqch) se trouve. *Position d'une ville au débouché d'une vallée.* ▷ Spécial. *Déterminer sa position sur la sphère terrestre en calculant la latitude et la longitude. Position d'un navire, d'un avion.* ▷ *Feux de position,* qui indiquent dans l'obscurité le gabarit d'un véhicule automobile. **2.** Emplacement, zone de terrain qu'un corps de troupes a pour mission de défendre. ▷ Fig. *Prendre position :* faire connaître clairement son attitude, son opinion, dans une controverse, une polémique, un conflit. – *Rester sur ses positions :* refuser toute concession. **3.** Attitude, posture; maintien du corps ou de l'une de ses parties. ▷ CHOREGR Chacune des cinq manières de poser les pieds ou de tenir les bras définies par les règles de la danse académique. ▷ MUS Façon de placer les mains, les doigts, dans le jeu sur un instrument à cordes. ▷ SPORT En escrime, manière de placer la main qui tient l'arme, soit en supination (les ongles dessus), soit en pronation (les ongles dessous). **4.** Ensemble des circonstances dans lesquelles on se trouve, situation. *Elle n'est pas en position de vous aider,* elle n'est pas en mesure de le faire, n'en a pas la possibilité (étant donné les circonstances). ▷ Situation administrative d'un fonctionnaire ou d'un militaire. *Officier en position d'activité, de disponibilité.* **5.** État de fortune; condition sociale. ▷ Poste que l'on occupe, fonction que l'on remplit. *Il occupe une position très en vue.* **6.** Place dans un ordre, une série, un rang. *Ce concurrent occupe pour l'instant la première position.* – SPORT *Position de tête* ou *position de pointe :* V. pole position. ▷ MUS Place relative des notes qui forment un accord. **7.** Situation débitrice ou créditrice d'un compte bancaire. *Demander sa position.* **II.** Fait ou façon de poser (un problème, une question, un principe, etc.). *Cette position du problème est la seule correcte.*

positionnement n. m. **1.** TECH Opération qui consiste à positionner (une pièce). **2.** COMPTA Mise à jour (d'un compte bancaire). **3.** MILIT Détermination de la position (d'un objectif).

positionner v. tr. [1] **1.** TECH Amener automatiquement (une pièce, un dispositif) à la position voulue. **2.** COMPTA Mettre à jour (un compte) en passant en écritures les sommes dont il doit être débité ou crédité. **3.** MILIT Déterminer exactement la position de (un objectif). **4.** COMM Définir les caractéristiques, la place sur le marché et la clientèle de (un produit).

positionneur n. m. TECH Instrument ou dispositif permettant de positionner et de maintenir une pièce.

positivement adv. D'une manière positive. **1.** D'une manière sûre, certaine. *J'en suis positivement persuadé.* ▷ Véritablement, tout à fait. *Son insistance devenait positivement choquante.* **2.** Avec de l'électricité positive.

positiver v. tr. [1] (Emploi critiqué.) Rendre positif.

positivisme n. m. PHILO **1.** Système philosophique d'Auguste Comte (1798-1857). **2.** *Par ext.* Toute doctrine pour laquelle la vérification des connaissances par l'expérience est l'unique critère de vérité.

ENCYCL Le positivisme d'Auguste Comte repose sur deux affirmations essentielles : nous ne pouvons pas atteindre les choses en elles-mêmes; c'est sur les phénomènes que nous pouvons porter des jugements certains ayant une valeur universelle.

positiviste adj. et n. **1.** Relatif au positivisme. **2.** Partisan du positivisme. ▷ Subst. *Littré, Stuart Mill furent des positivistes.*

positivité n. f. Caractère de ce qui est positif.

positon ou **positron** n. m. PHYS NUCL Électron positif, antiparticule de l'électron.

Posnanie ou **Poznanie,** prov. de Pologne, autour de *Poznań;* 8 151 km²; 1 308 300 hab. Annexée en partie, puis en totalité par la Prusse lors des partages de 1772, 1793 et 1795, constituée en grand-duché en 1815, elle revint à la Pologne en 1919, à l'exception des régions occidentales, qui ne lui revinrent qu'en 1945.

posologie n. f. PHARM Quantité totale d'un médicament à administrer à un malade, en une ou plusieurs fois, estimée d'après son âge, son sexe, sa constitution, son état.

possédant, ante n. et adj. Personne qui possède des biens (le plus souvent au plur.). *Les possédants :* les nantis, ceux qui détiennent les richesses, les capitaux. ▷ adj. *La classe possédante.*

possédé, ée adj. et n. Habité, subjugué par une puissance diabolique. *Possédé du démon.* – Fig. *Il est possédé par le démon du jeu.* ▷ Subst. *Un(e) possédé(e). Se démener comme un possédé,* violemment.

posséder v. tr. [14] **1.** Avoir en sa possession ou à sa disposition, détenir. *Posséder des terres. Posséder une charge.* – Avoir le bénéfice de, jouir de. *Posséder le secret du succès.* ▷ *Posséder une femme,* avoir avec elle des relations sexuelles. ▷ Fam. *Posséder qqn,* le tromper, le duper. Syn. avoir, rouler. **2.** (Personnes) Avoir (une qualité). *Il possède une grande habileté manuelle.* ▷ (Choses) Être doué de, avoir (une propriété). *Cette plante possède des vertus sédatives.* **3.** Connaître à fond, savoir parfaitement. *Il possède bien l'anglais.* Syn. maîtriser, dominer. **4.** Dominer, subjuguer, égarer (qqn), en parlant d'une passion, d'une émotion. *La passion du jeu le possède.* ▷ v. pron. Vx ou litt. *Se posséder :* être maître de soi, se dominer (fréquemment en tournure négative). *La fureur l'égarait, il ne se possédait plus.* **5.** S'emparer de l'être, de l'âme de (qqn), en parlant d'une puissance diabolique.

possesseur n. m. Personne qui possède (qqch).

possessif, ive adj. (et n. m.) **1.** GRAM Qui indique la possession, l'appartenance. *Adjectif, pronom possessif.* ▷ n. m. *Un possessif.* **2.** PSYCHO Qui a, dans le domaine affectif, des sentiments de possession, d'autorité, de propriété envers les autres.

possession n. f. **I. 1.** Fait de détenir (qqch); faculté de disposer, de jouir (de qqch). *Possession d'un bien, d'une charge.* ▷ DR Jouissance de fait d'un bien corporel non fondée sur un titre de propriété. *La possession n'est pas la propriété. En fait de meubles, possession vaut titre.* ▷ (Sens abstrait.) *Être en possession de tous ses moyens, de toutes ses facultés,* les maîtriser. **2.** RELIG État d'une personne possédée par une puissance diabolique. **3.** PSYCHIAT *Délire de possession :* trouble hallucinatoire qui donne au sujet la sensation d'être habité par une autre personne, un animal, un démon. **II. 1.** Chose possédée. ▷ *Spécial.* Domaine, terres. **2.** Territoire colonial.

Possession (La), com. de la Réunion (arr. de Saint-Denis); 15 623 hab.

possessionnel, elle adj. DR Qui marque la possession.

possessivité n. f. PSYCHO Fait d'être possessif; comportement d'une personne possessive.

possessoire adj. DR Relatif à la possession. *Actions possessoires.*

possibilité n. f. **1.** Caractère de ce qui est possible. **2.** Chose possible. *Évaluer différentes possibilités.* **3.** Ressource, moyen dont on dispose. *Cela dépasse ses possibilités.*

possible adj. et n. m. **I.** adj. **1.** Qui peut être, qui peut exister; qui peut se faire. *Il est possible de le réaliser.* ▷ (Avec ellipse du verbe.) *Si possible :* si c'est possible, si cela peut se faire. – (Marquant la surprise.) *Il est là ? Pas possible !* ▷ (Impliquant une idée de limite, supérieure ou inférieure.) *On lui a fait tous les compliments possibles,* tout ce qu'on peut imaginer en fait de compliments. – *Le plus, le moins possible. Prenez le moins possible de risques* (*possible* reste invariable); *le moins de risques possible(s)* (*possible* reste au sing. ou prend le pluriel selon que l'on considère qu'il se rapporte à un *il* sous-entendu ou au nom). ▷ (Marquant l'éventualité.) *Les chutes de neige, toujours possibles en cette saison...* – Ellipt. Fam. *« Vous viendrez ? – Possible ! »* – *Il est possible que* (+ subj.) : il se peut que. – Ellipt. Fam. *Possible que :* peut-être que. **2.** Fam. Passable, acceptable. *Il fait un mari tout à fait possible.* **II.** n. m. Ce qui est possible. *Le possible et l'impossible.* ▷ Loc. adv. *Au possible :* extrêmement.

possiblement adv. Rare Peut-être.

post-. Élément, du lat. *post,* « après ».

postage n. m. Action de poster, d'expédier (le courrier).

postal, ale, aux adj. De la Poste; qui a rapport à la Poste. *Service postal.* ▷ *Carte postale :* carte dont le recto porte une image, photographique ou autre, et dont le verso est destiné à la correspondance.

postclassique adj. Qui succède à l'époque classique.

postcombustion n. f. TECH Deuxième combustion provoquée par l'injection de carburant dans la tuyère d'un moteur à réaction et qui permet d'accroître la poussée de celui-ci.

postcure n. f. MED Séjour de convalescence sous surveillance médicale, permettant de consolider la guérison d'un malade.

postdater v. tr. [1] Dater d'une date postérieure à la date réelle.

1. poste n. f. **1.** Anc. Relais de chevaux placé de distance en distance le long des grandes routes pour le transport des voyageurs et du courrier. – *Par ext.* Distance entre deux relais. *Courir trois postes sur le même cheval.* ▷ Vx ou litt. *Courir la poste :* aller très vite; fig. faire très vite ce que l'on fait. **2.** *La Poste :* administration publique chargée d'acheminer le courrier, devenue en 1991 exploitation autonome de droit public. ▷ Fig., fam. *Passer comme une lettre à la poste,* très facilement. **3.** Bureau de l'administration postale ouvert au public. *Aller à la poste.* ▷ *Poste restante :* service permettant le retrait du courrier à un bureau de poste au lieu de le recevoir à domicile. *Écrire poste restante.*

2. poste n. m. **I.** Fonction à laquelle on est nommé; lieu où on l'exerce. *Obtenir, occuper un poste dans l'Administration.* **II. 1.** Lieu où un soldat, une unité reçoit l'ordre de se trouver en vue d'une opération militaire. *Abandon de poste. Poste de commandement* (abrév. : P.C.), où se trouve un chef, un état-major, pendant le combat. *Être à son poste.* – Fig., fam. *Fidèle au poste :* qui ne manque pas à ses obligations. ▷ Ensemble des soldats qui occupent un poste. *Relever un poste.* ▷ *Poste de police :* corps de garde à l'entrée d'une caserne, d'un camp militaire. **2.** *Poste de police* ou, absol., *poste :* corps de garde où des agents de police assurent une permanence. **III.** Emplacement réservé à un usage déterminé. **1.** Endroit où sont rassemblés différents appareils concourant à remplir une même fonction. *Poste d'aiguillage. Poste de pilotage d'un avion. Poste d'essence.* **2.** TECH *Poste de travail :* emplacement où est effectuée une tâche entrant dans une séquence d'opérations. – Durée du travail à un tel emplacement. *Ouvriers qui se relaient par postes de huit heures.* **3.** MAR *Poste à quai d'un navire :* emplacement le long d'un quai où ce navire peut s'amarrer. ▷ *Poste d'équipage :* partie d'un navire où loge l'équipage. **4.** COMPTA Chapitre d'un budget. *Affecter de nouveaux crédits à un poste.* **IV. 1.** Appareil de radio, de télévision. *Poste émetteur. Allumer le poste.* **2.** Chacun des appareils, chacune des lignes que compte une installation téléphonique intérieure.

posté, ée adj. et n. *Travail posté,* organisé avec des équipes qui se succèdent sans interruption au même poste. – n. *Un(e) posté(e) :* une personne qui assure un travail posté.

Postel (Guillaume) (Barenton, Normandie, 1510 – Paris, 1581), orientaliste français; grand voyageur au Moyen-Orient, professeur de grec, d'hébreu et d'arabe au Collège royal (1539-1543). Son *De orbis terræ concordia* (1543) prône la réconciliation des chrétiens et des musulmans. Il fut emprisonné par l'Inquisition.

1. poster v. tr. [1] Mettre à la poste. *Poster le courrier.*

2. poster v. tr. [1] **1.** Assigner un poste à (un soldat, une unité). *Poster des troupes à l'entrée d'un village.* **2.** Placer (qqn) à un endroit où il pourra accomplir une action déterminée. *Poster des espions.* ▷ v. pron. *Se poster à un endroit.*

3. poster [pɔstɛʀ] n. m. (Anglicisme) Affiche décorative généralement destinée à un usage non publicitaire.

postérieur, eure adj. et n. m. **I.** adj. **1.** Qui suit, qui vient après dans le temps. *Ce testament est postérieur à son mariage.* **2.** Qui est derrière. *Partie postérieure du corps.* **3.** PHON Se dit d'une voyelle prononcée avec la langue massée à l'arrière de la cavité buccale. *Le « a » postérieur de « pâte »* (noté [ɑ] en alphabet phonétique). Ant. antérieur. Syn. vélaire. **II.** n. m. Fam. Derrière (d'une personne).

postérieurement adv. Après, plus tard.

postériorité n. f. État, caractère de ce qui est postérieur.

postérité n. f. **1.** Suite des descendants d'une même origine. *L'innombrable postérité d'Adam.* **2.** Ensemble des générations futures.

postface n. f. Commentaire placé à la fin d'un ouvrage.

postglaciaire adj. et n. m. **1.** adj. GEOL Qui suit une glaciation. *Période postglaciaire.* **2.** n. m. Période qui suit la dernière glaciation quaternaire.

posthume adj. **1.** Né après la mort de son père. *Enfant posthume.* **2.** Publié après la mort de son auteur. *Ouvrage posthume.* – Qui se produit après la mort. *Gloire posthume.*

posthypophyse n. f. ANAT Lobe postérieur de l'hypophyse.

postiche adj. et n. m. **I.** adj. **1.** Fait et ajouté après coup. *Ornements postiches.* **2.** Factice. *Des cheveux postiches.* ▷ Faux, artificiel. – Fig. *Des sentiments postiches.* **II.** n. m. Faux cheveux (perruque, mèche).

posticheur n. m. Personne qui fabrique ou vend des postiches.

postier, ère n. Personne employée à la Poste.

postillon n. m. **1.** Anc. Conducteur d'une voiture de poste (V. poste 1, sens 1). ▷ Homme qui montait sur un des chevaux de devant d'un attelage à quatre ou six chevaux. **2.** Fam. Gouttelette de salive projetée en parlant.

postillonner v. intr. [1] Fam. Projeter des postillons (sens 2).

postimpressionnisme n. m. Courant pictural issu de l'impressionnisme.

postimpressionniste adj. et n. Relatif au postimpressionnisme. – Subst. Peintre appartenant à ce courant.

postindustriel, elle adj. Didac. Qui succède à l'ère industrielle. *Période postindustrielle.*

post-it n. m. inv. (Nom déposé.) Petite feuille de papier munie d'une bande autocollante à faible pouvoir adhésif, que l'on peut coller et décoller à volonté.

postmodernisme n. m. BX-A Mouvement de la fin du XXe s., né d'abord en architecture, caractérisé par une forme de classicisme, en réaction contre l'avant-gardisme.

postmoderniste adj. et n. Qui relève du postmodernisme.

post mortem loc. Après la mort (en parlant de personnes).

postnatal, ale, als adj. Didac. Qui suit immédiatement la naissance.

postopératoire adj. MED Qui suit une opération chirurgicale.

post-partum n. m. inv. MED Période qui suit un accouchement.

postposer v. tr. [1] GRAM Placer (un mot) après un autre.

postposition n. f. **1.** LING Morphème venant après le syntagme nominal qu'il régit. **2.** GRAM Position d'un mot placé après un autre.

postprandial, ale, aux adj. MED Qui suit un repas.

postproduction n. f. CINE Étape qui suit le tournage d'un film (montage, rushes, etc.).

postromantique adj. De la période qui a suivi le romantisme.

post-scriptum [pɔstskʀiptɔm] n. m. inv. Ce que l'on ajoute à une lettre après la signature. (Abrév. : P.-S.).

postsonorisation n. f. TECH Sonorisation d'images enregistrées antérieurement.

postsonoriser v. tr. [1] TECH Effectuer la postsonorisation de.

postsynchronisation n. f. Sonorisation d'un film après son tournage (doublage, synchronisation des dialogues avec l'image, etc.).

postsynchroniser v. tr. [1] Effectuer une postsynchronisation.

posttransfusionnel, elle adj. MED Postérieur à une transfusion. *Risques de contamination posttransfusionnelle.*

posttraumatique adj. Qui suit un traumatisme. *Névrose posttraumatique.*

postulant, ante n. **1.** Personne qui postule un emploi. **2.** Personne qui sollicite son admission dans une communauté religieuse.

postulat n. m. LOG, MATH Proposition que l'on demande d'admettre comme vraie sans démonstration (V. axiome).

postuler v. [1] **I.** v. tr. **1.** Se porter candidat à, solliciter (un poste, un emploi). *Postuler une charge.* **2.** MATH, LOG Poser comme postulat. ▷ *Par ext.*, cour. Poser comme point de départ d'un raisonnement; supposer au préalable. **II.** v. intr. Être chargé d'une affaire en justice, en parlant d'un avocat.

Postumus (Marcus Cassianus Latinus) (m. en 268 apr. J.-C.), usurpateur romain, l'un des Trente Tyrans; proclamé empereur des Gaules (v. 258) sous le nom de *Germanicus Maximus.* Il fut massacré par ses soldats.

postural, ale, aux adj. Didac. Relatif à la posture, au maintien du corps. *Sensibilité posturale.*

posture n. f. **1.** Position, attitude du corps. ▷ *Spécial.* Position inhabituelle. *Les postures du yoga.* **2.** Fig. (Surtout en loc.) Situation. *Se trouver en mauvaise posture,* dans une situation fâcheuse.

pot n. m. **1.** Récipient à usage domestique, en général destiné à contenir des denrées alimentaires, des produits liquides ou peu consistants. *Pot de terre, de verre, de matière plastique, de métal.* – Fig. *La lutte du pot de terre contre le pot de fer,* du faible contre le puissant (allus. à une fable de La Fontaine). ▷ *Pot à... :* pot destiné à contenir (telle chose). *Pot à eau,* muni d'une anse pour verser. *Pot à lait* (ou, vx, *pot au lait*). – *Pot à tabac :* pot dans lequel on conserve le tabac; fig. personne courte et ronde. ▷ *Pot de... :* pot qui contient effectivement (telle chose). *Un pot de yaourt.* – *Pot de fleurs,* contenant (ou destiné à contenir) de la terre, et où l'on cultive des plantes (fleuries ou non). ▷ Loc. *Être sourd comme un pot,* complètement sourd. – *Payer les pots cassés :* supporter les frais des dommages qui ont été causés. – *Découvrir le pot aux roses,* le secret d'une affaire. ▷ *Pot de chambre :* récipient utilisé pour uriner et déféquer. **2.** Vx Marmite. *Mettre la poule au pot.* Mod. *Poule au pot :* poule bouillie. – Loc. mod., fam. *Recevoir à la fortune du pot,* en toute simplicité, sans se mettre en frais. – *Tourner autour du pot :* ne pas aborder franchement le sujet dont on désire parler. **3.** Contenu d'un pot. *Manger un pot de confiture.* ▷ Fam. Rafraîchissement, boisson. *On va prendre un pot? Réunion autour d'un pot :* cocktail pour fêter un événement. *Le pot de fin d'année.* **4.** Pop. Derrière d'une personne. *Manie-toi le pot :* dépêche-toi. ▷ Chance. *J'ai vraiment eu du pot.* **5.** Totalité des enjeux misés par les joueurs, à certains jeux d'argent (poker, notam.). **6.** *Pot d'échappement :* tube à chicanes adapté au tuyau d'échappement d'un moteur à combustion interne pour détendre progressivement les gaz brûlés et réduire le bruit des explosions. ▷ *Pot catalytique :* dispositif placé avant le pot d'échappement, destiné à filtrer les gaz polluants. **7.** MAR *Pot au noir :* zone des calmes* équatoriaux.

Pot (Philippe), seigneur de La Rochepot (?, 1428 – Dijon, 1494), conseiller de Charles le Téméraire; il rallia Louis XI. Grand sénéchal de Bourgogne, il se fit élever un tombeau à Cîteaux (auj. au Louvre).

potabilisation n. f. Action de potabiliser l'eau.

potabiliser v. tr. [1] Traiter l'eau pour la rendre potable.

potabilité n. f. Caractère potable d'une eau. *Critères de potabilité.*

potable adj. **1.** Que l'on peut boire sans danger pour la santé. *Eau potable.* **2.** Fam. Passable, ni très bon ni franchement mauvais. *Un film potable.*

potache n. m. Fam., vieilli Élève d'un collège, d'un lycée.

potage n. m. **1.** Bouillon dans lequel ont cuit des aliments solides (légumes, viande, etc.) que l'on a hachés menu et passés (ce qui le distingue de la soupe). – *Par ext.* Début du dîner (où l'on sert le potage). *Arriver au potage.* **2.** Loc. Vieilli ou litt. *Pour tout potage :* comme seul moyen de subsistance; en tout et pour tout.

potager, ère adj. et n. m. **1.** adj. Se dit des plantes utilisées comme légumes. *Herbes, racines potagères.* **2.** n. m. Jardin réservé à la culture des légumes. ▷ adj. *Jardin potager.*

potamo-. Élément, du gr. *potamos,* « fleuve ».

potamochère n. m. ZOOL Porc sauvage d'Afrique, au pelage roux vif (genre *Potamochœrus,* fam. suidés).

potasse n. f. **1.** *Potasse caustique* ou *potasse :* hydroxyde de potassium, de formule KOH, produit basique blanc, très caustique, soluble dans l'eau et utilisé dans la préparation des savons noirs. **2.** AGRIC Mélange de sels de potassium utilisé comme engrais.

potasser v. tr. [1] Fam. Étudier un sujet, une matière en l'approfondissant. *Potasser un examen.*

potassique adj. CHIM Qui renferme de la potasse, du potassium.

potassium [pɔtasjɔm] n. m. Élément alcalin de numéro atomique Z = 19, de masse atomique 39,102 (symbole K, de son anc. nom all. *Kallium*). – *Datation au potassium-argon :* V. datation. – Métal (K) de densité 0,86, qui fond à 63,5 °C et bout à 760 °C. (L'ion K^+, très répandu dans la nature sous forme de sels, est indispensable à l'organisme.)

pot-au-feu [pɔtofø] n. m. inv. et adj. inv. **1.** n. m. inv. Plat de viande de bœuf bouillie dans l'eau avec des légumes. ▷ Morceau de bœuf avec lequel on prépare ce plat. ▷ Marmite qui sert à le faire cuire. **2.** adj. inv. *Être pot-au-feu :* être terre à terre et casanier.

pot-de-vin n. m. Somme d'argent donnée en sous-main à la personne qui permet d'enlever un marché, de conclure une affaire. *Des pots-de-vin.*

pote n. m. Fam. Camarade, ami.

poteau n. m. **1.** Longue pièce en matériau solide (bois, métal, ciment, etc.), d'assez forte section, fichée verticalement en terre. *Poteau télégraphique.* – *Poteau indicateur,* qui porte un écriteau indiquant le lieu où l'on se trouve, la direction à prendre, le kilométrage, etc. ▷ Spécial. *Poteau d'exécution,* auquel est attaché le condamné que l'on fusille. – *Untel au poteau!* (cri pour conspuer qqn). ▷ *Poteau de départ, d'arrivée,* marquant le point de départ, d'arrivée d'une course. *Coiffer au, sur le poteau :* dépasser au moment de franchir la ligne d'arrivée. **2.** CONSTR Élément porteur d'une structure. – Pièce de charpente posée verticalement.

potée n. f. **1.** Rare Contenu d'un pot. **2.** Plat de viande bouillie avec des légumes, à quoi on ajoute souvent des salaisons. **3.** TECH *Potée d'étain :* mélange d'oxydes de plomb et d'étain employé pour le polissage des métaux et dans la fabrication des émaux. ▷ *Potée d'émeri :* poudre d'émeri, abrasive. ▷ *Absol.* Mélange à base de terre servant à faire les moules de fonderie.

potelé, ée adj. Dodu. *Bras potelé.*

Potemkine (Grigori Alexandrovitch) (près de Smolensk, 1739 – près de Iași, 1791), maréchal russe. Il eut une grande influence sur Catherine II, dont il fut l'amant (1774-1776) et peut-être l'époux. Il œuvra en faveur de l'annexion de la Crimée (1783), s'attacha à la mise en valeur de l'Ukraine, fonda Sébastopol et créa une flotte de guerre en mer Noire.

Potemkine (le), cuirassé de l'escadre russe de la mer Noire, à bord duquel éclata une violente mutinerie (27-28 juin 1905); l'équipage finit par se rendre aux autorités roumaines (8 juil.). – *Le Cuirassé Potemkine* (film de Eisenstein, 1925).

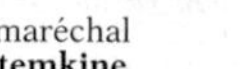

le maréchal **Potemkine**

Pouchkine

potence n. f. **1.** Assemblage de pièces en équerre, servant de support. *Lanterne suspendue à une potence.* **2.** Instrument servant au supplice de la pendaison. ▷ Le supplice lui-même. – *Gibier de potence* : personne qui mériterait la potence, individu patibulaire.

potencé, ée adj. HERALD *Croix potencée* : croix dont l'extrémité des branches se termine en T.

potentat n. m. **1.** Personne qui dirige un grand État avec le pouvoir absolu. **2.** Fig. Homme qui exerce un pouvoir absolu.

potentialisation [pɔtɑ̃sjalizasjɔ̃] n. f. PHARM Action de potentialiser un médicament, une drogue.

potentialiser [pɔtɑ̃sjalize] v. tr. [1] PHARM Accroître l'action d'une substance (médicament, drogue) grâce à une autre substance qui lui permet de développer tous ses effets.

potentialité n. f. **1.** Caractère de ce qui est potentiel ou virtuel. **2.** Chacun des développements qui sont à l'état potentiel.

potentiel, elle [pɔtɑ̃sjɛl] adj. et n. m. **I.** adj. **1.** PHILO Qui existe en puissance (par oppos. à *actuel*). **2.** GRAM Qui indique, exprime la possibilité. ▷ *Le mode potentiel* ou, n. m., *le potentiel* : l'expression de l'éventualité d'un fait futur considéré comme hypothétique. **3.** PHYS *Énergie potentielle* : énergie d'un système matériel susceptible de fournir de l'énergie cinétique ou du travail. **II.** n. m. **1.** Ensemble des ressources dont dispose une collectivité; capacité de travail, de production, d'action. *Potentiel industriel d'une nation.* **2.** Caractère de qqch ou de qqn dont on prévoit une évolution favorable. *Le potentiel d'un vin.* **3.** PHYS, ELECTR *Potentiel électrique en un point* : énergie mise en jeu pour transporter dans le vide une charge unitaire de l'infini à ce point. ▷ *Différence de potentiel entre deux points d'un circuit* (abrév. : d.d.p.) : quotient de la puissance absorbée entre ces points et de l'intensité du courant. *L'unité de d.d.p. est le volt.*

potentiellement adv. D'une façon potentielle, en puissance.

potentiomètre [pɔtɑ̃sjɔmɛtʀ] n. m. **1.** ELECTR Appareil servant à mesurer les différences de potentiel. **2.** Résistance réglable qui permet de faire varier la valeur d'une tension.

Potenza, v. d'Italie (Basilicate); 65 390 hab.; ch.-l. de la prov. du m. nom. Centre agric. et industr. – Université. Égl. St-Michel (XIIe-XIIIe s.). – Un séisme a touché la ville en 1980.

poterie n. f. **1.** Fabrication d'objets en terre cuite; objet ainsi fabriqué. *Poteries égyptiennes.* ▷ *Spécial.* CONSTR Élément de canalisation en terre cuite. **2.** TECH Ensemble des récipients, d'usage ménager, faits d'une seule pièce, en métal. *Poterie d'étain.*

poterne n. f. Porte dérobée percée dans la muraille d'une fortification.

potestatif, ive adj. DR Qui dépend de la volonté d'une des parties contractantes.

Potez (Henry) (Méaulte, Somme, 1891 – Paris, 1981), ingénieur français, constructeur d'avions.

potiche n. f. **1.** Grand vase de porcelaine de Chine ou du Japon. **2.** Fig. Personne qui joue un rôle de pure représentation, sans pouvoir réel.

Potidée, anc. v. de Macédoine (auj. *Néa-Potidea,* Chalcidique). Son soulèvement contre Athènes (432 av. J.-C.) marqua les débuts de la guerre du Péloponnèse.

potier, ère n. Personne qui fabrique ou vend des poteries (sens 1).

potimarron n. m. Légume (famille des cucurbitacées) également utilisé dans l'industrie cosmétique.

potin n. m. **1.** Fam. (Surtout au plur.) Commérage, cancan. **2.** Pop. (Surtout au sing.) Grand bruit, tapage.

potiner v. intr. [1] Fam. Faire des potins, des commérages.

potion [posjɔ̃] n. f. Médicament liquide destiné à être bu.

potiron n. m. Plante potagère (fam. cucurbitacées), variété de courge, cultivée pour son énorme fruit à la peau et à la chair jaune orangé; ce fruit. ▶ illustr. **cucurbitacées**

potlatch [pɔtlatʃ] n. m. ETHNOL Fête rituelle observée d'abord dans certaines tribus indiennes de la côte ouest des É.-U., au cours de laquelle il est procédé à des échanges de cadeaux. – Par ext. *Système du potlatch* : tout système ritualisé d'échange de biens dans lequel le fait de recevoir un don entraîne l'obligation de faire au donateur un don au moins équivalent.

Potocki (Jan) (Pików, 1761 – Uładówka, 1815), historien, archéologue et écrivain polonais d'expression française. Tenu pour le fondateur de l'ethnologie slave, il est l'auteur d'un récit d'inspiration fantastique : *Manuscrit trouvé à Saragosse* (1804).

Potomac (le), fl. de l'E. des É.-U. (640 km), formé par la réunion du *North Potomac* et du *South Potomac,* nés dans les Appalaches; aménagé à partir de Washington, il se jette dans la baie de Chesapeake.

potomanie n. f. MED Trouble qui consiste en un besoin de boire permanent.

Potosí, v. de Bolivie, à 3 960 m d'altitude; 113 380 hab.; ch.-l. du dép. du m. nom. – Ville très pittoresque. Textiles, fonderies d'étain. – D'import. mines d'argent y furent exploitées (XVIe-XVIIIe s.).

pot-pourri n. m. **I.** Vx Ragoût composé de diverses sortes de viandes et de légumes. **II. 1.** Vieilli Mélange confus de choses hétéroclites. ▷ Ouvrage littéraire composé de différents morceaux assemblés sans ordre, sans liaison. **2.** Mod. Morceau de musique légère composé de plusieurs airs connus. **3.** Mélange parfumé de fleurs séchées. *Des pots-pourris.*

potron-minet (Vieilli ou plaisant) ou **potron-jaquet** (Vx) n. m. Surtout dans les loc. *dès (le) potron-minet, dès (le) potron-jacquet* : dès l'aube; de très bonne heure.

Potsdam, v. d'Allemagne, sur la Havel, à 20 km au S.-O. de Berlin; 132 540 hab.; cap. du Land de Brandebourg. Centre industriel. – Chât. et parc de Sans-Souci (1745-1747). Nouveau Palais (1763-1769). – La *conférence de Potsdam* (17 juil.-2 août 1945) réunit Staline, Truman, Churchill (puis Attlee) en vue d'organiser la paix en Europe.

Pott (Percival) (Londres, 1714 – id., 1788), chirurgien anglais. ▷ MED *Mal de Pott* : ostéite tuberculeuse des vertèbres, caractérisée par d'importants abcès et entraînant une paralysie des membres inférieurs.

Pottier (Eugène) (Paris, 1816 – id., 1887), chansonnier et homme politique français. Ouvrier dessinateur sur étoffes, il devint membre de la Commune. Il écrivit en 1871 les paroles de *l'Internationale,* dut s'exiler aux É.-U. et ne rentra en France qu'en 1880.

potto(c)k n. m. Cheval de petite taille, à longue queue et à robe généralement noire, originaire des Pyrénées occidentales.

pou, poux n. m. **1.** Insecte (genre *Pediculus*), parasite externe de l'homme et de divers animaux. ▷ Loc. fig., fam. *Chercher des poux dans la tête de qqn,* lui chercher querelle pour des motifs futiles. **2.** *Pou de San José* : cochenille *(Aspidiotus perniciosus)* qui attaque les arbres fruitiers.

pou de tête et lentes fixés à la base des cheveux

pouah! [pwa] interj. Fam. (Exprime le dégoût.) *Pouah! quelle infection!*

poubelle n. f. Récipient à couvercle destiné à recevoir les ordures ménagères.

pouce n. m. **1.** Le plus court et le plus puissant des doigts de la main, opposable aux autres. **2.** *Par ext.* Gros orteil. **3.** Loc. fig. *Manger sur le pouce,* sans s'asseoir, à la hâte. – *Donner un coup de pouce* : intervenir discrètement pour faire aboutir une affaire, avantager qqn, etc. – Fam. *Se tourner, se rouler les pouces* : ne rien faire, rester oisif. – *Mettre les pouces* : se rendre, céder après une résistance plus ou moins longue. ▷ *Pouce!* : interj. (accompagnée du geste de lever le pouce) employée par les enfants pour faire momentanément cesser un jeu, une partie en cours. ▷ (Canada) Auto-stop. *Faire du pouce. Voyager sur le pouce.* **4.** Ancienne mesure de longueur équivalant au douzième du pied (soit 27 mm). ▷ (Au Canada français, partic., pour traduire l'angl. *inch.*) Mesure de longueur anglo-saxonne (25,4 mm). ▷ Loc. (Au sens de très petite quantité.) *Ne pas perdre un pouce de sa taille* : se tenir très droit. *Ne pas bouger d'un pouce* : rester immobile.

pouce-pied n. m. inv. Rég. Anatife (crustacé marin).

Pouchkine. V. Tsarskoïe Selo.

Pouchkine (Alexandre Sergheïevitch) (Moscou, 1799 – Saint-Pétersbourg, 1837), écrivain russe. Malgré des démêlés avec le pouvoir en raison de ses opinions libérales, il connut vite la gloire littéraire : *le Prisonnier du Caucase* (1821), poème; *Eugène Onéguine* (1823-1830), roman en vers; *Boris Godounov* (1825), drame historique; *la Dame de pique* (1834) et *la Fille du capi-*

taine (1836), récits en prose. Il peut être considéré comme le premier grand poète russe, le plus classique par le sens de la forme, de la sobriété et de l'équilibre.

poucier n. m. **1.** Doigtier pour le pouce. **2.** Pièce d'un loquet sur laquelle on appuie le pouce pour lever la clenche.

pouding. V. pudding.

poudingue n. m. PETROG Conglomérat de galets et de graviers noyés dans un ciment naturel de composition variable.

Poudovkine (Vsevolod Illarionovitch) (Penza, 1893 - Moscou, 1953), cinéaste soviétique. Formé par Koulechov, influencé par Vertov, il développa ses théories sur le montage en tant qu'élément de création : *la Mère* (1926), *Tempête sur l'Asie* (1929).

poudrage n. m. TECH, AGRIC Action de poudrer. *Poudrage des vignes.*

poudre n. f. **1.** Substance solide réduite en petits grains, en petits corpuscules, par pilage, broyage, etc. *Du sucre en poudre. Poudre d'or.* ▷ Péjor. *Poudre de perlimpinpin* : remède de charlatan. **2.** Explosif pulvérulent non brisant. - Loc. *Rumeur, nouvelle qui se répand comme une traînée de poudre,* très vite. *Il n'a pas inventé la poudre* : il n'est pas très malin. *Ça sent la poudre* : un conflit menace. *Mettre le feu aux poudres* : déclencher un conflit, une manifestation de violence, une catastrophe. *Faire parler la poudre* : employer les armes à feu, faire la guerre. - HIST *Conspiration des poudres* (1603-1605) : machination de catholiques anglais, qui projetaient de faire sauter Jacques Ier et le Parlement. ▷ ADMIN Explosif assimilé administrativement et fiscalement à une poudre. *Service des Poudres.* **3.** Substance pulvérulente colorée et parfumée utilisée pour le maquillage féminin (autref. *poudre de riz*). **4.** Loc. *Jeter de la poudre aux yeux* : chercher à éblouir par un éclat trompeur, à en faire accroire.

poudrer v. [1] **1.** v. tr. Couvrir de poudre (sens 3). *Poudrer ses joues.* ▷ v. pron. *Se poudrer avec une houppette.* **2.** v. intr. (Canada) Voler, tourbillonner dans le vent (en parlant de la neige). *Il poudre sur la route.*

poudrerie n. f. **1.** Fabrique de poudre, d'explosifs. **2.** (Canada) Neige fine et sèche que le vent soulève et fait tourbillonner. *La visibilité sur les routes est considérablement réduite par la poudrerie.*

poudreuse n. f. **1.** AGRIC Appareil qui sert à répandre sur les plantes des poudres insecticides, fongicides, etc. **2.** Sucrier à couvercle perforé, pour le sucre en poudre. **3.** Meuble servant à la toilette féminine.

poudreux, euse adj. (et n. f.) **1.** Qui a l'aspect d'une poudre. *Neige poudreuse* ou, n. f., *poudreuse.* **2.** Vieilli ou litt. Couvert de poussière.

poudrier n. m. **1.** Petit boîtier plat qui renferme de la poudre pour le maquillage (et, le plus souvent, une houppe et un miroir). **2.** TECH Fabricant de poudre, d'explosifs.

poudrière n. f. **1.** Magasin, entrepôt où l'on garde de la poudre ou des explosifs. **2.** Fig. Endroit, région où des troubles larvés peuvent dégénérer au moindre incident en conflagration générale.

poudroiement [pudʀwamɑ̃] n. m. Fait de poudroyer; aspect de ce qui poudroie.

poudroyer v. intr. [23] **1.** Produire de la poussière; s'élever en poussière. *La terre sèche du chemin poudroyait sous nos pieds.* **2.** Avoir l'apparence d'une poudre brillant sous un éclairage vif. **3.** Rendre visibles les poussières en suspension dans l'atmosphère, en parlant de la lumière, des rayons solaires, etc.

1. pouf n. m. Gros coussin qui sert de siège.

2. pouf interj. (Évoquant le bruit sourd d'une chute.) *Et pouf! il est tombé.*

pouffer v. intr. [1] *Pouffer de rire* ou (s. comp.) *pouffer* : éclater de rire involontairement et comme en étouffant son rire.

pouffiasse n. f. Vulg. **1.** Prostituée. **2.** Inj. Femme grosse et vulgaire.

Pougatchev (Iemelian Ivanovitch) (Zimoïevskaïa, v. 1742 - Moscou, 1775), Cosaque du Don, qui, prétendant être Pierre III, souleva les cosaques (1773) et les serfs contre le pouvoir central et la noblesse. Livré par ses compagnons, il fut décapité.

Pougues-les-Eaux, ch.-l. de cant. de la Nièvre (arr. de Nevers); 2 387 hab. Stat. thermale.

pouillerie n. f. Fam. Extrême pauvreté. ▷ Apparence miséreuse, sordide, d'une saleté repoussante. ▷ Lieu sale et pouilleux.

pouilles n. f. pl. Vx Reproches bruyants, injures. ▷ Loc. mod. Litt. *Chanter pouilles à qqn,* l'injurier.

Pouilles (les) ou **Pouille** (la) (en ital. *Puglia*), rég. d'Italie méridionale et de la C.E., sur l'Adriatique (anc. Apulie), formée des prov. de Bari, Brindisi, Foggia, Lecce et Tarente; 19 347 km^2; 4 043 600 hab.; cap. *Bari.* Une plate-forme calcaire (alt. inf. à 700 m), dominée au N. par le Gargano (1 056 m), constitue l'essentiel du pays. Princ. ressources : vins et olives, pêche, bauxite (import. gisement). L'industrialisation, récente, est encore limitée : alimentation, constr. navales et mécaniques; raff. de pétrole à Bari, à Brindisi et, surtout, à Tarente.

Pouillet (Claude) (Cusance, Franche-Comté, 1790 - Paris, 1868), physicien français; inventeur de la boussole des tangentes (galvanomètre) et auteur de travaux sur la chaleur et l'électricité. ▷ ELECTR *Loi de Pouillet* : dans un circuit comprenant un générateur et des résistances, la force électromotrice du générateur est égale au produit de l'intensité du courant par la somme des résistances externe et interne du générateur.

pouilleux, euse adj. (et n.) **I. 1.** Qui a des poux; couvert de poux. **2.** Fam. (Personnes) Miséreux. - Subst. *Un pouilleux, une pouilleuse.* ▷ (Choses) Sordide, misérable. *Un faubourg pouilleux.* **II.** GEOGR *Champagne pouilleuse* : partie aride et nue de la Champagne.

pouillot n. m. Petit oiseau passériforme (genre *Phylloscopus*), insectivore, au plumage terne.

poujadisme n. m. Mouvement de défense des petits commerçants (du nom de Pierre Poujade, son fondateur) qui se constitua en un parti politique de droite, le groupe Union et Fraternité françaises (11,41 % des voix aux élections législatives de 1956). ▷ *Par ext.* (Avec une intention polémique.) Attitude revendicatrice étroitement corporatiste associée à un refus de l'évolution économique et sociale; conservatisme petit-bourgeois.

poujadiste adj. Qui a rapport au poujadisme. ▷ Subst. Partisan du poujadisme.

poulailler n. m. **1.** Abri pour les poules, enclos où on les élève. **2.** Fam. Galerie supérieure d'un théâtre, où les places sont bon marché.

poulain n. m. **1.** Petit du cheval, mâle ou femelle, de moins de dix-huit mois (V. pouliche). **2.** (Par comparaison) Jeune talent, jeune espoir, par rapport à l'aîné, à la personnalité, au groupe, etc., qui l'encourage et qui patronne ses débuts. *Poulain d'un directeur sportif.* **3.** TECH Rampe constituée de deux longues pièces parallèles (madriers, etc.) réunies par des entretoises, servant à la manutention des grosses charges.

poularde n. f. Jeune poule engraissée pour la table.

Poulbot (Francisque) (Saint-Denis, 1879 - Paris, 1946), dessinateur français. Il créa un type de gamin de Montmartre, misérable et gouailleur, connu depuis sous le nom de « poulbot ».

1. poule n. f. **I. 1.** Femelle du coq domestique, oiseau de basse-cour au plumage diversement coloré selon les races, aux ailes atrophiées à peu près inaptes au vol, à la tête ornée d'une crête rouge, que l'on élève pour sa chair et pour ses œufs. *La poule glousse, caquète,* chante, pousse son cri. ▷ Loc. fig. *Mère poule* : mère qui entoure ses enfants de trop d'attentions. *Poule mouillée* : personne timorée, pusillanime. - *Tuer la poule aux œufs d'or* : tarir la source des bénéfices en voulant les réaliser trop vite (allus. à une fable de La Fontaine). - *Quand les poules auront des dents* : jamais. - *Avoir la chair* de poule.* **2.** Fam. (Terme d'affection.) *Ma poule* : ma petite, ma mignonne. **3.** Pop., vieilli *Sa poule* : sa bonne amie, sa maîtresse. ▷ Vieilli, péjor. Femme entretenue, demi-mondaine. Syn. cocotte. **II. 1.** *Poule faisane* : femelle du faisan. **2.** *Poule d'eau* : oiseau aquatique ralliforme, au plumage noirâtre, commun sur les eaux douces calmes d'Europe.

2. poule n. f. **1.** SPORT Épreuve dans laquelle chacun des concurrents rencontre successivement chacun de ses adversaires. *Poule à l'épée, au pistolet.* ▷ Groupe d'équipes, de concurrents, destinés à se rencontrer au cours des éliminatoires d'un championnat. **2.** JEU Total des mises. *Gagner la poule.* **3.** TURF *Poule d'essai* : épreuve dans laquelle les jeunes chevaux de trois ans courent pour la première fois.

Poulenc (Francis) (Paris, 1899 - id., 1963), compositeur français; membre (le plus classique) du « groupe des Six » : *les Biches* (ballet, 1923), *les Mamelles de Tirésias* (opéra bouffe, 1944), *Stabat*

Francis **Poulenc**

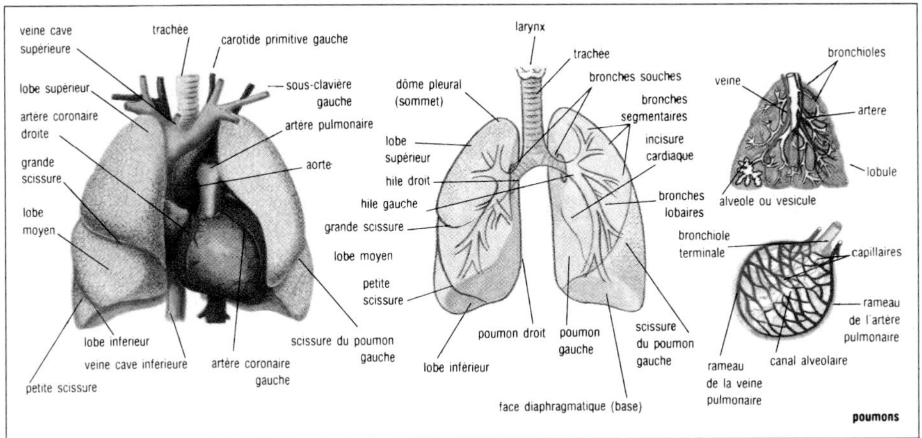

poumons

mater (1950), *Dialogue des carmélites* (opéra, 1957); nombr. mélodies.

poulet, ette n. **1.** Jeune coq, jeune poule. ▷ n. m. *Spécial.* Cette volaille cuite, accommodée pour la table. *Poulet basquaise.* **2.** Fam. (Terme d'affection.) *Mon poulet, ma poulette.* **3.** n. m. Pop. Policier. **4.** n. m. Vx ou plaisant Billet galant.

Poulet (Georges) (Chênée, 1902 - Bruxelles, 1991), critique belge d'expression française. Ses recherches portent sur le rôle du temps et de l'espace en littérature : *Études sur le temps humain* (1950-1964), *l'Espace proustien* (1982), *la Conscience critique* (1971), *la Pensée indéterminée* (1985).

pouliche n. f. Jeune jument de plus de dix-huit mois et de moins de trois ans (V. aussi poulain).

poulie n. f. Roue tournant autour d'un axe et destinée à transmettre un mouvement, un effort, au moyen d'un lien flexible (cordage, bande de cuir ou de toile, chaîne, etc.) appliqué contre sa jante. *Poulie à gorge.* ▷ Ensemble constitué par un rouet ou *réa* (la poulie proprement dite), son axe et sa chape (ou *caisse*).

pouliner v. intr. [1] Mettre bas, en parlant d'une jument.

poulinière adj. f. *Jument poulinière,* destinée à la reproduction. ▷ n. f. *Une poulinière.*

Poulo Condor ou **Côn Dao,** archipel volcanique vietnamien, à l'E. de la pointe de Camau. Île et ville princ. *Côn Sôn,* où fut établie autrefois une colonie pénitentiaire, auj. musée de la Résistance vietnamienne.

poulot, otte n. Fam. (Appellation affectueuse s'adressant à un enfant.) *Ça va, mon gros poulot?*

poulpe n. m. Syn. de *pieuvre.*

pouls [pu] n. m. PHYSIOL Battement d'un vaisseau (et, partic., d'une artère), causé par le passage périodique, au rythme des contractions cardiaques, du flux sanguin. *Pouls lent, faible, rapide.* ▷ Point du corps où ce battement est perceptible; spécial., point d'affleurement de l'artère radiale, à la face interne du poignet. *Prendre le pouls,* compter ses battements. - Fig. *Tâter le pouls de qqn,* chercher à connaître son état d'esprit, ses intentions.

poumon n. m. **1.** Chacun des deux organes thoraciques qui assurent les échanges respiratoires chez l'homme et les animaux respirant l'oxygène de l'air (mammifères, oiseaux, reptiles, amphibiens adultes, poissons dipneustes, etc.). - *Respirer, crier à pleins poumons,* très fort. **2.** *Poumon d'acier :* appareil qui permet d'entretenir artificiellement la respiration d'un sujet en cas de paralysie de la cage thoracique.

Pound (Ezra Loomis) (Hailey, Idaho, 1885 - Venise, 1972), poète et essayiste américain. Il vint en Europe en 1907; à Londres, il se lia avec Joyce et T.S. Eliot, et publia (1919) ses premiers *Cantos.* Il quitta l'Angleterre en 1921 et s'installa à Rapallo (1925). Critique littéraire, pamphlétaire (*Comment lire,* 1929; *A.B.C. de la lecture,* 1934), Pound, rallié au fascisme, fit, pendant la guerre, des émissions de propagande à la radio italienne. Arrêté en 1945, il fut interné aux É.-U. dans un hôpital psychiatrique jusqu'en 1958, puis il retourna en Italie.

Pound (Robert Vivian) (Ridgeway, Ontario, 1919), physicien américain d'origine canadienne. Il a contribué à l'invention de la résonance magnétique nucléaire (R.M.N., 1946) et réalisé, en 1960, avec G. Rebka, la première expérience terrestre de vérification de la relativité générale.

poupard, arde n. m. et adj. **I.** n. m. **1.** Vieilli Bébé joufflu et potelé. **2.** Poupée figurant un bébé, baigneur. **II.** adj. Rare Qui évoque un poupard (sens 1); replet, bien en chair.

poupe n. f. Partie arrière d'un navire (par oppos. à *proue,* partie avant). ▷ Fig. *Avoir le vent en poupe :* être favorisé par les circonstances, prospérer, réussir.

poupée n. f. **I. 1.** Figurine représentant un être humain (de sexe féminin, le plus souvent). ▷ Jouet traditionnel des petites filles constitué d'une telle figurine. **2.** Fig. Jeune femme, jeune fille qui évoque une poupée par une grâce mièvre et affectée, une mise trop soignée, etc. ▷ Pop. Jeune femme, jeune fille fraîche et jolie. *Mignonne, la poupée!* **3.** Mannequin de modiste, de tailleur. **4.** Fam. Pansement entourant un doigt. **II.** TECH Chacun des deux organes qui, sur un tour, maintiennent la pièce à usiner. *Poupée mobile, poupée fixe.*

poulpe

poupin, ine adj. Dont la rondeur évoque une poupée (visage).

poupon n. m. Bébé, très jeune enfant. (Le mot comporte une nuance affective.) ▷ Poupée figurant un bébé. *Un poupon en celluloïd.* Syn. poupard.

pouponner v. [1] **1.** v. tr. Dorloter, cajoler (un petit enfant). **2.** v. intr. S'occuper d'un bébé, d'un très jeune enfant (ou de plusieurs).

pouponnière n. f. Lieu où sont gardés, jour et nuit, les enfants de moins de trois ans dont les familles ne peuvent s'occuper.

pour-. Élément, du lat. *pro,* « devant », à valeur intensive.

pour prép. (et n. m.) **I.** (Devant un nom, un pronom.) **1.** En direction de, à destination de. *Partir pour Rome.* **2.** (Marquant une durée, le terme d'une durée.) *Il est là pour trois jours. Travail à faire pour le lendemain.* **3.** À l'intention de, en faveur de, dans l'intérêt de. *Travailler pour un laboratoire. Livre pour les enfants,* destiné aux enfants. ▷ Envers, à l'égard de. *Être bon pour les animaux.* ▷ (Marquant le but.) *Travailler pour la gloire.* ▷ *Être pour... :* être favorable à, être partisan de... - Ellipt. Fam. *Tout le monde est pour.* **4.** En remplacement de, à la place de, au nom de. *Il signe pour le directeur.* - (Devant une signature.) *Pour le secrétaire général, par ordre, X.* ▷ En échange de. *Je l'ai eu pour dix francs.* ▷ En guise de. *N'avoir pour toute arme qu'un bâton.* ▷ (Suivi d'un adj.) *Il fut laissé pour mort,* comme s'il était mort. *Il se donne pour savant,* il fait croire qu'il l'est. **5.** Quant à, en ce qui concerne (qqn). *Pour moi, je crois qu'il a tort,* en ce qui me concerne, à mon avis... ▷ Quant à, en ce qui concerne (qqch). *Pour l'argent, on s'arrangera plus tard.* **6.** Eu égard à, par rapport à. *Il est grand pour son âge.* **7.** (Marquant la conséquence.) *Il s'est trompé, pour son malheur.* **8.** À cause de. *Puni pour ses crimes.* - Loc. *Pour un oui ou pour un non :* sous n'importe quel prétexte, à tout propos. **II.** *Pour* (+ inf.), *pour que* (+ subj.). **1.** (Marquant le but.) *Il lit pour s'instruire. Je vous le dis pour que vous y pensiez.* ▷ *Pour que... ne pas. Il s'enferme pour qu'on ne le dérange pas.* (Fam. : *pour ne pas, pour* *pas qu'on le dérange.*) **2.** (Introduisant une subordonnée de conséquence.) *Il est trop tard pour que j'y aille. Tu es assez grand pour prendre cette décision tout seul.* **3.** Litt. (Marquant l'opposition, la concession.) *« Pour grands que soient les rois, ils sont ce que nous sommes » (Corneille).* **4.** *Être pour* (+ inf.) : être sur le point de. *Nous étions pour nous mettre à table quand vous avez sonné.* **III.** n. m. *Le pour* : ce qui plaide en faveur de qqch, les arguments favorables (surtout dans la loc. *le pour et le contre*).

pourboire n. m. Gratification qu'un client laisse au personnel, dans un café, un restaurant, une salle de spectacle, etc. ; petite somme d'argent offerte en remerciement d'un service.

Pourbus ou **Porbus** (Pieter) (Gouda, v. 1523 - Bruges, 1584), peintre flamand influencé par le maniérisme italien : *Assemblée galante dans un parc.* – **Frans,** dit *l'Aîné* ou *l'Ancien* (Bruges, 1545 - Anvers, 1581), fils du préc. ; portraitiste flamand. – **Frans,** dit *le Jeune* (Anvers, 1569 - Paris, 1622), fils du préc. ; portraitiste à la cour de Marie de Médicis à partir de 1609.

pourceau n. m. **1.** Vx ou litt. Porc. **2.** *Par métaph.* Homme sale et glouton. – Litt. *Un pourceau d'Épicure* : un voluptueux, un homme adonné aux plaisirs des sens.

pourcentage n. m. **1.** Rapport d'une quantité à une autre divisée en cent unités. *Le quart des bénéfices, soit, en pourcentage, vingt-cinq pour cent.* **2.** Taux d'un intérêt ou d'une commission ; somme perçue ou à percevoir à titre d'intérêt ou de commission. *Pourcentage sur les ventes.*

pourchasser v. tr. [1] Poursuivre sans relâche, avec opiniâtreté, ténacité.

pour-compte ou **pourcompte** n. m. inv. COMM Acte par lequel on s'engage à vendre pour le compte de l'expéditeur une marchandise qu'on a reçue de lui.

pourfendeur, euse n. (Souvent iron.) Celui qui pourfend. *Redresseurs de torts et pourfendeurs d'injustices.*

pourfendre v. tr. [6] **1.** Vx Fendre de haut en bas d'un coup de sabre. **2.** Fig., plaisant Faire subir une défaite écrasante à. *Nos joueurs ont pourfendu l'équipe adverse.*

Pourim ou **Purim** (fête de), fête juive où l'on commémore le triomphe d'Esther sur Aman (Livre d'Esther, IX, 20-28).

pourlèche. V. perlèche.

pourlécher v. tr. [14] Vx Lécher tout autour. ▷ v. pron. Mod., dans la loc. *se pourlécher les babines* : se passer la langue sur les lèvres ; fig. se délecter à la pensée d'une bonne chose à manger (*par ext.*, à la pensée d'un plaisir quelconque).

pourparlers n. m. pl. Négociation, discussion visant à régler une affaire. *Pourparlers de paix.*

pourpier n. m. Plante herbacée aux tiges couchées rougeâtres, aux fleurs vivement colorées, aux feuilles épaisses, dont une espèce est cultivée comme légume, d'autres espèces étant ornementales.

pourpoint [puʀpwɛ̃] n. m. Ancien vêtement masculin (XIIIe-XVIIe s.) qui couvrait le corps du cou à la ceinture.

pourpre n. et adj. **A.** n. **I.** n. f. **1.** Matière colorante d'un rouge foncé que les Anciens tiraient notam. d'un mollusque. **2.** Étoffe teinte avec cette matière colorant en rouge foncé, chez les Anciens, marque d'une dignité, d'un rang social élevé. *Toge, manteau de pourpre.* ▷ Fig. Dignité impériale. *Revêtir la pourpre* : se faire proclamer empereur. ▷ *La pourpre romaine, la pourpre cardinalice*, ou, absol., *la pourpre* : la dignité de cardinal. **3.** Fig. et litt. Couleur rouge. *La pourpre du sang.* **II.** n. m. **1.** Rouge foncé tirant sur le violet. ▷ Litt. Rougeur. *Le pourpre de la colère.* **2.** HERALD Couleur rouge tirant sur le violet, représentée en gravure par des hachures diagonales de senestre à dextre. **3.** PHYSIOL *Pourpre rétinien* : pigment photosensible des bâtonnets rétiniens, qui permet la vision nocturne. **4.** Mollusque gastéropode (genre *Purpura*) dont les Anciens tiraient certaines de leurs pourpres. **B.** adj. De couleur pourpre. *Des étoffes pourpres.*

pourpré, ée adj. Litt. Teinté à la pourpre ; de couleur pourpre.

pourquoi adv., conj. et n. m. inv. **I.** adv. et conj. **1.** Pour quelle cause, quel motif. *Il part sans dire pourquoi. Voici pourquoi je ne veux pas le voir.* – Loc. conj. *C'est pourquoi. Il est malade, c'est pourquoi il n'est pas venu*, c'est pour cette raison que... – (Dans l'interrogation.) *Pourquoi acceptez-vous ? Vous feriez cela ? – Pourquoi pas ?* ou *Pourquoi non ? Je lui demanderai pourquoi il ne veut pas y aller.* – (Suivi de l'infinitif.) *Pourquoi se fâcher ?* **2.** Vieilli ou litt. Pour lequel, pour laquelle (souvent confondu avec *pour quoi*). *C'est une des raisons pourquoi je suis parti.* **II.** n. m. inv. **1.** Cause, raison. *Savoir le pourquoi d'une affaire.* **2.** Question, interrogation sur les raisons de qqch. *Je vais répondre à tous vos pourquoi.*

Pourrat (Henri) (Ambert, 1887 - id., 1959), écrivain régionaliste français. Poèmes : *les Montagnards* (1919), *Liberté* (1925). Romans : *Gaspard des montagnes* (1922-1931), *le Chasseur de la nuit* (1951).

pourri, ie adj. et n. **I.** adj. **1.** Altéré, attaqué par la décomposition. **2.** Fig. Très humide, en parlant du temps, de la saison, etc. *Un été pourri.* **3.** Fig., fam. Gâté, corrompu. *Un homme moralement pourri.* ▷ Fig., fam. *Pourri de* : plein de. *Il est pourri de bonnes idées, ce garçon.* **4.** Fam. Très mauvais, très abîmé, vieux, malsain, dangereux. *Un quartier pourri.* **II.** n. **1.** n. m. Ce qui est pourri. *Une odeur de pourri.* **2.** n. Pop. et inj. Individu corrompu, méprisable.

pourrir v. [3] **I.** v. intr. **1.** Tomber en décomposition, en putréfaction. *Laisser des fruits pourrir.* ▷ Fig. Se détériorer. *Laisser pourrir une situation.* **2.** Fig. et fam. Demeurer longtemps (en un lieu). *Pourrir en prison.* ▷ Demeurer dans une situation dégradante. *Pourrir dans la misère.* Syn. croupir, moisir. **II.** v. tr. **1.** Attaquer en provoquant la décomposition de. *L'eau pourrit le bois.* **2.** Fig. Corrompre, gâter. *Ils pourrissent le petit.*

pourrissant, ante adj. Qui est en train de pourrir.

pourrissement n. m. Dégradation, détérioration. *Le pourrissement d'une situation.*

pourrissoir n. m. Litt. Lieu où pourrit qqch. ▷ Fig. *Les prisons, ces pourrissoirs.*

pourriture n. f. **1.** État de ce qui est pourri. *Tomber en pourriture.* Syn. décomposition. **2.** Partie pourrie. *Ôter la pourriture d'une pomme.* **3.** Fig. Décadence morale, corruption. *Sombrer dans la pourriture.* **4.** Pop. et inj. Ignoble individu. **5.** BOT Maladie des végétaux due à des bactéries *(pourriture du tabac)* ou à des champignons (*pourriture noble* du raisin, qui améliore certains vins ; *pourriture sèche* de la pomme de terre).

pour-soi n. m. inv. PHILO Être humain en tant que sujet conscient (par oppos. à *en-soi*, à *être*).

poursuite n. f. **1.** Action de poursuivre, de courir après (qqch, qqn). *Chien ardent à la poursuite du gibier.* ▷ Fig. Fait de chercher avec opiniâtreté à obtenir (qqch). *Poursuite des honneurs.* **2.** SPORT Course cycliste sur vélodrome où deux coureurs (ou équipes) prennent le départ en deux points opposés de la piste, le vainqueur étant celui qui rejoint l'autre ou qui s'en est le plus rapproché en un temps fixé. – (En appos.) *Course poursuite.* **3.** (Souvent plur.) DR Action en justice engagée contre qqn pour faire valoir un droit, obtenir réparation d'un préjudice ou punition d'une infraction. *Poursuites du ministère public.* **4.** TECH Contrôle et surveillance, au moyen d'instruments, d'un mobile (d'un engin spatial, en partic.) et de sa trajectoire.

poursuiteur, euse n. SPORT Cycliste spécialisé dans la poursuite.

poursuivant, ante n. (et adj.) **1.** Personne qui poursuit qqn. *Distancer ses poursuivants.* **2.** DR Personne qui exerce des poursuites. ▷ adj. *Créancier poursuivant.*

poursuivre v. tr. [62] **I. 1.** Suivre rapidement pour atteindre. *Animal qui poursuit sa proie.* **2.** Tenter d'obtenir. *Poursuivre des honneurs.* **3.** Fig. Rechercher sans cesse en importunant, ne pas laisser en paix. *Poursuivre une femme de ses assiduités.* ▷ (Sujet n. de chose.) *Le remords le poursuit.* Syn. tourmenter, harceler. **4.** DR Intenter une action en justice contre (qqn). *Poursuivre qqn devant les tribunaux.* **II.** Continuer (ce qu'on a commencé). *Poursuivre ses études.* – (S. compl.) Continuer un récit, un exposé. *Laissez-moi poursuivre !* ▷ v. pron. (au sens réfléchi). Être poursuivi.

Pourtalet (col du), col des Pyrénées-Atlantiques (1 792 m), à la frontière espagnole, reliant les vallées d'Ossau (France) et de Sallent (Espagne).

pourtant adv. (Indiquant l'opposition entre deux choses liées, ou entre deux aspects d'une même chose.) *Il avait travaillé, pourtant il a échoué.* Syn. néanmoins, cependant.

pourtour n. m. Ligne, partie qui fait le tour d'un objet, d'une surface. *Arbres plantés sur le pourtour d'un terrain.* Syn. tour, contour.

pourvoi n. m. DR Acte par lequel on demande à une autorité supérieure la réformation ou l'annulation d'une décision judiciaire.

pourvoir v. [40] **I.** v. tr. indir. Fournir ce qui est nécessaire. *Il pourvoit à tous nos besoins.* ▷ *Pourvoir à un emploi* : faire cesser sa vacance. Syn. subvenir. **II.** v. tr. dir. **1.** Munir, équiper. *Pourvoir une place de vivres.* ▷ v. pron. *Se pourvoir de mazout pour l'hiver.* **2.** Mettre (qqn) en possession de. *Pourvoir qqn d'une charge.* ▷ Doter. *La nature l'a pourvue de mille grâces.* **3.** Établir par un emploi, un mariage. *Pourvoir ses enfants.* – (Surtout au pp.) Munir du nécessaire, mettre à l'abri du besoin. *Des gens pourvus.* Syn. nantir. **III.** v. pron. DR Intenter une action judiciaire devant une juridiction supérieure. *Se pourvoir en cassation.*

pourvoirie n. f. (Canada) Entreprise qui offre aux chasseurs et aux pêcheurs des installations et des services (logement, transport, location d'équipements, possibilité de pratiquer la chasse et la pêche sportives).

pourvoyeur, euse n. 1. *Pourvoyeur de :* personne qui fournit, procure (qqch). *Pourvoyeur de drogue.* 2. n. m. MILIT Canonnier qui apporte les munitions; soldat qui alimente en cartouches le tireur d'une arme automatique.

pourvu que loc. conj. 1. À condition que. *Tu peux rester, pourvu que tu te taises.* 2. (Exprimant un souhait.) *Pourvu qu'il fasse beau !*

poussah [pusa] n. m. 1. Figurine grotesque montée sur une boule et lestée de façon à revenir toujours dans la position verticale. *Des poussahs.* 2. Fig., fam. Homme gros et gras.

pousse n. f. 1. Fait de pousser, de croître. *La pousse des cheveux.* 2. BOT Partie jeune d'un végétal formée par un bourgeon au cours d'une période de végétation. 3. MED VET Dyspnée du cheval, caractérisée par un soubresaut de la cage thoracique en fin d'inspiration. 4. TECH Altération du vin, due à une seconde fermentation.

pousse-au-crime n. m. inv. Fam. (arg. vieilli) Alcool fort et de mauvaise qualité. – Mauvais vin.

pousse-café n. m. inv. Fam. Petit verre d'alcool que l'on prend après le café; cet alcool lui-même.

poussée n. f. 1. Action de pousser; son résultat. 2. Pression exercée par une force qui pousse. ▷ ARCHI Effort horizontal exercé par une voûte sur ses supports et tendant à écarter ceux-ci. ▷ PHYS Pression qu'un corps pesant exerce sur un autre corps. – Résultante des forces exercées par un fluide sur un objet immergé. 3. Fig. Manifestation subite. *Une poussée d'imagination.* ▷ Accès. *Une poussée de fièvre.*

pousse-pousse n. m. inv. Voiture légère à deux roues, à une place, tirée ou poussée par un homme, en Extrême-Orient.

pousser v. [1] I. v. tr. 1. Peser sur, peser contre, pour déplacer, pour faire avancer. *Pousser un meuble. Pousser une brouette.* – Fam. Écarter, mettre de côté. *Pousse tes affaires, elles me gênent.* ▷ v. pron. *Pousse-toi !* 2. Imprimer un mouvement à (qqch, qqn) en le pressant vivement ou en le heurtant. *Il n'est pas tombé tout seul, qqn l'a poussé.* 3. Fig. Faire avancer, engager, soutenir (qqn) dans une entreprise, une carrière. *Son père l'a poussé dans ses études.* 4. Étendre, porter plus loin. *Pousser ses conquêtes jusqu'à la mer.* ▷ Fig. *Pousser la plaisanterie trop loin.* – (S. compl.) Pop. Exagérer. *Faut pas pousser !* 5. Mettre, amener (qqn) dans un certain état, une certaine situation. *Pousser qqn à bout.* 6. Inciter à, faire agir. *Qu'est-ce qui vous a poussé à écrire ce livre ? C'est la haine qui l'a poussé.* 7. Proférer, exhaler (un cri, un soupir, etc.). *Il a poussé un grand cri.* ▷ Pop. *Pousser une chanson, en pousser une :* chanter une chanson. 8. Produire, faire sortir de soi (en parlant d'un être vivant, d'un organisme). *L'arbre a poussé des nouvelles feuilles. Bébé qui pousse ses dents.* II. v. intr. 1. Peser, exercer une poussée. *Masse de terre qui pousse sur un mur de soutènement.* 2. Faire effort pour expulser de son corps les fèces, ou lors de l'accouchement le fœtus. 3. Croître, se développer. *Les feuilles poussent déjà.* – Fig. *Cet enfant pousse vite.* 4. *Pousser plus loin, jusqu'à... :* continuer son chemin, aller jusqu'à... *Ils poussèrent jusqu'à la ville.*

poussette n. f. 1. JEU Tricherie consistant à déplacer subrepticement une carte ou une mise sur le tableau gagnant alors que le résultat est connu. 2. SPORT Fam. Action de pousser un coureur cycliste, pour l'aider dans une côte. 3. Petite voiture d'enfant. ▷ Petit châssis à roulettes servant à transporter de menues charges.

pousseur n. m. 1. TECH Bateau à étrave carrée, spécialement construit pour pousser des barges sur les canaux, les rivières. 2. En astronautique, propulseur auxiliaire.

Pousseur (Henri) (Malmédy, 1929), compositeur belge, dodécaphoniste à l'origine (*Quintette à la mémoire d'Anton Webern,* 1955), puis largement inspiré par l'électroacoustique et par l'œuvre littéraire de M. Butor (*Votre Faust,* 1960-1967).

poussier n. m. Poussière de charbon. – *Coup de poussier :* explosion due à l'inflammation de poussières de charbon en suspension dans l'air, survenant dans une houillère. (On dit aussi *coup de poussière.*) ▷ Débris pulvérulents d'une matière quelconque.

poussière n. f. I. 1. Terre réduite en poudre très fine; mélange de matières pulvérulentes entraîné par l'air en mouvement et qui se dépose sur les objets. – Fig. *Mordre la poussière :* être jeté à terre dans un combat; fig. subir un échec, une défaite. ▷ Grain de poussière. *Avoir une poussière dans l'œil.* – Loc. fig., fam. *Et des poussières... :* et une quantité, une somme négligeable. *Trois millions et des poussières.* 2. Matière réduite en particules fines et légères. *Poussière d'or. Poussière de charbon* (V. poussier). II. Emplois fig. 1. Restes mortels, cendres. *« Nous y trouverons leur poussière... » (Marseillaise).* 2. Ce qui est en nombre infini, comme les grains de poussière. *La Voie lactée est une poussière d'étoiles.*

poussiéreux, euse adj. 1. Couvert de poussière. *Meubles poussiéreux.* 2. Qui a l'aspect, la couleur de la poussière.

poussif, ive adj. et n. 1. MED VET Qui a la pousse*, en parlant d'un cheval. 2. Fig. Qui manque de souffle, qui perd facilement haleine. *L'abus du tabac rend poussif.* ▷ *Par ext.* Qui manque d'inspiration.

poussin n. m. 1. Poulet qui vient d'éclore. *Une poule et ses poussins.* ▷ *Par ext.* Oiseau nouvellement éclos. *Les poussins de l'aigle,* ou *aiglons.* 2. Fam. (Terme d'affection adressé à un enfant.) *Alors, poussin ?* ▷ SPORT Catégorie des enfants de moins de onze ans. ▷ Arg. (des écoles) Élève de première année de l'École de l'Air.

Poussin (Nicolas) (Villers, près des Andelys, 1594 – Rome, 1665), peintre français. Son œuvre est conforme à toutes les règles de l'art classique : *les Bergers d'Arcadie* (v. 1638), *les Funérailles de Phocion* (v. 1648).

poussinière n. f. 1. Cage où l'on enferme les poussins. 2. Éleveuse artificielle.

poussivement adv. D'une manière poussive.

poussoir n. m. Bouton que l'on presse pour déclencher le fonctionnement d'un mécanisme.

poutargue ou **boutargue** n. f. Œufs de mulet salés, pressés et présentés dans un boyau en forme de saucisse plate.

poutine n. f. (Canada) CUIS 1. (Québec) Frites garnies de fromage et recouvertes d'une sauce. 2. (Acadie) *Poutine râpée :* boulette de râpures de pommes de terre farcie de viande de porc et cuite dans de l'eau bouillante.

poutrage n. m. ou **poutraison** n. f. TECH Assemblage de poutres; disposition des poutres d'une charpente.

poutre n. f. 1. Grosse pièce de bois équarrie destinée à la construction. *Poutre en chêne, en châtaignier.* ▷ *Par ext.* Élément de charpente allongé et de forte section (quelle qu'en soit la matière). *Poutre en acier.* 2. SPORT Appareil de gymnastique constitué par une barre de bois de 10 cm de large et 5 m de long, reposant sur deux supports à une hauteur variable.

poutrelle n. f. Petite poutre. – Pièce d'acier réunissant les pièces principales d'une charpente métallique.

1. pouvoir v. auxil. de mode et v. tr. [49] I. v. auxil. de mode (régissant l'inf.). 1. Avoir la faculté, la possibilité de. *La voiture est en panne, ils ne peuvent pas partir.* ▷ (Avec ellipse de l'inf. comp., ou celui-ci remplacé par le pronom *le.*) *Quand on veut, on peut. Comprenez si vous (le) pouvez.* ▷ *N'en pouvoir plus :* être à bout de forces. 2. Avoir le droit, l'autorisation de. *Puis-je m'asseoir ? Vous pouvez disposer.* ▷ Être en droit de. *On peut dire qu'il a de la chance.* ▷ Avoir le front, l'audace, etc., de. *Comment pouvez-vous dire une chose pareille ?* 3. Litt. (Au subj., exprimant un souhait.) *« Puissé-je de mes yeux y voir tomber la foudre » (Corneille).* 4. (Exprimant une éventualité, une possibilité.) *Il peut avoir eu un empêchement.* ▷ (Renforçant une interrogation.) *Où peut-il bien se cacher ?* 5. Impers. *Il peut* (+ inf.) : il est possible que. *Il peut pleuvoir.* – *Il pouvait être minuit :* il était vraisemblablement, peut-être, minuit. ▷ v. pron. *Il se peut que :* il est possible que. *Il se peut que j'aie besoin de vous. Il peut se faire que :* il peut arriver que. – Loc. *Autant que faire se peut :* autant qu'il est possible. II. v. tr. Avoir l'autorité, la puissance de faire (qqch). *Je ne peux rien pour vous.* ▷ *N'y pouvoir rien, n'en pouvoir mais :* n'être pas responsable de qqch, être impuissant.

2. pouvoir n. m. 1. Faculté de pouvoir (V. 1 pouvoir), puissance, possibilité. *Avoir du pouvoir, un grand pouvoir.* – ECON *Pouvoir d'achat :* quantité de biens ou services que l'on peut se procurer avec une somme d'argent déterminée. 2. DR Capacité légale de faire une chose. *Pouvoir de tester.* ▷ Droit, faculté d'agir pour un autre, en vertu du mandat qu'on a reçu. *Fondé de pouvoir(s) d'une société.* – Acte par lequel on donne pouvoir d'agir, procuration. *Pouvoir par-devant notaire.* 3. Empire, ascendant

Nicolas **Poussin :** *l'Inspiration du poète,* v. 1630; musée du Louvre

exercé sur une personne. *Exercer un pouvoir sur qqn.* **4.** (Avec un qualificatif.) Aptitude, propriété d'un corps, d'une substance. *Pouvoir blanchissant d'une lessive.* ▷ PHYS *Pouvoir calorifique, rotatoire d'une substance.* **5.** Autorité. *Pouvoir législatif, exécutif, judiciaire.* ▷ *Les pouvoirs publics :* les autorités constituées. **6.** *Absol.* Autorité souveraine, direction, gouvernement d'un État. *Être au pouvoir.*

P'ou-yi. V. Puyi.

pouzzolane [pu(d)zɔlan] n. f. PETROG Cendre volcanique claire et friable qui forme avec la chaux grasse un bon mortier hydraulique.

Pouzzoles (en ital. *Pozzuoli*), v. et port d'Italie (Campanie), sur le golfe de Naples; 70 350 hab. Centre industr. (sidérurgie notam.). Solfatares. – Vestiges de l'époque romaine : temple de Sérapis (anc. marché), amphithéâtre, villas, etc. – Port très actif dans l'Antiquité.

Powell (Cecil Frank) (Tonbridge, Kent, 1903 – Casargo, prov. de Côme, 1969), physicien britannique; spécialiste des rayons cosmiques et des mésons. Il mit au point la détection des particules au moyen d'émulsions photographiques. P. Nobel 1950.

Powell (Anthony Dymoke) (Londres, 1905), écrivain anglais. Ses romans décrivent l'Angleterre mondaine : *la Musique du temps* (saga, 1951-1975), *les Philosophes militaires* (1967).

Powys, comté du pays de Galles; 5 077 km^2; 116 500 hab.; ch.-l. *Landrindrad Wells.*

Powys (John Cowper) (Shirley, Derbyshire, 1872 – Blaenau-Ffestiniog, pays de Galles, 1963), écrivain anglais. Son œuvre, mystique et sensuelle, comprend des poèmes, des essais et, surtout, des romans : *Givre et Sang* (1925), *Wolf Solent* (1929), *Autobiographie* (1934), *les Sables de la mer* (1934).

Poyang (lac), grand lac de Chine (4 500 km^2) situé dans le Jiangxi.

Poyet (Guillaume) (près de Saint-Rémy-la-Varenne, Maine, 1473 – Paris, 1548), chancelier de France en 1538; auteur de l'ordonnance de Villers-Cotterêts (1539), disgracié et emprisonné en 1545.

Poznań (en all. *Posen*), v. de Pologne, port fluv. sur la Warta; ch.-l. de la voïévodie du m. nom; 576 480 hab. Import. centre industriel (méca., métall., chim., etc.). – Archevêché. Université. Cath. (XVe-XVIIIe s.). Hôtel de ville (XVIe s.). – Cap. de la *Posnanie,* elle fut germanisée de 1793 à 1918.

Poznanie. V. Posnanie.

Pozzo di Borgo (Charles André) (Alata, près d'Ajaccio, 1764 – Paris, 1842), diplomate corse. Il soutint Paoli et, en 1796, gagna Londres puis la Russie; adversaire de Napoléon, conseiller privé d'Alexandre Ier, il fut ambassadeur de Russie à Paris (1815-1834) et à Londres (1834-1839).

p.p.c.m. MATH Abrév. de *plus petit commun multiple.*

Pr CHIM Symbole du praséodyme.

practice [pʀaktis] n. m. (Anglicisme) SPORT Terrain d'entraînement, au golf.

Prades, ch.-l. d'arr. des Pyrénées-Orientales, sur la Têt; 6 445 hab.

Prades (Jean de) (Castelsarrasin, v. 1720 – Glogau, auj. Głogów, Silésie, 1782), écrivain et ecclésiastique français; collaborateur de l'*Encyclopédie.*

Pradier (Jean Jacques, dit James) (Genève, 1792 – Bougival, 1852), sculpteur néo-classique français : statues de Lille et de Strasbourg, place de la Concorde, à Paris.

Prado (Mariano Ignacio) (Huánaco, 1826 – Paris, 1901), homme politique péruvien. Général, instigateur de plusieurs putschs, il s'imposa comme dictateur (1865), fut renversé (1868), élu président de la République (1876) et à nouveau renversé (1879). — **Manuel Prado y Ugarteche** (Lima, 1889 – Suresnes, 1967), fils du préc.; président de la République péruvienne (1939-1945, puis 1956-1962, date de son renversement).

Prado (le), musée national espagnol de peinture et de sculpture, à Madrid. Outre des collections qui composent un panorama presque complet de la peinture espagnole, il renferme des œuvres très importantes de J. Bosch, de Dürer, de Titien, du Tintoret, de Rubens, de Van Dyck. Une annexe abrite *Guernica* de Picasso.

præsidium ou **présidium** [pʀezidjɔm] n. m. Comité directeur d'une institution, dont il exerce collégialement les pouvoirs. *Præsidium du Soviet suprême.*

Praetorius (Michæl) (Creuzburg an der Werra, v. 1571 – Wolfenbüttel, 1621), compositeur, organiste et théoricien allemand. Ses œuvres et ses traités musicaux eurent une influence considérable dans toute l'Allemagne.

pragmatique adj. (et n. f.) **I. 1.** Qui considère la valeur pratique, concrète des choses, réaliste. *Il est très pragmatique.* ▷ Susceptible de recevoir une application pratique, adapté à la réalité. *Des idées pragmatiques.* **2.** PHILO Relatif au pragmatisme. **II.** HIST *Pragmatique sanction :* édit promulgué par un souverain pour statuer de manière définitive sur une question fondamentale. ▷ n. f. *La pragmatique de Charles III d'Espagne.*

pragmatique sanction de Bourges, ordonnance (7 juillet 1438) par laquelle Charles VII proclama la supériorité des décisions du concile de Bâle (1431) sur celles du pape, dont l'autorité, en France, était donc niée (V. gallicanisme). Louis XI abolit et rétablit l'ordonnance à maintes reprises. En 1516, François Ier la remplaça par un concordat qui prévoyait un partage des nominations.

pragmatique sanction de 1713, pragmatique rédigée le 19 avril 1713 par l'empereur germanique Charles VI, qui déclarait sa descendance (dite *caroline*) héritière de ses États (c.-à-d. ceux des Habsbourg) dans leur totalité, que cette descendance fût masculine ou féminine. La mort de son fils Léopold (1716) et la naissance d'une fille, Marie-Thérèse (1717), poussèrent l'empereur à imposer sa pragmatique (1724). À sa mort (1740), les gendres de son frère aîné, Joseph, la France et la Prusse contestèrent les dispositions de cette pragmatique, ce qui provoqua la guerre de la Succession d'Autriche. Elle resta néanmoins en vigueur jusqu'en 1919.

pragmatisme n. m. PHILO **1.** Doctrine qui considère l'utilité pratique d'une idée comme le critère de sa vérité. **2.** Doctrine selon laquelle l'idée d'un objet n'est autre que la somme des idées de tous les effets imaginables, pouvant avoir un intérêt pratique, que nous attribuons à cet objet. **3.** Attitude d'une personne pragmatique.

pragmatiste adj. et n. PHILO **1.** adj. Relatif au pragmatisme. **2.** n. Partisan du pragmatisme.

prag(u)ois, oise adj. et n. De Prague. ▷ Subst. *Un(e) Pragois(e)* ou *Praguois(e).*

Prague (en tchèque *Praha*), cap. de la Rép. tchèque, cap. de la Bohême-Moravie, sur la Vltava; 1 190 580 hab. Métropole intellectuelle du pays et grand centre industriel. – Archevêché catholique. Université. Le Hradčany, anc. résidence royale entourée d'une enceinte, comprend : la cath. St-Guy, édifiée par Mathieu d'Arras et P. Parler au XIVe s. (et achevée au XIXe s.); l'égl. romane St-Georges; le palais, construit au IXe s., rebâti aux XVIe-XVIIe s. Pont Charles (XIVe s.). Nombr. édifices baroques dans le quartier de la Malá Strana (« Petite Ville »). Musées. – L'histoire du pays se joua dans cette ville, prospère dès le Xe s. Foyer du nationalisme tchèque, devenue en 1918 la cap. de la Tchécoslovaquie, occupée par les Allemands en 1939, elle fut libérée par les Soviétiques en 1945. Le *printemps de Prague* (1968) : V. Tchécoslovaquie.

Prague : le pont Charles sur la Vltava

Prague (cercle de), école linguistique structuraliste, fondée à Prague en 1926 par N. Troubetskoï et R. Jakobson (V. ces noms et linguistique). Actif jusqu'en 1939, le cercle de Prague a fait un apport capital à la science du langage et à la sémiologie.

Praguerie, nom donné, en souvenir de la révolte hussite de Prague (1419-1436), à un soulèvement de grands seigneurs contre Charles VII de France, qui avait mis en place des réformes renforçant l'autorité royale (1440). Le dauphin Louis participa à la révolte, qui échoua.

Praia, cap. et port de pêche de la république du Cap-Vert, dans l'île de São Tiago; 57 750 hab.

praire n. f. Mollusque lamellibranche comestible *(Venus verrucosa)* des sables littoraux, à coquille bivalve striée.

prairial n. m. HIST Neuvième mois du calendrier républicain (du 20/21 mai au 18/19 juin).
ENCYCL *Loi du 22 prairial an II* (10 juin 1794) : loi préparée à l'initiative de Robespierre qui inaugura la grande Terreur. – *Journée du 1er prairial an III* (20 mai 1795) : insurrection jacobine contre la Convention thermidorienne; les insurgés massacrèrent le député Féraud; leur échec, effectif le 3 prairial, fut suivi d'une violente répression. – *Journée du 30 prairial an VII* (18 juin 1799) : coup d'État mené par les Conseils et fomenté par Sieyès.

prairie n. f. Terrain couvert d'herbes propres à la pâture et à la production de fourrage.

Prairie (la), région centrale des É.-U. et du Canada, à l'E. des Rocheuses et à l'O. des Grands Lacs, et en ce qui concerne les É.-U., à l'O. du Middle West (d'où son autre nom de *Far West*). Le climat continental, avec de faibles précipitations, s'oppose à la croissance des arbres; conjugué avec un sol très riche, il favorise celle de l'herbe haute. La Prairie est le grenier à blé de l'Amérique du Nord; la culture extensive des céréales (blé de printemps et d'hiver, maïs) est hautement mécanisée.

prâkrit [pʀakʀi] n. m. LING Langue commune de l'Inde ancienne, apparentée au sanskrit. *Le pâli, langue des écritures bouddhiques, est un prâkrit. Les prâkrits.*

pralin n. m. **1.** CUIS Préparation à base de pralines. **2.** AGRIC Bouillie fertilisante faite de terre et d'engrais.

pralinage n. m. **1.** Action de praliner, de préparer des pralines. **2.** ARBOR Trempage des racines, de l'extrémité des boutures dans du pralin avant la plantation.

praline n. f. Friandise faite d'une amande enrobée de sucre bouillant.

praliné, ée adj. Garni de pralines pilées. ▷ n. m. Gâteau, bonbon praliné.

praliner v. tr. [1] **1.** CUIS Préparer avec du pralin. ▷ Fourrer ou saupoudrer de pralines pilées. **2.** ARBOR Traiter, préparer par pralinage. *Praliner une bouture.*

prame n. f. MAR **1.** Anc. Bâtiment à fond plat, à rames et à voiles, qui servait autref. à la défense des côtes. **2.** Mod. Petite embarcation à fond plat. *Manœuvrer une prame à la godille.*

Prandtauer (Jakob) (Stanz, 1660 – Sankt Pölten, 1726), architecte autrichien; maître de l'architecture religieuse baroque : abbaye de Melk.

prao [pʀao] n. m. **1.** Voilier monocoque de Malaisie et de Java, long d'une quinzaine de mètres. **2.** Pirogue à balancier simple ou double de Malaisie et de Java. ▷ Voilier de plaisance à balancier simple, dont la construction s'inspire du prao (sens 2) malais.

prase n. m. **1.** MINER Quartz vert. **2.** Cristal de roche teinté, utilisé en joaillerie.

praséodyme n. m. CHIM Élément appartenant à la famille des lanthanides, de numéro atomique Z = 59, de masse atomique 140,91 (symbole Pr). – Métal (Pr) jaune clair, qui fond à 931 °C et bout à 3 512 °C.

Praslin (César Gabriel de Choiseul-Chevigny, duc de) (Paris, 1712 – id., 1785), homme d'État français. Cousin de Choiseul, il le remplaça comme ambassadeur à Vienne (1758), le seconda aux Affaires étrangères (1761-1770), lui succéda à la Marine (1766-1770) et partagea sa disgrâce.

praticabilité n. f. Rare État, caractère de ce qui est praticable.

praticable adj. et n. m. **1.** Que l'on peut pratiquer, mettre à exécution; qui peut être mis en usage. *Opération praticable.* **2.** Où l'on peut passer. *Gué praticable.* **3.** THEAT *Porte, fenêtre praticable* : porte, fenêtre réelle (et non pas peinte ou figurée) d'un décor. ▷ n. m. Élément du décor où des acteurs peuvent se tenir, évoluer. – AUDIOV Plate-forme mobile supportant des projecteurs, des caméras et le personnel qui les utilise.

praticien, enne n. (et adj.) **1.** Personne qui connaît la pratique de son art, qui y a acquis du savoir-faire. **2.** Membre en exercice d'une profession médicale. ▷ Médecin qui donne des soins, exerce la médecine auprès des malades (et non dans un laboratoire ou dans un service de recherche). – adj. *Médecine praticienne.*

pratiquant, ante adj. et n. Qui observe les pratiques (d'une religion). *Catholique, israélite pratiquant.* – Absol. *Il est très pratiquant.* ▷ Subst. *Un(e) pratiquant(e).*

1. pratique n. f. **1.** Activité tendant à une fin concrète (par oppos. à *théorie*). *Savoir tiré de la pratique. Mettre une idée en pratique,* la mettre à exécution, la réaliser. – *En pratique* : en réalité, en fait. ▷ Application des règles et des principes d'un art, d'une science, d'une technique. *La pratique de l'architecture.* **2.** Fait de pratiquer une activité, de s'y adonner habituellement, régulièrement. *La pratique d'un sport.* ▷ Expérience, habitude que cet exercice régulier permet d'acquérir. *Avoir la pratique des affaires.* – Ensemble de procédés, de tours de main; savoir-faire. **3.** Observance d'une règle de conduite, d'un ensemble de prescriptions morales ou philosophiques. *La pratique religieuse.* ▷ (Plur.) Actes extérieurs de soumission aux règles liturgiques; actes de piété. *La foi et les pratiques.* **4.** Usage, coutume. *C'est la pratique du pays.*

2. pratique adj. **1.** Qui a trait à l'action, à la réalisation concrète (par oppos. à *théorique,* à *spéculatif*). *Quelles sont les conséquences pratiques de cette hypothèse?* ▷ *Travaux pratiques* : exercices d'application, par oppos. aux cours théoriques. (Abrév. cour. : T.P.) **2.** Qui vise à l'utile. *Le point de vue qui me guidait était essentiellement pratique.* ▷ Qui a le sens des réalités, qui sait s'y adapter, en tirer profit. *Un esprit pratique.* **3.** Commode, bien adapté à sa fonction. *Un système très pratique.*

pratiquement adv. **1.** Dans la pratique; en fait. *Pratiquement, ce projet est irréalisable.* **2.** (Emploi critiqué.) À peu près; presque. *Il est pratiquement ruiné.*

pratiquer v. tr. [1] **I. 1.** Mettre en pratique, mettre à exécution. *Pratiquer une méthode rigoureuse.* **2.** S'adonner, se livrer habituellement à (une activité, une occupation); exercer (un métier). **3.** Accomplir fidèlement les actes commandés par (une religion). *Pratiquer un culte.* ▷ Absol. *Il est encore croyant mais ne pratique plus.* **4.** Exécuter (une opération concrète, matérielle). *Pratiquer une intervention chirurgicale.* ▷ Réaliser, exécuter (qqch). *Avec la pointe du couteau, vous pratiquez un petit trou.* ▷ Ouvrir, frayer (un passage, un chemin). *Pratiquer un sentier dans un taillis.* **5.** Vx ou litt. Fréquenter (une personne; un lieu). *Je le connais bien pour l'avoir beaucoup pratiqué.* **II.** v. pron. (passif) Être en usage, à la mode.

Prato, v. d'Italie (Toscane), sur le Bisenzio; 162 140 hab. Industr. text. (laine), méca. et chim. – Cath. de style romano-gothique (décorée par A. Della Robbia, Donatello, F. Lippi).

Pratolini (Vasco) (Florence, 1913 – Rome, 1991), écrivain italien. Ses romans décrivent la vie populaire à Florence, avec des réminiscences autobiographiques : *le Quartier* (1944), *Chronique des pauvres amants* (1947), *la Constance de la raison* (1963).

Pratt (Hugo) (Rimini, 1927 – Pully, Suisse, 1995), créateur de bandes dessinées italien. Les aventures de son personnage de *Corto Maltese* (1967), dignes des romans de Joseph Conrad, se poursuivent dans une série d'albums.

Pravaz (Charles-Gabriel) (Pont-de-Beauvoisin, Savoie, 1791 – Lyon, 1853), médecin français; inventeur de la seringue à aiguille creuse qui porte son nom et promoteur de l'orthopédie médicale.

praxis [pʀaksis] n. f. PHILO Dans la terminologie marxiste, ensemble des activités humaines susceptibles de transformer le milieu naturel ou de modifier les rapports sociaux.

Praxitèle (Athènes, v. 390 – id., v. 330 av. J.-C.), sculpteur grec. Son *Aphrodite de Cnide* introduisit dans l'art grec le nu féminin.

Praxitèle : *Hermès portant l'enfant Dionysos,* groupe en marbre; Musée national, Olympie

pré-. Élément, du lat. *præ,* «en avant, devant».

pré n. m. **1.** Petite prairie, terrain où l'on récolte du fourrage ou qui sert au pâturage. **2.** Fig. *Pré carré* : ce qui relève du domaine réservé de qqn, qu'il protège des empiètements des autres.

préaccord n. m. Accord qui précède et prépare un accord définitif.

préadamisme n. m. RELIG Doctrine du XVIIe s. selon laquelle Adam ne serait pas le premier homme créé, mais seulement l'ancêtre du peuple juif.

préadamite adj. (et n.) RELIG Relatif au préadamisme. ▷ Subst. Adepte du préadamisme.

préadolescent, ente n. Garçon ou fille qui va entrer dans l'adolescence.

préalable adj. et n. m. **1.** Qui a lieu, qui se dit ou se fait d'abord. *Avertissement préalable.* **2.** Qui doit être examiné, réglé, réalisé avant autre chose. *Condition préalable à un accord. Parlementaire qui pose la question préalable,* qui demande à l'assemblée de se prononcer sur l'opportunité d'une délibération. ▷ n. m. *Un préalable* : ce qui est mis comme condition à la conclusion d'un accord, à l'ouverture de négociations, etc. **3.** Loc. adv. *Au préalable* : préalablement, auparavant.

préalablement adv. Auparavant, avant toute chose.

Préalpes, massifs sédimentaires externes des Alpes. L'ossature du relief se compose de puissantes couches calcaires. Les sommets dépassent rarement 3 000 m. Elles forment un cordon assez étroit de massifs séparés par des cluses.

préalpin, ine adj. GEOGR Des Préalpes. *Relief préalpin.*

préambule n. m. **1.** Avant-propos, introduction, exorde. ▷ DR Partie préliminaire dans laquelle le législateur expose les motifs et l'objet d'un texte de loi. **2.** Fig. Ce qui précède qqch et l'annonce. *Cet incident fut le préambule du conflit.*

préamplificateur n. m. ELECTRON Amplificateur de tension dont les signaux de sortie sont amplifiés par un amplificateur de puissance. (Abrév. cour. : préampli).

Pré-AO [pʀeaɔ] n. f. INFORM (Acronyme pour *présentation assistée par ordinateur.*) Technique de présentation de données, utilisant couleurs, trucages électroniques, etc., et faisant appel à la micro-informatique.

préau n. m. **1.** Cour d'un cloître, d'une prison, d'un hôpital. **2.** Partie couverte d'une cour d'école.

Pré-aux-Clercs, plaine (non bâtie avant le XVIIe s.) à l'O. de l'abbaye parisienne de Saint-Germain-des-Prés, lieu de rencontre favori des duellistes.

préavis [pʀeavi] n. m. Avis, notification préalable. *Préavis de grève.* ▷ *Spécial.* Notification préalable que l'employeur ou le salarié, prenant l'initiative d'une dénonciation du contrat de travail, doit adresser à l'autre partie.

prébende n. f. **1.** DR CANON Revenu attaché à certains titres ecclésiastiques (canonicat, notam.). ▷ Titre qui assure ce revenu. **2.** Fig., litt. (Souvent péjor.) Revenu tiré d'une charge lucrative. *De grasses prébendes.*

précaire adj. **1.** DR Sujet à révocation. *Possession à titre précaire.* – Par ext. *Détenteur précaire.* **2.** Qui est incertain, sans base assurée. *Santé, situation précaire.*

précairement adv. D'une manière précaire.

précambrien, enne adj. et n. m. GEOL **1.** adj. Qui précède le cambrien. **2.** n. m. Ensemble des terrains antérieurs au cambrien (on y distingue deux étages : l'archéen et l'algonkien). Syn. antécambrien.

précancer n. m. MED Étape décisive de la transformation d'une tuméfaction bénigne en cancer. *Nævi et polypes évolués sont des précancers.*

précancéreux, euse adj. Susceptible de devenir cancéreux. *Une dermatose précancéreuse.*

précarisation n. f. Action de précariser ; son résultat.

précariser v. tr. [1] Rendre précaire.

précarité n. f. Caractère, état de ce qui est précaire.

précatif, ive adj. et n. m. Didac. Sous forme de prière ; exprimant une prière. – *Mode précatif* ou, n. m., *le précatif :* mode qui exprime la prière, dans certaines langues.

précaution n. f. **1.** Disposition prise par prévoyance, pour éviter un inconvénient, un risque. *Prenez des provisions, par précaution.* ▷ *Précautions oratoires :* ménagements que l'on prend pour se concilier la bienveillance de l'auditoire. **2.** Circonspection, prudence. *Marcher avec précaution.*

précautionneusement adv. Avec précaution.

précautionneux, euse adj. **1.** Qui agit avec précaution ; prévoyant et circonspect. **2.** Qui dénote la précaution. *Geste précautionneux.*

précédemment [pʀesedamɑ̃] adv. Auparavant, antérieurement.

précédent, ente adj. et n. **1.** Qui précède. *Le chapitre précédent.* – Subst. *Le (la) précédent(e).* **2.** n. m. Fait, événement, qui peut servir d'exemple ou être invoqué comme autorité dans des circonstances analogues. ▷ *Sans précédent :* qui n'a pas son pareil dans le passé ; extraordinaire.

précéder v. tr. [14] **1.** Se produire avant (dans le temps) ; être placé avant, devant (par le rang dans une série ou par la place dans l'espace). *Des averses ont précédé les crues. Vous le précédez au classement général.* ▷ (Personnes) Arriver avant (qqn). **2.** Aller, marcher devant. *Le tambour-major précédait le défilé.* ▷ Fig. *Son père l'a précédé à la tête de la société.*

précellence n. f. Litt. Excellence, supériorité, primauté.

précepte n. m. Formule énonçant une règle, un principe d'action ; cette règle, ce principe. *Les préceptes de la morale.* ▷ *Spécial.* Commandement religieux.

précepteur, trice n. Personne chargée de l'éducation et de l'instruction d'un enfant qui ne fréquente pas un établissement d'enseignement ; professeur, maître particulier.

préceptorat n. m. Fonction de précepteur ; durée de cette fonction.

précession n. f. **1.** MECA Mouvement autour d'une position moyenne, selon les génératrices d'un cône, de l'axe de rotation d'un solide. *Précession d'un gyroscope.* **2.** ASTRO Mouvement de rotation de l'axe terrestre qui décrit en un peu moins de 26 000 ans un cône dont le sommet est le centre de la Terre et dont l'axe est perpendiculaire au plan de l'écliptique. *Précession des équinoxes :* lent déplacement, dans le sens rétrograde, du point gamma (point vernal) sur le cercle écliptique, dû à la précession terrestre.

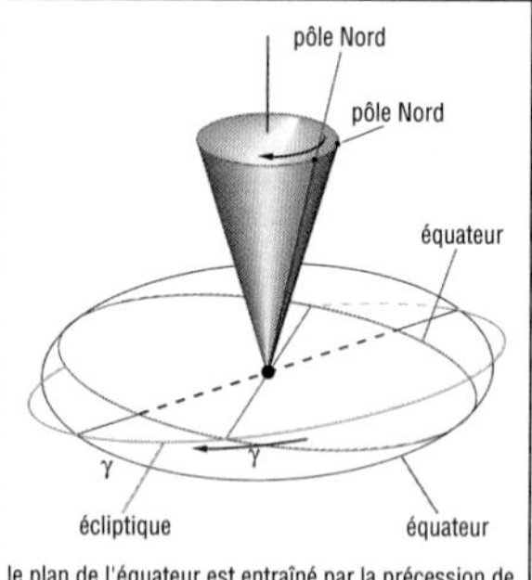

le plan de l'équateur est entraîné par la précession de l'axe des pôles terrestres, de sorte que le point γ (point vernal) se déplace le long de l'écliptique

précession des équinoxes

préchambre n. f. TECH Cavité supérieure des cylindres d'un moteur Diesel, destinée à améliorer la pulvérisation du combustible.

préchauffage n. m. TECH Chauffage préalable, destiné à faciliter certaines opérations techniques. *Préchauffage d'une matière à mouler.*

préchauffer v. tr. [1] **1.** TECH Pratiquer un préchauffage. **2.** CUIS *Préchauffer un four,* le faire chauffer un certain temps avant d'y introduire le mets à cuire.

prêche n. m. **1.** Sermon prononcé par un ministre du culte protestant. – *Par ext.* Sermon prononcé par un prêtre catholique. **2.** Fam. Discours moralisateur, monotone et ennuyeux.

prêcher v. [1] **I.** v. tr. **1.** Enseigner (la parole divine). *Prêcher l'Évangile.* ▷ Par ext. *Prêcher qqn,* lui donner cet enseignement. (Rare, sauf dans la loc. fig. *prêcher un converti :* chercher à convaincre celui qui est déjà convaincu.) **2.** Engager, exhorter à (une qualité, une vertu). *Prêcher la patience, la modération.* **II.** v. intr. **1.** Faire un, des sermons. *Prêcher en chaire.* **2.** Loc. fig. *Prêcher d'exemple, par l'exemple :* être le premier à pratiquer ce que l'on conseille aux autres. – *Prêcher pour sa paroisse, son saint :* parler pour son intérêt. – *Prêcher dans le désert :* faire des recommandations qui ne sont pas écoutées, pas suivies. **3.** Moraliser ; faire des remontrances ; discourir de façon ennuyeuse. *Il prêche à tout propos.*

prêcheur, euse n. (et adj.) **1.** Vx Prédicateur. ▷ Mod. *Les frères prêcheurs :* les dominicains. **2.** Péjor. Personne qui moralise, sermonne. *Quel prêcheur !* ▷ adj. *Elle est un peu prêcheuse.*

prêchi-prêcha n. m. inv. Fam. Verbiage moralisateur.

précieusement adv. **1.** Avec grand soin, comme l'on fait d'une chose de prix. *Garder précieusement un objet.* **2.** Vx Avec préciosité.

précieux, euse adj. et n. f. **I.** adj. **1.** Qui est de grand prix. *Métaux précieux.* **2.** Qui est d'une haute importance, d'une grande utilité. *Perdre un temps précieux.* **II.** **1.** n. f. HIST et LITTER *Les précieuses :* les femmes du monde qui, dans la première moitié du XVIIe s., en réaction contre les mœurs du temps qu'elles jugeaient vulgaires, cherchaient à se distinguer par la délicatesse des manières, l'élégance subtile de l'expression, le raffinement des sentiments. – Par ext. *Une précieuse :* une imitatrice ridicule des précieuses. **2.** adj. Qui a rapport à la préciosité. ▷ Recherché ou affecté.

préciosité n. f. **1.** HIST et LITTER Ensemble des caractères propres au mouvement précieux du XVIIe s., à l'esprit, aux manières qu'il inspirait. **2.** Recherche ou affectation dans le langage, les manières.

précipice n. m. Anfractuosité profonde du sol, aux bords escarpés ; ravin, gouffre. ▷ Fig. *Courir au précipice :* aller au-devant d'un désastre, d'un malheur.

précipitamment adv. Avec précipitation.

précipitation n. f. **I.** **1.** Grande hâte. *S'enfuir avec précipitation.* **2.** Excès de hâte. *Maladresse commise par précipitation.* **II.** **1.** CHIM Passage à l'état solide du ou de l'un des solutés d'une solution. **2.** (Surtout au plur.) METEO *Précipitations (atmosphériques) :* le brouillard, la pluie, la neige, la grêle.

précipité, ée adj. et n. m. **1.** adj. Rapide, accéléré. *Rythme précipité.* ▷ Qui se fait avec une trop grande hâte, dans la précipitation. *Jugement trop précipité.* **2.** n. m. CHIM Substance solide qui se forme dans une solution par précipitation d'un, du soluté. *Précipité de chlorure d'argent.*

précipiter v. [1] **I.** v. tr. **1.** Jeter d'un lieu élevé ou dans un lieu bas, profond.

Précipiter qqn d'un balcon. ▷ Fig., litt. *Ces sombres événements nous précipitèrent dans le malheur.* **2.** Pousser violemment. *Une bourrade m'a précipité contre le mur.* **3.** Hâter, accélérer. *Précipiter ses pas.* **4.** CHIM Provoquer la précipitation. *Réactif qui précipite un soluté.* ▷ v. intr. Se former par précipitation. **II.** v. pron. **1.** *Se précipiter (de) :* se jeter de haut en bas. *Se précipiter d'une falaise.* **2.** Se jeter, s'élancer. *Se précipiter sur son adversaire.* **3.** Prendre un cours accéléré. *Les événements se précipitent.*

préciput [pʀesipyt] n. m. DR Avantage que le testateur ou la loi accorde à l'un des héritiers, partic. au conjoint survivant; droit de prélever, avant tout partage, une partie de l'actif commun.

précis, ise adj. et n. m. **I.** adj. **1.** Qui ne donne lieu à aucune incertitude. *Des indications précises.* ▷ Nettement défini, déterminé. *Donner un rendez-vous en un lieu précis.* **2.** Qui procède avec exactitude, sûreté. *Un homme précis.* ▷ Par ext. *Des gestes précis.* **3.** Exact, juste. *Mesure précise.* **II.** n. m. Livre d'enseignement contenant l'essentiel d'une matière.

précisément adv. **1.** Avec précision, exactement. **2.** Justement. *On a fait précisément ce qu'il fallait éviter.* ▷ (Pour affirmer, confirmer.) *En est-il capable ? – Précisément.* ▷ *Par euph.* Pas tellement, pas du tout. *Ce n'est pas précisément gai.*

préciser v. tr. [1] Déterminer, exprimer, proposer, de façon précise ou plus précise. *Préciser une date. Préciser sa pensée.* ▷ v. pron. *La menace se précise,* prend tournure, se confirme.

précision n. f. **1.** Caractère de ce qui est précis, qui ne donne pas lieu à équivoque. *Précision d'un mot.* **2.** Exactitude, justesse, sûreté dans l'exécution. *Précision d'un trait, d'un geste.* **3.** Caractère de ce qui est calculé, déterminé, exécuté, etc., de façon précise, exacte. *Précision d'une mesure.* ▷ *Balance, montre,* etc., *de précision,* dont l'incertitude instrumentale est très faible. **4.** (Surtout au plur.) Donnée, explication précise.

précité, ée adj. Didac. Cité précédemment.

préclassique adj. ART, LITTER Qui précède l'époque classique. *Les civilisations préclassiques du Moyen-Orient.*

précoce adj. **1.** Qui se développe, qui arrive à maturité avant la saison. *Fruit précoce.* ▷ (Espèces végétales.) Qui donne des produits précoces. *Haricots, fraises précoces* (ou, subst., *des précoces*). ▷ (Animaux) Dont la croissance est rapide. **2.** Fig. Qui se manifeste plus tôt qu'il n'est habituel. *Talent précoce.* ▷ *Enfant précoce,* développé avant l'âge, physiquement ou mentalement. **3.** Qui survient, qui se produit de bonne heure; prématuré. *Printemps précoce.*

précocement adv. D'une manière précoce.

précocité n. f. **1.** Caractère de ce qui est précoce. **2.** Caractère d'une personne précoce.

précolombien, enne adj. Didac. Qui, en Amérique, a précédé l'arrivée de Ch. Colomb (1492).

ENCYCL **Hist.** – Les civilisations précolombiennes ignoraient le fer, l'usage de la roue, du tour de potier et du cheval, que les Espagnols devaient importer en Amérique; ces populations, pour lesquelles le maïs était l'aliment de base, inventèrent une écriture hiéroglyphique, un calendrier, se dotèrent de systèmes politiques et administratifs complexes et efficaces, de sanctuaires, temples, pyramides, enceintes (mosaïques, bas-reliefs, hauts-reliefs, statues), de dimensions imposantes.

précombustion n. f. TECH Phase du cycle d'un moteur Diesel qui précède immédiatement l'inflammation du combustible.

précompte [pʀekɔ̃t] n. m. **1.** COMM, COMPTA Calcul préalable de sommes à déduire. **2.** DR, COMPTA Retenue opérée sur une rémunération.

précompter [pʀekɔ̃te] v. tr. [1] **1.** COMM, COMPTA Compter par avance (les sommes à déduire dans un règlement). **2.** DR, COMPTA Prélever sur un salaire, un revenu, une somme pour la reverser à un organisme.

préconçu, ue adj. Conçu, imaginé d'avance. *Combinaison préconçue.* ▷ Péjor. *Idée, opinion préconçue,* adoptée avant tout examen ou toute expérience; préjugé.

préconisation n. f. **1.** DR CANON, HIST Acceptation en consistoire de la nomination d'un évêque par l'autorité civile. **2.** Fait de préconiser, de recommander vivement.

préconiser v. tr. [1] Recommander vivement, conseiller d'adopter, de prendre (qqch).

préconscient, ente [pʀekɔ̃sjɑ̃, ɑ̃t] n. m. (et adj.) PSYCHAN Se dit d'un processus mental qui pourrait devenir conscient.

précontraint, ainte adj. et n. m. TECH Qui a subi une précontrainte. *Béton précontraint.* ▷ n. m. *Ouvrage en précontraint.*

précontrainte n. f. TECH Technique consistant à créer artificiellement dans le béton des contraintes de compression supérieures aux contraintes de traction auxquelles celui-ci sera soumis, afin d'accroître sa résistance.

précordial, ale, aux adj. ANAT Qui est situé dans le thorax en avant du cœur; qui a son siège dans cette région.

précuit, cuite adj. Se dit d'aliments qui ont subi une cuisson préalable à leur conditionnement.

précurseur n. m. et adj. m. **1.** n. m. Celui qui vient avant un autre pour annoncer sa venue. – *Le Précurseur* (du Christ) : saint Jean-Baptiste. ▷ Personne dont l'action, l'œuvre, les idées ont ouvert la voie à une autre personne, à un mouvement, etc. **2.** n. m. BIOCHIM Composé qui précède un autre dans une suite de réactions. **3.** adj. m. Qui précède et annonce; avant-coureur. *Les signes précurseurs d'un orage, d'une catastrophe.*

prédateur, trice n. m. et adj. **1.** ZOOL Animal qui vit de proies. *Prédateurs d'une espèce :* animaux qui font leur proie des individus de cette espèce. ▷ adj. *Fourmis prédatrices.* **2.** BOT Plante qui croît aux dépens d'une autre. **3.** Didac. Homme qui se nourrit des produits de la chasse, de la pêche et de la cueillette.

prédation n. f. Didac. Façon dont les prédateurs assurent leur subsistance.

prédécéder v. intr. [14] DR Mourir avant (qqn d'autre).

prédécesseur n. m. Personne qui a précédé qqn dans un emploi, une dignité, etc. ▷ (Plur.) Ceux qui ont vécu avant (qqn), les générations antérieures.

prédécoupé, ée adj. Qui a été découpé avant l'achat. *Poulet prédécoupé. Planches prédécoupées.*

prédélinquance n. f. État d'un jeune que sa situation et son entourage social mettent en danger de devenir délinquant.

prédélinquant, ante n. Jeune en situation de prédélinquance.

prédelle n. f. BX-A Soubassement d'un retable, habituellement divisé en petits compartiments où est figurée une suite de sujets.

prédestination n. f. **1.** THEOL Dans certains systèmes théologiques, volonté de Dieu qui, par un décret éternel, destinerait chacune de ses créatures à être sauvée ou damnée, sans considération de sa foi ni de ses œuvres (V. encycl. calvinisme et encycl. jansénisme). **2.** Litt. Détermination apparemment fatale des événements.

prédestiné, ée adj. (et n.) **1.** THEOL Que Dieu a destiné de toute éternité au salut ou (rare) à la damnation. ▷ Subst. *Les prédestinés.* **2.** Qui semble destiné par avance (à qqch). *Un nom, un lieu prédestiné.*

prédestiner v. tr. [1] **1.** THEOL Destiner de toute éternité à la damnation ou au salut. **2.** *Par ext.* Destiner par avance à (qqch, à un avenir particulier).

prédéterminant, ante adj. Qui prédétermine.

prédétermination n. f. **1.** PHILO «Détermination d'un fait ou d'un acte par des causes ou des raisons antérieures au moment même qui précède le plus immédiatement ce fait ou cet acte» (Lalande). **2.** THEOL Action par laquelle Dieu meut et détermine la volonté humaine.

prédéterminer v. tr. [1] **1.** Déterminer d'avance; produire, faire exister par une détermination antérieure. **2.** THEOL En parlant de Dieu, déterminer par avance (la volonté de l'homme) sans pour cela porter atteinte à sa liberté.

prédéterminisme n. m. PHILO Système dans lequel le déroulement des événements est considéré comme résultant de la détermination antérieure de Dieu.

prédicable adj. LOG Qui peut être appliqué (à un sujet).

prédicant n. m. et adj. **1.** n. m. Vieilli Prédicateur protestant. **2.** adj. Litt. Austère, moralisateur.

prédicat n. m. **I.** LOG **1.** Second terme d'une énonciation dans laquelle on peut distinguer ce dont on parle (sujet) et ce qu'on en affirme ou nie. ▷ Attribut, affirmé ou nié, d'un sujet. **2.** Mod. Fonction propositionnelle, expression qui contient une ou plusieurs variables et qui est vraie ou fausse selon la valeur qu'on attribue à celles-ci, ou selon les quantificateurs qui les lient. *Calcul des prédicats.* **II.** LING Ce qui, dans un énoncé, est dit de l'objet dont on parle (sujet). Ex. *Jean* (sujet) *travaille* (prédicat). – *L'homme* (sujet) *est mortel* (prédicat).

prédicateur n. m. Celui qui prêche. *Bossuet, Bourdaloue furent d'éloquents prédicateurs. Les prédicateurs de l'islam.* ▷ Celui qui enseigne, propage (une doctrine).

prédicatif, ive adj. LOG, LING Relatif au prédicat; qui est formé d'un prédicat. *Syntagme prédicatif.* – *Phrase prédicative,* réduite au prédicat. (Ex. *Terre !*)

prédication n. f. Action de prêcher; ministère du prédicateur. ▷ Litt. Discours d'un prédicateur.

prédictible adj. Didac. Qui peut être prédit.

prédictif, ive adj. Didac. Qui assure une prévision satisfaisante du déroulement d'un processus. *Une théorie prédictive.* ▷ *Médecine prédictive,* qui cherche à établir le risque d'apparition d'une maladie en étudiant les facteurs d'exposition à un agent toxique, l'hérédité du sujet, etc.

prédiction n. f. **1.** Déclaration de ce qui doit arriver, fondée sur la divination, sur un procédé occulte quelconque; prophétie. *Les prédictions des astrologues.* **2.** Déclaration de ce qui doit arriver, fondée sur le raisonnement, l'induction scientifique. *La prédiction du temps par les services de la Météorologie nationale.* **3.** Ce qui a été prédit.

prédigéré, ée adj. **1.** MED *Aliment prédigéré,* soumis à une digestion artificielle avant ingestion. **2.** Fig., fam. Qui a été simplifié de manière à être accessible à tous. *Une information prédigérée.*

prédilection n. f. Préférence d'affection, d'amitié, de goût. *Avoir une prédilection marquée pour qqch, pour qqn.* ▷ *De prédilection :* pour lequel on a une préférence.

prédire v. tr. **[65]** **1.** Prophétiser, annoncer (ce qui doit arriver) par divination. *Prédire l'avenir.* **2.** Annoncer (ce qui doit arriver) par conjecture, raisonnement, ou d'après des observations scientifiques. *Prédire une éclipse.*

prédisposer v. tr. [1] *Prédisposer à :* mettre dans une situation ou dans des dispositions favorables, propices, pour; préparer à.

prédisposition n. f. Disposition marquée, aptitude à (être, faire, devenir qqn, qqch).

prédominance n. f. Fait de prédominer; caractère prédominant de qqch.

prédominant, ante adj. Qui prédomine.

prédominer v. intr. [1] L'emporter, être le plus important ou le plus fréquent. *Société où l'argent prédomine.*

préélectoral ou **pré-électoral, ale, aux** adj. Qui précède des élections. *Une période préélectorale.*

préélémentaire adj. Se dit de l'enseignement dispensé dans les écoles maternelles.

préemballé, ée adj. Se dit d'aliments présentés à la vente sous emballage.

prééminence n. f. **1.** Supériorité de droit, de dignité, de rang. **2.** Avantage, supériorité absolue.

prééminent, ente adj. Qui a la prééminence; qui est au-dessus des choses du même genre.

préemption [pʀeɑ̃psjɔ̃] n. f. DR *Droit de préemption :* droit reconnu légalement ou contractuellement à une personne physique ou morale d'acquérir, avant toute autre et à prix égal, l'objet mis en vente.

préencollé, ée adj. Encollé à l'avance; prêt à coller.

préenregistré, ée adj. Enregistré à l'avance. *Cassette préenregistrée. Émission préenregistrée,* qui n'est pas transmise en direct.

préétablir v. tr. [3] Établir, fixer par avance. – Surtout au pp. adj. *Programme préétabli.* ▷ PHILO *Harmonie préétablie :* selon Leibniz, accord établi par Dieu entre les substances créées, partic. entre l'âme et le corps.

préexcellence n. f. Litt. Perfection absolue.

préexistant, ante adj. Qui existe avant.

préexistence n. f. Existence antérieure.

préexister v. tr. indir. [1] Exister avant. *Préexister à qqch.*

préfabrication n. f. TECH Action de préfabriquer.

préfabriqué, ée adj. et n. m. **1.** Se dit d'un élément de construction fabriqué, usiné avant un montage en dehors de l'atelier ou de l'usine; formé uniquement d'éléments préfabriqués. *Maison préfabriquée.* ▷ n. m. *Du préfabriqué.* **2.** Fig. Artificiel, sans spontanéité.

préfabriquer v. tr. [1] TECH Fabriquer en atelier, en usine des éléments à assembler sur le chantier.

préface n. f. **1.** Texte de présentation placé en tête d'un livre. **2.** LITURG CATHOL Partie de la messe qui précède le canon.

préfacer v. tr. [12] Présenter par une préface; écrire la préface de (un livre).

préfacier n. m. Auteur d'une préface. ▷ Écrivain qui écrit des préfaces.

préfectoral, ale, aux adj. (et n. f.) Qui a rapport au préfet. *L'administration préfectorale.* – n. f. Fam. *La préfectorale.* ▷ Qui émane du préfet. *Arrêté préfectoral.*

préfecture n. f. **1.** ANTIQ ROM Charge de préfet. ▷ Province administrée par un préfet. **2.** Mod. Charge, fonctions d'un préfet; durée de ces fonctions. ▷ Étendue de territoire administrée par un préfet. ▷ Ville où réside un préfet. ▷ Bâtiment où sont installés les services préfectoraux. **3.** *Préfecture maritime :* chef-lieu d'une région maritime. ▷ *Préfecture de police :* ensemble des services de police, à Paris.

préférable adj. Qui mérite d'être préféré; qui est plus indiqué.

préféré, ée adj. (et n.) Que l'on préfère. *C'est mon plat préféré.* ▷ Subst. *La cadette est la préférée de son père.*

préférence n. f. **1.** Fait de préférer, sentiment d'une personne qui préfère une personne, une chose à une autre. ▷ Loc. adv. *De préférence :* plutôt. *Partez le matin de préférence.* **2.** Marque particulière d'affection, d'honneur; avantage accordé à qqn. *Accorder ses préférences à qqn.*

préférentiel, elle [pʀefeʀɑ̃sjɛl] adj. Qui crée une préférence, un avantage, au profit d'une personne, d'un pays, etc. *Tarif préférentiel.* ▷ DR *Vote préférentiel :* vote au scrutin de liste dans lequel l'électeur peut choisir l'ordre des candidats, et avantager celui ou ceux qu'il place en tête de liste.

préférentiellement [pʀefeʀɑ̃sjɛlmɑ̃] adv. De manière préférentielle.

préférer v. tr. [14] Aimer mieux. *Nous préférons partir. Préférer (qqch, qqn) à (qqch, qqn d'autre) :* se déterminer en faveur d'une personne ou d'une chose plutôt qu'en faveur d'une autre; marquer une inclination particulière à l'endroit de qqch, de qqn. ▷ (S. comp.) *Si tu préfères, nous resterons ici.*

préfet n. m. **1.** ANTIQ ROM Haut magistrat. ▷ *Spécial.* Administrateur placé à la tête d'une province de l'Empire. *Le préfet des Gaules.* **2.** RELIG *Préfet apostolique :* prêtre responsable d'un territoire en voie d'organisation, dans un pays de mission. **3.** *Préfet de discipline, préfet des études :* personnes responsables de la discipline, de la surveillance des études, dans un établissement d'enseignement privé. ▷ (Belgique) Directeur d'un athénée. **4.** En France, grade du haut fonctionnaire qui représente le gouvernement dans le département qu'il administre. *Pouvoirs de police du préfet. Préfet de région :* préfet du chef-lieu d'une région, chargé de coordonner l'action des différentes administrations de cette région, notam. en matière de développement économique et d'aménagement du territoire. *Préfet de police :* haut fonctionnaire à qui est confiée la direction de la police à Paris. ▷ *Préfet maritime :* amiral placé à la tête d'une région maritime.

préfète n. f. **1.** Femme d'un préfet. **2.** Femme préfet.

préfiguration n. f. Fait de préfigurer; ce qui préfigure qqch.

préfigurer v. tr. [1] Figurer d'avance la représentation de (qqch à venir).

préfinancement n. m. FIN Ouverture de crédits permettant à une entreprise de réaliser un projet ou de procéder à un investissement et de couvrir une partie des premières dépenses.

préfinancer v. tr. [1] FIN Assurer le préfinancement de.

préfix, ixe adj. DR ANC Qui est déterminé à l'avance. *Temps préfix.*

préfixal, ale, aux adj. LING Relatif au préfixe.

préfixation n. f. LING Adjonction d'un préfixe; composition de mots nouveaux à l'aide de préfixes.

préfixe n. m. **1.** Affixe qui précède le radical et en modifie le sens (ex. *in* dans *incompréhensible*). **2.** TELECOM Dans un numéro de téléphone, chiffres placés avant le numéro personnel et identifiant le département, le pays, etc.

préfixer v. tr. [1] **I.** LING **1.** Joindre (un morphème) comme préfixe. – Surtout au pp. adj. *Élément préfixé.* **2.** Adjoindre un préfixe à (un radical). **II.** DR Fixer par avance (un terme, un délai).

préfixion n. f. DR Action de préfixer (un délai); délai préfixé.

préformage n. m. TECH Opération de mise au galbe des vêtements en tissu synthétique par application à chaud sur une forme pleine.

préformation n. f. Formation préalable. ▷ HIST *Théorie de la préformation,* en vogue aux XVIIe et XVIIIe s., qui soutenait que les diverses parties de l'organisme sont déjà formées dans le germe.

préformer v. tr. [1] Former au préalable.

préfourrière n. f. ADMIN Centre de rassemblement des véhicules en infraction, avant leur mise en fourrière.

prégénérique n. m. CINE Séquence qui précède le générique.

préglaciaire adj. GEOL Qui est antérieur à une période glaciaire (et, spécial., à la période glaciaire quaternaire).

prégnance [pʀɛgnɑ̃s; pʀeɲɑ̃s] n. f. **1.** Litt. Qualité de ce qui est prégnant. **2.** PSYCHO *Loi de prégnance :* dans la théorie de la forme, «prédominance d'une forme privilégiée, plus stable et plus fréquente parmi toutes les autres possibles» (Cuvillier).

prégnant, ante [pʀɛgnɑ̃; pʀeɲɑ̃, ɑ̃t] adj. **1.** Expressif, riche de sens. **2.** PSYCHO *Structure prégnante,* qui prédomine, s'impose avec force à l'esprit.

préhellénique adj. HIST Relatif aux civilisations qui se développèrent en mer Égée avant l'invasion dorienne (XIIe s. av. J.-C.).

préhenseur adj. m. Didac. Qui sert à la préhension. *Organe préhenseur.*

préhensile adj. Didac. Qui a la faculté de saisir. *Les pieds préhensiles des singes.*

préhension n. f. **1.** Action de prendre, de saisir. *Les mains, organes de préhension.* **2.** DR *Droit de préhension,* de réquisition.

préhistoire n. f. Période de la vie de l'humanité depuis l'apparition d'*Homo sapiens* (quaternaire) jusqu'à l'apparition du travail des métaux (caractérisant la *protohistoire*). ▷ Branche du savoir, science qui étudie cette période. ENCYCL La préhistoire se fonde sur l'étude des vestiges mis au jour par la fouille archéologique. Elle se propose d'établir une chronologie et une classification des types humains et une typologie des industries. Au paléolithique inférieur, la notion d'habitat doit être prise dans le sens de «sol d'occupation», composé d'un lit de galets apprêtés, mêlés de galets aménagés (Éthiopie). Ensuite, l'intensité du froid de la période würmienne a poussé l'homme à rechercher l'accueil des grottes ou des abris sous roche; toutefois, les hommes du paléolithique moyen, les Néandertaliens, ont utilisé des campements temporaires de plein air. Au paléolithique supérieur, *Homo sapiens* occupe souvent les mêmes sites que les Néandertaliens. Les structures d'habitat sont bien individualisées : cabane, tente, hutte, construites au niveau du sol ou demi-souterraines, pavées de galets ou non. Les plus anc. industries lithiques se rencontrent en Afrique. Le gisement d'Olduvai (Tanzanie) a livré, notam., une industrie à galets aménagés. L'usage du feu est bien antérieur : les premiers hominiens qui «connurent» le feu appartenaient à l'espèce *Homo erectus* (sinanthropes, pithécanthropes, etc.). L'acheuléen, stade terminal du paléolithique inférieur, possède une industrie variée à bifaces, mais une industrie à éclats est toujours présente. En Europe occidentale, le moustérien typique se reconnaît par la présence de nombreux racloirs, de pointes et de quelques bifaces. L'homme du paléolithique supérieur a conçu et réalisé des œuvres d'art. Les gravures, pariétales ou mobilières, et les sculptures (au solutréen) ont été réalisées au burin de silex. La matière colorante des peintures est toujours à base de terres naturelles. L'apogée se situe au magdalénien ancien et moyen avec les grandes fresques polychromes, notam. à Lascaux (Dordogne) et à Altamira (Espagne). Au néolithique*, l'agriculture et l'élevage font leur apparition. À la fin du néolithique, des monuments funéraires gigantesques, les *mégalithes,* sont élevés un peu partout en Europe occidentale. ► illustr. page **1515**

préhistorien, enne n. Spécialiste de la préhistoire.

préhistorique adj. **1.** Antérieur aux temps historiques, c.-à-d à l'apparition de l'écriture ou du travail des métaux. *Hommes préhistoriques.* **2.** Qui a rapport à la préhistoire, à son étude. **3.** Fam., plaisant Archaïque, démodé.

préhominiens n. m. pl. PALEONT Sous-famille d'hominiens fossiles dont on ignore s'ils étaient capables de fabriquer des outils. – Sing. *Un préhominien.*

préimplantatoire adj. Qui précède une implantation d'embryon lors d'une fécondation *in vitro. Diagnostic génétique préimplantatoire.*

préindustriel, elle adj. Antérieur à la révolution industrielle, à l'industrialisation.

préinscription n. f. Inscription provisoire, préalable à une inscription définitive.

préjudice n. m. Tort, dommage. *Causer un préjudice, porter préjudice à qqn,* lui faire subir un dommage. ▷ *Au préjudice de qqn,* contre son intérêt, à son détriment. ▷ *Sans préjudice de :* sans faire tort à, sans renoncer à.

préjudiciable adj. Nuisible, qui peut causer un préjudice.

préjudiciaux adj. m. pl. DR *Frais préjudiciaux,* dont un justiciable doit s'acquitter avant l'exercice d'une voie de recours.

préjudiciel, elle, els adj. DR *Question préjudicielle :* question soulevée devant une juridiction incompétente pour en connaître, et relevant de la compétence exclusive d'une autre instance qui doit la trancher préalablement.

préjugé n. m. **1.** Élément qui permet de porter, provisoirement, un jugement. *Préjugé en faveur de qqn.* **2.** Idée préconçue, adoptée sans examen.

préjuger v. tr. dir. et indir. [**13**] **1.** *Préjuger qqch* ou, plus cour., *préjuger de qqch :* juger sans examen, donner prématurément une opinion sur qqch. *Préjuger (d')une question.* **2.** Conjecturer.

prélasser (se) v. pron. [**1**] Se délasser en adoptant une pose alanguie, nonchalante; profiter avec délectation d'un moment de tranquillité, d'oisiveté.

prélat n. m. Dignitaire ecclésiastique qui a reçu la prélature.

prélatin, ine adj. Didac. Antérieur à l'époque, à la civilisation latine, à la langue latine.

prélature n. f. RELIG CATHOL **1.** Dignité conférée par le pape à titre honorifique, ou attachée à certaines fonctions ecclésiastiques (abbatiale et épiscopale, notam.). **2.** Ensemble des prélats, corps des prélats.

prélavage n. m. Lavage préliminaire (du linge ou de la vaisselle), à la machine.

prèle, prêle ou **presle** [prɛl] n. f. Plante des lieux humides, à rhizome traçant, à longues tiges creuses partant des verticilles de feuilles filiformes. *La prèle est utilisée en pharmacie pour ses propriétés diurétiques.*

prélegs [prelɛg] n. m. DR Legs particulier qui doit être pris sur la masse de l'héritage avant tout partage.

prélèvement n. m. **1.** Action de prélever. ▷ CHIR Opération par laquelle on prélève (un morceau d'un tissu, un organe, un liquide organique). *Prélèvement sanguin.* **2.** Ce qui est prélevé. – *Prélèvement automatique sur un compte bancaire :* règlement d'une facture, d'une échéance directement sur le compte du débiteur. – *Prélèvements obligatoires :* ensemble des impôts et des cotisations sociales obligatoires. – ECON *Prélèvement agricole :* dans le cadre de la C.É.E., perception d'une redevance sur les produits agricoles provenant des pays tiers.

prélever v. tr. [**16**] Soustraire d'un ensemble, ôter d'une masse formant un tout. *Prélever des échantillons de minerai.* – Prendre (une certaine portion sur un total). *Prélever un pourcentage sur les bénéfices.* ▷ *Spécial.* Ôter (un morceau d'un tissu, un organe, etc.), ponctionner (un liquide organique) en vue d'une analyse ou d'un traitement.

préliminaire n. m. et adj. **1.** n. m. *Les préliminaires :* l'ensemble des actes, des discussions qui précèdent un traité de paix. ▷ Ce qui précède et prépare qqch d'important; prélude. **2.** adj. Qui précède, prépare la chose principale.

prélogique adj. PSYCHO *Stade prélogique,* pendant lequel l'esprit de l'enfant n'observe pas encore les règles logiques de causalité.

prélude n. m. **1.** MUS Introduction musicale précédant un morceau. *Un prélude de Bach.* ▷ Composition libre, constituant un morceau autonome, écrite pour un instrument ou pour l'orchestre. *Les préludes pour piano de Chopin.* **2.** Fig. Ce qui précède, annonce ou prépare un fait, un événement.

préluder v. [**1**] **I.** v. intr. MUS Exécuter quelques accords préalables dans le ton de ce que l'on va jouer ou chanter. **II.** v. tr. indir. *Préluder à.* **1.** (Personnes) Se préparer à (une chose) en en faisant une autre plus facile. *Athlète qui prélude à une course par un échauffement.* **2.** (Choses) Annoncer en précédant. *Des escarmouches préludèrent à la bataille.*

prématuré, ée adj. et n. **1.** Qui arrive plus tôt que normalement. *Accouchement prématuré.* ▷ *Enfant prématuré :* enfant né vivant avant la 37e semaine de gestation. – Subst. *Un(e) prématuré(e).* **2.** Qu'il n'est pas encore temps de commencer, d'engager; qui a été commencé, engagé trop tôt. *Une entreprise prématurée.*

prématurément adv. Avant le temps convenable ou normal.

prématurité n. f. MED État d'un enfant prématuré.

prémédication n. f. MED Administration de médicaments avant une anesthésie ou certains examens douloureux.

préméditation n. f. Dessein réfléchi qui a précédé l'exécution d'une action.

préméditer v. tr. [**1**] Mûrir (un projet) avant de le mettre à exécution; calculer, combiner à l'avance.

prémenstruel, elle adj. MED Qui précède les règles (sens III).

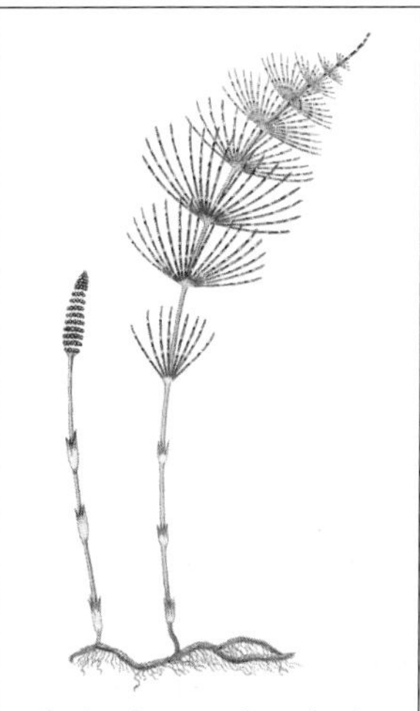

prêle des champs : plante fertile (à g.) et stérile (à dr.)

prémices n. f. pl. **1.** ANTIQ Premiers produits de la terre, premiers petits du troupeau, dont on faisait l'offrande à la divinité. **2.** *Par ext.*, litt. Début, commencement.

premier, ère adj. et n. **I.** adj. Qui précède tous les autres. **1.** (Dans le temps.) *Adam fut le premier homme. Enfant qui fait ses premiers pas.* **2.** (Dans l'espace.) *Le premier plan de cette photo est flou. La première porte à droite.* **3.** (Dans un ordre numérique.) *La première page d'un livre. Le premier jour de l'année.* **4.** (Par ordre de mérite, de valeur, d'importance, de qualité, etc.) *Un esprit de premier ordre. Morceau de premier choix. Le premier orateur de son temps. Wagon de première classe.* – (Joint à un titre, pour indiquer la supériorité du rang.) *Premier président. Premier ministre.* ▷ *Premier rôle :* rôle principal d'une pièce de théâtre, d'un film. ▷ COMM *Premier prix :* prix le plus bas d'un type de produit. **5.** Qui forme la base, le rudiment de qqch. *Des objets de première nécessité. Il n'a pas la première notion de cette science.* ▷ Qui est nécessaire avant tout, qui doit être fait, accompli, etc., avant toute autre chose ; primordial, principal. *La charité, première des vertus chrétiennes.* **6.** (Souvent après le nom.) Qui est dans son état original, primitif. *Recouvrer sa santé première.* ▷ *Arts premiers :* autre nom donné aux arts primitifs (des sociétés sans écriture). **7.** PHILO Qui est la cause finale des autres réalités, qui contient en soi leur raison d'être. *Principe premier. Cause première.* ▷ Qui s'impose à l'esprit comme évident, et qui sert de point de départ au raisonnement, à la déduction. *Notion première. Vérité première.* ▷ LOG Se dit d'un terme qui n'est pas défini au moyen d'autres termes, d'une proposition qui n'est pas déduite d'autres propositions. ▷ *Nombre premier :* V. nombre. **II.** n. **1.** Personne qui précède toutes les autres. *Il est le premier de sa classe.* ▷ *Le premier venu :* la première personne qui se présente. – *Par ext.* N'importe qui. **2.** (Avec une valeur adverbiale.) D'abord, en avant. *Arriver, passer le premier. Plonger la tête la première.* **3.** *Jeune premier* (et, moins cour., n. f., *jeune première*) : comédien(ne) qui joue un premier rôle d'amoureux (d'amoureuse). **III.** n. m. **1.** Premier étage. *Habiter au premier.* **2.** Premier jour (du mois). *Nous sommes aujourd'hui le premier.* ▷ *Le premier de l'an.* **3.** Loc. adv. *En premier :* d'abord. – Dans la première catégorie d'un grade, d'une charge. *Le commandant en premier et le commandant en second d'un navire.* **IV.** n. f. **1.** Première classe, dans un moyen de transport (train, bateau, avion, partic.). *Voyager en première.* **2.** Classe du second cycle de l'enseignement secondaire qui précède la terminale. ▷ *Première supérieure :* classe de préparation à l'École normale supérieure (lettres). **3.** SPORT Première ascension d'une cime vierge. *Tenter une première, une première hivernale.* **4.** Première représentation d'une pièce, d'un spectacle. *Être invité à une première.* **5.** Première vitesse d'un véhicule. *Enclencher la première.* **6.** Couturière à qui est confiée la direction d'un atelier, dans une maison de couture. **7.** Pop. *De première :* excellent, supérieur.

premièrement adv. En premier lieu, d'abord.

Premier ministre n. Chef du gouvernement. *Des Premiers ministres.*

premier-né, première-née adj. et n. Se dit du premier enfant d'une famille. *Des premier(e)s-né(e)s.*

Preminger (Otto) (Vienne, 1906 – New York, 1986), cinéaste américain d'origine autrichienne : *Laura* (1944), *la Rivière sans retour* (1954), *Carmen Jones* (1954), *Autopsie d'un meurtre* (1959).

prémisse n. f. **1.** LOG Chacune des deux premières propositions (majeure et mineure) d'un syllogisme, dont on tire la conclusion. **2.** *Par ext.* Argument, proposition dont découle une conclusion ; fondement d'un raisonnement. – Fait considéré dans les conséquences qu'il entraîne.

prémolaire n. f. Chacune des huit dents implantées par paires entre les canines et les molaires.

prémonition n. f. Avertissement que notre psychisme serait susceptible de nous donner (au sujet d'un événement sur le point de se produire). Syn. pressentiment.

prémonitoire adj. **1.** Relatif à la prémonition ; qui est de la nature de la prémonition. *Rêve prémonitoire.* **2.** MED Se dit de signes qui précèdent parfois l'éclosion d'une maladie infectieuse.

prémontré, ée n. Membre de l'un des deux ordres (chanoines réguliers et chanoinesses de Prémontré ou de Saint-Augustin) fondés en 1120 par saint Norbert à Prémontré (dans l'Aisne).

prémunir v. tr. [3] Prendre des précautions pour garantir de. *Prémunir des arbres fruitiers contre la gelée en les paillant.* ▷ v. pron. *Se prémunir contre la disette.*

prémunition n. f. Action de prémunir, de se prémunir.

Přemyslides, dynastie tchèque qui se donnait pour ancêtre Přemysl, prince légendaire de Bohême, et qui constitua le premier État tchèque ; elle s'éteignit en 1306, avec la disparition de Venceslas III. (V. Otakar Přemysl.)

prenable adj. Qui peut être pris (ville, place forte, etc.).

prenant, ante adj. **1.** Vx Qui commence. *Carême prenant.* **2.** Qui prend, qui est susceptible de prendre. ▷ DR *Partie prenante,* qui reçoit de l'argent. **3.** Préhensile. **4.** Fig. Qui saisit l'esprit, qui captive, intéresse.

prénatal, ale, als ou **aux** adj. Qui précède la naissance.

prendre v. [52] **A.** v. tr. **I.** Saisir, s'emparer de. **1.** Saisir avec la main. *Il prit l'objet qu'on lui tendait.* – Par ext. *Il la prit dans ses bras.* **2.** S'emparer de. *On a pris son portefeuille.* ▷ Se rendre maître de. *Prendre une ville.* ▷ Posséder sexuellement. **3.** Emporter avec soi, sur soi. *Prendre son parapluie. Je n'ai pas pris assez d'argent.* **4.** Tirer, enlever, soustraire (qqch). *Prendre de l'eau à la rivière.* **5.** Attraper. *Prendre un papillon. Prendre des poissons à la ligne.* – Fig. *Se laisser prendre au piège.* Prov. *Tel est pris qui croyait prendre.* ▷ Arrêter (qqn). *Prendre un cambrioleur.* – Loc. prov. *Pas vu, pas pris :* se dit de qqn qui a fait un mauvais coup sans être inquiété. **6.** Surprendre. *Prendre qqn la main dans le sac. Ah ! Je vous y prends ! Prendre qqn au dépourvu.* **7.** Aller chercher et emmener avec soi. *Je passerai vous prendre vers sept heures.* ▷ Emmener ; se charger, s'occuper de (qqn). *Prendre des passagers, des clients, des élèves.* – Fig. *Prendre qqn sous sa protection.* **8.** Se charger de (qqch). *Prendre une affaire en main.* ▷ *Prendre sur soi de :* prendre l'initiative de. – Absol. *Prendre sur soi :* se maîtriser, se contrôler. **9.** Demander, exiger. *On m'a pris très cher pour cette réparation. Ce travail prend du temps.* **10.** Manger, boire, ingérer. *Je n'ai rien pris de la journée. Prendre un repas.* – (Choses) Se pénétrer de. *Ses souliers prennent l'eau.* **11.** (Sujet n. de chose.) Saisir, s'emparer de (qqn). *Une forte envie de rire l'a pris.* **II.** Fig. Saisir par l'esprit. **1.** Aborder (qqn), avoir telle ou telle attitude à son égard. *Cette mère ne sait pas prendre son enfant.* **2.** Accepter, recevoir. *Prendre les choses comme elles viennent. Prendre mal la plaisanterie.* **3.** *Prendre pour :* considérer comme. *Prendre qqn pour un imbécile. Prendre une personne, une chose pour une autre,* se tromper sur son identité, sa nature. **III.** Obtenir, se procurer. **1.** Se procurer (en achetant, en louant, en réservant, etc.). *Prendre un billet d'avion.* ▷ Engager (qqn). *Prendre un domestique.* ▷ *Prendre femme :* se marier. **2.** Se faire donner. *Prendre des leçons. Prendre des ordres.* **3.** Recueillir. *Prendre des notes, des mesures. Prendre des nouvelles de qqn.* ▷ Mesurer. *Prendre la température, la hauteur du soleil.* **4.** Contracter, attraper. *Prendre un rhume. Prendre froid.* **IV.** Adopter. **1.** Adopter (certains moyens). *Prendre des mesures efficaces.* ▷ Faire usage de. *Prendre des précautions.* **2.** Utiliser (un moyen de transport). *Prendre le train, l'avion.* **3.** Choisir, emprunter (un chemin). *Prenez la première rue à droite.* – Absol. *Prenez à droite.* **4.** Acquérir (un certain aspect). *Ouvrage qui prend tournure. Projet qui prend forme.* ▷ (Personnes) *Prendre du poids, de l'âge.* **5.** Éprouver (tel sentiment, telle impression). *Prendre intérêt, plaisir à faire qqch.* **B.** v. intr. **1.** Devenir consistant ; faire sa prise. *Ciment qui prend en quelques heures.* **2.** S'allumer, s'embraser. *Le feu a pris tout seul.* **3.** Prendre racine, en parlant de végétaux. *Cette bouture a bien pris.* **4.** Produire un effet, une réaction. *Vaccin qui ne prend pas.* – Fig. Réussir. *Le canular a pris.* **5.** Subir un choc, un dommage. *Dans l'accident, c'est son genou qui a pris.* **C.** v. pron. **1.** (Passif) Être absorbé. *Ce remède se prend à jeun.* **2.** Se figer, geler. *L'huile se prend. La mer se prend.* **3.** (Récipr.) S'attraper, se saisir. ▷ Fig. *Se prendre aux cheveux :* se quereller. **4.** *S'en prendre à (qqn),* l'attaquer, le provoquer, lui attribuer quelque faute. **5.** *Se prendre à* (+ inf.) : se mettre à. *Se prendre à rire.* **6.** *S'y prendre bien, mal :* faire preuve d'adresse, de maladresse dans ce que l'on fait.

Préneste (en lat. *Præneste,* auj. *Palestrina*), v. du Latium, à l'E. de Rome, célèbre pour son temple de la Fortune dont il reste d'importantes ruines.

preneur, euse n. et adj. **I.** n. **1.** Rare Personne qui prend, qui a coutume de prendre (qqch). *Un preneur de médicaments.* **2.** TECH *Preneur de son :* opérateur de prise de son. **3.** Personne qui prend, qui achète ; acquéreur. *Trouver preneur.* ▷ DR Personne qui prend une maison à loyer, une terre à ferme, etc. *Le bailleur et le preneur.* **II.** adj. Qui sert à prendre. *Benne preneuse.*

prénom n. m. Nom particulier joint au patronyme, par lequel on distingue les membres d'une même famille.

prénommé, ée n. et adj. Personne qui a tel prénom. *Le prénommé Jean.*

prénommer 1. v. tr. [1] Donner (tel prénom) à (un enfant). **2.** v. pron. Avoir tel prénom.

prénuptial, ale, aux adj. Antérieur au mariage.

préoccupant, ante adj. Qui cause de la préoccupation, de l'inquiétude.

périodes géologiques: pliocène (fin du tertiaire) · pléistocène inférieur · pléistocène moyen · pléistocène supérieur · holocène

séquences glaciaires et climats: climat tempéré à tropical · Biber, froid · Danube, très froid · Günz, froid · interglaciaire Günz-Mindel, très chaud et humide · Mindel, froid · interglaciaire Mindel-Riss, très chaud et humide · Riss I et II très froid à froid · interglaciaire Riss-Würm chaud et humide · Würm I humide puis froid · Intersatde Würm I/II tempéré · Intersatde Würm II très froid · Intersatde Würm II/III froid · Würm III très froid · Intersatde Würm III/IV tempéré · Würm IV très froid · post-Würm IV tempéré, humide · tempéré avec variations · climat actuel

divisions de la préhistoire: paléolithique inférieur · paléolithique moyen · paléolithique supérieur · mésolithique · néolithique · âge des matériaux

milliers (ma) ou millions (MA) d'années av. J.-C.: 5 MA · 4 MA · 2,5 MA · 1,65 MA · 1 MA · 0,5 MA · 200 ma · 100 ma · 35 ma · 20 ma · 10 ma · 6 ma · 1,8 ma

hominiens: australopithèques · Homo habilis · Homo erectus · Homo sapiens neanderthalensis · Homo sapiens · Homo sapiens sapiens (l'homme actuel)

faciès culturels: olduvaien · acheuléen · méthode levallois · moustérien · châtelperronnien · aurignacien · solutréen · gravettien · magdalénien

grandes dates: premiers outils · structure d'habitat · domestication du feu · rites d'inhumation · art

outils: galet aménagé · biface abbevillien · biface lancéolé · limande · hachereau · racloir à retouches biface · pointe levallois · pointe moustérienne · lamelles à bord abattu · grattoir aurignacien · grattoir solutréen · pointe gravettienne · harpon magdalénien · feuille de laurier · pointe de flèche · hache polie · herminette · lame dite de faucille

préoccupation n. f. **1.** Souci, inquiétude. *C'est pour lui un sujet de préoccupation.* **2.** Disposition d'un esprit occupé par un projet à réaliser, une question à résoudre.

préoccuper v. [1] **I.** v. tr. **1.** Inquiéter. *Sa santé me préoccupe.* **2.** Occuper fortement l'esprit de (qqn). *Cette affaire le préoccupe.* **II.** v. pron. *Se préoccuper de :* se soucier de, porter son attention à.

préœdipien, enne adj. PSYCHAN Relatif à la période antérieure à l'œdipe*.

préolympique adj. Qui se rapporte à la préparation des jeux Olympiques.

préopératoire adj. CHIR Qui précède une intervention chirurgicale. *Traitement préopératoire.*

prépa n. f. Fam. Abrév. de *classe préparatoire.*

prépalatal, ale, aux adj. PHON Phonème qui s'articule en avant du palais. *Le [ʃ] « ch » et le [ʒ] « j » sont des consonnes prépalatales.*

préparateur, trice n. **1.** Personne qui assiste matériellement un chercheur scientifique, un professeur de sciences. **2.** *Préparateur, préparatrice en pharmacie :* employé(e) qui, dans une pharmacie, est chargé(e) de faire des préparations, des analyses, etc.

préparatif n. m. (Presque toujours au plur.) Dispositions qu'on prend pour préparer une action.

préparation n. f. **1.** Action de préparer (qqch). *Préparation d'un repas. Ouvrage en cours de préparation.* **2.** Manière de préparer certaines choses pour les garder, les conserver. *La préparation des viandes fumées.* **3.** Opération consistant à préparer les objets qui doivent servir à une observation, à une expérience. – Objet ainsi préparé. *Préparation chimique. Préparation microscopique.* **4.** Action de préparer qqn, de se préparer. *Préparation à un examen.* ▷ *Préparation militaire (p. m.) :* enseignement militaire dispensé avant l'appel sous les drapeaux.

préparatoire adj. (et n. f.) Qui prépare. *Cours préparatoire :* première année de l'enseignement primaire. *Classes préparatoires aux grandes écoles* ou, n. f. pl., *préparatoires* (en arg. des écoles : *prépa*). ▷ DR *Jugement préparatoire :* décision qui, sans préjuger le fond du procès, ordonne certaines mesures (enquêtes, nomination d'un expert).

préparer v. [1] **I.** v. tr. **1.** Apprêter, disposer; mettre (une chose) dans l'état qui convient à l'usage envisagé. *Préparer une chambre pour ses invités.* ▷ Constituer, former en rassemblant divers éléments. *Préparer un repas.* **2.** Combiner par avance. *Préparer ses vacances. Il avait soigneusement préparé son coup.* **3.** Ménager, réserver pour l'avenir. *Cela nous prépare de grands malheurs.* **4.** Mettre (qqn) en mesure de supporter ou de faire qqch. *Son éducation ne l'avait pas préparée à une si dure existence. Préparer un élève à un examen.* ▷ Mettre (qqn) dans un certain état d'esprit. *Nous dûmes la préparer à la sinistre nouvelle.* **II.** v. pron. **1.** Se mettre en état de faire. *Se préparer pour sortir. – Se préparer à la guerre.* ▷ Être sur le point de. *Je me préparais à vous le dire.* **2.** Être imminent. *Un orage se prépare.*

prépayer v. tr. [21] Payer à l'avance. – Pp. adj. *Un voyage prépayé.*

préphanérogames n. f. pl. BOT Groupe de végétaux gymnospermes, actuels et fossiles, chez lesquels la transformation des ovules en graines s'opère indépendamment de la fécondation (ex. : cycas). – Sing. *Une préphanérogame.*

prépondérance n. f. Supériorité de ce qui est prépondérant.

prépondérant, ante adj. Qui domine par le poids, l'autorité, le prestige. *Influence prépondérante.* ▷ *Voix prépondérante,* qui l'emporte en cas de désaccord ou de partage des voix.

préposé, ée n. Personne (fonctionnaire, employé, etc.) chargée d'un service particulier. – Spécial. *Préposé(e) à la distribution du courrier* ou, absol., *un(e) préposé(e).*

préposer v. tr. [1] *Préposer qqn à un poste, une fonction,* les lui confier, l'en charger. ▷ (Plus cour. au passif.) *Il est préposé à la distribution des billets.*

prépositif, ive adj. GRAM Relatif à la préposition; de la nature de la préposition. ▷ *Locution prépositive,* qui équivaut à une préposition (ex. *à l'égard de, aux environs de*).

préposition n. f. GRAM Mot invariable reliant un élément de la phrase à un autre élément ou à la phrase elle-même, et marquant la nature du rapport qui les unit. *Les mots « à, de, avec, dans, contre » sont des prépositions.*

prépositionnel, elle adj. Relatif à une préposition; introduit par une préposition.

prépuce n. m. Repli cutané qui recouvre le gland de la verge.

préraphaélique adj. BX-A Qui évoque la manière des prédécesseurs de Raphaël ou des préraphaélites.

préraphaélisme n. m. BX-A Doctrine esthétique des peintres anglais qui, dans la seconde moitié du XIXe s., placèrent l'idéal de leur art dans l'imitation des peintres italiens antérieurs à Raphaël (1483-1520).

préraphaélite n. m. et adj. BX-A **1.** Peintre adepte du préraphaélisme. – adj. *Peintres préraphaélites.* **2.** Peintre antérieur à l'époque classique.

prérasage n. m. *Produit de prérasage :* astringent destiné à nettoyer et à préparer la peau avant le rasage.

préraphaélisme : Dante Gabriel Rossetti, *la Ghirlandata,* 1873; coll. part., Londres

préréglage n. m. TECH Réglage, par le constructeur, d'un poste de radio ou de télévision sur des longueurs d'ondes données, qu'on obtient en appuyant sur une touche.

préréglé, ée adj. TECH Se dit d'un poste de radio ou de télévision qui a subi un préréglage.

prérentrée n. f. Rentrée des enseignants dans les établissements scolaires, précédant la rentrée des élèves.

préretraite n. f. Retraite anticipée. – Allocation perçue par une personne partie en retraite avant l'âge légal.

prérévolutionnaire adj. Se dit de ce qui précède ou annonce une révolution.

prérogative n. f. Avantage, privilège attaché à une fonction. – *Par ext.* Faculté, avantage dont certaines personnes jouissent exclusivement.

préroman, ane adj. HIST, ARCHI, BX-A Se dit de la production de la période qui a précédé l'art roman, entre la fin de l'Empire d'Occident (Ve s.) et le début du XIe s.

préromantique adj. LITTER Qui précède le romantisme, la période romantique.

préromantisme n. m. LITTER Période pendant laquelle les grandes tendances du romantisme commencèrent à se faire jour dans la littérature.

près adv., prép. et n. m. **A.** adv. **1.** Non loin, à une courte distance. *La ville est tout près.* **2.** Loc. adv. *De près :* d'une courte distance. *Mettez-vous là pour voir de plus près. Serrer qqn de près.* – Fig. *Surveiller qqn de près,* attentivement. *Il n'y regardera pas de si près. Cette affaire le touche de près,* elle est pour lui d'une grande importance, d'un grand intérêt. ▷ (Dans le temps.) *Les détonations se suivaient de très près,* à des intervalles très courts. **B.** prép. **I.** Vx ou ADMIN Auprès de. *Expert près les tribunaux.* **II.** Loc. prép. **1.** *Près de.* (Marquant la proximité dans l'espace.) *Venez près de moi.* – Fig. *Rien n'est plus près de l'amour que la haine.* ▷ (Marquant la proximité dans le temps.) *Il est près de midi. – Être près de* (+ inf.) : être sur le point de. ▷ (Marquant l'approximation dans une évaluation.) Presque, environ. *Ils sont près d'un millier.* **2.** *À... près* (Indiquant le degré de précision d'une évaluation.) *À un millimètre près.* ▷ *À cela près, à (qqch) près :* excepté cela. ▷ *À beaucoup près :* de beaucoup; avec un écart, une différence considérable. ▷ *À peu près :* environ. – Presque. *Il est à peu près guéri.* – n. m. V. à-peu-près. ▷ *À peu de chose près :* avec une petite différence; presque. *Cela coûte trois mille francs, à peu de chose près.* ▷ MAR *Naviguer au plus près du vent,* aussi près que possible du vent debout, tout en continuant à faire route. – Ellipt. *Naviguer au plus près, au près; au près bon plein,* en gardant les voiles bien pleines, bien gonflées. ▷ n. m. *Les allures du près.*

présage n. m. **1.** Signe heureux ou malheureux par lequel on pense pouvoir juger de l'avenir. *Heureux, mauvais présage.* **2.** Conjecture que l'on tire de ce signe. – *Par ext.* Conjecture que l'on tire d'un fait quelconque.

présager v. tr. [13] **1.** Indiquer, annoncer une chose à venir. *Ceci ne présage rien de bon.* Syn. augurer. **2.** Conjecturer ce qui doit arriver dans l'avenir. Syn. prévoir.

Pré-Saint-Gervais (Le), com. de la Seine-St-Denis (arr. de Bobigny), au

N.-E. de Paris; 15 644 hab. Centre industriel.

présalaire n. m. Allocation d'études, salaire aux étudiants, revendiqué par certains groupements politiques ou syndicaux.

pré-salé n. m. *Mouton de pré-salé* ou, ellipt., *pré-salé* : mouton qui a pâturé l'herbe imprégnée de sel, de prairies voisines de la mer *(prés salés). Des prés-salés.* ▷ Viande d'un tel animal.

Presbourg, anc. nom de Bratislava*. ▷ HIST *Traité de Presbourg* (26 déc. 1805), conclu après Austerlitz, par lequel Napoléon Ier imposait à l'empereur François II : la cession de Venise, d'une partie de l'Istrie et de la Dalmatie (réunies au royaume d'Italie); la cession de territoires autrichiens au Wurtemberg et à la Bavière. L'Électeur de Bavière devenait roi et était, comme le duc de Wurtemberg, dégagé de tout lien de vassalité à l'égard de l'Autriche.

presbyte adj. et n. Atteint de presbytie.

presbytéral, ale, aux adj. RELIG Relatif aux prêtres, à la prêtrise. ▷ *Maison presbytérale* : presbytère. ▷ DR CANON *Conseil* presbytéral.*

presbytère n. m. Maison, habitation du curé, du pasteur, dans une paroisse.

presbytérianisme n. m. RELIG Doctrine (directement issue du calvinisme) et Église des presbytériens, partisans d'un *presbyterium* (corps mixte) unissant ecclésiastiques et laïcs dans la direction des affaires religieuses.

presbytérien, enne adj. et n. RELIG Du presbytérianisme; qui a rapport au presbytérianisme. ▷ Subst. *Les presbytériens.*

presbytie [pʀɛsbisi] n. f. MED Trouble de la vision, difficulté à voir de près duc à une diminution, avec l'âge, du pouvoir d'accommodation de l'œil.

prescience [pʀesjɑ̃s] n. f. Connaissance d'événements à venir, du futur. ▷ THEOL *Prescience divine* : connaissance infaillible que Dieu possède des événements futurs.

préscolaire adj. Qui précède la scolarité obligatoire.

prescripteur, trice n. Personne qui prescrit. ▷ COMM Personne qui exerce une influence déterminante sur le choix d'un produit par le consommateur.

prescriptible adj. DR ou didac. Qui peut être prescrit.

prescription n. f. **1.** Ce qui est prescrit, commandé; ordre; précepte. *Suivre les prescriptions d'un supérieur hiérarchique. Les prescriptions de la morale.* ▷ *Spécial.* Recommandation, instruction relative à la santé; ordonnance. *Se conformer aux prescriptions du médecin.* **2.** DR Délai au terme duquel on ne peut plus, soit contester la propriété d'un possesseur, soit poursuivre l'exécution d'une obligation ou la répression d'une infraction *(prescription extinctive).*

prescrire v. tr. [67] **1.** Commander, ordonner (qqch); enjoindre expressément de (faire qqch). *Prescrire le silence. Prescrire de se taire.* ▷ *Spécial.* Préconiser (un traitement, un régime, etc.). **2.** (Sujet n. de chose.) Ordonner, exiger. *L'honneur prescrivait qu'on se battît en duel pour laver une offense.* **3.** DR Acquérir (qqch), se libérer de (une obligation) par prescription. ▷ v. pron. (Passif) S'éteindre par prescription.

préséance n. f. Supériorité, priorité selon l'usage, l'étiquette.

présélecteur n. m. TECH Mécanisme de présélection.

présélection n. f. **1.** Première sélection. **2.** TECH Sélection d'un mode de fonctionnement, d'un circuit, etc., opérée au préalable.

présélectionner v. tr. [1] Faire une présélection.

présence n. f. **1.** Fait d'être dans un lieu déterminé. *La présence d'un inconnu intimide cet enfant.* **2.** THEOL *Présence réelle,* celle du Christ dans l'Eucharistie. **3.** (En parlant d'un acteur de théâtre partic.) Personnalité, tempérament. *Avoir de la présence.* **4.** *Présence d'esprit* : vivacité, à-propos. **5.** Influence exercée par un pays dans une partie du monde; rôle politique, culturel, etc., qu'il y joue. ▷ Autorité, influence exercée par un penseur. *Présence de Pascal.* **6.** Loc. adv. *En présence* : face à face, en vue. *Deux armées en présence.* ▷ Loc. prép. *En présence de* : devant, en face de.

1. présent, ente adj. et n. **I.** adj. **1.** Qui est dans le lieu dont on parle (par oppos. à *absent*). *Étiez-vous présent à la réunion d'hier?* **2.** Dont l'esprit est en éveil; vigilant, attentif. *Il est présent à tout.* **3.** Dont il est question en ce moment. *La présente lettre* ou, n. f., *la présente.* **4.** Qui existe actuellement (par oppos. à *passé* et *futur*). *Dans la minute présente.* **II.** n. m. **1.** Partie du temps qui est en train de passer actuellement (par oppos. à *passé* et *futur*). *Vivre dans le présent, sans penser au passé ni à l'avenir.* **2.** GRAM Temps situant ce qui est énoncé au moment de l'énonciation. – Ensemble des formes verbales exprimant ce temps. *Conjuguer un verbe au présent de l'indicatif, du subjonctif, du conditionnel.* **III.** Loc. adv. *À présent* : maintenant, actuellement, en ce moment.

2. présent n. m. Don, cadeau. ▷ Loc. *Faire présent de (qqch).*

présentable adj. (Choses) Qui a bon aspect. ▷ (Personnes) Qui peut se présenter, se montrer en public; qui a de bonnes manières.

présentateur, trice n. **1.** Personne qui propose une marchandise, un appareil, etc., à la vente en en détaillant les caractéristiques; démonstrateur. **2.** Personne qui présente un spectacle, une émission de radio ou de télévision, etc.

présentation n. f. **1.** Action de présenter, de se présenter; fait d'être présenté. **2.** Manière d'exposer à la vue. *Une bonne présentation de la marchandise attire les clients.* **3.** Action de faire voir, de donner en spectacle. *Présentation de modèles de haute couture.* **4.** Maintien, manières; aspect physique. *On exige pour cet emploi une excellente présentation.* **5.** Action de présenter une personne à une autre. *Faire les présentations.* **6.** MED Manière dont le fœtus s'engage au niveau du détroit supérieur du bassin, lors de l'accouchement. *Présentation par le siège.* **7.** RELIG CATHOL *Fête de la Présentation de Jésus au Temple,* célébrée le 2 février. *Fête de la Présentation de la Vierge,* célébrée le 21 novembre.

présentement adv. Vieilli ou rég. En ce moment.

présenter **I.** v. tr. [1] **1.** Disposer (qqch) à l'intention de qqn et l'inviter à en user; mettre (qqch) sous les yeux de qqn. *Présenter une chaise à une personne âgée. Le maître d'hôtel va vous présenter le menu. Présenter des lettres de créance,* les remettre au chef d'État près duquel on est accrédité. ▷ *Présenter les armes* : exécuter un mouvement spécial de maniement d'armes pour rendre les honneurs. **2.** *Présenter une personne à une autre,* l'introduire auprès d'elle; la lui faire connaître par son nom. **3.** Montrer. *Présenter un choix de bijoux. La troisième chaîne de télévision présente un film de ce metteur en scène.* ▷ Offrir au regard (telle apparence, tel aspect); avoir (tel caractère, telle particularité). *La vallée présente un aspect riant.* **4.** Formuler, exprimer, adresser. *Présenter ses excuses, sa défense, une demande.* **5.** (Dans quelques emplois.) Proposer. *Présenter qqn pour un travail, une place.* **6.** Exposer, faire connaître ou faire paraître sous tel ou tel jour. *Hier, vous avez présenté les faits différemment.* **II.** v. pron. **1.** Paraître devant qqn, se montrer. *Un inconnu se présenta, et proposa de débarrasser la ville du fléau.* **2.** Énoncer son nom, dire qui l'on est à une personne que l'on voit pour la première fois. **3.** (Dans quelques emplois.) Se proposer. *Se présenter pour un poste. Se présenter à un examen,* en subir les épreuves. *Se présenter aux élections,* faire acte de candidature. **4.** (Sujet n. de chose.) Apparaître, survenir. *Quand l'occasion s'en présentera. Affaire qui se présente bien,* dont le succès s'annonce probable.

présentoir n. m. Support destiné à mettre en valeur les produits exposés dans un magasin.

présérie [pʀeseʀi] n. f. TECH Première série fabriquée après la mise au point du prototype et avant le lancement définitif de la fabrication.

préservateur, trice adj. et n. m. **1.** adj. Qui préserve. **2.** n. m. Agent chimique qui préserve une denrée périssable de la décomposition, de la putréfaction.

préservatif, ive adj. et n. m. **1.** adj. Qui préserve. **2.** n. m. Capuchon en caoutchouc très fin, destiné à être adapté au pénis avant un rapport sexuel, pour servir de contraceptif ou pour garantir des maladies sexuellement transmissibles. Syn. condom.

préservation n. f. Action de préserver; son résultat.

préserver v. tr. [1] Garantir (de qqch de nuisible). *Préserver une espèce animale de la disparition.* ▷ v. pron. *Se préserver du froid.*

préside n. m. HIST Place forte espagnole, servant de lieu de déportation. *Les présides d'Afrique.*

présidence n. f. **1.** Fonction, dignité de président. *La présidence de la République, la présidence d'un club sportif.* **2.** Temps pendant lequel qqn exerce la fonction de président. **3.** Résidence habitée par un président. ▷ Ensemble des services administratifs, des bureaux placés sous l'autorité directe d'un président.

président n. m. **1.** Personne qui préside une assemblée, qui dirige ses débats. *Nommer un président de séance.* ▷ *Premier président* : magistrat qui dirige une cour. **2.** Personne, généralement élue, qui dirige, administre. *Président-directeur général d'une société.* ▷ POLIT Chef de l'État, dans une république. – *Président du Conseil* : chef du gouvernement, sous la IIIe et la IVe République.

présidente n. f. Femme qui préside (une assemblée, une réunion, etc.).

présidentiable adj. et n. Susceptible d'accéder à la fonction de président.

présidentialisation n. f. POLIT Tendance à accroître les pouvoirs du président de la République; son résultat. *La présidentialisation d'un régime.*

présidentialiser v. tr. [1] POLIT Favoriser la présidentialisation de. ▷ v. pron. Être concentré entre les mains du président de la République.

présidentialisme n. m. POLIT Système, régime présidentiel.

présidentiel, elle adj. (et n. f. pl.) D'un (du) président; d'une (de la) présidence. *Allocution présidentielle.* – POLIT *Régime présidentiel,* dans lequel le président de la République et, d'une manière générale, l'exécutif disposent de pouvoirs prépondérants (par oppos. à *régime parlementaire*). ▷ n. f. pl. *Ellipt.* Les élections présidentielles.

présider 1. v. tr. [1] Diriger (une assemblée, ses débats). *Qui présidait le Sénat à cette époque?* **2.** v. tr. indir. *Présider à :* veiller sur, diriger. *Présider aux destinées du pays.* ▷ Fig. *La plus franche cordialité présidait à ce banquet.*

présidial, ale, aux n. m. et adj. HIST Tribunal chargé des affaires civiles et criminelles d'importance secondaire, de 1552 à 1791. ▷ adj. *Sentence présidiale.*

présidium. V. præsidium.

présignalisation [pʀesiɲalizasjɔ̃] n. f. AUTO Signalisation préalable permettant aux véhicules de réduire progressivement leur vitesse.

presle. V. prèle.

Presley (Elvis) (Tupelo, Mississippi, 1935 – Memphis, 1977), chanteur et acteur de cinéma américain, le roi («The King» était son surnom) du rock and roll dans les années 50.

Elvis **Presley**

présocratique adj. et n. m. Se dit des philosophes grecs qui ont précédé Socrate (Empédocle, Héraclite, Parménide, etc.). ▷ n. m. *Fragments originaux des présocratiques.*

présomptif, ive adj. DR *Héritier présomptif, héritière présomptive :* personne appelée à hériter un jour de qqn, ou à lui succéder.

présomption n. f. **1.** Conjecture, opinion fondée sur des indices et non sur des preuves. *Il y a seulement présomption de culpabilité.* **2.** Opinion trop avantageuse que qqn a de lui-même; prétention, suffisance.

présomptueusement adv. Avec présomption.

présomptueux, euse adj. et n. Qui a de lui-même une opinion trop avantageuse, qui se surestime; prétentieux, suffisant. ▷ Subst. *C'est un petit présomptueux.*

présonorisation n. f. Syn. (off. recommandé) de *play-back.*

présonoriser v. tr. [1] TECH Faire la présonorisation de.

presque adv. Pas tout à fait. *Il a veillé presque toute la nuit.* (N.B. En principe l'*e* ne s'élide que dans le nom composé *presqu'île. Ils sont arrivés presque ensemble.*)

presqu'île n. f. Promontoire relié au continent par une étroite bande de terre. *La presqu'île d'Hyères.*

pressage n. m. Action de presser. ▷ TECH Fabrication à l'aide d'une presse. *Pressage de disques.*

pressant, ante adj. **1.** Insistant. *Recommandation pressante.* **2.** Urgent. *Des soins pressants. Un besoin pressant.*

press book [pʀɛsbuk] n. m. (Anglicisme) Dossier concernant une personne, un événement, constitué par des coupures de presse. Syn. (off. recommandé) album de presse.

presse-. Élément, du v. *presser.*

presse n. f. **1.** Dispositif, machine destinée à comprimer ou à déformer des objets, des pièces ou à y laisser une empreinte. *Presse hydraulique. Presse à cintrer, à estamper, à emboutir.* **2.** Machine à imprimer. *Presse à bras. Mettre un ouvrage sous presse,* commencer à l'imprimer. **3.** Ensemble des journaux. *La presse d'information. Liberté de la presse. Agence de presse,* qui transmet les nouvelles aux journaux. ▷ Loc. *Avoir bonne, mauvaise presse :* recevoir dans la presse un écho favorable, défavorable; fig. jouir d'une bonne, d'une mauvaise réputation. **4.** Nécessité de hâter le travail par suite de l'abondance de la besogne. *Engager du personnel temporaire dans un moment de presse.*

pressé, ée adj. et n. m. **1.** Que l'on a comprimé, pressé. *Citron pressé.* **2.** Contraint de se hâter. *Faites vite, je suis pressé.* **3.** Urgent. *Affaire pressée.* ▷ n. m. *Aller au plus pressé :* s'occuper d'abord de ce qui est le plus urgent.

presse-agrume(s) n. m. Ustensile, appareil servant à extraire le jus des agrumes. *Des presse-agrumes.*

presse-bouton adj. inv. Entièrement automatisé. ▷ *Guerre presse-bouton,* qui oppose des adversaires disposant d'armements très perfectionnés (fusées, missiles, etc.).

presse-citron n. m. inv. Ustensile servant à extraire par pression le jus des agrumes.

pressée n. f. AGRIC Masse de fruits dont on extrait le jus en une fois.

presse-fruits n. m. inv. Ustensile pour presser les fruits.

pressentiment n. m. Sentiment instinctif d'un événement à venir. Syn. prémonition.

pressentir v. tr. [30] **1.** Prévoir confusément. *Pressentir sa fin.* **2.** Sonder les dispositions, les sentiments de. *Pressentir qqn. On l'a pressenti pour ce poste,* on l'a sondé pour savoir s'il serait prêt à l'occuper.

presse-papiers n. m. inv. Objet de poids qu'on pose sur des papiers pour qu'ils ne se dispersent pas.

presse-purée n. m. inv. Ustensile servant à faire des purées de légumes.

presser v. [1] **I.** v. tr. **1.** Serrer avec plus ou moins de force, comprimer (qqch) pour en faire sortir du liquide. *Presser une éponge, un citron.* **2.** Soumettre à l'action d'une presse, d'un pressoir, etc.; fabriquer au moyen d'une presse. *Presser des raisins. Presser un disque.* **3.** Appuyer sur. *Presser le bouton de la sonnette.* **4.** Poursuivre sans relâche. *Presser l'ennemi en déroute.* **5.** Hâter, précipiter. *Presser son départ.* ▷ Faire se hâter (qqn). *Qu'est-ce qui vous presse tant?* **6.** Tourmenter. *La faim le presse.* **7.** *Presser qqn de,* l'engager vivement à. *On me presse de conclure.* **II.** v. intr. Être urgent. *Dépêchez-vous, ça presse.* ▷ *Le temps presse :* il y a urgence. **III.** v. pron. **1.** Se serrer. *La foule se presse devant la porte.* **2.** Se hâter. *Se presser de faire qqch.*

presse-raquette n. m. inv. Dispositif servant à maintenir la forme d'une raquette de tennis pendant les périodes où elle n'est pas utilisée.

presseur, euse adj. et n. **1.** adj. Qui sert à exercer une pression. *Plateau, rouleau presseur.* **2.** n. Ouvrier, ouvrière qui fait marcher une presse.

pressing [pʀesiŋ] n. m. (Anglicisme) **1.** Repassage des vêtements au moyen de presses chauffantes à vapeur. – Teinturerie. *Porter un complet au pressing.* **2.** SPORT Pression exercée sans relâche sur l'adversaire, dans les sports collectifs.

pression n. f. **1.** Action de presser; force exercée par ce qui presse. *Subir la pression de la foule.* ▷ PHYS Action exercée par une force qui presse sur une surface donnée; mesure de cette force. *L'unité de mesure de la pression est le pascal.* – *Pression atmosphérique,* exercée par l'air atmosphérique. – *Sous pression :* à une pression supérieure à la pression atmosphérique. *Gaz sous pression.* – *Machine à vapeur sous pression,* qui est prête à fonctionner, la pression de la vapeur étant suffisante. – Fig. (En parlant d'une personne.) *Être sous pression :* être prêt à agir, à partir, etc.; être tendu nerveusement. *Cette longue attente l'avait mis sous pression.* ▷ *Pression artérielle :* pression du sang sur les parois des artères. **2.** Influence plus ou moins contraignante qui s'exerce sur qqn, tentative insistante de le persuader. *On a fait pression sur lui.*

pressoir n. m. **1.** Presse utilisée pour exprimer le jus ou l'huile de certains fruits. **2.** Bâtiment, lieu où se trouve le pressoir.

pressurage n. m. TECH Opération qui consiste à pressurer (une substance, des fruits).

pressurer v. tr. [1] **1.** TECH Écraser au moyen du pressoir. *Pressurer des olives.* **2.** Fig. Accabler par de continuelles extorsions d'argent.

pressurisation n. f. TECH Action de pressuriser; son résultat.

pressuriser v. tr. [1] TECH Maintenir (une enceinte, une installation, etc.) à la pression atmosphérique normale. – Pp. adj. *Cabine d'avion pressurisée.*

prestance n. f. Maintien imposant, plein d'élégance.

prestataire n. m. Personne qui fournit ou qui est soumise à une prestation. ▷ ECON *Prestataire de services :* entreprise ou personne qui fournit une prestation dans le secteur des services (sens III, 3).

prestation n. f. **1.** Action de prêter (serment). *Prestation de serment d'un magistrat.* **2.** HIST *Prestation en nature :* corvée à laquelle étaient soumis les villageois pour l'entretien des chemins vicinaux, au XIXe s. **3.** Allocation versée par un organisme officiel. *Prestations de la Sécurité sociale.* **4.** Service ou travail que l'on doit fournir. **5.** Fig. (Emploi critiqué.) Spectacle d'un artiste, d'un sportif qui se produit en public.

preste adj. Prompt et agile ; vif dans ses déplacements, ses mouvements.

prestement adv. Vivement, promptement.

prestesse n. f. Litt. Vivacité, agilité, promptitude.

prestidigitateur, trice n. Artiste qui fait des tours de prestidigitation.

prestidigitation n. f. Art de produire des illusions au moyen de trucages, de manipulations d'objets que l'on fait apparaître ou disparaître ; ces tours eux-mêmes.

prestige n. m. Séduction, attrait qui frappe l'imagination et qui inspire la considération, l'admiration.

prestigieux, euse adj. **1.** Vx Prodigieux. **2.** Qui a du prestige. *Un artiste prestigieux.*

prestissimo [pʀestisimo] adv. MUS Très rapidement. – n. m. *Des prestissimo(s).*

presto [pʀesto] adv. **1.** MUS Rapidement. – n. m. *Des presto(s).* **2.** Fam. Vite. *Illico presto, subito presto.*

Preston, v. de G.-B., ch.-l. du Lancashire ; 126 200 hab. Industr. textiles ; constr. aéronautiques. – Victoire de Cromwell sur les Écossais (1648).

préstratégique adj. MILIT Se dit de la force nucléaire tactique.

présumable adj. Qui peut être présumé.

présumé, ée adj. Cru par supposition, censé, réputé. *Présumé innocent.*

présumer v. [1] **I.** v. tr. dir. **1.** Regarder comme. *La loi présume innocent l'accusé tant qu'il n'est pas déclaré coupable.* **2.** Juger par conjecture, croire, supposer. *Je présume qu'il a raison.* **II.** v. tr. indir. *Présumer de :* avoir une opinion trop avantageuse de.

présupposé, ée adj. Supposé préalablement. ▷ n. m. *Votre raisonnement est fondé sur des présupposés inexacts.*

présupposer [pʀesypoze] v. tr. [1] **1.** Supposer préalablement. *Vous présupposez l'innocence de l'accusé.* **2.** Nécessiter préalablement ou logiquement. *L'étude de la physiologie présuppose celle de l'anatomie.*

présupposition n. f. Supposition préalable.

présure n. f. Matière sécrétée par la caillette des jeunes ruminants, contenant une enzyme qui fait cailler le lait ; cette enzyme.

présymptomatique adj. MED Qui précède l'apparition des symptômes.

1. prêt [pʀɛ] n. m. **1.** Action de prêter. ▷ DR et cour. Contrat par lequel une chose est prêtée. *Un prêt à long terme. Prêt-relais :* prêt à court terme accordé dans l'attente d'un crédit à plus long terme. **2.** Chose prêtée. *Rembourser un prêt.*

2. prêt, prête [pʀɛ, pʀɛt] adj. Disposé, préparé. *Prêt au départ.*

prêtable adj. Qui peut être prêté.

prêt-à-monter n. m. Syn. de *kit.*

prêt-à-penser n. m. Fam. Idées reçues, idées toutes faites. *Des prêts-à-penser.*

prêt-à-porter n. m. Les vêtements de confection (par oppos. aux vêtements *sur mesure*). *Des prêts-à-porter.*

prêt-à-poser n. m. Élément d'ameublement vendu avec des accessoires qui permettent son utilisation immédiate. *Des prêts-à-poser.*

Prêt-Bail (loi du) ou **Lend-Lease Act,** acte législatif (mars 1941) autorisant le président des É.-U. à mettre à la disposition de pays tiers, dont la sécurité était jugée vitale pour les É.-U., tout moyen utile à leur défense. Le Prêt-Bail prit fin en septembre 1945.

prêté, ée adj. et n. m. **1.** adj. Qui a fait l'objet d'un prêt. *Un objet prêté.* **2.** n. m. (En loc.) *C'est un prêté (pour un) rendu,* se dit de justes représailles.

prétendant, ante n. **1.** Personne qui prétend, qui aspire à (qqch). **2.** Personne qui prétend avoir des droits à un trône. **3.** n. m. Homme qui espère épouser une femme.

prétendre v. [6] **I.** v. tr. **1.** Demander, revendiquer de. *Il prétend commander ici.* **2.** Affirmer, soutenir (qqch de contestable). *Il prétend que j'ai menti.* **II.** v. tr. indir. *Prétendre à :* aspirer à (ce à quoi l'on estime avoir droit). *Il prétend aux honneurs.* **III.** v. pron. Se donner, se faire passer pour. *Il se prétend malade.*

prétendu, ue adj. Que l'on prétend tel ; douteux, faux.

prétendument adv. Faussement.

prête-nom n. m. Celui dont le nom apparaît dans un acte où le véritable contractant ne veut pas faire figurer le sien. *Des prête-noms.*

prétensionneur n. m. Élément d'une ceinture de sécurité qui la met en état de tension au moindre choc.

prétentaine ou **pretantaine** n. f. (En loc.) *Courir la prétentaine :* vagabonder ; multiplier les aventures galantes.

prétentieusement adv. D'une façon prétentieuse.

prétentieux, euse adj. et n. Qui a une trop haute opinion de soi-même ; présomptueux, vaniteux. *Un parvenu prétentieux.* – Subst. *Quel prétentieux celui-là !* ▷ Plein de prétention ; qui dénote la prétention. *Ton prétentieux.*

prétention n. f. **1.** Droit que l'on a, ou que l'on croit avoir, d'aspirer à une chose ; exigence. *Rabattre de ses prétentions.* ▷ Visée, espérance. *Sa prétention à l'élégance est ridicule.* **2.** Fait d'être prétentieux ; présomption, suffisance.

prêter v. [1] **I.** v. tr. dir. **1.** Remettre (une chose) à (qqn) à condition qu'il la rende ; mettre provisoirement à la disposition de (qqn). *Il lui a prêté sa bicyclette.* ▷ Loc. *Prêter aide, secours à qqn,* lui porter assistance. *Prêter main-forte à qqn,* l'aider. *Prêter l'oreille :* écouter. *Prêter attention :* être attentif. *Prêter sa voix, sa plume à qqn,* parler, écrire pour lui. *Prêter serment :* faire serment (devant un tribunal, en partic.). **2.** Attribuer (qqch d'abstrait). *Il lui prête des qualités qu'il n'a pas.* **II.** v. tr. indir. Donner prise, donner matière à. *Prêter à la critique, à la censure, à des interprétations malignes. Son attitude prête à rire.* **III.** v. intr. S'étendre aisément. *Cuir qui prête.* **IV.** v. pron. *Se prêter à.* **1.** Accepter, consentir à. *Prêtez-vous à cet accord.* **2.** Aller bien, convenir à.

prétérit [pʀeteʀit] n. m. GRAM Forme verbale qui exprime le passé. *Le prétérit en anglais correspond au passé simple et à l'imparfait en français.*

prétérition n. f. RHET Figure qui consiste à dire qqch en déclarant que l'on se gardera de le dire (ex. *inutile de vous dire que...*).

préteur n. m. ANTIQ ROM Magistrat d'un rang suivant celui de consul, spécial. chargé de la justice.

prêteur, euse n. et adj. Personne qui prête de l'argent à intérêt. *Un prêteur sur gages.* ▷ adj. *« La fourmi n'est pas prêteuse » (La Fontaine).*

1. prétexte n. m. Raison alléguée pour cacher le véritable motif d'un dessein, d'une action. ▷ Loc. prép. *Sous prétexte de :* en donnant comme prétexte, comme motif.

2. prétexte adj. et n. f. ANTIQ ROM *Toge prétexte :* toge blanche bordée de pourpre portée par les enfants et les magistrats supérieurs.

prétexter v. tr. [1] Donner comme prétexte.

prétimbré, ée adj. Se dit d'un emballage postal vendu déjà affranchi.

pretium doloris [pʀesjɔmdɔlɔʀis] n. m. (loc. lat.) DR Dommages et intérêts accordés par les tribunaux à titre de réparation de la douleur.

prétoire n. m. **1.** ANTIQ ROM Tente du général. ▷ Tribunal du préteur. ▷ Camp de la garde prétorienne. **2.** Mod. Salle d'audience d'un tribunal.

Pretoria, cap. admin. de l'Afrique du Sud ; 545 660 hab. Import. centre industriel, à proximité de mines de fer : sidérurgie, métallurgie lourde, etc. C'est un nœud ferroviaire relié au port de Maputo (Mozambique). Université. – La ville fut fondée en 1855.

prétorial, ale, aux adj. Qui concerne le prétoire. *Palais prétorial.*

prétorien, enne adj. et n. m. **1.** ANTIQ ROM adj. Du préteur. *Garde prétorienne :* garde personnelle des empereurs romains, par ext. d'un dictateur. **2.** n. m. Soldat de la garde prétorienne.

prétraité, ée adj. Qui a subi un premier traitement. *Riz prétraité.*

prêtre n. m. **1.** Celui qui exerce un ministère sacré, qui préside aux cérémonies d'un culte. ▷ *Grand prêtre* (ou *grand-prêtre*) : chef de la caste sacerdotale chez les Hébreux. **2.** Celui qui a reçu le deuxième ordre majeur catholique. *Être ordonné prêtre.* – *Prêtre libre,* non attaché à une paroisse. – *Prêtre habitué,* attaché à une paroisse, sans titre canonique. – *Prêtre ouvrier,* auj. *prêtre au travail :* prêtre qui partage intégralement la vie des travailleurs.

prêtresse n. f. Femme, jeune fille célébrant le culte d'une divinité (dans les religions païennes).

prêtrise n. f. Dignité de prêtre. ▷ *Spécial.* Deuxième ordre majeur de la religion catholique.

preuve n. f. **1.** Information, raisonnement destiné à établir la vérité (d'une proposition, d'un fait). *Donner des preuves rigoureuses de ce qu'on avance. Faire la preuve d'une opération,* en vérifier le résultat par une autre opération. *Preuve par neuf :* V. neuf. – Loc. fam. *À preuve que... :* la preuve en est que... ▷ DR Démonstration dans les formes requises de l'existence d'un fait ou d'un acte juridique. *Être acquitté faute de* preuves. *Jusqu'à preuve du contraire* : en attendant qu'on démontre le contraire. ▷ Fam. *La preuve... Il ne se sent pas bien; la preuve, il n'a pas mangé depuis hier.* **2.** Marque, signe. *Chez lui, la colère est une preuve de fatigue.* **3.** *Faire preuve de* : montrer. *Faire preuve d'indifférence.* – *Faire ses preuves* : montrer ses capacités.

preux n. m. HIST Chevalier. – adj. m. Brave et vaillant. *Un preux chevalier.*

Préval (René) (Port-au-Prince, 1943), homme politique haïtien. Premier ministre en 1991, il a été élu président de la République en 1995.

prévalence n. f. MED Nombre de cas d'une maladie ou d'un événement (accident, suicide, etc.) pour une population, à un moment ou pour une période donnés.

prévaloir **1.** v. intr. [**45**] Litt. (Choses) Être supérieur, meilleur; l'emporter. *Sa solution a prévalu sur les autres.* **2.** v. pron. (Personnes) Faire valoir (qqch). – Tirer vanité. *Se prévaloir de ses relations.*

prévaricateur, trice adj. et n. DR Qui prévarique. *Ministre prévaricateur.*

prévarication n. f. DR Fait de prévariquer. *Accuser un fonctionnaire de prévarication,* de détournement de fonds.

prévariquer v. intr. [**1**] DR Rare Manquer par mauvaise foi, par intérêt, aux devoirs de sa charge.

prévenance n. f. Fait de prévenir les désirs de qqn. *Il est plein de prévenances pour sa famille.* Syn. attention, délicatesse.

prévenant, ante adj. Qui prévient les désirs des autres. *Un père prévenant.*

1. prévenir v. tr. [**36**] (Le comp. désigne une personne.) **1.** Informer par avance, avertir. *Préviens-nous de ton arrivée.* **2.** Informer (d'un fait), alerter. *En cas d'accident, prévenir le gardien.* **3.** (Surtout au pp.) *Prévenu en faveur de, contre (qqn, qqch)* : qui a une opinion favorable, défavorable sur (qqn, qqch). – Absol. *Des juges prévenus.*

2. prévenir v. tr. [**36**] (Le comp. désigne une chose.) **1.** Prendre des précautions pour empêcher. *Prévenir une attaque ennemie. Prévenir une objection,* y répondre par avance. ▷ (S. comp.) Prov. *Mieux vaut prévenir que guérir.* **2.** *Prévenir les désirs, les souhaits de qqn,* les satisfaire avant qu'ils n'aient été exprimés.

prévente n. f. Vente d'un bien avant qu'il ne soit fabriqué.

préventif, ive adj. **1.** Qui a pour but de prévenir (sens 2), d'empêcher. **2.** DR *Détention préventive* : incarcération avant un jugement. Syn. prévention.

prévention n. f. **1.** Ensemble de mesures, organisation, destinées à prévenir certains risques. *Prévention routière.* **2.** Opinion favorable ou (plus souvent) défavorable avant examen. *Avoir des préventions contre qqn.* **3.** DR Détention provisoire d'un détenu.

préventivement adv. À titre préventif. *Se garantir préventivement contre un risque.*

préventologie n. f. Didac. Étude scientifique de la prévention des maladies et des accidents.

préventorium [pʀevɑ̃tɔʀjɔm] n. m. Établissement où l'on traite les personnes atteintes de primo-infection tuberculeuse et les convalescents relevant de certaines maladies.

prévenu, ue n. DR Personne qui comparaît devant un tribunal pour répondre d'un délit.

Prévert (Jacques) (Neuilly-sur-Seine, 1900 – Omonville-la-Petite, Manche, 1977), écrivain français. Poète formé par le surréalisme, désinvolte et iconoclaste : *Paroles* (1945), *Spectacle* (1951), *la Pluie et le Beau Temps* (1955), *Fatras* (1966), *Hebdromadaires* (1972, en collab. avec A. Pozner). Mis en musique par J. Kosma, quelques-uns de ses textes devinrent des chansons à succès *(Barbara, les Feuilles mortes).* Il a écrit, surtout jusqu'en 1946, les scénarios et les dialogues d'un nombre considérable de films, dont les plus célèbres furent réalisés par M. Carné et par son frère **Pierre** (Neuilly-sur-Seine, 1906 – Paris, 1988) : *L'affaire est dans le sac* (1932), *Voyage surprise* (1947).

Jacques **Prévert**

Prokofiev

prévisibilité n. f. Didac. Caractère de ce qui est prévisible.

prévisible adj. Qui peut être prévu. *Son échec était prévisible.*

prévision n. f. **1.** Action de prévoir. *Lancer un projet sans prévision de ses conséquences.* ▷ *En prévision de* : en prévoyant. **2.** Ce qui est prévu. *Prévisions météorologiques.*

prévisionnel, elle adj. Didac. Fait par prévision.

prévisionniste n. ECON Spécialiste de la prévision, notam. économique.

prévoir v. tr. [**42**] **1.** Se représenter à l'avance (une chose probable). *Qui pouvait prévoir ce qui se passerait après les élections?* **2.** Envisager. *Il prévoit de rentrer le 15 août.* – Prendre des dispositions pour. *Les juristes n'ont pas prévu cette éventualité.* – Organiser à l'avance. *L'organisateur avait tout prévu lui-même.* ▷ Pp. adj. *Les conséquences prévues. Tout s'est déroulé comme prévu.*

Prévost (Antoine François Prévost d'Exiles, dit l'abbé) (Hesdin, Artois, 1697 – Courteuil, 1763), écrivain français. Il traduisit des romans anglais, partic. ceux de Richardson, rédigea à lui seul les 20 vol. de sa gazette *Pour et Contre* (1733-1740), écrivit de nombr. romans, et surtout l'*Histoire du chevalier Des Grieux et de Manon Lescaut* (1731, septième vol. des *Mémoires et aventures d'un homme de qualité*).

Prévost (Marcel) (Paris, 1862 – Vianne, Lot-et-Garonne, 1941), romancier français. Ses thèmes sont le féminisme et la critique sociale : *les Demi-Vierges* (1894), *les Anges gardiens* (1913). Acad. fr. (1909).

Prévost (Jean) (Saint-Pierre-lès-Nemours, 1901 – près de Sassenage, Vercors, 1944), écrivain français : *les Frères Bouquinquant* (roman populiste, 1930), *la Création chez Stendhal* (essai, posth., 1951).

prévôt n. m. **1.** Anc. Titre de certains magistrats. *Prévôt des marchands.* **2.** Mod. Officier de gendarmerie exerçant un commandement dans une prévôté. **3.** *Prévôt d'armes* : aide d'un maître d'armes (escrimeur).

prévôté n. f. **1.** Anc. Juridiction de prévôt; territoire où elle s'exerçait. **2.** Mod. Formation de gendarmerie qui joue le rôle de police militaire (notam. en temps de guerre) dans la zone des armées et en territoire étranger occupé.

prévoyance n. f. Qualité de celui qui prévoit.

prévoyant, ante adj. Qui fait preuve de prévoyance.

Priam, dans la myth. gr., dernier roi de Troie, père d'Hector, de Pâris, de Cassandre, de Polyxène, etc. Il fut tué par Pyrrhos (le fils d'Achille) après la prise de Troie.

Priape, dans la myth. gr., fils de Dionysos et d'Aphrodite, dieu des Jardins, de la Fécondité et de la Génération. Il avait le phallus pour emblème. Il prit, à l'époque romaine, un caractère licencieux.

priapisme n. m. MED Érection prolongée et douloureuse qui est souvent le symptôme d'une maladie.

Pribilof (îles), archipel volcanique de l'Alaska (mer de Béring); 160 km^2; 700 hab.

prie-Dieu n. m. inv. Siège bas sur lequel on s'agenouille pour prier.

Priène, anc. v. d'Ionie (auj. *Samsun Kalesi,* en Turquie). – Ruines importantes.

prier v. tr. [**2**] **1.** S'adresser à (Dieu, une divinité, un être surnaturel) par des pensées exprimées ou non, pour l'adorer, lui demander une grâce, etc. – Absol. *Je prie pour que tu réussisses.* ▷ v. intr. *Une femme priait dans la chapelle.* – *Prier pour qqn,* en faveur de qqn. **2.** Supplier vivement (qqn). ▷ *Se faire prier* : n'accepter de faire qqch qu'après de longues sollicitations. **3.** (Formules de politesse.) *Je vous prie de bien vouloir passer à mon domicile. Approchez-vous, je vous prie,* s'il vous plaît. – *« Merci, vous êtes gentil. – Je vous en prie »,* c'est tout naturel. **4.** Ordonner. *Il le pria de se taire. Cessez, je vous prie.*

prière n. f. **1.** Fait de prier Dieu, une divinité. *Faire une prière à Vénus.* **2.** Texte convenu que l'on récite pour prier. *Réciter ses prières.* **3.** Litt. Demande faite instamment. *Il est resté sourd à leurs prières.* ▷ *Prière de* : vous êtes prié de.

Priestley (Joseph) (Fieldhead, près de Leeds, 1733 – Northumberland, Pennsylvanie, 1804), théologien, physicien et chimiste anglais. Il isola l'oxygène (1774).

Priestley (John Boynton) (Bradford, Yorkshire, 1894 – Alveston, Warwickshire, 1984), écrivain anglais. Son œuvre est marquée par le socialisme libéral et un sens aigu de l'humour. Critique (*la Littérature et l'homme de l'Occident,* 1960), essayiste (*Pensées dans le désert,* 1957), il est surtout connu pour ses nouvelles (*De l'autre côté,* 1953) et ses romans : *Là-bas* (1932), *Au cœur des ténèbres, Trois hommes et un costume neuf* (1945).

prieur, eure n. Religieux, religieuse qui dirige certains monastères.

Prieur de la Côte-d'Or (Claude Antoine, comte Prieur-Duvernois, dit) (Auxonne, 1763 – Dijon, 1832), officier et homme politique français; député à la Législative et à la Convention. Membre du Comité de salut public

(1793-1794), il collabora notam. à l'œuvre de réorganisation de Carnot et fit adopter le système métrique.

Prieur de la Marne (Pierre Louis Prieur, dit) (Sommesous, 1756 - Bruxelles, 1827), avocat et homme politique français; député à la Constituante et à la Convention. Membre du Comité de salut public (1793-1794), il fut notam. chargé de la réorganisation de la marine militaire à Brest. Proscrit comme régicide en 1816.

prieuré n. m. **1.** Communauté religieuse dirigée par un prieur ou une prieure. **2.** Maison d'un prieur.

Prigogine (Ilya) (Moscou, 1917), chimiste belge d'origine russe. Prix Nobel 1977 pour ses travaux théoriques de thermodynamique des phénomènes irréversibles.

prima donna [pʀimadɔna] n. f. (ital.) Principale cantatrice d'un opéra. - Plur. inv. *Des prima donna* ou, plur. ital., *des prime donne* [pʀimedɔne].

primaire adj. et n. **1.** Qui vient en premier, au commencement, à la base. *Couleur primaire* : V. encycl. couleur. ▷ *Une élection primaire* ou, n. f., *une primaire* : dans certains États des États-Unis, préélection destinée à désigner des candidats aux élections proprement dites. **2.** Du premier degré. *École primaire,* entre l'école maternelle et la sixième. ▷ n. m. *Les enfants du primaire.* **3.** Simpliste, un peu borné. *Anticonformisme primaire.* ▷ n. m. *Un primaire* : un individu aux réactions immédiates et impulsives. **4.** GEOL *Ère primaire* ou, n. m., *le primaire* : la plus ancienne des ères géologiques (approximativement de - 600 millions d'années à - 230 millions d'années), au cours de laquelle se sont formés les terrains sédimentaires contenant les plus anciens fossiles connus. (Six périodes : *cambrien, ordovicien, silurien, dévonien, carbonifère* et *permien.*) **5.** ELECTR *Circuit primaire* ou, n. m., *un primaire* : dans un transformateur, circuit, alimenté par le générateur, qui cède sa puissance au second circuit *secondaire* alimentant le récepteur. **6.** TECH *Circuit primaire,* qui relie la chaufferie aux sous-stations de chauffage. **7.** ECON *Secteur primaire* ou, n. m., *le primaire* : ensemble des activités qui produisent des matières premières (agriculture, pêche, extraction de minerais, etc.).

primal, ale adj. PSYCHO *Cri primal* ou *thérapie primale* : technique psychothérapeutique née en 1967, qui consiste à faire revivre au malade des scènes dites primales où il a ressenti un sentiment de frustration à l'origine de ses troubles névrotiques.

primarité n. f. Didac. Caractère d'une personne ou d'une chose primaire.

1. primat n. m. PHILO Supériorité. Syn. primauté.

2. primat n. m. RELIG **1.** Anc. Prélat ayant autorité sur plusieurs archevêques. **2.** Mod. Titre honorifique donné à certains archevêques.

primate n. m. **1.** ZOOL n. m. pl. *Les primates* : ordre de mammifères placentaires dont les extrémités des membres portent cinq doigts, terminés par des ongles. - Sing. *Un primate.* **2.** Fam. Homme grossier.

ENCYCL Les primates sont les animaux les plus évolués : leur cerveau comporte de nombreuses circonvolutions. Les primates se divisent en deux sous-ordres : les *prosimiens* (lémuriens, tarsiens, toupayes et loris) et les *anthropoïdes* (singes et hominiens).

Primatice (Francesco Primaticcio, dit en fr.) (Bologne, 1504 ou 1505 - Paris, 1570), peintre, sculpteur et architecte maniériste italien. Il prit part à la décoration du château de Fontainebleau et fut nommé surintendant des Bâtiments royaux (1559). Ses dessins (Francfort, Louvre) sont d'une grande originalité.

Primatice : *Diane de Poitiers en chasseresse,* château de Chenonceaux

primatologie n. f. Didac. Branche de la zoologie qui étudie les primates.

primatologue n. Spécialiste de primatologie.

primauté n. f. Prééminence, premier rang. *La primauté du débat électoral sur les autres nouvelles.* - *La primauté du pape,* son autorité suprême.

1. prime adj. et n. f. **I.** adj. **1.** Loc. *De prime abord* : à première vue. - *La prime jeunesse* : le plus jeune âge. **2.** Se dit d'une lettre affectée d'un signe en forme d'accent supérieur droit. *A'* (A prime). **II.** n. f. **1.** LITURG CATHOL Première des heures canoniales (6 heures). **2.** SPORT En escrime, l'une des positions de l'arme.

2. prime n. f. **1.** Cadeau offert à un acheteur. ▷ Fig. *En prime* : en plus. **2.** Somme accordée à titre d'encouragement ou d'indemnité. ▷ Fig. Encouragement. *Cette mesure fiscale est une prime à la spéculation.* **3.** Somme due par l'assuré à sa compagnie d'assurances. *Prime d'assurance.* **4.** *Prime d'émission* : somme qu'un souscripteur d'actions doit payer en plus du nominal quand il achète des actions nouvellement émises. ▷ *Prime de remboursement* : différence entre la valeur de remboursement d'une obligation et sa valeur de souscription. **5.** Loc. *Faire prime* : être très recherché, très estimé.

1. primer v. tr. [1] Litt. Être plus important. *L'intérêt de ce travail prime sa rémunération.* ▷ (S. comp.) *Chez lui, la sensibilité prime.*

2. primer v. tr. [1] (Surtout au passif.) Accorder une prime, une récompense à. *Ce taureau a été primé au concours agricole.*

primerose n. f. Syn. de *rose trémière.*

primesautier, ère adj. Litt. Qui agit de son premier mouvement, sans réflexion préalable. Syn. spontané.

prime time n. m. (Anglicisme) À la télévision, tranche horaire de grande écoute du début de soirée. Syn. (off. recommandé) heure de grande écoute.

primeur n. f. **1.** Vx ou en loc. Caractère de ce qui est nouveau. *Avoir la primeur de* (qqch) : être le premier à recevoir (qqch). ▷ *Vin (de) primeur* : vin de l'année élaboré rapidement et devant être bu jeune. ▷ *Vin vendu en primeur* : vin vendu lors de la récolte mais livré à l'acheteur lors de la mise en bouteilles, un ou deux ans plus tard. **2.** (Le plus souvent plur.) Fruits et légumes vendus avant la saison normale. *Un marchand de primeurs.*

primevère n. f. Plante herbacée (fam. primulacées) à floraison précoce, dont les feuilles ovales ont un pétiole court et dont les fleurs, de couleurs variées, sont groupées en ombelle. (*Primula officinalis* est le coucou.)

primipare adj. et n. f. Qui accouche ou qui met bas pour la première fois (par oppos. à *multipare* et à *nullipare*).

primitif, ive adj. et n. **I.** adj. **1.** Qui est le plus ancien, le premier, le plus près de l'origine. *État primitif d'un instrument, d'un appareil. Église primitive. L'homme primitif,* tel qu'il apparut à l'origine. **2.** OPT *Couleurs primitives* : les sept couleurs du spectre de la lumière. **3.** GRAM *Temps primitifs d'un verbe* : formes du verbe dont on peut dériver toutes les autres. **4.** MATH *Fonction primitive* ou, n. f., *la primitive d'une fonction f(x)* : fonction F(x) dont la fonction f(x) est la dérivée. *La primitive d'une fonction n'est définie qu'à une constante près.* **5.** ANTHROP Se dit des sociétés, des peuples qui ne connaissent pas l'écriture et ne pratiquent ni culture ni élevage. *Système économique primitif.* ▷ Subst. Vieilli *Les primitifs d'Amazonie.* **6.** Peu élaboré, fruste. Syn. rudimentaire. *Outil primitif.* **II.** n. m. BX-A Artiste (peintre surtout) de la période qui a précédé immédiatement la Renaissance. *Primitifs italiens.*

primitivement adv. À l'origine.

primitivisme n. m. **1.** ANTHROP État, caractère d'une société primitive. **2.** BX-A Manière, style artistique s'inspirant directement des primitifs.

primo adv. En premier lieu.

Primo de Rivera (Miguel) (Jerez de la Frontera, 1870 - Paris, 1930), général et homme politique espagnol. Il fomenta un coup d'État (sept. 1923), avec le soutien du roi qui le renvoya en janv. 1930. - **José Antonio** (Madrid, 1903 - Alicante, 1936), fils du préc.; homme politique espagnol. Fondateur de la Phalange (1933), il fut fusillé après la victoire du Front populaire.

primogéniture n. f. DR Priorité de naissance ouvrant droit à certaines prérogatives. *Succession par ordre de primogéniture.*

primo-infection n. f. MED Première infection par un microorganisme (bacille de Koch, virus du sida, etc.). *Des primo-infections.*

primordial, ale, aux adj. Capital, essentiel.

primulacées n. f. pl. BOT Famille de plantes herbacées dicotylédones gamopétales, comprenant la primevère, le cyclamen, le mouron, etc. - Sing. *Une primulacée.*

Prim y Prats (Juan) (Reus, 1814 - Madrid, 1870), général et homme politique espagnol. Il s'illustra notam. au Mexique (1862) et fut un des princ. responsables de l'éviction d'Isabelle II (1868). Il fut assassiné.

prince n. m. **1.** Souverain ou membre d'une famille souveraine. *Le prince Édouard d'Angleterre.* ▷ Loc. *Le fait du prince* : acte arbitraire du gouvernement. - *Prince du sang* : membre de la proche famille royale. – *Prince consort* (V. ce mot). **2.** Haut titre de noblesse. *Ney, prince de la Moskova.* **3.** Loc. fig. *Le prince des ténèbres* : le diable. – *Vivre en prince*, richement. – *Être bon prince* : se montrer généreux.

Prince (île du) (en portug. *Ilha do Príncipe*), île du golfe de Guinée (128 km²), formant avec Sao Tomé un État indépendant depuis 1975. (V. Sao Tomé et Principe.)

prince-de-galles n. m. inv. Tissu fabriqué selon les mêmes principes que les tissus écossais, mais avec des fils aux teintes peu nombreuses et discrètes. ▷ (En appos.) *Un costume prince-de-galles.*

Prince-de-Galles (île du), île arctique du Canada, inhabitée, proche du pôle magnétique.

Prince-Édouard (île du), île, basse et découpée, formant la plus petite des provinces Maritimes du Canada, au S. du golfe du Saint-Laurent; 5 657 km²; 129 760 hab.; cap. *Charlottetown.* Agriculture (céréales, pomme de terre), élevage (forte production laitière), pêche. Tourisme actif. Parc national dans le N. de l'île. – Colonisée par les Acadiens après 1715, occupée par les Anglais (1758), elle fut détachée de la Nouvelle-Écosse en 1769 et entra dans la Confédération canadienne en 1873.

Prince George, v. du Canada (Colombie britannique); 69 650 hab. Nœud ferroviaire. Scieries.

Prince Noir (le). V. Édouard, prince de Galles.

princeps [pʀɛ̃sɛps] adj. Didac. Se dit de l'édition originale d'un ouvrage. *Édition princeps.*

Prince Rupert, port du Canada (Colombie britannique); 16 600 hab. Terminus du Canadian National Railway.

princesse n. f. **1.** Fille ou femme d'un prince. **2.** Rare Souveraine d'un pays. **3.** Loc fig., fam. *Aux frais de la princesse* : tous frais payés par l'État, par une société, etc. – *Prendre des airs de princesse, faire la (sa) princesse* : prendre de grands airs, être dédaigneuse.

Princeton, v. des É.-U. (New Jersey); 12 000 hab. – Célèbre université fondée en 1746. – Théâtre d'une sanglante bataille entre Américains, commandés par Washington, et Anglais (1777).

princier, ère adj. **1.** Litt. De prince, de princesse. *Décision princière.* **2.** Digne d'un prince, somptueux.

princièrement adv. De façon princière.

Princip (Gavrilo) (Grahovo, Bosnie, 1894 – Theresienstadt, auj. Terezín, Bohême, 1918), patriote serbe qui, le 28 juin 1914, assassina à Sarajevo l'archiduc François-Ferdinand et son épouse.

1. principal, ale, aux adj. et n. **I.** adj. **1.** Qui est le plus important, le plus grand, le premier, etc., parmi d'autres. *Le principal témoin. La raison principale de son départ.* ▷ n. m. Ce qui est le plus important. *Le principal, c'est que vous veniez.* **2.** GRAM *Proposition principale* ou, n. f., *une principale* : proposition qui ne dépend d'aucune autre et dont dépendent des subordonnées. **II.** n. m. **1.** DR Ce qui constitue l'objet essentiel d'une action en justice. **2.** FIN Montant originaire d'un impôt, avant le calcul des décimes et des centimes additionnels. **3.** MUS Un des jeux de l'orgue.

2. principal, ale n. **1.** Vieilli Directeur, directrice de collège. **2.** n. m. Chef des clercs dans une étude de notaire.

principalement adv. Particulièrement, surtout.

principauté n. f. **1.** Petit État gouverné par un prince. **2.** THEOL *Principautés* : premier chœur de la troisième hiérarchie des anges.

principe n. m. **I. 1.** Origine, cause première. *Vouloir remonter au principe des choses.* **2.** Loi générale, non démontrée, mais vérifiée expérimentalement. *Le principe de Carnot, en thermodynamique.* – Proposition, donnée fondamentale sur laquelle on établit un système. **3.** Fondement théorique du fonctionnement d'une chose. *Principe de la machine à vapeur. Reposer sur un principe simple.* **4.** (Plur.) Premiers rudiments (d'un art, d'une science). *Les principes de la géométrie.* **II. 1.** Règle de conduite. *Principe de morale. Il a pour principe de ne rien demander à personne. Partir du principe que... Faire qqch pour le principe*, pour se conformer à ses principes, indépendamment du résultat. **2.** (Plur.) Convictions morales. *Être fidèle à ses principes. Avoir des principes* : observer scrupuleusement les règles de conduite qu'on s'est fixées. ▷ Fig. *Être à cheval* sur les principes.* **III.** Loc. *En principe* : théoriquement. – *Par principe* : en vertu d'une décision a priori.

Principe (île). V. Prince (île du).

principiel, elle adj. PHILO Relatif au principe (sens 1).

printanier, ère adj. **1.** Relatif au printemps. **2.** Qui convient au printemps, clair, gai. *Robe printanière.*

printemps [pʀɛ̃tɑ̃] n. m. **1.** Première des quatre saisons, entre l'hiver et l'été, du 21 mars au 21 juin environ dans l'hémisphère Nord. **2.** Fig., litt. *Au printemps de la vie* : dans la jeunesse. **3.** Fig., litt., vieilli Année. *Elle entrait dans son seizième* ou, par plaisant., *dans son soixante-dixième printemps.*

prion n. f. BIOL Particule protéique infectieuse impliquée dans plusieurs maladies neurologiques.

Prior (Arthur Norman) (Masterton, Nouvelle-Zélande, 1914 – Trondheim, Norvège, 1969), philosophe britannique. Il a fondé la logique temporelle et abordé les problèmes ontologiques du temps : *Time and Modality* (1957), *Past, Present and Future* (1967).

prioritaire adj. Qui a la priorité. *Message prioritaire.* ▷ Subst. *Les prioritaires doivent être munis d'une carte.*

prioritairement adv. En priorité.

priorité n. f. **1.** Importance qu'on donne à une chose, au point de la faire passer en premier. *La priorité sera accordée aux questions diplomatiques.* ▷ Loc. *En priorité, par priorité* : en premier lieu. **2.** Droit de passer avant les autres. *Les mutilés ont la priorité sur les autres voyageurs.* – *Spécial.* (dans la circulation automobile). *Respecter la priorité à droite.*

Pripet ou **Pripiat** (le), riv. qui draine la Biélorussie et l'Ukraine (775 km), affl. du Dniepr (r. d.).

pris, prise adj. **1.** Attrapé, saisi. *Pas vu, pas pris. Être pris par surprise.* – Atteint. *Pris de fièvre. Pris de boisson* : ivre. **2.** Qui a épaissi, s'est figé. *Lait pris*, caillé. ▷ Gelé. *La rivière est prise.* **3.** Qui est retenu par ses occupations. *Être pris toute la journée.* – (Choses) Occupé. *Place prise.* **4.** Loc. Vieilli *Avoir la taille bien prise* : être mince et svelte.

Priscillien (Bétique [?], v. 335 ou 345 – Trèves, 385), hérésiarque chrétien. Sa doctrine (le *priscillianisme*), condamnée au concile de Saragosse (380), tenait du manichéisme et du panthéisme. Il fut exécuté sur ordre de l'empereur Maxime.

prise n. f. **1.** Action de prendre, de s'emparer de (qqch). *Prise d'une forteresse.* – Fig. *Prise de bec* : dispute, querelle. – *Par ext.* Ce dont on s'est emparé. *Une bonne prise.* **2.** (Abstrait) Action de prendre, de commencer à avoir. *Prise de conscience, de possession, de contact.* **3.** Moyen de prendre. *On n'a pas prise, il n'y a pas de prise* (pour saisir, se retenir, etc.). *Prise de judo.* – Loc. fig. *Avoir prise sur qqn*, avoir un moyen d'agir sur lui. *Donner prise à* : s'exposer à. – *Être aux prises avec* : lutter contre. **4.** TECH Durcissement. *Ciment à prise rapide.* **5.** (Dispositifs) AUTO *Prise directe* : dispositif permettant d'accoupler directement l'arbre moteur et l'arbre récepteur. – ELECTR *Prise de terre* : organe ou conducteur qui relie une installation à la terre. *Prise (de courant)* : dispositif permettant de prélever le courant sur un conducteur fixe pour alimenter une installation mobile. – *Prise d'eau* : robinet, système permettant de prendre de l'eau. **6.** AUDIOV *Prise de vue(s)* : action de filmer. *Une prise* : une séquence filmée en une fois. – *Prise de son* : action d'enregistrer le son. **7.** *Prise de sang* : prélèvement sanguin. **8.** *Prise d'habit, de voile* : cérémonie pendant laquelle un religieux ou une religieuse prend l'habit de son ordre. – *Prise d'armes* : parade, revue (où des soldats «prennent les armes»). **9.** *Prise en charge* : fait de prendre la responsabilité (de qqn ou de qqch); (dans un taxi) taxe forfaitaire minimale apparaissant au départ au compteur; (pour la Sécurité sociale) acceptation préalable d'une dépense de santé. **10.** Pincée (de tabac) à priser.

1. priser v. tr. [1] Aspirer (du tabac) par le nez.

2. priser v. tr. [1] Litt. Estimer. *Priser une œuvre.* – Pp. adj. Cour. *Artiste très prisé.*

prismatique adj. **1.** GEOM En forme de prisme. **2.** TECH Muni de prismes. *Jumelles prismatiques.*

prisme n. m. **1.** GEOM Solide engendré par la translation rectiligne d'un polygone. *Prisme droit*, dont les arêtes latérales sont perpendiculaires aux bases. *Le volume d'un prisme est égal au produit de l'aire d'une section droite par la longueur des arêtes latérales.* **2.** PHYS Corps transparent présentant deux faces planes ayant une arête commune. *Les propriétés dispersives du prisme sont utilisées dans les spectroscopes et les spectrographes.* **3.** Loc. fig. *Voir à travers un prisme* : voir une réalité déformée. ► illustr. **spectroscopie**

prison n. f. **1.** Emprisonnement. *Être condamné à trois mois de prison avec sursis.* **2.** Lieu de détention où sont enfermés les prévenus, les condamnés. ▷ Loc. fam. *Aimable, gai comme une porte de prison* : désagréable, triste. **3.** *Par métaph.* Ce qui enferme, retient. *La prison de ses rêves.*

prisonnier, ère n. et adj. **I.** n. Personne détenue en prison. *Prisonnier de droit commun. Prisonnier politique. Prisonnier sur parole*, laissé sans surveillance à condition de ne pas sortir d'un lieu. *Prisonnier de guerre*, capturé lors d'une guerre. **II.** adj. **1.** Enfermé, privé de liberté. **2.** Fig. *Prisonnier de...* : aliéné par...

Priština, cap. du Kosovo; 108 080 hab. – Mosquée impériale (XVᵉ s.).

Pritchard (George) (Birmingham, 1796 - îles Samoa, 1883), pasteur anglais. Missionnaire et consul à Tahiti (1824-1843). Sa brève incarcération par les autorités françaises, en 1843, déclencha une crise franco-britannique et une offensive de l'opposition libérale contre Guizot.

Privas, ch.-l. de l'Ardèche, sur l'Ouvèze; 10 490 hab. (*Privadois*). Confiserie (marrons glacés), confitures. - Citadelle calviniste, la ville fut prise par Louis XIII (1629), et la population massacrée.

privatif, ive adj. **1.** GRAM Qui marque la privation, la suppression. *Dans «injuste», «in-» est un préfixe privatif.* **2.** DR Qui enlève la jouissance d'un droit. *Peine privative de liberté.* **3.** Dont on jouit sans être propriétaire. *Jardin privatif.*

privation n. f. **1.** Perte, suppression. *La privation des droits civiques.* **2.** (Plur.) Besoins non satisfaits; absence de choses souhaitées ou utiles. *S'imposer des privations :* se priver volontairement de certaines choses.

privatisable adj. ECON Qui peut être privatisé.

privatisation n. f. ECON Action de privatiser.

privatiser v. tr. [1] ECON Transférer une entreprise du secteur public au secteur privé.

privauté n. f. (Surtout au plur.) Familiarité indiscrète, inconvenante, spécial. d'un homme à l'égard d'une femme.

privé, ée adj. et n. m. **1.** Réservé, non ouvert au public. *Propriété privée. Projection privée.* **2.** Personnel. *Vie privée.* ▷ Loc. adv. *En privé :* en dehors de la vie professionnelle, des fonctions officielles. **3.** En simple particulier, sans charge publique. *Déclaration faite à titre privé* (par oppos. à *officiellement*). **4.** Où l'État n'intervient pas. *Secteur privé* (par oppos. à *secteur public*). ▷ n. m. *Travailler dans le privé,* dans le secteur privé. **5.** *Un détective privé* ou, n. m., fam., *un privé :* un détective chargé d'enquêtes policières privées.

priver v. [1] **I.** v. tr. Enlever à qqn ce qu'il a, ne pas lui donner ce qu'il espère. *Priver un enfant de dessert. Un avantage dont il a été privé.* **II.** v. pron. *Se priver de...* **1.** Se refuser (un avantage, un plaisir). *Il se prive du nécessaire.* ▷ *Absol.* Se refuser des choses agréables ou nécessaires, faire des sacrifices. *Il se prive pour élever ses six enfants.* **2.** S'abstenir de. *Il ne se prive pas de critiquer son patron.*

privilège n. m. **1.** Droit exceptionnel ou exclusif, accordé à un individu ou à une collectivité. *Les privilèges seigneuriaux de l'Ancien Régime.* ▷ DR Droit reconnu à un créancier d'être payé avant les autres. **2.** Acte contenant la concession d'un privilège. **3.** Caractère, qualité unique. *La raison est le privilège de l'être humain.* **4.** Prérogative. *Posséder le privilège d'un grand nom.*

privilégié, ée adj. et n. Qui bénéficie de privilèges (au propre et au fig.). *Les classes privilégiées. Une créance privilégiée.* - Subst. *Un(e) privilégié(e).*

privilégier v. tr. [2] Accorder un privilège, un avantage à (qqn). ▷ Donner la primauté, la plus grande importance à (qqch).

prix [pʀi] n. m. **I. 1.** Valeur de qqch exprimée en monnaie. *Prix élevé. Acheter, vendre à bas prix, au juste prix, au prix fort. Dernier prix,* le plus bas dans un marchandage. *Faire un prix d'ami,* un prix de faveur. *Hors de prix :* très cher. *Sans prix :* inestimable. - *Mettre à prix,* en vente. *Mettre à prix la tête de qqn,* offrir une récompense pour sa capture. **2.** Valeur. *Je mets son estime au plus haut prix.* ▷ *Prix de revient :* coût de production d'un bien ou d'un service. **II.** Récompense, dans une compétition; distinction. *Prix Nobel.* ▷ *Par méton.* Personne qui a emporté un prix. *Le premier prix du Conservatoire.* - Ouvrage qui a obtenu un prix. *Lire le dernier prix Fémina.* - Compétition qui donne lieu à un prix. *Grand prix automobile.* **III.** Loc. prép., fig. *Au prix de :* moyennant. *Gagner au prix d'efforts inouïs.* - En comparaison de. *Ce service n'est rien au prix de celui qu'il m'a déjà rendu.* - *À tout prix :* coûte que coûte.

Prjevalski ou **Przewalski** (Nikolaï Mikhaïlovitch) (Kimborovo, 1839 - Karakol, auj. Prjevalsk, 1888), officier et explorateur russe. Il voyagea dans plusieurs pays de l'Asie centrale; il décrivit le cheval sauvage dit auj. de *Prjevalski (Equus caballus prjevalskii),* dont il ne reste plus que quelques spécimens dans son milieu naturel.

pro-. Élément, du gr. ou du lat. *pro,* «en avant; à la place de; en faveur de», entrant dans la composition de nombreux mots (ex. *proposer; prophétie*). Devant un adjectif, sens de «partisan de» (ex. *prochinois*).

pro n. et adj. Fam. Abrév. de *professionnel.* - adj. *Des joueurs pros.*

proarthropodes n. m. pl. ZOOL Sous-embranchement d'arthropodes comprenant uniquement les trilobites fossiles. - Sing. *Un proarthropode.*

probabilisme n. m. PHILO Doctrine selon laquelle il est impossible d'arriver à la certitude et qui recommande de s'en tenir à ce qui est le plus probable.

probabiliste n. et adj. **1.** PHILO Partisan du probabilisme. - adj. Qui concerne le probabilisme. **2.** MATH Spécialiste du calcul des probabilités. - adj. Relatif aux probabilités.

probabilité n. f. **1.** Caractère de ce qui est probable, vraisemblable. **2.** MATH Nombre positif et inférieur à 1 qui caractérise l'apparition escomptée d'un événement. *La probabilité d'un événement impossible est égale à 0.* ▷ *Calcul des probabilités :* science dont le but est de déterminer la vraisemblance d'un événement. (V. encycl. mathématique.)

probable adj., n. m. et adv. **1.** Qui a une apparence de vérité, semble plutôt vrai que faux. *Il est probable qu'il se soit suicidé.* **2.** Dont il est raisonnable de supposer l'existence dans l'avenir, le présent ou le passé; qui a (ou a eu) des chances de se produire. ▷ n. m. Ce qui est probable. *Le probable et le certain.* ▷ adv. Fam. Sans doute. *Tu crois qu'il va venir? - Probable.*

probablement adv. Vraisemblablement.

probant, ante adj. Concluant. *Expérience probante.*

probation n. f. **1.** Temps d'épreuve imposé à celui qui veut entrer dans un ordre religieux, et, par ext., dans un groupe fermé, une société secrète, etc. **2.** DR Mise à l'épreuve (d'un délinquant).

probatoire adj. Destiné à constater la capacité de qqn. *Examen probatoire.*

probe adj. Litt. Qui a de la probité.

probité n. f. Droiture, intégrité, honnêteté scrupuleuse.

problématique adj. et n. f. **I.** adj. **1.** Douteux. *Ce résultat est problématique.* **2.** PHILO Chez Kant, qualifie un jugement exprimant une simple probabilité. **II.** n. f. Didac. Ensemble des problèmes concernant un sujet. ▷ Manière méthodique de poser les problèmes.

problématiquement adv. Didac. D'une façon problématique.

problème n. m. **1.** Question à résoudre, d'après un ensemble de données, dans une science. *Problème de géométrie. Solution d'un problème.* - Exercice scolaire consistant à résoudre un problème. *Elle a fini ses problèmes.* **2.** Difficulté; situation compliquée. *Problème des minorités ethniques. Poser un problème; faire problème :* faire difficulté. - Loc. fam. *(Il n'y a) pas de problème! :* c'est facile, évident. *C'est votre problème :* cela vous concerne.

proboscidiens [pʀɔbɔsidjɛ̃] n. m. pl. ZOOL Ordre de mammifères ongulés à trompe, comprenant les éléphants. - Sing. *Un proboscidien.*

Probus (Marcus Aurelius) (Sirmium, auj. Sremska Mitrovica, Serbie, 232 - id., 282), empereur romain (276-282). Il vainquit les Barbares, mais sa sévérité provoqua un soulèvement de ses soldats, qui l'assassinèrent.

procaryote adj. et n. m. pl. BIOL, BOT Dont le noyau cellulaire est dépourvu de membrane et ne comporte qu'un chromosome. ▷ n. m. pl. *Les algues bleues et les bactéries constituent le groupe des procaryotes.* Ant. eucaryote.

Procas, dans la myth. lat., roi d'Albe, père d'Amulius et de Numitor.

procédé n. m. **I. 1.** Méthode d'exécution. *Procédé de fabrication.* - *Procédés (industriels) :* enchaînement d'opérations dont le but est de transformer les matières premières en produits finis ou intermédiaires. - Péjor. Technique devenue systématique (en art, etc.). *Son habileté tourne au procédé.* **2.** Manière d'agir. *Des procédés inadmissibles.* - Loc. *Échange de bons procédés,* de services réciproques. **II.** Rondelle de cuir collée à la pointe d'une queue de billard.

procéder v. [14] **I.** v. intr. **1.** *Procéder de :* provenir de. *Procéder d'une tendance, d'une école.* **2.** Agir. *Procéder avec méthode.* **II.** v. tr. indir. *Procéder à :* exécuter en se conformant à des règles techniques, juridiques.

procédural, ale, aux adj. DR Relatif à la procédure.

procédure n. f. **1.** Ensemble de règles qu'il faut appliquer strictement, de formalités auxquelles il faut se soumettre, dans une situation déterminée. *Procédure d'atterrissage.* **2.** DR Manière de procéder en justice; ensemble des règles suivant lesquelles un procès est instruit. - Partie du droit qui étudie les formalités judiciaires. *Code de procédure pénale.*

procédurier, ère adj. et n. Péjor. **1.** Qui aime les procès, les querelles juridiques. Syn. chicanier. ▷ Subst. Personne qui aime la procédure. **2.** Qui multiplie les formalités. *Méthode procédurière.*

procellariiformes n. m. pl. ORNITH Ordre d'oiseaux carinates, marins, palmipèdes (albatros, pétrel). - Sing. *Un procellariiforme.*

procès [pʀɔsɛ] n. m. **I. 1.** Instance devant un tribunal sur un différend entre deux ou plusieurs parties. *Procès civil, criminel. Le procès de Jeanne d'Arc. Intenter un procès.* - Fig. *Faire le procès de :* accuser. - *Faire un procès d'intention à qqn,* le juger en fonction des intentions qu'on lui a prêtées ou que ses actes ont laissé apparaître. **2.** Loc. *Sans autre forme de procès :* sans préambule, sans se soucier des formes. **II.** Didac. Processus. – LING Action, état correspondant à la signification du verbe. **III.** ANAT *Procès ciliaire**.

processeur n. m. INFORM **1.** Organe destiné, dans un ordinateur ou une autre machine, à interpréter et exécuter des instructions. **2.** *Par anal.* Ensemble du programme permettant d'exécuter des programmes écrits dans un langage donné.

procession n. f. **1.** Cortège religieux, marche solennelle accompagnée de chants et de prières. *Les processions de Lourdes.* **2.** Défilé. *Une procession de manifestants.* – Fig. Longue file, succession.

processionnaire adj. et n. f. ZOOL Se dit des chenilles de divers papillons qui se déplacent en file régulière. – n. f. *Processionnaires du pin, du chêne.*

processionnel, elle adj. **1.** LITURG Relatif aux processions. **2.** Litt. Qui tient de la procession.

processus [prɔsesys] n. m. **1.** Développement temporel de phénomènes marquant chacun une étape. *Le processus d'érosion des falaises. Processus de fabrication.* **2.** ANAT Prolongement.

procès-verbal, aux n. m. **1.** Acte par lequel une autorité compétente constate un fait comportant des conséquences juridiques. *Des procès-verbaux.* **2.** Compte rendu écrit des travaux d'une assemblée. (Abrév. fam. : P.-V.)

prochain, aine adj. et n. m. **1.** adj. Qui est près d'arriver, qui est à une courte distance (temporelle ou spatiale). *Le mois prochain. Le prochain village. – À la prochaine fois!* ou, fam., *à la prochaine! :* au revoir. **2.** n. m. Être humain considéré dans ses rapports moraux avec autrui. *Tu aimeras ton prochain comme toi-même, dit l'Évangile.*

prochainement adv. Bientôt.

proche adj., n. et adv. **I.** adj. **1.** Voisin. *La proche banlieue. Sa maison est toute proche.* **2.** Qui est près d'arriver. *Sa dernière heure est proche.* **3.** Qui a une relation étroite avec. *Proche parent.* ▷ n. m. pl. Parenté. *Très aimé de ses proches.* – Sing. Rare *Un(e) proche.* **II.** Loc. adv. *De proche en proche :* graduellement.

Proche-Orient, expression utilisée depuis la fin du XIXe s. pour désigner généralement un ensemble, plus restreint que le *Moyen-Orient* (bien que cette dernière expression soit parfois employée comme synonyme de Proche-Orient), comprenant les États riverains de la Méditerranée orientale : Turquie, Syrie, Liban, Israël et Égypte.

proche-oriental, ale, aux adj. Qui concerne le Proche-Orient. *Des intérêts proche-orientaux.*

prochordés. V. procordés.

proclamateur, trice n. Litt. Personne qui proclame.

proclamation n. f. **1.** Action de proclamer. **2.** Écrit, discours contenant ce qu'on proclame.

proclamer v. tr. [1] **1.** Annoncer avec solennité. *Proclamer sa foi.* **2.** Reconnaître publiquement. *Être proclamé vainqueur. Proclamer la république.*

proclitique adj. et n. m. GRAM Dans certaines langues, mot monosyllabique inaccentué qui forme une unité sur le plan de l'accent avec le mot suivant. *En français, l'article est proclitique.* – n. m. *Un proclitique.*

proconsul n. m. **1.** ANTIQ ROM Consul sortant de charge qui recevait une prolongation de ses pouvoirs pour poursuivre une guerre ou gouverner une province. **2.** PALEONT Grand singe fossile d'Afrique orientale (fin du miocène) considéré comme un ancêtre possible de l'homme.

proconsulaire adj. ANTIQ ROM Qui concerne le proconsul, émane de lui.

proconsulat n. m. ANTIQ ROM **1.** Dignité de proconsul. **2.** Durée des fonctions de proconsul.

Procope (Césarée, Palestine, fin du Ve s. – Constantinople, v. 562), historien byzantin. Secrétaire de Bélisaire, il est le principal historien de Justinien : *Livre des guerres* (545-554), *Traité des édifices* (v. 560).

Procope (café), café littéraire parisien (rue de l'Ancienne-Comédie), fondé par le Sicilien Francesco Procopio en 1686, rendez-vous des écrivains aux XVIIIe et XIXe s.

procordés ou **prochordés** [prɔkɔrde] n. m. pl. ZOOL Groupe systématique réunissant les *céphalocordés (amphioxus)* et les *tuniciers,* dont la corde dorsale est primitive ou absente. – Sing. *Un procordé* ou *un prochordé.*

procrastination n. f. Litt. Tendance à remettre au lendemain.

procréateur, trice adj. Qui procrée.

procréation n. f. **1.** Action de procréer. **2.** MED *Procréation médicalement assistée (P.M.A.)* ou *assistance médicale à la procréation (A.M.P.) :* ensemble des techniques permettant la procréation dans certains cas où elle n'est pas possible naturellement.

procréatique n. f. MED Ensemble des techniques de procréation assistée.

procréer v. tr. [11] Litt. Engendrer (un être humain).

Procruste. V. Procuste.

proct(o)-. Élément, du gr. *prôktos,* « anus ».

proctologie n. f. MED Partie de la médecine consacrée à la pathologie du rectum et de l'anus.

proctologue n. MED Médecin spécialiste de proctologie.

procurateur n. m. **1.** ANTIQ ROM Magistrat romain chargé de l'administration d'une province qui avait conservé un souverain (au moins nominalement). **2.** HIST Au Moyen Âge, haut magistrat de Venise et de Gênes.

procuratie [prɔkyrasi] n. f. HIST À Venise, charge, dignité de procurateur. ▷ n. f. pl. *Les procuraties :* le palais des procurateurs.

procuration n. f. **1.** DR Pouvoir donné à qqn d'agir au nom de son mandant. **2.** Acte sous seing privé ou notarié, conférant ce pouvoir.

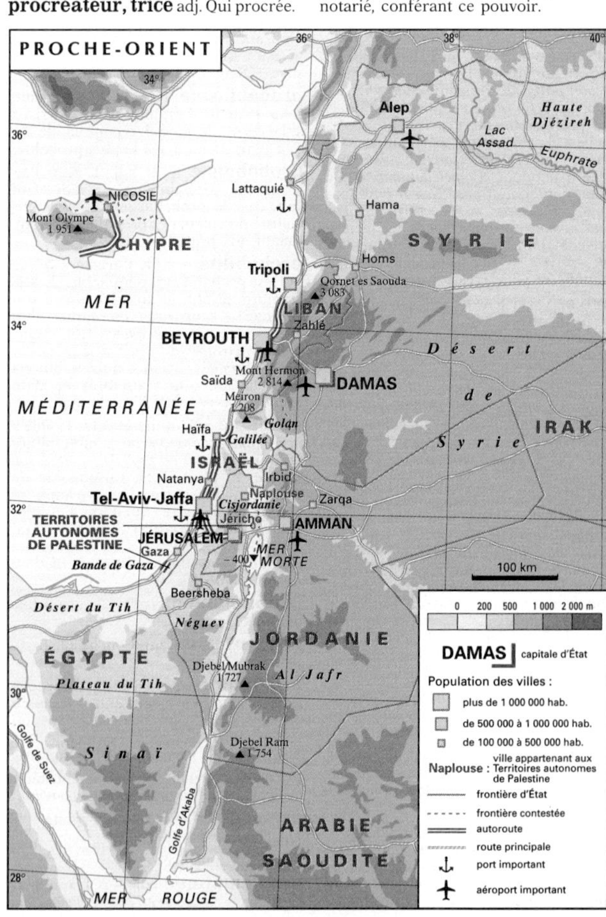

procure n. f. **1.** Office du procureur dans une communauté religieuse. **2.** Bureau, local du procureur.

procurer v. tr. [1] **1.** (Sujet nom de personne.) Faire avoir, fournir (qqch à qqn). *Il lui a procuré un emploi.* ▷ v. pron. *Se procurer des fonds.* **2.** (Sujet nom de chose.) Être la cause de. *Cela peut vous procurer un certain profit.*

procureur n. m. **1.** DR Vx Celui qui a pouvoir d'agir pour autrui (au fém., on emploie *procuratrice*). **2.** Anc. nom des avoués et des avocats. ▷ *Procureur de la république* : magistrat qui dirige le parquet dans un tribunal de grande instance. – *Procureur général* : chef du parquet de la Cour de cassation, de la Cour des comptes ou d'une cour d'appel. **3.** Religieux chargé des intérêts temporels, d'un ordre religieux.

Procuste ou **Procruste,** dans la myth. gr., brigand de l'Attique, tué par Thésée. Il étendait ses victimes sur un lit *(lit de Procuste)*; si elles étaient trop grandes, il leur raccourcissait les jambes; trop petites, il les étirait.

Procyon, système double d'étoiles de la constellation du Petit Chien proche de la Terre (11,4 années de lumière), dont la composante principale est une étoile blanche.

procyonidés n. m. pl. ZOOL Famille de mammifères plantigrades de petite taille, généralement omnivores (ratons laveurs, coatis, pandas).

Prodi (Romano) (Bologne, 1939), homme politique italien. Directeur de l'I.R.I. (Institut pour la reconstruction industrielle), leader de la coalition de centre gauche qui remporte les élections de 1996, il est président du Conseil de 1996 à 1998. En 1999, il accède à la présidence de la Commission européenne.

Prodicos (Ioulis, Céos, Ve s. av. J.-C.), sophiste grec qui enseignait la morale et la stylistique à Athènes.

prodigalité n. f. Litt. **1.** Caractère, attitude d'une personne prodigue. **2.** (Surtout au plur.) Dépenses exagérées.

prodige n. m. **1.** Phénomène surprenant qu'on ne peut expliquer et auquel on accorde un caractère surnaturel. – *Qui tient du prodige* : prodigieux. **2.** Action, personne qui se signale par son caractère extraordinaire. *Les prodiges de la médecine. Un petit prodige* : un enfant très doué. ▷ (En appos.) *Un enfant prodige.*

prodigieusement adv. D'une façon prodigieuse.

prodigieux, euse adj. Extraordinaire, considérable et à peine croyable.

prodigue adj. et n. Litt. **1.** Qui fait des dépenses disproportionnées, par rapport à ses moyens. *Être prodigue de son bien.* – Subst. DR *Les prodigues.* ▷ *Enfant, fils prodigue,* dont on fête le retour à la maison paternelle après une longue absence (par allus. à une parabole de l'Évangile). **2.** Fig. *Prodigue de* : qui donne, fournit abondamment (qqch). *Être prodigue de paroles, de promesses* : parler, promettre beaucoup.

prodiguer v. tr. [1] **1.** Dépenser sans mesure. *Prodiguer sa fortune.* **2.** Donner à profusion. *Prodiguer des conseils.*

pro domo [pʀodɔmo] loc. adv. et adj. inv. (mots lat., « pour sa maison ») *Plaider pro domo,* sa propre cause.

prodrome n. m. **1.** Litt. Signe précurseur d'un événement. **2.** MED Ensemble de symptômes qui marquent le début d'une maladie.

producteur, trice n. et adj. **1.** Personne, société, pays qui produit des biens ou rend des services. ▷ adj. *Pays producteur de coton.* **2.** SPECT Personne, organisme qui finance une œuvre de l'industrie du spectacle. V. produire (sens I, 3).

productible adj. Susceptible d'être produit.

productif, ive adj. Qui produit une richesse, un profit; qui rapporte beaucoup. *Activité productive.*

production n. f. **1.** Action de produire des biens; les biens produits. *Production agricole, industrielle.* **2.** Œuvre littéraire ou artistique. *Le peintre expose ses productions dans une galerie.* **3.** Action de produire un film, une émission; le film, l'émission. **4.** Fait, pour un phénomène, de se produire. *Obtenir la production d'une réaction chimique.* **5.** DR, ADMIN Action de présenter une pièce. *Production d'un passeport.*

productique n. f. Ensemble des techniques qui visent à automatiser la production dans les usines. ▷ adj. *Techniques productiques.*

productivisme n. m. ECON Système qui privilégie la productivité.

productiviste adj. ECON Relatif au productivisme.

productivité n. f. **1.** Capacité de produire, de rapporter plus ou moins. **2.** Rapport entre la quantité de biens produits et les facteurs nécessaires pour cette production (énergie, travail, matière première, capital, etc.).

produire v. [69] **I.** v. tr. **1.** Donner l'existence à (un bien, une richesse) par un processus naturel ou par un travail. *Terre qui produit du blé.* – Absol. *Ces arbres commencent à produire.* **2.** Créer (une œuvre). *Cet écrivain a produit de nombreux romans.* **3.** SPECT Assurer l'organisation matérielle et le financement (d'un film, d'une émission de télévision, de radio, d'une pièce de théâtre, d'un disque, etc.) de façon à en permettre la réalisation. **4.** Rapporter, donner (un profit). *Capital qui produit des intérêts.* **5.** Causer, déterminer. *Produire des effets, des résultats inattendus.* **6.** Montrer, présenter (un document). *Produire des pièces justificatives.* ▷ *Produire des témoins,* les faire entendre en justice. **II.** v. pron. **1.** Avoir lieu. *Ce phénomène se produit fréquemment.* **2.** Se présenter dans un spectacle. *Chanteur qui se produit dans tel cabaret.*

produit n. m. **1.** Ce que rapporte une charge, une terre, une activité, etc. *Le produit d'une opération commerciale.* – *Produit brut,* dont on n'a pas déduit les frais. – *Produit net* : bénéfice réel. – *Produit intérieur brut (P.I.B.)* : somme des valeurs ajoutées réalisées sur le sol national, additionnée de la T.V.A. et des droits de douane grevant les produits. – *Produit national brut (P.N.B.)* : agrégat formé par le produit intérieur brut auquel s'ajoutent les services rendus par les administrations publiques, les organismes financiers et domestiques, ainsi que le solde des échanges extérieurs de services. **2.** Ce qui se crée par un processus naturel ou grâce au travail de l'homme. *Les produits de la terre. Produit animal, chimique, végétal, volcanique.* ▷ *Spécial.* Substance. *Un produit crémeux.* – MED *Produit de contraste*.* ▷ ECON Bien ou service résultant d'une production et destiné à satisfaire un besoin. *Les produits de première nécessité.* – *Produits de base,* n'ayant pas subi de transformation industrielle. *Produits finis,* industriels, prêts à l'emploi. *Produits intermédiaires*.* ▷ *Produit financier* : tout placement proposé aux épargnants (actions, obligations, sicav, etc.). **3.** Fig. Résultat de qqch; ce que qqch a créé, engendré. *Un pur produit de son imagination.* **4.** MATH Résultat d'une multiplication. ▷ *Produit scalaire* : V. scalaire. ▷ *Produit vectoriel* : V. encycl. vecteur. ▷ *Produit cartésien de deux ensembles A et B* ou *produit de A et B* : ensemble associant à tout élément a de A un (et un seul) élément b de B; ensemble dont les éléments sont les couples (a, b).

proéminence n. f. État de ce qui est proéminent; partie proéminente.

proéminent, ente adj. Qui fait saillie sur ce qui l'environne. *Nez, ventre proéminent.*

prof n. Fam. Abrév. de *professeur. C'est ma prof de français. Des profs de lycée.*

profanateur, trice n. Qui profane qqch. ▷ adj. *Main profanatrice.*

profanation n. f. Action de profaner.

profane adj. et n. **1.** Qui n'a pas un caractère religieux, sacré. ▷ n. m. *Opposition du profane et du sacré.* ▷ Subst. Personne qui n'est pas initiée à une religion à mystères. **2.** (Personnes) Qui ignore tout d'un art, d'une science. ▷ Subst. *C'est un(e) profane.*

profaner v. tr. [1] **1.** Violer le caractère sacré de. *Profaner un autel.* **2.** [Par ext.] Souiller, dégrader. *Profaner un nom. Profaner un cimetière.*

proférer v. tr. [14] Prononcer, dire à haute voix. – Spécial. *Proférer des injures, des menaces.*

profès, esse [pʀɔfɛs] adj. et n. RELIG CATHOL Qui s'est engagé dans un ordre religieux par des vœux solennels.

professer v. tr. [1] **1.** Déclarer, manifester ouvertement (une conviction, un sentiment). *Professer une admiration exagérée pour... Professer la religion chrétienne.* **2.** Vieilli Enseigner publiquement. *Il professe à l'Université.*

professeur n. Personne dont le métier est d'enseigner une science, un art, notam. dans l'institution pédagogique. *Professeur de physique. Sa fille est professeur de lycée.* – *Spécial.* Dans l'Université, personne qui, titulaire ou non d'une chaire, possède le titre le plus élevé parmi les enseignants. *De maître de conférences, il est devenu professeur.* – *Professeur des écoles* : enseignant du primaire, formé dans un I.U.F.M.

profession n. f. **I. 1.** (Dans des expressions.) *Faire profession d'une opinion, d'une religion,* les professer. – *Profession de foi* : déclaration publique de ses convictions religieuses; dans la religion catholique, anc. communion* solennelle; *par ext.* déclaration de principes, notam. en matière politique, sociale. **2.** RELIG Acte par lequel une personne s'engage par les vœux de religion. **II. 1.** Activité rémunératrice exercée habituellement par qqn. *Profession : commerçant. Profession libérale.* **2.** Corps constitué par tous ceux qui pratiquent le même métier. **3.** Loc. *De profession* : de son métier. – Fig. Qui se comporte habituellement comme tel. *Menteur de profession.*

professionnalisation n. f. Action de rendre professionnelle une activité.

professionnaliser v. tr. [1] **1.** Rendre professionnelle une activité. **2.** Adapter une formation, un enseignement à la pratique professionnelle future des enseignés. **3.** v. pron. Devenir professionnel.

professionnalisme n. m. **1.** Caractère professionnel (d'un travail, d'une réalisation). – Statut de professionnel (par oppos. à *amateurisme*). **2.** Qualité de celui qui exerce un métier avec une grande compétence.

professionnel, elle adj. et n. **1.** adj. Qui a rapport à une profession. *Obligations professionnelles.* **2.** n. Personne qui pratique une activité comme métier (par oppos. à *amateur*). – Spécial. *Professionnels du sport.* – *Travail de professionnel* dont la qualité témoigne du savoir-faire de son auteur. (Abrév. fam. : pro). ▷ adj. *Musicien professionnel.*

professionnellement adv. D'une façon professionnelle; en ce qui concerne la profession.

professoral, ale, aux adj. Relatif ou propre aux professeurs.

professorat n. m. Métier de professeur.

profil n. m. **1.** Contour d'un visage vu de côté. *Un joli profil.* ▷ BX-A *Profil perdu,* qui présente de côté l'arrière de la tête, le visage étant caché aux trois quarts. **2.** Forme ou représentation d'une chose vue de côté, dont le contour caractéristique est mis en valeur. *Le profil d'un monument, d'une ligne de collines.* – Loc. *De profil :* par le côté et de manière à dégager les contours. ▷ *Spécial.* ARCHI Section perpendiculaire d'un bâtiment. *Le profil d'une forteresse.* – TECH Coupe verticale. *Profil en long d'une route,* coupe verticale effectuée le long de son axe. *Profil en travers d'une route,* coupe verticale effectuée perpendiculairement à son axe. – GEOGR, GEOL Coupe selon un axe. *Profil d'un terrain.* **3.** PSYCHO Courbe donnant la «physionomie mentale» d'un sujet, dont les éléments sont les résultats de divers tests. – Par ext. Ensemble des caractéristiques psychologiques et professionnelles d'un individu. *Un profil de vendeur.* **4.** Fig. Aspect général de qqch ou de qqn. *Le profil des derniers sondages. Profil génétique d'une population.* ▷ *Adopter un profil bas :* faire preuve d'une grande modération, s'abstenir de toute provocation.

profilage n. m. **1.** TECH Action de donner un profil à une route, à un objet. **2.** Profil aérodynamique (ou hydrodynamique) d'un véhicule.

profilé, ée adj. et n. m. Auquel on a donné un certain profil. ▷ n. m. TECH Pièce laminée de section uniforme.

profiler v. [1] **I.** v. tr. **1.** TECH Représenter en profil. *Profiler un entablement.* **2.** Faire paraître en profil. *La tour profile sa silhouette sur le ciel.* **3.** TECH Donner un contour déterminé à (un objet). **II.** v. pron. Se dessiner avec un contour net. *Un navire se profile à l'horizon, à contre-jour.*

profit n. m. **1.** Gain, bénéfice. *Profits illicites.* ▷ FIN *Compte de pertes et profits :* document comptable sur lequel on reporte le résultat d'exploitation, les opérations déficitaires ou bénéficiaires exceptionnelles (moins-values ou plus-values, par ex.), et l'impôt sur les bénéfices. **2.** ECON Pour une entreprise, bénéfice correspondant à la différence entre le prix de vente et le prix de revient tous frais payés. **3.** Avantage matériel ou moral que l'on retire de (qqch). *Il a tiré profit de mes conseils.* – *Mettre qqch à profit,* l'utiliser au mieux. – *Faire du profit :* être d'un usage économique. – *Faire son profit de qqch,* en tirer un avantage. – *Au profit de :* pour procurer des avantages à.

profitable adj. Qui offre un avantage, matériel ou moral.

profiter v. [1] **I.** v. tr. indir. **1.** Tirer profit, avantage (de qqch). – *Profiter de qqch pour :* prendre prétexte pour. **2.** Donner du profit, être utile (à). *Cette expérience lui a profité.* **II.** v. intr. Fam. **1.** Croître, se fortifier. *Son bétail a bien profité.* **2.** Faire du profit.

profiterole n. f. Chou fourré de glace à la vanille, nappé d'une sauce chaude au chocolat.

profiteur, euse n. Péjor. Personne sans scrupule qui tire profit de tout.

profond, onde adj., n. m. et adv. **I.** adj. **1.** Dont le fond est éloigné de la surface, de l'ouverture, du bord. *Puits, étang profond.* ▷ *Par anal.* Qui évoque la profondeur. *Nuit profonde,* très obscure. *Sommeil profond,* intense. **2.** Qui est situé très bas par rapport à la surface. *Les zones profondes de la mer.* **3.** Qui pénètre, s'enfonce très avant. *Racine profonde.* **4.** *Voix profonde,* grave. **5.** Fig. Caché au fond de l'être, au fond des choses. *Les intentions profondes de qqn. Le sens profond d'un symbole.* **6.** Qui ne s'arrête pas aux apparences. *Esprit profond.* ▷ Par ext. *Pensées profondes.* **7.** Très grand, très intense. *Profond chagrin.* **8.** Qui reflète la réalité véritable et permanente d'une nation, par-delà les changements politiques et les modes transitoires. **II.** n. m. *Le plus profond :* la partie la plus profonde. *Au plus profond d'une mine.* – Fig. *Le plus profond de l'être.* **III.** adv. *Il a creusé profond.*

profondément adv. **1.** De façon profonde. *Profondément enterré.* **2.** Fig. À un haut degré.

profondeur n. f. **1.** Étendue d'une chose considérée à partir de la surface, de l'ouverture, du bord jusqu'au fond. *La profondeur d'une tranchée.* ▷ PHOTO, CINE *Profondeur de champ :* distance minimale et maximale à laquelle doit se trouver l'objet photographié pour que son image soit nette. **2.** (Plur.) Endroit profond. ▷ Fig. *Les profondeurs de l'âme.* – Vieilli *Psychologie des profondeurs :* psychanalyse. **3.** Qualité de celui qui approfondit les choses. *Écrivain qui manque de profondeur.* – Par ext. *Profondeur des vues (de qqn).* **4.** Caractère de ce que l'on ressent profondément. *La profondeur de son attachement.*

pro forma [pʀofɔʀma] loc. adj. inv. (Mots lat., «pour la forme».) COMPTA *Facture pro forma :* facture non exigible établie à titre indicatif avant la livraison ou l'exécution d'une commande.

profusion n. f. Abondance extrême (de choses). *Une profusion de compliments.* ▷ Loc. adv. *À profusion :* en grande quantité.

progéniture n. f. **1.** Litt. Ensemble des enfants qu'un homme a engendrés ou ensemble des petits d'un animal. **2.** Fam., plaisant *Admirer sa progéniture,* ses enfants.

progénote n. m. BIOL Cellule primitive, qui serait apparue il y a 3,5 milliards d'années.

progestatif, ive adj. et n. m. BIOCHIM Se dit de toute substance qui possède la même action que la progestérone.

progestérone n. f. BIOCHIM Hormone sexuelle femelle sécrétée par le corps jaune de l'ovaire après l'ovulation et par le placenta pendant la grossesse.

progiciel n. m. INFORM Ensemble complet de programmes conçus pour différents utilisateurs et destinés à un même type de fonctions.

prognathe [pʀɔgnat] adj. et n. Se dit d'un être humain dont les mâchoires sont proéminentes.

prognathisme [pʀɔgnatism] n. m. Didac. Proéminence d'une ou des deux mâchoires.

programmable adj. INFORM Que l'on peut programmer. *Un magnétoscope, un four programmable.*

programmateur, trice n. **1.** Personne chargée d'établir un programme de radio, de télévision, etc. **2.** n. m. TECH Dispositif commandant les opérations qui composent le programme de fonctionnement d'un appareil.

programmation n. f. **1.** Action de programmer (des films, des émissions). **2.** INFORM Établissement d'un programme. ▷ *Langage de programmation,* utilisé pour la programmation d'un traitement de l'information. V. informatique.

programmatique adj. Didac. Qui constitue un programme. *Textes programmatiques d'une organisation.*

programme n. m. **1.** Texte indiquant ce qui est prévu pour une représentation, une fête; liste des émissions, des films, etc., à venir. – Ensemble des spectacles, des émissions ainsi prévues. *Le programme d'un concert.* – Par ext. *Quel est ton programme pour les vacances?* **2.** Ensemble des matières et des sujets sur lesquels doit porter un enseignement ou un examen, un concours. **3.** POLIT Exposé des vues d'un parti, d'un candidat. *Programme électoral.* **4.** Ensemble des actions, des opérations que l'on prévoit de faire selon un ordre et des modalités déterminés. *Programme de production.* Syn. (off. déconseillé) planning. **5.** INFORM Suite d'instructions, rédigées dans un langage particulier (Fortran, Cobol, Basic, etc.) et utilisées par l'ordinateur pour effectuer un traitement déterminé. (L'ensemble des programmes et de leur traitement est appelé *logiciel.*)

programmé, ée adj. **1.** *Enseignement programmé :* méthode d'enseignement comportant un programme divisé en séquences brèves dont l'élève dirige lui-même le déroulement en fonction de son rythme d'assimilation. **2.** Muni d'un programmateur.

programmer v. tr. [1] **1.** Mettre (un film, une émission) dans un programme. **2.** INFORM Organiser (des données) selon un programme. **3.** Cour. Prévoir. *Programmer l'achat d'une voiture.*

programmeur, euse n. INFORM Spécialiste de la programmation.

progrès [pʀɔgʀɛ] n. m. **1.** Avance d'une troupe sur le terrain, au cours d'une opération, d'une campagne. *Arrêter les progrès de l'ennemi.* ▷ Extension dans l'espace. *Les progrès d'un feu de forêt.* Syn. progression. **2.** Fait d'aller plus avant, de s'accroître, de devenir meilleur. *Le progrès social.* – *Faire des progrès :* acquérir des connaissances ou des aptitudes nouvelles. **3.** *Absol.* Évolution de la société dans le sens d'une amélioration. *Douter du progrès.*

progresser v. intr. [1] **1.** Avancer, se rapprocher d'un objectif. *Les troupes ont progressé.* **2.** Aller plus avant, s'étendre, s'amplifier, faire des progrès. *Industrie qui progresse. Cet enfant ne progresse pas. Maladie qui progresse,* qui s'aggrave.

progressif, ive adj. **1.** Qui va en augmentant selon une progression. *Impôt progressif.* Ant. dégressif. **2.** Qui se fait graduellement, de manière continue. *Évolution progressive.* ▷ *Verre progressif :* verre correcteur de la vision ayant un double foyer avec passage graduel de l'un à l'autre. ▷ GRAM *Forme* *progressive d'un verbe,* qui indique que l'action exprimée est en train de s'accomplir (ex., en anglais : he *is coming*).

progression n. f. **1.** Action d'avancer, de progresser. *La progression de l'ennemi.* **2.** Fait de se développer. *La progression de la criminalité.* **3.** MATH *Progression arithmétique :* suite de nombres tels que chacun d'eux est la somme du précédent et d'un nombre constant, appelé *raison. La suite 1, 4, 7, 10,... est une progression arithmétique de raison 3.* ▷ *Progression géométrique :* suite de nombres tels que chacun d'eux est le produit du précédent par un nombre constant. *La suite 1, 3, 9, 27,... est une progression géométrique de raison 3.*

progressisme n. m. Doctrine, conviction progressiste.

progressiste adj. et n. Qui professe des opinions politiques avancées; partisan de réformes, souvent radicales, connues comme génératrices d'un progrès politique, social ou économique. Ant. conservateur.

progressivement adv. D'une manière progressive.

progressivité n. f. Caractère de ce qui est progressif.

prohibé, ée adj. Défendu, interdit légalement. *Armes prohibées,* dont le port, l'usage est interdit. – DR *Degré prohibé :* degré de parenté proche qui interdit le mariage.

prohiber v. tr. [1] DR Défendre, interdire par voie légale.

prohibitif, ive adj. DR Qui prohibe. ▷ Cour. *Prix prohibitif,* exorbitant au point d'être un obstacle à l'achat.

prohibition n. f. **1.** Action de prohiber (qqch). *La prohibition de l'inceste.* **2.** ECON Interdiction légale d'importer ou d'exporter (un produit). ▷ *Absol.* Interdiction des boissons alcoolisées aux É.-U., de 1919 à 1933.

prohibitionnisme n. m. Opinion, système des prohibitionnistes.

prohibitionniste n. et adj. Favorable à la prohibition de certains produits jugés dangereux (alcool, cannabis, par ex.).

proie n. f. **1.** Être vivant dont un animal s'empare pour en faire sa nourriture. – *Oiseau de proie,* qui se nourrit d'animaux vivants. **2.** Fig. Personne, chose dont on s'empare ou dont on cause la perte, la ruine. *Ces trésors furent la proie du vainqueur.* **3.** Fig., litt. *Être en proie à,* tourmenté par.

projecteur n. m. **1.** Appareil qui envoie au loin un puissant faisceau de rayons lumineux. *Projecteurs de scène.* ▷ Fig. Ce qui dirige l'attention sur (qqch, qqn). *Un projecteur sur la faim dans le monde.* **2.** Appareil permettant de projeter des diapositives, des films.

projectif, ive adj. **1.** GEOM *Propriétés projectives,* qui se conservent lors de la projection d'une figure. **2.** PSYCHO *Test projectif,* dans lequel le sujet est amené à extérioriser sa personnalité, son affectivité (interprétation de dessins, par ex.).

projectile n. m. **1.** Corps projeté en direction d'une cible, d'un objectif avec la main ou avec une arme. **2.** Toute chose lancée avec force. ▷ PHYS NUCL Particule utilisée pour produire une réaction nucléaire.

projection n. f. **1.** Action de projeter un corps, une matière. *Projection de sable.* ▷ *Projections d'un volcan,* les matières qu'il projette au cours d'une éruption. **2.** Action de former une image sur une surface, un écran. *La projection d'une ombre.* – Spécial. *Projection de photos, d'un film. La projection dure 1 h 30.* **3.** Prévision économique ou démographique fondée sur le prolongement d'une courbe statistique. **4.** GEOM Transformation par laquelle on fait correspondre à tout point d'une surface donnée un point d'une autre surface. – Point obtenu par cette transformation. – Ensemble des points obtenus par projection d'une figure. *La projection d'un cercle sur un plan non parallèle à celui du cercle est une ellipse.* ▷ GEOGR, ASTRO *Projection cartographique :* représentation sur une surface plane des figures tracées sur une sphère, selon divers modes, notam. par *projection orthogonale**. **5.** PSYCHAN Processus inconscient par lequel un sujet attribue à une autre personne des qualités, des tendances, des sentiments qu'il refuse ou méconnaît en lui-même. ▷ PSYCHO Manifestation de la personnalité de qqn dans ses réactions. ▷ MILIT Intervention rapide au-delà des frontières.

projectionniste n. Personne dont le métier est de projeter des films.

projet n. m. **1.** Ce qu'on se propose de faire. *Concevoir, exécuter un projet.* **2.** Première rédaction, première étude. *Projet de loi :* texte de loi élaboré par le gouvernement et soumis à l'approbation du pouvoir législatif. – *Projet d'un édifice, d'une machine,* etc., ensemble d'indications concernant sa réalisation avec dessins et devis.

projetable adj. MILIT Se dit d'unités militaires capables d'intervenir rapidement au loin.

projeter v. tr. [20] **1.** Lancer avec violence. *Projeter de la boue. Projeter une balle.* – *Il fut projeté sur la chaussée par l'explosion.* **2.** Émettre (une lumière); produire (une image) sur une surface. *Projeter une ombre. Projeter un film.* ▷ v. pron. *L'ombre se projetait au plafond.* **3.** GEOM Représenter (un corps) par sa projection sur un plan. **4.** PSYCHAN Prêter, attribuer à autrui (son propre état affectif). *Projeter son angoisse sur qqn.* – Absol. *Il projette.* **5.** Former le projet de. *Projeter un achat.*

projeteur n. m. TECH Dessinateur, technicien qui établit des projets.

Prokhorov (Alexandre Mikhaïlovitch) (Atherton, Australie, 1916), physicien soviétique. Avec N. Bassov, il inventa le maser amplificateur (1955). P. Nobel 1964.

Prokofiev (Sergueï Sergueïevitch) (Sontsovka, Ukraine, 1891 – Nikolina Gora, près de Moscou, 1953), compositeur et pianiste soviétique. Son œuvre comprend de nombr. pièces pour piano, des concertos, sept symphonies, de la musique de chambre, quelques suites enfantines (*Pierre et le Loup,* 1936), des ballets (*Pas d'acier,* 1927; *Roméo et Juliette,* 1940), de la musique de films (*Alexandre Nevski,* 1938; *Ivan le Terrible,* 1942-1945), des opéras (*l'Amour des trois oranges,* 1921; *l'Ange de feu,* créé à Paris en 1957). ► illustr. page 1520

Prokopievsk, ville de Russie, dans le Kouzbass; 274 000 hab. Houille, métallurgie, textiles.

prolactine n. f. BIOCHIM Hormone sécrétée par le lobe antérieur de l'hypophyse et dont le rôle principal est de déclencher la lactation.

prolamine n. f. BIOCHIM Protéine végétale contenue dans diverses graines (blé, riz, orge, maïs).

prolapsus [pʀɔlapsys] n. m. MED Déplacement pathologique d'un organe vers le bas. ▷ *Prolapsus génital :* ptôse de l'utérus vers la vulve.

prolégomènes n. m. pl. Didac. **1.** Longue introduction au début d'un livre. **2.** Notions préliminaires à l'étude d'une science.

prolepse n. f. RHET Figure de rhétorique consistant à prévoir une objection et à la réfuter par avance.

prolétaire n. m. et adj. **1.** ANTIQ ROM Citoyen pauvre, exempt d'impôts, qui ne contribuait à la puissance de la république que par les enfants qu'il lui donnait. **2.** Mod. Personne qui ne vit que du produit d'une activité salariée manuelle et dont le niveau de vie est en général bas (par oppos. à *capitaliste*). ▷ adj. *Masses prolétaires.* (Abrév. fam. : prolo).

prolétariat n. m. **1.** Vx Condition du prolétaire. **2.** Classe sociale que constituent les prolétaires (par oppos. à *bourgeoisie*).

prolétarien, enne adj. Qui concerne les prolétaires.

prolétarisation n. f. Fait d'être prolétarisé, de se prolétariser.

prolétariser v. tr. [1] Réduire à l'état de prolétaire. ▷ v. pron. Devenir prolétaire.

proliférant, ante adj. Qui prolifère.

prolifération n. f. **1.** BIOL Multiplication, normale ou pathologique, d'une cellule, d'une bactérie, d'un tissu, d'un organisme. **2.** BOT Formation d'un bouton à fleur sur une partie de la plante qui n'en porte pas habituellement. **3.** Fig. Multiplication excessive et rapide.

proliférer v. intr. [14] **1.** Engendrer, se reproduire, se multiplier. *Cellules qui prolifèrent. Race qui prolifère.* **2.** Fig. Se multiplier rapidement, exister en grand nombre.

prolificité n. f. Didac. Caractère prolifique.

prolifique adj. **1.** BIOL Qui a la possibilité d'engendrer. **2.** Qui se multiplie, se reproduit rapidement. *Espèces prolifiques.* **3.** Fig. Qui produit, crée en abondance. *Écrivain prolifique.*

prolixe adj. Litt. Qui emploie ou contient un trop grand nombre de mots. *Orateur, style prolixe.* Syn. verbeux.

prolixité n. f. Caractère de ce qui est prolixe, d'une personne prolixe.

prolo n. Fam., souvent péjor. Abrév. de *prolétaire. Des prolos.*

prologue n. m. **1.** Première partie d'une œuvre littéraire ou dramatique servant à situer les personnages et l'action de l'œuvre. *Les prologues du théâtre antique.* Ant. épilogue. **2.** MUS Petit morceau lyrique, sorte d'introduction au premier acte de certains opéras. **3.** Préface, introduction, avant-propos. *Le prologue de l'Évangile selon saint Jean.* – Fig. *Ce meeting est le prologue de la campagne électorale.* Syn. prélude. **4.** SPORT Brève épreuve précédant une compétition importante.

prolongateur n. m. TECH Cordon servant à relier une prise de courant et un appareil qui en est trop éloigné. Syn. rallonge.

prolongation n. f. **1.** Action de prolonger (dans le temps). **2.** Temps ajouté à une durée déjà fixée. *Une prolongation de congé.* – SPORT Temps ajouté à la fin d'un match pour permettre à deux équipes à égalité de se départager. *Jouer les prolongations.*

prolongé, ée adj. Accru en longueur. *Une rue prolongée. Un deuil prolongé.*

prolongeable adj. Qui peut se prolonger.

prolongement n. m. **1.** Action de prolonger (dans l'espace), accroissement en longueur. *Le prolongement d'une voie ferrée.* Syn. extension. **2.** Ce qui prolonge. *Dans le prolongement de :* dans la direction qui prolonge (qqch). **3.** Fig. Suite, extension. *Cette affaire aura des prolongements.*

prolonger v. tr. [**13**] Étendre, continuer, faire aller plus loin. **1.** (Dans l'espace.) *Prolonger une avenue.* – Constituer un prolongement. *L'appentis qui prolonge la maison.* ▷ v. pron. *Le jardin se prolonge jusqu'à la rue.* **2.** (Dans le temps.) Faire durer plus longtemps. *Prolonger ses vacances.* ▷ v. pron. *La discussion s'est prolongée fort tard.*

promégaloblaste n. m. BIOL Grande cellule à rayon arrondi, cellule souche de la série mégalocytaire, issue directement de l'hémocytoblaste, et qui donne naissance au mégaloblaste.

promenade n. f. **1.** Action de se promener. **2.** Voie, allée où l'on se promène. *La promenade des Anglais, à Nice.*

promener v. [**16**] **I.** v. tr. **1.** Conduire, faire aller, faire sortir (un être animé) pour le distraire ou lui faire prendre de l'exercice. *Promener un enfant, un animal.* **2.** Transporter, traîner avec soi (qqch). *Il a promené toute la journée cette lourde valise.* ▷ Fig. *Il promène toujours un air blasé.* **3.** Fig. Faire passer, déplacer doucement çà et là. *Promener les yeux, le regard sur quelqu'un.* **II.** v. pron. **1.** Aller (à pied, en voiture, etc.) pour se distraire ou pour prendre de l'exercice. ▷ Fig., litt. (Choses) *Le ruisseau se promène à travers les prairies.* – Fam. Circuler. *Ce document s'est promené dans deux ou trois services, par erreur.* **2.** Fam. (Avec ellipse du pron. réfléchi.) *Envoyer promener qqn,* le renvoyer, le rejeter avec impatience. – Abandonner, renoncer à. *Il a tout envoyé promener.*

promeneur, euse n. Personne qui se promène.

promenoir n. m. **1.** Lieu couvert destiné à la promenade. **2.** Partie d'un théâtre où les spectateurs se tiennent debout.

promesse n. f. **1.** Action de promettre, engagement écrit ou verbal de faire, de donner qqch. ▷ DR Engagement de contracter une obligation, d'accomplir un acte. *Promesse de vente, d'achat.* **2.** Fig. Espérance que l'on conçoit au sujet de qqch ou de qqn. *Jeune poète plein de promesses.*

Prométhée, dans la myth. gr., fils du Titan Japet, frère d'Atlas et d'Épiméthée, père de Deucalion. Le mythe de Prométhée est lié à celui de la création de l'homme et de l'apparition de la civilisation. D'après certaines légendes, l'homme serait en effet l'œuvre de ce héros, qui aurait également dérobé le feu du Ciel pour l'apporter sur la Terre, permettant aux hommes de compenser les insuffisances de la nature. Dans sa colère, Zeus affligea l'humanité des maux contenus dans la boîte de Pandore et fit attacher Prométhée par Héphaïstos sur la plus haute cime du Caucase, où un aigle lui dévorait le foie, qui sans cesse repoussait.

prométhéen, enne adj. Relatif à Prométhée. *Le mythe prométhéen.* ▷ Litt. Dont le goût est à l'action; qui a foi dans l'homme.

prométhium [pʀɔmetjɔm] n. m. CHIM Élément radioactif artificiel appartenant à la famille des lanthanides, de numéro atomique Z = 61, de masse atomique 145 (symbole Pm).

prometteur, euse n. et adj. **1.** n. Rare Personne qui promet à la légère ou sans intention de tenir ses promesses. **2.** adj. Plein de promesses. *Un avenir prometteur.*

promettre v. [**60**] **I.** v. tr. **1.** S'engager à l'égard de qqn à (faire qqch). *Il m'a promis de venir.* ▷ S'engager à donner (qqch). *Promettre un jouet à un enfant.* **2.** Assurer. *Je vous promets que vous ne le regretterez pas.* ▷ Annoncer comme sûr, prédire. *La météo avait promis du soleil.* **3.** Laisser espérer. *Ce ciel nous promet du beau temps.* ▷ *Absol.* Donner de grands espoirs pour le futur. *Un jeune homme qui promet.* **II.** v. pron. **1.** (Récipr.) S'engager dans une promesse mutuelle. *Ils se sont promis de s'épouser.* **2.** (Réfl. indir.) Prendre une résolution. *Je me suis promis de ne plus le voir.* **3.** Espérer, faire le ferme projet de. *Je m'étais promis un jour de vacances.*

promis, ise adj. et n. **I.** adj. **1.** Dont on a fait la promesse. ▷ Prov. *Chose promise, chose due :* il faut faire ce qu'on a promis. – RELIG *Terre promise,* la terre de Canaan que Yahvé avait promise au peuple hébreu; fig. pays très fertile; *par ext.* ce qu'on cherche à atteindre. **2.** *Promis à :* destiné à. **II.** n. Vx ou rég. Fiancé, fiancée. *C'est sa promise.*

promiscuité [pʀɔmiskɥite] n. f. **1.** Voisinage fâcheux qui gêne ou empêche l'intimité. **2.** Assemblage; mélange fâcheux de personnes très différentes.

promo n. f. Fam. Abrév. de *promotion* (en parlant d'une grande école).

promontoire n. m. Pointe de terre élevée qui s'avance dans la mer ou au-dessus d'une plaine.

promoteur, trice n. **1.** Personne qui donne la première impulsion (à qqch). *Luther fut un des promoteurs de la Réforme.* **2.** Homme d'affaires qui fait construire des immeubles en vue de les vendre ou de les louer. **3.** n. m. CHIM Substance servant à améliorer l'activité d'un catalyseur.

promotion n. f. **1.** Action par laquelle on élève à la fois plusieurs personnes à un même grade, à une même dignité. *Faire des promotions dans la Légion d'honneur.* – Admission simultanée de candidats à une grande école; ensemble des candidats admis. *Camarades de promotion.* **2.** Nomination d'une ou de plusieurs personnes à un emploi supérieur. *Bénéficier d'une promotion.* Syn. avancement. **3.** *Promotion immobilière :* action de faire construire des immeubles en vue de les vendre ou de les louer. – *Promotion des ventes :* ensemble des techniques utilisées pour améliorer et développer les ventes. – *Article en promotion,* dont le prix de vente constitue une incitation particulière à l'achat.

Prométhée torturé par le vautour (à dr.) et son frère Atlas

promotionnel, elle adj. Destiné à améliorer les ventes.

promouvoir v. tr. [**43**] **1.** Élever à une dignité, à un grade supérieur. *Promouvoir un colonel au grade de général.* **2.** Favoriser l'expansion, le développement de. *Promouvoir des réalisations sociales.* **3.** COMM Inciter par promotion à l'achat de (qqch). *Promouvoir un nouveau produit.*

prompt, prompte [pʀɔ̃, pʀɔ̃t ou pʀɔ̃pt] adj. **1.** Qui s'effectue rapidement, sans tarder. *Le prompt rétablissement d'un malade.* **2.** Qui montre de la rapidité, de la vivacité dans son comportement, ses réactions. *Avoir l'esprit prompt.* – Par ext. *Avoir l'humeur, la main, la repartie prompte.* Syn. rapide.

promptement adv. En peu de temps, sans tarder.

prompteur [pʀɔ̃ptœʀ] n. m. Appareil sur lequel défile le texte à dire par le présentateur de télévision qui est face à la caméra. Syn. téléprompteur.

promptitude [pʀɔ̃tityd; pʀɔ̃ptityd] n. f. **1.** Rapidité. *La promptitude de son retour m'a surpris.* **2.** Vivacité.

promu, ue adj. Élevé à une dignité, un grade. *Caporaux promus.*

promulgateur, trice n. et adj. Didac. Personne qui promulgue (une loi). – adj. *L'instance promulgatrice.*

promulgation n. f. Action de promulguer. ▷ DR *Promulgation d'une loi :* publication officielle et solennelle d'une loi.

promulguer v. tr. [**1**] Publier (une loi) dans les formes requises pour (la) rendre exécutoire.

pronaos [pʀɔnaɔs] n. m. ARCHI Portique qui, dans les temples grecs et les églises orientales anciennes, précède le naos (ou cella).

pronation n. f. PHYSIOL Mouvement du poignet par lequel la main, tournée vers le haut, accomplit une rotation interne de 180°. Ant. supination.

prône n. m. RELIG CATHOL Instruction chrétienne que le prêtre faisait en chaire à la messe dominicale. (Le concile Vatican II lui a préféré le terme d'*homélie.*) ▷ Vx ou litt. Discours long et ennuyeux, de ton moralisateur.

prôner v. tr. [**1**] Vanter, louer, recommander (qqch) comme étant ce qu'il y a de meilleur. *Prôner un remède nouveau, une théorie, des idées.* Syn. préconiser. Ant. décrier, dénigrer.

pronom n. m. GRAM Mot qui, en général, représente un nom *(« Est-ce que Pierre vient ? – Oui, il vient »),* un adjectif *(« Est-il discret ? – Oui, il l'est »),* ou une proposition *(« Vas-tu lire ce livre ? – Je suis en train de le faire »),* exprimés avant ou après lui dans le contexte. – Dans l'emploi dit *absolu* du pronom, celui-ci ne représente aucun élément contextuel et il s'agit d'un élément nominal. *Tout est fait. Rien n'est dit. Qui va là ?* (On distingue les pronoms *personnels, pos-*

sessifs, démonstratifs, relatifs, interrogatifs et *indéfinis*.)

pronominal, ale, aux adj. **1.** Relatif au pronom, de la nature du pronom. *Adjectifs pronominaux*, qui peuvent avoir fonction de pronoms (démonstratifs, interrogatifs et possessifs). *Adverbes pronominaux : en* et *y*. **2.** Qui comporte un pronom. *Verbe pronominal*, qui se conjugue avec deux pronoms de la même personne, l'un sujet, l'autre régime et qui, aux formes composées, demande l'auxiliaire *être*. – *Verbes essentiellement pronominaux* : verbes qui ne s'emploient qu'à la forme pronominale *(s'abstenir)*. ▷ *Verbes accidentellement pronominaux* : verbes transitifs qui peuvent être ou non pronominaux. *Ils peuvent être réfléchis* (il se regarde), *réciproques* (ils se battent), *neutres* (le soleil se lève), *à sens passif* (ce vin se boit frais).

pronominalement adv. **1.** En fonction de pronom. *Adverbe employé pronominalement.* **2.** Comme verbe pronominal.

prononçable adj. Qui peut se prononcer. Ant. imprononçable.

prononcé, ée adj. et n. m. **1.** Déclaré, rendu. *Le divorce n'est pas encore prononcé.* ▷ n. m. Énoncé d'un jugement. **2.** Marqué. *Un visage aux traits prononcés. Une aversion prononcée.*

prononcer v. [**12**] **I.** v. tr. **1.** Articuler les sons qui composent les mots, les formes signifiantes d'une langue. *Un mot, une phrase difficile à prononcer.* **2.** Dire, énoncer. *Il n'a pas prononcé un mot depuis son arrivée.* – Réciter, dire. *Prononcer un discours.* **3.** Déclarer en vertu de son autorité. *Prononcer un arrêt. Prononcer un divorce.* **II.** v. intr. Décider, statuer. *La loi a prononcé.* **III.** v. pron. **1.** Être prononcé, articulé. *Ce mot s'écrit comme il se prononce.* **2.** Se dessiner nettement, être accentué. *Un mieux se prononce dans l'état du malade.* **3.** Prendre une décision explicite, formuler son avis, son intention. *Il s'est prononcé pour un changement radical.*

prononciation n. f. **1.** DR Action de prononcer (un jugement). **2.** Manière de prononcer, d'articuler les sons d'une langue. *Bonne, mauvaise prononciation. Un défaut de prononciation.* – Manière dont un ensemble de sons transcrits doit être prononcé. *Indiquer la prononciation des mots en orthographe phonétique.*

pronostic n. m. Estimation, conjecture sur ce qui doit arriver. *Faire, établir des pronostics. Écouter les pronostics des courses à la radio.* ▷ MED Prévision du cours et des effets d'une maladie. *Le pronostic se fonde principalement sur le diagnostic.*

pronostique adj. MED Relatif au pronostic. *Signes pronostiques.*

pronostiquer v. tr. [**1**] **1.** Faire un pronostic. *Il avait pronostiqué la victoire de cette jument dans le Grand Prix.* **2.** Litt. Laisser prévoir, annoncer. *Ce ton menaçant pronostiquait le pire.*

pronostiqueur, euse n. **1.** Personne qui pronostique, iron. qui se mêle de pronostiquer. **2.** Journaliste chargé d'établir des pronostics sportifs (notam. hippiques).

pronunciamiento [pʀɔnunsjamjɛnto] n. m. En Espagne et en Amérique du Sud, action insurrectionnelle organisée par l'armée. (V. putsch.) – Proclamation, manifeste qui précède cette action. *Des pronunciamientos.*

Prony (Marie Riche, baron de) (Chamelet, Lyonnais, 1755 – Asnières, 1839), ingénieur et savant français. Il améliora de nombreux canaux et transforma plusieurs ports (Gênes, Dunkerque, Ancône). Il inventa le frein dynamométrique (1821).

prop-. CHIM Préfixe utilisé pour former les noms des composés dont le squelette est constitué par trois atomes de carbone.

propadiène n. m. CHIM Syn. de *allène*.

propagande n. f. **1.** Activité tendant à propager, à répandre des idées, des opinions, et surtout à rallier des partisans à une idée, à une cause. *Faire de la propagande.* **2.** *La Propagande* : nom usuel de la congrégation de la Propagation de la foi.

propagandisme n. m. Didac. Tendance à faire de la propagande.

propagandiste n. et adj. Personne qui fait de la propagande. ▷ adj. *Une entreprise propagandiste.*

propagateur, trice n. Celui, celle qui propage.

propagation n. f. **1.** Multiplication par reproduction (en parlant d'êtres vivants). *La propagation de l'espèce.* **2.** Action de se propager, de répandre. *La propagation des flammes.* – Fig. *La propagation des idées.* – RELIG CATHOL *Congrégation pour la Propagation de la foi* : congrégation romaine fondée en 1622 dans le but d'évangéliser les territoires non européens dits « pays de mission ». **3.** Fait de se propager; extension, progression. *La propagation d'une maladie.* – PHYS Déplacement dans l'espace d'un phénomène vibratoire.

propager v. tr. [**13**] **1.** Multiplier, reproduire par voie de génération. *Propager une espèce.* ▷ v. pron. *Races qui se propagent rapidement.* **2.** Répandre, faire connaître. Syn. diffuser. ▷ v. pron. Se répandre, gagner. *Le feu s'est propagé jusqu'aux immeubles voisins.* **3.** PHYS Assurer la transmission de, conduire. *L'air propage les vibrations acoustiques.* ▷ v. pron. Se déplacer. *Le son se propage dans l'air à la vitesse de 340 m/s.*

propane n. m. CHIM Hydrocarbure saturé de formule CH_3-CH_2-CH_3, gaz incolore se liquéfiant à −44 °C, utilisé comme combustible.

propané, ée adj. TECH Qui contient du propane. ▷ *Air propané* : mélange d'air et de propane utilisé comme combustible.

propanier n. m. MAR Navire spécialement aménagé pour le transport du propane.

propanol n. m. CHIM Alcool propylique*, utilisé en pharmacie, dans l'industrie des vernis, comme antigel et comme solvant.

proparoxyton n. m. LING Mot dont l'accent tonique porte sur l'antépénultième.

propédeutique n. f. **1.** Enseignement préparatoire à un enseignement plus complet. **2.** (De 1948 à 1966.) Classe préparatoire obligatoire pour les bacheliers candidats à une licence.

propène n. m. CHIM Syn. off. recommandé de *propylène*.

propension n. f. Tendance naturelle. *Propension à mentir, au mensonge.* Syn. disposition, inclination.

Properce (en lat. *Sextus Aurelius Propertius*) (Ombrie, v. 47 –?, v. 15 av. J.-C.), poète latin. Ses *Élégies* (quatre livres, écrits à la manière des poètes alexandrins) décrivent les tourments de l'amour passion.

propergol n. m. (Nom déposé.) TECH Ergol ou mélange d'ergols assurant la propulsion des moteurs-fusées.

prophase n. f. BIOL Première phase de la mitose et de la méiose, caractérisée par l'individualisation des chromosomes, par leur clivage longitudinal (sauf au niveau du centromère) et par la disparition de l'enveloppe nucléaire.

prophète, prophétesse n. **1.** Chez les Hébreux, personne qui, inspirée par Dieu, annonçait au peuple des croyants une vérité cachée, des récompenses ou des châtiments divins. ▷ *Le Prophète-roi* : David. – *Le Prophète* : pour les musulmans, Mahomet. **2.** Personne qui annonce l'avenir, ce qui doit arriver. *Vous avez été bon prophète.* ▷ Loc. *Prophète de malheur* : personne qui annonce des choses désagréables. – *Faux prophète* : imposteur. ▷ Prov. *Nul n'est prophète en son pays* : on a moins de succès parmi les siens qu'ailleurs.
ENCYCL La Bible distingue quatre *grands prophètes* : Isaïe, Jérémie, Ézéchiel, Daniel, et douze *petits prophètes* : Osée, Joël, Amos, Abdias, Michée, Jonas, Nahum, Habacuc, Sophonie, Aggée, Zacharie, Malachie; chacun d'eux a donné son nom à un livre de la Bible.

prophétie [pʀɔfesi] n. f. **1.** Révélation des choses cachées, par inspiration divine. **2.** *Par ext.* Toute prédiction.

prophétique adj. **1.** Qui appartient au prophète. *Don, inspiration prophétique.* **2.** Qui tient de la prophétie; qui annonce l'avenir; dont les prévisions se sont réalisées. *Rêve, parole prophétique.* Syn. prémonitoire.

prophétiser v. tr. [**1**] **1.** Annoncer l'avenir par inspiration surnaturelle. **2.** Prédire, dire d'avance ce qui doit arriver. ▷ Absol. *Nul besoin de prophétiser!*

prophylactique adj. MED Relatif à la prophylaxie.

prophylaxie n. f. MED Partie de la médecine qui a pour objet de prévenir l'apparition et le développement des maladies. – Ensemble des mesures prises à cette fin.

propice adj. **1.** (En parlant des dieux.) Favorable, bien disposé (à l'égard de qqn). Par ext. *Un vent propice.* **2.** (Choses) Bien adapté, qui convient bien. *L'heure était propice aux confidences.* ▷ Opportun. *Arriver au moment propice.*

propitiation [pʀɔpisjasjɔ̃] n. f. RELIG *Sacrifice de propitiation*, offert à Dieu pour le rendre propice.

propitiatoire [pʀɔpisjatwaʀ] n. m. et adj. **1.** n. m. HIST Plaque d'or qui recouvrait l'Arche* d'alliance. **2.** adj. Litt. Qui a la vertu de rendre propice. *Sacrifice propitiatoire.*

propolis [pʀɔpɔlis] n. f. SC NAT Substance résineuse récoltée par les abeilles, notam. sur les bourgeons, et qu'elles utilisent pour boucher les fissures de la ruche, fixer les rayons, etc.

Propontide, nom antique de la mer de Marmara.

proportion n. f. **1.** Rapport de grandeur entre les différentes parties d'un tout. – (Plur.) Ensemble des dimensions qui caractérisent un tout, considérées les unes par rapport aux autres. *Les proportions du Parthénon.* **2.** *Par ext.* (Souvent au plur.) Dimensions. – Fig. *Ramener les faits à leurs justes propor-*

tions. **3.** Rapport constant entre deux ou plusieurs grandeurs. ▷ MATH Égalité de deux rapports (ex. : $\frac{a}{b} = \frac{c}{d}$). **4.** Rapport quantitatif, pourcentage. – *À proportion, en proportion :* dans un rapport constant. Syn. proportionnellement. ▷ *Hors de proportion (avec) :* sans rapport (avec), démesuré. – *Toutes proportions gardées :* en tenant compte de la valeur relative, de la différence entre. **5.** Quantité relative (lorsqu'il y a plusieurs éléments).

proportionnable adj. Qui peut être proportionné.

proportionnalisme n. m. POLIT Doctrine des partisans de la représentation proportionnelle.

proportionnalité n. f. **1.** Caractère des choses, des grandeurs proportionnelles entre elles. **2.** Juste répartition. *Proportionnalité de l'impôt.*

proportionné, ée adj. **1.** Qui est dans un rapport convenable avec. *L'amende est proportionnée au délit.* **2.** Dont les proportions sont respectées.

proportionnel, elle adj. et n. f. Qualifie une grandeur liée à une autre par un rapport déterminé (proportion). ▷ MATH *Grandeurs directement proportionnelles :* se dit de deux grandeurs dont le rapport reste constant. *Grandeurs inversement proportionnelles,* dont le produit reste constant. ▷ *Représentation proportionnelle :* système électoral accordant une représentation proportionnelle aux suffrages obtenus. – n. f. *Voter à la proportionnelle.*

proportionnellement adv. En proportion. *Proportionnellement à.*

proportionner v. tr. [1] Établir un juste rapport, une juste proportion entre (une chose et une autre).

propos n. m. **1.** Ce que l'on se propose; intention, dessein. *Mon propos n'est pas de vous condamner.* ▷ Loc. prép. *Dans le propos de :* afin de, pour, dans l'intention de. ▷ *Ferme propos :* résolution bien arrêtée. ▷ Loc. adv. *De propos délibéré :* à dessein, intentionnellement. **2.** Loc. prép. *À propos de :* au sujet de. *Je veux vous voir à propos de votre fils.* – Loc. adv. *À tout propos :* à chaque instant, à chaque occasion. – Absol. *À propos :* à ce sujet, et, par ext., tant que j'y pense. *À propos, comment va-t-il ?* – À point nommé, opportunément. *Arriver à propos, fort à propos.* ▷ *Mal à propos, hors de propos :* d'une façon inopportune, sans raison. *Vous étiez là bien mal à propos.* – Loc. adj. Opportun, convenable. *Il n'a pas jugé à propos de nous le dire. Des liaisons mal à propos. Tout cela est hors de propos.* ▷ n. m. *À-propos :* opportunité; présence d'esprit. *Avoir de l'à-propos. Manquer d'à-propos.* **3.** n. m. pl. Suite de paroles, discours que l'on tient dans une conversation. *Des propos désobligeants.*

proposable adj. Qui peut être proposé.

proposer v. [1] **I.** v. tr. **1.** Mettre en avant, énoncer (qqch) pour qu'on en délibère; soumettre à l'avis d'autrui. *Proposer un plan d'action. Proposer une loi.* – Suggérer. *Je propose de partir* (ou *qu'on parte*) *avant la nuit.* **2.** Soumettre la candidature de (qqn); présenter, recommander, désigner (qqn) comme apte à. *Proposer qqn pour la Légion d'honneur.* **3.** Offrir, présenter, mettre à la disposition de. *Proposer son aide, ses services.* – Présenter une offre. *Il a proposé de vous accompagner.* **4.** Donner à traiter. – Pp. *Les sujets proposés cette année au baccalauréat.* **5.** Offrir (une certaine somme) pour acquérir (qqch). *On m'a proposé mille francs de ce tableau.* **II.** v. intr. Vx Former un dessein. *L'homme propose et Dieu dispose.* **III.** v. pron. **1.** Offrir ses services. *Elle s'est proposée pour vous aider.* **2.** Avoir comme but. *Se proposer de partir.*

proposition n. f. **1.** Action de proposer un projet, une offre; chose proposée. *Proposition de mariage.* Syn. offre. – *Proposition de loi :* texte d'une nouvelle loi élaboré par un parlementaire (ou un groupe de parlementaires) et soumis à l'approbation du pouvoir législatif. **2.** Énonciation d'un jugement, affirmation. *Soutenir une proposition.* – MATH Énonciation d'une égalité, d'un théorème, etc.; ses termes. ▷ LOG Contenu d'une phrase. – Prédicat. *Calcul des propositions.* ▷ GRAM Mot ou groupe de mots, généralement ordonnés autour d'un verbe, constituant une unité syntaxique, et correspondant soit à une phrase simple *(proposition indépendante),* soit à un élément de phrase complexe *(proposition principale* ou *subordonnée).*

propositionnel, elle adj. **1.** LOG Qui concerne les propositions. **2.** Qui formule des propositions. *Une opposition constructive et propositionnelle.*

Propp (Vladimir Iakovlevitch) (Saint-Pétersbourg, 1895 – Leningrad, 1970), spécialiste soviétique du folklore : *les Fêtes paysannes russes* (1963). Son ouvrage *Morphologie du conte* (1928) fonda l'analyse structurale du récit dans la critique littéraire moderne.

1. propre adj. et n. m. **A.** adj. **I.** (Après le nom.) **1.** Qui appartient exclusivement ou particulièrement à (qqn, qqch); qui caractérise (qqn, qqch). *La poésie de Verlaine a son charme propre. Facultés propres à l'homme.* Syn. particulier. ▷ *Sens propre :* sens littéral, non modifié d'un terme (par oppos. à *sens figuré*). ▷ LING *Nom propre :* nom désignant un objet unique, notamment une personne, un lieu, une entité individuelle (ex. : Jean, la France). *Les noms propres s'écrivent avec une majuscule.* **2.** Qui convient, correspond parfaitement. *Employer le terme propre.* – *Une eau propre à la consommation.* Syn. approprié, adéquat. Ant. impropre. **3.** (Personnes) Vieilli Apte à, capable de. *Il n'est guère propre à cette place, à ce poste.* – Loc. mod. *Propre à rien.* ▷ Subst. *Un propre-à-rien :* un incapable. *Des propres-à-rien.* **II.** (Après le possessif.) Sert à marquer avec plus de force, d'emphase, le rapport de possession, ou à lever une ambiguïté. *Ce sont ses propres termes.* **B.** n. m. **I.** *Le propre de...* Qualité, caractère particulier qui appartient à un sujet et le distingue. *Penser, parler est le propre de l'homme.* **II.** (Plur.) DR Biens d'un conjoint qui ne tombent pas dans la communauté. **III.** LITURG CATHOL *Le propre de la messe :* les textes qui sont dits spécifiquement à l'occasion de la fête du jour (par oppos. à *ordinaire*). **IV.** Loc. adv. **1.** *En propre :* en propriété exclusive. *Ce qu'elle possède en propre.* **2.** *Au propre :* au sens propre. *Au propre comme au figuré.*

2. propre adj. et n. m. **I.** adj. **1.** Net, immaculé, sans taches ni souillures. *Avoir les mains propres. Enfiler des vêtements propres.* **2.** Net, soigné, bien ordonné (choses, actions). *Un jardin propre. Un travail propre.* **3.** (Personnes) Qui a des habitudes de propreté. ▷ (En parlant d'un enfant.) Qui contrôle ses fonctions naturelles. *Il ira à l'école quand il sera propre.* **4.** Fig. De moralité incontestable. *Des gens propres en affaires. Une intrigue pas très propre.* Syn. honnête. Ant. douteux. **II.** n. m. **1.** Ce qui est propre. *Du linge qui sent le propre.* ▷ *C'est du propre ! :* se dit d'une affaire mal conduite ou malhonnête. **2.** Copie définitive. *Recopier au propre.*

1. proprement adv. **1.** Précisément, exactement. ▷ Loc. adv. *À proprement parler :* pour parler en termes exacts, littéralement. ▷ *Proprement dit :* au sens étroit, restreint; au sens propre. *Le domaine de la philosophie proprement dite.* **2.** De la belle manière, comme il faut. *Il l'a proprement remis en place.*

2. proprement adv. **1.** D'une manière propre. *Manger proprement.* **2.** Fig. D'une manière honnête, correcte, régulière. *Il s'est conduit très proprement.*

propret, ette adj. Fam., souvent iron. Coquet, simple et propre.

propreté n. f. **1.** Caractère, état de ce qui est propre, exempt de saleté. *Draps d'une propreté douteuse. La propreté d'une maison. Un air de propreté.* ▷ Qualité d'une personne propre. *Femme de ménage d'une grande propreté.* **2.** Fig. Qualité de ce qui est honnête, correct, régulier, conforme à la morale.

propréteur n. m. ANTIQ ROM Magistrat (souvent, un ancien préteur) chargé du gouvernement d'une province.

Propriano, com. de la Corse-du-Sud (arr. de Sartène), sur le *golfe de Valinco ;* 3 238 hab. Pêche, tourisme.

propriétaire n. et adj. **1.** Personne à qui une chose appartient en propriété. *Le propriétaire de cette voiture est prié de se faire connaître.* ▷ adj. *Être propriétaire de sa maison.* **2.** Personne qui possède un bien-fonds. *Un riche propriétaire.* **3.** Personne à qui appartient un immeuble loué à des locataires. **4.** adj. INFORM Se dit d'un matériel dont la définition et l'évolution sont sous le contrôle d'une seule société.

propriété n. f. **I.** **1.** Droit de jouir ou de disposer d'une chose que l'on possède en propre de la manière la plus absolue, pourvu qu'on n'en fasse pas un usage prohibé par les lois et règlements. *Titre de propriété. Propriété foncière, mobilière.* ▷ *Propriété littéraire et artistique :* ensemble des droits moraux et pécuniaires d'un écrivain ou d'un artiste sur son œuvre. ▷ *Propriété commerciale :* droit pour un commerçant locataire au renouvellement du bail. ▷ *Propriété industrielle :* ensemble des droits concernant les créations (brevets, modèles, etc.) et les signes distinctifs (marque, nom commercial, etc.). **2.** Chose qui fait l'objet du droit de propriété. ▷ *Propriété saisonnière :* Syn. de *multipropriété.* **3.** Bien-fonds possédé par qqn; domaine. *Une propriété de 50 hectares. Propriété de famille.* **II.** **1.** Caractère, qualité propre à qqch. *Les propriétés physiques des corps.* **2.** Exactitude (d'un terme employé). Ant. impropriété.

proprio n. Fam. Abrév. de *propriétaire.*

propriocepteur n. m. PHYSIOL Récepteur de la sensibilité proprioceptive.

proprioceptif, ive adj. PHYSIOL *Sensibilité proprioceptive :* sensibilité nerveuse affectant les muscles, les tendons, les os et les articulations.

proprioception n. f. PHYSIOL Sensibilité proprioceptive.

propulser v. tr. [1] **1.** Faire mouvoir, faire avancer. *Le moteur qui propulse une fusée.* **2.** Fig., fam. Projeter, pousser en avant. ▷ v. pron. Fam. Avancer.

propulseur n. m. **1.** TECH Dispositif produisant une force qui pousse un mobile vers l'avant (hélice, réacteur, etc.). ▷ adj. *Engin propulseur.* – Gaz contenu dans une bombe d'aérosol servant à pousser vers l'extérieur le produit qu'elle contient. **2.** PREHIST Instrument en bois de cervidé, os ou bois, destiné à aider au lancement d'une arme de jet.

propulsif, ive adj. TECH Qui exerce une propulsion, partic. en agissant par l'arrière. *Hélice propulsive.*

propulsion n. f. **1.** Action de pousser en avant. *La propulsion du sang dans les veines.* **2.** Mouvement qui projette en avant. *Propulsion à réaction.*

propyle n. m. CHIM Radical univalent $CH_3 - CH_2 - CH_2$, dérivé de l'alcool propylique.

propylée n. m. ANTIQ GR **1.** Porte monumentale d'un temple. **2.** (Plur.) Construction à colonnes érigée pour former l'entrée principale de l'enceinte d'un sanctuaire, d'une citadelle. – Absol. *Les Propylées,* de l'acropole d'Athènes. ▶ illustr. **acropole**

propylène n. m. CHIM Hydrocarbure éthylénique de formule $CH_3\text{-}CH\text{=}CH_2$, dérivé du propane et servant à la fabrication de matières plastiques. Syn. (off. recommandé) propène.

propylique adj. CHIM *Alcool propylique :* $CH_3\text{-}CH_2\text{-}CH_2OH$ ou propanol*.

prorata n. m. inv. **1.** Vx Quote-part. ▷ *Compte-prorata :* partage des frais communs entre les différentes parties prenantes. **2.** Loc. adv. et prép. *Au prorata (de) :* proportionnellement (à).

prorogatif, ive adj. Qui proroge. *Décret prorogatif.*

prorogation n. f. **1.** Délai, prolongation. **2.** POLIT Acte par lequel le pouvoir exécutif proroge les Chambres.

proroger v. tr. [13] **1.** Prolonger le temps, le délai qui avait été accordé, fixé pour. *Proroger un traité, une loi. Proroger une échéance.* **2.** POLIT Suspendre (les séances des chambres parlementaires) et (en) remettre la continuation à une date ultérieure.

prosaïque adj. **1.** Qui tient trop de la prose. *Vers prosaïque.* **2.** Fig., mod. Exempt de poésie, d'élévation d'esprit, terre à terre. *Des occupations très prosaïques.* Syn. commun, ordinaire.

prosaïquement adv. D'une façon prosaïque.

prosaïsme n. m. Didac. Défaut de ce qui est prosaïque. ▷ Fig. *Le prosaïsme du quotidien.* Ant. poésie.

prosateur n. m. Auteur qui écrit en prose.

proscripteur n. m. Didac. Celui qui proscrit.

proscription n. f. **1.** ANTIQ ROM Action de proscrire (sens 1). *Les proscriptions sanglantes de Sylla.* ▷ Cour. Mesure prise pour interdire à un citoyen, généralement pour des raisons politiques, de continuer à résider dans sa patrie. **2.** Fig. Action de rejeter, de condamner.

proscrire v. tr. [67] **1.** ANTIQ ROM Condamner à mort, à l'exil, sans forme judiciaire, en publiant par voie d'affiche le nom des condamnés. **2.** Bannir, exclure, chasser d'un pays, d'une société, d'une communauté. ▷ Fig. Rejeter. *Les tournures les plus archaïques sont à proscrire.* **3.** Interdire, défendre formellement.

proscrit, ite adj. et n. Frappé de proscription.

prose n. f. **1.** Forme du discours écrit qui n'est pas soumise aux règles de la poésie formelle; tout discours oral spontané. *Écrire en prose.* ▷ *Poème en prose, prose poétique :* écrit d'inspiration lyrique, poétique, qui n'est pas soumis aux règles de la versification. ▷ Fig. *Faire de la prose sans le savoir :* faire, réussir qqch par hasard et sans dessein (allus. à une scène du *Bourgeois gentilhomme* de Molière). **2.** Manière d'écrire; littérature. *Bonne, mauvaise prose.* ▷ Fam. Lettre, écrit. *J'ai reçu votre prose.* **3.** LITURG Hymne latine, rimée et fortement rythmée, chantée avant l'Évangile à la messe de Pâques, de Pentecôte, du Saint-Sacrement, aux offices funèbres.

prosélyte n. m. **1.** ANTIQ Chez les Juifs de l'époque hellénistique et du début de l'ère chrétienne, païen converti au judaïsme et ayant été circoncis. **2.** *Par anal.* Personne nouvellement convertie à une religion. **3.** *Par ext.* Fig. Partisan gagné depuis peu à un mouvement, à une doctrine; nouvel adepte.

prosélytisme n. m. Zèle déployé pour faire des prosélytes, de nouveaux adeptes.

Proserpine, dans la myth. rom., déesse de l'Agriculture, reine des Enfers, fille de Cérès et de Jupiter, épouse de Pluton. Elle a été identifiée à la Perséphone des Grecs.

prosimiens [pʀɔsimjɛ̃] n. m. pl. ZOOL Syn. de *lémuriens.* – Sing. *Un prosimien.*

prosobranches n. m. pl. ZOOL Sous-classe de mollusques gastéropodes caractérisés par des branchies situées en avant du cœur (ormeau, patelle, murex). – Sing. *Un prosobranche.*

prosodie n. f. **1.** Didac. Étude des règles relatives à la métrique et, partic., étude de la durée, de la hauteur et de l'intensité des sons. **2.** LING Partie de la phonologie qui étudie les faits phoniques qui échappent à l'analyse en phonèmes et traits distinctifs, tels que le ton, l'intonation, l'accent et la durée. **3.** MUS *Prosodie musicale :* règles concernant l'application de la musique à des paroles ou inversement.

prosodique adj. Didac. Qui appartient à la prosodie. ▷ LING *Trait prosodique :* trait phonique affectant un segment autre que le phonème.

prosopopée n. f. RHET Figure qui consiste à faire agir et parler un mort, un animal, une chose personnifiée.

1. prospect [pʀɔspɛ] n. m. Distance minimale entre deux bâtiments autorisée par la voirie.

2. prospect [pʀɔspɛ(kt)] n. m. COMM Client potentiel d'une entreprise.

prospecter v. tr. [1] **1.** Parcourir et étudier un terrain en vue d'y découvrir des gisements, des richesses exploitables. **2.** COMM Étudier, parcourir (une ville, une région) pour rechercher une clientèle. **3.** Fig. Parcourir et examiner minutieusement. *J'ai prospecté les fichiers.*

prospecteur, trice n. **1.** Personne qui prospecte une région, un terrain. *Prospecteurs d'uranium.* **2.** Fig. et litt. Personne qui cherche à découvrir, qui explore. *Un prospecteur d'idées.*

prospecteur-placier n. m. Fonctionnaire chargé de rechercher des emplois disponibles pour les proposer aux demandeurs d'emploi. *Des prospecteurs-placiers.*

prospectif, ive adj. Qui concerne le futur, tel qu'on peut l'imaginer à partir de données et de tendances actuelles.

prospection n. f. **1.** Recherche systématique entreprise pour découvrir des richesses naturelles. *Prospection pétrolière.* ▷ Par ext. *Prospection commerciale.* **2.** Fig. Action de prospecter (sens 3).

prospective n. f. Ensemble des recherches qui ont pour objet l'évolution des sociétés dans un avenir prévisible.

prospectus [pʀɔspɛktys] n. m. Feuille volante, brochure publicitaire, distribuée pour annoncer au public une vente, un spectacle, vanter un produit, etc.

prospère adj. Qui est dans un état, une situation de succès, de réussite. *Une entreprise prospère.* – Vieilli (Personnes) *Un financier, un industriel prospère.*

prospérer v. intr. [14] **1.** Connaître un sort favorable, avoir des succès, se développer. *Ses affaires prospèrent.* **2.** Croître en abondance, proliférer. *L'olivier prospère en Italie.*

prospérité n. f. État prospère, situation de succès (d'une personne, d'une entreprise). ▷ *Spécial.* État de grande abondance, de richesse.

Prost (Alain) (Lorette, Loire, 1955), coureur automobile français; champion du monde de formule 1 en 1985, 1986, 1989 et 1993.

Alain **Prost,** dans sa Ferrari, en 1990

prostaglandine n. f. BIOCHIM Substance dérivée d'un acide spécifique (dit *prostanoïque*), isolée primitivement dans la prostate, mais présente dans de nombreux tissus. *Les prostaglandines jouent un rôle dans la régulation hormonale, l'agrégation des plaquettes sanguines, les contractions musculaires de l'utérus et dans le fonctionnement du système sympathique.*

prostate n. f. ANAT Glande de l'appareil génital masculin, endocrine et exocrine, située sous la vessie, autour de la partie initiale de l'urètre, et qui sécrète un liquide constituant l'un des éléments du sperme.

prostatectomie n. f. CHIR Ablation de la prostate, le plus souvent en cas d'adénome.

prostatique adj. et n. m. **1.** adj. ANAT Relatif à la prostate. **2.** n. m. MED Sujet atteint d'une affection de la prostate.

prostatite n. f. MED Inflammation de la prostate.

prosternation n. f. Litt. Action de se prosterner. ▷ Fig. Action d'humilité, abaissement.

prosternement n. m. **1.** Posture de celui qui est prosterné; fait de se prosterner. **2.** Fig., litt. Abaissement.

prosterner 1. v. tr. [1] Litt. Abaisser jusqu'à terre (son corps, une partie de son corps) en signe de respect ou d'adoration. **2.** v. pron. Cour. S'incliner, s'abaisser très bas en signe d'adoration, de respect profond. ▷ Par métaph. *Se prosterner devant qqn,* s'humilier à l'excès devant lui.

prostitué, ée n. **1.** n. f. Femme qui se prostitue. Syn. grossier putain. **2.** n. m. *Par ext.* Homme qui se livre à la prostitution.

prostituer v. tr. [**1**] **1.** Inciter, livrer (qqn) au commerce charnel pour de l'argent, par intérêt. ▷ v. pron. *Jeune femme, jeune homme qui se prostitue.* Litt. Avilir par intérêt. *Prostituer son talent.* ▷ v. pron. *Artiste qui se prostitue,* qui crée ce qui convient à ceux dont il sert les intérêts. Syn. se vendre.

prostitution n. f. **1.** Action de prostituer (qqn), de se prostituer; fait de prêter son corps aux désirs sexuels d'autrui contre rémunération. ▷ Fait social constitué par l'existence des prostitué(e)s. **2.** Action de prostituer (sens 2); avilissement intéressé.

prostration n. f. **1.** LITURG Posture qui consiste à s'étendre sur le sol, face contre terre. **2.** MED Affaiblissement extrême des forces musculaires qui accompagne certaines maladies aiguës. ▷ Cour. Abattement profond.

prostré, ée adj. MED et cour. En proie à un abattement profond.

prostyle adj. et n. m. ARCHI Qui présente une rangée de colonnes sur la façade antérieure. *Temple prostyle.* ▷ n. m. Portique formé par ces colonnes.

prot(o)-. Élément, du gr. *prôtos,* «premier, qui vient en premier».

protactinium [pʀotaktinjɔm] n. m. CHIM Élément radioactif appartenant à la famille des actinides, de numéro atomique Z = 91, de masse atomique 231 (symbole Pa).

protagoniste n. m. **1.** LITTER Acteur qui tenait le premier rôle dans une tragédie grecque. **2.** Fig. et cour. Personne qui a le premier rôle, ou un des premiers rôles, dans une affaire, un récit.

Protagoras (Abdère, auj. Adra, v. 485 – en mer, v. 410 av. J.-C.), sophiste grec. Pour lui, «toutes nos connaissances viennent de la sensation, et la sensation varie selon les individus. L'homme est donc la mesure de toutes choses».

protamine n. f. BIOCHIM Substance polypeptidique de masse molaire élevée, l'un des constituants des nucléoprotéides.

prote n. m. IMPRIM Contremaître d'un atelier typographique.

protéagineux, euse adj. et n. m. Didac. Se dit d'une plante riche en protéines (pois, lentilles, soja, etc.).

protéase n. f. BIOCHIM Enzyme responsable de la protéolyse.

protecteur, trice n. et adj. **I.** n. **1.** Personne qui protège (qqn, qqch). *Il se pose en protecteur du faible et de l'opprimé.* – *Par euph.* ou plaisant Homme qui entretient une femme; homme qui vit des revenus d'une prostituée. ▷ Institution, chose qui protège. **2.** HIST *Protecteur* ou *lord-protecteur* : titre du régent, en Angleterre et en Écosse, du XVe au XVIIe s. **II.** adj. **1.** Qui protège. ▷ ECON *Système protecteur,* qui relève du protectionnisme. **2.** Qui marque une certaine condescendance. *Un air protecteur.*

protection n. f. **1.** Action de protéger, de se protéger; son résultat. *Bénéficier de la protection d'un haut personnage.* – (Choses) *La protection d'un appareil par un blindage.* **2.** Dispositif, institution qui protège. *Protection civile,* qui vise à protéger les populations civiles en cas de guerre ou de catastrophe nationale. *Protection sociale.* **3.** Personne ou chose qui protège. *Une protection efficace.* **4.** *Protection périodique féminine* : V. serviette.

protectionnisme n. m. ECON Ensemble des mesures (contingentements, droits de douane, etc.) visant à limiter ou à interdire l'entrée des produits étrangers afin de protéger les intérêts économiques nationaux; doctrine économique prônant l'emploi de ces mesures. Ant. libre-échange.

protectionniste adj. ECON Relatif au protectionnisme. ▷ Subst. Partisan du protectionnisme.

protectorat n. m. **1.** Institution établie par un traité international créant une dépendance limitée de l'État protégé à l'égard de l'État protecteur. ▷ L'État dépendant. **2.** HIST Régime politique de la Grande-Bretagne à l'époque où Cromwell, puis son fils furent protecteurs (1653-1659).

protée n. m. **1.** Litt. Homme qui change continuellement d'apparence ou d'attitude. **2.** ZOOL *Protée* ou *protée anguillard (Proteus anguinus)* : amphibien urodèle cavernicole, à peau dépourvue de pigment, aux membres minuscules et aux yeux atrophiés, qui, adulte, conserve sa forme larvaire. *Le protée possède des branchies et des poumons.*

Protée, dans la myth. gr., dieu de la Mer, gardien des troupeaux (phoques, monstres marins). Son père, Poséidon, lui avait donné le don de prophétie et celui de changer de forme à volonté.

protégé, ée adj. et n. **1.** adj. Qui est à l'abri, que l'on a protégé. *Passage protégé.* **2.** n. Personne que l'on protège, à qui l'on apporte son appui.

protège-cahier n. m. Couverture souple et amovible pour protéger la couverture d'un cahier d'écolier. *Des protège-cahiers.*

protège-dents n. m. inv. Appareil que les boxeurs portent dans la bouche pour protéger leurs dents.

protège-document n. m. Étui de plastique transparent servant à contenir des documents divers. *Des protège-documents.*

protège-poignet n. m. Accessoire destiné à protéger les poignets dans la pratique de certains sports. *Des protège-poignets.*

protéger v. tr. [**15**] **1.** Assister, prêter secours à (qqn) de manière à garantir sa sécurité (physique ou morale). **2.** Préserver, garantir l'existence de (qqch). *Protéger la liberté du culte.* **3.** Mettre à l'abri, préserver (d'un inconvénient). *Protéger son visage du soleil.* – *Crème qui protège la peau.* ▷ v. pron. *Se protéger la peau à l'aide d'une crème.* **4.** Favoriser, encourager le développement de (une activité). *Protéger les arts.* **5.** Accorder son soutien, son aide matérielle à (qqn).

protège-slip n. m. Mince couche absorbante adhésive, destinée à protéger le slip. *Des protège-slips.*

protège-tibia n. m. Dispositif qui protège le tibia des joueurs de rugby, de football, etc. *Des protège-tibias.*

protéide n. f. BIOL Tout polymère protéique; spécial., l'holoprotéine. V. encycl. protéine.

protéiforme adj. Litt. Qui se manifeste sous des aspects variés.

protéine n. f. BIOCHIM et cour. Polymère composé d'acides aminés, de masse moléculaire élevée.

ENCYCL Les protéines sont présentes dans tous les tissus de l'organisme sous forme de protéines de structure et d'enzymes; l'hémoglobine, la myoglobine, la fibrine sont aussi des protéines. Leur synthèse *(protéosynthèse)* s'effectue dans les cellules (notam. du foie et des muscles) au niveau des ribosomes; leur structure est déterminée par le code génétique inscrit dans l'A.D.N. et transmis par l'A.R.N. messager. Les protéines peuvent être formées uniquement d'acides aminés *(holoprotéines)* ou contenir d'autres composés, glucidiques ou lipidiques *(protéines conjuguées* ou *hétéroprotéines).*

protéinémie n. f. BIOL Taux de protéines dans le sang.

protéinique adj. BIOCHIM Relatif aux protéines; de la nature des protéines.

protéinurie n. f. BIOL Présence de protéines dans les urines.

protéique adj. BIOCHIM Qui se rapporte aux protéides. ▷ Relatif aux protides.

protéolyse n. f. BIOCHIM Hydrolyse des protéines permettant leur dégradation et libérant leurs éléments constitutifs.

protéolytique adj. BIOCHIM Qui hydrolyse et dédouble les protéines.

protéosynthèse n. f. BIOCHIM Synthèse des protéines par l'organisme.

protérozoïque n. f. GEOL Syn. de *algonkien.*

protestable adj. DR Susceptible d'être protesté. *Traite protestable.*

protestant, ante n. et adj. Personne qui appartient à l'une des Églises réformées*. ▷ adj. *Culte protestant.*

protestantisme n. m. Doctrine et culte de la religion réformée. ▷ Ensemble des Églises protestantes, des protestants.

ENCYCL Le protestantisme réduit l'orthodoxie à quelques thèmes fondamentaux : le salut par la foi en Jésus-Christ, et non par les œuvres, ni par la médiation de la Vierge et des saints; la prépondérance de l'Écriture (lieu privilégié de la parole de Dieu) sur les prescriptions de la hiérarchie et, par conséquent, la participation de tous les fidèles, inspirés par l'Esprit-Saint, à l'interprétation des Écritures. Il en résulte une simplification du *culte* (puisque le salut vient de la foi seule, les sacrements n'en étant plus qu'un symbole) et de l'*organisation ecclésiale* (puisque l'ensemble des fidèles constitue le sacerdoce universel, la hiérarchie devient un simple ministère au service de la communauté). Actuellement, les protestants et anglicans (qui constituent un cas particulier d'Égl. réformée) sont env. 350 millions, répartis dans les cinq continents, majoritairement en Europe (110 millions) et en Amérique du N. (100 millions).

protestataire adj. et n. **1.** adj. Qui fait entendre une protestation. ▷ Subst. *Les protestataires.* **2.** n. m. pl. HIST *Les (députés) protestataires* : les députés qui protestèrent contre l'annexion de l'Alsace-Lorraine à l'Allemagne.

protestation n. f. **1.** Vx Promesse, assurance positive. *Des protestations d'amitié.* **2.** Action de protester; paroles par lesquelles on proteste; spécial., déclaration en forme par laquelle on s'élève contre qqch. *Paroles, gestes, cris* *de protestation. Signer une protestation.* **3.** DR Action de dresser un protêt.

protester v. [1] **1.** v. tr. DR *Protester un effet, un billet,* faire dresser un protêt contre cet effet, ce billet. **2.** v. tr. indir. *Protester de :* affirmer avec force, publiquement. *Protester de son innocence, de sa bonne foi.* **3.** v. intr. S'élever avec force (contre qqch), déclarer avec une certaine solennité son refus, son opposition.

protêt [pʀɔtɛ] n. m. DR COMM Acte dressé par un huissier à la demande du porteur d'un effet de commerce, constatant le refus de payer en totalité ou en partie un effet échu ou un chèque.

proteus [pʀɔteys] n. m. MICROB Bactérie intestinale qui provoque des infections essentiellement urinaires.

prothèse n. f. Remplacement ou consolidation d'un membre ou d'un organe par un appareillage approprié ; cet appareillage.

prothésiste n. Fabricant de prothèses. ▷ *Spécial.* Fabricant de prothèses dentaires.

prothétique adj. Didac. Qui a rapport à la prothèse.

prothorax n. m. ZOOL Premier segment thoracique des insectes. Syn. corselet.

prothrombine n. f. BIOL Globuline, facteur de la coagulation sanguine.

protide n. m. BIOCHIM Composé organique azoté contenant des acides aminés. *Les protides englobent les peptides et les protéines.*

protidique adj. BIOCHIM Qui contient des protides ; relatif aux protides. *Métabolisme protidique.*

protistes n. m. pl. BIOL Ensemble des organismes unicellulaires, végétaux (algues unicellulaires chlorophylliennes) et animaux (protozoaires). – Sing. *L'amibe est un protiste.*

protium [pʀɔtjɔm] n. m. Nom parfois donné à l'hydrogène léger (V. encycl. hydrogène).

proto-. V. prot(o)-.

protococcales n. f. pl. BOT Ordre d'algues unicellulaires qui colorent en vert les troncs d'arbres humides, les rochers et les murs. – Sing. *Une protococcale.*

protocolaire adj. Conforme aux règles du protocole. – *Par ext.* D'une politesse cérémonieuse. *Des manières très protocolaires.*

protocole n. m. **1.** HIST Formulaire contenant les modèles des actes publics, à l'usage des officiers ministériels. **2.** Ensemble des usages qui régissent les cérémonies et les relations officielles. Syn. étiquette. ▷ Service chargé de faire observer le cérémonial officiel. *Chef du protocole.* **3.** DR Procès-verbal de déclarations d'une conférence internationale. ▷ *Protocole (d'accord) :* accord entre représentants ayant reçu mandat. – Cour. Principes généraux d'un accord (dans les affaires). **4.** Didac. Énoncé des règles de déroulement d'une expérience scientifique.

protoétoile ou **proto-étoile** n. f. ASTRO Étoile en cours de formation. *Des protoétoiles* ou *des proto-étoiles.*

protohistoire n. f. Didac. Période intermédiaire entre la préhistoire et l'histoire. *En Europe occidentale, la protohistoire ou âge des métaux (âge du bronze, puis âge du fer) s'étend sur les deux derniers millénaires av. J.-C.*
► illustr. page **1535**

protohistorique adj. Didac. De la protohistoire.

protolyse n. f. CHIM Réaction chimique consistant en un échange de protons entre deux corps.

proto-malais, aise adj. et n. Se dit des premiers occupants des terres où se trouvent les Malais (ou Deutéro-Malais) et qui, contrairement à ceux-ci, n'ont subi l'influence ni de l'Inde ni de l'Islam. ▷ Subst. *Les Proto-Malais.*

proton n. m. PHYS NUCL Particule constitutive du noyau de l'atome, dont la charge, positive, est égale à celle de l'électron (de charge négative) et dont la masse est 1 840 fois supérieure à celle de l'électron (V. encycl. noyau et particule).

protonique adj. PHYS NUCL Du (des) proton(s) ; qui concerne ou utilise des protons.

protonotaire n. m. RELIG CATHOL *Protonotaire apostolique :* le premier des notaires du Vatican, autref. chargé d'écrire les Actes des martyrs, auj. titulaire d'une simple dignité honorifique.

protonthérapie n. f. MED Radiothérapie utilisant l'action des protons.

protoplanète n. f. ASTRO Planète en cours de formation.

protoplasma ou **protoplasme** n. m. BIOL Syn. de *cytoplasme.*

protoplasmique adj. BIOL Qui se rapporte au protoplasme.

protoptère n. m. ZOOL Poisson dipneuste d'Afrique tropicale.

protothériens n. m. pl. ZOOL Sous-classe de mammifères primitifs, ovipares, ne comprenant auj. que les monotrèmes (ex. : ornithorynque). – Sing. *Un protothérien.*

prototype n. m. **1.** Didac. Original, modèle. *Le prototype d'une statue grecque connue par les copies romaines.* **2.** Premier exemplaire d'un produit industriel, essayé et mis au point avant la fabrication en série.

protoxyde n. m. CHIM **1.** Vieilli Oxyde le moins oxygéné d'un élément. **2.** Mod. *Protoxyde d'azote :* oxyde azoteux (N_2O).

protozoaire n. m. ZOOL Animal unicellulaire.

ENCYCL Les protozoaires sont des cellules très différenciées, remplissant les nombreuses fonctions nécessaires à la vie et comportant des organites complexes : vacuoles pulsatiles, cils, flagelles, etc. ; elles sont donc fort différentes de celles qui constituent les tissus des métazoaires. On distingue cinq sous-embranchements : les rhizoflagellés (flagellés et rhizopodes, lesquels comprennent les foraminifères) ; les actinopodes (radiolaires, notam.) ; les sporozoaires (coccidies, notam.) ; les cnidosporidies ; les infusoires (ciliés, notam.).

protractile adj. ZOOL Qui peut être étiré vers l'avant. *La langue protractile de la grenouille.*

protubérance n. f. **1.** Saillie. *Le vieux mur présentait des enfoncements et des protubérances.* **2.** ANAT Éminence, saillie d'un organe. *Protubérance cérébrale* ou *annulaire :* saillie du tronc cérébral située au-dessus du bulbe. **3.** ASTRO Dans la couronne solaire, condensation de plasma maintenue à une grande distance de la photosphère par le champ magnétique du Soleil.

protubérant, ante adj. Qui fait saillie.

protuteur, trice n. DR Personne qui, sans avoir été nommée tuteur, est chargée de gérer les biens, les affaires d'un mineur.

prou adv. Ne s'emploie que dans la loc. adv. *peu ou prou,* plus ou moins.

Proudhon (Pierre Joseph) (Besançon, 1809 – Paris, 1865), théoricien socialiste français. Élu député à l'Assemblée constituante en 1848, il fonda l'année suivante la Banque du peuple en vue d'organiser la gratuité du crédit ; ce fut un échec. Condamné pour délit de presse (il avait créé trois journaux, tous poursuivis), il s'enfuit en Belgique (1858) ; après son retour en France (1862), il abandonna le combat politique. On connaît surtout de lui la célèbre formule : « La propriété, c'est le vol », mais il proclame également : « Nous voulons la propriété pour tout le monde... » Sa pensée a profondément influencé le milieu ouvrier français. Princ. œuvres : *Qu'est-ce que la propriété ?* (1840), *Système des contradictions économiques ou la Philosophie de la misère* (1846, critiqué par Marx dans *Misère de la philosophie*), *De la justice dans la révolution et dans l'Église* (1858), *Du principe fédératif et de la nécessité de reconstituer le parti de la révolution* (1863).
► illustr. page **1534**

proudhonien, enne adj. et n. Didac. **1.** adj. Qui a rapport à Proudhon, à ses théories socialistes. **2.** n. Partisan des théories de Proudhon.

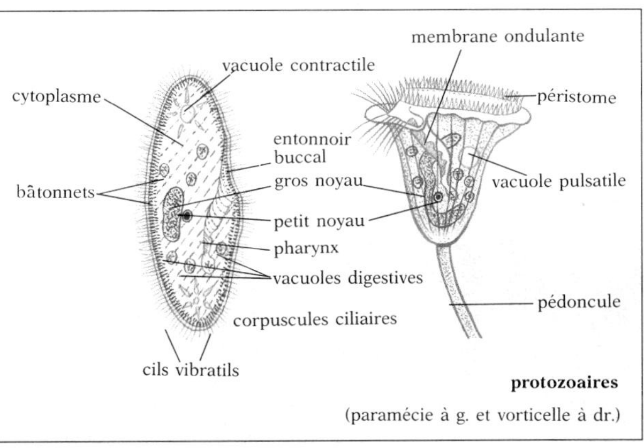

protozoaires

(paramécie à g. et vorticelle à dr.)

proue n. f. Avant d'un navire.

prouesse n. f. **1.** Vx ou litt. Acte de valeur, de courage accompli par un preux. **2.** Iron. Exploit. *Il n'a qu'une heure de retard, quelle prouesse!*

Prousa ou **Prusa** (auj. *Brousse*, Turquie), v. de l'anc. Bithynie.

Prousias ou **Prusias Ier,** dit *le Boiteux* (m. v. 182 av. J.-C.), roi de Bithynie (v. 229-v. 182 av. J.-C.). Pour sauver son royaume, il fut contraint d'accepter de livrer son hôte Hannibal aux Romains. – **Prousias** ou **Prusias II,** dit *le Chasseur* (m. en 149 av. J.-C.), fils et successeur du préc. (v. 182-149 av. J.-C.); il se soumit aux Romains et fut assassiné par son fils Nicomède II.

Proust (Joseph Louis) (Angers, 1754 – id., 1826), chimiste français; l'un des fondateurs de l'analyse chimique. En 1806, après avoir démontré la constance de la composition de l'eau, il énonça la *loi des proportions définies* ou *loi de Proust* : les masses des corps simples qui constituent un composé sont entre elles dans un rapport constant.

Proust (Marcel) (Paris, 1871 – id., 1922), écrivain français. Auteur de nouvelles (*les Plaisirs et les Jours*, 1896; *l'Indifférent*, posth., 1978), de chroniques artistiques ou mondaines (*Chroniques*, posth., 1949), il interrompt en 1897 la rédaction d'un long roman autobiographique (*Jean Santeuil*, posth., 1952), pour se consacrer à Ruskin, dont il traduit *la Bible d'Amiens* (1904) et *Sésame et les lys* (1905), accompagnés d'importantes préfaces. En 1908, il rédige des pastiches d'écrivains (*Pastiches et mélanges*, posth., 1954); cette même année, une série de réflexions esthétiques, qui tiennent du récit et de l'essai (*Contre Sainte-Beuve*, posth., 1954), conduit Proust aux premières esquisses de *À la recherche du temps perdu*, cycle romanesque en 7 parties (les 3 dernières, posth.) auquel il se consacrera jusqu'à sa mort. Remémoration d'une vie (dans laquelle s'enchâsse l'épisode antérieur d'*Un amour de Swann*), histoire d'une vocation littéraire qui, jusqu'au milieu du prem. tome, paraît compromise par la paresse et la maladie, la *Recherche* transforme le roman en une «démonstration», en un instrument de connaissance. S'appuyant sur une construction rigoureuse, la «quête» du héros-narrateur illustre les grandes lois qui régissent société et individus «baignant dans le temps»; conforté par des phénomènes de réminiscence, Proust accède à la compréhension des essences artistiques et à la claire vision de son œuvre en marche. Pour restituer conjointement la complexité infinie du monde et un absolu de l'art, l'écriture proustienne, outre son humour et de savoureux dialogues, affectionne les longues périodes sinueuses, riches en comparaisons justes et poétiques. La publication de la correspondance complète, commencée en 1970, comportera plus de 20 volumes.

Pierre Joseph **Proudhon**

Marcel **Proust**

proustien, enne adj. Propre à M. Proust, à son œuvre. – Qui rappelle l'œuvre, le style de cet auteur.

Prout ou **Prut** (le), fl. né en Ukraine, dans les Carpates du N. (950 km), affl. du Danube (r. g.); sert de frontière entre la Moldavie et la Roumanie.

Prout (William) (Horton, 1785 – Londres, 1850), médecin et biochimiste anglais. En 1815, il émit le premier l'hypothèse que l'hydrogène était la substance mère de tous les corps simples.

prouvable adj. Qui peut être prouvé. *C'est prouvable.*

Prouvé (Victor) (Nancy, 1858 – Sétif, Algérie, 1943), peintre, graveur, sculpteur et décorateur français; successeur de Gallé à la tête de l'école de Nancy. – **Jean** (Nancy, 1901 – id., 1984), fils du préc.; architecte, spécialiste de la construction préfabriquée avec armature métallique légère.

prouver v. [1] **I.** v. tr. **1.** Établir la vérité, la réalité de (qqch) par le raisonnement, ou par des pièces à conviction faisant preuve. **2.** (Sujet n. de chose.) Constituer une preuve de; indiquer avec certitude. *Cet exposé prouve une bonne connaissance du sujet.* **II.** v. pron. (Pass.) Être prouvé. *Les choses de la foi, du sentiment ne se prouvent pas.* – (Réfléchi) Exprimer (à soi-même). *Il a voulu se prouver, se prouver à lui-même qu'il était capable d'agir seul.* – (Réciproque) *Ils se sont prouvé l'un à l'autre qu'ils avaient tort tous les deux.*

provenance n. f. Origine, source. *Marchandise de provenance étrangère.*

provençal, ale, aux adj. et n. **1.** adj. De la Provence et des régions avoisinantes. *Accent provençal.* ▷ Loc. adv. *À la provençale* : à la manière provençale. *Morue à la provençale* ou (en appos.) *morue provençale.* **2.** n. Natif ou habitant de la Provence. *Un(e) Provençal(e).* ▷ n. m. Ensemble des parlers occitans de la Provence et des régions voisines. – *Par ext.* L'occitan.

Provence, anc. province du S.-E. de la France qui correspond à la Région Provence-Alpes-Côte d'Azur (l'ancien comté de Nice exclu). Au VIe s. av. J.-C., les Phocéens fondèrent Massalia (Marseille) qui créa des établissements de l'Èbre jusqu'à Nice. Après une période de rapports pacifiques, Marseille se heurta aux populations celte et ligure (confédération des Salyens) et fit appel à Rome qui conquit le pays jusqu'au Rhône (125-121 av. J.-C.). Fondée en 122, Aix fut la capitale de cette *Provincia*, devenue en 27 av. J.-C. la Narbonnaise, où une brillante civilisation gallo-romaine s'épanouit. Conquis par les Wisigoths, les Burgondes et les Francs, le pays fut donné à Lothaire au traité de Verdun (843); ce dernier l'érigea en royaume (855) en faveur de son troisième fils, Charles. Celui-ci étant mort sans héritier, la Provence échut au beau-frère de Charles le Chauve, Boson (879), qui y fonda une dynastie appelée à régner sur le royaume de Bourgogne-Provence, dit aussi Royaume d'Arles. En 1112, la Provence passa aux comtes de Barcelone; enrichies par le commerce avec l'Orient, ses villes s'émancipèrent et toute la Provence développa un art roman particulièrement brillant. La croisade des albigeois permit aux Capétiens de peser de leur puissance milit. sur tout le Midi, et la Provence entra de ce fait sous l'autorité du roi de France. Ainsi passa-t-elle à Charles d'Anjou, qui conquit le royaume de Naples (1266). Au XIVe s. s'ouvrit une période de déclin. Après la mort de René le Bon, duc d'Anjou (1480), le roi poète dont la cour s'était installée à Aix-en-Provence, le comté échut au roi de France, Louis XI (1482).

Provence (comte de), titre de Louis XVIII avant son avènement.

Provence-Alpes-Côte d'Azur (Abrév. : PACA), Région admin. française et de la C.E. formée des dép. des Alpes-de-Haute-Provence, des Hautes-Alpes, des Alpes-Maritimes, des Bouches-du-Rhône, du Var et du Vaucluse; 31 395 km^2; 4 318 817 hab.; cap. *Marseille.*

Géogr. phys. et hum. – La région présente des unités physiques fortement contrastées. Au N. et à l'E., s'élèvent les hauts massifs alpins de l'Oisans-Pelvoux (4 102 m à la Barre des Écrins), du Briançonnais, du Queyras et de l'Argentera-Mercantour, que ceinturent les chaînes calcaires de Provence alpine (montagne de Lure, monts de Vaucluse, Lubéron, arcs de Digne et de Castellane). Les épaisses accumulations détritiques du plateau de Valensole occupent la moyenne Durance et cèdent la place, au S., aux lourdes tables calcaires des Plans de Provence. La Durance et ses affluents (Ubaye, Buech, Verdon) ordonnent cet ensemble, face auquel s'individualise, à l'E., le bassin du Var au relief plus confus. Au S.-O., les chaînes calcaires de la basse Provence : Sainte-Victoire, Sainte-Baume, chaînes de l'Étoile, de la Nerthe, que prolongent les Alpilles encadrent la baie de Marseille et l'étang de Berre. À l'O., enfin, les plaines alluviales du Bas-Rhône se terminent au S. par le cône caillouteux de la Crau et le puissant delta camarguais. Du Petit Rhône au golfe de Fos domine un littoral sableux à lagunes qui ourle le delta; au-delà, vers l'E., les côtes rocheuses l'emportent : calanques provençales, rivages déchiquetés des vieux massifs des Maures et de l'Esterel. Seules les vallées du Gapeau, de l'Argens et du Var ouvrent des plaines étendues dans cet ensemble. Le climat méditerranéen marque la région par la chaleur et la sécheresse de son été mais, en hiver, la douceur des littoraux s'oppose à la rigueur des montagnes. Les régions élevées ont été précocement vidées par l'émigration et la population se concentre dans les vallées, les plaines et sur le littoral. La croissance démographique est forte, liée surtout à l'importance de l'excédent migratoire : un million d'hab. supplémentaires entre 1968 et 1990, dont 770 000 nouveaux venus dans la région.

Écon. – L'agriculture a subi de profondes mutations : le recul est massif en montagne et sur les hauteurs calcaires, où ne subsiste plus qu'un élevage spécialisé (agneaux, génisses) alors que plaines et vallées concentrent une polyculture intensive irriguée (fruits, légumes, fleurs) pratiquée par de petites exploitations aux méthodes très modernes. Châteauneuf-du-Pape, Gigondas, Bandol sont des vignobles réputés. Traditionnellement concentrée sur un nombre limité de villes, l'industrie régionale a bénéficié de l'industrialisation de l'étang de Berre (raffinage), de la création du grand pôle sidérurgique et chimique de Fos-sur-Mer et du développement d'activités de pointe dans la région niçoise (technopôle de

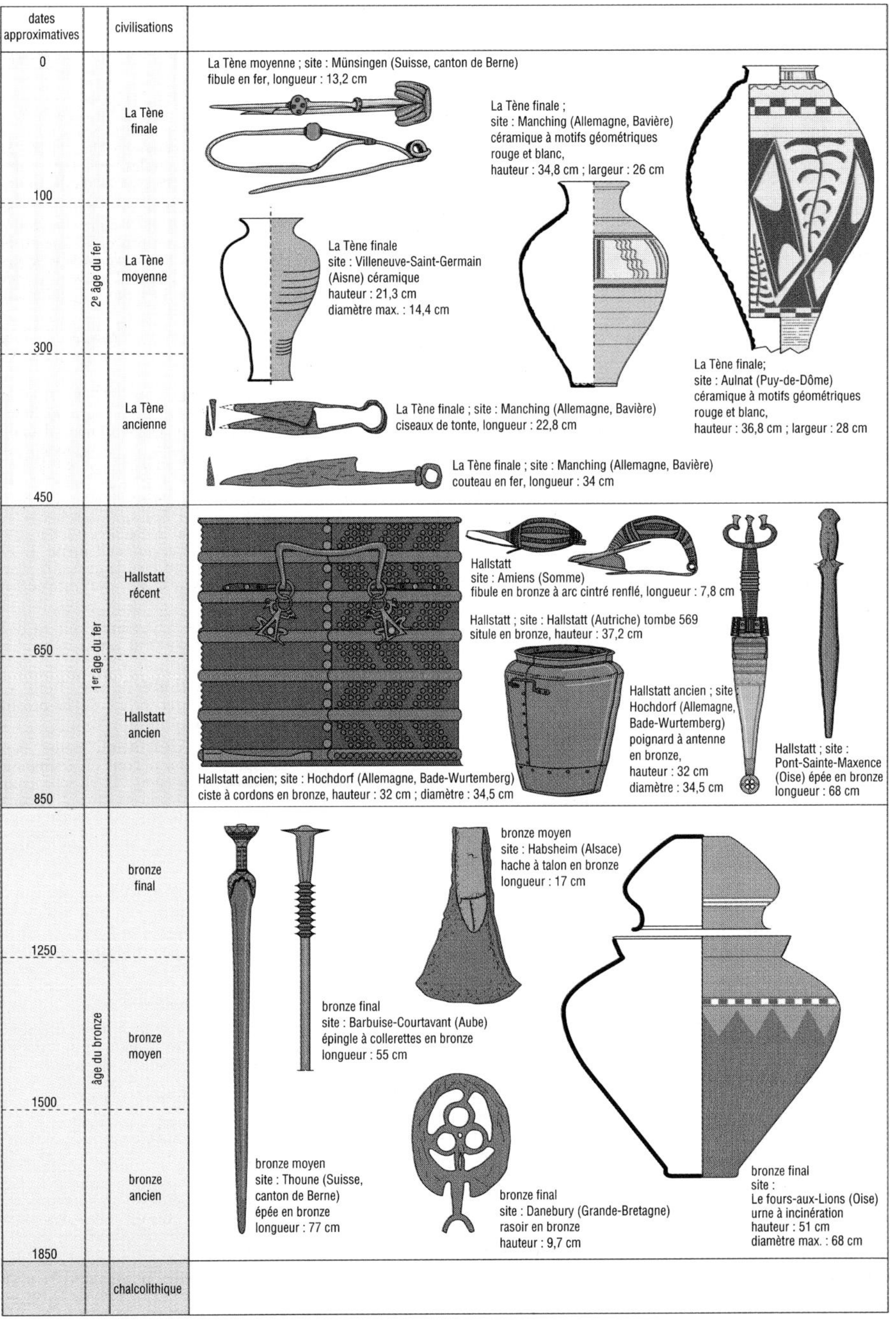
dates approximatives
civilisations
0
La Tène finale
100
La Tène moyenne
2e âge du fer
300
La Tène ancienne
450
Hallstatt récent
650
1er âge du fer
Hallstatt ancien
850
bronze final
1250
bronze moyen
âge du bronze
1500
bronze ancien
1850
chalcolithique
La Tène moyenne ; site : Münsingen (Suisse, canton de Berne)
fibule en fer, longueur : 13,2 cm
La Tène finale ;
site : Manching (Allemagne, Bavière)
céramique à motifs géométriques
rouge et blanc,
hauteur : 34,8 cm ; largeur : 26 cm
La Tène finale
site : Villeneuve-Saint-Germain
(Aisne) céramique
hauteur : 21,3 cm
diamètre max. : 14,4 cm
La Tène finale;
site : Aulnat (Puy-de-Dôme)
céramique à motifs géométriques
rouge et blanc,
hauteur : 36,8 cm ; largeur : 28 cm
La Tène finale ; site : Manching (Allemagne, Bavière)
ciseaux de tonte, longueur : 22,8 cm
La Tène finale ; site : Manching (Allemagne, Bavière)
couteau en fer, longueur : 34 cm
Hallstatt
site : Amiens (Somme)
fibule en bronze à arc cintré renflé, longueur : 7,8 cm
Hallstatt ; site : Hallstatt (Autriche) tombe 569
situle en bronze, hauteur : 37,2 cm
Hallstatt ancien ; site : Hochdorf (Allemagne, Bade-Wurtemberg)
poignard à antenne en bronze,
hauteur : 32 cm
diamètre : 34,5 cm
Hallstatt ; site : Pont-Sainte-Maxence (Oise) épée en bronze
longueur : 68 cm
Hallstatt ancien; site : Hochdorf (Allemagne, Bade-Wurtemberg)
ciste à cordons en bronze, hauteur : 32 cm ; diamètre : 34,5 cm
bronze moyen
site : Habsheim (Alsace)
hache à talon en bronze
longueur : 17 cm
bronze final
site : Barbuise-Courtavant (Aube)
épingle à collerettes en bronze
longueur : 55 cm
bronze moyen
site : Thoune (Suisse, canton de Berne)
épée en bronze
longueur : 77 cm
bronze final
site : Danebury (Grande-Bretagne)
rasoir en bronze
hauteur : 9,7 cm
bronze final
site :
Le fours-aux-Lions (Oise)
urne à incinération
hauteur : 51 cm
diamètre max. : 68 cm

Sophia-Antipolis). La crise a cependant affecté ces foyers trop spécialisés. Les activités tertiaires dominent, parmi lesquelles le tourisme s'affirme comme une ressource de premier plan : les littoraux de la région attirent chaque année 6 millions de vacanciers, alors que la fréquentation de l'arrière-pays s'accroît (parcs nationaux des Écrins et du Mercantour) et que les sports d'hiver ont dynamisé les Alpes du Sud. Bien desservie sur ses axes vitaux (TGV, autoroute), la Région poursuit son désenclavement mais souffre encore de disparités géographiques accusées et de la concurrence de ses deux métropoles : Marseille (1er port français et de la Méditerranée) et Nice (l'une des villes les plus dynamiques au plan national). Provence-Alpes-Côte d'Azur s'affirme comme l'une des régions les plus attractives de la C.É.E.

provende n. f. **1.** Vx Vivres, provisions de bouche. **2.** Préparation nutritive, pour certains animaux d'élevage.

provenir v. intr. [**36**] (Sujet n. de chose.) **1.** Venir (d'un lieu). *Ces oranges proviennent d'Espagne.* **2.** Avoir son origine, sa cause initiale dans. *Je me demande d'où provient son hostilité à ce projet.*

proverbe n. m. **1.** Formule figée, en général métaphorique, exprimant une vérité d'expérience, un conseil, et connue de tout un groupe social. *Un proverbe chinois, arabe.* **2.** Petite comédie qui développe le contenu d'un proverbe. **3.** *Livre des Proverbes :* livre de l'Ancien Testament attribué à Salomon.

proverbial, ale, aux adj. **1.** Qui tient du proverbe. *Locution, phrase proverbiale.* **2.** Célèbre; digne d'être cité en modèle. *Sa dextérité est proverbiale.*

proverbialement adv. D'une manière proverbiale.

providence n. f. **1.** RELIG (Avec une majuscule.) Volonté divine, considérée comme la sagesse qui gouverne le monde. *Les desseins impénétrables de la Providence.* **2.** Fig. Personne qui aide, secourt comme par miracle. – Par ext. *Ce refuge est une providence pour les randonneurs.* – (En appos.) *État providence.*

Providence, v. et port des É.-U., cap. de l'État de Rhode Island; 160 700 hab. (aggl. urb. 1 095 000 hab.). Métallurgie, textiles.

providentialisme [pʀɔvidɑ̃sjalism] n. m. Didac. Doctrine philosophique qui explique la nature et la marche du monde par l'intervention de la Providence.

providentiel, elle [pʀɔvidɑ̃sjɛl] adj. **1.** RELIG Dû à la Providence. **2.** Cour. Dû à un hasard remarquablement heureux.

providentiellement adv. D'une manière providentielle.

province n. f. (et adj. inv.) **I. 1.** ANTIQ ROM Pays conquis par Rome, hors de l'Italie, et gouverné selon les lois romaines. *Le gouverneur d'une province.* **2.** Division administrative ou traditionnelle d'un État. ▷ Chacun des dix États fédérés, au Canada. *La province de Québec (ou la Belle Province), la province d'Ontario, du Nouveau-Brunswick.* **3.** Région, partie d'un pays. *C'est sa province d'origine.* **4.** DR CANON *Province ecclésiastique :* ensemble de diocèses dépendant d'un même archevêque. *Province religieuse :* dans certains ordres religieux, ensemble de maisons placées territorialement sous l'autorité d'un même supérieur. *La province de France, d'Espagne.* **II.** Absol. *La province :* l'ensemble du pays (par oppos. à *la capitale*). ▷ adj. inv. Fam. Marqué par ses origines provinciales. *Ses parents sont restés très province.*

Provinces maritimes (les) ou **Maritimes (les),** nom donné aux provinces canadiennes du Nouveau-Brunswick, de la Nouvelle-Écosse et de l'Île-du-Prince-Édouard.

Provinces-Unies, anc. nom des provinces septentrionales des Pays-Bas*, qui se proclamèrent indépendantes en 1572 (Union d'Utrecht).

1. provincial, ale, aux adj. et n. **1.** Qui concerne une province, une région. *Une coutume provinciale. Faire revivre les parlers provinciaux.* **2.** De la province (considérée par oppos. à la capitale). *Préférer la vie provinciale à l'agitation parisienne.* ▷ Subst. Personne qui habite la province. **3.** Propre ou relatif à une province canadienne. *La ville de Québec est la capitale provinciale du Québec.* ▷ Relatif à un gouvernement provincial, qui en émane. *Impôt provincial, lois provinciales.*

2. provincial n. m. DR CANON Supérieur d'un ordre religieux exerçant son autorité sur une province (sens I, 4).

provincialisme n. m. **1.** Caractère maladroit, emprunté que l'on attribue parfois aux gens de province. **2.** Locution, mot, emploi appartenant à l'usage linguistique d'une province.

provincialité n. f. Caractère propre à un(e) provincial(e).

Provins, ch.-l. d'arr. de Seine-et-Marne, sur la Voulzie et le Durteint; 12 682 hab. Centre commercial et touristique. Horticulture. – La ville a conservé de son passé médiéval de nombr. monuments : remparts (XIIe-XIVe s.), égl. St-Quiriace (XIIe-XIIIe s.), tour de César (XIIe-XIIIe s.), Grange-aux-Dîmes (XIIe s.).

provirus n. m. BIOL Virus intégré au chromosome d'une cellule hôte, qui se comporte et se transmet comme un gène.

proviseur n. Fonctionnaire chargé de l'administration et de la direction d'un lycée.

provision n. f. **1.** Réserve de choses nécessaires ou utiles pour la subsistance. *Provision de charbon. Faire des provisions, faire provision de qqch,* en acquérir en abondance. **2.** (Plur.) Vivres. *Placard à provisions.* – Nourriture et produits nécessaires à la vie quotidienne, qu'on achète régulièrement. *Faire les provisions.* **3.** DR Ce qu'on alloue préalablement à l'une des parties, en attendant le jugement définitif. *Provision alimentaire.* ▷ *Par provision :* en attendant la sentence définitive. **4.** COMPTA Somme représentant (sur un bilan) des charges incertaines. **5.** FIN Somme réunie pour servir d'acompte ou pour assurer le paiement d'un titre bancaire. V. approvisionner.

provisionnel, elle adj. DR Qui se fait en attendant un règlement. *Partage provisionnel. Tiers provisionnel :* V. tiers.

provisionner v. tr. [**1**] Créditer (un compte bancaire) d'une provision suffisante pour des opérations projetées. – Pp. adj. *Compte provisionné.*

provisoire adj. et n. m. **1.** DR Se dit d'une décision judiciaire prise avant un jugement définitif. *Détention provisoire :* incarcération d'un inculpé avant son passage en justice. **2.** Cour. Qui se fait en attendant qqch d'autre; qui remplit momentanément un rôle, une fonction. *Gouvernement provisoire.* ▷ n. m. Ce qui est censé ne pas durer. *Il arrive que le provisoire dure.*

provisoirement adv. En attendant.

provitamine n. f. BIOCHIM Précurseur d'une vitamine.

provocant, ante adj. **1.** Qui peut provoquer des sentiments violents, agressifs. **2.** Excitant. *Une femme provocante.*

provocateur, trice adj. et n. Qui incite à la violence, aux troubles, au conflit. *Agent provocateur* ou, n. m., *un provocateur :* personne chargée de provoquer des troubles, qui donneront à une autorité des raisons d'intervenir.

provocation n. f. **1.** Action de provoquer (sens 1 et 2) qqn; situation où une personne en provoque une ou plusieurs autres. *Provocation à la violence, à la révolte.* – Absol. *C'est de la provocation!* **2.** DR Incitation à commettre (qqch d'illégal).

provolone n. m. Fromage de vache italien, en forme de poire, recouvert de paraffine.

provoquer v. tr. [**1**] **1.** *Provoquer (qqn) à,* l'inciter, le pousser à qqch en le stimulant par un sentiment d'amour-propre, de défi, en développant son agressivité. *Provoquer qqn à l'action, à agir, à la violence, à se battre.* **2.** *Provoquer qqn,* le défier, l'inciter à se battre contre soi. – *Spécial.* Chercher à susciter le désir sensuel, aguicher. ▷ v. pron. Se défier mutuellement. **3.** *Provoquer qqch,* en être la cause, l'origine. *Un court-circuit a provoqué l'incendie.* Syn. causer.

proxénète n. Personne qui vit de la prostitution d'autrui. Syn. souteneur; pop. maquereau.

proxénétisme n. m. Délit qui consiste à tirer profit de la prostitution d'autrui.

Proxima Centauri, petite étoile rouge invisible à l'œil nu (magnitude visuelle apparente : 11,0) appartenant au système triple de *Rigil* Kentarus* (α du Centaure); c'est l'étoile la plus proche de la Terre (4,25 années de lumière, soit plus de 40 000 milliards de km).

proximal, ale, aux adj. ANAT Qui est situé le plus près d'un centre, d'un axe.

proximité n. f. **1.** Caractère de ce qui est proche, dans l'espace ou dans le temps. *La proximité d'une ville, d'un fait.* **2.** Loc. adv. *À proximité :* près. – Loc. prép. *À proximité de :* près de.

prude adj. et n. f. Qui affecte ou pratique une vertu, une pudeur extrême, en matière de mœurs. *Une vieille demoiselle très prude.* ▷ n. f. *Une prude faussement effarouchée.*

prudemment [pʀydamɑ̃] adv. Avec prudence. *Il conduit très prudemment.*

prudence n. f. Attitude qui fait apercevoir les dangers, prévoir les conséquences d'un acte et pousse à les éviter; refus de courir des risques inutiles. – Prov. *Prudence est mère de sûreté.*

Prudence (en lat. *Aurelius Prudentius Clemens*) (Calahorra, près de Saragosse, Espagne, 348 – en Espagne [?], v. 415), poète latin chrétien : *Cathemerinon,* hymnes sur les divers moments de chaque jour; *Psychomachia,* poème allégorique décrivant le combat des vices et des vertus.

prudent, ente adj. **1.** (Personnes) Qui a de la prudence, en général ou dans une circonstance précise. *Un alpiniste prudent.* **2.** (Choses) Déterminé par la prudence. *Reposez-vous une semaine, c'est plus prudent.*

prudentiel, elle adj. Didac. Observé par prudence, par précaution. *Règles prudentielles.*

pruderie n. f. Affectation de vertu.

Prudhoe Bay, baie de l'Alaska, sur l'océan Arctique ; pétrole.

prud'homal, ale, aux adj. DR Du conseil de prud'hommes.

prud'homie n. f. DR Juridiction des prud'hommes.

prud'homme [pʀydɔm] n. m. DR *Conseil de prud'hommes :* juridiction compétente pour juger les différends entre employeurs et employés. *Aller aux, devant les prud'hommes.*

Prudhomme (Monsieur Joseph), personnage d'Henri Monnier, prototype du petit-bourgeois ouvert au progrès, mais dont la curiosité est gâchée par le conformisme et le contentement de soi.

prudhommesque adj. Litt. À la fois banal, niais et prétentieux.

Prud'hon (Pierre Paul) (Cluny, 1758 – Paris, 1823), peintre français néoclassique, précurseur du romantisme : *l'Enlèvement de Psyché* (1808).

pruine n. f. BOT Couche poudreuse, blanchâtre, de nature cireuse, qui recouvre divers organes végétaux (prunes, feuilles de choux).

prune n. f. et adj. inv. **1.** n. f. Fruit du prunier, sphérique, ou un peu allongé, de petite taille, sucré et juteux. *Variétés de prunes :* mirabelle, quetsche, reine-claude, etc. *De l'eau-de-vie de prune* ou, ellipt., *de la prune.* ▷ Loc. fam. *Pour des prunes :* pour rien. **2.** Fam. Contravention. **3.** adj. inv. Couleur violet sombre tirant sur le rouge.

pruneau n. m. **1.** Prune séchée au soleil ou à l'étuve pour être conservée. *Pruneaux d'Agen.* **2.** Pop. Balle de fusil, de revolver.

1. prunelle n. f. **1.** Petit fruit noir, très âpre, du prunellier. **2.** Eau-de-vie faite avec ces fruits.

2. prunelle n. f. **1.** Pupille de l'œil. *La frayeur dilatait ses prunelles.* ▷ Loc. *Tenir à qqch, à qqn comme à la prunelle de ses yeux,* y tenir énormément, les considérer comme très précieux. **2.** Fam. Œil, iris. ▷ Loc. *Jouer de la prunelle :* faire des œillades.

prunellier [pʀynelje] n. m. Prunier sauvage, épineux, commun dans les haies, qui produit la prunelle.

prunier n. m. Arbre ou arbuste (fam. rosacées) qui produit la prune. *Le prunier domestique (Prunus domestica) dérive du prunellier.* ▷ Loc. fam. *Secouer (qqn) comme un prunier,* avec force.

prunus [pʀynys] n. m. BOT **1.** Nom scientifique de la famille des pruniers (abricotiers, pêchers, cerisiers). **2.** Prunier d'ornement.

prurigineux, euse adj. MED Qui provoque le prurit (sens 1).

prurigo n. m. MED Dermatose se manifestant par des lésions papuleuses érythémateuses.

prurit [pʀyʀit] n. m. **1.** MED Sensation de démangeaison provoquée par une lésion locale, ou symptomatique d'une maladie. **2.** Fig., péjor. Désir violent, irrésistible. *Un prurit de succès, de gloire.*

Prusiner (Stanley B.) (Des Moines, 1942), biologiste américain. Il est l'inventeur du prion. Prix Nobel 1997.

Prusse, anc. État de l'Allemagne du Nord. Peuplé de Baltes, le pays, que cernent la Baltique, la Vistule et le Niémen, fut conquis au milieu du XIIIe s. par les chevaliers Teutoniques. Malgré leur puissance, ceux-ci furent défaits par les Polonais de Ladislas II Jagellon Ier qui leur imposa sa suzeraineté (Tannenberg, 1410). En 1525, Albert de Brandebourg, grand maître de l'ordre, embrassa la Réforme, sécularisa les biens des chevaliers et conclut avec la Pologne la paix de Cracovie, qui lui octroyait le titre de duc de Prusse. En 1618, le duché de Prusse fut uni à l'électorat de Brandebourg par le jeu des successions. Ravagé pendant la guerre de Trente Ans, le nouvel État reçut d'importantes compensations aux traités de Westphalie (1648). Le Grand Électeur Frédéric-Guillaume parvint également à s'affranchir de la suzeraineté polonaise, tandis que son fils, Frédéric Ier, obtenait de l'empereur Léopold Ier le titre de roi en Prusse (1701). Dotée de nouveaux territoires (Poméranie occidentale), d'une administration centralisée et, surtout, d'une armée hors de pair en Europe, la Prusse de Frédéric-Guillaume Ier, le Roi-Sergent (1713-1740), contenait en germe l'État puissant que créera Frédéric II le Grand (1740-1786). Mais ses successeurs furent d'abord victimes de la France révolutionnaire (Valmy, 1792) puis de la France napoléonienne (traité de Tilsit, 1807), qui amputa l'État de plus de la moitié de son territoire. Cependant, ce désastre fut suivi d'un sursaut national, animé par des hommes comme Stein, Hardenberg et Fichte. En 1813, la Prusse intervint victorieusement dans la dernière phase de la lutte contre Napoléon (Leipzig) ; en 1815, le traité de Vienne lui accorda la Poméranie suédoise, le N. de la Saxe, la Westphalie et une partie de la Rhénanie. Entrée dans la Confédération germanique, la Prusse y prit une influence prépondérante au détriment de l'Autriche. Après la défaite autrichienne de Sadowa (1866), Guillaume Ier (1861-1888) et son chancelier, Bismarck, imposèrent leur domination sur l'Allemagne et l'entraînèrent dans la guerre contre la France (1870-1871), à l'issue de laquelle le souverain prussien reçut la couronne impériale. Dès lors, l'histoire de la Prusse se confond avec celle de l'Allemagne.

Prusse-Occidentale, anc. province de Prusse (cap. *Dantzig,* auj. *Gdańsk*), annexée à la Pologne en 1945.

prunier commun : fleur avec étamines (en haut à g.) et rameau avec fruits mûrs (reines-claudes)

Prusse-Orientale, anc. prov. de Prusse (cap. *Königsberg,* auj. *Kaliningrad*), partagée en 1945 entre l'U.R.S.S. et la Pologne.

Prusse-Rhénane, anc. prov. de Prusse (cap. *Coblence*), partagée en 1946 entre le Land de Rhénanie-du-Nord-Westphalie et celui de Rhénanie-Palatinat.

prussien, enne adj. et n. De Prusse ; *par ext.,* d'Allemagne (entre 1870 et 1914). – Loc. adv. et adj. *À la prussienne :* avec une discipline stricte.

prussique adj. m. CHIM Vx *Acide prussique :* acide cyanhydrique.

Prut. V. Prout.

prytane n. m. ANTIQ GR Premier magistrat dans certaines cités grecques. – À Athènes, chacun des cinquante délégués choisis chaque année pour diriger successivement les travaux du Conseil des Cinq-Cents.

prytanée n. m. **1.** ANTIQ GR Édifice public où étaient logés les prytanes. **2.** Établissement d'enseignement réservé aux enfants de militaires. *Le Prytanée militaire de La Flèche.*

Przemyśl, v. de Pologne, ch.-l. de la voïévodie du m. nom ; 66 000 hab. Industr. métallurgiques, constr. mécaniques. – Théâtre de combats entre les Russes et les Austro-Allemands (1914-1915).

Przewalski. V. Prjevalski.

P.S. Sigle de *Parti socialiste*.*

P.-S. Abrév. de *post-scriptum*.*

psalliote n. m. ou f. BOT Syn. de *agaric.*

psalmiste n. m. RELIG Auteur de psaumes. – *Le Psalmiste :* le roi David.

psalmodie n. f. **1.** MUS, RELIG Manière de chanter les psaumes sans inflexion. **2.** Litt. Déclamation monotone.

psalmodier v. [2] **1.** v. intr. MUS, RELIG Chanter les psaumes sans inflexion. **2.** v. tr. Réciter (qqch) sans inflexion. *Psalmodier des prières, des formules magiques.* **3.** v. tr. et intr. Parler, dire, énoncer de manière monotone. *Psalmodier des plaintes.*

Psammétik Ier ou **Psammétique Ier,** pharaon égyptien (v. 663-609 av. J.-C.), fils de Néchao ; il affranchit l'Égypte de la domination assyrienne et fonda la XXVIe dynastie. – **Psammétik II,** petit-fils du préc. ; il succéda (594-588 av. J.-C.) à son père, Néchao II. – **Psammétik III,** fils d'Amhôsis II ; il régna six mois (526-525 av. J.-C.). Il fut vaincu par Cambyse, roi des Perses. C'est le dernier pharaon de la XXVIe dynastie.

psaume n. m. **1.** RELIG Chacun des chants sacrés du peuple hébreu qui constituent l'un des livres de l'Ancien Testament *(livre des Psaumes)* et jouent un rôle important dans les cérémonies du culte juif et les liturgies de toutes les confessions chrétiennes. **2.** MUS Pièce vocale composée sur le texte d'un psaume.

psautier n. m. RELIG **1.** Ensemble des psaumes bibliques. **2.** Livre qui les renferme.

pschent [pskɛnt] n. m. ANTIQ Coiffure des pharaons, symbole de leur souveraineté sur la Haute- et la Basse-Égypte.
▸ illustr. page **1538**

Psellos (Michel) (Constantinople, 1018 – id., 1078), écrivain et homme d'État byzantin ; conseiller politique d'Isaac Ier Comnène. Sa *Chronographie*

Ptolémée coiffé du **pschent**, bas-relief du temple d'Horus, Edfou

(chronique de 976 à 1077) est un ouvrage historique important.

pseud(o)-. Élément, du gr. *pseudês*, «menteur», impliquant une idée de fausseté, d'approximation, d'apparence trompeuse.

pseudarthrose n. f. MED Fausse articulation qui se forme au niveau d'une fracture dont la consolidation spontanée est impossible.

pseudocœlomates [psødoselomat] n. m. pl. ZOOL Métazoaires (rotifères, némathelminthes, échinodermes, etc.) à cavité générale plus primitive que le cœlome des cœlomates. – Sing. *Un pseudocœlomate.*

pseudo-membraneux, euse adj. MED *Angine pseudo-membraneuse,* d'origine diphtérique, caractérisée par des exsudats ayant l'aspect de membranes dans le larynx et le pharynx.

pseudonyme n. m. Faux nom d'une personne qui veut dissimuler sa véritable identité. ▷ *Spécial.* Nom d'emprunt choisi par un artiste, un écrivain, pour signer ses œuvres.

pseudopode n. m. BIOL Prolongement rétractile du cytoplasme, qu'émettent les protozoaires (paramécies, amibes, etc.) et certaines cellules (leucocytes) pour se nourrir et se déplacer.

pseudosuchiens n. m. pl. PALEONT Reptiles fossiles du trias, ancêtres des oiseaux. – Sing. *Un pseudosuchien.*

psi n. m. Vingt-troisième lettre de l'alphabet grec (Ψ, ψ), qui sert à noter le son [ps]. ▷ PHYS Symbole (Ψ), servant à désigner une phase ou une fonction d'onde en mécanique quantique. ▷ PHYS NUCL Particule de la famille des mésons.

psilocybe n. m. Petit champignon hallucinogène au chapeau très pointu.

psilophytales ou **psilophytinées** n. f. pl. BOT, PALEONT Cryptogames vasculaires fossiles du dévonien, qui comptent parmi les premières plantes terrestres connues. – Sing. *Une psilophytale* ou *une psilophytinée.*

psitt! [psit] ou **pst!** [pst] interj. Fam. Petit sifflement destiné à attirer l'attention de quelqu'un. *Psitt! Venez voir!*

psittacidés n. m. pl. ORNITH Unique famille des psittaciformes (perroquets, perruches). – Sing. *Un psittacidé.*

psittaciformes n. m. pl. ORNITH Ordre d'oiseaux grimpeurs à bec crochu, absents du continent européen, comprenant de petites espèces cour. nommées *perruches,* et des plus grandes, appelées cour. *perroquets.* – Sing. *Un psittaciforme.*

psittacisme n. m. PSYCHO Répétition mécanique par un sujet, de mots et de phrases qu'il ne comprend pas.

psittacose n. f. MED Maladie infectieuse des perroquets, transmissible à l'homme, chez qui elle peut provoquer notam. des troubles broncho-pulmonaires. V. ornithose.

Pskov, v. de Russie, ch.-l. de la prov. du m. nom, près du *lac de Pskov* (partie S. du lac Peïpous); 197 000 hab. Centrale électrique; industr. textiles. – Remparts (XIIIe s.) entourant la citadelle (XIIe s.). Nombr. églises et couvents.

psoriasis [psɔʀjazis] n. m. MED Dermatose squameuse à évolution chronique, qui affecte principalement les genoux, les coudes et le cuir chevelu.

psych(o)-. Élément, du gr. *psukhê,* «âme sensitive».

psychanalyse [psikanaliz] n. f. **1.** Méthode thérapeutique fondée sur l'analyse des processus psychiques profonds élaborée par Freud. – *Par ext.* Ensemble des théories de Freud et de ses continuateurs. *Les découvertes de la psychanalyse.* **2.** Étude, analyse, interprétation (d'un texte, d'un thème, etc.) inspirée par les théories psychanalytiques. *«La Psychanalyse du feu», de G. Bachelard (1937).*

ENCYCL Élaborée à partir de 1885 par S. Freud, la psychanalyse est une méthode de cure de certains troubles psychiques (névroses essentiellement), fondée sur l'investigation des processus mentaux inconscients d'un sujet qui, au fur et à mesure qu'il avancera dans l'analyse, prendra conscience de l'origine de ses troubles et de la façon dont ceux-ci s'articulent en lui. Ainsi, il pourra affronter (avec un moi fortifié) le conflit dont il a souffert, et ce après avoir revécu son drame personnel avec ou en la présence (non neutre) de l'analyste (phénomène de *transfert*). La cure psychanalytique (mieux nommée *analyse*) consiste en une série d'«entrevues» entre l'analyste et l'analysé (souvent nommé *analysant*). Elle peut s'étendre sur plusieurs années, à un rythme hebdomadaire variable. Freud n'a pas inventé la notion d'inconscient, mais il en a entrepris l'exploration, s'attachant à cerner la façon dont celui-ci est structuré. L'équilibre d'un adulte est, selon Freud, intimement lié à un drame infantile : le complexe d'Œdipe*. L'universalité de ce complexe, admise par beaucoup, est controversée par d'autres. À partir de 1902, divers médecins et chercheurs rejoignirent Freud, et des sociétés de psychanalyse se fondèrent en Europe occidentale et aux États-Unis. Dès 1910, des dissidences se manifestèrent, qui persistent encore aujourd'hui.

psychanalyser [psikanalize] v. tr. [1] **1.** Traiter par la psychanalyse. *Se faire psychanalyser.* **2.** Interpréter par la psychanalyse. *Psychanalyser les textes littéraires.*

psychanalyste n. Personne qui exerce la psychanalyse. Syn. analyste. – Spécialiste de la psychanalyse.

psychanalytique adj. Relatif à la psychanalyse, propre à elle.

psychasthénie n. f. PSYCHOPATHOL Névrose caractérisée principalement par l'aboulie, l'obsession, le doute, le sentiment d'imperfection, les appréhensions irraisonnées.

psychasthénique adj. et n. PSYCHOPATHOL Qui a rapport à la psychasthénie; atteint de psychasthénie. ▷ Subst. *Un(e) psychasthénique.*

1. psyché [psiʃe] n. f. Grand miroir mobile monté sur châssis et que l'on incline à volonté autour d'un axe horizontal pour se regarder en pied.

2. psyché [psiʃe] ou **psychè** [psiʃɛ] n. f. PHILO *La psyché :* l'ensemble des phénomènes psychiques qui constituent l'individualité.

Psyché, dans la myth. gr., princesse dont la beauté excita la jalousie d'Aphrodite, qui demanda à son fils Éros de la faire périr. Or Éros s'éprit de Psyché et lui rendit visite chaque nuit, lui promettant le bonheur éternel à condition qu'elle ne cherchât pas à connaître son identité. Mais, une nuit, elle céda à la tentation, et sa curiosité provoqua la fuite de son divin amant. Après une série d'épreuves dont l'accabla Aphrodite, et grâce à Éros, qui obtint de Zeus la permission de s'unir à Psyché, celle-ci fut admise au nombre des dieux et vécut dans l'immortalité.

psychédélique [psikedelik] adj. PSYCHIAT Se dit des effets produits par l'absorption de drogues hallucinogènes et de l'état psychique que cette absorption provoque.

psychédélisme [psikedelism] n. m. PSYCHIAT État provoqué par certaines drogues hallucinogènes.

psychiatre [psikjatʀ] n. Médecin spécialiste des maladies mentales.

psychiatrie [psikjatʀi] n. f. Partie de la médecine qui concerne l'étude et le traitement des maladies mentales, des troubles psychiques.

psychiatrique adj. Relatif à la psychiatrie.

psychiatriser v. tr. [1] Didac. Faire entrer dans le cadre de la psychiatrie; interpréter, traiter selon des méthodes psychiatriques. *Psychiatriser un cas qui ne le justifie pas.*

psychique adj. **1.** Qui concerne l'âme, l'esprit, la pensée en tant que principe qui régit la nature humaine et son activité. *L'activité psychique.* **2.** *Abusiv.* Métapsychique ou parapsychique.

psychisme n. m. Vie psychique. – *Par ext.* (ou *abusiv.*) Ensemble particulier de faits psychiques. *Le psychisme animal.*

psycho-. V. psych(o)-.

psycho n. f. Abrév. de *psychologie.*

psychoaffectif, ive adj. PSYCHO Se dit d'un fait mental qui concerne l'affectivité.

psychoanaleptique [psikoanalɛptik] adj. PHARM Qui stimule l'activité psychique. ▷ n. m. *Les psychotoniques (amphétamines) et les antidépresseurs sont des psychoanaleptiques.*

psychochirurgie n. f. Didac. Thérapeutique des troubles mentaux par intervention chirurgicale sur le cerveau.

psychocritique n. f. et adj. LITTER Méthode d'étude des textes littéraires inspirée de la psychanalyse. ▷ adj. *Méthode psychocritique.*

psychodrame n. m. PSYCHO Scène théâtrale improvisée, organisée dans un but thérapeutique, sous la direction de thérapeutes, à travers laquelle peuvent s'exprimer les conflits propres à chacun des participants. – Méthode de psychothérapie de groupe qui s'appuie sur les bases d'un tel jeu théâtral. ▷ Fig. Situation conflictuelle au sein d'un groupe s'exprimant de manière spectaculaire.

psychodysleptique adj. et n. m. MED Qui perturbe l'activité mentale. *Propriétés hallucinogènes des substances psychodysleptiques (mescaline, L.S.D., etc.).* ▷ n. m. *Certains psychodysleptiques sont aussi des psychoanaleptiques (cocaïne, par ex.).*

psychogène adj. MED **1.** Générateur de troubles psychiques. **2.** Symptomatique de troubles névrotiques ou psychotiques.

psycholeptique adj. (et n. m.) PHARM Se dit des substances qui réduisent l'activité mentale, abaissent la vigilance et diminuent les réactions émotives.

psycholinguistique n. f. et adj. Didac. Étude des comportements linguistiques (processus de production et de compréhension des énoncés, de l'acquisition du langage, etc.) dans leurs aspects psychologiques. ▷ adj. *Études psycholinguistiques.*

psychologie [psikɔlɔʒi] n. f. **1.** Étude scientifique des faits psychiques (processus mentaux, perception, mémoire, etc.). (Abrév. cour. : psycho). **2.** Cour. Connaissance empirique des sentiments d'autrui ; aptitude particulière à pénétrer les mobiles de la conduite d'autrui. *Manquer de psychologie.* **3.** Analyse des sentiments, des états de conscience. *La très fine psychologie de Racine dans « Phèdre ».* **4.** Mentalité, état d'esprit. *Une psychologie très fruste.*

ENCYCL En découvrant, en 1897, le réflexe conditionné, le physiologiste russe Pavlov montra qu'on pouvait étudier scientifiquement sur l'animal l'équivalent d'une fonction psychologique : la formation d'une habitude. Peu après, l'Américain Watson élaborait le béhaviorisme*, faisant de la psychologie « l'étude des comportements objectivement observables des êtres humains ». Dans le même temps naissait la théorie de la forme (en all. *Gestalttheorie*), qui affirme qu'il n'existe pas de sensation isolée ; la plus simple n'est perçue que si elle se détache sur un certain fond (point noir sur la page blanche, par ex.). Tout comportement est une réaction d'ensemble à des « formes » (ou structures), susceptibles de transposition. Auj., la psychologie est à la recherche de modèles théoriques complexes rendant compte de tous les faits et de toutes les lois connues et possédant une valeur explicative, mais elle hésite encore entre des modèles structuralistes et des modèles génétiques. Pour le Suisse Piaget, les étapes de l'intelligence chez l'enfant, par ex., mettent en œuvre des structures souples, douées d'autorégulation à la manière des mécanismes biologiques et dont chacune appelle la suivante. – **Psychologie différentielle.** Due à l'Allemand Stern (1900), elle porte sur les différences individuelles (dans les aptitudes humaines) et non plus sur le comportement global. En 1905, le Français Binet, en élaborant la première échelle métrique de mesure de l'intelligence, donna naissance à la méthode des tests mentaux. En 1926, l'Anglais Spearman créa l'*analyse factorielle* : la réussite à un test est due non pas à l'intelligence générale mais à l'action simultanée de ce facteur général et d'un facteur spécifique. L'Américain Thurstone contesta l'importance encore accordée au facteur général et aboutit à une conception non hiérarchisée des « aptitudes mentales » (1938-1945) ; auj., les « facteurs » de Thurstone sont à la base d'innombrables tests d'orientation. – **Psychologie sociale.** Elle se situe entre la psychologie générale et la sociologie des institutions. Issue des travaux de Tarde, elle fut fondée, notam., par Moreno. Son domaine comprend l'étude des petits groupes, des interactions entre l'individu et les groupes dont il fait partie, et de l'influence exercée par les groupes sociaux sur la perception, la mémoire, l'invention, la motivation, etc. La psychologie sociale utilise les méthodes de la sociologie (sondages d'opinion, échelles d'attitudes, interviews) et de la psychologie (tests, notam.). En outre, elle a créé les techniques sociométriques, le psychodrame, le sociodrame, la dynamique de groupe, et les notions d'attitude, de modèle de conduite, de statut et de rôle.

psychologique adj. **1.** Qui a rapport à la psychologie. *Méthodes psychologiques.* ▷ *Roman psychologique,* qui s'attache essentiellement à l'étude des sentiments, des caractères. **2.** Qui concerne les faits psychiques que la psychologie étudie.

psychologiquement adv. Du point de vue de la psychologie.

psychologisme n. m. Didac. Tendance à faire prévaloir le point de vue psychologique dans l'étude des faits individuels et sociaux.

psychologue [psikɔlɔg] n. (et adj.) **1.** Spécialiste en psychologie. – Personne qui exerce l'un des métiers issus de la psychologie appliquée ou thérapeutique. **2.** Personne qui fait preuve d'une certaine connaissance empirique des sentiments d'autrui. *C'est un fin psychologue.* ▷ adj. *Il n'est pas très psychologue.*

psychométrie n. f. PSYCHO Mesure, étude quantitative (durée, fréquence, etc.) des phénomènes psychiques.

psychométrique adj. PSYCHO Relatif à la psychométrie.

psychomoteur, trice adj. PHYSIOL Qui a trait à la fois aux fonctions psychiques et motrices.

psychomotricité n. f. Ensemble des fonctions motrices et psychiques normalement en synergie après maturation et éducation.

psychopathe n. **1.** MED Malade mental. **2.** Personne atteinte de psychopathie (sens 2).

psychopathie n. f. **1.** MED Maladie mentale. **2.** PSYCHIAT Affection mentale caractérisée notam. par l'instabilité, l'impulsivité, la tendance au « passage à l'acte ».

psychopathologie n. f. Didac. Étude des troubles mentaux.

psychopédagogie n. f. Didac. Psychologie appliquée à la pédagogie.

psychopédagogique adj. Didac. Qui concerne la psychopédagogie.

psychopédagogue n. Didac. Psychologue spécialiste de la psychopédagogie.

psychopharmacologie n. f. Didac. Science qui étudie le pouvoir, les effets des psychotropes et les modes d'action thérapeutiques qui en découlent.

psychophysiologie n. f. Didac. Science qui étudie les rapports entre le psychisme et l'activité physiologique.

psychophysiologique adj. Didac. Qui a rapport à la psychophysiologie ou aux phénomènes qu'elle étudie.

psychoprophylactique adj. MED Qui se rapporte à la psychoprophylaxie. *Méthode d'accouchement psychoprophylactique.*

psychoprophylaxie n. f. MED Prévention de certains troubles ou préparation à une épreuve par une méthode psychologique.

psychorigide adj. PSYCHO Qui fait preuve de psychorigidité.

psychorigidité n. f. PSYCHO Rigidité, manque d'adaptabilité intellectuelle et psychologique.

psychose [psikoz] n. f. **1.** PSYCHIAT, PSYCHAN Maladie mentale que le sujet est incapable de reconnaître comme telle (contrairement à la névrose) et caractérisée par la perte du contact avec le réel et une altération plus ou moins grave de la personnalité. *La paranoïa et la schizophrénie sont des psychoses. Psychose maniaco-dépressive.* **2.** Cour. Obsession, angoisse collective.

psychosensoriel, elle adj. PSYCHO Qui a trait à la fois aux fonctions psychiques et sensorielles.

psycho-sensori-moteur adj. PSYCHO Se dit de troubles qui ont trait à la fois aux facultés psychiques (attention, mémoire, etc.), aux organes sensoriels (toucher, ouïe, etc.) et à la motricité. *Des troubles de la vue psycho-sensori-moteurs.*

psychosocial, ale, aux adj. Didac. Relatif à la psychologie de l'individu dans ses rapports avec la vie sociale.

psychosociologie n. f. Didac. Étude des rapports entre faits sociaux et faits psychiques. Syn. psychologie* sociale.

psychosociologique adj. Didac. Relatif à la psychosociologie.

psychosociologue n. Spécialiste de psychosociologie.

psychosomaticien, enne n. Didac. Spécialiste de psychosomatique.

psychosomatique adj. et n. f. Se dit des troubles physiques (organiques et fonctionnels) d'origine psychique. ▷ Par ext. *Médecine psychosomatique,* qui traite les affections psychosomatiques. – n. f. *La psychosomatique.*

psychostimulant, ante adj. et n. m. MED Qui stimule l'activité psychique. ▷ n. m. *Administrer un psychostimulant.*

psychotechnicien, enne n. Didac. Spécialiste de la psychotechnique.

psychotechnique n. f. et adj. Didac. Discipline régissant l'application aux problèmes humains (organisation du travail, sélection du personnel, etc.) des données de la psychologie expérimentale et de la psychophysiologie. ▷ adj. *Tests psychotechniques.*

psychothérapeute n. Personne qui pratique la psychothérapie.

psychothérapie n. f. Toute thérapie par des moyens psychologiques. *Psychothérapie analytique,* fondée sur la psychanalyse. *Psychothérapie de groupe :* psychodrame, etc.

psychothérapique adj. Didac. De la psychothérapie.

psychotique adj. et n. PSYCHIAT Relatif aux psychoses. – Atteint de psychose. ▷ Subst. *Un(e) psychotique.*

psychotonique adj. et n. m. PHARM Se dit de substances qui stimulent l'activité psychique. ▷ n. m. *Un psychotonique.*

psychotrope adj. et n. m. PHARM Se dit de toute substance qui agit sur le psychisme : psychoanaleptiques et psychotoniques (stimulants), psycholeptiques (tranquillisants), psychodysleptiques (hallucinogènes, etc.). – n. m. *Un psychotrope.*

psylle [psil] n. m. Litt. Charmeur de serpents, en Orient.

Pt CHIM Symbole du platine.

Ptah, dieu de l'anc. Égypte, adoré plus particulièrement à Memphis comme créateur du monde.

le dieu **Ptah** représenté sous forme humaine et reconnaissable à sa tête rasée ; tombeau de Horemheb, Vallée des Rois, Égypte

ptér(o)-, -ptère. Éléments, du gr. *pteron,* « plume d'aile, aile », et (archi.) « aile, colonnade ».

ptéranodon n. m. PALEONT Reptile volant au rostre édenté, fossile du secondaire (crétacé). *Le ptéranodon fut le plus grand des ptérosauriens* (9 m d'envergure).

ptéridophytes n. m. pl. BOT Embranchement de végétaux vasculaires comprenant les lycopodes, les sélaginelles, les prêles, les fougères, etc. Syn. cryptogames* vasculaires. – Sing. *Un ptéridophyte.*

ptéro-. V. ptér(o)-.

ptérodactyle adj. et n. **1.** adj. ZOOL Qui a les doigts reliés par une membrane. **2.** n. m. PALEONT Ptérosaurien (genre *Pterodactylus*) à rostre denté, dépourvu de queue, du jurassique.

ptérosauriens [pterɔsorjɛ̃] n. m. pl. PALEONT Ordre de reptiles fossiles du jurassique et du crétacé adaptés au vol grâce à une membrane alaire tendue entre le quatrième doigt de la main et le corps. (Leurs mâchoires formaient un rostre pourvu ou non de dents ; leur vol était vraisemblablement lourd et embarrassé ; les princ. furent les ptérodactyles.) – Sing. *Un ptérosaurien.*

ptérygotes n. m. pl. ENTOM Sous-classe d'insectes comprenant tous les insectes ailés (la quasi-totalité des espèces), par oppos. aux *aptérygotes.* – Sing. *Un ptérygote.*

ptolémaïque adj. Didac. Relatif à Ptolémée Ier Sôter (vers 360-283 av. J.-C.), souverain d'origine macédonienne, et à sa dynastie qui régna sur l'Égypte de 305 à 30 av. J.-C. – Relatif à la civilisation hellénistique de cette période, en Égypte.

Ptolémaïs, nom de plusieurs villes de l'Antiquité, situées en Asie Mineure ou en Afrique du Nord, et presque toutes fondées à l'époque des Ptolémées.

Ptolémée, nom de quinze souverains d'origine macédonienne qui régnèrent sur l'Égypte de 305 à 30 av. J.-C. – **Ptolémée Ier Sôter** (« le Sauveur ») (en Macédoine, v. 360 – 283), lieutenant d'Alexandre ; satrape d'Égypte (323-305), il y fonda la dynastie dite des *Lagides* (du nom de son père, Lagos). Il gagna le surnom de Sôter en secourant les Rhodiens et régna de 305 à 283. Il établit le culte de Sérapis, fonda le musée d'Alexandrie et sa bibliothèque. – **Ptolémée II Philadelphe** (« Qui aime sa sœur ») (Cos, v. 308 – 246), fils et successeur du préc. (283-246). Sous l'influence énergique de sa sœur et seconde épouse (inceste qui relève de la tradition pharaonique), Arsinoé II, il entreprit d'importants travaux (phare d'Alexandrie). – **Ptolémée III Évergète Ier** (« le Bienfaiteur ») (v. 280 – 221), fils et successeur du préc. (246-221). Ses armées portèrent la puissance ptolémaïque à son apogée (conquête du S. de l'Asie Mineure, domination de la mer Égée). – **Ptolémée IV Philopatôr Ier** (« Qui aime son père ») (v. 244 – 203), fils et successeur du préc. (221-v. 203) ; vainqueur du Séleucide Antiochos III Mégas à la bataille de Raphia (217). – **Ptolémée V Épiphane** (« l'Illustre ») (v. 209 – 181), fils et successeur du préc. (v. 203-181). Il perdit la Syrie et laissa l'Égypte entrer en décadence. – **Ptolémée VI Philomêtôr** (« Qui aime sa mère ») (186 – Syrie, 145), fils et successeur du préc. (181-145). Attaqué et fait prisonnier par Antiochos IV, il fut sauvé grâce à l'intervention des Romains. – **Ptolémée VII Neos Philopatôr** (m. en 144), le plus jeune fils de Ptolémée VI. Il régna conjointement avec son père (147-145), puis lui succéda (145), mais fut déposé quelques semaines plus tard et assassiné. – **Ptolémée VIII** (ou **VII**) **Évergète II** (m. en 116), frère de Ptolémée VI et successeur du préc. (145-116). Il fut chassé d'Alexandrie pour ses excès (130), puis se rétablit sur le trône (129). – **Ptolémée IX (X** ou **VIII) Sôter II** (m. en 80), fils de Ptolémée VIII. Il régna de 116 à 107 et de 88 à 80. – **Ptolémée X (XI** ou **IX) Alexandre Ier** (m. en mer en 88), frère du préc. Il régna de 107 à 88 ; ayant profané le tombeau d'Alexandre, il fut chassé. – **Ptolémée XI (XII** ou **X) Alexandre II** (v. 105 – 80), fils du préc. Il régna en 80. – **Ptolémée XII (XIII** ou **XI) Neos Dionysos,** dit *Aulète* (« le Joueur de flûte ») (95 – 51), fils naturel de Ptolémée IX. Il régna de 80 à 58 et de 55 à 51. – **Ptolémée XIII (XIV** ou **XII) Dionysos II** (v. 61 – 47), frère et époux de Cléopâtre VII. Monté sur le trône en 51, il fit assassiner Pompée et se heurta à César, qui ne lui laissa aucun pouvoir. Il périt en combattant celui-ci. – **Ptolémée XIV (XV** ou **XIII)** (59 – 44), frère du préc. ; époux de sa sœur Cléopâtre VII. Il régna de 47 à 44. – **Ptolémée XV (XVI** ou **XIV) Caesar,** dit *Césarion* (47 – 30), fils de César et de Cléopâtre VII. Il régna associé à sa mère de 44 à 30 ; après Actium, il fut mis à mort sur l'ordre d'Octave.

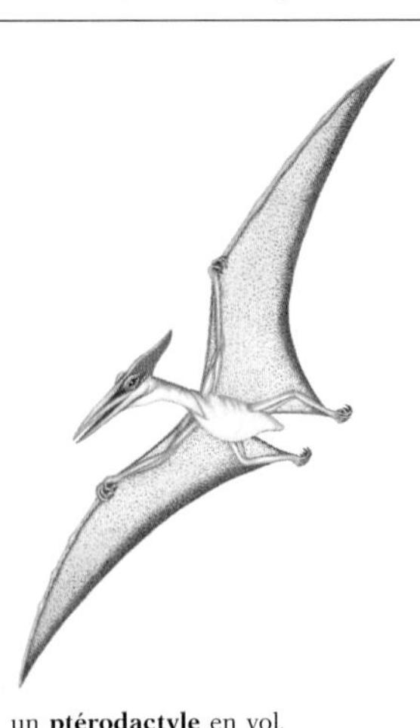

un **ptérodactyle** en vol, le ptéranodon

Ptolémée Kéraunos (« le Foudre ») (v. 320 – 279 av. J.-C.), roi de Macédoine (281-279 av. J.-C.) ; fils aîné de Ptolémée Ier Sôter. Il trouva la mort au cours d'une guerre contre les Celtes.

Ptolémée Apion (« le Maigre »), fils de Ptolémée VIII Évergète II. Il régna sur la Cyrénaïque de 117 à 96 av. J.-C.

Ptolémée (Claude) (Ptolémaïs Hermiu [?], auj. Menchiyèh, v. 90 – Canope, v. 168), savant grec de l'école d'Alexandrie. Son œuvre, très étendue, reste auj. connue surtout en géographie et en astronomie. Son ouvrage le plus célèbre, dans ce domaine, est *l'Almageste**, où l'on trouve les principes qui furent à la base de cette astronomie antique que Copernic fut le premier à récuser : le géocentrisme, le mouvement circulaire uniforme et la division du monde en deux domaines : le cosmos et le monde sublunaire.

ptoléméen, enne ou **ptoloméen, enne** adj. Didac. Relatif à l'astronome grec Ptolémée, à son système. – *Par ext.* Relatif à la cosmogonie qui a précédé les théories de Copernic (XVIe s.).

ptôse ou **ptose** [ptoz] n. f. MED Descente d'un organe, due au relâchement de ses moyens de fixation.

ptosis [ptɔzis] n. m. MED Abaissement permanent, d'origine paralytique ou congénitale, de la paupière supérieure.

P.T.T. Sigle de *Postes, Télégraphe, Téléphone,* puis de *Postes, Télécommunications et Télédiffusion.* V. poste 1 (sens 2).

Pu CHIM Symbole du plutonium.

puant, ante adj. et n. m. **1.** Qui sent mauvais. ▷ VEN *Les bêtes puantes* ou, n. m. pl., *les puants :* les animaux des bois qui dégagent une odeur forte et repoussante (fouines, putois, renards, etc.). **2.** Fig., fam. Odieux par son impudence, sa vanité.

puanteur n. f. Odeur infecte, fétide.

1. pub [pœb] n. m. En G.-B., établissement public où l'on consomme des boissons alcoolisées. ▷ *Par ext.* En France, bar, café, etc., dont le cadre évoque les pubs anglais.

2. pub [pyb] n. f. Fam. Abrév. de *publicité.*

pubalgie n. f. MED Douleur dans la région pubienne, le plus souvent d'origine musculaire ou tendineuse.

pubère adj. et n. Qui a atteint l'âge de la puberté.

pubertaire adj. Didac. De la puberté.

puberté n. f. Ensemble des modifications morphologiques, physiologiques et psychologiques qui se produisent chez l'être humain au moment du passage de l'enfance à l'adolescence ; cette période de la vie, marquée par l'apparition de certains caractères sexuels secondaires et par l'acquisition de la capacité de procréer.

pubescence [pybɛs(s)ɑ̃s] n. f. BOT État, caractère d'une plante ou d'un organe pubescent.

pubescent, ente [pybɛs(s)ɑ̃, ɑ̃t] adj. BOT Se dit d'un organe, d'une plante, couverts de petits poils ou d'un fin duvet.

pubien, enne adj. ANAT Du pubis.

pubis [pybis] n. m. **1.** ANAT Pièce osseuse formant la partie antérieure de l'os iliaque. **2.** Région inférieure du bas-ventre, qui se couvre de poils à la puberté.

publi-. Élément tiré de *publicité*.

publiable adj. Qui peut être publié ; qui est digne de l'être.

public, ique adj. et n. m. **I.** adj. **1.** Qui appartient au peuple, à la nation, à l'État ; qui les concerne. *Le Trésor public* : les caisses de l'État. *Les services publics* : l'Administration. *Édifice, monument public. Ministère de la Santé publique.* **2.** Commun, à l'usage de tous. *Voie publique.* **3.** Manifeste, connu de tous. *Bruit public. De notoriété publique.* **4.** Où tout le monde est admis. *Audience publique.* **II.** n. m. **1.** Ensemble des gens. *L'intérêt du public.* – *Entrée interdite au public*, aux personnes non habilitées. **2.** Personnes réunies pour assister à un spectacle. *Le public applaudit l'entrée du comédien.* ▷ Fam. *Être bon public* : apprécier sans réticence un spectacle. ▷ *Par ext.* Ensemble des gens qui s'intéressent à la vie artistique ou intellectuelle. *Le grand public. Un public de connaisseurs. Ce chanteur a son public*, ses fidèles. **3.** Loc. adv. *En public* : en présence du public, à la vue d'un certain nombre de personnes.

publicain n. m. **1.** ANTIQ ROM Fermier des revenus publics. **2.** Vx Collecteur d'impôts.

publication n. f. **1.** Action par laquelle qqch est rendu public. ▷ DR Promulgation. *Publication d'une loi.* **2.** Parution, sortie (d'un texte, d'un livre). *Date de publication d'un livre.* – *Publication assistée par ordinateur (P.A.O.)* : édition réalisée en utilisant des techniques informatiques. **3.** Ouvrage publié (ponctuellement ou périodiquement).

publiciste n. **1.** Vx Spécialiste du droit public. **2.** Vx Écrivain politique. ▷ Vx Journaliste. **3.** *Abusiv.* Publicitaire.

publicitaire adj. et n. **1.** Qui a un caractère de publicité, qui sert à la publicité (sens 2). *Message publicitaire à la radio.* **2.** Qui s'occupe de publicité. *Agence publicitaire.* ▷ Subst. *Un(e) publicitaire.*

publicité n. f. **1.** Caractère de ce qui est public. *La publicité des débats parlementaires.* **2.** Art de faire connaître un produit, une entreprise, etc., afin d'inciter les consommateurs à acheter ce produit, à utiliser les services de cette entreprise, etc. ; ensemble des moyens employés à cet effet. *Campagne de publicité.* ▷ *Une (des) publicité(s)* : annonce(s), affiche(s), film(s) publicitaire(s). – *Publicité mensongère. Publicité comparative*, dans laquelle des produits, cités nommément, sont comparés au profit d'un seul. *Publicité rédactionnelle* : texte publicitaire présenté sous forme d'article de journal ou de revue. (Abrév. fam. : pub).

Publicola. V. Valerius Publicola.

publier v. tr. [2] **1.** Rendre public. *Publier des bans.* **2.** Faire paraître (un écrit). *Publier un livre.*

publiphone n. m. (Nom déposé). Téléphone public à cartes.

publipostage n. m. COMM Prospection, démarchage, publicité ou vente par voie postale. (Terme off. recommandé pour *mailing*.)

publipromotionnel, elle adj. Qui concerne la promotion d'un produit par la publicité. *Un magazine publipromotionnel.*

publiquement adv. En public, de manière publique.

publirédactionnel n. m. Publicité rédactionnelle.

publireportage n. m. Publicité présentée sous la forme d'un reportage.

publivore n. Plaisant Amateur éclairé d'annonces publicitaires.

Puccini (Giacomo) (Lucques, 1858 – Bruxelles, 1924), compositeur italien. Ses opéras font de lui l'initiateur du vérisme italien : *la Bohème* (1896), *Tosca* (1900), *Madame Butterfly* (1904), *Turandot* (posth., achevé par F. Alfano, créé en 1926 à la Scala de Milan).

Giacomo **Puccini** Henry **Purcell**

puce n. f. (et adj. inv.) **I.** **1.** Insecte constituant l'ordre des siphonaptères, dépourvu d'ailes, brun, sauteur, parasite des êtres humains et de certains mammifères. *Les puces sont des vecteurs de gènes pathogènes.* ▷ Fig., fam. Personne de petite taille. **2.** *Puce d'eau* : daphnie. ▷ *Puce de mer* : talitre. **3.** Loc. fig., fam. *Mettre la puce à l'oreille* : inspirer des inquiétudes, de la méfiance. – *Secouer les puces à qqn*, le réprimander. **4.** *Marché aux puces* ou, ellipt., *les puces* : marché de brocante et d'objets d'occasion divers. **5.** adj. inv. Brun-rouge foncé. *Des rideaux puce.* **II.** INFORM Plaquette de silicium, dont la surface peut être inférieure au millimètre carré, et sur laquelle est gravé un microprocesseur.

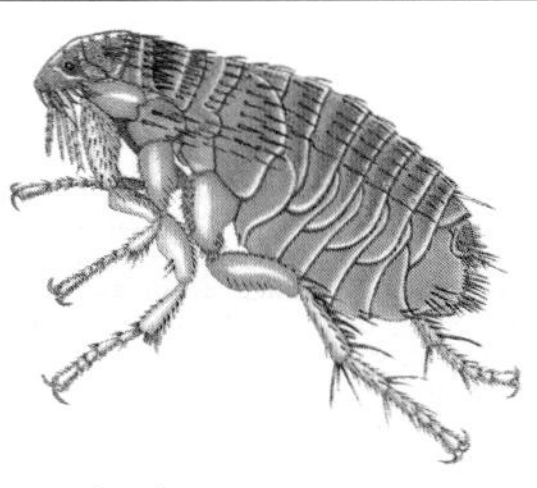

puce du chat

puceau n. m. et adj. m. Fam. Garçon vierge. ▷ adj. *Il est encore puceau.*

pucelage n. m. Fam. Virginité. *Perdre son pucelage.*

pucelle n. f. et adj. f. **1.** Vx ou plaisant Jeune fille. *La pucelle d'Orléans* : Jeanne d'Arc. **2.** Fam. Fille vierge. ▷ adj. *Elle est pucelle.*

puceron n. m. Insecte homoptère vivant sur les plantes, dont il suce la sève. *Puceron du chêne, puceron du rosier, puceron lanigère du pommier.*

pucier n. m. Arg. Lit.

pudding ou **pouding** [pudiŋ] n. m. Gâteau anglais à base de farine, d'œufs, de graisse de bœuf, de raisins secs, etc., le plus souvent parfumé au rhum. (On dit aussi *plum-pudding*.)

pudeur n. f. **1.** Tendance à éprouver de la gêne, de la honte devant ce qui touche à la sexualité. ▷ DR *Outrage public à la pudeur* : délit qui consiste à se livrer, volontairement ou non, à une exhibition impudique. – *Attentat à la pudeur* : acte puni de peines criminelles, qui consiste en un viol ou une tentative de viol ou en un acte impudique tenté ou exécuté sur la personne d'autrui. **2.** Retenue, réserve. *La pudeur de sentiment.* ▷ Délicatesse. *Il a eu la pudeur de ne pas se montrer.*

pudibond, onde adj. Exagérément pudique, ou d'une pudeur affectée.

pudibonderie n. f. Pudeur excessive ; affectation de pudeur.

pudique adj. **1.** Plein de pudeur (sens 1). **2.** Discret, réservé.

pudiquement adv. D'une manière pudique.

Puebla de Zaragoza, v. du Mexique central ; 1 054 900 hab. ; cap. de l'État de Puebla (33 919 km^2 ; 4 126 100 hab.). Industr. métallurgiques, textiles et alimentaires. – Archevêché. Université. Cath. des XVIe et XVIIe s.

Pueblos, Indiens des É.-U. vivant en Arizona, au Nouveau-Mexique et au Colorado. Princ. groupes ethniques : Zuñis, Hopis. Ce sont des agriculteurs ; leur activité artistique s'exprime à travers la vannerie, le tissage et surtout la poterie.

puer v. [1] **1.** v. tr. Exhaler une odeur désagréable de. *Puer le vin.* **2.** v. intr. Sentir mauvais.

puéricultrice n. f. Infirmière diplômée, spécialiste en puériculture.

puériculture n. f. Ensemble des méthodes propres à assurer le développement de l'enfant, de sa naissance à sa troisième ou quatrième année.

puéril, ile adj. **1.** Vx Qui concerne l'enfance. **2.** Enfantin, qui ne convient pas à un adulte. *Discussion puérile.*

puérilement adv. D'une manière puérile.

puérilité n. f. Caractère de ce qui est puéril, futile.

puerpéral, ale, aux adj. MED Relatif aux femmes en couches ou à l'accouchement et à ses suites immédiates. – *Fièvre puerpérale* : infection consécutive à un accouchement.

Puerto Cabello, v. et port du Venezuela, à l'O. de Caracas, sur la mer des Antilles ; 71 000 hab. Industr. textiles et alimentaires. Commerce.

Puerto La Cruz, v. et port du Venezuela, à l'E. de Caracas; 156 520 hab. Exportation de pétrole. Raffinerie.

Puertollano, v. d'Espagne (Castille-la Manche); 50 190 hab. Raff. de pétrole; centrale thermique. Bassin houiller.

Puerto Montt, v. et port du Chili mérid., ch.-l. de prov.; 113 490 hab. Tourisme.

Puerto Rico. V. Porto Rico.

Pufendorf (Samuel, baron von) (Chemnitz, 1632 - Berlin, 1694), historien, juriste et journaliste allemand : *Du droit de la nature et des gens* (1672).

puffin [pyfɛ̃] n. m. ORNITH Oiseau marin migrateur (genres *Puffinus* et voisins, ordre des procellariiformes) aux longues ailes, voisin du pétrel.

Puget (Pierre) (Marseille, 1620 - id., 1694), sculpteur, peintre et architecte français : *Milon de Crotone* (1683, Louvre), *Persée délivrant Andromède* (1684, Louvre).

Puget Sound, fjord de la côte O. des É.-U. (État de Washington) où s'abritent les ports de Seattle, de Tacoma, etc. Import. foyer industriel.

pugilat n. m. **1.** ANTIQ Sport comparable à la boxe, mais dans lequel les combattants portaient au poing un gantelet garni de fer ou de plomb. **2.** Cour. Rixe à coups de poing.

pugiliste n. m. **1.** ANTIQ Athlète spécialisé dans le pugilat. **2.** Litt. Boxeur.

pugilistique adj. Litt. Relatif au pugilat antique ou à la boxe.

Pugin (Augustus Welby Northmore) (Londres, 1812 - Ramsgate, 1852), architecte anglais, auteur de nombr. mon. de style gothique (en collab. avec C. Barry) et de plus. ouvrages sur l'architecture.

pugnace [pygnas] adj. Litt. Qui aime la lutte; combatif.

pugnacité [pygnasite] n. f. Litt. Goût de la lutte, combativité.

puîné, ée adj. et n. Vieilli Cadet.

puis adv. **1.** Ensuite, après. *Il dit quelques mots, puis se tut.* **2.** *Et puis* : d'ailleurs, en outre, en plus. *Il l'avait bien mérité... Et puis on ne lui a pas fait bien mal.* - Fam. *Et puis après? Et puis quoi?* : et ensuite, quelle importance? Et alors? *Si je perds, je n'aurai plus rien! Et puis après?* **3.** Plus loin. *Voici un marronnier, puis un bouleau.*

puisage n. m. Rare ou TECH Action de puiser.

puisard n. m. TECH **1.** Excavation pratiquée dans le sol pour évacuer les eaux de pluie. Syn. puits perdu. **2.** Fosse pratiquée dans une chaufferie pour recueillir les eaux de vidange avant de les rejeter à l'égout.

puisatier n. m. Entrepreneur, ouvrier qui creuse ou qui répare les puits.

Puisaye (la), région de bocage du S. du Bassin parisien, entre l'Yonne et la Loire.

Puisaye (Joseph, comte de) (Mortagne-au-Perche, 1755 - Hammersmith, près de Londres, 1827), général français; un des chefs de la chouannerie, à l'origine du débarquement royaliste de Quiberon (1795).

puiser v. tr. [1] **1.** Prendre (une portion d'un liquide) au moyen d'un récipient que l'on plonge dans ce liquide. *Puiser de l'eau dans une mare.* ▷ Par anal. *Puiser dans sa bourse* (de l'argent). **2.** Fig. Prendre. *Il a puisé ces renseignements dans les meilleurs ouvrages. Puiser aux sources* : consulter les originaux.

Puiseux (Victor) (Argenteuil, 1820 - Frontenay, Jura, 1883), astronome et mathématicien français; il étudia les fonctions à variable complexe. – **Pierre** (Paris, 1855 - Frontenay, 1928), fils du préc.; astronome, il participa à l'élaboration de cartes photographiques du ciel et de la Lune.

puisque conj. de subordination. Du moment que, étant donné que. *Puisqu'il pleut, je reste ici.* (La voyelle *e* de *puisque* ne s'élide que devant *il, elle, on, en, un, une.*)

puissamment adv. **1.** Avec de grands moyens. *Région puissamment défendue.* **2.** Avec une grande autorité, une grande efficacité. *Agir puissamment.*

puissance n. f. **I. 1.** Pouvoir d'exercer une autorité, d'avoir une grande influence. *La puissance royale. Toute-puissance* : puissance absolue. **2.** Pouvoir, autorité (dans la société, etc.). *Asseoir sa puissance sur l'argent.* **3.** Caractère de ce qui exerce une grande influence, de ce qui produit des effets notables. *La puissance de l'habitude.* **4.** PHYS Travail fourni par unité de temps. *La puissance s'exprime en watts.* - ELECTR Produit de la tension d'un courant électrique (volts) par son intensité (ampères), qui s'exprime en watts. **5.** Pouvoir d'action (d'un appareil, d'un mécanisme). *Puissance d'un instrument d'optique,* exprimée en dioptries. ▷ *Puissance d'un moteur,* exprimée en watts ou en chevaux. ▷ *Puissance administrative* ou *fiscale d'un véhicule automobile,* établie d'après sa cylindrée pour le calcul de la taxe sur les véhicules automobiles, et qui s'exprime en chevaux fiscaux. **6.** MATH *Puissance n d'un nombre,* ce nombre multiplié n fois par lui-même. **7.** MINES Épaisseur d'une veine de minerai. **II. 1.** PHILO Potentialité, virtualité. **2.** Loc. adj. *En puissance* : potentiel, virtuel. **3.** THEOL *Puissances* : troisième chœur de la deuxième hiérarchie des anges. **III.** *Une (des) puissance(s).* **1.** État souverain. *Les grandes puissances* : les États les plus riches, les plus influents, etc. **2.** Ensemble d'individus, d'entreprises, etc., jouissant d'une grande influence sociale ou politique. *Les puissances d'argent.* - Litt. *Les puissances des ténèbres* : les démons.

puissant, ante adj. et n. m. **1.** Qui est capable de produire de grands effets. *Un remède puissant.* **2.** Qui peut développer une grande énergie. *Moteur puissant.* **3.** Très robuste, doté d'une grande force physique. **4.** Qui a une grande intensité. *Voix puissante* : voix forte et soutenue. *Lumière puissante.* **5.** Qui a une grande autorité, un grand pouvoir, de grands moyens. *Un roi puissant.* ▷ n. m. *Les puissants et les faibles.*

puits [pɥi] n. m. **1.** Profonde excavation creusée dans le sol pour recueillir les eaux d'infiltration. *Tirer de l'eau au puits.* ▷ *Puits artésien* : V. artésien. ▷ *Puits perdu* : puisard. ▷ Fig. *Puits de science, d'érudition* : personne très savante, très érudite. - Prov. *La vérité est au fond d'un puits,* elle est difficile à découvrir. **2.** Excavation pratiquée dans le sol, ouvrage destiné à l'exploitation d'un gisement. *Puits de pétrole.* - *Puits de mine,* qui donne accès aux galeries d'exploitation proprement dites. **3.** CONSTR *Puits de fondation* : fouille dans laquelle on coule du béton, destinée à asseoir les fondations d'un ouvrage.

Pula ou **Pola,** port de Croatie; 56 000 hab. Arsenal. Chantiers navals. Monuments romains. Cathédrale du XVIIe s.

Pulchérie (sainte) (Constantinople, 399 - ?, 453), impératrice d'Orient; sœur de Théodose II, qui lui laissa l'administration de l'empire. Après la mort de son frère, en 450, elle épousa Marcien et, jusqu'à la fin de sa vie, régna avec lui.

Pulci (Luigi) (Florence, 1432 - Padoue, 1484), poète chevaleresque italien. Il a écrit avec verve et truculence, dans un style naturaliste, un poème en vers octosyllabiques sur le cycle carolingien : *Morgant* (1460-1470).

Pulitzer (Joseph) (Makó, Hongrie, 1847 - Charleston, Caroline du Sud, 1911), journaliste américain d'origine hongroise. Il fonda, par testament, les *prix Pulitzer* qui récompensent chaque année, depuis 1917, huit journalistes et cinq écrivains. Les prix sont décernés par l'université Columbia.

pullman [pulman] n. m. Vieilli Voiture de chemin de fer luxueusement aménagée. *Des pullmans.*

pull-over [pylɔvɛʀ] n. m. Tricot qu'on met en l'enfilant par la tête; chandail. *Des pull-overs.* (Abrév. cour. : pull).

pullulement n. m. ou vx **pullulation** n. f. Fait de pulluler.

pulluler v. intr. [1] **1.** Se multiplier rapidement et abondamment. **2.** Être en abondance, foisonner.

1. pulmonaire adj. Qui concerne le poumon, ses vaisseaux. *Artère pulmonaire.* ▷ Qui affecte le poumon. *Embolie pulmonaire.*

2. pulmonaire n. f. BOT Plante herbacée (fam. borraginacées), aux feuilles allongées, aux fleurs bleues.

pulmonés n. m. pl. ZOOL Sous-classe de mollusques gastéropodes respirant par un poumon (escargot, limace, etc.). - Sing. *Un pulmoné.*

pulpaire adj. Didac. Relatif à la pulpe dentaire; de la pulpe dentaire.

pulpe n. f. **1.** Tissu charnu du certains fruits. *La pulpe d'une orange.* **2.** *Pulpe des doigts* : extrémité charnue des doigts. - *Pulpe dentaire* : tissu conjonctif qui remplit la cavité dentaire.

pulpeux, euse adj. Qui contient de la pulpe; qui a la nature, la consistance, l'aspect de la pulpe. - Fig. *Des lèvres pulpeuses.* ▷ Fig., fam. Se dit d'une femme aux formes sensuelles. *Une blonde pulpeuse.*

pulpite n. f. MED Inflammation de la pulpe dentaire.

pulque n. m. Boisson mexicaine obtenue en faisant fermenter du suc d'agave.

pulsar n. m. ASTRO Étoile à neutrons fortement magnétisée et en rotation rapide, dont l'émission se caractérise par une série d'impulsions régulièrement espacées dans le temps. - *Pulsar milliseconde* : pulsar ultra-rapide.

pulsatif, ive adj. **1.** Relatif à la pulsation. **2.** MED Se dit d'une douleur provoquée par la pulsation des artères dans une partie enflammée.

pulsatile adj. Didac. Qui est animé de pulsations.

pulsation n. f. **1.** Battement du cœur, des artères. *Rythme des pulsations.* **2.** PHYS Vitesse angulaire (symbole ω) du mouvement circulaire uniforme par lequel on représente une grandeur sinusoïdale ($\omega = \frac{2\pi}{T}$ où T représente la période de ce mouvement).

pulsé adj. m. TECH Se dit de l'air que l'on envoie, que l'on fait circuler au moyen d'un dispositif spécial.

pulser v. tr. [1] TECH Envoyer par pression (notam. de l'air).

pulsion n. f. PSYCHAN Manifestation de l'inconscient qui pousse un individu à agir pour réduire un état de tension. *Pulsions sexuelles. Pulsion de vie :* V. éros. *Pulsion de mort :* V. thanatos.

pulsionnel, elle adj. PSYCHAN Relatif aux pulsions.

pulsoréacteur n. m. TECH Moteur à réaction fonctionnant par combustion discontinue.

pulvérisable adj. Qui peut être pulvérisé.

pulvérisateur n. m. Instrument utilisé pour projeter une poudre ou de fines gouttelettes de liquide.

pulvérisation n. f. **1.** TECH Action de pulvériser un solide. **2.** Cour. Action de projeter une poudre, de pulvériser un liquide.

pulvériser v. tr. [1] **1.** Réduire en poudre, en très petits fragments. *Pulvériser du sucre.* **2.** Projeter (un liquide) en fines gouttelettes. *Pulvériser un parfum.* **3.** Fig. Détruire, anéantir. – Fam. *Pulvériser un record,* le battre de beaucoup.

pulvériseur n. m. AGRIC Machine agricole destinée à ameublir superficiellement la terre en brisant les mottes.

pulvérulence n. f. État de ce qui est pulvérulent.

pulvérulent, ente adj. Qui se présente sous forme de poudre, ou qui peut se réduire facilement en poudre.

puma n. m. Félin américain *(Felis concolor)* au pelage beige uni, qui chasse la nuit. Syn. couguar.

puna n. f. GEOGR Haute plaine semi-aride, où ne poussent que de maigres touffes de graminées, dans les Andes.

Puna, Pune. V. Poona.

punaise n. f. **1.** Petit insecte hétéroptère (*Cimex lectularius,* la punaise des lits) au corps roux et aplati, parasite de l'homme qu'il pique pour se nourrir de son sang. *La punaise transmet le typhus.* ▷ Fam., péjor. *Punaise de sacristie :* bigote. ▷ Pop., rég. *Punaise !* Exclamation de surprise, de dépit. **2.** ENTOM Nom cour. de tous les insectes hétéroptères. **3.** Petit clou à large tête plate et à pointe fine et courte qui se fixe sans marteau, par simple pression.

punaiser v. tr. [1] Fam. Fixer au moyen de punaises (sens 3).

1. punch [pɔ̃ʃ] n. m. Boisson alcoolisée faite de rhum mêlé de divers ingrédients (à l'origine : thé, citron, sucre et cannelle). *Des punchs.*

2. punch [pœnʃ] n. m. **1.** Grande puissance de frappe, pour un boxeur. *Il a du punch.* **2.** Fig., fam. Énergie, vitalité.

puncheur [pœnʃœʀ] n. m. SPORT Boxeur qui a du punch, qui frappe fort. ▷ Fig., fam. *C'est un puncheur :* il est dynamique, plein d'énergie.

punching-ball [pœnʃiŋbol] n. m. Ballon fixé par des liens élastiques, dans lequel les boxeurs frappent pour s'entraîner. *Des punching-balls.*

puni, ie adj. et n. Qui est frappé d'une punition.

punique adj. et n. HIST Qui a rapport, qui est propre aux Carthaginois. *Les guerres puniques.* ▷ n. m. *Le punique :* la langue punique.
ENCYCL Les guerres puniques opposèrent pendant plus d'un siècle Carthage à Rome pour la domination de la Méditerranée occid. La victoire finale de Rome ouvrit la voie à la constitution d'un puissant Empire romain. La *première guerre punique* (264-241 av. J.-C.) voit d'abord les Mamertins, mercenaires installés en Sicile, demander le secours des armées de Rome pour chasser les Carthaginois, qui contrôlaient le détroit de Messine. Les Romains prennent Messine (264) par surprise, et Hiéron, roi de Syracuse, se rallie à eux. Ils sont vainqueurs à Agrigente (262), à Myles (260), à Ecnome (256), puis transportent la guerre en Afrique, où l'expédition du consul Regulus tourne au désastre. Les Carthaginois ont, pour un temps, l'avantage, mais, après leur défaite aux îles Ægates (241), ils doivent demander la paix, céder la Sicile et ne peuvent s'opposer à la conquête romaine de la Corse et de la Sardaigne (238-237 av. J.-C.). La *deuxième guerre punique* (218-201 av. J.-C.) commence avec la prise par Hannibal de la v. ibérique de Sagonte, alliée de Rome. Hannibal, en un an, passe le Rhône et les Alpes, entraîne dans son sillage les Celtes (de la plaine padane) et écrase l'armée romaine sur les bords de la Trébie (218) et du lac Trasimène (217), puis à Cannes, en Apulie (216), où près de 45 000 Romains sont tués. Mais Rome mate les rébellions de la confédération italique et constitue en Italie centr. un noyau de résistance qu'Hannibal hésite à attaquer, laissant de surcroît ses troupes se perdre dans les « délices de Capoue », ville annexée en 215. Bientôt, le jeune Scipion attaque les arrières carthaginois en Espagne. Scipion débarque en Afrique (204) et, après s'être allié au roi numide Masinissa, écrase à Zama (202) l'armée carthaginoise conduite par Hannibal. Carthage vaincue doit payer une indemnité considérable et cède l'Espagne aux Romains. La *troisième guerre punique* (149-146) est déclenchée à la suite de la violente campagne menée contre Carthage par Caton l'Ancien qui affirmait sans cesse que Carthage devait être détruite, sous prétexte que les Carthaginois avaient attaqué Masinissa, l'allié de Rome. Carthage résistera deux ans aux légions de Scipion Émilien, avant que ses murs soient rasés et ses habitants massacrés (146).

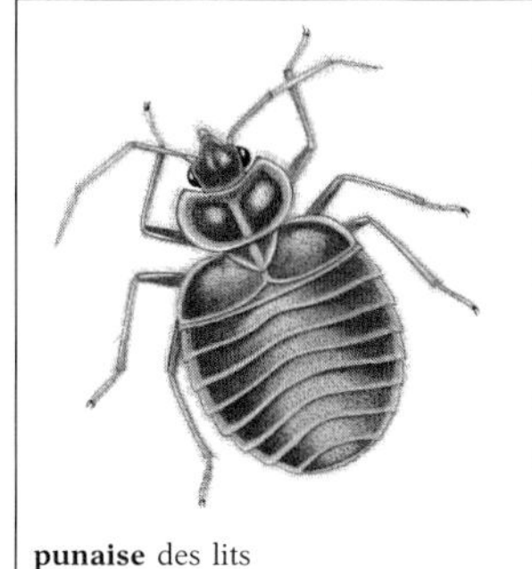
punaise des lits

jeune **puma**

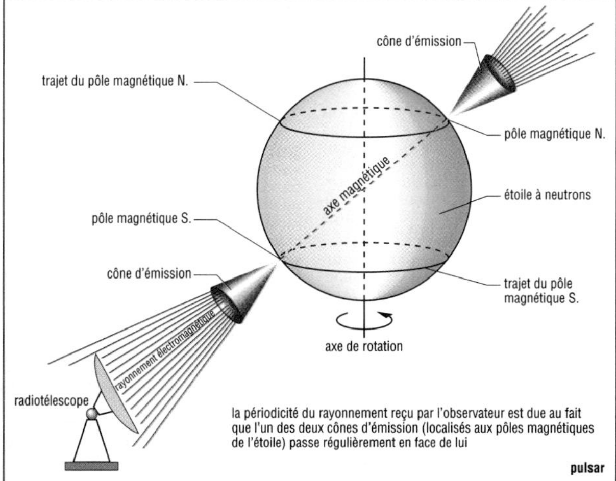

la périodicité du rayonnement reçu par l'observateur est due au fait que l'un des deux cônes d'émission (localisés aux pôles magnétiques de l'étoile) passe régulièrement en face de lui

pulsar

punir v. tr. [3] **1.** Infliger un châtiment à (qqn). – *Punir qqn d'une peine,* la lui infliger. *Punir qqn de prison.* ▷ v. pron. *Il agit comme s'il voulait se punir de quelque chose.* **2.** (Passif) *Être puni de :* éprouver un désagrément qui résulte de. *Il a été puni de ses mensonges, de sa lâcheté.* – *Être puni par où l'on a péché :* voir la faute que l'on a commise se retourner contre soi-même. **3.** Sanctionner (une faute) par une peine. *Punir un crime.*

punissable adj. Qui mérite punition.

punitif, ive adj. Dont le but est de punir. *Expédition punitive.*

punition n. f. **1.** Action de punir. *La punition des péchés.* **2.** Châtiment infligé pour une faute relativement légère. *Donner une punition à un élève.* **3.** Mal que l'on éprouve à cause d'une faute, d'un défaut, etc. *Cette indigestion est la punition de sa gourmandise.*

punk [pœ̃k] n. et adj. Se dit d'un mouvement social, culturel et musical né en Grande-Bretagne, vers 1975, en réaction contre la société et l'évolution de la pop-music. ▷ Subst. *Les punks affichent des dehors volontairement rebutants et provocants.* ▷ adj. *Des chanteuses punk(s).*

Punta Arenas, v. et port du Chili, sur le détroit de Magellan; 111 720 hab.; ch.-l. de prov. Conserveries de viande.

Punta del Este, v. balnéaire de l'Uruguay, sur l'Atlantique, à l'E. de Montevideo; 6 610 hab. – Festival cinématographique. – En août 1961, la charte de l'Alliance pour le progrès, destinée à développer économiquement l'Amérique latine (avec l'aide des É.-U.), y fut signée par vingt États.

puntillero [puntijeʀo] n. m. En tauromachie, celui qui est chargé d'achever le taureau estoqué.

pupe n. f. ZOOL Nymphe des insectes diptères, en forme de tonnelet.

1. pupillaire adj. DR Qui a rapport ou appartient au pupille.

2. pupillaire adj. PHYSIOL Relatif à la pupille. *Réflexe pupillaire.*

1. pupille n. **1.** Mineur sous l'autorité d'un tuteur. **2.** Enfant orphelin, abandonné ou nécessiteux, dont l'entretien et l'éducation sont assurés par une collectivité. *Pupilles de l'État. Pupilles de la Nation :* orphelins de guerre.

2. pupille n. f. Orifice circulaire au centre de l'iris de l'œil.

Pupin (Michael Idvorsky) (Idvor, Banat, 1858 – New York, 1935), physicien américain d'origine serbe. Il inventa la pupinisation.

pupinisation n. f. TELECOM Introduction, dans un circuit téléphonique, de bobines d'induction régulièrement espacées, permettant d'éviter l'affaiblissement des signaux avec la distance.

pupitre n. m. **1.** Petit meuble dont la partie supérieure est en plan incliné et qui sert à écrire, à poser des livres, des partitions de musique. *Pupitre d'écolier, de musicien.* **2.** TECH Tableau sur lequel sont regroupés les organes de commande, de contrôle, etc., d'une machine électronique.

pupitreur, euse n. INFORM Personne chargée de la commande et de la surveillance du fonctionnement d'un ordinateur.

pur, pure adj. et n. **I.** adj. **1.** Qui n'est pas mélangé à autre chose, qui n'est pas altéré par un élément étranger. *Vin pur. Pur jus de fruits. Or pur.* – *Ciel pur,* sans aucun nuage. ▷ CHIM *Corps pur,* constitué de molécules identiques et caractérisé par la constance de ses caractères physiques. **2.** Fig. Exempt de toute souillure morale. *Une conscience pure.* ▷ Chaste. *Une jeune fille pure.* **3.** *Par ext.* Qui ne comporte pas d'imperfections, de fioritures. *Style, langage pur. Meuble d'une ligne très pure.* **4.** Envisagé sous un angle théorique, abstrait. *Mathématiques pures* (par oppos. à *mathématiques appliquées*). **5.** Qui est bien tel (et non autre). *Faire souffrir qqn par pure cruauté.* ▷ *Pur et simple :* sans restriction, sans réserve. ▷ *Pur et dur :* qui suit une ligne de pensée avec une grande rigueur. *Un communiste pur et dur.* ▷ Fig., fam. *Pur sucre :* authentique. *Un libéral pur sucre.* (On trouve aussi *pur jus, pur laine, pur porc,* etc.). **II.** n. Celui qui respecte l'orthodoxie d'une doctrine, d'un parti, d'une école et sacrifie tout à ses principes.

Purāna, textes sanscrits anonymes, de caractère épique, qui célèbrent les dieux de l'hindouisme, princ. Vishnu et ses incarnations. Élaborés (IVe-XIVe s.) avec des matériaux de toutes provenances, dont certains remontent à une très haute antiquité (Purāna, *ancien*), ils étaient destinés à tous ceux, notam. les femmes, qui n'avaient pas accès aux Vedas. On distingue 18 Purāna majeurs (dont les célèbres *Bhāgavata-purāna* et *Vishnu-purāna*) et 18 mineurs.

Purcell (Henry) (Londres, 1659 – id., 1695), compositeur anglais, faisant montre d'un étonnant sens dramatique dans ses œuvres lyriques pour la scène (*Didon et Énée,* 1689; *King Arthur,* 1691; *The Indian Queen,* 1695; *The Tempest,* 1695). Sa musique religieuse, ses chansons pour une ou deux voix et basse continue, ses fantaisies pour violes, ses sonates pour deux violons et basse, ses pièces pour clavecin témoignent d'une grande maîtrise. ► illustr. page **1541**

Purcell (Edward Mills) (Taylorville, Illinois, 1912 – Cambridge, Massachusetts, 1997), physicien et astronome américain. Il mesura le moment magnétique du noyau atomique. P. Nobel 1952 (avec F. Bloch).

Purdy (James) (Ohio, 1923), écrivain américain. Ses romans décrivent la solitude dans le cadre d'une décomposition sociale de l'Amérique : *Malcolm* (1959), *le Neveu* (1960), *les Œuvres d'Eustace* (1967).

purée n. f. **1.** Préparation de légumes cuits dans l'eau et écrasés. *Purée de pois cassés.* – Absol. *De la purée* (de pommes de terre). ▷ Fig., fam. *Purée de pois :* brouillard très épais. **2.** Fig., fam. Misère, situation fâcheuse. *Être dans la purée.*

purement adv. Uniquement, exclusivement. *À des fins purement humanitaires.* – *Purement et simplement :* sans réserve et sans condition.

pureté n. f. **1.** Qualité de ce qui est pur, sans mélange. *Pureté de l'eau.* ▷ CHIM État d'un corps ne contenant pas de substances étrangères. ▷ *Pureté d'un diamant :* état d'un diamant sans défaut, sans altération. **2.** Fig. Qualité de qqn, de qqch qui est pur sur un plan moral. *Pureté des intentions.* ▷ *Par ext.* État de ce qui est sobre, dépourvu de fioritures ou d'imperfections. *Pureté des formes.*

purgatif, ive adj. et n. m. Se dit d'une substance, d'un médicament qui purge.

purgation n. f. Syn. anc. de *purge.*

purgatoire n. m. RELIG CATHOL Lieu ou état de souffrance temporaire dans lequel les âmes des justes achèvent l'expiation de leurs fautes avant d'être admises au Paradis. ▷ Fig. *Faire son purgatoire en ce monde,* y souffrir beaucoup. *Un purgatoire :* un temps d'épreuve, une période difficile.

purge n. f. **1.** Action de purger; purgatif. **2.** Action d'évacuer d'une canalisation ou d'un récipient un fluide différent de celui qui doit normalement s'y trouver (air dans le cas d'un chauffage à eau chaude). *Robinet de purge.* **3.** DR Formalités tendant à affranchir un immeuble des hypothèques qui le grèvent. **4.** Fig. Épuration politique.

purger v. tr. [13] **1.** Provoquer l'évacuation des selles de (qqn) au moyen d'un purgatif. *Purger un enfant malade.* **2.** TECH Purifier (une substance). *Purger un métal.* **3.** Effectuer la purge de (une canalisation, un appareil). **4.** Débarrasser (une société) d'individus indésirables. *Purger la ville d'une bande de malfaiteurs.* **5.** *Purger une peine :* subir la peine à laquelle on est condamné. **6.** DR *Purger les hypothèques :* libérer un bien des hypothèques qui le grèvent.

purgeur n. m. Dispositif servant à la purge d'un récipient, d'une canalisation.

Puri, v. de l'Inde (Orissa), sur le golfe du Bengale; 100 940 hab. – Temple de Jagannāth (XIIe s.), lieu d'un important pèlerinage hindou.

purifiant, ante adj. Qui purifie.

purificateur, trice adj. et n. m. **1.** adj. Qui purifie, qui a la vertu de purifier. *Jeûne purificateur.* **2.** n. m. Appareil servant à purifier (un milieu).

purification n. f. **1.** Action de purifier; son résultat. *La purification de l'air.* ▷ Fig. *La purification du corps imposée par certaines religions est le symbole de la purification de l'âme.* ▷ LITURG CATHOL Moment de la messe où le célébrant essuie le calice avec le purificatoire. **2.** *Purification ethnique :* expression répandue en 1992 par les nationalistes serbes, lors du démantèlement de la Yougoslavie, pour désigner l'élimination par la violence, dans certaines régions revendiquées, de groupes ethniques non serbes.

purificatoire n. m. et adj. **1.** n. m. LITURG CATHOL Linge avec lequel le prêtre essuie le calice après la communion. **2.** adj. Litt. Purificateur. *Sacrifice purificatoire.*

purifier v. tr. [2] **1.** Débarrasser des éléments étrangers, de ce qui altère. *Purifier l'eau. Purifier l'haleine.* **2.** Laver d'une souillure par des cérémonies religieuses. *Purifier un temple.* **3.** Rendre pur moralement. *La pénitence purifie le pécheur.*

Purim. V. Pourim.

purin n. m. Liquide s'égouttant du fumier, composé d'urine, d'eau et des produits de décomposition de la litière et des matières fécales animales.

purine n. f. BIOCHIM Base azotée dont certains dérivés entrent dans la composition des acides nucléiques.

purique adj. BIOCHIM *Bases puriques :* dérivés de la purine, importants constituants des acides nucléiques et des nucléotides.

purisme n. m. **1.** Respect scrupuleux, excessif, de la correction du langage. **2.** BX-A Mouvement plastique néo-cubiste fondé par A. Ozenfant et Le Corbusier en 1918. **3.** Respect scrupuleux d'un idéal, d'une doctrine.

puriste n. et adj. Personne qui s'attache avec excès à la correction, à la pureté du langage; qui respecte scrupuleusement les principes propres à un idéal, une doctrine. ▷ adj. *Théoricien, propos puristes.*

puritain, aine n. et adj. **I.** n. **1.** HIST, RELIG Membre d'une secte de presbytériens rigoristes qui se constitua en Angleterre, à l'imitation de l'Église d'Écosse, sous les règnes d'Élisabeth Ire et des deux premiers Stuarts. *Persécutés par les Stuarts, les puritains émigrèrent en grand nombre en Amérique.* **2.** Personne qui affecte une grande austérité, un respect sévère et intransigeant des principes moraux. **II.** adj. **1.** Propre aux puritains (sens 1). **2.** Austère, imprégné de puritanisme.

puritanisme n. m. 1. RELIG Doctrine des puritains. 2. Rigorisme dans la morale, dans les mœurs.

purpura n. m. MED Épanchement de sang au niveau de la peau ou des muqueuses réalisant un piqueté hémorragique (pétéchies) ou une ecchymose.

purpurin, ine adj. Litt. D'une couleur voisine du pourpre.

pur-sang n. m. inv. Cheval de course inscrit au stud-book et issu d'une race créée au XVIIIe s. par le croisement d'étalons arabes avec des juments anglaises.

purulence n. f. MED État caractérisé par la présence de pus.

purulent, ente adj. Qui a la nature ou l'aspect du pus; qui produit du pus.

Purus (río), riv. du Pérou et du Brésil (3 380 km), affl. de l'Amazone (r. dr.).

pus [py] n. m. Exsudat pathologique, liquide, opaque, généralement jaunâtre, tenant en suspension des leucocytes altérés, des débris cellulaires et de nécrose, et contenant ou non des germes.

Pusan (en jap. *Fusan*), principal port de la Corée du Sud, sur le détroit de Corée. La ville constitue une prov. de 433 km^2 et de 3 516 810 hab. Industr. métallurgiques et textiles.

Pusey (Edward Bouverie) (Pusey, près d'Oxford, 1800 - Oxford, 1882), théologien anglais; le princ. promoteur, avec Newman, du mouvement d'Oxford* ou puseyisme.

puseyisme n. m. RELIG Doctrine de Pusey et de Newman, qui tenta de renouveler la spiritualité de l'Église anglicane en rétablissant certains dogmes dans leur forme catholique (donc antérieure à la Réforme) et en introduisant dans la liturgie des rites proches des rites catholiques.

push-pull [puʃpul] adj. inv. et n. m. inv. (Anglicisme) ELECTR *Montage push-pull* : montage électronique constitué de deux étages amplificateurs de même puissance recevant simultanément des tensions en opposition de phase, et destiné à réduire le taux de distorsion. - n. m. *Un push-pull.*

pusillanime [pyzillanim] adj. Litt. Qui manque de courage, de caractère; qui fuit les responsabilités.

pusillanimité [pyzillanimite] n. f. Litt. Caractère, comportement d'une personne pusillanime.

pustule n. f. 1. Lésion cutanée, soulèvement circonscrit de l'épiderme contenant du pus. 2. Petite éminence sur la tige ou les feuilles d'une plante. ▷ Petite protubérance de la peau de certains animaux.

pustulé, ée adj. Didac. Qui porte des pustules.

pustuleux, euse adj. Caractérisé par la présence de pustules; qui a la forme d'une pustule.

puszta [pusta] n. f. GEOGR Partie de la plaine hongroise (E. et S.-E. du pays), autrefois inculte.

putain n. f. et adj. 1. Vulg. Prostituée. ▷ Inj. Femme de mœurs faciles. 2. Pop. *Putain de* (+ subst.) : pour maudire, vouer à l'exécration. *C'est ce putain de truc qui se coince!* ▷ *Putain!* : exclam. marquant la surprise, l'indignation. 3. adj. Fig., fam. Complaisant, prêt à n'importe quelle concession. *Il est un peu putain.*

putasser v. intr. [1] Vulg. 1. Faire la putain. 2. Fréquenter les prostituées.

putassier, ère adj. Vulg. 1. Qui concerne les prostituées; propre aux prostituées. 2. Fig. Qui cherche à plaire à tout prix; facile et démagogique.

putatif, ive adj. DR Qui juridiquement est réputé être ce qu'il n'est pas en réalité. *Mariage putatif* : mariage nul, mais contracté de bonne foi et dont les effets antérieurement produits subsistent jusqu'à son annulation.

pute n. f. Vulg. Variante de putain.

Puteaux, ch.-l. de cant. des Hauts-de-Seine (arr. de Nanterre), sur la Seine (r. g.); 42 917 hab. (*Putéoliens*). Industr. diverses : constr. méca., électr., pharm., chim.; métallurgie.

putier ou **putiet** [pytje] n. m. Rég. Merisier à grappes, ornemental.

Putiphar, personnage biblique, chef des gardes du pharaon et maître de Joseph. Sa femme voulut séduire Joseph qui la repoussa; elle l'accusa alors d'avoir voulu la prendre de force, et Joseph fut jeté en prison.

Putnik (Radomir) (Kragujevac, 1847 - Nice, 1917), général serbe. Il organisa et commanda la nouvelle armée serbe pendant la guerre des Balkans (1912-1913) puis en 1914-1915.

putois n. m. 1. Mammifère carnivore (*Mustela putorius* ou *Putorius putorius*, fam. mustélidés), long d'une cinquantaine de centimètres, au pelage brun tacheté de blanc sur la face, à l'odeur désagréable. ▷ Loc. fig., fam. *Crier comme un putois*, très fort. ▷ Fourrure du putois. *Col en putois.* 2. TECH Brosse à poils courts et doux servant à étendre les couleurs sur la porcelaine.

putois commun d'Europe

putréfaction n. f. Décomposition des organismes privés de vie sous l'influence d'agents microbiens.

putréfiable adj. Qui peut se putréfier.

putréfié, ée adj. Qui est en état de putréfaction.

putréfier v. tr. [2] Corrompre, faire pourrir. ▷ v. pron. Tomber en putréfaction, pourrir.

putrescent, ente [pytʀesɑ̃, ɑ̃t] adj. Rare Qui est en cours de putréfaction.

putrescibilité n. f. Didac. Caractère de ce qui est putrescible.

putrescible [pytʀesibl] adj. Qui peut se putréfier.

putride adj. 1. En putréfaction. 2. Relatif au travail de la putréfaction; produit par la putréfaction. ▷ Litt., fig. Corrupteur, qui pourrit l'esprit, les mœurs. *Écrits putrides.*

putridité n. f. Litt. Caractère de ce qui est putride.

putsch [putʃ] n. m. POLIT Coup de force, soulèvement effectué par un groupe armé, généralement peu important, en vue d'une prise de pouvoir devant mener à un changement de régime. *Des putsch* ou *des putschs.*

putschiste [putʃist] n. et adj. POLIT Personne qui prend part à un putsch; personne qui prend parti en faveur d'un putsch. ▷ adj. *Menées putschistes.*

putt [pœt] n. m. Coup de golf joué sur le green avec le putter.

putter [pœtœʀ] n. m. Club de golf servant à diriger la balle vers le trou lorsqu'on l'a amenée sur le green.

Puvis de Chavannes (Pierre) (Lyon, 1824 - Paris, 1898), peintre français. Auteur de décorations murales idéalistes, traitées avec des couleurs en aplat et une absence de profondeur (Panthéon, Sorbonne).

Pierre **Puvis de Chavanne :** *l'Espoir,* 1872; musée du Louvre

1. puy n. m. Montagne volcanique, dans le centre de la France. *La chaîne des puys. Le puy de Dôme.*

2. puy n. m. LITTER Au Moyen Âge, société littéraire placée sous le patronage de la Vierge. *Le puy d'Amiens, de Rouen.*

Puy-de-Dôme, dép. franç. (63); 7 965 km^2; 598 213 hab.; 75,1 hab./km^2; ch.-l. *Clermont-Ferrand.* V. Auvergne (Rég.). ▶ illustr. page 1546

Puy-en-Velay (Le) (*Le Puy* jusqu'en 1988), ch.-l. du dép. de la Haute-Loire; 23 434 hab. (*Ponots*). Centre admin. du *bassin du Puy,* la ville possède quelques industries (constr. mécaniques, papeteries, distilleries) et vit également du tourisme. - Le *bassin du Puy* est une dépression pittoresque et fertile (viticulture et arboriculture) que dominent des pitons volcaniques (rocher Corneille, notam.). - Évêché. Cath. N.-D., célèbre édifice roman. Musée Crozatier (archéol. et Bx-A). Égl. St-Laurent (XIVe-XVe s.). Maisons anciennes. Le rocher Corneille est surmonté d'une gigantesque statue de la Vierge (XIXe s.). Oratoire St-Michel (X^{e} et XIe s.) sur le mont Aiguilhe. - Anc. *Podium Aniciense,* Le Puy fut la cap. du Velay, spécialisée dès le XVe s. dans la fabrication de dentelles (dites du Puy). Il fut, à partir du Xe s., le lieu d'un célèbre pèlerinage à la Vierge noire.

Puyi ou **P'ou-yi** (Pékin, 1906 - id., 1967), dernier empereur de Chine (1908-1912). Les Japonais le firent régner sur le Mandchoukouo (1934-1945). En 1945, les Soviétiques l'emprisonnèrent, puis le remirent à la Chine populaire (1950). Amnistié en 1959, il occupa de modestes emplois et reprit une certaine activité politique.

Puylaurens, ch.-l. de cant. du Tarn (arr. de Castres); 2 735 hab. Centre agricole. - Vestiges d'un chât. du XIIIe s. Égl. (XIVe-XVIIe s.). - Place forte albigeoise. Siège d'une académie protestante, supprimée par Louis XIV.

Puy-l'Évêque, ch.-l. de cant. du Lot (arr. de Cahors), sur le Lot; 2 227 hab.

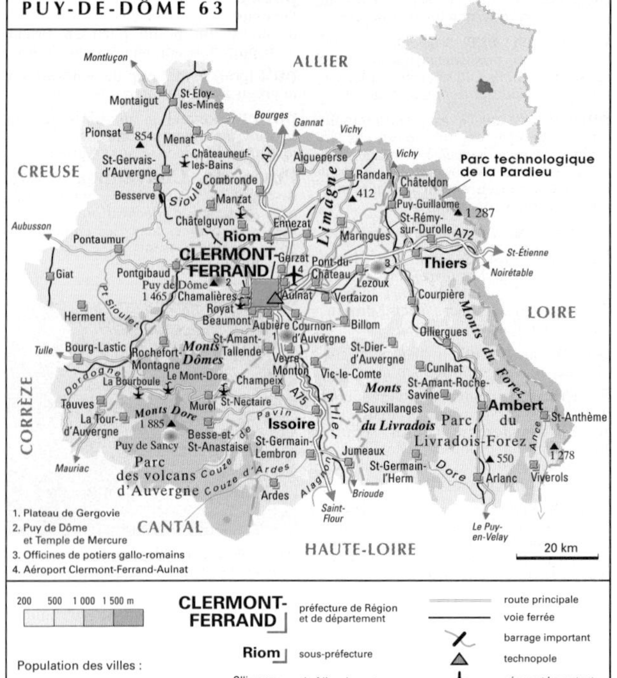

Chaudronnerie. – Église des XIVe et XVIe s. Donjon (XIIIe s.) de l'ancien château des évêques de Cahors.

Puymorens (col de), col des Pyrénées-Orientales (1 915 m) reliant la vallée de l'Ariège, en France, à celle du Sègre, en Espagne. Sports d'hiver.

Puys (chaîne des) ou **monts Dôme,** partie N. de l'alignement de sommets volcaniques (les *puys*) qui dominent le fossé d'effondrement de la Limagne. Située entre l'Allier et la Sioule, elle culmine au *puy de Dôme* (1 465 m).

puzzle [pœzl] n. m. Jeu de patience formé de petites pièces à contours irréguliers que l'on doit assembler pour former une image. ▷ Fig. *L'Autriche-Hongrie était un puzzle de nations slaves et germaniques,* un État formé de communautés très différentes, difficiles à unir.

p.-v. n. m. Abrév. de *procès-verbal.* ▷ Fam. *Attraper un p.-v.,* une contravention.

P.V.C. n. m. TECH Polychlorure de vinyle, matière plastique très répandue. *Emballage en P.V.C.*

pycnogonides n. m. pl. ZOOL Classe d'arthropodes chélicérates au corps très réduit supporté par de longues pattes grêles. – Sing. *Un pycnogonide.*

Pydna, anc. v. de Macédoine, sur le golfe de Thessalonique. Le consul Paul Émile y vainquit Persée (168 av. J.-C.), mettant fin à la troisième guerre de Macédoine.

pyélonéphrite n. f. MED Atteinte inflammatoire et infectieuse du parenchyme rénal et des voies excrétrices urinaires hautes.

pygargue n. m. ORNITH Grand aigle (genre *Haliætus*) à queue de couleur claire, qui vit près des côtes et des grands lacs et se nourrit d'oiseaux et de poissons. Syn. cour. orfraie, aigle de mer.

-pyge, -pygie. Éléments, du gr. *pugê,* « fesse ».

Pygmalion, roi légendaire de l'île de Chypre ; auteur d'une statue de Galatée dont il devint amoureux. Aphrodite l'anima et la lui donna pour épouse.

Pygmées, groupe ethnique africain vivant dans la forêt équatoriale, caractérisé par la petite taille de ses individus.

pyjama n. m. **1.** Vêtement de nuit ou d'intérieur composé d'une veste et d'un pantalon amples. **2.** Pantalon ample, de toile légère, porté par les femmes en Inde.

Pylade, héros grec, ami dévoué de son cousin Oreste, dont il épousa la sœur Électre.

pylône n. m. **1.** ANTIQ Portail colossal d'un temple égyptien, flanqué de deux piliers massifs en forme de pyramides tronquées. **2.** ARCHI Chacun des piliers quadrangulaires de grande dimension qui ornent l'entrée d'un pont, d'une avenue, etc. **3.** Construction, le plus souvent en charpente métallique ou en béton armé, qui sert de support à des câbles aériens, à une antenne de radio, etc.

pylore n. m. ANAT Orifice intérieur de l'estomac faisant communiquer celui-ci avec le duodénum.

pylorique adj. ANAT, MED Du pylore.

Pylos (anc. *Navarin*), v. et port de Grèce (Péloponnèse), sur la mer Ionienne ; 2 110 hab.

Pym (John) (Brymore, 1584 - Londres, 1643), homme politique anglais. Il fut, aux Communes, le chef de l'opposition contre la politique absolutiste de Charles Ier (1640).

Pynchon (Thomas) (Long Island, 1937), écrivain américain. Sa quête porte sur l'identité et l'opposition de l'humain à l'inanimé : *V* (1963), *l'Arc-en-ciel de la gravité* (1973).

pyo-. Élément, du gr. *puo-,* de *puon,* « pus ».

pyocyanique adj. BIOL *Bacille pyocyanique :* bacille Gram négatif, dont la culture a une odeur particulière, germe redoutable du fait de sa résistance à de nombreux antibiotiques.

pyogène adj. MED Se dit des germes qui entraînent une suppuration.

Pyongyang, cap. de la Corée du Nord, sur le Taedong ; 1 500 000 hab. Industr. sidérurgiques, métallurgiques et chimiques.

pyorrhée [pjɔʀe] n. f. MED Écoulement de pus. *Pyorrhée dentaire.*

pyr(o)-. Élément, du gr. *pûr, puros,* « feu ». ▷ CHIM Préfixe indiquant une décomposition sous l'action de la chaleur.

pyrale n. f. ENTOM Papillon nuisible, aux vives couleurs. *Pyrale de la vigne,* dont la chenille ronge les feuilles de cette plante.

pyralène n. m. (Nom déposé.) TECH Huile synthétique utilisée comme isolant dans les industries électriques et électroniques, et qui, sous l'effet de la chaleur, dégage de la dioxine.

Pyrame, héros d'une légende babylonienne. Il se tua, persuadé qu'une lionne avait dévoré son amie Thisbé. Celle-ci, survenant, se tua à son tour.

pyramidal, ale, aux adj. **1.** En forme de pyramide. **2.** ANAT *Cellules pyramidales :* cellules nerveuses de l'écorce cérébrale. – *Faisceaux pyramidaux :* groupements de fibres motrices contenues dans la substance blanche de la moelle épinière. – *Os pyramidal :* os de la première rangée du carpe.

pyramide n. f. **1.** ANTIQ Monument à quatre faces triangulaires et à base quadrangulaire qui servait de tombeau aux pharaons d'Égypte. – *Par ext.* Tout monument ayant cette forme. *La pyramide du Louvre.* **2.** Dans les civilisations précolombiennes d'Amérique centrale et d'Amérique du Sud, grand monument de forme pyramidale, surmonté d'un temple. **3.** GEOM Solide qui a pour base un polygone et pour faces latérales des triangles dont les sommets se réunissent en un même point. **4.** Entassement en forme de pyramide. *Pyramide de fruits.* ▷ *Pyramide des âges :* représentation graphique de la répartition par classes d'âge d'une population donnée. **5.** ANAT *Pyramide de Malpighi :* petit faisceau conique de tubes urinifères situé dans le rein.

ENCYCL **Archi.** – Lieu de sépulture abritant les sarcophages de la famille royale, la pyramide égyptienne était érigée à l'intérieur d'un ensemble architectural composé d'une enceinte, de plusieurs monuments et de temples funéraires annexes. Elle est surtout caractéristique de l'Ancien Empire (IIIe-VIe dynastie, 2780-2380 av. J.-C.). C'est à Gizeh, à 8 km du Caire, que se dressent les trois pyramides les plus célèbres : celle du roi Chéops (ou Grande Pyramide, une des Sept Merveilles du monde ; elle a auj. 138 m de haut,

pyramide à degrés du roi Djoser, Saqqarah

227 m de côté), puis celles de Chéphren et de Mykérinos. Mais c'est à Saqqarah que l'on trouve la plus anc., la pyramide à degrés du roi Djoser (IIIe dynastie). En Amérique centrale et Amérique du Sud (Mexique, Honduras, Guatemala, Pérou), de nombr. peuples précolombiens ont également édifié des pyramides : civilisation dite de Teotihuacán (pyramides du Soleil et de la Lune, près de Mexico), toltèque (grande pyramide de Tula), maya (pyramides de Palenque, Uxmal, Chichén-Itzá, Tikal, etc.), pré-inca (pyramides jumelles de Moche, côte du Pérou septentrional).
► pl. géométrie

Pyramides (bataille des), victoire remportée en Égypte par Bonaparte sur les Mameluks, le 21 juil. 1798, près des pyramides de Gizeh.

pyrène n. m. CHIM Hydrocarbure cyclique $C_{16}H_{10}$ contenu dans les goudrons de houille.

pyrénéen, éenne adj. et n. Des Pyrénées. ▷ Subst. Habitant de la région des Pyrénées. *Un(e) Pyrénéen(ne).*

Pyrénées, chaîne de montagnes de France et d'Espagne, située entre l'océan Atlantique à l'O. et la Méditerranée à l'E. Chaîne apparue au primaire, soulevée à nouveau au tertiaire, les Pyrénées présentent trois zones longitudinales caractéristiques : une *zone axiale*, cristalline, difficilement franchissable, où se trouvent les princ. sommets (pic d'Aneto, 3 404 m; pic Posets, 3 357 m), séparés par des cols, ou « ports », élevés (Roncevaux, 1 057 m; Puymorens, 1 915 m) et creusés de cirques glaciaires (Gavarnie); une *zone nord-pyrénéenne*, formée de terrains sédimentaires qui constituent, avec des massifs primaires isolés, deux séries de rides plissées; une *zone sud-pyrénéenne*, divisée en deux vastes anticlinaux : les sierras intérieures, aux escarpements calcaires, et les sierras extérieures, aux plis discontinus, qui dominent la vallée de l'Èbre. Montagnes massives, peu dégagées par les glaciers (d'extension limitée), les Pyrénées ne sont guère franchissables, si ce n'est à l'O., région moins élevée, et en bordure de la Méditerranée (col du Perthus, 290 m). Le massif a un climat varié : doux et humide à l'O. et sur le versant français, il devient rigoureux et enneigé au centre, et prend des nuances continentales sur le versant espagnol. Les rivières (« gaves » dans les Pyrénées centrales) sont presque toutes perpendiculaires à l'axe de la montagne. La difficulté des communications explique l'isolement de certaines vallées, où ont pu se développer des communautés rurales vivant en autarcie; la principauté d'Andorre en est une survivance. Actuellement, l'économie rurale pyrénéenne (agricole et pastorale) connaît une crise qui a entraîné une émigration de la population vers les villes du piémont (Pau, Pampelune, Tarbes). En outre, l'aménagement hydroélectrique des Pyrénées n'a pas su fixer la grande industrie. L'extraction minière (potasse, gypse), l'électrométallurgie (aluminium) ainsi que les activités traditionnelles (textile, chaussures) complètent les ressources qu'apportent le tourisme (Lourdes, Saint-Lary) et le thermalisme (Bagnères-de-Luchon, Cauterets). (V. aussi basque [Pays].)

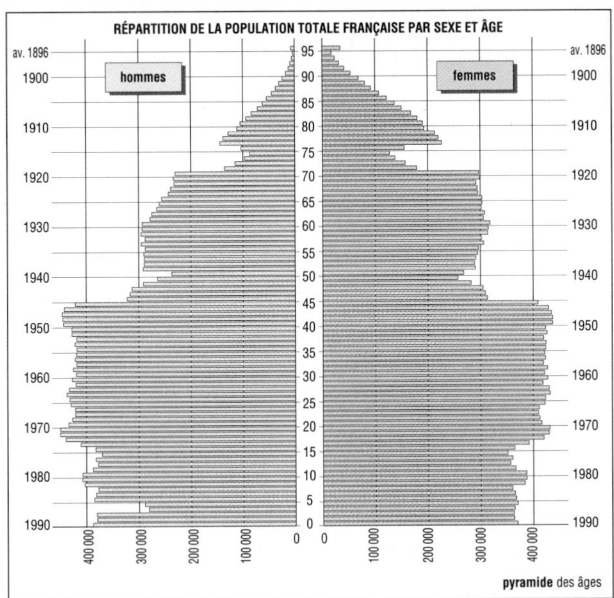

pyramide des âges

Pyrénées (paix des), paix conclue par Mazarin et don Luis de Haro dans l'île des Faisans, au milieu de la Bidassoa (7 nov. 1659), pour mettre fin à la guerre franco-espagnole. L'Espagne y perdait notam. le Roussillon, l'Artois et une partie de la Cerdagne.

Pyrénées-Atlantiques, dép. franç. (64); 7 629 km²; 578 516 hab.; 75,8 hab./km²; ch.-l. *Pau.* V. Aquitaine (Rég.).

Pyrénées (Hautes-), dép. franç. (65); 4 507 km²; 224 759 hab.; 49,8 hab./km²; ch.-l. *Tarbes.* V. Midi-Pyrénées (Rég.). ► carte page **1548**

Pyrénées-Orientales, dép. franç. (66); 4 087 km²; 363 796 hab.; 89 hab./km²; ch.-l. *Perpignan.* V. Languedoc-Roussillon (Rég.). ► carte page **1549**

pyrénomycètes n. m. pl. BOT Groupe de champignons ascomycètes caractérisés par des fructifications closes, responsables de nombr. maladies des végé-

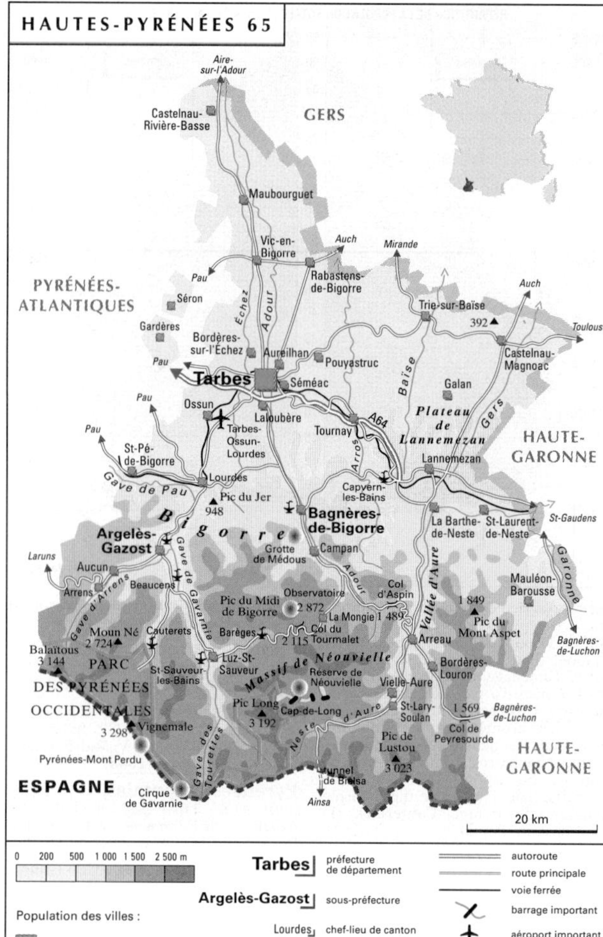

taux supérieurs. – Sing. *Un pyrénomycète.*

pyrèthre n. m. BOT Plante (fam. composées), dont diverses espèces donnent une poudre insecticide obtenue par broyage des capitules.

pyrétique adj. MED Qui a rapport à la fièvre ou qui la détermine.

pyrex [piʀɛks] n. m. (Nom déposé.) Verre résistant aux chocs thermiques et aux agents chimiques.

pyridoxine n. f. MED Vitamine B6.

pyrimidine n. f. BIOCHIM Noyau azoté de formule brute $C_4H_4N_2$, dont dérivent les bases pyrimidiques.

pyrimidique adj. BIOCHIM *Bases pyrimidiques :* bases azotées, importants constituants des acides nucléiques et des nucléotides (les deux principales sont la cytosine et l'uracile).

pyrite n. f. MINER Sulfure de fer (FeS_2) naturel qui cristallise en cubes jaunes et s'oxyde facilement à l'air. ▷ *Pyrite cuivreuse :* sulfure naturel double de cuivre et de fer, minerai de cuivre.

pyro-. V. pyr(o)-.

pyroélectricité n. f. PHYS Apparition de charges électriques sur les faces opposées de certains cristaux sous l'effet de la chaleur.

pyrogallol n. m. CHIM Dérivé du benzène utilisé comme révélateur en photographie, et souvent improprement dénommé *acide pyrogallique.*

pyrogénation n. f. CHIM Réaction chimique obtenue en soumettant un corps à une température élevée. *Pyrogénation de la houille.*

pyrogène adj. MED Qui provoque de la fièvre.

pyrographe n. m. TECH Instrument à pointe chauffante utilisé par les pyrograveurs.

pyrograver v. tr. [1] TECH Exécuter (un motif, un dessin) en pyrogravure; décorer par le procédé de la pyrogravure.

pyrograveur, euse n. TECH Personne qui fait de la pyrogravure.

pyrogravure n. f. Procédé de décoration qui consiste à dessiner, au moyen d'une pointe métallique chauffée, sur un objet de bois, de cuir, etc.; gravure ainsi obtenue.

pyrolyse n. f. CHIM Décomposition chimique provoquée par la chaleur. *Pyrolyse des toxines animales. – Four à pyrolyse :* four autonettoyant où les graisses projetées sont réduites à l'état de cendres, à haute température (500 °C), en dehors de la cuisson.

pyromane n. Personne atteinte de pyromanie.

pyromanie n. f. Didac. Impulsion pathologique qui pousse à allumer des incendies.

pyromètre n. m. TECH Appareil servant à la mesure des hautes températures.

pyrométrie n. f. TECH Mesure des hautes températures.

pyrosis [piʀozis] n. m. MED Sensation de brûlure remontant de l'estomac à la gorge, accompagnée de renvoi d'un liquide acide.

pyrotechnie n. f. TECH Technique de la fabrication et de la mise en œuvre des pièces d'artifice et des mélanges fusants.

pyrotechnique adj. TECH Relatif à la pyrotechnie. ▷ *Composition pyrotechnique :* composition utilisée pour charger des pièces d'artifice ou des dispositifs fumigènes, incendiaires ou éclairants.

pyroxène n. m. MINER Minéral constitutif des roches basaltiques et métamorphiques. *Les pyroxènes forment une importante famille de silicates.*

pyroxylé, ée adj. CHIM Qualifie une poudre sans fumée à base de nitrocellulose.

Pyrrha, dans la myth. gr., fille d'Épiméthée et de Pandore, femme de Deucalion*.

pyrrhique n. f. ANTIQ GR Danse des Spartiates et des Crétois exécutée par des guerriers en armes.

pyrrhocoris [piʀɔkɔʀis] ou **pyrrhocore** [piʀɔkɔʀ] n. m. ENTOM Punaise rouge tachetée de noir qui vit au pied des arbres, des vieux murs.

Pyrrhon (Elis, auj. Kaliskopi, v. 365 – id., 275 av. J.-C.), philosophe grec, le premier maître de l'école sceptique.

pyrrhonien, enne adj. et n. PHILO Qui appartient à l'école de Pyrrhon. ▷ Subst. Adepte de la doctrine de Pyrrhon.

pyrrhonisme n. m. PHILO Doctrine de Pyrrhon. ▷ *Par ext.* Scepticisme radical.

Pyrrhus II (lat.), **Pyrrhos II** (gr.) (?, v. 318 – Argos, 272 av. J.-C.), roi d'Épire (295-272). Levant une armée considérable (forte notam. de nombr. éléphants), il secourut la colonie grecque de Tarente contre les Romains et remporta deux victoires importantes, à Héraclée (280) et à Ausculum (279), mais il ne put en tirer avantage; puis il pilla la Sicile et, battu par les Romains à Bénévent (275), il regagna l'Épire. Pyrrhos repartit conquérir la Macédoine, mais fut tué à Argos. – *Victoire à la Pyrrhus :* se dit, en souvenir de la bataille d'Héraclée, d'un succès qui coûte aussi cher qu'une défaite.

Pyrrhus (lat.) ou **Pyrrhos** (gr.) ou **Néoptolème** (chez Homère et chez Euripide), dans la myth. gr., héros, fils d'Achille et de Déidamie. Lors de la prise de Troie, il tua Priam et immola Polyxène sur la tombe d'Achille, puis alla fonder un royaume en Épire, où il emmena la veuve d'Hector, Andromaque, comme captive. Il eut d'elle un enfant, Molosse, et épousa Hermione. Celle-ci n'eut pas d'enfant, ce qui

déchaîna sa haine contre Andromaque; elle s'enfuit avec Oreste.

pyrrol(e) n. m. BIOCHIM Composé hétérocyclique azoté, dont dérivent un certain nombre de pigments (hémoglobine, notam.), dits *pigments pyrroliques*.

pyruvique adj. BIOCHIM *Acide pyruvique* : acide cétonique, de formule $CH_3 - CO - COOH$, produit lors de la dégradation des sucres et susceptible de se transformer, à l'abri de l'air, en acide lactique.

Pythagore (VIe s. av. J.-C.), philosophe et mathématicien grec. Sa vie est mal connue. Créateur des sciences mathématiques, il enseignait que «les nombres sont les éléments de toutes choses» et que «le monde entier n'est qu'harmonie et arithmétique». On lui attribue le théorème qui porte son nom. Il entrevit le mouvement de la Terre sur elle-même et enseigna qu'elle était sphérique. Sa doctrine, le *pythagorisme*, fut développée par ses disciples, les *pythagoriciens*, qui l'appliquèrent à la cosmologie, à l'ontologie, à la psychologie et à la morale. ▷ MATH *Table de Pythagore* : table à double entrée qui donne le produit de deux nombres entiers compris entre 1 et 9. ▷ GEOM *Théorème de Pythagore* : le carré de la longueur de l'hypoténuse d'un triangle rectangle est égal à la somme des carrés des longueurs des deux autres côtés.

pythagoricien, enne adj. et n. PHILO Relatif à la doctrine et à l'école de Pythagore. ▷ Subst. Disciple de Pythagore.

pythagorique adj. PHILO Vx Pythagoricien.

pythagorisme n. m. PHILO Doctrine de Pythagore.

Pythéas (IVe s. av. J.-C.), navigateur, géographe et astronome grec, né à Marseille. Lors d'un de ses voyages, dans l'Atlantique septentrional, il découvrit l'île de «Thulé», que l'on a cru pouvoir identifier à l'Islande ou, hypothèse plus probable, à l'une des Shetland ou des Féroé.

pythie n. f. **1.** ANTIQ GR *La Pythie* : prêtresse d'Apollon, qui rendait les oracles à Delphes. **2.** Litt. Devineresse.

pythien, enne adj. Didac. De Delphes.

pythique adj. (et n. f.) ANTIQ GR Qui se rapporte à la Pythie ou à Apollon Pythien, dieu de Delphes. – *Jeux pythiques* : jeux célébrés tous les quatre ans à Delphes en l'honneur d'Apollon et rappelant sa victoire sur le serpent Python. ▷ n. f. *Les Pythiques* : recueil d'odes triomphales de Pindare en l'honneur des vainqueurs de ces jeux.

python n. m. Serpent non venimeux (genres *Python*, *Morelia*, *Diasis*, etc.) des régions chaudes d'Afrique, d'Asie et d'Australie, qui vit dans les forêts et tue ses proies en les étouffant grâce à ses puissants anneaux. (Le *python royal* atteint 2 m de long; le *python réticulé*, 9 m; le *python-tigre*, ou *python-molure*, 10 m.)

Python, dans la myth. gr., serpent monstrueux qu'Héra lança à la poursuite de Léto, enceinte de Zeus. Léto ayant mis au monde Artémis et Apollon, celui-ci, encore enfant, tua le monstre dans son repaire, à Delphes, où il rendait des oracles, et lui substitua un oracle qui représentait ses paroles.

pythonisse n. f. **1.** ANTIQ GR Femme qui annonçait l'avenir. **2.** Plaisant Voyante.

pyurie [pjyʀi] n. f. MED Présence de pus dans les urines.

pyxide n. f. **1.** BOT Capsule dont la partie supérieure s'ouvre à la manière d'un couvercle. *Pyxides du mouron rouge*. **2.** LITURG Anc. Boîte dans laquelle on conservait les hosties consacrées. ▷ Mod. Petite boîte ronde qui sert à transporter les hosties aux malades.

pz PHYS Symbole de la pièze.

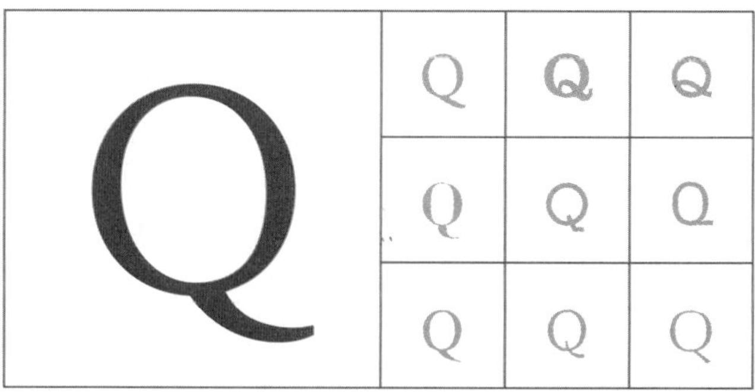

q [ky] n. m. **1.** Dix-septième lettre (q, Q) et treizième consonne de l'alphabet, employée seule en fin de mot (ex. *coq* [kɔk]) ou, dans le groupe *qu*, notant les sons [k] (ex. *quatre*), [kw] (ex. *équateur*) ou [kɥ] (ex. *équidistant*). **2.** MATH Q : symbole du corps des nombres rationnels. ▷ PHYS Q : symbole de quantité d'électricité ou de chaleur, de puissance réactive. – q : symbole de charge électrique.

Qacentina. V. Constantine.

Qadesh ou **Kadesh,** ville cananéenne, sur l'Oronte (Syrie), disputée à la fin du IIe millénaire av. J.-C. entre les Hittites et les Égyptiens. Devant la cité eut lieu la bataille qui opposa Ramsès II au Hittite Mouwatalli (v. 1299) et dont l'issue fut indécise.

Qādjārs ou **Kadjars,** dynastie d'origine turkmène qui régna en Perse de 1786 à 1925.

Qandahār. V. Kandahar.

qanun [kanun] n. m. Dans la musique arabo-islamique, harpe sur caisse que l'on joue avec des onglets de métal.

Qarakorum. V. Karakorum.

qat ou **kat** [kat] n. m. Arbuste d'Afrique orient. dont les feuilles contiennent une substance hallucinogène.

Qatar *(Dawlat Qaṭar),* petit État de la péninsule d'Arabie, sur une presqu'île s'avançant dans le golfe Persique; 11 440 km²; 390 000 hab. (dont env. 70 % d'étrangers, surtout des Iraniens et des Pakistanais); cap. *Al-Dawhah.* Nature de l'État : monarchie (émirat). Langue off. : arabe. Monnaie : riyal. Relig. : islam sunnite (wahhābite). – Le pays occupe un plateau calcaire désertique. Le pétrole, exploité depuis 1949, et le gaz, exploité depuis 1988, assurent un revenu très élevé et ont permis le développement agricole et industriel. – À la fin du XVIIIe s., l'actuelle dynastie Al-Thani prend possession de Qatar et consolide sa souveraineté en signant un traité avec les Britanniques (1896). En 1916, l'émirat devient un protectorat britannique, jusqu'à l'indépendance en 1971. En 1974, le Qatar prend le contrôle des sociétés pétrolières implantées sur son territoire. En 1995, le prince héritier, Ahmad ibn Khalifa, chasse son père du pouvoir. ► carte **Arabie**

qatari, ie [katari] adj. et n. Du Qatar.

Qazvīn ou **Kazvin,** v. de l'Iran septentrional; 244 000 hab. – Cap. de la Perse au XVIe s.

Q.C.M. n. m. Sigle pour *questionnaire* à choix multiple.*

Q.G. n. m. Sigle pour *quartier* général.*

Q.H.S. n. m. Sigle pour *quartier* de haute sécurité.*

Q.I. n. m. Sigle pour *quotient* intellectuel.*

qibla [kibla] n. f. RELIG Direction de la Mecque vers laquelle les musulmans se tournent pour prier.

Qin ou **Ts'in,** dynastie chinoise (221-206 av. J.-C.).

Qing ou **Ts'ing,** dernière dynastie impériale chinoise (1644-1912). Son règne assura la domination des Mandchous sur la Chine et s'acheva avec la proclamation de la république.

Qingdao, v. et port de Chine (Shandong), sur la mer Jaune; 2 040 000 hab. (aggl. urb. 4 204 840 hab.).

Qinghai ou **Koukou Nor** *(lac Bleu),* lac de Chine, situé au N.-E. du Tibet, à 3 070 m d'alt. Il donne son nom à la chaîne de montagnes qui l'entoure.

Qinghai, vaste prov., montagneuse et inhospitalière, du N. de la Chine, en bordure N.-E. du Tibet; 721 000 km²; 4 070 000 hab.; ch.-l. *Xining.*

Qinling, chaîne montagneuse boisée de la Chine centrale (alt. max. 4 107 m), au S. du bassin moyen du Huanghe.

Qin Shi Huangdi ou **Ts'in Che Houang-ti** (259-210 av. J.-C.), membre le plus important de la dynastie Qin qui s'attacha à instaurer une véritable mystique du pouvoir appuyée par une administration centralisée, acheva de conquérir les Royaumes combattants, principautés qui se disputaient l'hégémonie et fit construire la Grande Muraille*.

Qiqihar ou **Tsitsihar,** v. de Chine (Heilongjiang), au pied du Grand Khingan; 1 209 180 hab. Centre industriel.

Qom. V. Qum.

Q.S.R. n. m. Sigle pour *quartier* de sécurité renforcée.*

quad [kwad] n. m. Sorte de moto à quatre roues, utilisée pour le motocross.

quadr-, quadri-, quadru-. Élément d'orig. lat., même rac. que *quattuor,* « quatre ».

quadra n. Fam. Quadragénaire (en partic. dans le domaine politique).

quadragénaire [kwadraʒenɛr] adj. et n. Se dit d'une personne qui a entre quarante et cinquante ans.

quadragésime [kwadraʒezim] n. f. **1.** Vx Carême (qui dure quarante jours). **2.** RELIG CATHOL *Dimanche de la Quadragésime,* ou *Quadragésime* : premier dimanche du carême.

quadrangle [kwadrɑ̃gl] n. m. GEOM Figure formée par quatre points.

quadrangulaire [kwadrɑ̃gylɛr] adj. Qui a quatre angles (et quatre côtés). ▷ Dont la section est un quadrilatère.

quadrant n. m. GEOM Quart de la circonférence, correspondant à un arc de 90 degrés.

quadratique [kwadratik] adj. **1.** MATH Qui est du second degré. ▷ *Moyenne quadratique de deux nombres* : V. moyenne. **2.** MINER *Système quadratique* ou *tétragonal* : système de la cristallographie auquel appartiennent les cristaux caractérisés par les éléments de symétrie du prisme droit à base carrée.

quadrature n. f. **1.** GEOM Réduction d'une figure quelconque à un carré de surface égale. (La *quadrature du cercle,* qui consiste à construire au moyen de la règle et du compas le côté d'un carré dont la surface serait égale à celle d'un cercle donné, est impossible à cause de la transcendance du nombre π.) ▷ Fig., cour. *C'est la quadrature du cercle* : c'est un problème insoluble. **2.** MATH Calcul d'une intégrale définie quelconque. **3.** ASTRO Position de deux astres dont les directions à partir de la Terre forment un angle de 90 degrés. *La Lune est en quadrature au premier et au dernier quartier.* **4.** PHYS Caractère de deux phénomènes périodiques présentant un déphasage de 90 degrés (soit $\pi/2$).

quadri-. V. quadr-.

quadriceps [kwadrisɛps] n. m. ANAT Muscle antérieur de la cuisse.

quadrichromie n. f. TECH Procédé de reproduction des couleurs utilisant la superposition des trois couleurs primaires (jaune, magenta, cyan) et du noir ou d'une teinte foncée neutre.

quadriennal, ale, aux adj. Qui dure quatre ans. ▷ Qui se renouvelle tous les quatre ans.

quadrige n. m. ANTIQ Char à deux roues, attelé de quatre chevaux de front.

quadrijumeaux adj. m. pl. ANAT *Tubercules quadrijumeaux* : petites masses nerveuses situées un peu en avant du bulbe, relais pour les voies optiques et auditives.

quadrilatéral, ale, aux adj. Didac. Qui a quatre côtés.

quadrilatère n. m. Polygone à quatre côtés.

quadrillage n. m. **1.** Réseau de droites perpendiculaires qui s'entrecroisent en formant des carrés ou des rectangles (sur du papier, une étoffe, etc.). **2.** Subdivision topologique d'une zone, d'une région, en petits secteurs indépendants d'un point de vue statistique, stratégique, politique, etc. **3.** Opération de contrôle ou de surveillance d'un territoire par le déploiement d'unités militaires ou policières.

quadrille n. **1.** n. f. Troupe de cavaliers dans un carrousel, de toréros dans une course de taureaux. **2.** n. m. Ancienne danse, très en vogue au XIXe s., constituée d'une suite de figures exécutée par quatre couples de danseurs; air sur lequel elle se dansait. ▷ Groupe formé par ces couples. **3.** CHOREGR Premier grade dans la hiérarchie du corps de ballet de l'Opéra de Paris.

quadriller v. tr. [1] **1.** Tracer un quadrillage sur (sens 1). *Quadriller une feuille blanche.* – Pp. adj. *Du papier quadrillé.* **2.** Opérer le quadrillage de (sens 2 et 3).

quadrillion. V. quatrillion.

quadrimoteur n. m. Avion à quatre moteurs.

quadripartite adj. Didac. Où sont impliquées quatre parties. *Accord quadripartite.*

quadriphonie n. f. Procédé d'enregistrement et de restitution des sons utilisant quatre canaux. Syn. tétraphonie.

quadripolaire adj. Didac. Qui possède quatre pôles.

quadripôle n. m. ELECTR Dispositif comportant quatre pôles, deux pour l'entrée et deux pour la sortie.

quadrique adj. et n. f. GEOM Se dit d'une surface définie par une équation du second degré. ▷ n. f. Cette surface. *La sphère, l'ellipsoïde, le paraboloïde sont des quadriques.*

quadriréacteur n. m. Avion à quatre réacteurs.

quadrirème [k(w)adʀiʀɛm] n. f. ANTIQ Galère à quatre rangs de rames.

quadrisyllabe n. m. Didac. Mot ou vers qui comporte quatre syllabes.

quadru-. V. quadr-.

quadrumane adj. et n. m. ZOOL Dont chacun des quatre membres se termine par une main. ▷ n. m. *Le singe est un quadrumane.*

quadrupède adj. et n. m. Se dit d'un mammifère qui a quatre pattes. *Animal quadrupède.* ▷ n. m. *Un quadrupède.*

quadruple adj. et n. m. Qui vaut quatre fois (la quantité dont on parle). ▷ n. m. *Ses revenus représentent le quadruple des miens.*

quadrupler v. [1] **1.** v. tr. Multiplier par quatre. *Quadrupler une allocation.* **2.** v. intr. Se multiplier par quatre. *Ses revenus ont quadruplé.*

quadruplés, ées ou **quadruplets, ettes** n. pl. Les quatre enfants nés au cours d'un même accouchement.

quai n. m. **1.** Ouvrage de maçonnerie élevé le long d'un cours d'eau pour l'empêcher de déborder, pour retenir ses berges. ▷ Voie publique sur les berges d'un cours d'eau. *Le quai Conti.* ▷ *Le quai d'Orsay,* à Paris, où se trouve le ministère des Affaires étrangères. – Spécial. *Le Quai d'Orsay* ou, absol., fam., *le Quai* : ce ministère. **2.** Ouvrage construit dans un port ou sur la rive d'un fleuve, qui sert à l'amarrage des navires, à l'embarquement et au débarquement des passagers, au chargement et au déchargement des cargaisons. *Les quais du Havre. Bateau à quai,* rangé le long d'un quai. **3.** Plateforme le long de la voie ferrée, qui, dans une gare, sert à l'embarquement et au débarquement des passagers, des marchandises. *Quai n° 5. Ticket de quai,* qui donne accès au quai mais non aux voitures.

quaker, quakeresse [kwɛkœʀ, kwɛkəʀɛs] n. RELIG Membre d'un mouvement religieux protestant répandu surtout aux É.-U. et en G.-B., ne reconnaissant ni sacerdoce ni sacrements et opposé à toute guerre. *Les quakers furent les premiers objecteurs de conscience.*

quakerisme [kwɛkəʀism] n. m. RELIG Doctrine des quakers.

qualifiable adj. **1.** (Surtout en phrases nég.) Qui peut être qualifié. *Sa conduite n'est pas qualifiable.* **2.** Qui peut recevoir une qualification (pour participer à une compétition).

qualifiant, ante adj. Qui donne une qualification (sens 2).

qualificatif, ive adj. et n. m. **1.** adj. GRAM Qui sert à exprimer une qualité. *Adjectif qualificatif.* **2.** n. m. Mot qui sert à qualifier (qqn, qqch). *Des qualificatifs injurieux.*

qualification n. f. **1.** Attribution d'une qualité, d'un titre, d'une appellation, d'un nom. ▷ DR Détermination de la nature du fait incriminé, des textes et des tribunaux qui le répriment. **2.** Ensemble de ce qui constitue le niveau de capacité, de formation, reconnu à un ouvrier, à un employé. *Qualifications requises pour occuper tel emploi.* **3.** SPORT Fait d'être qualifié ou de se qualifier pour une épreuve sportive. *Obtenir sa qualification en finale.*

qualifié, ée adj. **1.** Qui a les qualités requises (pour). *Vous n'êtes pas qualifié pour juger de cela.* ▷ SPORT Qui a obtenu sa qualification pour une épreuve sportive. **2.** *Ouvrier qualifié* (par oppos. à *ouvrier spécialisé*) : dénomination usuelle de l'*ouvrier professionnel,* ouvrier qui a fait l'apprentissage complet d'un métier, généralement sanctionné par un C.A.P. **3.** DR Se dit d'un acte qui constitue normalement un délit, mais qui, en raison de circonstances aggravantes définies par la loi (effraction, abus de confiance, etc.), est passible d'une peine criminelle. *Vol qualifié.*

qualifier v. tr. [2] **1.** Caractériser (une chose, une personne) en la désignant de telle manière. *Une conduite qu'on ne saurait qualifier.* – (Avec un attribut.) *Qualifier qqn d'imposteur.* ▷ Exprimer la qualité de. *L'adjectif qualifie le nom.* **2.** Conférer un titre, une qualité, une qualification à (qqn). *Son expérience le qualifie plus que tout autre pour mener à bien cette mission.* **3.** SPORT Donner une qualification. ▷ v. pron. SPORT Être admis à participer à une compétition après avoir subi avec succès les épreuves éliminatoires. *Il s'est qualifié pour les demi-finales.*

qualitatif, ive adj. (et n. m.) Qui a rapport à la qualité, à la nature des choses (par oppos. à *quantitatif*). ▷ n. m. *Le qualitatif et le quantitatif.* ▷ CHIM *Analyse qualitative,* qui s'attache à déterminer la nature des éléments d'un composé ou d'un mélange.

qualitativement adv. Du point de vue qualitatif.

qualité n. f. **1.** Manière d'être, bonne ou mauvaise, état caractéristique d'une chose. *Produit de bonne, de mauvaise qualité.* ▷ *Absol.* Bonne qualité. *Les qualités de son style. Voyez la qualité de nos produits!* ▷ *Cercle de qualité* : cellule qui, dans une entreprise, a pour fonction de maintenir la notion de qualité comme atout primordial. **2.** Ce qui fait la valeur de qqn; aptitude, disposition heureuse. *Un garçon plein de qualités.* **3.** PHILO Propriété sensible et non mesurable qui détermine la nature d'un objet (par oppos. à *quantité*). *Les qualités constitutives d'un objet.* **4.** (Personnes) Vx *Personne de qualité,* noble. ▷ Condition sociale, civile, juridique (telle qu'un acte juridique peut avoir à la formuler pour désigner une personne). *Décliner ses nom, prénom et qualité.* – (Donnant certains droits, certains devoirs.) *Qualité de citoyen, de tuteur.* – DR *Avoir qualité pour agir.* – Loc. prép. *En qualité de* : à titre de. ▷ DR *Les qualités* : l'acte d'avoué qui précise les données d'un procès (nom et qualité des parties, énoncé des faits, etc.), reproduit en tête d'un jugement.

qualiticien, enne n. Personne chargée, dans une entreprise, de mettre en œuvre ce qui doit assurer la qualité des marchandises ou des services produits.

quand [kɑ̃] ([kɑ̃t] devant une voyelle.) conj. et adv. **I.** conj. **1.** (Exprime une relation de correspondance temporelle.) Lorsque, au moment où, toutes les fois que. *Je partirai quand il viendra. Quand il criait, nous avions peur.* ▷ Fam. (Précédé d'une préposition.) *Des souvenirs de quand j'étais jeune. Voici une pomme pour quand tu auras faim.* **2.** (Suivi du conditionnel.) Indique une relation d'opposition entre deux propositions. *Quand vous l'auriez voulu, vous ne l'auriez pas pu.* – Loc. *Quand bien même* : même si. *Quand bien même il le voudrait.* **3.** Loc. *Quand même* : malgré tout. *Il l'a fait quand même.* ▷ (Interj. pour marquer l'indignation, l'admiration.) Fam. Tout de même. *Quand même il exagère! C'est beau, quand même!* **II.** adv. interrog. (Concernant le temps.) *Quand viendra-t-il?* – Fam. *Quand est-ce qu'il vient?* – (Tournures critiquées.) *Il vient quand? Vous le voulez pour quand?* ▷ (En interrogation indirecte.) *Je ne me souviens plus quand c'était.*

quanta. V. quantum.

quant à loc. prép. Pour ce qui est de, en ce qui concerne. *Quant à lui, il pourra choisir ce qu'il voudra.*

quant-à-soi n. m. inv. Réserve plus ou moins affectée. *Rester sur son quant-à-soi* : garder ses distances.

quantième [kɑ̃tjɛm] n. m. Rare Chiffre qui désigne chaque jour du mois. *Préciser le quantième où une échéance mensuelle vient à tomber.*

quantifiable adj. Que l'on peut quantifier.

quantificateur n. m. LOG, MATH Opérateur qui lie une ou plusieurs variables à une quantité; symbole désignant un tel opérateur. *Quantificateur universel* ($\forall$ = «quel que soit...» ou «pour tout...»). *Quantificateur existentiel* ($\exists$ = «il existe au moins un»).

quantification n. f. **1.** LOG Action d'attribuer une certaine quantité à un terme. *Quantification du prédicat* (Hamilton), qui consiste à attribuer au prédicat une extension indépendante de la qualité de la proposition. **2.** PHYS Fragmentation d'une grandeur physique en quantités discontinues ou quanta.

quantifié, ée adj PHYS Se dit d'une grandeur qui ne peut varier que par multiple d'un quantum.

quantifier v. tr. [2] **1.** Cour. Déterminer la quantité de, chiffrer. **2.** LOG Faire la quantification de.

quantique [k(w)ɑ̃tik] adj. PHYS Relatif aux quanta; qui repose sur la théorie des quanta. *Mécanique quantique* : V. mécanique, quantum. ▷ *Nombres quantiques* : ensemble de quatre nombres définissant complètement l'état de chaque électron d'un atome. ▷ *Case quantique* : représentation schématique d'une orbitale atomique associée à trois nombres quantiques *l, m, n*.

quantitatif, ive adj. (et n. m.) Qui a rapport à la quantité (par oppos. à *qualitatif*). *Changement quantitatif mais non qualitatif.* ▷ n. m. *Le quantitatif et le qualitatif.* ▷ CHIM *Analyse quantitative*, qui permet de déterminer les masses et volumes respectifs de corps mélangés ou combinés.

quantitativement adv. Du point de vue quantitatif.

quantité n. f. **1.** Collection de choses, portion de matière, considérées du point de vue de la mesure, du nombre d'unités qu'elles représentent. *Une grande, une petite quantité d'assiettes, de pain, d'argent.* ▷ *En quantité* : en grande quantité. – *Une (des) quantité(s) de* : une multitude, un grand nombre, une abondance de. *Il y avait une quantité de réponses possibles.* ▷ CHIM *Quantité de matière* : quantité d'atomes, de molécules, d'ions, etc. (L'unité SI de mesure est la mole*.) **2.** Propriété de la grandeur mesurable; ce qui est susceptible d'être mesuré. – PHYS *Quantité de mouvement* : grandeur vectorielle caractéristique de l'état de mouvement d'un corps. *Quantité de mouvement d'une particule* : en mécanique newtonienne (non relativiste), produit de sa masse par sa vitesse. **3.** VERSIF Durée relative d'une syllabe. ▷ PHON Durée relative d'énonciation d'un phonème. (Elle permet le classement des voyelles en longues et brèves.) **4.** LOG Extension des termes d'une proposition, de la proposition elle-même.

quanton [kwɑ̃tɔ̃] n. m. PHYS NUCL Objet relevant de la mécanique quantique.

quantum [k(w)ɑ̃tɔm], plur. **quanta** [k(w)ɑ̃ta] n. m. **1.** Quantité déterminée. *Le quantum des dommages, de l'amende, etc., sera fixé par jugement.* **2.** PHYS Plus petite quantité d'une grandeur physique susceptible d'être échangée. *Théorie des quanta.*

ENCYCL **Phys.** – La théorie des quanta fut établie en 1900 par Planck*. Elle a permis d'expliquer l'effet photoélectrique : lorsqu'un photon (alors nommé «quantum de lumière») frappe l'atome d'un métal, il chasse un électron si son quantum d'énergie, et donc sa fréquence, est supérieur à une certaine valeur. La théorie des quanta a conduit Bohr* à proposer un modèle de l'atome dans lequel les électrons périphériques occupent des niveaux d'énergie correspondant à des valeurs déterminées; lorsqu'un électron passe d'une orbite à une autre, c.-à-d. d'un niveau d'énergie à un autre, il émet un rayonnement. À la suite de Louis de Broglie*, qui effectua la synthèse entre la théorie corpusculaire et la théorie vibratoire de la lumière (mécanique ondulatoire), Heisenberg* jeta les bases de la mécanique quantique, qui bouleversa la représentation du monde microscopique en rejetant l'image de particules se déplaçant sur des trajectoires bien déterminées. La mécanique quantique a permis l'essor de la physique nucléaire.

Quantz (Johann Joachim) (Oberscheden, Hanovre, 1697 – Potsdam, 1773), compositeur et flûtiste allemand (mus. de chambre, concertos pour une ou deux flûtes). Son traité de flûte est un ouvrage marquant.

quarantaine n. f. **1.** Nombre d'environ quarante. *Une quarantaine de jours.* **2.** Âge de quarante ans, de quarante ans environ. *Le cap de la quarantaine. Il a la quarantaine.* **3.** Isolement de durée variable (jadis quarante jours), imposé à un navire (ou aux personnes, aux animaux, aux marchandises qu'il transporte) provenant d'un pays où sévissent certaines maladies contagieuses. ▷ Par ext. Fig. *Mettre qqn en quarantaine*, le mettre à l'écart d'un groupe en refusant de lui parler, d'avoir des rapports avec lui. *Élève mis en quarantaine par ses camarades.* **4.** BOT Crucifère ornementale, variété de giroflée, dite aussi *giroflée quarantaine.*

quarante adj. inv. numéral et n. m. inv. **I.** adj. numéral inv. **1.** (Cardinal) Quatre fois dix (40). *Texte de quarante pages.* **2.** (Ordinal) Quarantième. *Page quarante.* **II.** n. m. inv. **1.** Le nombre quarante. *Trente et dix font quarante.* ▷ Chiffres représentant le nombre quarante (40). ▷ Numéro quarante. *Habiter au quarante de la rue.* **2.** *Les Quarante* : les quarante membres de l'Académie française.

quarante-huitard, arde adj. et n. Fam. Qui a rapport aux révolutionnaires de 1848. ▷ Subst. *Les quarante-huitards.*

quarantenaire adj. **1.** Qui dure quarante ans. **2.** Relatif à la quarantaine sanitaire. *Mesures quarantenaires.*

quarantième adj. et n. **I.** adj. numéral ord. Dont le rang est marqué par le nombre 40. *C'est sa quarantième traversée.* **II.** n. **1.** Personne, chose qui occupe la quarantième place. *Le quarantième au classement général.* – *Les quarantièmes rugissants* (pour traduire l'angl. *roaring forties*) : les quarantièmes degrés de latitude sud, où le gros temps sévit presque en permanence. **2.** n. m. Chaque partie d'un tout divisé en quarante parties égales. *Trois quarantièmes.*

quark [kwaʀk] n. m. PHYS NUCL Constituant des hadrons.

ENCYCL Un modèle, développé à partir de 1961 par Gell-Mann, explique les propriétés de tous les hadrons (particules* subissant l'interaction* forte) en considérant que ceux-ci sont des assemblages d'entités plus élémentaires, baptisées quarks : les mésons sont constitués de deux quarks (un quark et un antiquark); les baryons sont constitués de trois quarks. La théorie fait intervenir six quarks différents dont les charges électriques peuvent prendre les valeurs 2e/3 ou −e/3, e désignant la charge élémentaire. Très fortement liés entre eux, les quarks restent confinés à l'intérieur des hadrons. V. gluon, couleur, étrangeté, charme, beauté.

1. quart, quarte adj. Vx Quatrième. *Le Quart Livre (Rabelais).* ▷ MED Anc. *Fièvre quarte* : fièvre paludéenne caractérisée par deux accès en quatre jours, l'un au début, l'autre à la fin de la période.

2. quart n. m. **1.** Chaque partie d'un tout divisé en quatre parties égales. – MUS *Quart de ton. Quart de soupir* : figure marquant un silence dont la durée est celle d'une double croche. – *Un quart d'heure* : quinze minutes. *Midi et quart, midi un quart* (12 h 15), *midi moins le quart, midi moins un quart* (11 h 45). – *Par ext.* Moment. *Passer un mauvais quart d'heure*, un moment très désagréable. *Le dernier quart d'heure* : le moment décisif. **2.** Quatrième partie d'une mesure, d'un poids, d'une quantité. *Un quart de beurre* (125 g, l'unité étant la livre). *Un quart de vin* (25 cl). – *Les trois quarts du temps* : le plus souvent, presque toujours. *Les trois quarts du temps, il reste sans rien faire.* – *Aux trois quarts* : en grande partie. – *De trois quarts* : le sujet présentant les trois quarts de son visage (intermédiaire entre *de face** et *de profil**). ▷ Gobelet à anse d'environ un quart de litre, dont on se sert pour boire (à l'armée, en camping). **3.** SPORT *Quart de finale* : épreuve éliminatoire dont les vainqueurs disputeront les demi-finales. **4.** MAR et cour. Période pendant laquelle une partie de l'équipage, à son tour, est de service. *Prendre son quart. Être de quart. Officier de quart.* ▷ Intervalle entre deux aires de vent, valant 11° 15'. – Distance angulaire de 11° 15'. *Navire en vue à deux quarts sur l'arrière du travers.*

quart-de-rond n. m. TECH Moulure (en architecture ou en menuiserie) ayant le profil d'un quart de cercle. *Des quarts-de-rond.*

quarte n. f. **1.** MUS Quatrième degré de la gamme diatonique (ex. : fa dans la gamme d'ut). ▷ *Intervalle de quarte* ou, absol., *quarte* : intervalle de quatre degrés conjoints. **2.** SPORT En escrime, la quatrième position classique des engagements et parades.

quarté n. m. Pari mutuel portant sur quatre chevaux.

1. quarteron n. m. **1.** Vx Quart d'un cent. **2.** TECH Réunion de vingt-cinq feuilles d'or ou d'argent battu. **3.** Fig. (Souvent péjor.)Petit nombre, poignée (de personnes). *Un quarteron d'officiers révoltés.*

2. quarteron, onne n. Personne née d'un mulâtre et d'une Blanche ou d'un Blanc et d'une mulâtresse.

quartette n. m. Formation de jazz rassemblant quatre musiciens.

quartier n. m. **I.** Quart **1.** Portion constituant le quart environ d'une chose, d'un ensemble. *Un quartier de pomme.* – En boucherie, *les quatre quartiers* : les parties antérieure et postérieure d'un animal divisées chacune en deux parties symétriques. *Le cinquième quartier* : les abats et les issues. ▷ Portion; morceau. *Quartier de fromage. Un quartier de viande* : un gros morceau. **2.** Pièce de cuir qui, dans un soulier, emboîte le talon. **3.** *Les quartiers de la Lune* : chacune de ses quatre phases. **4.** HERALD Chacune des quatre parties de l'écu écartelé. ▷ Degré d'ascendance noble. *Avoir quatre quartiers de noblesse.* **II. 1.** Division administrative d'une ville. *Commissariat de quartier.* **2.** Cour. Partie d'une ville qui présente certains caractères distinctifs. *Un quartier très commerçant.* – *Par ext.* Ensemble des habitants d'un quartier. *Tout le quartier est au courant.* – *Médecin de quartier*, dont la clientèle est constituée pour l'essentiel d'habitants de son quartier.

Enguerrand **Quarton :** *Couronnement de la Vierge,* retable conçu pour la chartreuse de Villeneuve ; musée de l'Hospice, Villeneuve-lès-Avignon

3. MILIT (Plur.) Cantonnement d'un corps de troupe. *Quartiers d'hiver, d'été.* ▷ *Quartier général (Q.G.) :* lieu où est établi l'état-major de commandement d'une unité. ▷ Caserne. – Loc. *Avoir quartier libre :* avoir la liberté de sortir de la caserne ; ne plus être en service. **4.** Dans une prison, partie réservée à une catégorie de détenus. *Quartier de haute sécurité (Q.H.S.), quartier de sécurité renforcée (Q.S.R.),* qui étaient réservés aux prisonniers considérés comme dangereux. **5.** Loc. *Faire quartier :* accorder la vie sauve. *À l'assaut! Et pas de quartier!*

Quartier latin (le), quartier de Paris situé sur la r. g. de la Seine, au S. de la Cité, de part et d'autre du boulevard Saint-Michel (Ve et VIe arr.). On y trouve de très nombr. facultés et grandes écoles ; c'est, avec la Cité, la partie la plus ancienne de la capitale.

quartier-maître n. m. MAR Grade compris entre celui de matelot et celui de second maître (correspondant au grade de caporal dans les armées de terre et de l'air). *Des quartiers-maîtres.*

quartique n. f. GEOM Courbe dont l'équation est du quatrième degré (lemniscate, par ex.).

quart-monde n. m. Ensemble des classes les plus défavorisées de la population, dans un pays donné. ▷ Ensemble des pays les plus pauvres.

quarto [kwaʀto] adv. Quatrièmement. (Après *primo, secundo, tertio.*)

Quarton, Charonton, Charreton ou **Charton** (Enguerrand) (près de Laon, v. 1410 - Avignon, apr. 1462), peintre français de l'école d'Avignon : *le Couronnement de la Vierge* (1453-1454, Villeneuve-lès-Avignon).

quartz [kwaʀts] n. m. Variété très répandue de silice cristallisée.
ENCYCL Le quartz est un constituant de nombr. roches (granite, sable, grès). Il se caractérise par sa dureté (l'acier ne le raie pas) et, lorsqu'il est pur, par sa limpidité (cristal de roche). Lorsqu'il contient des impuretés, il est violet (améthyste), jaune (citrine), noir (quartz fumé), orangé ou rose et on l'utilise en bijouterie. Cristallisé, il donne des prismes à 6 faces terminés par des pyramides. Les propriétés piézoélectriques du cristal de quartz sont utilisées pour produire des ultrasons, pour stabiliser des émetteurs radio et également en horlogerie.

quartzeux, euse ou **quartzique** adj. MINER De la nature du quartz ; formé ou largement composé de quartz.

quartzifère [kwaʀtsifɛʀ] adj. MINER Qui contient du quartz. *Roches quartzifères.*

quartzite [kwaʀtsit] n. m. MINER Grès à ciment siliceux dans lequel les grains de quartz, indissociables, ne sont plus discernables.

quasar [kwazaʀ ; kazaʀ] n. m. ASTRO Astre extragalactique parmi les plus lumineux de l'Univers.
ENCYCL Découverts au début des années 1960 en raison de leurs émissions d'ondes radioélectriques, les quasars sont des objets célestes tellement lumineux qu'il est possible de les observer très loin dans l'espace, donc très loin dans le temps. Les plus éloignés observés (plus de 12 milliards d'années de lumière) sont les témoins d'un passé très reculé de l'Univers. La seule source d'énergie propre à expliquer leurs extraordinaires propriétés (un quasar rayonne de 100 à 1 000 fois plus d'énergie qu'une galaxie dans un volume de 10 à 20 fois plus petit) est l'énergie gravitationnelle d'un trou* noir dont la masse serait de l'ordre d'un milliard de masses solaires.

1. quasi n. m. En boucherie, morceau très apprécié du haut de la cuisse du veau.

2. quasi adv. Presque, en quelque sorte ; pour ainsi dire. **1.** Devant un adj. *Elle est quasi folle.* **2.** Devant un nom, formant un mot composé, avec un trait d'union. *C'est un quasi-fou. Un quasi-délit. Des quasi-certitudes.*

quasi-contrat n. m. DR **1.** Acte licite et volontaire qui, sans qu'il y ait eu convention, oblige son auteur envers une autre personne et quelquefois réciproquement (gestion d'affaires, paiement de l'indu, enrichissement sans cause). **2.** Convention entre l'Admin. et un entrepreneur en vue d'encourager une production présentant un intérêt pour l'économie nationale. *Des quasi-contrats.*

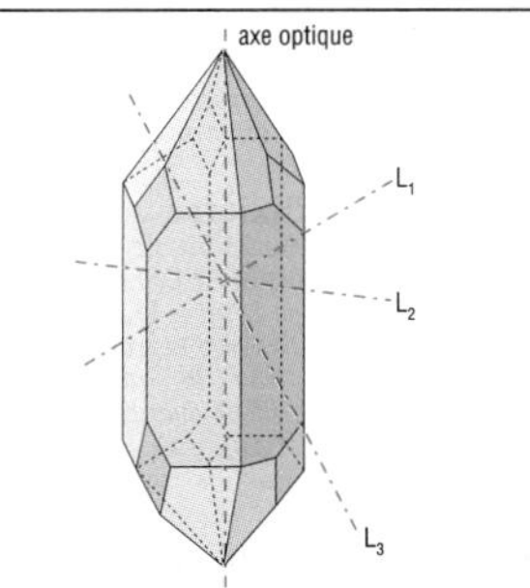

le cristal de quartz possède 3 axes de symétrie L_1, L_2, L_3 ; une pression exercée dans la direction d'un tel axe fait apparaître des charges électriques à la surface du cristal (première loi de la piézoélectricité)

quartz

quasi-délit n. m. DR Acte illicite commis sans intention de nuire, donnant lieu à une action en réparation. *Des quasi-délits.*

quasiment adv. Fam. Quasi. *Résultats quasiment nuls.*

Quasimodo n. f. Rare *La Quasimodo* ou, cour., *le dimanche de Quasimodo :* le premier dimanche qui suit Pâques.

Quasimodo (Salvatore) (Syracuse, 1901 - Naples, 1968), poète italien ; hermétiste, soucieux de perfection formelle : *Eaux et Terres* (1930), *la Terre incomparable* (1958). P. Nobel 1959.

Quasimodo, personnage du roman de Victor Hugo, *Notre-Dame de Paris* (1831), carillonneur de la cathédrale, homme laid et difforme, au cœur sensible.

quasi-monnaie n. f. FIN Ensemble des actifs financiers gérés par les banques et le Trésor rapidement transformables en moyens de paiement. *Des quasi-monnaies.*

quasi-particule n. f. PHYS NUCL Élément se comportant comme une particule. *Des quasi-particules.*

quassia ou **quassier** n. m. BOT Arbuste d'Amérique tropicale (*Quassia amara*) dont le bois était utilisé en médecine pour la préparation d'un breuvage tonique.

quater [kwatɛʀ] adv. Se dit d'un numéro qu'on répète pour la quatrième fois. *10, 10 bis, 10 ter, 10 quater.*

quaternaire adj. et n. m. **1.** Composé de quatre éléments. – CHIM *Composé quaternaire,* contenant quatre éléments différents. **2.** GEOL *L'ère quaternaire* ou, n. m., *le quaternaire :* l'ère géologique la plus récente et la plus brève, marquée par l'apparition de l'homme. ▷ De l'ère quaternaire. *Faune quaternaire.* **3.** ECON *Le secteur quaternaire* ou, n. m., *le quaternaire :* l'ensemble des activités qui assurent les services des services (informatique, recherche scientifique et technique, etc.).
ENCYCL **Géol.** – On situe le début de l'ère quaternaire à env. moins 4 millions d'années. Deux grands phénomènes caractérisent le quaternaire : les glaciations et les transgressions marines. Quatre glaciations (Günz, Mindel, Riss, Würm) ont déterminé la faune et la flore quaternaires. La plupart des espèces vivantes du tertiaire disparurent lors de la première glaciation et seules subsistèrent les espèces adaptées aux climats froids (rhinocéros laineux, par ex.) ; les espèces tropicales furent repoussées vers le sud ; elles remontèrent vers le nord à chaque période interglaciaire, mais furent arrêtées par la Méditerranée, ce qui explique la pauvreté de la faune et de la flore européennes. Le quaternaire est divisé en deux parties extrêmement inégales : 1. le pléistocène, qui s'achève (arbitrairement) à la fin du paléolithique et occupe donc la quasi-totalité du quaternaire ; 2. l'holocène, qui se prolonge jusqu'à nos jours et ne compte que quelques milliers d'années.

quaterne n. m. Anc. À la loterie, série de quatre numéros pris ensemble et sortis au même tirage. – Mod. Au loto, ensemble de quatre numéros d'une même ligne horizontale.

quaternion n. m. MATH Quantité complexe (imaginée par Hamilton*), constituée par quatre unités (dont l'une forme la partie scalaire et les trois autres la partie vectorielle) et généralisant la notion traditionnelle de nombre complexe.

quatorze adj. inv. et n. m. inv. **I.** adj. numéral inv. **1.** (Cardinal) Dix plus quatre (14). *Quatorze cents* (ou mille quatre cents). **2.** (Ordinal) Quatorzième. *Louis XIV.* – Ellipt. *Le quatorze août.* **II.** n. m. inv. Le nombre quatorze. *Treize et un font quatorze.* ▷ Chiffres représentant le nombre quatorze (14). ▷ Numéro quatorze. *Habiter au quatorze de telle rue.* ▷ *Le quatorze* : le quatorzième jour du mois.

quatorzième adj. et n. **I.** adj. numéral ord. Dont le rang est marqué par le nombre 14. *Dans sa quatorzième année. Le quatorzième siècle.* **II.** n. **1.** Personne, chose qui occupe la quatorzième place. *Être la quatorzième à un concours.* **2.** n. m. Chaque partie d'un tout divisé en quatorze parties égales. *Un quatorzième de la somme.*

quatrain n. m. Poème ou strophe de quatre vers.

quatre adj. numéral inv. et n. m. inv. **I.** adj. numéral inv. **1.** (Cardinal) Trois plus un (4). *Les quatre éléments. Un trèfle à quatre feuilles.* ▷ Loc. *Monter un escalier quatre à quatre,* en enjambant plusieurs marches à la fois, précipitamment. – Par exag. *Comme quatre* : comme quatre personnes, beaucoup. *Manger comme quatre.* ▷ Fig. *Ne pas y aller par quatre chemins* : aller droit au but. – *Dire à qqn ses quatre vérités,* lui dire, avec une franchise brutale, les choses désobligeantes que l'on pense de lui. – Fam. *Entre quat'z'yeux* : face à face, sans témoin. ▷ Loc. fig., fam. *Couper les cheveux en quatre* : faire des raisonnements exagérément subtils. – *Se mettre en quatre* : s'employer de tout son pouvoir à rendre service. **2.** (Ordinal) Quatrième. *Henri IV.* – Ellipt. *Le quatre juin.* **II.** n. m. inv. **1.** Le nombre quatre. – Loc. *Aussi vrai que deux et deux font quatre.* ▷ Chiffre représentant le nombre quatre (4). ▷ Numéro quatre. *Habiter au quatre.* ▷ *Le quatre* : le quatrième jour du mois. **2.** Carte, face de dé ou côté de domino portant quatre marques. *Le quatre de trèfle.* **3.** SPORT Embarcation manœuvrée par quatre rameurs.

Quatre-Bras (les), lieu-dit de Belgique (Brabant, com. de Baisy-Thy) que le maréchal Ney ne put enlever aux troupes anglaises de Wellington, l'avant-veille de Waterloo (16 juin 1815).

Quatre-Cantons (lac des) (en all. *Vierwaldstättersee,* «lac des Quatre-Communes forestières»), lac de Suisse centr. (114 km^2), entre les cant. d'Uri, Unterwald, Schwyz et Lucerne, à 434 m d'alt. Sinueux, dominé par de hauts sommets, il est alimenté par la Reuss.

Quatre-Cents (conseil des), assemblée oligarchique d'Athènes instituée en 411 av. J.-C. par un coup d'État. Ses 400 membres abolirent le régime démocratique, mais furent renversés au bout de quatre mois.

quatre-cent-vingt-et-un ou, cour., **quatre-vingt-et-un** n. m. inv. Jeu de dés, proche du zanzibar, où la meilleure combinaison des trois dés avec lesquels on joue est composée d'un quatre, d'un deux et d'un as.

quatre-épices n. m. inv. Nigelle dont les graines fournissent un condiment rappelant le poivre, le girofle, le gingembre et la muscade. ▷ CUIS Mélange de ces quatre condiments utilisé comme assaisonnement.

quatre-feuilles n. m. inv. ARCHI Ornement à quatre lobes de forme ronde ou lancéolée, très fréquent dans l'architecture gothique.

Quatre Fils Aymon (les). V. Aymon.

quatre-heures n. m. inv. Fam. Goûter (2).

quatre-huit n. m. inv. MUS Mesure à quatre temps qui a la croche pour unité.

quatre-mâts n. m. inv. Voilier à quatre mâts.

Quatre-Nations (collège des), collège de Paris, fondé par testament de Mazarin en 1661. Ouvert en 1668, il accueillait les enfants de bonne famille originaires des prov. de Pignerol, d'Alsace, de Flandre et du Roussillon, nouvellement rattachées à la France, d'où le nom de Quatre-Nations. Fermé sous la Révolution, il fut donné en jouissance, en 1806, à l'Institut* de France. (V. Mazarine [bibliothèque].)

quatre-quarts [kat(ʀə)kaʀ] n. m. inv. Gâteau dans la composition duquel il entre un poids égal de beurre, de farine, de sucre et d'œufs.

1. quatre-quatre n. m. inv. MUS Mesure dont la valeur est égale à quatre noires.

2. quatre-quatre n. m. inv. et adj. inv. Véhicule tout-terrain à quatre roues motrices. (On écrit le plus souvent 4 × 4.) ▷ adj. inv. *Un véhicule quatre-quatre.*

quatre-saisons n. f. inv. *Marchand(e) des quatre-saisons* : marchand(e) qui vend, sur une voiture à bras, dans la rue, des légumes de saison.

quatre-vingt(s) adj. numéral et n. m. **I.** adj. numéral. **1.** (Cardinal – Prend un s quand il n'est suivi d'aucun autre adj. numéral.) Huit fois dix (80). *Quatre-vingts millions. Quatre-vingt mille. Quatre-vingt-quatre.* **2.** (Ordinal inv.) Quatre-vingtième. *Page quatre-vingt.* **II.** n. m. Le nombre quatre-vingts. *Soixante et vingt font quatre-vingts.* ▷ Chiffres représentant le nombre quatre-vingts (80). ▷ Numéro quatre-vingt. *Habiter au quatre-vingt de telle rue.*

quatre-vingt-dix adj. inv. et n. m. inv. **I.** adj. numéral inv. **1.** (Cardinal) Neuf fois dix (90). **2.** (Ordinal) Quatre-vingt-dixième. *Page quatre-vingt-dix.* **II.** n. m. inv. Le nombre quatre-vingt-dix. ▷ Chiffres représentant le nombre quatre-vingt-dix (90). ▷ Numéro quatre-vingt-dix. *Aller jusqu'au quatre-vingt-dix de la rue.*

quatre-vingt-dixième adj. et n. **I.** adj. numéral ord. Dont le rang est marqué par le nombre 90. *Être dans sa quatre-vingt-dixième année.* **II.** n. **1.** Personne, chose qui occupe la quatre-vingt-dixième place. *Être la quatre-vingt-dixième dans une file d'attente.* **2.** n. m. Chaque partie d'un tout divisé en quatre-vingt-dix parties égales. *Trois quatre-vingt-dixièmes.*

quatre-vingt-et-un. V. quatre-cent-vingt-et-un.

quatre-vingtième adj. et n. **I.** adj. numéral ord. Dont le rang est marqué par le nombre 80. *Être quatre-vingtième.* **II.** n. **1.** Personne, chose qui occupe la quatre-vingtième place. *Le quatre-vingtième au classement général.* **2.** n. m. Chaque partie d'un tout divisé en quatre-vingts parties égales. *Deux quatre-vingtièmes.*

quatrième adj. et n. **I.** adj. numéral ord. Dont le rang est marqué par le nombre 4. *La quatrième dimension. Habiter au quatrième étage* ou, ellipt., *au quatrième.* ▷ *Passer la quatrième vitesse* ou, ellipt., *la quatrième.* – Loc. fig. *En quatrième vitesse*.* **II.** n. **1.** Personne, chose qui occupe la quatrième place. *Le quatrième de la liste.* **2.** n. f. Troisième classe du cycle de l'enseignement secondaire. *Il passe en quatrième.* **3.** n. f. JEU Série de quatre cartes qui se suivent dans une même couleur.

quatrièmement adv. En quatrième lieu.

quatrillion ou **quadrillion** n. m. Un million de trillions (10^{24}).

quattrocento [kwatʀɔtʃɛnto] n. m. Quinzième siècle italien; période de l'histoire de l'art italien correspondant à cette époque. *Les peintres du quattrocento.*

quatuor [kwatɥɔʀ] n. m. **1.** MUS Morceau de musique vocale ou instrumentale à quatre parties. *Quatuor à cordes* : œuvre écrite pour deux violons, un alto et un violoncelle. ▷ Formation composée de quatre musiciens. **2.** Fam. Groupe de quatre personnes.

1. que, qu' (Devant une voyelle ou un *h* muet.) pron. **I.** pron. relatif désignant une personne ou une chose, et pouvant avoir les fonctions de : **1.** Complément d'objet direct. *L'homme que vous avez vu. Le livre qu'elle vous donne.* ▷ (Reprenant le pron. démonstratif *ce.*) *Je retire ce que j'ai dit.* **2.** Complément circonstanciel de temps. *L'hiver qu'il a gelé si fort.* – Complément circonstanciel de manière. *De la façon que j'ai vécu.* **3.** Attribut. *L'homme qu'il est devenu. Insensé que je suis!* **4.** Sujet (dans certaines locutions figées). *Advienne que pourra!* **II.** pron. interrog. désignant une chose et pouvant avoir les fonctions de : **1.** Complément d'objet direct. *Que mangeons-nous? Qu'allez-vous faire?* ▷ (Dans l'interrog. indirecte.) *Je ne sais que te dire.* **2.** Attribut. *Que devenez-vous?* **3.** Sujet (devant quelques verbes impersonnels). *Que se passe-t-il?* **4.** Dans les loc. *qu'est-ce que...?, qu'est-ce qui...? Qu'est-ce que vous voulez? Qu'est-ce qui se passe?* – Exclam. Fam. *Qu'est-ce qu'on va prendre!*

2. que, qu' (Devant une voyelle ou un *h* muet.) conj. **1.** (Introduisant une subordonnée complétive.) *Je dis qu'il fait beau. Nous voulons que vous veniez.* **2.** (Introduisant une proposition circonstancielle.) *Il était à peine sorti que le chahut recommençait.* **3.** (Après le verbe être, introduisant une proposition attribut.) *L'ennui est que nous ne savons pas ce qu'il faut faire.* **4.** (Formant avec un autre élément une locution conjonctive.) *Afin que, après que, de manière que,* etc. **5.** (Coordonné à une première conjonction, pour éviter la répétition de celle-ci.) *Avant que tu partes et qu'il ne soit trop tard.* ▷ (Répété, avec la valeur de *soit que.*) *Qu'on me loue ou qu'on me blâme, je le ferai quand même.* **6.** (Employé comme corrélatif de *tel, quel, même, autre.*) *Un orage tel qu'il fallut s'abriter. Quelle que soit ton impatience.* ▷ (Employé comme corrélatif d'un comparatif, d'un adv. de comparaison.) *Ses cheveux sont plus blonds que les miens.* **7.** (En tournure négative, avec le sens restrictif de *si ce n'est, seulement.*) *Je n'ai plus que quelques francs.* – (Avec une valeur d'insistance.) *On ne les connaît que trop!* **8.** (Introduisant une proposition indépendante dans laquelle le subjonctif exprime un ordre, un souhait, un désir, etc.) *Qu'il se taise!* **9.** (Renforçant l'affirmation ou la négation.) *Oh! Que oui! Oh! Que non!*

3. que, qu' (Devant une voyelle ou un *h* muet.) adv. **1.** Interrog. *Que lui sert maintenant sa fortune?* : à quoi...? ▷ Loc. adv. *Que ne le disiez-vous?* : pourquoi...? **2.** Exclam. *Qu'il est laid!*

Québec, v. et rég. admin. du Canada, cap. de la prov. du m. nom, édifiée sur le cap Diamant (106 m d'alt.), au confluent du Saint-Laurent et de la rivière Saint-Charles; 167 500 hab. (aggl. urb. 645 550 hab., avec ses banlieues et sa jumelle Lévis), francophone à 96 %. Port de mer actif et centre industriel. – Une des rares villes fortifiées d'Amérique du Nord. L'île d'Orléans et le vieux Québec (basilique, citadelle, promenade Dufferin) sont très pittoresques. Université Laval.

Québec (le), la plus vaste des provinces canadiennes (dite la «Belle Province»), située entre la baie d'Hudson et le golfe du Saint-Laurent; 1 540 681 km²; 6 898 963 hab. [recens. 1991], plus de 7 000 000 en 1995, dont 82 % de francophones et env. 17 % d'anglophones

Québec : le château Frontenac et la ville basse

(Anglais de souche et immigrés, Slaves, Allemands, Italiens, etc.); Amérindiens et Inuit représentent 1,2 % de la pop.; cap. *Québec;* v. princ. *Montréal.* Religion : cathol. (87 %).
Géogr. phys. – On distingue trois grandes régions géographiques : 1. le bouclier canadien, qui comprend, des Laurentides à l'extrême nord : le plateau laurentien, couvert d'une grande forêt exploitable; la taïga, avec forêt boréale; la toundra septentrionale, dont le sol est gelé en permanence; 2. la zone d'effondrement de la vallée du Saint-Laurent, aux terres les plus fertiles; 3. les Appalaches (Estrie, sud de l'estuaire du Saint-Laurent et Gaspésie). Des milliers de lacs, dus au rabotage des glaciers, couvrent 12 % de la superficie. La pop., d'origine française, a connu un essor extraordinaire en moins d'un siècle, du fait d'un taux de natalité très élevé. Après 1960, la chute de la natalité a stabilisé la pop. francophone par rapport à ses voisines.
Écon. – L'économie est celle d'un pays hautement évolué, mais le revenu moyen des francophones est encore inférieur à celui des anglophones. L'agriculture n'emploie plus que 2,6 % de la pop. : élevage, céréales, pomme de terre, betterave, légumes (dans les environs de Montréal), fruits (pommes, myrtilles, dites «bleuets»); sirop et sucre sont tirés de l'érable. La pêche est importante en Gaspésie, mais elle ne contribue que faiblement au PIB québécois. Les industries de transformation des immenses richesses naturelles (fer, cuivre, zinc, or, argent, plomb, niobium, amiante [2e producteur mondial], quartz, tourbe mousseuse, houille blanche, forêt [les forêts commerciales couvrent 779 256 km², dont 546 916 sont accessibles]) constituent la moitié du P.N.B. : industrie du bois, du papier, métallurgie lourde, centrales hydroélectriques (notam. le récent et colossal complexe de la baie James). Sont présentes également les industries text.,

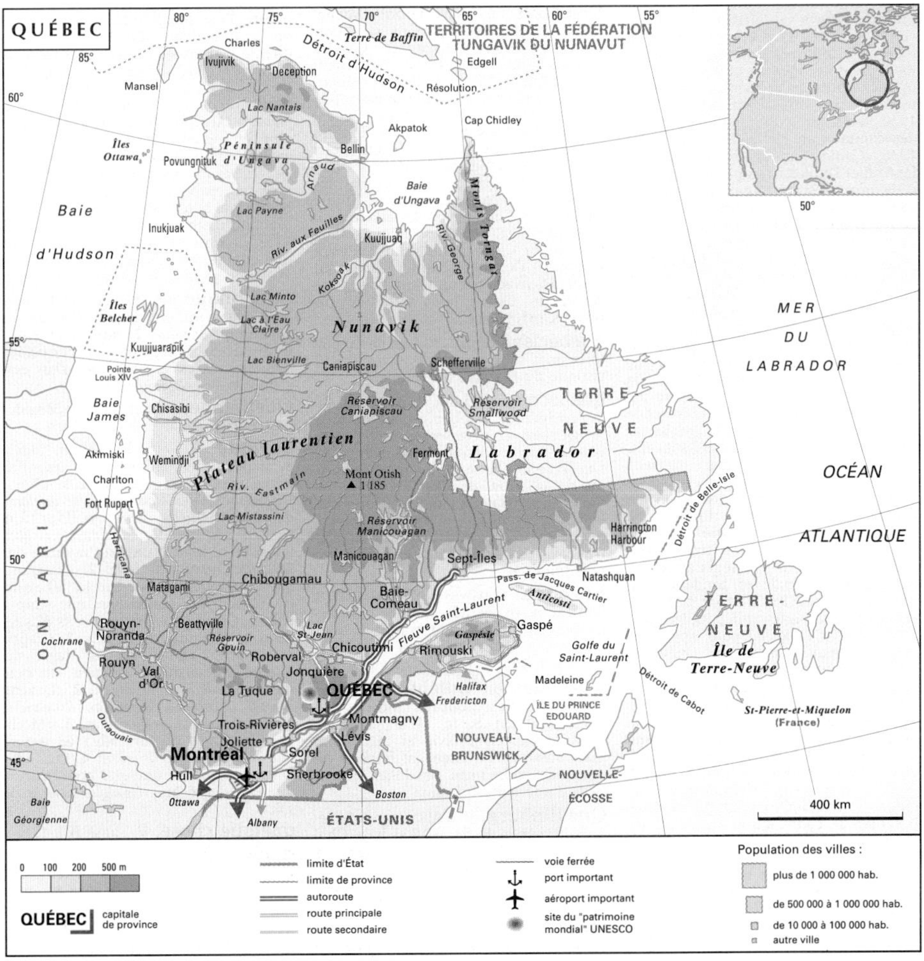

QUÉBEC

0 100 200 500 m

QUÉBEC capitale de province

limite d'État
limite de province
autoroute
route principale
route secondaire

voie ferrée
port important
aéroport important
site du "patrimoine mondial" UNESCO

Population des villes :
plus de 1 000 000 hab.
de 500 000 à 1 000 000 hab.
de 10 000 à 100 000 hab.
autre ville

manufacturières, de l'aluminium, chim., etc. Le comm. extérieur s'effectue surtout avec les É.-U., suivis par les États de la C.É.E. et le Japon. Le tourisme est devenu un secteur important de l'économie.
Hist. – Baptisé Nouvelle-France dès 1524 par Giovanni da Verrazano, le pays fut exploré en 1534 par J. Cartier; Samuel de Champlain en entreprit la colonisation, fondant la ville de Québec en 1608. Après la prise de cette ville par le général anglais Wolfe (1759), la Nouvelle-France devint colonie anglaise par le traité de Paris (1763). La Constitution de 1791 lui donna le nom de Bas-Canada. En 1837, le soulèvement des patriotes canadiens, dirigé par L.-J. Papineau (déclaration d'indépendance du Bas-Canada en 1838), fut écrasé par les Anglais. L'Union constitutionnelle du Haut-Canada (région des Grands Lacs) et du Bas-Canada s'effectua en 1841, chacune des deux régions ayant le même nombre de députés et le français cessant d'être langue officielle. En 1867, l'Acte de l'Amérique du Nord britannique fédéra le Québec, la Nouvelle-Écosse, le Nouveau-Brunswick et l'Ontario, ce qui apaisa la rancœur des Canadiens français dont le statut était semblable à celui des hab. des autres provinces. Vers 1870, des luttes opposèrent le clergé, ultramontain, et les libéraux. Honoré Mercier, Premier ministre provincial, affirma la singularité du Québec face au gouvernement fédéral. L'industrialisation et le développement des moyens et voies de communication transformèrent profondément le pays du début du XXe s. à 1930, mais le Québec subit l'invasion des capitaux anglais et américains. En 1936, l'Union nationale de Maurice Le Noblet Duplessis, son fondateur, succéda aux libéraux, au pouvoir depuis 1897. Après les seize années du second gouv. Duplessis (1944-1959), les libéraux, avec Jean Lesage (1960-1966), revinrent au pouvoir et entreprirent la «révolution tranquille». Le Québec entra alors dans une nouvelle phase de son histoire : la toute-puissance de l'Église catholique, qui, pendant des générations, avait préservé la personnalité des francophones au prix d'une lourde tutelle, s'effrita; la natalité chuta brusquement; le Québec devint un territoire puissamment industrialisé et la pop. francophone entendit maîtriser cette nouvelle situation. Divers événements marquèrent cette place nouvelle du Québec dans le Canada et dans le monde : 1962, nationalisation de l'électr.; 1964, création du ministère de l'Éducation; 1967, Exposition internationale de Montréal; 1968, transformation de l'Assemblée législative en Assemblée nationale et fondation du Parti québécois (P.Q.), né de la fusion de plusieurs partis indépendantistes; 1969, vote de la loi 63 pour «promouvoir la langue française au Québec»; 1970, troubles sociaux et politiques, qui conduisent à l'assassinat du ministre libéral Pierre Laporte par le Front de libération du Québec; 1974, vote de la loi 22, qui érigeait le français comme seule «langue officielle» de la province; 1976, victoire électorale du P.Q. (René Lévesque), qui s'employa à réaliser la «souveraineté» politique du Québec dans le cadre d'une «association» économique avec le reste du Canada; 1977, vote de la Charte du français (loi 101), devenue seule langue officielle du Québec. En mai 1980, l'échec du référendum a sonné le glas de la souveraineté-association prônée par René Lévesque. Aux élections de 1985, le Parti libéral mené par Robert Bourassa a repris le pouvoir et a tenu compte des aspirations des Québécois, qui, à défaut d'indépendance, souhaitent au moins une reconnaissance en tant que «société distincte». Mais, l'accord du lac Meech étant rejeté en 1990, le Québec s'est retrouvé dans une position équivoque au sein d'une fédération qui lui refuse encore le droit à la différence. Un nouveau projet de réforme constitutionnelle, soumis à référendum, est rejeté (1992). Après la victoire des indépendantistes aux élections législatives, Jacques Parizeau, leader du Parti québécois, occupe le poste de Premier ministre (1994-1995), mais, à la suite du référendum du 28 oct. 1995 favorable aux fédéralistes (50,6 % des suffrages), il est remplacé à la tête du gouvernement par Lucien Bouchard qui est réélu en déc. 1998 pour un deuxième mandat.
Vie culturelle – La littérature, patriotique et de terroir au XIXe s., acquiert progressivement originalité et autonomie; roman : François Hertel, Anne Hébert, Gabrielle Roy (prix Fémina 1948), Réjean Ducharme, Marie-Claire Blais, Jacques Ferron, Yves Thériault; poésie : Émile Nelligan, Saint-Denys Garneau; essais : Jean Le Moyne, Marcel Rioux; théâtre : Marcel Dubé, Françoise Loranger et Michel Tremblay, qui recourt au joual; histoire : François-Xavier Garneau, Lionel Groulx, Michel Brunet. Les préoccupations sociopolitiques ont animé les peintres : Charles Gagnon, Suzor-Côté. Citons également les sculpteurs Louis-Philippe Hébert, Alfred Laliberté. La musique est représentée par le compositeur Ernest Gagnon, par les «chansonniers» (poètes qui interprètent leurs chansons) Félix Leclerc, Gilles Vigneault, Robert Charlebois, Jean-Pierre Ferland et par les chanteuses Pauline Julien, Diane Dufresne et Céline Dion. Le cinéma, dit «de l'identité», a pris essor après 1965 avec Gilles Carle, Claude Jutra, Pierre Perrault, Denys Arcand. L'artisanat demeure vivace : sculpt. sur bois, poterie, céram., tissage, tapis nattés, courtepointes, orfèvrerie.

québécisme n. m. LING Fait de langue (prononc., mot, tournure, etc.) caractéristique du français du Québec.

québécois, oise adj. et n. **1.** adj. De la province de Québec ou, rare, de la v. de Québec. *La chanson québécoise. Le Grand Nord québécois.* ▷ Subst. *Un(e) Québécois(e) :* habitant ou natif de la v. ou de la prov. de Québec. **2.** n. m. Variété de français en usage au Québec. Syn. français québécois, franco-québécois. – *Spécial.* Cette variété de français considérée dans ses aspects les plus marqués.

quechua [ketʃwa] ou **quichua** [kitʃwa] n. m. et adj. Langue amérindienne parlée dans l'Empire inca et toujours en usage au Pérou et en Bolivie. ▷ adj. (inv. en genre) *Tribu quechua.*

Quechuas ou **Quichuas,** le plus important des peuples indiens de l'Amérique du S. (6 M d'individus), établi princ. en Bolivie et au Pérou, mais aussi en Équateur et dans le N. des Andes chiliennes. Les Incas étaient issus d'une tribu quechua.

Quedlinburg, v. d'Allemagne (Saxe-Anhalt), sur la Bode; 30 000 hab. Château médiéval. – Au Moyen Âge, un grand foyer religieux s'est développé autour d'une abbaye de moniales, avant d'adhérer à la réforme au XVIe s.

Queens, un des cinq districts de New York, très industrialisé, dans l'île de Long Island, au N. de Brooklyn; env. 2 000 000 d'hab.

Queensland, État du N.-E. de l'Australie; 1 727 200 km²; 2 675 000 hab.; cap. *Brisbane.* – La région côtière, où est implantée la majeure partie de la population, a un climat tropical (culture de la canne à sucre, surtout) et concentre les activités industrielles. L'intérieur est le domaine de l'élevage bovin et ovin extensif et des industries extractives (or, cuivre, plomb, etc.).

Queffélec (Henri) (Brest, 1910 – Maisons-Laffitte, 1992), romancier français d'inspiration catholique. Il décrit la vie dure, mêlée de superstitions, du peuple breton (*Un recteur de l'île de Sein,* 1944; *Solitudes,* 1963; *De par les sept mers,* 1982). Il s'essaya aussi à la poésie (*Sur la lisière,* 1937) et à l'essai (*Je te salue vieil océan,* 1968).

Queipo de Llano y Sierra (Gonzalo) (Tordesillas, 1875 – Gambada, près de Séville, 1951), général espagnol. Il lutta aux côtés de Franco pendant la guerre civile.

Queirós (Pedro Fernandes de) (Evora, 1565 – Panamá, 1615), navigateur portugais. Il découvrit plusieurs des îles Marquises et des îles de la Société (dont Tahiti).

quel, quelle adj. **I.** adj. interrog. S'emploie pour interroger sur la nature, l'identité, la qualité, la quantité ou le quantième. **1.** Dans l'interrog. directe. ▷ (Épithète) *Quel temps fait-il ?* ▷ (Attribut) *Quel est ce livre dont vous parlez ?* **2.** Dans l'interrog. indirecte. ▷ (Épithète) *Je ne sais quelle mouche le pique.* ▷ (Attribut) *Je me demande quelle sera sa réaction.* **3.** Avec une valeur exclam. ▷ (Épithète) *Quel malheur!* – Iron. *Quelle idée!* ▷ (Attribut) *Quelle fut notre déception...!* **II.** adj. indéf. composé. *Quel que, quelle que.* (Toujours en fonction d'attribut et construit avec le subj., marquant une supposition ou une concession.) *Quelles que soient vos intentions, je veux les ignorer.*

quelconque adj. **1.** adj. indéf. Quel qu'il soit, n'importe lequel. *Prendre un prétexte quelconque.* **2.** adj. qualificatif. Ordinaire, commun, de qualité médiocre. *C'est quelconque. Des personnes très quelconques.*

Quelimane, ville et port du Mozambique; 16 070 hab.; ch.-l. de distr.

quelque adj. et adv. **I.** adj. indéf. **1.** Exprime le nombre ou la quantité d'une manière indéterminée. ▷ (Sing.) Un certain. *Cette affaire présente quelque difficulté.* – *Quelque temps.* ▷ (Plur.) Un certain nombre de. *Quelques écrivains ont traité ce sujet.* – Un petit nombre de. *Quelques arpents de terre.* **2.** *Quelque... que :* quel (quelle) que soit le (la)... que (marquant une concession, une supposition). *Quelques efforts que vous fassiez, vous ne réussirez pas.* **II.** adv. **1.** (Exprimant une quantité ou un degré de qualité indéterminé.) Un peu, un peu de. *Il possède quelque argent.* **2.** (Devant un adj. numéral.) Environ. *Ils étaient quelque deux cents hommes.* **3.** (Modifiant un adj. ou un adv.) Si, pour. *Quelque grands qu'ils soient.* **4.** Loc. adv. *Quelque... que :* à quelque point que, à quelque degré que. *Quelque riche qu'il soit.*

quelque chose. V. chose (III, 1).

quelquefois adv. **1.** Un certain nombre de fois, de temps en temps. *Il m'est arrivé quelquefois d'y aller.* Syn. parfois. **2.** Fam. Au cas où, par hasard. *Si quelquefois vous le voyez, prévenez-le.*

quelque part. V. part 2.

quelqu'un, une, plur. **quelques-uns, -unes** pron. indéf. **I.** Sing. **1.** Une personne quelconque, indéterminée. *Quelqu'un est venu.* Syn. on. – (Avec un adj. ou suivi d'une relative.) Une personne. *C'est quelqu'un de très aimable. Quelqu'un qui vous connaît.* **2.** *Absol.* Un personnage important. *Cet homme, c'est quelqu'un. Se prendre pour quelqu'un.* **II.** Plur. **1.** Plusieurs personnes ou plusieurs choses (parmi d'autres). *On lui a fait de nombreuses critiques, dont quelques-unes étaient fondées.* **2.** Litt. Plusieurs personnes (indéterminées); un petit nombre de personnes. *Quelques-uns ont soutenu qu'Homère n'avait pas existé.*

quémander v. tr. [1] Demander, solliciter humblement et avec insistance. *Quémander de l'aide.*

quémandeur, euse adj. Qui quémande. ▷ Subst. *Un quémandeur, une quémandeuse.*

Quemoy, nom donné par les Occidentaux à *Jinmen,* île fortifiée du détroit de Formose, dépendance la plus occidentale de Taiwan; 175 km²; 53 940 hab.

qu'en-dira-t-on n. m. inv. Bruits qui courent sur qqn, sur sa conduite; opinion des gens. *Se moquer du qu'en-dira-t-on.*

Queneau (Raymond) (Le Havre, 1903 – Paris, 1976), écrivain français. Surréaliste, porté par son goût des mathématiques à des jeux humoristiques sur le langage (*Exercices de style,* 1947, notam.), il publia des romans (*le Chiendent,* 1933; *Pierrot mon ami,* 1942; *Zazie dans le métro,* 1959) et des recueils poétiques (*les Ziaux,* 1943; *Cent Mille Milliards de poèmes,* 1961; *Morale élémentaire,* 1975). En 1960, il fonda l'Oulipo* avec Fr. Le Lionnais.

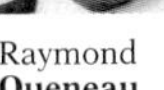

Raymond Queneau

Quevedo y Villegas

quenelle n. f. CUIS Rouleau de viande ou de poisson finement haché avec de la mie de pain ou de la semoule et de l'œuf. *Quenelles de brochet.*

quenotte n. f. Fam. Dent d'un enfant.

quenouille n. f. **1.** Anc. Petit bâton que l'on garnissait de la matière textile destinée à être filée. ▷ Fig., vx et litt. *Tomber en quenouille :* tomber en la possession d'une femme; *par ext.,* perdre sa force, sa valeur. **2.** ARBOR Arbre (généralement, arbre fruitier) auquel des tailles successives ont donné la forme effilée d'une quenouille garnie.

quéquette n. f. Fam. (enfantin) Pénis.

quérable adj. DR Que le créancier doit aller chercher au domicile du débiteur (par oppos. à *portable*). *Rente, créance quérable.*

Quercia (Iacopo della). V. Iacopo di Pietro d'Agnolo della Quercia.

quercitrin n. m. ou **quercitrine** n. f. TECH Colorant jaune extrait du quercitron.

quercitron n. m. BOT Chêne vert d'Amérique du N. dont l'écorce renferme un colorant jaune.

Quercy, région et ancien pays de France, aux confins du Massif central et du Bassin aquitain. Le *haut Quercy,* autour de Cahors, correspond à des causses entaillés par le Lot, la Dordogne et leurs affluents; en voie de dépeuplement, il vit de l'élevage ovin, de l'arboriculture et du tourisme. Le *bas Quercy,* autour de Montauban, est un pays de collines où l'on pratique la polyculture. – Le Quercy fut disputé aux comtes de Toulouse par les Plantagenêts dès le XIIe s. Partie de la Guyenne, il retourna à la France en 1472. Il souffrit des luttes entre protestants et catholiques (XVIe s.).

querelle n. f. **1.** Vx Plainte en justice. ▷ Mod. Loc. *Épouser la querelle de qqn,* prendre son parti dans un litige. **2.** Contestation, différend amenant un échange de mots violents. *Chercher querelle à qqn,* le provoquer. – *Querelle d'Allemand :* querelle sans motif. ▷ Controverse, différend intellectuel. ▷ HIST, LITTER *Querelles des Anciens* et des Modernes.*

quereller v. [1] **I.** v. tr. **1.** Attaquer verbalement (qqn). **2.** Réprimander, faire des reproches à (qqn). **II.** v. pron. Avoir une querelle, une dispute. *Les deux frères se sont encore querellés.* Syn. se disputer, (fam.) se chamailler.

querelleur, euse adj. et n. Qui a tendance à se quereller, à chercher querelle. Ant. conciliant.

Querétaro, v. du Mexique, au N.-O. de Mexico, dans une rég. agricole et minière; 454 000 hab. Cap. de l'État du m. nom (1 051 200 hab.). – L'empereur Maximilien y fut fusillé (1867).

quérir v. tr. [35] Vx ou litt. Chercher, avec l'intention de ramener, de rapporter. (Ne s'emploie qu'à l'inf., après les verbes *aller, venir, envoyer, faire.*) *Qu'on l'aille quérir.*

Quesnay (François) (Méré, Île-de-France, 1694 – Versailles, 1774), médecin et économiste français. Physiocrate, il considérait l'agriculture comme la principale source de richesse et réclamait la limitation des entraves au commerce et à l'industrie.

Quesnel (Pasquier) (Paris, 1634 – Amsterdam, 1719), théologien français. Oratorien (1657), l'un des princ. propagateurs du jansénisme. Son ouvrage *Réflexions morales sur le Nouveau Testament* fut condamné par l'Église et il se réfugia en Hollande.

Quesnoy (Le), ch.-l. de cant. du Nord (arr. d'Avesnes-sur-Helpe); 5 081 hab. Emballages. – Fortifications (XVIe-XVIIe s.).

questeur n. m. **1.** ANTIQ ROM *Questeur urbain* ou, absol., *questeur :* magistrat d'abord chargé de la recherche des criminels puis, à partir du IIIe s. av. J.-C., de la gestion des deniers publics. – *Questeur militaire :* magistrat intendant d'un consul aux armées. **2.** Mod. Membre d'une assemblée parlementaire responsable de son administration, de sa police intérieure et de son budget.

question n. f. **1.** Interrogation adressée à qqn pour obtenir un renseignement. *Poser des questions. Question indiscrète.* ▷ *Questions orales,* posées à un ministre en séance par un parlementaire sur un point précis, en dehors d'un débat. *Questions écrites,* posées par écrit à un ministre par un parlementaire, insérées au Journal officiel et auxquelles il est répondu par la même voie. ▷ *Question de confiance :* V. confiance. ▷ Interrogation adressée à un candidat par un examinateur. *Question difficile.* ▷ *Question fermée, ouverte :* dans un questionnaire, question à laquelle la réponse est suggérée (question fermée) ou non (question ouverte). **2.** Sujet, point, problème qui donne lieu à réflexion, à discussion. *Nous avons longuement parlé de cette question.* – *Il est, il n'est pas question de :* il est, il n'est pas envisagé, envisageable de. ▷ *Chose, personne en question,* celle dont on parle, celle qui est en cause. – *Être en question :* faire l'objet d'une discussion, être en cause. *Mettre, remettre en question.* **3.** *Question de :* affaire, matière où (telle chose) est en jeu. *C'est une question de temps, d'argent. Question de goût.* **4.** HIST Torture appliquée autrefois pour arracher des aveux. *Soumettre à la question.*

questionnaire n. m. Série de questions servant de base à une enquête, à un test; formulaire où elles sont écrites. *Remplir un questionnaire.* ▷ *Questionnaire à choix multiple (Q.C.M.) :* test de contrôle des connaissances, employé notam. pour des examens universitaires, dans lequel le choix entre plusieurs réponses est proposé pour chaque question.

questionnement n. m. Didac. **1.** Fait de susciter la réflexion. *Le questionnement de la recherche en génétique.* **2.** Action de poser un ensemble de questions; l'ensemble de ces questions.

questionner v. tr. [1] **1.** HIST Soumettre (un accusé ou un condamné) à la question (sens 4). **2.** Interroger (qqn); poser une (des) question(s). ▷ v. pron. Réfléchir. – (Récipr.) Se poser des questions.

questionneur, euse n. et adj. Personne qui pose sans cesse des questions. ▷ adj. *Il est bien questionneur.*

questure n. f. **1.** ANTIQ ROM Dignité, charge de questeur. – Durée de la charge de questeur. **2.** Mod. Bureau des questeurs d'une assemblée parlementaire.

quête n. f. **1.** Vx ou litt. Action d'aller chercher; recherche. *La quête du Saint-Graal.* ▷ Loc. cour. *En quête de :* à la recherche de. *Se mettre en quête de qqch, de qqn.* – VEN Recherche du gibier. **2.** Action de recueillir des aumônes pour des œuvres, collecte. – *Par méton.* Produit, argent ainsi recueilli.

Quételet (Adolphe) (Gand, 1796 – Bruxelles, 1874), astronome et mathématicien belge. Ses recherches statistiques appliquées à la taille des hommes sont à l'origine de l'anthropométrie.

quêter v. tr. [1] **1.** VEN Chercher (le gibier). – Absol. *Ce chien quête bien.* **2.** *Absol.* Faire la quête. *Les enfants des écoles quêteront en faveur des handicapés.* **3.** Fig. Rechercher, solliciter, souvent avec insistance. *Quêter des louanges.*

quêteur, euse n. Personne qui fait la quête. ▷ adj. *Frère quêteur,* dans un ordre mendiant, celui qui est chargé de recueillir les aumônes pour le couvent.

quetsche [kwɛtʃ] n. f. **1.** Prune de forme allongée, à peau violacée. *Confiture de quetsches.* **2.** Eau-de-vie de quetsches.

Quetta, v. du Pākistān; ch.-l. de la prov. du Béloutchistan; 285 000 hab. Houille et lignite; textiles (laine).

quetzal [kɛtzal] n. m. **1.** ORNITH Oiseau trogoniforme d'Amérique centrale

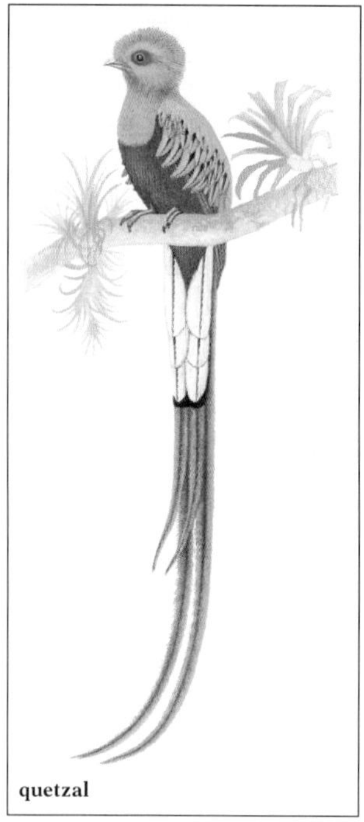
quetzal

(genre *Pharomacrus*), aux très longues plumes d'un vert éclatant. *Le quetzal est l'emblème du Guatemala.* **2.** Unité monétaire du Guatemala.

Quetzalcóatl («Serpent-Oiseau»), divinité du Mexique précolombien, maître de l'air et des phénomènes atmosphériques, représentée sous la forme d'un serpent à plumes.

queue [kø] n. f. **I. 1.** Organe postérieur, plus ou moins long et flexible, prolongement de la colonne vertébrale de nombreux mammifères. *Queue d'un chien, d'un chat. Queue préhensile des singes du Nouveau Monde.* **2.** Ensemble des plumes du croupion, chez les oiseaux. **3.** Extrémité postérieure du corps de certains animaux, de forme allongée ou effilée. *Queue d'un lézard, d'un poisson.* ▷ Fig. *Finir en queue de poisson*, d'une manière décevante, sans résultat appréciable. ▷ Loc. adv. *À la queue leu leu* : V. leu. **4.** Vulg. Pénis. **II.** *Par anal.* Prolongement ou partie postérieure de certains objets. **1.** Traîne (d'un manteau, d'une robe); longs pans (d'un vêtement). *Habit à queue.* **2.** Tige par laquelle certains organes végétaux tiennent à la plante; pétiole ou pédoncule. *La queue d'une rose, d'une pomme.* **3.** Partie allongée qui sert à saisir certains objets. *La queue d'une casserole.* **4.** Grosse mèche de cheveux noués derrière la tête (V. queue-de-cheval). **5.** Partie d'une lettre que l'on trace sous la ligne d'écriture. *La queue d'un g, d'un p.* ▷ MUS *La queue d'une note* : le trait qui tient au corps de la note, perpendiculaire aux lignes de la portée. **6.** Empennage (d'un avion). *Les ailerons de queue.* **7.** Traînée lumineuse (d'une comète). **8.** *Piano à queue* : V. piano. **III.** Fig. **1.** Bout, extrémité, fin (de qqch). *La queue d'une longue phrase. La queue d'un orage.* – PHYS *Queue d'une onde de choc* : partie de l'onde où l'amplitude décroît. ▷ *Spécial.* Dernière partie, derniers rangs d'un groupe. *La queue d'un cortège. Être à la queue, en queue.* – *La queue d'une classe* : les élèves les plus médiocres, les derniers. ▷ *De queue* : qui est situé en bout, à la fin. *Wagon de queue.* – Loc. *Sans queue ni tête* : qui semble n'avoir ni début ni fin, incohérent. **2.** File de personnes alignées les unes derrière les autres; file d'attente. *Faire la queue. Prendre la queue.* **IV.** Au billard, bâton garni d'un procédé (sens II) et dont on se sert pour propulser les billes.

Quetzalcóatl, figuré dans un manuscrit maya, début du XVe s.; musée d'Amérique, Madrid

queue-d'aronde n. f. TECH Tenon en forme de trapèze isocèle, s'encastrant dans une entaille de même profil. *Assemblage à queues-d'aronde.*

queue-de-cheval n. f. **1.** Coiffure dans laquelle les cheveux, tirés vers l'arrière et noués haut sur la tête, retombent sur la nuque. **2.** ANAT Faisceau de cordons nerveux formé autour de l'extrémité inférieure de la moelle par les racines des trois derniers nerfs lombaires et celles des nerfs sacrés et des nerfs du coccyx. *Des queues-de-cheval.*

queue-de-cochon n. f. TECH **1.** Tarière se terminant en vrille. **2.** En ferronnerie, pointe en vrille d'une grille. *Des queues-de-cochon.*

queue-de-morue n. f. **1.** TECH Large pinceau plat. **2.** Syn. de *queue-de-pie. Des queues-de-morue.*

queue-de-pie n. f. Fam. Habit de cérémonie à longues basques étroites. Syn. frac, queue-de-morue (sens 2). *Des queues-de-pie.*

queue-de-poisson n. f. Manœuvre dangereuse d'un automobiliste qui se rabat trop vite devant le véhicule qu'il vient de doubler. *Des queues-de-poisson.*

queue-de-rat n. f. TECH Lime de section circulaire, longue et fine. *Des queues-de-rat.*

queue-de-renard n. f. **1.** Nom cour. des amarantes. **2.** TECH Ciseau à deux biseaux servant à percer. *Des queues-de-renard.*

Queuille (Henri) (Neuvic-d'Ussel, Corrèze, 1884 – Paris, 1970), homme politique français. Radical-socialiste, plusieurs fois ministre sous la IIIe et la IVe République, il fut président du Conseil en 1948-1949, 1950 et 1951.

queuter v. intr. [1] Au billard, faute qui consiste à pousser la bille au lieu de la frapper.

queux n. m. Vx ou plaisant Cuisinier. – Loc. Mod. *Maître queux* : chef cuisinier.

Quevedo y Villegas (Francisco Gómez de) (Madrid, 1580 – prov. de Ciudad Real, 1645), écrivain espagnol : poèmes, écrits politiques, historiques et religieux, satires burlesques (*Songes*, 1607-1622; *Lettres du chevalier des Tenailles*, 1625; *l'Heure de tous*, 1635-1636), roman picaresque (*Don Pablo de Ségovie*, 1626).
► illustr. page **1557**

Queyras, rég. montagneuse des Htes-Alpes (1 500 à 2 000 m), drainée par le Guil, affl. de la Durance (r. g.).

Quezaltenango, v. du Guatemala; 62 720 hab. (3e v. du pays); ch.-l. du dép. du m. nom. Textiles (coton). – Ravagée en 1902 par une éruption volcanique.

Quezón (Manuel) (Baler, Tayabas, 1878 – Saranac Lake, État de New York, 1944), homme politique philippin. Il lutta dès 1898 pour l'indépendance de son pays et fonda (1907) le parti nationaliste. Premier président des Philippines indépendantes (élu en 1935, réélu en 1941), il dut s'exiler lors de l'invasion japonaise.

Quezón City, v. des Philippines, à 16 km au N.-E. de Manille; 1 666 760 hab. – Créée en 1948, elle porte le nom du premier président du pays, Manuel Quezón. – Cap. des Philippines jusqu'en 1976.

qui pron. **I.** pron. relatif. **1.** (En fonction de sujet, désignant une personne ou une chose.) ▷ (Précédé de son antécédent.) *L'homme qui travaille. Les enfants qui jouent. Tout ce qui me plaît. C'est moi qui ai parlé.* ▷ (Séparé de son antécédent.) *La pluie tombait, qui inondait les champs.* ▷ (Sans antécédent exprimé.) Celui qui, celle qui, ceux qui, celles qui, ce qui. *Qui m'aime me suive. Qui plus est* : en outre. **2.** (En fonction de complément, précédé d'une préposition, lorsque l'antécédent est un nom de personne ou d'être personnifié.) *L'homme à qui je parle, pour qui je plaide.* ▷ (Sans antécédent exprimé.) *«À qui venge son père, il n'est rien impossible» (Corneille).* – *Comme qui...* (suivi de l'indic. ou du conditionnel). *Comme qui dirait* : pour ainsi dire. – *À qui...* (exprime la rivalité). *C'est à qui tirera le plus fort.* – Loc. *À qui mieux mieux* *. **II.** pron. relat. indéf. **1.** *Qui que* : quelque personne que. *Qui que vous soyez. Je le soutiendrai contre qui que ce soit.* **2.** (Répété, en apposition à un pluriel.) Ceux-ci..., ceux-là; les uns..., les autres. *Ils cherchèrent, qui d'un côté, qui d'un autre.* **III.** pron. interrog. Désigne généralement une personne, dans l'interrogation directe et indirecte, rarement une chose. Il peut être : Sujet. *Qui est là?* – Attribut. *Qui êtes-vous?* – Complément. *Dites-moi qui vous voyez. Chez qui irez-vous?* ▷ Il est, dans la langue parlée, souvent remplacé par les périphrases : *Qui est-ce qui* (sujet). *Qui est-ce qui vient?* – *Qui est-ce que* (objet direct et attribut). *Qui est-ce que je vois?* – *À, pour, de,* etc. *qui est-ce que* (compléments). *À qui est-ce que je m'adresse?*

quia (à) loc. adv. Vx ou litt. *Mettre qqn à quia*, le réduire à ne pouvoir répondre.

Quiberon, ch.-l. de cant. du Morbihan (arr. de Lorient), sur la *presqu'île de Quiberon*, soudée à la côte par une flèche de sable; 4 647 hab. Pêche (sardines). Stat. balnéaire. Thalassothérapie. – Le 27 juin 1795, la flotte anglaise débarqua dans la presqu'île trois régiments de Français émigrés, qui, peu nombr., finirent par se rendre le 22 juil. après qu'on leur eut promis la vie sauve. Mais, obéissant au Comité de salut public, Hoche appliqua la loi sur les émigrés et fit fusiller 748 d'entre eux.

quiche n. f. Plat lorrain fait d'une pâte à tarte garnie d'un mélange de crème, d'œufs et de lardons.

quichenotte ou **kichenotte** n. f. Rég. Coiffure traditionnelle à large bord des femmes de Saintonge et de Vendée.

Quicherat (Louis) (Paris, 1799 - id., 1884), philologue et lexicographe français; auteur notam. d'un *Thesaurus poeticus linguæ latinæ* (1836), d'un *Dictionnaire français-latin* et d'un *Dictionnaire latin-français* (en collab. avec Daveluy, 1844).

Quichés, Indiens du Guatemala d'origine maya. Ils furent soumis en 1524 par Pedro de Alvarado (l'un des lieutenants de Cortés), qui brûla la cap. de leur royaume, Utatlán.

quichua. V. quechua.

Quichuas. V. Quechuas.

quiconque pron. **1.** pron. relatif. Qui que ce soit, toute personne qui. *Quiconque l'a vu peut le raconter.* **2.** pron. indéf. Personne, n'importe qui. *Ne le dites à quiconque. Il est aussi capable que quiconque.*

quidam [kidam] n. m. Fam. ou plaisant Personne dont on ignore ou dont on veut taire le nom; un certain individu, quelqu'un. *Un quidam l'aborde et lui demande l'heure.*

quiddité n. f. PHILO Ce qui fait qu'une chose est ce qu'elle est; essence de cette chose, en tant qu'elle est exprimée dans sa définition.

Quierzy, com. de l'Aisne (arr. de Laon); 362 hab. - Elle fut l'une des résidences des Carolingiens. Charles le Chauve y promulgua en 877 un capitulaire protégeant sa famille et ses biens, organisant le gouv. et instaurant l'hérédité des bénéfices pour les comtes et leurs vassaux.

quiet, quiète [kjɛ, kjɛt] adj. Litt. Tranquille, calme, paisible. *Une vie quiète. Une atmosphère quiète et feutrée.*

quiétisme n. m. RELIG Doctrine mystique du théologien espagnol M. de Molinos (1628-1696), selon laquelle la perfection chrétienne consiste dans un état de contemplation passive et d'absorption en Dieu *(quiétude).*

quiétiste adj. et n. **1.** adj. Relatif au quiétisme. **2.** n. Partisan du quiétisme.

quiétude n. f. **1.** Tranquillité d'âme, calme, repos. Ant. inquiétude. - Par ext. Litt. *La quiétude d'un lieu.* **2.** THEOL État de contemplation passive, d'absorption en Dieu.

Quiévrain, com. de Belgique (Hainaut), sur la Honelle, à la frontière française; 6 950 hab. Industries alimentaires; meubles. - *Le pays d'outre-Quiévrain :* la Belgique.

quignon n. m. Fam. Gros morceau, bout (de pain).

quillard n. m. MAR Voilier muni d'une quille (par oppos. à *dériveur*).

1. quille n. f. **1.** Chacun des neuf éléments du *jeu de quilles*; pièce oblongue en bois tourné (et souvent, auj., en matière moulée) que l'on doit abattre

Aristide **Quillet**

avec une boule lancée d'une certaine distance. *Jouer aux quilles.* ▷ Loc. fig. *Arriver comme un chien dans un jeu de quilles,* mal à propos. **2.** Bouteille de forme mince et allongée. **3.** Pop. Jambe. **4.** Arg. (des militaires) Libération, fin du service militaire. *Vivement la quille!*

2. quille n. f. MAR Pièce longitudinale, allant de l'étrave à l'étambot et formant la partie inférieure de la charpente de la coque d'un navire.

Quillet (Aristide) (Villiers-Adam, 1880 - Paris, 1955), éditeur français qui s'attacha à diffuser les connaissances dans des ouvrages à caractère encyclopédique.

Quilmes, v. d'Argentine, dans la banlieue S.-E. de Buenos Aires; 446 590 hab. Centre industriel (import. brasserie, textiles).

Quimper, ch.-l. du dép. du Finistère, sur l'Odet, à 16 km de l'Atlantique; 62 541 hab. Faïenceries d'art; industries alimentaires et textiles. Tourisme. - Évêché. Cath. St-Corentin (XIIIe-XVIe s.). Musée. - Longtemps appelée *Quimper-Corentin,* la ville fut la cap. du comté de Cornouaille.

Quimper : la cathédrale Saint-Corentin vue de la rue Kéréon

Quimperlé, ch.-l. de cant. du Finistère (arr. de Quimper), au confl. de l'Isole et de l'Ellé, qui forment, en aval, la Laïta; 11 417 hab. Conserveries; papeteries. - Égl. Ste-Croix (XIe-XVIe s., restaurée au XIXe s.), Notre-Dame de l'Assomption et Saint-Michel (XIVe-XVe s.). Maisons anciennes.

Quinault (Philippe) (Paris, 1635 - id., 1688), poète français. Auteur de tragédies (*Astrate,* 1665), attaqué par Boileau, il excella dans la composition de livrets d'opéras, collaborant pendant quatorze ans avec Lully : *Cadmus et Hermione* (1673), *Alceste* (1674), *Thésée* (1675), *Proserpine* (1680), *Roland* (1685), etc. Acad. fr. (1670).

quincaillerie n. f. **1.** Industrie et commerce des articles en métal (ustensiles de ménage, clous, serrurerie pour les bâtiments, etc.); ces articles eux-mêmes. **2.** Magasin où l'on vend de la quincaillerie. **3.** Ramassis d'objets de peu de valeur. ▷ Fam., péjor. Bijoux de pacotille; médailles, décorations (avec une idée d'abondance ostentatoire). *Elle en porte, de la quincaillerie!*

quincaillier, ère n. Personne qui vend ou qui fabrique de la quincaillerie.

Quincey (De). V. De Quincey.

Quincke (Heinrich) (Francfort-sur-l'Oder, 1842 - Francfort-sur-le-Main, 1922), médecin allemand qui le premier pratiqua la ponction lombaire (1891). ▷ MED *Œdème de Quincke :* œdème cervico-facial, touchant parfois le larynx, dû à une réaction allergique de type anaphylactique.

quinconce n. m. **1.** Loc. adv. *En quinconce :* se dit d'un groupe de cinq objets dont quatre sont disposés à chaque angle d'un quadrilatère et le cinquième au milieu. *Disposition en quinconce.* **2.** n. m. Plantation d'arbres disposés en quinconce. - Promenade dont les arbres sont plantés en quinconce. *L'esplanade des Quinconces à Bordeaux.*

Quinctius Flamininus. V. Flamininus.

quine n. m. Au loto, série de cinq numéros cochés sur la même ligne horizontale.

Quine (Willard van Orman, dit Willard) (Akron, Ohio, 1908), logicien américain. Ses travaux de logique mathématique l'ont amené à édifier une philosophie de la logique.

Quinet (Edgar) (Bourg-en-Bresse, 1803 - Paris, 1875), historien français. Ses travaux portèrent notam. sur l'Allemagne et sur le christianisme, qu'il aborda en anticlérical; aussi Guizot suspendit-il son cours au Collège de France (1846). Député en 1848, proscrit en déc. 1851, il rentra en France en 1870 et fut élu député en 1871.

Qui Nhon, port de comm. du Viêtnam, au S.-E. de Huê; 213 760 hab. Pêche.

quinine n. f. Alcaloïde extrait de l'écorce du quinquina, utilisé dans le traitement du paludisme.

quinoa n. m. BOT Céréale d'Amérique centrale (fam. chénopodiacées), proche du sarrasin.

quinoléine n. f. CHIM Composé extrait du goudron de houille ou produit par synthèse, qui entre dans la composition de nombreux médicaments synthétiques.

quinoléique adj. CHIM Se dit des dérivés de la quinoléine.

quinone n. f. CHIM Composé benzénique dans lequel deux atomes d'hydrogène du noyau sont remplacés par deux atomes d'oxygène.

quinqu(a)-. Élément, du lat. *quinque,* « cinq ».

quinquagénaire adj. et n. Qui a entre cinquante et soixante ans. ▷ Subst. *Un(e) quinquagénaire.*

quinquagésime n. f. RELIG CATHOL Vx *Dimanche de la Quinquagésime* ou *Quinquagésime :* dimanche qui précède le premier dimanche de carême, cinquantième jour avant Pâques.

quinquennal, ale, aux adj. Qui dure cinq ans, qui s'étend sur cinq ans. *Plan quinquennal.* – Qui se reproduit tous les cinq ans. *Fêtes quinquennales,* dans la Rome antique.

quinquennat n. m. Durée d'une fonction, d'un mandat, d'un plan de cinq ans.

quinquet n. m. **1.** Ancienne lampe à huile à double courant d'air, alimentée par un réservoir placé plus haut que la mèche. **2.** Pop. Œil. *Allumer ses quinquets* : ouvrir l'œil, regarder attentivement.

quinquina n. m. **1.** Écorce fébrifuge, tonique et astringente, au goût amer, fournie par de nombreux arbres du genre *Cinchona.* **2.** Arbre originaire d'Amérique du S. (genre *Cinchona,* fam. rubiacées), auj. cultivé en Inde et en Indonésie, qui fournit la quinine. **3.** Vin apéritif au quinquina.

quint-. Élément, du lat. *quintus,* « cinquième ».

quintal, aux n. m. METROL Anc. Unité de masse qui valait cent kilogrammes.

Quintana (Manuel José) (Madrid, 1772 – id., 1857), écrivain espagnol. Ses œuvres poétiques furent essentiellement patriotiques : *Ode à la paix entre l'Espagne et la France* (1795), *Ode au combat de Trafalgar* (1807), *Poésies patriotiques* (1808), contre Napoléon. Il écrivit un essai, *les Règles du drame* (1791), et des *Vies des Espagnols célèbres* (1807-1834).

1. quinte n. f. **1.** MUS Cinquième degré de la gamme diatonique (ex. : sol dans la gamme d'ut). ▷ *Intervalle de quinte* ou, absol., *quinte :* intervalle de cinq degrés. **2.** JEU Série de cinq cartes qui se suivent dans la même couleur. **3.** SPORT En escrime, la cinquième position classique des engagements et parades.

2. quinte n. f. Accès (de toux).

quinté n. m. Pari mutuel portant sur cinq chevaux.

Quinte-Curce (en lat. *Quintius Curtius Rufus*) (Ier s. apr. J.-C.), auteur latin d'une *Histoire d'Alexandre le Grand* en 10 livres.

quintessence n. f. **1.** PHILO Anc. Éther, cinquième élément (par rapport aux quatre éléments des Anciens : la terre, l'eau, l'air et le feu). **2.** En alchimie, principe essentiel d'une substance. ▷ *Spécial.* Substance volatile obtenue par distillations répétées. **3.** Fig. Ce qui constitue l'essentiel d'une chose ; ce qu'il y a en elle de plus raffiné, de plus précieux. *La quintessence d'un art.*

quintessencier v. intr. [2] Litt. (Surtout au passif.) Raffiner au plus haut degré.

quintette n. m. **1.** Morceau de musique pour cinq instruments ou cinq parties concertantes. *Quintette à vent,* pour flûte, clarinette, cor, basson et hautbois. **2.** Petite formation comprenant cinq musiciens ou cinq chanteurs. *Quintette vocal.*

1. quinteux, euse adj. Vieilli, litt. Lunatique, fantasque, capricieux. *Un vieillard quinteux.*

2. quinteux, euse adj. MED Qui se manifeste par quintes. *Une toux quinteuse.*

Quintilien (en lat. *Marcus Fabius Quintilianus*) (Calagurris Nassica, auj. Calahorra, Espagne, v. 30 – ?, v. 100 apr. J.-C.), rhéteur latin : *De institutione oratoria* (12 livres), traité complet de la formation des orateurs inspiré par l'exemple de Cicéron.

Quintilius Varus (Publius). V. Varus.

quintillion [k(ɥ)ɛ̃tiljɔ̃] n. m. Un million de quadrillions (10^{30}).

quinto [kwinto ; kwɛ̃to] adv. Cinquièmement. (Après *quarto.*)

quintolet n. m. MUS Groupe de cinq notes constituant une unité et dont la valeur équivaut à quatre ou six notes de la même espèce.

Quinton (René) (Chaumes-en-Brie, Seine-et-M., 1866 – Paris, 1925), physiologiste français. Ses travaux sur l'eau de mer l'ont conduit à mettre au point un sérum injectable (*plasma de Quinton*) qui rétablit le métabolisme perturbé des nourrissons.

quintuple adj. et n. m. Cinq fois plus grand. *Nombre quintuple d'un autre.* ▷ n. m. *20 est le quintuple de 4.*

quintupler v. [1] **1.** v. tr. Multiplier par cinq. *Quintupler une somme.* **2.** v. intr. Être multiplié par cinq. *Le prix de cette matière première a quintuplé en vingt ans.*

quintuplés, ées n. pl. Les cinq enfants nés au cours d'un même accouchement.

quinzaine n. f. **1.** Ensemble de quinze éléments. *Deux quinzaines de clous.* ▷ Quinze environ. *Une quinzaine de spectateurs.* **2.** Absol. *Une quinzaine :* deux semaines. *Je vous donne une quinzaine pour vous décider.*

quinze adj. numéral inv. et n. m. inv. **I.** adj. numéral inv. **1.** (Cardinal) Dix plus cinq (15). *Quinze francs. Quinze ans.* – *Quinze jours :* deux semaines. **2.** (Ordinal) Quinzième. *Chapitre quinze.* – Ellipt. *Le quinze août.* **II.** n. m. inv. **1.** Le nombre quinze. *Neuf et six font quinze.* ▷ Chiffres représentant le nombre quinze (15). *Un quinze mal écrit.* ▷ Numéro quinze. *Jouer le quinze.* ▷ *Le quinze :* le quinzième jour du mois. **2.** SPORT Équipe de rugby (composée de quinze joueurs). *Le quinze de France.*

Quinze-Vingts (les), hospice pour aveugles créé à Paris par Saint Louis en 1254, initialement prévu pour 300 (15 x 20) malades. Auj., l'hôpital conserve sa spécialisation en ophtalmologie.

quinzième adj. et n. **I.** adj. numéral ord. Dont le rang est marqué par le nombre 15. *La quinzième ville de France. Le quinzième siècle italien :* le quattrocento. **II.** n. **1.** Personne, chose qui occupe la quinzième place. *Arriver la quinzième.* **2.** n. m. Chaque partie d'un tout divisé en quinze parties égales. *Le quinzième du salaire.*

quinziste n. m. SPORT Joueur de rugby à quinze.

quiproquo n. m. Méprise qui fait prendre une chose pour une autre, malentendu.

Quirinal (mont), une des sept collines de Rome, au N.-O. de la ville. – Le *palais du Quirinal* (fin du XVIe s.) fut d'abord la résidence d'été des papes, puis celle du roi d'Italie (1870-1946) ; c'est auj. la demeure officielle du président de la République.

quirite n. m. ANTIQ ROM Citoyen romain qui résidait à Rome (par oppos. à celui qui était aux armées).

Quisling (Vidkun) (Fyresdal, Telemark, 1887 – Oslo, 1945), homme politique norvégien. Pendant la Seconde Guerre mondiale, il collabora activement avec l'occupant allemand, qui fit de lui le chef du gouvernement (1942). Jugé et exécuté après la Libération.

Quito, cap. de l'Équateur, à 2 850 m d'alt., au pied du volcan Pichincha ; 1 003 880 hab. Centre commercial et industriel (text., alim.). – Archevêché. Université. Nombr. églises et couvents de style baroque espagnol. – Cap. d'un royaume (Xe s.) réuni à l'Empire inca (XVe s.), la ville fut prise en 1533 par les Espagnols, qui y créèrent en 1563 une *audiencia* (organisme administratif des colonies d'Amérique).

quittance n. f. Document par lequel un créancier atteste qu'un débiteur s'est acquitté de sa dette. *Quittance de loyer.*

quittancer v. tr. [12] DR, COMPTA Donner quittance de (une dette, une obligation).

quitte adj. **1.** Libéré (d'une obligation juridique, pécuniaire ou d'une dette morale). *Être quitte d'une dette. Estimez-vous quitte.* ▷ *En être quitte pour :* n'avoir eu à supporter comme inconvénient que. *En être quitte pour la peur.* – Loc. adv. *Quitte à* (+ inf.) : au risque de. *Restons ici, quitte* (ou *quittes*) *à le regretter demain.* **2.** *Jouer (à) quitte ou double :* jouer une dernière partie où la perte d'un des joueurs sera acquittée s'il gagne et doublée s'il perd ; fig., risquer tout.

quitter v. tr. [1] **I. 1.** Se retirer de, abandonner (un lieu). *Il a quitté son domicile. Il quitte Paris définitivement.* **2.** Sortir, s'éloigner de (un lieu). *Il vient de quitter l'hôpital. Quitter la table.* **3.** Cesser (une activité, un métier), y renoncer. *Il a quitté l'enseignement.* **4.** Ôter (un vêtement). *Quitter son manteau.* **II.** S'éloigner, se séparer de (qqn). *Son mari l'a quittée.* – Loc. *Ne pas quitter des yeux (qqn* ou *qqch) :* surveiller attentivement, avoir les yeux fixés sur (qqn ou qqch). – v. pron. (Récipr.) *Ils se sont quittés fâchés.* ▷ (Sujet n. de chose.) *Ton portrait ne me quitte jamais.*

quitus [kitys] n. m. DR Acte en vertu duquel la gestion d'un responsable d'une affaire est reconnue exacte et régulière. *Donner quitus à quelqu'un. Des quitus.*

qui-vive n. m. inv. *Être sur le qui-vive,* sur ses gardes. – *Qui vive ? :* V. vive !

quiz [kwiz] n. m. (Anglicisme) Jeu qui consiste à répondre à une série de questions. *Un quiz télévisé.*

Qum ou **Qom,** v. d'Iran, au S. de Téhéran ; 424 000 hab. Textiles ; artisanat (tapis). – Lieu de pèlerinage pour les chiites (au mausolée de Fatima).

Qumran (*Ḫirbat Qumrān*), site archéologique palestinien (Cisjordanie), sur la rive N.-O. de la mer Morte, où furent découverts les manuscrits de la mer Morte*.

palais du **Quirinal**

quoi pron. **A.** pron. relatif. **I. 1.** (Avec antécédent.) *Ce à quoi je pense.* *«Le bonheur après quoi* [après lequel] *je soupire» (Molière).* **2.** (Sans antécédent.) *De quoi* (+ inf.) : ce qui est nécessaire ou suffisant pour. *Il a de quoi vivre.* – Fam. *Un homme qui a de quoi,* qui a de l'argent. ▷ *Il n'y a pas de quoi :* il n'y a pas de raison pour. *Il n'y a pas de quoi en faire un drame.* – Ellipt. *Merci beaucoup! – Il n'y a pas de quoi.* **3.** (Reprenant ce qui vient d'être dit.) *Venez très vite, sans quoi il sera trop tard,* sans cela... **II.** pron. indéfini. ▷ Loc. concessive. *Quoi que :* quelque chose que. *Quoi qu'il arrive. Quoi qu'il en soit.* ▷ *Quoi que ce soit :* quelque chose que ce soit. *Si vous avez besoin de quoi que ce soit, dites-le-moi.* **B.** pron. interrog. **I.** (Dans l'interrog. dir.) Quelle chose? *«Alors Valentin a entrepris de lire. Mais quoi?» (Queneau). Quoi donc? À quoi penses-tu?* **II.** Emplois elliptiques. (Servant à demander un complément d'information.) *Qu'est-ce que tu veux dire? – Rien. – Quoi, rien?* ▷ *Ou quoi? :* ou est-ce autre chose? *Il est stupide ou quoi?* **III.** (Dans l'interrog. indir.) *Je sais de quoi il s'agit. Je ne comprends pas à quoi vous faites allusion.* **IV.** (Employé comme interj., marquant la surprise, l'impatience ou l'indignation.) *«Quoi! vous la soutenez?» (Molière).* ▷ Fam. (Marquant la fin d'une phrase, soulignant une conclusion, etc.) *Décide-toi, quoi, choisis!* **V.** Enfin. ▷ Pop. *De quoi?* ou *de quoi!* (Marquant la menace, le mécontentement ou le défi.) *De quoi! il n'est pas content?*

quoique conj. (Le *e* s'élide devant *il, elle, on, un* et *une.*) **1.** (Suivi du subj., exprimant l'opposition, la concession.) *Quoiqu'il soit malade, il travaille durement.* ▷ (Avec ellipse du v. être.) *Quoique pauvre, il est généreux.* (Cf. aussi bien que, encore que, malgré que.) **2.** Fam. (Suivi de l'indic. ou du conditionnel, introduisant une opposition, une objection faite a posteriori; emploi critiqué.) *Prenez cette chaise, quoique vous serez mieux dans ce fauteuil.*

quolibet n. m. Plaisanterie malveillante, propos railleur, ironique adressé à qqn.

quorum [k(w)ɔʀɔm] n. m. Nombre minimum de membres qui doivent être représentés dans une assemblée pour que celle-ci puisse valablement délibérer et prendre une décision. *Des quorums.*

quota [k(w)ɔta] n. m. Pourcentage, contingent fixé. *Quota fixant le nombre de femmes dans les appareils politiques.*

quote-part n. f. Part que chacun doit payer ou recevoir dans la répartition d'une somme. *Des quotes-parts.*

quotidien, enne adj. et n. m. **1.** Qui a lieu chaque jour; de chaque jour. *Trajet quotidien.* ▷ n. m. *Le quotidien :* la vie de tous les jours, les menus événements de la vie courante. **2.** Qui paraît chaque jour. *Journal quotidien.* ▷ n. m. *Un quotidien du matin.*

quotidiennement adv. Tous les jours.

quotidienneté n. f. Litt. ou didac. Caractère de ce qui est quotidien, de ce qui se fait chaque jour.

quotient [kɔsjɑ̃] n. m. **1.** MATH Résultat de la division d'un nombre par un autre. **2.** FIN *Quotient familial,* obtenu en divisant le revenu imposable en un certain nombre de parts fixées d'après la situation et les charges de famille du contribuable. ▷ POLIT *Quotient électoral,* obtenu en divisant le nombre des suffrages exprimés par celui des sièges à pourvoir dans une circonscription et permettant ainsi une répartition des sièges dans le cadre d'un système électoral proportionnel. **3.** PSYCHO *Quotient intellectuel (Q.I.) :* indice, déterminé par des tests de niveau intellectuel, servant à évaluer l'âge mental d'un sujet (en fonction de la tranche d'âge à laquelle il appartient) ou ses capacités intellectuelles. **4.** PHYSIOL *Quotient respiratoire* : V. respiratoire.

quotité n. f. DR Montant d'une quote-part. *Quotité disponible :* partie du patrimoine dont on peut disposer librement par donation ou testament malgré la présence d'héritiers réservataires. ▷ FIN *Impôt de quotité,* dans lequel la somme à payer par chaque contribuable est déterminée d'avance suivant son avoir.

Quraychites ou **Koraïchites,** membres de la tribu arabe *(Quraych)* qui, dès le Ve s., imposa sa suprématie politique et économique sur La Mecque; ils y développèrent un commerce très actif. Le prophète Mahomet et les quatre premiers califes de l'islam, Abu Bakr, Umar, Uthman et Ali, sont issus de cette tribu.

Qu Yuan (343 – v. 290 av. J.-C.), poète chinois, le plus grand, peut-être, de l'Antiquité : *Lisao* («Douleur de l'éloignement»). Il se suicida.

Qwaqwa, anc. bantoustan de l'Afrique du Sud (1959-1994), auj. intégré dans la prov. *État libre d'Orange.*

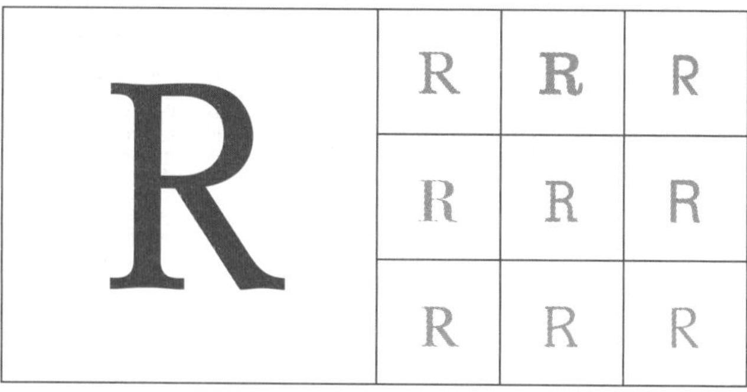

r [ɛʀ] n. m. **1.** Dix-huitième lettre (r, R) et quatorzième consonne de l'alphabet, appelée parfois liquide, notant la constrictive uvulaire [ʀ], dit *r* grasseyé ou parisien (ex. *rare* [ʀɑʀ]), et, dans certaines régions, la vibrante sonore apicale, dite *r* roulé. **2.** MATH R : symbole du corps des nombres réels. ▷ PHYS R : symbole de la résistance électrique. ▷ ℝ : symbole de la réluctance magnétique. ▷ R : symbole de la constante molaire des gaz parfaits (R = 8,3145 J par kelvin et par mole). ▷ R : symbole du röntgen.

r-, re-, ré-. Élément, du lat. *re*, indiquant un mouvement en arrière, exprimant la répétition *(redire)*, le renforcement *(revivifier, renfoncement)*, le retour en arrière ou à un état antérieur *(revenir, revisser)*.

Ra CHIM Symbole du radium.

Râ. V. Rê.

Raab. V. Rába.

Raabe (Wilhelm) (Eschershausen, Brunswick, 1831 - Brunswick, 1910), romancier allemand au réalisme pessimiste parfois teinté d'humour : *le Pasteur famélique* (1864), *Abu Telfan* (1868), *Schüdderump* (1870), trilogie.

rab n. m. Fam. Abrév. de *rabiot*. - Loc. *En rab* : en plus.

Rab, île croate de l'Adriatique ; 94 km^2 ; 8 000 hab. Tourisme. - À *Rab*, ville principale et port de l'île, nombr. monuments gothiques et Renaissance.

Rába (la) (en all. *Raab*), riv. austro-hongroise (398 km) qui coule surtout en Hongrie ; affl. du Danube (r. dr.).

rabâchage n. m. Fait de rabâcher ; redites fastidieuses.

rabâcher v. tr. [1] Répéter sans cesse, d'une manière inutile ou fastidieuse. *Il rabâche toujours les mêmes histoires.* ▷ Absol. *Passer son temps à rabâcher.*

rabâcheur, euse n. et adj. Personne qui rabâche. ▷ *En vieillissant, il devient rabâcheur.*

rabais n. m. Diminution du prix, de la valeur primitive d'une chose. *Vendre au rabais*, à moindre prix.

rabaisser v. [1] **I.** v. tr. **1.** Mettre plus bas, placer au-dessous (surtout au fig.). *Rabaisser l'orgueil de qqn.* **2.** Diminuer, déprécier. *Rabaisser le taux de l'escompte.* **II.** v. pron. S'humilier, s'avilir.

raban n. m. MAR Cordage, tresse servant à amarrer, à saisir.

rabane n. f. Tissu en fibres de raphia.

rabat n. m. **1.** CHASSE Action de rabattre (le gibier). *La chasse au rabat.* Syn. rabattage. **2.** Mod. Morceau d'étoffe, cravate portée par les magistrats, certains ecclésiastiques et les professeurs d'université en robe. **3.** Partie (d'un vêtement, d'un objet en matière souple) qui peut se rabattre sur une autre. *Sac à rabat.*

Rabat, cap. du Maroc et port sur l'Atlantique, à l'embouchure du Bou Regreg ; 556 000 hab. (aggl. urb. env. 1 000 000 d'hab.). Centre politique, la ville possède quelques industr. textiles (tapis) et alimentaires. - Archevêché. Université. Mur des Andalous (remparts autour de la v. musulmane, habitée par de nombr. expatriés d'Andalousie au XVIIe s.). Tour Hassan (XIIe s.). Casbah des Oudaïa. - Fondée lors de la colonisation de l'Andalousie par les Almohades (XIIe s.), Rabat connut un grand essor au XVIIe s. avec l'arrivée des morisques exilés d'Espagne. En 1912, Lyautey en fit la cap. administrative et politique du protectorat.

Rabat : embouchure du Bou Regreg

rabat-joie n. inv. et adj. inv. Personne qui par son humeur chagrine, maussade, trouble la joie d'autrui. - adj. *Qu'ils sont rabat-joie !*

rabattage n. m. **1.** CHASSE Syn. de *rabat*. **2.** ARBOR Action de rabattre (un arbre). **3.** Fig., fam. Racolage.

rabattement n. m. **1.** Action de rabattre. **2.** DR *Rabattement de défaut* : annulation d'un jugement rendu par défaut. **3.** GEOM Rotation par laquelle on applique un plan sur l'un des plans de projection, en géométrie descriptive.

rabatteur, euse n. **1.** Personne qui rabat le gibier. ▷ Fig. Personne chargée de trouver des clients à un vendeur, d'amener des adhérents à un groupement, etc. **2.** n. f. Partie d'une moissonneuse servant à rabattre les tiges des céréales vers la lame.

rabattre v. tr. [61] **I. 1.** Rabaisser, faire descendre (ce qui s'élève). *Le vent rabattait la fumée dans la cheminée.* ▷ Fig. Abaisser, rabaisser. *Rabattre l'orgueil de qqn.* **2.** Rabaisser, appliquer (une chose) sur une autre par un mouvement de haut en bas. *Rabattez la tablette.* ▷ v. pron. *Col qui se rabat.* **3.** Aplatir. *Rabattre ses cheveux en arrière. Rabattre les coutures d'un habit.* **4.** Replier, refermer. *Rabattre les volets. Rabattre un couvercle.* **II. 1.** Obliger à prendre une certaine direction. *Un cordon de policiers rabattait la foule vers la sortie.* - *Rabattre le gibier*, le débusquer pour le faire venir là où les chasseurs l'attendent. ▷ v. pron. Changer de direction par un brusque mouvement latéral. *La voiture s'est rabattue vers le trottoir.* **2.** v. pron. Fig. *Se rabattre sur* : en venir, faute de mieux, à choisir, à accepter (qqch, qqn). *La viande manquant, il s'est rabattu sur le poisson.* **III. 1.** Diminuer, retrancher (une partie du prix demandé). *C'est le juste prix et je n'en rabattrai pas un centime.* ▷ Fig., fam. *En rabattre* : diminuer ses prétentions, ses exigences. *Après ce nouvel échec il en a beaucoup rabattu.* **2.** ARBOR *Rabattre un arbre*, le tailler jusqu'à la naissance de ses branches, pour favoriser de nouvelles pousses.

Rabaud (Henri) (Paris, 1873 - Neuilly-sur-Seine, 1949), compositeur et chef d'orchestre français ; auteur d'opéras (*Mârouf, savetier du Caire*, 1914 ; *l'Appel de la mer*, 1924), de symphonies, de mélodies, etc.

Rabaul, v. de Papouasie-Nouvelle-Guinée (Nouvelle-Bretagne, archipel Bismarck) ; 15 000 hab. - Base aéronavale japonaise de 1942 à 1945.

rabbin n. m. RELIG **1.** *Rabbin* : chef spirituel d'une communauté juive ; ministre du culte israélite. ▷ *Grand rabbin* : chef d'un consistoire israélite. *Le grand rabbin de France.* **2.** *Rabbin* ou *rabbi* : docteur de la Loi juive dans l'ancienne Palestine.

rabbinat n. m. RELIG **1.** Dignité, fonction de rabbin. **2.** Ensemble des rabbins, dans un pays donné.

rabbinique adj. RELIG Relatif aux rabbins. *École rabbinique*, qui forme des rabbins. ▷ *Hébreu rabbinique* : hébreu mêlé d'araméen et d'arabe qu'écrivaient les rabbins du Moyen Âge.

rabbinisme n. m. RELIG Enseignement, doctrine des rabbins.

Rabelais (François) (La Devinière, près de Chinon, v. 1494 - Paris, 1553), écrivain français. Sa première éducation se serait faite chez les cordeliers (franciscains) de l'abbaye de La Baumette, près d'Angers; elle se poursuivit au couvent de Fontenay-le-Comte, où il reçut la prêtrise (1511) et se livra à l'étude approfondie des langues anciennes : latin, grec, hébreu. Vers 1524-1525, il passa dans l'ordre des Bénédictins (séjour à l'abbaye de Maillezais) et se défroqua en 1527. On le retrouve ensuite étudiant en médecine à Montpellier (1530), médecin de l'Hôtel-Dieu de Lyon (1532), chanoine au chapitre de la collégiale de Saint-Maur-des-Fossés (1537), enfin curé de Saint-Martin de Meudon (1551). C'est en 1532 qu'il publia, sous le pseudonyme d'Alcofribas Nasier (anagramme de François Rabelais), *les Horribles et Épouvantables Faits et Prouesses du très renommé Pantagruel*. L'ouvrage, satire burlesque de l'éducation scolastique médiévale, fut censuré par la faculté de théologie, de même que *la Vie inestimable du grand Gargantua, père de Pantagruel*, publiée en 1534, mais qui constitue le premier livre de l'œuvre prise dans son ordre chronologique romanesque; suivirent le *Tiers Livre* (1546), le *Quart Livre* (1548-1552) et le *Cinquième Livre* (1564), sans doute en partie apocryphe. Sous des bouffonneries énormes, Rabelais avançait des idées qu'il eût été dangereux, à son époque, d'exprimer en clair : il attaquait la tyrannie de la scolastique, l'ignorance des moines, l'absurdité des guerres et condamnait la religion lorsqu'elle était confondue avec le pouvoir temporel. Créateur d'un univers romanesque qui intègre toutes les formes d'expression, tous les «parlers» du temps, Rabelais mêle la bouffonnerie à l'émotion, le mythe au réel, la raison au délire, la culture savante à la culture populaire. Ses héros, tels Gargantua et Pantagruel, géants à l'appétit insatiable, ou Panurge («qui fait tout»), l'homme ingénieux en tout, sont devenus légendaires ainsi que l'abbaye de Thélème, où une société d'égaux s'adonne aux plaisirs du cœur et de l'esprit.

Rabelais

Yitzhak **Rabin**

rabelaisien, enne adj. Qui rappelle la verve truculente de Rabelais. *Plaisanterie rabelaisienne.*

Rabi (Isaac Isidor) (Rymanów, Galicie, 1898 - New York, 1988), physicien américain : travaux sur le spin et sur les propriétés électriques et magnétiques des constituants du noyau atomique. P. Nobel 1944.

rabibochage n. m. Fam. Action de rabibocher, fait de se rabibocher.

rabibocher v. tr. [1] Fam. **1.** Raccommoder, réparer sommairement. **2.** Fig. Réconcilier. ▷ v. pron. *Ils se sont rabibochés.*

Rabin (Yitzhak) (Jérusalem, 1922 - *id.*, 1995), général et homme politique israélien. Chef d'état-major général durant la guerre des Six Jours (1967), membre du parti travailliste, il est Premier ministre (1974-1977) puis ministre de la Défense (1984-1990). Redevenu Premier ministre (1992-1995), il signe avec l'O.L.P. l'accord de Washington (1993). Il est assassiné à Jérusalem par un extrémiste juif. P. Nobel de la paix 1994 avec Y. Arafat et S. Peres.

rabiot n. m. Fam. **1.** Ensemble des vivres, des boissons, etc., restant après une distribution à des soldats. **2.** Temps supplémentaire de service pour un soldat. ▷ Ce qui est donné, fait ou imposé de surplus. *Faire du rabiot* : fournir un supplément de travail. ▷ Fig., fam. *Un petit rabiot de vacances.* (Abrév. : rab).

rabioter v. [1] Fam. **1.** v. intr. Faire de petits profits supplémentaires. **2.** v. tr. S'approprier indûment et par surcroît. *Il est parvenu à rabioter quelques cigarettes.*

rabique adj. MED Relatif à la rage; qui est causé par la rage ou la provoque.

1. râble n. m. TECH Râteau à long manche servant à remuer la braise dans un four, à agiter des bains de teinture, etc.

2. râble n. m. Partie du lièvre, du lapin allant du bas des côtes à la naissance de la queue. ▷ Fam. Reins, bas du dos chez l'homme. *Il m'est tombé sur le râble* : il m'a attaqué, agressé (physiquement ou verbalement).

râblé, ée adj. Qui a le râble épais. *Lièvre bien râblé.* ▷ (Personnes) Qui a une forte carrure; trapu et musclé. *Garçon râblé.*

rabonnir v. [3] **1.** v. tr. Rendre meilleur. **2.** v. intr. Devenir meilleur (en parlant d'un vin, d'un fruit ou d'une terre).

rabot n. m. Outil de menuisier formé d'un fût à l'intérieur duquel se trouvent un fer (sur lequel est appliquée une pièce métallique) et un coin de blocage, pour parfaire le dressage des pièces de bois. ▷ TECH Nom de divers outils servant à aplanir, polir, égaliser.

rabotage n. m. Action de raboter; son résultat.

raboter v. tr. [1] **1.** Rendre uni, aplanir au rabot. **2.** TECH Usiner au moyen d'une raboteuse.

raboteuse n. f. TECH Machine-outil servant à raboter le bois, le métal.

raboteux, euse adj. **1.** Noueux, inégal (en parlant d'une surface). *Planche raboteuse.* **2.** Fig., litt. Rude, sans élégance ni fluidité.

rabougri, ie adj. **1.** Mal venu, malingre (en parlant d'une plante). *Arbres rabougris.* **2.** Chétif, malingre (en parlant d'une personne).

rabougrir v. tr. [3] Rare Arrêter ou ralentir la croissance de (une plante). ▷ v. pron. *Sous le soleil, les plantes se rabougrissaient peu à peu.* - Fig. *L'âge venant, il se rabougrit.*

rabougrissement n. m. Fait de se rabougrir; état d'un végétal rabougri, d'une personne rabougrie.

rabouilleur, euse n. Vx ou rég. Personne qui «rabouille» l'eau, c.-à-d. qui la trouble avec une branche pour prendre plus facilement les poissons et les écrevisses. *«La Rabouilleuse», roman de Balzac (1842).*

rabouter v. tr. [1] Assembler bout à bout. *Rabouter deux cordages.*

rabrouer v. tr. [1] Traiter avec brusquerie; accueillir ou repousser durement.

racaille n. f. Foule méprisable. ▷ Rebut de la population.

Racan (Honorat de Bueil, seigneur de) (Aubigné, 1589 - Paris, 1670), poète français; disciple et ami de Malherbe : élégies (*Stances sur la retraite*, v. 1618), pastorale dramatique (*les Bergeries*, 1625), psaumes, etc. Acad. fr. (1634).

raccommodable adj. Qui peut être raccommodé.

raccommodage n. m. Action de raccommoder; son résultat. *Raccommodage des chaussettes.*

raccommodement n. m. Fam. Réconciliation.

raccommoder v. tr. [1] **1.** Réparer en cousant, ravauder (un vêtement, du linge). *Raccommoder une chemise.* Syn. repriser. **2.** Fam. Réconcilier. ▷ v. pron. *Ils se sont raccommodés.*

raccommodeur, euse n. Personne qui raccommode (surtout dans la loc. *raccommodeur de faïences et de porcelaines*).

raccompagner v. tr. [1] Accompagner, reconduire (qqn qui rentre chez lui).

raccord n. m. **1.** Liaison que l'on établit entre deux parties contiguës d'un ouvrage qui offrent quelque inégalité, quelque différence. *Faire un raccord de peinture.* **2.** TECH Pièce ou ensemble de pièces qui servent à assembler deux tuyauteries, deux canalisations. **3.** CINE Liaison entre deux plans, entre deux séquences. ▷ THEAT Répétition au cours de laquelle les enchaînements sont vérifiés.

raccordement n. m. **1.** Action de raccorder. **2.** Jonction (de deux conduits, de deux voies ferrées, etc.).

raccorder v. tr. [1] **1.** Relier (deux choses séparées). *Raccorder deux galeries par une rotonde.* ▷ Constituer un raccord entre (deux choses séparées). *Cette rotonde raccorde les deux galeries.* **2.** Mettre en communication avec un réseau, un point de distribution. *Raccorder une installation électrique, un poste téléphonique.* ▷ v. pron. Être raccordé, rattaché. *Ce fil se raccorde à l'ensemble du circuit électrique.*

raccourci n. m. **1.** Vieilli Abrégé, résumé. *Un raccourci des faits.* ▷ Loc. adv. *En raccourci* : en abrégé. **2.** PEINT Réduction opérée par le peintre sur une figure ou la partie d'une figure vue en perspective. *Les raccourcis de Michel-Ange.* **3.** Traverse, chemin plus court que le chemin principal. *Prendre un raccourci à travers champs.*

raccourcir v. [3] **1.** v. tr. Rendre plus court. *Raccourcir une jupe.* **2.** v. intr. Devenir plus court. *Les jours raccourcissent.*

raccourcissement n. m. Action, fait de raccourcir; son résultat.

raccroc [RakRo] n. m. Vx Au billard, coup de chance. ▷ Loc. adv. Vieilli *Par raccroc* : par hasard, par chance. *Gagner par raccroc.*

raccrochage n. m. Action de raccrocher. ▷ *Spécial.* Racolage.

raccrocher v. [1] **I.** v. tr. **1.** Accrocher de nouveau (ce qui était décroché). *Raccrocher un tableau.* ▷ Spécial.

Raccrocher le combiné d'un appareil téléphonique. – S. comp. *Raccrochez !* **2.** Rattraper (ce qui semblait perdu). *Raccrocher une affaire.* **3.** Arrêter au passage. *Bonimenteur qui raccroche les badauds.* – *Spécial.* Racoler. **4.** Fam. Cesser définitivement d'exercer une activité. *Ce boxeur a raccroché il y a peu de temps.* **II.** v. pron. Se retenir, se cramponner à (qqch pouvant servir d'appui). ▷ Fig. *Se raccrocher à des prétextes.*

raccrocheur, euse adj. Qui cherche à attirer l'attention. *Une affiche raccrocheuse.*

race n. f. **1.** Vx ou litt. Ensemble des membres d'une grande lignée, les ascendants d'une famille de haute origine, d'un grand peuple. *La race de Clovis.* ▷ Loc. adj. *Fin de race* : décadent. **2.** Fam. (souvent péjor.) Catégorie de personnes qui ont un même comportement, des inclinations semblables ou exercent une même activité. *La race des pédants.* **3.** Division de l'espèce humaine, fondée sur certains caractères héréditaires, physiques (couleur de la peau, forme du crâne, etc.) et physiologiques (groupes sanguins, notam.). *Les races blanche, jaune, noire.* ▷ *Par ext.* Équivalent vieilli de *peuple* ou de *nation.* **4.** BIOL Subdivision de l'espèce zoologique, constituée par des individus ayant des caractères héréditaires communs. *Les différentes races bovines* (charolaise, normande, etc.). ▷ Loc. adj. *De race* : de race pure, non métissée. *Un cheval de race.* ▷ (Personnes) *Avoir de la race* : être racé (sens 2). **5.** Fig., fam. Catégorie, sorte, type, variété. *Une nouvelle race d'antidépresseurs.*

ENCYCL Le concept de race, aujourd'hui contesté, entraîna très vite l'apparition du *racisme.* L'expansion des Blancs à travers le monde renforça cette attitude (massacres d'Amérindiens par les Espagnols, puis aux É-U.). En 1853, Gobineau publia son *Essai sur l'inégalité des races humaines*; à l'aide d'arguments sans fondement scientifique, il avançait que toutes les qualités auraient été réunies chez d'anciens habitants de la Perse, les Arians ou Aryens. Cette théorie fut reprise et poussée à l'extrême par les nazis qui assimilèrent ces prétendus Aryens aux Allemands et, à un degré moindre, à tous les Blancs d'Europe autres que les Juifs (et les Slaves), et en arrivèrent à l'extermination d'un grand nombre de Tsiganes et de six millions de Juifs.

racé, ée adj. **1.** Qui est de race, a les qualités propres à un animal de race. *Un chien racé.* **2.** (Personnes) Qui a une distinction, une élégance, une finesse naturelles. *Un homme racé.*

racémeux, euse adj. BOT Se dit de végétaux dont les fruits ou les fleurs sont disposés en grappes.

racémique adj. CHIM *Mélange racémique* : mélange équimolaire de deux énantiomères, qui ne peut donc faire tourner le plan de polarisation de la lumière.

racer n. m. (Anglicisme) SPORT Yacht ou canot à moteur destiné à la course.

rachat n. m. **1.** Action de racheter. – DR *Vendre avec faculté de rachat.* (V. réméré.) **2.** Action de se libérer (d'une obligation) par le versement d'une somme. *Rachat de servitude.* **3.** Action de faire libérer (un prisonnier, un esclave) en payant une rançon. **4.** Fait de se racheter. ▷ RELIG Rédemption.

Rachel, personnage biblique, seconde fille de Laban. Afin de pouvoir l'épouser, Jacob resta sept ans au service de Laban, puis dut épouser la fille aînée de celui-ci, Lia, avec laquelle il passa encore sept ans avant d'obtenir la main de Rachel.

Rachel (Élisabeth Rachel Félix, dite Mlle) (Mumpf, Suisse, 1821 – Le Cannet, 1858), tragédienne française. Elle excella à faire revivre la tragédie classique face au drame romantique.

rachetable adj. Qui peut être racheté.

racheter v. tr. [18] **1.** Acheter de nouveau. *Il n'y a plus de pain, il faudra en racheter.* **2.** Rentrer, par achat, en possession de (ce qu'on avait vendu). **3.** Acheter d'occasion à un particulier. *Racheter sa voiture à qqn.* **4.** Se libérer de (une obligation) moyennant le versement d'une somme. *Racheter une rente.* **5.** Faire libérer (qqn) en payant une rançon. *Racheter un esclave, un prisonnier.* **6.** RELIG Sauver par la rédemption. *Le Christ racheta les hommes.* **7.** Obtenir le pardon de (ses fautes, ses péchés). *Racheter ses fautes par la pénitence.* ▷ v. pron. Se réhabiliter; faire oublier ses fautes. *Se racheter aux yeux de qqn.* **8.** Compenser, faire oublier. *Son courage d'aujourd'hui rachète ses lâchetés passées.*

Rach Gia, v. et port du S. du Viêtnam, sur la *baie de Rach Gia;* 110 000 hab.; ch.-l. de prov.

rachialgie n. f. MED Mal de dos, en général.

rachianesthésie [ʀaʃianɛstezi] n. f. MED Méthode d'anesthésie partielle consistant à injecter dans le canal rachidien une substance qui provoque l'anesthésie des régions innervées par les nerfs sous-jacents.

Rachid Ali *(Rašīd 'Alī)* (Bagdad, 1892 – Beyrouth, 1965), homme politique irakien. Ancien Premier ministre, il s'empara du pouvoir (3 avr. 1941) avec l'aide de l'Allemagne et combattit les Britanniques, qui le chassèrent (30 mai 1941). Il se réfugia en Arabie Saoudite.

rachidien, enne [ʀaʃidjɛ̃, ɛn] adj. ANAT Qui a rapport ou qui appartient à la colonne vertébrale. *Canal rachidien* : canal formé par les trous vertébraux et qui contient la moelle épinière. *Nerfs rachidiens,* qui naissent de la moelle épinière (31 paires chez l'homme).

rachis [ʀaʃi] n. m. **1.** ANAT Colonne vertébrale, épine dorsale. **2.** SC NAT Axe central de divers organes (de la fronde des fougères, de l'épi des graminées, de la plume des oiseaux).

rachitique adj. et n. Qui est atteint de rachitisme. – Subst. *Un(e) rachitique.* ▷ *Par ext.* Maigre, anormalement peu développé. *Quelques buissons rachitiques.*

rachitisme n. m. MED Maladie de la croissance affectant le squelette, due à un défaut de minéralisation osseuse (trouble du métabolisme du phosphore et du calcium) par carence en vitamine D.

Rachmaninov (Sergheï Vassilievitch) (Oneg, gouv. de Novgorod, 1873 – Beverly Hills, 1943), compositeur et pianiste russe. Ses préludes et ses concertos pour piano sont d'un lyrisme très romantique : *Prélude* (1891), *Rhapsodie sur un thème de Paganini* (1934).

racial, ale, aux adj. Relatif à la race (sens 3). *Ségrégation raciale.*

racinaire adj. BOT Qui concerne les racines.

racine n. f. **1.** Partie des végétaux (à l'exception des thallophytes et des mousses) qui les fixe au sol et par où ils puisent les matières (eau et sels minéraux) nécessaires à leur nutrition. ▷ Loc. fig. *Prendre racine* : rester trop longtemps en un endroit, ne pas vouloir se retirer. **2.** Fig. Lien, attache solide qui fonde la stabilité de qqch. *Tradition qui a de profondes racines.* ▷ Cause profonde, principe. *L'égoïsme est à la racine de bien des maux. Prendre le mal à la racine* : s'attaquer résolument aux causes du mal. **3.** *Par anal.* Partie par laquelle est implanté un organe. *Racine des ongles, des cheveux, des poils.* – *Racine d'une dent* : partie de la dent implantée dans un alvéole. *Dent à deux, à trois racines.* – ANAT *Racine nerveuse* : chacune des deux branches d'un nerf rachidien à l'émergence de la moelle. **4.** Fig. MATH *Racine carrée d'un nombre A* : nombre, noté $\sqrt{A}$, dont le carré est égal au nombre A. *Racine cubique d'un nombre A* : nombre, noté $\sqrt[3]{A}$, dont le cube est égal au nombre A. *Racine nième d'un nombre A,* nombre noté $\sqrt[n]{A}$: nombre B tel que B^n = A. ▷ *Racine d'une équation* : valeur de l'inconnue qui satisfait à l'équation. **5.** LING Élément irréductible, commun à tous les mots d'une même famille et qui constitue un support de signification.

Racine (Jean) (La Ferté-Milon, 1639 – Paris, 1699), poète dramatique français. Orphelin à 4 ans, d'abord élève chez les religieuses de Port-Royal, il acheva ses études au collège d'Harcourt. Après avoir vainement tenté d'entrer dans la carrière ecclésiastique en 1661, il vint s'établir à Paris en 1663, où, très tôt, il se lia avec Boileau et La Fontaine. Il fit représenter *la Thébaïde* (1664) par la troupe de Molière puis confia *Alexandre* (1665) aux comédiens de l'Hôtel de Bourgogne. Les dix années suivantes furent fécondes en chefs-d'œuvre : *Andromaque* (1667), qui fut un triomphe, *les Plaideurs* (1668), son unique comédie, puis *Britannicus* (1669), *Bérénice* (1670), *Bajazet* (1672), *Mithridate* (1673), *Iphigénie* (1674) et enfin *Phèdre* (1677), qu'une cabale fit échouer sans affecter sa gloire. Cette même année, et malgré les succès remportés auprès du public et de la Cour, Racine renonça au théâtre pour occuper la charge d'historiographe du roi et épousa Catherine de Romanet. Réconcilié avec ses anciens maîtres de Port-Royal (avec lesquels il s'était brouillé en 1666), il mena dès lors une vie dévote en grande partie consacrée à l'éducation de ses sept enfants. Toutefois, sur la demande de Mme de Maintenon, il écrivit encore deux pièces à thèmes bibliques pour les jeunes filles de l'école de Saint-Cyr : *Esther* (1689) puis *Athalie* (1691). Mais le parti dévot parvint à dissuader Mme de Maintenon de faire jouer *Athalie* hors de Saint-Cyr. Durant les dernières années de sa vie, il se tourna de plus en plus vers Port-Royal, persécuté (rédigeant dans le secret son remarquable *Abrégé de l'histoire de Port-Royal*), ce qui

Rachmaninov

Jean **Racine**

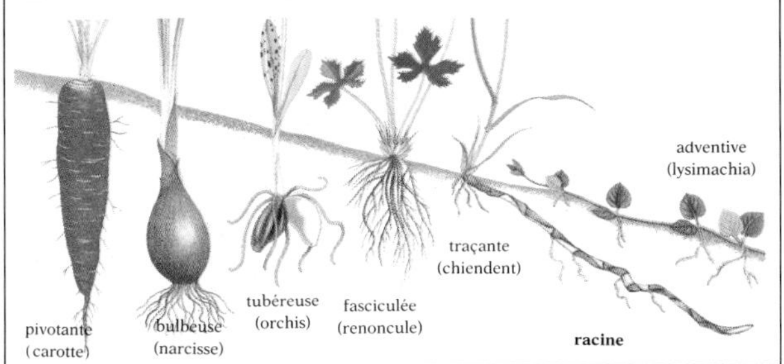

lui valut une certaine disgrâce auprès du roi. Outre sa grande science de l'art dramatique, Racine, poète de la passion, plus lyrique qu'héroïque, maîtrise un style toujours approprié au caractère et à la situation de ses personnages. Sa langue, élégante et sobre, se distingue par un usage précis des termes et par des alliances inattendues de mots. La souplesse, la variété des rythmes, la douceur des sons, souvent étouffés, donnent au vers racinien « une harmonie et un charme d'une perfection dramatique absolue » (Voltaire). Acad. fr. (1673).
– **Louis** (Paris, 1692 – id., 1763), le plus jeune fils du préc., publia des poèmes inspirés par le jansénisme (*la Grâce*, 1720; *la Religion*, 1742), des *Mémoires sur la vie de Jean Racine* (1747 et 1752) et une trad. en prose du *Paradis perdu* de Milton (1755).

racinien, enne adj. Propre à l'œuvre de Jean Racine. – Digne de cet auteur.

racisme n. m. **1.** Théorie fondée sur l'idée de la supériorité de certaines « races » sur les autres; doctrine qui en résulte, prônant notam. la ségrégation entre « races inférieures » et « races supérieures ». ▷ Cour. Ensemble des comportements fondés, consciemment ou non, sur cette théorie, sur cette doctrine. *La lutte contre le racisme.* V. encycl. race. **2.** *Par ext.* Hostilité contre un groupe, une catégorie de personnes. *Le racisme anti-jeunes.*

raciste adj. et n. Inspiré par le racisme, propre au racisme. *Mesure raciste. Propos, arguments racistes.* ▷ Subst. *Un(e) raciste.*

rack [ʀak] n. m. (Anglicisme) Élément de rangement pour matériel électroacoustique (platine, ampli, tuner, etc.), aux dimensions normalisées.

racket [ʀakɛt] n. m. (Américanisme) Activité organisée de malfaiteurs qui pratiquent l'extorsion de fonds par intimidation, terreur ou chantage. – Organisation de tels malfaiteurs.

racketter [ʀakete] v. tr. [1] Pratiquer le racket; soumettre à un racket.

racketteur [ʀakɛtœʀ] n. m. Malfaiteur pratiquant le racket.

raclage n. m. Action de racler (pour égaliser, pour nettoyer). *Le raclage des peaux.*

raclée n. f. Fam. Volée de coups. ▷ Fig. Écrasante défaite.

raclement n. m. Action de racler; bruit qui en résulte. *Un raclement de gorge.*

racler v. tr. [1] **1.** Frotter en grattant pour nettoyer, pour égaliser (une surface). *Racler le fond d'une casserole.* ▷ v. pron. *Se racler le fond de la gorge*, la débarrasser de ses mucosités par un mouvement expiratoire approprié. **2.** Frotter rudement et bruyamment. *Roue de vélo décentrée qui racle le garde-boue.* – Fig. Produire une sensation d'âpreté, en parlant d'une boisson. *Un vin qui racle le gosier.* **3.** *Racler du violon*, en jouer maladroitement, sans délicatesse. – Par ext. *Racler un air.*

raclette n. f. **1.** Petit outil servant à racler. **2.** Fondue faite avec un quartier de fromage qu'on expose à une flamme et dont on racle la surface au fur et à mesure qu'elle fond; le fromage avec lequel on fait cette fondue.

racloir n. m. Instrument pour racler.

raclure n. f. **1.** Petite parcelle qu'on enlève d'un corps en le raclant. *Raclures d'ivoire.* **2.** (Plur.) Déchets.

racolage n. m. **1.** Action de racoler. *Le racolage des soldats aux temps anciens.* ▷ Mod., péjor. *Le racolage publicitaire.* **2.** (En parlant d'une personne qui se livre à la prostitution.) *Le racolage sur la voie publique est puni par la loi.*

racoler v. tr. [1] **1.** Recruter par des moyens plus ou moins honnêtes. *Politicien véreux qui racole ses partisans n'importe où.* **2.** (Avec ou s. comp.) Solliciter un client, en parlant d'un(e) prostitué(e).

racoleur, euse n. et adj. **1.** Péjor. Personne qui racole pour un parti, qui fait de la publicité pour un produit, etc. – adj. *Une affiche racoleuse.* **2.** n. f. Vieilli Prostituée.

racontable adj. Qui peut être raconté. – *Par ext.* Qui ne choque pas. *Une histoire à peine racontable.*

racontar n. m. (Souvent au plur.) Nouvelle peu sérieuse; médisance, commérage sur le compte de qqn. Syn. ragot.

raconter v. tr. [1] **1.** Faire le récit de (choses vraies ou imaginaires). *Raconter une histoire.* Syn. rapporter. **2.** Litt. Dépeindre. *Ces monuments qui racontent la gloire de l'Empire.* – *Raconter qqn* : raconter la vie de la personne en question. ▷ v. pron. Raconter sa propre vie, sa propre histoire. **3.** Dire à la légère ou avec mauvaise foi. *Qu'est-ce que tu racontes ?*

racornir v. tr. [3] **1.** Rendre dur et coriace, donner la consistance de la corne à. ▷ v. pron. Devenir dur et coriace en se ratatinant. *La viande s'est racornie à la cuisson.* **2.** Fig. Endurcir, faire perdre son ouverture d'esprit à. *L'âge et les épreuves ont achevé de la racornir.* ▷ v. pron. *Son cœur s'est racorni.*

racornissement n. m. Fait de se racornir; état de ce qui est racorni.

1. rad [ʀad] n. m. PHYS NUCL Anc. unité d'irradiation (symbole rd) correspondant à l'absorption de 0,01 J/kg. (V. gray).

2. rad Symbole du radian.

Radama Ier (1791 – 1828), roi de Madagascar (1810-1828). Il pratiqua une politique de conquête de l'île.
– **Radama II** (v. 1830 – 1863), roi de Madagascar (1861-1863). Fils de Ranavalona Ire, il gouverna dès 1852, adoptant une politique nouvelle. Il rouvrit, notam., son pays aux Européens et à leurs missionnaires.

radar n. m. Dispositif émetteur-récepteur d'ondes électromagnétiques qui permet de déterminer la direction et la distance d'un objet faisant obstacle à la propagation de celles-ci (phénomène d'écho). *Utilisation du radar pour le repérage et le guidage des navires, des avions, des missiles, etc.* ▷ (En appos.) *Écran radar. Écho radar.*

radar de surveillance « Sea Tiger » qui équipera, notamment, le porte-avions *Charles-de-Gaulle*

radariste n. Spécialiste assurant le fonctionnement et la maintenance des radars.

Radcliffe (Ann Ward, Mrs.) (Londres, 1764 – id., 1823), romancière anglaise. Ses récits de terreur (*les Mystères d'Udolphe*, 1794; *l'Italien ou le Confessionnal des pénitents noirs*, 1797) sont à l'origine de la grande tradition du roman noir.

Radcliffe-Brown (Alfred Reginald) (Birmingham, 1881 – Londres, 1955), anthropologue britannique; chef de file de l'école fonctionnaliste : *Structure et fonction dans la société primitive* (1952).

rade n. f. Vaste bassin naturel comportant une libre issue vers la mer, où les navires peuvent trouver de bons mouillages. *La rade de Brest.* ▷ Loc. fig., fam. *Laisser, rester en rade* : abandonner, être abandonné.

radeau n. m. **1.** Assemblage de pièces de bois liées ensemble de manière à former une plate-forme flottante et pouvant servir d'embarcation de fortune. *Le radeau (des naufragés) de la « Méduse* ».* ▷ Par anal. (de fonction). *Radeau de sauvetage* : petite embarcation pneumatique insubmersible qui se gonfle automatiquement et que l'on utilise en cas de naufrage. **2.** Train de bois sur une rivière.

Radegonde (sainte) (en Thuringe, v. 520 – Poitiers, 587), reine franque; femme de Clotaire Ier (538), qui l'avait fait instruire dans la religion chrétienne. Son frère ayant été assassiné sur l'ordre de Clotaire, elle prit le voile à Noyon (555) et fonda le monastère Sainte-Croix à Poitiers.

Radek (Karl Sobelsohn, dit Karl) (Lemberg, auj. Lwów, 1885 –?, apr. 1937), homme politique soviétique d'origine polonaise. Il milita dans les rangs de l'extrême gauche et, en 1917, gagna Petrograd avec Lénine. Dirigeant du Komintern, il fit partie de l'opposition de gauche, puis fut exclu du parti communiste (1927). Rallié à Staline (1929), il devint l'éditorialiste du quotidien gouvernemental les *Izvestia* avant de disparaître dans les grandes purges staliniennes (1936-1937). Il fut réhabilité en 1988.

Radetzky von Radetz (Joseph, comte) (Trebnitz, auj. Třebnice, Bohême, 1766 – Milan, 1858), feld-maréchal autrichien. Chef des troupes d'occupation en Italie, il vainquit le roi de Sardaigne Charles-Albert à Novare (1849).

radiaire adj. Didac. Qui forme des rayons autour d'un axe.

1. radial, ale, aux adj. ANAT Qui a rapport au radius. *Nerf radial :* nerf sensitif et moteur de l'avant-bras et de la main.

2. radial, ale, aux adj. **1.** TECH Relatif au rayon. – Disposé suivant un rayon. **2.** URBAN *Voie radiale* ou, n. f., *une radiale :* voie qui joint (comme le rayon d'un cercle) le centre d'une ville à une voie périphérique.

radian n. m. GEOM Unité de mesure d'angle (symbole rad) du système SI, correspondant à l'angle au centre qui intercepte un arc de cercle de longueur égale à celle du rayon (1 rad = 57,296° = 63,662 grades ; 180° = 200 grades = π rad ; un tour complet correspond à 2 π rad).

radiant, ante adj. (et n. m.) **1.** Didac. Qui émet un rayonnement, se propage par radiation. *Chaleur radiante.* **2.** ASTRO *Point radiant* ou, n. m., *un, le radiant :* point du ciel d'où semblent issus les groupes d'étoiles filantes.

radiateur n. m. **1.** Corps de chauffe transmettant au milieu environnant la chaleur qu'il reçoit d'un fluide lui-même chauffé par une chaudière ou une résistance électrique (radiateur à circulation d'huile). **2.** Appareil de chauffage alimenté par le gaz ou l'électricité. **3.** *Par anal. de forme.* TECH Organe de refroidissement de certains moteurs à explosion.

radiatif, ive adj. PHYS Qui concerne les radiations.

1. radiation n. f. **1.** PHYS Ébranlement oscillatoire électromagnétique (flux de photons). – Plus généralement, flux de particules. V. rayonnement (sens 2). **2.** PALEONT Fait, pour une espèce vivante, de prendre possession d'un milieu. *La radiation des mammifères qui se répandirent dans les habitats devenus libres après l'extinction des dinosauriens.* Syn. rayonnement.

2. radiation n. f. Action de radier d'une liste, d'un compte, d'un corps, etc.

radical, ale, aux adj. et n. m. **I.** adj. **1.** BOT Relatif aux racines, qui naît des racines. *Pédoncules radicaux.* **2.** Qui tient au principe fondamental, à la nature d'une chose, d'un être. *C'est le vice radical de cette théorie.* ▷ Résolu, intransigeant, entier. *Un attachement radical.* – POLIT *Whig radical* (en Angleterre, au XVIIIe s.), résolument attaché au libéralisme. – *Parti radical* (en France) : V. encycl. radicalisme. **3.** Cour. Qui touche, concerne les fondements mêmes de ce que l'on veut modifier. *Réforme radicale.* **4.** Qui est d'une efficacité certaine. *Traitement radical. Moyens radicaux.* **5.** GEOM *Axe radical de deux cercles,* droite perpendiculaire à la droite reliant les centres de ces cercles, lieu géométrique des points ayant la même puissance par rapport à ces deux cercles. **II.** n. m. **1.** LING Forme d'un mot dépouillé des désinences qui constituent sa flexion, sa déclinaison, sa conjugaison, etc. **2.** CHIM Groupement d'atomes susceptibles d'être séparés en bloc d'une molécule et d'entrer dans la composition d'une autre molécule de structure différente. *Le radical hydroxyle –OH se rencontre dans la molécule d'eau (H–OH), dans les alcools (R–OH), dans les phénols, etc.* – *Radical libre :* radical de durée de vie très brève, qui peut s'observer à l'état non combiné. **3.** MATH Symbole $\sqrt{\ }$ qui sert à noter l'extraction de la racine*. **4.** POLIT Membre d'un groupe qui montre une attitude résolue, au sein d'une assemblée, d'un parti, d'un courant. – *Spécial.* Républicain qui, sous la monarchie de Juillet, manifestait son attachement « radical » aux principes de 1789 ; par la suite, adepte du radicalisme, membre du parti radical.

radicalement adv. Dans son principe même, d'une manière radicale. *C'est radicalement différent.*

radicalisation n. f. Fait de (se) radicaliser ; son résultat.

radicaliser v. tr. [1] Rendre plus radical ; durcir (une position). ▷ v. pron. *Le mouvement se radicalise.*

radicalisme n. m. **1.** POLIT Doctrine, engagement politique des radicaux (sens II, 4) et des radicaux-socialistes. **2.** Attitude intellectuelle qui consiste à reprendre les questions à partir du commencement, sans tenir compte de l'acquis.

ENCYCL **Hist.** – Au début de la IIIe Rép., le radicalisme fut tout-puissant mais ne se constitua pas en un véritable parti. Le radicalisme caractérisa d'abord un état d'esprit anticlérical, confiant dans le suffrage universel, dans le progrès des sciences et des idées (notam. grâce à l'école laïque), n'ayant, dans le domaine social, que des positions théoriques avec un attachement à la propriété privée. Le *parti républicain radical et radical-socialiste* fut fondé en 1901 ; de 1902 à 1914, ses ténors (Combes, Clemenceau, Caillaux) gouvernèrent le pays. Divisé après 1918, occupant le centre de l'éventail politique, le parti dirigea en 1924, avec Herriot, le Cartel des gauches. En 1936, il décida de s'associer aux socialistes et aux communistes dans la majorité qui soutenait le Front populaire, puis s'allia, en 1938-1940, aux modérés. Divisé en 1940, il échoua aux élections de 1945 et perdit ses membres de gauche, mais joua un rôle import. d'arbitre sous la IVe Rép. ; E. Faure, puis P. Mendès France tentèrent de rajeunir ce parti vieillissant avant de le quitter successivement tous deux. Généralement opposé à la majorité gaulliste sous la Ve Rép., le parti radical continua de perdre son électorat. En 1971, il se divisa en deux fractions : l'une, centriste et réformiste, conserva l'appellation de parti radical et forme auj. l'une des composantes de l'U.D.F. ; l'autre, sous le nom de Mouvement des radicaux de gauche, a rejoint la majorité favorable à F. Mitterrand.

radical-socialisme n. m. POLIT Doctrine, tendance d'extrême gauche au sein du radicalisme, dans les débuts de la IIIe République. (Par la suite, les termes *radicalisme* et *radical-socialisme* furent utilisés l'un pour l'autre.)

radical-socialiste adj. et n. POLIT Du radical-socialisme. – Subst. *Les radicaux-socialistes.*

radicant, ante adj. BOT Se dit de plantes dont les tiges émettent des racines en différents points de leur longueur (racines adventives).

radicelle n. f. BOT Racine secondaire, filament produit par la ramification de la racine principale.

Radichtchev (Alexandre Nicolaïevitch) (près de Moscou, 1749 – Saint-Pétersbourg, 1802), écrivain russe. Antiabsolutiste (ode *À la liberté,* 1783), il fut banni par Catherine II, puis rappelé par Paul Ier (1796). Il s'empoisonna.

radiculaire adj. **1.** BOT Qui appartient ou qui se rapporte à la racine ou à la radicule. **2.** MED Qui concerne la racine des nerfs rachidiens ou crâniens, ou la racine des dents.

radicule n. f. BOT Partie inférieure de l'axe de l'embryon qui, en se développant, deviendra la racine.

radiculite n. f. MED Inflammation de la racine d'un nerf, spécial. d'un nerf spinal.

radié, ée adj. et n. f. **1.** adj. Didac. Disposé en rayons. *Capitule radié des pâquerettes.* **2.** n. f. pl. BOT Ensemble de composées au capitule radié (marguerites, chrysanthèmes, etc.). – Sing. *Une radiée.*

radier v. tr. [2] Rayer d'une liste, d'un compte, d'un registre. *Être radié des listes électorales.* – *Spécial.* Exclure (qqn) d'un corps, rayer son nom de la liste des inscrits, le plus souvent par mesure disciplinaire. *Radier un avocat du barreau.*

radiesthésie n. f. Faculté qu'auraient certaines personnes d'être sensibles aux radiations qu'émettraient différents corps ; ensemble des procédés de détection des objets cachés, fondés sur cette faculté.

radiesthésiste n. Personne qui pratique la radiesthésie.

radieusement adv. Litt. D'une manière radieuse.

radieux, euse adj. **1.** Qui émet des rayons lumineux d'un vif éclat. *Soleil radieux.* ▷ Fig. Éclatant. *Une beauté radieuse.* **2.** Particulièrement lumineux, ensoleillé. *Une journée radieuse.* **3.** (Personnes) Rayonnant de joie, de bonheur. *Elle arriva radieuse.* – Par ext. *Avoir un air, un visage radieux.*

radifère adj. Didac. Qui contient du radium.

Radiguet (Raymond) (Saint-Maur-des-Fossés, 1903 – Paris, 1923), écrivain français. Très jeune, il fit preuve d'une grande maîtrise de la prose « classique » et d'une grande finesse d'observation dans deux romans : *le Diable au corps* (1923) et *le Bal du comte d'Orgel* (posth., 1924).

radin, ine n. et adj. Fam. Avare. ▷ adj. *Elle est radine* ou, cour., *radin.*

radiner v. intr. [1] Fam. Arriver, venir. ▷ v. pron. *Allez, radine-toi !*

radinerie n. f. Fam. Avarice.

1. radio-. Élément, tiré du rad. lat. *radius,* « rayon », ou de *radiation.*

2. radio-. Élément, tiré de *radiodiffusion.*

1. radio n. Abrév. de certains composés de *radio : radiodiffusion, radiographie, radiotélégraphiste, radionavigateur, radiotéléphonie.* V. ces mots.

2. radio n. f. ou m. **1.** Station émettrice d'émissions radiophoniques. *Radio périphérique,* dont l'émetteur est situé hors du territoire français. *Radio libre :* radio locale privée. *Radio pirate,* qui diffuse illégalement ses émissions. **2.** Récepteur de radiodiffusion.

radioactif, ive adj. Doué de radioactivité.

radioactivité n. f. Émission, par certains éléments, de rayonnements divers, résultant de réactions nucléaires.
ENCYCL **Phys.** – Un élément radioactif est caractérisé par sa *période* (temps pendant lequel la moitié de ses noyaux s'est désintégrée) et par son *activité* (nombre de désintégrations par unité de temps), laquelle s'exprime en *curies* (symbole Ci); 1 Ci = $3{,}7.10^{10}$ désintégrations par seconde; c'est l'activité d'un gramme de radium. La mesure de l'activité d'un corps radioactif permet de déduire le temps depuis lequel ce corps se désintègre et, en partic., de procéder à la *datation* d'échantillons, à condition que la période du radioélément retenu ne soit pas trop courte par rapport à l'âge à déterminer. Ainsi, le *carbone 14*, dont la période est de 5 600 ans, permet de mesurer des âges allant jusqu'à 50 000 ans et le *potassium 40* jusqu'à 80 millions d'années. Les corps radioactifs agissent sur l'organisme par irradiation (action des rayonnements) ou par contamination (inhalation, ingestion ou contamination externe). Ils provoquent des ionisations entraînant des modifications biochimiques plus ou moins graves. La dose de rayonnements reçus est exprimée en *röntgens* ou en *rems* (des lésions apparaissent en général au-delà de 50 rems). L'effet destructeur des irradiations sur les organismes vivants est mis à profit lors du traitement de certaines tumeurs (radiothérapie), pour stériliser les denrées alimentaires (lait, viande, etc.) et pour créer, par mutation, de nouvelles espèces (horticulture, agronomie).

radioalignement n. m. AVIAT, MAR Dispositif de matérialisation d'un axe de navigation, comportant deux radiophares qui émettent sur la même fréquence des signaux complémentaires.

radioaltimètre n. m. AVIAT Appareil servant à mesurer, au moyen d'ondes radioélectriques, la distance d'un avion par rapport au sol.

radioamateur n. m. Particulier autorisé à émettre et à recevoir de manière non professionnelle, sur certaines fréquences, des émissions radiophoniques.

radioastronome n. Spécialiste de radioastronomie.

radioastronomie n. f. ASTRO Branche de l'astronomie consacrée à l'étude des ondes radioélectriques émises par les astres.

radiobalisage n. m. AVIAT Signalisation par radiobalises.

radiobalise n. f. MAR, AVIAT Balise formée d'un poste radioémetteur permettant aux avions et aux navires de repérer un point fixe connu, par radiogoniométrie.

radiobiologie n. f. BIOL Science qui étudie l'action des radiations (X, α, β, γ, ultraviolettes, etc.) sur les êtres vivants.

radiocarbone n. m. CHIM Carbone 14, isotope radioactif utilisé pour les datations*.

radiocassette n. f. ou m. Appareil combinant un récepteur de radio et un lecteur (ou un lecteur-enregistreur) de cassettes.

radiochimie n. f. CHIM Branche de la chimie qui étudie les phénomènes liés à la radioactivité.

radiocommande n. f. TECH Commande à distance au moyen d'ondes radioélectriques.

radiocommunication n. f. TECH Communication par ondes radioélectriques.

radiocompas n. m. AVIAT, MAR Radiogoniomètre, souvent automatique, permettant de guider l'avion, ou le navire, par rapport aux directions de faisceaux radioélectriques émis par les radiophares.

radiodermite n. f. MED Lésion cutanée due à une irradiation par les rayons X.

radiodiagnostic n. m. MED Diagnostic reposant sur l'examen d'images radiologiques.

radiodiffuser v. tr. [1] Diffuser au moyen d'ondes électromagnétiques. – Pp. adj. *Discours radiodiffusé.*

radiodiffusion n. f. Mise en ondes, transmission de programmes sonores (musique, reportages, etc.) au moyen d'ondes électromagnétiques. – Ensemble des procédés utilisés à cet effet. (V. encycl. radioélectricité.) ▷ *Poste de radiodiffusion* ou *poste (de) radio* ou, n. f., *radio :* récepteur.

radiodistribution n. f. Distribution de programmes radiodiffusés par câbles.

radioélectricien, enne n. Physicien(ne) spécialiste de radioélectricité.

radioélectricité n. f. ELECTR Partie de l'électricité consacrée à la transmission de signaux par des ondes électromagnétiques.
ENCYCL La transmission d'informations par les ondes radioélectriques s'effectue au moyen d'une *onde porteuse* de haute fréquence dont on module l'amplitude, la fréquence ou la phase en fonction des signaux de basse fréquence représentant les informations à transmettre. Les applications de la radioélectricité sont très nombreuses : radiodiffusion, télévision, radionavigation, radioguidage, radar, télécommunications, etc.

radioélectrique adj. ELECTR Relatif à la radioélectricité.

radioélément n. m. PHYS NUCL Élément radioactif. Syn. radio-isotope.

radiofréquence n. f. TELECOM Fréquence d'une onde radioélectrique.

radiogalaxie n. f. ASTRO Galaxie connue surtout par les ondes radioélectriques qu'elle émet.

radiogoniomètre n. m. TECH Appareil récepteur d'ondes hertziennes permettant de déterminer avec précision le gisement (sens 2) d'un émetteur.

radiogoniométrie n. f. TECH Ensemble des procédés utilisés pour déterminer la position d'émetteurs d'ondes radioélectriques.

radiogramme n. m. TECH Message transmis par radiotélégraphie.

radiographie n. f. Ensemble des procédés qui permettent d'obtenir sur une surface sensible l'image d'un objet exposé aux rayons X. (Abrév. fam. : radio). ▷ Cliché radiographique. *Une radiographie de l'estomac.*
ENCYCL **Méd.** – On distingue : les radiographies simples, consistant à prendre des clichés sous des incidences variables (face, profil, etc.); les radiographies utilisant des moyens de contraste (air, produits iodés, baryte) pour visualiser le tube digestif, les voies urinaires et biliaires, les vaisseaux, diverses cavités de l'organisme. Quant à la tomographie, elle permet d'isoler un plan de l'organisme, rendu net, alors que les autres restent flous. Depuis 1975, le *scanographe* ou *tomodensitomètre* permet de mesurer au moyen de cellules photoélectriques l'absorption des rayons X par l'organe observé, les informations recueillies étant traitées par ordinateur et restituées sur un écran de visualisation.
▶ pl. imagerie médicale

radiographier v. tr. [2] Photographier au moyen de rayons X.

radiographique adj. Relatif à la radiographie; obtenu par radiographie.

radioguidage n. m. Guidage à distance d'un avion, d'un navire, d'un engin, etc., au moyen d'ondes radioélectriques.

radioguider v. tr. [1] Diriger par radioguidage.

radio-immunologie n. f. BIOL Ensemble des techniques permettant d'établir un dosage ou un diagnostic à l'aide de méthodes immunologiques en utilisant un isotope comme réactif.

radio-indicateur n. m. TECH Syn. de *traceur* radioactif. Des radio-indicateurs.*

radio-isotope n. m. PHYS NUCL Isotope radioactif d'un élément. *Des radio-isotopes.* Syn. radioélément.

radiolaires n. m. pl. ZOOL Classe de protozoaires actinopodes marins à squelette siliceux. – Sing. *Un radiolaire.*

radiologie n. f. Partie de la médecine qui utilise les rayonnements à des fins diagnostiques (radiographie, radiodiagnostic) ou thérapeutiques (radiothérapie).

radiologique adj. Relatif à la radiologie.

radiologue ou **radiologiste** n. Médecin spécialiste de radiologie.

radiométallographie n. f. METALL Étude de la structure des métaux et des alliages au moyen des rayons X ou des rayons γ.

radiométrie n. f. PHYS Mesure de l'intensité des rayonnements, en partic. des rayons X et γ.

radionavigant ou **radionavigateur** n. m. MAR, AVIAT Membre de l'équipage chargé du service des appareils de radiocommunication à bord d'un navire, d'un aéronef. (Abrév. fam. : radio).

radionavigation n. f. MAR, AVIAT Mode de navigation dans lequel la position est déterminée au moyen d'appareils radioélectriques.

radionécrose n. f. MED Nécrose (d'un tissu) due aux rayons X ou à des corps radioactifs.

radionucl(é)ide n. m. PHYS NUCL Nucléide radioactif.

radiopathologie n. f. MED Discipline médicale étudiant et traitant les troubles dus aux irradiations.

radiophare n. m. TELECOM Émetteur d'ondes radioélectriques permettant aux navires et aux aéronefs de déterminer leur position par radiogoniométrie.

radiophonie n. f. TELECOM Transmission des sons au moyen d'ondes radioélectriques (radiodiffusion, radiotéléphonie).

radiophonique adj. Relatif à la radiophonie et à la radiodiffusion. *Émissions radiophoniques.*

radiophotographie n. f. TECH Photographie d'une image obtenue sur écran de radioscopie.

radioprotection n. f. TECH Ensemble des procédés et des appareils protégeant l'homme contre la radioactivité.

radiorécepteur n. m. TECH Récepteur de radiodiffusion.

radioreportage n. m. Reportage radiodiffusé.

radioreporter n. m. Journaliste spécialisé dans les radioreportages.

radioréveil n. m. Appareil combinant un récepteur radio et un réveil.

radioscopie n. f. TECH, MED Observation de l'image formée sur un écran fluorescent par un corps traversé par les rayons X.

radiosensibilisateur, trice n. m. et adj. MED Substance diminuant la résistance naturelle des cellules aux rayons ionisants. *Les radiosensibilisateurs sont utilisés en cancérologie pour augmenter l'efficacité de certaines radiothérapies.* – adj. *Un produit radiosensibilisateur.*

radiosensibilité n. f. BIOL Sensibilité des tissus aux rayons ionisants.

radiosonde n. f. METEO Appareil attaché à un ballon-sonde, qui transmet au sol, au moyen d'ondes radioélectriques, les résultats des mesures qu'il effectue en altitude.

radiosource n. f. ASTRO Objet céleste connu par les ondes radioélectriques qu'il émet de façon permanente. V. rayonnement.

radio-taxi n. m. Taxi équipé d'un émetteur-récepteur radioélectrique lui permettant de communiquer avec un standard qui lui transmet les appels de clients. *Des radio-taxis.*

radiotechnicien, enne n. Spécialiste de la radiotechnique.

radiotechnique n. f. Ensemble des techniques relatives à la radioélectricité et à ses applications. ▷ adj. Relatif à ces techniques.

radiotélégramme n. m. TELECOM Télégramme transmis par ondes radioélectriques. Syn. radiogramme.

radiotélégraphie n. f. TELECOM Procédé de transmission par ondes radioélectriques de messages traduits en signaux conventionnels (morse, par ex.); télégraphie sans fil.

radiotélégraphiste n. Vieilli Opérateur de radiotélégraphie. (Abrév. fam. : radio).

radiotéléphone n. m. Téléphone sans fil utilisant des ondes radio.

radiotéléphonie n. f. TELECOM Procédé de transmission des sons par ondes radioélectriques; téléphonie sans fil. (Abrév. fam. : radio).

radiotéléphonique adj. TELECOM Qui se rapporte à la radiotéléphonie.

radiotéléphoniste n. TELECOM Opérateur de radiotéléphonie.

radiotélescope n. m. ASTRO Appareil servant à capter les ondes radioélectriques émises par les astres. *Les radiotélescopes sont groupés en réseau d'interférométrie, de manière à augmenter le pouvoir séparateur.*

radiotélévisé, ée adj. AUDIOV Diffusé par radio et télévision.

radiotélévision n. f. AUDIOV Ensemble des procédés de diffusion des sons (radiodiffusion) et des images (télévision) par ondes radioélectriques.

radiothérapeute n. MED Spécialiste de radiothérapie.

radiothérapie n. f. MED Traitement par des radiations ionisantes.
ENCYCL On distingue : la radiothérapie *externe* (irradiation à distance à l'aide d'une bombe au cobalt, d'un bêtatron ou d'un rayonnement X); la radiothérapie *de contact* (mise en place d'une source radioactive au contact de la tumeur); la radiothérapie *par injection d'un isotope*, cet isotope ayant une affinité avec la tumeur à traiter.

radiothérapique adj. MED Relatif à la radiothérapie.

radiotoxicité n. f. Caractère radiotoxique.

radiotoxique adj. et n. m. MED Se dit d'un corps émettant des rayonnements toxiques pour l'organisme.

radio-trottoir n. m. Fam. Dans les pays où l'information est contrôlée, nouvelles transmises par la rumeur publique.

radis [ʀadi] n. m. **1.** Plante potagère (fam. crucifères) cultivée pour sa racine comestible. ▷ Cette racine, de saveur piquante, que l'on consomme crue. *Les radis roses.* **2.** Pop. *Ne pas (plus) avoir un radis, un sou.*

radium [ʀadjɔm] n. m. Élément alcalino-terreux radioactif de numéro atomique Z = 88, de masse atomique 226,025 (symbole Ra). – Métal (Ra) qui fond à 700 °C et bout à 1 140 °C.
ENCYCL Très rare dans la nature, le radium est extrait des minerais d'uranium et de thorium. Depuis le développement de l'industrie atomique, le radium est un sous-produit de la préparation de l'uranium.

radiumthérapie n. f. MED Traitement des tumeurs par le radium.

radius [ʀadjys] n. m. ANAT Le plus court des deux os de l'avant-bras, situé à la partie externe de celui-ci, qui s'articule avec l'humérus en haut et avec le carpe en bas, et qui est relié au cubitus par ses deux extrémités.

radjah. V. rajah.

Radom, v. de Pologne; 214 910 hab.; ch.-l. de la voïévodie du m. nom. Industr. métall. et électromécaniques. Nœud ferroviaire.

radôme [ʀadom] n. m. TECH Vaste dôme en matière synthétique abritant une antenne de radar.

une des branches du VLA (*Very Large Array*), réseau interférométrique de 27 **radiotélescopes** paraboliques (26 m de diamètre chacun), plaine de San Augustin, Nouveau-Mexique

radon n. m. CHIM Élément radioactif de numéro atomique Z = 86, de masse atomique 222 (symbole Rn). – Gaz rare (Rn) qui se liquéfie à – 61,8 °C et se solidifie à – 71 °C.

radotage n. m. Action de radoter. – Propos d'une personne qui radote.

radoter v. [1] **1.** v. intr. Tenir des propos qui dénotent un affaiblissement de l'esprit. **2.** v. tr. Rabâcher.

radoteur, euse adj. et n. Se dit d'une personne qui radote.

radoub [ʀadu; ʀadub] n. m. MAR Réparation, entretien de la coque d'un navire. *Bassin de radoub*, destiné aux réparations des coques de navire.

radouber v. tr. [1] MAR Réparer ou nettoyer (la coque d'un navire). ▷ PECHE *Radouber un filet*, le raccommoder.

radoucir v. tr. [3] **1.** Rendre plus doux. *La pluie a radouci le temps.* ▷ v. pron. *Le temps s'est radouci.* **2.** Fig. Rendre moins rude, apaiser. *Ce petit présent a radouci son humeur.* ▷ v. pron. *Son ton s'est radouci.*

radoucissement n. m. Fait de se radoucir.

radsoc n. et adj. Fam. Abrév. de *radical-socialiste.*

radula n. f. ZOOL Lame cornée râpeuse située sur le plancher buccal des mollusques gastéropodes et céphalopodes.

Raeburn (sir Henry) (Stockbridge, 1756 – Édimbourg, 1823), peintre anglais; portraitiste dans la tradition de Reynolds et Gainsborough.

Raeder (Erich) (Wandsbeck, 1876 – Kiel, 1960), amiral allemand; commandant en chef de la flotte de 1935 à 1943. Condamné à la prison à vie en 1946, il fut libéré en 1955.

R.A.F. V. Royal Air Force.

rafale n. f. **1.** Coup de vent soudain et violent mais qui dure peu; brusque augmentation de la vitesse du vent. *Vent qui souffle par rafales.* Syn. bourrasque. **2.** Suite de coups tirés à brefs intervalles pendant un temps assez court, par une batterie d'artillerie, une arme automatique, etc. *Rafale de mitraillette. Tir par rafales.*

raffermir v. tr. [3] **1.** Rendre plus ferme, plus dur. *Le soleil a raffermi les chemins. Le sport raffermit la musculature.* **2.** Fig. Remettre dans un état plus stable, plus assuré. *Raffermir sa santé, son autorité.* ▷ v. pron. *Le crédit public se raffermira.* Syn. consolider, fortifier.

raffermissant, ante adj. Se dit d'un produit cosmétique qui donne un aspect plus ferme à la chair. *Une lotion raffermissante.*

raffermissement n. m. Action de se raffermir; son résultat.

Raffet (Denis Auguste Marie) (Paris, 1804 – Gênes, 1860), peintre, dessinateur et lithographe français : scènes militaires de la Révolution et de l'Empire.

raffinage n. m. Opération qui consiste à raffiner (un produit). *Raffinage du pétrole.*

raffiné, ée adj. **1.** Qui a été soumis à un raffinage. *Sucre raffiné.* **2.** Fig. D'une grande délicatesse; fin, subtil. *Personne raffinée. Goûts raffinés.* Ant. fruste, grossier.

raffinement n. m. État, qualité de ce qui est raffiné; extrême délicatesse, subtilité. *S'exprimer avec raffinement. Le raffinement d'un décor.* ▷ *Par exag.*

Recherche excessive. *Raffinement dans la cruauté.*

raffiner v. [1] **I.** v. tr. **1.** Soumettre (une matière brute) à une suite d'opérations ayant pour but de l'épurer ou de la transformer en un produit utilisable. *Raffiner du sucre, du pétrole, du papier.* **2.** Fig., vieilli (Personnes) Rendre plus fin, plus délicat. *Raffiner ses manières.* ▷ v. pron. Devenir moins fruste. **II.** v. intr. Vieilli Mettre un soin exagéré à accomplir une tâche; rechercher une subtilité excessive. Syn. fignoler.

raffinerie n. f. Lieu où l'on raffine (certains produits). *Raffinerie de sucre, de pétrole.* ► pl. **pétrole**

raffineur, euse n. Personne qui dirige une raffinerie ou qui y travaille.

raffle. V. rafle 2.

rafflésie n. f. BOT Plante dicotylédone tropicale aux fleurs gigantesques.

raffoler v. tr. indir. [1] *Raffoler de :* aimer à la folie, avoir une prédilection très marquée pour (qqch, qqn). *Il raffole d'opéra.*

raffut [ʀafy] n. m. Fam. Tapage, vacarme. *Faire du raffut.*

raffûter v. tr. [1] Affûter de nouveau. *Raffûter un couteau.*

rafiot n. m. Fam. Mauvais bateau. *Un vieux rafiot.*

rafistolage n. m. Fam. Action de rafistoler; son résultat.

rafistoler v. tr. [1] Fam. Remettre grossièrement en état, réparer sans grand soin ou avec des moyens de fortune.

1. rafle n. f. **1.** Action de rafler, de tout emporter. *Les enfants ont fait une rafle dans le placard à gâteaux.* **2.** Arrestation en masse faite à l'improviste par la police. *Il a été pris dans une rafle et il a passé la nuit au poste.*

2. rafle ou **raffle** n. f. BOT, VITIC Ensemble formé par l'axe central et les pédoncules des fruits d'une grappe de raisin, de groseilles, etc. Syn. râpe.

rafler v. tr. [1] Fam. Prendre, enlever promptement (tout ce que l'on trouve). *Les voleurs ont tout raflé.*

rafraîchir v. [3] **I.** v. tr. **1.** Rendre frais, donner de la fraîcheur à. *Rafraîchir du vin.* **2.** Diminuer la température (du corps); calmer la soif de (qqn). *Buvez, cela vous rafraîchira.* – Absol. *Les boissons acidulées rafraîchissent.* ▷ v. pron. *Se rafraîchir avec un verre d'eau glacée.* Ant. échauffer, réchauffer. **3.** Remettre en état, redonner de la fraîcheur à (ce qui était défraîchi). *Rafraîchir un mur.* – Pp. adj. *Un tableau rafraîchi.* ▷ Fig., fam. *Rafraîchir la mémoire à qqn,* lui rappeler ce qu'il a ou ce qu'il prétend avoir oublié. ▷ INFORM Régénérer l'image affichée sur un écran. – Pp. adj. *Écran rafraîchi quinze fois par seconde.* **II.** v. intr. Devenir plus frais. *Mettez les fruits à rafraîchir.* ▷ Pp. adj. *Eau rafraîchie.* ▷ v. pron. *Le temps s'est rafraîchi.*

rafraîchissant, ante adj. **1.** Qui diminue la chaleur de (l'atmosphère, du corps, etc.). *Brise rafraîchissante.* ▷ Qui désaltère. *Boisson rafraîchissante.* **2.** Fig. Qui donne une impression de fraîcheur, de jeunesse. *Des rires clairs, rafraîchissants.*

rafraîchissement n. m. **1.** Fait de rafraîchir, de se rafraîchir. *Rafraîchissement de la température.* – Fig. *Ce mur a besoin d'un sérieux rafraîchissement,* d'une remise en état. **2.** Boisson fraîche. *Prendre un rafraîchissement.* ▷ (Plur.) Boissons fraîches, fruits frais, etc., que l'on sert dans les fêtes, les réunions. **3.** INFORM Réaffichage total de l'écran.

Rafsandjani (Ali Akbar Hachemi) (Nough, 1934), homme politique iranien. Membre du Conseil de la révolution en 1978 et cofondateur du Parti de la République islamique (P.R.I.) en 1979, commandant en chef des forces armées en 1988, il accepte en mai, au nom de l'imam Khomeyni, le cessez-le-feu avec l'Irak dans la guerre du Golfe. Élu, après la mort de Khomeyni, à la présidence de la République islamique en juillet 1989 et réélu en juin 1993, il contrôla le pouvoir exécutif, conformément aux termes d'une révision constitutionnelle qu'il imposa en 1989, jusqu'en 1997.

Rafsandjani

Rainier III

raft [ʀaft] n. m. (Anglicisme) SPORT Bateau léger, en caoutchouc armé, conçu pour la descente des torrents.

rafting [ʀaftiŋ] n. m. (Anglicisme) SPORT Sport consistant à descendre les torrents en raft.

raga n. m. inv. MUS Mode mélodique de la musique indienne répondant à une structure établie dans les gammes ascendante et descendante.

ragaillardir v. tr. [3] Redonner des forces, de la gaieté, de l'entrain à (qqn). Syn. revigorer.

rage n. f. **I.** Maladie virale épidémique qui affecte certains mammifères (chien, chat, renard, etc.), lesquels la transmettent à l'homme (par morsure, en général). *Pasteur essaya pour la première fois son vaccin contre la rage en 1885 sur un jeune berger alsacien mordu par un chien enragé.* **II. 1.** Colère, dépit portés au plus haut degré. *Être en rage contre qqn.* Syn. fureur. **2.** Passion portée à l'excès, penchant outré. *La rage d'écrire.* Syn. fureur, manie. ▷ Volonté farouche et passionnée, résolution inflexible. *La rage de vaincre, de survivre.* **3.** Loc. *Faire rage :* se manifester avec une grande intensité, une grande violence; être à son paroxysme. *L'incendie faisait rage.* **4.** *Rage de dents :* très violent mal de dents.

rageant, ante adj. Fam. Qui fait rager, enrager. Syn. irritant, exaspérant.

rager v. intr. [13] Fam. Éprouver un violent dépit. Syn. enrager.

rageur, euse adj. **1.** Porté à des colères violentes. *Enfant rageur.* **2.** Qui traduit la colère, la rage. *Geste rageur.*

rageusement adv. Avec rage.

raggamuffin [ragamœfin] n. m. Style de musique issu du rap et du reggae.

raglan n. m. et adj. inv. **1.** n. m. Pardessus ample à manches raglan. **2.** adj. inv. *Manches raglan,* dont l'épaulement remonte jusqu'au col par des coutures en biais.

Raglan (lord Fitzroy James Henry Somerset, baron) (Badminton, 1788 – devant Sébastopol, 1855), maréchal anglais. Il servit au Portugal et en Espagne (1804-1814). En 1854-1855, il commanda les troupes britanniques en Crimée, où il mourut du choléra.

ragondin femelle et son jeune

Ragna rokkr ou **Ragnarok** («destin final des dieux»), légende scandinave (née en Islande) qui décrit la fin du monde suivie d'une renaissance de la vie.

ragondin n. m. **1.** Gros rongeur amphibie (*Myocastor coypus*), originaire d'Amérique du S., élevé en Europe pour sa fourrure. **2.** Fourrure de cet animal.

ragot [ʀago] n. m. Fam. (Souvent au plur.) Commérage plus ou moins malveillant, cancan.

ragoût [ʀagu] n. m. **1.** Vx Assaisonnement. **2.** CUIS Plat de viande (ou de poisson) et de légumes, coupés en morceaux et cuits dans une sauce abondante. *Ragoût de mouton.*

ragoûtant, ante adj. (Le plus souvent en tournure négative.) **1.** Qui excite l'appétit. *Mets peu ragoûtant.* **2.** Fig. Engageant, qui plaît.

ragréer v. tr. [11] ARCHI Mettre la dernière main à une construction pour en corriger les petits défauts. ▷ Ravaler. *Ragréer une façade.*

ragtime [ʀagtajm] n. m. MUS Style de musique pour piano qui naquit aux États-Unis à la fin du XIXe s. et qui fut l'une des sources du jazz.

raguer v. intr. [1] MAR S'user, s'endommager par frottement. *Écoute qui rague.*

Raguse, v. d'Italie (Sicile); 63 400 hab.; ch.-l. de la prov. du m. nom. Centre agricole. Raff. de pétrole. – Palais et églises du XVIIIe s.

Raguse. V. Dubrovnik.

rahat-loukoum [ʀaatlukum], **loukoum** [lukum] ou **lokoum** [lɔkum] n. m. Confiserie orientale faite d'une pâte sucrée et parfumée. *Manger des rahat-loukoums (des loukoums).*

Rahman (cheikh Mujibur) (Tongipura, Bengale-Oriental, auj. Bangladesh, 1920 – Dhākā, 1975), homme politique bangladais. Dirigeant de la ligue Awami, il proclama l'indépendance du Pākistān oriental en mars 1971 et fut le premier chef du nouvel État, le Bangladesh. En 1975, il instaura un régime présidentiel et fut tué lors d'un coup d'État militaire.

rai ou (rare) **rais** [ʀɛ] n. m. Vx ou litt. Rayon (de lumière).

raï [ʀaj] n. m. MUS Musique populaire algérienne, originaire d'Oran, qui, en modifiant les rythmes et en accentuant les mélodies, utilise des thèmes traditionnels avec une orchestration occidentale moderne, et dont les paroles des morceaux chantés évoquent la vie quotidienne.

Raïatea, île de la Polynésie française, dans les îles de la Société; 192 km²; 6 406 hab.; ch.-l. *Uturoa.* Cocotiers.

Raibolini (Francesco). V. Francia (il).

raid [ʀɛd] n. m. **1.** Rapide opération de reconnaissance ou d'attaque menée par des éléments très mobiles en territoire inconnu ou ennemi. *Raid de parachutistes, de blindés.* ▷ Mission de bombardement aérien visant un objectif lointain. **2.** AVIAT Vol d'endurance. *Raid Paris-Tōkyō.* **3.** SPORT Épreuve de vitesse, de résistance et d'endurance sur une longue distance. *Raid à skis.*

raide, vx ou litt **roide** adj. et adv. **I.** adj. **1.** Tendu; dépourvu d'élasticité, de souplesse. *Cette amarre n'est pas assez raide.* ▷ *Corde raide* : corde très tendue sur laquelle évoluent les funambules. – Fig. *Être, danser sur la corde raide* : être dans une situation dangereuse, difficile. **2.** Qui ne se plie pas, qui reste droit ou plat. *Des cheveux raides.* ▷ (Personnes; corps ou parties du corps.) *Se tenir raide comme un piquet. Des membres, des doigts raides de froid.* **3.** Qui manque de grâce, de souplesse. *Démarche, gestes raides.* – Fig. *Style raide.* **4.** Qui manque de souplesse (de caractère). *Attitude, caractère raide.* Syn. dur, rigide. **5.** Abrupt. *Pente raide.* Ant. doux. **6.** Fig., fam. Difficile à admettre. *Ça alors! C'est un peu raide!* **7.** Fam. *Être raide* : ne plus avoir d'argent, être totalement démuni; être ivre ou sous l'effet d'une drogue. **II.** adv. **1.** En pente raide. *Escalier qui monte raide.* **2.** Subitement. *Tomber raide mort. Tomber raide.*

raider [ʀɛdœʀ] n. m. (Anglicisme) ECON Personne physique ou morale qui, par le biais de transactions financières, prend le contrôle d'une entreprise, parfois dans le seul but d'en tirer profit lors d'une revente. Syn. (off. recommandé) attaquant.

raideur n. f. **1.** Caractère, état de ce qui est raide, rigide. *Raideur d'une planche.* **2.** Manque de souplesse, de grâce. *Marcher avec raideur.* **3.** Fig. Sévérité, rigidité. *Raideur d'un caractère.* ▷ Froideur. *Répondre avec raideur.* **4.** Forte inclinaison (d'une pente). *La raideur d'un escalier.*

raidillon n. m. Petite pente raide; court sentier escaladant une pente raide.

raidir v. [3] **I.** v. tr. Rendre raide; tendre. *Raidir le bras. Raidir un cordage.* **II.** v. intr. Devenir raide. *Le linge humide raidit au gel.* **III.** v. pron. **1.** Devenir raide. *Ses membres se raidissaient.* **2.** Fig. Tenir ferme, résister avec opiniâtreté. *Se raidir contre la douleur.*

raidissement n. m. Fait de raidir, de se raidir; état de ce qui est raidi.

raidisseur n. m. TECH Appareil servant à raidir (un câble, une charpente, une tôle, etc.).

1. raie n. f. **1.** Trait, ligne. *Faire, tracer une raie sur une feuille.* ▷ Bande ou ligne formant un motif décoratif. *Étoffe à raies noires.* ▷ PHYS *Raie spectrale* : fine bande claire ou sombre que l'on observe sur un spectre et qui correspond à une augmentation de luminosité *(raie d'émission)* ou à une diminution de luminosité *(raie d'absorption)* à une fréquence donnée. **2.** Ligne de séparation entre deux masses de cheveux, laissant apparaître le cuir chevelu. *Raie au milieu, sur le côté.* **3.** AGRIC Entre-deux des sillons; sillon.

2. raie n. f. Poisson cartilagineux (ordre des sélaciens), au corps aplati, aux fentes branchiales ventrales, et dont les fortes nageoires antérieures sont développées en ailerons et soudées à la tête. *Raie bouclée. Raie électrique* : torpille.

raifort [ʀɛfɔʀ] n. m. Plante crucifère dont on utilise la racine comme condiment pour sa saveur piquante.

rail n. m. **1.** Chacune des bandes d'acier profilé fixées les unes à la suite des autres, en deux lignes parallèles, sur des traverses, et qui constituent une voie ferrée. **2.** *Par anal.* Profilé métallique le long duquel une pièce mobile peut glisser. *Rail d'une tringle à rideau.* ▷ *Rail de sécurité* : bordure métallique le long d'une route, d'une autoroute. Syn. glissière. **3.** *Le rail* : le transport ferroviaire.

railler v. [1] **1.** v. tr. Tourner en dérision. Syn. moquer. **2.** v. intr. Vieilli Badiner, ne pas parler sérieusement. *Je ne raille point.* Syn. plaisanter. **3.** v. pron. Se moquer. *Se railler de tout.*

raillerie n. f. **1.** Action de railler; habitude de railler. **2.** Vieilli Propos railleur, moquerie.

railleur, euse adj. **1.** Qui raille, qui aime à railler. ▷ Subst. *Les railleurs et les sceptiques.* **2.** Qui exprime la raillerie. *Ton railleur.* Syn. ironique, narquois.

rail-route ou **railroute** n. m. TRANSP *Transport rail-route* : syn. de *ferroutage.*

Raimond ou **Raymond de Peñafort** (saint) (Villafranca del Penedés, v. 1180 – Barcelone, 1275), religieux espagnol; auteur d'une *Somme* théologique sur la pénitence; cofondateur, avec Pierre Nolasque, de l'ordre de Notre-Dame-de-la-Merci.

Raimond ou **Raymond,** nom de sept comtes de Toulouse, dont : – **Raimond IV,** dit *Raimond de Saint-Gilles* (Toulouse, 1042 – Tripoli, 1105), comte de Toulouse en 1093; il fut un des chefs de la 1re croisade. – **Raimond VI** (?, 1156 – Toulouse, 1222), comte de Toulouse en 1194. Ses sujets étant devenus albigeois, il soutint les hérétiques, sans toutefois en être; en 1208, le pape l'excommunia et déclencha la croisade contre les albigeois, dirigée par Simon de Montfort. Après la chute de Toulouse, Raimond perdit ses États et s'enfuit en Angleterre (1215). En 1217, il entreprit de les reprendre à Simon puis à Amaury de Monftort, et y parvint en grande partie. – **Raimond VII** (Beaucaire, 1197 – Millau, 1249), fils du préc., comte de Toulouse en 1222. Il acheva de reconstituer l'État toulousain puis, victime d'une nouvelle croisade, il dut céder la majeure partie de ses biens au roi de France (traité de Lorris, 1243).

Raimond Bérenger Ier (?, v. 1082 –?, 1131), comte de Barcelone et de Provence, conquit Majorque et la Cerdagne. – **Raimond Bérenger II le Vieux** (?, v. 1115 – Borgo San Dalmazo, 1176), fils du préc., réunit Aragon et Catalogne. – **Raimond Bérenger III** (? – Nice, 1166), neveu du préc. qui le tint en tutelle presque jusqu'à sa mort. – **Raimond Bérenger IV** (? – près de Montpellier, 1181), fils de Raimond Bérenger le Vieux.

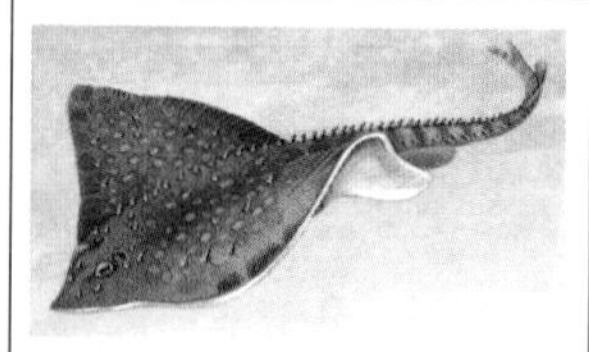

raie bouclée

– **Raimond Bérenger V** (?, 1204 – Aix-en-Provence, 1245), comte de Provence; il modernisa l'administration du comté et consolida son pouvoir par une habile politique matrimoniale; allié de Louis VIII, roi de France, il donna ses quatre filles en mariage aux plus hauts princes de l'Occident : Saint Louis, Henri III d'Angleterre, Richard de Cornouailles, Charles d'Anjou.

Raimu (Jules Muraire, dit) (Toulon, 1883 – Neuilly-sur-Seine, 1946), acteur français de théâtre (notam. à la Comédie-Française, 1943-1946) et de cinéma : *Marius* (1931), *Fanny* (1932), *César* (1936), *Gribouille* (1937), *la Femme du boulanger* (1938), *l'Homme au chapeau rond* (1946). ▸ illustr. **Pagnol**

Raimund (Ferdinand Raimann, dit Ferdinand) (Vienne, 1790 – Pottenstein, 1836), acteur, directeur de théâtre et auteur dramatique autrichien. Ses allégories fantastiques insistent sur les racines mélancoliques de l'humour : *le Roi des Alpes et le Misanthrope* (1828), *le Dissipateur* (1834).

Raincy (Le), ch.-l. d'arr. de la Seine-St-Denis; 13 672 hab. – Égl. Notre-Dame, par Auguste Perret (1923), vitraux de Maurice Denis.

rainer v. tr. [1] TECH Creuser d'une ou de plusieurs rainures. Syn. rainurer.

rainette n. f. Petite grenouille arboricole dont l'extrémité des doigts porte des pelotes adhésives.

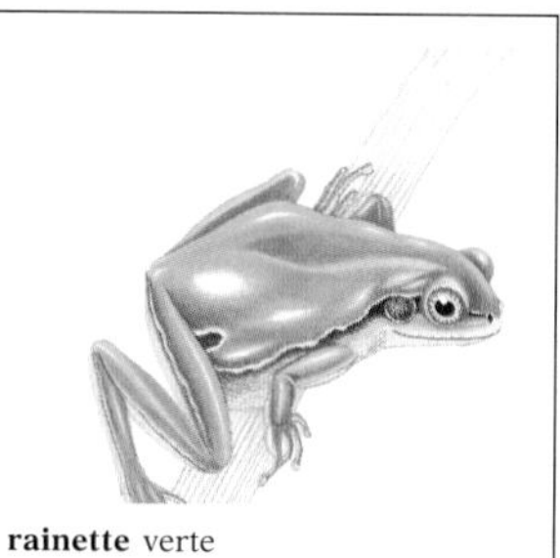

rainette verte

Rainier (mont), point culminant de la chaîne des Cascades (État de Washington); 4 391 m.

Rainier III (Monaco, 1923), duc de Valentinois, prince de Monaco depuis mai 1949. Il succéda à son grand-père maternel, Louis II (V. Grimaldi). En 1956, il épousa l'actrice américaine Grace Kelly. ▸ illustr. page **1569**

Rainilaiarivony (?, 1828 – Alger, 1896), homme politique malgache. Époux et Premier ministre des reines Rasoherina puis Ranavalona II et Ranavalona III, il tenta de faire de son pays un État moderne et indépendant, d'affermir le pouvoir des Mérinas, et de sauvegarder l'indépendance de l'île en opposant la France à l'Angleterre. À la suite de l'expédition française de 1894-1895 qui conquit Madagascar, il fut exilé.

rainurage n. m. TECH Action de rainurer; son résultat.

rainure n. f. Fente ou entaille longue et étroite de section régulière. *Couvercle qui coulisse dans deux rainures.*

rainurer v. tr. [1] TECH Syn. de *rainer.*

raiponce n. f. Nom cour. de diverses campanules dont une variété est comestible.

raire [58] ou **réer** [11] v. intr. VEN Pousser son cri, en parlant du cerf, du chevreuil. Syn. bramer.

rais. V. rai.

raïs [ʀais] n. m. (en ar. *ra'īs*) Chef arabe, leader. ▷ Spécial. *Le raïs* : le président égyptien.

Rais. V. Retz (pays de Bretagne).

Rais, Rays ou **Retz** (Gilles de Laval, baron de) (Champtocé, 1404 - Nantes, 1440), maréchal de France (1429), compagnon de Jeanne d'Arc. Convaincu de sorcellerie, auteur d'innombrables meurtres d'enfants, il fut pendu et brûlé après un procès retentissant.

raisin n. m. **I. 1.** Fruit de la vigne. *Raisin blanc, noir. Raisin de table. Raisins secs.* **2.** *Raisin de mer* : paquet d'œufs de céphalopodes (seiche, notam.). **II.** Format de papier (50 × 65 cm) ainsi nommé à cause de la marque en grappe de raisin qu'il portait autref. en filigrane.

raisiné n. m. **1.** Confiture liquide à base de jus de raisin et de divers fruits. **2.** Fig., arg., vieilli Sang.

Raismes, com. du Nord (arr. de Valenciennes); 14 158 hab. Houille. Industr. métallurgiques et mécaniques.

raison n. f. **I. 1.** Faculté propre à l'homme de connaître et de juger. *Cultiver sa raison.* ▷ Ensemble des facultés intellectuelles. *Perdre la raison.* Syn. esprit, intelligence. **2.** Faculté de distinguer le vrai du faux, le bien du mal, et de régler ainsi sa conduite. *«La parfaite raison fuit toute extrémité» (Molière). Âge de raison.* ▷ Ce qui est sage, raisonnable. *Se rendre à la raison. Entendre, parler raison.* - *Plus que de raison* : plus qu'il n'est raisonnable. - *Se faire une raison* : accepter, se résigner. ▷ Ce qui est le fait d'un raisonnement (par oppos. à *sentiment*, à *instinct*, etc.). *Mariage de raison.* ▷ Ce qui est juste et vrai (par oppos. à *tort*). *Avoir raison. À tort ou à raison.* ▷ Vx (Sauf en loc). Ce qui est de droit, de justice. *Rendre raison à qqn. Demander, faire raison d'un affront.* ▷ *Avoir raison de qqn*, triompher, avoir l'avantage sur lui. ▷ *Comme de raison* : comme il est juste. **II. 1.** Sujet, cause, motif. *«Le cœur a ses raisons que la raison ne connaît point» (Pascal).* ▷ Litt. *Rendre raison de qqch*, l'expliquer, l'expliciter. ▷ *Raison de plus, à plus forte raison* : par un motif d'autant plus fort. ▷ *La raison d'État* : l'ensemble des considérations qui font primer l'intérêt supérieur de l'État sur l'équité à l'égard des individus. **2.** Argument. *Il s'est enfin rendu à nos raisons.* **3.** MATH Rapport de deux quantités. *Raison directe* : rapport de deux quantités dont l'une varie proportionnellement à l'autre. *Raison inverse* : rapport de deux quantités dont l'une varie de manière inversement proportionnelle à l'autre. ▷ *Raison d'une progression arithmétique* (ou *géométrique*) : nombre constant auquel on ajoute (ou par lequel on multiplie) un terme de la progression pour obtenir le terme suivant. **4.** Loc. prép. *À raison de* : à proportion de. ▷ *En raison de* : à cause de, en considération de. **III.** DR et COUR. *Raison sociale* : désignation d'une société, liste des noms des associés, rangés dans un ordre déterminé.

Raison (culte de la), culte proposé par les hébertistes (V. Hébert) et destiné à supplanter le christianisme sous la Révolution française. La Raison fut célébrée à N.-D. de Paris («Temple de la Raison») le 10 nov. 1793. Ce culte disparut avec les hébertistes (mars 1794) et Robespierre instaura à sa place celui de l'Être suprême.

raisonnable adj. **1.** Doué de raison. *L'homme est un être raisonnable.* Syn. intelligent, pensant. **2.** Qui pense selon la raison, le bon sens; qui agit d'une manière réfléchie et mesurée. *Vous êtes trop raisonnable pour prendre un tel risque.* ▷ (Choses) Conforme à la raison, à la sagesse, à l'équité. Syn. sensé, sage. Ant. déraisonnable. **3.** Qui n'est pas excessif; modéré, convenable. *Prix raisonnable. Jouir d'un revenu raisonnable.*

raisonnablement adv. **1.** Avec bon sens, raison. *Se conduire, parler raisonnablement.* **2.** D'une manière modérée; suffisamment. Ant. exagérément.

raisonné, ée adj. **1.** Qui s'appuie sur le raisonnement; fondé sur des preuves, des raisons. *Projet raisonné.* **2.** Didac. Qui rend raison des règles d'un art, d'une science; qui explique et illustre. *Grammaire raisonnée. Catalogue raisonné.*

raisonnement n. m. **1.** Opération discursive de la pensée qui consiste à enchaîner des idées ou des jugements selon des principes déterminés et à en tirer une conclusion. *Force, justesse de raisonnement.* **2.** Suite des arguments employés quand on raisonne; enchaînement de raisons préparant une conclusion.

raisonner v. [1] **I.** v. intr. **1.** Se servir de sa raison pour juger, démontrer; conduire un raisonnement. *Raisonner juste, faux.* **2.** Répliquer, alléguer des raisons, des excuses. *Cessez de raisonner et reconnaissez honnêtement votre erreur.* **II.** v. tr. **1.** Soumettre au raisonnement. *Raisonner ses actions.* ▷ Contrôler par le raisonnement, la raison. *Raisonner sa peur.* ▷ v. pron. (passif). *Les sentiments ne se raisonnent pas.* **2.** Chercher à amener (qqn) à la raison. *J'ai tenté de le raisonner et de le calmer.* ▷ v. pron. (réfléchi). *Se raisonner en face du danger.*

raisonneur, euse n. et adj. **1.** Personne qui raisonne. *Un bon raisonneur.* ▷ adj. *Esprit raisonneur.* **2.** Péjor. Personne qui réplique, allègue des excuses, discute les ordres. *«Tu fais le raisonneur» (Molière).* ▷ adj. *Enfant raisonneur.*

rajah, raja [ʀaʒa] ou **radjah** [ʀadʒa] n. m. inv. Souverain d'une principauté, en Inde. (Fém. *rani.*) V. aussi maharadjah.

Rājasthān, État du N.-O. de l'Inde; 342 214 km²; 43 880 600 hab; cap. *Jaipur.* Désertique à l'O., l'État est plus fertile à l'E. (millet). Élevage de moutons. Industr. textiles (laine). - Depuis 1949, cet État rassemble la plupart des anc. territoires des Rājputs (V. Rājputāna et Rājputs).

rajeunir v. [3] **I.** v. tr. **1.** Faire redevenir plus jeune; rendre la jeunesse à (qqn). ▷ Fig. Donner un air de fraîcheur, de nouveauté à. *Rajeunir une maison en la ravalant.* **2.** Faire paraître plus jeune. *Cette coiffure la rajeunit.* **3.** Attribuer à (qqn) un âge moindre que son âge véritable. *Vous me rajeunissez!* ▷ v. pron. Se dire, se faire paraître plus jeune qu'on n'est. **II.** v. intr. Redevenir jeune, reprendre un air de jeunesse. *Il a rajeuni depuis son mariage.* - Fig. *Au printemps, la nature rajeunit.*

rajeunissant, ante adj. Qui a la propriété de rajeunir.

rajeunissement n. m. **1.** Action de rajeunir, de donner une vigueur nouvelle. **2.** État de ce qui est, de ce qui paraît rajeuni.

Rajk (László) (Székelyudvarhely, auj. Odorhei, 1909 - Budapest, 1949), homme politique hongrois. Militant communiste, ministre des Affaires étrangères en 1948, il fut accusé de titisme, condamné à mort après un simulacre de procès et exécuté. Il fut réhabilité en 1956.

Rājkot, v. de l'Inde (Gujerāt), dans la presqu'île de Kāthiāwār; 556 000 hab. Industr. chimiques et métallurgiques.

rajout n. m. Ce qui est rajouté. *Édifice médiéval qui comporte des rajouts de la Renaissance.*

rajouter v. tr. [1] Ajouter de nouveau; ajouter encore, par surcroît. *Rajoutez un peu d'eau à ce thé, il est trop fort.* ▷ Fam. *En rajouter* : exagérer.

Rājput(s), peuple de l'Inde du N.-O., qui subit des invasions musulmanes, se soumit aux Grands Moghols* et, à partir de 1818, passa sous protectorat britannique. (V. Rājasthān).

Rājputāna, rég. du N.-O. de l'Inde, faisant partie du Rājasthān. - Habité au VIIe s. par les Rājputs, envahi par les musulmans (XIe-XVIe s.) puis par les Mahrattes (XVIIIe s.), le Rājputāna fut un protectorat anglais en 1818. Cette région d'une grande richesse artistique se signale notam. par son école de peinture du XVIIIe s. (albums enluminés).

Rājshāhi, v. du Bangladesh, sur le Gange; 171 600 hab.; ch.-l. de la division du m. nom. Houille.

r(é)ajustement n. m. Fait de rajuster (sens 2).

r(é)ajuster v. tr. [1] **1.** Ajuster de nouveau; remettre en bon ordre. *Rajuster son chapeau, sa toilette.* ▷ v. pron. Remettre ses vêtements en ordre. **2.** Remettre à son juste niveau. *Rajuster les salaires, les prix.*

raki n. m. Eau-de-vie parfumée à l'anis des pays du Proche-Orient.

Rákóczi, famille princière hongroise de Transylvanie. – **Ferenc** ou **François II** (Borsi, 1676 - Rodosto, auj. Tekirdağ, 1735), prince d'Empire en 1697; il conquit, contre l'Autriche, une grande partie de la Hongrie, dont il proclama l'indépendance (1707). Vaincu par les Habsbourg à Trenčín (à l'E. de Brno) en 1708, il dut s'exiler.

Rákosi (Mátyás) (Ada, 1892 - Gorki, 1971), homme politique hongrois. Secrétaire général du parti communiste, il domina la vie politique hongroise de 1949 à 1953 en suivant strictement la ligne stalinienne. Il se réfugia en U.R.S.S. après la révolution de 1956.

Rakouski. V. Dimitrovgrad.

râlant, ante adj. Fam. Qui fait râler (sens 2). *C'est râlant* : c'est exaspérant.

1. râle n. m. ORNITH Oiseau ralliforme (fam. rallidés) au plumage terne, au corps comprimé latéralement, aux fortes pattes munies de doigts parfois très longs et dont les diverses espèces, peu douées pour le vol, sont adaptées aux conditions de vie des lieux humides et marécageux. *Râle d'eau (Rallus aquaticus). Râle des genêts (Crex crex).*

2. râle n. m. **1.** MED Bruit anormal perçu à l'auscultation, indiquant une lésion bronchopulmonaire. *Râle bronchique.* **2.** Respiration bruyante de certains moribonds. ▷ Plainte rauque et inarticulée.

Raleigh, v. des É.-U., cap. de la Caroline du Nord; 207 950 hab. (aggl. urb. 609 300 hab.). Université. Industr. textiles, métallurgiques et électroniques.

Raleigh (sir Walter) (Hayes, Devon, v. 1552 – Londres, 1618), courtisan et navigateur anglais. Favori d'Élisabeth Ire, il explora la Virginie (1584-1585) et en rapporta le tabac et la pomme de terre. Il explora ensuite la Guyane (1595) et s'illustra lors d'une expédition contre Cadix (1596). Disgracié à l'avènement de Jacques Ier (1603), emprisonné jusqu'en 1616, il fut décapité après l'échec de son expédition dans l'Orénoque.

ralenti n. m. **1.** Bas régime d'un moteur à combustion interne. *Ralenti bien réglé.* – Fig. *Travailler au ralenti.* **2.** CINE Procédé de prise de vues consistant à tourner à une vitesse supérieure à 24 images par seconde, cadence standard du défilement des images utilisée pour la projection, ce qui permet de faire paraître les mouvements plus lents qu'ils ne le sont dans la réalité.

ralentir v. [3] **1.** v. tr. Rendre plus lent. *Ralentir sa course. Ralentir la circulation.* ▷ Modérer, diminuer. *Ralentir son ardeur.* – PHYS NUCL *Ralentir une réaction nucléaire.* V. ralentisseur. **2.** v. intr. Réduire sa vitesse. *Le train ralentit avant d'entrer en gare.* ▷ (Personnes) Ralentir la vitesse de son véhicule. *Chauffeur, ralentissez!* **3.** v. pron. Devenir plus lent. *Mouvement qui se ralentit.*

ralentissement n. m. **1.** Fait de ralentir, diminution de la vitesse. *Ralentissement d'une cadence.* **2.** Diminution d'activité. *Le ralentissement des exportations.*

ralentisseur n. m. **1.** AUTO Dispositif auxiliaire de freinage destiné à empêcher un véhicule de prendre une vitesse excessive, notam. dans les descentes. *Ralentisseur électrique d'un poids lourd.* **2.** PHYS NUCL Substance qui, dans un réacteur nucléaire, ralentit les neutrons émis lors d'une réaction de fission.

râler v. intr. [1] **1.** Faire entendre un râle (2, sens 2). *Blessé qui râle.* **2.** Fam. Se plaindre avec humeur, protester, récriminer. *Dépêchons-nous, sinon elle va encore râler.*

râleur, euse n. et adj. Fam. Personne qui a l'habitude de râler, de se plaindre à tout propos. – adj. *Un voisin râleur.*

ralingue n. f. MAR Cordage cousu le long des bords d'une voile pour la renforcer. ▷ *Voile en ralingue,* qui faseye, qui bat dans le vent.

ralinguer v. [1] **1.** v. tr. MAR *Ralinguer une voile,* la munir d'une ralingue. **2.** v. intr. Être en ralingue, faseyer. *Laisser le foc ralinguer.*

rallidés n. m. pl. ORNITH Famille d'oiseaux dont le râle est le type et qui comprend notam. les poules d'eau et les foulques. – Sing. *Un rallidé.*

ralliement [ʀalimɑ̃] n. m. **1.** Action de rallier, fait de se rallier, rassemblement. *Le ralliement des troupes. Un signe de ralliement.* ▷ *Point de ralliement* : endroit indiqué par avance aux troupes pour se rallier. – *Par ext.* Lieu de rassemblement. **2.** Fait de se rallier (à un parti, une opinion). ▷ *Spécial.* HIST Mouvement par lequel un certain nombre de monarchistes français se rallièrent au régime républicain, à la fin du XIXe s.

rallier v. [2] **I.** v. tr. **1.** Rassembler (des personnes dispersées, des fuyards). **2.** Gagner à un parti, à une opinion, une cause. *Rallier des dissidents.* **3.** Rejoindre. *Le navire dut rallier le port de toute urgence.* **II.** v. pron. **1.** Se rassembler. *Les soldats se sont ralliés.* **2.** Rejoindre (un parti); adhérer (à une opinion). *Se rallier à une cause.*

ralliformes n. m. pl. ORNITH Ordre très diversifié d'oiseaux carinates. – Sing. *Un ralliforme.*

rallonge n. f. **1.** Ce qui sert à rallonger. *Ajouter une rallonge à un fil électrique.* Syn. prolongateur. ▷ *Spécial.* Abattant ou planche à coulisse fixée au plateau d'une table et qui permet d'augmenter la longueur de celle-ci. **2.** TECH Pièce métallique horizontale qui sert au soutènement du toit, dans une mine. **3.** Fam. Supplément de temps, d'argent, etc.

rallongement n. m. Action de rallonger; fait de devenir plus long.

rallonger v. [13] **1.** v. tr. Rendre plus long. *Rallonger un pantalon. Rallonger un délai.* **2.** v. intr. Fam. Devenir plus long. *Les jours rallongent.*

rallumer v. tr. [1] **1.** Allumer de nouveau. *Rallumer un projecteur.* ▷ v. pron. *L'incendie risque de se rallumer.* **2.** Donner une nouvelle activité à. *Rallumer la sédition.* ▷ v. pron. *Les passions se rallument.*

rallye n. m. **1.** Épreuve sportive, compétition dans laquelle les concurrents, parfois partis de points différents, doivent rallier un point déterminé après un certain nombre d'étapes. *Rallye pédestre, équestre, automobile.* **2.** Série de réunions mondaines destinées à mettre en présence jeunes gens et jeunes filles.

-rama. V. -orama.

Rāma, divinité de l'Inde, septième incarnation de Vishnu, dont la vie est racontée dans le Rāmāyana.

ramadan [ʀamadɑ̃] n. m. Neuvième mois de l'année lunaire musulmane, pendant lequel le jeûne est prescrit du lever au coucher du soleil. ▷ Ensemble des prescriptions religieuses qui concernent ce mois. *Faire le ramadan.*

Ramadier (Paul) (La Rochelle, 1888 – Rodez, 1961), homme politique français. Socialiste, président du Conseil de janv. à nov. 1947, il consomma en mai la rupture avec les communistes, qui mit fin au tripartisme. De 1948 à 1957, il fut ministre à plusieurs reprises.

ramage n. m. **1.** (Plur.) Dessins de branchages, de rameaux. *Étoffe, papier à ramages.* **2.** Litt., vieilli Chant des oiseaux.

ramager v. [13] **1.** v. intr. Rare Faire entendre son ramage (oiseaux). **2.** v. tr. TECH Couvrir de ramages. *Ramager du velours.*

Rāmakrishna (Gadādhara Chattopādhyāya, dit) (Karmapukar, près de Hooghly, 1836 – près de Calcutta, 1886), mystique hindou. Sa doctrine, qui repose sur les principes universels du Vedānta de Çankara, a été vulgarisée après sa mort par ses disciples, notam. par Vivekānanda, fondateur, en 1897, de la mission Rāmakrishna.

Raman (sir Chandrasekhara Venkata) (Trichinopoly, auj. Tiruchirapalli, 1888 – Bangalore, 1970), physicien indien; connu pour ses travaux sur les cristaux et la diffusion de la lumière par les milieux transparents. P. Nobel 1930.

ramapithèque n. m. PALEONT Singe anthropomorphe fossile de la fin du miocène de l'Inde, généralement considéré comme un ancêtre probable des australopithèques.

ramassage n. m. Action de ramasser; son résultat. – *Ramassage scolaire* : transport quotidien, par autocar, des élèves habitant loin des établissements scolaires dans les régions rurales.

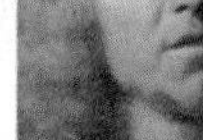
sir **Raman** **Rameau**

ramassé, ée adj. **1.** Épais, trapu. *Une stature ramassée.* **2.** Blotti, pelotonné, recroquevillé. **3.** Qui dit beaucoup en peu de mots, concis.

ramasse-miettes n. m. inv. Instrument servant à ramasser les miettes sur une table après un repas.

ramasser v. tr. [1] **I. 1.** Prendre à terre. *Ramasser des châtaignes, du bois mort.* ▷ (Objet n. de personne.) *Ramasser un ivrogne, un blessé.* **2.** Fig., fam. Attraper. *Ramasser un rhume, une gifle.* ▷ Fig., fam. *Ramasser une pelle, une bûche* : faire une chute. **II. 1.** Réunir en un amas, en une masse. *Ramasser ses cheveux en chignon.* ▷ v. pron. Ramasser son propre corps, se mettre en boule. *Se ramasser avant de sauter.* **2.** Rassembler (ce qui est épars); réunir (des personnes dispersées). *Ramasser des soldats en déroute.* **3.** Collecter, réunir, recueillir. *Ramasser des dons.* **4.** Fam. S'assurer de la personne de (qqn), l'arrêter. *Il s'est fait ramasser par une ronde de police.*

ramasseur, euse n. **1.** Personne qui ramasse. *Les ramasseurs de châtaignes, de champignons. Les ramasseurs de balles,* au tennis. **2.** Personne qui assure un ramassage, une collecte. *Ramasseur de lait d'une coopérative agricole.*

ramasseuse-presse n. f. AGRIC Machine destinée à mettre en bottes la paille ou le foin sur le champ même. *Des ramasseuses-presses.*

ramassis n. m. Ensemble de choses disparates et sans valeur, de personnes peu estimables. *Un ramassis de vieux bibelots. Un ramassis d'escrocs.*

Ramat Gan, v. d'Israël (distr. et banlieue de Tel-Aviv); 116 000 hab. Université. Industr. chimiques, mécaniques, alimentaires et textiles.

Rāmāyana, poème épique sanskrit (24 000 strophes) traditionnellement attribué à Vālmiki, mais écrit sur une longue période (du Ve s. av. J.-C. au IIIe s. ap. J.-C.?). Il célèbre les exploits de Rāma, septième incarnation du dieu Vishnu.

rambarde n. f. Garde-fou, balustrade, parapet.

Rambouillet, ch.-l. d'arr. des Yvelines, au S. de la *forêt de Rambouillet* (13 100 ha); 25 293 hab. (*Rambolitains*). Constr. mécaniques et électriques. Centre cynégétique et touristique; école de bergers. – Chât. de style composite, plusieurs fois remanié entre le XIVe et le XVIIIe s. C'est auj. une des résidences du président de la République (chasses).

Rambouillet (hôtel de), hôtel, auj. disparu, bâti rue Saint-Thomas-du-Louvre, à Paris, d'après les plans de Catherine de Vivonne, marquise de Rambouillet (Rome, 1588 – Paris, 1665).

Les grands seigneurs et la plupart des beaux esprits du temps s'y réunissaient.

ramboutan n. m. Variété de litchi dont la peau comporte des excroissances en filaments.
▶ pl. **fruits exotiques**

Rambuteau (Claude Philibert Barthelot, comte de) (Mâcon, 1781 - Champgrenon, 1869), administrateur français. Préfet de la Seine (1833-1848), il fit entreprendre de grands travaux dans Paris (éclairage des rues au gaz, notam.).

ramdam [ʀamdam] n. m. Fam. Tapage, vacarme. *Faire du ramdam.*

1. rame n. f. HORTIC Branche plantée en terre pour servir d'appui à une plante grimpante (pois, haricots, etc.).

2. rame n. f. **1.** IMPRIM Ensemble de vingt mains de papier, soit cinq cents feuilles. **2.** TRANSP File de voitures attelées. *Rame de métro.*

3. rame n. f. Longue pièce de bois élargie en pelle à l'une de ses extrémités, qui sert à propulser une embarcation. Syn. aviron. ▷ Loc. fig., fam. *Ne pas en fiche une rame* : ne rien faire.

ramé adj. m. VEN *Cerf ramé*, dont le bois a commencé à pousser.

rameau n. m. **1.** Petite branche d'arbre, d'arbuste. ▷ LITURG *Dimanche des Rameaux* ou *(les) Rameaux* : dernier dimanche avant Pâques, qui commémore l'entrée du Christ à Jérusalem où il fut accueilli par une foule qui agitait des palmes. **2.** ANAT Subdivision (d'un nerf, d'un vaisseau). **3.** Subdivision, dans la représentation en arbre d'un système. *Rameau d'un arbre généalogique.* ▷ *Par ext.* Chose que représente cette subdivision. *Un rameau éloigné de la maison impériale.*

Rameau (Jean-Philippe) (Dijon, 1683 - Paris, 1764), compositeur français. À quarante ans, il n'a encore produit que quelques pièces pour clavecin, quelques cantates et son fameux livre : *Traité de l'harmonie réduite à ses principes naturels* (1722). En 1733, il débute à l'Opéra avec *Hippolyte et Aricie*, puis compose l'opéra-ballet des *Indes galantes* (1735), suivi de *Castor et Pollux* (opéra, 1737), *Dardanus* (opéra, 1739), *les Fêtes d'Hébé* (opéra-ballet, 1739), *Zoroastre* (opéra, 1749), etc. Mêlé à la querelle des Bouffons (1752-1754), qui oppose les partisans de la musique française à ceux de l'art italien, il répond aux italianisants (dont J.-J. Rousseau) dans ses *Observations sur notre instinct pour la musique et sur son principe* (1754), insistant sur l'importance de l'harmonie, qu'il privilégie par rapport à la mélodie. Rénovateur de l'opéra classique en France, Rameau fait aussi œuvre de novateur dans la musique instrumentale en traitant pour la première fois le clavecin en instrument soliste virtuose.

ramée n. f. **1.** Litt. Ensemble des branches d'un arbre, couvertes de leurs feuilles. *Danser sous la ramée.* **2.** Vx Branches coupées avec leurs feuilles.

ramender v. tr. [1] TECH **1.** Redorer. **2.** Réparer (un filet).

ramener v. [16] **I.** v. tr. **1.** Amener de nouveau. *Il était déjà venu avec elle et il l'a ramenée.* **2.** Faire revenir (une personne, un animal) en un lieu d'où il était parti. *Ramener qqn chez lui. Ramener les bœufs à l'étable.* - (Sujet n. de chose.) *La nécessité l'a ramené ici.* ▷ Fig. *Ramener le débat à son point de départ. Ramener qqn à la raison.* **3.** Réduire. *Ramener l'inflation à un taux inférieur.* **4.** Faire régner de nouveau, rétablir. *Mesures destinées à ramener l'ordre.* **5.** Amener ou apporter au retour d'un déplacement. *Les bateaux des colons ramenaient des épices et des esclaves.* **6.** Replacer dans sa position initiale. *Ramener une couverture sur ses jambes.* **7.** Fam. *Ramener sa fraise* ou *la ramener* : se mettre au premier plan de façon prétentieuse. **II.** v. pron. **1.** *Se ramener à* : se réduire à. *La difficulté se ramène à un manque de temps.* **2.** Fam. Arriver, venir.

ramequin n. m. **1.** Pâtisserie au fromage. **2.** Petit récipient allant au four.

1. ramer v. tr. [1] AGRIC Soutenir par une ou plusieurs rames (des plantes grimpantes). - Pp. adj. *Pois ramés.*

2. ramer v. intr. [1] **1.** Manœuvrer les rames pour faire avancer une embarcation. **2.** Fam., fig. Travailler, faire des efforts pour surmonter des obstacles.

ramette n. f. TECH Rame de papier de petit format.

rameur, euse n. **1.** Personne qui rame. *Canot à huit rameurs.* **2.** n. m. Appareil de musculation qui permet de reproduire les mouvements de l'aviron.

rameuter v. tr. [1] **1.** Ameuter de nouveau; regrouper en causant une émotion. *Rameuter la population.* **2.** VEN Regrouper en meute. *Rameuter les chiens.*

rameux, euse adj. BOT ou litt. Qui a de nombreux rameaux. *Tige rameuse.*

rami n. m. Jeu de cartes qui consiste à rassembler dans sa main des figures telles que séquences, carrés, etc.

ramier n. m. Grand pigeon des champs, au plumage gris, qui porte une tache blanche sur chaque aile et une tache hachurée de chaque côté du cou *(Columba palumbus).*

ramification n. f. **1.** Division d'un végétal en rameaux; chacune de ces subdivisions, chacun de ces rameaux. ▷ Par anal. *Ramifications d'un nerf, d'un vaisseau.* **2.** Subdivision (d'une science, etc.). *Les ramifications de la zoologie.* **3.** Subdivision (dans une organisation). *Ramification d'une société secrète.*

ramifié, ée adj. Qui comporte des ramifications. ▷ CHIM *Chaîne ramifiée* : structure d'une molécule organique dans laquelle un des atomes de carbone est lié à 3 ou 4 atomes de carbone voisins.

ramifier (se) v. pron [2] Se subdiviser en plusieurs rameaux.

ramille n. f. **1.** (Collectif) Menue ramée, petites branches coupées avec leurs feuilles. **2.** (Surtout plur.) Dernières divisions des rameaux.

Ramla, v. d'Israël; 43 500 hab.; ch.-l. du distr. du Centre. Nœud ferroviaire et routier entre Tel-Aviv et Jérusalem. Cimenteries; industr. méca. - Cath. romane St-Jean, devenue, au XIIIe s., la Grande Mosquée.

ramolli, ie adj. (et n.) **1.** Devenu mou. **2.** Fam. (Personnes) Sans énergie, sans réaction. ▷ Devenu faible d'esprit, gâteux. ▷ Subst. *Un vieux ramolli.*

ramollir v. tr. [3] **1.** Amollir, rendre plus mou. *Ramollir de la cire.* ▷ v. pron. Devenir plus mou. *Matière qui se ramollit à la chaleur.* **2.** Fig. Affaiblir, rendre moins énergique. *L'oisiveté ramollit la volonté.*

ramollissant, ante adj. MED Syn. vieilli de *émollient.*

ramollissement n. m. Fait de se ramollir; état de ce qui est ramolli. ▷ MED *Ramollissement cérébral* : lésion du parenchyme cérébral due à un défaut d'apport sanguin.

ramollo adj. (inv. en genre) Fam. Ramolli (sens 2). *Être tout ramollo.*

Ramon (Gaston) (Bellechaume, Yonne, 1886 - Garches, 1963), vétérinaire et microbiologiste français. Sous-directeur (1934-1940) puis directeur (1940) de l'Institut Pasteur, il étudia les toxines diphtériques, tétaniques, etc., et mit au point les vaccins.

ramonage n. m. Action de ramoner.

ramoner v. tr. [1] **1.** Nettoyer (une cheminée, son conduit), en ôter la suie. **2.** ALPIN Faire l'escalade d'une «cheminée», d'un passage étroit entre deux parois très rapprochées.

ramoneur n. m. Celui dont le métier est de ramoner les cheminées.

Ramonville-Saint-Agne, com. de la Haute-Garonne (arr. de Toulouse); 12 014 hab.

Ramón y Cajal (Santiago) (Petilla de Aragón, 1852 - Madrid, 1934), médecin et biologiste espagnol. Il étudia les neurones et leurs connexions. P. Nobel 1906 (avec C. Golgi).

Ramos (Fidel) (île de Luçon, 1928), homme d'État philippin. Ancien commandant de la gendarmerie du général Marcos et organisateur de l'état de siège (1972), il soutint l'insurrection (1986) qui amènera Cory Aquino à la présidence. Ministre de la Défense, il est président de la Rép. de 1992 à 1998.

Rampal (Jean-Pierre) (Marseille, 1922), flûtiste français; soliste virtuose, spécialiste du répertoire baroque.

rampant, ante adj. (et n. m.) **1.** Qui rampe. *Animal rampant. Tige rampante.* ▷ n. m. Arg. (des aviateurs) *Les rampants* : le personnel au sol, qui ne vole pas (mécaniciens, etc.). **2.** Obséquieux, servile. *Courtisan rampant.* **3.** Fig. Peu sensible, peu perceptible. *Nationalisation rampante.* **4.** ARCHI Incliné, en pente. ▷ n. m. Partie disposée en pente. *Les rampants d'un pignon.*

rampe n. f. **1.** Plan incliné destiné à permettre le passage entre deux niveaux, deux plans horizontaux. *Rampe d'accès à une autoroute.* ▷ Portion de route, de voie ferrée, etc., fortement inclinée. *Les poids lourds peinaient dans la rampe.* ▷ *Rampe de lancement* : dispositif assurant le support, le maintien et le guidage d'un engin à réaction, d'une fusée, au moment de son lancement. **2.** Balustrade ou barre, à hauteur d'appui, suivant un escalier. **3.** Rangée de lumières au bord d'une scène de théâtre. *Les feux de la rampe.*

ramper v. intr. [1] **1.** Progresser par ondulations ou par contractions et décontractions successives du corps ou de certaines de ses parties, en parlant des animaux dépourvus de membres. *Limace, couleuvre qui rampe.* **2.** (Personnes) Progresser en s'aplatissant à terre, ventre contre le sol. *Soldat qui rampe vers une tranchée.* **3.** Croître en s'étalant, sur un support ou à terre, en parlant d'une plante. *Le lierre rampe.* **4.** Fig. (Choses) Se déplacer lentement au ras du sol. *Un épais brouillard rampait près de la rivière.* ▷ (Personnes) S'abaisser, s'humilier. *Ramper devant les puissants.*

ramponneau n. m. Pop. Coup, bourrade.

Ramsay (sir William) (Glasgow, 1852 – High Wycombe, 1916), chimiste anglais. Il découvrit les gaz rares. P. Nobel 1904.

Ramsden (Jesse) (Salterhebble, Yorkshire, 1735 – Brighton, 1800), physicien et opticien anglais; inventeur du théodolite.

Ramsès, nom de onze pharaons, des XIXe et XXe dynasties dont : – **Ramsès Ier**, le fondateur de la XIXe dynastie; successeur du roi Horemheb et roi d'Égypte de 1314 à 1312 av. J.-C. – **Ramsès II Méiamoun,** dit *Ramsès le Grand*, petit-fils du préc. et l'une des plus grandes figures de l'Égypte pharaonique (XIXe dynastie); successeur de son père, Séthi Ier, et roi d'Égypte de 1301 à 1235 env. av. J.-C. Il mena contre l'Empire hittite, pendant de longues années, des combats incessants entrecoupés de traités de paix. Grand constructeur, il édifia, le long de la vallée du Nil, cités et monuments : à Tanis, Abydos, Louxor, Thèbes (Ramesseum), Abu-Simbel (temples).
– **Ramsès III,** second pharaon de la XXe dynastie, fils de Sethnakht, et roi d'Égypte de 1198 env. à 1166 av. J.-C.; il stoppa l'invasion des Peuples de la mer. Tous ses successeurs luttèrent à l'intérieur contre une anarchie croissante qui aboutit à la venue au pouvoir, en Haute-Égypte, des grands prêtres d'Amon (les «rois-prêtres») dont le premier fut Herihor.

Ramsgate, v. d'Angleterre (Kent), à l'embouchure de la Tamise; 39 640 hab. Stat. balnéaire. Premier port international d'aéroglisseurs.

ramure n. f. Ensemble des branches, des ramifications. *La ramure d'un arbre.* ▷ Bois (d'un cervidé). *La ramure d'un cerf.*

Ramus (Pierre de La Ramée, dit) (Cuts, Vermandois, 1515 – Paris, 1572), philosophe, mathématicien et humaniste français. Il s'éleva avec force contre l'aristotélisme et fut l'un des premiers à faire de la raison et de l'expérience les bases de toute acquisition intellectuelle. Ayant opté pour la Réforme dès 1561, il fut assassiné lors de la Saint-Barthélemy.

Ramuz (Charles Ferdinand) (Cully, canton de Vaud, 1878 – Pully, près de Lausanne, 1947), écrivain suisse d'expression française. Auteur de l'*Histoire du soldat* (1918) que Stravinski mit en musique la même année. Mémorialiste (*Paris, notes d'un Vaudois*, 1938), moraliste (*Journal*, 1945; essais : *Questions*, 1935), Ramuz a également peint la vie rustique au pays romand : *les Signes parmi nous* (1919), *la Grande Peur dans la montagne* (1926).

Ranavalona Ire (Ambohimanga, v. 1790 – Tananarive, 1861), reine de Madagascar (1828-1861), épouse de Radama Ier, auquel elle succéda. Elle se remaria avec Rainiharo, dont elle fit son Premier ministre et qui s'opposa avec violence à la pénétration européenne. Mais en 1852, son fils, le futur Radama II, mit fin à cette orientation politique. – **Ranavalona II** (m. à Tananarive en 1883), reine (1868-1883). Elle épousa Rainilaiarivony*. – **Ranavalona III** (Tananarive, 1862 – Alger, 1917), cousine de la préc., dont elle épousa le veuf; dernière reine de Madagascar (1883-1897). Elle signa le traité franco-malgache de Tamatave (1885), mais sa mauvaise application entraîna l'expédition française de 1895 et la signature d'un traité de protectorat. En 1896, à la suite d'insurrections, l'île fut annexée et la reine déposée en 1897.

Ramsès II Méiamoun

Ramuz

Ranavalona III

Raspail

Rancagua, v. du Chili central, ch.-l. de prov.; 172 490 hab. Cuivre (mine d'El Teniente au N.-E. de la ville); industr. alimentaires. Centre commercial.

rancard ou **rencard** n. m. **1.** Fam. Rendez-vous. *Filer un rancard.* **2.** Arg. Renseignement.

rancarder ou **rencarder** v. tr. [1] **1.** Fam. Donner un rendez-vous à. **2.** Arg. Renseigner. ▷ v. pron. Se renseigner.

rancart ou **rencart** n. m. Loc. fam. *Mettre au rancart* : au rebut.

rance adj. et n. m. Qui a pris en vieillissant une saveur âcre et une odeur forte, en parlant des denrées grasses. *Beurre, lard rance.* ▷ n. m. *Un goût de rance.*

Rance (la), fl. côtier de France (longueur : 100 km), qui passe à Dinan et se jette dans la Manche par un profond estuaire, sur lequel est installée depuis 1966 une usine marémotrice.

Rancé (Armand Jean Le Bouthillier de) (Paris, 1626 – Soligny, près de Mortagne, 1700), religieux français. Retiré chez les cisterciens de N.-D.-de-la-Trappe à Soligny (1664), il imposa dans son monastère des règles de vie d'une exceptionnelle austérité.

ranch [ʀɑ̃tʃ] n. m. Aux É.-U., exploitation agricole, dans la Prairie. *Des ranchs* ou *des ranches.*

rancher n. m. (Anglicisme) Fermier qui travaille dans un ranch.

ranci, ie adj. Devenu rance. ▷ n. m. *Beurre qui a un goût de ranci.*

rancio n. m. **1.** Vin de liqueur qui s'est velouté en vieillissant. **2.** Goût velouté et persistant caractéristique de ces vins.

rancir v. intr. [3] Devenir rance. *L'huile a ranci.*

rancissement n. m. Fait de devenir rance.

rancissure n. f. Rare État de ce qui a ranci; ce qui est rance.

rancœur [ʀɑ̃kœʀ] n. f. Amertume tenace due à une injustice, une déception, etc.

rançon n. f. **1.** Somme d'argent que l'on donne en échange de la liberté d'une personne captive. **2.** Fig. *La rançon de* : la contrepartie pénible (d'une chose agréable).

rançonner v. tr. [1] **1.** Vieilli Ne relâcher que moyennant une certaine somme. *Les corsaires rançonnaient les navires marchands.* **2.** *Par ext.* Extorquer de l'argent à (qqn) sous la menace. ▷ Par exag. *Hôtelier qui rançonne le client*, qui présente des notes trop élevées.

rancune n. f. Ressentiment profond, accompagné du désir de se venger, que l'on garde d'une offense. *Garder rancune à qqn.* ▷ Loc. *Sans rancune!* : oublions nos querelles!

rancunier, ère adj. et n. Qui éprouve facilement de la rancune. ▷ Subst. *Un rancunier.*

rand n. m. Unité monétaire de la République sud-africaine.

Rand. V. Witwatersrand.

Randers, port du Danemark (Jylland), sur le fjord du m. nom; 60 970 hab. Industr. diverses. Pêche au saumon.

randomisation n. f. STATIS Action de randomiser.

randomiser v. tr. [1] STATIS Valider un résultat par l'étude comparative du résultat obtenu à partir d'un échantillon tiré au hasard.

Randon (Jacques César, comte) (Grenoble, 1795 – Genève, 1871), maréchal de France. Gouverneur général de l'Algérie (1851-1858), il soumit la Kabylie (1857) et fut ministre de la Guerre (notam. de 1859 à 1867).

randonnée n. f. Longue marche ininterrompue, grande promenade. *Randonnée pédestre, équestre.*

randonner v. intr. [1] Faire de la randonnée.

randonneur, euse n. Personne qui fait une randonnée, ou qui s'adonne régulièrement à la randonnée.

rang [ʀɑ̃] n. m. **I. 1.** Série (de personnes, de choses identiques) disposée en ligne. *Élèves qui se mettent en rangs.* ▷ Série de sièges placés côte à côte. *Les premiers rangs d'une salle de spectacle.* ▷ Ligne de mailles dans un tricot. *Diminuer tous les deux rangs.* **2.** Suite de soldats placés côte à côte. *Rompre les rangs ennemis.* ▷ *Le rang* : les hommes de troupe d'une armée. *Officier sorti du rang*, qui n'est pas passé par une grande école militaire. **3.** Loc. *Les rangs des* : le groupe, l'ensemble des. *Venir grossir les rangs des chômeurs.* ▷ *Être sur les rangs*, en compétition avec d'autres. ▷ *Rentrer dans le rang* : renoncer à ses ambitions, à ses prérogatives. **II. 1.** Place occupée dans une série. *Être classé par rang d'ancienneté, de taille.* **2.** Position dans une hiérarchie, une échelle de valeurs. *Être reçu à un concours dans un bon rang.* **3.** Loc. *Être au rang de* : compter parmi les. *Prendre rang parmi* : se mettre au nombre de. **III.** (Canada) Partie du territoire d'une municipalité rurale composée d'une suite de lots agricoles de forme rectangulaire, aboutissant à une ligne où est tracé généralement un chemin de desserte. ▷ *Par méton.* Chemin desservant cette portion de territoire.

Rangabês, Rangabê ou **Rangavis** (Alexandros Rizos) (Istanbul, 1810 – Athènes, 1892), homme politique, archéologue et écrivain grec :

Poésies diverses (1837-1840), *Antiquités helléniques* (1842-1855), etc.

rangé, ée adj. **1.** Mis en rang. – Loc. *Bataille rangée,* livrée par des troupes rangées. **2.** *Une personne rangée,* dont la conduite est sage et exempte de tout excès, qui mène une existence tranquille, sans aventure. – Par ext. *Une vie rangée.*

rangée n. f. Suite de choses ou de personnes placées côte à côte sur une même ligne. *Une rangée de sièges.*

rangement n. m. **1.** Action de ranger. **2.** Disposition de ce qui est rangé. *Des rangements bien conçus.*

1. ranger [ʀɑ̃ʒe] **I.** v. tr. **[13] 1.** Mettre en rangs ou en files. *Ranger des soldats en ordre de bataille.* **2.** Disposer en bon ordre. *Ranger ses papiers, la vaisselle.* **3.** Mettre de l'ordre dans. *Ranger sa chambre, un tiroir.* **4.** Classer, faire figurer parmi. *Ranger un poète parmi les classiques.* **5.** Mettre de côté; garer. *Ranger un camion le long du trottoir.* **II.** v. pron. **1.** Se mettre en rangs. *Les soldats se rangent par quatre.* **2.** S'écarter pour laisser le passage. *Les voitures se rangeaient pour laisser passer l'ambulance.* **3.** Se rassembler, se rallier. *Cette organisation s'est rangée sous l'autorité de notre fédération.* **4.** (Personnes) Devenir rangé (sens 2).

2. ranger [ʀɑ̃dʒœʀ], plur. **rangers** [ʀɑ̃dʒœʀs] n. m. **1.** Soldat d'un corps d'élite de l'armée de terre américaine (notam. de la police montée). **2.** Brodequin muni d'une guêtre de cuir utilisé dans l'armée.

Ranger, famille d'engins spatiaux américains lancés entre 1961 et 1965 pour étudier la Lune.

Rangoon ou **Rangoun** (*Yangoun* dep. 1989), cap. de la Birmanie; 2 459 000 hab. Port situé près de l'embouchure de l'Irrawaddy. Import. lieu saint bouddhique (pagode de Shwedagon), la ville possède auj. de nombr. industries modernes (fonderies d'étain, raff. de pétrole, cimenterie, etc.). – Université. – Occupée par les Britanniques de 1824 à 1826 puis de 1852 à 1942, prise par les Japonais en 1942, elle fut rendue en 1945 aux Britanniques, qui la quittèrent en 1946.

Rangoon : pagode de Shwedagon

rani. V. rajah.

ranidés n. m. pl. ZOOL Famille d'amphibiens anoures dont le type est la grenouille (genre *Rana*). – Sing. *Un ranidé.*

ranimation n. f. Syn. de *réanimation.*

ranimer v. tr. **[1] 1.** Faire revenir à la conscience. *Ranimer un électrocuté.* Syn. réanimer. ▷ v. pron. Reprendre conscience. **2.** Redonner de la vivacité à. *Ranimer un feu. Ranimer l'ardeur de ses troupes.* ▷ v. pron. *La conversation s'est ranimée à son arrivée.*

Rank (Otto Rosenfeld, dit Otto) (Vienne, 1884 – New York, 1939), psychanalyste autrichien. Disciple de Freud, il en vint à minimiser l'importance du complexe d'Œdipe par rapport au traumatisme subi par chaque individu au moment de sa naissance (*le Traumatisme de la naissance,* 1924).

Ranke (Leopold von) (Wiehe, Thuringe, 1795 – Berlin, 1886), historien allemand. Son œuvre, abondante et novatrice, couvre notam. l'histoire des États occidentaux des XVIe et XVIIe s.

Rankine (William J. Macquorn) (Édimbourg, 1820 – Glasgow, 1872), ingénieur et physicien britannique, connu pour ses travaux sur la thermodynamique et l'énergétique (qu'il créa).

rantanplan. V. rataplan.

Rantzau (Josias, comte de) (Bothkamp, Holstein, 1609 – Paris, 1650), maréchal de France (1645). Allemand au service de la France (1635), il s'illustra à Arras (1640) et à Rocroi (1643).

Ranvier (Louis Antoine) (Lyon, 1835 – Vendranges, Loire, 1922), physiologiste français; auteur d'ouvrages d'histologie et d'anatomie.

ranz [ʀɑ̃s] n. m. *Le ranz des vaches :* air populaire des bergers suisses.

Rao (Narasimha P.V.) (Karimnagar, Andhra Pradesh, 1921), homme politique indien. En 1991, il succéda à R. Gandhi (assassiné en mai) comme président du parti du Congrès, remporta les élections et devint Premier ministre (juin).

Raoul ou **Rodolphe** (m. à Auxerre en 936), duc de Bourgogne (921-923), et roi de France (923-936) à la mort de son beau-père, Robert Ier. Il combattit les Normands, vaincus en 930.

Raoul de Cambrai, chanson de geste du XIIe s.; elle illustre avec force, voire avec fureur, les luttes féodales.

Raoult (François Marie) (Fournes-en-Weppes, Nord, 1830 – Grenoble, 1901), chimiste et physicien français qui étudia les propriétés des solutions.

rap n. m. (Anglicisme) Style de musique syncopée, de style funky, dont les textes, parlés, sont scandés.

rapace adj. et n. **I.** adj. **1.** Ardent à poursuivre sa proie (en parlant d'un oiseau). *L'aigle rapace.* **2.** Fig. Avide de gain, cupide. *Usurier rapace.* **II.** n. m. pl. Ancien ordre d'oiseaux carnivores divisé auj. en falconiformes (diurnes) et strigiformes (nocturnes). ▷ Sing. *Un rapace.*

rapacité n. f. **1.** Avidité d'un animal qui se jette sur sa proie. **2.** Fig. Avidité, cupidité.

râpage n. m. Action de râper.

Rapallo, v. d'Italie (Ligurie), sur le golfe de Gênes; 28 320 hab. Port de pêche. Stat. balnéaire. Industr. (aciers spéciaux, dentelle). – Le 12 nov. 1920 y fut signé un traité entre la Yougoslavie, qui acquérait notam. la Dalmatie, et l'Italie, qui conservait Zara, Fiume devenant un État libre. Le 16 avril 1922, l'Allemagne et l'U.R.S.S. signèrent à Rapallo un traité rétablissant leurs relations diplomatiques.

rapatrié, ée adj. et n. Ramené dans sa patrie. ▷ Qui a rejoint la métropole, en parlant d'anciens coloniaux. – Subst. *Les rapatriés d'Algérie.*

rapatriement [ʀapatʀimɑ̃] n. m. Action de rapatrier; son résultat.

rapatrier v. tr. **[2]** Faire revenir (qqn) dans son pays, dans sa patrie. *Rapatrier des exilés.* ▷ Par ext. *Rapatrier des œuvres d'art.*

1. râpe n. f. **1.** Lime à grosses aspérités utilisée dans le travail des matières tendres. *Râpe à bois.* **2.** Ustensile de cuisine servant à réduire certaines substances en poudre ou en fragments. *Râpe à fromage.*

2. râpe n. f. VITIC Syn. de *rafle* 2.

râpé, ée adj. et n. m. **I.** adj. **1.** Usé jusqu'à la corde, en parlant d'une étoffe, d'un vêtement. *Il avait des chaussures éculées, un pardessus râpé.* **2.** Fam. *C'est râpé :* il ne faut pas y compter. **II.** n. m. Fromage (partic., gruyère) passé à la râpe. *Du râpé.*

râper v. tr. **[1] 1.** Réduire en poudre, en fragments avec une râpe. *Râper du fromage.* **2.** User la surface d'un corps avec une râpe. *Râper du bois.* ▷ Fig. *Alcool qui râpe le gosier.* **3.** User jusqu'à la corde (un tissu).

rapetasser v. tr. **[1]** Fam., vieilli Raccommoder grossièrement.

rapetissement n. m. Action de rapetisser, fait de se rapetisser; son résultat.

rapetisser v. **[1] I.** v. tr. **1.** Rendre plus petit; faire paraître plus petit. *L'éloignement rapetissait les objets.* ▷ v. pron. Devenir plus petit. *Se rapetisser par usure.* **2.** Fig. Diminuer la valeur, le mérite de (qqn, qqch). *Cette mesquinerie le rapetisse.* **II.** v. intr. Devenir plus petit, plus court. *Avec l'âge, elle rapetisse. Revenant, adulte, sur son lieu d'enfance, il trouva que tout avait rapetissé.*

râpeux, euse adj. **1.** Rugueux comme une râpe. *La langue des chats est râpeuse.* **2.** Fig. Âpre au goût, à l'oreille. *Cidre râpeux. Voix râpeuse.*

Raphaël, personnage biblique, ange (archange pour les catholiques), protecteur de Tobie.

Raphaël (Raffaello Santi ou Sanzio, dit en fr.) (Urbino, 1483 – Rome, 1520), peintre et architecte italien. Raphaël commença son apprentissage à Pérouse, dans l'atelier du Pérugin (*Mariage de la Vierge,* 1504, sa première œuvre datée), puis se rendit à Florence (1504-1508), où il assimila les techniques de Léonard de Vinci (*sfumato*), de Michel-Ange et de Fra Bartolomeo, parvenant à réaliser une étonnante synthèse stylistique de leur art : *la Belle Jardinière* (1507, Louvre). En 1508, il fut introduit par Bramante à la cour de Rome, où Jules II puis Léon X lui confièrent la décoration des trois *stanze,* ou *chambres,* de leurs appartements : *chambre de la Signature*

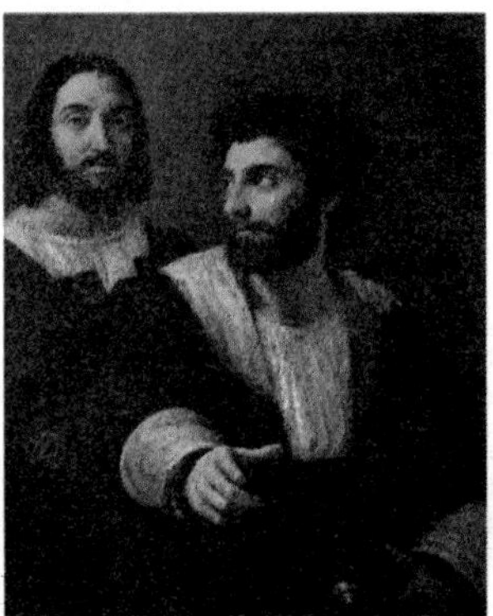

***Raphaël** et son maître d'armes,* v. 1518; musée du Louvre

(1509-1511), *chambre d'Héliodore* (1511-1514) et *chambre de l'Incendie du bourg* (1514-1517). Les fresques de cette dernière (dont il conçut les cartons), comme celles de la *chambre de Constantin* (1517-1525) et celles des célèbres Loges vaticanes, sont dues, en majeure partie, à ses élèves, car le jeune maître, surchargé de commandes, travailla à la même époque à des retables d'autel, à des madones (*la Vierge à la chaise*, 1514), à des cartons de tapisserie (1514-1519), à des portraits (*Balthasar Castiglione*, 1514-1515, Louvre). Architecte, Raphaël prit notam., à la mort de Bramante (1514), la direction des travaux de Saint-Pierre de Rome.

raphaélique adj. Didac. De Raphaël. – Qui évoque l'art de Raphaël.

raphia n. m. Palmier d'Afrique et de Madagascar, dont on tire une fibre souple et résistante. – Cette fibre, qu'on emploie comme lien ou pour faire des tissus (rabane), des objets de vannerie, etc. *Natte en raphia.*

rapiat, ate adj. et n. Fam. Pingre, cupide. *Elle est drôlement rapiat* (ou, moins cour., *rapiate*).

rapide adj. et n. **I.** adj. **1.** Qui va très vite; qui peut aller très vite. *Voiture puissante et rapide.* **2.** Qui se fait, se produit à une vitesse ou avec une fréquence élevée. *Course rapide. Pouls rapide.* **3.** D'une grande promptitude dans le mouvement, l'action, l'intelligence, etc. *Être rapide en affaires.* ▷ Subst. Personne qui comprend, qui agit vite. **4.** Qui permet d'aller, d'agir, etc., rapidement. *Itinéraire rapide.* ▷ *Descente rapide*, à forte déclivité. **5.** TECH *Acier rapide* : acier spécial, très dur, utilisé pour l'usinage des métaux. ▷ PHOTO *Pellicule rapide*, dont la sensibilité élevée permet un temps de pose bref. **II.** n. m. **1.** Portion du cours d'une rivière, d'un fleuve, où le courant devient rapide et tourbillonnant. **2.** Train rapide, qui ne s'arrête que dans les villes importantes.

rapidement adv. D'une manière rapide.

rapidité n. f. Grande vitesse, célérité, promptitude.

rapiéçage ou **rapiècement** n. m. Action de rapiécer; son résultat.

rapiécer v. tr. [14] Raccommoder en posant une, des pièces.

rapière n. f. Anc. Épée de duel longue et effilée, conçue pour frapper d'estoc, en usage du XVe au XVIIe s.

rapin n. m. Fam. Peintre médiocre.

Rapin (Nicolas) (Fontenay-le-Comte, v. 1535 – Poitiers, 1608), magistrat et poète français; un des princ. auteurs de la *Satire Ménippée.*

rapine n. f. Litt. **1.** Action de ravir par violence. ▷ Larcin, pillage; concussion. *Les rapines d'un intendant.* **2.** Ce qui est pris par rapine. *Vivre de rapines.*

raplapla adj. inv. Fam. Sans force, très fatigué.

raplatir v. tr. [3] Aplatir de nouveau ou davantage. ▷ Pp. adj. Fam. Sans force, sans ressort (en parlant d'une personne).

Rapp (Jean, comte) (Colmar, 1772 – Rheinweiler, Bade, 1821), général français. Gouverneur de Dantzig, il défendit la ville pendant un an après la retraite de Russie. Rallié aux Bourbons après les Cent-Jours, il devint chambellan de Louis XVIII.

rappareiller v. tr. [1] Réassortir. *Rappareiller les verres d'un service.*

rapparier v. tr. [2] Joindre une chose à une autre pareille, pour reformer une paire. *Rapparier des bas.* ▷ Spécial. *Rapparier un bœuf de labour.*

rappel n. m. **1.** Action de rappeler, de faire revenir. *Rappel d'un ambassadeur.* ▷ MILIT Batterie de tambour ou sonnerie de clairon pour avertir les troupes de se rassembler. – Fig. *Battre le rappel* : réunir les personnes, toutes les ressources nécessaires. ▷ Applaudissements prolongés invitant un artiste à revenir saluer le public. ▷ DR *Lettres de rappel* : V. récréance. **2.** Fig. *Rappel à...* : action de ramener qqn à... *Rappel à l'ordre* : avertissement à un membre d'une assemblée qui s'est écarté du règlement, des convenances. – *Rappel au bon sens.* **3.** Évocation, remise en mémoire; répétition. *Rappel d'un souvenir, d'une date.* ▷ *Vaccination de rappel* ou, ellipt., *rappel* : nouvelle administration de vaccin destinée à prolonger l'immunité conférée par une vaccination antérieure. **4.** Paiement rétroactif d'une portion d'appointements restée en suspens. *Toucher un rappel.* **5.** MAR Mouvement d'un navire qui revient à sa position d'équilibre après un coup de roulis. ▷ Position de l'équipage d'un dériveur, qui porte son poids au vent pour limiter la gîte. *Se mettre au rappel.* **6.** Manœuvre de descente utilisée en alpinisme et en spéléologie, qui consiste à se servir d'une corde double, accrochée au point haut sur un piton et récupérée ensuite par traction sur l'un des brins. **7.** TECH *De rappel* : qui ramène à la position de départ ou d'équilibre. *Ressort, vis de rappel.*

rappelé, ée adj. et n. Appelé de nouveau sous les drapeaux. ▷ n. m. *Un rappelé.*

rappeler v. [19] **I.** v. tr. **1.** Appeler de nouveau (partic., par téléphone). *Je vous rappellerai ce soir.* **2.** Appeler pour faire revenir. *Rappeler qqn qui sort.* **3.** Fig. *Rappeler à* : ramener à. *Rappeler qqn à la vie*, le ranimer. – *Rappeler à l'ordre, à la décence* (V. rappel, sens 2). **4.** Remettre en mémoire. *Rappeler une promesse à qqn.* – (Formule de politesse.) *Rappelez-moi au bon souvenir de...* ▷ Faire penser, par ressemblance ou par analogie, à. *Ce récit m'en rappelle un autre.* **II.** v. pron. Conserver ou retrouver le souvenir de. *Se rappeler un fait. Il se rappelle être venu; il se le rappelle.* ▷ (Réfl.) *Se rappeler à qqn*, à son souvenir.

rappeur, euse n. Interprète de rap.

rappliquer v. [1] **1.** v. tr. Appliquer de nouveau. **2.** v. intr. Fam. Revenir, arriver.

rappointis [ʀapwɛ̃ti] n. m. TECH Pointe à large tête enfoncée dans un bois pour retenir l'enduit, le plâtre.

rapport n. m. **I. 1.** Action de rapporter, d'ajouter; son résultat. – Fig., fam. *Pièce de rapport*, rapportée*. **2.** DR Action par laquelle une somme, un bien reçus par avance sont restitués à la succession, pour être comptés au partage. **3.** Revenu, produit. *Vigne d'un bon rapport. Maison de rapport*, dont le propriétaire tire des revenus locatifs. **II.** Compte rendu ou exposé; témoignage, récit. *Rapport financier. Faire un faux rapport.* ▷ MILIT Réunion d'une unité militaire pour la communication de l'ordre du jour, des décisions disciplinaires, etc. *Rassemblement au rapport.* **III. 1.** Relation constatée ou établie entre deux ou plusieurs choses. *Faire le rapport entre deux incidents. Rapport qualité prix* (ou *qualité-prix*). **2.** Conformité, convenance; accord. *Il y a un rapport parfait entre les parties de cet édifice.* **3.** MATH Comparaison de deux grandeurs. *Rapport de deux nombres*, leur quotient. **4.** Loc. prép. *Par rapport à* : relativement à, en fonction de. *Juger par rapport à son intérêt.* – Par comparaison avec. *Une taille petite par rapport à la moyenne.* ▷ Pop. *Rapport à* : à cause de. ▷ Fam. *Sous le rapport de* : quant à, du point de vue de. – Loc. adv. *Jeune homme bien sous tous (les) rapports*, à tous égards. **IV.** Relation entre des personnes, des groupes, des États. *Mettre, se mettre en rapport avec qqn.* – (Surtout plur.) *Rapports sociaux.* ▷ (Plur.) *Rapports sexuels.* – Absol. *Avoir des rapports.*

rapportable adj. DR *Créance rapportable*, annulable.

rapporté, ée adj. Se dit d'un élément façonné, ajouté à un ensemble par assemblage. *Poche rapportée.* – Fig., fam. *Pièce rapportée* : membre par alliance d'une famille.

rapporter v. [1] **A.** v. tr. **I. 1.** Apporter de nouveau. *Rapporter un texte après correction.* – Apporter (une chose) au lieu où elle était, la rendre à son propriétaire. *Je vous rapporte vos livres.* **2.** Apporter en revenant d'un lieu. *Rapporter un masque d'Afrique.* ▷ Spécial. *Chien qui rapporte le gibier abattu.* **3.** Ajouter, surajouter (pour compléter, améliorer, orner, etc.). *Rapporter un rabat.* **4.** DR Restituer à la masse d'une succession (ce qu'on a reçu d'avance). **5.** GEOM Tracer sur le papier (une figure semblable à une autre). *Rapporter un angle* : V. rapporteur. **6.** Donner un revenu, un profit; produire. *Commerce qui rapporte beaucoup d'argent.* – Absol. *Ces plantations ne rapportent pas.* **7.** DR Abroger, annuler. *Rapporter un arrêté.* **II. 1.** Faire le compte rendu, le récit de. *Rapporter un fait. Rapporter des paroles*, les redire, les citer. **2.** Répéter par indiscrétion, légèreté ou malice. *Méfiez-vous de lui, il rapporte tout.* ▷ Absol., fam. (Langage des écoliers.) Se livrer à des dénonciations, moucharder. **III.** *Rapporter... à.* **1.** Faire remonter, rattacher (un fait, une chose) à (un, une) autre par un lien logique. *Rapporter l'effet à la cause.* **2.** Comparer. *Rapporter l'effort fourni au résultat obtenu.* **B.** v. pron. **1.** Avoir rapport, se rattacher à. *Cette question se rapporte au débat.* – GRAM *L'attribut se rapporte à un nom ou à un pronom.* **2.** *S'en rapporter à qqn*, lui faire confiance pour décider, agir. *Je m'en rapporte à votre goût.*

rapporteur, euse n. et adj. **1.** Personne qui rapporte (sens II, 2). Syn. fam. mouchard. ▷ adj. *Il est rapporteur.* **2.** n. m. Personne chargée du compte rendu ou de l'exposé d'un procès, d'une affaire, d'un projet de loi, etc. *Le rapporteur du budget à l'Assemblée nationale.* **3.** n. m. GEOM Demi-cercle gradué, qui sert à mesurer ou à rapporter les angles.

r(é)apprendre v. tr. [52] Apprendre de nouveau.

rapprêter v. tr. [1] TECH Donner un nouvel apprêt à (une étoffe).

rapproché, ée adj. **1.** Voisin, proche. *Leurs maisons sont assez rapprochées.* **2.** Qui n'est pas éloigné dans le temps. *Réunions rapprochées.*

rapprochement n. m. **1.** Action de rapprocher, fait de se rapprocher; son résultat. *Rapprochement de pièces disjointes.* **2.** Établissement de relations plus étroites. *Rapprochement de deux États.* **3.** Action de rapprocher pour comparer, confronter; son résultat.

rapprocher v. [1] **I.** v. tr. **1.** Mettre plus près. *Rapprocher sa chaise de l'âtre.* ▷ Fig. *Les jumelles rapprochent les objets,* les font paraître plus proches. **2.** Rendre plus proche dans le temps. *Chaque heure nous rapproche du terme.* **3.** Disposer à l'entente, à l'union, etc.; réconcilier. *Les épreuves subies ensemble les ont rapprochés.* **4.** Mettre en parallèle, confronter pour mettre en évidence les similitudes ou les différences. *Rapprocher des faits, des récits.* **II.** v. pron. **1.** Venir plus près, arriver à proximité. *Se rapprocher de la ville.* **2.** Devenir plus proche. *L'échéance se rapproche.* ▷ Fig. *Se rapprocher de qqn,* entretenir avec lui des rapports plus étroits. **3.** *Se rapprocher de :* être plus ou moins comparable, conforme à. *Ce portrait se rapproche assez du modèle.*

r(é)approvisionnement n. m. Nouvel approvisionnement.

r(é)approvisionner v. tr. [1] Approvisionner de nouveau. ▷ v. pron. *Il est temps de se réapprovisionner.*

rapsode, rapsodie et **rapsodique.** V. rhapsode, rhapsodie et rhapsodique.

rapt [ʀapt] n. m. **1.** Enlèvement (d'une personne). *Rapt en vue d'obtenir une rançon.* **2.** PHYS NUCL Réaction nucléaire dans laquelle le projectile enlève un des nucléons du noyau cible.

raptus [ʀaptys] n. m. PSYCHIAT Impulsion violente et soudaine qui peut pousser un malade à un acte violent.

râpure n. f. TECH Ce qu'on enlève avec une râpe (1, sens 1).

Raqqa ou **Raqqah (Ar-),** v. de Syrie, sur l'Euphrate; 126 690 hab.; ch.-l. du distr. du m. nom. – Ruines (palais du IXe s.).

raquer v. tr. et intr. [1] Pop. Payer.

raquette n. f. **1.** Instrument qui sert à renvoyer la balle ou le volant, au tennis, au badminton, au ping-pong, etc. *Raquettes de tennis, de badminton, de squash,* formées d'un cadre ovale garni d'un réseau de cordes en boyau ou en nylon et muni d'un manche. *Raquette de ping-pong,* constituée d'une petite plaque de bois munie d'un manche court et recouverte de matière élastique sur ses deux faces. ▷ Par méton. Joueur de tennis, de ping-pong. *Une bonne raquette.* **2.** Large semelle dont la forme rappelle celle d'une raquette (sens 1), et que l'on adapte aux chaussures pour marcher sur la neige sans s'y enfoncer. **3.** BOT Chacune des parties qui forment la tige aplatie du nopal. – *Par ext.* Cette plante.

raquetteur, euse n. Adepte de la promenade sur neige avec des raquettes.

rare adj. **1.** Qui n'est pas commun, qui n'existe qu'en petit nombre. *Perles rares.* ▷ Peu nombreux. *Des visiteurs rares.* ▷ CHIM *Gaz* rares, terres* rares.* **2.** Qui n'est pas fréquent. *Incident rare.* ▷ Fam. (En parlant d'une personne.) *Il devient, il se fait rare :* on le voit moins souvent, très peu. **3.** (Surtout avant le nom.) Exceptionnel, remarquable. *Une rare intelligence.* **4.** Peu dense, clairsemé. *Végétation, barbe rare.*

raréfaction n. f. Action de raréfier, fait de se raréfier; son résultat. ▷ *Spécial.* Diminution dans l'offre d'une denrée.

raréfier v. tr. [2] **1.** PHYS Diminuer la densité, la pression de. ▷ v. pron. Perdre en densité, en pression. *Gaz qui se raréfie.* **2.** Rendre rare. *Une chasse trop intensive a raréfié l'espèce.* ▷ v. pron. Devenir rare ou plus rare. *Les baleines se raréfient.*

rarement adv. Peu souvent.

rarescent, ente adj. Didac. Qui se raréfie.

rareté n. f. **I.** Caractère de ce qui est rare. **1.** Caractère de ce qui est peu commun, peu abondant. *La rareté des choses fait leur valeur.* **2.** Caractère de ce qui est peu fréquent. *Rareté d'un événement.* **II.** Chose rare, précieuse ou curieuse. *Les raretés d'une collection.*

rarissime adj. Très rare.

Rarotonga, île de l'archipel des îles Cook (Nouvelle-Zélande); 67,6 km^2; 9 530 hab.; ch.-l. de l'île et de l'archipel : *Avarua.*

1. ras [ʀɑs] n. m. En Éthiopie, titre de la plus haute dignité après celle de négus*.

2. ras, rase [ʀɑ, ʀɑz] adj. **1.** Dont les poils, les brins, etc., sont coupés au plus court. *Une barbe rase. Un tissu ras.* ▷ adv. *Couper ras.* **2.** Qui est naturellement court, peu élevé. *Végétation rase.* **3.** (En loc.) *En rase campagne :* dans une campagne plate, unie; en terrain découvert. ▷ *Table rase :* V. table. ▷ Loc. prép. *À ras de, au ras de :* presque au niveau de. *Au ras de l'eau.* ▷ *À ras bord :* jusqu'au bord. **4.** (Emploi adverbial.) Loc. fam. *En avoir ras le bol :* en avoir assez; être excédé, dégoûté.

rasade n. f. Contenu d'un verre plein à ras bord. *Rasade de vin.*

rasage n. m. **1.** Action de raser (surtout la barbe). **2.** TECH Opération consistant à égaliser tous les poils des peaux, des étoffes, etc.

Ra's al-Khayma, l'un des Émirats* arabes unis, sur le golfe Persique; 1 625 km^2; env. 116 000 hab.; cap. *Ra's al-Khayma* (42 000 hab.).

rasant, ante adj. **1.** Qui rase, qui effleure. *Tir rasant.* ▷ Au ras du sol. *Fortifications rasantes.* **2.** Fam. Qui rase, qui ennuie.

rascasse n. f. Poisson à la tête globuleuse hérissée de piquants, commun en Méditerranée.

ras-de-cou n. m. inv. Collier qui épouse exactement la base du cou.

ras-du-cou n. m. inv. Vêtement, pull-over dont l'encolure s'arrête à la base du cou.

rase-mottes n. m. inv. Vol au ras du sol. *Avion qui fait du rase-mottes.*

raser v. tr. [1] **1.** Couper au plus près de la peau. *Raser la laine des moutons. Raser les cheveux de qqn.* ▷ Couper très court les poils, les cheveux de. *Raser la tête de qqn.* ▷ Faire la barbe à (qqn). – v. pron. *Se raser avant de sortir.* **2.** Abattre (un édifice) à ras de terre. *Raser des fortifications.* **3.** Passer très près de, effleurer. *La balle lui a rasé l'oreille.* **4.** Fam. Ennuyer, fatiguer. *Conférencier qui rase ses auditeurs.* ▷ v. pron. *Je me suis rasé toute la soirée.*

rasette n. f. AGRIC Petit soc d'une charrue, fixé en avant du coutre et destiné à couper les mauvaises herbes.

raseur, euse n. **1.** n. m. TECH Ouvrier qui rase les étoffes. – Ouvrier chargé du rasage des peaux. **2.** n. Fam. Personne ennuyeuse. *Quel raseur!*

rash n. m. MED Éruption fugace observée parfois pendant la période d'invasion de certaines maladies.

rasibus [ʀazibys] adv. Fam. À ras. *La balle lui a frôlé le crâne rasibus.*

raskol n. m. HIST Schisme de l'Égl. russe provoqué, au XVIIe s., par les réformes liturgiques du patriarche Nikon (1605-1681).

ras-le-bol n. m. inv. Fig., fam. Lassitude, saturation.

Rasmussen (Knud) (Jakobshavn, 1879 – Copenhague, 1933), explorateur danois. À partir de 1912, il dirigea plusieurs expéditions dans l'Arctique et consacra aux Esquimaux d'import. études ethnographiques.

Rasmussen (Poul Nyrup) (Esbjerg, 1943), homme politique danois, Premier ministre depuis 1993.

Rasoherina (m. en 1868), reine de Madagascar (1863-1868). Veuve de Radama II, elle épousa Rainilaiarivony.

rasoir n. m. (et adj. inv.) **1.** Instrument qui sert à raser le visage, à faire la barbe. **2.** Fig., fam. Personne ennuyeuse. ▷ adj. inv. *Ce qu'elle peut être rasoir! Un bouquin rasoir.*

Raspail (François Vincent) (Carpentras, 1794 – Arcueil, 1878), chimiste et homme politique français. Ardent républicain, devenu populaire par ses ouvrages de vulgarisation scientifique (notam. médicale) et ses *Almanachs,* il participa aux journées révolutionnaires de 1830 et de 1848, et fut à diverses reprises incarcéré, notam. en mai 1848. Condamné au bannissement en 1849, il se retira en Belgique jusqu'en 1863. Il fut élu député des Bouches-du-Rhône en 1877. ► illustr. page **1574**

Raspoutine (Grigori Iefimovitch Novykh, dit) (Pokrovskoïe, 1872 – Petrograd, 1916), aventurier russe. Moine illettré, il sut gagner, par ses dons de guérisseur, la confiance de la tsarine Alexandra (dont le fils Alexis souffrait d'hémophilie); il contribua, par ses débauches et par la croyance populaire en son omnipotence, au discrédit du régime. Le prince Ioussoupov, le grand-duc Dimitri, tous deux parents du tsar, et le député Pourichkevitch l'assassinèrent.

rassasier v. tr. [2] **1.** Nourrir à satiété, apaiser complètement la faim de. *Rassasier qqn.* – v. pron. *Il s'est rassasié.* **2.** Fig. *Rassasier, repaître* ses yeux d'un spectacle,* le regarder avec avidité sans se lasser. – *Être rassasié de qqch,* en avoir à satiété, en être repu. ▷ v. pron. *Elle ne se rassasie pas de le voir et de l'entendre.*

rassemblement n. m. **1.** Action de rassembler (des choses éparses, des personnes dispersées); fait de se rassembler. ▷ *Spécial.* Action de rassembler des soldats; fait, pour ceux-ci, de se rassembler. – Sonnerie qui commande cette manœuvre. **2.** Groupe de personnes assemblées, attroupement. **3.** Union de personnes rassemblées par un dessein commun. ▷ Groupement politique rassemblant des tendances diverses.

Rassemblement du peuple français (R.P.F.), mouvement politique français fondé en avril 1947 par le général de Gaulle, dissous en 1953.

Rassemblement pour la République (R.P.R.), formation politique fondée en 1976 par Jacques Chirac en vue de rénover le mouvement gaulliste.

rassembler v. tr. [1] **1.** Réunir, regrouper. *Rassembler ses troupes.* ▷ v. pron. *Nous nous rassemblerons à tel endroit.* **2.** Mettre ensemble (des choses). *Rassemblez vos affaires, nous partons.* ▷ (Abstrait) *Rassembler tout son* *courage.* **3.** TECH Assembler de nouveau. *Rassembler une charpente démontée.*

rassembleur, euse n. Personne qui rassemble, réunit. *Il s'est posé en rassembleur de son parti.*

rasseoir v. tr. [**41**] **1.** Asseoir de nouveau. *Rasseoir un enfant sur sa chaise.* ▷ v. pron. *Ils se sont rassis.* **2.** Remettre en place. *Rasseoir une statue.*

rasséréner v. tr. [**14**] Litt. Faire redevenir serein, calme. *Cette nouvelle l'a rasséréné.* ▷ v. pron. *Elle s'est rassérénée après ta visite.*

Ras Shamra, site archéologique de la côte de Syrie, au N. de Lattaquié. (V. Ougarit.)

rassir v. intr. [**3**] Devenir rassis.

rassis, ise adj. **1.** *Pain rassis,* qui n'est plus frais, sans être encore dur. *Une baguette rassise* (ou, fam., *rassie*). **2.** Fig. Calme, posé, réfléchi. *Un esprit rassis.*

r(é)assortiment n. m. Action de rassortir; son résultat.

r(é)assortir v. tr. [**3**] Assortir de nouveau; compléter (un assortiment) en remplaçant les éléments manquants. *Rassortir un service de table.*

rassurant, ante adj. Propre à rassurer; qui rassure.

rassurer v. tr. [**1**] Redonner l'assurance, la tranquillité, la confiance à. *Vos raisons me rassurent.* ▷ v. pron. Reprendre confiance. *Rassurez-vous, c'est sans danger.*

rasta ou **rastafari** n. et adj. inv. en genre. Adepte d'un mouvement mystique et culturel d'origine jamaïcaine. *Les rastas croient qu'ils forment une des tribus perdues d'Israël et que l'ancien empereur d'Éthiopie est le rédempteur divin du peuple noir, dispersé par la traite des esclaves.* ▷ adj. inv. en genre. *Le reggae est une manifestation culturelle rasta.*

Ra's Tannura, port d'Arabie Saoudite, sur le golfe Persique, où aboutit la plus grande partie du pétrole saoudien, raffiné sur place.

rastaquouère [rastakwɛr] n. m. Fam., péjor. Étranger qui fait étalage d'un luxe exagéré et suspect. ▷ *Par ext.* Aventurier, individu louche.

Rastatt, v. d'All. (Bade-Wurtemberg), sur la Murg; 37 600 hab. – Le *traité de Rastatt* (1714) mit fin à la guerre de la Succession d'Espagne. – Le *congrès de Rastatt* (1797-1799), prévu pour réorganiser l'Allemagne après la défaite de l'Autriche, n'aboutit pas. Le Directoire rappela ses délégués, mais deux d'entre eux furent assassinés par des hussards impériaux en sortant de la ville.

Rastignac (Eugène de), personnage de la *Comédie humaine* de Balzac; jeune aristocrate provincial à la conquête de la société parisienne au contact de laquelle il devient sceptique et cynique.

Rastrelli (Bartolomeo Carlo, comte) (Florence, v. 1675 – Saint-Pétersbourg, 1744), sculpteur italien; appelé à la cour de Russie en 1716, il s'installa définitivement à Saint-Pétersbourg : statue en bronze de l'impératrice Anna Ivanovna. – **Bartolomeo Francesco** (Paris [?], v. 1700 – Saint-Pétersbourg, 1771), fils du préc.; architecte baroque de la cour de Russie : palais d'Hiver (V. Saint-Pétersbourg) et palais d'Été (V. Tsarskoïe Selo), couvent Smolnyï (Saint-Pétersbourg).

rat n. m. (et adj. inv.) **1.** Rongeur (fam. muridés) au pelage sombre, à la queue écailleuse, très prolifique, qui vit le plus souvent en commensal de l'homme. *Le rat d'égout ou surmulot joue un rôle dans la transmission de certaines maladies.* – Loc. *Être fait comme un rat* : être pris, attrapé (comme un rat dans un piège); être dans une situation fâcheuse et sans issue. **2.** *Rat araignée* : musaraigne. *Rat des bois* : mulot. *Rat des champs* : campagnol. *Rat musqué* : ondatra. ▷ *Rat à crête* (genre *Lophiomys*) : rat d'Afrique orientale, long d'une quarantaine de centimètres, qui porte une crinière dorsale. **3.** (Personnes comparées à des rats.) *Rat de bibliothèque* : personne qui fréquente assidûment les bibliothèques, qui y passe sa vie. – *Rat d'hôtel* : voleur qui opère dans les chambres d'hôtel. – *Petit rat de l'Opéra* : jeune élève de la classe de danse de l'Opéra. ▷ (Objets) *Rat de cave* : mince bougie enroulée sur elle-même, que l'on tient à la main. – *Queue*-de-rat.* **4.** Fig. Personne avare. *Un vieux rat.* ▷ adj. inv. *Elle est drôlement rat!* ► illustr. **ondatra**

rata n. m. (et f.) Arg. (des militaires), vieilli Ragoût de pommes de terre et de haricots. ▷ Fam. Plat peu appétissant. ▷ Plat, quel qu'il soit (parfois au fém. dans ce sens). *Fameux ton rata!*

ratafia n. m. Liqueur à base d'eau-de-vie sucrée et de jus de fruits.

ratage n. m. Fait de rater; échec. Syn. fam. fiasco.

rataplan! ou **rantanplan!** Onomatopée exprimant le bruit du tambour. *Plan, plan, rataplan!*

ratatiné, ée adj. **1.** Rapetissé, déformé par l'âge, par le vieillissement; ridé, flétri. *Vieillard ratatiné. Pomme ratatinée.* **2.** Fig., fam. Brisé, démoli, hors d'usage.

ratatiner v. tr. [**1**] **1.** Raccourcir, resserrer en déformant, en plissant. *Le phylloxéra a complètement ratatiné les feuilles de la vigne.* ▷ v. pron. *Cuir moulé qui se ratatine en séchant.* **2.** Fig., fam. Exterminer, massacrer, démolir. *Ils vont se faire ratatiner!*

ratatouille n. f. **1.** Fam., vx Ragoût peu appétissant. **2.** Plat provençal fait d'aubergines, de tomates, de courgettes, de poivrons, d'oignons, etc., cuits dans l'huile d'olive.

1. rate n. f. Femelle du rat. (On écrit aussi *ratte.*)

2. rate n. f. ANAT Organe lymphoïde fortement vascularisé, de consistance molle et spongieuse, situé dans la partie gauche de la cavité péritonéale, sous le diaphragme. *La rate a un rôle hématopoïétique et immunitaire.* ▷ Loc. fig., fam. *Se dilater la rate* : rire fort et longtemps.

raté, ée n. **I.** n. m. **1.** Fait de rater, pour une arme à feu; coup qui ne part pas. *Raté d'un fusil.* **2.** (Souvent plur.) Bruit produit par un moteur à explosion dont l'allumage est défectueux. ▷ Fig. Petite difficulté, incident. *Les ratés du plan de redressement économique.* **II.** n. Personne qui n'a pas réussi dans sa carrière, qui a échoué dans ses entreprises. *C'est un raté, un aigri.*

Rateau (Auguste) (Royan, 1863 – Neuilly-sur-Seine, 1930), ingénieur français. Il inventa une turbine multicellulaire à action, qui porte son nom.

râteau n. m. Instrument constitué de dents de fer ou de bois fixées à une traverse munie d'un long manche, qui sert à ramasser les feuilles, les brindilles, à égaliser la terre fraîchement sarclée, etc. ▷ Instrument de forme analogue, plaquette munie d'un manche avec laquelle le croupier ramasse les mises, à une table de jeu.

ratel n. m. ZOOL Mammifère carnivore mustélidé d'Afrique et d'Asie du Sud *(Mellivora),* long d'une soixantaine de centimètres, à dos blanc et à ventre noir, très friand de miel.

râteler v. tr. [**19**] AGRIC Rassembler au moyen d'un râteau.

râteleur, euse n. AGRIC **1.** Celui, celle qui râtelle. **2.** n. f. Machine à dents qui ramasse le foin.

râtelier n. m. **1.** Claie fixée au mur d'une écurie, d'une étable, à la hauteur de la tête des bêtes, et destinée à recevoir le fourrage. ▷ Loc. fam. *Manger à plusieurs* (ou *à tous les*) *râteliers* : tirer profit de plusieurs sources, même si elles représentent des intérêts contradictoires; servir des partis opposés. **2.** Support destiné au rangement vertical d'objets oblongs. *Râtelier d'armes, de pipes, d'outils.* **3.** Fam. Dentier.

rater v. [**1**] **I.** v. intr. **1.** Ne pas partir, en parlant d'une arme à feu. **2.** Échouer. *L'affaire a raté.* – *Ça n'a pas raté* : cela n'a pas manqué de se produire. **II.** v. tr. **1.** Ne pas atteindre, ne pas toucher (le but, la cible). *La balle l'a raté de peu.* ▷ Fam. *À la prochaine occasion, je ne te raterai pas,* je ne manquerai pas de te faire subir ce que tu mérites. **2.** Manquer. *Rater un train, un rendez-vous.* **3.** Ne pas réussir, ne pas mener à terme. *Rater un plat.*

Rathenau (Walther) (Berlin, 1867 – id., 1922), industriel et homme politique allemand. Ministre de la Reconstruction (1921) puis des Affaires étrangères (1922), il hâta la reprise des relations économiques avec les vainqueurs de la Première Guerre mondiale et signa avec l'U.R.S.S. le traité de Rapallo (1922). Juif, cible de la propagande antisémite et nationaliste, il fut assassiné.

ratiboiser v. tr. [**1**] Fam. Rafler (au jeu) et, par ext., prendre frauduleusement. – Pp. *Le voilà ratiboisé,* perdu, ruiné.

raticide n. m. Produit destiné à la destruction des rats.

ratier n. m. Chien dressé à chasser les rats. ▷ adj. m. *Chien ratier.*

ratière n. f. **1.** Piège à rat. **2.** TECH Mécanisme de commande des lames d'un métier à tisser.

ratification n. f. **1.** Action de ratifier. – Confirmation dans la forme requise. *Donner sa ratification.* **2.** Document qui atteste une telle confirmation.

ratifier v. tr. [**2**] Approuver, confirmer dans la forme requise (ce qui a été fait ou promis). *Ratifier un contrat.*

ratine n. f. **1.** Drap dont le poil tiré au dehors et frisé forme de petits grains. **2.** (Canada) Tissu-éponge. *Débarbouillette* en ratine.*

rating [ratiŋ; retiŋ] n. m. (Anglicisme) **1.** MAR Indice qui permet de répartir les voiliers en différentes classes et de déterminer le handicap de chaque concurrent dans une course. **2.** FIN Syn. (off. déconseillé) de *notation.*

ratio [rasjo] n. m. STATIS, FIN Rapport entre deux grandeurs.

ratiocination [rasjɔsinasjɔ̃] n. f. Litt. Fait de ratiociner; long raisonnement oiseux.

ratiociner [rasjɔsine] v. intr. [**1**] Litt. Faire des raisonnements oiseux et interminables.

ration [ʀasjɔ̃] n. f. **1.** Quantité journalière (de vivres, de boissons) distribuée aux soldats, aux marins. *Ration de pain, de vin.* **2.** Quantité journalière (d'aliments) nécessaire à une personne ou à un animal. *Ration de foin.* ▷ *Ration alimentaire* : quantité et nature des aliments nécessaires à une personne pendant 24 heures. *La ration alimentaire varie suivant l'âge et le mode de vie du sujet.* **3.** Fig. Part, quantité, dose considérée comme normale ou comme suffisante. *J'ai eu ma ration d'ennuis, aujourd'hui !*

rationalisation [ʀasjɔnalizasjɔ̃] n. f. **1.** Action de rationaliser; son résultat. **2.** ECON Organisation selon des principes rationnels d'une entreprise industrielle ou commerciale, d'une activité économique, etc.

rationaliser [ʀasjɔnalize] v. tr. [1] **1.** Rendre rationnel, conforme à la raison. ▷ *Spécial.* Tenter de comprendre, d'expliquer ou de justifier d'une manière rationnelle, logique (ce qui, par nature, semble échapper à une telle tentative). *Rationaliser le rêve, la poésie.* **2.** ECON Soumettre à la rationalisation (sens 2). *Rationaliser la production.*

rationalisme n. m. **1.** PHILO Doctrine selon laquelle tout ce qui existe ayant sa raison d'être, il n'est rien qui, en théorie, ne soit intelligible. **2.** PHILO Doctrine selon laquelle toute connaissance certaine est issue de principes a priori, universels et nécessaires (par oppos. à *empirisme*). *Le rationalisme cartésien.* **3.** Toute doctrine tendant à attribuer à la raison une valeur éminente. ▷ *Spécial.* (Par oppos. à *mysticisme*, à *spiritualisme*, etc.) Attitude, conviction de ceux qui rejettent toute explication métaphysique du monde. **4.** THEOL Doctrine selon laquelle les dogmes de la foi ne doivent être reçus qu'après avoir été examinés à la lumière de la raison (par oppos. à *fidéisme*). **5.** BX-A Doctrine esthétique née au début du XXe s. par réaction contre le modern style et qui subordonnait la beauté des formes à l'adéquation de l'objet ou de l'édifice à sa fonction.

rationaliste adj. et n. PHILO **1.** Qui se rapporte au rationalisme. **2.** Partisan du rationalisme. ▷ Subst. *Un(e) rationaliste.*

rationalité n. f. Caractère de ce qui est rationnel.

rationnel, elle adj. **I. 1.** Fondé sur la raison. *Connaissance rationnelle.* **2.** Conforme à la raison, au sens commun. *Un choix rationnel.* ▷ Mod. Bien conçu et pratique. *Des rangements rationnels.* **II.** MATH *Nombre rationnel* ou *fractionnaire*, qui peut s'exprimer sous la forme d'un rapport de deux entiers. *Le corps Q des nombres rationnels.* V. nombre.

rationnellement adv. De façon rationnelle.

rationnement n. m. Action de rationner. *Cartes de rationnement.*

rationner [ʀasjɔne] v. tr. [1] **1.** Distribuer par rations limitées, contingenter (une denrée, un produit). *Rationner le sucre, l'essence.* **2.** Restreindre la quantité d'aliments de (qqn). ▷ v. pron. *Il se rationne autant que possible.*

Ratisbonne (en all. *Regensburg*), v. d'Allemagne (Bavière), sur la r. dr. du Danube; 123 820 hab. Centre commercial, très anc., et centre industriel. – Cathédrale St-Pierre (XIIIe-XVIe s.), abbatiale romane du monastère de St-Emmeran (transformée au XVIIIe s.). Hôtel de ville du XIVe s. Pont de pierre sur le Danube (XIIe s.). – Au cours de la diète d'Empire qui s'y tint en oct. 1630, la paix fut conclue entre la France, représentée par le Père Joseph, et Ferdinand II. La ville devint le siège de la Diète de 1663 à 1806. – En 1809, Ratisbonne fut prise par Napoléon (qui y fut blessé).

ratissage n. m. **1.** Action de ratisser (avec un râteau). **2.** Action de ratisser (opération militaire ou de police).

ratisser v. tr. [1] **1.** Nettoyer, égaliser avec un râteau. *Ratisser une allée.* ▷ Enlever à l'aide d'un râteau. *Ratisser les feuilles mortes.* **2.** Explorer minutieusement (une zone) à l'aide d'éléments très rapprochés, au cours d'une opération militaire ou de police. *Les gendarmes ont ratissé la région.* **3.** Fig., fam. Soutirer tout son argent à qqn, le ruiner (en partic., au jeu). *Se faire ratisser au poker.* **4.** Fam. *Ratisser large* : chercher à rassembler le plus possible d'adhésions.

ratites n. m. pl. Sous-classe d'oiseaux coureurs aux ailes réduites et au sternum dépourvu de bréchet (autruche, émeu, nandou, kiwi). – Sing. *Un ratite.*

raton n. m. **1.** Petit du rat. **2.** Mammifère carnivore d'Amérique (genre *Procyon*, fam. procyonidés), bon grimpeur et excellent nageur. *Raton laveur (Procyon lotor). Raton crabier (Procyon cancrivorus).* **3.** Péjor., inj. et raciste Nord-Africain.

raton laveur

ratonnade n. f. Agression, violences racistes exercées par des Européens contre des Nord-Africains. – *Par ext.* Agression raciste.

R.A.T.P. Sigle de *Régie* autonome des transports parisiens.*

Ratsiraka (Didier) (Vatomandry, 1936), officier et homme politique malgache; il a été président de la République de 1975 à 1993.

rattachement n. m. Action de rattacher, fait de se rattacher; état de ce qui est rattaché. *Le rattachement du comté de Nice à la France. Rattachement d'un enfant au foyer fiscal.*

rattacher v. tr. [1] **1.** Attacher de nouveau. **2.** *Rattacher... à* : relier, établir un lien entre (des choses, des personnes). *Traité qui a rattaché une province à la France.* ▷ (Avec une idée de dépendance, de hiérarchie.) *Rattacher une question secondaire à un problème général.* – v. pron. (Passif) *Espèce animale qui se rattache à un genre.*

rattachiste adj. et n. Partisan du rattachement à la France de la Belgique francophone.

ratte n. f. Variété de pomme de terre à chair ferme, très appréciée.

Rattigan (Terence Merwyn) (Londres, 1911 – Hamilton, Bermudes, 1977), écrivain anglais. Auteur de farces et de drames : *Ross* (1960).

rattrapage n. m. Action de rattraper; action de se rattraper. *Cours de rattrapage*, destinés aux élèves qui ont pris du retard par rapport à la scolarité normale.

rattraper v. [1] **I.** v. tr. **1.** Reprendre, attraper de nouveau. *Rattraper un prisonnier.* **2.** Rejoindre (qqn, qqch qui a pris de l'avance). *Partez, je vous rattraperai.* **3.** Fig. Regagner, recouvrer (le temps ou l'argent perdu). ▷ Pallier, compenser (les inconvénients d'un retard, d'une erreur). *Rattraper une situation désespérée.* **II.** v. pron. **1.** Se retenir. *Se rattraper à une branche.* **2.** Regagner l'argent que l'on a perdu au jeu. *Si je perds, j'espère que je me rattraperai vite.* **3.** Regagner le temps perdu; profiter de ce dont on a longtemps été privé. *Elle n'avait jamais beaucoup voyagé, mais maintenant elle se rattrape.*

raturage n. m. Action de raturer; son résultat.

rature n. f. Trait dont on barre un ou plusieurs mots pour les annuler, effectuer une correction.

raturer v. tr. [1] Corriger ou annuler par des ratures. *Raturer une phrase.*

Ratzel (Friedrich) (Karlsruhe, 1844 – Ammerland, 1904), géographe allemand; un des fondateurs du déterminisme géographique, auteur d'une *Anthropogéographie* (1882-1891).

raucité n. f. Rare Caractère d'un son, d'une voix rauque.

Rauh (Frédéric) (Saint-Martin-le-Vinoux, Isère, 1861 – Paris, 1909), philosophe positiviste français : *l'Expérience morale* (1903).

rauque adj. Rude, âpre et comme enroué (en parlant d'un son, d'une voix). *Cris rauques.*

Rauschenberg (Robert) (Port Arthur, Texas, 1925), peintre américain. Ses *combine paintings*, compositions semi-gestuelles à base de matériaux divers plaqués directement sur la toile, marquent les débuts du pop'art aux États-Unis.

rauwolfia [ʀovɔlfja] n. m. BOT Plante tropicale (fam. apocynacées) dont on extrait la réserpine, utilisée comme calmant et pour lutter contre l'hypertension.

Ravachol (François Claudius Kœnigstein, dit) (Saint-Chamond, 1859 – Montbrison, 1892), anarchiste français qui commit plusieurs attentats. Après sa mort sur la guillotine, il devint une figure symbolique de l'anarchisme.

Robert **Rauschenberg** : *Story Pine I*, coll. privée

ravage n. m. (Le plus souvent au plur.) **1.** Dégâts du fait de l'homme causés avec violence et rapidité sur une grande étendue de pays. *L'ennemi a fait de grands ravages dans cette région.* **2.** Dommages causés par les fléaux de la nature. *Les ravages causés par un séisme.* **3.** Désordres physiques, grave altération de la santé. *Les ravages de la drogue.* ▷ Fig., fam. *Faire des ravages :* susciter de nombreuses passions amoureuses.

ravagé, ée adj. **1.** Qui a subi des ravages. *Région ravagée par un séisme.* **2.** Marqué, flétri (par l'âge, la maladie, les excès, etc.). *Visage ravagé par l'alcool.* **3.** Fam. Fou, inconscient. *Vous êtes complètement ravagé !*

ravager v. tr. [**13**] Dévaster, détériorer gravement. *Les sangliers ont ravagé le champ.* ▷ Fig. *La douleur l'a ravagé.*

ravageur, euse adj. (et n.) Qui ravage. – n. m. AGRIC Animal qui ravage les cultures (rongeurs, pucerons, nématodes, etc.).

Ravaillac (François) (Touvre, Charente, 1578 – Paris, 1610), assassin d'Henri IV. Il fut écartelé.

Ravaisson-Mollien (Félix Lacher) (Namur, 1813 – Paris, 1900), philosophe français, connu pour sa thèse sur *l'Habitude* (1839).

ravalement n. m. **1.** Vieilli Action de ravaler (qqn), avilissement. **2.** TECH Nettoyage, restauration des parements extérieurs d'un immeuble. ▷ Finition du parement d'une façade. **3.** AGRIC Sectionnement des branches d'un arbre à une petite distance du tronc.

ravaler v. tr. [1] **I. 1.** Avaler de nouveau. *Ravaler sa salive.* **2.** *Par ext.,* fig. Retenir, taire (ce qu'on est sur le point de laisser paraître, d'exprimer). *Ravaler son indignation.* **II. 1.** Fig. Déprécier, rabaisser. *Ravaler qqn, ses mérites.* ▷ v. pron. *Se ravaler au niveau de la bête.* **2.** Faire le ravalement de (un bâtiment, une façade, un arbre).

ravaleur n. m. Ouvrier (maçon, plâtrier, peintre, etc.) qui travaille à un ravalement.

Rava-Russkaïa (en polonais *Rawa-Ruska*), v. d'Ukraine ; 8 000 hab. – Ville autrichienne (1772-1919), polonaise (1919-1945), puis soviétique. Les nazis installèrent près de cette ville un camp de prisonniers.

ravaudage n. m. **1.** Action de ravauder ; son résultat. **2.** Fig. Réparation, travail grossièrement fait.

ravauder v. tr. [1] **1.** Raccommoder à l'aiguille (des vêtements usagés). **2.** Fig. Réparer, rectifier superficiellement, grossièrement. *Ravauder un texte.*

ravaudeur, euse n. Personne qui ravaude.

1. rave n. f. **1.** Plante potagère à racine comestible. *Le navet, le rutabaga sont des raves.* – (En appos.) *Céleri-rave.* **2.** Crucifère dont on consomme les racines. – (En appos.) *Chou-rave.*

2. rave [ʀɛv] ou **rave-party** n. f. (Anglicisme) Réunion dansante des amateurs de techno et de house, dans laquelle la violence de la musique et des éclairages conduisent les participants à une sorte de transe.

Ravel (Maurice) (Ciboure, Pyr.-Atl., 1875 – Paris, 1937), compositeur français. Élève de Fauré, sensible au raffinement de son maître, il a également subi l'influence de Chabrier, de Satie et de Saint-Saëns. Par sa rythmique, souvent proche de la danse, son style rigoureux et la richesse de son orchestration, il se distingue de Debussy et conserve à son art un caractère classique : *Pavane pour une infante défunte* (pièce pour piano, 1899), *Quatuor en fa* (pour cordes, 1902-1903), *l'Heure espagnole* (comédie lyrique, 1907), *Daphnis et Chloé* (ballet, 1909-1912), *Trio en la* (1914), *la Valse* (poème chorégraphique, 1919-1920), *l'Enfant et les sortilèges* (fantaisie lyrique, 1920-1925), *Boléro* (1928), *Concerto pour la main gauche* (1929-1930).

Maurice **Ravel** au piano

Ravello, v. d'Italie (Campanie), qui domine le golfe de Salerne ; 2 310 hab. – Nombr. monuments de style arabo-normand : dôme (XIe s., transformé au XVIIIe s.) et campanile (XIIIe s.), palais Rufolo (XIe-XIIIe s.). Jardins suspendus.

ravenala n. m. BOT Plante tropicale (fam. musacées) voisine du bananier, dont une espèce est appelée *arbre du voyageur* à cause de l'eau de pluie qui s'accumule à la base de ses feuilles.

ravenelle n. f. **1.** Nom cour. de la moutarde sauvage. **2.** Giroflée jaune.

Ravenne, v. d'Italie (Émilie-Romagne), reliée par un canal à la mer Adriatique ; ch.-l. de la prov. du m. nom ; 137 010 hab. Port pétrolier, Ravenne possède des raff. de pétrole et de soufre, des industr. chim., text. et alim. – Archevêché. Monuments romains (amphithéâtre, aqueduc de Trajan) et byzantins : mausolée de Galla Placidia (milieu du Ve s.), tombeau de Théodoric (520), basilique San Vitale (VIe s., avec le chœur orné de mosaïques), égl. Sant'Apollinare Nuovo (Ve s., mosaïques) et Sant'Apollinare in Classe (VIe s., mosaïques des VIe et VIIe s.). Cath. (XVIIIe s.). Tombeau de Dante (1483). – Ravenne fut la capitale de l'Empire romain d'Occident sous Honorius, puis celle d'Odoacre et de Théodoric (Ve s.). Conquise en 540 par les Byzantins (Bélisaire), elle devint alors la cap. d'un exarchat.

Ravenne : chœur de l'église Saint-Vital

Ravenne (exarchat de), province byzantine d'Italie officiellement constituée en 584. Byzantine depuis 540, la région dut faire face à l'invasion lombarde, et en 584 l'empereur Maurice y établit un exarque, chef de toutes les forces et possessions impériales en Italie (Istrie, Gênes, Rome, Naples, etc.) (V. Lombards). Les conflits intérieurs et extérieurs, avec les Lombards et avec la papauté, furent nombreux. En 751, les Lombards prirent Ravenne ; le pape Étienne II, se sentant également menacé, demanda (754) le secours de Pépin le Bref, qui contraignit les Lombards à céder l'exarchat à la papauté (756). L'Empire byzantin disparaissait d'Italie, mais la papauté devenait une puissance temporelle (V. Rome).

Ravensbrück, local. d'Allemagne (distr. de Potsdam), camp de concentration nazi de 1934 à 1945 (où étaient princ. internés des femmes et des enfants).

ravi, ie adj. Qui éprouve, qui manifeste un grand contentement. – n. m. Rég. *Le ravi :* le santon des crèches provençales à l'expression extatique.

Rāvi (la), riv. de l'Inde et du Pākistān (725 km) ; l'une des cinq grandes riv. du Pendjab, elle se jette dans la Chenāb.

ravier n. m. Petit plat, généralement oblong, où l'on sert les hors-d'œuvre.

ravigotant, ante adj. Fam. Qui ravigote.

ravigote n. f. Vinaigrette mêlée d'œufs durs pilés et relevée d'échalotes. ▷ (En appos.) *Sauce ravigote.*

ravigoter v. tr. [1] Fam. Redonner de la vigueur, de la force.

ravin n. m. **1.** Lit creusé par les eaux de ruissellement. **2.** Vallée encaissée aux versants abrupts. ▷ Chemin au fond d'un ravin.

ravine n. f. **1.** Vieilli Torrent. **2.** Lit creusé par un ruisseau, un torrent ; petit ravin.

ravinement n. m. Action de raviner.

raviner v. tr. [1] **1.** Creuser (le sol) de ravines. **2.** Fig. Creuser (le visage) de rides, de marques. **3.** Pp. adj. *Une région ravinée.* – Fig. *Une figure ravinée.*

raviole n. f. Petit carré de pâte farci de fromage, spécialité du Dauphiné.

ravioli n. m. Petit carré de pâte alimentaire farci d'un hachis de viande ou de légumes. *Manger des ravioli(s).*

ravir v. tr. [3] **I.** Litt. Enlever de force ; emporter avec violence ou par ruse. *Ravir une femme. Ravir le bien d'autrui.* ▷ Par ext. *La mort lui a ravi ses proches.* **II. 1.** THEOL Transporter au ciel. ▷ Fig. (Surtout à la forme passive.) Transporter hors de soi dans la contemplation. *Être ravi en extase.* **2.** Charmer le cœur, l'esprit de (qqn) ; transporter d'admiration. *Cette musique m'a ravie.* ▷ Loc. adv. *À ravir :* très bien, admirablement. *Elle chante à ravir.*

raviser (se) v. pron. [1] Changer d'avis.

ravissant, ante adj. Qui charme, qui est plein d'agréments. *La campagne alentour est ravissante.* – *Une femme ravissante,* très jolie.

ravissement n. m. **1.** THEOL Fait d'être transporté au ciel. ▷ État d'une âme ravie en extase. **2.** Mouvement de l'esprit, du cœur d'une personne qui est ravie, transportée de joie, d'admiration, etc.

ravisseur, euse n. (et adj.) Personne qui commet un rapt. *Les ravisseurs ont fait connaître leurs exigences.* ▷ adj. Rare *Loup ravisseur.*

ravitaillement n. m. **1.** Action de ravitailler; fait de se ravitailler. **2.** Fam. Action de se procurer les aliments nécessaires à la consommation d'un ménage, d'une famille. ▷ Denrées ainsi obtenues.

ravitailler v. tr. [1] **1.** Faire parvenir des vivres, des munitions à. *Ravitailler une armée.* ▷ *Par ext.* Fournir en vivres (le plus souvent, une communauté). **2.** Alimenter en carburant. *Ravitailler un avion en vol.* **3.** v. pron. *Se ravitailler à intervalles réguliers.*

ravitailleur n. m. et adj. m. **1.** Celui qui a la charge du ravitaillement. **2.** MAR, AVIAT Navire, avion spécialement équipé pour ravitailler (sens 2) les bâtiments en mer, les avions en vol. ▷ adj. m. *Bâtiment ravitailleur.*

ravivage n. m. **1.** Action de redonner à une couleur un éclat plus vif. **2.** TECH Décapage (d'un objet à dorer ou à souder).

raviver v. tr. [1] **1.** Rendre plus vif. *Raviver le feu.* ▷ *Raviver les couleurs,* leur rendre leur premier éclat. **2.** TECH Décaper (un objet à dorer ou à souder). **3.** CHIR *Raviver une plaie,* l'exciser pour accélérer la cicatrisation. **4.** Fig. Ranimer, faire revivre. *Raviver une douleur. Raviver un souvenir.*

ravoir v. tr. (Ne s'emploie qu'à l'inf.) **1.** Avoir de nouveau, recouvrer. *Ravoir son bien.* **2.** Fam. Redonner à (un objet) son aspect initial, son éclat. *Je suis arrivé à ravoir les cuivres.*

Rawalpindi, ville du Pākistān (Pendjab); 806 000 hab. Centre industriel : métallurgie, constr. mécaniques et électriques, textiles.

Rawlings (Jerry) (Accra, 1947), officier et homme politique ghanéen. Il prend le pouvoir en 1979, le rend aux civils la même année, mais, par un second coup d'État, reprend la direction du pays en 1981. Il est élu prés. de la République en 1992.

Ray ou **Wray** (John), dit *Raius* (Black Notley, Essex, 1627 - id., 1705), prêtre et naturaliste anglais. Botaniste, il établit la distinction entre monocotylédones et dicotylédones. Auteur également de travaux zoologiques et géographiques.

Ray (Emmanuel Redensky, dit Man) (Philadelphie, 1890 - Paris, 1976), photographe, peintre et cinéaste américain. Il participa, avec Marcel Duchamp, aux premières manifestations du mouvement dada à New York, puis collabora, de manière assidue mais indépendante, avec les surréalistes. Auteur d'*Autoportrait* (1967).

Man **Ray** : *Autoportrait,* photo solarisée, v. 1934; B.N.

Ray (Raymond Nicholas Kienzle, dit Nicholas) (La Crosse, Wisconsin, 1911 - New York, 1979), cinéaste américain, au romantisme non conformiste : *Johnny Guitar* (1954), *la Fureur de vivre* (1955), *Traquenard* (1958). ▶ illustr. **Dean**

Ray (Satyājit) (Calcutta, 1921 - id., 1992), cinéaste indien : *Pather Panchali* (1955), *le Monde d'Apu* (1958), *le Salon de musique* (1959), *Charulata* (1964), *les Joueurs d'échecs* (1977).

Satyājit **Ray**

rayage n. m. Action de rayer; son résultat.

rayé, ée adj. **1.** Couvert, décoré de rayures. *Étoffe rayée.* **2.** Raturé. **3.** Qui porte des cannelures, en parlant d'une arme, de son canon. *Fusil rayé.* **4.** Qui porte des raies, des éraflures. *Miroir rayé.*

rayer v. tr. [21] **1.** Faire des raies sur. *Rayer une feuille de papier.* ▷ Faire une, des éraflures sur (une surface). *Rayer un disque.* ▷ TECH Creuser (l'intérieur d'une arme à feu) de rayures*. **2.** Barrer d'un trait (un mot, une phrase, etc.). ▷ Fig. Supprimer, exclure (qqch, qqn d'un ensemble). *Il a été rayé de la liste des bénéficiaires.*

rayère n. f. ARCHI Jour oblong pratiqué verticalement dans le mur d'une tour.

ray-grass [ʀɛgʀas] n. m. inv. (Anglicisme) Ivraie vivace. ▷ *Par ext.* Ivraie dont diverses variétés sont utilisées pour les gazons.

Rayleigh (John William Strutt, 3e baron) (Terling Place, Witham, 1842 - Witham, Essex, 1919), physicien anglais; connu pour ses multiples travaux d'acoustique, d'électricité et, surtout, d'optique. P. Nobel 1904.

Raymond (saint). V. Raimond de Peñafort (saint).

Raymond. V. Raimond.

Raynal (Guillaume) (Saint-Geniez-d'Olt, 1713 - Paris, 1796), historien et philosophe français, ami des encyclopédistes. Son *Histoire philosophique et politique des établissements et du commerce des Européens dans les deux Indes* (1770) attaque le clergé, l'Inquisition et le colonialisme; elle fut condamnée. Jésuite, ordonné prêtre, il renonça à la vie sacerdotale.

Raynal (Paul) (Narbonne, 1885 - Paris, 1971), auteur dramatique français. Il écrit des drames psychologiques (*le Maître de son cœur,* 1920), et historiques (*Napoléon unique,* 1936), mais surtout des pièces sur les problèmes moraux posés par la guerre : *le Tombeau sous l'arc de triomphe* (1924), *le Matériel humain* (1938).

Raynaud (maladie de) MED Trouble de la circulation qui atteint les extrémités (surtout les mains), souvent déclenché par le froid.

Raynouard (François) (Brignoles, 1761 - Passy, 1836), écrivain français; auteur de tragédies (*Caton d'Utique,* 1794; *les Templiers,* 1805) et d'études sur les langues romanes qui annoncent la renaissance occitane. Acad. fr. (1807).

1. rayon n. m. **I. 1.** Émanation de lumière; ligne droite selon laquelle celle-ci se propage. *Un rayon de soleil. Rayons lumineux. Rayon vert :* bref éclat de couleur verte observable parfois au lever ou au coucher du soleil et qui est dû à l'absorption des rayons solaires par l'atmosphère. ▷ Fig. Ce qui répand la lumière, la joie, etc. *Un rayon d'espérance.* **2.** PHYS Trajectoire que parcourent les particules émises par une source. *Dans un milieu homogène, les rayons sont des lignes droites.* ▷ Cour. *Rayons :* rayonnement. *Rayons α, β, γ. Rayons X :* V. rayonnement (encycl.). *Rayons cosmiques :* rayonnement parcourant le milieu interstellaire, constitué de particules de très hautes énergies (75 % de protons, 20 % de noyaux atomiques et 5 % d'autres particules telles qu'électrons, photons et neutrons). ▷ ELECTR *Rayon électronique* ou *cathodique :* faisceau d'électrons. **II. 1.** Chacune des pièces oblongues qui unissent le moyeu d'une roue à sa jante. ▷ Chacun des éléments qui divergent à partir d'un centre commun. - BOT *Rayons médullaires :* lames de tissu reliant l'écorce à la moelle, dans la tige des dicotylédones. **2.** GEOM Segment de droite reliant le centre d'un cercle ou d'une sphère à un point quelconque de sa circonférence, de sa surface. ▷ Loc. cour. *Dans un rayon de dix kilomètres :* à dix kilomètres à la ronde. **3.** AVIAT, MAR *Rayon d'action :* éloignement maximal d'un aéronef ou d'un navire de son point de ravitaillement. ▷ Fig. Zone d'action, d'influence.

2. rayon n. m. AGRIC Petit sillon. *Semer en rayons.*

3. rayon n. m. **1.** Gâteau de cire fait par les abeilles pour emmagasiner le miel, le pollen, ou pour loger le couvain. **2.** Planche, tablette horizontale servant au rangement; étagère. *Les rayons d'une bibliothèque.* **3.** Secteur d'un grand magasin où l'on vend des marchandises de même nature. *Le rayon de l'outillage, de la parfumerie.* ▷ Fig., fam. *C'est son rayon :* c'est un domaine qui le concerne, qu'il connaît bien. - Loc. fig., fam. *En connaître un rayon :* bien connaître (la question), être très compétent (en la matière).

1. rayonnage n. m. AGRIC Opération qui consiste à tracer des rayons sur un sol.

2. rayonnage n. m. Ensemble de rayons, d'étagères. *Le rayonnage d'une bibliothèque.*

rayonnant, ante adj. **1.** Disposé selon des rayons. *Motifs décoratifs rayonnants.* ▷ ARCHI *Gothique rayonnant,* caractérisé par une abondante décoration à motifs circulaires *(rosaces rayonnantes)* et qui s'imposa à partir de la seconde moitié du XIIIe s. **2.** Qui émet des rayons. *Soleil rayonnant.* ▷ Fig. Éclatant, resplendissant. *Un visage rayonnant de santé, de bonheur.*

rayonne n. f. (Nom déposé.) Fibre textile artificielle à base de cellulose. ▷ *Par ext.* Étoffe de rayonne.

tableau des rayonnements électromagnétiques

types	fréquence (en Hz)	longueur d'onde (en m)	énergie du photon (en eV)	variétés et utilisation	
courant de basse fréquence	$< 10^2$	$> 3.10^6$		usages industriels et domestiques	
ondes hertziennes	10^5	3.10^3		grandes ondes	radiodiffusion
	10^6	3.10^2		ondes moyennes	
	10^7	30		ondes courtes	
	10^8	3		modulation de fréquence	
	10^9	0,3		télévision	
	10^{10}	3.10^{-2}		radar	
	10^{11}	3.10^{-3}		micro-ondes	
ondes lumineuses	10^{13}	3.10^{-5}		infrarouge	chauffage, vision nocturne ...
	$3{,}7.10^{14}$	8.10^{-7}	1,5	rouge (lumière visible)	instruments optiques
	7.10^{14}	4.10^{-7}	3	violet (lumière visible)	
	10^{16}	3.10^{-8}	40	ultraviolet	photographie, désinfection
rayons X	10^{17}	3.10^{-9}	4.10^2	rayons X mous	dermatologie, radiologie
	10^{19}	3.10^{-11}	4.10^4	rayons X durs	radiothérapie, diffraction cristaline
rayons a	$> 1{,}4.10^{19}$	$< 2.10^{-11}$	$> 5.10^4$		physique nucléaire, analyse des rayons cosmiques

rayonnement

rayonné, ée adj. Disposé en rayons; orné de rayons. ▷ ZOOL *Symétrie rayonnée :* disposition des organes des échinodermes (oursin, étoile de mer).

rayonnement n. m. **1.** Fait de rayonner; éclat de ce qui rayonne. *Le rayonnement du soleil.* **2.** PHYS et cour. Propagation d'énergie sous forme de particules *(rayonnement corpusculaire)* ou de vibrations *(rayonnement thermique, acoustique, électromagnétique). Rayonnement cosmique :* V. rayon 1. **3.** Fig. Expression radieuse. **4.** Fig. Éclat; influence bienfaisante. *Rayonnement d'une civilisation.*

ENCYCL **Phys.** – Les propriétés d'un rayonnement électromagnétique dépendent grandement de la longueur d'onde de celui-ci; aussi donne-t-on traditionnellement un nom particulier à chaque domaine du spectre électromagnétique. Au-delà d'une longueur d'onde de 0,3 mm (énergie inférieure à 0,04 eV), ce sont les ondes hertziennes; de 0,3 mm à 0,8 µm (1,5 eV), les rayons infrarouges (V. ce mot). Le rayonnement lumineux visible occupe un domaine très étroit, de 0,8 µm à 0,4 µm (3 eV). En deçà de 0,4 µm et jusqu'à 10^{-8} m (100 eV), ce sont les rayons ultraviolets (V. ce mot). De 10^{-8} m à 2.10^{-11} m, on a les rayons X. Les rayons X sont absorbés par les éléments de numéro atomique élevé; cette propriété permet de les utiliser pour examiner des organes internes (radiographie) ou pour détecter les défauts de pièces métalliques (radiométallographie). La forte énergie des rayons X leur permet de détruire des tumeurs (radiothérapie); leur faible longueur d'onde entraîne leur diffraction par les cristaux. Les rayons gamma (γ) sont des ondes électromagnétiques de longueurs d'onde inférieures à 2.10^{-11} m. Encore plus pénétrants que les rayons X, les rayons γ ne sont arrêtés que par de fortes épaisseurs de béton ou de plomb. Le rayonnement thermique, forme particulière de rayonnement électromagnétique, résulte de l'agitation thermique des particules qui constituent la matière.

rayonner v. intr. [1] **1.** Émettre des rayons lumineux, de l'énergie. *Astre qui rayonne.* **2.** Fig. Répandre son éclat, faire sentir au loin son action. *Un esprit qui rayonne.* **3.** Laisser paraître une satisfaction, un bonheur intense. *Rayonner de joie.* **4.** Partir d'un même point dans des directions diverses. *Rayonner autour de Paris.*

Rays. V. Rais.

Raysse (Martial) (Golfe-Juan, 1936), peintre, sculpteur et cinéaste français. Il fit d'abord partie des *nouveaux réalistes* et utilisa dans ses assemblages objets en matière plastique, agrandissements photographiques, tubes au néon, etc. Il appliqua sa richesse d'invention au ballet (*l'Éloge de la folie*, de R. Petit, 1966) et à l'opéra (*Votre Faust*, Scala de Milan, 1969). Depuis 1969, il se consacre au cinéma (*le Grand Départ*, 1971, etc.).

rayure n. f. **1.** Vx Manière dont une chose est rayée. **2.** Chacune des lignes, des bandes étroites qui contrastent avec un fond de couleur différente. *Les rayures du zèbre.* **3.** Trace, éraflure laissée sur une surface par un corps pointu ou coupant. **4.** Chacune des cannelures hélicoïdales pratiquées à l'intérieur du canon d'une arme à feu ou d'une pièce d'artillerie pour imprimer au projectile un mouvement de rotation qui le stabilise sur sa trajectoire.

raz [ʀɑ] n. m. **1.** MAR Courant marin violent, dans un passage resserré. ▷ (Dans des noms propres.) Passage resserré, détroit où règnent des courants violents. *Le raz de Sein, le raz Blanchard.* **2.** *Raz de marée :* très haute vague d'origine sismique ou volcanique qui pénètre dans les terres. ▷ Fig. Bouleversement important. *Le raz de marée révolutionnaire balaya l'Ancien Régime.*

Raz (pointe du), cap situé à l'extrémité occid. du dép. du Finistère et prolongé au large par l'île de Sein. Parages dangereux pour la navigation.

Razilly (Isaac de) (Chinon, 1587 – La Hève, Acadie, 1635), administrateur français. Lieutenant général de la Nouvelle-Écosse (1632), il reconquit l'Acadie.

Razine (Stepan Timofeïevitch Razine, dit Stenka) (Zimoveïskaïa, région du Don, v. 1630 – Moscou, 1671), chef cosaque. En 1667, il prit la tête des serfs insoumis et constitua une armée, avec laquelle il conquit de nombreuses villes de la Volga et du Don. Vaincu par l'armée tsariste, il fut écartelé. Il devint le héros d'une geste populaire.

razzia [ʀazja] n. f. **1.** Attaque lancée par des pillards pour enlever les troupeaux, les récoltes, etc. **2.** Fam. Fait de tout rafler, de tout emporter.

razzier [ʀazje] v. tr. [2] **1.** Exécuter une razzia contre. **2.** Piller, voler lors d'une razzia.

Rb CHIM Symbole du rubidium.

rd PHYS NUCL Symbole du rad.

R.D.A. Sigle de *République démocratique allemande.* V. Allemagne.

R.D.C. Sigle de *République démocratique du Congo.*

R.D.S. n. m. Abrév. de *remboursement* de la dette sociale.*

re-, ré-. V. r-.

Re CHIM Symbole du rhénium.

ré n. m. Deuxième note de la gamme d'ut. ▷ Signe figurant cette note.

Martial **Raysse :** *Made in Japon, tableau turc et invraisemblable*, 1965; coll. particulière.

Ré (île de), île du littoral atlant. (Charente-Maritime, arr. de La Rochelle), reliée par un pont au continent dep. 1988; 85,3 km²; 14179 hab. Villes princ. : *Saint-Martin-de-Ré* et *Ars-en-Ré*. Primeurs, pêche, ostréiculture. Tourisme.

Rê ou **Râ,** dieu du Soleil chez les anc. Égyptiens, représenté en général par un homme à tête de faucon que surmonte le disque solaire, ou sous la forme d'un scarabée. Au Nouvel Empire, il fut nommé *Amon-Rê* (Amon étant le dieu de Thèbes) et put être représenté avec la tête d'un bélier.

réa n. m. Roue à gorge d'une poulie.

réabonnement n. m. Action de réabonner, de se réabonner.

réabonner v. tr. [1] Abonner de nouveau. ▷ v. pron. Renouveler son abonnement.

réabsorber v. tr. [1] Absorber de nouveau.

réac [ʀeak] adj. et n. Fam. Abrév. de *réactionnaire*.

réaccoutumer v. tr. [1] Accoutumer de nouveau. ▷ v. pron. *Se réaccoutumer à la ville après un séjour à la campagne.*

réactance n. f. ELECTR Impédance d'un dipôle ne contenant que des inductances et des condensateurs. *La réactance d'un condensateur est négative; celle d'une inductance, positive.*

réacteur n. m. **1.** Moteur à réaction. *Réacteur d'avion.* **2.** TECH Appareil dans lequel s'effectue une réaction. *Réacteur catalytique.* ▷ *Réacteur nucléaire* : appareil qui produit de l'énergie à partir des réactions de fission nucléaire. Syn. pile atomique.

ENCYCL Un réacteur nucléaire se compose d'un cœur, dans lequel sont placés des éléments combustibles (uranium naturel ou enrichi, plutonium), et de dispositifs de réglage et de sécurité (servant à contrôler la réaction en chaîne et à arrêter la réaction en cas d'incident). Le tout est entouré d'une épaisse enceinte étanche qui arrête les rayonnements émis. Il existe 2 types de réacteurs : à neutrons rapides (V. encycl. surrégénérateur); à neutrons thermiques. Ce dernier type, le plus répandu, possède un modérateur, constitué d'éléments à noyaux légers (hydrogène, par ex.), dont le rôle est de ralentir les neutrons émis lors de la fission. L'énergie dégagée lors de la fission est extraite du cœur du réacteur par un fluide caloporteur (eau, gaz carbonique, hélium, métal liquide tel que sodium ou potassium). Le choix conjugué du combustible, du modérateur et du fluide caloporteur définit une filière, c.-à-d. un ensemble de caractéristiques spécifiques à un type de réacteur. Les princ. filières sont les suivantes : uranium naturel - graphite - gaz carbonique; uranium légèrement enrichi - eau lourde ou graphite - gaz carbonique; uranium enrichi - eau légère (à la fois modérateur et caloporteur), qui comporte deux variantes : réacteur à eau bouillante (B.W.R., abrév. de l'angl. «boiling water reactor»), où l'eau peut être portée à ébullition; réacteur à eau sous pression (P.W.R., abrév. de l'angl. «pressurized water reactor»), où l'eau, portée à une température d'environ 300 °C, est maintenue sous une pression suffisante (140 bars) pour éviter sa vaporisation. L'énergie calorifique transportée par le fluide caloporteur est cédée à un circuit eau-vapeur à l'intérieur d'échangeurs de chaleur; la température y est plus basse que dans les chaudières classiques, sauf dans les réacteurs à haute température du type uranium-graphite-hélium. La vapeur produite alimente les groupes turboalternateurs qui transforment l'énergie mécanique en énergie électrique. L'ensemble constitué par un réacteur nucléaire et ses installations de production de vapeur et d'électricité est appelé centrale nucléaire. Les réacteurs nucléaires sont également utilisés pour la propulsion des navires. Leurs sous-produits (isotopes radioactifs artificiels) servent en radiochimie et en radiobiologie. ► illustr. **centrales**

Stèle de la dame Taperet adorant **Rê** à tête de faucon, bois stuqué, peint, troisième période intermédiaire; musée du Louvre

réactif, ive adj. et n. m. **1.** adj. Qui réagit. **2.** adj. Se dit de qqn qui réagit rapidement, efficacement. **3.** n. m. CHIM Substance que l'on utilise pour déterminer la nature d'un corps en observant la réaction qu'elle produit avec celui-ci.

réaction n. f. **I. 1.** Action contraire à une action précédente et provoquée par celle-ci. ▷ Comportement, acte d'une personne en réponse à un événement, à une action. **2.** POLIT Attitude, courant de pensée opposé aux innovations, aux changements sociaux et favorable au maintien ou au rétablissement des institutions héritées du passé. ▷ Ensemble des forces politiques réactionnaires. **II. 1.** PHYS Force qui résulte de l'action mécanique exercée par un corps sur un autre corps qui agit en retour. *Principe d'action et de réaction. Propulsion par réaction* (V. encycl.). – Cour. *Avion à réaction.* **2.** CHIM Réarrangement à l'échelle moléculaire d'un ensemble de corps réagissant («système initial»), qui conduit à un nouvel ensemble de corps, ou *produits de la réaction* («système final»). *Réaction en chaîne* : réaction chimique ou nucléaire qui, une fois amorcée, se poursuit d'elle-même; fig. suite de phénomènes déclenchés les uns par les autres. *Réaction nucléaire*, mettant en jeu les constituants du noyau de l'atome (cf. noyau). **III.** Processus qui se déclenche dans un organisme vivant en réponse à un stimulus, à une modification du milieu, à une perturbation de l'équilibre physiologique, etc. *Le frisson est une réaction au froid.* ▷ PHYSIOL *Réaction auditive.* ▷ PSYCHO et cour. *Réaction affective.*

ENCYCL **Phys.** – La propulsion par réaction obéit au principe physique d'action et de réaction, c.-à-d. d'égalité de l'action et de la réaction, donc au principe de la conservation de la quantité de mouvement : lorsque deux corps A et B exercent l'un sur l'autre une action mécanique, la force qui représente l'action de A sur B est égale et de sens opposé à celle (réaction) de B sur A. La propulsion par réaction présente un intérêt considérable dans le domaine des transports aériens, dans celui du lancement et du pilotage des engins spatiaux et dans le domaine militaire. V. engin et moteur-fusée.

réactionnaire adj. et n. Péjor. Propre à la réaction, favorable à la réaction; ultraconservateur. (Abrév. fam. : réac.)

réactionnel, elle adj. **1.** CHIM Qui a rapport à une réaction. **2.** MED Relatif à une réaction organique. **3.** PSYCHO, PSYCHAN Qui se produit en réaction à une situation mal assumée. – Se dit d'un trouble apparaissant à la suite d'un choc affectif traumatisant.

réactivation n. f. Action de réactiver. ▷ MED Réapparition provoquée, en vue d'un diagnostic, d'un symptôme disparu.

réactiver v. tr. [1] Activer de nouveau.

réactivité n. f. **1.** CHIM Aptitude d'un corps à réagir. **2.** MED Manière dont un sujet réagit. **3.** Caractère d'une personne réactive, conduite marquée par la rapidité et l'efficacité.

réactualisation n. f. Action de réactualiser; son résultat.

réactualiser v. tr. [1] Remettre à jour. *Réactualiser un dictionnaire.*

réadaptation n. f. Adaptation nouvelle. *Réadaptation sociale, professionnelle.*

réadapter v. tr. [1] Adapter de nouveau. – Spécial. *Réadapter qqn à la vie active après un accident.* ▷ v. pron. *Se réadapter à un nouveau milieu.*

Reade (Charles) (près d'Ipsden, Oxfordshire, 1814 – Londres, 1884), écrivain réaliste anglais : *Masques et Visages* (drame, 1852), *Argent comptant* (roman, 1863).

Reading, v. d'Angleterre (Berkshire), sur la Tamise et la Kennet; 122600 hab. Université. Industr. sidérurgiques, mécaniques et alimentaires. – O. Wilde, détenu dans la prison de la ville, y écrivit *Ballade de la geôle de Reading.*

réadmettre v. tr. [60] Admettre de nouveau.

réadmission n. f. Nouvelle admission.

ready-made n. m. BX-A Œuvre d'art constituée par un (des) objet(s) choisi(s) par un artiste, modifié(s) ou non. *Marcel Duchamp a créé le ready-made.*

réaffirmer v. tr. [1] Affirmer de nouveau, avec plus de fermeté.

Reagan (Ronald Wilson) (Tampico, Illinois, 1911), acteur de cinéma puis homme politique américain. Il a été gouverneur (républicain) de la Californie de 1967 à 1975, puis président des États-Unis de 1980 à 1988. Sa politique a été caractérisée par une remise en cause du *Welfare State* («État providence»), et, à l'extérieur, par un interventionnisme marqué. Son hostilité à l'égard de l'U.R.S.S. ne l'empêcha pas de parvenir en 1987, avec M. Gorbatchev, au premier accord de dénucléarisation progressive jamais signé entre les deux grandes puissances mondiales.

réagir v. intr. [3] **I. 1.** PHYS Exercer une action en sens contraire (en parlant d'un corps qui agit sur un autre dont il a éprouvé l'action). *Un corps élastique réagit sur le corps qui le choque.* **2.** MED Avoir une (des) réaction(s) (en parlant du corps, des organes). **3.** PHYSIOL Répondre à un stimulus. **4.** Fig. *Réagir sur :* exercer une action en retour sur. *L'homme agit sur son environnement et son environnement réagit sur lui.* **5.** Fig. *Réagir à :* manifester une réaction face à, agir en réponse à (un événement, une stimulation, etc.). *Réagir violemment à des insultes, à une provocation.* ▷ (S. comp.) *Il a très bien réagi.* **6.** Fig. *Réagir contre :* s'opposer, résister par une action contraire à. *Réagir contre une influence.* ▷ (S. comp.) Faire un effort pour résister, pour lutter. *Ne vous découragez pas, réagissez !* **II.** CHIM Entrer en réaction, en parlant d'espèces chimiques.

réajustement, réajuster. V. rajustement, rajuster.

real [real] n. m. Unité monétaire principale du Brésil, qui a remplacé le cruzeiro.

1. réal, aux n. m. Ancienne monnaie d'argent espagnole.

2. réal, ale, aux adj. et n. f. HIST *La galère réale :* la principale galère, réservée au roi ou à l'amiral. ▷ n. f. *La réale.*

Réal (Pierre François, comte) (Chatou, 1757 - Paris, 1834), homme politique français. Procureur au Châtelet (1783), accusateur public en août 1792 puis adjoint de Fouché sous le Consulat, il déjoua le complot de Cadoudal (1803). Préfet de police pendant les Cent-Jours.

réalgar n. m. MINER Sulfure naturel d'arsenic, de couleur rouge, le principal minerai d'arsenic.

réalignement n. m. ECON Fixation d'un nouveau taux de change (d'une monnaie).

réaligner v. tr. [1] Procéder au réalignement de (une monnaie).

réalisable adj. **1.** Qui peut se réaliser, être réalisé. **2.** Que l'on peut convertir en espèces. *Valeurs réalisables.*

réalisateur, trice adj. et n. **1.** adj. Qui réalise, qui a des aptitudes pour réaliser. *Une intelligence plus réalisatrice que théoricienne.* ▷ Subst. *Un réalisateur, une réalisatrice.* **2.** n. Personne qui dirige la préparation et le tournage, ou l'enregistrement, d'un film, d'une émission de radio ou de télévision.

réalisation n. f. **1.** Action de réaliser; son résultat. **2.** Chose réalisée; ce qui s'est réalisé. **3.** Conversion d'un bien en espèces. **4.** MUS Notation ou exécution complète des accords d'une base chiffrée. **5.** Mise en scène d'un film ou d'une émission télévisée; mise en ondes d'une émission radiodiffusée.

réaliser v. [1] **I.** v. tr. **1.** Rendre réel et effectif, faire exister (qqch). *Réaliser un projet.* **2.** Effectuer, accomplir. *Réaliser des prouesses.* ▷ *Réaliser un film,* en assurer la réalisation. **3.** Convertir en espèces. *Réaliser une propriété, des actions.* ▷ *Réaliser des bénéfices,* en faire. **4.** (Calque de l'angl. *to realize*; emploi critiqué.) Comprendre, saisir, se représenter clairement. *As-tu réalisé ce que tu viens de dire, ce que tu as fait?* **5.** PHILO Donner un caractère de réalité à (une abstraction). **6.** MUS Compléter les accords indiqués par une base chiffrée. **II.** v. pron. **1.** Devenir effectif, réel. *Espérances qui se réalisent.* **2.** (Personnes) Rendre réel ce qui en soi-même n'était que virtuel; s'accomplir en tant qu'individu. *Il a choisi une carrière où il se réalise pleinement.*

réalisme n. m. **1.** PHILO Doctrine platonicienne selon laquelle les apparences sensibles et les êtres individuels ne sont que le reflet des véritables réalités, les Idées. (V. idéalisme.) ▷ Doctrine médiévale d'après laquelle les universaux (notions générales) sont réels, ont une existence propre (par oppos. à *conceptualisme,* à *nominalisme*). *Le réalisme de saint Thomas.* ▷ Doctrine selon laquelle le monde extérieur a une existence indépendante du sujet qui le perçoit (par oppos. à *idéalisme*). **2.** LITTER, BX-A Attachement à représenter le monde, les hommes tels qu'ils sont, et non tels que peuvent les concevoir ou les styliser l'imagination et l'intelligence de l'auteur ou de l'artiste. **3.** Cour. Aptitude à tenir compte de la réalité, à apprécier les données d'une situation avant de prendre une décision, d'agir. *Faire preuve de réalisme.*

ENCYCL Le terme de *réaliste* s'appliqua de façon courante aux écrivains qui, à partir de 1850, réagirent contre le sentimentalisme romantique en s'inspirant des méthodes de la science pour s'en tenir rigoureusement à l'étude et à la description des faits. La théorie de cette école prit corps avec Champfleury (*le Réalisme,* 1857), mais, à vrai dire, il y eut autant de réalismes que de réalistes : Flaubert, A. Daudet, Maupassant, les frères Goncourt, Zola (cf. naturalisme). Parmi les peintres que l'on a qualifiés de réalistes, il faut citer Courbet, Daumier et Millet. – Le *réalisme socialiste* fit de l'art un instrument de propagande au service de l'État, notam. en U.R.S.S. Il visa à la transformation de l'art « bourgeois » en « une culture prolétarienne par son contenu, nationale par sa forme » (Staline). Son princ. théoricien fut Jdanov. V. aussi *Nouveau* réalisme.*

réaliste adj. et n. **1.** Didac. Qui a rapport au réalisme; partisan du réalisme en art, en littérature, en philosophie. ▷ Subst. *Les réalistes.* **2.** Qui fait preuve de réalisme (sens 3).

art **réaliste** édifiant, le *réalisme socialiste* se voua souvent aux édifices publics : esquisse pour une mosaïque exaltant les constructeurs soviétiques, 1959-1960

réalité n. f. **1.** PHILO et cour. Caractère de ce qui a une existence réelle, de ce qui existe comme chose (et non seulement comme idée, illusion, apparence). *La réalité du monde physique.* **2.** Chose réelle. *Rêve qui devient réalité.* **3.** Chacun des faits, des événements qui constituent la trame de notre existence. *Les dures réalités de la vie.* **4.** Loc. adv. *En réalité :* effectivement, réellement.

reality show [ʀealitiʃo] n. m. (Anglicisme) Émission de télévision mettant en scène des faits réels. *Des reality shows.*

realpolitik n. f. POLIT Politique qui tient compte avant tout des possibilités concrètes.

réaménagement n. m. Action de réaménager; son résultat.

réaménager v. tr. [13] Aménager de nouveau, sur de nouvelles bases.

réanimateur, trice n. Médecin spécialiste de la réanimation.

réanimation n. f. Ensemble des techniques médicales employées pour remédier à la défaillance d'une ou de plusieurs des grandes fonctions vitales (respiration et circulation, notam.). *Techniques de réanimation :* respiration assistée, entraînement cardiaque, épuration extrarénale, etc.

réanimer v. tr. [1] Procéder à la réanimation de, faire revenir à la vie par la réanimation.

réapparaître v. intr. [73] Apparaître de nouveau.

réapparition n. f. Nouvelle apparition.

réapprendre. V. rapprendre.

réapprovisionnement, réapprovisionner. V. rapprovisionnement, rapprovisionner.

réargenter v. tr. [1] Argenter de nouveau. *Faire réargenter un service ancien.*

réarmement n. m. Action de réarmer. ▷ Rénovation et accroissement de la puissance militaire d'un pays.

réarmer v. [1] **1.** v. tr. Armer de nouveau. **2.** v. intr. S'armer de nouveau. *Ce pays réarme.*

réarrangement n. m. Action d'arranger à nouveau, d'une autre manière. ▷ CHIM Migration de radicaux ou d'atomes à l'intérieur d'une molécule.

réarranger v. tr. [13] Procéder au réarrangement de.

réassort n. m. Abrév. de *réassortiment.*

réassortiment, réassortir. V. rassortiment, rassortir.

réassurance n. f. DR Assurance par laquelle un assureur se fait garantir par une autre compagnie pour se couvrir d'une partie des risques.

réassurer v. tr. [1] DR Garantir par une réassurance. ▷ v. pron. *Compagnie qui se réassure.*

Réaumur (René Antoine Ferchault de) (La Rochelle, 1683 - Saint-Julien-du-Terroux, 1757), chimiste et physicien français; inventeur du thermomètre à alcool (v. 1730) et de l'échelle thermométrique qui porte son nom (fusion de la glace à 0 °R et vaporisation de l'eau à 80 °R). Il étudia la cémentation et la trempe des aciers. Naturaliste, il s'intéressa aux insectes.

R. A. Ferchault de **Réaumur**

Madame **Récamier**

rebaptiser v. tr. [1] **1.** Conférer une seconde fois le baptême à (qqn). **2.** Donner un nouveau nom à (qqch). *Rebaptiser un navire.*

rébarbatif, ive adj. Qui rebute par son aspect peu avenant. *Visage rébarbatif.* ▷ Fig. *Texte rébarbatif,* d'une lecture difficile et ennuyeuse.

rebâtir v. tr. [3] Bâtir de nouveau (ce qui a été détruit).

rebattement n. m. HERALD Répétition des pièces ou des partitions de l'écu.

rebattre v. tr. [61] **1.** TECH Battre de nouveau. *Rebattre l'acier après un recuit.* **2.** Loc. *Rebattre les oreilles à qqn d'une chose,* le lasser en lui répétant cette chose à toute occasion.

rebattu, ue adj. Qui a perdu tout intérêt à force d'être répété. *Idée, phrase rebattue.* ▷ Loc. *Avoir les oreilles rebattues d'une chose,* être las d'en entendre parler.

rebec n. m. MUS Instrument médiéval à trois cordes et à archet.

Rébecca, personnage biblique, femme d'Isaac, mère d'Ésaü et de Jacob (Genèse, XXIV-XXVII).

Rebel (Baptiste, dit Jean-Ferry) (Paris, 1666 - id., 1747), violoniste, claveciniste et compositeur français. Élève de Lully, il a laissé une tragédie lyrique, *Ulysse* (1703) et de nombreuses œuvres instrumentales. Son fils **François** (Paris, 1701 - id., 1775), violoniste et compositeur, écrivit de nombreuses partitions d'opéra et de ballet pour l'Académie royale qu'il dirigea, avec F. Francœur de 1757 à 1767, puis seul à partir de 1772.

rebelle adj. et n. **1.** Qui refuse de se soumettre à une autorité, se révolte contre elle. *Factions rebelles.* ▷ Subst. *Un(e) rebelle.* **2.** *Rebelle à :* qui résiste, refuse de se plier à. *Esprit rebelle à toute logique.* ▷ (Choses) *Maladie rebelle,* qui résiste à tous les traitements. - *Mèches rebelles,* difficiles à coiffer.

rebeller (se) v. pron. [1] Devenir rebelle, se soulever (contre une autorité). ▷ Fig. Se plaindre, protester.

rébellion n. f. Révolte, résistance ouverte aux ordres de l'autorité. ▷ Ensemble des rebelles. *L'étranger arme la rébellion.*

Rebeyrolle (Paul) (Eymoutiers, 1926), peintre français de tendance expressionniste et révolutionnaire : *la Pluie et le Beau Temps* (1957), *Planche Mouton* (1959); séries sur les couples (1961), sur les instruments de peinture (1967); série *Coexistences* (1969-1970).

rebiffer (se) v. pron. [1] Fam. Regimber, refuser vivement une contrainte ou une brimade, y résister en rendant la pareille. *Il a voulu la gifler, mais elle s'est rebiffée.*

rebiquer v. intr. [1] Fam. Se redresser, se retrousser en formant un angle. *Épi dans les cheveux qui rebique.*

reblochon n. m. Fromage savoyard à pâte grasse, de saveur douce.

reboire v. tr. [70] Boire de nouveau. ▷ (S. compl.) S'adonner de nouveau à l'alcool.

reboisement n. m. Action de reboiser; son résultat. Syn. didac. reforestation.

reboiser v. tr. [1] Planter d'arbres (un terrain déboisé).

rebond n. m. Fait de rebondir; mouvement d'un corps qui rebondit.

rebondi, ie adj. Rond et charnu. *Des joues bien rebondies.*

rebondir v. intr. [3] **1.** Faire un ou plusieurs bonds après avoir heurté un autre corps. *La balle rebondit.* **2.** Fig. Connaître un, des rebondissements. *L'affaire Untel rebondit.*

rebondissement n. m. **1.** Rare Rebond. **2.** Fig. Reprise d'une évolution, après un temps d'arrêt; épisode nouveau et inattendu. *Les rebondissements de la conversation.*

rebord n. m. Bord en saillie. *Le rebord d'une fenêtre.*

reboucher v. tr. [1] **1.** Boucher de nouveau. *Reboucher une bouteille.* **2.** Boucher, obturer, combler. *Reboucher des fentes avec de l'enduit.*

rebours n. m. **1.** Litt. Contrepied, contraire. *C'est tout le rebours de ce que vous dites.* **2.** Loc. adv. *À rebours :* en sens contraire, au contraire de ce qu'il faut. *Comprendre à rebours. Caresser un chat à rebours,* à rebrousse-poil. - *Compte à rebours.* V. compte (sens I, 7). **3.** Loc. prép. *À* ou *au rebours de :* contrairement à.

rebouteux, euse n. Fam. Personne qui remet en place par des procédés empiriques un membre foulé, luxé ou démis.

reboutonner v. tr. [1] Boutonner de nouveau. ▷ v. pron. Reboutonner ses vêtements.

rebroder v. tr. [1] TECH Garnir un tissu ou un vêtement d'une broderie, après sa fabrication. - Pp. adj. *Une blouse rebrodée de fils d'argent.*

rebroussement n. m. Action de rebrousser; état de ce qui est rebroussé. ▷ GEOM *Point de rebroussement :* point d'une courbe où s'arrêtent brusquement deux branches de cette courbe tangentes entre elles.

rebrousse-poil (à) loc. adv. **1.** À l'opposé du sens dans lequel le(s) poil(s) se couche(nt) naturellement. *Caresser un chat à rebrousse-poil. Brosser un manteau à rebrousse-poil.* **2.** Fig., À contresens, avec maladresse. *Prendre qqn à rebrousse-poil.*

rebrousser v. tr. [1] **1.** Relever (les poils, les cheveux) dans un sens contraire à la direction naturelle, à contre-poil. *Le vent rebroussait sa crinière.* **2.** *Rebrousser chemin :* retourner dans le sens opposé, faire demi-tour.

rebuffade n. f. Mauvais accueil, refus accompagné de paroles dures. *Essuyer, recevoir une rebuffade.*

rébus [ʀebys] n. m. **1.** Suite de lettres, de mots, de dessins, représentant par homophonie le mot ou la phrase que l'on veut faire deviner. *Déchiffrer un rébus.* **2.** Fig. Écriture difficile à lire; chose malaisée à comprendre, énigme.

rebut n. m. **1.** Ce qu'on a rejeté, ce dont on n'a pas voulu. *On entassait là les rebuts.* ▷ *Mettre au rebut :* mettre à l'écart comme sans valeur, rejeter. ▷ Loc. adj. *De rebut :* qui a été mis au rebut, sans valeur, inutile. *Marchandises de rebut.* **2.** Fig. Ce qu'il y a de plus mauvais, de plus vil. *Le rebut d'une société.*

rebutant, ante adj. Qui rebute, déplaît. *Travail rebutant.* Ant. attrayant, séduisant.

rebuter v. tr. [1] **1.** Décourager, dégoûter par des obstacles. *L'effort le rebute.* ▷ v. pron. Se décourager. *Se rebuter devant les difficultés.* **2.** Décourager toute sympathie, déplaire, choquer.

recacheter v. tr. [20] Cacheter de nouveau.

recalcification n. f. MED Augmentation de la fixation du calcium dans les tissus qui en ont perdu.

recalcifier v. tr. [2] MED Produire une recalcification.

récalcitrant, ante adj. et n. **1.** Qui résiste avec opiniâtreté à toute espèce de contrainte. *Esprit récalcitrant.* ▷ Subst. *Mater les récalcitrants.* **2.** (Choses) Qui semble s'entêter à ne pas fonctionner. *S'efforcer de faire démarrer un moteur récalcitrant.*

recalé, ée adj. et n. Qui a été refusé (à un examen). - Subst. *Les recalés au bac.*

recaler v. tr. [1] **1.** Caler de nouveau. **2.** Refuser (à un examen). *Se faire recaler au permis de conduire.*

Récamier (Julie Adélaïde Bernard, Mme) (Lyon, 1777 - Paris, 1849), femme de lettres française célèbre pour sa beauté et son esprit. Considérée comme opposante sous l'Empire, elle fit de son salon de l'Abbaye-aux-Bois (rue de Sèvres à Paris), après 1819, un foyer intellectuel, animé notam. par Chateaubriand. *Correspondance* (posth., 1859), *Souvenirs* (posth., 1872).

recapitalisation n. f. ECON Action de recapitaliser. *Une recapitalisation suivie d'une restructuration.*

recapitaliser v. tr. [1] ECON Augmenter le capital d'une entreprise.

récapitulatif, ive adj. Qui sert à récapituler. *Tableau récapitulatif.* ▷ n. m. Texte, état qui récapitule.

récapitulation n. f. Répétition sommaire, résumé.

récapituler v. tr. [1] Résumer, reprendre sommairement. *Récapituler les points d'un discours.*

recaser v. tr. [1] Fam. Caser, établir de nouveau, dans une nouvelle situation. ▷ v. pron. *Il a perdu son emploi et cherche à se recaser.*

recauser v. intr. [1] Causer, parler de nouveau. *Nous en recauserons.*

Reccared Ier le Cath (m. à Tolède, 601), roi des Wisigoths (586-601). Il abjura l'arianisme pour le catholicisme (concile de Tolède, 589).

recéder v. tr. [14] **1.** Céder à qqn ce qu'il avait cédé auparavant. Syn. rétrocéder. **2.** Revendre (une chose achetée pour soi-même). *Recédez-moi ce tableau.*

recel [ʀəsɛl] n. m. Action de receler. *Recel de malfaiteur.*

receler [17] ou **recéler** [14] v. tr. **1.** Détenir et cacher (qqch, ou, en droit, qqn) illégalement. *Receler des bijoux volés.* **2.** Contenir, renfermer. *L'épave du galion recèle un trésor.*

receleur, euse n. Personne coupable de recel.

récemment [ʀesamɑ̃] adv. Depuis peu, à une époque récente. *Je l'ai rencontré récemment.* Syn. dernièrement.

recensement n. m. Opération consistant à dénombrer des individus (habitants d'une ville, d'un État, jeunes gens en âge d'effectuer leur service national, etc.). ▷ Inventaire des biens susceptibles d'être requis en temps de guerre.

recenser [ʀəsɑ̃se] v. tr. [1] Effectuer le recensement de. *Recenser la population.*

recenseur n. m. Personne qui recense; agent employé au recensement.

recension [ʀ(ə)sɑ̃sjɔ̃] n. f. **1.** Vérification du texte d'une édition d'après les manuscrits. **2.** Fig. Présentation critique et détaillée d'un ouvrage dans un journal, une revue.

récent, ente adj. Qui s'est produit, qui existe depuis peu de temps. Ant. ancien.

recentrage n. m. Action de recentrer. ▷ POLIT Action de se resituer vers le centre; résultat de cette action. *Opérer un recentrage.*

recentrer **1.** v. tr. [1] Opérer un nouveau centrage. ▷ Fig. *Recentrer une action,* l'adapter à de nouveaux objectifs. ▷ v. pron. *Ce parti s'est recentré en vue des élections.* **2.** SPORT Remettre le ballon au centre.

recépage ou **recepage** n. m. **1.** AGRIC Opération qui consiste à tailler une vigne jusqu'au pied, à étêter ou à couper près du sol un jeune arbre, pour obtenir des rejets drus et vigoureux. **2.** TRAV PUBL Opération qui consiste à couper à la hauteur convenable des pieux ou des pilotis insuffisamment enfoncés.

recéper [14] ou **receper** [16] v. tr. **1.** AGRIC Soumettre (une vigne, un arbre) au recépage. **2.** TRAV PUBL Égaliser (des pieux, des pilotis) par recépage.

récépissé n. m. Écrit attestant qu'on a reçu des documents, de l'argent, des objets, etc. Syn. reçu.

réceptacle n. m. **1.** Ce qui reçoit, ce qui est destiné à recevoir des choses de provenances diverses. *Ce terrain est le réceptacle des immondices de la ville.* **2.** BOT Extrémité plus ou moins renflée du pédoncule de la fleur, sur laquelle sont insérées les pièces florales.

récepteur, trice n. m. et adj. **1.** Qui reçoit, dont la fonction est de recevoir. **2.** n. m. LING Destinataire du message linguistique (par oppos. à *émetteur*). **3.** n. m. TECH Appareil qui reçoit de l'énergie électrique et la transforme en énergie calorifique, chimique, mécanique, etc. (par oppos. à *générateur*). ▷ TECH et cour. Appareil utilisé pour la réception des ondes radioélectriques (par oppos. à *émetteur*). *Récepteur de radio, de télévision,* etc. – adj. *Poste récepteur.* **4.** n. m. PHYSIOL Toute structure, tout organe susceptible de recevoir des stimuli et de les transmettre sous forme d'influx nerveux ou de message chimiquement codé. *Récepteurs sensoriels.* ▷ BIOL Glycoprotéine, présente sur la surface des membranes cellulaires, réagissant spécifiquement aux médiateurs* (hormones*, cytokines*, etc.) qui circulent dans le milieu extérieur. – adj. *Site récepteur d'une enzyme.*

réceptif, ive adj. **1.** Susceptible de recevoir des impressions. ▷ *Réceptif à :* sensible à. *Être réceptif au charme d'un paysage.* **2.** BIOL, MED Susceptible de contracter une infection, une maladie.

réception n. f. **1.** Action, fait de recevoir (qqch). *Accuser réception d'une lettre.* – Loc. nom. *Accusé de réception :* billet attestant qu'une chose a été reçue. ▷ Action, fait, manière de recevoir (un signal, des ondes, etc.). *L'émetteur est trop loin pour une bonne réception.* **2.** Action, manière de recevoir (qqn). *Faire une réception chaleureuse à qqn.* Syn. accueil. **3.** Service d'accueil pour les clients d'un hôtel ou d'une entreprise, les usagers d'un service public, etc. *Adressez-vous à la réception.* **4.** Action de recevoir des invités, des visites. *Jour de réception.* ▷ Réunion mondaine. *Organiser, donner une réception.* **5.** Action de recevoir, fait d'être reçu, admis dans une compagnie, dans une charge. *Discours de réception d'un académicien.* **6.** COMM *Réception de travaux :* acte par lequel le client accepte la livraison d'un ouvrage, d'une installation, etc., après avoir contrôlé sa conformité aux spécifications de la commande. *Prononcer la réception* (V. recette I, 4). **7.** SPORT Action de recevoir le ballon. ▷ Action, manière de se recevoir au sol (après un saut).

réceptionnaire n. et adj. Personne qui reçoit une marchandise; personne chargée de recevoir les marchandises. ▷ adj. *Agent réceptionnaire.*

réceptionner v. tr. [1] COMM, TECH Accepter (une livraison) après vérification de sa conformité à la commande passée et au cahier des charges.

réceptionniste n. Employé chargé de la réception des clients.

réceptivité n. f. **1.** Fait d'être réceptif; caractère de ce qui est réceptif; aptitude à recevoir des impressions. ▷ Aptitude à recevoir et à assimiler les idées d'autrui. **2.** MED Disposition à contracter (certaines maladies).

récessif, ive adj. **1.** BIOL Se dit d'un gène qui ne fait apparaître le caractère qui lui est lié que si celui-ci existe sur les deux chromosomes hérités des parents. **2.** De la récession économique. *L'impact récessif d'une politique budgétaire.* Syn. récessionniste.

récession n. f. **1.** Didac. Action, fait de se retirer. ▷ ASTRO Éloignement progressif des galaxies les unes par rapport aux autres, à une vitesse proportionnelle à leur distance. **2.** Fig. Ralentissement de l'activité économique d'un pays. *Période de récession.*

récessionniste adj. ECON Syn. de *récessif. Les tendances récessionnistes mondiales.*

récessivité n. f. BIOL Caractère récessif.

recette n. f. **I. 1.** Ce qui est reçu, perçu en argent, en effets de commerce. *Commerçant qui compte sa recette.* ▷ *Faire recette :* rapporter de l'argent; *par ext.,* avoir du succès. *Un film qui fait recette.* **2.** Action de recevoir, de recouvrer ce qui est dû. *Garçon de recette d'une banque.* **3.** Bureau où l'on perçoit les taxes. *Recette générale, particulière.* **4.** Vérification de la conformité d'un matériel livré aux spécifications de la commande. **II. 1.** Mode de préparation d'un mets; ensemble des indications qui permettent de le confectionner (liste des ingrédients, temps de cuisson, etc.). *Recette d'un gâteau. Livre de recettes.* ▷ Formule d'une préparation médicamenteuse. **2.** Fig. Moyen, procédé pour réussir qqch. *Une recette pour faire rapidement fortune.* **III.** TECH Dans les mines, partie du carreau où sont reçus les produits extraits.

recevabilité n. f. DR Qualité de ce qui est recevable.

recevable adj. **1.** Qui peut être reçu. Syn. acceptable, admissible. **2.** DR Se dit d'une demande qui réunit les conditions légales permettant à la justice, à l'Administration de l'accueillir.

receveur, euse n. **1.** Personne chargée de recouvrer ou de gérer une recette (sens I, 3). ▷ *Spécial.* Fonctionnaire recevant les deniers publics. *Receveur des postes, receveur municipal.* **2.** Employé chargé, dans les transports en commun, de percevoir le montant des places. *Receveur d'autobus.* **3.** MED Personne qui reçoit du sang, un fragment de tissu ou un organe, dans une transfusion, une greffe, une transplantation (par oppos. à *donneur*). ▷ *Receveur universel :* personne du groupe sanguin AB, susceptible de recevoir du sang de tous les groupes sanguins.

recevoir v. [5] **I.** v. tr. **1.** Se voir donner, envoyer, adresser (qqch). ▷ (Concret) *Recevoir un legs, un cadeau. Recevoir du courrier.* ▷ (Abstrait) *Recevoir des ordres, des conseils, des compliments.* – (Sujet n. de chose.) *Ce passage peut recevoir plusieurs interprétations.* **2.** Prendre sur soi, subir. ▷ (Concret) *Recevoir des coups, une averse.* ▷ (Abstrait) *Recevoir un affront.* **3.** Laisser entrer; recueillir. *Cette pièce reçoit le soleil du matin. La mer reçoit l'eau des fleuves.* **4.** Accueillir; faire un certain accueil à. *Il nous a bien reçus.* ▷ (Objet n. de chose.) *Comment a-t-il reçu votre proposition ?* **5.** Accueillir chez soi. *Recevoir des amis.* – Absol. *Ils ne reçoivent jamais.* ▷ Accueillir pour une entrevue. *Le directeur vous recevra dans un instant.* **6.** Admettre à un examen. *Recevoir un candidat.* ▷ Admettre (qqn) dans une société, l'installer dans une charge avec un certain cérémonial. *Recevoir le nouvel élu à l'Académie française.* **7.** Agréer, admettre. *Recevoir une pièce de théâtre.* ▷ Admettre, accepter comme vrai, reconnaître. *Idées toutes faites que l'on reçoit sans examen,* ou *idées reçues.* **8.** RADIOELECTR Capter (des ondes). *Ce poste ne reçoit pas les ondes courtes. Je vous reçois mal.* **II.** v. pron. SPORT Retomber d'une certaine manière (après un saut). *Se recevoir sur les mains.*

réchampir ou **rechampir** v. tr. [3] TECH Détacher (un ornement) d'un fond, en soulignant les contours par un contraste de couleurs, au moyen de moulures, etc.

réchampissage ou **rechampissage** n. m. TECH Action de réchampir; ouvrage réchampi.

1. rechange n. m. DR COMM Opération par laquelle le porteur d'une lettre de change protestée émet une nouvelle lettre pour se faire rembourser.

2. rechange n. m. **1.** Remplacement d'objets par des objets semblables que l'on tient en réserve (surtout dans la loc. adj. *de rechange*). *Linge de rechange.* – Fig. *Trouver une solution de rechange.* **2.** *Par ext.* Objet (et partic. vêtement) de rechange. *Emporter le rechange d'une pièce difficile à trouver. Elle n'a pas pris beaucoup de rechange en linge.*

rechapage n. m. TECH Action de rechaper; son résultat.

rechaper v. tr. [1] TECH Appliquer une nouvelle couche de gomme sur (un pneumatique usé).

réchappé, ée n. Litt. Rescapé. *Les réchappés d'une catastrophe.*

réchapper v. intr. [1] Se tirer d'un grand péril. *Il a réchappé de l'accident. Il en a* (ou *il en est*) *réchappé.*

recharge n. f. **1.** Action de recharger. *Mettre une batterie en recharge.* **2.** Seconde charge d'explosif ajoutée à la première dans une arme, une mine, etc. – *Par ext.* Ce qui sert à recharger. *Recharge de briquet à gaz.*

rechargeable adj. Qui peut être rechargé. *Stylo rechargeable.*

rechargement n. m. Action de recharger.

recharger v. tr. [13] **1.** Charger de nouveau. *Recharger des wagonnets.* **2.**

Garnir d'une nouvelle charge. *Recharger une arme après avoir tiré. – Recharger une batterie d'accumulateurs.* **3.** TECH Ajouter de la matière à (une pièce usée), notam. par soudage. ▷ Ajouter des pierres sur (une route, le ballast d'une voie ferrée).

réchaud n. m. Petit fourneau, généralement portatif, destiné à chauffer ou à réchauffer diverses choses, partic. les aliments. *Réchaud à gaz, électrique.*

réchauffé, ée adj. et n. m. **1.** Qui a été réchauffé. *Un dîner réchauffé.* **2.** Fig., péjor. Vieux et trop connu. *Histoires réchauffées.* ▷ n. m. *C'est du réchauffé.*

réchauffement n. m. Fait de se réchauffer. *Réchauffement du temps.*

réchauffer v. tr. [1] **1.** Chauffer (ce qui était froid ou refroidi). *Réchauffer le dîner.* **2.** Fig. Ranimer, rendre plus chaleureux, plus vivant. *Plaisanteries qui réchauffent l'atmosphère.* **3.** Redonner de la chaleur au corps de (qqn). *Une tasse de thé vous réchauffera.* ▷ v. pron. *Il court pour se réchauffer.* ▷ Fig. Réconforter. *Des paroles qui réchauffent le cœur.*

réchauffeur n. m. TECH Appareil servant à réchauffer (un fluide, une matière). *Réchauffeur de fuel.*

rechausser v. tr. [1] **1.** Chausser de nouveau. *Rechausser ses skis.* ▷ v. pron. Remettre ses chaussures. *Rechaussez-vous.* **2.** Donner, procurer de nouvelles chaussures à (qqn). *Le bottier m'a rechaussé à neuf.* ▷ *Par ext.* Ferrer (un cheval qui a perdu un fer). – Remplacer les pneus usés de (une voiture, un camion, etc.) par des pneus neufs. **3.** AGRIC Remettre de la terre au pied de (un végétal). *Rechausser un arbre.* ▷ CONSTR Reprendre en sous-œuvre, consolider le pied de (un ouvrage). *Rechausser un mur.*

rêche adj. **1.** Rare Âpre au goût. *Pomme rêche.* **2.** Rude au toucher. *Peau rêche.* **3.** Fig. De caractère difficile, peu aimable. *Personne rêche.* Syn. revêche.

recherche n. f. **1.** Action de rechercher pour trouver, découvrir. *Partir, se mettre, se lancer à la recherche de qqn, de qqch.* **2.** (Au plur.) Travaux scientifiques, d'érudition. *Recherches sur le cancer.* – (Au sing.) Ensemble de ces travaux, visant à faire progresser la connaissance. *Recherche scientifique* – Absol. *Faire de la recherche.* **3.** Action de faire effort pour obtenir qqch, atteindre un but. *Recherche de la vérité.* **4.** Soin, raffinement. *Recherche dans le style, dans la toilette.*

recherché, ée adj. **1.** Que l'on recherche, que l'on cherche à obtenir; peu commun. *Des meubles très recherchés.* ▷ (Personnes) Que l'on cherche à fréquenter. *Des gens très recherchés.* Syn. prisé. **2.** Qui témoigne d'un souci de recherche, de raffinement. *Élégance recherchée.*

recherche-développement n. f. sing. ECON Processus qui va de la conception à la réalisation d'un nouveau produit. (Abrév. : R. et D.).

rechercher v. tr. [1] **1.** Chercher de nouveau. *J'ai dû aller rechercher des informations.* **2.** Chercher avec soin pour trouver, découvrir. *Rechercher la cause d'un phénomène.* ▷ (Objet n. de personne.) *La police recherche le coupable.* **3.** Tâcher d'obtenir, d'atteindre. *Rechercher les honneurs. Rechercher la perfection.*

recherchiste n. (Canada) Personne spécialisée dans la recherche de documentation pour la réalisation d'émissions de radio, de télévision ou d'œuvres imprimées.

rechigner v. [1] **1.** v. intr. Manifester sa mauvaise humeur, sa répugnance par un air maussade et de sourdes protestations. *Qu'avez-vous encore à rechigner?* Syn. grogner, (fam.) râler. **2.** v. tr. indir. Témoigner de la répugnance, de la mauvaise volonté pour. *Rechigner au travail.* Syn. renâcler.

rechristianiser v. tr. [1] Ramener à la foi chrétienne (une population).

Recht, v. d'Iran, au N.-O. de Téhéran, sur la mer Caspienne; 260 000 hab.; ch.-l. de prov. Industr. textiles (soieries, tapis).

rechute n. f. **1.** Nouvelle évolution d'une maladie qui semblait en voie de guérison. **2.** RELIG Fait de retomber dans le péché.

rechuter v. intr. [1] Tomber malade de nouveau, faire une rechute.

récidivant, ante adj. MED Qui récidive. *Un symptôme récidivant.*

récidive n. f. **1.** MED Réapparition d'une maladie après sa guérison complète, réelle ou apparente. **2.** DR Fait de commettre une nouvelle infraction après une condamnation définitive pour une infraction précédente; cette nouvelle infraction elle-même. **3.** Action de refaire la même faute.

récidiver v. intr. [1] **1.** MED Réapparaître, en parlant d'une maladie qui semblait complètement guérie. **2.** DR Commettre une récidive. **3.** Refaire la même faute.

récidiviste n. Personne qui commet un crime, un délit avec récidive.

récif n. m. Rocher ou ensemble de rochers à fleur d'eau dans la mer. ▷ GEOGR *Récif frangeant, récif-barrière.* V. encycl.

ENCYCL Les récifs coralliens résultent de l'accumulation d'algues calcaires, d'huîtres, de coraux, etc. On distingue trois formes : le *récif-barrière,* situé à une certaine distance du rivage; le *récif frangeant,* fixé au littoral; l'*atoll.*

Recife (anc. *Pernambouc*), v. et port du N.-E. du Brésil, cap. de l'État de Pernambouc; 1 289 630 hab. (aggl. urb. 2 348 360 hab.). Port actif (café, coton, viande) et ville industrielle (constr. mécaniques et électriques; industr. textiles, chimiques et alimentaires), Recife a connu un essor démographique important. – Égl. baroques (XVIIe-XVIIIe s.); maisons coloniales. – Fondée par les Portugais (1548), la ville se développa sous l'impulsion des Hollandais, qui l'occupèrent au XVIIe s.

récipiendaire n. **1.** Personne que l'on reçoit dans un corps, dans une compagnie, avec un certain cérémonial. *Discours d'un récipiendaire à l'Académie française.* **2.** Personne qui reçoit un diplôme universitaire.

récipient n. m. Tout ustensile destiné à contenir une substance quelconque.

réciprocité n. f. État, caractère de ce qui est réciproque.

réciproque adj. et n. f. **I.** adj. **1.** Que deux personnes, deux choses ont l'une pour l'autre, exercent l'une sur l'autre. *Amour réciproque. Influence réciproque.* Syn. mutuel. **2.** GRAM *Verbes réciproques :* verbes pronominaux indiquant que l'action est réalisée simultanément par deux sujets au moins, chacun d'eux étant à la fois agent et objet de cette action. (Ex. : Ils se battent.) **3.** LOG *Propositions réciproques,* où le sujet de l'une peut devenir l'attribut de l'autre, et vice versa. (Ex. : L'homme est un animal raisonnable et Un animal raisonnable est un homme.) **4.** MATH *Application réciproque* (ou *inverse*) *d'une application f d'un ensemble A dans un ensemble B :* application, notée f^{-1}, de l'ensemble B dans l'ensemble A. ▷ *Propositions* ou *théorèmes réciproques,* tels que l'hypothèse de l'un est la conclusion de l'autre. **II.** n. f. **1.** LOG Proposition réciproque. **2.** *Rendre la réciproque,* la pareille.

réciproquement adv. **1.** Mutuellement. *Se respecter réciproquement.* **2.** Loc. adv. *Et réciproquement* (annonçant ou sous-entendant la réciproque d'une proposition). *J'ai mis l'armoire à la place du lit et réciproquement (le lit à la place de l'armoire).*

récit n. m. **1.** Narration orale ou écrite de faits réels ou imaginaires. *Récit d'aventures. Récit historique.* **2.** LITTER Relation d'événements qui ne sont pas représentés sur la scène, dans le théâtre classique. **3.** MUS Vx Récitatif. ▷ Un des claviers de l'orgue.

récital, als n. m. Audition publique donnée par un artiste qui chante seul ou joue seul d'un instrument. *Récital de violon.* – Par ext. *Récital de danse. Récital poétique.*

récitant, ante adj. et n. **1.** adj. MUS Se dit de la voix ou de l'instrument qui exécute seul la partie narrative d'une œuvre. ▷ Subst. Celui, celle qui chante un récitatif. **2.** n. Dans une pièce de théâtre, un film, etc., personne qui dit un texte permettant de comprendre l'action.

récitatif n. m. MUS Dans la musique dramatique, déclamation notée, «manière de chant qui approche beaucoup de la parole» (J.-J. Rousseau).

récitation n. f. **1.** Action de réciter. **2.** Texte littéraire, poème qu'un écolier doit apprendre par cœur.

réciter v. tr. [1] Prononcer à haute voix (ce qu'on connaît par cœur). *Réciter une leçon, un discours.*

Recklinghausen, v. d'Allemagne (Rhénanie-du-Nord-Westphalie), dans la Ruhr; 117 590 hab. Sidérurgie, carbochimie.

Recklinghausen (maladie de) Syn. de *neurofibromatose.*

réclamant, ante n. DR Celui, celle qui réclame qqch.

réclamation n. f. Action de réclamer pour faire respecter un droit. *Bureau des réclamations.*

réclame n. **I.** n. m. FAUC Cri, signe destiné à faire revenir un oiseau. **II.** n. f. **1.** Petit article de journal où l'on vante les qualités d'un produit dans un dessein commercial. **2.** Publicité commerciale. *Faire de la réclame.* ▷ *Marchandises en réclame,* vendues à prix réduit pour attirer les clients. – (En appos.) *Vente réclame.*

réclamer v. [1] **I.** v. tr. **1.** Demander de façon pressante (qqn, qqch dont on a besoin). *Malade qui réclame de l'eau.* **2.** Fig. (Sujet n. de chose.) Nécessiter. *Son état réclame des précautions.* **3.** Demander avec force (ce à quoi l'on a droit). *Réclamer la récompense promise.* **II.** v. intr. Litt. Protester, s'élever contre une injustice. *Réclamer en faveur d'un innocent.* **III.** v. pron. *Se réclamer de qqn, de qqch,* s'appuyer sur sa notoriété, son prestige, s'en prévaloir, s'y référer. *Se réclamer d'une tradition séculaire.*

reclassement n. m. Action de reclasser (qqch, qqn).

reclasser v. tr. [1] **1.** Classer de nouveau ou d'une manière différente. **2.** Affecter (qqn qui ne peut plus exercer son emploi) à un poste ou dans un secteur différent. **3.** Réajuster le traitement de (une catégorie de fonctionnaires).

reclus, use adj. et n. Qui vit enfermé, isolé du monde. *Moine reclus.* ▷ Subst. *Un(e) reclus(e).*

Reclus (Élie) (Sainte-Foy-la-Grande, Gironde, 1827 - Bruxelles, 1904), écrivain français : *les Primitifs, études d'ethnologie comparée* (1885). Membre de la Commune, il fut banni en 1871. – **Élisée** (Sainte-Foy-la-Grande, 1830 - Thourout, Belgique, 1905), frère du préc.; géographe : *Géographie universelle* (1875-1894); *l'Homme et la Terre* (posth., 1905-1908); membre de l'Internationale socialiste, proche de Bakounine, il fut banni pour sa participation à la Commune.

réclusion n. f. **1.** Litt. État d'une personne recluse. **2.** DR Peine afflictive et infamante, privative de liberté, comportant l'obligation de travailler. *En France, la réclusion criminelle à perpétuité a été substituée à la peine de mort depuis 1981.*

récognitif adj. m. DR Se dit d'un acte par lequel on reconnaît ou rectifie une obligation ou un droit en se référant à un acte antérieur.

recognition [ʀəkɔgnisjɔ̃] n. f. PHILO Action de reconnaître qqn, qqch par la mémoire.

recoiffer v. [1] **I.** v. tr. **1.** Coiffer de nouveau. **2.** Remettre un chapeau à (qqn). **II.** v. pron. **1.** Arranger de nouveau ses cheveux. **2.** Remettre son chapeau.

recoin n. m. Coin bien caché. *Dissimuler qqch dans un recoin.* ▷ Fig. *Les recoins du cœur, de l'esprit.*

récolement n. m. Didac. Action de récoler. ▷ DR *Récolement d'un inventaire,* vérification des effets qu'il contient.

récoler v. tr. [1] Didac. Vérifier d'après un inventaire. *Récoler les manuscrits d'une bibliothèque.*

recollage n. m. Action de recoller.

récollection n. f. RELIG Action de se recueillir; retraite spirituelle.

recollement n. m. Fait de se recoller.

recoller v. [1] **1.** v. tr. Coller de nouveau; réparer (un objet cassé) avec de la colle. **2.** v. intr. SPORT Se trouver à nouveau dans le peloton après avoir été distancé.

récollet n. m. RELIG CATHOL Religieux appartenant à la branche réformée des augustins ou à l'une des branches réformées des franciscains.

récoltable adj. Que l'on peut récolter.

récoltant, ante adj. et n. Qui fait lui-même sa récolte. *Propriétaire récoltant.* ▷ Subst. *Un(e) récoltant(e).*

récolte n. f. **1.** Action de recueillir des produits végétaux; les produits recueillis. *Récolte des betteraves.* **2.** Fig. Ce qu'on rassemble au prix d'un certain effort. *Récolte de renseignements.*

récolter v. tr. [1] **1.** Faire une récolte de. *Récolter des céréales.* ▷ Prov. *Qui sème le vent récolte la tempête.* **2.** Fig. Recueillir, obtenir. *Récolter des mauvaises notes.*

récolteur, euse n. Personne qui effectue une récolte (sens 1).

recombinaison n. f. **1.** CHIM Formation d'une entité chimique à partir de fragments qui résultent de la dissociation antérieure de cette entité. **2.** GENET Processus par lequel, à une génération donnée, les gènes se combinent entre eux d'une façon différente de celle de la génération précédente.

recombinant, ante adj. GENET Se dit d'une protéine, d'une cellule, d'un organisme obtenus par génie génétique ou résultant d'une recombinaison.

recombiner v. tr. [1] GENET Pratiquer une recombinaison.

recommandable adj. Digne d'être recommandé, estimé. *Individu peu recommandable.*

recommandation n. f. **1.** Conseil sur lequel on insiste. *Faire des recommandations à un enfant.* **2.** Action de recommander qqn (sens I, 3). *Lettre de recommandation.* **3.** Formalité par laquelle on recommande (sens I, 5) une lettre, un colis.

recommandé, ée adj. et n. *Lettres, colis recommandés,* auxquels s'applique la recommandation postale. ▷ Subst. *Envoi en recommandé.*

recommander v. [1] **I.** v. tr. **1.** Indiquer, conseiller (qqch) à qqn, dans son intérêt. *Recommander un film. Recommander la prudence à un automobiliste.* **2.** *Recommander de* (+ inf.) : faire savoir à qqn (ce qu'on attend de lui) en insistant pour qu'il se conforme à cette demande. *Elle lui a recommandé de veiller sur son frère.* **3.** Demander à une personne d'être favorable à (qqn). *Un candidat que M. Untel me recommande.* ▷ *Recommander son âme à Dieu,* implorer sa pitié au moment de mourir. **4.** Par méton. (Sujet n. de chose.) Rendre digne de considération. *Son talent le recommande.* **5.** *Recommander une lettre, un colis,* s'assurer, en payant une taxe, qu'ils seront remis en main propre au destinataire. **II.** v. pron. **1.** *Se recommander à :* demander aide, protection à. *Se recommander à Dieu.* **2.** *Se recommander de qqn,* invoquer son appui. **3.** Se faire estimer. *Ce restaurant se recommande par ses spécialités.*

recommencement n. m. Fait de recommencer.

recommencer v. tr. [12] Commencer de nouveau après une interruption; refaire (ce qu'on a déjà fait). *Recommencer un devoir.* ▷ v. tr. indir. (suivi d'un infinitif). *Recommencer à travailler.* ▷ v. intr. *Les cours vont recommencer.* – Fam. *Recommencer de plus belle,* avec plus d'ardeur, de violence.

récompense n. f. **1.** Ce qu'on donne à qqn pour un service rendu, un mérite particulier. *Mériter, distribuer des récompenses.* ▷ Iron. *Il aura la récompense de sa méchanceté.* **2.** DR Indemnité due, en cas de liquidation de communauté légale, par un des époux à la communauté (s'il a enrichi son propre patrimoine), ou par la communauté à l'un des époux (si ses biens propres ont servi à augmenter la masse commune).

récompenser v. tr. [1] Donner une récompense à (qqn). *Récompenser qqn d'une bonne action.* – Par ext. *Récompenser le mérite.*

recomposé, ée adj. Se dit d'une famille où un couple cohabite avec des enfants nés d'une union précédente.

recomposer v. tr. [1] **1.** Reconstituer (ce qui a été décomposé, séparé en divers éléments). **2.** Composer à nouveau. **3.** TYPO Composer de nouveau (un texte).

recomposition n. f. Action de recomposer; son résultat. *Recomposition d'un ensemble dépareillé. Recomposition du bureau d'une société, d'un parti.*

recompter [ʀ(ə)kɔ̃te] v. tr. [1] Compter de nouveau. *Recompter une somme.*

réconciliateur, trice n. et adj. Qui réconcilie.

réconciliation n. f. **1.** Action de réconcilier, de se réconcilier. **2.** LITURG CATHOL Cérémonie au cours de laquelle un apostat, un clerc suspens, un édifice sacré est réconcilié. ▷ *Sacrement de la réconciliation,* par lequel le prêtre, au nom de Dieu, absout les péchés confessés par le pénitent. (Appelé auparavant *sacrement de pénitence.*)

réconcilier v. tr. [2] **1.** Remettre d'accord (des personnes brouillées). *Réconcilier des ennemis.* – Fig. *Son professeur l'a réconcilié avec les mathématiques.* ▷ v. pron. (Réfl.) *Il s'est réconcilié avec lui.* – (Récipr.) *Ils se sont réconciliés.* **2.** LITURG CATHOL Consacrer de nouveau (une église qui a été profanée). – Réadmettre dans l'Église (un apostat, un clerc suspens). **3.** Fig. Faire s'accorder entre elles (des choses apparemment opposées). *Réconcilier la politique et la morale.*

reconductible adj. Qui peut être renouvelé ou prorogé.

reconduction n. f. Action de reconduire (sens 2), de renouveler. *Reconduction d'un forfait.* ▷ DR Renouvellement d'un contrat. *Tacite reconduction :* fait, pour un contrat, d'être reconduit systématiquement si l'une des parties ne s'y oppose pas.

reconduire v. tr. [69] **1.** Accompagner (qqn qui s'en va). *Reconduire des amis jusqu'à la porte.* **2.** Renouveler, proroger. *Reconduire un contrat.* – Par ext. *Reconduire qqn dans ses fonctions.* **3.** Conduire (I, sens 4) de nouveau.

réconfort n. m. Ce qui réconforte moralement. *Trouver du réconfort dans une lecture.*

réconfortant, ante adj. Qui réconforte physiquement ou moralement.

réconforter v. [1] **I.** v. tr. **1.** Rendre des forces physiques à (qqn). *Ce bain chaud m'a réconforté.* **2.** Redonner de la force morale, du courage à (une personne éprouvée). *Réconforter un malade.* **II.** v. pron. Reprendre des forces, du courage.

reconnaissable adj. Que l'on peut reconnaître.

reconnaissance n. f. **I.** **1.** Action de reconnaître qqn, qqch; fait de se reconnaître mutuellement. **2.** Aveu, confession. *La reconnaissance de ses erreurs.* **3.** Fait d'admettre pour tel ou de reconnaître la légitimité de. *La reconnaissance d'un gouvernement.* ▷ DR *Reconnaissance d'un enfant,* fait de le reconnaître officiellement pour sien. ▷ Acte écrit par lequel on reconnaît une obligation. *Signer une reconnaissance de dette.* **4.** Action de reconnaître (sens I, 5) un lieu. ▷ MILIT Opération par laquelle on cherche à déterminer la nature d'un terrain, la position, le nombre des ennemis, etc. *Envoyer des avions en reconnaissance.* **II.** Sentiment qui porte à témoigner qu'on se souvient d'un bienfait reçu. Syn. gratitude.

reconnaissant, ante adj. Qui éprouve, qui manifeste de la reconnaissance (sens II).

reconnaître v. [73] **I.** v. tr. **1.** Percevoir (qqn, qqch) comme déjà connu, identifier. *Elle ne l'a pas reconnu tellement il a changé. Je reconnais cette odeur.* ▷ *Reconnaître (qqch, qqn) à :* identifier (qqch, qqn) grâce à (un détail, un trait). *Sur ce tableau, on reconnaît Napoléon à son chapeau.* **2.** Admettre comme vrai, comme certain. *Je reconnais ses mérites.* **3.** Avouer, confesser (qqch). *Reconnaître ses fautes.* **4.** Admettre, tenir (qqn) pour tel. *Reconnaître qqn pour roi.* ▷ *Reconnaître un enfant :* déclarer officiellement qu'on est le père ou la mère d'un enfant naturel. ▷ *Reconnaître un gouvernement,* admettre sa légitimité. **5.** Examiner (un lieu) pour le connaître ; essayer de déterminer l'emplacement de (qqch). *Reconnaître les lieux. Reconnaître une position ennemie.* **II.** v. pron. **1.** Retrouver son image dans qqch. *Se reconnaître sur une photographie.* – Fig. *Ce grand-père se reconnaît dans son petit-fils.* **2.** Se retrouver, s'orienter. *Je n'arrive pas à me reconnaître dans ces nouveaux quartiers.* **3.** S'avouer comme tel. *Se reconnaître coupable.*

reconnu, ue adj. **1.** Qui a été reconnu (V. reconnaître, sens I). **2.** Dont la valeur n'est pas mise en doute. *Un musicien reconnu.*

reconquérir v. tr. [35] Conquérir de nouveau. *Reconquérir une place forte.* ▷ Fig. *Reconquérir l'estime de qqn.*

reconquête n. f. Action de reconquérir.

Reconquista (« Reconquête »), terme par lequel les historiens désignent la reconquête (du VIIIe s. au XVe s., mais surtout du XIe s. au XIIIe s.), par les chrétiens, des territoires que les Arabes occupaient en Espagne. La Reconquista s'acheva en 1492 (prise de Grenade).

reconsidérer v. tr. [14] Réexaminer pour réviser la décision précédemment adoptée. *Reconsidérer une question.*

reconstituant, ante adj. et n. m. Se dit d'un aliment, d'un médicament qui redonne des forces.

reconstituer v. tr. [1] **1.** Constituer, créer de nouveau. *Reconstituer une association dissoute.* **2.** Redonner à (une chose dont il ne reste que des éléments épars, fragmentaires) sa forme primitive. *Reconstituer un vase grec.* **3.** Représenter (un fait, un événement) tel qu'il s'est produit. *Reconstituer une scène historique. Reconstituer un crime,* sur les lieux mêmes où il a été commis, au cours d'une enquête de justice.

Reconquista : cortège des Rois Catholiques entrant à Grenade, détail du retable (sculpté par Philippe de Bourgogne), 1520-1522, Chapelle royale de la cathédrale, Grenade

reconstitution n. f. Action de reconstituer ; son résultat.

reconstruction n. f. Action de reconstruire ; son résultat.

reconstruire v. tr. [69] Construire de nouveau (ce qui a été détruit). *Reconstruire un édifice.*

reconvention n. f. DR Demande que formule le défendeur contre le demandeur, devant le même juge.

reconventionnel, elle adj. DR Qui constitue une reconvention. *Demande reconventionnelle.*

reconversion n. f. ECON Adaptation de l'économie d'un pays, d'une région, à de nouvelles conditions financières, politiques, économiques. – *Par ext.* Changement radical de la nature des activités d'une entreprise par suite de l'évolution du marché. – Changement de métier d'un travailleur (souvent en raison de la suppression du type d'emploi pour lequel il était qualifié).

reconvertir v. [3] **1.** v. tr. ECON Pratiquer, assurer la reconversion de (qqch, qqn). **2.** v. pron. Changer de métier.

recopier v. tr. [2] Copier (un texte). *Recopier des citations dans un cahier. Recopier un brouillon,* le mettre au propre.

record n. m. **1.** SPORT Exploit sportif surpassant tout ce qui a été fait jusqu'alors dans le domaine. *Record de vitesse, de hauteur.* **2.** *Par ext.* Fait surpassant tout ce qu'on avait vu dans le genre. *Record d'affluence.* – Fig. *Il bat tous les records d'avarice.* ▷ (En appos.) Jamais atteint ou enregistré auparavant. *Température record.*

recordage n. m. Action de recorder ; son résultat.

recorder v. tr. [1] **1.** Attacher de nouveau avec une corde. **2.** Munir de nouvelles cordes. *Recorder une raquette.*

recordman, men [ʀəkɔʀdman, mɛn] n. m. et **recordwoman, women** [ʀəkɔʀdwuman, wumɛn] n. f. SPORT Personne qui détient un record.

recors [ʀ(ə)kɔʀ] n. m. Anc. Personne qui accompagnait un huissier pour lui servir de témoin ou lui prêter main-forte dans certains cas.

recoucher v. tr. [1] Coucher de nouveau. ▷ v. pron. Se remettre au lit.

recoudre v. tr. [76] Coudre (une étoffe décousue ou déchirée). – CHIR Coudre (une plaie).

recoupage n. m. TECH Action de recouper (sens I, 1, 2 et II) ; son résultat. *Le recoupage des vins.*

recoupe n. f. **1.** AGRIC Seconde coupe de foin sur une prairie dans la même année. **2.** Morceau qui tombe quand on taille, quand on coupe qqch. Syn. chute. **3.** Farine de seconde mouture, de qualité inférieure. **4.** Eau-de-vie faite d'alcool étendu d'eau.

recoupement n. m. **1.** CONSTR Retraite donnée à chaque assise de pierre pour consolider un bâtiment. **2.** TECH Levé d'un point par l'intersection de lignes qui se coupent en ce point. **3.** Fig. Coïncidence de renseignements venus de sources différentes. – Vérification d'un fait, d'une information par confrontation de données provenant d'autres sources.

recouper v. [1] **I.** v. tr. **1.** Couper de nouveau. **2.** TECH Ajouter divers vins au produit d'un premier coupage. **3.** Fig. Vérifier par recoupement. *Recouper des témoignages.* ▷ v. pron. *Tous les faits se recoupent.* Syn. coïncider. **II.** v. intr. JEU Couper une seconde fois les cartes.

recourber v. tr. [1] **1.** Rare Courber une nouvelle fois. **2.** Courber à son extrémité. *Recourber un fer.* ▷ v. pron. *Cils qui se recourbent.*

recourbure n. f. **1.** Rare Partie recourbée. **2.** État d'une chose recourbée.

recourir v. [26] **I.** v. intr. **1.** Courir de nouveau. **2.** Fam. Retourner rapidement. **II.** v. tr. indir. *Recourir à.* **1.** Demander aide, assistance à (qqn). *Recourir au médecin de famille.* **2.** User de, employer (un moyen, un procédé). *Recourir à certains expédients.*

recours n. m. **1.** Action de recourir, de faire appel (à qqn, à qqch). *Avoir recours à la justice.* **2.** Ce à quoi l'on recourt. *C'est notre unique recours.* Syn. ressource. **3.** DR Action qu'on a contre qqn pour être indemnisé ou garanti. *Voies de recours.* – Démarche auprès d'une juridiction, par laquelle on demande la rétractation, la réformation ou la cassation d'une décision de justice. *Recours en cassation.* ▷ *Recours en grâce :* demande adressée au chef de l'État pour obtenir la remise ou la commutation d'une peine infligée par un jugement. V. pourvoi.

recouvrable adj. FIN Qu'on peut recouvrer. *Impôt recouvrable.*

1. recouvrement n. m. **1.** Litt. Action de recouvrer ce qui était perdu. **2.** FIN Perception de sommes dues. *Le recouvrement des impôts.*

2. recouvrement n. m. **1.** Fait de recouvrir. *Recouvrement d'un toit.* ▷ MATH *Recouvrement des parties P d'un ensemble E :* famille de parties de E dont la réunion contient P. ▷ GEOL Couche géologique venue recouvrir une autre plus récente. **2.** Toute partie qui en recouvre une autre. *Recouvrement partiel d'une tuile par une autre.*

recouvrer v. tr. [1] **1.** Litt. Rentrer en possession de. *Recouvrer la vue.* Syn. récupérer, retrouver. **2.** Recevoir en paiement (une somme due). *Recouvrer des créances.*

recouvrir v. tr. [32] **1.** Couvrir de nouveau. *Recouvrir un toit.* – (Objet n. de personne.) *Recouvrir un malade qui s'est découvert en dormant.* **2.** Couvrir complètement. *La mer recouvre une grande partie du globe.* ▷ Couvrir en partie. – v. pron. *Tuiles qui se recouvrent correctement.* ▷ Couvrir en enveloppant. *Recouvrir un meuble avec une housse.* **3.** Fig. Masquer, cacher. *Ses allures nonchalantes recouvrent une volonté inflexible.* **4.** Inclure, comprendre ; s'appliquer à ; coïncider avec. *Votre exposé recouvre en partie ce que j'allais dire.*

recracher v. [1] **1.** v. tr. Rejeter par la bouche ce qu'on ne veut ou ne peut pas avaler. **2.** v. intr. Cracher de nouveau.

récré n. f. Fam. Abrév. de *récréation.*

récréance n. f. **1.** DR CANON Anc. Jouissance provisionnelle d'un bénéfice en litige. **2.** DR *Lettres de récréance* ou *de rappel,* qu'un gouvernement envoie à un ambassadeur qu'il rappelle pour que celui-ci les présente au gouvernement auprès duquel il était accrédité.

récréatif, ive adj. Qui récrée, divertit. *Lectures récréatives.*

recréation n. f. Action de recréer; son résultat.

récréation n. f. **1.** Diversion au travail, délassement, détente. **2.** Temps accordé à des élèves pour se délasser entre les heures de classe. *Cour de récréation.* (Abrév. fam. : récré).

recréer v. tr. [**11**] Créer de nouveau. – Reconstituer; reconstruire mentalement.

récréer v. tr. [**11**] Litt. Divertir, détendre, délasser. ▷ v. pron. *Il se récrée d'un rien.*

recrépir v. tr. [**3**] Crépir de nouveau. *Recrépir un vieux mur.*

recrépissage n. m. Action de recrépir; son résultat.

récrier (se) v. pron. [**2**] Litt. Pousser une vive exclamation sous l'effet de l'étonnement, de la surprise, de l'indignation, etc. *Se récrier d'admiration.*

récriminateur, trice adj. et n. Qui récrimine, qui est porté à récriminer.

récrimination n. f. (Le plus souvent au plur.) Plaintes, protestations acerbes et amères, revendication.

récriminatoire adj. Qui a le caractère d'une récrimination, contient une récrimination. *Discours récriminatoire.*

récriminer v. intr. [**1**] Se plaindre, protester, critiquer amèrement.

ré(é)crire v. tr. [**67**] **1.** Écrire de nouveau. *Récrire une ligne.* **2.** Rédiger à nouveau, en modifiant. *Récrire un chapitre.* **3.** *Récrire à qqn,* lui écrire une nouvelle lettre ou lui écrire en retour.

recristallisation n. f. GEOL Modification des constituants d'une roche avec formation de cristaux différents.

ré(é)criture n. f. Action de réécrire un texte pour en améliorer le style ou le condenser. Syn. rewriting (anglicisme).

recroqueviller v. tr. [**1**] Replier, tordre en desséchant. *La sécheresse a recroquevillé les feuilles.* Syn. ratatiner, racornir. ▷ v. pron. (Choses) *Des feuilles qui se recroquevillent au soleil.* – (Personnes) Se ramasser sur soi-même. *Se recroqueviller pour avoir moins froid.* Syn. se pelotonner.

recru, ue adj. Litt. Épuisé, harassé. *Être recru de fatigue.*

recrû n. m. SYLVIC **1.** Ce qui a poussé après une coupe. **2.** Pousse annuelle d'un taillis, d'un bois.

recrudescence [ʀ(ə)kʀydesɑ̃s] n. f. **1.** MED Exacerbation des signes d'une maladie après une rémission passagère. **2.** *Par anal.* Retour avec accroissement. *Recrudescence du froid.* ▷ Augmentation, développement, intensification. *Recrudescence du banditisme.*

recrudescent, ente [ʀ(ə)kʀydesɑ̃, ɑ̃t] adj. Didac. ou litt. Qui est en recrudescence, qui reprend de l'intensité.

recrue n. f. **1.** Soldat nouvellement incorporé. **2.** Nouveau membre d'une société, d'un groupement. *Faire de nombreuses recrues.*

recrutement n. m. Action de recruter. *Service du recrutement de l'armée.*

recruter v. [**1**] **I.** v. tr. **1.** Appeler, engager (des recrues). *Recruter une troupe.* **2.** Chercher à engager, engager (du personnel). *Recruter des fonctionnaires.* ▷ Absol. *L'Administration recrute par concours.* ▷ Par ext. *Communauté, association qui recrute des adeptes, des adhérents.* **II.** v. pron. Être recruté. *Corps qui se recrute par concours.* – *Se recruter dans, parmi* : provenir de. *Les membres de ce parti se recrutent parmi les mécontents.*

recruteur n. m. Personne qui recrute (des soldats, des partisans, du personnel, etc.). ▷ (En appos.) *Sergent recruteur.*

rect(i)-. Élément, du lat. *rectus,* « droit ».

recta adv. Fam. Ponctuellement, exactement. *Payer recta.*

rectal, ale, aux adj. ANAT, MED Relatif au rectum.

rectangle adj. et n. m. **1.** adj. GEOM Qui possède au moins un angle droit. *Triangle rectangle. Quadrilatère rectangle.* ▷ *Parallélépipède rectangle* : parallélépipède droit dont les bases sont des rectangles. **2.** n. m. Quadrilatère rectangle. – Figure possédant quatre angles droits et quatre côtés égaux deux à deux.

rectangulaire adj. **1.** En forme de rectangle. **2.** GEOM Qui forme un angle droit. *Droites rectangulaires.* Syn. perpendiculaire.

recteur n. m. **1.** Anc. Chef d'une université. – Mod. Fonctionnaire responsable d'une académie (sens 3). **2.** Anc. Supérieur d'un collège de jésuites. **3.** RELIG CATHOL Supérieur de certaines maisons religieuses. – Prêtre à qui l'évêque confie la charge d'églises de pèlerinage non paroissiales. – Curé d'une paroisse rurale, en Bretagne.

rectifiable adj. Qui peut être rectifié.

rectificateur, trice n. et adj. **1.** Litt. Personne qui rectifie. ▷ adj. *Manœuvre rectificatrice.* **2.** n. m. CHIM Appareil servant à rectifier les liquides.

rectificatif, ive adj. et n. m. Qui sert à rectifier (une erreur). *Lettre rectificative.* ▷ n. m. Mention, note rectificative. *Rectificatif à la loi de finances.*

rectification n. f. **1.** Action de rectifier, de corriger ce qui est inexact. *Rectification d'une erreur.* – *Spécial.* Insertion dans un journal d'un article modifiant le sens d'un article précédemment paru; mise au point. *Envoyer une rectification.* ▷ TECH Opération qui consiste à rectifier une pièce, en partic. une pièce métallique. **2.** Action de rendre droit. ▷ GEOM *Rectification d'un arc de courbe* : opération qui consiste à déterminer la longueur de cet arc. **3.** CHIM Opération qui consiste à rectifier un liquide; nouvelle distillation.

rectifier v. tr. [**2**] **1.** Rendre droit. ▷ GEOM *Rectifier une courbe,* opérer sa rectification. **2.** Rendre correct, exact. *Rectifier une procédure. Rectifier une erreur,* la corriger, la faire disparaître. ▷ TECH Mettre (une pièce) à ses dimensions exactes; corriger ses imperfections, lui donner le dernier fini. **3.** *Par ext.* Modifier en améliorant. *Rectifier sa conduite.* **4.** CHIM Distiller de nouveau pour rendre plus pur. *Rectifier de l'alcool.* **5.** Pop. Tuer, assassiner. *Se faire rectifier.*

rectifieur, euse n. TECH **1.** n. f. Machine-outil utilisée en métallurgie pour rectifier les pièces en fin d'usinage. **2.** Ouvrier qui rectifie les pièces mécaniques ou qui conduit une rectifieuse.

rectiligne adj. **1.** En ligne droite. *Mouvement rectiligne.* **2.** GEOM Composé de lignes droites, limité par des lignes droites. *Figure rectiligne.*

rectilinéaire adj. PHOTO *Objectif rectilinéaire,* qui ne déforme pas l'image sur les bords.

rection n. f. LING Fait de régir ou d'entraîner la présence d'une catégorie grammaticale déterminée. *Rection d'un complément d'objet direct par un verbe transitif. Rection du subjonctif par* quel que *dans « quel que soit le cas ».*

rectite n. f. MED Inflammation du rectum.

rectitude n. f. **1.** Qualité de ce qui est droit. *Rectitude d'une ligne.* **2.** Qualité de ce qui est juste, conforme à la raison. *Rectitude du jugement.* Syn. exactitude, rigueur. ▷ *Absol.* Honnêteté, rigueur morale.

recto n. m. Première page d'un feuillet (par oppos. à *verso,* l'envers). ▷ Loc. adv. *Recto verso* : au recto et au verso. *Écrire recto verso.*

recto-colite ou **rectocolite** n. f. MED Inflammation du rectum et du côlon. *Des recto-colites.*

rectoral, ale, aux adj. Du recteur, qui émane du recteur ou de ses services.

rectorat n. m. **1.** Charge, dignité de recteur d'académie. – Durée de cette charge. **2.** Lieu où le recteur exerce ses fonctions.

rectoscopie n. f. MED Examen du rectum à l'endoscope.

rectrice adj. et n. f. ORNITH *Plume* ou *penne rectrice* : chacune des grandes plumes de la queue des oiseaux, servant à diriger le vol. ▷ n. f. *Une rectrice.*

rectum [ʀɛktɔm] n. m. ANAT Segment terminal du gros intestin, qui fait suite au côlon sigmoïde et aboutit à l'orifice anal.

reçu n. m. Écrit par lequel on reconnaît avoir reçu une somme d'argent, un objet. Syn. acquit, quittance, récépissé.

recueil n. m. Volume réunissant des écrits de provenances diverses. *Recueil de morceaux choisis.*

recueillement n. m. Fait de se recueillir; état d'esprit d'une personne recueillie.

recueilli, ie adj. Qui se recueille, qui est en état de recueillement. *La foule recueillie des fidèles.* – *Par ext.* Qui marque le recueillement. *Air recueilli.*

recueillir v. [**27**] **I.** v. tr. **1.** Rassembler (des choses dispersées, éparses). *Recueillir des poèmes dans une anthologie.* **2.** Amasser, collecter en vue d'une utilisation future. *Recueillir des dons en nature pour une œuvre.* **3.** Recevoir, collecter (un fluide). *Godets pour recueillir la résine des pins.* **4.** Remporter, obtenir. *Cette proposition a recueilli un tiers des suffrages.* **5.** DR Recevoir par héritage. *Recueillir une succession.* **6.** Recevoir chez soi, héberger (une personne dans le besoin, dans le malheur). *Recueillir un orphelin.* **II.** v. pron. **1.** RELIG Détacher son esprit de toute pensée profane, se livrer à de pieuses méditations. **2.** Faire retour sur soi-même, méditer.

recuire v. [**69**] **1.** v. tr. Cuire une deuxième fois. *Recuire un poulet.* ▷ METALL Soumettre au recuit. **2.** v. intr. Subir une deuxième cuisson. *J'ai mis les légumes à recuire.*

recuit [ʀ(ə)kɥi] n. m. METALL Traitement thermique destiné à rendre son homogénéité à un métal dont les caractéristiques ont été modifiées par une action mécanique ou thermique.

recul n. m. **1.** Mouvement de ce qui recule. ▷ Spécial. *Recul d'une arme à feu, d'une pièce d'artillerie,* au départ du coup. **2.** Fig. Régression, diminution. *Le recul de la tuberculose.* **3.** Éloignement dans l'espace ou dans le temps. *Prendre du recul pour regarder une toile. Vous manquez de recul pour juger ces événements.*

reculade n. f. **1.** Rare Action de reculer, d'aller en arrière. **2.** Cour., fig., péjor. Dérobade de qqn qui s'était trop avancé.

reculé, ée adj. **1.** Lointain, difficile d'accès. *Un quartier reculé.* **2.** Éloigné dans le temps. *À des époques reculées.*

reculée n. f. GEOGR et rég. (Jura) Vallée à parois abruptes, terminée par un cirque d'où sort une source vauclusienne*.

reculer v. [1] **I.** v. intr. **1.** Aller en arrière. *La police recule sous la poussée de la foule.* ▷ Fig. (Choses) Perdre en importance, régresser. *Maladie, idée qui recule.* **2.** (Personnes) Hésiter ou renoncer à agir. *Reculer devant un obstacle imprévu.* – *Ne reculer devant rien :* ne se laisser arrêter par aucune difficulté; n'avoir aucun scrupule. ▷ Loc. prov. *Reculer pour mieux sauter :* temporiser inutilement, remettre à plus tard une décision de toute façon inévitable. **II.** v. tr. **1.** Tirer ou pousser en arrière. *Reculer un peu sa chaise.* ▷ v. pron. Se déplacer en arrière. *Reculez-vous un peu.* **2.** Repousser, déplacer en éloignant. *Reculer les frontières d'un État.* **3.** Retarder, différer. *On ne peut plus reculer la date du départ.*

reculons (à) loc. adv. En reculant. *Aller, marcher à reculons.*

reculotter v. tr. [1] Remettre la culotte, le pantalon de. ▷ v. pron. *Se reculotter derrière un buisson.*

récupérable adj. Qui peut être récupéré.

récupérateur n. m. TECH Tout appareil permettant de récupérer des matières ou de l'énergie. *Récupérateur de chaleur d'un haut fourneau.* ▷ ARTILL Organe d'une arme automatique ou d'une pièce d'artillerie, qui emmagasine la force de recul au départ du coup et la restitue en ramenant la culasse mobile ou le canon en position de tir.

récupération n. f. Action de récupérer; son résultat.

récupérer v. [14] **I.** v. tr. **1.** Recouvrer, rentrer en possession de (ce dont on avait perdu la jouissance, ce qu'on avait perdu, etc.). *Récupérer des marchandises volées.* ▷ Fam. (Objet n. de personne.) *Elle passe récupérer sa fille chez la nourrice,* elle va l'y chercher. **2.** Recueillir (ce qui pourrait être mis au rebut, perdu ou détruit) pour l'utiliser. *Récupérer des chiffons, de la ferraille, des vieux papiers.* ▷ Réinsérer (une personne) dans la vie professionnelle, sociale. *Récupérer des délinquants.* **3.** *Récupérer des heures :* compenser par des heures de travail des arrêts (dus à des périodes chômées, des intempéries, etc.). **4.** POLIT Détourner à son profit (un mouvement de remise en cause des valeurs établies) en le dénaturant et en lui ôtant tout caractère subversif. *Le pouvoir a récupéré la contestation.* – Par ext. *Militant qui se fait récupérer.* **II.** v. intr. Recouvrer ses forces, la santé. *Il n'a pas vraiment récupéré depuis sa maladie.*

récurage n. m. Action de récurer.

récurer v. tr. [1] Nettoyer en frottant. *Récurer la poêle.*

récurrence n. f. **1.** Litt. Répétition, retour périodique; caractère de ce qui se répète. *Récurrence des sons dans le rythme.* **2.** MATH, LOG *Raisonnement par récurrence,* qui consiste à étendre à tous les termes d'une série une relation vérifiée pour les deux premiers termes.

récurrent, ente adj. **1.** ANAT Qui revient en arrière vers son point de départ. *Nerf récurrent.* **2.** MED *Fièvre récurrente,* dont les accès reviennent par intermittence, alternant avec des périodes sans fièvre. **3.** MATH *Suite récurrente,* dont chaque terme est une fonction d'un nombre déterminé de termes précédents. – *Par ext.* Qui a trait à la répétition. *Caractère récurrent de certains rêves.*

récursif, ive adj. **1.** LING Qui peut être répété un nombre infini de fois. *Règles récursives de la grammaire générative.* **2.** LOG *Fonction récursive,* qu'on peut définir à l'aide d'une classe de fonctions élémentaires.

récusable adj. Que l'on peut récuser. Ant. irrécusable.

récusation n. f. DR Action de récuser (sens I, 1); son résultat.

récuser v. [1] **I.** v. tr. **1.** DR Refuser d'accepter en tant que juré, expert, témoin. *L'avocat de la défense a récusé deux des jurés.* **2.** Contester, n'accorder aucune valeur à. *Récuser l'autorité d'un historien.* **II.** v. pron. Refuser de prendre une responsabilité, d'émettre un avis.

recyclable adj. Qui peut être recyclé.

recyclage n. m. **1.** TECH Réintroduction dans un cycle d'opérations complexes. *Recyclage de l'air dans des locaux climatisés.* **2.** Enseignement dispensé à des personnes engagées dans la vie active pour mettre à jour leurs connaissances professionnelles.

recycler v. tr. [1] Soumettre à un recyclage (qqch, qqn). – Pp. adj. *Papier recyclé,* contenant du papier de récupération. *Personnel recyclé,* ayant suivi un recyclage (sens 2). ▷ v. pron. (Personnes) Suivre un recyclage (sens 2).

rédacteur, trice n. **1.** Personne dont la profession est de rédiger des textes. *Rédacteur d'une revue.* ▷ *Rédacteur en chef :* journaliste responsable de la coordination de tout ou partie d'une rédaction (sens 3). **2.** Personne qui a écrit un texte. *Le rédacteur de ce chapitre est un savant renommé.* **3.** Fonctionnaire chargé de rédiger des pièces d'administration. *Rédacteur d'un ministère.*

rédaction n. f. **1.** Action, manière de rédiger. *Rédaction d'un traité.* **2.** Devoir scolaire composé sur un sujet donné; narration, composition française. **3.** Ensemble des rédacteurs d'un journal, d'un périodique. – Lieu où ils travaillent.

rédactionnel, elle adj. Qui a rapport à la rédaction.

redan ou **redent** [ʀ(ə)dɑ̃] n. m. **I.** ARCHI **1.** Ressaut que présente un mur construit sur un terrain en pente. **2.** Ouvrage de fortification constitué de deux murs formant un angle saillant. **3.** Suite d'ornements sculptés formant des dents. **4.** *Toiture à redents,* constituée d'une succession de combles à pentes inégales, disposées en dents de scie et dont certaines sont généralement vitrées. Syn. (off. déconseillé) shed. **II.** MAR Décrochement dans une carène de bateau ou d'hydravion.

reddition n. f. Fait de se rendre; capitulation. *La reddition d'une forteresse.*

redécoupage n. m. POLIT *Redécoupage électoral :* opération qui consiste à diviser une rég. administrative en nouvelles circonscriptions électorales.

redécouper v. tr. [1] POLIT Faire un redécoupage électoral.

redécouvrir v. tr. [32] Découvrir de nouveau.

redéfinir v. tr. [3] Définir à nouveau. *Redéfinir les grandes lignes d'un plan.*

redéfinition n. f. Action de définir à nouveau. *Redéfinition des objectifs économiques.*

redemander v. tr. [1] **1.** Demander de nouveau. **2.** Réclamer (ce que l'on a donné ou prêté).

redémarrage n. m. Action de redémarrer; son résultat.

redémarrer v. intr. [1] Démarrer de nouveau. *Faire redémarrer une moto.* ▷ Fig. *Faire redémarrer une entreprise.*

rédempteur, trice adj. et n. m. RELIG **1.** adj. Qui rachète les péchés. *Supplice rédempteur.* **2.** n. m. *Le Rédempteur :* Jésus-Christ, dont la mort a, pour les chrétiens, racheté le genre humain.

rédemption [ʀedɑ̃psjɔ̃] n. f. RELIG Rachat des péchés. – Spécial. *La Rédemption :* le rachat du genre humain par la mort du Christ. *Le mystère de la Rédemption.*

rédemptoriste, istine n. RELIG Membre d'une des congrégations du Très-Saint-Rédempteur, fondées par saint Alphonse-Marie de Liguori en 1732.

redent. V. redan.

redéploiement [ʀ(ə)deplwamɑ̃] n. m. **1.** MILIT Action de faire prendre (aux troupes) un nouveau dispositif de combat. **2.** ECON *Redéploiement industriel :* ensemble de mesures destinées à favoriser les industries les plus performantes, notam. les plus concurrentielles sur le plan international.

redéployer v. tr. [23] Didac. Opérer le redéploiement de.

redescendre v. [6] **1.** v. intr. Descendre une nouvelle fois. *Redescendre au rez-de-chaussée. Redescendre à un rang inférieur.* **2.** v. tr. Descendre de nouveau. *Redescendre un escalier.*

redevable adj. **1.** Qui doit de l'argent (à qqn). *Il m'est redevable de trois mille francs.* – Subst. Personne assujettie à une redevance. *Les redevables de l'impôt sur les grandes fortunes.* **2.** Qui a une obligation envers qqn. *Je vous suis redevable de ce service.*

redevance n. f. Somme versée à échéances déterminées en contrepartie d'un avantage, d'un service, d'une concession. *Redevance télévisuelle.*

redevenir v. intr. [36] Devenir de nouveau, recommencer à être ce qu'on était auparavant.

Redford (Robert) (Santa Monica, 1937), acteur et cinéaste américain; le jeune premier des années 60 (*la Poursuite impitoyable,* 1966; *Propriété interdite,* 1966; *Butch Cassidy et le Kid,* 1969) est devenu un défenseur des idéaux démocratiques (*les Hommes du pré-*

sident, 1976; *Milagro*, comme réalisateur, 1987).

rédhibitoire adj. **1.** DR *Vice rédhibitoire :* défaut caché de la chose vendue, qui peut constituer un motif d'annulation de la vente. **2.** Cour. Qui constitue un empêchement absolu, une gêne irrémédiable. *Il est d'une bêtise rédhibitoire.*

rediffuser v. tr. [**1**] Diffuser une nouvelle fois (sur les ondes radiophoniques, à la télévision, etc.).

rediffusion n. f. Action de rediffuser. ▷ Information, émission, enregistrement rediffusé.

rédiger v. tr. [**13**] Coucher sur le papier dans la forme prescrite; exprimer par écrit. *Rédiger un procès-verbal, un mémoire, un devoir de français. Rédiger avec facilité.*

redingote n. f. **1.** Anc. Veste d'homme à longues basques. **2.** Mod. Manteau de femme cintré à la taille.

redire v. tr. [**65**] **1.** Répéter; dire plusieurs fois. *Il m'a encore redit de venir le voir.* **2.** Répéter (ce qu'on a appris de qqn). *Redire un secret.* **3.** Loc. *Trouver, avoir à redire :* critiquer, avoir des objections à faire.

rediscuter v. tr. [**1**] Reprendre une discussion sur. *Rediscuter une affaire.*

redistribuer v. tr. [**1**] Distribuer une seconde fois ou selon une répartition différente. *Redistribuer des terres.*

redistribution n. f. Action de redistribuer; son résultat. Fait d'être redistribué, réparti d'une manière différente. *Redistribution des revenus.*

redite n. f. Répétition inutile dans un texte, un discours. *Élaguez les redites.*

Redon, ch.-l. d'arr. d'Ille-et-Vilaine, sur la Vilaine et le canal de Nantes à Brest; 10 452 hab. – Égl. St-Sauveur (clocher roman du XIIe s.). Maisons des XVe et XVIe s.

Redon (Odilon) (Bordeaux, 1840 – Paris, 1916), peintre, graveur et pastelliste français. Symboliste, il chercha souvent son inspiration dans la littérature fantastique et illustra E. Poe, Baudelaire et Flaubert (*la Tentation de saint Antoine*).

redondance n. f. **1.** Caractère superflu de certains développements, de certaines répétitions dans le discours. *Redondance de l'expression.* ▷ Répétition, redite. *Texte plein de redondances.* **2.** INFORM Augmentation du nombre des symboles d'un message sans accroissement de la quantité d'information. *La redondance est un moyen de contrôle de la transmission d'informations.*

Odilon **Redon :** *Vase de fleurs;* musée du Louvre

redondant, ante adj. **1.** Superflu. *Épithète redondante.* – Qui comporte des redondances. *Style redondant.* **2.** INFORM Qui emploie plus de symboles que nécessaire pour la transmission d'une information.

redonner v. [**1**] **I.** v. tr. **1.** Donner de nouveau. *Redonnez-moi le livre que vous m'aviez prêté.* **2.** Rendre ce qui a été perdu, restituer. *Redonner de l'éclat à un tableau. Redonner du courage.* ▷ (Sujet nom de chose.) *Médicament qui redonne de l'appétit.* **II.** v. intr. *Redonner dans :* s'abandonner de nouveau à. *Redonner dans un travers.*

redorer v. tr. [**1**] Dorer de nouveau. *Redorer une grille ancienne.* ▷ Loc. fig. *Redorer son blason :* épouser une riche roturière, en parlant d'un noble; *par ext.,* mod. se refaire une fortune, une réputation.

redoublant, ante n. Élève qui redouble une classe.

redoublé, ée adj. **1.** Répété. *Rime redoublée.* **2.** Répété de plus en plus vite ou de plus en plus fort. *Frapper à coups redoublés.*

redoublement n. m. **1.** Action de redoubler; son résultat. **2.** Répétition dans un mot. *« Dada », « lolo », « bébête » présentent un redoublement de syllabe.* **3.** Action d'augmenter, d'accroître. *Redoublement de prudence.* **4.** Fait de redoubler une classe.

redoubler v. [**1**] **I.** v. tr. **1.** Doubler, répéter. *Redoubler une consonne pour produire une allitération.* **2.** Renouveler avec insistance. *Redoubler ses prières.* ▷ Raviver en augmentant. *La nuit redoublait ses terreurs.* **3.** *Redoubler une classe,* la recommencer, y passer une nouvelle année scolaire. **II.** v. tr. indir. *Redoubler de :* agir avec encore plus de. *Redoubler de vigilance.* **III.** v. intr. **1.** Devenir encore plus fort. *Ma crainte redouble.* **2.** Passer dans la même classe une nouvelle année scolaire. *Élève qui redouble.*

redoutable adj. Qui est à redouter, qui inspire la crainte. *Un mal redoutable.*

redoutablement adv. De manière redoutable; terriblement, très. *Il est redoutablement stupide.*

redoute n. f. Anc. Ouvrage de fortification isolé.

Redouté (Pierre) (Saint-Hubert, près de Liège, 1759 – Paris, 1840), peintre de fleurs et lithographe français. Il enseigna la peinture notam. à Marie-Antoinette, à Joséphine, à Marie-Louise.

redouter v. tr. [**1**] Avoir peur de, craindre. *Redouter qqch, qqn. Il redoute qu'elle parle.* ▷ v. tr. ind. *Il redoute d'arriver en retard.*

redoux n. m. Radoucissement de la température après une période de froid.

redresse (à la) loc. adj. Arg. Énergique; qui sait se faire respecter en usant de la force physique. *Un mec à la redresse.*

redressement n. m. **1.** Action de redresser ou de se redresser; son résultat. *Redressement d'un châssis faussé.* **2.** Rétablissement de la prospérité, restauration de l'économie et des finances d'un pays. *Plan de redressement.* **3.** ELECTR Transformation d'un courant alternatif en courant continu. **4.** Rare Réparation d'un tort. **5.** *Redressement judiciaire :* décision judiciaire instituant une période probatoire pendant laquelle est mise en observation une société (ou un commerçant, ou un artisan) en cessation de paiement. **6.** Rectification d'un compte erroné. *Redressement fiscal :* rectification de l'imposition fiscale à la suite d'une déclaration erronée. **7.** Anc. *Maison de redressement :* établissement où étaient détenus certains mineurs délinquants.

redresser v. [**1**] **I.** v. tr. **1.** Remettre dans une position verticale. *Redresser un arbre, une statue.* **2.** Rendre une forme droite à. *Redresser un axe tordu.* ▷ (S. comp.) Remettre les roues d'un véhicule parallèles à la route. *Il a redressé à temps à la sortie du virage.* **3.** Fig. Remettre en bon ordre. *Redresser l'économie d'un pays.* ▷ Vx Corriger. *Redresser son jugement.* **4.** ELECTR *Redresser un courant :* transformer un courant alternatif (dont le sens s'inverse périodiquement) en courant continu (de sens constant). **II.** v. pron. **1.** Se remettre debout. *Il s'est redressé tout seul après sa chute.* ▷ Se remettre droit. *Il s'est penché en avant, puis il s'est redressé.* **2.** Fig. Retrouver sa puissance, sa prospérité. *Le pays a eu du mal à se redresser après la crise.*

redresseur n. m. et adj. **1.** *Redresseur de torts :* personne qui prétend faire régner la justice autour d'elle. **2.** ELECTR Appareil servant à redresser un courant alternatif. *Les redresseurs à tube électronique sont aujourd'hui remplacés par les redresseurs à semi-conducteurs.* ▷ adj. *Appareil redresseur.*

Red River (la), fl. des É.-U. dont un bras se jette dans le Mississippi (r. dr.); le plus long bras (2 000 km) est tributaire du golfe du Mexique.

Red River ou **rivière Rouge,** riv. des É.-U. et du Canada (1 060 km), tributaire du lac Winnipeg.

réductase n. f. BIOCHIM Enzyme qui catalyse l'oxydoréduction.

réducteur, trice adj. et n. m. **I.** adj. **1.** Qui réduit; qui simplifie abusivement. *Un point de vue réducteur.* **2.** CHIM Susceptible de céder des électrons. *L'hydrogène, le carbone, l'oxyde de carbone sont réducteurs.* Ant. oxydant. ▷ n. m. *Un réducteur :* un corps réducteur. **II.** n. m. **1.** TECH Appareil permettant de réduire les dessins. **2.** TECH Dispositif servant à réduire la vitesse de rotation d'un axe. **3.** ETHNOL *Les réducteurs de têtes :* les membres de certaines tribus (notam. Indiens jivaros) ayant pour coutume de couper la tête de leurs ennemis vaincus, dont ils diminuaient le volume en la vidant partiellement de son contenu et qu'ils desséchaient par des méthodes traditionnelles, de manière à pouvoir la conserver comme témoignage de leur victoire.

réductibilité n. f. Didac. Caractère de ce qui est réductible.

réductible adj. Qui peut être réduit. **1.** Qui peut être ramené à une forme plus simple. *Fraction réductible.* **2.** CHIM Qui peut subir une réduction. **3.** Qui peut être traité par une réduction (sens 3). *Fracture réductible.*

1. réduction n. f. Action de réduire; son résultat. **1.** Action de rendre plus petit. *Réduction d'une photographie.* ▷ Diminution de tarif. *Avoir une réduction sur les chemins de fer.* **2.** Fait de ramener une chose complexe à une autre plus simple. *Réduction de fractions au* *même dénominateur.* **3.** MED Opération par laquelle on remet en place les os luxés ou fracturés, les organes déplacés. *Réduction d'une hernie.* **4.** CHIM Réaction inverse de l'oxydation, au cours de laquelle un *corps réducteur* cède des électrons à un *corps oxydant.* V. oxydoréduction. **5.** BIOL *Réduction chromatique :* phase essentielle de la méiose, au cours de laquelle le génome diploïde se divise en deux cellules haploïdes, ou gamètes, aptes à la fécondation.

2. réduction n. f. HIST Village chrétien d'Indiens guaranis, créé au Paraguay au XVIe s. par les jésuites missionnaires et organisé en communauté autonome.

réductionnisme n. m. Didac. Tendance à réduire ce qui est complexe à ses composants, considérés comme des éléments plus simples et fondamentaux.

réductionniste adj. et n. Didac. Qui a rapport au réductionnisme. ▷ Subst. Partisan du réductionnisme.

réduire v. [69] **A.** v. tr. **I. 1.** Restreindre, diminuer, rendre plus petit. *Réduire la longueur d'un vêtement. Réduire ses dépenses.* ▷ Reproduire avec des dimensions plus petites et avec les mêmes proportions. *Réduire un dessin, un document photographique.* **2.** *Réduire... en :* transformer (une substance) par broyage, trituration, pulvérisation, etc. *Réduire le blé en farine. Réduire en poudre, en bouillie.* **3.** *Réduire... à :* amener... à (une forme plus simple). *Réduire une fraction à sa plus simple expression.* ▷ Identifier (qqch d'apparemment complexe) à (qqch de plus simple). *Vous avez tort de réduire ce conflit à une simple question de personnes.* ▷ *Réduire à rien, à néant :* anéantir. **4.** MED *Réduire une luxation, une hernie,* etc. : remettre à leur place des os luxés, des organes qui font hernie, etc. **5.** CHIM Effectuer la réduction de (un composé). **6.** CUIS Rendre plus concentré par une longue cuisson. *Réduire une sauce.* ▷ v. intr. *Coulis qui réduit à petit feu.* **II. 1.** *Réduire en, à :* amener par la contrainte à (tel état); obliger à. *Réduire un peuple en esclavage. Réduire au silence, à la mendicité.* **2.** Soumettre, mater. *Réduire la résistance, l'opposition.* **B.** v. pron. **1.** *Se réduire à :* se limiter à, consister seulement en. *Nos divergences se réduisent en fait à peu de chose.* **2.** *Absol.* Limiter son train de vie, ses dépenses. *Être obligé de se réduire.*

1. réduit, ite adj. et n. m. **I.** adj. **1.** Qui a subi une réduction, en dimension, en nombre, etc. *Modèle réduit. Tarif réduit. Rouler à vitesse réduite.* **2.** MATH Qualifie une courbe ou une loi dont l'expression a été simplifiée par un changement de variable. **3.** PHYS *Masse réduite de deux points de masse m_1 et m_2* masse égale au rapport du produit $m_1 . m_2$ de ces masses et de leur somme $m_1 + m_2$. – *Pression réduite d'un gaz :* rapport de la pression de ce gaz et de sa pression critique. (On définit de même la *température réduite,* le *volume réduit.*) **II.** n. m. (Canada) Sève de l'érable à sucre épaissie par évaporation, n'ayant pas atteint le degré de concentration en sucre du sirop*. *Boire du réduit.*

2. réduit n. m. **1.** Petit local ne recevant en général pas la lumière du jour. *Réduit utilisé comme cellier.* **2.** Recoin dans une pièce. **3.** FORTIF Anc. Petit ouvrage à l'intérieur d'un autre, pouvant servir d'abri.

réduplication n. f. LING Répétition d'un mot.

rééchelonnement n. m. ECON *Rééchelonnement de la dette :* étalement, sur une période plus longue que prévue, du remboursement et des intérêts de la dette contractée par un pays vis-à-vis de créanciers étrangers.

rééchelonner v. tr. [1] ECON Établir un nouveau calendrier de paiement en allongeant la durée d'un remboursement.

réécouter v. tr. [1] Écouter de nouveau.

réécrire, réécriture. V. récrire, récriture.

réédification n. f. Litt. Action de réédifier; son résultat. *La réédification d'un empire.*

réédifier v. tr. [2] Litt. Édifier de nouveau (ce qui avait été détruit, ce qui s'était écroulé, au propre et au fig.).

rééditer v. tr. [1] **1.** Éditer de nouveau. *Rééditer un ouvrage.* **2.** Fig. Répéter, refaire. *Rééditer un exploit.*

réédition n. f. **1.** Action de rééditer. – Édition nouvelle. **2.** Fig., fam. Répétition (d'une situation, d'une action).

rééducation n. f. **1.** Traitement visant à faire recouvrer l'usage d'une fonction lésée à la suite d'un accident, ou d'une maladie. *Rééducation motrice.* **2.** Nouvelle éducation (sociale, morale, idéologique). ▷ Ensemble des mesures judiciaires prises à l'égard de l'enfance délinquante ou en danger, sur le plan social.

rééduquer v. tr. [1] Procéder à la rééducation de.

réel, elle adj. et n. m. **I.** adj. **1.** DR Qui concerne les choses (par oppos. à *personnel*). *Un droit réel.* **2.** PHILO Qui existe effectivement, et pas seulement à l'état d'idée ou de mot. – THEOL *Dogme de la Présence réelle :* dogme de l'Église catholique qui affirme la présence substantielle et effective du Christ dans l'Eucharistie. ▷ MATH *Nombre réel* (par oppos. à *imaginaire*). V. nombre. **3.** Qui existe, ou a existé en réalité (par oppos. à *fictif, imaginaire, mythique*). *Personnage réel.* – *Faits réels,* authentiques. ▷ PHYS *Gaz réel,* dont les molécules exercent les unes sur les autres des actions non négligeables (par oppos. à *gaz parfait*). **4.** Véritable, sensible. *Des améliorations réelles,* notables. **II.** n. m. *Le réel :* ce qui est réel, le monde des réalités; les choses, les faits qui existent effectivement. *L'imaginaire et le réel.*

réélection n. f. Action de réélire; fait d'être réélu.

rééligibilité n. f. DR Aptitude légale à être réélu.

rééligible adj. DR Qui est légalement apte à être réélu.

réélire v. tr. [66] Élire de nouveau, reconduire dans une fonction par élection. *Réélire un député.* – Pp. adj. *Les députés réélus.*

réellement adv. **1.** En réalité, effectivement. *Cela a eu lieu réellement.* **2.** Vraiment. *C'est réellement incroyable!*

réemballer. V. remballer.

réembarquement, réembarquer. V. rembarquement, rembarquer.

réémetteur n. m. TECH Émetteur de faible puissance servant à retransmettre des signaux provenant d'un émetteur principal.

réemploi, réemployer. V. remploi, remployer.

réemprunter. V. remprunter.

réendosser. V. rendosser.

réenfiler. V. renfiler.

réengagement, réengager. V. rengagement, rengager.

réensemencement n. m. AGRIC Action de réensemencer.

réensemencer v. tr. [12] AGRIC Ensemencer de nouveau (lorsqu'un premier ensemencement n'a rien produit).

rééquilibrage n. m. Fait de retrouver ou de redonner un équilibre.

rééquilibrer v. tr. [1] Redonner un équilibre à (ce qui est déséquilibré); donner un nouvel équilibre à. *Rééquilibrer les forces politiques.*

réer. V. raire.

réescompte [ʀeɛskɔ̃t] n. m. FIN Escompte consenti à un établissement bancaire par un autre établissement bancaire (généralement la Banque de France), sur des effets de commerce déjà escomptés par le premier.

réescompter v. tr. [1] FIN Opérer le réescompte de.

réessayer. V. ressayer.

réétudier v. tr. [2] Étudier de nouveau; reconsidérer.

réévaluation n. f. FIN **1.** Évaluation sur de nouvelles bases. *Réévaluation des bilans.* **2.** *Par ext.* ECON Augmentation du taux de change officiel d'une monnaie par rapport aux devises étrangères (par oppos. à *dévaluation*). *La réévaluation du mark.*

réévaluer v. tr. [1] Procéder à la réévaluation de.

Reeves (Hubert) (Montréal, 1932), astrophysicien et écrivain canadien : *Patience dans l'azur* (1981), *Poussières d'étoiles* (1984), *Compagnons de voyage* (1992).

réexamen n. m. Fait de réexaminer.

réexaminer v. tr. [1] Examiner de nouveau. *Réexaminer un malade.* – *Spécial.* Reconsidérer. *Ils vont réexaminer la situation, le problème,* etc.

réexpédier v. tr. [2] Expédier vers une nouvelle destination. *Réexpédier du courrier.* – *Spécial.* Retourner (un courrier, des marchandises) à l'expéditeur.

réexpédition n. f. Action de réexpédier.

réexportation n. f. Action de réexporter.

réexporter v. tr. [1] Exporter vers un pays des marchandises qu'on avait précédemment importées d'un autre.

refaçonner v. tr. [1] Façonner de nouveau; donner une nouvelle forme à.

réfaction n. f. **1.** DR COMM Réduction sur les prix des marchandises, à la livraison, quand toutes les conditions convenues ne sont pas réunies. **2.** FISC Diminution d'une base imposable.

refaire v. [10] **I.** v. tr. **1.** Faire de nouveau (ce qu'on a déjà fait, ou ce qui a déjà été fait). *Refaire un voyage.* ▷ (En apportant de profondes modifications.) *Refaire sa vie.* **2.** Remettre en état, réparer. *Après cette tempête, on a dû refaire le toit.* ▷ Fig. *Refaire ses forces.* **3.** Fam. Duper, attraper. *Ils l'ont refait sur la qualité de la marchandise.* **II.** v. pron. **1.** Rétablir sa fortune après des pertes au jeu. **2.** Se rétablir du point de vue de la santé. *Il se refait lentement grâce au bon air.* **3.** (En tournure négative.) Changer complètement son caractère, ses habitudes. *À mon âge, on ne se refait pas.*

réfection n. f. **1.** Action de refaire, de remettre en état. *Travaux de réfection.* ▷ LING Révision d'une forme populaire suivant l'étymologie. **2.** Repas, dans une communauté religieuse.

réfectoire n. m. Lieu où les membres d'une communauté (couvent, école, etc.) prennent leurs repas.

refend (de) loc. adj. *Bois de refend,* scié en long. – *Mur de refend :* mur de soutien formant séparation intérieure dans un bâtiment.

refendre v. tr. [**6**] TECH Fendre ou scier en long. *Refendre des bûches.*

référé n. m. DR Procédure rapide ayant pour but de faire juger provisoirement et avec célérité une affaire urgente. *Ordonnance de référé :* décision rendue selon une telle procédure.

référé-liberté n. f. Procédure de suspension d'une mise en détention jugée abusive. *Des référés-libertés.*

référence n. f. **I. 1.** Action de se référer à qqch; ce à quoi l'on se réfère pour situer une chose par rapport à une autre, pour fonder l'argument que l'on avance. *Indemnité fixée par référence à tel indice.* ▷ ECON *Action de référence :* actionnaire principal d'une société. **2.** Action de se référer à qqch ou à qqn (dans un texte, dans son discours), ou d'y renvoyer le lecteur, l'auditeur, etc. *Références aux grands classiques.* – *Ouvrage de référence,* auquel on se reporte habituellement (dictionnaire, encyclopédie, etc.). ▷ Indication précise des ouvrages, des passages, etc., auxquels on renvoie le lecteur, dans un texte. *Références en bas de page.* **3.** ADMIN, COMM Indication, portée en tête d'une lettre, qui désigne l'affaire, le dossier, etc., et que le destinataire est prié de rappeler dans sa réponse. – Chiffre, numéro d'un code, qui correspond à un article précis, sur un bon de commande, un catalogue, etc. **4.** MED *Référence médicale opposable (RMO) :* traitement standard qui doit être appliqué à telle pathologie. **5.** (Plur.) Témoignages de personnes pouvant renseigner sur qqn (qui fait une demande d'emploi, une proposition commerciale, etc.). *Sérieuses références exigées. Références morales, bancaires.* **II.** LING Fonction par laquelle un signe linguistique renvoie au référent.

référencement n. m. COMM Action de référencer.

référencer v. tr. [**12**] **1.** Indiquer la référence de. – Pp. adj. *Citations référencées.* **2.** COMM *Référencer un produit,* l'inscrire dans la liste des produits en vente dans un circuit commercial.

référendaire adj. **1.** Relatif à un référendum. **2.** *Conseiller référendaire à la Cour des comptes* ou, n. m., *un référendaire :* magistrat chargé de vérifier la comptabilité publique.

référendum [ʀefeʀɛ̃dɔm] n. m. **1.** Vote direct par lequel les citoyens se prononcent sur une proposition de mesure législative ou constitutionnelle émanant du pouvoir exécutif. **2.** *Par ext.* Consultation du public sur une question quelconque. *Journal qui organise un référendum auprès de ses lecteurs.* **3.** Demande de nouvelles instructions, qu'un agent diplomatique fait à son gouvernement.

référent n. m. et adj. **1.** n. m. LING Objet que désigne un signe linguistique. *« Basset » et « caniche » n'ont pas le même référent; « cabot » et « toutou » ont le même référent* (l'animal « chien ») *mais pas le même sens* (le signifié « chien » avec une connotation péjorative dans un cas, affectueuse dans l'autre). **2.** adj. Auquel on doit se référer, recourir comme à une autorité. *Le généraliste est le médecin référent.*

référentiel, elle adj. et n. m. **1.** adj. LING Qui se rapporte à la référence. *Fonction référentielle du langage.* **2.** n. m. Didac. Système de référence, ensemble de points de comparaison. *Un référentiel à neuf critères permettant de s'auto-évaluer.* **3.** PHYS Système de repérage permettant de situer un événement dans l'espace et le temps.

référer v. [**14**] **I.** v. tr. indir. **1.** DR *En référer à :* faire rapport à. *Recueillir un témoignage et en référer au juge d'instruction.* **2.** Cour. *En référer à :* en appeler à. *En référer à un supérieur.* **3.** LING *Référer à :* renvoyer à (l'objet qui constitue le référent d'un signe). **II.** v. pron. **1.** S'en rapporter à (qqn ou qqch) pour fonder ou appuyer ce que l'on avance. *Se référer à un ouvrage.* **2.** Se rapporter, renvoyer à. *Article qui se réfère à une controverse récente.*

refermer v. tr. [**1**] Fermer (ce qu'on avait ouvert, ou ce qui s'était ouvert). *Refermer la fenêtre.* ▷ v. pron. Se fermer après s'être ouvert. *Plaie qui se referme.*

refiler v. tr. [**1**] Fam. Donner (une chose dont on veut se débarrasser) à qqn, en profitant de son ignorance ou de son inattention. *On lui a refilé une fausse pièce.* ▷ Donner (une chose qui n'a plus de valeur). *Il m'a refilé son vieux vélo.*

refinancement n. m. Fait de se refinancer.

refinancer (se) v. pr. ECON Pour une banque, une entreprise, se procurer des ressources sur le marché financier.

reflation n. f. ECON Politique gouvernementale visant à stimuler la demande pour relancer l'économie et l'emploi.

réfléchi, ie adj. **I. 1.** PHYS Renvoyé. *Rayon réfléchi.* **2.** GRAM *Verbe pronominal réfléchi* (par oppos. à *réciproque*), exprimant une action réalisée par le sujet sur lui-même (ex. : je me regarde). – *Pronom réfléchi :* pronom personnel qui représente, en tant que complément, la personne qui est le sujet du verbe et sert à la formation des verbes pronominaux réfléchis (ex. : il *se* lave; je *me* suis fâché avec eux). **II. 1.** Fait ou dit avec réflexion. *Des propositions réfléchies.* **2.** Qui agit avec réflexion. *Un homme réfléchi.* **3.** PSYCHO (Par oppos. à *spontané.*) Dont l'activité comporte une maîtrise volontaire de ses processus. *L'exercice de la pensée réfléchie.*

réfléchir v. [**3**] **1.** v. tr. Renvoyer par réflexion dans une nouvelle direction. *Miroir qui réfléchit une image.* ▷ v. pron. Être renvoyé. *Son image se réfléchissait sur l'eau.* **2.** v. intr. User de réflexion, penser mûrement. *Réfléchir avant de parler.* ▷ v. tr. indir. *Réfléchir à un problème.* – *Réfléchir que :* s'aviser, à la réflexion, que.

réfléchissant, ante adj. Qui réfléchit (une onde, partic. la lumière). *Surface réfléchissante. Pouvoir réfléchissant d'une surface.*

réflecteur n. m. et adj. m. Appareil (miroir, prisme, etc.) destiné à réfléchir des rayonnements (lumineux, radioélectriques, etc.). ▷ adj. m. *Miroir réflecteur.*

réflectif, ive adj. **1.** PHILO Qui concerne la réflexion (sens II). **2.** PHYSIOL Qui se rapporte aux réflexes.

réflectivité n. f. PHYSIOL Aptitude d'une partie du corps à réagir par réflexe à un stimulus.

réflectorisé, ée adj. TECH Muni d'un dispositif réfléchissant la lumière. *Les panneaux de signalisation routière sont presque tous réflectorisés.*

reflet n. m. **1.** Lumière renvoyée par la surface d'un corps. *Le reflet d'un rayon de soleil sur l'étang. Les reflets du satin.* **2.** Image réfléchie. *Le reflet des peupliers dans l'eau.* ▷ Fig. Reproduction. *Un roman qui est le reflet de son siècle.*

refléter v. tr. [**14**] **1.** Renvoyer de manière affaiblie la lumière, l'image de. *La vitre reflétait son visage.* ▷ v. pron. *Le bleu du ciel se reflète dans la mer.* **2.** Fig. Indiquer, traduire, exprimer. *Ses lectures reflètent ses préoccupations.* ▷ v. pron. *La joie se reflétait sur son visage.*

refleurir v. [**3**] **I.** v. intr. **1.** Fleurir de nouveau. *Les lilas refleurissent.* – Fig. *L'espoir refleurit.* **2.** Redevenir florissant. *Le commerce refleurit.* **II.** v. tr. Garnir à nouveau de fleurs. *Refleurir une tombe.*

reflex adj. inv. et n. m. PHOTO *Appareil reflex :* appareil dont le viseur présente, grâce à un dispositif à miroir, une image cadrée exactement comme celle qui va se former sur la surface sensible. – n. m. *Un reflex.*

réflexe adj. et n. m. **I.** adj. OPT Produit par réflexion (sens I). *Image réflexe.* **II.** adj. et n. m. PHYSIOL **1.** adj. *Arc réflexe :* trajet suivi par l'influx nerveux, du lieu d'excitation d'un organe récepteur (terminaison nerveuse) à celui de la réaction d'un organe effecteur, en passant par un centre nerveux. ▷ Cour. *Mouvement, acte réflexe,* automatique. **2.** n. m. Réaction immédiate, involontaire et prévisible d'un organe effecteur à un stimulus donné. ▷ Cour. Réaction rapide pour répondre à une situation imprévue. *Il a eu le réflexe de se jeter de côté pour éviter la voiture.* – Fig. *Réflexe patriotique.*

ENCYCL Les *réflexes innés* (ou *naturels*) sont inhérents à la constitution de l'organisme et répondent à un excitant *(stimulus)* qui agit sur les centres nerveux en mettant en jeu des liaisons nerveuses préexistantes. Cet excitant détermine soit une réponse motrice ou sécrétoire élémentaire (par ex., salivation produite par l'excitation des muqueuses gastriques par des aliments), soit une réponse qui fait intervenir des processus plus complexes, propres à déterminer automatiquement tel comportement « instinctif ». Les centres nerveux inférieurs (moelle, bulbe, cervelet) interviennent dans les réflexes naturels; leurs arcs réflexes sont localisés (niveau médullaire, notam.). Les *réflexes conditionnés* mettent en jeu des circuits nerveux beaucoup plus complexes, qui passent tous par l'écorce cérébrale. Ils reposent sur la propriété du système nerveux d'acquérir, par association, de nouvelles liaisons nerveuses. Lorsque la coïncidence entre un stimulus naturel et un stimulus artificiel a été suffisamment répétée, une nouvelle liaison nerveuse est acquise; c'est le cas du chien qui salive à la seule *vue* d'un aliment : l'*image* de cet aliment, associée à sa consommation, est devenue un excitant efficace. Le conditionnement au contact du milieu, l'*apprentissage,* conduit à l'acquisition des réflexes conditionnés complexes qui jouent un très grand rôle dans la vie quotidienne de l'homme (par ex., réactions automatiques, sans intervention de la pensée réfléchie, dans la conduite automobile).

réflexibilité n. f. PHYS Propriété de ce qui est réflexible.

réflexible adj. PHYS Qui peut être réfléchi.

réflexif, ive adj. **1.** PHILO Dont le fondement consiste en une réflexion, en un retour de la conscience sur soi. *Psychologie, analyse réflexive.* **2.** MATH *Relation réflexive,* dans laquelle tout élément est en relation avec lui-même.

réflexion n. f. **I.** Changement de direction d'une onde (lumineuse, acoustique, radioélectrique) causé par un obstacle. ▷ PHYS *Lois de la réflexion, énoncées par Descartes.* («Le rayon réfléchi est dans le plan du rayon incident et de la normale à la surface de réflexion au point d'incidence. – L'angle de réflexion est égal à l'angle d'incidence.») **II. 1.** Didac. Retour opéré par la pensée sur elle-même en vue d'une conscience plus nette et d'une maîtrise plus grande de ses processus. *L'homme est capable de réflexion.* **2.** Cour. Action de la pensée qui considère attentivement une idée, un sujet, un problème. ▷ Pensée exprimée, résultant de cette action. *Des réflexions d'une grande profondeur.* **3.** *Par ext.* Remarque, critique désobligeante. *Il lui a fait une (des) réflexion(s).* ► illustr. **réfraction**

réflexivité n. f. MATH Caractère d'une relation réflexive.

refluer v. intr. [1] **1.** Se mettre à couler en sens inverse. *Les eaux refluent.* **2.** Fig. (En parlant d'une foule.) Être refoulé, reculer. *Les gendarmes firent refluer la foule.*

reflux [ʀ(ə)fly] n. m. **1.** Mouvement de la mer se retirant du rivage, à marée descendante, après le flux; jusant. ▷ Fig. *Flux et reflux* : va-et-vient. *Un flux et reflux de sentiments divers.* **2.** Mouvement de ce qui reflue (foule, flot de personnes, etc.). **3.** MED Mouvement d'un liquide organique dans le sens contraire du sens physiologique. *Reflux gastro-œsophagien.*

refondre v. tr. [6] **1.** Fondre de nouveau (un métal). ▷ *Spécial.* Fondre (une pièce de métal) une nouvelle fois pour la reformer. *Refondre une médaille.* **2.** Fig. Refaire complètement (un ouvrage) en conservant la même matière. *Nouvelle édition refondue.*

refonte n. f. Action de refondre. *Refonte des monnaies.* – Fig. *La refonte d'un ouvrage,* sa réfection.

reforestation n. f. TECH Syn. de *reboisement.*

réformable adj. Qui peut ou doit être réformé.

reformage n. m. TECH Procédé thermique ou catalytique de traitement des fractions légères du pétrole, qui permet d'extraire les essences à forts indices d'octane ou à teneur élevée en hydrocarbures aromatiques. (Mot off. recommandé pour remplacer *reforming*).

réformateur, trice n. et adj. **1.** n. Personne qui réforme, ou qui veut réformer. – RELIG *Les réformateurs* : Luther, Calvin et autres fondateurs de l'Église réformée. **2.** adj. Qui réforme. *Une initiative réformatrice.*

réformation n. f. **1.** Action de réformer; son résultat. *La réformation du calendrier sous la Révolution.* ▷ RELIG *La Réformation* : la Réforme. **2.** DR Modification d'un jugement par voie d'appel.

réforme n. f. **I.** Correction apportée en vue d'une amélioration. **1.** RELIG Rétablissement dans sa forme primitive de la règle qui s'était relâchée, dans un ordre religieux. ▷ HIST *La Réforme* : le mouvement religieux dont naquit le protestantisme (V. encycl.). **2.** Changement apporté à une institution en vue de l'améliorer. *Réforme fiscale, agraire.* **II.** MILIT **1.** Mise hors de service du matériel périmé. **2.** Libération d'un soldat des obligations militaires après qu'il a été reconnu physiquement inapte au service; situation de ce soldat. **3.** ELEV *Animal de réforme* : animal qui, du fait de son âge, n'est plus apte à remplir sa fonction reproductrice ou laitière.

ENCYCL **Hist.** – La Réforme, qu'avaient plus ou moins lointainement annoncée les vaudois, Wyclif ou Jan Hus, a déterminé, au XVIe s., une partie de la chrétienté à se détacher de l'Église romaine et à rejeter à la fois ses dogmes et l'autorité du pape. À l'origine, les réformateurs, Luther surtout (le premier d'entre eux), n'envisagent pas de créer des Églises indépendantes : ils espéraient que l'Église accepterait de rétablir un christianisme semblable à celui des origines et, par conséquent, débarrassé de toutes les adjonctions qui, au cours des siècles, l'avaient altéré. La rupture fut consommée avec l'excommunication de Luther (1520) et sa mise au ban de l'Empire (1521). Le luthéranisme se répandit en Allemagne, malgré l'opposition de Charles Quint; il prévalut au Brandebourg, en Hesse, en Saxe, au Wurtemberg et dans la plupart des villes libres. Les luthériens présentèrent leur Confession de foi (rédigée par Melanchthon et Camerarius) à la diète d'Augsbourg en 1530 *(Confession d'Augsbourg);* ensuite, le principe selon lequel chaque prince pouvait imposer sa religion à ses sujets fut admis à la paix d'Augsbourg (1555). Du vivant de Luther, sa doctrine s'était également répandue dans les pays scandinaves et dans les prov. baltes. Parallèlement à la Réforme prêchée par Luther, mais d'une façon indépendante, un mouvement analogue prit naissance en Suisse sous l'impulsion d'Ulrich Zwingli. Ce dernier mourut prématurément, et le Français Jean Calvin fixa les principes de ce mouvement de réforme distinct du luthéranisme. Le calvinisme (V. ce nom) se répandit en France malgré l'opposition de François Ier et d'Henri II. À la fin du règne de ce dernier, quelque deux mille églises avaient été organisées; un synode clandestin, convoqué à Paris en 1559, adopta une Confession de foi rédigée en grande partie par Calvin. On appelle ce document *Confession de La Rochelle* parce qu'il fut confirmé ultérieurement au synode de La Rochelle (1570). La fin du XVIe s. a été marquée par des guerres dites de Religion, dont l'épisode le plus tragique fut le massacre de la Saint-Barthélemy (24 août 1572). En 1598, par l'édit de Nantes, Henri IV accordait aux protestants le droit de célébrer leur culte. Mais cet édit fut révoqué en 1685 par Louis XIV et ce n'est qu'un siècle plus tard, avec la promulgation de l'édit de Tolérance (1787) et les Articles organiques de 1801, que l'existence des Églises réformées put être officiellement consacrée. La Réforme calviniste se répandit assez largement en Europe, partic. en Hongrie, aux Pays-Bas, au Palatinat et en Écosse, souvent malgré l'opposition des autorités constituées. Une troisième famille protestante vit le jour en Grande-Bretagne sous le règne d'Henri VIII, qui détacha l'Église d'Angleterre de Rome et la soumit au roi en faisant proclamer par le Parlement l'*Acte de suprématie* (1534). Commençant à prendre sa forme définitive sous Édouard VI, successeur d'Henri VIII, l'anglicanisme (V. anglican) fut maintenu par Élisabeth Ire après une brève tentative de réaction cathol. due à la reine Marie Tudor. Depuis l'Angleterre, la Réforme (partic. sous son aspect puritain) se répandit jusque dans le Nouveau Monde (V. baptisme, méthodisme, quaker).

Réforme catholique ou **Contre-Réforme,** réforme catholique qui suivit, au XVIe s., la réforme protestante. L'Église cathol., à la fin du XVe s., avait amorcé une réforme, mais le concile de Latran (1512) et la papauté ne surent la mener à bien. Par la suite, l'Église romaine entreprit un intense effort de renouvellement. Le concile de Trente (1545-1563) précisa le dogme, combattit les abus, créa les séminaires. Pie V édita un catéchisme, un missel et un bréviaire vulgarisant les nouvelles tendances théologiques. Cet effort de reconquête, accompagné de mesures répressives (reconstitution du tribunal de l'Inquisition, 1542; création de la congrégation de l'Index, 1543), s'appuya notam. sur l'ordre des Jésuites. En art, la Contre-Réforme a inspiré le style dit «jésuite» (égl. du Gesù à Rome) et le baroque.

réformé, ée adj. et n. **1.** RELIG Né de la Réforme. *Religion réformée* : le protestantisme, appelé au XVIIe s. par les catholiques *religion prétendue réformée* (abrév. : R.P.R.). – *Églises réformées,* qui adhèrent aux doctrines du protestantisme, et plus partic. au calvinisme. ▷ Subst. Adepte de la religion réformée. **2.** MILIT Reconnu inapte, ou impropre au service. *Matériel réformé.* – *Soldat réformé.* ▷ n. m. *Un réformé.*

reformer v. tr. [1] Former de nouveau, refaire (ce qui était défait). *Reformez les rangs!* ▷ v. pron. Se former de nouveau. *Abcès qui se reforme.*

réformer v. tr. [1] **1.** Vieilli ou litt. Corriger pour ramener à la vertu (une personne, les mœurs, etc.). ▷ v. pron. *Il vous faut maintenant vous réformer.* **2.** Rétablir dans la forme primitive (la discipline, la règle qui s'était relâchée, corrompue). *Réformer le culte en revenant à l'observance stricte d'un rite.* **3.** Établir dans une forme différente et meilleure (ce qui est institué). *Réformer les lois, la Constitution.* **4.** Corriger en supprimant (ce qui est nuisible). *Réformer les abus.* **5.** MILIT Retirer du service (ce qui est impropre ou l'est devenu). *Réformer du matériel périmé.* – (Objet n. de personne.) *Réformer un appelé reconnu inapte.*

reforming. V. reformage.

réformisme n. m. Tendance favorable aux réformes. ▷ *Spécial.* Doctrine politique de ceux qui sont partisans d'une transformation progressive de la société par la voie légale en faisant aboutir des réformes en vue d'une plus grande justice sociale.

réformiste n. et adj. Partisan des réformes. ▷ *Spécial.* (Par oppos. à *révolutionnaire.*) Partisan du réformisme.

refouiller v. tr. [1] **1.** Fouiller de nouveau. **2.** TECH, SCULP Évider, creuser. *Refouiller une pierre.*

refoulé, ée adj. et n. **1.** adj. Fam. et cour. Se dit d'une personne qui réprime l'expression de sa sexualité. *Il est complètement refoulé.* ▷ Subst. *Un(e) refoulé(e).* **2.** n. m. PSYCHAN *Le refoulé* : ce qui a été rejeté, maintenu dans l'inconscient. *Le «retour du refoulé» s'exprime dans les* *actes manqués (oublis, lapsus, etc.).* – adj. *Pulsions, conflits refoulés.*

refoulement n. m. **1.** Action de refouler, de faire reculer, refluer. **2.** PSYCHO Action de s'interdire d'exprimer un désir, un sentiment qu'on porte en soi profondément, ou de leur refuser l'accès à la conscience. ▷ PSYCHAN Processus inconscient par lequel le moi s'efforce de repousser et de maintenir dans l'inconscient des représentations (pensées, images, souvenirs) dont l'émergence au niveau du conscient est incompatible avec les exigences (morales, sociales, etc.) qui constituent l'*idéal du moi.*

refouler v. tr. [1] **1.** TECH *Refouler une pièce de métal,* en élargir à chaud la section, en la comprimant. **2.** Faire reculer. *Refouler un train.* – Repousser (un fluide). *Pompe refoulante.* ▷ (S. comp.) *Cheminée qui refoule,* qui aspire incomplètement la fumée. **3.** Faire reculer, refluer (des personnes). *Refouler les envahisseurs.* **4.** Fig. Faire rentrer en soi (l'expression d'un sentiment, d'un désir). *Refouler ses larmes, sa colère.* **5.** PSYCHAN Rejeter dans son inconscient. *Refouler ses désirs incestueux.*

réfractaire adj. et n. m. **1.** Qui refuse de se soumettre, d'obéir. *Être réfractaire à toute hiérarchie.* ▷ HIST *Prêtre réfractaire* ou, n. m., *un réfractaire :* prêtre qui, sous la Révolution, avait refusé de prêter serment à la Constitution civile du clergé (1790). ▷ n. m. Celui qui refuse de se soumettre à l'appel de la loi du recrutement. (Le terme officiel *insoumis* tend à remplacer *réfractaire* dans l'usage cour.) ▷ HIST n. m. Celui qui refusait d'effectuer le service du travail obligatoire en Allemagne, pendant l'Occupation. **2.** *Par ext.* Qui est inaccessible, insensible (à qqch.). *Il est réfractaire aux conseils qu'on lui prodigue.* **3.** Qui résiste à de très hautes températures. *Brique réfractaire.*

réfracter v. tr. [1] PHYS Produire la réfraction de. *Les prismes réfractent la lumière.* – Pp. adj. *Rayon réfracté.*

réfracteur, trice adj. Didac. Qui a un pouvoir de réfraction.

réfraction n. f. PHYS Déviation d'un rayon lumineux qui passe d'un milieu transparent à un autre. *Indice* de réfraction.*

ENCYCL **Phys.** – La réfraction est régie par les lois de Descartes : le rayon réfracté se trouve dans le plan d'incidence défini par le rayon incident et la droite perpendiculaire à la surface de réfraction au point d'incidence.

réfractomètre n. m. PHYS Appareil servant à mesurer les indices de réfraction.

refrain n. m. **1.** Reprise de quelques mots ou de quelques vers à la fin de chaque couplet d'une chanson. *Refrain d'une ballade.* **2.** Fig. Paroles qui reviennent sans cesse.

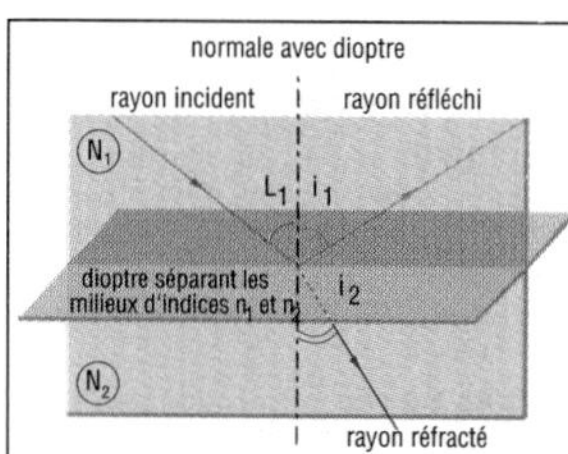

réflexion et réfraction

réfrangible adj. PHYS Susceptible d'être réfracté.

refréner ou **réfréner** v. tr. [14] Réprimer, mettre un frein à. *Refréner son ardeur, ses passions, son impatience.*

réfrigérant, ante adj. **1.** Qui sert à réfrigérer, à produire du froid. *Produit, mélange réfrigérant.* **2.** Fig., fam. Qui refroidit, qui glace. *Un accueil réfrigérant.*

réfrigérateur n. m. Appareil muni d'un organe producteur de froid et destiné à conserver (sans les congeler) des denrées périssables.

réfrigération n. f. Abaissement de la température par des moyens artificiels.

réfrigérer v. tr. [14] Refroidir par réfrigération. ▷ Pp. adj. Fam. *Être réfrigéré :* avoir très froid; fig., être mal à l'aise.

réfringence n. f. PHYS Propriété de réfracter la lumière.

réfringent, ente adj. PHYS Qui a la propriété de réfracter les rayons lumineux, les ondes électromagnétiques. *Milieu, corps réfringent.*

refroidir v. [3] **I.** v. tr. **1.** Rendre froid, plus froid; abaisser la température de (qqch.). **2.** Fig. *Refroidir qqn,* diminuer son ardeur, le décourager. *Leur méchanceté l'a refroidi.* – Par ext. *Refroidir l'enthousiasme de qqn.* **3.** Arg. Assassiner. *Ils l'ont refroidi.* **II.** v. intr. Devenir froid ou moins chaud. *Laisser refroidir sa soupe.* **III.** v. pron. **1.** Devenir plus frais, plus froid. *Le temps s'est refroidi.* **2.** (Personnes) Attraper froid, prendre un refroidissement. **3.** Fig. *Leurs relations se sont refroidies.*

refroidissement n. m. **1.** Abaissement de la température. **2.** Indisposition causée par une baisse subite de la température ambiante. *Prendre un refroidissement.* **3.** Fig. Diminution de l'enthousiasme, de la chaleur (dans les relations, les sentiments).

refroidisseur n. m. et adj. Appareil servant à refroidir, à empêcher un échauffement excessif. ▷ adj. *Système refroidisseur.*

refuge n. m. **1.** Asile, lieu où l'on se retire pour être en sûreté. *Chercher refuge chez qqn.* ▷ Fig. *Chercher un refuge dans le travail.* – (En appos.) *Valeurs refuges :* valeurs sûres. **2.** Abri destiné aux excursionnistes, aux alpinistes, en montagne. **3.** Emplacement délimité, au milieu d'une voie très large où la circulation est intense, qui permet aux passants de traverser en deux temps.

réfugié, ée adj. et n. Se dit d'une personne qui a dû quitter son pays d'origine pour fuir un danger (guerre, invasion, persécutions politiques, catastrophes naturelles, etc.). ▷ Subst. *Un(e) réfugié(e) politique,* à qui l'on a accordé l'asile politique.

réfugier (se) v. pron. [2] Se retirer (en un lieu) pour se mettre à l'abri, pour assurer sa sécurité. ▷ Fig. *Se réfugier dans la rêverie.*

refus n. m. **1.** Action, fait de refuser. *Opposer un refus à qqn.* – Loc. pop. *C'est pas de refus :* avec plaisir, volontiers. **2.** EQUIT Désobéissance d'un cheval devant l'obstacle. **3.** Ce qui reste, ce qui ne passe pas dans un tamis. ▷ *Spécial.* Dans une pâture, les herbes que les animaux refusent de manger.

refuser v. [1] **I.** v. tr. **1.** Ne pas accepter (ce qui est offert). *Refuser un cadeau, une invitation.* **2.** Ne pas accepter (ce qui est présenté). *Éditeur qui refuse un manuscrit.* ▷ *Refuser le combat,* ne pas accepter de l'engager. – EQUIT *Cheval qui refuse l'obstacle* ou (s. comp.) *qui refuse,* qui se dérobe devant l'obstacle. **3.** Ne pas accorder (ce qui est demandé). *Refuser une autorisation à qqn.* ▷ *Refuser de* (+ inf.) : ne pas consentir à. *Refuser d'obéir.* **4.** Ne pas consentir à reconnaître (une qualité). *On lui refuse toute compétence en la matière.* **5.** Ne pas recevoir (qqn) à un examen. *Refuser un candidat.* ▷ Ne pas laisser entrer (des personnes). *On refuse du monde chaque soir.* **II.** v. pron. **1.** (Passif) Être refusé, devoir être refusé. *Une telle offre ne se refuse pas.* **2.** (Réfléchi) Se priver de (le plus souvent en emploi négatif). *Il ne se refuse rien!* **3.** *Se refuser à :* ne pas accepter de. *Se refuser à travailler dans ces conditions.* **4.** *Femme qui se refuse à un homme,* qui n'accepte pas de se donner à lui.

réfutable adj. Qu'on peut réfuter. Ant. irréfutable.

réfutation n. f. **1.** Action de réfuter; discours, raisonnement par lequel on réfute. ▷ Fig. Démenti qui s'impose comme une évidence, sans qu'on l'exprime. *Sa conduite est la réfutation sans appel des calomnies portées contre lui.* **2.** RHET Partie du discours où l'on réfute les objections exprimées.

réfuter v. tr. [1] Rejeter (ce qui est affirmé par qqn) en en démontrant la fausseté. *Réfuter un argument, un raisonnement, une thèse.* ▷ Par ext. *Réfuter un auteur.*

refuznik [ʀəfyznik] n. En U.R.S.S., personne qui, désireuse d'émigrer en Israël, essuyait un refus de la part des autorités.

reg [ʀɛg] n. m. GEOGR Désert rocheux formé par la déflation.

regagner v. tr. [1] **1.** Gagner de nouveau (ce qu'on avait perdu). *Regagner le temps perdu.* **2.** Revenir, retourner à (un endroit). *Regagner son domicile.*

regain n. m. **1.** Herbe qui repousse dans une prairie après la première fauchaison. **2.** Fig. *Regain de... :* retour de (ce qui paraissait perdu, fini). *Un regain de jeunesse, d'activité.*

régal, als n. m. **1.** Mets délicieux. *Ce dessert est un régal, un vrai régal.* **2.** Fig. Grand plaisir causé par qqch. *C'était un régal de les voir.*

régalade n. f. Surtout dans la loc. *boire à la régalade :* boire en renversant la tête et en faisant couler la boisson dans la bouche sans que le récipient touche les lèvres.

régale n. f. HIST Droit qu'avaient, sous l'Ancien Régime, les rois de France de jouir des revenus des évêchés vacants *(régale temporelle)* et de nommer, pendant cette vacance, les titulaires des bénéfices ecclésiastiques *(régale spirituelle).*

régaler **1.** v. tr. [1] Offrir un bon repas à (qqn). – Fam. (S. comp.) Offrir, payer à boire ou à manger. *Servez-vous, c'est moi qui régale.* **2.** v. pron. Prendre un grand plaisir à déguster un mets, un repas, etc., délicieux. ▷ Fig. *Le spectacle était d'une grande drôlerie; nous nous sommes régalés.*

régalien, enne adj. **1.** HIST Qui est propre à la royauté, au roi. *Droits régaliens.* **2.** *Par ext.* Qui est du ressort de l'État, du chef de l'État.

regard n. m. **1.** Action de regarder, de porter sa vue, son attention sur. *Porter son regard sur qqch.* ▷ Coup d'œil. *Jeter un regard sur qqch.* **2.** Expression des yeux de qqn. *Un regard franc, intelligent.* **3.** Fig. Action, manière d'observer, d'examiner. *Cet auteur porte un regard critique sur les mœurs de son temps.* **4.** *Droit de regard :* possibilité d'exercer une surveillance, un contrôle. **5.** Loc. prép. *Au regard de :* par rapport à. *Au regard de la justice.* **6.** Loc. adv. *En regard :* vis-à-vis. *Texte original avec la traduction en regard.* **7.** Ouverture pratiquée pour permettre la visite et le nettoyage d'un conduit (canalisation, égout, etc.), la surveillance des cuissons à l'intérieur d'un four, etc.

regardant, ante adj. Qui regarde trop à la dépense; parcimonieux. – *Par ext.* (Surtout en tournure nég.) Attentif, rigoureux. *Il n'était pas très regardant sur leurs agissements.*

regarder v. [1] **I.** v. tr. **1.** Porter les yeux, la vue sur (qqch ou qqn) en s'appliquant à voir, en faisant preuve d'une certaine attention. *Regarder l'horizon.* – (Suivi d'un inf.) *Nous l'avons regardé partir.* ▷ Loc. *Regarder qqn de travers,* avec mépris ou hostilité. – *Regarder les choses en face,* objectivement, sans chercher à s'abuser. **2.** Fig. Considérer. *Regarder les choses d'un bon œil,* favorablement. **3.** (Sujet n. de chose.) Concerner, avoir rapport à. *Cela ne regarde que moi, cela me regarde.* **4.** (Choses) Fig. Être tourné vers. *Maison qui regarde la mer.* **II.** v. tr. indir. *Regarder à :* considérer avec attention, en faisant attention. *Regarder à la dépense :* hésiter à dépenser, être regardant. – *Y regarder à deux fois :* se méfier, prendre toutes précautions utiles (avant d'agir). *Y regarder de près :* examiner les choses soigneusement (avant de juger, de se décider). **III.** v. pron. **1.** (Réfléchi) Regarder sa propre image. *Se regarder dans un miroir.* **2.** (Réciproque) *Se regarder dans les yeux.* ▷ (Choses) Être vis-à-vis. *Maisons qui se regardent.* **3.** (Passif) Être regardé; devoir être regardé (de telle manière). *Retournez-le, ce tableau se regarde dans l'autre sens.*

regarnir v. tr. [3] Garnir de nouveau.

régate n. f. Course de bateaux, à la voile ou à l'aviron.

régater v. intr. [1] Disputer une régate.

régatier n. m. Personne qui participe à une régate.

regel n. m. Gel survenant après un dégel. ▷ PHYS *Phénomène de regel,* par lequel la glace, après avoir subi un début de fusion sous l'effet d'une pression, se reforme aussitôt que cette pression cesse.

régence n. f. **I. 1.** Direction d'un État par un régent. *Conseil de régence.* ▷ Dignité, fonction de régent; durée de cette fonction. ▷ HIST *La Régence :* la régence de Philippe d'Orléans pendant la minorité de Louis XV (1715-1723). **2.** (En appos.) Qui appartient à l'époque de la Régence. *Style Régence.* **II.** HIST Nom donné, sous l'Ancien Régime, à chacune des entités territoriales, sous suzeraineté turque, de l'Afrique du Nord. *On nommait «Régences barbaresques» les trois régences de Tripoli, de Tunis et d'Alger.*

Regency (style), style anglais (architecture, mobilier), de l'époque de la Régence et du règne de George IV (1811-1830), caractérisé par son éclectisme (tendances néo-classiques, apports d'Extrême-Orient) et, pour le mobilier, la recherche du confort.

régénérateur, trice adj. et n. m. **1.** adj. Qui régénère. *Principe régénérateur de l'épiderme.* **2.** n. m. TECH Appareil servant à régénérer un catalyseur. ▷ AGRIC Appareil employé pour labourer superficiellement les prairies.

régénératif, ive adj. BIOL Qui participe à une régénération, qui régénère.

régénération n. f. **1.** BIOL Reconstitution naturelle d'un tissu ou d'un organe qui avait été détruit. **2.** Fig., litt. Renouvellement moral, renaissance de ce qui était dégénéré. **3.** CHIM Opération qui consiste à régénérer un catalyseur.

régénérer v. tr. [14] **1.** RELIG Faire renaître spirituellement. *Le baptême régénère.* **2.** BIOL Reconstituer (ce qui est détruit). ▷ v. pron. *Tissus détruits qui se régénèrent.* **3.** Renouveler moralement (ce qui est dégénéré). *Régénérer les mœurs.* **4.** CHIM Réactiver (un catalyseur).

régent, ente n. **1.** Celui, celle qui gouverne l'État pendant la minorité ou l'absence du roi, du souverain. ▷ HIST *Le Régent :* Philippe d'Orléans, régent de France de 1715 à 1723. **2.** Vx Professeur dans un collège. **3.** Anc. Administrateur. *Régent de la Banque de France :* membre du conseil général de la Banque de France (de 1806 à 1936).

régenter v. tr. [1] Diriger, ordonner en exerçant une autorité excessive ou abusive.

Regent's Park, grand parc du N.-O. de Londres dessiné par J. Nash en 1814; jardin zoologique, roseraie.

Reger (Max) (Brand, Bavière, 1873 – Leipzig, 1916), compositeur néo-classique allemand. Puisant son inspiration princ. chez Beethoven et Bach, il est l'auteur de nombr. chorals pour orgue, de poèmes symphoniques, de sonates, de quatuors et de lieder.

reggae [ʀege] n. m. et adj. MUS Style de musique à structure binaire avec décalage du temps fort, spécifique aux Noirs jamaïquains.

Reggan ou **Reggane,** local. du Sahara algérien (wilaya d'Adrar), anc. centre français d'essais d'engins téléguidés et d'armes nucléaires (évacué en 1967). La première bombe atomique française y explosa le 13 fév. 1960.

Reggio di Calabria, v. et port d'Italie (Calabre), sur le détroit de Messine; 176 440 hab.; ch.-l. de la prov. du m. nom. Archevêché. Musées. La faiblesse de l'industrialisation est à l'origine d'une forte émigration vers le nord. Production de bergamote. – Plusieurs fois détruite par des séismes (1783, 1841, 1908).

Reggio nell'Emilia, ville d'Italie (Émilie-Romagne), sur le *Crostolo*; 130 750 hab.; ch.-l. de la prov. du m. nom. Centre agricole; industr. alimentaires. Métallurgie lourde.

régicide n. et adj. **1.** Assassin d'un roi. *Le régicide Ravaillac.* – HIST Se dit de ceux qui condamnèrent à mort Charles Ier en Angleterre, Louis XVI en France. ▷ adj. *Des menées régicides.* **2.** n. m. Assassinat (ou condamnation à mort) d'un roi.

régie n. f. **1.** DR Gestion d'une entreprise d'intérêt public par des fonctionnaires de l'État ou d'une collectivité publique. *Régie simple* ou *directe,* dont le service est assuré par des fonctionnaires (P.T.T., par ex.). *Régie intéressée,* dont le service est assuré par une entreprise privée sous le contrôle de l'Administration. **2.** *Par ext.* (Dans les noms de certaines entreprises nationalisées.) *La Régie Renault. La Régie autonome des transports parisiens (R.A.T.P.).* **3.** HIST Système de perception directe des impôts par les fonctionnaires royaux (par oppos. au système de la ferme). **4.** Direction du personnel et du matériel d'un théâtre, d'une production de cinéma, de télévision. ▷ AUDIOV Local à partir duquel le réalisateur dirige les prises de vues et de son lorsqu'elles sont effectuées en studio.

Régie autonome des transports parisiens (R.A.T.P.), établissement autonome issu en 1948 de la fusion de la Compagnie de chemin de fer métropolitain et de la Société des transports en commun de la région parisienne (autobus). Les lignes du R.E.R. dépendent les unes de la R.A.T.P., les autres de la S.N.C.F.

regimber v. intr. [1] **1.** Refuser d'avancer, en ruant. *Cheval qui regimbe.* **2.** Fig. Résister en refusant d'obéir. *Regimber contre un ordre.* ▷ v. pron. Résister, se révolter.

1. régime n. m. **I. 1.** Ordre, constitution, forme d'un État; manière de le gouverner. *Régime monarchique, féodal,* etc. – HIST *L'Ancien Régime :* le régime monarchique qui précède la Révolution. *Sous l'Ancien Régime :* avant 1789. – *Régime libéral, dictatorial, fasciste.* **2.** Ensemble de dispositions réglementaires ou légales qui régissent certaines institutions; organisation de ces institutions. *Régime des hôpitaux. Régimes matrimoniaux.* ▷ Ensemble des dispositions qui régissent certaines choses. *Régime des vins et spiritueux.* – *Régime d'imposition :* mode de calcul de l'impôt. **3.** Règle à suivre dans la manière de vivre (du point de vue de la santé). *Régime d'entraînement sportif.* ▷ (Plus cour.) *Régime alimentaire* ou, absol., *régime :* usage raisonné de la nourriture, en accord avec les règles de la diététique appliquées aux besoins particuliers d'un individu, pour corriger certains troubles ou éviter qu'ils ne se produisent. *Régime sans sel. Régime sec,* dans lequel les boissons alcoolisées sont proscrites. **II.** Manière dont se produisent certains phénomènes. **1.** PHYS Manière dont se produit l'écoulement d'un fluide. *Régime laminaire, turbulent.* **2.** Vitesse de rotation d'un moteur. *Marche d'un moteur à bas régime* (au ralenti), *à plein régime* (au maximum de sa puissance). **3.** GEOGR Mode d'évolution de certains processus hydrologiques et météorologiques cycliques, au cours d'une année. *Régime des vents, des pluies.* **III.** LING Mot régi par un autre, dans la phrase. *Régime direct, indirect.* – (En appos.) *Cas régime :* (en ancien français) forme que prend un nom, un pronom ou un qualificatif lorsqu'il est régi par un autre mot.

2. régime n. m. Grosse grappe que forment les fruits des bananiers et des palmiers-dattiers. *Régime de bananes.*

régiment n. m. **1.** Corps militaire composé de plusieurs bataillons, escadrons ou groupes et que commande un colonel. *Régiment d'artillerie (R.A.), d'infanterie (R.I.),* etc. – *Régiment étranger,* de la Légion étrangère. ▷ Ensemble des soldats d'un régiment. **2.** Fam. *Partir au régiment :* rejoindre l'armée pour y être incorporé. ▷ Pop., vieilli *Faire son régiment,* son service militaire. **3.** Fig. Multitude. *Un régiment de créanciers.*

régimentaire adj. Relatif à un régiment.

Regina, v. du Canada ; 179 170 hab. Cap. de la Saskatchewan. Centre agricole et commercial. Raff. de pétrole. – Université. Archevêché catholique. Évêché anglican.

Regiomontanus (Johann Müller, connu sous le nom lat. de) (rég. de Königsberg, 1436 – Rome, 1476), astronome allemand. Il détermina le parcours des comètes à l'aide de méthodes trigonométriques qu'il tira de la science astronomique arabe.

région n. f. **1.** Grande étendue de pays, possédant des caractéristiques (notam. géographiques et humaines) qui en font l'unité. *Les régions polaires.* **2.** Étendue de pays autour d'une ville, d'un point géographique remarquable. *Avoir une maison dans la région de Cassis. Le Vésuve et sa région.* **3.** Division territoriale administrative française englobant plusieurs départements. *Régions militaires* (chacune commandée par un officier général). *La France est divisée en 22 Régions.* (V. France [tableau Régions].) ▷ Division territoriale administrative de divers pays dont la Chine, le Royaume-Uni, le Mali. **4.** Partie déterminée du corps. *Région pectorale, lombaire.* **5.** Fig., litt. Degré, point où l'on s'élève (en parlant de la philosophie, des sciences, etc.). *Les régions supérieures du savoir.*

régional, ale, aux adj. et n. **1.** Relatif à une région. *Cuisine, coutumes, parlers régionaux.* **2.** Relatif à une Région (région, sens 3). *Un conseil régional.* **3.** Relatif à une partie du corps. *Anesthésie régionale.* **4.** n. f. pl. Élections régionales.

régionalisation n. f. Décentralisation (du pouvoir politique, économique, administratif) au profit des Régions.

régionaliser v. tr. [1] **1.** Décentraliser au profit des Régions. **2.** Fixer par Région. *Régionaliser un programme d'investissement.*

régionalisme n. m. **1.** Système politique ou administratif, tendant à assurer une certaine autonomie aux Régions. *Régionalisme et séparatisme.* **2.** Didac. Attention particulière portée à la description des mœurs, des paysages, d'une région déterminée, dans une œuvre littéraire. *Le régionalisme de G. Sand.* **3.** Locution, mot, tour propre à une région.

régionaliste adj. et n. **1.** Favorable au régionalisme (sens 1). *Politique régionaliste.* ▷ Subst. *Les régionalistes, les autonomistes et les séparatistes.* **2.** *Écrivain régionaliste,* dont l'œuvre est empreinte de régionalisme (sens 2).

régir v. tr. [3] **1.** Vx Diriger, administrer. *Régir une propriété.* **2.** Déterminer, régler (en parlant d'une loi, d'une règle, etc.). *La loi régit les rapports entre les hommes. – La loi qui régit tel phénomène physique.* ▷ GRAM Imposer (une catégorie grammaticale à un autre mot). *Bien que régit le subjonctif.*

régisseur, euse n. **1.** Personne qui régit, qui gère. **2.** HIST Personne qui est à la tête d'une régie (sens 1). *Régisseur des poudres.* **3.** *Régisseur d'un théâtre,* qui a la charge de l'organisation matérielle des spectacles.

registraire n. (Canada) Fonctionnaire chargé de la tenue des registres (lycées, tribunaux, etc.).

registre n. m. **I. 1.** Livre public ou privé sur lequel on consigne les actes, les affaires de chaque jour. *Les registres de l'état civil.* ▷ *Registre du commerce :* répertoire officiel des commerçants, des sociétés civiles et commerciales et des G.I.E. **2.** INFORM Mémoire qui sert à stocker une information élémentaire (résultat d'un calcul, instruction en cours d'exécution, etc.). **II. 1.** MUS Mécanisme qui commande chacun des jeux d'orgue. **2.** MUS Chacune des parties (grave, médiane, aiguë) de l'échelle totale des sons qu'un instrument peut émettre sans changer son timbre. – Étendue totale de l'échelle vocale d'un chanteur. **3.** Fig. Tonalité propre, caractéristique d'une œuvre, d'un discours. *D'un livre à l'autre, il a changé de registre.* **4.** TECH Pièce qui masque une ouverture pour régler un débit.

réglable adj. Qu'on peut régler. *Briquet à flamme réglable.*

réglage n. m. Opération par laquelle on règle un appareil, un mécanisme ; manière dont un mécanisme est réglé.

règle n. f. **I.** Instrument allongé qui sert à tracer des lignes droites. *Règle graduée.* ▷ Par anal. *Règle à calcul :* instrument servant à effectuer certains calculs (multiplication, division, extraction de racines, etc.), constitué de deux réglettes à graduation logarithmique, coulissant l'une sur l'autre. **II.** Fig. **1.** Principe qui doit servir de ligne directrice à la conduite ; prescription ou ensemble de prescriptions qui portent sur la conduite à tenir dans un cas déterminé. *Les règles de la morale, de la politesse.* ▷ *La règle, les règles du jeu :* l'ensemble des conventions propres à un jeu, à un sport. **2.** Loc. *Selon les règles, dans les règles, dans les règles de l'art :* comme il se doit. – *Pour la bonne règle :* pour que la règle soit bien respectée ; pour la forme. – *En règle générale :* d'une manière générale, habituellement. ▷ *En règle :* conforme à l'usage qui règle les modalités d'une pratique ; conforme à la tradition du genre. *Un duel en règle.* – Conforme aux prescriptions légales. *Papiers en règle.* **3.** Ensemble des préceptes disciplinaires qui régissent la vie des membres d'un ordre religieux. *La règle de saint Benoît.* **4.** MATH Formule, opération qui permet d'effectuer certains calculs. *Règle de trois :* V. trois. **III.** Plur. Cour. Écoulement menstruel. *Avoir ses règles. Règles douloureuses* (dysménorrhée). Syn. menstruation, menstrues.

réglé, ée adj. **1.** GEOM Engendré par le déplacement d'une droite. *Surface réglée d'un cône.* **2.** adj. f. Se dit d'une jeune fille pubère, qui a ses règles.

règlement n. m. **I. 1.** Vx Fait de régler, de soumettre à une discipline. **2.** DR Acte législatif, posant une règle générale, qui émane d'une autre autorité que le Parlement (du pouvoir exécutif, notam.). *Règlement de police.* **3.** Ensemble de prescriptions que doivent observer les membres d'une société, d'un groupe, d'une assemblée, etc. *Règlement intérieur d'une entreprise.* ▷ Texte écrit qui contient le règlement. *Afficher le règlement.* **II. 1.** Action de régler une affaire. *Le règlement d'un litige.* **2.** Action de régler un compte. *Règlement d'une dette.* ▷ Fig. *Règlement de comptes :* action de vider une querelle avec violence. **3.** DR *Règlement judiciaire :* procédure judiciaire concernant un débiteur (commerçant, société, association) en état de cessation de paiement, quand sa situation permet d'envisager le rétablissement de son entreprise.

réglementaire adj. **1.** Relatif à un règlement. *Dispositions réglementaires.* **2.** Fixé par règlement ; conforme au règlement. *Tenue réglementaire.*

réglementairement adv. De manière réglementaire ; selon le règlement.

réglementarisme n. m. Didac. Tendance à vouloir tout réglementer.

réglementation [ʀɛgləmɑ̃tasjɔ̃] n. f. **1.** Action de réglementer. *La réglementation du stationnement.* **2.** Ensemble de mesures légales, de règlements. *Étudier la réglementation de la vente à crédit.*

réglementer [ʀɛgləmɑ̃te] v. tr. [1] Soumettre à des règlements. *Réglementer les importations.*

régler v. tr. [14] **I.** Couvrir de lignes droites parallèles. *Régler du papier à musique,* y tracer des portées. – Pp. adj. Se dit d'un papier où sont tracées des lignes parallèles pour faciliter l'écriture. – Loc. *Réglé comme du papier à musique*.* **II. 1.** Litt. Diriger ou modérer suivant des règles. *Régler sa conduite.* ▷ *Régler sa conduite sur qqn,* le prendre pour modèle. – v. pron. *Se régler sur qqn.* **2.** Fixer, déterminer, arrêter d'une manière précise ou définitive. *Régler l'ordre d'une cérémonie.* **3.** *Régler une chose,* la terminer, la résoudre définitivement. *Régler ses affaires.* ▷ v. pron. *Leur différend s'est réglé à l'amiable.* **4.** *Régler un compte,* l'arrêter, payer ce que l'on doit. ▷ Fig., fam. *Régler son compte à qqn,* lui administrer une correction ou le tuer, par vengeance. **5.** *Par ext.* Payer (une dette, un fournisseur). *Régler sa note d'hôtel. Régler l'épicier.* ▷ Absol. *Régler en espèces, par chèque.* **6.** Mettre au point (un mécanisme, un appareil), amener (un phénomène) à se produire convenablement, aux conditions voulues. *Régler sa montre,* la mettre à l'heure. *Régler le ralenti d'un moteur. Régler un téléviseur.*

réglette n. f. Petite règle.

régleur, euse n. Ouvrier, ouvrière spécialisés dans le réglage de machines.

réglisse n. **1.** n. f. Plante dicotylédone (fam. papilionacées) dont on utilise la racine (rhizome) pour ses propriétés médicinales. *Réglisse officinale.* **2.** n. m. (ou, rare, n. f.) Racine de cette plante *(bois de réglisse)* ; suc qu'on en extrait. *Mâcher du (bois de) réglisse. Pâtes pectorales au réglisse.*

réglo adj. inv. Fam. Correct, régulier, loyal. *En affaires il est réglo.*

régnant, ante adj. **1.** Qui règne, qui exerce le pouvoir souverain. *Prince régnant.* **2.** Fig., litt. Dominant, qui a cours. *L'opinion régnante.*

Regnard (Jean-François) (Paris, 1655 – chât. de Grillon, près de Dourdan, 1709), poète comique français. Après avoir voyagé, il s'installa à Paris, en 1683, et écrivit pour le Théâtre-Italien, puis pour le Théâtre-Français. Ses comédies, *le Joueur* (1696), *le Distrait* (1697), *le Légataire universel* (1708), ont renouvelé la farce.

Regnault (Victor) (Aix-la-Chapelle, 1810 – Paris, 1878), physicien et chimiste français ; connu pour ses travaux sur la chaleur massique des solides et des fluides, sur la statique des fluides, sur la thermodynamique, etc.

Regnault de Saint-Jean-d'Angély (Michel, comte) (Saint-Fargeau, 1761 – Paris, 1819), homme politique français. Il joua un rôle important au Conseil d'État et fut ministre pendant les Cent-Jours. Demeuré fidèle à Napoléon Ier, il fut exilé (1816). Acad. fr. (1803). – **Auguste Étienne**, comte (Paris, 1794 – Nice, 1870), fils du préc. ; aide de camp de

Napoléon Ier pendant les Cent-Jours. Commandant de la garde impériale sous le Second Empire, il fut nommé maréchal pour sa conduite à Magenta.

règne n. m. **I. 1.** Gouvernement d'un prince souverain; durée de ce gouvernement. *Le règne de Louis XIV. Sous le règne de François Ier.* ▷ Par ext. *Le règne de tel ministre, de tel chef d'État.* **2.** Pouvoir absolu, domination, influence prédominante (d'une personne, d'un groupe, d'une chose). *Le règne de la justice et de la liberté.* **II.** Chacune des grandes divisions que l'on distinguait autrefois dans la nature. *Règne végétal, animal.*

régner v. intr. [14] **1.** Exercer le pouvoir souverain, monarchique. *Louis XIV régna soixante-douze ans.* ▷ *Par ext.* Exercer un pouvoir. – Fig. *Régner sur un cœur.* **2.** (Choses) Exister plus ou moins durablement; avoir cours, prédominer. *Le mauvais temps qui règne actuellement sur le pays.*

régnié n. m. Cru du Beaujolais.

Régnier (Mathurin) (Chartres, 1573 – Rouen, 1613), poète français. Neveu et disciple de Desportes, il est partisan, contre Malherbe, d'une «libre inspiration»; il décrit avec verve les mœurs du temps dans ses *Satires* (1608-1613).

Régnier (Henri de) (Honfleur, 1864 – Paris, 1936), écrivain français. Poète symboliste, il usa avec bonheur du vers libre (*les Jeux rustiques et divins*, 1897), puis revint à une forme plus traditionnelle de prosodie (*la Sandale ailée*, 1906; *Flamma tenax*, 1922-1928). Romans : *le Mariage de minuit* (1903), *la Pécheresse* (1920), *les Bonheurs perdus* (1924). Acad. fr. (1911).

Regnitz (la), riv. d'Allemagne (210 km), affl. du Main (r. g.). Elle arrose Fürth et Bamberg.

régolite n. f. GEOL Manteau de débris provenant de l'altération de la roche sous-jacente.

regonflage n. m. Action de regonfler.

regonfler v. [1] **1.** v. tr. Gonfler de nouveau (ce qui est dégonflé). *Regonfler un ballon.* ▷ Fig., fam. *Regonfler qqn, lui regonfler le moral,* lui redonner courage. **2.** v. intr. Se gonfler de nouveau, en parlant des eaux. *La rivière a regonflé à cause des pluies.*

regorger v. [13] **1.** v. intr. Déborder, s'épancher hors de ses limites normales. *Liquide qui regorge par un trop-plein.* **2.** v. tr. indir. *Regorger de... :* avoir en grande abondance. *Ville qui regorge de trésors architecturaux.*

regratter v. tr. [1] Gratter de nouveau, racler la pierre d'un bâtiment pour le nettoyer. *Regratter une muraille.*

regreffer v. t. [1] Greffer de nouveau.

régresser v. intr. [1] Subir une régression. – PSYCHO *Sujet qui régresse.* ▷ Diminuer, reculer. *Le nombre des meurtres régresse.*

régressif, ive adj. **1.** Qui revient en arrière. ▷ PHILO *Raisonnement, analyse régressive,* qui remonte des faits aux causes, des conséquences aux principes. **2.** BIOL, PSYCHO Qui constitue une régression, qui procède d'une régression. *Forme régressive. Évolution régressive.* **3.** GEOGR *Érosion régressive* (du lit d'un fleuve), qui érode de l'aval vers l'amont.

régression n. f. **1.** Retour à un état antérieur. ▷ BIOL Évolution d'un tissu, d'un organe, d'une espèce, etc., qui aboutit à des formes assimilables à un état de développement antérieur (formes moins différenciées, notam.). ▷ PSYCHO, PSYCHAN Retour du sujet à un stade antérieur de son développement (affectif, libidinal, linguistique, etc.), caractéristique des difficultés qu'il éprouve à résoudre certains conflits psychiques. *Fixation et régression.* **2.** *Par ext.* Recul, diminution en force, en intensité ou en nombre. *Les symptômes sont en régression.* **3.** GEOL *Régression marine :* recul de la mer qui abandonne les terres qu'elle avait occupées.

regret n. m. **1.** Peine, chagrin causé par la perte de qqch ou de qqn. *Avoir le regret du pays natal.* **2.** Mécontentement, chagrin d'avoir ou de ne pas avoir fait une chose. *Être rongé de regrets.* **3.** Contrariété, déplaisir causé par le fait qu'un désir, un souhait, un projet ne se soit pas réalisé. *Le regret d'avoir échoué.* ▷ Loc. adv. *À regret :* malgré soi, contre son désir.

regrettable adj. Déplorable, fâcheux. *Un incident regrettable.*

regrettablement adv. Litt. D'une manière regrettable.

regretter v. tr. [1] **1.** Éprouver de la peine, du chagrin, au souvenir de (ce qui n'est plus, ce que l'on n'a plus). *Regretter sa jeunesse.* ▷ *Regretter qqn* (une personne défunte ou durablement absente). – Pp. adj. *Notre regretté ami :* notre ami défunt. **2.** Éprouver du mécontentement, de la contrariété (d'avoir ou de ne pas avoir fait qqch). *Il regrette amèrement de ne pas l'avoir dit plus tôt.* ▷ *Regretter ses erreurs, ses péchés,* les désavouer, s'en repentir. **3.** Être mécontent de (ce qui s'oppose à la réalisation d'un désir, d'un souhait, d'un projet). *Regretter la présence de qqn. Regretter que qqn soit présent.* **4.** Montrer son mécontentement (d'une action dont on est responsable). *Je regrette de vous avoir causé tout ce mal.* ▷ (Formule de politesse.) *Je regrette, mais... :* excusez-moi, mais...

regrimper v. [1] **1.** v. intr. Grimper de nouveau. – Fig. *Les prix regrimpent.* ▷ Grimper pour se retrouver dans la position élevée qu'on a quittée. **2.** v. tr. *Regrimper une pente,* la grimper de nouveau. – Fig. *Regrimper la pente :* se remonter, être en meilleur état ou situation.

regrossir v. intr. [3] Grossir de nouveau. ▷ Grossir après avoir maigri.

regroupement n. m. Action de regrouper, de se regrouper; son résultat.

regrouper v. tr. [1] Rassembler en un même lieu ou à une même fin (ce qui était dispersé). ▷ v. pron. *La foule s'est regroupée rapidement.*

régularisable adj. Dont la situation peut être régularisée.

régularisation n. f. Action de régulariser; son résultat.

régulariser v. tr. [1] **1.** Rendre régulier, conforme aux lois; donner une forme légale à. *Régulariser sa situation.* – FIN *Régulariser un compte.* **2.** Mettre un étranger en situation régulière. **3.** Rendre régulier (ce qui était inégal, inconstant). *Régulariser un mouvement. Régulariser une rivière.*

régularité n. f. **1.** Caractère de ce qui est régulier, uniforme, constant. *La régularité d'un pas.* **2.** État d'une chose présentant une certaine symétrie, des proportions justes et harmonieuses. *La régularité des traits d'un visage.* **3.** Conformité aux règles. *La régularité d'une procédure, d'une élection.*

régulateur, trice adj. et n. **I.** adj. Qui règle, qui régularise. *Action régulatrice d'un thermostat.* ▷ BIOL *Gène régulateur,* qui régularise l'activité d'un autre gène par une action inhibitrice. **II.** n. m. **1.** Didac. Substance, mécanisme qui effectue une régulation. *Le lithium est un régulateur de l'humeur.* **2.** TECH Dispositif qui maintient constante la température, la pression, la vitesse, l'intensité électrique, etc. **3.** Dispositif qui, sur une charrue, sert à régler la position des socs. **4.** HORL Horloge servant à régler montres et pendules. **III.** n. Personne qui assure la régulation du trafic.

régulation n. f. **1.** Action de régler, de régulariser un mouvement, un débit. *La régulation du trafic sur le réseau routier.* **2.** Action de régler un mécanisme complexe. *Régulation des compas d'un navire.* **3.** Maintien de l'équilibre d'un système complexe et structuré, assurant son fonctionnement correct. *Régulation et autorégulation d'un système, en cybernétique.* ▷ BIOL *Régulation thermique.* **4.** *Régulation des naissances.* V. contraception.

régule n. m. TECH Alliage de plomb ou d'étain et d'antimoine, utilisé comme métal antifriction.

réguler v. tr. [1] Didac. Assurer la régulation de (un mouvement, un système).

régulier, ère adj. (et n. m.) **I. 1.** Qui ne s'écarte pas des règles, de la norme. *Procédure régulière. Verbes réguliers,* dont la conjugaison ne présente pas d'exception aux règles générales. ▷ Légal, réglementaire. *«Légalement le coup est régulier» (M. Pagnol).* – Fam. (Personnes) Respectueux des règles, loyal, probe. *Il n'a pas été très régulier avec moi.* (Abrév. : réglo). Syn. franc-jeu. **2.** (Par oppos. à *séculier*.) Qui concerne les ordres religieux (soumis à la *règle*), qui leur est propre. *Clergé régulier.* **3.** *Troupes régulières,* qui constituent la force armée officielle d'un État (par oppos. à *partisans, francs-tireurs, supplétifs,* etc.). ▷ n. m. *Un régulier :* un soldat de l'armée régulière. **4.** Conforme aux préceptes de la morale sociale (en parlant de la vie, des mœurs d'une personne). *Vous pouvez lui faire confiance, il est régulier.* **II. 1.** Dont la vitesse, le rythme ou l'intensité ne varie pas. *Mouvement régulier. Respiration régulière.* **2.** Qui se reproduit à des intervalles égaux; périodique. *Examens médicaux réguliers.* ▷ Qui se produit de manière habituelle, constante; qui est assuré à jour ou à heure fixe. *Service régulier d'autobus.* **3.** (Personnes) Exact, ponctuel. *Être régulier dans ses habitudes.* **III. 1.** Qui présente une certaine symétrie; harmonieux dans ses formes, bien proportionné. *Ville bâtie sur un plan régulier. Visage, traits réguliers.* **2.** MATH *Polygone régulier,* dont tous les côtés, tous les angles sont égaux. *Polyèdre régulier,* dont toutes les faces sont des polygones réguliers égaux. **3.** BOT *Fleur régulière,* pourvue d'un axe de symétrie (par oppos. à *fleur irrégulière,* pourvue d'un plan de symétrie). Syn. actinomorphe. Ant. zygomorphe.

régulière n. f. Fam. Épouse; maîtresse en titre. *Je l'ai croisé avec sa régulière.*

régulièrement adv. De manière régulière; uniformément; normalement.

Régulus, étoile bleue de la constellation du Lion (magnitude visuelle apparente 1,3).

Regulus (Marcus Atilius) (IIIe s. av. J.-C.), général romain, consul en 256 av. J.-C.; célèbre pour son patriotisme. Vaincu par les Carthaginois et fait prisonnier, il fut envoyé à Rome pour négocier la paix; il dissuada ses compatriotes d'accepter les conditions de rachat de leurs prisonniers et retourna à Carthage, où il périt sous la torture.

régurgitation n. f. Retour dans la bouche, sans effort de vomissement, d'aliments non digérés contenus dans l'estomac ou l'œsophage.

régurgiter v. tr. [1] Rendre par régurgitation.

réhabilitation n. f. Action de réhabiliter; son résultat.

réhabiliter v. tr. [1] **1.** Rétablir dans ses droits (une personne déchue par suite d'une condamnation). **2.** Réinsérer qqn dans la société. *Réhabiliter un toxicomane, un détenu à sa sortie de prison.* **3.** Faire recouvrer l'estime d'autrui à. *Cette action l'a réhabilité aux yeux de tous.* ▷ v. pron. *Je désire me réhabiliter à vos yeux.* **4.** Remettre en état (un immeuble, un quartier).

réhabituer v. tr. [1] Habituer de nouveau. *Se réhabituer au froid.*

rehaussement n. m. **1.** Action de rehausser. *Le rehaussement d'une maison.* **2.** FISC Syn. de *redressement.*

rehausser v. tr. [1] **1.** Hausser davantage. *Rehausser une muraille.* **2.** Faire valoir, mettre en relief. *Les ombres rehaussent l'éclat des couleurs.*

rehausseur n. m. Accessoire servant à asseoir un enfant sur le siège arrière d'une voiture.

rehaut n. m. PEINT Touche de couleur ou hachure claire qui sert à faire ressortir des figures, des ornements, etc.

réhoboam n. m. Grande bouteille de champagne dont la contenance est égale à six fois celle de la bouteille ordinaire, soit 4,5 litres.

réhydratation n. f. MED Administration thérapeutique d'eau dans un organisme qui en manque.

réhydrater v. tr. [1] MED Pratiquer une réhydratation.

Reich («empire», en all.), nom donné au Saint Empire romain germanique (962-1806) ou Ier Reich, puis à l'Empire fondé par Bismarck (1871-1918) ou IIe Reich, enfin au régime nazi (1933-1945) ou IIIe Reich.

Reich (Wilhelm) (Dobrzcynica, Galicie orientale, auj. en Ukraine, 1897 – Lewisburg, Pennsylvanie, 1957), psychanalyste américain d'origine autrichienne. Militant communiste, il prôna la libération sexuelle : *la Fonction de l'orgasme* (1927), *Matérialisme dialectique et psychanalyse* (1929), *la Lutte sexuelle des jeunes* (1932). Exclu du parti communiste, de l'Association de psychanalyse, banni d'Allemagne par les nazis, il se réfugia aux É.-U. (1939). Il fut accusé d'escroquerie pour avoir commercialisé ses prétendus «accumulateurs d'orgone» (énergie vitale). Il mourut en prison.

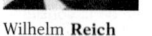

Wilhelm **Reich** Jules **Renard**

Reicha (Anton) (Prague, 1770 – Paris, 1836), compositeur français d'origine tchèque : opéras, symphonies, fugues pour piano, 26 quintettes pour instruments à vent; auteur d'un *Traité de haute composition musicale* (1824-1826).

Reichenau, île du lac de Constance (Allemagne); 4 km². Viticulture. Tourisme. – Nombr. églises romanes. L'abbaye bénédictine, fondée en 724, fut un centre intellectuel; son import. bibliothèque recelait le *glossaire de Reichenau* (VIIIe s.), sorte de dictionnaire latin-roman destiné à rendre plus aisée la lecture de la Bible.

Reichenbach (Hans) (Hambourg, 1891 – Los Angeles, 1953), philosophe et logicien allemand; un des fondateurs du cercle de Vienne*.

Reichshoffen, com. du Bas-Rhin (arr. de Haguenau); 5 119 hab. – Pendant la bataille de Wœrth-Frœschwiller (6 août 1870), Reichshoffen fut le lieu de la charge des cuirassiers français qui tentèrent, vainement, de dégager les troupes françaises.

Reichsrat, nom allemand du Conseil d'Empire austro-hongrois (1848-1861), puis du Parlement autrichien (1861-1918). – En Allemagne, nom de l'une des chambres législatives fédérales, composée de représentants des États, instituée par la Constitution de Weimar (1919-1934).

Reichstadt (auj. *Zákupy,* Rép. tchèque), bourg de Bohême, ch.-l. d'une seigneurie dont François Ier d'Autriche fit un duché qu'il donna en 1818 à son petit-fils, Napoléon II. – *Entrevue de Reichstadt* (1876), entre la Russie et l'Autriche, qui resta neutre face à la Turquie.

Reichstag, chambre législative, élue au suffrage universel, de la Confédération de l'Allemagne du Nord (1867-1871), de l'Empire allemand (1871-1918) et de la république de Weimar (1919-1933). Le palais où se réunissait ce Parlement, à Berlin, fut incendié le 27 fév. 1933 à l'instigation des nazis, qui accusèrent du forfait un militant communiste (Van der Lubbe); cette machination permit à Hitler d'éliminer les communistes (procès de Leipzig). Le Reichstag fut maintenu sous le IIIe Reich, mais après interdiction de tous les partis, à l'exception du parti national-socialiste.

Reichstein (Tadeusz) (Włocławek, 1897 – Bâle, 1996), biochimiste suisse d'origine polonaise; spécialiste des biocatalyseurs, et notam. de la cortisone. P. Nobel de médecine 1950.

Reichswehr («défense de l'Empire»), nom donné de 1921 à 1935 à l'armée allemande telle que l'avait organisée le traité de Versailles (1919).

Reid (Thomas) (Strachan, 1710 – Glasgow, 1796), philosophe écossais. Il opposa le réalisme du «sens commun» au scepticisme de Hume et à l'idéalisme de Berkeley : *Recherche sur l'entendement humain d'après les principes du sens commun* (1764), *Essais sur les facultés actives* (1788).

Reid (Thomas Mayne). V. Mayne Reid.

réification n. f. PHILO Fait de réifier.

réifier v. tr. [2] PHILO Transformer en chose; constituer en une chose extérieure et autonome (ce qui provient de sa subjectivité). Syn. chosifier.

Reille (Honoré Charles, comte) (Antibes, 1775 – Paris, 1860), maréchal de France (1847). Il s'illustra à Essling et à Wagram (1809), puis commanda l'armée du Portugal (1812) et se distingua à Waterloo (1815). Sénateur sous le Second Empire (1852).

réimperméabiliser v. tr. [1] Imperméabiliser de nouveau.

réimplantation n. f. CHIR **1.** Remise en place d'un organe sectionné. *La réimplantation d'un doigt.* – Implantation chez le receveur d'un organe prélevé sur un donneur. *Réimplantation cardiaque.* **2.** Remise en place d'une dent dans son alvéole.

réimplanter v. tr. [1] CHIR Pratiquer une réimplantation.

réimportation n. f. ECON Action de réimporter.

réimporter v. tr. [1] ECON Importer dans son pays d'origine (une marchandise exportée).

réimpression n. f. Nouvelle impression (d'un livre).

réimprimer v. tr. [1] Imprimer de nouveau.

Reims, ch.-l. d'arr. de la Marne, sur la Vesle; 185 164 hab. (env. 206 400 hab. dans l'aggl.). Ville industrielle en plein essor, Reims a ajouté aux opérations de vinification et de commercialisation du champagne de nombr. autres activités : constr. mécanique, industr. électronique et alimentaire. – Université. Archevêché. Musées. La cath. N.-D., de style gothique, date du XIIIe s. (les tours n'ayant été terminées qu'à la fin du XVe s.); les portails de la façade occidentale sont ornés de sculptures, dont le célèbre ange gardien connu sous le nom de *Sourire de Reims.* Basilique St-Remi, anc. abbat. de style roman (XIe s., remaniée au XIIe s.). Porte de Mars (arc de triomphe gallo-romain du IIe s.). – Capitale de la Gaule Belgique, Reims, qui fut le siège d'un évêché dès 290, a vu le baptême de Clovis (496). Pour cette raison, à partir de Louis VII, les rois de France furent sacrés dans la cathédrale rémoise (excepté Henri IV et Louis XVIII). Reims s'enrichit à partir du XIIIe s. grâce à la fabrication et au

Reims : façade occidentale de la cathédrale Notre-Dame

commerce des draps de laine. – Bombardée pendant la guerre de 1914-1918, la ville (et la cathédrale) fut très endommagée. La reddition de la Wehrmacht y fut signée le 7 mai 1945.

rein n. m. **1.** Plur. *Les reins :* les lombes, la partie inférieure du dos. *Avoir mal aux reins.* – Loc. fig. *Avoir les reins solides :* être assez puissant, assez prospère pour pouvoir surmonter d'éventuelles difficultés. *Affaire, industriel qui a les reins solides. Casser les reins à qqn,* briser sa carrière. ▷ Litt. Ceinture, taille. *Se ceindre les reins d'un pagne.* **2.** (Sing.) Chacun des deux organes qui élaborent l'urine. ▷ *Rein artificiel :* appareil qui se branche en dérivation sur la circulation sanguine d'un malade atteint d'insuffisance rénale majeure et qui assure l'épuration et l'équilibrage ionique du sang (V. dialyse). **3.** ARCHI *Reins d'une voûte :* partie comprise entre la portée et le sommet.

ENCYCL **Physiol.** – La totalité de la masse sanguine traversant le rein en quatre ou cinq minutes, 1 700 litres de sang passent chaque jour par l'appareil rénal, qui en effectue l'épuration. Les reins maintiennent l'équilibre du milieu intérieur en épurant le sang des substances toxiques et en compensant les «entrées» dans le milieu intérieur par des «sorties» (sécrétion d'urine). En outre, le rein participe au contrôle de la pression artérielle par la sécrétion de rénine.

réincarcération n. f. DR Nouvelle incarcération.

réincarcérer v. tr. [**14**] DR Incarcérer de nouveau.

réincarnation n. f. Nouvelle incarnation (d'une âme) dans un corps différent. V. métempsycose.

réincarner (se) v. pron. [**1**] S'incarner de nouveau.

réincorporer v. tr. [**1**] Incorporer de nouveau.

reine n. f. **1.** Épouse d'un roi. ▷ *Reine mère :* mère du souverain régnant. **2.** Souveraine d'un royaume. *La reine d'Angleterre.* – *Un port de reine,* majestueux. **3.** Femme qui l'emporte sur toutes les autres dans une circonstance particulière. *Elle était la reine de la fête.* – *Reine de beauté* (cf. miss). ▷ (Choses) Ce qui occupe la première place, qui prévaut sur tout le reste. *La valse, reine des danses. La reine des nuits :* la Lune. – Vieilli ou plaisant *La petite reine :* la bicyclette. **4.** Celle des pièces du jeu d'échecs qui a la marche la plus étendue (on dit mieux *dame :* V. ce mot). **5.** Femelle pondeuse, chez les insectes sociaux (abeilles, guêpes, termites, fourmis).

Reine-Charlotte (archipel de la), groupe d'env. 150 îles canadiennes (Colombie britannique), dans le Pacifique. – Le *détroit de la Reine-Charlotte* sépare l'île Vancouver de la Colombie britannique.

reine-claude n. f. Prune ronde et verte, à la chair délicate et parfumée, très estimée. *Des reines-claudes.* ▶ illustr. **prunier**

reine-des-prés n. f. Nom cour. de la spirée ulmaire. *Des reines-des-prés.*

reine-marguerite n. f. Plante proche de la marguerite, originaire de Chine (fam. composées), cultivée pour ses fleurs. *Des reines-marguerites.*

reinette n. f. Pomme à couteau d'automne ou d'hiver, très parfumée, à peau grisâtre ou tachetée. *Reine des reinettes, reinette du Mans, reinette du Canada,* etc.

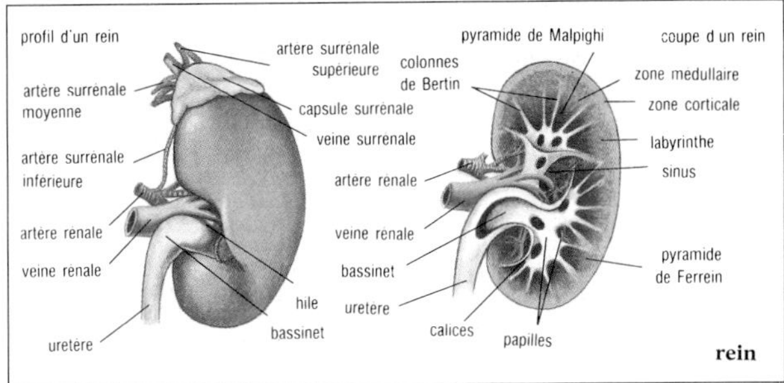

rein

Reinhardt (Max Goldmann, dit Max) (Baden, près de Vienne, 1873 – New York, 1943), directeur de théâtre et metteur en scène autrichien de réputation mondiale; spécialiste de spectacles à grand nombre de figurants (*Œdipe roi* de Sophocle, *Jules César* de Shakespeare, etc.).

Reinhardt (Jean-Baptiste, dit Django) (Liberchies, Belgique, 1910 – Fontainebleau, 1953), compositeur et guitariste de jazz français d'origine tzigane; un des fondateurs du quintette à cordes du Hot Club de France (1934-1940).

Django **Reinhardt**

réinscription n. f. Nouvelle inscription.

réinscrire v. tr. [**67**] Inscrire de nouveau. ▷ v. pron. *Se réinscrire à la faculté.*

réinsérer v. tr. [**14**] Insérer de nouveau. ▷ Assurer une nouvelle insertion sociale à. *Réinsérer un accidenté du travail.*

réinsertion n. f. Action de réinsérer (partic., socialement); son résultat. *La réinsertion des handicapés.*

réinstallation n. f. Action de réinstaller; son résultat.

réinstaller v. tr. [**1**] Installer de nouveau. ▷ v. pron. *Se réinstaller en France après un séjour à l'étranger.*

réintégration n. f. Action de réintégrer; son résultat.

réintégrer v. tr. [**14**] **1.** DR Rétablir (qqn) dans la possession de ce dont il avait été dépouillé. *Réintégrer qqn dans une fonction.* **2.** Rentrer dans. *Réintégrer son domicile.*

réintroduction n. f. Action de réintroduire.

réintroduire v. tr. [**69**] Introduire de nouveau.

réinventer v. tr. [**1**] Inventer de nouveau (une chose oubliée, disparue). – Inventer à nouveau (en donnant un caractère de nouveauté).

réinvestir v. tr. [**3**] Investir de nouveau.

réinviter v. tr. [**1**] Inviter de nouveau.

Reiser (Jean-Marc) (Réhon, Meurthe-et-Moselle, 1941 – Paris, 1983), dessinateur français à l'humour ravageur; collaborateur, notam., de *Hara-Kiri Hebdo* et de *Charlie Hebdo.*

Reisz (Karel) (Ostrava, 1926), cinéaste et théoricien du cinéma britannique d'origine tchèque; membre du groupe du «free cinema» : *Samedi soir et dimanche matin* (1960), *Morgan* (1966), *la Maîtresse du lieutenant français* (1981).

réitératif, ive adj. Didac. Qui réitère; qui est réitéré.

réitération n. f. Action de réitérer; fait d'être réitéré.

réitérer v. tr. [**14**] Répéter, recommencer. *Réitérer une démarche.* – Pp. adj. *Une demande réitérée.*

reître n. m. **1.** Anc. Cavalier mercenaire allemand, au service de la France au XVIe s. **2.** Litt. Soudard ; homme brutal et grossier.

Rej (Mikołaj) (Zórawno, 1505 – ?, 1569), écrivain polonais; poète et prosateur. Défenseur du calvinisme, il est tenu pour le père de la littérature polonaise : *le Miroir de tous les états* (1568).

rejaillir v. intr. [**3**] **1.** (Liquides) Jaillir avec force; jaillir de tous les côtés. *L'eau rejaillit.* **2.** Fig. Retomber. *Le scandale a rejailli sur ses proches.*

rejaillissement n. m. Fait de rejaillir, mouvement de ce qui rejaillit. ▷ Fig. *Le rejaillissement du succès, de la honte.*

Réjane (Gabrielle Réju, dite) (Paris, 1856 – id., 1920), actrice française. Elle excella dans les rôles les plus divers du répertoire de son temps.

rejet n. m. **I. 1.** Action de rejeter; fait d'être rejeté. *Rejet des eaux usées. Rejet d'un pourvoi en cassation.* **2.** Membre de phrase étroitement lié, pour le sens, à un vers, mais placé au début du vers suivant. (Ex. : *«Et lorsque je la vis au seuil de sa maison / S'enfuir...» Musset*). **3.** MED Ensemble des réactions immunitaires qui aboutissent à l'élimination d'un greffon par l'organisme du sujet receveur. **II.** Nouvelle pousse d'une plante. ▷ *Spécial.* Pousse émise par une souche.

rejeter v. tr. [**20**] **I. 1.** Jeter en retour; jeter dans le sens opposé. *Rejeter une balle.* **2.** Jeter (qqch) là où on l'a pris, à l'endroit d'où on l'a tiré. *Rejeter un poisson à la rivière, à la mer.* **3.** Fig. Faire supporter par qqn d'autre (la responsabilité d'une faute, les torts, etc.). *Il rejette la faute sur son associé.* **4.** Restituer, rendre en jetant hors de soi. *La mer a rejeté les débris du naufrage.* ▷ (Personnes) Laisser échapper de son corps, évacuer, vomir. *Il a rejeté tout son repas.* **II. 1.** Mettre dans un autre endroit; renvoyer, repousser. *Rejeter un para-*

graphe à la fin d'un chapitre. ▷ v. pron. *Se rejeter en arrière :* reculer brusquement. **2.** Refuser; ne pas agréer; ne pas admettre. *Rejeter des offres, une candidature, un dogme.* ▷ Éliminer. *Rejeter toutes les pièces qui présentent un défaut.* **3.** Écarter, chasser, exclure (qqn). *On l'avait rejeté de partout.*

rejeton n. m. **1.** Nouveau jet que pousse une plante, un arbre, par le pied ou par la souche. **2.** Plaisant Enfant, fils. *Comment va ton rejeton?*

rejoindre v. tr. [56] **1.** Aller retrouver (des gens dont on était séparé, un groupe). *Rejoindre un groupe d'amis à la campagne.* ▷ v. pron. Se retrouver. *Les deux cordées doivent se rejoindre au pied du glacier.* **2.** Rattraper (qqn). *Ses concurrents l'ont rejoint dans la ligne droite.* **3.** (Choses) Se réunir à. *Le sentier rejoint la grand-route un peu plus loin.* ▷ v. pron. *Rues qui se rejoignent.* **4.** Avoir des points communs avec. *Vos affirmations rejoignent les siennes.*

rejouer v. [1] **1.** v. intr. Jouer de nouveau, se remettre à jouer. **2.** v. tr. Jouer une nouvelle fois. *Rejouer un air.*

réjoui, ie adj. Qui exprime la joie. *Une mine réjouie.*

réjouir **1.** v. tr. [3] Apporter de la joie, faire plaisir à. *Vos succès nous réjouissent.* ▷ Amuser. *Réjouir une assemblée par ses plaisanteries.* **2.** v. pron. Être content. *Je me réjouis à la pensée de te revoir bientôt.*

réjouissance n. f. Joie collective. *Illuminer les rues en signe de réjouissance.* ▷ (Plur.) Fête publique. *Réjouissances officielles du 14 Juillet.*

réjouissant, ante adj. Qui réjouit, qui amuse. *Une anecdote bien réjouissante.*

relâche n. **1.** n. m. ou f. Interruption d'un travail; pause, détente. ▷ Loc. adv. *Sans relâche :* sans interruption. **2.** n. f. MAR Port d'escale. ▷ Escale. *Faire relâche.* **3.** n. m. ou f. Suspension momentanée des représentations, dans un théâtre, une salle de spectacle.

relâché, ée adj. Qui manque de rigueur. *Morale relâchée.*

relâchement n. m. **1.** État de ce qui est relâché, moins tendu. **2.** Fig. Diminution d'ardeur, d'activité, de zèle. *Le relâchement dans le travail.*

relâcher v. [1] **I.** v. tr. **1.** Diminuer la tension de; desserrer, détendre. *Relâcher un ressort, des entraves, une courroie.* – Spécial. *Relâcher les intestins, le ventre :* stimuler l'évacuation intestinale. ▷ Fig. *Relâcher son esprit, son attention.* – *Relâcher la discipline,* la rendre moins rigoureuse. **2.** Libérer, élargir. *Relâcher un prisonnier.* **II.** v. pron. **1.** Devenir moins tendu, moins serré. *Étreinte qui se relâche.* **2.** Perdre de sa rigueur, de sa fermeté. *Son zèle s'est un peu relâché.* **III.** v. intr. MAR Faire escale, en parlant d'un navire.

relais n. m. **1.** Anc. Chevaux postés en un lieu déterminé pour remplacer ceux qui sont fatigués; le lieu même où ces chevaux sont postés. **2.** TECH Dispositif destiné à recevoir des signaux radioélectriques et à les émettre à nouveau, éventuellement en les amplifiant. *Relais hertzien.* ▷ Dispositif permettant la commutation à distance d'un circuit électrique. **3.** SPORT *Course de relais* ou, absol., *relais,* opposant plusieurs équipes de coureurs ou de nageurs qui se succèdent. ▷ Fig. *Prendre le relais de qqn,* le relayer, lui succéder dans son activité, dans sa tâche. ▷ Fig. *Servir de relais,* d'intermédiaire.

relance n. f. **1.** Nouvel élan donné à qqch. *Relance de l'économie.* ▷ JEU Action de relancer. **2.** Action de relancer (sens 3). ▷ Note de rappel. – Mise en recouvrement.

relancer v. [12] **I.** v. tr. **1.** Lancer de nouveau ou en sens inverse. *Relancer le ballon.* **2.** VEN Faire repartir (une bête qui se repose). *Relancer le cerf.* **3.** Solliciter avec insistance (qqn), le presser pour en obtenir qqch. *Relancer un débiteur.* **4.** Donner un nouvel élan, une nouvelle vigueur à. *Relancer l'économie d'un pays.* **II.** v. intr. JEU Risquer un enjeu supérieur à celui de l'adversaire.

relaps, apse [ʀəlaps] adj. et n. RELIG Qui est de nouveau tombé dans l'hérésie, après l'avoir abjurée. ▷ Subst. *Un(e) relaps(e).*

relater v. tr. [1] Raconter de façon détaillée, rapporter. *Les journaux ont relaté les faits.*

relatif, ive adj. **1.** Qui implique une relation, un rapport; qui est de la nature de la relation. *Positions relatives de deux armées,* position de chacune d'elles par rapport à l'autre. ▷ MUS Se dit de deux gammes qui possèdent les mêmes altérations constitutives, mais qui ont une tonique différente, et dont l'une est majeure et l'autre mineure (ex. : *do* majeur et *la* mineur). ▷ MATH *Nombre relatif :* tout nombre entier (positif ou négatif). V. nombre. **2.** Qui n'a pas de valeur en soi, mais seulement par rapport à autre chose. *La notion de vérité est toute relative.* **3.** Moyen, incomplet, insuffisant. *Jouir d'une tranquillité très relative.* **4.** *Relatif à :* qui a rapport à. *Les lois relatives au divorce.* **5.** GRAM Se dit des mots qui mettent en relation le nom ou le pronom qu'ils représentent et une proposition (dite *proposition relative*). *Pronoms, adjectifs relatifs.*

relation n. f. **I.** Fait de relater; narration, récit. *Témoin qui fait une relation fidèle des événements.* **II.** **1.** Rapport (entre des choses). *Relation de cause à effet.* **2.** Rapport (entre des personnes). *Relations amicales, amoureuses, mondaines.* **3.** Personne avec qui on est en relation. *Une simple relation de travail.* ▷ Absol. *Avoir des relations :* connaître des gens influents, haut placés. ▷ Loc. *Être, se mettre en relation(s) avec qqn.* **4.** Rapport (entre groupes organisés, pays, etc.). *Relations internationales.* ▷ *Relations publiques :* ensemble des moyens mis en œuvre par des organismes publics ou privés pour établir un climat favorable au sein de leur personnel et avec l'extérieur, afin d'informer le public de leurs activités et de favoriser leur rayonnement. **5.** BIOL *Fonctions de relation :* fonctions par lesquelles est assuré le contact entre un être vivant et son milieu. **6.** MATH Liaison déterminée entre des ensembles ou des éléments de ces ensembles. *Relation d'appartenance,* par laquelle un élément appartient à un ensemble. *Relation binaire,* qui porte sur des couples d'éléments d'un même ensemble. *Relation d'équivalence*.*

relationnel, elle adj. Didac. Qui concerne la relation. *Calcul relationnel.*

relativement adv. **1.** De manière relative, non absolue. **2.** Par comparaison. ▷ *Relativement à :* à l'égard de, en ce qui concerne.

relativisation n. f. Didac. Action de relativiser; fait de relativiser.

relativiser v. tr. [1] Rendre relatif; considérer par rapport à d'autres choses comparables.

relativisme n. m. PHILO **1.** Doctrine selon laquelle la connaissance humaine ne peut être que relative. *Le système de Kant est un relativisme subjectif.* **2.** Doctrine selon laquelle les notions de bien et de mal sont fonction des circonstances et n'ont donc rien d'absolu.

relativiste adj. et n. **1.** PHILO Qui adhère au relativisme, le professe. ▷ Subst. *Les relativistes.* **2.** PHYS Qui a rapport à la théorie de la relativité.

relativité n. f. **1.** Caractère de ce qui est relatif. *Relativité de la connaissance.* **2.** PHYS *Théorie de la relativité :* V. ci-après.
ENCYCL **Phys.** – La *théorie de la relativité* repose sur une analyse critique des notions d'espace et de temps. Einstein remit en question les notions de temps absolu et d'espace universel, et partic. la notion de simultanéité de deux événements se produisant en des lieux différents : deux signaux pourront être simultanés pour un observateur placé dans un repère R sans l'être pour un observateur placé dans un repère R' en mouvement par rapport à R. Einstein proposa en 1905 les postulats de la *relativité restreinte.* **1.** Des repères animés les uns par rapport aux autres de mouvements rectilignes uniformes sont équivalents; il n'est pas possible de distinguer parmi eux un repère privilégié qui serait *absolu.* De tels repères sont dits *galiléens.* Les lois physiques ont même formulation mathématique dans tous ces repères. **2.** La lumière se propage dans le vide de façon isotrope, et sa vitesse c est la même quel que soit le repère dans lequel on la mesure. La formule d'Einstein $E_0 = mc^2$ montre qu'une particule au repos possède une énergie considérable du fait même de sa masse; c'est cette énergie qui peut être libérée au cours des réactions nucléaires. La *relativité générale,* qui constitue une extension de la théorie précédente aux repères non galiléens, postule que les forces d'inertie sont assimilables aux forces gravitationnelles. La masse gravitationnelle (masse pesante) est égale à la masse inerte. L'*espace-temps,* qui comprend les trois dimensions d'espace plus une quatrième dimension, le temps, est courbé au voisinage d'une masse et le mouvement d'une particule au voisinage de cette masse s'effectue en suivant le plus court chemin dans cet espace-temps.

relax, axe ou **relaxe** adj., adv., n. et interj. (Anglicisme) Fam. **1.** adj. Détendu. *Une petite soirée relax(e).* **2.** adv. De façon détendue. *Vas-y relax, ça marchera bien.* **3.** n. m. ou f. Repos, relaxation. **4.** interj. *Relax! :* du calme!

relaxant, ante adj. et n. m. Qui procure de la détente, du bien-être. *Bain, massage relaxants.* – n. m. *Un relaxant musculaire.*

relaxation n. f. **1.** MED Relâchement d'une tension musculaire destiné à provoquer une détente psychique. ▷ Cour. Détente, délassement. **2.** PHYS Retour d'un système vers un de ses états d'équilibre. *Temps de relaxation,* durée caractéristique de cette évolution. **3.** ELECTR *Oscillations de relaxation,* fournies par un système qui reçoit en permanence de l'énergie et qui évolue entre un état où son énergie potentielle est minimale et un état où cette énergie est maximale.

relaxe n. f. DR Décision judiciaire par laquelle l'action contre un prévenu est abandonnée.

1. relaxer v. tr. [1] DR Remettre en liberté (un prévenu reconnu non coupable).

2. relaxer v. tr. [1] MED Mettre en état de relaxation. ▷ v. pron. Se reposer, se détendre.

relayer v. tr. [21] **1.** Remplacer dans un travail, une tâche. *L'équipe de nuit relaye l'équipe de jour.* ▷ v. pron. *Deux équipes se relaient.* **2.** TELECOM Retransmettre (l'émission d'un émetteur principal) en utilisant un relais hertzien, un satellite de télécommunications.

relayeur, euse n. SPORT Participant à une course de relais. – Spécialiste de la course de relais.

releasing factor [ʀiliziŋfaktɔʀ] n. m. (Anglicisme) PHYSIOL Hormone sécrétée par l'hypothalamus et qui stimule la production hormonale de l'hypophyse. *Des releasing factors.*

relecture n. f. Action de relire; nouvelle lecture.

relégation n. f. **1.** DR Anc. Peine de détention perpétuelle (hors de la métropole, à l'origine), remplacée en 1970 par la tutelle pénale. **2.** SPORT Rétrogradation. *Relégation d'une équipe de football en seconde division.*

reléguer v. tr. [14] **1.** DR Anc. Condamner à la relégation. **2.** Mettre (qqch dont on ne fait plus cas) à l'écart. *On a relégué ce tableau dans l'antichambre.* ▷ Fig. Envoyer dans un lieu retiré; confiner dans une situation, un emploi peu importants. *Reléguer qqn au second plan.*

relent n. m. Mauvaise odeur. *Relents de friture.* ▷ Fig. Trace; apparence qui permet de supposer l'existence de qqch. *Il y a dans ce récit un relent de mauvaise foi.*

relevable adj. Qu'on peut relever. *Panneau relevable.*

relevailles n. f. pl. RELIG CATHOL Anc. Cérémonie de bénédiction, à l'église, d'une femme relevée de couches. ▷ Vieilli ou rég. Fait de relever de couches.

relève n. f. Remplacement d'une personne, d'un groupe, dans une occupation, une tâche. *Prendre la relève.* ▷ Personne(s) de relève. *La relève est au complet.*

relevé, ée adj. et n. m. **I.** adj. **1.** Disposé, ramené vers le haut. *Sourcils relevés.* **2.** Fig. Élevé, au-dessus du commun. *Propos relevés. Une société relevée,* choisie. **II.** n. m. État, liste. *Relevé des sommes dues. Relevé d'identité bancaire (RIB).* – *Relevé de compte* : document envoyé périodiquement par une banque à son client, faisant apparaître les mouvements et la situation de son compte. ▷ *Relevé d'un plan* : ensemble des cotes nécessaires à l'établissement d'un plan.

relèvement n. m. **1.** Action de relever, de remettre debout ou vertical. *Relèvement d'un mât.* ▷ Fig. *Relèvement d'un pays.* **2.** Action de relever, d'augmenter; hausse, majoration. – *Relèvement des loyers.* **3.** MAR Détermination de la position d'un point; azimut dans lequel se trouve un objet. *Compas de relèvement.* **4.** GEOM Mouvement inverse du rabattement*.

relever v. [16] **I.** v. tr. **1.** Remettre debout (qqn); remettre dans sa position naturelle, remettre à la verticale (qqch). *Elle était tombée, je l'ai relevée. Relever un siège.* ▷ *Relever un mur en ruine,* le reconstruire. – Fig. *Relever l'économie d'un pays.* **2.** Ramasser. *Relever des copies d'examen.* – Fig. *Relever le gant* : accepter un défi. **3.** Noter, constater, signaler en bien ou en mal. *Relever une erreur.* ▷ Inscrire, copier. *Relever les noms des absents. Relever un plan.* – Par ext. *Relever un compteur,* les chiffres qu'il indique. ▷ MAR Déterminer l'azimut de. *Relever un amer* : V. amer 2. **4.** Mettre ou remettre en position haute; hausser. *Relever une manette. Relever la tête,* la redresser; fig. retrouver son courage ou sa fierté. – *Relever ses jupes, ses manches,* les retrousser. ▷ Fig. *Relever les salaires,* les augmenter. **5.** Donner plus de relief, plus d'éclat à. *Fards qui relèvent un teint pâle.* ▷ CUIS Donner un goût plus prononcé, plus piquant à, en ajoutant un assaisonnement, des épices. *Relever une sauce avec du piment.* **6.** Remplacer (une personne, un groupe) dans une occupation; relayer. *Relever une sentinelle.* **7.** Libérer (d'une obligation). *Relever un religieux de ses vœux.* ▷ *Relever qqn de ses fonctions,* le révoquer. **II.** v. intr. **1.** *Relever de* : ne plus être tenu alité par, se rétablir de. *Relever de maladie, de couches.* **2.** Dépendre de; être du ressort, du domaine de. *Cette affaire relève de la justice.* **III.** v. pron. **1.** Se remettre debout. *Aider qqn à se relever.* – Fig. *Se relever de ses ruines.* ▷ Sortir de nouveau du lit. *Se relever plusieurs fois dans la nuit.* **2.** (Choses) Se redresser, remonter. *Chapeau dont les bords se relèvent.*

releveur, euse adj. et n. **I.** adj. Qui relève. *Chaîne releveuse* : dans les mines, chaîne sans fin à laquelle sont accrochées les berlines. ▷ ANAT *Muscle releveur* ou, n. m., *le releveur,* qui relève (une partie du corps).**II.** n. **1.** n. m. TECH Tout instrument qui sert à relever. – MAR Engin, navire utilisé pour relever, renflouer les objets immergés. *Releveur de mines.* **2.** Personne qui relève, collecte ou fait des relevés. *Releveur de compteurs.*

relief n. m. **1.** Saillie que présente une surface. *Reliefs d'une paroi rocheuse. Caractères en relief de l'écriture Braille.* **2.** BX-A Ouvrages de sculpture dont le sujet ou certains éléments font plus ou moins saillie sur un fond plan. V. bas-relief, haut-relief. **3.** Ensemble des inégalités de la surface du sol. *Relief terrestre. Un relief tourmenté.* **4.** Aspect d'une image organisée en plans et restituant l'impression de la profondeur, de la perspective; cette impression elle-même. *Peinture qui a du relief. La sensation du relief.* ▷ Par anal. *Relief acoustique, sonore* : perception auditive de l'espace. **5.** Fig. Caractère marqué, accentué que prend une chose par opposition ou par contraste avec une autre. *La modestie donne du relief au mérite.* – *Mettre en relief* : mettre en évidence, accentuer.

reliefs n. m. pl. Vieilli Restes d'une table servie. *Des reliefs de volaille.*

relier v. tr. [2] **1.** Assembler (notam. par couture) les feuillets d'un livre, et les munir d'une couverture. – Pp. adj. *Volume relié* (par oppos. à *volume broché*). **2.** Rattacher, joindre. *Corde qui relie deux alpinistes.* ▷ Fig. Établir un lien, un rapport entre. *Relier des faits, des idées.* **3.** Faire communiquer. *Pont qui relie deux berges.*

relieur, euse n. Personne qui fait métier de relier les livres.

religieusement adv. **1.** Conformément à sa religion; selon les rites religieux. *Se marier religieusement.* **2.** Avec une exactitude scrupuleuse. *Préserver religieusement un secret.* **3.** Avec recueillement. *Écouter religieusement.*

religieux, euse adj. et n. **I.** adj. **1.** Relatif à la religion, propre à une religion. *La pensée religieuse. Une cérémonie religieuse.* ▷ Conforme aux règles d'une religion. *Mener une vie religieuse.* **2.** Pieux, croyant. *Esprit religieux.* **3.** Qui a rapport aux ordres réguliers. *Congrégation religieuse.* **4.** Fig. Qui tient de la vénération, du respect qui se manifestent dans les pratiques de la religion. *Un soin religieux.* – *Un silence religieux,* respectueux et recueilli. **II.** n. Personne qui s'est engagée par des vœux à suivre une certaine règle approuvée par l'Église. *Un religieux cistercien.* ▷ Par ext. *Religieux bouddhistes.* **III.** n. f. Pâtisserie faite de deux boules de pâte à choux de tailles différentes superposées, fourrées de crème pâtissière, au café ou au chocolat.

religion n. f. **1.** Ensemble de croyances ou de dogmes et de pratiques cultuelles qui constituent les rapports de l'homme avec la puissance divine (monothéisme) ou les puissances surnaturelles (polythéisme, panthéisme). *Religion chrétienne, musulmane, shintoïste.* **2.** Foi, piété, croyance. *Avoir de la religion.* **3.** État des personnes engagées par des vœux au service de Dieu, de leur Église. *Entrer en religion.* **4.** *Par anal.* Sentiment de vénération profonde pour qqch, foi en un idéal. *Avoir la religion du progrès.* **5.** Loc. fig. *Éclairer la religion de qqn,* lui apprendre ce qu'il ignorait sur une affaire. ▷ *Ma religion est faite* : je sais à quoi m'en tenir.

Religion (guerres de), ensemble des troubles et des guerres civiles provoqués en France à partir de 1562 par la Réforme* et qui prirent fin en 1598 avec l'édit de Nantes*. L'idée de tolérance était alors inexistante dans le monde occidental (et le restera jusqu'au XVIIIe s.). L'unité de la foi était considérée comme une garantie de l'unité du royaume, ce qui explique les problèmes graves que posa l'apparition de la Réforme au XVIe s. Déclenchées par le massacre des protestants à Wassy (1er mars 1562), ces guerres eurent pour princ. épisodes : l'édit de pacification d'Amboise (1563), le massacre de la Saint-Barthélemy (24 août 1572), la paix de Monsieur (1576), l'assassinat du duc de Guise (1588), que suivit celui du roi Henri III (1589). Le nouveau roi de France, Henri IV, qui avait abjuré le protestantisme en 1572, pour prendre ensuite la tête du parti protestant, renouvela solennellement son abjuration en 1593; il reconquit le royaume et mit fin à la guerre en accordant à ses anciens coreligionnaires l'édit de Nantes (1598).

religiosité n. f. Disposition religieuse, liée ou non à une religion particulière. *La religiosité est plutôt de l'ordre de la sensibilité que de la foi.*

reliquaire n. m. Boîte, coffret où l'on conserve des reliques (sens 1).

reliquat n. m. Ce qui reste dû après l'arrêté d'un compte.

relique n. f. **1.** RELIG Ce qui reste du corps d'un saint; objet qui lui a appartenu ou qui a servi à son martyre. – *Garder comme une relique,* avec vénération, très soigneusement. **2.** Fig. Objet auquel on est particulièrement attaché par le souvenir. **3.** BIOL Espèce vivante appartenant à un groupe ancien, animal ou végétal, dont les autres représentants ont disparu. *La limule est une relique.* Syn. fossile vivant.

relire v. tr. [66] **1.** Lire de nouveau. **2.** Lire (ce qu'on a écrit) pour le corriger au besoin. ▷ v. pron. *Se relire sur épreuves.*

reliure d'un manuscrit sur vélin du XIIe s., ornée d'un christ en ivoire et de pierres précieuses

reliure n. f. **1.** Art, métier du relieur. **2.** Manière dont un livre est relié; couverture rigide d'un livre.

Relizane. V. Ghilizane.

relogement n. m. Action de reloger; fait d'être relogé.

reloger v. tr. [**13**] Procurer un nouveau logement à (qqn).

relooker [Rəluke] v. tr. [**1**] (Anglicisme) Fam. Donner un nouveau look, une nouvelle allure. *Relooker un produit pour en relancer les ventes.*

réluctance n. f. ELECTR Aptitude d'un circuit à s'opposer à la pénétration d'un flux magnétique. Ant. perméance. *La réluctance s'exprime en henrys à la puissance moins un* (H^{-1}).

reluire v. intr. [**69**] Luire en réfléchissant la lumière, briller.

reluisant, ante adj. **1.** Qui reluit. *Chrome reluisant. – Visage reluisant de sueur,* que la sueur fait reluire. **2.** Fig. (En tournure négative.) *Ce n'est pas très reluisant :* c'est médiocre, mauvais.

reluquer v. tr. [**1**] Fam. Lorgner avec curiosité ou convoitise. *Reluquer une femme.*

rem [Rɛm] n. m. PHYS (Sigle de l'angl. *Röntgen Equivalent Man.*) Unité SI, valant 0,01 sievert, qui sert à mesurer la quantité de rayonnement ionisant absorbée par l'organisme.

remâcher v. tr. [**1**] **1.** Mâcher de nouveau. **2.** Fig. Repasser dans son esprit, ressasser. *Remâcher son dépit.*

remaillage, remailler. V. remmaillage, remmailler.

remake [Rimɛk] n. m. (Anglicisme) Version nouvelle d'un film ancien. ▷ *Par ext.* Reprise d'un sujet, d'un thème déjà traité.

rémanence n. f. PHYS Persistance d'un phénomène (lumineux, magnétique, etc.) après la disparition de la cause qui l'a provoqué. ▷ PHYSIOL, PSYCHO Propriété de certaines sensations de subsister après que l'excitation a disparu. *Rémanence des images visuelles.*

rémanent, ente adj. Qui présente le phénomène de rémanence. ▷ PHYS *Aimantation rémanente.* ▷ PHYSIOL, PSYCHO *Image rémanente.*

remaniement [R(ə)manimɑ̃] n. m. Action de remanier; son résultat.

remanier v. tr. [**2**] Retoucher, modifier par un nouveau travail. *Remanier un roman. – Remanier un ministère,* en changer la composition.

remaquetter v. tr. [**1**] Faire une nouvelle maquette.

remaquiller v. tr. [**1**] Maquiller de nouveau. ▷ v. pron. *Se remaquiller à la hâte.*

remarcher v. intr. [**1**] **1.** Marcher de nouveau (après une maladie, etc.). **2.** (Choses) Fonctionner de nouveau (après une panne, etc.).

remariage n. m. Nouveau mariage.

remarier v. tr. [**2**] Marier de nouveau. ▷ v. pron. *Il pense à se remarier.*

remarquable adj. Digne d'être remarqué, par sa singularité ou sa qualité. *Un événement, un homme remarquable.* ▷ MATH *Identités remarquables :* égalité vérifiée quelles que soient les valeurs qu'on attribue aux lettres qui y figurent (ex. : $(a + b)^2 = a^2 + 2ab + b^2$).

remarquablement adv. De manière remarquable.

remarque n. f. **1.** Action de remarquer, de noter. *Fait digne de remarque.* **2.** Observation orale ou écrite. *Remarque pertinente.* **3.** BX-A Petite gravure dans la marge d'une estampe.

Remarque (Erich Maria Kramer, dit Erich Maria) (Osnabrück, 1898 – Locarno, 1970), romancier américain d'origine allemande : *À l'ouest, rien de nouveau* (témoignage pacifiste sur la Première Guerre mondiale, 1929), *Arc de triomphe* (1946).

remarqué, ée adj. Qui attire l'attention, qui fait l'objet de commentaires. *Une intervention très remarquée.*

remarquer v. tr. [**1**] **I.** Rare Marquer de nouveau. *Remarquer du bétail.* **II. 1.** Faire attention à, constater, noter. *Remarquer le moindre défaut.* ▷ v. pron. (Passif) *Ces taches se remarquent.* **2.** *Remarquer que :* dire, sous forme de remarque, que; constater que. **3.** Distinguer parmi des personnes ou des choses. *Remarquer un visage dans la foule.* ▷ *Se faire remarquer :* attirer l'attention; péjor. manquer de tenue.

r(é)emballer v. tr. [**1**] Emballer de nouveau (ce qu'on a déballé). ▷ Fig., fam. *Remballez vos boniments,* gardez-les pour vous, dispensez-m'en.

r(é)embarquement n. m. Action de rembarquer, de se rembarquer.

r(é)embarquer v. [**1**] **1.** v. tr. Embarquer de nouveau. **2.** v. intr. S'embarquer de nouveau. *Il a rembarqué.* ▷ v. pron. *Il s'est rembarqué.*

rembarrer v. tr. [**1**] Fam. Repousser vivement (qqn) par des paroles rudes ou désobligeantes.

remblai n. m. **1.** Action de remblayer. *Niveler par remblai.* **2.** Masse de matériaux rapportés pour élever un terrain, combler un creux; ouvrage fait de matériaux rapportés.

remblaiement [Rɑ̃blɛmɑ̃] n. m. GEOL Colmatage alluvial.

remblaver v. tr. [**1**] AGRIC Emblaver de nouveau.

remblayage n. m. Action de remblayer; son résultat. ▷ Matériaux servant à remblayer.

remblayer v. tr. [**21**] Apporter des matériaux pour hausser ou combler. *Remblayer une chaussée.*

remblayeuse n. f. TECH Engin de terrassement pour les travaux de remblai.

rembobiner v. tr. [**1**] Embobiner de nouveau; bobiner de nouveau.

remboîtage n. m. TECH Opération qui consiste à remboîter (sens 2).

remboîtement n. m. Action de remboîter (sens 1); son résultat.

remboîter v. tr. [**1**] **1.** Remettre en place (ce qui est déboîté). **2.** TECH Remettre dans sa reliure d'origine ou dans une reliure d'époque (un livre).

rembourrage n. m. **1.** Action de rembourrer. **2.** Matière servant à rembourrer. Syn. rembourrure.

rembourrer v. tr. [**1**] Garnir de bourre, de crin, etc.

rembourrure n. f. Rembourrage.

remboursable adj. Qui peut ou doit être remboursé.

remboursement n. m. Action de rembourser. ▷ *Remboursement de la dette sociale (R.D.S.) :* contribution de 0,5 % prélevée sur tous les revenus, créée en 1996, destinée à combler le déficit de la Sécurité sociale. – *Envoi contre remboursement,* contre paiement à la livraison.

rembourser v. tr. [**1**] Rendre à (qqn) (l'argent qu'il a déboursé ou avancé). *Rembourser un emprunt. Rembourser qqn de ses frais.*

Rembrandt (Rembrandt Harmenszoon Van Rijn, dit) (Leyde, 1606 – Amsterdam, 1669), peintre et graveur hollandais. Il fit l'essentiel de son apprentissage à Leyde, avant de s'installer en 1631 à Amsterdam, où, entré en contact avec une clientèle de riches négociants, il ne tarda pas à s'imposer comme portraitiste. Dès cette époque (*le Philosophe en méditation,* v. 1631, Louvre; *la Leçon d'anatomie du professeur Tulp,* 1632, Mauritshuis, La Haye), Rembrandt, qui emprunta d'abord au Caravage son goût pour les effets de lumière, utilisa d'une manière toute personnelle la technique du clair-obscur, qui constitue le principe unificateur de la forme et de l'espace dans presque toutes ses œuvres : *la Prise d'armes de la compagnie du capitaine Banning Cock,* cour. nommée *la Ronde de nuit* (1642, Rijksmuseum, Amsterdam, endommagée par un acte de vandalisme en 1990), *les Pèlerins d'Emmaüs* (1648, Louvre), *l'Homme au casque d'or* (1650, musée de Berlin-Dahlem), *le Bœuf écorché* (1655, Louvre), *Autoportrait* (1660, Louvre), *la Fiancée juive* (v. 1668, Rijksmuseum, Amsterdam). En 1642, sa femme Saskia mourut. Quelques années plus tard, Hendrickje Stoffels entra dans sa vie; elle fut son modèle (*Bethsabée,* 1654, Louvre), éduqua son fils Titus et lui donna une fille, Cornelia. La période 1643-1650 fut surtout consacrée au dessin (plume, pointe de bois) et à l'estampe (eaux-fortes), domaines dans lesquels Rembrandt fit preuve d'un sens incomparable du trait (*la Pièce aux cent florins,* eau-forte achevée v. 1649). Protestant, lecteur de la Bible, il ne cessa de s'interroger sur la condition humaine (*Jacob bénissant les fils de Joseph,* 1656, Kassel), et sa peinture religieuse, dépouillée de tout décor et symbolisme catholiques, exprime l'incarnation quotidienne du divin. À partir de 1655, les coups du sort s'accumulèrent : dettes, faillite, mort de Hendrickje (1662) puis de Titus (1668). Il vécut les dernières années de sa vie dans le dénuement, continuant de peindre sans relâche, avec une liberté de style toujours plus affirmée (*Syndics des dra-*

Rembrandt : *Grand portrait de l'artiste par lui-même,* 1652 ; musée d'Histoire de l'art, Vienne

piers, 1662, Rijksmuseum, Amsterdam). Il laissa une œuvre immense : plus de 400 tableaux répertoriés, près de 300 gravures, des milliers de dessins.

rembrunir (se) v. pron. [3] Prendre un air sombre, soucieux. *Il s'est rembruni.* ▷ Pp. adj. *Une mine rembrunie.*

rembrunissement n. m. Action de se rembrunir.

remède n. m. **1.** Substance, moyen employés pour combattre une maladie. *Remède préventif.* Syn. (plus cour.) médicament. *Remède de bonne femme,* de tradition populaire. **2.** Fig. Tout ce qui sert à prévenir, apaiser, faire cesser un mal quelconque. *Le travail, remède à* (ou *contre*) *l'ennui.*

remédier v. tr. indir. [2] *Remédier à :* porter remède à. *Remédier à des maladies.* ▷ Fig. *Remédier à une défaillance.*

remembrement n. m. Opération consistant à regrouper, par échanges ou redistribution, des propriétés rurales morcelées, pour en faire des domaines facilement exploitables.

remembrer v. tr. [1] Opérer le remembrement de.

remémoration n. f. Action de remémorer, de se remémorer.

remémorer v. tr. [1] Litt. Remettre en mémoire. *Je lui ai remémoré sa promesse.* ▷ v. pron. *Se remémorer une date.*

remerciement [ʀ(ə)mɛʀsimɑ̃] n. m. Action de remercier; témoignage de gratitude. *Avec mes remerciements.* ▷ (Toujours au sing.) *Par euph.* Fait de congédier. *Lettre de remerciement.*

remercier v. tr. [2] **1.** Exprimer sa gratitude à (qqn), lui dire merci. *Remercier qqn de* (ou *pour*) *son hospitalité.* ▷ (Pour exprimer un refus poli.) *Servez-vous. – Je vous remercie, je n'en veux plus.* **2.** *Par euph.* Congédier. *Remercier un de ses employés.*

réméré n. m. DR *Clause de réméré :* clause d'une vente permettant au vendeur de racheter la chose vendue, dans un certain délai, au prix de vente, augmenté des frais de l'acquisition.

remettre v. [60] **A.** v. tr. **I. 1.** Mettre (une chose) à l'endroit où elle était auparavant. *Remettre un livre à sa place.* ▷ Fig. *Remettre qqn à sa place,* le rappeler aux convenances; le rabrouer. **2.** Rétablir dans sa position ou dans son état antérieur. *Remettre en ordre. Remettre en état :* réparer, restaurer. ▷ *Remettre en marche :* rétablir dans son fonctionnement. ▷ Rétablir la santé, les forces de (qqn). *Cette cure l'a remis.* **3.** Mettre de nouveau (un vêtement). *Remettre son manteau.* **4.** Mettre de nouveau, en plus. *Remettre de l'eau dans un vase.* **5.** Fig. *Remettre une chose en mémoire à qqn,* la lui rappeler. ▷ *Remettre qqn,* le reconnaître. **6.** Fam. *Remettre ça :* recommencer. **II. 1.** *Remettre à :* mettre en la possession de, livrer; confier. *Remettre une lettre à son destinataire.* **2.** Faire grâce de (une obligation). *Remettre une dette à qqn.* ▷ Pardonner, absoudre. *Remettre les péchés.* **3.** Ajourner, différer. *Remettre une tâche au lendemain.* **B.** v. pron. **1.** Se mettre de nouveau. *Se remettre en route.* **2.** *Se remettre à :* recommencer à. **3.** Recouvrer la santé; rétablir sa situation. *Se remettre d'une maladie.* ▷ Retrouver son calme, ses esprits. *Se remettre d'une émotion, d'une grande frayeur.* – Absol. *Remettez-vous.* **4.** *S'en remettre à qqn, à son avis, etc.,* lui faire confiance, se reposer sur lui.

remeubler v. tr. [1] Meubler de nouveau; garnir de nouveaux meubles. ▷ v. pron. Remeubler son logement.

Remi ou **Remy** (saint) (?, 437 – ?, 533), évêque de Reims (v. 459). Il convertit Clovis et le baptisa (496).

rémige n. f. ORNITH Chacune des grandes plumes rigides des ailes des oiseaux.

remilitarisation n. f. Action de remilitariser.

remilitariser v. tr. [1] Militariser de nouveau.

Remington (Philo) (Lichtfield, État de New York, 1816 – Silver Springs, Floride, 1889), industriel américain. Il inventa un fusil à chargement par la culasse et fabriqua en série la première machine à écrire.

réminiscence [ʀeminisɑ̃s] n. f. **1.** PSYCHO Rappel à la mémoire d'un souvenir qui n'est pas reconnu comme tel. **2.** Didac. Emprunt plus ou moins conscient fait par l'auteur d'une œuvre artistique ou littéraire à d'autres créateurs. *Poésie pleine de réminiscences mallarméennes.* **3.** Souvenir vague et confus. *Réminiscences lointaines de la première enfance.*

Remiremont, ch.-l. de cant. des Vosges (arr. d'Épinal), sur la Moselle; 9 931 hab. (*Romarimontains*). Industr. textiles. – Église des XIVe-XVIe s. (clocher du XVIIIe s.). Palais abbatial (XVIIIe s., auj. hôtel de ville).

Rémire-Montjoly, ch.-l. de cant de la Guyanne (arr. de Cayenne); 11 709 hab. – Port de Cayenne.

remisage n. m. Action de remiser, de mettre à l'abri.

remise n. f. **I. 1.** Action de remettre dans le lieu ou dans l'état d'origine. *Remise en place d'un tableau. Remise à neuf d'un vêtement.* **2.** Action de donner, de livrer qqch à qqn. *Remise d'un mandat.* **3.** Réduction, diminution. *Consentir une remise à ses clients. – Condamné qui obtient une remise de peine.* ▷ Commission, ristourne. **II.** Local destiné à abriter des voitures; garage. ▷ *Par ext.* Local, débarras où l'on range des instruments, des outils, etc.

remiser v. tr. [1] **1.** Placer sous une remise. *Remiser une voiture.* **2.** Ranger pour quelque temps. *J'ai remisé les skis au grenier.*

remisier n. m. FIN Professionnel qui, en Bourse, moyennant une remise, apporte à un agent de change des ordres d'achat et de vente.

rémission n. f. **1.** Pardon (des péchés). ▷ Grâce, remise de peine. – *Sans rémission :* sans qu'on puisse espérer une quelconque grâce; fig. sans délai. **2.** Atténuation temporaire d'une maladie, de ses symptômes.

rémittent, ente adj. MED Qui présente des rémissions. *Fièvre rémittente.*

remix n. m. (Anglicisme) Musique obtenue en remixant d'autres œuvres.

remixer v. tr. [1] Réarranger une musique de variétés par des moyens informatiques (découpages, collages).

rémiz [ʀemiz] n. m. ORNITH Oiseau passériforme (genres *Remiz, Anthoscopus,* etc.) voisin de la mésange, qui construit des nids suspendus.

remmaillage ou **remaillage** n. m. **1.** Action de remmailler; son résultat. **2.** Montage des pieds de bas, des coutures des tricots, dans la couture industrielle.

remmailler ou **remailler** v. tr. [1] Relever, réparer les mailles usées ou rompues (d'un tricot, d'un filet). *Remmailler des bas.*

remmancher v. tr. [1] Emmancher de nouveau.

remmener [ʀɑ̃m(ə)ne] v. tr. [16] Emmener (qqn ou qqch qui a été amené).

remnographie n. f. MED Examen par résonance* magnétique nucléaire.

remodelage n. m. Action de remodeler; son résultat.

remodeler v. tr. [17] **1.** Donner une nouvelle forme à (qqch) en le refaçonnant. **2.** Modifier plus ou moins profondément. *Remodeler un secteur de l'économie par des réformes de structure.*

rémois, oise adj. et n. De Reims. – Subst. *Un(e) Rémois(e).*

remontage n. m. **1.** Action de remonter un ressort, un mécanisme. *Remontage des pendules.* **2.** Action de remonter ce qui a été démonté. *Démontage et remontage de l'appareil.*

remontant, ante adj. et n. m. **1.** HORTIC Se dit de plantes qui redonnent des fleurs ou des fruits à l'arrière-saison. *Rosier remontant.* **2.** Qui remonte, qui redonne des forces. ▷ n. m. Boisson, médicament qui remonte.

remonte n. f. **1.** Action de remonter un cours d'eau. ▷ *Spécial.* Action de remonter une rivière au moment du frai, en parlant des poissons. **2.** Vx Fourniture de chevaux pour l'armée.

remontée n. f. **1.** Action, fait de remonter. *Remontée d'une rivière à la nage.* **2.** *Remontée mécanique :* dispositif qui permet de remonter des skieurs en haut d'une pente.

remonte-pente n. m. Dispositif comportant un câble mobile muni de perches, qui permet à des skieurs de gravir une pente enneigée. *Des remonte-pentes.* Syn. téléski.

remonter v. [1] **I.** v. intr. **1.** (Personnes) Monter de nouveau. *Remonter à son appartement. Remonter à (sur sa) bicyclette.* **2.** (Choses) S'élever de nouveau. *Le soleil remonte sur l'horizon. La rue descend un peu, puis remonte jusqu'au carrefour.* ▷ (Abstrait) *Remonter dans l'estime de qqn.* **3.** (Choses)

S'accroître de nouveau. *La valeur de nos actions remonte.* **4.** Aller vers la source d'un cours d'eau. – Fig. Aller vers l'origine. *Remonter jusqu'au début d'une affaire.* ▷ MAR Aller contre le vent; louvoyer. *Bateau qui remonte bien.* **5.** (Choses) Avoir son origine. *La Sainte-Chapelle remonte à Saint Louis.* ▷ *Remonter au déluge* : être très ancien. **II.** v. tr. **1.** Monter de nouveau. *Remonter l'escalier.* **2.** Aller contre le cours de. *Remonter une rivière en canoë.* – *Machines à remonter le temps des romans d'anticipation.* **3.** Porter de nouveau à un niveau supérieur. *Remonter du vin de la cave.* **4.** Mettre plus haut. *Remonter une étagère dans un meuble.* **5.** Retendre le ressort de. *Remonter une montre.* **6.** Remettre ensemble les pièces de (ce qui était démonté). *Démonter puis remonter un poste de radio.* **7.** Redonner de la vigueur, de la vivacité, de l'énergie à. *On lui a donné un cordial qui l'a remonté.* ▷ v. pron. *Se remonter rapidement.* **8.** Pourvoir à nouveau des choses nécessaires. *Remonter à neuf sa garde-robe.*

remontoir n. m. Organe qui permet de remonter (sens II, 5) un ressort, un mécanisme.

remontrance n. f. **1.** (Surtout au plur.) Observations, reproches. *Faire des remontrances à un enfant.* **2.** HIST Sous l'Ancien Régime, discours adressé au roi par les parlements et autres cours souveraines, et dans lequel étaient exposés les inconvénients d'un édit.

remontrant n. m. RELIG Syn. de *arminien.*

remontrer v. tr. [1] **1.** Montrer de nouveau. **2.** Vx ou litt. Exprimer à qqn qu'il a eu ou aurait tort de faire qqch. *On lui remontra la folie de sa conduite.* ▷ Mod. *En remontrer à qqn,* se montrer supérieur à lui; lui faire la leçon. *Il en remontrerait à un professionnel.*

rémora n. m. ICHTYOL Poisson *(Echeneis naucrates)* des mers chaudes, long d'une soixantaine de centimètres, possédant sur la tête une ventouse qui lui permet de se faire transporter par d'autres poissons, par des cétacés, des tortues, etc. (V. pilote, sens II, 2).

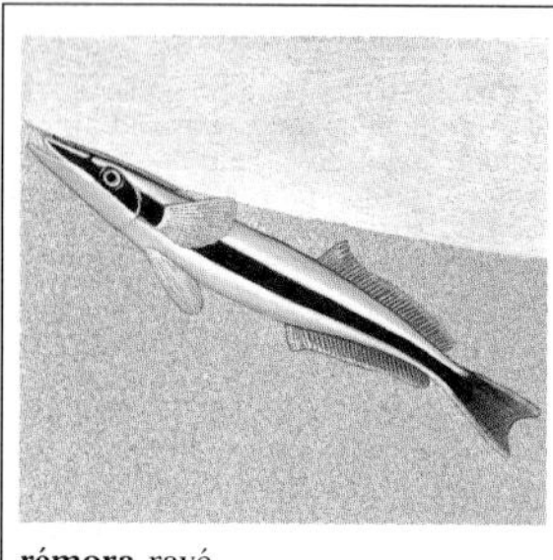

rémora rayé

remords [ʀ(ə)mɔʀ] n. m. Malaise moral dû au sentiment d'avoir mal agi. *Avoir des remords, du remords.*

remorquable adj. Qui peut être remorqué.

remorquage n. m. Action de remorquer.

remorque n. f. **1.** Câble qui sert au remorquage. **2.** Véhicule sans moteur tiré par un autre. *Remorque d'un camion.* **3.** Loc. *Prendre en remorque* : remorquer. ▷ Fig. *Être à la remorque de qqn,* se laisser diriger, mener par lui.

remorquer v. tr. [1] **1.** Traîner derrière soi au moyen d'une remorque. *Remorquer un navire.* **2.** Fig., fam. Traîner à sa suite. *Remorquer toute une cour de parasites.*

remorqueur n. m. Navire qui en remorque un autre. ▷ Navire spécialement construit pour le remorquage. *Remorqueur de haute mer.*

rémoulade n. f. Sauce piquante à base de mayonnaise additionnée de moutarde (et, éventuellement, de fines herbes hachées et de citron), que l'on sert avec des légumes froids ou de la viande froide. ▷ (En appos.) *Céleri rémoulade,* accommodé avec cette sauce.

rémouleur n. m. Ouvrier, artisan qui aiguise les couteaux, les outils tranchants ou pointus. Syn. repasseur.

remous n. m. **1.** Tourbillon dû à un obstacle qui s'oppose à l'écoulement d'un fluide. *Remous du sillage d'un bateau.* **2.** Fig. Agitation confuse. *Remous de la foule.* ▷ Trouble. *Remous des passions.*

rempaillage n. m. Opération qui consiste à rempailler un siège; son résultat.

rempailler v. tr. [1] Garnir (un siège) d'une nouvelle paille. *Rempailler des chaises.*

rempailleur, euse n. Personne qui fait métier de rempailler les sièges.

rempaqueter v. tr. [20] Empaqueter de nouveau.

rempart n. m. **1.** Muraille entourant et protégeant une place fortifiée. **2.** Fig. Ce qui sert de défense. *Faire (un) rempart de son corps à qqn.*

rempiétement ou **rempiètement** [ʀɑ̃pjɛtmɑ̃] n. m. CONSTR Opération qui consiste à rempiéter (une construction).

rempiéter v. tr. [14] **1.** CONSTR Reprendre en sous-œuvre (un mur, un édifice; leurs fondations). **2.** Rare Refaire le pied de. *Rempiéter un bas.*

rempiler v. [1] **1.** v. tr. Empiler de nouveau. *Rempiler des assiettes.* **2.** v. intr. Arg. (des militaires) Signer un nouvel engagement. – Pp. adj. *Un sergent rempilé.*

remplaçable adj. Qui peut être remplacé.

remplaçant, ante n. Personne qui en remplace une autre dans ses fonctions.

remplacement n. m. Action, fait de remplacer qqch ou qqn; son résultat. *Vous assurerez le remplacement de M. Untel.*

remplacer v. tr. [12] **I. 1.** Mettre (qqn, qqch) à la place de (qqn, qqch d'autre). *Remplacer du mobilier démodé.* **2.** Prendre la place de, succéder à. *Il a remplacé son père à la tête de la firme.* **3.** Prendre momentanément la place de, faire provisoirement fonction de; tenir lieu de. *Je le remplace pendant son congé.* **II.** v. pron. (Récipr.) *Ils se sont toujours remplacés pendant les vacances.* – (Passif) *Un objet qui ne se remplace pas.*

rempli n. m. COUT Pli que l'on fait à une étoffe pour la rétrécir ou la raccourcir sans la couper.

remplir v. tr. [3] **I. 1.** Emplir de nouveau. **2.** Rendre plein (un récipient, un espace, un temps vide). *Remplir un verre à ras bord. Il a rempli quinze pages sur ce sujet. Bien remplir ses journées.* ▷ v. pron. (Passif) *Le fossé s'est rempli d'eau.* **3.** Occuper entièrement. *Ses projets d'avenir remplissent son esprit.* ▷ *Remplir de (un sentiment)* : rendre qqn pénétré de. *Cette nouvelle l'a rempli de joie, de terreur.* **4.** Compléter. *Remplir une fiche d'inscription.* **II. 1.** Accomplir, exécuter. *Remplir une tâche, son devoir.* **2.** Occuper, exercer. *Remplir un emploi, une charge.* **3.** Satisfaire à. *Remplir une condition.*

remplissage n. m. **1.** Action de remplir; son résultat. *Remplissage d'un bassin.* **2.** Péjor. Passage qui n'exprime rien d'important et qui sert seulement à donner une certaine longueur à un texte.

r(é)emploi n. m. **1.** (La forme *réemploi* tend à devenir plus fréquente.) Fait d'employer ou d'être employé de nouveau. *Réemploi du personnel d'une entreprise en liquidation.* **2.** FIN Nouvel emploi des fonds provenant de la vente d'un bien propre.

remparts de Guérande : la porte Saint-Michel

r(é)employer v. tr. [23] Employer de nouveau.

remplumer (se) v. pron. [1] **1.** Se couvrir de plumes nouvelles, en parlant des oiseaux. **2.** Fam. Reprendre du poids. *Convalescent qui se remplume.* **3.** Fig., fam. Rétablir sa situation financière.

rempocher v. tr. [1] Remettre dans sa poche.

remporter v. tr. [1] **1.** Repartir avec ce qu'on avait apporté. **2.** Gagner; obtenir. *Remporter la victoire.*

rempotage n. m. Action de rempoter.

rempoter v. tr. [1] Changer (une plante) de pot, la mettre dans un pot plus grand.

r(é)emprunter v. tr. [1] Emprunter de nouveau.

Remscheid, ville d'Allemagne (Rhén.-du-N.-Westphalie); 122 800 hab. Industr. métallurgiques, chimiques et textiles.

remuant, ante adj. Qui s'agite sans cesse. *Un enfant très remuant.*

remue-ménage n. m. inv. Bruit accompagnant une agitation désordonnée. *Faire du remue-ménage.* ▷ Trouble, agitation due à des changements subits.

remuement n. m. Rare Action de remuer; mouvement de ce qui remue.

remuer v. [1] **I.** v. tr. **1.** Faire changer de place. *Remuer des meubles.* **2.** Faire bouger (une partie du corps). *Remuer la main, la tête.* **3.** Mouvoir, mélanger les parties constitutives, les éléments de. *Remuer un mélange. Remuer la salade.* ▷ *Remuer ciel et terre* : employer toutes sortes de moyens. ▷ *Remuer de l'argent à la pelle* : faire beaucoup d'affaires. **4.** Fig. Émouvoir. *L'orateur a remué l'auditoire.* **II.** v. intr. **1.** Bouger. *Reste tran-*

quille, cesse de remuer. **2.** Être travaillé par l'agitation sociale, politique. *Les provinces remuaient.* **III.** v. pron. **1.** Bouger, se mouvoir. *Il ne peut plus se remuer.* **2.** Fam. Se donner de la peine, agir pour faire aboutir qqch. *Se remuer pour arriver à son but.*

remugle n. m. Litt. Odeur de renfermé.

rémunérateur, trice adj. Qui procure de l'argent. *Travail rémunérateur.*

rémunération n. f. Paiement, rétribution. *Rémunération d'un service.*

rémunératoire adj. DR Qui a un caractère de récompense.

rémunérer v. tr. [**14**] Payer, rétribuer. *Rémunérer un travail.*

Remus, frère jumeau de Romulus*.

Rémusat (Claire Élisabeth Gravier de Vergennes, comtesse de) (Paris, 1780 – id., 1821), dame d'honneur de l'impératrice Joséphine; auteur de *Lettres* et de *Mémoires,* d'un grand intérêt historique.

Rémusat (Abel) (Paris, 1788 – id., 1832), sinologue français : *Essai sur la langue et la littérature chinoises* (1811). On créa pour lui la chaire de chinois du Collège de France (1814).

Remy (saint). V. Remi (saint).

Rémy (Gilbert Renault, dit le colonel) (Vannes, 1904 – Guingamp, 1984), écrivain et résistant français (engagé dans les Forces françaises libres en 1940). Ouvrages sur la Résistance : *Mémoires d'un agent secret de la France libre* (1946), *la Ligne de démarcation* (1964-1970).

renâcler v. intr. [**1**] **1.** Renifler de colère, avec bruit, en parlant d'un animal. **2.** Témoigner de la répugnance, rechigner. *Renâcler à une démarche.*

renaissance n. f. **I. 1.** Nouvelle naissance. *La réincarnation, ou renaissance sur terre d'individus défunts.* ▷ THEOL *La renaissance de l'homme en Jésus-Christ,* sa régénération spirituelle. **2.** Nouvel essor, renouveau. *La renaissance de la pensée philosophique.* **II.** HIST *La Renaissance :* V. ce nom. ▷ (En appos.) *Mobilier Renaissance,* de cette époque. ▷ *Par anal.* Période de renouveau d'une civilisation. *La renaissance carolingienne.*

Renaissance (la), nom donné à une période de transformation et de renouvellement socioculturel des États de l'Europe occidentale, qui s'étend de la fin du XIVe s. au début du XVIIe s. Ce renouveau, qui eut son point de départ dans les cités-États d'Italie, prit des formes diverses selon le génie propre et les traditions de chaque peuple. On ne peut parler de rupture brutale avec le Moyen Âge, cependant les changements dans l'économie ont engendré des mutations sociales qui ont accéléré les mutations politiques, signant la fin de la féodalité. L'apparition de la notion d'État reste la caractéristique essentielle de la période de la Renaissance, dont les autres traits marquants sont l'accroissement démographique, l'essor des techniques (développement de l'imprimerie) et des échanges, l'urbanisation, la naissance d'une bourgeoisie d'affaires, l'éclat culturel (fastes de la vie de cour, goût de la fête et des œuvres d'art). En ce qui concerne la culture, la Renaissance présente deux aspects fondamentaux : l'un, intellectuel, néo-platonicien, intègre le culte du beau à la pensée chrétienne; l'autre, plastique, se caractérise par l'abandon définitif de l'esthétique byzantine et par l'instauration du modelé et du réalisme. Si la Rome de Jules II et de Léon X est bien le centre à partir duquel, sous l'impulsion de Bramante, de da Sangallo et de Peruzzi, s'élabore l'architecture nouvelle, les conceptions romaines (inspirées de l'Antiquité) trouvent bientôt leurs applications à Florence (Vasari), Venise (il Sansovino), Mantoue (Jules Romain), Gênes (Galeazzo Alessi). Avec Palladio et ses disciples, l'architecture italienne, v. 1550, atteint à une perfection classique qui, au cours des XVIIe et XVIIIe s., servira de modèle à l'Europe entière. Dans les domaines de la peinture et de la sculpture, les noms de Léonard de Vinci, de Raphaël et de Michel-Ange sont souvent associés pour évoquer l'art de la Renaissance à son apogée. Au XVIe s., la peinture italienne s'épanouit non seulement à Milan et à Rome, mais aussi à Parme (le Corrège) et surtout à Venise (Carpaccio, Giorgione, Titien, le Tintoret, Véronèse). En France, la Renaissance, un peu plus tardive, a été une conséquence des guerres d'Italie et brilla de son plus vif éclat sous le règne de François Ier (décoration de Fontainebleau par Rosso et Primatice, fondation du Collège de France et de l'Imprimerie nationale, etc.). Dans les domaines de la philosophie et de l'éthique, elle fut marquée par la rencontre de l'humanisme et de la Réforme*; dans celui de la littérature, elle fut illustrée par une série de poètes et de prosateurs qui assirent l'autorité de la langue française : Marguerite de Navarre, Rabelais, C. Marot, Ronsard et le groupe de la Pléiade, La Boétie, Montaigne. Ses plus grands artistes furent : les architectes P. Delorme, P. Lescot, J. Bullant; les sculpteurs P. Bontemps, J. Goujon, G. Pilon; les peintres J. Cousin, J. et Fr. Clouet, A. Caron; le céramiste B. Palissy.

renaissant, ante adj. **1.** Qui renaît, qui se renouvelle. *Besoins toujours renaissants.* **2.** BX-A Qui appartient à la Renaissance. *La sculpture renaissante.*

renaître v. intr. [**74**] **1.** Naître de nouveau; revivre. *Le phénix renaît de ses cendres.* – *Renaître à :* retrouver (tel état). *Renaître à la vie :* recouvrer la santé, la joie de vivre, après avoir été durement éprouvé, physiquement ou moralement. *Renaître au bonheur.* ▷ THEOL Recouvrer l'état de grâce perdu. **2.** Croître de nouveau, repousser. *Feuillages qui renaissent au printemps.* **3.** Reparaître, se montrer de nouveau. *Le jour renaît.*

rénal, ale, aux adj. ANAT, MED Qui a rapport, qui appartient aux reins. *Insuffisance rénale. Artère rénale.*

Renan (Ernest) (Tréguier, 1823 – Paris, 1892), philologue, historien, philosophe et critique français. Séminariste devenu penseur rationaliste (*l'Avenir de la science,* 1848, publié en 1890), il fit scandale, en 1862, lors de sa leçon inaugurale d'hébreu au Collège de France, en parlant du Christ comme d'un «homme incomparable». L'année suivante, il publia la *Vie de Jésus,* essai de reconstitution historique dans une perspective rationaliste et premier volume d'une monumentale *Histoire des origines du christianisme* (1863-1881) qui suscita de vives polémiques et que compléta l'*Histoire du peuple d'Israël* (1887-1893). Tentant de concilier la notion de raison et la «catégorie de l'idéal» tout en rejetant les dogmes du catholicisme, Renan a évoqué la crise de conscience au cours de laquelle il perdit la foi dans *Souvenirs d'enfance et de jeunesse* (1883). Acad. fr. (1878).

renard n. m. **1.** Mammifère carnivore (fam. canidés) à la fourrure épaisse, le plus souvent rousse, au museau pointu, à la queue longue et touffue, répandu dans le monde entier. **2.** Fourrure faite avec la peau de cet animal. *Veste de renard.* **3.** Fig. Homme rusé. *Un vieux renard.* **4.** TECH Fente, trou par lequel fuit l'eau d'un réservoir. ENCYCL Les vrais renards appartiennent tous au genre *Vulpes*; les autres canidés qui portent le nom cour. de *renard* (genres *Alopex, Urocyon, Cerdocyon,* etc.) ont seulement l'aspect extérieur des *Vulpes.* Le renard commun d'Europe *(Vulpes vulpes)* est le canidé sauvage le plus connu.

renard roux d'Europe (au centre); tête de renard dit «charbonnier» et traces de renard (en haut à dr.)

Renard (Charles) (Damblain, Vosges, 1847 – Meudon, 1905), officier français du génie; spécialiste des aérostats. Il est l'inventeur de la *série Renard,* progression géométrique de dix termes entre 1 et 10, très utilisée dans la normalisation industrielle.

Renard (Jules) (Châlons, Mayenne, 1864 – Paris, 1910), écrivain français. Moraliste amer, se voulant un «chasseur d'images» humoristiques et cruelles, il procède par juxtapositions de scènes brèves et incisives : *Poil de Carotte* (roman, 1894, puis pièce en un acte, 1900), *Histoires naturelles* (roman, 1896). Son style laconique caractérise aussi son volumineux *Journal* (1887-1910, publié à partir de 1925). Ses pièces comptent parmi les plus représentatives du théâtre naturaliste : *le Plaisir de rompre* (1897), *le Pain de ménage* (1898), *la Bigote* (1909).
▶ illustr. page **1600**

renarde n. f. Femelle du renard.

renardeau n. m. Jeune renard.

renardière n. f. Tanière du renard.

Renart (Roman de). V. Roman de Renart.

Renaud (Madeleine) (Paris, 1900 – Neuilly-sur-Seine, 1994), actrice française de théâtre et de cinéma. Venue de la Comédie-Française (1921-1947), elle fonda avec son mari J.-L. Barrault la Compagnie Renaud-Barrault.

Renaud (Renaud Séchan, dit) (Paris, 1952), auteur-compositeur et chanteur français. Il compose, dans un langage d'époque et avec des musiques de facture traditionnelle, des chansons à la fois tendres et critiques.

Renaud (ou **Renaut**) **de Montauban,** l'un des poèmes épiques qui composent le cycle de Doon de Mayence (chanson de geste du XIIe s.). (V. Aymon [les Quatre Fils].)

Renaudie (Jean) (La Meyze, Haute-Vienne, 1925 – Paris, 1981), architecte français. Sensible aux problèmes du logement social, il intègre la construction dans un contexte général, géographique et social : ensembles urbains d'Ivry-sur-Seine, de Givors et de Cergy-Pontoise.

Renaudot (Théophraste) (Loudun, 1586 – Paris, 1653), médecin et journaliste français. Commissaire général des pauvres, il rédigea des feuilles d'annonces, ce qui l'amena à fonder *la Gazette* (1631), le premier journal hebdomadaire français. Il dirigea aussi *le Mercure français* (1635). ▷ LITTER *Le prix Théophraste-Renaudot*, fondé en 1925 par un groupe de critiques littéraires, est décerné chaque automne depuis 1926.

Renault (Louis) (Paris, 1877 – id., 1944), mécanicien et industriel français qui, à partir de 1898, contribua au développement de l'industrie automobile. En outre, il créa les taxis et les chars d'assaut légers, fabriqua des machines agricoles, etc. Accusé de collaboration avec l'occupant allemand, il fut inculpé en 1944 et mourut avant d'avoir été jugé ; ses usines furent nationalisées en janv. 1945 et son entreprise fut mise en régie.

Louis **Renault**

René Ier d'Anjou

Renaut de Montauban. V. Renaud de Montauban.

rencaisser v. tr. [1] **1.** FIN Remettre (une somme) dans une caisse. **2.** HORTIC Mettre (une plante) dans une nouvelle caisse. *Rencaisser des palmiers.*

rencard, rencarder. V. rancard, rancarder.

rencart. V. rancart.

renchérir v. [3] **I.** v. tr. Rendre plus cher. *Renchérir des denrées.* **II.** v. intr. **1.** Augmenter de prix. *L'essence a renchéri.* **2.** Fig. *Renchérir sur qqn*, en dire ou en faire encore plus que lui. *Renchérir sur qqch*, aller au-delà. *Il a renchéri sur les louanges déjà prodiguées.*

renchérissement n. m. Hausse de prix. *Le renchérissement des matières premières.*

renchérisseur, euse n. Personne qui renchérit, qui poursuit l'enchère.

rencogner Fam. **1.** v. tr. [1] Pousser, serrer (qqn) dans un coin. **2.** v. pron. Se cacher dans un coin.

rencontre n. **I.** n. f. **1.** Fait de se rencontrer, pour des personnes. *Ma rencontre avec lui.* ▷ *Aller à la rencontre de qqn*, au-devant de lui. **2.** Combat entre deux corps de troupes peu importants. – Duel. ▷ Compétition sportive. **3.** (Choses) Fait de se toucher ou de se heurter. *La rencontre de deux routes. La rencontre des deux trains n'a provoqué que des dégâts matériels.* **II.** n. m. HERALD Tête d'animal se présentant de face.

rencontrer I. v. tr. [1] **1.** Se trouver en présence de (qqn avec qui on fait connaissance ou qu'on connaît déjà), de façon fortuite ou non. *Rencontrer un ami par hasard. Chercher à rencontrer qqn.* – Par ext. *Rencontrer les yeux de qqn.* ▷ SPORT *Rencontrer un adversaire dans une compétition.* **2.** Trouver (qqch) ou se heurter à (qqch), par hasard. *Une plante qu'on rencontre rarement. Le navire a rencontré un écueil.* ▷ Fig. *Rencontrer de la méfiance.* **II.** v. pron. **1.** (Personnes) Se trouver en présence l'une de l'autre. *Nous nous sommes déjà rencontrés.* **2.** Fig. Avoir les mêmes pensées sur le même sujet. – Loc. *Les grands esprits se rencontrent.* **3.** (Choses) Se toucher, se heurter. *Les deux véhicules se sont rencontrés dans un virage.* **4.** (Passif) Exister, se trouver. *Cela peut se rencontrer.*

rendement n. m. **1.** Produit proportionnel que donne qqch. *Rendement d'une affaire*, rapport entre les capitaux qui y sont engagés et ce qu'elle rapporte. ▷ AGRIC Ce que produit une surface déterminée de terrain. *Rendement du blé à l'hectare.* ▷ PHYS Rapport entre l'énergie utile restituée par un appareil ou une machine et l'énergie absorbée. *Un rendement est toujours inférieur à 1 par suite de la dégradation de l'énergie en chaleur.* ▷ CHIM *Rendement d'une réaction* : rapport entre le nombre de moles réellement obtenues et le nombre de moles correspondant à la réaction totale. **2.** Rapport entre le temps que qqn passe à faire un travail, l'effort qu'il fournit et le résultat obtenu. *Cet ouvrier a un bon rendement.*

rendez-vous n. m. inv. **1.** Rencontre ménagée à l'avance entre plusieurs personnes et par elles-mêmes. *Recevoir sur rendez-vous.* **2.** Lieu où l'on est convenu de se rencontrer. – Lieu où des personnes se retrouvent habituellement. *Ce café est le rendez-vous des joueurs d'échecs.*

rendormir v. tr. [30] Faire dormir de nouveau. *Rendormir un bébé.* ▷ v. pron. S'endormir à nouveau.

r(é)endosser v. tr. [1] Endosser de nouveau. *Rendosser l'uniforme.*

rendre v. [6] **A.** v. tr. **I. 1.** Remettre, restituer à son possesseur. *Rendre ce qu'on a emprunté.* – *Rendre la monnaie.* **2.** Remettre à la disposition de qqn (ce qu'il a offert, cédé). *Rendre un présent. Rendre un article qui ne convient pas.* – Loc. fig. *Rendre sa parole à qqn*, le dégager d'une promesse. **3.** Redonner à qqn (ce qu'il avait perdu). *Le grand air lui a rendu des forces. Rendre l'espoir à qqn.* **4.** Donner en contrepartie. *Rendre une invitation.* **5.** S'acquitter de (certains devoirs). *Rendre les honneurs funèbres. Rendre justice à qqn*, reconnaître son droit, sa valeur. **6.** *Rendre les armes* : capituler. **7.** Rejeter. *Rendre tout ce qu'on a mangé.* – *Absol.* Vomir. ▷ Fig. *Rendre l'âme, le dernier soupir* : mourir. **8.** Produire, donner. *Instrument qui rend un son harmonieux.* ▷ *Absol.* Avoir un certain rendement. *Ce champ rend bien.* – Loc. fam. *Cela n'a pas rendu* : cela n'a pas eu le résultat escompté. **II.** Faire devenir. *Le chagrin l'a rendu fou.* **III. 1.** Exprimer, représenter par le moyen du langage, de l'art. *Chercher les mots exacts pour rendre sa pensée. Rendre le velouté d'une pêche dans une nature morte.* **2.** Traduire. *Expression idiomatique impossible à rendre en français.* **B.** v. pron. **1.** Aller, se diriger vers. *Se rendre à son travail.* – *Se rendre à l'appel de qqn*, y répondre. **2.** Céder, se soumettre. *Se rendre à la raison, à l'évidence.* **3.** S'avouer vaincu. *La garnison assiégée s'est rendue.* **4.** Devenir de son propre fait. *Se rendre odieux, ridicule.*

rendu, ue adj. et n. m. **I.** adj. **1.** Vieilli Exténué. *L'attelage était rendu.* **2.** Arrivé. *Vous voilà rendus.* **II.** n. m. **1.** Loc. *Un prêté pour un rendu* : un mauvais tour que l'on joue à qqn pour lui rendre la pareille. **2.** Représentation exacte de la réalité dans une œuvre d'art. *Le rendu d'une chevelure.*

rêne n. f. Courroie fixée au mors d'un cheval et par laquelle on le conduit. ▷ (Plur.) Fig. *Tenir les rênes de l'État, d'une affaire*, en avoir la direction.

René Ier d'Anjou, dit *le bon roi René* (Angers, 1409 – Aix-en-Provence, 1480), duc d'Anjou, il fut aussi duc effectif de Bar (1430-1480), duc de Lorraine (1431-1453), comte de Provence (1434-1480), roi effectif de Naples (1438-1442), roi titulaire de Sicile (1434-1480), roi nominal de Jérusalem. Fils de Louis II, roi de Sicile et duc d'Anjou, il épousa Isabelle de Lorraine (1420), mais Antoine de Vaudémont et les Bourguignons contestèrent ses droits au duché de Lorraine. En 1438, il succéda sur le trône de Naples à son frère Louis III (m. en 1434) mais en fut chassé par Alphonse d'Aragon (1442). En 1473, Louis XI le déposséda de l'Anjou. Dès 1456, il avait renoncé à la conduite effective des affaires, préférant écrire et s'entourer d'artistes et de savants, notam. en Provence, où il se retira en 1471.
– **René II** (?, 1451 – Fains, 1508), petit-fils du préc. ; duc de Lorraine (1473-1508) et de Bar (1480-1508). Chassé de Lorraine par Charles le Téméraire, il soutint victorieusement le siège de Nancy (1477), où son adversaire trouva la mort. À la mort de René Ier d'Anjou, il acquit le Barrois, mais ne put obtenir la Provence, qui fut donnée à son cousin Charles du Maine.

Renée de France (Blois, 1510 – Montargis, v. 1575), fille de Louis XII et d'Anne de Bretagne, duchesse de Ferrare (1534-1559) par son mariage (1528) avec Hercule II d'Este. Elle protégea Calvin et Clément Marot, se rallia à la Réforme et soutint le parti protestant pendant les guerres de Religion.

renégat, ate n. **1.** Celui, celle qui a renié sa religion. **2.** Personne qui a abjuré ses opinions, trahi son parti ou sa patrie, etc.

renégociation n. f. POLIT Négociation nouvelle à partir des résultats d'une négociation antérieure.

renégocier v. tr. [2] POLIT Effectuer une renégociation.

renfermé, ée adj. et n. m. **1.** adj. Qui n'est pas ouvert, qui n'est pas communicatif. *Enfant renfermé.* **2.** n. m. Mauvaise odeur d'un local non aéré. *Pièce qui sent le renfermé.*

renfermer v. [1] **I.** v. tr. **1.** Enfermer de nouveau. **2.** Contenir, comprendre en soi. *Sa bibliothèque renferme des livres rares.* ▷ Fig. *Ce texte renferme des idées intéressantes.* **II.** v. pron. *Se renfermer en soi-même* : ne pas extérioriser ses sentiments.

r(é)enfiler v. tr. [1] Enfiler de nouveau.

renflé, ée adj. Dont le diamètre est plus grand à certains endroits. – ARCHI *Colonne renflée*, plus grosse dans sa partie médiane.

renflement n. m. **1.** État de ce qui est renflé. **2.** Partie renflée.

renfler v. tr. [1] Rare Augmenter le volume de (qqch) en lui donnant une forme arrondie. *Rondeurs qui renflent les vêtements.* ▷ v. pron. *Bourgeon qui se renfle.*

renflouage [ʀɑ̃fluaʒ] ou **renflouement** [ʀɑ̃flumɑ̃] n. m. **1.** Action de renflouer (un navire). **2.** Fait de rétablir une situation financière.

renflouer v. tr. [1] **1.** Remettre à flot (un navire échoué, coulé). **2.** Fig. Procurer des fonds à (qqn, une entreprise), pour rétablir sa situation financière.

renfoncé, ée adj. Profondément enfoncé. *Yeux renfoncés.*

renfoncement n. m. Partie d'une construction qui est en retrait.

renfoncer v. tr. [12] Enfoncer de nouveau ou plus avant. *Renfoncer un bouchon.*

renforcement n. m. Action de renforcer; son résultat. ▷ PHOTO Opération corrective destinée à augmenter les contrastes d'une image.

renforcer v. tr. [12] **1.** Accroître la force, le nombre de (un groupe). *Renforcer une troupe.* **2.** Rendre plus solide, plus résistant. *Renforcer un mur.* **3.** Donner plus d'intensité, plus de force à (qqch). *Renforcer un éclairage, un effet.* ▷ Fig. *Cela renforce mes convictions.* **4.** v. pron. Devenir plus fort.

renfort n. m. **1.** Effectifs, matériel qui viennent renforcer un groupe et, spécial., une armée. *Réclamer du (des) renfort(s).* ▷ *De renfort* : qui renforce. *Des armes de renfort.* **2.** TECH Pièce servant à augmenter la solidité d'une autre. ▷ Partie du canon où l'épaisseur est la plus importante. **3.** Loc. prép. *À grand renfort de* : en se servant d'une grande quantité de.

renfrogné, ée adj. Qui laisse voir de la mauvaise humeur. *Visage renfrogné.*

renfrogner (se) v. pron. [1] Prendre une expression de mécontentement.

r(é)engagement n. m. Action de rengager, de se rengager.

r(é)engager v. [13] **1.** v. tr. Engager de nouveau. **2.** v. pron. *Se rengager* ou, v. intr., *rengager* : renouveler son engagement dans l'armée. Syn. fam. rempiler.

rengaine n. f. **1.** Banalité répétée de façon lassante. **2.** Chanson qu'on entend sans cesse. *Rengaine à la mode.*

rengainer v. tr. [1] **1.** Remettre dans la gaine, dans le fourreau. *Rengainer une épée.* **2.** Fig., fam. Ne pas dire, ne pas achever (ce qu'on avait envie de dire). *Rengainer un compliment.*

rengorger (se) v. pron. [13] **1.** (Oiseaux) Faire ressortir sa gorge en rejetant la tête en arrière. *Paon qui se rengorge.* **2.** Fig. Prendre des airs importants, avantageux.

Reni (Guido). V. Guide (le).

reniement [ʀ(ə)nimɑ̃] n. m. Action de renier.

renier v. [2] **I.** v. tr. **1.** Nier, en dépit de la vérité, qu'on connaît qqn. *Saint Pierre a renié Jésus.* **2.** Refuser de reconnaître (qqn, qqch) comme sien. *Renier ses amis. Renier ses origines.* **3.** Abandonner, abjurer (qqch). *Renier sa religion, ses opinions.* **II.** v. pron. Désavouer ses opinions, ses choix antérieurs.

reniflard n. m. TECH Conduit qui met en communication avec l'atmosphère le carter d'huile d'un moteur.

reniflement n. m. Action de renifler.

renifler v. [1] **I.** v. intr. Aspirer par le nez avec bruit. *Enfant enrhumé qui renifle.* **II.** v. tr. **1.** Aspirer par le nez. *Renifler une prise de tabac.* **2.** Fig., fam. Pressentir, flairer. *Renifler un mauvais coup.*

renne

rénine n. f. BIOCHIM Substance protéique sécrétée par le rein et qui provoque indirectement l'hypertension artérielle.

rénitent, ente adj. MED Qui, à la palpation, offre une certaine résistance élastique.

rennais, aise adj. et n. De Rennes. – Subst. *Un(e) Rennais(e).*

renne n. m. Cervidé (genre *Rangifer*) des régions arctiques, aux andouillers aplatis, à la robe grisâtre.
ENCYCL Le renne fut très abondant en Europe occidentale au pléistocène supérieur; par la suite, il a gagné les régions polaires en des migrations successives.

Rennequin (René Sualem, dit) (Jemeppe-sur-Meuse, près de Liège, 1645 – Bougival, 1708), technicien liégeois qui conçut et construisit la machine de Marly (1676-1682), ensemble de pompes aspirantes et foulantes qui alimentaient en eau de la Seine le château de Versailles.

Renner (Karl) (Untertannowitz, Moravie, 1870 – Vienne, 1950), homme politique autrichien. Député social-démocrate, il fut chancelier de 1918 à 1920 puis en 1945, avant d'être élu président de la République (1945-1950).

Rennes, ch.-l. du dép. d'Ille-et-Vilaine et de la Rég. Bretagne, au confl. de l'Ille et de la Vilaine; 203 533 hab. (env. 245 100 hab. dans l'aggl.). Marché agricole au centre d'un bassin fertile, Rennes a bénéficié de l'installation de nombr. industries décentralisées : montage automobile, industr. métallurgiques, chimiques et électroniques, imprimeries, édition, presse. – Archevêché, université, École supérieure d'électricité, École nationale supérieure de télécommunications. Égl. N.-D. (XIVe s.), attenante au jardin du Thabor. Palais de justice (XVIIe s.). Hôtel de ville de pur style Louis XV. Musée de Bretagne. Musée des Bx-A. Maisons anciennes. – Rennes fut réunie à la Couronne avec le duché de Bretagne en 1532; en 1561, Henri II y établit, malgré les protestations des Nantais, le parlement de Bretagne, qui manifesta souvent son opposition au roi. Tombée aux mains de la Ligue (1589), la ville fut reprise par Henri IV en 1598. Un terrible incendie la ravagea en 1720.

Rennes : palais abbatial Saint-Georges

Reno, v. des É.-U. (Nevada); 133 850 hab. (aggl. urb. 211 500 hab.). Naguère célèbre par ses divorces immédiats. Nombr. établissements de jeu.

Renoir (Auguste) (Limoges, 1841 – Cagnes-sur-Mer, 1919), peintre français. Son tableau *la Grenouillère* (1869, musée de Stockholm) et quelques-unes de ses œuvres datées de 1869-1870 contribuèrent à fonder l'impressionnisme, mais, après des œuvres telles que *le Bal du Moulin de la Galette* (1876), v. 1883-1884, il s'éloigna de cette école (*les Grandes Baigneuses,* 1883-1887). Auteur surtout de figures féminines plantureuses et nues, il reste, à travers ses différentes manières, le peintre des jeux de lumière et de la couleur vaporeuse. – **Jean** (Paris, 1894 – Beverly Hills, 1979), fils du préc.; cinéaste français, maître du réalisme poétique : *Nana* (1926), *Boudu sauvé des eaux* (1932), *Toni* (1934), *le Crime de M. Lange* (1936), *Une partie de campagne* (1936), *la Grande Illusion* (1937), *la Règle du jeu* (1939), *le Carrosse d'or* (1952).

Auguste **Renoir :** *la Danse à la campagne,* 1883; musée d'Orsay, Paris

renom n. m. Opinion (généralement favorable) répandue sur qqn, qqch. *Un restaurant de grand renom.*

renommé, ée adj. Qui a un renom étendu. *Vin renommé.*

renommée n. f. Renom. *La renommée d'un écrivain.*

Jean **Renoir :** *la Grande Illusion,* 1937, avec Eric von Stroheim (à g.) et Pierre Fresnay

renoncement n. m. Action de renoncer. *Renoncement à un droit. Renoncement aux plaisirs.* – *Absol.* Détachement. *Mener une vie de renoncement.*

renoncer v. tr. indir. [12] *Renoncer à* : abandonner (un bien, un pouvoir, une prétention, un droit). *Renoncer à la couronne, à une succession.* – Abandonner (une action entreprise, une habitude, une pratique). *Il ne renonce pas à ce projet.* ▷ Absol. *Trop difficile! Je renonce!* ▷ *Renoncer aux biens, aux plaisirs de ce monde,* s'en détacher volontairement.

renonciataire n. DR Celui, celle en faveur de qui on renonce à qqch (par oppos. à *renonciateur*).

renonciateur, trice n. DR Celui, celle qui renonce à qqch en faveur de qqn.

renonciation n. f. **1.** Vx ou litt. Action de renoncer à qqch. **2.** DR Action de renoncer à un droit. – Acte par lequel on renonce à un droit. *Signer une renonciation.*

renonculacées n. f. pl. BOT Famille importante de plantes dicotylédones aux pièces florales disposées en spirale, le plus souvent herbacées, dont de nombreuses espèces sont ornementales. – Sing. *Une renonculacée.*

renoncule n. f. Plante herbacée (fam. renonculacées) dont l'espèce la plus commune est le *bouton-d'or,* aux fleurs jaune d'or. ▷ *Renoncule aquatique* ou *grenouillette,* aux fleurs blanches, qui flotte à la surface des eaux calmes.

renoncule : tige fleurie avec racines

renouée n. f. Plante herbacée (fam. polygonacées) à feuilles aux bords non découpés et à fleurs verdâtres.

renouer v. [1] **I.** v. tr. **1.** Nouer (une chose dénouée). *Renouer une ficelle.* – Fig. *Renouer une amitié.* **2.** Reprendre (ce qui a été interrompu). *Renouer la conversation.* **II.** v. tr. indir. *Renouer avec* : entrer de nouveau en relation avec (qqn). *Renouer avec de vieux amis.*

renouveau n. m. **1.** Litt. Printemps, saison nouvelle. **2.** Caractère nouveau (de qqch); renaissance. *Le renouveau du romantisme.* ▷ *Renouveau charismatique*.*

renouvelable adj. Qui peut être renouvelé.

renouveler v. [19] **I.** v. tr. **1.** Rendre nouveau en remplaçant qqch par qqch de semblable, ou des personnes par d'autres. *Renouveler l'armement. Renouveler une équipe.* **2.** Donner un caractère nouveau à (qqch). *Renouveler son style.* **3.** Faire de nouveau. *Renouveler une erreur, une proposition.* **4.** Rendre valable, reconduire pour une nouvelle période. *Renouveler un bail, un abonnement.* **5.** Litt. Ranimer, raviver (qqch). *Renouveler l'ardeur des combattants.* **II.** v. pron. **1.** Être renouvelé, remplacé. *Les techniques se renouvellent.* **2.** Changer fréquemment de style, d'inspiration, en matière artistique ou littéraire. *Cinéaste qui se renouvelle souvent.* **3.** Se reproduire, se répéter. *Fait qui se renouvelle.*

renouvellement n. m. **1.** Remplacement (de choses, de personnes). *Le renouvellement du stock. Le renouvellement du corps enseignant.* **2.** Action de donner un caractère nouveau à qqch. *Le renouvellement d'un genre littéraire.* **3.** Action de renouveler, de reconduire. *Renouvellement d'un contrat.*

Renouvier (Charles) (Montpellier, 1815 – Prades, 1903), philosophe spiritualiste français. Il fut le continuateur de la philosophie kantienne (néo-criticisme*) : *Essais de critique générale* (1854-1864), *la Science de la morale* (1869), etc.

Renouvin (Pierre) (Paris, 1893 – id., 1974), historien français de la Première Guerre mondiale puis des relations internationales.

rénovateur, trice n. et adj. Qui rénove.

rénovation n. f. **1.** Action de rénover, de transformer en mettant à jour. *Rénovation des méthodes pédagogiques.* **2.** Action de remettre à neuf. *Rénovation d'un quartier.*

rénover v. tr. [1] **1.** Donner une forme nouvelle à (qqch). *Rénover les structures administratives.* **2.** Remettre à neuf (qqch). *Rénover un immeuble.*

renseignement n. m. **1.** Ce qu'on fait connaître à qqn en le renseignant. *Donner des renseignements.* **2.** *Spécial.* Information d'intérêt national, dans les domaines militaire, économique, politique. – MILIT *Service de renseignements (S.R.),* chargé de la recherche des renseignements nécessaires à la stratégie.

renseigner 1. v. tr. [1] Fournir à (qqn) des indications, des précisions (sur qqn, qqch). *Renseigner un collaborateur sur une affaire.* ▷ Pp. adj. *Des personnes bien renseignées.* **2.** v. pron. Prendre des renseignements. *Se renseigner sur qqn.*

rentabilisable adj. Qu'on peut rentabiliser.

rentabilisation n. f. Fait de rentabiliser ou de devenir rentable.

rentabiliser v. tr. [1] Assurer la bonne rentabilité de (une opération, une entreprise).

rentabilité n. f. Caractère de ce qui est rentable. *Rentabilité d'un placement. Rentabilité économique.*

rentable adj. Qui produit une rente, un bénéfice. – *Par ext.* Qui rapporte. *Une affaire rentable.*

rente n. f. **1.** Revenu régulier que l'on tire d'un bien, d'un capital. *Vivre de ses rentes.* ▷ Fig. *Rente de situation* : avantage dû au seul fait d'occuper une situation stratégique ou privilégiée. **2.** Paiement annuel résultant soit d'un titre de créance, soit d'un contrat, soit d'un jugement. – *Rente d'une terre,* son revenu naturel, considéré indépendamment du revenu provenant du travail. – *Rente viagère* : pension payable à qqn sa vie durant. **3.** Emprunt de l'État qui donne droit à un intérêt contre remise de coupons. *Rente perpétuelle. Rente amortissable.*

rentier, ère n. Celui, celle qui a des rentes, qui vit de ses rentes.

rentoilage n. m. Action de rentoiler; son résultat.

rentoiler v. tr. [1] *Rentoiler un tableau,* coller sa toile peinte ou la couche de peinture sur une toile neuve.

rentoileur, euse n. Spécialiste qui fait du rentoilage.

rentrant, ante adj. GEOM *Angle rentrant,* dont le sommet est tourné vers l'intérieur d'une figure. Ant. saillant.

rentré, ée adj. et n. m. **1.** adj. Que l'on ne peut ou que l'on ne veut extérioriser (sentiments). *Colère rentrée.* **2.** n. m. COUT Repli du tissu maintenu vers l'intérieur par une couture.

rentrée n. f. **1.** Action de rentrer dans un lieu. *La rentrée des travailleurs dans l'usine.* **2.** Reprise des activités, des travaux après les vacances; époque où elle a lieu. *La rentrée des tribunaux. La rentrée des classes* ou, absol., *la rentrée. La rentrée d'un acteur,* sa réapparition sur scène après une absence. **3.** Action de mettre dans un lieu fermé ou couvert ce qui était dehors (produits agricoles, notam.). *Rentrée des foins, de la récolte.* **4.** Somme que l'on recouvre. *Compter sur des rentrées régulières.*

rentrer v. [1] **I.** v. intr. **1.** Entrer, revenir dans un lieu après en être sorti. *Rentrer dans sa cachette. Rentrer du travail.* – Absol. Revenir chez soi. *Quand rentre-t-il?* **2.** Reprendre ses fonctions. *Les écoles rentrent aujourd'hui.* **3.** (En loc.) Fig. Entrer de nouveau en possession de. *Rentrer dans ses droits. Rentrer en grâce* : être pardonné. *Rentrer dans ses frais,* en être remboursé, en avoir la compensation. – *Les choses sont rentrées dans l'ordre,* elles ont retrouvé leur cours normal. ▷ *Rentrer en soi-même* : réfléchir, méditer sur soi-même. **4.** Être compris (dans qqch). *Cela rentre dans vos attributions.* **5.** Être reçu, perçu (argent). *Les loyers rentrent mal.* **6.** Pénétrer, s'emboîter. *La valise ne rentre pas dans le coffre.* **7.** Fam. Entrer violemment en contact avec qqn, entrer en collision avec qqch. *La voiture est rentrée dans un camion.* Syn. emboutir. **8.** *Abusiv.* et cour. Entrer. *Rentrer dans une boutique.* **II.** v. tr. **1.** Amener, transporter à l'intérieur, mettre à l'abri. *Rentrer ses moutons, du bois.* **2.** Ne pas extérioriser (un sentiment). *Rentrer sa haine.*

renversant, ante adj. Qui stupéfie. *Une nouvelle renversante.*

renverse n. f. **1.** MAR Changement de direction de 180° du courant ou (plus rare) du vent. **2.** Loc. adv. *À la renverse* : sur le dos (empl. surtout dans la loc. *tomber à la renverse*).

renversé, ée adj. **1.** Inversé par rapport à la position habituelle. *Cette lentille donne une image renversée.* ▷ CUIS *Crème renversée* : crème cuite, à base d'œufs et de lait, assez ferme et que l'on démoule en la renversant sur un plat. ▷ Loc. fig. *C'est le monde renversé* : cela va contre l'ordre habituel, contre le bon sens. **2.** Qui est tombé. *Une statue renversée.*

renversement n. m. **1.** Action de renverser de haut en bas. ▷ TECH *Appareil* *à renversement*, qui fonctionne quand on le renverse (bombe, extincteur). **2.** Fig. Chute, destruction. *Le renversement de la royauté.* **3.** Changement de direction de 180°. *Renversement de la marée, du courant.* **4.** Inversion d'un ordre. *Renversement des termes d'une proposition.* ⊳ MUS Interversion des rapports qu'on a établis entre les sons. *Renversement des intervalles, des accords.* **5.** Fig. Changement total dans le sens inverse. *Renversement des alliances, des opinions.*

renverser v. tr. [1] **1.** Retourner (qqch) de façon que ce qui était en haut soit en bas. *Renverser un moule pour démouler un gâteau.* – *Renverser la tête*, la rejeter en arrière. **2.** Jeter à terre, faire tomber (qqn, qqch). *Il s'est fait renverser par une voiture.* – (Liquides) Répandre. *Renverser de l'eau.* ⊳ Fig., fam. *Cela me renverse*, me stupéfie. **3.** Fig. Provoquer la chute, la destruction de (qqch). *Renverser un régime.* – *Renverser un ministère*, le mettre en minorité pour l'obliger à démissionner (cf. motion de censure). **4.** Mettre ou faire aller en sens inverse. *Renverser les termes d'un rapport. Renverser la vapeur*, la faire agir sur l'autre face du piston pour changer le sens de la marche d'une machine à vapeur; fig. changer totalement sa façon d'agir.

renvoi n. m. **1.** Action de renvoyer; son résultat. *Renvoi de la balle. Renvoi de l'ascenseur.* ⊳ Retour à l'envoyeur. *Renvoi d'un colis.* **2.** Licenciement, exclusion. *Je lui ai signifié son renvoi.* **3.** Transmission d'une demande, d'une proposition à une autorité compétente. ⊳ DR Fait de renvoyer une partie, un procès, devant un juge déterminé. **4.** Marque renvoyant le lecteur à des notes, à d'autres passages d'un texte. ⊳ MUS Signe qui indique une reprise. **5.** Remise, ajournement. *Renvoi à huitaine.* **6.** Éructation. **7.** TECH *Renvoi d'angle* : organe qui transmet un mouvement en en changeant la direction.

renvoyer v. tr. [24] **1.** Faire retourner (qqn) au lieu d'où il est parti. *Renvoyer un malade à l'hôpital.* **2.** Mettre (qqn) dans l'obligation de quitter un lieu, une situation. *Renvoyer des visiteurs indésirables. Renvoyer un employé.* ⊳ DR *Renvoyer un accusé*, le décharger de l'accusation portée contre lui. **3.** Faire reporter à qqn (ce qu'il avait envoyé, prêté, perdu). *Renvoyer un objet oublié.* **4.** Lancer (qqch) en retour. *Renvoyer une balle.* – Loc. fig., fam. *Renvoyer l'ascenseur* : rendre un service pour un service rendu. **5.** Réfléchir (des ondes lumineuses, sonores). *L'écho renvoie les sons.* **6.** Adresser (qqn, qqch) à la personne, à l'endroit qui convient. *Être renvoyé au service compétent. Renvoyer une affaire à telle commission.* **7.** Remettre à plus tard. *Renvoyer l'examen d'une affaire au lendemain.*

réoccupation n. f. Action d'occuper de nouveau; résultat de cette action.

réoccuper v. tr. [1] Occuper de nouveau.

Réole (La), ch.-l. de cant. de la Gironde (arr. de Langon), sur la r. dr. de la Garonne; 4 360 hab. Industr. du meuble. – Anc. hôtel de ville (XIIe s.). Égl. St-Pierre, anc. abbatiale (déb. XIIIe s., XIVe et XVe s.) avec bâtiments conventuels du XVIIIe s. Vest. de remparts (XIIe et XIVe s.).

réopérer v. tr. [14] Opérer de nouveau.

réorchestration n. f. MUS Nouvelle orchestration.

réorchestrer v. tr. [1] MUS Concevoir une orchestration différente pour une même pièce.

réorganisateur, trice n. et adj. Personne qui réorganise. ⊳ adj. *Des mesures réorganisatrices.*

réorganisation n. f. Action d'organiser de nouveau; son résultat.

réorganiser v. tr. [1] Organiser de nouveau ou d'une autre manière.

réorientation n. f. Action de réorienter.

réorienter v. tr. [1] Donner une nouvelle orientation à.

réouverture n. f. **1.** Action de rouvrir un établissement qui a été fermé. *Réouverture d'un café.* **2.** DR Mesure par laquelle on rouvre des débats qui avaient été clos.

repaire n. m. Lieu où se réfugient des animaux sauvages. ⊳ Fig. *Repaire de brigands.*

repaître **1.** v. tr. [74] Litt. Rassasier. *Repaître ses yeux d'un spectacle*, le regarder avec avidité jusqu'à s'en rassasier. **2.** v. pron. Litt. Se nourrir, se rassasier. *Tigre qui se repaît de la chair d'une proie.* ⊳ Fig. *Se repaître de commérages.*

répandre v. [6] **I.** v. tr. **1.** Verser, laisser tomber (qqch qui s'étale, se disperse). *Répandre un liquide, des graviers.* – *Répandre des larmes* : pleurer. *Répandre son sang* : être blessé. **2.** Envoyer au loin (qqch qui émane de soi). *Répandre de la chaleur, une odeur.* **3.** Distribuer généreusement. *Répandre ses bienfaits.* **4.** Faire naître (un sentiment) chez de nombreuses personnes. *Répandre la gaieté.* **5.** Faire connaître à un vaste public. *Répandre une nouvelle, une doctrine.* **II.** v. pron. **1.** S'écouler en s'étalant. *Café qui se répand sur la nappe.* **2.** Être émis et s'étendre (lumière, odeur, chaleur, etc.). **3.** (Personnes) Se disperser en occupant un lieu. *Les invités se répandent dans le jardin.* **4.** Se propager. *Idée, mode qui se répand.* **5.** *Se répandre en paroles, en invectives, en compliments*, etc. : parler, invectiver, complimenter longuement.

répandu, ue adj. **1.** Communément admis, pratiqué. *Opinion, coutume répandue.* **2.** Abondant. *Ce mollusque est très répandu sur le littoral atlantique.* **3.** Litt. *Des gens répandus dans le monde*, qui le fréquentent assidûment, qui y ont de nombreuses relations.

réparable adj. Qu'on peut réparer.

reparaître v. intr. [73] Paraître de nouveau.

réparateur, trice n. (et adj.) Personne qui répare ce qui est endommagé. ⊳ adj. Qui répare, compense. *Geste réparateur.* Qui redonne des forces. *Sommeil réparateur.* ⊳ *Chirurgie réparatrice* : syn. de *chirurgie plastique.*

réparation n. f. **1.** Action de réparer une chose matérielle; travail qu'il faut faire pour la réparer. *Route en réparation.* ⊳ Fig. *Réparation des forces.* **2.** Action de réparer un tort, une erreur, etc. ⊳ DR *Réparations civiles* : dommages-intérêts que peut obtenir une personne qui a subi un préjudice du fait de qqn. ⊳ SPORT *Surface de réparation* : au football, surface rectangulaire délimitée autour des buts, à l'intérieur de laquelle toute faute commise par un défenseur est sanctionnée par un *coup de pied de réparation* (V. penalty).

réparer v. tr. [1] **1.** Remettre (qqch) en bon état, en état de fonctionnement. *Réparer un toit, une machine.* ⊳ Fig. *Réparer ses forces*, les rétablir. **2.** Faire disparaître (qqch) par une réparation. *Réparer un accroc.* **3.** Compenser les effets de (une faute, un dommage). *Réparer une maladresse.*

reparler v. tr. indir. [1] **1.** Parler de nouveau (de qqch, de qqn). *Nous en reparlerons.* ⊳ v. intr. *Il reparle enfin.* **2.** Adresser de nouveau la parole (à qqn) après une brouille.

repartager v. tr. [1] Partager à nouveau.

repartie [ʀəpaʀti; ʀepaʀti] n. f. Vive réplique. *Avoir l'esprit de repartie.*

1. repartir [ʀəpaʀtiʀ; ʀepaʀtiʀ] v. tr. [30] Vx, litt. (Sauf aux temps composés.) Répliquer, répondre vivement. *Il lui a reparti aussitôt ceci.* ⊳ v. intr. (En incise.) *Il n'en est pas question, repartit l'individu.*

2. repartir [ʀ(ə)paʀtiʀ] v. intr. [30] **1.** Partir de nouveau. **2.** Retourner à l'endroit d'où l'on vient. *Il repart pour Lille.*

répartir [ʀepaʀtiʀ] v. [3] **I.** v. tr. **1.** Distribuer les parts de (qqch qu'on a partagé suivant certaines règles). *Répartir des biens.* **2.** Mettre dans divers endroits. *Répartir des objets dans une vitrine.* **3.** Par ext. Échelonner. *Répartir un plan sur deux ans.* **4.** Classer. *Répartir les races dans une espèce.* **II.** v. pron. (Passif) Être réparti. *Les charges doivent se répartir équitablement.* – (Récipr.) *Se répartir les tâches.*

répartiteur n. m. (et adj. m.) **1.** Litt. Personne qui fait une répartition. **2.** Celui qui assure la répartition de certains impôts. ⊳ adj. m. *Commissaire répartiteur.* **3.** TELECOM Dispositif où aboutissent des lignes téléphoniques principales qu'il répartit entre les utilisateurs.

répartition n. f. **1.** Partage, division, distribution. *Répartition du travail.* ⊳ Manière dont une chose est répartie. *La répartition inégale des fortunes.* ⊳ *Impôt de répartition* : impôt fixé d'année en année et réparti de degré en degré entre les départements, les arrondissements, les communes et les contribuables. **2.** Action de répartir, de se répartir dans l'espace; son résultat. *Répartition géographique d'une espèce animale.* **3.** Classement. **4.** MATH *Fonction de répartition* : fonction qui donne la probabilité pour qu'une variable aléatoire soit inférieure à une valeur donnée.

reparution n. f. Fait de reparaître.

repas n. m. Nourriture que l'on prend chaque jour à des heures régulières. *Faire trois repas par jour.*

repassage n. m. **1.** Action d'aiguiser un couteau, des ciseaux. **2.** Action de repasser du linge.

repasser v. [1] **I.** v. intr. Passer de nouveau. *Je repasserai chez vous.* **II.** v. tr. **1.** Traverser de nouveau. *Repasser le fleuve.* **2.** Faire passer de nouveau (qqch). *Repasser le plat aux convives. Repasser un disque.* **3.** Revenir sur (qqch qu'on a étudié, appris). *Repasser sa leçon.* **4.** Aiguiser (des couteaux, des ciseaux) sur une meule. **5.** Défroisser (du linge, un vêtement) en passant dessus un fer chaud.

repasseur n. m. Ouvrier qui aiguise les lames. Syn. rémouleur.

repasseuse n. f. **1.** Celle dont le métier est de repasser du linge. **2.** Machine à repasser le linge, composée de cylindres chauffés.

repavage ou **repavement** n. m. Action de remplacer le pavage.

repaver v. tr. [1] Paver de nouveau.

repayer v. tr. [21] Payer à nouveau.

repêchage n. m. 1. Action de sortir de l'eau. 2. Fig., fam. *Repêchage d'un candidat* : fait de repêcher un candidat. *Épreuve de repêchage* : épreuve supplémentaire qui peut permettre à un candidat éliminé d'être reçu à un examen.

repêcher v. tr. [1] 1. Retirer de l'eau (ce qui y est tombé). 2. Fig., fam. *Repêcher un candidat à un examen*, l'admettre bien qu'il n'ait pas obtenu la moyenne requise.

repeindre v. tr. [55] Peindre de nouveau.

repeint n. m. BX-A Partie d'un tableau qui a été couverte d'une nouvelle couche de peinture, pour le modifier ou le restaurer.

repenser v. [1] 1. v. intr. Penser, réfléchir de nouveau (à qqch). 2. v. tr. Revenir sur le fond, la conception même de (qqch). *Repenser un article.*

repentance n. f. Litt. Repentir.

repentant, ante adj. Qui se repent (d'une, de ses fautes).

repenti, ie adj. et n. 1. Qui s'est repenti (de ses fautes). 2. n. Membre d'une organisation illégale (terroristes, mafia) qui accepte, contre protection et remise de peine, de collaborer avec la justice.

Repentigny, v. du Québec (rég. admin. de Lanaudière); 48 400 hab. Banlieue résidentielle de Montréal.

1. repentir (se) v. pron. [30] 1. Éprouver un regret sincère (du mal qu'on a fait). *Se repentir de ses fautes.* 2. Regretter (ce qu'on a fait) à cause de ses conséquences fâcheuses. *Je me repens de lui avoir prêté de l'argent.*

2. repentir n. m. 1. Sentiment de celui qui se repent d'une faute. *Le repentir du pécheur.* 2. PEINT Correction effectuée par l'artiste sur le tableau qu'il est en train de peindre.

repérable adj. Qu'il est possible de repérer. ▷ PHYS *Grandeur repérable et non mesurable*, dont on peut définir l'égalité ou l'inégalité, mais sur laquelle on ne peut effectuer d'opération mathématique (la température, par ex.).

repérage n. m. 1. Action de repérer. 2. ARTS GRAPH Indication, par des signes, de l'endroit où des dessins en feuillets séparés doivent s'ajuster. 3. IMPRIM Action de faire coïncider, grâce à des signes portés sur la feuille, les diverses plages colorées dont la superposition permet d'obtenir un document en couleurs. 4. CINE Reconnaissance des lieux précédant un tournage en décors naturels.

répercussion n. f. 1. Fait, pour un son, de se répercuter. 2. Fig. Suite, contrecoup. *Les répercussions d'un échec.*

répercuter v. [1] I. v. tr. 1. Renvoyer (un son). *Cri qui est répercuté par l'écho.* 2. Fig. Faire payer (une charge) à d'autres. *Répercuter l'augmentation de l'impôt sur une catégorie de contribuables.* – Transférer (une charge) sur (qqch). *Répercuter l'augmentation des salaires sur les prix.* 3. Fig., fam. Transmettre d'une personne à une autre. *Répercuter des directives.* II. v. pron. 1. (En parlant d'un son) Être répercuté. 2. Fig. Agir par contrecoup (sur qqch). *Le renchérissement des matières premières s'est répercuté sur les prix des produits finis.*

reperdre v. tr. [6] Perdre de nouveau; perdre ce qu'on vient de gagner.

repère n. m. 1. Marque faite sur une pièce, qui permet de l'ajuster avec précision ou de la remettre exactement à la même place. ▷ Signe indiquant un alignement, une distance, un niveau. 2. Fig. Ce qui permet de se situer, de se retrouver dans un ensemble, référence, marque. *Perdre ses repères.* ▷ *Point de repère* : ce qui sert à se retrouver, à situer qqch dans l'espace, dans le temps, dans un ordre. 3. MATH, PHYS Ensemble d'axes par rapport auxquels on définit la position d'un point par ses coordonnées.

repérer v. [14] I. v. tr. 1. Marquer, indiquer au moyen d'un repère. *Repérer une hauteur.* 2. Déterminer avec précision la position de (qqch). *Repérer un avion à l'aide de radars.* 3. Fam. Découvrir, remarquer (qqch, qqn). *Repérer un individu bizarre.* ▷ *Se faire repérer* : attirer fâcheusement l'attention sur soi. II. v. pron. Fam. Se situer (dans l'espace ou dans le temps) grâce à des points de repère.

répertoire n. m. 1. Inventaire, recueil où les matières sont rangées dans un ordre qui permet de les retrouver facilement. *Consigner des adresses sur un répertoire.* 2. Recueil. *Répertoire de droit.* 3. Liste des pièces qui sont jouées habituellement dans un théâtre déterminé. ▷ *Par ext.* Ensemble des pièces qui forment une catégorie. *Le répertoire classique.* 4. Ensemble des œuvres qu'un comédien, un chanteur, etc., interprète. ▷ Fig., plaisant *Il a un répertoire d'injures très étendu.*

répertorier v. tr. [2] Porter sur un répertoire.

répéter v. [14] I. v. tr. 1. Dire (ce qu'on a déjà dit ou ce qu'un autre a dit). *Répéter inlassablement la même chose.* 2. Refaire, recommencer (qqch). *Répéter une expérience.* 3. Dire ou faire plusieurs fois (qqch) pour mieux le savoir. *Répéter une leçon.* ▷ *Absol.* Participer à, faire une répétition (sens 3). 4. Reproduire (qqch) à certains intervalles dans l'espace ou dans le temps. *Répéter un motif sculpté. Répéter des signaux.* II. v. pron. 1. Redire les mêmes choses inutilement. *Romancier qui se répète.* 2. Être répété. *Le même vers se répète à chaque strophe.* 3. Se produire à plusieurs reprises. *Phénomène qui se répète.*

répéteur n. m. TELECOM Dispositif amplificateur servant à retransmettre les signaux qu'il reçoit.

répétiteur, trice n. 1. Vieilli Celui, celle qui donne des leçons particulières aux élèves. 2. n. m. TECH Appareil qui reproduit les indications d'un autre appareil.

répétitif, ive adj. Qui se répète. *Travail répétitif.*

répétition n. f. 1. Retour du même mot, de la même idée. *Texte plein de répétitions.* 2. Action de faire plusieurs fois la même chose. *La répétition des mêmes actes.* ▷ *Armes à répétition*, qui permettent de tirer plusieurs coups en ne les chargeant qu'une seule fois. 3. Action de jouer, sans public, une pièce, une partition, etc., pour mettre au point son interprétation. *Répétition d'un ballet.* ▷ *Répétition générale* : V. général (1, sens 3). 4. Vx Leçon complémentaire donnée à un, des élèves. 5. Reproduction de qqch. *Répétition des mêmes ornements.* 6. DR Action en justice par laquelle on réclame le remboursement de ce qu'on a payé. *Répétition de l'indu.*

répétitivité n. f. Didac. Caractère de ce qui est répétitif.

repeuplement n. m. Action de repeupler; fait de se repeupler.

repeupler v. tr. [1] Peupler de nouveaux habitants. *Repeupler une région.* ▷ v. pron. *Le village s'est repeuplé.* ▷ Regarnir d'animaux. *Repeupler un parc.* ▷ ARBOR Regarnir de végétation. *Repeupler une forêt.*

Répine (Ilia Iefimovitch) (Tchouguiev, 1844 – Kuokkala, auj. Répino en Carélie, 1930), peintre réaliste russe : *les Haleurs de la Volga* (1872).

repiquage n. m. Action de repiquer.

repiquer v. tr. [1] 1. Transplanter (un jeune plant issu d'un semis). *Repiquer des salades.* 2. COUT Piquer de nouveau. 3. PHOTO Retoucher. 4. Enregistrer sur un nouveau support. *Repiquer un disque sur une bande magnétique.* 5. Fig., fam. Attraper, surprendre une nouvelle fois. *Si je vous repique à rôder par ici...*

répit n. m. Arrêt de qqch de pénible; détente, repos. *S'accorder un moment de répit.* – *Sans répit* : sans arrêt, sans relâche. *Travailler sans répit.*

replacement n. m. Action de replacer; son résultat.

replacer v. tr. [12] 1. Remettre en place ou placer ailleurs (qqch). 2. Fournir un nouvel emploi à (qqn).

replanter v. tr. [1] Planter de nouveau.

replat n. m. GEOGR Terrasse en épaulement au flanc d'un versant.

replâtrage n. m. 1. Réparation faite avec du plâtre. 2. Fig., fam. Réparation sommaire; arrangement de fortune. ▷ Réconciliation précaire.

replâtrer v. tr. [1] 1. Plâtrer de nouveau. 2. Fig., fam. Arranger sommairement, grossièrement.

replet, ète adj. Gras, dodu.

réplétion n. f. Didac. État d'un organe (*spécial.*, de l'estomac) rempli.

repleuvoir v. impers. [39] Pleuvoir de nouveau.

repli n. m. I. 1. Rebord plié. 2. Ondulation. *Détachement posté derrière un repli de terrain.* 3. Fig. Ce qui est caché, secret. *Les plis et les replis de l'âme humaine.* 4. MILIT Recul sur des positions moins avancées effectué sur ordre. *Repli stratégique.* II. Fait de se replier sur soi-même.

repliable adj. Qui peut être replié. *Un manche repliable.*

réplication n. f. BIOCHIM Mécanisme par lequel une molécule d'acide nucléique est synthétisée dans le noyau cellulaire par copie d'une molécule préexistante.

repliement [ʀəplimɑ̃] n. m. 1. Action de replier. 2. Fait de se replier sur soi.

replier v. [2] I. v. tr. 1. Plier (ce qui avait été déplié, déployé). *Replier ses ailes.* 2. Faire opérer un mouvement de repli à. *Replier des troupes.* ▷ v. pron. *Armée qui se replie.* II. v. pron. *Se replier sur soi-même* : rentrer en soi-même, se fermer.

répliquant n. m. Dans la science-fiction, androïde, clone.

réplique n. f. I. 1. Réponse, repartie. *Avoir la réplique facile.* 2. Ce qu'un acteur répond à un autre. *Lancer sa réplique.* II. Copie, double. *Réplique en bronze d'une statue en pierre.*

répliquer v. tr. [1] 1. Répondre. 2. Répondre vivement, dans une conversation, une discussion. ▷ *Absol.* Protester contre un ordre, répondre vivement à une observation. *Enfant qui réplique.*

replonger v. tr. [13] Plonger de nouveau. *Replonger une pièce à nettoyer dans du décapant.* – Fig. Mettre de nouveau dans telle situation, tel état. *Cette nouvelle les a replongés dans l'inquiétude.* ▷ v. intr. *Il a replongé du haut d'un rocher.* ▷ v. pron. Fig. Se laisser accaparer de nouveau (par une activité). *Se replonger dans la lecture du journal.*

repolir v. tr. [3] Polir de nouveau.

repolissage n. m. Action de repolir.

répondant, ante n. **1.** Caution, garant. *Il a accepté d'être mon répondant.* ▷ Loc. fam. *Avoir du répondant,* de l'argent en réserve; fig. avoir le sens de la repartie, de la riposte. **2.** LITURG CATHOL Vx Personne qui répond la messe.

répondeur, euse adj. et n. m. **1.** adj. Rare Qui répond vivement aux remontrances. **2.** n. m. *Répondeur téléphonique :* appareil automatique qui, en réponse à un appel téléphonique, fait entendre un message préalablement enregistré sur bande magnétique. *Répondeur-enregistreur :* répondeur téléphonique qui peut enregistrer le message du correspondant. *Des répondeurs-enregistreurs.*

répondre v. tr. dir. et indir. [6] **1.** Faire réponse à ce qui a été dit, demandé. *On vous appelle, répondez vite. Répondre par écrit. Répondre une sottise.* **2.** LITURG CATHOL *Répondre la messe :* faire à l'officiant les réponses liturgiques. **3.** *Répondre à :* correspondre à. *La seconde partie du livre ne répond pas à la première.* **4.** Donner en retour. *Répondre à l'affection des siens.* **5.** *Répondre de, pour qqn,* lui servir de garant, de caution. **6.** Réagir normalement à une action, à une substance. *L'avion répond bien. Les freins ne répondaient plus.* **7.** Fam. *Je vous en réponds :* je vous l'assure, je vous le garantis.

répons [ʀepɔ̃] n. m. LITURG CATHOL Chant dont les paroles sont extraites des Écritures et qui est exécuté tour à tour par une voix et par le chœur.

réponse n. f. **1.** Ce qui est dit en retour à la personne qui a posé une question, qui s'est adressée à vous. *Donner une réponse. Je n'ai pas obtenu de réponse. Avoir réponse à tout :* ne jamais être à bout d'arguments, savoir affronter toutes sortes de difficultés. **2.** Lettre écrite pour répondre. **3.** Solution, explication. *Réponse à un problème.* **4.** PHYSIOL Réaction à un stimulus. – BIOL *Réponse immunitaire :* ensemble des manifestations de défense de l'organisme envers toute agression (microbienne, notam.). **5.** *Droit de réponse :* droit appartenant à toute personne mise en cause dans un périodique d'obtenir l'insertion dans celui-ci d'une réponse rectificative.

repopulation n. f. Retour à l'accroissement de la population après une période de déficit démographique.

report n. m. **1.** FIN Opération qui consiste à reporter à la liquidation suivante l'exécution d'une opération à terme. **2.** Renvoi à plus tard. **3.** Action de reporter (qqch) d'un document sur un autre, de transcrire ailleurs. ▷ POLIT *Le report des voix :* le transfert des voix électorales d'un candidat sur un autre (notam. au second tour d'une élection).

reportage n. m. **1.** Article ou suite d'articles écrits par un journaliste à partir d'informations recueillies sur place. – Par ext. *Reportage radiodiffusé, filmé, télévisé.* **2.** Métier de reporter.

1. reporter [ʀ(ə)pɔʀte] v. [1] **A.** v. tr. **I. 1.** Porter (une chose) là où elle se trouvait auparavant. **2.** Transporter par la pensée à une époque antérieure. *Ce récit nous reporte à la fin du Moyen Âge.* ▷ v. pron. *Se reporter à son enfance.* **II.** Placer dans un autre lieu. **1.** Transcrire ailleurs. *Reportez le total en haut de la colonne suivante.* **2.** FIN Procéder au report de. *Reporter des titres.* **3.** Renvoyer à une date ultérieure, différer. *Reporter une nomination.* **4.** *Reporter (sur qqch, qqn) :* faire un report, transférer sur (qqch, qqn). *Au second tour, les électeurs ont reporté leurs voix sur un autre candidat. Elle a reporté toute son affection sur cet enfant.* **B.** v. pron. Se référer. *Se reporter à la préface.*

2. reporter [ʀ(ə)pɔʀtɛʀ] n. (Anglicisme) Journaliste qui fait des reportages. *Reporter-cameraman :* V. reporteur.

reporteur, trice n. **1.** Personne qui procède à un report. **2.** *Reporteur d'images :* journaliste qui effectue des reportages filmés ou télévisés (terme off. recommandé pour *reporter-cameraman*).

reporting [ʀipɔʀtiŋ] n. m. (Anglicisme) ECON Suivi de la situation comptable d'une entreprise, d'un service.

repos n. m. **1.** Immobilité. *Ne pas demeurer en repos un instant.* **2.** Fait de se reposer, de se délasser. *Prendre du repos.* ▷ *Par euph.* Mort. *Le champ du repos :* le cimetière. *Le repos éternel :* la béatitude des bienheureux. **3.** Congé; interruption du travail. *C'est mon jour de repos.* **4.** MILIT Position du soldat qui abandonne le garde-à-vous. **5.** VERSIF Césure dans un vers.

reposant, ante adj. Qui repose.

repose n. f. TECH Action de remettre en place (ce qui avait été enlevé).

reposé, ée adj. Qui a pris du repos; qui n'est plus fatigué. ▷ Fig. *À tête reposée :* en prenant le temps de réfléchir.

repose-pied n. m. **1.** Support, sur une motocyclette, pour le pied. **2.** Appui attenant à un fauteuil pour poser ses pieds. *Des repose-pieds.*

1. reposer v. [1] **I.** v. tr. **1.** Appuyer. *Reposer sa tête sur un oreiller.* **2.** Dissiper la fatigue, la tension de; délasser. *Activité qui repose l'esprit.* **II.** v. intr. **1.** Litt. Dormir. *Chut! il repose.* **2.** Être étendu ou enterré (en parlant d'un mort). *Ici repose...* **3.** Se décanter, en parlant des liquides. *Cette eau est trouble, il faut la laisser reposer un moment.* **4.** *Reposer sur :* être fondé sur. *Cet édifice repose sur le roc.* – Fig. *Un raisonnement qui ne repose sur rien.* **III.** v. pron. **1.** Se délasser en cessant toute activité fatigante ou pénible. **2.** *Se reposer sur qqn,* lui faire confiance. *Se reposer sur qqn du soin d'une affaire.*

2. reposer v. tr. [1] **1.** Poser de nouveau (ce qu'on avait enlevé). *Reposer une vitre.* **2.** Poser de nouveau (ce qu'on avait soulevé). *Reposer un verre sur la table.* **3.** Poser de nouveau (une question).

repose-tête n. m. inv. Partie supérieure du dossier d'un siège destinée à soutenir la tête. Syn. appui-tête.

repositionnable adj. Se dit d'un adhésif que l'on peut décoller puis recoller à un autre endroit.

repositionnement n. m. Didac. Fait de repositionner.

repositionner v. tr. [1] Positionner de nouveau.

reposoir n. m. **1.** LITURG CATHOL Autel élevé sur le parcours d'une procession, destiné à recevoir le saint sacrement. **2.** Dans un hôpital, local où est exposé le corps d'un défunt.

repoudrer v. tr. [1] Poudrer de nouveau. ▷ v. pron. Remettre de la poudre sur son visage.

repoussage n. m. TECH Façonnage à froid, à l'aide d'un marteau et d'un outil d'emboutissage, de pièces métalliques minces ou de cuir pour obtenir un relief ou des ornements.

repoussant, ante adj. Qui inspire du dégoût. *Odeur repoussante.*

repousse n. f. Nouvelle pousse.

repoussé, ée adj. et n. m. Façonné par repoussage. *Cuir repoussé.* ▷ n. m. Métal ou cuir décoré par repoussage.

1. repousser v. tr. [1] **1.** Faire reculer, pousser en arrière (qqn). *Repousser l'ennemi.* **2.** Pousser (qqch) en arrière ou loin de soi. *Repousser des objets gênants du revers de la main.* **3.** TECH Travailler (le métal, le cuir) par repoussage. **4.** Ne pas agréer, rejeter. *Repousser une demande. Repousser les tentations,* ne pas y céder. **5.** Remettre à plus tard. *Repousser un délai.*

2. repousser v. [1] **1.** v. intr. Pousser de nouveau. *Herbe qui repousse après la fenaison.* **2.** v. tr. Rare Produire de nouveau, en parlant de végétaux. *Racine qui repousse des drageons.*

repoussoir n. m. **1.** TECH Petit ciseau utilisé dans le travail du repoussage. **2.** PEINT Élément très coloré ou ombré placé au premier plan d'un tableau pour faire paraître par contraste les autres éléments plus éloignés. ▷ Fig. Chose ou personne qui en fait valoir une autre par contraste. – Personne laide. *Cette fille est un vrai repoussoir.*

répréhensible adj. Digne de blâme.

reprendre v. [52] **I.** v. intr. **1.** Se remettre à pousser. *Cet arbre reprend bien.* **2.** Recommencer. *Le froid a repris.* **II.** v. tr. **1.** Prendre de nouveau. *Reprendre une ville. Reprendre un fugitif.* ▷ Fam. *On ne m'y reprendra plus :* je ne me laisserai plus tromper. ▷ Retrouver. *Reprendre haleine. Reprendre courage.* **2.** Prendre (ce qu'on avait donné), retirer. *Reprendre sa parole :* se délier d'une promesse. **3.** Continuer (qqch), après une interruption. *Reprendre son travail.* **4.** Redire, répéter. *Reprendre un refrain en chœur.* ▷ Revenir sur. *Reprenons l'histoire au début.* **5.** Améliorer par un nouveau travail; réparer, raccommoder. *Reprendre les détails d'un projet. Reprendre un mur en sous-œuvre.* **6.** *Reprendre qqn,* attirer son attention sur une erreur qu'il a faite, le corriger. **III.** v. pron. **1.** Se corriger, rectifier ce que l'on a dit. **2.** Retrouver ses esprits.

repreneur, euse n. ECON Personne qui prend le contrôle (d'une entreprise en difficulté).

représailles n. f. pl. **1.** Mesure qu'un État prend à l'égard d'un autre État pour riposter à ce que celui-ci lui aurait infligé en premier. **2.** Vengeance. *Les témoins se taisent par peur des représailles.*

représentable adj. Qui peut être représenté.

représentant, ante n. **1.** Personne qui représente qqn, qui peut agir en son nom. ▷ Personne désignée par un groupe pour agir en son nom. *Le représentant du syndicat.* ▷ Personne qui représente des électeurs dans une assemblée parlementaire. **2.** Personne qui représente un État auprès d'un autre. **3.** Type, modèle. *Elle est la parfaite représentante de l'élégance parisienne.* **4.** Personne qui voyage et fait des affaires pour une maison de commerce. *Représentant de commerce. Voyageur représentant placier**.

représentatif, ive adj. **1.** Qui représente (qqch). **2.** Qui a rapport à la représentation des électeurs par des personnes élues. *Gouvernement représentatif.* **3.** PSYCHO Qui a rapport à la représentation mentale. **4.** Qui représente bien les choses ou les personnes de même sorte, de même catégorie; caractéristique. *Il est très représentatif de son époque, de sa classe sociale.*

représentation n. f. **1.** Fait de représenter (qqch) par une image, un signe, un symbole. *La représentation, à l'intention des touristes, des monuments par des pictogrammes est d'usage récent.* ▷ Fig. *Une représentation idéaliste de l'histoire.* **2.** Image, signe, symbole qui représente. *Cette peinture est la représentation d'une tempête.* **3.** Image fournie à la conscience par les sens, la mémoire. **4.** Action de représenter une pièce de théâtre. *Être invité à la centième représentation d'une pièce.* **5.** Vx Reproche, observation, remontrance que l'on fait avec égards, avec mesure. **6.** Train de vie imposé par une position sociale élevée. *Frais de représentation.* **7.** DR Fait de tenir la place de qqn, de parler en son nom. **8.** Pouvoir législatif exercé par les représentants élus. *La représentation nationale.* **9.** Métier de représentant de commerce. **10.** Fait de représenter un État à l'étranger.

représentativité n. f. Caractère représentatif. *Représentativité d'une organisation syndicale.*

représenter v. [1] **I.** v. tr. **1.** Présenter de nouveau. **2.** Faire venir à l'esprit, évoquer le souvenir de (qqch, qqn). *Son imagination lui représente ce triste événement.* **3.** Rendre présent à la vue par des images. *La scène représente une forêt.* **4.** Jouer (une pièce) en public. *La troupe représentera une tragédie de Racine.* **5.** Exprimer par la parole. **6.** Personnifier, symboliser. *Cet auteur représente bien l'esprit de son époque.* **7.** Équivaloir à. *Cette dépense représente pour eux des sacrifices importants.* **8.** Tenir la place de (une ou plusieurs personnes) pour exercer ou défendre un droit. *Ce député représente telle circonscription. Le préfet s'est fait représenter par son secrétaire général.* **9.** Être représentant de commerce de (une ou plusieurs marques). *Représenter une gamme de produits.* **II.** v. pron. **1.** Se présenter de nouveau. *Le député sortant se représentera devant les électeurs.* **2.** *Se représenter qqch,* se l'imaginer.

répresseur n. m. et adj. BIOCHIM Se dit d'une substance qui régule l'activité génétique en empêchant soit la transcription de l'A.D.N. en A.R.N., soit la synthèse des protéines au niveau des ribosomes.

répressible adj. Qui peut être réprimé.

répressif, ive adj. Qui réprime. *Loi répressive. De répressive, la société moderne tend à devenir permissive.*

répression n. f. **1.** Action de réprimer. *Répression des crimes.* **2.** PSYCHO Inhibition volontaire d'une motivation ou d'une conduite consciente.

réprimande n. f. Blâme, admonestation.

réprimander v. tr. [1] Blâmer, admonester.

réprimer v. tr. [1] **1.** Arrêter l'action, l'effet de (qqch). *Réprimer une sédition.* **2.** Dominer. *Réprimer ses passions.* **3.** Empêcher (qqch de nuisible) de se développer. *Réprimer les injustices.*

reprint [ʀəpʀint] n. m. (Anglicisme) EDITION Reproduction, en fac-similé, par un quelconque procédé d'impression, d'un ouvrage épuisé.

reprisage n. m. Raccommodage au moyen de reprises.

repris de justice n. m. inv. Personne qui a subi une ou plusieurs condamnations pénales.

reprise n. f. **1.** Action de prendre de nouveau. *Reprise d'une place forte.* **2.** Continuation (de ce qui a été interrompu). *Reprise des combats. Reprise d'une pièce de théâtre,* que l'on rejoue après une interruption. *À deux, à trois, à plusieurs, à maintes reprises :* deux, trois, plusieurs, de nombreuses fois. ▷ Regain d'activité dans les affaires financières, économiques. *La reprise économique s'amorce.* **3.** MUS Fragment d'un morceau que l'on doit rejouer. ▷ Signe qui indique le début d'un tel fragment. **4.** Réfection d'une construction ou de l'une de ses parties. *Reprise d'un mur en sous-œuvre.* **5.** Réparation à l'aiguille d'une étoffe trouée, avec reconstitution des fils de trame et de chaîne. *Faire une reprise à un drap.* **6.** EQUIT Leçon. ▷ Partie d'une leçon d'équitation ou de dressage. ▷ *Par méton.* Ensemble des cavaliers qui y participent, des figures effectuées. **7.** Chacune des parties d'un combat de boxe (syn. round), d'un assaut d'escrime. **8.** Accélération rapide dans la rotation d'un moteur, permettant d'obtenir un accroissement de puissance important dans un temps relativement bref. *Voiture qui a de bonnes reprises.* **9.** Ensemble des objets mobiliers, des aménagements rétrocédés par le locataire sortant au locataire entrant. ▷ Somme payée pour une telle rétrocession. **10.** Fait de reprendre (sens I, 1). *La reprise d'une bouture.*

repriser v. tr. [1] Faire une, des reprises (sens 5) à.

réprobateur, trice adj. Qui exprime la réprobation.

réprobation n. f. Action, fait de réprouver. **1.** THEOL Damnation d'un pécheur par Dieu. **2.** Blâme sévère. *Encourir la réprobation d'un supérieur.* ▷ Vive désapprobation.

reproche n. m. **1.** Blâme, remontrance adressés à qqn sur sa conduite. *Il m'a fait des reproches amers.* – *Sans reproche(s) :* à qui l'on ne peut rien reprocher, parfait. **2.** DR *Reproche d'un témoin,* sa récusation.

reprocher v. tr. [1] **1.** *Reprocher à quelqu'un une attitude, une parole, une action,* lui en faire grief, l'en blâmer. ▷ v. pron. (Réfl.) *Je me reproche mon ingratitude.* – (Récipr.) *Ils se reprochent mutuellement leurs mensonges.* **2.** DR *Reprocher des témoins,* les récuser.

reproducteur, trice adj. et n. **I. 1.** adj. Qui reproduit. **2.** n. m. Animal destiné à la reproduction. **II.** n. f. TECH Machine électromécanique qui effectue la duplication de cartes perforées.

reproductibilité n. f. Didac. Faculté d'être reproduit; caractère de ce qui peut être reproduit.

reproductible adj. Didac. Qui peut être reproduit.

reproductif, ive adj. Didac. Qui a rapport à la reproduction (sens 1).

reproduction n. f. **1.** Processus par lequel un être vivant produit d'autres êtres semblables à lui-même par la génération. **2.** Action de reproduire, d'imiter. *Reproduction photographique.* ▷ Résultat de cette action; imitation, copie, réplique. *Une reproduction de « la Joconde ».* **3.** SOCIOL Processus par lequel un groupe social se perpétue.

ENCYCL **Biol.** – La *reproduction asexuée* chez les végétaux s'effectue à partir d'un seul individu, soit par fragmentation naturelle ou accidentelle, soit par bourgeonnement, essaimage. Elle aboutit à la production de plusieurs individus rigoureusement semblables génétiquement à l'individu initial. Ce mode de reproduction est répandu chez les bactéries, les végétaux, les invertébrés inférieurs. Dans la *reproduction sexuée,* répandue chez de nombreux végétaux et chez la plupart des animaux, il y a fusion (fécondation) des équipements génétiques de deux cellules et association des gènes portés par des individus différents.

reproduire v. [69] **I.** v. tr. **1.** Répéter, copier, représenter exactement. *Reproduire un paysage dans un tableau.* ▷ Imiter (qqn, son comportement). *Reproduire les tics d'une célébrité.* **2.** Créer une réplique de (un ouvrage). *Gravure qui reproduit un tableau de maître.* **3.** Être la réplique de. *Maquette qui reproduit une ville en petit.* **II.** v. pron. **1.** Se perpétuer par la génération. *Cette espèce se reproduit rapidement.* **2.** Se produire de nouveau. *Les mêmes événements se sont reproduits.*

reprofiler v. tr. [1] Donner un nouveau profil, une nouvelle ligne générale.

reprogrammer v. tr. [1] Mettre de nouveau au programme.

reprographie n. f. TECH Ensemble des techniques de reproduction des documents écrits.

reprographier v. tr. [2] Reproduire par reprographie.

réprouvé, ée n. **1.** Personne rejetée par la société. **2.** THEOL Pécheur exclu par Dieu du nombre des élus.

réprouver v. tr. [1] **1.** Rejeter, blâmer, condamner (qqch). *Réprouver une action vile.* **2.** THEOL Exclure du nombre des élus.

reps [ʀɛps] n. m. Tissu d'ameublement de soie, de laine ou de coton à côtes perpendiculaires aux lisières.

reptation [ʀɛptasjɔ̃] n. f. Action de ramper. ▷ Mode de locomotion des animaux rampants.

reptile [ʀɛptil] n. m. **1.** ZOOL n. m. pl. Classe de vertébrés tétrapodes, vraisemblablement issue des amphibiens et à l'origine des oiseaux et des mammifères. **2.** *Spécial.,* cour. Serpent.

ENCYCL Le corps des reptiles est couvert d'écailles épidermiques. Les reptiles sont pour la plupart terrestres, mais on compte bon nombre d'espèces aquatiques; ils abondent surtout dans les régions chaudes. Le membre, de type tétrapode, s'est transformé en aile ou en nageoire chez diverses lignées fossiles; les serpents et les lézards apodes ont « perdu » leurs membres. Les glandes salivaires des serpents sont souvent devenues des glandes à venin. La plupart des reptiles sont carnivores; quelques tortues et lézards sont herbivores. Les reptiles sont, dans leur immense majorité, ovipares : quelques-uns sont ovovivipares (vipères) ou vivipares (certains lézards). Ils vivent en général longtemps (cent ans, voire le double, pour les tortues). Leur mue constitue un phénomène caractéristique. Les grands serpents (pythons, boas, anacondas) atteignent au moins 10 m. Parmi les varans, le dragon de Komodo peut mesurer 3,50 m et peser 200 kg; la tortue-luth, 2,50 m et 550 kg. Les reptiles fossiles furent beaucoup plus grands (jusqu'à 30 m). On considère que les reptiles dérivent des amphibiens stégocéphales. Les plus anciens datent du carbonifère. Deux lignées de reptiles ont une importance partic. : celle des reptiles mammaliens, qui conduit aux mammifères, et celle des dinosaures avipelviens, dont certains sont les ancêtres de l'archéoptéryx, et donc des oiseaux. La vaste classe des reptiles comprend donc surtout des groupes disparus; elle est divisée en deux sous-classes. La première groupe des espèces archaïques dont seuls subsistent les chéloniens (tortues). La seconde comprend notam. : l'ordre des reptiles mammaliens; l'ordre qui comprend le sphénodon; l'ordre des squamates, divisé en 2 sous-ordres, les sauriens (lézards) et les ophidiens (serpents); l'ordre des crocodiles; l'ordre des reptiles volants; les ordres qui englobent les divers dinosaures; les ordres qui correspondent aux lignées marines (plésiosaures, ichtyosaures).

reptilien, enne adj. ZOOL Qui se rapporte aux reptiles.

repu, ue adj. Qui a satisfait son appétit, rassasié. ▷ Fig. *Être repu de plaisirs.*

républicain, aine adj. et n. **I.** adj. **1.** De la république. *Calendrier* républicain.* **2.** Favorable à la république. *Esprit laïc et républicain.* ▷ Subst. *Un(e) républicain(e).* **II.** n. m. Oiseau passériforme (genre *Philetairus*) d'Afrique tropicale qui construit de grands nids communautaires.

républicain (Parti), l'un des deux grands partis qui gouvernent en alternance les É.-U., fondé en 1856. Les républicains ont plus souvent accédé au pouvoir que les démocrates, et mené une politique sociale et raciale plus conservatrice.

républicain (Parti) (P.R.), parti politique français formé en 1977 à partir du groupe des *républicains indépendants* (qui, sous l'impulsion de Giscard d'Estaing, s'était détaché des *Indépendants* et allié à l'U.N.R. gaulliste en 1962). Le P.R. est l'une des constituantes de l'U.D.F.

république n. f. **1.** ANTIQ Cité; État. *«La République» de Platon. La République romaine.* **2.** État gouverné par des représentants élus pour un temps et responsables devant la nation (par oppos. à *monarchie*). *Ce pays est une république.* ▷ Forme de gouvernement, régime d'un tel pays. *Être en république.* **3.** Fig. *La république des lettres* : les gens de lettres.

République arabe unie (R.A.U.), État fondé le 1er fév. 1958 par l'union de l'Égypte* et de la Syrie*, approuvée par un référendum organisé dans les deux pays. Le Yémen rejoignit la R.A.U. pour former l'État arabe uni (1958-1961). La Syrie se retira en sept. 1961, mais l'Égypte conserva officiellement ce nom jusqu'en 1971.

République batave. V. batave.

République centrafricaine. V. centrafricaine (République).

république Cisalpine. V. cisalpin.

république Dominicaine. V. Dominicaine (république).

République française, régime politique proclamé 5 fois en France. La *Ire République,* établie le 21 sept. 1792 après l'abolition de la royauté, s'acheva le 18 mai 1804 (28 floréal an XII) avec la proclamation du Premier Empire; elle vit se succéder la Convention, le Directoire et le Consulat. La *IIe République,* issue de la révolution de 1848, dura du 25 fév. 1848 au 2 déc. 1852, date de la proclamation du Second Empire (mais, le 2 déc. 1851, Louis Napoléon Bonaparte, président de la République, y avait mis fin par son coup d'État). La *IIIe République,* proclamée par un gouvernement de la Défense nationale le 4 sept. 1870 et définitivement instituée en 1875 (V. Assemblée nationale et crise du 16 mai* 1877), s'acheva le 10 juil. 1940, quand le maréchal Pétain créa l'État français; elle eut 14 présidents. La *IVe République,* constituée le 3 juin 1944, prit d'abord la forme d'un Gouvernement provisoire de la République qui organisa le référendum du 21 oct. 1945, excluant le retour de la IIIe République. La nouvelle République ne commença vraiment qu'avec l'adoption de la nouvelle Constitution par le référendum du 13 oct. 1946. La crise économique et politique ainsi que les événements d'Algérie (notam. ceux de mai 1958) précipitèrent sa chute. Elle prit fin le 8 janv. 1959. Elle eut deux présidents : Vincent Auriol (1947-1954) et René Coty (1954-1959). Les présidents des IIIe et IVe Républiques avaient, constitutionnellement, un pouvoir réduit, contrairement aux présidents du Conseil des ministres. La *Ve République,* au contraire, dont le général de Gaulle voulut la Constitution, accorde au président de larges pouvoirs. Cette Constitution fut approuvée par référendum le 28 sept. 1958. Les présidents de la Ve République sont : le général de Gaulle (élu le 21 déc. 1958, entré en fonction le 8 janv. 1959, réélu, cette fois au suffrage universel, le 19 déc. 1965, démissionnaire le 28 avr. 1969); Georges Pompidou (élu le 15 juin 1969, mort le 2 avr. 1974), Valéry Giscard d'Estaing (élu le 19 mai 1974), François Mitterrand (élu le 10 mai 1981 et réélu le 8 mai 1988), Jacques Chirac (élu le 7 mai 1995). (V. France [Hist.])

république Ligurienne. V. Ligurienne (république).

République tchèque. V. tchèque (République).

répudiation n. f. **1.** Action de répudier (son épouse). **2.** DR Renonciation (à un droit). **3.** Rejet, abandon (d'un sentiment, d'une idée, etc.).

répudier v. tr. [2] **1.** Dans certains pays ou à certaines époques, renvoyer (son épouse) selon les formes légales. *Tibère répudia sa femme Vipsania Agrippina.* **2.** DR Renoncer à. *Répudier une succession.* **3.** Rejeter, abandonner (une opinion, un sentiment, etc.). *Répudier une croyance.*

répugnance n. f. **1.** Aversion, dégoût. *Avoir de la répugnance pour (qqch). Avoir de la répugnance à se montrer servile.* **2.** Hésitation, embarras, manque d'empressement.

répugnant, ante adj. Qui inspire le dégoût, la répugnance. *Une saleté répugnante.* ▷ (Sens moral.) *Il s'est conduit de manière répugnante.*

répugner v. tr. [1] Dégoûter. *Son aspect me répugnait fort.* ▷ *Répugner à* : éprouver de la répugnance pour. *Répugner à la violence.* ▷ (Suivi d'un inf.) *Répugner à mentir.*

répulsif, ive adj. et n. m. **1.** Litt. Qui provoque de la répulsion. **2.** PHYS Qui provoque une répulsion (sens 2). **3.** n. m. AGRIC Substance ou appareil qui tient les insectes à l'écart.

répulsion n. f. **1.** Aversion, dégoût, répugnance instinctive. **2.** PHYS Action réciproque de deux systèmes qui tendent à s'éloigner l'un de l'autre. *Répulsion des pôles de même signe de deux aimants.*

réputation n. f. **1.** Opinion commune sur qqch, sur qqn. *Bonne, mauvaise réputation.* **2.** *Absol.* Bonne opinion, considération dont jouit qqn. *Tenir à sa réputation.* **3.** Estime, renom. *Œuvre de grande réputation.*

réputé, ée adj. Qui jouit d'un grand renom. *Médecin réputé.*

réputer v. tr. [1] Rare (Suivi d'un adj.) Présumer, tenir pour. *On le répute fort riche.* ▷ Cour. *Être réputé* (+ adj.) : passer pour, être considéré comme.

requérable adj. DR Qu'il faut requérir en personne. *Créance requérable.*

requérant, ante adj. et n. DR Qui requiert, qui demande en justice.

requérir v. tr. [35] **1.** Mander, demander, réclamer. *Requérir la force armée,* en faire la réquisition légale. **2.** DR Demander (qqch) en justice. *Requérir des dommages-intérêts.* ▷ *Absol.* Prononcer un réquisitoire. **3.** Exiger. *Cela requiert tous vos soins.*

Requesens y Zúñiga (Luis de) (Barcelone, 1528 - Bruxelles, 1576), homme politique et général espagnol. Gouverneur des Pays-Bas (1573), il ne put mater leur révolte contre l'Espagne.

requête n. f. **1.** Demande, prière. **2.** DR Demande écrite adressée à un magistrat pour obtenir rapidement une décision provisoire, dans les cas d'urgence et où il n'y a pas de contradicteur. ▷ Mémoire rédigé par un avocat pour introduire un recours devant la Cour de cassation ou le Conseil d'État. ▷ *Maître des requêtes* : titre de certains membres du Conseil d'État. ▷ *Requête civile* : voie de recours extraordinaire par laquelle une partie qui se prétend lésée demande aux juges de réformer leur décision. **3.** Loc. prép. *À, sur la requête de* : à la demande de.

requiem [ʀekwijɛm; ʀekɥijɛm] n. m. inv. **1.** LITURG CATHOL Prière, chant pour le repos des morts. *Messe de requiem.* **2.** Morceau de musique composé pour la messe des morts. *Le «Requiem» de Mozart, de Berlioz, de Fauré, de Verdi.*

requin n. m. **1.** Poisson cartilagineux sélacien, au corps fuselé, au museau pointu, dont certaines espèces sont dangereuses pour l'homme. **2.** Fig. Personne cupide, dure en affaires. *Les requins de la finance.*

ENCYCL Les requins ou squales constituent avec les raies l'ordre des sélaciens. Leur museau comporte 5 fentes branchiales latérales. Certaines espèces ne dépassent pas un mètre. Puissants et rapides, ils peuvent s'attaquer à l'homme, notam. le requin blanc *(Carcharodon carcharias),* long de 9 m, qui vit dans toutes les mers tropicales, subtropicales et tempérées, ainsi que *Carcharhinus glaucus,* le requin bleu de

requin blanc

Méditerranée. Les requins géants sont inoffensifs pour l'homme : le *requin-baleine (Rhincodon typus)* des mers tropicales, long de 18 m, se nourrit de plancton, de petits poissons, de céphalopodes ; le *requin pèlerin (Cetorhinus maximus)*, le plus grand requin des mers européennes (14 m ; 6 tonnes), ne se nourrit que de petits crustacés, d'œufs et larves de poissons.

requinquer v. tr. [1] Fam. Redonner de l'énergie, de la vitalité à (qqn). *Ce séjour à la mer l'a requinqué.* ▷ v. pron. Reprendre des forces.

requis, ise adj. et n. m. **1.** adj. Demandé, exigé. *Posséder les diplômes requis.* **2.** n. m. *Requis civil* ou *requis :* personne requise par l'autorité civile pour effectuer un travail déterminé.

réquisition n. f. **1.** DR Action de requérir. ▷ Demande incidente présentée en cours d'audience pour obtenir la convocation d'un individu ou la présentation d'une pièce. **2.** Fait, pour une autorité civile ou militaire, d'imposer à une personne, ou à une collectivité, une prestation de services ou la remise de certains biens. – *Réquisition de la force armée*, faite par une autorité civile en vue de maintenir l'ordre ou de rétablir le fonctionnement d'un service public.

réquisitionner v. tr. [1] Se faire remettre (qqch), requérir les services de (qqn) par voie de réquisition légale. *Réquisitionner des véhicules, des ouvriers.* – Plaisant *Il m'a réquisitionné pour l'aider à déménager.*

réquisitoire n. m. **1.** DR Acte de réquisition écrit établi par le magistrat qui remplit auprès d'un tribunal les fonctions de ministère public. ▷ Discours prononcé à l'audience par le ministère public. **2.** Fig. Thèse développée contre qqn, qqch. *Ce livre est un réquisitoire contre la guerre.*

réquisitorial, ale, aux adj. DR Qui tient du réquisitoire.

R.E.R. n. m. (Sigle pour *réseau express régional.*) Métro régional desservant Paris et sa banlieue, installé à partir de 1969, sur des lignes où les trains peuvent circuler à 100 ou 120 km/h.

rerouter v. tr. [1] INFORM Envoyer dans une autre direction. *Un lien qui reroute vers d'autres sites Internet.*

R.E.S. n. m. Abrév. de *rachat d'entreprise par les salariés*, mode particulier de transmission du capital.

resaler v. tr. [1] Saler de nouveau, ajouter du sel.

resalir v. tr. [3] Salir de nouveau (spécial. ce qui a été nettoyé).

rescapé, ée adj. et n. Qui est sorti vivant d'une situation dangereuse, d'un accident. *Les rescapés d'un tremblement de terre.*

rescinder [ʀəsɛ̃de] v. tr. [1] DR Annuler. *Rescinder un contrat.*

rescision [ʀesizjɔ̃] n. f. DR Action de rescinder.

rescisoire adj. DR Qui donne lieu à la rescision.

rescousse (à la) loc. adv. *Aller, appeler à la rescousse*, au secours.

rescrit [ʀɛskʀi] n. m. **1.** DR ROM Réponse écrite faite par l'empereur à ceux (magistrats, gouverneurs de province, etc.) qui lui soumettaient un cas particulier à résoudre. **2.** Anc. Ordonnance d'un souverain. *Rescrit impérial.* **3.** Réponse du pape à une requête ou à une consultation (sous forme de bulle, bref ou lettre).

réseau n. m. **1.** Entrelacement de fils, de lignes, etc. *Un réseau de fils de fer barbelés, de vaisseaux sanguins.* – Fig. *Un réseau d'intrigues.* **2.** Fond de certaines dentelles. **3.** Ensemble de voies, de canalisations, de conducteurs, d'ordinateurs, etc., reliés les uns aux autres. *Réseau routier. Réseau de voies ferrées. Réseau électrique, téléphonique.* ▷ INFORM *Réseau neuronal :* dispositif complexe et très interconnecté, constitué de neurones* formels, utilisé en intelligence artificielle. **4.** PHYS *Réseau cristallin :* arrangement dans l'espace des entités élémentaires (ions, molécules, atomes) qui constituent les corps cristallisés. (14 formes de réseaux cristallins permettent de décrire les composés à l'état solide ordonné.) – *Défaut de réseau :* manquement à l'ordre parfait d'un réseau cristallin. ▷ *Réseau optique :* ensemble de fentes parallèles équidistantes et très voisines servant à diffracter un faisceau lumineux en produisant des interférences, utilisé en analyse spectrale. **5.** Ensemble de personnes, d'organismes, d'établissements, etc., qui concourent au même but, qui sont en relation pour agir ensemble. *Réseau de courtage. Réseau de distribution. Réseau de succursales. Réseau de résistance.*

résection [ʀesɛksjɔ̃] n. f. CHIR Opération qui consiste à enlever un fragment ou la totalité d'un organe ou d'un tissu.

réséda n. m. Plante dicotylédone dialypétale aux petites fleurs très parfumées, blanches ou jaunes, groupées en inflorescence dense, et dont une espèce *(réséda des teinturiers)* fournit un colorant jaune.

réséquer [ʀeseke] v. tr. [14] CHIR Opérer la résection de.

réserpine n. f. PHARM Alcaloïde extrait d'une plante tropicale, la rauwolfia, utilisé dans le traitement de l'hypertension artérielle et de certains troubles nerveux pour ses propriétés sédatives.

réservataire adj. et n. m. DR *Héritier réservataire*, qui a droit à la réserve légale (V. réserve, sens I, 4). – n. m. *Un réservataire.*

réservation n. f. Action de réserver (une place dans le train, l'avion, une chambre à l'hôtel, etc.).

réserve n. f. **I. 1.** Quantité de choses accumulées pour être utilisées en cas de besoin. *Réserves de nourriture, de médicaments.* ▷ Loc. adv. *En réserve :* à part, de côté. ▷ FIN *Réserves monétaires :* ensemble des avoirs d'un pays, en or et en devises. ▷ PHYSIOL Ensemble des substances nutritives stockées dans les tissus animaux et végétaux. *Réserves lipidiques (graisses), glucidiques (sucre, amidon), protéiques (gluten, etc.).* **2.** Quantité de richesses minérales que l'on peut tirer de la terre. *Réserves pétrolières.* **3.** Ensemble des citoyens mobilisables en cas de besoin pour renforcer l'armée active. ▷ (Plur.) Forces disponibles que le commandement peut engager à tout moment dans la bataille. **4.** DR Part d'un patrimoine réservée par la loi à certains héritiers, dits réservataires. (On dit aussi *réserve héréditaire, réserve légale.*) ▷ *Réserve légale :* fonds que toute société doit constituer au moyen de prélèvements sur les bénéfices. **II. 1.** Endroit, local où sont stockées des marchandises. *La réserve d'un magasin.* **2.** ARBOR Étendue de forêt où on laisse les arbres croître en futaie. **3.** *Réserve de pêche, de chasse :* portion d'un cours d'eau, d'un terrain, réservée au repeuplement. **4.** *Réserve naturelle :* territoire où les plantes et les animaux sont protégés par des mesures spéciales. **5.** Territoire réservé aux Amérindiens et soumis à un régime particulier. **III. 1.** DR Clause que l'on ajoute pour éviter qu'un texte soit interprété dans un sens que l'on ne souhaite pas. *Les réserves d'un contrat.* **2.** Restriction nuançant un jugement, ou réfutant par avance une appréciation hâtive de la situation. *Les médecins émettent de très sérieuses réserves sur l'état de santé du blessé.* ▷ Loc. adj. et adv. *Sans réserve :* sans restriction. *Une adhésion sans réserve. Affirmer sans réserve.* ▷ Loc. adv. *Sous toutes réserves :* sans préjuger de ce qui peut survenir, sans garantie. **IV.** Discrétion, retenue, circonspection. *Garder une prudente réserve.*

réservé, ée adj. **I. 1.** Destiné exclusivement (à qqn, qqch). *Emplacement réservé aux voitures officielles.* – *Chasse réservée*, où seuls les ayants droit peuvent chasser. **2.** Retenu à l'avance. *Place réservée.* **3.** DR CANON *Cas réservés :* péchés d'une gravité telle que seul le pape ou l'évêque peut les absoudre. **II.** Qui montre de la réserve (sens IV). *Une jeune personne très réservée.*

réserver v. [1] **I.** v. tr. **1.** Mettre (qqch) de côté dans l'attente d'une meilleure occasion pour l'utiliser, ou à l'intention de qqn. *Réserver de l'argent pour les vacances. Nous vous avons réservé votre part. Réserver son jugement*, le suspendre jusqu'à plus ample information. **2.** Retenir à l'avance (une place, une chambre, etc.). **3.** Destiner (qqch) à une personne en particulier, à l'exclusion de toute autre. *Je vous ai réservé cette tâche.* **4.** Destiner. *Ce voyage me réservait bien des déceptions.* **II.** v. pron. **1.** Mettre de côté pour soi. *Se réserver les meilleurs morceaux.* **2.** *Se réserver* (+ inf.) : attendre le moment opportun pour (faire qqch). *Je me réserve d'intervenir ultérieurement.*

réserviste n. m. Celui qui fait partie de la réserve (sens I, 3) de l'armée.

réservoir n. m. Cavité, bassin, récipient dans lequel un liquide ou un gaz est accumulé ou gardé en réserve. *Réservoir d'un barrage. Réservoir d'essence d'un véhicule.*

résidant, ante adj. et n. Qui réside, demeure. ▷ *Membres résidants d'une association,* qui habitent la localité où cette association a son siège (par oppos. aux *membres correspondants*). – Subst. *Les résidants.*

résidence n. f. **1.** Fait de résider dans un lieu; ce lieu. *Avoir sa résidence à Paris.* ▷ DR Lieu où l'on réside de fait (par oppos. à *domicile,* lieu où l'on réside de droit). ▷ *Résidence secondaire,* lieu d'habitation fixe mais où l'on ne demeure que pendant les vacances, les week-ends (par oppos. à *résidence principale*). ▷ *Résidence mobile :* habitation tractable en convoi exceptionnel, munie de deux roues d'appoint, stationnant sur des terrains autorisés. Syn. (off. déconseillé) mobile-home. ▷ *Résidence forcée :* lieu de séjour imposé à qqn par mesure administrative. **2.** Séjour obligé d'un fonctionnaire, d'un ecclésiastique, dans le lieu où il exerce ses fonctions. **3.** Fonction ou lieu d'habitation d'un résident (sens 2). **4.** Bâtiment d'habitation confortable, plus ou moins luxueux.

résident, ente n. **1.** Titre de certains agents diplomatiques. **2.** Anc. *Résident général :* haut fonctionnaire placé par une nation auprès du chef d'un État soumis au protectorat de cette nation. **3.** Personne qui réside ailleurs que dans son pays d'origine. **4.** Personne qui habite dans une résidence, dans un ensemble résidentiel. *Un avis destiné aux résidents secondaires.*

résidentiel, elle adj. Se dit des zones urbaines où dominent les immeubles et maisons d'habitation et, en partic., les habitations cossues.

résider v. intr. [1] **1.** ADMIN Demeurer, habiter (dans tel endroit). *Résider en province.* **2.** Fig. Se trouver, exister (dans qqn, qqch). *Là réside la difficulté.*

résidu n. m. Ce qui reste. ▷ Déchet, détritus. *Résidus industriels.* ▷ CHIM Ce qui reste d'une substance soumise à une opération physique ou chimique. *Résidus de combustion.* ▷ LOG *Méthode des résidus,* qui consiste à retrancher d'un phénomène les effets auxquels on peut assigner des causes connues et à examiner le reste pour tenter d'en découvrir l'explication.

résiduaire adj. Didac. Résiduel.

résiduel, elle adj. Qui constitue un résidu. ▷ GEOGR *Relief résiduel,* qui n'a pas subi d'érosion.

résignataire n. m. DR Celui en faveur de qui est résigné un office.

résignation n. f. **1.** DR Abandon (d'une charge, d'un bénéfice), partic. en faveur d'une personne désignée. **2.** État d'esprit d'une personne qui se résigne. *Supporter ses souffrances avec résignation.*

résigné, ée adj. (et n.) Se dit de qqn qui accepte (qqch) sans révolte.

résigner **1.** v. tr. [1] DR Abandonner volontairement (une charge, un bénéfice). **2.** v. pron. *Se résigner à :* accepter, se soumettre sans révolte à.

résiliable adj. Qui peut être résilié.

résiliation n. f. DR Action de résilier; son résultat.

résilience n. f. METALL Résistance d'un métal aux chocs.

résilier v. tr. [2] DR Mettre fin à (un acte, un contrat) par la volonté des parties ou à la suite d'un événement fortuit (décès, par ex.). *Résilier un bail.*

résille n. f. **1.** Filet qui sert à envelopper les cheveux. ▷ *Bas-résille,* à mailles peu serrées. **2.** TECH Armature en plomb d'un vitrail.

résine n. f. **1.** Substance complexe, visqueuse et odorante, sécrétée par divers végétaux (conifères, térébinthacées). **2.** GEOL, PALEONT Substance végétale fossile riche en carbone, provenant probablement d'une oxygénation d'hydrocarbures. *L'ambre est une résine.* **3.** CHIM Toute substance organique de masse molaire élevée servant de point de départ à la fabrication d'une matière plastique. **4.** TECH *Résine échangeuse d'ions :* V. échangeur (sens 3).

résiné adj. m. et n. m. Se dit d'un vin qui contient de la résine. *Le vin résiné grec.* ▷ n. m. *Boire du résiné.*

résineux, euse adj. et n. m. **1.** Qui contient, qui produit de la résine. ▷ n. m. pl. Cour. *Les résineux :* les conifères, riches en résine. – Sing. *Le pin est un résineux.* **2.** De la nature de la résine, qui rappelle la résine. *Odeur résineuse.*

résinier, ère n. et adj. **1.** n. Ouvrier, ouvrière qui pratique les saignées dans les pins et recueille la résine. – Dans les Landes, propriétaire de bois de pins. **2.** adj. Qui a rapport à la résine. *Industrie résinière.*

résinifère adj. Didac. Qui produit de la résine.

résipiscence [ʀesipisɑ̃s] n. f. RELIG Pour les chrétiens, reconnaissance de sa faute suivie d'amendement. *Venir à résipiscence.*

résistance n. f. **1.** Action ou propriété d'un corps qui résiste à une action. *Résistance d'un métal à la déformation. Résistance d'un tiroir qu'on veut ouvrir.* ▷ PHYS Force qui s'oppose à un mouvement. *Résistance de frottement.* **2.** ELECTR Grandeur (exprimée en ohms) qui traduit la plus ou moins grande aptitude d'un corps à s'opposer au passage d'un courant électrique. ▷ Conducteur qui résiste au passage du courant, utilisé notam. pour produire de la chaleur. (V. résistor.) **3.** TECH *Résistance des matériaux :* discipline technologique qui a pour objet l'étude des dimensions optimales des éléments de construction pour que ceux-ci résistent aux diverses contraintes sans déformation permanente (c.-à-d. sans dépasser le domaine des déformations élastiques), aux efforts auxquels ils seront soumis (traction, compression, flexion, cisaillement). **4.** *Plat de résistance :* plat principal d'un repas. **5.** Aptitude à supporter la fatigue, les privations, etc. **6.** Action de résister à une attaque, à un ennemi. **7.** Fait de ne pas céder à la volonté de qqn, à un ordre.

Résistance, nom donné à l'action clandestine menée en France et en Europe par divers réseaux et organisations pour lutter contre l'occupation allemande durant la Seconde Guerre mondiale et parvenir à la libération des territoires. En France, outre leur combat contre l'occupant nazi, les organisations des résistants élaborèrent, au sein du Conseil* national de la Résistance, un programme politique, économique et social qui devait orienter tout l'avenir du pays. Les nazis se livrèrent à une violente répression des mouvements de résistance. Selon les sources les plus sûres, 115 000 résistants français furent déportés et 75 000 d'entre eux moururent dans les camps de concentration; il y eut, en outre, env. 20 000 fusillés.

Résistance : maquisards apprenant à manier des armes parachutées pendant la nuit

résistant, ante adj. et n. **I.** adj. **1.** (Choses) Qui présente une certaine résistance. *Matière résistante.* **2.** (Personnes) Qui résiste à la fatigue, à la maladie, etc. *Il est très résistant.* **II.** n. Personne ayant pris part à la Résistance.

Resistencia, v. d'Argentine, ch.-l. de la prov. du Chaco, dans la vallée du Paraná; 174 420 hab. Tanneries; industr. alimentaires.

résister v. tr. indir. [1] *Résister à.* **1.** (Sujet n. de chose.) Ne pas céder, ne pas se détériorer sous l'action de. *Matériaux qui résistent aux chocs, aux acides.* ▷ (Abstrait) *Leur amitié a résisté aux années.* **2.** (Sujet n. de personne.) Être capable de supporter (ce qui affaiblit). *Résister à la maladie.* **3.** Se défendre contre, s'opposer par la force à. *Résister à l'occupant.* – Absol. *Pendant la Seconde Guerre mondiale, ceux qui résistaient risquaient leur vie.* **4.** Ne pas se plier à la volonté de (qqn). *Personne n'ose lui résister.* – Par ext. *Résister aux affectueuses sollicitations de ses proches.* **5.** Tenir ferme contre (ce qui porte vers qqn, qqch). *Résister à une impulsion.*

résistivité n. f. ELECTR Résistance spécifique d'un conducteur.

résistor n. m. ELECTR Dipôle qui obéit à la loi d'Ohm*. Syn. résistance. (Ce terme permet de distinguer le conducteur nommé *résistance* de sa propriété mesurable, également nommée *résistance.*)

Reşiţa, v. de Roumanie occidentale; ch.-l. du distr. de Caraş-Severin; 102 560 hab. Industr. métallurgiques et chimiques.

Resnais (Alain) (Vannes, 1922), cinéaste français. Formé à l'école du montage et du court métrage (*Guernica,* 1950; *Les statues meurent aussi,* 1952; *Nuit et Brouillard,* 1955), il élabora un style de cinéma sophistiqué et littéraire : *Hiroshima mon amour* (1959), *l'Année dernière à Marienbad* (1961),

Alain **Resnais :** *l'Année dernière à Marienbad,* 1961, avec Delphine Seyrig

Muriel (1963), *La guerre est finie* (1965), *Providence* (1976), *Mon oncle d'Amérique* (1978), *l'Amour à mort* (1984), *Mélo* (1986).

resocialisation [ʀəsɔsjalizasjɔ̃] n. f. SOCIOL Action de resocialiser.

resocialiser [ʀəsɔsjalize] v. tr. [1] SOCIOL Réinsérer dans la vie sociale.

résolu, ue adj. **1.** Qui ne se laisse pas détourner d'une décision prise; déterminé, hardi. **2.** À quoi on a donné une solution. *Problème résolu.*

résoluble [ʀezɔlybl] adj. **1.** Didac. Que l'on peut décomposer et exprimer sous la forme de ses éléments constitutifs. **2.** DR Qui peut être annulé.

résolument adv. Avec résolution, détermination; hardiment, courageusement.

résolutif, ive adj. MED Se dit des médicaments qui font disparaître les inflammations et déterminent la résolution des engorgements.

résolution n. f. **1.** Rare Fait, pour un corps, de se résoudre. *Résolution de la glace en eau.* **2.** MED Disparition sans suppuration d'une inflammation ou d'un engorgement. ▷ *Résolution musculaire :* diminution ou disparition des contractions musculaires que l'on observe dans l'anesthésie ou la paralysie. **3.** DR Annulation d'un contrat pour inexécution des conditions. **4.** PHYS *Pouvoir de résolution d'un instrument d'optique,* distance minimale (réelle ou angulaire) entre deux points qui apparaissent distincts lorsqu'on les observe à l'aide de cet instrument. **5.** Action, fait de résoudre un problème. ▷ MATH *Résolution d'une équation,* détermination de la valeur de ses inconnues. **6.** Décision fermement arrêtée. *Sa résolution est inébranlable.* ▷ POLIT Proposition retenue par une assemblée. **7.** Litt. Qualité d'une personne résolue. *Manquer de résolution.*

résolutoire adj. DR Qui a pour effet de résoudre (sens I, 4) un acte. *Convention, clause résolutoire.*

résonance n. f. **1.** Propriété qu'ont certains objets, certains lieux, de résonner; modification du son qu'ils provoquent. *Résonance d'une église. Résonances produites par la vibration des cordes d'un instrument.* ▷ *Caisse de résonance :* enceinte close où se produisent des phénomènes de résonance. **2.** PHYS Accroissement de l'amplitude d'une vibration lorsque la période des vibrations imposées devient égale à la période propre du système. ▷ PHYS NUCL *Résonance nucléaire :* phénomène de résonance à l'intérieur du noyau, dû aux transitions entre niveaux d'énergie. ▷ PHYS, MED et CHIM *Résonance magnétique nucléaire (R.M.N.) :* technique utilisée notam. en imagerie médicale *(imagerie par résonance magnétique : I.R.M.),* qui repose sur l'étude de la résonance nucléaire observée lorsqu'on applique une fréquence de radiation électromagnétique et une intensité de champ magnétique données. ▷ CHIM Phénomène présenté par des composés qui réagissent comme s'ils possédaient plusieurs structures atomiques, dû à une variation de la répartition des électrons de liaison. ► pl. **imagerie médicale**

résonateur n. m. et adj. PHYS Appareil qui entre en vibration sous l'influence d'oscillations dont la période correspond à celle de sa résonance. – adj. *Tube résonateur.*

réson(n)ant, ante adj. Qui résonne; qui est le siège d'un phénomène de résonance.

résonner v. intr. [1] **1.** Réfléchir le son en le renforçant ou en le prolongeant. *Local qui résonne.* **2.** Rendre un son vibrant. *Faire résonner un tambour.* **3.** Être renforcé ou prolongé (son). *Les voix résonnaient dans la salle vide.*

résorber v. [1] **I.** v. tr. **1.** MED Opérer la résorption de (une tumeur, un épanchement, etc.). **2.** Fig. Faire disparaître peu à peu (ce qui gêne, ce qui est en excès). *Résorber l'excédent de la production.* **II.** v. pron. Disparaître par résorption (produit organique). ▷ Fig. *Sa colère a fini par se résorber.*

résorcine n. f. ou **résorcinol** n. m. CHIM Dérivé du benzène utilisé dans l'industrie chimique (colles, colorants) et pharmaceutique (antiseptiques).

résorption n. f. **1.** MED Disparition plus ou moins totale d'un tissu dégénéré, d'un produit pathologique ou d'un corps étranger, qui est détruit et assimilé par les tissus voisins. **2.** Fig. Action de faire disparaître peu à peu; son résultat. *Résorption d'un déficit.*

résoudre v. [75] **I.** v. tr. **1.** Donner une solution à. *Résoudre un problème, un conflit.* ▷ MATH *Résoudre une équation,* en déterminer les inconnues. – Pp. adj. *Une équation résolue.* **2.** Rare Dissocier en ses éléments, faire passer d'un état à un autre. *Le froid condense les nuages et les résout en pluie.* **3.** MED Faire disparaître peu à peu (une tumeur, une inflammation). **4.** DR Annuler (un contrat, un bail, etc.). **5.** Décider (un acte). *On résolut la destruction du quartier insalubre.* – *Résoudre de* (+ inf.) *Il résolut d'attendre.* **II.** v. pron. **1.** Être décomposé, transformé en. **2.** *Se résoudre à* (+ inf.) : se déterminer, se décider à. *Se résoudre à partir.*

respect [ʀɛspɛ] n. m. **1.** Considération que l'on a pour qqn et que l'on manifeste par une attitude déférente envers lui. *Manquer de respect à qqn.* ▷ Loc. *Sauf votre respect,* se dit quand on veut exprimer qqch qui pourrait choquer. **2.** Souci de ne pas porter atteinte à qqch. *Le respect des lois, de la vie.* **3.** *Respect humain :* crainte du jugement d'autrui. **4.** *Tenir qqn en respect,* le contenir, le tenir à distance en lui inspirant de la crainte. **5.** Plur. (Formule de politesse.) *Je vous présente mes respects.*

respectabilité n. f. Caractère respectable de qqn, de qqch.

respectable adj. **1.** Qui mérite du respect. *Famille respectable.* **2.** Assez important pour être pris en considération (quantité, grandeur). *Avoir un nombre respectable de décorations.*

respecter v. [1] **I.** v. tr. **1.** Éprouver du respect pour (qqn). *Respecter un maître à penser.* **2.** Observer (une prescription, une interdiction, un ensemble d'usages ou de règles). *Respecter la loi, les règlements.* ▷ Ne pas porter atteinte à (qqch). *Respecter la propriété.* **II.** v. pron. Avoir une conduite en rapport avec sa condition; se conduire de manière à garder l'estime de soi. *Agir en homme du monde qui se respecte.* – (Récipr.) *Ils se respectent l'un l'autre, gage d'entente.*

respectif, ive adj. Qui concerne chaque chose, chaque personne en particulier. *Les chances respectives de deux adversaires.*

respectivement adv. Chacun en ce qui le concerne. *Leurs deux fils ont respectivement quinze et vingt ans.*

respectueusement adv. Avec respect.

respectueux, euse adj. Qui témoigne, qui marque du respect. ▷ *Se tenir à distance respectueuse,* assez loin de qqn ou de qqch que l'on respecte ou que l'on craint.

Respighi (Ottorino) (Bologne, 1879 – Rome, 1936), compositeur néo-classique italien : nombr. mélodies, poèmes symphoniques (*les Fontaines de Rome,* 1916; *les Pins de Rome,* 1925), opéras, ballets, etc.

respirable adj. Que l'on peut respirer.

respirateur n. m. MED Appareil destiné à assurer la ventilation pulmonaire d'un sujet.

respiration n. f. **1.** Action de respirer. ▷ MED *Respiration artificielle :* ensemble des méthodes permettant d'assurer la ventilation pulmonaire en cas de défaillance de celle-ci (insufflations, bouche-à-bouche*, procédés manuels produisant le mouvement thoracique, etc.). Syn. ventilation artificielle. – *Respiration assistée :* aide respiratoire apportée par l'anesthésiste à une personne sous anesthésie générale et qui consiste à presser sur le sac respiratoire en suivant le rythme du sujet. – *Respiration contrôlée :* substitution à la respiration naturelle, chez un sujet sous anesthésie, d'un rythme artificiel commandé par l'anesthésiste. **2.** Fonction qui préside aux échanges gazeux entre un être vivant et le milieu extérieur, et qui assure l'oxydation des substances organiques.

ENCYCL Toute cellule aérobie, c.-à-d. toute bactérie, tout protiste aérobie, toute cellule végétale, toute cellule animale, respire : ses mitochondries absorbent de l'oxygène, qui oxyde les diverses substances cellulaires (lipides, glucides, protéines); le dioxyde de carbone (CO_2) ainsi produit est alors rejeté. L'énergie dégagée par les réactions d'oxydation est utilisée par la cellule pour entretenir son existence, grossir, se diviser, etc. Chez les organismes rudimentaires (protistes, vers, etc.), l'oxygène (de l'air ou de l'eau) atteint toutes les cellules par simple diffusion à travers la membrane cellulaire et, s'il y a lieu, les tissus. Chez les organismes doués d'une taille et d'une activité métabolique importantes, les appareils respiratoires peuvent être de 3 types : **1.** les branchies, qui servent à puiser l'oxygène dissous dans l'eau (poissons, têtards, etc.); **2.** les poumons, qui puisent l'oxygène gazeux de l'atmosphère (poissons dipneustes, amphibiens adultes, reptiles, oiseaux, mammifères); **3.** les trachées, longs tubes ramifiés dans tout le corps des insectes et des myriapodes. Chez les plantes, le carbone est fixé et l'oxygène est rejeté (V. photosynthèse). Chez les animaux munis de poumons, donc chez l'homme, la respiration est caractérisée par deux temps : l'*inspiration,* active (durant laquelle l'air pénètre dans les voies respiratoires), est produite par une contraction du diaphragme et des muscles intercostaux qui dilate la cage thoracique et par suite les poumons; l'*expiration,* passive (où l'air est expulsé), est due à l'élasticité de la cage thoracique et des poumons. Les échanges gazeux se font au niveau des alvéoles pulmonaires entre l'air inspiré et le sang veineux : c'est le phénomène de l'*hématose,* par lequel l'oxygène, qui a diffusé à travers la paroi des alvéoles, parvient au sang, où il se combine, pour la plus grande partie, à l'hémoglobine pour former l'oxyhémoglobine; le sang oxygéné, rouge vif, parvenu aux tissus, leur abandonne son oxygène et se charge à nouveau de gaz carbonique.

respiratoire adj. De la respiration; qui sert à la respiration. *Voies respiratoires. Mouvements respiratoires.* ▷ *Quotient respiratoire :* rapport entre la quantité de gaz carbonique produite et la quantité d'oxygène absorbée pendant la respiration.

respirer v. [1] **I.** v. intr. **1.** Absorber de l'oxygène et rejeter du gaz carbonique (êtres vivants). ▷ Spécial. *Ce blessé respire encore,* est encore en vie. **2.** Fig. Avoir un moment de répit, éprouver une impression de calme, de tranquillité. *Laissez-moi respirer.* **II.** v. tr. **1.** Aspirer par les organes respiratoires. *Respirer un air vicié, un parfum.* **2.** Fig. Donner tous les signes extérieurs de. *Respirer l'honnêteté.*

resplendir v. intr. [3] Briller avec beaucoup d'éclat. *Astres qui resplendissent.* ▷ Fig. *Il resplendit de bonheur.*

resplendissant, ante adj. Qui resplendit. *Soleil resplendissant.* – *Beauté resplendissante.*

resplendissement n. m. Litt. État de ce qui resplendit.

responsabilisation n. f. Fait de responsabiliser; fait d'être responsabilisé.

responsabiliser v. tr. [1] Rendre responsable, habituer à assumer des responsabilités. *Responsabiliser tous les participants.*

responsabilité n. f. Fait d'être responsable. *La responsabilité suppose la possibilité d'agir en connaissance de cause.* – *Fuir les responsabilités.* ▷ Par ext. *Avoir un poste de responsabilité,* où l'on est amené à prendre des décisions importantes. ▷ DR *Responsabilité civile :* obligation de réparer les dommages que l'on a causés à autrui de son propre fait ou de celui de personnes, d'animaux, de choses dont on est responsable. – *Responsabilité pénale :* obligation de subir la peine prévue pour l'infraction dont on est l'auteur ou le complice. ▷ *Responsabilité ministérielle :* dans un régime parlementaire, obligation faite à l'ensemble des ministres, au gouvernement, de démissionner quand le Parlement lui retire sa confiance.

responsable adj. et n. **1.** Qui est tenu de répondre de ses actes ou, dans certains cas, de ceux d'autrui. *Être responsable devant la loi, devant sa conscience.* **2.** Qui est la cause de. *La conduite en état d'ivresse est responsable de nombreux accidents.* **3.** Qui a le pouvoir de prendre des décisions dans un groupe organisé. ▷ Subst. *Demander à voir un responsable.* **4.** Qui est sérieux, qui réfléchit aux conséquences de ses actes. *Faites-lui confiance, c'est un homme responsable.*

resquille n. f. ou **resquillage** n. m. Action de resquiller.

resquiller v. tr. et intr. [1] Profiter, par son adresse, de qqch, sans y avoir droit, sans le payer.

resquilleur, euse n. et adj. Qui resquille.

ressac [ʀəsak] n. m. Retour des vagues sur elles-mêmes après avoir frappé un obstacle ou le rivage.

ressaigner v. intr. [1] Saigner de nouveau.

ressaisir v. [3] **1.** v. tr. Saisir de nouveau, reprendre. *La passion du jeu l'a ressaisi.* **2.** v. pron. Reprendre possession de soi-même. *L'émotion passée, il s'est ressaisi.*

ressasser [ʀəsase] v. tr. [1] **1.** Revenir sans cesse en esprit sur. *Ressasser de vieilles rancunes.* **2.** Répéter à satiété. *Ressasser les mêmes histoires.*

ressaut [ʀəso] n. m. ARCHI Saillie que fait une partie horizontale d'une construction par rapport à un plan vertical. *Le ressaut d'une corniche.* – Par ext. *Alpiniste qui se repose sur le ressaut d'une paroi rocheuse.*

ressauter v. tr. et intr. [1] Sauter de nouveau.

r(é)essayer v. tr. [21] Essayer de nouveau.

ressemblance [ʀ(ə)sɑ̃blɑ̃s] n. f. Fait de ressembler (à qqn, qqch), ou de se ressembler. *Association d'idées par ressemblance.*

ressemblant, ante adj. Qui ressemble à un modèle.

ressembler v. [1] **1.** v. tr. indir. Avoir avec (qqn, qqch) des traits communs (nature, aspect). *Votre fils vous ressemble. Portrait qui ressemble au modèle.* – Loc. *Cela ne vous ressemble pas :* cela n'est pas conforme à votre caractère. **2.** v. pron. Présenter une ressemblance mutuelle. *Elles se ressemblent.* ▷ Prov. *Les jours se suivent et ne se ressemblent pas :* à une situation en succède une autre. – *Qui se ressemble s'assemble :* ce sont leurs ressemblances qui rapprochent les individus.

ressemelage n. m. Action de ressemeler; son résultat.

ressemeler v. tr. [19] Mettre de nouvelles semelles à (des chaussures).

ressemer **1.** v. tr. [16] Semer de nouveau. **2.** v. pron. Donner naissance à de nouveaux plants par ses graines, sans intervention de l'homme (végétaux).

ressentiment [ʀ(ə)sɑ̃timɑ̃] n. m. Souvenir que l'on garde d'offenses, de torts que l'on n'a pas pardonnés. Syn. rancœur.

ressentir v. [30] **1.** v. tr. Éprouver (une sensation physique, un état affectif, un sentiment). *Ressentir une vive douleur. Ressentir de l'affection pour qqn.* **2.** v. pron. *Se ressentir de :* subir les effets, les conséquences de. *Il se ressent encore de sa maladie.*

resserre n. f. Endroit où l'on range des outils, du bois, etc.; remise.

resserrement n. m. Action de resserrer, fait de se resserrer; son résultat.

resserrer [ʀ(ə)sεʀe] v. [1] **I.** v. tr. **1.** Serrer davantage (ce qui est desserré). *Resserrer un nœud, des écrous.* ▷ Fig. *Resserrer les liens de l'amitié.* **2.** Réduire les dimensions de (qqch). *Le froid resserre les pores.* ▷ Fig. *Resserrer l'action d'une tragédie.* **II.** v. pron. Devenir plus serré, plus étroit. *Filet qui se resserre. Le défilé se resserre à cet endroit.*

resservir v. [30] **1.** v. intr. Servir de nouveau. *Cette robe pourra resservir.* **2.** v. tr. Servir (qqch) une nouvelle fois. *Resservir un plat.* ▷ v. pron. *Il s'est resservi abondamment.*

1. ressort [ʀ(ə)sɔʀ] n. m. **1.** Pièce élastique qui tend à reprendre sa forme initiale dès que cesse l'effort qui s'exerce sur elle. *Ressort à boudin*.* ▷ *Faire ressort :* manifester des propriétés semblables à celles d'un ressort. **2.** Fig. Activité, force, énergie; cause motrice. *L'intérêt est un puissant ressort.* ▷ (Personnes) *Manquer de ressort,* d'énergie, de vitalité.

2. ressort [ʀ(ə)sɔʀ] n. m. DR **1.** Étendue d'une juridiction. *Le ressort d'une cour d'appel.* **2.** Limite de compétence d'un corps judiciaire. *Affaire du ressort de tel tribunal.* ▷ Cour. *Cela n'est pas de mon ressort,* n'est pas de ma compétence. **3.** *Juger en dernier ressort,* sans appel possible. ▷ Cour. *En dernier ressort :* en définitive, en fin de compte.

1. ressortir v. [30] **I.** v. intr. **1.** Sortir peu de temps après être entré. **2.** (Choses) Se distinguer nettement par contraste. *Ce tableau ressortirait mieux sur un fond clair.* – *Faire ressortir qqch,* le mettre en relief, en évidence. **3.** v. impers. *Il ressort de tout cela que :* si l'on examine tout cela, il apparaît que. **II.** v. tr. Sortir de nouveau. *J'ai ressorti mon vieux manteau.* ▷ Fam., fig. Répéter. *Il nous ressort toujours les mêmes histoires.*

2. ressortir v. tr. indir. [3] *Ressortir à.* **1.** DR Être du ressort de (une juridiction). *Cette affaire ressortit au juge d'instance.* **2.** Fig. Relever de. *Cette question ressortit à la philosophie.*

ressortissant, ante adj. et n. **1.** adj. DR Qui ressortit à une juridiction. **2.** n. Personne qui ressortit à la législation d'un pays, du fait de sa nationalité.

ressouder [ʀ(ə)sude] v. tr. [1] Souder de nouveau.

ressource [ʀəsuʀs] n. f. **I.** **1.** Moyen employé pour se tirer d'embarras. *N'avoir d'autre ressource que la fuite.* **2.** (Plur.) Moyens pécuniaires. *Être sans ressources,* dans la misère. ▷ Richesses, produits naturels, biens, moyens matériels dont dispose un pays. *Ressources minières.* – Fig. *Ressources humaines.* ▷ *Service des ressources humaines,* qui assure, en ce qui concerne le personnel d'une entreprise, outre la fonction d'un service du personnel (gestion administrative des salaires, des vacances, etc.), les relations internes, le recrutement, la gestion des carrières, les prévisions. **3.** Plur. Fig. Moyens d'action, réserves de forces, d'habileté, etc. *Les ressources du courage.* – Sing. Fam. *Avoir de la ressource :* n'être pas à bout de forces, d'expédients. **II.** AVIAT Manœuvre de redressement d'un avion, mettant fin à un piqué.

ENCYCL La notion de ressources est étroitement liée à celle de *réserves,* c.-à-d. à ce qu'il est économiquement possible de prélever. Certaines ressources (produits agricoles, forêts) se renouvellent au bout d'un certain temps. D'autres (minerais, pétrole) ne se renouvellent pas ou se caractérisent par un cycle de formation sans commune proportion avec celui des réalisations humaines (plusieurs millions d'années pour le charbon ou le pétrole). *Les ressources agricoles* dépendent de la surface des terres cultivables (le quart des surfaces émergées dont la moitié seulement est actuellement cultivée) et du rendement de ces terres. *Les ressources en eau douce* sont renouvelables; 4 % du stock disponible étant actuellement consommés chaque année, on envisage qu'aucun problème grave ne se posera avant l'an 2015 pour l'ensemble de la planète, mais la consommation d'eau douce sur le globe est très inégalement répartie. *Les ressources en énergie et en minerais* sont partic. limitées : on prévoit quelques dizaines d'années pour le pétrole, le gaz naturel, l'uranium, le cuivre; la durée est moindre encore pour le mercure, le plomb, le zinc, l'étain. *Les ressources de la mer* sont très variées et difficiles à dénombrer (sels, iode, minerais, pétrole). Elles sont actuellement difficilement exploitables au-delà d'une profondeur de quelques centaines de mètres. L'épuisement progressif des ressources naturelles appelle, en vue de leur préservation, diverses mesures à l'échelle planétaire : lutte contre la pollution (en partic. celle des océans), réduction du gaspillage (encore fort important dans les pays industriels), recyclage de l'eau et des matières premières et développement de sources d'énergie nouvelles : énergie solaire, géothermie, énergie thermonucléaire contrôlée, etc.

ressourcer (se) v. pron. [**12**] Revenir à ses racines ; faire un retour aux sources (sens 2).

ressouvenir (se) v. pron. [**36**] Litt. Se souvenir de nouveau.

ressurgir. V. resurgir.

ressusciter [ʀesysite] v. [**1**] **I.** v. intr. **1.** Revenir de la mort à la vie. **2.** Fig. Renaître, se ranimer. – Guérir d'une maladie grave. **II.** v. tr. **1.** Ramener de la mort à la vie. **2.** Fig. Faire revivre. *Ressusciter une coutume.*

ressuyer v. tr. [**22**] Rare Essuyer de nouveau.

restant, ante adj. et n. m. **1.** adj. Qui reste. *L'argent restant.* ▷ *Poste restante :* V. poste 1. **2.** n. m. Reste. *Prenez le restant.*

restaurant n. m. Établissement public où l'on sert des repas moyennant paiement. (Abrév. fam. : restau ou resto).

1. restaurateur, trice n. et adj. **1.** n. Spécialiste en restauration d'objets, de pièces anciennes. *Restaurateur de vitraux.* **2.** adj. *Chirurgie restauratrice :* chirurgie plastique pratiquée en cas de lésion ou de malformation.

2. restaurateur, trice n. Personne qui tient un restaurant.

1. restauration n. f. **1.** Action de réparer, de restaurer ; son résultat. *Restauration d'un édifice.* ▷ Fig. *La restauration des finances publiques.* **2.** Rétablissement d'une ancienne dynastie sur le trône.

2. restauration n. f. Métier de restaurateur (2) ; ce secteur d'activités. ▷ *Restauration rapide :* syn. officiellement recommandé de *fast food.*

Restauration, nom donné en France au régime qui succéda au Premier Empire et fut renversé en 1830. Ce régime, marqué par le rétablissement des Bourbons (Louis XVIII, 1814-1824 ; Charles X, 1824-1830), comporta en fait deux périodes : la *première Restauration* (avril 1814-mars 1815), interrompue par l'épisode des Cent-Jours, durant lesquels Napoléon reprit le pouvoir, est suivie d'une *seconde Restauration* (juillet 1815-juillet 1830). – En Angleterre, ce terme désigne la Restauration des Stuarts (1660) et, dans un sens plus large, les douze années qui suivirent.

1. restaurer v. tr. [**1**] Réparer, remettre en son état premier. *Restaurer un monument.* ▷ Fig. Rétablir. *Restaurer une coutume.*

2. restaurer (se) v. pron. [**1**] Rétablir ses forces en mangeant.

reste n. m. **I. 1.** Ce qui demeure d'un tout (relativement à la partie retranchée, considérée, etc.). *Payer le reste d'une dette.* – Fig. *Ne pas demander son reste :* s'en tenir là, ne pas insister. ▷ *Le reste du temps :* tous les autres moments. *Il travaille beaucoup ; le reste du temps, il dort.* **2.** *Absol.* Ce qu'il y a encore à faire, à dire. *Nous lirons le reste demain.* ▷ Ce qu'il y a en outre. *Inutile de préciser, vous imaginez le reste.* – (Après une énumération.) *Et (tout) le reste :* et cætera. **3.** *Être en reste :* demeurer débiteur (le plus souvent au fig.). *Pour ne pas être en reste, les autres se sont joints au chœur.* **4.** Loc. adv. *De reste :* plus qu'il n'est nécessaire. ▷ *Au reste, du reste :* au surplus, d'ailleurs. **II. 1.** (Surtout plur.) Ce qui subsiste d'un tout détruit, perdu, consommé, etc. *Les restes d'un naufrage. Les restes d'un repas.* – Plaisant *Avoir de beaux restes :* avoir gardé des traces de sa beauté passée (surtout en parlant d'une femme). ▷ *Les restes de qqn,* son cadavre, ses ossements. ▷ Ce qui a été dédaigné. *N'avoir que les restes.* ▷ Petite quantité. *Un reste de chaleur, de vertu.* **2.** MATH Différence de deux nombres, dans une soustraction. ▷ Ce qui demeure du dividende, et qui est inférieur au diviseur.

rester v. intr. [**1**] **I. 1.** Continuer d'être (à tel endroit ; dans tel état). *Rester chez soi. Rester calme.* – *Restez (à) dîner.* – Fam. *Il risque d'y rester,* d'y laisser la vie. ▷ Rég. Habiter, vivre (en un endroit). *Rester à Montréal depuis dix ans.* **2.** Persister, durer. *Cette œuvre restera.* **3.** *En rester à :* s'arrêter à, s'en tenir à. *Restons-en là.* **4.** *Rester sur une impression,* ne pas vouloir ou ne pas pouvoir l'oublier. ▷ *Rester, être resté sur sa faim :* n'avoir pas mangé à sa faim ; fig. ne pas voir ses aspirations, ses désirs pleinement satisfaits. **5.** (Choses) *Rester à qqn,* continuer d'être sien, lui demeurer attaché. *Ce surnom lui est resté.* **II. 1.** Subsister (par rapport à d'autres éléments qui ne sont plus ou qui ont disparu). *Ruines qui restent d'un édifice. Voyons ce qui reste à faire. Ceux qui s'en vont et ceux qui restent :* allus. aux morts par rapport aux vivants. – Ellipt. *Reste à savoir si...* **2.** *Il reste que* (+ indic.) : il est néanmoins vrai que.

Restif ou **Rétif de La Bretonne** (Nicolas Restif, dit) (Sacy, Auxerrois, 1734 – Paris, 1806), écrivain français. Réaliste, souvent libertin, voire licencieux, il a peint les paysans et le petit peuple des villes, romançant ses souvenirs autobiographiques et produisant un document sociologique du plus grand intérêt : *le Paysan perverti* (1775), *la Vie de mon père* (1779), *les Contemporaines* (42 vol. de nouvelles, 1780-1785), *les Nuits de Paris* (1788-1794), *Monsieur Nicolas ou le Cœur humain dévoilé* (1794-1797), etc.

restituable adj. Que l'on doit restituer. *Prêt restituable à la demande du créancier.*

restituer v. tr. [**1**] **1.** Rendre (ce qui est possédé indûment). *Restituer des terres.* **2.** Didac. Rétablir dans son état premier. *Restituer un texte.* **3.** Rendre, libérer (ce qui a été accumulé, absorbé). *Les accumulateurs restituent l'énergie électrique qu'ils ont emmagasinée.* ▷ Reproduire un son enregistré.

restitution n. f. Action de restituer. **1.** Action de rendre ce que l'on détient indûment (ou ce qui, de droit, revient à qqn d'autre). *Restitution d'une somme.* **2.** Didac. Action par laquelle on remet une chose dans son état primitif ; son résultat. *Restitution d'une fresque.*

restoroute n. m. (Nom déposé.) Restaurant situé sur une autoroute ou sur une route à grande circulation.

restreindre 1. v. tr. [**55**] Réduire, limiter. *Restreindre un droit.* **2.** v. pron. Devenir moins étendu. *Le nombre des choix s'est restreint.* ▷ *Absol.* Réduire ses dépenses. *Être amené à se restreindre.*

restrictif, ive adj. Qui restreint. *Clause restrictive.*

restriction n. f. **1.** Action de restreindre. **2.** Condition qui restreint. ▷ *Faire des restrictions :* émettre des réserves, des critiques. ▷ Loc. adv. *Sans restriction :* entièrement, sans condition. ▷ Loc. *Restriction mentale :* réserve faite à part soi d'une partie de ce qu'on pense, pour tromper l'interlocuteur. **3.** (Plur.) Mesures destinées à limiter la consommation ; rationnement. *Restrictions imposées en temps de guerre.*

restructuration n. f. Action de restructurer ; son résultat.

restructurer v. tr. [**1**] Donner une nouvelle structure à ; réorganiser. ▷ v. pron. *Cette association s'est restructurée.*

resucée [ʀəsyse] n. f. Fam. **1.** Quantité supplémentaire (de boisson). *Vous prendrez bien une petite resucée ?* **2.** Fig., fam. Reprise, répétition sans intérêt. *On a tiré de la pièce d'Untel une médiocre resucée cinématographique.*

résultant, ante adj. et n. f. **I.** adj. Vieilli Qui résulte de qqch. **II.** n. f. **1.** PHYS *Résultante dynamique :* somme (représentée par un vecteur unique) des forces appliquées sur un objet, sur un point. – *Résultante cinétique :* somme des quantités de mouvement. **2.** Cour. Effet découlant de plusieurs causes convergentes ; résultat.

résultat n. m. **1.** Ce qui résulte (d'une action, d'un fait). *Le résultat d'une enquête.* ▷ MATH *Résultat d'une opération :* produit, quotient, reste, somme. **2.** Succès ou échec à un examen, un concours, une compétition, etc. *Proclamation des résultats.* **3.** Plur. COMPTA Bénéfices ou pertes, dans l'exploitation d'une entreprise.

résulter v. intr. [**1**] S'ensuivre ; être l'effet, la conséquence de ; découler de. ▷ *Cette conclusion résulte de vos propres déclarations.* ▷ v. impers. *Il résulte de ce débat que...*

résumé n. m. **1.** Présentation succincte. *Le résumé d'une conférence.* **2.** Précis, abrégé. *Un résumé de chimie.* **3.** Loc. adv. *En résumé :* pour récapituler brièvement, en bref.

résumer v. [**1**] **I.** v. tr. Exprimer en moins de mots, de manière plus brève. *Résumer un exposé trop long.* ▷ Fig. Être l'image en petit de, présenter en raccourci. *Cette anecdote résume le personnage.* **II.** v. pron. **1.** (Réfl.) Reprendre brièvement ce que l'on a dit, écrit. **2.** (Passif) Être résumé. *Cela se résume en une phrase.*

résurgence n. f. GEOL Eaux résurgentes. ▷ Fig. Réapparition. *Résurgence d'une mode.*

résurgent, ente adj. GEOL Se dit des eaux d'infiltration qui, après un trajet souterrain, resurgissent en surface.

res(s)urgir v. intr [**3**] Surgir de nouveau.

résurrection n. f. **1.** Retour de la mort à la vie. *La résurrection de Lazare.* ▷ *Absol.* (Avec une majuscule.) *La Résurrection,* celle du Christ ; la fête qui la célèbre. **2.** Œuvre d'art représentant la résurrection du Christ. **3.** Fig. Réapparition ; nouvel essor. *Résurrection d'un art ancien.*

retable [ʀətabl] n. m. Panneau vertical (placé derrière un autel), le plus souvent peint et richement orné. ▷

Décoration, tableau qui orne cette partie. ► illustr. Grünewald

rétablir v. [3] **I.** v. tr. **1.** Établir de nouveau. *Rétablir la paix. Rétablir qqn dans ses fonctions.* ▷ Remettre en fonctionnement. *Rétablir le téléphone.* **2.** Remettre (qqch) en bon état. *Rétablir ses finances.* ▷ *Rétablir les faits,* en rectifier une version inexacte. **3.** Redonner la santé à (qqn). *Cette thérapeutique l'a rétabli.* **II.** v. pron. **1.** Revenir à son état premier. *Le pouls se rétablit.* **2.** Recouvrer la santé. **3.** Faire un rétablissement (sens 3). *Se rétablir sur les avant-bras.*

rétablissement n. m. **1.** Action de rétablir; son résultat. **2.** Retour à la santé. **3.** Mouvement qui consiste, lorsqu'on est suspendu par les mains, à se hisser après traction sur les bras tendus.

rétais, aise adj. et n. De l'île de Ré. – Subst. *Un(e) Rétais(e).*

rétamage n. m. Action de rétamer; son résultat.

rétamer v. tr. [1] **1.** Étamer de nouveau. **2.** Fam. Battre (au jeu, dans une compétition). *Se faire rétamer.* ▷ *Être rétamé,* épuisé.

rétameur n. m. Ouvrier qui rétame.

retape n. f. Pop. **1.** *Prostituée qui fait la retape,* qui racole. **2.** Fig. *Faire la retape :* faire une publicité ou une propagande outrancière; essayer de recruter des adhérents, etc.

retaper v. tr. [1] **1.** Redonner sa forme (notam. en tapant) à. *Retaper un lit.* **2.** Fam. Remettre sommairement en état; rendre l'aspect du neuf à. *Retaper une vieille ferme.* **3.** Fam. Rétablir les forces, la santé de. *Vacances qui retapent.* ▷ v. pron. *Il s'est bien retapé.*

retard n. m. **1.** Fait d'arriver, de se produire, après le moment fixé; temps écoulé entre le moment où qqch ou qqn aurait dû arriver et le moment où il arrive réellement. *Être en retard. Un retard d'une heure. Le train a du retard.* **2.** Différence de temps (et, par ext., de distance) qui résulte d'une lenteur relative. *Être en retard sur qqn* (dans une action). *Combler son retard.* ▷ TECH *Le retard d'une pendule,* le mécanisme qui sert à régler son mouvement. **3.** Action de retarder, de différer. *Se décider après bien des retards et des atermoiements.* ▷ Loc. adv. *Sans retard :* sans délai, rapidement. ▷ MED Prolongation de l'action d'un médicament par adjonction de produits qui en diffèrent l'élimination. – (En appos.) *Insuline retard.* ▷ MUS Prolongation d'une note d'un accord sur l'accord suivant. ▷ TECH Fait de fonctionner avec un certain décalage dans le temps. *Retard à l'admission, à l'échappement* (dans un moteur). **4.** Fig. État de celui qui est moins avancé, par rapport aux autres ou par rapport à la normale, dans son savoir, son développement, etc. *Ce pays a un siècle de retard.*

retardataire adj. et n. **1.** Qui arrive en retard. *Des élèves retardataires.* ▷ Subst. *Les retardataires.* **2.** Qui a du retard (sens 4). *Mœurs retardataires.*

retardateur, trice adj. et n. m. Qui retarde, qui provoque un ralentissement. *Forces de frottement retardatrices.* – MILIT *Action retardatrice,* destinée à ralentir la progression de l'ennemi. ▷ n. m. CHIM Corps qui ralentit une réaction.

retardé, ée adj. (et n.) *Enfant retardé,* qui est en retard dans ses études, dont le développement physique ou intellectuel est en retard. – Subst. *Un(e) retardé(e).*

retardement n. m. **1.** Action de retarder (sens I). **2.** Loc. adj. *À retardement :* se dit d'un mécanisme dont l'action est différée au moyen d'un compteur ou d'une horloge intégrés. *Obus à retardement.* ▷ Loc. adv. Après coup. *Réagir à retardement.*

retarder v. [1] **I.** v. tr. **1.** Mettre en retard. ▷ v. pron. *Ne l'attends pas, tu vas te retarder.* ▷ *Retarder une montre,* lui faire indiquer une heure moins avancée que celle qu'elle indique. **2.** Différer. *Retarder son départ.* **II.** v. intr. **1.** Aller trop lentement, indiquer une heure déjà passée, en parlant d'une montre, d'une pendule, etc. *Ce réveil retarde.* – Par ext., fam. *Je retarde de dix minutes. «Elle, malade? – Mais tu retardes, elle est guérie depuis deux mois.»* **2.** *Retarder sur son temps, son époque,* etc. : manifester des idées, des attitudes dépassées, rétrogrades.

reteindre v. tr. [55] Teindre de nouveau ou d'une couleur différente.

retendre v. tr. [6] Tendre de nouveau, tendre (ce qui s'est détendu). *Retendre les haubans d'une tente.*

retenir v. [36] **I.** v. tr. **1.** Garder (ce qui est à autrui). *Retenir des marchandises en gage.* ▷ Prélever, déduire d'une somme. *Retenir une cotisation.* **2.** Garder dans sa mémoire. *Retenir sa leçon.* – Fam., iron. *Je vous retiens! :* je ne risque pas d'oublier la façon dont vous avez agi. ▷ ARITH *Retenir un chiffre (dans une opération),* le réserver pour l'ajouter aux chiffres de la colonne suivante, vers la gauche. **3.** Réserver. *Retenir une place d'avion.* **4.** DR Garder (un chef d'accusation, etc.). *Le délit de vol a été retenu contre lui.* ▷ Cour. Considérer favorablement; agréer. *Retenir une candidature.* **II.** v. tr. **1.** Faire demeurer en un lieu. *Retenir qqn à dîner. La fièvre le retient alité.* **2.** Maintenir en place, contenir. *Barrage qui retient l'eau.* – Fig. *Retenir l'attention.* **3.** Empêcher d'agir ou de se manifester. *La prudence l'a retenu. Retenir ses larmes.* **4.** Saisir, maintenir pour empêcher d'aller, de tomber, etc. *Retenir qqn au bord d'une pente.* **III.** v. pron. **1.** Saisir qqch pour ne pas tomber, se rattraper. *Se retenir à une branche.* **2.** S'empêcher de, réprimer l'envie de (faire qqch). *Se retenir de rire.* ▷ *Absol.* Différer de satisfaire un besoin naturel.

retenter v. tr. [1] Tenter de nouveau. *Retenter de gagner une course.*

rétention n. f. **1.** Action de retenir, de conserver. ▷ DR *Droit de rétention,* qui autorise un créancier à retenir un bien reçu en gage jusqu'au paiement complet de ce qui lui est dû. **2.** MED Accumulation (d'une substance destinée à être évacuée). *Rétention d'urine.* **3.** GEOGR Immobilisation (glaciaire, nivale, etc.) de l'eau des précipitations.

retentir v. intr. [3] **I. 1.** Faire entendre un son puissant, éclatant. *Les trompettes retentirent.* ▷ (En parlant du son lui-même.) *Le coup de tonnerre a retenti dans toute la vallée.* **2.** *Retentir de :* être rempli par (un son, un bruit). *La maison retentissait de coups de marteaux.* **II.** *Retentir sur :* avoir un retentissement, des répercussions sur. *La fatigue retentit sur le caractère.*

retentissant, ante adj. **1.** Qui retentit; sonore, éclatant. *Voix retentissante.* **2.** Qui a un grand retentissement, dont on parle beaucoup. *Échec retentissant.*

retentissement n. m. **1.** Litt. Fait de retentir; bruit, son renvoyé avec éclat. **2.** Fig. Contrecoup, répercussion. *Cette réussite eut un profond retentissement sur sa vie.* **3.** Fig. Fait de se répandre avec beaucoup de bruit auprès d'un public nombreux. *Retentissement d'une nouvelle.*

retenue n. f. **I.** Fait de retenir, de garder. *Retenue de marchandises par la douane.* – Prélèvement qu'un employeur fait sur la rémunération d'un employé pour répondre à certaines obligations légales ou conventionnelles. – FISC *Retenue à la source :* prélèvement fiscal sur un revenu, avant paiement de celui-ci. ▷ ARITH Chiffre qu'on retient (sens I, 2), dans une opération. **II. 1.** Fait de retenir (de l'eau); masse d'eau que l'on retient. *Lac de retenue d'un barrage.* **2.** MAR Cordage servant à retenir. *Retenue de bôme.* **3.** Punition scolaire consistant à garder en classe un élève après les heures de cours ou un jour de congé. **III.** Attitude, qualité d'une personne discrète, réservée.

Rethel, ch.-l. d'arr. des Ardennes, sur l'Aisne; 8 639 hab. Marché à bestiaux. Abattoirs; papeterie. – La ville fut disputée pendant la Fronde. Incendiée en 1914, elle fut le théâtre de violents combats en 1940.

Rethondes, com. de l'Oise (arr. de Compiègne), sur l'Aisne; 593 hab. – Dans une clairière proche de la gare de Rethondes, mais située sur la com. de Compiègne, ont été signés, avec l'Allemagne, les armistices du 11 nov. 1918 et du 22 juin 1940.

signature de l'armistice du 11 novembre 1918, dans le wagon de **Rethondes,** gravure du XXe s.; musée d'Histoire contemporaine, Paris

rétiaire n. m. ANTIQ ROM Gladiateur armé d'un trident, d'un poignard et d'un filet avec lequel il devait prendre son adversaire.

réticence n. f. **1.** Omission volontaire d'une chose qu'on devrait dire; cette chose même. ▷ RHET Figure consistant à interrompre sa phrase, en laissant entendre ce qui n'est pas dit. **2.** Attitude de réserve, de désapprobation, manifestée par le refus de donner un accord, de s'engager nettement.

réticent, ente adj. **1.** Qui use de réticences (sens 1). *Témoignage réticent.* **2.** Qui manifeste de la réticence (sens 2). *Être réticent à l'égard d'un projet.*

réticulaire adj. Didac. En forme de réseau. *Tissu réticulaire.*

réticule n. m. **1.** OPT Système de fils croisés servant à définir l'axe de visée d'un instrument d'optique. **2.** ANTIQ Filet pour les cheveux. **3.** Mod. Petit sac de femme.

réticulé, ée adj. **1.** Didac. Qui figure un réseau; qui comporte un réseau (notam. de nervures). *Feuille réticulée.* **2.** *Porcelaine réticulée,* dont l'enveloppe extérieure est découpée à jour. **3.** ANAT *Substance réticulée :* réseau dense de fibres nerveuses situé dans la partie centrale du tronc cérébral, sur toute sa hauteur, et jouant un rôle important dans la coordination et la synthèse de nombreuses fonctions. **4.** ARCHI Se dit d'un type de maçonnerie à petits moellons régulièrement disposés, caractéristique de l'architecture romaine.

réticulo-endothélial, ale, aux adj. BIOL *Système réticulo-endothélial* : ensemble de cellules disséminées dans l'organisme, aptes à la phagocytose et jouant un rôle de défense prépondérant. ▷ *Tissu réticulo-endothélial* : tissu qui constitue la trame de nombreux organes (foie, rate, ganglions lymphatiques, glandes endocrines, etc.).

réticulo-endothéliose ou **réticulose** n. f. MED Affection du tissu réticulo-endothélial.

réticulum [ʀetikylɔm] n. m. ANAT Réseau fibreux ou vasculaire. ▷ BIOL *Réticulum endoplasmique* : prolongement réticulé de la membrane nucléaire dans le cytoplasme, qui enserre les ribosomes.

Rétie. V. Rhétie.

rétif, ive adj. **1.** Se dit d'une monture qui refuse d'obéir. *Cheval, mulet rétif.* **2.** Fig. Difficile à conduire, à persuader. *Caractère, enfant rétif.*

Rétif de La Bretonne. V. Restif de La Bretonne.

rétine n. f. Membrane du fond de l'œil, tapissant la choroïde et sensible à la lumière. (Elle est composée d'une couche épithéliale interne et d'une couche cellulaire externe qui enserre les cellules nerveuses sensorielles : cônes et bâtonnets, dont les prolongements constituent le nerf optique.)

rétinien, enne adj. De la rétine. *Pourpre* rétinien.*

rétinite n. f. Inflammation de la rétine.

rétinoïde n. m. PHARM Dérivé du rétinol, utilisé en cancérologie et en dermatologie.

rétinol n. m. CHIM Vitamine A.

rétinopathie n. f. Affection de la rétine.

rétique. V. rhétique.

retirage n. m. Nouveau tirage d'un livre, d'une gravure, etc.

retiré, ée adj. **1.** Situé à l'écart, peu fréquenté (lieux). *Petite bourgade retirée.* **2.** Qui vit loin du monde. *Vivre retiré de la société.* ▷ Qui a abandonné ses occupations professionnelles. *Un banquier retiré.*

retirer v. tr. [1] **I. 1.** Tirer en arrière (ce qu'on avait poussé, porté en avant). *Retirer sa main.* **2.** Ne pas maintenir (ce qu'on avait dit, formulé). *Je retire ce que j'ai dit. Retirer une plainte.* **3.** *Retirer qqch à qqn,* reprendre (ce qu'on lui avait donné, accordé ; l'en priver). *On lui a retiré son permis de conduire. Retirer sa confiance, son amitié.* **4.** Faire sortir, tirer (une chose, une personne) du lieu où elle se trouvait. *Retirer un seau du puits. Il a retiré son fils de cet internat.* ▷ Se faire remettre, prendre. *Retirer de l'argent à la banque.* **5.** Enlever, ôter (un vêtement). *Retirer son manteau, ses chaussures.* **6.** Extraire. *L'huile que l'on retire de certaines graines.* ▷ Recueillir, obtenir. *Qu'avez-vous retiré de cette expérience ? – Spécial.* Recueillir (un profit). *Il a retiré un gros bénéfice de l'opération.* **II.** Tirer de nouveau. **1.** (Avec une arme.) *L'archer retira une flèche.* **2.** Faire un retirage. *L'ouvrage est épuisé, l'éditeur va en faire retirer dix mille exemplaires.* **3.** Effectuer une nouvelle traction. *Retirer sur la corde.* **III.** v. pron. **1.** Partir, prendre congé. *Il est temps que je me retire.* – (Avec un comp. de lieu.) *Se retirer dans sa chambre.* **2.** Abandonner une place, une position ; reculer, s'éloigner. *Se retirer en lieu sûr. Se retirer loin du monde.* **3.** *Se retirer de* : quitter (une activité, une profession). *Se retirer d'un jeu. Se retirer du barreau.* ▷ *Absol.* Prendre sa retraite. *Il s'est retiré fortune faite.* **4.** Rentrer dans son lit, en parlant d'un cours d'eau. *La rivière se retire.* ▷ Refluer. *Aux grandes marées, la mer se retire à plusieurs kilomètres.*

retombée n. f. **1.** ARCHI Naissance d'une voûte, d'une arcade. **2.** (Plur.) Ce qui retombe. ▷ PHYS NUCL *Retombées radioactives* : retour dans les basses couches de l'atmosphère et à la surface du globe des substances radioactives libérées à haute altitude lors d'une explosion nucléaire. **3.** Fig. (Le plus souvent au plur.) Conséquences, effets à plus ou moins long terme d'un événement, d'une situation, d'une recherche, d'une découverte. *Les retombées médicales de la recherche spatiale.*

retomber v. intr. [1] **I.** Tomber de nouveau. **1.** Faire une nouvelle chute. *Tomber, se relever et retomber encore.* **2.** Fig. *Retomber dans* : retourner dans (une certaine position), revenir à (la situation antérieure). *Tout était rentré dans l'ordre, sa vie retomba dans la monotonie.* – (Personnes) *Retomber dans les mêmes défauts.* ▷ (Avec un attribut.) *Retomber malade.* **3.** Fig., fam. *Retomber sur* : rencontrer, trouver par hasard, une nouvelle fois. *Tu ne retomberas plus sur une aussi bonne occasion.* **II.** Tomber d'une certaine hauteur. **1.** Atteindre le sol après avoir accompli une certaine trajectoire ou après un saut, un rebond. *La balle est retombée dans le jardin voisin.* – (Êtres animés.) Se recevoir lors d'une chute, d'un saut. *Chat qui retombe sur ses pattes.* ▷ Fig. (Personnes) *Savoir retomber sur ses pattes* : être habile à se tirer sans dommage de situations fâcheuses. **2.** Tomber après s'être élevé. *La fusée est retombée par suite d'une panne de réacteurs. –* Fig. *Après une légère hausse, le cours de l'or est retombé.* ▷ Fig. Mollir, devenir moins intense, moins soutenu. *L'enthousiasme est retombé.* **3.** S'abaisser, s'abattre en restant maintenu par le haut ; se déployer verticalement. *Le store retomba avec fracas.* ▷ (Sans idée de mouvement.) Pendre, s'étendre de haut en bas. *La tenture retombe en plis gracieux.* **4.** Fig. *Retomber sur* : peser sur, incomber à (qqn). *Toute la responsabilité retombera sur vous.*

retoquer v. tr. [1] Fam. Refuser qqn ou qqch à un examen ou après un examen.

retordage ou **retordement** n. m. TECH Opération qui consiste à retordre des fils ; son résultat.

retordeur, euse n. TECH Personne qui effectue l'opération du retordage.

retordre v. tr. [6] **1.** Tordre de nouveau. **2.** TECH Tordre ensemble (des fils). *Retordre des fils de lin, du lin.* ▷ Fig. *Donner du fil à retordre à qqn,* lui causer des difficultés, des soucis, lui résister.

rétorquer v. tr. [1] **1.** Vx ou litt. Retourner contre son adversaire (les arguments mêmes dont il s'est servi). *Je pourrais rétorquer l'accusation contre vous.* **2.** Répondre, répliquer. *Il lui a rétorqué que ce n'était pas son affaire.*

retors, orse [ʀ(ə)tɔʀ, ɔʀs] adj. et n. m. **1.** TECH Qui a été retordu. *Fil retors,* ou, n. m., *du retors.* **2.** Fig. Rusé, artificieux. *Personnage retors.*

rétorsion n. f. **1.** Vx ou litt. Action de rétorquer ; emploi que l'on fait, contre son adversaire, des arguments dont il s'est servi. *Argument sujet à rétorsion.* **2.** DR INTERN Acte de représailles* d'un État à l'égard d'un autre. ▷ Cour. *Mesures de rétorsion,* de représailles.

retouche n. f. **1.** Dernière façon donnée à une œuvre pour en corriger les défauts. ▷ Partie retouchée. *On voit les retouches dans ce tableau.* **2.** Rectification apportée à un vêtement.

retoucher v. tr. [1] Corriger, modifier par des retouches. *Retoucher une photo, un vêtement.*

retoucheur, euse n. Personne qui effectue des retouches (partic. en photographie, en couture).

retour n. m. **I. 1.** Action de retourner, de revenir à son point de départ. *Billet d'aller et retour.* ▷ Loc. *Être sur le retour* : commencer à vieillir. – *Retour d'âge* : ménopause. **2.** Arrivée au lieu d'où l'on était parti. *Je vous écrirai à mon retour, dès mon retour.* ▷ *Être de retour* : être revenu. **3.** Fait de revenir à un état, un stade antérieur. *Retour au calme, à la normale.* **4.** Réapparition d'une chose qui revient périodiquement. *Retour du printemps. Retour d'un motif musical.* ▷ PHILO *Doctrine du retour éternel* : doctrine stoïcienne (reprise par Nietzsche) selon laquelle l'histoire du monde est l'histoire du retour cyclique des mêmes êtres, des mêmes événements (V. palingénésie). **5.** Action de repartir en arrière, d'aller dans le sens inverse de celui qui avait été amorcé. *Retour en arrière.* – AUDIOV *Retour en arrière* (off. recommandé pour *flash-back*). ▷ *Retour sur soi-même* : réflexion sur soi-même, sur sa propre conduite, sa propre vie. ▷ MILIT *Retour offensif* : mouvement par lequel on attaque l'ennemi devant lequel on se retirait. ▷ TECH Mouvement brutal en sens inverse du sens normal. *Retour de manivelle* : mouvement brutal d'une manivelle en sens inverse du sens normal ; fig., fam. revirement brutal et fâcheux d'une situation. *Retour de flamme* : épanchement subit et fortuit de la flamme à l'extérieur d'un foyer ou, dans un moteur à explosion, remontée brutale de la flamme vers le carburant ; fig. brusque retournement d'une action contre son auteur, ou regain d'activité, de vigueur. **6.** Fig. Changement brusque, revirement. *Un retour de fortune.* **7.** Action de retourner, de renvoyer (qqch à qqn). *Retour d'un colis à l'envoyeur.* ▷ Livres invendus que le libraire retourne à l'éditeur. ▷ COMM *Retour d'un effet,* renvoi au tireur d'un effet impayé à l'échéance. **8.** Pourcentage de rentabilité d'un investissement. *Un retour de 5 %.* **9.** *En retour (de)* : en échange, en contrepartie (de). *Combien donnerez-vous en retour ?* **II.** ARCHI Coude formé par une partie de construction qui fait saillie en avant d'une autre.

retournage n. m. COUT Action de retourner (un vêtement).

retourne n. f. **1.** JEU Carte que l'on retourne et qui décide de l'atout. **2.** IMPRIM Dans un journal, suite, imprimée sur l'une des pages intérieures, d'un article dont le début figure en première page.

retournement n. m. **1.** Action de retourner (qqch, qqn) ; son résultat. *Le retournement d'une dalle. Effectuer un retournement sur le dos.* **2.** Fig. Revirement, volte-face. *Retournement de l'opinion.* ▷ Changement complet, radical, dans une situation. *Les retournements de l'intrigue, dans un vaudeville.*

Retournemer (lac de), lac glaciaire (5,5 ha) des Vosges, près de Gérardmer, au pied du Hohneck.

retourner v. [1] **I.** v. tr. **1.** Faire tourner (une chose) sur elle-même de manière à mettre en avant la partie qui était en arrière, ou à mettre au-dessus la partie qui était au-dessous; mettre à l'envers. *Retourner une crêpe. Retourner un matelas. Retourner une carte à jouer,* en faire voir la figure. *Retourner un vêtement,* le rénover en tournant vers l'extérieur sa face intérieure. ▷ Loc. fig., fam. *Retourner sa veste :* changer radicalement d'opinion, de camp (par désaffection ou par opportunisme). – *Retourner qqn,* le faire changer d'avis. *On le retourne comme un gant,* très facilement. ▷ *Retourner le sol, la terre,* les travailler de manière à exposer à l'air une couche profonde. ▷ Fam. Mettre en désordre, sens dessus dessous. *Il a retourné toute la bibliothèque pour trouver ce livre.* **2.** Tourner plusieurs fois, dans divers sens. *Il tournait et retournait l'objet entre ses mains sans en comprendre l'utilité.* – Loc. fig. *Retourner le fer, le couteau dans la plaie :* raviver une souffrance morale en évoquant sa cause, les circonstances qui l'ont fait naître. ▷ Fig. Examiner sous tous les angles. *Retourner un problème dans sa tête.* **3.** Fig., fam. Troubler, émouvoir fortement. *La nouvelle l'a retourné.* – Pp. adj. *J'en étais toute retournée.* Syn. bouleverser. **4.** Diriger dans le sens opposé. *Son forfait accompli, l'assassin a retourné l'arme contre lui-même.* ▷ Renvoyer. *Retourner une lettre à son expéditeur. Retourner un compliment.* **II.** v. intr. **1.** Aller de nouveau (dans un lieu où l'on a déjà été). *Retourner dans son village natal.* **2.** Revenir, rentrer (du lieu où l'on est allé). *Retourner chez soi.* **3.** *Retourner à :* revenir, être rendu à (qqn). *Ces biens retourneront à leur légitime possesseur.* – Reprendre, retrouver (un état antérieur, initial); revenir vers. *Animal domestique qui retourne à l'état sauvage. Retourner à ses premières amours.* **III.** v. pron. **1.** Se tourner d'un autre côté. *Il s'est retourné pour ne pas avoir à nous saluer.* ▷ Tourner la tête en regardant derrière soi. *Partir sans se retourner.* **2.** Changer de position. *Se retourner dans son lit.* **3.** Fig. Adopter une autre manière d'agir, changer les dispositions qu'on avait prises. *Il saura bien se retourner. Laisse-lui le temps de se retourner.* **4.** *S'en retourner :* repartir (vers le lieu d'où l'on vient), revenir. *S'en retourner chez soi.* **5.** *Se retourner contre :* s'opposer à, s'attaquer à, devenir défavorable à (après avoir été favorable). *Se retourner contre ses alliés. Ses arguments se sont retournés contre lui.* **IV.** v. impers. *De quoi il retourne :* de quoi il s'agit, de quoi il est question. *J'ignore de quoi il retourne.*

retracer v. tr. [12] **1.** Tracer de nouveau (ce qui s'est effacé). *Retracer la ligne médiane d'une route.* **2.** Fig. Raconter, décrire des événements passés. *Retracer les exploits d'un héros.*

rétractable adj. Que l'on peut rétracter.

rétractation n. f. Action de rétracter (1), de se rétracter; propos, écrit par lequel qqn se rétracte. Syn. désaveu, reniement.

1. rétracter v. tr. [1] Nier, désavouer (une chose qu'on avait dite ou écrite). *Rétracter des aveux.* ▷ v. pron. Déclarer faux ce qu'on avait affirmé précédemment. *Témoin qui se rétracte.*

2. rétracter v. tr. [1] Retirer, faire rentrer en dedans, raccourcir par traction. *Le chat rétracte ses griffes pour faire patte de velours.* ▷ v. pron. Se contracter. *Muscle qui se rétracte.*

rétractile adj. Qui peut se rétracter. *Griffes rétractiles des félins.*

rétractilité n. f. Didac. Caractère rétractile (de qqch).

rétraction n. f. Raccourcissement par contraction. *Rétraction d'un tendon, d'un tissu.*

1. retrait, aite adj. **1.** AGRIC Se dit d'une céréale dont les grains ont mûri sans se remplir et en se recroquevillant. *Blé retrait.* **2.** TECH *Bois retrait :* bois coupé dont les fibres ont raccourci en séchant.

2. retrait n. m. **1.** Action de se retirer, de s'éloigner. *Le retrait des troupes.* **2.** Action de reprendre, de retirer. *Retrait d'un dépôt. Retrait d'un projet de loi.* **3.** DR Action de reprendre un bien aliéné. *Exercer un retrait successoral.* **4.** Loc. adv. *En retrait :* en arrière d'un alignement. *Construction en retrait.* – Fig. *Rester en retrait :* ne pas se mettre en avant, rester discret. **5.** TECH Contraction d'un matériau qui fait sa prise, qui sèche ou qui se refroidit. *Retrait du béton, du bois, du métal moulé.*

retraitant, ante n. RELIG Personne qui fait une retraite.

1. retraite n. f. **A.** Fait de se retirer. **I.** Mouvement de repli en bon ordre effectué par des troupes qui ne peuvent tenir une position. *Battre en retraite,* en parlant des troupes qui se replient; fig. abandonner, céder à un adversaire. **II. 1.** Isolement, repos. *Son talent a mûri dans la retraite.* **2.** Période d'éloignement de la vie active, consacrée à la méditation religieuse, au recueillement, à la prière. **3.** Situation d'une personne qui n'exerce plus de profession et qui touche une pension. *Être à la retraite. Prendre sa retraite.* ▷ Cette pension elle-même. *Cotisations qui donnent droit à une retraite.* **B.** Lieu où l'on se retire, où l'on se réfugie. *Une paisible retraite.* **C.** ARCHI Diminution d'épaisseur d'un mur à partir du pied.

2. retraite n. f. FIN Nouvelle traite émise par le porteur d'une traite impayée sur le tireur ou sur l'un des endosseurs.

retraité, ée adj. et n. Qui est à la retraite (sens II, 3). *Militaire retraité.* ▷ Subst. *Un(e) retraité(e).*

retraitement n. m. Action de retraiter. ▷ PHYS NUCL *Retraitement du combustible :* traitement du combustible nucléaire après son utilisation dans un réacteur pour en extraire les matériaux utiles (fissiles, notam.) qu'il contient encore.

retraiter v. tr. [1] TECH Effectuer un nouveau traitement. ▷ PHYS NUCL Effectuer un retraitement.

retranchement n. m. **1.** Action de retrancher, de supprimer. *Faire des retranchements dans un texte.* **2.** Obstacle naturel ou artificiel utilisé pour se mettre à couvert, pour se protéger des attaques ennemies et y résister. ▷ Fig. *Forcer, pousser qqn dans ses derniers retranchements,* réfuter ses ultimes arguments, le mettre à quia*.

retrancher v. tr. [1] **I. 1.** Enlever, supprimer (une partie) d'un tout. *Retrancher les redites d'un texte.* **2.** Soustraire (une partie) d'une quantité. *De douze retrancher huit. Retrancher du salaire brut le montant des cotisations.* Syn. déduire, défalquer. **3.** Fig. Exclure. *Retrancher qqn du nombre des participants.* ▷ v. pron. *Se retrancher volontairement de la société.* **II. 1.** Vx Protéger par un retranchement, par des fortifications. – Pp. adj. Mod. *Camp retranché.* **2.** v. pron. Se mettre à l'abri. *Se retrancher derrière un mur.* – Fig. *Se retrancher dans un mutisme absolu.*

retranscription n. f. Nouvelle transcription.

retranscrire v. tr. [67] Transcrire de nouveau.

retransmettre v. tr. [60] **1.** Transmettre de nouveau. **2.** Transmettre par relais (une émission de radio, de télévision); diffuser avec ou sans enregistrement préalable. *Retransmettre un match de rugby.*

retransmission n. f. Action de retransmettre (une émission de radio, de télévision); l'émission retransmise.

retravailler v. [1] **1.** v. intr. Travailler de nouveau. *Maintenant qu'elle a élevé ses enfants, elle désire retravailler.* **2.** v. tr. Travailler de nouveau, reprendre pour améliorer. *Retravailler un discours.*

retraverser v. tr. [1] Traverser de nouveau; traverser en sens inverse.

rétréci, ie adj. **1.** Devenu, rendu plus étroit. *Chaussée rétrécie.* **2.** Fig. Étroit, borné. *Vues rétrécies.*

rétrécir v. [3] **1.** v. tr. Rendre plus étroit. *Rétrécir un vêtement.* ▷ Fig. *Rétrécir un champ d'action.* **2.** v. intr. Devenir plus étroit, plus petit, plus court; diminuer dans ses proportions. *Cette toile rétrécit au lavage.* **3.** v. pron. Devenir plus étroit, de plus en plus étroit. *La galerie se rétrécit en un boyau étroit.* – Fig. *En vieillissant son univers se rétrécit.*

rétrécissement n. m. **1.** Action de rétrécir; fait de se rétrécir. *Rétrécissement de la chaussée.* **2.** MED Diminution permanente du calibre d'un canal, d'un vaisseau, d'un orifice. *Rétrécissement mitral, aortique, urétéral.*

retrempe n. f. TECH Nouvelle trempe d'un métal, d'un alliage.

retremper v. [1] **I.** v. tr. Tremper de nouveau. **1.** Plonger de nouveau dans un liquide. *Retremper une étoffe dans un bain de teinture.* **2.** TECH Faire subir de nouveau le traitement de la trempe. *Retremper de l'acier pour le rendre plus résistant.* ▷ Fig. Endurcir. *Cette épreuve lui aura retrempé le caractère.* **II.** v. pron. Se tremper de nouveau. *Se retremper dans l'eau.* ▷ Fig. *Se retremper dans une ambiance de travail.*

rétribuer v. tr. [1] **1.** Payer (un travail, un service). *Notre société rétribuera votre collaboration.* **2.** *Rétribuer qqn :* le payer, lui verser un salaire. Syn. rémunérer.

rétribution n. f. **1.** Paiement (d'un travail, d'un service rendu). **2.** RELIG Récompense accordée aux justes, punition infligée aux maudits.

retriever [ʀetʀivœʀ] n. m. Chien de chasse dressé pour rapporter le gibier.

rétro-. Élément, du lat. *retro,* «en arrière».

1. rétro n. m. et adj. inv. **1.** n. m. Au billard, coup consistant à frapper la boule par-dessous pour qu'elle revienne en arrière après avoir touché la boule visée. *Faire un rétro.* **2.** adj. inv. Qui fait référence au sens esthétique, aux modes d'un passé récent (Libération, entre-deux-guerres, Belle Époque, etc.). *Style rétro. Chanson rétro.* ▷ n. m. *La vogue du rétro.*

2. rétro n. m. Fam. Abréviation de *rétroviseur.*

rétroactif, ive adj. **1.** Qui est considéré par convention comme étant entré en vigueur avant la date de sa publication, de sa promulgation. *Une loi avec effet rétroactif.* **2.** Qui exerce une action sur ce qui est situé antérieurement dans l'enchaînement des causes et des effets.

rétroaction n. f. **1.** Didac. Effet rétroactif. **2.** Syn. (officiellement recommandé) de *feed-back.* TECH Action exercée, après une perturbation, sur les valeurs d'entrée d'un système cybernétique par les valeurs de sortie, et qui rétablit les valeurs initiales. ▷ BIOCHIM Action en retour exercée par un mécanisme biochimique sur lui-même et qui assure son autorégulation.

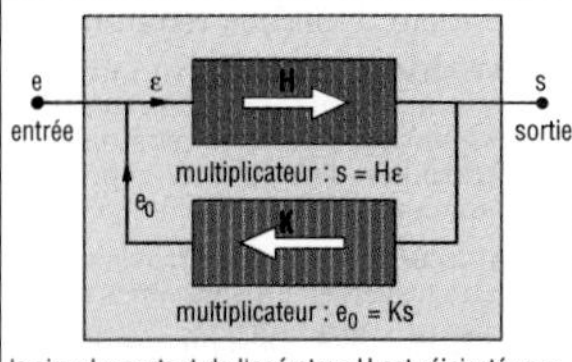

le signal s sortant de l'opérateur H est réinjecté vers l'entrée après passage par l'opérateur K (chaîne de retour) ; l'amplification du système global devient s/e = H/(1+KH)

rétroaction

rétroactivement adv. Didac. D'une manière rétroactive.

rétroactivité n. f. Didac. Caractère rétroactif. *La rétroactivité d'une loi.*

rétroagir v. intr. [3] Didac. Produire un effet rétroactif.

rétrocéder v. [14] **I.** v. tr. **1.** DR Rendre (à qqn ce qu'il avait précédemment cédé). *Rétrocéder un droit.* **2.** Céder, vendre (à qqn une chose que l'on a achetée pour soi-même). ▷ Céder (à qqn tout ou partie d'une recette). *Rétrocéder des honoraires.* **II.** v. intr. MED Disparaître, en parlant d'une affection.

rétrocession n. f. **1.** DR Acte par lequel on rétrocède qqch à qqn. **2.** MED Régression d'un processus pathologique. *Rétrocession d'un exanthème.*

rétroflexion n. f. MED Flexion en arrière de la partie supérieure d'un organe. *Rétroflexion de l'utérus.*

rétrofusée n. f. ESP Moteur-fusée dont la poussée s'exerce dans le sens inverse du déplacement d'un engin et qui sert à ralentir celui-ci.

rétrogradation n. f. **1.** ASTRO Phase du mouvement apparent d'une planète qui, après avoir décrit un mouvement d'ouest en est, se déplace dans le sens inverse. **2.** Litt. Action de rétrograder. Syn. cour. recul, régression. **3.** Mesure disciplinaire consistant à ramener qqn à un échelon inférieur de la hiérarchie.

rétrograde adj. **1.** Qui va en arrière, qui s'effectue vers l'arrière. *Marche rétrograde.* ▷ ASTRO *Sens rétrograde* : sens de rotation inverse du sens trigonométrique. *La rotation de Vénus sur elle-même s'effectue dans le sens rétrograde* (c.-à-d. dans le sens des aiguilles d'une montre). **2.** Fig. Qui fait preuve d'un attachement excessif au passé, qui s'oppose à toute innovation, à tout progrès. *Politique rétrograde. Idées rétrogrades.* Syn. ultra-conservateur. Ant. novateur.

rétrograder v. [1] **I.** v. intr. **1.** ASTRO Avoir un mouvement de rétrogradation. **2.** Revenir, retourner en arrière. **3.** Fig. Retourner à un stade antérieur, perdre ce qu'on a acquis. *Il avait fait des progrès, mais maintenant il rétrograde.* Syn. régresser. **4.** AUTO Passer à une vitesse inférieure. **II.** v. tr. Frapper de rétrogradation. *Rétrograder un militaire.*

rétropédalage n. m. Action de pédaler en arrière. *Frein de bicyclette à rétropédalage.*

rétroprojecteur n. m. AUDIOV Projecteur permettant la reproduction, sur un écran situé derrière l'opérateur, d'un texte ou d'une image.

rétroprojection n. f. AUDIOV Projection effectuée avec un rétroprojecteur.

rétropropulsion n. f. ESP Freinage par une, des rétrofusées.

rétrospectif, ive adj. et n. f. **1.** Qui est tourné vers le passé, qui concerne le passé. *Documentaire rétrospectif.* **2.** *Exposition rétrospective,* qui réunit les œuvres d'un artiste, d'une école, d'une époque. ▷ n. f. *Rétrospective cinématographique.* – Par ext. *Rétrospective des événements de l'année.* **3.** Se dit d'un sentiment éprouvé dans le présent à l'égard d'un fait passé. *Peur rétrospective.*

rétrospection n. f. Rare Regard en arrière, vers le passé.

rétrospectivement adv. D'une manière rétrospective ; après coup. *L'évocation de ce souvenir le met rétrospectivement en fureur.*

retroussé, ée adj. Replié vers le haut. *Manches retroussées.* ▷ *Nez retroussé,* au bout relevé.

retroussement n. m. Action de retrousser, de se retrousser ; son résultat.

retrousser v. tr. [1] Replier, ramener vers le haut. *Retrousser sa jupe.* – *Retrousser ses manches,* les replier sur ses bras ; fig. se mettre au travail. ▷ v. pron. Se relever vers l'extérieur. *Le pan de son manteau s'est retroussé.* – Vieilli Relever sa jupe.

retroussis [ʀ(ə)tʀusi] n. m. Partie retroussée (d'une pièce d'habillement, en partic.) ; revers. *Bottes à retroussis.*

retrouvailles n. f. pl. Fam. Fait, pour des personnes, de se retrouver après une séparation. *Fêter des retrouvailles.*

retrouver v. [1] **I.** v. tr. **1.** Trouver, découvrir de nouveau. *Retrouver une formule, un théorème.* **2.** Rencontrer de nouveau. *C'est une idée qu'on retrouve dans son deuxième livre.* **3.** Trouver (ce qui était perdu, ce que l'on cherchait). *Retrouver son portefeuille.* – (Abstrait) *Retrouver du travail. Aidez-moi à retrouver son nom.* ▷ Fig. Avoir de nouveau. *Retrouver son sourire, ses forces.* **4.** Être à nouveau en présence de (qqn, qqch). *Elle avait hâte de retrouver ses amis.* ▷ Rejoindre. *Venez nous retrouver quand vous aurez terminé.* **5.** Découvrir, trouver (dans un certain état, une certaine situation). *Il a retrouvé son appartement dévasté.* ▷ Revoir sous un certain aspect. *Il avait laissé un enfant, il retrouva un homme.* – Reconnaître. *Avec ce sourire, je te retrouve.* **II.** v. pron. **1.** Être à nouveau réunis, se revoir. *Nous nous retrouverons un jour.* **2.** Retrouver son chemin, s'orienter. *Après bien des détours, j'ai fini par me retrouver.* – Fig. *Ses comptes sont dans un tel désordre qu'il ne peut s'y retrouver.* ▷ Fam. *S'y retrouver,* rentrer dans ses frais ; faire un bénéfice. **3.** Litt. Rentrer en soi-même pour remettre ses idées en place. *Il avait besoin de réfléchir, de se retrouver.* **4.** Être, se trouver de nouveau (dans un endroit, une situation). *Se retrouver au même point qu'avant.* ▷ Être, se trouver malgré soi ou subitement (dans un endroit, une situation). *Il se retrouva dehors avant d'avoir pu dire un mot.*

rétroversion n. f. MED Renversement pathologique vers l'arrière. *Rétroversion de l'utérus.*

rétroviral, ale, aux adj. Relatif à un rétrovirus.

rétrovirologie n. f. Étude scientifique des rétrovirus.

rétrovirus [ʀ[etʀoviʀys] n. m. BIOL Virus dont le matériel génétique est constitué d'A.R.N., lequel peut se transcrire en A.D.N., et qui sont capables de s'intégrer dans le génome d'une cellule. *Les virus oncogènes sont tous des rétrovirus.*

rétroviseur n. m. Miroir qui permet au conducteur d'un véhicule de voir la route derrière lui sans avoir à se retourner. (Abrév. fam. : rétro).

rets n. m. **1.** Vx Filet, réseau de cordes pour prendre des animaux. **2.** Fig., litt. Piège. *Prendre qqn dans ses rets.*

retsina [ʀɛtsina] n. m. Vin grec résiné.

Retz ou **Rais,** petit pays de Bretagne, au S. de l'estuaire de la Loire, qui fut érigé en duché-pairie en faveur de la famille de Gondi ; anc. cap. *Rezé.*

Retz (forêt domaniale de), belle forêt du Valois (13 020 ha) située au S.-O. du dép. de l'Aisne et dite aussi *forêt domaniale de Villers-Cotterêts.*

Retz. V. Rais (Gilles, baron de).

Retz (Jean-François Paul de Gondi, 2e cardinal de) (Montmirail, 1613 – Paris, 1679), homme politique et écrivain français. Coadjuteur de l'archevêque de Paris, ses ambitions lui firent prendre une part active à la Fronde et braver Mazarin. Nommé cardinal en 1652, il n'en fut pas moins arrêté par Louis XIV, qui le fit enfermer à Vincennes puis à Nantes, d'où il s'évada en 1654, pour se réfugier à Rome. Cette même année, il succéda à son oncle comme archevêque de Paris, mais dut bientôt se démettre. Après avoir erré à travers l'Europe, il revint en France en 1661, fit la paix avec Louis XIV et, ayant renoncé définitivement à l'archevêché de Paris, se vit attribuer l'abbaye de Saint-Denis. Retz, qui avait écrit dans sa jeunesse (v. 1631 ou 1638) une histoire de la *Conjuration du comte de Fiesque,* est l'auteur de brillants *Mémoires* (rédigés à partir de 1665, publiés en 1717) où, à travers le récit haut en couleur des événements qu'il a vécus, il brosse nombre de portraits.

Reubell. V. Rewbell.

Reuchlin (Johannes) (Pforzheim, 1455 – Bad-Liebenzell, 1522), humaniste allemand. Professeur à Tübingen, il fut le promoteur, avec Érasme, des études grecques et hébraïques dans le monde occidental : *De rudimentis hebraicis* (1506).

le cardinal de **Retz**

Pierre **Reverdy**

réunification n. f. Action de réunifier ; résultat de cette action.

réunifier v. tr. [2] Restaurer l'unité de. *Réunifier un pays, un parti politique.*

réunion n. f. **1.** Action de réunir des parties qui avaient été séparées. ▷ Fig. Réconciliation. **2.** Action de joindre une chose à une autre. Syn. adjonction, rattachement. **3.** Action de rassembler divers éléments. ▷ MATH *Réunion de deux ensembles A et B :* ensemble E, noté A U B (« A union B »), dont chaque élément appartient à l'un au moins des deux ensembles A et B. **4.** Groupement, assemblée de personnes. *La réunion se tiendra à la mairie. Organiser une réunion.* ▷ Temps pendant lequel se tient une assemblée. *La réunion se prolongea fort tard.*

Réunion (la) (anc. île *Bourbon*), île de l'océan Indien, dans l'archipel des Mascareignes, formant un dép. français d'outre-mer (974) dep. 1946 et une Région dep. 1982 ; 2 510 km^2 ; 597 823 hab. (*Réunionnais*) ; 238,1 hab./km^2 ; ch.-l. *Saint-Denis.*
Géogr. phys. et hum. – Île volcanique et montagneuse (3 069 m au piton des Neiges), la Réunion connaît un climat tropical que tempèrent l'insularité et l'altitude. La pop., composée essentiellement de métis (de Noirs et d'Européens, ainsi que d'Indiens et d'Européens) et regroupée sur la plaine côtière, s'accroît à un rythme élevé, ce qui pose de sérieux problèmes de surpeuplement. L'économie repose sur la culture de la canne à sucre, pratiquée dans de vastes plantations et à laquelle s'ajoutent les cultures de la vanille et des plantes à parfum (géranium et vétiver). Peu industrialisée, l'île connaît un taux de chômage élevé et un déficit commercial important. L'aide de la métropole et les envois des émigrés sont indispensables, ainsi que le départ vers la France de nombr. jeunes gens arrivant sur le marché du travail.
Hist. – Prise par les Français en 1638, l'île *Bourbon,* jusqu'alors déserte, se développa sous l'impulsion de la Compagnie française des Indes ; l'introduction de la canne à sucre (après 1815) permit son essor. Son nom, donné en 1793, commémorait la réunion des Marseillais et des gardes nationaux le 10 août 1792.

réunionite ou **réunionnite** n. f. Fam., plaisant ou péjor. Manie d'organiser des réunions souvent inutiles.

réunionnais, aise adj. De la Réunion. ▷ Subst. *Un(e) Réunionnais(e).*

réunir v. [3] **I.** v. tr. **1.** Unir de nouveau, rapprocher (ce qui était séparé). *Réunir par un nœud les deux extrémités d'un fil rompu.* ▷ Fig. Réconcilier. *Travailler à réunir les esprits.* **2.** Unir, former un lien entre (des choses). *La galerie réunit les deux ailes du château.* – (Objet n. de personne.) *La passion pour leur métier les a réunis.* **3.** Rassembler, grouper (plusieurs choses) pour former un tout. *Réunir plusieurs corps d'armée en un seul.* ▷ Joindre (un élément) à une totalité. *Louis XIV réunit la Franche-Comté à la Couronne en 1678.* **4.** Rassembler, regrouper (ce qui était dispersé, épars). *Réunir des preuves.* **5.** Rassembler (plusieurs personnes) en un même lieu. *Réunir sa famille, ses amis.* ▷ *Spécial.* Convoquer (un corps, un groupe) à une assemblée. *Réunir le conseil d'administration.* **6.** Comporter, avoir (plusieurs choses) en soi. *Il réunit toutes les qualités requises pour ce poste.* **II.** v. pron. **1.** Se rejoindre. *Routes qui se réunissent près d'un village.* **2.** Se rassembler, tenir une assemblée. *Ils se réunissent une fois par semaine.*

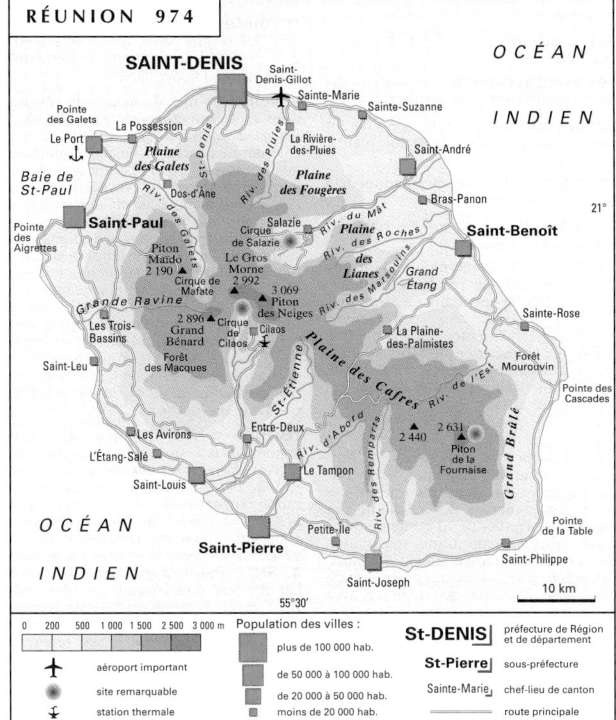

Reus, ville d'Espagne (prov. de Tarragone, Catalogne) ; 79 250 hab. Industr. alimentaires et textiles.

Reuss (la), riv. de Suisse (160 km), affl. de l'Aar (r. dr.). Née dans le massif du Saint-Gothard, elle traverse le lac des Quatre-Cantons.

réussi, ie adj. **1.** Exécuté, accompli (de telle manière). *Ce n'est qu'à demi réussi.* **2.** Bien exécuté, bien fait ; qui a du succès, qui reçoit un accueil favorable. *La sauce est réussie. Soirée réussie.*

réussir v. [3] **I.** v. intr. **1.** *Réussir bien, mal :* avoir une issue favorable, défavorable (choses) ; obtenir ou non le résultat recherché, avoir du succès ou non dans ce qu'on entreprend (personnes). **2.** (Sans adv.) Avoir une issue satisfaisante, heureuse (choses). *Expérience qui réussit.* ▷ Obtenir le résultat recherché ; avoir du succès dans ce que l'on entreprend, voir ses efforts aboutir (personnes). *Il a réussi à la première tentative. Réussir à un examen.* – (S. comp.) Avoir du succès dans sa carrière, dans ses affaires. *C'est un homme qui a réussi.* ▷ *Réussir à* (+ inf.) : parvenir à. *Vous ne réussirez pas à me convaincre.* **3.** *Réussir à qqn,* lui valoir des succès, lui être favorable. *Son aplomb lui a toujours réussi.* **II.** v. tr. Mener à bien, faire avec succès. *Il réussit tout ce qu'il entreprend. Réussir un plat.*

réussite n. f. **1.** Heureuse issue ; résultat favorable. *Réussite d'un projet. Fêter sa réussite à un examen.* ▷ Fait de réussir, d'avoir réussi dans la vie. *Réussite sociale. Les signes extérieurs de la réussite.* **2.** Jeu solitaire consistant à combiner ou à retourner des cartes suivant certaines règles, utilisé parfois comme procédé de divination.

Reuters (agence), agence de presse anglaise. Fondée en 1851, à Londres, comme bureau d'information par un homme d'affaires, Julius Reuter (1816-1899), elle utilisa, dès 1858, le télégraphe pour la transmission des nouvelles.

réutilisable adj. Que l'on peut réutiliser.

réutilisation n. f. Action d'utiliser de nouveau ; nouvelle utilisation.

réutiliser v. tr. [1] Utiliser de nouveau.

revaccination n. f. Action de revacciner.

revacciner v. tr. [1] Vacciner de nouveau contre la même ou les mêmes affections.

Reval. V. Tallin.

revaloir v. tr. [45] *Revaloir qqch à qqn,* lui rendre la pareille, en bien ou en mal. *Je vous revaudrai cela.*

revalorisation n. f. Action de revaloriser ; son résultat.

revaloriser v. tr. [1] Rendre sa valeur, donner une valeur plus grande à. *Revaloriser une monnaie.* – Fig. *Revaloriser le travail manuel.*

revanchard, arde adj. et n. Péjor. Qui nourrit un désir outrancier de revanche (partic., de revanche militaire). ▷ Subst. *Les revanchards.*

revanche n. f. **1.** Fait de rendre le mal qu'on a reçu, de reprendre un avantage perdu. *Prendre sa revanche. Il a eu une belle revanche.* **2.** Nouvelle partie, nouveau match, etc., permettant au perdant de tenter de nouveau sa chance. ▷ Loc. *À charge de revanche :* sous condition de rendre la pareille. **3.** Loc. adv. *En revanche :* en compensation, en contrepartie; *par ext.*, à l'inverse.

revanchisme n. m. POLIT Esprit de revanche.

revascularisation n. f. CHIR Action de revasculariser; son résultat.

revasculariser v. tr. [1] CHIR Rétablir la circulation dans (un organe insuffisamment irrigué).

rêvasser v. intr. [1] S'abandonner à de vagues rêveries.

rêvasserie n. f. Action de rêvasser; rêverie inconsistante.

rêve n. m. **1.** Combinaison d'images, de représentations résultant de l'activité psychique pendant le sommeil. *Faire un rêve.* ▷ *Le rêve :* cette activité psychique elle-même. **2.** Production idéale ou chimérique de l'imagination. *Poursuivre, caresser un rêve.* ▷ *De rêve :* qui semble relever du rêve; qui est aussi beau, aussi parfait qu'on peut le rêver. *Une créature de rêve.* – *C'est la maison de ses rêves.*

ENCYCL **Psycho. et psychan.** – L'Antiquité (biblique, classique, extrême-orientale) voyait, dans les images des rêves, des symboles de la volonté des dieux ou l'annonce d'événements à venir. Abandonnant toute spéculation de cet ordre, la psychologie classique (XIXe-déb. XXe s.) étudia les rapports du rêve avec l'activité de veille et avec les autres fonctions mentales ou physiologiques. La parution en 1900 de l'ouvrage de Freud, *Die Traumdeutung (l'Interprétation des rêves)*, marque un tournant décisif : sous les images plus ou moins cohérentes du rêve tel que le dormeur le rapporte *(contenu manifeste)*, se dissimule un autre contenu, dans lequel s'exprime le psychisme profond du sujet (le *contenu latent*). Tout rêve exprime un ou plusieurs désirs profonds, de manière claire ou voilée. Le rêve permet au désir de se frayer (malgré la *censure*) une voie jusqu'à la conscience. Il est aussi «gardien du sommeil», puisqu'il permet au désir de se réaliser en l'absence de la répression exercée par la conscience et la réalité durant l'état de veille.

rêvé, ée adj. **1.** Imaginé, souhaité. **2.** Idéal, parfait. *C'est le coin rêvé pour pêcher le brochet.*

revêche adj. Rébarbatif, rude, d'un abord difficile. *Personne, ton revêche.*

réveil n. m. **I. 1.** Passage du sommeil à l'état de veille. ▷ MILIT Batterie de tambour, sonnerie de clairon qui annonce l'heure du lever. *Battre, sonner le réveil.* **2.** Fig. Retour à l'activité. *Le réveil de la nature au printemps.* **3.** Fig. Fin d'une illusion; retour à la réalité. *Tous ses rêves se sont écroulés : le réveil a été rude.* **II.** Abrév. de *réveille-matin.*

réveille-matin n. m. inv. **1.** Petite pendule de chevet dont la sonnerie se déclenche à une heure réglée à l'avance. (On dit plus cour. *réveil.*) **2.** Nom cour. d'une euphorbe appelée aussi *herbe aux verrues*, très commune dans les jardins.

réveiller v. tr. [1] **1.** Tirer (qqn) du sommeil. ▷ v. pron. Sortir du sommeil. **2.** Fig. Tirer de sa torpeur, de son inaction; ranimer, faire renaître. *Réveiller des souvenirs.* ▷ v. pron. *L'économie du pays se réveille.*

réveillon n. m. Souper de fête des nuits de Noël et du nouvel an; la fête elle-même.

réveillonner v. intr. [1] Faire un réveillon.

Revel. V. Tallin.

révélateur, trice adj. et n. m. **1.** adj. Qui révèle. *Signe, lapsus révélateur.* **2.** n. m. PHOTO Composition chimique qui rend visible l'image latente.

révélation n. f. **1.** Action de révéler (sens 1); ce qui est révélé. *Faire des révélations.* **2.** Manifestation de Dieu, d'une volonté surnaturelle, faisant connaître aux hommes des vérités inaccessibles à leur simple raison; ces vérités. ▷ THEOL *La révélation divine* ou, absol., *la Révélation.* **3.** Expérience intérieure au cours de laquelle on éprouve des sensations, des sentiments jusqu'alors ignorés ou qui permet de prendre subitement conscience de qqch. *Cette rencontre a été pour moi une révélation.* ▷ Découverte soudaine de qqch qu'on avait jusque-là méconnu ou ignoré. *Avoir la révélation de l'opéra.* **4.** Personne que l'on découvre, dont le talent, les dons se révèlent subitement. *Ce joueur a été la révélation du match.*

révéler v. [14] **I.** v. tr. **1.** Faire connaître (ce qui était inconnu ou secret). *Révéler ses intentions, un complot.* **2.** Faire connaître par une inspiration surnaturelle. *Les mystères que le Christ a révélés.* **3.** (Choses) Laisser apparaître, montrer, témoigner de. *Ce tableau révèle toute la maîtrise du peintre.* **4.** PHOTO Faire apparaître (l'image latente) sur une plaque, un film, etc. **II.** v. pron. Apparaître, devenir connu, manifeste. *La vérité se révèle petit à petit.* ▷ *Cet homme s'est peu à peu révélé,* a montré ses qualités. – (Avec un attribut.) *Cela s'est révélé exact.*

revenant, ante n. **1.** n. m. Esprit d'un mort qu'on suppose revenir de l'autre monde. **2.** n. *Par exag.* Fam. Personne qui revient après une longue absence.

revendeur, euse n. Personne qui achète pour revendre.

revendicateur, trice adj. et n. Qui revendique.

revendicatif, ive adj. Qui exprime une, des revendications. *Exposé revendicatif.*

revendication n. f. Action de revendiquer; ce qu'on revendique (partic. en matière politique, sociale).

revendiquer v. tr. [1] **1.** Réclamer (ce que l'on considère comme son droit, son bien, son dû). *Revendiquer une succession.* **2.** Fig. S'attribuer pleinement, assumer. *Revendiquer une responsabilité.*

revendre v. tr. [6] **1.** Vendre ce qu'on a acheté; vendre de nouveau. **2.** *Avoir de qqch à revendre,* en avoir en abondance. – Fig. *Il a de l'optimisme à revendre.*

revenez-y [ʀəv(ə)nezi, ʀ(ə)vənezi] n. m. inv. Fam. Regain, nouvel élan. *Un revenez-y de tendresse.* ▷ Chose qui, par le plaisir qu'elle procure, donne envie d'y revenir. *Un goût de revenez-y.*

revenir v. intr. [36] **I. 1.** Venir de nouveau. *Il est revenu trois jours plus tard.* **2.** Retourner (au lieu d'où l'on est parti). *Revenir au pays.* – Litt. *S'en revenir.* **3.** *Revenir sur ses pas :* rebrousser chemin. ▷ Fig. *Revenir sur une chose,* y prêter de nouveau attention, intérêt; en reparler. *Il n'y a pas à revenir là-dessus, à y revenir.* – *Revenir sur une décision,* la reconsidérer, l'annuler. *Revenir sur sa promesse,* s'en dédire. **4.** (Choses) Retourner au point de départ; apparaître, se produire de nouveau. *Le questionnaire est revenu sans avoir été rempli. Le soleil revient.* **II.** *Revenir à.* **1.** Reprendre (ce qu'on a quitté). *Revenir à ses habitudes.* – *N'y revenez pas :* ne recommencez pas; n'insistez pas. **2.** Être rapporté à. ▷ v. impers. *Il m'est revenu certains propos.* **3.** *Revenir à soi :* sortir d'un évanouissement. **4.** (D'un état, d'une faculté, etc.) Être recouvré par (qqn). *L'appétit lui est revenu.* **5.** Se présenter de nouveau à l'esprit de (qqn). *Cela me revient :* je m'en ressouviens. **6.** Échoir, être dévolu à. *Cette part lui revient.* ▷ v. impers. *C'est à vous qu'il revient de trancher.* **7.** Équivaloir à. *Cela revient à dire que vous l'approuvez.* – *Cela revient au même :* le résultat est le même. **8.** Coûter. *Cela me revient cher.* **9.** Fam. Inspirer confiance à. *Sa tête ne me revient pas.* **III.** *Revenir de.* **1.** Rentrer. *Revenir de voyage.* – Litt. *S'en revenir de guerre.* **2.** Quitter (tel état). *Revenir d'une maladie,* en guérir. *Revenir de loin :* avoir échappé à un grand péril. ▷ *Je n'en reviens pas :* je suis stupéfait. ▷ *Revenir d'une erreur, d'une illusion,* s'en débarrasser, s'en affranchir. – *Il est revenu de tout :* il est blasé. **IV.** CUIS *Faire revenir un aliment,* le faire cuire superficiellement, dans une matière grasse, le faire dorer.

revente n. f. Action de revendre; son résultat.

revenu n. m. **1.** Ce que perçoit une personne physique ou morale au titre de son activité (salaire, etc.) ou de ses biens (rentes, loyers, etc.). *Impôt sur le revenu,* qui frappe les revenus annuels des contribuables. – *Revenu minimum d'insertion (R.M.I.) :* allocation accordée à certaines personnes démunies et s'engageant à participer à des actions ou des activités d'insertion professionnelle, pour leur assurer un revenu minimum (fixé par décret). – *Revenu national :* ensemble des revenus annuels en rapport avec la production nationale des biens et des services. ▷ *Revenus publics, de l'État :* ce que l'État retire des contributions ou de ses biens. **2.** METALL Action de réchauffer l'acier après la trempe, suivie d'un refroidissement lent, destinée à augmenter sa résistance aux chocs.

revenue n. f. SYLVIC Jeune bois qui repousse sur une coupe de taillis.

rêver v. [1] **I.** v. intr. **I. 1.** Faire un, des rêves. *J'ai rêvé toute la nuit.* **2.** Laisser aller son imagination; s'abandonner à des idées vagues et chimériques. *Il reste là des heures, à rêver.* – *On croit rêver :* on n'arrive pas à le croire; il y a de quoi être stupéfait, indigné. **II.** v. tr. indir. **1.** *Rêver de (qqn, qqch) :* voir en rêve (qqn, qqch). *J'ai rêvé de vous.* ▷ *Rêver de qqch :* penser souvent à (qqch que l'on désire faire, accomplir, posséder). *Il rêve de voyages.* – *Rêver de* (+ inf.). *Je rêve d'y parvenir.* **2.** *Rêver à (qqch) :* songer à, méditer sur (qqch). *À quoi rêvez-vous ?* **III.** v. tr. **1.** (Avec un comp. indéterminé.) Concevoir, imaginer, au cours du rêve; voir en rêve. *J'ai rêvé cela il y a longtemps.* ▷ *Rêver que. Rêver qu'on vole.* **2.** Se représenter en rêvant (sens I, 2), imaginer de manière plus ou moins chimérique. *Rêver l'aventure sans oser la vivre.* ▷ (Sans article.) Souhaiter vivement, désirer (une chose dont la pensée occupe plus ou moins exclusivement l'esprit). *Rêver fortune.* – Loc. *Ne rêver que plaies et bosses :* être belliqueux, batailleur.

réverbération n. f. **1.** Réflexion de la lumière, de la chaleur, du son. *La réverbération du soleil sur la neige.* **2.** PHYS Persistance du son dans une salle par réflexion sur les parois.

réverbère n. m. **1.** TECH Miroir réflecteur. *Four à réverbère,* dont la voûte réfléchit le rayonnement thermique sur les matières à traiter. **2.** Appareil d'éclairage de la voie publique.

réverbérer v. tr. [**14**] Renvoyer, réfléchir (la lumière, la chaleur). ▷ v. pron. *Le soleil se réverbère sur les vitres.*

reverchon n. f. Variété précoce de bigarreau.

reverdir v. tr. [**3**] Rendre sa couleur verte, sa verdure à. *Le printemps reverdit les arbres.* ▷ v. intr. Redevenir vert. *Les bois reverdissent.*

Reverdy (Pierre) (Narbonne, 1889 – Solesmes, 1960), poète français. Proche des surréalistes par sa recherche de la «puissance émotive» de l'image, il s'en éloigna par son goût de l'absolu (qui le conduisit à s'installer à l'abbaye de Solesmes dès 1926) : *Plupart du temps* (1945, poèmes de 1915 à 1922), *Main-d'Œuvre* (1949, poèmes de 1913 à 1949), *En vrac* (1956).
▶ illustr. page **1624**

révérence n. f. **1.** Litt. Respect profond. ▷ Loc. Vieilli *Révérence parler :* sauf votre respect. **2.** Salut respectueux qu'on fait en fléchissant plus ou moins les genoux. ▷ Loc. *Tirer sa révérence à qqn,* le saluer en le quittant; fam. s'en aller brusquement, de façon désinvolte.

révérenciel, elle adj. Vx Inspiré par la révérence (sens 1). ▷ Mod., litt. et DR *Crainte révérencielle :* tendance, chez les adolescents, à l'obéissance peureuse à l'égard de leurs parents ou d'une personne, empêchant le libre choix.

révérencieux, euse adj. Litt. Qui manifeste de la révérence (sens 1). *Un hôte, un ton révérencieux.*

révérend, ende adj. et n. **1.** Titres honorifiques donnés aux membres d'ordres religieux catholiques. *Mon révérend père. Ma révérende mère.* ▷ Subst. Plaisant *Le (mon) révérend.* **2.** n. Titre donné par les anglicans aux pasteurs de la plupart des Églises réformées. *Le révérend Smith, pasteur à X...*

révérendissime adj. RELIG CATHOL Épithète honorifique réservée aux abbés mitrés*, aux abbesses et aux supérieurs généraux de certains ordres religieux masculins et féminins. *Le (mon) révérendissime père.*

révérer v. tr. [**14**] Honorer, traiter avec révérence (sens 1).

rêverie n. f. **1.** État de l'esprit qui s'abandonne à des évocations, des pensées vagues; ces évocations, ces pensées. **2.** Idée vaine, chimérique.

Revermont (le), chaînons occidentaux du Jura, de faible altitude (de 500 à 800 m).

revernir v. tr. [**3**] Vernir de nouveau.

revers n. m. **1.** Côté opposé au côté principal ou au côté le plus apparent; envers. *Le revers de la main :* le côté opposé à la paume, le dos. ▷ *Prendre à revers,* par le flanc ou par-derrière. **2.** Côté d'une monnaie, d'une médaille opposé à celui qui porte la figure principale. *L'avers et le revers.* ▷ Loc. fig. *Le revers de la médaille :* le mauvais côté d'une chose. **3.** Partie d'un vêtement repliée en dehors. *Les revers d'un pantalon. Bottes à revers.* **4.** Coup porté avec le revers de la main. ▷ Au tennis, renvoi de la balle avec la raquette tenue dos de la main en avant. **5.** Fig. *Revers de fortune* ou *revers :* échec, vicissitude fâcheuse survenant après une période faste.

reversement n. m. FIN Action de reverser (sens 3).

reverser v. tr. [**1**] **1.** Verser de nouveau. *Reverser à boire à qqn.* **2.** Remettre dans un récipient (un liquide). **3.** FIN Reporter. *Reverser une somme sur un compte.*

réversibilité n. f. Didac. Caractère de ce qui est réversible.

réversible adj. **1.** DR Se dit d'un bien qui peut ou doit, en certains cas, retourner au propriétaire qui en a disposé, ou d'une pension dont un autre peut profiter après la mort du titulaire. **2.** Qui peut s'effectuer en sens inverse. ▷ CHIM *Réaction réversible,* dans laquelle les corps formés réagissent les uns sur les autres pour redonner en partie les substances initiales. ▷ PHYS *Transformation réversible :* transformation idéale, infiniment lente, constituée par une succession d'états d'équilibre, et qui peut se produire en sens inverse. **3.** Se dit d'un tissu, d'un vêtement utilisable à l'envers comme à l'endroit.

réversion n. f. **1.** DR *Droit de réversion,* selon lequel les biens qu'une personne a donnés à une autre reviennent au donateur si le bénéficiaire meurt sans enfants. ▷ *Pension de réversion,* versée, après la mort d'une personne bénéficiaire d'une pension, à son conjoint survivant ou à un tiers nommément désigné. **2.** BIOL Retour au phénotype primitif après deux mutations.

revêtement n. m. TECH Ce dont on recouvre une chose pour l'orner, la protéger, la consolider, etc.

revêtir v. tr. [33] **I. 1.** Mettre à (qqn) un vêtement particulier (habit d'apparat, uniforme, etc.). *On l'avait revêtu d'un manteau de cérémonie.* ▷ v. pron. *Se revêtir d'un habit.* **2.** Fig. Investir. *Revêtir qqn d'un pouvoir.* **3.** Garnir d'un revêtement. *Revêtir une piste de bitume.* **4.** Pourvoir (un acte, etc.) d'une marque de validité. *Revêtir d'un visa, d'une signature.* **II. 1.** Mettre sur soi (un vêtement particulier). *Revêtir l'uniforme.* **2.** Fig. Prendre tel aspect, telle forme. *Revêtir un caractère politique.*

rêveur, euse adj. et n. **1.** Qui est porté à la rêverie; qui dénote un esprit porté à la rêverie. *Des yeux rêveurs.* ▷ Subst. *C'est un rêveur,* une personne qui n'a pas le sens des réalités. **2.** *Cela me laisse rêveur,* perplexe.

rêveusement adv. D'une manière rêveuse.

revient n. m. *Prix (coût) de revient :* coût de la fabrication et de la mise en vente d'un produit, de la mise en œuvre d'un service.

revigorer v. tr. [**1**] Redonner de la vigueur à.

Revin, ch.-l. de cant. des Ardennes (arr. de Charleville-Mézières), sur la Meuse; 9 523 hab. Fonderie; électroménager; céramique; usine hydroél., station de pompage.

revirement n. m. Changement d'opinion brusque et complet.

révisable adj. Qui peut être révisé.

réviser v. tr. [**1**] **1.** Examiner de nouveau pour corriger, modifier, mettre au point. *Réviser une loi. Réviser son jugement.* **2.** Vérifier le bon fonctionnement de, remettre en bon état, en état de marche. *Réviser une machine.* **3.** Relire pour se remettre en mémoire. *Réviser ses leçons.* – Absol. *Mon examen a lieu dans un mois, je dois réviser.*

réviseur, euse n. Personne qui révise (partic. des épreuves typographiques).

révision n. f. **1.** Action de réviser; son résultat. *Révision de la constitution. Révision d'un moteur. Faire ses révisions en vue d'un concours.* ▷ DR Nouvel examen et éventuellement annulation, par une juridiction supérieure, de la décision d'une autre juridiction. *Révision d'un procès.* **2.** MILIT *Conseil de révision,* chargé, jusqu'en 1970, d'examiner l'aptitude des conscrits au service militaire.

révisionnel, elle adj. Didac. Relatif à une révision. *Procédure révisionnelle.*

révisionnisme n. m. **1.** POLIT Position de ceux qui remettent en cause les bases fondamentales d'une doctrine (partic. du marxisme). **2.** Position de ceux qui remettent en cause une loi, un jugement. **3.** Position de ceux qui nient les atrocités commises dans les camps de concentration nazis pendant la Seconde Guerre mondiale, notam. l'existence et le fonctionnement des chambres à gaz. Syn. *négationnisme.*

révisionniste n. et adj. POLIT **1.** Partisan d'une révision (en partic. constitutionnelle). **2.** Partisan du révisionnisme (sens 3). ▷ adj. *Thèses révisionnistes.* Syn. négationniste.

revisiter v. tr. [**1**] Visiter de nouveau. ▷ Fig. Donner d'une œuvre une interprétation radicalement nouvelle.

revisser v. tr. [**1**] Visser ce qui est dévissé.

revitalisant, ante adj. Qui revitalise. *Lotion revitalisante.*

revitalisation n. f. Action de revitaliser; son résultat.

revitaliser v. tr. [**1**] Redonner de la vitalité à. *Revitaliser la peau.* ▷ Fig. *Revitaliser une région.*

revival [rəvival; rivajvœl] n. m. (Anglicisme) **1.** RELIG Mouvement protestant de réveil à la foi; assemblée fondée sur un tel mouvement. **2.** Reviviscence (d'un style, d'un mouvement, etc.).

revivification n. f. Litt. Action de revivifier; son résultat.

revivifier v. tr. [**2**] Litt. Vivifier de nouveau. ▷ v. pron. *Se revivifier au grand air.*

reviviscence [r(ə)vivisɑ̃s] n. f. **1.** Litt. Fait de reprendre vie. **2.** BIOL Propriété que présentent certains animaux inférieurs et certains végétaux de reprendre vie après avoir été desséchés, lorsqu'ils se trouvent en présence d'eau.

reviviscent, ente [r(ə)vivisɑ̃, ɑ̃t] adj. **1.** Litt. Capable de revivre. **2.** BIOL Doué de reviviscence.

revivre v. [**63**] **I.** v. intr. **1.** Revenir à la vie; ressusciter. ▷ *Revivre dans qqn,* se continuer en lui. **2.** Recouvrer sa santé, sa vigueur; retrouver l'espérance, la joie. *Se sentir revivre.* **3.** (Choses) Renaître, se renouveler. *Croyances qui revivent.* **4.** *Faire revivre une chose,* la remettre en usage, en honneur. ▷ *Faire revivre un personnage,* le représenter à l'imagination, lui redonner vie par l'art. **II.** v. tr. Vivre, éprouver de nouveau. *Revivre une angoisse. Revivre son passé.*

révocabilité n. f. DR Caractère de ce qui est révocable.

révocable adj. DR et cour. Qui peut être révoqué.

révocation n. f. Action de révoquer; son résultat. ▷ Destitution. *Révocation d'un magistrat.* – HIST *Révocation de l'édit de Nantes**.

révocatoire adj. DR Qui révoque. *Décision révocatoire.*

revoici, revoilà prép. Fam. Voici, voilà de nouveau.

revoir v. tr. [46] **I. 1.** Voir de nouveau. *Revoir un parent.* ▷ v. pron. *Nous nous sommes revus hier.* ▷ Loc. *Au revoir* : formule de politesse pour prendre congé de qqn que l'on pense revoir. – n. m. *Ce n'est pas un adieu, c'est un au revoir.* **2.** Revenir, retourner dans (un lieu). *Revoir son pays, son village.* **3.** Voir de nouveau en esprit, se représenter par la mémoire. *Je le revois enfant.* **II.** Examiner de nouveau, réviser. *Revoir un programme d'examen.*

révoltant, ante adj. Qui révolte, indigne.

révolte n. f. **1.** Soulèvement contre l'autorité établie. **2.** Opposition violente à une contrainte; refus indigné de ce qui est éprouvé comme intolérable. *Un sentiment de révolte.*

révolté, ée adj. et n. Qui est en révolte; qui est rempli d'indignation.

révolter v. [1] **I.** v. tr. **1.** Rare Porter à la révolte. **2.** Indigner, choquer vivement. *Propos qui révoltent.* **II.** v. pron. **1.** Se soulever (contre une autorité); refuser de plier (devant qqn, qqch). *Se révolter contre ses chefs.* **2.** S'indigner. *Je me suis révolté devant cette injustice.*

révolu, ue adj. **1.** Achevé, accompli. *Avoir trente ans révolus.* **2.** Qui n'est plus, qui est vraiment passé. *Un passé révolu.*

révolution n. f. **I. 1.** Didac. Mouvement d'un mobile (partic. d'un astre) accomplissant une courbe fermée; durée de ce mouvement. *La révolution de la Terre autour du Soleil.* **2.** GEOM Mouvement d'un corps autour de son axe. *Axe de révolution d'une surface* : axe autour duquel une ligne (dite *génératrice*) de forme invariable engendre, par rotation, une surface (dite *de révolution*). *Axe de révolution d'un solide* : axe autour duquel une surface de forme invariable engendre, par rotation, un solide (dit *de révolution*). *Cône, cylindre de révolution.* ▷ Cour. Tour complet (d'une chose autour d'un axe). **II. 1.** Évolution, changement importants (dans l'ordre moral, social, etc.). *Révolution scientifique.* – *Révolution industrielle* : transformation économique profonde, intervenue dans les pays capitalistes à partir du XVIIIe s., liée à l'industrialisation et au développement de la production et des communications. – *Révolution tranquille*, au Québec, période (1960-1966) de changements politiques, économiques et sociaux qui ont fait profondément évoluer la société québécoise. ▷ *Spécial.* Bouleversement d'un régime politique et social, le plus souvent consécutif à une action violente. *La Révolution française* ou, absol., *la Révolution.* ▷ *Par ext.* Ensemble des événements, des actions qui aboutissent ou tendent à aboutir à ce bouleversement. *Révolution qui éclate.* **2.** Fam. Agitation, effervescence. *Tout l'immeuble était en révolution.*

révolution culturelle, nom donné au mouvement idéologique, culturel et armé (*grande révolution culturelle prolétarienne*) que Mao Zedong déclencha en Chine, en 1966, pour éviter un éventuel retour au pouvoir de la bourgeoisie et pour lutter contre le « danger révisionniste » que représentait la politique de l'U.R.S.S., dont Liu Shaoqi (président de la République dep. 1959) fut accusé d'être le complice. Remettant en question les structures du parti communiste et de l'État, Mao Zedong, aidé de Lin Biao, mobilisa l'armée et les Gardes rouges, qui, en 1967, s'opposèrent violemment aux autorités en place. À partir de 1969-1970, le mouvement s'apaisa après avoir fait plusieurs millions de victimes. En 1971, la disparition de Lin Biao et le triomphe de la politique de Zhou Enlai marquèrent le retour à la normale et la reprise des relations internationales (visite de Nixon en fév. 1972).

Révolution d'Angleterre (première) (1642-1649), révolution née du mécontentement des classes moyennes devant l'absolutisme royal et de graves problèmes religieux et sociaux. Marquée par 2 guerres civiles (1642-1646 et 1648), elle aboutit au procès puis à l'exécution de Charles Ier et à l'instauration du Commonwealth, que domina Cromwell (1649).

Révolution d'Angleterre (seconde) (1688-1689), révolution pacifique qui provoqua le départ de Jacques II, converti au catholicisme, l'avènement de Guillaume d'Orange-Nassau et l'instauration d'une monarchie constitutionnelle.

Révolution française (la), ensemble des mouvements révolutionnaires qui se succédèrent en France de 1789 à 1799. Aux causes écon. et sociales de la Révolution française, qui abolit les structures de l'Ancien Régime, s'ajoutèrent des facteurs politiques : critique de l'absolutisme royal par les privilégiés eux-mêmes, nobles et parlementaires, qui espéraient confisquer à leur profit les changements demandés; indécision du roi; attachement de la noblesse et du clergé à leurs privilèges; en outre, la bourgeoisie, qui dirigea cette révolution, pouvait se présenter comme la détentrice des idéaux humanistes et du rationalisme qu'avaient développés les philosophes et encyclopédistes. Cette révolution se déroula en plusieurs étapes. Lors des états* généraux (réunis le 5 mai 1789), le tiers état imposa le principe de la souveraineté de la nation, révolution politique que la prise de la Bastille (14 juil. 1789) couronna de façon symbolique. L'*Assemblée* nationale constituante* (9 juil. 1789-30 sept. 1791) décida l'abolition des privilèges (nuit du 4 août 1789), proclama la Déclaration* des droits de l'homme (26 août), nationalisa les biens de l'Église (2 nov.) et élabora la Constitution civile du clergé (12 juil. 1790) tout en travaillant à la Constitution de 1791. Toute la France fut alors réorganisée dans les domaines juridique, financier, administratif (création des départements). Louis XVI, ramené de Versailles aux Tuileries, tenta de fuir à l'étranger (20-21 juin 1791), où la contre-révolution s'était organisée. L'*Assemblée* législative* (1er oct. 1791-20 sept. 1792) essaya de faire fonctionner la monarchie constitutionnelle, mais, en déclarant la guerre à l'Autriche le 20 avril 1792, elle mit en place la machine qui allait emporter la Révolution : devant les premiers échecs, elle subit la violence des mouvements populaires parisiens qui la contraignirent à voter la déposition du roi (insurrection du 10 août 1792). La *Convention** (21 sept. 1792-26 oct. 1795) proclama la république (21 sept. 1792) et vota la mort du roi, qui fut décapité le 21 janv. 1793. Tandis que la situation extérieure et intérieure (coalition européenne, révolte de Vendée et insurrections fédéralistes, crise monétaire et sociale) s'aggravait, le parti des Montagnards triomphait à l'Assemblée (arrestations des Girondins en juin 1793) et instaurait la Terreur*. Robespierre domina le Comité de salut public qui exerça pendant plus d'un an un gouvernement défini comme « révolutionnaire jusqu'à la paix »; il fut renversé le 9 thermidor an II (27 juil. 1794). Le *Directoire** (26 oct. 1795-9 nov. 1799), menacé d'une part par les révolutionnaires (les Jacobins) et, d'autre part, par les royalistes (auteurs du coup de force du 13 vendémiaire an IV : 5 oct. 1795), tenta de mettre en place une république bourgeoise. Incapable d'établir un régime politique stable et de venir à bout d'une situation financière désastreuse, il fut renversé par un coup d'État, dû au général Bonaparte (18 et 19 brumaire* an VIII : 9 et 10 nov. 1799), qui imposa une Constitution lui octroyant les pleins pouvoirs : la Constitution de l'an VIII. (V. Consulat et France [Histoire].)

révolution française de 1830. V. encycl. juillet.

révolution française de 1848, mouvement révolutionnaire qui débuta à Paris par les *journées de Février* (22, 23 et 24 fév. 1848) et se prolongea jusqu'au 26 juin 1848. Née d'une crise économique et industrielle, d'un profond désir de réformes polit. (qui élargiraient notam. le droit de vote), l'insurrection renversa le roi Louis-Philippe le 24 fév. Le même jour, un Gouvernement provisoire républicain fut constitué, qui instaura la IIe République le 25 fév., adopta le suffrage universel et proclama les libertés de presse et de réunion. Bientôt, les modérés manifestèrent leurs inquiétudes devant la mobilisation populaire et remportèrent les élections du 23 avril à l'Assemblée constituante. Le 10 mai, une Commission exécutive (Arago, Garnier-Pagès, Marie, Lamartine, Ledru-Rollin) succéda au Gouvernement provisoire et s'opposa avec fermeté aux manifestations des socialistes. La suppression des Ateliers nationaux, créés pour les chômeurs par le Gouvernement provisoire, provoqua l'émeute ouvrière dite « journées de Juin » (23-26 juin), que Cavaignac réprima sévèrement (1 500 morts, 12 000 condamnations). Cavaignac devint président du Conseil, succédant à la Commission exécutive; il édicta des mesures autoritaires mais fut largement battu aux élections présidentielles du 10 déc. 1848 (la nouvelle Constitution avait été promulguée en nov.), que remporta Louis Napoléon Bonaparte (V. Napoléon III). En mai 1849, le parti de l'Ordre obtint les deux tiers des sièges aux élections législatives. Le 2 déc. 1851, Bonaparte fit un coup d'État et proclama le IIe Empire le 2 déc. 1852. La révolution française de 1848 s'inscrit dans un contexte européen explosif; en effet, au même moment, des mouvements révolutionnaires éclatèrent à Vienne, à Prague, à Budapest, ainsi qu'en Italie, en Allemagne et dans l'Europe occidentale, où de nombreux peuples avaient vu leurs aspirations démocratiques et nationales étouffées par le congrès de Vienne (1815). Mais le « printemps des peuples » ne devait pas durer : à partir de juin, la répression fut impitoyable, elle se poursuivit jusqu'à l'été 1849 (écrasement des Hongrois, à Vilagos notam., le 13 août 1849).

révolution russe de 1905, série de rébellions et de manifestations qui suivirent la fin de la guerre russo-japonaise et les défaites de Mandchourie. Plusieurs épisodes marquent ces mouvements, notam. le Dimanche rouge à Saint-Pétersbourg (janv. 1905), la mutinerie du *Potemkine**, etc. Quand les modérés obtinrent l'élection d'une assemblée législative (la *douma*), les bolcheviks tentèrent de prendre la direction des soviets (conseils populaires) qui s'étaient spontanément formés (notam. à Saint-Pétersbourg) et de créer un mouvement révolutionnaire (mutinerie des marins de Cronstadt, grève générale à Moscou) qui fut brisé par le tsar après l'élection de la *douma*.

révolution russe de 1917. V. encycl. octobre et Union des républiques socialistes soviétiques.

révolutionnaire adj. et n. **I.** adj. **1.** Relatif à une révolution (sens II, 1); qui en est issu. *Assemblée révolutionnaire.* **2.** Qui favorise ou apporte des changements radicaux dans un domaine quelconque. *Méthode éducative révolutionnaire.* **II.** n. Partisan, instigateur, acteur d'une révolution.

révolutionnairement adv. Par des moyens révolutionnaires.

révolutionner v. tr. [1] **1.** Agiter, troubler vivement. *Révolutionner les esprits.* **2.** Transformer profondément. *Révolutionner une science.*

revolver [ʀevɔlvɛʀ] n. m. **1.** Arme de poing à répétition, dont le magasin est un barillet tournant. **2.** TECH Mécanisme tournant porteur de divers outils ou accessoires, dans certains appareils. *Microscope à revolver.* - (En appos.) *Tour revolver.*

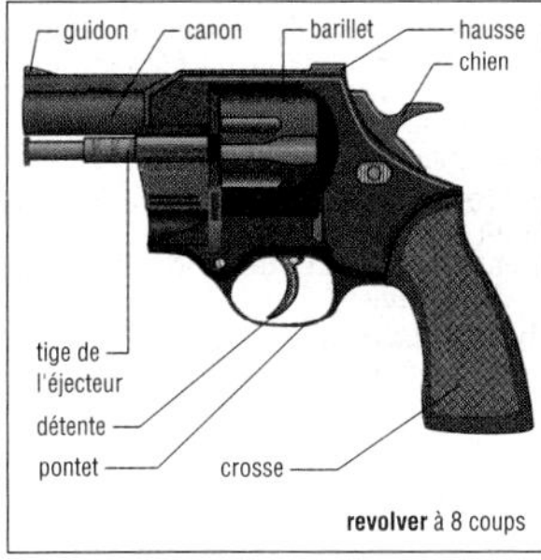

revolver à 8 coups

revolving [ʀevɔlviŋ] adj. inv. (En loc.) *Crédit revolving* : V. crédit.

révoquer v. tr. [1] **1.** Destituer d'une fonction. *Révoquer un préfet.* **2.** DR Annuler. *Révoquer un arrêt.*

revoter v. [1] **1.** v. intr. Voter de nouveau. *À la suite de fraudes, il a fallu revoter.* **2.** v. tr. Voter de nouveau (une chose changée). *Revoter la répartition de charges.*

revoyure (à la) [alaʀ(ə)vwajyʀ] loc. adv. Pop. Au revoir.

revue n. f. **I. 1.** Examen détaillé, élément par élément. *Faire la revue de ses livres.* ▷ *Revue de presse* : lecture de la presse du jour ou de la semaine, permettant d'embrasser l'ensemble des points de vue, des opinions sur l'actualité; compte rendu, composé en général d'extraits d'articles, proposant la synthèse d'une telle lecture. **2.** Inspection des troupes ou du matériel, dans l'armée. *Revue de détail* : examen des détails de tenue, d'équipement, etc. ▷ *Spécial.* Inspection en grande cérémonie, par un officier général ou par une personnalité, de troupes formant la haie ou défilant. *La revue du 11 Novembre. Passer des troupes en revue.* - Loc. fig. *Passer en revue* : examiner dans le détail, point par point. *Passer en revue les clauses d'un contrat.* **II.** Publication périodique consacrée le plus souvent (mais non nécessairement) à un domaine particulier. *Revue scientifique. Revue d'art et de littérature.* **III. 1.** Spectacle (pièce, suite de sketches, etc.) comique ou satirique sur des sujets d'actualité. *Revue de chansonniers.* **2.** Spectacle de variétés. *Revue de music-hall.* **IV.** Fam. *Être de la revue* : être exclu d'un avantage, déçu dans ses espérances.

Revue des Deux Mondes (la), périodique français fondé en 1829 par Mauroy et Ségur-Dupeyron. Parmi ses collab. : Balzac, Vigny, Sainte-Beuve, G. Sand, etc. Elle fut la plus importante revue culturelle française du XIXe s. Après divers avatars, elle reprit son titre d'origine en 1982.

revuiste n. m. Rare Auteur de revues (sens III).

révulsé, ée adj. Retourné, bouleversé. *Des yeux révulsés.*

révulser v. tr. [1] **1.** MED Produire une révulsion. **2.** Retourner, bouleverser (le visage, les yeux). ▷ v. pron. *Traits qui se révulsent.*

révulsif, ive adj. et n. m. MED Qui produit une révulsion. ▷ n. m. Produit révulsif. *Un révulsif puissant.*

révulsion n. f. MED Afflux sanguin que l'on provoque (par cautère, ventouse, etc.) dans une partie de l'organisme pour faire cesser une inflammation ou une congestion voisine.

Rewbell ou **Reubell** (Jean-François) (Colmar, 1747 - id., 1807), homme politique français. Député aux états généraux, conventionnel, représentant en mission, il fut président des Cinq-Cents au temps du Directoire et, devenu directeur, il organisa avec Barras le coup d'État antiroyaliste du 18 Fructidor (4 sept. 1797). En juin 1799, Sieyès le remplaça au Directoire.

rewriter [ʀəʀajte] v. tr. [1] Récrire (un texte destiné à la publication).

rewriteur [ʀəʀajtœʀ] n. m. Personne qui rewrite, qui récrit.

rewriting [ʀəʀajtiŋ] n. m. (Anglicisme) Action de récrire (un texte destiné à la publication).

rexisme n. m. HIST Mouvement de caractère fasciste fondé en Belgique en 1935 par l'avocat Léon Degrelle. *Le rexisme œuvra, après 1940, pour la collaboration avec l'Allemagne et la création d'une légion antibolchevique, dite « légion wallonne »; il fut interdit en 1945.*

Reyes (Alfonso) (Monterrey, 1889 - Mexico, 1959), écrivain et diplomate mexicain. Il a renoué avec la tradition culturelle nationale : *Visión de Anáhuac* (poème en prose, 1917).

Reykjavík, cap. de l'Islande, port sur la côte S.-O. de l'île; 87 310 hab. Import. escale maritime et aérienne. Industr. dérivées de la pêche et du trafic portuaire (conserveries, constr. navales).

Reymont (Władysław Stanisław) (Kobiele-Wielkie, 1867 - Varsovie, 1925), romancier polonais. Il concilia un certain naturalisme avec les traditions de la prose épique : *la Comédienne* (1896), *les Ferments* (1897), *la Terre promise* (1899), *les Paysans* (4 vol., 1902-1909). P. Nobel 1924.

Reynaud (Émile) (Montreuil, 1844 - Ivry, 1918), inventeur français qui créa à partir du *praxinoscope* (appareil à tambour donnant aux images l'illusion du mouvement) le *théâtre optique* (1888), précurseur du dessin animé.

Reynaud (Paul) (Barcelonnette, 1878 - Neuilly-sur-Seine, 1966), homme politique français. Plusieurs fois ministre de la IIIe République, il devint président du Conseil et ministre des Affaires étrangères en mars 1940. Hostile à l'armistice, soucieux de former un gouvernement décidé à poursuivre la lutte, il dut démissionner le 16 juin au profit du maréchal Pétain, sur l'ordre duquel il fut interné puis déporté (1940-1945). P. Reynaud reprit à la Libération sa carrière politique (jusqu'en 1962). Auteur de *Mémoires* (1960-1963).

Reynolds (sir Joshua) (Plympton, Devon, 1723 - Londres, 1792), peintre anglais. Portraitiste de l'aristocratie (*Lord Heathfield*, 1787), il peignit aussi de nombreux paysages.

Reynolds (Osborne) (Belfast, 1842 - Watchet, 1912), ingénieur anglais; connu pour ses travaux sur la mécanique des fluides.

Rezāye. V. Ourmia.

rez-de-chaussée [ʀedʃose] n. m. inv. Partie d'une habitation dont le plancher est au niveau du sol.

rez-de-jardin n. m. inv. Partie d'une construction dont le sol est de plain-pied avec un jardin.

Rezé, ch.-l. de cant. de la L.-Atl. (arr. de Nantes); 33 703 hab. Industr. méca. et alim. - Anc. cap. du pays de Retz.

R.F. Sigle de *République* française.*

R.F.A. Sigle de *République fédérale allemande.* V. Allemagne.

R.G. Sigle de *Renseignements généraux*, service dépendant de la police nationale et donc du ministère de l'Intérieur, qui recueille les informations d'ordre politique et social.

rH [ɛʀaʃ] n. m. BIOCHIM Indice représentant quantitativement la valeur du pouvoir réducteur ou oxydant d'un milieu.

Rh BIOL Abrév. de *facteur rhésus* (ou *rhésus**).

Rh CHIM Symbole du rhodium.

rhabdomancie n. f. Didac. Recherche de nappes d'eau, de gisements de métaux, etc., au moyen d'une baguette. V. radiesthésie.

rhabillage n. m. **1.** TECH Réparation, remise en état. ▷ *Spécial.* Réparation d'horlogerie. **2.** Action de rhabiller, de se rhabiller.

rhabiller v. tr. [1] **1.** TECH Réparer, remettre en état. *Rhabiller une montre, une meule.* **2.** Habiller de nouveau.

Reykjavík

Rhabiller un enfant. ▷ v. pron. *Il se dépêche de se rhabiller.* – Loc. fam. *Il peut aller se rhabiller :* il ne fait pas l'affaire, il n'est pas à la hauteur.

Rhadamanthe, dans la myth. gr., fils de Zeus et d'Europe, l'un des trois juges des Enfers (avec son frère Minos et Éaque).

Rhadamès. V. Ghadamès.

rhamnacées n. f. pl. Famille de dicotylédones dialypétales, arbres ou arbustes souvent épineux, à petites fleurs peu visibles (nerprun, jujubier, etc.). – Sing. *Une rhamnacée.*

r(h)apsode n. m. ANTIQ GR Chanteur qui allait de ville en ville en récitant des extraits de poèmes épiques (notam. de poèmes homériques).

r(h)apsodie n. f. **1.** ANTIQ GR Suite d'extraits de poèmes épiques que récitaient les rhapsodes. **2.** Mod. Composition musicale de forme libre, d'inspiration souvent populaire.

r(h)apsodique adj. De la rhapsodie (sens 2).

Rharb. V. Gharb.

Rhaznévides. V. Ghaznévides.

Rhéa, dans la myth. gr., une des Titanides (filles d'Ouranos et de Gaia), épouse de Cronos, mère de Zeus.

Rhea Silvia, dans la myth. lat., fille de Numitor, roi d'Albe; mère de Romulus et de Remus.

Rhee (Ree Syn Man, dit Syngman) (prov. de Hwanghae, 1875 – Honolulu, 1965), homme politique coréen. Chef de la résistance nationaliste aux Japonais, il dirigea le gouvernement en exil (1919-1945). Président de la république de Corée du Sud de 1948 à 1960, il instaura un régime autoritaire et fut renversé peu après sa dernière réélection.

Rheims (Maurice) (Versailles, 1910), commissaire-priseur et critique d'art français : *la Vie étrange des objets* (1959). Acad. fr. (1976).

Rheinhausen, v. d'Allemagne (Rhénanie-du-Nord-Westphalie), sur le Rhin; 70 410 hab. Port fluvial. Métallurgie, constr. mécaniques.

rhénan, ane adj. Du Rhin, de la Rhénanie; qui a rapport au Rhin, à la Rhénanie.

rhénan (Massif schisteux), rég. de plissements hercyniens d'Allemagne, prolongeant l'Ardenne. Ce massif, drainé par le Rhin et ses affl. (notam. la Moselle), est formé de plateaux peu élevés (400-800 m), pauvres (élevage bovin, surtout), au climat rude. La vie se concentre dans les riches vallées. Ville princ. *Coblence.*

Rhénanie (en all. *Rheinland*), rég. d'Allemagne, traversée par le Rhin (qui en fit l'importance historique, économique, commerciale et intellectuelle depuis l'Antiquité), dont le N. est auj. rattaché administrativement à la Westphalie (Land de *Rhénanie-du-Nord-Westphalie*) et le S. au Palatinat (Land de *Rhénanie-Palatinat*). – Conquise par César (57 av. J.-C.), la région constitua les provinces romaines de Germanie inférieure et supérieure. Au Ve s., les Francs ripuaires s'y établirent. Au Xe s., elle revint définitivement dans le monde germanique; le N. fut intégré au duché de Basse-Lorraine et le S. à la Haute-Lorraine (v. 960). Ensuite, ces régions furent dispersées entre de nombreuses principautés, laïques et ecclésiastiques. De 1793 à 1801, la région fut progressivement intégrée à la République française, dont elle forma plusieurs dép. jusqu'en 1814. En 1824, elle revint à la Prusse, qui en fit une province (Prusse-Rhénane). Le traité de Versailles (1919) la démilitarisa et en fit une région d'occupation militaire, en principe évacuée au rythme du paiement des réparations de guerre. En 1923, l'armée française occupa entièrement la Ruhr; après l'échec de la politique de soutien aux mouvements autonomistes (1923-1924), l'isolement diplomatique de la France l'obligea à une évacuation progressive, achevée en 1930. En mars 1936, Hitler réoccupa militairement la Rhénanie qui devint la base de l'offensive allemande vers la France et la Belgique en 1940.

Rhénanie-du-Nord-Westphalie (en all. *Nordrhein-Westfalen*), Land d'Allemagne et région de la C.E. qui s'étend sur le rebord du Massif schisteux rhénan au S. et à l'E., sur les plaines du Rhin et de la Ruhr au centre et sur le bassin de Münster au N.; 34 067 km²; 16 711 800 hab.; cap. *Düsseldorf;* v. princ. : *Essen, Cologne, Dortmund, Münster, Aix-la-Chapelle.* Riche région agricole, ce Land laisse cependant la primauté économique à l'industrie, qui bénéficie de l'exploitation d'import. bassins houillers (Ruhr) et de puissantes voies de communication, dont le Rhin reste la pièce maîtresse : sidérurgie, métallurgie de transformation, industr. chimiques et textiles. La densité du réseau urbain (conurbation de la Ruhr, Cologne, Düsseldorf) témoigne de l'intense activité économique de ce Land, région la plus puissante et l'une des plus peuplées de l'Union européenne.

Rhénanie-Palatinat (en all. *Rheinland-Pfalz*), Land d'Allemagne et région de la C.E. qui s'étend sur le Massif schisteux rhénan (Eifel, Hunsrück) et sur celui de la Hardt, découpés par le Rhin et ses affl.; 19 846 km²; 3 630 800 hab.; cap. *Mayence;* v. princ. : *Coblence, Trèves.* L'agriculture, médiocre sur les plateaux recouverts de forêts, est intensive dans la plaine du Rhin et sur les versants bien exposés, qui portent un vignoble réputé. L'industrie, diffuse et variée, présente un exemple de concentration à Ludwigshafen (chimie). Disposant d'un excellent réseau de communications, ce Land est relié aux régions industrielles du Rhin inférieur, d'une part, et au N.-E. de la France, d'autre part.

rhénium [ʀenjɔm] n. m. CHIM Élément métallique de numéro atomique Z = 75, de masse atomique 186,2 (symbole Re). – Métal (Re) rare, de densité 21,02, qui fond à 3 180 °C et bout vers 5 630 °C.

rhéo-. Élément, du gr. *rheô, rhein,* « couler ».

rhéobase n. f. PHYSIOL Intensité minimale de courant électrique continu nécessaire pour obtenir une réponse d'une structure organique excitable. (V. chronaxie.)

rhéologie n. f. PHYS Branche de la mécanique qui étudie les rapports entre la viscosité, la plasticité et l'élasticité de la matière, et les comportements de celle-ci sous l'influence des pressions (phénomènes d'écoulement, réactions aux contraintes, etc.).

rhéomètre n. m. TECH Appareil qui mesure la vitesse d'écoulement des fluides.

rhéostat n. m. Appareil dont on peut faire varier la résistance et qui, intercalé dans un circuit électrique, permet de régler l'intensité du courant.

rhésus [ʀezys] n. m. **1.** ZOOL Macaque de l'Inde et de la Chine du S., au pelage gris-roux, qui vit en troupes nombreuses. (Ce singe, qui servit de sujet d'expériences dans des recherches sur le sang humain, a donné son nom au *facteur rhésus.*) **2.** MED *Facteur rhésus* ou, absol., *rhésus :* agglutinogène existant dans les hématies de 85 % des sangs humains *(rhésus positif)* et créant une incompatibilité sanguine envers ceux qui en sont dépourvus *(rhésus négatif).* ► illustr. sang

rhétais, aise adj. et n. De l'île de Ré.

rhéteur n. m. **1.** ANTIQ Maître de rhétorique. **2.** Orateur ou écrivain qui use d'une vaine rhétorique; phraseur.

Rhétie ou **Rétie,** anc. contrée du N. de la Gaule cisalpine (E. de la Suisse, Tyrol, N. de la Lombardie) dont la conquête, entreprise sous Auguste, s'acheva sous Drusus (15 av. J.-C.). Elle devint province impériale.

rhétique ou **rétique** [ʀetik] adj. et n. m. De la Rhétie, qui a rapport à la Rhétie. ▷ n. m. LING Rhéto-roman.

rhétiques (Alpes), massif des Alpes centrales, coupé par les hautes vallées de l'Inn et de l'Adige (4 052 m à la Bernina).

rhétoricien, enne n. Didac. Spécialiste de rhétorique.

rhétorique n. f. **1.** Art de bien parler; ensemble des procédés qu'un orateur emploie pour persuader, convaincre. *Figures* de rhétorique.* ▷ *Classe de rhétorique* ou, absol., *rhétorique :* ancien nom de la classe de première des lycées. **2.** Péjor. Pompe, emphase.

rhétoriqueur n. m. LITTER *Grands rhétoriqueurs :* nom que se donnaient, à la fin du XVe et au déb. du XVIe s., les poètes des cours de France, de Bourgogne, de Bretagne et de Flandre, qui attachaient une grande importance aux artifices de style et aux raffinements de la versification.

rhéto-roman, ane adj. et n. m. LING Se dit des parlers romans de la Suisse orient., du Tyrol et du Frioul. ▷ n. m. *Le rhéto-roman.*

rhexistasie n. f. GEOL Période au cours de laquelle, la végétation étant détruite, une érosion intense décape les sols et enrichit les mers en dépôts détritiques. Ant. biostasie.

Rheydt, v. d'Allemagne (Rhénanie-du-Nord-Westphalie), dans la Ruhr; 101 000 hab. Industr. métall. et text.

rhin(o)-. Élément, du gr. *rhis, rhinos,* « nez ».

Rhin (le) (en all. *Rhein,* en néerl. *Rijn*), fleuve de l'Europe du N.-O. (1 298 km), tributaire de la mer du Nord. Le *Rhin supérieur* se forme, dans les Alpes suisses (Grisons), par la réunion du *Rhin antérieur,* né dans le Saint-

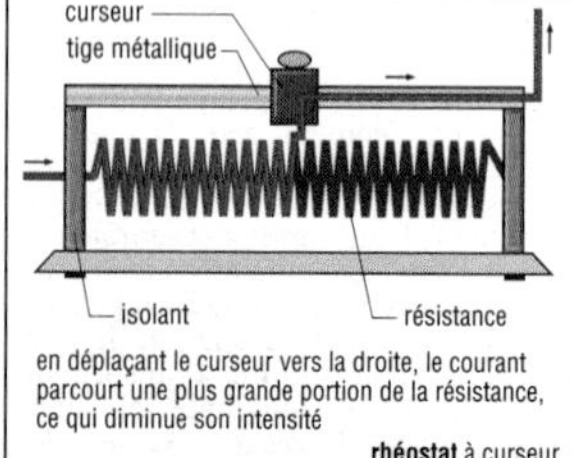

en déplaçant le curseur vers la droite, le courant parcourt une plus grande portion de la résistance, ce qui diminue son intensité

rhéostat à curseur

Gothard, et du *Rhin postérieur*, né dans le massif de l'Adula. Coulant vers le N., il traverse le lac de Constance, franchit le Jura (chutes de Schaffhouse) et reçoit l'Aar (r. g.). En amont de Bâle, le Rhin présente un régime nivo-glaciaire, et son débit moyen atteint 1 050 m³/s. Après Bâle, le *Rhin moyen* emprunte le fossé d'effondrement qui s'allonge entre les Vosges et la Hardt, à l'O., et la Forêt-Noire et l'Odenwald, à l'E.; il y reçoit l'Ill (r. g.), à Strasbourg, puis le Neckar à Mannheim et le Main à Mayence (r. dr.). Après Mayence, le Rhin se fraye une « trouée héroïque » à travers le Massif schisteux rhénan; il y est rejoint par la Lahn (r. dr.) et la Moselle (r. g.), à Coblence. Dans le bassin de Cologne, il reçoit à droite la Sieg, la Wupper, la Ruhr et la Lippe. L'apport pluvial, dû aux précipitations océaniques, compense le déficit hivernal du cours supérieur et contribue à donner au fleuve un régime abondant toute l'année. Le débit moyen est de 1 625 m³/s à Kaub. En aval du confl. avec la Lippe, le *Rhin inférieur* est un fl. de plaine qui s'achève aux Pays-Bas par un vaste delta que parcourent ses trois bras principaux, Waal au S., Lek au N. et IJsel au N.-E. Son débit atteint 2 200 m³/s à Rees, et son régime, toujours régulier, présente une accentuation du maximum d'hiver. Première voie de circulation de l'Europe occidentale et puissante artère économique, le Rhin a bénéficié de nombreux aménagements qui l'ont rendu accessible aux chalands de 2 000 t jusqu'à Bâle; chaque canal de dérivation correspond à une usine hydroélectrique. Le transport fluvial vers l'amont concerne princ. les minerais importés des ports de la mer du Nord, les combustibles liquides. Vers l'aval circulent le charbon, le fer et l'acier de la Ruhr et de la Lorraine, des engrais. Le trafic global est redistribué par les canaux qui unissent le Rhin aux autres grands cours d'eau européens (Danube, Moselle canalisée, Marne, Elbe; la construction d'une liaison à grand gabarit avec la Saône puis le Rhône est envisagée) ou aux ports de la mer du Nord (Rotterdam, Anvers, Amsterdam). Le Rhin lui-même est jalonné d'un nombre considérable de ports fluviaux (Duisburg, Strasbourg, Bâle). Véritable couloir industriel, le Rhin est depuis longtemps pollué par le déversement d'eaux résiduaires provenant des industries chimiques. La mise en place, par les États riverains, d'une réglementation importante ne suffit pas à protéger les eaux du Rhin, tant évolue rapidement, avec le développement industriel, la nature des agents polluants.

Rhin (Confédération du). V. Confédération du Rhin.

Rhin (ligue du), union formée par Mazarin (1658) avec le roi de Suède, les Électeurs rhénans et certains princes allemands, pour garantir les clauses des traités de Westphalie.

Rhin (Bas-), dép. franç. (67); 4 787 km²; 953 053 hab.; 199,1 hab./km²; ch.-l. *Strasbourg*. V. Alsace (Rég.).

Rhin (Haut-), dép. franç. (68); 3 523 km²; 671 319 hab.; 190,5 hab./km²; ch.-l. *Colmar*. V. Alsace (Rég.).
► carte page **1632**

rhinanthe n. m. BOT Plante à fleurs jaunes (fam. scrofulariacées), semi-parasite des racines de divers végétaux, dont une variété est cour. appelée *crête-de-coq*.

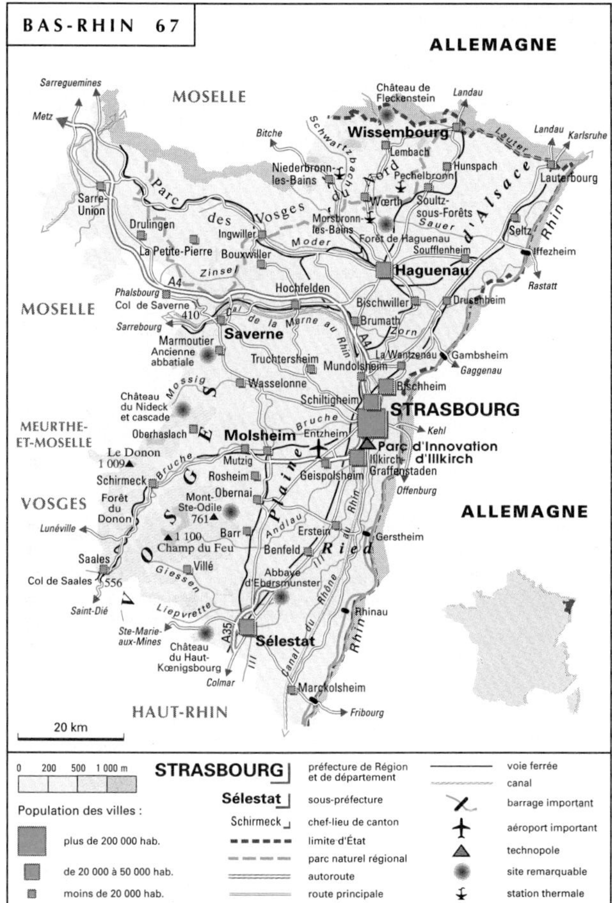

rhinencéphale n. m. ANAT Partie la plus ancienne, d'un point de vue phylogénétique, du cortex cérébral, dont le rôle est important dans la régulation des comportements émotionnels et instinctifs, et dans les processus de mémorisation.

rhinite n. f. MED Inflammation de la muqueuse nasale.

rhino-. V. rhin(o)-.

rhinocéros [ʀinɔseʀɔs] n. m. Grand mammifère périssodactyle herbivore d'Asie et d'Afrique, aux formes massives et trapues, à la peau très épaisse et peu poilue, qui porte une ou deux cornes à l'extrémité du museau.

rhinolophe n. m. ZOOL Chauve-souris très commune en Europe, appelée cour. *fer-à-cheval* à cause de la membrane semi-circulaire qu'elle porte à la base du nez.

rhinopharyngite n. f. MED Inflammation de la muqueuse du rhinopharynx.

rhinopharynx n. m. ANAT Partie haute du pharynx, en arrière des fosses nasales.

rhinoplastie n. f. CHIR Remodelage fonctionnel ou esthétique du nez.

rhinoscopie n. f. MED Examen des fosses nasales, par les narines avec un spéculum (*rhinoscopie antérieure*), ou à l'aide d'un miroir placé derrière le voile du palais (*rhinoscopie postérieure*).

rhipidistiens n. m. pl. PALEONT Sous-ordre de poissons crossoptérygiens dont les nageoires ressemblaient à des pattes et qui vécurent en eau douce du dévonien au permien. (Ils donnèrent naissance aux stégocéphales.) – Sing. *Un rhipidistien*.

rhizo-, -rhize. Éléments, du gr. *rhiza*, « racine ».

rhizobium [ʀizobjɔm] n. m. BIOL Bactérie symbiotique qui se développe dans les racines de certains végétaux supérieurs, notam. dans celles des légumineuses.

rhizoflagellés n. m. pl. ZOOL Sous-embranchement de protozoaires comprenant les rhizopodes et les flagellés. – Sing. *Un rhizoflagellé*.

rhinocéros blanc

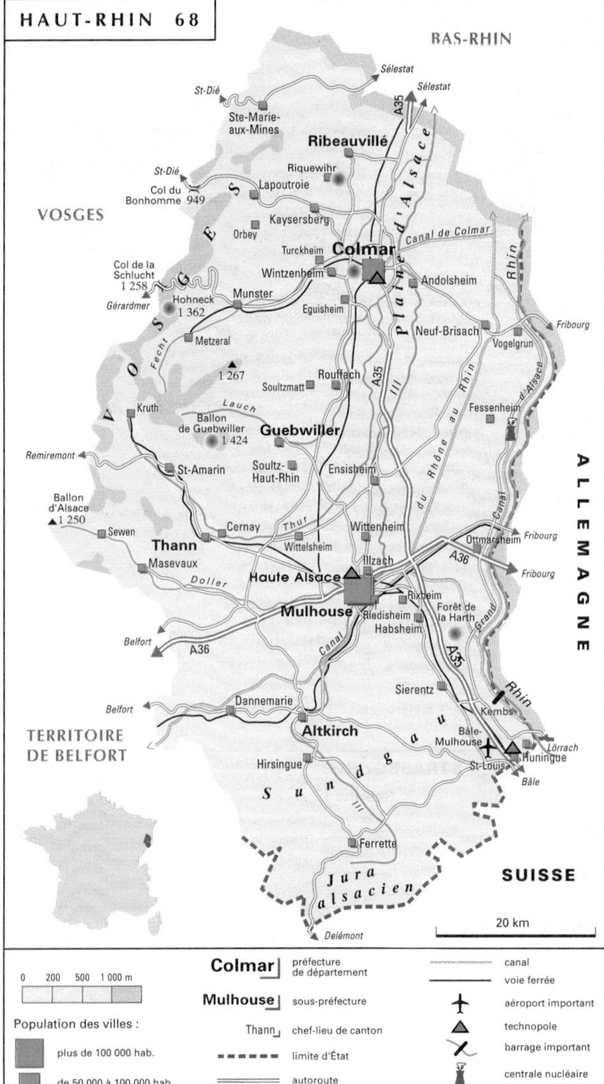

rhizome n. m. Tige souterraine de certaines plantes (fougères, iris, etc.), dont la face inférieure donne naissance à des racines adventives, et dont la face supérieure émet des bourgeons qui se transforment en tiges aériennes.

rhizophage adj. ZOOL Qui se nourrit de racines.

rhizopodes n. m. pl. ZOOL Super-classe de protozoaires caractérisés par leur aptitude à émettre des pseudopodes locomoteurs et préhensiles (amibes, radiolaires et foraminifères). – Sing. *Un rhizopode.*

rhizostome n. m. ZOOL Méduse géante (genre *Rhizostoma*) dépourvue de tentacules périphériques.

rhô n. m. **1.** Lettre grecque (Ρ, ρ), correspondant au *r* de l'alphabet latin. **2.** PHYS NUCL Particule de la famille des mésons.

rhod(o)-. Élément, du gr. *rhodon*, «rose» (la fleur) ou *rhodeos*, «rose» (la couleur).

rhodanien, enne adj. Du Rhône; qui a rapport au Rhône, à sa région. – *Le couloir rhodanien* : fossé emprunté par le Rhône entre le Massif central et les Préalpes.

Rhode Island, État du N.-E. des É.-U., baigné par l'Atlantique; 3 144 km²; 1 003 000 hab.; cap. *Providence.* – Petit État très urbanisé dont le milieu rural s'est spécialisé dans l'élevage des volailles et les cultures maraîchères. La pêche est également import., et les industries sont diversifiées. – Cette très anc. (1636) et très riche colonie agricole de la Nouvelle-Angleterre fut la première qui proclama son indépendance (1776); elle ne s'associa à l'Union qu'en 1790.

Rhodes (île de), île grecque de la mer Égée (Dodécanèse); 1 404 km²; 67 000 hab.; ch.-l. de l'île et du nome du Dodécanèse : *Rhodes* (42 000 hab.). Montagneuse (1 215 m au mont Atáviros) et calcaire, l'île n'offre que des ressources médiocres (tabac, vigne, oliviers), et vit d'un tourisme hypertrophié. – La vieille ville de Rhodes, fondée en 408 av. J.-C., conserve de nombr. vestiges de son passé : ruines antiques, églises byzantines et tous les monuments datant de l'installation de l'ordre des Hospitaliers de Saint-Jean-de-Jérusalem (remparts, palais du grand maître de l'Ordre, «auberges» ou maisons des différentes nations de l'Ordre, hôpital des Chevaliers). – Puissante cité maritime de l'Antiquité, l'île fut, à partir de 1309, gouvernée par les *chevaliers de Rhodes* puis appartint aux Turcs (1523-1912), auxquels l'Italie la prit. En 1947, l'Italie la céda à la Grèce avec tout le Dodécanèse.

Rhodes (colosse de), statue d'Hélios, en bronze, haute de 32 m, œuvre de Charès. Souvenir de la résistance victorieuse à Démétrios Ier Poliorcète (305-304), érigée sur le port de Rhodes v. 292 av. J.-C., cette gigantesque effigie fut renversée en 227 av. J.-C. par un tremblement de terre. C'était l'une des Sept Merveilles du monde.

Rhodes (Cecil) (Bishop's Stortford, 1853 – Muizenberg, près du Cap, 1902), homme d'affaires (il fit une énorme fortune dans l'exploitation du diamant) et administrateur colonial anglais. Agent actif de l'expansion britannique en Afrique de l'Est et du Sud dès 1870, il conquit les territoires situés entre le Transvaal et le lac Tanganyika, appelés *Rhodésies* à partir de 1895. Premier ministre de la colonie du Cap (1890-1895), il manifesta un nationalisme autoritaire et maladroit à l'égard des Boers. Son échec l'obligea à démissionner. Dans la guerre des Boers, il dirigea la défense de Kimberley.

Rhodes-Extérieures, Rhodes-Intérieures. V. Appenzell.

Rhodésie, région de l'Afrique australe couvrant une partie du bassin du Zambèze. Elle est auj. divisée en trois États : la Zambie (anc. Rhodésie du Nord), le Malawi et le Zimbabwe (anc. rép. de Rhodésie).

Rhodésie (rép. de). V. Zimbabwe.

rhodésien, enne n. Anc. De la Rhodésie (auj. le Zimbabwe).

rhodium [ʀɔdjɔm] n. m. Élément métallique de numéro atomique Z = 45, de masse atomique 102,9 (symbole Rh).– Métal (Rh) rare, de densité 12,4, qui fond vers 1 970 °C et bout vers 3 730 °C, résistant à l'action des acides. *Le rhodium est surtout utilisé sous forme d'alliages avec d'autres métaux.*

rhodo-. V. rhod(o)-.

rhododendron n. m. Plante arbustive des montagnes (fam. éricacées) à feuillage persistant, dont de nombreuses espèces sont cultivées pour l'ornement.

rhodoïd n. m. (Nom déposé.) Matière plastique à base d'acétate de cellulose.

Rhodope, massif montagneux de Bulgarie (2 925 m au pic Musala) et de Grèce.

rhodophycées n. f. pl. BOT Important groupe d'algues, marines pour la plupart, cour. appelées «algues rouges» à cause des plastes violacés qui les colorent. – Sing. *Une rhodophycée.*

Rhômanos. V. Romanos.

rhomb(o)-. Élément, du gr. *rhombos,* «toupie, losange».

rhombique adj. Didac. Qui a la forme d'un losange.

rhomboèdre n. m. GEOM Parallélépipède dont les faces sont des losanges. ▷ MINER Cristal à six faces en forme de losanges égaux.

rhomboédrique adj. Didac. Qui a rapport au rhomboèdre, qui en a la forme. ▷ MINER *Système rhomboédrique,* l'un des sept systèmes cristallins, dans lequel la maille primitive est un rhomboèdre.

rhomboïdal, ale, aux adj. Didac. Qui a la forme d'un losange ou d'un rhomboèdre.

rhomboïde n. m. et adj. ANAT Muscle dorsal, élévateur de l'omoplate, en forme de losange. ▷ adj. *Muscle rhomboïde.*

rhônalpin, ine adj. De la Région Rhône-Alpes.

Rhondda, v. de Grande-Bretagne (pays de Galles); 81 730 hab. Métall.

Rhône (le), fl. de Suisse et de France (812 km, dont 522 en France), tributaire de la Méditerranée. Né v. 1 750 m d'altitude dans le massif du Saint-Gothard, il draine le Valais sous la forme d'un torrent puis, franchissant le lac Léman, se régularise et reçoit l'Arve (r. g.). Entré en France, il traverse le Jura par d'étroites gorges (Bellegarde) et, en plaine, reçoit l'Ain (r. dr.); à Lyon (où il reçoit la Saône), il se heurte au Massif central, qui infléchit son cours vers le S. dans le prolongement du cours de la Saône. De défilé en défilé (Tain, Donzère), il coule vers le S., arrosant Valence, Avignon, Beaucaire, et reçoit à droite les courts torrents cévenols, à gauche les puissants fleuves alpestres (Isère, Drôme, Durance). En amont d'Arles, le fleuve s'étale dans une vallée élargie; il se divise au N. de la ville et forme un delta, enserrant, entre le *Grand* et le *Petit Rhône,* la Camargue et l'étang de Vaccarès. Le Rhône, très touché par la pollution, possède un régime complexe : régime nivo-glaciaire jusqu'à Lyon, régime plus équilibré de type pluvial (grâce aux apports de la Saône) dans le sillon rhodanien, régime méditerranéen en Provence; la conjonction de ces régimes peut provoquer des crues dangereuses au printemps. Rapide et encombré d'alluvions, le Rhône est difficilement navigable; cependant, sa vallée constitue auj. un axe majeur de la circulation européenne, ce qui a rendu nécessaire l'aménagement du fleuve. La *Compagnie nationale du Rhône,* créée en 1934, s'est donné pour but de l'aménager, avec pour triple objectif la navigation, l'utilisation de sa puissance hydraulique (ouvrages de Génissiat, Pierre-Bénite, Montélimar, Donzère-Mondragon) et l'irrigation, dans la vallée (40 000 ha) et par le canal du Bas-Rhône (200 000 ha). Ces travaux ont été complétés par six ensembles nucléaires producteurs d'électricité, qui utilisent l'eau du Rhône pour le refroidissement de leurs réacteurs.

Rhône (Côtes du), coteaux de la vallée du Rhône, de part et d'autre du fleuve, au S. de Lyon; célèbres pour les vignobles qui les recouvrent entre Ampuis (Rhône) au N. et Châteauneuf-du-Pape (Vaucluse) au S. (vins d'appellation contrôlée «Côtes-du-Rhône»).

Rhône, dép. franç. (69); 3 215 km²; 1 508 966 hab.; 469,3 hab./km²; ch.-l. *Lyon.* V. Rhône-Alpes (Rég.).

Rhône-Alpes, Rég. admin. française et rég. de la C.E. comprenant les dép. de l'Ain, de l'Ardèche, de la Drôme, de l'Isère, de la Loire, du Rhône, de la Savoie et de la Haute-Savoie; 43 738 km²; 5 446 004 hab.; ch.-l. *Lyon.*

Géogr. phys. et hum. – La Région Rhône-Alpes s'étend sur quelques unités majeures du territoire français. Le N. appartient au Jura méridional (1 723 m au Crêt de la Neige) et aux pays de la Saône (Bresse et Dombes); à l'E., les Alpes du N. font se succéder, du bas Dauphiné à la frontière, les Préalpes calcaires, le large couloir du sillon alpin, les massifs centraux cristallins (4 808 m au mont Blanc), et les Alpes internes (Vanoise). L'O. correspond aux contreforts orientaux du Massif central, où alternent des blocs cristallins soulevés (monts du Charolais, du Beaujolais, du Lyonnais, haut Vivarais) et des fossés (bassins de Roanne et du Forez, où coule la Loire, bassin de Saint-Étienne). Au S. s'élèvent les Préalpes calcaires du Diois et des Baronnies, qui se prolongent (rive droite du Rhône) par les hauteurs du bas Vivarais. Le Rhône et ses affluents (Saône, Isère, Drôme, Ardèche) sont un élément de cohésion majeur, sans lequel la Région n'aurait aucune unité; seul le N. du département de la Loire échappe à cette influence unificatrice. Rhône-Alpes est aussi une région de transition climatique : les caractères continentaux des bas pays du N. cèdent la place à une ambiance méditerranéenne marquée dans la Drôme et l'Ardèche, alors que le climat montagnard s'impose en altitude. Les plaines et les vallées, et surtout l'axe rhodanien, concentrent les habitants et les villes. Plus jeune que la moyenne nationale, la population s'accroît aussi plus vite et enregistre un fort excédent migratoire (dépassant 300 000 personnes entre 1968 et 1990). L'armature urbaine est solide : Lyon-Grenoble-Saint-Étienne forment une métropole d'équilibre qui groupe près de 2 millions d'hab.

Écon. – Deuxième ensemble économique national derrière l'Île-de-France, la Région Rhône-Alpes est, avant tout, une grande région industrielle. Au 1er rang pour la production d'énergie (25 %

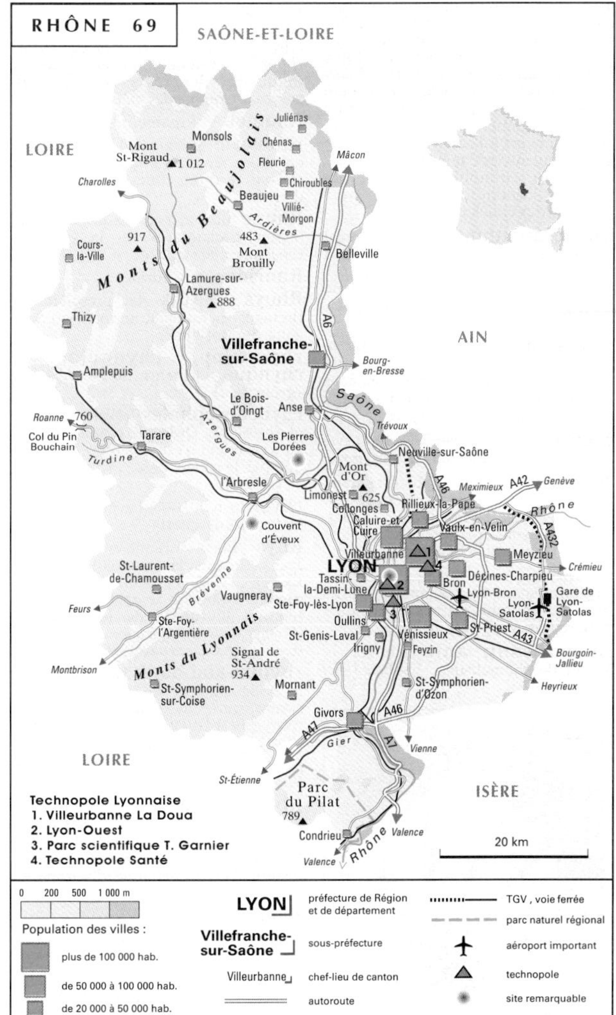

de l'électricité du pays dans les centrales nucléaires de l'axe rhodanien, les barrages alpins et les aménagements hydroélectriques du Rhône), la Région occupe la 2e place pour la chimie, les constructions mécaniques et le matériel électrique; confection et soieries de la région lyonnaise, décolletage de la vallée de l'Arve, travail du plastique du pôle d'Oyonnax, industries du jouet et du matériel de sport sont des spécialités réputées. La crise a cependant durement touché de vieux foyers d'activité comme Saint-Étienne et Roanne, devenus pôles de conversion en 1984. La filière agroalimentaire bénéficie de ressources agricoles diversifiées : élevage laitier des montagnes et de leur avant-pays, vignobles (Beaujolais, Côtes-du-Rhône, Condrieu), polyculture intensive, lait et volailles de Bresse, arboriculture des vallées méridionales. Le tourisme, enfin, occupe une place de choix : les Alpes du N., domaine skiable le mieux équipé au monde, bénéficient de la vitrine des jeux Olympiques de 1992 et ont aussi une saison d'été très active (thermalisme, alpinisme); le patrimoine culturel et gastronomique de la région suscite une fréquentation croissante. Malgré l'absence d'une liaison Rhin-Rhône à grand gabarit, la région est l'un des premiers carrefours de communication européens (autoroutes, TGV); le désenclavement alpin se poursuit et la création d'un deuxième tunnel sous le massif du Mont-Blanc est à l'ordre du jour. Forte du rayonnement de métropoles comme Lyon et Grenoble, Rhône-Alpes s'affirme comme une région européenne de premier plan.

Rhône au Rhin (canal du), canal de l'E. de la France (320 km) reliant depuis 1833 le Rhône au Rhin, par la Saône, le Doubs et l'Ill. Coupé de nombr. écluses (164), et de faible gabarit, il est peu utilisé.

rhotacisme n. m. **1.** MED Défaut de prononciation caractérisé par la difficulté ou l'impossibilité de prononcer les *r*. **2.** LING Substitution de la consonne *r* à une autre consonne.

rhovyl n. m. (Nom déposé.) Tissu synthétique fait de chlorure de polyvinyle.

rhubarbe n. f. Plante potagère (fam. polygonacées) aux fleurs groupées en panicules, aux larges feuilles vertes, dont les épais pétioles charnus se consomment cuits et sucrés.

rhum [ʀɔm] n. m. Eau-de-vie obtenue par fermentation alcoolique et distillation des produits extraits de la canne à sucre (jus, sirops ou mélasses).

rhumatisant, ante adj. et n. Atteint de rhumatisme. – Subst. *Un(e) rhumatisant(e).*

rhubarbe : pétiole des feuilles

rhumatismal, ale, aux adj. De la nature du rhumatisme; causé par les rhumatismes.

rhumatisme n. m. Affection douloureuse, aiguë ou chronique, se manifestant essentiellement au niveau des articulations. ▷ *Rhumatisme articulaire aigu* : polyarthrite aiguë fébrile déclenchée, souvent dès l'enfance, par une infection par des streptocoques, et dont la gravité tient au risque de complications cardiaques.

rhumatoïde adj. MED Qui a des caractères rhumatismaux; proche d'une affection rhumatismale.

rhumatologie n. f. Partie de la médecine qui traite des rhumatismes et, en général, des affections articulaires.

rhumatologique adj. MED Qui concerne la rhumatologie.

rhumatologue n. Médecin spécialiste en rhumatologie.

r(h)umb [ʀɔ̃b] n. m. MAR Intervalle angulaire entre chacune des trente-deux aires de vent de la rose (V. rose, sens II, 4).

rhume [ʀym] n. m. Inflammation aiguë des muqueuses des voies respiratoires. ▷ *Rhume de cerveau* ou, absol., *rhume* : inflammation aiguë de la muqueuse des fosses nasales. Syn. coryza. ▷ *Rhume des foins*.*

Rhumel. V. Rummel.

rhumerie [ʀɔmʀi] n. f. **1.** Distillerie de rhum. **2.** Lieu public où l'on sert surtout du rhum et des boissons à base de rhum.

Rhune (la), massif du pays basque (Pyrénées-Atlantiques), à la frontière espagnole; 900 m d'alt.

Rhurides. V. Ghurides.

Rhuys (presqu'île de), presqu'île de Bretagne méridionale fermant au S. le golfe du Morbihan.

rhynch(o)-, rhynqu(o)-, -rhynque. Éléments, du gr. *rhugkhos,* « groin, bec ».

rhynchocéphales [ʀɛ̃kɔsefal] n. m. pl. PALEONT, ZOOL Ordre de reptiles apparu au trias et qui n'est plus représenté auj. que par le sphénodon. – Sing. *Un rhynchocéphale.*

rhyolite n. f. PETROG Lave granitique à inclusions de quartz.

Rhys (Ellen Gwendolen Rees, dite Jean) (Roseau, la Dominique, 1894 – Exeter, 1979), écrivain anglais. Ses romans restituent le mal de vivre de femmes en quête de leur identité (*Voyage dans les ténèbres,* 1934; *la Prisonnière des Sargasses,* 1966).

rhythm and blues [ʀitmɛ̃ndbluʒ] n. m. MUS Musique de danse des Noirs américains, sorte de blues* orchestré et recourant à l'amplification électrique.

ria n. f. GEOGR Vallée fluviale envahie par la mer. *Les rias de la côte bretonne.* V. aber.

Riabouchinski (Dimitri Pavlovitch), aérodynamicien et physicien russe (Moscou, 1882 – Paris, 1962). Il fonda à Koutchino, près de Moscou, le premier Institut d'aérodynamique d'Europe en 1904.

Riad. V. Riyad.

rial n. m. Unité monétaire d'Oman, de l'Iran et du Yémen. *Des rials* .

Rialto (pont du), pont à une seule arche, le plus important de Venise, construit sur le Grand Canal par Antonio da Ponte, de 1588 à 1591.

riant, riante adj. **1.** Qui montre de la joie, de la gaieté. *Air, visage riant.* **2.** Qui invite à la gaieté. *Paysage riant.* ▷ Plaisant, engageant. *Perspective riante.*

Riazan, v. de Russie, ch.-l. de la prov. du m. nom; 515 000 hab. Industr. métallurgiques, chimiques, alimentaires. Raff. de pétrole.

RIB n. m. Acronyme pour *relevé d'identité bancaire.*

Ribalta (Francisco) (Solsona, 1565 – Valence, 1628), peintre espagnol. Influencé par Sebastiano del Piombo et le Caravage, il marqua la peinture religieuse espagnole du XVIIe s.

ribambelle n. f. Longue suite de personnes (spécial. d'enfants) ou de choses.

ribaud, aude adj. et n. f. Vx Luxurieux, débauché. ▷ n. f. Vieilli, plaisant Femme de mœurs légères; prostituée.

Ribbentrop (Joachim von) (Wesel, 1893 – Nuremberg, 1946), homme politique allemand. Ambassadeur à Londres (1936), ministre des Affaires étrangères (1938-1945), il fut condamné à mort par le tribunal de Nuremberg et exécuté.

Ribeauvillé, ch.-l. d'arr. du Haut-Rhin, dans les collines qui annoncent les Vosges; 4 882 hab. Vins. Imprimerie. – Restes de remparts (porte des Bouchers, XIIe s.). Égl. goth. (XIIIe-XVe s.).

Ribeirão Preto, v. du Brésil, au N. de l'État de São Paulo, près du rio Pardo; 384 600 hab. Centre commercial et industriel. – Archevêché.

Ribemont-Dessaignes (Georges) (Montpellier, 1884 – Saint-Jeannet, Alpes-Maritimes, 1974), écrivain français. Il appartint aux mouvements dada et surréaliste (*l'Autruche aux yeux clos,* 1924; *Déjà jadis,* 1958).

Ribera (José de), dit *l'Espagnolet* (Játiva, près de Valence, v. 1588 – Naples, 1652), peintre espagnol baroque. Élève de Ribalta, marqué par le Caravage, il traita ensuite des thèmes religieux (*le Martyre de saint Barthélemy,*

José de **Ribera :** *le Pied-bot,* 1642; musée du Louvre

1630-1639), mythologiques ou populaires (*le Pied-Bot*, 1642, Louvre) au réalisme brutal où affleure parfois un certain mysticisme.

Ribera (Pedro de) (Madrid, 1683 - id., 1742), architecte espagnol ; principal représentant de l'art baroque madrilène (style churrigueresque) : façade de l'hospice de San Fernando (1722-1726).

ribo-. Élément, du rad. de *ribose*.

riboflavine n. f. BIOCHIM Vitamine B2, composé hydrosoluble de couleur jaune appartenant à la classe des flavines et agissant comme coenzyme dans de nombreuses réactions.

ribonucléase n. f. BIOCHIM Enzyme qui hydrolyse l'acide ribonucléique.

ribonucléique adj. BIOCHIM *Acide ribonucléique* (sigle : A.R.N.) : acide nucléique assurant la synthèse des protéines à l'intérieur des cellules vivantes, conformément à un programme porté par l'A.D.N.*. ▷ MICROB *Virus à A.R.N.*, qui contient une molécule porteuse des gènes du virus.
ENCYCL On décrit quatre familles principales d'A.R.N. : les A.R.N. prémessagers, les A.R.N. messagers, les A.R.N. de transfert et les A.R.N. ribosomiques. Dans la cellule, l'A.R.N. est localisé dans le noyau, dans les mitochondries, dans le cytoplasme et dans les ribosomes.

ribose n. f. BIOCHIM Sucre (pentose) qui, combiné avec des bases azotées (puriques ou pyrimidiques) forme les acides ribonucléiques.

ribosome n. m. BIOL Organelle cellulaire, particule approximativement sphérique, de très petite taille, qui décode les séquences d'A.R.N. messager et assemble les acides aminés en chaînes protéiques.

Ribot (Théodule) (Guingamp, 1839 - Paris, 1916), philosophe et psychologue français ; l'un des fondateurs de la psychologie expérimentale : *les Maladies de la mémoire* (1881), *les Maladies de la personnalité* (1885), *Psychologie de l'attention* (1888).

Ribot (Alexandre) (Saint-Omer, 1842 - Paris, 1923), homme politique français. Républicain modéré, plusieurs fois ministre (notam. des Affaires étrangères) et président du Conseil, il fut le princ. artisan de l'alliance franco-russe. Acad. fr. (1906).

ribote n. f. Vx ou plaisant Excès de table ou de boisson. - Loc. *Faire ribote.*

ribouldingue n. f. Fam., vieilli *Faire la ribouldingue* : faire la fête, la noce.

ribozyme n. f. BIOL Fragment d'A.D.N. qui, dans certaines conditions, comme une enzyme, active et organise la réplication de l'A.R.N.

ricain, aine adj. et n. Fam. Américain, des États-Unis - Subst. *Les Ricains.*

ricanant, ante adj. Qui ricane. *Une sorcière ricanante.*

ricanement n. m. Action de ricaner.

ricaner v. intr. [1] Rire à demi, avec une intention moqueuse ou méprisante. ▷ Rire sottement, sans raison.

ricaneur, euse n. Personne qui ricane. ▷ adj. *Un air ricaneur.*

Ricardo (David) (Londres, 1772 - Gatcomb Park, Gloucestershire, 1823), économiste anglais ; analyste du capitalisme libéral. Ses théories de la rente foncière et de la valeur-travail ont influencé la pensée économique de son temps.

Ricardou (Jean) (Cannes, 1932), écrivain français. Théoricien du nouveau roman : *Pour une théorie du nouveau roman* (1971), *l'Observatoire de Cannes* (1961), *Révolutions minuscules* (1971).

Riccardi (palais), édifice de Florence, autref. *palais des Médicis*, bâti en 1444 par Michelozzo. Il abrite un musée et une belle bibliothèque. Fresques de Gozzoli.

Ricci-Curbastro (Gregorio) (Lugo, près de Ravenne, 1853 - Bologne, 1925), mathématicien italien. Il créa le calcul tensoriel (V. tenseur).

Riccoboni (Luigi) (Modène, v. 1675 - Paris, 1753), comédien italien qui rénova la Comédie-Italienne de Paris à partir de 1716.

ricercare [ritʃɛrkaʀ(e)] n. m. (Mot ital.) MUS Pièce instrumentale libre pour orgue, clavecin ou luth. *Des ricercari.*

richard, arde n. Fam., péjor. Personne riche.

Richard Ier, dit *Cœur de Lion* (Oxford, 1157 - Châlus, Limousin, 1199), roi d'Angleterre (1189-1199). Duc d'Aquitaine en 1168, dressé avec ses frères contre son père Henri II, il le vainquit (1188) grâce à son alliance avec le roi de France Philippe II Auguste. Monté sur le trône d'Angleterre, il participa à la 3e croisade en 1190. Sa bravoure lui valut de nombr. victoires (prise de Chypre, de Saint-Jean-d'Acre, etc.); inquiet des intrigues que le roi de France menait contre lui avec Jean sans Terre, son frère et rival,

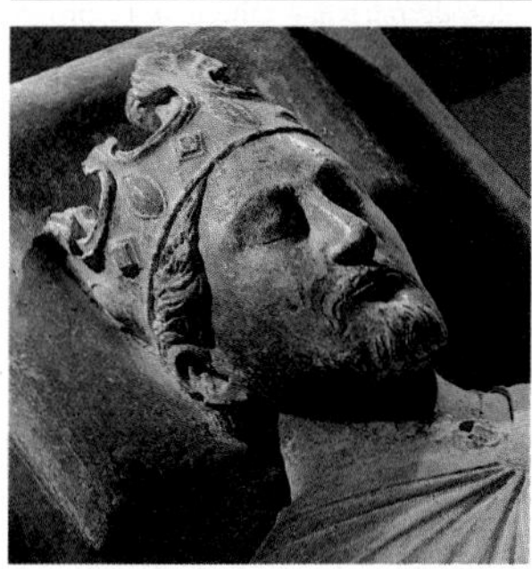
gisant de **Richard** Cœur de Lion, pierre peinte ; abbaye de Fontevrault

il quitta la Palestine en 1192. Sur la route du retour, il fut capturé, en Autriche (1192), et libéré contre une énorme rançon versée à l'empereur Henri VI. Revenu en Angleterre en 1194, il abandonna le gouvernement à son chancelier Hubert Gautier pour aller guerroyer contre Philippe II Auguste, qui s'emparait de ses possessions françaises. Il s'illustra par son courage et mourut en assiégeant Châlus. - **Richard II** (Bordeaux, 1367 - Pontefract, 1400), roi d'Angleterre (1377-1399). Fils d'Édouard, le Prince Noir, il fut détrôné par son cousin Henri de Lancastre. - **Richard III** (Fotheringhay, 1452 - Bosworth, 1485), roi d'Angleterre (1483-1485). Fils cadet de Richard d'York, il était déjà un personnage influent du roy. sous le règne de son frère Édouard IV. Régent d'Angleterre à la mort de ce dernier, il séquestra ses deux neveux, dont l'aîné, âgé de 13 ans, venait d'être sacré roi (Édouard V), les fit déclarer illégitimes (1483), monta sur le trône et commandita leur assassinat. Despote rusé et cynique, il fut tué pendant la bataille de Bosworth, qu'il livrait contre Henri Tudor. Ainsi s'éteignait la dynastie angevine.

Richard (François), dit *Richard-Lenoir* (Épinay-sur-Odon, Normandie, 1765 - Paris, 1839), industriel français. Il fonda avec son associé Lenoir-Dufresne la première filature de coton. Il joignit à son nom celui de son associé à la mort de ce dernier (1806).

Richard (Jean-Pierre) (Marseille, 1922), critique littéraire français. Il tente d'esquisser l'imaginaire des écri-

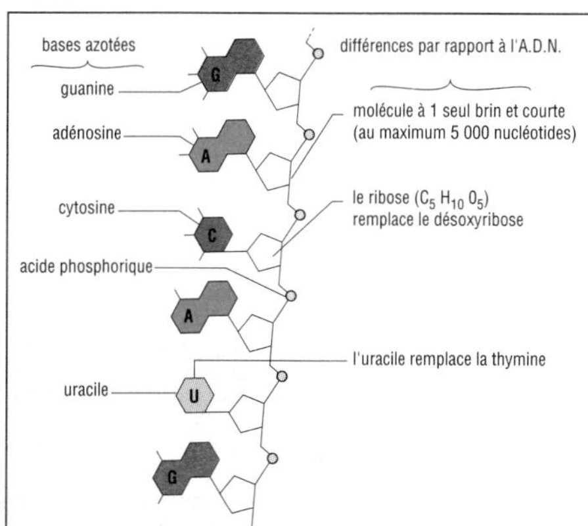

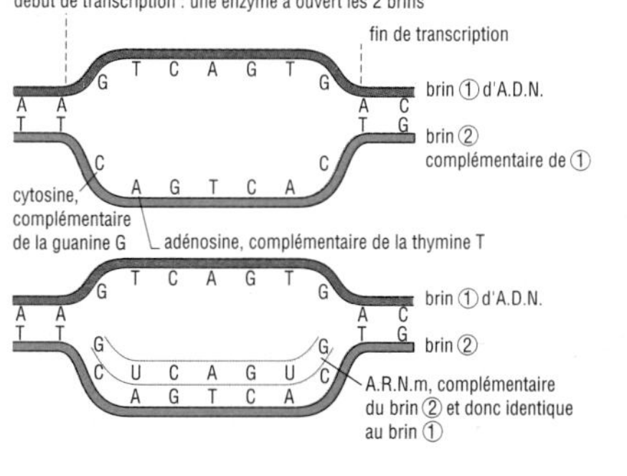

transcription d'une séquence d'A.D.N. par une séquence d'acide **ribonucléique** messager (A.R.N.m) (nota : la thymine T est transcrite par l'uracile U)

vains, de faire la synthèse de l'esprit et de la lettre, du fond et de la forme : *Poésie et profondeur* (1955), *l'Univers imaginaire de Mallarmé* (1961), *Microlectures* (1979), *Pages paysages* (1984).

Richards (Theodore William) (Germantown, Pennsylvanie, 1868 – Cambridge, Massachusetts, 1928), chimiste américain; connu pour ses travaux de thermodynamique. Il détermina la masse atomique de nombr. éléments chimiques. P. Nobel 1914.

Richards (Dickinson Woodruff) (Orange, New Jersey, 1895 – Lakeville, Connecticut, 1973), médecin américain; auteur de travaux sur le cathétérisme du cœur. P. Nobel 1956.

Richardson (Samuel) (Macworth, près de Derby, 1689 – Londres, 1761), écrivain anglais; un des créateurs du roman psychologique dans son pays : *Paméla ou la Vertu récompensée* (1740), *Clarisse Harlowe* (1747-1748), *l'Histoire de sir Charles Grandison* (1753). Son œuvre exerça une grande influence sur Rousseau et Diderot.

Richardson (sir Owen Williams) (Dewsbury, Yorkshire, 1879 – Alton, Hampshire, 1959), physicien anglais. Il détermina les lois de l'émission thermoélectronique, contribuant ainsi au développement de l'électronique et de la radiodiffusion. Il étudia aussi le spectre moléculaire de l'hydrogène. P. Nobel 1928.

Richardson (Cecil Antonio, dit Tony) (Shipley, Yorkshire, 1928 – Los Angeles, 1991), cinéaste et metteur en scène de théâtre britannique; membre du groupe du «free cinema» : *les Corps sauvages* (1959), *la Solitude du coureur de fond* (1962), *Tom Jones* (1963).

riche adj. et n. **I.** adj. **1.** Qui a de l'argent, des biens en abondance. *Il est très riche.* ▷ Par ext. *Faire un riche mariage* : épouser une personne riche. **2.** Somptueux, de grand prix. *Un riche ameublement.* **3.** *Riche en, riche de* : qui possède, renferme en abondance (telle chose). *Une bibliothèque riche en incunables. Un récit riche d'anecdotes.* **4.** Abondant, plantureux. *De riches moissons. Un sol riche,* fécond, fertile. – Fam. *Une riche idée* : une excellente idée. *Une riche nature* : une personne pleine de vitalité. **II.** n. **1.** *Un riche* : un homme riche (fém., rare, *une riche*). *Les riches et les pauvres.* **2.** *Un nouveau riche* : un homme récemment enrichi, qui montre sa fortune avec ostentation et manque de goût.

Riché (Pierre) (Paris, 1921), historien français : *Éducation et Culture dans l'Occident barbare* (1962); *les Carolingiens, une famille qui fit l'Europe* (1983).

richelieu n. m. Chaussure de ville, basse, à lacets. *Des richelieu, richelieus* ou *richelieux.*

Richelieu (le), riv. du Canada (Québec), affluent du Saint-Laurent (r. dr.) à Sorel; 130 km.

Richelieu, ch.-l. de cant. d'Indre-et-Loire (arr. de Chinon); 2 296 hab. – Ville du XVIIe s., bâtie par le cardinal de Richelieu sur les plans de Jacques Lemercier.

Richelieu (Armand Jean du Plessis, cardinal de) (Paris, 1585 – id., 1642), homme d'État français. Évêque de Luçon, il devint cardinal (1622) après avoir réconcilié Marie de Médicis, dont il était l'aumônier, avec son fils Louis XIII, qui l'appela au Conseil en 1624. Il travailla inlassablement au renforcement de l'absolutisme royal, brisant les privilèges provinciaux, imposant aux protestants, après le siège de La Rochelle, l'édit de grâce d'Alès (1629) qui leur enlevait leur pouvoir politique, luttant contre la noblesse (interdiction des duels, 1626), dont les complots et les intrigues trouvèrent appui jusque dans l'entourage du roi (Gaston d'Orléans); ainsi fit-il exécuter Chalais (1626), Cinq-Mars et de Thou (1642). Sa politique extérieure fut orientée, dès son arrivée au Conseil, contre les Habsbourg : occupation de la Valteline (1624-1625), de Pignerol (1630), alliance avec la Suède (1631), avec les Catalans contre l'Espagne (conquête du Roussillon, 1642); cette politique lui attira la haine du parti catholique, qui ne put cependant l'abattre (journée des Dupes, 10 nov. 1630). Dans le domaine économique, Richelieu développa les manufactures royales et prit des mesures en vue de favoriser le grand commerce maritime et la colonisation (création de nombreuses compagnies de commerce). Dans le domaine administratif, il augmenta l'efficacité des divers conseils et donna un pouvoir accru aux intendants. Par la fondation de l'Académie française et la création de *la Gazette* de Renaudot, il montra de l'intérêt pour les affaires culturelles.

le cardinal de **Richelieu**

R. M. **Rilke**

Richelieu (Louis François Armand de Vignerot du Plessis, duc de) (Paris, 1696 – id., 1788), maréchal de France (1748). Petit-neveu du cardinal, il s'illustra à Fontenoy (1745), fut gouverneur de Guyenne et Gascogne (1755), dirigea l'expédition de Minorque (1756), et conquit le Hanovre et le Brunswick. Esprit brillant, il fut l'ami de Voltaire. Ses *Mémoires* (9 vol., 1790-1791), peu crédibles, ont été rédigés par Soulavie. Acad. fr. (1720). – **Armand Emmanuel** du Plessis, comte de Chinon, duc de Fronsac puis duc de Richelieu (Paris, 1766 – id., 1822), petit-fils du préc.; homme politique français; il émigra en Russie pendant la Révolution. Devenu Premier ministre sous la Restauration (sept. 1815-déc. 1818, puis fév. 1820-déc. 1822), il signa le second traité de Paris; au congrès d'Aix-la-Chapelle, il obtint la libération du territoire national (1818). Acad. fr. (1816).

richement adv. **1.** Avec richesse, luxueusement. *Maison richement meublée.* **2.** Avec munificence, libéralité. *Doter richement ses filles.*

Richepin (Jean) (Médéa, Algérie, 1849 – Paris, 1926), écrivain français. Poète au style truculent (*la Chanson des gueux,* 1876), il donna des romans populaires (*la Glu,* 1881) et des pièces de théâtre (*le Chemineau,* 1897; *la Gitane,* 1900). Acad. fr. (1908).

richesse n. f. **I. 1.** Possession en abondance d'argent ou de biens, opulence; situation, état d'une personne riche. **2.** Caractère de ce qui est riche (sens I, 4). *Richesse d'un gisement. Richesse de l'imagination.* ▷ *Richesse en* : abondance en. *Richesse en métal d'un minerai.* **3.** Magnificence, somptuosité. *La richesse d'une parure.* **II. 1.** Plur. *Les richesses* : les biens matériels, l'argent. *Aimer les richesses.* ▷ Choses précieuses (avec une idée de grand nombre). *Les richesses d'un musée.* **2.** (Souvent au plur.) Ressources. *Richesses minières. Le tourisme est la seule richesse du pays.*

Richet (Alfred) (Dijon, 1816 – Hyères, 1891), chirurgien français : *Traité pratique d'anatomie médico-chirurgicale* (1855-1857). – **Charles** (Paris, 1850 – id., 1935), fils du préc.; médecin et physiologiste. Il découvrit, avec Portier, l'anaphylaxie. Une partie de son œuvre, abondante et diversifiée, est consacrée aux phénomènes métapsychiques. P. Nobel 1913.

Richier (Ligier) (Saint-Mihiel, v. 1500 – Genève, 1567), sculpteur français. Son naturalisme pathétique d'inspiration chrétienne fait de lui le dernier grand représentant de la sculpture gothique : statue funéraire de René de Chalon (1547, égl. Saint-Étienne, Bar-le-Duc).

Richier (Germaine) (Grans, Bouches-du-Rhône, 1904 – Montpellier, 1959), sculpteur français, élève de Bourdelle. Elle a fréquemment recours à une symbiose expressionniste des formes humaines, végétales et animales : série des *Hommes-Oiseaux* (1953-1955).

richissime adj. Extrêmement riche.

Richmond, agglomération résidentielle de la banlieue O. de Londres, sur la r. dr. de la Tamise; 154 600 hab. Grand parc.

Richmond, v. des É.-U., cap. de la Virginie, sur la riv. James; 203 050 hab. (aggl. urb. 796 100 hab.). Port fluvial. Métallurgie lourde; manuf. de cigarettes. – Cap. des sudistes (1861-1865) défendue par Lee durant la guerre de Sécession, elle subit le dur siège du général Grant.

Richter (Jeremias Benjamin) (Hirschberg, Silésie, 1762 – Berlin, 1807), chimiste allemand. Il découvrit la loi des nombres proportionnels qui régit les combinaisons en masse des éléments chimiques.

Richter (Johann Paul). V. Jean-Paul.

Richter (Hans) (Berlin, 1888 – Muralto, près de Locarno, 1976), peintre et cinéaste allemand naturalisé américain; membre (1916) du groupe dada de Zurich : *Dreams That Money Can Buy* («Les rêves que l'argent peut acheter», 1944), film surréaliste.

Richter (Charles Francis) (Butler County, Ohio, 1900 – Pasadena, 1985), géophysicien américain. – *Échelle de Richter,* mise au point en 1935 pour la mesure de la magnitude des séismes et graduée de 1 à 9.

Richter (Sviatoslav) (Jitomir, 1915 – Moscou, 1997), pianiste russe. La virtuosité, l'inspiration et la puissance de ses interprétations l'ont fait reconnaître internationalement comme l'une des personnalités majeures du piano contemporain.

Richter (Burton) (New York, 1931), physicien américain. Il découvrit en 1974 une nouvelle particule, le méson «psi». P. Nobel 1976.

Richter (Gerhard) (Dresde, 1932), peintre allemand. Il est l'auteur d'une œuvre à facettes multiples traduisant le caractère fondamentalement hétérogène du réel et du savoir.

Ricimer (m. en 472), général romain d'origine suève. Après avoir déposé Avitus (456), il dota l'empire d'Occident d'empereurs de son choix (Majorien, Sévère, Anthémius, Olybrius), exerçant ainsi le pouvoir, de 456 à 472.

ricin n. m. BOT Plante herbacée de très grande taille (fam. euphorbiacées) à feuilles palmées, à fleurs en grappes, originaire d'Asie. ▷ *Huile de ricin,* tirée des graines (toxiques avant traitement) de cette plante, utilisée comme purgatif et, parfois, dans l'industrie, comme lubrifiant.

rickettsie [rikɛtsi] n. f. MICROB Micro-organisme intermédiaire entre les bactéries et les virus, de très petite taille (1 µm), parasite des animaux et de l'homme.

ricocher v. intr. [1] Faire ricochet, rebondir.

ricochet n. m. Rebond d'un objet plat lancé obliquement sur la surface de l'eau, ou d'un projectile rebondissant sur une surface dure. ▷ Loc. fig. *Par ricochet :* indirectement, par contrecoup.

Ricœur (Paul) (Valence, 1913), philosophe français. À partir d'une réflexion sur l'œuvre de Husserl, il entreprit une *Philosophie de la volonté* (1950) et fonda l'herméneutique moderne : *De l'interprétation. Essai sur Freud* (1965), *le Conflit des interprétations* (1969), *la Métaphore vive* (1975).

ric-rac loc. adv. Fam. Avec une exactitude rigoureuse (souvent avec une idée de parcimonie). *C'est compté ric-rac.* ▷ Tout juste, de justesse. *La voiture est passée ric-rac.*

rictus [riktys] n. m. **1.** MED Contraction spasmodique des muscles du visage. *Rictus du tétanos.* **2.** Cour. Contraction des lèvres produisant un sourire forcé et grimaçant. *Rictus sarcastique.*

ride n. f. **1.** Sillon, pli qui se forme sur la peau, et partic. sur la peau du visage et du cou, généralement par l'effet de l'âge. – Par anal. *Les rides d'une pomme.* **2.** Ondulation, strie. *Le vent forme des rides sur le sable des déserts.*

rideau n. m. **1.** Pièce d'étoffe destinée à intercepter la lumière, à masquer qqch ou à décorer. *Poser des rideaux aux fenêtres. Tringle, anneaux de rideau.* ▷ Loc. fig. *Tirer le rideau sur une chose,* ne plus s'en occuper, ne plus en parler. – Fam. *Rideau! :* c'est fini, il n'en est plus question. **2.** Toile peinte, draperie que l'on tire ou que l'on abaisse pour dissimuler la scène ou l'écran aux spectateurs, dans une salle de spectacle. **3.** *Rideau de fer :* fermeture métallique d'une devanture de magasin. ▷ Rideau métallique permettant de séparer la scène d'un théâtre de la salle, en cas d'incendie. ▷ Fig. HIST Frontière qui séparait les États socialistes d'Europe de l'Est et les États d'Europe occidentale. (L'expression est due à W. Churchill qui, en 1946, désigna ainsi la coupure entre les zones d'influence soviétique en Europe et les zones d'influence des démocraties occidentales.) **4.** Assemblage mobile de lames métalliques fermant le devant d'une cheminée. Syn. tablier. **5.** Ce qui forme écran; ce qui masque, dissimule. *Un rideau d'arbres, de verdure.*

ridelle n. f. Chacun des deux côtés d'une charrette, d'un camion, etc., servant à maintenir le chargement.

rider v. tr. [1] **1.** Faire, causer des rides à. *L'âge a ridé ses joues.* ▷ v. pron. Devenir ridé. *Son visage s'est ridé.* **2.** Creuser de rides (sens 2), dessiner des ondulations sur. *Le vent ride la surface de l'eau.* **3.** MAR Raidir (une manœuvre* dormante). *Rider un hauban.*

Ridgway (Matthew Bunker) (Fort Monroe, Virginie, 1895 – Fox Chapel, près de Pittsburgh, 1993), général américain. Commandant en chef des forces de l'ONU en Corée (1951), il succéda à Eisenhower à la tête des forces de l'OTAN (1952-1953), puis devint chef d'état-major de l'armée des É.-U. (1953-1955).

ridicule adj. et n. m. **I.** adj. **1.** Digne de risée, de moquerie. *Chapeau ridicule. Vous êtes ridicule.* **2.** Très petit, insignifiant. *Je l'ai eu pour une somme ridicule.* **II.** n. m. **1.** Ce qui est ridicule, ce qui excite le rire, la moquerie. *Se couvrir de ridicule. Tourner en ridicule,* en dérision. ▷ Caractère de ce qui est ridicule, aspect ridicule. *Elle ne mesure pas le ridicule de sa situation.* **2.** Comportement, défaut ridicule, qui prête à rire. *Humoriste qui moque les ridicules de ses contemporains.*

ridiculement adv. **1.** D'une manière ridicule. *Elle se conduit ridiculement.* **2.** Dans des proportions ridicules. *Un prix ridiculement bas.*

ridiculiser v. tr. [1] Rendre ridicule, tourner en ridicule. ▷ v. pron. (Réfl.) *Taisez-vous, vous vous ridiculisez.*

ridule n. f. Petite ride.

Riedisheim, com. du Haut-Rhin (arr. de Mulhouse); 11 993 hab.

Riefenstahl (Helene, dite Leni) (Berlin, 1902), actrice et cinéaste allemande. Conquise par l'idéologie nazie, elle devint, à partir de 1935, la réalisatrice officielle du IIIe Reich. Elle filma le congrès de Nuremberg (*le Triomphe de la volonté,* 1935) et les J.O. de Berlin (*les Dieux du stade,* 1938).

Riego y Núñez (Rafael del) (Santa María de Tuñas, Asturies, 1785 – Madrid, 1823), général et patriote espagnol. Il mena l'insurrection de 1820 à Cadix; en 1823, il lutta contre les troupes françaises, fut trahi et pendu. On a donné son nom à un hymne révolutionnaire devenu l'hymne officiel de la République espagnole en 1931.

riel n. m. Unité monétaire du Cambodge.

Riel (Louis) (Saint-Boniface, Manitoba, 1844 – Regina, 1885), métis canadien de la rivière Rouge, qui dirigea, au Manitoba, les deux rébellions des métis (1869 et 1884-1885) contre l'occupation anglaise. Il fut pendu.

Riemann (Georg Friedrich Bernhard) (Breselenz, Hanovre, 1826 – Selasca, Italie, 1866), mathématicien allemand. Il fit considérablement progresser de nombr. branches des mathématiques : travaux fondamentaux sur les fonctions analytiques, sur les intégrales d'Abel, etc.; il établit les bases de la topologie. Dans sa géométrie, non euclidienne, les perpendiculaires à une droite Δ sont concourantes et la distance de leur point de concours S à un point quelconque A_i de Δ est constante; cette géométrie permet de rendre compte de la structure de l'espace-temps au voisinage d'astres très massifs.

Riemenschneider (Tilman) (Osterode [?], v. 1460 – Würzburg, 1531), sculpteur allemand. Sa manière prolonge le style gothique tardif : retable du Saint-Sang de la Jakobskirche, à Rothenburg.

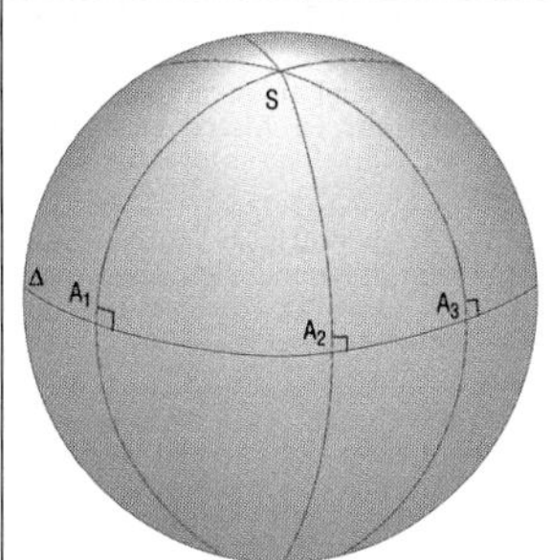

Δ étant considéré comme une géodésique d'une sphère les perpendiculaires en A_1, A_2 et A_3 à Δ se coupent en S et les distances SA_1, SA_2, SA_3 sont égales

géométrie de **Riemann**

rien [rjɛ̃] pron. indéf., n. et adv. **A.** pron. indéf. nominal. **I.** (Sens positif.) Quelque chose, quoi que ce soit. **1.** (Dans une phrase interrogative.) *Y a-t-il rien de si beau qu'un coucher de soleil?* **2.** (Après une principale à sens négatif.) *Il est impossible de rien faire.* ▷ (Après *avant, avant que, sans, sans que, trop,* etc.) *Il est parti sans rien dire.* **II.** (Sens négatif, quelquefois renforcé par *du tout.*) **1.** (En corrélation avec l'adv. de négation *ne.*) Nulle chose, néant. *Il ne fait rien du tout. Cela ne fait rien, ne sert à rien. Il ne me gêne en rien.* ▷ Fam. *Ce n'est pas rien :* c'est important, difficile, pénible. *Un tel travail, ce n'est pas rien!* ▷ Loc. adv. *Comme si de rien n'était :* comme s'il ne s'était rien passé; en feignant l'inattention ou l'indifférence. *Il a continué son chemin comme si de rien n'était.* ▷ *Rien que... :* seulement. *Je demande mon dû, et rien que mon dû.* – Fam., iron. *Trois millions, rien que ça!* ▷ Loc. *Rien moins que.* Vieilli (Sens négatif.) Tout plutôt que. *«Ma comédie n'est rien moins que ce qu'on veut qu'elle soit» (Molière).* Mod. (Sens positif.) Bel et bien. *Il ne voulait rien moins qu'assassiner son rival.* ▷ *Rien de moins que* (sens positif) : réellement, bel et bien. *Il n'est rien de moins qu'un escroc.* **2.** Employé sans négation. ▷ (En tournure elliptique.) Nulle chose. *Je veux tout ou rien.* – En réponse à une question. *Que fait-il? – Rien. À quoi pensez-vous? – À rien.* ▷ Chose, quantité, valeur, utilité nulle ou négligeable. *Travailler pour rien. Se contenter de rien. C'est trois fois rien.* ▷ *De rien, de rien du tout :* insignifiant, sans valeur. *Une petite erreur de rien du tout.* – Péjor. (Personnes) *De rien :* de peu d'importance; méprisable. *Un homme de rien. Une fille de rien,* dépravée. **B.** n. m. **1.** Peu de chose. *Un rien le fâche.* ▷ *Un rien de :* très peu de, un soupçon de. *Ajoutez un rien de sel. En un rien de temps.* ▷ Loc. adv. *Un rien :* légèrement. *C'est un rien trop cuit.* **2.** Chose sans importance, sans valeur. *S'amuser à des riens.* **C.** n. *Un, une moins que rien; un, une rien du tout :* une personne sans importance, sans valeur, sans vertu. **D.** adv. Pop. (Par antiphrase.) Très. *C'est rien moche!*

Rienzo (Cola di) (Rome, v. 1313 – id., 1354), homme politique italien. Soutenu par le peuple et la papauté en exil à Avignon, il se fit élire tribun et libérateur de l'État romain (mai-déc. 1347). Chassé de Rome, il y revint en 1354 en dictateur et périt dans une émeute.

Riesener (Jean-Henri) (Gladbeck, près d'Essen, 1734 – Paris, 1806), ébéniste français d'origine allemande. Produisant d'abord des meubles de style Louis XV, il a, par la suite, créé les plus harmonieux modèles du style Louis XVI.

riesling [rislin] n. m. Cépage blanc cultivé surtout en Alsace et en Rhénanie. ▷ Vin blanc sec issu de ce cépage.

Riesz (Frigyes) (Györ, 1880 - Budapest, 1956), mathématicien hongrois. Il établit les bases de l'analyse fonctionnelle moderne.

Rieti, v. d'Italie (Latium), au N.-E. de Rome; 43 620 hab.; ch.-l. de la prov. du m. nom. Centre commercial. Textile. - Ville à l'architecture médiévale. Sous le nom de *Reate,* elle fut la cap. des Sabins.

rieur, rieuse n. et adj. **I.** n. Personne qui rit. ▷ Loc. *Mettre les rieurs de son côté* : faire rire aux dépens de son contradicteur, dans une discussion, un débat. **II.** adj. **1.** Qui aime à rire, à s'amuser. *Une fille très rieuse.* **2.** Qui dénote la gaieté. *Une voix, une expression rieuse.* **3.** *Mouette rieuse* : mouette blanche *(Larus ridibundus),* au bec et aux pattes rouges, commune en Europe, et dont le cri évoque un éclat de rire.

Riez, ch.-l. de cant. des Alpes-de-Haute-Provence (arr. de Digne-les-Bains); 1 726 hab. Centre de commercialisation de la lavande. - Ruines romaines. Baptistère mérovingien, restauré au XIIe s., abritant un musée lapidaire. Maisons anciennes.

Rif *(ar-Rīf),* chaîne côtière du Maroc septent. (2 452 m au djebel Tidighine), difficilement pénétrable, peuplée à l'O. de cultivateurs sédentaires (céréales, oliviers) et à l'E., plus aride, d'éleveurs semi-nomades. - *Campagne* ou *guerre du Rif* : opérations militaires menées en 1921 à 1926 par les troupes franco-espagnoles contre les tribus rifaines conduites par Abd el-Krim.

rifain, aine adj. (et n.) Du Rif.

riff n. m. MUS Courte phrase mélodique servant à rythmer un morceau (de jazz, de rock, etc.).

rififi n. m. Arg. Dispute violente tournant à la bagarre, règlement de comptes. *Il va y avoir du rififi.*

riflard n. m. **1.** Laine la plus longue et la plus avantageuse d'une toison. **2.** TECH Grand rabot servant à dégrossir, à fer légèrement convexe. ▷ Couteau de plâtrier à lame triangulaire. ▷ Grosse lime à métaux, employée pour dégrossir.

rifle n. m. Carabine de petit calibre, à canon long, utilisée pour le tir de précision à courte et moyenne distances. - *Carabine 22 long rifle* : carabine d'un calibre 22/100 de pouce, employée pour le sport et la chasse.

rifler v. tr. [1] TECH Aplanir avec un riflard ou un rifloir.

rifloir n. m. TECH Râpe, lime aux extrémités recourbées, que l'on tient par le milieu.

rift [rift] n. m. GEOGR Grand fossé d'effondrement le long d'une fracture de l'écorce terrestre.

Rift Valley, suite de dépressions de l'Afrique de l'Est, résultant d'une distension de l'écorce terrestre et jalonnant une faille qui s'allonge de la vallée du Jourdain au Malawi; la Rift Valley est occupée par des plaines étroites et de nombreux lacs.

Rift Valley, prov. du Kenya; 173 868 km^2; 4 132 000 hab.; ch.-l. *Nakuru.*

Riga, cap. de la Lettonie, sur l'estuaire de la Dvina; 856 280 hab. Port actif de la Baltique, au fond du *golfe de Riga,* la ville connaît un grand essor industriel : constr. navales; raff. de pétrole; industr. chimiques, mécaniques, textiles et alimentaires. - Fondée en 1201, Riga entra dans la ligue hanséatique et adopta la Réforme. Elle appartint successivement à la Pologne (1561), à la Suède (1621), à la Russie (1709), avant de devenir la cap. de la Lettonie en 1917. Le *traité de Riga,* en 1921, mit fin à la guerre polono-soviétique. Les Soviétiques l'occupèrent de juin 1940 à juil. 1941 et la reprirent aux Allemands en oct. 1944.

Rigaud (Hyacinthe Rigau y Ros, dit Hyacinthe) (Perpignan, 1659 - Paris, 1743), peintre français. Il fut l'un des plus célèbres portraitistes du siècle de Louis XIV : *Bossuet, Louis XIV en armure.*

rigaudon [rigodɔ̃] ou **rigodon** [rigɔdɔ̃] n. m. Danse gaie et animée, à la mode aux XVIIe et XVIIIe s.; air à deux temps sur lequel on la dansait.

Rigault de Genouilly (Charles) (Rochefort, 1807 - Paris, 1873), amiral français. Il joua un rôle important dans l'établissement de la France en Cochinchine, occupant Saigon en 1859. Ministre de la Marine de 1867 à 1870.

Rigaut (Jacques) (Paris, 1898 - Châtenay-Malabry, 1929), écrivain français lié aux surréalistes. Ses œuvres complètes (*Écrits,* posth., 1970) relèvent de l'humour noir.

Rigel, système triple d'étoiles d'Orion dont la composante principale est une supergéante bleue (magnitude visuelle apparente du système - 0,1).

Righi ou **Rigi,** montagne de Suisse (1 800 m au Kulm) entre les lacs des Quatre-Cantons et de Zoug. Stat. touristique.

rigide adj. **1.** D'une sévérité, d'une austérité inflexible. *Moraliste rigide.* **2.** Raide, peu flexible. *Une barre rigide. Papier rigide.* - Fig. Qui manque de souplesse. *Système trop rigide.*

rigidement adv. Avec rigidité.

rigidifier v. tr. [2] TECH Rendre rigide.

rigidité n. f. **1.** Caractère de ce qui est rigide; grande sévérité, grande austérité. *Rigidité d'une morale, d'une religion.* **2.** Caractère de ce qui est rigide, raide. *Rigidité d'un barreau métallique.*

Rigil Kentarus, système triple d'étoiles du Centaure, comprenant *Proxima Centauri* (magnitude visuelle apparente du système - 0,1).

rigodon. V. rigaudon.

rigolade n. f. Fam. **1.** Partie de plaisir, moment d'amusement, de joie. *Quelle rigolade!* **2.** Plaisanterie. *Prendre qqch à la rigolade.* ▷ Chose qui ne peut être prise au sérieux; chose sans gravité, sans importance. *C'est une vraie rigolade, ce projet.*

rigolard, arde adj. Fam. Qui rigole; qui exprime la gaieté ou la moquerie. *Un gars rigolard. Un ton rigolard.*

rigole n. f. **1.** Petit fossé étroit pratiqué dans la terre, rainure creusée dans la pierre pour l'écoulement des eaux. **2.** Filet d'eau de ruissellement. **3.** AGRIC Petite tranchée destinée à recevoir des plants. ▷ CONSTR Tranchée étroite servant aux fondations d'un ouvrage.

rigoler v. intr. [1] Fam. **1.** Rire, se divertir. *On a bien rigolé.* **2.** Plaisanter. *Je ne rigole pas, c'est sérieux!*

rigolo, ote adj. et n. Fam. **I.** adj. **1.** Qui fait rigoler, amusant. *Une histoire rigolote.* **2.** Inattendu, surprenant. *C'est rigolo de vous retrouver ici.* Syn. drôle. **II.** n. **1.** Personne qui sait faire rire; amuseur, boute-en-train. **2.** Péjor. Personne peu sérieuse en qui on ne peut avoir confiance. *Vous n'êtes qu'un rigolo.*

rigorisme n. m. Sévérité extrême en matière de religion ou de morale.

rigoriste n. et adj. Qui fait preuve de rigorisme. ▷ adj. *Morale rigoriste.*

rigotte n. f. Très petit fromage cylindrique fabriqué dans le Lyonnais et dans le Forez.

rigoureusement adv. **1.** Avec rigueur, sévérité. *Punir rigoureusement.* Syn. durement. **2.** De façon stricte, formelle. *C'est rigoureusement défendu.* ▷ De façon incontestable. *Rigoureusement vrai.* Syn. absolument. **3.** Avec une grande précision. *Une longueur rigoureusement mesurée.*

rigoureux, euse adj. **1.** Rude, âpre, dur à supporter. *Hiver rigoureux.* **2.** Sévère, draconien. *Un arrêt rigoureux.* ▷ (Personnes) Qu'on ne saurait fléchir; rigide, inflexible. *Juges rigoureux.* **3.** D'une grande précision, d'une grande rigueur (sens 3). *Démonstration rigoureuse. Soyez plus rigoureux dans vos raisonnements.* ▷ Strict. *Application rigoureuse des règles.*

rigueur n. f. **1.** Sévérité, austérité. *Traiter ses enfants avec trop de rigueur.* - (Choses) Dureté, âpreté. *La rigueur d'un climat.* ▷ Loc. *Tenir rigueur à qqn de qqch,* lui en vouloir, lui en garder rancune. **2.** Litt. (Souvent au plur.) Acte de sévérité. *Les rigueurs d'un tyran.* - *Les rigueurs de la vie carcérale.* **3.** Grande exactitude, grande fermeté dans la démarche logique. *Rigueur d'un raisonnement.* ▷ Sûreté, précision. *Son style manque de rigueur.* **4.** Loc. *À la rigueur* : au pis aller, à tout prendre. ▷ *De rigueur* : exigé, rigoureusement nécessaire; imposé par les usages, les règlements. *Précautions de rigueur.*

Rig-Veda, le plus ancien des livres védiques, composé entre le XVIe et le IXe s. av. J.-C. : 1 028 hymnes à caractère lyrique posent les bases mythologiques, philosophiques et liturgiques du brahmanisme.

Rijeka, v. de Croatie, sur l'Adriatique; 159 430 hab. Port important et centre industriel : chantiers navals, raff. de pétrole, industr. électriques et chimiques. - Ville hongroise, elle appartint, de 1919 à 1947, à l'Italie, sous le nom de *Fiume* (après le coup de force de Gabriele D'Annunzio), puis fut donnée à la Yougoslavie (traité de Paris).

Rijswijk. V. Ryswick.

rikiki. V. riquiqui.

Rila, partie occidentale du massif du Rhodope, en Bulgarie (2 925 m au pic *Musala*). - Monastère.

Rilke (Rainer Maria) (Prague, 1875 - sanatorium de Val-Mont, Montreux, 1926), écrivain autrichien. Son œuvre, l'un des sommets de la poésie lyrique allemande, est une méditation à la fois angoissée et sereine sur la mort, sur l'invisible; c'est aussi une « expérience extatique sur l'art » (M. Blanchot) et le monde des choses, intégrée à la parole même du poète : « Ce n'est pas ma voix seule qui chante : tout résonne. » Poésies : *le Livre d'heures* (1905), *Élégies de Duino* (1923), *Sonnets à Orphée* (1923). Roman autobiographique : *les Cahiers de Malte Laurids Brigge* (1910). Sa liaison

avec Lou Andreas-Salomé (1897-1900) est demeurée célèbre.
► illustr. page **1636**

Rille. V. Risle.

rillettes n. f. pl. Charcuterie faite de viande de porc ou d'oie, découpée et cuite longuement dans sa graisse. *Rillettes du Mans, de Tours.*

Rillieux-la-Pape, ch.-l. de cant. du Rhône (arr. de Lyon); 31 149 hab. Industr. textiles.

rillons [ʀijɔ̃] n. m. pl. Rég. **1.** Cubes de viande de porc cuits dans la graisse. **2.** Résidu de viande de porc ou d'oie dont on a fait fondre la graisse. V. gratton.

rilsan n. m. (Nom déposé.) **1.** Matière plastique polyamide obtenue à partir de l'huile de ricin. **2.** Fibre textile légère, résistante et infroissable, faite avec cette matière.

rimailler v. intr. [**1**] Vieilli Faire de mauvaises rimes, de mauvais vers.

rimailleur, euse n. Vieilli Personne qui rimaille, mauvais poète.

rimaye n. f. GEOMORPH Crevasse qui sépare un glacier de son névé.

rimbaldien, enne adj. et n. **1.** adj. De Arthur Rimbaud. *La poésie rimbaldienne.* – À la manière de Rimbaud. *Ce texte a un côté rimbaldien.* **2.** n. Admirateur ou spécialiste de l'œuvre de Rimbaud.

Rimbaud (Arthur) (Charleville, 1854 – Marseille, 1891), poète français. Brillant élève au collège de Charleville, mais vivant au sein d'un milieu familial étouffant que domine l'autorité de sa mère, il fait plusieurs fugues (en 1870 et en 1871). Ses poèmes de forme régulière, écrits en 1870, donnent un assez fidèle portrait de cet adolescent «vagabond», sarcastique, tendre mais révolté qui, en 1871, applaudit à la Commune. Avec la lettre à Paul Démeny, dite *Lettre du voyant* (15 mai 1871), *le Bateau ivre* (poème, sept. 1871) et le sonnet des *Voyelles,* Rimbaud passe de la «forme vieille» aux «formes nouvelles» que «réclament les inventions d'inconnu». Invité par Verlaine à Paris (sept. 1871), il se rend avec lui en Belgique (juil. 1872), puis à Londres. Leur liaison est passionnée et tumultueuse. Au cours d'une querelle, à Bruxelles, Verlaine blesse son ami d'un coup de revolver (1873). Certains épisodes de cette vie de marginal transparaissent dans *Une saison en enfer* (1873), texte étrange et violent où Rimbaud, ironisant sur lui-même, s'écarte des exaltations de l'aventure poétique. Bientôt, il renonce à la littérature, mais les *Illuminations* (1886, écrites vraisemblablement de 1872 à 1875), suite de visions fabuleuses, proliférantes, nées des interférences de la mémoire et du réel, ont déjà fait de lui ce «passant considérable» (Mallarmé) dont l'œuvre, brève, dense, éblouissante, est à l'origine des tentatives poétiques modernes les plus diverses. En 1876, il s'engage dans l'armée hollandaise; à Batavia (Djakarta), il déserte (1877), voyage en Europe avec un cirque (1877), se fait surveillant de travaux à Chypre (1879-1880), explorateur en Éthiopie et en Somalie (1882-1883), trafiquant d'armes au Harar (1884-1891). Atteint d'une tumeur à la jambe droite, hospitalisé à Marseille (1891), il est amputé et meurt quelques mois plus tard.

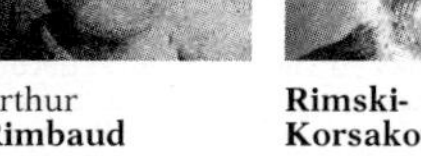

Arthur **Rimbaud**

Rimski-Korsakov

rime n. f. **1.** Retour des mêmes sons à la fin de deux périodes rythmiques ou de deux vers. *Rimes pauvres,* où l'identité porte seulement sur la voyelle accentuée *(passé/chanté). Rimes riches,* où l'identité porte à la fois sur la voyelle accentuée, sur la consonne qui la suit et sur celle qui la précède *(cheval/rival). Rimes féminines, rimes masculines,* terminées ou non par un *e* muet. ▷ *Rime pour l'œil :* identité graphique, sans homophonie *(aimer/amer).* **2.** Loc. *Sans rime ni raison :* d'une manière absurde, inexplicable.

rimer v. [**1**] **I.** v. intr. **1.** Constituer une rime. *Ces deux mots ne riment pas.* ▷ Fig. *Cela ne rime à rien :* cela est dépourvu de sens, de raison. **2.** Employer des rimes; faire des vers. **II.** v. tr. Mettre en vers. *Rimer un conte.*

rimeur, euse n. Péjor. Poète médiocre qui se borne à aligner des rimes.

Rimini, v. d'Italie (Émilie), sur l'Adriatique; 129 860 hab. Import. stat. balnéaire. – Ruines antiques (notam. arc d'Auguste). Égl. San Francesco (XIIIe, remaniée au XVe s.), dite temple de Malatesta.

Rimini (Francesca da) (XIIe s.), dame italienne. Mariée contre son gré à Lanciotto Malatesta, elle s'éprit de son beau-frère Paolo. La mort tragique des deux amants (tués par Lanciotto) inspira à Dante un épisode célèbre de *la Divine Comédie.*

rimmel n. m. (Nom déposé.) Fard à cils.

Rimouski, v. du Canada (Québec), sur l'estuaire du Saint-Laurent; 30 870 hab. – Archevêché.

Rimski-Korsakov (Nikolaï Andreïevitch) (Tikhvine, Novgorod, 1844 – Lioubensk, près de Saint-Pétersbourg, 1908), compositeur russe. Son œuvre, d'inspiration folklorique et souvent teintée de romantisme oriental, brille par ses effets d'orchestration et la richesse de l'ornementation mélodique : *Capriccio espagnol* (1887), *Schéhérazade* (poème symphonique, 1888), *la Légende de la ville invisible de Kitège* (opéra, 1904-1907), *le Coq d'or* (opéra, 1907-1909), etc. Auteur d'un *Traité d'harmonie pratique* (1885).

rinçable adj. Qui peut être rincé; éliminable par rinçage.

rinçage n. m. Action de rincer; son résultat. ▷ *Spécial.* Fait de rincer les cheveux avec un produit laissant des reflets; *par ext.,* ce produit.

rinceau n. m. ARCHI Ornement peint ou sculpté, figurant des branchages disposés en enroulement.

rince-bouteilles n. m. inv. Machine à rincer les bouteilles.

rince-doigts n. m. inv. Petit récipient rempli d'eau tiède, qui sert à se rincer les doigts à table.

rincer v. tr. [**12**] **1.** Nettoyer, laver à l'eau. **2.** Passer à l'eau claire pour éliminer un produit de lavage. *Rincer du linge.* ▷ Fig., fam. *Se faire rincer :* se faire tremper par la pluie. ▷ v. pron. Loc. fig., fam. *Se rincer l'œil :* regarder avec plaisir un spectacle (généralement osé). ▷ Pop. *Se rincer le gosier, la dalle :* boire. **3.** Arg. ou fam. Offrir à boire. **4.** Pop. Dépouiller (au jeu); ruiner. *Il s'est fait rincer au baccara.*

rincette n. f. Fam. Eau-de-vie qu'on boit dans la tasse après le café.

rinçure n. f. **1.** Eau qui a servi à rincer. **2.** Fam. Vin très étendu d'eau.

ring [ʀiŋ] n. m. Estrade entourée de trois rangs de cordes, sur laquelle se disputent les combats de boxe et de catch.

ringard, arde n. m. et adj. **1.** SPECT Arg. Vieil acteur sans talent. ▷ Acteur sans talent, quel que soit son âge. **2.** Fam., cour. Personne médiocre, sans capacités. ▷ adj. Démodé, dépassé, de mauvaise qualité. *Une publicité ringarde.*

ringardiser v. tr. [**1**] Fam. Rendre ringard, démodé, ridicule.

Ringuet (Philippe Panneton, dit) (Trois-Rivières, 1895 – Lisbonne, 1960), diplomate et écrivain québécois; auteur de romans sur la vie paysanne : *30 Arpents* (1938), *Fausse Monnaie* (1947), *le Poids du jour* (1949).

rio n. m. (Mot esp.) Cours d'eau.

Riobamba, v. de l'Équateur, ch.-l. de la prov. de Chimborazo, à 2 800 m d'alt.; 75 460 hab. Industr. textiles. – Évêché.

Rio Branco, cap. de l'État brésilien de Acre; 146 000 hab.

Rio de Janeiro, cap. de l'État du m. n.; 5 615 150 hab. (aggl. urb. 10 217 270 hab.) *(Cariocas).* – Premier port du Brésil, exutoire des États miniers brésiliens, la ville possède une industr. métallurgique très développée et de nombr. industr. de transformation (raff. de pétrole; constr. mécaniques; industr. chimiques, textiles et alimentaires). Un arrière-pays difficile (marécages à palétuviers), un relief granitique morcelé en pitons aux versants abrupts (Corcovado, Pain de Sucre) caractérisent le site de Rio. Dans la ville, qui s'étend le long de la baie de Guanabara, se côtoient quartiers résidentiels du bord de mer et bidonvilles *(favelas).* – Archevêché. Université. Métropole culturelle et artistique. Célèbre carnaval. Siège de la Conférence des Nations unies sur l'environnement (1992). – Fondé en 1565, Rio de Janeiro devint la cap. du Brésil en 1763 et fut la cap. fédérale de l'État brésilien jusqu'en 1960.

Rio de Janeiro (État de), État du Brésil, sur l'Atlantique; 44 268 km^2; 13 541 000 hab.; cap. *Rio de Janeiro.* Deuxième foyer industriel brésilien (pétrochimie, sidérurgie, constr. mécaniques et navales).

Rio de Janeiro : le Pain de Sucre, dans la baie de Guanabara

Río de la Plata. V. Plata.

Río de Oro, anc. protectorat espagnol du Sahara* occidental, prov. espagnole de 1958 à 1975.

Rio Grande, Rio Grande del Norte, Rio Bravo. V. Grande.

Rio Grande do Norte, État du N.-E. du Brésil, sur l'Atlantique; 53 015 km^2; 2 224 000 hab.; cap. *Natal.* Plaine littorale dominée par des plateaux peu élevés, au climat sec et chaud. Culture du coton, de la canne à sucre.

Rio Grande do Sul, État du Brésil méridional, sur l'Atlantique; 282 184 km^2; 8 859 000 hab.; cap. *Pôrto Alegre.* Formé par la retombée du plateau brésilien, que borde une côte basse, l'État, mis en valeur récemment, se consacre à l'élevage extensif des bovins et à la polyculture (vignobles, céréales, tabac). Industr. textiles et alim. Commerce portuaire important.

Rioja (La), région historique du N. de l'Espagne, drainée par une partie du cours de l'Èbre. Communauté autonome espagnole et région de la C.E.; 5 034 km^2; 266 280 hab.; ch.-l. *Logroño.* Vins renommés.

Riom, ch.-l. d'arr. du Puy-de-Dôme; 19 302 hab. Industr. électr. – Églises St-Amable et N.-D.-du-Marthuret (XIVe-XVe s.). Ste-Chapelle (XIVe s., dans le palais de justice). Musée Francisque-Mandet. – Le *procès de Riom,* mené de fév. à avril 1942 par le gouvernement de Vichy, contre les prétendus responsables de la défaite (notam. Blum, Daladier et Gamelin) ne donna lieu à aucun verdict, mais les accusés furent livrés aux autorités allemandes en 1943.

Río Muni. V. Mbini.

Rion (le) (anc. *Phase*), fl. de Géorgie, tributaire de la mer Noire (315 km). Son bassin inférieur constituait l'antique Colchide.

Riopelle (Jean-Paul) (Montréal, 1923), peintre canadien; l'un des princ. représentants de l'abstraction lyrique.

Río Tinto. V. Minas de Ríotinto.

Riourik. V. Rurik.

ripage n. m. TECH **1.** Polissage, grattage à la ripe. **2.** Action de riper, de déplacer (qqch) par glissement. ▷ Fait de riper. *Ripage d'une caisse mal amarrée.*

ripaille n. f. Fam. Bonne chère, débauche de table. *Faire ripaille.*

ripe n. f. TECH Outil de sculpteur constitué d'une tige recourbée en S dont les extrémités, aplaties et affûtées, servent à gratter et à polir.

riper v. [1] **I.** v. tr. **1.** TECH Polir, gratter avec une ripe. **2.** Déplacer (un fardeau) en le faisant glisser sur le sol ou sur son support. *Riper une charge à la main.* **II.** v. intr. **1.** Cour. Glisser en frottant, déraper. *L'échelle a ripé.* **2.** Pop. Partir.

ripeur n. m. Éboueur qui charge les ordures dans le camion-benne.

ripolin n. m. (Nom déposé.) Peinture laquée, très brillante.

ripoliner v. tr. [1] Peindre au ripolin.

riposte n. f. **1.** Réponse vive, prompte repartie à une attaque verbale, à une raillerie. **2.** SPORT En escrime, attaque portée immédiatement après une parade. **3.** Contre-attaque.

riposter v. intr. [1] **1.** Répondre avec vivacité à un contradicteur, un railleur. **2.** SPORT Porter une riposte, en escrime. **3.** Contre-attaquer.

ripou, oux adj. m. et n. m. (Verlan) Arg. (Spécial. en parlant de policiers.) Corrompu (sens 3); pourri (sens II, 2). *«Les Ripoux»,* film de Claude Zidi.

ripper [ripœr] ou **rippeur** n. m. TRAV PUBL Machine servant à défoncer (sens 3). Syn. défonceuse.

ripuaire adj. HIST Propre ou relatif aux tribus franques qui stationnaient au Ve s. autour de Cologne et jusqu'à la haute Moselle.

Riquet (Pierre Paul de) (Béziers, 1604 – Toulouse, 1680), ingénieur français. Il conçut (1662) et réalisa partiellement la construction du canal du Midi.

Riquewihr, com. du Haut-Rhin (arr. de Ribeauvillé); 1 080 hab. Vins. – Enceinte médiévale. Château (XVIe s.).

riquiqui ou **rikiki** [rikiki] adj. inv. Fam. Très petit, mesquin.

1. rire v. [68] **I.** v. intr. **1.** Marquer la gaieté qu'on éprouve par un mouvement de la bouche et des muscles du visage, accompagné d'expirations saccadées plus ou moins sonores. *Rire aux éclats. Rire jaune*. Rire sous cape*.* **2.** Se divertir, se réjouir. *Aimer à rire.* – Prov. *Plus on est de fous, plus on rit.* **3.** Badiner, railler; ne pas parler, ne pas agir sérieusement. *Vous voulez rire? C'était pour rire* (langage enfantin ou pop. : *pour de rire*). **4.** *Rire de :* se moquer de. *Les gens rient de lui.* **II.** v. pron. *Se rire de.* **1.** Vieilli, litt. Se moquer de (qqn). **2.** Mod. Venir facilement à bout de, triompher aisément de (ce qui s'oppose à l'action). *Se rire des obstacles, des difficultés.*

2. rire n. m. Action de rire. *Éclater, pouffer de rire. Rire énorme, homérique*.* – Loc. *Fou rire :* rire incoercible, incontrôlable.

1. ris [ri] n. m. MAR Chacune des bandes horizontales d'une voile, que l'on peut serrer sur la bôme pour les soustraire à l'action du vent. *Prendre un, deux ris. Larguer les ris.*

2. ris [ri] n. m. (Souvent au plur.) *Ris de veau, d'agneau,* thymus (comestible) de ces animaux.

1. risée n. f. Moquerie collective aux dépens de qqn (seulement dans quelques loc.). *Être la risée de :* être un objet de moquerie pour.

2. risée n. f. MAR Augmentation passagère de la force du vent.

risette n. f. **1.** Sourire d'un enfant. *Fais risette!* **2.** Sourire plus ou moins franc de politesse, d'amabilité. *Je n'ai aucune envie de lui faire des risettes.*

Risi (Dino) (Milan, 1917), cinéaste italien. Auteur de comédies à l'humour souvent féroce : *Pauvres mais beaux* (1956), *le Fanfaron* (1962), *les Monstres* (sketches, 1963), *Parfum de femme* (1974), *les Nouveaux Monstres* (sketches, 1977), *le Bon Roi Dagobert* (1984).

risible adj. Péjor. Digne de moquerie. *Cette prétention est tout à fait risible.*

risiblement adv. D'une manière risible.

Risle ou **Rille** (la), riv. de Normandie (140 km), affl. de la Seine (r. g.); arrose Pont-Audemer.

Ris-Orangis, ch.-l. de cant. de l'Essonne (arr. d'Évry); 24 788 hab. Constr. méca. – Chât. de Froment (XVIIe s.).

Risorgimento (mot ital. signif. *résurrection*), terme désignant en Italie le mouvement nationaliste, idéologique et polit. (de la seconde moitié du XVIIIe s. à 1860) qui aboutit à la formation de l'unité nationale (1859-1870).

risotto n. m. Plat italien à base de riz légèrement coloré par une cuisson dans une matière grasse. *Des risottos.*

risque n. m. **1.** Danger dont on peut jusqu'à un certain point mesurer l'éventualité, que l'on peut plus ou moins prévoir. *Courir, prendre un risque,* s'y exposer. ▷ Loc. *À risque(s) :* qui présente un danger ou une éventualité d'échec. *Grossesse à risque.* – *À ses risques et périls :* en prenant sur soi tous les risques, en les assumant totalement. – *Au risque de :* en s'exposant au danger de. **2.** Perte, préjudice éventuels garantis par une compagnie d'assurances moyennant le paiement d'une prime. *Assurance tous risques.*

risqué, ée adj. Qui comporte des risques, hasardeux. *Entreprise risquée.* ▷ Osé, trop libre. *Plaisanteries risquées.*

risquer v. [1] **I.** v. tr. **1.** Mettre en danger. *Risquer sa vie, son honneur, sa fortune.* – Prov. *Qui ne risque rien n'a rien.* – Loc. *Risquer le tout pour le tout :* jouer son va-tout. ▷ Exposer (au risque d'être vu, blessé, etc.). *Il risqua une main dans l'étroite ouverture.* **2.** Essayer, sans être assuré du résultat. *On peut risquer l'aventure. Risquer le coup.* ▷ Émettre (une parole, une opinion) en courant le risque d'être désapprouvé, mal compris, etc. *Risquer une plaisanterie, un avis.* **3.** S'exposer à (un danger, une peine). *Il risque la mort, une forte amende.* ▷ *Risquer de* (+ inf.) : courir le risque de. *Risquer de perdre son emploi.* – *Par ext.* Avoir une chance de. *Cette opération risque de réussir.* **II.** v. pron. Se hasarder. *Se risquer dans une affaire.*

risque-tout n. et adj. inv. Personne audacieuse, qu'aucun danger n'arrête.

riss n. m. GEOL Importante glaciation du quaternaire, intermédiaire entre le mindel et le würm.

Riss (le), riv. d'Allemagne (plateau bavarois).

rissole n. f. Petit morceau de pâte feuilletée, fourré d'un hachis de viande ou de poisson, et frit.

rissoler v. [1] v. tr. Cuire, rôtir (un aliment) de façon à lui donner une couleur dorée. ▷ v. intr. *Mettre des oignons à rissoler.*

Rist (Charles) (Lausanne, 1874 – Versailles, 1955), économiste français; sous-gouverneur de la Banque de France (1926-1929) : *Histoire des doctrines économiques depuis les physiocrates jusqu'à nos jours* (avec Ch. Gide, 1909), *la Déflation en pratique* (1921), *Défense de l'or* (1955).

ristourne n. f. **1.** Remise faite par un courtier, un commerçant, à un client. ▷ Bonification ou commission plus ou moins licite. **2.** Part de bénéfice qui, dans une coopérative de consommation ou dans une société d'assurance mutuelle, revient aux acheteurs ou aux associés en fin d'exercice.

ristourner v. tr. [1] Accorder une ristourne (à qqn).

rital, ale, als n. Fam., péjor. Italien.

rite n. m. **1.** Ensemble des cérémonies en usage dans une religion. *Rites protestants.* ▷ Ensemble des règles qui régissent la pratique d'un culte particulier. *Rites des Églises chrétiennes d'Orient unies à Rome.* **2.** Détail des prescriptions en vigueur pour le déroulement d'un acte cultuel; l'acte cultuel lui-même. *Le rite du baptême.* – Par anal. *Les rites maçonniques.* ▷ Pratique à caractère sacré (symbolique ou magique). **3.** SOCIOL Pratique sociale habituelle, coutume. *Le rite du sapin de Noël.* ▷ Usage auquel la force de l'habitude a fait prendre la valeur d'un rite (sens 2). *Après le dîner, il fume un cigare, c'est un rite.*

ritournelle n. f. **1.** Courte phrase instrumentale jouée à la fin de chacun des couplets d'une chanson. ▷ Chanson à refrain; refrain. **2.** Fig. Propos rabâché, rebattu.

Rítsos (Yannis) (Monemvassía, 1909 - Athènes, 1990), poète grec. Son œuvre est étroitement liée à son engagement politique aux côtés des opprimés : *Tracteurs* (1934), *Veille* (1954), *la Sonate au clair de lune* (1956), *le Mur dans le miroir* (1973).

ritualisation n. f. Didac. Action de ritualiser.

ritualiser v. tr. [1] Didac. Organiser (qqch) à la manière d'un rite. ▷ v. pron. Devenir rituel.

ritualisme n. m. **1.** RELIG Mouvement religieux, né en Grande-Bretagne au XIXe s., qui tendait à restaurer, au sein de l'Église anglicane, certains des rites catholiques romains. **2.** Attachement étroit aux rites, formalisme religieux.

ritualiste adj. et n. **1.** RELIG Qui a rapport au ritualisme (sens 1). ▷ Subst. Partisan du ritualisme. **2.** Attaché au respect des rites.

rituel, elle adj. et n. m. **I.** adj. **1.** Qui a valeur de rite, qui constitue un rite. *Prières rituelles.* ▷ Fig. *Les jurés apprécièrent « en leur âme et conscience », selon la formule rituelle.* **2.** Habituel, coutumier et aussi précis qu'un rite. *C'était l'heure de sa promenade rituelle.* **II.** n. m. **1.** Livre liturgique de l'Église catholique qui contient le détail des rites, des cérémonies et des prières qui les accompagnent. **2.** Ensemble des rites.

rituellement adv. D'une manière rituelle; selon un rite.

rivage n. m. **1.** Bande de terre qui limite une étendue d'eau, et plus partic. d'eau marine. (N.B. On emploie plutôt le mot *rive* à propos d'une étendue d'eau douce.) **2.** DR Partie du littoral soumise à l'action des marées.

rival, ale, aux n. et adj. **I.** n. **1.** Personne qui prétend au même but, au même succès qu'un ou plusieurs autres concurrents. *Supplanter ses rivaux. Un rival dangereux.* ▷ *Spécial.* Personne qui dispute à qqn l'amour de qqn d'autre. **2.** (Avec une négation.) Personne susceptible de faire aussi bien qu'une autre. *Il n'a pas de rival.* ▷ (Choses) *Ce vin est sans rival pour accompagner le gibier.* **II.** adj. Concurrent. *Nations, entreprises rivales.*

rivaliser v. intr. [1] *Rivaliser avec qqn,* s'efforcer de l'égaler, de le surpasser. *Rivaliser d'adresse, d'esprit.*

rivalité n. f. Fait de rivaliser; situation de deux ou de plusieurs personnes rivales. *Rivalité politique, amoureuse.* - Par anal. *Rivalité entre deux villages.*

Rivarol (Antoine Rivaroli, dit le comte de) (Bagnols-sur-Cèze, Gard, 1753 - Berlin, 1801), écrivain français; surtout connu par son *Discours sur l'universalité de la langue française* (1784). Violent polémiste, il attaqua la Révolution dans plusieurs journaux et dut s'exiler (1792).

Rivas (Ángel de Saavedra y Ramírez, duc de) (Cordoue, 1791 - Madrid, 1865), écrivain espagnol. Converti au romantisme, il écrit *Bâtard maure* (1833) et met en vers les légendes nationales : *les Romances historiques* (1841). Théâtre : *Don Alvaro ou la Force du destin* (1830), dont Verdi a tiré le livret de *la Force du destin.*

rive n. f. **I.** **1.** Bord d'un cours d'eau, d'un lac. *La rive droite, gauche d'un fleuve* (en regardant vers l'aval). **2.** POET Bord de mer. *Les rives de la mer Noire.* **II.** TECH Bord rectiligne d'une pièce de bois, de métal. ▷ *Rive d'un four :* bord d'un four, près de la gueule.

Rive-de-Gier, ch.-l. de cant. de la Loire (arr. de Saint-Étienne); 15 699 hab. Industr. métallurgiques.

river v. tr. [1] **1.** Assujettir (un rivet, une pièce métallique oblongue) par matage*. ▷ *River un clou,* en rabattre la pointe sur l'objet traversé. - Loc. fig. *River son clou à qqn,* le faire taire par un argument irréfutable. **2.** Fixer, assembler au moyen de rivets. *River des tôles.* Syn. riveter. ▷ Fig. Immobiliser. *La maladie l'a rivé au lit.*

Rivera (Diego) (Guanajuato, 1886 - Mexico, 1957), peintre mexicain. Ses fresques monumentales sont un hommage à la révolution de 1910 : Palais national de Mexico (1929-1934 et 1945).

Diego **Rivera** : *Rêve d'un dimanche après-midi dans le parc d'Alameda,* 1947-1948, détail d'une fresque; hôtel del Prado, Mexico

riverain, aine n. et adj. Personne qui possède ou qui habite une propriété située le long d'un cours d'eau, d'un lac, etc. - Par ext. *Les riverains d'une rue.* ▷ adj. *Propriétés riveraines.*

Rivesaltes, ch.-l. de cant. des Pyrénées-Orientales; 7 348 hab. - Vin blanc liquoreux.

rivet n. m. Courte tige cylindrique en métal dont une extrémité est renflée en une tête tronconique ou hémisphérique et dont l'extrémité opposée est destinée à être matée sur la pièce à assembler. ▷ *Rivet tubulaire,* en deux parties, l'une mâle, l'autre femelle.

Rivet (Paul) (Wassigny, Ardennes, 1876 - Paris, 1958), anthropologue français. Fondateur du musée de l'Homme (1937), il est l'auteur d'études sur les peuples d'Amérique : *les Origines de l'homme américain* (1943), *Métallurgie précolombienne* (1946).

rivetage n. m. TECH **1.** Action de riveter; son résultat. **2.** Ensemble des rivets qui maintiennent des pièces assemblées. *Rivetage en cuivre.*

riveter v. tr. [20] TECH Fixer au moyen de rivets. Syn. river.

riveteuse n. f. TECH Machine à riveter, à river. Syn. riveuse.

Rivette (Jacques) (Rouen, 1928), cinéaste français. Théoricien de la Nouvelle Vague : *la Religieuse* (d'après Diderot, 1966), *l'Amour fou* (1967), *Céline et Julie vont en bateau* (1974), *la Bande des quatre* (1989), *la Belle Noiseuse* (1991).

riveur, euse n. TECH **1.** n. Ouvrier, ouvrière qui rive, qui pose des rivets. **2.** n. f. Syn. de *riveteuse.*

Rivier (Jean) (Villemomble, 1896 - Aubagne, 1987), compositeur français d'inspiration néo-classique : symphonies, concertos, musique de chambre, mélodies.

Riviera (la), nom donné au littoral du golfe de Gênes (Italie), de la frontière française à La Spezia, et parfois (abusiv.) à la Côte d'Azur.

rivière n. f. **I.** **1.** Cours d'eau de moyenne importance. ▷ *Spécial.* Cours d'eau qui se jette dans un autre cours d'eau (à la différence du *fleuve*). **2.** SPORT Pièce d'eau constituant un obstacle sur le parcours d'un steeple. **3.** Par anal. *Rivière de... :* grande quantité fluide de (matière qui coule, s'épanche). *Rivière de lave.* **II.** *Rivière de diamants :* collier de diamants montés en chatons.

Rivière (Jacques) (Bordeaux, 1886 - Paris, 1925), écrivain français; un des premiers collaborateurs de la *Nouvelle Revue française (N.R.F.),* dont il assuma la direction de 1919 à 1925. Romancier moraliste inquiet (*Aimée,* 1922; *Florence,* 1935), et critique perspicace, (*Études sur les peintres,* 1911; *Carnets,* posth. 1974), il entretint avec son beau-frère Alain-Fournier une intéressante *Correspondance* (1905-1914; publiée de 1926 à 1928).

Rivière-Pilote, com. de la Martinique (arr. du Marin); 12 678 hab.

rivoir n. m. TECH **1.** Marteau utilisé pour river. **2.** Machine à river. (On dit et on écrit aussi *rivoire,* n. f.)

Rivoli, bourg d'Italie (prov. de Vérone), sur l'Adige; 1 620 hab. - Bonaparte y vainquit les Autrichiens (14 janv. 1797).

Rivoyre (Christine de) (Tarbes, 1921), romancière française, auteur de tableaux de mœurs au style alerte et piquant : *la Mandarine* (1967), *le Petit Matin* (1970), *Reine-Mère* (1985).

rivure n. f. TECH **1.** Assemblage réalisé au moyen de rivets. **2.** Partie du rivet aplatie après rivetage.

rixe n. f. Querelle violente accompagnée de coups.

Rixheim, com. du Haut-Rhin (arr. de Mulhouse); 11 738 hab. - Papiers peints, industrie alim. - Commanderie de l'Ordre Teutonique (XVIIe s.).

Riyad, Ryad ou **Riad** *(ar-Riyāḍ),* cap. de l'Arabie Saoudite et ch.-l. du Nadjd; 667 000 hab. Située dans une région clémente (palmeraies, vergers), cap. depuis 1932, cette ville historique est auj. un import. centre politique, commercial et financier moderne.
▶ illustr. page **1642**

riyal n. m. Unité monétaire de l'Arabie Saoudite et du Qatar.

riz n. m. **1.** Graminée céréalière des régions chaudes. **2.** Grain comestible de cette plante. *Riz blanchi* (décortiqué), *complet* (avec son enveloppe). -

Riyad : le nouveau ministère des Affaires étrangères, au cœur des quartiers modernes

Riz sauvage : V. zizanie (sens 2). – *Poudre de riz* : V. poudre.

Rīza chāh. V. Pahlavi.

Rizal y Alonso (José) (Calamba, 1861 – Manille, 1896), écrivain et homme politique philippin. Tenu pour l'instigateur de la révolte de 1896, il fut fusillé par les Espagnols. Il est devenu le héros national des Philippines.

rizicole adj. Où l'on cultive le riz.

riziculteur, trice n. Cultivateur de riz.

riziculture n. f. Culture du riz.

rizière n. f. Terrain inondable où l'on cultive le riz; plantation de riz.

R.M.I. n. m. Sigle de *revenu* minimum d'insertion.*

RMiste [ɛʀɛmist] n. Bénéficiaire du R.M.I.

R.M.N. n. f. Sigle de *résonance* magnétique nucléaire.*

R.M.O. n. f. MED Abrév. de *référence* médicale opposable.*

Rn CHIM Symbole du radon.

R.N.A. ou **RNA** n. m. BIOCHIM Sigle de l'angl. *ribonucleic acid,* souvent employé pour A.R.N.*

R.N.I.S. n. m. TELECOM (Sigle de *réseau numérique à intégration de services.*) Réseau qui permet de faire transiter des informations codées numériquement sur des lignes téléphoniques.

road-movie [rodmuvi] n. m. (Anglicisme) Genre cinématographique américain qui a pour cadre l'autoroute; film appartenant à ce genre. *Des road-movies.*

variété de **riz** cultivé : épi et paddy

Roanne, ch.-l. d'arr. de la Loire, sur la Loire, au centre du *bassin de Roanne,* plaine vouée à l'élevage bovin, 42 848 hab. Industr. métallurgiques, chimiques, textiles; industries d'armement; papeteries.

Robbe-Grillet (Alain) (Brest, 1922), écrivain et cinéaste français. Éliminant toute analyse psychologique (V. nouveau roman), il fonde son récit sur une description neutre des formes, des objets : *les Gommes* (1953), *Dans le labyrinthe* (1959). Les thèmes érotiques, qui dominent à partir de *la Maison de rendez-vous* (1965), se retrouvent dans ses films : *l'Immortelle* (1963), *Glissements progressifs du plaisir* (1974), *la Belle Captive* (1983).

robe n. f. **I.** Vêtement féminin avec ou sans manches, comportant un corsage et une jupe d'un seul tenant. **II. 1.** Vêtement long et ample, enveloppant le corps jusqu'aux pieds, porté par les hommes chez les Anciens, et auj. en Orient. **2.** Long vêtement porté par les juges et les avocats dans l'exercice de leurs fonctions, par les professeurs d'université dans les cérémonies officielles, et par certains ecclésiastiques. ▷ Anc. *La robe* : la magistrature, sous l'Ancien Régime. *Noblesse de robe.* **3.** *Robe de chambre* : vêtement d'intérieur à manches, long et ample. ▷ Loc. fig. *Pommes de terre en robe de chambre,* cuites avec leur peau. (On dit aussi *en robe des champs.*) **III. 1.** Pelage de certains animaux (cheval et bœuf, notam.). **2.** Enveloppe de certains légumes, de certains fruits. *La robe d'un oignon.* **3.** Feuille de tabac constituant l'enveloppe extérieure d'un cigare. **4.** Couleur (d'un vin, d'un cheval).

Robert (Le), com. de la Martinique (arr. de la Trinité); 17 746 hab.

Robert Bellarmin (en ital. *Roberto Bellarmino*) (saint) (Montepulciano, Toscane, 1542 – Rome, 1621), jésuite, théologien et cardinal italien; célèbre pour ses réfutations des thèses de la Réforme. Docteur de l'Église (1931).

Robert de Molesmes (saint) (en Champagne, v. 1028 – Molesmes, Bourgogne, 1111), bénédictin français; fondateur de l'abbaye de Cîteaux (1098).

ARTOIS

Robert Ier le Vaillant (?, 1216 – Mansourah, 1250), comte d'Artois (1237-1250); frère de Saint Louis; il périt lors de la 7e croisade. – **Robert II le Noble** (?, 1250 – Courtrai, 1302), comte d'Artois (1250-1302), fils posth. du préc.; il prit part à la 8e croisade, soutint Charles Ier d'Anjou contre les Aragonais et périt devant les Flamands à Courtrai. – **Robert III** (?, 1287 – Vannes, 1342), comte d'Artois (1302-1309); petit-fils du préc. Très tôt dépouillé du comté par sa tante Mahaut, il se réfugia à Bruxelles puis en Angleterre, où il soutint Édouard III contre Philippe VI de France.

CONSTANTINOPLE

Robert Ier de Courtenay (m. en Morée, 1228), empereur latin de Constantinople (1221-1228). Il ne put résister aux attaques de ses voisins, notam. l'empereur Jean III Doukas Vatatzès qui réoccupa l'Asie Mineure.

ÉCOSSE

Robert Ier Bruce. V. Bruce. – **Robert II Stuart** (?, 1316 – Dundonald, 1390), roi d'Écosse (1371-1390); petit-fils du préc. par sa mère Marjorie. Il est le premier des Stuarts. – **Robert III** (?, v. 1340 – Rothesay [?], 1406), fils aîné du préc. (légitimé en 1349). Roi d'Écosse (1390-1406), il laissa gouverner son frère Robert, duc d'Albany, à qui il confia la garde de son fils aîné David; le duc d'Albany laissa mourir son neveu en prison (1402).

FRANCE

Robert le Fort (m. à Brissarthe, 866), comte d'Anjou et de Blois, marquis de Neustrie. Ancêtre des Capétiens, il lutta contre les Normands et les Bretons.

Robert Ier (?, v. 865 – Soissons, 923), roi de France (922-923); second fils de Robert le Fort. Il chassa les Normands d'Île-de-France. Élevé au trône par les seigneurs révoltés contre Charles le Simple, il mourut en luttant contre celui-ci. – **Robert II le Pieux** (Orléans, v. 970 – Melun, 1031), roi de France (996-1031); arrière-petit-fils du préc., fils et successeur d'Hugues Capet, qui l'associa au trône dès 987. Il fut excommunié par Grégoire V en 997 pour avoir répudié sa première femme Rosala afin d'épouser sa cousine Berthe de Bourgogne. Il épousa en troisièmes noces Constance de Provence (1003). Il donna une base territoriale au domaine capétien.

NAPLES

Robert le Sage (?, 1278 – Naples, 1343), duc d'Anjou et roi de Naples (1309-1343); fils de Charles II le Boiteux. Il jouit d'une grande influence en Italie. À sa cour vécurent Pétrarque et Boccace.

NORMANDIE

Robert Ier le Magnifique ou **le Diable** (?, v. 1010 – Nicée, 1035), duc de Normandie (1027-1035). Il soutint le roi de France Henri Ier et reçut le Vexin. Il mourut au cours d'un pèlerinage, après avoir désigné son bâtard, Guillaume le Conquérant, comme son héritier. – **Robert II Courteheuse** (?, v. 1054 – Cardiff, 1134), duc de Normandie (1087-1106); fils aîné de Guillaume le Conquérant. En 1096, il partit pour la 1re croisade, refusa la couronne de Jérusalem puis disputa la couronne d'Angleterre à son jeune frère Henri Beauclerc (futur Henri Ier), qui le battit à Tinchebray (1106); il mourut après une longue captivité.

◊ ◊ ◊

Robert (Hubert) (Paris, 1733 – id., 1808), peintre et graveur français. Célèbre pour ses paysages préromantiques, ses représentations de ruines antiques (*le Pont du Gard,* 1786-1787), et ses scènes de mœurs parisiennes (*la Démolition des maisons du pont Notre-Dame,* 1786).

Robert (Léopold) (Les Éplatures, près de La Chaux-de-Fonds, 1794 – Venise, 1835), peintre suisse d'inspiration à la fois classique (il fut l'élève de David) et romantique.

Robert (Paul Charles Jules) (Orléansville, auj. Ech-Cheliff, Algérie, 1910 – Mougins, 1980), lexicographe et éditeur français : *Dictionnaire alphabétique et analogique de la langue française* (prem. fascicule, 1950), *le Petit Robert* (1967).

Robert de Courçon (Kedleston, Derby, v. 1160 – Damiette, Égypte, 1219), théologien d'origine anglaise. Légat du pape, il donna en 1215 ses statuts à l'université de Paris.

Robert Guiscard (?, v. 1015 – Céphalonie, 1085), comte (1057-1059), puis duc de Pouille, de Calabre et de Sicile (1059-1085). Aventurier normand, il conquit l'Italie du S., fondant ainsi le futur royaume de Sicile. En 1084, il délivra le pape Grégoire VII, assiégé dans Rome par l'empereur germanique Henri IV.

Robert-Houdin (Jean Eugène) (Blois, 1805 - Saint-Gervais-la-Forêt, 1871), prestidigitateur français qui renouvela cet art; auteur de traités.

Roberts (Frederick Sleigh, Lord) (Cawnpore, auj. Kānpur, Inde, 1832 - Saint-Omer, 1914), maréchal britannique. Il se distingua aux Indes (1857), en Abyssinie (1868) et en Afghānistān, où il s'empara de Kaboul et de Kandahar (1880). Placé à la tête des troupes envoyées contre les Boers (1899), il devint ensuite généralissime de l'armée britannique (1901-1904).

Robertson (sir William Robert) (Welbourn, Lincolnshire, 1860 - Londres, 1933), maréchal britannique. Après avoir servi aux Indes et en Afrique du Sud, contre les Boers, il devint chef de l'état-major impérial (1916-1918).

Roberval (Gilles Personne de) (Roberval, près de Senlis, 1602 - Paris, 1675), mathématicien et physicien français. En mécanique, il formula la loi de composition des forces. La balance qu'il inventa (1670), et qui porte son nom, est composée de deux fléaux constituant un parallélogramme articulé et de deux plateaux supportés par le fléau supérieur.
► illustr. **balance**

Robeson (Paul) (Princeton, 1898 - Philadelphie, 1976), chanteur américain de negro-spirituals.

Robespierre (Maximilien de), dit *l'Incorruptible* (Arras, 1758 - Paris, 1794), homme politique français. Avocat en 1781, député de l'Artois aux états généraux (1789) puis conventionnel, il provoqua, à la tête des Montagnards, la chute des Girondins (2 juin 1793). Entré au Comité de salut public (juil. 1793), dont il devint le principal inspirateur, il instaura la Terreur et se débarrassa en mars et avril 1794 des disciples d'Hébert et des Indulgents*. Déiste à la manière de Rousseau, il instaura le culte de l'Être suprême. Le 27 juil. 1794 (9 thermidor an II), il fut renversé par une coalition de Montagnards et de modérés de la Plaine, et guillotiné (28 juil. 1794). – **Augustin,** dit *Robespierre le Jeune* (Arras, 1763 - Paris, 1794), frère du préc. Conventionnel, représentant en mission à l'armée d'Italie, il fut exécuté en même temps que son frère.

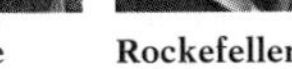

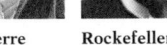

Robespierre **Rockefeller**

Robida (Albert) (Compiègne, 1848 - Neuilly-sur-Seine, 1926), écrivain, dessinateur (dessins d'anticipation, caricatures) et graveur français : *le XXe siècle* (1883), *la Guerre au XXe siècle* (1887).

Robin des Bois (en angl. *Robin Hood*), héros légendaire anglais du Moyen Âge. Saxon, adversaire des Normands, défenseur des pauvres contre les riches seigneurs féodaux, il était célèbre pour son adresse à l'arc.

robinet n. m. Dispositif qui permet de régler ou de suspendre l'écoulement d'un fluide dans une canalisation, hors d'un réservoir, etc. – Ellipt. *Tourner le robinet*, la clef du robinet. ▷ Fig., fam. *Un robinet d'eau tiède* : une personne très bavarde qui dit des choses sans intérêt.

robinetier n. m. TECH Fabricant ou marchand de robinets.

robinetterie n. f. **1.** Industrie, commerce des robinets. ▷ Usine où l'on fabrique des robinets. **2.** Ensemble des robinets d'un appareillage, d'une installation.

robinier n. m. BOT Arbre (fam. papilionacées) originaire d'Amérique du N., aux rameaux épineux, aux feuilles pennées, aux fleurs blanches odorantes disposées en grappes. (Appelé à tort acacia.)

robinier faux acacia : rameau fleuri et silhouette

robinson n. m. Personne qui vit dans la nature, en solitaire.

Robinson (sir Robert) (Bufford, près de Chesterfield, 1886 - Great Missenden, près de Londres, 1975), chimiste anglais; auteur de nombr. synthèses (notam. pénicilline). P. Nobel 1947.

Robinson (Abraham) (Waldenburg, 1918 - Yale, 1974), mathématicien américain d'origine allemande : travaux de logique, d'algèbre, d'analyse et d'aérodynamique.

Robinson (Walker Smith, dit Ray Sugar) (Detroit, 1920 - Culver-City, 1989), boxeur américain. Champion du monde des poids moyens (1951), titre qu'il regagna quatre fois jusqu'en 1959.

Robinson Crusoé, personnage du roman de Defoe, *la Vie et les Étranges Aventures de Robinson Crusoé,* inspiré de l'aventure de A. Selkirk*.

Robiquet (Pierre Jean) (Rennes, 1780 - Paris, 1840), chimiste français; auteur de nombr. travaux dans le domaine de la pharmacologie et des colorants (découverte de l'asparagine et de la cocaïne).

Roblès (Emmanuel) (Oran, 1914 - Boulogne-Billancourt, 1995), journaliste et écrivain. Influencé par Camus, il analyse les cas de conscience et les drames moraux. Romans : *l'Action* (1938), *Venise en hiver* (1981), *la Chasse à la licorne* (1985). Théâtre : *Montserrat* (1948).

Roboam (v. 930 - v. 913 av. J.-C.), fils et successeur de Salomon. Son refus d'alléger la fiscalité provoqua le schisme des dix tribus d'Israël; la Judée se divisa en deux royaumes : Juda (dont il fut le premier roi) et Israël (dont Jéroboam fut le roi).

roboratif, ive adj. MED Anc. ou Litt. Fortifiant.

robot n. m. **1.** Machine à l'aspect humain, capable de se mouvoir, de parler et d'agir. **2.** Machine automatique dotée d'une mémoire et d'un programme, capable de se substituer à l'homme pour effectuer certains travaux. *Robot ménager.* **3.** *Par métaph.* Personne agissant comme un automate. **4.** *Portrait-robot* : V. ce mot.

robotique n. f. TECH Étude et mise au point des machines automatiques qui peuvent remplacer ou prolonger les fonctions de l'homme.

robotisation n. f. TECH Action de robotiser; son résultat.

robotiser v. tr. [1] **1.** TECH Équiper de robots, automatiser. *Robotiser une chaîne de montage.* **2.** *Par métaph.* Transformer (un être humain) en robot; faire perdre certains caractères propres aux humains au profit de comportements mécaniques.

Rob Roy (Robert MacGregor Campbell, dit) (Buchanan, 1671 - Balquhidder, 1734), héros écossais; brigand célèbre gracié en 1727.

robusta n. m. **1.** Variété de caféier originaire du Gabon, cultivé en Afrique et en Asie. **2.** Graine de ce caféier. *Le robusta contient plus de caféine que l'arabica.*

robuste adj. Fort, solide, résistant. *Un homme robuste. Un mécanisme robuste.* ▷ Fig. *Une robuste confiance en soi.*

robustement adv. D'une manière robuste. *Un garçon robustement bâti.*

robustesse n. f. Qualité de ce qui est robuste.

1. roc n. m. Masse de pierre très dure qui fait corps avec le sol; matière rocheuse. ▷ *Par métaph.* Symbole de solidité. *Cet homme est un roc. Bâtir sur le roc* : faire œuvre solide, durable.

2. roc. V. rock 1.

rocade n. f. **1.** MILIT Voie de communication parallèle à la ligne de feu. **2.** Voie routière de dérivation, qui évite le centre d'une ville (par oppos. à *pénétrante*).

rocaille n. et adj. inv. **I.** n. f. **1.** Étendue jonchée de pierres, de cailloux; pierraille. **2.** *Par ext.* Ouvrage fait de pierres cimentées ou brutes, incrustées de coquillages, de cailloux. *Grotte en rocaille.* – Ornement de jardin composé de fleurs plantées entre des pierres. **II.** adj. inv. *Style rocaille* ou, n. formes imitées des coquillages, des

robot musicien

plantes, des rochers, en vogue sous Louis XV. *Meuble rocaille.*

rocailleux, euse adj. **1.** Pierreux, caillouteux. **2.** Fig. Dur, heurté. *Style rocailleux. Voix rocailleuse,* rauque.

rocamadour n. m. Petit fromage rond du Quercy, au lait de chèvre.

Rocamadour, com. du Lot (arr. de Gourdon); 631 hab. Site tourist. pittoresque dans l'étroite gorge de l'Alzou. – Pèlerinage à une Vierge noire. Égl. romane. Château du XIVe s. Portes fortifiées.

rocambole n. f. Ail doux (*Allium schorodoprasum*), appelé aussi *échalote d'Espagne.*

rocambolesque adj. Extravagant, plein de péripéties qui paraissent invraisemblables.

Rocard (Michel) (Courbevoie, 1930), homme politique français. Secrétaire général du parti socialiste unifié (P.S.U.) de 1967 à 1974, il entra au parti socialiste (P.S.) en 1974. Il devint ministre d'État, chargé du Plan et de l'Aménagement du territoire (1981-1983), ministre de l'Agriculture (1983-1985) et Premier ministre (1988-1991).

Rocha (Glaúber) (Vitória da Conquista, Bahia, 1938 – Rio de Janeiro, 1981), cinéaste brésilien. Animateur du «cinema novô», dont son film *le Dieu noir et le Diable blond* (1964) fut le manifeste.

Rochambeau (Jean-Baptiste de Vimeur, comte de) (Vendôme, 1725 – Thoré, Orléanais, 1807), maréchal de France (1791). Il s'illustra durant la guerre de l'Indépendance américaine à la tête du corps expéditionnaire français (1781). Il commande l'armée du Nord en 1791-1792, mais démissionna à la suite d'un différend avec Dumouriez.

Rochdale, v. de G.-B. (Lancashire); 92 700 hab. Industr. textiles. La première coopérative ouvrière britannique de consommation y fut fondée (1844).

roche n. f. **1.** Bloc ou masse de pierre dure. *Eau de roche,* qui sourd d'une roche, très limpide. – Fig. *Clair comme de l'eau de roche :* facile à comprendre, évident. ▷ *La roche :* la pierre, le roc. **2.** GEOL Toute matière minérale d'origine terrestre. – *Roche(-)mère :* partie inférieure du sol minéral; site de formation d'hydrocarbures.
ENCYCL Les roches peuvent être classées selon des critères plus ou moins arbitraires : roches liquides (pétrole, etc.), meubles (sable, faluns, etc.), tendres (craie, etc.), dures (granite, grès, etc.); ou d'après leur composition : roches calcaires, siliceuses, carbonées, etc.; leur origine : roches sédimentaires, volcaniques (ou éruptives), métamorphiques, etc. L'étude des roches constitue la *pétrographie,* ou *pétrologie,* que l'on doit distinguer de la minéralogie*, qui étudie les minéraux.

Rochechouart, ch.-l. d'arr. de la Haute-Vienne; 4 053 hab. Fabriques de chaussures et de meubles. – Chât. (XIIIe et XVe s.).

Rochefort, ch.-l. d'arr. de la Charente-Maritime, port de comm. sur la Charente; 26 949 hab. Constr. aéronautiques et mécaniques. – École technique de l'armée de l'air. – Anc. port de guerre créé par Colbert (1666) et fortifié par Vauban. Musée.

Rochefort (Henri, marquis de Rochefort-Luçay, dit Henri) (Paris, 1831 – Aix-les-Bains, 1913), journaliste, homme politique et écrivain français. Violent pamphlétaire, il attaqua le Second Empire dans l'hebdomadaire *la Lanterne,* qu'il créa en 1868. Condamné à la déportation après la Commune, il rentra en France, amnistié, en 1880, et fonda *l'Intransigeant* (journal d'opposition de gauche). Il adhéra ensuite au boulangisme, puis au nationalisme antidreyfusard.

Rochefort (Christiane) (Paris, 1917 – Le Pradet, Var, 1998), romancière française. Avec un réalisme désinvolte, elle fait la critique des mœurs contemporaines : *le Repos du guerrier* (1958), *Stances à Sophie* (1963).

Rochefoucauld (La). V. La Rochefoucauld.

rochelais, aise adj. et n. De La Rochelle. – Subst. *Un(e) Rochelais(e).*

Rochelle (La), ch.-l. de la Charente-Maritime, sur l'Atlantique; 73 744 hab. (env. 100 300 hab. dans l'aggl.). Port de pêche et de commerce, grâce à son avant-port de La Pallice, qui regroupe les princ. industries : constr. navales et mécaniques, industr. chimiques et alimentaires. – Porte de la Grosse-Horloge (XIIIe s., couronnement du XVIIe s.). Tour de la Chaîne et tour St-Nicolas (XIVe s.) à l'entrée du vieux port. Tour de la Lanterne (XVe s.). Hôtel de ville (fin XVIe s.). Évêché. Cath. St-Louis, œuvre des Gabriel (XVIIIe s.). Musées. – Import. citadelle protestante, la ville fut assiégée par le duc d'Anjou (1573) puis par Richelieu (1627-1628), auquel elle se rendit après une héroïque résistance. La révocation de l'édit de Nantes puis la perte du Canada entraînèrent son déclin.

La Rochelle : bassin du vieux port

rocher n. m. **I.** Masse de pierre, ordinairement élevée, escarpée. ▷ *Le rocher :* la pierre, le roc. **II. 1.** ANAT Pièce osseuse qui forme la partie interne de l'os temporal. **2.** Pâtisserie ou confiserie qui a l'aspect d'un rocher.

roche-réservoir n. f. GEOL Roche perméable imprégnée d'hydrocarbures et recouverte d'une couche imperméable. *Des roches-réservoirs.*

Rochester, v. des É.-U. (État de New York), au S. du lac Ontario; 231 600 hab. (aggl. urb. 989 000 hab.). Centre de l'industrie photographique. – Musée de la photographie (George Eastman House).

Roche-sur-Yon (La), ch.-l. de la Vendée; 48 518 hab. (*Yonnais*). Centre agricole. Abattoirs; industr. alim., méca.; prod. pharm. Haras national. – Créée par Napoléon Ier, la ville s'appela *Napoléon-sur-Yon* sous le Premier Empire, *Napoléon-Vendée* sous le Second Empire, *Bourbon-Vendée* sous la Restauration.

1. rochet n. m. Surplis des évêques, des abbés, des chanoines.

2. rochet n. m. MECA *Roue à rochet :* roue dentée munie d'un cliquet, qui ne peut tourner que dans un sens.

Rochet (Waldeck) (Sainte-Croix, Saône-et-Loire, 1905 – Nanterre, 1983), homme politique français. Communiste (1923), député depuis 1936, il succéda à Maurice Thorez au poste de secrétaire général de son parti (1964-1969).

Rocheuses (montagnes), système montagneux de l'O. de l'Amérique du Nord, qui s'étend de l'Alaska au Mexique, au-dessus des Grandes Plaines; il comporte de nombr. sommets supérieurs à 4 000 m. On applique souvent à tort le nom de Rocheuses à l'ensemble des chaînes montagneuses de l'O. de l'Amérique du Nord (chaîne des Cascades, Sierra Nevada, etc.).

rocheux, euse adj. Couvert, formé de roches, de rochers.

Roch ha-Chana. V. Rosh ha-Shana.

1. rock ou **roc** [ʀɔk] n. m. Oiseau fabuleux et gigantesque des contes orientaux.

2. rock [ʀɔk] n. m. et adj. inv. Abrév. cour. de *rock and roll.*

rock and roll [ʀɔkɛnʀɔl] n. m. (Mot anglais.) Musique populaire née aux États-Unis v. 1955, participant à la fois du rhythm and blues et de la musique folklorique anglo-américaine, et caractérisée par un large recours à l'amplification électrique, une accentuation vigoureuse, soulignée par la batterie, des deuxième et quatrième temps de la mesure, et la recherche de timbres inhabituels et violemment expressifs. ▷ Danse à quatre temps sur cette musique.

Rockefeller (John Davison) (Richford, État de New York, 1839 – Ormond Beach, Floride, 1937), industriel américain. Surnommé le *Roi du pétrole,* il fonda en 1870 la Standard Oil Company et soutint de nombr. institutions philanthropiques. ▶ illustr. page **1643**

rocker n. m. ou **rockeur, euse** [ʀɔkœʀ, øz] n. **1.** Chanteur, musicien de rock and roll. **2.** Amateur de rock and roll, dont le style de vie, les vêtements s'apparentent à ceux des musiciens de rock and roll.

rocking-chair [ʀɔkiŋ(t)ʃɛʀ] n. m. (Mot anglais.) Fauteuil à bascule. *Des rocking-chairs.*

rococo adj. inv. et n. m. **1.** Se dit d'un style rocaille très surchargé, en vogue au XVIIIe s. *Vase rococo.* ▷ n. m. *Le rococo :* ce style. **2.** *Par ext.* Passé de mode et un peu ridicule. *Chapeaux rococo.*

rocou n. m. Colorant d'un rouge orangé tiré de la gelée enveloppant les graines du rocouyer.

rocouyer n. m. BOT Arbuste d'Amérique du Sud dont les graines fournissent le rocou.

Rocroi, ch.-l. de cant. des Ardennes (arr. de Charleville-Mézières); 2 565 hab. – Fortifications achevées par Vauban. – Victoire du Grand Condé sur les Espagnols (1643).

rodage n. m. **1.** TECH Action de roder (une pièce). *Rodage de soupape.* **2.** Fait de faire fonctionner (une machine, un moteur neufs, etc.), à vitesse réduite, pour permettre un ajustage progressif, par polissage mutuel, des pièces mobiles en contact; temps nécessaire pour que cet ajustage se fasse. *Voiture en rodage.* **3.** Fig. Adaptation progressive. *Un service en rodage.*

rodé, ée adj. Qui a été rodé (V. roder, sens 1 à 3).

Rodenbach (Georges) (Tournai, 1855 – Paris, 1898), écrivain belge d'expression française ; auteur de recueils de poèmes symbolistes : *la Jeunesse blanche* (1886), *le Règne du silence* (1891). Romans : *Bruges-la-Morte* (1892), *le Carillonneur* (1897).

rodéo n. m. **1.** Fête donnée à l'occasion du marquage du bétail, aux É.-U., et au cours de laquelle les cow-boys rivalisent dans des jeux, notam. dans celui qui consiste à maîtriser une bête (cheval ou taureau) non domestiquée ; ce jeu lui-même. **2.** Fig., fam. Poursuite, séance tumultueuse. ▷ Fam. Dans les cités de banlieue, course-poursuite, pratiquée avec des voitures volées.

roder v. tr. [1] **1.** TECH User par frottement (une pièce) pour qu'elle s'adapte parfaitement à une autre. **2.** Procéder au rodage de (un moteur, une automobile, une machine). **3.** Fig. Adapter progressivement à sa fonction ; mettre au point. *Roder une organisation.* ▷ v. pron. (Personnes) *Il a besoin de se roder.*

rôder v. intr. [1] **1.** Aller et venir çà et là, avec des intentions suspectes. **2.** Errer, marcher sans but.

Roderic. V. Rodrigue.

rôdeur, euse n. et adj. **1.** n. Péjor. Individu suspect qui rôde à la recherche d'un mauvais coup. **2.** adj. (Animaux) *Bêtes rôdeuses,* qui rôdent en quête de nourriture.

Rodez, ch.-l. du dép. de l'Aveyron, sur l'Aveyron ; 26 794 hab. (*Ruthénois*). I.A.A. ; mat. électr. ; ganterie. – Évêché. Ruines romaines. Cath. N.-D. (XIIIe-XVIe s.). – Anc. cap. du Rouergue.

Rodin (Auguste) (Paris, 1840 – Meudon, 1917), sculpteur français, élève de Carpeaux et de Barye. Son œuvre, qui domine la sculpture européenne de la fin du XIXe s. et du déb. du XXe s., représente à la fois l'aboutissement du romantisme et la naissance de l'art moderne. Avec une technique hors de pair du modelage il s'attacha à rendre le mouvement et la force expressive de l'attitude : *le Baiser* (1886), *les Bourgeois de Calais* (1889), *Balzac* (1897), *le Penseur* (1904, plâtre exécuté en 1880).

Auguste **Rodin :** *Saint Jean-Baptiste,* bronze, 1898 ; coll. privée

Rodogune (IIe s. av. J.-C.), fille du roi des Parthes, Mithridate. Elle épousa, v. 140 av. J.-C., Démétrios II Nikatôr, roi de Syrie, captif de Mithridate. Le couple revint en Syrie, où Cléopâtre Théa fit assassiner Démétrios, dont elle était la première épouse.

Rodolphe (lac). V. Turkana.

Rodolphe, roi de France. V. Raoul.

Rodolphe Ier de Habsbourg (Limburg an der Lahn, 1218 – Spire, 1291), roi des Romains (1273-1291). Il donna en apanage à son fils Albert l'Autriche, la Styrie et la Carniole, fondant ainsi la puissance des Habsbourg. – **Rodolphe II de Habsbourg** (Vienne, 1552 – Prague, 1612), empereur du Saint Empire (1576-1612), roi de Hongrie (1572-1608) et de Bohême (1575-1611) ; fils de Maximilien II. Son frère Mathias le dépouilla de ses États.

Rodolphe de Habsbourg (Laxenburg, 1858 – Mayerling, 1889), archiduc d'Autriche ; fils unique de François-Joseph Ier. Il fut retrouvé mort avec sa maîtresse, la baronne Marie Vetsera, dans un pavillon de chasse ; l'enquête conclut à un double suicide.

rodomontade n. f. Litt. (Surtout au plur.) Fanfaronnade.

Rodrigue ou **Roderic** (m. à Xeres, auj. Jerez de la Frontera, 711), dernier roi des Wisigoths d'Espagne. Vaincu près de Cadix, il fut tué par les Arabes, qui devenaient ainsi maîtres de l'Espagne.

Rodtchenko (Alexandre Mikhaïlovitch) (Saint-Pétersbourg, 1891 – Moscou, 1956), peintre et sculpteur soviétique. Il fut d'abord influencé par le suprématisme puis par le constructivisme.

roentgen, roentgenthérapie. V. röntgen, röntgenthérapie.

Roentgen (David) (Herrnhaag, 1743 – Wiesbaden, 1807), ébéniste allemand. Fournisseur de la cour de Louis XVI, il exécuta des meubles à secret, ornés de très belles marqueteries, et des ouvrages savants de mécanique, avec l'aide de l'horloger Kinzing (1746-1816).

Roentgen (Wilhelm Conrad). V. Röntgen.

Roethke (Theodor) (Saginaw, Michigan, 1908 – Bainbridge Island, Washington, 1963), poète américain. Il célèbre la nature et lie joie et désespoir : *Maison ouverte* (1941), *l'Éveil* (1953).

rogations n. f. pl. RELIG CATHOL Prières publiques accompagnées de processions, pendant les trois jours qui précèdent l'Ascension, destinées à attirer la bénédiction divine sur le bétail, les récoltes, les travaux des champs.

rogatoire adj. DR Relatif à une demande. *Commission rogatoire :* délégation judiciaire donnée par un juge d'instruction ou un tribunal à un autre pour l'accomplissement d'un acte d'instruction ou de procédure qu'il ne peut accomplir lui-même. (En matière pénale, la commission rogatoire est donnée à un officier de police judiciaire par le juge d'instruction ou la juridiction de jugement.)

rogaton n. m. **1.** Vx, fam. Objet de rebut. **2.** Vieilli, fam. (Surtout au plur.) Restes de nourriture. *Finir des rogatons.*

Roger Ier (en Normandie, 1031 – Mileto, Calabre, 1101), comte de Sicile (1062-1101). Fils de Tancrède de Hauteville, il participa, aux côtés de son frère Robert Guiscard, à la conquête de la Sicile, dont il sut respecter les coutumes. – **Roger II** (?, v. 1095 – Palerme, 1154), fils du préc. ; comte (1101-1127) puis roi de Sicile (1130-1154). Proclamé roi par l'antipape Anaclet, il ajouta l'Italie méridionale à la Sicile, après une longue lutte contre Innocent II. Il entreprit des incursions en Afrique et en Grèce.

Roger Bontemps. V. Collerye.

Rogers (Carl Ransom) (Oak Park, Illinois, 1902 – La Jolla, Californie, 1987), psychopédagogue américain. Sa méthode de psychothérapie, qu'il expérimenta avec des schizophrènes et qu'il qualifia de « non directive » (valorisant l'écoute et la compréhension du patient), a fait école en France.

Rogers (Virginia Katherine McMath, dite Ginger) (Independence, Missouri, 1911 – Los Angeles, 1995), actrice américaine. Danseuse de music-hall, elle fut la partenaire de Fred Astaire dans *la Joyeuse Divorcée* (1934) et forma dès lors avec lui, à travers une dizaine de comédies musicales, le couple de danseurs le plus célèbre du monde : *Top Hat* (1935), *Swing Time* (1936), *Entrons dans la danse* (1949).

Fred Astaire et Ginger **Rogers**

Rogers (Richard) (Florence, 1933), architecte britannique. Tenant d'une architecture fonctionnaliste, il s'emploie à résoudre les contraintes mécaniques par une utilisation de structures nodales apparentes (CNAC Georges-Pompidou avec R. Piano).

Rognac, com. des Bouches-du-Rhône (arr. d'Istres), près de l'étang de Berre ; 11 129 hab.

rognage n. m. TECH Action de rogner ; son résultat.

1. rogne n. f. TECH Coupe au massicot d'un livre imprimé. ▷ Ligne selon laquelle le papier est coupé.

2. rogne n. f. Fam. Mauvaise humeur, colère. *Être en rogne.*

1. rogner v. tr. [1] **1.** Couper sur les bords. *Rogner les pages d'un livre au massicot.* **2.** Fig. Retrancher une petite partie de (qqch). *Ces dépenses imprévues ont rogné mes économies.* ▷ Fig. *Rogner les ailes à qqn,* diminuer son pouvoir, sa liberté.

2. rogner v. intr. [1] Fam. Être en rogne.

rognon n. m. **1.** Rein comestible de certains animaux. *Rognon de veau, de* porc. *Rognons au madère.* **2.** MINER Concrétion rocheuse plus ou moins régulière, sans angle vif, incluse originellement dans une roche de nature différente. *Rognons de silex.*

rognure n. f. **1.** Ce que l'on retranche en rognant, déchet restant après un rognage. *Rognures d'ongles.* **2.** Reste plus ou moins répugnant. *Quelques rognures de viande.*

1. rogue adj. Rude et hautain, arrogant, plein de morgue. – Par méton. *Une voix rogue.*

2. rogue n. f. Œufs de poisson en général.

Rohan (maison de), anc. famille de Bretagne, issue d'Alain de Porhoët, qui fit construire le château de Rohan (v. 1128). – **Henri,** duc de Rohan, prince de Léon (Blain, 1579 – Königsfelden, Argovie, 1638), général français; il fut un des chefs du parti calviniste sous Louis XIII. – **Louis,** chevalier de Rohan (?, 1635 – Paris, 1674), grand veneur de France et colonel des gardes. Lié (pour des raisons financières) aux Hollandais contre Louis XIV, il fut décapité. – **Édouard,** prince de Rohan (Paris, 1734 – Ettenheim, Bade, 1803), cardinal et grand aumônier de France. Évêque de Strasbourg, il fut compromis dans l'affaire du Collier de la reine (1785-1786).

Rohan (hôtel de), hôtel construit rue Vieille-du-Temple (Paris 3e) au déb. du XVIIIe s. pour le cardinal de Rohan. De 1808 à 1925, il abrita l'Imprimerie nationale puis, réuni à l'hôtel de Soubise*, les Archives nationales.

Róheim (Géza) (Budapest, 1891 – New York, 1953), psychanalyste hongrois naturalisé américain; pionnier, avec Bronisław Malinowski, de l'anthropologie psychanalytique (*Psychanalyse et anthropologie,* 1950).

Röhm (Ernst) (Munich, 1887 – id., 1934), homme politique allemand. En 1930, Hitler le nomma chef d'état-major des Sections d'assaut (S.A.) nazies; cette police auxiliaire prit une ampleur telle que Goering et Himmler s'allièrent pour perdre Röhm qui, accusé de complot, fut une des premières victimes de la «Nuit des longs couteaux» (30 juin 1934).

Rohmer (Maurice Scherer, dit Éric) (Nancy, 1920), cinéaste français. Son œuvre comprend une série de «contes moraux» (*Ma nuit chez Maud,* 1969; *le Genou de Claire,* 1970), des «comédies et proverbes» (*les Nuits de la pleine lune,* 1984) et quelques adaptations littéraires (*la Marquise d'O,* d'après Kleist, 1976).

roi n. m. **1.** Chef d'État qui exerce, généralement à vie, le pouvoir souverain, en vertu d'un droit héréditaire ou, plus rarement, électif. *Roi absolu. Roi constitutionnel. Le roi des Belges. Le roi d'Angleterre.* – HIST *Le Roi des rois :* le roi des Perses; le souverain d'Éthiopie. *Roi des Romains :* titre que portait avant son couronnement le successeur élu d'un empereur du Saint Empire romain germanique. *Le Roi Très Chrétien :* le roi de France (aux XVIIe et XVIIIe s.). *Les Rois Catholiques :* Ferdinand II d'Aragon et Isabelle Ire de Castille. *Le Roi-Soleil :* Louis XIV. ▷ Loc. *Être heureux comme un roi,* très heureux. – *Un morceau de roi :* un mets délicieux; *par ext.,* fam. une très belle femme. – *Travailler pour le roi de Prusse,* sans profit. – *Le roi n'est pas son cousin :* il (elle) se prend pour un personnage extraordinaire. ▷ *Les Rois mages :* V. mage. *La fête des Rois :* l'Épiphanie. *Tirer les rois :* se réunir pour manger la galette* contenant la fève, le jour de l'Épiphanie. ▷ (En appos.) *Bleu roi,* très vif, outremer. **2.** Celui qui est le premier de son espèce; celui qui règne, domine. *Le roi des animaux :* le lion. *Le chêne, roi de la forêt. L'homme est le roi de la création.* – Fam. *Le roi des imbéciles.* ▷ Celui qui s'est assuré la prépondérance dans un secteur industriel. *Le roi de l'étain, du pétrole.* **3.** Principale pièce du jeu d'échecs, qui peut se mouvoir d'une case à la fois dans tous les sens. *Échec* au roi.* ▷ Chacune des quatre cartes figurant un roi, dans un jeu.

roide. V. raide.

Roi-Guillaume (île ou terre du), île du Canada (Territoires du Nord-Ouest), dans l'archipel arctique.

Rois (livres des), livres de l'Ancien Testament, au nombre de deux dans la Bible hébraïque (Ier livre des Rois, 22 chapitres; IIe livre des Rois, 25 chapitres). La version des Septante et la Vulgate leur incorporent les deux livres de Samuel. Ces livres relatent l'histoire des Hébreux depuis la naissance de Samuel jusqu'à la destruction du Temple.

Rois (Vallée des), site archéologique d'Égypte, au N. de Deir el-Bahari. C'est la nécropole des pharaons du Nouvel Empire (de Thoutmès Ier à Ramsès XI).

Roissy-en-Brie, ch.-l. de cant. de la Seine-et-Marne (arr. de Melun); 18 763 hab.

Roissy-en-France, com. du Val-d'Oise (arr. de Montmorency); 2 149 hab. Bureautique. – Aéroport Roissy-Charles-de-Gaulle (mis en service en 1974), l'un des plus import. d'Europe.

roitelet n. m. **1.** Péjor. ou plaisant Petit roi, roi d'un très petit État. **2.** Oiseau passériforme insectivore (genre *Regulus*), de très petite taille (10 cm env.), au plumage olivâtre égayé d'une calotte jaune ou orange, hôte habituel des forêts de conifères.

Rojas (Fernando de) (Puebla de Montalbán, v. 1465 – Talavera, v. 1541), écrivain espagnol; auteur présumé de la *Tragicomedia de Calisto y Melibea* (1499), roman dialogué surtout connu sous le titre de *la Célestine.*

Rojas Zorrilla (Francisco de) (Tolède, 1607 – Madrid, 1648), poète dramatique espagnol : *Hormis le roi, personne* (drame), *les Édits de Vérone* (comédie), etc. Très connu de son vivant, il influença notam. Scarron, Lesage et Th. Corneille.

Rokossovski (Konstantine Konstantinovitch) (Velikié Louki, près de Poltava, 1896 – Moscou, 1968), maréchal soviétique d'origine polonaise. Il participa à l'encerclement des troupes allemandes de Stalingrad (1942); il commanda le premier puis le deuxième front de Russie Blanche (Biélorussie), jusqu'à la prise de Varsovie (1945). En 1949, il prit la nationalité polonaise et devint ministre de la Défense de Pologne (1949-1956) jusqu'à l'arrivée au pouvoir de Gomułka; il redevint soviétique et fut vice-ministre de la Défense en U.R.S.S. (1956-1958).

Roland (VIIIe s.), comte de la marche de Bretagne, tué par un détachement de Vascons (Basques) en 778 dans les Pyrénées, à l'arrière-garde de l'armée de Charlemagne. ▷ LITTER *La Chanson de Roland,* la plus ancienne et la plus célèbre chanson de geste française, sans doute composée au déb. du XIIe s., fait de Roland le neveu de Charlemagne et le type du paladin.

Roland de La Platière (Jean-Marie) (Thizy, Beaujolais, 1734 – Bourg-Beaudouin, Eure, 1793), homme politique français. Girondin, il devint ministre de l'Intérieur en 1792. En janv. 1793, il tenta de s'opposer à la condamnation à mort du roi et s'enfuit à Rouen, où, apprenant l'exécution de sa femme, il se suicida. – **Jeanne-Marie,** née *Manon Phlipon* (Paris, 1754 – id., 1793), épouse du préc. Extrêmement cultivée, Mme Roland tint à Paris, pendant la Révolution, un salon que fréquentaient les Girondins. Elle fut guillotinée avec ses amis.

Roland-Garros (stade), stade parisien de tennis, au S. du bois de Boulogne, où se déroulent chaque année les Internationaux de France (championnats sur terre battue).

Rolando (Luigi) (Turin, 1773 – id., 1831), médecin et anatomiste italien. Il étudia particulièrement les structures du cerveau. ▷ ANAT *Scissure de Rolando :* sillon situé à la face externe de l'hémisphère cérébral et qui sépare les circonvolutions frontale et pariétale ascendantes.

rôle n. m. **I. 1.** DR Feuillet sur lequel sont transcrits recto verso certains actes juridiques (actes notariés, expéditions de jugements, cahiers des charges, etc.). **2.** DR ADMIN Registre officiel portant la liste des contribuables d'une commune et le montant de leurs impôts respectifs. ▷ DR MARIT *Rôle d'équipage :* liste officielle des membres de l'équipage d'un navire. ▷ DR Liste, établie selon l'ordre chronologique, des causes qui doivent être plaidées devant un tribunal. ▷ Loc. fig. *À tour de rôle :* l'un après l'autre, chacun à son tour. **II. 1.** Ensemble des répliques qui doivent être prononcées par le même acteur, dans une œuvre dramatique. *Bien savoir son rôle.* ▷ Personnage joué par l'acteur. *Jouer le rôle d'Harpagon dans «l'Avare» de Molière.* **2.** Ensemble des conduites qui constituent l'apparence sociale de qqn, image qu'une personne veut donner d'elle-même et qui ne correspond pas à sa véritable personnalité. *Il est comique, dans son rôle de grand séducteur.* ▷ Loc. *Avoir le beau rôle,* la tâche facile (où l'on peut se montrer à son avantage). **3.** Fonction, emploi. *Le rôle social du médecin.* ▷ (Choses) *Le rôle du cœur dans la circulation sanguine.* ▷ PSYCHO *Jeu de rôles :* technique de groupe, dérivée du psychodrame, visant à l'analyse du comportement interindividuel en fonction des rôles sociaux. ▷ Action, influence exercée. *Les femmes ont joué un grand rôle dans sa vie.*

rôle-titre n. m. SPECT Rôle du personnage qui donne son nom à l'œuvre interprétée. *Des rôles-titres.*

Rolland (Romain) (Clamecy, 1866 – Vézelay, 1944), écrivain français. Il professa un humanisme axé à la fois sur l'idéal patriotique et sur l'internationalisme : pièces de théâtre à caractère populaire (*les Loups,* 1897; *Danton,* 1901; *le Quatorze-Juillet,* 1902), biographies (*Beethoven,* 1903; *Michel-Ange,* 1907; *Tolstoï,* 1911, etc.), manifeste pacifiste (*Au-dessus de la mêlée,* 1915), récits (*Colas Breugnon,* 1919), deux grands cycles romanesques : *Jean-Christophe* (10 vol., 1904-1912), «roman-fleuve» (mot de Rolland) consacré à un musicien imaginaire de génie, et *l'Âme enchantée* (7 vol., 1922-1934). P. Nobel 1915 (décerné en 1916).

Romain **Rolland** Jules **Romains**

Rolle (Michel) (Ambert, 1652 - Paris, 1719), mathématicien français; l'un des pionniers de l'analyse mathématique : *Traité d'algèbre* (1690).

roller [ʀɔlœʀ] n. m. (Anglicisme) **1.** Chaussure de sport montante munie de roulettes qui peuvent être alignées selon un axe longitudinal. ▷ Sport pratiqué avec ces patins. **2.** Crayon à bille.

rollier n. m. ORNITH Oiseau carinate de l'Ancien Monde dont l'espèce européenne *(Coracias garrulus)* a un plumage bleu-vert, une grosse tête et un fort bec.

Rolling Stones (Les), groupe britannique de musique pop, formé en 1962. Albums : *Aftermath* (1966), *Beggars Banquet* (1968).

Rollins (Theodore Walter, dit Sonny) (New York, 1929), saxophoniste de jazz américain : *Blue Seven* (1956), *The Freedom Suite* (1958), *Body and Soul* (1958).

rollmops [ʀɔlmɔps] n. m. inv. Petit hareng roulé mariné au vin blanc.

Rollon (m. v. 927), chef de pirates normands. Il menaça les territoires de Charles le Simple, qui le vainquit mais lui céda, par le traité de Saint-Clair-sur-Epte (911), une partie de la Neustrie. De ce fait, Rollon fut le premier duc de Normandie.

rollot n. m. Fromage picard au lait de vache, à pâte molle, en forme de cœur.

Rolls-Royce, société britannique, fondée à Manchester en 1904, spécialisée dans la fabrication de voitures de grand luxe, de moteurs d'automobiles et d'avions (notam. pendant les deux guerres mondiales).

rom n. inv. et adj. inv. *Les Rom :* un des trois grands groupes tsiganes. ▷ adj. inv. Qui concerne les Rom.

Romagne, anc. prov. d'Italie formant auj. une seule unité admin. avec l'Émilie. (V. Émilie-Romagne.)

romain, aine adj. et n. **I.** adj. **1.** Relatif à l'ancienne Rome. *L'Empire romain.* ▷ *Chiffres romains* (I, V, X, L, C, D, M) *et chiffres arabes* (1, 5, 10, 50, 100, 500, 1 000). **2.** Relatif à la Rome moderne. **3.** Relatif à Rome, en tant que siège de la papauté et capitale spirituelle de l'Église catholique. *Église catholique, apostolique et romaine.* **4.** *Caractère romain :* caractère d'imprimerie dont les jambages, parallèles entre eux, sont perpendiculaires à la ligne (par oppos. à *italique*). **II.** n. **1.** Citoyen, sujet de la Rome antique, de l'Empire romain. ▷ Fig. *Travail de Romain :* travail gigantesque et de longue haleine. **2.** Habitant de la Rome moderne. *Un(e) Romain(e).* **3.** n. m. Écriture en caractères romains. *Le romain remplaça le gothique.*

Les **Rolling Stones**

Romain (Giulio Pippi, dit Giulio Romano, en fr. Jules) (Rome, 1492 ou 1499 - Mantoue, 1546), architecte et peintre italien. Il collabora avec Raphaël (Loges du Vatican) et construisit et décora le palais du Te pour Frédéric de Gonzague, à Mantoue (1524-1530). ▶ illustr. **satyre**

Romain Ier Lécapène (m. dans un couvent de l'île de Proti, auj. Kinali, Turquie, 944), empereur d'Orient (920-944); il fut renversé par ses fils. – **Romain II** (939 - 963), empereur d'Orient (959-963); il laissa le pouvoir à sa femme Théophano. – **Romain III Argyre** (v. 970 - 1034), empereur d'Orient (1028-1034); tué par sa femme Zoé. – **Romain IV Diogène** (m. en 1072), empereur d'Orient (1068-1071); fait prisonnier par les Turcs, il fut chassé du trône par Michel VII.

1. romaine n. f. Balance composée d'un fléau aux bras inégaux, dont le plus court comporte un crochet auquel on suspend l'objet à peser, et dont le plus long, gradué, est muni d'une masse pesante mobile que l'on déplace jusqu'à ce que la position d'équilibre soit atteinte.

2. romaine n. f. Laitue à feuilles allongées et croquantes. ▷ Loc. fam. *Être bon comme la romaine :* être dans la position de victime toute désignée.

Romains (Jules), pseudonyme, puis nom légal de Louis Farigoule (Saint-Julien-Chapteuil, Haute-Loire, 1885 - Paris, 1972), écrivain français. Associé au groupe de l'Abbaye, poète fondateur de l'unanimisme (*la Vie unanime,* 1908), il est l'auteur de très nombr. romans, notam. *les Copains* (1913) et *les Hommes de bonne volonté* (27 vol., 1932-1947), de comédies à succès (*Monsieur Le Trouhadec saisi par la débauche,* 1923; *Knock ou le Triomphe de la médecine,* 1923; *Donogoo,* 1930), d'essais de critique sociale (*Pour raison garder,* 1960-1963). Acad. fr. (1946).

Romainville, ch.-l. de cant. de la Seine-St-Denis (arr. de Bobigny); 23 615 hab. Industr. pharm., métall.

1. roman, ane n. m. et adj. **I.** n. m. LING *Le roman :* la langue populaire issue du latin, parlée en France avant l'ancien français (c.-à-d. av. le IXe s.). ▷ adj. Vieilli *La langue romane :* le roman (à distinguer de : *une langue romane.* V. ci-après). **II.** adj. **1.** *Langues romanes :* langues issues du latin populaire parlé dans la *Romania* (ensemble des pays romanisés). *Le français, le romanche, l'occitan, le catalan, l'italien, l'espagnol, le portugais, le roumain sont des langues romanes.* ▷ Qui a rapport aux langues romanes. *Linguistique romane.* **2.** BX-A Se dit de la forme d'art et, partic., d'art architectural, répandue dans les pays d'Europe occidentale aux XIe et XIIe s., avant l'apparition du gothique. *Architecture romane.* ▷ n. m. *Le roman :* l'art, le style roman. **3.** LITTER *École romane :* école littéraire néoclassique fondée vers 1891 et dont les représentants les plus notables furent J. Moréas et Ch. Maurras.

ENCYCL **BX-A.** – Le style roman caractérise avant tout une archi. religieuse dont les formes s'élaborent de façons diverses dans toute l'Europe au moment où, vers l'an mille, la chrétienté occid. connaît une ère nouvelle de prospérité. À la nef couverte en charpente de bois apparente, typique de l'archi. carolingienne, se substitue peu à peu la voûte de pierre. La formation des éléments stylistiques, liée à certains progrès tech. (arc doubleau), se précise dans le courant du XIe s. Caractères généraux de l'égl. romane : plan en croix latine (nef rectangulaire coupée aux deux tiers par un transept), nef flanquée de bas-côtés ou nefs latérales, chœur souvent entouré d'un déambulatoire, crypte aménagée sous le chœur, abside pourvue d'absidioles parallèles ou rayonnantes, petites fenêtres dépourvues de meneaux. Quelques-unes des égl. romanes les plus célèbres possèdent un narthex. L'art expressif et décoratif des sculpteurs romans est aussi une sorte d'enseignement en images. Plat, c.-à-d. sans perspective, le décor mural polychrome s'inspire des miniatures.

2. roman n. m. **1.** LITTER Récit médiéval en vers ou en prose, écrit en langue populaire (en *roman,* et non en latin). *Le Roman de Renart.* **2.** Récit de fiction en prose, relativement long (à la différence de la nouvelle), qui présente comme réels des personnages dont il décrit les aventures, le milieu social, la psychologie. *Les romans de Balzac. Roman policier. Roman de cape* et d'épée. Roman à l'eau de rose,* d'une sentimentalité un peu fade. – *Roman-fleuve :* V. fleuve. – *Roman-feuilleton :* V. feuilleton. ▷ *Nouveau* roman.* ▷ (En tant que genre littéraire.) *Réussir également dans l'essai et dans le roman.* **3.** Fig. Suite d'aventures extraordinaires. *Sa vie est un vrai roman.* **4.** Histoire inventée, mensonge. *Tout ce qu'il vous raconte n'est que du roman.* Syn. fable, fiction.

romance n. **I.** n. m. LITTER Poème espagnol en vers de huit syllabes. **II.** n. f. **1.** LITTER Composition poétique de forme très simple sur un sujet sentimental, destinée à être chantée, en vogue à la fin du XVIIIe s. et au début du XIXe s. ▷ Air sur lequel on la chantait. **2.** Mod. Chanson sentimentale.

romancer v. tr. [**12**] Traiter, présenter comme un roman, en ajoutant des détails imaginés.- Pp. adj. *Biographie romancée.*

romancero [ʀɔmɑ̃seʀo] n. m. LITTER Recueil de romances espagnols d'inspiration épique. *Le romancero du Cid.*

romanche n. m. LING Parler d'origine romane en usage dans les Grisons, devenu, en 1938, la quatrième langue off. de la Suisse.

Romanche (la), riv. des Alpes françaises (78 km), affl. du Drac (r. dr.). Nombr. centrales hydroélectriques.

romancier, ère n. Auteur de romans.

romand, ande adj. et n. Se dit de la partie francophone de la Suisse, et de ses habitants. – n. m. *Le romand :* le dialecte franco-provençal parlé en Suisse.

Roman de la rose, poème allégorique, l'un des chefs-d'œuvre de la littér. médiévale (XIIIe s.), formé de deux parties mises bout à bout : *l'Art d'aimer,* écrit v. 1230 par Guillaume de Lorris (4 028 vers octosyllabiques), emprunte au roman courtois la trame de la quête amoureuse dans un univers merveilleux; *le Miroir aux amoureux*, écrit v. 1275 par Jean de Meung (21 750 octosyllabes), plein de réminiscences d'auteurs anciens et de dissertations philosophiques ou théologiques, possède un caractère satirique.

Roman de Renart, recueil de 27 narrations en vers octosyllabiques dues à des auteurs inconnus (fin XIIe-déb. XIIIe s.) et dont les héros sont des animaux : *Renart*, le goupil; *Isengrin*, le loup; *Chantecler*, le coq; *Noble*, le lion, etc. Ces parodies de chansons de geste, qui constituent une réaction bourgeoise contre le genre courtois, devinrent progressivement de violentes satires de la société féodale.

romanée n. m. Vin rouge de Bourgogne très estimé.

romanesque adj. et n. m. **1.** Qui tient du roman; merveilleux comme les aventures racontées dans un roman. ▷ n. m. *Cela a mis un peu de romanesque dans sa vie.* **2.** (Personnes) Qui a tendance à concevoir la vie comme un roman; imaginatif, rêveur. *Une jeune fille romanesque.* **3.** LITTER Qui a rapport au roman, au genre littéraire qu'il constitue; qui est propre à ce genre. *Technique romanesque.*

romani n. Romanichel, gitan. ▷ n. m. LING Langue parlée par les Rom.

romanichel, elle n. **1.** Vieilli Tsigane, bohémien nomade. **2.** *Par ext.* Péjor. Vagabond.

romanisant, ante adj. (et n.) **1.** RELIG Qui a tendance à se rapprocher des rites de l'Église romaine, en parlant d'un autre culte chrétien. *Église orientale romanisante.* **2.** LING Qui s'occupe de linguistique romane. *Philologue romanisant.* ▷ Subst. *Un(e) romanisant(e).*

romanisation n. f. **1.** HIST Action de romaniser (sens II, 1). **2.** LING Fait de romaniser (une graphie).

romaniser v. [1] **I.** v. intr. RELIG Être fidèle à la foi de l'Église catholique romaine. **II.** v. tr. **1.** HIST Faire adopter la civilisation, la langue romaines à. **2.** Transcrire en caractères latins.

1. romaniste n. **I.** RELIG Partisan de l'Église de Rome, du pape. **II. 1.** DR Juriste spécialiste du droit romain. **2.** n. m. BX-A Peintre flamand du XVIe s. inspiré par l'art italien de son temps.

2. romaniste n. LING Philologue, linguiste spécialisé dans l'étude des langues romanes.

romano n. Péjor. Romanichel.

Romanos ou **Rhômanos le Mélode** (Émèse, fin du Ve s. - ?, ap. 555), poète byzantin; auteur d'hymnes rythmées et chantées.

Romanov, dynastie russe (originaire de Lituanie) fondée par Michel III Fiodorovitch en 1613; son dernier représentant fut Nicolas II.

roman-photo n. m. Histoire romanesque racontée sous la forme d'une suite de photographies, comportant le plus souvent un dialogue intégré à l'image dans des bulles*. *Des romans-photos.*

Romans-sur-Isère, ch.-l. de cant. de la Drôme (arr. de Valence), sur l'Isère; 33 546 hab. Industr. de la chaussure, du bois, etc. - Égl. du XIIIe s.

romantique adj. et n. **1.** ART Qui a rapport au romantisme, qui lui est propre. *Période romantique. Littérature romantique. Les poètes, les peintres romantiques.* ▷ n. m. *Les romantiques du XIXe s.* **2.** Qui évoque les thèmes du romantisme. *Site romantique.* **3.** Cour. (Personnes) Qui a un caractère sentimental et passionné. *Jeune fille romantique.*

romantisme n. m. **1.** Ensemble de mouvements artistiques et littéraires qui s'épanouirent en Europe au XIXe s. sur la base d'un rejet du rationalisme et du classicisme. ▷ Forme de sensibilité esthétique particulièrement cultivée par les romantiques, telle qu'elle peut s'exprimer chez les auteurs d'autres époques. *Le romantisme de Mme de Sévigné.* **2.** Sensibilité, esprit, caractère romantique.

ENCYCL Les précurseurs, ou «préromantiques», apparaissent en Angleterre avec Young (*les Nuits*, poème) et Samuel Richardson (*Clarisse Harlowe*, roman) et en Écosse avec Macpherson (traduction prétendue d'Ossian) et Robert Burns (poésies en dialecte). En Allemagne, le mouvement du *Sturm* und Drang* (Schiller, et surtout Goethe, dont le *Werther* sera lu dans l'Europe entière) est largement suivi. En France, au siècle des Lumières, Diderot et surtout Rousseau (*la Nouvelle Héloïse*, 1761) participent déjà de la sensibilité romantique, qui s'affirmera après la Révolution avec Nodier, Senancour, Chateaubriand, Mme de Staël *(De l'Allemagne).* Où qu'il soit apparu, le romantisme se caractérise par le libre cours donné à l'imagination et à la sensibilité individuelles, qui le plus souvent traduisent un désir d'évasion et de rêve. À travers les constantes du romantisme européen (réveil de la poésie lyrique, rupture avec les règles et les modèles, retour à la nature, recherche de la beauté dans ses aspects originaux et particuliers), chaque nation entend laisser éclater son génie propre. Le romantisme anglais s'incarne essentiellement dans les romans historiques de Walter Scott et dans l'œuvre poétique de Wordsworth et Coleridge, puis de Keats, Byron et Shelley. Très marquée par la philosophie (Schelling, Fichte), la poésie romantique allemande (les frères Schlegel, Novalis, Tieck, Hölderlin, Heine) ne doit pas faire oublier le théâtre (Kleist, Werner) et surtout les contes et récits en prose (les frères Grimm, Jean-Paul Richter, Hoffmann). En France, le romantisme, préfiguré par Chateaubriand, n'apparaît qu'en 1820, avec la publication des *Méditations* de Lamartine, que suivront les premiers poèmes de Vigny et de Hugo, puis de Musset et de Gautier. Dans la patrie du classicisme, il prend la forme d'une véritable révolution littéraire. Groupés en cénacles, les écrivains romantiques lutteront pendant dix ans pour faire prévaloir leur conception de la littérature (préface de *Cromwell*, par Hugo, 1827). En 1830, la bataille d'*Hernani* leur apporte une victoire éclatante. Dès lors, le mouvement romantique prend un caractère plus social, et une «littérature d'opposition» voit le jour; en Italie, les romantiques (A. Manzoni, S. Pellico) sont des patriotes libéraux, acteurs du *Risorgimento.* En dehors de la poésie lyrique, il s'épanouit dans le théâtre (A. Dumas), le roman (George Sand, Stendhal, Mérimée, Balzac), l'histoire (Michelet, A. Thierry). Puissante figure, Victor Hugo, poète, dramaturge, romancier, sera le seul à prolonger le romantisme jusqu'à la fin du siècle. Plus. peintres français sont considérés comme les maîtres de l'art romantique : Gros, Géricault, Delacroix. Constable et Turner introduisent dans l'école anglaise un certain romantisme visionnaire. Les romantiques de l'école allemande sont dominés par C. Friedrich. Si l'on excepte Berlioz, Liszt et Chopin, le romantisme musical est princ. le fait des grands compositeurs allemands et autrichiens : Beethoven (en partie), Weber, Schubert, Schumann et Brahms.

romarin n. m. Arbrisseau odorant des garrigues (fam. labiées), aux petites fleurs bleues, aux feuilles longues et étroites employées comme condiment et en infusion.

Rombas, ch.-l. de cant. de la Moselle (arr. de Metz-Campagne), sur l'Orne; 11 733 hab. Sidérurgie.

rombière n. f. Fam. Femme d'un certain âge prétentieuse et ennuyeuse.

ROME (Acronyme pour *répertoire opérationnel des métiers et des emplois.*) Nomenclature des dénominations d'emplois par secteurs professionnels, dressée par l'A.N.P.E. pour faciliter le placement.

Rome, cité-État, sur le site de la Rome actuelle, puis cap. du plus vaste État qu'ait connu l'Antiquité européenne. Son histoire débute avec la formation de la ville de Rome en 753 av. J.-C. Au prem. roi légendaire de la cité, Romulus, la tradition fait succéder le Sabin Numa Pompilius, le Romain Tullus Hostilius, vainqueur d'Albe (combat des Horaces et des Curiaces), le Sabin Ancus Martius, créateur du port d'Ostie, puis les rois étrusques Tarquin l'Ancien, Servius Tullius et Tarquin le Superbe qui donnent à la cité une solide organisation et ses premiers monuments. Le renversement de ce dernier par les nobles romains (v. 509 av. J.-C.) marque la fin de la royauté et l'instauration de la république. Les attributions du roi passent à deux consuls, élus pour un an et qui peuvent, sur l'invitation du sénat, désigner un *dictateur*, aux pouvoirs quasi illimités mais temporaires (six mois). À ce changement de régime correspond le début de longues luttes entre les *patriciens*, chefs des plus anc. *gentes* (la *gens* groupait tous ceux qui avaient un ancêtre commun, ainsi que leurs *clients* ou serviteurs), et les *plébéiens* (étrangers, descendants de peuples vaincus par Rome ou anc. *clients*), privés de droits politiques et religieux. La sécession de la plèbe sur le mont Aventin (494 av. J.-C.) est un épisode célèbre de ces luttes, qui s'achèvent v. 300 av. J.-C., lorsque les plébéiens sont admis à la totalité des magistratures et obtiennent l'égalité devant la loi. L'unanimité sociale que Rome réalise ainsi sur le plan intérieur est en fait la domination des plébéiens riches, qui forment la *nobilitas*, sur la plèbe urbaine et rurale, y compris les publicains et les financiers, qui forment peu à peu les *chevaliers.* Les campagnes militaires mobilisent sans cesse les citoyens, riches et pauvres : guerres contre les Étrusques (prise de Véies, 395 av. J.-C.), les Latins (soumis en 335 av. J.-C.), les Volsques, les Èques, et surtout contre les Samnites (343-290 av. J.-C.). À l'issue de la troisième guerre contre les Samnites, Rome est maîtresse de presque toute l'Italie; elle s'ouvre plus largement sur la Méditerranée après la prise de Tarente (272 av. J.-C.) et, poursuivant sa politique d'expansion, entre en conflit avec Carthage (guerres puniques, 264-146 av. J.-C.). La destruction de

CULTURE DE LA ROME ANTIQUE

ÉPOQUE		ARCHITECTURE	SCULPTURE, PEINTURE ARTS MINEURS	VIE SOCIALE ET INTELLECTUELLE DE LANGUE LATINE
VIIIe-IVe s. av. J.-C.	*753 : fondation de Rome* *509 : la République* *conquête de l'Italie centrale*	œuvre des rois étrusques : temple de la triade capitoline (520) remparts dits de Servius Tullius Cloaca maxima Circus maximus	sculpture de terre cuite : statues (Apollon de Véies) plaques ornementales sarcophages bronze : Louve du Capitole (Ve s.)	généralisation de l'écriture : loi écrite des XII Tables (450) Italie du Sud : grands temples grecs (Paestum) 312 : la via Appia relie Rome et Capoue
IIIe s. av. J.-C.	*conquête de l'Italie* *1re et 2e guerres puniques* *227 : la Sicile, 1re « province »*		pratique des « imagines » (portraits en cire des nobles défunts) bronze : buste de Brutus, dit capitolin (IIIe s.)	272 : prise de Tarente, capitale de l'hellénisme 264 : 1er combat de gladiateurs 240 : 1re tragédie en langue latine 204 : le culte de Cybèle à Rome Plaute (254-184) ; Ennius (239-169)
IIe s. av. J.-C.	*conquête du bassin méditerranéen* *fondation de colonies : Aix-en-Provence (122), Narbonne (118)*	construction de temples, de portiques et de basiliques (Porcia, en 185 ; Emilia, en 179 ; Sempronia, en 170), notam. sur le Forum 1er aqueduc (Aqua Marcia), en 144 pont Emilius, en 142	pour leurs demeures, les riches empruntent à l'Orient grec : mosaïques, premières peintures murales ; statues ; jardins entourés de portiques frappes monétaires à décor d'actualité bronze : l'*Arringatore* (l'« Orateur ») multiplication des copies de statues grecques	pénétration des éléments de la culture grecque vigilance et répression des autorités : affaire des Bacchanales (186) ; philosophes et rhéteurs grecs chassés de Rome (161) ; Caton l'Ancien (234-149) formation d'une culture gréco-romaine ; le « cercle » de Scipion Émilien : Térence (190-159), Polybe (v. 200-v. 120), Lucilius (180-102)
Ier s. av. J.-C.	*fin de la conquête du bassin méditerranéen, de la Gaule et de l'Orient* *les guerres civiles* *90-88 : tous les Italiens sont citoyens romains* *27 : début du pouvoir impérial*	nouveau temple de la Fortune à Préneste (78) ; à Rome, théâtres en pierre : Th. de Pompée (54) et de Marcellus (11) ; agrandissement du Circus maximus ; basilique Julia sur le Forum (54-46) ; forum de César ; forum d'Auguste panthéon d'Agrippa (27) ; Ara Pacis (13) ou « Autel de la Paix » pont du Gard (19) ; Maison carrée de Nîmes (16) ; arc d'Orange ; trophée de la Turbie (6)	portrait réaliste et idéalisé : sculpture funéraire ; bustes de l'époque des guerres civiles (Pompée, César ; Auguste) ; statue dite de la *Prima Porta* portraits augustéens : Auguste ; Livie (Louvre) ; Agrippa bas-reliefs : autel de Domitius Ahenobarbus (Louvre) ; mausolée de St-Rémy-de-Provence décor de la maison : mosaïques (Préneste), fresques (maison de Livie, sur le Palatin ; Pompéi) décors stuqués bijoux et camées	l'âge d'or de l'*éloquence* : Hortensius (114-50) ; Cicéron (106-43) *poésie :* Lucrèce (98-55) ; les élégiaques (Catulle, Tibulle, Properce) *histoire :* César (101-44) ; Salluste (86-35) le « Siècle d'Auguste » : Virgile (70-19) ; Horace (65-8) ; Tite-Live (59 av. J.-C.-17 apr. J.-C.) *érudition :* Varron (116-27) *sciences et techniques :* Celse (médecine) ; Vitruve (architecture)
Ier s. apr. J.-C.	*l'Empire : les Julio-Claudiens et les Flaviens* *la citoyenneté romaine est conférée aux élites provinciales*	dans toutes les provinces, les cités se donnent une parure monumentale imitée de Rome : théâtre d'Orange (50), amphithéâtres de Nîmes et d'Arles à Rome, « Maison dorée » de Néron (60-64) et Colisée (72-80) ; forum de Vespasien le port d'Ostie est réaménagé par Claude	extension à tout le monde romain de la statuaire en ronde-bosse, de l'art du portrait et du bas-relief décoratif ; diffusion de la mosaïque ; à Pompéi, peintures dites du « quatrième style » (tableaux avec décors architecturaux) ; le *Grand Camée de France* (B.N.) ; verrerie ; poterie sigillée ; argenterie (trésor de Boscoreale)	*histoire :* Velleius Paterculus (19 av. J.-C.-31 apr. J.-C.) ; Quinte-Curce *poésie :* Phèdre (15 av. J.-C.-50 apr. J.-C.) ; Perse (34-62) ; Lucain (39-65) ; Pétrone (?-66) ; Martial (40-104) *philosophie :* Sénèque (4 av. J.-C.-65 apr. J.-C.) ; Quintilien (30-100) *sciences, érudition :* Pline l'Ancien (23-79)
IIe s.	*l'Empire atteint, en 117, son extension maximale* *« l'immense majesté de la paix romaine »*	à Rome : forum de Trajan (111-114) et colonne Trajane ; colonne Antonine de Marc Aurèle ; Villa d'Hadrien à Tivoli ; mausolée d'Hadrien (auj. château St-Ange) expansion monumentale dans tout l'Empire. En Afrique : amphithéâtre d'El-Djem ; monuments de Leptis Magna, patrie de Septime Sévère	reliefs commémoratifs des colonnes Trajane et Antonine nombreuses statues au type d'Antinoüs statue équestre de Marc Aurèle en bronze (v. 170) sarcophages à bas-reliefs orfèvrerie ; verrerie (vase Portland) généralisation de la mosaïque, notam. en Afrique	*histoire :* Tacite (55-120) ; Suétone (69-126) *poésie :* Juvénal (60-130) ; Apulée (125-180) *art oratoire :* Pline le Jeune (62-114) *médecine :* Galien (131-201) œuvre législatrice et réglementaire des jurisconsultes 1res persécutions contre les chrétiens (Asie Mineure ; Lyon (177)
IIIe s.	*après 235, anarchie militaire ; invasions barbares (276) ; la tétrarchie (293-324)* *en 212, tous les hommes libres de l'Empire sont citoyens romains*	à Rome, arc de Septime Sévère (203) ; thermes de Caracalla Aurélien protège Rome par des remparts (271-283) *Porta Nigra* de Trèves	sarcophages paléochrétiens art des catacombes : fresques paléochrétiennes mosaïques africaines et syriennes sculpture aux thèmes réalistes et violents verrerie rhénane ; argenterie	nombreuses persécutions anti-chrétiennes (Dèce, Valérien, Dioclétien) *apologistes chrétiens :* Tertullien (155-220) ; Lactance (260-325) *histoire :* Dion Cassius (155-235) le *codex* (livre cousu) remplace le *volumen* (rouleau)
IVe s.	*l'Empire chrétien*	à Rome, thermes de Dioclétien (306), basilique de Constantin et Maxence (306-312), arc de Constantin (315) basiliques chrétiennes de St-Pierre de Rome et St-Jean-de-Latran palais-forteresse de Dioclétien, à Salone (Split) (305) mise en chantier du palais impérial et du forum de Constantinople (328)	sarcophages chrétiens ; généralisation du thème du Bon Pasteur bas-reliefs de l'arc de Constantin ; groupe des Tétrarques décor de mosaïques des premières églises chrétiennes (Ste-Constance) virtuosité de la verrerie rhénane argenterie ivoires (diptyques)	*pères de l'Église :* saint Ambroise (339-397) saint Jérôme (347-420) saint Augustin (354-430) *histoire :* Ammien Marcellin (330-400) *poésie :* Ausone (310-394) évangélisation des milieux ruraux destruction du sérapéum d'Alexandrie (391)

L'EMPIRE ROMAIN AUX Ier ET IIe SIÈCLES APRÈS J.-C.

l'empire à la mort d'Auguste (14 ap. J.-C.)
conquêtes de 14 à 117 ap. J.-C.
territoires vassaux
provinces sénatoriales
conquêtes temporaires
limes (frontières fortifiées)
1 Alpes Grées et Pennines
2 Alpes Cottiennes
3 Alpes-Maritimes
camp de légion
1 000 km

Carthage (146) permet la création de la prov. romaine d'Afrique. La même année, Corinthe est rasée et la Grèce réduite à l'état de province. Dès lors, assurée du contrôle des deux rives de la Méditerranée, Rome étend ses conquêtes à la péninsule Ibérique (prise de Numance par Scipion Émilien en 133 av. J.-C.), à la Gaule méridionale et, vers l'est, aux royaumes hellénistiques; Pergame est donnée à Rome en 133; après Sylla, Pompée achève en 63 la conquête de l'Orient où Rome a rencontré son plus dangereux adversaire, Mithridate. La guerre de Numidie met au premier plan Marius, qui capture le roi Jugurtha en 105 av. J.-C. Une crise sociale très grave commence avec la rivalité de Marius, porté au pouvoir par les *populares*, et Sylla, le représentant de l'aristocratie. Sylla l'emporte en 82 av. J.-C., se fait attribuer une dictature sans limitation de durée, puis abdique brusquement (79 av. J.-C.). Rome voit ensuite la montée au pouvoir de Pompée qui, renonçant à un coup d'État, forme avec César et Crassus (vainqueur de la révolte des esclaves menée par Spartacus) le premier triumvirat (60 av. J.-C.). La lutte pour le pouvoir, qui oppose Pompée, soutenu par le sénat, et César, le conquérant des Gaules, vainqueur de Vercingétorix (52 av. J.-C.), déclenche une guerre civile, à l'issue de laquelle César élimine Pompée (bataille de Pharsale en 48 av. J.-C.). La dictature de César est un nouveau pas vers l'institution d'un pouvoir personnel. Mais son assassinat (ides de mars 44) montre que les sénateurs ne sont pas prêts à abdiquer leurs droits. La guerre civile entre Antoine, lieutenant de César, et Octave, héritier de ce dernier, voit le succès d'Octave (victoire d'Actium, en 31), qui, en 27 av. J.-C., se fait décerner par le sénat le titre d'*auguste*. Le régime impérial naissant repose sur la fiction d'un partage du pouvoir entre le «prince» et le sénat. Il met en place de nouvelles structures pour administrer un empire qui s'étend de la Manche à la mer Rouge, du Danube au Sahara, et crée notam. une administration permanente entièrement aux mains de l'empereur. Auguste, sans établir une règle de succession, prend soin d'adopter son beau-fils Tibère. Celui-ci lui succède (14-37 apr. J.-C.); il est le deuxième souverain de la dynastie dite julio-claudienne qui amène successivement au pouvoir Caligula (37-41), Claude (41-54), Néron (54-68), Galba (68-69), Othon (69) et Vitellius (69). Leur règne est suivi par celui des Flaviens : Vespasien (69-79), Titus (79-81), Domitien (81-96). Viennent ensuite les Antonins : Nerva (96-98), Trajan (98-117), Hadrien (117-138), Antonin le Pieux (138-161), Marc Aurèle (161-180, associé à Vérus de 161 à 169), Commode (180-192). À la mort de Commode, les généraux des diverses prov. se disputent l'Empire. Septime Sévère (193-211) l'emporte et fonde la dynastie des Sévères : Caracalla (211-217), Élagabal (218-222) et Sévère Alexandre (222-235) lui succèdent. Survient un temps d'anarchie militaire (235-268) qui marque le début du Bas-Empire : on se défend localement contre les Barbares et contre les paysans révoltés. Les structures urbaines, qui s'étaient développées avec la multiplication des cités au temps de la paix romaine (*pax* romana*), tendent à s'étioler; peu à peu, la prééminence des grands propriétaires terriens, possesseurs d'immenses *villæ*, s'affirme dans toutes les provinces et les populations paysannes forment une masse sociale de statut inférieur (colons*). Les empereurs illyriens (268-284) parviennent à sauver l'unité de l'Empire (V. Aurélien) et le IVe s. constitue un sursis pour le monde romain, qui, dès 286, avait éclaté économiquement, politiquement et culturellement. En effet, Dioclétien* instaure, en 293, le régime de la tétrarchie*, qui scinde l'Empire en un ensemble occidental (jusqu'à l'Adriatique) et un ensemble oriental (des Balkans à l'Euphrate). Peu à peu, le christianisme prend une place prépondérante, en particulier sous Constantin Ier, fondateur de Constantinople (324-330), dont l'édit de Milan (313) permet le libre exercice des religions. Malgré une amorce de retour au paganisme sous Julien l'Apostat (361-363), le christianisme s'affirme définitivement avec Théodose Ier (379-395). À sa mort, l'Empire, débordé par les Barbares, se scinde définitivement, partagé entre ses deux fils, Arcadius, empereur d'Orient, et Honorius, empereur d'Occident. En 410, Rome tombe aux mains des Wisigoths d'Alaric; en 476, Odoacre détrône Romulus Augustule, le dernier empereur romain d'Occident. Seul l'Empire romain d'Orient subsistera jusqu'en 1453, date de la prise de Constantinople par les Turcs (V. byzantin [Empire]).

Rome (en ital. *Roma*), cap. de l'Italie, sur le Tibre; 2 828 690 hab.; ch.-l. de la prov. du m. nom et du Latium. Ses fonctions politiques, administratives, religieuses (cité du Vatican) et artistiques expliquent l'hypertrophie du secteur des services face à la faiblesse de l'industrie : constr. mécaniques, prod. pharmaceutiques et chimiques; cinéma (à Cinecittà*), etc. Le tourisme et les

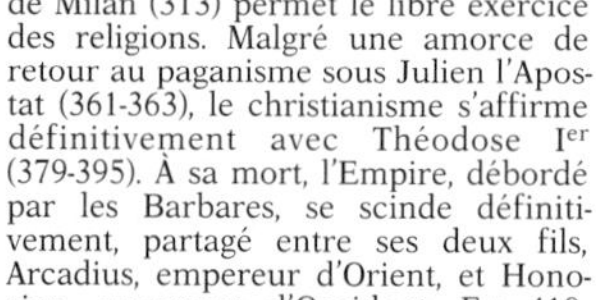

Rome : place Saint-Pierre (colonnade du Bernin, 1657-1667) et, en arrière-plan, le château Saint-Ange

pèlerinages apportent des revenus importants. Université.

Bx-A. – Rome a conservé un nombre considérable de monuments qui perpétuent le souvenir de son rôle dans l'Antiquité et celui de sa fonction religieuse.

1. Les monuments de l'Antiquité sont surtout compris dans l'enceinte d'Aurélien. Le Forum romain, centre polit., commercial, juridique et économique de la Rome antique, contient, d'une part, les vestiges de l'époque républicaine généralement entretenus et restaurés sous l'empire : les temples de Saturne, de Castor et Pollux, la maison des Vestales, les basiliques Julia et Emilia, la tribune aux harangues, la Curie (salle de réunion du sénat), etc.; d'autre part, les vestiges de l'époque impériale : les temples d'Antonin et Faustine, de Vénus et de Rome, la basilique de Maxence et Constantin, les arcs de Titus et de Septime Sévère, etc. De nombr. monuments du Forum furent réutilisés comme églises. Il convient d'ajouter ce qui subsiste des forums impériaux construits pour prolonger le Forum romain : forums de César, d'Auguste, de Trajan (le plus import. : IIe s. apr. J.-C.), etc. Surplombant le Forum romain, le Palatin conserve d'import. vestiges de l'époque impériale : maison de Livie, «domus Augustana», palais impériaux, notam. palais de Domitien, etc. Citons, en outre, le Panthéon (auj. Sainte-Marie-des-Martyrs), le Colisée, les thermes de Caracalla et ceux de Dioclétien, l'arc de triomphe de Constantin, le théâtre de Marcellus, l'*Ara Pacis*, les temples républicains du *portorium*, le mausolée d'Auguste, celui d'Hadrien (château Saint-Ange), etc.

2. Les monuments chrétiens sont essentiellement des églises (Rome est la ville du monde qui en compte le plus). – Égl. d'origine paléochrétienne : basilique Ste-Marie-Majeure (IVe-Ve s., restaurée dès le XIIe s.; mosaïques), basilique St-Paul-hors-les-Murs, St-Étienne-le-Rond (v. le Ve s., remaniée au XVe s., une des plus anc. égl. circulaires de Rome), etc. – Égl. médiévales : St-Laurent-hors-les-Murs (IVe s., remaniée au XIIIe s.), St-Clément (formée de deux égl. superposées; égl. supérieure du XIIe s., restaurée au XVIIIe s.; mosaïques), etc. – Égl. de l'époque de la Renaissance : basilique St-Pierre (V. Vatican [État de la cité du]), Ste-Marie-des-Anges (aménagée par Michel-Ange), St-Pierre-aux-Liens (abrite le *Moïse* de Michel-Ange, partie du mausolée de Jules II), Ste-Marie-du-Peuple (chapelle Chigi, d'après les plans de Raphaël), Ste-Marie-de-la-Paix (fresques de Raphaël), St-Louis-des-Français, etc. – Égl. baroques : Chiesa Nuova (côtoie l'oratoire des Philippins, par Borromini), égl. du Gesù (commencée par Vignola, fin XVIe s., achevée par G. Della Porta), basilique St-Jean-de-Latran (cath. de Rome, ville dont le pape est l'évêque, reconstruite par Borromini), St-André-du-Quirinal (par le Bernin), St-Charles-aux-Quatre-Fontaines (par Borromini), St-Yves-de-la-Sapience (par Borromini, pourvue d'une coupole à lanterne hélicoïdale), St-Ignace, etc. Parmi les sites chrétiens : les catacombes qui longent la *via Appia*, utilisées jusqu'à Constantin; le chât. Saint-Ange* (appartement de Paul III).

3. Les palais romains. – De l'époque Renaissance : palais de Venise (XVe s.), palais Farnèse (ambassade de France, commencé par Sangallo le Jeune v. 1514, continué par Michel-Ange), etc. – De l'époque baroque : palais de Montecitorio (auj. Chambre des députés), palais Madame (auj. Sénat), palais Borghèse, etc. Parmi les villas, citons le Quirinal (fin XVIe s., résidence du président de la République) et la villa Médicis (XVIe s.). Les musées : musée du Vatican, galerie Borghèse (peintures, sculptures), galerie Barberini, galerie nationale d'Art moderne; pour l'Antiquité : villa Giulia (art étrusque), musées du Capitole, des Thermes, etc.

Hist. – La cité fut d'abord un groupe de villages bâtis au sommet des collines (sept, selon la tradition) par les Sabins et les Albins (VIIIe s. av. J.-C.). Elle fut soumise ensuite aux Étrusques (VIIe-VIe s. av. J.-C.) et devint rapidement une véritable ville, entourée de murailles (mur de Servius, du IVe s.) et dotée du temple de la triade capitoline (Jupiter, Junon, Minerve). Au cours du dernier siècle de la République, puis à l'époque impériale (Ier-IIe s.), la ville s'agrandit et se couvrit de monuments : de nouveaux remparts (muraille d'Aurélien, v. 270 apr. J.-C.) enveloppèrent la quasi-totalité d'une agglomération de près de 1 000 000 d'hab. Divisée par Auguste en 14 régions administratives, elle couvrait une zone trois fois plus vaste qu'à l'époque étrusque. La fondation de Constantinople (324) annonçait le déclin de Rome. Capitale de l'Empire romain d'Occident (395), elle fut prise et pillée par les Barbares (les Goths d'Alaric, 410; les Vandales de Geiséric, 455; les Suèves de Ricimer, 472), avant de changer de mains quinze fois après 536, durant les guerres entre Byzance et les Ostrogoths. Dépendant finalement de l'exarchat byzantin de Ravenne, la ville fut en réalité dominée par le pape Grégoire Ier et ses successeurs : en 756, Pépin le Bref donna à Étienne II l'exarchat de Ravenne et la région autour de Rome, qui fut à l'origine des *États pontificaux* (dits aussi *États de la papauté* ou *de l'Église*). À partir du XIe s., l'autorité sur Rome fut revendiquée par les empereurs germaniques, ceci marquant le début d'une longue querelle (V. Investitures [querelles des]) qui opposa les papes aux empereurs (prise de Rome par Henri IV, 1084; pillage et massacres par les Normands de Robert Guiscard en 1084) et divisa la plupart des cités italiennes en guelfes (partisans du pape) et gibelins (partisans de l'empereur). L'affaiblissement de la papauté se traduisit par une longue période de troubles, marquée notam. par des tentatives républicaines (Arnaud de Brescia, 1143-1155; Cola di Rienzo, 1347-1354) avec la création d'une commune romaine, en 1143, dont les grandes familles (Colonna, Orsini) se disputèrent le gouvernement, et surtout par l'exil des papes à Avignon (1309-1376). À la fin du grand schisme, Rome devint, définitivement, la capitale de l'Église (1427), ce qui favorisa l'enrichissement de la ville et l'extension du domaine pontifical (Marches, Ombrie). Sous l'impulsion des papes de la Renaissance dont le premier fut Nicolas V (1447-1455), le mouvement artistique fut particulièrement favorisé; la reconstruction de la basilique Saint-Pierre (1506-1607) fut le centre de ces travaux. Si le sac de Rome par les troupes de Charles Quint (1527) fit perdre à la ville son rôle de capitale artistique de la Renaissance, la crise religieuse du XVIe s. fit d'elle, pour plusieurs siècles, la capitale de la Contre-Réforme où se développa un art nouveau, le baroque. En 1798, elle s'érigea en «république sœur» de la France, puis Napoléon Ier l'annexa (1809) et la déclara seconde capitale de l'Empire, donnant à son fils le titre de «roi de Rome». Le congrès de Vienne (1814) y restaura la papauté, mais, à l'appel des forces du *Risorgimento*, les États pontificaux s'émancipèrent de la tutelle de Rome, où Mazzini instaura une éphémère république (1849), renversée par l'intervention des troupes françaises. À partir de 1861, la *Question romaine* opposa le roi d'Italie, Victor-Emmanuel II, à Pie IX, qui n'entendait pas renoncer à son pouvoir temporel sur la ville; en 1870, quand la guerre avec la Prusse eut forcé le corps d'armée français à rembarquer, Victor-Emmanuel II pénétra de force dans Rome, le pape se réfugiant dans la cité du Vatican (V. Vatican [État de la cité du]). En 1929, les accords du Latran, entre le gouvernement italien et le pape, mirent un terme au conflit.

Rome (traité de), accords signés à Rome le 25 mars 1957, instituant la Communauté économique européenne et la Communauté européenne de l'énergie atomique (dite Euratom). (V. Europe.)

Rome (roi de). V. Napoléon II.

Romé de l'Isle (Jean-Baptiste) (Gray, 1736 – Paris, 1790), minéralogiste français. Il constata la constance des angles des cristaux, fondant ainsi la cristallographie (*Essai de cristallographie*, 1772).

Roméo et Juliette, drame de Shakespeare. V. Capulets.

Römer (Olaüs) (Århus, 1644 – Copenhague, 1710), astronome danois. Il mesura pour la première fois, en 1676, la vitesse de la lumière.

Romilly (Jacqueline David, dite Worms de) (Chartres, 1913), historienne française, helléniste spécialiste notam. de Thucydide. Auteur de : *Problèmes de la démocratie grecque* (1975), *la Modernité d'Euripide* (1986), *Jeux de lumière sur l'Hellade* (1996). Acad. fr. (1988).

Romilly-sur-Seine, ch.-l. de cant. de l'Aube (arr. de Nogent-sur-Seine); 15 838 hab. Motos, cycles; textile.

Rommel (Erwin) (Heidenheim, 1891 – près d'Ulm, 1944), maréchal allemand. Commandant l'Afrikakorps (1941-1943) en Libye et en Égypte, il fut vaincu par Montgomery, puis battit en retraite par la Tunisie. En France, il eut à affronter le débarquement allié en Normandie. Compromis dans le complot des généraux contre Hitler (20 juillet 1944), il se suicida sur ordre du Führer, qui décréta en son honneur des funérailles nationales.

Romney (George) (Dalton in Furness, 1734 – Kendal, 1802), peintre anglais; l'un des portraitistes favoris de l'aristocratie britannique au temps de Reynolds, son rival (*Portrait de sir John Stanley*).

Romorantin-Lanthenay, ch.-l. d'arr. de Loir-et-Cher, sur la Sauldre; 18 472 hab. Constr. automobiles. – Musée de Sologne. – *Édit de Romorantin* (1560) : édit de tolérance promulgué par François II pour éviter en France des procès de l'Inquisition.

rompre v. [**53**] **I.** v. tr. **1.** Briser, casser, faire céder. *Rompre le pain. Le fleuve a rompu les digues.* – Fig. *Applaudir à tout rompre,* avec transport. ▷ v. pron. *Les amarres se sont rompues.* **2.** Faire cesser, mettre fin à. *Rompre un enchantement.* ▷ Annuler. *Rompre un marché. Rompre des fiançailles.* ▷ Cesser de respecter (un engagement). *Rompre ses vœux, un contrat.* **3.** Défaire, déranger, troubler dans son ordre ou sa régularité. *Rompre la monotonie, le silence.*

Rompre le rythme. ▷ *Rompre les rangs :* se disperser, en parlant d'une troupe rangée en ordre serré. **4.** *Rompre qqn à,* lui donner par la répétition, l'habitude, une aisance parfaite en matière de. *Rompre qqn au maniement des armes.* **II.** v. intr. **1.** Vieilli Se casser, se briser, céder. *La passerelle a rompu sous le poids.* ▷ v. pron. *La digue s'est rompue.* **2.** Renoncer à l'amitié, aux relations qu'on avait (avec qqn). – Absol. *Ils ont rompu.* ▷ *Rompre avec une habitude, une pratique,* y renoncer.

rompu, ue adj. et n. m. **I.** adj. **1.** Cassé, brisé. *Des liens rompus.* ▷ Loc. fig. *Parler à bâtons rompus.* V. bâton. – *Être rompu de fatigue* ou, absol., *être rompu,* extrêmement fatigué. **2.** *Rompu à :* parfaitement exercé à. **II.** n. m. FIN Fraction d'une valeur mobilière.

romsteck ou **rumsteck** [ʀɔmstɛk] n. m. Morceau du bœuf pris dans le haut de la culotte.

Romuald (saint) (Ravenne, v. 950 – Val-di-Castro, près de Fabriano, 1027), bénédictin italien; fondateur d'une communauté érémitique (les camaldules, du nom de Camaldoli, en Toscane, où fut bâti le premier couvent).

Romulus, personnage légendaire, fils de Rhea Silvia (une vestale) et de Mars; fondateur éponyme et premier roi de Rome (dates traditionnelles : 753-715 av. J.-C.). Abandonné avec son frère jumeau Remus, il fut, comme lui, allaité par une louve, puis recueilli par le berger Faustulus. Les jumeaux ayant décidé de fonder une ville, Romulus traça sur le mont Palatin le sillon qui en marquait l'enceinte. Remus, par dérision, franchit ce sillon : Romulus le tua et devint le seul maître de la cité. Disparu mystérieusement, il a été adoré comme un dieu sous le nom de Quirinus.

Romulus et Remus (sculptures de Pollaiolo ajoutées au XVe s.) allaités par la *Louve du Capitole* (bronze étrusque, Ve s. av. J.-C.); palais des Conservateurs, Rome

Romulus Augustule (461 ou 462 – apr. 476), dernier empereur romain d'Occident (475-476). Il fut déposé par le chef barbare Odoacre.

ronce n. f. **1.** Plante ligneuse (fam. rosacées), épineuse, aux longues tiges emmêlées, aux feuilles composées de folioles dentées et aux fleurs blanches ou roses, que l'on trouve à l'état sauvage. – *Le fruit de la ronce est la mûre.* ▷ TECH *Ronce artificielle :* fil de fer barbelé. **2.** Irrégularité dans le veinage de certains bois. ▷ Bois qui présente une telle irrégularité, recherché en ébénisterie.

ronceraie n. f. Endroit où prolifèrent les ronces; fourré de ronces.

ronceux, euse adj. **1.** Plein de ronces (sens 1). *Chemin ronceux.* **2.** Qui présente des ronces (sens 2). *Bois ronceux.*

Roncevaux (en esp. *Roncesvalles*), bourg d'Espagne (Navarre) à l'entrée d'un passage des Pyrénées vers Pampelune, près du *col de Roncevaux* ou d'*Ibañeta* (1 057 m), où Roland* fut tué.

Ronchamp, com. de la Haute-Saône; 3 139 hab. Métallurgie. – Chap. N.-D.-du-Haut, œuvre de Le Corbusier (1955).

Ronchin, com. du Nord (arr. de Lille); 18 055 hab.

ronchon, onne ou **ronchonneur, euse** adj. et n. Fam. Qui ronchonne sans cesse. – Subst. *C'est une ronchon, une ronchonneuse.*

ronchonnement n. m. Fam. Paroles, grommellement d'une personne qui ronchonne.

ronchonner v. [1] Fam. **1.** v. intr. Manifester de la mauvaise humeur en maugréant, en grognant. **2.** v. tr. indir. *Ronchonner après qqn.*

roncier n. m. ou **roncière** n. f. Buisson de ronces.

Roncq, com. du Nord (arr. et banlieue de Lille); 12 078 hab. Industr. textiles.

rond, ronde adj. et n. m. **I.** adj. **1.** De forme circulaire, sphérique ou cylindrique. *Table ronde.* **2.** De forme courbe, arrondie. *Sommet rond.* ▷ *Il est bien rond,* petit et gros. **3.** *Chiffre rond,* qui ne comporte pas de décimales; qui se termine par un ou plusieurs zéros. *Compte rond.* **4.** Fig. Sans détours, franc. *Être rond en affaires.* **5.** Fig., fam. Ivre. *Il est complètement rond.* **6.** adv. *Tourner rond :* fonctionner régulièrement, sans à-coups, normalement. ▷ (Personnes) Fam. *Ne pas tourner rond :* aller mal, être déséquilibré. **II.** n. m. **1.** Figure circulaire. *Tracer un rond.* ▷ Loc. adv. *En rond :* en cercle. *Danser en rond.* **2.** Objet de forme circulaire, cylindrique. *Rond de serviette :* anneau dans lequel on met une serviette de table roulée. ▷ CONSTR *Rond à béton :* fer rond torsadé servant d'armature aux ouvrages en béton armé. ▷ Pop. Sou. – *Par ext.* Argent. *N'avoir pas le rond.* ▷ Loc. fig., fam. *Rester comme deux ronds de flan :* rester ébahi, stupéfait. *En baver des ronds de chapeau :* être soumis à rude traitement. ▷ *Spécial.* Tranche ronde. *Rond de saucisson.* Syn. rondelle. **3.** ANAT Nom de certains muscles. *Grand rond de l'épaule.* **4.** BOT *Rond de sorcière :* tache circulaire dans un pré, un bois, due au mycélium de champignons dont les carpophores apparaissent à la périphérie. **5.** CHOREGR *Rond de jambe :* mouvement en demi-cercle d'une jambe. ▷ Fig. *Faire des ronds de jambe,* des amabilités affectées.

rond-de-cuir n. m. Fam., péjor. Employé de bureau. (Par allus. au coussin de cuir qui garnissait les sièges de bureau.) *Des ronds-de-cuir.*

ronde n. f. **1.** Danse dans laquelle plusieurs personnes forment un cercle et tournent en se tenant par la main; chanson que l'on chante en dansant une ronde. **2.** MILIT Inspection effectuée autour d'une place, et, par ext., dans un camp, une ville, etc., pour s'assurer que tout est en ordre et que les consignes sont respectées. *Officier qui fait sa ronde.* – *Chemin de ronde :* chemin ménagé au sommet des remparts d'une forteresse, d'une place, pour les rondes. ▷ Visite de sécurité, de surveillance, effectuée selon un circuit. ▷ Personne, groupe qui fait une ronde. *La ronde passe.* **3.** MUS Figure de note ronde, sans queue, qui vaut deux blanches. **4.** Famille de caractères manuscrits à jambages arrondis. *Titres en ronde.* **5.** Loc. adv. *À la ronde :* alentour. ▷ Tour à tour, pour des personnes placées en cercle. *Boire à la ronde.*

rondeau n. m. **I. 1.** TECH Disque de bois, de métal, etc., servant de support dans divers métiers. **2.** Rouleau de bois pour aplanir la terre ensemencée. **II.** LITTER Poème de forme fixe en vogue au Moyen Âge, généralement sur deux rimes et composé de sept à quinze vers dont certains sont répétés.

ronde-bosse n. f. Sculpture en plein relief, qui représente le sujet sous ses trois dimensions. *Des rondes-bosses.* ▷ Loc. (Sans trait d'union.) *En ronde bosse.*

rondelet, ette adj. Qui a un peu d'embonpoint; grassouillet. *Homme rondelet.* ▷ *Une somme rondelette,* assez importante.

rondelle n. f. **1.** Petite pièce circulaire peu épaisse, petit disque. *Rondelle de feutre, de caoutchouc.* ▷ *Spécial.* Petit disque percé que l'on intercale, sur un boulon, entre l'écrou et la pièce à serrer pour répartir régulièrement la pression. ▷ (Canada) Au hockey, disque épais en caoutchouc durci qu'on lance vers le but. (V. palet.) **2.** TECH Ciseau arrondi de sculpteur. **3.** Petite tranche ronde. *Concombre coupé en rondelles.*

rondement adv. **1.** Avec vivacité, décision. **2.** Franchement, sans façon. *Répondre rondement.*

rondeur n. f. **1.** Caractère de ce qui est rond, forme ronde (de qqch). *Rondeur d'un fruit.* **2.** Chose, forme ronde; partie ronde (*spécial.,* partie du corps). *Rondeurs féminines.* **3.** Fig. Franchise sans façon; bonhomie. *Parler avec rondeur.*

rondin n. m. **1.** Morceau de bois cylindrique, non refendu. **2.** Tronc utilisé en construction, dans les travaux de soutènement, etc. *Abri en rondins.*

rondo n. m. Pièce musicale, vocale ou, le plus souvent, instrumentale, caractérisée par l'alternance d'un refrain et de plusieurs couplets. *Un rondo de Mozart.*

Rondônia, État de l'ouest du Brésil; 243 044 km²; 862 000 hab.; cap. *Pôrto Velho.* Élevage, caoutchouc, bois. Extraction d'or.

rondouillard, arde adj. Fam. Qui a de l'embonpoint; grassouillet.

rond-point n. m. Place circulaire où aboutissent plusieurs avenues, plusieurs voies. *Des ronds-points.*

ronéo n. f. (Nom déposé.) Machine à reproduire les textes ou les dessins au moyen de stencils. *Des ronéo(s).*

ronéoter ou **ronéotyper** v. tr. [1] Reproduire à la ronéo.

ronflant,ante adj. **1.** Qui produit un bruit sourd et continu. *Poêle ronflant.* **2.** Fig. Emphatique; enflé et grandiloquent. *Phrases ronflantes.*

ronflement n. m. **1.** Bruit produit par une personne qui ronfle. **2.** Bruit d'une chose qui ronfle.

ronfler v. intr. [1] **1.** Faire un bruit particulier de la gorge et du nez en respirant pendant le sommeil. ▷ Fam. Dormir. **2.** Faire un bruit sourd et continu. *Feu qui ronfle.*

ronfleur, euse n. **1.** Personne qui ronfle, qui a l'habitude de ronfler. **2.** n. m. ELECTR Dispositif avertisseur électromagnétique, à lame vibrante, qui produit un ronflement, une sonnerie sourde.

ronger v. tr. [13] **1.** Entamer, user peu à peu à petits coups de dents.

Chien qui ronge un os. – v. pron. *Se ronger les ongles.* ▷ *Par anal.* Entamer, attaquer, percer, en parlant des vers, des insectes. *Larves qui rongent le bois.* **2.** Détruire par une action lente, progressive; corroder, miner. *La rouille ronge le fer.* ▷ Fig. *Le chagrin le ronge.* – v. pron. Fam. *Se ronger les sangs* ou, ellipt., *se ronger :* se faire beaucoup de souci.

rongeur, euse adj. et n. m. **1.** adj. Qui ronge. *Animal rongeur.* – Fig. *Un tourment rongeur.* **2.** n. m. pl. ZOOL Ordre de mammifères qui se caractérisent par une paire d'incisives à croissance continue et par un espace libre (barre) entre les incisives et les molaires. *Les rongeurs peuvent être la cause de nuisances (ravages de récoltes) et être vecteurs de maladies.* – Sing. *Un rongeur.*

rônin n. m. HIST. Samouraï sans maître.

ronron n. m. **1.** Fam. Ronronnement. ▷ Fig. Routine monotone. *Le ronron de la vie quotidienne.* **2.** Petit grondement régulier du chat.

ronronnement n. m. **1.** Bruit continu, sourd et régulier. *Le ronronnement d'une machine.* **2.** Ronron.

ronronner v. intr. [1] **1.** Produire un ronronnement. *Moteur qui ronronne.* **2.** Faire des ronrons, en parlant du chat. **3.** Fig., fam. S'endormir dans une sorte de routine.

Ronsard (Pierre de) (chât. de la Possonnière, à Couture-sur-Loir, Vendômois, 1524 – Saint-Cosme-en-l'Isle, près de Tours, 1585), poète français. Contraint par une surdité précoce (1540) à renoncer à la carrière des armes, il se livra à l'étude du latin et du grec sous la conduite de l'helléniste Dorat; il fonda ensuite la Pléiade*. Ses *Odes* (1550-1552), imitées de Pindare et d'Horace, œuvres chargées d'abondantes références au monde antique et de nombr. allusions mythologiques, le rendirent célèbre. Après les *Amours* (1552), il trouva des accents lyriques dans la *Continuation des Amours* (1555-1556) et les *Amours d'Hélène* (1578), tandis que les *Hymnes* (1555-1556) montrent en lui un maître de la poésie épique. Nanti de bénéfices ecclésiastiques, poète officiel de la cour de Charles IX, il intervint par la plume aux côtés des catholiques dans les guerres de Religion (*Discours sur les misères de ce temps,* 1562-1563). Après l'échec de son épopée en décasyllabes, *la Franciade* (1572, inachevée), Ronsard se retira au prieuré de Saint-Cosme-en-l'Isle. Son œuvre fut redécouverte au XIXe s. grâce à Sainte-Beuve.

röntgen ou **roentgen** [rœntgen] n. m. PHYS NUCL Unité de mesure d'exposition à des rayonnements ionisants. (Symbole R : 1 R = 2,58. 10^{-4} C/kg.)

Röntgen ou **Roentgen** (Wilhelm Conrad) (Lennep, 1845 – Munich, 1923), physicien allemand. Il découvrit les rayons X en 1895. P. Nobel 1901.

röntgenthérapie ou **roentgenthérapie** n. f. MED Traitement par les rayons X.

Ronsard

Röntgen

roof. V. rouf.

Roosendaal, v. des Pays-Bas (Brabant-Septentrional); 58 650 hab. Industr. alim. Centre ferroviaire.

Roosevelt (Theodore) (New York, 1858 – Oyster Bay, État de New York, 1919), homme politique américain. Républicain, vice-président des É.-U. (1900), il devint président en 1901, après l'assassinat de McKinley, et fut réélu en 1904. Son mandat fut marqué par un abandon progressif de l'isolationnisme et par des interventions dans la politique extérieure des États d'Amérique et d'Europe. P. Nobel de la paix 1906.

Th. **Roosevelt**

F. D. **Roosevelt**

Roosevelt (Franklin Delano) (Hyde Park, État de New York, 1882 – Warm Springs, Georgie, 1945), homme politique américain; cousin du préc., dont il épousa (1905) la nièce, Eleanor Roosevelt (New York, 1884 – id., 1962). Démocrate, il fut élu président des É.-U. en 1933 alors que sévissait la crise économique. Pour la résoudre, il fit adopter une série de mesures dirigistes regroupées sous le nom de *New Deal :* dévaluation du dollar, résorption du chômage, aide à l'agriculture, réorganisation de l'industrie, réformes sociales. Réélu en 1936 et en 1940, il amena son pays à prendre position contre les puissances de l'Axe, puis à participer à la Seconde Guerre mondiale, après l'attaque surprise menée par les Japonais contre Pearl Harbor (déc. 1941). Par ses contacts avec Staline et Churchill, il joua un rôle diplomatique essentiel pour l'issue du conflit. Réélu en 1944, il mourut un mois avant la capitulation allemande.

Rops (Félicien) (Namur, 1833 – Essonnes, 1898), peintre, dessinateur et graveur belge d'inspiration symboliste; auteur de nombr. eaux-fortes à caractère érotique et macabre (*la Buveuse d'absinthe, les Sataniques*).

Rops (Daniel-). V. Daniel-Rops.

Roquebrune-Cap-Martin, com. des Alpes-Maritimes (arr. de Nice), sur la Méditerranée; 12 564 hab. Stat. balnéaire. – Chât. du XIIIe s.

roquefort n. m. Fromage de lait de brebis, ensemencé d'une moisissure spéciale, fabriqué à Roquefort-sur-Soulzon.

Roquefort-sur-Soulzon, com. de l'Aveyron (arr. de Millau); 796 hab. Le bourg est adossé à une falaise calcaire creusée de caves où l'on affine les *roqueforts.*

roquet n. m. Petit chien hargneux. ▷ Fig. Personne hargneuse, mais peu redoutable.

1. roquette n. f. BOT Plante crucifère à fleurs blanches ou jaunâtres, veinées, dont les feuilles se mangent en salade. Syn. rouquette.

2. roquette n. f. Projectile autopropulsé, utilisé notam. comme arme antichar.

Roquette (la Grande-), anc. prison de Paris (1830, démolie en 1900) où furent notam. fusillés les otages de la Commune (24 mai 1871). – **La Petite-Roquette,** prison de femmes (1832, désaffectée en 1973, puis rasée).

Roraima, État de l'extrême nord du Brésil; 230 104 km²; 116 000 hab.; cap. *Boa Vista.*

Rore (Cyprien de) (Malines, 1515 – Parme, 1565), compositeur flamand, installé en Italie où il devint l'un des maîtres du madrigal et du motet polyphonique.

rorqual, als n. m. Syn. de *baleinoptère.*

Rorschach (Hermann) (Zurich, 1884 – Herisau, 1922), neuropsychiatre suisse. Le *test de Rorschach* a pour objet l'étude de la personnalité et repose sur l'interprétation d'une série de taches d'encre.

Rosa (Salvatore) (Arenella, près de Naples, 1615 – Rome, 1673), peintre, graveur, poète satirique et musicien italien; précurseur du romantisme. Il a écrit des vers pour des cantates.

rosace n. f. **1.** Figure circulaire composée d'éléments radiaux équidistants. *Rosace à sept branches.* ▷ ARCHI Ornement, moulure ainsi composés. *Rosaces de plafond.* **2.** Rose (1 sens II, 1). *Les rosaces gothiques.* **3.** TECH Ornement circulaire qui sert à masquer la tête d'un clou, d'une vis.

rosacé, ée adj. et n. f. **1.** adj. Semblable à la rose. **2.** n. f. pl. BOT Famille de plantes dicotylédones dialypétales, comprenant 3 500 espèces. – Sing. *Une rosacée.* **3.** MED *Acné rosacée* ou, n. f., *la rosacée :* couperose*.

rosaire n. m. RELIG CATHOL Grand chapelet comportant quinze dizaines de petits grains (correspondant aux Ave) dont chacune est précédée d'un grain plus gros (correspondant à un Pater). ▷ Récitation de ce chapelet. *Dire son rosaire.*

rosales n. f. pl. BOT Ordre de plantes comprenant notam. les rosacées, les crassulacées et les saxifragacées. – Sing. *Une rosale.*

Rosario, v. d'Argentine (prov. de Santa Fe), sur le Paraná; 794 130 hab. Troisième ville d'Argentine, Rosario doit sa prospérité à son port fluvial et à la proximité de riches régions agricoles. Industr. métallurgiques et alimentaires.

Rosas (Juan Manuel de) (Buenos Aires, 1793 – Southampton, Angleterre, 1877), homme politique argentin. Porté par les fédéralistes à la tête de la prov. de Buenos Aires, où il se maintint par la force et se fit donner des pouvoirs dictatoriaux (1835-1852), il fut renversé par une coalition groupant le Brésil, l'Uruguay et le Paraguay.

rosat adj. inv. PHARM Se dit d'une préparation où il entre des roses. *Miel rosat.*

Rosati (les) (anagramme d'Artois, par référence aux roses), société littéraire, créée en 1778 par Joseph Le Guay, dont fit partie Robespierre et qui existe toujours.

rosâtre adj. D'un rose indécis ou sale.

rosbif [rɔzbif] n. m. **1.** Morceau de bœuf à rôtir (ou rôti), généralement coupé dans l'aloyau, bardé et ficelé en un cylindre plus ou moins régulier. **2.** Fam., vieilli *Les rosbifs :* les Anglais.

Roscelin (Compiègne, v. 1050 – Tours [?], v. 1120), philosophe scolastique. Il est considéré comme le fondateur du nominalisme (V. encycl. universaux). Abélard fut son élève.

Roscoff, com. du Finistère (arr. de Morlaix), sur la Manche; 3 735 hab. Port de pêche et stat. balnéaire. Cult. maraîchères. Thalassothérapie. Laboratoire de biologie marine.

1. rose n. f. **I. 1.** Fleur du rosier. *Rose thé,* d'un ocre pâle. ▷ *Eau de rose :* essence de rose étendue d'eau. – Fig. *À l'eau de rose :* d'une sentimentalité mièvre et convenue. ▷ Loc. *Être frais comme une rose :* avoir le teint frais et vermeil. – Fam. *Ne pas sentir la rose :* sentir mauvais. – Fam. *Envoyer qqn sur les roses,* l'envoyer promener, le rembarrer. **2.** Nom de diverses fleurs. *Rose d'Inde :* tagète*. – *Rose de Jéricho :* crucifère reviviscente des régions sablonneuses du Moyen-Orient. – *Rose de Noël :* ellébore noir. – *Rose trémière*.* **II.** *Par anal.* **1.** Grande baie circulaire, ornée de vitraux, des églises et des cathédrales gothiques. **2.** Diamant taillé en facettes, à culasse plane. **3.** *Rose des sables :* concrétion siliceuse évoquant les pétales d'une rose, que l'on trouve dans les déserts sableux. **4.** *Rose des vents :* étoile représentée sur les compas, les cartes marines, etc., dont les trente-deux branches (dites *aires de vent*) donnent les points cardinaux et intermédiaires, divisant la circonférence en trente-deux rhumbs de 11° 15' chacun. **5.** *Bois de rose :* bois précieux de plusieurs arbres d'Amérique du Sud, palissandre d'un jaune doré veiné de rose, utilisé en ébénisterie et en marqueterie.

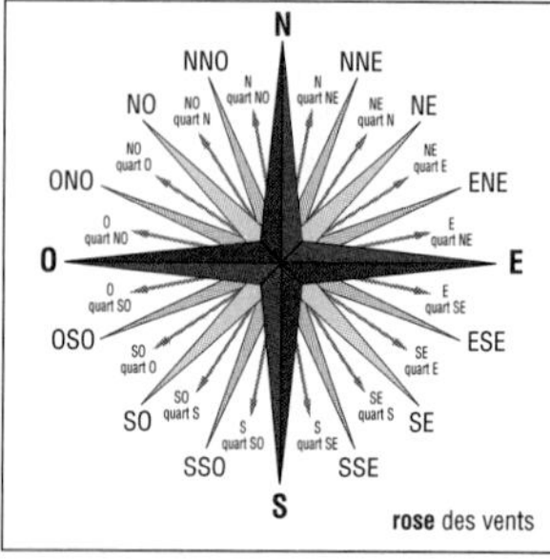

rose des vents

2. rose adj. et n. m. **I.** adj. **1.** De la couleur, entre rouge et blanc, de la rose commune. *Des robes roses.* **2.** Loc. fig. *Ce n'est pas rose,* pas réjouissant. **3.** Qui se rapporte à la sexualité, souvent à son commerce vénal. *Messagerie rose, Téléphone, minitel rose.* **II.** n. m. **1.** Couleur rose. **2.** Fig. *Voir la vie en rose, voir tout en rose :* être très optimiste.

rosé, ée adj. et n. m. Teinté de rose ou de rouge clair. *Du vin rosé* ou n. m., *du rosé :* du vin rouge clair, obtenu par macération légère de jus de raisin noir.

Rose (mont), massif des Alpes (4 633 m au pic Dufour), à la frontière de la Suisse et de l'Italie.

roseau n. m. Plante à long chaume (fam. graminées) du bord des eaux.

rose-croix n. inv. **1.** n. f. *La Rose-Croix :* la confrérie mystique qui se constitua en Allemagne au déb. du XVIIe s. et dont la philosophie occulte se fonde sur une interprétation du christianisme inspirée par les doctrines théosophiques et alchimiques. ▷ n. m. *Un rose-croix :* un membre de cette confrérie. **2.** n. m. Dans la franc-maçonnerie, titre du titulaire d'un grade supérieur à celui de maître.

rosé-des-prés n. m. Nom cour. de l'*agaric champêtre,* champignon à lames roses, comestible. *Des rosés-des-prés.*

rosée n. f. Condensation de la vapeur d'eau des couches inférieures de l'atmosphère en gouttelettes, au contact des corps froids exposés à l'air; ces gouttelettes. *La rosée matinale.* ▷ PHYS *Point de rosée :* température à laquelle une vapeur se condense.

Roselend, local. de Savoie, à 1 475 m d'alt. (com. de Beaufort, arr. d'Albertville). Le *barrage de Roselend* alimente la centrale de La Bâthie.

roselier, ère adj. et n. f. **1.** adj. Qui produit des roseaux; où croissent des roseaux. *Marais roselier.* **2.** n. f. Lieu où croissent des roseaux.

Rosenberg (Alfred) (Reval, auj. Tallin, 1893 – Nuremberg, 1946), homme politique allemand; théoricien du racisme nazi. Condamné à mort au procès de Nuremberg et exécuté.

Rosenberg (affaire), affaire judiciaire américaine qui eut un retentissement international. L'ingénieur **Julius Rosenberg** (New York, 1918 – Ossining, État de New York, 1953) et sa femme **Ethel** (New York, 1915 – Ossining, 1953) furent accusés d'avoir livré aux Soviétiques des «secrets atomiques», condamnés à mort sans preuve décisive et électrocutés à la prison de Sing Sing malgré une campagne d'opinion qui agita le monde entier.

Rosenquist (James) (Grand Forks, Dakota du Nord, 1933), peintre américain; l'un des chefs de file du pop'art.

roséole n. f. MED Éruption cutanée de petites macules rose pâle, que l'on observe dans certaines maladies infectieuses et lors de certaines intoxications.

roser v. tr. [1] Litt. Donner une teinte rose à. Syn. rosir.

roseraie n. f. Terrain, jardin planté de rosiers.

rosette n. f. **1.** Ornement en forme de petite rose. **2.** Nœud à deux boucles qui se défait lorsqu'on tire sur l'un des deux bouts libres. **3.** Insigne d'officier dignitaire de divers ordres civils ou militaires français, que l'on porte à la boutonnière. *Rosette de la Légion d'honneur, de l'ordre du Mérite.* – Absol. *La rosette,* celle de la Légion d'honneur. **4.** BOT Ensemble des feuilles, étalées au ras du sol, chez certaines plantes. *La rosette du pissenlit.* **5.** Rég. Gros saucisson sec. *Rosette de Lyon.*

Rosette (en ar. *Rachīd*), v. et port d'Égypte, sur une branche du delta du Nil, à l'E. d'Alexandrie; 40 000 hab. – La *pierre de Rosette* (British Museum), datée de 196 av. J.-C., est le fragment d'une stèle (en basalte noir), découverte à Rosette en 1799; elle porte des inscriptions en grec, en démotique et en hiéroglyphes (ce sont les trois versions d'un même décret pharaonique), qui permirent à Champollion de déchiffrer, en 1822, les hiéroglyphes égyptiens.

roseur n. f. Rare Couleur de ce qui est rose, rosé.

roseval n. f. Pomme de terre à bulbe rose. *Des rosevals.*

Rosh ha-Shana ou **Roch ha-Chana,** nouvel an juif célébré en automne à une date variable.

Rosi (Francesco) (Naples, 1922), cinéaste italien. Dans son œuvre, la vérité (historique, sociologique, psychologique) est un puissant moteur dramatique : *Salvatore Giuliano* (1961), *l'Affaire Mattei* (1971), *Cadavres exquis* (1975), *Le Christ s'est arrêté à Eboli* (1979), *Carmen* (opéra filmé, 1984).

Francesco **Rosi :** *Carmen,* 1984, avec la cantatrice Julia Migenes-Johnson (au centre)

rosicrucien, enne adj. Didac. De la Rose-Croix. ▷ n. m. Membre de la Rose-Croix.

rosier n. m. Arbrisseau épineux (fam. rosacées), sauvage ou ornemental, dont il existe de très nombreuses variétés, aux fleurs *(roses)* odoriférantes.

rosier : la fleur, le bouton et la feuille

rosière n. f. **1.** Anc. Jeune lauréate d'un prix de vertu. **2.** *Par ext.,* fam., plaisant et vieilli Jeune fille pure et candide.

rosir v. [3] **1.** v. intr. Prendre une teinte rose. *Son visage a rosi de plaisir.* **2.** v. tr. Rendre rose. *Le soleil couchant rosissait les nuages.* Syn. roser.

Roskilde, ville du Danemark, dans l'île de Sjælland, ch.-l. du comté du m. nom; 49 590 hab. – Musée (Vikings). Cath. gothique (tombeaux de souverains danois). – Cap. du royaume jusqu'au XVe s.

Rosny, pseudonyme des frères Boex. – **Joseph Henri** (Bruxelles, 1856 – Paris, 1940), dit *Rosny aîné,* et **Séraphin Justin** (Bruxelles, 1859 – Ploubazlanec, Côte-du-Nord, 1948), dit *Rosny jeune,* écrivains français qui, de 1886 à 1909, publièrent en collab. des romans sociaux et de science-fiction. Rosny aîné écrivit ensuite des «romans de la préhistoire» (*la Guerre du feu,* 1911) et son frère, des romans réalistes (*Sépulcres blanchis,* 1913).

Rosny-sous-Bois, ch.-l. de cant. de la Seine-St-Denis (arr. de Bobigny), à l'E. de Paris; 37 779 hab. Industr. diverses (métall., électron., etc.). Centre national d'informations routières.

Rosny-sur-Seine, com. des Yvelines (arr. de Mantes-la-Jolie); 4 618 hab. – Chât. construit de 1595 à 1610 pour Sully.

Ross (barrière de), falaises de glace de l'Antarctique, situées entre les terres Marie-Byrd et Victoria, en bordure de la *mer de Ross.* La barrière prend appui à l'O. sur l'*île de Ross* que surmonte le volcan Erebus (4 023 m).

Ross (sir John) (Balsarroch, Wigtownshire, Écosse, 1777 – Londres, 1856), navigateur britannique. Il explora les mers arctiques à la recherche du passage du Nord-Ouest*. – **Sir James Clarke** (Londres, 1800 – Aylesbury, 1862), neveu du préc.; navigateur, l'un des premiers explorateurs de l'Antarctique (1841-1842). Il localisa le pôle magnétique de l'hémisphère Nord (1831).

Rossbach, bourg d'Allemagne (district de Halle). – Victoire de Frédéric II sur les Français, commandés par Soubise, et les Impériaux (1757).

rosse n. f. et adj. Fam. **1.** Vieilli Mauvais cheval. *Vieille rosse.* **2.** Fig. Personne sévère, dure, jusqu'à la méchanceté. ▷ adj. Mordant, caustique. *Vous êtes rosse!*

rossée n. f. Fam. Volée de coups.

Rossel (Louis) (Saint-Brieuc, 1844 – Satory, 1871), officier français. Rallié à la Commune, délégué à la Guerre (mai 1871), il fut fusillé par les Versaillais.

Rosselli (Cosimo) (Florence, 1439 – id., 1507), peintre italien. Il travailla (1481) à la chapelle Sixtine : *la Dernière Cène.*

Rossellini (Roberto) (Rome, 1906 – id., 1977), cinéaste italien; l'un des promoteurs du néo-réalisme : *Rome ville ouverte* (1945), *Païsa* (1946), *Stromboli* (1949), *le Général Della Rovere* (1959), *la Prise du pouvoir par Louis XIV* (1966).

Roberto **Rossellini :** *Stromboli,* 1949, avec Ingrid Bergman

Rossellino (Bernardo) (Settignano, 1409 – Florence, 1464), architecte et sculpteur italien : tombeau de Leonardo Bruni, à Santa Croce (1444, Florence). On lui attribue le palais de Venise à Rome (1455). – **Antonio** (Settignano, 1427 – Florence, 1479), frère du préc.; sculpteur italien : tombeau du cardinal de Portugal dans l'égl. San Miniato (1461-1466).

rosser v. tr. [1] Fam. Battre (qqn) violemment. *Il a rossé son frère.*

rosserie n. f. **1.** Méchanceté voulue. **2.** Propos, acte rosse. Syn. pop. vacherie.

Rossetti (Dante Gabriel) (Londres, 1828 – Birchington, Kent, 1882), peintre et poète anglais; l'un des fondateurs du préraphaélisme*. Ses œuvres expriment un lyrisme un peu naïf. ▸ illustr. **préraphaélisme**

Rossi (Luigi), dit aussi *Aloysius de Rubeis* (Torremaggiore, v. 1598 – Rome, 1653), compositeur italien; l'un des premiers maîtres de l'opéra : *Il Palazzo incantato d'Atlante* (1642), *Orfeo* (1647), etc.; auteur d'oratorios, de cantates, de canzoni.

Tino **Rossi** **Rossini**

Rossi (Pellegrino, comte) (Carrare, 1787 – Rome, 1848), économiste et homme politique français d'origine italienne. Ambassadeur de Guizot à Rome en 1845, il poussa à l'élection de Pie IX, qui l'appela à la tête d'un ministère constitutionnel (sept. 1848), mais il fut assassiné au cours d'une émeute.

Rossi (Constantin, dit Tino) (Ajaccio, 1907 – Neuilly-sur-Seine, 1983), chanteur français très populaire, à la voix de ténor léger.

rossignol n. m. **1.** Oiseau passériforme (genre *Luscinia*, fam. turdidés), au plumage brun clair, au chant particulièrement mélodieux et puissant. *Le rossignol, oiseau d'Europe, hiverne en Afrique.* ▷ Fig. *Voix de rossignol*, très pure. **2.** Instrument coudé pour forcer les serrures, passe-partout. **3.** Fam., vieilli Objet démodé; marchandise invendable.

rossignol philomène

rossinante n. f. Vx ou litt. Rosse, mauvais cheval.

Rossini (Gioacchino) (Pesaro, 1792 – Paris, 1868), compositeur italien. Rossini marqua l'opéra italien du XIXe s. par ses inventions mélodiques et rythmiques : *Tancredi* (1813), *l'Italienne à Alger* (1813), *le Barbier de Séville* (1816), *Cendrillon* (1817), *la Pie voleuse* (1817), *le Comte Ory* (1828, tiré de son *Voyage à Reims*, écrit à l'occasion du sacre de Charles X). Il cessa de composer pour la scène après le triomphe de *Guillaume Tell* (1829).

Rosso (Giovanni Battista di Iacopo de Rossi, dit *Rosso Fiorentino* ou en fr. Maître) (Florence, 1494 – Paris, 1540), peintre et décorateur italien maniériste. Il dirigea la décoration du chât. de Fontainebleau à partir de 1531.

rossolis [ʀɔsɔli] n. m. BOT Syn. de *droséra.*

Rostand (Edmond) (Marseille, 1868 – Paris, 1918), poète et auteur dramatique français; versificateur habile, réputé pour sa verve et son goût du panache : *Cyrano de Bergerac* (comédie héroïque, 1897), *l'Aiglon* (drame, 1900), *Chantecler* (1910). Acad. fr. (1901). – **Jean** (Paris, 1894 – Ville-d'Avray, 1977), fils du préc.; biologiste : importants travaux sur la parthénogénèse, la tératologie et l'hérédité (dans son laboratoire personnel). Il est l'auteur de nombr. ouvrages : *l'Homme* (1941), *la Génétique des batraciens* (1951), *Notes d'un biologiste* (1954). Acad. fr. (1959).

rösti [ʀœʃti] n. m. pl. CUIS Plat suisse constitué de pommes de terre râpées et rissolées.

Rostock, v. et port d'Allemagne (Mecklembourg - Poméranie - Occidentale), sur la Warnow; 236 010 hab. (avec Warnemünde, son avant-port sur la Baltique). Centre industriel (métall., constr. mécaniques, industr. alimentaires). – Égl. du XIIIe s. Remparts.

Rostopchine (Fedor Vassilievitch, comte) (dans le gouv. d'Orel, 1763 – Moscou, 1826), général et homme politique russe. Gouverneur de Moscou, on a longtemps cru qu'il avait fait allumer les incendies qui ravagèrent la ville lors de l'arrivée des Français (1812). Sa fille *Sophie* devint la comtesse de Ségur*.

Rostov, v. de Russie, au N.-E. de Moscou; 31 000 hab. env. Industr. textiles et alimentaires. – Centre d'une puissante principauté jusqu'au XIIIe s. Nombr. monuments : palais Blanc, égl. du Sauveur, etc.

Rostov-sur-le-Don, v. et port de Russie, sur le Don, près de la mer d'Azov; ch.-l. de prov.; 1 015 000 hab. L'activité portuaire donne à la ville une import. fonction commerciale et industrielle : raff. de pétrole, constr. mécaniques, industr. chimiques et alimentaires. – Théâtre de violents combats pendant la Seconde Guerre mondiale (1941-1943).

-rostre. Élément, du lat. *rostrum*, « éperon, bec ».

rostre n. m. **1.** ANTIQ ROM Éperon qui armait la proue des navires de guerre. ▷ *Les Rostres :* tribune aux harangues à laquelle étaient fixés, en guise de trophées, les éperons enlevés aux navires ennemis. ▷ ARCHI Ornement en forme d'éperon. **2.** ZOOL Appendice plus ou moins rigide et effilé de divers animaux. *Le rostre en forme d'épée de l'espadon.* ▷ Partie de la carapace de certains crustacés qui fait saillie entre les yeux. ▷ Ensemble des pièces buccales, allongées en stylet, de certains insectes.

Rostropovitch (Mstislav Leopoldovitch) (Bakou, 1927), violoncelliste et chef d'orchestre russe. Ses interprétations des grands classiques (Haydn, Brahms, Beethoven), mais aussi d'auteurs contemporains (Prokofiev, Chostakovitch, Britten, Dutilleux), ont fait sa réputation à travers le monde. ▸ illustr. page **1656**

rot [ʀo] n. m. Fam. Émission plus ou moins bruyante, par la bouche, de gaz stomacaux.

Rota (Nino) (Milan, 1911 – Rome, 1979), compositeur italien; ses mélodies populaires mais sophistiquées accompagnent les films de Fellini.

E. **Rostand**

Jean **Rostand**

Rostropovitch

rotacé, ée adj. BOT En forme de roue. *Corolle rotacée.*

rotang [ʀɔtɑ̃g] n. m. BOT Palmier d'Asie qui fournit le rotin.

rotary n. m. TECH **1.** Appareil de forage par rotation. **2.** Système téléphonique de commutation automatique.

rotateur, trice adj. et n. m. Qui fait tourner. *Muscle rotateur,* ou *rotateur* (n. m.), qui permet un mouvement de rotation.

rotatif, ive adj. **1.** Qui agit en tournant. – TECH *Moteur à piston rotatif :* moteur à explosion, constitué principalement d'un rotor triangulaire tournant à l'intérieur d'une chambre, et entraînant l'arbre moteur sans embiellage. **2.** Qui correspond à une rotation. *Mouvement rotatif.*

rotation n. f. **1.** Mouvement d'un corps qui tourne autour d'un axe. *Rotation d'un astre sur lui-même.* ▷ Cour. Mouvement de ce qui pivote. *Rotation du buste.* **2.** GEOM Transformation ponctuelle qui, à un point M, associe un point M' situé sur un cercle de centre O et de rayon OM, l'angle orienté MOM' restant constant. **3.** Série de permutations dans laquelle chacun des éléments d'un ensemble prend successivement toutes les places occupées précédemment par les autres éléments. *La rotation des équipes permet aux ouvriers de se familiariser avec tous les postes de travail.* ▷ Renouvellement; roulement. *Rotation du stock, du capital.* – *Rotation de la main-d'œuvre* ou *du personnel* ou *des effectifs :* renouvellement du personnel (d'une entreprise). **4.** Succession, alternance cyclique d'opérations. ▷ AGRIC Alternance ou succession méthodique des cultures sur un même sol.

rotative n. f. TECH Presse à formes cylindriques utilisée en partic. pour l'impression des journaux et périodiques. (Abrév. fam. : roto).

rotativiste n. m. TECH Spécialiste de la conduite d'une rotative.

rotatoire adj. Didac. Qui tourne, qui décrit un cercle. *Mouvement rotatoire.* ▷ PHYS *Pouvoir rotatoire :* pouvoir d'un corps de faire tourner le plan de polarisation de la lumière.

rote n. f. RELIG CATHOL Tribunal ecclésiastique établi à Rome, qui s'occupe notam. d'instruire les demandes d'annulation de mariage.

roter v. intr. [1] Fam. Faire un, des rots.

Roth (Joseph) (Schwabendorf, Galicie, auj. en Ukraine, 1894 – Paris, 1939), écrivain autrichien. Influencé par Stendhal, il décrivit la fin de l'Autriche-Hongrie, ainsi que la déchéance alcoolique, dans *la Marche de Radetzky* (roman, 1932).

Roth (Philip) (Newark, New Jersey, 1933), écrivain américain. Peintre humoriste de la personnalité juive américaine (*Portnoy et son complexe,* 1969; *la Contrevie,* 1989), il s'est également livré à une satire des classes moyennes : *le Sein* (1972), *Professeur de désir* (1979).

Rothko (Mark) (Dvinsk, auj. Daougavpils, Lettonie, 1903 – New York, 1970), peintre américain d'origine russe. D'abord surréaliste (1942-1947), il évolua vers un art abstrait dépouillé (« abstraction chromatique »).

Rothschild, famille de financiers d'une richesse proverbiale dont l'ancêtre fut l'Allemand **Meyer Amschel** (Francfort-sur-le-Main, 1743 – id., 1812), banquier de Guillaume Ier de Hesse-Cassel. – **Amschel Meyer,** dit *Anselme* (Francfort-sur-le-Main, 1773 – id., 1855), fils aîné du préc., lui succéda à Francfort. Ses frères, également nés à Francfort-sur-le-Main, s'établirent dans les princ. villes d'Europe : – **Salomon** (1774 – Vienne, 1855), à Vienne; – **Nathan** (1777 – Londres, 1836), à Londres; il finança l'effort de guerre anglais contre Napoléon; la légende veut qu'en 1815 il ait été le premier informé de la victoire de Waterloo et qu'il ait réalisé grâce à cela un colossal coup de Bourse; – **Karl** (1788 – Naples, 1855), à Naples; – **James** (1792 – Paris, 1868), à Paris, d'où il aida Nathan contre Napoléon.

rôti, ie adj. et n. **I.** adj. Cuit à feu vif ou au four. *Poulet rôti.* **II.** n. **1.** n. m. Pièce de viande rôtie et, partic., morceau de viande bardé et ficelé, destiné à être rôti. *Rôti de bœuf, de porc.* **2.** n. f. Vieilli ou rég. Tranche de pain grillé.

rotifères n. m. pl. ZOOL Embranchement de métazoaires acœlomates microscopiques, en général d'eau douce, pourvus à leur extrémité antérieure d'un organe cilié. – Sing. *Un rotifère.*

1. rotin n. m. Tige du rotang, utilisée dans la fabrication de meubles légers, et dont l'écorce, découpée en lanières, sert au cannage des sièges.

2. rotin n. m. Arg. Sou (uniquement en tournure négative). *Je n'ai plus un rotin.*

rôtir v. [3] **I.** v. tr. Faire cuire (une viande) sans sauce, à feu vif ou au four. *Rôtir un gigot, un poulet à la broche.* **II.** v. intr. **1.** Cuire à feu vif ou au four. *Mettre un rosbif à rôtir.* **2.** Fig., fam. Subir une chaleur très vive. *Ne restez pas si près du feu, vous allez rôtir.* ▷ v. pron. *Se rôtir au soleil.*

rôtissage n. m. Action de rôtir (une viande); son résultat.

rôtisserie n. f. **1.** Boutique où l'on vend des viandes rôties. **2.** Restaurant où les viandes sont rôties à la broche ou au gril devant le client.

rôtisseur, euse n. Commerçant, restaurateur qui tient une rôtisserie.

rôtissoire n. f. Ustensile servant à rôtir la viande à la broche. ▷ Appareil électrique permettant la cuisson à la broche ou au gril.

roto n. f. Fam. Abrév. de *rotative.*

rotonde n. f. **1.** Édifice de forme circulaire. – *Spécial.* Pavillon circulaire à dôme et à colonnes. **2.** CH de F Édifice équipé, en son centre, d'une plaque tournante, pour le remisage des locomotives.

rotondité n. f. Caractère de ce qui est rond, sphérique. *Rotondité de la Terre.*

Rotondo (monte), montagne du centre de la Corse (2 625 m).

rotor n. m. **1.** ELECTR Partie tournante des machines électriques (par oppos. à *stator,* partie fixe). **2.** TECH Partie mobile d'une turbine. **3.** AVIAT Voilure tournante. *Le rotor d'un hélicoptère.*

Rotrou (Jean de) (Dreux, 1609 – id., 1650), poète dramatique français; préclassique, maître de l'illusion théâtrale : *Bélisaire* (1643), *le Véritable Saint Genest* (1646), *Venceslas* (1647), *Cosroès* (1649).

Rotterdam, v. et port des Pays-Bas (Hollande-Méridionale), sur la Nieuwe Maas (« nouvelle Meuse », branche septentrionale du delta commun au Rhin et à la Meuse), à 30 km de la mer; 574 300 hab. (aggl. urb. 1 025 500 hab.). Premier port européen, intermédiaire entre le trafic océanique et celui de la région rhénane, Rotterdam est un port de pondéreux (charbon, minerais) et surtout un port pétrolier grâce aux nouvelles installations de Pernis, Botlek et Europoort. L'activité industr. est import. : raff. de pétrole, pétrochimie, sidérurgie, chantiers navals; constr. mécaniques et électriques, industr. alimentaires. Rotterdam abrite le « marché libre » du pétrole. – Jardin zoologique. Musée Boymans (J. Bosch, Rubens, Rembrandt, etc.). – Créée au XIVe s., Rotterdam fut au XVIIe s. la 2e ville commerciale de la Hollande; elle devint un port mondial à la fin du XIXe s. grâce au développement industriel de la Ruhr et à l'aménagement d'une liaison à grand gabarit avec la haute mer (Nieuwe Waterweg). Détruite pendant la guerre de 1939-1945, la ville a été reconstruite.

rottweiller n. m. Gros chien de garde, au pelage noir marqué de brun.

rotule n. f. **1.** Petit os plat et mobile situé à la partie antérieure du genou. – Loc. fig., fam. *Être sur les rotules,* accablé de fatigue. **2.** TECH Articulation formée d'une pièce sphérique tournant dans un logement, permettant la rotation dans toutes les directions.

rotulien, enne adj. ANAT, PHYSIOL Qui a rapport à la rotule. *Réflexe rotulien :* réflexe provoqué par la percussion du tendon rotulien.

roture n. f. HIST **1.** État d'une personne ou d'un héritage qui n'est pas noble. **2.** (Collectif) *La roture :* les roturiers.

roturier, ère adj. et n. Qui ne fait pas partie de la noblesse. – Par ext. *Terre roturière.* – Subst. *Des roturiers.*

Roty (Louis Oscar) (Paris, 1846 – id., 1911), médailleur français; auteur de *la Semeuse* (1897), qui figura sur certaines pièces de monnaie.

rouage n. m. **1.** Chacune des pièces circulaires tournantes (roues dentées, pignons, etc.) d'un mécanisme. *Les rouages d'une pendule.* **2.** Fig. Chacun des éléments nécessaires au fonctionnement d'un ensemble organisé. *Les rouages d'une administration.*

Rouault (Georges) (Paris, 1871 – id., 1958), peintre et graveur français. Sa manière est fondée sur un dessin cursif, elliptique, rehaussé par des bleus et des noirs profonds. Peintre tragique du cirque, de la prostitution, du monde du prétoire (*les Juges,* 1908), il traita ensuite des thèmes religieux (eaux-fortes du *Miserere,* 1917-1927).

Roubaix, ch.-l. de cant. du Nord (arr. de Lille), sur le *canal de Roubaix;* 98 179 hab. Import. centre textile (filature et tissage de la laine, travail du coton, bonneterie, confection). Roubaix forme

Georges **Rouault** : *la Sainte Face,* 1933 ; MNAM

avec Lille et Tourcoing une vaste conurbation.

Roubaud (Jacques) (Calvire-et-Cuir, Rhône, 1932), écrivain français, membre de l'Oulipo. Poésie : ∈ (symbole math. signif. « appartenant à », 1967), *Trente et Un au cube* (1974), *Dors* (1982), *Quelque chose noir* (1986). Prose : *la Vieillesse d'Alexandre* (1978), *le Grand Incendie de Londres* (1989).

roubignoles n. f. pl. Grossier Testicules.

roublard, arde adj. et n. Fam. Rusé et peu scrupuleux dans la défense de ses intérêts. – Subst. *Un roublard.*

roublardise n. f. Fam. Caractère, action d'un roublard.

rouble n. m. Unité monétaire de la Russie, puis de l'Union soviétique et auj. de certains pays de la C.É.I.

Roublev ou **Roubliov** (Andreï) (v. 1360 – v. 1430), moine russe. Peintre d'icônes : *la Trinité* (icône d'autel, v. 1410).

Roubtsovsk, v. de Russie, au pied de l'Altaï ; 165 000 hab. Constr. mécaniques.

Rouch (Jean) (Paris, 1917), ethnographe et cinéaste français. Adepte du « cinéma-vérité », il a filmé les Africains, avec attention et sympathie : *Moi un Noir* (1958), *Chronique d'un été* (1961), *Cocorico Monsieur Poulet* (1977), *Bac ou mariage* (1988).

Andreï **Roublev** : *la Trinité,* v. 1410 ; musée Andréï Roublev, Moscou

rouchi n. m. LING Dialecte picard parlé dans la région de Valenciennes.

roucoulade n. f. Action de roucouler.

roucoulant, ante adj. **1.** Qui roucoule. *Pigeon roucoulant.* **2.** Fig. *Amoureux roucoulants.* **3.** Qui ressemble à un roucoulement d'oiseau. *Une voix roucoulante.*

roucoulement n. m. **1.** Cri plaintif et caressant du pigeon et de la tourterelle. **2.** Fig. Paroles tendres et langoureuses.

roucouler v. intr. [1] **1.** Faire entendre son cri, en parlant du pigeon, de la tourterelle. **2.** Fig. Tenir des propos tendres. *Jeunes mariés qui roucoulent.* ▷ v. tr. *Roucouler des mots doux.*

roue n. f. **1.** Pièce rigide, de forme circulaire, qui tourne autour d'un axe perpendiculaire à son plan de symétrie et qui permet la sustentation d'un véhicule ou l'entraînement d'un organe mécanique. *Les roues d'une automobile. Roue de gouvernail d'un navire,* qui commande le gouvernail. ▷ *Roue libre :* dispositif permettant de suspendre l'action de l'organe moteur sur la roue menée, qui peut ainsi tourner librement. *Roue libre d'une bicyclette. Descendre une côte en roue libre,* sans pédaler. ▷ ADMIN et cour. *Deux-roues*.* ▷ Loc. fig. *Être la cinquième roue du carrosse :* être inutile. – *Pousser à la roue :* aider qqn à réussir ce qu'il entreprend. – *Mettre des bâtons* dans les roues.* **2.** Tambour en forme de roue contenant des numéros de loterie, ou grand disque monté sur pivot, comportant des cases numérotées. ▷ *Grande roue :* attraction foraine, sorte de manège vertical, à nacelles suspendues sur une roue dressée. – Loc. fig. *La roue de la Fortune,* allégorie des vicissitudes humaines. **3.** *Faire la roue :* en parlant du paon, du dindon, déployer sa queue en éventail ; fig. en parlant d'une personne, se pavaner ; en gymnastique, effectuer un tour complet sur soi-même latéralement, en prenant appui sur les mains puis sur les pieds. **4.** HIST *Supplice de la roue,* qui consistait à briser les membres et les reins d'un condamné attaché à une roue sur laquelle on le laissait mourir.

roué, ée adj. et n. **I.** adj. HIST Qui a subi le supplice de la roue. ▷ Fig. *Roué de coups :* battu violemment. **II.** n. et adj. **1.** HIST *Les Roués :* les compagnons de débauche de Philippe d'Orléans (jugés dignes du supplice de la roue). **2.** Litt. Personne rusée qui ne s'embarrasse pas de scrupules. ▷ adj. *Méfiez-vous, elle est rouée.*

rouelle n. f. **I.** CUIS **1.** Tranche coupée dans un fruit ou un légume rond, rondelle. **2.** Partie de la cuisse de veau coupée en travers. – Par anal. *Rouelle de porc.* **II.** HIST Au Moyen Âge, signe distinctif (insigne rond de tissu jaune notam.) imposé aux Juifs.

Rouen, ch.-l. du dép. de la Seine-Mar. et de la Région Haute-Normandie, import. port fluvial sur la Seine ; 105 470 hab. (aggl. urb. 380 200 hab.). Rouen est devenu l'avant-port de Paris, complémentaire du Havre : importation de bois, de prod. minéraux, de fruits tropicaux ; exportation de prod. pétroliers, de prod. manufacturés et de céréales ; marché (MIN) ; marché à bestiaux. L'industrie se développe en fonction du port (raff. de pétrole ; métall. ; constr. méca. ; industr. chim., alim. et text.). Aux banlieues ouvrières et industrielles, le long de la Seine (Le Petit-Quevilly, Le Petit-Couronne, Sotteville-lès-Rouen), s'oppose la ville nouvelle du Vaudreuil, construite en « zone verte ». – Archevêché. Université. Rouen est l'une des villes de France les plus riches en monuments. Cath. Notre-Dame (XIIe-XVIe s.), palais archiépiscopal (XVe et XVIIIe s.). Égl. St-Maclou (XVe-XVIe s.), de style flamboyant. Égl. St-Ouen (XIVe-XVe s., vitraux des XIVe et XVIe s.). Le Gros-Horloge (XVIe s., horloges de 1389 et de 1447). Palais de justice (déb. XVIe s.), très endommagé en 1944. Musée des Beaux-Arts. – Cap. de la prov. romaine dénommée Seconde Lyonnaise, *Rotomagus* devint un port et une métropole relig. de grande importance. En 841, les Normands mirent à sac Rouen qui, en 911, devint la ville princ. du duché de Normandie. Le trafic maritime (notam. avec l'Angleterre) et fluvial, ainsi que l'industrie drapière donnèrent à Rouen essor et richesse (apogée au XVIe s.). En 1204, les rois de France l'annexèrent et la dotèrent d'un port militaire. Les Anglais la prirent (1419-1449) et y brûlèrent Jeanne d'Arc (1431). En 1515, François Ier fit de son Échiquier* un parlement. Favorable à la Ligue, la ville résista à Henri IV, qui la soumit en 1594.

port de **Rouen**

Rouen-les-Essarts (circuit de), circuit automobile de Seine-Maritime (6 km), situé au S. de Rouen, près du hameau des Essarts.

rouennais, aise adj. et n. De Rouen. – Subst. *Un(e) Rouennais(e).*

rouer v. tr. [1] HIST Faire subir à (qqn) le supplice de la roue. ▷ Fig., mod. *Rouer qqn de coups,* lui donner des coups nombreux et violents.

Rouergue, anc. pays de France, qui correspond au rebord S. du Massif central ; cap. *Rodez.* Comté depuis le IXe s., il fut réuni à la Couronne par Henri IV (1607).

rouerie n. f. Attitude, acte d'une personne rouée (sens II, 2).

rouet n. m. Machine à filer comportant une roue actionnée par une pédale.

rouf ou **roof** [ʀuf] n. m. MAR Superstructure élevée sur le pont supérieur d'un navire et n'occupant pas toute la largeur de celui-ci.

rouflaquette n. f. Fam. **1.** Mèche de cheveux recourbée en accroche-cœur sur la tempe. **2.** Favori, patte* de lapin.

rouge adj., adv. et n. **I.** adj. **1.** De la couleur du sang, du coquelicot. *Foulard rouge. Drapeau rouge,* des partis révolutionnaires. **2.** Favorable aux partis qui ont pour emblème le drapeau rouge ; qui professe des opinions politiques d'extrême gauche. ▷ *L'armée Rouge :*

l'armée soviétique. – Subst. *Les rouges :* les révolutionnaires, les communistes. – *Gardes* rouges.* **3.** Qui a le visage coloré par un afflux de sang. *Être rouge de colère.* **4.** Qui a pris la couleur du feu par élévation de température. *Fer rouge.* **5.** D'un roux très vif, en parlant des cheveux ou du pelage d'un animal. **II.** adv. **1.** *Se fâcher tout rouge :* devenir rouge de colère. – *Voir rouge :* entrer dans une violente colère. **2.** *Voter rouge :* voter pour les communistes, pour l'extrême gauche. **III.** n. m. **1.** Couleur rouge. *Le rouge correspond aux plus grandes longueurs d'onde du spectre visible.* **2.** Substance colorante rouge. *Rouges organiques.* **3.** Fard rouge pour le maquillage. *Rouge à lèvres, à joues.* **4.** Fam. Vin rouge. *Un petit coup de rouge. Gros rouge :* vin rouge ordinaire. **5.** Coloration rouge du visage, due à la honte, à la colère, etc. *Le rouge lui est monté au front.* **6.** Couleur du métal porté à incandescence. *Fer chauffé au rouge.*

Rouge (fleuve) (en vietnamien *Sông Hông*), fl. du Viêt-nam septentrional (1 200 km); né en Chine, dans le Yunnan, il se jette dans la mer de Chine (golfe du Tonkin) par un immense delta.

Rouge (mer) (anc. *golfe Arabique*), mer étroite qui sépare l'Afrique (du N.-E.) et l'Asie (péninsule Arabique). Communiquant avec l'océan Indien (golfe d'Aden) par le détroit très resserré de Bab-al-Mandab, la mer Rouge est un golfe long et étroit (320 km de larg. maximale pour plus de 2 000 km de long). Occupant un fossé tectonique, elle se caractérise par la chaleur et la très grande salinité de ses eaux. Ancien axe commercial, reliée à la Méditerranée depuis 1869 par le canal de Suez, la mer Rouge est un couloir stratégique soumis aux conflits qui opposent les États riverains. ▷ RELIG D'après l'Exode*, ses eaux se séparèrent pour permettre aux Hébreux, lors de leur exode sous la conduite de Moïse*, de passer à pied sec. Elles se refermèrent sur les Égyptiens qui poursuivaient ceux-ci.

Rouge (place) (en russe *Krasnaïa Plochtchad, krasnaïa* signifiant « rouge » et « belle »), grande place de Moscou séparant le Kremlin de la vieille ville. Datant de la création de la cité, elle porte ce nom depuis le XVIIe s. Sur cette vaste esplanade s'élèvent l'église Basile-le-Bienheureux et le mausolée de Lénine.

Rouge (rivière). V. Red River.

rougeâtre adj. Qui tire sur le rouge.

rougeaud, aude adj. (et n.) Qui a le visage haut en couleur; rubicond. – Subst. *Un petit rougeaud.*

rouge-gorge n. m. Petit oiseau passériforme (*Erithacus rubecula*, fam. turdidés), commun dans toute l'Europe et caractérisé par la couleur rouge sombre de sa gorge et de sa poitrine. *Des rouges-gorges.*

rouge-gorge

Rougemont (Denis de) (Cauvet, Neuchâtel, 1906 – Genève, 1985), essayiste et moraliste suisse d'expression française : *l'Amour et l'Occident* (1939), *Lettre ouverte aux Européens* (1970).

rougeoiement [ʀuʒwamɑ̃] n. m. Fait de rougeoyer.

rougeole n. f. **1.** Maladie virale aiguë, endémique et épidémique, très contagieuse, immunisante. *Généralement bénigne en Europe, la rougeole demeure la principale cause de mortalité infantile en Afrique noire.* **2.** BOT Plante hémiparasite. *Rougeole du seigle.*

rougeoleux, euse adj. et n. MED Atteint de la rougeole; relatif à la rougeole.

rougeoyant, ante adj. Qui rougeoie.

rougeoyer v. intr. [**23**] Se colorer de diverses nuances de rouge, avoir des reflets rouges et changeants.

rouge-queue n. m. Petit oiseau passériforme (genre *Phœnicurus*, fam. turdidés) à la queue roussâtre. *Des rouges-queues.*

rouget n. m. **1.** Nom cour. de divers poissons comestibles de couleur rose à rouge vif, notam. du *rouget grondin* et des *rougets barbet, surmulet* et *doré* (tous trois du genre *Mullus*), qui vivent en Méditerranée et dans l'Atlantique N. **2.** MED VET Maladie infectieuse du porc, très contagieuse et transmissible à l'homme.

rouget grondin

Rouget de Lisle (Claude Joseph) (Lons-le-Saunier, 1760 – Choisy-le-Roi, 1836), officier français du génie. Il composa en 1792, à Strasbourg, les paroles et la musique de *la Marseillaise**. Emprisonné sous la Terreur, libéré à la mort de Robespierre, il composa des chants, des romances, des pièces de théâtre (*l'École des mères*, 1798).

rougeur n. f. **1.** Teinte rouge, rougeâtre. **2.** Coloration rouge du visage, provoquée par une émotion. *La rougeur de la honte.* **3.** Tache rouge qui apparaît sur la peau.

rougi, ie adj. Qui a pris une teinte rouge. ▷ *Eau rougie*, additionnée de vin.

rougir v. [**3**] **I.** v. tr. Donner une couleur rouge à. *Les veilles ont rougi ses yeux.* **II.** v. intr. **1.** Devenir rouge. *Les cerises commencent à rougir.* ▷ (Personnes) *Rougir de confusion.* **2.** Avoir honte, être confus. *Vous devriez rougir de vos mensonges.*

rougissant, ante adj. Qui devient rouge. *Fruits rougissants.* – *Personne rougissante*, qui rougit d'émotion.

rougissement n. m. Fait de rougir.

rouille n. f. et adj. inv. **I.** n. f. **1.** Substance pulvérulente brun orangé, constituée principalement d'hydroxyde ferrique, dont se couvrent le fer et l'acier corrodés par l'humidité. **2.** Nom cour. de nombreuses maladies cryptogamiques de végétaux supérieurs. **3.** CUIS Aïoli additionné de piment rouge. **II.** adj. inv. De la couleur de la rouille. *Des vêtements rouille.*

rouillé, ée adj. **1.** Attaqué, rongé par la rouille. *Clé rouillée.* **2.** (Végétaux) Atteint de la maladie de la rouille. **3.** Fig. Qui a perdu une partie de ses capacités par manque d'exercice. *Jambes rouillées. Mémoire rouillée.*

rouiller v. [**1**] **1.** v. tr. Rendre rouillé. *L'eau rouille le fer.* ▷ Fig. *L'inactivité rouille le corps et l'esprit.* **2.** v. intr. Devenir rouillé. ▷ v. pron. *Le fer se rouille facilement.*

rouillure n. f. **1.** Effet de la rouille sur un métal. **2.** Effet de la rouille (sens 2) sur une plante.

rouir v. [**3**] **1.** v. tr. TECH Faire tremper dans l'eau (du lin, du chanvre) afin que les fibres textiles se séparent de la partie ligneuse. **2.** v. intr. Être soumis à cette opération. *Ce lin rouit mal.*

roulade n. f. **1.** MUS Ornementation mélodique, suite de notes légères et rapides chantées sur une seule syllabe. *Faire des roulades.* **2.** CUIS Tranche de viande roulée et farcie. **3.** Mouvement de qqn qui roule sur lui-même. ▷ SPORT En gymnastique, culbute.

roulage n. m. **1.** DR Fait de rouler, pour un véhicule. *Police de roulage :* réglementation de la circulation des véhicules. **2.** Transport des marchandises par véhicules automobiles. *Société de roulage. Manutention par roulage*, dans laquelle les véhicules qui ont assuré le transport par route d'une marchandise embarquent à bord du navire qui doit en assurer ensuite le transport par mer. **3.** TECH En papeterie, déformation d'une feuille ayant tendance à s'enrouler en forme de cylindre. **4.** MINES Transport du minerai par berlines. **5.** AGRIC Opération qui consiste à passer le rouleau sur un champ labouré pour briser les mottes ou pour tasser la couche superficielle après l'ensemencement.

roulant, ante adj. et n. **1.** Qui peut rouler; monté sur roues, sur roulettes. *Table roulante.* ▷ CH de F *Le matériel roulant :* les locomotives, les voitures et les wagons. – Par ext. *Personnel roulant*, qui effectue son service à bord d'un train ou d'un véhicule de transports en commun. – Subst. *Les roulants.* ▷ MILIT *Cuisine roulante* ou, n. f., *la roulante :* cuisine ambulante employée par les armées en campagne. **2.** Se dit d'un engin de manutention ou de transport des personnes sur de courtes distances dont le mouvement se fait par roulement sur des galets ou des rouleaux. *Pont, tapis roulant. Trottoir, escalier roulant.* **3.** *Feu roulant :* tir continu d'armes à feu. ▷ Fig. *Un feu roulant de questions.*

roulé, ée adj. (et n. m.) **1.** Dont on a fait un rouleau. *Couverture roulée.* – *Épaule roulée :* en boucherie, épaule désossée et parée en forme de rouleau. ▷ n. m. En pâtisserie, gâteau dont la pâte est enroulée sur elle-même. *Roulé au chocolat.* **2.** Fam. *Fille bien roulée*, bien faite. **3.** PHON *R roulé* ou *apical*, prononcé avec la pointe (apex) de la langue, par oppos. au *r grasseyé* ou *vélaire*, prononcé du fond de la gorge (*r* dit *parisien*).

rouleau n. m. **1.** Morceau d'une matière souple enroulé sur lui-même et formant un cylindre. *Rouleau de papier.* ▷ Loc. fig. *Être au bout de son (du) rouleau (de parchemin) :* n'avoir plus rien à écrire, à dire; *par ext.*, ne plus avoir de ressources (physiques, financières, etc.). ▷ (Par anal. de forme.) *Rouleau de pâte à modeler. Rouleau de pièces de monnaie :* pile de pièces entourée d'un papier. **2.** Cylindre en matière dure (bois, métal, etc.) destiné à presser, à aplatir. *Rouleau à pâtisserie.* – AGRIC Instrument utilisé pour aplanir un terrain, écraser les mottes de terre. Syn. plombeur. ▷ *Rouleau compresseur* : engin de travaux publics utilisé pour aplanir les revêtements des voies. **3.** *Rouleau de peintre* : cylindre recouvert de matière absorbante pivotant librement sur un axe emmanché, utilisé pour poser la peinture sur les murs. **4.** Bigoudi constitué par un cylindre. ▷ Coiffure féminine où les cheveux sont roulés en cylindre, sur la nuque. **5.** Lame qui brise près d'une plage, et qui a la forme d'un rouleau (sens 1). **6.** SPORT Technique de saut en hauteur consistant à faire tourner le corps au-dessus de la barre dans une position proche de l'horizontale. *Rouleau ventral, dorsal.*

roulé-boulé n. m. SPORT Technique de réception au sol employée notam. par les parachutistes, consistant à se ramasser sur soi-même et à se laisser rouler à terre. *Des roulés-boulés.*

roulement n. m. **1.** Mouvement de ce qui roule. **2.** TECH Organe servant à réduire les frottements entre des pièces dont l'une est en rotation, constitué de deux bagues entre lesquelles tournent des billes, des rouleaux ou des aiguilles. *Roulement à billes.* **3.** Bruit sourd et continu produit par qqch qui roule. *Le roulement du train couvrait sa voix.* ▷ Par anal. *Roulement du tonnerre, de tambour.* **4.** *Roulement d'yeux* : mouvement des yeux qui tournent dans leurs orbites. **5.** FIN *Fonds* de roulement.* **6.** Succession, alternance de personnes qui se remplacent pour effectuer certains travaux, certaines tâches.

rouler v. [1] **I.** v. tr. **1.** Pousser (une chose) en la faisant tourner sur elle-même. *Rouler un tonneau.* ▷ Loc. fig., fam. *Rouler sa bosse* : mener une existence vagabonde. **2.** Déplacer (un objet comportant une, des roues). *Rouler une brouette.* – Par ext. *Rouler un invalide dans son fauteuil.* **3.** Enrouler (qqch), en faire un rouleau ou une boule. *Rouler une couverture.* – *Rouler une cigarette,* la confectionner en façonnant en rouleau une pincée de tabac enveloppée de papier mince. **4.** *Rouler les épaules, les hanches,* les balancer en marchant. (N.B. On emploie aussi la construction intr. : *rouler des épaules, des hanches.*) – *Rouler les yeux,* les diriger d'un côté à un autre en un mouvement circulaire. ▷ Loc. fig., fam. *Rouler les mécaniques* : faire étalage de sa force physique, faire le fier-à-bras. – *Se rouler les pouces* ou, pop., *se les rouler* : ne rien faire. **5.** Aplanir au rouleau. *Rouler la pâte.* **6.** Fig. Envisager sous tous les angles, examiner en tournant et en retournant dans son esprit. *Rouler des projets, des pensées dans sa tête.* **7.** Fam. Duper (qqn). *Se faire rouler.* **8.** *Rouler les r,* les prononcer en faisant vibrer la pointe de la langue contre le palais. **9.** AGRIC Pratiquer le roulage*. **10.** BOT Provoquer la roulure*. **II.** v. intr. **1.** Avancer, se déplacer en tournant sur soi-même, en parlant d'un objet de forme ronde. – Prov. *Pierre qui roule n'amasse pas mousse* : V. mousse. **2.** Avancer sur des roues. *Train qui roule à grande vitesse.* – Par ext. *Nous avons roulé toute la nuit.* ▷ Loc. fig. *Rouler sur l'or* : être très riche. – Fam. *Ça roule* : tout va bien. **3.** IMPRIM Commencer le tirage après que toutes les vérifications ont été faites. **4.** MAR Être balancé par le roulis. *Navire qui tangue et qui roule.* **5.** Circuler rapidement (argent). *Fonds qui roulent.* **6.** Errer sans se fixer. *Passer sa vie à rouler.* **7.** Faire entendre un son sourd et prolongé. *« Comme un bruit de foule qui tonne et qui roule » (V. Hugo).* **8.** Porter sur tel ou tel sujet, en parlant de la conversation. *La discussion roulait sur un problème important.* **9.** Fam. *Rouler pour quelqu'un* : travailler pour lui, pour qu'il réussisse. **III.** v. pron. **1.** Se tourner de côté et d'autre, étant couché. *Se rouler dans l'herbe.* – Par exag. *Se rouler par terre (de rire).* **2.** *Se rouler dans* (qqch qui couvre le corps), s'en envelopper. *Se rouler dans son manteau pour dormir.* **3.** Ramasser le corps sur lui-même, se mettre en boule. *Le hérisson se roule sur lui-même lorsqu'il est effrayé.*

Roulers (en néerl. *Roeselare*), v. de Belgique ; ch.-l. d'arr. de la Flandre-Occidentale ; 51 980 hab. Centre industriel (text., métall., chim., alim., électron.). – Égl. des XVe-XVIe s.

roulette n. f. **1.** Chacune des petites roues qui permettent de faire rouler l'objet auquel elles sont fixées. *Fauteuil à roulettes.* ▷ Fig., fam. *Cela marche comme sur des roulettes,* sans aucune difficulté. **2.** Instrument de relieur, de cordonnier, de pâtissier, etc., muni d'une petite roue dentée et qui sert à faire des marques, des empreintes, à découper, etc. ▷ Fam. Fraise de dentiste. (V. fraise 4.) **3.** Jeu de hasard dans lequel une petite boule est lancée dans un plateau tournant comportant trente-sept cases numérotées rouges ou noires. – *Roulette russe* : duel dans lequel on tire une fois ou plus sur l'adversaire (ou sur soi-même) avec un revolver dont on fait tourner le barillet chargé d'une seule balle.

rouleur, euse n. **1.** Ouvrier, ouvrière qui va travailler d'atelier en atelier. **2.** n. SPORT Coureur cycliste qui excelle sur les parcours plats (par oppos. à *grimpeur*).

roulis [ʀuli] n. m. Oscillation d'un navire d'un bord sur l'autre sous l'effet de la houle. *Roulis et tangage.* ▷ Oscillation comparable d'un avion ou d'un véhicule routier.

roulottage n. m. Vol à la roulotte.

roulotte n. f. **1.** Voiture servant de logement aux forains, aux nomades. **2.** Fam. *Vol à la roulotte* : vol d'objets dans des véhicules en stationnement.

roulotté n. m. COUT Ourlet constitué d'un rouleau très fin.

roulotter v. tr. [1] COUT Faire un roulotté.

roulure n. f. **1.** BOT Maladie des arbres qui provoque la séparation et l'enroulement des couches ligneuses. **2.** Grossier, inj. Femme de mauvaise vie, prostituée.

roumain, aine adj. et n. **1.** adj. De la Roumanie. **2.** n. m. *Le roumain* : la langue romane parlée en Roumanie.

Roumanie (république de), État du sud-est de l'Europe, limité à l'ouest par la Hongrie et la Serbie, au nord par l'Ukraine, à l'est par la Moldavie, au sud par la Bulgarie et la mer Noire ; 237 500 km^2 ; 22 693 000 hab. ; cap. *Bucarest.* Nature de l'État : rép. de type parlementaire. Pop. : Roumains (89,4 %), Hongrois (7,1 %), Tsiganes, minorités allemande et ukrainienne. Langue off. : roumain. Monnaie : leu. Relig. : orthodoxes (86,8 %), catholiques romains et uniates (5 %), protestants (3,5 %).

Géogr. phys. – Trois entités géographiques, montagnes centrales, collines de piémont et plaines de bordure, couvrent chacune un tiers de la superficie. L'arc des Carpates (2 543 m au Moldoveanu) prend en écharpe le centre du pays. Au nord, il borde la plaine de la Bucovine. Il enveloppe, à l'ouest, le plateau de Transylvanie et les monts Apuseni. À l'est et au sud s'étendent les collines et les plaines de la rive gauche du Danube (Moldavie, Dobroudja, Munténie, Valachie) qui s'ouvrent sur la mer Noire où le fleuve se jette par un vaste delta. Le climat est de type semi-continental : longue chaleur des étés et froid hivernal marqué sont de règle.

Écon. – La production agricole est diversifiée : maïs, blé, vin et cultures industrielles (tournesol, soja, betterave à sucre). Les rendements et la productivité, déjà faibles pendant la période de collectivisation, restent médiocres. La privatisation des grandes fermes d'État (80 % en 1993), au profit d'une petite paysannerie sans moyens techniques individuels, a désorganisé pour un temps le secteur agricole. Les ressources du pays en énergie fossile sont aujourd'hui en voie d'épuisement, hormis le lignite (36,6 Mt en 1994). À la production d'électricité des centrales thermiques et de la centrale nucléaire de Cernavoda (mise en service en 1994), dans le sud-est du pays, s'ajoute celle du grand barrage de Djerdap dans la région des Portes de Fer. Une importante industrie lourde repose sur ces ressources, mais les installations et les infrastructures sont vétustes. Les capitaux nationaux font défaut et l'investissement étranger est faible. Une reprise économique s'est affirmée à partir de 1995, mais elle est ralentie du fait de l'absence de réformes structurelles.

Hist. – Peuplée de Gètes, qui avaient fondé le roy. de Dacie, une partie du territoire actuel de la Roumanie fut conquise par Trajan, qui, après deux campagnes, en fit en 106 une province romaine. Après le départ des Romains (de 271 à 276), qui laissèrent de fortes empreintes linguistiques et culturelles, le pays subit de multiples vagues d'invasion : Goths, Huns, Slaves, Bulgares, Slaves, avant le Xe s., Tatars au XIIIe s. La constitution d'entités politiques autonomes, autour des princes, se développe aux XIIIe et XIVe s., avec une certaine aisance en Moldavie et en Valachie, plus difficilement en Transylvanie, soumise à la pression magyare. Cette première affirmation politique des principautés est interrompue par l'invasion ottomane : début XVe s. en Valachie, début XVIe s. en Moldavie et en Transylvanie, sans trop compromettre l'épanouissement culturel, le régime de la vassalité ottomane laissant une large autonomie. Les tutelles s'alourdissent au siècle suivant : ottomane, les princes étant remplacés par les hospodars (souverains) phanariotes qui hellénisent les classes dirigeantes ; autrichienne en Transylvanie (1691) et en Bucovine (1775), à la faveur du recul turc ; russe, enfin, quand les troupes tsaristes progressent vers les bouches du Danube et le Bosphore (annexion de la Bessarabie moldave en 1812). L'éveil de la conscience nationale se manifeste à la suite du mouvement des Lumières français. Mais les principautés ont du mal à s'unir car la lutte d'influence entre l'Autriche-Hongrie et la Russie succède à la tutelle ottomane. Après le premier échec d'un mouvement indépendantiste en Valachie (1820-1821), la Russie accorde une certaine autonomie aux principautés à la suite du traité d'Andrinople (1829). Malgré un second échec en 1848, cette autonomie sera confirmée à l'issue de la guerre de Cri-

mée, avec le soutien de Napoléon III : le congrès de Paris (1856) place les principautés unies de Moldavie et de Valachie sous la garantie collective des puissances européennes. En 1859, l'élection d'un seul prince (Alexandre-Jean Cuza) marque le début de l'union. Renversé par les propriétaires fonciers hostiles à ses réformes, le prince Cuza est remplacé en 1866 par Charles de Hohenzollern-Sigmaringen. En 1878 (congrès de Berlin), la Roumanie, qui avait lutté aux côtés des Russes contre les Turcs, gagna son indépendance, mais dut échanger contre la Dobroudja le S. de la Bessarabie. Le prince Charles devint alors le roi Carol Ier de Roumanie. Restait à reconstituer la « Grande Roumanie » en réintégrant tous les territoires habités par l'ethnie roumaine (Bessarabie, Bucovine et surtout Transylvanie, où le sort des Roumains était devenu plus que précaire après l'annexion à la Hongrie en 1867). S'étant rangée aux côtés des Alliés en 1916, la Roumanie obtint les territoires revendiqués ; elle les perdit en 1940, à la suite du pacte germano-soviétique et du diktat de Vienne imposé par Hitler et Mussolini (août 1940). En sept. 1940, des groupements profascistes (notam. la Garde de fer) portèrent au pouvoir le général Ion Antonescu, et Carol II abdiqua en faveur de son fils Michel Ier ; Antonescu lança le pays aux côtés de l'Allemagne contre les Soviétiques (22 juin 1941). Le 23 août 1944, une insurrection mit fin à la dictature d'Antonescu ; Michel Ier reprit le pouvoir ; les troupes roumaines se retournèrent contre l'Allemagne nazie, mais le traité de Paris (10 fév. 1947) ne restitua à la Roumanie que le N. de la Transylvanie (elle dut renoncer à la Bessarabie, au N. de la Bucovine et au S. de la Dobroudja). Les élections de 1946 portèrent au pouvoir le parti communiste roumain ; Michel Ier fut contraint d'abdiquer le 30 déc. 1947 et la République populaire roumaine fut proclamée. Elle fut dirigée par Groza, qui entreprit aussitôt la collectivisation des terres (achevée en 1962) et la nationalisation de l'industrie naissante. À partir de 1962, refusant tout alignement sur les positions de l'U.R.S.S. en matière de politique internationale, la Roumanie s'écarta sensiblement de l'orbite soviétique ; elle maintint, notamment, des relations avec la Chine et Israël, et multiplia les liens avec l'Occident (adhésion au F.M.I. en 1972). À la tête du pays se succédèrent Groza (1947-1955), Gheorge Gheorghiu-Dej (1955-1965), Chivu Stoica (1965-1967) et Nicolae Ceauşescu, président du Conseil d'État à partir de 1967, puis président de la République en 1974. L'option communiste et nationaliste est cependant renforcée par un contrôle policier dont s'est servi Ceauşescu pour établir sa dictature personnelle. Malgré la puissante *Securitate* (police politique), les années 80 voient se multiplier les oppositions au dictateur. En 1989, l'annonce d'un massacre d'opposants, à Timişoara (17 déc.), déclenche un processus révolutionnaire, canalisé par le Conseil du Front de salut national (C.F.S.N.), que dominent d'anciens communistes. Le C.F.S.N. prend le pouvoir le 22 déc. et fait exécuter les époux Ceauşescu le 25. Ion Iliescu, l'un de ses dirigeants est élu président de la Rép. en mai 1990 et réélu en 1992. En 1996, la Roumanie et la Hongrie signent un traité qui proclame l'inviolabilité de leur frontière et garantit les droits de la minorité hongroise en Roumanie ; le 3 nov., l'opposition (la Convention démocrate) remporte les élections législatives ; son candidat, Emil Constantinescu, est élu président de la République et Victor Ciorbea est nommé Premier ministre. En avril 1998, il doit céder la place à Radu Vasile après la défection des sociaux-démocrates de Petre Roman.

Roumanille (Joseph) (Saint-Rémy-de-Provence, 1818 – Avignon, 1891), écrivain français d'expression occitane : *Contes provençaux* (1883). Cofondateur du félibrige* (1854), il poursuivit la publication de l'*Armana prouvençau* (« Almanach provençal ») et édita les œuvres des félibres.

Roumélie, anc. rég. de la Turquie d'Europe, qui comprenait la Macédoine et la Thrace. La *Roumélie-Orientale* forme auj. une rég. naturelle de la Bulgarie, riveraine de la mer Noire.

roumi n. Chrétien, Européen, pour les musulmans.

Roumois (le), pays de Normandie, délimité par la Seine et la Risle. Élevage bovin.

round [ʀund ; ʀawnd] n. m. (Anglicisme). **1.** À la boxe, reprise lors d'un combat. **2.** Fig. Épisode d'un débat, d'une négociation.

roupettes n. f. pl. Grossier Testicules.

1. roupie n. f. Unité monétaire de l'Inde, du Sri Lanka, de l'île Maurice, du Népal, des îles Maldives, des Seychelles et du Pākistān.

2. roupie n. f. (En loc.) Fam. *Roupie de sansonnet :* chose sans importance, sans intérêt.

roupiller v. intr. [**1**] Fam. Dormir.

roupillon n. m. Fam. Petit somme. *Piquer un roupillon.*

Roupnel (Gaston) (Laissey, Doubs, 1871 – Gevrey-Chambertin, 1946), écrivain français. Spécialiste de sociologie, il écrivit une *Histoire de la campagne française* (1932). Ses romans décrivent la vie des paysans bourguignons : *Nono* (1910), *Siloë* (1927).

rouquette n. f. Syn. de *roquette* (1).

rouquin, ine adj. et n. **1.** adj. Fam. Qui a les cheveux roux. ▷ Subst. *Un(e) rouquin(e).* **2.** n. m. Pop. Vin rouge.

Rous (Peyton) (Baltimore, 1879 – New York, 1970), généticien américain. Il découvrit, en 1911, la transmissibilité d'une tumeur maligne *(sarcome de Rous),* ce qui lui suggéra une théorie virale du cancer. P. Nobel de médecine 1966.

rouscailler v. intr. [**1**] Pop. Réclamer, protester bruyamment.

rouspéter v. intr. [**14**] Fam. Protester avec vigueur, réclamer.

rouspéteur, euse n. (et adj.) Fam. Personne qui rouspète fréquemment, grincheux.

roussane n. f. Cépage blanc des Côtes du Rhône et de la Savoie.

roussâtre adj. Qui tire sur le roux.

rousse n. f. Arg., vx *La rousse :* la police.

Rousseau (Jean-Baptiste) (Paris, 1671 – Bruxelles, 1741), poète lyrique français ; auteur d'*Odes* sacrées et profanes, de *Cantates* et d'*Épigrammes* qui lui valurent de nombr. ennemis. Accusé de diffamation, il fut condamné, en 1712, au bannissement perpétuel.

Rousseau (Jean-Jacques) (Genève, 1712 – Ermenonville, 1778), écrivain et philosophe genevois de langue française. Fils d'un horloger qui descendait de calvinistes émigrés, il perdit sa mère à sa naissance. À l'issue de plusieurs années d'apprentissages divers, il émigra en Savoie, où il fut recueilli par une jeune femme de la bourgeoisie d'Annecy, Mme de Warens (1728). Converti au catholicisme, il mena pendant quelque temps une vie vagabonde, voyageant à pied et exerçant divers métiers, avant de retrouver sa protectrice à Chambéry (1732). Son séjour avec elle aux Charmettes (1737-1740) fut l'époque la plus heureuse de sa vie ;

mais Mme de Warens, qui l'avait initié à l'amour, se détacha de lui. Rousseau se rendit alors à Paris (1741), entra en relation avec Voltaire, Grimm et Diderot, qui lui commanda des articles sur la musique pour l'*Encyclopédie*. En 1745 débuta sa liaison avec Thérèse Levasseur, une ancienne servante, qu'il épousa en 1768 après avoir eu d'elle cinq enfants, qui furent tous abandonnés. En 1750, son *Discours sur les sciences et les arts* le rendit soudain célèbre. À la même époque, il fit jouer avec succès un opéra, *le Devin du village* (1752). En 1755 parut son retentissant *Discours sur l'origine de l'inégalité*, dans lequel il dénonce les méfaits de la société, fondée sur la propriété, source d'inégalité, et lui oppose un «état de nature» originel et idéal. En 1756, accueilli par Mme d'Épinay (amie de Diderot) dans son chalet de l'Ermitage, en forêt de Montmorency, Rousseau s'éprit de Mme d'Houdetot. Mais vite, son caractère ombrageux et susceptible, aggravé par une douloureuse maladie de la vessie, l'amena à rompre avec Mme d'Épinay et également avec les encyclopédistes (1757). En 1758, sa violente critique du théâtre *(Lettre à d'Alembert sur les spectacles)* lui attira l'animosité de Voltaire. Hôte à Montmorency du maréchal de Luxembourg (1758-1762), il acheva *Julie ou la Nouvelle Héloïse* (1761), roman épistolaire préromantique; il écrivit aussi *Du contrat social* (1762), traité politique en faveur de la démocratie, et donna l'*Émile* (1762), son grand ouvrage d'éducation privée aux principes étonnamment modernes. Poursuivi par le parlement pour le passage de l'*Émile* nommé *Profession de foi du vicaire savoyard*, il s'enfuit en Suisse (1762) puis gagna l'Angleterre (1766). De retour en France, il publia un *Dictionnaire de la musique* (1767). Il poursuivit la rédaction des *Confessions* (entreprise en 1765, publication posth. en 1782-1789), œuvre qui, à l'observation intime, joint l'énergie du combat, et que complètent les *Dialogues* (*Rousseau juge de Jean-Jacques* [écrits en 1772-1776, publiés en 1789]) ainsi qu'une abondante *Correspondance*. En 1778, le marquis de Girardin l'accueillit dans sa propriété d'Ermenonville, où il acheva *les Rêveries du promeneur solitaire* (écrites de 1776 à 1778, publiées en 1782) avant de mourir brusquement. On l'enterra dans l'île des Peupliers à Ermenonville, puis la Convention fit transporter ses restes au Panthéon en 1794. Son œuvre qui dénonce toutes les formes de pouvoir et les illusions du progrès a inspiré la Déclaration des droits de l'homme et du citoyen, et préfiguré la révolte romantique.

Rousseau (Théodore) (Paris, 1812 – Barbizon, 1867), peintre français; chef de file de l'école de Barbizon*, auteur de paysages réalistes.

Rousseau (Henri, dit *le Douanier*) (Laval, 1844 – Paris, 1910), peintre français, maître de l'art naïf. Employé à l'octroi de Paris («douanier») de 1871 à 1893, il vécut à l'écart, mais connut Gauguin, Redon, Picasso. Sa production, abondante, ne peut être rattachée à aucune école : *la Guerre ou la Chevauchée de la Discorde* (1894), *la Bohémienne endormie* (1897), *la Charmeuse de serpents* (1907).

J.-J. **Rousseau**

Bertrand **Russell**

le Douanier **Rousseau :** *Moi-même*, 1890; galerie Narodni, Prague

Roussel (Albert) (Tourcoing, 1869 – Royan, 1937), musicien français. Ses premières œuvres révèlent l'influence de son maître V. d'Indy et celle de Debussy : *le Festin de l'araignée* (ballet, 1913). Après *Padmâvatî*, opéra-ballet (1923), il mêla un contrepoint continu à une grande dynamique de rythmes : *Suite en «fa»* (1926), *Concerto pour piano* (1927), *Psaume LXXX* (pour ténor, chœur et orchestre, 1928), *Troisième Symphonie* (1929-1930), *Bacchus et Ariane* (ballet, 1931), *Sinfonietta* (pour cordes, 1934).

Roussel (Raymond) (Paris, 1877 – Palerme, 1933), écrivain français. Ses œuvres, étonnantes machineries poétiques et romanesques le plus souvent élaborées à partir de combinaisons phoniques entraînant un dédoublement du sens, font de lui un précurseur du surréalisme, du nouveau roman et de l'avant-garde actuelle : *la Doublure* (1897), *Impressions d'Afrique* (1910), *Locus Solus* (1914), *l'Étoile au front* (théâtre, 1924), *Nouvelles Impressions d'Afrique* (1932), *Comment j'ai écrit certains de mes livres* (posth., 1935).

rousserolle n. f. Petit oiseau passériforme (genre *Acrocephalus*), proche parent des fauvettes, au plumage beige, qui vit généralement dans les roseaux.

Rousses (Grandes), massif cristallin des Alpes françaises (3 468 m au *pic de l'Étendard*), partagé entre les dép. de l'Isère et de la Savoie.

Rousses (Les), com. du Jura (arr. de Saint-Claude); 3 008 hab. Station de sports d'hiver.

Rousset (David) (Roanne, 1912 – Paris, 1997), journaliste et écrivain français. Ses ouvrages sont des documents sur son engagement lors de la guerre d'Espagne, la Résistance et la déportation (*l'Univers concentrationnaire*, 1947).

roussette n. f. **1.** Grande chauve-souris frugivore ou insectivore d'Afrique et d'Asie. **2.** Petit requin à peau tachetée, appelé aussi *chien de mer*, commun dans les mers d'Europe. ► illustr. **chauve-souris**

rousseur n. f. Couleur rousse. ▷ *Tache de rousseur* : petite tache pigmentaire brun clair, fréquente sur la peau des blonds et des roux. Syn. éphélide.

roussi, ie adj. et n. m. **1.** adj. Devenu roux. *Linge roussi par un fer trop chaud.* **2.** n. m. Odeur de ce qui a commencé à brûler. – Fig., fam. *Sentir le roussi*, se dit d'une situation, d'une affaire qui risquent de se gâter, de mal tourner.

Roussillon, anc. prov. française qui forme auj. le dép. des Pyrénées-Orientales; cap. *Perpignan*. Cultures maraîchères et fruitières. Vignobles. (V. Languedoc-Roussillon). – Possession d'Alphonse II d'Aragon (1172), le Roussillon fut définitivement rattaché à la France en 1659 (paix des Pyrénées).

roussin n. m. Vx Cheval entier un peu épais, employé autref. à la guerre.

Roussin (André) (Marseille, 1911 – Paris, 1987), auteur français de comédies à succès : *la Petite Hutte* (1947), *Nina* (1949), *Bobosse* (1950), *Lorsque l'enfant paraît* (1951), *la Mamma* (1957), *La vie est trop courte* (1981). Acad. fr. (1973).

roussir v. [3] **1.** v. tr. Rendre roux (spécial. en brûlant superficiellement). *Roussir un mouchoir en le repassant.* **2.** v. intr. Devenir roux.

roussissement n. m. ou **roussissure** n. f. Action, fait de roussir.

Roussy (Gustave) (Vevey, 1874 – Paris, 1948), cancérologue français qui fonda en 1913, à Villejuif, l'Institut du cancer, auj. *Institut Gustave-Roussy*.

Roustan ou **Roustam** (Géorgie, 1780 – Dourdan, 1845), mamelouk donné par le cheikh du Caire à Bonaparte, qu'il servit jusqu'en 1814.

rouste n. f. Pop. Volée de coups, correction. *Prendre une rouste.*

routage n. m. **1.** Groupage en liasses, et par destination, d'imprimés, de journaux, etc., en vue de leur acheminement. **2.** MAR Action de router un navire. **3.** TELECOM Dans un système de télécommunications, gestion des lignes et acheminement des messages.

routard, arde n. Fam. Voyageur (en général jeune) qui prend la route à pied ou en auto-stop. (Le mot a été consacré et popularisé par le *Guide du routard*.)

route n. f. **1.** Voie terrestre carrossable d'une certaine importance. *Route nationale, départementale.* ▷ Absol. *La route* : l'ensemble des routes; l'ensemble des moyens de transport qui utilisent les routes. *Code de la route. Le rail et la route.* **2.** Direction à prendre pour aller quelque part, itinéraire. *Perdre sa route. Les grandes routes maritimes.* – *Faire fausse route* : aller dans la mauvaise direction, se fourvoyer; fig. se tromper, faire erreur. ▷ Direction suivie par un navire ou un aéronef. *Faire valoir la route* : corriger le cap mesuré de la déclinaison et de la déviation. **3.** Parcours, chemin, voyage. *Fleuve qui reçoit six affluents sur sa route. Bonne route! Faire la route à pied.* – *Faire route* : marcher; voyager. ▷ *Par métaph.* Voie. *Nos routes se sont croisées* : nos destins se sont croisés. *La route est toute tracée* : on ne peut douter de la conduite à suivre. **4.** *Mettre en route* : faire démarrer (un moteur, une machine, etc.). *Mettre les rotatives en route.* ▷ Par ext. *Mettre une affaire en route.*

routeur v. tr. [1] **1.** TECH Faire le routage de. *Router des prospectus.* **2.** MAR, AVIAT Établir la route de (un navire, un avion).

routeur n. m. **1.** TECH Professionnel du routage. **2.** MAR, AVIAT Personne qui route (un navire, un avion). **3.** SPORT Dans une course à la voile, personne qui indique au skipper la meilleure route (le plus souvent à partir de la terre). **4.** TELECOM Logiciel assurant le routage.

1. routier n. m. **1.** HIST *Les routiers :* les soldats pillards, organisés en grandes compagnies, qui désolèrent la France du Moyen Âge. **2.** Mod. *Un vieux routier :* un homme qui a de l'expérience.

2. routier, ère adj. et n. **I.** adj. Qui a rapport aux routes, à la route. *Trafic routier. Carte routière.* **II.** n. **1.** n. m. Chauffeur de poids lourds qui effectue de longs trajets. ▷ Restaurant bon marché placé sur un axe de circulation et fréquenté par des routiers. **2.** n. SPORT Cycliste spécialisé dans les épreuves sur route (par oppos. à *pistard*). **3.** n. m. Scout âgé de plus de seize ans. **4.** n. f. Automobile conçue principalement pour faire de longs parcours sur route.

routine n. f. **1.** Habitude d'agir et de penser toujours de la même manière. *Être esclave de la routine.* **2.** *Par ext.* Action(s) quotidienne(s), accomplie(s) machinalement et avec une certaine monotonie. **3.** *De routine :* ordinaire, habituel. *Enquête de routine.* **4.** INFORM Ensemble d'instructions exécutables à un certain point d'un programme.

routinier, ère adj. (et n.) **1.** Qui agit par routine, par habitude; qui marque de la répugnance à tout changement, toute nouveauté. ▷ Subst. *C'est un routinier et un timoré.* **2.** Qui se fait par routine. *Travail routinier.*

Rouvray (forêt du), forêt domaniale de la Seine-Maritime (3 240 ha), dans une boucle de la Seine (r. g.), en face de Rouen.

rouvre n. m. Chêne courant en France dont il existe deux sous-espèces, l'une aux glands pédonculés, l'autre aux glands sessiles.

rouvrir v. [32] **1.** v. tr. Ouvrir de nouveau. *Rouvrir une valise.* – Fig. *Rouvrir une discussion.* **2.** v. intr. Être de nouveau ouvert.

roux, rousse [ʀu, ʀus] adj. et n. **1.** D'une couleur entre le jaune orangé et le rouge. *Vache rousse.* – (En parlant de la chevelure, des poils de qqn.) *Tignasse rousse.* ▷ n. m. *Le roux :* la couleur rousse. *Cheveux d'un roux sombre.* **2.** Qui a les cheveux roux. *Une fille rousse.* ▷ Subst. Personne rousse. *Un roux, une rousse.* **3.** *Beurre roux,* fondu et cuit jusqu'à devenir roux. ▷ n. m. CUIS Préparation faite avec de la farine et du beurre roussis sur le feu, que l'on utilise pour lier une sauce.

Roux (Émile) (Confolens, 1853 – Paris, 1933), médecin français; élève et collaborateur de Pasteur, directeur de l'Institut Pasteur (1904-1933). Il mit au point le traitement de la diphtérie par le sérum de cheval (sérothérapie) et effectua des travaux importants sur les virus, les toxines, etc.

Rouyn-Noranda, v. du Québec (rég. admin. de l'Abitibi-Témiscamingue); 27 800 hab. Centre minier (or, cuivre) et métallurgique.

Rovigo, ville d'Italie (Vénétie); 51 700 hab.; ch.-l. de la prov. du m. nom. Centre agric. Industr. (notam. textiles).

Rovno, v. d'Ukraine; 221 000 hab.; ch.-l. de la prov. du m. nom. Industr. textiles et alimentaires. Centrale nucléaire.

Rowland (Henry Augustus) (Honesdale, Pennsylvanie, 1848 – Baltimore, 1901), physicien américain; connu pour ses travaux sur les réseaux de diffraction et le spectre solaire. Il établit l'identité des électricités statique et dynamique.

Rowlandson (Thomas) (Londres, 1756 – id., 1827), caricaturiste anglais. Il s'attaqua en particulier à Napoléon Ier et à George III.

Roxane (m. à Amphipolis, auj. Neokhóri, Grèce, v. 310 av. J.-C.), fille d'un satrape de Bactriane, épouse d'Alexandre le Grand. En 323 av. J.-C., elle en eut un fils posthume, Alexandre IV Aigos, qui fut mis à mort avec sa mère par ordre de Cassandre.

Roxelane (v. 1505 – v. 1560), sultane ottomane; épouse de Soliman II le Magnifique. Elle intrigua avec férocité pour que son fils Selim accédât au trône (sous le nom de Selim II).

Roy (Camille) (Berthier-en-Bas, prov. du Québec, 1870 – Québec, 1943), prélat et écrivain québécois : *Nouveaux Essais sur la littérature canadienne* (1914).

Roy (Jules) (Rovigo, Algérie, 1907), écrivain français. Ancien officier de l'armée de l'air, ses thèmes sont la fraternité d'armes, la domination de la peur et la soumission aux idéaux traditionnels : *la Vallée heureuse* (1946), *Retour de l'enfer* (1951), *les Chevaux du soleil* (1968-1975), *Étranger, mon ami* (1982).

Roy (Gabrielle) (Saint-Boniface, Manitoba, 1909 – Québec, 1983), romancière canadienne d'expression française : *Bonheur d'occasion* (1945), *Alexandre Chênevert, caissier* (1954), *la Montagne secrète* (1961), *Ces enfants de ma vie* (1977).

royal, ale, aux adj. et n. f. **I.** adj. **1.** Qui appartient, qui a rapport à un roi. *Palais royal. Autorité, famille royale.* **2.** Qui est digne d'un roi. *Magnificence royale. Un accueil royal.* **3.** Qualifie certaines races ou variétés d'animaux, de végétaux, remarquables par leur beauté, leur taille. *Tigre royal.* **II.** n. f. **1.** Touffe de poils sous la lèvre inférieure (plus longue que la mouche). **2.** *La Royale :* la marine de guerre française.

Royal Air Force (R.A.F.), nom donné à l'armée de l'air britannique.

royalement adv. **1.** De façon royale. *On l'a reçu royalement.* **2.** Fam. *Je m'en moque royalement,* complètement.

royal gala n. f. Variété de pomme rouge, juteuse et sucrée.

royalisme n. m. Attachement à la royauté, à la monarchie.

royaliste adj. et n. Partisan du roi, de la royauté. ▷ Loc. fig. *Être plus royaliste que le roi :* prendre à cœur les intérêts de qqn plus qu'il ne le fait pour lui-même. ▷ Subst. *Un(e) royaliste.*

royalty, plur. **royalties** [ʀwajalti; ʀwajaltiz] n. f. (Sing. rare.) (Anglicisme) Redevance payée à un inventeur, un auteur, un éditeur, un propriétaire de gisement de pétrole, etc. (Syn. off. recommandé : *redevance.*)

Royan, ch.-l. de cant. de la Char.-Mar. (arr. de Rochefort), à l'entrée de l'estuaire de la Gironde; 17 500 hab. Stat. balnéaire. Papeterie. – Les troupes allemandes s'y étant maintenues en 1944, pour fermer l'accès de la Gironde, la ville fut détruite par les bombardements lors de sa libération (17-20 avr. 1945). Église Notre-Dame, de Guillaume Gillet (1954-1959).

Royans (le), rég. de collines du bas Dauphiné, entre l'Isère et le Vercors. Maïs, tabac.

Royat, ch.-l. de cant. du Puy-de-Dôme (arr. de Clermont-Ferrand); 3 995 hab. (*Royadères*). Stat. thermale. Taillerie de pierres fines. – Égl. romane (XIIe-XIIIe s.). – Près des thermes, *grotte du Chien,* aux émanations carboniques et sulfureuses.

royaume n. m. État gouverné par un roi. ▷ *Le royaume de Dieu :* le paradis.

Royaume-Uni de Grande-Bretagne et d'Irlande du Nord (*United Kingdom of Great Britain and Northern Ireland*), État insulaire d'Europe occid.; 244 023 km²; 55 500 000 hab. (Britanniques); cap. *Londres.* Nature de l'État : monarchie constitutionnelle. Langue : anglais. Monnaie : livre sterling. Relig. : anglicanisme et protestantisme (90 %). Le Royaume-Uni est constitué d'une grande île, la Grande-Bretagne (229 903 km²), divisée en trois pays : l'Angleterre, le pays de Galles et l'Écosse, à laquelle s'ajoute l'Irlande* du Nord (14 120 km²).
Géogr. phys. et hum. – L'insularité est le caractère marquant du pays, qui s'étire sur près de 1 000 km du N. au S. : aucun point n'est à plus de 120 km de la mer et le climat océanique humide, doux en hiver, frais en été, propice aux herbages, assure une bonne alimentation des cours d'eau. Deux ensembles géographiques se partagent le territoire. Les hautes terres, rudes, ventées, humides et couvertes de landes, occupent le N. et l'O. : Highlands, monts Grampians, chaîne Pennine, monts Cambriens du pays de Galles. Ces vieux massifs primaires peu élevés (1 343 m au Ben Nevis) ont été modelés par les glaciers quaternaires : lacs allongés d'Écosse (les lochs), littoral rocheux, découpé et profondément pénétré par des bras de mer. Ils groupent moins de 10 % des hab., sur près de la moitié de la superficie de l'île. Les bas pays, moins humides et plus fertiles, concentrent la majorité de la population et des villes : Lowlands d'Écosse, bassins houillers centraux (Yorkshire, Lancashire, Midlands) et, surtout, bassin de Londres, au relief de plaines et de plateaux bordés de cuestas, où l'on trouve les meilleurs terroirs du pays. À ces régions correspond un littoral rectiligne, bas ou à falaises, ouvert de grands estuaires comme celui de la Tamise. Le pays, à la population dense (235 hab./km²), a connu une urbanisation précoce et intense (92 % de citadins). À une émigration massive (12 millions de départs depuis 1840) a succédé une immigration importante à partir de 1930, les ressortissants de couleur du Commonwealth arrivant en grand nombre de 1950 à 1975; le pays compte aujourd'hui près de 2 millions d'étrangers. La population vieillissante (16 % de plus de 65 ans), touchée par la dénatalité, n'a plus qu'une croissance infime (moins de 0,2 % par an).
Écon. – Aujourd'hui 7e puissance écon. mondiale, après avoir dominé le monde au siècle dernier, le Royaume-Uni garde les caractères d'une économie avancée, l'activité tertiaire des commerces et des services jouant un rôle clé, avec 70 % de l'emploi et 65 % du P.N.B. La Grande-Bretagne reste un acteur de premier plan en matière de finance internationale, de courtage, de négoce des matières premières, d'assu-

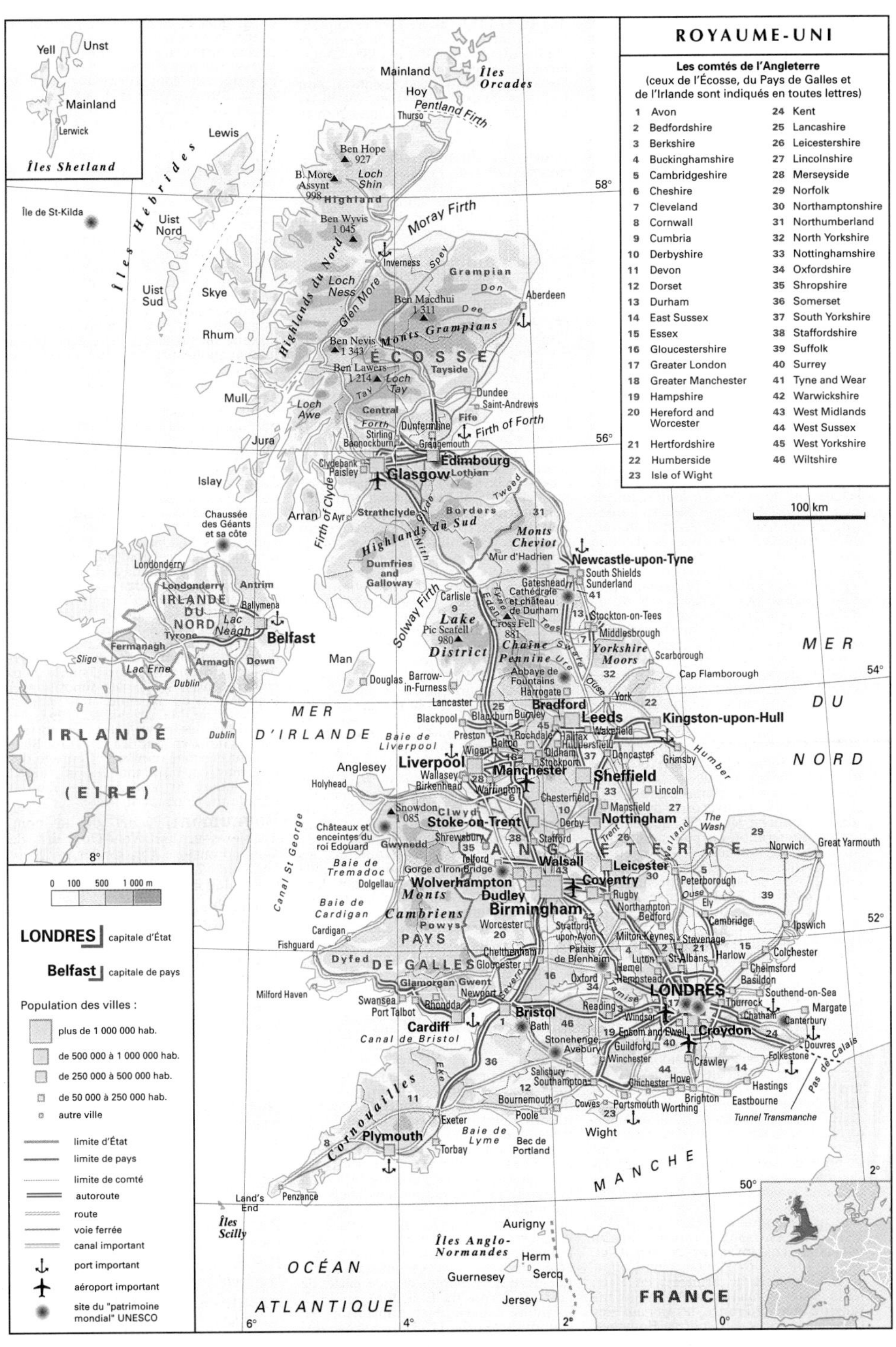
ROYAUME-UNI
Les comtés de l'Angleterre
(ceux de l'Écosse, du Pays de Galles et de l'Irlande sont indiqués en toutes lettres)
1 Avon
2 Bedfordshire
3 Berkshire
4 Buckinghamshire
5 Cambridgeshire
6 Cheshire
7 Cleveland
8 Cornwall
9 Cumbria
10 Derbyshire
11 Devon
12 Dorset
13 Durham
14 East Sussex
15 Essex
16 Gloucestershire
17 Greater London
18 Greater Manchester
19 Hampshire
20 Hereford and Worcester
21 Hertfordshire
22 Humberside
23 Isle of Wight
24 Kent
25 Lancashire
26 Leicestershire
27 Lincolnshire
28 Merseyside
29 Norfolk
30 Northamptonshire
31 Northumberland
32 North Yorkshire
33 Nottinghamshire
34 Oxfordshire
35 Shropshire
36 Somerset
37 South Yorkshire
38 Staffordshire
39 Suffolk
40 Surrey
41 Tyne and Wear
42 Warwickshire
43 West Midlands
44 West Sussex
45 West Yorkshire
46 Wiltshire
100 km
Yell
Unst
Mainland
Lerwick
Îles Shetland
Mainland
Hoy
Îles Orcades
Pentland Firth
Thurso
Lewis
Îles Hébrides
Île de St-Kilda
Uist Nord
Uist Sud
Skye
Rhum
Mull
Jura
Islay
Arran
Ben Hope 927
B. More Assynt 998
Loch Shin
Highland
Ben Wyvis 1 045
Moray Firth
Inverness
Spey
Highlands du Nord
Loch Ness
Glen More
Grampian
Don
Ben Macdhui 1 311
Dee
Aberdeen
Monts Grampians
Ben Nevis 1 343
ÉCOSSE
Ben Lawers 1 214
Loch Tay
Tayside
Tay
Loch Awe
Central
Dundee
Saint-Andrews
Fife
Forth
Stirling
Dunfermline
Firth of Forth
Bannockburn
Grangemouth
Clydebank
Paisley
Glasgow
Édimbourg
Lothian
Tweed
Firth of Clyde
Ayr
Strathclyde
Borders
Highlands du Sud
Nith
Monts Cheviot
Mur d'Hadrien
Dumfries and Galloway
Chaussée des Géants et sa côte
Londonderry
Antrim
IRLANDE DU NORD
Ballymena
Lac Neagh
Tyrone
Belfast
Fermanagh
Armagh
Down
Sligo
Lac Erne
Dublin
IRLANDE (EIRE)
Dublin
Solway Firth
Carlisle
Lake District
Pic Scafell 980
Eden
Cross Fell 881
Tees
Chaîne Pennine
Cathédrale et château de Durham
Newcastle-upon-Tyne
South Shields
Sunderland
Gateshead
Stockton-on-Tees
Middlesbrough
Yorkshire Moors
Scarborough
Cap Flamborough
Swale
Ure
Ouse
Abbaye de Fountains
Harrogate
York
Man
Douglas
Barrow-in-Furness
Lancaster
Blackpool
Blackburn
Burnley
Bradford
Leeds
Wakefield
Kingston-upon-Hull
Humber
Grimsby
MER D'IRLANDE
Baie de Liverpool
Preston
Wigan
Bolton
Rochdale
Halifax
Huddersfield
Oldham
Stockport
Doncaster
Anglesey
Holyhead
Liverpool
Wallasey
Birkenhead
Manchester
Warrington
Sheffield
Lincoln
Chesterfield
Mansfield
Snowdon 1 085
Clwyd
Stoke-on-Trent
Derby
Nottingham
Trent
The Wash
Welland
Châteaux et enceintes du roi Edouard
Gwynedd
Shrewsbury
Telford
Stafford
ANGLETERRE
Norwich
Great Yarmouth
Baie de Tremadoc
Dolgellau
Gorge d'Iron Bridge
Walsall
Leicester
Peterborough
Wolverhampton
Coventry
Monts Cambriens
Dudley
Birmingham
Rugby
Ouse
Ely
Baie de Cardigan
Powys
Worcester
Northampton
Bedford
Cambridge
Ipswich
Cardigan
PAYS DE GALLES
Stratford-upon-Avon
Milton Keynes
Stevenage
Harlow
Colchester
Fishguard
Dyfed
Cheltenham
Gloucester
Palais de Blenheim
Luton
St-Albans
Chelmsford
Basildon
Milford Haven
Glamorgan
Gwent
Newport
Severn
Oxford
Hemel Hempstead
Tamise
LONDRES
Southend-on-Sea
Swansea
Port Talbot
Rhondda
Cardiff
Bristol
Bath
Reading
Windsor
Thurrock
Chatham
Margate
Canterbury
Canal de Bristol
Stonehenge, Avebury
Epsom and Ewell
Croydon
Guildford
Douvres
Folkestone
Winchester
Crawley
Salisbury
Southampton
Chichester
Hove
Brighton
Hastings
Eastbourne
Exe
Cornouailles
Bournemouth
Poole
Cowes
Portsmouth
Worthing
Tunnel Transmanche
Pas de Calais
Exeter
Plymouth
Torbay
Baie de Lyme
Bec de Portland
Wight
MANCHE
Land's End
Penzance
Îles Scilly
Aurigny
Îles Anglo-Normandes
Herm
Guernesey
Sercq
Jersey
OCÉAN ATLANTIQUE
FRANCE
MER DU NORD
Canal St George
58°
56°
54°
52°
50°
8°
6°
4°
2°
0°
2°
0 100 500 1 000 m
LONDRES capitale d'État
Belfast capitale de pays
Population des villes :
plus de 1 000 000 hab.
de 500 000 à 1 000 000 hab.
de 250 000 à 500 000 hab.
de 50 000 à 250 000 hab.
autre ville
limite d'État
limite de pays
limite de comté
autoroute
route
voie ferrée
canal important
port important
aéroport important
site du "patrimoine mondial" UNESCO

rances, et occupe une place de choix dans les domaines de la recherche, de la communication et de la culture. L'agriculture n'a plus qu'une part modeste (un peu plus de 2 % des actifs), mais elle est très compétitive, les exploitations modernes et vastes couvrant plus de 60 % des besoins nationaux. Berceau de la révolution industrielle, le pays a connu, dès les années 60, une grave désindustrialisation, touchant particulièrement le charbonnage, la sidérurgie, le textile et les chantiers navals : les vieilles régions industrielles, Midlands, Lancashire, Yorkshire, pays de Galles, ont été sinistrées et durement frappées par le chômage. Les pôles industriels de la seconde génération (pétrochimie des estuaires, foyers d'industrie automobile) ont été touchés à leur tour par la crise des années 70. Cependant, l'exploitation du pétrole et du gaz de la mer du Nord, à partir de 1974 (10e et 6e rang mondial de production), a dynamisé les régions côtières du Nord-Est (Aberdeen en partic.). Auj., l'industrie n'emploie plus que 22 % des actifs; elle s'est recentrée autour des productions de haute technologie et bénéficie des implantations japonaises massives, destinées à pénétrer le marché européen. Le bassin de Londres reste l'ensemble écon. dominant du pays, mais les régions du Nord et de l'Ouest ont bien engagé leur reconversion. Le retour au pouvoir des conservateurs en 1979 a été suivi d'un véritable traitement de choc de l'économie : coupes budgétaires, lutte contre les syndicats, désengagement de l'État (66 sociétés d'État, représentant plus d'un million de salariés et 5 % du P.N.B., ont été privatisées pour un montant de 35 milliards de livres). Les succès ont été notables (relance de la croissance et réduction du chômage), mais le déclin industriel n'a pu être enrayé; en dépit de la rente des hydrocarbures, la balance commerciale reste déficitaire. Le Royaume-Uni a marqué longtemps son indépendance vis-à-vis de la C.E.E., dont il est membre depuis 1973; son économie s'arrime pourtant progressivement à celle de la Communauté, principal partenaire avec 50 % des échanges. L'ouverture du tunnel sous la Manche, en 1993, devrait renforcer l'intégration du pays à l'Europe. Au début des années 90, le Royaume-Uni affronte sa plus grave crise dep. les années 30 : baisse de la prod. industrielle, recul du P.N.B., hausse du chômage et dévaluation de la livre (qui a dû sortir du S.M.E. en sept. 1992).

Hist. – La population brit. est issue d'invasions successives qui se poursuivirent jusqu'au XIe s. En 55 av. J.-C., J. César fit un raid sur l'île de Bretagne, peuplée de Celtes (Pictes, Scots, Bretons). La conquête jusqu'à la Clyde (Écosse) fut assurée au Ier s. ap. J.-C. L'évangélisation commença au IVe s. La prov. de Bretagne, abandonnée par les Romains (407), fut envahie par les Angles et les Saxons, qui repoussèrent les Celtes vers l'ouest et s'installèrent dans le sud et le centre de l'île (Angleterre). Une partie des Celtes passèrent alors en Armorique et lui donnèrent le nom de Bretagne. Ravagée par les Vikings, l'île fut soumise par les Danois de Knud le Grand (1017-1035), puis par les Normands de Guillaume le Conquérant qui, vainqueur à Hastings (1066), fonda le puissant royaume anglonormand. Les invasions cessèrent, et, dès le XIIe s., les Plantagenêts s'opposèrent aux rois de France : en effet, leurs vastes domaines continentaux faisaient d'eux, en France, les vassaux des Capétiens. Après sa défaite à Bouvines, Jean sans Terre octroya aux barons révoltés la Grande Charte (1215), suivie, sous Henri III, des provisions d'Oxford (1258). L'Angleterre, ayant conquis l'Irlande en 1175, assura sa domination sur le pays de Galles en 1284. Édouard III, revendiquant la couronne française, déclencha la guerre de Cent Ans (1337-1453), au terme de laquelle la couronne anglaise perdit ses biens continentaux. De 1450 à 1485, l'Angleterre fut déchirée par la guerre des Deux-Roses jusqu'à l'accession au pouvoir des Tudors (1485) et l'établissement de la toute-puissance monarchique, notam. sous Henri VIII (1509-1547) et sa fille, Élisabeth Ire. Henri VIII s'imposa comme seul et unique «chef de l'Église d'Angleterre» (Acte de suprématie, 1534), et son conflit avec Rome aboutit à la naissance de l'Église dite «anglicane». Élisabeth Ire consolida et confirma la puissance maritime anglaise, notam. contre l'Espagne. À la mort de cette dernière, célibataire et sans enfants, Jacques Ier Stuart, roi d'Écosse, devint roi d'Angleterre (1603-1625); cette forme d'union personnelle préluda à l'union des deux États, effective en 1707 par l'Acte d'union. Au XVIIe s., l'absolutisme des Stuarts fut violemment combattu par le Parlement, conflit aggravé par l'opposition des calvinistes (les puritains) au roi Charles Ier, catholique convaincu. La guerre civile, après 1642, fut dominée par la personne de Cromwell, vainqueur de Charles Ier, qu'il fit exécuter pour établir une république (1649-1653), se faisant nommer «lord-protecteur» (1653-1658). Cette forme de pouvoir devint très vite impopulaire. Restaurés en 1660, les Stuarts renoncèrent à l'absolutisme mais, après Charles II (1660-1685), l'adhésion au catholicisme de son frère Jacques II provoqua une nouvelle révolution sans violences. Débarqué en 1688, Guillaume d'Orange devint régent du royaume. C'était le début de la monarchie constitutionnelle et du régime parlementaire (Déclaration de droits de 1689). En 1701, l'Acte de succession promit la couronne à la famille de Hanovre : George Ier monta sur le trône en 1714. À partir de 1750, une puissante révolution agric. et industr. plaça le pays à la tête du progrès technique, engendrant de profondes transformations sociales. Grâce à sa marine, la G.-B. développa sa puissance coloniale. Par les traités d'Utrecht (1713) et de Paris (1763), la France lui avait abandonné la majorité de ses possessions en Amérique et aux Indes. Toutefois, les colonies angl. d'Amérique, avec l'aide armée de la France, obtinrent leur indép. dès 1783. En revanche, la G.-B. scella son union avec l'Irlande (Acte d'union de 1800) lorsqu'elle devint le Royaume-Uni de Grande-Bretagne et d'Irlande. S'opposant à toute tentative d'hégémonie d'une puissance quelconque sur le continent, la G.-B. fut l'âme des coalitions contre la France jusqu'à la chute de Napoléon; par les traités de 1814 et 1815, elle acquit de nouvelles positions maritimes : Malte, Le Cap, etc. Au XIXe s., elle fut la plus grande puissance écon. du monde, maîtresse des mers et championne du libre-échange. Les réformes entreprises (réforme électorale, reconnaissance des trade-unions, etc.) amorcèrent l'évolution vers un régime démocratique. Le long règne de Victoria (1837-1901) est celui de l'apogée de l'Empire brit. dont la souple gestion donna naissance aux dominions (Canada, Australie, Afrique du Sud). Les difficultés naquirent après la guerre de 1914-1918. La crise économique et sociale commença dès 1920 et engendra le protectionnisme. Après une dure lutte, la plus grande partie de l'Irlande forma un État libre, en 1922. L'Empire acheva de se transformer en Commonwealth (1931). Après des années d'hésitation à l'égard de l'Allemagne nazie (Munich, sept. 1938), la Grande-Bretagne s'allia avec la France à la Pologne et déclara la guerre à l'Allemagne en septembre 1939. La nation, unanime, organisa la résistance au nazisme derrière W. Churchill, Premier ministre de 1940 à 1945. Au sortir de la guerre, le pays, affaibli par le conflit et marqué par le vieillissement de son infrastructure industr., fut bouleversé par les réformes sociales et économiques du gouvernement travailliste de C. Attlee (1945-1951). La décolonisation commença : la G.-B. perdit son vaste empire, ainsi que son emprise commerciale sur le monde; en Irlande, l'Eire avait proclamé en 1944 sa totale indépendance. La souveraine actuelle, Élisabeth II, succéda à son père, George VI, en 1952. Après les conservateurs (1951-1964) vinrent au gouvernement les travaillistes, remplacés à nouveau par les conservateurs (1970-1974), qui votèrent en 1971 l'entrée de la G.-B. dans le Marché commun. Les travaillistes, au pouvoir à partir de 1974, ont été remplacés par les conservateurs, vainqueurs aux élections de 1979. Ces gouvernements doivent faire face à la crise écon. (dévaluation monétaire de 1967, déclenchement de vastes grèves, inquiétante montée du chômage accompagnée d'une agitation sociale parfois vive de 1966 à 1970), et surtout au conflit meurtrier qui oppose cathol. et protestants en Irlande du Nord depuis 1967. M. Thatcher (Premier ministre de 1979 à 1990) a appliqué une politique libérale. Elle a obtenu une amélioration de la situation économique, malgré les conflits sociaux, et remporté des succès : victoire sur l'Argentine dans la brève guerre des Falkland, en 1982, et atténuation de la pression (attentats) entretenue par les Irlandais de l'IRA. Aux élections européennes de juin 1989, les conservateurs ont connu un revers. Après la démission de M. Thatcher en 1990, John Major (conservateur) lui succéda. Il poursuivit une politique de désengagement de l'État dans les entreprises et de flexibilisation sur le marché du travail. Malgré les oppositions à l'intégration européenne, il fit ratifier le traité de Maastricht en 1993. En mai 1997, les travaillistes remportent les élections et leur leader Tony Blair devient Premier ministre. Il engage des réformes constitutionnelles et réussit à débloquer le processus de paix en Irlande du Nord (avril 1998).

Royaumont, écart de la com. d'Asnières-sur-Oise (Val-d'Oise, arr. de Montmorency). – Abb. fondée par Saint Louis en 1228, en partie détruite sous la Révolution, auj. centre culturel.

royauté n. f. **1.** Dignité de roi. *Renoncer à la royauté.* **2.** Régime monarchique. *Le déclin de la royauté.*

Royer-Collard (Pierre Paul) (Sompuis, Champagne, 1763 – Châteauvieux, Loir-et-Cher, 1845), homme politique français. Professeur d'histoire de la philosophie à la Sorbonne (1811-1814), il fut sous la Restauration le chef des doctrinaires* et devint président de la Chambre des députés (1828-1830). Acad. fr. (1827).

Rozebeke, com. de Belgique (Flandre-Orientale) à l'E. d'Oudenarde. – Victoire de l'armée du roi de France Charles VI sur les hab. de Gand révoltés contre le comte de Flandre. Philippe Van Artevelde qui les commandait y fut tué (27 nov. 1382).

R.P.F. Sigle de *Rassemblement* du peuple français.*

R.P.R. Sigle de *Rassemblement* pour la République.*

-rragie ou, vx, **-rrhagie.** Élément, du gr. *-rragia,* d'apr. *erragên,* de *rhêgnumi,* «briser», au pass. «jaillir».

-rr(h)ée. Élément, du gr. *-rroia,* de *rhein,* «couler».

ru n. m. Vx ou rég. Petit ruisseau.

Ru CHIM Symbole du ruthénium.

R.-U. Abrév. de *Royaume-Uni.*

ruade n. f. Action de ruer, mouvement d'une bête qui rue.

Ruanda, ruandais. V. Rwanda, rwandais.

Ruanda-Urundi, anc. territoire de l'Afrique-Orientale allemande, placé en 1919 sous mandat de la Belgique, décision confirmée par la S.D.N. en 1922. En 1961, il a été partagé en deux États, le Rwanda et le Burundi, indépendants depuis 1962.

Rub' al-Khali (Al-) *(ar-Rub'al-Ḫālī),* désert aride du sud-est de la péninsule d'Arabie; 300 000 km^2 environ.

ruban n. m. **1.** Bandelette de tissu, mince et étroite. *Abat-jour orné d'un ruban de soie.* **2.** Petit morceau de tissu que l'on porte à la boutonnière comme insigne de décoration. *Le ruban rouge de la Légion d'honneur.* ▷ *Ruban bleu :* supériorité marquée dans un domaine (du nom d'un trophée décerné autrefois aux transatlantiques). **3.** Bande étroite (de métal, de tissu, etc.). *Ruban d'une machine à écrire. Scie à ruban. Ruban d'arpenteur.*

rubanerie n. f. TECH Industrie, commerce des rubans.

rubanier, ère n. et adj. **1.** n. Fabricant, marchand de rubans. **2.** adj. Qui a rapport à la fabrication des rubans. *Industrie rubanière.*

Rubbia (Carlo) (Gorizia, 1934), physicien italien. Ses expériences de physique nucléaire, dans le cadre du Cern, ont conduit à la découverte des bosons intermédiaires W et Z. Prix Nobel 1984.

rubéfaction n. f. MED Rougissement de la peau, congestion provoquée dans un but thérapeutique (par frictions, révulsifs, etc.).

rubéfiant, ante adj. MED Qui produit la rubéfaction. ▷ n. m. *Un rubéfiant.*

rubéfier v. tr. [2] MED Provoquer la rubéfaction de.

rubellite n. f. MINER Variété de tourmaline souvent rouge.

Rubén Darío. V. Darío (Rubén).

Rubens (Pierre Paul) (Siegen, Westphalie, 1577 - Anvers, 1640), peintre flamand. Fils d'un échevin d'Anvers réfugié à Cologne en raison de ses sympathies calvinistes, il entra en apprentissage chez le paysagiste Tobias Verhaecht (1591) et devint l'élève d'Adam Van Noort puis d'Otto Van Veen (1596-1600). En 1600, il partit pour l'Italie. De retour à Anvers (1609), il ne tarda pas à se dégager des influences italiennes, qui marquèrent ses premières grandes œuvres (*Descente de croix,* 1612). Après sa nomination, en 1609, au poste officiel de peintre de l'archiduc Albert, gouverneur espagnol des Pays-Bas, les commandes affluèrent de l'Europe entière. Maître du mouvement, Rubens entreprit dès 1617 trois chefs-d'œuvre : *l'Enlèvement des filles de Leucippe, le Combat des Amazones* et *Silène ivre.* Vers 1619-1620, il installa un vaste atelier, où il répartit le travail entre de nombr. collaborateurs. En 1621, Marie de Médicis l'appela à Paris, où il peignit en quatre ans les 21 grandes toiles de l'*Histoire de Marie de Médicis.* En 1626, sa femme Isabelle Brant mourut. Chargé par l'infante Isabelle d'Espagne de diverses missions diplomatiques, il entreprit alors une série de voyages (1627-1630). À son retour, alors âgé de cinquante-trois ans, il épousa la jeune et plantureuse Hélène Fourment, et se remit à la

Pierre Paul **Rubens :** *Descente de Croix,* 1612; musée de Lille

peinture : *Mariage de sainte Catherine,* portraits (*Hélène Fourment et ses enfants,* Louvre), nus mythologiques *(les Trois Grâces),* paysages *(Paysage en Brabant),* bacchanales *(Nymphes et Satyres),* noces villageoises (*la Kermesse paysanne,* Louvre), fêtes galantes *(le Jardin d'amour).* Toutes ces œuvres baignent dans une couleur onctueuse, aux éclats dorés, fauves et rougeoyants.

rubéole n. f. Maladie infectieuse, épidémique et contagieuse, due à un virus, fréquente chez l'enfant. *La rubéole de la femme enceinte peut provoquer des malformations fœtales.*

rubescent, ente [ʀybɛsɑ̃, ɑ̃t] adj. Didac. Qui devient rouge. *Les feuilles rubescentes d'automne.*

rubiacées n. f. pl. BOT Famille de plantes dicotylédones gamopétales aux feuilles opposées et munies de stipules, et dont le gynécée possède deux carpelles. *La garance, le gaillet, le caféier sont des rubiacées.* - Sing. *Une rubiacée.*

rubican adj. m. Didac. *Cheval rubican,* à robe noire, baie ou alezane semée de poils blancs.

Rubicon (le), petite rivière, tributaire de l'Adriatique, qui séparait la Gaule cisalpine de l'Italie. Après la conquête des Gaules, César franchit le Rubicon à la tête de son armée pour marcher contre Pompée (50 av. J.-C.). Par cet acte, il transgressait un sénatus-consulte* qui déclarait traître à la patrie tout général romain dépassant cette limite territoriale avec son armée et sans ordre du sénat. Il le fit en s'écriant : *Alea jacta est!* («Les dés ont été jetés»). - Loc. *Franchir le Rubicon :* prendre une décision irrévocable et lourde de conséquences.

rubicond, onde adj. Très rouge de teint. *Visage rubicond.*

rubidium [ʀybidjɔm] n. m. CHIM Élément métallique de numéro atomique Z = 37, de masse atomique 85,47, de densité 1,53, fusible à 39 °C (symbole Rb). - Métal (Rb) blanc brillant, de densité 1,53, qui fond à 39 °C et bout à 688 °C.

rubigineux, euse adj. Didac. **1.** Couvert de rouille. **2.** Qui a la couleur de la rouille.

Rubinstein (Anton Grigorievitch) (Vykhvatintsy, 1829 - Peterhof, auj. Petrodvorets, 1894), compositeur et pianiste virtuose russe. Il fonda les conservatoires de Saint-Pétersbourg (1862) et de Moscou (1867).

Rubinstein (Ida) (Kharkov, 1885 - Vence, 1960), danseuse et mime russe; créatrice de nombr. mimodrames (notam. du *Martyre de saint Sébastien* de D'Annunzio et Debussy, 1911). Elle fut le mécène de plusieurs musiciens, chorégraphes et écrivains.

Rubinstein (Arthur) (Łódź, 1887 - Genève, 1982), pianiste américain d'origine polonaise; interprète virtuose de Chopin.

rubis n. m. **1.** Pierre précieuse rouge, variété de corindon coloré par l'oxyde de chrome. - Bijou fait avec cette pierre. **2.** Pierre rouge semi-précieuse. *Le rubis de Bohême est un grenat.* **3.** HORL Monture de pivot en pierre dure, dans un rouage de montre, d'horlogerie. **4.** Loc. fig. *Payer rubis sur l'ongle :* payer comptant tout ce qu'on doit.

rubriquage n. m. Ensemble des rubriques d'un journal.

rubrique n. f. **1.** Ensemble d'articles publiés régulièrement par un périodique, traitant d'un même domaine. *La rubrique des faits divers, la rubrique diplomatique.* **2.** Catégorie dans un classement. *La rubrique «vêtements» d'un catalogue.*

ruche n. f. **1.** Habitation des abeilles, naturelle ou construite par l'homme. *Ruche en paille, en bois.* ▷ Ensemble formé par une habitation et une colonie d'abeilles. *Ruche orpheline,* qui n'a plus de reine. *Ruche bourdonneuse,* dont le couvain ne comporte que des œufs de mâles. **2.** Fig. Lieu où règne une activité intense. *Les jours de marché, la ville est une ruche.* **3.** Bande plissée de tulle, de dentelle, etc., qui sert de garniture à une collerette, un bonnet, etc.

ruché n. m. COUT Étoffe plissée en ruche (sens 3).

ruchée n. f. Population d'une ruche.

1. rucher v. tr. [1] COUT Plisser en ruche (sens 3).

2. rucher n. m. Ensemble des ruches d'une même exploitation.

Rückert (Friedrich) (Schweinfurt, 1788 - Neuses, 1866), poète lyrique et orientaliste allemand : *Printemps de l'amour* (1823), *Chants des enfants morts* (*Kindertotenlieder,* posth. 1872), mis en musique par G. Mahler en 1902.

Rūdakī (près de Rūdak, région de Samarkand, fin du IXe s. - id., 940), poète persan; considéré comme le père de la poésie lyrique persane.

Ruda Śląska, ville de Pologne (voïévodie et conurbation de Katowice); 165 430 hab. Extraction de charbon. Métallurgie.

Rudbeck (Olof) (Vinberg, 1708 - Drottningholm, 1763), écrivain suédois. Il fonde l'*Argus,* premier journal suédois, compose des poésies satiriques et de circonstance (*la Légende du cheval,* 1740), des tragédies classiques *(Brynilda),* et rédige une *Histoire de la Suède* dans un esprit rationaliste (1747-1762).

rude adj. **I.** (Choses) **1.** Dont le contact est dur, désagréable. *Barbe, étoffe rude.* ▷ *Esprit rude.* V. esprit (sens III). **2.** Difficile à supporter, pénible. *Hiver rude. Une rude épreuve. Métier rude.* **3.** Dur, sévère. *Une règle bien rude.* **II.** (Personnes) **1.** Fruste, mal dégrossi. *Un homme rude.* **2.** Endurci par des conditions d'existence difficiles. *Un rude montagnard.* **3.** Sévère et brutal. *Il est très rude avec ses enfants.* - *Par ext.*

Fam. Considérable, très grand. *Une rude chance.* **4.** (Toujours avant le nom.) Redoutable. *Un rude jouteur.*

Rude (François) (Dijon, 1784 - Paris, 1855), sculpteur français d'inspiration romantique : *le Départ des volontaires de 1792,* dit cour. *la Marseillaise* (1833-1835, pied-droit de l'arc de triomphe de l'Étoile, à Paris), effigie funéraire de *Godefroy Cavaignac* (bronze, 1847, cimetière de Montmartre), statues de *Gaspard Monge* (bronze, 1847, Beaune) et du *Maréchal Ney* (bronze, 1852-1853, place de l'Observatoire à Paris).

François **Rude :** *Départ des volontaires de 1792,* dit *la Marseillaise,* 1833-1835; arc de triomphe de l'Étoile, Paris

rudement adv. **1.** De façon rude. *Être rudement traité.* **2.** Fam. Beaucoup, très. *J'ai rudement faim.*

rudesse n. f. **1.** Caractère de ce qui est rude. *Rudesse d'une matière.* **2.** Caractère d'une personne rude; brutalité, dureté. *La rudesse de ses manières.*

rudiment n. m. **1.** (Plur.) Premières notions d'une science, d'un art. *Les rudiments de la chimie.* **2.** BIOL Forme ébauchée ou atrophiée d'un organe. *Rudiment d'aile.*

rudimentaire adj. **1.** Peu développé. *Savoir rudimentaire.* ▷ Sommaire. *Confort rudimentaire.* **2.** BIOL À l'état de rudiment (sens 2). *Organe rudimentaire.*

rudistes n. m. pl. PALEONT Sous-ordre de mollusques lamellibranches fossiles (jurassique et crétacé). - Sing. *Un rudiste.*

rudoiement [ʀydwamɑ̃] n. m. Litt. Action de rudoyer.

Rudolf von Ems (mort en Italie vers 1254), écrivain allemand. Auteur d'édifiants romans et poèmes épiques et courtois : *Baarlam et Josaphat* (v. 1225), *le Bon Gérard* (apr. 1230), *Guillaume d'Orléans* (v. 1240).

rudoyer v. tr. **[23]** Traiter rudement.

1. rue n. f. **1.** Voie bordée de maisons, dans une agglomération. ▷ *Être à la rue :* être sans domicile; être dans la misère. - *L'homme de la rue :* le citoyen ordinaire. **2.** Par méton. *La rue :* les habitants d'une rue. *Toute la rue était aux balcons.* **3.** *La rue :* lieu de manifestations, d'émeutes; *par ext.,* ces mouvements eux-mêmes. *La rue alors impose sa loi.* **4.** Espace, passage en couloir. ▷ THEAT Espace entre deux coulisses.

2. rue n. f. BOT Plante herbacée (fam. rutacées), vivace, à fleurs jaunes, malodorante, dont certaines variétés sont officinales.

ruée n. f. Action de se ruer; fait de se précipiter en nombre vers un même lieu. *La ruée des vacanciers vers les stations balnéaires.*

Rueff (Jacques) (Paris, 1896 - id., 1978), économiste français; auteur de travaux sur les problèmes monétaires : *le Péché monétaire de l'Occident* (1971), *Combats pour l'ordre financier* (1972). Acad. fr. (1964).

Rueil-Malmaison, ch.-l. de cant. des Hauts-de-Seine (arr. de Nanterre); 67 323 hab. Constr. mécaniques; instruments de précision. - Le *château de Malmaison,* construit en 1622 (remanié en 1799), fut habité, sous le Consulat, par Bonaparte et Joséphine, puis par cette dernière après son divorce; elle y mourut en 1814. Il a été transformé en musée de souvenirs napoléoniens.

ruelle n. f. **1.** Petite rue étroite. **2.** Espace laissé entre un lit et un mur ou entre deux lits. ▷ LITTER Aux XVIe et XVIIe s., chambre à coucher, alcôve où l'on tenait salon. *Les ruelles des précieuses.*

ruer v. **[1]** **1.** v. intr. Lancer en l'air avec force les pieds de derrière (en parlant d'un cheval, d'un âne, etc.). ▷ Loc. fig. (Personnes) *Ruer dans les brancards :* se rebeller. **2.** v. pron. Se lancer vivement, impétueusement. *Se ruer sur qqn, à l'attaque, vers la sortie.*

rufian ou **ruffian** [ʀyfjɑ̃] n. m. **1.** Vx Entremetteur, souteneur. **2.** Mod., litt. Homme audacieux et sans scrupule, qui vit d'expédients.

Ruffié (Jacques) (Limoux, 1921), médecin et biologiste français, spécialiste d'anthropologie physique.

Rufisque, v. et port du Sénégal, sur l'Atlantique, près de Dakar; 51 000 hab. Cimenterie, huilerie, textile.

rugby [ʀygbi] n. m. Sport qui oppose deux équipes de quinze joueurs ou de treize joueurs *(rugby à XIII)* et qui consiste à porter un ballon ovale, joué à la main ou au pied, derrière la ligne de but adverse (essai), ou à le faire passer d'un coup de pied entre les poteaux de but, au-dessus de la barre transversale (transformation, drop-goal et pénalité).

Rugby, ville d'Angleterre (Warwickshire); 83 400 hab. Collège célèbre où l'on joua pour la première fois au *rugby* (1823).

rugbyman [ʀygbiman], plur. **rugbymen** [ʀygbimɛn] n. m. (Faux anglicisme) Joueur de rugby.

Ruggieri (Cosimo) (Italie, ? - Paris, 1615), astrologue florentin, conseiller de Catherine de Médicis qu'il suivit en France; accusé de complot en 1574, condamné aux galères, puis grâcié, il publia, après 1600, des almanachs célèbres.

Ruggieri, famille d'artificiers français d'origine italienne, descendants de *Petronio Ruggieri* (l'un des cinq frères qui, en 1730, quittèrent Bologne pour s'installer à Paris).

rugir v. **[3]** **I.** v. intr. **1.** Pousser un rugissement (sens 1). ▷ Fig. *La tempête rugit.* **2.** Hurler, vociférer. *Rugir de colère.* **II.** v. tr. Dire en criant, en menaçant. *Rugir des insultes.*

rugissant, ante adj. Qui rugit.

rugissement n. m. **1.** Cri du lion et, par ext., de bêtes féroces. ▷ Fig. *Le rugissement des flots.* **2.** Cri, hurlement d'une personne. *Des rugissements de fureur.*

rugosité n. f. **1.** Petite aspérité sur une surface. **2.** Caractère d'une surface rugueuse.

rugueux, euse adj. Qui est rude au toucher; qui présente des rugosités.

Ruhlmann (Émile Jacques) (Paris, 1869 - id., 1933), décorateur français; utilisateur raffiné de bois précieux et de matières rares (ivoire, écaille, galuchat, notam.).

Ruhmkorff (Heinrich Daniel) (Hanovre, 1803 - Paris, 1877), physicien allemand. ▷ ELECTR La *bobine de Ruhmkorff* transforme un courant d'intensité élevée en un courant de tension élevée.

Ruhr (la), riv. d'Allemagne (235 km), affl. du Rhin (r. dr.). - Elle a donné son nom au riche foyer industriel qu'elle traverse, entièrement inclus dans le Land de Rhénanie-du-Nord-Westphalie* et communément appelé *bassin de la Ruhr* ou *Ruhr.* Fondée sur l'extraction du charbon, l'industrie s'y est développée à partir de 1850 grâce à l'appui des grandes banques, qui ont favorisé la création d'entreprises très concentrées : les *Konzern.* Employant des minerais d'importation, la sidérurgie

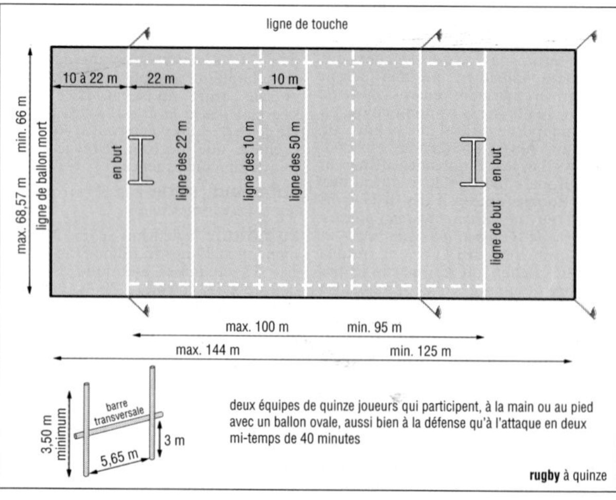

rugby à quinze

est l'activité dominante et se répartit entre les villes de Dortmund, Bochum, Gelsenkirchen, Oberhausen et Duisburg. La métallurgie de transformation se concentre à Essen, la carbochimie au N. du bassin, tandis que la fabrication de biens de consommation est omniprésente. La fonction industrielle a provoqué un appel de main-d'œuvre considérable; aussi, plus de 5 400 000 hab. se concentrent sur moins de 4 500 km². Cependant, avec la crise, notam. de la sidérurgie, la Ruhr a diminué de moitié sa prod. de charbon par rapport aux années 60; elle a perdu 200 000 emplois entre 1961 et 1981 et le taux de chômage (plus de 15 %) est presque deux fois supérieur à la moyenne nationale. La Ruhr est desservie par un dense réseau de voies de communication (notam. interurbaines par l'extension du réseau des métros), reliée aux autres régions par des autoroutes et par un ensemble de voies navigables de premier ordre, dont le Rhin constitue la pièce maîtresse. Au confl. Rhin-Ruhr, Duisburg-Ruhrort est le premier port fluvial d'Europe, tandis qu'au S. Düsseldorf apparaît comme la métropole administrative et financière de la région. Par un effort d'aménagement remarquable, cette rég. où la densité de peuplement dépasse 1 200 hab./km² est pourvue d'espaces verts étendus. D'autre part, depuis 1960, cinq universités y ont été fondées et la vie culturelle est l'une des plus brillantes de l'Europe occidentale.
Hist. – Comme l'Allemagne tardait à exécuter les réparations prévues par le traité de Versailles, la France occupa le 8 mars 1921 Düsseldorf et Duisburg puis, avec l'accord de la Belgique et de l'Italie (mais non de la G.-B.), elle occupa militairement toute la Ruhr dont l'exploitation alimenta la caisse des réparations (intervention des troupes franco-belges, 11 janvier 1923). Malgré les grèves, l'activité de la Ruhr (coupée du reste de l'Allemagne par un dispositif douanier) ne cessa pas. En 1924, l'adoption du plan Dawes* organisa le départ progressif des troupes françaises, belges et italiennes. L'impopularité de cette occupation contribua au succès ultérieur du nazisme. Après la Seconde Guerre mondiale (sévères bombardements), la Ruhr fut dotée d'un organisme allié de contrôle économique, dissous en 1952 à l'avènement de la C.E.C.A.

ruine n. f. **1.** (Surtout au plur.) Débris d'une ville, d'un édifice détruits. *Les ruines de Carthage.* **2.** Dégradation, écroulement d'un édifice. *Château qui menace ruine, qui tombe en ruine.* **3.** Fig. Effondrement, destruction. *La ruine d'un État.* – *Être la ruine de :* être la cause même de l'effondrement, de la destruction, de la perte de. *Cette faute sera la ruine de son crédit.* **4.** Perte des biens, de la fortune. *Ruine d'un banquier, d'une entreprise.* **5.** Personne dans un état de grande dégradation physique ou morale. *Cet homme n'est plus qu'une ruine.*

ruine-de-Rome n. f. BOT Syn. de *cymbalaire. Des ruines-de-Rome.*

ruiner v. tr. [1] **1.** Litt. Ravager, détruire. *L'averse a ruiné la moisson.* **2.** Fig. Causer la ruine (sens 3) de. *Ruiner une carrière.* – v. pron. *Il se ruine la santé.* ▷ Infirmer, réduire à rien. *Ruiner une hypothèse.* **3.** Faire perdre sa fortune à (qqn). *Le krach l'a ruiné.* ▷ v. pron. *Il s'est ruiné par amour du jeu.* – Dépenser trop. *Il se ruine en voyages.*

ruineusement adv. De façon ruineuse, coûteuse.

ruineux, euse adj. Qui cause la ruine, qui entraîne à des dépenses excessives. *Plaisirs ruineux.*

ruiniforme adj. GEOL Se dit des roches ou des reliefs auxquels l'érosion a donné un aspect de ruine.

ruiniste n. BX-A Peintre de ruines. *Hubert Robert est un ruiniste.* – adj. *Peintre ruiniste.*

Ruisdael (Jacob Van). V. Ruysdael.

ruisseau n. m. **1.** Petit cours d'eau. **2.** *Ruisseau de :* flot de liquide qui coule, s'épanche. *Des ruisseaux de larmes.* **3.** Eau qui coule au milieu d'une rue ou le long des trottoirs; caniveau où elle coule. ▷ Fig. Origine misérable, situation avilissante. *Tirer qqn du ruisseau.*

ruisselant, ante adj. Qui ruisselle. *Manteau ruisselant de pluie.*

ruisseler v. intr. [19] **1.** Couler en filets d'eau. *Larmes qui ruissellent.* **2.** *Ruisseler de :* avoir sur soi (un liquide qui coule en filets). *Ruisseler de sueur.* ▷ Fig. *Ruisseler de lumières.*

ruisselet n. m. Litt. Petit ruisseau.

ruissellement n. m. **1.** Fait de ruisseler. ▷ Fig. *Un ruissellement de lumière.* **2.** GEOL Écoulement des eaux pluviales sur une pente. *Ruissellement en nappe. Eaux de ruissellement.*

Ruiz de Alarcón y Mendoza (Juan) (au Mexique, v. 1580 – Madrid, 1639), dramaturge espagnol; auteur notam. de *la Vérité suspecte* (1630), comédie dont Corneille s'inspira dans *le Menteur.*

rumb. V. rhumb.

rumba [rumba] n. f. Danse d'origine afro-cubaine; air sur lequel on la danse.

rumen [rymɛn] n. m. ZOOL Premier estomac des ruminants, appelé aussi *panse.*

rumeur n. f. **1.** Bruit confus de voix. *Rumeur d'un auditoire.* ▷ *Par anal.* Bruit sourd, lointain. *La rumeur de la mer.* **2.** Bruit, nouvelle qui court dans le public. *Ce n'est encore qu'une rumeur. Nouvelle répandue par la rumeur publique.* **3.** Murmure de mécontentement. *Rumeurs diverses dans la salle.*

Rumford (Benjamin Thompson, comte) (Woburn, Massachusetts, 1753 – Auteuil, 1814), physicien américain; auteur de nombr. travaux sur la chaleur et inventeur d'un photomètre.

ruminant, ante adj. et n. m. **1.** adj. Qui rumine. *Mammifère ruminant.* **2.** n. m. pl. ZOOL Sous-ordre de mammifères artiodactyles (bovidés, camélidés, cervidés, etc.) pourvus d'un appareil digestif propre à la rumination. – Sing. *Un ruminant.*

rumination n. f. **1.** Chez les ruminants, action de ramener les aliments, après une première déglutition, de la panse dans la bouche pour les mâcher de nouveau. **2.** Fig. Fait de ressasser.

ruminer v. tr. [1] **1.** Opérer la rumination. **2.** Fig. Penser et repenser à (qqch), ressasser. *Ruminer un dessein.*

Rummel ou **Rhumel** (oued), fl. de l'Algérie occidentale (250 km); tributaire de la Méditerranée. Né en Petite Kabylie, il coule au fond de la gorge de Constantine et devient ensuite l'*oued el-Kebir.*

rumsteck. V. romsteck.

Rundstedt (Gerd von) (Aschersleben, 1875 – Hanovre, 1953), maréchal allemand. Après avoir combattu en Pologne, en France et en Russie, de 1939 à 1941, il commanda le front occidental (1942). Battu en Normandie (juil. 1944), il fut remplacé par Kluge, mais commanda la dernière offensive allemande dans les Ardennes (déc. 1944).

rune n. f. Didac. Caractère des anciens alphabets germaniques et scandinaves.

Runeberg (Johann Ludwig) (Pietarsaari, 1804 – Porvoo, 1877), poète finlandais de langue suédoise. Son œuvre mêle un réalisme fortement marqué par le folklore et un souffle épique : *Poèmes* (1830-1833), *le Roi Fialar* (1844), *les Rois à Salamine* (drame, 1863).

Rungis, com. du Val-de-Marne (arr. de L'Haÿ-les-Roses); 2 939 hab. Un marché d'intérêt national (MIN) y remplace depuis 1969 les halles de Paris. Prod. pharm. Informatique.

runique adj. **1.** Didac. Relatif aux runes; écrit en runes. **2.** Propre aux peuples qui utilisaient les runes. *Écriture runique.*

ruolz [ryɔlts; rɥɔls] n. m. TECH Alliage blanc, composé de cuivre, de nickel et d'argent.

Ruolz-Montchal (comte Henri de) (Paris, 1811 – Neuilly-sur-Seine, 1887), chimiste français. Il découvrit le procédé d'argenture par électrolyse.

Rupert (le), fl. du Québec (600 km); issu du lac Mistassini, il se jette dans la baie de James.

Rupert (Robert, comte palatin, dit le Prince) (Prague, 1619 – Londres, 1682), amiral anglais. Fils de l'Électeur palatin Frédéric V et d'Élisabeth Stuart, il servit d'abord le prince d'Orange, puis combattit pour Charles Ier Stuart. Il fut battu par Cromwell (bataille de Naseby, 1645), et par Blake en Irlande (1650). Charles II le fit premier lord de l'Amirauté puis duc de Cumberland.

rupestre adj. **1.** BOT Qui croît sur les rochers. *Plante rupestre.* **2.** Exécuté sur ou dans des rochers. *Tombe rupestre.* ▷ *Peintures rupestres :* peintures sur les parois des cavernes. *Peintures rupestres d'Altamira.*

intérieur d'une église **rupestre** décorée de peintures byzantines (Cappadoce)

rupiah n. f. Unité monétaire de l'Indonésie.

rupicole n. m. ORNITH Oiseau passériforme, au plumage orange vif, appelé aussi *coq de roche.*

rupin, ine adj. et n. (Rare au fém.) Fam. Riche. – *C'est drôlement rupin,* luxueux.

rupteur n. m. ELECTR Appareil d'ouverture et de fermeture du circuit primaire dans une bobine d'induction (utilisé notam. pour produire l'étincelle aux bougies d'un moteur).

rupture n. f. **1.** Action de rompre, fait de se rompre; son résultat. *Rupture d'une branche, d'un câble.* ▷ MED Déchirure subite d'un vaisseau, d'un organe. *Rupture d'anévrisme.* **2.** Cessation, changement brusque. *Rupture d'équilibre, de rythme.* – *En rupture de stock* : les marchandises d'un stock étant devenues insuffisantes pour satisfaire les commandes. – *Rupture de pente* : modification brutale de la pente d'un terrain. – *Rupture de charge* : transbordement de marchandises d'un véhicule à un autre. ▷ Fait de rompre, d'annuler (un engagement, un projet, etc.). **3.** Séparation de personnes qui étaient liées.

rural, ale, aux adj. et n. Relatif à la campagne, aux personnes qui l'habitent. *Vie rurale. Monde rural.* ▷ Subst. (Surtout au plur.) Habitant de la campagne. *Les ruraux.*

ruralisme n. m. Idéalisation de la vie à la campagne.

ruralité n. f. SOCIOL Appartenance au monde rural.

rurbain, aine adj. et n. SOCIOL **1.** adj. Influencé à la fois par la vie rurale et par la vie urbaine. **2.** n. Habitant d'un village touché par la rurbanisation.

rurbanisation n. f. SOCIOL Phénomène de peuplement des villages proches des villes par des personnes travaillant dans celles-ci.

Rurik ou **Riourik** (m. en 879), chef des Varègues qui s'empara de Novgorod (v. 860) et unifia les tribus slaves locales; fondateur du premier État russe.

ruse n. f. **1.** Artifice, moyen habile dont on se sert pour tromper. *Ruse de guerre* : stratagème pour tromper l'ennemi. **2.** Habileté à tromper, à feindre, à agir de façon artificieuse. *Vaincre par la ruse.*

Ruse, v. de Bulgarie, sur le Danube; ch.-l. du distr. du m. nom; 179 000 hab. Port fluvial. Chantiers navals, raff. de pétrole, constr. mécaniques.

rusé, ée adj. et n. **1.** Qui a de la ruse. ▷ Subst. *C'est une rusée.* **2.** Qui dénote la ruse. *Air rusé.*

ruser v. intr. [1] Agir avec ruse; employer des ruses.

rush [rœʃ] n. m. (Anglicisme) **I. 1.** SPORT Ruée d'un groupe de joueurs; effort final d'un concurrent. **2.** Ruée, afflux. *Le rush des vacanciers.* **II.** CINE, AUDIOV (Surtout au plur.) Prises de vue avant montage. Syn. (off. recommandé) épreuve de tournage. *Des rushs* ou *des rushes.*

Rushdie (Salman) (Bombay, 1947), écrivain britannique d'orig. indienne, dont l'œuvre tente un «portrait fantastique» du sous-continent indien : *Grimus* (1977), *la Honte* (1983), *les Enfants de minuit* (1983). Ses *Versets sataniques* (1988) ont suscité de profonds remous dans le monde musulman, l'obligeant à se cacher pour échapper à des menaces de mort.

Rushmore (mont), site des É.-U. (Dakota du Sud) où sont sculptées, dans le granite, les têtes (d'env. 20 m de haut) des prés. G. Washington, Th. Jefferson, A. Lincoln et Th. Roosevelt.

Ruskin (John) (Londres, 1819 – Brantwood, Cumberland, 1900), écrivain, critique d'art, sociologue et aquarelliste anglais. Il défendit Turner, les préraphaélites, préféra l'artisanat au machinisme. Ses écrits esthétiques exercèrent une grande influence (*les Pierres de Venise,* 1851-1853; *la Bible d'Amiens,* 1880-1885, qui inspira Proust pour l'architecture de son œuvre).

russe adj. et n. **1.** De l'ancien Empire russe ou de la Russie. ▷ *Les Russes blancs* : les Russes hostiles à la révolution, qui combattirent celle-ci (1917-1922) ou qui émigrèrent. ▷ n. m. *Le russe* : la langue slave parlée en Russie et qui fut la langue officielle de l'U.R.S.S. **2.** *Montagnes russes* : V. montagne. – *Roulette* russe.* – *Salade* russe.*

Russell (Edward), comte d'Orford (1653 – 1727), amiral anglais. Il vainquit les Français à La Hougue (1692).

Russell (John, 1er comte) (Londres, 1792 – Pembroke Lodge, Richmond Park, 1878), homme politique anglais; chef du parti whig. Premier ministre (1846-1852 et 1865-1866), il continua la politique libre-échangiste de son prédécesseur Peel. Ministre des Affaires étrangères (1852-1855 et 1860-1865), il maintint la neutralité britannique durant la guerre de Sécession.

Russell (Bertrand, 3e comte) (Trelleck, pays de Galles, 1872 – près de Penrhyndeudraeth, pays de Galles, 1970), mathématicien et philosophe britannique. Il s'attacha à approfondir les principes du raisonnement mathématique, et fut le promoteur d'un logicisme rigoureux dans sa méthode d'analyse et son langage symbolique (*Principia mathematica,* 1910-1913, en collab. avec A.N. Whitehead). P. Nobel de littérature 1950. ► illustr. page **1661**

Russell (Henry Norris) (Oyster Bay, État de New York, 1877 – Princeton, 1957), mathématicien et astronome américain. Il étudia l'évolution des étoiles et du système solaire. Il mit au point, avec Hertzsprung*, le *diagramme de Hertzsprung-Russell.*

Russell (Morgan) (New York, 1886 – Broomall, Pennsylvanie, 1953), peintre américain; un des fondateurs du synchromisme*.

Russie («pays des Russes»), région historique et géographique de l'Europe orientale, qui s'étend du golfe de Finlande à l'O. jusqu'aux monts Oural à l'E., et de la mer Blanche au N. jusqu'au Caucase au S. La rép. actuelle de Russie comprend cette région et la Sibérie.

Russie *(Rossiiskaya Federatsiya),* État fédéral d'Europe et d'Asie qui fut jusqu'en 1991 l'une des républiques fédérées de l'U.R.S.S. et qui occupe l'Europe orientale, le bassin de la Volga, l'Oural et la Sibérie; elle s'étend jusqu'à l'océan Pacifique; 17 075 400 km^2; 148,1 millions d'hab.; cap. *Moscou.* Nature de l'État : rép. présidentielle. Langue off. : russe. Monnaie : rouble. Pop. : Russes (81,5 %), Tatars (3,8 %), Ukrainiens (3 %). Relig. : christianisme orthodoxe, islam.

Population et économie. – La prépondérance démographique, territoriale, économique et politique de la Russie et le fait que l'U.R.S.S. se soit édifiée sur les bases de l'Empire russe justifiait en partie l'usage qui assimilait la Russie à l'ensemble de l'Union soviétique. Peuplée essentiellement de Russes, mais aussi de nombr. autres ethnies (Tatars, Tchouvaches, Ukrainiens, etc.), la Russie comprend diverses circonscriptions territoriales regroupant les nationalités selon leur importance démographique : rép. autonomes, rég., territoires et districts autonomes et nationaux. L'immensité du territoire et le nombre des nationalités ont entraîné de grandes disparités démographiques et économiques. À la vieille Russie, densément peuplée, s'opposent les vastes zones presque désertes de la Sibérie, lentement colonisées. Au point de vue économique, on peut distinguer quatre ensembles. **1.** La «vieille Russie», laquelle inclut le bassin de Moscou, qui assure à lui seul 30 % de la production industrielle, malgré la pauvreté en matières premières, localisées (à l'exception du fer du bassin de Koursk) dans la presqu'île de Kola et dans l'Oural, compensée par l'établissement de centrales hydroélectriques sur la Volga et de centrales nucléaires. La région de Moscou, où le développement urbain s'est fait en zones concentriques à partir de la capitale, est ainsi la première à poser le problème de l'extension démesurée des communications. Toutes les activités industrielles s'y rencontrent : sidérurgie, industries mécaniques, chimiques, textiles. Autre centre important : Saint-Pétersbourg, 1er port du pays. **2.** Les centres miniers et industriels de l'Oural et du Kouzbass, considérés comme le bastion industriel du pays (Novossibirsk et Krasnoïarsk). **3.** Les fronts pionniers qui avancent en Sibérie du S. comme en Extrême-Orient et qui sont liés aux chemins de fer et aux centrales hydroélectriques (Irkoutsk). Ils prennent appui sur la façade maritime (Vladivostok). **4.** Le Nord sibérien, dont les grandes ressources minérales sont difficiles à exploiter (V. Sibérie). Au total, la Russie fournissait plus de la moitié des productions agricoles de l'Union soviétique, la moitié du charbon et du gaz naturel et 80 % du pétrole. En 1992, la Russie est entrée à la Banque mondiale et au F.M.I.; elle a engagé une politique de libération des prix et de privatisations. Elle a rejoint le G7 en 1995.

Hist. – Les steppes de la Russie du S., faciles à mettre en valeur, ont été occupées précocement; elles ont été le théâtre de nombr. invasions à partir du VIIIe s. av. J.-C. : Cimmériens, Scythes, Sarmates, Goths, Huns, Avares, Khazars venus de l'E. et Slaves installés entre la Vistule et le Dniepr; vers 600 apr. J.-C., les Slaves orientaux atteignirent la haute Volga. L'unification des communautés slaves fut l'œuvre de nouveaux envahisseurs, d'origine scandinave (Vikings) : les Varègues. Arrivés au IXe s. et rapidement assimilés, ils fournirent aux Slaves un encadrement militaire et administratif, centré au N. sur Novgorod, dont le premier prince fut Rurik, et au S. sur Kiev. Les rois Sviatoslav, Vladimir Ier et Iaroslav réussirent à élargir autour de Kiev leur territoire, jusqu'à la mer Noire. Le poids de Byzance grandit avec la conversion du jeune État au christianisme (v. 988), sous l'influence de missionnaires envoyés de Byzance à la cour de Vladimir Ier, qui s'était fait baptiser pour épouser la sœur de l'empereur Basile II. L'agriculture se développa et le commerce favorisa l'essor des villes. À partir du XIIe s., des querelles dynastiques laissèrent le S. du pays exposé aux invasions, tandis que le N. (Novgorod, Vladimir et Souzdal) et l'O. (Galicie-Volhynie) renforçaient leur prospérité. La chute du royaume de Kiev (1240) devant les Mongols de la Horde d'Or fut suivie par la perte graduelle d'une grande partie des terres russes, bien qu'Alexandre Nevski écrasât les envahisseurs suédois (1240) puis allemands (1242), sauvant l'État de Novgorod. La tutelle mongole assura une paix relative et protégea l'Église orthodoxe; elle fut aussi à l'origine du développement d'un sentiment national véritable. En 1325, le chef de l'Église orthodoxe s'installa à Moscou. Les premiers princes de

Moscou, Ivan Ier et Dimitri Donskoï, remportèrent des succès sans lendemain, d'abord contre les villes rivales (Novgorod), puis contre les Mongols (Koulikovo, 1380). Ivan III (1462-1505) rejeta définitivement la tutelle mongole (1480) et imposa son autorité à toutes les villes de la Russie du Centre. En épousant en 1472 Sophie Paléologue, la nièce du dernier empereur byzantin, Ivan III fit de Moscou la «troisième Rome». Ce fut Ivan IV le Terrible (1533-1584) qui prit, le premier, le titre de tsar (1547). Il soumit étroitement la noblesse (les boyards), imposa le servage à la pop. paysanne désormais livrée à une petite noblesse fidèle au tsar et étendit ses conquêtes jusqu'à la mer Caspienne. Une période de troubles, marquée par des querelles dynastiques, des révoltes paysannes et des invasions polonaises, dura jusqu'à l'arrivée au pouvoir en 1613 d'une nouvelle dynastie : les Romanov. Michel III (1613-1645), puis Alexis Mikhaïlovitch (1645-1676), placèrent progressivement l'Église sous la tutelle de l'État et généralisèrent le servage par le Code de 1649. L'Ukraine orientale fut annexée en 1654, tandis qu'à l'E. des cosaques atteignaient les rives du Pacifique dès 1644. Sous Pierre Ier le Grand (1682-1725), la modernisation écon., militaire et polit. du pays se fit par de nombreux emprunts à l'étranger. Pierre Ier dota le pays d'une nouvelle capitale, Saint-Pétersbourg, symbole de l'ouverture vers l'Occident. L'annexion des pays Baltes, au terme de la longue guerre du Nord, consacra la suprématie russe aux dépens de la Suède et élargit l'accès de la Russie à la mer. Anna Ivanovna, Élisabeth Petrovna et Catherine II la Grande (1762-1796) étendirent leur possession vers le S. (mer Noire) et l'O. (partages de la Pologne entre 1772 et 1795), mais leurs tentatives de réformes furent limitées et l'aggravation du servage suscita de nombreuses révoltes (Pougatchev). L'invasion napoléonienne provoqua un formidable sursaut patriotique. Face à l'effondrement de la France, le tsar Alexandre Ier (1801-1825) apparut comme l'agent de l'ordre européen, pour lequel il constitua la Sainte-Alliance des souverains. Tout mouvement révolutionnaire ou même réformiste écrasé, Nicolas Ier (1825-1855) maintint l'immobilisme du régime qui aggravait le retard du pays sur le reste de l'Europe. Ces faiblesses de l'empire furent brutalement révélées par une tentative de coup d'État en 1825, œuvre de jeunes officiers modernistes, les *décabristes**, puis par la défaite russe face aux armées franco-britanniques en Crimée (1856). Depuis le début du siècle, la Russie n'en avait pas moins annexé la Pologne, la Finlande, la Bessarabie, les régions caucasiennes et commencé la conquête du Turkestan. Le tsar Alexandre II (1855-1881) entreprit des réformes (abolition du servage en 1861). Incomplètes, maladroitement appliquées, engendrant de nouveaux déséquilibres (exode rural), ces réformes ne furent pas suivies de la libéralisation politique espérée. Devant l'ampleur des mécontentements, le tsar opéra une répression systématique; il fut assassiné en 1881. Sous Alexandre III (1881-1894) et sous Nicolas II (1894-1917), la politique du ministre Witte attira des capitaux étrangers qui furent investis dans les mines, les chemins de fer (transsibérien) et l'industrie. En 1899, le pays comptait 2 700 000 ouvriers, concentrés à Moscou, à Saint-Pétersbourg, en Ukraine et à Bakou. La bourgeoisie s'organisa pour réclamer une monarchie constitutionnelle (Parti constitutionnel-démocrate, K.D. d'où «Cadet»), tandis que, dans le monde ouvrier (Parti ouvrier social-démocrate, P.O.S.D.) et le monde paysan (Parti social-révolutionnaire, P.S.-R.), les idées socialistes faisaient leur chemin. En 1903, le P.O.S.D. se scinda : à droite les mencheviks, à gauche les bolcheviks. Menés par Lénine, les membres de cette dernière fraction, à l'audience d'abord réduite, allaient devenir les vainqueurs d'octobre 1917. La désastreuse guerre avec le Japon (1904-1905) fit éclater un mouvement révolutionnaire en 1905 : le tsar accorda la création d'une assemblée consultative élue : la douma. Pour la première fois, des conseils ouvriers, ou soviets, apparurent. Dans des conditions d'impréparation totale, le pays s'engagea en 1914 dans la guerre contre l'Allemagne. Très vite, ce fut le désastre : 2,5 millions de morts et tout l'O. du pays occupé. En mars 1917 (fév. dans le calendrier russe), Pétrograd (Saint-Pétersbourg) connut plusieurs émeutes («révolution de Février») qui mirent un terme au régime tsariste, remplacé par un gouvernement républicain libéral, soutenu par la bourgeoisie. Les classes populaires s'étaient organisées en soviets d'ouvriers et de soldats, composés de socialistes modérés (les mencheviks), de socialistes intransigeants (les bolcheviks) et de sociaux-révolutionnaires. Sous la pression des Occidentaux, le gouvernement, dirigé par Kerenski à partir de juillet, différa les réformes et poursuivit la guerre, soutenu par les mencheviks et les sociaux-révolutionnaires. Le mécontentement grandissant dans les soviets profita aux bolcheviks. Les 6 et 7 novembre (24 et 25 octobre du calendrier russe) l'insurrection éclate : c'est la «révolution d'Octobre». Les bolcheviks prennent le palais d'Hiver à Pétrograd, siège du gouvernement; tout le pouvoir revient alors aux soviets, en fait à Lénine*. Dès le 8 nov. 1917, Lénine jette les bases d'un nouveau régime : réforme agraire, contrôle ouvrier des usines, reconnaissance des droits des nationalités. Le 3 mars 1918, par le traité de Brest-Litovsk, la Russie renonce à de vastes territoires occidentaux en échange de la paix avec l'Allemagne. Après avoir dissous l'Assemblée constituante où les bolcheviks n'avaient obtenu qu'un tiers des sièges, le gouvernement mené par Lénine et Trotski élimine alors les oppositions menchevik et sociale-révolutionnaire, en disposant notam. d'une nouvelle police politique, la Tcheka; cependant les «Blancs», fidèles au tsarisme (après l'assassinat en juil. 1918 de Nicolas II et de sa famille), lancent de redoutables offensives contre le jeune État, avec l'appui des Occidentaux (Français et Anglais) et des Japonais. Le pays devient un vaste camp retranché où toutes les forces sont mobilisées; l'armée Rouge est organisée par Trotski. En 1921, le pays sort de la guerre civile épuisé, ravagé. Le «communisme de guerre» est de plus en plus mal supporté : la révolte des marins de Cronstadt est écrasée par Trotski (1921).

La Russie de 1921 à 1991. – V. Union des républiques socialistes soviétiques.

La Russie à partir de 1991. – En déc. 1991, l'U.R.S.S. est dissoute et la C.É.I. est formée. De président de la R.F.S.R., Boris Eltsine est devenu président de la République de la Fédération de Russie. Il a engagé résolument son pays dans la voie de l'économie de marché, mais le marasme économique s'est accru et il a dû faire face à une opposition des députés conservateurs communistes, qui s'est renforcée en 1993. Après une tentative de putsch, marquée par la reprise du Parlement par l'armée (3-4 octobre 1993), Eltsine a fait adopter par référendum une nouvelle Constitution qui renforce le pouvoir présidentiel. Dès 1994, la Russie est agitée par des soubresauts séparatistes qui touchent des territoires périphériques, peuplés de non-Slaves (guerre de Tchétchénie, 1994-1996). Le poids de la guerre et les vicissitudes écon. ont provoqué la victoire, aux élections législatives de 1995, des communistes et des nationalistes, hostiles aux réformes entreprises. La réélection de B. Eltsine à la présidence en juillet 1996 n'a pas mis un terme à la lutte pour le pouvoir, d'autant plus que la santé du Président est de plus en plus chancelante et qu'une très grave crise financière met l'État au bord de la banqueroute (été 1998). ► carte **(ex-) U.R.S.S.**

Russie (campagne de), expédition menée en 1812 par Napoléon Ier, qui pénétra en Russie le 24 juin et arriva jusqu'à Moscou (bataille de la *Moskova* ou de *Borodino*, 7 sept.). Privée de vivres, disparus dans l'incendie de Moscou, et craignant l'encerclement par les forces russes, la Grande Armée dut faire retraite (19 oct.) dans des conditions désastreuses et fut décimée; l'épisode le plus effroyable fut le passage de la Berezina* (26-29 nov.). Commandée par Murat après le départ de l'Empereur, à la suite de la conspiration de Malet*, l'armée repassa le Niémen le 30 déc. La Grande-Armée avait perdu près de 500 000 hommes.

Russie Blanche. V. Biélorussie.

russien, enne adj. et n. Vx Russe. *Grand-russien* : russe proprement dit. *Petit-russien* : russe d'Ukraine. *Blanc-russien* : russe de Biélorussie.

russification n. f. Action de russifier, fait de se russifier; son résultat.

russifier v. tr. [2] Faire adopter les mœurs, les institutions, la langue russes à.

russo-japonaise (guerre), conflit qui opposa de fév. 1904 à sept. 1905 le Japon à la Russie pour la possession d'une même zone d'expansion en Chine du N.-E. Après avoir détruit par surprise l'escadre russe en rade de Port-Arthur (8 fév. 1904) qu'ils prirent après un an de siège, les Japonais débarquèrent en Corée et en Mandchourie et infligèrent aux Russes les défaites décisives de Moukden sur terre (fév.-mars 1905) et de Tsushima sur mer (27 mai 1905). Par le traité de Portsmouth (É.-U.), signé le 5 sept. 1905 grâce à la médiation de Th. Roosevelt, la Russie cédait au Japon la voie ferrée sud-mandchourienne, la presqu'île du Liaodong avec Port-Arthur, le S. de l'île Sakhaline; elle permettait, en outre, l'établissement d'un protectorat japonais en Corée. Cette victoire eut un grand retentissement en Asie car, pour la première fois, une puissance asiatique vainquait une puissance européenne; le régime tsariste en sortit gravement ébranlé (révolution de 1905).

russophone adj. et n. Dont le russe est la langue; qui parle russe.

russule n. f. BOT Champignon basidiomycète au chapeau jaune-vert, rouge ou brun violacé, dont plusieurs espèces sont comestibles, tandis que d'autres sont toxiques.
► pl. **champignons**

rustaud, aude adj. et n. Vieilli Qui manque de délicatesse, d'usages; balourd. – Subst. *Quel rustaud !*

rusticité n. f. **1.** Simplicité ou grossièreté rustique (1, sens 1). **2.** Caractère d'une plante, d'un animal rustique (1, sens 4).

rustine n. f. (Nom déposé.) Rondelle adhésive de caoutchouc qui sert à réparer les chambres à air.

1. rustique adj. et n. m. **1.** Litt. De la campagne; des gens de la campagne. *Vie rustique.* ▷ D'une simplicité rude. **2.** AMEUB D'un style provincial traditionnel, ou imité de ce style. *Meuble rustique.* ▷ n. m. *Aimer le rustique.* **3.** ARCHI Qui est fait de pierres brutes, naturelles ou imitées, et ornées de saillies. *L'ordre rustique* ou, n. m., *le rustique.* **4.** Qui s'adapte à toutes les conditions climatiques. *Plante, animal rustique.*

2. rustique n. m. TECH Outil de tailleur de pierre, marteau à deux tranchants crénelés.

rustre n. m. et adj. Homme grossier, qui manque d'éducation. – adj. Discourtois, rude. *Des manières rustres.*

rut [ʀyt] n. m. État physiologique des animaux, partic. des mammifères, qui les pousse à l'accouplement.

rutabaga n. m. Variété de navet à racine tubéreuse comestible.

rutacées n. f. pl. BOT Famille de plantes dicotylédones dialypétales, qui comprend notam. les agrumes. – Sing. *Une rutacée.*

Rutebeuf, poète parisien du XIIIe s.; un des premiers représentants du lyrisme dans la littérature française : fabliaux, complaintes *(la Pauvreté Rutebeuf),* roman *(Renart le Bestourné),* poèmes satiriques *(Dit des ribauds de Grève)* et dramatiques *(le Miracle de Théophile).*

Ruth, personnage biblique; épouse moabite de Booz, dont elle eut un fils, Obed, lui-même père de Jessé, l'ancêtre de David et de la lignée d'où naîtra Marie, mère de Jésus.

Ruthénie ou **Ruthénie subcarpatique,** anc. nom de la partie occid. de l'Ukraine actuelle. – Polonaise depuis le XIVe s., la Ruthénie fut annexée par l'Autriche au XVIIIe s. Rattachée à la Tchécoslovaquie en 1919, elle revint à la Hongrie (nov. 1938-mars 1939). Les vestiges de sa spécificité furent définitivement abolis en 1945, quand la Ruthénie fut rattachée à la république socialiste soviétique d'Ukraine avec le statut de région *(oblast).* Le clergé orthodoxe de Ruthénie, uni à Rome depuis 1596, a subi une intégration forcée dans l'Église orthodoxe russe après 1945 (V. uniate).

ruthénium [ʀytenjɔm] n. m. CHIM Élément métallique de numéro atomique Z = 44, de masse atomique 101,07 (symbole Ru). – Métal (Ru) blanc, de densité 12,2, qui fond vers 2 500 °C et bout vers 3 900 °C.

ruthénois, oise adj. et n. De Rodez. – Subst. *Un(e) Ruthénois(e).*

Rutherford of Nelson (Ernest, lord) (Nelson, Nouvelle-Zélande, 1871 – Cambridge, 1937), physicien anglais; connu pour ses travaux sur la radioactivité, les isotopes et la structure de la matière. Il réussit la première transmutation d'un élément stable. P. Nobel de chimie 1908.

rutilance n. f. ou **rutilement** n. m. Litt. État, éclat de ce qui est rutilant.

rutilant, ante adj. **1.** D'un rouge ardent. **2.** Qui brille d'un vif éclat.

rutile n. m. MINER Oxyde naturel de titane (TiO_2).

rutiler v. intr. [1] Être rutilant; briller d'un vif éclat.

Rütli. V. Grütli.

Rutules, peuple de l'Italie anc., installé dans le Latium, qui fut soumis par Rome au Ve s. av. J.-C.

Ruwenzori, massif montagneux d'Afrique centrale, situé à la frontière de la Rép. dém. du Congo et de l'Ouganda (5 119 m au pic Marguerite).

Ruysbroek (Jan Van). V. Van Ruusbroec.

Ruysdael ou **Ruisdael** (Jacob Van) (Haarlem, v. 1628 – id., 1682), peintre et graveur hollandais; paysagiste à la matière colorée et aux tons sourds : *le Cimetière juif.*

Jacob Van **Ruysdael :** *le Moulin de Wijk,* v. 1670; Rijksmuseum, Amsterdam

Ruyter (Michiel Adriaanszoon de) (Flessingue, 1607 – Syracuse, 1676), amiral néerlandais. Il combattit Monk (1666) près de Dunkerque, et battit la flotte franco-britannique au large de la Zélande (1673). Envoyé en Sicile au secours de l'Espagne, il fut vaincu par Duquesne au large d'Augusta (1676) et mortellement blessé.

ruz n. m. GEOMORPH Vallée jurassienne au flanc d'un anticlinal.

Ružička (Leopold) (Vukovar, 1887 – Zurich, 1976), chimiste suisse d'origine croate. Ses travaux sur les hydrocarbures végétaux ont permis la synthèse de nombr. parfums. P. Nobel 1939 (avec A. Butenandt).

Ruzzante (Angelo Beolco, dit) (Padoue, 1502 – id. 1542), dramaturge et comédien italien, auteur de nombreuses comédies en dialecte padouan.

Rwanda ou **Ruanda** (*Republika y'u Rwanda,* République rwandaise), État d'Afrique centrale, entre la Rép. dém. du Congo, le Burundi, la Tanzanie et l'Ouganda; 26 338 km²; env. 7 millions d'hab., croissance démographique : près de 3,5 % par an; cap. *Kigali.* Nature de l'État : rép. présidentielle. Pop. : Hutus (env. 85 %), Tutsis (env. 10 %), Twas (1 %). Langues off. : français et kinyarwanda. Monnaie : franc rwandais. Relig. : animistes (30 %), catholiques (50 %), protestants (12 %), musulmans (8 %).
Géogr. et écon. – Pays de hautes terres volcaniques (4 507 m au N. dans les monts Virunga), le Rwanda est longé à l'O. par le fossé du lac Kivu; à l'E., la zone des « mille collines » concentre la majorité des hab. Le climat est équatorial, tempéré par l'altitude. La densité de peuplement (plus de 250 hab./km²) est la plus élevée d'Afrique. Plus de 94 % des Rwandais sont des ruraux, vivant de cultures vivrières (patates douces, manioc, sorgho), d'élevage bovin et de l'exportation de café, de thé et d'étain.
Hist. – Peuplé d'agriculteurs bantous, les Hutus, le Rwanda a été conquis au XVe s. par les Tutsis, pasteurs nilotiques venus du N., qui imposèrent leur roi et un régime féodal. Colonisé par les Allemands à partir de 1894, le Rwanda fut placé avec l'Urundi sous le mandat des Belges (1922), qui l'avaient occupé en 1916, puis, en 1925, fut uni au Congo belge. En 1961, les Hutus, groupe ethnique majoritaire, se soulevèrent contre le régime féodal, que leur imposaient les Tutsis, et établirent la république sous la présidence de Grégoire Kayibanda. En 1962 le Rwanda devient indépendant, mais les partisans de l'ancien régime réfugiés à l'étranger tentèrent à plusieurs reprises de reprendre le pouvoir (1963 et 1966). L'armée intervint en 1973 avec le coup d'État du général Juvénal Habyarimana, qui sera élu en 1978 et réélu en 1983 et 1988. À partir de 1990, la guerre civile qui opposa l'armée gouvernementale au Front patriotique rwandais (F.P.R.), à majorité tutsie, entraîna l'envoi de troupes françaises (1990 et 1993). Les accords d'Arusha signés par les protagonistes en août 1993 devaient mettre fin à cette guerre civile. Mais l'assassinat en avril 1994 de Habyarimana déclencha dans tout le pays un massacre planifié (500 000 morts) tant de l'opposition démocratique hutue ou tutsie que des populations tutsies par des milices de l'ex-parti unique, provoquant l'exode de 2,1 millions de réfugiés et le déplacement de 1,5 million de personnes. Entre juin et août, la France dépêcha alors des troupes pour une assistance humanitaire. En juil. 1995, le F.P.R. nomma le Hutu Pasteur Bizimungu prés. de la Rép. ▸ carte **Burundi**

rwandais ou **ruandais, aise** adj. et n. Du Rwanda. ▷ Subst. *Un(e) Rwandais(e).*

Ryad. V. Riyad.

Rybinsk, ville de Russie, sur la Volga supérieure; 251 000 hab. Port et centrale hydroélectrique. Constr. mécaniques.

Rybnik, v. de Pologne, au S.-O. de Katowice; 136 560 hab. Houille; constr. méca. Centre administratif.

rydberg [ʀidbɛʀg] n. m. PHYS NUCL Unité d'énergie (symbole Ry) égale à l'énergie d'ionisation de l'atome d'hydrogène telle qu'elle est calculée dans le cadre du modèle de Bohr (soit 13,6 électronvolts).

Rydberg (Johannes Robert) (Halmstad, 1854 – Lund, 1919), physicien suédois; connu pour ses travaux de spectroscopie.

Ryle (sir Martin) (Brighton, 1918 – Cambridge, 1984), astronome britannique à l'origine du développement des réseaux d'interférométrie. P. Nobel de physique 1974.

Ryleïev (Kondrati Fiodorovitch) (Batovo, près de Saint-Pétersbourg, 1795 – Saint-Pétersbourg, 1826), poète russe, exécuté pour participation au complot décabriste. *Au favori* (poème satirique, 1820), les *Doumy* (inspiré par les héros de l'histoire russe), *Voïnarovski* (poème à la liberté, 1825).

Ryswick (auj. *Rijswijk*), v. des Pays-Bas (Hollande-Méridionale); 48 660 hab. Gisements de pétrole off shore. – Les *traités de Ryswick* (1697) mirent fin à la guerre qui opposait Louis XIV à la ligue d'Augsbourg.

rythme n. m. **1.** Distribution constante, retour périodique des temps forts et des temps faibles (sons, syllabes, césures, etc.) dans une phrase musicale, un vers, une période oratoire, etc. **2.** *Par anal.* Distribution des éléments constitutifs d'une œuvre picturale, architecturale, etc. *Le rythme des volumes.* **3.** Alternance régulière. *Le rythme des saisons.* ▷ Mouvement périodique ou cadencé. *Rythme cardiaque.* ▷ Allure d'un mouvement, d'une action, d'un processus quelconque. *Vivre au rythme de son temps.*

rythmé, ée adj. Qui a un rythme.

rythmer v. tr. [1] **1.** Donner un rythme à. *Rythmer un air.* **2.** Soumettre à un rythme; marquer le rythme de. *Rythmer du pied une chanson.*

rythmicien, enne n. **1.** Didac. Spécialiste de la rythmique grecque ou latine. **2.** Poète habile dans l'utilisation des rythmes. **3.** Musicien spécialisé dans les instruments rythmiques.

rythmique adj. et n. f. **I.** adj. **1.** Relatif au rythme. *Harmonie rythmique.* **2.** Qui est soumis à un rythme, qui se fait selon un rythme. *Mouvements rythmiques. Danse rythmique* ou, n. f., *la rythmique.* ▷ *Versification rythmique,* fondée sur la distribution des accents toniques. **3.** Qui donne le rythme. *Section rythmique.* **II.** n. f. Didac. Science des rythmes en prose ou en poésie (partic. dans les vers grecs ou latins).

rythmiquement adv. Avec rythme, en cadence.

Ryūkyū (auj. *Nansei*), archipel volcanique japonais du Pacifique occidental, entre Kyūshū et Taiwan (2 250 km^2; 1 179 000 hab.); sa plus grande île est Okinawa. – L'archipel fut placé sous l'admin. des É.-U. de 1945 à 1972. Bases militaires américaines.

Rzeszów, v. de Pologne, sur la Wisłok; ch.-l. de la voïévodie du m. nom; 139 660 hab. Raff. de pétrole, constr. mécaniques.

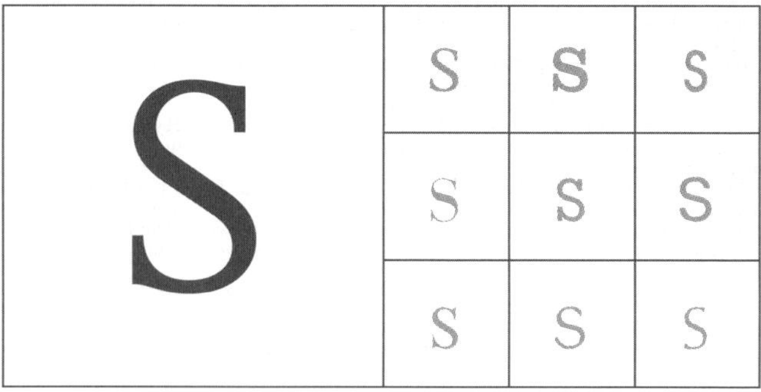

s [ɛs] n. m. **1.** Dix-neuvième lettre (s, S) et quinzième consonne de l'alphabet, appelée sifflante, notant la fricative alvéolaire sourde [s] (ex. *sel, resaler, dessaler*) ou sonore [z] entre voyelles (ex. *muse*); marquant la liaison devant une voyelle (ex. *des idées* [dezide]); restant muette comme marque du plur., en finale de certains mots (ex. *ras* [ʀɑ] et des formes verbales. *Un s euphonique.* **2.** Par anal. *Route en S,* en lacet. **3.** S. : abrév. de *sud.* ▷ s : symbole de la seconde. ▷ PHYS S : symbole du siemens. ▷ CHIM S : symbole du soufre.

sa. V. son 1.

S.A. HIST Sigle pour l'expr. all. *Sturm Abteilung,* « section d'assaut ». Formation paramilitaire nazie, créée en 1921 par Hitler en Bavière et étendue à tout le Reich en 1931. Elle aida à la prise du pouvoir par Hitler. Mais celui-ci, inquiet de la puissance des S.A. (3 millions d'hommes en 1933), décida d'éliminer leurs chefs (nuit des longs couteaux, 30 juin 1934), et réduisit leur rôle.

2. S.A. Sigle de *société anonyme*.*

Saadi ou **Sa'di** (Mucharrif al-Din) (Chirāz, v. 1213 - id., v. 1290), poète persan : le *Gulistān* (« la Roseraie »), le *Bustān* (« le Verger »). Saadi fut traduit et admiré en Occident dès le XVIIe s.

Saadiens ou **Sa'diens,** dynastie marocaine (1554-1659) qui maintint le pays dans l'isolement.

Saale (la), riv. d'Allemagne (427 km), affl. de l'Elbe (r. g.); elle traverse Saalfeld, Iéna et Halle. Import. centrale hydroélectrique (cours supérieur).

Saalfeld, v. d'Allemagne, sur la Saale; 34 260 hab. - Égl. (XIIIe et XIVe s.). - Victoire de Lannes sur Louis-Ferdinand de Prusse, qui y fut tué (1806).

Saarema ou **Sarema** (en suédois *Ösel*), île d'Estonie, à l'entrée du golfe de Riga; 2 714 km^2.

Saarinen (Eliel) (Rantasalmi, 1873 - Bloomfield Hills, Michigan, 1950), architecte finlandais : gare centrale d'Helsinki (1904-1914), tour du *Michigan Tribune* (1922). — **Eero** (Kirkkonummi, 1910 - Birmingham, Michigan, 1961), fils du préc.; architecte et designer de meubles américain. Centre technique de la General Motors (1950-1955); patinoire de l'université de Yale (New Haven, 1958); bâtiment de la T.W.A. (aéroport J.F.-Kennedy, New York, 1956-1961).

Saavedra Lamas (Carlos) (Buenos Aires, 1878 - id., 1959), homme politique et juriste argentin. P. Nobel de la paix 1936.

Saba, anc. royaume de l'Arabie du S.-O. (dans l'actuel Yémen). Au VIIIe s. av. J.-C., les textes assyriens mentionnent le tribut que ses chefs versent à l'Assyrie. Ce royaume se maintint ensuite jusqu'à la conquête persane du VIe s. apr. J.-C., puis s'intégra à l'Islam. Ma'rib et Zufar furent ses capitales successives. - La *reine de Saba,* dont parle la Bible (I Rois, 10) et que le Coran nomme *Balkis,* aurait été souveraine de cet État (Xe s. av. J.-C.).

Saba (Umberto Poli, dit Umberto) (Trieste, 1883 - Gorizia, 1957), poète fragmentiste italien (*Poésies,* 1911). Ses sujets d'inspiration : la Trieste populaire, son épouse, les adolescents.

Sabadell, v. d'Espagne (Catalogne); 184 940 hab. Centre textile (draperies, filatures) depuis le XIIIe s.

Sabah (anc. *Bornéo-Septentrional*), État fédéré de Malaisie, dans l'île de Bornéo (Kalimantan); 73 711 km^2; 1 323 000 hab.; cap. *Kota Kinabalu.* - C'est un territoire montagneux (4 175 m au Kinabalu), couvert à env. 85 % par la forêt équatoriale. Princ. ressources : riz, pétrole, pêche, exportation de bois et de caoutchouc.

Sabatier (Auguste) (Vallon-Pont-d'Arc, 1839 - Paris, 1901), théologien protestant français; l'un des créateurs de la faculté de théologie protestante de Paris (1877).

Sabatier (Paul) (Carcassonne, 1854 - Toulouse, 1941), chimiste français; créateur de l'hydrogénation catalytique industrielle. P. Nobel 1912.

Sabatier (Robert) (Paris, 1923), écrivain français. Il est l'auteur de poèmes (*Dédicace d'un navire,* 1958) et de romans (*le Marchand de sable,* 1954; *Canard au sang,* 1958; *les Allumettes suédoises,* 1969; *Trois sucettes à la menthe,* 1972) où il montre son amitié pour les humbles et poursuit des rêves d'enfance.

Sábato (Ernesto) (Buenos Aires, 1911), physicien et écrivain argentin, auteur d'essais sociopolitiques (*Sartre contre Sartre,* 1968) et de romans existentialistes (*le Tunnel,* 1948; *Alejandra,* 1961; *l'Ange des ténèbres,* 1974).

sabayon n. m. Crème à base de vin, d'œufs, de sucre et d'aromates.

sabbat [saba] n. m. **1.** RELIG *Sabbat* ou *shabbat* : repos que la loi de Moïse prescrit aux juifs d'observer le samedi, septième jour de la semaine, consacré au culte divin. **2.** Assemblée nocturne de sorciers et de sorcières, dans les croyances médiévales. **3.** Fig. Désordre bruyant.

sabbathien, enne n. HIST Membre d'une secte chrétienne fondée par Sabbathius au XIVe s., qui célébrait la Pâque le même jour que les juifs.

sabbatique adj. **1.** Relatif au sabbat. **2.** ANTIQ *Année sabbatique,* qui revenait tous les sept ans et pendant laquelle les juifs, conformément à la loi mosaïque, laissaient les terres en jachère et ne devaient pas exiger les créances. - Mod. Année de congé d'études ou de recherche, accordée dans certains pays aux universitaires ou à des cadres d'entreprise.

Sabelliens, anc. groupement de peuples de l'Apennin, dont les Samnites faisaient partie (V. Samnites).

sabellique n. m. LING Groupe de parlers italiques localisés à l'E. du Latium, dont le sabin faisait partie et qui ont été éliminés par le latin.

sabin, ine adj. et n. m. **1.** adj. ANTIQ ROM D'un peuple d'Italie centrale. **2.** n. m. *Le sabin* : la langue du groupe sabellique parlée par les Sabins.

Sabin (Albert Bruce) (Białystok, 1906 - Washington, 1993), biologiste américain d'origine russe. Il a mis au point un vaccin par voie orale contre la poliomyélite.

Sabine, anc. région de l'Italie centrale, située au N. du Latium et habitée par les Sabins; elle correspond à l'actuelle région de Rieti.

Sabinien (Blera, ? - Rome, 606), pape de 604 à 606.

Sabins (monts), massif calcaire d'Italie (Latium).

Sabins, anc. peuple de l'Italie centrale (groupe des Sabelliens) installé en Sabine, non loin de Rome. ▷ *Enlèvement des Sabines* : légende de la Rome antique d'après laquelle les compagnons de Romulus auraient invité leurs voisins, les Sabins, à une fête, pour s'emparer de leurs épouses et de leurs filles. À l'issue du rapt, une guerre éclata entre les deux peuples. Elle se solda par un traité d'alliance qui entraîna la fusion des deux peuples.

Sabinus (Julius) (m. à Rome en 79 apr. J.-C.), citoyen romain d'origine gauloise qui ne parvint pas à soulever la Gaule contre Vespasien et dut vivre neuf ans caché dans un souterrain, près de Langres; trahi, il fut livré à Vespasien et supplicié. Sa femme Éponine* fut également exécutée.

sabir n. m. **1.** Mélange d'arabe, d'espagnol, de français, d'italien, parlé autref. en Afrique du Nord et dans le Levant par des groupes de langues maternelles différentes. **2.** LING Langue mixte, généralement à usage commercial, parlée par des communautés voisines de langues différentes. **3.** *Par ext.*, péjor. Langue formée d'éléments hétéroclites; charabia.

sablage n. m. Action de sabler (sens 1 et 3); son résultat.

1. sable n. m. et adj. inv. **I.** n. m. **1.** Roche détritique meuble composée de petits grains de nature et d'origine variables. *Sables siliceux, calcaires. Sables mouvants :* sables humides, sans consistance, où le pied enfonce avec risque d'enlisement; sables secs que les vents déplacent dans les régions désertiques. **2.** Loc. fig. *Bâtir sur le sable :* entreprendre qqch sur des bases très fragiles. ▷ Fam. *Être sur le sable :* être sans argent, ruiné, ou sans emploi. ▷ *Être bâti à chaux et à sable :* être d'une grande résistance, d'une santé à toute épreuve. **II.** adj. inv. Couleur de sable, beige clair.

2. sable n. m. HERALD Couleur noire, représentée en gravure par des hachures verticales et horizontales croisées.

sablé, ée adj. et n. m. **1.** adj. *Pâte sablée :* pâte friable, à forte proportion de beurre. **2.** n. m. Petit gâteau sec à pâte sablée.

Sablé (Madeleine de Souvré, marquise de) (en Touraine, 1599 - Port-Royal, 1678), femme de lettres française (*Maximes*, 1678), fille d'honneur de Marie de Médicis. Son salon fut fréquenté notam. par La Rochefoucauld.

sabler v. tr. [1] **1.** Couvrir de sable. *Sabler une allée.* **2.** TECH Couler dans un moule de sable. ▷ Fig., vx Boire d'un trait. - Mod. *Sabler le champagne :* boire du champagne pour fêter un événement. **3.** TECH Décaper, dépolir, etc., à l'aide d'un jet de sable, d'une sableuse.

Sables-d'Olonne (Les), ch.-l. d'arr. de la Vendée, sur l'Atlantique; 16 245 hab. (*Sablais*). Industr. du bois. Stat. balnéaire. Pêche; conserveries. Musée.

Sablé-sur-Sarthe, ch.-l. de cant. de la Sarthe (arr. de La Flèche); 12 972 hab. Abattoirs; alim. animale. - Château du XVIIIe s.

sableur, euse n. **I.** n. m. **1.** Ouvrier qui prépare les moules en sable dans une fonderie. **2.** Ouvrier qui travaille à la sableuse. **II.** n. f. Machine qui projette un jet de sable fin sur des corps durs pour les décaper, les dépolir, etc.

sableux, euse adj. De la nature du sable; qui contient du sable. *Terrain sableux.*

sablier n. m. Appareil composé de deux ampoules dont l'une contient du sable qui s'écoule dans l'autre par un étroit conduit, utilisé pour la mesure du temps.

sablière n. f. **1.** TECH Longue poutre horizontale, sur laquelle s'appuient les autres pièces d'une charpente. **2.** Carrière de sable.

sablon n. m. Sable très fin.

sablonneux, euse adj. Où le sable abonde.

sabord n. m. MAR Ouverture quadrangulaire dans la muraille d'un navire pour donner passage à la volée d'un canon. - *Sabord de charge,* pour embarquer des marchandises, etc. - *Sabord de décharge,* pour l'évacuation de l'eau embarquée sur le pont. ▷ Fam. *Mille sabords! :* juron prêté aux marins.

sabordage ou, rare, **sabordement** n. m. Action de (se) saborder.

saborder v. tr. [1] **1.** *Saborder un navire,* percer des voies d'eau sous la flottaison pour le couler. ▷ v. pron. Couler son propre navire (pour qu'il ne tombe pas aux mains de l'ennemi). **2.** Fig. Mettre volontairement fin à l'existence (économique, politique, etc.) de. *Saborder son entreprise.* ▷ v. pron. *Régime qui se saborde.*

sabot n. m. **1.** Chaussure de bois (faite en une seule pièce de bois ou constituée d'une semelle de bois et d'un dessus en une autre matière). - Loc. fig. *Je le vois venir avec ses gros sabots :* je devine facilement ses intentions qu'il dissimule très mal. **2.** Enveloppe cornée de la dernière phalange des doigts, chez les ongulés. **3.** TECH Garniture d'ornement ou de protection, en bois ou en métal, à l'extrémité d'un pied de meuble, d'un pieu, etc. ▷ Loc. *Sabot de Denver :* grosse pince utilisée par les services de police pour bloquer l'une des roues d'un véhicule en stationnement illicite. ▷ *Sabot de frein :* pièce mobile qui vient s'appliquer contre le bandage d'une roue pour la freiner. **4.** (En appos.) *Baignoire sabot :* petite baignoire courte dans laquelle l'on se tient assis. **5.** Fam. *Travailler comme un sabot,* très mal. **6.** BOT *Sabot de Vénus* ou *sabot de la Vierge :* nom vulg. de l'orchidée *cypripedium.*

sabotage n. m. **1.** TECH Action de saboter (un pieu, une traverse, etc.). **2.** Action de saboter (un travail). **3.** Acte visant à détériorer ou détruire une machine, une installation, à désorganiser un service, etc. ▷ Par anal. *Sabotage d'un plan de paix.*

saboter v. tr. [1] **1.** TECH Garnir d'un sabot. *Saboter un pilotis.* **2.** Faire vite et mal. *Saboter un travail.* **3.** Procéder au sabotage (sens 3) de. *Saboter une machine.* ▷ Fig. *Saboter une négociation.*

saboteur, euse n. Personne qui sabote un travail. ▷ Auteur d'un sabotage (sens 3).

sabotier, ère n. Personne qui fabrique ou qui vend des sabots (sens 1).

sabra n. Citoyen israélien né en Israël.

sabre n. m. **1.** Arme blanche à lame droite ou recourbée, tranchante d'un seul côté. ▷ Loc. Vieilli *Traîneur de sabre :* militaire qui fanfaronne. - Fam., péjor. *Le sabre et le goupillon**. **2.** TECH Tringle qui sert à nettoyer la toison des ovins. ▷ Instrument pour tondre les haies. ▷ Fam. Rasoir à main, à longue lame.
▸ illustr. **escrime**

sabrer v. tr. [1] **1.** Frapper à coups de sabre. **2.** Fig. Marquer, rayer vigoureusement. *Sabrer une page.* ▷ Biffer, amputer largement (un texte). *Sabrer un article.* ▷ Fam. *Sabrer qqn,* le congédier; le refuser à un examen, à un poste. ▷ Fam. *Sabrer un travail,* le faire vite et mal.

sabretache n. f. Anc. Sac plat que les cavaliers portaient à côté du sabre.

sabreur n. m. **1.** Militaire ou escrimeur qui se sert du sabre. **2.** Fam. Celui qui sabre un travail.

Sabunde, Sebond ou **Sebonde** (Raimundo) (Barcelone, fin XIVe s. - Toulouse, 1436), médecin, philosophe et théologien catalan d'expression latine. Montaigne traduisit sa *Theologia naturalis sive Liber creaturarum* et lui consacra un chapitre des *Essais.*

saburral, ale, aux adj. MED *Langue saburrale,* recouverte d'un enduit blanc jaunâtre. Syn. cour. langue chargée.

1. sac n. m. **I. 1.** Poche en toile, en papier, en cuir, etc., ouverte seulement par le haut. *Sac à blé :* sac destiné à contenir du blé. *Sac de blé,* contenant du blé. ▷ Loc. *Course en sac,* où les concurrents, enfermés dans un sac jusqu'au cou ou jusqu'à la taille, doivent avancer en sautant. **2.** Loc. fig. *Homme de sac et de corde :* canaille, scélérat. ▷ *Sac à malice(s) :* sac d'où les escamoteurs tirent les objets de leurs tours. - *Avoir plus d'un tour dans son sac :* être fertile en expédients. ▷ *Mettre dans le même sac :* confondre dans la même appréciation, dans la même réprobation. ▷ *Prendre qqn la main dans le sac,* en flagrant délit. ▷ Pop. *Sac à vin :* ivrogne. *Sac de nœuds, d'embrouilles :* affaire inextricable. **II. 1.** Nom de divers objets en matière souple, servant de contenant. *Sac de voyage, à provisions.* - *Sac à dos :* sac de voyage que l'on porte sur le dos, maintenu par deux bretelles. - *Sac à main :* sac de femme, servant à contenir les papiers, le maquillage, etc. ▷ *Sac de couchage :* sac en toile ou en matériau isolant, dans lequel on se glisse pour dormir, utilisé par les campeurs, les alpinistes, etc. **2.** Loc. fig., fam. *L'affaire est dans le sac,* le succès en est assuré. - *Vider son sac :* dire tout ce qu'on pense, ce qu'on a sur le cœur, ce qu'on tenait caché. **III. 1.** Contenu d'un sac. *Gâcher un sac de plâtre.* **2.** Fam. Somme de mille anciens francs (dix francs). *J'en ai eu pour cent sacs!* **IV.** ANAT Cavité, enveloppe organique. *Sac lacrymal, herniaire.* ▷ BOT *Sac embryonnaire :* partie de l'ovule des angiospermes qui contient le gamète femelle. ▷ ZOOL *Sacs aériens :* réservoirs d'air qui prolongent les bronches d'un oiseau.

2. sac n. m. Pillage. *Le sac d'une ville.* ▷ *Mettre à sac* (*un lieu*), le piller.

SAC, acronyme pour *Service d'action civique.* Service d'ordre d'inspiration gaulliste fondé en 1968, dissous en 1982.

saccade n. f. **1.** EQUIT Secousse brusque donnée aux rênes d'un cheval. **2.** Mouvement brusque et irrégulier. *Avancer, parler par saccades.*

saccadé, ée adj. Qui va, qui est fait par saccades. *Marche saccadée.* ▷ Fig. *Débit saccadé.*

saccader v. tr. [1] **1.** EQUIT Donner des saccades à un cheval. **2.** Rendre saccadé. *Émotion qui saccade la voix.*

saccage n. m. Pillage, dévastation; bouleversement.

saccager v. tr. **1.** Mettre à sac; dévaster. *Saccager un pays.* **2.** Bouleverser. *Saccager un appartement.*

saccageur, euse adj. et n. Rare Se dit d'une personne qui saccage.

sacchar(i)-, sacchar(o)-. Élément, du lat. *saccharum,* du gr. *sakkharos,* « sucre ».

saccharifère [sakaʀifɛʀ] adj. Didac. Qui produit, renferme du sucre.

saccharification [sakaʀifikasjɔ̃] n. f. BIOCHIM Transformation des substances amylacées ou cellulosiques en sucres simples.

saccharifier [sakaʀifje] v. tr. [2] BIOCHIM Transformer en sucre.

saccharimétrie [sakaʀimetʀi] n. f. CHIM Ensemble des procédés qui permettent de déterminer la quantité et la nature des sucres contenus dans une solution. ▷ MED Dosage du sucre contenu dans un liquide organique (partic. l'urine).

saccharin, ine [sakaʀɛ̃, in] adj. Didac. De la nature du sucre ; relatif au sucre, à sa fabrication.

saccharine [sakaʀin] n. f. CHIM et cour. Substance blanche synthétique (dihydro-2, 3 oxo-3 benzisosulfonazole), utilisée comme succédané du sucre.

sacchariné, ée [sakaʀine] adj. Édulcoré à la saccharine.

saccharo-. V. sacchar(i)-.

saccharomyces [sakaʀɔmises] n. m. pl. BOT Nom scientifique des levures qui décomposent les sucres. – Sing. *Un saccharomyces.*

saccharose [sakaʀoz] n. m. BIOCHIM Sucre alimentaire, constitué de glucose et de fructose.

Sacco et Vanzetti (affaire), affaire judiciaire américaine. Deux anarchistes, immigrés italiens, *Nicola Sacco* (Torremaggiore, Pouilles, 1891) et *Bartolomeo Vanzetti* (Villafalletto, Piémont, 1888), furent condamnés à mort pour meurtre (1921), et exécutés en 1927 alors que leur culpabilité dans le hold-up d'une usine de South Braintree (Massachusetts) n'avait pas été prouvée. Les mouvements de soutien à leur cause (notam. en Europe) donnèrent lieu à de vastes manifestations.

Nicola **Sacco et** Bartolomeo **Vanzetti**, pendant leur emprisonnement (1921-1927)

saccule n. m. ANAT Vésicule de l'oreille interne, à la partie inférieure du vestibule.

sacculine n. f. ZOOL Crustacé cirripède *(Sacculina carcini)* parasite du crabe.

SACEM, acronyme pour *Société des auteurs, compositeurs et éditeurs de musique* qui, fondée en 1850, perçoit les droits d'exécution publique de leurs œuvres et les leur distribue.

sacerdoce n. m. **1.** Dignité et fonction du ministre d'un culte. **2.** Fig. Toute fonction qui requiert haute conscience et abnégation.

Sacerdoce et de l'Empire (lutte du), conflit qui opposa en Allemagne et en Italie la papauté (Sacerdoce) et le Saint Empire (1154-1250). Désireux d'affirmer la puissance impériale aux dépens de l'autorité pontificale, Frédéric Ier Barberousse envahit les villes lombardes et, à la mort du pape Adrien IV, opposa un antipape à son successeur, Alexandre III ; Frédéric fut finalement vaincu par ce dernier (trêve de Venise, 1177). Toutefois la lutte reprit à l'avènement du pape Grégoire IX (1227), et le conflit atteignit son point culminant sous Frédéric II, maître de la Sicile. Deux fois excommunié, l'empereur mourut en 1250, laissant ses États en pleine révolte. Le Sacerdoce, qui semblait l'avoir emporté, sortit en réalité fort affaibli de toutes ces luttes.

sacerdotal, ale, aux adj. Propre au sacerdoce, au prêtre.

sachem [saʃɛm] n. m. Vieillard faisant partie du conseil de la tribu, chez les Indiens d'Amérique du Nord.

Sacher-Masoch (Leopold, chevalier von) (Lemberg, auj. Lvov, 1836 – Lindheim, Hesse, 1895), écrivain autrichien. Dans ses récits, souvent autobiographiques (*la Vénus à la fourrure*, 1870 ; *les Messalines de Vienne*, 1874), il évoque une forme d'érotisme, appelée depuis *masochisme**.

sachet n. m. Petit sac. *Sachet de thé, de lavande.*

Sachs (Hans) (Nuremberg, 1494 – id., 1576), poète-musicien *(Meistersinger)* allemand : *le Rossignol de Wittenberg* (1523). Wagner l'a évoqué dans *les Maîtres chanteurs de Nuremberg.*

Sachs (Leonie, dite Nelly) (Berlin, 1891 – Stockholm, 1970), écrivain suédois d'origine et d'expression allemandes ; chantre tragique du judaïsme et du martyre juif : *Dans les demeures de la mort* (1947), *Fuite et Métamorphose* (1959), *Voyage dans des pays sans poussière* (1961). P. Nobel 1966 (avec J. Agnon).

Sachsenhausen. V. Oranienburg.

Sackville (Thomas), baron de Buckhurst et 1er comte de Dorset (Buckhurst, Sussex, v. 1536 – Londres, 1608), homme politique et dramaturge anglais (V. Norton).

Saclay, com. de l'Essonne (arr. de Palaiseau) ; 2 897 hab. Centre de recherches nucléaires. Prod. pharmaceutiques.

sacoche n. f. Sac de cuir, de toile, etc., muni d'une poignée, d'une bandoulière, d'attaches, etc. – (Canada) Fam. Sac à main.

sac-poubelle n. m. Sac en matière plastique destiné aux ordures ménagères. *Des sacs-poubelle.*

sacquer ou **saquer** [sake] v. tr. [1] **1.** Fam. Congédier, renvoyer. ▷ Refuser (à un examen). *Sacquer un candidat.* **2.** Arg. (des écoles) Punir sévèrement. ▷ *Absol.* Se montrer très sévère. *Professeur qui sacque.*

sacral, ale, aux adj. Didac. Que l'on a revêtu d'un caractère sacré ; devenu sacré.

sacralisation n. f. Fait de sacraliser, de rendre sacré ; son résultat.

sacraliser v. tr. [1] Rendre sacré.

sacralité n. f. Didac. Caractère de ce qui est sacralisé.

sacramentaire n. m. et adj. **1.** n. m. HIST Nom donné au XVIe s. par les luthériens aux protestants qui niaient la présence réelle dans l'eucharistie. **2.** adj. Didac. Relatif aux sacrements. *Théologie sacramentaire.* ▷ n. m. Vx Livre liturgique utilisé pour la célébration des sacrements.

sacramental, aux n. m. LITURG CATHOL Rite sacré auquel sont attachés des effets particuliers d'ordre spirituel.

sacramentel, elle adj. **1.** THEOL Qui appartient à un sacrement. **2.** Fig. Qui a un caractère solennel, rituel. *Des paroles sacramentelles.*

Sacramento, v. des É.-U., cap. de la Californie, sur l'American River ; 369 360 hab. (aggl. urb. 1 219 600 hab.). Centre agricole et industriel. – La ville se situe en amont du *Sacramento* (620 km), affl. du San Joaquin, fleuve qui se jette dans la baie de San Francisco.

1. sacre n. m. **1.** Cérémonie religieuse par laquelle un souverain reçoit le caractère sacré lié à sa fonction. *Le sacre de Napoléon.* **2.** Cérémonie religieuse par laquelle un prêtre reçoit la plénitude du sacerdoce et devient évêque. **3.** Fig. Consécration solennelle. *Cet écrivain reçut le sacre du prix Nobel.*

2. sacre n. m. Faucon *(Falco cherrug)* d'Europe et d'Asie centrale.

1. sacré, ée adj. et n. m. **I.** adj. **1.** Qui concerne la religion, le culte d'un dieu ou de Dieu (par oppos. à *profane*). *Musique sacrée. Livres sacrés.* ▷ *Le Sacré Collège* : l'ensemble des cardinaux de l'Église romaine. ▷ Consacré par une cérémonie religieuse. *Vases sacrés.* ▷ Loc. fig. *Avoir le feu sacré* : V. feu 2 (sens I, 1). **2.** Qui appelle un respect absolu ; digne de vénération. *Devoir sacré.* **3.** Fam. (Devant le nom.) Maudit, exécré. *Je ne peux pas ouvrir cette sacrée porte. Sacré nom d'une pipe !* – (Renforçant le subst. qualifié.) *Il a eu une sacrée chance*, une chance peu commune. **II.** n. m. Ce qui est sacré. *Le sacré et le profane.*

2. sacré, ée adj. ANAT Relatif au sacrum. *Vertèbres sacrées.*

Sacré (mont), colline (37 m) au N. de Rome où l'armée romaine se retira en signe de protestation contre la disette et les dettes (494 av. J.-C.), tandis que les plébéiens menaçaient de faire sécession sur le mont Aventin.

sacrebleu ! interj. Fam. Juron (par euph. pour *sacredieu*).

Sacré-Cœur, cœur de Jésus-Christ, symbole de son amour pour l'humanité, auquel l'Église catholique rend un culte.

Sacré-Cœur (basilique du), église édifiée à Paris (1876-1912), sur la butte Montmartre, par Paul Abadie, dans le style dit romano-byzantin, consacrée en 1919. Son campanile renferme *la Savoyarde*, une des plus grosses cloches connues.

sacredieu ! interj. Juron blasphématoire.

sacrées (guerres), nom de trois guerres qui se déroulèrent en Grèce entre 590 et 346 av. J.-C. pour le contrôle du sanctuaire d'Apollon à Delphes. La dernière de ces guerres servit de prétexte à l'intervention de Philippe II de Macédoine, qui conquit la Phocide (346). En 339, il intervint une nouvelle fois et vainquit les Athéniens (guerre dite parfois *quatrième guerre sacrée*).

sacrement n. m. Dans les religions catholique romaine et orthodoxe, signe concret et efficace de la grâce, institué par le Christ pour sanctifier les hommes. *Administrer les sacrements.* – *Le saint sacrement* : l'eucharistie. – *Mourir muni des sacrements de l'Église*, après avoir reçu le sacrement des malades. – *Sacrement de pénitence**, appelé sacrement de réconciliation depuis Vatican II.

ENCYCL Dans l'Église catholique, il existe sept sacrements : le baptême, la confirmation, l'eucharistie, la pénitence, le sacrement des malades (dit, av. 1963, extrême-onction), l'ordre et le mariage. Les Églises réformées, dans leur majorité, n'ont retenu que deux sacrements : le baptême et l'eucharistie, auxquels elles n'attribuent pas les mêmes effets que les catholiques et les orthodoxes.

sacrément adv. Fam. Extrêmement, diablement.

1. sacrer v. tr. [1] **1.** Conférer, par une cérémonie religieuse, un caractère sacré à (un souverain). *Sacrer un roi.* **2.** Fig. (Avec un attribut.) Déclarer solennellement tel. *Elle fut sacrée meilleure actrice de sa génération.*

2. sacrer v. intr. [1] Fam., vieilli (cour. au Canada) Prononcer des jurons, des imprécations. Syn. jurer.

sacrificateur, trice n. ANTIQ Prêtre, prêtresse qui offrait les sacrifices. ▷ *Grand sacrificateur* : grand prêtre des Hébreux.

sacrificatoire adj. Vx ou Didac. Relatif à un sacrifice.

sacrifice n. m. **1.** Oblation, faite à une divinité, d'une victime ou d'autres présents. *Immoler un taureau en sacrifice à Zeus. Sacrifice humain.* ▷ RELIG CATHOL *Le Saint Sacrifice* : la messe (qui renouvelle, sur l'autel, le sacrifice de Jésus sur la croix). **2.** Fig. Renoncement, privation que l'on s'impose ou que l'on accepte par nécessité. *Faire le sacrifice de sa vie.* ▷ Privation matérielle. *Les études de leurs enfants leur ont imposé de grands sacrifices.*

sacrificiel, elle adj. Didac. Qui relève d'un sacrifice religieux.

sacrifié, ée adj. et n. Se dit d'une personne ou d'une chose qui a été sacrifiée. (V. sacrifier, sens I.)

sacrifier v. [2] **I.** v. tr. **1.** Offrir, immoler en sacrifice à une divinité. *Sacrifier un agneau.* **2.** Fig. Renoncer à, abandonner, négliger (au profit d'une personne, d'une chose). *Il sacrifie sa famille à son travail.* **3.** (Sans comp. d'attribution.) Abandonner, détruire par nécessité et à regret. *On a dû sacrifier quelques répliques pour raccourcir la pièce.* ▷ *Sacrifier des marchandises*, les céder à bas prix. **II.** v. tr. indir. *Sacrifier à (qqch)*, s'y conformer. **III.** v. pron. **1.** S'offrir en sacrifice. *Le Christ s'est sacrifié pour sauver les hommes.* **2.** Fig. Consentir à des privations; se dévouer sans réserve. *Se sacrifier pour ses enfants.*

sacrilège n. m. et adj. **I.** n. m. **1.** Profanation impie de ce qui est sacré. **2.** Outrage à une personne, à une chose particulièrement digne de respect. *Abattre cet arbre centenaire serait un sacrilège.* Syn. outrage, profanation. **II.** adj. **1.** Qui a le caractère du sacrilège. **2.** Qui commet, a commis un sacrilège. ▷ n. m. Personne coupable de sacrilège. Syn. profanateur.

sacripant n. m. Fam. Mauvais sujet. Syn. vaurien, chenapan.

sacristain n. m. Personne qui a la charge de la sacristie d'une église.

sacristaine ou **sacristine** n. f. Religieuse (ou, auj., surtout laïque) chargée de la sacristie d'un couvent, d'une église.

sacristie n. f. Salle, attenante à une église, où l'on range les vases sacrés et les ornements sacerdotaux. ▷ Fig., fam. *Punaise de sacristie* : bigote.

sacro-iliaque adj. ANAT Qui concerne le sacrum et l'os iliaque.

sacro-saint, sacro-sainte adj. **1.** Vx Qui fait l'objet d'un respect absolu; à la fois sacré et saint. *Le sacro-saint nom de Jésus.* **2.** Mod., iron. *On ne pouvait échapper à la sacro-sainte promenade dominicale.* Syn. inviolable, intouchable.

sacrum [sakʀɔm] n. m. ANAT Os symétrique et triangulaire constitué par cinq vertèbres soudées (dites *sacrées*) situées au bas de la colonne vertébrale.

Sacy (Antoine Isaac Silvestre de). V. Silvestre de Sacy.

Sadate (Anouar el-) *(Anwar as-Sādāt)* (Mit Abu-l-Kom, gouvernorat de Ménoufieh, 1918 – Le Caire, 1981), officier et homme politique égyptien. Il prit part au coup d'État de 1952. Président de l'Assemblée nationale (1960-1969), il devint vice-président de la République en 1969 et succéda à Nasser (1970). Sa politique modérée le rapprocha des É.-U. et l'incita à des négociations avec Israël, conclues par un traité de paix en mars 1979. Il fut assassiné lors d'un défilé militaire. P. Nobel de la paix 1978 (avec M. Begin).

Anouar el-**Sadate**

portrait imaginaire du marquis de **Sade**

Sadd al-Ali *(as-Sadd al-'Ālī)* («Haut Barrage»). V. Assouan.

sadducéen, enne ou **saducéen, enne** [sadyseɛ̃, ɛn] n. ANTIQ Membre d'une secte juive issue des classes riches et de la haute hiérarchie sacerdotale, qui affirmait la primauté de la Torah sur toute tradition orale et niait la résurrection des morts.

Sade (Donatien Alphonse François, marquis de) (Paris, 1740 – Charenton, 1814), écrivain français. Peu après son mariage avec Renée de Montreuil (1763), il fut emprisonné quinze jours au donjon de Vincennes pour «libertinage outré». Dès lors, son existence de libertin, son militantisme sous la Révolution (il fut accusé de modérantisme), enfin son œuvre, scandaleuse et officiellement condamnée sous le Consulat, lui valurent de nombr. incarcérations : il passa trente années de sa vie en prison et mourut captif à l'hospice de Charenton. Dans *Justine ou les Malheurs de la vertu* (1791), *Aline et Valcour* (1795), *la Philosophie dans le boudoir* (1795), *la Nouvelle Justine, suivie de l'Histoire de Juliette sa sœur* (1797), *les Cent Vingt Journées de Sodome* (publiées en 1931-1935), ses écrits les plus violents, il fait alterner les scènes d'orgie et les «dissertations morales». Il s'en dégage surtout, outre les fantasmes «sadiques» de l'auteur, un désir effréné d'atteindre «la liberté de tout dire» (M. Blanchot).

sādhu [sadu] n. m. En Inde, ascète qui fait vœu de pauvreté et de célibat, peut vivre en ermite, errer seul ou faire partie d'un ordre religieux. *Les sādhus se comptent par millions.*

Sa'dï, Sa'diens. V. Saadi, Saadiens.

sadique adj. et n. Qui témoigne, qui fait preuve de sadisme. *Joie sadique.* – (Personnes) *Bourreau sadique.* ▷ Subst. *Un, une sadique.*

sadique-anal, ale, aux adj. PSYCHAN *Stade sadique-anal* ou *stade anal* : deuxième phase de l'évolution libidinale (entre 2 et 5 ans), où l'enfant fait l'apprentissage et tire satisfaction de la maîtrise anale.

sadiquement adv. D'une manière sadique.

sadisme n. m. **1.** PSYCHIAT Perversion sexuelle dans laquelle la satisfaction dépend de la souffrance physique ou morale infligée à autrui. **2.** Cour. Goût, complaisance à faire ou à voir souffrir autrui. Syn. cruauté.

sadomasochisme n. m. PSYCHIAT Association de sadisme et de masochisme chez le même individu.

sadomasochiste adj. et n. PSYCHIAT Qui est à la fois sadique et masochiste.

Sadoul (Georges) (Nancy, 1904 – Paris, 1967), journaliste et écrivain français; historien du cinéma mondial (*Histoire générale du cinéma*, 6 vol., 1946-1954).

Sadowa ou **Sadová,** bourg de Bohême orientale, Rép. tchèque. – Le 3 juil. 1866, la victoire décisive de l'armée prussienne de Moltke sur les troupes autrichiennes de Benedek révéla la puissance de la Prusse.

saducéen. V. sadducéen.

Saenredam (Pieter) (Assendelft, 1597 – Haarlem, 1665), peintre hollandais; il peignit surtout des intérieurs d'églises.

safari n. m. Expédition de chasse aux grands fauves en Afrique. ▷ *Safari-photo* : excursion au cours de laquelle on photographie les bêtes sauvages. *Des safaris-photos.*

Safi (en ar. *Asfī*), v. et port du Maroc, sur l'Atlantique; 197 310 hab.; ch.-l. de la prov. du m. nom. Import. port de pêche. Conserveries; phosphates.

1. safran n. m. (et adj. inv.) **1.** Nom cour. du crocus (fam. iridacées). ▷ *Safran des prés, safran bâtard* : nom cour. du colchique d'automne. **2.** Condiment et colorant constitués de stigmates floraux du crocus séchés, réduits ou non en poudre. *Poulet au safran.* ▷ adj. inv. De la couleur jaune orangé du safran. *Étoffe safran.*

fleur de **safran** en automne

2. safran n. m. MAR Pièce plate qui constitue la partie essentielle du gouvernail.

safrané, ée adj. **1.** De couleur safran, jaune orangé. *Teint safrané.* **2.** Assaisonné ou coloré avec du safran.

saga n. f. **1.** LITTER Conte ou légende du Moyen Âge scandinave. ▷ Longue histoire évoquant les sagas scandinaves. **2.** *Par ext.* Cycle romanesque.

sagace adj. Doué de sagacité. Syn. perspicace.

sagacité n. f. Pénétration, finesse, vivacité d'esprit.

sagaie n. f. Javelot dont une extrémité est munie d'un fer de lance ou d'une arête de poisson, utilisé par divers peuples primitifs.

Sagan (Françoise Quoirez, dite Françoise) (Cajarc, Lot, 1935), écrivain français. Rendue célèbre par son premier roman (*Bonjour tristesse,* 1954), elle observe, avec tendresse, discrétion et raffinement, un milieu restreint, dit «parisien» (*Un certain sourire,* 1956; *Des bleus à l'âme,* 1972); on lui doit aussi des pièces de théâtre (*Château en Suède,* 1960).

sage adj. et n. m. **I.** adj. **1.** Modéré, prudent, raisonnable. **2.** Rangé dans sa conduite, dans ses mœurs. *Un jeune homme sage.* **3.** Tranquille, obéissant, qui ne fait pas de sottises, en parlant d'un enfant. *Il est sage comme une image.* **4.** (Choses) Qui est sans excès. *Une mode sage.* **II.** n. m. **1.** Vx ou litt. Savant, philosophe. **2.** Mod. Celui qui évite de se tourmenter pour ce qui n'en vaut pas la peine, celui que son art de vivre met à l'abri des passions, des inquiétudes, de l'agitation. *Un vieux sage.* **3.** *Les sages :* nom donné à certains experts chargés d'étudier une question politique, économique ou déontologique et de proposer des solutions. *Comité des sages.*

sage-femme n. f. Celle dont la profession est d'accoucher les femmes. *Des sages-femmes.*

sagement adv. D'une manière sage, prudente. *Parler sagement.*

Sages (les Sept), nom donné à des philosophes et à des hommes politiques grecs du VIe s. av. J.-C. C'étaient, selon la tradition : Thalès de Milet, Pittacos de Mytilène, Bias de Priène, Solon d'Athènes, Périandre de Corinthe, Cléobule de Lindos et Chilon de Lacédémone. Certains auteurs citent également Épiménide, le Scythe Anacharsis et Phérécyde de Syros.

sagesse n. f. **1.** Modération, prudence, circonspection. *Il a eu assez de sagesse pour ne pas se fâcher.* ▷ *La sagesse des nations :* les proverbes, les dictons populaires. **2.** Conduite du sage (sens II, 1). ▷ Conduite de l'homme qui allie modération et connaissance. **3.** Réserve dans la conduite, dans les mœurs. *Une jeune fille d'une sagesse exemplaire.* **4.** Tranquillité, docilité. *La sagesse de cet enfant est remarquable.*

Sagesse (livre de la), traité de philosophie morale de l'Ancien Testament, écrit en grec au Ier s. av. J.-C.

sagittaire n. **1.** n. m. ASTRO *Le Sagittaire :* la constellation zodiacale de l'hémisphère austral. ▷ ASTROL Signe du zodiaque* (23 nov.-21 déc.). – Ellipt. *Il est sagittaire.* **2.** n. f. BOT Plante monocotylédone aquatique. Syn. flèche d'eau.

sagittal, ale, aux adj. Didac. **1.** En forme de flèche; orienté comme une flèche. **2.** MATH *Schéma sagittal,* constitué de flèches qui figurent des relations. **3.** ANAT Médian et orienté dans le sens antéro-postérieur. *Coupe sagittale.*

Sagone, petit port de la Corse-du-Sud (com. de Vico, arr. d'Ajaccio). – Ville import. au Moyen Âge, sur le *golfe de Sagone.*

Sagonte, v. de l'anc. Tarraconaise (Espagne orient.) dont la prise (219 av. J.-C.) par Hannibal entraîna la deuxième guerre punique. C'est auj. *Sagunto.*

sagou n. m. Fécule alimentaire extraite de la moelle de certains palmiers.

sagouin, ouine n. **1.** n. m. Vx Petit singe d'Amérique du Sud. **2.** Fam. Personne, enfant malpropre ou sans soin. – Inj. *Espèce de sagouin!*

Saguenay (le), riv. du Québec (200 km env.), affl. du Saint-Laurent (r. g.). Nombreux aménagements hydroélectriques.

Saguenay-Lac-Saint-Jean, rég. admin. du Québec située au centre de la prov.; 294 220 hab.; v. princ. : *Chicoutimi, Jonquière.*

Saguia el-Hamra, partie N. du Sahara occid. annexée par le Maroc en 1976; 82 317 km^2; 40 000 hab.; ch.-l. *El-Aaiún.* Élevage. Phosphates.

Sahara, désert d'Afrique septentrionale, le plus grand du monde (env. 10 000 000 km^2); il s'étend de l'Atlantique à la mer Rouge et de l'Atlas au Soudan. Le Sahara est partagé entre dix États : la Libye et la Mauritanie, la Tunisie, l'Algérie, le Maroc, le Mali, le Niger, le Tchad, l'Égypte et le Soudan. Le Sahara est formé de zones tabulaires sableuses *(ergs)* et de plates-formes pierreuses *(regs* et *hamadas)* d'où émergent des massifs montagneux (au centre et à l'E., notam.), souvent volcaniques : Hoggar, Tibesti (3 415 m à l'Emi Koussi), Aïr. Du fait de sa situation de part et d'autre du tropique du Cancer et de l'influence des hautes pressions tropicales, les précipitations sont partout inférieures à 100 mm par an; elles varient avec l'altitude et la latitude : encore méditerranéennes au nord, elles sont tropicales au sud. Entre les deux zones, c'est la sécheresse quasi totale. Cependant, les nappes d'eau souterraines semblent importantes. La vie humaine se concentre dans les oasis (peu nombr.). L'exploitation du sous-sol, très riche (hydrocarbures d'Algérie et de Libye, fer de Mauritanie, phosphates du Sahara occid.), s'intensifie depuis 1960 env. La pop. saharienne (Maures, Touareg et Toubous) se partage entre les sédentaires, groupés dans les oasis, et les nomades éleveurs de moutons, de chèvres et de dromadaires. Au paléolithique et au néolithique, le Sahara était une rég. humide; de nombr. peintures rupestres attestent l'existence d'une civilisation pastorale active.

Sahāranpur, v. de l'Inde (Uttar Pradesh), au N. de Delhi; 374 000 hab. Métallurgie; produits chimiques.

Sahara occidental, nom donné à l'anc. *Sahara espagnol* (rég. du Sahara bordée par l'Atlantique), dont les Marocains annexèrent en 1976 la partie N., la Saguia el-Hamra, puis le S., le Río de Oro (1979); 266 000 km^2; entre 150 000 et 400 000 hab. selon les estim. (Sahraouis). Anc. cap. *El-Aaiún.* Princ. ressources : pêche côtière, élevage de chameaux, salines, phosphates (riches gisements de Bu Kra, encore peu exploités). – Ce territoire, occupé par l'Espagne à la fin du XIXe s., province en 1958, fut convoité par les pays limitrophes (Maroc, Mauritanie, Algérie) après leur indépendance. Après la décision espagnole de décoloniser le territoire (1974), le Maroc manifesta ses intentions en provoquant la «Marche verte» : 350 000 Marocains pénétrèrent pacifiquement dans le N. du territoire (nov. 1975). En février 1976 (accords de Madrid), l'Espagne remit l'administration du territoire au Maroc (Saguia el-Hamra) et à la Mauritanie (Río de Oro). Créé en 1973, un mouvement pour l'indépendance (Front Polisario*), soutenu par l'Algérie et la Libye, se lança, à partir de 1976, dans la guérilla contre le Maroc et la Mauritanie, puis, après la signature du traité de paix entre la Mauritanie et les Sahraouis (Alger, 1979), contre le Maroc seul. Les Marocains ont construit six murs fortifiés sur près de 3 000 km, qui leur permettent de contrôler la côte atlantique du Sahara, l'une des plus poissonneuses du monde. Soixante et un pays ont reconnu l'existence de la République arabe sahraouie démocratique, proclamée en 1976, dont 30 pays africains. Depuis 1982, cette république est admise au sein de l'O.U.A. Le 6 septembre 1991, après seize ans de guerre, le Maroc et le Front Polisario ont signé un accord de cessez-le-feu; le plan de paix de l'ONU prévoit la tenue d'un référendum d'autodétermination.

saharien, enne adj. et n. **1.** Du Sahara. *Tribus sahariennes.* ▷ Subst. Habitant du Sahara. *Les Sahariens.* **2.** Digne du Sahara. *Chaleur saharienne,* torride. **3.** n. f. Veste de toile légère, à manches courtes et à grandes poches plaquées.

sahel n. m. Région côtière formée de collines sableuses, en Afrique du Nord.

Sahel (le), ensemble de steppes bordant le sud du Sahara. Cette région (de la Mauritanie au Soudan), caractérisée par une brève saison des pluies, a connu en 1972-1973 une sécheresse désastreuse dont les effets ont perduré.

sahélien, enne adj. et n. **1.** Du Sahel. ▷ Subst. Habitant du Sahel. *Les Sahéliens.* **2.** n. m. Formation géologique entre le miocène et le pliocène.

sahib [saib] n. m. En Inde, titre de respect à l'adresse d'un homme.

sahraoui, ie [saʀawi] adj. et n. Du Sahara occidental. *Le peuple sahraoui.* ▷ Subst. Habitant, le plus souvent nomade, du Sahara occidental.

saï [sai] n. m. Petit singe d'Amérique du Sud du genre sajou.

Saïan, chaîne montagneuse (3 491 m au Mounkou Sardyk), aux confins de la Russie et de la Mongolie.

Saïda, v. d'Algérie, au S.-E. d'Oran; 84 370 hab.; ch.-l. de la wil. du m. nom. Cartonnage. Industr. text. et alim. Eaux minérales.

Saïda ou **Sayda** *(Ṣaydā)* (anc. *Sidon*), port du Liban méridional, sur la Méditerranée; 24 700 hab.; ch.-l. de prov. – Archevêchés cathol. (maronite et grec). Chât. des Croisés (XIIe s.).

Saïd Pacha (Muhammad) *(Muḥammad Sa'īd bāšā)* (Le Caire, 1822 – Alexandrie, 1863), vice-roi d'Égypte (1854-1863), fils de Méhémet-Ali, dont il continua l'œuvre réformatrice, supprimant l'esclavage (1856) et soutenant la création du canal de Suez.

saignant, ante adj. **1.** Qui saigne. **2.** Fig. Dur, féroce, impitoyable. *Des reproches saignants.* **3.** *Viande saignante,* très peu cuite.

saignée n. f. **1.** Opération ayant pour objet d'extraire des vaisseaux une certaine quantité de sang. **2.** Pli formé par le bras et l'avant-bras, où se pratique la saignée. **3.** Fig. Prélèvement abondant. *Saignée fiscale.* ▷ Grande perte d'hommes. *L'effroyable saignée de la guerre de 1914-1918.* **4.** TECH Rigole, tranchée destinée au drainage, à l'irrigation. ▷ Longue entaille. *Saignée dans un mur pour le passage de canalisations.*

saignement n. m. Épanchement de sang. ▷ MED *Temps de saignement :* temps nécessaire à l'arrêt du saignement, avant coagulation.

saigner v. [1] **I.** v. intr. **1.** Perdre du sang. *Saigner du nez. Blessure qui saigne.* **2.** Fig., litt. *Son cœur saigne :* il éprouve une grande douleur morale. **II.** v. tr. **1.** Tirer du sang à (qqn) en ouvrant une veine. *Saigner un malade.* **2.** Tuer (un animal) en le vidant de son sang. **3.** Pratiquer une saignée dans (un arbre) pour en recueillir la résine ou le latex. **4.** Fig. Épuiser en soutirant toutes les ressources. *La guerre a saigné ce pays. Saigner à blanc :* V. blanc (2, sens 8). ▷ v. pron. *Se saigner aux quatre veines pour élever ses enfants,* faire tous les sacrifices possibles.

Saigon. V. Hô Chi Minh-Ville.

Saigō Takamori (Kagoshima, v. 1826 - près de cette m. ville, 1877), homme de guerre japonais qui contribua à la restauration (1868) du pouvoir impérial, dont sa caste combattit bientôt (1873) les mesures modernistes. Il dirigea la lutte armée contre l'empereur, fut défait et se fit hara-kiri. – **Saigō Yorimichi** (Satsuma, 1843 -?, 1902), frère du préc., dont il fut l'allié en 1868 puis l'adversaire. Ministre de la Marine, il fit du Japon une puissance navale.

Saikaku (Ihara) (Ōsaka, 1641 - id., 1693), écrivain japonais; créateur de l'étude de mœurs à caractère réaliste et souvent licencieux : *la Vie d'une femme* (1668), *le Grand Miroir de la pédérastie* (1687), etc.

saillant, ante adj. et n. m. **1.** Qui avance, qui fait saillie. *Corniche saillante.* - GEOM *Angle saillant,* dont le sommet est tourné vers l'extérieur de la figure. Ant. rentrant. ▷ n. m. Partie qui fait saillie. **2.** Fig. Qui appelle l'attention, marquant. *Des faits saillants.*

saillie n. f. **1.** Partie (d'un édifice) qui avance par rapport à une autre dans le plan vertical. *Faire saillie :* saillir. **2.** Action de saillir une femelle. **3.** Vx, litt. Trait d'esprit brillant et imprévu.

1. saillir v. intr. [28] Litt. Être en saillie, former un relief. *Les veines de son front saillaient à chaque effort.*

2. saillir v. tr. [3] Couvrir (la femelle) en parlant de certains animaux.

sain, saine adj. **1.** (Êtres animés.) En bonne santé physique, d'une constitution robuste. *Un enfant sain.* - *Revenir sain et sauf,* en bonne santé, sans avoir subi de dommage physique. ▷ (Choses) Qui n'est pas abîmé, gâté. *Fruit sain.* - Solide. *Roche saine.* **2.** Qui a une bonne santé mentale. ▷ Juste, sensé, conforme à la raison. *Jugement sain.* **3.** Favorable à la santé. *Une alimentation saine.* **4.** Qui ne comporte pas de faiblesse, de vices cachés. *Une affaire saine.*

sainbois n. m. Syn. de *garou* 2.

saindoux n. m. Graisse de porc fondue.

sainement adv. D'une manière saine (sur le plan physique, intellectuel, moral). *Se nourrir sainement. Apprécier sainement un problème.*

sainfoin n. m. Plante herbacée (fam. papilionacées) dont une espèce est cultivée comme fourrage.

saint, sainte adj. et n. **I. 1.** adj. THEOL En parlant de Dieu, parfait, pur. *La sainte Trinité.* **2.** n. Personne qui, ayant porté à un degré exemplaire la pratique héroïque de toutes les vertus chrétiennes, a été reconnue par l'Église, après sa mort, comme digne d'un culte (culte de dulie*) et donc canonisée*. (La canonisation n'est pas vécue de la même manière dans les Églises d'Orient; les Églises réformées n'encouragent pas le culte des saints.) ▷ Loc. *Les saints de glace :* période de l'année souvent accompagnée d'un abaissement de la température, qui correspond à la Saint-Mamert, la Saint-Pancrace et la Saint-Servais (11, 12 et 13 mai). ▷ Prov. *Il vaut mieux s'adresser à Dieu qu'à ses saints,* au supérieur qu'à ses subalternes. - Loc. *Ne pas savoir à quel saint se vouer :* ne pas savoir à quel moyen recourir (pour résoudre un problème). ▷ *Par méton.* Représentation, statue d'un saint. *Des saints de bois polychrome.* ▷ adj. Devant le nom d'un(e) saint(e). *Les saints Innocents. La Sainte Vierge.* - Loc. *La Saint-..., la Sainte-... :* [mention suivie du nom d'un(e) saint(e)] le jour où l'on fête ce(tte) saint(e). **3.** n. Personne qui mène une vie exemplaire. *Votre mère était une sainte.* **4.** n. m. *Le saint des saints :* la partie la plus sacrée du Temple de Salomon, où se trouvait l'Arche d'alliance; fig. lieu secret, impénétrable. **II.** adj. **1.** Qui mène une vie conforme aux lois de l'Église, de la religion. *Un saint homme.* **2.** Qui appartient à la religion, consacré. *La sainte table, les saintes huiles. Être enterré en terre sainte,* dans un lieu bénit. - *Le Saint-Père :* le pape. - *La Terre sainte :* la Palestine. *Les Lieux saints,* où vécut le Christ. - *Le lundi (mardi,* etc.) *saint :* chacun des jours de la *semaine sainte,* qui précède Pâques. **3.** Fam. *Toute la sainte journée :* tout le jour, sans arrêt. **4.** Inspiré par la piété, le sentiment religieux. *Il a fait là œuvre sainte.* **5.** Qui a un caractère vénérable, qui ne peut être transgressé. *Au nom de la sainte liberté.*

Saint-Acheul, faubourg d'Amiens (Somme). - Site préhistorique (V. acheuléen).

saintais, aise adj. et n. De Saintes. - Subst. *Un(e) Saintais(e).*

Saint-Alban-du-Rhône, com. de l'Isère (arr. de Vienne); 675 hab. - Centrale nucléaire.

Saint Albans, v. d'Angleterre (Hertfordshire); 122 400 hab. Constr. aéronautiques. - Cath. (XIe-XIIe s.). - Durant la guerre des Deux-Roses, victoire des York (1455), puis des Lancastre (1461).

Saint-Amand-les-Eaux, ch.-l. de cant. du Nord (arr. de Valenciennes), sur la Scarpe; 16 898 hab. Eaux sulfatées, calcaires et sulfureuses, soignant les rhumatismes. Métallurgie.

Saint-Amand-Montrond, ch.-l. d'arr. du Cher, sur le Cher; 12 377 hab. Fonderie; imprimerie. - Égl. romane. Aux env., abb. cistercienne de Noirlac (XIIe-XIVe s.) et chât. de Meillant (XVIe s.).

Saint-Amant (Marc Antoine Girard, sieur de) (Quevilly, Normandie, 1594 - Paris, 1661), poète français; *la Solitude* (ode, 1618), auteur de l'épopée biblique *Moïse sauvé* (1653) et de poèmes réalistes (*les Goinfres, le Melon,* etc.). Acad. fr. (1634).

saint-amour n. m. Cru du Beaujolais.

Saint-Amour (Guillaume de). V. Guillaume de Saint-Amour.

Saint-André, com. du Nord (arr. et banlieue N. de Lille); 10 128 hab. Industr. textiles et alimentaires.

Saint-André, ch.-l. de cant. de la Réunion, dans le N.-E. de l'île; 35 375 hab. Sucreries.

Saint-André-les-Vergers, com. de l'Aube (arr. de Troyes); 11 389 hab. Constr. métalliques.

Saint Andrews, v. d'Écosse, au S. de la *baie de Saint Andrews* (mer du Nord); 12 000 hab. Tourisme. - Université fondée au XVe s. Évêché.

Saint-Ange (château), citadelle de Rome, sur la r. dr. du Tibre; anc. mausolée d'Hadrien (terminé en 139) transformé en citadelle au Xe s, propriété des papes sous Boniface IX, puis prison et caserne avant d'être transformé en musée.

Saint-Arnaud (Arnaud Leroy, dit Achille Leroy de) (Paris, 1798 - en mer Noire, 1854), maréchal de France (1852). Ministre de la Guerre en 1851, il participa au coup d'État du 2 Décembre. Commandant de l'armée d'Orient en 1854, il remporta la bataille de l'Alma.

Saint-Avertin, ch.-l. de cant. d'Indre-et-Loire (arr. de Tours); 12 225 hab. - Vins rouges. - Égl. (XIe-XIIe s.).

Saint-Avold, ch.-l. de cant. de la Moselle (arr. de Forbach), au S. de la *forêt de Saint-Avold;* 17 079 hab. Industries chim. et alim. - Égl. du XVIIIe s. - Cimetière américain de Lorraine (10 500 tombes).

Saint-Barthélemy, île française des Antilles, dépendant de la Guadeloupe (arr. de Saint-Martin-Saint-Barthélemy); 21 km^2; 5 043 hab.; ch.-l. *Gustavia.* Zone franche. Tourisme. - Colonisée par la France en 1648, occupée par la Suède de 1784 à 1876.

Saint-Barthélemy (la), nom donné au massacre des protestants perpétré à Paris dans la nuit de la Saint-Barthélemy (24 août 1572) sur l'ordre de Charles IX. Catherine de Médicis, effrayée de l'ascendant pris par Coligny sur le roi, avait réussi à persuader son fils de l'existence d'un complot huguenot et de l'urgente nécessité de l'étouffer. Les Guises et leurs partisans exécutèrent la décision royale; la quasi-totalité des chefs protestants (dont Coligny) et plus de 3 000 de leurs coreligionnaires furent tués à Paris. En province, les massacres se poursuivirent durant plusieurs mois. Cette tuerie provoqua une reprise de la guerre civile.

Saint-Béat, ch.-l. de cant. de la Haute-Garonne (arr. de Saint-Gaudens); 554 hab. Carrières de marbre blanc. - Égl. romane.

Saint-Benoît, ch.-l. d'arr. de la Réunion, sur la côte N.-E. de l'île; 26 457 hab.

Saint-Benoît-sur-Loire, com. du Loiret (arr. d'Orléans); 1 893 hab. - Abb. bénédictine de Fleury, fondée v. 651. L'égl. du monastère (XIe-XIIIe s.)

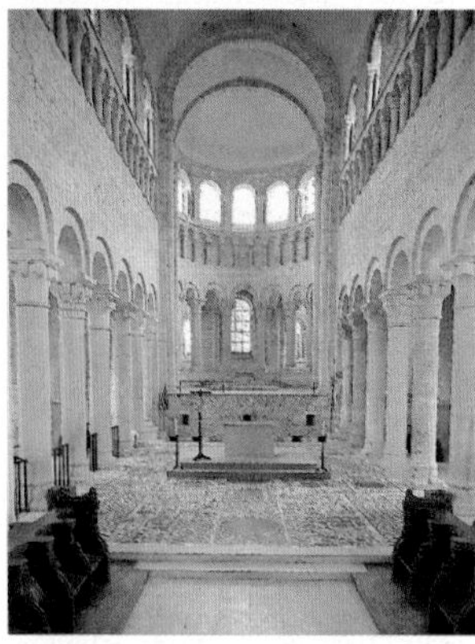

Saint-Benoît-sur-Loire : chœur roman de l'église du monastère

est un chef-d'œuvre de l'architecture romane.

saint-bernard n. m. inv. Chien alpestre de grande taille, à tête massive, au poil long, blanc taché de roux, dressé pour le sauvetage des personnes perdues en montagne. ▷ Fig. *C'est un vrai saint-bernard*, une personne qui porte secours aux autres.

Saint-Bernard, nom de cols des Alpes. – Le *Grand-Saint-Bernard* (2 473 m), entre le Valais et l'Italie (Val d'Aoste), est doublé par un tunnel routier de 5 826 m ; près du col, célèbre hospice et couvent suisse fondé au Xe s. par saint Bernard de Menthon. Le *Petit-Saint-Bernard* (2 188 m), dans les Alpes françaises (Savoie), relie la Tarentaise et le Val d'Aoste (Italie). À proximité se trouve un autre hospice fondé par saint Bernard de Menthon.

Saint-Bertrand-de-Comminges, com. de la Haute-Garonne (arr. de Saint-Gaudens), sur la Garonne ; 217 hab. – Vest. de la ville romaine. Enceinte médiévale d'orig. gallo-romaine. Cath. Notre-Dame (portail roman, abside et nef gothiques). Cloître roman. Musée archéologique.

Saint-Brice-sous-Forêt, com. du Val-d'Oise (arr. de Montmorency) ; 11 714 hab. – Pavillon Colombe (XVIIIe s.). Château Mauléon (XVIIe s.). Église Saint-Brice (clocher et croisillon du XIIe s.).

Saint-Brieuc, ch.-l. du dép. des Côtes-d'Armor, près de la *baie de Saint-Brieuc* ; 47 370 hab. (*Briochins*). Essor industriel, récent (métall., industr. du caoutchouc, électroménager, prod. pharm.). Port de pêche *(Le Légué)* à l'embouchure du Gouët. – Évêché. Cath. St-Étienne (XIIIe-XIVe s.).

Saint Catharines, v. du Canada (Ontario), port sur le canal Welland, au S. de Toronto, près des É.-U. ; 129 300 hab. (aggl. urb. 310 300 hab.). Centre industriel.

Saint-Chamas, com. des B.-du-Rh. ; 5 419 hab. Centrale hydroélectrique.

Saint-Chamond, ch.-l. de cant. de la Loire (arr. de Saint-Étienne), sur le Gier, dans le bassin de Saint-Étienne ; 39 262 hab. (*Saint-Chamonnais*). Métallurgie, textiles.

Saint-Christophe et Niévès (en angl. *Saint Kitts and Nevis*), État des Petites Antilles, formé princ. des îles susdites, membre du Commonwealth ; 261 km^2 ; 45 000 hab. (*San Cristobaliens*) ; cap. *Basseterre* (dans l'île de Saint Kitts). Langue off. : angl. Monnaie : dollar des Caraïbes-Orientales. Relig. : protestants et cathol. Population : Noirs en majorité. – Ressources princ. : tourisme, sucre, industries de montage des É.-U. – Ces îles, occupées par les Anglais au XVIIe s., furent partagées avec les Français avant de devenir définitivement anglaises en 1783 (traité de Versailles). Réunies à Anguilla jusqu'en 1976, les deux îles devinrent indépendantes en 1983. ► carte **Antilles**

Saint-Ciers-sur-Gironde, ch.-l. de cant. de la Gironde (arr. de Blaye) ; 2 913 hab. – Égl. du XIVe s. – Centre de production nucléaire du *Blayais*.

Saint-Clair (lac), lac (1 060 km^2) séparant le Canada (Ontario) des É.-U. (Michigan), relié au lac Huron par la *rivière Saint-Clair* (65 km) et au lac Érié par la rivière Detroit.

Saint-Clair-sur-Epte, com. du Val-d'Oise (arr. de Pontoise) ; 783 hab. – Égl. (XIIIe-XVe s.). – En 911, Charles le Simple y signa un traité qui laissait en fief la Normandie, de l'Epte à la mer, au chef normand Rollon.

Saint-Claude, ch.-l. d'arr. du Jura, au confluent de la Bienne et du Tacon ; 13 265 hab. (*Saint-Claudiens*). – Évêché de Belley-Saint-Claude. – Import. centre de fabrication de pipes ; matières plastiques.

Saint-Cloud, ch.-l. de cant. des Hauts-de-Seine (arr. de Nanterre), sur la Seine (r. g.), au N. du *parc de Saint-Cloud* ; 28 673 hab. (*Clodoaldiens*). Aggl. résidentielle et industrielle (sur la Seine). Constr. aéronautiques et électriques. Hippodrome. École normale supérieure. Du château reconstruit par Hardouin-Mansart et Mignard (XVIIe s.), résidence impériale sous le Second Empire (incendiée par les Prussiens pendant le siège de Paris en 1870-1871), il ne reste auj. que le parc, devenu public, créé par Le Nôtre.

Saint-Cucufa (étang de), petit étang des Hauts-de-Seine (Rueil-Malmaison), dans le *bois de Saint-Cucufa*.

Saint-Cyran (abbé de). V. Du Vergier de Hauranne.

saint-cyrien, enne n. Élève ou ancien élève de l'École spéciale militaire de Saint-Cyr à Coëtquidan. (Arg. des écoles : cyrard). *Des saint-cyrien(ne)s.*

Saint-Cyr-l'École, ch.-l. de cant. des Yvelines (arr. de Versailles) ; 15 838 hab. – Mme de Maintenon y fonda une maison d'éducation pour les jeunes filles nobles et sans fortune (1686). Une École spéciale militaire, installée en 1808 dans les mêmes bâtiments (détruits en 1940-1944) fut transférée en 1946 à Coëtquidan.

Saint-Cyr-sur-Loire, ch.-l. de cant. d'Indre-et-Loire (arr. de Tours) ; 15 274 hab. Industr. mécaniques ; vins.

Saint-Denis, ch.-l. de cant. de la Seine-St-Denis (arr. de Bobigny), sur le *canal de Saint-Denis*, près de la Seine ; 90 806 hab. (*Dionysiens*). Centre industriel (métall., électron., méca.). – Évêché. Université. Théâtre Gérard-Philipe. Musée d'art et d'histoire. Égl. abbatiale (XIIe-XIIIe s.), devenue basilique puis cathédrale (1967), l'un des premiers grands édifices de style gothique. Choisie, à partir de Saint Louis, comme lieu de sépulture des rois de France (tombeaux de Jean le Bon, Louis XII et Anne de Bretagne, François Ier, Henri II, Catherine de Médicis, etc.), Henri IV y abjura en 1593. Les restes des rois furent dispersés pendant la Révolution ; sous l'Empire, on restaura les sépultures et, plus tard, un nouveau caveau accueillit les restes de Louis XVI, Marie-Antoinette, Louis XVIII, etc. Viollet-le-Duc fut chargé de la restauration de la basilique et des sépultures à partir de 1846. L'abbaye abrite depuis 1809 l'une des maisons d'éducation de la Légion d'honneur. Des fouilles archéologiques ont été entreprises dep. 1973. – Foire dite du *lendit*, de renommée européenne au Moyen Âge.

basilique de **Saint-Denis :** tombeau de Louis XII et d'Anne de Bretagne

Saint-Denis, ch.-l. du dép. de la Réunion, port sur la côte N. de l'île ; 122 875 hab. Aéroport. Mat. de constr., prod. pharm., imprimerie. – Évêché.

Saint-Dié, ch.-l. d'arr. des Vosges, sur la Meurthe ; 23 670 hab. (*Déodatiens*). Textiles (coton, rayonne) ; constr. métall. – Évêché. Égl. Notre-Dame, romane (XIIe s.), en grès rouge.

Saint-Dizier, ch.-l. d'arr. de la Haute-Marne, sur la Marne ; 35 558 hab. (*Bragards*). Industr. métallurgiques, mécaniques, I.A.A.

Saint-Domingue. V. Haïti (île).

Saint-Domingue (en esp. *Santo Domingo ; Ciudad Trujillo* de 1936 à 1961), cap. de la république Dominicaine, port sur la côte S. ; 1 318 200 hab. Exportation de produits tropicaux ; industr. alimentaires ; fonderie.

Sainte-. V. les noms qui commencent ainsi après Saint-Yrieix-la-Perche.

Saint-Égrève, ch.-l. de cant. de l'Isère (arr. et banlieue N.-O. de Grenoble) ; 15 920 hab. Industries électroniques.

Saint-Élie (en angl. *Saint Elias*), massif montagneux de l'Amérique du N. (6 050 m au mont Logan, point culminant du Canada), à la frontière de l'Alaska et du Canada.

saint-émilion n. m. inv. Vin rouge des vignes de la région de Saint-Émilion.

Saint-Émilion, com. de la Gironde (arr. de Libourne) ; 2 845 hab. Vins rouges renommés. – Remparts (XIIIe s.). Égl. collégiale (XIIe-XVe s.). Égl. monolithe, creusée dans le roc à la fin du XIe s.

Saint Empire romain germanique, nom donné à l'empire fondé en 962 par Otton Ier. La dislocation

de l'empire de Charlemagne permit à Otton Ier, roi de Germanie, puis d'Italie, protecteur de l'Église, de prétendre à la couronne impériale. Au faîte de sa puissance (XIe s.), le Saint Empire englobait l'Allemagne*, l'Italie du N. et du Centre, la Lorraine, la Bourgogne et les marches de l'Est. La suprématie qu'il exerçait sur l'Église lui fut contestée par la papauté; il sortit très affaibli de la querelle des Investitures (1059-1122), puis de la lutte du Sacerdoce* et de l'Empire (1154-1250). Ce dernier conservait ses prétentions à l'autorité universelle, mais, dépouillé de ses territ. italiens et bourguignons, il se réduisit, à partir du XVe s., au royaume germanique, un agrégat de 350 territoires qui possédaient des droits régaliens. En 1356, Charles IV, par la Bulle d'or, organisa l'élection impériale confiée à sept princes dits « Électeurs ». En 1440, avec Frédéric III, les Habsbourg accédèrent au trône impérial. Charles Quint fut le dernier à tenter de donner au Saint Empire des structures politiques efficaces, mais il ne réussit guère à établir un « royaume universel »; au XVIIe s., les traités de Westphalie (1648) marquèrent l'affaiblissement du Saint Empire, qui disparut quand François II prit le titre d'empereur d'Autriche (1806) sous le nom de François Ier.

Saint-Esprit ou **Esprit-Saint,** troisième personne de la sainte Trinité.

Saint-Estèphe, com. de la Gironde (arr. de Lesparre-Médoc), sur la Gironde; 1 921 hab. Vins réputés.

Saint-Étienne, ch.-l. du dép. de la Loire, au cœur d'un bassin drainé par le Gier et le Furan; 201 569 hab. (*Stéphanois*); env. 313 300 hab. dans l'aggl. Import. centre industriel (métall., text. et chim.). Pôle industriel précoce, fondé sur la houille, puis la métallurgie, le bassin stéphanois se spécialisa, au XXe s., dans la mécanique de précision, puis développa le secteur tertiaire. – Évêché. Université. Musée d'art moderne.

Saint-Étienne-du-Mont (église), église de Paris, située derrière le Panthéon, place Sainte-Geneviève; fondée en 1220, réédifiée de 1491 à 1622. Jubé (XVIe s.), le seul qui subsiste à Paris; tombeau et châsse de sainte Geneviève.

Saint-Étienne-du-Rouvray, ch.-l. de cant. de la Seine-Maritime (arr. et fbg S. de Rouen), sur la Seine; 31 012 hab. Import. papeterie; industr. radioélectrique.

Saint-Eustache (église), église de Paris, dans le quartier des anc. Halles; édifice du XIIIe s., reconstruit de 1532 à 1637. Sépulture de Colbert.

Saint-Évremond (Charles de Marguetel de Saint-Denis de) (Saint-Denis-le-Gast, v. 1614 – Londres, 1703), écrivain français. Un écrit hostile à Mazarin l'obligea à s'exiler en 1661. Son acuité d'essayiste libertin (au sens de ce terme au XVIIe s.) fit de lui le précurseur des philosophes du XVIIIe s. : *Comédie des académistes* (1650), *Correspondance* (posth., 1705).

Saint-Exupéry (Antoine de) (Lyon, 1900 – disparu en 1944 au cours d'une mission aérienne au large de la Corse), aviateur et écrivain français. Son œuvre prône une morale de l'action et du devoir fondée sur la croyance en la grandeur de l'homme : *Vol de nuit* (1931), *Terre des hommes* (1939), *Pilote de guerre* (1942), *le Petit Prince* (1943), *Lettre à un otage* (1943), *Citadelle* (posth., 1948).

Saint-Florent, com. de la Haute-Corse (arr. de Bastia), sur le *golfe de Saint-Florent;* 1 365 hab. Stat. balnéaire. – À proximité, cath. romane, unique vestige de *Nebbio,* ville import. ruinée au XVIe s.

saint-florentin n. m. inv. Fromage de lait de vache à pâte molle (du nom de *Saint-Florentin,* Yonne).

Saint-Flour, ch.-l. d'arr. du Cantal, accroché à la *planèze de Saint-Flour;* 8 347 hab. Centre comm. – Évêché. Cath. (en basalte) des XIVe et XVe s.

Saint-Fons, com. du Rhône (arr. de Lyon); 15 785 hab. Industries chimiques.

Saint-François (le), riv. du Canada (Québec), affl. du Saint-Laurent (r. dr.); 260 km. Hydroélectricité.

saint-frusquin n. m. inv. Fam. Effets et bagages. *Arriver avec son saint-frusquin.* ▷ (À la fin d'une énumération.)... *et tout le saint-frusquin :* ... et tout le reste.

Saint-Gall (en all. *Sankt Gallen*), v. de Suisse; 75 850 hab.; ch.-l. du cant. du m. nom (2 014 km^2; 401 200 hab.), limitrophe de l'Autriche et du Liechtenstein. Import. centre textile depuis le XIXe s. (broderie, dentelle); constr. mécaniques; prod. chimiques. – La ville se développa autour de l'abbaye qui eut un grand rayonnement du VIIIe au XIIe s. Elle fut un des centres de la Contre-Réforme.

Saint-Galmier, ch.-l. de cant. de la Loire (arr. de Montbrison); 4 417 hab. Eaux minérales. Métallurgie. – Égl. flamboyante (XVe-XVIe s.).

Saint-Gaudens, ch.-l. d'arr. de la Haute-Garonne, sur une hauteur dominant la Garonne; 11 888 hab. (*Saint-Gaudinois*). Industr. du bois. – Égl. des XIe et XIIe s. (restaurée).

Saint-Genis-Laval, ch.-l. de cant. du Rhône (arr. de Lyon); 19 153 hab. I.A.A. – En 1944, 120 personnes y furent massacrées par les Allemands.

Saint George (canal), détroit entre la G.-B. (pays de Galles) et l'Irlande, qui unit l'Atlantique à la mer d'Irlande.

Saint George's, cap. et port de l'État de Grenade (Petites Antilles); 31 000 hab.

Saint - Georges - de - Didonne, com. de la Charente-Maritime (arr. de Rochefort), sur la Gironde; 4 730 hab. Stat. balnéaire.

Saint-Exupéry

Saint-John Perse

saint-germain n. m. inv. Grosse poire fondante et sucrée.

Saint-Germain (comte de) (?, 1707 [?] - Eckernförde, Schleswig-Holstein, 1784), aventurier qui, prétendant vivre depuis plusieurs siècles, conquit, grâce à ses talents, diverses cours européennes, notam. celle de France (1750-1760).

Saint-Germain-des-Prés (abbaye de), abb. parisienne fondée par Childebert Ier v. 558 et ruinée par les Normands. De 1631 à 1789, le monastère fut le centre intellectuel de la congrégation de Saint-Maur, avant d'être fermé par la Législative. Les bâtiments brûlèrent en 1794 et il n'en reste plus que le palais abbatial (1586) et l'église (tour déb. du XIe s.). - Le quartier *Saint-Germain-des-Prés* (VIe arr.) a été le lieu de rendez-vous des intellectuels parisiens depuis le début du siècle, et, en particulier, dans les années 40-50, à l'époque de la célébrité du groupe existentialiste.

Saint-Germain-en-Laye, ch.-l. d'arr. des Yvelines, sur un plateau dominant la Seine, au S. de la *forêt domaniale de Saint-Germain-en-Laye* (3 560 ha); 41 710 hab. (*Saint-Germanois*). Ville résidentielle et touristique. Prod. agric.; meubles. - Chât., une des princ. résidences des rois de France, de Louis VI le Gros (XIIe s.) à Louis XIV. L'édifice actuel, reconstruit sous François Ier et restauré sous Napoléon III, conserve une très belle sainte chapelle du XIIIe s. et un donjon du XIVe s.; il abrite auj. le musée des Antiquités nationales. La terrasse a été tracée par Le Nôtre en 1672. Musée municipal. - Divers édits et traités y furent signés, notam. l'édit de 1570, par lequel Catherine de Médicis reconnaissait aux protestants la liberté de conscience, et le traité de 1919 entre les Alliés et l'Autriche (consacrant la fin de la monarchie austro-hongroise).

Saint-Germain-l'Auxerrois (église), église de Paris (en face de la colonnade du Louvre) construite à la fin du VIIe s. ou au déb. du VIIIe s., détruite par les Normands au IXe s., reconstruite au XIe et au XIIe s. puis modifiée jusqu'au XVIe s. On y sonna le tocsin qui déclencha la Saint-Barthélemy (1572). Elle était l'église paroissiale des rois de France.

Saint-Gervais-les-Bains, ch.-l. de cant. de la Haute-Savoie (arr. de Bonneville), dans le massif du Mont-Blanc; 5 176 hab. Stat. thermale. Stat. de sports d'hiver.

Saint-Gildas (pointe), cap de l'Atlantique, entre l'estuaire de la Loire et la baie de Bourgneuf.

Saint-Gildas-de-Rhuys, com. du Morbihan (arr. de Vannes), dans le S. de la *presqu'île de Rhuys;* 1 118 hab. - Égl. romane (déb. du XIIe s.).

Saint-Gilles ou cour. **Saint-Gilles-du-Gard,** ch.-l. de cant. du Gard (arr. de Nîmes), sur la *Costière de Saint-Gilles;* 11 765 hab. Vins. - Égl., ancienne abbatiale; façade ornée de sculptures.

Saint-Gilles (en néerl. *Sint-Gillis*), com. de Belgique. Fbg (industr.) S. de Bruxelles; 52 000 hab.

Saint-Girons, ch.-l. d'arr. de l'Ariège, sur le Salat; 7 065 hab. Papet., fromageries. Centrale hydroélectrique.

saint-glinglin (à la) [alasɛ̃glɛ̃glɛ̃] loc. adv. Fam. Dans un avenir lointain; jamais.

Saint-Gobain, com. de l'Aisne (arr. de Laon), dans la *forêt de Saint-Gobain* (4 200 ha); 2 338 hab. La Manufacture des glaces fondée en 1665 s'est transformée en société, spécialisée notam. dans les produits chimiques.

Saint-Gond (marais de), vaste marais (plus de 3 000 ha) au voisinage d'Épernay, drainé par le Petit Morin. - Victoire de Foch sur les Allemands (9 sept. 1914), lors de la bataille de la Marne.

Saint-Gothard (en all. *Sankt Gotthard*), massif des Alpes suisses (3 197 m au Pizzo Rotondo), où le Rhône et le Rhin prennent leur source. Le col du m. nom y unit la haute vallée de la Reuss à celle du Tessin. Il est franchi par une route touristique. Le massif est percé d'un tunnel ferroviaire de 15 km reliant la Suisse et l'Italie (trafic très important), construit de 1872 à 1882, et d'un tunnel routier.

Saint-Graal (le). V. Graal.

Saint-Gratien, com. du Val-d'Oise (arrondissement de Montmorency), près d'Enghien-les-Bains; 19 377 hab. - Chât. (1806); résidence de la princesse Mathilde, qui y réunissait des artistes.

Saint-Grégoire-le-Grand (ordre de), ordre pontifical fondé en 1831 par Grégoire XVI.

Saint-Guénolé, port de pêche du Finistère (com. de Penmarch). Célèbre pardon.

Saint-Guilhem-le-Désert, com. de l'Hérault (arr. de Montpellier); 194 hab. - Égl. romane (XIe-XVe s.).

Saint-Hélier, ch.-l. de l'île de Jersey; 28 000 hab. Stat. balnéaire. Pêche.

Saint-Herblain, ch.-l. de cant. de la Loire-Atlantique (arr. de Nantes); 43 439 hab. Métallurgie.

Saint-Honorat (île), une des îles de Lérins (Alpes-Maritimes). - Monastère fondé au Ve s.

saint-honoré n. m. inv. Gâteau garni de crème chantilly et formé d'une couronne de pâte garnie de petits choux.

Saint-Imier, com. de Suisse (Berne), dans le *val de Saint-Imier;* 5 400 hab. Horlogerie.

Saint-Jacques-de-Compostelle (en esp. *Santiago de Compostela*), ville d'Espagne (Galice); 82 400 hab.; cap. de la communauté auton. de Galice. Université. Tourisme. - Cath. romane (XIIe s.), palais archiépiscopal. - Depuis le XIe s., célèbre pèlerinage, vers lequel convergent, suivant des itinéraires déterminés, des croyants de l'Europe entière.

Saint-Jean ou **Saint John** (le), fl. des É.-U. (Maine) et du Canada (Nouveau-Brunswick), long de 720 km. Chutes près de son embouchure.

Saint-Jean ou **Saint John,** v. et port du Canada (Nouveau-Brunswick), sur l'embouchure du fl. du m. nom; 74 960 hab. Raff. de pétrole.

Saint-Jacques-de-Compostelle

Saint-Jean. V. Saint John's (fleuve et ville).

Saint-Jean (lac), lac du Québec dans la rég. admin. du Saguenay-Lac-Saint-Jean; 1 003 km^2.

Saint-Jean-Cap-Ferrat, com. des Alpes-Maritimes (arr. de Nice), près du *cap Ferrat;* 2 253 hab. Stat. balnéaire.

Saint-Jean-d'Acre. V. Acre.

Saint-Jean-d'Angély, ch.-l. d'arr. de la Charente-Maritime, sur la Boutonne; 8 687 hab. Centre commercial (eau-de-vie, prod. laitiers). - Tour de l'Horloge (XVe s.); abbaye (XVIIe-XVIIIe s.). - Au Moyen Âge, lieu de pèlerinage. La ville, passée à la Réforme, fut prise par Charles IX (1569) et par Louis XIII (1621).

Saint-Jean-de-Braye, ch.-l. de cant. du Loiret (arr. et fbg E. d'Orléans), sur la Loire; 16 739 hab. Électronique, parfumerie, jouets.

Saint-Jean-de-Dieu (Frères hospitaliers de), ordre religieux fondé par saint Jean de Dieu (à Grenade, 1537) pour le soin des malades et groupant des laïcs (souvent médecins) et quelques prêtres, aumôniers des hôpitaux dont l'ordre a la charge.

Saint-Jean-de-la-Ruelle, ch.-l. de cant. du Loiret (arr. et fbg N.-O. d'Orléans); 16 656 hab. Constr. mécaniques.

Saint-Jean-de-Luz, ch.-l. de cant. des Pyr.-Atl. (arr. de Bayonne), à l'embouchure de la Nivelle; 13 181 hab. (*Luziens*). Pêche (sardine, thon), conserves; industr. bioméd. Stat. balnéaire. - Égl. du XVIe s., de style basque, où fut célébré le mariage de Louis XIV et de l'infante Marie-Thérèse.

Saint-Jean-de-Maurienne, ch.-l. d'arr. de la Savoie, sur l'Arc; 9 830 hab. Industr. métall. (aluminium). - Évêché. Cath. St-Jean (nef du XIIe s., chœur du XVe s.).

Saint-Jean-Pied-de-Port, ch.-l. de cant. des Pyrénées-Atlantiques (arr. de Bayonne), sur la Nive; 1 649 hab. - Remparts du Moyen Âge; citadelle du XVIIe s.

Saint-Jean-sur-Richelieu, v. du Québec (Montérégie); 36 000 hab. Centre industriel.

Saint John. V. Saint-Jean (fleuve et ville).

Saint-John Perse (Alexis Léger, dit Saint-Léger Léger puis) (Pointe-à-Pitre, 1887 - Giens, Var, 1975), diplomate et poète français. Ses poèmes sont une méditation exaltée sur l'harmonie des rapports entre la terre et l'eau, le ciel et la lumière, sur les mutations de l'histoire à travers les «siècles en voyage», sur l'honneur d'être un homme : *Éloges* (1911), *Anabase* (1924), *Exil* (1942), *Vents* (1946), *Amers* (1957), *Chronique* (1960), *Oiseaux* (1962). P. Nobel 1960.
▸ illustr. page **1679**

Saint John's, cap. de l'État d'Antigua et Barbuda, port dans l'île d'Antigua; env. 30 000 hab. Sucreries.

Saint John's ou **Saint-Jean,** v. et port du Canada; ch.-l. de la prov. de Terre-Neuve; 95 770 hab. Industr. de la pêche.

Saint-Joseph, com. de la Martinique (arr. de Fort-de-France), sur la côte S. de l'île; 14 054 hab.

Saint-Joseph, ch.-l. de cant. de la Réunion (arr. de Saint-Pierre), sur la côte S. de l'île; 25 852 hab.

Saint-Jouin-de-Marnes, com. des Deux-Sèvres (arr. de Parthenay); 659 hab. – Abbaye fondée au IVe s. (?), église (XIe-XIIIe s.).

Saint-Julien-en-Genevois, ch.-l. d'arr. de la Haute-Savoie, à 9 km de Genève; 8 048 hab. Métall. (aluminium).

Saint-Julien-le-Pauvre (église), égl. de Paris (XIIe-XIIIe s., mais fondée au VIe s.). Sise sur la r. g. de la Seine (V[e] arr.), en face de Notre-Dame, elle est auj. affectée au culte grec catholique (melchite).

Saint-Junien, ch.-l. de cant. de la Haute-Vienne (arr. de Rochechouart), sur la Vienne; 10 962 hab. Ganteries; cartonnage. – Égl. romane (tombeau de saint Junien, XIIe s.). Pont (XIIIe s.).

Saint-Just (Louis Antoine Léon) (Decize, 1767 – Paris, 1794), homme politique français. Conventionnel, orateur d'un esprit méthodique et précis, intransigeant dans l'action, il se fit le théoricien et le défenseur d'une république unitaire et égalitaire. Partisan fidèle de Robespierre, il joua un rôle considérable à l'intérieur du Comité de salut public, prônant le recours à la terreur dans la lutte contre les Girondins, les partisans de Danton et les hébertistes. En mission aux armées, il facilita notam. la victoire de Fleurus. Il fit prendre les décrets de ventôse (mars 1794), qui favorisaient les patriotes démunis au détriment des riches suspects. Il fut exécuté avec Robespierre.

Saint-Just

le comte de **Saint-Simon**

Saint-Just-Saint-Rambert, ch.-l. de cant. de la Loire (arr. de Montbrison); 12 389 hab. – Tréfilage, mat. électron. – Église romane.

Saint-Laurent (le), grand fl. d'Amérique du Nord (3 700 km depuis le lac Supérieur; 1 200 km depuis le lac Ontario, dont il est l'émissaire direct). Il arrose Montréal et Québec, et forme après cette ville un long estuaire (570 km) aboutissant au *golfe du Saint-Laurent* (vaste mer intérieure); il relie ainsi les Grands Lacs à l'Atlantique. De grands travaux effectués de 1954 à 1959 pour régulariser son lit ont amélioré la navigation, toutefois interrompue par les glaces pendant quelques semaines en hiver. Canalisé de l'Ontario à Québec, le fleuve est accessible aux navires de fort tonnage. Le trafic est très important. La pollution du Saint-Laurent est inquiétante.

Saint-Laurent, v. du Canada (Québec), dans la banlieue O. de Montréal; 72 400 hab. Industries aéronautiques.

Saint-Laurent (Louis Stephen) (Compton, Québec, 1882 – Québec, 1973), homme politique canadien. Ministre de la Justice (1941-1946), chef du parti libéral (1948-1958) et Premier ministre (1948-1957), il assura à son pays une plus grande autonomie vis-à-vis de la Grande-Bretagne.

Saint-Laurent-du-Maroni, ch.-l. d'arr. de la Guyane; port sur le *Maroni;* 13 894 hab. Anc. lieu de déportation.

Saint-Laurent-du-Var, ch.-l. de cant. des Alpes-Mar. (arr. de Grasse), sur le Var; 24 475 hab. I.A.A.; jouets, imprimerie.

Saint-Laurent-Nouan, com. de Loir-et-Cher (arr. de Blois); 3 412 hab. Centre de production nucléaire *(Saint-Laurent-des-Eaux).*

Saint-Lazare (enclos et prison), anc. léproserie parisienne, créée dans le fbg Saint-Martin au XIIe s. et devenue maison mère des Prêtres de la Mission (lazaristes). Maison de correction en 1779, prison durant la Révolution, puis prison et hôpital de femmes, elle a été démolie en 1940.

Saint-Léonard, v. du Canada (Québec), dans l'aggl. de Montréal; 73 100 hab.

Saint-Léonard-de-Noblat, ch.-l. de cant. de la Haute-Vienne (arr. de Limoges); 5 134 hab. Porcelaines. – Égl. romane (XIe, XIIe et XIIIe s.).

Saint-Leu, ch.-l. de cant. de la Réunion (arr. de Saint-Paul), sur la côte O. de l'île; 20 987 hab.

Saint-Leu-la-Forêt, ch.-l. de cant. du Val-d'Oise (arr. de Pontoise), au S. de la forêt de Montmorency; 14 530 hab. Centre résidentiel. – Sépulture de Louis Bonaparte, roi de Hollande.

Saint-Lô, ch.-l. du dép. de la Manche, sur la Vire; 22 819 hab. (*Saint-Lois*). I.A.A., électroménager. – Cath. Notre-Dame (XVe-XVIe s.), gravement endommagée, ainsi que la ville, en 1944 (bataille de Normandie).

Saint-Louis (île), île de la Seine, à Paris, en amont de l'île de la Cité, formée par la réunion, au XVIIe s., de l'île Notre-Dame et de l'île aux Vaches.

Saint-Louis, com. du Haut-Rhin (arr. de Mulhouse), jouxtant Bâle; 19 728 hab. Industr. mécaniques et textiles.

Saint Louis, v. des É.-U. (Missouri), au S. du confl. du Mississippi et du Missouri; 396 680 hab. (aggl. urb. 2 398 400 hab.). Import. centre commercial et industriel (constr. automobile, industr. textiles et alimentaires). – Universités. City Art Museum (antiquités grecques). – Ville fondée en 1764.

Saint-Louis, ch.-l. de cant. de la Réunion (arr. de Saint-Pierre), sur la côte S.-O. de l'île; 37 798 hab. Industr. text., quincaillerie.

Saint-Louis, port du Sénégal, dans une île à l'embouchure du fl. Sénégal; 118 200 hab.; ch.-l. de la rég. du m. nom. Le trafic du port est gêné par la barre. – Fondée vers 1638 par les Français, cap. de l'A.-O.F. vers 1895 jusqu'en 1903, la ville fut supplantée par Dakar au début du XXe s.

Saint Louis. V. Louis IX.

Saint-Louis (ordre de), ordre royal et militaire créé par Louis XIV en 1693, le prem. ordre qui consacrait les mérites d'officiers d'origine bourgeoise.

Saint-Maixent-l'École, ch.-l. de cant. des Deux-Sèvres (arr. de Niort), sur la Sèvre Niortaise; 8 564 hab. École militaire, créée en 1874. – Égl. St-Maixent, anc. abbatiale (XIe-XIIIe s., ruinée au XVIe s., reconstruite au XVIIe s.). – Place protestante aux XVIe-XVIIe s.

Saint-Malo, ch.-l. d'arr. d'Ille-et-Vilaine, sur une presqu'île dominant la Manche, à l'embouchure de la Rance; 49 274 hab. (*Malouins*). Port de pêche et de commerce. Industr. chim., électr.; imprimerie. Centre touristique. – Remparts (XIIe-XIIIe s., restaurés). Chât. (XVe s.). – Du XVe au XIXe s., la ville fut célèbre pour ses marins (Cartier, Duguay-Trouin, Surcouf, etc.). Partiellement détruite en 1944, elle a été reconstituée avec fidélité.

Saint-Mandé, ch.-l. de cant. du Val-de-Marne (arr. de Nogent-sur-Marne), en bordure du bois de Vincennes; 18 963 hab. Aggl. résidentielle.

Saint-Mandrier-sur-Mer, ch.-l. de cant. du Var (arr. de Toulon), dans une presqu'île de la rade de Toulon; 6 271 hab. Pêche. Centre d'instruction de la Marine nationale.

saint-marcellin n. m. inv. Petit fromage de vache rond, à pâte molle, fabriqué dans le Dauphiné.

Saint-Marcellin, ch.-l. de cant. de l'Isère (arr. de Grenoble); 6 838 hab. Fromages. Mat. électr., meubles.

Saint-Marcet, com. de la Haute-Garonne (arr. de Saint-Gaudens); 398 hab. Gaz naturel.

Saint-Marin (République de) *(Repubblica di San Marino),* petit État enclavé en territ. italien, au S.-S.-O. de Rimini; 61,2 km^2; 24 300 hab. (*San Marinais*); cap. *San Marino* (4 600 hab.). Nature de l'État : rép. gouvernée par un Grand Conseil général (pouvoir législatif), qui élit deux capitaines-régents pour six mois, et par un Congrès d'État (pouvoir exécutif). Langue off. : ital. Monnaie : lire ital. Relig. : cathol. – Adossé à l'Apennin, le pays est formé de collines marneuses. La cap. a été bâtie sur l'éperon calcaire du mont Titano (726 m). – L'économie est fondée sur des ressources traditionnelles (vigne, pierre à bâtir), sur l'émission de timbres et, surtout, sur le tourisme. – Ce petit territoire isolé, organisé en république au XIIIe s., sauvegarda son autonomie. Bonaparte respecta son statut.

Saint-Martin (canal), canal de 4 500 m qui traverse l'E. de Paris, du bassin de La Villette à la Seine; construit de 1802 à 1825; cours souterrain entre la place de la République et celle de la Bastille.

Saint-Martin (en néerl. *Sint Maarten*), île des Petites Antilles, partagée depuis 1648 entre la France et les Pays-Bas. La partie française, au N. (ch.-l. *Le Marigot*), constitue administrativement une com. rattachée à la Guadeloupe (arr. de Saint-Martin-Saint-Barthélemy); 52 km^2; 28 524 hab. La partie néerl. (34 km^2; 17 000 hab.; ch.-l. *Philipsburg*) est rattachée à Curaçao. Canne à sucre, salines. Tourisme.

Saint-Martin (Yves) (Agen, 1941), jockey français. Il domina le monde hippique de 1958 à 1987 et remporta quinze fois la «cravache d'or» (prix annuel du meilleur jockey).

Saint-Martin-Boulogne, com. du Pas-de-Calais (arr. de Boulogne-sur-Mer); 11 324 hab.

Saint-Martin-de-Crau, com. des Bouches-du-Rhône (arr. d'Arles), capitale de la Crau; 11 111 hab. – Grande foire aux moutons (mi-février). – Égl. néo-romane.

Saint-Martin-de-Ré, ch.-l. de cant. de la Charente-Maritime (arr. de La

Rochelle), port sur la côte N. de l'île de Ré; 2 520 hab. Stat. balnéaire. – Fortifications dues à Vauban. Pénitencier.

Saint-Martin-d'Hères, ch.-l. de cant. de l'Isère (arr. et aggl. de Grenoble); 34 501 hab. Quincaillerie.

Saint-Martory, ch.-l. de cant. de la Haute-Garonne (arr. de Saint-Gaudens), sur la Garonne; 952 hab. Le *canal de Saint-Martory* (70 km de Saint-Martory à Toulouse) irrigue les hautes plaines toulousaines. – Vestiges gaulois. Château (XVe et XVIe s.).

Saint-Mathieu (pointe), cap granitique du N.-O. du Finistère. Phare. Ruines d'une égl. abbatiale du XIIIe s.

Saint-Maur-des-Fossés, ch.-l. de cant. du Val-de-Marne (arr. de Créteil), dans une boucle de la Marne; 77 492 hab. Centre résidentiel et industriel (électr., papeterie).

Saint-Maurice (le), riv. du Québec (520 km), affl. du Saint-Laurent (r. g.). Hydroélectricité (barrage Gouin).

Saint-Maurice, com. du Val-de-Marne (arr. de Créteil), sur la Marne; 11 195 hab.

Saint-Maurice, com. de Suisse (Valais), sur le Rhône; 3 800 hab. – Abb. bénédictine d'Agaune, fondée au IVe s. Grotte des Fées (env. 700 m de profondeur).

Saint-Max, ch.-l. de cant. de Meurthe-et-Moselle (arr. de Nancy); 11 131 hab.

Saint-Maximin-la-Sainte-Baume, ch.-l. de cant. du Var (arr. de Brignoles); 9 693 hab. – Égl. Ste-Madeleine (fin XIIIe-XVIe s.), anc. abbatiale d'un couvent de dominicains.

Saint-Médard-en-Jalles, ch.-l. de canton de la Gironde (arr. de Bordeaux), dans le Médoc; 22 121 hab. Vins. Industr. aéron., électron. Poudrerie. – Vestiges d'un camp retranché antique. Château (XVe s.).

Saint-Michel-de-Cuxa (abbaye de), abb. bénédictine, fondée près de Codalet (Pyrénées-Orientales) à la fin du IXe s. : égl. St-Michel, de style mozarabe (XIe s.); crypte circulaire (XIe s.); cloître (XIIe s.).

abbaye de **Saint-Michel-de-Cuxa**

Saint-Michel-l'Observatoire ou cour. **Saint-Michel-de-Provence,** com. des Alpes-de-Haute-Provence (arr. de Forcalquier); 851 hab. Observatoire d'astrophysique (télescope de 1,93 m de diamètre), construit à 650 m d'alt.

Saint-Michel-sur-Orge, ch.-l. de canton de l'Essonne (arr. de Palaiseau), au S. de Paris; 20 845 hab. Aggl. résidentielle.

Saint-Mihiel, ch.-l. de cant. de la Meuse (arr. de Commercy), sur la Meuse; 5 435 hab. Prod. chim. – Anc. abbaye (XVIIe-XVIIIe s.), auj. palais de justice. Égl. St-Michel (XVIIe s.; renferme la *Vierge défaillante* de Ligier Richier). Église St-Étienne, gothique flamboyant (*Saint-Sépulcre* de Ligier Richier). – Cap. du duché de Bar, prise par les Français en 1635. Les Américains y remportèrent une victoire en sept. 1918.

Saint-Moritz (en all. *Sankt Moritz*, en romanche *San Murezzan*), com. de Suisse (Grisons), sur le *lac de Saint-Moritz*, en Engadine; 5 900 hab. Stat. de sports d'hiver renommée, stat. thermale.

Saint-Nazaire, ch.-l. d'arr. de la Loire-Atlantique, à l'embouchure de la Loire, sur la r. dr.; 66 087 hab. (*Nazairiens*); env. 131 500 hab. dans l'aggl. Cet avant-port de Nantes (depuis 1857) s'est spécialisé dans la constr. navale (1er centre français, auj. en crise); après 1945, des industries se sont implantées (aéronautique, matières plastiques). – Des bombardements alliés ravagèrent la ville en mars 1942.

saint-nectaire n. m. inv. Fromage d'Auvergne au lait de vache à pâte pressée et chauffée.

Saint-Nectaire, com. du Puy-de-Dôme (arr. d'Issoire); 637 hab. Fromages. Stat. thermale (affections rénales). – Égl. romane du XIIe s. (trésor). Vestiges gallo-romains.

Saint-Nicolas (en néerl. *Sint-Niklaas*), com. de Belgique (Flandre-Orientale); 68 200 hab. Textiles; constr. mécaniques.

Saint-Office (congrégation du), congrégation pontificale fondée par Paul III en 1542 afin de combattre la Réforme, de juger les cas d'hérésie, etc.; on lui attribua en 1917 les tâches de la congrégation de l'Index*. Devenue en 1965 la *congrégation pour la Doctrine de la foi*, elle juge tout ce qui relève de la foi et de la morale.

Saint-Omer, ch.-l. d'arr. du Pas-de-Calais, sur l'Aa; 15 304 hab. (*Audomarois*). Industr. textiles, papeterie. – Évêché (1559-1790). Basilique Notre-Dame, anc. cathédrale (XIIIe-XVe s.). Égl. St-Denis (XIIIe-XVe s.). Musée (beaux-arts et archéologie).

Saint-Ouen, ch.-l. de cant. de la Seine-St-Denis (arr. de Bobigny), dans la banlieue N. de Paris; 42 611 hab. (*Audoniens*). Centre industriel. Célèbre marché aux puces.

Saint-Ouen-l'Aumône, ch.-l. de cant. du Val-d'Oise (arr. de Pontoise), sur l'Oise; 18 822 hab. Plastiques, pharm.; industr. méca. et électronique.

Saint-Paul ou cour. **Saint-Paul-de-Vence,** com. pittoresque des Alpes-Maritimes (arr. de Grasse), très touristique et fréquentée par les artistes; 2 936 hab. – Enceinte du XVIe s. Fondation Maeght (art moderne).

Saint-Paul, ch.-l. d'arr. de la Réunion, sur la côte N.-O. de l'île; 71 952 hab. Commerce; industrie sucrière.

Saint Paul, v. des É.-U., cap. du Minnesota, sur le Mississippi (r. dr.); 272 200 hab. (conurbation avec Minneapolis, 2 113 500 hab.). Centre industriel et commercial.

Saint-Paul-hors-les-Murs (en ital. *San Paolo fuori le Mura*), basilique romaine fondée au IVe s. (reconstruite en 1823). Mosaïques du Ve s.

saintpaulia n. m. Petite plante herbacée d'Afrique orientale aux feuilles charnues disposées en rosette et aux fleurs colorées réunies en cyme. Syn. violette du Cap.

saint-paulin n. m. inv. Fromage de vache à pâte ferme non cuite et à croûte lavée.

saint-père, nom donné au pape.

Saint-Père, com. de l'Yonne (arr. d'Avallon), en contrebas de Vézelay; 353 hab. – Égl. Notre-Dame (XIIIe s.).

Saint-Pétersbourg (*Petrograd* de 1914 à 1924, *Leningrad* de 1924 à 1991), v. et port de Russie, à l'embouchure de la Neva; 4 995 000 hab.; ch.-l. de rég. Import. centre industr. (constr. méca.; métall., chim., text.), la ville est aussi un grand centre culturel. – Fondée en 1703 par Pierre le Grand, qui voulait une « fenêtre » sur l'Europe, la ville s'élève sur la Neva (r. g.). Conçue par des architectes italiens et français, elle renferme d'importants monuments restaurés après les destructions de 1941-1945 : la forteresse Pierre-et-Paul et la cath. St-Pierre-et-St-Paul, construites sous Pierre le Grand par le Suisse D. Trezzini; le palais d'Hiver (1754-1762, œuvre de Rastrelli); le palais de Marbre (bâti par Rinaldi de 1768 à 1785); la statue équestre de Pierre le Grand, par Falconet. La Bourse maritime fut édifiée (1805-1810) par le Français Thomas de Thomon, et la cath. St-Isaac (1819-1858) par Auguste Montferrand. Des palais et des églises bordent la magnifique perspective Nevski. Le musée de l'Ermitage, fondé par Catherine II, occupe plusieurs palais (dont le palais d'Hiver) et abrite une des plus riches collections de tableaux du monde. – De sept. 1941 à janv. 1944, la ville, encerclée par les troupes allemandes, subit un siège terrible et de lourdes pertes en vies humaines.

Saint-Pétersbourg : palais de l'Ermitage

Saint Petersburg, port des É.-U. (Floride), sur la baie de Tampa (golfe du Mexique); 238 600 hab. Stat. balnéaire.

Saint-Phalle (Marie-Agnès, dite Niki de) (Neuilly-sur-Seine, 1930), peintre et sculpteur français. Elle fait partie du *nouveau réalisme* et se fait connaître à partir de 1964 par ses énormes « Nanas » de plâtre peint et d'accumulation de déchets, puis par ses « maisons-sculptures » et ses « sculptures-jeux ».

Saint-Philbert-de-Grand-Lieu, ch.-l. de cant. de la Loire-Atlantique (arr. de Nantes); 5 176 hab. – Égl. abbat. carolingienne (crypte du IXe s.).

saint-pierre n. m. inv. Poisson des mers tempérées de forme aplatie, à la chair estimée, qui porte sur chaque flanc une tache noire. Syn. zée.

Saint-Pierre, ch.-l. de cant. de la Martinique (arr. de Fort-de-France), port dans le N.-O. de l'île; 5 045 hab. – Ville la plus peuplée de l'île (28 000 hab.) avant l'éruption de la montagne Pelée, qui la détruisit (8 mai 1902).

Saint-Pierre, ch.-l. d'arr. de la Réunion, sur la côte S. de l'île; 59 645 hab. Industr. chim.

Saint-Pierre, com. de la collectivité territoriale de Saint-Pierre-et-Miquelon; 5 683 hab. Pêche (morue).

Saint-Pierre (Eustache de). V. Eustache de Saint-Pierre.

Saint-Pierre de Rome, basilique de Rome, sur la r. dr. du Tibre, à côté du palais du Vatican, commencée vers 1450 sous le pape Nicolas V et reprise en 1506 sous Jules II; c'est l'église la plus vaste et la plus riche de la chrétienté. Sa construction fut successivement dirigée par Bramante, Raphaël, Michel-Ange, Carlo Maderno et le Bernin. La coupole (plans de Michel-Ange) s'élève à 132 m. Devant la basilique s'étend la place Saint-Pierre, décorée par le Bernin d'un portique semi-circulaire (1656-1665).

basilique **Saint-Pierre de Rome**

Saint-Pierre-des-Corps, ch.-l. de canton d'Indre-et-Loire (arr. de Tours); 18 235 hab. Important centre ferroviaire.

Saint-Pierre-et-Miquelon, archipel français, à 20 km au Sud de Terre-Neuve, territ. (1946-1976) puis dép. franç. d'outre-mer (975), érigé en collectivité territoriale de la Rép. française le 11 juin 1985; 242 km^2; 6 277 hab. (*Saint-Pierrais*), pour la plupart dans l'*île Saint-Pierre* (26 km^2), où se trouve le ch.-l. *Saint-Pierre*; ch.-l. d'arr. *Miquelon*. – De longueurs presque égales, la Grande Miquelon* et Langlade (ou Petite Miquelon) sont alignées N.-S. et réunies par le long isthme de Langlade; au S.-E. de Langlade, l'île Saint-Pierre, plus petite, est séparée d'elle par un détroit, la Baie. Ces trois îles, aux côtes découpées, ont un climat rude. La pêche à la morue et le tourisme (Canadiens et Américains) sont les princ. ressources. – Les Français s'installèrent dans ces îles au XVIe s.; elles furent occupées à plusieurs reprises par les Anglais, jusqu'à leur restitution définitive à la France en 1814 (V. Terre-Neuve).

Saint-Pierre-Port (en angl. *Saint Peter Port*), cap. de Guernesey, port sur la côte E.; 17 000 hab. Tourisme. – Égl. du XIIIe s. Musée Victor-Hugo, dans sa maison d'exil (Hauteville House).

Saint-Pol (Louis de Luxembourg-Ligny, comte de) (?, 1418 – Paris, 1475), connétable de France (1465) que Louis XI fit décapiter pour trahison.

Saint-Pol-de-Léon, ch.-l. de cant. du Finistère (arr. de Morlaix); 7 473 hab. – Anc. cath. gothique (XIIIe-XVIe s.); chapelle du Kreisker (XIVe-XVe s.).

Saint-Pol Roux (Paul Roux, dit) (Saint-Henry, près de Marseille, 1861 – Brest, 1940), écrivain français symboliste, un des précurseurs du surréalisme : *la Dame à la faulx* (tragédie, 1899), *les Féeries intérieures* (poèmes, 1907).

Saint-Pol-sur-Mer, com. du Nord (arr. de Dunkerque); 24 013 hab.

Saint-Pourçain-sur-Sioule, ch.-l. de cant. de l'Allier (arr. de Moulins); 5 395 hab. Vins. – Égl. Ste-Croix, anc. abbatiale bénédictine, remaniée.

Saint-Priest, ch.-l. de cant. du Rhône (arr. de Lyon); 42 131 hab. Prod. pétroliers, mat. de constr., industr. méca., industr. du verre.

Saint-Quentin (canal de), canal de 92 km qui relie l'Escaut à l'Oise, de Cambrai à Fargniers.

Saint-Quentin, ch.-l. d'arr. de l'Aisne, sur la Somme et sur le canal de Saint-Quentin; 62 085 hab. Industr. mécaniques, textiles et alimentaires. – Collégiale gothique St-Quentin (XIIe-XVe s.). Hôtel de ville (achevé au XVIe s.) avec façade de style flamboyant. Musée Lécuyer (pastels de Quentin de La Tour). – En 1557, la ville fut prise par les Espagnols. En 1871, les Prussiens y défirent l'armée du Nord. Elle fut un des centres de la résistance allemande en 1917-1918 (position Hindenburg).

Saint-Quentin-en-Yvelines, v. nouvelle créée en 1972, formée par la réunion de sept communes des Yvelines et rattachée à Trappes. Activités tertiaires et de montage.

Saint-Raphaël, ch.-l. de cant. du Var (arr. de Draguignan), au fond du golfe de Fréjus; 26 799 hab. Stat. balnéaire. – Débarquement franco-américain en août 1944.

Saint-Rémy-de-Provence, ch.-l. de cant. des Bouches-du-Rhône (arr. d'Arles); 9 429 hab. Comm. de fruits et légumes. – À proximité, Glanum*.

Saint-Riquier, com. de la Somme (arr. d'Abbeville); 1 175 hab. – Beffroi (XVe s.). Égl. de style gothique flamboyant (XIIIe-XVe s.).

Saint-Sacrement (Compagnie du), société religieuse à caractère secret, créée entre 1629 et 1631. Olier, Bossuet, Vincent de Paul en firent partie. Sa répression excessive de « l'immoralité » lui ayant attiré de nombr. ennemis, la société disparut en 1665.

Saint-Saëns (Camille) (Paris, 1835 – Alger, 1921), compositeur et organiste français. Il fit prévaloir contre les tendances wagnériennes un classicisme souvent froid : *le Rouet d'Omphale* (1871), *la Danse macabre* (1874), poèmes symphoniques; *Samson et Dalila* (1877), drame lyrique; *le Carnaval des animaux* (1886), fantaisie.

Saint-Savin, ch.-l. de cant. de la Vienne (arr. de Montmorillon); 1 099 hab. – Église romane du XIIe s., renfermant un ensemble, unique en France, de peintures murales romanes.

Saint-Sébastien (en esp. *San Sebastián - Donostia*), v. et port d'Espagne, à 20 km de la frontière française; 183 940 hab.; ch.-l. de la prov. basque de Guipúzcoa. Pêche; constr. mécaniques; prod. chimiques. Stat. balnéaire.

Saint-Sébastien-sur-Loire, com. de la Loire-Atlantique (arr. de Nantes); 22 763 hab.

Saint-Sépulcre (le), nom donné à l'ensemble de constructions érigées à Jérusalem sur la tombe du Christ et sur le lieu (proche) de sa crucifixion. Cet ensemble, partiellement détruit au VIIe s. et au XIe s., fut l'objet de nombr. restaurations. Les croisés groupèrent les différents sanctuaires dans une basilique, en partie incendiée et transformée au début du XIXe s., actuellement partagée entre catholiques latins, Grecs orthodoxes, Arméniens et Coptes.

Saint-Sever, ch.-l. de cant. des Landes (arr. de Mont-de-Marsan), sur l'Adour; 4 666 hab. I.A.A. – Égl. du XIIe s., anc. abbatiale bénédictine. Le célèbre manuscrit à peintures *Commentaire* sur l'Apocalypse, dit *Apocalypse de Beatus* ou *de Saint-Sever* (Bibliothèque nationale), y fut exécuté au XIe s. par un prêtre nommé Beatus.

Saint-Siège, la cour de Rome, la papauté, et, par ext., l'administration du siège pontifical. V. Vatican (État de la cité du).

Saint-Simon (Louis de Rouvroy, duc de) (Paris, 1675 – id., 1755), écrivain et mémorialiste français. Fils d'un écuyer de Louis XIII devenu duc et pair, il servit aux armées jusqu'en 1702; il vint alors habiter Versailles et fréquenta assidûment la Cour, où il tenta de jouer un rôle politique, notam. auprès du duc de Bourgogne puis sous la Régence. Il se retira sur ses terres de La Ferté-Vidame à la mort du Régent (1723) pour poursuivre la rédaction de ses *Mémoires*, au style pittoresque et imagé, d'une grande originalité. Portraits pris sur le vif, peintures des grandes scènes de la Cour font de cette œuvre monumentale un tableau extrêmement vivant des vingt dernières années du règne de Louis XIV et de la Régence. – **Claude Henri de Rouvroy,** comte de Saint-Simon (Paris, 1760 – id., 1825), philosophe et économiste français, parent du mémorialiste. Il se consacra à l'étude des phénomènes socio-économiques, élaborant une doctrine qui ouvrit la voie à la fois au positivisme et au socialisme humanitaire. Partisan des « producteurs » (savants, industriels, commerçants, ouvriers, agriculteurs), contre les « oisifs » (nobles, prêtres, fonctionnaires, etc.), il voulait confier aux premiers le soin d'assurer la paix et le bonheur des peuples : *Lettres d'un habitant de Genève à ses contemporains* (1802 ou 1803), *Mémoire sur la science de l'homme* (1813-1816), *Du système industriel* (1820-1823), *le Catéchisme des industriels* (1823-1824), *Nouveau Christianisme* (1825). Après sa mort, ses disciples (surtout Enfantin et Bazard) entreprirent une critique assez radicale de la propriété privée, dénoncèrent l'exploitation de l'homme par l'homme, puis finirent par constituer une secte qui prêchait une nouvelle religion de l'amour. Elle fut dispersée en 1832, mais l'influence du saint-simonisme fut durable. ► illustr. page **1681**

saint-simonien, enne n. et adj. Partisan des idées de Claude de Saint-Simon. *Les saint-simoniens.* ▷ adj. Qui a rapport à Saint-Simon ou à sa doctrine.

saint-simonisme n. m. Doctrine de Claude de Saint-Simon et de ses disciples.

Saint-Sulpice (compagnie des prêtres de), société de prêtres (sulpiciens), fondée en 1645 par M. Olier, curé de Saint-Sulpice, qui se consacrent à la formation des séminaristes.

Saint-Thégonnec, ch.-l. de cant. du Finistère (arr. de Morlaix); 2 153 hab. – Chapelle-ossuaire (XVIIe s.). Calvaire (1610).

Saint Thomas (île), une des îles Vierges* (83 km²; 44 300 hab.), où se trouve le ch.-l. de ces îles, *Charlotte Amalie.*

Saint-Tropez, ch.-l. de cant. du Var (arr. de Draguignan), sur le *golfe de Saint-Tropez;* 5 790 hab. Station balnéaire. – Musée de l'Annonciade.

Saint-Vaast (abbaye de), abbaye bénédictine construite à Arras au VIIe s. Reconstruite au XVIIIe s., elle devint le palais (municipal) *Saint-Vaast.*

Saint-Vallier, com. de Saône-et-Loire (arr. de Chalon-sur-Saône), près de Montceau-les-Mines; 10 083 hab.

Saint-Véran, com. des Hautes-Alpes (arr. de Briançon), dans le Queyras, située entre 1 990 m et 2 040 m d'alt.; 261 hab. Sports d'hiver.

Saint-Vincent (cap) (en portug. *São Vicente*), cap à l'extrémité S.-O. du Portugal.

Saint-Vincent-de-Paul (Sœurs de) ou **Filles de la Charité,** congrégation de religieuses dévouées aux malades et aux pauvres, fondée en 1633 par saint Vincent de Paul et Louise de Marillac.

Saint-Vincent-de-Paul (Société de), société religieuse créée à Paris en 1833 par Fr. Ozanam et six étudiants. Communément appelée Conférence de Saint-Vincent-de-Paul, elle est composée de laïcs qui se consacrent à l'assistance aux victimes de la société.

Saint-Vincent et les Grenadines, État des Petites Antilles, formé de l'île *Saint-Vincent* et des *Grenadines* septentrionales; 389 km²; 123 000 hab. (*Saint-Vincentais*); cap. *Kingstown.* Langue off. : angl. Monnaie : dollar des Caraïbes-Orientales. Population : Noirs en majorité. Relig. : protestantisme, cathol. Ressources principales : tourisme, bananes. – Colonie britannique jusqu'en 1969, État indépendant depuis 1979. ► carte **Antilles**

Saint-Wandrille-Rançon, com. de la Seine-Maritime (arr. de Rouen); 1 161 hab. – Abbaye fondée au VIIe s. : ruines de l'égl. abbatiale gothique (XIIIe-XIVe s.), cloître (XIVe-XVIe s.).

Saint-Yrieix-la-Perche, ch.-l. de cant. de la Haute-Vienne (arr. de Limoges); 8 148 hab. Marché à bestiaux. Carrières de kaolin, à la base de la production de porcelaine limousine.

Sainte-Adresse, com. de la Seine-Maritime (arr. du Havre); 8 193 hab. Stat. balnéaire. – Siège du gouvernement belge de 1914 à 1918.

Sainte-Anne, ch.-l. de cant. de la Guadeloupe (arr. de Pointe-à-Pitre), dans le S. de la Grande-Terre; 16 954 hab. Port.

Sainte-Anne-d'Auray, com. du Morbihan (arr. de Lorient); 1 758 hab. – Pèlerinage.

Sainte-Anne-de-Beaupré, v. du Québec située sur la rive N. du Saint-Laurent. 3 270 hab. Pèlerinage.

Sainte-Assise, écart de la com. de Seine-Port (Seine-et-Marne, arr. de Melun). Centre de télécommunications.

Sainte-Baume (massif de la), massif calcaire de Provence (1 154 m au *signal des Béguines*), dans le Var et les Bouches-du-Rhône. – Pèlerinage.

Sainte-Beuve (Charles Augustin) (Boulogne-sur-Mer, 1804 – Paris, 1869), écrivain français. Membre du Cénacle romantique, il publia d'abord un *Tableau historique et critique de la poésie française et du théâtre français au XVIe siècle* (1828), des recueils poétiques (*Vie, poésies et pensées de Joseph Delorme,* 1829), un roman inspiré par sa liaison tourmentée avec Adèle Hugo (*Volupté,* 1834), puis se tourna vers la critique établissant des rapports entre l'œuvre et la vie des écrivains : *Port-Royal* (1840-1859), *Chateaubriand et son groupe littéraire sous l'Empire* (1860), *Causeries du lundi* (1851-1862), *Nouveaux Lundis* (1863-1870). Acad. fr. (1843).

Sainte-Chapelle, chapelle gothique située dans l'enceinte du Palais de Justice de Paris, bâtie de 1242 à 1248, sur l'ordre de Saint Louis, pour abriter les reliques de la Passion du Christ. Attribuée à Pierre de Montreuil, elle fut fortement restaurée par Duban, Lassus et Viollet-le-Duc.

Sainte-Claire-Deville (Henri) (île Saint-Thomas, 1818 – Boulogne-sur-Seine, 1881), chimiste français. Ses travaux aboutirent à la découverte de l'anhydride nitrique (1849) et à la préparation industrielle de l'aluminium (1854), puis du magnésium (1857).

Sainte-Chapelle : chapelle haute

Sainte-Croix, la plus grande des îles Vierges*; 207 km²; 50 000 hab.; ch.-l. *Christiansted.* Canne à sucre; élevage.

Sainte-Foy, v. du Québec, banlieue de Québec; 75 000 hab. – Université Laval. Maisons anc. – En 1760, victoire des troupes franç. de Lévis sur les Anglais de Murray.

Sainte-Foy-lès-Lyon, ch.-l. de cant. du Rhône (arr. de Lyon), sur la Saône; 21 550 hab. Prod. pharm.

Sainte-Geneviève (abbaye), anc. abb. de Paris (XIIe-XVIIe s.), auj. lycée Henri-IV (place du Panthéon).

Sainte-Geneviève (bibliothèque), bibliothèque de Paris, construite de 1844 à 1850 par Labrouste, place du Panthéon.

Sainte-Geneviève-des-Bois, ch.-l. de cant. de l'Essonne (arr. de Palaiseau); 31 372 hab. (*Génovéfains*). Cité résidentielle. – Cimetière russe.

Sainte-Hélène, île britannique de l'Atlantique Sud, à env. 1 800 km des côtes de l'Angola; 122 km²; 6 528 hab.; ch.-l. *Jamestown.* Ressource principale : pêche. – Napoléon, déporté par les Anglais en 1815, y mourut en 1821.

Sainte-Hermandad. V. Hermandad.

Sainte Ligue. V. Ligue.

Sainte-Lucie, État des Petites Antilles, au S. de la Martinique; 616 km²; 136 000 hab. (Saint-Luciens); cap. *Castries* (50 000 hab.). Langue off. : angl. Monnaie : dollar des Caraïbes-Orientales. Population : Noirs en majorité. Relig. : protestantisme, cathol. Ressources princ. : tourisme, bananes. – Colonie brit. jusqu'en 1967. État indépendant dep. 1979. ► carte **Antilles**

Sainte-Marie, ch.-l. de cant. de la Martinique (arr. de Trinité), sur la côte N.-E.; 19 760 hab. Pêche.

Sainte-Marie, com. de la Réunion (arr. du Vent), sur la côte N.; 20 334 hab.

Sainte-Marie-aux-Mines, ch.-l. de cant. du Haut-Rhin (arr. de Ribeauvillé), dans les Vosges; 5 958 hab. Textiles. – Mines d'argent, de plomb et de cuivre exploitées du IXe au XVIIIe s.

Sainte-Maxime, com. du Var (arr. de Draguignan); 10 047 hab. Stat. balnéaire. – Les troupes franco-américaines y débarquèrent le 15 août 1944.

Sainte-Menehould ou **Sainte-Ménehould,** ch.-l. d'arr. de la Marne, sur l'Aisne; 5 410 hab. – Égl. (XIIIe-XIVe s.). Cimetière militaire. – Anc. place forte, au pied de l'Argonne, ravagée par un incendie en 1719.

saintement adv. D'une manière sainte.

Sainte-Mère-Église, ch.-l. de cant. de la Manche (arr. de Cherbourg); 1 564 hab. – Égl. du XIIIe s. – À l'E. de cette com., une division américaine fut parachutée dans la nuit du 5 au 6 juin 1944, précédant le Débarquement.

sainte-nitouche n. f. Fam. Personne qui affecte des airs d'innocence ou de pruderie. *Des saintes-nitouches.*

Sainte-Odile (abbaye de), abbaye de la com. d'Ottrot (Bas-Rhin, arr. de Molsheim), fondée par sainte Odile au VIIe s., entrée en décadence au XIe s., reconstruite au XVIIe s. Pèlerinage.

Sainte-Pélagie (prison), anc. établissement parisien pour filles repenties. Elle fut transformée au XIXe s. en prison départementale, et de nombr. détenus politiques et des écrivains condamnés pour délits de presse (ou pour dettes) y séjournèrent. Elle fut démolie en 1898.

Sainte-Rose, ch.-l. de cant. de la Guadeloupe (arr. de Basse-Terre), sur la côte N. de Basse-Terre; 14 077 hab.

Saintes (îles des), archipel des Antilles, dépendant de la Guadeloupe; 13 km²; 3 400 hab. env. (pour la plupart des descendants de Bretons); ch.-l. *Terre-de-Haut.* Pêche.

Saintes, ch.-l. d'arr. de la Charente-Maritime, sur la Charente; 27 546 hab.

(*Saintais*). Centre commercial (pineau, cognac). Constr. électromécaniques. – Égl. romane St-Eutrope (XIIe s., remaniée au XVe s.). Égl. Ste-Marie-aux-Dames, anc. abbatiale romane (façade du XIIe s.). Amphithéâtre et arc romains. Musée. – La ville fut la cap. de la Saintonge*. Centre calviniste, elle souffrit des guerres de Religion. L'évêché, fondé au IIIe s., subsista jusqu'en 1790.

Saintes-Maries-de-la-Mer, ch.-l. de cant. des Bouches-du-Rhône (arr. d'Arles), en Camargue; 2 239 hab. Stat. balnéaire. – Égl. romane fortifiée; dans la crypte, tombeau de sainte Sara, patronne des gitans.

Sainte-Sophie (église), ancienne basilique de Constantinople, construite de 532 à 537 par Anthémios de Tralles et Isidore de Milet. En 1453, les Turcs la transformèrent en mosquée et y ajoutèrent des minarets. En 1934, elle devint un musée.

Sainte-Sophie : vue intérieure de la mosquée, VIe s., Istanbul

Sainte-Suzanne, ch.-l. de cant. de la Réunion (arr. de Saint-Denis), sur la côte N. de l'île; 14 731 hab. Distilleries.

Sainte Union. V. Ligue.

Sainte-Vehme. V. Vehme.

Sainte-Victoire (chaîne ou montagne de la), petit massif (1 011 m) à l'E. d'Aix-en-Provence; un des sujets favoris de Cézanne.

sainteté n. f. **1.** Qualité d'une personne ou d'une chose sainte. *Sainteté d'un lieu.* ▷ *En odeur de sainteté :* V. odeur. **2.** *Sa Sainteté :* titre donné au pape et à quelques hauts dignitaires dans certaines Églises d'Orient.

Saintonge, anc. prov. de France formant auj. le S. du dép. de la Charente-Maritime et une partie du dép. de la Charente; cap. *Saintes.* – Peuplée par les Celtes Santones, envahie par les Alains, les Vandales et les Wisigoths, elle fit partie de l'Aquitaine, passa à l'Angleterre (1152), fut reprise en partie à Jean sans Terre (1204-1210), puis reconquise en totalité (par Du Guesclin en 1371). Charles V la réunit définitivement à la Couronne en 1375. Le protestantisme y fut actif.

saintongeais, aise adj. et n. De la Saintonge. – Subst. *Un(e) Saintongeais(e).*

Saintrailles. V. Xaintrailles (Jean Poton, seigneur de).

Saïs (auj. *Sá al-Hagar*), v. de l'Égypte anc. (delta du Nil, près de l'actuelle Damanhour), qui possédait un très célèbre sanctuaire réservé au culte de la déesse Neith. Cap. des pharaons *saïtes* (XXIVe, XXVIe, XXVIIIe et XXXe dynasties).

saisi, ie adj. et n. m. DR Qui fait l'objet d'une saisie. ▷ n. m. *Le saisi :* la personne qui fait l'objet d'une saisie (sens 1).

saisie n. f. **1.** DR Acte par lequel un créancier, pour sûreté de sa créance, frappe d'indisponibilité, dans les formes légales, les biens de son débiteur. *Saisie mobilière* ou *saisie-exécution.* – *Saisie-arrêt,* pratiquée par un créancier sur les sommes, meubles ou effets dus par un tiers à son débiteur, le créancier devant être payé sur ces sommes ou sur le prix de vente des meubles. *Des saisies-arrêts.* **2.** INFORM *Saisie de données :* enregistrement de données par un ordinateur en vue de leur traitement.

1. saisine n. f. DR **1.** Formalité par laquelle une juridiction se trouve saisie, est amenée à connaître d'une affaire. **2.** Prise de possession des biens d'un défunt dévolus à son héritier.

2. saisine n. f. MAR Cordage utilisé pour amarrer un objet, sur un navire.

saisir v. [3] **I.** v. tr. **1.** Prendre, attraper vivement. *Saisir qqn à bras le corps, aux épaules.* **2.** Mettre immédiatement à profit. *Saisir l'occasion, le moment.* ▷ *Saisir un prétexte,* s'en servir. **3.** Prendre, attraper (un objet). **4.** Comprendre, sentir. *Il saisit tout de suite le ridicule de sa situation.* **5.** Litt. (Choses) S'emparer de (qqn). *La fièvre l'a saisi hier soir.* ▷ (En parlant d'un sentiment, d'une émotion.) *L'effroi le saisit. Être saisi d'admiration.* **6.** Exposer peu de temps (un aliment) à un feu vif. *Saisir une viande.* **7.** DR Opérer la saisie de. *Saisir des meubles.* **8.** DR *Saisir un tribunal d'une affaire,* la porter devant ce tribunal. **9.** INFORM Effectuer une saisie (sens 2). **II.** v. pron. *Se saisir de :* s'emparer, se rendre maître de.

saisissable adj. **1.** Qui peut être saisi, perçu, compris. **2.** DR Qui peut faire l'objet d'une saisie.

saisissant, ante adj. et n. m. **1.** Qui fait une vive impression, qui saisit (sens 5). *Un tableau saisissant.* **2.** DR Qui pratique une saisie. ▷ n. m. *Le saisissant.*

saisissement n. m. Émotion soudaine causée par une impression vive. *Il s'évanouit de saisissement.*

saison n. f. **1.** Période de l'année caractérisée par la constance de certaines conditions climatiques et par l'état de la végétation. *La belle (la mauvaise) saison :* l'époque de l'année où le temps est chaud, ensoleillé (froid, pluvieux). *L'arrière-saison :* l'automne, le début de l'hiver. *Morte-saison*.* ▷ *La saison de :* la saison pendant laquelle on trouve en abondance (tel produit naturel, telle denrée), ou pendant laquelle on peut se livrer à (telle activité liée au rythme de la nature). – *Fruits de saison,* propres à la saison où l'on se trouve. – *Marchand(e) des quatre-saisons :* V. quatre-saisons. **2.** Chacune des quatre grandes divisions de l'année, dont deux commencent aux solstices* et deux aux équinoxes*. *Les quatre saisons :* hiver, printemps, été, automne. **3.** Période de l'année où une activité bat son plein. *La saison sportive.* – *Absol.* Période d'affluence des vacanciers, saison touristique. *Il est moniteur de ski pendant la saison. Haute (basse) saison :* période pendant laquelle l'affluence est la plus grande (faible). ▷ Séjour dans une station thermale. *Faire une saison à Vichy.* **4.** Loc. *Être de saison :* être approprié aux circonstances, venir à propos. ▷ *Hors de saison :* mal à propos, déplacé.
ENCYCL **Météo.** – Dans les pays tropicaux, il n'y a que deux saisons : la saison sèche et la saison des pluies. En se rapprochant de l'équateur, on voit apparaître deux périodes de sécheresse inégales, séparées par deux périodes pluvieuses, plus ou moins rapprochées. Les régions polaires ne connaissent pas de saisons intermédiaires : l'été et l'hiver se succèdent brutalement.

saisonnalité n. f. Aspect saisonnier.

saisonnier, ère adj. et n. **1.** Qui est lié à l'alternance des saisons; qui caractérise une saison. **2.** Qui ne dure qu'une saison. ▷ n. Ouvrier(ère) qui fait du travail saisonnier.

sajou n. m. Petit singe des forêts vierges d'Amérique du S., à longue queue préhensile. Syn. sapajou, capucin.

Sakai, v. du Japon (Honshū), près d'Ōsaka; 818 270 hab. Centre industriel.

Sakalaves, ensemble de peuples de Madagascar de langue malayo-polynésienne, établis à l'ouest de l'île.

Sakarya (le), fl. de Turquie (Anatolie), tributaire de la mer Noire (650 km). Hydroélectricité.

saké n. m. Boisson alcoolisée japonaise, obtenue par fermentation du riz.

Sakha, nom officiel de la rép. de Iakoutie.

Sakhaline (île), île de Russie, dans le Pacifique N., au N. de Hokkaidō; 87 100 km²; 700 000 hab. – Cette île montagneuse (alt. max. 1 550 m) et couverte de forêts s'allonge sur 950 km du N. au S.; le climat, froid, est tempéré par les influences océaniques. Sous-sol riche : pétrole, gaz naturel, charbon. Pêcheries. – Les Russes occupèrent l'île à partir de 1857; en 1905, ils obtinrent la partie N. et les Japonais la partie S., qu'ils durent céder à l'U.R.S.S. en 1945.

Sakharov (Andreï Dimitrievitch) (Moscou, 1921 – id., 1989), physicien nucléaire soviétique, « père » de la bombe H. Défenseur des droits de l'homme en U.R.S.S., il créa en 1970 la section soviétique d'Amnesty International. Assigné à résidence à Gorki de 1980 à 1986, il fut élu député au Congrès du peuple en 1989. P. Nobel de la paix 1975.

Andreï **Sakharov** et sa femme (Elena Bonner)

saki n. m. ZOOL Petit singe (genre *Pithecia,* fam. cébidés) d'Amérique du Sud à grande queue et à poil long.

sakieh [sakje] n. f. Noria égyptienne dont la roue est mue par des bœufs qui tournent en manège.

Sakkarah. V. Saqqarah.

Salaberry-de-Valleyfield (anc. *Valleyfield*), v. du Canada (Québec), sur le Saint-Laurent; 36 360 hab. Métallurgie du zinc.

Salabert (Francis) (Paris, 1884 – Shannon, Irlande, 1946), éditeur français. De la maison d'édition musicale héritée de son père, il fit l'une des plus importantes firmes françaises, qui porte toujours son nom.

salace adj. Qui recherche, d'une manière excessive ou déplaisante, les rapprochements sexuels. Syn. lubrique. ▷ Par ext. *Plaisanteries salaces*, grivoises, licencieuses.

Salacrou (Armand) (Rouen, 1899 – Le Havre, 1989), écrivain français; auteur de comédies (*Patchouli*, 1930) et de drames (*l'Inconnue d'Arras*, 1935; *l'Archipel Lenoir*, 1947; *Boulevard Durand*, 1961).

salade n. f. **1.** Mets composé de feuilles d'herbes potagères crues, assaisonnées de vinaigrette. *Remuer, tourner la salade.* **2.** Plante potagère entrant dans la composition de ce mets (laitue, endive, pissenlit, mâche, etc.). ▷ (Avec un compl. de n. ou un adj.) Mets froid composé de légumes crus ou cuits, de viande, de crustacés, de poissons, assaisonnés d'une vinaigrette. *Salade de tomates. Salade niçoise*, à base de légumes crus, assaisonnée d'huile d'olive, sans vinaigre. ▷ *Salade russe* : macédoine de légumes cuits, assaisonnée à la mayonnaise. ▷ *Salade de fruits* : mélange de fruits coupés en morceaux, servis avec du sirop. **3.** Fig., fam. Situation confuse et compliquée. *Quelle salade!* Syn. brouillamini. **4.** Fig., fam. Discours mensonger. *Raconter des salades.*

saladier n. m. Récipient dans lequel on sert la salade. ▷ Son contenu. *Un saladier de pissenlits.*

Saladin Ier (en ar. *Ṣalāḥ ad-Dīn Yūsuf*) (Takrit, Mésopotamie, 1138 – Damas, 1193), premier sultan ayyoubide d'Égypte (1171-1193) et de Syrie (1174-1193). D'origine kurde, vizir d'Égypte en 1169, il prit le titre de sultan après avoir déposé la dynastie Fatimide (1171). Il soumit la Mésopotamie, prenant ainsi en tenaille les États francs. Sa victoire décisive à Hittin (près du lac de Tibériade) sur les chrétiens (1187) et son entrée à Jérusalem suscitèrent la IIIe croisade. La paix de 1192 établit un *modus vivendi*, les Francs gardant les zones côtières. Le personnage de Saladin, homme sans fanatisme et d'esprit chevaleresque, fut à l'origine de légendes en Occident.

Salado (río), fleuve d'Argentine (620 km) qui se jette dans l'Atlantique au S. du Río de La Plata.

Salado (río), riv. d'Argentine (2 000 km), affl. du Colorado (r. g.), qui se perd dans des mares saumâtres une fois passée la saison des pluies.

Salado del Norte (río), riv. d'Argentine (2 000 km) qui traverse le Chaco et conflue avec le Paraná (r. dr.) près de Santa Fe.

salage n. m. **1.** Action de saler; son résultat. *Le salage du jambon.* **2.** Action de répandre du sel sur une chaussée pour faire fondre la neige ou le verglas.

salaire n. m. **1.** Rémunération d'un travail payée régulièrement par l'employeur à l'employé dans le cadre d'un contrat de travail. *Bulletin de salaire. Salaire de base* : salaire théorique sur lequel sont calculées les prestations familiales. **2.** Fig. Récompense ou punition méritée pour une action. *Recevoir le salaire de ses crimes.* – Prov. *Toute peine mérite salaire.*

ENCYCL **Écon.** – Le salaire brut est le salaire calculé avant déduction des cotisations sociales du salarié; le salaire net est le salaire perçu par le salarié après déduction de ces cotisations. Le salaire nominal est le salaire tel qu'il est exprimé en monnaie courante sur la feuille de paye; le salaire réel est la quantité de biens et de services que le salarié peut acheter avec son salaire nominal. Il existe un salaire plancher au-dessous duquel aucun salarié ne peut être rémunéré : le SMIC (salaire minimum interprofessionnel de croissance) qui varie en fonction de l'évolution des prix et du développement économique.

salaison n. f. **1.** Action de saler (des aliments) pour les conserver. **2.** Aliment conservé par le sel. *Se nourrir de salaisons.*

salaisonnerie n. f. Industrie de la salaison de viande.

Salam (Abdus) (Jhang, 1926), physicien pakistanais. Auteur, avec Weinberg, de la théorie électrofaible qui unifie dans une même description les interactions* électromagnétique et faible. P. Nobel 1979.

salamalecs n. m. pl. Fam. Politesses exagérées. *Faire des salamalecs.*

salamandre n. f. **1.** Petit amphibien urodèle (genre princ. *Salamandra*) terrestre, vivipare, dont la peau noire marbrée de jaune sécrète une humeur corrosive. *Selon une croyance ancienne, les salamandres, incombustibles, vivaient dans le feu.* **2.** Appareil de chauffage à feu continu qui se place dans une cheminée.

salamandre tachetée

Salamanque (en esp. *Salamanca*), v. d'Espagne (Castille et Léon), sur le Tormes; 162 000 hab.; ch.-l. de la prov. du m. nom. Céramique; industr. du cuir. Tourisme. – Université célèbre. Nombr. monuments du Moyen Âge, de la Renaissance et de l'époque baroque.

salami n. m. Gros saucisson sec d'Italie, fait de porc haché fin.

Salamine, île de Grèce, à l'O. du Pirée; 95 km^2; 28 600 hab.; v. princ. *Salamina.* – La *bataille navale de Salamine* (480 av. J.-C.), qui se termina par la victoire des Grecs sur la flotte de Xerxès, instaura la suprématie maritime d'Athènes (seconde guerre médique).

Salan (Raoul) (Roquecourbe, Tarn, 1899 – Paris, 1984), général français. Commandant en chef en Indochine (1952-1953) et en Algérie (1956-1958), il joua un rôle important lors de l'appel au général de Gaulle en mai 1958. Il refusa ensuite sa politique algérienne, s'associa au putsch d'Alger (1961) et fonda l'O.A.S. Arrêté en 1962, il fut libéré en 1968 et publia ses *Mémoires* (1974).

salangane n. f. Martinet des côtes de l'Extrême-Orient dont les nids, faits de salive et d'algues, sont consommés dans la cuisine chinoise sous le nom de « nids d'hirondelles ».

salant adj. m. et n. m. **1.** adj. m. Qui produit, qui contient du sel. *Marais salant* : suite de bassins peu profonds, situés en bord de mer, où l'on recueille le sel, après évaporation de l'eau. (V. saline.) **2.** n. m. Terrain proche de la mer où apparaissent des efflorescences salines.

salarial, ale, aux adj. Relatif au salaire. ▷ *Masse salariale* : montant des salaires versés dans une entreprise, dans un pays, etc.

salariat n. m. **1.** Condition du salarié. **2.** Mode de rémunération du travail par le salaire. **3.** Ensemble des salariés. *Le salariat et le patronat.*

salarié, ée adj. et n. Qui est rémunéré par un salaire. ▷ Subst. Personne qui reçoit un salaire.

salarier v. tr. [2] **1.** Rétribuer par un salaire. **2.** Donner le statut de salarié à (qqn).

Salat (le), riv. des Pyrénées centrales (75 km), affl. de la Garonne (r. dr.).

salaud n. m. (et adj. m.) Fam., inj. Homme moralement méprisable. – (Non injur.) *Tu en as de la chance, mon salaud!* ▷ adj. m. Qui se conduit mal. *Il a été salaud avec nous.* (Au fém. : V. salope.)

Salazar (Antonio de Oliveira) (Vimieiro, près de Santa Comba Dão, 1889 – Lisbonne, 1970), homme politique portugais. Professeur de sciences économiques, il fut nommé en 1928 ministre des Finances par Carmona, qui lui confia en 1932 la présidence du Conseil. Dès lors, et jusqu'à sa retraite (1968), il gouverna le pays de façon autoritaire. Il institua (Constitution de 1933) l'« État nouveau », anticommuniste, fondé sur le corporatisme, le nationalisme et le christianisme *(salazarisme).*

Saldanha (João d'Oliveira e Daun, duc de) (Azinhaga, Santarém, 1790 – Londres, 1876), homme politique et maréchal portugais. Petit-fils de Pombal, il exerça le pouvoir au Portugal à plusieurs reprises (1835-1836, 1846-1849, 1851-1856). Il dirigea un coup d'État en mai 1870, qui fit de lui, jusqu'en août, le maître du pays.

Saldjūqides. V. Seldjoukides.

sale adj. **1.** Qui est malpropre, dont la pureté est visiblement altérée par une substance étrangère. *De l'eau sale.* ▷ *Une couleur sale*, peu franche, ternie. ▷ (Personnes) Mal lavé, crasseux. **2.** Qui peut avoir des conséquences fâcheuses; mauvais, désagréable ou dangereux. *Une sale affaire. Faire un sale travail.* – *Sale temps* : mauvais temps. ▷ Fam. *Faire une sale tête, une sale gueule* : avoir l'air contrarié. **3.** Fam. (Avant le nom.) (Personnes) Méprisable, détestable. *Un sale type.* – (Sens atténué.) *Mais où sont passés ces sales gosses?*

1. salé n. m. Viande de porc salée. ▷ *Petit salé* : morceau de porc légèrement salé destiné à être bouilli.

2. salé, ée adj. **1.** Qui contient du sel; qui est assaisonné avec du sel. **2.** Fig. Licencieux, grivois. *Plaisanterie salée.* **3.** Fig., fam. Exagéré, excessif; dont le montant est trop élevé (prix). *Addition salée.*

Salé (lac). V. Grand Lac Salé.

Salé, v. du Maroc, fbg de Rabat, sur le Bou Regreg; 289 390 hab. – Place commerciale import. au Moyen Âge.

Salem, v. des É.-U., cap. de l'Oregon; 107 780 hab. (aggl. urb. 255 200 hab.). Conserveries, usine d'alumine.

Salem, v. de l'Inde (Tamil Nadu); 364 000 hab. Textiles; papeteries. Centre minier (chrome et fer).

salement adv. **1.** D'une manière sale. *Manger salement.* **2.** Fam. Grandement, très. Syn. rudement.

Salengro (Roger) (Lille, 1890 - id., 1936), homme politique français. Député socialiste à partir de 1928, il devint en 1936 ministre de l'Intérieur du Front populaire. Accusé à tort par les journaux d'extrême droite d'avoir déserté en 1915, il se suicida.

saler v. tr. [**1**] **1.** Assaisonner avec du sel. **2.** Pratiquer la salaison de. *Saler du poisson.* **3.** Répandre du sel pour dégeler. *Saler une rue verglacée.* **4.** Fig., fam., vieilli Punir sévèrement. *Il s'est fait saler!*

Salerne, v. d'Italie (Campanie), au S.-E. de Naples, sur le *golfe de Salerne;* 156 600 hab.; ch.-l. de la prov. du m. nom. Port actif; centre industriel. - Université. Archevêché. Cath. du XIe s., remaniée. L'école de médecine de Salerne jouissait d'une grande réputation au Moyen Âge.

saleron n. m. Godet d'une salière. ▷ Petite salière individuelle.

salers n. m. Fromage de cantal artisanal, de la région de Salers.

Salers, ch.-l. de cant. du Cantal (arr. de Mauriac); 440 hab. Race bovine estimée. - Vest. d'une enceinte du XVe s.

Sales. V. François de Sales (saint).

salésien, enne adj. et n. RELIG CATHOL Qui se rapporte à saint François de Sales. ▷ n. Prêtre de la congrégation de Saint-François-de-Sales ou religieuse de la congrégation des Filles de Marie-Auxiliatrice (fondées par saint Jean Bosco en 1859 et 1872).

saleté n. f. **I. 1.** État de ce qui est sale. **2.** Chose sale. Syn. crasse, ordure. **II.** Fig. **1.** Obscénité. *Raconter des saletés.* **2.** Action basse, méprisable, malhonnête. *Il m'a fait une saleté.* **3.** Fam. Objet sans valeur, laid ou déplaisant. *Pourquoi collectionne-t-il ces saletés?*

Salette-Fallavaux (La), com. de l'Isère (arr. de Grenoble); 87 hab. - Pèlerinage. Basilique érigée à l'endroit où deux jeunes bergers affirmèrent avoir vu la Vierge en 1846.

saleur, euse n. **1.** Personne dont le métier consiste à faire des salaisons. ▷ n. m. Marin-pêcheur qui sale le poisson, à bord d'un bateau de pêche. **2.** n. f. Véhicule utilisé pour le salage des chaussées.

Salève (mont), chaînon isolé des Préalpes, surplombant Genève; culmine au Grand Piton (1 375 m). Téléphérique.

Salgótarján, v. de Hongrie, près de la frontière slovaque; 49 000 hab.; ch.-l. du comté de Nógrád. Lignite. Verreries. Manuf. de tabac. Tourisme.

salicacées n. f. pl. BOT Famille de plantes à fleurs en chatons, comprenant les peupliers et les saules. - Sing. *Une salicacée.*

salicorne n. f. Plante (fam. chénopodiacées) des zones littorales, aux feuilles réduites à des écailles, aux fleurs en épis, qui pousse sur les vases salées.

saliculture n. f. Exploitation des marais salants.

salicylate n. m. CHIM, PHARM Sel ou ester de l'acide salicylique.

salicylé n. m. PHARM Famille de médicaments contenant de l'acide salicylique ou un dérivé, et dont le plus connu est l'aspirine.

salicylique adj. CHIM *Acide salicylique :* acide phénol utilisé comme antithermique, antiseptique et antirhumatismal. (L'un de ses esters, l'*acide acétylsalicylique,* est l'aspirine.)

Saliège (Jules Géraud) (Crouzy-Haut, Cantal, 1870 - Toulouse, 1956), prélat français; archevêque de Toulouse (1928). Il protesta contre les arrestations des Juifs entre 1942 et 1944, fut assigné à résidence par les Allemands. Cardinal en 1946.

salien, enne adj. HIST Propre ou relatif aux Saliens. *Les empereurs saliens.*

Saliens, populations franques établies au IVe s. apr. J.-C. dans ce qui est auj. la rég. de l'Overijssel aux Pays-Bas. *Les Francs Saliens.* (V. salique.)

salière n. f. **1.** Petit récipient destiné à contenir du sel pour la table. **2.** Fig., fam. Enfoncement en arrière de chaque clavicule, chez les personnes maigres.

Salieri (Antonio) (Legnago Veneto, 1750 - Vienne, 1825), compositeur italien; rival de Mozart : *les Danaïdes* (opéra, 1784), *la Grotta di Trofonio* (opéra bouffe, 1785), etc.

Salies-de-Béarn, ch.-l. de cant. des Pyrénées-Atlantiques (arr. de Pau); 5 117 hab. Stat. thermale.

Salies-du-Salat, ch.-l. de cant. de la Haute-Garonne (arr. de Saint-Gaudens); 2 131 hab. Stat. thermale.

salifère adj. GEOL, BOT Qui contient du sel. *Argile salifère. Plante salifère.*

saligaud, aude n. (Le fém. est très rare.) Fam. Personne ignoble, moralement répugnante. Syn. salaud.

Salim. V. Selim.

salin, ine adj. et n. m. **1.** adj. Qui contient du sel; qui est formé de sel. *Roches salines,* qui contiennent du sel gemme, du gypse, des sels de potassium. **2.** n. m. Marais salant.

Salinas (Pedro) (Madrid, 1892 - Boston, 1951), poète espagnol d'inspiration lyrique : *Présages* (1923), *la Voix qui t'est due* (1933).

Salinas de Gortari (Carlos) (Mexico, 1948), homme politique mexicain. Ministre des Finances de 1982 à 1988, il a été président de la République de 1988 à 1994.

Salin-de-Giraud, écart de la com. d'Arles. Salines et industries chimiques.

saline n. f. Entreprise industrielle de production de sel (gemme ou marin). ▷ Cour. Marais salant.

Salinger (Jerome David) (New York, 1919), romancier américain. Ses thèmes sont les obsessions et les désenchantements de la jeunesse américaine : *l'Attrape-Cœur* (1951), *Neuf Histoires* (1953), *Franny et Zooey* (1961).

salinier, ère adj. et n. **1.** adj. Qui concerne la production de sel. **2.** n. Personne qui pratique l'extraction du sel. Syn. saunier, paludier.

salinité n. f. Didac. Proportion de matières salines en solution. *Salinité de l'eau de mer.*

Salins-les-Bains, ch.-l. de cant. du Jura (arr. de Lons-le-Saunier); 3 828 hab. Station thermale. Salines.

Saliout ou **Salyout,** programme soviétique (1971-1986) de stations orbitales auxquelles sont amarrés les vaisseaux spatiaux Soyouz. La première station a été satellisée en 1971.

salique adj. HIST Relatif aux Francs* Saliens. *Terres saliques. Loi salique.*
ENCYCL Les terres saliques étaient les domaines distribués aux Francs qui s'établissaient en Gaule. La loi salique fut rédigée à l'époque de Clovis. Un de ses articles excluait les femmes de la succession à la terre salique; il fut invoqué à partir de 1328, pour justifier l'exclusion des femmes de la succession au trône et fut considéré comme loi fondamentale de la monarchie française.

salir v. tr. [**3**] **1.** Rendre sale. **2.** Fig. *Salir la réputation, la mémoire de qqn,* la diffamer. ▷ Avilir. - v. pron. *Il s'est sali dans ce scandale.*

Salisbury, v. de G.-B. (Wiltshire), sur l'Avon; 103 200 hab. - Cath. du XIIIe s.

Salisbury. V. Harare.

Salisbury (Robert Gascoyne-Cecil, marquis de) (Hatfield, Hertfordshire, 1830 - id., 1903), homme politique britannique. Chef des conservateurs à la mort de Disraeli (1881), il fut Premier ministre, et ministre des Affaires étrangères de 1885 à 1892 et de 1895 à 1902. Artisan du «splendide isolement» de la G.-B., il fit prévaloir à l'extérieur une politique expansionniste (Fachoda, guerre des Boers, etc.) non dénuée de souplesse et combattit le nationalisme irlandais.

salissant, ante adj. **1.** Qui salit. *Travail salissant.* **2.** Qui se salit facilement. *Le blanc est salissant.* **3.** AGRIC *Plantes salissantes,* dont la culture favorise la pousse des mauvaises herbes.

salissure n. f. Ordure, souillure qui rend sale.

salivaire adj. ANAT Relatif à la salive.

salivation n. f. Production de salive.

salive n. f. Liquide sécrété par les glandes salivaires et contenant plusieurs enzymes actives dans la digestion, qui humecte toute la bouche. ▷ Fig., fam. *Dépenser beaucoup de salive :* parler beaucoup et inutilement. - *Perdre sa salive :* parler en vain.

saliver v. intr. [**1**] Sécréter de la salive.

Salk (Jonas Edward) (New York, 1914 - La Jolla, Californie, 1995), biologiste américain. Il a mis au point une vaccination contre la poliomyélite (1954).

Sallal (Abdallah) *('Abd Allāh Sallāl)* (en Irak, 1917 - Sanaa, 1994), homme politique yéménite. Chef d'état-major en 1962, il renversa le régime monarchique et instaura la république la même année. Il fut renversé en 1967.

Sallanches, ch.-l. de cant. de la Haute-Savoie (arr. de Bonneville); 13 024 hab. Stat. estivale.

Sallaumines, com. du Pas-de-Calais (arr. de Lens); 11 103 hab. Constr. mécaniques.

salle n. f. **1.** Pièce d'un appartement, d'une maison, destinée à un usage particulier. *Salle à manger. Salle de bains. Salle de séjour :* pièce principale d'un appartement, d'une maison. **2.** Local affecté à un usage particulier, dans un établissement ouvert au public. *Salle de lecture. Salle d'attente.* ▷ (Dans un hôpital.) *Salle commune. Salle d'opération, de pansements.* ▷ *Salle de marché :* dans une banque, lieu où l'on traite les opérations portant sur les devises, les titres, les produits financiers. **3.** *Spécial.* Salle de spectacle. *Les salles obscures :* les cinémas. ▷ Par méton. *La salle d'un théâtre,* le public.

Salluste (en lat. *Caius Sallustius Crispus*) (Amiternum, auj. San Vittorino, 86 – ?, v. 35 av. J.-C.), historien latin. Gouverneur de la Numidie (46 av. J.-C.), il amassa par le moyen d'exactions une immense fortune. À Rome, sa maison remplie d'œuvres d'art était célèbre pour ses jardins. Après l'assassinat de César (44 av. J.-C.), il se consacra à ses travaux historiques : *Conjuration de Catilina, Guerre de Jugurtha* et *Histoires*.

Salmanasar, nom de cinq rois d'Assyrie, dont : – **Salmanasar Ier** régna de 1270 env. à 1250 env. av. J.-C. Le premier, il pratiqua le massacre ou la déportation des peuples vaincus. – **Salmanasar III** régna de 858 à 824 av. J.-C.; conquérant de la Phénicie, il se heurta à la coalition des princes araméens, dont faisait partie Israël (bataille de *Qarqar*). – **Salmanasar V** régna de 727 à 722 av. J.-C.; il mourut devant Samarie qu'il assiégeait et que prit son successeur Sargon II, mettant fin au royaume d'Israël.

salmigondis [salmigɔ̃di] n. m. Mélange de choses disparates; propos incohérents.

salmis [salmi] n. m. Ragoût de pièces de gibier ou de volaille préalablement cuites aux deux tiers à la broche, mijoté avec une sauce au vin, dite *sauce salmis. Salmis de perdreaux.*

Salmon (André) (Paris, 1881 – Sanary-sur-Mer, 1969), écrivain français. Sa poésie, ironique et insolite, est un témoignage satirique sur son temps (*le Calumet*, 1910; *l'Âge de l'humanité*, 1921). Ses romans ont un ton volontiers populiste (*la Négresse du Sacré-Cœur*, 1920; *Tendres Canailles*, 1953). Il fut aussi critique : *la Jeune Peinture française* (1913), *l'Art vivant* (1920), *Cézanne* (1923).

salmonelle n. f., ou **salmonella** n. f. inv. MED Bacille agent des salmonelloses.

salmonellose n. f. MED Infection due à une salmonella (fièvre typhoïde, intoxication, etc.).

salmoniculture n. f. TECH Élevage des salmonidés (truites, notam.).

salmonidés n. m. pl. ICHTYOL Famille de poissons téléostéens marins et fluviaux au corps oblong, caractérisés par une nageoire dorsale à rayons squelettiques mous, suivie d'une seconde plus petite (saumons, truites, ombles, etc.). – Sing. *Un salmonidé.*

Salo, com. d'Italie (prov. de Brescia), sur la rive O. du lac de Garde; 10 140 hab. Tourisme. – Siège de la *République sociale italienne* (sept. 1943-avr. 1945), dite cour. *République de Salo*, que Mussolini fonda après sa libération par les Allemands.

saloir n. m. Récipient dans lequel on met à saler les denrées.

salol n. m. CHIM Tout dérivé de l'acide salicylique dont la fonction acide est estérifiée par un phénol.

Salomé (m. v. 72 ap. J.-C.), princesse juive. Sur la demande de sa mère, Hérodiade (ou Hérodias), elle dansa devant son beau-père Hérode Antipas pour obtenir la tête de saint Jean-Baptiste.

Salomon (îles), État du Pacifique, à l'E. de la Papouasie-Nouvelle-Guinée; 28 446 km²; 305 500 hab. (*Salomoniens*); cap. *Honiara*. Nature de l'État : rép. membre du Commonwealth. Langue off. : anglais. Relig. : protestants (en majorité). Monnaie : dollar des îles Salomon. Pop : en majorité Mélanésiens. – Montagneuses et volcaniques, les îles Salomon ont une écon. de subsistance (igname, porc, poisson) et exportent des produits de la pêche, du bois et du coprah. – Découvert par l'Espagnol Álvaro de Mendaña de Neira (1568), redécouvert par Bougainville, l'archipel fut partagé en 1898 entre la G.-B. et l'Allemagne; cette dernière reçut les îles Bougainville et Buka, qui furent administrées par l'Australie en 1921 puis incluses dans la Papouasie-Nouvelle-Guinée (1975). Les îles Salomon sont indépendantes depuis juil. 1978. – L'archipel fut le théâtre de violents combats entre Américains et Japonais en 1942-1943, notam. sur l'île de Guadalcanal. ► carte **Océanie**

Salomon, roi d'Israël de 970 à 931 av. J.-C., fils de David et de Bethsabée. Il consolida le royaume de son père. Allié au roi Hiram Ier de Tyr, il fit venir de Phénicie bois et métaux pour bâtir le Temple et le palais royal de Jérusalem, construire et équiper une flotte sur la mer Rouge; il fit exploiter les mines du Néguev et créa les fonderies de cuivre d'Ezion Géber. Mais son autoritarisme, ainsi que la lourde fiscalité qu'il imposa, suscitèrent de vives oppositions, qui aboutirent après sa mort au schisme du royaume. Les tribus du N. se séparèrent de Juda et de Benjamin pour fonder le roy. d'Israël (cap. Samarie). Dès l'Antiquité, Salomon a joui d'une grande réputation de sagesse, illustrée par l'épisode biblique d'un célèbre jugement (I Rois, III, 16) : deux femmes affirmant être la mère d'un même enfant, Salomon ordonna qu'on le coupât en deux, pour en donner une moitié à chacune d'elles; la femme qui refusa ce partage était, bien entendu, la vraie mère. De sa liaison avec la reine de Saba serait né un fils, Ménélik Ier, ancêtre légendaire de la dynastie éthiopienne dite *salomonide*. La tradition attribue à Salomon des psaumes et des textes de sagesse.

Salomon (Erich) (Berlin, 1886 – Auschwitz, 1944), photographe allemand, pionnier du reportage politique.

Salomon (Ernst von) (Kiel, 1902 – Winsen-an-der-Luhe, Basse-Saxe, 1972), écrivain allemand. Officier, impliqué dans l'assassinat de Rathenau (1922), emprisonné, il décrivit le désespoir de l'Allemagne vaincue (*les Réprouvés*, 1930; *les Cadets*, 1933). Silencieux sous l'hitlérisme, il se remit à écrire après 1945 (*le Questionnaire*, 1951).

salon n. m. **1.** Pièce de réception d'un appartement, d'une maison privée. **2.** *Par ext.* Maison où l'on reçoit régulièrement des gens en vue, des personnes de la société cultivée, des artistes, etc.; les gens qui s'y réunissent, la société mondaine. *Les salons littéraires du XVIIe et du XVIIIe s.* **3.** Local où l'on reçoit la clientèle, dans certains commerces. *Salon de coiffure.* – *Salon de thé* : pâtisserie où l'on sert des consommations. ▷ (Canada) *Salon funéraire* ou *mortuaire* : entreprise de pompes funèbres. – *Spécial.* Maison réservée à l'exposition des morts, où l'on va pour rendre un dernier hommage à un défunt et pour offrir ses condoléances aux proches de celui-ci. **4.** (Avec une majuscule.) Exposition périodique d'œuvres d'art et, par ext., de produits de l'industrie. *Le Salon d'automne. Le Salon de l'automobile.* ▷ *Un salon professionnel* : une manifestation de promotion des ventes organisée principalement pour les professionnels.

Salon-de-Provence, ch.-l. de canton des Bouches-du-Rhône (arr. d'Aix-en-Provence); 35 041 hab. Centrale hydroélectrique sur la Durance canalisée. École de l'air. – Égl. St-Michel (XIIIe s.). Chât. de l'Emperi, anc. résidence des archevêques d'Arles (XIIe, XIIIe et XVIe s.).

Salonique. V. Thessalonique.

saloon n. m. Bar du Far West américain.

salopard n. m. Fam. Salaud.

salope n. f. (et adj. f.) Grossier et inj. **1.** Femme que sa conduite dévergondée fait tenir pour méprisable. **2.** (Sans coloration sexuelle; correspond aux emplois de *salaud*.) Femme malfaisante, méprisable. ▷ (En parlant d'un homme; adressé à un homme.) Individu infâme, abject. ▷ adj. f. *Qu'elle est salope !*

saloper v. tr. [1] Fam. Effectuer sans soin (un travail). ▷ Salir, gâter. *Il a salopé le tapis.*

saloperie n. f. Fam. **1.** Grande malpropreté. **2.** Discours, propos orduriers. *Dire une, des saloperies.* **3.** Mauvais procédé, vilenie (à l'égard de qqn). *Il m'a fait une belle saloperie.* **4.** Objet, marchandise de mauvaise qualité.

salopette n. f. Vêtement de travail qui se porte par-dessus les autres vêtements pour les protéger. ▷ Vêtement composé d'un pantalon prolongé d'un plastron à bretelles.

Salouen (le ou la) (en chin. *Nujiang*), fl. d'Asie du S.-E. (2 500 km); il naît au Tibet à 4 000 m d'alt., traverse le Yunnan, la Birmanie orientale et se jette dans l'océan Indien.

Saloum (le), fl. côtier du Sénégal (250 km).

salpêtre n. m. **1.** Nom cour. de certains nitrates, spécial. du nitrate de potassium (KNO_3). **2.** Efflorescences de nitrates (princ. de nitrate de potassium), qui se forment sur les murs humides.

salpêtrer v. tr. [1] **1.** Couvrir d'efflorescences de salpêtre. – Pp. adj. *Murs salpêtrés.* **2.** Répandre du salpêtre sur (un terrain).

salpêtreux, euse adj. Rare Couvert de salpêtre. *Mur salpêtreux.*

Salpêtrière (la), emplacement d'une fabrique de poudre à Paris, où fut construit un hôpital général des indigents en 1656. Ses princ. bâtiments sont l'œuvre de Le Vau et Le Muet; la chap. est due à Bruant (1670). En 1780, on y interna aussi des malades mentaux; au XIXe s., Pinel et Charcot y ont exercé. Auj. intégrée au C.H.U. de la Pitié-Salpêtrière.

salpicon n. m. CUIS Préparation (viande coupée en petits dés, champignons, truffes, etc.) garnissant un vol-au-vent ou une timbale, ou servie comme accompagnement d'une viande.

salping(o)-. Élément, du grec. *salpigx*, « trompe », servant à former des mots du vocabulaire médical concernant les trompes de Fallope ou les trompes d'Eustache.

salpingite n. f. MED Inflammation aiguë ou chronique de l'une ou des deux trompes utérines. ▷ Inflammation de la trompe d'Eustache.

salsa n. f. MUS Genre et courant musical latino-américain qui mêle des orchestrations proches du jazz à des rythmes d'origine africaine.

salsifis [salsifi] n. m. **1.** Plante potagère (fam. composées) cultivée pour ses racines comestibles; ces racines. **2.** *Salsifis noir* : scorsonère.

salsolacée n. f. BOT Vx Chénopodiacée.

SALT, acronyme pour l'angl. *Strategic Arms Limitation Talks*, «discussions sur la limitation des armes stratégiques». Négociations menées, de 1969 à 1979, entre l'U.R.S.S. et les États-Unis.

Salta, v. du N.-O. de l'Argentine, dans les Andes; 310 900 hab.; ch.-l. de la prov. du m. nom. Centre industriel (industr. chim., méca.; raff. de pétrole).

saltation n. f. **1.** ANTIQ ROM Art des mouvements du corps (danse, pantomime, etc.). **2.** Didac. Déplacement par sauts successifs des particules charriées par un fluide en mouvement. **3.** PALEONT Saut brusque dans l'évolution.

saltatoire adj. Didac. Qui sert au saut. *Appareil saltatoire de la puce.*

Saltillo, v. du N.-E. du Mexique; 440 800 hab.; cap. de l'État de *Coahuila*. Métallurgie du zinc; industr. mécaniques et textiles.

saltimbanque n. m. Jongleur, bateleur qui fait des tours d'adresse, des acrobaties en public. ▷ *Par ext.* Péjor. Artiste.

saltique n. f. ENTOM Araignée qui se déplace par bonds. *Certaines saltiques sont communes dans les marécages d'Europe.*

Salt Lake City, v. des É.-U., près du Grand Lac Salé; 159 900 hab. (aggl. urb. 1 025 300 hab.); cap. de l'Utah. Centre industriel (alim., métall., raff. de pétrole, etc.). – Université. Temple des mormons. – La ville fut fondée en 1847 par le chef mormon Brigham Young.

salto n. m. SPORT Saut périlleux, en gymnastique, en patinage.

Salto, ville de l'Uruguay, sur le rio Uruguay; 80 790 hab.; ch.-l. du dép. du m. nom. Port fluvial. Centre industriel important. – Évêché.

Saltykov-Chtchedrine (Mikhaïl Ievgrafovitch Saltykov, dit) (Spas-Ougol, gouvernement de Tver, 1826 – Saint-Pétersbourg, 1889), romancier russe satirique : *Histoire d'une ville* (1869-1870), *les Golovlev* (1880).

salubre adj. Qui est favorable à la santé. *Air, climat salubre.*

salubrité n. f. Qualité de ce qui est salubre. ▷ Spécial. *Mesures de salubrité publique*, prises dans l'intérêt de l'hygiène publique.

Saluces (en ital. *Saluzzo*), v. d'Italie (Piémont); 16 470 hab. – Cap. d'un marquisat fondé en 1142, qui devint français après sa conquête par Henri II puis fut reconquis par la Savoie en 1588.

saluer v. tr. [1] **1.** Donner une marque extérieure de civilité, de respect, à (qqn que l'on rencontre, que l'on aborde ou que l'on quitte). ▷ *Ne manquez pas de saluer votre mère pour moi*, de lui présenter mes hommages. – Absol. *Comédien qui salue à la fin d'une représentation*, qui s'incline devant le public pour le remercier de ses applaudissements. **2.** Rendre hommage à (qqch) par des marques extérieures réglées par l'usage. *Saluer le drapeau.* **3.** Accueillir par des manifestations (de joie, de mépris, etc.). *Saluer l'arrivée d'une personne par des applaudissements.* **4.** Fig. *Saluer qqn comme...*, lui rendre hommage en reconnaissant en lui (une personne estimable, glorieuse, etc.). *Saluer qqn comme un bienfaiteur.*

salure n. f. Didac. Caractère de ce qui est salé. – Taux de chlorure de sodium contenu dans un corps.

1. salut n. m. **1.** Action de saluer; geste ou parole de civilité, de respect, qu'on adresse à une personne que l'on salue. *Les acteurs se sont fait siffler au salut. Faire, rendre un salut.* **2.** Fam. (Formule exclamative d'accueil ou d'adieu.) *Salut!* **3.** Cérémonie par laquelle on salue (qqch). *Le salut au drapeau.* ▷ RELIG CATHOL Office en l'honneur du saint sacrement.

2. salut n. m. **1.** Fait d'échapper à un danger, de se sauver ou d'être sauvé. *Ne devoir son salut qu'à la fuite.* – Loc. *Planche de salut* : ultime moyen qui permet de se sauver. ▷ *Comité de salut public* : V. comité. **2.** Félicité éternelle, fait d'échapper à la damnation. *Prier pour le salut de l'âme d'un défunt.*

Salut (îles du), îles côtières (Royale, Saint-Joseph et du Diable) de la Guyane française, au N.-O. de Cayenne. – Autref., établissement pénitentiaire.

salutaire adj. Qui exerce une action bénéfique; bienfaisant, profitable.

salutairement adv. Litt. D'une manière salutaire.

salutation n. f. **1.** RELIG CATHOL *Salutation angélique* : prière à la Vierge, dont le texte est constitué par les paroles de l'ange Gabriel : *Ave, Maria...*, «Je vous salue, Marie...». V. Annonciation. **2.** Action de saluer avec des marques ostentatoires de respect, d'empressement, etc. **3.** Plur. (Formule de politesse pour terminer une lettre.) *Je vous prie d'agréer, [...], mes salutations distinguées.*

salutiste n. et adj. Celui, celle qui fait partie de l'Armée* du Salut. – adj. De l'Armée du Salut.

Salvador (anc. *Bahia*), v. et port import. du Brésil, cap. de l'État de Bahia; 1 811 370 hab. Grand centre commercial (café, notam.); exportation de prod. tropicaux. Tourisme. – Archevêché. Nombr. et beaux monuments. – Ville fondée en 1500, cap. du Brésil colonial de 1549 à 1763.

Salvador (République du) *(República de El Salvador)*, État d'Amérique centrale baigné au S. et au S.-O. par le Pacifique, bordé au N. par le Guatemala et à l'E. par le Honduras; 21 041 km²; env. 5 millions d'hab., croissance démographique : près de 2,5 % par an; cap. *San Salvador*. Nature de l'État : rép. de type présidentiel. Langue off. : esp. Monnaie : colón. Pop. : métis (70 %), Amérindiens (20 %), Blancs (10 %). Relig. : cathol.
Géogr. phys., hum. et écon. – Une plaine côtière lagunaire, au climat tropical chaud et humide, est dominée par un ensemble de hautes terres, constituées de deux chaînes volcaniques (2 386 m au Santa Ana), encadrant un haut plateau au climat plus sain, qui groupe l'essentiel des hab. La population compte encore 60 % de ruraux vivant de cultures vivrières (maïs, millet, haricots, riz). Le pays exporte du café, de la canne à sucre, du coton et du bois. La production hydroélectrique du rio Lempa a permis le développement d'activités industrielles (raff. de pétrole, pétrochimie, cimenteries, chimie, textile) mais dix ans de guerre civile (45 % du budget de l'État consacrés aux dépenses militaires) ont désorganisé la production et le pays dépend de l'aide extérieure, surtout américaine.
Hist. – Le territoire du Salvador subit à l'époque précolombienne l'influence de la civilisation maya, puis celle des Pipil, qui fondèrent Cuscatlán (Xe s.). Conquis par l'Espagnol Pedro de Alvarado (1524), le pays s'affranchit de la tutelle espagnole en 1821. Il fut soumis à de nombr. dictatures militaires, soutenues par une oligarchie économique toute-puissante, dite des «quatorze familles». Sous la dictature du général Maximiliano Martínez (1931-1944) eut lieu la révolte paysanne de 1932, suivie d'une terrible répression. Puis les gouvernements militaires se succédèrent. Une brève guerre avec le Honduras (1969) accentua la crise. En 1977 commença une violente guerre civile qui, en douze ans, fera plus de 70 000 morts. En 1979, une junte militaire et civile prit le pouvoir, soutenue par les É.-U.; en 1980, le démocrate-chrétien Napoleón Duarte devint prés. Une réforme agraire, promulguée aussitôt, qui devait affaiblir la guérilla du F.M.L.N. (Front Farabundo Marti de libération nationale, créé en 1980), radicalisa, en fait, la position des propriétaires qui soutenaient l'ARENA (Alliance républicaine nationaliste), vainqueur aux présidentielles de 1989 avec A. Cristiani. Les deux camps parvinrent à un premier accord en sept. 1991, après plus d'un an de négociations parrainées par l'ONU. En 1994, Armando Calderón Sol a été élu président de la Rép. En 1997, le F.M.L.N., transformé en parti politique, obtient 27 sièges sur 84 (contre 28 à l'ARENA) aux élections législatives.
► carte **Amérique centrale**

salvadorien, enne adj. et n. Du Salvador. ▷ Subst. *Un(e) Salvadorien(ne).*

salvateur, trice adj. Litt. Qui sauve.

salve n. f. Décharge simultanée de plusieurs armes à feu. *Salve d'artillerie. Feu de salve.* ▷ Par anal. *Une salve d'applaudissements.*

Salviati (Francesco de' Rossi, dit Francesco ou Cecchino) (Florence, 1510 – Rome, 1563), peintre italien : *Histoire de Camille* (1544, fresques du Palazzo Vecchio de Florence).

Salyens (en lat. *Salluvii*), confédération de peuples celtes et ligures établis au sud de la Durance. L'oppidum d'Entremont, leur capitale, fut détruit par les romains en 123 av. J.-C.; au sud d'Entremont fut alors fondée la ville d'Aix. (V. Provence [anc. province de France].)

Salyout. V. Saliout.

Salzach (la), riv. d'Autriche et du S. de l'Allemagne (220 km), affl. de l'Inn (r. dr.); arrose Salzbourg.

Salzbourg (en all. *Salzburg*), v. d'Autriche, sur la Salzach, dominée par les *Préalpes de Salzbourg* (massifs calcaires); 143 970 hab. (aggl. urb. 267 280 hab.); cap. du Land de Salzbourg (7 154 km²; 442 000 hab.). Centre industriel (alim., prod. chim.) et touristique. – Archevêché. Universités. Cath. baroque (1614-1628). Palais de la Résidence (fin XVIe s.-fin XVIIIe s.). Chât. de Hohensalzburg, anc. forteresse des princes-archevêques. Festival annuel de musique (août) en l'honneur de Mozart.

Salzgitter, v. d'Allemagne (Basse-Saxe); 105 390 hab. Mines de fer et de potasse; sidérurgie; textiles.

Salzkammergut, rég. des Préalpes autrichiennes (Haute-Autriche et Styrie), connue pour ses import. salines.

Sam (Oncle) (en angl. *Uncle Sam*), interprétation plaisante des initiales

U.S.Am. (United States of America), personnification du peuple des É.-U., représenté par un grand homme maigre, à barbiche, à pantalon rayé et à chapeau haut de forme étoilé.

Samain (Albert) (Lille, 1858 – Magny-les-Hameaux, 1900), poète français, à la fois symboliste et parnassien : *Au jardin de l'Infante* (1893), *Aux flancs du vase* (1898).

Sāmānides, dynastie qui régna en Perse et en Transoxiane (cap. *Boukhara*), de 874 à 1004. Elle fut éliminée par les Ghaznévides.

Samar, île montagneuse des Philippines; 13 079 km². Exploitation de bois et de fer; culture de l'abaca. – L'*État de Samar* couvre 5 591 km² et compte 501 500 hab.

Samara (*Kouïbychev* de 1935 à 1990), v. de Russie, sur la Volga; ch.-l. de la prov. du m. nom; 1 292 000 hab. Import. port fluvial; grand centre industr. stimulé par les gisements de pétrole et de gaz du Second-Bakou (raffinerie, pétrochimie).

samare n. f. BOT Akène ailé (semence de l'orme, du frêne, de l'érable, etc.).

Samarie, anc. v. de Palestine, cap. du royaume d'Israël à partir du règne d'Omri (885-874 av. J.-C.), conquise par Sargon II, roi d'Assyrie, en 721 av. J.-C. Nombre de ses habitants furent alors déportés par les Assyriens, qui introduisirent dans la ville des colons babyloniens et araméens. Cette pop. jugée impure fut rejetée par les juifs rentrés d'exil (538); les Samaritains élevèrent alors sur le mont Garizim un lieu de culte concurrent de Jérusalem et Sichem fut leur métropole. Prise par Alexandre (331 av. J.-C.), puis détruite par Hyrcan Ier (108 av. J.-C.), la ville fut reconstruite par Hérode le Grand sous le nom de Sébaste (en lat. *Augusta*). En 529 apr. J.-C., la plupart des Samaritains furent massacrés. Groupés dans un quartier de Naplouse, leurs descendants pratiquent toujours un judaïsme particulier.

Samarie, rég. du centre de la Palestine, située entre la Galilée au N. et la Judée au S., bordée à l'E. par le Jourdain. Partie de la Cisjordanie*, elle est occupée et administrée par Israël depuis 1967.

samaritain, aine adj. et n. HIST, RELIG De Samarie. ▷ Subst. *Les Samaritains :* nom donné après 721 av. J.-C. (fin du royaume d'Israël) à la population du district de Samarie. ▷ *Le bon Samaritain :* personnage généreux d'une parabole de l'Évangile selon saint Luc (X, 29-37). – Loc. fig. (Souvent iron.) *Faire le bon Samaritain :* secourir autrui.

samarium [samaʀjɔm] n. m. CHIM Élément appartenant à la famille des lanthanides, de numéro atomique Z = 62, de masse atomique 150,35 (symbole : Sm). – Métal (Sm) de densité 7,5, qui fond vers 1 080 °C et bout vers 1 790 °C.

Samarkand, ville d'Ouzbékistan, dans l'oasis du Zeravchan; 371 000 hab.; ch.-l. de prov. Industr. alimentaires et textiles. – Mosquées (XIVe-XVe s.). – Prise par Alexandre (329 av. J.-C.), par les Arabes (712), import. foyer culturel sous les Sāmānides (Xe s.), ravagée par Gengis khān (1220), la ville fut la cap. de Tamerlan et eut un vif rayonnement au XVe s.

Samarra, v. d'Irak, sur le Tigre, au N. de Bagdad; 62 000 hab. – Cap. des Abbassides au IXe s., la ville a conservé des ruines de palais et de mosquées.

samba n. f. Danse populaire brésilienne sur un rythme à deux temps.

Sambre (la), riv. de France et de Belgique (190 km), affl. de la Meuse (r. g., confl. à Namur); née en Thiérache, elle arrose Maubeuge et Charleroi. – Le *canal de la Sambre à l'Oise* relie les deux rivières et permet un trafic entre la Belgique et la région parisienne.

samedi n. m. Sixième jour de la semaine, qui suit le vendredi. – *Samedi saint,* veille du jour de Pâques.

samizdat [samizdat] n. m. Édition et diffusion clandestines, en U.R.S.S. et ses satellites, de textes censurés; ces textes.

Sammartini (Giovanni Battista) (Milan, 1700 ou 1701 – id., 1775), compositeur italien : nombreuses pièces de musique religieuse, dont un *Magnificat.* Il est l'un des créateurs de la forme moderne de la symphonie.

Samnites, anc. peuple d'Italie, établi en Campanie au Ve s. av. J.-C. Ils opposèrent à la conquête romaine une résistance farouche et ne furent réduits, au IIIe s. av. J.-C., qu'après trois guerres acharnées, dites *guerres samnites :* 343-341, marquée par la victoire romaine lors du siège de Capoue par les Samnites; 327-304, qui vit la défaite romaine au défilé des fourches Caudines (321); 298-291, où les Romains furent victorieux à Sentinum (295).

Samoa, archipel du Pacifique, en Polynésie, formé des *Samoa orientales* ou *américaines* et de l'*État indépendant des Samoa occidentales.* Princ. ressources : cacao, coprah, noix de coco. – Découvertes en 1722, les îles furent partagées en 1899 entre les É.-U. et l'Allemagne, qui reçut les Samoa occidentales. Ces dernières furent occupées en 1914 par l'Australie et la Nouvelle-Zélande, à laquelle la S.D.N. en confia l'administration en 1920. Elles furent indépendantes en 1962 et devinrent en 1970 membres du Commonwealth.

Samoa américaines, ensemble de sept îles appartenant aux É.-U., dont la principale est l'île Tutuila; 197 km²; 48 000 hab. (presque tous polynésiens); v. princ. et base navale *Pago Pago,* dans l'île Tutuila, où se trouve également le ch.-l. (siège du gouv.) *Fagatogo.* Dotées du statut de territoire « non incorporé » dépendant du ministère de l'Intérieur américain, les Samoa américaines sont dirigées par un gouverneur et un parlement à deux Chambres, dont l'une formée de délégués du conseil des chefs locaux. Relig. : protestantisme. Princ. ressources : bananes, coprah, pêche et tourisme.

Samoa occidentales (État indépendant des), État d'Océanie, formé de deux îles princ., *Savaii* et *Upolu;* 2 842 km²; 163 000 hab. (*Samoans*); cap. *Apia* (île Upolu). Nature de l'État : monarchie parlementaire (la royauté doit être abolie à la mort de l'actuel souverain), État membre du Commonwealth. Langues off. : samoan et anglais. Monnaie : tala. Pop. : Polynésiens en majorité. Relig. : protestantisme (70 %) et catholicisme (20 %), mêlés de survivances païennes. – Volcaniques et forestières, les îles produisent surtout du coprah, des noix de coco et du cacao. ► carte **Océanie**

samoan, ne adj. et n. **1.** De Samoa. – Subst. *Un(e) Samoan(e).* **2.** n. m. Langue austronésienne parlée à Samoa et en Nouvelle-Zélande.

Samora Machel (Moises) (Chilembene, prov. de Gaza, 1933 – en territoire sud-africain, 1986), homme politique mozambicain. Il succéda à Eduardo Mondlane à la tête du Frelimo (1970), négocia avec le Portugal l'indépendance du pays, proclamée en juin 1975, et fut chef de l'État et du gouvernement jusqu'à sa mort (il périt dans un accident d'avion).

Samory Touré (Sanankoro, haut Niger, auj. au Mali, v. 1837 – N'Djolé, Gabon, 1900), souverain d'origine mandingue qui se forgea un empire dans les régions du haut Niger à partir de 1870. Cet empire fut peu à peu pris par les Français, qu'il combattit (1882-1898). Fait prisonnier (1898), il mourut en déportation.

Samos, île grecque de la mer Égée (Sporades), proche de la Turquie; elle forme un nome : 478 km²; 41 850 hab.; ch.-l. *Samos.* – Ruines d'un temple d'Héra, d'où provient la célèbre statue dite *Héra de Samos* (VIe s. av. J.-C.).

Samosate (auj. *Samsat,* Turquie), anc. v. d'Asie Mineure, sur l'Euphrate, cap. du royaume de Commagène.

samossa n. m. CUIS Mets indien constitué d'un petit morceau de pâte triangulaire fourré et frit.

Samothrace, île grecque du N. de la mer Égée; 180 km²; 3 000 hab. – On y trouva, en 1863, une statue de marbre (privée de tête), figurant une Victoire ailée, dite *Victoire de Samothrace* (fin IIIe s. ou déb. IIe s. av. J.-C., Louvre).

Victoire de **Samothrace,** marbre; musée du Louvre

samouraï ou **samurai** [samuʀaj] n. m. HIST Membre de la classe des guerriers au service d'un seigneur (daïmyo), dans le Japon féodal (jusqu'en 1868). *Des samouraï(s)* ou des *samurai(s).*

samovar n. m. Ustensile destiné à la préparation du thé, utilisé à l'origine en Russie, composé d'un réchaud à charbon de bois et d'une petite chaudière à robinet.

samoyède adj. et n. Relatif aux Samoyèdes; des Samoyèdes. *Les traditions samoyèdes.* – *Chien samoyède :* chien de traîneau, blanc, à fourrure épaisse. ▷ n. m. LING *Le samoyède :* groupe de langues de la famille finno-ougrienne parlées par les Samoyèdes.

samouraï : peinture japonaise du XVIIe s.

Samoyèdes, tribus d'origine mongole, qui habitent la toundra sibérienne entre le cours infér. de l'Ob et la presqu'île de Taïmyr, et vivent princ. de l'élevage du renne.

Sampaio (Jorge) (Lisbonne, 1939), homme politique portugais. Socialiste, il est président de la République depuis 1996.

sampan ou, vieilli, **sampang** [sɑ̃pɑ̃] n. m. Bateau non ponté, à fond plat, des côtes chinoises et japonaises, comportant un abri en son centre.

Sampiero Corso V. Ornano.

sample [sɑ̃pəl] n. m. (Anglicisme) MUS Échantillon de sons prélevé grâce à un sampleur pour être intégré dans d'autres mélodies.

sampler v. tr. [1] (Anglicisme) Obtenir par sampling.

sampleur n. m. (Anglicisme) Dispositif servant à faire du sampling.

sampling [sɑ̃pliŋ] n. m. (Anglicisme) MUS Sorte de collage électronique de matériels sonores préenregistrés, effectué par le disc-jockey.

sampot [sɑ̃po] n. m. Pièce d'étoffe enveloppant la taille et les cuisses, portée au Cambodge, en Thaïlande.

samsara n. m. Dans le bouddhisme et l'hindouisme, cycle des morts et des renaissances successives auquel est soumis tout être vivant.

Samson, personnage biblique; juge d'Israël (XIIe s. av. J.-C.), célèbre par la force surhumaine qu'il devait à sa longue chevelure. Il fut trahi par Dalila, qui lui coupa les cheveux pendant son sommeil et le livra aux Philistins. Ses cheveux repoussés, il put renverser les colonnes du temple dédié au dieu Dagon, s'ensevelissant avec une foule de Philistins.

Samsun, port de Turquie, sur la mer Noire; 240 670 hab.; ch.-l. d'il. Exp. de céréales, de laine, de tabac.

SAMU n. m. Acronyme pour *service d'aide médicale d'urgence,* service hospitalier assurant les premiers soins et le transfert dans un hôpital.

Samuel, prophète et juge d'Israël (XIe s. av. J.-C.). Il instaura la monarchie en proclamant Saül roi; plus tard, il sacra David en secret.

Samuel (livres de), livres historiques de la Bible rédigés v. la fin du VIIe s. av. J.-C., chronique des règnes de Saül et de David. Dans la Vulgate et les Septante, ils forment les deux premiers livres des Rois.

Samuelson (Paul Anthony) (Gary, Indiana, 1915), économiste américain. Il a donné une formulation mathématique aux concepts de base de la théorie économique. P. Nobel 1970.

sana n. m. Fam. Abrév. de *sanatorium.*

Sanaa ou **San'a** *(Ṣan'ā'),* cap. de la république du Yémen, à 2 380 m d'alt., au centre du pays; env. 500 000 hab. Comm. et artisanat. Textile (coton).

Sanaga (la), princ. fl. du Cameroun (520 km); se jette dans le golfe de Guinée. Équipements hydroélectriques.

San Andreas (faille de), fracture tectonique d'env. 500 km de long, qui fissure la Californie du golfe de Californie au cap Mendocino. ► illustr. **faille**

San Antonio, ville des É.-U. (Texas), dans le S.-O. de l'État, près de champs pétrolifères; 935 900 hab. Industr. diversifiées. – Archevêché.

San-Antonio. V. Dard (Frédéric).

Sanary-sur-Mer, com. du Var (arr. de Toulon); 11 689 hab. Stat. balnéaire.

sanatorium [sanatɔʀjɔm] n. m. Établissement destiné au traitement de la tuberculose. (Abrév. : sana).

San Bernardino, v. des É.-U. (Californie), dans une riche vallée irriguée; 164 160 hab. Fruits.

San Bernardino (col de), col des Alpes suisses (Grisons), à 2 063 m d'alt., reliant Coire à Bellinzona, doublé par un tunnel routier (alt. 1 644 m).

sancerre n. m. Vin blanc, rosé ou rouge de la région de Sancerre.

Sancerre, ch.-l. de cant. du Cher (arr. de Bourges), sur la Loire; 2 211 hab. – Tour des Fiefs (donjon du XVe s.).

Sancerrois, rég. de collines vinicoles, au S.-O. de Sancerre.

Sanche Ier Ramírez (?, 1043 – Huesca, 1094), roi d'Aragon (1063-1094) et de Navarre (Sanche V) (1076-1094), un des grands noms de la *Reconquista.*

Sanche III Garcés el Mayor (v. 970 – 1035), roi de Navarre (v. 1000-1035) et comte de Castille (1028-1029). Régnant sur toute l'Espagne chrétienne, il se fit appeler *rex Iberorum.* Le partage de ses États entre ses quatre fils fut à l'origine des différents royaumes ibériques (Navarre, Castille, Léon et Aragon).

Sanche Ier o Povoador («le Colonisateur») (Coimbra, 1154 – id., 1211), roi de Portugal (1185-1211). Fils d'Alphonse Ier, il poursuivit la *Reconquista* et fit mettre en valeur les terres conquises. – **Sanche II o Capelo** («le Bedeau») (Coimbra, v. 1210 – Tolède, 1248), roi de Portugal (1223-1248), fils d'Alphonse II. Il a reconquis l'Alentejo et l'Algarve. Il fut déposé au profit de son frère Alphonse III.

Sānchī, site archéologique de l'Inde centrale (Madhya Pradesh); centre bouddhique : colonnes de l'empereur Açoka; stupa (IIe s. av. J.-C. – Ier s. apr. J.-C.); temples (IVe-VIe s.).

Sancho Pança, personnage du *Don Quichotte* de Cervantès (1605 et 1615), l'écuyer du chevalier errant, plein de bon sens et d'un caractère diamétralement opposé à celui de son maître.

San Cristóbal, v. du Venezuela, dans une riche vallée des Andes; 230 950 hab.; cap. d'État *(Táchira).* Centre commercial.

sanctifiant, ante adj. RELIG Qui sanctifie. *Grâce sanctifiante.*

sanctificateur, trice n. et adj. RELIG Personne qui sanctifie. *Le Sanctificateur :* l'Esprit-Saint. ▷ adj. *Action sanctificatrice,* qui sanctifie.

sanctification n. f. RELIG ou litt. Action de sanctifier; son résultat.

sanctifier v. tr. [2] **1.** RELIG Rendre saint. *La grâce qui sanctifie les âmes.* **2.** RELIG Honorer comme saint, comme il se doit pour ce qui est saint. *«Que ton nom soit sanctifié.»* ▷ Célébrer comme le veut l'Église. *Sanctifier le dimanche.* **3.** Litt. Considérer, révérer comme saint.

sanction n. f. **1.** DR Acte par lequel le chef de l'exécutif donne à une loi l'approbation qui la rend exécutoire. **2.** Fig. Approbation, ratification. *Sanction de l'emploi d'un mot par l'usage.* **3.** Conséquence naturelle. *Ses difficultés sont la sanction de son imprévoyance.* **4.** DR Peine ou récompense qu'une loi porte pour assurer son exécution. **5.** Mesure répressive prise par une autorité.

sanctionner v. tr. [1] **1.** Confirmer par une sanction. *Sanctionner un décret.* – Pp. adj. *Emploi d'une expression sanctionné par l'usage.* **2.** (Emploi critiqué.) Réprimer, punir par des sanctions.

sanctuaire n. m. **1.** Endroit le plus saint d'un temple, d'une église. – Dans le temple juif, le saint des saints. **2.** *Par ext.* Édifice sacré; endroit où l'on célèbre un culte. *Sanctuaires bouddhiques.* **3.** Fig. Asile, lieu protégé, préservé. *Un sanctuaire pour les baleines.* **4.** MILIT Territoire rendu inaccessible aux coups de l'ennemi (par dissuasion nucléaire, protection d'un État ami).

sanctuarisation n. f. MILIT Action de sanctuariser. *La sanctuarisation de l'espace national.*

sanctuariser v. tr. [1] MILIT Transformer en sanctuaire (sens 5).

sanctus [sɑ̃ktus] n. m. LITURG CATHOL Chant latin qui commence par ce mot. – Partie de la messe au cours de laquelle on chantait cet hymne.

Sancy (puy de), point culminant du Massif central (1 886 m), dans la chaîne des monts Dore. Téléphérique.

Sand (Aurore Dupin, baronne Dudevant, dite George) (Paris, 1804 – Nohant, Indre, 1876), écrivain français. Son premier roman, *Rose et Blanche* (1831), fut écrit en collab. avec Jules Sandeau, qui lui fournit son pseudonyme. Après quelques années d'une vie mouvementée que marquèrent ses liaisons avec Musset (été 1833-mars 1834), Liszt, Chopin (1838-1847), elle se retira dans sa propriété de Nohant (1848). Son œuvre, abondante, connut de son vivant un grand succès; elle comprend : des romans à caractère sentimental (*Indiana,* 1832; *Lélia,* 1833; *Mau-*

George **Sand**

Erik **Satie**

prat, 1837), des récits inspirés par le socialisme humanitaire (*le Compagnon du tour de France*, 1840; *Consuelo*, 1842-1843; *le Meunier d'Angibault*, 1845), des romans champêtres (*la Mare au diable*, 1846; *François le Champi*, 1847-1848; *la Petite Fadette*, 1849), des pièces de théâtre, des ouvrages autobiographiques (*Histoire de ma vie*, 1855; *Elle et Lui*, sur sa liaison avec Musset, 1859), un *Journal intime* (posth., 1926) et une importante *Correspondance*.

Sandage (Allan Rex) (Iowa City, 1926), astrophysicien américain. Il découvrit le premier quasar, en 1960.

sandale n. f. Chaussure légère formée d'une simple semelle qui s'attache au pied par des lanières.

sandalette n. f. Sandale légère à empeigne basse.

Sandburg (Carl) (Galesburg, Illinois, 1878 – Flat Rock, Caroline du Nord, 1967), poète américain. Il célèbre la démocratie, les gens simples, en vers réalistes teintés d'humour et d'idéalisme : *Poèmes de Chicago* (1915), *le Peuple, oui* (1936), *Toujours les jeunes étrangers* (autobiographie, 1953).

Sandeau (Julien, dit Jules) (Aubusson, 1811 – Paris, 1883), écrivain français; romancier (*Rose et Blanche*, 1831, en collab. avec George Sand et signé Jules Sand; *Mademoiselle de La Seiglière*, 1848) et auteur dramatique (*le Gendre de M. Poirier*, 1854, en collab. avec É. Augier) dont l'inspiration et le style méticuleux et désuet correspondent au goût de la bourgeoisie française du XIXe s. Acad. fr. (1859).

Sander (August) (Herdorf, 1876 – Cologne, 1964), photographe allemand. Son œuvre, dont les nazis détruisirent 50 000 négatifs, donne un panorama quasi ethnographique de l'Allemagne des années 1920-1940.

Sandhurst, v. de G.-B. (Berkshire); 6 400 hab. Elle a donné son nom à une école militaire créée en 1802.

San Diego, v. et port des É.-U. (Californie), sur la *baie de San Diego*, près de la frontière mexicaine; 1 110 500 hab. (aggl. urb. 2 063 900 hab.). Import. base navale. Constr. aéronautiques, prod. chimiques. Pêche (thon).

sandiniste n. et adj. Membre du mouvement nicaraguayen se réclamant de C. Sandino. ▷ adj. *Le mouvement sandiniste.*

Sandino (César) (Niquinohomo, 1895 – Managua, 1934), patriote nicaraguayen. Il dirigea la guérilla contre les troupes américaines d'occupation, qui organisèrent son assassinat.

Sandjak, région des Balkans (Serbie et Monténégro) limitrophe de la Bosnie-Herzégovine, peuplée en majorité de Slaves musulmans; cap. : *Novi Pazar*. Après le déclenchement des hostilités en Bosnie-Herzégovine (V. Serbie), plus. dizaines de milliers de Musulmans ont été contraints de fuir.

Sandomierz, v. de Pologne (voïévodie de Kielce), sur la Vistule; 21 000 hab. Industr. textiles. – Évêché. Chât. fort des Piast.

sandow n. m. (Nom déposé.) Cordon élastique qui sert notam. à fixer des colis sur un support (galerie de toit, porte-bagages).

sandre n. m. ou f. Poisson d'eau douce (genre *Sander*), voisin de la perche, que l'on rencontre de l'est de la France jusqu'en Europe centrale.

sandwich, plur. **sandwichs** ou **sandwiches** [sɑ̃dwitʃ], n. m. **1.** Mets constitué par deux tranches de pain entre lesquelles on a placé des aliments froids. *Sandwich au saucisson.* **2.** TECH Matériau composite constitué d'une âme épaisse et légère prise entre deux plaques minces et résistantes. **3.** Fam. *En sandwich* : comprimé, coincé entre deux objets, deux personnes.

Sandwich (îles). V. Hawaii.

Sandwich du Sud (îles), archipel volcanique de l'océan Austral, dépendant des îles Falkland (britanniques), inhabité.

sandwicherie n. f. Établissement qui vend des sandwichs à emporter.

San Fernando, port d'Espagne (Andalousie), sur le golfe de Cadix; 72 000 hab. Arsenal.

San Francisco, v. des É.-U. (Californie), sur la *baie de San Francisco*, qui s'ouvre sur le Pacifique par le détroit de la *Golden Gate*; 723 950 hab. (aggl. urb. 4 264 000 hab.). Princ. port de commerce de l'O. des É.-U., San Francisco est un import. centre industriel lié aux activités portuaires (raff. de pétrole; industr. chimiques, mécaniques, alimentaires, etc.) et un centre touristique. – La ville, fondée au XVIIIe s., connut un essor continu après 1850 (ruée vers l'or). Le tremblement de terre qui la ravagea en 1906 a fait 3 000 victimes, celui de 1989 une centaine de morts. – En 1945 (avril-juin), la *première conférence de San Francisco* établit la charte des Nations unies. En 1951 (4-8 sept.), la *seconde conférence* établit le traité de paix entre le Japon et les Alliés.

sang n. m. **1.** PHYSIOL et cour. Liquide rouge, visqueux, qui circule dans tout l'organisme par un système de vaisseaux et y remplit de multiples fonctions essentielles (nutritive, respiratoire, excrétoire, immunisante, etc.). *Sang artériel, veineux. Transfusion de sang.* ▷ ZOOL Vieilli *Animaux à sang chaud; animaux à sang froid.* **2.** Loc. cour. et fam. *Coup de sang* : congestion, apoplexie; *par exag.* accès de violente colère. – *Mordre, fouetter, pincer jusqu'au sang*, au point de faire saigner. – Fig. *Suer sang et eau* : se donner beaucoup de peine; faire de gros efforts. **3.** Loc. fig. *Avoir le sang chaud* : être fougueux, ardent, prompt à la colère. *De sang froid* : sans qu'interviennent passion ni colère. – *Avoir du sang dans les veines* : être courageux, prompt à l'action. *Avoir du sang de navet* : être sans vigueur, lâche. – *Fouetter le sang* : stimuler, exciter. – *Spectacle qui glace le sang*, qui laisse interdit d'épouvante. – *Se faire du mauvais sang, un sang d'encre*; plur., fam., *se ronger, se tourner les sangs* : être dans l'inquiétude, dans l'angoisse. – *Mon (ton, son) sang n'a fait qu'un tour* : j'ai (tu as, il a) été saisi. – *Il a ça dans le sang* : c'est, pour lui, un instinct, une qualité innée. ▷ Spécial. *Verser, répandre, faire couler le sang* : commettre une (des) action(s) meurtrière(s). – *Verser son sang pour la patrie* : donner sa vie pour elle. – *Laver un outrage dans le sang* : se venger en tuant ou en blessant grièvement. – *Mettre un pays à feu et à sang*, y perpétrer toutes sortes de crimes. – *Avoir les mains tachées, couvertes de sang* : avoir la responsabilité de nombreux crimes. ▷ RELIG *Le Précieux Sang* : le sang du Christ, versé pour les hommes. **4.** (Le sang, porteur des caractères héréditaires.) Race, famille. *Être du même sang. Liens du sang.* – *Cheval de sang, de pur sang* : pur-sang.

ENCYCL Le sang, rouge chez l'homme et les vertébrés, diversement coloré chez les autres animaux, circule dans un système de vaisseaux et se distribue à tous les organes. L'homme en possède 4 à 5 l, soit 7 à 9 % du poids du corps. Le sang est composé de *plasma* et d'*éléments figurés* (en suspension dans le plasma). **I.** Le plasma est la partie liquide du sang (env. 55 % du volume total). Il contient : **1.** des éléments nutritifs : sels minéraux, protéines (albumine et globulines), lipides, glucose; **2.** des substances issues du catabolisme : urée, acide urique; **3.** la prothrombine et le fibrinogène; **4.** des enzymes et des hormones. **II.** Les éléments figurés se divisent en 3 grands groupes : les hématies, dites aussi érythrocytes ou globules rouges (4,5 à 5 millions par mm³ de sang); les leucocytes, ou globules

San Francisco

GROUPES SANGUINS — MÉTHODES A B O

Antigène de l'hématie	Agglutinine correspondante	Groupe sanguin	Peut recevoir du sang de	Peut donner du sang à
A	Anti-B	A	O et A	A et AB
B	Anti-A	B	O et B	B et AB
A et B	absente	AB	tous (receveur universel	AB
Absent	Anti-A et Anti-B	O	O	Tous (donneur universel)

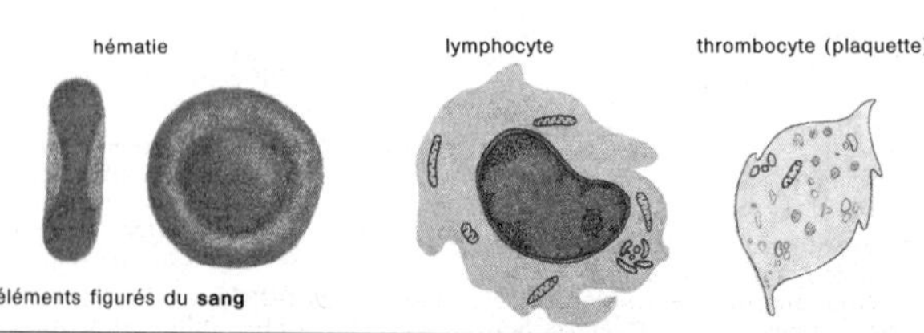

éléments figurés du **sang**

blancs; les thrombocytes, ou plaquettes. Les leucocytes (5 000 à 8 000 par mm^3 de sang) se répartissent en 2 grands groupes, suivant la forme de leur noyau : les mononucléaires et les polynucléaires. Les mononucléaires comprennent notam. les lymphocytes qui ont une importante fonction immunologique. Les thrombocytes, ou plaquettes (150 000 à 400 000 par mm^3 de sang) sont des facteurs d'hémostase. La moelle osseuse produit la plupart des éléments sanguins. Les hématies de tout individu sont porteuses d'antigènes héréditaires. Chaque individu a, dans ses hématies, soit des antigènes A, soit des antigènes B, soit à la fois des antigènes A et B, soit aucun antigène. En outre, il possède dans son plasma un anticorps (dit agglutinine) qui détruit les antigènes qu'il ne possède pas. Toutes ces données définissent le système ABO. Les hématies contiennent de nombr. antigènes autres que les antigènes A ou B, de sorte que d'autres systèmes que le système ABO existent, notam. le système Rhésus*. Les leucocytes et plaquettes sont porteurs de mêmes facteurs de groupe que les hématies; en outre, ils sont porteurs des antigènes tissulaires, déterminants pour le choix des donneurs de greffons dans le cas de greffes.

Sanga. V. Sangha.

Sangallo (Giuliano Giamberti, dit Giuliano da) (Florence, v. 1445 - id., 1516), architecte et sculpteur italien; un des maîtres de l'architecture florentine de la fin du Quattrocento : villa de Poggio a Caiano (bâtie pour Laurent de Médicis, 1483-1485), égl. Santa Maria delle Carceri, à Prato (1485-1493). – **Antonio Giamberti,** dit *Antonio da Sangallo l'Ancien* (Florence, v. 1455 - id., v. 1534), frère du préc.; architecte : égl. San Biagio à Montepulciano (1518-1529). – **Antonio Cordini,** dit *Antonio da Sangallo le Jeune* (Florence, 1483 - Terni, 1546), neveu des préc.; architecte : palais Farnèse (achevé par Della Porta et Michel-Ange), participation à l'élaboration des plans de la basilique Saint-Pierre (1520), fortifications de plusieurs grandes villes (dont Rome et Florence).

sang-de-dragon ou **sang-dragon** n. m. inv. **1.** Résine rouge foncé, extraite du dragonnier, servant à la coloration des vernis. **2.** BOT Rég. Plante herbacée, variété de patience aux tiges et aux nervures rouge sang.

Sanger (Frederick) (Rendcomb, Gloucestershire, 1918), biochimiste anglais. Il a déterminé la structure complète de l'insuline (1955). Prix Nobel 1958 et 1980.

sang-froid n. m. inv. Maîtrise de soi, calme, présence d'esprit dans les moments critiques. *Perdre son sang-froid. Faire preuve de sang-froid.* ▷ Loc. adv. *De sang-froid* : froidement, en pleine conscience de ce que l'on fait.

Sangha ou **Sanga** (la), riv. d'Afrique équatoriale (1 700 km), affl. du Congo (r. dr.); naît dans le massif de l'Adamaoua. Son cours supérieur porte le nom de *Mambéré.*

San Gimignano, ville d'Italie (Toscane); 7 380 hab. - Pittoresque cité médiévale (dominée par 13 tours anc.) : place de la Citerne (XIIIe s.), cath. romane (XIIe s.), palais du Podestat et palais du Peuple (XIIIe s.), égl. Sant'Agostino (XIIIe s., fresques de B. Gozzoli). - République indépendante, la ville fut annexée par Florence en 1354.

sanglant, ante adj. **1.** Couvert de sang. **2.** Qui fait couler beaucoup de sang. *Combat sanglant.* - *Une mort sanglante,* violente, avec effusion de sang. **3.** Fig. Outrageux, très offensant. *Reproches sanglants.* **4.** Litt. Couleur de sang.

sangle n. f. **1.** Bande plate et large (de cuir, de tissu, etc.) qui sert à ceindre, à serrer. ▷ *Spécial.* Bande de toile forte qui forme le fond d'un siège, d'un lit. **2.** Par anal. *Sangle abdominale* : ensemble des muscles de la paroi abdominale. **3.** ALPIN Corniche étroite au flanc d'une paroi.

sangler v. tr. [1] **1.** *Sangler un cheval, un animal de monte* : serrer la sangle passant sous son ventre, et destinée à maintenir la selle. **2.** Serrer comme avec une sangle. ▷ v. pron. *Se sangler dans un corset.*

sanglier n. m. Porc sauvage (genre *Sus,* fam. suidés), au corps massif couvert de soies épaisses, aux canines très développées et dont la tête (hure), terminée par un groin, est armée, surtout chez les vieux mâles, de défenses recourbées. ▷ Chair de cet animal.

sanglier : grand mâle trottant; à dr., ses canines supérieures (grés) et ses défenses; en bas, sa silhouette

sanglot n. m. Spasme respiratoire bruyant d'une personne qui pleure.

sangloter v. intr. [1] Pleurer avec des sanglots.

sang-mêlé n. inv. Personne issue du croisement de races différentes.

Sangnier (Marc) (Paris, 1873 - id., 1950), journaliste et homme politique français. Fondateur du « Sillon » (1902), il milita pour un christianisme social, mais ce mouvement chrétien fut condamné par Pie X en 1910. Il créa ensuite la « Jeune République » (1912), qui fusionna avec le M.R.P. en 1946.

sangria n. f. Boisson d'origine espagnole faite de vin rouge sucré dans lequel ont macéré des morceaux d'oranges et d'autres fruits.

sangsue [sɑ̃sy] n. f. **1.** Ver annelé (classe des hirudinées) des eaux stagnantes, qui se fixe par sa ventouse buccale à la peau des animaux dont il suce le sang. **2.** Fig. Personne qui soutire abusivement de l'argent à autrui; parasite. **3.** Fam. Personne ennuyeuse dont on ne peut se défaire. ▷ *Spécial.* Femme très accapareuse.

sanguin, ine adj. et n. m. **1.** Qui a rapport au sang. *Vaisseau sanguin.* **2.** Qui a la couleur du sang. ▷ *Orange sanguine*.* **3.** *Visage sanguin,* rouge et d'aspect congestionné. - *Tempérament sanguin* : un des quatre tempéraments distingués par l'ancienne médecine des humeurs, caractérisé notam. par la rougeur du visage et la tendance à l'emportement, à la colère. ▷ n. m. *Un sanguin.*

1. sanguinaire adj. Litt. Qui se plaît à répandre le sang; cruel. - Par ext. *Exploits sanguinaires.*

2. sanguinaire n. f. BOT Herbe vivace (fam. papavéracées), commune en Amérique du N., dont le latex rouge sang était utilisé par les Indiens pour se teindre la peau.

Sanguinaires (îles), îlots à l'entrée N. du golfe d'Ajaccio.

sanguine n. f. **1.** Variété d'hématite rouge. **2.** Crayon rouge foncé fait avec ce minéral. ▷ Dessin exécuté avec ce crayon. **3.** Orange d'une variété à pulpe rouge.

sanguinolent, ente adj. Mêlé de sang, coloré par le sang. ▷ D'une couleur qui évoque le sang.

sanhédrin [sanedʀɛ̃] n. m. HIST Tribunal civil et religieux des Juifs de la Palestine antique, formé de prêtres, de notables et de docteurs de la Loi. ▷ *Grand sanhédrin* : tribunal suprême, à Jérusalem.

sanie n. f. MED Vx et litt. Matière purulente, sanguinolente et fétide qui s'écoule des plaies infectées, des ulcères.

sanisette n. f. (Nom déposé) Toilettes publiques payantes, à nettoyage automatique.

sanitaire adj. et n. m. pl. **1.** Qui a rapport à la santé et, partic., à la santé publique et à l'hygiène. *Mesures sanitaires. Cordon* sanitaire.* **2.** *Installation sanitaire,* qui alimente un bâtiment en eau et évacue les eaux usées. - *Appareil sanitaire,* relié à une telle installation. ▷ n. m. pl. Local équipé d'appareils sanitaires.

San José, cap. du Costa Rica, au centre du pays, à 1 135 m d'alt.; 274 830 hab. (aggl. urbaine env. 550 000 hab.). Princ. centre commercial du pays (café, coton). - Archevêché.

San Jose, v. des É.-U. (Californie), au S. de la baie de San Francisco; 782 200 hab. (aggl. urb. 1 360 000 hab.). Centre agricole (fruits) et industriel.

San José de Cúcuta. V. Cúcuta.

San Juan, v. d'Argentine, au N. de Mendoza; 118 050 hab. (aggl. urb. 324 000 hab.); ch.-l. de la prov. du m. nom. Industr. alim.; centre viticole.

San Juan, cap. et port de Porto Rico; 435 000 hab. (aggl. urb. env. 1 000 000 d'hab.). Industr. textiles et alimentaires; exportation de sucre.

San Juan de Pasto. V. Pasto.

Sankt Pölten, v. d'Autriche; cap. du Land de Basse-Autriche; 49 800 hab. Métallurgie; textiles synthétiques; papeteries. - Nombr. monuments baroques.

Sanlúcar de Barrameda, port d'Espagne (Andalousie); 48 390 hab. - Christophe Colomb s'y embarqua pour son troisième voyage (1498), et Magellan pour son tour du monde (1519).

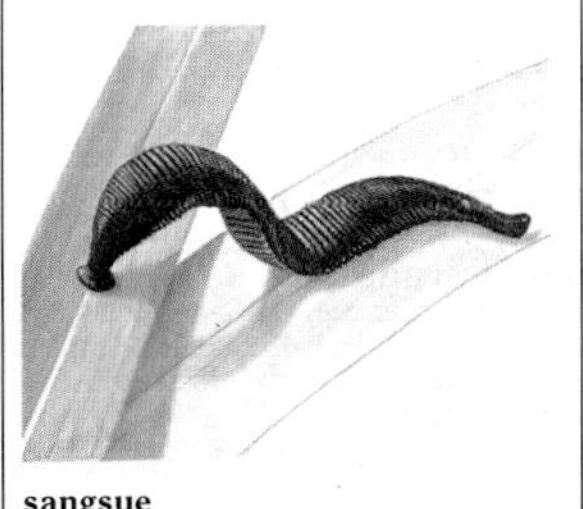

sangsue

San Luis Potosí, v. du Mexique, au centre du pays; 525 800 hab. Cap. de l'État du m. nom (2 003 180 hab.). Métallurgie, textile.

San Martín (José de) (Yapeyú, Corrientes, 1778 - Boulogne-sur-Mer, 1850), général argentin; héros des guerres de l'Indépendance latino-américaine. Il participa à la libération de son pays (1813-1816), contribua de manière importante à la libération du Chili (victoire de Maipú, 1818), puis du Pérou (1821), dont il fut élu protecteur. N'ayant pu s'entendre avec Bolívar, il résilia ses fonctions (1822) et s'exila en France.

Sanmicheli (Michele) (Vérone, 1484 - id., 1559), architecte et ingénieur italien : palais Cornaro Mocenigo (1543) et Grimani (1557), à Venise; fortifications de Vérone (1528-1538) et de Padoue (1534).

San Miguel, v. de l'E. du Salvador; 161 000 hab.; ch.-l. du dép. du m. nom. Textiles.

San Miguel de Tucumán, v. du N.-O. de l'Argentine, au pied des Andes; 394 120 hab.; ch.-l. de la prov. de Tucumán. Import. production de canne à sucre.

Sannazzaro (Iacopo) (Naples, 1456 - id., 1530), poète et humaniste italien. Son œuvre, *l'Arcadie* (1504), en vers et en prose, influença le roman pastoral dans toute l'Europe.

Sannois, ch.-l. de cant. du Val-d'Oise (arr. d'Argenteuil); 25 658 hab. - Cette localité a donné son nom *(sannoisien)* à l'étage le plus ancien de l'oligocène.

San Pedro, port de la Côte-d'Ivoire, à l'O. d'Abidjan, le deuxième du pays; 55 000 hab. Exportation (bois, notam.).

San Pedro Sula, v. du Honduras; ch.-l. de dép.; 397 200 hab. (2e ville du pays). Industr. alimentaires et textiles; tabac.

San Remo ou **Sanremo,** v. d'Italie (Ligurie), sur le golfe de Gênes, à la frontière française; 60 790 hab. Stat. balnéaire. - La *conférence de San Remo* (avr. 1920) réunit les Alliés (France, G.-B., Italie), qui y préparèrent le traité de Sèvres*.

sans I. prép. 1. (Marquant l'absence, la privation, l'exclusion.) *Il est parti sans argent. Du pain sans sel. Une audace sans égale.* 2. (Marquant une supposition.) *Sans lui, j'étais mort.* (Marquant une supposition négative.) *Sans lui, je n'aurais pu réussir.* 3. (En loc. adv. ou adj. de forme négative.) *Sans cesse* : toujours. *Sans doute* : probablement. *Non sans* : avec. *Non sans difficultés.* 4. (Avec un inf. et servant à écarter une circonstance.) *Souffrir sans se plaindre. Vous n'êtes pas sans savoir que* : vous savez que. II. (Valeur adverbiale.) Fam. *Tu peux te débrouiller sans.* III. Loc. conj. *Sans que* (+ subj.). *Partez sans qu'on vous voie*, de telle manière qu'on ne vous voie pas. *Il ne viendra pas sans qu'on l'en prie*, si on ne l'en prie pas.

sans-abri n. inv. Personne qui n'a plus de maison, plus d'endroit pour se loger.

San Salvador, cap. du Salvador, au pied du *volcan San Salvador* (1 950 m); 1 057 000 hab.; ch.-l. du dép. du m. nom. Centre commercial et industriel du pays (textiles).

San Salvador de Jujuy, v. du N.-O. de l'Argentine, sur le río Grande; 148 000 hab.; ch.-l. de la prov. de Jujuy. Centre commercial et industriel (raff. de pétrole, sidérurgie).

Sansanding, local. du Mali, sur le Niger. Pont-barrage pour l'irrigation.

sans-cœur adj. inv. et n. inv. Fam. Dur, insensible, sans pitié. ▷ Subst. inv. *Un(e) sans-cœur.*

sanscrit. V. sanskrit.

sans-culotte n. m. et adj. inv. HIST *Les sans-culottes* : les partisans de la Révolution française de 1789, qui portaient, après 1791, au lieu de la culotte aristocratique, le pantalon des hommes du peuple. - *Spécial.* Les plus avancés des révolutionnaires, par oppos. aux bourgeois du tiers état. ▷ adj. inv. *« La Carmagnole », chanson sans-culotte.*

deux **sans-culottes** cherchant à imposer le port de la cocarde tricolore à un passant, gouache du XVIIIe s.; musée Carnavalet, Paris

sans-emploi n. inv. Syn. de *chômeur.*

sansevieria ou **sansevière** n. f. BOT Plante monocotylédone (fam. amaryllidacées) des régions tropicales, aux longues feuilles rigides bordées de blanc, utilisée comme plante d'ornement et dont une espèce fournit des fibres textiles.

sans-façon n. m. inv. Vieilli Manière d'agir sans cérémonie, simplicité. *Une hospitalité d'un charmant sans-façon.* ▷ Péjor. Désinvolture, sans-gêne.

sans-faute n. m. inv. SPORT Épreuve accomplie sans erreur. - Fig. *Son parcours politique est un sans-faute.*

sans-filiste n. m. Opérateur (professionnel ou amateur) de radiotélégraphie. *Des sans-filistes.*

sans-gêne n. inv. et adj. inv. 1. n. m. inv. Habitude d'agir sans s'imposer aucune gêne, de s'affranchir des formes habituelles de la politesse; désinvolture inconvenante. 2. n. inv. Personne qui agit sans s'imposer de gêne, sans se préoccuper des autres. *Un(e) sans-gêne.* ▷ adj. inv. *Être sans-gêne.* - Par ext. *Des façons sans-gêne.*

sans-grade n. inv. Fam. Subordonné, subalterne.

sanskrit ou **sanscrit, ite** [sɑ̃skʀi, it] n. m. et adj. 1. n. m. Ancienne langue de l'Inde, de la famille indo-européenne, qui cessa d'être parlée aux approches de l'ère chrétienne, mais qui continue d'être utilisée en tant que langue littéraire et langue sacrée de la religion brahmanique. 2. adj. Qui a rapport à cette langue. *Alphabet sanskrit.*

sans-le-sou n. inv. Fam. Personne qui n'a pas d'argent.

sans-logis n. inv. (Surtout au plur.) Personne sans domicile fixe; personne logée dans un lieu qui n'est pas destiné à cet usage.

Sanson, nom d'une famille (d'origine florentine) dont les membres furent exécuteurs de hautes œuvres (bourreaux) à Paris de 1688 à 1847. - **Charles Henri** (Paris, 1740 - id., 1806) exécuta Louis XVI. - **Henri** (Paris, 1767 - id., 1840), fils du préc., exécuta Marie-Antoinette et Élisabeth de France.

sansonnet n. m. Étourneau commun.

Sansovino (Andrea Contucci, dit il) (Monte San Savino, 1460 - id., 1529), sculpteur et architecte italien (*Baptême du Christ*, 1502-1505, baptistère de Florence). - **Iacopo Tatti,** dit *il Sansovino* (Florence, 1486 - Venise, 1570), sculpteur et architecte italien; élève du préc., dont il prit le nom. Il construisit à Venise le palais Corner, dit *della Ca' Grande* (1536), la loggetta du campanile de San Marco (1537-1540), la Libreria Vecchia (1536-1554).

sans-parti n. inv. Personne qui n'est inscrite à aucun parti politique.

sans-souci adj. inv. et n. inv. Vieilli Qui est léger, insouciant.

Sans-Souci (château de), anc. chât. royal de Prusse, près de Potsdam, bâti de 1745 à 1747 par Knobelsdorff pour Frédéric II.

San Stefano (auj. *Yeşilköy*), local. de Turquie, proche d'Istanbul, où fut signé (1878) entre la Turquie et la Russie le traité terminant la guerre balkanique de 1877-1878.

Santa Ana, v. des É.-U. (Californie), dans une riche vallée; 293 700 hab. Conserveries (fruits).

Santa Ana, v. du Salvador, au N. du *volcan Santa Ana* (2 386 m); ch.-l. du dép. du m. nom; 208 000 hab. (2e ville du pays). Café; textiles.

Santa Anna (Antonio López de) (Jalapa, 1794 - Mexico, 1876), général et homme politique mexicain. Il se fit élire président (1833) et réprima durement (notam. à Alamo) le soulèvement du Texas, qu'il perdit après la défaite de San Jacinto (1836). Banni en 1845, il revint pour combattre les É.-U.; battu en 1847, il signa le désastreux traité de Guadalupe Hidalgo (1848), par lequel il cédait le Texas, la Californie et le Nouveau-Mexique. Exilé puis rappelé (1853), il se proclama dictateur à vie et fut renversé en 1855.

Santa Barbara, v. des É.-U. (Californie), au N.-O. de Los Angeles, sur le *détroit de Santa Barbara*; 85 570 hab. (aggl. urb. 322 800 hab.). Centre agricole (légumes, fruits, notam.). - Au S., près de la côte, *archipel de Santa Barbara*, montagneux et dépeuplé.

Santa Catarina, État du Brésil méridional, sur l'océan Atlantique; 95 985 km²; env. 4 339 000 hab.; cap. *Florianópolis* (dans l'*île Santa Catarina*). - La plaine côtière est dominée par un ensemble de montagnes moyennes et de plateaux. Le climat est subtropical (forêts). L'État, agricole (exploitations forestières, élevage bovin, café, riz, vigne), exploite des mines de charbon. - Import. immigration allemande et italienne à la fin du XIXe s.

Santa Clara, v. du centre de Cuba; 190 450 hab.; ch.-l. de prov. Sucreries; manuf. de tabac.

Santa Cruz, archipel du Pacifique, dépendance des Salomon, au N. de Vanuatu; 938 km²; 3 500 hab. - Bataille aéronavale entre Américains et Japonais (oct. 1942).

Santa Cruz de la Sierra, v. de Bolivie, au pied des Andes; 441 720 hab.; ch.-l. du dép. du m. nom. Centre comm. import. dans une zone pétrolifère.

Santa Cruz de Tenerife, v. et port de *l'île de Tenerife* (Canaries); 222 890 hab.; ch.-l. de la prov. du m. nom. Raff. de pétrole. Tourisme.

Santa Fe, v. d'Argentine, sur le río Santa Fe; 310 000 hab.; ch.-l. de la prov. du m. nom. Centre comm. et industr.

Santa Fe, v. des É.-U., cap. du Nouveau-Mexique, dans la vallée du río Grande, à 2 100 m d'alt.; 55 850 hab. Centre admin. et culturel. Tourisme.

Santa Isabel. V. Malabo.

santal, als n. m. **1.** Petit arbre d'Asie tropicale, parasite des racines d'autres végétaux, cultivé pour son bois (bois de santal), à l'odeur douce et pénétrante. ▷ Ce bois utilisé en ébénisterie, en marqueterie et pour fabriquer des parfums. ▷ Essence qui en est extraite. **2.** *Santal rouge :* papilionacée qui fournit une matière colorante rouge.

Santa Marta, v. et port de Colombie, au pied de la *sierra de Santa Marta,* sur la mer des Antilles; 177 920 hab.; ch.-l. de dép. Exportation de bananes.

Santander, v. d'Espagne sur le golfe de Gascogne; 194 200 hab.; cap. de la communauté auton. de Cantabrie; Constr. mécaniques; industr. alimentaires. Stat. balnéaire. Université.

santé n. f. **1.** État de l'être vivant, et, partic., de l'être humain, chez lequel le fonctionnement de tous les organes est harmonieux et régulier; bon état physiologique. *Visage qui respire la santé. Être plein de santé et de vigueur.* – Loc. *Boire à la santé de qqn,* boire en formant des vœux pour sa santé; boire en son honneur. *À votre santé!* ▷ Équilibre mental, fonctionnement harmonieux du psychisme. – Loc. *Maison de santé :* établissement médical privé où l'on soigne les maladies nerveuses et mentales. **2.** État de l'organisme, fonctionnement habituel du corps. *Avoir bonne, mauvaise santé.* – Fam. *Avoir une petite santé :* être de constitution délicate, fragile. **3.** (En loc.) *Service de santé :* service des armées chargé de l'hygiène et de la santé des troupes, des soins aux malades et aux blessés. ▷ *Service de santé maritime,* chargé de s'assurer de l'état sanitaire des navires entrant au port. – Ellipt. *La santé.* ▷ *Ministère de la Santé,* chargé de tout ce qui concerne la santé et l'hygiène de la population. ▷ *Officier de santé :* praticien qui, de 1803 à 1892, pouvait exercer la médecine sans avoir le diplôme de docteur en médecine.

Santé (prison de la), maison d'arrêt pour hommes, à Paris (XIIIe arr.), construite en 1867.

Santer (Jacques) (Wasserbillig, 1937), homme politique luxembourgeois. Il a succédé à J. Delors à la présidence de la Commission européenne (1995-1999).

santiag [sɑ̃tjag] n. f. Fam. Botte courte de style américain, décorée de piqûres, à talon oblique et à bout resserré.

Santiago, cap. du Chili, au centre du pays; 4 913 060 hab. Princ. centre industr., comm. et culturel du Chili.

Santiago de Cuba, v. et port de Cuba, sur la côte S.-E.; 402 050 hab.; ch.-l. de la prov. du m. nom. Industr. alimentaires. – Victoire navale des É.-U. sur l'Espagne (3 juil. 1898).

Santiago del Estero, v. d'Argentine; 172 000 hab.; ch.-l. de la prov. du m. nom. Centre comm. Industr. alim. Coton.

Santiago

Santiago de los Caballeros, v. de la rép. Dominicaine, à l'intérieur du pays; 316 040 hab.; ch.-l. de la prov. du m. nom. Centre commercial.

Santillana. V. López de Mendoza.

Santo André, v. du Brésil, dans la banlieue de São Paulo; 637 010 hab. Centre industr. – Évêché.

santoline n. f. BOT Arbrisseau méditerranéen (fam. composées) aux fleurs jaunes et aux feuilles dentelées.

santoméen, enne adj. et n. De São Tomé et Principe.

santon n. m. Figurine de terre cuite ornant la crèche de Noël, en Provence.

Santorin, archipel grec du S. des Cyclades; domaine d'une forte activité volcanique. Île princ. : *Santorin* ou *Thêra.* Vins. – Ruines antiques.

Santos, v. du Brésil (São Paulo), dans l'île de São Vicente; 461 100 hab. Port important. Centre industriel.

Santos-Dumont (Alberto) (Palmira, auj. Santos Dumont, Minas Gerais, 1873 – São Paulo, 1932), aéronaute brésilien qui vécut surtout en France. Il construisit des dirigeables et un des premiers avions, la *Demoiselle,* qu'il fit décoller le 23 oct. 1906 à Bagatelle. Il établit le premier record du monde de vitesse (220 m en 21 s).

Sanusi. V. Senoussi.

São Francisco (le), fl. du Brésil (3 161 km); naît dans le S. du Minas Gerais et se jette dans l'Atlantique, au S. de Recife. Nombr. chutes. Équipements hydroélectriques.

São Luís do Maranhão, v. du Nordeste du Brésil, cap. de l'État de Maranhão, port dans l'île de Maranhão; 564 430 hab. Textiles (coton). Tourisme. – Archevêché.

São Miguel, la plus grande (747 km²) et la plus peuplée (150 000 hab.) des îles des Açores; ch.-l. *Ponta Delgada.*

Saône (la), riv. de France (480 km), affl. princ. du Rhône (r. dr.); naît dans le seuil de Lorraine, passe à Gray, Chalon-sur-Saône, Mâcon; confl. à Lyon. Son débit est régulier et abondant. Le système de canaux qui la relie à la Moselle, à la Meuse, à la Marne, à la Seine, au Rhin, à la Loire n'est accessible qu'aux péniches de faible tonnage.

Saône (Haute-), dép. franç. (70); 5 343 km²; 229 650 hab.; 43 hab./km²; ch.-l. *Vesoul.* V. Franche-Comté (Rég.).

Saône-et-Loire, dép. franç. (71); 8 565 km²; 559 413 hab.; 65,3 hab./km²; ch.-l. *Mâcon.* V. Bourgogne (Rég.).

► carte page **1696**

São Paulo, v. du Brésil, la plus import. du pays, cap. de l'État du m. nom; 10 099 090 hab. (Paulistes). Princ. centre économique du Brésil, elle a de puissantes industries (métall., text., chim., alim., etc.). – Archevêché. Université. Musée des beaux-arts. – L'essor de la ville (fondée en 1554) a commencé à la fin du XIXe s., avec la culture du café.

► illustr. page **1696**

São Paulo, État du Brésil méridional, sur l'Atlantique; 247 898 km²; 32 091 000 hab. (État le plus peuplé du

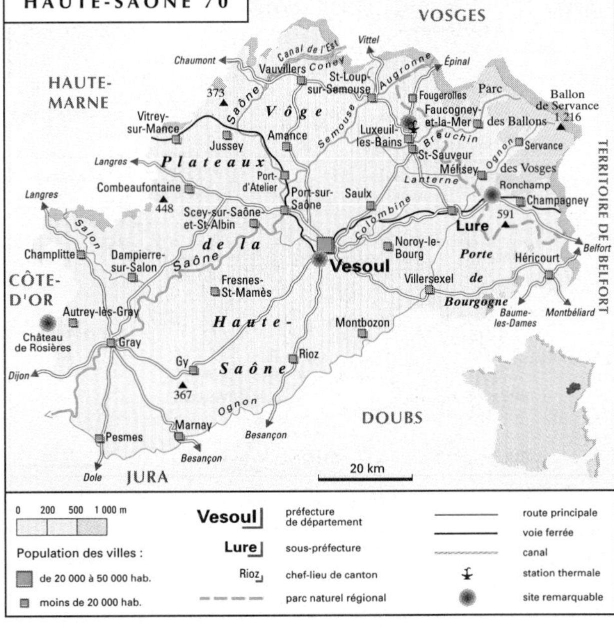

São Paulo : vue du centre moderne

pays); cap. *São Paulo.* – Un ensemble de chaînons montagneux (culminant à plus de 2 800 m) et de plateaux fait suite, vers l'O., à une plaine côtière. Le climat, tropical, est tempéré en altitude. La région centrale a un sol propice aux cultures : café (monoculture jusque vers 1930), coton, riz, canne à sucre ; l'élevage bovin est important. Le sous-sol contient de la bauxite. Diversifiées, les industries (dont l'activité est considérable) se concentrent à São Paulo.

São Tomé et Principe (République démocratique de), État du golfe de Guinée, formé des îles de São Tomé et de Principe, situé (légèrement au N. de l'équateur) au large du Gabon ; 964 km^2 (836 pour São Tomé, 128 pour Principe) ; 120 000 hab. (*Santoméens*) ; cap. *São Tomé* (25 000 hab.). Nature de l'État : rép. Langue off. : portugais. Monnaie : dobra. Relig. : en majorité cathol. – Princ. ressources : cacao, café, noix de coco, coprah. – Cette anc. colonie portugaise (prov. d'outre-mer) a accédé à l'indépendance en juil. 1975. ► carte **Afrique**

saoudien, enne adj. et n. D'Arabie Saoudite ; qui a rapport à ce pays.

Saoudite. V. Arabie Saoudite.

saoul, saouler. V. soûl, soûler.

sapajou n. m. Syn. de *sajou.*

1. sape n. f. **1.** Tranchée creusée pour se rapprocher d'un ennemi. ▷ Boyau, galerie creusée sous une construction, une fortification, pour la faire écrouler. **2.** Action de saper. *Faire un travail de sape.* – Fig., rare Menée, intrigue souterraine.

2. sape n. f. Fam. Vêtements pris dans leur ensemble.

sapèque n. f. HIST Pièce de monnaie chinoise, de faible valeur.

1. saper v. tr. [1] **1.** Détruire les fondements de (une construction) pour la faire tomber. – Par ext. *La mer sape les falaises.* **2.** Fig. Travailler à détruire (une chose) en l'attaquant dans ses principes, miner. *Saper les fondements de la civilisation. Saper le moral.*

2. saper (se) v. pron. [1] Pop. S'habiller. – Pp. adj. *Type bien sapé.*

sapeur n. m. Soldat du génie employé à la sape. ▷ *Fumer comme un sapeur :* fumer beaucoup.

sapeur-pompier n. m. Pompier. *Des sapeurs-pompiers.*

saphène n. f. et adj. ANAT Chacune des deux veines qui collectent le sang des veines superficielles du membre inférieur. ▷ adj. *Veine saphène.*

saphique adj. Didac. **1.** Qui appartient à Sappho, à sa poésie. *Vers saphique :* vers grec ou latin composé de trois trochées, deux iambes et une syllabe, qu'aurait inventé Sappho. **2.** Relatif au saphisme.

saphir n. m. **1.** Pierre précieuse, variété de corindon, de couleur bleu transparent. **2.** Petite pointe de saphir ou d'une autre matière dure, qui constitue l'élément principal d'une tête de lecture d'électrophone.

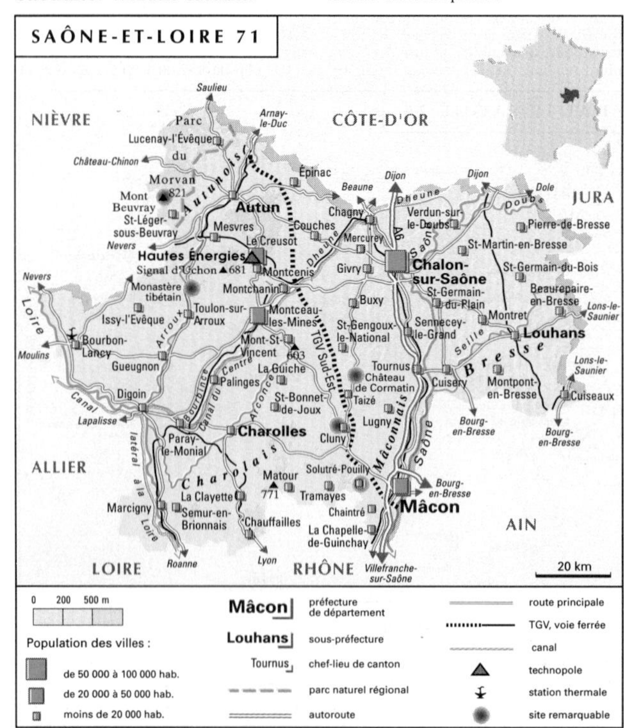

saphisme n. m. Litt. Homosexualité féminine.

Sapho. V. Sappho.

sapide adj. Didac. Qui a de la saveur. Ant. insipide.

sapidité n. f. Didac. Qualité de ce qui est sapide.

sapience n. f. Vx Sagesse et science.

sapiential, ale, aux [sapjɛ̃sjal, o] adj. et n. m. pl. THEOL *Les livres sapientiaux* ou, n. m. pl., *les sapientiaux :* les livres de la Bible (Ancien Testament) qui renferment surtout des maximes morales : les Proverbes, le Livre de Job, l'Ecclésiaste, l'Ecclésiastique, la Sagesse. (On y joint les Psaumes et le Cantique des cantiques.)

sapin n. m. **1.** Résineux caractérisé par ses cônes dressés sur les branches et par ses feuilles persistantes en aiguilles insérées isolément, marquées à leur face inférieure de deux lignes blanches longitudinales. ▷ Cour. et *abusiv.* Tout conifère à aiguilles (épicéa, mélèze, etc.). **2.** Bois de cet arbre. *Charpente en sapin.* ▷ Loc. fam. *Sentir le sapin :* n'avoir plus longtemps à vivre.

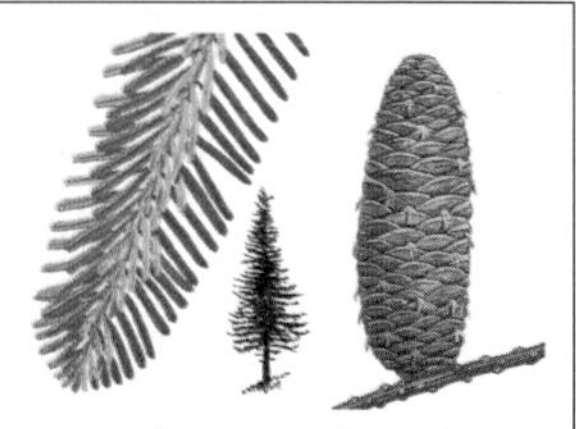
pousse, silhouette et cône mûr du **sapin**

sapinette n. f. Nom cour. donné à certains pins d'Amérique du N. et à l'épicéa.

sapinière n. f. Lieu planté de sapins, bois de sapins.

sapon-. Élément, du lat. *sapo, saponis,* « savon ».

saponacé, ée adj. Didac. Qui a les caractères du savon.

saponaire n. f. BOT Plante (fam. caryophyllacées) à fleurs roses contenant de la saponine.

saponification n. f. CHIM, TECH **1.** Conversion d'un ester en alcool et en sel de l'acide correspondant sous l'action d'une base (la soude, le plus souvent), réaction utilisée dans la fabrication des savons. **2.** Réaction qui donne un sel minéral à partir d'une base et d'un autre corps.

saponifier v. tr. [2] CHIM, TECH Transformer (un ester) en sel de l'acide correspondant. ▷ *Spécial.* Transformer (un corps gras) en savon.

saponine n. f. CHIM Nom générique de diverses substances, à l'origine extraites de la saponaire, qui ont la propriété de faire mousser l'eau. (Les saponines entrent dans la composition des lessives, des shampooings, etc.)

Sapor, transcription latine du nom perse Châhpuhr*.

sapotillier ou **sapotier** n. m. BOT Arbre des Antilles (*Achras sapota,* fam. sapotacées), au fruit (sapote) comestible, dont on tire un latex qui sert à la fabrication du chewing-gum (le chiclé).

Sappho ou **Sapho** (Lesbos, v. 620 - id., v. 580 av. J.-C.), poétesse lyrique grecque. Elle tint une école féminine de poésie et de musique. La légende veut qu'elle se soit adonnée à l'homosexualité *(saphisme)*, mais aussi que, éprise du jeune Phaon et désespérée par l'indifférence de celui-ci, elle se soit jetée dans la mer du haut du cap de Leucade.

Sapporo, v. du Japon, ch.-l. du ken d'Hokkaidō; 1 562 370 hab. Centre industriel. - Ville construite à l'ère Meiji pour coloniser l'île d'Hokkaidō.

sapristi! interj. Fam. Juron exprimant l'irritation, l'étonnement.

sapro-. Élément, du gr. *sapros*, « pourri, putride ».

saprophage adj. et n. m. ZOOL Qui se nourrit de matières organiques en décomposition. ▷ n. m. *Un saprophage.*

saprophyte adj. et n. m. **1.** BIOL Se dit d'un être vivant qui tire des matières organiques en décomposition les substances qui lui sont nécessaires. ▷ n. m. *Le bolet est un saprophyte.* **2.** MED Se dit de tout microbe qui vit dans l'organisme sans être pathogène.

Saqqarah ou **Sakkarah** *(Saqqāra)*, village et site archéologique d'Égypte, au S.-O. du Caire, gigantesque nécropole comprenant la grande pyramide à degrés du roi Djoser (IIIe dynastie).

saquer. V. sacquer.

Sara ou **Sarah,** personnage biblique, épouse d'Abraham. Longtemps stérile, elle adopta Ismaël, fils d'Abraham et de sa servante Agar; devenue mère d'Isaac à un âge très avancé, elle fit renvoyer Agar et son fils (Genèse, XXI, 1-14).

sarabande n. f. **1.** Danse populaire espagnole à trois temps, en grande vogue du XVIe s. au XVIIIe s. - Danse française postérieure, plus lente et grave, proche du menuet. ▷ Air de ces danses; composition musicale dans le caractère de ces danses. **2.** Fig. Agitation vive, bruyante. *Faire la sarabande.*

Saragat (Giuseppe) (Turin, 1898 - Rome, 1988), homme politique italien. Socialiste, il constitua le parti socialiste-démocrate (1947) et fut président de la République (1964-1971).

Saragosse (en esp. *Zaragoza*), v. d'Espagne (Aragon), sur l'Èbre; 592 670 hab.; cap. de la communauté auton. d'Aragon; ch.-l. de la prov. de Saragosse. Centre commercial, culturel, agricole et industriel (textiles, constr. méca.). - Archevêché. Université. Cath. San Salvador (XIIe-XVIe s.). Belles égl. de style mudéjar. - Soumise au califat de Cordoue (VIIIe s.), royaume arabe indépendant au XIe s., la ville fut reconquise en 1118 par Alphonse Ier, qui en fit la cap. de l'Aragon. En 1808, la ville opposa aux troupes françaises qui l'assiégeaient une longue résistance.

Sarah. V. Sara.

Sarajevo, cap. de la Bosnie-Herzégovine, sur la Miljacka; 319 020 hab. Centre artisanal (cuir, tapis) et industriel (alimentation, cimenteries). - Nombr. monuments de l'époque ottomane. - Le 28 juin 1914, l'archiduc héritier d'Autriche François-Ferdinand y fut assassiné; ce meurtre déclencha la Première Guerre mondiale. - Les milices serbes hostiles à l'indépendance de la Bosnie-Herzégovine ont assiégé la ville de 1992 à 1995.

Sarakollés ou **Soninkés,** peuple mandingue de l'Afrique occidentale (Sénégal, Mali, Burkina Faso).

Saramago (José) (Azinhaga, près de Santarem, 1922), écrivain portugais. Son œuvre mêle étroitement la fiction et l'histoire de son pays : *le Dieu manchot* (1982). Prix Nobel 1998.

Saran, com. du Loiret (arr. d'Orléans); 13 573 hab.

Saransk, v. de Russie, cap. de la rép. auton. de Mordovie; 307 000 hab. Industr. diverses.

Sarapis. V. Sérapis.

Sarasate (Pablo de Martin Melitòn Sarasate y Nascués, dit Pablo de) (Pampelune, 1844 - Biarritz, 1908), violoniste et compositeur espagnol. Virtuose de renom, il composa des pièces brillantes pour violon.

Saratoga Springs, ville des É.-U. (État de New York); 25 000 hab. - Le 17 octobre 1777, le général anglais Burgoyne y capitula devant les Américains.

Saratov, v. de Russie, sur la Volga; 926 000 hab.; ch.-l. de la prov. du m. nom. Port fluvial. Exploitation de gaz naturel; raff. de pétrole; centrale hydroélectrique. - Université.

Sarawak, État de Malaisie, dans le N.-O. de Bornéo; 124 449 km²; env. 1 550 000 hab.; cap. *Kuching.* Sa forêt dense couvre les deux tiers du territoire. Princ. ressources : hévéas, pétrole, bauxite, or. - Ce protectorat britannique (1888), devenu dominion (1946), est entré en 1963 dans la Fédération de Malaisie.

sarbacane n. f. Tuyau à l'aide duquel on lance, par la force du souffle, des projectiles légers.

sarcasme n. m. Raillerie acerbe, insultante; trait mordant d'ironie.

sarcastique adj. Qui tient du sarcasme. *Ton sarcastique.* ▷ Qui use volontiers du sarcasme.

sarcastiquement adv. D'une façon sarcastique.

sarcelle n. f. Petit canard sauvage, au vol très rapide.

sarcelle

Sarcelles, ch.-l. de cant. du Val-d'Oise (arr. de Montmorency); 57 121 hab. Import. ensemble résidentiel construit de 1958 à 1961. Prod. pharm., mat. électrique.

sarclage n. m. Opération qui consiste à sarcler; son résultat.

sarcler v. tr. [1] Arracher (les mauvaises herbes) au moyen d'un outil. *Sarcler le chiendent.* ▷ Débarrasser (un terrain, une culture) des mauvaises herbes. *Sarcler des plates-bandes.*

sarclette n. f. Petit sarcloir.

sarcloir n. m. Outil servant à sarcler, houe à deux dents.

sarco-. Élément, du gr. *sarx, sarkos,* « chair ».

sarcoïdose n. f. MED Lymphogranulomatose bénigne.

sarcome n. m. MED Tumeur maligne qui se développe aux dépens du tissu conjonctif.

sarcophage n. **I.** n. m. **1.** Cercueil de pierre. ▷ *Par ext.* Cercueil de bois, à forme humaine, des momies égyptiennes. **2.** Construction en béton destinée à isoler un réacteur nucléaire accidenté. **II.** n. f. ENTOM Mouche grise de la viande.

sarcophile n. m. ZOOL Marsupial carnivore de Tasmanie, dit cour. *diable de Tasmanie.*

sarcopte [saʀkɔpt] n. m. ZOOL Acarien (genre *Sarcoptes*) parasite de l'homme et de divers mammifères, dont la femelle creuse des galeries sous la peau, occasionnant la gale.

Sardaigne (en ital. *Sardegna*), île de la Méditerranée occidentale, au S. de la Corse. Région d'Italie et de la C.E., formée des prov. de Cagliari, Nuoro, Oristano, Sassari; 24 090 km²; 1 651 220 hab.; cap. *Cagliari.*

Géogr. et écon. - Socle cristallin soulevé (1 884 m dans les monts du Gennargentu), au littoral très découpé, jalonné de coulées volcaniques à l'O. et ouvert au S. par une grande plaine d'effondrement (le Campidano). Le climat méditerranéen, très chaud et sec en été est humide en hiver. Élevage ovin dominant, céréales et cultures intensives dans les plaines. L'implantation d'industries (pétrochimie, textile, papeterie), l'essor du tourisme et les aides massives de la C.É.E. ont permis de mettre fin à une émigration séculaire.

Hist. - Dès l'âge du bronze, la Sardaigne connut une civilisation originale (tombes, dolmens). L'île fut ensuite successivement envahie par les Phéniciens (VIIe s. av. J.-C.), les Carthaginois (VIIe s. av. J.-C.), les Phocéens (VIe s. av. J.-C.), les Romains, les Byzantins et les Sarrasins, qui dévastèrent ses côtes de 711 à 1016. Pour se défendre, les Sardes firent appel notam. à Gênes et à Pise, qui, après avoir éliminé les Sarrasins, se disputèrent l'île (XIe-XIIIe s.). Finalement, le pape Boniface VIII attribua l'île à l'Aragon, qui l'occupa par la force au XIVe s. Érigée en vice-royauté (1478), elle ne bénéficia guère de la présence espagnole. Elle fut cédée (1718), en échange de la Sicile, au duc de Savoie, proclamé roi de Sardaigne, et connut alors un certain développement économique. L'île fut intégrée au royaume d'Italie en 1861.

Sardanapale, dernier souverain d'Assyrie, selon les Grecs. Pour échapper aux Mèdes qui l'assiégeaient dans Ninive, il se donna la mort sur un bûcher, où il avait fait égorger ses femmes et rassembler ses trésors.

sardane n. f. Danse catalane dans laquelle les danseurs se tiennent par la main et forment un cercle; air sur lequel on la danse.

sarde adj. et n. **1.** adj. De la Sardaigne. **2.** n. m. Ensemble des parlers romans en usage en Sardaigne.

Sardes (auj. *Sart*, en Turquie), anc. v. de l'Asie Mineure, sur la riv. Pactole; cap. du royaume de Lydie. Ses richesses, au temps de Crésus (VIe s. av. J.-C.), étaient proverbiales.

sardine n. f. Poisson clupéiforme pélagique des eaux tempérées, long d'une vingtaine de centimètres, au ventre argenté, au dos bleu-vert, qui se déplace par bancs et qui fait l'objet d'une pêche intensive. *Sardines fraîches. Sardines à l'huile, en boîte.*

sardinelle n. f. Sardine de petite taille.

sardinerie n. f. Usine où l'on met les sardines en boîtes.

sardinier, ère adj. et n. **I.** adj. Qui a rapport à la pêche à la sardine, à l'industrie alimentaire qui s'y rattache. **II.** n. **1.** n. m. Pêcheur de sardines. ▷ Bateau armé pour la pêche à la sardine. **2.** Personne employée dans une sardinerie.

sardoine n. f. Variété de calcédoine rouge-brun.

sardonique adj. *Rire, ricanement sardonique,* méchant, sarcastique.

sardoniquement adv. De manière sardonique.

Sardou (Victorien) (Paris, 1831 - id., 1908), auteur dramatique français : comédies de mœurs (*la Famille Benoîton,* 1865), pièces historiques (*Madame Sans-Gêne,* 1893). Acad. fr. (1877).

Sarema. V. Saarema.

sargasse n. f. Algue brune, fixée ou libre, à thalle coriace. ► illustr. **algues**

Sargasses (mer des), vaste zone de l'Atlantique Nord, à l'E. des Bahamas, où s'accumulent des végétaux (des sargasses, notam.) charriés par les courants marins. Les anguilles viennent s'y reproduire.

Sargent (John Singer) (Florence, 1856 - Londres, 1925), peintre américain. Il fut l'élève de Carolus-Duran et le portraitiste attitré de la haute société anglaise. *Portrait de Madame X...* (1884).

Sargodha, v. du N.-E. du Pākistān; 294 000 hab. Centre commercial.

Sargon l'Ancien ou **Sharroukīn,** prince sémite, fondateur de la dynastie d'Akkad (IIIe millénaire av. J.-C.).

Sargon II ou **Sharroukīn** (m. en 705 av. J.-C.), roi d'Assyrie (722-705), frère et successeur de Salmanasar V. Il détruisit le royaume d'Israël (prise de Samarie, 721), en déporta la population, puis vainquit les Égyptiens (720) à Qarqar et à Raphia (au S. de Gaza). Sous son règne fut bâti près de Ninive le palais de Dour-Sharroukīn (actuel Khursabad*).

Sarh (anc. *Fort-Archambault*), v. du S. du Tchad, sur le Chari; 37 000 hab.; ch.-l. de préfecture. Industr. textiles.

sari n. m. Costume féminin de l'Inde, fait d'une longue pièce d'étoffe drapée.

sarigue n. f. Mammifère de la famille des marsupiaux, dont l'opossum est l'espèce la plus connue.

Sarine (la) (en all. *Saane*), riv. de Suisse (120 km), affl. de l'Aar (r. g.); draine le cant. de Fribourg.

S.A.R.L. n. f. Sigle de *société à responsabilité limitée.*

Sarlat-la-Canéda (anc. *Sarlat*), ch.-l. d'arr. de la Dordogne, dans le Périgord noir; 10 648 hab. Marché agricole (truffes, noix); conserveries. - Église St-Sacerdos, anc. abbatiale.

Sarmates, peuple nomade qui, venant d'Asie centrale, envahit au IIIe s. av. J.-C. les territoires occupés par les Scythes entre le Don et la mer Caspienne. Ils parvinrent jusqu'au Danube au Ier s. apr. J.-C., puis s'intégrèrent aux Germains (IVe s.).

Sarmatie, anc. contrée occupée par les *Sarmates.*

sarment n. m. **1.** Branche de vigne de l'année. **2.** *Par ext.* Toute tige ou branche ligneuse et grimpante.

Sarment (Jean Bellemère, dit Jean) (Nantes, 1897 - Boulogne-Billancourt, 1976), acteur et dramaturge français; auteur d'œuvres intimistes, ironiques et sensibles : *le Pêcheur d'ombres* (1921), *Je suis trop grand pour moi* (1924), *le Plancher des vaches* (1931), *le Pavillon des enfants* (1955). Il a publié des *Poèmes* en 1964.

sarmenteux, euse adj. **1.** *Vigne sarmenteuse,* dont les sarments sont abondants. **2.** BOT *Plante sarmenteuse,* à tige longue, flexible et grimpante comme un sarment.

Sarmiento (Domingo Faustino) (San Juan, 1811 - Asunción, Paraguay, 1888), homme politique et écrivain argentin; président de la République (1868-1874). Auteur d'une importante œuvre historique, sociologique et pédagogique, et de romans dont *Facundo* (1845).

Sarnen, com. de Suisse, ch.-l. du demi-canton d'Obwald (Unterwald); 7 400 hab. Textiles.

Sarney (José) (São Luís, État de Maranhão, 1930), homme politique brésilien. Vice-président de la République, il devint président à la suite du décès, en 1985, du président Tancredo Neves.

Sarnia, v. du Canada (Ontario), à l'extrémité S. du lac Huron; 49 040 hab. Métall., raff. de pétrole, pétrochimie.

Saron ou **Sharon,** plaine côtière d'Israël, fertile et densément peuplée.

sarong [saʀɔ̃g] n. m. Pagne long et étroit porté par les Malais.

saros [saʀos] n. m. ASTRO Période de 223 lunaisons (18 ans et 11 jours), dite aussi *période chaldéenne,* au bout de laquelle les 43 éclipses de Soleil et les 43 éclipses de Lune se reproduisent dans le même ordre.

saroual, als [saʀwal] ou **séroual, als** [seʀwal] n. m. Pantalon de toile, très large et à entrejambe bas, porté dans certaines régions du Maghreb.

Saroyan (William) (Fresno, Californie, 1908 - id., 1981), écrivain américain; nouvelliste (*l'Audacieux Jeune Homme au trapèze volant,* 1934), romancier (*les Aventures de Wesley Jackson,* 1946) et auteur dramatique (*le Temps de votre vie,* 1939).

sarracenia [saʀasenja] n. m. ou **sarracénie** n. f. BOT Plante dite carnivore des marécages d'Amérique du Nord.

Sarrail (Maurice) (Carcassonne, 1856 - Paris, 1929), général français. Il dirigea la IIIe armée dans la bataille de la Marne; commandant l'armée d'Orient (1915-1917), il organisa la lutte à Salonique et prit Monastir aux Bulgares. Il fut haut-commissaire en Syrie (1924).

Sarrans (barrage de), puissant barrage sur la Truyère (dép. de l'Aveyron); centrale hydroélectrique.

1. sarrasin, ine n. et adj. *Les Sarrasins :* nom donné par les écrivains du Moyen Âge aux musulmans d'Afrique, d'Espagne et d'Orient. ▷ adj. Des Sarrasins, qui a rapport aux Sarrasins. ▷ *Architecture sarrasine,* caractérisée par l'arc brisé en fer à cheval. ▷ *Tuiles sarrasines :* larges tuiles utilisées en Provence.

2. sarrasin n. m. Céréale (fam. polygonacées) appelée aussi *blé noir,* aux feuilles en forme de fer de lance, dont les graines sont riches en amidon et qui peut pousser sur des sols très pauvres. ▷ Farine faite avec les graines du sarrasin. *Galette de sarrasin.*

sarrau n. m. Blouse courte et ample portée par-dessus les vêtements. *Des sarraus.*

Sarraut (Albert) (Bordeaux, 1872 - Paris, 1962), homme politique français. Radical-socialiste, il fut de nombreuses fois ministre de 1906 à juin 1940, président du Conseil en 1933 et en 1936. Il fut déporté en Allemagne (1944-1945).

Sarraute (Nathalia Tcherniak, Mme Raymond Sarraute, dite Nathalie) (Ivanovo, 1900), écrivain français. Son écriture préfigure le nouveau roman : *Tropismes* (1939), *Martereau* (1953), *l'Ère du soupçon* (1956), *le Planétarium* (1959), *l'Usage de la parole* (1980), *Enfance* (1983), *Tu ne t'aimes pas* (1989).

Sarrazin (Albertine) (Alger, 1937 - Montpellier, 1967), écrivain français, auteur de romans largement autobiographiques (*l'Astragale,* 1965; *la Cavale,* 1965; *la Traversière,* 1966) et de *Poèmes* (posth. 1969).

Sarre (la) (en all. *Saar*), riv. de France et d'Allemagne (240 km), affl. de la Moselle (r. dr.); née au pied du Donon (Vosges), elle passe à Sarrebourg, Sarreguemines, Sarrebruck et Sarrelouis.

Sarre (en all. *Saarland*), Land d'All. et région de la C.E., à la frontière française; 2 569 km²; 1 045 700 hab.; cap. *Sarrebruck.*

Géogr. phys. et écon. - Pays de collines et de plateaux au contact du Bassin parisien et du Massif schisteux rhénan, la Sarre est une importante région industrielle. Son essor a commencé dès le XVIIIe s. grâce à son bassin houiller qui a favorisé l'éclosion de la sidérurgie, de la métallurgie et de nombr. autres industries (chimiques, notam.). Auj., ces activités traditionnelles sont en recul et la Sarre est devenue une terre d'industr. de haut niveau technique.

Hist. - Relevant de diverses seigneuries, la région fut en grande partie réunie à la France (1661, 1680-1681) avant d'être annexée par la France révolutionnaire, dont elle devint alors un dép., de la Moselle en 1790, puis de la Sarre en 1795. Le dép. de la Sarre fut cédé à la Prusse (premier traité de Paris, 1814), puis les arrondissements de Sarrelouis et de Sarrebruck (deuxième traité de Paris, 1815); la Prusse assura la mise en valeur de la partie S. de la région après 1871. Revendiquée en 1919 par la France, qui ne reçut que la propriété des mines de charbon, la Sarre fut placée pendant quinze ans sous l'autorité de la S.D.N. Elle choisit par plébiscite le rattachement à l'Allemagne (1935), qui racheta à la France les mines de charbon. Après 1947, tout en ayant un gouvernement autonome, elle fut rattachée économiquement à la France. En 1955, elle choisit par référendum l'intégration complète à la R.F.A., rendue effective sur le plan politique en 1957, et sur le plan économique en 1959 : la France reçoit des livraisons de charbon et la R.F.A. s'engage à investir dans la canalisation de la Moselle.

Sarrebourg, ch.-l. d'arr. de la Moselle, sur la Sarre; 14 523 hab. Industr. métall.; chaussures.

Sarrebruck (en all. *Saarbrücken*), v. d'All., cap. de la Sarre, sur la Sarre;

184 350 hab. Centre houiller et métallurgique; industries textiles, chimiques et alimentaires. – Université. Monuments baroques.

Sarreguemines, ch.-l. d'arr. de la Moselle, sur la Sarre, à la frontière all.; 23 684 hab. Industr. métall.; céramiques; pneumatiques.

Sarrelouis (en all. *Saarlouis; Saarlautern* sous le IIIe Reich), v. d'All. (Sarre), sur la Sarre; 37 410 hab. Métallurgie. Brasseries.

sarriette n. f. Plante herbacée (fam. labiées), aux feuilles très odorantes, utilisées comme condiment.

sarrois, oise adj. et n. De la Sarre. ▷ Subst. *Un(e) Sarrois(e).*

Sartène, ch.-l. d'arr. de la Corse-du-Sud, au S. d'Ajaccio; 3 649 hab. Vignobles.

Sarthe (la), riv. de France (285 km), qui, unie à la Mayenne (confl. en amont d'Angers) et au Loir, forme la Maine; née dans le Perche, elle passe à Alençon, au Mans et à Sablé.

Sarthe, dép. franç. (72); 6 210 km^2; 513 654 hab.; 82,7 hab./km^2; ch.-l. *Le Mans.* V. Loire (Pays de la) [Région].

sarthois, oise adj. et n. Du département de la Sarthe. – Subst. *Un(e) Sarthois(e).*

Sartine (Antoine de), comte d'Alby (Barcelone, 1729 – Tarragone, 1801), homme politique français. Lieutenant général de police (1759-1774), il prit d'efficaces mesures pour faciliter le maintien de l'ordre à Paris (éclairage des rues, notam.). Secrétaire d'État à la Marine (1774-1780), il introduisit de nombr. réformes.

Sarto (Andrea Angeli ou Andrea d'Agnolo di Francesco, dit Andrea del Sarto). V. Andrea del Sarto.

Sartre (Jean-Paul) (Paris, 1905 – id., 1980), philosophe, romancier, essayiste et auteur dramatique français. Élève de l'École normale supérieure (1924-1928), agrégé de philosophie (1929), il enseigna au Havre, à Laon et à Paris jusqu'en 1945. Son premier ouvrage, *l'Imagination* (1936), fut suivi de *l'Imaginaire* (1940), étude inspirée de Husserl sur la nature de l'image et sur la «conscience imageante». *L'Être et le Néant* (1943) jette les fondements d'un existentialisme athée qui engendre une morale de l'engagement et de la responsabilité, ébauchée dans *L'existentialisme est un humanisme* (1946), ainsi qu'une philosophie de l'histoire, qui apparaît comme une tentative de conciliation de l'existentialisme sartrien et du marxisme (*Critique de la raison dialectique,* 1960). Sartre chercha à illustrer sa pensée dans des romans (*la Nausée,* 1938; *les Chemins de la liberté,* 1945-1949), des nouvelles (*le Mur,* 1939), des pièces de théâtre (*les Mouches,* 1943; *Huis clos,* 1944; *la Putain respectueuse,* 1946; *les Mains sales,* 1948; *le Diable et le Bon Dieu,* 1951; *les Séquestrés d'Altona,* 1959, etc.). Il réunit ses nombr. essais de critique philosophique, littéraire, politique ou sociale dans *Situations* (1947-1976), donna un récit autobiographique (*les Mots,* 1964) et appliqua une méthode de «psychanalyse existentielle» à l'étude de *Baudelaire* (1947), de Jean Genet (*Saint Genet, comédien et martyr,* 1952) et de Flaubert (*l'Idiot de la famille,* 1971-1972). Sartre refusa, en 1964, le prix Nobel de littérature qui lui était attribué. À la Libération, il a tenté de grouper les éléments de gauche non communistes dans un *Rassemblement démocratique révolutionnaire* et fonda en 1945 la revue *les Temps modernes*; il fut le premier directeur du quotidien *Libération* (1973).

Jean-Paul **Sartre** et Simone de Beauvoir

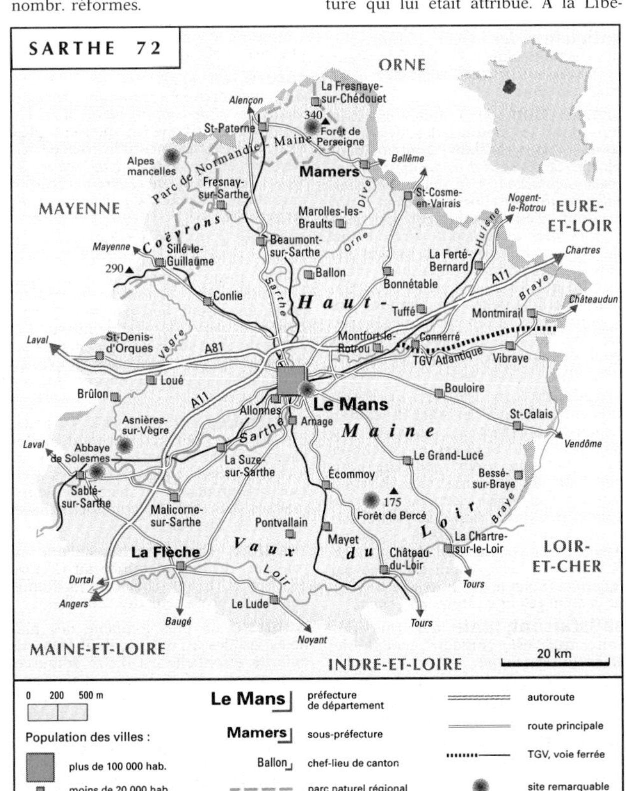

sartrien, enne adj. Relatif à l'œuvre et à la pensée de J.-P. Sartre.

Sartrouville, ch.-l. de cant. des Yvelines (arr. de Saint-Germain-en-Laye), sur la Seine; 50 440 hab. Chimie.

Sarzeau, ch.-l. de cant. du Morbihan (arr. de Vannes); 5 049 hab. – Ruines du chât. de Suscinio (XIIIe-XVe s.).

sas [sas] n. m. **1.** Tamis formé d'un tissu tendu sur un cadre de bois. **2.** Bassin compris entre les deux portes d'une écluse. **3.** Compartiment étanche qui permet de passer d'une enceinte close au milieu extérieur, et inversement. *Sas d'un sous-marin, d'un engin spatial.*

Sasebo, v. du Japon, dans le N.-O. de l'île Kyūshū; 250 630 hab. Pêche. Port militaire.

Saskatchewan (la), riv. du Canada, tributaire du lac Winnipeg, formée par la réunion de la *Saskatchewan du Nord* (1 200 km) et de la *Saskatchewan du Sud* (880 km), nées dans les Rocheuses.

Saskatchewan (la), prov. du centre du Canada; 652 330 km^2; 988 900 hab. (2,5 % de francophones); cap. *Regina.* – Cette prov. de la Prairie est une riche région agricole (sauf dans le N., où s'étend une vaste zone forestière et lacustre). Le climat est continental. Princ. productions : céréales (blé surtout) et lin. L'élevage bovin et porcin a pris une grande importance. Le sous-sol est riche : pétrole, potasse, houille, uranium, etc. Le secteur industriel est fondé sur les ressources agricoles et minières. – La colonisation, qui débuta au XVIIIe s., prit son essor après 1885 (achèvement de la voie ferrée transcontinentale). En 1905, le territoire devint une province.

Saskatoon, v. du Canada (Saskatchewan), sur la Saskatchewan du Sud; 186 050 hab. Centre comm. Industr. méca. et alim. Travail du bois.

sassafras [sasafʀa] n. m. BOT Arbre d'Amérique du N. (fam. lauracées) dont les feuilles et les racines, riches en substances aromatiques, sont utilisées respectivement comme condiment et en parfumerie.

sassanide adj. Relatif aux Sassanides.

Sassanides, dynastie perse fondée par Ardachêr Ier (petit-fils d'un prêtre de Persépolis nommé Sâssân), vainqueur d'Artaban IV, dernier roi des Parthes Arsacides, en 224. Cette dynastie, qui régna de 226 à 651, créa un puissant empire qui s'étendit du Khorāsān à la Mésopotamie. Souveraineté de droit divin, centralisme étatique, influence de la relig. officielle (mazdéisme*) et développement d'un brillant art de cour caractérisent la civilisation sassanide, qui refusa, à la différence des Parthes, les apports de l'hellénisme. Ennemie acharnée de Rome puis de Byzance, la Perse sassanide succomba à la conquête arabe (défaite d'Al-Qadisiyyah, 637).

Sassari, v. d'Italie, dans le N.-O. de la Sardaigne; 119 840 hab.; ch.-l. de la prov. du m. nom. Industr. alim.; pétrochimie. – Archevêché. Université. Cathédrale gothique. Musée.

sassenage n. m. Fromage de vache du Dauphiné, à moisissures internes.

Sassetta (Stefano di Giovanni) (Sienne, v. 1392 – id., 1451), peintre italien de l'école de Sienne : *Madone des neiges.*

Sassoon (Siegfried Lorraine) (Londres, 1886 – Heytesbury House, Wiltshire, 1967), écrivain anglais. Il fait la satire du milieu militaire (*Mémoires d'un chasseur de renom,* 1928) et brise, dans ses poèmes, avec le romantisme.

Sassou Nguesso (Denis) (Brazzaville 1943), officier et homme politique congolais. Président de la République (1979-1992), il revient au pouvoir en 1997, à la suite d'une guerre civile.

Satan (en hébreu *haschatân,* «l'ennemi»), chef des anges rebelles devenu l'esprit du mal; cité dans l'Ancien et le Nouveau Testament.

satané, ée adj. Fam. (Devant un nom.) Sacré, maudit. *C'est encore une de vos satanées inventions!*

satanique adj. **1.** Qui a rapport à Satan, inspiré par Satan. *Culte satanique.* **2.** Digne de Satan, diabolique. *Orgueil satanique.*

satanisme n. m. Didac. **1.** Culte rendu à Satan. **2.** Esprit, caractère satanique.

satellisation n. f. **1.** ESP Mise sur orbite d'un engin. **2.** POLIT Fait de satelliser, de rendre dépendant; sujétion.

satelliser v. tr. [1] **1.** ESP Mettre sur orbite autour d'un corps céleste, transformer en satellite. **2.** Transformer en satellite (sens II), rendre dépendant, assujettir.

satellitaire adj. ESP Relatif aux satellites. – Effectué, obtenu par satellite. *Des mesures satellitaires.*

satellite n. m. **I. 1.** Astre qui gravite autour d'une planète. *La Lune est le satellite de la Terre.* ▷ *Satellite artificiel* ou *satellite :* engin mis en orbite par l'homme autour de la Terre ou d'une autre planète, ou autour d'un satellite naturel. **2.** MECA Chacun des pignons coniques fixés sur la couronne d'un différentiel d'automobile et sur lesquels s'engrènent les planétaires*. **3.** ANAT (En appos.) *Veine satellite d'une artère,* qui suit le même trajet que celle-ci. **4.** Bâtiment d'une aérogare réservé à l'embarquement et au débarquement des passagers. **II.** Nation qui est sous la dépendance d'une autre, plus puissante qu'elle. – (En appos.) *État satellite.*

satī [sati] n. **1.** n. f. inv. HIST Veuve qui, en Inde, suivait son mari dans la mort en montant sur le bûcher funéraire. **2.** n. m. inv. Ce rite (aboli en 1829).

Satie (Alfred Erik Leslie-Satie, dit Erik) (Honfleur, 1866 – Paris, 1925), compositeur français. Son œuvre se caractérise par sa simplicité mélodique et contrapuntique, ainsi que par son humour : *Trois Gymnopédies* (pièces pour piano, 1888, dont deux orchestrées par Debussy v. 1895); *Parade* (ballet, 1917); *Socrate* (oratorio, 1918). ▶ illustr. page **1691**

satiété [sasjete] n. f. État d'une personne complètement rassasiée. *Manger, boire à satiété.* ▷ Litt. Dégoût qui suit l'usage immodéré de qqch. *Il en avait à satiété.* ▷ *Répéter une chose à satiété,* jusqu'à fatiguer son interlocuteur.

satin n. m. Étoffe de soie fine, douce et lustrée. – Par comparaison *Peau de satin,* très douce. ▷ Étoffe offrant l'aspect du satin. *Satin de laine.*

satiné, ée adj. et n. m. Qui a le poli, le brillant du satin; lustré, glacé. *Papier satiné.* – Fig. *Peau satinée,* douce comme le satin. ▷ n. m. *Le satiné de ce tissu.*

satiner v. tr. [1] Donner l'aspect lustré du satin à (une étoffe, du papier).

satinette n. f. Étoffe (coton, ou coton et soie) qui imite le satin.

satire n. f. **1.** LITTER Ouvrage, généralement en vers, dans lequel l'auteur moque les ridicules de ses contemporains. *Satires d'Horace.* **2.** Mod. Pamphlet, écrit ou discours piquant qui raille qqn, qqch. ▷ Critique railleuse.

Satire Ménippée, pamphlet dirigé contre la Ligue, composé en 1594 sur l'instigation de Pierre Le Roy, chanoine de Rouen. Ce livre burlesque, en pourfendant le catholicisme hypocrite des ligueurs et des maisons de Lorraine et d'Espagne, servait Henri IV.

satirique adj. **1.** Qui appartient à la satire, qui constitue une satire. *Poète satirique. Écrits satiriques.* **2.** Porté à la satire, à la raillerie caustique. *Esprit satirique.*

satiriste n. Rare Auteur de satires, de dessins satiriques; écrivain, orateur, polémiste qui recourt volontiers à des traits de satire.

satisfaction n. f. **1.** État d'esprit de qqn dont les besoins, les désirs, les souhaits sont satisfaits; contentement, plaisir. *Ce succès lui a procuré une profonde satisfaction. À la satisfaction générale,* de tous. – *Une satisfaction :* une occasion d'être satisfait, un plaisir. ▷ Loc. *Donner satisfaction à :* être un sujet de contentement pour. **2.** Action par laquelle qqn obtient réparation d'une offense qui lui a été faite. ▷ THEOL Pénitence sacramentelle, peine imposée par le confesseur en réparation des péchés commis. **3.** Fait d'accorder à qqn ce qu'il demande. *Je n'ai pu lui donner satisfaction.*

satisfaire v. tr. [10] **I.** v. tr. dir. **1.** Contenter, donner un sujet de contentement à. *Satisfaire des créanciers,* leur payer leur dû. ▷ (Sujet n. de chose.) *Cette solution nous satisfait,* nous convient. **2.** Contenter (un besoin); assouvir (un désir). *Satisfaire un besoin naturel.* ▷ v. pron. Contenter ses désirs, le désir qu'on a de qqch. – *Spécial.* Assouvir un désir sexuel. **II.** v. tr. indir. *Satisfaire à :* faire ce qui est exigé par (qqch). ▷ (Sujet n. de chose.) *La livraison ne satisfait pas aux clauses du contrat.*

satisfaisant, ante adj. Qui satisfait; qui est correct, acceptable. *Réponse satisfaisante.*

satisfait, aite adj. Dont les désirs sont comblés; content. *Être satisfait de son sort.* ▷ Assouvi. *Passion satisfaite.*

satisfecit [satisfesit] n. m. inv. (Mot lat.) Litt. Témoignage de satisfaction. *Décerner un satisfecit.*

Satledj. V. Sutlej.

Satō (Eisaku) (Tabuse, Honshū, 1901 – Tōkyō, 1975), homme politique japonais; un des chefs du parti conservateur (libéral-démocrate). Premier ministre de 1964 à 1972. P. Nobel de la paix 1974.

Satory (plateau de), plateau au S.-O. de Versailles. Champ de manœuvres militaires. – Lieu d'exécution des chefs de la Commune (1871).

satrape n. m. **1.** ANTIQ Gouverneur d'une satrapie. **2.** Fig., litt. Homme puissant et despotique vivant dans les plaisirs et le faste.

satrapie n. f. ANTIQ Chacune des divisions administratives de l'Empire perse, gouvernée par un satrape.

Satu Mare, v. de Roumanie, sur le Someş; 125 820 hab.; ch.-l. du distr. du m. nom. Centre agricole, industriel (méca., text., alim.) et culturel.

saturant, ante adj. Propre à saturer. ▷ PHYS *Vapeur saturante :* vapeur d'un liquide en équilibre avec ce liquide. *La tension de vapeur saturante d'un corps est la valeur maximale de la pression de la vapeur de ce corps, en équilibre avec sa phase liquide, à une température donnée.*

saturateur n. m. Récipient contenant de l'eau, placé contre un appareil de chauffage, pour humidifier l'atmosphère.

saturation n. f. **1.** CHIM Action de saturer; état d'un corps saturé. **2.** Fig. État de celui qui (ou de ce qui) ne peut recevoir davantage de qqch. *La saturation du marché.* **3.** ELECTR État correspondant à la valeur maximale que peut atteindre une grandeur (tension, intensité, etc.). ▷ *Saturation magnétique :* état d'une substance ferromagnétique dont l'intensité d'aimantation n'augmente plus avec celle du champ magnétique.

saturé, ée adj. **1.** CHIM Se dit d'une substance arrivée à saturation. *Solution saturée.* ▷ *Hydrocarbure saturé,* dont les atomes de carbone ne peuvent plus fixer d'autres atomes d'hydrogène. *Le méthane est un hydrocarbure saturé.* **2.** *Saturé de :* qui ne saurait recevoir davantage de. – Fig. *Le public est saturé de publicité.*

saturer v. tr. [1] **1.** CHIM *Saturer un liquide :* dissoudre un corps dans un liquide jusqu'au degré de concentration maximale. ▷ *Saturer un corps* (dont les atomes sont liés par une liaison multiple), fixer des éléments sur ce corps de telle sorte que ses atomes se trouvent liés par une liaison simple. **2.** Fig. Rassasier jusqu'au dégoût. *Saturer qqn de poésie.*

saturnales n. f. pl. **1.** ANTIQ ROM Fêtes célébrées à Rome pour commémorer l'âge d'or où Saturne régnait sur le Latium, au cours desquelles les esclaves prenaient la place de leurs maîtres. **2.** Fig., litt. Fête, temps où règne la licence, le désordre.

Saturne, dans la myth. italique et romaine, divinité identifiée au Cronos des Grecs. Il fut considéré à Rome comme le protecteur des semailles.

Saturne, la plus lointaine des planètes visibles à l'œil nu, dont la particularité essentielle est d'être entourée d'un spectaculaire système d'anneaux. Sa distance au Soleil varie de 1 350 à 1 509 millions de km; l'orbite qu'elle décrit, en 29 ans et 167 jours, est inclinée de 2° 30' par rapport au plan de l'écliptique. Avec un diamètre de 120 660 km, Saturne est la plus grosse des planètes du système solaire après

Jupiter. C'est aussi la planète qui a la plus faible densité (0,69), inférieure à celle de l'eau. L'essentiel des connaissances sur Saturne provient du survol de la planète par les sondes américaines *Voyager* en 1980 et 1981. D'une manière générale, elle présente de nombreuses similitudes avec Jupiter, notam. sa structure interne. Les anneaux de Saturne, identifiés dès 1656 par Huygens, sont constitués de myriades de petits corps qui gravitent autour de la planète. Ils résultent soit de la désagrégation de satellites trop proches de la planète, soit de résidus du nuage primitif. On connaît maintenant avec certitude l'existence de 18 satellites (seulement 9 avant *Voyager*). Mis à part *Titan*, Saturne possède 4 satellites moyens (1 000 à 1 500 km de diamètre), constitués d'un agrégat de roches et de glace d'eau, et 13 plus petits (20 à 500 km de diamètre), de forme irrégulière, semblables à des astéroïdes.

Saturne et ses anneaux, vus par *Voyager 2*

saturnien, enne adj. **1.** Rare Relatif au dieu Saturne. ▷ Relatif à la planète Saturne. **2.** Fig., litt. Sombre et mélancolique.

saturnin, ine adj. MED Qui concerne le plomb; qui est produit par le plomb.

saturnisme n. m. MED Intoxication aiguë ou chronique par le plomb ou par ses dérivés.

satyre n. m. **1.** MYTH GR Demi-dieu champêtre de la suite de Dionysos, figuré avec des cornes, des oreilles pointues et des jambes de bouc. **2.** Fig., fam. Homme lubrique attiré notam. par les très jeunes filles; exhibitionniste, voyeur. **3.** ENTOM Papillon diurne aux grandes ailes brun-noir. **4.** BOT Syn. cour. de *phallus*.

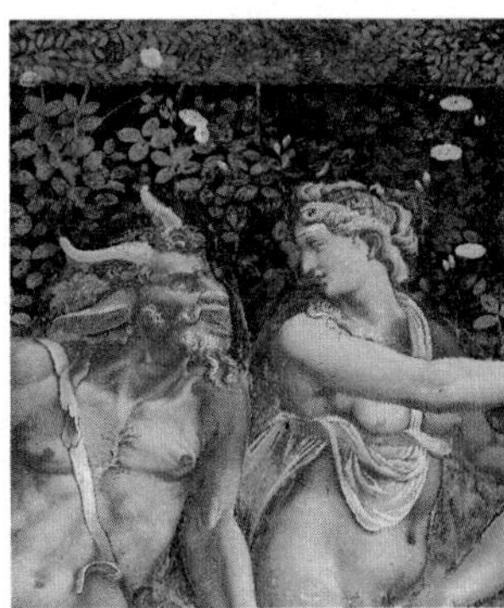

nymphe et **satyre,** détail d'une fresque Renaissance (Jules Romain) : *la Bacchanale*, salle de l'*Amour et de Psyché*; palais du Té, Mantoue

satyriasis [satiʀjazis] n. m. MED Exacerbation pathologique du désir sexuel chez l'homme.

satyrique adj. **1.** MYTH GR Qui a rapport aux satyres. ▷ ANTIQ *Danse satyrique* : danse licencieuse. **2.** *Drame satyrique* : pièce tragi-comique du théâtre grec.

sauce n. f. Assaisonnement liquide ou semi-liquide accompagnant certains mets. *Sauce à la menthe. Sauce hollandaise*, faite avec des jaunes d'œufs, du beurre et du citron ou du vinaigre. *Sauce mousseline* : sauce hollandaise additionnée de crème fouettée. ▷ Fig., fam. *Mettre qqn à toutes les sauces*, l'employer à des tâches très diverses. – *À quelle sauce serai-je mangé ?* : quel sera mon sort (de toute manière fâcheux)?

saucée n. f. Fam. Averse.

saucer v. tr. [**12**] **1.** Rendre net de sauce en se servant de pain que l'on mange. *Saucer son assiette.* **2.** Fig., fam. *Se faire saucer* : se faire mouiller copieusement par la pluie.

saucier n. m. **1.** Cuisinier spécialisé dans la préparation des sauces. **2.** Appareil électroménager servant à faire les sauces.

saucière n. f. Récipient à bec utilisé pour servir les sauces.

sauciflard n. m. Fam. Saucisson.

saucisse n. f. **1.** Charcuterie faite d'un boyau rempli de viande hachée et assaisonnée, qui se mange généralement chaude. – Fig., fam. *Ne pas attacher son chien avec des saucisses* : être très regardant à la dépense. **2.** *Par anal.* Ballon captif de forme allongée, servant à l'observation pour la défense contre avions.

saucisson n. m. Grosse saucisse, crue (séchée ou fumée) ou cuite, fortement assaisonnée, qui se mange froide. *Des rondelles de saucisson.*

saucissonnage n. m. Fam. Action de saucissonner.

saucissonné, ée adj. **1.** Ficelé comme un saucisson. **2.** Fam. À l'étroit dans ses vêtements.

saucissonner v. [**1**] Fam. **1.** v. intr. Se restaurer sommairement avec du saucisson, des plats froids, des sandwichs. **2.** v. tr. Découper en tranches. *Le film était saucissonné par de la publicité.* **3.** Ficeler étroitement qqn ou qqch.

Sa'ud. V. Séoud.

sauf, sauve adj. et prép. **I.** adj. Hors de péril. *Sain et sauf. Avoir la vie sauve.* ▷ Fig. *L'honneur est sauf*, est demeuré intact. **II.** prép. **1.** Sans aller à l'encontre de. *Sauf le respect que je vous dois.* **2.** Hormis, excepté. *J'ai lu tous ces livres, sauf un.* **3.** (Introduisant une restriction.) *Attendez-le, sauf contrordre. Sauf erreur ou omission.* ▷ Loc. conj. *Sauf que* (+ indicatif) : en écartant le fait que.

sauf-conduit n. m. Pièce délivrée par l'autorité compétente, permettant d'aller ou de séjourner quelque part sans être inquiété. *Des sauf-conduits.*

sauge n. f. Plante (fam. labiées) des régions chaudes ou tempérées, aux propriétés médicinales et aromatiques. ► illustr. **labiée**

saugrenu, ue adj. D'une bizarrerie, d'une absurdité déroutante et un peu ridicule. *Une idée saugrenue.*

Sauguet (Henri Poupard, dit Henri) (Bordeaux, 1901 – Paris, 1989), compositeur français : ballets (*la Chatte*, 1927; *les Forains*, 1945); opéras (*la Chartreuse de Parme*, 1939); *Quatrième Symphonie*, dite *Du troisième âge* (1971).

sauge officinale

Saül, premier roi des Hébreux (XIe s. av. J.-C.), qui, vaincu par les Philistins, se donna la mort. Le chef de ses gardes, David, lui succéda.

saule n. m. Arbre ou arbuste (fam. salicacées) aux feuilles généralement allongées et aux fleurs en chatons, qui croît dans les lieux humides. *Saule pleureur*, ornemental, à la ramure tombante.

silhouette de **saule** pleureur (en haut) et rameau

Saulieu, ch.-l. de cant. de la Côte-d'Or (arr. de Montbard); 3 014 hab. (*Sédélociens*). – Église St-Andoche, de style roman bourguignon. Église St-Saturnin (XIe-XVe s.).

Sault-Sainte-Marie, v. du Canada (Ontario), sur la *rivière Sainte-Marie*, face à la ville homonyme (É.-U., État du Michigan, 14 680 hab.); 81 470 hab. Centre industriel (métall., chim.). Tourisme. – Le *canal de Sault-Sainte-Marie* relie les lacs Supérieur et Huron.

saumâtre adj. Qui a le goût salé de l'eau de mer. – *Eau saumâtre des estuaires* : mélange d'eau douce et d'eau de mer. ▷ Loc. fig., fam. *La trouver saumâtre* : trouver que qqch est difficilement acceptable.

saumon n. m. et adj. inv. Poisson (genre *Salmo*, fam. salmonidés) à la chair rose orangé très estimée, qui commence sa croissance en rivière, et la poursuit en mer, avant de revenir

saumon en livrée nuptiale

frayer sur son lieu de naissance. ⊳ adj. inv. De la couleur de la chair du saumon. *Étoffe saumon.*

saumoné, ée adj. Se dit de poissons à chair rose. *Truite saumonée.*

saumoneau n. m. Jeune saumon.

Saumur, ch.-l. d'arr. de Maine-et-Loire, sur la Loire ; 31 894 hab. Centre viticole (vins blancs et mousseux), conserveries, industr. électroméca. – Définitivement installée en 1825, l'école d'équitation militaire de Saumur a pris, depuis 1946, le nom d'École d'application de l'arme blindée et de la cavalerie ; école nationale d'équitation. – Égl. N.-D.-de-Nantilly (XIIe s.). Chât. (XIVe s., remanié). Hôtel de ville (XVIe s.). Musée. – Héroïque défense du passage de la Loire par les cadets de Saumur en juin 1940.

château de **Saumur**

saumurage n. m. Action de saumurer des aliments.

saumure n. f. **1.** Solution salée utilisée pour conserver des aliments. *Poisson en saumure.* **2.** Toute solution saline concentrée.

saumurer v. tr. [1] TECH Mettre (une denrée) dans la saumure.

Saumurois, rég. du N. de l'Anjou, autour de Saumur, célèbre par ses vins.

sauna n. m. Établissement où l'on prend des bains de vapeur sèche à la manière finlandaise. – Pièce où l'on prend ces bains. – Ce bain lui-même.

Saunders (Hilary Aidan St. George) (Brighton, 1898 – Nassau, Bahamas, 1951), écrivain anglais. Auteur de romans d'espionnage sous le pseudonyme de F. Beeding ou D. Pilgrim : *la Maison du Dr. Edwards* (1927) adapté à l'écran par Hitchcock.

saunier, ère n. Ouvrier travaillant à l'extraction du sel. Syn. salinier, paludier.

saupiquet n. m. CUIS Sauce ou ragoût à la saveur piquante.

saupoudrage n. m. Action de saupoudrer.

saupoudrer v. tr. [1] **1.** Recouvrir (qqch) d'une matière en poudre. *Saupoudrer de sucre.* **2.** Fig. Parsemer. *Saupoudrer un discours de citations.*

saupoudreur, euse adj. et n. f. **1.** adj. Servant à saupoudrer. *Bouchon saupoudreur.* **2.** n. f. Flacon muni d'un couvercle percé de trous, qui sert à saupoudrer.

saur adj. m. Salé et fumé (en parlant d'un poisson). *Hareng saur.*

Saura (Carlos) (Huesca, 1932), cinéaste espagnol ; critique incisif de la société hispanique sous Franco : *Cría Cuervos* (1976), *Carmen* (1983).

-saure, -saurien. Éléments, du gr. *sauros* ou *saura*, « lézard ».

saurien, enne adj. et n. m. ZOOL **1.** adj. Qui a rapport au lézard. **2.** n. m. pl. Sous-ordre de reptiles squamates comprenant les lézards. – Sing. *Un saurien.*

saurisserie n. f. **1.** Usine où l'on fume le poisson. **2.** Ensemble du poisson fumé (hareng, saumon, etc.) proposé à la clientèle.

sauropode n. m. PALEONT *Les sauropodes* : ordre de reptiles dinosauriens herbivores, à la queue et au cou longs, animaux les plus gigantesques connus. – Sing. *Le diplodocus est un sauropode.*

sauropsidés n. m. pl. ZOOL Vaste groupe de vertébrés tétrapodes, comprenant les reptiles et les oiseaux. – Sing. *Un sauropsidé.*

Saussure (Horace Bénédict de) (Conches, près de Genève, 1740 – id., 1799), physicien suisse. Inventeur de divers appareils de mesure (l'hygromètre à cheveu, notam.), fondateur de la météorologie moderne. Il organisa la première ascension du mont Blanc (1786). — **Ferdinand** (Genève, 1857 – chât. de Vufflens, cant. de Vaud, 1913), arrière-petit-fils du préc. ; linguiste. Spécialiste de grammaire comparée, il abandonna la linguistique historique et fonda la linguistique moderne : *Cours de linguistique générale,* 1916 (V. linguistique).

saut n. m. **1.** Mouvement d'extension par lequel le corps se projette (en haut, en avant, etc.), en quittant le sol ou son point d'appui. *Saut en longueur, saut à la perche.* – *Saut périlleux,* au cours duquel le corps fait un tour complet sur lui-même, en l'air. ⊳ Loc. *Au saut du lit :* au sortir du lit. – (Canada) *Faire un saut :* sursauter. – Fig. *Faire un saut quelque part,* y passer rapidement. **2.** Fait de se laisser tomber d'un endroit élevé. *Saut d'un parachutiste.* ⊳ Loc. fig. *Faire le saut :* se déterminer à une action risquée. **3.** Fig. Mouvement brusque et discontinu. *Sa pensée procède par sauts.* **4.** Chute d'eau sur le cours d'une rivière. *Le saut du Rhin.* **5.** INFORM Syn. de *branchement.*

saut-de-lit n. m. Peignoir féminin léger. *Des sauts-de-lit.*

saute n. f. Changement subit. *Saute de vent. Saute d'humeur.*

sauté, ée adj. et n. m. CUIS **1.** adj. Cuit à feu vif dans une petite quantité de matière grasse. **2.** n. m. Viande sautée. *Un sauté de lapin.*

saute-mouton n. m. inv. Jeu de groupe dans lequel on saute successivement par-dessus tous ses partenaires penchés en avant. *Jouer à saute-mouton.*

sauter v. [1] **I.** v. intr. **1.** Faire un saut, des sauts. *Sauter par-dessus un mur. Sauter à pieds joints.* – *Sauter à bas de son lit,* en sortir vivement. ⊳ Loc. fig., fam. *Sauter au plafond :* avoir un accès de colère, être très surpris. **2.** Se jeter dans le vide. **3.** S'élancer (sur qqn, qqch). *Le chien lui a sauté à la gorge. Sauter au cou de qqn :* V. cou. ⊳ Loc. fig. *Sauter aux yeux :* être manifeste, évident. **4.** Passer sans transition (d'une chose à une autre). *Sauter à la page 3.* – Fig. *Sauter d'une idée à une autre.* – Loc. fig. *Sauter du coq à l'âne,* d'un sujet à un autre. **5.** Être envoyé brusquement en l'air. *Faire sauter un bouchon.* ⊳ Fig. *Faire sauter qqn,* lui faire perdre son poste. **6.** Exploser, voler en éclats. – *Faire sauter la cervelle à qqn,* lui briser la tête d'un coup de feu. ⊳ *Faire sauter les plombs,* les faire fondre, causer un court-circuit. ⊳ Fam. *Et que ça saute ! :* et que cela se fasse vite ! **7.** CUIS *Faire sauter de la viande, des légumes,* les faire revenir à feu vif, avec un corps gras. **II.** v. tr. **1.** Franchir en s'élevant au-dessus du sol. *Sauter une barrière.* ⊳ Loc. fig. *Sauter le pas :* prendre une décision, après avoir longtemps hésité. **2.** Omettre, passer. *Sauter une ligne en recopiant.* – *Sauter une classe :* être admis dans une classe supérieure (d'une école, etc.) sans passer par la classe intermédiaire. **3.** Fam. *On la saute :* on a faim. **4.** Vulg. Posséder sexuellement. *Sauter une fille.*

sauterelle n. f. **1.** Insecte orthoptère, aux longues antennes, qui se déplace en sautant à l'aide de ses longues pattes postérieures. **2.** Fig., fam. Femme, fille maigre et dégingandée. **3.** TECH Fausse équerre (mobile). ⊳ Transporteur muni d'une courroie inclinée qui sert au chargement ou au déchargement de marchandises.

sauterelle verte

sauterie n. f. Vieilli ou plaisant Petite soirée dansante entre intimes.

sauternes n. m. Vin blanc liquoreux de la région de Sauternes.

Sauternes, com. de la Gironde (arr. de Langon) ; 593 hab. Vins réputés.

saute-ruisseau n. m. inv. Litt., vx Jeune clerc et, *par ext.,* jeune garçon chargé de faire des courses.

sauteur, euse n. et adj. **I.** n. **1.** Athlète qui pratique le saut. **2.** n. m. Cheval dressé à sauter. **3.** Fig., fam. Personne qui prend ses engagements à la légère, en qui on ne peut avoir confiance. **II.** adj. **1.** Se dit des animaux qui se déplacent par sauts. **2.** TECH *Scie sauteuse* ou, n. f., *sauteuse :* scie à moteur, à lame étroite, spécial. utilisée pour le découpage des planches ou des panneaux de bois.

sauteuse n. f. CUIS Casserole large et plate utilisée pour faire sauter (sens I, 7).

sautillant, ante adj. Qui sautille. ▷ Fig. *Style sautillant,* formé de phrases courtes et décousues.

sautillement n. m. Action de sautiller.

sautiller v. intr. [1] Effectuer des petits sauts, sur place ou en progressant.

sautoir n. m. **I. 1.** Long collier ou longue chaîne. *Porter un ordre en sautoir,* en porter le cordon à la manière d'un collier. **2.** HERALD Pièce formée de la combinaison de la bande et de la barre. **II.** Endroit où les athlètes s'exercent au saut.

sauvage adj. et n. **I. 1.** (Animaux) Qui vit dans la nature, loin des hommes; qui n'est pas domestiqué. **2.** (Plantes) Qui croît naturellement, sans intervention humaine. **3.** GENET Se dit de la souche, du caractère, du gène pris conventionnellement comme référence pour une étude. Ant. mutant. **4.** Inculte, inhabité et peu accueillant. *Des montagnes sauvages.* **5.** (Emploi critiqué.) Qui se fait indépendamment de toute organisation officielle, sans plan, spontanément. *Grève sauvage.* **II. 1.** Vieilli ou péjor. Qui vit en dehors de la civilisation. *Des tribus sauvages.* – Subst. *Les sauvages.* ▷ Relatif aux autochtones d'Amérique du Nord (V. indien, amérindien). – (Canada) *Traîne* sauvage.* – Subst. *Les Sauvages :* V. amérindien. **2.** Qui évite les contacts humains, recherche la solitude. Ant. sociable. ▷ Subst. *Vivre en sauvage.* **3.** Très rude, brutal, féroce. *Une cruauté sauvage.* ▷ Subst. *Agir en sauvage.*

Sauvage (Henri) (Rouen, 1873 – Paris, 1932), architecte français. Il utilisa l'ossature de béton armé, revêtue de carreaux de céramique, pour construire des immeubles à gradins conçus comme des cités-jardins verticales : rue Vavin (1912) et rue des Amiraux (1925) à Paris.

sauvagement adv. D'une manière sauvage, cruelle. *Massacrer sauvagement des otages.*

sauvageon, onne n. **1.** n. m. ARBOR Jeune arbre provenant d'une graine et non greffé. **2.** n. Enfant au caractère sauvage ou qui vit à l'état sauvage.

sauvagerie n. f. Caractère sauvage (sens II, 2 et 3) (de qqn, de qqch). *La sauvagerie d'un misanthrope. La sauvagerie d'un crime.*

sauvagin, ine adj. et n. m. VEN Se dit du goût, de l'odeur propre à quelques oiseaux aquatiques. ▷ n. m. *Cette viande sent le sauvagin.*

sauvagine n. f. (Sing. collectif.) **1.** CHASSE Oiseaux dont la chair a le goût sauvagin (oiseaux aquatiques). **2.** TECH Pelleteries non apprêtées provenant des petits animaux sauvages (écureuils, renards, etc.); ces animaux. *Foire à la sauvagine.*

sauvegarde n. f. **I. 1.** Protection accordée par une autorité. *Se placer sous la sauvegarde des autorités consulaires.* **2.** Ce qui assure une protection; ce qui sert de garantie, de défense contre un danger. ▷ DR *Sauvegarde de justice :* régime permettant de protéger des personnes temporairement atteintes dans leurs capacités mentales ou physiques des conséquences d'actes qu'elles ont passés ou d'engagements qu'elles ont contractés. **II.** MAR Chaîne ou cordage frappé (fixé) sur un objet qui risque de se détacher ou d'être enlevé par la mer.

sauvegarder v. tr. [1] **1.** Assurer la sauvegarde de, défendre, protéger. *Sauvegarder les institutions.* **2.** INFORM Syn. de *sauver.*

sauve-qui-peut n. m. inv. Panique générale où chacun essaie de se sauver comme il le peut.

sauver v. [1] **I.** v. tr. **1.** Tirer (qqn) du péril, mettre (qqn) hors de danger. **2.** Préserver (qqch) de la destruction. *La ville a été sauvée.* – Loc. fig., fam. *Sauver les meubles :* sauvegarder le minimum. – Fig. *Sauver les apparences :* faire en sorte que personne ne puisse soupçonner que qqch de fâcheux s'est produit. ▷ INFORM Enregistrer. **3.** RELIG Procurer le salut à (qqn). *Dieu a envoyé son fils pour sauver tous les hommes.* **II.** v. pron. **1.** S'enfuir devant un danger. **2.** Fam. S'en aller rapidement. *Il faut que je me sauve.* **3.** Fam. Déborder en bouillant. *Le lait se sauve.*

sauvetage n. m. **1.** Action de secourir (qqn, qqch) sur l'eau. *Sauvetage en mer. Canot de sauvetage. Gilet, bouée de sauvetage.* **2.** Action de sauver (qqn) d'un danger.

sauveteur n. m. Personne qui participe à un sauvetage.

sauvette (à la) loc. adv. **1.** *Vente à la sauvette :* vente sur la voie publique, sans autorisation. **2.** Fig., fam. Avec précipitation, en cachette.

sauveur n. m. et adj. **1.** Personne qui sauve, libérateur. ▷ adj. *Le geste sauveur* (au fém. : *salvatrice*). **2.** *Le Sauveur :* Jésus-Christ.

Sauveur (Joseph) (La Flèche, 1653 – Paris, 1716), mathématicien et physicien français; créateur de l'acoustique musicale.

sauvignon n. m. Cépage blanc du centre et du sud-ouest de la France. ▷ Vin issu de ce cépage.

Sauvy (Alfred) (Villeneuve-de-la-Raho, Pyrénées-Orientales, 1898 – Paris, 1990), démographe et économiste français : *Théorie générale de la population* (1954-1956), *Malthus et les deux Marx* (1963).

Alfred **Sauvy**

Schiller

Savaii, la plus grande île (1 715 km²) de l'État des Samoa; 42 000 hab.

savamment adv. **1.** En faisant montre d'une grande érudition. **2.** Habilement, dans les règles de l'art.

savane n. f. **1.** Plaine herbeuse, aux arbres rares, des régions tropicales. ▷ *Savane arborée,* qui comprend également des arbres et des arbustes isolés. **2.** Au Canada, terrain marécageux.

Savannah, v. des É.-U. (Georgie), port sur l'*estuaire de la Savannah* (505 km) qui sépare la Caroline du Sud et la Georgie; 137 560 hab. (aggl. urb. 232 900 hab.). Industr. et chantiers navals.

Savannakhet, v. du Laos, sur le Mékong; 50 690 hab.; ch.-l. de la prov. du m. nom. Port fluvial.

savant, ante adj. et n. **I.** adj. **1.** (Personnes) Qui sait beaucoup de choses, qui possède une grande érudition. **2.** (En fonction d'épithète.) Dressé à faire des tours (animaux). *Chien savant.* **3.** (Choses) Qui suppose des connaissances que tout le monde n'a pas, difficile. *Un raisonnement savant.* ▷ Habile, bien calculé. *Une manœuvre savante.* **4.** *Société savante,* qui regroupe des savants. **II.** n. **1.** Vx Personne qui possède de grandes connaissances. **2.** n. m. Mod. Personne qui a une notoriété scientifique.

savarin n. m. CUIS Grand baba en forme de couronne, imbibé de sirop à la liqueur et servi avec des fruits confits ou de la crème.

Savart (Félix) (Mézières, 1791 – Paris, 1841), physicien français; connu pour ses travaux d'acoustique.

Savary (Anne), duc de Rovigo (Marcq, Ardennes, 1774 – Paris, 1833), général français (1803). Il organisa l'enlèvement et l'exécution du duc d'Enghien (1804). Ministre de la Police (1810-1814), il ne sut pas prévenir la conspiration de Malet (1812). Il commanda l'armée d'Algérie en 1831.

Savary (Alain) (Alger, 1918 – Paris, 1988), homme politique français. Premier secrétaire du parti socialiste de 1969 à 1971, il fut ministre de l'Éducation nationale de 1981 à 1984.

savate n. f. **1.** Vieille pantoufle, vieille chaussure très usée. ▷ Loc. fam. *Traîner la savate :* vivre misérablement. **2.** Méthode de combat comportant des coups de pied, en vogue au déb. du XIXe s., et qui a donné naissance à la boxe française.

Save (la), rivière de France (150 km), affluent de la Garonne (r. g.); naît sur le plateau de Lannemezan.

Save (la) (en serbe *Sava*), riv. du N. de la Serbie (940 km), qui conflue avec le Danube (r. dr.) à Belgrade; naît dans les Alpes slovènes; navigable sur 593 km.

Savenay, ch.-l. de cant. de la Loire-Atlantique (arr. de Saint-Nazaire); 5 353 hab. – Victoire décisive de Kléber et Westermann sur les vendéens (22-23 déc. 1793).

Saverne, ch.-l. d'arr. du Bas-Rhin, sur la Zorn et le canal de la Marne au Rhin, et à l'entrée de la *trouée de Saverne;* 10 448 hab. Constr. mécaniques et électriques. Chaussures. – Chât. édifié à la fin du XVIIIe s. pour le cardinal Louis de Rohan. – Le *col de Saverne* (alt. 330 m), dans le N. des Vosges, marque le point culminant de la *trouée de Saverne,* qui relie le plateau lorrain et la plaine d'Alsace.

savetier n. m. Vx Raccommodeur de souliers, cordonnier.

saveur n. f. **1.** Impression que produit un corps sur l'organe du goût. *Saveur salée.* **2.** Fig. Qualité de ce qui est agréable, plaisant à l'esprit. *Ironie pleine de saveur.*

Savignac (Raymond) (Paris, 1907), affichiste français. Promoteur en France, dans l'après-guerre, de l'affiche publicitaire humoristique : *Monsavon au lait* (1949).

Savigny-le-Temple, ch.-l. de cant. de Seine-et-Marne (arr. de Melun); 18 542 hab. Cosmétiques.

Savigny-sur-Orge, ch.-l. de cant. de l'Essonne (arr. de Palaiseau); 33 651 hab.

Savinio (Andrea De Chirico, dit Alberto) (Athènes, 1891 - Rome, 1952), écrivain, peintre et musicien italien; frère du peintre G. De Chirico. L'influence surréaliste lui donna le goût du paradoxe, l'amour de l'absurde et l'attrait du fantastique. Romans : *Hermaphrodite* (1918), *Achille énamouré* (1938), *C'est à toi que je parle, Cléo* (1940).

Savoie, rég. de France, limitrophe de la Suisse et de l'Italie, correspondant auj. aux dép. de la Savoie et de la Haute-Savoie. Peuplée par les Celtes Allobroges, soumise par les Romains de 122 à 118 av. J.-C., la région vit l'installation des Burgondes (443), dont le royaume fut annexé par les fils de Clovis (534). Attribuée à Lothaire (843), elle fit partie du royaume de Bourgogne (888), puis du Saint Empire (1032-1038). Au XIe s., l'un de ses seigneurs, Humbert Ier Blanche-Main, et ses successeurs l'unifièrent à leur profit; ils étendirent leurs possessions vers le N. (Sion, Belley) et vers l'E. (marquisat de Turin, Val d'Aoste), contrôlant dès lors les princ. cols alpins. Du XIIe au XIVe s., la Savoie poursuivit son expansion territoriale (pays de Vaud, Piémont, Valais, Faucigny, Beaufortin, pays de Gex, Bresse, Nice); comté, elle fut érigée en duché en 1416. Toutefois, dès la fin du XVe s., Chambéry perdit son rôle de cap. au profit de Turin. La France annexa (1601) la Bresse, le Bugey, le Valromey ainsi que le pays de Gex et tenta d'asseoir son influence politique et économique sur les États savoyards. Cette tutelle fut rejetée par Victor-Amédée II (1675-1730), qui reçut la couronne de Sicile au traité d'Utrecht (1713), mais qui dut l'échanger contre celle de Sardaigne en 1718-1729; du moins était-il définitivement roi. Dès lors, la Savoie joua un rôle secondaire dans l'histoire des États sardes. Occupée en 1792 par la France, qui dut l'abandonner en partie (1814), puis en totalité en 1815, la Savoie lui fut définitivement cédée avec Nice en 1860, après confirmation par plébiscite de la volonté de ses habitants.

Savoie, dép. franç. (73); 6 036 km^2; 348 261 hab.; 57,7 hab./km^2; ch.-l. *Chambéry.* V. Rhône-Alpes (Rég.).

Savoie (Haute-), dép. franç. (74); 4 391 km^2; 568 286 hab.; 129,4 hab./km^2; ch.-l. *Annecy.* V. Rhône-Alpes (Rég.).

Savoie (maison de), famille qui a régné sur la Savoie à partir du XIe s. (les comtes de Savoie) et qui fut l'instrument de l'unification de l'Italie. Elle a régné sur le royaume d'Italie de 1861 à 1946.

1. savoir v. tr. [47] **I. 1.** Connaître, être informé de. *Tu sais la nouvelle ?* ▷ (Avec une subordonnée.) *On ne savait pas qui était son père. Reste à savoir s'il en a vraiment envie.* ▷ v. pron. (Passif) *Tout finit par se savoir,* par être su, connu. **2.** Avoir présent dans la mémoire. *Il sait sa leçon par cœur.* **3.** Avoir une bonne connaissance de. *Elle croit tout savoir.* ▷ (S. comp.) *Si jeunesse savait.* **4.** (Avec un inf.) Être capable de. *Un ami qui sait écouter.* ▷ (Au conditionnel, et avec une nég.) Pouvoir. *On ne saurait tout prévoir.* **5.** Avoir conscience de. *Il ne savait plus ce qu'il faisait.* **II.** Loc. *À savoir* ou *savoir :* c'est-à-dire. ▷ *Que je sache :* pour autant que je puisse en juger. ▷ *Savoir si :* on peut se demander si. *Il est parti, savoir s'il arrivera !* ▷ (Renforçant une affirmation.) *Je crois qu'il est sincère, tu sais.* ▷ *Ne rien vouloir savoir :* se refuser à

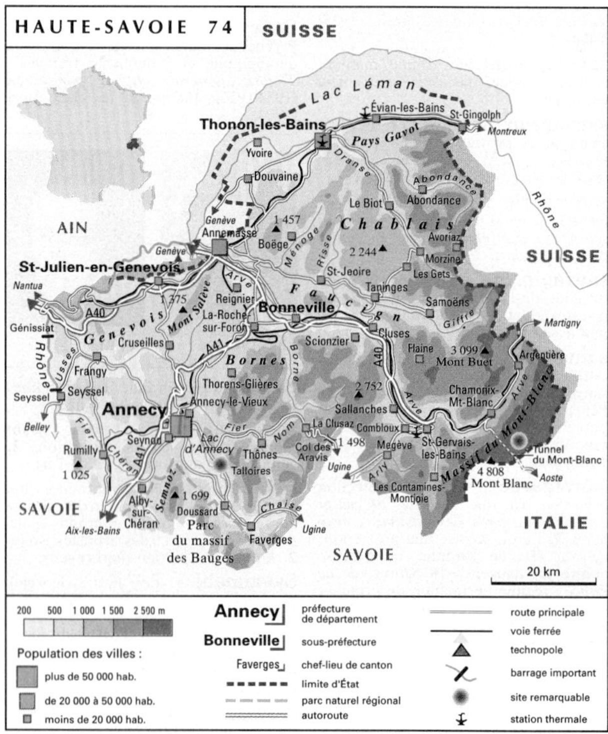

faire qqch. ▷ *Il est sorti avec je ne sais qui, pour je ne sais combien de temps.* – *Un je ne sais quoi* : qqch d'indéfinissable.

2. savoir n. m. Ensemble des connaissances acquises par l'apprentissage ou l'expérience.

savoir-faire n. m. inv. Habileté à mettre en œuvre son expérience et ses connaissances; compétence, adresse.

savoir-vivre n. m. inv. Connaissance des règles de politesse, des usages à respecter en société; bonne éducation.

savoisien, enne. V. savoyard.

savon n. m. **1.** Produit obtenu par action d'un agent alcalin sur des corps gras naturels, employé pour le blanchissage et le nettoyage. *Savon de ménage* (ou *de Marseille*), fabriqué par action d'un corps gras sur de la lessive de soude, en présence de chlorure de sodium. *Savon de toilette*, auquel on incorpore des parfums, de la lanoline, etc. *Savon liquide. Savon-crème. Savon-gel.* – *Un savon*, un morceau, un pain de ce produit. ▷ CHIM Nom générique des sels d'acides gras. **2.** Fig., fam. Semonce, réprimande. – Loc. *Passer un savon à qqn.*

Savonarole (Girolamo Savonarola, en fr. Jérôme) (Ferrare, 1452 – Florence, 1498), prédicateur italien. Par ses prêches à Saint-Marc, à Florence, Savonarole se rendit vite célèbre. Outre ses visions prophétiques, il dénonçait aussi bien la perversion des mœurs que la tyrannie des Médicis. La fuite des Médicis au moment de l'invasion française (1494) fit de lui le maître de Florence, dont il modifia la Constitution dans un sens démocratique et théocratique au prix de la tutelle d'un appareil policier. Mais une opposition, liée à la menace d'interdit jetée sur la ville par le pape Alexandre VI Borgia, mina rapidement la popularité de Savonarole. Il fut excommunié en 1497. L'année suivante, il connut la prison et la torture, avant d'être condamné à mort, pendu puis brûlé sur la place de la Seigneurie. Ses *Sermons* ont été recueillis par ses auditeurs.

Savone, v. d'Italie (Ligurie), sur le golfe de Gênes; 75 070 hab.; ch.-l. de la prov. du m. nom. Port actif. Centre sidérurgique; prod. chimiques.

savonnage n. m. Action de savonner.

savonner v. tr. [1] **1.** Laver au savon. ▷ v. pron. *Se savonner le dos.* **2.** Fig., fam., vieilli *Il s'est fait savonner*, réprimander.

savonnerie n. f. Usine où l'on fabrique du savon. ▷ HIST *La Savonnerie* : manufacture royale de tapisserie, créée en 1604 puis transférée en 1627 dans une anc. savonnerie de Chaillot.

savonnette n. f. Petit savon pour la toilette.

savonneux, euse adj. **1.** Qui contient du savon dissous. *Eau savonneuse.* **2.** Qui tient du savon; qui rappelle le savon par sa mollesse, son onctuosité, etc. ▷ Fig. *Pente savonneuse* : pente glissante, mauvaise pente.

Savorgnan de Brazza. V. Brazza.

savourer v. tr. [1] **1.** Déguster, absorber lentement pour mieux goûter. *Savourer un vin, un mets.* **2.** Fig. Jouir de (qqch) avec lenteur, s'en délecter. *Savourer une vengeance.*

savoureusement adv. Rare De façon savoureuse. *Une sauce savoureusement mitonnée.*

savoureux, euse adj. **1.** Qui a une saveur, un goût agréable. **2.** Fig. Qui stimule agréablement l'intérêt. *Un récit savoureux.*

savoyard, arde ou, rare, **savoisien, enne** adj. et n. De la Savoie. ▷ Subst. *Un(e) Savoyard(e).*

Sax (Antoine Joseph, dit Adolphe) (Dinant, 1814 – Paris, 1894), facteur d'instruments et flûtiste belge naturalisé français. Inventeur des saxophones (1845) et des saxhorns.

saxatile adj. BOT Syn. de *saxicole.*

saxe n. m. Porcelaine de Saxe. ▷ Objet fait de cette porcelaine.

Saxe (en all. *Sachsen*), anc. État d'Allemagne, au N. de la Bohême, Land d'Allemagne et région de la C.E.; cap. *Dresde.* – Alors que les montagnes du S. sont consacrées à l'élevage, les riches plaines du N. sont vouées aux cultures intensives (blé, betterave, pomme de terre). Grâce à des ressources naturelles encore exploitées (lignite, potasse, charbon), et aux traditions industr. nées de l'exploitation des minerais métalliques de l'Erzgebirge, auj. épuisés, la Saxe possède une activité qui lui a permis de se placer au premier rang des régions économiques de l'anc. R.D.A. – Peuplée par les Saxons, la Saxe forma un duché au IXe s. Ses ducs, dont Henri Ier l'Oiseleur, roi de Germanie en 919, fondèrent la dynastie impériale saxonne (962-1024). Puis le duché fut scindé en 1260 en Saxe-Lauenburg, ou Basse-Saxe, et en Saxe-Wittenberg, ou Haute-Saxe, celle-ci devenant un électorat en 1356. Le partage, en 1485, de ce territoire donna naissance aux branches Ernestine (branche aînée, électorat de Wittenberg) et Albertine (Misnie). La dignité électorale passa en 1547 à la branche Albertine. Les ravages de la Guerre de Trente ans amoindrirent la Saxe qui laissa la prééminence au Brandebourg et à la Prusse. En compensation, les ducs de Saxe portèrent la couronne de Pologne de 1697 à 1763. Pour s'être rangée aux côtés de Napoléon, elle obtint la dignité royale en 1806. Ce royaume, intégré à l'Empire allemand en 1871, diminué en 1915 au profit de la Prusse, subsista jusqu'en 1918. Adoptant une Constitution républicaine en 1920, la Saxe, occupée par les Soviétiques (1945), fut rattachée en 1952 à la R.D.A. Divisée en plusieurs districts, elle forme deux Länder dep. 1990, la Saxe proprement dite et la Saxe-Anhalt. Quant à la branche Ernestine, elle ne put éviter de nombr. scissions territoriales, les princ. ayant donné naissance à la principauté de Saxe-Cobourg-et-Gotha (1826-1918), au duché de Saxe-Meiningen-Hildburghausen (1826-1918), au duché de Saxe-Altenburg (1603-1672, puis 1826-1918) et au duché (1741-1815) puis grand-duché (1815-1918) de Saxe-Weimar-Eisenach.

Saxe (Basse-) (en all. *Niedersachsen*), Land d'All. et région de la C.E., sur la mer du Nord; 47 423 km^2; 7 196 130 hab.; cap. *Hanovre.* – La partie septentrionale (à laquelle n'appartiennent pas les ports de Brême et Hambourg) s'étend sur la grande plaine de l'Europe du N., aux sols peu fertiles. La côte, plate, et les rives des fleuves portent des polders, les *Marschen*, consacrés à l'élevage bovin. Au S., au contact des massifs hercyniens, se trouvent les *Börde*, étroites bandes de limons fertiles (polyculture intensive) et zone de passage desservie par le Mittellandkanal. Pays à vocation agricole, la Saxe s'industrialise rapidement grâce à ses gisements de potasse, de fer, de pétrole et de gaz naturel; elle a bénéficié d'un import. apport de main-d'œuvre après 1945 (plus de 2 millions de réfugiés venus de R.D.A.). Princ. secteurs industriels : métallurgie, constr. mécaniques (auto. notam.), prod. chimiques.

Saxe (Maurice, comte de), dit le *Maréchal de Saxe* (Goslar, 1696 – Chambord, 1750), fils naturel d'Auguste II (Électeur de Saxe et roi de Pologne) et d'Aurore von Königsmarck. Passé au service de la France (1720), maréchal en 1744, il fut victorieux à Fontenoy (1745), Rocourt (1746) et Lawfeld (1747).

Saxe-Anhalt, Land d'Allemagne et région de la C.E., au S.-O. de Berlin; 20 445 km^2; 2 965 000 hab. ; cap. *Magdeburg.* Land agricole et minier, l'un des plus industrialisés de l'anc. R.D.A.

Saxe-Cobourg, anc. fief saxon, constitué au XIVe s., devenu principauté en 1572 et comme telle rattachée à celle de Saxe-Gotha en 1640, puis à la Saxe-Saalfeld en 1714. En 1826, la Saxe-Cobourg-Saalfeld devint, après la cession de la Saxe-Saalfeld et l'acquisition de la Saxe-Gotha, le duché de Saxe-Cobourg-et-Gotha, sur lequel régna Ernest Ier de 1826 à 1844, puis son fils aîné Ernest II. Son fils cadet, Albert, avait épousé (1840) Victoria, reine de G.-B., et la dynastie royale britannique de Hanovre devint celle de Hanovre-Saxe-Cobourg-Gotha; le fils cadet de Victoria et d'Albert, Alfred, régna de 1893 à 1900 sur le duché (qui disparut en 1918). La famille de Saxe-Cobourg-Gotha-Koháry, issue de Frédéric, frère d'Ernest Ier, régna sur le Portugal (1836-1910) et la Bulgarie (1887-1946). Un autre frère d'Ernest Ier, Léopold, monta en 1831 sur le trône de Belgique, fondant la dynastie royale belge.

Saxe-Weimar (Bernard, duc de) (Weimar, 1604 – Neuenburg, Bade, 1639), général allemand. Protestant, il se mit au service du Danemark, puis commanda l'armée suédoise (1632-1634). Vaincu à Nördlingen (1634), il se rangea au côté de la France (1635) et lutta contre les impériaux.

saxhorn n. m. MUS Instrument à vent de la famille des cuivres, à embouchure et à pistons.

saxi-. Élément, du lat. *saxum*, « rocher, pierre ».

saxicole adj. BOT Se dit d'une plante qui croît sur les rochers. Syn. saxatile.

saxifragacées n. f. pl. BOT Famille de dicotylédones dialypétales des climats tempérés ou froids, comprenant des plantes arbustives ou herbacées, aux fleurs régulières, dont le fruit est une capsule ou une baie (hortensia, seringa, etc.). – Sing. *Une saxifragacée.*

saxifrage n. f. BOT Plante herbacée, dont certaines espèces *(désespoir des peintres)* sont ornementales.
▶ illustr. page **1706**

saxo n. m. Abréviation de *saxophone, saxophoniste.*

Saxo Grammaticus (XIIe s.), premier écrivain danois. Il recueillit les traditions poétiques et historiques pour composer la *Gesta danorum*, source d'inspiration pour toute la littérature nordique.

saxon, onne adj. et n. **I. 1.** adj. HIST Des Saxons. **2.** n. m. *Le vieux saxon* : la forme la plus archaïque du bas allemand. **II.** adj. De la Saxe. ▷ Subst. *Un(e) Saxon(ne).*

saxifrage

Saxons, peuple germanique établi v. le IIe s. à l'embouchure de l'Elbe. Ils essaimèrent vers le S. et vers l'O., la branche frisonne s'implantant au Ve s. dans le S. de l'Angleterre. Charlemagne les soumit (797) et leur imposa le christianisme.

saxophone n. m. Instrument de musique à vent en cuivre, à clefs et à anche simple, pourvu d'un bec identique à celui d'une clarinette. (Abrév. : saxo). ► pl. instruments de **musique**

saxophoniste n. Personne qui joue du saxophone. (Abrév. : saxo).

Say (Jean-Baptiste) (Lyon, 1767 – Paris, 1832), économiste français, professeur au Collège de France (1830), adversaire du protectionnisme.

Sayda. V. Saïda (v. du Liban).

saynète n. f. **1.** Petite pièce bouffonne du théâtre espagnol. **2.** Petite pièce comique à peu de personnages.

Sb CHIM Symbole de l'antimoine (en lat. *stibium*).

sbire n. m. Péjor., litt. Policier. ▷ Homme de main.

Sc CHIM Symbole du scandium.

scabieuse n. f. BOT Plante herbacée à fleurs violettes, roses ou blanches, groupées en capitules.

scabreux, euse adj. **1.** Qui comporte des risques, des difficultés. *Entreprise scabreuse.* **2.** Qui choque la décence. *Plaisanterie scabreuse.*

Scævola V. Mucius Scævola.

Scala (Della). V. Della Scala.

Scala (théâtre de la), théâtre lyrique construit à Milan en 1778 par G. Piermarini; une des plus prestigieuses scènes d'opéra du monde.

1. scalaire n. m. ICHTYOL Poisson dont le corps très aplati, souvent rayé de noir, affecte la forme d'un disque flottant verticalement.

2. scalaire adj. MATH *Grandeur scalaire,* dont la mesure s'exprime par un nombre seul (par oppos. aux *grandeurs vectorielles* qui comportent en plus une direction et un sens). ▷ *Produit scalaire de deux vecteurs* $\vec{V}_1$ (de composantes x_1, y_1, z_1) et $\vec{V}_2$ (de composantes x_2, y_2, z_2) : nombre noté $\vec{V}_1 . \vec{V}_2$, égal à $x_1x_2 + y_1y_2 + z_1z_2$. (Dans le plan, le produit scalaire de deux vecteurs est égal au produit de leur module par le cosinus de l'angle qu'ils forment : $\vec{V}_1 . \vec{V}_2 = V_1 V_2 . \cos \alpha$.)

scalde n. m. LITTER Ancien poète scandinave. *Les poésies des scaldes, d'abord transmises oralement, furent recueillies par écrit et forment l'Edda et les sagas.*

scaldien, enne adj. De l'Escaut et de sa région.

scalène adj. et n. m. **1.** adj. GEOM *Triangle scalène,* dont les trois côtés sont inégaux. **2.** n. m. ANAT Chacun des trois muscles de la région située sous la clavicule, qui servent à l'inspiration.

Scalfaro (Oscar Luigi) (Novare, 1918), homme politique italien, démocrate-chrétien, président de la Rép. depuis 1992.

Scaligeri. V. Della Scala.

scalp n. m. **1.** Action de scalper. ▷ Dépouille constituée par la peau du crâne avec sa chevelure conservée comme trophée par certains Amérindiens. **2.** Arrachement traumatique du cuir chevelu.

scalpel n. m. Bistouri à lame fixe utilisé pour la dissection.

scalper v. tr. [1] Découper le cuir chevelu de (qqn) par une incision circulaire et l'arracher du crâne.

scampi n. m. pl. Grosses crevettes.

scandale n. m. **1.** RELIG Provocation au péché, par la conduite ou les paroles. *Malheur à celui par qui le scandale arrive.* **2.** Effet que suscite un acte, un événement qui choque la morale. *Son discours a fait scandale.* ▷ Indignation causée par un tel acte. *Au grand scandale de ses auditeurs.* **3.** Événement, fait révoltant. **4.** Grave affaire qui révolte l'opinion publique. *Un scandale financier.* **5.** Tapage, esclandre, désordre. *Scandale sur la voie publique.*

scandaleusement adv. D'une manière scandaleuse.

scandaleux, euse adj. **1.** Qui crée du scandale. **2.** Très choquant. *Une désinvolture scandaleuse.*

scandaliser v. tr. [1] Provoquer le scandale; sembler scandaleux à. *Sa conduite a scandalisé tout le monde.* ▷ v. pron. S'indigner.

scander v. tr. [1] **1.** *Scander un vers,* en marquer les mètres. **2.** Prononcer en appuyant sur les mots, les syllabes. *Scander des slogans.*

Scanderbeg, Skanderbeg ou **Skander-Beg** (Georges Castriota, dit) (?, v. 1403 – Leshi, 1468), prince albanais (surnommé le *prince Alexandre*). Il maintint, grâce à ses alliés occidentaux et à ses talents d'homme de guerre, l'indépendance de l'Albanie contre Murat II et Mehmet II.

scalaire

scandinave adj. et n. **1.** De la Scandinavie. **2.** *Langues scandinaves :* langues germaniques parlées en Scandinavie. **3.** *Alpes scandinaves :* chaîne de montagnes du début du tertiaire.

Scandinavie, rég. de l'Europe du N. comprenant la Norvège et la Suède auxquelles s'associent le Danemark et, de plus en plus souvent, la Finlande.

scandium [skɑ̃djɔm] n. m. CHIM Élément métallique de numéro atomique Z = 21, de masse atomique 44,95 (symbole Sc). – Métal (Sc) gris de densité 3, qui fond à 1 540 °C et bout à 2 830 °C.

Scanie (la) (en suédois *Skåne*), presqu'île méridionale de la Suède, entre le Sund et la mer Baltique; v. princ. *Malmö;* plaine favorable à l'agriculture. – Prov. danoise jusqu'en 1658.

1. scanner [skanɛʀ] n. m. (Anglicisme) **1.** TECH Appareil de sélection utilisé en photogravure et en informatique, qui analyse par rayon lumineux, point par point, le document à reproduire. **2.** MED Syn. (off. déconseillé) de *scanographe* et de *tomodensitomètre.* **3.** Appareil servant à balayer une gamme de fréquences afin de localiser un émetteur. ► pl. **imagerie médicale**

2. scanner [skane] v. tr. [1] INFORM Numériser (une image, un texte).

scannérisation n. f. Action de scannériser. *Archivage de diapositives par scannérisation.*

scannériser v. tr. [1] INFORM Numériser par passage au scanner.

scanographe n. m. MED Appareil de radiographie par rayons X permettant d'obtenir des séries de tomographies* traitées par ordinateur. Syn. tomodensitomètre.

scanographie n. f. MED Technique, application du scanographe.

scansion n. f. Didac. Action ou manière de scander un vers.

Scapa Flow, vaste rade des Orcades (G.-B.). Base de la flotte britannique durant la Première Guerre mondiale; la flotte allemande y fut placée sous surveillance après l'armistice de 1918 et s'y saborda le 21 juin 1919.

scaphandre n. m. Équipement isolant individuel des plongeurs subaquatiques, des astronautes, etc.

scaphandrier n. m. Plongeur équipé d'un scaphandre.

plongeur équipé d'un **scaphandre** «pieds-lourds»

scaphoïde adj. et n. m. ANAT En forme de nacelle. *Os scaphoïde* ou, n. m., *le scaphoïde :* petit os de la rangée supérieure des os du carpe et de la rangée antérieure des os du tarse.

scapulaire n. m. et adj. **I.** n. m. **1.** Vêtement porté par certains religieux, fait d'une pièce d'étoffe qui tombe, depuis les épaules, devant et derrière. **2.** RELIG CATHOL Objet de dévotion composé de deux petits morceaux d'étoffe bénis, réunis par des rubans qui s'attachent autour du cou. **II.** adj. ANAT De l'épaule. *Artère scapulaire.*

scarabée n. m. **1.** Insecte coléoptère aux élytres colorés à reflets métalliques. **2.** Dans l'ancienne Égypte, pierre égyptienne sacrée, gravée en forme de scarabée.

scarabée sacré roulant ses excréments

scarabéidés n. m. pl. ENTOM Famille de coléoptères lamellicornes comprenant plus de vingt mille espèces (scarabées, hannetons, etc.). – Sing. *Un scarabéidé.*

Scaramouche, personnage bouffon de l'anc. comédie italienne, habillé de noir et portant de fortes moustaches.

scarificateur n. m. **1.** MED Appareil permettant de faire une scarification. **2.** AGRIC Cadre muni de dents monté à l'arrière d'un tracteur pour scarifier le sol.

scarification n. f. **1.** MED Incision non sanglante de l'épiderme, pratiquée notam. pour une vaccination. ▷ Dans certains groupes ethniques, marquage rituel symbolisant l'appartenance au groupe, obtenu en introduisant un pigment ou une substance irritante dans une ou plusieurs incisions. **2.** ARBOR Incision sur l'écorce d'un arbre, destinée à arrêter la circulation de la sève au voisinage des fruits.

scarifier v. tr. [2] **1.** MED Pratiquer une scarification sur. **2.** AGRIC Labourer légèrement au scarificateur. **3.** ARBOR Faire une incision sur (l'écorce d'un arbre).

scarlatine n. f. et adj. f. Maladie infectieuse avec fièvre et éruption (rougeurs). – adj. f. *Fièvre scarlatine.*

Scarlatti (Alessandro) (Palerme, 1660 – Naples, 1725), compositeur italien. Styliste précurseur de Mozart, il fixa la forme de l'opéra napolitain avec l'emploi régulier du grand air *da capo* («de tête») : *Il Mitridate Eupatore* (1707), *Il Trionfo della libertà* (1707), *Il Tigrane* (1715), *Il Trionfo dell'onore* (1718), *Cambise* (1719), *la Griselda* (1721). Très fécond, il a écrit également des cantates sacrées et profanes, des pièces pour clavecin et pour orgue, et des symphonies. – **Domenico** (Naples, 1685 – Madrid, 1757), fils du préc.; il écrivit des opéras (*Tolomeo*, 1711; *Amor d'un ombra*, 1714), des œuvres religieuses (*Miserere, Stabat Mater* à 10 voix, *Messe* à 4 voix) et surtout quelque 550 *Exercices* pour clavecin, sortes de brèves sonates, de forme binaire.

scarole ou **escarole** n. f. Chicorée d'automne et d'hiver aux longues feuilles peu dentées que l'on mange en salade.

Scarpe (la), riv. de France (100 km), affl. de l'Escaut (r. g.); passe à Arras et à Douai; canalisée depuis Arras.

Scarron (Paul) (Paris, 1610 – id., 1660), écrivain français. Privé, à l'âge de vingt-huit ans, de l'usage de ses membres à la suite d'une maladie, il se voua à l'écriture, lançant la mode de la poésie burlesque. On lui doit un *Recueil de quelques vers burlesques* (1643), des pièces bouffonnes (*Jodelet ou le Maître valet*, 1645; *l'Écolier de Salamanque*, 1654) et le *Roman comique* (1651-1657). Il avait épousé en 1652 Françoise d'Aubigné (future Mme de Maintenon).

scat n. m. MUS Style de jazz vocal dans lequel une partie au moins des paroles est remplacée par des onomatopées.

scato-. Élément, du gr. *skatos*, génitif de *skôr*, «excrément».

scatologie n. f. Propos, écrits portant sur les excréments. – Caractère de tels propos, de tels écrits.

scatologique adj. De la nature de la scatologie.

scatophile adj. SC NAT Qui vit, qui pousse sur les excréments.

sceau [so] n. m. **1.** Cachet gravé en creux dont on fait des empreintes avec de la cire sur des actes pour les rendre authentiques ou les clore de façon inviolable. ▷ *Le garde des Sceaux :* le ministre de la Justice, en France. **2.** Empreinte faite avec un sceau. *Apposer son sceau.* **3.** Fig. Caractère inviolable. *Confier sous le sceau du secret.* **4.** Fig. Marque, signe. *Le sceau du génie.*

sceau-de-Salomon n. m. Plante des bois (fam. liliacées), aux fleurs blanc verdâtre, dont le rhizome porte des empreintes semblables à un sceau. *Des sceaux-de-Salomon.*

Sceaux, ch.-l. de cant. des Hauts-de-Seine (arr. d'Antony); 18 202 hab. (*Scéens*). Aggl. résidentielle. – De l'anc. château, œuvre de Colbert (démoli en 1798), il reste le parc, conçu par Le Nôtre. Le château actuel, bâti en 1856, abrite un musée de l'Île-de-France.

scélérat, ate [seleʀa, at] adj. et n. **1.** Vieilli ou litt. Coupable ou capable de crimes, d'actions malhonnêtes. ▷ Subst. *Un scélérat.* **2.** Litt. Infâme. ▷ HIST *Lois scélérates :* nom donné par dénigrement aux lois répressives votées en 1894 contre les menées anarchistes.

scélératesse n. f. Vx ou litt. Façon d'agir d'un scélérat; acte scélérat.

scellage [sɛlaʒ] n. m. TECH Action de sceller.

scellé n. m. (Cour. au plur.) DR Bande d'étoffe ou de papier, ou ficelle fixée à ses extrémités par de la cire empreinte d'un sceau officiel, apposée par autorité de justice sur les ouvertures d'un meuble ou d'un local pour assurer la conservation de ce qu'il renferme.

scellement [sɛlmɑ̃] n. m. CONSTR **1.** Action de sceller; résultat de cette action. **2.** Extrémité scellée dans la maçonnerie d'une pièce.

sceller [sele] v. tr. [1] **1.** Appliquer un sceau sur (qqch). **2.** Apposer les scellés sur. **3.** Fermer hermétiquement. *Sceller une bouteille.* **4.** CONSTR Fixer l'extrémité d'une pièce dans un mur avec du plâtre, du ciment. **5.** Fig. Ratifier comme avec un sceau. *Sceller une alliance.*

Scelsi (Giacinto) (La Spezia, Ligurie, 1905 – Rome, 1988), compositeur italien. Son langage musical original repose sur la densité du son et sa position spatiale : *Quatuor à cordes n° 4* (1964) où chaque corde est traitée comme un instrument autonome; *Pranam*, pour voix, 12 instruments et bande magnétique (1972).

scénario [senaʀjo] n. m. **1.** Canevas d'une pièce de théâtre. *Des scénario* ou, vieilli, *des scenarii.* ▷ Par ext. *Scénario d'un roman.* **2.** Description détaillée des différentes scènes d'un film; sujet, intrigue d'un film. ▷ Histoire d'une bande dessinée, d'un logiciel de jeu, d'une application multimédia. **3.** Fig. Déroulement préétabli, concerté, de qqch; plan d'action.

scénariste n. Auteur de scénarios pour le cinéma, la télévision, une bande dessinée, un logiciel de jeu, une application multimédia.

scénaristique adj. Du scénario d'un film.

scène [sɛn] n. f. **1.** Partie du théâtre où jouent les acteurs. *Entrer en scène. Mettre en scène une pièce*, en régler la représentation (jeu des acteurs, décor, etc.). **2.** *La scène :* le théâtre. *Cet acteur est passé de la scène à l'écran.* **3.** Lieu où se passe l'action. *La scène est à Paris.* ▷ Décor. *La scène représente le palais d'Auguste.* **4.** Chacune des parties d'un acte dans une pièce de théâtre. **5.** Action, événement offrant qqch de remarquable, d'émouvant, de drôle, etc. *Être témoin d'une scène attendrissante.* **6.** Querelle. *Scène de ménage.*

scénique adj. **1.** Adapté aux exigences du théâtre. *Lieu scénique.* **2.** Qui a rapport à la scène, au théâtre.

scéniquement adv. D'un point de vue scénique, théâtral.

scénographe n. Didac. Spécialiste de la scénographie.

scénographie n. f. Didac. **1.** Technique des aménagements intérieurs des théâtres, de la scène. **2.** Art de représenter en perspective (les sites, les édifices). **3.** Organisation de l'espace d'un musée, d'une exposition, etc.

scénographique adj. Qui concerne la scénographie.

scénologie n. f. Didac. Science, étude de la mise en scène.

scepticisme [sɛptisism] n. m. **1.** PHILO Doctrine philosophique qui conteste à l'esprit la possibilité d'atteindre avec certitude à la connaissance et érige le doute en système. **2.** Incrédulité, doute.

sceptique adj. et n. **1.** PHILO Qui professe le scepticisme; qui se rapporte à cette doctrine. *Le premier maître de l'école sceptique est Pyrrhon.* **2.** Incrédule, non croyant. **3.** Non convaincu. *Je reste sceptique quant à son honnêteté.*

sceptiquement adv. Rare D'une manière sceptique.

sceptre [sɛptʀ] n. m. **1.** Bâton de commandement, symbole de l'autorité monarchique. **2.** Fig. Pouvoir souverain. **3.** Fig. Supériorité, prééminence en quelque domaine. *Tenir haut le sceptre de...*

Scève (Maurice) (Lyon, v. 1501 - id., v. 1560), poète français; le plus célèbre des lettrés de l'école de Lyon avec Louise Labé. Auteur de *Blasons*, d'une épopée biblique (*Microcosme*, 1562), il est surtout connu pour sa *Délie, objet de plus haute vertu* (1544), chant d'amour platonique.

Schaeffer (Pierre) (Nancy, 1910 - Les Milles, 1995), musicien français; l'un des premiers compositeurs de musique concrète : *Variations pour une flûte mexicaine* (1949); *Symphonie pour un homme seul* (1950). Il a publié *Traité des objets musicaux* (1966).

Schaerbeek, com. de Belgique, fbg N.-E. de Bruxelles; 106 760 hab. Industr. alim. et chim.; métall.

Schaffhouse (en all. *Schaffhausen*), com. de Suisse; ch.-l. du cant. du m. nom, sur la r. dr. du Rhin; 34 250 hab. - Pittoresque cité médiévale. Cath. romane.

schah, shah ou **chah** [ʃa] n. m. Titre des souverains d'Iran.

schako. V. shako.

schapska. V. chapska.

Scharnhorst (Gerhard von) (Bordenau, Hanovre, 1755 - Prague, 1813), général prussien. Il réorganisa l'armée après le traité de Tilsit (1807).

Schatzman (Evry) (Neuilly-sur-Seine, 1920), astrophysicien français. Il a consacré ses recherches à l'évolution des étoiles, notam. du Soleil.

Schawlow (Arthur Leonard) (Mount Vernon, État de New York, 1921), physicien américain. Avec C. H. Townes*, il a donné dès 1958 le principe du laser. P. Nobel 1981.

Scheel (Walter) (Solingen, 1919), homme politique ouest-allemand. Il rénova le parti libéral, qu'il présida à partir de 1968. En 1969, il s'allia aux sociaux-démocrates et devint vice-chancelier et ministre des Affaires étrangères de la R.F.A. (1969). Président de la République de 1974 à 1979.

Scheele (Carl Wilhelm) (Stralsund, 1742 - Köping, 1786), chimiste suédois. Il isola l'hydrogène (1768), l'oxygène (1773), le chlore (1774), et découvrit la glycérine (1779).

Schéhadé (Georges) (Alexandrie, 1907 - Paris, 1989), écrivain libanais d'expression française. Ses poèmes et son théâtre (*Monsieur Bob'le*, 1951; *la Soirée des proverbes*, 1954; *Histoire de Vasco*, 1956; *l'Émigré de Brisbane*, 1965) mêlent l'étrange, l'humour et le pathétique.

Schéhérazade ou **Shéhérazade,** personnage des *Mille* et Une Nuits*, épouse du sultan Châhriyâr. Séduisante, mystérieuse, associant la culture et le rêve, cette jeune femme pudique incarne en Occident la magie de l'Orient.

scheikh. V. cheik.

schelem. V. chelem.

Scheler (Max) (Munich, 1874 - Francfort-sur-le-Main, 1928), philosophe allemand. Il accorde à la personne humaine une place prépondérante : *le Renversement des valeurs* (1919), *Nature et formes de la sympathie* (1923), *la Situation de l'homme dans le monde* (1928).

Schelling (Friedrich Wilhelm Joseph von) (Leonberg, Wurtemberg, 1775 - Bad Ragaz, Suisse, 1854), philosophe allemand. Parti de Kant et de Fichte, il professa une «philosophie de la nature» dans *Système de l'idéalisme transcendantal* (1800). Il inclina ensuite vers Spinoza et G. Bruno, pour exposer une «philosophie de l'identité» (*Dialogue sur le principe divin et le principe naturel des choses*, 1802) et, finalement, remplaça l'absolu par un Dieu plus personnel : *Philosophie de la mythologie* (1842), *Philosophie de la Révélation* (1854).

schéma [ʃema] n. m. **1.** Représentation simplifiée d'un objet, destinée à expliquer sa structure, à faire comprendre son fonctionnement. ▷ Dessin, diagramme représentant un ensemble de relations. *Schéma de l'organisation d'une entreprise.* - *Schéma directeur*, fixant le développement de l'urbanisation d'une région. **2.** Plan sommaire (d'un ouvrage de l'esprit).

schématique adj. **1.** Qui constitue un schéma, une représentation simplifiée. **2.** Sommaire, rudimentaire, sans nuance.

schématiquement adv. **1.** D'une manière schématique. **2.** Sommairement.

schématisation n. f. Didac. Action, fait de schématiser; son résultat.

schématiser v. tr. [1] **1.** PHILO Considérer (les objets) comme des schèmes. **2.** Représenter d'une manière schématique.

schématisme n. m. **1.** PHILO Usage des schèmes, chez Kant. **2.** Caractère schématique. - Péjor. Simplification excessive.

schème [ʃɛm] n. m. **1.** PHILO Chez Kant, représentation qui assure un rôle d'intermédiaire entre les catégories de l'entendement et les phénomènes sensibles. *Le schème pur de la quantité est le nombre.* **2.** Didac. Disposition, forme, structure.

Schenectady, v. des É.-U. (État de New York); 65 560 hab. Import. centre industriel (métallurgie de transformation); recherches nucléaires.

Schengen (accords de), conventions signées en 1985, complétées en 1990, par cinq États de l'U.E. (Allemagne, Belgique, France, Luxembourg, Pays-Bas), que rejoignent en 1991 l'Italie, l'Espagne et le Portugal. Ces accords, entrés en vigueur en 1995 dans huit des dix pays signataires (hors Autriche et Grèce), instaurent à la fois une libre circulation des personnes à l'intérieur de l'espace Schengen et une politique commune à l'égard des tiers (visas, fichier informatisé commun).

Scherchen (Hermann) (Berlin, 1891 - Florence, 1966), chef d'orchestre allemand. Il s'est attaché à promouvoir la mus. contemp., créant de nombr. œuvres de Schönberg, Berg (*Concerto pour violon*, 1936), Dallapiccola, Stockhausen (*Kontrapunkte n° 1*, 1953), Henze, Xenakis.

scherzo [skɛʀdzo] n. m. et adv. MUS Morceau de caractère vif, léger, amusant. ▷ adv. Dans le mouvement du scherzo.

Scheveningen, port et banlieue de La Haye. Import. stat. balnéaire des Pays-Bas.

Schiaparelli (Giovanni) (Savigliano, 1835 - Milan, 1910), astronome italien. Il observa, le premier, les formations ramifiées sur la planète Mars, que l'on pensa alors être des canaux artificiels.

Schiedam, v. et port des Pays-Bas (Hollande-Méridionale); 69 280 hab. Chantiers navals. Distilleries.

Schiele (Egon) (Tull, 1890 - Vienne, 1918), peintre et graveur autrichien. Figure marquante de l'expressionnisme autrichien, il s'attacha particulièrement au visage et au corps humain : *Autoportrait aux doigts écartés* (1911), *Nu aux jambes écartées* (1914), etc. L'érotisme provocateur de certaines de ses œuvres lui valut la prison (*Autoportrait en prisonnier*, 1912).

Egon **Schiele :** *Autoportrait aux alkékenges*, huile et détrempe sur bois, 1912; coll. Léopold, Vienne.

Schiller (Friedrich von) (Marbach, Wurtemberg, 1759 - Weimar, 1805), poète et dramaturge allemand. Dans ses premiers drames (*les Brigands*, 1782; *la Conjuration de Fiesque à Gênes*, 1783; *Intrigue et Amour*, 1784), qui exaltent le droit des peuples ainsi que la tolérance, on retrouve l'élan du Sturm* und Drang. En 1785, il composa *l'Hymne à la joie*, repris par Beethoven dans sa IXe Symphonie. En 1787, sa pièce *Don Carlos* a marqué la naissance du classicisme «schillérien». Professeur d'histoire à l'université d'Iéna en 1789, il publia une *Histoire de la guerre de Trente Ans* (1791-1793) et des essais : *Sur l'art tragique* (1792), *Sur la poésie naïve et sentimentale* (1795), etc. Pour Schiller, le Beau régénère l'organisme social. Dans ses *Ballades* (1797) et *le Chant de la cloche* (1799), il mêle réalité et idéal. *Wallenstein* (1798-1799) marque son retour au théâtre : *Marie Stuart* (1800), *la Pucelle d'Orléans* (1801), *Guillaume Tell* (1804). ► illustr. page **1703**

schilling [ʃiliŋ] n. m. Unité monétaire de l'Autriche.

Schiltigheim, ch.-l. de cant. du Bas-Rhin (arr. de Strasbourg); 29 330 hab. Brasseries; industr. mécaniques et alimentaires.

Schirmeck, ch.-l. de cant. du Bas-Rhin (arr. de Molsheim), sur la Bruche; 2 198 hab. - Camp de concentration nazi.

schismatique adj. et n. Didac. Qui fait schisme; qui se rallie à un schisme. *Secte schismatique.* - Subst. *Les schismatiques.*

schisme [ʃism] n. m. **1.** Séparation amenant la rupture de l'unité des fidèles, dans une religion. **2.** Division, scission dans un mouvement, un groupe, un parti.

ENCYCL **Relig. cathol.** - Les princ. schismes de l'histoire de l'Église sont : celui des donatistes, au IVe s.; le schisme d'Orient, au XIe s., provoqué par les désaccords qui opposaient, dès le IVe s., le clergé byzantin au clergé romain; le grand schisme d'Occident, qui divisa l'Église de 1378 à 1417, donna lieu à l'élection de papes siégeant simultanément à Rome et à Avignon. Ce schisme se termina, lors du concile de Constance (1414-1418), avec la reconnaissance de Martin V (1417).

schiste n. m. Roche sédimentaire de structure feuilletée, provenant de la transformation des argiles par déshydratation et action de pressions orientées.

schisteux, euse adj. MINER De la nature du schiste.

schistosité n. f. GEOL Structure feuilletée d'une roche.

schistosomiase n. f. MED Autre nom de la bilharziose.

schizo-. Élément, du gr. *skhizein,* « fendre ».

schizogamie [skizogami] n. f. BIOL Mode de reproduction asexuée par division de l'organisme.

schizoïde adj. et n. PSYCHIAT Qui est atteint de schizoïdie.

schizoïdie n. f. Constitution mentale prédisposant à la schizophrénie.

schizophrène n. et adj. PSYCHIAT Malade atteint de schizophrénie. – adj. *Comportement schizophrène.*

schizophrénie [skizɔfʀeni] n. f. PSYCHIAT Psychose caractérisée par une dissociation des différentes fonctions psychiques et mentales, accompagnée d'une perte de contact avec la réalité et d'un repli sur soi (autisme).

schizophrénique adj. PSYCHIAT Relatif à la schizophrénie.

schlague [ʃlag] n. f. Punition corporelle (coups de baguette) en usage dans les anciennes armées allemandes. ▷ Fig. *Mener, conduire à la schlague,* d'une manière autoritaire et brutale.

schlass ou **schlasse** [ʃlɑs] adj. inv. Pop. Ivre. *Il est complètement schlass.*

Schlegel (August Wilhelm von) (Hanovre, 1767 – Bonn, 1845), écrivain allemand, conseiller littéraire de Mme de Staël (1803-1817), théoricien du romantisme (*Cours de littérature dramatique,* 1808-1809) et traducteur de Shakespeare, Calderón, Pétrarque, etc. – **Friedrich** (Hanovre, 1772 – Dresde, 1829), frère du préc.; écrivain, critique et orientaliste : *Sur la langue et la philosophie des Indiens* (1808), *Lucinde* (1799, roman). En 1798, il publia avec son frère la revue romantique l'*Athenäum.*

Schleiermacher (Friedrich, Daniel Ernst) (Breslau, 1768 – Berlin, 1834), théologien allemand. Réconciliant christianisme et idéalisme, il affirme que la religion est le sens de la relation entre l'unique et l'infini, et ne s'oppose donc ni à la métaphysique, ni à la morale, ni à l'histoire. Vivement critiquées, ses idées ont cependant eu une influence profonde et durable. *Monologues* (1800).

Schleswig-Holstein, Land d'All. et région de la C.E., à la frontière danoise; 15 720 km²; 2 614 100 hab.; cap. *Kiel.*
Géogr. phys. et écon. – Bordé par la mer du Nord et par la Baltique, l'État, qui s'étend sur la grande plaine d'Europe du N., est essentiellement agricole : élevage bovin et porcin; cultures maraîchères. Les industries (notam. métall. de transformation), concentrées à Kiel et à Lübeck, se sont développées après 1945.
Hist. – En 1460, le duché danois de Slesvig (Schleswig) et le comté (duché en 1474) de Holstein, terre d'empire, devinrent la propriété personnelle du roi de Danemark, Christian Ier. Au XVIe s., ils passèrent à la maison de Holstein-Gottorp, dont l'héritier monta en 1762 sur le trône de Russie (Pierre III). En 1773, Catherine II de Russie renonça, au nom de son fils Paul Ier, à ses droits sur les duchés en échange de l'Oldenbourg. En 1815, intégrés à la Confédération germanique, ils furent donnés, à titre personnel, au roi de Danemark pour compenser la perte de la Norvège. Les rois de Danemark tentèrent de les intégrer à leur royaume à plusieurs reprises. Cette politique provoqua la guerre des Duchés en 1864. Partagés entre la Prusse et l'Autriche, les duchés revinrent entièrement à la Prusse en 1867. En 1920, par plébiscite, le N. du Schleswig fut rendu aux Danois, et le S. forma avec le Holstein la province prussienne du Schleswig-Holstein. Prétexte à l'occupation du Danemark par les Allemands en 1940, le Schleswig du N. revint définitivement au Danemark en 1945, tandis que le Land de Schleswig-Holstein était créé en 1946 et intégré à la R.F.A. en 1949.

Schliemann (Heinrich) (Neubukow, Mecklembourg, 1822 – Naples, 1890), archéologue allemand. Il pratiqua, à partir de 1870, des fouilles à Hissarlik, emplacement présumé de l'anc. Troie, puis à Mycènes (1874), Orchomène (1880), Tirynthe (1884) et Ithaque : *Troie et ses ruines* (1875), *Mycènes* (1878), *Tirynthe* (1886), *Autobiographie* (posth., 1892).

schlinguer. V. chlinguer.

schlitte n. f. TECH Traîneau employé dans les Vosges pour descendre le bois abattu des hauteurs dans les vallées.

Schlöndorff (Volker) (Wiesbaden, 1939), cinéaste allemand. Depuis *les Désarrois de l'élève Törless* (1966), tiré du roman de R. Musil, il se livre avec prédilection, et talent, à l'adaptation d'œuvres littéraires : *l'Honneur perdu de Katharina Blum* (d'après H. Böll, 1975), *le Coup de grâce* (d'après M. Yourcenar, 1976), *le Tambour* (d'après G. Grass, 1978), *Un amour de Swann* (d'après M. Proust, 1983).

Schlucht (col de la), col des Vosges (1 139 m), emprunté par la route de Paris à Colmar. Sports d'hiver.

Schlumberger (Jean) (Guebwiller, 1877 – Paris, 1968), écrivain français. Ses romans (*Saint-Saturnin,* 1931), ses pièces (*la Mort de Sparte,* 1921), ses essais (*Plaisir à Corneille,* 1936; *Madeleine et André Gide,* 1956) sont marqués par un moralisme lucide et une tendance à l'analyse psychologique.

Schlüter (Poul) (Tønder, 1929), homme politique danois, Premier ministre (conservateur) de 1982 à 1993.

Schmalkalden. V. Smalkalde.

Schmidt (Arno) (Hambourg, 1914 – Bargfeld, 1979), écrivain allemand : *Léviathan* (1949), *Scènes de la vie d'un faune* (1953); *Berechnungen I* (1955), *II* (1956) et *III* (1980); *Zettels Traum* (1970), vaste somme de 1 330 pages.

Schmidt (Helmut) (Hambourg, 1918), homme politique allemand. Membre du parti social-démocrate de R.F.A. dès 1946, ministre de la Défense (1969), puis des Finances (1972), il succéda à Willy Brandt au poste de chancelier (1974). Abandonné par les libéraux, il fut renversé par le Bundestag en 1982.

Schmidt-Rottluff (Karl) (Rottluff, près de Chemnitz, 1884 – Berlin-Ouest, 1976), peintre et graveur expressionniste allemand; l'un des fondateurs du groupe Die Brücke*.

Schmitt (Florent) (Blâmont, Meurthe-et-M., 1870 – Neuilly-sur-Seine, 1958), compositeur français d'inspiration néoromantique et classique : *Psaume XLVII* (1904), *la Tragédie de Salomé* (mimodrame, 1907), *Oriane et le prince Amour* (ballet, 1938); musique de chambre.

schnaps [ʃnaps] n. m. Eau-de-vie de pomme de terre ou de grain fabriquée dans les pays germaniques. ▷ Fam. Eau-de-vie.

schnauzer [ʃnawzɛʀ] n. m. Chien à poil dru, proche du griffon.

Schneider, famille d'industriels français. – **Eugène** (Bidestroff, 1805 – Paris, 1875) et son frère **Adolphe** (Nancy, 1802 – Le Creusot, 1845) dirigèrent les forges du Creusot (1836), auxquelles ils donnèrent un essor considérable. Eugène fut ministre du Commerce et de l'Agriculture (1851) et président du Corps législatif (1867-1870).

Schneider (Hortense) (Bordeaux, 1838 – Paris, 1920), actrice et chanteuse française; interprète célèbre des opérettes d'Offenbach.

Schneider (Rosemarie Albach-Retty, dite Romy) (Vienne, 1938 – Paris, 1982), actrice de cinéma autrichienne. Connue d'abord pour la série *Sissi* (1954-1957), elle devint ensuite une vedette internationale : *les Choses de la vie* (1969), *César et Rosalie* (1972), *la Mort en direct* (1980).

Schnittke (Alfred) (Engels, auj. Pokrovsk, région de Saratov, 1934 – Hambourg, 1998), compositeur russe. Son œuvre, abondante et éclectique, puise des références tant dans la tradition classique et liturgique que dans le jazz et le rock.

Schnitzler (Arthur) (Vienne, 1862 – id., 1931), écrivain autrichien; peintre de la société viennoise de la fin du XIXe s. Théâtre : *Liebelei* (1895), *la Ronde* (1900). Romans : *Lieutenant Gustl* (1901), *Mademoiselle Else* (1924).

schnock ou **chnoque** [ʃnɔk] adj. inv. Fam. Imbécile, un peu fou. ▷ n. m. Péjor. *Un vieux schnock :* un vieillard.

Schœlcher, ch.-l. de cant. de la Martinique (arr. de Fort-de-France); 19 874 hab.

Schœlcher (Victor) (Paris, 1804 – Houilles, 1893), homme politique français. Sous-secrétaire d'État à la Marine pendant la révolution de 1848, il obtint l'abolition de l'esclavage (27 avr. 1848). Ses cendres sont au Panthéon.

Schöffer (Peter) (Gernsheim, près de Darmstadt, v. 1425 – Mayence, v. 1502), imprimeur allemand; associé, gendre et successeur de Fust*.

Schöffer (Nicolas) (Kalocsa, auj. Autriche, 1912 – Paris, 1992), sculpteur et théoricien d'art français d'origine hongroise; pionnier de l'art cinétique.

V. **Schœlcher**

G. **Schröder**

Schola cantorum, école de musique fondée à Paris en 1894 par Charles Bordes, Vincent d'Indy et Alexandre Guilmant.

Scholastique (sainte) (Nursie, Pérouse, v. 480 – Piumarola, près du mont Cassin, v. 547), sœur jumelle de saint Benoît de Nursie ; fondatrice de l'ordre des Bénédictines.

scholie. V. scolie.

Schönberg (Arnold) (Vienne, 1874 – Los Angeles, 1951), compositeur autrichien. Après des œuvres qui procèdent de son admiration pour Wagner et Mahler (*la Nuit transfigurée*, sextuor à cordes, 1899 ; *Gurrelieder*, 1900-1911), il élimine les relations tonales et élabore le mode de déclamation du « Sprechgesang » (« mélodie parlée ») avec *Pierrot lunaire* (1912). En 1923, il inaugure une technique de composition fondée sur la notion de série (V. dodécaphonisme et sériel) qui le place à l'avant-garde du mouvement musical : *Suite pour piano* op. 25 (1923), *Variation pour orchestre* (1928), *Moïse et Aron* (opéra inachevé, 1930-1932). Fuyant le nazisme, il s'établit aux É.-U. (1933), où il développe un dodécaphonisme « classique » : *Concerto pour violon* (1936), *Un survivant de Varsovie* (oratorio dramatique, 1947).

Schönbrunn, château construit sous le règne de Marie-Thérèse (XVIIIe s.) pour les empereurs d'Autriche (résidence d'été) dans la banlieue de Vienne.

Schongauer (Martin) (Colmar [?], v. 1450 – Vieux-Brisach, 1491), peintre et graveur alsacien. Ses estampes exercèrent une grande influence sur A. Dürer.

Schopenhauer (Arthur) (Dantzig, 1788 – Francfort-sur-le-Main, 1860), philosophe allemand. Dans son princ. ouvrage, *le Monde comme volonté et comme représentation* (1818), il a élaboré une philosophie de la volonté. Le « vouloir-vivre » sans but ni fin est absurde et se caractérise par la souffrance et l'ennui. Il faut s'en affranchir, en pratiquant une sorte de « quiétisme » de la volonté individuelle : renoncement au plaisir (simple répit négatif), culte de l'art, ascétisme et enfin pitié, fondement de la morale. *Sur la volonté dans la nature* (1836), *Essai sur le libre arbitre* (1839), etc.

schorre [ʃɔʀ] n. m. GEOMORPH Partie haute de la zone vaseuse d'un estuaire, où croissent des plantes halophiles (par oppos. à la *slikke*).

Schottky (Walter) (Zurich, 1886 – Pretzfeld, Bavière, 1976), physicien allemand ; connu pour ses travaux sur les tubes à gaz raréfié et sur l'électronique des solides.

Schrieffer (John Robert) (Oak Park, Illinois, 1931), physicien américain ; connu pour ses travaux sur la supraconductivité. P. Nobel 1972.

Schopenhauer

Franz **Schubert**

Schröder (Gerhard) (Mossenberg, Rhénanie-du-Nord-Wesphalie, 1944), homme politique allemand. Leader des sociaux-démocrates, il succède à H. Kohl à la chancellerie en octobre 1998. ► illustr. page **1709.**

Schrödinger (Erwin) (Vienne, 1887 – id., 1961), physicien autrichien ; célèbre pour ses travaux de physique nucléaire et de mécanique ondulatoire. P. Nobel (avec P. Dirac) 1933.

Schtroumpfs (les), héros d'une bande dessinée de Peyo (à partir de 1959), petits bonshommes bleuâtres, au parler étrange.

Schubert (Franz) (Vienne, 1797 – id., 1828), compositeur autrichien. Maître d'école adjoint, il abandonna son poste en 1816 pour se consacrer à la musique, et mena à Vienne une vie assez retirée. Il mourut du typhus. Son sens exceptionnel de la ligne mélodique trouve son expression la plus achevée dans ses 600 lieder (cycles de *la Belle Meunière*, 1823 ; du *Voyage d'hiver*, 1827 ; du *Chant du cygne*, 1828), ses pièces pour piano, sa musique de chambre (*la Truite*, 1819 ; *la Jeune Fille et la Mort*, 1824-1826). Schubert a également laissé 22 opéras et 9 symphonies.

Schultz (Theodore) (Arlington, Dakota du Sud, 1902 – Chicago, 1998), économiste américain ; spécialiste des problèmes des pays en voie de développement. P. Nobel 1979.

Schulz (Charles) (Minneapolis, 1922), dessinateur humoristique américain, créateur de la bande dessinée *Peanuts* (dep. 1950).

Schuman (Robert) (Luxembourg, 1886 – Scy-Chazelles, Moselle, 1963), homme politique français. Avocat, député démocrate-populaire de 1919 à 1940, député M.R.P. (1945), il fut plusieurs fois ministre de 1946 à 1956 et président du Conseil (1947-1948). Il fut l'un des fondateurs de la C.E.C.A. (1951) et présida l'Assemblée parlementaire européenne (1958-1960).

Schumann (Maurice) (Paris, 1911 – id., 1998), homme politique français. Il fut « la voix de la France libre » à la radio de Londres, de 1940 à 1944.

Schumann (Robert) (Zwickau, 1810 – Endenich, près de Bonn, 1856), compositeur allemand. En 1840, il épousa Clara Wieck (1819 – 1896), qui fut son inspiratrice et la grande interprète de ses pièces pour piano. Dès 1833, Schumann avait ressenti les premiers signes d'une affection cérébrale qui, plus tard, nécessita son internement à l'asile d'Endenich (1854). Musicien romantique, il s'affirma d'abord comme un maître de la musique pour piano, d'une intense poésie : *Carnaval* (1834-1835), *Fantaisie en « ut »* (1837), *Scènes d'enfants* (1838), *Kreisleriana* (1838). Auteur de lieder (cycles *l'Amour et la vie d'une femme*, 1840 ; *les Amours du poète*, 1840), il excella aussi dans la musique de chambre (trios, quatuors à cordes, quatuor avec piano, quintette). Dans le domaine symphonique, outre ses quatre symphonies, le *Concerto pour piano en « la » mineur* (1845) et, surtout, les *Concertos pour violoncelle* (1850) et *pour violon* (1853) expriment avec intensité son angoisse face à la lente destruction de sa faculté créatrice.

Schumpeter (Joseph) (Třešt, Moravie, 1883 – Salisbury, Connecticut, 1950), économiste autrichien. Il mit l'accent sur le rôle de l'innovation et sur l'importance de l'entrepreneur dans les mécanismes de croissance : *Théorie de l'évolution économique* (1912).

Schumann

A. **Schweitzer**

Schuschnigg (Kurt von) (Riva, lac de Garde, 1897 – Mutters, Tyrol, 1977), homme politique autrichien. Député chrétien-social (1927), chancelier en 1934, il tenta d'éviter l'Anschluss. Hitler obtint sa démission (11 mars 1938) et le fit déporter à Dachau (1938-1945).

schuss [ʃus] n. m. et adv. SPORT Au ski, descente en trace directe suivant la ligne de la plus grande pente. ▷ adv. *Descendre schuss.*

Schütz (Heinrich) (Köstritz, Bad Köstritz, 1585 – Dresde, 1672), compositeur allemand. Il réalisa la synthèse entre la tradition italienne et la polyphonie allemande. Il créa un style de cantate (*Symphoniae sacrae*, 1629, 1647, 1650) qui sera porté à sa perfection par J.-S. Bach.

Schwäbisch Gmünd, v. d'All. (Bade-Wurtemberg) ; 56 140 hab. – Monuments médiévaux, dont l'église-halle Sainte-Croix (XIVe s.).

Schwann (Theodor) (Neuss am Rhein, 1810 – Cologne, 1882), physiologiste allemand. Il définit la cellule comme l'unité structurale de tous les organismes vivants (1839).

Schwartz (Laurent) (Paris, 1915), mathématicien français ; connu pour ses travaux d'analyse harmonique : sa théorie des distributions (1945) généralise la notion de fonction. Il obtint la médaille Fields en 1950.

Schwartz-Bart (André) (Metz, 1928), écrivain français. Hanté par l'holocauste, il écrit *le Dernier des justes* (1959), puis, en collaboration avec sa femme, *Un plat de porc aux bananes vertes*. – **Simone** (Saintes, Guadeloupe, 1938), femme du préc., auteur de romans et de contes évoquant un univers entre rêve et réalité : *Ti Jean l'horizon* (1979).

Schwarz (Berthold) (Fribourg-en-Brisgau, v. 1310 – Venise, 1384), moine allemand qui, le premier, mit au point la fonte des canons de bronze, dont il apprit l'usage aux Vénitiens.

Schwarzenberg (Karl Philipp, prince von) (Vienne, 1771 – Leipzig, 1820), général autrichien ; il commanda les armées coalisées à Leipzig (1813) et lors de la campagne de France (1814). – **Felix** (Krumau, Bohême, 1800 – Vienne, 1852), neveu du préc. ; chancelier d'Autriche, il réprima les mouvements révolutionnaires de 1848.

Schwarzkopf (Elisabeth) (Jarotschin, Allemagne [auj. Jarocin, Pologne], 1915), cantatrice allemande naturalisée anglaise ; soprano lyrique, interprète de Mozart et de R. Strauss.

Schwarzschild (Karl) (Francfort-sur-le-Main, 1873 – Potsdam, 1916), astrophysicien allemand. Il introduisit en astronomie les méthodes statistiques (photométrie).

Schweinfurt, ville d'All. (Bavière), sur le Main; 50 570 hab. Usine de roulements à billes.

Schweitzer (Albert) (Kaysersberg, 1875 - Lambaréné, 1965), pasteur, théologien, médecin, organiste et musicologue français. Missionnaire en Afrique, il fonda un hôpital à Lambaréné en 1913. Auteur notam. de *J.-S. Bach, le musicien-poète* (1905), *Ma vie et mes pensées* (1960). P. Nobel de la paix 1952.

Schwerin, v. d'Allemagne, sur le *lac de Schwerin*; cap. de Mecklembourg-Poméranie-Occidentale (63 km²); 130 000 hab; ch.-l. du distr. du m. nom. Industr. chimiques. Travail du bois.

Schwinger (Julian Seymour) (New York, 1918), physicien américain; connu pour ses travaux sur le champ électromagnétique. P. Nobel 1965.

Schwitters (Kurt) (Hanovre, 1887 - Ambleside, Westmorland, 1948), peintre, sculpteur et écrivain allemand; représentant du mouvement Dada à Hanovre, le premier qui utilisa systématiquement le «déchet» pour réaliser des collages (*Anna Blume*, 1919; revue *Merz*, 1923-1932).

Schwyz, v. de Suisse, ch.-l. du cant. du m. nom; 12 000 hab. – **Schwyz,** canton de Suisse; 908 km²; 111 680 hab.), situé dans la zone des Préalpes helvétiques, vit surtout de l'élevage bovin et du tourisme. - Ses habitants prêtèrent en 1291 le serment du Grütli* et luttèrent contre les Habsbourg. Le canton donna son nom à la *Suisse*.

sciage n. m. Opération, travail consistant à scier.

scialytique n. m. et adj. (Nom déposé.) Didac. Appareil d'éclairage muni d'un réflecteur à miroirs éliminant les ombres portées, utilisé dans les salles de chirurgie. - adj. *Lampe scialytique.*

sciant, ante adj. Fam. Très étonnant.

Sciascia (Leonardo) (Racalmuto, Sicile, 1921 - Palerme, 1989), écrivain italien. Dans son œuvre, il mêle le reportage, la fiction romanesque et la critique sociale (*Todo Modo*, 1975; *l'Affaire Moro*, 1978).

sciatique adj. et n. **1.** adj. ANAT De la hanche, qui a rapport à la hanche. ▷ *Nerf grand sciatique* ou, n. m., *le sciatique :* nerf sensitivo-moteur, branche terminale du plexus sacré, qui innerve le bassin, la fesse et la face postérieure de la cuisse, où il se divise en *sciatiques poplités*, externe et interne, qui innervent la jambe et le pied. **2.** n. f. MED Affection douloureuse due à l'irritation du nerf sciatique ou de ses racines.

scie [si] n. f. **I. 1.** Instrument qui comporte une lame d'acier munie de dents et dont on se sert pour diviser, couper les matières dures. *Scie égoïne*. Scie circulaire. Scie à métaux.* ▷ MUS *Scie musicale :* instrument de musique burlesque affectant la forme d'une scie égoïne dont on met la lame en vibration au moyen d'un archet. **2.** Fig., fam. Chose dont la monotonie fatigue; personne ennuyeuse. ▷ Chanson, refrain dont la répétition fatigue; rengaine. **II.** ZOOL Poisson sélacien (raie ou requin) au museau prolongé par un long rostre aplati hérissé de chaque côté de dents pointues et tranchantes. ▷ (En appos.) *Poisson scie :* raie au corps allongé (genre *Pristis*), dont une espèce est méditerranéenne.

sciemment [sjamɑ̃] adv. En sachant ce que l'on fait; de propos délibéré, volontairement.

science n. f. **I. 1.** Vx ou litt. (ou dans certaines loc. figées) Connaissance que l'on a d'une chose. *La science du bien et du mal.* ▷ *Avoir la science infuse :* savoir les choses par une inspiration surnaturelle; plaisant, mod. prétendre tout connaître sans avoir étudié. **2.** Savoir, ensemble de connaissances que l'on acquiert par l'étude, l'expérience, l'observation, etc. *Cet homme est un puits* de science.* **3.** Litt. Savoir-faire, compétence, habileté. *La science d'un peintre.* **II. 1.** Branche du savoir; ensemble, système de connaissances sur une matière déterminée. *Les sciences humaines* : V. humain (encycl.). *Les sciences naturelles*, qui étudient la nature et ses lois. *Les sciences occultes*.* **2.** Corps de connaissances constituées, articulées par déduction logique et susceptibles d'être vérifiées par l'expérience. *Les mathématiques, la physique sont des sciences.* ▷ Absol. *Les sciences* ou, fam., *les sciences dures :* les sciences fondées essentiellement sur le calcul et l'observation (mathématiques, physique, chimie, etc.). - Fam. *Les sciences molles :* les sciences humaines, la géographie. **3.** *La science :* l'activité humaine tendant à la découverte des lois qui régissent les phénomènes; l'ensemble des sciences (sens II, 2).

Science chrétienne. V. Christian Science.

science-fiction n. f. (Anglicisme) Genre romanesque qui cherche à décrire une réalité à venir, à partir des données scientifiques du présent ou en extrapolant à partir de celles-ci. - Par ext. *Film de science-fiction.* (Abrév. fam. : S.F.) *Des sciences-fictions.*

sciène n. f. ICHTYOL Grand poisson perciforme de l'Atlantique, comestible. Syn. maigre.

scientificité n. f. Didac. Caractère de ce qui est scientifique.

scientifique adj. et n. **I.** adj. **1.** Qui concerne la science ou les sciences. *Recherches scientifiques.* **2.** Conforme aux procédés rigoureux, aux méthodes précises des sciences. *Observation scientifique.* **II.** n. Personne qui étudie les sciences; spécialiste d'une science. *Les scientifiques.*

scientifiquement adv. D'une manière scientifique. *Théorie scientifiquement démontrée.*

scientisme n. m. Didac. Attitude intellectuelle, tendance de ceux qui pensent trouver dans la science la solution des problèmes philosophiques.

scientiste adj. et n. Didac. Qui relève du scientisme; qui adhère au scientisme. *Idéologie scientiste.* ▷ Subst. *Un scientiste convaincu.*

scientométrie n. f. Ensemble des techniques d'évaluation de la recherche scientifique.

scier v. tr. [2] **1.** Couper avec une scie. **2.** Fig., fam., vieilli Fatiguer, ennuyer. *Elle me scie avec ses lamentations.* **3.** Fig., fam. Surprendre, étonner fortement. *Cette histoire m'a scié.*

scierie [siʀi] n. f. Usine où l'on scie le bois à la machine.

scieur n. m. Anc. *Scieur de long :* ouvrier qui débitait des troncs d'arbres, de grandes pièces de bois, etc., dans le sens de la longueur.

Scilly ou **Sorlingues** (îles), archipel anglais, au S.-O. de la G.-B., au large de la Cornouailles; 2 400 hab.; ch.-l. *Hugh Town.*

scinder [sɛ̃de] v. tr. [1] Couper, diviser, fractionner. ▷ v. pron. *Ce parti s'est scindé en deux.*

scinque [sɛ̃k] n. m. ZOOL Reptile saurien (genres *Scincus* et voisins) vivant dans les régions sableuses désertiques.

scintigraphie n. f. MED Procédé de diagnostic consistant à suivre le cheminement dans l'organisme d'un isotope radioactif émetteur de rayons gamma. Syn. gammagraphie.

scintillant, ante [sɛ̃tijɑ̃, ɑ̃t] adj. **1.** Qui scintille. **2.** Fig., litt. Pétillant, brillant. *Conversation scintillante.*

scintillation n. f. **1.** Variation de l'éclat apparent des étoiles, due à la réfraction de la lumière à travers des couches d'air inégalement réfringentes. ▷ *Par anal.* ASTRO *Scintillation interplanétaire :* fluctuations rapides du flux d'ondes radio reçu de sources quasi ponctuelles (pulsars, en partic.), dues au caractère non homogène du vent* solaire. **2.** PHYS Luminescence de faible durée. **3.** Variation rapide d'éclat, vibration lumineuse. Syn. scintillement.

scintillement n. m. **1.** Fait de scintiller; éclat de ce qui scintille. **2.** ELECTR Effet parasite dû à une variation de la vitesse de défilement d'une bande magnétique. - Scintillation, vibration de l'image d'un écran de télévision.

scintiller [sɛ̃tije] v. intr. [1] **1.** Briller d'un éclat irrégulier et tremblotant. *Les étoiles scintillent.* **2.** Briller en jetant des éclats comparables à des étincelles. *Ce diamant scintille.* Syn. étinceler.

scion [sjɔ̃] n. m. **1.** Jeune rameau mince et flexible. ▷ ARBOR Très jeune arbre greffé dont le greffon n'est pas encore ramifié. **2.** PECHE Brin très fin qui termine une canne à pêche.

Scipions (les) (en lat. *Scipio*, «bâton»), famille de l'ancienne Rome, de la *gens Cornelia*. – **Lucius Cornelius Scipio,** dit *Barbatus*, fut consul en 298 av. J.-C. – **Cneus Cornelius Scipio,** dit *Asina*, fils du préc.; deux fois consul (260 et 254 av. J.-C.); vaincu par les Carthaginois aux îles Lipari, il s'empara ensuite d'une partie de la Sicile. – **Lucius Cornelius Scipio,** frère du préc.; consul en 259 av. J.-C., il conquit la Corse sur les Carthaginois. – **Cneus Cornelius Scipio,** dit *Calvus*, fils du préc.; consul en 222 av. J.-C. Il arrêta sur l'Èbre Hasdrubal (226) qui voulait marcher sur l'Italie. – **Publius Cornelius Scipio,** frère du préc.; consul en 218 av. J.-C., battu par Hannibal sur le Tessin, il fut vaincu et tué par son frère en 210. – **Publius Cornelius Scipio,** dit *Africanus* (en fr. *Scipion l'Africain*) (?, 235 - Liternum, 183 av. J.-C.), fils du préc.; proconsul en 211, il chassa les Cartha-

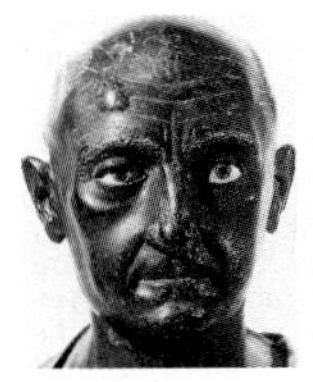

Scipion l'Africain

Walter **Scott**

ginois d'Espagne (206); consul (205), il passa en Afrique et remporta contre Hannibal la bataille de Zama (202) qui mit un terme à la deuxième guerre punique. – **Lucius Cornelius Scipio,** dit *Asiaticus* (en fr. *Scipion l'Asiatique*) (m. apr. 184 av. J.-C.), frère du préc.; consul en 190, vainqueur d'Antiochos III Mégas au côté de son frère Scipion l'Africain.– **Publius Cornelius Scipio Nasica** (en fr. *Scipion Nasica*), consul en 191 av. J.-C., il vainquit les Boïens cisalpins. – **Publius Cornelius Scipio,** dit *Corculum*, fils du préc.; consul en 162 et 155 av. J.-C. – **Publius Cornelius Scipio Nasica,** dit *Serapio* (m. à Pergame en 133 av. J.-C.), fils du préc.; consul en 138, meurtrier de Tiberius Gracchus (133). – **Publius Cornelius Scipio Aemilianus** (en fr. *Scipion Émilien*, dit *le Second Africain* ou *le Numantin*) (v. 185 - 129 av. J.-C.), fils de Paul Émile le Macédonique et petit-fils adoptif de Scipion l'Africain; homme de lettres et orateur brillant. Consul en 147 et en 134, il s'empara de Carthage (146) et de Numance (133).

scirpe [siʀp] n. m. BOT Plante herbacée (fam. cypéracées) des terrains marécageux, dont une espèce, cour. nommée *jonc des tonneliers*, est utilisée en vannerie.

scissile adj. GEOL Vieilli Qui peut être fendu, séparé en lamelles. *L'ardoise est scissile.*

scission [sisjɔ̃] n. f. **1.** Action, fait de se scinder (en parlant de groupes). Syn. division, schisme. **2.** BIOL, PHYS Séparation, division, fission.

scissionnisme n. m. POLIT Tendance scissionniste.

scissionniste adj. et n. Didac. Qui fait, qui provoque une scission dans un groupe. ▷ Subst. *Des scissionnistes.* Syn. dissident.

scissipare adj. BIOL Qui se reproduit par scissiparité.

scissiparité n. f. BIOL Mode de reproduction asexuée par division en deux.

scissure n. f. ANAT Sillon à la surface de certains organes (poumons, hémisphères cérébraux).

sciure [sjyʀ] n. f. Poussière résultant du travail de la scie. *Sciure de bois, de marbre.* - *Absol.* Sciure de bois.

sciuridés n. m. pl. ZOOL Famille de mammifères rongeurs dont le type est l'écureuil (genre *Sciurus*). - Sing. *Un sciuridé.*

sclér(o)-. Élément, du gr. *sklêros*, « dur ».

scléreux, euse adj. MED Atteint de sclérose.

sclérification [skleʀifikasjɔ̃] n. f. Didac. Durcissement des parois cellulaires, d'un organe, etc., par dépôt de sels minéraux, de lignine, etc.

sclérodermie n. f. MED Affection cutanée caractérisée par une induration profonde de la peau, parfois accompagnée de lésions viscérales.

sclérosant, ante adj. Qui sclérose. ▷ Fig. *Une activité sclérosante.*

sclérose [skleʀoz] n. f. **1.** MED Durcissement pathologique d'un organe ou d'un tissu. *Sclérose des artères*, ou *artériosclérose.* - *Sclérose en plaques* : maladie caractérisée par des lésions disséminées dans tout le système nerveux central et intéressant surtout la substance blanche, dont la myéline se dégrade progressivement. **2.** Fig. État d'un esprit, d'une institution, etc., sclérosés.

sclérosé, ée adj. **1.** MED Atteint de sclérose. **2.** Fig. Qui a perdu ses facultés d'adaptation, de développement, d'évolution. *Esprit sclérosé par la routine.*

scléroser v. tr. [1] **1.** MED Durcir artificiellement. *Scléroser une varice.* ▷ v. pron. Être progressivement atteint de sclérose (sens 1). *Artères qui se sclérosent.* **2.** Fig. Faire cesser l'évolution de. ▷ v. pron. Cesser d'évoluer, se figer. *Une société qui se sclérose.*

sclérote n. m. BOT Agglomération du mycélium de certains champignons, leur permettant de survivre en milieu hostile.

sclérotique n. f. ANAT Membrane fibreuse blanche qui forme l'enveloppe externe du globe oculaire.

Scola (Ettore) (Trevico, Campanie, 1931), cinéaste italien. Il porte témoignage, avec humour et émotion, sur les marginaux, les opprimés de la société italienne : *Nous nous sommes tant aimés* (1974), *Affreux, sales et méchants* (1975), *Une journée particulière* (1977).

scolaire adj. et n. m. **I.** adj. **1.** Relatif à l'école, aux écoles. *Livres scolaires. Âge scolaire* : âge légal à partir duquel un enfant doit fréquenter l'école (6 ans, en France). *Année scolaire* : période qui s'étend de la rentrée à la fin des classes. **2.** Péjor. Qui évoque un devoir d'écolier; laborieux et conventionnel. *Un discours très scolaire.* **II.** n. m. *Les scolaires* : les enfants et adolescents d'âge scolaire.

scolarisable adj. Qui peut être scolarisé.

scolarisation n. f. Action, fait de scolariser.

scolariser v. tr. [1] **1.** Pourvoir d'établissements scolaires. *Scolariser un pays.* **2.** Mettre, envoyer à l'école. - Pp. adj. *Les enfants scolarisés.*

scolarité n. f. **1.** Fait de fréquenter l'école. *En France, la scolarité est obligatoire de 6 à 16 ans.* **2.** Études suivies dans une école; durée de ces études.

scolastique n. et adj. Didac. **I.** n. **1.** n. f. Enseignement de la philosophie et de la théologie donné dans les universités médiévales. **2.** n. m. Théologien, philosophe scolastique. **II.** adj. **1.** De la scolastique. **2.** Péjor. Qui évoque le formalisme étroit, le verbalisme de la scolastique décadente.

scolie ou **scholie** [skɔli] n. Didac. **1.** n. f. Note philologique ou critique pour servir à l'explication d'un auteur ancien. **2.** n. m. Note, remarque ayant trait à une proposition ou à un théorème précédemment énoncés.

scoliose n. f. MED Déviation latérale de la colonne vertébrale.
▶ illustr. **vertèbre**

scoliotique adj. (et n.) MED Qui a rapport à la scoliose; qui est atteint de scoliose.

1. scolopendre n. f. BOT Fougère de grande taille aux frondes entières, commune sur les vieux murs, sur les rochers humides et ombragés.

2. scolopendre n. f. Mille-pattes carnassier (genre *Scolopendra*) à la morsure venimeuse, courant dans le Midi et dans les régions tropicales.

sconce, scons, sconse, skons, skunks, skuns [skɔ̃s] n. m. Fourrure de la moufette.

scoop n. m. (Anglicisme) Information donnée en exclusivité par un journal, une agence de presse, etc. Syn. (off. recommandé) exclusivité.

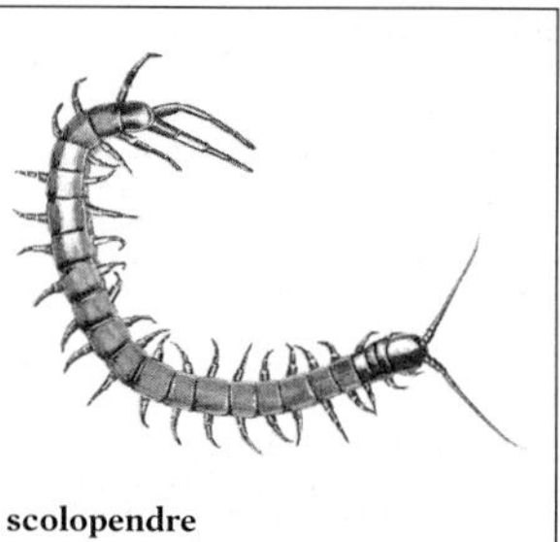
scolopendre

scooter [skutœʀ] n. m. Motocycle léger à moteur arrière, à roues de petit diamètre, que son cadre permet de conduire assis et non à califourchon. ▷ *Scooter des mers* :· syn. de *motomarine.*

-scope, -scopie, -scopique. Éléments, du gr. *-skopos* et *-skopia*, de *skopein*, « regarder, observer ».

scopolamine n. f. CHIM Alcaloïde tiré des solanacées, aux propriétés antispasmodiques.

scorbut [skɔʀbyt] n. m. MED Maladie provoquée par une carence en vitamine C (anémie, hémorragies, troubles gastro-intestinaux, déchaussement des dents, cachexie).

scorbutique adj. (et n.) Relatif au scorbut; qui est atteint du scorbut.

score n. m. (Anglicisme) **1.** Décompte des points marqués par chacun des adversaires ou chacune des équipes au cours d'une partie, d'un match. Syn. marque. ▷ Par anal. *Score électoral.* **2.** PSYCHO Résultat chiffré d'un test.

scorie n. f. (Surtout au plur.) **1.** Résidu solide résultant de la combustion de certaines matières, de la fusion des minerais, de l'affinage de métaux, etc. **2.** GEOL *Scories volcaniques* : projections ou produits de surface des coulées de lave. **3.** Fig. Partie à éliminer, déchet.

scorpène n. f. ICHTYOL Rascasse.

scorpion n. m. **1.** Arachnide dont l'abdomen est terminé par un aiguillon venimeux recourbé vers le haut et dont (pour certaines espèces) la piqûre peut être mortelle. **2.** *Scorpion d'eau* : V. nèpe. **3.** ASTRO *Le Scorpion* : constellation zodiacale de l'hémisphère austral. ▷ ASTROL Signe du zodiaque* (24 oct. - 22 nov.). - Ellipt. *Il est scorpion.*

scorpionides n. m. pl. ZOOL Ordre d'arthropodes arachnides dont le scorpion est le type. - Sing. *Un scorpionide.*

Scorsese (Martin) (Flushing, Long Island, 1942), cinéaste américain. Ses films dépeignent la tragédie, la folie et la poésie du temps présent : *Taxi Driver*

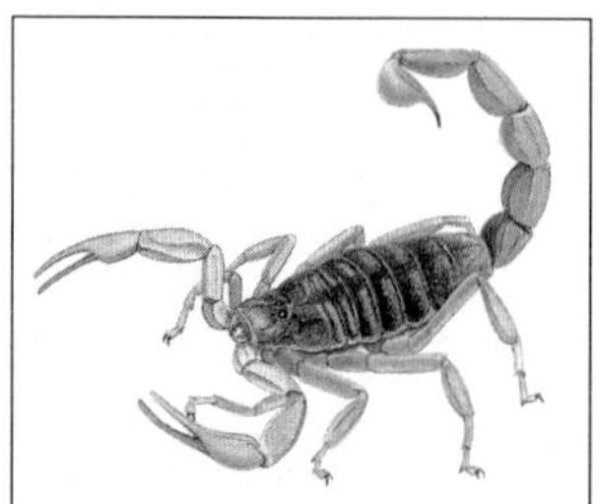
scorpion languedocien

(1976). *La Dernière Tentation du Christ* (1988) a soulevé, dans les milieux catholiques, de violentes protestations.

scorsonère n. f. BOT Plante (fam. composées) à fleurs jaunes, dont plusieurs espèces aux racines comestibles sont cultivées sous le nom de *salsifis noirs.*

Scot (John Duns). V. Duns Scot (John).

1. scotch [skɔtʃ] n. m. Whisky écossais. *Des scotchs* ou *des scotches.*

2. scotch [skɔtʃ] n. m. (Nom déposé.) Ruban adhésif.

scotcher [skɔtʃe] v. tr. [1] Fixer avec du ruban adhésif. ▷ Fig., fam. *Être scotché :* étroitement collé à qqch. *Des adolescents scotchés à leur ordinateur.*

scotch-terrier. V. scottish-terrier.

Scotland Yard, petite rue de Londres, près du pont de Westminster, où siégeaient les services centraux de la police londonienne, nommés cour. *Scotland Yard.* En 1967, ce siège a été déplacé sur le quai (nommé *New Scotland Yard*).

scotome n. m. MED Lacune dans le champ visuel, due à l'absence de perception dans une zone de la rétine.

scotomisation n. f. PSYCHAN Acte inconscient par lequel le sujet élimine du champ de sa conscience une réalité affectivement pénible.

scotomiser v. tr. [1] PSYCHAN Éliminer une réalité du champ de sa conscience.

Scots, pirates irlandais qui, au VIe s., envahirent la côte occidentale du pays des Pictes, s'y implantèrent et lui donnèrent leur nom (*Scotland* : Écosse).

Scott (sir Walter) (Édimbourg, 1771 - chât. d'Abbotsford, près de Melrose, 1832), écrivain écossais. Auteur de romans historiques : *Waverley* (1814), *l'Antiquaire* (1816), *les Puritains d'Écosse* (1816), *Rob Roy* (1818), *la Fiancée de Lammermoor* (1819), *Ivanhoé* (1820), *Kenilworth* (1821), *Quentin Durward* (1823), *la Jolie Fille de Perth* (1828), etc. ▶ illustr. page **1711**

Scott (Robert Falcon) (Devonport, 1868 - dans l'Antarctique, 1912), explorateur anglais. Il atteignit le pôle Sud en 1912 mais périt au retour avec ses quatre compagnons.

scottish-terrier ou **scotch-terrier** n. m. Terrier d'Écosse, au poil dru et rude. *Des scottish-terriers* ou *des scotch-terriers.*

Scotto (Vincent) (Marseille, 1876 - Paris, 1952), compositeur français de chansons *(la Petite Tonkinoise, Sous les ponts de Paris, J'ai deux amours, le Plus Beau Tango du monde)* et d'opérettes *(Au pays du soleil, Violettes impériales).*

scoumoune [skumun] n. f. Arg. Malchance. *Ce type a la scoumoune.*

scout, e [skut] n. et adj. **I.** n. Garçon ou fille, adolescent(e) qui adhère à un mouvement de scoutisme. (Pour une fille on emploie le plus souvent les termes *guide* ou *jeannette.*) **II.** adj. **1.** Qui a rapport aux scouts, au scoutisme. **2.** Péjor. Naïvement idéaliste.

scoutisme n. m. Mouvement éducatif, fondé en 1909 par lord Baden-Powell, qui se propose de développer «le caractère, la santé, le savoir-faire, l'idée de service et la moralité» chez les enfants et les jeunes gens des deux sexes, notam. par la vie en commun et les activités de plein air.

scrabble [skʀab(ə)l] n. m. (Nom déposé.) Jeu de société consistant à former des mots sur une grille, à l'aide de jetons portant une lettre.

scrabbleur, euse n. Joueur (euse) de scrabble.

scramasaxe n. m. ARCHEOL Grand poignard de guerre des Francs.

Scranton, v. des É.-U. (Pennsylvanie), 81 800 hab. (aggl. urb. 726 800 hab.). Houille. Centre industriel important.

scraper [skʀapœʀ] n. m. (Anglicisme) TRAV PUBL Syn. de *décapeuse.*

1. scratch [skʀatʃ] adj. inv. et n. m. (Anglicisme) SPORT **1.** Vieilli *Course scratch,* dans laquelle tous les concurrents partent d'une même ligne, sans handicap. *Des courses scratch* ou, n. m., *des scratches.* **2.** *Classement scratch :* classement au meilleur temps, toutes catégories confondues.

2. scratch [skʀatʃ] n. m. **1.** MUS Action de scratcher; sons obtenus en scratchant. **2.** Fermeture à velcro.

scratcher [skʀatʃe] v. tr. **[1] 1.** MUS Produire un effet sonore en agissant sur la surface d'un disque en vinyle pendant qu'il tourne. **2.** v. pron. Fam. S'écraser contre un obstacle.

Scriabine ou **Skriabine** (Alexandre Nikolaïevitch) (Moscou, 1872 - idem, 1915), compositeur et pianiste russe. D'abord influencée par Chopin, son expression extatique, contemplative tendit par la suite vers l'atonalité : *le Poème divin* (1903-1904), *le Poème de l'extase* (1905-1907) et *le Poème du feu* (1909-1910).

scriban [skʀibɑ̃] ou **scribain** [skʀibɛ̃] n. m. AMEUB Sorte de secrétaire dont le pupitre est escamotable.

scribe n. m. **1.** ANTIQ Lettré qui avait la charge de rédiger ou de copier les actes publics, les textes liturgiques, etc. **2.** ANTIQ Docteur qui enseignait et interprétait la loi de Moïse. **3.** Mod., péjor. Employé aux écritures, copiste.

Scribe (Eugène) (Paris, 1791 - id., 1861), auteur français de comédies de mœurs (*Adrienne Lecouvreur,* 1849), de livrets d'opéras (*la Juive,* 1835; *les Huguenots,* 1836). Acad. fr. (1834).

scribouillard, arde n. Fam., péjor. Employé(e) aux écritures.

scripophilie n. f. Collection de vieux titres boursiers.

1. script [skʀipt] n. m. Type d'écriture manuscrite proche des caractères d'imprimerie.

2. script [skʀipt] n. m. (Anglicisme) AUDIOV Scénario écrit comportant le plan de découpage et les dialogues. Syn. (off. recommandé) texte.

scripte n. AUDIOV Assistant du réalisateur chargé de noter tous les détails des prises de vues afin d'assurer la continuité des plans.

scripteur n. m. **1.** RELIG CATHOL Officier de la Chancellerie pontificale qui écrit les bulles. **2.** Didac. Personne qui écrit un texte (par oppos. à *locuteur*).

scripturaire adj. Didac. Relatif aux Écritures sacrées.

scriptural, ale, aux adj. **1.** LING Qui concerne le code écrit (par oppos. à *oral*). **2.** FIN *Monnaie scripturale :* tout moyen de paiement fondé sur des écritures comptables (comptes en banque, effets de commerce, etc.).

scrofulaire n. f. BOT Plante médicinale herbacée (fam. scrofulariacées).

scrofulariacées n. f. pl. BOT Famille de dicotylédones gamopétales superovariées, à fleur zygomorphe et à fruit capsulaire (ex. : scrofulaires, digitales). - Sing. *Une scrofulariacée.*

scrofule n. f. MED Vx Écrouelles.

scrofuleux, euse adj. et n. Vx MED Qui a rapport à la scrofule; qui est atteint de scrofule.

scrotum [skʀɔtɔm] n. m. ANAT Enveloppe cutanée des testicules.

scrupule n. m. **1.** Trouble de conscience, doute, hésitation d'ordre moral. *Se faire (un) scrupule de qqch. Avoir des scrupules.* **2.** Souci extrême du devoir, grande délicatesse morale. ▷ Exigence, souci (de rigueur intellectuelle). *Un scrupule d'objectivité.*

scrupuleusement adv. D'une manière scrupuleuse.

scrupuleux, euse adj. **1.** Sujet à avoir des scrupules. **2.** D'une grande minutie, d'une grande exactitude. *Une recherche scrupuleuse.*

scrutateur, trice adj. et n. **1.** adj. Qui scrute. *Regard scrutateur.* **2.** n. Personne chargée du dépouillement, de la vérification d'un scrutin.

scruter v. tr. [1] Examiner très attentivement, en cherchant à découvrir ce qui se discerne mal, ce qui est caché. *Scruter l'horizon.*

scrutin n. m. **1.** Vote émis au moyen de bulletins (de boules, etc.) que l'on dépose dans une urne, d'où on les tire ensuite pour les compter. **2.** Opération par laquelle sont désignés des représentants élus. *Ouverture du scrutin.* ▷ (Qualifié) Mode de scrutin. *Scrutin uninominal,* dans lequel on désigne un seul candidat (par oppos. à *scrutin de liste*). - *Scrutin majoritaire,* dans lequel le candidat qui recueille le plus grand nombre de suffrages est élu (V. majorité, sens 3). - *Scrutin proportionnel,* dans lequel les sièges à pourvoir dans chaque circonscription sont attribués à chacun des partis proportionnellement au nombre de suffrages qu'il a réunis. - *Scrutin d'arrondissement*.*

Scud n. m. MILIT Missile sol-sol utilisé notam. pendant la guerre du Golfe (1991). *Des Scuds à ogive chimique.*

Scudéry (Georges de) (Le Havre, 1601 - Paris, 1667), écrivain français; auteur de tragédies et de comédies (*le Trompeur puni,* 1633). Rival de Corneille, il prit parti contre lui dans la querelle du *Cid* (*Observations sur «le Cid»,* 1637). Acad. fr. (1649). **- Madeleine** (Le Havre, 1607 - Paris, 1701), sœur du préc., écrivit, en collab. avec son frère, de très longs romans (*Artamène ou le Grand Cyrus,* 10 vol., 1649-1653; *Clélie, histoire romaine,* 1654-1660) aux subtiles analyses psychologiques (c'est dans *Clélie* que l'on trouve la célèbre «carte du Tendre»). Son salon littéraire fut le dernier bastion de la préciosité.

scull [skœl] n. m. (Anglicisme) SPORT Embarcation pour un rameur tenant un aviron dans chaque main.

sculpter [skylte] v. tr. [1] **1.** Tailler dans une matière dure ou modeler (une figure, un ornement). *Sculpter un buste.* **2.** Travailler, façonner (une matière dure) pour obtenir une figure, un ornement. *Sculpter le bois.* ▷ (S. comp.) Pratiquer la sculpture.

sculpteur [skyltœʀ] n. m. Artiste qui pratique la sculpture. On rencontre au fém. *sculptrice* et *sculpteuse.*

sculptural, ale, aux adj. **1.** BX-A Qui a rapport à la sculpture. **2.** Qui évoque une sculpture par sa beauté plastique. *Corps aux formes sculpturales.*

sculpture [skyltyʀ] n. f. **1.** Art de sculpter. *Les chefs-d'œuvre de la sculpture.* **2.** Ouvrage d'un sculpteur; pièce sculptée. *Une sculpture de Rodin.*

Scutari (ville et lac). V. Shkodra.

Scutari ou **Üsküdar,** fbg d'Istanbul, sur la rive asiatique du Bosphore. – Mosquée Mihrimah (XVIe s.).

Scylla, écueil du détroit de Messine, en face du tourbillon de Charybde*.

scyllare n. m. ZOOL Crustacé décapode macroure (genre *Scyllarus*), nommé cour. *cigale de mer.*

scythe [sit] ou **scythique** [sitik] adj. Relatif aux Scythes; relatif à la Scythie.

Scythes, peuple indo-européen, probablement apparenté aux branches iranienne et slave, de langue iranienne, qui s'est fixé tardivement (Xe s. av. J.-C.) par rapport aux autres Indo-Européens. Leur domaine géographique correspondait à celui de la steppe du N. de la mer Noire, s'étendant à l'E. jusqu'à la Volga, et au S. jusqu'au Caucase et au Danube. Archers et cavaliers redoutables, les Scythes s'avancèrent (VIIe s. av. J.-C.) jusqu'en Égypte, d'où Psammétik Ier les détourna en leur payant un tribut. Ils ont développé une civilisation originale, au contact des influences de la steppe (art animalier), de l'hellénisme et de l'Orient. Ils disparurent de l'histoire au début des grandes invasions des Huns et des peuples germaniques.

art des **Scythes :** peigne en or provenant d'un tumulus (à Solodcha, au nord de Volvograd), V[e]-IIIe s. av. J.-C.

Scythie, anc. région au N. de la mer Noire, peuplée jadis par les Scythes.

S.D.F. n. (Abrév. de *sans domicile fixe.*) Personne sans travail et sans logement, qui vit dans la rue.

S.D.N. Sigle de *Société* des Nations.*

se pron. pers. de la 3e pers. des deux genres et des deux nombres (toujours employé comme comp. d'un v. tr. dir. ou indir., et toujours placé avant le verbe; s'élide en *s'* devant une voyelle ou un *h* muet). **1.** (Comp. d'objet d'un v. pron. réfl.) *Il se couche tôt.* ▷ (Comp. indir.) *Il se fait du mal.* ▷ (Employé avec la valeur d'un possessif devant un nom désignant une partie du corps, une fonction, etc.) *Il se gratte le dos :* il gratte son dos. **2.** (Comp. dir. d'un v. pron. récipr.) *Ils se battent.* ▷ (Comp. indir.) *Ils se sont dit des injures.* **3.** (Avec un v. pron. de sens passif.) *Ce produit se vend bien.* **4.** (Avec un v. essentiellement pronominal.) *Il s'abstient.* ▷ (Avec un v. pron. impers.) *Il s'en est fallu de peu.*

Se CHIM Symbole du sélénium.

S.E. Abrév. de *Son Excellence.*

Seaborg (Glenn Theodore) (Ishpeming, Michigan, 1912 – Lafayette, Calif., 1999), chimiste américain. Il découvrit le plutonium (1941) avec McMillan et, par la suite, l'américium, le curium, etc. P. Nobel 1951 (avec McMillan).

sea-line [silajn] n. m. (Anglicisme) TECH Canalisation sous-marine servant à charger ou à décharger des pétroliers ancrés dans une rade. *Des sea-lines.*

séance n. f. **1.** Réunion des membres d'un conseil, d'une assemblée qui siège pour mener à bien ses travaux; durée d'une telle réunion. *Salle des séances. Ouvrir, lever la séance. Tenir séance.* ▷ Loc. adv. *Séance tenante :* pendant que la séance se tient, au cours de la séance; fig. immédiatement, sans délai. *Qu'il vienne séance tenante!* **2.** Temps que l'on passe à une activité déterminée avec une ou plusieurs personnes. *Séance de pose chez un peintre.* **3.** Représentation d'un spectacle (à un horaire et d'une durée déterminés).

1. séant n. m. **1.** Litt. *Se mettre sur son séant :* passer de la position allongée à la position assise. **2.** Fam., plaisant Derrière de l'homme.

2. séant, ante adj. Litt. Qui sied, qui est convenable.

Searle (Ronald) (Cambridge, 1920), dessinateur satirique anglais (*Pardong M'sieu,* 1965).

Searle (John) (Denver, 1932), philosophe américain. *Les Actes de langage* (1969).

Seattle, port des É.-U. (État de Washington), sur le Puget Sound; 516 250 hab. (aggl. urb. 1 970 000 hab.). Chantiers navals et constr. aéronautiques.

seau n. m. Récipient tronconique ou cylindrique muni d'une anse, qui sert à puiser, à recueillir ou à transporter les liquides et certaines matières concassées ou pulvérulentes. – *Seau à champagne,* servant à garder les bouteilles de champagne (ou d'autres vins) au frais, dans de la glace pilée. ▷ Contenu d'un seau. – *Spécial.* Petit seau dont se servent les enfants pour jouer avec du sable. *Une pelle et un seau.* – Par exag. *Il pleut à seaux :* très fort, à verse.

sébacé, ée adj. PHYSIOL Qui a rapport au sébum; de la nature du sébum. *Matière sébacée.* – *Glandes sébacées,* annexées à la base des poils et qui sécrètent le sébum.

Sebastiano del Piombo (Sebastiano Luciani, dit) (Venise, v. 1485 – Rome, 1547), peintre italien. Proche de Giorgione, il est aussi un des disciples les plus marquants de Raphaël : *Concert, Sainte Dorothée.*

Sébastien (saint), officier romain (IIIe s.) qui, sous Dioclétien, aida les chrétiens, fut dénoncé comme tel et transpercé de flèches. Patron des archers.

Sébastien (Lisbonne, 1554 – plaine d'Alcaçar-Quivir, 1578), roi de Portugal (1557-1578). Nostalgique des croisades, il lutta contre les Maures du Maroc (1574, 1578) et mourut lors de sa terrible défaite d'Alcaçar-Quivir.

Sébastopol, v. d'Ukraine, port sur la mer Noire (Crimée); 341 000 hab. Constr. navales, industr. mécaniques. – La ville subit deux sièges importants, en 1854-1855 par les armées franco-anglaises, en 1941-1942 par les Allemands.

Sebha, v. de Libye, dans une oasis du Fezzan; 36 000 hab.; ch.-l. de la prov. du m. nom. – Les Français, qui s'en emparèrent en 1943, la baptisèrent *Fort-Leclerc.*

sébile n. f. Petit récipient rond et creux.

sebk(h)a n. f. GEOGR Lac salé temporaire, en Afrique du Nord.

Sebond ou **Sebonde** (Raymond de). V. Sabunde.

séborrhée [sebɔʀe] n. f. MED Augmentation pathologique de la sécrétion des glandes sébacées.

séborrhéique adj. MED Relatif à la séborrhée; de la nature de la séborrhée.

Sebou (oued), fl. du Maroc (458 km); naît dans le Moyen Atlas, traverse la plaine du Gharb et se jette dans l'Atlantique.

sébum [sebɔm] n. m. PHYSIOL Substance grasse sécrétée par les glandes sébacées, qui protège et lubrifie la peau.

sec, sèche adj., n. m. et adv. **A.** adj. **I. 1.** Qui est peu ou qui n'est pas humide; aride. *Terrain sec. La saison sèche.* **2.** Dont on a laissé l'eau s'évaporer, qui a séché. *Fossé sec.* ▷ *Légumes, fruits secs* (par oppos. à *verts, frais*). ▷ MAR *Cale sèche :* bassin pour le carénage des bateaux. **3.** Qui n'est plus imprégné de liquide, qui n'a pas son humidité naturelle. *Toux sèche,* sans mucosité. *Des yeux secs,* sans larmes. – *Avoir la gorge sèche :* avoir soif. ▷ *Mur de pierres sèches,* assemblées sans mortier. ▷ PHYS *Vapeur sèche,* dont la température est supérieure au point de rosée*. ▷ *Nourrice sèche,* qui n'allaite pas le nourrisson qu'elle soigne. **II. 1.** (Personnes) Maigre, nerveux, peu charnu. *Un homme sec.* – Fam. *Être sec comme un coup de trique,* très maigre. **2.** Fig. Peu sensible; dépourvu de chaleur humaine, de bienveillance. *Un cœur sec.* **3.** Sans moelleux, sans douceur. *Des contours secs.* ▷ *Un coup sec,* bref et percutant. ▷ *Ton sec,* sans aménité. ▷ *Un vin sec,* très peu sucré. **4.** Dénué de charme, de grâce, d'agrément. *Style sec.* **5.** Que rien n'accompagne, qui n'est pas suivi d'autre chose. *Pain sec.* – *Boire un alcool sec,* sans eau, ou non sucré (par oppos. à *liqueur*). – *Régime sec,* sans boisson alcoolique. – *Perte sèche,* sans aucune compensation. ▷ Loc. adv. Fig. *En cinq sec :* brièvement, rapidement. **6.** Fig., fam. *Rester sec :* ne pas pouvoir répondre à une question. **B.** n. m. **1.** Ce qui est sec, sans humidité. *La sensation du sec et du mouillé. À conserver au sec,* à l'abri de l'humidité. ▷ Loc. adv. *À sec :* sans eau. *Mettre un étang à sec.* – *Nettoyage à sec,* à l'aide de solvants très volatils. ▷ Fig., fam. Sans ressources. *Être à sec.* **2.** MAR *Naviguer à sec de toile,* sans aucune voile (par vent très fort). **C.** adv. **1.** *Boire sec,* beaucoup. **2.** Avec rudesse, brièvement. *Parler sec à qqn.* **3.** Loc. adv. Fam. *Aussi sec :* sans attendre un instant, immédiatement.

sécable adj. Didac. Qui peut être coupé, divisé.

SECAM n. m. (Acronyme pour *séquentiel à mémoire.*) Procédé français de télévision en couleurs mis au point par Henri de France. – (En appos.) *Procédé SECAM.*

sécant, ante adj. et n. f. **1.** adj. GEOM Qui coupe une courbe ou une surface. *Plan sécant.* ▷ n. f. *Une sécante :* une droite sécante. **2.** n. f. MATH *La sécante :* l'inverse du cosinus d'un angle ($\sec \theta = \frac{1}{\cos \theta}$).

sécateur n. m. Outil de jardinier, gros ciseaux à ressort, dont une seule branche est tranchante.

Secchi (Angelo) (Reggio nell'Emilia, 1818 – Rome, 1878), jésuite et astronome italien. Il fut le premier à étudier le spectre des étoiles et à établir leur classification.

sécession n. f. Fait pour une population, une région, de se séparer de la collectivité nationale pour former une entité politique autonome.

Sécession (guerre de), guerre civile (1861-1865) au cours de laquelle s'affrontèrent les États du N. des États-Unis, partisans de l'abolition de l'esclavage, et ceux du S., dont l'économie reposait sur la main-d'œuvre constituée par les esclaves noirs (plus de 600 000 morts). Elle éclata après l'élection (1860) de Lincoln, antiesclavagiste, à la présidence des É.-U. Onze États du S. quittèrent alors l'Union pour former une confédération autonome. Malgré des effectifs moindres, les sudistes (ou confédérés), dirigés brillamment par Lee, Bragg, Johnston, furent tout d'abord victorieux à Richmond et à Fredericksburg (1862), mais les nordistes (ou fédéraux), sous la conduite de Grant et de Sherman, les battirent à Gettysburg, Vicksburg (1863) et Atlanta (1864), tandis que leur flotte s'emparait de La Nouvelle-Orléans. Supérieurs en nombre et soutenus par une industrie puissante, les nordistes finirent par l'emporter : capitulation de Lee à Appomattox et de Johnston à Durham (avr. 1865).

sécessionnisme n. m. Didac. Volonté de faire sécession; attitude du sécessionniste.

sécessionniste adj. et n. Qui a fait sécession; qui est partisan de la sécession. ▷ Subst. *Les sécessionnistes.*

séchage n. m. Action de sécher, fait de sécher; opération consistant à réduire par évaporation la quantité d'eau, de liquide que contient une matière. *Séchage d'une peinture.*

1. sèche n. f. MAR Écueil à fleur d'eau à marée basse.

2. sèche n. f. Fam. Cigarette.

sèche-cheveux n. m. inv. Appareil électrique produisant un courant d'air chaud ou appareil à infrarouge, qui sert à sécher les cheveux après un shampooing. Syn. séchoir.

sèche-linge n. m. inv. Appareil muni d'un dispositif de ventilation d'air chaud, pour sécher le linge.

sèche-mains n. m. inv. Appareil à air chaud pulsé, installé dans un lieu public, destiné à sécher les mains après lavage.

sèchement adv. **1.** D'une manière sèche; avec force et brièveté. *Taper sèchement.* **2.** Avec dureté, froideur. *Répondre sèchement.* **3.** D'une manière dépourvue de charme, de grâce. *Écrire sèchement.*

sécher v. [14] **I.** v. tr. **1.** Rendre sec. *Le soleil aura vite séché vos vêtements.* **2.** Éliminer (un liquide) par absorption ou évaporation. *Sécher l'encre avec un buvard.* **3.** Arg. (des écoles) *Sécher un cours,* ne pas y assister volontairement. **II.** v. intr. **1.** Devenir sec. *Les arbres sèchent sur pied.* **2.** Arg. (des écoles) Ne pas savoir répondre. *Il a séché en géométrie.*

sécheresse n. f. **1.** État, caractère de ce qui est sec. ▷ *Spécial.* Temps très sec; absence ou insuffisance des précipitations. *Année de sécheresse.* **2.** Fig. Défaut de sensibilité, froideur, dureté. *Sécheresse de cœur.* **3.** Caractère de ce qui manque de grâce, de charme, d'agrément. *Sécheresse d'exécution d'une œuvre musicale.*

sécherie n. f. Lieu où l'on fait sécher des matières humides. ▷ *Spécial.* Lieu où l'on fait sécher le poisson.

sécheur n. m. ou **sécheuse** n. f. **1.** Appareil, dispositif pour le séchage. **2.** n. f. (Canada) Sèche-linge.

séchoir n. m. **1.** Lieu où s'opère le séchage des matières humides. *Séchoir à bois.* **2.** Dispositif à tringles ou à fils sur lequel on dispose ce que l'on veut faire sécher. *Séchoir à linge.* **3.** Appareil pour le séchage. ▷ *Spécial.* Sèche-cheveux.

Seclin, ch.-l. de cant. du Nord (arr. de Lille); 13 325 hab. Industr. alim., aéron., textiles.

second, onde [səgɔ̃, ɔ̃d] adj. et n. **A.** adj. **1.** Qui vient après le premier (dans une succession ou une hiérarchie de deux éléments). *La seconde partie d'un spectacle.* ▷ Loc. adv. *En second :* après ce qui est le plus important. **2.** Autre, nouveau. *C'est un second César.* ▷ *Don de seconde vue :* faculté qu'auraient certaines personnes de percevoir par l'esprit, par l'intuition, les choses qui échappent à la vue. **3.** *État second :* état anormal et passager de qqn qui agit sans avoir conscience de ce qu'il fait et n'en conserve aucun souvenir. **B.** n. **I.** Personne, chose qui vient après la première. *Elle est la seconde de la liste.* **II.** n. m. **1.** Second étage d'une maison. **2.** Adjoint, collaborateur immédiat. *C'est son fidèle second.* ▷ Officier de marine qui, dans la hiérarchie du bord, vient immédiatement après le commandant, et qui est chargé le cas échéant de le suppléer. **III.** n. f. **1.** Classe d'un lycée, d'un collège, qui précède la première. **2.** Seconde classe, dans un train, un bateau. *Billet de seconde.* **3.** Seconde vitesse d'une automobile. *Passer en seconde.* **4.** MUS Intervalle de deux degrés. *Seconde mineure* (par ex. de *ut* à *ré* bémol).

secondaire [səgɔ̃dɛʀ] adj. et n. m. **1.** Qui passe en second, qui n'est pas de première importance. *Question secondaire.* **2.** Qui vient après un autre (dans le temps ou dans un enchaînement logique). *L'enseignement secondaire* ou, n. m., *le secondaire :* l'enseignement du second degré (de la classe de 6e à la terminale). ▷ GEOL, PALEONT *L'ère secondaire* ou, n. m., *le secondaire :* l'ère qui succède au primaire et s'étend approximativement de moins 230 millions à moins 75 millions d'années, caractérisée par l'apparition des reptiles, qui acquièrent des formes géantes (tyrannosaure, diplodocus, etc.), et des premiers mammifères; chez les végétaux, par l'apogée des gymnospermes et l'apparition des angiospermes; par la formation de l'océan Atlantique et de l'océan Indien. *Le secondaire est divisé en trois périodes : le trias, le jurassique et le crétacé.* ▷ BOT *Tissus ou formations secondaires :* bois, liber, liège des dicotylédones et des gymnospermes. ▷ ELECTR *Un circuit secondaire* ou, n. m., *un secondaire :* V. primaire. ▷ ECON *Le secteur secondaire :* le secteur des activités de transformation des matières premières; l'industrie et les activités qui s'y rattachent.

secondairement [səgɔ̃dɛʀmɑ̃] adv. D'une manière secondaire.

secondant, ante n. Personne qui assiste un joueur d'échecs lors d'un tournoi.

seconde [səgɔ̃d] n. f. **1.** Soixantième partie de la minute; unité fondamentale de temps (de symbole s), égale à la 86 400e partie du jour solaire moyen et définie légalement comme « la durée de 9 192 631 770 périodes de la radiation correspondant à la transition entre les deux niveaux hyperfins de l'état fondamental de l'atome de césium 133 ». ▷ *Par ext.* Laps de temps très court. *Je reviens dans une seconde.* **2.** GEOM Soixantième partie de la minute d'angle, 3 600e partie du degré (symbole :").

secondement [səgɔ̃dmɑ̃] adv. En second lieu. Syn. deuxièmement.

seconder [səgɔ̃de] v. tr. [1] **1.** Aider (qqn) dans ses activités, son travail; être son collaborateur, son second. **2.** Favoriser, servir. *Leur négligence a secondé nos desseins.*

secouer v. [1] **I.** v. tr. **1.** Remuer, agiter fortement. *Secouer un arbre, un vêtement.* – *Secouer la tête :* faire un mouvement de tête pour exprimer le refus, le doute. ▷ Fig., fam. *Secouer qqn,* (loc.) *secouer les puces à (de) qqn,* le réprimander ou le presser de sortir de son inertie. **2.** Éliminer par des mouvements vifs. *Secouer la poussière.* ▷ Loc. fig. *Secouer le joug :* s'affranchir d'une domination. **3.** Fig. Ébranler physiquement ou moralement. *Cet accident l'a secoué.* **II.** v. pron. Fam. Réagir (contre la fatigue, l'abattement, la paresse). *Secouez-vous donc un peu!*

secourable adj. Qui porte volontiers secours à autrui.

secourir v. tr. [26] Aider, assister (une personne dans une situation critique ou dans le besoin).

secourisme n. m. Assistance de premier secours aux blessés, aux accidentés, aux malades, etc. – Ensemble de connaissances qu'une telle assistance exige. *Prendre des cours de secourisme.*

secouriste n. **1.** Membre d'une société de secours aux blessés. **2.** Personne qui pratique le secourisme. *Secouriste diplômé.*

secours n. m. **1.** Aide, assistance (à qqn dans le besoin, en danger). *Porter secours à qqn. Au secours! :* cri pour appeler à l'aide. **2.** Ce qui sert à secourir. – *Spécial.* Somme d'argent allouée en cas de besoin urgent. ▷ *Sociétés de secours mutuel :* associations de prévoyance. **3.** (Le plus souvent au plur.) Soins qui doivent être donnés rapidement à un blessé, à un malade. *Porter les premiers secours aux victimes d'un accident. Poste de secours,* équipé de tout ce qui est nécessaire pour donner les premiers soins. **4.** MILIT Renfort. *Colonne de secours.* **5.** Loc. adj. *De secours :* qui sert en cas d'insuffisance ou de défaillance de la chose en service. *Roue, frein de secours. Porte de secours* ou *sortie de secours,* qui permet d'évacuer rapidement une salle en cas d'incendie.

secousse n. f. **1.** Mouvement qui secoue. – *Secousse tellurique :* tremblement de terre. Syn. séisme. **2.** Fig. Émotion très vive, choc émotif. *Il n'est pas remis de cette secousse.*

1. secret, ète [səkʀɛ, ɛt] adj. **1.** Qui n'est pas ou qui ne doit pas être connu d'autrui, du grand nombre. *Dossiers secrets.* ▷ *Services secrets. Agent secret.* **2.**

Dissimulé au regard, dérobé, en parlant d'un lieu, de certains objets. *Escalier, tiroir secret.* **3.** Qui n'apparaît pas, qui ne révèle pas son existence par des signes manifestes; invisible, caché. *Les sentiments secrets de qqn.* **4.** (Personnes) Qui ne parle pas de soi, qui ne se livre pas facilement. *Un garçon très secret.*

2. secret [səkʀɛ] n. m. **1.** Ce que l'on ne doit dire à personne, ce qui doit rester secret, caché. *Confier, garder, révéler un secret.* ▷ Loc. *Secret de Polichinelle :* V. ce nom. – *Secret d'État :* chose qui doit être tenue secrète dans l'intérêt de l'État. – *Être dans le secret :* être au courant d'une chose confidentielle. **2.** Discrétion absolue, silence sur une chose dont on a été informé. *Je vous demande le secret. Le secret de la confession. Secret professionnel :* obligation pour un avocat, un médecin notam., de ne pas révéler les secrets (sens 1) dont ils se trouvent dépositaires par suite de l'exercice de leur profession. **3.** Moyen, procédé connu seulement d'une personne ou de quelques-unes. *Secret de fabrication.* ▷ Fig. Moyen particulier en vue d'un résultat. *Le secret de la réussite.* **4.** Ce qu'il y a de caché, de mystérieux dans qqch. *Dans le secret de son cœur. Avoir, trouver le secret de qqch.*, l'explication. **5.** *Au secret :* en un lieu où il est impossible de communiquer avec quiconque. *Mise au secret d'un prisonnier.* **6.** (Dans la loc. adj. *à secret.*) Mécanisme dont le fonctionnement n'est connu que de quelques personnes. *Serrure à secret.* **7.** Loc. adv. *En secret :* sans témoin, secrètement.

secrétaire n. **I. 1.** Personne dont l'emploi consiste à écrire ou à rédiger pour qqn. ▷ *Spécial.* Employé(e) dont le travail consiste à rédiger et à classer le courrier de qqn, à prendre ses communications téléphoniques, à noter ses rendez-vous, etc. *Secrétaire de direction. Secrétaire bilingue.* **2.** Personne chargée de certains travaux de rédaction ou de certaines tâches administratives. ▷ *Secrétaire de séance :* membre du bureau d'une assemblée chargé de rédiger les comptes rendus des séances. ▷ *Secrétaire d'ambassade :* agent du corps diplomatique. ▷ *Secrétaire général :* personne chargée de l'organisation générale du travail dans l'Administration ou dans une grande entreprise privée. ▷ *Premier secrétaire, secrétaire général d'un parti politique, d'un syndicat,* personne qui est à la tête des instances supérieures de ces organisations. ▷ *Secrétaire de mairie :* personne qui a la responsabilité de certains travaux administratifs, dans une mairie. ▷ *Secrétaire de rédaction :* personne qui seconde le rédacteur en chef d'un journal, d'une revue, en ce qui concerne la technique, la mise en page, la fabrication. **3.** *Secrétaire d'État :* en France, membre du gouvernement placé sous l'autorité d'un ministre et qui a la charge d'un département ministériel. – Aux É.-U. et au Vatican, ministre des Affaires étrangères. **II.** n. m. Meuble à tiroirs pour le rangement des papiers, comportant un panneau abattant qui sert de table à écrire.

secrétairerie n. f. RELIG CATHOL Ensemble des services dirigés par le cardinal secrétaire d'État du Vatican.

secrétariat n. m. **1.** Poste, fonction de secrétaire. *Secrétariat général d'une société.* ▷ Temps durant lequel qqn exerce cette fonction. **2.** Bureau, service où travaillent des secrétaires, dans une entreprise; ensemble des secrétaires. *Le chef du secrétariat.* **3.** Travail, métier de secrétaire.

secrètement adv. D'une manière secrète.

sécréter v. tr. [14] Produire par sécrétion. ▷ Fig. *Son discours sécrète l'ennui.*

sécréteur, trice adj. PHYSIOL Qui produit une sécrétion.

sécrétine n. f. BIOCHIM Hormone sécrétée par le duodénum et le jéjunum, et qui stimule la sécrétion exocrine du pancréas.

sécrétion n. f. **1.** PHYSIOL Phénomène par lequel certains tissus peuvent produire une substance qui est déversée dans le sang *(sécrétion endocrine)* ou évacuée par un canal excréteur *(sécrétion exocrine).* ▷ BOT *Sécrétion du latex, de la résine.* **2.** Substance ainsi produite (hormone, suc, sébum, sérosité, etc.). ▷ BOT *Les sécrétions végétales.*

sécrétoire adj. PHYSIOL Qui a rapport à la sécrétion.

sectaire n. et adj. Personne qui fait preuve d'intolérance en matière de philosophie, de politique, de religion. ▷ adj. *Esprit sectaire.*

sectarisme n. m. Attitude d'une personne ou d'un groupe sectaire.

secte n. f. **1.** Groupe de personnes, notam. d'hérétiques, qui, à l'intérieur d'une religion, professent les mêmes opinions particulières. ▷ Mod. Groupe idéologique et mystique dont les membres vivent en communauté, sous l'influence d'un guide spirituel. **2.** Péjor. Ensemble de personnes étroitement attachées à une doctrine.

secteur n. m. **1.** GEOM Portion de plan comprise entre un arc de cercle et les deux rayons qui le délimitent. ▷ *Secteur sphérique :* solide engendré par la rotation d'un secteur de cercle autour de l'un de ses rayons. **2.** MILIT Partie du front de bataille ou d'un territoire, occupée par une unité. ▷ *Secteur postal :* lieu, désigné par un numéro conventionnel, où est adressée la correspondance destinée à une unité donnée. **3.** Fam. Endroit, lieu quelconque. *Il n'y a personne dans le secteur,* dans les environs, dans le coin. **4.** Subdivision d'une zone urbaine, d'une région. ▷ *Spécial.* Subdivision du réseau de distribution de l'électricité. *Panne de secteur.* – Par ext. *Le secteur :* ce réseau. **5.** Ensemble d'activités économiques de même nature. *Secteur primaire*, secondaire*, tertiaire*. Secteur public :* ensemble des entreprises qui dépendent de l'État (par oppos. à *secteur privé*).

section n. f. **I. 1.** Surface que présente une chose à l'endroit où elle est coupée transversalement. *Section ronde d'une balle.* ▷ Cette surface considérée d'un point de vue théorique (sans qu'il y ait effectivement coupure). *Câble de deux centimètres carrés de section.* **2.** Représentation théorique, selon un plan transversal, d'un objet, d'une machine, d'un édifice; coupe. **3.** GEOM Lieu de l'espace où deux lignes, deux surfaces se coupent. *La section de deux lignes est un point. La section de deux plans est une droite. Section droite d'un prisme, d'un cylindre,* section perpendiculaire aux arêtes de ce prisme, aux génératrices de ce cylindre. **II. 1.** Division, dans une administration, une organisation. *Section syndicale d'entreprise. Section de vote :* division d'une circonscription électorale. **2.** MILIT Subdivision d'une compagnie, d'une batterie, comprenant de trente à quarante hommes. **3.** Portion d'une voie de communication; division du parcours de certains véhicules de transport en commun. *Section d'autoroute.* **4.** Subdivision d'un ouvrage. *Livre en trois sections.* **5.** MUS *Section rythmique d'un orchestre de jazz :* ensemble des instruments qui assurent le soutien rythmique de l'orchestre; spécial. le groupe formé par le piano, la basse et la batterie.

Section française de l'Internationale ouvrière (S.F.I.O.), nom du parti socialiste français de 1905 à 1971.

sectionnement n. m. Action de sectionner; résultat de cette action.

sectionner v. tr. [1] **1.** Couper net, trancher. **2.** Diviser en sections.

sectionneur n. m. ELECTR Appareil servant à isoler une ou plusieurs sections d'une ligne électrique.

sectoriel, elle adj. Didac. Qui concerne plus particulièrement un ou plusieurs secteurs. *Chômage sectoriel.*

sectorisation n. f. ADMIN, ECON Division, organisation en secteurs.

sectoriser v. tr. [1] ADMIN, ECON Répartir, diviser en secteurs.

séculaire adj. **1.** Didac. Qui a lieu une fois par siècle. ▷ *Année séculaire,* qui termine un siècle. **2.** Qui existe depuis un siècle. *Un chêne deux fois séculaire.* ▷ Qui existe depuis plusieurs siècles; très ancien. *Tradition séculaire.*

séculairement adv. Litt. Depuis des siècles; de toute antiquité.

sécularisation n. f. Didac. Action, fait de séculariser; son résultat. *La sécularisation des biens du clergé par la Constituante.*

séculariser v. tr. [1] RELIG **1.** Faire passer de l'état régulier à l'état séculier. *Séculariser un religieux.* **2.** Faire passer du domaine ecclésiastique au domaine laïc.

séculier, ère adj. et n. m. **1.** HIST Qui appartenait au siècle, au monde laïque, et non à l'Église. *Juridictions séculières et tribunaux d'Église.* – Loc. *Le bras séculier :* l'autorité temporelle. **2.** Se dit des ecclésiastiques qui ne sont pas soumis (comme les *réguliers*) à la règle d'un ordre religieux. *Le clergé séculier.* ▷ n. m. *Un séculier.*

secundo [səgɔ̃do] adv. Secondement, en second lieu (abrév. : 2°).

sécurisant, ante adj. Qui sécurise. *Un environnement sécurisant.*

sécurisation n. f. Action de sécuriser.

sécuriser v. tr. [1] Donner un sentiment de sécurité à (qqn), apaiser, rassurer. ▷ Pp. adj. *Un vieillard sécurisé par un voisinage chaleureux.*

sécuritaire adj. **1.** Relatif à la sécurité. – Qui favorise la sécurité. *Des mesures sécuritaires.* **2.** (Canada) Qui offre des garanties de sécurité. *Des pneus sécuritaires.*

sécurité n. f. **1.** Tranquillité d'esprit de celui qui pense qu'aucun danger n'est à craindre. *Avoir un sentiment de sécurité.* **2.** Situation dans laquelle aucun danger n'est à redouter. *Assurer la sécurité publique.* ▷ *Compagnies républicaines de sécurité* (C.R.S.) : formations mobiles relevant du ministère de l'Intérieur et chargées du maintien de l'ordre. – *Sécurité routière :* ensemble des mesures visant à assurer la sécurité des usagers de la route. – *Conseil de sécurité de l'O.N.U.** **3.** *Sécurité sociale :* organisation officielle visant à assurer la sécurité matérielle des travailleurs et de leur famille en cas de maladie, d'accident du travail, de maternité, etc., et à leur garantir une retraite. (Abrév. fam. : sécu). **4.** TECH Organe qui empêche de manœuvrer la détente d'une arme à feu. **5.** Loc. adj. *De sécurité,* qui assure la sécurité. *Dispositif de sécurité.*

Sedaine (Michel Jean) (Paris, 1719 - id., 1797), dramaturge français : chansons, drames historiques, livrets d'opéra-comique. Son drame bourgeois *le Philosophe sans le savoir* (1765) est une «comédie sérieuse», genre défini par Diderot. Acad. fr. (1786).

sedan n. m. Drap fin, fabriqué à l'origine à Sedan.

Sedan, ch.-l. d'arr. des Ardennes, sur la Meuse; 22 407 hab. Textiles (import. centre drapier aux XVIe et XVIIe s.), industr. alim. - Napoléon III, encerclé par les Prussiens, y capitula le 2 sept. 1870. Le 13 mai 1940, les Allemands y effectuèrent une percée décisive pour l'issue de la campagne de France *(trouée de Sedan).*

sédatif, ive adj. et n. m. MED Qui modère l'activité fonctionnelle d'un organe ou d'un système. ▷ n. m. Remède sédatif, calmant.

sédation n. f. MED Action de calmer; effet produit par un sédatif.

Sédécias (m. à Babylone en 586 av. J.-C.), dernier roi de Juda (597-586 av. J.-C.). Il entra en rébellion contre Nabuchodonosor II, qui l'assiégea dans Jérusalem, le fit prisonnier et le déporta à Babylone après lui avoir fait crever les yeux.

sédentaire adj. (et n.) **1.** Qui sort rarement de chez soi. ▷ Subst. *Un(e) sédentaire.* **2.** Fixe, attaché à un lieu. *Peuples sédentaires.* Ant. nomade. **3.** Qui se passe, s'exerce dans un même lieu. *Emploi sédentaire.*

sédentairement adv. Rare D'une façon sédentaire.

sédentarisation n. f. Fait de rendre sédentaire; fait de devenir sédentaire.

sédentariser v. tr. [1] Rendre sédentaire, fixer. ▷ v. pron. *Population nomade qui se sédentarise.*

sédentarité n. f. **1.** Didac. État d'une population sédentaire (par oppos. à *nomadisme*). **2.** État de celui, de ce qui est sédentaire.

sedia gestatoria [sedjaʒɛstatɔʀja] n. f. (Mots ital.) LITURG CATHOL Chaise à porteurs dont le pape fait usage dans certaines cérémonies.

sédiment n. m. **1.** Didac. Dépôt formé par la précipitation de substances en suspension dans un liquide. **2.** GEOL Dépôt abandonné par les eaux, les glaces ou le vent.

sédimentaire adj. GEOL Qui a le caractère d'un sédiment; qui est produit par un sédiment. ▷ *Roche sédimentaire,* qui provient d'un sédiment et n'a subi que des transformations peu importantes (à la différence des roches métamorphiques).

sédimentation n. f. GEOL Formation d'un sédiment, des sédiments. ▷ MED *Sédimentation globulaire :* dépôt des cellules du sang rendu incoagulable et laissé au repos dans un tube à essais. *La vitesse de sédimentation des hématies est accrue en cas d'infection ou d'inflammation.*

sédimentologie n. f. GEOL Branche de la géologie qui étudie les roches sédimentaires, les sédiments et leur mode de formation.

séditieux, euse [sedisjø, øz] adj. et n. **1.** Qui participe ou qui est prêt à participer à une sédition. *Des groupes séditieux.* ▷ Subst. *Un, des séditieux.* **2.** Qui a le caractère de la sédition, qui incite à la sédition. *Écrit séditieux.*

sédition n. f. Révolte, soulèvement prémédités contre l'autorité établie. *Les meneurs d'une sédition.*

séducteur, trice n. et adj. **1.** Personne qui a de nombreux succès galants. **2.** Personne qui sait plaire, charmer. ▷ adj. Qui plaît, séduisant. *Un discours séducteur. - L'esprit séducteur :* le diable.

séduction n. f. **1.** Action de séduire. **2.** Attrait puissant qui se dégage de qqn, de qqch.

séduire v. tr. [**69**] **1.** Litt. ou plaisant (Souvent avec connotation d'abus.) En parlant d'un homme, amener (une femme) à lui accorder ses faveurs hors mariage. - Pp. adj. *Femme séduite et abandonnée.* ▷ Mod. (Sans connotation défavorable.) Plaire à (qqn) et obtenir amour ou faveurs. **2.** Conquérir l'admiration, l'estime, la confiance de (qqn). *Ce chanteur américain a séduit le public parisien.* ▷ Convaincre par le charme, la persuasion, le savoir-faire, fût-ce en créant l'illusion. *L'escroc avait réussi à séduire plusieurs hommes d'affaires.* **3.** Captiver, charmer. *La beauté de ce petit village nous a séduits.*

séduisant, ante adj. Qui séduit, qui attire, qui plaît.

sédum [sedɔm] n. m. BOT Syn. de *orpin.*

Sée (Camille) (Colmar, 1827 - Paris, 1919), homme politique français. On lui doit la création des lycées de jeunes filles (1880) et de l'École normale supérieure de Sèvres (1881).

Seebeck (Thomas) (Reval, auj. Tallin, 1770 - Berlin, 1831), physicien allemand. Il découvrit la thermoélectricité.

Sées, ch.-l. de cant. de l'Orne (arr. d'Alençon), sur l'Orne; 5 173 hab. - Évêché.

séfarade, ades ou **sefardi, dim** n. et adj. **I.** n. **1.** HIST Au Moyen Âge, Juif vivant en Espagne ou au Portugal. **2.** Mod. Juif descendant des Juifs d'Espagne expulsés de ce pays en 1492 par les Rois Catholiques. (La plupart d'entre eux s'établirent sur le pourtour méditerranéen.) *Les séfarades et les ashkénazes* (Juifs d'Europe centrale et septentrionale). **II.** adj. Des séfarades.

Séféris (Gheórghios Seferiádhis, dit Georges) (Smyrne, auj. Izmir, 1900 - Athènes, 1971), poète grec, chantre des valeurs éternelles de la Grèce ancienne : *Mythologie* (1935), *Cahier d'études* (1937), *Journal de bord* (3 vol., 1940, 1944, 1955). P. Nobel 1963.

Séfévides, dynastie persane (1502-1736). Elle tire son nom de Safīt al-Dīn (1253 - 1334), dont les descendants s'imposèrent comme chefs chiites. Avec l'accession au trône d'Ismā'il Ier, couronné schah à Tabriz en 1502, les Séfévides répandirent le chiisme. Leur règne fut marqué par un renouveau artistique. Ils eurent à lutter contre les Turcs et les Ouzbeks, notam. sous Abbās Ier le Grand (1587-1629), qui mena l'empire à son apogée. Au déb. du XVIIIe s., l'empire s'effrita et, en 1736, Nādir shāh prit le pouvoir.

ségala n. m. AGRIC Terre ensemencée en seigle.

Ségala, ensemble de plateaux cristallins dans le S.-O. du Massif central, entre le Tarn et l'Aveyron. Ils s'élèvent de 600 à 1 000 m. Réputés pauvres, ils ont connu un renouveau économique au XXe s. (élevage bovin).

Segalen (Victor) (Brest, 1878 - Huelgoat, 1919), écrivain français et médecin de la marine. Il accomplit de nombreux voyages dans le Pacifique, en Chine (où il découvrit les monuments funéraires de la dynastie des Han), en Mandchourie, en Indochine. *Les Immémoriaux* (roman, 1907), *Stèles* (poèmes, 1912), *Peintures* (poèmes en prose, 1916), *Équipée* (journal poétique; posth., 1929).

Ségeste, anc. v. du N.-O. de la Sicile où subsistent des vestiges de l'Antiquité grecque.

Seghers (Netty Radványi, dite Anna) (Mayence, 1900 - Berlin-Est, 1983), romancière allemande : *la Révolte des pêcheurs de Sainte-Barbara* (récit, 1928), *la Septième Croix* (roman sur les camps de concentration nazis, 1942).

Seghers (Pierre) (Paris, 1906 - Créteil, 1987), éditeur (éditions Seghers, 1944), poète et résistant français. Il contribua à faire connaître les poètes contemporains (collection *Poètes d'aujourd'hui*). Ses poèmes ont été rassemblés dans *le Temps des merveilles* (1978).

segment n. m. **1.** GEOM Portion, partie. - *Segment de droite :* portion de droite comprise entre deux points. - *Segment de cercle :* surface comprise entre un arc de cercle et sa corde. - *Segment sphérique :* volume compris entre la surface d'une sphère et un plan sécant ou deux plans parallèles coupant cette sphère. ▷ MATH Ensemble des éléments d'un ensemble ordonné qui sont compris dans un intervalle. **2.** ZOOL Chacun des articles* du corps des annélides et des arthropodes. **3.** TECH Bague d'étanchéité, sur un piston. - *Segment de frein :* pièce en forme de croissant comportant une garniture rivée qui s'applique contre le tambour du frein.

segmentaire adj. Didac. Formé de segments; relatif à un segment.

segmentation n. f. **1.** Action de segmenter, fait de se segmenter; son résultat. **2.** BIOL Ensemble des premières divisions cellulaires que subit l'œuf fécondé. **3.** COMM Action de déterminer des groupes homogènes de clients selon des comportements d'achat.

segmenter v. tr. [1] **1.** Diviser en segments. Syn. fractionner. ▷ v. pron. *Une cellule qui se segmente.* **2.** COMM Établir une segmentation (sens 3).

Segonzac (André Dunoyer de). V. Dunoyer de Segonzac.

Ségou, v. du Mali, sur le Niger; 99 000 hab.; ch.-l. de la rég. du m. nom. Coton. - Elle fut le centre du *royaume de Ségou* (XVIIe-XIXe s.), formé par les Bambaras.

Segovia (Andrés) (Linares, Jaén, 1893 - Madrid, 1987), guitariste espagnol.

Ségovie, v. d'Espagne (Castille et Léon), à 1 000 m d'alt.; 55 180 hab.; ch.-l. de la prov. du m. nom. Industr. textiles, alimentaires, etc. - Évêché. Aqueduc romain. Nombr. égl. romanes. Alcazar (XIVe-XVe s.) restauré. Cath. du XVIe s. ► illustr. **Alcazar**

Sègre (le ou la), riv. de Catalogne (260 km), affl. de l'Èbre (r. g.); naît en France (Pyrénées-Orientales); arrose Lérida.

Segré, ch.-l. d'arr. de Maine-et-Loire; 7 078 hab. Mines de fer, travail du cuir.

Segrè (Emilio) (Tivoli, 1905 – Lafayette, Californie, 1989), physicien américain d'origine italienne. Il obtint artificiellement, entre 1936 et 1938, le technétium et l'astate puis, en 1955, les antiprotons. P. Nobel 1959.

ségrégatif, ive adj. Qui tend à établir une ségrégation.

ségrégation n. f. **1.** Action de mettre à part, de séparer d'un tout, d'une masse. **2.** *Ségrégation raciale* : discrimination organisée, réglementée, entre les groupes raciaux (notam. entre Noirs et Blancs), dans certains pays (V. apartheid). ▷ *Par ext.* Discrimination de droit ou de fait entre les individus ou entre les collectivités qui composent un groupe humain, fondée sur des critères autres que raciaux (âge, sexe, niveau de fortune, mœurs, religion, etc.).

ségrégationnisme n. m. Système politique de ceux qui sont favorables à la ségrégation raciale.

ségrégationniste n. et adj. **1.** n. Partisan du ségrégationnisme. **2.** adj. Qui a rapport à la ségrégation raciale.

ségréguer v. tr. [**14**] Soumettre à une ségrégation (raciale, sociale). *Une société peu ségréguée.*

séguedille n. f. Danse espagnole sur un rythme rapide à trois temps; air sur lequel on la danse.

Seguin (Marc) (Annonay, 1786 – id., 1875), ingénieur français. Il inventa en 1827 la chaudière tubulaire pour les locomotives. Il construisit à Tournon le premier pont suspendu par câbles (1824).

Ségur (Sophie Rostopchine, comtesse de) (Saint-Pétersbourg, 1799 – Paris, 1874), écrivain français d'origine russe. Auteur de romans pour la jeunesse : *les Petites Filles modèles* (1858), *Mémoires d'un âne* (1860), *les Malheurs de Sophie* (1864), *Un bon petit diable* (1865), *le Général Dourakine* (1866).

la comtesse de **Ségur**

Jorge **Semprun**

Séguy (Georges) (Toulouse, 1927), syndicaliste français. Secrétaire général de la C.G.T. (1967-1982), il signa les accords de Grenelle (27 mai) qui mirent fin aux grandes grèves de 1968.

1. seiche n. f. Mollusque céphalopode marin (genre *Sepia*) comestible, au corps bordé d'une nageoire continue, qui, lorsqu'il est menacé, rejette par l'entonnoir de sa poche ventrale une encre noire (V. sépia).

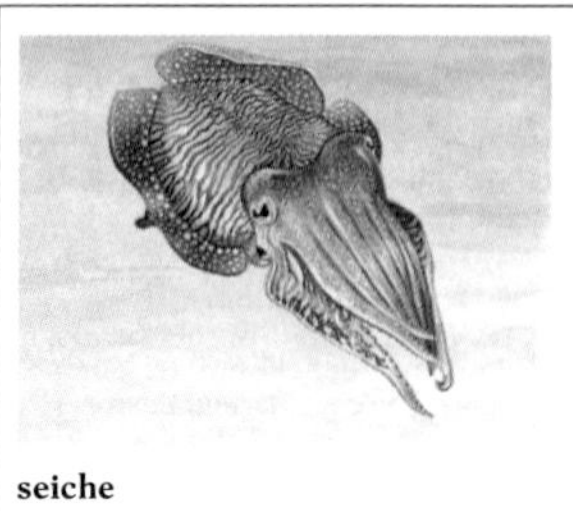

seiche

2. seiche n. f. GEOGR Variation subite du niveau de certains lacs.

séide n. m. Fanatique qui obéit aveuglément à un chef.

Seifert (Jaroslav) (Prague, 1901 – id., 1986), poète tchèque. D'inspiration prolétarienne, puis «poétiste» (*Sur les ondes de la T.S.F.*, 1925), il est le chantre élégiaque de Prague, des humbles, de la femme : *les Mains de Vénus* (1936), *Mozart à Prague* (1946), *Maman* (1954), etc. P. Nobel de littérature 1984.

seigle n. m. Céréale (fam. graminées) panifiable, aux épis barbus, très résistante au froid, poussant sur les terrains pauvres. ► illustr. **céréales**

Seignelay (Jean-Baptiste Colbert, marquis de) (Paris, 1651 – Versailles, 1690), fils de Colbert, à qui il succéda dans les charges de secrétaire d'État à la Marine et à la Maison du roi (1683). Soutenu par Mme de Maintenon, il fut ministre d'État (1689).

seigneur n. m. **1.** FEOD Possesseur d'un fief, d'une terre. **2.** Titre honorifique donné autref. à des personnes de haut rang. **3.** (Avec une majuscule.) *Le Seigneur* : Dieu. – *Notre Seigneur* : Jésus-Christ. *Le jour du Seigneur* : le dimanche. **4.** Celui qui détient la puissance, l'autorité (surtout dans l'expr., souvent iron., *seigneur et maître*). ▷ Fam., plaisant *Mon seigneur et maître* : mon mari. **5.** *Seigneur de la guerre* : en période de troubles civils, potentat local à la tête d'une armée privée. (L'expression vient de l'histoire chinoise du début du siècle.)

seigneurial, ale, aux adj. FEOD D'un seigneur; qui relevait d'un seigneur.

seigneurie n. f. **1.** FEOD Autorité du seigneur sur sa terre et sur les personnes qui relevaient de lui. **2.** Terre seigneuriale. ▷ (Au Canada) HIST Terre octroyée par le roi de France ou l'État à un individu (seigneur) à charge d'y installer des colons et d'y concéder à son tour des terres moyennant des redevances annuelles. **3.** Titre honorifique donné autref. aux pairs de France et auj. aux membres de la Chambre des lords de Grande-Bretagne.

Seignobos (Charles) (Lamastre, Ardèche, 1854 – Ploubazlanec, 1942), historien français; adepte de l'histoire événementielle : *Histoire politique de l'Europe contemporaine* (1897).

Seikan (tunnel de), tunnel ferrov. qui, dep. 1988, relie les îles jap. Honshū et Hokkaidō (54 km).

seille n. f. Rég. Seau tronconique en bois, muni d'oreilles dans lesquelles on passe une corde ou un bâton. ▷ Grand récipient en bois ou en toile.

Seille (la), riv. de France (110 km), affl. de la Saône (r. g.); naît dans le Jura; canalisée à partir de Louhans.

Seille Lorraine (la), riv. de France (130 km), affl. de la Moselle (r. dr.); naît près de Dieuze; confluent à Metz.

Seillière de Laborde (Ernest-Antoine) (Neuilly-sur-Seine, 1937), diplomate et industriel français, président du C.N.P.F. (devenu Medef) depuis 1997.

sein n. m. **1.** Chacune des deux mamelles de la femme, qui renferment les glandes mammaires. – *Nourrir un enfant au sein.* **2.** Litt. Partie antérieure de la poitrine humaine, où sont les mamelles. *Presser sur, contre son sein.* **3.** Litt. Ventre de la femme, en tant qu'il contient les organes de la gestation. *Porter un enfant dans son sein.* **4.** Fig., litt. Partie intérieure, centrale (d'une chose). *Le sein de la terre.* – *Le sein de l'Église* : la communion des fidèles, dans le catholicisme. ▷ Loc. prép. *Au sein de* : à l'intérieur de, au milieu de, dans.

Sein (île de), île de l'Atlantique, séparée de la pointe du Raz par le *raz de Sein* (8 km) aux nombreux écueils.

seine. V. senne.

Seine (la), fl. de France (776 km) qui draine le Bassin parisien; née sur le plateau de Langres à 471 m d'alt., elle pénètre en Champagne, où elle arrose Troyes; elle reçoit l'Aube, puis longe la côte d'Île-de-France. Après Montereau, grossie de l'Yonne, elle traverse la Brie. Aux env. de Paris, elle reçoit ses princ. affl., la Marne et l'Oise. Son cours forme des méandres accusés à partir de la cap., notam. dans sa basse vallée. Elle passe à Rouen et se jette dans la Manche par un vaste estuaire sur lequel est établi Le Havre. De Paris à la mer, c'est un axe commercial important.

Seine (basse), basse vallée de la Seine, en aval de Rouen. Proche de Paris, elle connaît une forte concentration humaine et industrielle (raff. de pétrole, pétrochimie et constr. mécaniques, notam.).

Seine, anc. dép. qui comprenait Paris et sa proche banlieue. En 1964, il a été divisé en quatre nouveaux départements : Paris, Seine-Saint-Denis, Hauts-de-Seine et Val-de-Marne.

Seine-et-Marne, dép. franç. (77); 5 917 km^2; 1 078 166 hab.; 182,2 hab./km^2; ch.-l. *Melun.* V. Île-de-France (Rég.).

Seine-et-Oise, anc. dép. du Bassin parisien (ch.-l. *Versailles*) qui a formé en 1964 les dép. du Val-d'Oise, des Yvelines et de l'Essonne, ainsi qu'une partie de la Seine-Saint-Denis, des Hauts-de-Seine et du Val-de-Marne. (V. Île-de-France).

Seine-Maritime, dép. franç. (76); 6 254 km^2; 1 223 429 hab.; 194,9 hab./km^2; ch.-l. *Rouen.* V. Normandie (Haute-) [Région]. ► carte page **1720**

Seine-Saint-Denis, dép. franç. (93); 236 km^2; 1 381 197 hab.; 5 852,5 hab./km^2; ch.-l. *Bobigny.* V. Île-de-France (Rég.). ► carte page **1720**

seing [sɛ̃] n. m. DR Signature qui rend un acte valable. – *Seing privé* : signature d'un acte qui n'a pas été reçu par un officier public. *Acte sous seing privé* (par oppos. à *acte authentique*). – *Blanc-seing* : V. ce mot.

Seipel (Ignaz) (Vienne, 1876 – Pernitz, 1932), prélat et homme politique autrichien. Président du parti chrétien-social (1921), chancelier de 1922 à 1924 et de 1926 à 1929.

Sei Shōnagon (fin Xe s.-déb. XIe s.), femme écrivain japonaise. Elle est l'auteur du *Makura-no-sōshi (Notes de chevet)*, l'un des chefs-d'œuvre de l'«âge d'or» de la littérature japonaise.

séism(o)-. Anc. forme de sism(o)-*.

séisme n. m. **1.** Secousse ou série de secousses plus ou moins brutales qui ébranlent le sol; tremblement de terre. **2.** Fig. Bouleversement important. *Un séisme politique.*

ENCYCL L'étude des séismes permet de définir l'*épicentre*, point de la surface terrestre où l'ébranlement présente le maximum d'intensité, et l'*hypocentre*, point situé en profondeur (généralement à la verticale de l'épicentre) d'où part l'onde d'ébranlement à la suite du mouvement et du frottement de deux plaques de l'écorce terrestre l'une contre l'autre. (V. encycl. plaque.)

séismicité, séismique, séismographe, séismologie, séismologique. Graphies vieillies de sismicité, sismique, sismographe, sismologie, sismologique.

Séistan ou **Sīstān,** rég. steppique et aride d'Iran et d'Afghānistān. – C'est l'anc. prov. grecque de *Drangiane,* prospère jusqu'au XIVe s. grâce à un système d'irrigation; elle fut irrémédiablement ravagée par les Mongols.

SEITA ou **Seita,** acronyme pour *Société nationale d'exploitation industrielle des tabacs et allumettes.* Société nationale industrielle et commerciale qui a remplacé, en 1980, le Service d'exploitation industrielle des tabacs et allumettes fondé en 1926.

seize adj. inv. et n. m. inv. **I.** adj. num. inv. **1.** (Cardinal) Dix plus six (16). **2.** (Ordinal) Seizième. *Chapitre seize. Louis XVI.* – Ellipt. *Le seize mai.* **II.** n. m. inv. Le nombre seize. ▷ Chiffres qui le représentent (16). ▷ Numéro seize. *Composer le seize.* ▷ *Le seize :* le seizième jour du mois.

seizième adj. et n. **I.** adj. num. ord. Dont le rang est marqué par le nombre 16. *La seizième fois. Le seizième arrondissement* ou, ellipt., *le seizième. Le seizième siècle* ou, ellipt., *le seizième.* **II.** n. **1.** Personne, chose qui occupe la seizième place. *La seizième de la liste.* **2.** n. m. Chaque partie d'un tout divisé en seize parties égales. *Un seizième du total.*

séjour n. m. **1.** Fait de séjourner, de résider plus ou moins longtemps dans un lieu. *Permis de séjour :* autorisation écrite officielle donnée à un étranger de séjourner dans un pays pour une période déterminée. ▷ Temps pendant lequel on séjourne dans un lieu. *Un long séjour à la campagne.* **2.** Fam. Salle de séjour. **3.** Lieu où l'on séjourne.

séjourner v. intr. [1] Demeurer quelque temps dans un lieu. *Séjourner à l'hôtel.* ▷ (Choses) *Ornières où l'eau séjourne.*

Sekondi-Takoradi, v. et port du Ghāna, ch.-l. de rég.; 160 000 hab. Centre comm. Cimenterie.

sel n. m. **I.** Cour. **1.** Substance cristallisée, blanche, d'origine marine, ou terrestre *(sel gemme),* constituée de chlorure de sodium, de saveur piquante, utilisée pour assaisonner ou conserver les aliments. *Gros sel. Bœuf gros sel :* bœuf bouilli servi avec du gros sel. *Sel fin* ou *sel de table.* – *Sel de céleri :* sel fin additionné de céleri en poudre. **2.** Fig. Ce qu'il y a de piquant ou de spirituel dans une situation, un propos, un récit, etc. *Le sel d'une anecdote.* **II. 1.** Vx Tout corps cristallin soluble dans l'eau. ▷ Loc. mod. *Sel ammoniac :* chlorure d'ammonium. *Sel d'Angleterre* ou *de magnésie :* sulfate de magnésium. *Sel de Glauber :* sulfate de sodium. *Sel de Vichy :* bicarbonate de sodium. – *Sels de bain :* cristaux parfumés qu'on dissout dans l'eau du bain. ▷ Absol. (Plur.) Sels volatils (carbonate d'ammonium, en partic.) qu'on donnait à respirer à une personne évanouie pour la ranimer. *Respirer des sels.* **2.** CHIM Composé provenant du remplacement d'un ou de plusieurs atomes d'hydrogène d'un acide par un ou plusieurs atomes d'un métal.

sélaciens n. m. pl. ICHTYOL Ordre de poissons cartilagineux, comprenant les requins (squales) et les raies. – Sing. *Un sélacien.*

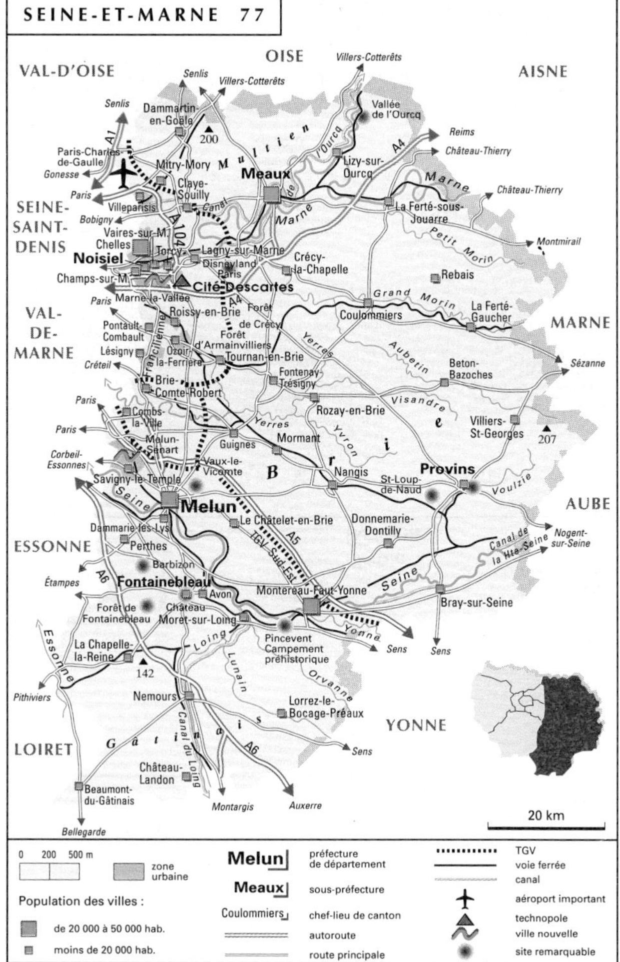

sélaginelle n. f. BOT Plante cryptogame vasculaire, à l'aspect de mousse, proche des lycopodes.

Selangor, État de Malaisie, sur le détroit de Malacca, au N. de Kuala Lumpur; 8 200 km²; 1 838 000 hab.; cap. *Shah Alam.* Montagneux, l'État possède une riche plaine côtière. Princ. ressources : caoutchouc, fer, étain.

Seldjoukides ou **Saldjūqides,** dynastie turkmène descendant de Saldjūq, qui se fixa au Xe s. à l'embouchure du Syr-Daria. Toghrul-Beg (1038-1063) se lança dans de grandes conquêtes (Khorāsān, Iran, califat de Bagdad). L'empire fut à son apogée sous Malik chāh (1072-1092), qui régna en outre sur l'Asie Mineure. Mais les divisions territoriales en faveur de branches cadettes entraînèrent rapidement la formation de plusieurs États : celui de Kermān (1041-1186), en Perse méridionale; celui d'Irak (1118-1194); ceux de Syrie (1078-1117); celui de Rūm (1081-1302), en Asie Mineure. Au XIIIe s., ce dernier fut menacé par une autre tribu turkmène et lui concéda un fief, à partir duquel Osman fonda la dynastie ottomane (v. 1290). Grands bâtisseurs, les Seldjoukides se firent les défenseurs de la sunna et fondèrent de nombreuses écoles.

select (inv. en genre) ou **sélect, ecte** adj. Fam., vieilli Choisi, distingué. *Des soirées selects ou sélectes.*

sélecteur, trice adj. et n. m. **1.** adj. Qui sélectionne. **2.** n. m. TECH Dispositif de sélection. ▷ Commutateur à plusieurs directions. ▷ MECA Pédale de changement de vitesse d'une motocyclette. – Levier de changement de vitesse, sur une voiture à embrayage automatique.

sélectif, ive adj. **1.** Qui opère une sélection, un choix. *Examen, classement sélectif.* **2.** TELECOM Se dit d'un récepteur qui opère une séparation satisfaisante des ondes de fréquences voisines.

sélection n. f. **I.** Choix entre des personnes ou des choses, en fonction de critères déterminés. *Faire une sélection entre des projets.* – SPORT *Épreuve de sélection.* ▷ Ensemble des personnes ou des choses ainsi retenues. – SPORT *Sélection régionale, nationale.* **II. 1.** Choix des types reproducteurs pour la perpétuation d'une espèce animale ou végétale. *Sélection des étalons.* **2.** BIOL *Sélection naturelle :* selon le darwinisme, survivance d'une espèce animale ou végétale par ses individus les plus aptes à subsister et à se reproduire.

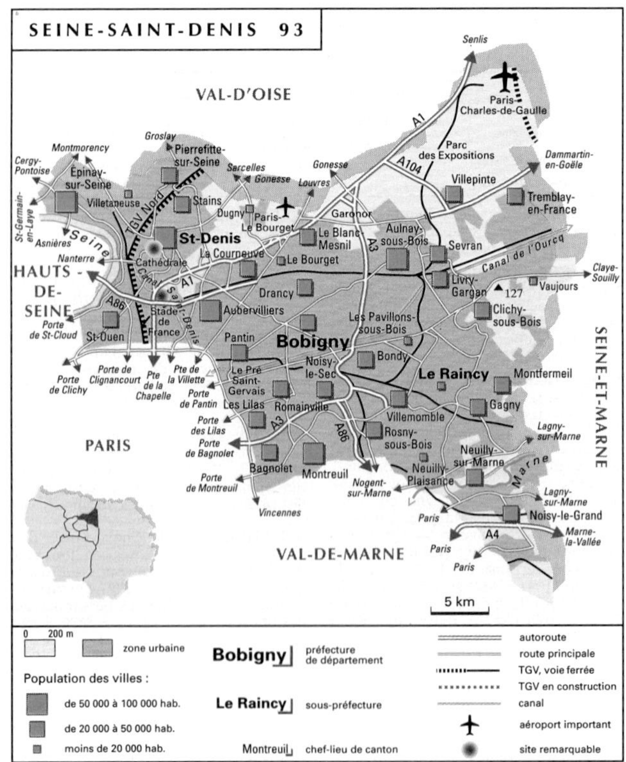

sélectionné, ée adj. et n. **1.** adj. Qui a subi une sélection. ▷ *Par ext.* De bonne qualité. *Fruits sélectionnés.* **2.** n. Sportif, ou sportive, choisi parmi d'autres pour participer à une compétition, à un match dans lesquels il représentera son club, son pays.

sélectionner v. tr. [**1**] Choisir par sélection. *Sélectionner des plantes. Sélectionner des athlètes.*

sélectionneur, euse n. Personne qui procède à une sélection. ▷ *Spécial.* Personne qui sélectionne des sportifs en vue d'une compétition.

sélectivement adv. De façon sélective.

sélectivité n. f. Didac. Fait d'être sélectif; propriété de ce qui est sélectif. ▷ TELECOM Propriété de n'amplifier que le signal correspondant à une onde de fréquence donnée.

sélénien, enne adj. Syn. de *sélénite* (sens 2).

sélénite n. et adj. **1.** n. Anc. Habitant supposé de la Lune. **2.** adj. Didac. Relatif à la Lune. Syn. sélénien.

sélénium [selenjɔm] n. m. CHIM Élément de numéro atomique Z = 34, de masse atomique 78,96 (symbole Se). – Corps simple (Se) dont la variété grise fond à 217 °C et bout à 685 °C, et dont la variété métallique possède deux propriétés intéressantes : sa photoconductivité et son pouvoir photoélectrique.

séléno-. Élément, du gr. *Selênê,* « Lune ».

sélénodonte adj. ZOOL Se dit des molaires des ruminants dont les surfaces arrondies sont en forme de croissant. ▷ Par ext. *Les artiodactyles sélénodontes :* les ruminants.

sélénographie n. f. ASTRO Description de la Lune.

sélénologie n. f. ASTRO Étude de la Lune.

sélénologue n. Didac. Spécialiste de la sélénologie.

Sélestat, ch.-l. d'arr. du Bas-Rhin, sur l'Ill; 15 896 hab. Métall.; textiles; vins. – Égl. abbatiale Ste-Foy (XIIe s.). Égl. gothique St-Georges (du XIIIe au XVe s.). – Ville libre impériale (XIIIe s.), foyer humaniste au XVe s., française en 1648, anc. place forte fortifiée par Vauban.

Séleucides, dynastie hellénistique, fondée par Séleucos Ier Nikatôr v. 305 av. J.-C., qui régna sur la Syrie, la Mésopotamie, l'Asie Mineure, l'Iran, la Bactriane, la Sogdiane et la Parthie. Mais le fils de Séleucos Ier, Antiochos Ier, ne put conserver l'intégralité du territoire. La domination séleucide fut brillamment rétablie par Antiochos III Mégas (roi de 223 à 187 av. J.-C.). Progressivement réduit au territoire de la Syrie actuelle, le royaume des Séleucides fut conquis par les Romains en 64 av. J.-C.

Séleucie, nom de plus. v. de l'Asie ancienne, fondées par Séleucos Ier Nikatôr. – *Séleucie du Tigre,* fondée en 306 av. J.-C., à 75 km env. de Babylone, un des grands carrefours commerciaux de l'Orient, pris par les Parthes en 141 av. J.-C., incendiée par Trajan en 116 apr. J.-C. – *Séleucie de Piérie,* à l'embouchure de l'Oronte, qui servait de port à Antioche. – *Séleucie Trachée* ou *du Calycadnos* (riv. nommée auj. Göksu), en Cilicie (Asie Mineure), surtout prospère à l'époque romaine. Auj. *Silifke* (Turquie).

Séleucos, nom de plusieurs rois de la dynastie hellénistique des Séleucides. – **Séleucos Ier Nikatôr** (« le Vainqueur ») (Doura-Europos, v. 355 – près de Lysimacheia, Thrace, 280 av. J.-C.), général d'Alexandre le Grand, satrape de Babylonie (321-316 et 312-305 av. J.-C.); il prit le titre de roi v. 305 (fondant ainsi la dynastie des Séleucides). Au moment où il allait s'emparer de la Macédoine, il fut assassiné par Ptolémée Ier Sôter. – **Séleucos II Kallinikos** (« le Grand Vainqueur ») (v. 265 – 226 av. J.-C.), roi de 246 à 226; il lutta contre les Égyptiens et contre les Parthes. – **Séleucos III Sôter Keraunos** (« le Sauveur foudroyant ») (m. en 223 av. J.-C.), roi de 226 à 223; il périt assassiné. – **Séleucos IV Philopatôr** (« Qui aime son père ») (m. en 175 av. J.-C.), roi de 187 à 175; il fut assassiné par son ministre Héliodore. – **Séleucos V Nikatôr** (« Le Vainqueur ») (m. en 125 av. J.-C.), roi en 125; assassiné par son frère Antiochos VIII. – **Séleucos VI Épiphane Nikatôr** (« l'Illustre Vainqueur ») (m. à Mopsueste, Cilicie, en 95 av. J.-C.), roi de 96 à 95; mis à mort au cours d'une émeute.

self-. Élément, de l'angl. *self,* « soi-même ».

self-control n. m. (Anglicisme) Maîtrise de soi. *Garder son self-control. Des self-controls.*

self-défense n. f. (Anglicisme) Méthode de défense qui n'utilise que la force et l'habileté sans recours aux armes. *Des self-défenses.* Syn. autodéfense.

self-government [sɛlfgɔvɛʀnmənt] n. m. (Mot anglais.) Système de gouvernement d'origine britannique qui consiste à laisser à un territoire une grande autonomie en matière de politique intérieure et locale.

self-inductance n. f. (Anglicisme) ELECTR Syn. (officiellement déconseillé) de *inductance. Des self-inductances.* (Abrév. : self).

self-induction n. f. ELECTR Syn. (off. déconseillé) de *auto-induction. Des self-inductions.*

self-made man [sɛlfmɛdman], plur. **self-made men** [sɛlfmɛdmɛn] n. m. (Anglicisme) Homme qui ne doit qu'à lui-même sa situation sociale.

self-service n. m. (Américanisme) Libre-service. *Des self-services.* – (En appos.) *Un magasin self-service.* ▷ Ellipt. *Un self :* un restaurant self-service. *Des selfs.*

Selim ou **Salim,** nom de trois sultans ottomans. – **Selim Ier le Cruel** ou **le Terrible** (Amasya, 1467 – Istanbul, 1520), sultan de 1512 à 1520, fils de Bajazet II; il fit de grandes conquêtes : Kurdistān, Syrie, Égypte; ce fut un sunnite fanatique (massacre des chiites). – **Selim II** (Magnésie, 1524 – Istanbul, 1574), sultan de 1566 à 1574; il accéda au trône grâce aux intrigues de sa mère Roxelane*. Il fut vaincu à Lépante (1571). – **Selim III** (Istanbul, 1761 – id., 1808), sultan de 1789 à 1807; il ne put résister aux attaques des puissances européennes (Russie et Autriche, notam.). Il fut renversé par les janissaires pour avoir tenté des réformes (fiscalité, armée).

Sélinonte, anc. v. grecque de Sicile, fondée v. 629 av. J.-C. par les Mégariens. Elle fut mise à sac par les Carthaginois en 409 et en 250 av. J.-C. – Ruines de temples doriques du VIe s. av. J.-C.

Selkirk (monts), chaîne montagneuse du Canada, en Colombie britannique (3 533 m au mont Sir Sanford).

Selkirk (Alexander) (Largo, Fifeshire, 1676 – en mer, 1721), marin écossais abandonné dans une île inhabitée de l'archipel Juan Fernández, où il resta six ans (1703-1709). D. Defoe a tiré de cette aventure le sujet de son *Robinson Crusoé* (1719).

selle n. f. **I. 1.** Petit siège, fait le plus souvent de cuir, que l'on sangle sur le dos d'une bête de somme (en partic. d'un cheval) pour la monter commodément. *Cheval de selle,* dressé pour être monté. ▷ Fig. *Être bien en selle :* être affermi dans son poste. – *Se remettre en selle :* rétablir ses affaires. **2.** Siège d'une bicyclette, d'une motocyclette, d'un scooter. **3.** *Selle d'agneau, de chevreuil :* morceau de viande pris entre le gigot et la première côte. **II.** Trépied à plateau pivotant des sculpteurs, sur lequel on place le matériau à travailler. **III. 1.** Vx Chaise percée, garde-robe. ▷ Loc. mod. *Aller à la selle,* aux cabinets. **2.** Plur. *Les selles :* les matières fécales.

seller v. tr. [1] Munir (une monture) d'une selle.

sellerie n. f. **1.** Art, industrie, commerce du sellier; ensemble des ouvrages du sellier. **2.** Ensemble des selles et des harnais; lieu où on les range.

sellette n. f. **1.** Anc. Petit siège sur lequel devait s'asseoir l'accusé qu'on interrogeait. ▷ Loc. fig. Mod. *Être sur la sellette :* être interrogé; être la personne en cause (en bien ou en mal). *Mettre qqn sur la sellette,* le harceler de questions. **2.** Petite selle de sculpteur. ▷ Table étroite et haute sur laquelle on pose une plante, une statue, etc. **3.** Pièce de harnais supportant les courroies qui portent les brancards. **4.** TECH Petit siège, suspendu à une corde à nœuds, des ouvriers du bâtiment.

sellier n. m. Celui qui fabrique ou qui vend des selles, des harnais, des coussins et des garnitures pour voitures, etc. ▷ Loc. *Façon sellier :* en maroquinerie, façonnage qui comporte des piqûres à la main.

selon prép. **1.** Suivant, conformément à. *Agir selon l'usage.* – *Déplacement selon une courbe.* ▷ En proportion de. *Vivre selon ses moyens.* **2.** D'après; au jugement, au dire de. *Selon la formule. Selon cet auteur.* – *Selon moi :* à mon avis. ▷ À en croire, à se fonder sur. *Selon toute vraisemblance.* ▷ *Évangile selon saint Marc,* de saint Marc. **3.** Relativement à. *Selon les cas.* ▷ Loc. conj. *Selon que* (+ ind.) : eu égard au fait que. ▷ Fam. *C'est selon :* cela dépend (ou dépendra) des circonstances.

Seltz (eau de) n. f. Boisson constituée d'eau gazéifiée au gaz carbonique.

selve ou **selva** n. f. GEOGR Forêt vierge équatoriale (partic., forêt amazonienne).

Selye (Hans) (Vienne, 1907 – Montréal, 1982), médecin canadien d'origine autrichienne; spécialiste des états de choc et du *stress,* terme qu'il adopta en 1950.

Selznick (David Oliver) (Pittsburgh, 1902 – Los Angeles, 1965), producteur américain; à l'image de *Autant en emporte le vent* (1939), qu'il produit hors des « majors », il excelle dans les superproductions romantiques : *Rebecca* (1940), *Duel au soleil* (1947), *l'Adieu aux armes* (1957).

S. Ém. Abrév. graphique de *Son Éminence.*

Sem, personnage biblique; fils aîné de Noé, frère de Cham et Japhet (Genèse, V-X). Il est considéré comme l'ancêtre des peuples dits *sémitiques.*

semailles n. f. pl. **1.** Action de semer. *Hâter les semailles.* **2.** Graines semées. **3.** Époque où l'on sème. *Aux semailles d'automne.*

semaine n. f. **1.** Période de sept jours décomptée du dimanche (ou du lundi) au samedi (ou au dimanche). – *La semaine sainte,* celle qui précède Pâques. **2.** Cette période, envisagée relativement au temps du travail, aux jours ouvrables. *Semaine de quarante heures. Semaine anglaise :* semaine de travail qui, selon l'usage d'abord anglais, s'arrête le samedi à midi ou le vendredi soir. – *En semaine :* un jour de la semaine (sens 2), un jour ouvrable. **3.** Période de sept jours consécutifs. *Le transport prendra une semaine.* ▷ Loc. *À la petite semaine,* en improvisant; au moyen d'expédients. *Vivre à la petite semaine.* ▷ *Être de semaine :* assurer des fonctions exercées à tour de rôle, pendant une semaine. **4.** Rémunération d'un travail payé à la semaine. *Toucher sa semaine.*

semainier, ère n. **I.** Personne qui assure un service déterminé pendant une semaine dans une communauté. **II.** n. m. **1.** Agenda de bureau. **2.** Commode à sept tiroirs. **3.** Bracelet à sept anneaux.

sémantème n. m. LING Élément de mot porteur du contenu sémantique, par oppos. à *morphème* et à *phonème.* (Ex. : *bord,* dans *border.)*

sémanticien, enne n. Didac. Spécialiste de la sémantique.

sémantique n. f. et adj. LING **1.** n. f. Étude du langage du point de vue du sens (polysémie, synonymie, changements de sens, relations unissant les unités signifiantes, etc.). *Sémantique structurale, générative.* **2.** adj. Relatif à la sémantique ou au sens. ▷ *Phrase sémantique,* qui a un sens.

sémantisme n. m. LING Contenu sémantique.

sémaphore n. m. **1.** Poste d'observation du trafic maritime établi sur la côte et à partir duquel il est possible de communiquer par signaux optiques avec les navires. **2.** CH de F Mât équipé d'un bras mobile, qui indique si une voie est libre ou non.

Semarang, v. et port d'Indonésie, au centre de Java, sur la côte N.; 1 026 000 hab.; ch.-l. de prov. Centre industriel (métallurgie; constr. mécaniques; textiles, etc.).

Sembene (Ousmane). V. Ousmane (Sembene).

semblable adj. et n. **I.** adj. **1.** De même apparence, de même nature. *Cas semblables. Être semblable à son frère.* **2.** (Avant le nom.) Tel, pareil. *Pourquoi tenir de semblables propos?* **3.** GEOM *Figures semblables,* dont les angles sont égaux deux à deux et dont les côtés homologues sont proportionnels. **II.** n. Personne, chose comparable. *Il n'a pas son semblable.* ▷ Être humain, considéré par rapport aux autres. *Secourir ses semblables.*

semblablement adv. Pareillement.

semblant n. m. **1.** Apparence. *Un semblant de vérité.* – *Faux-semblant :* apparence trompeuse. **2.** Loc. *Faire* *semblant de* : feindre de. – Ellipt. *Il fait semblant.* – *Ne faire semblant de rien* : feindre l'indifférence.

sembler I. v. intr. [1] Avoir l'air, paraître ; donner l'impression de. *Ce fruit semble mûr.* II. v. impers. 1. (Avec un attribut.) *Il me semble vain d'espérer.* ▷ *Si bon lui semble, comme bon vous semblera* : s'il lui plaît, comme il vous plaira. 2. *Il semble que* : il apparaît que, on dirait que. – (Avec le subj., s'il y a doute, ou dans les phrases nég. ou interrog.) *Il semble que le pari soit perdu.* – Ellipt. *Il peine, semble-t-il.* 3. *Il me (te, etc.) semble que* : je (tu, etc.) crois que. – (Avec l'inf.) *Il me semble le voir.* – (En incise.) *Ce me semble, me semble-t-il* : à mon avis. 4. Loc. Litt. *Que vous en semble?* : qu'en pensez-vous ? – *Que vous semble de cette affaire?*

sème n. m. LING Trait sémantique constituant l'unité minimale de signification. (Par ex. : « humain », « jeune » et « mâle », dans le mot *garçon.*)

Sémélé, dans la myth. gr., fille de Cadmos, roi de Thèbes, et d'Harmonia. Amante de Zeus, elle conçut Dionysos, mais fut consumée par la foudre de Zeus qu'elle avait voulu voir dans sa gloire.

semelle n. f. 1. Pièce constituant le dessous de la chaussure. – Loc. *C'est de la semelle,* se dit d'une viande coriace. ▷ Pièce découpée à la forme du pied que l'on met à l'intérieur de la chaussure. ▷ Dessous du pied d'un bas, d'une chaussette. – *Par anal.* Dessous d'un ski. 2. Loc. *Ne pas reculer d'une semelle* : tenir ferme en place ; fig. être ferme sur sa décision. – *Ne pas quitter qqn d'une semelle,* le suivre partout. – *Battre* la semelle.* 3. TECH Pièce plate qui répartit sur le sol les efforts transmis par une pièce pesante, une machine, une construction. 4. Partie chauffante d'un fer à repasser.

semence n. f. 1. Organe ou partie d'organe végétal qui se sème (graines, noyaux, pépins, etc.). 2. *Par anal.* Liquide séminal, sperme. 3. (En joaillerie.) *Semence de diamants, de perles* : ensemble de très petits diamants, de très petites perles. 4. TECH Clou à tête large et à tige courte. *Semence de tapissier,* à pointe pyramidale.

semencier n. m. Entreprise qui produit et commercialise des semences.

semen-contra [semɛnkɔ̃tʀa] n. m. inv. PHARM Médicament constitué des capitules d'une armoise, employé comme vermifuge.

Semenov ou **Semionov** (Nikolaï Nikolaïevitch) (Saratov, 1896 – Moscou, 1986), chimiste soviétique ; connu pour ses travaux de cinétique chimique. P. Nobel 1956.

semer v. tr. [16] 1. Épandre (des semences) sur une terre préparée ; mettre en terre (des semences). *Semer du blé.* ▷ Rare Ensemencer (une terre). *Semer un champ.* 2. Litt. Jeter, répandre çà et là. *Semer les rues de fleurs.* ▷ Fam. Laisser tomber (de petits objets) sans s'en rendre compte. *Alors, tu sèmes tes sous!* ▷ Fig. Répandre, propager. *Semer la discorde.* 3. Fam. *Semer qqn,* s'en débarrasser en lui faussant compagnie, en le devançant.

semestre n. m. 1. Période de six mois consécutifs. *Premier semestre* : de janvier à juin. 2. Rente, traitement qui se paie tous les six mois. *Recevoir son semestre.*

semestriel, elle adj. Qui se fait, qui a lieu, qui paraît chaque semestre. *Réunion, revue semestrielle.*

semestriellement adv. Tous les six mois.

semeur, euse n. 1. Personne qui sème. ▷ Fig. *Semeur, semeuse de zizanie.* 2. n. f. Machine agricole servant à semer.

semi-. Préfixe, du lat. *semi,* « à demi », employé surtout au sens de « en partie, presque ».

semi-argenté, ée adj. TECH Se dit du verre recouvert d'une mince couche d'argent, dont le facteur de réflexion est voisin de 0,5. *Des verres semi-argentés.*

semi-aride adj. GEOGR Qui n'est pas complètement aride. (Se dit des zones situées en bordure des déserts.) *Des régions semi-arides.*

semi-automatique adj. Qui n'est pas entièrement automatique. *Des systèmes semi-automatiques. Arme semi-automatique,* dont le chargement est automatique, mais qui requiert l'intervention du tireur pour le départ de chaque coup.

semi-auxiliaire adj. et n. m. GRAM Se dit traditionnellement d'un verbe qui joue un rôle d'auxiliaire devant un infinitif (ex. : aller dans « je vais partir »). *Des semi- auxiliaires.*

semi-circulaire adj. Qui a la forme d'un demi-cercle. ▷ ANAT *Canaux semi-circulaires* : V. canal.

semiconducteur ou **semi-conducteur, trice** adj. et n. m. ELECTR Se dit d'un matériau solide dont la résistivité, intermédiaire entre celle des métaux et celle des isolants, varie sous l'influence de facteurs tels que la température, l'éclairement, le champ électrique, etc. – n. m. *Des semi-conducteurs.* ENCYCL Les principaux semiconducteurs sont le germanium, le silicium et le sélénium. Le développement de composants à structure complexe permet auj. d'assurer, à l'aide de semiconducteurs, toutes les fonctions de l'électronique moderne : amplification, commutation, automatismes, calcul, etc.

semi-conserve n. f. TECH Conserve alimentaire partiellement stérilisée qui doit être gardée au frais. *Des semi-conserves.*

semi-consonne n. f. PHON Syn. de *semi-voyelle. Des semi-consonnes.*

semi-fini, ie adj. TECH Se dit d'un produit qui a subi une transformation mais doit en subir d'autres avant d'être livré sur le marché. *Des produits semi-finis.* Syn. semi-ouvré.

semi-grossiste n. Commerçant qui vend en demi-gros. *Des semi-grossistes.*

semi-liberté n. f. DR Régime pénitentiaire permettant à un condamné d'exercer une activité professionnelle hors de la prison.

sémillant, ante adj. Litt. Pétulant ; plein de vivacité, de gaieté, d'entrain. *Esprit sémillant.*

sémillon n. m. VITIC Cépage blanc du Bordelais donnant des vins liquoreux.

semi-logarithmique adj. MATH Se dit d'un diagramme dont l'un des axes a une échelle arithmétique et l'autre une échelle logarithmique.

semi-lunaire adj. et n. m. Qui est en forme de demi-lune. ▷ n. m. ANAT *Le semi-lunaire* : l'un des os de la première rangée du carpe.*Les semi-lunaires.*

semi-métal, aux n. m. CHIM Élément de transition entre les métaux et les non-métaux (silicium, germanium, polonium, etc.). *Des semi-métaux.* Syn. métalloïde.

séminaire n. m. 1. *Grand séminaire* : établissement religieux où sont formés les jeunes gens qui se destinent à l'état ecclésiastique. – *Petit séminaire* : école religieuse d'enseignement secondaire fréquentée par des garçons qui ne deviendront pas nécessairement des ecclésiastiques. 2. Groupe d'études animé et dirigé par un professeur ou un assistant, et au sein duquel chaque étudiant mène un travail de recherche personnel, dans l'enseignement supérieur. ▷ Groupe de spécialistes réunis pour étudier certaines questions particulières touchant leur spécialité. *Séminaire d'ingénieurs.*

séminal, ale, aux adj. BIOL Qui a rapport au sperme. *Vésicules séminales* : vésicules (au nombre de deux) placées au-dessus de la prostate et où le sperme est emmagasiné.

séminariste n. m. Élève d'un séminaire (sens 1).

séminifère adj. BIOL Qui conduit ou porte le sperme. *Tubes séminifères* : fins canaux constitutifs du tissu testiculaire, où se forment les spermatozoïdes.

Séminoles, Indiens des États-Unis qui, vaincus à la suite de longues guerres (1817, puis 1836-1846), durent presque tous abandonner la Floride pour des réserves en Oklahoma.

semi-nomade adj. et n. ANTHROP Qui pratique le semi-nomadisme. ▷ Subst. *Des semi-nomades.*

semi-nomadisme n. m. ANTHROP Genre de vie qui combine élevage nomade et agriculture, pratiqué en particulier en bordure des déserts.

sémio-. Élément, du gr. *sêmeion,* « signe ».

semi-occlusif, ive adj. et n. f. PHON Se dit d'un son qui résulte d'une articulation complexe, combinant une occlusive* et une fricative*. (Ex. : le [tʃ] de l'esp. *mucho.*) ▷ n. f. *Des semi-occlusives.*

semi-officiel, elle adj. Qui est inspiré par les autorités sans être officiel. *Des directives semi-officielles.*

sémiologie n. f. 1. MED Partie de la médecine consacrée à l'étude des signes des maladies. 2. LING Science qui étudie les signes et les systèmes de signes au sein de la vie sociale (langues naturelles, codes, systèmes de signaux ou de symboles, etc.).
ENCYCL F. de Saussure, qui introduisit le terme de « sémiologie » dans la linguistique moderne, donne comme exemples de tels systèmes de signes les rites symboliques, l'alphabet des sourds-muets, les formules de politesse, les signaux militaires et la langue elle-même. En ce sens, la linguistique est la branche privilégiée de la sémiologie, car la langue est le plus important de ces systèmes. Des linguistes tels que Jakobson, Hjelmslev, Benveniste ont tenté de déterminer la place que le langage occupe au sein des autres systèmes de signes. Des sémiologues comme R. Barthes ou des ethnologues comme Cl. Lévi-Strauss ont étudié des manifestations et des structures sociales (mythes, systèmes de parenté, modes, coutumes culinaires) fonctionnant comme un langage.

sémiologue n. Didac. Spécialiste de sémiologie.

Semionov. V. Semenov.

sémiotique n. f. et adj. Didac. **1.** n. f. Théorie générale des signes* et des systèmes de significations linguistiques et non linguistiques. *La sémiotique picturale est une analyse des structures formelles et sémantiques d'une œuvre peinte.* **2.** n. f. Système signifiant. *La sémiotique d'un texte.* **3.** adj. Qui a rapport à la sémiotique.

semi-ouvré, ée adj. TECH Syn. de *semi-fini. Des produits semi-ouvrés.*

Semipalatinsk, v. du Kazakhstan, sur l'Irtych; 317 000 hab.; ch.-l. de la prov. du m. nom. Industr. traitant les produits agricoles. Métallurgie de l'aluminium.

semi-perméable adj. PHYS, BIOL *Membrane, cloison semi-perméable,* qui, séparant deux solutions d'un même solvant, laisse diffuser le solvant mais arrête le soluté. (V. osmose.) *La membrane des cellules vivantes est semi-perméable.*

semi-précieuse adj. f. *Pierre semi-précieuse :* pierre fine. *Des gemmes semi-précieuses.*

semi-produit n. m. TECH Matière première ayant subi une première transformation. *Des semi-produits.*

semi-public, ique adj. Qui est en partie privé, en partie public. *Des établissements semi-publics.*

sémique adj. LING Relatif aux sèmes. *Analyse sémique.*

Sémiramis, personnage de la légende grecque, reine d'Assyrie et de Babylonie, à qui l'on attribue les célèbres jardins suspendus de Babylone. Ce personnage est inspiré par la reine assyrienne Shammou-Ramat, régente de 810 à 806 av. J.-C.

semi-remorque n. **1.** n. f. Remorque pour le transport routier, dont l'avant, dépourvu de roues, vient reposer sur la sellette d'attelage d'un tracteur. **2.** n. m. Ensemble constitué par la semi-remorque et son tracteur. *Des semi-remorques.*

semis [s(ə)mi] n. m. **I. 1.** Action de semer. **2.** Plant venant de graines qui ont été semées. *Repiquer des semis.* **3.** Terrain où poussent ces plants. **II.** Fig. Ornement fait d'un motif de petite dimension répété de façon régulière.

sémite adj. et n. **1.** Qui appartient à un des peuples originaires d'Asie occidentale, que la tradition fait descendre de Sem, fils de Noé, et qui parlent les langues dites *sémitiques.* **2.** *Abusiv.* Juif.

sémitique adj. *Langues sémitiques :* langues d'Asie occidentale et d'Afrique du Nord, caractérisées notam. par des racines renfermant pour la plupart trois consonnes et par la prise en charge par les voyelles des éléments de signification accessoires du mot. (Ex : en ar., la racine *ktb* exprime la notion d'écriture, *kātib* signifie « écrivain », *kitāb,* « livre », etc.) *Groupe sémitique oriental* (akkadien), *occidental du Nord* (araméen, cananéen, phénicien, hébreu), *occidental du Sud* (arabe, amharique et langues éthiopiennes).

sémitisme n. m. **1.** Didac. Caractères propres aux Sémites (civilisation, langues, etc.). **2.** *Abusiv.* Caractères et influence attribués aux Juifs par l'idéologie antisémite.

semi-voyelle n. f. PHON Phonème intermédiaire entre la consonne et la voyelle. *Le* [j] *de* [pje] *(pied), le* [ɥ] *de* [tɥe] *(tuer), le* [w] *de* [fwɛ] *(fouet) sont des semi-voyelles.* Syn. semi-consonne.

Semmelweis (Ignác Fülöp) (Buda, 1818 – Vienne, 1865), médecin hongrois. Obstétricien, il découvrit que la fièvre puerpérale était due à des agents infectieux et préconisa l'asepsie.

Semmering (le), col des Alpes autrichiennes (986 m), emprunté par la voie ferrée et la route de Vienne à Trieste.

semoir n. m. Machine agricole destinée à semer les graines.

Semois ou **Semoy** (la), riv. de Belgique et de France (198 km), affl. de la Meuse (r. dr.); draine l'Ardenne.

semonce n. f. **1.** Avertissement mêlé de reproches, réprimande. *Une verte semonce.* **2.** MAR *Coup de semonce :* coup tiré à blanc, ou réel, pour ordonner à un navire d'arborer ses couleurs, et éventuellement de stopper; fig. manœuvre visant à intimider qqn.

semoncer v. tr. [12] **1.** Litt. Réprimander. **2.** MAR Faire une semonce à un navire.

semoule n. f. Farine granulée obtenue par broyage grossier du blé dur. – Par ext. *Semoule de riz, de maïs.* ▷ (En appos.) *Sucre semoule :* sucre en poudre à gros grains.

semoulerie n. f. Industrie des semoules.

Sempach, bourg de Suisse (Lucerne), sur le *lac de Sempach.* – Victoire des Suisses sur le duc Léopold d'Autriche (1386) qui y fut tué.

Sempé (Jean-Jacques) (Bordeaux, 1932), dessinateur humoristique français. *Le Petit Nicolas* (avec Goscinny), *Rien n'est simple, Sauve qui peut.*

semper virens [sɛ̃pɛʀviʀɛ̃s] adj. inv. ou **sempervirent, ente** [sɛ̃pɛʀviʀɑ̃, ɑ̃t] adj. Se dit des plantes à feuillage persistant ou des forêts composées de telles plantes.

sempiternel, elle adj. Rare Continuel, perpétuel (avec une idée de répétition lassante).

Semprun (Jorge) (Madrid, 1923), écrivain espagnol d'expression française et castillane, et homme politique. Auteur de romans (*la Deuxième Mort de Ramón Mercader,* 1968) et de scénarios (*Z,* 1968; *l'Aveu,* 1969, films de Costa-Gavras). Dirigeant du P.C. espagnol clandestin, résistant, déporté à Buchenwald, il a été ministre de la Culture en Espagne (1988-1991). ► illustr. page **1718**

Semur-en-Auxois, ch.-l. de cant. de la Côte-d'Or (arr. de Montbard), sur l'Armançon; 5 085 hab. – Égl. Notre-Dame (XIIIe-XVe s.). Remparts. Ruines d'un chât. (XIIe et XVIIe s.).

sen [sɛn] n. m. inv. Unité monétaire divisionnaire de plusieurs pays d'Extrême-Orient.

Sen (Amartya) (Bombay, 1934), économiste indien. Il est l'auteur de travaux sur l'appauvrissement collectif et individuel. P. Nobel 1998.

Sena, dynastie indienne qui régna sur le Bengale méridional aux XIe et XIIe s.

Senancour (Étienne Pivert de) (Paris, 1770 – Saint-Cloud, 1846), écrivain français préromantique. Disciple de Rousseau et des romantiques allemands, il fonde les principes de la morale sur l'instinct : *Oberman* (1804).

Sénanque (abbaye de), abbaye cistercienne (fondée en 1148), située sur la com. de Gordes (Vaucluse), toujours habitée par des moines.

l'abbaye de **Sénanque,** XIIe s.

Sénart (forêt de), forêt (2 500 ha) du dép. de l'Essonne, au S.-E. de Paris, entre les vallées de la Seine et de l'Yerres.

sénat n. m. **1.** HIST Nom donné aux assemblées politiques les plus importantes, chez divers peuples, à diverses époques. *Le sénat romain. Le sénat de Venise.* ▷ (Avec une majuscule.) En France, sous le Consulat, le Premier et le Second Empire, conseil dont le rôle principal était de veiller au respect de la Constitution. **2.** (Avec une majuscule.) Une des deux assemblées délibérantes de certaines nations (France, É.-U., Italie, etc.). **3.** Édifice où siège cette assemblée.

ENCYCL En France, le Sénat a essentiellement un pouvoir législatif (l'Assemblée nationale conservant, seule, la possibilité de mettre en cause la responsabilité du gouv. et ayant le dernier mot dans l'élaboration de la loi). Il est formé de 320 membres élus au suffrage universel indirect pour neuf ans (sauf pour les 6 représentants des Français établis à l'étranger) et renouvelable par tiers tous les trois ans.

sénateur n. m. Membre d'un sénat. ▷ Loc. fam. *Train de sénateur :* démarche lente et solennelle.

sénatorial, ale, aux adj. De sénateur; relatif aux sénateurs. ▷ HIST *Ordre sénatorial :* classe assujettie au cens, dans laquelle se recrutaient les sénateurs de la Rome antique, à l'époque impériale.

sénatus-consulte [senatyskɔ̃sylt] n. m. HIST Décision du sénat, dans la Rome antique. ▷ Acte voté par le Sénat et ayant la valeur d'une loi sous le Consulat, le Premier et le Second Empire. *Des sénatus-consultes.*

Sendai, v. du Japon, dans le N.-E. de Honshū; 788 930 hab.; ch.-l. de ken. Industr. métall. et text. (soie).

séné n. m. **1.** Nom cour. de divers arbrisseaux d'Afrique tropicale (fam. césalpiniacées) aux feuilles pennées et dont le fruit est en forme de gousse. **2.** Pulpe des gousses de ces arbrisseaux, aux propriétés laxatives. ▷ Loc. fig. Litt. *Passez-moi la rhubarbe, je vous passerai le séné :* rendez-moi service, je vous le revaudrai.

sénéchal, aux n. m. HIST **1.** Officier de cour présentant les plats au roi. ▷ Officier chargé de gouverner la maison d'un prince. **2.** À l'époque franque et sous les premiers Capétiens, le premier des officiers royaux (fonction supprimée en 1191). **3.** Titre donné à des officiers royaux possédant des attributions judiciaires et financières, partic. au S. de la Loire et correspondant au bailli pour les régions du N.

sénéchaussée n. f. HIST **1.** Étendue de la juridiction d'un sénéchal. **2.** Lieu où se tenait le tribunal d'un sénéchal; ce tribunal lui-même.

séneçon [sɛnsɔ̃] n. m. BOT Plante adventive (fam. composées), commune en Europe (plusieurs espèces africaines sont arborescentes; d'autres, telle la cinéraire, sont ornementales).

Senefelder (Aloys) (Prague, 1771 - Munich, 1834), écrivain et inventeur allemand. Il mit au point la lithographie.

Sénégal (le), fl. de l'Afrique occid. (1 700 km). Formé par la réunion, au Mali, du Bafing, branche princ. née dans le Fouta-Djalon (Guinée), et du Bakhoy, il sert ensuite de frontière commune au Sénégal et à la Mauritanie, et se jette dans l'Atlantique, en aval de Saint-Louis, par une embouchure marécageuse, où se forme une barre dangereuse. Fleuve irrégulier, en partie navigable, servant surtout à l'irrigation (riche vallée); en cours d'aménagement (barrage contre le sel à Diama et barrage hydroélectrique d'une grande puissance à Manantali).

Sénégal (république du), État d'Afrique occid., sur l'Atlantique; 196 722 km^2; 6 882 000 hab.; croissance démographique : plus de 2,5 % par an; cap. *Dakar*. Nature de l'État : rép. de type présidentiel. Langue off. : franç. Monnaie : franc C.F.A. Princ. ethnies : Wolofs (40 %), Peuls, Sérères, Toucouleurs, Diolas. Relig. : islam en majorité (80 %).

Géogr. phys. et hum. - Le pays, très plat, est drainé au N. par le Sénégal et au S. par la Gambie et la Casamance. Le climat, tropical sec sahélien au N. (steppe), est de type soudanais, plus humide au S. (savane arborée et même forêt en Casamance). Côtes et vallées groupent la majorité des hab. La pop. est rurale à 60 %.

Écon. - Un effort de diversification des cultures d'exportation (coton, canne à sucre et, surtout, arachide, en régression, malgré son 2e rang mondial) a été fait. Cependant, la faible augmentation de la production des cultures vivrières (riz, mil, sorgho), due notam. à une sécheresse endémique depuis 1968, ne permet pas au pays de se nourrir. La situation écon. reste très difficile et le chômage est important. L'élevage est peu florissant, mais la pêche constitue une ressource notable. L'exploitation minière s'accélère : un peu de pétrole, des phosphates surtout, fer, salines. Les industries, concentrées essentiellement dans la rég. de Dakar, sont liées à la transformation des produits de base, arachide et phosphates (huiles, engrais), et à la manufacture de tissus de coton ainsi qu'à d'autres biens de consommation courante (prod. pharm., montage et réparation de matériels auto. et agric.). Le comm. extérieur, déficitaire, se fait surtout avec la France (par le port de Dakar). Le Sénégal possède d'assez bonnes liaisons intérieures. Le tourisme est en plein essor. Le port de Dakar demeure le plus important de la côte africaine.

Hist. - La région fut peuplée dès la préhistoire. Au XIe s., les Almoravides islamisèrent la vallée du fl. Sénégal, qui, base d'expansion de l'islam, acquit une grande importance. À partir du XVe s., les côtes furent reconnues par les Européens. La colonisation française débuta au XVIIe s. (fondation de Saint-Louis, 1659). L'intérieur du pays fut soumis par Faidherbe (1854-1865), qui s'attacha à sa mise en valeur (arachide, coton) et fonda Dakar en 1857. La citoyenneté française fut accordée aux habitants des quatre communes : Dakar, Gorée, Rufisque et Saint-Louis. La colonie fut une base de l'expansion française en Afrique occidentale, et Dakar devint le siège du gouvernement général de l'A.-O.F. en 1902. République autonome en 1958, le Sénégal fut d'abord groupé, avec la république du Soudan, en une fédération du Mali (1959-1960). Après la rupture, le pays, devenu indépendant (1960), s'organisa en une république, dotée en 1963 d'une Constitution de type présidentiel à parti unique. Il fut longtemps dominé par Léopold S. Senghor*, président de la République de 1960 à 1980. Le 1er janvier 1981, il remit le pouvoir à son Premier ministre, Abdou Diouf. Le multipartisme fut rendu constitutionnellement légal. A. Diouf, élu président de la République en fév. 1983 (avec 84 % des suffrages), supprima le poste de Premier ministre en avril. Entre-temps, après l'intervention de l'armée sénégalaise en Gambie (nov. 1980) pour réprimer une tentative de subversion, la confédération de Sénégambie* fut proclamée le 17 déc. 1981. Les élections générales de fév. 1988, tout en donnant au prés. Diouf une large majorité, provoquèrent un grave malaise (accusations de fraude électorale). À partir d'avr. 1989, entre Noirs, sénégalais ou mauritaniens, et Mauritaniens arabophones, des massacres furent perpétrés de chaque côté de la frontière. En août, les relations diplomatiques furent rompues. Le Sénégal mit fin alors à la fédération de Sénégambie. Abdou Diouf a été réélu prés. en 1993 et a reconduit, en 1995, le gouvernement d'Habib Thiam en place depuis 1991, mais il n'a remporté les élections de 1998 qu'à une courte majorité des 40 % de suffrages exprimés.

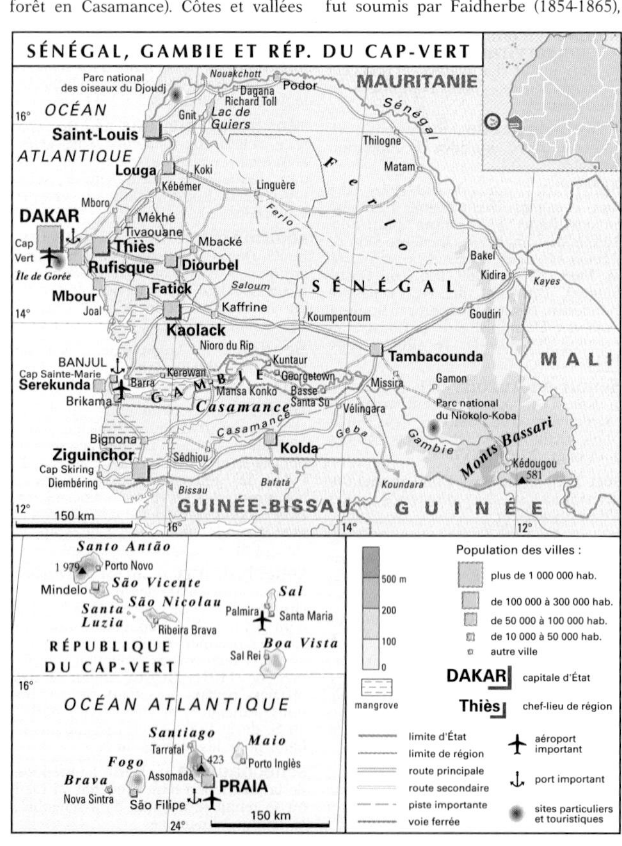

sénégalais, aise adj. et n. Du Sénégal. ▷ Subst. *Un(e) Sénégalais(e).*

Sénégambie, confédération réunissant les États du Sénégal et de la Gambie, proclamée le 17 déc. 1981, en vigueur de 1982 à 1989.

Sénèque (en lat. *Lucius Annæus Seneca*), dit *Sénèque le Père* (Cordoue, v. 55 av. J.-C. - v. 39 ap. J.-C.), écrivain latin; auteur de *Controverses*, ouvrage destiné à la formation des orateurs. – **Lucius Annæus Seneca,** dit *Sénèque le Philosophe* (Cordoue, v. 4 av. J.-C. - Rome, 65 ap. J.-C.), fils du préc.; philosophe, homme d'État et auteur tragique latin. Questeur, puis sénateur, ayant commencé à Rome une brillante carrière politique, favorisée par ses dons d'éloquence, il fut exilé en Corse (41-49) à la suite d'intrigues menées par Messaline. En 49, Agrippine le rappela et le chargea de l'éducation du jeune Néron, dont, plus tard, il s'efforça en vain de modifier le comportement de despote. Nommé consul (57) puis tombé en disgrâce (62), il s'éclipsa; en 65, Néron l'impliqua dans la conspiration de Calpurnius Pison et lui ordonna de se suicider; Sénèque s'ouvrit les veines. Son œuvre, qui comprend des traités de morale (*De la clémence, Des bienfaits*), des dialogues philosophiques (*Consolations à Helvia, Sur la brièveté de la vie, Sur la providence*), un ouvrage scientifique (*Questions naturelles*), des tragédies (*Médée, les Troyennes, Phèdre*) et des lettres (*Lettres à Lucilius*), est nourrie par la pensée stoïcienne.

sénescence [senesɑ̃s] n. f. Didac. Vieillissement. ▷ *Par ext.* Affaiblissement des capacités d'un individu, provoqué par le vieillissement.

sénescent, ente adj. Qui présente les caractères de la sénescence.

senestre [sənɛstʀ] ou **sénestre** [senɛstʀ] n. f. et adj. **1.** n. f. Vx Main gauche. ▷ *Par extens.* Côté gauche. **2.** adj. HERALD *Le côté senestre* : le côté gauche de l'écu (c.-à-d. le côté droit pour l'observateur). **3.** adj. ZOOL Se dit d'une coquille de mollusque qui présente un enroulement vers la gauche.

sénevé n. m. Moutarde des champs (fam. crucifères).

Senghor (Léopold Sédar) (Joal, près de Dakar, 1906), homme politique et poète sénégalais. Dans ses œuvres (*Chants d'ombre*, 1945; *Hosties noires*, 1948; *Éthiopiques*, 1956; *Nocturnes*, 1961; *Élégies majeures*, 1979), il s'est attaché à réhabiliter les valeurs culturelles africaines et à célébrer la grandeur de la «négritude». Agrégé de lettres, élu premier président de la république du Sénégal (1960), il fut réélu à la quasi-unanimité des suffrages en 1963, 1968 et 1973; en 1978, il l'emporta avec 82 % des voix. Il se retira le 1er janvier 1981 et fut remplacé par Abdou Diouf. Acad. fr. (1983).

Sénèque le philosophe

L. S. **Senghor**

sénile adj. **1.** Qui est dû à la vieillesse ou qui s'y rapporte. **2.** Atteint de sénilité.

sénilité n. f. État d'une personne âgée dont les capacités intellectuelles sont diminuées.

senior [senjɔʀ] n. et adj. **1.** SPORT Sportif adulte de la catégorie intermédiaire entre celle des juniors et celle des vétérans. – adj. *Catégorie senior.* **2.** n. (Anglicisme) Fam. Retraité, personne du troisième âge. **3.** Personne ayant une bonne expérience professionnelle.

séniorité n. f. Didac. Prérogatives conférées à qqn du fait de son ancienneté au sein d'un groupe.

Senlis, ch.-l. d'arr. de l'Oise; 15 226 hab. Électroménager, constr. mécaniques. – Anc. évêché. Enceinte gallo-romaine. Anc. cath. Notre-Dame (XIIe-XIIIe s.). Hôtel de ville (XVe-XVIIIe s.).

Sennachérib (m. en 681 av. J.-C.), roi d'Assyrie (705-681 av. J.-C.), fils et successeur de Sargon II. Il réprima les soulèvements de Syrie-Palestine, de Babylonie (mettant à sac Babylone en 689 av. J.-C.) et tenta en vain d'envahir l'Égypte. Son règne fut également marqué par d'importants travaux d'embellissement de Ninive.

senne ou **seine** [sɛn] n. f. PECHE Long filet que l'on traîne sur les fonds sableux en eau peu profonde.

Senne (la), riv. de Belgique (103 km), affl. de la Dyle (r. g.); naît dans le Hainaut; passe à Bruxelles.

Sennett (Michael Sinnott, dit Mack) (Danville, Canada, 1880 – Hollywood, 1960), cinéaste américain. Formé par Griffith, il créa le style burlesque. Il

Mack **Sennett**

Olivier de **Serres**

découvrit les grands comiques américains : Chaplin, Keaton, Harold Lloyd, W.C. Fields, etc.

sénologie n. f. Spécialité médicale qui s'occupe du sein.

sénonais, aise adj. et n. De Sens.

Senones, Sénons ou **Sénonais,** anc. peuple de la Gaule installé dans le pays correspondant auj. aux dép. de l'Yonne, de Seine-et-Marne et de la Marne. Ils avaient *Agedincum* ou *Senones* (Sens) pour capitale.

señorita [seɲɔʀita] n. m. (Mot esp.) Petit cigare.

Sénoufo(s), peuple d'Afrique noire occupant des territoires en Côte-d'Ivoire septent., au Mali et au Burkina Faso. Cultivateurs sédentaires, ils ont créé un art (masques, figures d'ancêtres, etc.) d'une grande originalité.

Sénousret ou **Sésostris,** nom porté par trois pharaons égyptiens de la XIIe dynastie. – **Sénousret Ier,** roi entre 1970 et 1936 env. av. J.-C. – **Sénousret II,** roi entre 1906 et 1888 env. av. J.-C. – **Sénousret III,** roi entre 1887 et 1850 env. av. J.-C.

Senoussi, Senoussis, Senousi, Senousis ou **Sanusi** *(Sanūsī)*, membre d'une confrérie musulmane *(Sanūsiyyah)* fondée v. 1837 par *Muhammad ibn'Ali S-Sanūsī* (Al-Wasitah, Algérie, v. 1787 – Djaghbub, Libye, 1859) et implantée notam. en Libye, pays dont, en 1951, le chef de la confrérie devint roi (Idris Ier).

1. sens [sɑ̃s] n. m. **I. 1.** Faculté d'éprouver des sensations d'un certain ordre (visuelles, auditives, tactiles, olfactives, gustatives) et, en conséquence, de percevoir les réalités matérielles. *Les organes des sens.* – *Le sixième sens* : l'intuition. – Fig. *Cela tombe sous le sens* : c'est évident. ▷ RELIG *Peine du sens* : peine du feu, pour les damnés (par oppos. à *peine du dam*). **2.** Plur. *Les plaisirs des sens* : les plaisirs liés aux sensations physiques, spécial. dans le sens du plaisir sexuel. ▷ *L'éveil des sens,* de la sexualité. **3.** *Le sens de.* Connaissance spontanée, intuitive. *Avoir le sens des nuances, de l'hospitalité, du commerce.* – *Sens pratique* : habileté à résoudre les problèmes de la vie quotidienne. **4.** *Bon sens* : capacité de bien juger. *Un homme de bon sens.* **5.** Manière de juger, de voir les choses. *Abonder dans le sens de qqn. À mon sens* : à mon avis. ▷ *Sens commun* : ensemble des jugements communs à tous les hommes. *Cela choque le sens commun.* **II. 1.** Idée, concept représenté par un signe ou un ensemble de signes. *Sens d'un geste. Sens propre, sens figuré d'un mot. Un faux sens* : une interprétation erronée du sens d'un mot. **2.** Caractère intelligible de qqch, permettant de justifier son existence. *Le sens de la vie.*

2. sens [sɑ̃s] n. m. **1.** Orientation donnée à une chose. *Disposer une couverture dans le sens de la longueur.* ▷ Loc. *Sens* [sɑ̃] *dessus dessous* : de manière que ce qui devrait être dessus se trouve dessous; *par ext.,* dans un grand désordre. – *Sens* [sɑ̃] *devant derrière* : de façon que ce qui devrait être devant se trouve derrière. **2.** Axe suivant lequel on exerce une action sur une chose, et qui est défini par rapport à un ou à plusieurs éléments de cette chose. *Couper du tissu dans le sens des fils.* **3.** Orientation d'un déplacement. *Nager dans le sens du courant. Le sens de la marche d'un train.* – *(Voie à) sens unique* : voie sur laquelle la circulation n'est autorisée que dans un seul sens. – *Panneau de sens interdit.* ▷ MATH Orientation d'un vecteur le long de son support. – *Sens direct* ou *sens trigonométrique* : sens inverse de celui des aiguilles d'une montre. ▷ Fig. *Toutes ces recherches vont dans le même sens. Le sens de l'histoire.*

Sens, ch.-l. d'arr. de l'Yonne, sur l'Yonne; 27 755 hab. (*Sénonais*). Constr. mécaniques et électriques; coffres-forts. – Archevêché. Cath. St-Étienne (XIIe s., remaniée du XIIIe au XVIe s.), l'un des plus anc. édifices gothiques de France. Palais synodal (XIIIe s., restauré par Viollet-le-Duc).

Sens (hôtel de), hôtel du quartier du Marais, à Paris, construit de 1475 à 1519 pour Tristan de Salazar, archevêque de Sens (Paris, évêché jusqu'en 1622, dépendait alors de Sens). Propriété de la Ville de Paris (1911), il abrite depuis 1961 la bibliothèque Forney (art décoratif, techniques).

sensation n. f. **1.** Phénomène psychique élémentaire provoqué par une excitation physiologique. *Les sensations peuvent être externes (tactiles, thermiques, visuelles, etc.) ou internes (faim, fatigue, vertige, etc.).* **2.** Émotion. *Ce concert nous a procuré des sensations inoubliables.* ▷ *Faire sensation* : produire une vive impression sur le public, dans une assemblée, etc. ▷ *Événement à sensation,* sensationnel (sens 1).

sensationnalisme n. m. Recherche systématique du sensationnel. *Le sensationnalisme d'une certaine presse.*

sensationnel, elle adj. **1.** Qui produit une forte impression. *Un article sensationnel.* **2.** Fam. Extraordinaire, remarquable. *Un type sensationnel.* (Abrév. fam., vieilli : sensass ou sensas.)

sensé, ée adj. Qui a du bon sens ou qui dénote le bon sens.

Sensée (la), riv. de France (60 km), affl. de l'Escaut (r. g.). – Le *canal de la Sensée* (25 km), très fréquenté, relie la Sensée et l'Escaut à la Scarpe.

sensément adv. De façon sensée.

senseur n. m. (Anglicisme) **1.** Syn. de *capteur.* **2.** Système d'optoélectronique permettant de déterminer l'orientation d'un satellite par rapport à un corps céleste. **3.** Dispositif de détection inclus dans une arme.

sensibilisateur, trice adj. et n. m. **1.** BIOL Se dit d'une substance qui peut provoquer une sensibilisation de l'organisme, qui se manifeste par une allergie ou une réaction d'hypersensibilité lors d'une nouvelle administration. **2.** PHOTO Qui sensibilise, peut sensibiliser (une émulsion, une plaque). ▷ n. m. *Sensibilisateur chromatique* : substance utilisée pour rendre une émulsion sensible à certaines couleurs. **3.** Qui sensibilise (qqn). *Une campagne publicitaire sensibilisatrice.*

sensibilisation n. f. **1.** BIOL Mécanisme immunologique de réponse de l'organisme mis en présence d'un antigène ou d'une substance sensibilisatrice. **2.** PHOTO Opération qui consiste à sensibiliser (une émulsion, une plaque). **3.** Fig. Action de sensibiliser qqn.

sensibiliser v. tr. [1] **1.** BIOL Produire la sensibilisation de l'organisme. **2.** PHOTO Rendre sensible (une plaque, une émulsion). **3.** Fig. *Sensibiliser qqn à une chose*, la lui rendre sensible, la lui faire percevoir, comprendre.

sensibilité n. f. **1.** Caractère d'un être sensible physiquement. *Sensibilité à la douleur.* ▷ *Spécial.* PHYSIOL Ensemble des fonctions sensorielles. **2.** Propriété d'un élément anatomique qui peut être excité par des stimuli. **3.** Caractère d'une personne sensible, au point de vue affectif, esthétique, moral. **4.** Propriété d'un instrument, d'une chose sensible. *Sensibilité d'une balance.* ▷ PHOTO *Sensibilité d'une émulsion photographique* : la plus ou moins grande rapidité avec laquelle une image peut être enregistrée par cette émulsion. ▷ PHYS Rapport entre la variation de la grandeur de sortie d'un appareil et la variation correspondante de la grandeur d'entrée. *Sensibilité d'une cellule photoélectrique.*

sensible adj. (et n.) **1.** Qui éprouve des sensations. *L'homme et les animaux sont des êtres sensibles.* ▷ *Sensible à* : qui est susceptible d'éprouver (telle sensation). **2.** Qui a la propriété de réagir à certains stimuli (tissus, organes vivants). *L'œil est sensible à la lumière.* ▷ Absol. *Avoir l'oreille sensible.* **3.** Qui devient facilement douloureux. *Point sensible.* **4.** Qui ressent vivement certaines émotions, certaines impressions morales, esthétiques. *Être sensible à la misère, à la beauté, aux compliments.* ▷ Absol. *Une personne sensible* (à toutes les impressions). – Subst. *Un(e) sensible.* – *Un cœur sensible*, compatissant. **5.** Qui réagit à de faibles variations (instruments, appareils). *Balance sensible au milligramme*, qui peut mesurer des variations de masse de 1 mg. ▷ PHOTO *Plaque, papier, émulsion sensible*, qui peut enregistrer une image photographique. **6.** MUS *Note sensible* ou, n. f., *la sensible* : 7e degré de la gamme, note placée à un demi-ton au-dessous de la tonique. **7.** PHILO Qui peut être perçu par les sens (par oppos. à *intelligible*). *Le monde sensible.* **8.** Perceptible, appréciable, notable. *Faire des progrès sensibles.*

sensiblement adv. **1.** De façon perceptible, appréciable. *La ville s'est sensiblement agrandie.* **2.** À peu de chose près. *Ils sont sensiblement du même âge.*

sensiblerie n. f. Sensibilité puérile, outrée.

sensitif, ive adj. et n. **1.** PHYSIOL Qui a rapport aux sensations, qui les transmet. *Nerfs sensitifs.* **2.** Sensible aux moindres impressions. ▷ Subst. *C'est une sensitive.*

sensitive n. f. Arbre (fam. légumineuses) originaire du Brésil, dont les feuilles composées se replient au moindre contact.

sensitivo-moteur, trice adj. PHYSIOL Qui concerne à la fois la sensibilité et la motricité. *Les nerfs sensitivo-moteurs.*

sensitométrie n. f. PHOTO Étude de la sensibilité d'une émulsion photographique.

sensoriel, elle adj. PSYCHO, PHYSIOL Relatif aux sens, aux organes des sens.

sensori-moteur, trice adj. PSYCHO, PHYSIOL Qui concerne à la fois la sensibilité, la sensation et la motricité. *Des troubles sensori-moteurs.*

sensualisme n. m. PHILO Doctrine selon laquelle toute connaissance dérive de la sensation. *Le sensualisme de Condillac.*

sensualité n. f. Caractère, inclination d'une personne sensuelle.

sensuel, elle adj. (et n.) **1.** Qui a rapport aux sens (1, sens I, 2). *Une jouissance toute sensuelle.* **2.** Se dit de personnes attachées aux plaisirs des sens (et notam. aux plaisirs sexuels). ▷ Subst. *C'est un(e) sensuel(le).* **3.** Qui donne ou exprime une émotion de caractère charnel. *Une voix sensuelle.*

sente n. f. Litt. Sentier.

sentence n. f. **1.** Décision de justice, jugement rendu par une autorité compétente. *Prononcer une sentence de mort.* **2.** Vieilli Formule énonçant généralement une règle de morale, d'une façon plus ou moins solennelle. *Parler par sentences.*

sentencieusement adv. Litt. D'une façon sentencieuse.

sentencieux, euse adj. Péjor. Qui s'exprime fréquemment par sentences (sens 2). – Par ext. *Un ton sentencieux*, d'une gravité affectée.

senteur n. f. Litt. Odeur, parfum. *Des senteurs de fleurs.*

senti, ie adj. **1.** Qui dénote sensibilité et authenticité. *Une œuvre bien sentie.* **2.** Qui est exprimé avec force et conviction. *Des remarques bien senties.*

sentier n. m. Chemin étroit. ▷ Fig., litt. *Les sentiers de la vertu.*

Sentier lumineux (en esp. *Sendero Luminoso*), mouvement de guérilla péruvien, fondé en 1970 dans le département d'Ayacucho par Abimaël Guzman et dont le but serait le retour aux principes communautaires des Indiens quechuas. Appliquant la stratégie maoïste de l'encerclement des villes par les campagnes, il lutte militairement contre l'État péruvien dep. 1980. (V. Pérou.) A. Guzman a été arrêté en 1992.

sentiment n. m. **1.** Tendance affective relativement durable, liée à des émotions, des représentations, des sensations; état qui en résulte. ▷ *Absol.* Ensemble des phénomènes affectifs. – Fam. *Faire du sentiment* : manifester une sentimentalité hors de propos. *Tu ne m'auras pas au sentiment*, par des démonstrations sentimentales. **2.** État affectif d'origine morale. *Avoir le sentiment de l'honneur.* ▷ Plur. (Dans des formules de politesse.) *Veuillez agréer l'expression de mes sentiments distingués.* **3.** Dispositions altruistes. *Ne pas s'embarrasser de sentiments dans les affaires.* **4.** Conscience, connaissance intuitive. *Avoir le sentiment de son infériorité. J'ai le sentiment d'être observé, que je suis observé.* **5.** Litt. Faculté d'apprécier (qqch). *Avoir le sentiment de la nature.* **6.** Litt. Opinion, avis. *Quel est votre sentiment sur sa conduite ?*

sentimental, ale, aux adj. et n. **1.** Relatif à la vie affective, et spécial. à l'amour. *L'attachement sentimental à son pays. La vie sentimentale de qqn.* **2.** Qui est empreint d'une tendance à l'émotion facile, un peu mièvre. *Une chanson sentimentale.* **3.** Se dit d'une personne dont la sensibilité est romanesque, vive et souvent un peu naïve. – Subst. *Un(e) sentimental(e).*

sentimentalement adv. D'une manière sentimentale.

sentimentalisme n. m. Tendance à manifester une sentimentalité excessive dans sa conduite.

sentimentalité n. f. Fait d'être sentimental (personnes); caractère de ce qui est sentimental.

sentinelle n. f. Soldat armé qui fait le guet, qui assure la garde d'un camp, d'une caserne, etc. ▷ *Être en sentinelle* : accomplir la mission d'une sentinelle; guetter, épier.

sentir v. [30] **A.** v. tr. **I. 1.** Percevoir par le moyen des sens (ne se dit pas pour la vue, ni pour l'ouïe; s'emploie spécial. pour le toucher et l'odorat). *Sentir une douleur. En tâtant ici, vous sentirez une bosse. On sentait l'odeur des foins.* ▷ Fig., fam. *Ne pas pouvoir sentir qqn*, ne pas pouvoir le supporter, ressentir de l'aversion à son égard. **2.** Respirer volontairement l'odeur de. *Sentez cette rose !* **3.** Exhaler, répandre une odeur de. *Cela sent le brûlé.* ▷ v. intr. *Cela sent bon.* – *Absol.* Sentir mauvais. *Qu'est-ce qui sent comme ça ?* – Fig., fam. *Cela sent mauvais* : se dit d'une affaire qui prend mauvaise tournure. **4.** Fig. Révéler, trahir. *Ces pages sentent l'effort.* **II.** Fig. **1.** Être conscient de, se rendre compte de. *Sentir le ridicule d'une situation.* ▷ *Faire sentir qqch à qqn*, lui en faire prendre conscience. – (Choses) *Se faire sentir* : se manifester. **2.** Être sensible (du point de vue esthétique) à (qqch). *Sentir les beautés d'un poème.* **3.** Percevoir intuitivement. *Je sens que tu te trompes à son égard.* **4.** Être affecté par (qqch ou qqn); éprouver, ressentir. *Elle a senti son absence ce soir-là. J'ai senti le pouvoir de cet homme.* **B.** v. pron. **1.** (Suivi d'un attribut.) Avoir conscience d'être. *Se sentir soulagé. Je ne me sens pas bien.* – (Suivi d'un inf.) *Elle se sentit défaillir.* – *Ne pas se sentir de joie* : être envahi, égaré par une joie extrême. **2.** Se rendre compte qu'on a (telle disposition intérieure). *Vous sentez-vous le courage de continuer ?* **3.** Fam. (Récipr.) *Ils ne peuvent pas se sentir* : ils ont de l'aversion l'un pour l'autre. **4.** (Choses) Être senti, perçu. *Une force morale qui se sent.*

Seo de Urgel ou **Urgel,** v. d'Espagne (Catalogne), sur le Sègre, près de l'Andorre; 10 190 hab. Industr. text. Comm. agric. – L'évêque d'Urgel est suzerain (avec le président de la Rép. française) de l'Andorre.

seoir [swaʀ] v. intr. [41] Litt. Aller bien (à), être convenable (pour). *Cette robe vous sied.* ▷ v. impers. *Il ne vous sied guère de me faire des remarques.*

Séoud ou **Ibn Séoud, Saoud** ou **Sa'ud** *(Sa'ūd)*, nom sous lequel sont connus en Occident deux rois d'Arabie* Saoudite. – **Abd al-Aziz III ibn Saoud** *('Abd al-'Azīz ibn Sa'ūd)* (Riyad, 1881 – id., 1953), roi de 1932 à 1953. Émir du Nadjd (1902), il se fit proclamer roi du Hedjaz en 1926 et réunit les deux territoires en un royaume d'Arabie Saoudite (1932). Après 1945, les richesses pétrolières lui permirent de moderniser le pays. – **Saoud Abd al-Aziz** *(Al-Su'ūd 'Abd al-'Azīz)* (Koweït, 1902 – Athènes, 1969), fils du précédent; roi de 1953 à 1964. Il fut déposé par son frère Faysal.

séoudien. V. saoudien.

Séoudite (Arabie). V. Arabie Saoudite.

Séoul ou **Kyöngsong,** cap. de la Corée du Sud, sur le Han, à 60 km du port d'Inchon, sur la mer Jaune; plus de 10 millions d'hab. Grand centre commercial et industriel (constr. méca-

Séoul

niques et industr. textiles, notam.). – La ville, très éprouvée pendant la guerre de Corée (1950-1953), a été reconstruite. Elle fut le siège des jeux Olympiques de 1988.

sep ou **cep** [sɛp] n. m. TECH Partie de la charrue qui porte le soc.

sépale n. m. BOT Chacune des pièces du calice d'une fleur.

séparable adj. Qui peut être séparé.

séparateur, trice adj. et n. m. **1.** adj. Qui a la propriété de séparer. ▷ PHYS *Pouvoir séparateur d'un instrument d'optique,* sa capacité à donner des images séparées de points ou d'objets rapprochés. **2.** n. m. TECH Appareil servant à séparer des éléments d'un mélange hétérogène. *Séparateur magnétique.* ▷ Cloison isolante placée entre les plaques d'un accumulateur.

séparation n. f. **1.** Action de séparer, de se séparer; son résultat. *Séparation des pouvoirs :* principe constitutionnel en vertu duquel les pouvoirs législatif, exécutif et judiciaire sont séparés. ▷ DR *Séparation de biens :* régime matrimonial dans lequel chacun des époux gère ses propres biens. – *Séparation de corps :* état résultant d'une décision de justice, dans lequel se trouvent deux époux qui, tout en restant mariés et soumis aux autres obligations du mariage, vivent séparément. ▷ PHYS NUCL *Séparation isotopique :* V. encycl. isotope. **2.** Chose qui sépare un espace, un objet d'un autre. ▷ Fig. Délimitation.

séparatisme n. m. Opinion de ceux qui souhaitent une sécession politique entre leur région et l'État dont celle-ci fait partie.

séparatiste n. et adj. Partisan du séparatisme. – adj. *Une volonté séparatiste.*

séparé, ée adj. **1.** Différent, distinct. *Chambres séparées.* **2.** Se dit de personnes qui ne vivent plus ensemble. *Époux séparés.*

séparément adv. À part l'un de l'autre, isolément. *On les a interrogés séparément.*

séparer v. [1] **I.** v. tr. **1.** Faire en sorte que cesse de former un tout (ce qui est joint ou mêlé). ▷ Fig. *Séparer les propositions à retenir de celles qui sont à rejeter.* **2.** Faire en sorte que cessent d'être ensemble (des personnes, des êtres vivants). – *Séparer deux adversaires,* les empêcher de se battre en les éloignant l'un de l'autre. ▷ Fig. *Un malentendu a séparé les deux amis.* **3.** Diviser (un espace) en plusieurs parties. *Cet appartement a été séparé en deux.* **4.** (Sujet n. de chose.) Former une séparation entre (deux choses, deux êtres vivants). *Le mur qui sépare ces deux maisons.* ▷ Fig. *Tout sépare ces deux personnes,* elles sont totalement différentes. **II.** v. pron. **1.** Devenir séparé. *Nos chemins se séparent ici.* **2.** Se quitter. *Nous devons nous séparer.* **3.** S'éloigner de; ne plus vivre avec. *Se séparer à regret de ses amis.*

sépia n. f. **1.** ZOOL Matière colorante brunâtre sécrétée par la seiche pour se dérober à la vue de ses prédateurs. **2.** Liquide colorant brun foncé dans la composition duquel entrait cette matière (remplacée auj. par d'autres colorants). **3.** Dessin, lavis exécuté avec la sépia.

sépiole n. f. ZOOL Mollusque céphalopode des mers d'Europe, voisin des seiches, de petite taille et possédant deux nageoires.

sépiolite n. f. MINER Écume de mer.

seps [sɛps] n. m. ZOOL Reptile saurien méditerranéen (genre *Chalcides*) ovovivipare, au corps fusiforme (une vingtaine de centimètres) et aux pattes réduites.

sept [sɛt] adj. inv. et n. m. inv. **I.** adj. num. inv. **1.** (Cardinal) Six plus un (7). *Les sept péchés capitaux.* **2.** (Ordinal) Septième. *Page sept.* – Ellipt. *Le sept décembre.* **II.** n. m. inv. **1.** Le nombre sept. ▷ Chiffre représentant le nombre sept (7). *Tracer un sept.* ▷ Numéro sept. *Habiter au sept.* ▷ *Le sept :* le septième jour du mois. *Nous sommes le sept.* **2.** JEU Carte portant sept marques. *Le sept de cœur.* **3.** POLIT *Groupe des Sept :* groupe des sept pays les plus industrialisés du monde (Allemagne, Canada, État-Unis, France, Grande-Bretagne, Italie, Japon) qui se réunissent régulièrement pour traiter des problèmes économiques mondiaux. (Abrév. cour. : G7).

Sept Ans (guerre de), guerre qui opposa, de 1756 à 1763, la France et l'Autriche à l'Angleterre et à la Prusse. Elle eut pour causes princ. la rivalité coloniale et économique franco-anglaise, et le désir de l'Autriche de reprendre la Silésie à la Prusse. L'Angleterre mena la guerre sur mer et dans les colonies, acculant à la défaite Montcalm au Canada (1760) et Lally-Tollendal aux Indes (1761). Sur terre, la France et l'Autriche, aidées par la Russie, la Suède et les princes allemands, remportèrent quelques succès, mais essuyèrent de notables défaites face à Frédéric II de Prusse (notam. à Rossbach en 1757). Par le traité de Paris (10 fév. 1763), Louis XV cédait le Canada, l'E. de la Louisiane, quelques îles des Antilles et une grande partie des possessions françaises dans l'Inde; territoires qui permirent à l'Angleterre de forger son empire. Par le traité d'Hubertsbourg (15 fév. 1763), Marie-Thérèse d'Autriche cédait définitivement la Silésie à la Prusse.

septante [sɛptɑ̃t] adj. num. cardinal (et n.) Vx ou dial. (Suisse, Belgique.) Soixante-dix.

Septante (les), les 72 ou 70 docteurs juifs d'Alexandrie auxquels on attribue légendairement la prem. traduction de la Bible en grec, au IIIe s. av. J.-C.

Sept Chefs ou, absol., **Sept** (guerre des), guerre légendaire qui opposa Étéocle, roi de Thèbes, à son frère Polynice et à six autres chefs. Étéocle et Polynice se donnèrent mutuellement la mort dans un combat singulier, et tous les autres chefs, sauf Adraste, périrent. Ils furent vengés dix ans plus tard par leurs fils, les Épigones, qui s'emparèrent de Thèbes.

septembre [sɛptɑ̃bʀ] n. m. Neuvième mois de l'année, comprenant trente jours.

Septembre (massacres de), massacres perpétrés du 2 au 6 septembre 1792 par les membres des sections révolutionnaires dans les princ. prisons parisiennes (Abbaye, Carmes, Salpêtrière, Bicêtre). La peur et l'insécurité, provoquées par l'invasion prussienne, et attisées par Marat et Danton, furent à l'origine de ces tueries. Le mouvement toucha quelques villes de province (Reims et Lyon, notam.).

Septembre (lois de), lois d'exception votées après l'attentat de Fieschi contre Louis-Philippe (1835).

Septembre (révolution du **4**), révolution qui suivit la capitulation de Sedan (2 sept. 1870) : à Paris, sans effusion de sang, fut proclamé l'avènement de la république.

Septembre noir, nom donné par la résistance palestinienne au massacre de plusieurs milliers de militants palestiniens perpétré par les forces jordaniennes, en septembre 1970. Par la suite, une organisation terroriste palestinienne a adopté ce nom.

septembrisades n. f. pl. HIST Massacres de Septembre*.

septembriseur n. m. HIST Chacun de ceux qui prirent part aux massacres de Septembre*.

Septèmes-les-Vallons, com. des Bouches-du-Rhône (arr. d'Aix-en-Provence); 10 435 hab. Prod. chimiques.

septennal, ale, aux adj. Didac. Qui dure sept ans; qui se produit tous les sept ans.

septennat n. m. Durée de sept ans d'une fonction. ▷ *Spécial.* Mandat septennal du président de la République française.

septentrion n. m. Litt., vieilli *Le septentrion :* le nord.

septentrional, ale, aux adj. Didac. Du nord; qui est situé au nord. *Les peuples septentrionaux.*

septicémie n. f. MED Infection générale grave causée par la dissémination dans le sang de germes pathogènes à partir d'un foyer primitif (abcès, anthrax, etc.).

septicémique adj. MED Relatif à la septicémie.

septicité n. f. Didac. Caractère de ce qui est septique, infectieux.

septième [sɛtjɛm] adj. et n. **I.** adj. num. ord. Dont le rang est marqué par le nombre 7. *Le septième jour. Habiter au septième étage* ou, ellipt., *au septième.* ▷ *Le septième art :* le cinéma. ▷ Fig. *Être au septième ciel :* être dans le ravissement. **II.** n. **1.** Personne, chose qui occupe la septième place. **2.** n. f. Vieilli Classe qui précède la sixième, deuxième année du cours moyen de l'enseignement primaire. **3.** n. m. Chaque partie d'un tout divisé en sept parties égales. **4.** n. f. MUS Intervalle de sept degrés. – Septième degré de la gamme diatonique.

Sept-Îles (les), archipel breton (Côtes-d'Armor), au large de Perros-Guirec, comprenant sept îlots dont l'île aux Moines. – Réserve ornithologique.

Sept-Îles, port du Québec (Canada), sur l'estuaire du Saint-Laurent (r. g.), au débouché de la voie ferrée qui dessert le Nouveau-Québec; 24 800 hab. Exportation de fer.

Septimanie, région de la Gaule qui s'étendait des Pyrénées au Rhône, dernier vestige de l'État wisigothique après la défaite de Vouillé (507). La région forma au Xe s. le duché de Narbonne.

Septime Sévère (en lat. *Lucius Septimius Severus*) (Leptis Magna, auj. Lebda, en Libye, 146 - Eburacum, auj. York, 211), empereur romain (193-211). Bon administrateur, il gouverna d'une manière autoritaire, annulant en fait les pouvoirs du sénat. Sa campagne victorieuse contre les Parthes (197-202) lui permit de constituer la province de Mésopotamie. Favorable aux cultes orientaux, il s'opposa au christianisme.

septique [sɛptik] adj. **1.** MED Qui provoque ou peut provoquer l'infection. ▷ Contaminé ou provoqué par des germes pathogènes. **2.** *Fosse septique* : fosse d'aisances dans laquelle les matières organiques se décomposent par fermentation.

Sept Sages (les). V. Sages.

septuagénaire adj. et n. Qui a entre soixante-dix et quatre-vingts ans. - Subst. *Un(e) septuagénaire.*

septuagésime n. f. LITURG Premier des trois dimanches précédant le carême.

septum [sɛptɔm] n. m. ANAT, SC NAT Cloison qui sépare deux cavités, deux parties d'un organe. *Septum nasal.*

septuor [sɛptɥɔʀ] n. m. MUS Composition pour sept voix ou sept instruments. ▷ Ensemble vocal ou instrumental de sept exécutants.

septuple [sɛptypl] adj. Qui vaut sept fois autant. *Valeur septuple.* ▷ n. m. *Mise qui rapporte le septuple.*

sépulcral, ale, aux adj. Fig. Qui fait penser au tombeau, à la mort. *Voix sépulcrale,* caverneuse.

sépulcre n. m. Litt. Tombeau. ▷ *Le Saint-Sépulcre**

sépulture n. f. **1.** Vx ou litt. Inhumation. *Être privé de sépulture,* enterré non religieusement. **2.** Lieu où l'on enterre un mort; monument funéraire.

Séquanaise, pays de Gaule entre les sources de la Seine et le Jura.

Séquanes ou **Séquanais** (de *Sequana,* nom lat. de la Seine), peuple de la Gaule installé dans la Séquanaise.

séquano-dionysien, enne adj. et n. De la Seine-Saint-Denis.

séquelle n. f. (Surtout au plur.) MED Manifestation pathologique qui persiste après une maladie, un accident, etc. ▷ Fig. Suite fâcheuse d'un état, d'un événement, etc.

séquençage n. m. BIOL Décryptage des diverses séquences moléculaires constituant un gène.

séquence n. f. **1.** LITURG Chant rythmé qui suit le verset de l'alléluia ou le trait dans certaines messes solennelles. **2.** JEU Suite d'au moins trois cartes de même couleur. - Au poker, suite de cinq cartes de couleur quelconque. **3.** LING Suite ordonnée d'éléments. **4.** CINE, AUDIOV Suite de plans constituant une des divisions du récit cinématographique. **5.** INFORM Suite de phases d'un automatisme séquentiel. **6.** BIOL Ordre dans lequel s'enchaînent les acides aminés d'une protéine, les bases d'un acide nucléique. **7.** PHOTO Série de photos constituant une œuvre. **8.** Didac. Suite d'opérations, d'éléments ordonnés ou enchaînés.

séquencer v. tr. [**12**] Biol. Effectuer le séquençage d'une protéine, d'un gène.

séquenceur n. m. **1.** INFORM Organe de commande d'un automatisme séquentiel. **2.** BIOL Dispositif de séquençage automatique.

séquentiel, elle [sekɑ̃sjɛl] adj. Relatif à une séquence. ▷ INFORM Qui commande une suite ordonnée d'opérations.

séquentiellement adv. De façon séquentielle.

séquestration n. f. Action de séquestrer; son résultat. ▷ *Spécial.* DR Délit ou crime consistant, pour un particulier, à tenir une personne séquestrée arbitrairement.

séquestre n. m. DR Remise d'une chose litigieuse en main tierce jusqu'au règlement de la contestation. *Mettre, placer un bien sous séquestre.* ▷ Acte par lequel un État en guerre s'empare des biens ennemis situés sur son territoire.

séquestrer v. tr. [**1**] **1.** DR Mettre sous séquestre. **2.** Cour. Tenir (qqn) enfermé. ▷ *Spécial.* Tenir (qqn) enfermé arbitrairement et illégalement.

sequin n. m. Ancienne monnaie d'or de Venise.

séquoia [sekɔja] n. m. Conifère de Californie d'une taille élevée (jusqu'à 140 m) et d'une longue durée de vie (jusqu'à 30-40 siècles).

séquoia géant : la pousse, à g., et le cône vert

sérac n. m. **1.** GEOL Bloc de glace dû à la fragmentation d'un glacier aux ruptures de pente. **2.** Caillé blanc et compact obtenu à partir du sérum provenant de la fabrication du gruyère.

sérail n. m. **1.** Palais du sultan à Istanbul *(le Sérail),* d'un gouverneur de province, dans la Turquie ottomane. - Ensemble des services administratifs, politiques, militaires, du sultan, d'un gouverneur. **2.** Fig. Milieu étroit, proche du pouvoir. ▷ *Nourri dans le sérail* : qui a une longue expérience (d'un milieu, d'une organisation). **3.** Harem.

Seraing, com. de Belgique (Liège), sur la Meuse; 64 540 hab. Centre sidérurgique et métallurgique.

sérapéum [seʀapeɔm] n. m. ARCHEOL En Égypte, nécropole des taureaux Apis, devenus Osiris à leur mort. - Temple de Sérapis.

séraphin n. m. Ange décrit par Isaïe avec trois paires d'ailes. - THEOL *Séraphins :* premier chœur de la première hiérarchie des anges.

séraphique adj. **1.** THEOL Relatif aux séraphins. **2.** Fig. Angélique, éthéré. *Grâce séraphique.*

Sérapis ou **Sarapis,** divinité d'origine incertaine (probabl. réunion d'Osiris et d'Apis), créée en Égypte par les Ptolémées, dieu des Morts et dieu guérisseur. Son culte s'est étendu à tout le monde méditerranéen.

serbe adj. et n. De Serbie.

Sérapis sous sa forme humaine, haut-relief d'une stèle à deux faces, sculpture ptolémaïque; Musée égyptien, Turin

Serbie (en serbe *Srbija*), rép. fédérée de Yougoslavie (constituée en 1992 par la Serbie et le Monténégro), dans l'E. du pays; 88 361 km^{2} (avec les territ. de Vojvodine et du Kosovo); 9 656 000 hab.; cap. *Belgrade.* Langue off. : serbe. Monnaie : dinar. Pop. : Serbes (65,6 %), minorités hongroise et albanaise. Relig. : christianisme orthodoxe.
Géogr. et écon. - La région s'étend sur les massifs des Balkans et du Rhodope, coupés de bassins et arrosés par la Morava (hormis dans le N., où se trouve la Vojvodine, extrémité méridionale du bassin pannonien, drainée par la Tisza). L'agriculture est dominante : céréales (maïs, surtout), élevage. La Serbie recèle d'import. ressources minières et énergétiques : lignite, cuivre, antimoine, hydroélectricité, qui ont permis l'essor des industries de transformation (dans la vallée de la Morava et à Belgrade). La guerre et les sanctions adoptées par l'ONU à partir de 1991 affectent gravement l'économie.
Hist. - Rattachée à la province romaine de Mésie, envahie v. le VIIe s. par les Serbes, la région, christianisée au IXe s., fut disputée par les Byzantins et les Bulgares. Elle forma un royaume indépendant en 1180 et eut une Église autonome v. 1220. Elle s'agrandit notablement sous la dynastie des Nemanjič (XIIe-XIVe s.) mais, le règne glorieux d'Étienne Douchan (1331-1355) terminé, elle tomba aux mains des Turcs après la défaite de Kosovo (1389). Malgré l'aide des Habsbourg au XVIIIe s. et plusieurs soulèvements violents, l'occupation, très dure, s'exerça jusqu'en 1815. Dirigée par Karageorges, une insurrection échoua (1804-1813). Miloš Obrenović, qui reprit la lutte, obtint de la Turquie, en 1830, la reconnaissance de la Serbie comme principauté autonome (avec maintien de la suzeraineté turque). Le pouvoir fut disputé durant le XIXe s. entre la famille des Obrenović* et celle des Karadjordjević. (V. Karageorges.) Placée sous la protection des puissances européennes par le traité de Paris (1856), la Serbie, totalement indépendante en 1878 (congrès de Berlin), forma un royaume héréditaire en 1882 au profit des Obrenović, qui succédait

à un régime d'élection du souverain par l'Assemblée nationale. Foyer d'un mouvement nationaliste qui prétendait libérer et unir tous les Slaves du Sud en s'appuyant sur l'alliance russe, plus forte territorialement après les guerres balkaniques (1912-1913), elle provoqua l'hostilité de l'Autriche, qui lui déclara la guerre le 28 juillet 1914 à la suite de l'attentat de Sarajevo (28 juin 1914) et de l'ultimatum du 23 juillet 1914. Durement éprouvée par l'occupation germano-bulgare (1915-1918), délivrée par les Alliés, la Serbie domina le royaume des Serbes, Croates et Slovènes, créé en 1918 et dénommé plus tard (1929) Yougoslavie. En 1945, elle devint république fédérée au sein de la Yougoslavie. Le nationalisme serbe, qui s'était déjà exprimé avec brutalité au Kosovo* et en Vojvodine*, où l'autonomie a été supprimée en 1990, a tenté de maintenir par la force, depuis 1991, une fédération de Yougoslavie*. La Serbie, qui a soutenu les Serbes de Croatie et de Bosnie en guerre, a constitué le 27 avril 1992 avec le Monténégro une nouvelle Rép. fédérale de Yougoslavie. Le parti socialiste (ex-communiste) de S. Milosevic domine dès lors la vie politique. Une politique de « purification ethnique » (visant à chasser les non-Serbes) a été mise en pratique au Kosovo, au Sandjak et en Vojvodine. L'ONU, tenant la Serbie pour responsable de la guerre en Bosnie-Herzégovine, décrète un embargo (1992-1995). Réélu à la présidence de la Rép. en 1994, S. Milosevic signe le compromis de Dayton (1995), qui reconnaît l'existence de la Rép. de Bosnie comme État multiethnique unifié. En 1997, il cède le poste de président à Milan Milutinovic pour celui de président de la Rép. fédérale de Yougoslavie. En mars 1999, l'intensification de la purification ethnique au Kosovo entraîne l'intervention de l'O.T.A.N. qui bombarde les installations militaires et économiques sur l'ensemble du territoire.

serbo-croate adj. et n. **1.** adj. Relatif à la Serbie et à la Croatie. **2.** LING Langue du groupe slave du Sud qui s'écrit grâce à l'alphabet cyrillique en Serbie et au Monténégro et grâce à l'alphabet latin en Croatie et en Bosnie.

Sercq (en angl. *Sark*), une des îles Anglo-Normandes, composée de deux territoires *(Grand Sercq* et *Petit Sercq)* qu'unit une étroite bande de terre (la Coupée); 5 km^2; 580 hab.

séré n. m. Fromage blanc compact.

1. serein, eine adj. **1.** (Conditions atmosphériques.) Pur et calme. *Ciel serein.* **2.** Fig. Exempt de trouble, d'inquiétude. *Des jours sereins. Un esprit serein.* – *Un jugement serein,* non entaché de passion, de partialité.

2. serein n. m. Litt. Fraîcheur qui tombe par temps clair, les soirs d'été.

Serein (le), riv. de France (186 km), affl. de l'Yonne (r. dr.); passe à Chablis.

sereinement adv. D'une manière sereine (sens 2). *Il a réagi sereinement.*

Serena (La), v. et port du Chili; 106 620 hab.; ch.-l. de la rég. de Coquimbo. Marché du cuivre. Argent.

sérénade n. f. **1.** Anc. Concert de voix ou d'instruments donné la nuit sous les fenêtres de qqn. **2.** MUS Composition instrumentale ou vocale en plusieurs mouvements. **3.** Fam. Charivari. **4.** Fig., fam. Reproches. *Il recommence sa sérénade!*

sérénissime adj. Titre honorifique donné à certains princes. *Altesse sérénissime.* ▷ HIST *La Sérénissime République :* la république de Venise au XVe s.

sérénité n. f. **1.** État serein (d'une personne, de son apparence, etc.). ▷ Caractère d'un jugement serein, impartial. **2.** Litt. État d'un ciel serein.

Sérères, population noire du Sénégal (princ. agriculteurs).

séreux, euse adj. et n. f. MED Qui a les caractères de la sérosité, du sérum. ▷ *Membrane séreuse* ou, n. f., *séreuse :* membrane qui tapisse les cavités closes de l'organisme.

serf, serve [sɛʀ(f), sɛʀv] n. et adj. **1.** n. FEOD Personne attachée à une terre et vivant dans la dépendance d'un seigneur. **2.** adj. Relatif aux serfs, à leur état. *Condition serve.* ▷ Fig., litt. Sans indépendance; servile. *Des esprits serfs.*

serfouette n. f. AGRIC Petite pioche dont le fer comporte une lame et une fourche ou une houe.

serge n. f. Tissu de laine sec et serré à armure de sergé.

Serge, en gr. *Sergios* (m. en 638), patriarche de Constantinople (610-638), qu'il défendit contre les Avares (626). Il est l'inspirateur du monothélisme.

sergé n. m. TEXT Une des armures fondamentales utilisées dans le tissage, qui forme des côtes obliques.

Serge de Radonège (saint) (Rostov-sur-le-Don, v. 1321 – Zagorsk, 1391), rénovateur de la vie monastique en Russie. Dans les monastères qui se réclamèrent de lui s'épanouit une brillante vie artistique (Andreï Roublev).

sergent n. m. **1.** Vieilli *Sergent de ville :* agent de police. **2.** Sous-officier du grade le plus bas dans certaines armes (infanterie, génie, aviation, etc.). – *Sergent-chef, sergent-major :* sous-officiers des deux grades intermédiaires entre ceux de sergent et d'adjudant. *Des sergents-chefs, des sergents-majors.* ▷ HIST *Les quatre sergents de La Rochelle :* les sergents Bories, Goubin, Pommier et Raoulx, arrêtés et décapités à Paris en 1822 pour avoir entretenu des relations avec les carbonari. **3.** TECH Serre-joint de menuisier.

Sergipe, petit État marit. du N.-E. du Brésil; 21 994 km^2; 1 336 000 hab.; cap. *Aracajú.* Pétrole, canne à sucre.

Serguiev Possad (anc. *Zagorsk*), v. de Russie, au N. de Moscou; 110 000 hab. – Célèbre monastère (XIVe s.).

serial [seʀjal] n. m. (Anglicisme) AUDIOV Film à épisodes. *Des serials.*

sérialisme n. m. Musique sérielle.

sérial killer [seʀjalkilœʀ] n. (Anglicisme) Assassin psychopathe multirécidiviste. Syn. tueur en série. *Des serial killers.*

sériation n. f. Didac. Disposition d'objets par séries.

sérici-. Élément, du lat. *sericus,* « de soie ».

séricicult eur n. m. TECH Personne qui s'occupe de sériciculture.

sériciculture n. f. TECH Élevage des vers à soie; production de la soie.

séricite n. f. MINER Variété de mica blanc, d'aspect soyeux.

série n. f. **1.** MATH Suite de termes se succédant ou se déduisant les uns des autres suivant une loi. ▷ CHIM Ensemble de composés ayant des propriétés communes et une même formule générale. ▷ PHYS *Série spectrale :* ensemble de raies correspondant aux transitions entre deux niveaux d'énergie d'un atome. **2.** Cour. Suite, succession (de choses analogues et constituant un ensemble). ▷ Loc. *Série noire :* suite de malheurs, de revers, etc. *Loi des séries :* prétendue loi statistique invoquée lors de catastrophes qui se suivent. ▷ COMM *Série de prix :* document administratif ou intraprofessionnel fixant les tarifs unitaires des services et utilisé, notamment, dans l'établissement des devis. ▷ MUS Base de la musique atonale dodécaphonique, qui se compose d'une suite des douze demi-tons de la gamme chromatique. **3.** Catégorie; groupe correspondant à une division ou à une sélection, dans un classement. *Élèves de la série A.* ▷ SPORT Chaque groupe de concurrents, dans une épreuve qualificative; l'épreuve elle-même. *Séries éliminatoires.* **4.** ELECTR *En série :* se dit d'un montage de conducteurs ou d'appareils qui, placés bout à bout, sont traversés par le même courant (par oppos. à *en parallèle*). **5.** *Fabrication en série :* fabrication normalisée et en grand nombre d'un produit. ▷ *Hors série :* en dehors de la fabrication normalisée; fig. hors du commun. ▷ *Série B :* film à petit budget. *Série Z :* film de série B très médiocre.

sériel, elle adj. Didac. Relatif à une série; constitué en série(s). ▷ MUS *Musique sérielle,* fondée sur l'utilisation de séries. V. dodécaphonisme.

sérier v. tr. [2] Classer par séries; classer pour examiner tour à tour.

sérieusement adv. **1.** De manière sérieuse, appliquée. *Travailler sérieusement.* **2.** Sans plaisanter. *Parler sérieusement.* **3.** Gravement. *Être sérieusement blessé.* **4.** Réellement, vraiment, très. *Il en a sérieusement besoin.*

sérieux, euse adj. et n. m. **I.** adj. **1.** Se dit d'une personne (ou d'une attitude, d'un travail, etc.) réfléchie, conséquente, appliquée. *Un employé, un auditoire sérieux.* **2.** À qui (ou à quoi) l'on peut se fier. *Un associé sérieux. Une proposition sérieuse.* **3.** Qui ne manifeste pas de gaieté; grave. – Fam. *Sérieux comme un pape :* très sérieux. **4.** Rangé dans sa conduite, dans ses mœurs. *Jeune fille sérieuse.* **5.** (Choses) Important, digne de considération. *C'est une affaire sérieuse.* ▷ Considérable (en valeur ou en quantité). *Il a fait de sérieux progrès.* – *Des raisons sérieuses,* valables, fondées. ▷ Qui peut avoir des suites fâcheuses. *Un incident sérieux.* ▷ Qui n'est pas destiné à amuser, à distraire. *Musique sérieuse.* **II.** n. m. **1.** État, attitude d'une personne qui ne rit ni ne plaisante. *Conserver, tenir son sérieux.* **2.** Qualité d'une personne réfléchie, appliquée. *Faire preuve de sérieux.* **3.** Caractère d'une chose digne de considération, de crédit, ou faite avec soin. *Le sérieux d'une offre, d'un travail.* **4.** Loc. adv. *Au sérieux. Prendre qqch au sérieux,* y attacher de l'importance, y croire. – *Prendre qqn au sérieux,* attacher de l'importance à ce qu'il dit ou à ce qu'il fait. – *Se prendre au sérieux :* attacher une importance excessive à sa propre personne, à ses actions, etc.

sérigraphie n. f. TECH Procédé d'impression fondé sur le principe du pochoir et utilisant des écrans de soie. ▷ Image obtenue par ce procédé.

serin n. m. **1.** Petit oiseau passériforme (fam. fringillidés) dont une espèce, le canari, possède un plumage jaune vif. ▷ (En appos.) *Jaune serin :* jaune vif. **2.** Fam. Niais, nigaud.

seriner v. tr. [1] Fig. Faire apprendre (une chose) en la répétant. *Seriner une leçon à un enfant.*

seringa ou **seringat** [sʀɛ̃ga] n. m. Arbrisseau (fam. saxifragacées) à fleurs blanches odorantes.

seringue n. f. **1.** Petite pompe à main servant à injecter des liquides dans l'organisme, ou à en extraire, à en prélever. **2.** Instrument de jardinier, petite pompe destinée aux arrosages légers et aux projections d'insecticide. **3.** Arg. Arme automatique à tir rapide.

sérique adj. MED Qui a rapport à un sérum, au sérum.

Serkin (Rudolf) (Eger, 1903 - Guilford, Surrey, 1991), pianiste américain d'origine autrichienne, reconnu comme l'un des grands interprètes de Bach, Mozart, Beethoven et Schubert, mais aussi comme un spécialiste accompli du répertoire de la musique de chambre classique et romantique.

serment n. m. **1.** Attestation, en prenant comme témoin Dieu ou ce que l'on considère comme sacré, de la vérité d'une affirmation, de la sincérité d'une promesse. *Prêter serment.* - *Serment professionnel*, celui par lequel on jure de remplir strictement les fonctions dont on est investi. *Serment d'Hippocrate* : serment énonçant les principes de la déontologie médicale prononcé par tout médecin avant de pouvoir exercer. **2.** Promesse formelle. *Serment d'amour.* - Fam. *Serment d'ivrogne*, qui n'a aucune valeur.

sermon n. m. **1.** Discours prononcé en chaire pour instruire et exhorter les fidèles. **2.** Péjor. Discours ennuyeux et moralisateur; remontrance.

sermonnaire n. m. Didac. **1.** Auteur de sermons. **2.** Recueil de sermons.

sermonner v. tr. [1] Adresser un sermon (sens 2), des remontrances à. *Sermonner un enfant.*

sermonneur, euse n. et adj. Personne qui sermonne, qui a tendance à sermonner. ▷ adj. *Il est très sermonneur.*

séro-. Élément, de *sérum.*

séroconversion n. f. MED Passage de la séronégativité à la séropositivité, ou l'inverse.

sérodiagnostic [seʀodjagnɔstik] n. m. MED Méthode de diagnostic fondée sur la mise en évidence d'anticorps spécifiques dans le sérum du sujet.

sérodiscordant, ante adj. MED Se dit de partenaires sexuels dont l'un est séropositif et l'autre séronégatif.

sérogroupe n. m. MED Groupe sérologique.

sérologie n. f. BIOL Étude des sérums, de leurs propriétés.

sérologique adj. BIOL De la sérologie.

séronégatif, ive adj. Chez qui le sérodiagnostic donne un résultat négatif, *spécial.* concernant le V.I.H.

séropositif, ive adj. et n. Chez qui le sérodiagnostic donne un résultat positif, spécialement dans le cas du V.I.H.

séropositivité n. f. Didac. Caractère séropositif, *spécial.* concernant le V.I.H.

séroprévalence n. f. Didac. Nombre d'individus séropositifs à un moment donné pour un microbe et une population donnés.

sérosité n. f. PHYSIOL Liquide analogue au sérum sanguin, qui se forme dans les séreuses; liquide des hydropisies, des œdèmes, etc.

sérothérapie n. f. MED Emploi thérapeutique d'un sérum provenant d'un sujet (humain ou animal) immunisé. *Sérothérapie antitétanique.*

sérothérapique adj. MED Relatif à la sérothérapie.

sérotonine n. f. BIOCHIM Neurotransmetteur de la douleur à l'action vasoconstrictrice intense, sécrété par les fibres nerveuses et, lors de la formation du caillot sanguin, par les plaquettes.

sérotoninergique adj. Qui concerne le métabolisme de la sérotonine. *Récepteurs sérotoninergiques.*

Serov, v. de Russie. Import. centre minier de l'Oural; 102 000 hab.

sérovaccination n. f. MED Immunisation par l'action associée d'un sérum et d'un vaccin.

Serpa Pinto (Alexandre Alberto da Rocha) (Tendais, 1846 - Lisbonne, 1900), explorateur portugais du S.-E. africain. Gouverneur général du Mozambique (1889), son action colonisatrice provoqua l'opposition de l'Angleterre.

serpe n. f. Outil tranchant à large lame recourbée, utilisé pour tailler les arbres, fendre du bois, etc. ▷ Loc. fig. *Visage taillé à la serpe, à coups de serpe*, aux traits anguleux.

serpent n. m. **1.** Reptile au corps allongé, dépourvu de membres, et qui se déplace par reptation. *Serpent à lunettes* : naja. *Serpent à sonnette(s)* : crotale. *Serpent d'eau* : couleuvre aquatique. *Serpent de verre* (saurien) : orvet. ▷ Fig. *Réchauffer un serpent dans son sein* : favoriser les débuts dans la vie d'une personne qui plus tard nuira à son bienfaiteur. ▷ *Serpent de mer* : monstre marin hypothétique dont les apparitions, signalées par des témoins plus ou moins dignes de foi, fournissent périodiquement des sujets d'articles; fig. sujet à sensation repris périodiquement par des journalistes en mal de copie. ▷ *Le Serpent* : le démon tentateur, dans les Écritures. **2.** Fig. Personne perfide, mauvaise. ▷ *Une langue de serpent* : une personne médisante. **3.** MUS Ancien instrument à vent, en forme de S. **4.** ECON, FIN *Serpent monétaire européen* : système qui a précédé le S.M.E. (1972-79).

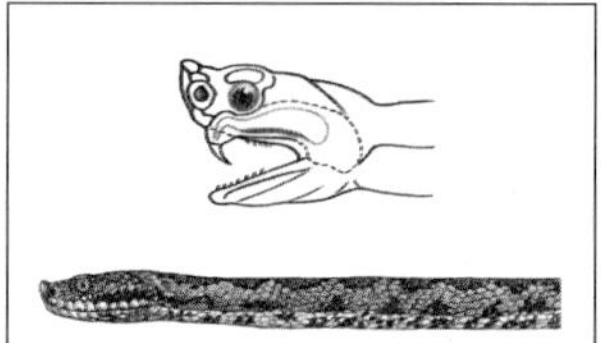

serpent : en haut, détail de la tête

serpentaire n. **1.** n. f. Nom de diverses plantes, notam. d'une aracée (*Arum dracunculus*). **2.** n. m. ORNITH Oiseau falconiforme huppé d'Afrique tropicale (genre *Sagittarius*), haut sur pattes, qui se nourrit de serpents.

serpenteau n. m. **1.** Jeune serpent. **2.** TECH Fusée d'artifice à mouvement sinueux.

serpenter v. intr. [1] Former des ondulations, des sinuosités.

serpentin, ine adj. et n. m. **I.** adj. **1.** Qui tient du serpent par sa forme, son mouvement. *Ligne, danse serpentine.* **2.** Rare Marqué de taches comme la peau de serpent. **II.** n. m. **1.** Tuyauterie sinueuse ou en hélice. **2.** Petit rouleau étroit de papier de couleur vive, qui se déroule quand on le lance. *Serpentins et confettis.*

serpentine n. f. **1.** MINER Silicate de magnésium hydraté, de couleur verte. **2.** Nom courant de la serpentinite.

serpentinite n. f. GEOL Roche métamorphique vert sombre constituée essentiellement de serpentine.

serpette n. f. Petite serpe.

serpillière n. f. Torchon fait de grosse toile, utilisé pour laver les sols.

serpolet n. m. Thym sauvage.

serrage n. m. Action de serrer; son résultat. *Le serrage des freins.*

serran n. m. ICHTYOL Poisson marin (genre *Serranus*) carnivore, très vorace, appelé aussi *perche de mer.*

Serrano y Domínguez (Francisco), duc de la Torre (Isla de León, auj. San Fernando, 1810 - Madrid, 1885), maréchal et homme politique espagnol. Favori d'Isabelle II, il contribua à sa chute (1868); il devint régent en 1869-1870 puis chef du gouvernement sous le roi Amédée.

serre n. f. **1.** Abri clos à parois translucides (en verre ou en plastique) destiné à protéger les végétaux du froid. *Les serres chaudes abritent les plantes tropicales et équatoriales.* ▷ METEO *Effet de serre* : phénomène de réchauffement dû à l'action de l'atmosphère (comparée à celle de la vitre d'une serre) qui laisse passer certaines radiations solaires jusqu'à la Terre, tandis qu'elle en absorbe d'autres venues de cette dernière et qu'elle les lui renvoie. **2.** (Plur.) Griffes puissantes des rapaces. **3.** TECH Action de serrer, de presser du raisin ou d'autres fruits.

serré, ée adj. et adv. **I.** adj. **1.** Dont les éléments sont étroitement rapprochés. *Un gazon dru et serré.* ▷ CINE, AUDIOV *Montage serré*, comportant des plans très courts. **2.** Fig. Qui dénote la rigueur, la vigilance. *Raisonnement serré. Jeu serré*, qui laisse peu de prise à l'adversaire. **3.** Fig. Gêné par des difficultés financières. **4.** Fig. Qui offre peu de latitude, de marge. *Emploi du temps serré.* **5.** *Café serré*, fait avec beaucoup de poudre de café et peu d'eau. **II.** adv. En serrant les éléments. *Tricoter serré.* ▷ Fig. Avec vigilance. *Jouer serré.*

Serre (Jean-Pierre) (Bages, Pyrénées-Orientales, 1926), mathématicien français; connu pour ses travaux sur la topologie et la théorie des nombres.

serre-câble n. m. Dispositif servant à relier deux câbles bout à bout par serrage. *Des serre-câbles.*

serre-joint n. m. Instrument serrant un joint pendant le temps de prise de la colle. *Des serre-joints.*

serre-livres n. m. inv. Chacun des deux objets lourds entre lesquels on dispose des livres debout.

serrement n. m. **1.** Action de serrer. *Serrement de main* : poignée de main. ▷ Fig. *Serrement de cœur* : sensation pénible provoquée par l'angoisse, la tristesse. **2.** Dans une mine, barrage étanche destiné à empêcher l'envahissement des galeries par les eaux.

Serre-Ponçon, défilé franchi par la Durance, dans les Hautes-Alpes. Import. barrage (ouvrage en terre) et usine hydroélectrique.

serrer v. [1] **I.** v. tr. **1.** Tenir, entourer en exerçant une pression. *Serrer qqn, qqch contre soi. Serrer la main de qqn,* pour le saluer, pour prendre congé. ▷ Fig. *Cela serre le cœur,* excite la compassion, le chagrin. *L'émotion lui serrait la gorge,* l'oppressait, l'empêchait de parler. **2.** (Sujet nom de chose.) Gainer très, trop étroitement. *Col qui serre le cou.* **3.** Rendre très étroit (un lien, un nœud). *Serrer une ficelle autour d'un paquet.* **4.** Appliquer fortement (une chose) contre une autre en tournant, en pressant. *Serrer un écrou, un frein.* - Loc. fig., fam. *Serrer la vis à qqn,* se montrer rigoureux, sévère à son égard. **5.** Rapprocher (des personnes, des choses espacées). *Serrer les rangs.* - *Serrer les dents :* crisper les mâchoires; fig. rassembler son énergie pour résister à qqch de pénible. **6.** Longer de très près. *Serrer le trottoir.* - Absol. *Serrer à droite.* - MAR *Navire qui serre la terre. Serrer le vent :* naviguer au plus près du vent. ▷ *Serrer qqn de près,* le suivre à faible distance. **7.** Vieilli Mettre à couvert, en sûreté. *Serrer son argent dans une cachette.* - Ranger, remiser. *Serrer la vaisselle, ses skis.* **8.** Fam. Arrêter, appréhender. *La police a serré les cambrioleurs.* **II.** v. pron. **1.** Entourer une partie de son corps en la comprimant. *Se serrer la taille.* - Loc. fig., fam. *Se serrer la ceinture :* réduire sa consommation de nourriture; *par ext.* restreindre ses dépenses. **2.** Se rapprocher les uns des autres. *Serrez-vous pour nous faire un peu de place.* ▷ *Se serrer contre qqn.*

Serres (Olivier de) (Villeneuve-de-Berg, 1539 - Le Pradel, près de Villeneuve-de-Berg, 1619), agronome français. Il introduisit en France la culture de la garance (flamande), du houblon (anglais), du mûrier (italien), etc. Le premier, il pratiqua de manière systématique l'assolement. Il écrivit le premier grand traité d'agriculture : *Théâtre d'agriculture et mesnage des champs* (1600). ► illustr. page **1725**

Serres (Michel) (Agen, 1930), philosophe français. S'appuyant sur un savoir encyclopédique (mathématiques, biologie, physique) et recourant à une méthode structurale originale, il a établi des relations insoupçonnées entre les sciences exactes et les sciences humaines. Œuvres : *le Système de Leibnitz et ses modèles mathématiques* (1968), la série des *Hermès* (5 vol., 1969-1980), *Détachement* (1983). Acad. française (1990).

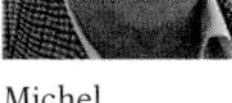
Michel **Serres**

la marquise de **Sévigné**

serre-tête n. m. inv. Bandeau rigide qui retient la chevelure.

serriculture n. f. Culture en serre.

serriste n. TECH Agriculteur, horticulteur spécialisé dans la serriculture.

serrure n. f. Dispositif mécanique qui permet de bloquer une porte, un panneau, un tiroir, etc., en position fermée au moyen d'une clé. *Faire jouer le pêne* d'une serrure dans la gâche*.*

serrurerie n. f. **1.** Cour. Art, métier du serrurier. **2.** TECH Confection d'ouvrages en fer pour le bâtiment (grilles, balcons, rampes d'escaliers, ferrures d'huisseries, etc.).

serrurier n. m. Celui qui fabrique, pose, vend des serrures et des ouvrages en fer.

Sert (Josep Lluis) (Barcelone, 1902 - id., 1983), architecte espagnol, élève de Le Corbusier; l'un des maîtres du fonctionnalisme dit « méditerranéen » : ambassade des É.-U. à Bagdad (1955-1963), fondation Maeght à Saint-Paul-de-Vence (1962-1964).

sertão [sɛʀtɑ̃] n. m. GEOGR Au Brésil, zone semi-aride où l'on pratique l'élevage extensif. ▷ Spécial. *Le Sertão,* celui du Nordeste.

sertir v. tr. [3] **1.** Enchâsser (une pierre) dans un chaton. **2.** TECH Fixer, assujettir (une pièce métallique) par pliage à froid. - *Sertir une cartouche :* refouler son extrémité en formant un bourrelet sur la rondelle de carton afin de maintenir les plombs.

sertissage n. m. Action de sertir.

sertisseur, euse n. TECH **1.** Personne dont le métier est de sertir. **2.** n. m. Appareil à sertir les cartouches.

sertissure n. f. TECH **1.** Manière dont une pierre précieuse est sertie. **2.** Partie du chaton dans laquelle la pierre précieuse est sertie.

Sertorius (Quintus) (Nursia, v. 123 - en Espagne, 72 av. J.-C.), général romain. Il lutta aux côtés de Marius et, après le triomphe de Sulla, tenta de constituer un État indépendant en Espagne (83 av. J.-C.), où il résista victorieusement à Metellus et à Pompée, avant de périr assassiné, victime d'un complot préparé par son lieutenant Perpenna.

sérum [seʀɔm] n. m. **1.** *Sérum sanguin* ou, absol., *sérum :* partie liquide du sang, plasma débarrassé de la fibrine et de certains agents de la coagulation. ▷ *Sérum thérapeutique :* sérum prélevé sur un animal immunisé ou sur un sujet convalescent ou récemment vacciné et que l'on injecte par voie sous-cutanée ou intramusculaire, à titre préventif ou curatif contre une maladie infectieuse ou contre les effets d'une substance toxique ou d'un venin. *Sérum antidiphtérique, antitétanique.* **2.** *Sérum physiologique :* soluté de chlorure de sodium, isotonique au plasma sanguin, administré notam. en cas de déperdition saline avec déshydratation. **3.** Loc. *Sérum de vérité :* composé barbiturique employé en narco-analyse pour obtenir l'abaissement de la vigilance d'un sujet, dans un but d'investigation non thérapeutique.

sérum-albumine n. f. BIOL Protéine du sérum, qui joue un rôle important dans le transport de certaines substances (bilirubine, hématine, etc.). *Des sérum-albumines.*

sérum-globuline n. f. BIOL Protéine sérique du groupe des globulines. *Des sérum-globulines.*

Sérusier (Paul) (Paris, 1864 - Morlaix, 1927), peintre français d'inspiration symboliste. Membre du groupe de Pont-Aven (1888), il fonda le groupe des nabis*.

servage n. m. **1.** HIST État de serf. **2.** Fig. Servitude morale; entrave à la liberté de penser, d'agir.

serval, als n. m. ZOOL Petit mammifère félidé africain *(Felis serval),* recherché pour son pelage.

Paul **Sérusier :** *la Barrière fleurie,* 1889-1891; musée d'Orsay, Paris

Servance (ballon de), sommet du Sud des Vosges (1 216 m).

Servandoni (Giovanni Niccolo) (Florence, 1695 - Paris, 1766), architecte et décorateur italien; maître du style rocaille : façade de l'égl. Saint-Sulpice (1732-1745) à Paris.

servant adj. m. et n. m. **I.** adj. m. **1.** *Cavalier, chevalier servant :* compagnon empressé et galant d'une femme. **2.** DR *Fonds servant :* fonds supportant une servitude (par oppos. à *fonds dominant*). **II.** n. m. **1.** RELIG CATHOL Clerc ou laïque qui sert une messe basse. **2.** MILIT Artilleur chargé d'approvisionner une pièce pendant le tir. **3.** SPORT Celui qui sert la balle. Syn. serveur.

servante n. f. **1.** Vieilli Employée de maison, domestique. **2.** TECH Support réglable utilisé pour soutenir les pièces longues dont on travaille une extrémité sur l'établi.

serve. V. serf.

Servet (Michel) (Villanueva de Sigena ou Tudela, 1511 - Genève, 1553), médecin et théologien espagnol. Grand voyageur, il vécut surtout en France. Professant une doctrine proche du panthéisme, il fut dénoncé par Calvin qui le fit condamner à mort et brûler vif. Certains attribuent à Servet la découverte de la circulation pulmonaire du sang.

serveur, euse n. **1.** Personne qui sert les repas ou les consommations, dans un restaurant, un café, etc. **2.** SPORT Personne qui sert la balle. Syn. servant. **3.** n. m. INFORM Ordinateur sur lequel sont stockées des informations auxquelles les utilisateurs peuvent accéder à distance. - Gros ordinateur qui permet de se connecter à un réseau.

serviabilité n. f. Qualité d'une personne serviable.

serviable adj. Qui rend volontiers service; obligeant.

service n. m. **I. 1.** Fonction, travail des gens de maison, du personnel hôtelier. *Entrer au service de qqn.* ▷ Manière dont ce travail est effectué. *Restaurant où le service est irréprochable.* - Gratification laissée par le client pour ce travail; pourboire. *Service compris.* ▷ *Escalier de service,* affecté aux employés de maison, aux fournisseurs, etc. ▷ (Formule de civilité.) *Je suis à votre service,* à votre disposition. **2.** (Dans *en service, hors service.*) Marche, fonctionnement, activité. *Mettre une machine en* *service. Ascenseur hors service.* **II.** Fait de servir en vertu d'une obligation morale. *Être au service de son pays.* ▷ *Service religieux :* célébration de l'office divin. ▷ *Service militaire* ou *service national :* temps pendant lequel un citoyen doit remplir ses obligations militaires. ▷ *Service d'ordre :* ensemble des personnes préposées au maintien de l'ordre au cours d'une manifestation. **III. 1.** Fait de s'acquitter de ses obligations envers un employeur. *Avoir vingt ans de service dans une entreprise. Prendre son service à 8 heures. Être de service :* être tenu d'exercer ses fonctions à un moment précis; être en train de les exercer. *Être en service commandé :* accomplir une tâche qui découle de ses fonctions. ▷ (Plur.) Travail rémunéré. *Être satisfait des services de qqn. – États de services :* relevé des postes occupés par un fonctionnaire, un militaire. **2.** Division administrative de l'État, d'une organisation publique ou privée, correspondant à une branche d'activité. *Le service de la Sûreté.* – MILIT *Le service du matériel, de santé (de l'armée). – Le service de cardiologie d'un hôpital. Service commercial d'une entreprise.* ▷ *Service public :* organisme ayant une fonction d'intérêt public (postes, transports, etc.); cette fonction. **3.** n. m. pl. ECON Avantages ou satisfactions fournis, à titre onéreux ou gratuit, par les entreprises ou par l'État; activités économiques qui ne produisent pas directement des biens concrets. *Société de services. Prestataire* de services.* ▷ *Service de la dette :* ensemble des charges liées à l'exécution des obligations contractées (remboursement et amortissement des emprunts, paiement des intérêts, etc.). **IV.** Ce qu'on fait bénévolement pour être utile à qqn. *Rendre (un) service.* ▷ Fig. *Ses jambes lui refusent tout service :* il ne peut plus marcher. **V. 1.** Envoi, fourniture. *Faire le service gratuit d'un journal à qqn. – Service de presse :* distribution gratuite d'exemplaires d'un ouvrage aux critiques, aux journalistes; ces exemplaires. **2.** *Service après-vente :* ensemble des opérations nécessitées par la pose, l'entretien, la réparation d'une machine, d'un appareil, qui sont assurées par le vendeur. **3.** SPORT Action de servir* la balle. **VI. 1.** Chacune des séries de repas servies dans un wagon-restaurant, une cantine, etc. *Premier, deuxième service.* **2.** Assortiment de vaisselle, de linge de table. *Service de porcelaine.*

Service du travail obligatoire (S.T.O.), service institué par le gouv. de Vichy (1943), sous la pression de l'occupant, afin de procurer de la main-d'œuvre aux usines du Reich. De nombr. appelés (dits «S.T.O.») réfractaires rejoignirent le maquis.

serviette n. f. **1.** Linge qu'on utilise pour s'essuyer, spécial. à table ou lors de la toilette. ▷ *Serviette hygiénique* ou *protection périodique :* accessoire d'hygiène féminine consistant en une bande de matière absorbante jetable utilisée pendant la période des règles. **2.** Sac rectangulaire à rabat dans lequel on transporte des livres, des documents, etc.

serviette-éponge n. f. Serviette de toilette en tissu-éponge. *Des serviettes-éponges.*

servile adj. **1.** Qui appartient à l'état d'esclave, de serf. *Tâches serviles.* ▷ HIST Qui concerne les serfs, le servage. **2.** Fig. Qui s'abaisse de façon dégradante devant ceux dont il dépend. *Il est servile.* – Par ext. *Complaisance servile.* **3.** Qui ne prend pas assez de liberté à l'égard d'un modèle. *Traducteur servile.*

servilement adv. D'une manière servile (sens 2 et 3).

servilité n. f. Fait d'être servile (personnes); caractère de ce qui est servile (sens 2 et 3).

servir v. [30] **I.** v. tr. dir. **1.** Remplir les fonctions d'employé de maison auprès de (qqn). **2.** S'acquitter de devoirs, d'obligations envers. *Servir l'État.* ▷ *Absol.* Combattre, être militaire. *Il avait servi sous Turenne.* **3.** Apporter son aide, son appui à (qqn, qqch). *Servir son prochain. Servir la cause de la paix.* – Fig. *Les circonstances l'ont bien servi,* aidé. **4.** *Servir la messe :* assister le prêtre durant la messe. **5.** Fournir (un client). *Ce boucher nous sert bien.* **6.** Présenter ou donner (un mets, une boisson à un convive). *Servir un plat. Servir à boire.* **7.** Mettre (certaines choses) à la disposition de qqn. *Servir des cartes,* en distribuer aux joueurs. – SPORT *Servir la balle* ou, absol., *servir,* la mettre en jeu. – *Servir une rente,* la payer régulièrement. **8.** Mettre (une pièce d'artillerie, une arme à tir rapide) en état de fonctionner. *Servir une pièce d'artillerie,* l'alimenter en munitions. **II.** v. tr. indir. **1.** (Sujet n. de chose.) *Servir à :* être destiné à (un usage); être utile, bon à (qqch, pour qqn). ▷ Impers. (suivi de la prép. *de* et de l'inf.) *À quoi sert(-il) de continuer? –* Litt. *Que sert(-il) de...?* **2.** *Servir à qqn de :* tenir lieu, faire office de. *Cela lui sert de prétexte.* **III.** v. pron. **1.** (Personnes) Prendre soi-même ce dont on a besoin ou envie, à table, chez un hôte, un commerçant. *Servez-vous.* ▷ Se fournir. *Elle se sert chez vous.* **2.** Faire usage de, utiliser. *Se servir d'un outil. Se servir de qqn pour arriver à ses fins.* **3.** (Choses) Être servi habituellement. *Ce plat se sert avec une garniture.*

serviteur n. m. **1.** Vieilli Celui qui est au service de qqn; domestique. ▷ Litt. *Serviteur de... :* celui qui sert (qqn, qqch envers qui ou envers quoi il a des obligations). *Serviteur de l'État.* **2.** *Votre très humble serviteur :* anc. formule de politesse. ▷ Mod., plaisant *Votre serviteur :* moi qui vous parle.

servitude n. f. **1.** HIST État du serf; esclavage. ▷ Mod. État d'une personne ou d'un peuple privés de leur indépendance. *Réduire un pays en servitude.* **2.** Entrave à la liberté d'action; contrainte, assujettissement. *Tout métier comporte ses servitudes.* **3.** DR Charge imposée sur une propriété, pour l'usage et l'utilité d'une autre qui n'appartient pas au même propriétaire. **4.** MAR *Bâtiment de servitude,* qui assure les services d'un port, d'une rade, d'un arsenal.

Servius Tullius (d'après la tradition 578-535 av. J.-C.), sixième roi de Rome. Il aurait, le premier, divisé la population romaine en classes de citoyens regroupés selon leur fortune (Constitution servienne).

servo-. Élément, du lat. *servus,* «esclave», impliquant une idée d'asservissement (V. ce mot, sens 3).

servocommande n. f. TECH Dispositif qui amplifie un effort et le transmet à un organe pour en commander le fonctionnement.

servodirection n. f. AUTO Servocommande qui actionne les organes de direction d'un véhicule (constituant une direction assistée).

servofrein n. m. AUTO Servocommande agissant sur les organes de freinage.

servomécanisme n. m. TECH Dispositif qui réalise automatiquement un asservissement.

servomoteur n. m. TECH Moteur servant au réglage d'un organe dans un servomécanisme.

servovalve n. f. TECH Soupape, vanne actionnée par un servomoteur.

ses. V. son (1).

sésame n. m. **1.** Plante dicotylédone gamopétale cultivée pour ses graines oléagineuses. **2.** Fig., litt. Ce qui permet d'atteindre un but, comme par enchantement. *Votre lettre a servi de sésame.*

sésamie n. f. Noctuelle commune dans le Midi et dont la chenille ravage les cultures de maïs.

Sésostris. V. Sénousret.

sessile adj. BOT Qui s'insère sur un organe sans être porté par un pédoncule. *Fleur, feuille sessile.*

session n. f. **1.** Temps pendant lequel siège un corps délibérant, un tribunal, etc. *Session parlementaire. Session de printemps.* **2.** Temps pendant lequel siège un jury d'examen. *Session d'octobre.* **3.** Séance de travail, de soins, etc. *Un stage divisé en quatre sessions de deux jours.*

sesterce n. m. ANTIQ ROM Monnaie romaine frappée en argent (sous la république), puis en laiton (sous l'empire).

Sestos, anc. v. de la Chersonèse de Thrace, sur l'Hellespont. – Site près de Nara (Turquie).

Sesto San Giovanni, v. d'Italie, dans la banlieue de Milan; 94 740 hab. Aciérie, électrométallurgie.

Sestrières, com. d'Italie (Piémont), près du Montgenèvre; 720 hab. Stat. de sports d'hiver (alt. 2 035 m).

set [sɛt] n. m. (Anglicisme) **1.** Manche d'une partie de tennis, de tennis de table, de badminton, de volley-ball. **2.** *Set de table :* service de table constitué par un assortiment de napperons que l'on place sous les assiettes. ▷ *Abusiv.* Chacun de ces napperons.

Setchouan. V. Sichuan.

Sète (*Cette* jusqu'en 1927), ch.-l. de cant. de l'Hérault (arr. de Montpellier), entre la Méditerranée et l'étang de Thau; 41 916 hab. Port important. Pétrochimie. – École d'hydrographie. Musée Paul-Valéry.

séteau. V. céteau.

Seth, dieu égyptien du Mal et des Ténèbres, frère d'Osiris, qu'il assassina.

Seth, personnage biblique, troisième fils d'Adam et d'Ève (Genèse, IV, 25).

Séthi ou **Séti,** nom de deux pharaons de la XIXe dynastie. – **Séthi** ou **Séti Ier**, anc. grand prêtre de Seth, roi de 1312 à 1298 av. J.-C.; il lutta contre les Hittites. – **Séthi** ou **Séti II,** roi de 1210 à 1205 av. J.-C.; avant-dernier souverain de la XIXe dynastie.

setier n. m. Ancienne mesure de capacité pour les grains et les liquides, de valeur très variable selon les régions (entre 150 et 300 l).

Sétif *(Saṭīf),* v. de l'Algérie orientale, à 1 100 m d'alt.; 186 640 hab. (*Sitifiens*); ch.-l. de la wilaya du m. nom. Centre agricole (céréales); industr. alimentaires. – Du 8 au 10 mai 1945, la ville fut le théâtre de sanglantes émeutes nationalistes, réprimées par le Gouvernement provisoire de la République française.

Settat *(Saṭṭāt),* v. du Maroc, au S. de Casablanca; 65 200 hab.; ch.-l. de la prov. du m. nom. Marché agric. (céréales); élevage (moutons, chevaux). – Casbah du XVIIe s.

setter [setɛʀ] n. m. Grand chien d'arrêt à longs poils doux et ondulés. *Setter irlandais,* à la robe acajou brillant. ► pl. **chiens**

Setúbal, port de pêche du Portugal méridional; 77 890 hab.; ch.-l. du distr. du m. nom. Conserveries; construction navale; industr. chim. et méca. – Égl. de Jésus (1491); égl. manuéline São Julião (1513).

seuil [sœj] n. m. **1.** Partie inférieure de l'ouverture d'une porte. **2.** Entrée d'une maison; emplacement devant la porte, à proximité immédiate de celle-ci. ▷ Fig., litt. *Le seuil de :* le début, le commencement de. **3.** GEOGR Élévation d'un fond marin ou fluvial; exhaussement de terrain séparant deux régions d'altitudes comparables. *Le seuil du Poitou.* **4.** Valeur à partir de laquelle un phénomène produit (ou, plus rarement, cesse de produire) un effet. ▷ PHYS NUCL *Seuil d'énergie d'une particule :* énergie minimale nécessaire pour que cette particule déclenche la réaction nucléaire. ▷ PHYSIOL Valeur minimale en deçà de laquelle un stimulus ne produit pas d'effet. **5.** Niveau au-delà duquel la situation est critique. – ECON *Seuil de rentabilité :* niveau de vente à partir duquel les frais sont couverts.

seul, seule adj. et n. **A.** adj. **I.** (Attribut ou épithète placée après le nom; souvent renforcé par *tout.*) **1.** Qui est momentanément sans compagnie. *Se promener seul, tout seul.* ▷ *Seul à seul :* en tête à tête. (Inv. dans l'usage anc. Mod. *Il parle seul à seule avec sa femme.*) **2.** Qui est généralement isolé, qui vit sans amis. *Il est seul au monde :* il n'a pas de famille. **II.** (Épithète placée avant le nom.) Un, unique. *Le seul bien qui lui reste.* **III.** (Avec une valeur d'adverbe.) **1.** Seulement. – (En appos.) *Spectacle que seuls les enfants apprécient.* **2.** Loc. *Tout seul :* facilement. *Cela va tout seul.* **B.** n. *Un seul, une seule :* une personne unique. *Le pouvoir d'un seul.* – *Le seul, la seule :* la seule personne.

seulement adv. **1.** Sans rien de plus; et pas davantage. *Ils sont seulement trois*

peinture du temple de **Séthi Ier** à Abydos : le grand prêtre présentant une offrande à Osiris (assis) et à Isis (à g.)

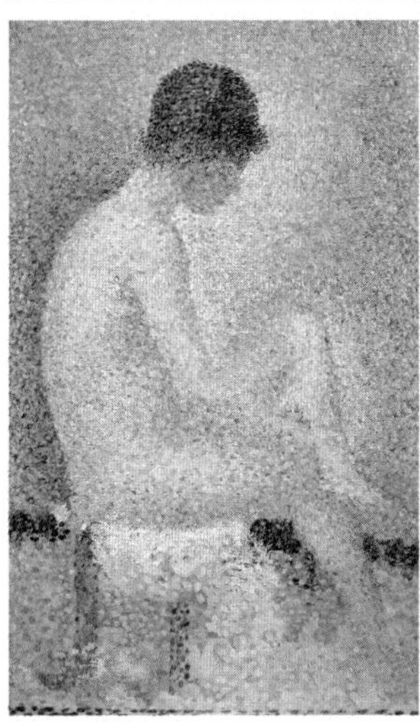

Georges **Seurat :** *Poseuse assise, de profil,* huile, 1887; musée d'Orsay

dans le secret. *Je vous demande seulement de partir.* ▷ (Avec un complément de temps.) *Il arrive seulement dans huit jours,* pas avant huit jours. *Il vient seulement de partir :* il vient tout juste de partir. **2.** *Pas seulement :* pas même. *Sans seulement :* sans même. *Il est parti sans seulement dire au revoir. Si seulement... :* si au moins... **3.** (Introduisant une proposition.) À la seule condition que. *Venez quand vous voudrez, seulement prévenez-moi.*

Seurat (Georges) (Paris, 1859 – id., 1891), peintre et dessinateur français, impressionniste, puis néo-impressionniste (divisionnisme) : *Un dimanche d'été à la Grande Jatte* (1884-1886). Sa représentation stylisée du mouvement (*le Chahut,* 1889-1890) annonce le futurisme; sa réduction des effets de profondeur (*la Parade de cirque,* 1887-1888), l'abstraction géométrique.

Sevan (lac), lac d'Arménie (1 400 km²), à 1 900 m d'alt. Équipement hydroélectrique.

sève n. f. **1.** Liquide nourricier des végétaux. **2.** Fig. Force, vigueur, énergie. *La sève de la jeunesse.*

ENCYCL La *sève brute* est une solution aqueuse, diluée, de sels minéraux absorbés par les racines. La *sève élaborée* est une solution concentrée et visqueuse riche en sucres, en acides aminés et en diverses substances plus ou moins complexes, synthétisés dans les feuilles, à partir de la sève brute.

sévère adj. **1.** Qui ne tolère pas les fautes, les erreurs; dépourvu d'indulgence. *Un maître, un juge sévère.* **2.** Qui exprime la dureté, la rigueur. *Ton, air sévère.* **3.** (Choses) Dur, rigoureux. *Punition sévère.* ▷ Strict. *Des mesures sévères.* **4.** Litt. Sans ornements; régulier et sobre. *Un style sévère. Une femme d'une beauté sévère.* **5.** (Emploi critiqué.) Important, grave. *L'armée a subi des pertes sévères.*

Sévère Alexandre (Phénicie, v. 208 – près de Mayence, 235), empereur romain de 222 à 235. Il combattit en Orient les Perses et se montra tolérant envers les chrétiens.

sévèrement adv. **1.** D'une manière sévère, rigoureuse. *Punir sévèrement un enfant.* **2.** Gravement. *Les malheurs l'ont sévèrement éprouvé.*

Sévères (les), nom donné à la dynastie des empereurs romains (193-235) fondée par Septime Sévère et qui compte, après lui, Geta, Caracalla, Élagabal et Sévère Alexandre.

Severi (Francesco) (Arezzo, 1879 – Rome, 1961), mathématicien italien; un des fondateurs de la géométrie algébrique.

Severini (Gino) (Cortona, 1883 – Paris, 1966), peintre italien; divisionniste, puis futuriste (1910-1915), cubiste (1915-1920) et néo-classique (1921-1934). À partir de 1949, il s'orienta vers l'abstraction géométrique.

sévérité n. f. **1.** (Personnes) Fait d'être sévère; caractère de ce qui est sévère. *La sévérité d'un juge, d'une sentence.* **2.** Litt. Austérité de l'aspect, des formes. *Sévérité d'une architecture.*

Severn (la), fl. de G.-B. (338 km); naît dans le pays de Galles, passe à Gloucester et se jette dans l'Atlantique par le canal de Bristol.

Severnaïa Zemlia («Terre du Nord»), archipel russe inhabité de l'Arctique, au N. de la presqu'île de Taïmyr; 36 700 km².

Seves (Octave Joseph de). V. Soliman pacha.

Seveso, v. d'Italie (Lombardie); 18 000 hab. – En 1976, l'explosion d'un réacteur chimique fut à l'origine d'une importante pollution de l'environnement (dioxine) qui a mis en évidence les risques potentiels de certaines implantations industrielles.

sévices n. m. pl. Violences corporelles, mauvais traitements, exercés contre une personne sur laquelle on a autorité ou qu'on a sous sa garde.

Sévigné (Marie de Rabutin-Chantal, marquise de) (Paris, 1626 – chât. de Grignan, 1696), épistolière française. Après le mariage de sa fille avec le comte de Grignan (1669), elle entretint avec celle-ci une abondante correspondance, à laquelle s'ajoutent les lettres adressées à son fils Charles, à son cousin Bussy-Rabutin, à Mme de Pomponne, au cardinal de Retz, à La Rochefoucauld, à Mme de La Fayette, etc. Ses *Lettres* (posth., 1726) constituent une source de documents précieux sur la vie aristocratique au XVIIe s. et valent aussi par leur qualité littéraire.
► illustr. page **1731**

Séville, v. d'Espagne, sur le Guadalquivir; 678 200 hab.; cap. de la communauté auton. d'Andalousie; ch.-l. de la prov. de Séville. Import. port fluvial. Industries traditionnelles (alim.) et modernes (constr. mécaniques, textile, prod. chimiques) en essor. Centre touristique. – Archevêché. Université. Tour-minaret de la Giralda (fin XIIe s.). Cath. gothique et Renaissance (XVe-XVIe s.). Alcazar (du XIIe au XVIe s.). Hôtel de ville (XVIe s.). Nombr. égl. baroques. Maisons anciennes. – La ville, anc. *Hispalis,* conquise par César, cap. de la prov. romaine de Bétique et cité florissante, fut un import. foyer culturel aux VIe et VIIe s., sous l'évêque Léandre et l'archevêque Isidore; conquise par les Arabes (712), incluse dans le califat de Cordoue, elle devint la cap. des Abbadides (XIe s.). Reconquise en 1248 par Ferdinand III de Castille, qui expulsa les musulmans, Séville fut un grand centre commercial, que Cadix supplanta au XVIIIe s. Exposition universelle de 1992. ► illustr. page **1734**

Séville : place d'Espagne, construction en hémicycle élevée pour la Foire ibéro-américaine (1929)

sévir v. intr. [**3**] **1.** Se comporter durement. Punir, réprimer avec rigueur. *Sévir contre un abus.* **2.** (Choses) Causer de gros dégâts. *La tempête sévit depuis trois jours sur nos côtes.* ⊳ *Par ext.* Exercer (de façon durable) une action néfaste, pénible. *Le charlatanisme sévit toujours.* – Plaisant *Ce professeur sévit toujours.*

sevrage n. m. **1.** Remplacement progressif de l'allaitement par une alimentation plus variée. **2.** *Par ext.* Action de priver un toxicomane de drogue, dans une cure de désintoxication.

Sevran, ch.-l. de cant. de la Seine-St-Denis (arr. du Raincy), sur le canal de l'Ourcq ; 48 564 hab. Industr. photographique (réparation d'appareils, développement, etc.).

Sèvre Nantaise (la), riv. de France (126 km) ; née dans les Deux-Sèvres, elle conflue avec la Loire (r. g.) à Nantes.

Sèvre Niortaise (la), fl. côtier de France (150 km) ; naît dans le Poitou ; arrose Niort et se jette dans l'Atlantique (baie de l'Aiguillon). Navigable en aval de Niort.

sevrer v. tr. [**16**] **1.** Procéder au sevrage de (un enfant, un petit animal, un toxicomane). **2.** Litt. Priver de (un plaisir).

sèvres n. m. Porcelaine fabriquée à la manufacture nationale de Sèvres. *Un vieux sèvres.*

Sèvres, ch.-l. de cant. des Hauts-de-Seine (arr. de Boulogne-Billancourt), sur la Seine ; 22 057 hab. Manufacture nationale de porcelaine, anc. manufacture royale et impériale, transférée de Vincennes à Sèvres en 1756. Électron. – Musée national de la Céramique (fondé en 1824). – Le *traité de Sèvres* (1920) entre la Turquie et les Alliés consacrait le démembrement de l'Europe ottomane. Après les victoires de Mustafa Kemal sur la Grèce, il fut remplacé par le traité de Lausanne (1923).

Sèvres (Deux-). V. Deux-Sèvres.

sexagénaire adj. et n. Qui a entre soixante et soixante-dix ans. – Subst. *Un(e) sexagénaire.*

sexagésimal, ale, aux adj. Didac. Relatif au nombre soixante. – De base soixante. – GEOM *Division sexagésimale :* division en minutes, en secondes.

sexagésime n. f. RELIG CATHOL Dimanche qui précède de deux semaines le premier dimanche du carême, environ soixante jours avant Pâques.

sex-appeal [sɛksapil] n. m. (Anglicisme) Attrait sexuel qu'exerce une personne (se dit surtout à propos d'une femme).

sexe n. m. **1.** Ensemble des caractéristiques physiques qui permettent de différencier le mâle de la femelle, l'homme de la femme. *Enfant du sexe féminin.* ⊳ BIOL *Sexe gonadique :* caractère sexuel primaire déterminé par la nature des gonades dont le sujet est porteur (testicules chez l'homme, ovaires chez la femme). – *Sexe chromosomique :* caractère sexuel primaire déterminé par les chromosomes sexuels de l'individu. **2.** Ensemble des individus (êtres humains ou animaux) du même sexe. *Le sexe mâle.* ⊳ Plaisant *Le sexe fort :* les hommes. *Le sexe faible, le beau sexe* ou, absol., *le sexe :* les femmes. **3.** Sexualité. *Les problèmes du sexe.* **4.** Organes génitaux externes de l'homme et de la femme.

sexisme n. m. Attitude de discrimination fondée sur le sexe, s'exerçant presque toujours à l'encontre des femmes.

sexiste adj. et n. Qui fait preuve de sexisme. ⊳ Subst. *Un sexiste.*

sexologie n. f. Étude scientifique des problèmes physiologiques et psychologiques relatifs à la sexualité humaine.

sexologue n. Spécialiste de la sexologie.

sex-ratio n. m. (Anglicisme) STATIS Rapport entre le nombre des naissances de garçons et de filles. *Des sex-ratios.*

sex-shop [sɛksʃɔp] n. m. Magasin spécialisé dans la vente de publications et d'objets pornographiques. *Des sex-shops.*

sex-symbol n. m. Vedette symbolisant l'idéal sexuel. *Des sex-symbols.*

sextant n. m. ASTRO, MAR Instrument utilisé pour mesurer des distances angulaires et des hauteurs d'astres au-dessus de l'horizon, et qui comporte un limbe de soixante degrés (un sixième de circonférence).

sextant de Baker, fabriqué au XVIIIe s., en Angleterre ; coll. de l'Antiquaire de Marine

sextolet n. m. MUS Groupe de six notes jouées deux fois plus rapidement qu'un triolet.

sextuor [sɛkstɥɔʀ] n. m. MUS Morceau écrit pour six voix ou pour six instruments. – Ensemble instrumental ou vocal formé de six interprètes.

sextuple adj. et n. m. Qui vaut six fois autant. ⊳ n. m. *Le sextuple.*

sextupler v. [**1**] **1.** v. tr. Multiplier par six. **2.** v. intr. Être multiplié par six.

Sextus Empiricus (IIe-IIIe s.), philosophe, médecin et astronome grec ; l'un des princ. représentants de l'école sceptique : *Hypotyposes pyrrhoniennes* et *Contre les savants.*

sexualité n. f. **1.** Ensemble des caractères physiques, physiologiques et psychologiques qui différencient l'individu mâle de l'individu femelle. **2.** Ensemble des comportements caractérisant l'instinct sexuel et sa satisfaction.

sexué, ée adj. BIOL **1.** Pourvu d'organes sexuels. **2.** *Reproduction sexuée,* dans laquelle il y a conjonction des deux sexes.

sexuel, elle adj. **1.** BIOL Qui se rapporte au sexe ou qui est déterminé par lui. ⊳ *Caractères sexuels :* ensemble des caractères (morphologie, couleur, comportement, etc.) qui différencient les animaux mâles des femelles. V. dimorphisme. **2.** (Pour les êtres humains.) Qui se rapporte au sexe, à l'accouplement. *Rapports sexuels. Acte sexuel :* accouplement.

sexuellement adv. D'un point de vue sexuel.

sexy adj. inv. Fam. Qui a du sex-appeal ; désirable et piquante, en parlant d'une femme. – Par ext. *Un chemisier très sexy.*

seyant, ante adj. Qui va bien à qqn, qui flatte son apparence.

Seybouse (oued), fl. de l'Algérie orient. (225 km) ; draine la plaine d'Annaba et se jette dans la Méditerranée.

Seychelles (les), État de l'océan Indien, formé d'une centaine d'îles, à 1 100 km au N.-E. de Madagascar ; 408 km² ; 67 000 hab. ; cap. *Victoria* (dans l'île Mahé). Nature de l'État : rép. membre du Commonwealth. Langues off. : angl. et franç. Monnaie : roupie. Relig. : christianisme. – Archipel volcanique, au climat tropical humide, peuplé surtout de créoles d'origine française ; 90 % de la pop. vit à Mahé. L'économie, assez prospère, est fondée sur le tourisme et la pêche (thon) ; l'agriculture (coprah, cannelle, vanille) est en déclin.– Découvert par les Portugais au XVIe s., exploré et colonisé par les Français au XVIIIe s., occupé en 1810 par les Anglais, auxquels il fut cédé en 1814, l'archipel est indépendant depuis 1976.

seychellois, oise [seʃɛlwa, waz] adj. et n. Des Seychelles. ⊳ Subst. *Un(e) Seychellois(e).*

Seymour (Édouard), duc de Somerset (?, v. 1506 – Londres, 1552), frère de Jeanne* Seymour, régent (« protecteur ») à l'avènement de son neveu Édouard VI (1547). Il favorisa le protestantisme. Renversé par Dudley, il fut jugé et exécuté.

Seyne-sur-Mer (La), ch.-l. de cant. du Var (arr. de Toulon), sur la rade de Toulon ; 60 567 hab. Import. chantiers navals (en crise).

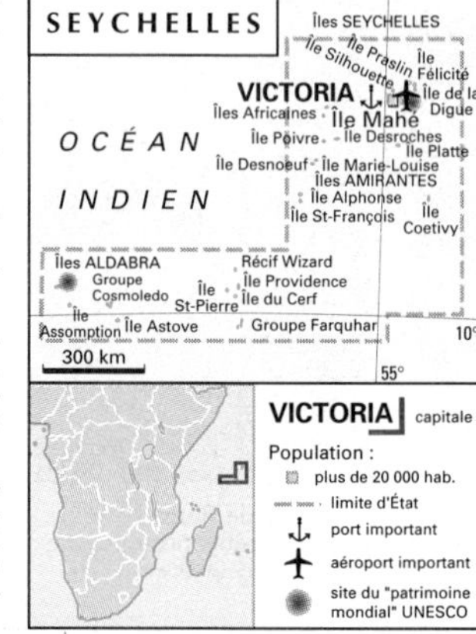

Seynod, ch.-l. de cant. de la Haute-Savoie (arr d'Annecy); 14 837 hab.

Seyssinet-Pariset, com. de l'Isère (arr. de Grenoble); 13 292 hab.

sézigue pron. pers. Pop. Soi, lui. *Il a encore fait des blagues, sézigue?* (Cf. mézigue, tézigue.)

Sfax, v. et grand port de comm. de Tunisie, sur le golfe de Gabès; 231 910 hab.; ch.-l. du gouvernorat du m. nom. Pêche, exportation de phosphates.

S.F.I.O. Sigle de *Section* française de l'Internationale ouvrière.*

Sforza, famille italienne qui régna sur le duché de Milan (1450-1535). Elle fut fondée par le condottiere *Muzio* ou *Giacomo Attendolo* (Cotignola, 1369 - près de Pescara, 1424), surnommé *Sforza.* – **François Ier** (San Miniato, 1401 - Milan, 1466), fils du préc.; duc de Milan (1450-1466). Époux de la fille du duc de Milan, Philippe-Marie Visconti (m. en 1447), il se fit reconnaître duc en 1450. – **Galéas-Marie** (Fermo, 1444 - Milan, 1476), fils du préc.; duc de Milan (1466-1476). Célèbre par ses fastes et son despotisme, il fut assassiné. – **Jean-Galéas** (chât. d'Abbiategrasso, 1469 - Pavie, 1494), fils du préc.; duc de Milan (1476-1494). Il régna sous la régence de sa mère, Bonne de Savoie, puis de son oncle, Ludovic le More (V. Ludovic Sforza). – **Maximilien** (?, 1493 - Paris, 1530), duc de Milan (1512-1515). Fils de Ludovic le More. Le pape Jules II lui fit restituer son duché mais, vaincu à Marignan (1515), il dut le céder à la France. – **François II** (1495 - 1535), frère du préc.; duc de Milan (1521-1535). Rétabli dans le duché par Charles Quint, il légua ses États à ce dernier.

sfumato [sfumato] n. m. BX-A Modelé estompé, vaporeux.

S.G.D.G. Sigle de *sans garantie du gouvernement.* (V. garantie.)

S.G.M.L. n. m. INFORM Abrév. de *standard generalized markup language,* langage normalisé de description de document structuré, norme internationale permettant de structurer les informations contenues dans un texte.

sgraffite [zgʀafit] n. m. BX-A Ancienne technique de décoration murale consistant à appliquer sur un fond sombre un enduit clair qu'on hachure.

's Gravenhage. V. Haye (La).

Shaba (*Katanga* jusqu'en 1972 et depuis mai 1997), région du Zaïre, dans le S.-E. du pays; 496 965 km²; 3 874 000 hab.; ch.-l. *Lubumbashi.* – Cette rég. de plateaux élevés (alt. supérieure à 1 000 m) recèle de considérables richesses minières : cuivre surtout, étain, uranium, manganèse. L'hydroélectricité a permis l'implantation d'une puissante métallurgie à Lubumbashi, à Likasi et à Kolwezi. En outre, les voies de communication sont bonnes. L'économie du Zaïre repose sur celle du Shaba, qui fournit l'essentiel des exportations. – Peu après l'accession à l'indépendance du Congo belge (30 juin 1960), le Katanga fit sécession (11 juil.), sous la conduite de Tschombé; les forces de l'ONU s'interposèrent en 1961, puis se livrèrent à des opérations militaires (déc. 1962) qui réduisirent le séparatisme katangais (janv. 1963).

shabbat. V. sabbat.

Shackleton (sir Ernest Henry) (Kilkee, Irlande, 1874 - en Géorgie du Sud, 1922), explorateur britannique des régions antarctiques, où il mourut.

Shafi'i ou **Chafi'i** (*Abū 'Abd Allāh Muḥammad ibn Idrīs aš-Šāfi'ī*) (Gaza, 767 - Le Caire, 820), théologien musulman; fondateur du shafi'isme.

shafi'isme ou **chafi'isme** [ʃafism] n. m. École shafi'ite.

shafi'ite ou **chafi'ite** [ʃafiit] adj. RELIG *École shafi'ite :* école d'interprétation de l'islam sunnite, fondée sur les enseignements de Shafi'i qui tenta de faire la synthèse entre la volonté divine et les raisonnements humains.

Shaftesbury (Anthony Ashley Cooper, 1er comte de) (Wimborne, Dorset, 1621 - Amsterdam, 1683), homme d'État anglais. Il servit Cromwell, puis Charles II dès 1660, et fut l'un des auteurs de l'Habeas Corpus Act. Chef de l'opposition protestante (whig) en 1673, il dut s'exiler en 1682.

shah. V. schah.

Shah-i-Zendeh. V. Chah-i-Zendeh.

Shahn (Ben) (Kovno, auj. Kaunas, 1898 - New York, 1969), peintre, dessinateur et photographe américain d'origine lituanienne; auteur, après la dépression de 1929, de nombreux reportages sur les groupes marginalisés des États-Unis.

Shâhpur. V. Châhpuhr.

shake-hand [ʃɛkɛnd] n. m. (Faux anglicisme.) Vx ou plaisant Poignée de main. *Des shake-hand(s).*

shaker [ʃɛkœʀ] n. m. Récipient métallique dans lequel on agite pour les mélanger les ingrédients d'un cocktail.

Shakespeare (William) (Stratford-on-Avon, Warwickshire, 1564 - id., 1616), poète dramatique anglais. Dès 1588, il acquit à Londres une excellente réputation comme acteur et comme dramaturge; il acheta une maison à Stratford (où il vécut de 1611 env. à sa mort) et écrivit ses premiers drames historiques (*Henri VI,* 1590-1592; *Richard III,* 1592-1593; *Richard II,* 1595; *Henri IV,* 1597-1598), des comédies (*la Mégère apprivoisée,* 1593-1594; *le Songe d'une nuit d'été,* 1595; *le Marchand de Venise,* 1596) et des drames (*Roméo et Juliette,* 1594-1595; *le Roi Jean,* 1596-1597). Deux autres drames (*Henri V,* 1598-1599; *Jules César,* 1599) et quatre comédies (*Beaucoup de bruit pour rien,* 1598; *Comme il vous plaira,* 1599; *les Joyeuses Commères de Windsor,* 1600-1601; *la Nuit des rois,* 1600-1601) terminent la période de «jeunesse». Vers 1600, une révolution profonde se produit : les héros shakespeariens, d'une profonde humanité, complexes, sont en proie à de terribles hantises, à la vengeance et à la double énigme de la volonté et de la destinée (*Hamlet,* 1600-1601), à la jalousie (*Othello,* 1604), à l'ambition et au remords (*Macbeth,* 1605), au désespoir et à la folie (*le Roi Lear,* 1606). Après cette période, qu'illustrent également *Troïlus et Cressida* (1601), *Mesure pour mesure* (1604), *Antoine et Cléopâtre* (1606) et *Timon d'Athènes* (1607), Shakespeare revient à une vision plus sereine du monde : *Périclès* (1608), *Cymbeline* (1609), *le Conte d'hiver* (1610), *la Tempête* (1611), *Henri VIII* (1612). À l'exception de ses premiers poèmes (*Vénus et Adonis,* 1593; *le Viol de Lucrèce,* 1594; *Sonnets,* 1609), Shakespeare n'a rien publié sous son nom de son vivant, et l'on ne possède aucun manuscrit de ses œuvres; aussi, certains ont-ils émis des doutes, généralement écartés par la critique moderne, sur le personnage ou sur la paternité de son œuvre.

Shakespeare

Yitzhak **Shamir**

shakespearien, enne adj. Qui rappelle les passions tumultueuses et tragiques peintes par Shakespeare.

shako ou **schako** [ʃako] n. m. Coiffure militaire rigide, à visière, de forme tronconique. *Shako de saint-cyrien.*

Shamir (Yitzhak) (Ruzinoy, Pologne, 1915), homme politique israélien. Il succéda à Menahem Begin, démissionnaire, à la tête du gouvernement de droite (1983-1984) puis, en 1986, à Shimon Peres comme Premier ministre du gouvernement d'union nationale. Il resta à la tête du gouv. jusqu'en 1992, remplacé alors par le travailliste Y. Rabin.

shamisen [ʃamizɛn] n. m. Luth japonais à trois cordes.

shampooiner ou **shampouiner** [ʃɑ̃pwine] v. tr. [1] Faire un shampooing.

shampooineur, euse ou **shampouineur, euse** n. **1.** Employé(e) d'un salon de coiffure qui fait surtout les shampooings. **2.** n. f. Appareil servant à nettoyer les moquettes.

shampooing ou **shampoing** [ʃɑ̃pwɛ̃] n. m. **1.** Lavage des cheveux. **2.** *Par méton.* Produit utilisé pour ce lavage. *Shampooing colorant.* – Par ext. *Shampooing pour chien, pour moquette.*

Shan(s) ou **Chan(s),** groupe ethnique de l'E. de la Birmanie, appartenant au groupe thaï, localisé sur le *plateau Shan,* vaste enclave entre la Chine et la Thaïlande. Leur langue est le *shan* (ou *san*). – *État des Shans :* État de l'E. de la Birmanie (160 000 km²; env. 3 726 420 hab.); il bénéficie d'une certaine autonomie par rapport au pouvoir central.

Shandong ou **Chantoung,** prov. de la Chine du N.-E., sur la mer Jaune; 153 300 km²; 76 950 000 hab.; ch.-l. *Jinan.* – Cette rég. surpeuplée, que fertilisent les alluvions du bas Huanghe (cult. des céréales, du riz, du coton), comprend la *presqu'île du Shandong,* caractérisée par ses cult. en terrasses. Le sous-sol est riche : houille, fer, métaux non ferreux.

Shang ou **Chang,** deuxième dynastie chinoise d'après la chron. traditionnelle (v. 1800 - v. 1100 av. J.-C.). Connue également sous le nom de Yin, elle succéda à celle des Xia.

Shanghai ou **Chang-hai,** la plus grande v. et le premier port de Chine, au S. de l'estuaire du Yangzijiang; 7 780 000 hab. (aggl. urb. 12,5 millions d'hab.); municipalité autonome dépendant du pouvoir central (5 970 km²). Industr. text., chim. et méca. Centre sidérurgique et métall. – Des concessions internationales s'y maintinrent de 1842 à 1949.

Shankar (Ravi) (Bénarès, 1920), musicien indien, virtuose du sitar et compositeur, l'un des musiciens orientaux les plus célèbres en Occident.

Shannon (le), fl. d'Irlande (370 km), tributaire de l'Atlantique (Limerick). Il traverse plusieurs lacs et est uni à la mer d'Irlande par des canaux.

Shannon (Claude Elwood) (Gaylord, Michigan, 1916), mathématicien américain; l'un des fondateurs de la théorie de l'information.

Shantou ou **Swatow,** v. et port de la Chine méridionale (Guangdong); 717 620 hab. Centre métallurgique.

shantung ou **chantoung** [ʃɑ̃tuŋ] n. m. Tissu de soie d'aspect irrégulier.

Shanxi, prov. montagneuse de la Chine du N., limitée à l'O. par le Huanghe; 157 100 km^2; 26 270 000 hab.; cap. *Taiyuan.* Ses plateaux limoneux, fertiles, recèlent des bassins houillers. Nombr. centres sidérurgiques.

Shānxi ou **Shenxi,** prov. de la Chine du Nord-Est, dans la boucle du Huanghe; 190 000 km^2; 30 020 000 hab.; cap. *Xi'an.* – Ses plateaux souvent fertiles (lœss) recèlent de riches gisements de houille et de fer. – En 1934, les rescapés de la Longue Marche aboutirent dans cette province.

SHAPE, acronyme pour *Supreme Headquarters Allied Powers Europe,* quartier général des forces de l'OTAN en Europe qui siège près de Mons (Belgique), après avoir siégé à Rocquencourt (Yvelines) de 1951 à 1966.

Shapiro (Karl) (Baltimore, 1913), écrivain américain. Ses poésies évoquent la guerre et les grands problèmes de notre époque : *Lettre V* (1944). Ouvrages de critique : *Essai sur la rime* (1945), *Au-delà de la critique* (1953).

Shapley (Harlow) (Nashville, Missouri, 1885 – Boulder, Colorado, 1972), astronome américain; connu pour ses travaux sur la structure galactique.

Sharaku (Saito Jurōbei, dit Tōshūsaï) (m. en 1801), peintre japonais; l'un des maîtres de l'estampe (portraits d'acteurs) de la fin du XVIIIe s.

shareware [ʃɛʀwɛʀ] n. m. (Anglicisme) INFORM Logiciel mis à la disposition du public moyennant le versement d'une redevance en cas d'utilisation. Syn. logiciel contributif.

shari'ah. V. chari'a.

Sharon. V. Saron.

Sharroukīn. V. Sargon.

Shaw (George Bernard) (Dublin, 1856 – Ayot Saint Lawrence, Hertfordshire, 1950), écrivain irlandais. Sensible aux injustices sociales, il fit partie de la Fabian Society, dont il rédigea le manifeste (1884). Auteur de quelques romans, d'études sur Ibsen, sur Wagner, etc., il triompha au théâtre, traitant, avec paradoxe et humour, de l'usure (*L'argent n'a pas d'odeur,* 1892), de la prostitution (*la Profession de Mrs. Warren,* 1898), de l'héroïsme (*le Héros et le Soldat,* 1898; *Sainte Jeanne,* 1923), de l'amour (*Candida,* 1898), du donjuanisme (*l'Homme et le Surhomme,* 1903) et des préjugés de classe (*Pygmalion,* 1916). P. Nobel 1925.

G. B. **Shaw**

P. B. **Shelley**

Shaw (Irwin) (New York, 1913 – Davos, Suisse, 1984), écrivain américain. Pacifiste et antimilitariste, il s'intéresse aux faits de société : théâtre (*Enterrons le mort,* 1936), romans (*le Bal des maudits,* 1948).

Shawinigan, v. du Canada (Québec), sur le Saint-Maurice; 21 470 hab. Chimie; métallurgie; papeterie.

Shawnee(s), membres d'une tribu amérindienne du groupe algonkin. Ils furent repoussés par les colons du N.-E. jusqu'en Indiana, où ils résistèrent jusqu'à la bataille de Tippecanoe (1811). Leurs descendants vivent dans des réserves en Oklahoma.

shed [ʃɛd] n. m. (Anglicisme) Syn. (off. déconseillé) de *toiture à redans.*

Sheffield, v. de G.-B. (South Yorkshire); 499 770 hab. (aggl. 800 000 hab.). Un des princ. centres sidérurgiques (aciers spéciaux) et métallurgiques (coutellerie) européens, import. depuis le déb. du XIIe s.

Shéhérazade. V. Schéhérazade.

shekel [ʃekɛl] n. m. Unité monétaire de l'État d'Israël.

Shelley (Percy Bysshe) (Field Place, Horsham, Sussex, 1792 – au large de Viareggio, 1822), poète romantique anglais. Il mena une vie agitée avant de se fixer en Italie avec Mary Godwin (1820). Après deux poèmes : *la Reine Mab* (1813) et *Alastor ou l'Esprit de la solitude* (1816), Shelley publia en 1819 *Prométhée délivré,* drame lyrique en vers qui célèbre la liberté et l'amour idéal, et *les Cenci,* tragédie quasi shakespearienne. La même année, il donna l'*Ode au vent d'ouest, la Sensitive,* l'*Ode à l'alouette,* et, en 1821, l'*Epipsychidion,* chant d'amour platonique inspiré de Dante, et *Adonaïs,* élégie sur la mort de Keats. Shelley périt dans des circonstances mal connues, ayant fait naufrage en traversant sur son bateau, l'*Ariel,* le golfe de La Spezia. – **Mary** (Londres, 1797 – id., 1851), seconde épouse du préc., fille de William Godwin; romancière anglaise, surtout connue pour son roman fantastique *Frankenstein ou le Prométhée moderne* (1818).

Shen Ningyang (Hefei, 1922), physicien chinois. Il professa aux É.-U. (1955), où il démontra, avec Tsung Daolee, que le principe de parité n'était pas valable en phys. nucl. Il reçut, avec son collab., le P. Nobel 1957. Tous deux revinrent en Rép. pop. de Chine et œuvrèrent à l'essor de la physique nucléaire dans leur pays.

Shenxi. V. Shānxi.

Shenyang (anc. *Moukden*), v. de Chine (Mandchourie); 4 500 000 hab. (aggl. urb. 5 054 600 hab.); ch.-l. du Liaoning. Métall. Raff. de pétrole. Industr. chim., text. – Anc. cap. de la dynastie mandchoue des Qing. – Victoire des Japonais sur les Russes (1905).

Shenzhen, v. de Chine (Guangdong), près de Hongkong; 1 500 000 hab. Zone franche industrielle.

Shepp (Archie) (Fort Lauderdale, Floride, 1937), compositeur et saxophoniste de jazz américain; l'une des figures les plus éclectiques et les plus riches du free-jazz.

Sherbrooke, v. du Canada (Québec); 76 400 hab. Centre commercial et industriel (text., métall. du cuivre, chim.). – Archevêché. Université.

Sheridan (Richard Brinsley Butler) (Dublin, 1751 – Londres, 1816), écrivain anglais; auteur de comédies satiriques (*l'École de la médisance,* 1777; *le Critique,* 1779).

shérif n. m. **1.** En G.-B., premier magistrat d'un comté, chargé de la police, du recouvrement des impôts et des amendes, de l'exécution des jugements, etc. **2.** Aux É.-U., chef de la police d'un comté. **3.** Fig., fam. Policier aux manières expéditives.

Sherlock Holmes, héros de très nombr. romans policiers de Conan Doyle*, détective privé qui fait preuve d'une sagacité hors pair.

Sherman (William Tecumseh) (Lancaster, Ohio, 1820 – New York, 1891), général américain (nordiste) de la guerre de Sécession. Il dirigea la «Grande Marche vers la mer» (déc. 1864) à travers la Georgie, qui décida de la victoire finale des fédéraux.

sherpa [ʃɛʀpa] n. m. **1.** Porteur, guide de montagne, dans l'Himalaya. **2.** Fam. Conseiller spécial d'un chef d'État ou de gouvernement, chargé de l'assister lors de ses rencontres avec ses homologues.

Sherpa, peuple d'orig. tibétaine qui habite les montagnes du Népal.

Sherrington (sir Charles Scott) (Londres, 1857 – Eastbourne, 1952), physiologiste anglais; l'un des fondateurs, avec Jackson, de la neurologie moderne. P. Nobel 1932.

sherry n. m. (Mot angl.) Xérès.

shetland [ʃɛtlɑ̃d] n. m. Laine d'Écosse. *Pull en shetland* ou *un shetland.*

Shetland ou **Zetland** (îles), archipel brit. au N. de l'Écosse; 1 429 km^2; 23 200 hab.; ch.-l. *Lerwick.* Élevage (ovins et poneys); pêche.

Shetland du Sud, archipel subantarctique (G.-B.), au S. de la Terre de Feu, revendiqué par l'Argentine et le Chili; 4 662 km^2.

shiatsu [ʃjatsu] n. m. Traitement par des applications des doigts sur des points d'acupuncture.

shigelle n. f. Entérobactérie, agent de dysenteries.

Shiji ou **Cheki,** vaste compilation (130 vol.) de la fin du IIe s. av. J.-C. due à Sima Qian (v. 145 – v. 86 av. J.-C.). Ces *Mémoires historiques,* qui réunissent divers genres (annales, chronologies, biographies, etc.), remontent aux débuts de la dynastie Qin (221 av. J.-C.).

Shijiazhuang, v. de Chine; ch.-l. du Hebei; 1 300 000 hab. Nœud ferroviaire. Industr. text. et mécan.

Shijing ou **Che-king,** l'un des jing*, la prem. anthologie de la poésie chinoise. Composée au IIe s. av. J.-C., elle regroupe plus de 300 poèmes, dont les plus anc. remontent au VIe s. av. J.-C.

Shikoku ou vieilli **Sikok,** la plus petite des quatre îles principales du Japon, au S. de Honshū; 18 792 km^2; 4 227 000 hab.; v. princ. *Matsuyama.* – L'île étant montagneuse (alt. max. 1 980 m) et forestière, la pop. se concentre dans les plaines côtières, vouées à une agriculture très diversifiée (à cause du climat à la fois tempéré et tropical) : primeurs (fruits), mûriers, céréales, etc. Pêche. Industr. chimiques et textiles.

shilling [ʃiliŋ] n. m. Unité monétaire de divers pays (Ouganda, Kenya, Somalie, Tanzanie). ▷ *Spécial.* Anc. division de la livre sterling, correspondant à un vingtième de cette unité.

Shillong, v. de l'Inde, cap. de l'État du Meghalaya (Assam), sur le *plateau de Shillong,* à 1 350 m d'alt.; 109 240 hab.

shilom [ʃilɔm] n. m. Petite pipe utilisée pour fumer du haschich.

Shimazaki Tōson (Shimazaki Haruki, dit) (Nagano, 1872 – Ōiso, 1943), écrivain japonais; poète d'inspiration romantique, puis princ. représentant du mouvement populiste issu du naturalisme français : *Forfaiture* (1906), *Avant l'aube* (1929-1935).

Shimizu, v. et port de comm. du Japon, au S.-O. de Tōkyō (Honshū); 242 000 hab.

shimmy [ʃimi] n. m. TECH Vibration ou flottement dans le train avant d'une automobile, dus le plus souvent à un mauvais équilibrage des roues.

Shimonoseki ou **Simonoseki,** port actif du Japon (S.-O. de Honshū), sur le *détroit de Shimonoseki,* relié par tunnel à l'île de Kyūshū; 269 170 hab. Centre industriel. – Traité de paix entre la Chine et le Japon en 1895 (cession de Formose au Japon, reconnaissance de l'indépendance de la Corée, etc.).

shingle [ʃiŋgœl] n. m. (Anglicisme) Matériau de couverture en feutre imprégné de bitume.

shintō [ʃinto] ou **shintoïsme** [ʃintɔism] n. m. Didac. Religion officielle du Japon jusqu'en 1945, fondée essentiellement sur le culte des ancêtres et sur la vénération des forces de la nature.

shintoïste [ʃintɔist] adj. et n. Didac. Du shintō. *Culte shintoïste.*

shipchandler [ʃipʃɑ̃dlœʀ] n. m. (Anglicisme) MAR Commerçant qui tient un magasin d'articles de marine.

shit [ʃit] n. m. (Anglicisme) Fam. Haschisch.

Shitao ou **Che-t'ao** (1641 – v. 1720), peintre et théoricien chinois; le plus prolifique de l'époque Qing.

Shiva. V. Çiva.

shivaïsme. V. sivaïsme.

Shizuoka, v. du Japon, sur la côte S. de Honshū, au S.-O. de Tōkyō; 468 500 hab.; ch.-l. du ken du m. nom. Centre commercial (thé) et industriel.

Shkodra ou **Shkodër,** v. du N. de l'Albanie, sur le lac du m. nom (en partie monténégrin); 71 000 hab.; ch.-l. du distr. du m. nom. Centre industriel (alim., text., métall.). – La ville *(Scutari)* appartint à Venise au XVe s.

Shlonsky (Abraham) (Kremenchtoug, Ukraine, 1900 – Tel-Aviv, 1973), écrivain israélien. Sa poésie, influencée par la littérature traditionnelle et les rites juifs, reflète l'époque troublée qu'il vécut : *Douleur* (1924), *Pierres brûlées* (1960), *le Livre des échelles* (1972).

Shoah (la), mot hébreu qui signifie «catastrophe» et s'applique particulièrement à l'entreprise d'extermination des Juifs par les nazis.

Shockley (William Bradford) (Londres, 1910 – Stanford, Californie, 1989), physicien américain. Sa participation à l'invention du transistor* lui valut le P. Nobel 1956.

shogun ou **shogoun** [ʃɔgun] n. m. HIST Nom donné aux chefs militaires qui, sous l'autorité nominale de l'empereur, détinrent au Japon le pouvoir effectif de 1192 à 1868.

shogunal ou **shogounal, ale, aux** adj. HIST Du shogun.

Sholāpur, v. de l'Inde (Mahārāshtra), dans le Dekkan; 604 000 hab. Coton. – Studios de cinéma.

shoot [ʃut] n. m. (Anglicisme) **1.** Au football, coup de pied donné dans le ballon pour dégager ou pour marquer. Syn. tir. **2.** Arg. Injection de drogue.

shooter [ʃute] v. [1] **1.** v. intr. Faire un shoot, au football. Syn. tirer. **2.** v. pron. Arg. S'injecter des stupéfiants.

shopping [ʃɔpiŋ] n. m. (Anglicisme) *Faire du shopping :* courir les magasins.

short [ʃɔʀt] n. m. Culotte courte portée pour faire du sport, en vacances, etc.

short-track [ʃɔʀtʀak] n. m. (Anglicisme) Patinage de vitesse sur piste courte (111 m).

show [ʃo] n. m. (Anglicisme) Spectacle de variétés.

show-business [ʃobiznɛs] ou, fam., **showbiz** [ʃobiz] n. m. inv. (Anglicisme) Syn. de *industrie* du spectacle.*

showroom [ʃoʀum] n. m. (Anglicisme) Local dans lequel un industriel ou un commerçant expose sa production.

shrapnel(l) [ʃʀapnɛl] n. m. Obus portant une charge de balles.

Shreveport, v. des É.-U. (Louisiane), sur la Red River; 198 500 hab. Pétrochimie; textile.

Shrewsbury, ville de G.-B., sur la Severn; 59 830 hab.; ch.-l. du comté de *Shropshire.* Égl. abbatiale (XIVe s.). Égl. St. Mary (XIIIe-XVe s.).

Shropshire, comté d'Angleterre; 3 490 km^2; 401 600 hab.; ch.-l. *Shrewsbury.*

shtetel [ʃtetɛl] n. m. Bourgade juive d'Europe centrale et orientale, avant l'Holocauste.

Shujing ou **Chou-king** («le Classique des documents»), l'un des cinq «classiques» chinois (V. jing), recueil de discours, édits, exhortations, etc., consignés sur ordre de souverains (entre le XIe s. et 625 av. J.-C.).

shunt [ʃœt] n. m. (Anglicisme) **1.** ELECTR Résistance placée en dérivation entre les bornes d'une portion de circuit afin de réduire le courant. **2.** MED Communication entre deux cavités cardiaques ou deux vaisseaux dont l'un contient du sang veineux et l'autre du sang artériel.

shunter [ʃœte] v. tr. [1] **1.** ELECTR Munir d'un shunt. **2.** Fig., fam. Court-circuiter.

1. si conj. et n. m. inv. (*Si* s'élide en *s'* devant *il, ils.*) **I.** conj. (Introduisant une proposition subordonnée conditionnelle.) **1.** (Suivi de l'indicatif présent ou passé, avec une principale à l'indicatif ou à l'impératif, pour indiquer le caractère réalisable de la condition.) *Si tu veux la paix, prépare la guerre.* **2.** (Suivi de l'imparfait de l'indicatif, avec une principale au conditionnel présent, pour indiquer le caractère non réalisé dans le présent ou irréalisable dans l'avenir de la condition.) *Si j'étais en vacances, j'irais me baigner.* **3.** (Suivi du plus-que-parfait de l'indicatif, avec une principale au conditionnel passé, pour indiquer l'irréalité de la condition dans le passé.) *Si la nuit avait été plus claire, on l'aurait vu s'enfuir.* **4.** (Dans une phrase exclamative.) *Et s'il t'arrive un accident!* (sous-entendu : *que se passera-t-il?*). – Fam. Combien, comme. *Vous pensez s'ils étaient contents!* **II.** conj. (Introduisant une proposition non conditionnelle.) **1.** Chaque fois que. *Si le matin je reçois une lettre, je suis de bonne humeur pour la journée.* **2.** Bien que. *Si mes dépenses ne changent pas, mes ressources, elles, diminuent.* **3.** (En corrélation avec *c'est que.*) *S'il n'est pas chez lui, c'est qu'il est au cinéma.* **4.** (Introduisant une proposition complétive ou une interrogative indirecte.) *Excusez-moi si je vous dérange. Je verrai si ce que tu dis est vrai.* **III.** (En loc.) **1.** *Si tant est que* (+ subj.) : en admettant que. **2.** Loc. conj. *Si ce n'est que :* sauf que. **3.** *Si ce n'est :* excepté. **IV.** n. m. inv. Supposition. *Assez de si et de mais.*

2. si adv. **I.** adv. d'affirmation (en réponse à une phrase négative). *Il n'était pas là hier. – Si, je l'ai vu. Ça ne t'intéresse pas? – Si!* **II.** adv. d'intensité. Tellement. *C'est si triste! Elle était si impatiente qu'elle ne tenait plus en place.* ▷ Loc. conj. *Si bien que :* de sorte que. **III.** adv. de comparaison. Aussi. *Je n'avais jamais rien vu de si beau.* **IV.** Loc. conj. *Si... que* (pour introduire une proposition concessive). *Si petit qu'il soit.*

3. si n. m. inv. Septième note de la gamme d'*ut*; signe qui la représente.

Si CHIM Symbole du silicium.

SI Sigle de *Système* international d'unités.*

Sialkot, ville du N. du Pākistān (Pendjab); 296 000 hab. Métallurgie.

sialorrhée n. f. MED Exagération de la sécrétion salivaire.

Siam. V. Thaïlande.

siamois, oise adj. et n. **1.** Du Siam. **2.** *Chat siamois* ou, n. m., *un siamois :* chat svelte, aux yeux bleus et au pelage beige et brun. **3.** *Frères siamois, sœurs siamoises :* jumeaux, jumelles qui naissent attachés l'un à l'autre par une partie du corps. ► pl. chats

Sian. V. Xi'an.

Sibelius (Jean) (Hämeenlinna, 1865 – Järvenpää, 1957), compositeur finlandais. Tout en subissant l'influence de Brahms et de Tchaïkovski, il ne cessa d'être fidèle à une inspiration proprement finnoise : *Kuolema* (mus. de scène qui comprend la célèbre *Valse triste*), *Finlandia,* sept symphonies, etc.

Sibérie, vaste rég. située en Russie, entre l'Oural, l'Arctique, le Pacifique et, au sud, les chaînes d'Asie centrale et le Kazakhstan; 12 765 000 km^2 et env. 30 millions d'hab.

Géogr. phys. et écon. – La *Sibérie occidentale* (entre l'Oural et l'Ienisseï) est une vaste plaine, souvent marécageuse, drainée par l'Ob et ses affl., et dont les limites méridionales atteignent le Kazakhstan. La *Sibérie centrale* (entre l'Ienisseï et la Lena) est un immense plateau faillé. En *Sibérie orientale,* des chaînes récentes (alt. max. 4 850 m au Kamtchatka) se développent jusqu'au Pacifique. Le climat se caractérise par des hivers très froids et longs (température moyenne de janv. entre −15 et −40 °C) et par de brefs étés (moyenne de juil. entre 10 et 20 °C); là où le climat est le plus rigoureux, le sol demeure gelé en permanence (merzlota*). À la toundra, au N., succèdent la taïga (énorme réserve de bois) puis la steppe. En raison des conditions climatiques, l'agriculture (céréales, élevage) n'est pratiquée que dans le S., en Sibérie occidentale notam. La pop., d'origine russe, qui a submergé les petits groupes originels de chasseurs itinérants, ainsi que les semi-nomades d'orig. turco-mongole, se concentre dans les régions méridionales. Le sous-sol recèle d'immenses richesses : houille (exploitée surtout dans le bassin du Kouzbass), fer, métaux non ferreux, or, diamants, gaz naturel exporté par gazoduc jusqu'en Europe de l'O., pétrole; l'équivalent de la moitié de la production de pétrole de l'ex-U.R.S.S. est fournie par le bassin de l'Ob moyen. Le potentiel hydroélectrique est considérable (centrales de Bratsk, de Krasnoïarsk). Une partie des matières premières alimente de puissantes industr. métall. et méca. (à Novossibirsk, notam.). Les conditions d'exploitation (rudesse du climat, difficultés des communications) freinant la mise en valeur des richesses sibériennes, le gouvernement a pris diverses mesures : larges subventions, recours à l'aide technique des É.-U. et du Japon, salaires élevés, construction de voies de communication, notam. de la voie ferrée Baïkal-Amour (BAM), etc.

Hist. – Occupée dès le paléolithique (Sibérie méridionale), habitée vers l'ère chrétienne par des peuples nomades de races mongole et turque, la Sibérie s'ouvrit à la colonisation russe au XVIe s. (avec Iermak); le Kamtchatka fut atteint v. 1650. Au XVIIIe s., l'effort de mise en valeur augmenta avec la main-d'œuvre constituée par les déportés de toutes catégories. Le Transsibérien, édifié de 1891 à 1906, fut un instrument de colonisation. L'époque stalinienne a multiplié les goulags*, dont les prisonniers ont été employés sur tous les grands chantiers.

sibérien, enne adj. et n. De Sibérie. – Fig. *Froid sibérien :* très grand froid. ▷ Subst. *Un(e) Sibérien(ne).*

Sibérie orientale (mer de), partie de l'océan Arctique située au N. de la *Sibérie orientale* (dite *Nouvelle-Sibérie*).

sibilant, ante adj. MED *Râles sibilants :* râles bronchiques sifflants entendus à l'auscultation lors d'une crise d'asthme.

Sibiu, v. de Roumanie, en Transylvanie; 173 120 hab.; ch.-l. du distr. du m. nom. Centre industriel et commercial. – Égl. du XIVe s. – Fondée au Moyen Âge sur le site d'une anc. colonie romaine *(Cibinum).*

sibylle n. f. ANTIQ Femme qui passait pour avoir reçu d'Apollon le don de prédire l'avenir.

sibyllin, ine adj. **1.** Didac. D'une sibylle. **2.** Litt. ou plaisant Obscur comme les prophéties des sibylles. *Il s'est exprimé en termes sibyllins.* ▷ ANTIQ ROM *Livres sibyllins :* recueil d'oracles attribués à la sibylle de Cumes.

sic [sik] adv. (lat., « ainsi ») Se met entre parenthèses à la suite d'un passage ou d'un mot pour indiquer qu'il a été cité textuellement, quelles que soient les erreurs ou les bizarreries qu'il contient.

sicaire n. m. Vx ou litt. Assassin à gages.

Sicambres, peuple germanique, installé au S. de la Lippe, soumis par les Romains (8 apr. J.-C.), puis intégré aux Francs.

Sicanes, peuple primitif de la Sicile méridionale et occidentale. (V. Sicules.)

sicav n. f. inv. FIN (Acronyme pour *société d'investissement à capital variable.*) Société ayant pour objet de gérer collectivement un portefeuille de valeurs mobilières et dont le capital varie suivant les souscriptions et les retraits.

siccatif, ive adj. **1.** TECH Se dit d'une substance qui facilite le séchage d'une peinture en accélérant l'oxydation à l'air de son médium (2, sens 2). ▷ n. m. *Un siccatif.* **2.** CHIM *Huile siccative,* qui se polymérise rapidement à l'air et, par suite, durcit très vite.

siccité n. f. Didac. État de ce qui est sec.

Sichem. V. Naplouse.

Sichuan ou **Setchouan,** prov. de la Chine centrale; 569 000 km²; 101 880 000 hab. (la prov. la plus peuplée de Chine); cap. *Chengdu.* – La région occidentale est occupée par un fort ensemble montagneux culminant à 7 590 m dans les *Alpes du Sichuan.* La pop. se concentre dans la plaine orientale (le *Bassin rouge*), fertile (cult. du riz, surtout) et au sous-sol riche en houille, en pétrole et en minerais. Les industries (métall., text., etc.) sont implantées à Chengdu et à Chongqing (situé sur le Yangzijiang).

Sicié (cap), cap de Provence (Var), sur la Méditerranée, à 10 km au S.-O. de Toulon.

Sicile, la plus vaste et la plus peuplée des îles de la Méditerranée, séparée de la péninsule italienne par le détroit de Messine. Région d'Italie et de la C.E., formée de neuf prov. : Agrigente, Caltanissetta, Catane, Enna, Messine, Palerme, Raguse, Syracuse et Trapani; 25 708 km²; 5 141 340 hab.; cap. *Palerme.*

Géogr. et écon. – Montagneuse et volcanique au N. et au N.-E. (Etna, point culminant de l'île à 3 295 m), formée de blocs calcaires au N.-O., et d'un vaste ensemble de collines argileuses au centre et au S.-O., la Sicile n'a qu'une grande plaine à l'E., à Catane, et présente des littoraux diversifiés. Le climat méditerranéen, aux étés longs et secs, prend des nuances arides au S. Fortement urbanisée sur les littoraux, qui groupent la majorité des hab., la population reste très rurale en Sicile intérieure. Les plaines côtières vivent d'une polyculture intensive irriguée (agrumes, fruits, légumes, canne à sucre, coton) et de pêche, alors que l'intérieur se consacre à la céréaliculture extensive, à l'élevage du mouton et produit des olives et des amandes; l'île compte quelques bons vignobles (Marsala, Trapani). L'extraction de potasse (Agrigente), de pétrole (Gela et Raguse), l'implantation de complexes industriels (pétrochimie, cimenteries), l'essor du tourisme et les aides massives de la C.É.E. ont permis un développement réel et l'émigration séculaire s'est interrompue.

Hist. – Lieu d'escale pour les Phéniciens (IXe s. av. J.-C.) puis colonisée par les Carthaginois (partie O.), la Sicile (« grenier à blé ») reçut des colons grecs dès la fin du VIIIe s. av. J.-C. Ils établirent des colonies sur la côte E. de l'île dont la première fut Naxos. Syracuse devint la cité la plus importante (dès le VIIe s. av. J.-C.). Ces diverses cités (qui, avec celles d'Italie du Sud, formaient la Grande-Grèce*) se firent une guerre continuelle pour imposer leur hégémonie; les guerres civiles incessantes (danger carthaginois) obligèrent la plupart des cités à supporter le régime des tyrans*. L'apogée de la Sicile grecque se situe au Ve s. av. J.-C.; en 414-413, l'île fut le théâtre d'une désastreuse expédition des Athéniens contre Syracuse dont la victoire établit pour longtemps son hégémonie sur l'île. Enjeu de la première guerre punique, la Sicile fut annexée par Rome qui l'organisa en « province » (241 av. J.-C.). Révoltée contre Rome lors de la deuxième guerre punique, elle fut définitivement soumise après la prise de Syracuse (212 av. J.-C.) et devint un des greniers de l'Empire. Après la chute de l'Empire romain, la Sicile fut envahie par les Vandales (439 apr. J.-C.), puis par les Ostrogoths (491). Conquise par Bélisaire (535), rattachée à l'empire d'Orient, l'île connut dès le VIIe s. les incursions des Arabes, qui la conquirent au IXe s. (à l'exception du N.-E.). Les Normands la leur reprirent en trente ans (1061-1091). Le royaume de Sicile ainsi formé, siège d'une brillante civilisation cosmopolite, passa aux Hohenstaufen (1194-1266), puis à la maison d'Anjou, enfin, après la révolte des Vêpres siciliennes, à la maison d'Aragon (1282), qui fonda en 1442 le royaume des Deux*-Siciles. (V. aussi Naples.) Après avoir été successivement espagnole, savoyarde, autrichienne, la Sicile échut aux Bourbons de Naples en 1734. Conquise par Garibaldi en 1860, elle vota son rattachement au Piémont. Elle reçut en 1948 un statut d'autonomie régionale. La Sicile pose le problème permanent de sa pauvreté. L'action des pouvoirs publics y est gravement entravée par le poids de la Mafia.

sicilien, enne adj. et n. **1.** adj. De Sicile. ▷ Subst. *Un(e) Sicilien(ne).* **2.** n. f. Danse de caractère pastoral, sur une mesure à six-huit, en vogue au XVIIIe s.; air sur lequel elle se dansait.

Sicules, peuple primitif qui, venu de la péninsule italique, occupa la Sicile avant 1000 av. J.-C. (On ne sait s'ils y supplantèrent les Sicanes ou si ce nom est une autre orthographe du leur.)

Sicyone, v. de la Grèce anc. (Péloponnèse), près de Corinthe. Ruines.

sida n. m. MED (Acronyme pour *syndrome d'immunodéficience acquise.*) Syndrome constitué par une ou plusieurs maladies révélant un déficit immunitaire de l'organisme, qui est dû à un agent viral transmissible.

ENCYCL L'agent viral du sida (H.I.V.) entraîne un effondrement des défenses immunitaires qui rend l'organisme incapable de se défendre contre les infections. Il est transmissible soit au cours de rapports sexuels par les personnes qui en sont porteuses (d'où l'intérêt de l'emploi des préservatifs), soit par voie sanguine : lors d'une transfusion si le sang transfusé en contient (en France, la recherche d'anticorps révélant sa présence est auj. systématique), ou du fait de l'usage d'une seringue infectée (les toxicomanes sont particulièrement exposés).

► illustr. **virus**

side-car [sajdkaʀ; sidkaʀ] n. m. (Anglicisme) Petite nacelle munie d'une roue, qui se fixe sur le côté d'une motocyclette; ensemble formé par la motocyclette et la nacelle. *Des side-cars.*

sidéen, enne adj. et n. Atteint du sida. ▷ Subst. *Un(e) sidéen(ne).*

1. sidér(o)-. Élément, du lat. *sidus, sideris,* « astre ».

2. sidér(o)-. Élément, du gr. *sidêros,* « fer ».

sidéral, ale, aux adj. Didac. ou litt. Qui a rapport aux astres; des astres. ▷ ASTRO

Révolution sidérale d'une planète : mouvement de cette planète entre ses deux passages consécutifs au point vernal, supposé fixe; durée de ce mouvement. ▷ *Année* sidérale. Jour* sidéral.*

sidérant, ante adj. Fam. Stupéfiant.

sidération n. f. MED Anéantissement subit des fonctions vitales, avec arrêt respiratoire et état de mort apparente, produit par certains chocs et attribué jadis aux influences astrales.

sidérer v. tr. [**14**] Fam. Stupéfier, étonner fortement.

sidérite n. f. MINER Carbonate naturel de fer ($FeCO_3$). Syn. sidérose.

sidérose n. f. **1.** MED Pneumoconiose due à l'inhalation prolongée de poussières de fer. **2.** MINER Syn. de *sidérite.*

sidérostat [sideʀɔsta] n. m. ASTRO Appareil à miroir mobile qui annule le mouvement apparent d'un astre en renvoyant dans une direction déterminée et constante les rayons lumineux qui en émanent, et qui permet l'observation de cet astre avec un instrument à poste fixe.

sidérurgie n. f. Métallurgie du fer et de ses alliages (production de la fonte en haut fourneau, affinage et transformation de l'acier).

sidérurgique adj. Relatif à la sidérurgie.

sidérurgiste n. Métallurgiste spécialisé dans la sidérurgie.

Sidi-bel-Abbès *(Sīdi ibn al-'Abbās),* v. d'Algérie, au S. d'Oran, dans une plaine fertile; ch.-l. de la wilaya du m. nom; 156 140 hab. Centre agricole. – Une des bases de la Légion étrangère française de 1843 à 1962.

Sidi-Brahim, localité d'Algérie, près du Maroc, où des troupes françaises (chasseurs et hussards) livrèrent de farouches combats aux cavaliers d'Abd el-Kader les 23, 24 et 25 sept. 1845. (L'anniversaire de ces combats est devenu la fête annuelle des unités françaises de chasseurs à pied.) – Vin.

Sidi-Ferruch (auj. *Sīdi-Fredj*), local. d'Algérie, à l'ouest d'Alger. Lieu de débarquement de l'armée française (14 juin 1830).

Sidi-Kacem *(Sīdi Qāsim)* (anc. *Petitjean*), v. du Maroc septentrional, en bordure de la plaine du Gharb; ch.-l. de la prov. du m. nom; 55 830 hab. Centre agricole. Raff. de pétrole.

Sidney (sir Philip) (Penshurst, 1554 – Arnhem, 1586), homme de cour, diplomate et écrivain anglais : *Arcadia* (1590), roman pastoral.

Sidoine Apollinaire (saint) [en lat. *Caius Sollius Modestus Apollinaris Sidonius*] (Lyon, v. 431 – Clermont-Ferrand, v. 487), écrivain latin, évêque de Clermont qui défendit l'Auvergne contre les Wisigoths (471 ou 472) : *Lettres*, qui nous renseignent sur la vie en Gaule au Ve s.; poèmes (panégyriques).

sidologue n. Didac. Spécialiste du sida.

Sidon (auj. *Ṣayda* au Liban), v. de Phénicie, port prospère aux IIe et Ier millénaires av. J.-C. On y découvrit en 1856 une nécropole dont l'exploration (1887) livra de nombr. tombes royales.

siècle n. m. **1.** Durée de cent ans. **2.** Durée de cent ans comptée à partir d'un moment arbitrairement choisi. *Le IIIe siècle après Jésus-Christ.* **3.** Période historique de plusieurs dizaines d'années marquée par tel événement, tel personnage. *Le siècle des Lumières. Le siècle de Louis XIV.* **4.** Très longue période. *Pendant des siècles, la civilisation a progressé très lentement.* ▷ Fam. *Il y a des siècles que je ne suis venu ici !* **5.** RELIG Vie dans le monde (séculière), par oppos. à vie religieuse (régulière). *Vivre dans le siècle.*

sied. V. seoir.

siège n. m. **I. 1.** Meuble fait pour s'asseoir. *Offrir un siège. Prenez un siège :* asseyez-vous. – Partie de ce meuble sur laquelle on s'assied. **2.** Place occupée dans une assemblée d'élus. – Fonction de celui qui occupe cette place. *Être candidat à un siège vacant. Notre parti a gagné trois sièges.* **II.** Partie du corps de l'homme sur laquelle il s'assied. *Bain de siège.* ▷ OBSTETR *Présentation du fœtus par le siège*, les fesses se présentant d'abord lors de l'accouchement. **III. 1.** Lieu où réside une autorité. *Siège d'un tribunal. Siège d'un parti. Siège social d'une société*, son domicile légal. – Place où s'assoit le juge pour rendre la justice. *Magistrat du siège* (par oppos. à *magistrat du parquet*) : V. magistrat. ▷ RELIG Dignité de pontife, d'évêque. *Siège pontifical. Siège épiscopal.* **2.** Fig. Endroit d'où part, où se fait sentir (un phénomène). *Le siège d'une douleur.* **IV.** Opération militaire qui consiste à installer des troupes devant ou autour d'une place forte pour la prendre. *Lever le siège. Faire le siège d'une ville.* – Fig. *Faire le siège de qqn*, s'imposer à lui avec insistance pour obtenir qqch. ▷ *État de siège :* régime exceptionnel sous lequel la responsabilité du maintien de l'ordre passe à l'autorité militaire.

Siegel (Carl Ludwig) (Berlin, 1896 – Göttingen, 1981), mathématicien allemand; connu pour ses travaux sur la théorie des nombres.

Siegen, v. d'Allemagne (Rhénanie-du-Nord-Westphalie); 107 420 hab. Sidérurgie. – Université.

siéger v. intr. [**15**] **1.** (Assemblées) Tenir séance. *Le Parlement siège jusqu'au 14.* **2.** (Personnes) Avoir un siège (dans une assemblée). *Quelques femmes siègent à l'Assemblée.* **3.** *Siéger à, dans :* avoir pour lieu de réunion, de séance. **4.** Se produire, se situer, se localiser. *La douleur siège à cet endroit.*

Siegfried (ligne), nom donné au système fortifié allemand, édifié de 1937 à 1940 entre la frontière suisse (au niveau de Bâle) et Clèves, démantelé en 1949.

Siegfried (André) (Le Havre, 1875 – Paris, 1959), économiste et sociologue français. Il est l'auteur d'études consacrées à de nombreux pays, notam. anglo-saxons, et d'ouvrages de sociologie politique (*Tableau politique de la France de l'Ouest*, 1913). Acad. fr. (1944).

Siegfried, héros de la *Chanson des Nibelungen.*

Sie Ho. V. Xie He.

siemens [simɛns; sjemɛns] n. m. PHYS Unité SI de conductance électrique, inverse de l'ohm (symbole S).

Siemens (Werner von) (Lenthe, près de Hanovre, 1816 – Berlin, 1892), ingénieur allemand. On lui doit de nombr. perfectionnements en électrotechnique (invention de la dynamo, par ex., en 1866). En 1847, il fonda la *société Siemens.*

sien, sienne adj. poss., pron. poss. de la 3e pers. du sing. et n. **1.** adj. Litt. Qui est à lui, à elle. *Un sien cousin. Il faisait siennes les opinions de son père.* **2.** pron. Celui, celle qui lui appartient. *Tu vois cette maison blanche ? C'est la sienne.* **3.** n. *Y mettre du sien :* faire des efforts. ▷ Fam. *Il a encore fait des siennes*, des erreurs, des sottises. ▷ Plur. *Les siens :* les membres de sa famille, ses amis.

Sienkiewicz (Henryk) (Wola Okrzejska, 1846 – Vevey, 1916), écrivain polonais, auteur de romans historiques : *Quo vadis ?* (1895), *les Chevaliers Teutoniques* (1897-1900). P. Nobel 1905.

Sienne (en ital. *Siena*), v. d'Italie (Toscane); 61 890 hab.; ch.-l. de la prov. du m. nom. C'est surtout un centre commercial (chianti) et touristique. – Archevêché. Cath. (XIIe-XIVe s., chaire de Nicola Pisano). Palais public (XIVe s., fresques d'Ambrogio Lorenzetti). Baptistère St-Jean (XIVe s., sculptures de Donatello). Égl. San Domenico (XIIIe-XIVe s., fresques du Sodoma). Piazza del Campo, en forme de coquille, où se déroule une course de chevaux annuelle, dite *Palio*, qui oppose les quartiers de la cité. Pinacothèque. – Siège d'un évêché (VIIIe s.), Sienne fut une cité import. à partir du XIIe s. et un grand centre bancaire au XIIIe s. : elle fut la rivale de Florence, qui ne put la soumettre. En déclin après 1348 (peste noire), elle fut annexée par Cosme Ier de Médicis en 1555 et incluse dans le grand-duché de Toscane. – De la fin du XIIIe s. au déb. du XVe s., l'école siennoise de peinture, dont l'apogée se situe au XIVe s. (Duccio, S. Martini, A. et P. Lorenzetti), rivalisa avec celle de Florence.

Sienne : piazza del Campo

Sierpiński (Wacław) (Varsovie, 1882 – id., 1969), mathématicien polonais; connu pour ses travaux sur la théorie des ensembles, la topologie, la théorie des fonctions réelles et la théorie des nombres.

sierra [sjɛʀ(ʀ)a] n. f. Chaîne de montagnes, dans les pays de langue espagnole.

sierra-léonais, aise adj. et n. De Sierra Leone. ▷ Subst. *Un(e) Sierra-Léonais(e).*

Sierra Leone (république de), État de l'Afrique occidentale, sur l'Atlantique; 71 740 km²; 3 800 000 hab. (*Sierra-Léonais*), croissance démographique : 2,5 % par an; cap. *Freetown.* Nature de l'État : rép. membre du Commonwealth. Langue off. : anglais. Monnaie : leone. Princ. ethnies : Mendés (35 %), Timnés (32 %) et créoles (descendants des anciens esclaves ramenés d'Amérique) qui représentent 2 % du total. Relig. : animistes, musulmans, chrétiens.

Géogr. phys. et écon. – Un vieux massif intérieur, constitué de plateaux et de hauteurs aux formes lourdes (1 948 m aux monts de Loma), domine une plaine littorale échancrée de profonds estuaires et bordée de mangrove. La forêt dense, qui correspond à un climat tropical exceptionnellement humide, a reculé partout devant les cultures vivrières (riz, manioc) et d'exportation (café, cacao) qui font vivre une population encore rurale à 70 %. Le pays exporte surtout des produits miniers : rutile, diamants, bauxite **Hist.** – Reconnue au XVe s. par les Portugais, la région côtière est un centre de la traite des esclaves ; achetée en 1787 par une société britannique antiesclavagiste, elle accueille d'anciens esclaves, puis devient (1808) une colonie britannique. L'intérieur, soumis progressivement par les Britanniques, forme un protectorat en 1896. Réunis, la colonie et le protectorat accèdent à l'indépendance (1961) dans le cadre du Commonwealth. Siaka Stevens, président de la République de 1971 à 1985, instaure un parti unique ; il est remplacé par le gal Momoh, lui-même renversé par une junte dirigée par Valentine Strasser (1992-1996). En 1996, Ahmad Kabbah est élu à la prés. de la République. Chassé en 1997 par le coup d'État de John Paul Koroma, il est rétabli en mars 1998 par une force d'intervention africaine dirigée par le Nigeria. ▶ carte **Guinée**

sieste n. f. Repos que l'on prend après le repas de midi.

sieur [sjœʀ] n. m. VX ou DR Monsieur. *Le sieur X contre la dame Y.* ▷ Mod., péjor. ou plaisant *Le sieur Untel n'a pas daigné s'excuser.*

sievert n. m. PHYS Unité SI équivalant à 100 rems* (symbole Sv). *Des sieverts.*

Sieyès (Emmanuel Joseph) (Fréjus, 1748 – Paris, 1836), homme politique français. Vicaire général de Chartres en 1787, il dut sa célébrité à *Qu'est-ce que le tiers état ?* (1789), pamphlet qui résumait les aspirations du tiers, dont il fut député aux états généraux. Corédacteur du serment du Jeu de paume et cofondateur du club des Jacobins (qu'il quitta bientôt pour les Feuillants), il fit partie, sans éclat, de la Constituante et de la Convention. Député actif aux Cinq-Cents, membre du Directoire en 1799, il soutint Bonaparte et favorisa le coup d'État du 18 Brumaire. Devenu consul provisoire et princ. auteur de la Constitution de l'an VIII (que Bonaparte réinterprétera à son propre avantage), Sieyès, accusé de régicide, dut s'exiler de 1816 à 1830. Acad. fr. (1803).

sifflant, ante adj. (et n. f.) Qui produit un sifflement ou qui en est accompagné. – PHON *Consonne sifflante* ou, n. f., *une sifflante* : consonne fricative caractérisée par un sifflement ([s, z]).

sifflement n. m. **1.** Son produit par qqn ou par qqch qui siffle. **2.** Son aigu analogue à un sifflement (sens 1). *Le sifflement d'une balle.*

siffler v. [1] **I.** v. intr. Produire un son aigu, en chassant l'air par une ouverture étroite (dents, lèvres, ou à l'aide d'un sifflet, d'un appeau, etc.). ▷ Par anal. *Le vent siffle.* **II.** v. tr. **1.** Moduler (un air) en sifflant. *Siffler une rengaine.* **2.** *Siffler qqn, un animal,* l'appeler en sifflant. ▷ Conspuer, huer (qqn) par des coups de sifflet, par des sifflets. *Siffler un acteur.* **3.** Indiquer par un coup de sifflet. *L'arbitre a sifflé la fin du match.* **4.** Fam. Avaler d'un trait. *Siffler un verre.*

sifflet n. m. **1.** Petit instrument formé d'un étroit canal terminé par une embouchure taillée en biseau, avec lequel on siffle. *Sifflet d'agent de police.* – *Le sifflet d'une locomotive.* – *Coup de sifflet :* son bref produit avec un sifflet. **2.** Par anal. *Taillé en sifflet,* en biseau. **3.** Marque de désapprobation faite en sifflant. *Acteur accueilli par des sifflets.* **4.** Vx, fam. Gosier. – Loc. *Couper le sifflet à qqn,* l'interloquer, le mettre hors d'état de répondre.

siffleur, euse adj. et n. **1.** adj. Qui siffle. *Les oiseaux siffleurs.* **2.** n. Personne qui siffle (un spectacle, etc.).

siffleux n. m. (Canada) Marmotte (à cause de son sifflement strident quand elle se sent en danger).

sifflotement n. m. Action de siffloter ; le son qui en résulte.

siffloter v. intr. [1] Siffler doucement ou distraitement. ▷ v. tr. *Siffloter un air.*

Sig (oued), cours d'eau de l'Algérie occidentale (220 km), qui se perd dans la *plaine du Sig,* vouée aux cultures (céréales, vigne, olivier) et dont le centre princ. est *Sig* (anc. *Saint-Denis-du-Sig*).

Sigebert, nom de trois rois d'Austrasie. – **Sigebert Ier** (?, 535 – Vitry-en-Artois, 575), roi de 561 à 575 ; fils de Clotaire Ier et époux (566) de Brunehaut. En lutte constante contre son demi-frère Chilpéric Ier, il fut assassiné sur ordre de Frédégonde. – **Sigebert II** (v. 601 – 613), roi en 613 ; fils de Thierry II. Il fut livré par ses vassaux à Clotaire II, qui le fit tuer. – **Sigebert III** (631 – 656), roi de 634 à 656 ; fils de Dagobert Ier. Il régna sous la tutelle du maire du palais, Grimoald.

Siger de Brabant (?, v. 1235 – Orvieto, 1281 ou 1284), théologien brabançon ; professeur à l'université de Paris. Princ. représentant du courant averroïste latin, il polémiqua avec Thomas d'Aquin *(De æternitate mundi).*

sigillaire [siʒil(l)ɛʀ] adj. et n. f. **1.** adj. Didac. Relatif aux sceaux, à l'étude des sceaux. ▷ Muni, marqué d'un sceau. **2.** n. f. PALEONT Arbre fossile du carbonifère (genre *Sigillaria*), dont le tronc porte des marques régulières (insertions foliaires).

sigillé, ée adj. Didac. Marqué d'un sceau. – *Vases sigillés,* décorés de marques et de poinçons.

sigillographie n. f. Didac. Science de la description et de l'interprétation des sceaux.

sigisbée [siʒisbe] n. m. Vx ou plaisant Chevalier servant.

Sigismond (saint) (m. près d'Orléans en 523), roi des Burgondes (516-523) ; fils et successeur de Gondebaud. Battu par les fils de Clovis, il fut mis à mort sur ordre de Clodomir.

Sigismond de Luxembourg (Nuremberg, 1368 – Znaïm, auj. Znojmo, 1437), roi de Hongrie (1387-1437) par son mariage avec la reine Marie, roi des Romains (1411-1433), empereur germanique (1433-1437) et roi de Bohême (1419-1437) ; fils de l'empereur Charles IV. À la tête d'une croisade contre les Turcs, il fut battu à Nicopolis (1396). Pour mettre fin au schisme d'Occident, il convoqua le concile de Constance (1414). Succédant en Bohême à son frère Venceslas (m. en 1419), il se heurta aux hussites et accepta un compromis en 1436.

Sigismond Ier (Kozienice, 1467 – Cracovie, 1548), grand-duc de Lituanie et roi de Pologne (1506-1548) ; fils de Casimir IV. Il affermit le royaume, luttant contre les Turcs, la Moscovie et les chevaliers Teutoniques. – **Sigismond II Auguste Jagellon** (Cracovie, 1520 – Knyszyn, 1572), fils du préc. ; roi de Pologne et grand-duc de Lituanie (1548-1572). Il annexa la Livonie (1561), et réunit la Pologne et la Lituanie (Union de Lublin, 1569). – **Sigismond III Vasa** (Stockholm, 1566 – Varsovie, 1632), roi de Pologne (1587-1632) et de Suède (1592-1599) ; fils de Jean III Vasa et de Catherine Jagellon. Catholique, il fit triompher la Contre-Réforme en Pologne (1596). Les Suédois le déposèrent et lui enlevèrent Riga et la Livonie maritime (1621-1626).

siglaison n. f. Formation d'un sigle.

sigle n. m. Lettres initiales servant d'abréviation (par ex. *O.M.S.,* pour *Organisation mondiale de la santé*).

siglé, ée adj. Qui est marqué d'un sigle.

sigma n. m. **1.** Dix-huitième lettre de l'alphabet grec (Σ, σ, ς), correspondant à notre *s.* **2.** PHYS NUCL Particule de la famille des hypérons.

Sigmaringen, v. d'Allemagne (Bade-Wurtemberg), sur le Danube ; 15 230 hab. – Cap. de l'anc. principauté de Hohenzollern. De sept. 1944 à avr. 1945, résidence du gouvernement de Vichy, que les Allemands avaient tenté de reformer sur leur territoire.

sigmoïde adj. (et n. m.) ANAT Qui a la forme d'un sigma majuscule (Σ). *Côlon sigmoïde* ou, n. m., *le sigmoïde :* portion ilio-pelvienne du côlon, en amont du rectum. – *Valvules sigmoïdes :* placées à l'entrée de l'aorte et de l'artère pulmonaire.

Signac (Paul) (Paris, 1863 – id., 1935), peintre français ; théoricien du divisionnisme (*D'Eugène Delacroix au néo-impressionnisme,* 1899), l'un des fondateurs du Salon des indépendants.

signal, aux n. m. **1.** Signe convenu utilisé pour servir d'avertissement, pour provoquer un certain comportement. *Au signal, tout le monde se leva.* – *Donner le signal de :* déclencher. ▷ *Par ext.* Fait qui annonce une chose ou la détermine, qui marque le début d'un processus. *La prise de la Bastille fut le signal de la Révolution.* **2.** PSYCHO Signe qui sert d'avertissement et déclenche une conduite. *L'enfant qui accourt quand il entend la voix de sa mère réagit à un signal.* **3.** Signe conventionnel qui sert à transmettre une information. *Signal optique, sonore. Apprendre les signaux du code de la route.* ▷ Construction utilisée en géodésie, marquant l'emplacement d'un point trigonométrique et visible de loin. ▷ TECH Forme physique d'une information véhiculée dans un système ; cette information.

signalé, ée adj. Litt. (Toujours avant le nom.) Remarquable. *Un signalé service.*

signalement n. m. Description des caractères physiques d'une personne, établie pour la faire reconnaître.

signaler v. [1] **I.** v. tr. **1.** Annoncer par un signal, par des signaux. *Sonnerie qui signale l'arrivée du train.* **2.** Appeler l'attention sur, faire remarquer. *On m'a signalé cette particularité. La critique signala le jeune romancier à l'attention du public.* **3.** Mentionner, désigner. *Les références de cette citation sont signalées en bas de page.* **II.** v. pron. Se faire remarquer (en bien ou en mal) par sa conduite, ses actions.

signalétique adj. et n. f. **1.** adj. Qui donne un signalement. ▷ *Bulletin signalétique,* qui indique des références bibliographiques, documentaires. **2.** n. f. Ensemble des moyens de signalisation équipant un lieu. ▷ Ensemble de pictogrammes catégorisant les programmes télévisés. **3.** Partie de la sémiotique qui étudie les signaux.

signalisation n. f. **1.** Action d'utiliser un, des signaux. **2.** Ensemble des signaux par lesquels la circulation est réglée sur les routes, les voies ferrées, aux abords des ports, etc.; leur disposition. *Signalisation ferroviaire, routière.*

signaliser v. tr. [**1**] Pourvoir (une voie) d'une signalisation.

signataire n. Personne qui a signé (un acte, un écrit, etc.).

signature n. f. **1.** Nom d'une personne, écrit de sa main sous une forme qui lui est particulière et constante, servant à affirmer la sincérité d'un écrit, l'authenticité d'un acte, d'une œuvre, etc., à en assumer la responsabilité. *Apposer sa signature en bas de page.* ▷ *Par méton.* Auteur. *Les plus grandes signatures de la littérature.* **2.** Action de signer. *La signature d'un traité.* **3.** Trace laissée par un objet ou un phénomène, et qui permet de l'identifier. *Signature acoustique d'un sous-marin.* **4.** IMPRIM Lettre ou numéro apposé sur chacune des feuilles d'un ouvrage, facilitant leur groupement en vue du brochage.

signe n. m. **1.** Chose qui est l'indice d'une autre, qui la rappelle ou qui l'annonce. *La fièvre est souvent le signe d'une infection. C'est bon signe, c'est mauvais signe :* c'est de bon, de mauvais augure. – *Ne pas donner signe de vie :* sembler mort; *par ext.,* ne donner aucune nouvelle. ▷ *Signes extérieurs de richesse de qqn,* ses biens visibles tels que propriétés, automobiles, yachts, etc. **2.** Ce qui permet de reconnaître une chose ou une personne, de la distinguer d'une autre. *Signes caractéristiques, particuliers.* **3.** Geste, démonstration qui permet de faire connaître qqch à qqn. *Signes de dénégation.* – Par ext. *Faire signe à qqn,* prendre contact avec lui. **4.** Tout objet ou phénomène qui symbolise autre chose que lui-même. *Signes verbaux et non verbaux.* ▷ *Spécial.* Ce qui est utilisé conventionnellement pour représenter, noter, indiquer. *Signes de ponctuation* (virgule, point, tiret, etc.). ▷ MATH Symbole servant à indiquer : une égalité (=); une addition (+); une soustraction ou un nombre négatif (−); une multiplication (×); une division (:); une inégalité (< ou >); etc. **5.** LING Entité linguistique formée par l'association du signifié* et du signifiant*. *La langue est un système de signes.* **6.** ASTROL *Les signes du zodiaque :* les douze divisions du zodiaque. ▷ Fig. *Sous le signe de :* sous les auspices, avec la marque de. *Une réunion placée sous le signe de la bonne humeur.*

signer v. [**1**] **I.** v. tr. **1.** Revêtir de sa signature. *Signer une lettre, un contrat.* ▷ (Sans comp.) *Veuillez signer ici.* **2.** TECH Marquer (une pièce d'orfèvrerie) au poinçon, pour indiquer le titre légal. **3.** Attester, reconnaître la paternité de (une œuvre) en y apposant sa signature, son nom. *Signer un tableau.* – Fig. *Signer une action.* **II.** v. pron. Faire le signe de la croix. **III.** v. intr. S'exprimer au moyen du langage des signes, en usage chez les sourds.

signet n. m. Ruban, pièce cartonnée ou autre repère, qui sert à marquer une page d'un livre.

signifiant, ante adj. et n. m. **1.** adj. Qui est chargé de sens. *Système signifiant.* **2.** n. m. LING Manifestation matérielle du signe (symbole graphique, image acoustique), par oppos. au *signifié* dont elle est le support. (Chez Saussure, le signifiant n'est que l'image acoustique, considérée comme l'« empreinte psychologique » du son.)

significatif, ive adj. **1.** Qui exprime nettement, précisément; révélateur. *Il a fait un choix très significatif de son caractère.* **2.** MATH *Chiffres significatifs,* qui ont une valeur absolue, indépendante de leur position dans le nombre (à la différence du zéro).

signification n. f. **1.** Ce que signifie une chose. *Je ne saisis pas la signification de son geste.* **2.** Ce que signifie un signe, un mot. *Chercher la signification d'un mot dans le dictionnaire. La signification d'un symbole.* **3.** LING Relation nécessaire qu'entretiennent le signifiant et le signifié. ▷ GRAM *Degrés de signification des adjectifs et des adverbes :* le positif, le comparatif et le superlatif. **4.** DR Notification (d'un acte, d'un jugement) à qqn, par les voies légales.

significativement adv. De manière significative.

signifié n. m. LING Contenu du signe, manifesté concrètement par le signifiant.

signifier v. tr. [**2**] **1.** Être le signe de (qqch). *Il fit un geste qui signifiait son mépris.* **2.** *Par ext.* Équivaloir à, devoir être considéré comme étant. *La liberté ne signifie pas l'anarchie.* **3.** (Mots, signes.) Avoir pour sens, vouloir dire. *Le mot latin « puer » signifie « garçon » en français.* **4.** Notifier (qqch à qqn) de manière expresse ou par voie de droit. *Signifier son congé à qqn.* – DR *Signifier son inculpation à qqn.*

Signorelli (Luca), dit *Luca da Cortona* (Cortone, v. 1445 – id., 1523), peintre italien. Élève de Piero Della Francesca, il annonce Michel-Ange par son intérêt pour les attitudes du corps humain. Il renouvelle le thème de *l'Apocalypse* dans les fresques de la cath. d'Orvieto (1499-1504).

Signoret (Simone Kaminker, dite Simone) (Wiesbaden, 1921 – Autheuil-Authouillet, Eure, 1985), actrice française. Remarquable comédienne qui a toujours soigneusement choisi ses rôles : *Dédée d'Anvers* (1948), *Casque d'or* (1952), *les Chemins de la haute ville* (1958), *la Vie devant soi* (1977).

Sigurd, dans la myth. scandinave, héros assimilé à Siegfried*.

Sihanouk. V. Norodom (Sihanouk).

sikh, sikhe [sik] n. (et adj.) Adepte du sikhisme. – adj. Relatif au sikhisme. ENCYCL La doctrine des sikhs s'inspire à la fois du brahmanisme et de l'islam. Remarquables soldats, ils s'illustrèrent dans des guerres contre l'islam (de 1738 à 1780) et des campagnes contre les Anglais (de 1845 à 1849). Auj., ils sont plus de 20 millions, dont 17 en Inde : les signes distinctifs des hommes sont le port du turban, de la barbe et de la chevelure entières, d'un bracelet d'acier et d'un couteau. Les aspirations à l'indépendance des sikhs les plus radicaux entraînent des affrontements avec les autorités de l'Union indienne. Le massacre, en 1984, par l'armée indienne, d'une secte extrémiste sikhe retranchée dans le temple sacré d'Amritsar provoqua l'attentat meurtrier qui coûta la vie à Indira Gandhi.

Simone **Signoret** (au centre) avec Serge Reggiani et Raymond Bussière, dans le film de Jacques Becker, *Casque d'Or,* 1952

sikhara n. m. Haute tour d'un temple hindou, surmontant le sanctuaire.

sikhisme n. m. Secte religieuse indienne fondée par Nānak et florissante surtout au Pendjab, où se trouve Amritsar, sa cité sainte.

Sikhote-Alin', chaîne de montagnes de Russie (alt. max. 2 078 m), entre l'Amour, l'Oussouri et le Pacifique.

Sikkim, État himalayen de l'Inde, à l'E. du Népal; 7 298 km^2; 403 600 hab.; cap. *Gangtok.* – Le haut bassin de la Tista est encadré de fortes chaînes de montagnes. Le climat de mousson (mai-nov.) varie avec l'altitude, ainsi que la végétation. Le S. porte de belles forêts; seule cette région d'altitude moyenne est cultivée : céréales (blé, maïs, riz), fruits et, surtout, cardamome. – En 1641, le royaume du Sikkim fut fondé par des Tibétains. Les Britanniques y pénétrèrent à partir de 1849; de 1861 à 1890, la G.-B. imposa progressivement

Luca **Signorelli :** *l'Antéchrist,* cathédrale d'Orvieto

son protectorat; l'Inde lui succéda en 1950; en 1975, elle abolit la monarchie et fit de l'anc. royaume du Sikkim son 22e État.

Sikok. V. Shikoku.

Sikorski (Władysłav) (Tuszów, 1881 - Gibraltar, 1943), général et homme politique polonais. Chef du gouvernement (1922-1923), ministre de la Guerre (1924-1925), il se retira en France après le coup d'État de Piłsudski (1926). Durant la Seconde Guerre mondiale, il dirigea le gouvernement polonais en exil. Il mourut dans un accident d'avion.

silane n. m. CHIM Nom générique des composés formés de silicium et d'hydrogène.

silence n. m. **1.** Fait de se taire, de s'abstenir de parler. *Silence!* - Loc. *Garder le silence.* **2.** Fait de ne pas parler d'une chose, de ne rien dire, de ne rien divulguer. - Loc. *La conspiration du silence. Passer qqch sous silence,* ne pas en parler. **3.** Absence de bruit. *Le silence de la nuit.* **4.** MUS Interruption du son d'une durée déterminée; signe qui indique, dans la notation musicale, cette interruption et sa durée (pause, demi-pause, soupir, demi-soupir, etc.).

silencieusement adv. D'une manière silencieuse.

silencieux, euse adj. et n. m. **I.** adj. **1.** Où l'on n'entend aucun bruit. *Un endroit très silencieux.* **2.** Qui a lieu, qui se fait sans bruit; qui fonctionne sans bruit. *Moteur silencieux.* **3.** Qui garde le silence, qui s'abstient de parler. *Rester silencieux.* ▷ Qui ne parle guère, qui est peu communicatif. *Un garçon calme et silencieux.* Syn. (litt.) taciturne. **4.** MED Qui n'a pas de manifestation visible. *Phase silencieuse d'une infection.* **II.** n. m. TECH Dispositif adapté à l'échappement d'un moteur à explosion, pour le rendre moins bruyant. ▷ Dispositif que l'on adapte au canon d'une arme à feu pour étouffer le bruit de la détonation.

silène n. m. BOT Plante herbacée (fam. caryophyllacées) dont une espèce, le *silène à bouquet (Silene armeria),* est cultivée pour ses fleurs pourpres ou roses.

Silène, dans la myth. gr., personnage de la légende de Dionysos, dont il aurait été le père nourricier. Fils d'Hermès ou de Pan et d'une nymphe, il était représenté sous l'aspect d'un vieillard chauve et replet, au nez camus et toujours ivre.

Silésie (en polonais *Śląsk,* en all. *Schlesien*), région de l'Europe centrale (Pologne et Slovaquie), drainée par l'Odra (Oder). On distingue en Pologne la *haute Silésie* (v. princ. *Katowice*) à l'E., grande région minière (houille) et industrielle, et la *basse Silésie* (v. princ. *Wrocław*) à l'O., import. région agricole et minière dont les terres s'appauvrissent vers l'E. *(Silésie d'Opole).* La Silésie déborde légèrement en Slovaquie (v. princ. *Ostrava*). - Objet de rivalité dès le XIe s. entre la Pologne et la Bohême, la Silésie revint aux Habsbourg, rois de Bohême à partir de 1526; au XVIIe s., elle fut ravagée par la guerre de Trente Ans. Annexée en presque totalité par la Prusse en 1742, elle connut au XIXe s. un grand essor économique. En 1921, la Pologne reçut la majeure partie de la haute Silésie (zone de Katowice). Après l'occupation allemande (1939-1945), la fixation de la frontière Oder-Neisse* engloba la Silésie dans le territoire de la Pologne; la pop. allemande fut expulsée.

silex n. m. Roche siliceuse très dure constituée de calcédoine presque pure, qui se casse en formant des arêtes tranchantes et qui, frappée contre une roche riche en fer ou contre un morceau d'acier, produit des étincelles.

silhouette n. f. **1.** Dessin représentant un profil tracé d'après l'ombre que projette un objet, un visage. ▷ *Par ext.* Toute forme sombre se profilant sur un fond clair. *La silhouette des montagnes à l'horizon.* **2.** Aspect général que la corpulence et le maintien donnent au corps. *Elle a une silhouette élancée.*

Silhouette (Étienne de) (Limoges, 1709 - Bry-sur-Marne, 1767), homme politique français; contrôleur général des Finances en 1759. Les mesures qu'il voulut prendre pour réduire la fortune des privilégiés en firent le sujet de dessins satiriques, dits «à la Silhouette», le représentant en quelques traits symbolisant l'état auquel étaient réduits les gens touchés par ses mesures.

silhouetter v. tr. [1] Litt. Dessiner la silhouette de. ▷ v. pron. Se profiler.

silicate n. m. MINER, CHIM Minéral dont la structure élémentaire est un tétraèdre occupé, au centre, par un atome de silicium et, à chaque sommet, par un atome d'oxygène. *Les silicates sont les minéraux les plus nombreux sur la Terre.*

silice n. f. MINER, CHIM Dioxyde de silicium (SiO_2). *Sous sa forme impure de sables, la silice entre dans la composition des verres à vitre.*

siliceux, euse adj. MINER, CHIM Qui est formé de silice ou qui en contient. *Roche siliceuse.*

silicico-, silico-. CHIM Éléments, du rad. de *silice,* servant à marquer la présence de silicium dans un composé.

silicium [silisjɔm] n. m. CHIM Élément non métallique de numéro atomique Z = 14, de masse atomique 28,086 (symbole Si). - Corps simple (Si), de densité 2,33, qui fond vers 1 420 °C et bout vers 2 700 °C.

ENCYCL Le silicium est, après l'oxygène, l'élément le plus abondant de la lithosphère. En dehors de ses applications en métallurgie, le silicium est employé dans l'industrie des composants électroniques. V. silice, silicate, silicone.

siliciure n. m. CHIM Combinaison de silicium avec un métal.

silico-. V. silicico-.

silicone n. f. CHIM Matière plastique dont les molécules contiennent des atomes de silicium et d'oxygène.

Silicon Valley, zone industrielle californienne, située entre San José et San Francisco, qui doit son nom (en fr. «Vallée du Silicium») à une forte densité d'entreprises d'électronique utilisant le silicium. Silicon Valley est un des hauts lieux de l'informatique.

silicose n. f. MED Maladie professionnelle due à l'inhalation prolongée de poussières de silice, qui détermine des lésions pulmonaires irréversibles.

silicosé, ée adj. et n. MED Qui est atteint de silicose. *Poumons silicosés.*

silionne n. f. CHIM Fibre de verre, très utilisée dans le domaine des composites, dont les fils, continus, sont étirés et réunis en mèches non torsadées.

silique n. f. BOT Fruit sec, spécifique des crucifères, qui s'ouvre à maturité et dont les graines sont séparées par une fausse cloison.

Silius Italicus (Tiberius Catius) (v. 25 - 101 apr. J.-C.), poète et homme politique latin, consul en 68, auteur d'une épopée en 17 chants sur la deuxième guerre punique.

sillage n. m. **1.** Trace qu'un navire en marche laisse derrière lui à la surface de l'eau. - Loc. fig. *Marcher dans le sillage de qqn,* suivre son exemple. **2.** *Par ext.* Trace laissée par un corps se déplaçant dans l'air. *Le sillage d'un avion à réaction.*

Sillanpää (Frans Eemil) (Hämeenkyrö, 1888 - Helsinki, 1964), romancier finlandais. Il mêle lyrisme et réalisme : *Sainte Misère* (1919). P. Nobel 1939.

Sillery (Nicolas Brulart, marquis de) (Sillery, 1544 - id., 1624), homme d'État français. Il négocia la paix de Vervins (1598). Garde des Sceaux (1604) et chancelier de France (1607-1624), il dirigea, avec son fils **Pierre** (Paris, 1583 - id., 1640), les affaires de l'État jusqu'à l'avènement de Richelieu.

sillet n. m. MUS Petit morceau de bois ou d'ivoire fixé sur le haut du manche de certains instruments, et qui maintient les cordes éloignées de la touche.

sillimanite n. f. MINER Silicate d'alumine, présent dans certaines roches métamorphiques.

Sillitoe (Alan) (Nottingham, 1928), écrivain anglais. Il a exprimé sa révolte dans des poèmes, des romans, des récits (*Samedi soir, dimanche matin,* 1958) et des nouvelles (*la Solitude du coureur de fond,* 1959).

sillon n. m. **1.** Longue tranchée que le soc de la charrue fait dans la terre qu'on laboure. ▷ (Au plur.) Litt. Les campagnes, les champs cultivés. *«Qu'un sang impur abreuve nos sillons» (la Marseillaise).* **2.** Rainure. - ANAT Rainure que présente la surface de certains organes. *Sillon labial.* ▷ TECH Rainure en forme de spirale, gravée à la surface d'un disque, et dont les irrégularités sont constituées par les informations enregistrées.

Sillon (le), revue créée en 1894 et qui, sous la direction de Marc Sangnier (1902), exprima l'idéal d'un vaste courant chrétien, démocrate et social (dit par ext. *le Sillon*), condamné par Pie X en 1910.

Sillon alpin, dépression des Alpes françaises, entre les Préalpes et les massifs centraux, et correspondant aux vallées de l'Arve, de l'Arly, de l'Isère (Graisivaudan) et du Drac.

sillonner v. tr. [1] **1.** Rare Creuser, labourer en faisant des sillons. - (Surtout au pp.) *Champs régulièrement sillonnés.* **2.** (Surtout au pp.) Marquer d'un (de plusieurs) sillon(s). - Litt. *Visage sillonné de rides.* **3.** *Par ext.* Traverser en tous sens. *Un réseau d'autoroutes sillonne le pays.* ▷ Parcourir en tous sens. *Des patrouilles de police sillonnent la région.*

silo n. m. **1.** Réservoir servant à conserver des produits agricoles. **2.** MILIT Construction souterraine servant au stockage et au lancement des missiles stratégiques.

Silo ou **Silōh** v. de Palestine, centre religieux des Hébreux au temps des Juges; patrie de Samuel.

Silone (Secondo Tranquilli, dit Ignazio) (Pescina, Aquila, 1900 - Genève, 1978), romancier italien. Ses romans mêlent réalisme et critique sociale (*Fontamara,* 1930; *le Pain et le vin,* 1937; *le Grain sous la neige,* 1942; *le Secret de Luc,* 1956).

silure

silotage n. m. TECH Ensilage.

silure n. m. ICHTYOL Poisson de mer et d'eau douce (genre *Silurus*), à peau nue, dont la tête porte de longs barbillons. *Le poisson-chat est un silure.*

silurien, enne adj. et n. m. GEOL *Période silurienne* ou, n. m., *le silurien* : troisième période de l'ère primaire (après l'ordovicien), caractérisée par l'apogée des trilobites et l'apparition des premiers vertébrés (poissons cuirassés). ▷ De cette période ; qui a rapport à cette période.

Silvacane (abbaye de), abb. cistercienne fondée en 1147 près de La Roque-d'Anthéron (Bouches-du-Rhône). ▶ illustr. **abbaye**

Silvestre de Sacy (Antoine Isaac) (Paris, 1758 - id., 1838), orientaliste français ; promoteur des études arabes en France : *Mémoire sur l'histoire des Arabes avant Mahomet* (1785), *Grammaire arabe* (1810), etc.

simagrée n. f. (Surtout au plur.) Manières affectées, minauderies. Syn. chichis, manières.

Sima Guang ou **Sseu-ma Kouang** (1019 - 1086), lettré chinois de l'époque des Song : *Miroir universel de l'Histoire pour servir aux gouvernants.*

Sima Qian ou **Sseu-ma Ts'ien** (Longmen, Henan, v. 145 - v. 86 av. J.-C.), érudit chinois de la dynastie des Han, auteur de *Mémoires historiques* (*Shiji*) en 130 volumes.

Sima Xiangru ou **Sseu-ma Siang-jou** (Chengdu, Sichuan, 179 - 117 av. J.-C.), poète chinois de la dynastie des Han ; l'un des plus célèbres auteurs du genre *fu* (ou *fou*), mélange de prose et de poésie, chanté ou psalmodié.

Simbirsk (*Oulianovsk* de 1924 à 1991), v. de Russie, sur la Volga ; 675 000 hab. ; ch.-l. de la prov. du m. nom. Industr. méca. et alim. La v. fut le centre de la révolte paysanne dirigée par Stanka Razine*.

Simenon (Georges) (Liège, 1903 - Lausanne, 1989), écrivain belge d'expression française. Ses très nombreux romans (le plus souvent policiers) accordent une place prépondérante à la peinture psychosociologique et à la création d'une « atmosphère » : cycle des enquêtes du commissaire Maigret (à partir de 1932), *les Fiançailles de M. Hire* (1933), *la Marie du port* (1938), *les Inconnus dans la maison* (1940), *le Voyageur de la Toussaint* (1941), *la Vérité sur Bébé Donge* (1943), *Trois Chambres à Manhattan* (1946), *La neige était sale* (1948). Récit autobiographique : *Mémoires intimes* (1981).

Siméon (saint) (Ier s.), vieillard de Jérusalem qui aurait tenu l'Enfant Jésus dans ses bras au moment de la présentation au Temple, reconnaissant en lui le Messie (Luc, II, 25-35).

Siméon Stylite (saint), dit *l'Ancien* (Sis, Cilicie, près de l'actuelle Kozan, en Turquie, v. 390 - ?, v. 459), ascète chrétien d'Orient. Solitaire du désert, il aurait vécu quarante années au sommet d'une colonne.

Siméon Ier le Grand (m. en 927), khān des Bulgares (893-927). Il conquit, au détriment de Byzance, une grande partie de la péninsule balkanique. Lettré, très religieux, il donna un grand éclat à sa cap., Preslav. Rome lui aurait accordé le titre de tsar et l'autorisation de créer une Église bulgare indépendante de Byzance. — **Siméon II** (Sofia, 1937), tsar de Bulgarie (1943-1946). Il s'exila après l'abolition de la monarchie.

Siméon de Polotsk (Samouil Emelianovitch Petrovski-Sitnianovitch, dit) (Polotsk, 1629 - Moscou, 1680), écrivain biélorusse : ouvrages de théologie contre le raskol (*le Sceptre*, 1667), homélies (*Vêpres spirituelles*, 1683), traduction des *Psaumes*. Ses drames bibliques (*Nabuchodonosor, le Fils prodigue*) en font un précurseur du théâtre russe.

Simferopol, ville d'Ukraine, en Crimée ; 331 000 hab. ; ch.-l. de prov. Industr. métallurgiques et alimentaires.

simien, enne adj. et n. m. pl. Qui concerne le singe, qui appartient au singe. ▷ ZOOL n. m. pl. *Les simiens* : sous-ordre de mammifères primates comprenant les singes. - Sing. *Un simien.*

simiesque adj. Qui rappelle le singe. *Une agilité simiesque.*

simil(i)-. Élément, du lat. *similis*, « semblable », exprimant l'imitation.

similaire adj. À peu près de même nature ; analogue.

similarité n. f. Caractère des choses similaires ; ressemblance.

Similaun, glacier alpin à la frontière austro-italienne. En 1991, on y découvrit la momie glaciaire Hibernatus*.

simili n. 1. n. m. Imitation (d'une matière). *Ce n'est pas de l'argent, c'est du simili.* 2. n. f. Abrév. de *similigravure.*

similigravure n. f. TECH Procédé de photogravure qui permet de reproduire une image à modelé continu en la transformant en un réseau d'éléments géométriques (points ou lignes) très fins, au moyen de trames intercalées dans l'appareil photographique entre l'objectif et la surface sensible. - Cliché ainsi obtenu. (Abrév. : simili).

similitude n. f. 1. Rapport qui unit des choses semblables ; analogie. 2. GEOM Caractère de deux figures semblables.

Georges **Simenon**

Claude **Simon**

Simitis (Constantine, dit Costas) (Athènes, 1936), homme politique grec, Premier ministre depuis 1996.

Simla, v. de l'Inde, cap. de l'Himāchal Pradesh, à 2 200 m d'alt. ; 56 000 hab. Observatoire. - Anc. cap. d'été de l'Inde.

Simmental, vallée des Alpes bernoises (Suisse), drainée par la *Simme* (53 km), tributaire du lac de Thoune. - Race bovine, dite *du Simmental.*

Simon. V. Pierre (saint).

Simon (saint) (Ier s.), dit *le Cananéen* ou *le Zélote*, l'un des douze apôtres ; il évangélisa probablement l'Égypte puis la Perse, où il serait mort crucifié.

Simon le Magicien (Ier s.), magicien originaire de Samarie. Il voulut acheter à l'apôtre Pierre le pouvoir de conférer les dons du Saint-Esprit.

Simon (Richard) (Dieppe, 1638 - *id.*, 1712), historien français. Membre de l'Oratoire, il est le fondateur de l'étude scientifique de la Bible : *Histoire critique du Vieux Testament* (1678).

Simon (Antoine) (Troyes, 1736 - Paris, 1794), homme politique français. Gardien du Dauphin au Temple, il fut exécuté après le 9-Thermidor.

Simon (Jules François Simon Suisse, dit Jules) (Lorient, 1814 - Paris, 1896), philosophe et homme politique français. Ministre de l'Instruction publique (1870 et 1871-1873), chef du gouvernement en déc. 1876, il combattit la politique scolaire de J. Ferry.

Simon (Michel) (Genève, 1895 - Bry-sur-Marne, 1975), comédien français d'origine suisse. Il a interprété des rôles comiques ou tragiques avec un égal talent : *l'Atalante* (1934), *Drôle de drame* (1937), *Quai des brumes* (1938), *la Beauté du diable* (1950).

Simon (Claude) (Tananarive, 1913), écrivain français. Brisant le cadre traditionnel du récit, il explore les formes possibles du roman : *le Vent* (1957), *l'Herbe* (1958), *la Route des Flandres* (1960), *la Bataille de Pharsale* (1969), *les Géorgiques* (1981), *l'Acacia* (1989). P. Nobel 1985.

Simon (Herbert) (Milwaukee, Wisconsin, 1916), économiste et sociologue américain ; connu pour ses travaux sur la prise de décision. P. Nobel 1978.

simonie n. f. RELIG Convention illicite par laquelle on donne ou reçoit une rétribution pécuniaire ou une récompense temporelle en échange de valeurs spirituelles ou saintes (sacrements, dignités ecclésiastiques, etc.).

simoun n. m. Vent violent, brûlant et sec, au Sahara.

simple adj. et n. **A.** (Choses) **I. 1.** PHILO Qui n'est pas composé et qui ne peut donc pas être analysé. **2.** Qui n'est pas composé de parties et qui est donc indivisible. ▷ CHIM *Corps simple*, dont la molécule est composée d'atomes identiques. **3.** Qui n'est pas composé d'éléments divers. *Temps simple d'un verbe*, qui se conjugue sans auxiliaire (par oppos. à *composé*). *Passé simple.* ▷ Qui n'est pas double ou multiple. *Nœud simple.* - BOT *Fleur simple*, dont la corolle n'a qu'un seul rang de pétales. ▷ n. m., dans la loc. *du simple au double.* ▷ SPORT *Match simple* ou, n. m., *un simple* : partie de tennis qui n'oppose que deux adversaires (par oppos. à *double*). **4.** (Avant le nom.) Qui est seulement cela, sans rien de plus. *Une simple lettre vous suffira pour l'obtenir. Un simple employé de bureau.* **II.** Qui comporte un nombre restreint d'éléments. *Une opération simple.* **III.** Qui n'est pas compliqué. **1.**

Qui est facile à comprendre, à employer, à exécuter. *C'est un appareil très simple.* – Fam. *Simple comme bonjour* : extrêmement simple. **2.** Qui est dénué d'ornements, de fioritures, qui est sans luxe. *Une maison toute simple.* **B.** (Personnes) **1.** Qui agit sans vanité, sans affectation, sans ostentation. *Il est resté très simple.* **2.** Litt. Qui est d'une droiture et d'une honnêteté naturelles, candides. ▷ Qui est naïf, crédule, qui se laisse facilement abuser. – *Simple d'esprit*, dont l'intelligence n'est pas normalement développée. ▷ Subst. *Un(e) simple d'esprit.* **C.** n. m. *Les simples* : les plantes médicinales. *Soigner par les simples.*

simplement adv. **1.** D'une manière simple, sans ostentation, sans affectation. **2.** Seulement. *C'est simplement un problème d'argent.*

simplet, ette adj. Qui est d'une simplicité niaise.

simplexe n. m. MATH Ensemble formé par les parties d'un ensemble. – *Méthode du simplexe*, utilisée en recherche opérationnelle.

simplicité n. f. **1.** Caractère d'une chose simple, facile à comprendre, à exécuter. ▷ Caractère d'une chose dépourvue d'éléments superflus. *La simplicité de sa tenue.* **2.** Qualité d'une personne simple, sans affectation.

simplifiable adj. Qui peut être simplifié.

simplificateur, trice adj. Qui simplifie. *Méthode simplificatrice.*

simplification n. f. Action de simplifier; son résultat.

simplifier v. tr. [2] Rendre plus simple; faciliter. *Appareil qui simplifie les tâches ménagères.* ▷ Absol. *Il simplifie à tort.* – MATH *Simplifier une fraction* : diviser ses deux termes par le même nombre entier. ▷ v. pron. *Avec le temps, nos rapports se sont simplifiés.*

simplisme n. m. Caractère d'une personne, d'un raisonnement, d'un argument simplistes.

simpliste adj. et n. Qui simplifie à l'excès les choses, qui ne voit pas ou ne représente pas le réel dans sa complexité. *Pensées simplistes.* – Subst. *Un(e) simpliste.*

Simplon (le), col des Alpes suisses (2 009 m), entre le Valais et le Piémont. Napoléon Ier y fit édifier une route (1807). À proximité, deux tunnels ferroviaires, distants de 17 m, relient Brigue (Suisse) à Iselle (Italie) : l'un, ouvert en 1906, est long de 19 801 m, l'autre, ouvert en 1922, est long de 19 821 m.

Simpson (Thomas) (Market Bosworth, Leicestershire, 1710 – id., 1761), mathématicien anglais connu pour ses travaux sur les probabilités. Il établit une méthode, qui porte son nom, pour le calcul approché des aires courbes.

Simpson (Norman Frederick) (Londres, 1919), écrivain anglais. Il illustre le théâtre de l'absurde : *Playback 625* (1970).

Simpson (George Gaylord) (Chicago, 1902 – Tucson, 1984), paléontologiste américain. Spécialiste de l'évolution, il est l'un des initiateurs du néodarwinisme.

simulacre n. m. **1.** Apparence qui se donne pour une réalité. – *Spécial.* Illusion, apparence dérisoire. *Un simulacre de bonheur. Un simulacre de justice.* **2.** Objet qui imite un autre objet. **3.** Action simulée. *Un simulacre de combat.*

simulateur, trice n. **1.** Personne qui simule. ▷ *Spécial.* Personne qui simule la maladie ou la folie. **2.** n. m. TECH Appareil, installation qui permet de reproduire très exactement les conditions de fonctionnement d'un système (dispositif, machine, etc.) et qui peut servir à l'instruction du personnel débutant ou à certaines études de fonctionnement. *Simulateur de vol, de tir.*

simulation n. f. **1.** Action de simuler. *Simulation d'une maladie.* **2.** TECH Reproduction expérimentale des conditions réelles dans lesquelles devra se produire une opération complexe. ▷ Représentation d'un objet par un modèle analogue plus facile à étudier. *Les modèles réduits de machines sont des simulations.* **3.** Établissement d'un modèle mathématique ou physique destiné à étudier ou à tester un système, un phénomène, un appareil. *L'informatique a largement accru l'utilisation des modèles de simulation en physique nucléaire, gestion, etc.*

simuler v. tr. [1] **1.** Feindre, faire paraître comme réelle (une chose qui ne l'est pas). *Simuler la folie.* **2.** TECH Procéder à la simulation de. *Simuler un vol spatial.*

simultané, ée adj. et n. f. **1.** adj. Qui se produit en même temps, dans le même temps. *Mouvements simultanés des bras et des jambes. Traduction simultanée* : traduction orale faite au fur et à mesure de l'énoncé du texte à traduire. **2.** n. f. Aux échecs, épreuve qui oppose un joueur à plusieurs autres en même temps.

simultanéisme n. m. LITTER Procédé narratif qui consiste à présenter sans transition les événements vécus simultanément en des lieux différents par les personnages du récit. *Le simultanéisme de Dos Passos.*

simultanéité n. f. Caractère de ce qui est simultané; existence simultanée de plusieurs choses.

simultanément adv. En même temps.

sin TRIGO Abrév. de *sinus.*

sin(o)-. Élément, du lat. médiév. *Sina*, « Chine ».

Sinaï, presqu'île montagneuse (alt. max. 2 641 m), au N. de la mer Rouge. Désertique, peuplé de rares nomades, le Sinaï recèle des gisements de pétrole. – L'un des sommets du Sinaï (Djebel Mousa) est traditionnellement considéré comme la montagne où Moïse eut la vision du buisson ardent et reçut les tables de la Loi (les dix commandements). À partir du VIe s. (le monastère de Sainte-Catherine a été fondé en 527), le Sinaï est devenu un foyer de monachisme chrétien. – Ce territoire égyptien (56 000 km²) fut conquis par les Israéliens en 1967 (guerre des Six Jours). En oct. 1973, de durs combats opposèrent Israéliens et Égyptiens, qui avaient franchi le canal de Suez; le traité israélo-égyptien de 1979 prévoyait l'évacuation définitive des troupes israéliennes, laquelle s'acheva en 1982.

Sinan (Mi'mar) (près de Kayseri, 1489 – Istanbul, 1578 ou 1588), architecte turc, particulièrement fécond. On lui doit notam. la mosquée Süleymaniye d'Istanbul (1550-1557) et la mosquée Selimiye d'Edirne (1569-1575).

sinanthrope n. m. PREHIST Fossile hominien de l'espèce *Homo erectus*, appelé aussi *homme de Pékin.*

ENCYCL Dans le site de Zhoukoudian (Chou-kou-tien), à 40 km de Pékin, ont

Mi'mar **Sinan :** mosquée *Selimiye*, dite de Selim II, chef-d'œuvre de l'architecture ottomane conçu d'après Sainte-Sophie, XVIe s., Edirne

été découverts entre 1921 et 1939 les ossements d'individus (dits sinanthropes) présentant de nombr. ressemblances avec les squelettes des pithécanthropes. Le sinanthrope possédait un outillage lithique et connaissait l'usage du feu. Il aurait vécu il y a env. 500 000 ans.

sinapisé, ée adj. MED Qui contient de la farine de moutarde. *Cataplasme sinapisé.*

sinapisme n. m. MED Médication externe à base de farine de moutarde, appliquée sous forme de cataplasme et destinée à produire une révulsion. – *Par ext.* Ce cataplasme.

Sinatra (Francis Albert, dit Frank) (Hoboken, 1915 – Los Angeles, 1998), chanteur et acteur de cinéma américain. Son interprétation de mélodies sentimentales et de comédies musicales lui assurèrent une célébrité mondiale (*Un jour à New York*, 1951). Il se révéla, ensuite, excellent acteur dans de nombr. films (*Tant qu'il y aura des hommes*, 1953; *Haute Société*, 1956, *la Femme modèle*, 1957).

sincère adj. **1.** Qui exprime ses véritables pensées, ses véritables sentiments (sans les déguiser). ▷ Qui est réellement pensé ou senti. *Sentiments, paroles sincères.* **2.** Non altéré, non truqué. *Document sincère.*

sincèrement adv. D'une manière sincère. *Être sincèrement désolé.*

sincérité n. f. **1.** Qualité d'une personne ou d'une chose sincère. **2.** Caractère de ce qui n'est pas altéré, truqué. *La sincérité d'une élection.*

sinciput n. m. ANAT Partie supérieure de la voûte crânienne.

Sinclair (sir John) (Thurso Castle, Caithness, 1754 – Édimbourg, 1835), économiste anglais; un des fondateurs de la statistique.

Sinclair (Upton) (Baltimore, Maryland, 1878 – Bound Brook, New Jersey, 1968), romancier américain : *la Jungle* (1906), *la Métropole* (1908), *le Pétrole* (1927), *la Fin d'un monde* (1940). Il fit le procès du capitalisme.

Sind (le), prov. au S.-E. du Pākistān, drainée par l'Indus; 140 913 km²; 19 028 670 hab.; ch.-l. *Karāchi.* L'irrigation compense son aridité. – Théâtre d'affrontements ethniques entre les *Mohajirs*, immigrants indiens de 1947 (date de la partition) ou leurs descendants, et les *Sindhis.*

sindhi n. m. Langue indo-aryenne parlée dans le Sind et au Gujerat (Inde).

sinécure n. f. Place qui procure des ressources, une rémunération sans exiger beaucoup de travail. ▷ Loc. fam. *Ce n'est pas une sinécure* : ce n'est pas une affaire de tout repos.

sine die [sinedje] loc. adv. (lat., « sans jour [fixé] ») DR, ADMIN Sans fixer de date pour la reprise d'une discussion, pour une prochaine réunion. *Renvoyer un débat sine die.*

sine qua non [sinekwanɔn] loc. adv. (lat., « [condition] sans laquelle non ») *Condition sine qua non,* indispensable.

Singapour, État de l'Asie du S.-E. formé d'une île principale et de quelques minuscules îlots, situé à la pointe de la péninsule malaise et séparé d'elle par le détroit de Johore; 581 km²; 2 650 000 hab. (*Singapouriens*), croissance démographique : 1 % par an; cap. *Singapour.* Nature de l'État : rép. membre du Commonwealth. Langues off. : malais, chinois, angl., tamoul. Monnaie : dollar de Singapour. Relig. : bouddhisme, taoïsme, hindouisme, islam.

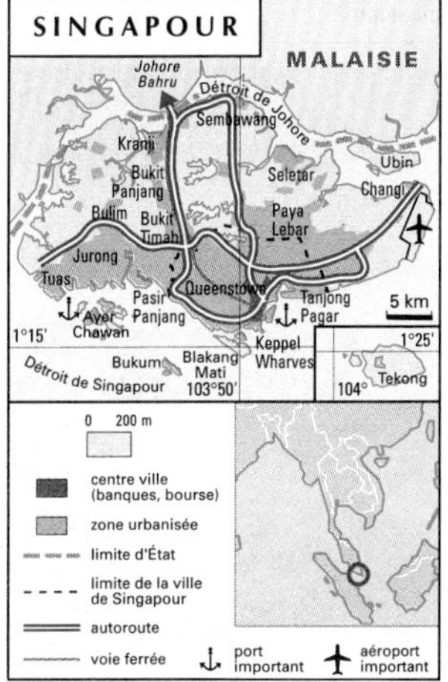

Géogr. phys. et hum. – L'île, dont le centre est occupé par une colline granitique, entourée de terrasses alluviales et de plaines marécageuses, a plus de 80 % de son territoire occupé par les zones urbanisées, les espaces industriels et les infrastructures. La forêt dense originelle, qui correspond à un climat équatorial très humide, a été remplacée par une végétation artificielle : cocotiers, hévéas, arbres fruitiers; un aqueduc venant de Malaisie (Johore) couvre 50 % des besoins en eau de Singapour. La population est composée de Chinois (75 %), de Malais et d'Indiens; la croissance démographique est contrôlée.
Écon. – Premier port mondial pour le transit, principale place financière internationale de l'Asie du Sud-Est, Singapour reçoit du monde entier des marchandises qu'il redistribue dans toute l'Asie du S. (produits pétroliers, caoutchouc, textiles, véhicules, riz). L'industrialisation, fondée sur des investissements étrangers (américains, japonais, britanniques), attirés par de larges facilités fiscales, a été très rapide. Elle est remarquable dans les industries de pointe et à haute productivité : prod. chimiques et pharmaceutiques, outillage, appareils électriques et électroniques, construction navale, pétrochimie. Le pays connaît même une pénurie de main-d'œuvre et doit exporter son savoir-faire en Malaisie. L'agriculture est peu importante : fruits, légumes, élevage de porcs. Le tourisme, actif, est favorisé par un aéroport international.
Hist. – En 1819, sir Stamford Raffles acheta l'île au rajah de Johore pour la Compagnie anglaise des Indes orientales et fonda la ville moderne de Singapour, qui put contrôler le détroit de Malacca. En 1828, Singapour fut rattachée à la colonie britannique des Straits Settlements (les comptoirs anglais de Malaisie). Le port connut un développement considérable et devint, après 1921, une base écon. et stratégique de première importance. Les Japonais s'en emparèrent en fév. 1942. Redevenue britannique en sept. 1945, Singapour accéda à l'indépendance le 3 juin 1959, adhéra à la Fédération de Malaisie en 1963 puis fit sécession en 1965 pour former une république indépendante au sein du Commonwealth. Le président Goh Chok Tong a succédé, en 1990, à Lee Kuan Yew, qui avait tenu fermement le pouvoir, depuis l'indépendance, avec le Parti d'action du peuple. Membre de l'ASEAN, Singapour s'affirme comme une des grandes places économiques mondiales, interface entre l'Ouest et l'Orient.

singapourien, enne adj. et n. De Singapour.

singe n. m. **1.** Mammifère primate anthropoïde à la face glabre, aux pieds et aux mains préhensiles, au cerveau développé. ▷ *Spécial.* Mâle de l'espèce (par oppos. à *guenon*). **2.** Loc. *Laid, malin, adroit comme un singe. Faire le singe* : faire des singeries. – Loc. fig. *Payer en monnaie de singe,* en paroles creuses, en contrepartie sans valeur. **3.** Celui qui imite les gestes, les mimiques, les attitudes, les actions d'un autre. **4.** Pop. *Le singe* : le patron. **5.** Arg., vieilli Bœuf de conserve (corned-beef).
ENCYCL Les singes, ou simiens, se divisent en deux groupes : les *platyrhiniens* ou *singes du Nouveau Monde* (tamarins, etc.) et les *catarhiniens* ou *singes de l'Ancien Monde* (cercopithèques, pongidés, etc.). Les premiers singes apparurent à l'oligocène. Les singes actuels de l'Ancien Monde, de même que les hommes, résultent de l'évolution de rameaux parallèles issus de singes primitifs de l'Ancien Monde.

singe hurleur

singer v. tr. [13] **1.** Imiter, contrefaire maladroitement. *Enfant qui singe les adultes.* ▷ Contrefaire (qqn) avec malice, pour se moquer de lui. **2.** Affecter, feindre (une attitude, un sentiment). *Singer la vertu.*

Singer (Isaac Merrit) (Pittstown, 1811 – Torquay, Devonshire, 1875), inventeur américain. Il perfectionna la machine à coudre (1851).

Singer (Isaac Bashevis) (Radzymin, près de Varsovie, 1904 – Miami, 1991), écrivain américain d'origine polonaise, d'expression yiddish : *la Famille Moskat* (1950), *le Manoir* (1967). P. Nobel 1978.

singerie n. f. **1.** Grimace, tour de malice. *Faire des singeries.* ▷ *Par ext.* (Plur.) Simagrées. **2.** Cage des singes, dans une ménagerie.

single [singœl] n. m. (Anglicisme) **1.** Cabine, compartiment, chambre d'hôtel, occupés par une seule personne. **2.** Disque de variétés ne comprenant que deux morceaux. (On dit aussi *CD-deux titres.*)

singleton [sɛ̃glətɔ̃] n. m. **1.** JEU Au whist, au bridge, carte seule de sa couleur dans la main d'un joueur. **2.** MATH Ensemble qui ne comprend qu'un seul élément.

singulariser v. tr. [1] Rendre singulier, extraordinaire. ▷ v. pron. Se faire remarquer.

singularité n. f. **1.** Fait d'être singulier, unique, irremplaçable. *La singularité de chaque être humain.* **2.** Ce qui rend une chose singulière; chose, manière singulière. *C'est une des singularités de son caractère.*

singulet n. m. ELECTRON Électron unique pouvant réaliser une liaison chimique entre deux atomes.

singulier, ère adj. et n. m. **I. 1.** Qui est individuel. *Combat singulier,* qui oppose un seul adversaire à un seul autre. **2.** Qui se rapporte à une seule chose ou à une seule personne. ▷ n. m. *Le singulier* : catégorie grammaticale qui exprime l'unité. *Le singulier et le pluriel.* **II.** Qui se distingue des autres; étonnant, extraordinaire.

singulièrement adv. **1.** Particulièrement, principalement. **2.** Beaucoup, extrêmement. *Il est singulièrement déçu.* **3.** Litt. D'une manière singulière, bizarre.

Siniavski (Andréï) (Moscou, 1925 – Fontenay-aux-Roses, 1997), écrivain russe (*Une voix dans le chœur,* 1974) et l'une des grandes figures de la dissidence en U.R.S.S.

sinisant, ante n. et adj. **1.** n. Syn. de *sinologue.* **2.** n. et adj. Se dit d'une personne qui a appris le chinois.

sinisation n. f. Action de siniser, fait de se siniser; son résultat.

siniser v. tr. [1] Rendre chinois. **1.** Faire adopter la civilisation, la langue, les mœurs chinoises à (une population). ▷ v. pron. Adopter la culture, les mœurs chinoises. **2.** Adapter à la culture, au mode de pensée chinois.

1. sinistre adj. **1.** Qui fait craindre quelque malheur. *Un sinistre présage.* **2.** Qui par son aspect fait peser un sentiment d'effroi ou d'accablement. *L'ombre sinistre des grands bois.* – (Sens affaibli.) Triste; qui fait naître l'ennui. *Cette soirée était sinistre.* **3.** Méchant, pernicieux. *Un sinistre individu.*

2. sinistre n. m. **1.** Catastrophe qui cause des pertes considérables. **2.** DR Tout fait qui entraîne une indemnisation. *Règlement d'un sinistre.*

sinistré, ée adj. et n. **1.** Qui a subi un sinistre. *Région sinistrée.* ▷ Subst. Personne qui a eu à souffrir d'un sinistre. **2.** En proie à une grave crise. *Un secteur économique sinistré.*

sinistrement adv. D'une manière sinistre.

sinistrose n. f. **1.** MED Syndrome psychique observé chez certains malades ou accidentés, qui consiste en une appréciation exagérée des préjudices subis. **2.** Cour., fam. Pessimisme excessif.

Sin-Kiang. V. Xinjiang.

Sin-le-Noble, com. du Nord (arr. de Douai); 16 651 hab. Cité minière.

Sinnamary (le), fl. de la Guyane française (env. 300 km). *Port de Sinnamary* (arr. de Cayenne) à l'embouchure (2 055 hab.).

Sinn Fein (terme gaélique signif. « nous, nous-mêmes »), mouvement nationaliste irlandais fondé v. 1902 par Arthur Griffith. À la suite de l'insurrection de 1916, organisée par son aile militaire, il jouit d'une grande popularité et, avec pour leader De Valera, il remporta les élections de 1918. Il se dota (1919) d'une organisation militaire, l'IRA, pour lutter contre la G.-B. Le traité de Londres (1921) conduisit à son éclatement. Il resurgit à la faveur du Mouvement pour les droits civiques de 1968 (en Irlande du Nord). Se réclamant du socialisme, il devint la branche politique de l'IRA.

sino-. V. sin(o)-.

sinologie n. f. Didac. Étude de la langue, de la culture et de l'histoire de la Chine.

sinologue n. Didac. Spécialiste de sinologie.

sinon conj. **1.** Autrement, sans quoi. *Ce document doit être certifié, sinon il n'est pas valable.* **2.** (Exprimant une exception, une restriction.) Si ce n'est. *Il ne s'intéresse à rien sinon à la musique.* ▷ Loc. conj. *Sinon que :* si ce n'est que. **3.** (Marquant une concession ou une restriction.) *Faites-le, sinon aujourd'hui, du moins demain.* **4.** (Pour surenchérir sur une affirmation.) Et même. *Cela m'est indifférent, sinon désagréable.*

Sinop (anc. *Sinope*), v. de Turquie, sur la mer Noire ; 17 140 hab. ; ch.-l. de l'il du m. nom. – En 1853, une flotte turque y fut anéantie par les Russes.

sinople n. m. HERALD Couleur verte représentée en gravure par des hachures diagonales de senestre à dextre.

sinoque adj. et n. Fam., vieilli Fou.

sino-tibétain, aine adj. LING *Langues sino-tibétaines :* ensemble des langues tibéto-birmanes, chinoises et thaïes.

Sintra (autref. *Cintra*), ville du Portugal, près de Lisbonne ; 9 320 hab. – Nombr. demeures anciennes. Ancien palais royal, gothique, mauresque, manuélin. – Par la *capitulation de Sintra* (1808), les Anglo-Portugais imposèrent à Junot le départ des troupes françaises.

sinuer v. intr. [1] Faire des sinuosités.

sinueux, euse adj. **1.** Qui forme des courbes nombreuses. *Sentier sinueux.* **2.** Fig. Qui procède par détours, de façon indirecte ; tortueux. *Une approche sinueuse.*

Sinuiju, v. de la Corée du Nord ; 180 000 hab. ; ch.-l. de prov. Textiles, papeteries.

sinuosité n. f. **1.** Chacune des courbes d'une ligne sinueuse. *Les sinuosités d'une rivière.* **2.** Caractère sinueux. *La sinuosité d'un contour.* ▷ Fig. *La sinuosité d'une pensée.*

1. sinus [sinys] n. m. ANAT **1.** Cavité irrégulière à l'intérieur de certains os (os du crâne et de la face, partic.). *Sinus maxillaire.* **2.** Partie dilatée de certains vaisseaux. *Sinus carotidien.*

2. sinus [sinys] n. m. TRIGO Ordonnée de l'extrémité d'un arc porté sur le cercle trigonométrique. – *Sinus d'un angle aigu d'un triangle rectangle,* rapport entre le côté opposé à cet angle et l'hypoténuse. (Abrév. : sin).

sinusite n. f. Atteinte inflammatoire ou infectieuse des muqueuses des sinus de la face.

sinusoïdal, ale, aux adj. GEOM Relatif à la sinusoïde. ▷ PHYS *Mouvement sinusoïdal :* mouvement d'un point matériel dont l'élongation est une fonction sinusoïdale du temps.

sinusoïde n. f. GEOM Courbe qui représente les variations de la fonction y = sin x et, d'une manière générale, celles des fonctions y = a sin (ωt + φ) et y = a cos (ωt + φ). ► illustr. **courbes**

Sion, une des collines de Jérusalem (sur laquelle étaient bâtis l'anc. citadelle et le Temple). – Synonyme, dans le langage biblique, de Jérusalem.

Sion, v. de Suisse, ch.-l. du Valais, sur le Rhône ; 23 400 hab. Vins *(fendant de Sion).* Tourisme. – Évêché catholique. Égl. fortifiée N.-D.-de-Valère (XIIe-XVe s.). Chât. féodal de Tourbillon (XIIIe s.).

sionisme n. m. HIST Mouvement, doctrine qui visait à la restauration d'un État juif indépendant en Palestine, et qui fut à l'origine de la fondation de l'État d'Israël. ▷ *Par ext.* Idéologie des partisans de l'État d'Israël.

ENCYCL Associé à l'idée d'avènement messianique, le retour du peuple juif en Palestine est le fondement du sionisme. Des bases solides lui furent données par T. Herzl, qui organisa à Bâle le premier congrès sioniste (1897). Il rencontra de nombr. oppositions au sein même des Juifs de la Diaspora mais fut l'espoir des communautés persécutées d'Europe orientale. La déclaration Balfour (1917) admit la création en Palestine d'un *Foyer juif,* dont le développement suscita de grandes difficultés et des luttes armées entre Juifs, Arabes et Anglais. La création officielle de l'État d'Israël date de mai 1948.

sioniste adj. et n. **1.** adj. Relatif au sionisme. **2.** n. Partisan du sionisme.

Sioule (la), riv. du Massif central (150 km), affl. de l'Allier (r. g.).

sioux [sju] adj. et n. m. inv. Des Sioux. *Des coutumes sioux.* ▷ n. m. LING *Le sioux :* la famille de langues parlées par les Sioux.

Sioux, ethnie indienne d'Amérique du N. Après l'arrivée des colons, les Sioux furent contraints d'émigrer vers l'Ouest ; ils vivent aujourd'hui dans des réserves (notam. au Dakota, au Nebraska et au Montana). ▷ Loc. fam. *Des ruses de Sioux,* particulièrement astucieuses.

siphon n. m. **1.** Tube recourbé permettant de faire passer par gravité un liquide d'un niveau donné à un niveau inférieur en l'élevant d'abord au-dessus du niveau le plus haut. *Amorçage d'un siphon.* **2.** Dispositif (tube recourbé en S, partic.) intercalé entre un appareil sanitaire et son tuyau de vidange pour empêcher la remontée des mauvaises odeurs. **3.** TECH Conduite, ou ensemble de conduites, permettant de faire passer des eaux d'alimentation ou d'évacuation sous un cours d'eau. **4.** En spéléologie, galerie ou boyau inondé. **5.** Bouteille à paroi épaisse, munie d'un bouchon mécanique à levier et contenant de l'eau sous pression, gazéifiée par du gaz carbonique. **6.** ZOOL Canal qui traverse les cloisons et fait communiquer entre elles les diverses loges de certaines coquilles. – Tube prolongeant les orifices d'entrée et de sortie de l'eau respiratoire, chez certains lamellibranches fouisseurs. ▷ BOT Cellule en forme de tube allongé, constitutive du thalle de divers champignons et algues.

siphonaptères n. m. pl. ENTOM Ordre d'insectes dépourvus d'ailes, dont les nombr. espèces sont appelées cour. puces. – Sing. *Un siphonaptère.* Syn. aphaniptères.

siphonné, ée adj. Fam. Un peu fou.

siphonner v. tr. [1] Transvaser (un liquide) au moyen d'un siphon.

siphonophores n. m. pl. ZOOL Classe de cnidaires hydrozoaires qui forment, en haute mer, des colonies où les individus (polypes ou méduses) restent attachés les uns aux autres. – Sing. *Un siphonophore.*

Siqueiros (David Alfaro) (Chihuahua, 1896 – Cuernavaca, 1974), peintre et homme politique mexicain. Ses grandes peintures murales, expressionnistes, renouent avec l'art précolombien : fresques du Syndicat de l'électricité (1939, Mexico), du palais des Beaux-Arts de Mexico (1940). Il fut un des dirigeants du parti communiste mexicain.

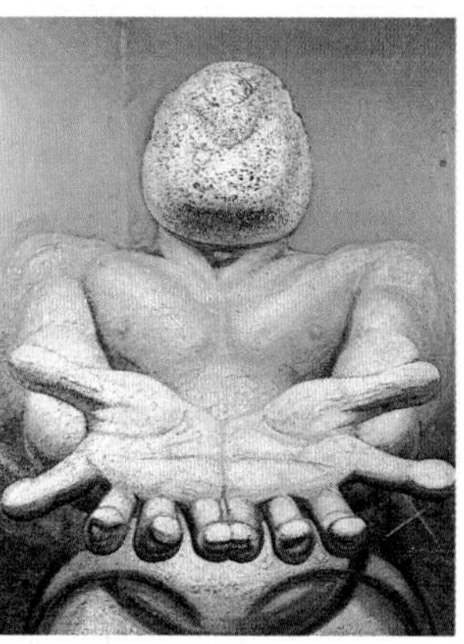

David Alfaro **Siqueiros :** *Notre image actuelle,* 1947 ; musée David-Alfaro-Siqueiros, Mexico

sir n. m. Titre honorifique donné en Grande-Bretagne, qui précède le prénom, ou le prénom et le nom de famille.

Sirat (René Samuel) (Bône, auj. Annaba, Algérie, 1930), rabbin français ; grand rabbin de France de 1980 à 1987.

sire n. m. **1.** HIST Titre donné d'abord à certains seigneurs féodaux et, plus tard, à de simples roturiers. ▷ Loc. mod. *Un triste sire :* un individu peu digne de confiance ou de considération. **2.** Titre que l'on donne à un souverain lorsqu'on s'adresse à lui.

sirène n. f. **I. 1.** MYTH Être mythique ayant un buste de femme et un corps de poisson ou d'oiseau, dont le chant mélodieux attirait les navigateurs sur les écueils. **2.** Fig., litt. Femme très séduisante, au charme dangereux. **II.** Appareil de signalisation sonore utilisé notam. pour alerter les populations (lors d'un bombardement ou d'une catastrophe) ou pour signaler une présence (navires, voitures de police, etc.).

siréniens n. m. pl. ZOOL Ordre de mammifères placentaires aquatiques proches des ongulés. – Sing. *Un sirénien peut atteindre 4 mètres de longueur.*

Siret (le), riv. de Roumanie (726 km), affl. du Danube (r. g.); naît en Ukraine.

sirex n. m. ENTOM Insecte hyménoptère au dimorphisme sexuel très marqué, dont la femelle perfore l'écorce des conifères pour y pondre.

Sirey (Jean-Baptiste) (Sarlat, 1762 - Limoges, 1845), juriste français; auteur du *Recueil des lois et arrêts* (1800), tenu à jour depuis sa création.

Sirius, système double d'étoiles du Grand Chien proche de la Terre (8,8 années de lumière) dont la composante principale, une étoile bleue, est l'étoile la plus brillante du ciel (magnitude visuelle apparente -1,5). Sa compagne, une naine blanche invisible à l'œil nu (magnitude visuelle apparente 8,7), gravite autour de l'étoile bleue en un peu plus de 50 ans. - Loc. *Point de vue de Sirius :* point de vue de celui qui voit les choses de très haut, de trop haut.

Sirmione, com. d'Italie (Lombardie), au S. du lac de Garde; 4 470 hab. Stat. estivale. - Ruines romaines (villa, notam.) de l'anc. *Sirmio.* Chât. (XIIe s.).

sirocco [siʀoko] n. m. Vent du sud-est, chaud et sec, chargé de poussière, qui vient des déserts africains et souffle en Algérie, en Tunisie, en Sicile.

sirop [siʀo] n. m. **1.** Solution concentrée de sucre additionnée ou non de substances aromatiques ou médicamenteuses. *Sirop de citron. Sirop pectoral.* **2.** (Canada) *Sirop d'érable,* obtenu par évaporation de la sève de l'érable à sucre.

siroter v. tr. [1] Fam. Boire à petites gorgées, en prenant son temps. ▷ v. intr. Fam. Boire. *Dès onze heures, elle sirote.*

sirtaki n. m. Danse populaire grecque.

sirupeux, euse adj. Qui a le caractère, la consistance du sirop. ▷ Fig., péjor. D'une douceur mièvre.

sirventès [siʀvɛ̃tɛs] ou **sirvente** [siʀvɑ̃t] n. m. LITTER Au Moyen Âge, poème de circonstance, souvent satirique, en langue d'oc.

sis, sise [si, siz] adj. DR ou litt. Situé. *Un domaine sis dans telle commune.*

sisal, als n. m. Agave (fam. amaryllidacées) cultivé notam. au Yucatán (Mexique) et en Afrique, dont les feuilles donnent une fibre textile très résistante. ▷ Cette fibre elle-même.

Sisley (Alfred) (Paris, 1839 - Moret-sur-Loing, 1899), peintre anglais de l'école impressionniste française. Dès 1870, sa manière se rapprocha de celle de Monet, de Renoir et de Pissarro. Il peignit surtout des paysages d'Île-de-France.

Alfred **Sisley :** *le Village de Voisins,* 1874; musée d'Orsay, Paris

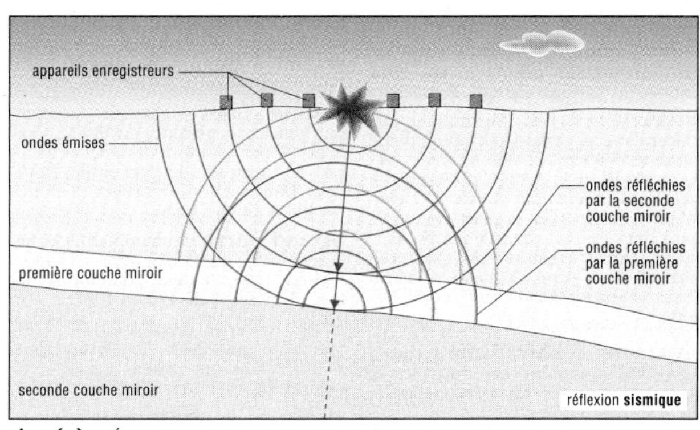

sism(o)-. Élément, du gr. *seismos,* « secousse, tremblement ».

sismicité n. f. GEOL Fréquence et intensité des séismes dans une région donnée.

sismique adj. Relatif aux séismes.

sismogramme n. m. Enregistrement donné par le sismographe.

sismographe n. m. GEOL Appareil enregistrant la fréquence et l'amplitude des séismes.

sismologie n. f. Didac. Partie de la géologie qui étudie les séismes.

sismologique adj. Didac. Relatif à la sismologie.

sismologue n. Didac. Spécialiste de sismologie.

Sismondi (Jean Charles Léonard Simonde de) (Genève, 1773 - id., 1842), historien et économiste suisse d'origine italienne. Précurseur du dirigisme, il influença Marx : *Nouveaux Principes d'économie politique* (1819), *Études sur l'économie politique* (1837).

sismothérapie n. f. PSYCHIAT Traitement par électrochoc.

Sīstān. V. Séistan.

Sisteron, ch.-l. de cant. des Alpes-de-Haute-Provence (arr. de Forcalquier), sur la Durance; 6 789 hab. Usine hydroélectrique. - Égl. du XIIe s. Vestiges d'une enceinte du XIVe s. Citadelle (du XIIIe au XVIIIe s.).

sistre n. m. Instrument de musique à percussion, constitué de coquilles ou de pièces de métal enfilées sur des branches.

Sisyphe, dans la myth. gr., roi de Corinthe, fils d'Éole. Il fut condamné dans les Enfers à rouler éternellement jusqu'au sommet d'une montagne un rocher qui en retombait aussitôt.

sitar n. m. Instrument de musique à cordes pincées, long manche et caisse de résonance hémisphérique originaire du N. de l'Inde.

sitariste n. Joueur (euse) de sitar.

sitcom [sitkɔm] n. f. (de l'angl. *situation comedy.*) Comédie télévisée produite en série et présentant des scènes de la vie quotidienne.

site n. m. **1.** Lieu, tel qu'il s'offre aux yeux de l'observateur; paysage, envisagé quant à sa beauté. *Site classé, officiellement protégé.* **2.** Configuration, envisagée du point de vue pratique, économique, du lieu où est édifiée une ville. ▷ ARCHEOL Lieu où se trouvent des vestiges. ▷ ECON Lieu où se déroule une activité économique; implantation industrielle. ▷ TRANSP *Site propre* (dans la loc. adv. et adj. *en site propre*) : partie réservée à la circulation des véhicules d'un moyen de transport déterminé. ▷ INFORM Lieu virtuel du réseau Internet, défini par une adresse électronique. **3.** BIOL Partie d'un gène séparable des éléments voisins et susceptible, en cas de modification, de produire une mutation de l'organisme. **4.** ARTILL, TECH *Angle de site,* formé par l'horizontale et la direction visée.

sit-in [sitin] n. m. inv. (Anglicisme) Manifestation non violente dans laquelle les participants occupent un endroit public en s'asseyant par terre.

sitôt adv. **I. 1.** Vx Aussi promptement. *« Quoi donc, elle devait périr sitôt ! » (Bossuet).* ▷ Mod., litt. *Sitôt... sitôt. Sitôt dit, sitôt fait.* Syn. cour. aussitôt. **2.** Loc. adv. *Pas de sitôt* ou *pas de si tôt :* pas avant longtemps. **II. 1.** Loc. conj. *Sitôt que* (+ indic.) : dès que. **2.** (Employé comme préposition.) Fam. *Sitôt mon arrivée je lui téléphonerai.*

Sitruk (Joseph) (Tunis, 1944), rabbin français; élu grand rabbin de France en 1987, réélu en 1994.

sittelle n. f. ORNITH Oiseau passériforme grimpeur (genre *Sitta*), qui niche dans des trous d'arbres.

Sitter (Willem de) (Sneek, 1872 - Leyde, 1934), astronome et mathématicien néerlandais. En 1917, il opposa au modèle cosmologique d'Einstein un modèle de l'Univers dont la densité est nulle.

Sitting Bull (« Taureau assis »), nom angl. de Tatanka Iyotake (Grand River, Dakota du Sud, v. 1834 - Fort Yates, Dakota du Nord, 1890), chef des Sioux du Dakota; défenseur de son peuple, qu'il refusait de laisser parquer dans une réserve.

Sittwe (anc. *Akyab*), v. et port de Birmanie, sur le golfe du Bengale; 143 215 hab. Comm. du riz.

situ. V. in situ.

situation n. f. **1.** Position, emplacement (se dit surtout en parlant d'une ville, d'une maison, d'un terrain). **2.** Ensemble des conditions dans lesquelles se trouve qqn à un moment donné. *Situation pécuniaire, familiale.* ▷ Loc. adv. *En situation :* dans des circonstances réelles et concrètes, et non dans l'abstrait. ▷ *Être en situation de* (+ inf.) : pouvoir. **3.** Emploi qui confère, le plus souvent, une position sociale assez élevée. *Avoir une belle situation.* **4.** État des affaires; conjoncture. *La situation économique, politique.* **5.** FIN Tableau indiquant l'actif et le passif d'une entreprise à une date donnée. **6.** Moment important de l'action, dans une œuvre littéraire. *Les situations dramatiques d'une pièce.*

situationnisme n. m. Mouvement de contestation philosophique, esthétique et politique, créé en 1957, se voulant l'héritier du marxisme et du surréalisme.

situationniste adj. et n. Du situationnisme ; partisan du situationnisme.

situer v. tr. [1] **1.** (Surtout au pp.) Placer dans un certain endroit ou d'une certaine manière. *La maison située près de la rivière.* ▷ v. pron. *Ce magasin se situe dans le centre de la ville.* **2.** Déterminer par la pensée la place de (qqch, qqn), dans l'espace, dans le temps, dans un ensemble organisé. *Où situez-vous cette ville ?* ▷ v. pron. *Ce roman se situe à Paris. Se situer politiquement.*

Siva. V. Çiva.

sivaïsme ou **shivaïsme** [ʃivaism] n. m. RELIG Ensemble des doctrines et sectes hindouistes dans lesquelles le dieu Siva est l'Être suprême.

Sivas, v. de Turquie (Anatolie), sur le Kizil Irmak ; 198 550 hab. ; chef-lieu de l'il du m. nom. Mines de cuivre. – Archevêché. Mosquée (XIIe s.) ; médersas (XIIIe s.).

S.I.V.O.M. n. m. ADMIN Sigle de *Syndicat intercommunal à vocation multiple*, regroupement de communes pour des actions concertées.

six [sis] ; [si] devant un mot commençant par une consonne ; [siz] devant une voyelle ou un *h* muet. adj. inv. et n. m. inv. **I.** adj. num. inv. **1.** (Cardinal) Cinq plus un (6). *Un vers de six pieds.* ▷ SPORT *Les Six Jours :* course cycliste sur piste se disputant par relais de deux coureurs durant six jours. **2.** (Ordinal) Sixième. *Charles VI.* – Ellipt. *Le six mai.* **II.** n. m. inv. **1.** Le nombre six. ▷ Chiffre représentant le nombre six (6). *Tracer un six.* ▷ Numéro six. *Il s'est garé devant le six (de la rue).* ▷ *Le six :* le sixième jour du mois. **2.** Carte, face de dé ou côté de domino portant six marques. *Le six de cœur.*

Six (groupe des), groupe formé en 1918 par six compositeurs français : G. Auric, L. Durey, A. Honegger, D. Milhaud, F. Poulenc et G. Tailleferre. *Le Coq et l'Arlequin*, de Cocteau, définit leur esthétique, hostile au romantisme germanique et à l'impressionnisme à la Debussy, voire à la musique de Ravel.

sixain. V. sizain.

Six-Fours-les-Plages, ch.-l. de cant. du Var (arr. de Toulon), dans la presqu'île du cap Sicié ; 29 178 hab. Stat. balnéaire.

six-huit [sisɥit] n. m. inv. MUS *Mesure à six-huit* (6/8) : mesure ternaire à deux temps ayant la noire pointée (ou trois croches) pour unité de temps.

sixième [sizjɛm] adj. et n. **I.** adj. num. ord. Dont le rang est marqué par le nombre 6. *Le sixième jour. Habiter au sixième étage* ou, ellipt., *au sixième. Le sixième arrondissement* ou, ellipt., *le sixième.* **II.** n. **1.** Personne, chose qui occupe la sixième place. *La sixième du palmarès.* **2.** n. f. Première classe du premier cycle de l'enseignement secondaire. *Entrer en sixième.* **3.** n. m. Chaque partie d'un tout divisé en six parties égales. *Le sixième d'une somme.*

Six Jours (guerre des), nom donné à la troisième des guerres israélo-arabes, remportée par Israël (5-10 juin 1967).

six-quatre-deux (à la) loc. adv. Fam. À la hâte, sans soin. Syn. à la va-vite.

sixte n. f. **1.** MUS Intervalle de six degrés. – Sixième degré d'une gamme diatonique. **2.** SPORT En escrime, parade avec la lame dirigée vers la ligne du dessus.

Sixte IV (Francesco Della Rovere) (Celle Ligure, 1414 – Rome, 1484), pape de 1471 à 1484 ; il fit construire au Vatican la chapelle Sixtine.

Sixtine (chapelle), chapelle du palais du Vatican construite en 1473, sous Sixte IV, par Giovanni de Dolci et décorée de fresques de Signorelli, Botticelli, Ghirlandaio, le Pérugin, il Pinturicchio et Michel-Ange.

Siyaad Barre (Muhammad) (Garbaharrey, rég. du Gedo, 1921 – Lagos, Nigeria, 1995), homme politique somalien, au pouvoir de 1969 à 1991.

Siza (Alvaro) (Matosinhos, 1933), architecte portugais. Son classicisme s'inscrit dans une vision sociale et le respect des traditions régionales.

sizain ou rare **sixain** [sizɛ̃] n. m. **1.** LITTER Strophe de six vers construite sur deux ou trois rimes. **2.** JEU Paquet de six jeux de cartes.

Sjælland (en all. *Seeland*), la plus grande (7 439 km²) et la plus peuplée (2 139 000 hab.) des îles danoises, en Baltique. Sol fertile. Élevage intensif. Pêche. Nombr. industries à Copenhague.

Skagerrak (le), détroit reliant la mer du Nord au Kattégat, entre la Norvège et le Danemark.

skaï n. m. (Nom déposé.) Matière synthétique imitant le cuir.

Skanderbeg. V. Scanderbeg.

skate-board [skɛtbɔʀd] n. m. (Anglicisme) Syn. (off. déconseillé) de *planche à roulettes. Des skate-boards.*

skateur, euse n. Adepte du skating ou du skate-board.

skating [skɛtiŋ] n. m. (Anglicisme) **1.** Patinage à roulettes. **2.** Style de ski de fond rappelant le pas des patineurs.

sketch [skɛtʃ] n. m. Petite scène, généralement gaie, jouée au théâtre, dans un music-hall, etc. *Des sketch(e)s.* – *Film à sketches*, composé de courtes œuvres différentes.

Skhirra ou **Skhira (La),** port pétrolier de Tunisie, au N. de Gabès.

ski n. m. **1.** Long patin de bois, de fibre de verre, etc., à l'extrémité antérieure *(spatule)* relevée, utilisé pour glisser sur la neige. *Aller à skis.* **2.** Locomotion à skis ; sport pratiqué sur skis. *Faire du ski.* – *Ski de fond*, pratiqué sur de longues distances et sur des terrains de faible dénivellation. – *Ski alpin*, pratiqué sur des pistes aménagées, en pente raide. – *Ski artistique :* discipline comportant des figures de ballet, des sauts acrobatiques et des descentes de champs de bosses. ▷ *Ski nautique :* sport nautique qui se pratique sur un ou deux skis.

ski : Jean-Luc **Crétier** aux J.O. de Nagano

skiable adj. Où l'on peut skier.

skier v. intr. [2] Pratiquer le ski.

skieur, euse n. Personne qui va à skis, qui pratique le ski.

skif(f) n. m. Bateau de course, long et très étroit, pour un seul rameur.

Skikda (anc. *Philippeville*), port de l'Algérie ; 130 880 hab. ; ch.-l. de wilaya. Exportation de gaz naturel.

skinhead [skinɛd] ou **skin** [skin] n. et adj. (Anglicisme) Marginal adhérant à des thèses extrémistes de droite, agressif, xénophobe, se distinguant par le crâne rasé et une tenue évoquant l'uniforme militaire. Adj. *La panoplie skinhead.*

Skinner (Burrhus Frederic) (Susquehanna, Pennsylvanie, 1904 – Cambridge, Massachusetts, 1990), psychologue américain qui mit au point l'enseignement programmé.

skipper [skipœʀ] n. m. (Anglicisme) **1.** Chef de bord d'un yacht. **2.** Barreur d'un bateau à voile de régate.

Skolem (Thoralf) (Sandsvaer, 1887 – Oslo, 1963), mathématicien norvégien ; travaux sur la théorie des ensembles et la théorie des nombres.

skons, skunks, skuns. V. sconce.

chapelle **Sixtine :** voûte décorée par Michel-Ange (1508-1512)

Skopje ou **Skoplje,** cap. de la Macédoine (ex-Yougoslavie), sur le Vardar; 408 140 hab. Industr. sidérurgiques et mécaniques. – Université. – Ravagée par un tremblement de terre en 1963, la ville a été reconstruite.

Skriabine. V. Scriabine.

skydome [skajdom] n. m. (Anglicisme) Ouverture vitrée au plafond d'une pièce.

Skye, une des îles de l'archipel des Hébrides (G.-B.), près du rivage de l'Écosse; 1 650 km²; 7 500 hab.; ville princ. *Portree.* Élevage ovin. Tourisme.

skye-terrier [skajtɛʀje] n. m. Chien terrier à longs poils. *Des skye-terriers.*

Skylab, station orbitale américaine en service de 1973 à 1979.

Skýros, île gr. de la mer Égée, la plus grande des Sporades du N.; 210 km²; 2 300 hab.; ch.-l. *Skýros.*

slalom [slalɔm] n. m. **1.** SPORT Descente à skis sur un parcours sinueux jalonné de piquets (qui figurent des *portes*). – *Slalom géant,* sur un parcours relativement long. – *Slalom spécial,* sur un parcours plus court, avec des portes plus rapprochées, et couru en deux manches. – *Slalom supergéant*.* **2.** Parcours sinueux entre des obstacles.

slalomer v. intr. [**1**] Faire un slalom.

slalomeur, euse n. Skieur, skieuse qui pratique le slalom.

slang [slɑ̃g] n. m. Argot anglais.

slave adj. et n. Qui appartient aux peuples de même famille linguistique habitant l'Europe centrale et orientale. ▷ *Langues slaves :* langues indo-européennes parlées dans l'est et une partie du centre de l'Europe (slavon, bulgare, croate, polonais, russe, serbe, slovaque, slovène, tchèque, etc.).

Slavejkov (Petko) (Tărnovo, v. 1827 – Sofia, 1895), écrivain bulgare; promoteur du renouveau des lettres dans son pays, à la libération duquel il contribua.

slavisant, ante n. et adj. Didac. n. Linguiste spécialiste des langues slaves.

slaviser v. tr. [**1**] Didac. Rendre slave (par la langue, les mœurs).

slavistique n. f. Didac. Science des langues slaves.

slavon n. m. LING Chacune des langues liturgiques nationales des Slaves orthodoxes, dérivées du vieux slave. *Le slavon russe. Le slavon bulgare. Le slavon serbe.*

Slavonie (en serbo-croate *Slavonija*), rég. de la Croatie, entre la Drave, la Save et le Danube. – Les Serbes, majoritaires, opposés à l'indépendance de la Croatie, ont, à l'aide de l'armée fédérale yougoslave, établi leur domination sur cette région de 1992 à 1998.

slavophile adj. et n. HIST Se dit d'un partisan de la tradition slave en Russie au XIXe s., par opposition au modèle de l'Europe occidentale.

sleeping [slipiŋ] ou **sleeping-car** [slipiŋkaʀ] n. m. (Anglicisme) Vieilli Wagon-lit. *Des sleepings* ou *des sleeping-cars.*

Slesvig. V. Schleswig-Holstein.

slice [slajs] n. m. (Anglicisme) Effet latéral donné à une balle de tennis ou de golf.

slicer [slajse] v. tr. [**12**] (Anglicisme) Au tennis et au golf, frapper latéralement la balle pour lui communiquer un slice.

slikke n. f. GEOMORPH Vase maritime déposée aux niveaux inférieur et moyen de la zone de balancement des marées; partie du littoral où elle se dépose (par oppos. au *schorre*).

slip n. m. Culotte très courte et ajustée servant de sous-vêtement. ▷ *Slip de bain :* maillot de bain.

Sliven, v. de la Bulgarie orientale; 102 420 hab.; ch.-l. du distr. du m. nom. Centre textile. Industr. mécaniques.

Slochteren, ville des Pays-Bas (Groningue); 14 030 hab. Gaz naturel.

slogan n. m. Formule brève et frappante que l'on réitère à des fins persuasives. *Slogan publicitaire.*

sloop [slup] n. m. MAR Bateau à voiles à un mât ne gréant qu'un foc à l'avant.

sloughi n. m. Lévrier à poil ras, originaire d'Afrique du Nord.

slovaque adj. et n. **1.** adj. De Slovaquie. ▷ Subst. *Les Slovaques.* **2.** n. m. Langue slave parlée en Slovaquie.

Slovaquie *(Slovenska Republika)* État d'Europe, frontalier de la Pologne au nord, de l'Ukraine à l'est, de la Hongrie au sud et de la Moravie à l'ouest, qui fut jusqu'en 1993 l'une des deux rép. fédérées de Tchécoslovaquie; 49 032 km²; 5 192 570 hab.; cap. *Bratislava.* Nature de l'État : rép. parlementaire. Langue off. : slovaque. Monnaie : couronne slovaque. Pop. : Slovaques (près de 90 %); Hongrois (plus de 10 %). Relig. : catholicisme.
Géogr. phys. et écon. – C'est une région montagneuse et boisée, s'étendant en majeure partie sur les Carpates, avec quelques plaines. Le climat est continental. L'économie, traditionnelle, repose sur l'exploitation forestière, les cultures céréalières et l'élevage. Les industries (sidér., méca., chim., text.) se sont développées depuis 1945 grâce aux aménagements hydroélectriques et à l'exploitation des minerais, princ. du fer. En raison de la prédominance de l'industrie lourde, le pays connaît une grave crise économique et sociale (chômage, pollution).
Hist. – Le pays des Slaves Slovaques fait partie de la Grande-Moravie (IXe s.), puis tombe aux mains des Magyars (XIe s.). Un nationalisme slovaque s'éveille dès le XVIIIe s., et se manifeste vigoureusement au XIXe s. contre la très dure domination de la Hongrie (dont la Slovaquie dépend, au sein de l'Autriche-Hongrie). Réunie à la Bohême et à la Moravie pour former le nouvel État tchécoslovaque (1918), la Slovaquie s'intègre difficilement. L'action du parti populiste, fondé par l'abbé Hlinka, puis dirigé par Mgr J. Tiso après 1938, d'orientation autonomiste, fournit à Hitler l'occasion d'intervenir en Tchécoslovaquie. Sous sa pression, les autonomistes slovaques (qui avaient obtenu l'autonomie interne en oct. 1938) proclament un État «indépendant» et se mettent sous la «protection» nazie (mars 1939). En 1945, la Slovaquie retourne à la Tchécoslovaquie et, à partir du 1er janvier 1969, bénéficie du statut d'État fédéré. La chute du système socialiste favorise la résurgence du nationalisme slovaque. La République slovaque est proclamée en juillet 1992. En fév. 1993, Michel Kovac est élu président de la République. Vladimir Meciar, destitué à deux reprises de son poste de Premier ministre (avril 1991 et mai 1994), a retrouvé ses fonctions après la victoire de son parti aux législatives de sept. 1994. Après le départ de M. Kovac, il assure en fév. 1998 l'intérim du chef de l'État mais il perd les élections législatives de sept. 98 et Mikulas Dzurinda devient Premier ministre.

slovène adj. et n. **1.** adj. De Slovénie. ▷ Subst. *Les Slovènes.* **2.** n. m. *Le slovène :* la langue slave des Slovènes, apparentée au serbo-croate.

Slovénie *(Republika Slovenija),* État d'Europe, frontalier de l'Autriche au nord de la Hongrie et de la Croatie à l'est, de l'Italie à l'ouest; l'une des républiques fédérées de Yougoslavie jusqu'en 1992; 20 251 km²; 1 937 000 hab.; cap. *Ljubljana.* Nature de l'État : rép. parlementaire. Langue off. : slovène. Monnaie : tolar.
Géogr. phys. et écon. – Région de montagnes et de plateaux, où l'agriculture est bien développée (import. production de pomme de terre, élevage bovin et ovin), et où l'industrie a tôt bénéficié des infrastructures datant de la domination autrichienne, d'un potentiel hydroélectrique et de richesses minières : houille, lignite, mercure, plomb, etc. Les industries (métall., électr., méca., text.) sont bien représentées à Ljubljana, à Maribor, à Jesenice et à Celje.
Hist. – Les Slaves Slovènes (venus de l'Est) s'installèrent dans le pays au VIe s. Du XIIIe au XVe s., les Habsbourg annexèrent leur territoire, le divisèrent et tentèrent de le germaniser. L'administration française (notam. de 1809 à 1813 dans les Provinces illyriennes) a favorisé la formation du sentiment national. La Slovénie retourna à l'Autriche en 1814. Parmi les Slovènes nationalistes, quelques-uns approuvèrent le rattachement à l'Empire austro-hongrois, mais d'autres militèrent pour l'union avec les Slaves du Sud. En 1918, l'unification était réalisée avec les Serbes, les Croates et les Monténégrins au sein du royaume des Serbes, Croates et Slovènes, future Yougoslavie. En 1945, la Slovénie, que Hitler avait, en 1941, divisée entre l'Allemagne, l'Italie et la Hongrie, se réunifia, s'agrandit de territoires repris à l'Italie et s'intégra de nouveau à la Yougoslavie. En 1989, le droit de sécession fut voté par l'Assemblée nationale. La proclamation unilatérale d'indépendance, en 1991, provoqua un bref conflit avec l'armée fédérale yougoslave. En 1992, le nouvel État a été admis à l'O.S.C.E. et à l'ONU et a signé le «partenariat pour la paix» de l'OTAN (1994). Milan Kucan est président de la République et Janez Drnovsek, Premier ministre, depuis 1992.

slow [slo] n. m. Danse à pas glissés, sur une musique lente à deux ou quatre temps; cette musique. *Il ne sait danser que le slow.*

Sluter (Claus) (Haarlem, v. 1340-1350 – Dijon, 1405 ou 1406), sculpteur hollandais. Attaché dès 1383 à la cour du duc de Bourgogne, il prit en 1389 la

Claus **Sluter :** *Puits de Moïse,* XIVe s.; cloître de la chartreuse de Champmol, Dijon

direction du chantier de la chartreuse de Champmol* ; ses statues du portail de la chap. (*la Vierge à l'Enfant* du trumeau, *les Donateurs*) et du *Puits de Moïse* (centre du cloître) font de lui le créateur de l'école bourguignonne de sculpture.

Sm CHIM Symbole du samarium.

smala(h) n. f. **1.** Ensemble des tentes abritant les personnes (famille, serviteurs, équipages) qui suivent un chef arabe dans ses déplacements. **2.** Fam. Famille, suite nombreuse.

Smalkalde (en all. *Schmalkalden*), v. d'Allemagne (distr. de Suhl ; 17 390 hab.), accotée au Thüringerwald, où se constitua en 1531, contre Charles Quint, la *ligue de Smalkalde*, formée par les villes et les princes réformés d'Allemagne ; elle reçut l'appui de la France et fut dissoute après la victoire impériale de Mühlberg (1547).

smash [smaʃ] n. m. (Anglicisme) Au tennis, au ping-pong, au volley-ball, coup violent qui rabat au sol une balle haute. *Des smashes.*

smasher v. intr. [1] Faire un smash.

S.M.E. Sigle de *système monétaire européen.* V. Europe.

Smerdis ou **Bardiya,** prince perse ; second fils de Cyrus II le Grand. Il fut mis à mort par son frère Cambyse II, et son nom fut usurpé par le mage Gaumâta, qui s'empara du trône en 522.

Smetana (Bedřich) (Litomyšl, 1824 – Prague, 1884), compositeur et pianiste tchèque ; promoteur de la musique moderne dans son pays. S'inspirant du folklore, il exalta le sentiment national : *la Fiancée vendue* (opéra, 1866-1870), *Ma patrie* (poème symphonique qui comprend la célèbre *Moldau*, 1874-1879).

SMIC n. m. (Abrév. de *salaire minimum interprofessionnel de croissance.*) Salaire* minimum légal. Il remplace depuis 1970 le salaire minimum interprofessionnel garanti (SMIG).

smicard, arde n. Fam. Travailleur payé au SMIC.

smille [smij] n. f. CONSTR Marteau à deux pointes des tailleurs de pierre.

Smith (Adam) (Kirkcaldy, 1723 – Édimbourg, 1790), économiste écossais. Son œuvre princ., *Recherches sur la nature et les causes de la richesse des nations* (1776), est le premier grand traité du capitalisme libéral.

Smith (Joseph) (Sharon, Vermont, 1805 – Carthage, Illinois, 1844), fondateur de la secte des mormons*.

Smith (Elizabeth, dite Bessie) (Chattanooga, Tennessee, 1894 – Clarksdale, Mississippi, 1937), chanteuse américaine, surnommée l'« impératrice du blues » : *Saint Louis Blues* (1925).

Smith (Ian Douglas) (Selukwe, 1919), homme politique rhodésien. Premier ministre de la Rhodésie en 1964, il rompit avec la G.-B. en proclamant unilatéralement l'indépendance du pays (1965), où il maintint une ségrégation raciale, puis en instaurant le régime républicain (1970). À la proclamation du nouveau gouv. de Zimbabwe*-Rhodésie (1979), il prit la tête de l'opposition blanche parlementaire (qu'il garda jusqu'en 1988).

Adam **Smith**

Bessie **Smith**

Smith (William Gardner) (Philadelphie, 1927 – Thiais, France, 1974), écrivain américain. Dans ses romans (*Malheur aux justes*, 1950) et ses essais (*l'Amérique noire*, 1970) il fait le constat de la généralisation du racisme.

smithsonite [smitsɔnit] n. f. MINER Carbonate naturel de zinc.

smocks [smɔk] n. m. pl. COUT Ornements constitués de fronces à plusieurs rangs rebrodées sur l'endroit.

smog [smɔg] n. m. Brouillard épais et mêlé aux pollutions atmosphériques.

smoking [smɔkiŋ] n. m. **1.** Costume d'homme comportant une veste à revers de soie et un pantalon garni sur chaque jambe d'une bande de même tissu. **2.** Ensemble féminin constitué d'une veste noire et d'un gilet sur un pantalon ou une jupe.

Smolensk, v. de Russie, sur le Dniepr ; 331 000 hab. ; ch.-l. de la prov. du m. nom. Industr. textiles et alimentaires. – La Russie, la Pologne et la Lituanie se disputèrent la ville, définitivement russe en 1654.

Smollett (Tobias George) (Dalquhurn, Écosse, 1721 – Pise, 1771), écrivain anglais. Médecin sur un navire, il est l'auteur de romans picaresques inspirés de la vie maritime : *les Aventures de Ferdinand, comte Fathom* (1753), *Voyage de Humphry Clinker* (1771).

smolt n. m. Jeune saumon, à l'âge de sa descente vers la mer.

smurf [smœʀf] (Anglicisme) Danse caractérisée par des mouvements saccadés et des figures acrobatiques, et qui se pratique dans la rue.

Smuts (Jan Christiaan) (Bovenplaats, Le Cap, 1870 – Irene, près de Pretoria, 1950), général et homme politique sud-africain. Il combattit dans les rangs boers, participa à la formation de l'État sud-africain (1910), joua un rôle militaire important, à Londres, de 1916 à 1918, fut Premier ministre, au Cap, de 1919 à 1924. À nouveau Premier ministre de 1939 à 1948, il participa à l'effort de guerre des Britanniques, qui le firent maréchal en 1941 ; en 1948, il fut renversé par les nationalistes, à la politique de ségrégation desquels il s'opposait.

Smyrne. V. Izmir.

Sn CHIM Symbole de l'étain.

snack-bar ou **snack** n. m. (Anglicisme) Café-restaurant où l'on sert rapidement des repas à toute heure. *Des snack-bars* ou *des snacks*.

snacks n. m. pl. (Anglicisme) Produit alimentaire de consistance croustillante, souvent servi à l'apéritif.

Snake River (la), riv. du N.-O. des É.-U. (1 450 km), affl. du Columbia (r. g.) ; naît dans le parc national de Yellowstone. Hydroélectricité.

S.N.C.F. Sigle de *Société nationale des chemins* de fer français.*

sneaker [snikœʀ] (Nom déposé) Sandale de toile à semelle de caoutchouc.

Snéfrou, premier pharaon de la IVe dynastie (v. 2730 av. J.-C.). Il fit élever les pyramides de Dachour et de Meïdoum.

Snell Van Royen (Willebrord), dit *Willebrordus Snellius* (Leyde, apr. 1580 – id., 1626), savant néerlandais. On lui doit la mise au point des opérations servant à établir le canevas géométrique d'un terrain et la loi de la réfraction qui sera reformulée par Descartes.

sniff [snif] n. m. (Américanisme) Arg. Prise (de drogue). *Un sniff de coke.*

sniffer v. tr. et v. intr. [1] Arg. Priser (une drogue).

Snijders. V. Snyders.

sniper [snajpœʀ] n. m. (Anglicisme) MILIT Tireur isolé embusqué.

snob n. et adj. Personne qui affecte les manières, le mode de vie et le parler d'un milieu qui lui semble plus distingué que le sien et qu'elle imite sans discernement. ▷ adj. *Ils sont snobs.*

snober v. tr. [1] Traiter de haut, avec mépris (comme le ferait un snob).

snobinard, arde n. et adj. Fam., péjor. Un peu snob.

snobisme n. m. Fait d'être snob ; attitude d'une personne snob.

Snorri Sturluson ou **Snorre Sturlasson** (Hvamm, v. 1179 – Reykjaholt, 1241), poète islandais : *Heimskringla (la Saga des rois de Norvège)*, *l'Edda*, en prose qui donne les grands traits de la mythologie nordique.

snowboard [snobɔʀd] n. m. (Anglicisme) Planche spéciale pour le surf des neiges, appelé également *snowboard.*

snow-boot [snobut] n. m. (Faux anglicisme) Vieilli Chaussure de caoutchouc portée par-dessus les souliers pour les protéger de la neige. *Des snow-boots.*

Snowdon, massif montagneux de G.-B. portant le point culminant du pays de Galles (1 085 m). Tourisme.

Snyder (Gary) (San Francisco, 1930), poète américain. Il chante la terre américaine, l'accord du moi avec le monde, à travers les légendes indiennes : *l'Arrière-pays* (1967), *l'Île-Tortue* (1974).

Snyders ou **Snijders** (Frans) (Anvers, 1579 – id., 1657), peintre flamand, formé par Pieter II Bruegel et influencé par Rubens.

soap-opéra [sopopeʀa] n. m. (Anglicisme) Feuilleton télévisé américain. *Des soap-opéras.*

Soares (Mario) (Lisbonne, 1924), homme politique portugais. Secrétaire général du parti socialiste portugais (1973-1986), il devint Premier ministre (1976-1978 et 1983-1985). Il a été président de la République de 1986 à 1996.

Sobieski (Jean). V. Jean III (Pologne).

Soboul (Albert) (Tizi-Ouzou, Algérie, 1914 – Nîmes, 1982), historien français. Il a consacré sa vie à l'étude de la Révolution française : *les Sans-Culottes parisiens en l'an II* (1958).

sobre adj. **1.** Tempérant dans le boire et le manger. – Par ext. *Une vie sobre.* ▷ *Spécial.* Qui consomme peu d'alcool, ou qui n'en consomme pas. **2.** Litt. Qui fait preuve de discrétion, de retenue. *Être sobre en paroles.* **3.** Qui ne comporte pas de fioritures ; dépouillé. *Style sobre.*

sobrement adv. **1.** Avec sobriété. *User sobrement de la boisson.* **2.** Avec retenue, discrétion.

sobriété n. f. **1.** Fait d'être sobre ; frugalité, tempérance. **2.** Retenue, réserve, modération. **3.** Absence d'ornementation. *La sobriété de l'art cistercien.*

sobriquet n. m. Surnom familier, donné souvent par dérision.

Mario Soares

Socrate

soc n. m. Fer triangulaire d'une charrue, qui creuse le sillon.

soccer n. m. (Canada) Football. (*Football* désigne le football américain.)

Sochaux, ch.-l. de cant. du Doubs (arr. de Montbéliard); 4 443 hab. Industr. automobile (Peugeot).

sociabiliser v. tr. [1] Rendre sociable, intégrer dans la vie sociale.

sociabilité n. f. **1.** Didac. Aptitude à vivre en société. **2.** Fait d'être sociable, caractère d'une personne sociable. **3.** SOCIOL Nature des relations entre les membres d'un groupe.

sociable adj. **1.** Didac. Qui est fait pour vivre avec ses semblables. *L'homme est naturellement sociable.* **2.** Qui aime à fréquenter autrui, à vivre en société; ouvert et accommodant. *Être sociable. Avoir un caractère sociable.*

social, ale, aux adj. et n. m. **I.** Qui a rapport à la société. **1.** Qui concerne la vie en société, qui la caractérise. *Vie sociale. Morale sociale.* ▷ n. m. *Le naturel et le social.* ▷ *Sciences sociales,* qui étudient les structures et le fonctionnement des groupes humains, leurs relations, leurs activités (sociologie, psychologie sociale, droit, économie, histoire, géographie humaine, etc.). **2.** Qui vit en société. *L'homme, animal social. Insectes sociaux (fourmis, abeilles, etc.) et insectes solitaires.* **3.** Qui concerne l'organisation de la société. *Changement social.* ▷ *Spécial.* Qui concerne l'organisation de la société en ensembles plus ou moins hiérarchisés. *Couches, classes sociales.* **4.** Relatif au monde du travail, aux conditions de vie des travailleurs, des citoyens. *Conflits sociaux. Sécurité* sociale.* ▷ n. m. *Le social* : les questions sociales, la politique sociale. **II.** Qui a rapport à une société commerciale. *Raison* sociale. Capital* social.*

social-démocrate adj. et n. POLIT Partisan de la social-démocratie. *Les partis sociaux-démocrates.* (Au fém. *social* est invariable.) *Les formations social-démocrates. Les sociaux-démocrates.*

social-démocrate allemand (parti) (S.P.D.), parti politique allemand fondé en 1875. Sous les directions de W. Brandt et de H. Schmidt ont été menées les coalitions avec la C.D.U. (1966-1969), puis avec les libéraux (1969-1982).

social-démocrate de Russie (parti ouvrier) (P.O.S.D.R.), parti politique révolutionnaire russe fondé en 1898 à Minsk. Il se scinda en 1903 en une fraction majoritaire, les bolcheviks*, et une fraction minoritaire, les mencheviks*.

social-démocratie n. f. POLIT Mouvement politique, visant à des réformes socialistes dans le cadre de la démocratie libérale.

sociale (guerre), soulèvement des peuples d'Italie contre Rome de 91 à 88 av. J.-C. Marius et Sylla déployèrent leur génie milit., la citoyenneté romaine (*civitas*) fut conférée à tous les Italiens qui reconnaissaient la domination romaine (oct. 90 puis nov. 89).

socialement adv. Relativement à la société; du point de vue de l'organisation de la société.

socialisant, ante adj. Qui a des sympathies, des tendances socialistes.

socialisation n. f. **1.** Didac. Intégration progressive, pendant l'enfance, d'un individu dans la société; apprentissage de la vie de groupe par l'enfant. **2.** ECON Appropriation des moyens de production et d'échange par la collectivité.

socialiser v. tr. [1] **1.** Didac. Rassembler (des individus) en un groupe socialement organisé. ▷ Intégrer (qqn) dans la société. **2.** ECON Collectiviser (un bien, un moyen de production).

socialisme n. m. **1.** Doctrine économique et politique qui préconise la disparition de la propriété privée des moyens de production et l'appropriation de ceux-ci par la collectivité. ▷ Système, organisation sociale et politique qui tend à l'application de cette doctrine. **2.** Dans la théorie marxiste, période qui succède à la destruction du capitalisme et qui précède l'instauration du communisme et la disparition de l'État. **3.** Cour. Mouvement politique réformiste social-démocrate.

ENCYCL Engels, théoricien, avec Marx, du communisme, stade suprême du socialisme, distingue deux formes : le socialisme utopique et le socialisme scientifique. Au premier se rattachent toutes les tentatives philosophiques, sociales ou économiques d'organisation de la société sur des bases égalitaires. Les prédécesseurs sont nombreux : Platon, More, Morelly, Rousseau, Diderot, Mably, Fichte, Owen, Saint-Simon, Fourier, Babeuf, Cabet, Blanqui. Le socialisme scientifique ou révolutionnaire, élaboré par Marx et Engels, parachevé par Lénine, Rosa Luxemburg, Gramsci, Trotski, Mao Zedong, découle d'une analyse précise du capitalisme international. Le mouvement socialiste se développe dans la seconde moitié du XIXe s. au sein d'un prolétariat urbain né de la grande industrie. Mais, en s'affirmant davantage, le socialisme se diversifie. Apparaissent, en effet, des modèles distincts, les uns qualifiés de communistes (U.R.S.S., Chine, par ex.), les autres de socialistes (modèle suédois, nombreux pays du tiers monde). L'appellation *parti communiste* a été adoptée après la révolution russe de 1917 par les fractions révolutionnaires des partis socialistes pour bien se démarquer; ces fractions affirmaient leur attachement à la jeune U.R.S.S.

socialiste adj. et n. **1.** Qui concerne le socialisme. **2.** Qui est favorable au socialisme, qui cherche à instaurer le socialisme. *Le modèle socialiste.* ▷ Subst. Membre d'un parti socialiste; partisan du socialisme.

ENCYCL **Parti socialiste français.** – En avril 1905, les socialistes, répartis en de nombr. tendances (se réclamant ou non de Marx), fondèrent le parti socialiste S.F.I.O. (section française de l'Internationale ouvrière). Après l'assassinat de Jaurès (1914), la S.F.I.O. participa à l'« Union sacrée » qui approuvait la guerre contre l'Allemagne. En 1920, le congrès de Tours marqua la scission entre la S.F.I.O. (avec à sa tête L. Blum) et la tendance prosoviétique, qui se constitua en Parti communiste (P.C.). La S.F.I.O. et le P.C. se réconcilièrent momentanément au sein du Front* populaire (1936), qui porta au pouvoir une coalition de socialistes, radicaux et socialistes indépendants. À la Libération, les socialistes prirent une part importante à la construction de la IVe République (l'un d'eux, V. Auriol, sera le premier président de la IVe République). Ils furent, d'abord avec les communistes et le M.R.P. (1946-1947), puis avec le M.R.P. et les libéraux (1947-1950), un des piliers des deux phases du tripartisme. En 1950, la S.F.I.O. entra dans l'opposition dont elle sortit en 1956-1957 (gouv. G. Mollet). La Ve Rép. entraîna l'amenuisement de la S.F.I.O. Né en 1971, au congrès d'Épinay-sur-Seine, de la vieille S.F.I.O. et de divers groupements et tendances, le Parti socialiste (P.S.) accéda aux responsabilités gouvernementales après les élections législatives de 1981 qui suivirent la victoire de son premier secrétaire, F. Mitterrand, aux élections présidentielles. Le Parti socialiste a perdu la direction du gouvernement, largement battu aux élections législatives de 1993.

social-révolutionnaire adj. et n. *Parti social-révolutionnaire* : parti politique russe (1901-1922) rassemblant des mouvements populistes et préconisant l'action terroriste. ▷ Subst. *Des sociaux-révolutionnaires.*

ENCYCL **Hist.** – Fondé en 1900, le parti social-révolutionnaire (abrév. : S.R.) avait un programme socialiste (collectivisation des terres), et pratiquait l'action terroriste (attentats); son audience était surtout paysanne. Majoritaires dans le soviet de Petrograd en 1917, mais aussi dans toute la Russie révolutionnaire, les S.R. portèrent Kerenski au pouvoir et, apr. la révolution d'Octobre*, s'opposèrent aux léninistes, à l'exception d'une tendance, les S.R. de gauche. Ceux-ci manifestèrent également leur opposition en fév. 1918 (contre la ratification du traité de Brest-Litovsk) et organisèrent en juil. un soulèvement, qui, maté, entraîna leur élimination définitive.

sociétaire adj. et n. Qui fait partie de certaines sociétés ou associations, d'une mutuelle, etc. *Les sociétaires de la Comédie-Française,* les comédiens qui possèdent des parts dans les bénéfices du théâtre.

société n. f. **A. 1.** Vx Commerce que les hommes entretiennent entre eux. ▷ Vieilli ou litt. Commerce, relations habituelles que l'on a avec qqn. *Trouver plaisir à la société de qqn.* **2.** DR *Contrat de société* : « contrat par lequel deux ou plusieurs personnes conviennent de mettre quelque chose en commun dans la vue de partager le bénéfice qui pourra en résulter » (Code civil). **B. I.** État des êtres qui vivent en groupe organisé. *La vie en société.* ▷ Ensemble d'individus unis au sein d'un même groupe par des institutions, une culture, etc. *La société industrielle.* ▷ *Société civile* : ensemble des organisations socioprofessionnelles et des mouvements associatifs, supposés représenter le pays réel, par oppos. à la classe politique. **II.** Ensemble d'individus unis par des goûts, une activité, des intérêts communs. **1.** Réunion de personnes qui s'assemblent pour le plaisir, la conversation, le jeu. **2.** Ensemble des classes sociales favorisées. *La haute société.* **III. 1.** Groupe organisé de personnes unies dans un dessein déterminé. *La Société des gens de lettres.* **2.** DR Personne morale issue d'un *contrat de société* groupant des personnes qui sont convenues de mettre certains éléments en commun dans l'intention de partager des bénéfices ou d'atteindre un but commun. *Société civile. Société commerciale. Société mère,* qui détient au moins 50 % du capital d'autres sociétés dites filiales.

Société (îles de la), princ. archipel de la Polynésie française, 1 647 km²; 142 000 hab.; ch.-l. *Papeete.* Il est formé des îles du Vent (1 173 km²; 123 000 hab.), qui comprennent notam. Tahiti, et des îles Sous-le-Vent (472 km²; 22 230 hab.), dont Bora Bora.

Société des Nations (S.D.N.), organisation internationale créée en 1919 par le traité de Versailles (à l'instigation de Wilson, président des É.-U.) et fixée à Genève. Son objectif était de garantir la paix et la sécurité internationales et de développer la coopération entre les nations dans tous les domaines. La S.D.N. souffrit de la désunion des États, du départ d'un certain nombre d'entre eux et de l'absence d'une force de police internationale. Elle ne survécut pas à la Seconde Guerre mondiale; l'ONU la remplaça.

Socin (Lelio Sozzini ou Socini, dit) (Sienne, 1525 - Zurich, 1562), réformateur religieux italien. Il niait le dogme de la Trinité et la divinité du Christ.

socinianisme n. m. RELIG Doctrine de Socin et de ses partisans.

socio-. Élément, du rad. de *social.*

sociobiologie n. f. Didac. Étude de la sociologie humaine et animale fondée sur des données biologiques.

socioculturel, elle adj. Didac. Qui concerne à la fois un groupe social et la culture qui lui est propre.

sociodrame n. m. PSYCHO Psychodrame concernant un groupe.

socio-économique adj. Didac. Qui concerne à la fois le domaine social et le domaine économique.

socio-éducatif, ive adj. Qui concerne les phénomènes sociaux en relation avec l'enseignement.

sociogramme n. m. PSYCHO, SOCIOL Schéma qui représente les relations interindividuelles au sein d'un groupe.

sociolinguiste n. Didac. Spécialiste de sociolinguistique.

sociolinguistique n. f. (et adj.) Didac. Partie de la linguistique ayant pour objet l'étude du langage et de la langue sous leur aspect socioculturel.

sociologie n. f. Science qui a pour objet l'étude des phénomènes sociaux humains. *Sociologie du langage.* ▷ Par ext. *Sociologie animale :* étude de la vie sociale chez les animaux.

sociologique adj. De la sociologie.

sociologiquement adv. Didac. Du point de vue de la sociologie.

sociologisme n. m. PHILO Doctrine selon laquelle la sociologie suffit à rendre compte des faits sociaux indépendamment de toute autre science (biologie, psychologie, etc.).

sociologue n. Spécialiste de sociologie.

sociométrie n. f. Didac. Méthode d'évaluation quantitative des relations entre individus au sein des groupes.

sociopathe n. Syn. de *psychopathe.*

socioprofessionnel, elle adj. **1.** Se dit de catégories sociales définies par l'appartenance à une profession. **2.** adj. et n. Se dit d'une personne élue ou responsable dans un syndicat, une chambre de métiers.

sociotechnique n. f. et adj. Étude des interactions entre les aspects sociaux et techniques du travail. - adj. *Ingénieur sociotechnique.*

sociothérapie n. f. Thérapie qui soigne le sujet en l'intégrant dans des situations de groupe.

soclage n. m. Mise sur un socle d'un petit objet d'art.

socle n. m. **1.** Base (soubassement, massif, pierre taillée) sur laquelle repose un édifice, une colonne, une statue, etc. **2.** GEOL, GEOGR Ensemble de terrains granitiques ou schisteux anciens, souvent recouverts de sédiments, qui forment le soubassement des continents. *Socle hercynien.*

Socotra ou **Socotora** (en ar. *Suquṭrā*), île de l'océan Indien, dépendance de la république du Yémen, à 250 km à l'E. du cap Guardafui; 3 626 km²; env. 15 000 hab.; ch.-l. *Tamridah.*

socque n. m. **1.** ANTIQ ROM Chaussure basse des acteurs comiques. ▷ *Par méton.* Litt. *Le socque :* la comédie, le genre comique (par oppos. au *cothurne,* symbolisant la tragédie). **2.** Chaussure à semelle de bois, galoche.

socquette n. f. Chaussette très courte.

Socrate (Alôpekê, Attique, v. 470 - Athènes, 399 av. J.-C.), philosophe grec; fils de Sôphroniskos, un tailleur de pierre, et de Phainaretê, une sage-femme. On sait qu'il vécut très modestement, consacrant toute son énergie à prêcher sa doctrine dans les gymnases et les lieux publics, et qu'il avait de nombr. disciples : Xénophon, Platon, Alcibiade... Accusé d'impiété et de corruption de la jeunesse, il fut condamné à mort par l'héliée (tribunal populaire d'Athènes). En exécution de cette sentence, il but calmement une décoction de ciguë, s'entretenant de l'immortalité de l'âme avec ses disciples, comme le rapporte le *Phédon,* de Platon, qui consacre à sa mort deux autres dialogues : *l'Apologie de Socrate* et *Criton.* Socrate n'a publié aucun ouvrage, mais Xénophon (*les Mémorables*), Aristophane (qui l'attaque dans *les Nuées*) et surtout Platon* nous ont fait connaître sa personnalité et sa méthode de réflexion. Fondée sur la discussion, sa *maïeutique* (art d'accoucher les esprits) amène l'interlocuteur à découvrir la vérité qu'il porte en lui; elle s'accompagne d'*ironie,* c.-à-d. de fausse naïveté : le philosophe fait semblant d'ignorer les contradictions dans lesquelles s'enferme celui auquel il s'adresse pour mieux lui permettre de prendre conscience de ses erreurs de jugement. Chacun peut ainsi atteindre à une meilleure *connaissance de soi* («Connais-toi toi-même» est la devise de Socrate) et se rapprocher d'une science qui se confond avec la vertu («La vertu est la science du bien»). ▶ illustr. page **1751**

socratique adj. Didac. Qui appartient à Socrate. *Pensée socratique.* ▷ Par euph. Vx ou litt. *Mœurs socratiques :* pédérastie.

soda n. m. Boisson gazeuse ordinairement aromatisée aux fruits. *Soda à l'orange.* - *Whisky soda :* à l'eau gazeuse.

sodé, ée adj. CHIM Qui contient de la soude ou du sodium.

sodique adj. CHIM Qui a rapport à la soude ou au sodium. ▷ Qui contient du sodium.

sodium [sɔdjɔm] n. m. CHIM Métal à l'éclat blanc, malléable et mou, très abondant dans la nature sous forme de chlorure. Élément alcalin de numéro atomique Z = 11, de masse atomique 22,99 (symbole Na, de son nom anc. *natrium*). - Métal (Na) qui fond à 97,8 °C et bout à 880 °C. (L'ion Na^+ est très employé : soude, eau de Javel, chlorure de sodium, etc. Il joue un rôle biochimique important.) *Hydroxyde de sodium* (soude caustique). *Bicarbonate de sodium* (sel de Vichy). *Borate de sodium* (borax). *On trouve le sodium dissous dans la mer, sous forme de chlorure de sodium, ou à l'état solide dans le sel gemme.*

Sodoma (Giovanni Antonio Bazzi, dit le) (Verceil, Piémont, 1477 - Sienne, 1549), peintre italien; influencé par Léonard de Vinci et Raphaël : *Noces d'Alexandre et de Roxane* (v. 1515, fresques de la villa Farnésine, Rome), *Vie de sainte Catherine* (1526, San Domenico, Sienne).

Sodome, v. de l'anc. Palestine, sur la mer Morte, célèbre, comme Gomorrhe, par les mœurs dissolues de ses habitants. En butte à la colère divine, elle fut détruite par une pluie de soufre et de feu (Genèse, XIX, 24).

sodomie n. f. Pratique du coït anal.

sodomiser v. tr. [**1**] Se livrer à la sodomie sur.

sodomite n. m. Celui qui pratique la sodomie.

Soekarno. V. Sukarno.

sœur n. f. **1.** Celle qui est née de même père et de même mère qu'une autre personne. *Sœur germaine,* née du même père et de la même mère. *Sœur consanguine :* demi-sœur née du même père. *Sœur utérine :* demi-sœur née de la même mère. ▷ Loc. fam. *Et ta sœur!* (pour enjoindre à qqn de se mêler de ce qui le regarde ou de mettre fin à ses vantardises). **2.** *Sœur de lait :* celle qui a eu la même nourrice qu'une autre personne. **3.** Titre donné aux religieuses dans certains ordres. - Loc. fam. *Bonne sœur :* religieuse. **4.** (Désignant des personnes de sexe féminin se trouvant dans la même situation, les mêmes conditions que la personne considérée.) *Ses sœurs d'infortune.* ▷ Terme d'affection. *Mon amie, ma sœur.* **5.** (Désignant des choses qui ont beaucoup de points communs.) *La poésie et la musique sont sœurs.* ▷ *Âme sœur :* se dit d'une personne qui semble prédestinée à s'entendre avec une autre personne dans une relation quasi fraternelle.

sœurette n. f. (Terme d'affection.) Petite sœur.

sofa n. m. **1.** Anc. Estrade élevée couverte de tapis et de coussins, en Orient. **2.** Lit de repos à trois appuis pouvant être utilisé comme siège. **3.** (Canada) Canapé. - *Sofa-lit :* canapé-lit.

soffioni n. m. pl. GEOL Jets de vapeur d'eau qui sortent du sol.

soffite n. m. ARCHI **1.** Dessous d'un larmier, d'un linteau, etc. **2.** Plafond orné de caissons, de rosaces.

Sofia, cap. de la Bulgarie, au pied du mont Vitoša (2 290 m); 1 204 270 hab.; ch.-l. de distr. Grand centre intellectuel, commercial et industriel (méca., métall., text., chim.). - Cap. de la Dacie au IIIe s. Turque de 1396 à 1878, date à laquelle elle devint la cap. de la Bulgarie; elle n'avait alors que 20 000 hab. et s'est surtout développée après 1945.

Sofia : la ville moderne, au pied du mont Vitoša

soft [sɔft] adj. (Anglicisme) Fam. Doux, atténué ou édulcoré. *Une ambiance soft.* ▷ *Porno soft* : film pornographique dans lequel les actes sexuels sont simulés.

soft-drink [sɔftdʀink] n. m. (Anglicisme) Catégorie de boissons non alcoolisées et aromatisées. *Des soft-drinks.*

software [sɔftwɛʀ] n. m. (Américanisme) INFORM Logiciel* (par oppos. à *hardware**).

Sogdiane (la), anc. pays de la haute Asie, correspondant à l'Ouzbékistan ; v. princ. *Maracanda* (auj. Samarkand). – Soumise par Cyrus, elle dépendit successivement des Séleucides, des Parthes, des Perses, puis des Turcs.

Sognefjord, le plus long fjord de Norvège (175 km), sur la côte O., au N. de Bergen. Profondeur maximale : 1 244 m.

Sohag (en ar. *Suhādj*), v. de Haute-Égypte, sur le Nil ; 128 000 hab. ; ch.-l. du gouvernorat du m. nom.

Soho, quartier du centre de Londres, célèbre pour son pittoresque et son cosmopolitisme.

soi pron. pers. et n. m. **A.** pron. pers. réfl. des deux genres et des deux nombres, pouvant se rapporter à des personnes ou à des choses. **I.** (Personnes) **1.** Litt. (Employé à la place de *lui, elle, eux, elles,* pour renvoyer à un sujet déterminé.) *Il n'était plus maître de soi.* ▷ Cour. (Pour éviter une ambiguïté.) *Elle laissa sa fille s'occuper de soi.* **2.** Cour. (Renvoyant à un sujet indéterminé.) ▷ (En fonction d'attribut.) *N'être plus soi. Rester soi, soi-même* : avoir une attitude, un comportement en accord avec sa personnalité, ne pas forcer son caractère. ▷ (En fonction de complément d'objet direct, avec *ne... que.*) *Au fond, chacun n'aime que soi.* ▷ (En fonction de complément prépositionnel.) *Chacun travaille pour soi. À part soi* : dans son for intérieur. *Chez soi* : dans sa propre demeure. *À sept heures, tout le monde rentre chez soi. Sur soi* : sur sa personne. *Avoir ses papiers sur soi.* – Loc. *Prendre qqch sur soi,* en assumer la responsabilité. *Prendre sur soi* : vaincre sa répugnance, sa crainte, ses hésitations, etc. **II.** (Choses) **1.** (Complément prépositionnel.) *Le bateau laissait après soi un sillage blanc.* ▷ Loc. *Cela va de soi* : c'est tout naturel. **2.** *En soi* : de par sa nature ; à s'en tenir à la chose elle-même. *Ce n'est pas tant la faute en soi qui est blâmable que l'inconscience de son auteur.* – PHILO *La chose en soi* : la chose telle qu'elle est dans sa réalité dernière, le noumène (par oppos. au *phénomène*). ▷ n. m. *L'en-soi* et le pour-soi*.* **III.** *Soi-même* (forme renforcée de *soi*). **1.** (Renforçant *se,* dans la forme pron.) *Se louer soi-même.* **2.** En personne. *Prendre une décision soi-même.* **B.** n. m. **1.** *Le soi* : la personnalité de chacun, le moi de tout être humain. *Analyser le soi par l'introspection.* **2.** PSYCHAN Syn. de *ça*.*

soi-disant adj. inv. **1.** Qui se dit tel ou telle. *Des soi-disant savants.* – *Par ext.* (Emploi critiqué.) Prétendu. *Un soi-disant empêchement de dernière heure.* **2.** Loc. adv. Prétendument. *Il venait tous les jours, soi-disant pour la distraire.*

soie n. f. **I. 1.** ZOOL Substance protéique fibreuse sécrétée et filée par divers arthropodes, notam. par les araignées, et par les chenilles de certains papillons. **2.** Cour. Fibre textile souple et brillante obtenue à partir du cocon du bombyx du mûrier ou *ver à soie. Fil, étoffe de soie.* – Tissu de soie. *Robe de soie.* ▷ *Soie sauvage,* produite par les chenilles de bombyx autres que le bombyx du mûrier. *Soie végétale,* fabriquée avec les soies (sens II, 2) d'une plante du Proche-Orient. **3.** Par anal. *Papier de soie* : papier mince, translucide et brillant. ▷ HIST *Route de la soie* : voie commerciale qui réunissait la Chine (productrice de soie) et l'Occident, passant notam. par le Turkestan chinois et le nord de la Perse. (Suivie par les caravaniers du IIe s. av. J.-C. jusqu'au IXe s. de notre ère, elle joua un rôle important dans la diffusion des croyances, des idées, de la culture.) **II. 1.** Poil long et rude de certains mammifères (porc, sanglier). **2.** BOT Poil raide et isolé, au sommet des feuilles ou des enveloppes florales de certaines graminées.

soierie n. f. **1.** Étoffe de soie. **2.** Industrie, commerce de la soie.

soif n. f. **1.** Désir de boire, sensation de sécheresse de la bouche et des muqueuses liée à un besoin de l'organisme en eau. *Étancher sa soif.* – Fam. *Jusqu'à plus soif* : à satiété. ▷ Loc. fig., fam. *Garder une poire pour la soif* : avoir qqch en réserve, en cas de besoin. **2.** Fig. Désir avide. *La soif des honneurs.*

soiffard, arde adj. et n. Pop. Qui a toujours soif, qui a toujours envie de boire (de l'alcool).

soignant, ante adj. et n. m. Se dit d'une personne qui fait profession de soigner, de donner des soins. – Subst. *Les soignants d'un hôpital.*

soigner v. [1] **I.** v. tr. **1.** Exécuter (qqch) avec soin, application ; accorder un soin particulier à. *Soigner son style.* Syn. fam. fignoler, lécher. **2.** Prendre soin de, s'occuper de (qqn, qqch). *Soigner un enfant. Soigner des fleurs.* **3.** Administrer des soins médicaux à, traiter. *Soigner un malade, une maladie.* **II.** v. pron. **1.** Prendre soin de sa propre personne, de son apparence physique ou de son bien-être. **2.** Suivre un traitement médical. **3.** (Passif) *Une maladie qui se soigne,* qui peut être soignée et guérie.

soigneur n. m. SPORT Personne qui soigne, masse un athlète, un sportif.

soigneusement adv. Avec soin.

soigneux, euse adj. **1.** Qui apporte soin et attention à ce qu'il fait ; qui est propre et ordonné. *Ouvrier, écolier soigneux.* – *Soigneux de* : qui prend soin de. *Soigneux de sa personne, de sa santé.* **2.** Fait avec soin, précision. *Recherches soigneuses.*

Soignies, commune de Belgique (Hainaut) ; 23 350 hab. – Collégiale romane St-Vincent (XIe-XIIe s.).

soin n. m. **1.** Attention, application que l'on met à faire qqch. *Travailler avec soin.* ▷ *Prendre, avoir soin de* (+ inf.) : être attentif à, bien veiller à. *Prenez soin de fermer la porte à clé.* ▷ *Prendre, avoir soin de (qqch, qqn)* : veiller à la conservation, à la réussite de (qqch), au bien-être de (qqn). *Prenez soin de votre santé. Prendre soin d'un enfant.* **2.** (Dans des expr. telles que *laisser, confier le soin de...*) Charge, devoir de s'occuper (de qqch ou de qqn), ou d'accomplir quelque action. *Il lui a laissé le soin de ses affaires. Je vous confie le soin de leur parler.* **3.** (Au plur., dans quelques loc.) Actions par lesquelles on prend soin (de qqch, de qqn). – Vieilli *Les soins du ménage.* – Mod. *Être aux petits soins pour qqn,* avoir pour lui des attentions délicates. *Aux bons soins de,* formule qu'on inscrit sur l'enveloppe d'une lettre pour que la personne mentionnée la fasse parvenir au destinataire. **4.** (Plur.) Actions, moyens hygiéniques ou thérapeutiques visant à l'entretien du corps et de la santé, ou au rétablissement de celle-ci. *Prodiguer des soins à un malade.* **5.** Produit cosmétique destiné à entretenir et à préserver la peau. *Soin hydratant.*

soir n. m. **1.** Dernières heures du jour ; tombée de la nuit. *Les fleurs s'ouvrent le matin pour se fermer le soir.* ▷ Litt. *Le soir de la vie* : la vieillesse. **2.** Moment de la journée qui va de midi à minuit (par oppos. à *matin*). ▷ Moment de la journée entre la fin de l'après-midi (vers cinq ou six heures) et minuit. *Cours du soir. Hier soir.*

soirée n. f. **1.** Espace de temps compris entre le déclin du jour et le moment où l'on se couche. *Il passe ses soirées à lire.* **2.** Assemblée, réunion qui a lieu le soir. *Donner une soirée. Soirée dansante.* ▷ *Tenue de soirée* : tenue habillée, de cérémonie. **3.** Séance de spectacle donnée le soir. *La pièce sera jouée en matinée et en soirée.*

soissons n. m. Gros haricot blanc.

Soissons, ch.-l. d'arr. de l'Aisne, sur l'Aisne ; 32 144 hab. Import. marché agricole (pomme de terre, haricots dits *soissons* ou *de Soissons*), avec quelques industries (papeteries, pneumatiques). – Évêché. Cath. gothique St-Gervais-et-St-Protais (XIIe et XIIIe s.). Vestiges des anc. abb. St-Médard (crypte, IXe s.) et St-Jean-des-Vignes (XIIIe-XIVe s.). – Victoire de Clovis sur Syagrius (486) ; selon Grégoire de Tours, un de ses soldats aurait, après la bataille, refusé d'accroître le butin de Clovis d'un vase sacré revendiqué par l'évêque de la ville, vase qu'il cassa ; un an plus tard, Clovis tua ce soldat (« Souviens-toi du vase de Soissons »). En raison de sa position, la ville a souffert des guerres, notam. en 1914-1918.

Soisy-sous-Montmorency, ch.-l. de cant. du Val-d'Oise (arr. de Montmorency), au S. de la *forêt de Montmorency ;* 16 627 hab.

soit conj. et adv. **I.** conj. **1.** À savoir, c'est-à-dire. *Trois objets à dix francs, soit trente francs.* **2.** (Marquant une supposition, une hypothèse.) *Soit un triangle rectangle. Soit* (parfois *soient*) *deux droites parallèles.* **3.** *Soit... soit* (Marquant l'alternative.) *Soit l'un, soit l'autre.* ▷ Loc. conj. *Soit que... soit que* (+ subj.) *Il s'abstint de venir, soit qu'il eût peur, soit qu'il se désintéressât de l'affaire.* **II.** *Soit* [swat] adv. d'affirmation (Pour marquer que l'on fait une concession.) Bien, admettons. *Vous partez ? Soit, mais soyez prudents.*

soixantaine n. f. **1.** Nombre de soixante ou environ. *Une soixantaine de kilomètres.* **2.** *Absol.* Âge de soixante ans.

soixante adj. inv. et n. m. inv. **I.** adj. num. inv. **1.** (Cardinal) Six fois dix (60). **2.** (Ordinal) Soixantième. *Page soixante.* **II.** n. m. inv. Le nombre soixante. ▷ Chiffres représentant le nombre soixante (60). ▷ Numéro soixante.

soixante-dix adj. inv. et n. m. inv. **I.** adj. num. inv. **1.** (Cardinal) Sept fois dix (70). Syn. (VX ou rég.) septante. **2.** (Ordinal) Soixante-dixième. *Page soixante-dix.* **II.** n. m. inv. Le nombre soixante-dix. ▷ Chiffres représentant le nombre soixante-dix (70). ▷ Numéro soixante-dix.

soixante-dixième adj. et n. **I.** adj. num. ord. Dont le rang est marqué par le nombre 70. *Le soixante-dixième anniversaire.* **II.** n. **1.** Personne, chose qui occupe la soixante-dixième place. **2.** n. m. Chaque partie d'un tout divisé en soixante-dix parties égales. *Un soixante-dixième de la récolte.*

soixante-huitard, arde adj. et n. Fam. Qui a participé aux événements de mai 1968. – Subst. *Des soixante-huitards à cheveux blancs.* ▷ *Par ext.* (Parfois péjor.) Qui partage les idéaux de mai 1968 ; qui évoque ces idéaux. *Une mentalité soixante-huitarde.*

soixantième adj. et n. **I.** adj. num. ord. Dont le rang est marqué par le nombre 60. *La soixantième page.* **II.** n. **1.** Personne, chose qui occupe la soixantième place. **2.** n. m. Chaque partie d'un tout divisé en soixante parties égales. *Recevoir le soixantième d'un héritage. Un soixantième de part.*

soja ou, rare, **soya** n. m. Plante grimpante (fam. papilionacées) originaire des régions chaudes d'Extrême-Orient, dont la graine est une fève oléagineuse. *Huile de soja. Germes de soja.*

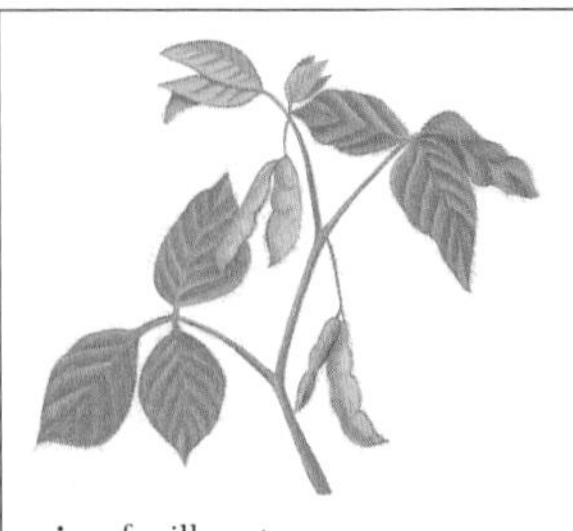

soja : feuilles et gousses

Sokoto, v. du N.-O. du Nigeria ; 118 000 hab. ; cap. de l'État du m. nom. Cimenterie. – Import. cap. de l'ancien *royaume soudanais de Sokoto,* formé au déb. du XIXe s. et annexé par les Anglais (1903).

1. sol n. m. inv. MUS Cinquième degré de la gamme d'*ut.* – Signe par lequel on représente cette note.

2. sol n. m. **1.** Surface sur laquelle on se tient, on marche, on bâtit, etc. *Coucher sur le sol, à même le sol. Revêtements de sol. Gymnastique au sol.* ▷ (Considéré en tant qu'étendue d'un territoire, d'un pays déterminé.) *Le sol natal.* – *Plan d'occupation des sols* (abrév. : POS) : document d'urbanisme déterminant les conditions et servitudes relatives à l'utilisation des sols. – (En tant qu'objet susceptible d'appropriation.) *Posséder le sol et les murs.* **2.** Terrain considéré quant à sa nature ou à ses qualités productives. *Sol argileux. Sol fertile.* **3.** GEOL Couche superficielle, meuble, d'épaisseur variable, résultant de l'altération des roches superficielles (roches mères) par divers processus et de l'accumulation des produits d'altération. *Étude des sols* (V. pédologie).

PHYSIQUES

catégories	qualités mécaniques	travail	nature pétrographique	exemples géographiques français
légers	meubles perméables	facile	calcaire ou siliceuse	Champagne pouilleuse granits de Bretagne et d'Aquitaine
lourds	compacts, imperméables	difficile	argileuse ou marneuse	Argonne Bassin parisien
normaux	riches	facile	diverse	terre noire de la Limagne, limons du nord de la France

CHIMIQUES

catégories	pH	arbres et arbrisseaux	cultures
acides	4,5 à 6,5	chêne rouvre, chêne-liège, châtaignier, pin maritime, genêt, bruyère	seigle, sarrasin, bruyère
calcaires 50 à 80 % de calcaire	7 à 8	chêne vert, hêtre, pin d'Alep, romarin, lavande	blé, orge, avoine, betterave, luzerne, trèfle

grandes catégories de **sols**

solaire adj. **1.** Relatif au Soleil. *Système solaire* : V. encycl. ci-après. *Jour, heure solaire* : V. jour, heure. **2.** Qui est dû au Soleil, à ses rayonnements. *Chaleur, lumière, énergie solaire.* ▷ Qui utilise la lumière, la chaleur du soleil. *Cadran solaire. Four, cuisinière, batterie solaire.* **3.** Qui protège du soleil. *Crème solaire.* **4.** ANAT *Plexus solaire* : plexus nerveux situé au creux de l'estomac. ▷ MED *Syndrome solaire* : syndrome douloureux traduisant une irritation du plexus solaire.

ENCYCL **Astro.** – Le système solaire est constitué par le Soleil, l'ensemble des planètes (avec leurs satellites), les astéroïdes, les comètes, ainsi que par les météorites, poussières et gaz interplanétaires. Il est parcouru par des courants de particules formant le *vent solaire.* On pense que le système solaire s'étend jusqu'au nuage de Oort, vaste réservoir hypothétique de noyaux de comètes, situé à plus de 100 000 UA (1,5 année de lumière) du Soleil et d'où se détacheraient les comètes, sous l'effet des perturbations induites par les étoiles les plus proches. Le système solaire, dont l'origine remonte à 4,7 milliards d'années, s'est sans doute formé par condensation d'une nébuleuse discoïdale ; cette théorie rappelle celle de la nébuleuse primitive due à Laplace.

solanacées ou **solanées** n. f. pl. BOT Grande famille de plantes dicotylédones gamopétales des régions tempérées et tropicales. – Sing. *Une solanacée* ou *une solanée.*

solarigraphe n. m. TECH Appareil servant à mesurer le rayonnement solaire.

solarisation n. f. PHOTO Insolation d'une surface sensible en cours de développement, que l'on utilise pour obtenir certains effets spéciaux.

solariser v. tr. [1] PHOTO Soumettre à la solarisation.

solarium [sɔlaʀjɔm] n. m. **1.** ANTIQ ROM Terrasse surmontant certaines maisons. **2.** Établissement d'héliothérapie. **3.** Lieu où l'on prend des bains de soleil. *Des solariums.*

soldat n. m. **1.** Tout homme qui sert dans une armée ; militaire. *Soldat de métier. Soldat appelé, engagé.* ▷ *Soldat inconnu* : soldat français non identifié, mort au front pendant la Première Guerre mondiale, dont la tombe, sous l'Arc de triomphe de l'Étoile (depuis janv. 1921), constitue le symbole du sacrifice à la patrie. **2.** *Spécial.* Militaire

Carristo, la plus importante installation **solaire** en Californie

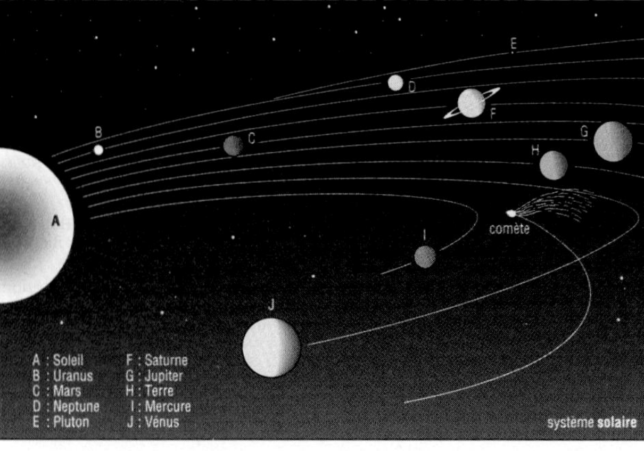

système **solaire**

non gradé des armées de terre et de l'air; homme de troupe. *Soldats et officiers. Soldat Untel.* **3.** Fig. ou litt. *Soldat de :* celui qui se bat pour (une cause, un idéal). *Soldats de la foi.*

soldatesque adj. et n. f. **1.** adj. Péjor. Propre aux soldats. *Des manières soldatesques.* **2.** n. f. (Sens collectif.) Péjor. Soldats brutaux et indisciplinés. *Les excès de la soldatesque.*

Soldati (Mario) (Turin, 1906), cinéaste, scénariste et écrivain décadentiste italien. Après avoir réalisé notamment *Malombra* (1942) et *la Provinciale* (1952), il se tourne vers la critique, ainsi que vers le roman et la nouvelle où l'humour, le suspense et le bizarre côtoient le quotidien : *l'Affaire Motta* (1941), *le Festin du commandeur* (1950), *l'Émeraude* (1974).

1. solde n. f. **1.** Rémunération versée aux militaires et à certains fonctionnaires civils assimilés. *Toucher, dépenser sa solde.* **2.** Loc. fig. Péjor. *Être à la solde de :* être payé et dirigé par. *Des provocateurs à la solde de l'étranger.*

2. solde n. m. **1.** COMPTA Différence entre le débit et le crédit d'un compte. *Solde débiteur, créditeur.* ▷ COMM Somme restant à payer pour s'acquitter d'un compte; paiement de cette somme. *Pour solde de tout compte.* ▷ FISC *Solde de l'impôt.* **2.** COMM *Solde de marchandises :* marchandises invendues ou défraîchies que l'on écoule au rabais. *Vendre en solde.* – (Plur.) Articles vendus au rabais.

solder v. tr. [1] **1.** COMPTA Arrêter, clore (un compte) en en établissant le bilan. ▷ v. pron. Fig. (Au passif.) Avoir pour conclusion, résultat final. *La campagne se solda par un échec.* **2.** Acquitter entièrement (un compte) en payant ce qui reste dû. **3.** Vendre en solde. *Solder des fins de série.* Syn. brader.

solderie n. f. Magasin spécialisé dans la vente de marchandises soldées.

soldeur, euse n. Personne qui fait commerce d'articles en solde.

1. sole n. f. **I.** Partie cornée concave formant le dessous du sabot des ongulés. **II. 1.** CONSTR Pièce de bois d'une charpente, posée à plat et servant d'appui. **2.** Partie horizontale d'un four, destinée à recevoir les produits à traiter, à cuire.

2. sole n. f. Poisson téléostéen (genre *Solea*), de forme aplatie et oblongue, à la chair très estimée.

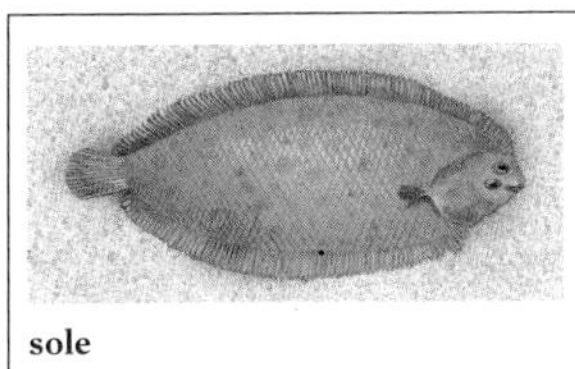
sole

3. sole n. f. AGRIC Partie d'un domaine cultivé soumise à l'assolement.

soléaire adj. ANAT *Muscle soléaire :* muscle de la partie postérieure de la jambe, extenseur du pied. ▷ n. m. *Le soléaire.*

solécisme n. m. GRAM Faute de syntaxe (ex. : *l'affaire que je m'occupe* pour *dont je m'occupe*). *Solécismes et barbarismes.*

soleil n. m. **1.** *Le Soleil :* l'astre qui produit la lumière du jour. *La distance de la Terre au Soleil.* ▷ Par ext. *Un soleil :* un astre rayonnant d'une lumière propre, au centre d'un système. **2.** Le disque lumineux du Soleil, l'aspect de cet astre pour un observateur terrestre. *Le soleil se lève à l'est et se couche à l'ouest. Le soleil de minuit :* le Soleil, visible à l'horizon vers minuit, l'été, dans les régions polaires. **3.** Rayonnement, chaleur, lumière du Soleil. *Il fait soleil, du soleil. Se protéger du soleil. S'exposer au soleil.* – *Coup de soleil :* brûlure causée par les rayons du soleil. ▷ Loc. *Avoir du bien au soleil :* posséder des terres, des propriétés. – *Une place au soleil :* une place en vue, une bonne situation. – *Il n'y a rien de nouveau sous le soleil,* dans le monde, dans la vie quotidienne; tout est un perpétuel recommencement. – *Le soleil luit, brille pour tout le monde :* il est des avantages dont tout le monde peut jouir. **4.** Cercle entouré de rayons divergents, représentant le soleil. *Le soleil, emblème de Louis XIV.* **5.** Grande fleur à pétales jaune d'or, appelée aussi *hélianthe.* Syn. tournesol. **6.** SPORT Grand tour exécuté le corps droit et les bras tendus, à la barre fixe. **7.** Pièce d'artifice tournante.

ENCYCL **Astro.** – Le Soleil, situé dans le plan galactique, à environ 28 000 années de lumière du centre galactique, participe au mouvement de rotation de la Galaxie (au niveau du Soleil, une révolution complète dure environ 250 millions d'années). Par rapport à l'ensemble des étoiles proches, le Soleil est animé d'un mouvement propre de 20 km/s qui l'entraîne vers un point (*l'apex*) situé dans la constellation d'Hercule. Le Soleil est une boule de gaz (masse $1{,}989.10^{30}$ kg) dont la période de rotation est plus petite à l'équateur (25 jours) qu'aux pôles (37 jours). La plus profonde couche visible est la *photosphère* (épaisseur 300 km, rayon 696 000 km, température moyenne 5 770 K). Au-delà, on rencontre la *chromosphère* (épaisseur 8 000 km) puis la *couronne,* chauffée à environ un million de K, qui s'étend à plus de 10 rayons solaires de la photosphère. Les taches solaires sont les manifestations les plus connues de l'activité du Soleil; leur nombre et leur situation à la surface du Soleil varient suivant un cycle d'une durée moyenne de 11 ans. La puissance rayonnée par le Soleil ($3{,}83.10^{26}$ W) provient de la réaction thermonucléaire de fusion de 4 atomes d'hydrogène pour former un atome d'hélium suivant le cycle proton-proton (V. étoile), qui se déroule au cœur du Soleil, où la température atteint 15 millions de K.

solen [sɔlɛn] n. m. ZOOL Mollusque lamellibranche comestible (genre *Solen*), à coquille très allongée, vivant enfoui verticalement dans le sable des plages. Syn. cour. couteau (sens 4).

solennel, elle [sɔlanɛl] adj. **1.** Célébré par des cérémonies publiques. *Fête solennelle.* – *Par ext.* Qui se fait avec beaucoup d'apparat, de cérémonie. *Audience solennelle. Faire une entrée solennelle.* **2.** Accompagné de formalités ou de cérémonies publiques qui lui confèrent une grande importance. *Contrat solennel. Vœu solennel.* **3.** Empreint de gravité. *Instant solennel. Paroles solennelles.* – Péjor. D'une gravité outrée.

solennellement adv. De manière solennelle.

solenniser [sɔlanize] v. tr. [1] Vieilli Rendre solennel.

solennité [sɔlanite] n. f. **1.** Fête solennelle. **2.** (Surtout au plur.) Formalités qui rendent un acte solennel (sens 2). **3.** Caractère solennel, gravité. *Il fut reçu avec solennité.* – Péjor. Pompe, emphase, gravité outrée. *Parler avec solennité.*

solénodonte n. m. ZOOL Mammifère insectivore des Antilles (genre *Solenodon*) en voie de disparition (détruit par les mangoustes), au museau allongé en forme de trompe.

solénoïde n. m. ELECTR Bobine formée par un conducteur enroulé autour d'un cylindre, et qui produit un champ magnétique lorsqu'elle est parcourue par un courant. *Les solénoïdes ont les mêmes propriétés que les aimants.*

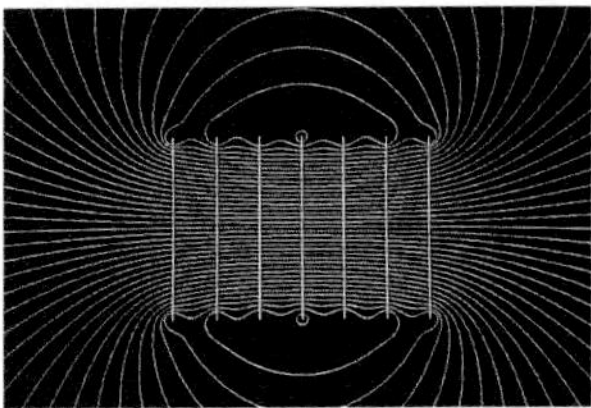
champ magnétique d'un **solénoïde** (sept spires de même axe horizontal) : à l'intérieur, ce champ est quasi uniforme

Solesmes, com. de la Sarthe (arr. de La Flèche), près de la Sarthe; 1 284 hab. – Siège d'une abb. fondée au XIe s., vendue en tant que bien national à la Révolution, réinstallée en 1833 et, depuis 1837, abb. mère de la congrégation bénédictine de France. Elle renferme un très bel ensemble de sculptures de la fin du XVe s. *(Saints de Solesmes).* La communauté religieuse de Solesmes s'adonne à l'étude du chant grégorien.

Soleure (en all. *Solothurn*), v. de Suisse, ch.-l. du cant. du m. nom, sur l'Aar; 15 700 hab. Horlogerie, textiles, papeteries. – Cath. St-Ours (XVIIIe s.), bel édifice de style baroque. Hôtel de ville (XVe et XVIIe s.). – Le *canton de Soleure* (791 km^2; 219 500 hab.) s'étend en majeure partie sur le Jura. Élevage, polyculture. Horlogerie.

solfatare n. f. GEOL Terrain volcanique d'où sortent des fumerolles sulfureuses chaudes. *Les solfatares de Pouzzoles, en Italie.*

solfège n. m. **1.** Discipline concernant la notation de la musique. **2.** Étude des premiers éléments de la théorie musicale. ▷ Manuel servant à cette étude; recueil de morceaux de musique vocale à solfier.
▸ illustr. page **1757**

Solferino, bourg d'Italie (Lombardie, prov. de Mantoue) où les Franco-Piémontais, commandés par Napoléon III, vainquirent les Autrichiens (24 juin 1859). Cette bataille, extrêmement meurtrière, incita H. Dunant à entreprendre son action, qui aboutit à la fondation de la Croix-Rouge.

solfier v. tr. [2] Chanter (un morceau de musique) en nommant les notes. *Solfier un cantique.* ▷ v. intr. *Solfier quotidiennement.*

solidage n. f. ou **solidago** n. m. BOT Plante herbacée (fam. composées), aux capitules jaunes groupés en longues grappes dressées, et dont le type est la *verge d'or.*

solidaire adj. **1.** DR Qui implique pour chacun la responsabilité totale d'un engagement commun. *Obligation, acte solidaires.* – (Personnes) Qui est lié par un acte solidaire. **2.** Se dit de personnes liées entre elles par une dépendance mutuelle d'intérêts. **3.** Se dit de choses qui dépendent les unes des autres, qui vont ensemble. ▷ TECH Qui est fixé à un autre organe. *Le guidon est solidaire de la fourche, dans une bicyclette.* Ant. indépendant.

solidairement adv. D'une manière solidaire.

solidariser v. [1] **1.** v. tr. Rendre solidaire. **2.** v. pron. *Se solidariser avec qqn* : se déclarer solidaire de qqn. – Se déclarer mutuellement solidaires. *Devant l'adversité, ils se sont solidarisés.*

solidarité n. f. **1.** DR Nature de ce qui est solidaire ; engagement solidaire. – Situation de débiteurs, de créanciers solidaires. **2.** Sentiment de responsabilité mutuelle entre plusieurs personnes, plusieurs groupes ; lien fraternel qui oblige tous les êtres humains les uns envers les autres.

Solidarność (en fr. *Solidarité*), union de syndicats polonais, constituée à Gdańsk en sept. 1980. Indépendant et autogéré, Solidarność est dissous en oct. 1982 et passa alors dans la clandestinité. Présidé par Lech Wałesa* de 1981 à 1990, il obtint sa légalisation en 1989.

solide adj. et n. m. **I. 1.** adj. Qui présente une consistance ferme, qui n'est pas fluide. *Aliments solides et aliments liquides.* ▷ PHYS Se dit d'un corps dont les atomes ou les molécules occupent des positions moyennes invariantes. *Corps solide. États solide, liquide et gazeux de la matière.* **2.** n. m. *Un solide* : un corps solide. *Physique des solides.* – GEOM Figure indéformable à trois dimensions, limitée par une surface fermée. *Le cône, la pyramide sont des solides.* **II.** adj. **1.** Qui résiste à l'effort, aux chocs, à l'usure. *Un matériau très solide.* **2.** (Personnes) Vigoureux, robuste. *Un solide gaillard.* – Loc. fig., fam. *Solide au poste* : présent à son poste, à son travail, malgré les circonstances, l'âge, le mauvais temps, etc. ▷ Stable, ferme. *Être solide sur ses jambes.* **3.** Positif, durable ; sur quoi l'on peut compter. *Une solide amitié. Une fortune solide.* **4.** Stable, sérieux, rationnel. *Un esprit plus solide que brillant.* **5.** Fam. Considérable, fort. *Il s'est fait flanquer une solide correction.*

solidement adv. De façon solide.

solidification n. f. Action de solidifier, fait de se solidifier. ▷ PHYS Passage d'un corps de l'état liquide à l'état solide. Ant. fusion.

solidifier v. tr. [2] Rendre solide (ce qui était gazeux, liquide). ▷ v. pron. Passer de l'état liquide à l'état solide.

solidité n. f. **1.** Qualité de ce qui est solide, résistant. *Éprouver la solidité d'un cordage.* – Fig. *La solidité d'une amitié.* **2.** Fig. Qualité de ce qui repose sur des bases sérieuses et bien assises. *La solidité d'un raisonnement.*

soliflore n. m. Vase conçu pour une seule fleur.

Solignac, com. de la Haute-Vienne (arr. de Limoges) ; 1 359 hab. – Égl. romane du XIIe s., typique de l'architecture à coupoles du S.-O. de la France.

Soligny-la-Trappe, com. de l'Orne (arr. de Mortagne-au-Perche), dans le Perche ; 631 hab. – Monastère cistercien de la Grande Trappe (en partie reconstruit en 1815).

soliloque n. m. Monologue d'une personne qui réfléchit à haute voix.

soliloquer v. intr. [1] Parler tout seul, se parler à soi-même.

Soliman ou **Süleyman Ier** (m. à Andrinople, 1411), sultan ottoman (1403-1411), fils de Bajazet Ier. – **Soliman II le Magnifique** ou **le Législateur** (Trébizonde, 1494 – Szeged, 1566), le dernier des grands sultans ottomans (1520-1566), fils de Selim Ier ; remarquable homme de guerre et actif législateur. Il prit Belgrade (1521) et soumit presque entièrement la Hongrie après la bataille de Mohács (1526). Il tenta, sans succès, de prendre Vienne (1529) puis s'attaqua aux Perses (1534-1555), étendant son empire au S. du Caucase et en Mésopotamie (prise de Bagdad, 1534). Il établit sa domination sur la quasi-totalité du monde arabe. Soliman II s'immisça dans la politique européenne, signant avec la France le traité des capitulations (1536), qui scellait une alliance militaire et assurait un rôle privilégié aux Français d'Orient. Il protégea les arts et les lettres et fut un grand bâtisseur.

– **Soliman III** (Istanbul, 1642 – Andrinople, 1691), sultan ottoman (1687-1691) ; frère et successeur de Mehmet IV. Les Habsbourg le refoulèrent des Balkans.

Soliman II le Magnifique, peinture de l'école turque, XVIIe s. ; bibliothèque Topkapi, Istanbul

Soliman pacha (Octave Joseph de Seves, dit) (Lyon, 1788 – Alexandrie, 1860), officier français au service de l'Égypte. Il quitta la France en 1816 et organisa l'armée de Méhémet-Ali (1830-1833), qui fit de lui un général et un pacha.

Solimena (Francesco), dit *l'Abbate Ciccio* (Nocera, 1657 – Barra, 1747), peintre italien, il fut un des plus remarquables représentants du baroque napolitain. Habile coloriste, il est l'auteur de nombreuses fresques dans les églises napolitaines San Paolo Maggiore et Gesù Nuovo (*Héliodore chassé du temple*, 1725) et de portraits (*Autoportrait*).

Solimões, nom donné au fleuve Amazone dans son cours supérieur de la frontière du Pérou au confluent avec le río Negro.

solin n. m. CONSTR Garnissage en plâtre ou en mortier destiné à combler un espace vide, à raccorder deux surfaces, à assurer l'étanchéité d'un joint.

Solingen, v. d'Allemagne (Rhénanie-du-Nord-Westphalie), dans le S. de la Ruhr ; 158 400 hab. Coutellerie.

solipède adj. ZOOL Dont les membres se terminent par un seul doigt muni d'un sabot (par oppos. à *fissipède*).

solipsisme n. m. PHILO Doctrine qui soutient que le monde extérieur n'a pas d'existence réelle, le sujet pensant ne reconnaissant d'autre réalité que lui-même.

°**soliste** [sɔlist] n. et adj. Instrumentiste, chanteur (chanteuse) qui exécute un solo, ou à qui est habituellement confiée l'exécution de morceaux comportant des solos. ▷ adj. *Violoniste soliste.*

solitaire adj. et n. **A.** adj. **1.** Qui est seul ; qui aime vivre seul. – Par ext. *Humeur solitaire.* ▷ ZOOL Qui vit seul (par oppos. à *social*). *Guêpes solitaires et guêpes sociales.* – Cour. *Ver solitaire* : ténia*. **2.** Que l'on fait seul, qui a lieu dans la solitude. *Une randonnée solitaire. Une course autour du monde en solitaire.* – Loc. Vieilli *Plaisir solitaire* : masturbation. **3.** Isolé et peu fréquenté. *Un manoir solitaire.* **B.** n. **I. 1.** Personne qui reste volontairement à l'écart du monde. **2.** Religieux qui vit dans la solitude. **II.** n. m. **1.** VEN Vieux sanglier mâle sorti de la compagnie. **2.** Diamant monté seul. **3.** Jeu de combinaisons auquel on joue seul, avec un plateau percé de trous, sur lequel on déplace des fiches ou des billes selon des règles précises.

solitairement adv. D'une manière solitaire.

solitude n. f. **1.** Fait d'être solitaire ; état d'une personne solitaire. *Rechercher, supporter la solitude.* **2.** Sentiment d'être seul moralement. *Éprouver douloureusement sa solitude dans la foule.* **3.** Litt. Lieu désert. *Les solitudes infinies de ces pays.* ▷ Caractère d'un lieu solitaire. *La solitude de la haute mer.*

solive n. f. Pièce de charpente horizontale sur laquelle sont posées les lambourdes d'un plancher.

soliveau n. m. Petite solive.

Soljenitsyne (Alexandre Issaïevitch) (Kislovodsk, 1918), écrivain soviétique ; emprisonné de 1945 à 1953, réhabilité en 1957. Ses romans et chroniques dénoncent le stalinisme et les atteintes aux droits de l'homme en U.R.S.S. : *Une journée d'Ivan Denissovitch* (1962), *le Pavillon des cancéreux* (1968), *Août 14* (1971), *l'Archipel du Goulag* (3 vol., 1973-1976), *le Chêne et le Veau* (1975). Déchu de la citoyenneté soviétique et expulsé de son pays, il s'exila aux É.-U. (1974-1994). La publication en U.R.S.S. de *l'Archipel du Goulag* ne fut autorisée qu'en 1989. P. Nobel 1970.

Sollers (Philippe Joyaux, dit Philippe) (Talence, 1936), écrivain français ; chef de file du groupe Tel* Quel (1960-1982), auteur de romans (*Une curieuse solitude*, 1958 ; *le Parc*, 1961 ; *Drame*, 1965 ; *Nombres*, 1968 ; *Lois*, 1972 ; *Femmes*, 1983 ; *la Fête à Venise*, 1991) et d'essais critiques (*Logiques*, 1968 ; *Sur le matérialisme*, 1974).

sollicitation n. f. Action de solliciter qqn. *Céder aux sollicitations pressantes de ses amis.*

solliciter v. tr. [1] **1.** Prier instamment (qqn) en vue d'obtenir qqch.

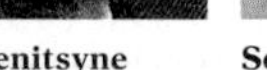

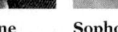

Soljenitsyne **Sophocle**

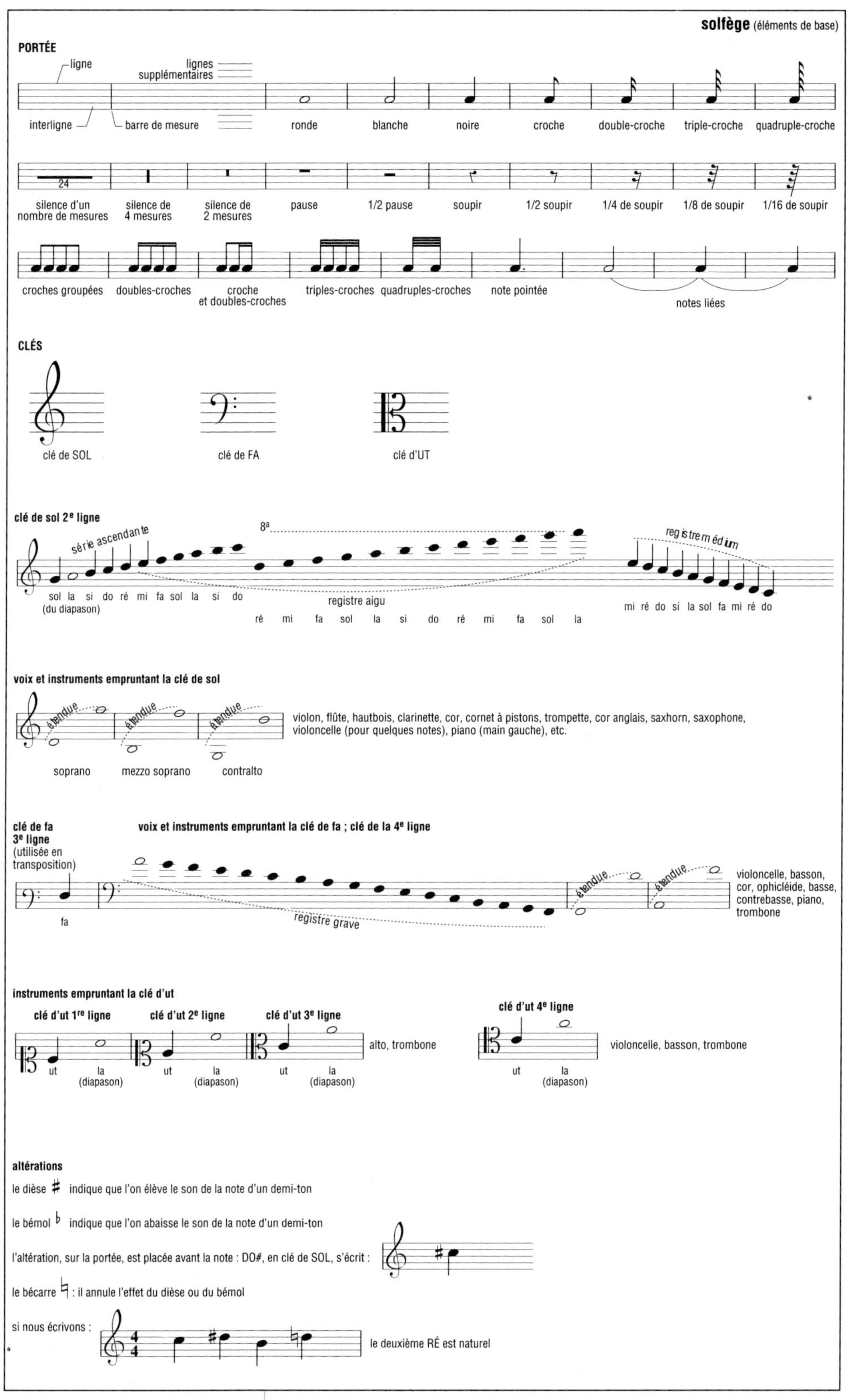
solfège (éléments de base)
PORTÉE
ligne
lignes supplémentaires
interligne
barre de mesure
ronde
blanche
noire
croche
double-croche
triple-croche
quadruple-croche
24
silence d'un nombre de mesures
silence de 4 mesures
silence de 2 mesures
pause
1/2 pause
soupir
1/2 soupir
1/4 de soupir
1/8 de soupir
1/16 de soupir
croches groupées
doubles-croches
croche et doubles-croches
triples-croches
quadruples-croches
note pointée
notes liées
CLÉS
clé de SOL
clé de FA
clé d'UT
clé de sol 2e ligne
série ascendante
8a
sol la si do ré mi fa sol la si do
(du diapason)
registre aigu
ré mi fa sol la si do ré mi fa sol la
registre médium
mi ré do si la sol fa mi ré do
voix et instruments empruntant la clé de sol
étendue
violon, flûte, hautbois, clarinette, cor, cornet à pistons, trompette, cor anglais, saxhorn, saxophone, violoncelle (pour quelques notes), piano (main gauche), etc.
soprano
mezzo soprano
contralto
clé de fa 3e ligne
(utilisée en transposition)
fa
voix et instruments empruntant la clé de fa ; clé de la 4e ligne
registre grave
violoncelle, basson, cor, ophicléide, basse, contrebasse, piano, trombone
instruments empruntant la clé d'ut
clé d'ut 1re ligne
clé d'ut 2e ligne
clé d'ut 3e ligne
ut
la (diapason)
alto, trombone
clé d'ut 4e ligne
violoncelle, basson, trombone
altérations
le dièse ♯ indique que l'on élève le son de la note d'un demi-ton
le bémol ♭ indique que l'on abaisse le son de la note d'un demi-ton
l'altération, sur la portée, est placée avant la note : DO#, en clé de SOL, s'écrit :
le bécarre ♮ : il annule l'effet du dièse ou du bémol
si nous écrivons :
le deuxième RÉ est naturel

Démarcheur qui sollicite des clients à domicile. – Pp. *Un homme très sollicité.* ▷ Prier d'accorder (qqch) dans les formes établies par l'usage. *Solliciter une audience auprès du ministre.* **2.** Attirer (l'attention, la curiosité, l'intérêt, etc.). *Spectacle qui sollicite le regard. Des tentations multiples le sollicitaient.*

solliciteur, euse n. Personne qui sollicite un emploi, une faveur.

sollicitude n. f. Prévenance que l'on a pour qqn, ensemble des égards, des soins attentifs dont on l'entoure. *La sollicitude maternelle.* ▷ Témoignage de cette prévenance, de ces soins.

solo n. m. **1.** MUS Morceau ou passage exécuté par un seul musicien (chanteur ou instrumentiste), avec ou sans accompagnement. *Des solos* ou, rare, *des soli.* – *Jouer en solo,* seul. – (En appos.) Qui joue sans accompagnement. *Violon solo. Spectacle* solo.* **2.** *Par anal.* Partie de ballet dansée par un seul artiste.

Sologne, rég. du Bassin parisien, entre la Loire, le Cher et le Sancerrois; v. princ. : *Romorantin-Lanthenay.* Son sol argileux, couvert en partie de graviers et de sables cristallins (forêts, landes, nombr. étangs), a été partiellement amendé (cultures maraîchères : asperges, fraises). La région pratique l'élevage et la sylviculture; c'est une importante réserve de chasse.

solognot, ote adj. De la Sologne. ▷ Subst. *Un(e) solognot(e).*

Sologoub (Fiodor Kouzmitch Teternikov, dit Fédor) (Saint-Pétersbourg, 1863 - id., 1927), poète symboliste russe (*le Cercle de feu,* 1908).

Solomós (Dionýsios, comte) (Zante, 1798 - Corfou, 1857), poète grec; chef de l'école ionienne. Son *Hymne à la liberté* (1823), mis en musique par N. Mántzaros, est devenu l'hymne national de la Grèce.

Solon (v. 640 - v. 558 av. J.-C.), législateur et poète athénien, l'un des Sept Sages de la Grèce. Archonte v. 590, il abolit les dettes et la contrainte par corps, réforma le système des poids et mesures, et transforma la Constitution athénienne en utilisant, au mieux des intérêts populaires, l'ancienne division de la population en quatre classes payant le cens électoral.

Solothurn. V. Soleure.

sol-sol adj. inv. MILIT *Missile sol-sol,* tiré du sol vers un objectif terrestre.

solstice n. m. Époque de l'année à laquelle la hauteur du Soleil au-dessus du plan équatorial (déclinaison), dans son mouvement apparent sur l'écliptique, est maximale (solstice d'été, vers le 21 juin dans l'hémisphère Nord) ou minimale (solstice d'hiver, vers le 21 décembre dans l'hémisphère Nord).

solsticial, ale, aux adj. Didac. Relatif aux solstices.

Solti (sir Georg) (Budapest, 1912 - Antibes, 1997), chef d'orchestre britannique d'origine hongroise.

solubilisation n. f. Didac. Action de solubiliser.

solubiliser v. tr. [1] TECH Rendre soluble (une substance).

solubilité n. f. Didac. Propriété de ce qui est soluble.

soluble adj. **1.** Qui peut se dissoudre (dans un liquide, un solvant). **2.** Qui peut être résolu. *Ce problème n'est pas soluble.* Ant. insoluble.

soluté n. m. **1.** PHARM Liquide contenant un médicament dissous. **2.** CHIM Corps dissous dans un solvant.

solution n. f. **I. 1.** Résultat d'une réflexion, permettant de résoudre un problème, de venir à bout d'une difficulté. *Apporter une solution à un problème technique.* ▷ MATH *Solution d'une équation,* être mathématique (nombre, par ex.) pour lequel cette équation est vérifiée. **2.** Dénouement, conclusion, issue. *S'acheminer vers la solution d'un conflit.* ▷ HIST *La solution finale* : le plan d'extermination des Juifs et des Tsiganes par les nazis. **II.** CHIM **1.** Processus par lequel un corps se dissout dans un liquide. **2.** Mélange homogène de deux ou plusieurs corps. *Solution liquide* ou, absol. (plus cour.), *solution. Solution solide* : mélange homogène en phase solide. – Cour. Liquide contenant un corps dissous. **III.** *Solution de continuité* : séparation, rupture de la continuité entre des choses qui sont habituellement jointes.

solutionner v. tr. [1] (Mot critiqué.) Apporter une solution à une difficulté.

solutréen, enne adj. et n. m. PREHIST De la période du paléolithique supérieur au cours de laquelle les techniques de taille de la pierre atteignirent leur plus grande perfection.

Solutré-Pouilly, com. de Saône-et-Loire (arr. de Mâcon); 367 hab. Vignobles réputés (Pouilly). – Site préhistorique.

solvabiliser v. tr. [1] Rendre solvable un débiteur.

solvabilité n. f. État d'une personne solvable.

solvable adj. Qui a de quoi payer ce qu'il doit. *Débiteur solvable.*

solvant n. m. Substance capable d'en dissoudre certaines autres. Syn. dissolvant. ▷ Composant (en général liquide) d'une solution dans laquelle a été dissous un soluté (en général solide).

soma n. m. BIOL Ensemble des cellules non reproductrices d'un organisme (par oppos. à *germen*).

Somain, com. du Nord (arr. de Douai); 12 021 hab. Industr. textiles.

somali, ie ou **somalien, enne** adj. et n. **1.** adj. De Somalie. **2.** n. m. *Le somali* : la langue parlée par les Somalis*, en Somalie.

Somalie (république démocratique de), État de l'Afrique orientale, sur le golfe d'Aden et l'océan Indien; 637 657 km²; 6 700 000 hab., croissance démographique : 3 % par an; cap. *Mogadiscio.* Nature de l'État : rép. présidentielle. Langues : somali (langue off.), arabe. Monnaie : shilling somalien. Pop. : Somalis en majorité. Relig. : islam sunnite.

Géogr. phys. et écon. – Un bourrelet montagneux, dépassant 2 000 m, longe le littoral N. Le reste du pays est un plateau aride, bordé au S. d'une plaine côtière qui correspond aux basses vallées du Shebelle et du Juba. Les régions méridionales, les plus arrosées (mousson d'été), concentrent 60 % des hab. et les zones cultivées et irriguées (maïs, canne à sucre, sorgho, bananes). Partout ailleurs domine l'élevage extensif, surtout nomade, première activité du pays, complété par la pêche et l'exploitation du sel. La désagrégation du pays, en proie à la lutte des clans rend plus tragique encore le marasme économique.
Hist. – La région était connue des Égyptiens dès l'Ancien Empire sous le nom de «Pays de Pount», où ils allaient chercher de l'or, de l'ébène et de l'encens. La côte fut un relais pour les commerçants arabes et persans, notam., qui islamisèrent le pays. La pop. somalie, venue du S. de l'Arabie, s'établit vers le Xe s., et l'islam y fut définitivement implanté au XIIIe s. Au début du XIXe s., les côtes furent placées sous la domination du sultan de Zanzibar. La G.-B. s'installa dans le N. à partir de 1884; l'Italie, à partir de 1889, s'adjugea la majeure partie du pays. En 1941, la G.-B. occupa la Somalie italienne, qu'elle rendit à la tutelle de l'Italie en 1950. En 1960, les deux Somalies accédèrent à l'indépendance et s'unirent en une république mais sans retrouver les terres de l'Ogaden qui manquaient, ainsi que Djibouti, pour réaliser le rêve d'une «Grande Somalie». En 1969, le général Muhammad Siyaad Barre s'empara du pouvoir et déclara la Somalie «État socialiste». Alliée aux Soviétiques, la Somalie a rompu ce lien en 1977, à la suite du conflit de l'Ogaden*, où l'U.R.S.S. soutint l'Éthiopie qui sortit vainqueur de l'affrontement (1978). La paix entre les deux pays ne fut rétablie qu'en 1988, alors que la guérilla des Issas, ethnie commune aux deux pays, s'était étendue au nord de la Somalie et que le Sud basculait lui aussi dans la guerre civile. La clanisation du régime, les privilèges accordés aux proches du président, les exactions des milices entraînèrent la chute de Siyaad Barre en 1991. La Somalie sombra alors dans l'anarchie et le nord-est du pays correspondant à l'ancienne Somalie britannique fit sécession sous le nom de République du Somaliland, présidée par Mohammed Ibrahim Egal. Devant l'ampleur de la famine qui sévissait, les États-Unis, la France, l'Italie réalisèrent en 1992, sous l'égide de l'ONU, une intervention militaire dont l'objectif était d'assurer l'aide humanitaire et de désarmer les milices rivales. Une deuxième opération conduite par l'ONU, «Onusom» (1993), provoqua l'hostilité des clans, et notamment celui du général Aïdid : les forces de l'ONU, redoutant un enlisement du conflit, se retirèrent (1994-1995). En 1997, les combats ont repris entre deux chefs de guerre, Hussein Farah Aïdid, fils du général, et Ali Mahdi, qui se disputent la présidence de la République.

somalien. V. somali.

Somalis (Côte française des), puis *Territoire des Afars et des Issas.* V. Djibouti (république de).

Somalis, population islamisée, nomade et sédentaire, établie en Somalie, en Éthiopie, au Kenya et à Djibouti.

somation n. f. BIOL Variation du soma d'un organisme, mise en évidence ou provoquée par les modifications de l'environnement et n'atteignant pas le germen (et par conséquent non héréditaire, à la différence de la mutation).

somatique adj. **1.** MED, PSYCHO Qui concerne le corps, n'appartient qu'au corps (par oppos. à *psychique*). **2.** BIOL Relatif au soma (par oppos. à *germinal, germinatif*).

somatisation n. f. MED, PSYCHO Fait de somatiser.

somatiser v. tr. [1] MED, PSYCHO et cour. Convertir (des troubles psychiques) en symptômes somatiques, en parlant du sujet atteint de ces troubles. *Somatiser une angoisse.* ▷ (Absol.) *Il somatise depuis son enfance.*

somato-, -some. Éléments, du gr. *sôma, sômatos,* «corps».

somatostatine n. f. BIOCHIM Hormone, constituée d'un polypeptide, présente dans l'hypothalamus et dans de nombreux tissus, qui, notam., inhibe la sécrétion de somatotrophine.

somatotrope adj. BIOCHIM *Hormone somatotrope :* somatotrophine.

somatotrophine n. f. BIOCHIM Hormone sécrétée par le lobe antérieur de l'hypophyse, appelée également *hormone de croissance.*

sombre adj. **I. 1.** Où il y a peu de lumière. *Une pièce sombre.* Syn. obscur. – *Il fait sombre.* ▷ *Coupe sombre :* V. coupe. **2.** Tirant sur le noir (en parlant d'une couleur). *Un tissu sombre. Un vert sombre.* Syn. foncé. **II.** Fig. **1.** Qui manifeste de la tristesse, de l'inquiétude. *Personne, humeur sombre.* **2.** (Choses) Marqué par le malheur, l'inquiétude, le désespoir. *Une sombre journée.* **3.** Fam. Qui n'a pas été tiré au clair, en parlant d'une affaire louche, criminelle. *Un sombre drame.* **4.** Fam. (Pour renforcer un terme péjor.) *Sombre crétin!*

sombrer v. intr. [1] **1.** S'engloutir, couler, en parlant d'un navire. *Sombrer corps et biens.* **2.** Fig. Disparaître, se perdre. *Sombrer dans le désespoir.*

sombrero [sɔ̃bʀeʀo] n. m. Chapeau à larges bords dans les pays hispaniques.

-some. V. somato-.

Somerset, comté du S.-O. de l'Angleterre, sur le canal de Bristol; 3 458 km²; 459 100 hab.; ch.-l. *Taunton.*

Someş (le), (en Roumanie) ou **Szamos** (le), (en Hongrie), riv. de Roumanie et de Hongrie (411 km), affl. de la Tisza (r. g.); passe à Cluj-Napoca et à Satu Mare.

somesthésie n. f. Didac. Domaine relatif à l'ensemble des sensibilités cutanées et internes (non sensorielles).

sommaire adj. et n. m. **I.** adj. **1.** Abrégé, peu développé. *Exposé sommaire.* **2.** Réduit à l'essentiel. *Toilette sommaire.* ▷ Trop simplifié; simpliste. *Vues sommaires.* **3.** Expéditif, rapide; sans formalités, sans jugement. *Exécution sommaire.* ▷ DR *Procédure sommaire,* plus simple qu'à l'ordinaire. **II.** n. m. **1.** Résumé d'un livre, d'un chapitre. **2.** Liste des grandes divisions d'un ouvrage, d'une revue, des grandes articulations d'un dossier.

sommairement adv. D'une façon sommaire.

1. sommation n. f. **1.** MATH Opération consistant à calculer la somme de plusieurs quantités. ▷ Calcul de la valeur d'une intégrale définie. **2.** PHYSIOL Phénomène par lequel deux stimulations isolément non efficaces le deviennent lorsqu'elles sont associées.

2. sommation n. f. **1.** Action de sommer (2). ▷ MILIT Appel réglementaire d'une sentinelle enjoignant de s'arrêter et de se faire connaître («Halte!»; «Halte ou je tire!»). – *Spécial.* Chacune des trois injonctions réglementaires précédant une charge de policiers pour disperser les participants d'un rassemblement illicite sur la voie publique. **2.** DR Acte écrit contenant une sommation faite par voie de justice. *La sommation peut être faite sans titre exécutoire* (à la différence du *commandement*).

1. somme n. f. **1.** MATH Résultat d'une addition. ▷ *Somme d'une famille d'ensembles,* réunion de ces ensembles. ▷ *Signe somme :* signe utilisé pour représenter une somme de termes (Σ) ou l'intégrale d'une fonction (∫). **2.** *Somme d'argent* ou, absol., *somme :* quantité d'argent. *Une somme de trois cents francs. Dépenser de grosses sommes.* **3.** Ensemble de choses considérées globalement. *La somme de nos efforts.* ▷ Loc. adv. *En somme, somme toute :* en conclusion, en résumé, tout compte fait. **4.** Ouvrage rassemblant et résumant tout ce qu'on connaît sur un sujet. *La «Somme théologique» de saint Thomas d'Aquin.*

2. somme n. f. Loc. *Bête de somme :* animal (cheval, âne, bœuf, etc.) employé à porter des fardeaux (par oppos. à *bête de trait*). *Travailler comme une bête de somme,* très durement.

3. somme n. m. Loc. *Faire un somme, un petit somme :* dormir un moment.

Somme (la), fl. de Picardie (245 km); naît dans le dép. de l'Aisne; arrose Saint-Quentin, Péronne, Amiens, Abbeville; se jette dans la *baie de Somme.* Régime très régulier. – La *bataille de la Somme* (juil.-nov. 1916) permit aux Franco-Anglais d'obliger les Allemands à dégarnir Verdun; les chars d'assaut y furent employés pour la première fois. – Du 5 au 8 juin 1940, bataille défensive des forces françaises devant l'assaut allemand.

Somme, dép. franç. (80); 6 176 km²; 547 825 hab.; 88,7 hab./km²; ch.-l. *Amiens.* V. Picardie (Rég.).
► illustr. page **1760**

sommeil n. m. **1.** Suspension périodique et naturelle de la vie consciente, correspondant à un besoin de l'organisme. *Avoir le sommeil léger :* se réveiller au moindre bruit. *Un sommeil de plomb,* très profond. – Fig., litt. *Le dernier sommeil, le sommeil éternel :* la mort. ▷ PSYCHO, PHYSIOL *Sommeil paradoxal :* phase du sommeil pendant laquelle apparaissent les rêves. – MED *Maladie du sommeil :* trypanosomiase*. – *Cure de sommeil :* méthode de traitement de certaines affections psychiques qui consiste à procurer au patient un sommeil artificiel de 15 à 18 heures par jour. **2.** Besoin de dormir. *Avoir sommeil.* **3.** Fig. État provisoire d'inactivité, d'inertie. *Le sommeil hivernal de la nature.* ▷ Loc. adj. et adv. *En sommeil :* en état d'inactivité, de latence ou d'activité réduite.

sommeiller v. intr. [1] **1.** Dormir d'un sommeil léger. **2.** Fig. Exister de manière potentielle, latente, sans se manifester. *Les désirs qui sommeillent en chacun de nous.*

sommeilleux, euse adj. et n. **1.** Litt. Somnolent. **2.** MED Atteint de la maladie du sommeil. ▷ Subst. *Un sommeilleux.*

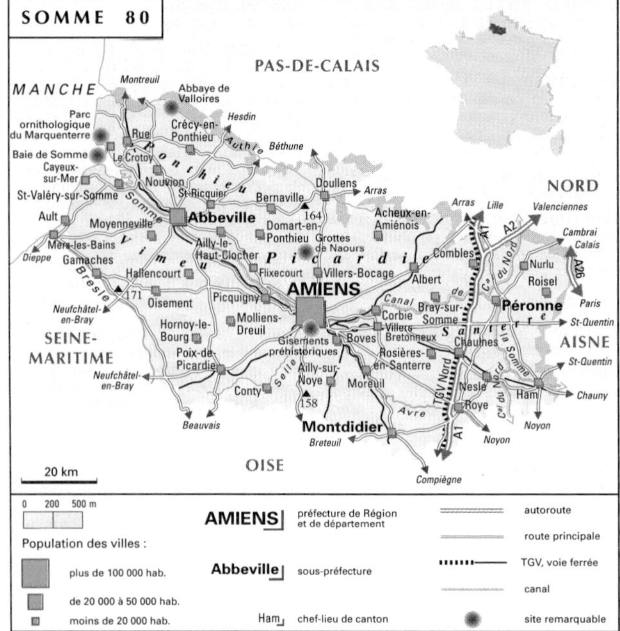

sommelier, ère n. **1.** Anc. Personne qui avait la charge de la table et des provisions de bouche dans une grande maison. **2.** Mod. Personne chargée du service des vins et des liqueurs, et de l'approvisionnement de la cave, dans un restaurant.

sommellerie n. f. **1.** Charge de sommelier. **2.** *Par ext.* Lieu où le sommelier garde les boissons dont il a la charge.

1. sommer v. tr. [**1**] MATH Calculer la somme de (plusieurs quantités).

2. sommer v. tr. [**1**] Intimer à (qqn), dans les formes établies, l'ordre de faire qqch. *Sommer qqn de quitter les lieux.*

Sommerfeld (Arnold) (Königsberg, 1868 - Munich, 1951), mathématicien et physicien allemand; spécialiste de mécanique quantique. Il perfectionna en 1915 le modèle d'atome élaboré par Niels Bohr en donnant aux électrons des orbites elliptiques et en introduisant deux nouveaux nombres quantiques. Il expliqua en 1928 la relation qui existe entre les conductivités électrique et thermique des métaux.

sommet [sɔmɛ] n. m. **I. 1.** Partie la plus élevée de certaines choses. *Le sommet d'une montagne, d'un mur.* ▷ Fig. Plus haut degré. *Le sommet de la gloire, de la perfection.* **2.** *Une conférence au sommet* ou, ellipt., *un sommet* : une conférence à laquelle ne participent que des chefs d'État ou de gouvernement. **II.** GEOM *Sommet d'un angle,* point où se coupent ses deux côtés. ▷ *Sommet d'un triangle, d'un polyèdre,* sommet d'un des angles de cette figure.

sommier n. m. **I.** Partie d'un lit sur laquelle repose le matelas. **II. 1.** ARCHI Pierre qui reçoit la retombée d'une voûte ou d'un arc. **2.** CONSTR Pièce de charpente servant de linteau. **3.** Partie de l'orgue qui reçoit l'air venant des soufflets. **III.** Gros registre. ▷ *Sommiers judiciaires,* tenus par la police et sur lesquels sont portées toutes les condamnations prononcées.

sommital, ale, aux adj. Didac. Relatif au sommet; qui est au sommet.

sommité [sɔmmite] n. f. **1.** Didac. ou litt. Extrémité d'une tige, d'une branche, d'une plante dressée. **2.** Fig. Personne qui se distingue particulièrement par sa position, son talent, son savoir. *Les sommités de la science, de la littérature.*

somnambule [sɔmnɑ̃byl] n. (et adj.) **1.** Personne qui effectue de manière automatique, pendant son sommeil, certains mouvements accomplis ordinairement à l'état de veille (marche notam.). - adj. *Il est somnambule.* **2.** Personne qui, une fois plongée dans le sommeil hypnotique, peut agir ou parler.

somnambulique adj. Qui a rapport au somnambulisme.

somnambulisme n. m. Fait d'être somnambule; état d'une personne somnambule.

somnifère adj. et n. m. Didac. Qui provoque le sommeil. *Le pavot est somnifère.* ▷ n. m. Cour. Produit destiné à provoquer le sommeil. *Prendre un somnifère.*

somnolence n. f. **1.** État intermédiaire entre le sommeil et la veille. ▷ Disposition à l'assoupissement, au sommeil. **2.** Fig. Mollesse, engourdissement.

somnolent, ente adj. **1.** Engourdi de sommeil, qui dort à moitié. **2.** Fig. Engourdi, sans énergie, peu actif. *Vie somnolente. Volonté somnolente.*

somnoler v. intr. [**1**] **1.** Dormir peu profondément, être assoupi. **2.** Fig. Être somnolent (sens 2).

Somodevilla y Bengoechea (Zenón de). V. Ensenada (marquis de La).

Somosierra (col de), col espagnol (1 430 m), dans la sierra de Guadarrama, reliant les deux Castilles. - Victoire de Napoléon (1808).

Somoza (Anastasio), dit *Tacho* (San Marcos, 1896 - León, 1956), homme politique nicaraguayen. Chef de la garde nationale, il fit assassiner Sandino* (1934). Il fut président de la République de 1937 à 1947, puis de 1951 à son assassinat. – **Luis** (León, 1922 - Managua, 1967), fils et successeur du préc. (1957-1963). – **Anastasio,** dit *Tachito* (León, 1925 - Asunción, Paraguay, 1980), frère du préc. Président de la République en 1967, il dut faire face en 1978 à un soulèvement populaire dirigé par le Front sandiniste; en juillet 1979, il fut contraint à l'exil. Il mourut assassiné.

Somport (col du), col des Pyrénées-Atlantiques (1 640 m), reliant la France (vallée d'Aspe) à l'Espagne (río Aragón).

somptuaire adj. Didac. ou vx Relatif à la dépense. - Spécial. *Loi, règlement, impôt somptuaire,* qui a pour objet de réglementer ou de restreindre les dépenses, de taxer le luxe. ▷ Mod. (Emploi pléonastique critiqué, sous l'influence de *somptueux.*) *Des dépenses somptuaires :* des prodigalités, des dépenses excessives.

somptueusement adv. D'une manière somptueuse; avec somptuosité.

somptueux, euse adj. Dont le luxe, la magnificence ont nécessité de grandes dépenses. *Des présents somptueux.* ▷ *Par ext.* Superbe.

somptuosité n. f. Litt. Caractère de ce qui est somptueux; magnificence, luxe coûteux.

1. son, sa, ses adj. poss. de la 3e pers. du sing. (Rem. *Son* remplace *sa* devant un n. ou un adj. fém. commençant par une voyelle ou un *h* muet : *son avarice, son habileté.*) De lui, d'elle, de soi. **I. 1.** (Personnes) *Son livre. Sa barbe. Son chapeau. Son bon caractère.* ▷ (Devant certains titres.) *Sa Majesté. Son Éminence.* **2.** (Choses) *La maison et son jardin. Le soleil darde ses rayons.* **3.** (Se rapportant à un pron. indéf.) *À chacun sa vérité. Comme on fait son lit, on se couche.* ▷ (Se rapportant à un sujet sous-entendu.) *Aimer son prochain comme soi-même.* **II. 1.** (Marquant l'appartenance à un groupe, à un ensemble.) *Il a rejoint son régiment.* ▷ (Marquant un rapport de parenté.) *Son père. Sa fille.* **2.** (Marquant l'habitude, la répétition.) *Prendre son dessert avec son café. Enfant qui fait sa colère.*

2. son n. m. Sensation auditive engendrée par une vibration acoustique; cette vibration elle-même. *Son grave, aigu, rauque, flûté.* ▷ *Son pur,* produit par une vibration acoustique sinusoïdale (par oppos. à *son complexe**). - *Ingénieur du son,* qui s'occupe de l'enregistrement du son et de sa reproduction. ▷ *Spécial.* Émission de voix utilisée pour communiquer, son du langage. *Classement, étude des sons par la phonétique.* - *Un spectacle son et lumière ou un son et lumière :* évocation de scènes historiques sur le lieu de leur déroulement au moyen de jeux de lumière et de la diffusion d'un texte dramatique. ▷ *Son musical,* d'une hauteur déterminée dans l'échelle tonale.

ENCYCL La vitesse de propagation du son varie suivant les milieux : 331 m/s dans l'air à 0 °C (vitesse, dite *vitesse du son,* qui sert de référence en aérodynamique); 1 435 m/s dans l'eau à 8 °C; 5 000 m/s dans l'acier. Un son, en tant que phénomène physiologique, est caractérisé par son *intensité* (exprimée en décibels), par sa *hauteur* (directement liée à sa fréquence) et par son *timbre,* qui dépend du nombre, de la hauteur et de l'intensité de ses harmoniques*.

3. son n. m. Déchet de la mouture du blé, des céréales, formé par les enveloppes des graines. ▷ Fig. *Taches de son :* taches de rousseur, éphélides.

sonagraphe n. m. Didac. Appareil permettant la représentation des composantes de la voix.

sonal n. m. Syn. (off. recommandé) de *jingle.*

sonar n. m. MAR Appareil émetteur et récepteur d'ondes ultrasonores, utilisé pour la détection des objets immergés.

sonate n. f. MUS **1.** Pièce de musique instrumentale comportant trois ou quatre mouvements et écrite pour un ou deux instruments, quelquefois trois. **2.** *Forme sonate :* exposition, développement et nouvelle exposition d'un thème, dans la sonate classique.

sonatine n. f. MUS Petite sonate, en général d'exécution facile.

sondage n. m. **1.** Action de sonder; son résultat. ▷ TECH Opération qui consiste à forer le sol pour déterminer la nature, l'épaisseur et la pente des couches qui le constituent, ou pour rechercher des nappes d'eau, de pétrole, etc. **2.** Fig. Enquête, investigation discrète pour obtenir des renseignements. *Pratiquer un sondage dans les milieux politiques.* ▷ *Enquête par sondage,* ou *sondage d'opinion :* enquête menée auprès d'un certain nombre de personnes considérées comme représentatives d'un ensemble social donné (consommateurs, usagers, électeurs, etc.) en vue de déterminer leur opinion.

sonde n. f. **1.** Instrument constitué d'une masse pesante attachée au bout d'une ligne, servant à mesurer la profondeur de l'eau et à déterminer la nature du fond. ▷ Mesure de la profondeur obtenue par sondage. **2.** CHIR Instrument tubulaire cylindrique et allongé, présentant ou non un canal central, destiné à pénétrer dans un conduit naturel ou pathologique, à des fins diagnostiques ou thérapeutiques (introduction ou évacuation de liquide ou de gaz). *Sondes vésicale, œsophagienne.* **3.** TECH Appareil servant à forer le sol. **4.** Instrument servant à prélever un échantillon d'un produit pour en vérifier la qualité. *Sonde à fromage.* **5.** ESP *Sonde spatiale :* véhicule spatial non habité, utilisé pour pratiquer de brèves incursions au-delà de l'atmosphère *(fusée-sonde)* ou des missions d'exploration du système solaire *(sonde planétaire)* qui durent parfois plusieurs dizaines d'années. ▷ METEO *Sonde aérienne :* ballon*-sonde.

Sonde (archipel de la), longue chaîne d'îles, appelée aussi *îles de l'Insulinde,* correspondant à l'Indonésie, État qui possède la plus grande partie de ces territoires (Java, Sumatra, une partie de Bornéo, etc.). – La prov. indonésienne des *îles de la Sonde orientale* couvre 47 876 km² et compte env. 3 millions d'hab.; cap. *Kupang* (400 000 hab.), sur Timor*. Celle des *îles de la Sonde occidentale* couvre 20 177 km² et compte env. 3 millions d'hab.; cap. *Mataram* (68 960 hab.).

sondé, ée n. Personne interrogée lors d'un sondage d'opinion.

sonder v. tr. [1] **1.** TECH et cour. Explorer, reconnaître au moyen d'une sonde; pratiquer le sondage de. *Sonder une mer, une rivière.* – *Sonder un terrain.* ▷ Par métaph. *Sonder le terrain :* examiner avec soin (une affaire) avant de s'engager. **2.** Explorer avec une sonde l'intérieur, la masse de. *Sonder un mur.* ▷ CHIR Introduire une sonde dans. *Sonder une plaie.* – Par ext. *Sonder un malade.* **3.** Fig. Chercher à pénétrer, à reconnaître. *Sonder du regard la profondeur d'un ravin.* – *Sonder le cœur, les intentions de qqn, sonder qqn,* chercher à pénétrer, à deviner ses intentions, son état d'esprit. ▷ Faire un sondage d'opinion. *Sonder un échantillon de consommateurs.*

Sonderbund («ligue séparée»), alliance séparatiste conclue en 1845 par les sept cantons suisses conservateurs et catholiques, qui protestaient notam. contre les mesures décidées par le gouvernement fédéral à l'égard des jésuites. En 1847, la Diète exigea la dissolution du Sonderbund puis décréta l'expulsion des jésuites.

sondeur, euse n. **I.** Personne qui effectue des sondages. **II.** TECH **1.** n. m. Appareil servant à déterminer la profondeur de l'eau et la nature du fond. *Sondeur à ultrasons.* **2.** n. f. Appareil utilisé pour les forages peu profonds.

Song, dynastie qui régna en Chine de 960 à 1279. Elle unifia le pays, morcelé en plus. royaumes, et promut une civilisation brillante avant d'être renversée par les Mongols (V. Chine [hist.]).

songe n. m. **1.** Litt. Rêve, association d'idées et d'images qui se forment pendant le sommeil. – *En songe :* en rêve, pendant le sommeil. **2.** Litt. Chimère, illusion; produit de l'imagination pendant l'état de veille.

songe-creux n. m. inv. Vieilli Personne qui nourrit son esprit de projets chimériques, de songes vains.

songer v. tr. indir. [13] **I.** Vx ou litt. Rêver, faire un songe. *J'ai songé que je volais.* ▷ (S. comp.) Se livrer à la rêverie, laisser aller son imagination. **II. 1.** *Songer à :* penser à; envisager de. *Il faut songer au départ, à partir.* ▷ Avoir l'intention de. *Il songe à se marier.* **2.** (Suivi d'une interrog. indir. ou d'une complétive.) Considérer, faire attention au fait que. *Songez qu'il y va de votre vie.* **3.** *Songer à :* se préoccuper de, faire attention à. *Songez à lui, ne l'abandonnez pas.* – *Songer à l'avenir.* **4.** *Songer à :* évoquer par la pensée. *Songer au passé, à ceux qui ont disparu.*

songerie n. f. Vieilli ou litt. Rêverie; état d'une personne qui songe.

songeur, euse n. et adj. **1.** n. Litt. Personne qui songe, qui se livre à la rêverie. **2.** adj. Absorbé dans une rêverie, pensif. *Vous semblez songeuse.*

Songhaïs ou **Sonrhaïs,** ethnie de l'Afrique occidentale installée à l'E. du Mali et à l'O. du Niger. Ils formèrent au VIIe s. un royaume qui, après avoir pris Gao pour cap. (déb. du XIe s.), connut sa plus grande expansion sous une dynastie musulmane à la fin du XVe s.; il fut démantelé par le sultan du Maroc Ahmad Al-Mansur (1591).

Sông Hông. V. Rouge (fleuve).

Songhuajiang ou **Soungari,** riv. de Chine (1 800 km), en Mandchourie, affl. de l'Heilongjiang (Amour); passe à Harbin.

soninké n. m. Langue mandé parlée au Mali et au Sénégal.

Soninkés. V. Sarakholés.

sonique adj. Relatif au son. ▷ Relatif aux phénomènes qui se produisent aux vitesses voisines de celle du son.

sonnaille n. f. Clochette attachée au cou des bêtes d'élevage lorsqu'elles paissent ou voyagent. ▷ (Surtout au plur.) Son produit par une sonnaille, par des cloches.

sonnailler v. intr. [1] Rare Sonner, tinter, de façon désordonnée, désagréable.

sonnant, ante adj. Qui sonne. **1.** Qui rend un son clair et distinct. *Métal sonnant.* ▷ *Espèces sonnantes :* anc. monnaie d'or et d'argent; mod. argent liquide. – Loc. *Espèces* sonnantes et trébuchantes.* **2.** Qui annonce les heures en sonnant. *Horloge sonnante, réveil sonnant.* ▷ *À midi sonnant :* à midi exactement.

sonné, ée adj. **1.** Annoncé par le son d'une cloche, d'une sonnerie. *Messe sonnée.* – Spécial. *Il est minuit sonné,* minuit passé. ▷ Fig., fam. *Il a la cinquantaine bien sonnée :* il a largement dépassé cinquante ans. **2.** Fam. Abruti, assommé par les coups. *Boxeur sonné.* **3.** Fig., fam. Fou.

sonner v. [1] **A.** v. intr. **I. 1.** Rendre un son, retentir sous l'effet d'un choc. *Cristal qui sonne.* ▷ *Spécial.* (En parlant d'une cloche ou d'un instrument à percussion apparenté, d'un appareil muni d'un timbre.) *Les cloches sonnaient à toute volée. Le réveil a sonné.* **2.** Émettre un son, en parlant de certains instruments de cuivre à embouchure. *Clairon qui sonne.* **3.** Être annoncé par une sonnerie. *Huit heures ont sonné.* ▷ Fig. *Sa dernière heure a sonné,* est arrivée. **II.** Être articulé, prononcé clairement. *Faire sonner la consonne finale dans un mot.* ▷ *Mot qui sonne bien, mal,* qui est harmonieux, agréable à l'oreille, ou non. ▷ Fig. *Sonner faux :* donner une impression de fausseté. **III.** Actionner une sonnette, une sonnerie (spécial. pour se faire ouvrir, appeler ou prévenir). *Le facteur a sonné. Entrez sans sonner.* **B.** v. tr. **1.** Faire rendre un, des sons à un instrument, une cloche. *Sonner le cor. Sonner les cloches*.* ▷ v. tr. indir. Jouer de certains instruments à vent. *Sonner de la trompette, de la cornemuse.* **2.** Annoncer, indiquer par le son d'un instrument, d'une sonnerie. *Sonner la charge. L'horloge sonne minuit.* **3.** Appeler (qqn) avec une sonnette. *Sonner la femme de chambre.* ▷ Loc. fam. *On ne vous a pas sonné :* on ne vous a pas appelé, on ne vous a pas demandé votre avis. **4.** Fam. Assommer, abrutir. *Ce coup de poing l'a sonné.* – Fig. *La nouvelle l'a sonné.*

sonnerie n. f. **1.** Son produit par des cloches ou par un timbre. *Sonnerie d'un carillon.* **2.** Air joué par un instrument de cuivre à embouchure. *Une sonnerie de trompe, de clairon.* **3.** *Par méton.* Ensemble des cloches d'une église, des pièces qui permettent à une horloge, à un réveil, etc., de sonner. *Réparer la sonnerie d'une pendulette, d'un téléphone.* **4.** Appareil d'appel ou d'alarme actionné par l'électricité.

sonnet n. m. LITTER Pièce de quatorze vers de même mesure, en deux quatrains à rimes embrassées et deux tercets.

sonnette n. f. **1.** Clochette dont on se sert pour avertir, pour appeler. *Tirer sur le cordon de la sonnette.* ▷ Sonnerie (sens 4) que l'on peut déclencher à distance; son émis par cette sonnerie. **2.** *Serpent* à sonnette(s).* **3.** TECH Engin constitué d'un mouton (sens 5) qui descend entre des glissières. *Sonnette à enfoncer les pieux.*

sonneur n. m. Celui qui sonne les cloches. ▷ Celui qui sonne de la trompe, du cor, de la cornemuse.

Sonnini de Manoncourt (Charles) (Lunéville, 1751 - Paris, 1812), voyageur et naturaliste français : *Histoire naturelle des reptiles* (1802).

sono-. Élément, du lat. *sonus*, « son ».

sono n. f. Fam. Abrév. de *sonorisation* (sens 2). *Une bonne sono.*

sonomètre n. m. TECH Appareil utilisé pour la mesure des niveaux d'intensité acoustique des bruits (machines, avions, etc.).

sonore adj. **1.** Qui est susceptible de produire un, des sons; qui produit un son. *Les corps sonores.* **2.** Dont le son est puissant, éclatant. *Une voix sonore.* ▷ PHON *Phonème sonore*, dont l'émission s'accompagne d'une vibration des cordes vocales. *Les consonnes sonores* ou, n. f., *les sonores* (par oppos. aux *sourdes*) : [b, v, d, z, g, ʒ], en français. **3.** Qui résonne, où le son retentit. *Couloir sonore.* **4.** Didac. Qui a rapport au son. *Ondes sonores.* ▷ CINE et cour. *Film sonore*, dont les images sont accompagnées de sons (dialogues, bruits, musique) (par oppos. à *film muet*).

sonorisation n. f. **1.** Action de sonoriser (un lieu); son résultat. **2.** Ensemble des appareils utilisés pour sonoriser un lieu (salle de spectacle, etc.). (Abrév. fam. : sono). **3.** *Sonorisation d'un film* : opération consistant à reporter l'enregistrement du son sur la bande portant les images. **4.** PHON Acquisition du trait de sonorité par un phonème.

sonoriser v. tr. [1] **1.** Équiper (une salle de spectacle, un lieu quelconque) de tous les appareils nécessaires à l'amplification et à la diffusion du son (micros, amplificateurs, haut-parleurs, etc.). *Sonoriser une salle de concert, un champ de foire.* **2.** Effectuer la sonorisation de (un film). **3.** PHON Rendre sonore (une consonne sourde).

sonorité n. f. **1.** Caractère de ce qui est sonore (sens 1). **2.** Propriété qu'ont certains lieux de répercuter les sons. *La sonorité d'une nef de cathédrale.* **3.** Qualité du son (d'un instrument de musique, d'un appareil électroacoustique). *Sonorité d'un violon, d'un synthétiseur.* ▷ (Plur.) Sons d'une voix. *Un timbre aux sonorités rauques.* **4.** PHON Trait phonétique dû à la vibration des cordes vocales lors de l'émission des phonèmes sonores.

sonothèque n. f. Didac. Lieu où sont conservés des enregistrements de bruits, de fonds sonores divers.

Sonrhaïs. V. Songhaïs.

Sophia-Antipolis, technopole française, la première du genre, créée en 1969 dans un secteur géographique commun à plusieurs communes des Alpes-Maritimes (dont Antibes et Valbonne). Enseignement (international), recherche et industrie y cohabitent (informatique, électronique, biotechnologie).

Sophie Alexeïevna (Moscou, 1657 - Novodievitchi, 1704), régente de Russie (1682-1689). Fille du tsar Alexis (m. en 1676), elle prit le pouvoir à la mort de Fédor III (1682), ses deux frères mineurs, Ivan V (débile) et Pierre Ier, se partageant le titre de tsar; Pierre le Grand la fit incarcérer en 1689.

sophisme n. m. LOG Paralogisme. ▷ Raisonnement valide en apparence, mais dont un des éléments est fautif et, généralement, fait avec l'intention de tromper.

sophiste n. **1.** n. m. ANTIQ GR Maître de philosophie rétribué, qui enseignait l'art de l'éloquence et les moyens de défendre n'importe quelle thèse par le raisonnement ou des artifices rhétoriques. **2.** n. Personne qui use de sophismes.

sophistication n. f. Caractère de ce qui est sophistiqué.

sophistique adj. et n. f. **1.** adj. Didac. Qui est de la nature du sophisme; captieux, spécieux. *Arguments sophistiques.* ▷ Qui est porté au sophisme. *Un esprit sophistique.* **2.** n. f. PHILO Mouvement de pensée représenté par les sophistes grecs; art des sophistes.

sophistiqué, ée adj. **1.** Extrêmement recherché, qui laisse peu de place au naturel (notam. en parlant de l'apparence physique et du comportement). *Maquillage très sophistiqué. Public mondain et sophistiqué.* **2.** Extrêmement perfectionné; qui fait appel à des techniques de pointe. *Matériel sophistiqué.* - Fig. *Raisonnement sophistiqué*, très élaboré, complexe ou compliqué.

sophistiquer v. tr. [1] **1.** Soigner à l'extrême (qqch), rendre sophistiqué (sens 1). *Sophistiquer sa coiffure.* **2.** Perfectionner par des techniques de pointe, rendre sophistiqué (sens 2).

Sophocle (Colone, près d'Athènes, v. 496 - Athènes, 406 av. J.-C.), poète tragique grec. Ami de Périclès, Sophocle joua un certain rôle dans la vie publique d'Athènes. Il aurait écrit plus de cent pièces, dont il ne reste que sept tragédies complètes (*Ajax, Électre, Œdipe roi, Œdipe à Colone, Antigone, les Trachiniennes, Philoctète*) et quelques fragments. Sophocle exalte la formidable figure du héros tragique qui, ni tout à fait homme ni tout à fait dieu, refuse son destin, se révolte ou, lorsqu'il est contraint de se soumettre, préfère mourir. Il approfondit sa réflexion morale lorsqu'il exalte, dans *Antigone*, la liberté de la conscience humaine au regard de celle des dieux et des pouvoirs établis.
► illustr. page **1756**

Sophonie (VIIe s. av. J.-C.), un des douze petits prophètes juifs.

Sophonisbe (Carthage, v. 235 - id., 203 av. J.-C.), fille d'Hasdrubal; épouse de Syphax, roi des Numides occidentaux, puis de Masinissa, roi des Numides orientaux. Prise par les Romains, elle s'empoisonna pour ne pas être livrée à Scipion l'Africain.

sophora n. m. BOT Grand arbre (fam. papilionacées) originaire d'Asie.

sophrologie n. f. MED Étude des changements d'états de conscience de l'homme obtenus par des moyens psychologiques, et de leurs possibilités d'application thérapeutique (rêve, relaxation, hypnose, etc.).

sophrologue n. Didac. Spécialiste de la sophrologie.

soporifique adj. et n. m. **1.** Qui fait naître le sommeil. ▷ n. m. Substance dont l'absorption entraîne le sommeil. **2.** Fig., fam. Ennuyeux à faire dormir. *Discours soporifique.*

Sopot, v. de Pologne, sur la baie de Gdańsk; 52 000 hab. Import. stat. balnéaire.

sopraniste n. m. MUS Chanteur adulte à la voix de soprano.

soprano ou **soprane** n. **1.** n. m. La plus haute des voix (voix de femme ou de jeune garçon). ▷ n. m. et f. Chanteur, chanteuse qui a cette voix. *Un(e) soprano. Des sopranos.* **2.** n. m. (En appos., pour caractériser celui des instruments d'une famille qui a la tessiture la plus élevée.) *Saxophone soprano.* - Ellipt. *Jouer du soprano.*

Sopron (en all. *Ödenburg*), v. de Hongrie, près de la frontière autrichienne; 57 000 hab. Textiles. - Égl. gothiques.

Sorabes, peuple slave de Lusace (appelé en allemand *Wendes*).

sorbe n. f. Fruit du sorbier, baie rouge orangé en forme de petite poire.

sorbet n. m. **1.** Anc. Boisson glacée à base de sucre et de jus de fruits battus avec du lait et des œufs. **2.** Mod. Glace aux fruits, confectionnée sans crème.

sorbetière n. f. Récipient, appareil pour préparer les glaces, les sorbets.

sorbier n. m. Arbre (fam. rosacées) aux feuilles composées. *Sorbier domestique* ou *cormier*, cultivé pour ses fruits comestibles et son bois très dur. - *Sorbier des oiseleurs*, ornemental.

sorbitol n. m. PHARM Polyalcool préparé industriellement à partir de glucose, employé comme édulcorant et également comme stimulant de l'excrétion biliaire.

Sorbon (Robert de) (Sorbon, près de Rethel, 1201 - Paris, 1274), théologien français. Chapelain de Saint Louis, il fonda à Paris un collège auquel on donna son nom : la Sorbonne.

sorbonnard, arde n. et adj. Fam., péjor. ou plaisant Enseignant ou étudiant de la Sorbonne. ▷ adj. *Esprit sorbonnard.*

Sorbonne (la), établissement public d'enseignement supérieur, situé à Paris (Quartier latin) et abritant auj. plusieurs unités d'enseignement et de recherche (U.E.R.) rattachées à des universités différentes. Ce fut à l'origine un collège de théologie fondé en 1257. Elle eut une influence considérable, en tant que foyer d'études théologiques, se signalant par son opposition aux jésuites au XVIe s., sa condamnation des jansénistes au XVIIe s. et sa lutte contre les encyclopédistes au XVIIIe s.

sorcellerie n. f. Pratiques occultes des sorciers; résultat de ces pratiques. ▷ Par exag. *C'est de la sorcellerie* : c'est prodigieux, inexplicable.

sorcier, ère n. (et adj.) **1.** Personne qui est réputée avoir pactisé avec les puissances occultes afin d'agir sur les êtres et les choses au moyen de charmes et de maléfices. ▷ *Rond* de sorcière.* ▷ Fig. *Apprenti* sorcier.* ▷ Loc. fig. *Chasse aux sorcières* : poursuite systématique, par un régime politique, de ses opposants, s'accompagnant de vexations ou de persécutions plus ou moins graves. (S'est dit à l'origine à propos de la politique anticommuniste pratiquée aux É.-U., à l'époque de la guerre de Corée, sous l'impulsion du sénateur MacCarthy, par allusion aux femmes condamnées au bûcher, comme sorcières, dans l'Angleterre et l'Amérique puritaines du XVIIe s.) ▷ *Vieille sorcière* : vieille femme à l'air méchant. **2.** adj. m. Fam. *Ce n'est pas sorcier* : ce n'est pas compliqué.

sordide adj. **1.** Dont la saleté dénote une grande pauvreté. *Quartier sordide.* **2.** Fig. Méprisable, ignoble. *Des calculs sordides. Un crime sordide.*

sordidement adv. D'une manière sordide.

sordidité n. f. Litt. Caractère de ce qui est sordide.

Sorel, v. du Canada (Québec), port au confl. du Saint-Laurent et du Richelieu; 18 780 hab. Constr. navales.

Sorel (Agnès). V. Agnès Sorel.

Sorel (Georges) (Cherbourg, 1847 – Boulogne-sur-Seine, 1922), écrivain français. Théoricien du syndicalisme révolutionnaire, partisan résolu de la violence prolétarienne au sein de la lutte des classes : *Réflexions sur la violence* (1908), *les Illusions du progrès* (1908), *Matériaux pour une théorie du prolétariat* (1919).

Sørensen (Søren Peter Lauritz) (Havrebjerg, 1868 – Charlottenlund, 1939), chimiste danois. Il eut l'idée, en 1909, de rendre compte de l'acidité d'une solution en indiquant son pH.

sorgho ou **sorgo** [sɔʀgo] n. m. Graminée originaire de l'Inde, dite aussi *gros mil*, cultivée pour ses grains et comme fourrage. *Le sorgho commun est appelé aussi millet à balais, parce que ses panicules servaient à faire des balais.*

Sorgue ou **Sorgue de Vaucluse,** petite riv. du Vaucluse (36 km), affl. du Rhône (r. g.); issue de la fontaine de Vaucluse. (V. vauclusien.)

Sorgues, com. du Vaucluse (arr. d'Avignon); 17 310 hab. Poudrerie. – D'import. fragments de fresques du XIVe s. découverts en 1936 ont été transférés au Louvre.

Soria, v. d'Espagne (Castille et Léon), sur le Douro; 32 600 hab.; ch.-l. de la prov. du m. nom (10 306 km^2; 102 213 hab.). – Église du XIIe-XIIIe s. Ruines romanes.

soricidés n. m. pl. ZOOL Famille de petits mammifères insectivores, comprenant notam. les musaraignes. – Sing. *Un soricidé.*

Sorlingues (îles). V. Scilly.

sornette n. f. Fam. (Surtout au plur.) Propos frivole, bagatelle, bêtise.

Sorocaba, v. du Brésil, à l'O. de São Paulo; 328 790 hab. Cimenterie; métall. de l'aluminium; industr. text.; tanneries.

Sorokin (Pitirim Alexandrovitch) (Touria, 1889 – Winchester, Massachusetts, 1968), sociologue américain d'origine russe; critique de la sociologie empiriste américaine et théoricien du changement social.

sororal, ale, aux adj. Didac. De la sœur, des sœurs. *Héritage sororal.*

sororat n. m. ETHNOL Système social qui oblige un veuf à prendre pour épouse la sœur de sa femme.

sororité n. f. Rare Lien, solidarité entre femmes.

Sorrente, v. d'Italie (Campanie), sur le golfe de Naples; 17 030 hab. Célèbre stat. climatique.

sort n. m. **1.** Hasard, destin. *Les caprices du sort.* **2.** Effet du hasard, de la rencontre fortuite des événements bons ou mauvais; situation d'une personne, destinée. *Il est satisfait de son sort.* ▷ Loc. *Faire un sort à une chose,* lui assigner une destination; *par ext.,* faire valoir cette chose, la mettre en valeur ou en faire usage. – Fam., plaisant *Faire un sort à un pâté, un gâteau, etc.,* le manger. **3.** Décision soumise au hasard. *Tirer au sort :* faire désigner par le hasard. – *Le sort en est jeté :* la décision est prise irrévocablement. **4.** Maléfice. *Jeter un sort à qqn.*

sortable adj. Fam. Que l'on peut sortir, montrer en public. *Cette robe n'est plus sortable.* ▷ Avec qui l'on peut sortir, qui est bien élevé. *Vous n'êtes vraiment pas sortable.*

sortant, ante adj. (et n.) **1.** Qui sort d'un lieu. ▷ Subst. *Les entrants et les sortants.* **2.** Tiré par hasard. *Numéro sortant.* **3.** Dont le mandat vient d'expirer. *Député sortant.*

sorte n. f. **1.** Espèce, genre. *Diverses sortes d'animaux.* **2.** Ensemble des traits caractéristiques qui distinguent une chose; manière d'être. *Cette sorte d'affaires.* ▷ Loc. adv. *De la sorte :* de cette manière. **3.** *Une sorte de...,* se dit d'une chose qu'on ne peut caractériser que par rapport à une autre à laquelle elle ressemble, sans toutefois lui être absolument semblable. *Une sorte de casquette qui tient du béret et du képi.* **4.** Loc. *Toutes sortes de :* beaucoup de. – *En quelque sorte :* presque, pour ainsi dire. – *Faire en sorte que* (+ subj.), *faire en sorte de* (+ inf.) : agir de manière à. ▷ *De sorte que* ou vieilli *en sorte que :* de telle façon que. *De (telle) sorte que :* si bien que.

sortie n. f. **I. 1.** Action de sortir. *C'est sa première sortie depuis sa maladie.* ▷ *Spécial.* Action de quitter la scène. *Régler la sortie d'un acteur. Fausse sortie,* suivie d'un retour immédiat. ▷ Action de quitter son domicile pour se distraire. **2.** Moment où l'on sort. *La sortie des spectacles.* **3.** Porte, issue. *Cette maison a plusieurs sorties.* **4.** Transport de marchandises hors d'un pays. **5.** INFORM Donnée qui sort de l'ordinateur après traitement. *États de sortie fournis par une imprimante.* **6.** Somme dépensée. *Les entrées et les sorties.* **7.** Attaque faite pour sortir d'une place investie. *Les assiégés tentèrent une sortie.* ▷ AVIAT Envol d'un appareil, d'une escadrille, etc., pour une mission de guerre. *Cette unité a effectué cent sorties.* **8.** Fig. Brusque emportement contre qqn. *Faire une sortie.* ▷ Incongruité, parole déplacée que qqn laisse échapper en public. **9.** Fait d'être rendu public, publié, mis en vente. *Sortie d'un film.* **II.** Vieilli *Sortie de bal :* manteau mis sur une robe de bal. – *Sortie de bain :* peignoir en tissu-éponge porté au sortir du bain.

sortilège n. m. Maléfice; action magique.

1. sortir v. [30] **I.** v. intr. **1.** Passer du dedans au dehors. *Sortir de chez soi.* **2.** Commencer à paraître, pousser. *Il lui est sorti une dent. Les bourgeons sortent.* **3.** Dépasser à l'extérieur. *Le rocher sort de l'eau.* **4.** S'échapper, s'exhaler. *La fumée sort de la cheminée.* **5.** Aller hors de chez soi pour se distraire, se promener. *Il sort tous les soirs.* **6.** Paraître, être publié, mis en vente, présenté au public. *Ce film sort le mois prochain.* **7.** Être désigné par le hasard, dans un tirage au sort, dans un jeu. *C'est le neuf qui sort.* **8.** Cesser d'être dans (tel état, telle situation). *Sortir de la misère. Sortir de maladie.* ▷ Fam. *Je sors d'en prendre :* je viens d'en faire la désagréable expérience. **9.** Être issu de. *Sortir d'une famille paysanne. Sortir du rang.* **10.** Être le produit de, avoir pour provenance. *Complet qui sort de chez le bon faiseur.* **II.** v. tr. **1.** Conduire dehors (qqn). *Sortir des enfants.* ▷ Fam. Emmener (qqn) quelque part pour le distraire. **2.** Mettre dehors. *Sortir un cheval de l'écurie.* **3.** Tirer. *Sortir qqn d'un mauvais pas.* **4.** Fam. Éliminer un concurrent lors d'une compétition. **5.** Publier, mettre en vente, faire paraître, rendre public. *Sortir un roman, un film.* **6.** Fam. Dire. *Il en sort de bonnes.* **III.** v. pron. *Se sortir de :* se tirer de. *Comment se sortir de ce mauvais pas ?*

2. sortir n. m. Fig. Surtout employé dans la loc. *au sortir de :* au moment où l'on sort de, à l'issue de.

3. sortir v. tr. [3] DR Obtenir.

Sorts (fête des). V. Pourim (fête de).

S.O.S. n. m. Signal de détresse radiotélégraphique consistant en l'émission continue de trois points (lettre S, en morse) suivis de trois traits (lettre O). *Capter un S.O.S.* ▷ *Par ext.* Tout signal de détresse, tout appel à l'aide. *Ses yeux lançaient des S.O.S.*

Soseki (Natsume Soseki, dit) (Tōkyō, 1867 – id., 1916), écrivain japonais. Il fonda la littérature japonaise moderne (*Clair obscur,* 1916).

sosie n. m. Personne qui ressemble parfaitement à une autre. *Avoir un sosie.*

Sosnowiec, v. de Pologne, en haute Silésie; 257 710 hab. Centre houiller et industriel (sidérurgie, chimie, constr. mécaniques).

S.O.S. Racisme, association fondée en 1984 pour lutter, en France, contre le racisme et l'exclusion.

sot, sotte adj. et n. **1.** (Personnes) Qui est sans intelligence ni jugement. ▷ Subst. *« Un sot savant est sot plus qu'un sot ignorant » (Molière).* **2.** (Choses) Qui dénote la sottise. *Une sotte idée.* **3.** n. m. LITTER Bouffon, personnage de sotie.

Sōtatsu (Nonomura, dit Tawaraya) (Kyōto, déb. XVIIe s.), peintre japonais; un des grands maîtres et innovateurs de la peinture décorative, notam. sur paravent.

sotch n. m. GEOMORPH Dépression fermée du relief karstique, dans les Causses. *Des sotchs.* Syn. doline.

Sotchi, v. de Russie, sur la mer Noire, au pied du Caucase; 313 000 hab. Centre climatique et touristique.

sotériologie n. f. Didac. Doctrine du salut de l'homme par un rédempteur.

Sotheby's, entreprise de vente aux enchères, spécialisée dans les œuvres d'art, créée à Londres en 1733.

sotie ou **sottie** [sɔti] n. f. LITTER Farce satirique, aux XIVe et XVe s.

sot-l'y-laisse [solilɛs] n. m. inv. Morceau d'une saveur délicate, au-dessus du croupion des volailles.

Soto (Hernando de) (Barcarrota, Badajoz, 1500 – rives du Mississippi, 1542), navigateur espagnol. Compagnon de Pizarro au Pérou (1532), il se lança ensuite à la conquête de la Floride.

Soto (Jesús Rafael) (Ciudad Bolívar, 1923), peintre vénézuélien; adepte de l'art cinétique, auteur de *Pénétrables* (« forêts » en fils de nylon ou de métal).

sottement adv. D'une manière sotte.

Sotteville-lès-Rouen, ch.-l. de cant. de la Seine-Maritime (arr. de Rouen); 29 957 hab. Centre industriel (text., méca., électroménager).

sottie. V. sotie.

sottise n. f. **1.** Manque d'intelligence et de jugement. ▷ Action, parole qui dénote la sottise. *Dire des sottises.* **2.** Action déraisonnable d'un enfant, bêtise. *Quelle sottise a-t-il encore inventée ?* **3.** Rég. Mot injurieux. *Dire des sottises à qqn.*

sottisier n. m. Recueil de bévues d'auteurs célèbres, de sottises relevées dans la presse, les devoirs d'élèves, etc.

sou n. m. **1.** Anc. Monnaie qui valait le vingtième de la livre. **2.** Anc. Pièce de cinq centimes créée sous la Révolution française et supprimée en 1959. **3.** (Canada) Centième partie du dollar; pièce ayant cette valeur. *Ça m'a coûté 75 sous.* – *Un cinq, dix, vingt-cinq sous,* une pièce de cinq,... cents. – Fam. *Un trente-sous* : une pièce de vingt-cinq cents. *C'est comme changer quatre trente-sous pour une piastre* : cela revient exactement au même. **4.** Loc. *Appareil, machine à sous* : jeu de hasard où l'on gagne des pièces de monnaie. – *N'avoir pas le sou, pas un sou vaillant; être sans le sou* : ne pas avoir d'argent; être dans le besoin. – *D'un sou, de quat(re) sous* : sans valeur. *« Ce bijou d'un sou » (Verlaine).* – *Propre comme un sou neuf* : très propre. – *Sou à sou, sou par sou* : par très petites sommes. ▷ Plur. Fam. *Des sous* : de l'argent. – Fam. *Être près de ses sous,* avare. – *C'est une affaire de gros sous,* dans laquelle ce sont les questions d'argent, d'intérêts qui sont en jeu.

Souabe (en all. *Schwaben*), rég. et anc. duché d'Allemagne, dans le S.-O. de la Bavière (ch.-l. *Augsbourg*). – Occupée par les Suèves (Ier s. av. J.-C.), la Souabe forma la prov. romaine de Rhétie, où s'implantèrent les Alamans (IIIe s.). Partie de l'Empire carolingien (746), elle vit ses comtés se rendre indépendants au IXe s. Duché (Xe s.), elle revint aux Hohenstaufen (1079), maison qui, parvenue à la dignité impériale avec Frédéric Barberousse (1152), s'éteignit en 1268. La Souabe fut alors convoitée par divers seigneurs, et plusieurs ligues se formèrent pour maintenir l'ordre de 1331 à 1389; la Grande Ligue souabe, alliée en 1488 au Saint Empire, battit le duc de Wurtemberg en 1519, mais ne résista pas à la Réforme (1533). Zone d'influence du Wurtemberg et de l'Autriche, la Souabe fut démembrée au traité de Westphalie.

Souabe et Franconie (bassin de), grand bassin sédimentaire de l'Allemagne méridionale, au N. du Danube, entre la Forêt-Noire et le massif de Bohême. Cette région de plateaux, qui comprend le Jura souabe et franconien, est partagée entre la Bavière, le Bade-Wurtemberg et la Hesse.

souahéli. V. swahili.

soubassement n. m. **1.** Partie inférieure d'un édifice, reposant sur les fondations. **2.** GEOL Socle sur lequel reposent des couches de terrain.

Soubirous (Bernadette). V. Bernadette Soubirous (sainte).

Soubise (Benjamin de Rohan, seigneur de) (La Rochelle, 1583 – Londres, 1642), homme de guerre français, au service de Maurice de Nassau en Hollande. D'Angleterre, il dirigea les opérations de soutien aux protestants pendant le siège de La Rochelle (1627-1628).

Soubise (hôtel de), hôtel du quartier du Marais, à Paris, construit sous Charles V pour Olivier de Clisson. Agrandi par les Guise au XVIe s., puis par les Rohan-Soubise au XVIIIe s., il abrite auj. les Archives nationales et le musée de l'Histoire de France.

soubresaut n. m. **1.** Mouvement brusque et inopiné. *Les soubresauts d'une carriole.* **2.** Mouvement spasmodique, tressaillement. *Ses jambes étaient agitées de soubresauts.*

soubrette n. f. **1.** LITTER Servante de comédie. **2.** Vx ou plaisant Femme de chambre avenante et délurée.

souche n. f. **1.** Partie d'un arbre (bas du tronc et racines) qui reste en terre après l'abattage. ▷ Loc. *Demeurer, dormir, rester comme une souche,* tout à fait immobile. **2.** Personne dont descend une famille. *Faire souche* : être le premier d'une suite de descendants. ▷ Par ext. *Les crossoptérygiens constituent la souche commune des vertébrés tétrapodes.* – *Cellule souche,* d'où sont issues par multiplication d'autres cellules. **3.** CONSTR Massif de maçonnerie ou de béton qui traverse une toiture et qui contient les conduits de fumée. **4.** Partie d'un carnet, d'un registre, qui reste quand on en a détaché les feuilles, et qui permet d'éventuels contrôles.

Sou Che. V. Su Shi.

souchet n. m. Canard européen *(Anas clypeata)* à la tête verte et au large bec.

souchette n. f. Sorte de collybie comestible poussant sur les souches.

souchong [suʃɔ̃g] n. m. Thé noir de Chine.

1. souci n. m. **1.** Préoccupation, contrariété. *Vivre sans souci au jour le jour.* **2.** Ce qui contrarie, préoccupe. ▷ Loc. *C'est le cadet, le dernier, le moindre de mes soucis* : cela me laisse indifférent, je ne m'en occupe pas.

2. souci n. m. **1.** Plante herbacée ornementale (fam. composées) aux fleurs jaunes ou orange. **2.** *Souci d'eau* : syn. cour. de *populage.*

soucier v. tr. [2] Vx Préoccuper. *Cela le soucie.* ▷ v. pron. *Se soucier de* : se préoccuper de. *Ne vous souciez de rien.*

soucieusement adv. Litt. D'une manière soucieuse.

soucieux, euse adj. **1.** Inquiet, préoccupé. **2.** *Soucieux de* : qui prend intérêt, qui fait attention à.

soucoupe n. f. **1.** Petite assiette qui se place sous une tasse. Syn. sous-tasse. – *Par ext.* Très petite assiette. **2.** *Soucoupe volante* : objet volant non identifié (ovni*) en forme de disque.

soudable adj. Qui peut être soudé.

soudage n. m. TECH Action de souder; son résultat. *Soudage oxyacétylénique,* qui s'effectue au moyen d'un chalumeau alimenté en oxygène et en acétylène (température de 3 100 °C), ou avec de l'éthylène ou divers autres gaz. *Soudage à l'arc,* dans lequel la chaleur est obtenue par un arc électrique (température pouvant dépasser 6 000 °C). – *Soudage par résistance,* très utilisé dans l'industrie, qui consiste à faire passer un courant de grande intensité entre les pièces à souder. – *Soudage par friction,* qui utilise la chaleur produite par le frottement des deux pièces à souder. – *Soudage par bombardement électronique, par jet de plasma, par laser.*

soudain, aine adj. et adv. **1.** adj. Subit, brusque. *Départ soudain.* **2.** adv. Tout à coup. *Soudain il s'écria...*

soudainement adv. Subitement, tout d'un coup.

soudaineté n. f. Caractère de ce qui est soudain, brusque.

soudan n. m. HIST Lieutenant général d'un calife. ▷ Sultan (s'appliquait surtout au souverain égyptien).

Soudan, nom donné autref. à la région naturelle située au S. de l'Égypte et du Sahara. Cette région semi-désertique s'étend de la mer Rouge (désert de Nubie), à l'E., jusqu'à la Guinée, à l'O. Auj., la seule partie orientale porte le nom de Soudan (république du Soudan). À l'autre extrémité de cette « bande » se trouvait le Soudan français (la république du Mali actuelle).

Soudan (république démocratique du) *(Al-Jumhūrīya ad-Dīmūqrātīya as-Sūdānīya),* État de l'Afrique orientale, ayant une ouverture sur la mer Rouge; 2 505 813 km² (le plus vaste État d'Afrique); env. 25 millions d'hab., croissance démographique : près de 3 % par an; cap. *Khartoum.* Nature de l'État : rép. Langue off. : arabe. Monnaie : livre soudanaise. Pop. : Arabes soudanais (49 %), Dinkas (11,5 %), Nubas (8,1 %), Bedjas (6 %), Nuers (5 %). Relig. : islam (70 %), animisme et christianisme dans le Sud.

Géogr. phys. et hum. – Un ensemble de plateaux (300 à 1 200 m), drainé par le haut Nil et ses affluents, est encadré de quelques massifs périphériques : à l'O., dans le Darfour (3 088 m), au N.-E., en bordure de la mer Rouge, et au S., aux confins de l'Ouganda (3 187 m). Le climat tropical fait se succéder le désert au N., la steppe sahélienne au centre et la savane au S. La population, rurale à 78 %, se concentre surtout dans la zone de confluence du Nil Blanc et du Nil Bleu. Les nombreuses ethnies noires chrétiennes et animistes du S. résistent à la politique d'assimilation des populations arabo-musulmanes du N. (plus de 75 % des hab.).

Écon. – L'économie du pays repose essentiellement sur l'agriculture, qui occupe 70 % des actifs. Pourtant, 5 % des terres seulement sont cultivées, mais elles sont menacées par une exploitation trop intensive qui fait progresser la désertification; fertilisées par l'irrigation, elles portent les traditionnelles cultures vivrières (mil, sorgho, patates douces, manioc) et celles, en essor, du coton (princ. produit d'exportation), de l'arachide et de la canne à sucre. L'élevage (chameaux, chèvres, moutons dans le N., bœufs dans le S., au total, plus de 50 millions de têtes) est extensif et ses produits mal utilisés. Les ressources minières (cuivre, fer, manganèse) sont faibles et peu exploitées; le S. possède d'importants gisements de pétrole. Les rares industries, implantées à Khartoum et à Port-Soudan, qui sont les princ. centres urbains, traitent les produits agric. Le pays souffre de l'insuffisance des communications, du conflit armé qui ravage le Sud et provoque la famine. On compte par centaines de milliers les réfugiés soudanais en Éthiopie, et éthiopiens au Soudan.

Hist. – La partie N. du pays (anc. Nubie), conquise par les Égyptiens (XXe s. av. J.-C.) qui la nommèrent « pays de Kouch », devint, dès le Ier millénaire av. J.-C., un royaume indépendant (cap. Napata, puis Méroé*) qui domina un moment l'Égypte (XXVe dynastie, dite « éthiopienne », de 750 à 663 av. J.-C.). Christianisée au VIe s., la Nubie fut lentement occupée par les Arabes. Partiellement islamisée au XVIe s. et divisée en plusieurs États (royaume du Darfour et du Kordofan, notam.) qui vivaient essentiellement du trafic des esclaves, elle fut conquise par les Égyptiens (1820 et 1821), qui maîtrisèrent avec l'aide des Britanniques la révolte (1881-1898) du Mahdi (V. Muhammad Ahmad ibn Abd Allah), dont les forces furent écrasées (1898) par l'armée de Kitchener près de Khartoum. Cette armée poursuivit sa marche vers le S. jusqu'à Fachoda, où se trouvait la mission française de Marchand; les Français durent évacuer la place. Le condominium anglo-égyptien

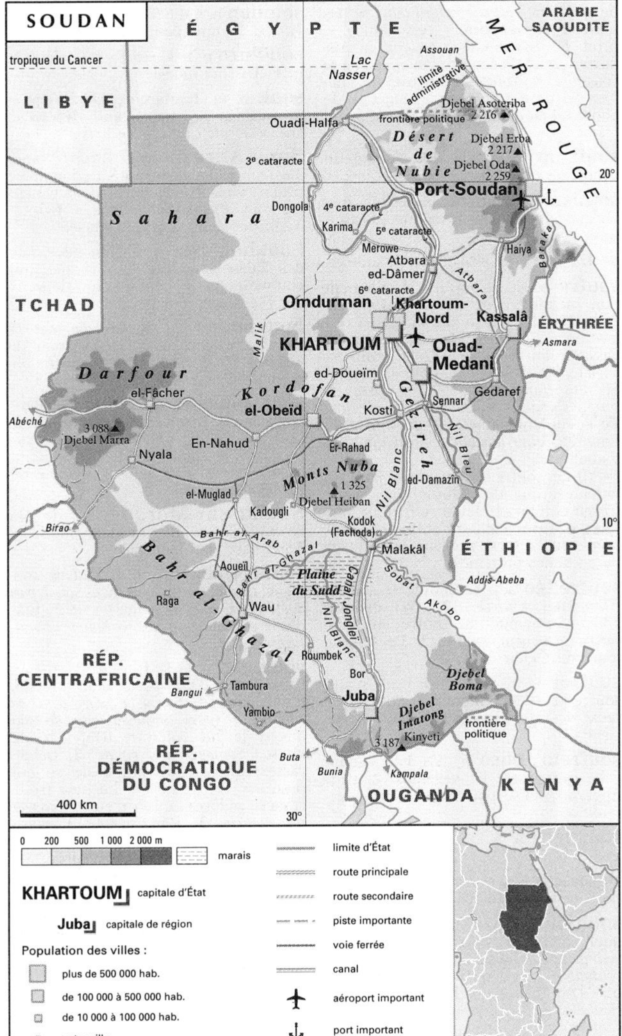

établi en 1899 sur le Soudan fut rompu en 1951 par l'Égypte, dont le roi, Farouk, fut également proclamé roi du Soudan. Avec l'accord de Néguib et de Nasser, le pays choisit l'indépendance (1956). Divisé en deux grandes régions (le Nord, arabophone, totalement islamisé, dominateur de l'ensemble du pays, et le Sud, moins peuplé et où coexistent une multitude de populations négro-africaines christianisées), le Soudan n'est jamais parvenu à se forger une véritable identité. Issue de cet antagonisme, une première guerre civile a ravagé le pays de 1955 à 1972. Durant le régime dictatorial du général Nemeyri (1969-1985), la faillite économique, aggravée par la sécheresse et les famines, l'instauration de la loi islamique en 1983, l'entrée des Frères musulmans au gouvernement et le découpage du Sud en trois provinces entraînèrent la reprise du conflit avec les rebelles sudistes, dirigés par le colonel John Garang (chef de l'Armée de libération du peuple soudanais). Le coup d'État islamiste de juin 1989, qui a porté à la magistrature suprême le général Omar Hassan el-Bechir, a instauré le régime autoritaire du Front national islamique (F.N.I.), dirigé par Hassan el-Tourabi. Après l'élection à la présidence du général el-Bechir en mars 1996, le conflit se poursuit entre le pouvoir et les forces de l'Alliance nationale démocratique. Les pays riverains mènent ouvertement une lutte armée contre le régime, qui est sanctionné par le Conseil de sécurité de l'ONU pour son soutien au terrorisme.

soudanais, aise adj. et n. **1.** De l'État africain du Soudan. **2.** De la zone climatique qui va du Sénégal au Soudan. **3.** LING *Langues soudanaises* ou, n. m., *le soudanais* : famille de langues africaines parlées de l'Éthiopie au Tchad et du sud de l'Égypte à l'Ouganda et à la Tanzanie.

soudard n. m. **1.** HIST Mercenaire. **2.** Péjor. Soldat grossier et brutal.

soude n. f. **I.** Plante (fam. chénopodiacées) des terrains côtiers dont on tirait autref. le carbonate de sodium. Syn. kali. **II. 1.** CHIM Hydroxyde de sodium, de formule NaOH, base très forte et caustique, utilisée notam. dans la fabrication de la pâte à papier et en savonnerie. **2.** PHARM Sodium. *Bicarbonate de soude.* **3.** *Cristaux de soude* : carbonate de sodium cristallisé utilisé notam. pour le nettoyage des sanitaires.

souder v. tr. [1] **1.** Joindre à chaud (des pièces de métal, de matière fusible) de manière à former un tout solidaire. *Fer à souder* : outil constitué d'une masse métallique fixée à une tige emmanchée, que l'on chauffe pour faire fondre l'alliage utilisé pour la soudure. *Lampe* à souder.* **2.** Unir étroitement, joindre, agréger. ▷ v. pron. Fig. *Groupe qui se soude,* dont les membres deviennent solidaires.

soudeur, euse n. **1.** n. Personne qui soude; ouvrier qualifié spécialiste du soudage. **2.** n. f. TECH Machine à souder.

soudier, ère n. TECH **1.** n. f. Usine où l'on fabrique de la soude. **2.** n. m. Ouvrier employé dans une soudière.

soudoyer v. tr. [23] S'assurer le secours, la complaisance de (qqn) à prix d'argent (souvent avec une intention malhonnête). *Soudoyer des témoins.*

soudure n. f. **1.** Composition métallique utilisée pour souder. *Soudure à l'étain, à l'argent.* **2.** Soudage. ▷ Manière dont des pièces sont soudées; partie soudée. **3.** Union, adhérence étroite de deux éléments voisins. *Soudure des os du crâne.* **4.** Fig. *Faire la soudure* : assurer l'approvisionnement entre deux récoltes, deux livraisons, etc.; *par ext.* faire la transition entre (deux périodes, deux personnes, etc.).

soue n. f. ELEV Étable à porcs.

Souen-Tseu. V. Sun Zi.

soufflage n. m. Opération par laquelle on souffle le verre.

soufflant, ante adj. et n. m. **1.** Qui souffle. *Machine soufflante. Bombe soufflante.* **2.** Fig., fam. Étonnant. **3.** n. m. Arg. Pistolet.

soufflard n. m. GEOL Jet de vapeur d'eau dans une région volcanique.

souffle n. m. **1.** Mouvement de l'air que l'on expulse par la bouche ou par le nez. ▷ Loc. *Le dernier souffle* : le dernier soupir. – *Avoir le souffle coupé,* la respiration interrompue; fig. être très étonné. – *Manquer de souffle* : s'essouffler facilement; fig., fam. manque d'aplomb, d'audace. – *Être à bout de souffle* : être très essoufflé, hors d'haleine; fig. être incapable de poursuivre son effort, son action. – *Second souffle* : regain d'activité. **2.** Fig. Inspiration. *Le souffle du génie.* **3.** Agitation de l'air causée par le vent. *C'est le calme plat, il n'y a pas un souffle.* **4.** MED Bruit anormal, évoquant le souffle, perçu à l'auscultation de l'appareil respiratoire ou circulatoire. **5.** Ensemble des effets de surpression dus à l'onde de choc que produit une explosion. **6.** Bruit de fond émis par un récepteur radio.

1. soufflé, ée adj. **1.** Gonflé par la cuisson. *Pommes soufflées.* **2.** Fig., fam. Très étonné, abasourdi.

2. soufflé n. m. Mets à base de blancs d'œufs battus, dont la pâte gonfle. *Soufflé au fromage, au chocolat.*

souffler v. [1] **I.** v. intr. **1.** Expulser de l'air par la bouche ou le nez, volontairement. *Souffler dans une trompette.* **2.** Respirer avec effort. *Souffler comme un bœuf.* **3.** Reprendre haleine, se reposer. *Souffler un moment.* **4.** Agiter l'air. *La bise souffle.* **5.** TECH Actionner une soufflerie. *Souffler à l'orgue.* **II.** v. tr. **1.** Envoyer un courant d'air sur (qqch). *Souffler une bougie,* l'éteindre en soufflant dessus. **2.** Fig., fam. *Souffler qqch à qqn*, le lui subtiliser. ▷ JEU *Souffler un pion, une dame*, l'ôter à son adversaire, aux dames, parce qu'il a négligé de s'en servir pour prendre. *Souffler n'est pas jouer :* l'action de souffler ne compte pas pour un coup. **3.** TECH Envoyer de l'air, du gaz dans (qqch). *Souffler le verre :* insuffler de l'air dans une masse de verre au moyen d'un tube métallique, pour la façonner. **4.** Dire tout bas. *Souffler qqch à l'oreille de qqn. Ne pas souffler mot :* ne rien dire. *Souffler son texte à un comédien.* ▷ Fig. Suggérer. *Quelqu'un lui en a soufflé l'idée.* **5.** Détruire par effet de souffle. *L'explosion a soufflé les vitres.* **6.** Fam. Étonner fortement. *Son aplomb m'a toujours soufflé.*

soufflerie n. f. Appareillage destiné à souffler de l'air, un gaz. *Soufflerie d'un orgue.* ▷ *Spécial.* Installation destinée aux essais aérodynamiques, constituée par un tunnel dans lequel on souffle de l'air (ou, plus rarement, un autre gaz) à grande vitesse. *Essais en soufflerie d'un prototype d'avion, d'automobile.*

soufflet n. m. **I. 1.** Instrument destiné à souffler de l'air sur un foyer, constitué en général d'une poche de matière souple (cuir, notam.) fixée entre deux plaques rigides que l'on éloigne et que l'on rapproche alternativement pour expulser de l'air à travers un conduit. **2.** *Par anal.* Ce qui se replie comme le cuir d'un soufflet. *Une serviette à soufflets. Soufflets entre deux voitures de chemin de fer.* **II.** Vx ou litt. Coup du plat ou du revers de la main sur la joue, gifle. ▷ Fig. Affront.

souffleter v. tr. [20] Litt. Donner un soufflet (sens II) à (qqn).

souffleur, euse n. **1.** n. m. TECH Ouvrier qui souffle le verre. **2.** Au théâtre, personne qui souffle leur texte aux comédiens si besoin est. *Le trou du souffleur*, la place où il se tient, d'ordinaire un trou à l'avant de la scène. **3.** n. m. ZOOL Grand dauphin à grand nez (*Tursiops truncatus*). **4.** n. f. (Canada) *Souffleuse (à neige) :* lourd véhicule automobile muni d'un dispositif à mouvement hélicoïdal qui entraîne la neige dans un système de soufflerie pour la projeter hors des voies de circulation. ▷ *Par ext.* Appareil automatique muni d'un dispositif de déneigement similaire, conduit à l'aide de mancherons.

Soufflot (Germain) (Irancy, près d'Auxerre, 1713 – Paris, 1780), architecte français néo-classique. Il travailla d'abord à Lyon puis dirigea à Paris, de 1755 à 1780, la construction de l'égl. Ste-Geneviève (l'actuel Panthéon).

souffrance n. f. **1.** Fait de souffrir, physiquement ou moralement. *Supporter courageusement ses souffrances.* **2.** Loc. *En souffrance :* en attente, en suspens.

souffrant, ante adj. **1.** Litt. Qui souffre. – Spécial. *L'Église souffrante :* les âmes du purgatoire. **2.** Cour. Légèrement malade.

souffre-douleur n. m. inv. Personne en butte au mépris et aux mauvais traitements des autres.

souffreteux, euse adj. De constitution débile, maladive.

souffrir v. [4] **I.** v. intr. **1.** Éprouver une sensation douloureuse ou pénible. *Souffrir du froid.* – (Sens moral.) *Il a beaucoup souffert de cette séparation.* **2.** Éprouver un dommage. *Les vignes ont souffert de la gelée.* **II.** v. tr. **1.** Endurer, éprouver, supporter. *Cette maladie lui fait souffrir le martyre.* – Cour. (Avec comp. de personne.) *Ne pas souffrir qqn :* ne pas pouvoir le supporter ; l'exécrer. ▷ v. pron. *Ils ne peuvent se souffrir*, se supporter. **2.** Litt. Permettre. *Souffrez que je vous dise...* ▷ Tolérer, admettre. *Ne souffrez pas de tels caprices.* – (Sujet n. de chose.) *Affaire qui ne peut souffrir aucun retard.*

soufi, ie n. et adj. RELIG Adepte du soufisme. – adj. *Pratique soufie.*

soufisme n. m. RELIG Doctrine ésotérique de l'islam, mystique et ascétique.

soufrage n. m. TECH Action de soufrer.

soufre n. m. et adj. inv. **1.** Élément non métallique de numéro atomique Z = 16, de masse atomique 32,064 (symbole S). – Solide (S_8) jaune et cassant, qui fond à 112 °C pour la variété Sα et à 119 °C pour la variété Sβ, et bout à 444,67 °C. ▷ *Fleur de soufre :* soufre pulvérulent. ▷ adj. inv. De la couleur jaune clair du soufre. **2.** Loc. fig. *Sentir le soufre :* avoir qqch de diabolique.

ENCYCL Le soufre est employé pour la vulcanisation du caoutchouc. Sous forme combinée (acide sulfurique, sulfates, sulfures, etc.), ses utilisations sont nombreuses. C'est aussi un constituant de certaines protéines.

soufré, ée adj. **1.** Enduit de soufre. *Allumettes soufrées.* **2.** Qui évoque l'odeur piquante du soufre en combustion. *Senteur soufrée.* **3.** De la couleur jaune clair du soufre.

soufrer v. tr. [1] **1.** TECH Enduire de soufre. **2.** AGRIC Saupoudrer (des végétaux) de fleur de soufre*. *Soufrer une vigne.*

soufreur, euse n. TECH **1.** n. Celui, celle qui soufre les végétaux. **2.** n. f. Appareil utilisé pour soufrer les végétaux.

soufrière n. f. Lieu d'où l'on retire du soufre.

Soufrière (la), volcan actif de la Guadeloupe (Basse-Terre) ; 1 467 m.

souhait [swɛ] n. m. **1.** Désir d'obtenir qqch qu'on n'a pas. *Quels sont vos souhaits pour l'avenir ?* ▷ Loc. fam. *À vos souhaits !* (à qqn qui éternue). **2.** Vœu que l'on formule à l'adresse de qqn. *Souhaits de bonne année.* **3.** Loc. adv. *À souhait :* aussi bien que l'on peut souhaiter ; parfaitement.

souhaitable adj. Qui est à souhaiter.

souhaiter v. tr. [1] Désirer, former un, des souhaits pour. *Je souhaite votre succès. Souhaiter l'anniversaire de qqn.* – Fam., plaisant *Je vous en souhaite :* je prévois des désagréments que vous ne soupçonnez pas.

Souillac, ch.-l. de cant. du Lot (arr. de Gourdon), près de la Dordogne ; 4 253 hab. Industr. alim. – Égl. abbatiale Ste-Marie (XIIe s.).

souillard n. m. TECH Trou percé dans une pierre, dans un mur, et qui assure l'écoulement des eaux ménagères ou pluviales.

souillarde n. f. Rég. Arrière-cuisine.

souille n. f. **1.** VEN Bourbier où se vautre le sanglier. **2.** MAR Enfoncement que forme dans la vase ou le sable un navire échoué.

souiller v. tr. [1] **1.** Litt. Salir. *Souiller ses habits.* – *Spécial.* et cour. Salir d'excréments. *Souiller son lit.* ▷ v. pron. *Se souiller les mains.* **2.** Fig., litt. *Souiller le nom, la réputation de qqn.*

souillon n. f. Vx Servante malpropre. ▷ *Par ext.* Femme peu soigneuse.

souillure n. f. **1.** Rare Tache, saleté. **2.** Fig. Flétrissure morale.

souk n. m. **1.** Marché, dans les pays arabes. **2.** Fig., fam. Grand désordre. *Qu'est-ce que c'est que ce souk ?*

Souk-Ahras *(Sūq Ahras)* (anc. *Tagaste*), v. d'Algérie, au S.-E. d'Annaba, proche de la Tunisie ; ch.-l. de la wil. du m. nom. 87 280 hab. Vigne. – Égl. St-Augustin ; dans la crypte, musée.

Soukhot, dans la religion juive, fête des Tabernacles ou des Cabanes, qui commémore le séjour des Hébreux dans le désert.

Soukhoumi, v. de Géorgie, sur la mer Noire ; cap. de la rép. auton. d'Abkhazie ; 126 000 hab. Port. Industr. alimentaires. Stat. balnéaire.

soûl, soûle ou, vieilli, **saoul, saoule** [su ; sul] adj. **1.** Vx Pleinement repu. ▷ Mod. Loc. adv. *Tout son (mon, ton, notre, votre, leur) soûl :* autant qu'il suffit, autant qu'on veut. **2.** Ivre. ▷ Fig. *Soûl de :* grisé par. *Soûl de paroles.*

Soulac-sur-Mer, com. de la Gironde (arr. de Lesparre-Médoc) ; 2 590 hab. Stat. balnéaire.

soulagement n. m. **1.** Fait de soulager ; chose, fait qui soulage. *Son départ a été pour moi un soulagement.* **2.** État d'une personne soulagée. *Soupir de soulagement.*

soulager v. [13] **I.** v. tr. **1.** Débarrasser (qqn) d'une partie d'un fardeau, d'une charge. *Soulager une bête de somme.* – Plaisant *Soulager qqn de son argent*, le lui voler. ▷ (Objet n. de chose.) *Soulager une poutre.* **2.** Débarrasser (qqn) d'une partie de ce qui pèse sur lui, de ce qui lui pèse (souffrance, angoisse, misère, etc.). *Soulager un malade.* **3.** Rendre (qqch) moins pénible à supporter. *Cette piqûre doit soulager ses douleurs.* **II.** v. pron. Fam. Satisfaire un besoin naturel, notam. uriner.

Soulages (Pierre) (Rodez, 1919), peintre français ; abstrait depuis 1946. Il élabora un style gestuel lié à de subtils effets de clair-obscur construits sur le jeu de larges bandes.

soûlant, ante adj. Fam. Fatigant, assommant.

soûlard, arde, soûlaud, aude ou **soûlot, ote** n. Fam. Ivrogne, ivrognesse.

Soule (pays de), anc. vicomté du Pays basque, autour de Mauléon.

soûler ou, vieilli, **saouler** [sule] v. tr. [1] **1.** Fam. Enivrer. ▷ v. pron. *Il se soûle pour oublier sa peine.* **2.** Fig. Griser. ▷ v. pron. *Se soûler de mots.* **3.** Fam. Ennuyer, fatiguer. *Tu nous soûles !*

soûlerie n. f. Fam. Partie de débauche où l'on s'enivre, beuverie.

soulèvement n. m. **1.** (Choses) Fait de se soulever, d'être soulevé. *Soulèvement de terrain*, qui produit un plissement. **2.** Fig. Vaste mouvement de révolte.

soulever v. tr. [16] **I.** (Concret) **1.** Lever à une faible hauteur. *Soulever un meuble pour le déplacer.* **2.** Relever (une chose qui en couvre une autre). *Soulever un voile.* **3.** Mettre en mouvement, faire s'élever. ▷ v. pron. *La poussière se soulevait sous l'effet du vent.* ▷ Loc. fig. *Soulever le cœur de, à qqn*, susciter son dégoût. *Ce spectacle me soulève le cœur.* **4.** Pop. Voler, dérober. *Il s'est fait soulever* *sa montre.* **II.** (Abstrait) **1.** Exciter, provoquer (un sentiment, une réaction). *Ces propos soulèvent l'indignation. Soulever un tonnerre d'applaudissements.* **2.** *Spécial.* Provoquer la colère, l'indignation de (qqn). *Ces mesures avaient soulevé l'opinion contre lui.* ▷ Pousser à la révolte. *Soulever les travailleurs.* ▷ v. pron. Se dresser dans un mouvement de révolte. *Trois provinces se sont déjà soulevées.* **3.** *Soulever une question, un problème,* les évoquer afin qu'ils soient débattus, discutés.

soulier n. m. Chaussure solide, à semelle rigide, couvrant le pied et, éventuellement, la cheville. *De gros souliers de marche.* ▷ (Avec un qualificatif ou un comp.) Chaussure légère. *Des souliers vernis. Des souliers de daim.* ▷ Loc. fig., fam. *Être dans ses petits souliers :* se sentir mal à l'aise, dans une situation embarrassante.

soulignage ou **soulignement** n. m. Action de souligner; trait dont on souligne.

souligner v. tr. [1] **1.** Tirer une ligne, un trait, sous (un ou plusieurs mots sur lesquels on veut attirer l'attention). *Vous soulignerez tous les verbes en rouge.* – Pp. adj. *Une phrase soulignée.* **2.** Faire ressortir, mettre en valeur. *Modèle de robe qui souligne la taille.* ▷ Faire remarquer en insistant. *Souligner l'importance d'une démarche.*

soûlographie n. f. Fam. Ivrognerie.

soûlot, ote. V. soûlard, arde.

Soulou. V. Sulu.

Soulouque (Faustin) (Petit-Goâve, 1782 – id., 1867), esclave haïtien révolté devenu président de la Rép. en 1847, puis empereur (1849-1859) sous le nom de Faustin Ier. Une révolution le renversa.

Soult (Nicolas Jean de Dieu) (Saint-Amans-la-Bastide, auj. Saint-Amans-Soult, 1769 – id., 1851), maréchal de France (1804). Général dès 1794, il combattit en Suisse et en Italie avec Masséna. Il contribua à la victoire d'Austerlitz. Duc de Dalmatie en 1807, il lutta contre les Anglais en Espagne (1808-1811 et 1814). Ministre de la Guerre (1814-1815) sous Louis XVIII, rallié à Napoléon durant les Cent-Jours, il fut banni (1816), puis rappelé (1819) et fait pair (1827). Il fut ministre de la Guerre (1830-1832) et président du Conseil sous Louis-Philippe (1832-1834, 1839-1840, 1840-1847).

soulte n. f. DR Somme versée pour compenser les inégalités de valeur entre des biens qui sont l'objet d'un échange ou d'un partage.

Soumarokov (Alexandre Petrovitch) (Saint-Pétersbourg, 1717 – id., 1777), écrivain russe. Il introduisit le classicisme en Russie avec des tragédies (*Khorev,* 1747; *Hamlet,* 1748) et des comédies (*le Tuteur,* 1765), et écrivit des *Satires* et des *Fables* en faveur d'une plus grande justice sociale.

le maréchal **Soult**

Wole **Soyinka**

soumettre v. [60] **I.** v. tr. **1.** Mettre dans un état de dépendance, ramener à l'obéissance. *Soumettre des rebelles.* **2.** Assujettir à une loi, un règlement, astreindre à une obligation. *Soumettre les revenus à l'impôt. Fonctionnaire soumis à l'obligation de réserve.* **3.** Exposer (qqn, qqch) à une action, à un effet; faire subir (qqch à qqn). *Le médecin l'a soumis à un régime sévère.* **4.** Proposer (qqch) à l'examen, au jugement de. *Le problème a été soumis à la commission.* **II.** v. pron. **1.** Revenir à l'obéissance; se rendre. *Les mutinés se sont soumis.* **2.** Accepter un fait, une décision; consentir.

Soumgaït, v. d'Azerbaïdjan; 228 000 hab. – En mars 1988, de graves incidents y ont opposé des Arméniens chrétiens et des Azerbaïdjanais musulmans (plus. centaines de morts).

soumis, ise adj. Qui fait preuve de soumission; docile, obéissant. *Un enfant soumis.* – Par ext. *Attitude soumise.* ▷ Loc. Vieilli *Fille soumise :* prostituée soumise aux contrôles sanitaires et de police.

soumission n. f. **I. 1.** Disposition à obéir, à se soumettre. **2.** Fait de se soumettre, d'être soumis. *La soumission d'une décision à l'approbation d'une assemblée.* **3.** Action de se rendre, de se soumettre après avoir combattu. **II.** DR Acte écrit par lequel un entrepreneur se propose, aux conditions qu'il indique, pour conclure un marché par adjudication.

soumissionnaire n. DR Personne qui fait une soumission.

soumissionner v. tr. [1] DR Briguer par soumission.

Soummam (la), fl. côtier d'Algérie, qui se jette dans la Méditerranée à Bejaia, à l'E. d'Alger. – Dans la *vallée de la Soummam* s'est tenu en 1956 un congrès qui organisa politiquement, idéologiquement et militairement le F.L.N.

Soungari. V. Songhuajiang.

Sounion ou **Colonne** (cap), pointe située au S.-E. de l'Attique, dominant la mer Égée. – Ruines bien conservées d'un temple monumental de Poséidon.

soupape n. f. **1.** Obturateur mobile destiné à empêcher ou à régler la circulation d'un fluide, qui s'ouvre sous l'effet d'une pression déterminée et reste fermé quand cette pression est insuffisante. *Soupape d'admission, soupape d'échappement* (dans un moteur à explosion). ▷ *Soupape de sûreté d'une machine à vapeur,* disposée sur la chaudière pour empêcher l'explosion. – Fig. Exutoire. **2.** ELECTR Dispositif qui, dans un circuit, ne laisse passer le courant que dans un sens.

cap **Sounion :** temple de Poséidon, Ve s. av. J.-C.

Soupault (Philippe) (Chaville, 1897 – Paris, 1990), écrivain français. D'abord membre du mouvement Dada, il participa ensuite à la formation du groupe surréaliste (*les Champs magnétiques,* en collab. avec A. Breton, 1920), puis s'adonna au journalisme tout en écrivant des poèmes, des romans et des essais.

soupçon n. m. **1.** Opinion fondée sur certaines apparences et par laquelle on attribue à qqn des actes ou des intentions blâmables. *Avoir des soupçons. Éveiller, dissiper les soupçons. Être au-dessus de tout soupçon.* **2.** Litt. Conjecture; idée, opinion. *J'ai le soupçon qu'il arrivera le premier.* **3.** Très petite quantité (qui laisse juste l'apparence d'une chose). *Ajoutez un soupçon de cannelle.*

soupçonnable adj. Rare Qui peut être soupçonné.

soupçonner v. tr. [1] **1.** Avoir des soupçons sur (qqn). *On l'a soupçonné de meurtre.* **2.** Pressentir (qqch) d'après certaines apparences. *Cela fait soupçonner l'escroquerie.*

soupçonneux, euse adj. Enclin aux soupçons. *Un policier soupçonneux.* – Par ext. *Un air soupçonneux.*

soupe n. f. **1.** Vx Tranche de pain sur laquelle on versait du bouillon. *Tremper la soupe.* ▷ Mod. *Être trempé comme une soupe,* complètement mouillé. **2.** Potage fait de bouillon, de légumes, etc., épaissi par du pain ou des pâtes. ▷ Loc. fig., fam. *Un gros plein de soupe :* un homme très gros. – *Marchand de soupe :* V. marchand. ▷ Loc. fig. *Monter comme une soupe au lait, être soupe au lait :* se mettre facilement en colère. **3.** Plat plus ou moins liquide qui constituait le repas du soldat. – Ce repas. *Corvée de soupe.* – Fam. *À la soupe! :* à table! ▷ Fig. *Aller à la soupe,* là où l'on obtiendra toutes sortes d'avantages. ▷ *Soupe populaire :* repas gratuit servi aux indigents; lieu où l'on sert ces repas; institution qui les distribue. **4.** Didac. *Soupe primitive :* milieu liquide qui aurait permis l'apparition de la vie sur la Terre.

soupente n. f. Réduit pratiqué dans la hauteur d'une pièce ou sous un escalier.

1. souper n. m. **1.** Vieilli ou rég. Repas du soir. **2.** Repas qu'on prend à une heure avancée de la nuit, après le spectacle.

2. souper v. intr. [1] **1.** Vx ou rég. Prendre le repas du soir, dîner. **2.** Faire un souper (1, sens 2). **3.** Fig., fam. *En avoir soupé d'une chose,* en être excédé.

soupeser v. tr. [16] **1.** Soulever et tenir dans la main pour juger approximativement du poids. **2.** Fig. Peser, évaluer. *Soupeser un argument.*

Souphanouvong (prince) (Luang Prabang, 1912 – Vientiane, 1995), homme politique laotien; demi-frère de Souvanna Phouma. Après avoir milité dès 1945 pour l'indépendance, il fonda le Pathet Lao (1950), mouvement procommuniste en lutte armée contre le gouvernement et ses alliés. Il fit partie de deux éphémères gouvernements d'unité nationale (1958, 1962). La victoire du Pathet Lao fit de lui en 1975 le président de la république démocratique et populaire du Laos. Il se retira en 1986.

soupière n. f. Récipient large et profond dans lequel on sert la soupe, le potage; son contenu.

soupir n. m. **1.** Expiration ou respiration plus ou moins forte qui accompagne certains états émotionnels. *Pous-*

ser un soupir de soulagement. Soupir de découragement. ▷ Litt., vieilli Soupir amoureux. *L'objet de ses soupirs* : la personne dont il est amoureux. **2.** Loc. *Rendre le dernier soupir* : mourir. **3.** MUS Silence d'une durée égale à celle d'une noire; signe qui l'indique.

soupirail, aux n. m. Ouverture pratiquée à la partie inférieure d'un édifice pour donner de l'air ou du jour à une cave, à une pièce en sous-sol.

soupirant n. m. Plaisant ou vieilli Amoureux.

soupirer v. [1] **I.** v. intr. **1.** Pousser des soupirs. *Soupirer et se plaindre.* – *Soupirer d'aise.* **2.** Litt., vieilli *Soupirer* (d'amour) *pour qqn,* (d'envie) *après qqch. Soupirer après les honneurs,* aspirer à les obtenir. **II.** v. tr. Dire en soupirant.

souple adj. **I.** (Choses) **1.** Qui se courbe ou se plie aisément, sans se rompre ni se détériorer. *Un plastique souple.* Ant. rigide. **2.** (Membres, articulations, corps.) Qui peut se mouvoir, jouer avec aisance, facilement. *Avoir le poignet très souple.* ▷ Loc. fig. *Avoir l'échine souple* : être trop docile, se soumettre trop facilement. **II.** (Personnes) **1.** Dont le corps est souple. **2.** (Abstrait) Qui est capable de s'adapter à des situations très diverses. *Un esprit souple.*

souplement adv. Avec souplesse.

souplesse n. f. **1.** Caractère de ce qui est souple. *La souplesse d'un cuir.* **2.** Qualité d'une personne dont le corps est souple. **3.** Capacité d'adaptation. *Souplesse intellectuelle.* **4.** Docilité, complaisance. *Il s'est montré d'une souplesse coupable.* **5.** Loc. adv. *En souplesse* : sans effort, avec aisance, facilité.

souquer v. [1] MAR **1.** v. tr. Serrer très fort (un nœud, un amarrage). ▷ v. pron. *Nœud qui se souque.* **2.** v. intr. Tirer fort sur les avirons.

Sour, port du Liban; env. 18 000 hab. (V. Tyr).

sourate ou **surate** n. f. RELIG Chapitre du Coran.

source n. f. **1.** Eau qui jaillit du sol. – Point d'émergence d'une eau souterraine à la surface du sol. *Source thermale.* – Spécial. *Source d'un fleuve,* qui donne naissance à un fleuve. *La Loire prend sa source près du mont Gerbier-de-Jonc.* ▷ Loc. fig. *Cela coule de source* : cela se déduit aisément de ce qui précède. **2.** Fig. Point de départ (d'une chose). *La source d'un malentendu.* **3.** Origine (d'une information). *On apprend de source sûre,* par des personnes bien informées. *Puiser aux sources* : consulter les documents originaux. ▷ Œuvre antérieure qui a fourni à un écrivain un thème, une idée, etc. **4.** PHYS et cour. Système, objet, etc., générateur d'ondes lumineuses électriques, sonores, etc.; lieu de provenance de ces ondes. **5.** LING *Langue source* : langue que l'on veut traduire, dans une opération de traduction (par oppos. à *langue cible*).

sourcier, ère n. Personne à qui l'on attribue le talent de découvrir des sources (à l'aide d'un pendule, d'une baguette). V. radiesthésiste.

sourcil [suʀsi] n. m. Éminence arquée, garnie de poils, au-dessus de l'orbite de l'œil. *S'épiler les sourcils.* – *Froncer les sourcils,* en signe de mécontentement.

sourcilier, ère adj. ANAT Relatif aux sourcils. *Arcade sourcilière.*

sourciller v. intr. [1] (Seulement en tournure négative.) *Ne pas sourciller* : ne pas laisser paraître son trouble, son mécontentement. *Subir un affront sans sourciller.*

sourcilleux, euse adj. Litt. Sévère, pointilleux.

sourd, sourde adj. et n. **I. 1.** Qui n'entend pas les sons ou les perçoit mal. *Un vieillard un peu sourd.* Syn. malentendant. – Loc. *Sourd comme un pot* : complètement sourd. *Faire la sourde oreille* : feindre de ne pas entendre. ▷ Subst. *Un(e) sourd(e).* – Loc. *Crier, cogner comme un sourd,* de toutes ses forces. – Fig. *Dialogue de sourds,* dans lequel les interlocuteurs ne se comprennent absolument pas. **2.** Fig. *Sourd à...* : indifférent, insensible à. *Rester sourd aux supplications de qqn.* **II.** (Choses) **1.** Qui manque de sonorité. *Un bruit sourd. Une voix sourde.* ▷ PHON *Consonnes sourdes* ou, n. f., *les sourdes* (par oppos. à *sonores*), émises sans vibration des cordes vocales (en français : [p, k, t, f, s, ʃ]). **2.** Sans éclat, peu lumineux. *Des teintes sourdes.* ▷ *Lanterne sourde* : V. lanterne. **3.** Diffus, qui ne se manifeste pas nettement. *Douleur sourde.* – Fig. *Une lutte sourde,* cachée, secrète.

sourdement adv. **1.** Avec un bruit sourd. **2.** Fig. D'une manière sourde, cachée.

sourdine n. f. Appareil que l'on adapte à certains instruments de musique pour assourdir leur son. *Sourdine de violon, de cor.* – Par ext. *Jouer en sourdine,* en atténuant la sonorité, très doucement. ▷ Loc. fig. *Mettre une sourdine à* : manifester (un sentiment, une attitude, etc.) avec moins de véhémence. *Mettre une sourdine à ses revendications.*

sourdingue adj. et n. Fam., péjor. Sourd.

Sourdis (François d'Escoubleau, cardinal de) (Bordeaux, 1575 – id., 1628), prélat français; archevêque de Bordeaux (1599). Il célébra le mariage de Louis XIII et d'Anne d'Autriche. – **Henri** (?, 1593 – Auteuil, 1645), frère du préc.; prélat et homme de guerre français. Archevêque de Bordeaux à la mort de son frère, il participa au siège de La Rochelle (1628); il reprit les îles de Lérins aux Espagnols (1637).

sourd-muet, sourde-muette n. et adj. Personne atteinte à la fois de surdité et de mutité (surdi-mutité). *Des sourds-muets. Des sourdes-muettes.* ▷ adj. *Un enfant sourd-muet.*

sourdre v. intr. [6] Litt. (Ne s'emploie plus qu'à l'inf. et à la troisième pers. de l'indic. prés. et imparf.) Jaillir, sortir de terre, en parlant de l'eau. ▷ Fig. Naître, commencer à se développer. *Le désespoir qui sourdait en lui.*

Sourgout, v. de Russie en Sibérie occidentale; 203 000 hab. Port fluvial sur l'Ob. Centre pétrolier.

souriant, ante adj. Qui sourit, dont les traits sont gais. *Une personne souriante. Un visage souriant.*

souriceau n. m. Petit de la souris.

souricière n. f. **1.** Piège à souris. **2.** Fig. Piège tendu par la police (qui cerne un lieu où doit se rendre qqn).

1. sourire v. intr. [68] **1.** Prendre une expression rieuse par un léger mouvement de la bouche et des yeux. *Sourire à qqn,* lui adresser un sourire. ▷ Fig. *Sourire de qqch,* s'en amuser (avec mépris, avec dédain, etc.). *Cela fait sourire* : cela ne peut pas être pris au sérieux. **2.** (Choses) Être agréable (à qqn). *Cette idée ne lui sourit guère.* – Être favorable. *La chance avait cessé de lui sourire.*

2. sourire n. m. Action de sourire; expression d'un visage qui sourit. *Faire un sourire à qqn.* – Loc. *Garder le sourire* : rester souriant malgré une déception, un échec.

souris [suʀi] n. f. **1.** Petit mammifère rongeur, formant avec le rat la famille des muridés, et dont l'espèce la plus courante est *Mus musculus,* la souris domestique, au pelage gris plus ou moins sombre. ▷ *Souris blanche* : variété albinos de souris, élevée pour servir de sujet à des expériences médicales et biologiques. ▷ Loc. fig. *La montagne a accouché d'une souris* : un projet ambitieux annoncé à grand bruit a abouti à un résultat insignifiant. – *On le ferait entrer dans un trou de souris,* se dit d'une personne peureuse ou très timide. **2.** *Gris souris* : variété de gris. **3.** Fam. Jeune fille, jeune femme. *Il est venu avec une souris.* **4.** En boucherie, muscle charnu à l'extrémité de l'os du gigot. **5.** INFORM Petit dispositif électronique de commande, manuel et mobile, permettant de repérer et de pointer sur l'écran un point d'image que l'on souhaite traiter.

souris grise

sournois, oise adj. (et n.) Qui dissimule ses véritables sentiments ou intentions, le plus souvent par malveillance. – Par ext. *Manœuvre sournoise.* ▷ Subst. *Méfiez-vous de lui, c'est un sournois.*

sournoisement adv. De façon sournoise; fam. par en dessous. *Agir sournoisement.*

sournoiserie n. f. **1.** Caractère d'une personne sournoise. **2.** Action faite sournoisement.

sous-. Préfixe à valeur de préposition *(sous-main)* ou d'adverbe *(sous-jacent),* marquant la position *(sous-sol),* la subordination *(sous-préfet),* la subdivision *(sous-classe),* la médiocre qualité *(sous-littérature),* l'insuffisance *(sous-alimenté).* V. aussi hypo-, infra-, sub-.

sous prép. **I.** Marque une position inférieure, par rapport à ce qui est au-dessus ou à ce qui enveloppe, avec ou sans contact. **1.** (Le complément désignant la chose qui est en contact avec celle qui est au-dessous d'elle.) *Sous une couche de peinture.* ▷ *Sous l'eau, sous la mer, sous la terre* : sous la surface de l'eau, de la mer, du sol. *Abri construit à plusieurs mètres sous terre.* **2.** (Le complément désignant ce qui enveloppe.) *Mettre une lettre sous pli.* ▷ Fig. Derrière (telle apparence); en adoptant (un autre nom, un autre visage, une autre identité). *Il écrit ce livre sous tel nom.* – *Sous prétexte* de, sous couleur* de.* **3.** (Le complément désignant ce qui est en haut, ce qui surplombe, sans contact avec ce qui est en dessous.) *Passer sous les fenêtres de qqn. Dormir sous la tente.* **4.** Devant; exposé à. *Cela s'est passé sous mes yeux. Sous le feu, sous la mitraille.* **II.** Fig. **1.** (Marquant un rapport de dépendance, de subordination.) *Travailler sous la direction de qqn. Avoir des hommes* *sous ses ordres. Être sous le coup d'une inculpation.* – *Sous contrôle judiciaire.* ▷ Sous l'action, sous l'influence de. *Malade sous antibiotiques.* **2.** (Valeur temporelle.) Pendant le règne de, à l'époque de. *Sous Louis XIII.* ▷ Avant tel délai. *Sous huitaine. Sous peu.* **3.** (Valeur causale.) Par l'effet, du fait de. *Branche qui ploie sous le poids des fruits. S'effondrer sous le choc.* **4.** (Introduisant un compl. de manière.) *Voir les choses sous tel angle, sous tel aspect.*

Sous (oued), fl. du Maroc méridional (180 km); naît près du djebel Toubkal; se jette dans l'Atlantique. Il permet l'irrigation de la *plaine du Sous.*

sous-administration n. f. Administration insuffisante.

sous-alimentation n. f. Insuffisance alimentaire, susceptible à long terme de nuire gravement à la santé de l'homme. *Des sous-alimentations.*

sous-alimenté, ée adj. Insuffisamment nourri; victime de la sous-alimentation. *Des enfants sous-alimentés.*

sous-arbrisseau n. m. BOT Plante de petite taille (moins de 1 m de haut) à base ligneuse et à rameaux herbacés. *Des sous-arbrisseaux.*

sous-bas n. m. inv. Socquette basse protégeant le bas.

sous-bois n. m. inv. **1.** Végétation qui pousse sous les arbres d'un bois; partie du bois où elle pousse. **2.** BX-A Tableau représentant un bois.

sous-brigadier n. m. Gardien de la paix d'un grade inférieur à celui de brigadier. *Des sous-brigadiers.*

sous-capitalisation n. f. ECON Insuffisance en capital, manque d'assise financière. *Des sous-capitalisations.*

sous-capitalisé, ée adj. ECON Dont le capital est insuffisant. *Un secteur industriel dispersé et sous-capitalisé.*

sous-chef n. m. Personne qui seconde le chef. *Des sous-chefs.*

sous-chemise n. f. Enveloppe légère servant à trier les documents contenus dans une chemise. *Des sous-chemises.*

sous-classe n. f. BIOL Division de la classe. *Des sous-classes.*

sous-clavier, ère adj. et n. f. ANAT Situé sous la clavicule. *L'artère sous-clavière* ou, n. f., *la sous-clavière.*

sous-comité n. m. Subdivision d'un comité. *Des sous-comités.*

sous-commission n. f. Commission formée parmi les membres d'une commission. *Des sous-commissions.*

sous-consommation n. f. ECON Consommation inférieure à la normale, à la moyenne. ▷ *Spécial.* Consommation insuffisante par rapport à la production. *Des sous-consommations.*

sous-continent n. m. GEOGR Vaste partie, délimitée, d'un continent. *Le sous-continent indien. Des sous-continents.*

sous-couche n. f. Première couche de peinture. *Des sous-couches.*

souscripteur, trice n. **1.** DR Personne qui souscrit (un effet de commerce). **2.** Personne qui prend part à une souscription (pour une édition, un emprunt, etc.).

souscription n. f. **1.** Rare DR Apposition de signature (au bas d'un acte). **2.** Action de souscrire; la somme souscrite. *Ouvrir, clore une souscription. Souscription de tel montant.* – *Droit de souscription* : droit pour un actionnaire de souscrire en priorité à des actions lors d'une augmentation de capital.

souscrire v. [67] **I.** v. tr. DR Signer (un acte) pour l'approuver. *Souscrire un contrat.* ▷ Signer (un engagement à payer). *Souscrire des traites.* **II.** v. tr. indir. *Souscrire à.* **1.** Donner, ou s'engager à donner, une somme pour une dépense commune. *Souscrire à l'édification d'une stèle.* ▷ *Souscrire à une publication,* s'engager (en général sur acompte) à l'acquérir à sa parution. – *Souscrire à un emprunt,* en acquérir des titres au moment de son émission. **2.** Fig. Adhérer, consentir à. *Souscrire à un propos, une décision.*

sous-culture n. f. Culture d'un groupe social déterminé, le plus souvent jugée inférieure. *Des sous-cultures.*

sous-cutané, ée adj. ANAT, MED Situé ou pratiqué sous la peau. *Des injections sous-cutanées.*

sous-développé, ée adj. Se dit d'un pays dont l'économie est insuffisamment développée relativement aux besoins de sa population. (On tend auj. à préférer l'expr. *en voie de développement.*) – Par ext. *Les économies sous-développées.*

sous-développement n. m. État d'un pays sous-développé. *Des sous-développements.*

sous-directeur, trice n. Directeur, directrice en second. *Des sous-directeurs.*

sous-dominante n. f. MUS Quatrième degré de la gamme diatonique (*fa* dans la gamme de *do*). *Des sous-dominantes.*

sous-effectif n. f. Effectif insuffisant. *Des sous-effectifs.*

sous-embranchement n. m. BIOL Division de l'embranchement. *Des sous-embranchements.*

sous-emploi n. m. ECON Emploi d'une partie seulement des travailleurs disponibles. Ant. plein-emploi.

sous-employer v. tr. [23] ECON Employer une partie seulement des capacités de travail (en personnel, en matériel, etc.).

sous-ensemble n. m. MATH Ensemble contenu dans un autre ensemble. *Des sous-ensembles.*

sous-entendre v. tr. [6] Faire comprendre (une chose) sans la dire expressément. *Qu'est-ce que vous sous-entendez quand vous dites cela ?* – Pp. adj. *Un mot sous-entendu.*

sous-entendu n. m. Action de sous-entendre; ce qui est sous-entendu. *Des assertions pleines de sous-entendus.*

sous-entrepreneur n. m. ECON Entrepreneur sous-traitant. *Des sous-entrepreneurs.*

sous-épidermique adj. ANAT, MED Situé sous l'épiderme. *Des kystes sous-épidermiques.*

sous-équipé, ée adj. ECON Dont l'équipement industriel est insuffisant. *Des pays sous-équipés.*

sous-équipement n. m. Fait d'être sous-équipé. *Des sous-équipements.*

sous-espèce n. f. BIOL Division de l'espèce, nommée aussi *race* ou *variété. Des sous-espèces.*

sous-estimation n. f. Action de sous-estimer. *Des sous-estimations.*

sous-estimer v. tr. [1] Estimer au-dessous de sa valeur, de son importance. *Sous-estimer ses adversaires.*

sous-évaluation n. f. Action de sous-évaluer. *Des sous-évaluations.*

sous-évaluer v. tr. [1] Évaluer au-dessous de sa valeur marchande.

sous-exploitation n. f. Action de sous-exploiter; son résultat.

sous-exploiter v. tr. [1] Exploiter insuffisamment. – Pp. adj. *Une source d'énergie sous-exploitée.*

sous-exposer v. tr. [1] PHOTO Soumettre (une pellicule, un film) à un temps de pose insuffisant. – Pp. adj. *Des photographies sous-exposées.*

sous-exposition n. f. PHOTO Action de sous-exposer; son résultat. *Des sous-expositions.*

sous-famille n. f. BIOL Division de la famille. *Des sous-familles.*

sous-fifre n. m. Fam. Personne qui occupe une situation très subalterne. *Des sous-fifres.*

sous-gouverneur n. m. Gouverneur en second (partic., d'une banque). *Le sous-gouverneur de la Banque de France. Des sous-gouverneurs.*

sous-groupe n. m. **1.** Subdivision d'un groupe. **2.** MATH Partie stable d'un groupe, qui est elle-même un groupe pour la loi induite. *Des sous-groupes.*

sous-homme n. m. Péjor. Homme inférieur, selon certaines théories racistes. ▷ Homme diminué dans sa dignité d'être humain. *Des sous-hommes.*

sous-ingénieur n. m. Technicien supérieur secondant un ingénieur. *Des sous-ingénieurs.*

sous-intendant, ante n. Intendant(e) en second. *Des sous-intendants.*

sous-jacent, ente adj. Situé au-dessous. *Couche sous-jacente.* ▷ Fig. Qui n'est pas clairement manifesté; caché, latent. *Motivations sous-jacentes.*

Sous-le-Vent (îles), nom porté par les îles des Petites Antilles situées au N. du Venezuela. Certaines appartiennent aux Pays-Bas (Aruba, Curaçao, Bonaire), les autres au Venezuela (Nueva Esparta).

Sous-le-Vent (îles). V. Société (îles de la).

sous-lieutenant n. m. Officier du grade le moins élevé dans les armées de terre et de l'air. *Des sous-lieutenants.*

sous-locataire n. Locataire en sous-location. *Des sous-locataires.*

sous-location n. f. Action de sous-louer. *Conditions incluses dans la sous-location. Des sous-locations.*

sous-louer v. tr. [1] **1.** Donner à loyer (tout ou partie d'une maison, d'une terre, etc., dont on est soi-même locataire). **2.** Prendre à loyer, occuper en sous-locataire (une maison, une terre, etc.) du locataire principal.

sous-main n. m. inv. Support plan (en cuir, en carton, etc.) posé sur un bureau et sur lequel on place le papier où l'on écrit. ▷ Loc. adv. *En sous-main* : en secret, clandestinement. *Recevoir de l'argent en sous-main.*

sous-maître, -maîtresse n. **1.** n. m. MILIT Sous-officier du Cadre* noir. *Des sous-maîtres.* **2.** n. f. Surveillante de maison close (avant leur suppression, en 1946). *Des sous-maîtresses.*

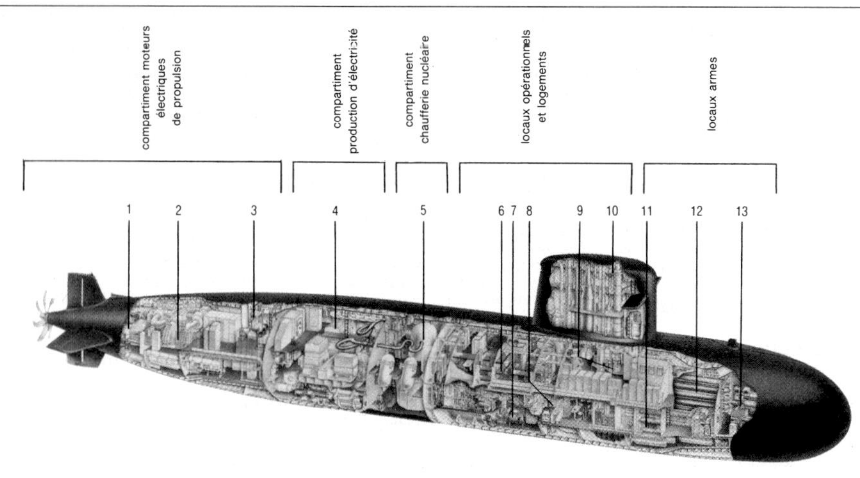

déplacement en surface : 2 400 tonnes
longueur : 73,6 m
diamètre : 7,6 m
vitesse : supérieure à 25 nœuds
immersion : supérieure à 300 m
effectif : 66 hommes
tubes lance-armes : 4
capacité d'emport : 14 armes
autonomie en vivres : 60 jours

1. moteur électrique de secours
2. moteur électrique principal
3. poste de conduite de la propulsion
4. turbo-alternateurs
5. générateur de vapeur
6. logement officiers
7. compartiment d'auxiliaires
8. cuisine
9. poste central navigation opérations
10. périscope
11. logements équipage
12. stockage des armes
13. tubes lance-armes

sous-marin nucléaire d'attaque type « Rubis » : version « Améthyste »

sous-marin, ine adj. et n. m. **I.** adj. **1.** Qui est dans ou sous la mer. *Relief sous-marin.* **2.** Qui a lieu, qui est utilisé sous la surface de la mer. *Navigation sous-marine. Fusil sous-marin.* **II.** n. m. Navire capable de naviguer en plongée. *Sous-marin à propulsion nucléaire. Des sous-marins.* ▷ Fig., fam. Personne qui agit clandestinement.

ENCYCL Le sous-marin, navire de guerre, possède : une coque intérieure épaisse conçue pour résister à la pression de l'immersion; une coque extérieure mince, qui assure l'hydrodynamisme. Des ballasts sont situés entre les deux coques; leur manœuvre (introduction ou chasse de l'eau de mer) permet de faire plonger ou remonter le sous-marin. En plus du radar, sur mât qu'on hisse, utilisé à l'immersion périscopique*, et du sonar, le sous-marin dispose de nombr. moyens de détection (les périscopes de veille et d'attaque, les détecteurs de radar) qui le protègent contre les radars aéroportés, et surtout les microphones.

sous-marinier n. m. Membre de l'équipage d'un sous-marin. *Des sous-mariniers.*

sous-marque n. f. Produit d'un certain type fabriqué par une entreprise qui dépend d'une autre appartenant au même secteur écon., mais plus importante ou plus connue. *Des sous-marques.*

sous-maxillaire adj. ANAT Qui est situé sous la mâchoire. *Glande sous-maxillaire :* une des glandes salivaires.

sous-médicalisé, ée adj. Qui a un nombre insuffisant de médecins, d'hôpitaux.

sous-multiple n. m. MATH Quantité qui est contenue un nombre entier de fois dans une autre. *7 et 2 sont des sous-multiples de 14.* ▷ adj. *Nombres, grandeurs sous-multiples.*

sous-nappe n. f. Molleton, tissu protecteur qu'on met sur une table, sous la nappe. *Des sous-nappes.*

sous-occipital, ale, aux adj. ANAT, MED Situé ou pratiqué sous l'os occipital. *Ponction sous-occipitale.*

sous-œuvre n. m. **1.** Fondement d'une construction. *Des sous-œuvres.* **2.** Loc. adv. *En sous-œuvre,* se dit d'un travail qu'on fait sous un bâtiment (notam. pour reprendre ses fondations). ▷ Fig. *Reprendre un travail en sous-œuvre,* le reprendre à la base, pour le corriger ou le compléter.

sous-officier n. m. Militaire ayant un grade qui en fait un auxiliaire de l'officier. *Des sous-officiers.* (Abrév. fam. : un sous-off, des sous-offs).

sous-orbitaire adj. ANAT Situé sous l'orbite. *Des douleurs sous-orbitaires.*

sous-ordre n. m. **1.** DR Procédure par laquelle une somme adjugée à un créancier est distribuée à ses créanciers, opposants sur lui. *Créancier en sous-ordre :* créancier d'un créancier. **2.** Employé subalterne. *Ses sous-ordres ne l'apprécient guère.* ▷ Loc. adv. *En sous-ordre :* de façon subalterne. **3.** BIOL Division de l'ordre. *Des sous-ordres.*

sous-payer v. tr. [**21**] Payer au-dessous de la normale, payer trop peu. *Sous-payer des ouvriers.* – Pp. adj. *Travailleurs sous-payés.*

sous-peuplé, ée adj. Trop peu peuplé. *Des régions sous-peuplées.*

sous-peuplement n. m. Fait d'être trop peu peuplé, pour une région, un pays. *Des sous-peuplements.*

sous-pied n. m. Bande passant sous le pied pour garder tendus une guêtre, un pantalon. *Des sous-pieds.*

sous-préfecture n. f. **1.** Fonction de sous-préfet. **2.** Ville où réside un sous-préfet, chef-lieu d'arrondissement. **3.** Bâtiment où sont les bureaux du sous-préfet. *Des sous-préfectures.*

sous-préfet n. m. Grade du fonctionnaire subordonné au préfet. *Des sous-préfets.*

sous-préfète n. f. **1.** Femme d'un sous-préfet. **2.** Femme sous-préfet. *Des sous-préfètes.* (Si le sous-préfet est une femme, il est d'usage de l'appeler « madame le Sous-Préfet ».)

sous-production n. f. Production insuffisante. *Des sous-productions.*

sous-produit n. m. **1.** Produit secondaire obtenu lors de la fabrication d'un autre produit. *Les sous-produits de la distillation du pétrole.* ▷ Produit qui n'est pas l'objet principal d'une activité industrielle ou commerciale. *Les abats sont des sous-produits par rapport à la viande de boucherie.* **2.** Fig., péjor. Mauvaise imitation. ▷ Produit de qualité médiocre. *Des sous-produits.*

sous-programme n. m. INFORM Programme particulier intégré dans un programme plus vaste. *Des sous-programmes.*

sous-prolétaire adj. et n. SOCIOL Se dit d'une personne appartenant au sous-prolétariat. ▷ Subst. *Des sous-prolétaires.*

sous-prolétariat n. m. Partie la plus défavorisée du prolétariat. *Des sous-prolétariats.*

sous-pull n. m. Pull-over fin à col roulé, qui se porte sous un autre.

sous-race n. f. 1. ANTHROP Division secondaire d'une race. 2. Péjor. Race inférieure, dans les théories racistes. *Des sous-races.*

Sousse, port de Tunisie, sur le golfe d'Hammamet; 83 510 hab.; ch.-l. du gouvernorat du m. nom. Exportation de phosphates; constr. mécaniques (auto.). – Casbah, Grande Mosquée (IXe s.), ribat (forteresse islamique du VIIIe s., dégagée et restaurée au XXe s.). Important musée archéologique (mosaïques).

sous-secrétaire n. m. *Sous-secrétaire d'État* : membre d'un gouvernement adjoint à un secrétaire d'État ou à un ministre. *Des sous-secrétaires d'État.*

sous-secrétariat n. m. Fonction, administration d'un sous-secrétaire d'État. *Des sous-secrétariats d'État.*

sous-seing n. m. DR Acte sous seing privé. V. seing. *Des sous-seings.*

soussigné, ée adj. et n. Dont la signature est ci-dessous. *Je soussigné, Untel, déclare... Les personnes soussignées.* ▷ Subst. *Les soussignés.*

sous-sol n. m. 1. Ensemble des couches du sol situées au-dessous de la couche arable. *L'exploitation des richesses du sous-sol.* 2. Étage inférieur au niveau du sol; partie aménagée d'un bâtiment, située au-dessous du rez-de-chaussée. *Garage en sous-sol. Un sous-sol sans air et sans lumière. Des sous-sols.*

sous-station n. f. TECH Station secondaire dans un réseau de transport, de distribution d'électricité. *Des sous-stations.*

sous-tangente n. f. GEOM Projection, sur un axe, du segment de la tangente en un point d'une courbe compris entre ce point et l'intersection de la tangente avec l'axe considéré. *Des sous-tangentes.*

sous-tasse ou **soutasse** n. f. Syn. de *soucoupe. Des sous-tasses.*

Soustelle (Jacques) (Montpellier, 1912 – Neuilly-sur-Seine, 1990), homme politique et ethnologue français (travaux sur les Aztèques). Gaulliste de la première heure, il fut un adversaire de la politique algérienne du général de Gaulle. Acad. fr. (1983).

sous-tendre v. tr. [6] 1. GEOM Constituer la corde de (un arc). 2. Fig. Constituer les fondements, les bases de (un raisonnement).

sous-tension n. f. ELECTR Tension inférieure à la normale. *Des sous-tensions.*

sous-titrage n. m. 1. Action de sous-titrer. 2. Ensemble des sous-titres (sens 2). *Des sous-titrages.*

sous-titre n. m. 1. Second titre d'un livre ou d'une pièce de théâtre. (Par ex. : *Julie ou la Nouvelle Héloïse, le Misanthrope ou l'Atrabilaire amoureux.*) 2. Dans un film en version originale, traduction du dialogue, qui apparaît en surimpression au bas de l'image. *Des sous-titres.*

sous-titrer v. tr. [1] Mettre des sous-titres à (un film). – Pp. adj. *Version originale sous-titrée.*

soustractif, ive adj. MATH Relatif à la soustraction.

soustraction n. f. 1. Action de dérober qqch. *La soustraction d'un document.* 2. MATH Opération inverse de l'addition, notée –, dans laquelle deux quantités A et B étant données, on en cherche une troisième, C, telle que A soit la somme de B et de C.

soustraire v. tr. [58] 1. Dérober (qqch). *Soustraire des documents compromettants.* 2. Faire échapper (qqn) à. *Soustraire qqn à l'influence d'un mauvais milieu.* ▷ v. pron. *Se soustraire à une obligation.* 3. Retirer par soustraction.

sous-traitance n. f. 1. Travail, marché confié par l'entrepreneur principal à un sous-traitant. 2. Concession d'un marché à des sous-traitants. *Travaux donnés, effectués en sous-traitance. Des sous-traitances.*

sous-traitant, ante n. m. et adj. Celui qui exécute, pour le compte de l'entrepreneur principal et sous sa responsabilité, certaines tâches concédées à ce dernier. *Des sous-traitants.* ▷ adj. *Des sociétés sous-traitantes.*

sous-traiter v. [1] 1. v. intr. Prendre en charge des marchés conclus en sous-traitance. ▷ v. tr. Exécuter (un travail, un marché) à titre de sous-traitant. 2. v. tr. Concéder en partie ou en totalité (un marché, une affaire) à un sous-traitant.

sous-utiliser v. tr. [1] Utiliser de façon insuffisante. – Pp. adj. *Un équipement informatique sous-utilisé.*

sous-ventrière n. f. Courroie attachée aux deux limons d'une voiture et qui passe sous le ventre du cheval. *Des sous-ventrières.* ▷ Loc. fig., pop. *Manger à s'en faire péter la sous-ventrière* : manger beaucoup, avec excès.

sous-verre n. m. inv. Gravure, photographie placée entre une plaque de verre et un carton rigide; cet encadrement.

sous-vêtement n. m. Vêtement de dessous. *Des sous-vêtements.*

sous-virer v. intr. [1] AUTO Déraper par les roues avant dans un virage, l'axe du véhicule se déplaçant vers l'extérieur du virage (par oppos. à *survirer*).

soutache n. f. Tresse, galon qui servait autrefois d'ornement distinctif pour les uniformes et qui orne aujourd'hui certains vêtements.

soutacher v. tr. [1] Orner de soutaches.

soutane n. f. Longue robe noire boutonnée par-devant que portaient la plupart des prêtres catholiques séculiers jusque vers 1960, et qu'ils ne portent auj. que dans certaines circonstances. (L'obligation du port de la soutane a été abolie le 1er juillet 1962; les clercs sont astreints à porter un vêtement ecclésiastique correct choisi par leur conférence épiscopale.)

soutasse. V. sous-tasse.

soute n. f. Magasin situé dans le fond d'un navire. *Soute à charbon.* ▷ Par anal. *Les soutes d'un avion,* où l'on place la cargaison. *Soute à bagages.*

soutenable adj. (Surtout en emploi négatif.) 1. Qui peut être soutenu par des raisons valables. *Son idée n'est guère soutenable.* 2. Supportable. *Ce bruit n'est pas soutenable.*

soutenance n. f. Action de soutenir un mémoire, une thèse de doctorat. *Être prêt pour la soutenance.*

soutènement n. m. 1. Dispositif destiné à soutenir; contrefort, appui. *Mur de soutènement.* 2. DR *Soutènement d'un compte* : ensemble des moyens et des documents réunis pour prouver la sincérité de ce compte.

souteneur n. m. Proxénète.

soutenir v. tr. [36] 1. Tenir (qqch) par-dessous, pour supporter, pour servir d'appui. *Les colonnes qui soutiennent la voûte.* 2. Empêcher (qqn) de tomber. *Soutenir un malade.* 3. Empêcher (qqn) de défaillir; réconforter. *Cette bonne nourriture le soutient.* 4. Encourager, aider. *Je l'ai soutenu dans son épreuve.* ▷ Aider financièrement. ▷ *Spécial.* Appuyer, prendre parti pour. *Soutenir un candidat aux élections.* ▷ v. pron. (Récipr.) Se prêter mutuellement assistance. 5. Faire valoir, défendre (un point de vue) en s'appuyant sur des arguments fondés. *Soutenir une opinion.* – Spécial. *Soutenir une thèse (de doctorat),* la défendre devant le jury compétent, subir l'épreuve de la soutenance. ▷ *Soutenir que* : affirmer, prétendre que. *Je soutiens qu'il a tort.* 6. Maintenir, faire durer, empêcher la défaillance, le relâchement de (une chose abstraite). *Soutenir son effort. Soutenir le moral de qqn.* 7. Subir sans fléchir. *Soutenir un siège. Soutenir le regard de qqn,* le regarder en face sans se troubler, sans baisser les yeux.

soutenu, ue adj. 1. Qui ne se relâche pas, qui ne faiblit pas. *Effort, rythme soutenu.* 2. Accentué, prononcé. *Couleur soutenue.* 3. Élevé, noble, en parlant d'un discours. *Style soutenu. Langue soutenue,* très soignée, évitant toute familiarité.

souterrain, aine adj. et n. m. 1. adj. Qui est sous terre. *Conduit souterrain.* ▷ Fig. Caché, secret. *Menées souterraines.* 2. n. m. Galerie ou ensemble de galeries souterraines, naturelles ou creusées par l'homme.

souterrainement adv. Rare Par un chemin souterrain. ▷ Fig. En secret.

Southampton, v. et port de G.-B. (Hampshire), sur la Manche, au fond de la *rade de Southampton Water;* 194 400 hab. Grand port de voyageurs et de commerce. Industr. métallurgiques et mécaniques (aéronautiques, notam.).

Southend-on-Sea, v. de G.-B. (Essex), à l'embouchure de la Tamise; 153 700 hab. Stat. balnéaire proche de Londres.

Southey (Robert) (Bristol, 1774 – Greta Hall, Keswick, 1843), écrivain anglais; ami de Coleridge, poète et auteur de biographies : *Vie de Nelson* (1813); *Vie de Wesley* (1820).

South Glamorgan, comté du pays de Galles; 416 km²; 383 300 hab.; ch.-l. *Cardiff.*

South Shields, v. et port de G.-B. (Tyne and Wear), sur la rive sud de l'estuaire de la Tyne; 87 200 hab. Ville industrielle.

South Yorkshire, comté d'Angleterre; 1 560 km²; 1 248 500 hab.; ch.-l. *Barnsley.*

soutien n. m. 1. Ce qui soutient, supporte. *Ce pilier est le soutien de la voûte.* 2. Action de soutenir (financièrement, politiquement, moralement, etc.); aide, appui. *Vous pouvez compter sur notre soutien.* ▷ Loc. *Soutien de famille* : jeune homme, jeune fille qui se trouvent seuls à faire vivre leur famille. *Les jeunes gens qui sont soutiens de famille peuvent être dispensés du service militaire.*

soutien-gorge n. m. Sous-vêtement féminin servant à soutenir la poitrine. *Des soutiens-gorge. Soutien-gorge à balconnets. Soutien-gorge corbeille :* soutien-gorge pigeonnant à armature.

soutier n. m. Matelot qui travaille dans les soutes (spécial., anc., dans la soute à charbon, à bord d'un navire à vapeur).

Soutine (Chaïm) (Smilovitchi, gouv. de Minsk, 1893 - Paris, 1943), peintre français d'origine lituanienne. Ses œuvres expressionnistes sont violemment travaillées en pleine pâte : *le Bœuf écorché.*

Chaïm **Soutine :** *le Groom,* v. 1927 ; MNAM

soutirage n. m. Action de soutirer (sens 1).

soutirer v. tr. [1] **1.** Transvaser un liquide, un fluide d'un récipient dans un autre de manière à éliminer les dépôts. **2.** Fig. *Soutirer qqch à qqn,* l'obtenir par tromperie, en usant d'artifices. *Soutirer de l'argent à qqn.* Syn. extorquer.

soutra. V. sutra.

Souvanna Phouma (prince Tiao) (Luang Prabang, 1901 - Vientiane, 1984), homme politique laotien. Premier ministre de 1951 à 1954, de 1956 à 1958, en 1960 et de 1962 à 1975, il défendit le neutralisme, face au Pathet Lao procommuniste de Souphanouvong, son demi-frère, et face à Boun Oum, proaméricain et royaliste. Il dut signer avec le Pathet Lao un cessez-le-feu (1973) qui précéda l'entrée des communistes au gouvernement (1974). Après le renversement de la monarchie, en déc. 1975, il devint conseiller du gouvernement de la république du Laos.

souvenance n. f. Litt. Souvenir. *Avoir souvenance de (qqch), que...*

1. souvenir v. [36] **I.** v. intr. (Impers.) Litt. *Il me souvient que... :* il me revient à la mémoire que... **II.** v. pron. **1.** Avoir de nouveau à l'esprit (qqch appartenant au passé). *Se souvenir de son enfance. Se souvenir qu'on a un rendez-vous.* **2.** Garder à la mémoire (avec rancune ou avec reconnaissance). *Je m'en souviendrai!* **3.** (Employé avec l'impératif.) Ne pas oublier; ne pas perdre de vue. *Souvenez-vous de mon affaire.*

2. souvenir n. m. **1.** Mémoire. *Cela s'était effacé de son souvenir.* **2.** Fait de se souvenir. *Conserver, perdre le souvenir de qqch.* **3.** Image, idée, représentation que la mémoire conserve. *Souvenirs de collège. Évoquer de vieux souvenirs communs.* ▷ (Plur.) Livre de souvenirs. *Écrire ses souvenirs.* **4.** (Dans les formules de politesse.) *Mon meilleur, mon affectueux souvenir à vos parents.* **5.** *En souvenir de :* pour conserver le souvenir de. *J'ai gardé cela en souvenir de lui.* - Absol. *Il me l'a donné en souvenir.* **6.** (Objets concrets.) Ce qui rappelle la mémoire (de qqn, de qqch). *Cette photo est un souvenir de lui.* ▷ *Spécial.* Bibelot qu'on vend aux touristes comme souvenir. *Marchand de souvenirs.*

souvent adv. **1.** Fréquemment, plusieurs fois. *Je vais souvent le voir.* **2.** Loc. fam. *Plus souvent qu'à son tour :* plus fréquemment qu'il ne devrait le faire ou que cela ne devrait lui arriver. **3.** D'ordinaire, en général. - *Le plus souvent :* dans la plupart des cas.

1. souverain, aine adj. et n. **I.** adj. **1.** Suprême. *Le souverain bien.* **2.** De la plus grande efficacité. *Un remède souverain.* **3.** Qui possède l'autorité suprême. *Puissance souveraine.* - *Le souverain pontife :* le pape. ▷ DR *Cour souveraine,* qui juge en dernier ressort. **4.** Supérieur. *Beauté souveraine.* **II.** n. **1.** Monarque. **2.** Celui, celle qui possède l'autorité suprême. *En démocratie, le souverain, c'est le peuple.*

2. souverain n. m. Ancienne monnaie d'or anglaise.

souverainement adv. **1.** Suprêmement. *Elle est souverainement belle.* ▷ Extrêmement. *Il est souverainement ennuyeux.* **2.** DR De manière souveraine, sans appel. *Juger souverainement.*

souveraineté n. f. **1.** Autorité suprême. ▷ Fig. *La souveraineté de la raison.* **2.** Principe d'autorité suprême. ▷ Caractère d'un État souverain. *Souveraineté nationale.*

Souvigny, ch.-l. de cant. de l'Allier (arr. de Moulins); 2 053 hab. - Égl. romano-gothique (XIe, XIIe et XVe s.) avec crypte renfermant les tombeaux des premiers ducs de Bourbon.

Souvorov (Alexandre Vassilievitch, comte, puis prince) (Moscou, 1729 - Saint-Pétersbourg, 1800), feld-maréchal russe. Il se distingua dans la guerre contre la Pologne (1768-1772). Général, il remporta plusieurs victoires contre les Turcs (1773-1774, 1787-1789); en 1786, il fut nommé gouverneur de Crimée. Souvorov réprima en 1794 la révolte polonaise et obtint de Catherine II le grade de feld-maréchal. Chargé de libérer l'Italie de l'invasion française (1799), il dut battre en retraite après la victoire des Français à Zurich.

Souzdalie, anc. principauté russe (XIe-XIVe s.) ayant pour centres *Souzdal,* Rostov et Vladimir (haute Volga). Elle fut le berceau de l'État moscovite et un import. foyer artistique et culturel.

soviet [sɔvjɛt] n. m. HIST **1.** Conseil d'ouvriers ou de militaires, pendant les révolutions russes de 1905 et de 1917. **2.** Nom de deux assemblées élues en U.R.S.S. jusqu'en 1989 : le *Soviet de l'Union* (un député pour un certain nombre d'hab.) et le *Soviet des nationalités* (un certain nombre de députés par république fédérée, territoire ou district), dont la réunion formait le *Soviet suprême,* qui élisait un præsidium. - *Soviet suprême,* élu par le Congrès des députés du peuple depuis la réforme constitutionnelle après 1989, autodissous en août 1991.

soviétique adj. et n. **I.** adj. **1.** Relatif aux soviets de 1917. **2.** Relatif à l'État socialiste qui a succédé à l'empire des tsars. *Union des républiques socialistes soviétiques.* **II.** n. Habitant de l'U.R.S.S. *Un(e) Soviétique.*

soviétisation n. f. Action de soviétiser; résultat de cette action.

soviétiser v. tr. [1] Soumettre à l'influence politique de l'U.R.S.S.

Sovietsk. V. Tilsit.

sovkhoze n. m. HIST Grande ferme d'État, en U.R.S.S., dont les ouvriers étaient payés par l'État. V. aussi kolkhoze. *La suppression des sovkhozes a été décidée en janvier 1992.*

Soweto, v. d'Afrique du S., dans la banlieue de Johannesburg, exclusivement habitée par des Noirs; 2 000 000 d'hab. env. - La v. fut, en 1976, le théâtre de sanglantes émeutes.

soya. V. soja.

soyeux, euse adj. et n. m. **1.** adj. Doux et fin comme de la soie. *Cheveux soyeux.* **2.** n. m. Fabricant de soieries, à Lyon.

Soyinka (Wole) (Abeokuta, 1934), écrivain nigérian d'expression anglaise. Auteur dramatique (*le Lion et la Perle,* 1959; *la Danse dans la forêt,* 1960), romancier (*les Interprètes,* 1965; *Aké, les années d'enfance,* 1981) et poète (*Idanre,* 1967), il puise son inspiration aux sources de la culture yorouba et pose un regard lucide sur le Nigeria contemporain. Il a été le premier Africain à recevoir le prix Nobel de littérature, en 1986. ► illustr. page **1767**

Soyouz («Union»), famille de lanceurs soviétiques qui, en raison de leur très grande fiabilité, sont utilisés pour les vols spatiaux habités. Ce nom est aussi donné à des vaisseaux spatiaux habités, placés en orbite par le lanceur *Soyouz,* pour desservir les stations spatiales soviétiques (*Saliout** puis *Mir**). Ils comportent un module de descente qui se sépare du vaisseau principal et atterrit en douceur, freiné par des parachutes et des petites rétrofusées.

Spa, com. de Belgique (Liège), dans les Ardennes; 9 620 hab. Stat. thermale (eaux ferrugineuses et bicarbonatées soignant les troubles circulatoires et les rhumatismes). - Circuit automobile de Spa-Francorchamps.

S.P.A. Sigle de *Société protectrice des animaux,* fondée en 1845.

Spaak (Paul Henri) (Schaerbeek, 1899 - Bruxelles, 1972), homme politique belge. Socialiste, il fut à partir de 1935 ministre (notam. des Affaires étrangères) et Premier ministre à plusieurs reprises. Après 1945, il joua un rôle import. dans la construction de l'Europe, présidant l'assemblée consultative du Conseil de l'Europe (1949-1951) et celle de la C.E.C.A. (1952-1954). Il fut secrétaire général de l'OTAN (1957-1961). En 1966, il se retira de la vie politique.

Spacelab (abrév. de *Space laboratory,* «laboratoire de l'espace»), laboratoire spatial réalisé par l'Agence spatiale européenne pour accomplir des missions d'environ une semaine dans la soute de la navette spatiale américaine. Il se compose d'un module pressurisé accueillant jusqu'à quatre astronautes, et d'un plateau porte-équipements où sont disposés les appareils scientifiques qui doivent être directement exposés dans l'espace. La première mission (*Spacelab I*) se déroula fin 1983.

spacieusement adv. Rare De manière spacieuse. *Être logé spacieusement.*

spacieux, euse adj. Où il y a de l'espace; grand, vaste. *Pièce spacieuse.*

spadassin n. m. Litt., vieilli Assassin à gages.

spadice n. m. BOT Sorte d'épi à axe charnu, enveloppé d'une grande bractée, la spathe. *Les spadices de l'arum.*

spaghetti [spageti] n. m. **1.** Pâtes alimentaires fines et longues. *Des spaghettis.* **2.** (En appos.) Plaisant CINE *Western spaghetti* : western* italien, caractérisé par une reprise systématique des poncifs du genre western.

spahi [spai] n. m. Anc. Cavalier des corps auxiliaires d'indigènes de l'armée fr. en Afrique du N. *Les premières unités de spahis furent créées en 1834; les derniers escadrons furent dissous en 1962, au lendemain de la guerre d'Algérie.*

sparadrap [spaʀadʀa] n. m. Bande adhésive servant à fixer un pansement.

Spark (Sarah, dite Muriel) (Edimbourg, 1918), femme de lettres anglaise. Poète (*la Fanfarlo*, 1952), elle écrit surtout des romans où elle tente de situer le mysticisme dans la vie quotidienne : *Memento Mori* (1958), *l'Image publique* (1968), *Intentions suspectes* (1982).

spart ou **sparte** [spaʀt] n. m. BOT Nom de diverses papilionacées, notam. des genêts et de l'alfa.

Spartacus (m. en Lucanie, 71 av. J.-C.), esclave révolté. Berger thrace, soldat déserteur repris et vendu comme esclave, il s'évada d'une école de gladiateurs de Capoue (73 av. J.-C.), entraînant avec lui un petit groupe de compagnons qui formèrent bientôt le noyau d'une armée de 30 000 puis de 100 000 esclaves en révolte. Cette armée battit plusieurs fois les troupes romaines avant d'être défaite par Crassus, en Lucanie du N., dans un combat où Spartacus trouva la mort. La répression qui s'abattit sur les vaincus fut impitoyable (6 000 prisonniers crucifiés sur la route de Capoue à Rome).

spartakisme n. m. HIST Mouvement des socialistes révolutionnaires allemands qui, opposés aux thèses de leur parti sur l'union sacrée et la défense nationale, se constituèrent en fraction et fondèrent, en 1918, le parti communiste allemand.

spartakiste n. et adj. HIST Membre d'un mouvement socialiste révolutionnaire allemand, dirigé par K. Liebknecht et R. Luxemburg, qui prit naissance en 1914 et fut écrasé en 1919. ▷ adj. *Le soulèvement spartakiste.*

Sparte, v. de Grèce, ch.-l. du nome de Laconie (S.-E. du Péloponnèse); 14 000 hab. – La ville de Sparte, dite aussi *Lacédémone* dans l'Antiquité, fut fondée par les Doriens au IXe s. av. J.-C., mais l'État spartiate, constitué après les conquêtes en Laconie et en Messénie (VIIe s. av. J.-C.), ne prit sa forme définitive que v. 550 av. J.-C., avec les réformes de l'éphore Chilon. Celles-ci consacraient la domination d'un groupe de privilégiés, les *citoyens*, sur les cultivateurs des terres les moins fertiles, et les *ilotes*, serfs de l'État mis à la disposition des citoyens pour la mise en valeur des domaines qui leur avaient été attribués dans la vallée de l'*Eurotas*. Dès le VIIe s. av. J.-C., le système de la double monarchie (deux rois représentant l'un la dynastie des Agides, l'autre celle des Eurypontides, et tous deux membres d'un Conseil des Anciens) avait peu à peu cédé la place au gouvernement de cinq éphores qui, nommés pour un an, exerçaient la réalité du pouvoir au nom des citoyens. Ces derniers, numériquement faibles et paralysés par la peur d'une révolte des ilotes, s'organisèrent en une caste militaire d'une structure toujours plus rigide (sévère éducation guerrière du Spartiate, pris en charge par l'État dès l'âge de sept ans). Au moment des guerres médiques, Sparte dominait presque tout le Péloponnèse, mais sa participation à ce conflit, qui opposait les Grecs à la Perse, fut très modeste (à l'opposé d'Athènes, qui s'assura l'hégémonie grâce à son empire maritime). Le conflit inévitable entre Sparte et Athènes provoqua la guerre du Péloponnèse (431-404). Sparte parvint à son tour à l'hégémonie, mais, par sa politique despotique, elle suscita la coalition de plusieurs cités, dont Athènes. Après avoir infligé à Sparte la défaite de Leuctres (371 av. J.-C.), Thèbes, avec Épaminondas, rendit à la Messénie son indépendance. De plus, Sparte vit Philippe II de Macédoine réduire son territoire à la Laconie et se trouva isolée par la ligue Achéenne. En 146 av. J.-C., elle fut définitivement soumise par Rome. Les Wisigoths la dévastèrent au IVe s. apr. J.-C. La ville actuelle a été construite sur le site au XIXe s.

sparterie n. f. **1.** Confection d'objets en fibres végétales. **2.** Objet ainsi confectionné.

spartiate [spaʀsjat] adj. et n. **I.** adj. **1.** ANTIQ GR De Sparte, relatif à Sparte. Syn. lacédémonien. ▷ Subst. *Un(e) Spartiate.* **2.** Digne de la réputation d'austérité et de courage stoïque des anciens Spartiates. ▷ Loc. adv. *À la spartiate* : de façon rude. *Éduquer un enfant à la spartiate.* **II.** n. f. pl. Sandales à lanières de cuir.

spasme n. m. Contraction musculaire involontaire, intense et passagère.

spasmodique adj. Accompagné de spasmes. *Sanglots spasmodiques.*

spasmophilie n. f. Didac. Excitabilité neuromusculaire excessive, liée à des troubles du métabolisme phosphocalcique et à une insuffisance de l'activité des parathyroïdes. *On prête souvent une origine psychosomatique à la spasmophilie.*

spath n. m. **1.** *Spath d'Islande* : calcite biréfringente très pure en gros cristaux. **2.** *Spath fluor* : syn. de *fluorine.*

spathe n. f. BOT Grande bractée enveloppant le spadice, inflorescence de certaines plantes.

spatial, ale, aux [spasjal, o] adj. **1.** De l'espace, dans l'espace; relatif à notre perception, notre représentation de l'espace. *Configuration spatiale. Coordonnées spatiales.* **2.** De l'espace interplanétaire ou interstellaire. *Vaisseau* spatial. Sonde* spatiale.*

spatialisation n. f. **1.** PSYCHO Action de spatialiser. **2.** ESP Adaptation aux conditions de l'espace interplanétaire.

spatialiser v. tr. [1] **1.** PSYCHO Percevoir dans l'espace les rapports de positions, de distances, de grandeurs, de formes, etc. **2.** ESP Rendre (un matériel) apte à résister aux contraintes mécaniques imposées par les lanceurs spatiaux (accélérations, vibrations, chocs) et aux conditions physiques qui règnent dans l'espace (vide, température, rayonnement).

spatialité n. f. Didac. Caractère de ce qui est spatial (sens 1).

spationaute n. ESP Voyageur de l'espace, astronaute.

spationautique n. f. ESP Science et technique des voyages dans l'espace; astronautique.

spationef n. m. ESP Engin capable d'évoluer dans l'espace, vaisseau spatial.

spatio-temporel, elle adj. Didac. Relatif à la fois à l'espace et au temps. *Coordonnées spatio-temporelles.*

spatule n. f. **I. 1.** Instrument ayant une extrémité arrondie et l'autre aplatie ou comportant une lame plate et souple, qui sert à remuer, étendre, modeler une matière pâteuse. *Spatule de mouleur. Spatule à beurre.* **2.** Extrémité antérieure d'un ski, recourbée vers le haut. **II.** ORNITH Oiseau ciconiiforme (genre *Platalea*) au bec aplati et élargi à son extrémité, qui niche dans les roseaux des marais littoraux. ▶ illustr. **becs**

spatulé, ée adj. Didac. Dont l'extrémité s'élargit en s'aplatissant.

1. speaker [spikœʀ], **speakerine** [spikʀin] n. (Mot angl.) Personne qui fait les annonces, donne des informations (en dehors des bulletins d'information qui sont sous la responsabilité des journalistes) à la radio et à la télévision. Syn. (off. recommandé) annonceur.

2. speaker [spikœʀ] n. m. **1.** Président de la Chambre des communes, en G.-B. **2.** Président de la Chambre des représentants, aux États-Unis.

spécial, ale, aux adj. **1.** Qui correspond, qui s'applique exclusivement à une chose, à une personne, à une espèce, à une activité. *Lessive spéciale pour les lainages. Diction spéciale aux acteurs. Emploi qui exige une formation spéciale.* – (Avec ellipse de la préposition introduisant le complément, dans le langage de la publicité, de la mode.) *Shampooing spécial cheveux gras.* ▷ METALL *Aciers spéciaux* : aciers alliés possédant des qualités particulières de dureté, de résistance, etc. **2.** Exceptionnel, qui sort de l'ordinaire. *Édition spéciale. Pouvoirs spéciaux. N'avoir rien de spécial à dire.* **3.** Qui est particulier dans son genre et quelque peu déconcertant. *Sa façon de travailler est spéciale! Une musique très spéciale.* ▷ Fam. Bizarre. *Un type spécial.* – Par euph. *Mœurs spéciales* : mœurs sexuelles qui ne correspondent pas à la norme sociale traditionnelle; homosexualité.

spéciale n. f. **1.** Huître grasse qui a séjourné longtemps en claire. **2.** SPORT Dans un rallye automobile, épreuve courue sur un parcours imposé.

spécialement adv. D'une manière spéciale; particulièrement. *Tous les savants, et plus spécialement les chimistes.* ▷ Fam. *Pas spécialement* : pas particulièrement, pas très. *Ce n'est pas spécialement beau.*

spécialisation n. f. Action, fait de spécialiser, de se spécialiser. *La spécialisation industrielle.*

spécialisé, ée adj. Qui se consacre ou qui est consacré à un domaine déterminé d'activité, de connaissance. *Archéologue spécialisé en égyptologie. Enseignement spécialisé.* ▷ *Ouvrier spécialisé (O.S.)*, sans qualification professionnelle (par oppos. à *ouvrier professionnel, ouvrier qualifié*).

spécialiser v. tr. [1] Rendre spécialisé. ▷ v. pron. *Libraire qui se spécialise dans la vente d'ouvrages anciens.*

spécialiste n. Personne qui s'est spécialisée dans un domaine, qui y a acquis une compétence, des connaissances particulières. *Un spécialiste de la restauration de tableaux.* – Par plaisant. *C'est un spécialiste du cumulur.* ▷ MED Médecin exerçant une spécialité* médicale (par oppos. à *généraliste*).

spécialité n. f. **1.** Domaine d'activité, de connaissance dans lequel qqn est spécialisé. ▷ *Spécialité médicale* : branche de la médecine dans laquelle un médecin possède des connaissances approfondies, acquises au cours d'études spéciales qu'il a accomplies après avoir soutenu sa thèse de doctorat (cardiologie, urologie, radiologie, réanimation, etc.). ▷ Fam., iron. *Il est arrivé avec une heure de retard, c'est sa spécialité.* **2.** Produit résultant d'une activité spécialisée. ▷ CUIS Mets originaire d'une région ou que qqn a le secret d'accommoder. *La quiche est une spécialité lorraine. Les spécialités d'une cuisinière.* ▷ *Spécialités pharmaceutiques* : préparations pharmaceutiques industrielles. **3.** DR *Principe de la spécialité administrative,* qui délimite les attributions de chaque autorité. – *Principe de la spécialité budgétaire,* selon lequel les crédits votés pour tel chapitre ne doivent pas être employés pour un autre.

spéciation n. f. BIOL Formation d'espèces nouvelles par individualisation.

spécieusement adv. Litt. De façon spécieuse.

spécieux, euse adj. Litt. Qui, sous une apparence de vérité, est faux ou est destiné à tromper. *Raisonnement spécieux.* (Cf. sophisme.)

spécification n. f. **1.** Fait de spécifier, d'indiquer avec précision. **2.** Désignation précise des éléments devant obligatoirement entrer dans la fabrication d'une chose. *Les spécifications de l'adjudicateur sont consignées au cahier des charges.* **3.** DR Action de créer une chose nouvelle avec une matière, une chose appartenant à autrui.

spécificité n. f. Qualité de ce qui est spécifique.

spécifier v. tr. [**2**] Exprimer, indiquer de façon précise. *Spécifier par télégramme la date et l'heure de son retour.*

spécifique adj. Propre à une espèce, à une chose donnée. *Les caractères spécifiques distinguent entre elles les espèces d'un même genre.* – *Droits de douane spécifiques* : droits fixes établis selon la nature des objets. ▷ MED *Remède spécifique,* qui agit uniquement sur une affection ou un organe donné. ▷ PHYS *Chaleur spécifique* : syn. anc. de *chaleur massique.* – *Masse spécifique, poids spécifique* : syn. anc. de *masse volumique, poids volumique.*

spécifiquement adv. D'une manière spécifique.

spécimen [spesimɛn] n. m. **1.** Être vivant, objet considéré en tant qu'il possède les caractéristiques de l'espèce à laquelle il appartient. *De beaux spécimens d'une variété de roses.* **2.** Exemplaire d'un livre, d'une revue ou partie d'un tel exemplaire donné gratuitement, à titre publicitaire. – (En appos.) *Un numéro spécimen.*

spéciosité n. f. Rare Caractère de ce qui est spécieux.

spectacle n. m. **1.** Ce qui attire le regard, l'attention. *Jouir du spectacle de la nature.* – Loc. péjor. *Se donner en spectacle* : se faire remarquer. ▷ Loc. prép. *Au spectacle de* : à la vue de. **2.** Représentation donnée au public (pièce de théâtre, film, ballet, etc.). *Un spectacle de variétés.* ▷ *Spectacle solo* : syn. (off. recommandé) de *one man show.* ▷ Ensemble des activités théâtrales, cinématographiques, etc. *Le monde du spectacle.* **3.** *Pièce, film à grand spectacle,* à la mise en scène fastueuse.

spectaculaire adj. Qui surprend, étonne, frappe l'imagination de ceux qui en sont témoins. *Une chute spectaculaire. Des progrès spectaculaires.*

spectaculairement adv. De manière spectaculaire.

spectateur, trice n. **1.** Personne qui est témoin oculaire d'un événement, d'une action. **2.** Personne qui assiste à un spectacle théâtral, cinématographique, etc.

spectral, ale, aux adj. **1.** Qui tient du spectre, du fantôme. **2.** PHYS Relatif à un spectre (lumineux, solaire, magnétique, etc.).

spectre n. m. **1.** Fantôme, apparition surnaturelle d'un défunt, d'un esprit. ▷ Fig. *Le spectre de* : la perspective effrayante de. *Le spectre de la famine, de la guerre.* ▷ *Par métaph.* Personne très maigre et très pâle. *Ce n'est plus qu'un spectre.* **2.** PHYS Bande composée d'une succession de raies ou de plages lumineuses, traduisant la répartition des fréquences qui constituent un rayonnement électromagnétique. *Spectre solaire, stellaire.* V. encycl. ▷ Matérialisation des lignes de force d'un champ, des trajectoires des éléments d'un fluide en mouvement. *Spectre magnétique, aérodynamique.* ▷ Représentation des composantes d'une grandeur électrique ou acoustique.

ENCYCL **Phys.** – Lorsqu'un pinceau de lumière blanche traverse un prisme, il se décompose en rayons de diverses couleurs (V. couleur, encycl.) et donc de fréquences différentes, dont on peut observer sur un écran le *spectre continu,* constitué d'une succession de plages lumineuses. Certains spectres sont constitués d'un fond continu sur lequel se superposent un certain nombre de raies de couleur claire (raies d'émission) ou sombre (raies d'absorption), caractéristiques des rayonnements étudiés. Grâce à l'étude des spectres des rayonnements émis par les astres, on a pu déterminer leur composition chimique, leur température, leur vitesse par rapport à la Terre, etc. Lorsqu'un astre s'éloigne de la Terre, la fréquence de son rayonnement diminue par effet Doppler*-Fizeau et son spectre est décalé vers le rouge; inversement, si l'astre se rapproche de la Terre, son spectre se décale vers le violet (le rouge correspond à une fréquence inférieure de moitié à celle du violet).

spectro-. Élément, de *spectre.*

spectrochimique adj. CHIM *Analyse spectrochimique,* reposant sur l'étude du spectre (sens 2) de la substance à analyser.

spectrogramme n. m. PHYS Image spectrographique.

spectrographe n. m. PHYS Appareil servant à former et à enregistrer le spectre d'un rayonnement. ▷ *Spectrographe de masse* : appareil permettant de séparer des particules de masses voisines (isotopes, notam.) au moyen de champs électriques et magnétiques.

spectrographie n. f. PHYS Enregistrement des spectres des rayonnements.

spectrographique adj. PHYS Relatif à la spectrographie.

spectrohéliographe n. m. ASTRO Spectrographe servant à l'étude de l'atmosphère solaire.

spectromètre n. m. PHYS Spectroscope permettant de mesurer les longueurs d'onde des raies d'un spectre.

spectrométrie n. f. PHYS Étude quantitative des spectres.

spectroscope n. m. PHYS Appareil servant à l'étude des spectres.

spectroscopie n. f. PHYS Étude du spectre d'un rayonnement, de l'absorption ou de l'émission énergétique qui caractérise un rayonnement en fonction de sa fréquence.

spéculaire adj. et n. f. **1.** Didac. D'un, du miroir, qui a rapport au miroir. *Image spéculaire.* ▷ *Écriture spéculaire* ou *en miroir,* tracée de droite à gauche (semblable à l'écriture réfléchie dans un miroir), que l'on observe dans certaines affections mentales. **2.** MINER Se dit de certains minéraux composés de lames brillantes. *Le mica est un minéral spéculaire.* **3.** n. f. BOT Plante dicotylédone (fam. campanulacées) dont une variété, cour. appelée *miroir de Vénus,* est cultivée pour ses fleurs violettes.

spéculateur, trice n. Personne qui fait des spéculations (sens 2).

spéculatif, ive adj. **1.** PHILO Qui se livre ou a rapport à la spéculation (sens 1). *Esprit spéculatif. Sciences spéculatives.* **2.** Qui concerne la spéculation (sens 2). *Valeurs spéculatives.*

spéculation n. f. **1.** PHILO Étude, recherche purement théorique. *Spéculations métaphysiques.* **2.** Opération financière ou commerciale par laquelle on joue sur les fluctuations des cours du marché. *Spéculations hasardeuses.*

spéculer v. intr. [**1**] **1.** PHILO Faire des spéculations. *Spéculer sur l'origine de la vie.* **2.** Faire des spéculations (sens 2). *Spéculer sur l'or.* **3.** Fig. Tabler (sur qqch) pour parvenir à ses fins. *Spéculer sur la crédulité de qqn.*

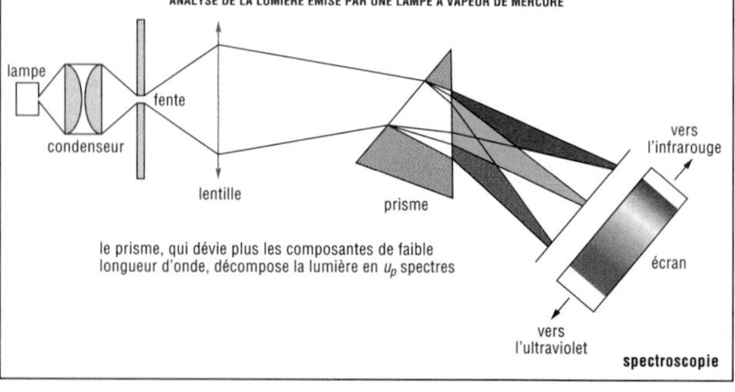

spectroscopie

speculoos ou **speculos** n. m. Biscuit sec au sucre candi, spécialité belge.

spéculum [spekylɔm] n. m. MED Instrument destiné à écarter l'orifice externe d'une cavité naturelle pour en faciliter l'exploration. *Spéculum vaginal, nasal. Des spéculums.*

speech [spitʃ] n. m. (Anglicisme) Fam. Brève allocution. *Des speechs* ou *des speeches.*

speedé, ée [spide] adj. (Anglicisme) Fam. Excité; pressé.

Speer (Albert) (Mannheim, 1905 – Londres, 1981), homme politique allemand. Inscrit au parti nazi dès 1931, il devint ministre de l'Armement (1942) et fut condamné à vingt ans de prison par le tribunal de Nuremberg.

Speke (John Hanning) (Bideford, Devon, 1827 – près de Corsham, Wiltshire, 1864), explorateur anglais. Il découvrit en Afrique centrale le lac qu'il appela *Victoria* (1858).

spéléo-. Élément, du gr. *spêlaion,* « caverne ».

spéléologie n. f. Science qui a pour but l'étude des cavités naturelles (grottes, gouffres) et des cours d'eau souterrains. ▷ Exploration scientifique ou sportive de ces cavités, de ces cours d'eau. (Abrév. fam. : spéléo).

expédition de **spéléologie** dans une galerie active

spéléologique adj. Qui se rapporte à la spéléologie.

spéléologue n. Personne spécialisée en spéléologie. – Personne qui explore les gouffres. (Abrév. fam. : spéléo).

spéléonaute n. m. Plongeur qui explore les fosses sous-marines.

Spemann (Hans) (Stuttgart, 1869 – Fribourg-en-Brisgau, 1941), biologiste allemand. Ses travaux d'embryologie portèrent notam. sur l'œuf de grenouille. P. Nobel de physiologie et de médecine 1935.

spencer [spɛnsœʀ; spɛnsɛʀ] n. m. Veste s'arrêtant à la ceinture. – Dolman court et très ajusté.

Spencer (Herbert) (Derby, 1820 – Brighton, 1903), philosophe anglais. Il accorda une attention privilégiée aux sciences de la nature et, rallié aux conceptions évolutionnistes, crut pouvoir étendre leur portée (en illustrant le principe de la complexité croissante) à la psychologie et à la sociologie : *la Statique sociale* (1851), *Principes de psychologie* (1855), *Principes de biologie* (1864), *Principes de sociologie* (1877-1896).

Spender (Stephen) (Londres, 1909 – *id.,* 1995), écrivain anglais. De tendance communiste, il analyse le déclin de l'Occident dans ses poèmes (*Neuf divertissements,* 1928), essais (*Au-delà du libéralisme,* 1946) et ouvrages critiques (*l'Élément destructeur,* 1934; *l'Élément créateur,* 1953).

Spenser (Edmund) (Londres, 1552 – id., 1599), poète lyrique anglais; auteur d'une monumentale épopée allégorique, *la Reine des fées* (1590-1596), son ouvrage le plus célèbre, de sonnets (les *Amoretti,* 1595) et d'une ode en l'honneur de sa femme (*Epithalamion,* 1595).

spéos n. m. ARCHEOL Temple souterrain de l'Égypte ancienne.

spermaceti [spɛʀmaseti] ou **spermacéti** n. m. Didac. Substance blanche huileuse appelée également *blanc de baleine, ambre blanc,* que l'on retire d'une poche cérébrale du cachalot et qui entre dans la composition de pommades, de cosmétiques, etc.

spermat(o)-, -sperme, spermo-. Éléments, du gr. *sperma, spermatos,* « semence, graine ».

spermatique adj. BIOL Du sperme, qui a rapport au sperme. ▷ ANAT *Cordon spermatique :* cordon auquel est relié le testicule et qui renferme le canal déférent des vaisseaux (*veines* et *artères spermatiques*) et des nerfs.

spermatogenèse n. f. BIOL Formation des gamètes mâles.

spermatophytes n. f. pl. BOT Ensemble des plantes (gymnospermes supérieures et angiospermes) possédant une vraie graine. – Sing. *Une spermatophyte.*

spermatozoïde n. m. BIOL Cellule reproductrice mâle comportant un renflement (« tête ») constitué par le noyau, un segment intermédiaire à la base de ce renflement et un filament grêle, effilé et flexible (« flagelle »).

sperme n. m. Liquide visqueux, blanchâtre, émis par le mâle lors de l'accouplement, et qui est composé de spermatozoïdes et d'une substance nutritive sécrétée par les différentes glandes génitales (vésicules séminales, prostate, glandes de Cowper).

-sperme. V. spermat(o)-.

spermicide adj. et n. m. PHARM, MED Se dit d'un produit contraceptif qui détruit les spermatozoïdes.

spermo-. V. spermat(o)-.

spermogramme n. m. MED Examen quantitatif et qualitatif du sperme.

Sperry (Roger Wolcott) (Hartford, Connecticut, 1913), neurophysiologiste américain. Ses travaux ont porté, notam., sur l'asymétrie fonctionnelle des hémisphères cérébraux (dominance de l'hémisphère gauche, chez les droitiers, pour ce qui concerne le langage). P. Nobel de médecine 1981.

Spétsai, petite île grecque du Péloponnèse, en mer Égée, à l'entrée du golfe de Nauplie; 22 km^2; 4 000 hab.

Spey (la), fl. d'Écosse (180 km); naît dans les Grampians; se jette dans la mer du Nord. Sa vallée produit en abondance de l'orge dont on tire le whisky.

Spezia (La), v. d'Italie (Ligurie), au fond du *golfe de La Spezia;* 111 980 hab.; ch.-l. de la prov. du m. nom. Import. port de commerce (raff. de pétrole) et port militaire. Centre industriel.

Sphactérie, petite île grecque du Péloponnèse, en mer Ionienne, à l'entrée de la baie de Navarin. Les Athéniens y firent capituler une garnison spartiate en 425 av. J.-C.

sphaigne [sfɛɲ] n. f. BOT Mousse des marais dont la décomposition continue est à l'origine de la tourbe. ▸ illustr. **mousses**

sphénisciformes [sfenisifɔʀm] n. m. pl. ORNITH Ordre d'oiseaux comprenant les seuls manchots. – Sing. *Un sphénisciforme.*

sphénodon n. m. ZOOL Reptile de la Nouvelle-Zélande ressemblant à un grand lézard, dont la crête dorsale porte une rangée d'épines. V. rhynchocéphales. Syn. hattéria.

sphénoïde n. m. ANAT Os qui forme le plancher central de la boîte crânienne.

sphère n. f. **1.** MATH Ensemble des points situés à égale distance d'un point appelé *centre* (dans un espace à 3 dimensions). *La sphère des mathématiciens est une surface, qui délimite un volume appelé « boule ».* (R étant le rayon de la boule, la surface est $4\pi R^2$ et le volume de la boule $4/3\pi R^3$.) ▷ ASTRO *Sphère céleste :* sphère fictive ayant pour centre l'œil de l'observateur et à la surface de laquelle semblent situés les corps célestes. **2.** Cour. Corps sphérique. *Une sphère de métal. La sphère terrestre :* le globe terrestre. ▷ *Spécial.* Représentation de la sphère céleste, de la sphère terrestre. **3.** Fig. Étendue, domaine du pouvoir, de l'activité (de qqn, de qqch). *Les hautes sphères de la finance. La sphère des connaissances humaines.* – *Sphère d'influence d'un État :* ensemble des pays sur lesquels il exerce un certain contrôle politique, économique. ▸ pl. **géométrie**

sphéricité n. f. Didac. Caractère sphérique d'une chose.

sphérique adj. **1.** Qui a la forme d'une sphère. **2.** GEOM Qui a rapport à la sphère, qui est de la nature de la sphère. – *Anneau sphérique :* volume engendré par un segment de cercle tournant autour d'un diamètre qui ne le traverse pas. – *Triangle sphérique :* portion de la surface d'une sphère, comprise entre trois grands cercles.

sphéroïde n. m. Didac. Solide dont la forme est proche de celle d'une sphère.

sphéromètre n. m. TECH Instrument servant à mesurer le rayon des surfaces sphériques (verres d'optique, par ex.).

sphincter [sfɛ̃ktɛʀ] n. m. ANAT Ensemble de fibres musculaires lisses ou striées contrôlant l'ouverture d'un orifice naturel. *Sphincter anal.*

sphinctérien, enne adj. Didac. Relatif à un sphincter.

sphinge n. f. Rare Sphinx à tête et buste de femme.

sphinx n. m. **1.** MYTH (Avec une majuscule.) Monstre hybride originaire de l'anc. Égypte, surtout présent dans la légende d'Œdipe sous l'aspect d'un lion ailé à buste et tête de femme, qui soumet une énigme aux voyageurs se rendant à Thèbes, les dévore s'ils ne peuvent la résoudre. ▷ Fig. Personnage énigmatique, impénétrable. **2.** BX-A Figure monstrueuse de lion couché à tête d'homme, de bélier ou d'épervier. **3.** ENTOM Papillon nocturne ou crépusculaire. – *Sphinx tête-de-mort :* un des plus grands papillons d'Europe, qui pille les rayons de miel des ruches. *Les sphinx du genre « Hemaris » sont diurnes.* ▸ pl. **papillons**

sphygmographe n. m. MED Appareil permettant d'enregistrer le pouls.

sphygmomanomètre ou **sphygmotensiomètre** n. m. MED Appareil destiné à la mesure de la pression artérielle.

spi n. m. Abrév. de *spinnaker.*

spic n. m. Lavande *(Lavandula latifolia)* à fleurs bleues, dont on extrait une huile odorante. Syn. cour. aspic.

Spica. V. Épi (l').

spicule n. m. **1.** ZOOL Chacun des éléments siliceux, calcaires ou organiques qui constituent le squelette des spongiaires. **2.** ASTRO Ensemble de jets de matière qui s'élèvent au-dessus de la photosphère solaire.

spider [spidɛʀ] n. m. **1.** Anc. Voiture à hautes roues et à sièges surélevés. **2.** Anc. Espace ménagé à l'arrière d'un cabriolet pour les bagages, des passagers.

Spielberg (Steven) (Cincinnati, Ohio, 1947), cinéaste américain. Faisant appel à de remarquables techniciens des effets spéciaux, il a su renouveler le genre du film d'épouvante (*les Dents de la mer,* 1975), du film d'aventures (*les Aventuriers de l'arche perdue,* 1981) et du film de science-fiction (*E.T.,* 1982).

Špilberk (en all. *Spielberg*), citadelle de Brno (Rép. tchèque), autref. prison d'État autrichienne, où Silvio Pellico* fut détenu.

spin [spin] n. m. PHYS NUCL Mouvement de rotation des particules élémentaires sur elles-mêmes. ▷ *Nombre quantique de spin :* nombre qui détermine les valeurs possibles du moment cinétique (σ) propre d'une particule. (Pour l'électron, le proton et le neutron, de spin 1/2, on a σ = ℏ/2, ℏ désignant ici la constante de Planck réduite.)

spina-bifida n. m. inv. MED Malformation liée à une absence congénitale de l'arc postérieur des vertèbres sacrées ou lombaires et qui peut se compliquer d'une hernie des méninges et de la moelle épinière.

spinal, ale, aux adj. ANAT Qui appartient au rachis ou à la moelle épinière. *Muscles spinaux. Nerf spinal.*

spinalien, enne adj. et n. D'Épinal.

spinelle n. f. MINER Minéral diversement coloré, constitué d'un oxyde d'alumine et de magnésium.

Spinello Aretino (Spinello di Luca Spinelli, dit) (Arezzo, v. 1350 - id., 1410), peintre italien, un des derniers disciples de Giotto; auteur de fresques à Arezzo, Florence, Pise et Sienne.

spinnaker [spinekœʀ] n. m. MAR Voile triangulaire d'avant, très creuse et de grande surface, qui est utilisée sur les yachts. - Abrév. cour. : spi.

Spinola, famille noble génoise dont le membre le plus connu est **Ambrogio,** marquis de Spinola (Gênes, 1569 - Castelnuovo Scrivia, 1630), homme de guerre. Au service de l'Espagne, il combattit Maurice de Nassau (1603-1605) et prit Breda après un siège célèbre (1625).

Spínola (António Sebastião Ribeiro de) (Estremoz, 1910 - Lisbonne, 1996), général et homme politique portugais. Il combattit en Espagne aux côtés des franquistes (1936-1939), servit en Angola (1961-1964), puis fut gouverneur de Guinée (1968-1972). Ayant proposé la décolonisation dans son livre *le Portugal et l'avenir,* il fut mis à la retraite (1974). À la tête du coup d'État contre Caetano (avr. 1974), président de la République (mai), il fut débordé par les forces de gauche et démissionna (sept.). Spínola fut mêlé à un coup d'État manqué en mars 1975, dut s'exiler au Brésil, rentra dans son pays et fut fait maréchal en 1981.

Spinoza (Baruch de) (Amsterdam, 1632 - La Haye, 1677), philosophe hollandais. Issu d'une famille de commerçants d'orig. juive portugaise, il fut exclu en 1656 de la communauté israélite d'Amsterdam, en raison de ses idées religieuses non conformes à l'orthodoxie. S'étant retiré près de Leyde, puis à La Haye, il vécut du polissage de lentilles pour microscopes. Son ouvrage princ., *l'Éthique* (1677), est l'exposé le plus complet, sous une forme à la fois rationnelle et mystique, des doctrines panthéistes. Dieu, substance unique, éternelle, infinie, incréée, existant par elle-même, n'a pas créé le monde : il s'identifie à la nature; présent en toutes choses, il s'y déploie et vit la vie de chaque être. Ce panthéisme, ou monisme, est également le plus radical des déterminismes : Dieu n'agit qu'en vertu de la nécessité de son essence; en lui, le possible et le réel se confondent. Substance éternelle, Dieu possède une infinité d'attributs dont nous ne connaissons que deux : l'étendue et la pensée. Quant à l'homme, par son corps partie intégrante du mécanisme total de l'Univers et par sa pensée membre de la communauté humaine, il est enraciné dans la nature même de Dieu. Dans les trois derniers livres de *l'Éthique,* Spinoza professe que les passions nous mettent sous la dépendance des choses extérieures et nous séparent des autres hommes. Aussi le sage doit-il vivre « sous la conduite de la raison » en accord avec les autres; sa sagesse sera « méditation, non de la mort, mais de la vie ». Le sage créera sa véritable liberté en s'élevant jusqu'à l'amour intellectuel de Dieu, qui est « l'amour dont Dieu s'aime lui-même ». Dans le *Tractatus theologico-politicus* (1670) et le *Tractatus politicus* (posth. et inachevé, 1677), Spinoza, le premier, propose la séparation de l'Église et de l'État; apôtre de la tolérance, il en confie la garde au pouvoir civil. L'idée était à l'époque révolutionnaire et, sauf dans certains cercles libéraux des Églises réformées, fit scandale; Spinoza fut en butte à de violentes persécutions.

Spinoza

Madame de **Staël**

spinozisme n. m. Didac. Doctrine philosophique de Spinoza.

spinoziste adj. et n. Didac. Qui se rapporte au spinozisme. ▷ Subst. Partisan ou spécialiste du spinozisme.

spiral, ale, aux adj. et n. m. **1.** adj. (Surtout en loc.) En forme de spirale. *Galaxie spirale.* **2.** n. m. TECH Ressort en forme de spirale qui assure les oscillations du balancier d'une montre.

spirale n. f. **1.** GEOM Courbe qui s'éloigne de plus en plus d'un point central *(pôle)* à mesure qu'elle tourne autour de lui. *Spirale d'Archimède. Spirale logarithmique.* ▷ Fig. Amplification rapide et continue (d'un phénomène). *Spirale inflationniste.* **2.** Courbe en forme d'hélice. *Spirales des vrilles de la vigne.*

spiralé, ée adj. BOT Enroulé en spirale.

spirante adj. f. et n. f. PHON *Consonne spirante* ou, n. f., *une spirante,* dont l'émission comporte un resserrement du canal buccal donnant lieu à des résonances plutôt qu'à un frottement (ex. le [d] espagnol entre deux voyelles).

spire n. f. **1.** GEOM Partie d'une hélice correspondant à un tour complet sur le cylindre générateur. ▷ Arc d'une spirale correspondant à un tour complet autour du pôle. **2.** TECH et cour. Chacun des tours d'un enroulement, d'un bobinage. *Les spires d'un solénoïde.*

Spire (en all. *Speyer*), v. d'Allemagne (Rhénanie-Palatinat), sur la r. g. du Rhin; 42 870 hab. Textiles, métallurgie. - Évêché. Cath. de style roman rhénan (1030-1061), restaurée au XIXe s. Musée historique du Palatinat. - Cité celte *(Noviomagus),* un des bastions romains sur le Rhin, Spire connut une grande expansion au Moyen Âge, sous les Francs Saliens. Ville libre impériale (1294), siège de la Chambre impériale (1526-1689), elle abrita de nombr. diètes; la plus célèbre fut celle de 1529, sous Charles Quint, où les princes réformés protestèrent contre les atteintes portées à la liberté religieuse.

spirée n. f. BOT **1.** Arbuste ou arbrisseau à fleurs (fam. rosacées) dont diverses espèces sont ornementales. **2.** *Spirée ulmaire* ou, cour., *reine-des-prés :* fleur en fausse ombelle, très odorante, fréquente dans les prairies, les alpages et les régions humides.

spirille [spiʀij] n. m. MICROB Bactérie de forme spiralée, hôte des eaux souillées, dont certaines espèces sont pathogènes.

spirite adj. et n. Didac. **1.** adj. Qui a rapport au spiritisme. **2.** n. Adepte du spiritisme.

spiritisme n. m. Doctrine qui affirme la survivance de l'esprit après la mort et admet la possibilité de communication entre les vivants et les esprits des défunts.

spiritualisation n. f. Fait de spiritualiser; résultat de cette action.

spiritualiser v. tr. [1] Litt. Donner une marque, un caractère de spiritualité à. *Ce peintre spiritualise les visages.*

spiritualisme n. m. PHILO Doctrine qui considère comme deux substances distinctes la matière et l'esprit et proclame la supériorité de celui-ci. Ant. matérialisme.

spiritualiste adj. et n. PHILO Qui se rapporte au spiritualisme. ▷ Subst. Adepte du spiritualisme.

spiritualité n. f. **1.** PHILO Qualité de ce qui est de l'ordre de l'esprit. *La spiritualité de l'âme.* **2.** THEOL Ce qui a trait à la vie spirituelle. *Spiritualité monastique.*

spirituel, elle adj. **I. 1.** PHILO Qui est de la nature de l'esprit, qui est esprit. *Nature spirituelle de Dieu.* **2.** Qui a rapport à la vie de l'âme. *Exercices spirituels.* **3.** RELIG Qui regarde la religion, l'Église. *Pouvoir temporel et pouvoir spirituel.* **II. 1.** D'un esprit vif et fin, plein de drôlerie. *Un convive très spirituel.* - *Un regard spirituel et pénétrant.* **2.** Amusant, piquant, malicieux. *Une réponse spirituelle.*

spirituellement adv. De façon spirituelle.

spiritueux, euse adj. ADMIN Qui contient de l'alcool. ▷ n. m. Boisson qui contient une grande quantité d'alcool. *Commerce des vins et spiritueux.*

spirochète [spiʀɔkɛt] n. m. MICROB Bactérie non pathogène vivant dans l'eau. ▷ *Les spirochètes :* ancien groupe de bactéries qui comprenait les leptospires et les tréponèmes (pathogènes).

spiroïdal, ale, aux adj. Didac. En spirale, proche de la forme d'une spirale.

spiromètre n. m. MED Instrument servant à mesurer la capacité respiratoire des poumons.

spiruline n. f. Algue bleue des eaux peu profondes d'Afrique et du Mexique, comestible, à forte teneur en protéines.

Spitteler (Carl) (Liestal, près de Bâle, 1845 – Lucerne, 1924), écrivain suisse d'expression allemande; poète (*Printemps olympien*, 1900-1905) et romancier (*Imago*, 1906). P. Nobel 1919.

Spitz (René) (Vienne, 1887 – Denver, 1974), psychiatre et psychanalyste américain d'origine autrichienne, connu pour ses observations sur le développement du nourrisson, en relation avec le comportement de sa mère et en cas d'absence de celle-ci (en partic. *hospitalisme*). Parmi ses études : *le Non et le Oui, la Première Année de la vie de l'enfant.*

Spitzberg ou **Spitsberg** (le), la plus importante des îles de l'archipel norvégien du Svalbard.

Spitzer (Lyman) (Toledo, Ohio, 1914 – Princeton, New Jersey, 1997), astrophysicien américain; auteur d'import. travaux sur les amas d'étoiles et le milieu interstellaire. Il a ruiné les théories « catastrophistes » relatives à la formation du système solaire en démontrant qu'un filament de matière arraché au Soleil est trop instable pour donner naissance à des planètes.

splanchnique [splɑ̃knik] adj. ANAT *Nerfs splanchniques* ou, n. m., *les splanchniques :* nerfs du système végétatif qui innervent les viscères.

spleen [splin] n. m. Litt. Ennui que rien ne paraît justifier, mélancolie. *Avoir le spleen.*

splendeur n. f. **1.** Beauté d'un grand éclat, magnificence. *La splendeur d'un paysage.* ▷ Plein essor, gloire éclatante (d'un pays, d'une époque, etc.). *La splendeur du règne de Louis XIV.* **2.** Chose splendide. *Ce palais est une splendeur.*

splendide adj. **1.** Très beau, d'une beauté éclatante. Syn. superbe. *Un soleil splendide. Un splendide athlète.* **2.** Somptueux, luxueux. *Une réception splendide.*

splendidement adv. Litt. Avec splendeur, magnifiquement.

splénectomie n. f. CHIR Ablation de la rate.

splénique adj. ANAT Qui se rapporte à la rate.

spléno-. Élément, du lat. *splen*, « rate ».

splénomégalie n. f. MED Augmentation du volume de la rate.

Split, port de Croatie, sur l'Adriatique, à proximité des ruines de l'antique *Salone;* 169 320 hab. Constr. navales, matières plastiques, cimenterie. – L'empereur Dioclétien, s'étant retiré près de Salone après son abdication (305), fit construire un immense palais de forme carrée. En 615, après la destruction de leur ville par les Avares, les hab. de Salone s'installèrent dans ce palais, fondant ainsi Split. – Vieille ville cernée par les anc. enceintes du palais impérial; au VIIe s., le mausolée impérial fut transformé en cathédrale.

Splügen (le), col des Alpes (2 117 m), entre la Suisse et l'Italie, qui relie Coire au lac de Côme.

spoiler [spɔjlœʀ] n. m. AUTO Accessoire fixé sous le pare-chocs pour améliorer l'aérodynamisme.

Spokane, v. des É.-U. (Washington), sur la *Spokane*, affl. de la Columbia; 177 190 hab. (aggl. urb. 352 900 hab.). Électrométallurgie (cuivre et aluminium) et industr. de l'aluminium nées des ressources hydroélectriques. Constr. aéronautiques.

Spolète (en ital. *Spoleto*), v. d'Italie (Ombrie); 38 840 hab. Sidérurgie. – Archevêché. Ruines romaines. Cath. (XIIe-XVe s.) décorée de fresques de Filippo Lippi. – Soumise par Rome au IIIe s. av. J.-C., la ville fut la cap. d'un puissant duché lombard fondé en 570. Celui-ci fut donné par Charlemagne au Saint-Siège, qui y établit son autorité au XIIIe s.

spoliateur, trice adj. et n. Didac. ou litt. Qui spolie. *Mesure spoliatrice.* ▷ Subst. *Les spoliateurs de la Pologne.*

spoliation n. f. Didac. Action de spolier; résultat de cette action.

spolier v. tr. [2] Didac. Dépouiller, déposséder par force ou par fraude.

Sponde (Jean de) (Mauléon, 1557 – Bordeaux, 1595), humaniste et poète français; calviniste protégé par le futur Henri IV. Helléniste, il a donné des éditions savantes d'Homère et d'Hésiode. Poète baroque, il composa des sonnets d'amour, et des stances et sonnets sur la mort.

spondée n. m. METR ANC Pied composé de deux syllabes longues.

spondyl(o)-. Élément, du lat. *spondylus*, « vertèbre ».

spondylarthrite n. f. MED *Spondylarthrite ankylosante :* affection rhumatismale chronique se traduisant par une ankylose douloureuse de la colonne vertébrale.

spongiaires n. m. pl. ZOOL Embranchement d'animaux pluricellulaires primitifs comprenant les éponges. – Sing. *Un spongiaire.*

ENCYCL Dépourvus d'organes ou d'appareils définis, les spongiaires n'ont qu'un système nerveux rudimentaire, diffus. La paroi du corps est parcourue de nombreux canaux qui, permettant la circulation de l'eau, assurent l'apport d'oxygène et des particules alimentaires.

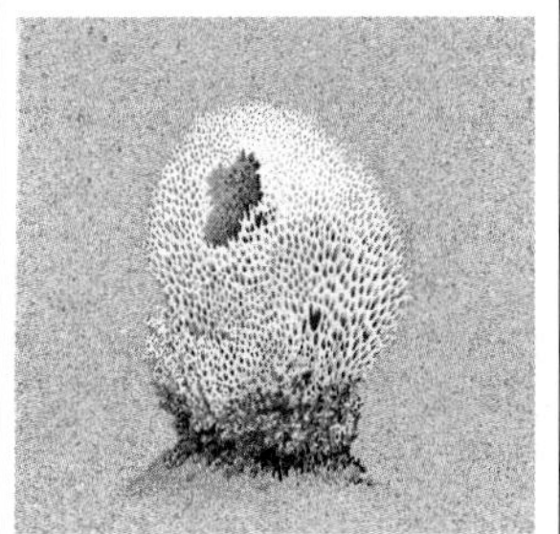

spongiaire : l'éponge

spongieux, euse adj. **1.** Qui rappelle l'éponge par sa consistance, son aspect. *Corps spongieux.* **2.** Qui s'imbibe d'eau comme une éponge. *Sol spongieux.*

spongille n. f. ZOOL Éponge d'eau douce (genre *Spongilla*).

spongiosité n. f. Didac. Caractère de ce qui est spongieux.

sponsor [spɔnsɔʀ] n. m. (Anglicisme) Personne privée ou morale qui pratique le mécénat d'entreprise. Syn. (off. recommandé) commanditaire.

sponsoring [spɔ̃sɔʀiŋ] n. m. (Anglicisme) Syn. de *mécénat d'entreprise.*

sponsorisation [spɔ̃sɔʀizasjɔ̃] n. f. Syn. de *parrainage.*

sponsoriser [spɔ̃sɔʀize] ou **sponsorer** [spɔ̃sɔʀe] v. tr. [1] Parrainer et financer à des fins publicitaires (un sportif, une équipe, etc.). Syn. (off. recommandé) commanditer.

spontané, ée adj. **1.** Que l'on fait librement, volontairement, sans y être contraint. *Aveu spontané.* **2.** Qui agit, parle sous l'impulsion de ses pensées, de ses sentiments, sans calcul ni réflexion. *Un enfant spontané.* – Par ext. *Un rire spontané.* **3.** Qui se produit, qui existe de soi-même, sans avoir été provoqué. *Théorie de la génération* spontanée.* – BOT *Végétation spontanée*, qui pousse sans avoir été mise en terre par l'homme.

spontanéisme n. m. POLIT Doctrine de certains groupes d'extrême gauche qui font essentiellement confiance à la spontanéité révolutionnaire des masses.

spontanéité n. f. Caractère de ce qui est spontané.

spontanément adv. De façon spontanée.

Spontini (Gaspare) (Maiolati, Ancône, 1774 – id., 1851), compositeur italien; auteur de nombr. opéras, dont *la Vestale* (1807) et *Fernand Cortez* (1809), avec lesquels il triompha à Paris.

Sporades, îles grecques de la mer Égée, comprenant les *Sporades du Nord* (Skýros, Skiathos, etc.), au N. et au N.-E. de l'Eubée, et les *Sporades du Sud* ou *Dodécanèse** (Samos, Rhodes, etc.), proches de la Turquie.

Sporades équatoriales (en angl. *Line Islands*, « îles de la Ligne »), îles du Pacifique central, de part et d'autre de l'équateur, dépendances de l'État de Kiribati.

sporadicité n. f. Didac. Caractère de ce qui est sporadique.

sporadique adj. **1.** MED Se dit d'une maladie qui touche quelques individus isolément (par oppos. à *épidémique, endémique*). **2.** SC NAT *Espèces sporadiques*, dont les individus sont épars. **3.** *Par ext.*, cour. Qui apparaît, se produit par cas isolés, d'une manière irrégulière. *Phénomène sporadique.*

sporadiquement adv. D'une manière sporadique.

sporange n. m. BOT Organe des végétaux cryptogames, à paroi pluricellulaire, où se forment les spores. V. sporocyste.

spore n. f. BIOL, BOT Élément reproducteur de la plupart des végétaux cryptogames (algues, champignons, mousses, etc.), de divers protozoaires et bactéries. *Spores unicellulaires, pluricellulaires.*

sporifère adj. BOT Qui porte des sporanges ou des sporocystes.

sporocyste n. m. BOT Cellule dont l'enveloppe, contrairement au sporange, est uniquement constituée par la paroi de la cellule mère des spores et qui donne des spores par méiose.

sporogone n. m. BOT Appareil producteur des spores, chez les mousses, qui parasite le gamétophyte.

sporophyte n. m. BOT Individu végétal diploïde, issu du développement de l'œuf fécondé et qui donne, à maturité, des spores haploïdes. Ant. gamétophyte.

sporozoaires n. m. pl. ZOOL Sous-embranchement de protozoaires (coccidies, notam.) dépourvus d'appareil locomoteur à l'état adulte, parasites des cellules animales. – Sing. *Un sporozoaire.*

sport n. m. et adj. inv. **I.** n. m. **1.** Activité physique destinée à développer et à entraîner le corps. *Pratiquer un sport.* ▷ *De sport :* conçu pour le sport. *Terrain de sport. Chaussures de sport.* **2.** Ensemble des disciplines sportives impliquant certaines règles et pratiquées par des amateurs ou des professionnels. *La part du budget de l'État consacrée au sport.* ▷ Chacune de ces disciplines. *Sports d'équipe et sports individuels. Sports d'hiver. Sports de combat.* **3.** Fig., fam. Entreprise difficile, demandant beaucoup d'efforts. *C'est du sport de le faire travailler!* ▷ Agitation, bagarre. *Il va y avoir du sport!* **II.** adj. inv. **1.** Se dit d'un style de vêtements confortables et pratiques. *Tenue sport et tenue habillée.* **2.** *Être sport :* se montrer loyal, beau joueur. *Il est très sport en affaires.*

sportif, ive adj. et n. **1.** Relatif au sport, à un sport. *Compétition sportive. Association sportive.* ▷ Qui implique une certaine activité, un certain effort physique. *La pêche l'ennuie, il trouve que ce n'est pas assez sportif.* **2.** Qui aime le sport, qui pratique le sport. *Un garçon sportif.* – Subst. *Alimentation des sportifs.* ▷ Par ext. *Allure sportive,* de qqn qui pratique ou semble pratiquer un sport. **3.** (Sens moral.) Qui respecte les règles du sport, qui est beau joueur. *Comportement sportif.* Syn. franc-jeu, fair-play.

sportivement adv. Avec un esprit sportif. *Admettre sportivement sa défaite.*

sportivité n. f. Esprit sportif, attitude sportive.

sportswear [spɔʀtswɛʀ] n. m. (Anglicisme) Style de prêt-à-porter destiné à la pratique du sport.

sporule n. f. BIOL, BOT Anc. syn. de *spore.*

sporuler v. intr. [1] Produire des spores.

spot [spɔt] n. m. (Anglicisme) **1.** PHYS Tache lumineuse en mouvement sur un écran cathodique (oscilloscope, téléviseur, etc.). **2.** TECH Appareil d'éclairage à faisceau lumineux de faible ouverture. Syn. projecteur directif. **3.** AUDIOV Court message publicitaire. **4.** Point du rivage marin propice à la pratique du surf.

Spot (Sigle de *Satellite pour l'observation de la Terre*). Famille de satellites français affectés à l'observation civile et scientifique (cartographie, gestion des forêts, hydrologie, etc.). Les données sont commercialisées par Spot Image.

Spoutnik («Compagnon de route»), série de dix satellites soviétiques lancés de 1957 à 1961. Spoutnik 1, lancé le 4 octobre 1957, a été le premier satellite artificiel mis en orbite autour de la Terre.

sprat [spʀat] n. m. Poisson de la famille des clupéidés (genre *Sprattus*), proche parent du hareng, mais dont la longueur ne dépasse pas 15 cm.

Spratly (îles), archipel inhabité de la mer de Chine méridionale, à mi-chemin du Viêt nam et des Philippines. Outre ces deux pays, il est revendiqué également par la Chine, Taiwan, Brunei et la Malaisie.

spray [spʀɛ] n. m. (Anglicisme) Nuage ou jet de liquide vaporisé en fines gouttelettes. – Vaporisateur, atomiseur. *Déodorant, insecticide en spray.*

Sprée (la) (en all. *Spree*), riv. d'Allemagne (403 km); naît en haute Lusace; passe à Bautzen, Cottbus et Berlin; se jette dans la Havel (r. dr.) à Spandau.

springbok [spʀiŋbɔk] n. m. Antilope (*Antidorcas marsupialis*) d'Afrique du S., aux cornes en forme de lyre.

Springfield, v. des É.-U., cap. de l'Illinois, dans un bassin houiller; 105 200 hab. (aggl. urb. 190 100 hab.). Métall., constr. mécaniques.

Springfield, v. des É.-U. (Massachusetts), sur le Connecticut; 156 980 hab. (aggl. urb. 515 900 hab.). Industr. diversifiées. – Riche musée des beaux-arts.

Springfield, v. des É.-U. (Missouri); 140 490 hab. (aggl. urb. 217 200 hab.). Centre industriel (métall., text.).

Springs, v. d'Afrique du Sud, à l'E. de Johannesburg; 153 970 hab. Mines d'or; houille; industr. du papier.

Springsteen (Bruce) (Freehold, New Jersey, 1949), musicien américain. Auteur-compositeur, chanteur, guitariste et harmoniciste, il mêle dans un style simple et puissant l'inspiration issue du folksong et du rock.

sprinkler [spʀinklœʀ] n. m. (Anglicisme) TECH **1.** Système d'arrosage tournant. **2.** Système de projection automatique de liquide au-dessus d'un certain seuil de température, pour prévenir les incendies.

sprint [spʀint] n. m. (Anglicisme) **1.** Accélération de l'allure à la fin d'une course à pied, d'une course cycliste; fin d'une course. *Réserver ses forces pour le sprint.* ▷ Fam. *Piquer un sprint :* courir à toute allure sur une courte distance (cf. *piquer un cent mètres*). **2.** Course de vitesse sur une petite distance.

1. sprinter [spʀintœʀ] n. m. (Anglicisme) Syn. de *sprinteur.*

2. sprinter [spʀinte] v. intr. [1] Effectuer un sprint.

sprinteur, euse n. **1.** Athlète spécialiste des courses sur une courte distance. **2.** Athlète, cycliste qui donne le meilleur de lui-même au sprint.

sprue n. f. MED Maladie chronique de l'intestin, accompagnée de diarrhée.

spumescent, ente adj. Didac. Qui produit de l'écume; qui en a l'aspect.

spumeux, euse adj. Didac. Qui a l'aspect de l'écume.

squale [skwal] n. m. ZOOL Requin.

squamates [skwamat] n. m. pl. ZOOL Ordre de reptiles comprenant les serpents et les lézards. – Sing. *Un squamate.*

squame [skwam] n. f. **1.** SC NAT Écaille. **2.** MED Lamelle qui se détache de la peau.

squameux, euse adj. **1.** Vx ou litt. Formé ou recouvert d'écailles. **2.** MED Caractérisé par des squames.

square [skwaʀ] n. m. Jardin public de petite dimension généralement entouré d'une grille.

squash [skwaʃ] n. m. Sport qui se pratique avec une petite balle de caoutchouc et une raquette à manche long et mince, dans une salle fermée où les deux joueurs utilisent les murs pour le rebond.

squat [skwat] n. m. (Anglicisme) Immeuble ou maison désaffectés, occupés par des squatteurs.

1. squatter [skwatœʀ] n. m. HIST Pionnier qui allait s'établir dans les contrées non encore défrichées des É.-U.

2. squatter [skwate] ou **squattériser** [skwateʀize] v. tr. [1] Occuper illégalement un logement vacant.

squatteur, euse [skwatœʀ, øz] n. Personne qui occupe illégalement un logement vacant.

squaw [skwo] n. f. Femme mariée, chez les Indiens d'Amérique du N.

squeeze [skwiz] n. m. JEU Au bridge, manière de jouer qui contraint l'équipe adverse à se défausser d'une carte maîtresse ou de sa garde.

squeezer [skwize] v. [1] **1.** v. intr. JEU Pratiquer un squeeze, au bridge. ▷ v. tr. *Squeezer l'adversaire.* **2.** v. tr. Fig., fam. *Squeezer qqn,* remporter un avantage sur lui en l'acculant, en ne lui laissant aucune échappatoire.

squelette n. m. **1.** Ensemble des éléments qui constituent la charpente du corps et des vertébrés. *Le squelette humain pèse de 3 à 6 kg et comprend 198 os. Squelette externe des mollusques, des insectes :* exosquelette*. ▷ Ensemble des os d'un corps mort et décharné. **2.** Fig., fam. *Par exag.* Personne très maigre. *C'est un vrai squelette, un squelette ambulant.* **3.** CHIM Ensemble d'atomes formant une chaîne dans une molécule. *Squelette carboné des molécules organiques.* **4.** Fig. Armature, charpente, carcasse. *Le squelette d'un navire, d'un avion.* ▷ Plan général (d'une œuvre). *Squelette d'un exposé, d'un roman.* ► pl. **homme**

squelettique adj. **1.** ANAT Relatif au squelette. **2.** À qui la maigreur donne l'aspect d'un squelette. *Sa maladie l'a rendu squelettique.* **3.** Fig. D'une concision excessive. *Un rapport squelettique.*

squille [skij] n. f. ZOOL Crustacé comestible caractérisé par une tête soudée au thorax et un abdomen hypertrophié, dont les diverses espèces forment un ordre de malacostracés. (La taille des squilles va de celle d'une crevette à celle d'un homard.)

sr PHYS Symbole du stéradian.

Sr CHIM Symbole du strontium.

Sremski Karlovci. V. Karlowitz.

Sri Lanka (république de) (*Srī Lanka Janarajaya*), État insulaire de l'Asie méridionale, situé au sud-est de l'Inde, appelé *Ceylan* jusqu'en 1972; 65 610 km^2; 17,6 millions d'hab., croissance démographique : 1,4 % par an; cap. *Colombo.* Nature de l'État : rép. présidentielle, membre du Commonwealth. Langues : cinghalais, tamoul, anglais. Monnaie : roupie. Pop. Cinghalais (73 %), Tamouls (18 %), Moors (7 %). Relig. : bouddhistes (73 %), hindouistes (15 %), musulmans (7 %), chrétiens (5 %).

Géogr. phys., hum. et écon. – Le centre-sud de l'île est occupé par un vieux massif cristallin fracturé (fragment de l'ancien continent du Gondwana), culminant à 2 528 m. Il est entouré d'un vaste plateau ondulé (300 m d'altitude moyenne) que borde une plaine littorale. Le climat tropical, rythmé par la mousson, oppose la moitié S.-O. de l'île, très abondamment arrosée, sans saison sèche (versant au

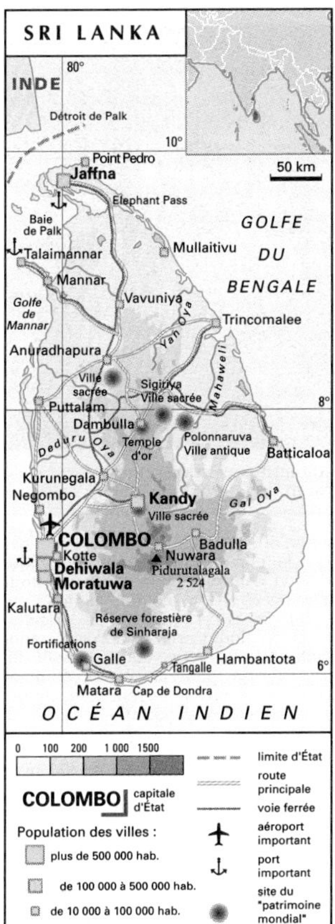

vent) et couverte de forêt dense, à la moitié N.-E., plus sèche (versant sous le vent), où dominent forêts claires et savanes arborées. Les Cinghalais, bouddhistes, descendants d'Indo-Aryens venus du N. de l'Inde, sont majoritaires (74 % des hab.); une lutte fratricide les oppose aux Tamouls, hindouistes (deux tiers sont des Tamouls sri lankais installés depuis plusieurs siècles, un tiers des Tamouls indiens venus au XIXe s.), qui ne représentent que 18 % de la population mais sont majoritaires au N. et à l'E. du pays (régions de Jaffna et de Trincomalee). La population se concentre à 85 % dans la zone humide; sa fécondité a notablement diminué. Rurale à près de 80 %, elle pratique des cultures vivrières (riz, manioc, patates douces) et d'exportation dans les plantations du S.-O. (thé, hévéa, noix de coco, coprah). L'élevage, la pêche, l'exploitation du bois et l'exportation de pierres précieuses complètent ces activités. La guerre civile a désorganisé le pays depuis 1983 : les zones franches n'attirent plus les investissements étrangers, le tourisme est en recul et les programmes de développement et d'irrigation de la zone sèche du Centre-Est ne peuvent être menés à bien.

Hist. – Jusqu'au déb. du XVIe s., l'histoire de Ceylan est marquée par les migrations successives d'Indo-Aryens et de Tamouls et leurs luttes incessantes. La période la plus brillante fut celle du souverain Parākramabāhu (XIIe s.), qui réussit à unifier l'île autour de la cap. Polonnaruwa. En 1505 débarquèrent les Portugais, qui dominèrent les côtes et contrôlèrent le commerce des épices et des pierres précieuses. Au XVIIe s., l'île devint néerlandaise puis passa en 1796 sous la domination des Britanniques, qui la rattachèrent à la Couronne (1802-1815). Ils développèrent considérablement les plantations, mais se heurtèrent à de puissantes révoltes (notam. en 1817 et en 1848). Disposant de l'autonomie interne depuis 1931, l'île acquit l'indépendance avec le statut de dominion dans le Commonwealth (4 fév. 1948) puis devint, en 1972, république démocratique de Sri Lanka. Après l'indépendance, deux partis, représentant la grande bourgeoisie cinghalaise formée par les Britanniques, ont alterné au pouvoir : le parti d'Union nationale (U.N.P.), conservateur, animé par la famille Senanayake, et le parti de la Liberté (S.L.F.P.), de centre-gauche, animé par la famille Bandaranaike*, qui a mené une politique extérieure de non-alignement et, à l'intérieur, a choisi la voie du socialisme. Victorieux aux élections de 1977, l'U.N.P. a dirigé le pays jusqu'en 1994, avec les présidents de la Rép. Junius Richard Jayawardene (1978-1988) et Ranasinghe Premadasa (1988-1993). Tous deux ont adopté une polit. écon. libérale (dénationalisations, création de zones franches). À partir de 1983, le régime a subi la révolte des Tamouls, dont le mouvement séparatiste, les Tigres pour la libération de l'Eelam tamoul (L.T.T.E.), a eu recours au terrorisme, déclenchant ainsi une guerre civile, à laquelle une intervention de l'armée indienne (1987-1990) n'a pu mettre fin. Au pouvoir depuis 1993, le Premier ministre Dingiri Wijetunge a assuré la transition jusqu'aux législatives, remportées par la coalition de l'Alliance populaire, conduite par Chandrika Kumaratunga* (août 1994), qui, devenue prés. de la République (nov.), a nommé sa mère, S. Bandaranaike*, Premier ministre. Après une courte trêve en 1995, les hostilités avec le L.T.T.E. et les combats se sont intensifiés en 1998.

sri lankais, aise [sʀilɑ̃kɛ, ɛz] adj. et n. Du Sri Lanka.

Srinagar, v. de l'Inde, cap. de l'État de Jammu-et-Cachemire (*Jammu* est la cap. d'hiver); 595 000 hab. Textiles.

1. S.S. Abrév. de *Sa Sainteté*, ou de *Sa Seigneurie*.

2. S.S. (Abrév. de l'all. *Schutz-Staffel*, « échelon de protection ».) Organisation de police militarisée de l'Allemagne national-socialiste. ▷ *La Waffen S.S.* : unités composées de membres de la S.S. qui combattaient sur le front.

Sseu-ma Kouang. V. Sima Guang.

Sseu-ma Siang-jou. V. Sima Xiangru.

Sseu-ma Ts'ien. V. Sima Qian.

S.S.I.I. n. f. Sigle de *société de services et d'ingénierie informatique*.

Staal de Launay (Marguerite Jeanne Cordier, baronne de) (Paris, 1684 – Gennevilliers, 1750), femme de lettres française dont les *Mémoires* (posth., 1755) dépeignent les mœurs de la Régence.

Stabat Mater n. m. inv. LITURG CATHOL Prose chantée le vendredi saint, qui rappelle les souffrances de la Vierge pendant le crucifiement de Jésus. ▷ Musique écrite sur cette prose.

Stabies, anc. v. de Campanie (auj. *Castellammare di Stabia*), détruite par l'éruption du Vésuve avec Pompéi et Herculanum (79 apr. J.-C.). C'était un lieu de villégiature pour l'aristocratie romaine, qui y bâtit des villas.

stabile n. m. BX-A Sculpture métallique monumentale.

stabilisant, ante adj. et n. m. CHIM Se dit d'un additif servant à ralentir une réaction. Syn. stabilisateur.

stabilisateur, trice adj. **1.** Qui donne de la stabilité. ▷ n. m. TECH Appareil servant à améliorer la stabilité d'un engin, d'un véhicule, à assurer la permanence d'un fonctionnement. **2.** CHIM Syn. de *stabilisant*.

stabilisation n. f. Action de stabiliser; son résultat.

stabiliser v. tr. [1] Rendre stable. *Stabiliser une monnaie.* ▷ TRAV PUBL *Stabiliser un sol*, augmenter sa dureté, sa résistance par l'adjonction de liants ou par compactage. – Pp. adj. *Accotements stabilisés.* ▷ v. pron. Devenir stable.

stabilité n. f. **1.** Qualité de ce qui est stable, solide. *Stabilité d'un édifice.* ▷ Fig. Qualité de ce qui est durable, bien assis. *La stabilité des institutions.* **2.** Suite dans les idées, constance. *Un esprit qui manque de stabilité.* **3.** PHYS, CHIM Caractère d'un système en équilibre stable.

stable adj. **1.** Qui a une base ferme, solide. *Cet escabeau n'est pas stable.* **2.** Qui demeure dans le même état, la même situation. *Valeurs stables.* Syn. constant, permanent, durable. **3.** CHIM *Composé stable*, qui conserve ses caractéristiques dans un large éventail de températures et de pressions. **4.** MATH *Partie stable d'un ensemble E* (pour une loi de composition donnée) : partie de E telle que le composé de tout couple d'éléments de cette partie appartient encore à cette partie.

stabulation n. f. Didac. **1.** Séjour des animaux à l'étable. **2.** Bâtiment pour le bétail. *Une stabulation de cinquante places.*

staccato adv. MUS En détachant les notes. Ant. legato. ▷ n. m. Passage devant être joué en détachant les notes.

Stace (en lat. *Publius Papinius Statius*) (Naples, v. 45 – id., 96 apr. J.-C.), poète latin : *la Thébaïde* et *l'Achilléide* (inachevée), poèmes épiques; *les Silves*, recueil de pièces de circonstance.

stade n. m. **I. 1.** ANTIQ GR Mesure de longueur valant environ 180 m. ▷ Enceinte comprenant une piste de cette longueur, sur laquelle on disputait des courses à pied. **2.** Mod. Terrain aménagé pour la pratique des sports, parfois entouré de gradins. **II. 1.** MED Phase dans l'évolution d'une maladie, d'un processus biologique. ▷ PSYCHAN Phase dans l'évolution de la libido de l'enfant. *Stade oral, sadique-anal* (ou *anal*), *phallique, génital.* **2.** *Par ext.* Période, phase d'une évolution. *Les stades d'une carrière.*

stadhouder. V. stathouder.

Staël (Germaine Necker, baronne de Staël-Holstein, dite Mme de) (Paris, 1766 – id., 1817), écrivain français, fille du célèbre banquier Necker, épouse de l'ambassadeur de Suède à Paris, Erik Magnus, baron de Staël-Holstein. D'abord favorable à la Révolution, elle la condamna après la chute de la royauté et se réfugia en Suisse, à Coppet (1792), où elle noua avec Benjamin Constant une liaison mouvementée (1794-1808). Son premier livre, *De l'influence des passions sur le bonheur des individus et des nations* (1796), la rendit célèbre. Elle revint à Paris en 1797, mais, en 1803, Bonaparte la contraignit à un exil qui dura jusqu'à la Restauration. Ses œuvres import. annoncent, par leur inspiration et leurs idées, le romantisme : *Delphine* (1802), *Corinne* (1807), romans; *De la littérature considérée dans ses rapports avec les institutions sociales* (1800), *De l'Allemagne* (1810). ► illustr. page **1776**

Staël (Nicolas de) (Saint-Pétersbourg, 1914 – Antibes, 1955), peintre français d'origine russe. L'empâtement de ses premiers tableaux fit lentement place à une expression figurative stylisée, aux couleurs travaillées à la spatule (*les Grands Footballeurs*, 1952).

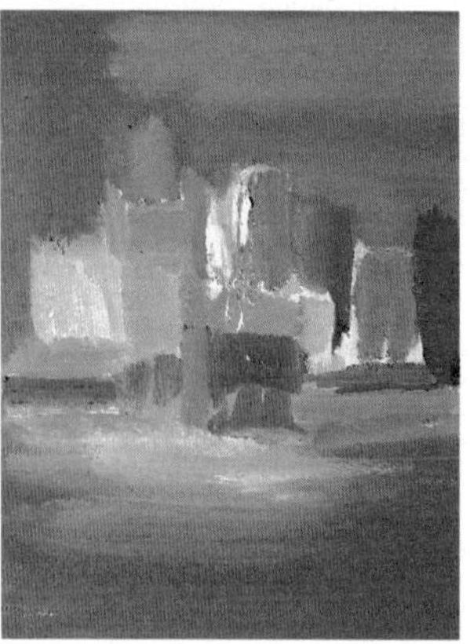

Nicolas de **Staël** : *Paysage*, 1955; coll. part., Zurich

1. staff n. m. TECH Matériau fait de plâtre à modeler, armé d'une matière fibreuse (filasse, toile de jute) et servant à réaliser des décors (moulures, corniches, faux plafonds, etc.).

2. staff n. m. (Anglicisme) Ensemble des conseillers et des collaborateurs directs d'un homme d'affaires, d'un homme politique; ensemble du personnel de direction d'une entreprise.

Staffa, petite île des Hébrides (G.-B.), célèbre pour ses grottes basaltiques (grotte de Fingal).

Staffarde, village d'Italie, près de Saluces (Piémont), où N. Catinat battit le duc de Savoie (1690).

staffer v. tr. [1] TECH Construire en staff.

staffeur n. m. TECH Plâtrier spécialisé dans les ouvrages en staff.

Stafford, v. d'Angleterre, au N.-O. de Birmingham, chef-lieu du *Staffordshire* (2 716 km^2; 1 020 300 hab.); 117 000 hab. Matériel électrique. Constr. méca.

stage n. m. **1.** Anc. Temps de résidence imposé à un nouveau chanoine avant qu'il pût jouir des revenus attachés à sa prébende. **2.** Période d'études pratiques dont les aspirants à certaines professions doivent justifier pour être admis à les exercer. *Stage pédagogique.* **3.** Période de travail salarié dans une entreprise ou un service, qui a pour but la formation ou le perfectionnement dans une spécialité.

stagflation [stagflasjɔ̃] n. f. ECON Situation économique d'un pays où coexistent la stagnation de l'activité économique et l'inflation.

stagiaire adj. et n. Qui fait un stage. *Avocat stagiaire.* ▷ Subst. *Un(e) stagiaire.*

Stagire, anc. v. de la Chalcidique (Macédoine). Patrie d'Aristote (dit le *Stagirite*).

stagnant, ante [stagnɑ̃, ɑ̃t] adj. **1.** Qui ne coule pas, qui forme marécage. *Eaux stagnantes.* **2.** Fig. Qui ne marque aucune activité, aucune évolution; qui ne fait aucun progrès.

stagnation [stagnasjɔ̃] n. f. Fait de stagner; état d'un fluide stagnant. *Stagnation des eaux.* ▷ Fig. État d'inertie, d'inactivité, d'immobilité de ce qui stagne. *Stagnation des idées.*

stagner [stagne] v. intr. [1] **1.** Ne pas s'écouler, en parlant d'un fluide. *Eaux qui stagnent.* **2.** Fig. Ne marquer aucune évolution. *Les affaires stagnent.*

Stahly (François) (Constance, Allemagne, 1911), sculpteur français : compositions monumentales en bois à caractère « totémique » (mur-rideau du hall de la Maison de la Radio à Paris, 1962-1963).

Stains, ch.-l. de cant. de la Seine-St-Denis (arr. de Bobigny); 35 068 hab. Industr. chimiques (peintures).

stakhanovisme n. m. HIST En U.R.S.S. et dans les pays socialistes, méthode qui devait son nom au mineur A. G. Stakhanov (1905-1977), appliquée de 1930 à 1950 environ et destinée à augmenter le rendement du travail, fondée sur le principe d'émulation; on apprit, en 1988, qu'il s'agissait en réalité d'une manipulation reposant sur des données falsifiées.

stakhanoviste adj. et n. **1.** adj. Relatif au stakhanovisme. **2.** n. Adepte du stakhanovisme.

stakning [staknin̩] n. m. SPORT En ski de fond, façon de se propulser en avant en plantant simultanément les deux bâtons.

stalactite n. f. **1.** Concrétion calcaire pendante. *Les stalactites se forment sur le plafond des grottes, en région calcaire.* **2.** ARCHI Ornement en forme de stalactite.

stalag [stalag] n. m. Camp de prisonniers en Allemagne, réservé aux hommes de troupe et aux sous-officiers, pendant la guerre de 1940-1945. *Des stalags.*

stalagmite n. f. GEOL Concrétion calcaire conique, dressée, qui se forme sur le sol d'une grotte, sous une stalactite. *Les stalagmites, à la différence des stalactites, sont dépourvues de canal central.*

stalagmométrie n. f. PHYS Mesure de la tension superficielle des liquides. (V. tension.)

Staline (Joseph Vissarionovitch Djougatchvili, dit) (Gori, Géorgie, 1879 – Moscou, 1953), homme politique soviétique. Fils d'un cordonnier géorgien, acquis dès 1899 aux idées marxistes, il mena dès lors une intense activité révolutionnaire qui lui valut d'être arrêté et exilé à plusieurs reprises (notam. en Sibérie, de 1913 à la fin de 1916). Son action et ses évasions le firent surnommer Staline (« l'Homme d'acier ») en 1913. En 1904, il adhéra à la fraction bolchevique du P.O.S.D.R. dirigée par Lénine, qu'il rencontra en 1905 et qui le fit coopter au comité central du parti en 1912. Secrétaire général du parti (1922), il parvint à succéder à Lénine (1924) malgré les jugements défavorables portés sur lui par ce dernier dans son testament politique. Partisan d'une révolution circonscrite à la seule U.R.S.S., d'un fort développement industriel et d'une politique de centralisation, il fit triompher ses thèses contre Trotski (éliminé en 1927, ainsi que Zinoviev) et contre la droite du parti (Boukharine et Rykov, notam., éliminés en 1929). De 1934 à 1938, de grandes « purges » liquidèrent les derniers opposants et le laissèrent maître absolu du pays. Il usa, pour asseoir sa domination, de moyens de terreur (exécutions, procès truqués, déportations massives) et développa un culte de la personnalité sans limites. Il signa avec Hitler un pacte de non-agression (1939), violé par l'attaque allemande de 1941. Staline dirigea une guerre difficile contre l'Allemagne. La victoire finale renforça son prestige et lui permit d'agrandir le territoire soviétique et son aire d'influence : les États proches passèrent rapidement sous le contrôle de l'U.R.S.S. Après le XXe Congrès du P.C.U.S. (1956), nombre des aspects de sa politique furent condamnés (déstalinisation*), notam. le culte de sa personnalité. Avec l'arrivée au pouvoir de M. Gorbatchev, l'ensemble de la politique stalinienne fut soumis à la critique.

stalactites et **stalagmites,** dans l'aven de la grotte de Marzal, Ardèche

Stalingrad, nom donné de 1925 à 1961 à la ville de Volgograd*. – À la fin de sept. 1942, l'armée allemande de Paulus pénétra dans la ville, mais ne put en déloger l'armée soviétique. Fin nov., les assiégeants furent encerclés et contraints à capituler (31 janv. 1943). Ce fut un tournant décisif de la Seconde Guerre mondiale.

stalinien, enne adj. et n. POLIT Relatif à Staline, au stalinisme. ▷ n. Partisan de Staline et du stalinisme.

stalinisme n. m. POLIT Mode de gouvernement despotique tel qu'il fut pratiqué en U.R.S.S. sous Staline.

stalle n. f. **1.** Chacun des sièges de bois à haut dossier disposés sur les deux côtés du chœur d'une église, et

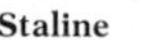

Staline

Stanislas Ier Leczinsky

réservés au clergé. **2.** Chacun des compartiments distincts assignés aux chevaux, dans une écurie. – *Par ext.* Compartiment destiné au parcage d'une automobile. Syn. box (anglicisme off. déconseillé).

Stambolov ou **Stamboulov** (Stefan) (Tărnovo, 1854 – Sofia, 1895), homme politique bulgare. Président du Conseil (1887) sous Ferdinand de Saxe-Cobourg, dont il avait favorisé l'avènement, il fit preuve d'une autorité pesante et sans scrupule. Après son renvoi (1894), il fut assassiné.

staminé, ée adj. BOT *Fleur staminée*, pourvue d'étamines.

staminifère adj. BOT Qui porte des étamines.

Stamitz (Johann Wenzel Anton) ou **Stamic** (Jan Václav Antonin) (Německý Brod, 1717 – Mannheim, 1757), violoniste et compositeur tchèque. Il contribua à fixer la symphonie dans sa forme classique (quatre mouvements) en s'inspirant de la forme sonate, écrivit de nombr. concertos pour divers instruments, des sonates pour violon seul, etc.

stance n. f. **1.** LITTER Vx Groupe de vers formant un système de rimes complet. Syn. mod. strophe. **2.** (Plur.) Pièce de poésie composée de stances (sens 1), d'inspiration philosophique, religieuse ou élégiaque.

1. stand [stɑ̃d] n. m. *Stand de tir* ou *stand* : lieu aménagé pour le tir à la cible.

2. stand [stɑ̃d] n. m. **1.** Dans une exposition, espace réservé à un exposant, à une catégorie de produits. **2.** *Stand de ravitaillement* : dans un circuit de course automobile, emplacement réservé où l'on procède au ravitaillement et aux réparations.

1. standard n. m. et adj. inv. **I.** n. m. **1.** Modèle, type, norme de fabrication. **2.** Vieilli *Standard de vie* (calque de l'angl. *standard of living*) : niveau de vie. **3.** MUS Grand classique du jazz. **II.** adj. inv. Qui fait partie d'une production d'éléments normalisés; de série courante. *Modèle standard.* ▷ Fig. Qui ne se distingue pas par un trait d'originalité particulier; ordinaire, courant. *Un visage et une silhouette standard.*

2. standard n. m. Dispositif permettant de brancher les différents postes d'une installation téléphonique intérieure de quelque importance (entreprises, administrations, etc.) sur le réseau urbain, ou de mettre ces postes en communication entre eux.

standardisation n. f. Unification, uniformisation de tous les éléments d'une production. V. normalisation.

standardiser v. tr. [1] **1.** Rendre conforme à un standard; normaliser. **2.** Fig. Uniformiser. – Pp. adj. *Comportements sociaux standardisés.*

standardiste n. Téléphoniste assurant le service d'un standard.

stand-by [stɑ̃dbaj] n. m. inv. (Anglicisme) *Passager (en) stand-by* : passager qui, n'ayant pas de réservation ferme sur un vol donné, est inscrit sur une liste d'attente et n'embarque qu'au cas où une place se libère en dernière minute.

standing [stɑ̃diŋ] n. m. (Anglicisme) Position sociale élevée; ensemble des éléments du train de vie marquant une telle position. *Avoir un bon standing.* ▷ (Choses) Confort, luxe. *Immeuble de grand standing.*

Stanhope (James, 1er comte) (Paris, 1673 – Londres, 1721), général et homme politique anglais. Il combattit en Espagne (1708-1712), où il essuya de nombr. échecs. Étant devenu l'un des chefs du parti whig, il dirigea avec succès la diplomatie de 1714 à 1721, concluant la Triple-Alliance* (1717) et la Quadruple-Alliance* (1718).

Stanislas (saint) (Szczepanow, 1030 – Cracovie, 1079), évêque de Cracovie en 1072, assassiné par le roi Boleslas II, qu'il avait excommunié pour sa cruauté et ses débauches. Patron de la Pologne.

Stanislas Ier Leczinsky ou **Leszczyński** (Lwów, 1677 – Lunéville, 1766), roi de Pologne (1704-1709 et 1733-1736). Élu roi de Pologne grâce à Charles XII de Suède, il s'enfuit après l'écrasement de ce dernier à Poltava (1709). Il obtint de son protecteur la principauté de Deux-Ponts (1716), qu'il dut quitter en 1718 (mort de Charles XII). Il revint en Pologne à la mort d'Auguste II, se fit de nouveau élire roi (1733), grâce au soutien de Louis XV, qui avait épousé sa fille (1725). La Russie l'attaquant, la France lui retirant son appui, il dut abdiquer (1736) et reçut par le traité de Vienne (1738) les duchés de Lorraine et de Bar, qui devaient, à sa mort, revenir à la France. Il tint une cour brillante à Lunéville et à Nancy.

Stanislas II Auguste Poniatowski (Wołczyn, 1732 – Saint-Pétersbourg, 1798), dernier roi de Pologne (1764-1795). Élu grâce à l'appui de Catherine II, il fut impuissant devant les exigences contradictoires des Russes et des nationalistes polonais. Influencé par la philosophie des Lumières, il tenta quelques réformes (enseignement, notam.). Il abdiqua en 1795 (après le troisième partage de la Pologne).

Stanislavski (Constantin Sergheïevitch Alexeïev, dit) (Moscou, 1863 – id., 1938), acteur et metteur en scène de théâtre russe; l'un des fondateurs du Théâtre d'art de Moscou (1898), auquel il joignit un studio expérimental (1905).

Stanley (John Rowlands, sir Henry Morton) (Denbigh, pays de Galles, 1841 – Londres, 1904), journaliste et explorateur anglais. Il partit à la recherche de Livingstone*, qu'il retrouva à Ujiji, sur la rive E. du lac Tanganyika (nov. 1871). Entré au service de l'Association africaine internationale, créée en 1876 par Léopold II, il remonta le Congo (1879-1884) jusqu'au *Stanley Pool*, (auj. Pool Malebo) puis jusqu'au lac Léopold-II (auj. lac Maï Ndombé), et prit possession de la r. g. du Congo, au nom de l'Association africaine. Il a publié de nombr. récits de voyages : *Comment j'ai retrouvé Livingstone* (1872), *À travers le continent noir* (1878).

Stanley (Wendell Meredith) (Ridgeville, Indiana, 1904 – Salamanque, 1971), biochimiste américain. Ses travaux ont porté notam. sur les stérols et sur l'agent de la mosaïque du tabac, virus qu'il sut cristalliser. P. Nobel de chimie 1946 (avec J.H. Northrop et J.B. Sumner).

Stanley Pool. V. Pool Malebo.

Stanleyville. V. Kisangani.

stannifère adj. MINER Qui contient de l'étain.

Stanovoï (monts), chaîne de Sibérie orient., au nord du fl. Amour; alt. max. 2412 m. Elle s'allonge d'O. en E. sur 800 km environ.

Stans, commune de Suisse (Unterwald), ch.-l. du demi-canton de Nidwald; 5700 hab. Constr. aéronautiques. Tourisme.

staphylin n. m. ENTOM Insecte coléoptère (genres *Staphylinus* et voisins) aux élytres courts, à l'abdomen découvert et souvent relevé pendant la marche.

staphylococcie [stafilokɔksi] n. f. MED Infection à staphylocoques. *Principales staphylococcies : furoncle, anthrax, phlegmon du rein, abcès du poumon, pleurésie, septicémie à staphylocoques.*

staphylocoque n. m. MED et cour. Bactérie de forme ronde, dont les individus sont groupés en amas évoquant des grappes de raisin; ce sont les agents de diverses infections, notam. cutanées.

staphylome n. m. MED Saillie pathologique de la cornée, due en général à une inflammation ou à un traumatisme.

star n. f. (Anglicisme) Vedette de cinéma.

Stara Planina («Vieille Montagne»), nom bulgare du mont Balkan*.

Stara Zagora, ville du S. de la Bulgarie; 150800 hab.; ch.-l. de distr. Engrais; industr. text. et alim.

Starck (Philippe Patrick) (Paris, 1949), architecte d'intérieur et designer français. Il a aménagé, notam., les salles du musée de la Villette (1984).

starets [staʀɛts] ou **stariets** [staʀjɛts] n. m. HIST Dans l'ancienne Russie, religieux contemplatif, ascète qui jouait le rôle de guide spirituel.

Starhemberg ou **Starchemberg** (Ernst Rüdiger, comte von) (Graz, 1638 – Wesendorf, Vienne, 1701), général autrichien qui défendit Vienne contre les Turcs (1683).

Stark (Johannes) (Schickenhof, Bavière, 1874 – Traunstein, 1957), physicien allemand; connu pour ses études sur le dédoublement des raies spectrales par un champ électrique. P. Nobel 1919.

starking [staʀkiŋ] n. f. (Anglicisme) Variété de pomme rouge.

starlette n. f. Jeune actrice de cinéma (qui espère devenir une star).

Starobinski (Jean) (Genève, 1920), critique suisse d'expression française. Il privilégie l'expérience d'un «regard» analytique qui, tout en restant extérieur à l'œuvre, s'efforce de pénétrer l'intimité de l'auteur : *Jean-Jacques Rousseau, la Transparence et l'Obstacle* (1957), *les Mots sous les mots* (1971), *Montaigne en mouvement* (1982), etc.

star-system [staʀsistɛm] n. m. (Anglicisme) Organisation de la production et de la distribution cinématographiques fondée sur le culte de la star, de la vedette. *Des star-systems.*

START, acronyme pour l'angl. *Strategic Arms Reduction Talks*, «discussions sur la réduction des armes stratégiques». Négociations internationales menées depuis 1982 et qui ont permis d'importants accords de désarmement nucléaire en 1988 et 1990-1991.

starter [staʀtɛʀ] n. m. **1.** SPORT, TURF Personne qui donne le signal du départ dans une course. **2.** Dispositif qui facilite le démarrage d'un moteur à explosion en enrichissant temporairement le mélange gazeux en carburant.

starting-block [staʀtiŋblɔk] n. m. (Anglicisme) SPORT Appareil constitué essentiellement de deux cales servant d'appui aux pieds d'un coureur, au départ des courses de vitesse. *Des starting-blocks.* Syn. (off. recommandé) bloc (cale) de départ, marque.

starting-gate [staʀtiŋgɛt] n. m. (Anglicisme) TURF Barrière que l'on relève pour donner le départ aux chevaux, dans une course. *Des starting-gates.*

start-up [staʀtœp] n. f. inv. (Anglicisme) ECON Entreprise qui se lance dans un secteur de pointe, soutenue par le capital-risque.

stase n. f. MED Ralentissement important ou arrêt de la circulation d'un liquide dans l'organisme.

-stat. Élément, du gr. *statos,* «stationnaire».

stathouder [statudɛʀ] ou **stadhouder** [stadudɛʀ] n. m. HIST Gouverneur de province, dans les Pays-Bas espagnols. ▷ Chef d'une ou de plusieurs provinces des Provinces-Unies. *La fonction de stathouder fut illustrée par la maison d'Orange qui, à partir de 1573, exerça le stathoudérat général.*

statice n. m. BOT Plante à fleurs en épis colorés dont une espèce, la *lavande de mer* ou *immortelle bleue,* croît sur les sables des côtes atlantiques.

statif, ive n. m. et adj. **1.** TECH Socle lourd et stable servant de support à un appareil ou à des accessoires. **2.** adj. LING Qui indique la durée. *«Persister» est un verbe statif.*

station n. f. **1.** Action, fait de s'arrêter au cours d'un déplacement; pause en un lieu. *Faire une longue station devant une vitrine.* ▷ RELIG *Station du chemin de croix :* chacun des quatorze arrêts de Jésus pendant sa montée au Calvaire. – Tableau représentant l'une de ces scènes. **2.** Fait de se tenir (de telle façon); fait de se tenir (debout, dressé). *La station debout est pénible.* **3.** Lieu spécialement aménagé pour l'arrêt des véhicules. *Une station de taxis, d'autobus.* **4.** Lieu de villégiature, de vacances. *Station thermale, balnéaire, de sports d'hiver.* **5.** Installation, fixe ou mobile, destinée à effectuer des observations. *Station météorologique. Station spatiale* (ou *orbitale*) : vaste infrastructure spatiale destinée à assurer une présence permanente d'humains dans l'espace. **6.** Ensemble d'installations émettrices. *Station de radio, de télévision. Station pirate.* **7.** INFORM *Station de travail :* installation reliée à un réseau et dédiée à une tâche déterminée (en partic. conception assistée par ordinateur). **8.** ASTRO *Planète en station,* qui, pour l'observateur terrestre, apparaît immobile. **9.** MAR *Station maritime :* subdivision d'un «quartier» confiée à un fonctionnaire des Affaires maritimes appelé *syndic des gens de mer.* **10.** Didac. Lieu de vie d'une espèce animale ou végétale.

stationnaire adj. et n. m. **I.** adj. **1.** Qui arrête son mouvement et reste un certain temps à la même place. ▷ PHYS *Système d'ondes stationnaires :* système vibratoire qui résulte de l'interférence d'ondes se propageant en sens contraires et caractérisé par des points d'amplitude nulle *(nœuds)* et des points d'amplitude maximale *(ventres).* **2.** Qui ne change pas, n'évolue pas. *L'état du blessé reste stationnaire.* **II.** n. m. MILIT Bâtiment de guerre qui assure une mission de surveillance sur une étendue de mer déterminée.

stationnement n. m. **1.** Action, fait de stationner. *Parc de stationnement. Stationnement interdit.* **2.** (Canada) Espace où l'on peut faire stationner un véhicule. *Le stationnement d'un centre commercial.*

vaisseau Soyouz TM, lancé tous les 6 mois avec deux ou trois cosmonautes, ou vaisseau-cargo Progress-M transportant du fret
module principal de la station Mir, lancé le 19 février 1986 ; abrite les quartiers de l'équipage, le poste de pilotage et divers instruments scientifiques
module Kvant 1 / Röntgen, lancé le 31 mars 1987 ; réservé à l'astronomie
module Kvant 5 / Priroda, devant être lancé vers 1992 et destiné à l'observation de la Terre
module Kvant 4 / Spektr, devant être lancé en 1992 et destiné à l'observation de la Terre
module Kvant 2, lancé le 26 novembre 1989 ; à vocation utilitaire, ajoute un sas de sortie extra-véhiculaire à la station
module Kvant 3 / Kristall, lancé le 31 mai 1990 ; réservé aux expériences médicales et aux tests sur les matériaux en microgravité
navette spatiale soviétique Bourane, lancée pour la première fois le 15 novembre 1988 ; elle peut transporter deux cosmonautes et 20 à 30 t de fret

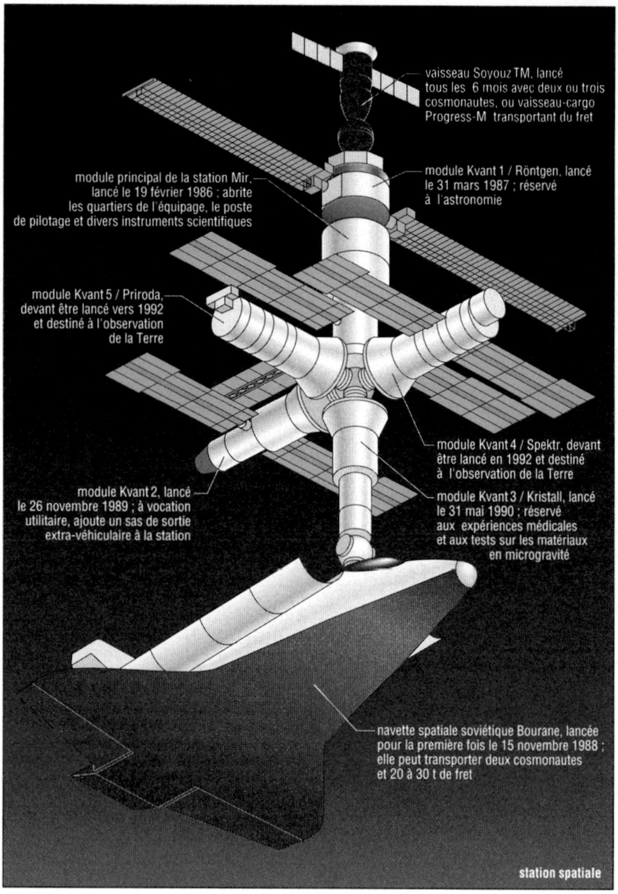

station spatiale

stationner v. intr. [1] S'arrêter et demeurer au même endroit. *Véhicule qui stationne sur le bas-côté d'une route. Défense de stationner.*

station-service n. f. Poste de distribution d'essence où sont également assurés les travaux d'entretien courant des automobiles. *Des stations-service.*

statique n. f. et adj. **I.** n. f. PHYS Partie de la mécanique qui étudie les conditions auxquelles doit satisfaire un corps ou un système de corps pour rester immobile dans un repère donné (par oppos. à *dynamique*). **II.** adj. **1.** Relatif à l'équilibre des forces. ▷ *Électricité statique,* qui se développe sur un corps par influence, par frottement, etc. **2.** Qui demeure dans le même état, qui n'évolue pas. *Société statique.*

statisticien, enne n. Spécialiste de la statistique.

statistique n. f. et adj. **I.** n. f. **1.** MATH Branche des mathématiques appliquées qui a pour objet l'étude des phénomènes mettant en jeu un grand nombre d'éléments. **2.** Ensemble de données numériques concernant l'état ou l'évolution d'un phénomène qu'on étudie au moyen de la statistique (au sens 1). *Statistiques socio-économiques.* **3.** PHYS Loi qui décrit le comportement des systèmes de particules à l'aide des mathématiques statistiques. *Statistique de Fermi*-Dirac.* **II.** adj. **1.** Qui se rapporte aux opérations et aux moyens de la statistique. *Évaluations statistiques. Modèle statistique.* **2.** PHYS *Mécanique statistique,* qui applique à l'étude des systèmes de particules les lois de la statistique.

statistiquement adv. Didac. D'après les statistiques, du point de vue de la statistique.

statocyste n. m. ZOOL Chez de nombreux invertébrés, organe du sens de l'équilibre.

stator n. m. TECH Partie fixe de certaines machines (moteurs électriques, turbines, etc.), par oppos. à la partie tournante, dite *rotor.*

statoréacteur n. m. AVIAT Moteur à réaction sans organe mobile, constitué d'une entrée d'air, d'une chambre de combustion et d'une tuyère.

statthalter [stat'altɛʀ] n. m. Gouverneur allemand, spécial. en Alsace-Lorraine entre 1879 et 1918.

statuaire adj. et n. **I.** adj. Utilisé pour faire des statues. *Bronze statuaire.* **II.** n. **1.** n. f. Art de faire des statues. *La statuaire médiévale.* **2.** n. m. Sculpteur qui fait des statues.

statue n. f. Figure sculptée représentant en entier un être vivant. *Dresser, ériger une statue. La statue de la Liberté, par Bartholdi.*

statuer v. [1] **1.** v. tr. Vx Ordonner. **2.** v. intr. *Statuer sur (qqch)* : prendre une décision quant à (qqch). *Statuer sur un cas particulier.*

statuette n. f. Statue de petite taille. *Statuette de Tanagra.*

statufier v. tr. [2] Fam. Élever une statue à (qqn), représenter par une statue.

statu quo [statykwo] n. m. inv. (Mots lat.) Situation actuelle, état actuel des choses. *Maintenir le statu quo.*

stature n. f. **1.** Taille d'une personne. *Haute stature.* **2.** Fig. Importance (de qqn). *La stature de ce philosophe domine la vie intellectuelle.*

statut n. m. **1.** DR Vx Loi, règlement, ordonnance. ▷ Mod. *Statuts réels* : lois qui sont relatives aux biens-fonds. *Statuts personnels* : lois qui concernent les personnes. **2.** (Plur.) Textes qui régissent le fonctionnement d'une société civile ou commerciale, d'une association, etc. *Statuts d'un club sportif.* **3.** Situation personnelle résultant de l'appartenance à un groupe régi par des dispositions juridiques ou administratives particulières. *Bénéficier du statut de fonctionnaire.* ▷ *Par ext.* (Emploi critiqué.) Situation personnelle au sein d'un groupe, d'un ensemble social. *Avoir un statut privilégié.*

statutaire adj. Conforme aux statuts d'une société, d'un groupe.

statutairement adv. DR Conformément aux statuts.

Staudinger (Hermann) (Worms, 1881 – Fribourg-en-Brisgau, 1965), chimiste allemand. Ses travaux sur les macromolécules ont permis de réaliser la synthèse de nombr. matières plastiques. P. Nobel 1953.

Stauffenberg (Claus, comte Schenk von) (Jettingen, Augsbourg, 1907 – Berlin, 1944), officier allemand; auteur de l'attentat manqué contre Hitler, à Rastenburg, le 20 juil. 1944; arrêté le soir même à Berlin, il fut fusillé.

Stavanger, v. et port de la Norvège méridionale, sur l'océan Atlantique; 97 300 hab.; ch.-l. de comté. Centre commercial. Centre industriel (constr. navales, conserveries) et pétrolier.

Stavelot, com. de Belgique (Liège); 5 920 hab. – Vestiges d'une abbaye fondée en 651.

Stavisky (Alexandre) (Slobodka, Ukraine, 1886 – Chamonix, 1934), homme d'affaires français d'origine russe. Ses escroqueries (faux bons de caisse du Crédit municipal de Bayonne, entre autres) aboutirent à un scandale (déc. 1933) qui compromettait des personnalités politiques. Les circonstances obscures de sa mort (meurtre ou suicide), en janv. 1934, déclenchèrent *l'affaire Stavisky*, que la droite exploita pour discréditer le régime et provoquer la chute du ministère Chautemps : émeutes du 6 fév. 1934, qui furent suivies d'un regroupement spontané des partis de gauche annonçant le Front populaire.

Stavropol. V. Togliatti.

Stavropol (*Vorochilovsk* de 1935 à 1943), v. de Russie, au nord du Caucase; 293 000 hab.; ch.-l. du territ. du m. nom. Gaz naturel aux environs.

stavug ou **stawug** [stavyg] n. m. SPORT Façon de se déplacer à skis combinant la marche et le stakning*, utilisée par les skieurs de fond.

stayer [stɛjœʀ] n. m. **1.** TURF Cheval apte à courir dans des épreuves de fond. **2.** SPORT Coureur cycliste spécialiste des courses de demi-fond sur piste derrière motocyclette.

steak [stɛk] n. m. Tranche de bœuf à griller ou grillée; bifteck.

steamer [stimœʀ] n. m. Vieilli Navire à vapeur.

stéar(o)-, stéat(o)-. Éléments, du gr. *stear, steatos,* « graisse ».

stéarine n. f. CHIM Ester du glycérol et de l'acide stéarique. ▷ Cour. Solide blanc et translucide constitué d'un mélange d'acide stéarique et de paraffine, utilisé notam. dans la fabrication des bougies.

stéarique adj. CHIM *Acide stéarique* : acide gras saturé, abondant dans le suif de mouton et de bœuf.

stéat(o)-. V. stéar(o)-.

stéatite n. f. MINER Silicate naturel de magnésium, onctueux au toucher, utilisé comme craie par les tailleurs et les couturières et servant à fabriquer les pastels.

stéatopyge adj. Didac. Dont les fesses sont le siège d'importantes localisations graisseuses; qui a de très grosses fesses. *Les femmes hottentotes et boschimanes sont stéatopyges.*

stéatose n. f. MED Accumulation de granulations graisseuses dans les cellules d'un tissu.

steel band [stilbɑ̃d] n. m. (Anglicisme) Orchestre des Caraïbes constitué d'instruments confectionnés avec des tonneaux et des récipients de récupération en métal.

Steele (sir Richard) (Dublin, 1672 – Carmarthen, pays de Galles, 1729), journaliste, dramaturge, essayiste et pamphlétaire irlandais. Après avoir lancé *The Tatler,* en 1709, il fonda en 1711, avec Addison, l'important journal *The Spectator.* Il écrivit des comédies : *l'Enterrement ou la Douleur à la mode* (1701), *l'Amoureux menteur* (1703). Dans son pamphlet *la Crise,* il se prononça en faveur des Hanovre.

Steen (Jan) (Leyde, 1626 – id., 1679), peintre hollandais de genre *(la Basse-cour).*

Steenrod (Norman Earl) (Dayton, Ohio, 1910 – Princeton, New Jersey, 1971), mathématicien américain; connu pour ses travaux de topologie.

steeple-chase [stipœltʃɛz] ou **steeple** [stipœl] n. m. (Anglicisme) **1.** TURF Course d'obstacles pour chevaux. *Des steeple-chases* ou *des steeples.* **2.** SPORT *Trois mille mètres steeple* : course à pied de 3 000 m, sur piste, au cours de laquelle les concurrents doivent franchir un certain nombre d'obstacles.

Stefan (Josef) (Sankt Peter, près de Klagenfurt, 1835 – Vienne, 1893), physicien autrichien; connu pour ses travaux sur le rayonnement.

stégo-. Élément, du gr. *stegos,* « toit ».

stégocéphales n. m. pl. PALEONT Ordre d'amphibiens fossiles qui furent les premiers vertébrés à venir vivre sur la terre ferme. – Sing. *Un stégocéphale.*

stégomyie [stegomii] ou **stegomyia** n. f. ENTOM Moustique dont une espèce est le vecteur de la fièvre jaune.

stégosaure [stegozɔʀ] n. m. PALEONT Dinosaure du jurassique qui portait deux rangées de plaques osseuses dressées le long de l'épine dorsale et deux paires de piques sur la queue. ▶ illustr. **dinosaures**

Steichen (Edward) (Luxembourg, 1879 – West Retting, Connecticut, 1973), photographe américain. Ami des peintres, photographe de mode, il contribua à donner à la photographie droit de cité dans les musées.

Stein (Karl, baron von) (Nassau, 1757 – Kappenberg, Westphalie, 1831), homme politique prussien. Ministre d'État (de 1804 à 1808), tenant du despotisme éclairé, il s'efforça de relever la Prusse (réformes libérales) après Tilsit. Manifestant une inébranlable hostilité envers Napoléon, qui avait obtenu son renvoi, il poussa la Prusse et la Russie à s'allier contre lui.

Stein (Gertrude) (Alleghany, Pennsylvanie, 1874 – Neuilly-sur-Seine, 1946), romancière et essayiste américaine. Installée en France en 1903, elle fut au premier rang des défenseurs de Picasso, de Braque et de Matisse. Après la publication de *Trois Vies* (1909), elle se livra à une recherche d'avant-garde sur le langage (*Dix Portraits,* 1930); ses livres de souvenirs sont d'une facture plus traditionnelle : *Américains d'Amérique* (1925), *Paris, France* (1940). Elle a influencé de nombreux écrivains américains (Hemingway, Scott Fitzgerald).

Stein (Edith), en religion bienheureuse Thérèse Bénédicte de la Croix (Breslau, auj. Wrocław, 1891 – Auschwitz, 1942), philosophe allemande, élève de Husserl. Juive, elle se convertit au catholicisme et entra au carmel de Cologne. En 1938, elle émigra aux Pays-Bas. Elle mourut en déportation et fut béatifiée en 1987.

Stein (William Howard) (New York, 1911 – id., 1980), biochimiste américain; auteur de travaux sur les protéines (détermination de la structure de la ribonucléase, notam.), en collab. avec Stanford Moore. Prix Nobel de chimie 1972 (avec S. Moore et Chr. Anfinsen).

Steinbeck (John) (Salinas, Californie, 1902 – New York, 1968), écrivain américain. L'intérêt de ses romans réside essentiellement dans le souffle épique, la générosité, la force de conviction et d'émotion : *Tortilla Flat* (1935), *En un combat douteux* (1936), *Des souris et des hommes* (1937), *les Raisins de la colère* (1939), *Rue de la Sardine* (1945), *À l'est d'Éden* (1952), etc. Déçu dans ses aspirations utopistes et socialistes, Steinbeck s'était rallié, vers la fin de sa vie, au « rêve américain ». P. Nobel 1962.

Steinberg (Saul) (Rîmnicu-Sărat, près de Ploieşti, 1914), dessinateur humoristique américain d'origine roumaine. Il a renouvelé le dessin satirique contemp. : album *All in Line* (1945).

Steiner (Rudolf) (Kraljevič, Croatie, 1861 – Dornach, près de Bâle, 1925), philosophe et pédagogue autrichien. Il fut le fondateur de la Société anthroposophique, mouvement philosophique et religieux dont la doctrine est une ten-

Gertrude **Stein**

John **Steinbeck**

tative de syncrétisme entre les mystiques chrétienne et orientale. Parmi ses nombr. œuvres : *la Science occulte* (1910), *Éducation de l'enfant du point de vue de la science spirituelle.*

Steinitz (Ernst) (Laurahütte, auj. Siemianowice, Pologne, 1871 – Kiel, 1928), mathématicien allemand ; l'un des fondateurs de l'algèbre moderne.

Steinkerque (auj. *Steenkerque*), anc. com. de Belgique (Hainaut, arr. de Soignies), auj. intégrée à Braine-le-Comte. – Victoire du maréchal de Luxembourg, à la tête de l'armée française, sur Guillaume III d'Orange, qui commandait les forces de la ligue d'Augsbourg* (1692).

Steinlen (Théophile Alexandre) (Lausanne, 1859 – Paris, 1923), peintre, dessinateur, lithographe et affichiste français d'origine suisse. Collaborateur de nombr. journaux, dont *l'Assiette au beurre*, il peignit avec réalisme la vie des pauvres et des opprimés. Il a illustré A. Bruant.

Steinway (Henry Engelhard [originellement *Heinrich Engelhardt Steinweg*]) (Wolfshagen, 1797 – New York, 1871), facteur de pianos allemand. Après avoir créé deux manufactures de pianos en Allemagne, il ouvrit à New York, avec deux de ses fils, la maison *Steinway and Sons* (1853), qui continue de produire de prestigieux pianos.

stèle n. f. Monument monolithe (obélisque, colonne tronquée, pierre plate dressée, etc.) portant, le plus souvent, une inscription ou une représentation figurée. *Stèle funéraire.*

stellage n. m. FIN Opération à terme dans laquelle le spéculateur se réserve le droit, à l'échéance, d'acheter ou de vendre des titres à des cours différents de ceux du marché du jour.

1. stellaire adj. **1.** Didac. Des étoiles, qui a rapport aux étoiles. *Astronomie stellaire.* **2.** ANAT *Ganglion stellaire* (ou *étoilé*), formé par la réunion de deux ganglions sympathiques.

2. stellaire n. f. BOT Plante herbacée (fam. caryophyllacées) dont les fleurs blanches ont des pétales divisés en deux. *Le mouron des oiseaux est une stellaire.*

stelléroïdes n. m. pl. ZOOL Classe d'échinodermes comprenant les astéries (étoiles de mer) et les ophiures. – Sing. *Un stelléroïde.*

Stelvio (col du), col des Alpes italiennes (2 757 m), entre les cours supérieurs de l'Adda et de l'Adige, près de la Suisse. Il est franchi par la route reliant Milan à Innsbruck.

stem, stemm [stɛm] ou **stem-christiania** [stɛmkʀistjanja] n. m. SPORT Technique de virage basée sur le transfert du poids du corps d'un ski à l'autre.

stén(o)-. Élément, du gr. *stenos*, « étroit ».

stencil [stɛnsil] n. m. Papier paraffiné servant, après perforation à la machine à écrire ou à la main, à la reproduction d'un texte ou d'un dessin au moyen d'un duplicateur.

Stendhal (Henri Beyle, dit) (Grenoble, 1783 – Paris, 1842), écrivain français. Fils d'un magistrat grenoblois, il prit part aux campagnes du Consulat et de l'Empire, comme sous-lieutenant de dragons (1800-1801), puis comme intendant aux armées (1806-1808). La découverte de l'Italie (1800) lui laissa un souvenir ineffaçable. La chute de l'Empire mit fin à sa carrière militaire ; il partit en 1814 pour Milan, où il séjourna jusqu'en 1821, fréquentant les salons et publiant ses premiers essais : *Lettres sur Haydn, Mozart et Métastase* (1814), *Rome, Naples et Florence* (1817, sous le nom de Stendhal, qui apparaît pour la première fois), *Histoire de la peinture en Italie* (1817). Suspect de carbonarisme, il dut rentrer en France ; de 1821 à 1830, il se fixa à Paris. Il publia *De l'amour* (1822), défendit le romantisme (*Racine et Shakespeare*, 1823 et 1825), fit éditer un premier roman, *Armance* (1827), des *Promenades dans Rome* (1829) et un autre roman, *le Rouge et le Noir* (1830). Ce livre eut peu de succès. Nommé consul de France à Trieste (1830), puis à Civitavecchia, Stendhal écrivit en 1834 *Lucien Leuwen*, roman inachevé, que sa charge officielle lui interdit de publier, et qui ne paraîtra en entier qu'en 1927. En 1836, il obtint un congé, qu'il passa à Paris (1836-1839), publiant les *Mémoires d'un touriste* (1838), les *Chroniques italiennes* (nouvelles, 1839) ; son roman *la Chartreuse de Parme* (1839) obtint un grand succès d'estime (auprès de Balzac, notam.). À sa mort, il laissait un roman inachevé, *Lamiel* (publié en 1889). Méconnu de son vivant, Stendhal est auj. l'un des écrivains français les plus admirés. L'action romanesque est, chez lui, déterminée par un rythme intérieur, celui des aspirations du héros. De même que ses personnages cultivent l'énergie, la raison, la lucidité, la haine du conformisme et de la soumission, Stendhal vise, par son écriture, à l'efficacité maximale, recherchant la clarté avant toute chose (il disait admirer particulièrement le style du Code civil). Sincère aussi bien qu'hypocrite, ambitieux et indifférent, il aimait surtout parler de lui-même, indirectement dans ses romans et ses essais, en toute liberté dans ses ouvrages autobiographiques : son *Journal*, tenu régulièrement de 1802 à 1817, puis périodiquement jusqu'en 1823 (publié en 1888), les brefs *Souvenirs d'égotisme* (1832, publiés en 1892), la *Vie de Henry Brulard* (1835-1836, publiée en 1890) révèlent un mode unique de percevoir et de raisonner, qu'on a nommé le *beylisme.*

Stendhal

Stevenson

stendhalien, enne adj. LITTER De Stendhal, qui a rapport à Stendhal. *La prose stendhalienne.*

sténo n. m. et f. Abrév. de *sténodactylo, sténographe* et *sténographie.*

sténodactylo n. Personne qui pratique la sténographie et la dactylographie à titre professionnel. (Abrév. cour. : sténo).

sténodactylographie n. f. Emploi combiné de la sténographie et de la dactylographie. (Abrév. cour. : sténodactylo).

sténographe n. Personne qui pratique la sténographie à titre professionnel. (Abrév. cour. : sténo).

sténographie n. f. Procédé d'écriture très simplifié, grâce auquel on peut noter un texte aussi vite qu'il est prononcé. (Abrév. cour. : sténo).

sténographier v. tr. [2] Écrire en sténographie. *Sténographier un débat.*

sténographique adj. Qui a rapport à la sténographie. *Signes sténographiques.*

sténose n. f. MED Rétrécissement pathologique d'un conduit, d'un orifice, d'un organe.

sténosé, ée adj. MED Qui présente une sténose.

sténotype n. f. TECH Machine à clavier qui permet de noter très rapidement la parole sous forme phonétique, en utilisant un alphabet simplifié.

sténotypie n. f. Technique de la notation de la parole au moyen d'une sténotype.

sténotypiste n. Personne qui pratique la sténotypie à titre professionnel.

stentor [stɑ̃tɔʀ] n. m. **1.** *Voix de stentor* : voix forte, retentissante. ▷ *Un stentor* : un homme possédant une telle voix. **2.** ZOOL Protozoaire cilié d'eau douce en forme de trompe.

Stepanakert, v. d'Azerbaïdjan, ch.-l. du Haut-Karabakh ; 30 290 hab.

stéphanois, oise adj. et n. De Saint-Étienne. – Subst. *Un(e) Stéphanois(e).*

Stephenson (George) (Wylam, près de Newcastle, 1781 – Tapton House, Chesterfield, 1848), ingénieur anglais. Il construisit, en 1813, la première locomotive à vapeur munie de roues lisses accouplées par bielles et roulant sur des rails lisses. Il remporta en 1829, avec son fils **Robert** (Willington Quay, Northumberland, 1803 – Londres, 1859), un concours avec une locomotive qui parvint à tirer un train de 40 t à la vitesse de 26 km/h. Il dirigea la construction de la ligne Liverpool-Manchester (1826-1829).

steppe n. f. **1.** GEOGR Formation végétale caractéristique des zones semi-arides, constituée par une couverture discontinue de graminées xérophiles dont les intervalles peuvent être occupés par des formes diverses (plantes annuelles ou vivaces, sous-arbrisseaux, etc.). ▷ GEOGR et cour. Vaste plaine couverte par une telle végétation. *La steppe sibérienne.* **2.** ARCHEOL *Art des steppes* : art ornemental (haches, poignards, bijoux, mors, décorations de harnais, etc.) créé par les peuples nomades qui, entre le IIIe millénaire av. J.-C. et le IIIe s. apr. J.-C., occupèrent la steppe eurasiatique, du Danube à la Mongolie.

steppique adj. Didac. De la steppe ; caractéristique de la steppe. *Végétation steppique.*

stéradian n. m. PHYS Unité d'angle solide (symbole sr), égale à l'angle solide qui découpe, sur une sphère centrée au sommet de cet angle, une surface égale à celle d'un carré ayant pour côté le rayon de la sphère.

1. stercoraire n. m. ORNITH Gros oiseau des régions polaires (genre *Stercorarius*), au bec crochu, qui attaque les autres oiseaux pour leur prendre leur proie. (Il est également appelé *mouette ravisseuse* ou *mouette pillarde.*) Syn. labbe.

2. stercoraire adj. Didac. **1.** SC NAT Qui se nourrit d'excréments, qui croît sur les excréments. (V. coprophage, scatophile.) **2.** MED Qui a rapport aux excréments. *Fistule stercoraire.* ▷ Par ext. *Littérature stercoraire,* scatologique.

sterculiacées n. f. pl. BOT Famille de plantes arborescentes tropicales, à laquelle appartient notam. le cacaoyer. – Sing. *Une sterculiacée.*

sterculie n. f. Nom générique d'une centaine d'espèces de plantes arborescentes tropicales de la famille des sterculiacées.

stère n. m. Unité de volume (symbole st) égale au mètre cube, utilisée pour les bois de charpente et de chauffage.

stéréo-. Élément, du gr. *stereos,* «solide, ferme», impliquant une idée de volume.

stéréo n. f. ou adj. Abrév. de *stéréophonie, stéréophonique.*

stéréobate n. m. ARCHI Soubassement sans moulure d'un édifice, d'une colonne.

stéréochimie n. f. CHIM Partie de la chimie qui étudie les rapports entre les propriétés des corps et la configuration spatiale des atomes de leurs molécules.

stéréognosie n. f. PHYSIOL Fonction sensorielle permettant de reconnaître la forme et le volume des objets qu'on palpe.

stéréogramme n. m. Didac. Image obtenue par stéréographie ou stéréoscopie.

stéréographie n. f. Didac. Représentation des solides par leurs projections sur des plans.

stéréo-isomérie n. f. CHIM Isomérie* de corps présentant la même formule semi-développée, mais de configurations spatiales différentes. *Des stéréo-isoméries.*

stéréométrie n. f. TECH Branche de la géométrie pratique qui a pour objet la mesure des solides. ▷ *Spécial.* Mesure approximative des volumes des corps usuels (troncs d'arbres, tonneaux, tas de sable, etc.).

stéréophonie n. f. Procédé de reproduction des sons utilisant plusieurs canaux différents branchés sur des enceintes acoustiques distinctes et restituant ainsi un relief sonore. *Émission en stéréophonie.* Ant. monophonie. ▷ Abrév. cour. : stéréo. *Concert en stéréo.*

stéréophonique adj. Qui restitue un relief sonore par la stéréophonie; en stéréophonie. *Enregistrement stéréophonique.* – Abrév. cour. : stéréo. *Chaîne stéréo.*

stéréoscope n. m. TECH Instrument d'optique restituant l'impression du relief à partir de deux images planes fusionnées d'un même sujet.

stéréoscopie n. f. TECH Procédé qui permet de restituer l'impression du relief à partir du fusionnement d'un couple d'images planes; utilisation du stéréoscope.

stéréoscopique adj. TECH Relatif au stéréoscope ou à la stéréoscopie.

stéréospondyliens n. m. pl. PALEONT Ancien nom des labyrinthodontes (V. ce mot). – Sing. *Un stéréospondylien.*

stéréotaxie n. f. CHIR Méthode de localisation dans l'espace d'une structure nerveuse cérébrale à partir de repères osseux du crâne.

stéréotomie n. f. TECH Art de la coupe des pierres, des matériaux de construction.

stéréotype adj. et n. m. **1.** adj. IMPRIM Vx Imprimé avec des planches clichées. *Édition stéréotype.* **2.** n. m. Idée toute faite, poncif, banalité. Syn. cliché.

stéréotypé, ée adj. Qui a le caractère convenu d'un stéréotype (sens 2), qui est banal, sans originalité. *Plaisanteries stéréotypées.*

stéréotypie n. f. MED Exagération de l'automatisme, tendance à répéter les mêmes paroles ou les mêmes attitudes, observée chez certains malades mentaux.

stérile adj. **1.** Qui n'est pas apte à la reproduction. *Animal, fleur stérile.* **2.** Qui ne produit rien, ne rapporte rien. *Une terre stérile.* ▷ Fig. Qui n'aboutit à rien, qui ne donne pas de résultat. *Discussion stérile. Travail stérile.* **3.** Exempt de tout germe. *Pansement stérile.*

stérilement adv. Litt. De façon stérile. *Palabrer stérilement.*

stérilet n. m. Dispositif anticonceptionnel intra-utérin.

stérilisant, ante adj. Qui stérilise. *Un produit stérilisant.* – Fig. *Une activité stérilisante.*

stérilisation n. f. **1.** Suppression de la faculté de reproduction. *Stérilisation d'une femme par ligature des trompes.* **2.** Destruction des germes présents dans un milieu. *Stérilisation par les antiseptiques.*

stériliser v. tr. [1] **1.** Rendre inapte à la reproduction. **2.** Rendre exempt de germes. *Stériliser du lait.* **3.** Fig. Appauvrir, rendre inefficace, improductif. *Le manque d'entretien stérilise la mémoire.*

stérilité n. f. **1.** Fait d'être stérile, inaptitude à se reproduire. **2.** État de ce qui ne produit rien. *Stérilité d'un sol.* ▷ Fig. *Stérilité d'un débat.* **3.** Fait d'être exempt de tout germe.

sterlet n. m. Esturgeon d'Europe orientale et d'Asie occidentale *(Acipenser ruthenus),* dont les œufs servent à préparer le caviar.

sterling [stɛʀliŋ] adj. inv. *Livre sterling :* monnaie de compte de Grande-Bretagne. ▷ Par ext. *La zone sterling :* la zone monétaire de la livre sterling.

Sterlitamak, v. de Russie (Bachkirie), au S.-O. de l'Oural, dans une rég. pétrolifère; 240 000 hab. Industr. chimiques.

Stern (Daniel). V. Agoult (Marie d').

Stern (Otto) (Sorau, auj. Zary, en Pologne, 1888 – Berkeley, 1969), physicien américain d'origine allemande; connu pour ses nombr. travaux de physique atomique. P. Nobel 1943.

Stern (Isaac) (Kremenets, Ukraine, 1920), violoniste américain d'origine russe, virtuose de réputation internationale, célèbre pour ses interprétations du plus large répertoire concertant et de chambre.

sternal, ale, aux adj. ANAT Qui a rapport au sternum.

Sternberg (Jonas Sternberg, dit Josef von) (Vienne, 1894 – Hollywood, 1969), cinéaste américain d'origine autrichienne. Le premier, il adapta au cinéma hollywoodien l'esthétique baroque de l'Europe centrale. Marlène Dietrich, dont il fit une star, fut son interprète préférée : *l'Ange bleu* (film all., 1930), *Shanghai Express* (1932), *l'Impératrice rouge* (1934).
▸ illustr. **Dietrich**

sterne n. f. ORNITH Oiseau lariforme proche des mouettes, aux ailes longues et étroites, à la queue souvent fourchue, au plumage clair avec une calotte noire, communément appelé *hirondelle de mer.*

sterne arctique

Sterne (Laurence) (Clonmel, Irlande, 1713 – Londres, 1768), écrivain anglais. Son chef-d'œuvre, *la Vie et les Opinions de Tristram Shandy* (9 vol., 1759-1767), est un roman plein d'humour. *Le Voyage sentimental* (1768) est un précieux témoignage sur la vie quotidienne en France à la veille de la Révolution.

sterno-. Élément, de *sternum,* gr. *sternon.*

sterno-claviculaire adj. ANAT Qui se rapporte au sternum et à la clavicule. *Des articulations sterno-claviculaires.*

sterno-cléido-mastoïdien, enne n. m. ANAT Muscle du cou qui s'insère sur le sternum, la clavicule et l'apophyse mastoïde. ▷ adj. *Des douleurs sterno-cléido-mastoïdiennes.*

sternum [stɛʀnɔm] n. m. Os plat de la face antérieure du thorax, sur lequel s'articulent les côtes et les clavicules.

stéroïde adj. et n. m. BIOCHIM Se dit de certaines substances (et, spécial., de certaines hormones) dérivées d'un stérol. ▷ n. m. *Un stéroïde.*

stéroïdien, enne adj. BIOCHIM Qui se rapporte aux stéroïdes; de la nature des stéroïdes.

stérol n. m. BIOCHIM Nom générique des alcools dérivés du noyau du phénanthrène, auquel s'ajoute une chaîne latérale plus ou moins longue, et qui jouent un rôle fondamental dans l'organisme comme constituants essentiels des hormones génitales et surrénales.

stertor n. m. MED Respiration bruyante et profonde qui survient notam. au cours de certains comas.

Stésichore (v. 640 – v. 550 av. J.-C.), poète lyrique grec; considéré comme l'inventeur de la triade de l'ode chorale : strophe, antistrophe, épode.

stéthoscope n. m. MED Instrument permettant l'auscultation des bruits à travers les parois du corps («auscultation médiate»).

stetson [stɛtsɔn] n. m. Chapeau texan à larges bords.

Stettin. V. Szczecin.

Stevenage, v. d'Angleterre (Hertfordshire), créée en 1946 (première ville nouvelle du pays) pour décongestionner Londres; 73 700 hab. Électronique.

Stevens (John) (New York, 1749 – Hoboken, New Jersey, 1838), industriel américain qui développa aux É.-U. l'utilisation de la vapeur (navigation et chemins de fer).

Stevens (Siaka Probyn) (Tolubu, Moyamba, 1905 – Freetown, 1988), homme politique de la Sierra Leone. Premier ministre en mars 1967, il est aussitôt renversé par un coup d'État; rétabli dans ses fonctions par un nouveau putsch (1968), il proclame la république en mars 1971. Il en est élu président et reste à ce poste jusqu'à sa démission (oct. 1985).

Stevenson (Robert Louis Balfour) (Édimbourg, 1850 - Vailima, Samoa occidentales, 1894), écrivain écossais. Il a élevé le roman d'aventures à un haut degré de qualité littéraire : *l'Île au trésor* (1883); *Docteur Jekyll et Mister Hyde* (1886), récit d'épouvante devenu l'archétype des cas pathologiques de dédoublement de la personnalité; *la Flèche noire* (1888); *le Maître de Ballantrae* (1889). ► illustr. page **1784**

Stevin (Simon), dit *Simon de Bruges* (Bruges, 1548 - La Haye, 1620), savant flamand. Il fit progresser la mécanique et l'hydrostatique, et développa l'enseignement des mathématiques aux Pays-Bas, où il répandit l'usage du système décimal.

steward [stjuwaʀd; stiwaʀt] n. m. Maître d'hôtel ou garçon de service à bord des paquebots, des avions.

Stewart (James) (Indiana, Pennsylvanie, 1908 - Los Angeles, 1997), acteur américain; l'archétype du héros américain, qui mêle la naïveté à l'énergie et la droiture : *Monsieur Smith au sénat*, 1939; *Fenêtre sur cour*, 1954; *Sueurs froides*, 1958.

Stewart (Jacques) (Cannes, 1936), pasteur français; président (1987) de la Fédération protestante de France.

Stewart (Jacky) (Milton, Écosse, 1939), coureur automobile britannique. Trois fois champion du monde des conducteurs (en 1969, 1971 et 1973), il a remporté vingt-sept grands prix.

Steyr, v. d'Autriche (Haute-Autriche), au confl. de la *Steyr* et de l'Enns; 39 500 hab. Import. centre industriel : métallurgie (minerai de fer de Styrie); constr. automobile; cristallerie.

sthénie n. f. MED État de pleine activité physiologique. Ant. asthénie.

stibine n. f. MINER Sulfure naturel d'antimoine (Sb_2S_3), principal minerai d'antimoine.

stick [stik] n. m. (Anglicisme) **1.** Canne mince et flexible. **2.** MILIT Groupe de parachutistes largués d'un même avion. **3.** Produit conditionné et vendu sous forme de bâton ou de bâtonnet solide. *Stick de rouge à lèvres.*

sticker [stikœʀ] n. m. (Anglicisme) Badge autocollant.

Stieglitz (Alfred) (Hoboken, New Jersey, 1864 - New York, 1946), photographe américain; pionnier du reportage sociologique (*l'Entrepont*, 1907) et défenseur du réalisme documentaire, qui eut une grande influence sur les peintres de son époque.

Stiernhielm (Georg) (Vika, Dalécarlie, 1598 - Stockholm, 1672), poète et humaniste suédois. Il fit des études philologiques (*Trésor de l'ancienne langue des Suédois et des Goths*, 1643) et composa le grand poème *Hercule* (1658).

Stifter (Adalbert) (Oberplan, auj. Horní Planá, Bohême, 1805 - Linz, 1868), écrivain autrichien, animé par un idéal humaniste et optimiste : *l'Été de la Saint-Martin* (roman, 1857).

Stigler (George) (Renton, État de Washington, 1911 - Chicago, 1991), économiste américain; connu pour ses travaux d'analyse micro-économique (fonctionnement et structures des marchés, notam.). P. Nobel 1982.

stigmate n. m. **I. 1.** Litt. Marque que laisse une plaie; cicatrice. *Les stigmates de la variole.* **2.** Anc. Marque au fer rouge que l'on imprimait sur l'épaule de certains délinquants (voleurs, notam.). ▷ Litt., péjor. Marque, trace honteuse. *Les stigmates du vice.* **3.** MED Signe clinique révélant une affection. **4.** n. m. pl. RELIG CATHOL Marques des cinq plaies du Christ visibles sur le corps de certains mystiques. *Les stigmates de saint François d'Assise.* **II. 1.** BOT Renflement terminal du style, qui reçoit le pollen. **2.** ZOOL Orifice externe des trachées des arthropodes trachéates.

stigmatique adj. PHYS Se dit d'un système optique qui donne d'un point une image ponctuelle. Ant. astigmatique.

stigmatisation n. f. **1.** RELIG CATHOL Fait de recevoir les stigmates. **2.** Litt. Action, fait de stigmatiser, de blâmer publiquement.

stigmatiser v. tr. [**1**] **1.** RELIG CATHOL Marquer des stigmates. **2.** Fig. Blâmer, flétrir publiquement. *Satiriste qui stigmatise les vices de son temps.*

Stijl (De) («le Style»), revue et mouvement artistiques néerlandais regroupant surtout des peintres et des architectes, créés à Leyde en 1917 par le peintre Theo Van Doesburg, en collab. avec P. Mondrian (V. néo-plasticisme). De Stijl regroupa, de 1925 à 1930, les partisans de l'élémentarisme de Van Doesburg (utilisation de la diagonale).

stilb n. m. PHYS Unité C.G.S. de luminance; symbole sb (1 sb = 10 000 nits).

Stilicon (en lat. *Flavius Stilicho*) (?, v. 360 - Ravenne, 408), général romain d'origine vandale. Ambassadeur de l'empereur Théodose en Perse (383), il devint, à la mort de celui-ci, le régent de son fils Honorius et lutta efficacement contre les Barbares en Italie.

stillation [stil(l)asjɔ̃] n. f. Didac. Écoulement goutte à goutte d'un liquide.

stillatoire adj. Didac. Qui tombe goutte à goutte.

Stiller (Mauritz) (Helsinki, 1883 - Stockholm, 1928), cinéaste suédois. Sobriété et beauté plastique caractérisent ses œuvres : *la Légende de Gösta Berling* (1924) révéla Greta Garbo.

stilligoutte n. m. Compte-gouttes.

stilton [stiltɔn] n. m. Fromage anglais de lait de vache, à pâte persillée.

stimulant, ante adj. et n. m. **1.** Qui stimule, incite à l'action, motive. *Résultats stimulants.* **2.** Qui stimule l'activité physiologique ou psychique. *Remède stimulant.* ▷ n. m. *Un stimulant.*

stimulateur, trice adj. et n. m. **1.** adj. Litt. Qui stimule, excite. **2.** n. m. MED *Stimulateur cardiaque* (pour traduire l'angl. *pacemaker*) : appareil électrique qui émet des impulsions rythmées provoquant les contractions du cœur, et que l'on utilise pour pallier certaines insuffisances cardiaques.

stimulation n. f. **1.** Action de stimuler. **2.** PHYSIOL, PSYCHO Action déclenchée par un stimulant ou par un stimulus.

stimuler v. tr. [**1**] **1.** Inciter à l'action, encourager, motiver. *Stimuler qqn. Ce succès a stimulé son ardeur. Stimuler une industrie.* **2.** Exciter, réveiller une activité (physiologique). *Pilules pour stimuler la digestion.*

stimuline n. f. PHYSIOL Hormone hypophysaire qui stimule le fonctionnement des glandes endocrines.

stimulus [stimylys] n. m. PHYSIOL Facteur (externe ou interne) susceptible de déclencher la réaction d'un système physiologique ou psychologique. *Des stimulus* ou *des stimuli.*

Stinnes (Hugo) (Mülheim an der Ruhr, 1870 - Berlin, 1924), industriel allemand. Possesseur d'un puissant empire industriel fondé sur les mines de charbon de la Ruhr, il domina la vie économique et politique de l'Allemagne après 1918. Il tira de grands bénéfices de l'inflation, accélérant l'effondrement du mark.

stipe n. m. BOT Tige aérienne droite, sans ramification, terminée par un bouquet de feuilles, des palmiers et des fougères arborescentes.

stipendier v. tr. [**2**] Litt. Payer (qqn) pour l'exécution de mauvais desseins. *Stipendier des espions.* - Pp. adj. *Assassin stipendié.*

stipulation n. f. **1.** DR Clause, condition stipulée dans un contrat. **2.** Mention expresse.

stipule n. f. BOT Petit appendice foliacé ou membraneux, à la base du pétiole de certaines feuilles.

stipuler v. tr. [**1**] **1.** DR Formuler comme condition dans un contrat. **2.** Spécifier, mentionner expressément.

Stiring-Wendel, com. de la Moselle (arr. de Forbach); 13 797 hab. Métallurgie.

Stirling, v. d'Écosse, sur le Forth, dans les Lowlands; ch.-l. de la rég. d'Écosse du Centre; 81 300 hab. Constr. électriques. - Université. Égl. gothique. Chât. fort. - Une des cap. de l'Écosse du XIVe au XVIe s.

Stirling (James) (Garden, Stirling, 1692 - Édimbourg, 1770), mathématicien écossais; connu pour ses travaux sur les séries *(formule de Stirling).*

Stirling (James Frazer) (Glasgow, 1926 - Londres, 1992), architecte écossais; l'un des princ. représentants du brutalisme : faculté d'histoire de l'université de Cambridge (1964 et 1968).

Stirner (Kaspar Schmidt, dit Max) (Bayreuth, 1806 - Berlin, 1856), philosophe allemand, théoricien de l'individualisme et de l'anarchie, auteur de *l'Unique et sa propriété* (1845).

S.T.O. Sigle de *Service* du travail obligatoire.*

stochastique [stɔkastik] adj. et n. f. Didac. **I.** adj. **1.** Qui est dû au hasard, qui relève du hasard. Syn. aléatoire. **2.** MATH Qui relève du domaine du calcul des probabilités. **II.** n. f. Branche des mathématiques qui traite de l'exploitation des statistiques par le calcul des probabilités.

stock n. m. **1.** Quantité de marchandises en réserve. *Stock d'un magasin. Vendre le fonds et le stock.* ▷ *Par ext.* Fam. Réserve. *Le stock de chocolat est dans le tiroir.* **2.** Grande quantité de choses que l'on possède. *Il a chez lui un véritable stock d'étains anciens.* **3.** COMPTA *Les stocks* : l'ensemble des matières premières, des produits en cours de fabrication et des produits finis qu'une entreprise détient à une date donnée. **4.** BIOL *Stock chromosomique* : génome*.

stockage n. m. Mise en stock. ▷ INFORM *Le stockage des informations*, leur mise en mémoire.

stock-car [stɔkkaʀ] n. m. (Anglicisme) Vieille automobile, à protection renforcée, utilisée dans des courses où collisions, chocs volontaires, etc., sont autorisés. *Course de stock-cars.* – Course où sont utilisées de telles voitures.

stocker v. tr. et intr. [1] Mettre en stock, emmagasiner.

stockfisch [stɔkfiʃ] n. m. **1.** Poisson salé et séché. **2.** Morue séchée à l'air et non salée.

Stockhausen (Karlheinz) (Mödrath, près de Cologne, 1928), compositeur allemand. Ayant d'abord utilisé la technique sérielle de Webern (*Kontra-Punkte* pour dix instruments, 1953), il s'affirma, avec P. Boulez et J. Cage, comme l'un des princ. représentants de la musique aléatoire (*Klavierstück XI*, 1957) et expérimentale (*Kontakte*, 1959; *Sirius*, 1977; *Licht*, 1988).

Stockhausen au synthétiseur

Stockholm, cap. et port de la Suède, sur la Baltique; 666 810 hab. (aggl. urb. 1 461 620 hab.). Construite sur le détroit qui relie le lac Mälar à la mer Baltique, dans un site d'îles et de chenaux, la ville est le 1er centre industriel (métallurgie; raff. de pétrole; industr. électromécaniques, chimiques, etc.) et commercial du pays. Ces activités sont liées notam. au trafic portuaire, important. – Université. Évêché catholique. Musées (dont le musée en plein air du Skansen). La ville possède de nombr. monuments civils et religieux, notam. le palais royal (XVIIe s.), qui domine la cité, la maison de la Noblesse (XVIIe s.), de style baroque allemand, les égl. St-Nicolas (XIIIe-XVIIIe s.) et des Chevaliers (XIIIe s.), lieu de sépulture des rois de Suède. – Fondée v. 1250, Stockholm, dominée par la Hanse, ne prit de l'importance qu'après l'indépendance de la Suède (1523), dont elle devint la cap. en 1624. Les jeux Olympiques s'y déroulèrent en 1912.

Stockholm

stockiste n. m. Commerçant détenant les pièces détachées des machines ou des véhicules d'une marque donnée.

stock-option n. f. (Anglicisme) ECON Mode de rémunération des dirigeants d'entreprise, consistant à leur attribuer des actions de la société à des prix avantageux. *Des stock-options.*

stock-outil n. m. ECON Stocks élémentaires nécessaires au fonctionnement de l'entreprise. *Des stocks-outils.*

Stockport, v. d'Angleterre (Greater Manchester), sur la Mersey; 276 800 hab. Nombr. industries (notam. text.).

stock-shots n. m. pl. (Anglicisme) Images d'archives insérées dans un film, un reportage.

Stockton-on-Tees, v. et port d'Angleterre (Cleveland); 170 200 hab. Chantiers navals, aciéries.

stœchiométrie [stekjɔmetʀi] n. f. CHIM Étude des rapports quantitatifs selon lesquels les atomes se combinent entre eux ou selon lesquels les composés réagissent entre eux.

stœchiométrique adj. CHIM Relatif à la stœchiométrie.

Stofflet (Jean Nicolas) (Lunéville, v. 1751 – Angers, 1796), général vendéen. En 1793, il prit Cholet avec Cathelineau. En 1795, il traita avec la Convention. Ayant repris les armes, il fut capturé et exécuté.

stoïcien, enne n. et adj. **I.** n. **1.** PHILO Partisan du stoïcisme. ▷ adj. *Philosophe stoïcien.* **2.** Litt. Personne stoïque. **II.** adj. Du stoïcisme. *Maxime stoïcienne.*

stoïcisme n. m. **1.** PHILO Doctrine du philosophe grec Zénon de Cittium (v. 335 – v. 264 av. J.-C.) et de ses disciples. **2.** Cour. Fermeté d'âme devant la douleur ou l'adversité.

ENCYCL Mouvement philosophique fondé en Grèce au IVe s. av. J.-C. par Zénon de Cittium, Cléanthe d'Asson et Chrysippe de Soli, le stoïcisme se poursuivit jusqu'à Sénèque, Épictète et l'empereur Marc Aurèle, au IIe s. apr. J.-C., et inspira, bien au-delà, les conduites morales de l'Occident. Il implique, surtout en ses débuts, une connaissance de la nature, fondatrice d'une sagesse à la fois spéculative et pratique. Il est naturaliste puisqu'il repose sur une physique, c.-à-d. une science concrète de l'univers compris comme un tout organique. De même la morale, reflet de la physique, préconise que l'homme suive sa nature, expression de la nature universelle. Il lui incombe, donc, de réfréner ses passions, puisque sa nature est raison. La morale permet à chacun de participer à l'ordre naturel. Le dernier stoïcisme, dit impérial, développa principalement la morale, considérée comme guide de la vie spirituelle, permettant de surmonter les difficultés de la vie politique (par ex. la tyrannie romaine) et privée, tout en s'accommodant des choses «qui ne dépendent pas de nous» (Épictète).

stoïque adj. et n. Qui rappelle la fermeté d'âme prônée par les stoïciens. *Attitude ferme et stoïque.* – (Personnes) *Demeurer stoïque dans la souffrance.*

stoïquement adv. D'une manière stoïque, courageusement.

Stoke-on-Trent, v. d'Angleterre (Staffordshire), sur la Trent; 244 800 hab. Poterie et porcelaine depuis le XIIIe s. Électrométallurgie, pneumatiques.

Stokes (sir George Gabriel) (Bornat Skreen, 1819 – Cambridge, 1903), physicien anglais; connu pour ses études sur la fluorescence et la viscosité.

Stokowski (Leopold) (Londres, 1882 – Nether Wallop, Hampshire, 1977), chef d'orchestre américain d'origine anglo-polonaise. À la tête de l'orchestre de Philadelphie, il a fait connaître l'œuvre des musiciens contemporains, de Mahler à Charles Ives.

stol n. m. (Anglicisme) Appareil à décollage et atterrissage courts.

stolon n. m. **1.** BOT Tige adventive rampante qui développe à son extrémité des racines et des feuilles, formant ainsi un nouveau pied. *Les stolons du fraisier.* **2.** ZOOL Long bourgeon qui, chez certains animaux marins inférieurs, donne naissance à un nouvel individu.

Stolypine (Piotr Arkadievitch) (Dresde, 1862 – Kiev, 1911), homme politique russe. Ministre de l'Intérieur (1904), puis président du Conseil après la dissolution de la première Douma (1906), il tenta quelques réformes (émancipation des paysans, notam.) et mena une dure répression contre les révolutionnaires. Il fut assassiné.

stomacal, ale, aux adj. MED Vieilli Relatif à l'estomac. Syn. gastrique.

stomachique [stɔmaʃik] adj. et n. m. MED Qui facilite la digestion gastrique.

stomat(o)-. Élément, du gr. *stoma, stomatos*, «bouche».

stomate n. m. BOT Organe des végétaux, constitué de deux cellules se touchant par leurs extrémités et percé d'une ouverture (l'ostiole).

stomatite n. f. MED Inflammation de la muqueuse buccale.

stomatologie n. f. Didac. Branche de la médecine qui traite des affections de la bouche et des dents.

stomatologiste ou **stomatologue** n. Didac. Spécialiste de stomatologie. (Abrév. fam. : stomato).

stomatoplastie n. f. CHIR **1.** Restauration des malformations de la cavité buccale. **2.** Restauration de l'orifice du col utérin.

stomie n. f. MED Opération chirurgicale créant un anus artificiel (colostomie) ou un méat urinaire artificiel.

stomisé, ée adj. et n. MED Se dit de qqn qui porte un appareillage après une stomie.

stomocordés n. m. pl. ZOOL Syn. de *hémicordés.* – Sing. *Un stomocordé.*

Stone (sir Richard) (Londres, 1913 – Cambridge, 1991), économiste anglais. Ses travaux sont à l'origine de la comptabilité nationale. P. Nobel 1984.

Stonehenge, site préhistorique du S. de l'Angleterre (Wiltshire), au N. de Salisbury. Son imposant cromlech* est vraisemblablement un anc. sanctuaire dédié à un culte solaire. Il remonte à l'âge du bronze.

Stoney (George Johnstone) (Oakley Park, King's County, auj. comté d'Offaly, 1826 – Londres, 1911), physicien irlandais. En 1891, il supposa l'existence de particules chargées négativement et les nomma *électrons**.

cromlech de **Stonehenge,** début de l'âge du bronze

stop interj. et n. m. **I.** interj. **1.** Marque un ordre, un signal d'arrêt. **2.** Marque la fin des phrases dans les télégrammes. **II.** n. m. **1.** Signal lumineux à l'arrière des véhicules, commandé par le frein. **2.** Signal routier ordonnant l'arrêt absolu, à un croisement. **3.** Fam. Auto-stop. *Faire du stop.*

Stoph (Willi) (Berlin, 1914), homme politique est-allemand. Plusieurs fois ministre du gouv. de la R.D.A. après 1952, président du Conseil de 1964 à 1973, chef de l'État de 1973 à 1976, il fut de nouveau président du Conseil de 1976 à 1989.

stoppage n. m. Action de stopper, raccommoder; son résultat.

Stoppard (Thomas Straussler, dit Tom) (Zlín, Tchécoslovaquie, auj. Gottwaldov, Rép. tchèque, 1937), dramaturge anglais. Il est un des maîtres de l'absurde et traduit une inquiétude romantique : *Rosencranz et Guildenstern sont morts* (1966), *La musique adoucit les mœurs* (1977). Auteur du scénario d'*Une Anglaise romantique* de Losey (1975).

1. stopper v. [1] **I.** v. tr. **1.** Faire cesser d'avancer, de fonctionner (un véhicule, une machine). **2.** Fig. Arrêter le mouvement, la progression de (qqn, qqch). *Stopper une attaque ennemie. Stopper la progression d'une épidémie.* **II.** v. intr. S'arrêter (véhicule, machine).

2. stopper v. tr. [1] Raccommoder (une étoffe déchirée) fil par fil.

1. stoppeur, euse n. **1.** Fam. Celui, celle qui fait du stop, de l'auto-stop. **2.** Au football, arrière central spécialisé dans les actions défensives.

2. stoppeur, euse n. Spécialiste du stoppage.

storax. V. styrax.

store n. m. Rideau ou panneau souple placé devant une fenêtre, une ouverture, et qui, le plus souvent, s'enroule horizontalement. *Store vénitien*, composé de lamelles orientables.

Storm (Theodor) (Husum, 1817 – Hademarschen, 1888), écrivain allemand d'inspiration néo-romantique; poète (*Histoires et chants d'été*, 1851) et nouvelliste (*Immensee*, 1850; *l'Homme au cheval blanc*, 1886-1888).

Stoss (Veit). V. Stwosz (Wit).

stoupa. V. stupa.

stout [stut; stawt] n. m. ou f. Bière anglaise brune et forte.

strabique adj. et n. Didac. Qui est affecté de strabisme.

strabisme n. m. Défaut de parallélisme des yeux, déviation de l'un ou des deux yeux vers l'intérieur *(strabisme convergent)* ou vers l'extérieur *(strabisme divergent)*. V. loucher.

Strabon (en gr. *Strabôn*, en lat. *Strabo*) (Amasya, Cappadoce, v. 58 av. J.-C. – ?, entre 21 et 25 apr. J.-C.), géographe grec. Sa *Géographie* décrit tous les pays alors connus et donne une étude sociohistorique des peuples qui les habitaient.

Stradella (Alessandro) (Naples, 1644 – Gênes, 1682), compositeur et chanteur italien. Il fit considérablement évoluer l'aria, l'oratorio *(San Giovanni Battista)* et la cantate en leur donnant la forme du concerto grosso, écrivit des opéras, des symphonies, des motets, des madrigaux. Il fut assassiné.

stradivarius [stʀadivaʀjys] n. m. inv. Violon, alto ou violoncelle fabriqué par Stradivarius. (Abrév. fam. : strad).

Stradivarius (Antonio Stradivari, dit) (Crémone, v. 1644 – id., 1737), luthier italien; le plus célèbre des fabricants de violons. Il en réalisa plus de 1 100, dont 400 ont été conservés.

Strafford (Thomas Wentworth, 1er comte de) (Londres, 1593 – id., 1641), homme politique anglais. Il s'opposa d'abord à Charles Ier, puis, rejoignant les modérés, soutint le roi, qui le nomma lord-député d'Irlande (1632-1639), où il fit régner l'ordre. Princ. conseiller de Charles Ier avec Laud, il fut l'une des premières victimes du conflit entre le roi et le Parlement, qui le jugea et le fit exécuter.

Straits Settlements (en fr. *Établissements des Détroits*), anc. colonie britannique (formée en 1867) qui comprenait les comptoirs de Singapour et de Malacca, et quelques îles de la péninsule malaise (Penang, Christmas, Keeling). À partir de 1946, les différents territoires de la colonie évoluèrent vers l'indépendance, certains d'entre eux (Penang, Malacca) s'intégrant dans la Fédération de Malaisie.

Stralsund, v. et port de pêche d'Allemagne, sur la Baltique; 74 420 hab. Constr. navales. Industr. alimentaires. – Suédoise de 1648 à 1815, la ville, sous les ordres de Charles XII, soutint un siège contre les Danois, les Prussiens, les Saxons et les Russes (1715).

stramoine n. f. BOT Datura dont certains alcaloïdes sont utilisés en thérapeutique pour leur action sédative et antispasmodique.

Strand (Paul) (New York, 1890 – Orgeval, 1976), photographe américain. Il contribue à diffuser, avec Stieglitz, le concept de « straight photography » (ou pure photographie), s'en tenant aux seuls paramètres du cadrage et du champ visuel de l'appareil.

strangulation n. f. Action d'étrangler qqn; son résultat. *Le cou de la victime portait des marques de strangulation.*

strapontin n. m. **1.** Siège qu'on peut relever ou abaisser à volonté et qui est utilisé dans certains véhicules, dans les salles de spectacle, etc. **2.** Fig. Fonction d'importance secondaire dans une assemblée, dans un groupe hiérarchisé.

Strasbourg, ch.-l. du dép. du Bas-Rhin et de la Rég. Alsace, sur l'Ill et près du Rhin; 255 937 hab. (388 500 hab. pour l'aggl.); métropole d'équilibre. Import. port fluvial, le 2e de France grâce à l'aménagement du Rhin. Aéroport. – Le trafic fluvial, qui porte notam. sur les produits pondéreux (charbon, potasse, pétrole), a permis l'industrialisation : métallurgie, chimie, alimentation, textile, etc. Marché (MIN). Raffinerie de pétrole à proximité (Reichstett). Aménagements hydroélectriques. – Centre culturel, la ville est aussi une cap. européenne : siège du Conseil de l'Europe depuis 1949, et depuis 1979 du Parlement européen. – Archevêché. Université. Musées. Cath. Notre-Dame, en grès rose (XIe-XVIe s., sculpt. gothiques, beaux vitraux des XIIIe et XIVe s.). Égl. St-Thomas (XIIIe-XIVe s., tombeau du maréchal de Saxe par Pigalle). Château des Rohan (XVIIIe s., restauré). Maisons anciennes (quartier de la Petite France). – Fondée par des légionnaires romains v. 15 av. J.-C., *Argentoratum* devint prospère grâce à son commerce.

Strasbourg : façade (XIVe-XVe s.) de la cathédrale Notre-Dame

Ravagée par des invasions successives (IVe-Ve s.), la ville reparut au VIe s. sous le nom de *Strateburgum* (la « ville sur la route »). Elle s'agrandit sous les Carolingiens et bénéficia du renouveau commercial. Rattachée à la Lotharingie (843), puis à l'Allemagne (870), ville libre d'Empire en 1201, elle devint un foyer culturel et un des centres de la Réforme. Annexée par Louis XIV en 1681, assiégée et prise par les Allemands en 1870, elle redevint française en 1918. Réoccupée en 1940, elle fut libérée par Leclerc le 23 nov. 1944.

Strasbourg (serments de), pacte conclu entre Louis le Germanique et Charles le Chauve contre leur frère Lothaire (842). Ils constituent les premiers textes connus écrits en langues romane et allemande.

strasbourgeois, oise adj. et n. De Strasbourg. – Subst. *Un(e) Strasbourgeois(e).*

strass n. m. Variété de verre très réfringent, utilisé pour imiter les pierres précieuses.

stratagème n. m. Tour d'adresse conçu dans le dessein de tromper; ruse. *Recourir à un stratagème.*

strate n. f. GEOL Chacune des couches parallèles qui constituent un terrain (partic. un terrain sédimentaire). ▷ Par ext. BIOL *Strates de cellules d'un tissu.* ▷ STATIS Échantillon qui réunit des unités homogènes.

stratège n. m. **1.** ANTIQ GR Magistrat élu chaque année pour exercer le commandement de l'armée, dans certaines cités grecques (Athènes, notam.). **2.** Personne compétente en matière de stratégie. *Ce général est un excellent stratège.*

stratégie n. f. **1.** Partie de l'art militaire consistant à organiser l'ensemble des opérations d'une guerre, la défense globale d'un pays. **2.** Art de combiner des opérations pour atteindre un objectif. *Stratégie électorale. Stratégie commerciale.*

stratégique adj. **1.** Qui a rapport à la stratégie; qui offre un intérêt militaire. *Plan stratégique. Point stratégique.* **2.** Qui a rapport à la stratégie (sens 2). *Avoir une position stratégique dans une entreprise.*

stratégiquement adv. Selon la stratégie.

Stratford-upon-Avon (anc. *Stratford-on-Avon*), v. d'Angleterre (Warwickshire), sur l'*Avon*; 103 600 hab. – Maison natale de Shakespeare. Shakespeare Memorial Theatre. Église (XIIIe-XVe s., tombeau de Shakespeare).

Strathclyde, rég. d'Écosse; 13 849 km²; 2 273 050 hab.; ch.-l. *Glasgow.*

strati-, strato-. Élément, du lat. *stratum,* « couche, chose étendue ».

stratification n. f. GEOL Disposition de matériaux en strates. *La stratification des terrains sédimentaires.* ▷ Par ext. BIOL *Stratification des cellules d'un tissu.* ▷ Fig. *Les stratifications sociales.*

stratifié, ée adj. et n. m. **1.** GEOL Qui est constitué de strates. *Terrain stratifié.* ▷ Par ext. BIOL *Épithélium stratifié.* **2.** TECH Se dit d'un matériau constitué de plusieurs couches d'une matière souple (lamelles de bois, papier, toile, etc.) imprégnées de résines artificielles. ▷ n. m. *Du stratifié.*

stratifier v. tr. [2] Disposer en couches superposées.

stratigraphie n. f. **1.** GEOL Partie de la géologie consacrée à l'étude des strates constitutives des terrains. **2.** MED Procédé de tomographie dans lequel le tube émetteur reste fixe.

stratigraphique adj. GEOL Qui a rapport aux strates, à la stratigraphie.

stratocratie n. f. Système politique dominé par l'armée.

strato-cumulus [stʀatokymylys] n. m. inv. METEO Banc, nappe ou couche de nuages gris à ombres propres et présentant la forme de balles, de galets ou de rouleaux. Syn. cumulo-stratus.

strato-cumulus

Stratonice (m. en 254 av. J.-C.), princesse grecque, célèbre pour sa beauté. Elle épousa Séleucos Ier Nikatôr, roi de Syrie. Le fils de ce dernier, Antiochos Ier Sôter, s'éprit d'elle au point d'en tomber malade; sur l'avis des médecins, Séleucos divorça et permit à Antiochos d'épouser Stratonice.

stratopause n. f. METEO Limite supérieure de la stratosphère.

stratosphère n. f. Couche de l'atmosphère située entre la troposphère et la mésosphère (c.-à-d. entre 10 et 50 km d'altitude).

stratosphérique adj. Relatif à la stratosphère. *Ballon stratosphérique.*

stratotype n. m. GEOL Endroit servant de référence à un étage géologique.

stratus [stʀatys] n. m. METEO Nuage bas en couche grise assez uniforme pouvant donner de la brume ou de la neige.

Straus (Oscar) (Vienne, 1870 – Bad Ischl, 1954), compositeur autrichien; auteur de nombr. opérettes, dont *Rêve de valse* (1907).

Strauss (Johann I) (Vienne, 1804 – id., 1849), compositeur autrichien; l'un des prem. maîtres de la valse viennoise. Il a également écrit des marches (*Marche de Radetzky*), des polkas, des quadrilles et des galops. – **Johann II** (Vienne, 1825 – id., 1899), fils aîné du préc.; compositeur. Il éclipsa son père par la célébrité de ses valses (*le Beau Danube bleu, la Vie d'artiste, Sang viennois, Valse de l'Empereur,* etc.) puis, à partir de 1863, se posa en rival d'Offenbach par ses opérettes : *la Chauve-Souris* (1874), *le Baron tzigane* (1885). – **Joseph** (Vienne, 1827 – id., 1870) et **Eduard** (Vienne, 1835 – id., 1916), frères du préc., composèrent également des valses.

stratus

Strauss (David Friedrich) (Ludwigsburg, 1808 – id., 1874), historien et philosophe allemand. Sa *Vie de Jésus* (1835; trad. fr. de Littré, 1839-1840), dans laquelle il assimile le personnage du Christ à un mythe, le fit expulser de l'université de Tübingen.

Strauss (Richard) (Munich, 1864 – Garmisch-Partenkirchen, 1949), compositeur et chef d'orchestre allemand. Influencé par Schumann et Brahms dans ses œuvres de jeunesse (sonates, concertos, deux symphonies), il affirma ensuite sa personnalité romantique et baroque dans des compositions d'une grande puissance expressive (invention mélodique, richesse harmonique, couleur orchestrale) : *Don Juan* (1889), *Mort et Transfiguration* (1890), *Till Eulenspiegel* (1895), *Ainsi parlait Zarathoustra* (1896), *Don Quichotte* (1897), poèmes symphoniques; *Salomé* (1905), *Elektra* (1909), *le Chevalier à la rose* (1911), *Ariane à Naxos* (1912), opéras. À partir de 1920, il revint à un certain classicisme (*Capriccio,* 1942; *les Métamorphoses,* 1945).

Stravinski (Igor Fiodorovitch) (Oranienbaum, près de Saint-Pétersbourg, 1882 – New York, 1971), compositeur russe, naturalisé français puis américain. Il devint célèbre en collaborant, à Paris, avec les Ballets russes de Serge de Diaghilev : *l'Oiseau de feu* (1910), *Petrouchka* (1911), *le Sacre du printemps* (1913). Ces trois œuvres révolutionnèrent la musique. Nouvelles sous tous leurs aspects, surtout en ce qui concerne le rythme et l'harmonie, elles restaient enracinées dans la tradition russe. Hors de son pays quand éclata la Première Guerre mondiale, Stravinski s'inspira des contes populaires du temps de Pouchkine pour composer *Pribaoutki* (1914), *Histoire du soldat* (en collab. avec Ramuz, 1918), *Renard* (1922), *les Noces* (1923). Dans le même temps, il commençait à explorer une nouvelle esthétique musicale : dans *Pulcinella* (1920), *Mavra* (1922), *Œdipus Rex* (1927), *Apollon Musagète* (1928), œuvres de musique théâtrale, il se tourne vers Pergolèse, Bach, Haendel. Recherchant dans le classicisme du XVIIIe s. les principes « éternels » de la composition, recourant aux matériaux les plus divers (tango, valse, jazz), il les fond en des œuvres qui ne manquent jamais d'unité. Toujours à la recherche de formes nouvelles, il en vient, vers la fin de sa vie, à la technique dodécaphonique de Schönberg et de Webern, qu'il avait jusqu'alors repoussée : *Agon* (ballet, 1957), *Threni* (1958), *Requiem Canticles* (1966).

Strehler (Giorgio) (Trieste, 1921 – Lugano, 1997), metteur en scène et directeur de théâtre italien. Cofondateur, avec Paolo Grassi, en 1947, du Piccolo Teatro de Milan, il a diffusé le théâtre de B. Brecht, donné une nouvelle lecture de Goldoni (dans *Arlequin serviteur de deux maîtres*), mis en scène, avec un luxe raffiné, des opéras de Mozart. De 1982 à 1990, il a dirigé à Paris le Théâtre de l'Europe.

strelitzia [stʀelitsja] n. m. BOT Plante ornementale originaire d'Afrique australe (fam. musacées), aux vastes inflorescences orangées et violettes s'ouvrant en éventail.

streptococcie [stʀɛptɔkɔksi] n. f. MED Infection due à un streptocoque.

streptocoque n. m. MED Bactérie de forme arrondie (genre *Streptococcus*), dont les individus se groupent en chaînettes caractéristiques.

streptomyces [stʀɛptɔmisɛs] n. m. MICROBIOL Genre de mycobactérie aérobie dont de nombreuses espèces synthétisent des antibiotiques.

streptomycine n. f. MED Antibiotique actif sur un grand nombre de bactéries (bacille de Koch, notam.), produit par *Streptomyces griseus.*

Stresa, v. d'Italie (Piémont), sur le lac Majeur; 5 120 hab. Tourisme. – La *conférence de Stresa* (avril 1935) réunit la France, la G.-B. et l'Italie, qui affirmèrent, en réponse au rétablissement du service militaire obligatoire en Allemagne (mars), le maintien de l'intégrité et de l'indépendance autrichiennes.

Stresemann (Gustav) (Berlin, 1878 – id., 1929), homme politique allemand. Chef du parti populiste au Reichstag, chancelier d'août à nov. 1923, puis ministre des Affaires étrangères (1923-1929), il obtint d'appréciables résultats : élaboration du plan Dawes* (1924), évacuation de la Ruhr (1925), puis évacuation de Cologne (1926) et, à la suite des accords de Locarno (1925), admission de l'Allemagne à la S.D.N.; il signa le pacte Briand*-Kellogg (1928) et fit dresser le plan Young* (1929). P. Nobel de la paix 1926 (avec A. Briand).

stress [stʀɛs] n. m. inv. (Anglicisme) Didac. Ensemble des perturbations physiologiques et métaboliques provoquées dans l'organisme par des agents agresseurs variés (choc traumatique, chirurgical, émotion, froid, etc.). Syn. (off. recommandé) agression. ▷ Cour. Action brutale produite par l'un de ces agents sur l'organisme.

stressant, ante adj. Qui provoque le stress.

Igor **Stravinski**

A. **Strindberg**

stresser v. tr. [1] Perturber par un stress. – v. intr. Par ext. Cour., fam. Être angoissé.

stretch n. m. et adj. inv. (Nom déposé.) Type de tissu élastique dans le sens horizontal.

stretching [stʀɛtʃiŋ] n. m. SPORT Méthode de gymnastique qui fait une large part à l'étirement musculaire.

strette n. f. MUS Partie d'une fugue qui précède la conclusion et dans laquelle on resserre les motifs du sujet.

striation n. f. Didac. Action de strier; son résultat.

strict, stricte adj. **1.** Qui doit être rigoureusement observé. *Morale stricte. Consignes strictes.* ▷ MATH Se dit d'une inégalité dans laquelle l'égalité est exclue. **2.** Qui est rigoureusement conforme à une règle; qui est d'une exactitude ou d'une valeur absolue. *C'est mon droit le plus strict. La stricte vérité. Mot pris dans son sens strict.* **3.** Intransigeant, sévère. *Ses parents sont très stricts.* **4.** D'une sobriété un peu sévère. *Tailleur strict.*

strictement adv. **1.** D'une manière stricte. *Strictement interdit.* **2.** Au sens strict, absolument. *Je n'entends strictement rien.* ▷ MATH En excluant l'égalité. *Strictement inférieur, supérieur à.*

striction n. f. Didac. Action de serrer. ▷ MED Constriction.

stricto sensu [stʀiktosɛ̃sy] adv. (loc. lat.) Au sens étroit, restreint.

stridence n. f. Rare et litt. Caractère d'un son strident.

strident, ente adj. Aigu et perçant (sons). *Cris stridents.*

stridor n. m. MED Bruit inspiratoire aigu, observé notam. dans certaines affections du larynx.

stridulant, ante adj. Didac. Qui stridule. *Insecte stridulant.*

stridulation n. f. Bruit aigu, lancinant que produisent certains insectes (cigales, criquets, etc.).

striduler v. intr. [1] Didac. Produire une stridulation.

strie n. f. **1.** Ligne très fine, en creux ou en relief, parallèle, sur une surface, à d'autres lignes semblables. *Les stries d'une coquille.* Syn. rainure, sillon. ▷ GEOL *Stries glaciaires* : traces laissées par un glacier sur les parois rocheuses de sa vallée. **2.** ARCHI Filet séparant deux cannelures d'une colonne, d'un pilastre.

strié, ée adj. Qui présente des stries. ▷ GEOL *Roche striée.* ▷ ANAT *Corps strié* : double masse de substance grise située à l'union du cerveau intermédiaire et des deux hémisphères. – *Muscles striés* : V. encycl. muscle.

strier v. tr. [2] Marquer, orner de stries.

striga n. m. BOT Genre de scrofulariacées tropicales dont certaines espèces parasitent les cultures (sorgho, maïs, mil, riz, etc.) de façon redoutable.

strige ou **stryge** [stʀiʒ] n. f. LITTER Être chimérique, sorte de vampire, à la fois femme et chienne, des légendes médiévales.

strigiformes n. m. pl. ORNITH Ordre d'oiseaux rapaces nocturnes (chouettes, effraies, hiboux), caractérisés par des yeux tournés vers l'avant et des serres emplumées. – Sing. *Un strigiforme.*

strigile n. m. **1.** ANTIQ ROM Racloir utilisé par les Romains pour se nettoyer la peau après les exercices à la palestre. **2.** ARCHI Cannelure en forme de S. *Les strigiles des sarcophages antiques.*

Strindberg (August) (Stockholm, 1849 – id., 1912), écrivain suédois. Il fut tourmenté par des crises de jalousie délirante et frôla à plusieurs reprises la folie. Son roman *la Chambre rouge* (1879), son recueil de nouvelles intitulé *Mariés* (1884-1886), ses drames *Père* (1887), *Mademoiselle Julie* (1888) et *les Créanciers* (1888) introduisirent le naturalisme dans la littérature scandinave. De 1886 à 1897, en proie à la «folie», notam. pendant son séjour à Paris (1894-1896), il écrivit *le Fils de la servante* (1886-1887), *le Plaidoyer d'un fou* (en franç., 1887-1888), *Inferno* (en franç., 1897), puis composa des pièces historiques (*Eric XIV*, 1899; *Christine*, 1903, etc.), deux drames : *la Danse de mort* (1900) et *le Songe* (1902), et cinq sombres «kammarspel» (pièces intimes pour théâtre de chambre) : *Orage, la Maison brûlée, la Sonate des spectres, le Pélican* et *le Gant noir* (1907).
▸ illustr. page **1789**

string [stʀiŋ] n. m. Slip ou maillot de bain en forme de cache-sexe maintenu par un cordon passant entre les fesses.

strioscopie n. f. PHYS, TECH Procédé optique d'observation des irrégularités d'indice d'un milieu transparent.

stripping [stʀipiŋ] n. m. (Anglicisme) CHIR Mode de traitement chirurgical des varices. Syn. (off. recommandé) éveinage.

strip-tease [stʀiptiz] n. m. (Anglicisme) Déshabillage progressif et suggestif d'une ou plusieurs femmes sur un fond musical au cours d'un spectacle de cabaret. Syn. effeuillage. – Ce spectacle. – Cabaret où l'on donne ce genre de spectacle. *Des strip-teases.*

strip-teaseuse n. f. Femme dont la profession est d'exécuter des strip-teases. *Des strip-teaseuses.*

Strittmatter (Erwin) (Spremberg, 1912), écrivain allemand ayant vécu en R.D.A. et dont les romans et les pièces reflètent l'esprit du réalisme socialiste : *Tinko* (1954), *le Rossignol bleu* (1972).

striure n. f. **1.** Strie ou ensemble de stries. **2.** Disposition en stries; façon dont qqch est strié. *Striure d'une colonne, d'une coquille.*

strobo-. Élément, du gr. *strobos*, «rotation, tournoiement».

stroboscope n. m. TECH Appareil qui permet d'observer et de mesurer la fréquence des mouvements périodiques rapides.

stroboscopie n. f. Observation au moyen du stroboscope.

Stroessner (Alfredo) (Encarnación, 1912), général et homme politique paraguayen. En 1954, à la suite d'un coup d'État militaire, il se proclama président de la République. Sans cesse réélu à partir de 1958, il exerça un pouvoir dictatorial jusqu'à son renversement par un soulèvement armé en fév. 1989.

Strogonoff ou **Stroganov,** famille de marchands puis d'industriels russes qui s'illustra du XVIe au début du XXe s. Parmi ses représentants les plus marquants figurent les trois frères Yacov, Grigori et Semion; les deux premiers obtinrent d'Ivan le Terrible d'importantes concessions dans le nord de la Russie et dans l'Oural; le plus jeune entreprit une guerre de conquête qui aboutit à l'occupation de la Sibérie par les Russes (expédition de Iermak*).

Stroheim (Erich Hans Stroheim, dit Eric von) (Vienne, 1885 – Maurepas, 1957), cinéaste et acteur américain d'origine autrichienne : *Folies de femmes* (1921), *les Rapaces* (1923), *la Symphonie nuptiale* (1927).
▸ illustr. **Renoir**

stroma n. m. BIOL Ensemble des éléments cartilagineux formant la charpente de certains organes, de certains tissus ou de certaines tumeurs.

Stromboli (île), la plus septentrionale des îles Éoliennes, au N.-E. de la Sicile; 12,6 km^2; 700 hab. Elle porte le *volcan Stromboli*, actif (926 m).

strombolien, enne adj. Relatif au Stromboli. ▷ GEOL *Volcan strombolien* : type de volcan caractérisé par des éruptions violentes, avec projection de débris, et une lave fluide.

strontium [stʀɔ̃sjɔm] n. m. CHIM Élément alcalino-terreux de numéro atomique Z = 38, de masse atomique 87,62 (symbole Sr). – Métal (Sr) blanc de densité 2,54, qui fond vers 800 °C et bout vers 1 360 °C.

strophaire n. m. BOT Champignon basidiomycète au chapeau le plus souvent visqueux ou lubrifié et squameux; non consommable.

strophantine n. f. PHARM Substance tirée du strophantus, et proche, par ses propriétés, de la digitaline.

strophantus [stʀɔfɑ̃tys] n. m. BOT Liane (fam. apocynacées) d'Afrique tropicale, dont les graines contiennent diverses substances cardiotoniques. *Des strophantus.*

strophe n. f. **1.** Didac. Première partie de l'ode chorale grecque. *Strophe, antistrophe et épode.* **2.** Groupe de vers formant un système de rimes complet et qui constitue une composante du poème.

strophoïde n. f. MATH Courbe du 3e degré affectant la forme d'une boucle.

Štrosmajer ou **Strossmayer** (Josip Juraj) (Osijek, 1815 – Djakovo, 1905), prélat croate; évêque de Djakovo (1849). Le premier, il soutint que les Slaves du Sud (Yougoslaves) pourraient former un État.

Strouma. V. Struma.

Strouvé. V. Struve.

Strozzi, famille florentine connue à partir du XIVe s. pour ses activités bancaires (en Italie et à Lyon); elle s'opposa aux Médicis. — **Filippo Ier** (Florence, 1426 – id., 1491), banquier (à Naples). Il fit construire à Florence le *palais Strozzi.* — **Filippo II** (Florence, 1489 – id., 1538), fils du préc., épousa la petite-fille de Laurent le Magnifique, entra cependant en lutte avec les Médicis et se tua en prison. — **Piero** (Florence, 1510 – Thionville, 1558), fils du préc.; homme de guerre au service de la France, qui le fit maréchal (1556). — **Leone** (Florence, 1515 – Castiglione della Pescaia, 1554), frère du préc.; capitaine général des galères de France (1547).

structural, ale, aux adj. Didac. **1.** Relatif à une structure. **2.** Qui concerne les structures (sens 4); qui relève des méthodes du structuralisme. *Analyse structurale.*

structuralisme n. m. Didac. Théorie et méthode d'analyse qui conduisent à considérer un ensemble de faits comme une structure (sens 4).

ENCYCL Le terme structuralisme désigne à l'origine diverses méthodes linguistiques ayant en commun de considérer la langue comme un ensemble structuré. Auj., le terme s'applique de façon plus large au courant de pensée qui, issu de ces travaux, s'est étendu aux sciences humaines. Ainsi, les méthodes structuralistes ont été appliquées à l'ethnologie (notam. par Lévi-Strauss), à la sociologie (anthropologie structurale), à la critique littéraire et artistique.

structuraliste adj. et n. Didac. **1.** Du structuralisme. *Les théories structuralistes.* **2.** Partisan du structuralisme. *Les linguistes structuralistes.* ▷ Subst. *Les structuralistes.*

structurant, ante adj. Didac. Qui suscite une structuration. ▷ URBAN *Éléments structurants* : voies ou équipements constituant l'axe ou le centre d'une ville et autour desquels celle-ci est organisée.

structuration n. f. Action, fait de structurer, de se structurer; son résultat.

structure n. f. **1.** Manière dont un édifice est construit. *Ce palais est d'une belle structure.* ▷ Cour. Ce qui soutient qqch, lui donne forme et rigidité; ossature. *La structure métallique d'un fauteuil.* **2.** Agencement, disposition, organisation des différents éléments d'un tout concret ou abstrait. *Structure d'un organisme, d'une plante. Structure du relief terrestre, de l'atome. Structure d'une phrase, d'un discours, d'une langue. Structure d'une société.* Syn. constitution, contexture, forme. **3.** Organisation complexe considérée sous l'angle de ses principaux éléments constitutifs. *Structures administratives.* **4.** PHILO et didac. Système, ensemble solidaire dont les éléments sont unis par un rapport de dépendance. **5.** MATH Propriété d'un ensemble qui satisfait à une ou plusieurs lois de composition.

structuré, ée adj. Qui possède une structure. Syn. organisé.

structurel, elle adj. Didac. **1.** Structural. **2.** Qui relève des structures économiques (par oppos. à *conjoncturel*). *Chômage structurel.*

structurellement adv. Didac. Sur le plan structurel.

structurer v. tr. [1] Donner une structure à. ▷ v. pron. Acquérir une structure.

Struensee (Johann Friedrich, comte de) (Halle, Saxe prussienne, 1737 - Copenhague, 1772), homme politique danois. Médecin de Christian VII (1768), favori de la reine Caroline-Mathilde, conseiller d'État, il tenta des réformes (abolition du servage, de la torture, etc.) qui lésaient les privilégiés. Il fut accusé de comploter contre le roi et décapité.

Struma ou **Strouma** (la) (anc. *Strymon*), fl. de Bulgarie et de Grèce (430 km); elle naît au S. de Sofia et se jette dans la mer Égée.

struthionidés n. m. pl. ORNITH Famille de struthioniformes comprenant seulement l'autruche. - Sing. *Un struthionidé.*

struthioniformes n. m. pl. ORNITH Ordre d'oiseaux comprenant tous les ratites sauf les aptéryx.- Sing. *Un struthioniforme.*

Struthof, écart de la com. de Natzwiller (Bas-Rhin), près de Schirmeck. Camp d'extermination nazi (1941-1944) où moururent plus de 20 000 détenus. En 1950 y fut édifiée une nécropole des victimes des camps de concentration.

Struve ou **Strouvé** (Wilhelm von) (Altona, près de Hambourg, 1793 - Saint-Pétersbourg, 1864), astronome russe d'origine allemande; directeur (1839) du princ. observatoire russe. – **Otto von Struve** (Dorpat, auj. Tartou, Estonie, 1819 - Karlsruhe, 1905), fils du préc.; astronome. Il identifia de nombr. étoiles doubles. – **Otto Struve** (Kharkov, 1897 - Berkeley, 1963), petit-fils du préc.; astronome établi aux É.-U. en 1921, puis naturalisé américain; connu pour ses travaux de spectroscopie stellaire.

strychnine [stʀiknin] n. f. PHARM Alcaloïde très toxique extrait de la noix vomique.

strychnos [stʀiknos] n. m. BOT Arbre tropical dont une espèce *(vomiquier)* produit la noix vomique et une autre, le curare.

stryge. V. strige.

Strymon. V. Struma.

Stuart (*Stewart* jusqu'en 1542), famille écossaise connue depuis le XIIe s. Elle régna sur l'Écosse (1371-1714) et, conjointement, sur l'Angleterre (1603-1714). Elle s'éteignit en 1788 à la mort, sans postérité, de Charles-Édouard, dit *le Jeune Prétendant*, petit-fils de Jacques II d'Angleterre.

Stuart Mill. V. Mill (John Stuart).

stuc n. m. Composition de chaux éteinte et de poudre de marbre, d'albâtre ou de craie, servant à exécuter divers ouvrages décoratifs.

stucage n. m. TECH Application de stuc; son résultat.

stucateur n. m. TECH Ouvrier qui prépare ou qui applique le stuc.

stud-book [stœdbuk] n. m. TURF Registre contenant le nom, la généalogie, les victoires des pur-sang. *Des stud-books.*

studieusement adv. De façon studieuse, avec application.

studieux, euse adj. **1.** Qui aime l'étude, qui s'y applique. *Élève studieux.* **2.** Consacré à l'étude. *Des vacances studieuses.*

studio n. m. **1.** Logement constitué d'une pièce unique, à laquelle s'ajoutent le plus souvent une cuisine et un cabinet de toilette ou une salle de bains. *Il habite un petit studio.* **2.** Endroit aménagé pour le tournage de films, d'émissions de télévision, pour l'enregistrement d'émissions de radio, de musique. *Film tourné en studio.* **3.** Atelier d'artiste, de photographe. **4.** (Le plus souvent dans des noms propres.) Salle de spectacle où sont donnés des films d'art et d'essai. *Le Studio Untel.*

stuka [ʃtuka] n. m. HIST Appareil de bombardement en piqué *(Junkers 87)*, utilisé par l'aviation allemande pendant la Seconde Guerre mondiale. *Des stukas.*

Stülpnagel (Karl Heinrich von) (Darmstadt, 1886 - Berlin, 1944), général allemand. Nommé commandant des troupes d'occupation en France en 1942, il fut impliqué dans le complot du 20 juillet 1944 contre Hitler et pendu en août.

stupa ou **stoupa** [stupa] n. m. Monument funéraire bouddhique, formé d'un hémisphère de maçonnerie monté sur un piédestal. *Des stupa* ou *des stoupas.*

stupa de Sānchī et un de ses quatre portiques d'accès (à g.)

stupéfaction n. f. Étonnement qui laisse sans réaction. Syn. stupeur.

stupéfait, aite adj. Étonné au point de ne pouvoir réagir. Syn. interdit. *Elle ne put dire un mot tant elle était stupéfaite.*

stupéfiant, ante adj. et n. m. **1.** adj. Qui stupéfie, qui cause la stupéfaction. **2.** n. m. Substance médicamenteuse ayant un effet analgésique ou euphorisant et dont l'usage entraîne une dépendance et des troubles graves. (Abrév. fam. : stup). *L'opium, la morphine, la cocaïne sont des stupéfiants.*

stupéfier v. tr. [2] Causer un grand étonnement à (qqn), rendre stupéfait. *La nouvelle de sa mort nous a stupéfiés.*

stupeur n. f. **1.** MED Engourdissement des facultés intellectuelles avec immobilité et physionomie étonnée ou indifférente, que l'on observe dans certaines affections psychiques. **2.** Cour. Étonnement profond qui ôte toute possibilité de réaction. Syn. stupéfaction. *Être frappé de stupeur. Rester muet de stupeur.*

stupide adj. **1.** Qui manque d'intelligence, de jugement. ▷ Par ext. *Un air stupide.* **2.** Qui dénote un manque d'intelligence, ou de réflexion. *Un comportement, une réponse stupide.* Syn. absurde, idiot. **3.** Vx ou litt. Frappé de stupeur. Syn. stupéfait. *Il restait là, immobile et stupide.*

stupidement adv. De façon stupide. *Répondre stupidement.*

stupidité n. f. **1.** Caractère d'une personne, d'une chose stupide. *Stupidité d'un raisonnement.* Syn. bêtise, idiotie. **2.** Parole, action stupide. *Dire des stupidités.* Syn. sottise.

stupre n. m. Litt. Débauche avilissante; luxure.

stuquer v. tr. [1] TECH Enduire de stuc.

Sturdee (sir Frederick Charles Doveton) (Charlton, Kent, 1859 - Camberley, 1925), amiral britannique. Il vainquit la flotte allemande aux îles Falkland (1914).

Sturdza, famille princière moldave. – **Mihail** (?, 1795 - Paris, 1884), prince de Moldavie de 1834 à 1849. – **Dimitrie** (Miclăuşeni, 1833 - Bucarest, 1914), homme politique et historien; chef du parti libéral roumain de 1892 à 1909, plusieurs fois ministre et président du Conseil (1895-1909).

Sturges (John) (Oak Park, Illinois, 1911 - San-Luis-Obispo, Californie, 1992), cinéaste américain. Il fut un bon spécialiste du western (*Règlement de comptes à O.K. Corral*, 1956) et triompha avec *les Sept Mercenaires* (1960), grâce notam. à une remarquable distribution.

Sturm (Charles) (Genève, 1803 - Paris, 1855), mathématicien et physicien français d'origine suisse. ▷ MATH Le *théorème de Sturm* fournit le nombre de racines réelles d'une équation numérique comprises entre deux nombres donnés. ▷ OPT *Focales de Sturm* : segments de droite sur lesquels aboutissent les rayons lumineux qui sortent d'un système optique.

Sturm und Drang («Tempête et Élan», titre d'une tragédie de Fr. M. von Klinger), mouvement littéraire et politique à caractère préromantique qui prit naissance en Allemagne v. 1770 et y rayonna jusqu'en 1790 env. Succédant à l'*Aufklärung* (le siècle des Lumières) et constituant une réaction contre le rationalisme, il fut surtout dominé par l'influence de J.-J. Rousseau et de Shakespeare. Les jeunes Goethe et Schiller, Klinger, Lenz, Heinrich Leopold Wagner, Friedrich Müller, Herder furent parmi ses princ. représentants.

Sturzo (Luigi) (Caltagirone, prov. de Catane, 1871 – Rome, 1959), prêtre et homme politique italien. Secrétaire général de l'Action catholique (1915-1917), il fonda en 1919 le parti populaire italien (précurseur du parti démocrate-chrétien), dont il dirigea l'aile gauche, hostile au fascisme.

Stuttgart, v. d'Allemagne, cap. du Bade-Wurtemberg, sur le Neckar; 565 490 hab. Import. port fluvial. Grand centre industriel (auto., électr., électron., etc.) et commercial. – Nombr. monuments restaurés : Vieux Château (XVIe s.), Nouveau Château (XVIIIe s.), anc. collégiale gothique. Musées.

Stwosz (Wit) ou **Stoss** (Veit) (?, v. 1440 – Nuremberg, 1533), sculpteur d'origine incertaine (polonaise ou allemande); éminent représentant de l'art gothique finissant : retable de l'égl. Notre-Dame de Cracovie (1477-1489).

1. style n. m. **I. 1.** Manière d'utiliser les moyens d'expression du langage, propre à un auteur, à un genre littéraire, etc. *Style clair, précis, élégant; obscur, ampoulé. Style burlesque, oratoire, lyrique. Style administratif, juridique.* **2.** Manière de s'exprimer agréable et originale. *Orateur qui tourne ses phrases avec style.* **3.** GRAM *Style direct*, indirect*.* **II. 1.** Ensemble des traits caractéristiques des œuvres (d'un artiste, d'une époque, d'une civilisation). *Une décoration de style Régence.* ▷ *De style* : d'un style particulier, propre à une époque ancienne. *Une salle à manger de style.* **2.** Caractère d'une œuvre originale. *Tableau qui a du style.* **III. 1.** Ensemble des comportements habituels de qqn. *Adopter un certain style de vie. C'est tout à fait son style* : c'est bien digne de lui. Syn. genre. Ensemble des caractéristiques, des attitudes d'un sportif. *Le style d'un joueur de tennis.* **2.** Façon particulière de pratiquer un sport alliant les impératifs de l'esthétique à ceux de l'efficacité. *Ce boxeur doit améliorer son style.* **3.** Loc. adj. *De grand style* : qui se fait sur une vaste échelle ou qui est fait avec brio. *Offensive de grand style. Une critique de grand style.*

2. style n. m. **1.** ANTIQ Poinçon métallique servant à écrire sur les tablettes enduites de cire. **2.** BOT Partie, souvent filiforme, du pistil qui surmonte l'ovaire. **3.** Tige d'un cadran solaire, dont l'ombre donne l'heure.

stylé, ée adj. Vieilli Formé aux usages. ▷ Mod. *Domestique stylé*, qui accomplit son service dans les règles.

stylet n. m. **1.** Poignard à petite lame aiguë. **2.** ZOOL Partie saillante et effilée de certains organes.

stylisation n. f. Action de styliser, fait d'être stylisé.

styliser v. tr. [1] Représenter en simplifiant les formes, dans un but décoratif. *Styliser une fleur.* – Pp. *Animal stylisé.*

stylisme n. m. **1.** LITTER Excès de recherche dans le style. **2.** Activité, art, profession du styliste.

styliste n. **1.** Écrivain qui apporte un très grand soin à son style. **2.** Personne dont le métier est de définir le style d'un produit, dans les domaines de l'industrie, de créer des modèles dans le domaine de la mode, de l'ameublement.

stylistique adj. et n. f. Didac. **1.** adj. Qui a rapport au style. *Une analyse stylistique.* **2.** n. f. Étude du style (sens I, 1).

stylite n. m. Didac. Ermite qui vivait au sommet d'une colonne, d'une tour, d'un portique. ▷ (En appos.) *Saint Siméon Stylite.*

stylo ou vx **stylographe** n. m. Porte-plume à réservoir d'encre. (On dit aussi *stylo à encre, stylo à plume.*) ▷ *Stylo à bille* ou *stylo-bille* : stylo à encre épaisse, dans lequel la plume est remplacée par une bille métallique.

stylobate n. m. ARCHI Soubassement formant un piédestal continu et portant une rangée de colonnes.

stylo-feutre n. m. Stylo ayant une pointe en feutre ou en nylon en guise de plume. *Des stylos-feutres.*

stylommatophores n. m. pl. ZOOL Ordre de mollusques gastéropodes pulmonés terrestres, possédant sur la tête deux paires de tentacules rétractiles dont l'une porte les yeux. *Les escargots, les limaces sont des stylommatophores.* – Sing. *Un stylommatophore.*

Stymphale, v. de l'anc. Grèce, située au N.-E. de l'Arcadie, sur les bords du lac du m. nom, où, selon la tradition, vivaient des oiseaux fabuleux, au bec de fer, qui se nourrissaient de chair humaine; Héraclès les extermina (un de ses douze travaux).

styrax ou vx **storax** n. m. **1.** BOT Arbre tropical dicotylédone gamopétale, qui fournit une résine solide et odorante. **2.** Résine grise sirupeuse extraite des arbres du genre *Liquidambar* et utilisée dans la confection de sirops, de pommades et de parfums.

styrène, styrol ou **styrolène** n. m. CHIM Carbure éthylénique et benzénique utilisé comme matière première dans l'industrie des plastiques. V. polystyrène.

Styrie (en all. *Steiermark*), Land du S.-E. de l'Autriche; 16 387 km^2; 1 183 000 hab.; cap. *Graz.* Ce Land montagneux est très industrialisé grâce à ses ressources minérales : lignite, magnésite, graphite, salines, fer (mines de l'Erzberg, exploitées dès le XIIe s.). – Partie des prov. romaines de Norique et de Pannonie, la région fut incluse dans la Carinthie, créée par Charlemagne (788), puis forma un duché (1180) qui passa aux Habsbourg en 1278.

styrol, styrolène. V. styrène.

Styron (William) (Newport News, Virginie, 1925), écrivain américain. Ses romans ont souvent suscité des polémiques aux É.-U. parce qu'ils abordent des thèmes sensibles pour la conscience collective : la décomposition des valeurs du vieux Sud, l'armée, le problème noir, les rescapés des camps de concentration (*la Proie des flammes*, 1960; *le Choix de Sophie*, 1979).

Styx (le), dans la myth. gr., l'un des fleuves des Enfers, qu'il entoure de ses méandres. Pour y avoir été plongé par sa mère, Thétis, qui le tenait par le talon, Achille devint invulnérable (sauf au talon où une flèche le blessera mortellement).

su, sue adj. et n. m. **1.** adj. Que l'on sait, que l'on a appris. *Une leçon bien sue.* **2.** n. m. Connaissance que qqn a de qqch (seulement dans la loc. *au su de qqn*). – *Au vu et au su de tout le monde* : sans rien cacher.

suaire n. m. Litt. Linceul. ▷ *Le saint suaire* : le linge ayant servi à ensevelir le Christ et portant une empreinte dans laquelle la piété pop. catholique a reconnu l'empreinte de son corps. (Des mesures au carbone 14 ont permis d'établir que le saint suaire conservé à Turin date en fait du XIVe s.)

suant, ante adj. **1.** Fam. Qui sue. *Un front suant.* **2.** Fig., fam. Pénible, ennuyeux, qui fait suer (sens I, 3).

Suarès (Isaac Félix, dit André) (Marseille, 1868 – Saint-Maur-des-Fossés, 1948), essayiste français : *le Voyage du condottiere* (3 vol., 1910-1932), *Trois hommes : Pascal, Ibsen, Dostoïevski* (1913), *Goethe le Grand Européen* (1932).

Suárez (Francisco) (Grenade, 1548 – Lisbonne, 1617), jésuite et théologien espagnol. Il tenta de concilier libre arbitre et prescience divine : *Disputationes metaphysicæ* (1597), *Commentaires sur la Somme de saint Thomas d'Aquin* (1590-1603).

suave adj. Litt. D'une douceur agréable aux sens. *Une odeur, une musique suave.* ▷ Par ext. *Un plaisir suave.* Syn. délicieux, exquis.

suavement adv. Litt. Avec suavité.

suavité n. f. Litt. Caractère de ce qui est suave.

sub-. Élément, du lat. *sub,* «sous».

subaigu, uë adj. MED Qui a les caractères de l'état aigu sans en avoir la gravité. *Maladie subaiguë.*

subalpin, ine adj. GEOGR Qui est situé en bordure des Alpes.

subalterne adj. et n. Dont la position est inférieure, subordonnée. *Officier subalterne. Une fonction subalterne,* secondaire. ▷ Subst. *Un(e) subalterne.*

subaquatique [sybakwatik] adj. Didac. Qui se produit sous l'eau. *La vie subaquatique.*

subatomique adj. PHYS D'une taille inférieure à celle de l'atome.

subcarpatique adj. GEOGR Que dominent les Carpates. ▷ Spécial. *Ukraine* subcarpatique.*

subcellulaire adj. BIOL Se dit de ce qui est situé en deçà de l'unité cellulaire; à l'intérieur de la cellule.

subconscient, ente [sybkɔ̃sjɑ̃, ɑ̃t] adj. et n. m. PSYCHO **1.** adj. Dont on n'est pas clairement conscient. **2.** n. m. Vieilli Inconscient. (Ne fait pas partie du vocabulaire freudien.)

subcontinent n. m. Syn. de *sous-continent.*

subdéléguer v. tr. [14] ADMIN Commettre (qqn) pour accomplir une fonction dont on a été chargé par une autorité supérieure.

subdésertique adj. Didac. Dont le climat est proche de celui des déserts.

subdiviser v. tr. [1] Diviser (les parties d'un tout déjà divisé). *Un bataillon* *est divisé en compagnies, elles-mêmes subdivisées en sections.*

subdivision n. f. **1.** Action de subdiviser; fait d'être subdivisé. *La subdivision d'une région en départements.* **2.** Partie d'un tout divisé. *Les subdivisions d'un exposé.*

subduction n. f. GEOL Enfoncement d'une plaque sous la plaque voisine.

subéquatorial, ale, aux [sybekwatɔʀjal, o] adj. GEOGR Qui est proche de l'équateur. – Propre aux régions proches de l'équateur. *Flore subéquatoriale.*

suber n. m. BOT Nom scientif. du liège.

subéreux, euse adj. BOT Qui est de la nature du liège; qui rappelle le liège par son aspect, sa consistance. *Tissu subéreux.*

Subiaco, com. d'Italie (Latium, prov. de Rome); 8 890 hab. Centre agricole. – Saint Benoît de Nurcie, à la fin du Ve s., y fonda son prem. monastère.

subintrant, ante adj. MED Se dit de l'accès d'un mal périodique qui survient avant que le précédent soit terminé.

subir v. tr. [3] **1.** Supporter involontairement (ce qui est imposé par qqn ou par qqch). *Subir la loi du vainqueur. Pays qui subit le contrecoup de la crise économique mondiale.* – Devoir supporter (qqn de pénible). ▷ (Choses) *Métal qui subit une déformation.* **2.** Se soumettre volontairement à. *Il a dû subir une opération assez grave.*

subit, ite adj. Qui arrive tout à coup, de façon rapide et imprévue. *Une attaque subite.* Syn. soudain.

subitement adv. De façon subite, brusquement. *Il est mort subitement.*

subito adv. Fam. Subitement. *Partir subito. Subito presto :* soudainement et rapidement.

subjectif, ive adj. **1.** Qui a rapport au sujet pensant. *Expérience subjective.* ▷ MED *Trouble subjectif,* qui n'est perçu que par le malade. **2.** Qui exprime une certitude tout individuelle, qui ne peut être étendue à tous. *Approche subjective d'un problème.* ▷ Influencé par la personnalité, l'affectivité du sujet; partial. *Jugement subjectif.* Ant. objectif.

subjectivement adv. D'une façon subjective (sens 2). Ant. objectivement.

subjectivisme n. m. **1.** PHILO Système qui n'admet d'autre réalité que celle du sujet pensant. **2.** Propension à la subjectivité (sens 2).

subjectiviste adj. et n. PHILO Qui se rapporte au subjectivisme. *Théories subjectivistes.* ▷ Subst. Partisan du subjectivisme.

subjectivité n. f. **1.** PHILO Caractère de ce qui est subjectif, de ce qui n'appartient qu'au sujet (par oppos. à *objectivité*). *Subjectivité d'un raisonnement.* **2.** État de celui qui, dans ses jugements de valeur, donne la primauté aux états de conscience que les phénomènes suscitent en lui. **3.** Domaine des réalités subjectives (la conscience, le moi).

subjonctif n. m. Mode personnel du verbe, exprimant notam. l'indécision, le doute, l'éventualité. *Temps du subjonctif :* présent *(Il faut que nous partions),* imparfait *(J'aurais aimé qu'il vînt),* passé *(Il craint que nous n'ayons fini à temps),* plus-que-parfait *(Il craignait que nous n'eussions fini).*

subjuguer v. tr. [1] Exercer un ascendant absolu sur (qqn); conquérir, charmer. *Il subjugue tous ceux qui l'approchent.*

Subleyras (Pierre Hubert) (Saint-Gilles-du-Gard, 1699 – Rome, 1749), peintre et graveur français fixé à Rome. Son sens aigu des effets de lumière, la rigueur, la force et la simplicité de ses tableaux religieux, scènes de genre et portraits annoncent le néo-classicisme : *Benoît XIV* (1741), *Charon passant les ombres sur le Styx* (v. 1743), *Saint Benoît ressuscitant l'enfant du jardinier* (1744).

sublimation n. f. **1.** PHYS, CHIM Passage direct de l'état solide à l'état gazeux. **2.** Fig. Action d'élever, de purifier (un sentiment, un acte). ▷ PSYCHAN Mécanisme, généralement inconscient, par lequel des pulsions socialement réprouvées (pulsions sexuelles, agressives, etc.) sont détournées de leur objet premier et orientées vers des buts considérés par le sujet comme plus conformes aux normes morales qu'il reconnaît.

sublime adj. et n. m. **I.** adj. **1.** Très beau, très grand, très haut placé dans l'échelle des valeurs esthétiques ou morales. Syn. admirable, parfait. *Un spectacle sublime. Une vertu, un acte sublime.* **2.** (Personnes) Qui s'élève aux sommets de l'esprit, de la vertu. *Un génie sublime. Un héros sublime.* **3.** HIST *La Sublime Porte :* V. porte (1 sens I, 4). **II.** n. m. **1.** Ce qu'il y a de plus grand dans l'échelle des valeurs morales, esthétiques. *Il y a du sublime dans cette action.* **2.** LITTER Un des styles distingués par la rhétorique classique destiné à élever l'esprit du lecteur.

sublimé n. m. CHIM Produit obtenu par sublimation. ▷ *Sublimé corrosif :* chlorure mercurique, antiseptique puissant et toxique.

sublimement adv. De manière sublime.

sublimer v. [1] **I.** v. tr. **1.** PHYS, CHIM Faire passer directement (un corps) de l'état solide à l'état gazeux. **2.** Fig. Élever, purifier. **II.** v. intr. PSYCHAN Transformer les pulsions par la sublimation, les faire passer sur un plan supérieur de réalisation.

subliminal, ale, aux adj. PSYCHO Qui ne dépasse pas le seuil de la conscience. – *Publicité subliminale :* message publicitaire qui, du fait de sa brièveté, ne peut être perçu que par l'inconscient.

sublimité n. f. Litt., rare Qualité de ce qui est sublime.

sublingual, ale, aux [syblɛ̃gwal, o] adj. **1.** ANAT Situé sous la langue. *Glandes sublinguales.* **2.** Qui s'effectue sous la langue. *Médicament d'absorption sublinguale.*

sublunaire adj. Vx Qui est plus bas que la Lune, qui est entre la Terre et la Lune.

submerger v. tr. [13] **1.** Couvrir complètement d'eau, de liquide; inonder. *Le fleuve en crue a submergé ses rives.* **2.** Fig. Envahir, déborder. *La foule a submergé le service d'ordre.* – Pp. *Être submergé de travail.*

submersible adj. et n. m. **1.** adj. Qui peut être submergé. *Terres submersibles des Pays-Bas.* **2.** n. m. Sous-marin.

submersion n. f. Action de submerger; son résultat.

subnarcose n. f. MED État d'abaissement de la vigilance obtenu par l'injection de barbiturique afin de faciliter l'investigation psychologique.

subodorer v. tr. [1] Pressentir, deviner. *Je subodore de la malhonnêteté dans cette proposition.*

subordination n. f. **1.** Dépendance (d'une personne à l'égard d'une autre). **2.** Fait, pour une chose, de dépendre d'une autre. *Subordination de l'effet à la cause.* **3.** GRAM (Opposé à *coordination,* à *juxtaposition.*) Rapport syntaxique entre une proposition et une autre à laquelle elle est subordonnée. ▷ *Conjonction de subordination :* conjonction réunissant la proposition subordonnée à la proposition principale. *« Si, quand, comme, puisque » sont des conjonctions de subordination.*

subordonnant, ante adj. et n. m. GRAM Se dit d'un élément qui établit un lien de subordination (conjonction, relatif).

subordonné, ée adj. et n. **1.** *Subordonné à :* qui dépend de. *Les prix sont subordonnés à la quantité des récoltes.* – Qui est hiérarchiquement inférieur à. ▷ Subst. *Il est courtois avec ses subordonnés.* **2.** GRAM *Proposition subordonnée* ou, n. f., *une subordonnée :* proposition qui se trouve dans une relation syntaxique de dépendance par rapport à une autre proposition (dite *principale*) et ne peut à elle seule former une unité syntaxique complète.

subordonner v. tr. [1] **1.** Mettre (une personne) dans une situation hiérarchiquement inférieure à une autre (surtout au passif). – Pp. *Les prêtres sont subordonnés aux évêques.* **2.** Considérer (une chose) comme secondaire par rapport à une autre. *Il subordonne tout à des questions d'intérêt.* ▷ Faire dépendre (une chose d'une autre). *Il subordonne son départ à la réussite de cette négociation.*

subornation n. f. Action de suborner.

suborner v. tr. [1] **1.** Vieilli ou litt. Détourner du devoir. ▷ Spécial. *Suborner une jeune fille,* la séduire. **2.** DR *Suborner un témoin,* le corrompre, l'acheter.

suborneur, euse n. et adj. Vieilli ou plaisant Celui qui détourne (qqn) du devoir. – *Spécial.* Celui qui suborne une femme, séducteur.

Subotica, v. de Vojvodine, proche de la Roumanie; 100 520 hab. Centre agric.; métallurgie.

subpolaire adj. GEOGR Proche du pôle. *Climat subpolaire. Toundra subpolaire.*

subreptice adj. **1.** DR CANON Qui est obtenu sur la foi d'un faux exposé. *Grâce subreptice.* **2.** Litt. Qui est fait furtivement, illicitement, à l'insu des personnes concernées. *Machinations subreptices.*

subrepticement adv. De manière subreptice, en se cachant.

subrogation n. f. DR Acte par lequel on subroge. *Subrogation de personnes, de choses. Paiement avec subrogation.*

subrogé, ée adj. et n. DR *Subrogé tuteur :* personne chargée par le conseil de famille de défendre les droits du mineur quand les intérêts de celui-ci et ceux du tuteur sont opposés. ▷ Subst. *Le (la) subrogé(e) :* celui, celle qui devient titulaire de la créance en lieu et place du créancier.

subroger v. tr. [13] DR Mettre à la place de (qqn). *Je vous ai subrogé en mes droits.* ▷ *Subroger un rapporteur :* nommer un juge rapporteur aux lieu et place d'un autre.

subséquemment [sybsekamɑ̃] adv. DR ou plaisant À la suite ou en conséquence de quoi.

subséquent, ente adj. **1.** Litt. ou DR Qui suit, qui vient après. *Un testament subséquent annule le précédent.* **2.** GEOGR *Cours d'eau subséquent,* qui suit le pied d'un relief.

subside n. m. Aide financière accordée par un État à un autre, par une organisation ou une personne à une autre.

subsidiaire adj. **1.** Qui s'ajoute au principal pour le renforcer, le compléter. *Moyens subsidiaires.* – *Question subsidiaire :* question supplémentaire qui sert à départager des concurrents ex æquo. **2.** DR *Hypothèque, caution subsidiaire,* prise en plus d'une autre pour la remplacer en cas de défaut.

subsidiairement adv. Litt. ou DR D'une manière subsidiaire, en second lieu.

subsidiarité n. f. POLIT Caractère de ce qui est subsidiaire. – *Principe de subsidiarité dans le traité de Maastricht,* principe selon lequel la Communauté européenne n'intervient qu'à titre subsidiaire par rapport aux États membres.

subsistance n. f. **1.** Fait de subvenir à ses besoins, aux besoins de qqn; nourriture et entretien d'une personne. *Pourvoir à la subsistance de qqn.* **2.** MILIT *Service des subsistances :* service dépendant de l'intendance, chargé de fournir la nourriture nécessaire aux troupes. – *Soldat en subsistance,* qui est nourri et payé par une unité dont il ne fait pas administrativement partie.

subsistant, ante adj. et n. m. **1.** adj. Qui subsiste (sens 1). **2.** n. m. MILIT Militaire en subsistance.

subsister v. intr. [1] **1.** Exister encore. *Cette coutume subsiste.* ▷ v. impers. *Ville dont il ne subsiste que des vestiges.* **2.** Subvenir à ses besoins essentiels.

subsonique adj. TECH Inférieur à la vitesse du son (opposé à *supersonique,* à *transsonique*).

substance n. f. **1.** PHILO Ce qui est en soi; réalité permanente qui sert de support aux attributs changeants. **2.** Matière, corps. *Substance minérale, liquide. Substance fondamentale des os* (l'osséine). ▷ BIOCHIM *Substance P :* neuropeptide contribuant à la transmission nerveuse de la douleur. ▷ ANAT *Substance fondamentale :* sorte de gel qui soutient les cellules et les fibres du tissu conjonctif. **3.** Ce qu'il y a d'essentiel dans un discours, un écrit. *La substance d'un livre.* ▷ Loc. adv. *En substance :* en se bornant à l'essentiel, en résumé. *Voici, en substance, ce dont il s'agit.*

substantialisme n. m. PHILO Doctrine qui admet l'existence d'une substance, soit matérielle, soit spirituelle (par oppos. à *phénoménisme*).

substantialiste adj. et n. PHILO Relatif au substantialisme. ▷ Subst. Partisan du substantialisme.

substantialité [sypstɑ̃sjalite] n. f. PHILO Caractère de ce qui est une substance, fait de consister en une substance.

substantiel, elle [sypstɑ̃sjɛl] adj. **1.** PHILO Qui appartient à la substance. *L'âme est la forme substantielle du corps.* **2.** Nourrissant. *Un plat substantiel.* ▷ Fig. Qui constitue une nourriture abondante pour l'esprit. *Les passages les plus substantiels d'un ouvrage.* **3.** Important, non négligeable. *Il a obtenu des avantages substantiels.*

substantiellement adv. **1.** PHILO Quant à la substance. **2.** D'une manière substantielle.

substantif, ive n. et adj. GRAM **1.** n. m. Unité lexicale pouvant se combiner avec certains morphèmes (articles, adjectifs démonstratifs et possessifs, marques du genre et du nombre) et se référant à un objet (matériel ou non). Syn. nom. **2.** adj. Relatif au substantif. *Proposition substantive,* qui a valeur de nom.

substantifier v. tr. [2] PHILO Donner à (qqch) une forme concrète que l'esprit peut mieux concevoir.

substantifique adj. Litt. *« La substantifique moelle » (Rabelais) :* ce qu'un texte contient d'enrichissant pour l'esprit.

substantivation n. f. LING Transformation en substantif (d'un adjectif, d'un verbe).

substantivement adv. LING En qualité de substantif.

substantiver v. tr. [1] LING Transformer en substantif (un verbe, un adjectif).

substituabilité n. f. Didac. Caractère de ce qui peut être substitué.

substituable adj. Qui peut être substitué.

substituer v. [1] **I.** v. tr. **1.** Mettre (une personne, une chose) à la place d'une autre. *Substituer une copie à l'original.* **2.** DR Appeler (qqn) à une succession après un autre héritier ou à son défaut. **II.** v. pron. Se mettre à la place de. *Son oncle s'est substitué à son père.*

substitut n. m. **1.** DR Magistrat du parquet qui supplée le procureur de la République, le procureur général ou les avocats généraux. **2.** Personne, chose qui remplit une fonction à la place d'une autre.

substitutif, ive adj. Didac. Qui peut se substituer à qqch, le remplacer.

substitution n. f. **1.** Action de substituer. *Substitution d'enfant.* ▷ CHIM Remplacement, dans une molécule, d'un atome ou d'un groupe d'atomes par un atome ou un groupe différent. *Réactions de substitution et réactions d'addition.* ▷ MATH Remplacement d'un des éléments d'une suite par un autre. Syn. permutation. **2.** DR Disposition par laquelle un tiers est appelé à recueillir un don ou un legs au cas où le premier bénéficiaire institué n'en profiterait pas. ▷ *Peine de substitution,* substituée à une autre.

substrat [sypstʀa] ou, vieilli, **substratum** [sypstratɔm] n. m. **1.** PHILO Ce qui, présent derrière les phénomènes, leur sert de support. **2.** LING Langue qui, dans une communauté linguistique, a été éliminée au profit d'une autre, mais qui a néanmoins exercé une influence sur cette dernière. *Influence du substrat préhellénique sur le grec.* **3.** BIOCHIM Molécule sur laquelle agit une enzyme. **4.** GEOL Couche inférieure ou antérieure existant sous une couche plus récente. **5.** AGRIC Support de culture. *La culture horssol utilise divers substrats.*

subsumer v. tr. [1] PHILO Penser (un élément particulier) comme compris dans un ensemble plus vaste (l'individu dans l'espèce, l'espèce dans le genre, le fait dans la loi, etc.).

subterfuge n. m. Moyen détourné et artificieux pour se tirer d'embarras. *User de subterfuges.* Syn. stratagème.

subtil, ile adj. **1.** Qui a une finesse, une ingéniosité remarquables; qui dénote ces qualités. *Personne subtile. Argument subtil.* **2.** Difficile à saisir pour l'esprit, les sens. *Nuance subtile.*

subtilement adv. D'une manière subtile.

subtilisation n. f. Action de subtiliser (sens 2).

subtiliser v. [1] **1.** v. intr. Vx ou litt. Tenir des raisonnements très subtils, subtils à l'excès. *Subtiliser sur des questions de morale.* **2.** v. tr. Voler habilement (qqch). *On lui a subtilisé son porte-monnaie.*

subtilité n. f. **1.** Caractère d'une personne, d'une chose subtile. *Subtilité d'un tacticien, d'une manœuvre.* **2.** Raffinement dans le raisonnement, dans la pensée. *Les subtilités de ce développement m'échappent.*

subtropical, ale, aux adj. GEOGR Situé sous les tropiques. *Région subtropicale.* ▷ *Climat subtropical,* proche du climat tropical. ▷ METEO *Zones subtropicales :* zones de hautes pressions dont la latitude est comprise entre 25 et 35 degrés et où se forment les anticyclones.

suburbain, aine adj. Qui se trouve dans les environs d'une ville. *Les communes suburbaines de Paris.*

subvenir v. tr. indir. [36] *Subvenir à :* pourvoir à (des besoins matériels, financiers). *Il ne peut subvenir à cette dépense.*

subvention n. f. Somme versée à fonds perdus par l'État, une collectivité locale, un organisme, un mécène à une collectivité publique, une entreprise, un groupement, une association, un individu, pour lui permettre d'entreprendre ou de poursuivre une activité d'intérêt général. *Demander une subvention pour un équipement scolaire.*

subventionné, ée adj. Qui reçoit des subventions. *Théâtre subventionné.*

subventionnel, elle adj. DR, FIN Qui a le caractère d'une subvention.

subventionner v. tr. [1] Aider par une, des subventions.

subversif, ive adj. Qui tend à provoquer la subversion. *Menées subversives.* – Loc. *Guerre subversive,* qui vise à détruire la cohésion et la capacité de résistance d'un État en ne recourant pas aux moyens militaires classiques mais à la propagande, aux attentats, aux sabotages, etc.

subversion n. f. Action, activité visant au renversement de l'ordre existant, des valeurs établies (surtout dans le domaine politique). *Mouvement de subversion.*

subversivement adv. Litt. D'une façon subversive.

subvertir v. tr. [3] Didac. Bouleverser (un ordre, un équilibre).

suc n. m. **1.** Liquide organique susceptible d'être extrait d'un tissu animal ou végétal. *Le suc de la viande.* ▷ PHYSIOL Produit de la sécrétion de certaines glandes digestives. *Suc gastrique, pancréatique.* **2.** *Par métaph.* Ce qu'il y a de plus profitable, de plus substantiel. *Le suc d'un ouvrage.*

succédané [syksedane] n. m. **1.** Produit qu'on peut substituer à un autre dans certaines de ses utilisations. *Les* *succédanés du café.* Syn. ersatz. ▷ MED Médicament qui, possédant des propriétés proches d'un autre, peut être utilisé à sa place. **2.** Fig. Ce qui remplace qqch tout en ayant une valeur moindre.

succéder [syksede] v. [**14**] **I.** v. tr. indir. *Succéder à.* **1.** Venir après (qqn) et le remplacer dans une charge, dans un emploi, etc. *Louis XIV a succédé à Louis XIII.* **2.** Venir après (qqch) dans le temps, dans l'espace. *Le printemps succède à l'hiver. À la route carrossable succédait un chemin de terre.* **3.** DR Recueillir l'héritage de (qqn). **II.** v. pron. Venir l'un après l'autre. *Les générations qui se sont succédé jusqu'à ce jour.*

succès [syksɛ] n. m. **1.** Heureuse issue d'une opération, d'une entreprise. *Succès d'une expédition militaire.* **2.** Bon résultat obtenu par qqn. *Succès scolaires.* **3.** Fait de gagner la faveur du public. *Acteur, film qui a du succès.* – *À succès :* qui obtient du succès, le plus souvent par des moyens faciles. *Chanteur, chanson à succès.* ▷ Fam. *Un succès :* une chose qui a du succès, qui est à la mode. *Il a lu tous les succès du moment.* **4.** Fait de susciter l'intérêt amoureux, d'attirer les personnes du sexe opposé. *Avoir encore beaucoup de succès malgré son âge.* ▷ (Plur.) Aventures amoureuses. *Il se vante impudemment de ses succès.*

successeur n. m. **1.** Personne qui succède ou qui est appelée à succéder à une autre dans ses fonctions, ses biens. **2.** MATH Élément d'un ensemble ordonné qui en suit un autre (par oppos. à *antécédent*). *Dans un treillis, 2 est le successeur de 1 et l'antécédent de 3.*

successibilité n. f. DR Droit de succéder. – Ordre dans lequel se fait la succession.

successible adj. DR **1.** Qui a capacité légale pour recueillir une succession. **2.** Qui rend apte à succéder. *Il est parent du défunt au degré successible.*

successif, ive adj. **1.** Vieilli Qui forme une suite ininterrompue. *L'ordre successif des jours et des nuits.* **2.** (Plur.) Qui se succèdent, qui viennent à la suite les uns des autres. *Des découvertes successives. Les locataires successifs d'une maison.*

succession [syksɛsjɔ̃] n. f. **1.** Fait de succéder à qqn en ce qui concerne ses fonctions, sa charge. *Succession du fils au père à la tête d'une entreprise.* **2.** Ensemble de personnes ou de choses qui se succèdent. *Une succession d'admirateurs. Une succession de catastrophes.* **3.** DR Transmission par voie légale des biens et des droits d'une personne décédée à une personne qui lui survit. *Succession directe, collatérale.* **4.** DR Biens dévolus aux successeurs. *Le partage d'une succession.*

ENCYCL **Droit** – La loi distingue la succession *ab intestat,* lorsque la propriété des biens est déférée par la seule disposition de la loi, et la succession *testamentaire,* c.-à-d. réglée par le testateur de son vivant. Les successions intestat sont dévolues aux enfants et descendants du défunt, à ses ascendants, à ses parents collatéraux, à son conjoint survivant ou, à défaut, à l'État. Les successibles ont la faculté soit d'accepter purement et simplement la succession, soit d'y renoncer, soit de l'accepter sous bénéfice d'inventaire de manière à n'être tenus des dettes qu'à concurrence de l'actif recueilli. Le partage d'une succession entraîne le paiement, au profit de l'État, de droits dont les taux varient en fonction de la parenté. Ces taux, de même que les réductions et abattements, évoluent en fonction de la législation.

Succession d'Autriche (guerre de la) (1740-1748), conflit qui opposa la Prusse, la France, la Bavière, la Saxe, l'Espagne et (temporairement) la Sardaigne à l'Autriche, à laquelle l'Angleterre s'allia en 1742. Cette guerre eut pour origine les convoitises de la Prusse et de la Bavière, qui se révélèrent à la mort de l'empereur Charles VI, et les différends suscités par sa succession (malgré la pragmatique* sanction de 1713). La Prusse entraîna la France dans le conflit, qui, après 1742, devint aussi une guerre maritime et coloniale franco-anglaise. Les armées françaises furent victorieuses, notam. à Fontenoy (1745), à Lawfeld (1747) et dans les colonies, tandis que l'Autriche traitait à plusieurs reprises avec Frédéric II de Prusse, lui cédant des territoires. En 1748, la France, forte de ses succès, put imposer la paix (traité d'Aix-la-Chapelle) mais n'en retira pas d'avantages (maintien du statu quo dans les colonies); la Prusse garda la Silésie. Cependant, les rivalités austro-prussienne et franco-anglaise devaient laisser des traces durables.

Succession d'Espagne (guerre de la) (1701-1714), conflit qui opposa la France et l'Espagne à l'Angleterre, aux Provinces-Unies, à l'Autriche et à la plupart des princes allemands. Elle eut pour cause princ. l'accession au trône d'Espagne du petit-fils de Louis XIV, Philippe d'Anjou (Philippe V), que Charles II avait choisi, par testament, pour lui succéder. Louis XIV accepta le testament (1700), laissant de surcroît à Philippe son droit de succession à la couronne de France (1701). Une coalition européenne (la troisième coalition) se forma aussitôt contre lui. Les forces franco-espagnoles remportèrent quelques succès (1701-1703), mais la supériorité en nombre des coalisés, la valeur de leurs généraux (Marlborough, le Prince Eugène) valurent bientôt à la France de cuisantes défaites : Höchstädt (1704), Ramillies (1706). Celle d'Audenarde (1708) ouvrit la France du N. à l'invasion. De façon inespérée, Villars arrêta les Alliés à Malplaquet (sept. 1709), alors que la suite de revers avait usé les forces françaises. Envoyé en Espagne, Vendôme vainquit les Alliés à Villaviciosa (déc. 1710), dans les Asturies, sur le rivage atlantique, et Philippe V put reconquérir son royaume. En janv. 1711, les Anglais entreprirent de négocier avec la France et signèrent la paix d'Utrecht (avril 1713). Les victoires de Villars sur les impériaux (notam. à Denain, en juil. 1712) amenèrent l'empereur Charles VI à signer le traité de Rastatt (mars 1714). La paix d'Utrecht, complétée par ce traité, laissait à Philippe V le trône d'Espagne mais amoindrissait ses possessions (cession à l'Empire des Pays-Bas et des territoires italiens, cession à l'Angleterre de Gibraltar et de Minorque). Cependant l'empire espagnol d'Amérique subsistait.

Succession de Pologne (guerre de la) (1733-1738), conflit qui opposa la France, l'Espagne, la Sardaigne et la Bavière à la Russie et à l'Autriche. Elle eut pour origine la vacance du trône de Pologne à la mort d'Auguste II : l'Autriche et la Russie soutenaient la candidature d'Auguste III, son fils; la France et ses alliés, celle de Stanislas* Leczinsky (beau-père de Louis XV), qu'ils firent élire par la diète (1733). Mais les Austro-Russes l'emportèrent en Pologne (1734) et chassèrent Stanislas; la France prit la Lorraine (1733) et fut victorieuse en Italie (1735), toutefois Fleury*, désirant se rapprocher de l'Autriche (contre l'Angleterre), reconnut par le traité de Vienne l'élection d'Auguste III. En échange de sa renonciation au trône, Stanislas Leczinsky reçut les duchés de Lorraine et de Bar, à charge de les laisser à la France à sa mort.

successivement adv. L'un après l'autre; par degrés.

successoral, ale, aux adj. DR Qui a rapport aux successions.

success-story [syksɛstɔʀi] n. f. (Anglicisme) Fam. Réussite exceptionnelle de qqn, largement médiatisée. *Des success-stories.*.

succin n. m. Didac. Ambre jaune.

succinct, incte [syksɛ̃, ɛ̃t] adj. **1.** Bref, court (discours, écrit). *Description succincte.* – Par ext. *Je serai succinct.* **2.** Fam., plaisant *Un repas succinct,* peu copieux.

succinctement [syksɛ̃tmɑ̃] adv. D'une façon succincte.

succion [sy(k)sjɔ̃] n. f. Action de sucer, d'aspirer avec la bouche ou avec certains appareils.

succomber v. [**1**] **I.** v. intr. **1.** Fléchir (sous un fardeau). *Succomber sous la charge.* – Fig. *Succomber sous le poids des soucis.* **2.** Litt. Avoir le dessous dans une lutte. *Face à cet adversaire trop puissant, il succomba.* **3.** Mourir. *Succomber à la suite d'un accident.* **II.** v. tr. indir. *Succomber à :* céder à (qqch). *Succomber à la fatigue, à la tentation.*

succube n. m. Didac. Démon qui prendrait la forme d'une femme pour séduire un homme pendant son sommeil. (Cf. incube.)

succulence n. f. Litt. Fait d'être succulent, caractère succulent.

succulent, ente adj. **1.** Très savoureux. *Mets succulent.* **2.** BOT *Plantes succulentes,* aux feuilles et à la tige gorgées d'eau (dites plus cour. *plantes grasses*).

succursale n. f. **1.** Établissement subordonné à un autre et qui concourt au même objet. *Les succursales de la Banque de France. Magasin à succursales multiples :* société qui exploite un grand nombre de magasins. **2.** RELIG Église qui supplée à l'insuffisance d'une église paroissiale.

succursalisme n. m. COMM Forme de commerce dans laquelle une seule grande entreprise possède de nombreuses succursales dispersées en de nombreux points, qui se présentent comme des magasins semblables à ceux des petits détaillants.

Suceava, v. de Roumanie (Bucovine); 62 720 hab.; ch.-l. du district du m. nom. – Couvent St-Georges, église St-Demetrius (XVIe s.); vestiges de la citadelle du XIVe s.

sucer v. tr. [**12**] **1.** Attirer (un liquide) dans sa bouche en aspirant. *Sucer le venin d'une plaie.* – Fig. *Sucer une doctrine (un sentiment, etc.) avec le lait,* en être imprégné très jeune. **2.** Presser avec les lèvres et la langue en aspirant. *Sucer un bonbon, ses doigts.* ▷ Loc. fig., fam. *Sucer qqn jusqu'à la moelle,* obtenir de lui tout ce qu'il a. ▷ v. pron. (Récipr.) Loc. fam. *Se sucer la pomme :* s'embrasser.

sucette n. f. **1.** Bonbon fixé au bout d'un bâtonnet. **2.** Petite tétine qu'on donne aux bébés pour éviter qu'ils pleurent ou sucent leur pouce. **3.** (Canada) Suçon.

suceur, euse adj. et n. **I.** adj. Qui suce, qui exerce une succion. *Drague suceuse.* ▷ ENTOM *Les insectes suceurs* (papillons, puces, poux). ▷ n. m. *La puce est un suceur.* **II.** n. **1.** Personne qui suce, absorbe (un liquide). ▷ Loc. fig. *Un suceur de sang,* qui exploite les autres. **2.** n. m. Embout qui s'adapte au tube d'un aspirateur, permettant d'obtenir une vitesse d'aspiration élevée. **3.** n. f. TECH Tuyau aspirant servant à la manutention pneumatique des produits en vrac. ▷ Drague aspirante.

Suchet (Louis Gabriel), duc d'Albufera (Lyon, 1770 - chât. de Montredon, près de Marseille, 1826), maréchal de France (1811). Il se distingua notam. en Italie (1800), à Iéna (1806) et en Espagne (1809-1814). Il se rallia à Louis XVIII, puis à Napoléon (Cent-Jours) et rentra en grâce en 1819.

suçoir n. m. BOT Organe que certains végétaux parasites implantent dans les cellules de leur hôte pour en digérer le contenu.

suçon n. m. Marque laissée sur la peau par une succion longue et forte.

suçoter v. tr. [1] Sucer longuement à petits coups.

sucrage n. m. Action de sucrer. ▷ Spécial. *Sucrage des vins :* opération consistant à additionner le moût de sucre afin d'augmenter la proportion d'alcool développée par la fermentation. Syn. chaptalisation.

sucrant, ante adj. Qui sucre. *Produit sucrant.*

1. sucre n. m. **I. 1.** Substance alimentaire de saveur douce que l'on tire principalement de la betterave et de la canne à sucre; saccharose. *Sucre raffiné. Sucre en morceaux, cristallisé. Sucre semoule,* en poudre grossière. *Sucre glace,* en poudre très fine. - *Sucre d'orge :* sucre parfumé roulé en bâton. - (Canada) *Sucre à la crème :* confiserie fondante traditionnelle à base de sucre et de crème, qu'on sert découpée en carrés. - *Vin de sucre,* obtenu par la fermentation de marcs additionnés d'eau sucrée. ▷ Loc. fig. *Casser du sucre sur le dos de qqn,* dire du mal de lui. - *Être tout sucre et tout miel,* très doucereux. - *Être en sucre,* délicat, fragile. **2.** Fam. Morceau de sucre. *Tremper un sucre dans de l'eau-de-vie.* **3.** CHIM Glucide*. *Les sucres forment une vaste famille de molécules organiques.* **II.** (Canada) *Sucre (d'érable) :* sucre doré obtenu par évaporation de la sève de l'érable. - *Sucre mou,* maintenu dans un état crémeux. ▷ Loc. *Cabane à sucre :* bâtiment situé dans une érablière*, où l'on fait évaporer la sève d'érable, où l'on fabrique le sirop*, la tire* et le sucre d'érable. - *Faire les sucres :* exploiter une érablière; participer à cette exploitation. - *Le temps, la saison des sucres* ou, ellipt., *les sucres :* la période printanière où la sève de l'érable peut être recueillie. - *Aller aux sucres, à une partie de sucre :* se rendre à la cabane à sucre pour déguster les produits de l'érable et se divertir.

2. sucre n. m. Unité monétaire de l'Équateur, divisée en 100 centavos.

Sucre (anc. *La Plata*), cap. constitutionnelle de la Bolivie, à 2 800 m d'alt., dans les Andes; 86 610 hab.; ch.-l. de dép. Quelques industries (alim., cigarettes, cimenterie); raff. de pétrole. - Archevêché. Université. Cath. (XVIIe s.).

Sucre (Antonio José de) (Cumaná, Venezuela, 1795 - Berruecos, Colombie, 1830), général sud-américain. Lieutenant de Bolivar, il combattit avec succès les Espagnols (victoire d'Ayacucho*, 1824). Élu président à vie de Bolivie (1826), il abdiqua en 1828 et fut assassiné peu après son élection à la présidence de la Colombie.

sucré, ée adj. et n. **1.** Qui contient du sucre, qui a le goût du sucre. *Boisson sucrée. Ce raisin est très sucré.* **2.** Fig. D'une douceur peu naturelle; doucereux, mielleux. *Prendre un ton sucré.* ▷ Subst. *Faire le (la) sucré(e).*

sucrer v. [1] **I.** v. tr. **1.** Mettre du sucre, une substance sucrante dans. *Sucrer son café.* ▷ Loc. fig., fam. *Sucrer les fraises*.* **2.** Fig., fam. Supprimer (qqch). *Sucrer une permission à un soldat.* **II.** v. pron. **1.** Fam. Additionner ses aliments ou sa boisson de sucre. **2.** Fig., fam. S'octroyer une bonne part de bénéfices, d'avantages matériels, etc.

sucrerie n. f. **1.** Établissement où l'on fabrique le sucre, où on le raffine. **2.** Produit de confiserie. *Aimer les sucreries.*

sucrette n. f. (Nom déposé.) Pastille d'ersatz de sucre.

sucrier, ère adj. et n. m. **I.** adj. Qui fournit du sucre, qui en fabrique. *Betterave, industrie sucrière.* **II.** n. m. **1.** Pièce de vaisselle dans laquelle on sert le sucre. **2.** Propriétaire, ouvrier d'une sucrerie.

Sucy-en-Brie, ch.-l. de cant. du Val-de-Marne (arr. de Créteil), près de la Marne; 25 924 hab.

sud n. m. et adj. inv. **1.** Un des quatre points cardinaux (opposé au nord). **2.**

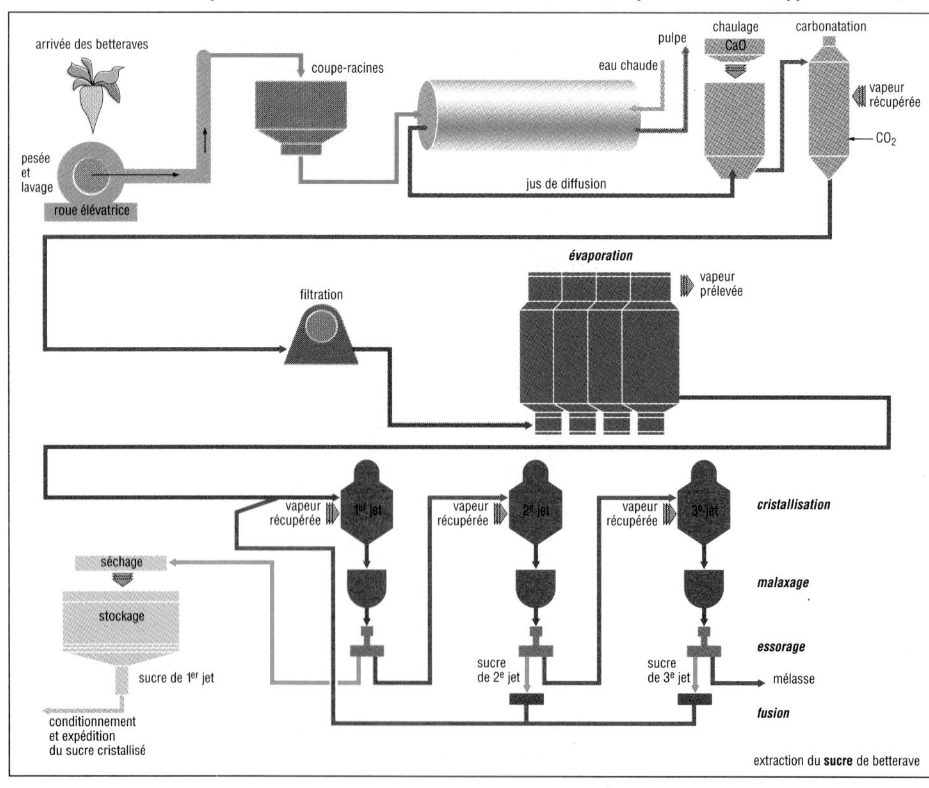

extraction du **sucre** de betterave

(Avec une majuscule.) Partie du globe terrestre, d'un continent, d'un pays, etc., qui s'étend vers le sud. *L'Italie du Sud.* ▷ adj. inv. *Le pôle Sud.* **3.** (Avec une majuscule.) Ensemble des pays en voie de développement.

sud-africain, aine adj. et n. De la république d'Afrique du Sud. ▷ Subst. *Les Sud-Africains.*

sud-africaine (République). V. Afrique du Sud.

sud-américain, aine adj. et n. D'Amérique du Sud. ▷ Subst. *Un(e) Sud-Américain(e).*

sudation n. f. MED Forte transpiration due à un effort physique, à la chaleur, à la fièvre. ▷ Transpiration.

sudatoire adj. MED Accompagné de sudation.

Sudbury, v. du Canada (Ontario); 92 880 hab. Grand centre minier (nickel et cuivre, surtout).

sud-coréen, enne adj. et n. De la république de Corée (Corée du Sud). ▷ Subst. *Un(e) Sud-Coréen(ne).*

Sudermann (Hermann) (Matzicken, Prusse-Orientale, 1857 - Berlin, 1928), écrivain allemand; romancier (*Frau Sorge,* 1887) et dramaturge (*l'Honneur,* 1889) d'inspiration naturaliste.

sud-est n. m. et adj. inv. **1.** Point de l'horizon situé à égale distance entre le sud et l'est. **2.** (Avec majuscules.) Partie d'un pays, d'une région, qui s'étend vers le sud-est. ▷ adj. inv. *La région sud-est du pays.*

Sud-Est (en angl. *South East*), région du Royaume-Uni au S. de l'Angleterre, drainée par la Tamise, sur la Manche et la mer du Nord; 27 222 km²; 17 103 600 hab.; v. princ. *Londres.* Ensemble écon. le plus important du pays, le Sud-Est est la région la plus peuplée de l'Union européenne.

Sud-Est asiatique. V. Asie du Sud-Est.

sudète adj. De la région située sur le pourtour de la Bohême, en Tchécoslovaquie; de la population de cette région.

Sudètes (mont des), rebord N.-E. du quadrilatère de Bohême, à la frontière de la Rép. tchèque et de la Pologne, culminant à 1 603 m dans les monts des Géants.

Sudètes ou **Allemands des Sudètes,** nom donné après 1919 à la pop. de langue allemande installée sur le pourtour de la Bohême. En 1919, cette minorité (un quart env. de la pop. tchécoslovaque) demanda en vain le rattachement de son territoire à l'Allemagne. En 1933, un parti pronazi (le parti allemand des Sudètes) fut créé par Henlein, dont Hitler soutenait les revendications; la «protection des Sudètes» servit de prétexte à l'intervention allemande (sept. 1938), suivie de l'annexion du territoire des Sudètes. En 1945, la Tchécoslovaquie reprit la rég. et expulsa vers l'Allemagne la presque totalité des Allemands des Sudètes.

sudiste n. et adj. HIST Partisan des États esclavagistes du sud des États-Unis, pendant la guerre de Sécession*. *Les nordistes et les sudistes.* ▷ adj. *L'armée sudiste.*

Su Dongpo. V. Su Shi.

sudoral, ale, aux adj. MED Relatif à la sueur.

sudorifique adj. et n. m. MED Qui augmente la transpiration. *Médicaments sudorifiques.*

sudoripare adj. ANAT Qui sécrète la sueur. *Glandes sudoripares.*

sud-ouest [sydwɛst] n. m. et adj. inv. **1.** Point de l'horizon situé à égale distance entre le sud et l'ouest. (V. suroît.) **2.** (Avec majuscules.) Partie d'un pays, d'une région, qui s'étend vers le sud-ouest. ▷ adj. inv. *La région sud-ouest du pays.*

Sud-Ouest (en angl. *South West*), région du Royaume-Uni et de la C.E., au S. de l'Angleterre, sur la Manche et l'Atlantique; 23 850 km²; 4 565 500 hab.; v. princ. *Bristol.*

Sud-Ouest africain. V. Namibie.

sudra ou **çudra** n. m. inv. Membre de la caste brahmanique qui inclut ouvriers, paysans et artisans.

Sue (Marie-Joseph, dit Eugène) (Paris, 1804 - Annecy-le-Vieux, 1857), romancier français. Chirurgien de la marine, il écrivit des romans d'aventures maritimes et des romans mondains, puis des romans-feuilletons à caractère social : *les Mystères de Paris* (1842-1843), *le Juif errant* (1844-1845), *les Sept Péchés capitaux* (1847-1849), *les Mystères du peuple* (1849-1857), etc.

suède n. m. Peau dont le côté chair est à l'extérieur, utilisée notam. dans la fabrication des gants.

Suède (royaume de) (*Konungariket Sverige*), État de la péninsule scandinave (V. Scandinavie), sur la Baltique et le Kattégat; 449 964 km²; 8 410 000 hab., croissance démographique : moins de 0,2 % par an.; cap. *Stockholm.* Nature de l'État : monarchie constitutionnelle. Langue off. : suédois. Monnaie : couronne suédoise. Relig. : protestantisme (Église luthérienne d'État).
Géogr. phys. et hum. - Adossé à l'O. à la chaîne scandinave, qui culmine à 2 123 m, le pays est constitué pour l'essentiel d'un socle ancien, bouclier aux formes lourdes qui s'incline vers la Baltique, que bordent des plaines côtières, surtout étendues dans le S. de la péninsule. Les glaciers quaternaires ont modelé ce relief : profondes vallées, cuvettes occupées par une multitude de lacs, littoral découpé et frangé de nombreuses îles, dépôts morainiques. Le climat, continental froid dans l'ensemble, est plus clément dans les régions méridionales : couvertes de forêts mixtes, elles groupent les meilleurs terroirs et l'essentiel de la population du pays. Ailleurs domine la forêt boréale de conifères, liée aux hivers longs et rigoureux; elle cède la place aux landes à tourbières et à la toundra en altitude et sur les franges N. du pays. La population, urbanisée à 85 %, compte plus de vieux que de jeunes (23 % de plus de 60 ans, 17 % de moins de 15 ans) et ne s'accroît presque plus; son niveau de vie est parmi les plus élevés du monde.
Écon. - Le domaine agricole, aux rendements élevés malgré la médiocrité du sol et du climat, emploie 4 % de la population active. Princ. productions : céréales, pomme de terre, betterave sucrière. L'élevage, bovin surtout (prod. laitiers), est intensif. Ces résultats sont obtenus grâce à une haute technicité et à l'existence de groupements coopératifs. Les besoins nationaux sont presque couverts. Autre ressource appréciable : la pêche. L'exploitation forestière (50 % de la surface du pays), très active, a favorisé dès le XIXe s. une forte industrialisation, qui s'est poursuivie grâce aux ressources hydroélectriques et minières : fer à haute teneur (65 %) des gisements du Bergslag et de Laponie à Kiruna, cuivre, plomb. Moins de 25 % des actifs sont employés dans l'industrie, très diversifiée, dont les secteurs traditionnels (sidérurgie, chantiers navals) ont reculé, tandis que les secteurs forts s'imposaient sur le marché international : industries du bois (pâte à papier, allumettes, bois d'œuvre), industr. mécanique de haute qualité (constr. automobiles et aéronautiques; roulements à billes, etc.), industr. chimiques (explosifs, notam.). Un des problèmes majeurs qui affectèrent longtemps ce secteur fut la pénurie de main-d'œuvre; auj., le pays connaît le chômage (1,4 % de la pop. active, un des taux les plus bas d'Europe). Malgré le volume des importations de matières premières (charbon, pétrole, etc.), limitées désormais par le développement de la prod. d'énergie nucléaire, la balance commerciale est excédentaire. Le «socialisme à la suédoise» qui s'est converti à certaines thèses libérales en adoptant, en 1990, une fiscalité indirecte pesant sur la consommation et le capital plutôt que sur les revenus, est ébranlé dep. 1992 par la mise en place d'un programme d'austérité.
Hist. - Peuplé dès le néolithique, le pays se donna une certaine unité au IVe s. apr. J.-C., les Svears du N. dominant les Goths du S., et forma le royaume de Svearike, avec pour centres princ. Uppsala et Birka. Aux Xe et XIe s., les Suédois participèrent au mouvement d'expansion des Vikings. Ils se dirigèrent surtout vers le S.-E. de l'Europe, commerçant avec Byzance. Connus sous le nom de Varègues*, ils fondèrent les principautés de Novgorod et de Kiev. De 1060 à 1250, des luttes dynastiques opposèrent la famille des Erik à celle des Sverker, qu'illustra Erik IX le Saint (1156-1160), devenu patron de la Suède. Dans le même temps s'acheva la lente christianisation du pays, la première évangélisation commençant en 830 env.; la conversion des païens finnois servit de prétexte à la conquête de la Finlande (1157), effective au début du XIIIe s. Malgré les luttes dynastiques, l'économie, fondée sur le commerce et l'exploitation du fer du Bergslag, prit son essor. Sous les Folkung (1250-1363), l'aristocratie renforça ses positions mais n'entra pas en conflit avec la monarchie, qui put unifier le pays. Par le jeu des liens dynastiques, la Suède entra en 1397 dans l'Union de Kalmar*, qui réunissait sous un même sceptre les pays scandinaves. Conçue également pour résister à l'emprise de la Hanse, cette Union se révéla difficile à maintenir. Les maladresses des souverains danois provoquèrent plusieurs révoltes, et en 1523, sous la conduite de Gustave Ier Vasa, la Suède reprit définitivement son indépendance. Le XVIe s. fut marqué par l'adoption du protestantisme (1527), le rejet de la tutelle commerciale de la Hanse et le début de la lutte contre le Danemark, la Russie et la Pologne pour la domination de la Baltique. Riche de ses forêts et de ses mines de fer et de cuivre, la Suède atteignit une grande prospérité économique et tint, au XVIIe s., le rang de grande puissance européenne; Gustave II Adolphe (1611-1632) forgea une armée remarquable, victorieuse dans la guerre de Trente Ans. Après les traités de Brömsebro (1645) et de Roskilde (1658) avec le Danemark, et les traités de Westphalie (1648), elle fut maîtresse de la Baltique, recevant notam. la

majeure partie de la Poméranie et de nombr. îles danoises. Ces acquisitions furent perdues sous Charles XII (1697-1718), qui ne put, malgré de grands succès, triompher des coalitions fomentées par les puissances rivales de la Baltique (guerre du Nord, 1700-1721). À sa mort, une Constitution (1719) laissa l'essentiel du pouvoir au Riksdag, assemblée dirigée par la noblesse. Il s'ensuivit une lutte entre le parti pacifiste des Bonnets et le parti belliqueux des Chapeaux, lequel engagea deux guerres malheureuses, contre la Russie (1741) et contre la Prusse (guerre de Sept Ans, 1756-1763). Dans le même temps, le pays s'ouvrit largement aux idées nouvelles, françaises surtout. En 1789, par un coup d'État, Gustave III, jusque-là despote éclairé (1771-1792), restaura l'absolutisme, mettant fin aux luttes des partis politiques. Ayant pris parti contre Napoléon, puis contre la Russie, la Suède perdit la Finlande (1808) au profit de cette dernière, mais acquit en 1815 la Norvège enlevée au Danemark. La Constitution promulguée en 1809, sous Charles XIII (1809-1818), fut respectée par son successeur, le général français Bernadotte, devenu roi sous le nom de Charles XIV (1818-1844). Le régime se libéralisa progressivement sous les règnes d'Oscar Ier (1844-1859), de Charles XV (1859-1872) et d'Oscar II (1872-1907). Dans le même temps, l'économie se modernisait et un syndicalisme très actif apparut. Les conflits avec la Norvège aboutirent à une rupture amiable (union pacifiquement dissoute en 1905). Neutre pendant les deux guerres mondiales, sous la règne de Gustave V (1907-1950), la Suède poursuivit son développement économique et son évolution démocratique (suffrage universel, 1907 et 1909; vote des femmes, 1921); elle se donna dès le début du siècle une législation sociale avancée. Par souci de neutralité, la Suède, membre de l'ONU (1946) et du Conseil de l'Europe (1949), refusa d'adhérer au pacte Atlantique (OTAN) et, pendant longtemps, au Marché commun. Le «socialisme à la suédoise» se caractérisa par la combinaison d'une intense activité économique et d'une politique de réduction des inégalités sociales. La social-démocratie, dirigée par Tage Erlander (1968-1969), Olof Palme (1969-1976 et 1982-1986), Ingvar Carlsson (1986-1991 et 1994-1996), est au pouvoir depuis 1932 à l'exception des périodes de 1976-1982 et 1991-1994, où les partis bourgeois (modérés, libéraux et centristes) ont gouverné. Succédant à Gustave VI Adolphe, son grand-père, Charles XVI Gustave est monté sur le trône en 1973. Touchée par la crise, la Suède connut une hausse incontrôlée des salaires et des prix, une diminution de la compétitivité des ses produits et une augmentation du chômage. Après la crise monétaire de sept. 1992, le gouvernement modéré de Carl Bildt (1991-1994) a été amené à prendre des mesures d'austérité. Celles-ci n'ont pas été remises en cause par le social-démocrate Göran Persson en 1996. La Suède est devenue membre de l'Union européenne en 1995.

suédé, ée adj. Qui imite l'aspect du suède. *Étoffe suédée.*

suédine n. f. Tissu qui imite le suède.

suédois, oise adj. et n. **1.** adj. De Suède. ▷ Subst. *Un(e) Suédois(e).* ▷ Loc. *Allumettes suédoises :* allumettes de sûreté (les plus courantes auj.), fabriquées à l'origine exclusivement en Suède. – *Gymnastique suédoise :* méthode d'éducation physique due au Suédois Per Henrik Ling (1776 – 1839) et fondée sur la répétition de mouvements simples destinés à faire travailler tous les muscles du corps. **2.** n. m. *Le suédois :* la langue nordique parlée en Suède et en certains points du littoral finlandais (archipel d'Ahvenanmaa, golfe de Finlande, golfe de Botnie).

suée n. f. Fam. Transpiration abondante (à cause d'un travail, d'une émotion pénible). *Piquer une suée.*

suer v. [1] **I.** v. intr. **1.** Rejeter de la sueur par les pores. *Suer à grosses gouttes.* Syn. transpirer. **2.** Fam., fig. Se donner beaucoup de peine pour faire qqch. *J'ai sué sur cet ouvrage.* **3.** Loc. fam. *Faire suer qqn,* l'ennuyer, l'impatienter. ▷ *Se faire suer :* s'ennuyer. **4.** (Sujet n. de chose.) Rendre de l'humidité. *Murs qui suent.* **II.** v. tr. **1.** Rejeter par les pores. *Suer du sang.* – Loc. fig. *Suer sang et eau :* se donner beaucoup de mal. **2.** Fig. Dégager une impression de, exhaler. *Suer l'ennui, la peur.*

Suess (Eduard) (Londres, 1831 – Vienne, 1914), géologue autrichien; auteur de *la Face de la Terre* (nombr.

vol.), vaste synthèse des origines géologiques du relief actuel de notre planète, qui exerça une grande influence.

Suétone (en lat. *Caius Suetonius Tranquillus*) (Ostie ou Hippone, v. 69 – v. 126 apr. J.-C.), historien latin. Dans ses *Vies des douze Césars* (de Jules César à Domitien), il accumule les anecdotes sans faire d'analyse critique, mais les renseignements multiples et précis qu'il consigne ont contribué à nous donner une bonne connaissance de l'exercice du pouvoir dans la Rome impériale.

suette n. f. MED *Suette miliaire :* maladie d'origine encore mal connue, caractérisée par une forte fièvre, des sueurs abondantes et une éruption.

sueur n. f. **1.** Liquide salé, d'odeur caractéristique, de la transpiration cutanée. *Visage ruisselant de sueur.* ▷ Loc. *Sueur froide,* accompagnée de frissons et d'une sensation de froid, causée par la fièvre, la peur, etc. – *Gagner son pain à la sueur de son front,* à force de travail et de peine. **2.** Fig. Travail, peine. *S'enrichir de la sueur des autres.*

suève adj. Relatif aux Suèves.

Suèves, anc. tribus germaniques nomades qui se fixèrent dans l'actuelle Souabe. Battus près de Belfort par César en 58 av. J.-C., ils envahirent la Gaule au déb. du Ve s., puis se fixèrent dans la péninsule Ibérique, princ. en Galice, où le royaume qu'ils fondèrent (409) fut détruit par les Wisigoths en 585.

Suez (isthme de), isthme reliant l'Afrique à l'Asie, entre la Méditerranée et la mer Rouge.

Suez (canal de), canal percé à travers l'isthme de Suez. Long, à l'origine, de 161 km (195 km auj.), entre Port-Saïd au N. et Suez au S., large de 190 m en surface, profond de 20 m (depuis les travaux achevés en 1980), il est doublé sur une longueur de 67 km. Son intérêt économique est considérable, puisqu'il permet à des navires de 555 000 t à vide et de 160 000 t en charge de passer d'Europe en Orient et inversement sans contourner l'Afrique. – En 1854, le pacha d'Égypte ayant donné son accord, une Compagnie du canal fut créée par Ferdinand de Lesseps. Les travaux durèrent de 1859 à 1863 et de 1866 à 1869. Le canal fut inauguré en 1869 par l'impératrice Eugénie. En 1875, la G.-B. acheta les titres du pacha, et devint la princ. actionnaire de la Compagnie. Doté d'un statut international en 1888, le canal fut nationalisé en 1956 par Nasser; cet acte motiva une intervention franco-britannique (nov. 1956) qui fut arrêtée sous la pression des É.-U. À la suite de la guerre des Six Jours, la navigation fut interrompue de 1967 à 1975. Les travaux d'aménagement, achevés en déc. 1987, ont ouvert le canal aux plus grands pétroliers.

Suez, port d'Égypte, sur le *golfe de Suez* (au N. de la mer Rouge), au débouché sud du canal; ch.-l. du gouv. du m. nom; 274 000 hab. Raff. de pétrole.

suffète n. m. ANTIQ Chacun des deux principaux magistrats de la république de Carthage.

suffire v. [64] **I.** v. tr. indir. **1.** (Sujet n. de chose.) *Suffire à :* être en quantité satisfaisante, avoir les qualités requises pour. *Cette somme suffit à nos besoins. Votre parole me suffit.* ▷ Absol. *Cela suffit :* c'est assez. **2.** (Sujet n. de personne.) Pouvoir satisfaire à soi seul aux exigences de (qqch, qqn). *Il ne suffit pas à la tâche. Un seul secrétaire lui suffit.* **II.** v. impers. *Il suffit de :* il faut seulement. *Il suffit d'y aller.* – (Suivi de *que* et du subj.) *Il suffit que vous le désiriez.* **III.** v. pron. *Se suffire à soi-même :* n'avoir pas besoin de l'assistance des autres.

suffisamment adv. Assez.

suffisance n. f. **1.** Vieilli Quantité qui suffit. ▷ Loc. adv. Litt. *À suffisance, en suffisance :* en quantité suffisante. **2.** Caractère d'une personne suffisante. *Un air plein de suffisance.*

suffisant, ante adj. **1.** (Choses) Qui suffit. *Ration suffisante.* **2.** (Personnes) Trop satisfait et trop sûr de soi. *Je le trouve très suffisant.*

suffixal, ale, aux adj. LING Qui a rapport au suffixe.

suffixation n. f. LING Dérivation à l'aide d'un, de plusieurs suffixes.

suffixe n. m. LING Affixe placé après le radical d'un mot ou de la base de celui-ci et lui conférant une signification particulière (ex. : forte*ment,* agri*cole,* télé*graphie*).

suffixé, ée adj. LING Formé avec un suffixe.

suffocant, ante adj. Qui suffoque. ▷ Qui fait suffoquer. *Gaz suffocants.* – Fig. *Il a une audace suffocante.*

suffocation n. f. Fait de suffoquer. ▷ MED Asphyxie par étouffement.

Suffolk, comté du S.-E. de la G.-B., sur la mer du Nord (3 801 km²; 629 900 hab.; ch.-l. *Ipswich*). Agriculture.

suffoquer v. [1] **I.** v. tr. **1.** (Sujet n. de chose.) Gêner la respiration de (qqn) au point de produire une sensation d'étouffement. *Être suffoqué par des gaz.* ▷ Absol. *Air brûlant qui suffoque.* **2.** Fig., fam. Stupéfier (qqn) (souvent par une

canal de **Suez :** navires venant de Port-Saïd, lors des fêtes de l'inauguration; lithographie d'après une aquarelle française du XIXe s.

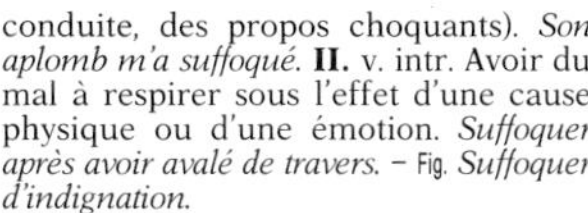

conduite, des propos choquants). *Son aplomb m'a suffoqué.* **II.** v. intr. Avoir du mal à respirer sous l'effet d'une cause physique ou d'une émotion. *Suffoquer après avoir avalé de travers.* – Fig. *Suffoquer d'indignation.*

suffragant, ante adj. m. et n. **1.** adj. m. DR CANON Se dit d'un évêque placé sous l'autorité de l'archevêque métropolitain. ▷ Se dit d'un ministre du culte protestant qui assiste le pasteur. **2.** n. Personne ayant droit de suffrage dans une assemblée.

suffrage n. m. **1.** Avis, et spécial. avis favorable, que l'on donne dans une élection, une délibération. *Recueillir de nombreux suffrages.* **2.** *Suffrage restreint,* dans lequel seuls les citoyens répondant à certaines conditions sont électeurs. *Suffrage universel,* dans lequel sont électeurs et éligibles tous les citoyens parvenus à un certain âge et jouissant de leurs droits civiques. *Suffrage direct,* dans lequel un candidat est élu par les électeurs eux-mêmes. *Suffrage indirect,* dans lequel l'élu est désigné par certains électeurs qui ont eux-mêmes été élus. **3.** Opinion, jugement favorable. *Cette pièce a mérité tous les suffrages.*

suffragette n. f. Citoyenne britannique qui militait pour que le droit de vote fût accordé aux femmes. *Les suffragettes commencèrent à avoir une action militante en 1903.*

Suffren (Pierre André de Suffren de Saint-Tropez, dit le bailli de) (chât. de Saint-Cannat, près d'Aix-en-Provence, 1729 – Paris, 1788), vice-amiral français. Bailli de l'ordre de Malte, il servit dans la marine royale pendant la guerre d'Amérique et remporta des victoires sur les Anglais au large des Indes (1782-1783).

Suger (Saint-Denis ou Argenteuil, v. 1081 – Saint-Denis, 1151), moine français; abbé de Saint-Denis en 1122. Conseiller de Louis VI, il devint le princ. ministre de Louis VII et régent du royaume (1147-1149) pendant la 2e croisade. Il fit construire une nouvelle égl. abbatiale à Saint-Denis et écrivit en latin plusieurs ouvrages historiques, notam. une *Histoire de Louis le Gros.*

suggérer [sygʒeʀe] v. tr. [14] Faire venir à l'esprit. *Suggérer une idée à qqn.* – Par ext. *Image qui suggère la tristesse.*

suggestibilité n. f. Didac. État d'une personne suggestible.

suggestible adj. Didac. Que l'on peut facilement suggestionner.

suggestif, ive adj. Qui a le pouvoir de suggérer des idées, des images, des sentiments (d'ordre érotique, en partic.). *Un déshabillé suggestif.*

suggestion [sygʒɛstjɔ̃] n. f. **1.** Action de suggérer; chose suggérée. *Faire qqch sur la suggestion de qqn.* **2.** PSYCHO Fait, pour un sujet, d'accepter certaines croyances, d'accomplir certains actes sous l'effet d'une influence extérieure, en dehors de sa volonté ou de sa conscience. *Suggestion hypnotique.*

suggestionner v. tr. [1] Inspirer des idées, des actes à (qqn) par suggestion.

suggestivité n. f. Rare Caractère de ce qui est suggestif.

Suhard (Emmanuel) (Brains-sur-les-Marches, Mayenne, 1874 – Paris, 1949), prélat français; cardinal (1935), archevêque de Paris (1940). En 1941, il fonde la Mission de France, association de prêtres qui se consacrent à l'évangélisation des milieux déchristianisés (ouvriers, notam.), ce qui annonce et prépare l'expérience des prêtres ouvriers, expérience que le cardinal Suhard ne cessera de défendre contre le Saint-Office.

Suharto (près de Jogjakarta, 1921), général et homme d'État indonésien. Ministre de la Guerre en 1965, il combattit les communistes, élimina Sukarno (1966-1967) et accéda en 1968 à la présidence de la République, poste qu'il occupe jusqu'en mai 1998, date à laquelle il doit démissionner après de sanglantes émeutes.

Sui, dynastie chinoise (580-617) qui unifia la Chine.

suiboku [sɥiboku] n. m. BX-A Technique picturale japonaise dérivée du lavis monochrome chinois.

suicidaire adj. et n. **1.** Qui tend, mène au suicide. *Conduite suicidaire.* **2.** Que ses dispositions psychiques semblent pousser au suicide. ▷ Subst. *Un(e) suicidaire.*

suicidant, ante n. Personne qui a fait ou dont on craint une tentative de suicide.

suicide n. m. **1.** Action de se donner volontairement la mort. ▷ Fig. Fait d'exposer dangereusement sa vie (par imprudence, inconscience, etc.). *C'est un suicide de conduire à cette vitesse.* **2.** Fig. Fait de se détruire soi-même, autodestruction. *Certains actes constituent un suicide moral.*

suicidé, ée n. Personne qui s'est donné volontairement la mort.

suicider (se) v. pron. [**1**] Se tuer volontairement.

suicidogène adj. Qui est générateur de suicide. *Caractère suicidogène du milieu carcéral.*

suidés n. m. pl. ZOOL Famille de mammifères artiodactyles non ruminants (porc, sanglier, phacochère, etc.) à l'aspect trapu, dont la tête, plus ou moins allongée en cône, se termine par un nez cartilagineux (le groin) et dont les canines sont souvent allongées en forme de défenses. – Sing. *Un suidé.*

suie n. f. Matière noirâtre provenant de la décomposition des combustibles et que la fumée dépose dans les conduits de cheminée.

suif n. m. Graisse des ruminants. *Suif de mouton, de bœuf.* ▷ TECH *Vis à tête goutte de suif,* dont la tête est fraisée et légèrement bombée.

suiffeux, euse adj. De la nature du suif.

sui generis [sɥiʒeneʀis] (Mots lat.) loc. adj. Caractéristique de l'espèce, qui n'appartient qu'à elle. *Couleur sui generis.* ▷ Plaisant *Odeur sui generis :* mauvaise odeur.

suint [sɥɛ̃] n. m. Matière grasse sécrétée par les animaux à laine et qui imprègne leurs poils.

suintant, ante adj. Qui suinte. *Murs suintants.*

suintement n. m. Fait de suinter; écoulement d'un liquide qui suinte.

suinter [sɥɛ̃te] v. intr. [**1**] **1.** S'écouler presque imperceptiblement (liquide). *Sang qui suinte d'une plaie.* **2.** Laisser échapper un liquide très lentement (récipient, paroi). *Vase poreux qui suinte.*

suisse adj. et n. **I.** adj. (Fém. *suisse*) De la Suisse. ▷ Subst. *Un Suisse, une Suissesse.* ▷ HIST *Les Cent-Suisses :* compagnie de Suisses qui veilla à la sûreté personnelle des rois de France, à partir de 1496. – *Régiment des gardes suisses,* recruté par les rois de France depuis le XVIe s., et qui appartenait à la maison du roi; à la Révolution, les Cent-Suisses leur furent réunis. Leur recrutement cessa en 1830.– *Gardes suisses* ou *suisses :* soldats de la garde pontificale, institués en 1505; leur tenue de cérémonie a été dessinée par Michel-Ange. **II.** n. m. **1.** Anc. Portier d'une maison particulière. ▷ Loc. mod. *Boire, manger en suisse,* seul, sans inviter ses amis. **2.** Anc. Bedeau en uniforme chargé de la garde d'une église et qui précédait le clergé dans les processions. **3.** *Petit-suisse* ou *suisse :* petit fromage blanc enrichi en matière grasse, de forme cylindrique. **4.** (Canada) Tamia rayé.

Suisse (en all. *Schweiz,* en ital. *Svizzera)* ou **Confédération suisse,** État de l'Europe centrale, entre la France, l'Allemagne, le Liechtenstein, l'Autriche et l'Italie; 41 293 km²; 6 848 700 hab., croissance démographique : moins de 0,2 % par an; cap. *Berne.* Nature de l'État : rép. confédérale (23 cantons). Langues off. : allemand (65 % de la pop.), français (18 %), italien (10 %), romanche (moins de 1 %), nombr. dialectes alémaniques et romands. Monnaie : franc suisse. Relig. : cathol. (47,6 %), protestants (44,3 %).

Géogr. phys. et hum. – Trois ensembles se partagent le pays. Au S. et à l'E. se dressent les Alpes (60 % du territoire, 15 % de la population), culminant à 4 634 m au mont Rose; elles s'ordonnent autour des massifs cristallins méridionaux, en avant desquels on trouve, au N., les Préalpes sédimentaires, moins élevées. Ces montagnes au climat rude, forestières et herbagères, ont été sculptées par les glaciers quaternaires (il en subsiste 140) et constituent le principal château d'eau de l'Europe (sources du Rhin, du Rhône, de l'Inn). À l'O., du lac Léman jusqu'au N. de Zurich, s'étend l'arc jurassien (10 % du territoire, 15 % de la population), moyenne montagne plissée qui culmine à 1 677 m et où le climat, humide et froid en hiver, entretient de belles forêts et d'opulents pâturages. Entre les Alpes et le Jura, le Moyen Pays ou Mittelland (70 % de la population sur 30 % du territoire) est la région vitale de la Confédération. C'est une vaste dépression aux nombreux lacs (Léman, Neuchâtel, Quatre-Cantons, Constance...), dont le paysage de collines et de plaines fertiles a été découpé, dans des sédiments détritiques et des moraines, par l'Aar et ses affluents. La densité est exceptionnelle pour un pays montagneux (160 hab. au km²), mais la population est vieillissante (20 % de plus de 60 ans). La Suisse compte 60 % de citadins et près d'un million d'étrangers (15 % des hab., 20 % des actifs).

Écon. – En dépit de son exiguïté et de ses médiocres ressources naturelles, la Suisse a atteint le niveau de vie le plus élevé d'Europe (après le Liechtenstein). Elle le doit en grande partie à sa situation géographique (grands axes de communication alpins) et à la neutralité politique qu'elle a préservée depuis 1815. L'agriculture, qui emploie 6,7 % de la pop. active dans de petites et moyennes exploitations, ne couvre pas les besoins nationaux (blé, pomme de terre, orge, betterave à sucre). Seul l'élevage bovin assure une production excédentaire (prod. laitiers, notam.). La forêt (25,5 % de la superf.) constitue une bonne ressource. L'industrie (plus de 38 % des actifs) doit son essor aux grandes possibilités hydroélectriques, à la qualité de la main-d'œuvre et à l'abondance des capitaux. L'absence de matières premières l'a orientée vers des fabrications de précision et de haute technicité : horlogerie, métallurgie de transformation (matériel électr., machines-outils), industr. alimentaires (chocolat), textile, chimiques (pharmacie) et du bois. Les produits manufacturés fournissent près de 90 % des exportations. Le pétrole, importé par oléoduc de Gênes et de Lavéra, est raffiné sur place. Le port fluvial de Bâle relie la Suisse à la mer du Nord. La stabilité économique et financière a attiré de nombr. capitaux étrangers, faisant de la Suisse la prem. place bancaire mondiale; les revenus des capitaux étrangers déposés ou investis en Suisse, les ressources dues au tourisme donnent à la Suisse une balance des comptes excédentaire. La T.V.A. a été instaurée en 1993. Mais, depuis 1992, le pays connaît une récession due au coût élevé de sa main-d'œuvre et à la surévaluation de sa monnaie.

LES CANTONS SUISSES

canton	superficie *(en km²)*	population	chef-lieu	langue
APPENZELL				
Rhodes-Extérieures (1)	243	49 800	Herisau	*all.*
Rhodes-Intérieures (1)	172	13 200	Appenzell	*all.*
ARGOVIE	1 404	478 500	Aarau	*all.*
BÂLE				
Bâle-Ville (1)	37	192 600	Bâle	*all.*
Bâle-Campagne (1)	428	227 100	Liestal	*all.*
BERNE	6 049	928 800	Berne	*all.*
FRIBOURG	1 670	197 200	Fribourg	*all., franç.*
GENÈVE	282	365 500	Genève	*franç.*
GLARIS	684	36 700	Glaris	*all.*
GRISONS	7 106	167 100	Coire	*all., ital.*
JURA	838	64 600	Delémont	*franç.*
LUCERNE	1 492	308 700	Lucerne	*all.*
NEUCHÂTEL	797	157 000	Neuchâtel	*franç.*
SAINT-GALL	2 014	407 000	Saint-Gall	*all.*
SCHAFFHOUSE	298	70 100	Schaffhouse	*all.*
SCHWYZ	908	104 600	Schwyz	*all.*
SOLEURE	791	220 200	Soleure	*all.*
TESSIN	2 811	278 600	Bellinzona	*ital.*
THURGOVIE	1 013	195 200	Frauenfeld	*all.*
UNTERWALD				
Obwald (1)	491	27 700	Sarnen	*all.*
Nidwald (1)	276	31 300	Stans	*all.*
URI	1 076	33 400	Altdorf	*all.*
VALAIS	5 226	235 400	Sion	*all., franç.*
VAUD	3 219	556 900	Lausanne	*franç.*
ZOUG	239	82 800	Zoug	*all.*
ZURICH	1 729	1 136 600	Zurich	*all.*

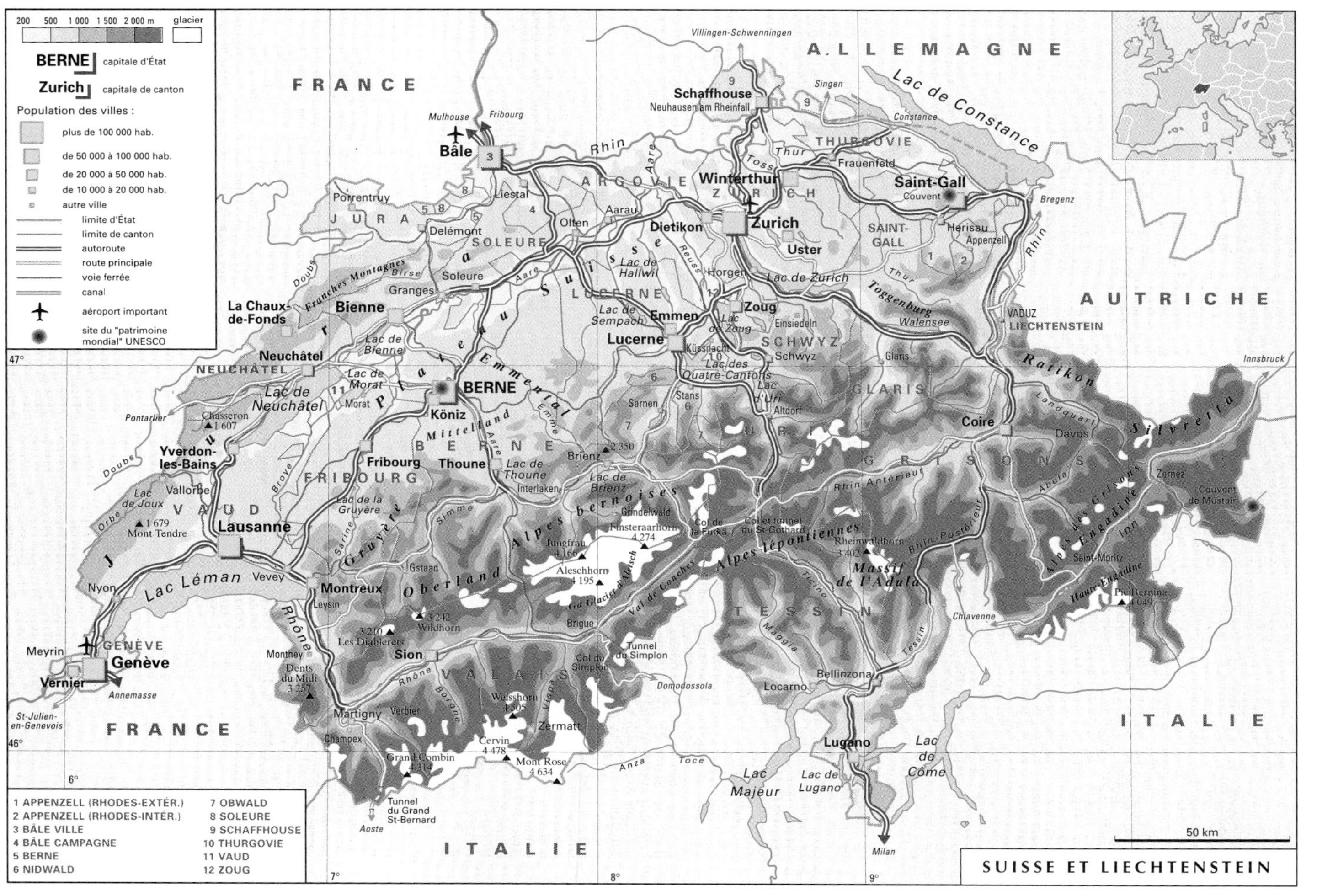
SUISSE ET LIECHTENSTEIN
200 500 1 000 1 500 2 000 m glacier
BERNE capitale d'État
Zurich capitale de canton
Population des villes :
plus de 100 000 hab.
de 50 000 à 100 000 hab.
de 20 000 à 50 000 hab.
de 10 000 à 20 000 hab.
autre ville
limite d'État
limite de canton
autoroute
route principale
voie ferrée
canal
aéroport important
site du "patrimoine mondial" UNESCO
1 APPENZELL (RHODES-EXTÉR.)
2 APPENZELL (RHODES-INTÉR.)
3 BÂLE VILLE
4 BÂLE CAMPAGNE
5 BERNE
6 NIDWALD
7 OBWALD
8 SOLEURE
9 SCHAFFHOUSE
10 THURGOVIE
11 VAUD
12 ZOUG
50 km
FRANCE
ALLEMAGNE
AUTRICHE
ITALIE
Lac de Constance
Lac Léman
BERNE
Zurich
Genève
Lausanne
Bâle
Lucerne
Saint-Gall
Lugano
Coire
VADUZ LIECHTENSTEIN
Alpes bernoises
Alpes lépontiennes
Plateau Suisse
Jura

Hist. – Le peuplement de la région est attesté dès le paléolithique supérieur; les civilisations celtiques de Hallstatt et de La Tène (âge du fer) sont bien représentées. Le territoire des Helvètes* fut tôt romanisé, en raison de l'importance stratégique des cols alpins. Les grandes invasions du Ve s. (Alamans, Burgondes) expliquent le découpage linguistique entre la Suisse alémanique et la Suisse romande. Christianisée au VIIe s. par des missionnaires irlandais (saint Gall, notam.), englobée dans le royaume de Bourgogne puis rattachée en 1032 au Saint Empire romain germanique, l'Helvétie vit apparaître, à partir du XIe s., de puissantes principautés (celles des Zähringen, puis des Habsbourg, notam.), ainsi que des communautés urbaines et paysannes qui luttèrent pour leur autonomie. Pour protéger leurs libertés face à la puissance grandissante des Habsbourg (qui avaient accédé à l'Empire en 1273), les communautés de Schwyz, d'Uri et d'Unterwald se lièrent en 1291 par un pacte de défense mutuelle : le noyau de la Confédération était formé. Ayant triomphé de Léopold d'Autriche à Morgarten (1315), les confédérés obtinrent l'adhésion de nouveaux cantons (Lucerne, Zurich, Glaris, Zoug, Berne) et la reconnaissance de leur indépendance par les Habsbourg (1389). Au cours du XVe s., ils vainquirent Charles le Téméraire (1476) et l'empereur Maximilien, la Suisse quittant le Saint Empire (1499). Dans le même temps, ils accrurent leur puissance par des conquêtes (Argovie, Thurgovie, Tessin) et des alliances (Valais, Neuchâtel, Grisons). Toutefois, de graves dissensions surgirent entre cantons montagnards, régis par un système démocratique, et cantons citadins, gouvernés par une oligarchie. Elles furent surmontées à la diète de Stans, en 1481. Soleure et Fribourg entrèrent alors dans la Confédération. Avec l'admission de Bâle et de Schaffhouse (1501), puis celle d'Appenzell (1513), la Suisse comptait 13 cantons quand elle remporta, pour le compte du duc de Milan, la victoire de Novare sur les Français en 1513, mais la défaite de Marignan (1515) fut suivie d'une *paix perpétuelle* (1516) qui lia le pays à la France jusqu'en 1815. Au cours du XVIe s., l'introduction de la Réforme dans certains cantons entraîna plusieurs crises. Genève, alliée de Berne, devint la «Rome du protestantisme», tandis que Fribourg et Lucerne étaient les hauts lieux de la Contre-Réforme. Cependant, les Suisses réussirent à préserver leur unité et leur neutralité au cours des guerres de Religion. Les traités de Westphalie reconnurent leur indépendance de droit (1648) vis-à-vis de l'Empire. Envahi par la France en 1798, le pays, transformé en République helvétique, se vit imposer une Constitution unitaire. En 1803, Napoléon rétablit le fédéralisme par l'Acte de médiation. Les traités de 1815 fixèrent à peu de chose près les frontières actuelles. La Confédération helvétique comptait désormais 22 cantons. Son indépendance et sa *neutralité perpétuelle* furent reconnues par les grandes puissances. Le rétablissement des anciennes institutions et le renforcement de la classe moyenne avec l'essor industr. du pays provoquèrent la montée de mouvements libéraux en lutte violente contre les tenants du conservatisme, réunis dans le Sonderbund* (1845); l'armée fédérale, commandée par le général Dufour, vainquit les cantons catholiques conservateurs (1847) et la Confédération fut aussitôt rétablie. La Constitution de 1848, à l'instar de celle des É.-U., établit un compromis entre la centralisation et le fédéralisme; révisée en 1874 (instauration du droit de référendum), elle évolua dans un sens démocratique. La Suisse connut un progrès économique considérable après 1850, développant une industrie de haut niveau; le percement des tunnels du Simplon et du Saint-Gothard en fit un des carrefours de l'Europe. Préservée par sa neutralité pendant les deux guerres mondiales, elle maintient sa stabilité politique (équilibre des partis : démocrate-chrétien, radical, socialiste). L'Assemblée fédérale élit un Conseil fédéral, qui exerce le pouvoir exécutif. Le président du Conseil, élu pour un an, est en même temps président de la Confédération. Le pouvoir législatif (Assemblée fédérale) est représenté par deux chambres : Conseil national (suffrage direct, représentation proportionnelle) et Conseil des États (représentants par canton). Dans chaque canton, un Grand Conseil et un Conseil d'État règlent les affaires locales. L'agitation autonomiste des régions jurassiennes francophones (canton de Berne) a abouti, en 1978, à la création d'un 23e canton, la «république du Jura» (ch.-l. *Delémont*). La Suisse est le siège de nombr. organismes internationaux (Croix-Rouge, B.I.T., O.M.S., etc.), après avoir été celui de la Société des Nations. Cependant, la Confédération ne fait toujours pas partie de l'ONU, la population suisse ayant refusé l'adhésion par référendum (mars 1986). Elle est membre de l'A.E.L.E. En 1992, mettant fin à sa traditionnelle politique d'isolement, la Suisse adhère au F.M.I. et à la Banque mondiale et dépose une demande d'adhésion à la C.E.E.

Suisse normande, nom parfois donné au S. du Bocage normand.

Suisse saxonne, nom parfois donné à la rég. des monts Métallifères (Allemagne et Rép. tchèque) que draine l'Elbe.

suite n. f. **1.** (Dans quelques emplois.) Fait, façon de suivre, de venir après qqch ou qqn. *Banquet qui fait suite à une cérémonie. Prendre la suite de qqn,* lui succéder. ▷ Loc. prép. *À la suite de :* derrière (dans l'espace); après (dans le temps). ▷ Loc. adv. *De suite :* l'un après l'autre, sans interruption. *Marcher deux jours de suite.* – *Ainsi de suite :* en continuant de la même manière. – *Tout de suite :* immédiatement. **2.** Ensemble de ceux qui suivent un haut personnage dans ses déplacements. *La suite d'un prince.* **3.** Ce qui vient après, ce qui continue qqch. *La suite d'un roman publié par épisodes.* – COMM *Sans suite :* se dit d'un article dont le réapprovisionnement n'est pas assuré. ▷ Loc. adv. *Dans la suite, par la suite :* plus tard. **4.** Ensemble de personnes ou de choses qui se suivent dans l'espace, dans le temps, dans une série. *Une suite d'immeubles identiques. Une suite d'ancêtres illustres.* ▷ MATH Fonction numérique définie sur l'ensemble des entiers naturels. – *Suite arithmétique,* telle que la différence entre deux termes consécutifs est constante. – *Suite géométrique,* telle que le rapport de deux termes consécutifs est constant. **5.** Dans certains hôtels de luxe, série de pièces communicantes louée à un même client. **6.** MUS Composition instrumentale se développant en plusieurs morceaux (prélude, allemande, courante, sarabande, menuet ou bourrée et gigue, pour la suite classique) de même tonalité mais de caractères différents. **7.** Conséquence d'un événement. *Mourir des suites d'un accident.* ▷ Loc. prép. *Par suite de :* en conséquence de. **8.** Enchaînement logique, cohérent, d'éléments qui se succèdent. *Marmonner des phrases sans suite.* ▷ Loc. *Avoir de la suite dans les idées, avoir l'esprit de suite :* être persévérant. **9.** DR *Droit de suite :* droit qu'a le propriétaire d'un bien de le revendiquer entre les mains d'un détenteur quelconque. – *Par anal.* Droit du créancier hypothécaire sur l'immeuble hypothéqué même après aliénation par son débiteur.

suivant, ante adj., n. et prép. **I.** adj. **1.** Qui vient tout de suite après un autre élément, dans une série, une succession. *Le client, le mois suivant.* ▷ Subst. *Au suivant :* au tour de celui qui suit. **2.** Qui va être cité, énoncé immédiatement. *Il raconta l'histoire suivante.* **II.** n. f. Anc. Dame de compagnie. **III.** prép. *Suivant.* **1.** Conformément à, selon. *Suivant vos directives. Suivant les circonstances.* – *Suivant qqn :* selon son opinion. **2.** À proportion de. *Travailler suivant ses forces.* **3.** Loc. conj. *Suivant que :* selon que.

suiveur, euse n. **1.** n. m. Vieilli Celui qui suit les femmes dans la rue. **2.** n. m. Chacun de ceux qui font partie de l'escorte officielle d'une course cycliste. **3.** Personne qui se borne à suivre, à faire comme tout le monde, notam. en politique.

suivi, ie adj. et n. m. **I.** adj. **1.** Qui intéresse de nombreuses personnes. *Une émission très suivie.* **2.** Continu, sans interruption. *Un travail suivi.* **3.** COMM *Article suivi,* dont le réapprovisionnement est assuré. **4.** Dont les parties sont liées de façon cohérente. *Raisonnement suivi.* **II.** n. m. Fait de suivre, de contrôler sans interruption pendant un temps donné. *Le suivi d'une procédure.*

suivisme n. m. Attitude de ceux qui suivent aveuglément une autorité, un parti, etc.

suivre v. tr. [62] **I. 1.** Marcher, aller derrière (qqn). *Il la suivait pas à pas.* ▷ Loc. *Suivre qqn, qqch des yeux,* le regarder se mouvoir. ▷ *Faire suivre :* formule inscrite sur une lettre afin qu'elle soit expédiée à la nouvelle adresse du destinataire. **2.** Accompagner (qqn) dans ses déplacements. *Je l'ai suivi dans tous ses voyages.* ▷ Fig. *Sa réputation l'a suivi jusqu'ici.* **II. 1.** Être, venir après, dans l'espace, dans le temps, dans une série. *Le nom qui suit le mien sur la liste.* ▷ v. pron. *Ces numéros se suivent.* – Prov. *Les jours se suivent et ne se ressemblent pas.* **2.** Avoir lieu après (qqch), comme conséquence. *La répression qui suivit l'insurrection.* **III. 1.** Aller dans une direction tracée. *Suivre un chemin.* ▷ Fig. *Suivre la filière.* **2.** Longer. *La route qui suit la voie ferrée.* **3.** Se laisser conduire par (ce qui pousse intérieurement). *Suivre son idée, sa fantaisie.* **4.** Se conformer à. *Suivre la mode, la règle.* – Loc. fam. *Suivre le mouvement :* faire comme les autres. ▷ Fig. *Suivre qqn :* adopter sa façon de voir, sa ligne de conduite. *Suivre un homme politique jusqu'au bout.* **5.** Pratiquer régulièrement; se soumettre à. *Suivre un régime, un traitement.* – Assister à. *Suivre des cours de commerce.* ▷ COMM *Suivre un article,* en continuer la fabrication et la vente. ▷ *À suivre :* mention indiquant au lecteur qu'il trouvera la suite d'un récit dans le numéro suivant d'un périodique. **6.** Porter un intérêt soutenu à (qqch, qqn). *Suivre les cours de la Bourse. Maître qui suit son élève.* **7.** Comprendre (qqch) dans son enchaînement logique. *Suivre un raisonnement.* ▷ *Suivre (qqn),* suivre son raisonnement. – *Vous me suivez ? :* vous comprenez ce que je veux dire? vous n'avez pas perdu le fil?

1. sujet, ette adj. et n. **I.** adj. (Suivi de la prép. *à* et d'un nom ou d'un inf.) **1.** Qui, par sa nature, est exposé à, susceptible de. *Être sujet aux rhumes, à* *s'emporter.* **2.** Loc. *Sujet à caution*, dont il vaut mieux se méfier. **II.** n. **1.** Personne dominée par une autorité souveraine. *Roi qui tyrannise ses sujets.* **2.** Ressortissant de certains États (monarchiques, notam.), même si ce sont des démocraties. *Elle est sujette britannique.*

2. sujet n. m. **1.** Ce qui donne lieu à la réflexion, à la discussion; ce qui constitue le thème principal d'une œuvre intellectuelle, artistique. *Sujet de conversation. Le sujet d'une thèse, d'un tableau. Il est plein de son sujet*, entièrement occupé par lui. – Loc. prép. *Au sujet de* : à propos de, sur. ▷ MUS Thème, phrase mélodique à développer. *Le sujet d'une fugue.* **2.** Motif, raison (d'un sentiment, d'une action). *Un sujet de querelle. Avoir sujet de se plaindre. Sans sujet* : sans raison. **3.** LOG Ce dont on parle, par oppos. à ce que l'on en affirme. *Le sujet et le prédicat.* **4.** LING *Sujet grammatical* : terme d'une proposition qui confère ses marques (personne, nombre) au verbe. ▷ *Sujet logique* ou *réel* : agent réel de l'action. *Dans la proposition «Abel a été tué par Caïn», le sujet grammatical (Abel) ne correspond pas au sujet réel (Caïn).* **5.** PHILO Être connaissant (par oppos. à *objet*, être connu). **6.** Être vivant sur lequel portent des observations, des expériences. *Sujet guéri.* **7.** Vieilli *Bon, mauvais sujet* : personne qui a une bonne, une mauvaise conduite. – *Un brillant sujet* : un élève très doué. **8.** CHOREGR *Petit, grand sujet* : nom porté par des danseurs et des danseuses de l'Opéra de Paris et qui correspond à une classification hiérarchique.

sujétion [syʒesjɔ̃] n. f. **1.** Situation d'une personne, d'une nation qui dépend d'une autorité souveraine. *Tenir un peuple dans la sujétion.* **2.** Fig. Contrainte imposée par qqch. *C'est une sujétion d'entretenir une maison aussi grande.*

Sukarno ou **Soekarno** (Achmed) (Surabaya, 1901 – Djakarta, 1970), homme politique indonésien. Fondateur du parti nationaliste (1927), qui milita pour l'indépendance, il fut emprisonné en 1929 et exilé à Flores en 1933. En 1942, les Japonais le libérèrent; après leur départ (1945), il proclama l'indépendance du pays et devint président de la République. Il dut lutter contre les Néerlandais jusqu'en 1949 et réussit à préserver l'unité territoriale de l'État. L'un des princ. leaders du tiers monde neutraliste, il organisa la conférence de Bandung* (1955). À partir de 1957, il pratiqua une politique de gauche, nationalisant notam. les compagnies pétrolières. En 1963, il se fit élire président à vie; l'opposition militaire le contraignit à remettre le pouvoir au général Suharto (1966-1967).

Sukhothai, v. du N. de la Thaïlande; 23 140 hab.; ch.-l. de la prov. du m. nom. – Anc. cap. du Siam, c'est un import. site archéologique (monuments religieux des XIIIe et XIVe s.).

Sukkur, v. du Pākistān, sur l'Indus; 165 000 hab. Centre commercial. Industr. mécaniques et textiles. À proximité, important barrage pour l'irrigation. Site paléolithique.

Sulawesi. V. Célèbes.

Süleyman. V. Soliman.

sulf(o)-. CHIM Élément, du lat. *sulfur, sulfuris*, «soufre».

sulfamide n. m. MED Substance caractérisée par la présence d'un groupement $R-SO_2-NH_2$ et utilisée pour ses propriétés antibiotiques. *Sulfamide hypoglycémiant* : produit de synthèse utilisé par voix orale contre le diabète.

sulfatage n. m. Action de sulfater. *Le sulfatage de la vigne.*

sulfate n. m. CHIM Sel ou ester de l'acide sulfurique.

sulfaté, ée adj. **1.** CHIM Qui contient un sulfate. **2.** Qui a subi un sulfatage.

sulfater v. tr. [1] **1.** Répandre du sulfate sur (un terrain), notam. du sulfate ferreux, pour compenser une carence en fer, ou du sulfate d'ammonium, comme engrais. **2.** Vaporiser sur (des cultures) une solution de sulfate de cuivre pour les protéger des maladies cryptogamiques (mildiou, etc.). *Sulfater la vigne, les tomates.* **3.** *Sulfater le vin*, y ajouter du plâtre pour activer la fermentation.

sulfateur, euse n. **1.** n. Personne qui sulfate. **2.** n. f. Appareil servant à sulfater les vignes. ▷ Arg. Mitraillette.

sulfhydrique adj. CHIM *Gaz sulfhydrique* : gaz (H_2S) très toxique, à l'odeur d'œuf pourri, qui se dégage de toute matière organique sulfurée en fermentation. Syn. mod. sulfure d'hydrogène. ▷ *Acide sulfhydrique* : solution obtenue par dissolution dans l'eau du gaz sulfhydrique.

sulfitage n. m. TECH Emploi de l'anhydride sulfureux comme décolorant, désinfectant, etc. *Sulfitage des vins.*

sulfite n. m. CHIM Sel de l'acide sulfureux.

sulfiter v. tr. [1] TECH Soumettre (une substance) à l'action de l'anhydride sulfureux.

sulfo-. V. sulf(o)-.

sulfone n. m. CHIM Composé dont la molécule comporte deux radicaux carbonés reliés au groupement $-SO_2-$. *Certains sulfones sont employés dans le traitement de la lèpre.*

sulfurage n. m. ARBOR Traitement de la vigne par injection de sulfure de carbone dans le sol.

sulfure n. m. **1.** CHIM Sel de l'acide sulfhydrique. ▷ Combinaison de soufre avec un autre élément. *Sulfure de zinc* : blende. **2.** Objet décoratif constitué d'un morceau de cristal en forme de boule, d'œuf, etc., décoré dans la masse.

sulfuré, ée adj. CHIM À l'état de sulfure; combiné avec le soufre.

sulfureux, euse adj. **1.** Relatif au soufre. ▷ Qui contient des dérivés du soufre. *Eau sulfureuse.* **2.** CHIM *Anhydride sulfureux* : dioxyde de soufre, de formule SO_2. ▷ *Acide sulfureux* : acide de formule H_2SO_3, non isolé, mais dont on connaît des sels. **3.** Fig. Lié à l'enfer; démoniaque. *Un charme sulfureux.*

sulfurique adj. CHIM *Anhydride sulfurique* : trioxyde de soufre, de formule SO_3. ▷ *Acide sulfurique* : acide, extrêmement caustique, de formule H_2SO_4. *L'acide sulfurique est très utilisé dans l'industrie chimique.*

sulfurisé, ée adj. *Papier sulfurisé*, rendu imperméable par trempage dans l'acide sulfurique dilué et utilisé notam. pour l'emballage des produits alimentaires.

sulky n. m. TURF Voiture légère à deux roues pour les courses de trot. *Des sulkies* ou *des sulkys.*

Sulla. V. Sylla.

Sullivan (Louis Henry) (Boston, 1856 – Chicago, 1924), architecte américain; l'un des princ. représentants de l'école de Chicago* : Wainwright Building (1890-1891, à Saint Louis, en collab. avec Dankmar Adler), Guarantee Trust Building (1894-1895, auj. Prudential Building, à Buffalo, en collab. avec Adler), magasin Carson, Pirie, Scott and Co. (1899-1904, à Chicago).

Sullivan (Vernon). V. Vian (Boris).

Sully (Maurice de) (Sully-sur-Loire, v. 1120 – Paris, 1196), prélat français; évêque de Paris (1160). Il est à l'origine de la construction de Notre-Dame de Paris (1163).

Sully (Maximilien de Béthune, baron de Rosny, duc de) (Rosny-sur-Seine, 1560 – Villebon, Beauce, 1641), homme d'État français. Protestant, il combattit sous les ordres d'Henri de Navarre, dont il devint l'ami et le conseiller. À partir de 1596, Henri IV lui confia d'importantes charges (finances, notam.), et ses attributions ne cessèrent d'augmenter. Grâce à une politique de stricte économie, il redressa les finances, réorganisant les impôts et le système des offices (édit de la Paulette promulgué par Henri IV en 1604). Il favorisa de tout son pouvoir l'agriculture, qu'il considérait comme la richesse fondamentale de la France, et le commerce (construction de routes et de canaux). À la mort d'Henri IV, il se retira dans son château de Sully-sur-Loire, où il écrivit ses Mémoires (publiés en 1638). En outre, il demanda aux protestants de se soumettre à l'autorité de Louis XIII; aussi Richelieu le fit-il maréchal (1634).

le duc de **Sully**

Sun Yat-sen

Sully (hôtel de), hôtel situé à Paris (près de la place des Vosges), construit en 1624 par Androuet Du Cerceau pour le financier Mesme-Gallet et acquis en 1634 par Sully. Auj. propriété de l'État (Caisse nationale des monuments historiques).

Sully Prudhomme (René François Armand Prudhomme, dit) (Paris, 1839 – Châtenay-Malabry, 1907), poète français dont l'inspiration parnassienne est nuancée d'intimisme : *les Solitudes* (1869), *les Vaines Tendresses* (1875), etc. Acad. fr. (1881). P. Nobel 1901.

Sully-sur-Loire, ch.-l. de cant. du Loiret (arr. d'Orléans); 5 825 hab. Métallurgie. – Chât. des XIIIe et XIVe s., remanié au XVIIe s. par Sully.

sulpicien, enne adj. et n. m. **1.** De la compagnie des prêtres de Saint-Sulpice. ▷ n. m. *Un sulpicien* : un membre de cette compagnie. **2.** Qualifie les œuvres d'art religieux mièvres et grandiloquentes vendues autref. essentiellement dans le quartier de Saint-Sulpice à Paris.

sultan n. m. **1.** HIST Souverain de l'Empire ottoman. **2.** Mod. Titre de certains princes musulmans. *Le sultan d'Oman.*

sultanat n. m. **1.** Dignité de sultan. **2.** État gouverné par un sultan.

sultane n. f. Chacune des épouses d'un sultan turc.

Sulu ou **Soulou** (îles), archipel qui s'étire entre Bornéo au S.-O. et Mindanao au N.-E., séparant la *mer de Sulu* de celle des Célèbes et formant une prov. des Philippines; 1 600 km²; 361 000 hab.; ch.-l. *Jolo*, dans l'île du m. nom. – Riches terres volcaniques : riz, manioc, canne à sucre. Pêche des huîtres perlières.

sumac n. m. BOT Petit arbre (fam. térébinthacées) qui sécrète diverses gommes toxiques dont on tire des vernis, des colorants, des laques.

Sumatra, la plus occidentale des grandes îles d'Indonésie; 473 606 km²; 32 604 020 hab.; v. princ. *Medan, Palembang* et *Padang*. La côte S.-O. est bordée par des montagnes (alt. max. 3 801 m, au Kerintji) au volcanisme actif, coupées de plateaux. Le reste du pays est occupé par une vaste plaine. Le climat est équatorial (forêt dense). Princ. cultures : riz, thé, café, canne à sucre, hévéa, palmier à huile. Sous-sol riche en charbon et, surtout, en pétrole. Encore peu exploitée et peu peuplée, l'île pourrait absorber l'excédent de pop. de Java.

Sumbava ou **Sumbawa,** île d'Indonésie, entre Java et Timor; 14 500 km²; 550 000 hab. env.; v. princ. *Raba*.

Šumen (anc. *Kolarovgrad*), v. de Bulgarie; 100 120 hab.; ch.-l. de la prov. du m. n. Industr. méca.; brasseries, distilleries; manuf. de tabac.

Sumer, anc. région de basse Mésopotamie, en bordure du golfe Persique. Le nom de Sumer apparut au IVe millénaire av. J.-C., lorsqu'une vague d'immigrants, venue probablement du plateau iranien, occupa le S. de la basse Mésopotamie. La brillante civilisation de Sumer, élaborée entre 3500 et 2000 av. J.-C., servit d'assise aux civilisations antiques de Mésopotamie, en particulier à celles des Sémites d'Akkad et d'Assyro-Babylonie, qui transmirent à l'humanité les créations sumériennes : pouvoirs politiques de la cité-État (Eridu, Ur, Ourouk, Lagash, etc.), administration et justice fondées sur des codes de lois, écriture cunéiforme, littérature et formes élaborées de pensée religieuse. Les fouilles archéologiques effectuées à l'emplacement des anc. cités (Māri, notam.) nous ont révélé une prodigieuse production artistique : grandes réalisations architecturales en briques crues (temples, palais royaux, ziggourats), poterie, art du métal, statuaire (*Dame d'Ourouk*).

civilisation de **Sumer,** période Ourouk : statuette en albâtre, prov. de Warka, v. 3200 av. J.-C.; musée de Bagdad

sumérien, enne adj. et n. **1.** adj. HIST De Sumer. *La brillante civilisation sumérienne, élaborée entre 3500 et 2000 av. J.-C., servit de point de départ à celle de l'empire babylonien.* ▷ Subst. *Les Sumériens.* **2.** n. m. *Le sumérien :* la plus ancienne langue connue, parlée à Sumer.

sumiye [symije] n. m. BX-A Technique picturale japonaise dérivée du lavis monochrome chinois et fondée sur l'emploi d'une encre peu diluée dans l'eau.

summum [sɔm(m)ɔm] n. m. Plus haut point, plus haut degré. *Le summum de la gloire.* Syn. apogée, faîte.

Sumner (James Batcheller) (Canton, Massachusetts, 1887 – Buffalo, 1955), biochimiste américain; spécialiste des enzymes. P. Nobel 1946 (avec J.H. Northrop et W.M. Stanley).

sumo [sumo; symo] n. m. inv. Lutte japonaise traditionnelle, qui oppose deux lutteurs de poids très élevé (200 kg et plus). ▷ Homme qui pratique cette lutte.

Sund ou **Øresund,** détroit qui sépare l'île danoise de Sjælland de la côte suédoise, reliant le Kattégat à la Baltique.

Sunderland, v. et port de G.-B. (Tyne and Wear), à l'embouchure de la *Wear*; 286 800 hab. Houille, métallurgie, constr. navales.

Sundgau (le), rég. d'Alsace, au S. de Mulhouse.

Sundsvall, v. et port de Suède, sur le golfe de Botnie; 92 800 hab. Industr. et comm. du bois.

sunlight [sœnlajt] n. m. (Anglicisme) Puissant projecteur utilisé pour les prises de vues cinématographiques.

sunna [syn(n)a] n. f. RELIG Tradition de l'islam rapportant les faits, gestes et paroles *(hadith*)* de Mahomet, considérée comme complétant le Coran et constituant immédiatement après lui la source de la Loi; orthodoxie musulmane.

sunnisme n. m. RELIG Courant majoritaire de l'islam qui se conforme à la sunna.

sunnite adj. et n. RELIG Qui se rapporte au sunnisme. – Qui est adepte du sunnisme. *Musulman sunnite.* ▷ Subst. *Les sunnites et les chiites. Les sunnites affirment la légitimité des califes qui succédèrent à Mahomet.*

Sun Yat-sen ou **Sun Zhongshan** (Xiangshan, Guangdong, 1866 – Pékin, 1925), homme politique chinois. Il fit des études de médecine et se convertit au protestantisme. En 1894, il fonda un mouvement nationaliste (qui devint en 1911 le Guomindang) et œuvra pour créer une Chine républicaine et indépendante. Après plusieurs échecs, suivis d'exils, il fit proclamer la république à Nankin, à la faveur du mouvement révolutionnaire de 1911, et exerça la présidence, mais il dut s'effacer (1912) devant Yuan Shikai, qui obtint l'abdication du dernier empereur mandchou. À la mort de Yuan Shikai (1916), la rupture entre le Nord et le Sud était complète. Sun Yat-sen entérina la situation en organisant à Canton un gouvernement en sécession (1918). Il réorganisa le Guomindang, dans lequel il fit entrer, pour des raisons politiques et financières (soutien de l'U.R.S.S.), les communistes. Le programme sur lequel il fut élu président de la République (1921) impliquait le rejet de la tutelle étrangère, le progrès économique et le triomphe de la démocratie. À sa mort, Tchang Kaï-chek (Jiang Jieshi) prit le relais.
► illustr. page **1803**

Sun Zi ou **Souen-Tseu** (Ve s. av. J.-C.), écrivain chinois, auteur d'un *Art de la guerre* en treize chapitres, considéré comme un classique de la stratégie.

Suoche. V. Yarkand.

Suomi, nom finnois de la Finlande.

super-. **1.** Élément, du lat. *super,* « au-dessus, sur » (V. aussi *supra-, sus-*). **2.** Préfixe intensif servant à former des noms *(supercarburant)* et des adjectifs *(supercarré).*

1. super adj. inv. Fam. Extraordinaire, admirable. Syn. extra, chouette. *C'était super, hier soir. Des filles super.*

2. super n. m. Abrév. fam. de *supercarburant. Le plein de super, s'il vous plaît!*

1. superbe n. f. Litt. Allure, maintien orgueilleux et plein d'assurance. *Un homme plein de morgue et de superbe.* Syn. fierté.

2. superbe adj. **1.** Vx Plein d'orgueil. *Homme, air superbe.* **2.** D'une grande beauté, magnifique. *Une femme superbe. Un temps superbe. Une ville superbe.* Syn. splendide. **3.** Excellent, éminent, remarquable. *C'est une affaire superbe.*

superbement adv. De manière superbe. *Être superbement vêtu. Une maison superbement placée.*

supercarburant n. m. Essence dont l'indice d'octane est supérieur à celui de l'essence ordinaire et qui permet des taux de compression plus élevés. (Abrév. fam. : super).

supercarré adj. m. AUTO Se dit d'un moteur dont la course du piston est plus courte que le diamètre d'alésage du cylindre.

supercherie n. f. Tromperie, fraude.

supercritique adj. TECH Qui est porté à une température et à une pression supérieures à celles de son point critique. *Le dioxyde de carbone supercritique est utilisé comme solvant dans les industries alimentaires.* Syn. (en phys.) hypercritique.

supère adj. BOT *Ovaire supère,* situé au-dessus du point d'insertion du périanthe (tulipe, coquelicot, etc.). Ant. infère.

supérette [sypeʀɛt] n. f. COMM Magasin d'alimentation en libre-service, à la surface de vente comprise entre 120 et 400 m².

superfétation n. f. **1.** BIOL Fécondation de deux ovules opérée en deux coïts, dans des périodes d'ovulation différentes, que l'on observe chez quelques espèces animales. **2.** Litt. Redondance, double emploi dans la pensée, l'expression; ajout superflu.

superfétatoire adj. Litt. Superflu, qui vient s'ajouter sans nécessité.

superficialité n. f. Fait d'être superficiel; état de ce qui est superficiel.

superficie n. f. **1.** Étendue d'une surface. – Nombre qui exprime l'aire d'une surface. *Une superficie de 10 hec-*

tares. **2.** Fig., vieilli Apparence extérieure. *Je ne connais le sujet qu'en superficie.* Ant. fond, profondeur.

superficiel, elle adj. **1.** Qui ne concerne que la surface, qui est à la surface. *Plaie superficielle. Les veines superficielles.* ▷ PHYS *Tension superficielle :* V. tension (sens I, 4). **2.** Fig. Qui ne concerne que l'apparence; qui n'est pas sincère, qui n'est pas authentique. *Sentiments superficiels.* ▷ (Personnes) Futile, qui manque de profondeur.

superficiellement adv. De manière superficielle; en surface.

superflu, ue adj. et n. m. **1.** Qui vient en plus du nécessaire, dont on pourrait se passer. *Richesses superflues.* ▷ n. m. *S'offrir le superflu après le nécessaire.* **2.** Qui est en trop. *Ornements superflus.*

superfluide adj. PHYS Qui présente le phénomène de superfluidité. *L'hélium liquide devient superfluide aux températures inférieures à 2,18 kelvins.*

superfluidité n. m. PHYS Disparition presque totale de la viscosité (de certains liquides refroidis à des températures voisines du zéro absolu).

supergéant, ante adj. et n. **1.** adj. f. ASTRO Se dit des étoiles dont le volume est le plus considérable et la densité la plus faible. ▷ n. f. *Antarès est une supergéante.* **2.** adj. m. et n. m. SPORT *Slalom supergéant* ou, n. m., *supergéant :* épreuve de ski dans laquelle les portes sont moins rapprochées que dans le slalom* géant.

supergrand n. m. Fam. Très grande puissance (s'est dit surtout à propos des É.-U. et de l'U.R.S.S.).

superhétérodyne n. m. et adj. RADIOELECTR Récepteur de signaux modulés en amplitude dans lequel des signaux fournis par un amplificateur haute fréquence sont mélangés à ceux que fournit un oscillateur local de façon à obtenir des signaux de moyenne fréquence, qu'on amplifie. ▷ adj. *Récepteur superhétérodyne.*

super-huit adj. et n. m. inv. CINE *Film super-huit,* de huit millimètres de largeur, perforations comprises. – Par ext. *Caméra super-huit.* ▷ n. m. inv. *Tourner en super-huit. Le super-huit.*

supérieur, eure adj. et n. **I.** adj. **1.** Situé au-dessus, en haut. *Extrémité, face supérieure.* **2.** Qui est situé plus haut, plus vers l'amont. *Cours supérieur d'un fleuve. Le Rhône supérieur.* **3.** ASTRO *Planètes supérieures,* plus éloignées du Soleil que la Terre. **4.** *Supérieur à :* plus élevé que (dans l'ordre numérique, mesurable). *Un camion d'un poids supérieur à 3 tonnes.* ▷ MATH *Limite supérieure d'une fonction :* borne supérieure de l'ensemble des valeurs de cette fonction. *Borne supérieure d'une partie d'un ensemble ordonné :* plus petit élément de l'ensemble des majorants de cette partie. **5.** GEOL, PREHIST Se dit, en parlant de certaines périodes, de la partie la plus proche de notre époque. *Le pléistocène supérieur.* **6.** Placé au-dessus, du point de vue qualitatif, hiérarchique, etc. *Officiers supérieurs. Un concurrent très supérieur aux autres.* – *Enseignement supérieur,* dispensé dans les grandes écoles et les facultés. ▷ *Plantes, animaux supérieurs,* les plus évolués. **7.** Qui dénote une haute opinion de soi-même. *Air, ton supérieur.* **II.** n. **1.** Personne qui exerce son autorité sur des subordonnés. *Je dois en référer à mes supérieurs.* **2.** Celui, celle qui dirige un monastère, un couvent, une communauté religieuse. – (En appos.) *La Mère supérieure.*

Supérieur (lac), le plus vaste (84 131 km²) et le plus occidental des Grands Lacs d'Amérique du Nord, entre le Canada et les É.-U.; long de 600 km, large de 260 km, il a une profondeur max. de 397 m. Il est relié au lac Huron par la riv. Sainte-Marie, que longent deux canaux. Navigation importante.

supérieurement adv. D'une manière supérieure. *Être supérieurement intelligent.*

supériorité n. f. Fait d'être supérieur; caractère d'une chose, d'une personne supérieure. *Supériorité numérique, intellectuelle. Complexe de supériorité.*

superlatif, ive n. m. et adj. **I.** n. m. **1.** Degré de signification, expression d'une qualité à un très haut degré, à son plus haut degré. *Superlatif absolu,* qui n'implique pas de comparaison. (Ex. *un très bon élève.*) *Superlatif relatif,* qui implique une comparaison avec les choses ou les personnes appartenant au même ensemble. (Ex. *le meilleur élève de la classe.*) **2.** Mot qui exprime le superlatif. *« Ultime », « suprême », « richissime » sont des superlatifs.* ▷ Terme emphatique, hyperbolique. *Un dithyrambe farci de superlatifs.* **II.** adj. Qui exprime le superlatif (sens I, 1). *Adjectif, adverbe superlatif.*

superléger adj. m. et n. m. SPORT Se dit d'un boxeur professionnel pesant entre 61,23 et 63,5 kg. ▷ n. m. *La catégorie des superlégers.*

superman [sypɛʀman], plur. **supermen** [sypɛʀmɛn] n. m. **1.** Héros qui met sa force colossale et ses pouvoirs surhumains au service du bien (d'abord, nom propre d'un personnage de bandes dessinées). *Les justiciers et les supermen.* **2.** Fam. Homme supérieur, exceptionnel; surhomme (sens 2). *Un superman du rugby, de la physique nucléaire.* ▷ Plaisant *Se donner des airs de superman.* (On rencontre le fém. *superwoman,* plur. *superwomen.*)

supermarché n. m. Magasin en libre-service, dont la surface de vente est comprise entre 400 et 2 500 m².

supermolécule n. f. CHIM Assemblage tridimensionnel d'atomes pouvant former une cavité susceptible d'accepter un ion ou une molécule.

supernova [sypɛʀnɔva], plur. **supernovæ** [sypɛʀnɔve] n. f. ASTRO Étoile de grande masse en phase finale d'évolution, au cours de laquelle le noyau subit un brutal effondrement gravitationnel qui s'accompagne d'un considérable dégagement d'énergie.

superordinateur n. m. Ordinateur d'une grande puissance de calcul, utilisé notam. pour la météo, la recherche et dans l'armement.

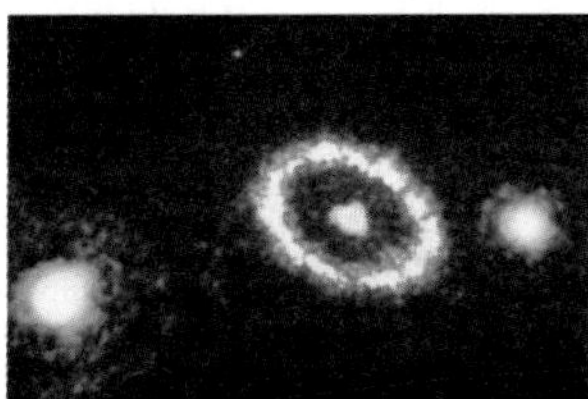

supernova apparue dans le Grand Nuage de Magellan, le 24 fév. 1987; son rayonnement illumine un anneau de gaz, façonné par le vent stellaire de l'étoile avant son explosion (photo à très haute résolution obtenue par *Hubble*)

super-ordre n. m. BIOL Unité systématique regroupant plusieurs ordres au sein d'une classe, d'une sous-classe. *Des super-ordres.*

superovarié, ée adj. BOT Se dit des plantes dont les fleurs ont un ovaire situé au-dessus du point d'insertion du périanthe.

superpétrolier n. m. MAR Navire pétrolier de très grande capacité (100 000 t et plus). Syn. (off. déconseillé) supertanker.

superphosphate n. m. CHIM Engrais constitué essentiellement de phosphate calcique additionné de sulfate de calcium.

superposable adj. Que l'on peut superposer.

superposer v. tr. [1] Poser (des choses) les unes sur les autres. *Superposer des caisses. Superposer à :* mettre par-dessus, au-dessus de. ▷ v. pron. *Couches stratifiées qui se superposent.* – (Passif) *Éléments de rangement qui se superposent.* ▷ Pp. adj. *Lits superposés.*

superposition n. f. Action de superposer, fait de se superposer; son résultat.

superproduction n. f. Film à grand spectacle, tourné avec de gros moyens matériels et financiers.

superpuissance n. f. État dont l'importance politique, militaire, économique est prépondérante, spécial. les États-Unis.

supersonique adj. et n. m. **1.** *Vitesse supersonique,* supérieure à celle du son. ▷ *Par ext.* Qui se produit, qui survient aux vitesses supersoniques. *Bang supersonique.* **2.** *Avion supersonique,* qui peut voler à une vitesse supersonique. ▷ n. m. *Le supersonique « Concorde ».*

superstar n. f. Vedette particulièrement célèbre. – Par ext. *Une superstar de l'art, de la politique.*

superstitieusement adv. D'une manière superstitieuse.

superstitieux, euse [sypɛʀstisjø, øz] adj. et n. **1.** Où il entre de la superstition. *Un culte superstitieux. Croyance, pratique superstitieuse.* **2.** Qui montre de la superstition, qui est attaché à des superstitions. *Il est très superstitieux.* ▷ Subst. *Un superstitieux, une superstitieuse.*

superstition n. f. **1.** Attachement étroit et formaliste à certains aspects du sacré; croyance religieuse considérée comme non fondée. *« C'est le fond de la religion d'une secte qui passe pour superstition chez une autre secte » (Voltaire).* **2.** Fait de croire que certains actes, certains objets annoncent ou attirent la chance ou la malchance; cette croyance elle-même. **3.** Attachement excessif et irrationnel à qqch. *Avoir la superstition de l'exactitude.*

superstrat [sypɛʀstʀa] n. m. LING Ensemble des traces qu'a laissées dans une langue donnée une langue disparue; cette langue disparue elle-même. Cf. substrat.

superstructure n. f. **1.** Partie (d'une construction) située au-dessus du terrain naturel. ▷ (Plur.) Constructions édifiées au-dessus du pont supérieur d'un navire. **2.** SOCIOL Ensemble formé par les idées (politiques, juridiques, philosophiques, religieuses, morales, artistiques, etc.) et les institutions, dans la terminologie marxiste (opposé à *infrastructure**).

supertanker [sypɛʀtɑ̃kœʀ] n. m. (Anglicisme) MAR Syn. (off. déconseillé) de *superpétrolier*.

Supervielle (Jules) (Montevideo, Uruguay, 1884 - Paris, 1960), écrivain français. Ses poèmes (*Gravitations*, 1925; *les Amis inconnus*, 1934; *Oublieuse Mémoire*, 1949), ses contes (*l'Enfant de la haute mer*, 1931) et ses pièces de théâtre (*la Belle au bois*, 1932), souvent teintés d'humour et de fantaisie, font valoir le merveilleux comme une présence naturelle, familière, au sein de la vie des hommes.

superviser v. tr. [1] Contrôler, vérifier (un travail) dans ses grandes lignes.

superviseur n. m. **1.** Personne qui supervise. **2.** INFORM Programme qui contrôle les traitements successifs de plusieurs autres programmes.

supervision n. f. Action de superviser.

superwelter [sypɛʀwɛltɛʀ] adj. m. et n. m. SPORT Se dit d'un boxeur professionnel pesant entre 66,7 et 69,85 kg. ▷ n. m. *Un superwelter.*

supin n. m. GRAM Forme nominale du verbe latin, dont le radical sert à former le participe passé.

supinateur n. m. ANAT Muscle permettant la supination.

supination n. f. PHYSIOL Mouvement de rotation de la main amenant la paume vers le haut; position de la main, paume vers le haut. Ant. pronation.

supion n. m. Seiche de petite taille.

supplanter v. tr. [1] Prendre la place de (qqn qu'on a réussi à surpasser en crédit, en prestige). *Supplanter un rival.* ▷ (Sujet n. de chose.) *Le sucre de betterave a supplanté le sucre de canne.*

suppléance n. f. Didac. Fait de suppléer qqn ou qqch; fonction de suppléant.

suppléant, ante n. et adj. Personne qui en remplace une autre dans ses fonctions. ▷ adj. *Juge suppléant.*

suppléer v. [11] **I.** v. tr. **1.** Litt. Parer à l'insuffisance de; compléter. *Suppléer le nombre des volontaires par des désignations d'office.* **2.** Faire cesser (une insuffisance, un manque) en complétant, en remplaçant. *Suppléer une lacune.* **3.** Remplacer; être utilisé à la place de. *Le lieutenant-colonel supplée le colonel en son absence.* **II.** v. tr. indir. *Suppléer à.* **1.** Porter remède à (une insuffisance, un manque); compenser. *Le courage supplée à la faiblesse numérique.* **2.** Avoir la même fonction ou le même usage que; remplacer. *La mémoire supplée chez lui au raisonnement.*

supplément n. m. **1.** Ce qui vient en plus, ce qui est ajouté. *Un supplément d'argent de poche.* **2.** Dans les transports, au théâtre, au restaurant, etc., somme payée en plus pour obtenir un avantage spécial. *Payer un supplément pour la réservation d'une place.* **3.** Ce qui est ajouté à une publication pour la compléter, la mettre à jour ou pour toute autre raison. *Supplément à la première édition d'un ouvrage.* **4.** GEOM *Supplément d'un angle, d'un dièdre*, angle, dièdre qu'il faut lui ajouter pour obtenir 180 degrés.

supplémentaire adj. **1.** Qui vient en supplément, en plus. *Train supplémentaire.* - *Heures supplémentaires* : heures de travail accomplies en plus de l'horaire légal. **2.** GEOM *Angles supplémentaires*, dont la somme égale 180 degrés. ▷ MATH Se dit de deux sous-espaces vectoriels E' et E" dont la somme directe constitue l'espace vectoriel E.

supplémentation n. f. Action de supplémenter. *Supplémentation en calcium.*

supplémenter v. tr. [1] Enrichir un aliment. *Une alimentation pour animaux, supplémentée en antibiotiques.*

supplétif, ive adj. et n. m. **1.** Vx Qui complète, qui supplée. *Conclusions supplétives.* **2.** Mod. MILIT *Troupes supplétives*, qui renforcent l'armée régulière. ▷ n. m. Soldat d'une troupe supplétive.

supplétoire adj. DR Qui supplée à l'insuffisance des preuves.

suppliant, ante adj. et n. Qui supplie. *Une foule de suppliants.*

supplication n. f. **1.** Action de supplier; prière instante et soumise. *Rester insensible aux supplications.* **2.** RELIG CATHOL Prière solennelle. **3.** HIST (Plur.) Remontrances faites au roi par les parlements.

supplice n. m. **1.** Peine corporelle grave, entraînant souvent la mort, ordonnée par la justice. *Le supplice de la croix. Condamner qqn au dernier supplice*, à la peine de mort. **2.** Ce qui cause une vive souffrance physique ou morale. *Le supplice de la soif, de l'attente.*

supplicié, ée n. Personne qui subit ou qui a subi le dernier supplice.

supplicier v. tr. [2] Faire subir un supplice, le dernier supplice à. *Supplicier un criminel.* ▷ Fig., litt. *Cette pensée le suppliciait.*

supplier v. tr. [2] Prier (qqn) avec instance et soumission. *Je vous supplie d'avoir pitié de moi.*

supplique n. f. Didac. Requête par laquelle on demande une grâce à une autorité officielle. *Présenter une supplique à un magistrat.*

support n. m. **1.** Ce sur quoi porte le poids de qqch; objet conçu pour en supporter un autre. *Ce pilier est le support de la voûte. Le support de tubes à essai.* **2.** Élément matériel qui sert à éditer un produit éditorial, un logiciel. *Support papier, support électronique.* **3.** Ce qui sert à porter, à transmettre une chose immatérielle par nature. *Les mots servent de support à la pensée.* ▷ *Support publicitaire* : moyen matériel choisi (affiche, radiodiffusion) pour la diffusion d'un message ou d'une campagne publicitaire.

supportable adj. **1.** Que l'on peut supporter. *Le froid est encore supportable.* **2.** Que l'on peut tolérer. *Votre attitude n'est pas supportable.*

supporter v. tr. [1] **I. 1.** Servir de support à, soutenir. *Les poutres qui supportent le toit.* **2.** Subir, endurer les effets de. *Il supporte mal la douleur.* ▷ Subir, endurer sans faiblir. *Supporter le froid, les privations.* **3.** Tolérer (un comportement désagréable, pénible) sans manifester d'impatience, d'irritation, de colère, etc. *Supporter l'impertinence de qqn.* - Par ext. *Comment pouvez-vous supporter cet individu?* ▷ v. pron. (Récipr.) *Ils se supportent mal.* **4.** Opposer la résistance voulue à (une action destructrice); être à l'épreuve de. *Poterie qui supporte le feu.* ▷ Fig. *Cette théorie ne supporte pas l'examen.* **5.** Avoir toute la charge, tous les inconvénients résultant de. *J'ai eu à supporter de gros frais.* **II.** (Emploi critiqué) Encourager (un sportif, une équipe sportive), en être le supporter.

supporteur, trice ou (Anglicisme) **supporter** [sypɔʀtœʀ] n. Celui, celle qui encourage un concurrent, une équipe sportive, qui lui apporte son appui. *Ses supporteurs sont venus nombreux pour l'acclamer.* ▷ *Par ext.* Personne qui apporte son appui (à qqn, à une idée).

Supports-Surfaces, groupe artistique français d'avant-garde, actif en tant que tel entre 1969 et 1972. Pour l'essentiel, *Supports-Surfaces* s'est attaché à remettre en cause les fondements traditionnels de l'art en dissociant le couple châssis-toile et en mettant l'accent sur la matérialité de supports non rigides (membres les plus connus : Cl. Viallat, J.-P. Pincemin).

supposable adj. Rare Qui peut être supposé.

supposé, ée adj. **1.** Admis par supposition. *Cette condition supposée.* **2.** DR Qui est faux. *Nom supposé.*

supposer v. tr. [1] **I. 1.** Poser, imaginer comme établi, pour servir de base à un raisonnement. *Supposons deux droites parallèles...* **2.** Tenir pour probable. *On suppose qu'il est mort.* **3.** (Sujet n. de chose.) Impliquer comme condition nécessaire ou préalable. *La bonne entente suppose le respect mutuel.* **II.** DR Présenter comme authentique (qqch de faux). *Supposer un testament.*

supposition n. f. **I. 1.** Vieilli Proposition que l'on suppose vraie. ▷ Fam. *Une supposition (que)* : en supposant que. **2.** Opinion reposant sur de simples probabilités. *Supposition gratuite*, non fondée. **II.** DR *Supposition d'enfant* : attribution d'un enfant à une femme qui ne l'a pas mis au monde.

suppositoire n. m. Préparation médicamenteuse solide, de forme conique ou ovoïde, que l'on administre par voie rectale.

suppôt [sypo] n. m. Litt., péjor. *Suppôt de* : partisan acharné de (qqn, et, par ext., qqch que l'on considère comme nuisible, néfaste). *Un dangereux suppôt de la subversion.* - Loc. *Suppôt de Satan, du diable* : démon; fig., fam. personne méchante, nuisible.

suppresseur n. m. GENET Gène dont la mutation empêche les cellules tumorales de se multiplier.

suppression n. f. **1.** Action de supprimer. *La suppression d'une clôture, d'une clause, de la censure.* **2.** DR *Suppression d'enfant* : crime qui consiste à faire disparaître un enfant nouveau-né (sans qu'il y ait nécessairement infanticide) de manière à soustraire à l'état civil les preuves de son existence, de son identité.

supprimable adj. Qui peut être supprimé.

supprimer v. tr. [1] **1.** Faire disparaître (qqch). *Supprimer une ligne de chemin de fer. En supprimant la cause, on supprime les effets.* **2.** Retrancher (un élément d'un ensemble). *Supprimer un paragraphe.* **3.** Abolir (ce qui est institué). *Supprimer une cérémonie.* **4.** Assassiner (qqn). *Supprimer des témoins gênants.* ▷ v. pron. Se suicider.

suppurant, ante adj. Qui suppure.

suppuration n. f. Formation et écoulement de pus.

suppurer v. intr. [1] Produire du pus (organes, plaies); laisser écouler du pus.

supputation n. f. Action de supputer, évaluation, estimation.

supputer v. tr. [1] Évaluer à partir de certains éléments, de certains indices. *Supputer à combien s'élèvera* *une dépense. Supputer ses chances de réussite.*

supra-. Préfixe, du lat. *supra,* « au-dessus ».

supra adv. Ci-dessus. *« Cf. supra » :* formule invitant le lecteur à se reporter à un passage antérieur.

supraconducteur, trice adj. et n. m. PHYS Qui présente le phénomène de supraconductivité. ▷ n. m. *Un supraconducteur.*

supraconductivité, supraconductibilité ou **supraconduction** n. f. PHYS Conductivité très élevée que présentent certains corps aux températures voisines du zéro absolu (zéro kelvin).

ENCYCL Découverte en 1911, la supraconductivité n'a longtemps pu être observée qu'à des températures extrêmement basses (une dizaine de kelvins) obtenues par l'emploi de l'hélium liquide. Depuis 1987, on sait préparer des matériaux supraconducteurs à des températures de l'ordre d'une centaine de kelvins, ce qui autorise l'emploi de l'azote liquide, beaucoup moins onéreux. Le transport d'énergie sans pertes, ainsi envisageable, est susceptible de nombreuses applications industrielles.

supranational, ale, aux adj. Qui dépasse les souverainetés nationales, qui se place au-dessus d'elles. *Instances supranationales.*

supranationalisme n. m. POLIT Doctrine des partisans d'un pouvoir supranational.

supranationalité n. f. ADMIN Caractère de ce qui est supranational.

suprasensible adj. Que les sens ne peuvent percevoir.

supraterrestre adj. Qui n'appartient pas à notre monde, qui appartient à l'au-delà.

suprématie [sypʀemasi] n. f. **1.** Supériorité de puissance, de rang. *Suprématie économique d'un pays.* Syn. hégémonie, prééminence. **2.** Excellence, maîtrise. *Il prétend à la suprématie dans son art.*

suprématisme n. m. BX-A Terme choisi par le peintre russe K. S. Malevitch pour désigner la forme d'art abstrait géométrique (peinture, projet d'architecture) qu'il pratiqua et théorisa à partir de 1913.

1. suprême adj. **1.** Qui est au-dessus de tous dans son genre, dans son espèce. *Le pouvoir suprême. Le Soviet* suprême.* – RELIG *L'Être* suprême.* **2.** Le plus grand, le plus haut, dans la hiérarchie des valeurs. *Le plaisir suprême de revoir un être cher.* – Très grand. *Il a une suprême facilité à apprendre.* ▷ *Au suprême degré :* au plus haut point. **3.** Dernier, ultime. *Faire une suprême tentative. L'instant, l'heure suprême,* celui, celle de la mort. *Les honneurs suprêmes :* les funérailles.

2. suprême n. m. Filets de volaille ou de poisson nappés de sauce suprême. ▷ En appos. *Sauce suprême :* mélange de consommé de volaille et de crème.

suprêmement adv. Au suprême degré, à l'extrême.

sur-. Élément du lat. *super,* « au-dessus de » (ex. *surélever, surtout*), « en plus de, outre » (ex. *surabondance, surhomme*).

1. sur prép. **I.** Marque la situation de ce qui est plus haut par rapport à ce qui est en dessous, avec ou sans contact. **1.** (Avec contact, sans mouvement.) *La tasse est sur la soucoupe.* ▷ Contre (une surface verticale). *Coller du papier sur les murs. La clé est sur la porte.* ▷ *Sur soi :* sur le corps; avec soi. *Il avait sur lui une gabardine grise. Je n'ai pas mes papiers sur moi.* ▷ (Avec une idée d'accumulation, de répétition.) *Entasser pierre sur pierre. Coup* sur coup.* ▷ (Dans certaines loc. indiquant l'état, la manière.) *Se tenir sur ses gardes. Si tu le prends sur ce ton.* **2.** (Avec contact, avec mouvement.) *Passer la main sur une étoffe. Tomber sur le trottoir.* ▷ (Le complément désignant une surface modifiée par l'action.) *Graver sur la pierre. Tirage sur papier mat.* ▷ Fig. (Marquant un rapport de supériorité.) *L'emporter sur qqn.* **3.** (Sans contact, sans mouvement.) Au-dessus de. *Les nuages s'amoncellent sur la plaine. Le viaduc sur la rivière.* **4.** (Sans contact, avec mouvement.) *Une voiture déboucha sur notre gauche. Faire cap sur Terre-Neuve.* **II.** Marque différents rapports abstraits. **1.** D'après, en fonction de, en prenant pour fondement. *Juger sur les apparences. Se régler sur autrui. Attestation sur l'honneur.* ▷ (Le complément désignant l'objet d'un travail, le sujet d'une étude, etc.) *Voilà deux heures que je m'échine sur ce moteur. Un essai sur Corneille.* **2.** (Indiquant un rapport de proportionnalité.) *Sur dix, il n'en revint pas un seul. Il a quinze sur vingt à sa composition.* **3.** (Avec une valeur temporelle.) Au moment même de; immédiatement après. *Sur le coup, il est resté interloqué! Il embrassa sa famille; sur ce, le train s'ébranla.* ▷ (Marquant l'approximation.) Vers. *Il est arrivé sur les dix heures.*

2. sur, sure adj. Qui a un goût légèrement acide, aigre. *Pommes sures.*

sûr, sûre adj. **I. 1.** Qui ne présente aucun risque; où aucun risque, aucun danger n'est à redouter. *Mettre qqn, qqch en lieu sûr.* ▷ Loc. *C'est le plus sûr :* c'est la manière d'agir qui présente le moins de risque. **2.** Digne de confiance; sur qui ou sur quoi l'on peut faire fond, s'appuyer, tabler; qui ne risque pas de faillir. *Un ami sûr. Je le sais de source sûre. Un matériel très sûr.* ▷ Ferme, assuré. *Avoir une main sûre,* une main aux gestes précis, qui ne tremble pas. – D'une grande justesse, d'une grande rigueur. *Avoir le jugement sûr :* discerner avec exactitude, bien juger. **II. 1.** (Choses) Qu'on ne peut mettre en question, dont la vérité ne saurait être contestée. *Je pars demain, c'est sûr.* Syn. certain. ▷ Loc. adv. *Bien sûr!,* pop., *pour sûr! :* évidemment, bien entendu. *Je viendrai, bien sûr!* **2.** (Personnes) *Sûr de :* qui ne doute pas de (un événement à venir). *Il est sûr de sa réussite.* Syn. certain, convaincu. – *Sûr de soi :* qui a confiance en soi, en ses capacités. ▷ Qui sait de façon certaine. *Être sûr de son fait.*

Surabaya, v. et princ. port d'Indonésie, sur la côte N. de Java; 2 027 910 hab.; ch.-l. de prov. Centre industriel (prod. chimiques, notam.).

surabondamment adv. Litt. Plus qu'il n'est nécessaire.

surabondance n. f. Abondance extrême, excessive. *Surabondance de blé.* Syn. profusion.

surabondant, ante adj. Qui surabonde.

surabonder v. intr. [1] **1.** Être plus abondant qu'il n'est nécessaire. *Cette année, les pommes surabondent.* **2.** *Surabonder de, en :* posséder (qqch) au-delà de ses besoins. *Pays qui surabonde de blé.* Syn. regorger (de).

suractivé, ée adj. Dont l'activité est accrue par un traitement spécial. *Décapant suractivé.*

suraigu, uë adj. **1.** Très aigu. *Cri suraigu. Voix suraiguë.* **2.** MED Très aigu et qui évolue brutalement, et rapidement. *Inflammation suraiguë.*

surajouter v. tr. [1] Ajouter en plus, à ce qui est déjà fini. – Pp. *Pages surajoutées à un livre.*

Surakarta (anc. *Solo*), v. d'Indonésie (Java centr.); 469 890 hab. Industr. des produits agricoles (coton, cuir, riz).

suralimentation n. f. **1.** Alimentation plus abondante, plus riche que la normale. **2.** TECH Alimentation d'un moteur à combustion interne avec de l'air porté à une pression supérieure à la pression atmosphérique.

suralimenter v. tr. [1] **1.** *Suralimenter qqn,* lui fournir une alimentation plus abondante ou plus riche que la normale. **2.** TECH *Suralimenter un moteur :* V. suralimentation (sens 2).

suranné, ée adj. Litt. Démodé, désuet, vieillot. *Des toilettes surannées.* ▷ Archaïque, retardataire. *Conceptions surannées.*

surarmement n. m. Armement qui dépasse l'équipement nécessaire à la défense (d'un pays).

surarmer v. tr. [1] Armer (un pays) au-delà de ce qui est nécessaire à sa défense. ▷ v. pron. *Se surarmer entraîne notam. des conséquences économiques.*

Sūrat, v. et port de l'Inde (Gujerāt); 1 497 000 hab. Textiles (soie, coton).

surate. V. sourate.

surbaissé, ée adj. **1.** ARCHI *Arc, voûte surbaissés* (ou *en anse de panier*), dont la flèche est inférieure à la moitié de la largeur. **2.** AUTO *Carrosserie surbaissée,* très basse.

surbooké, ée adj. Syn. (off. déconseillé) de *surréservé.*

surbooking n. m. Syn. (off. déconseillé) de *surréservation.*

surbrillance n. f. Luminosité mettant en valeur un élément sur l'écran d'un ordinateur.

surcapitalisation n. f. FIN Attribution à une entreprise d'une valeur supérieure à sa valeur réelle (en Bourse, notam.).

surcharge n. f. **1.** Charge ajoutée à la charge habituelle. *Une surcharge de responsabilités.* **2.** Excédent de charge, de poids par rapport à ce qui est autorisé. *Surcharge de passagers. Rouler en surcharge.* – Par euph. *Surcharge pondérale :* obésité. ▷ CONSTR Effort supplémentaire que peut avoir à supporter une construction. *Calcul des surcharges.* **3.** Fait d'être trop chargé de matière, trop abondant. *La surcharge des programmes scolaires.* **4.** Mot écrit au-dessus d'un autre pour le remplacer. ▷ Anc. *Surcharge d'un timbre-poste :* impression surajoutée, modifiant sa valeur.

surcharger v. tr. [13] **1.** Charger de façon excessive. *Surcharger un camion.* – Pp. *Étagère surchargée de pots de fleurs.* – Fig. *Être surchargé d'impôts, de travail.* **2.** Faire une surcharge à (un texte). *Surcharger une ligne.* ▷ Pp. adj. *Timbre surchargé.*

surchauffe n. f. **1.** PHYS, TECH Action de surchauffer (un liquide, de la vapeur). **2.** ECON Déséquilibre économique provenant d'une expansion mal maîtrisée entraînant une inflation importante.

surchauffé, ée adj. **1.** Trop chauffé. *Salle surchauffée.* **2.** Fig. Ardent, enthousiaste. *Un auditoire surchauffé.*

surchauffer v. tr. [1] **1.** Chauffer excessivement. **2.** PHYS Porter (un liquide) au-dessus de son point d'ébullition sans qu'il se vaporise.

surchemise n. f. Chemise ample portée par-dessus les autres vêtements.

surchoix adj. inv. et n. m. De première qualité. *Entrecôte surchoix.*

surclasser v. tr. [1] **1.** SPORT Dominer très nettement (un adversaire). **2.** Être d'une qualité bien supérieure à. - (Choses) *Ce produit surclasse tous les autres.* - (Personnes) *Ce peintre surclasse ses contemporains.*

surcompenser v. tr. [1] PSYCHO Réagir à un sentiment d'infériorité par une conduite agressive dans le domaine où cette infériorité est perçue.

surcomposé, ée adj. GRAM *Temps surcomposé,* formé d'un auxiliaire à un temps composé et du participe passé. (Ex. *quand j'ai eu terminé...*)

surcompression n. f. TECH Action de surcomprimer; son résultat.

surcomprimé, ée adj. TECH Qui subit une surcompression. ▷ *Moteur surcomprimé,* dans lequel le mélange détonant est soumis à la compression maximale.

surcomprimer v. tr. [1] TECH Comprimer davantage (un gaz).

surconsommation n. f. Consommation excessive.

surcontamination n. f. MED Nouvelle exposition à un virus d'un sujet déjà contaminé.

surcontre n. m. Au bridge, enchère du camp qui maintient son annonce malgré le contre des adversaires.

surcontrer v. tr. [1] JEU Au bridge, opposer un surcontre à (un adversaire).

surconvertisseur n. m. PHYS NUCL Surgénérateur* produisant une matière fissile différente de celle qu'il consomme.

surcote n. f. Valeur supplémentaire acquise par un bien.

Surcouf (Robert, baron) (Saint-Malo, 1773 - id., 1827), corsaire français. Il pourchassa les Anglais sous la Révolution et l'Empire, notam. au large des Indes. Il fit des prises considérables, et devint armateur à Saint-Malo.

surcouper v. tr. [1] JEU Aux cartes, couper avec un atout plus fort que celui qui vient d'être joué.

surcoût n. m. Coût supplémentaire.

surcroît [syʀkʀwa] n. m. Ce qui vient s'ajouter à qqch, ce qui vient en plus. *Sa promotion lui a valu un surcroît de travail.* Syn. supplément. ▷ Loc. adv. *De surcroît, par surcroît :* de plus, en outre.

surdensité n. f. Densité trop élevée.

surdétermination n. f. **1.** PSYCHO Ce qui, dans l'ordre psychologique, est déterminé par plusieurs causes à la fois. **2.** PSYCHAN Caractère des productions de l'inconscient (images des rêves, notam.), dont le contenu manifeste renvoie en même temps à plusieurs contenus latents. **3.** LING Restriction du sens d'un terme par un contexte.

surdéterminer v. tr. [1] Didac. Produire la surdétermination de (qqch).

surdéveloppé, ée adj. ECON Qui présente un surdéveloppement.

surdéveloppement n. m. ECON Développement très important ou excessif.

surdimensionner v. tr. [1] Donner des dimensions supérieures à ce qui est nécessaire à.

surdi-mutité n. f. Didac. État du sourd-muet. *Des surdi-mutités.*

surdiplômé, ée adj. et n. Qui a une qualification très supérieure à l'emploi qu'il occupe.

surdité n. f. Affaiblissement ou disparition du sens de l'ouïe, fait d'être sourd. ▷ Par ext. *Surdité psychique,* ou *mentale,* ou *verbale,* ou *agnosie auditive :* impossibilité, due à une lésion cérébrale, d'interpréter correctement les messages sensoriels perçus par l'oreille (et, notam., de comprendre les mots).

surdosage n. m. MED Dosage abusif.

surdose n. f. MED Syn. (off. recommandé) de *overdose.*

surdoué, ée adj. et n. *Enfant surdoué* ou, subst., *un(e) surdoué(e),* qui présente un développement intellectuel exceptionnel.

Sûre (la) (en all. *Sauer*), riv. de l'Europe occidentale (173 km), affl. de la Moselle (r. g.); naît dans les Ardennes belges; passe au Luxembourg, où elle forme frontière avec l'Allemagne.

sureau n. m. Arbuste (fam. caprifoliacées) dont les fleurs, hermaphrodites et regroupées en corymbe, donnent un fruit noir ou rouge et dont le bois renferme un large canal à moelle.

sureffectif n. m. Effectif trop important.

surélévation n. f. Action de surélever, fait d'être surélevé; son résultat.

surélever v. tr. [16] **1.** Donner plus de hauteur à. *Surélever un bâtiment de deux étages.* **2.** Placer plus haut. *Surélever une lampe.*

suremballage n. m. Emballage supplémentaire permettant de présenter des produits en nombre.

sûrement adv. **1.** Sans risque. *De l'argent sûrement placé.* **2.** Avec régularité et constance, sans faillir. *Progresser lentement mais sûrement.* **3.** Certainement, selon toute probabilité. *Il arrivera sûrement en retard.*

suremploi n. m. ECON Utilisation d'une main-d'œuvre dépassant la production et le temps de travail normaux. - *Par ext.* Pénurie de main-d'œuvre.

surenchère n. f. **1.** Enchère supérieure à la précédente. **2.** Proposition renchérissant sur celle d'un autre.

surenchérir v. intr. [3] **1.** Faire une surenchère. **2.** Aller plus loin que les autres (dans une affirmation, etc.). **3.** Devenir plus cher.

surenchérissement n. m. Fait de surenchérir; augmentation d'un, des prix.

surendetté, ée n. Personne victime de surendettement.

surendettement n. m. ECON Endettement excédant les possibilités de remboursement.

surendetter v. tr. [1] ECON Avoir recours au surendettement. - Pp. adj. *Ménage surendetté.*

surentraînement n. m. SPORT Entraînement trop poussé (d'un sportif) qui risque d'avoir des effets néfastes sur sa santé.

surentraîner v. tr. [1] SPORT Soumettre à un surentraînement.

suréquipement n. m. Équipement supérieur aux besoins.

suréquiper v. tr. [1] Équiper plus qu'il n'est nécessaire.

Suresnes, ch.-l. de cant. des Hauts-de-Seine (arr. de Nanterre), sur la Seine; 36 950 hab. Constr. aéronautiques, électroménager. - Fort du mont Valérien*. Cimetière américain.

surestimation n. f. Fait de surestimer; son résultat.

surestimer v. tr. [1] Estimer au-dessus de sa valeur réelle. *Je pense que vous surestimez ce timbre.* - Fig. *Surestimer ses forces.* ▷ v. pron. *Il se surestime.*

sûreté n. f. **I. 1.** Fait d'être sûr; caractère d'un lieu où l'on ne risque aucun danger. *Sûreté d'une région.* **2.** Fermeté, efficacité, précision (des gestes, des perceptions sensorielles, etc.). *Sûreté de l'oreille d'un musicien.* ▷ Rigueur, justesse dans l'exercice des facultés intellectuelles, dans les jugements esthétiques, etc. *Je me fie à la sûreté de votre goût. Avoir une grande sûreté de jugement.* **3.** Assurance, garantie donnée à qqn. *Je lui ai donné toutes les sûretés qu'il me demandait.* - DR *Sûreté personnelle :* garantie résultant pour le créancier de l'adjonction à son débiteur d'autres débiteurs, répondant sur leur patrimoine de l'exécution de l'obligation. *Sûreté réelle :* garantie résultant pour le créancier de l'affectation spéciale d'un bien de son débiteur au paiement de la dette. *Sûreté du Trésor :* sûreté personnelle et réelle dont dispose le Trésor public. **4.** Rare (Sauf dans certains emplois quasi figés et en loc.) État de qqn, de qqch, qui ne court aucun risque, qui n'est pas menacé par un danger; sécurité. *Garantir la sûreté des personnes et des biens.* - *Attentat, crime contre la sûreté de l'État :* infractions menées contre l'autorité de l'État ou l'intégrité du territoire (atteinte aux secrets de la défense nationale, trahison, espionnage, etc.). ▷ *En sûreté :* en sécurité; à l'abri du vol. ▷ *De sûreté :* spécialement conçu pour assurer la sûreté. *Épingles de sûreté. Serrure de sûreté. Soupape de sûreté.* ▷ *Une sûreté :* un dispositif de sûreté. *Mettre une sûreté à sa porte. Mettre une arme à la sûreté,* en position de sûreté. **5.** Fait d'être sûr de soi; caractère, état d'une personne sûre d'elle. *Ils montrent une grande sûreté d'eux-mêmes.* **II.** *La Sûreté nationale* ou, n. f., *la Sûreté :* l'ancien service de police, remplacé depuis 1966 par le corps de la Police nationale, relevant de l'autorité du ministre de l'Intérieur pour l'ensemble du territoire.

surévaluation n. f. Fait de surévaluer; son résultat.

surévaluer v. tr. [1] Évaluer (qqch) au-delà de sa valeur.

surexcitable adj. Susceptible d'être surexcité.

surexcitation n. f. État d'une personne surexcitée, grand énervement.

surexciter v. tr. [1] Exciter au plus haut point. *Procès qui surexcite l'opinion.* Syn. enfiévrer, enflammer. - Pp. adj. *Enfant surexcité,* très nerveux, très agité.

surexploiter v. tr. [1] Exploiter exagérément (qqch, qqn).

surexposer v. tr. [1] PHOTO Exposer trop longtemps (une surface sensible).

surexposition n. f. PHOTO Fait de surexposer; son résultat.

surf [sœʀf] n. m. **1.** Sport nautique qui consiste à glisser sur les vagues déferlantes en se maintenant en équilibre sur une planche spéciale. **2.** *Surf des neiges :* sport de glisse qui consiste à descendre une piste enneigée sur une planche spéciale (snowboard).

surface n. f. **1.** Partie extérieure, visible, d'un corps, qui constitue la limite de l'espace qu'il occupe. *La surface de la Terre. Surface brillante d'un meuble.* ▷ *Spécial.* (En loc.) Étendue horizontale qui sépare l'atmosphère d'un volume de liquide. *Bulles qui éclatent à la surface d'un moût en fermentation. Sous-marin qui fait surface,* qui émerge. – Fig. *Il a refait surface après une retraite de plusieurs années,* il est réapparu, on l'a revu après... – CHIM *Agent de surface :* composé chimique (détergent, mouillant, émulsionnant) dont les solutions, même très diluées, modifient, à leur contact, les propriétés des surfaces. **2.** Étendue d'une surface; aire, superficie. *Cet appartement a une surface de 100 m^2. Surface corrigée :* V. corrigé. *Surface de vente d'un magasin.* ▷ *Grande surface :* magasin en libre-service dont la surface de vente est supérieure à 400 m^2. Syn. supermarché, hypermarché. ▷ Fig., fam. *Avoir de la surface :* avoir du crédit, de l'influence, une situation sociale importante. **3.** GEOM Ensemble de points de l'espace dont les coordonnées x, y, z sont reliées par une équation de la forme f(x,y,z) = 0. *Une surface n'a que deux dimensions et peut être considérée comme engendrée par le déplacement d'une courbe. Surface réglée,* engendrée par le déplacement d'une droite suivant une loi déterminée (cône, par ex.).

surfacer v. tr. intr. [12] **1.** TECH Donner un aspect régulier à une surface. **2.** AGRIC Remplacer la couche superficielle de terre usée par du terreau.

surfaceuse n. f. Machine à surfacer.

surfacique adj. Relatif à la surface.

surfactant, ante n. m. et adj. **1.** CHIM Substance qui augmente les propriétés mouillantes d'un liquide en abaissant la tension superficielle de celui-ci. ▷ adj. *Produit surfactant.* **2.** PHYSIOL *Surfactant pulmonaire :* matière qui forme un film mince à la surface des alvéoles pulmonaires et qui assure au tissu pulmonaire son élasticité, empêchant le plasma sanguin de passer dans les alvéoles.

surfaire v. tr. [10] Litt. Demander un prix trop élevé pour. ▷ Fig. Surestimer.

surfait, aite adj. Trop vanté, qui n'est pas à la hauteur de sa réputation. *Une beauté surfaite.*

1. surfer [sœʀfe] v. intr. [1] **1.** Pratiquer le surf. **2.** Fig. fam. Être porté par un phénomène, un courant puissant. **3.** Se déplacer sur un réseau télématique. *Logiciel utilisé pour surfer d'un serveur à l'autre.*

2. surfer (Anglicisme) ou **surfeur, euse** [sœʀfœʀ, øz] n. SPORT Celui, celle qui pratique le surf.

surfil n. m. COUT Action de surfiler; résultat de cette action.

surfilage n. m. Action de surfiler.

surfiler v. tr. [1] COUT Passer un fil sur les bords de (un tissu) pour éviter qu'il ne s'effiloche. *Surfiler une couture.*

surfin, ine adj. D'une très grande qualité. *Beurre surfin.*

surfusion n. f. PHYS État d'un corps qui reste liquide au-delà de sa température de solidification.

surgélation n. f. Opération qui consiste à surgeler.

surgelé, ée adj. et n. m. Qui a subi la surgélation. *Légumes surgelés.* ▷ n. m. Produit alimentaire surgelé. *Acheter des surgelés. L'industrie des surgelés.*

surgeler v. tr. [17] Congeler à très basse température et en un temps réduit (une denrée périssable).

surgénérateur ou **surrégénérateur** n. m. PHYS NUCL Réacteur nucléaire qui produit plus de matière fissile qu'il n'en consomme.

ENCYCL Les surgénérateurs sont des réacteurs à neutrons rapides qui utilisent comme combustible de l'uranium 235 enrichi ou du plutonium 239. En plaçant autour du cœur du réacteur une matière *fertile* constituée d'uranium 238 ou de thorium 232, ces isotopes non fissiles se transforment, par capture d'un neutron, en plutonium 239 et en uranium 233, isotopes fissiles.

surgeon n. m. ARBOR Rejeton qui naît du collet ou de la souche d'un arbre.

Surgères, ch.-l. de cant. de la Charente-Maritime (arr. de Rochefort); 6 337 hab. Industr. laitière. – Égl. romane. Chât. (XVIe s.). École nationale de laiterie.

surgir v. intr. [3] Apparaître brusquement. ▷ Fig. Se manifester brusquement. *Faire surgir une difficulté, un conflit.*

surgissement n. m. Action de surgir.

surhaussement n. m. Rare Action de surhausser; son résultat. ▷ ARCHI Caractère d'un arc, d'une voûte surhaussés.

surhausser v. tr. [1] Rare Surélever. ▷ ARCHI *Surhausser un arc, une voûte,* leur donner une flèche supérieure à la moitié de l'ouverture. – Pp. adj. *Berceau surhaussé.*

surhomme n. m. **1.** PHILO Selon Nietzsche, type d'homme supérieur auquel l'humanité donnera naissance quand elle se développera selon la « volonté de puissance » et que rend possible la « mort de Dieu ». **2.** Homme qui dépasse, intellectuellement ou physiquement, la mesure normale de la nature humaine.

surhumain, aine adj. Qui est au-dessus des forces, des qualités et des aptitudes normales de l'homme.

suricate n. m. Petite mangouste (fam. viverridés) des zones arides d'Afrique du Sud.

surimi n. m. Amalgame de chair de poisson aromatisée au crabe.

surimposer v. tr. [1] Frapper d'une majoration d'impôt ou d'un impôt excessif.

surimposition n. f. Action de surimposer, surcroît d'imposition.

surimpression n. f. PHOTO, CINE, AUDIOV Opération qui consiste à superposer sur un même support deux ou plusieurs images ou sons, pour produire certains effets spéciaux. ▷ Loc. fig. *En surimpression :* perçu en même temps.

surin n. m. Arg. vieilli Couteau, poignard.

Surinam ou **Suriname** (république du) *(Republiek van Suriname)* (anc. *Guyane néerlandaise*), État septentrional de l'Amérique du Sud, sur l'Atlantique; 163 265 km^2; env. 400 000 hab. (Surinamiens), croissance démographique : 2 % par an; cap. *Paramaribo.* Nature de l'État : rép. parlementaire. Langue off. : néerlandais. Monnaie : florin du Surinam. Pop. : Indiens originaires de l'Inde (35 %), créoles (30 %), Indonésiens, Noirs, Amérindiens, Chinois, Européens. Relig. princ. : hindouisme, cathol., islam.

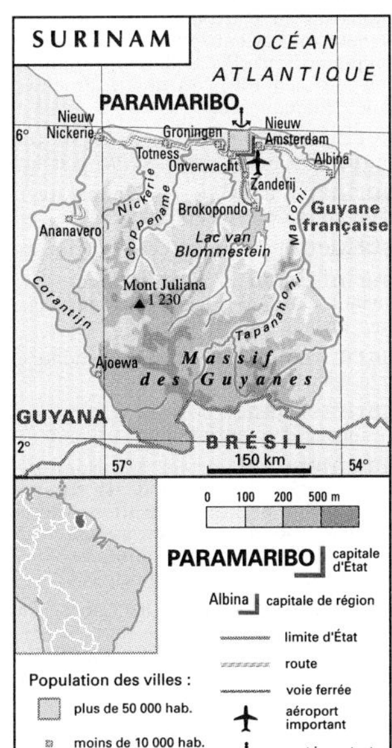

Géogr. et écon. – Le pays s'étend sur le massif cristallin des Guyanes (1 280 m) que borde une plaine côtière marécageuse. La population vit sur le littoral (4 % du territoire), le reste étant couvert de forêt dense équatoriale. Les antagonismes raciaux sont vifs, en raison de l'extrême variété ethnique. Le pays vit d'une agriculture variée (riz, canne à sucre, bananes, oranges), de pêche et d'exploitation du bois. L'exportation de bauxite et d'alumine (produite sur place grâce aux ressources hydroélectriques) assure la quasi-totalité des recettes extérieures; très dépendante, l'économie a été désorganisée par plusieurs années de troubles civils.

Hist. – Colonisée au XVIIe s. par les Anglais et les Hollandais (cult. de la canne à sucre), la région revint aux Hollandais (1667). Avec les autres colonies néerlandaises, elle fut occupée par les Britanniques de 1799 à 1802 et de 1804 à 1816. L'abolition de l'esclavage (1863) entraîna une immigration indienne et indonésienne. L'exploitation de la bauxite (par des sociétés néerlandaises et américaines) s'intensifia après 1945. Déclarée partie intégrante des Pays-Bas sous le nom de Surinam en 1948, puis autonome en 1954, l'ex-Guyane néerlandaise acquit son indépendance en 1975 et se donna un régime parlementaire, aboli en 1980 par un coup d'État militaire. Une tentative de putsch, en 1982, permit au détenteur réel du pouvoir, le colonel Desi Bouterse, de massacrer les opposants politiques. Mais la situation écon. l'obligea à se séparer de ses alliés cubains et soviétiques. Le pouvoir revint aux civils en 1988. R. Shankar fut élu président de la République tandis que D. Bouterse conservait le contrôle de l'armée. Après un bref retour des militaires au pouvoir en 1990, Ronald Venetiaan devient prés. de la République en sept. 1991. Mais D. Bouterse fait élire, en 1997, un de ses proches, Jules Wijdenbosch.

surinamien, enne adj. et n. Du Surinam. ▷ Subst. *Un(e) Surinamien(ne).*

suriner v. tr. [1] Arg., vieilli Frapper, tuer d'un coup de couteau.

surineur n. m. Arg., vieilli Celui qui surine.

surinfection n. f. MED Infection survenant chez un sujet présentant déjà une maladie infectieuse.

surinformation n. f. Surabondance d'information.

surintendance n. f. HIST Charge ou résidence d'un surintendant.

surintendant n. m. HIST Nom de divers officiers chargés de la surveillance d'une administration, sous l'Ancien Régime. *Surintendant des Finances :* titre du ministre des Finances, en France, jusqu'en 1661.

surintendante n. f. **1.** HIST Épouse du surintendant. ▷ Dame qui avait la première charge dans la maison de la reine. **2.** Directrice d'une maison d'éducation de la Légion d'honneur.

surintensité n. f. ELECTR Intensité supérieure à l'intensité maximale que peut supporter un appareillage sans être détérioré.

surir v. intr. [3] Devenir sur, aigre. *Le lait a suri.*

surjectif, ive adj. MATH *Application surjective :* application telle que tout élément de l'ensemble d'arrivée est l'image d'au moins un élément de l'ensemble de départ.
► illustr. **application**

surjection n. f. Application surjective.

surjet n. m. COUT Couture qui réunit deux pièces d'étoffe bord à bord, par un point qui les chevauche.

surjeter v. tr. [20] Coudre en surjet.

sur-le-champ loc. adv. V. champ (sens II, 2).

surlendemain n. m. Jour qui suit le lendemain.

surligner v. tr. [1] Marquer avec un surligneur (un texte).

surligneur n. m. Feutre à encre transparente et lumineuse, servant à mettre en valeur certains mots ou phrases d'un texte.

surlonge n. f. Morceau de l'échine du bœuf utilisé pour les pot-au-feu et les ragoûts.

surloyer n. m. COMM Indemnité payée par un locataire en sus du loyer.

surmédicaliser v. tr. [1] Pratiquer un excès de soins médicaux sur qqn, une population.

surmenage n. m. Fait d'être surmené, de se surmener. ▷ MED Ensemble des troubles résultant d'un travail excessif de l'organisme.

surmener v. tr. [16] Fatiguer à l'excès. *Surmener une bête. Il surmène ses collaborateurs.* – Pp. adj. *Homme d'affaires surmené.* ▷ v. pron. *Il se surmène avant ses examens.*

surmodelé, ée adj. ETHNOL Se dit de restes humains, ou de mannequins à forme humaine, recouverts d'une substance plastique (argile le plus souvent) modelée à la ressemblance de la personne représentée.

surmoi ou **sur-moi** n. m. inv. PSYCHAN Élément du psychisme qui se constitue dans l'enfance par identification au modèle parental, et qui exerce un rôle de contrôle et de censure.

surmontable adj. Qui peut être surmonté.

surmonter v. tr. [1] **1.** Être placé au-dessus de. *Une statue surmonte la colonne.* **2.** (Abstrait) Venir à bout de, triompher de (ce qui fait obstacle). *Surmonter une difficulté.* ▷ Dominer, maîtriser (une sensation, un sentiment, une émotion qui empêche d'agir). *Surmonter sa douleur, son dégoût, sa colère.*

surmortalité n. f. STATIS Mortalité plus importante dans un groupe donné (par rapport à un autre pris comme référence). *La surmortalité masculine.*

surmulet n. m. Rouget de roche *(Mullus surmuletus).*

surmulot n. m. Gros rat *(Rattus norvegicus),* originaire d'Asie, commun dans toute l'Europe et en Amérique, appelé aussi *rat d'égout, rat gris.*

surmultiplication n. f. AUTO Action de surmultiplier.

surmultiplier v. tr. [1] AUTO Donner à l'arbre de transmission une vitesse supérieure à celle du moteur qui travaille ainsi à un régime plus bas (le véhicule conservant la même vitesse). – Pp. adj. *Vitesse surmultipliée* ou, par abrév., n. f., *la surmultipliée.*

surnager v. intr. [13] **1.** Se maintenir à la surface d'un liquide. *Du navire naufragé surnageaient des épaves.* **2.** Fig. Subsister, persister. *De vagues souvenirs surnageaient dans sa mémoire.*

surnatalité n. f. Didac. Natalité trop forte par rapport aux ressources.

surnaturel, elle adj. et n. m. **1.** Qui semble échapper aux lois de la nature, se situer au-dessus d'elles. *Une puissance surnaturelle.* – RELIG *Vérités surnaturelles,* que l'on ne peut connaître que par la foi. *Événement surnaturel :* miracle. *Impulsion surnaturelle :* grâce. ▷ n. m. *Le surnaturel :* les phénomènes surnaturels. **2.** Qui ne paraît pas naturel, qui tient du prodige. Syn. extraordinaire.

surnom n. m. Nom que l'on donne à une personne en plus de son nom véritable et qui, généralement, rappelle un trait de son aspect physique ou de sa personnalité, ou une circonstance particulière de sa vie. *Le Sage est le surnom de Charles V.* ▷ Cour. Désignation familière, sobriquet.

surnombre n. m. Rare Quantité qui dépasse le nombre fixé. ▷ Loc. adv. Cour. *En surnombre :* en excédent, en surplus.

surnommer v. tr. [1] Donner un surnom à. *On l'avait surnommé la Ficelle.*

surnuméraire adj. et n. Qui est en surnombre. *Employé surnuméraire.* ▷ Subst. *Un(e) surnuméraire.*

suroffre n. f. DR Offre renchérissant sur une première offre.

suroît [syʀwa] n. m. **1.** MAR Sud-ouest. *Être dans le suroît d'Ouessant.* ▷ Vent de sud-ouest. **2.** Chapeau imperméable qui descend bas sur la nuque.

surpassement n. m. Litt. Action de surpasser, de se surpasser.

surpasser v. tr. [1] Être supérieur à, l'emporter sur. *Il a nettement surpassé les autres concurrents.* Syn. surclasser. ▷ v. pron. Faire mieux qu'à l'ordinaire. *Déjà très amusant d'habitude, ce soir, il s'est surpassé.*

surpâturage n. m. AGRIC Exploitation excessive d'un pâturage.

surpayer v. tr. [21] Payer qqn au-delà de ce qui est habituel; acheter qqch trop cher. *Surpayer un travail. Surpayer une denrée alimentaire.*

surpêche n. f. Exploitation excessive de certains fonds.

surpeuplé, ée adj. Qui souffre de surpopulation. *Région surpeuplée.* ▷ Où il y a trop de monde. *Amphithéâtres surpeuplés.*

surpeuplement n. m. État d'une région, d'un pays, d'une ville, etc., qui souffre de surpopulation.

surpiquer v. tr. [1] COUT Faire une surpiqûre.

surpiqûre n. f. COUT Piqûre apparente, souvent décorative, sur un tissu ou du cuir.

sur-place ou **surplace** n. m. V. place (sens B, I, 2).

surplis [syʀpli] n. m. RELIG CATHOL Tunique blanche plissée de toile légère, à manches amples, portée par les prêtres et les enfants de chœur lors des cérémonies religieuses.

surplomb [syʀplɔ̃] n. m. **1.** CONSTR Partie d'un bâtiment qui dépasse par le sommet la ligne d'aplomb. **2.** *En surplomb :* dont le haut s'avance plus que la base, formant une saillie.

surplomber v. [1] **1.** v. intr. CONSTR Former un surplomb. ▷ *Ce mur surplombe,* n'est pas bien d'aplomb, bien vertical. **2.** v. tr. Dominer en formant une saillie au-dessus de. *La falaise surplombe une petite plage.*

surplus [syʀply] n. m. **1.** Ce qui dépasse une quantité fixée. *Vous me paierez le surplus demain.* Syn. excédent. ▷ Stock de produits invendus qui tendent à faire baisser les cours. – *Surplus américains :* matériel militaire laissé en Europe par les Américains après 1945 et cédé à bas prix; *par méton.* magasin où se vend un tel matériel. **2.** Loc. conj. ou adv. *Au surplus :* au reste, d'ailleurs.

surpoids n. m. Poids excessif, surcharge pondérale, obésité.

surpopulation n. f. GEOGR Population qui surpasse les moyens mis à sa disposition par son niveau de développement, d'équipement et de ressources.

surprenant, ante adj. **1.** Qui surprend, qui étonne. *Une aventure surprenante. Il a changé de façon surprenante.* **2.** Étonnant par son importance, remarquable. *Des résultats surprenants.*

surprendre v. [52] **I.** v. tr. **1.** Prendre (qqn) sur le fait, le trouver dans un état où il ne s'attendait pas à être vu. *Surprendre un voleur en flagrant délit.* ▷ Découvrir (ce qui était tenu caché, secret). *Surprendre des menées subversives.* **2.** Arriver sur (qqn) inopinément. *L'orage les a surpris à découvert.* ▷ Attaquer à l'improviste. *Des francs-tireurs ont surpris la patrouille.* ▷ Arriver chez (qqn) sans avoir prévenu. *Il nous a surpris alors que nous partions.* **3.** Étonner. *Tu me surprends en disant cela.* – Pp. adj. *Il resta surpris.* **4.** Loc. *Surprendre la confiance, la bonne foi de qqn :* abuser qqn, le tromper. **II.** v. pron. *Se surprendre à :* s'apercevoir soudain qu'on est en train de. *Je me suis surpris à parler tout seul.*

surpression n. f. TECH Pression plus élevée que la pression normale.

surprime n. f. Prime d'assurance supplémentaire demandée en cas de risque aggravé ou de couverture d'un nouveau risque.

surprise n. f. **1.** État d'une personne étonnée par qqch d'inattendu. *Une profonde surprise. À la surprise générale.* **2.** Chose qui surprend. *Quelle bonne surprise !* **3.** Loc. adv. *Par surprise* : en prenant au dépourvu. *Il m'a attaqué par surprise.* ▷ (En appos.) *Grève surprise* : grève sans préavis. **4.** Cadeau, plaisir inattendu. *Faire une surprise à qqn pour sa fête.* ▷ *Pochette-surprise* : V. pochette.

surprise-partie n. f. Vieilli Réunion dansante privée, qui réunit des jeunes gens. *Des surprises-parties.*

surproducteur, trice adj. Qui produit en excès. *Industrie surproductrice.*

surproduction n. f. Production trop forte par rapport aux besoins, aux possibilités d'écoulement sur le marché. *Surproduction agricole.*

surproduire v. tr. [**69**] Produire en excès.

surprotéger v. tr. [**15**] Protéger de façon excessive (qqn). – Pp. adj. *Un enfant surprotégé.*

surréalisme n. m. Mouvement littéraire et artistique qui se constitua v. 1922-1923 sur la base d'un rejet systématique de toutes les constructions logiques de l'esprit et visant à soustraire au contrôle de la raison les différentes forces psychiques dont l'expression peut contribuer à un renversement libérateur des valeurs sociales, intellectuelles et morales.
ENCYCL Le surréalisme, qui dérive du mouvement dada (V. ce mot), naquit en 1919 (premier numéro de la revue *Littérature*, fondée et dirigée par A. Breton, L. Aragon et Ph. Soupault), mais la rupture avec Dada ne se produira officiellement qu'en 1922. En 1924, le *Manifeste du surréalisme* de Breton affirma l'existence du mouvement, fondamentalement défini par référence à l'écriture automatique et à la « toute-puissance du désir ». Le surréalisme réunira de nombr. poètes (P. Éluard, B. Péret, R. Crevel, R. Desnos), peintres (M. Ernst, S. Dali, Y. Tanguy), photographes (Man Ray), cinéastes (L. Buñuel), etc., mais brouilles et scissions se multiplieront ; la revue *la Révolution surréaliste* cessa de paraître en 1929. En 1930, dans un deuxième *Manifeste*, Breton flétrit les transfuges et décrivit l'échec du rapprochement entre son mouvement et le parti communiste. En 1938, une exposition internationale rassembla des œuvres venues de quatorze pays. La guerre, en 1939, dispersa les surréalistes, et le mouvement, la paix revenue, apparut comme une survivance.

surréaliste adj. et n. **1.** Relatif au surréalisme. *Poème surréaliste. Peinture surréaliste.* ▷ Subst. Artiste appartenant au mouvement surréaliste. **2.** Fig. Qui évoque le surréalisme par son caractère bizarre, incongru.

surrection n. f. GEOL Fait de surgir, de se soulever (pour un sol, un socle, un rocher, etc.). *La surrection de la chaîne alpine au tertiaire.*

surréel, elle adj. Litt. Qui se situe au-delà du réel (dans le vocabulaire des surréalistes). ▷ n. m. *Le surréel.*

surrégénérateur. V. surgénérateur.

surremise n. f. COMM Remise supplémentaire d'un producteur ou d'un grossiste, en cas d'achat important.

groupe **surréaliste** en 1925 : de g. à dr., autour de A. Breton, M. Morise, P. Naville, P. Éluard, G. De Chirico, F. Gérard, L. Aragon, Ch. Baron, R. Desnos

surrénal, ale, aux adj. et n. f. ANAT Qui est situé au-dessus des reins. *Glandes, capsules surrénales* ou, n. f., *les surrénales* : glandes à sécrétions internes qui coiffent les reins et dont la partie centrale, la *médullosurrénale**, sécrète l'adrénaline et le cortex, la *corticosurrénale**, des hormones dont certaines jouent un rôle dans le métabolisme des glucides et des protides.

surréservation n. f. TRANSP Fait d'enregistrer plus de réservations que de places offertes, en prévision d'éventuelles défections. Syn. (off. déconseillé) surbooking.

surréservé, ée adj. Qui fait l'objet d'une surréservation. *Un vol surréservé.* Syn. (off. déconseillé) surbooké.

Surrey, comté de G.-B., au S. de Londres ; 1 655 km^2 ; 998 000 hab. ; ch.-l. *Kingston-upon-Thames.* Pays de cultures (céréales) et d'élevage laitier.

Surrey (Henry Howard, comte de) (?, v. 1518 – Londres, 1547), homme politique et poète anglais. L'un des premiers, il adapta la forme italienne du sonnet à la langue anglaise. Ses intrigues à la cour d'Henri VIII le firent condamner à la décapitation.

sursalaire n. m. ECON Supplément au salaire.

sursaturation n. f. PHYS État d'équilibre d'une solution dans laquelle la substance dissoute, bien qu'en proportion plus élevée que celle qui correspond à la saturation, ne se dépose pas. ▷ État d'une phase gazeuse dans laquelle il ne se produit pas encore de condensation, bien que la quantité de vapeur soit supérieure à celle qui devrait produire la saturation.

sursaturé, ée adj. PHYS En état de sursaturation. *Solution sursaturée.* ▷ Fig. *Sursaturé de* : lassé à l'extrême, excédé de. *Je suis sursaturé de ce travail.*

sursaturer v. tr. [**1**] PHYS Provoquer la sursaturation de.

sursaut n. m. **1.** Mouvement brusque du corps occasionné par une sensation subite et violente. ▷ Loc. adv. *En sursaut* : d'un mouvement brusque ; avec une soudaineté brutale. *Être réveillé en sursaut.* **2.** Fig. Nouvel élan qui survient brusquement. *Un sursaut d'énergie.*

sursauter v. intr. [**1**] Avoir un sursaut, tressaillir violemment. *La détonation l'a fait sursauter.*

sursemer v. tr. [**16**] AGRIC Semer (une terre déjà ensemencée).

surseoir [syʀswaʀ] v. tr. indir. [**41**] (N.B. *Surseoir* n'a pas de formes en *-ie-* et *-ey-*, et garde le *e* de l'infinitif au futur et au conditionnel.) DR ou litt. *Surseoir à* : remettre à plus tard, différer. *Surseoir à une exécution.*

sursis [syʀsi] n. m. **1.** DR Délai d'épreuve pendant lequel l'exécution d'une peine prononcée est suspendue. *Huit mois de prison ferme et quatre avec sursis.* ▷ *Sursis à l'incorporation* : délai accordé à certains jeunes gens pour accomplir leur service national, notam. de façon qu'ils puissent achever un cycle d'études. ▷ Délai à l'exécution d'une obligation. *Sursis de paiement.* **2.** *Par ext.* Délai que l'on obtient avant d'accomplir une chose pénible. *Il se donne un sursis de deux jours avant son départ.*

sursitaire adj. et n. **1.** adj. DR Qui a obtenu un sursis. *Condamné sursitaire.* ▷ *Spécial.* Cour. Qui a obtenu un sursis à l'incorporation. *Étudiant sursitaire.* **2.** n. Personne sursitaire. *Un(e) sursitaire.*

surtaxe n. f. Taxe qui s'ajoute à une autre ; nouvelle taxe plus forte que la précédente. ▷ *Spécial.* Taxe dont est frappé un envoi postal insuffisamment affranchi.

surtaxer v. tr. [**1**] Frapper d'une surtaxe.

surtension n. f. ELECTR Tension anormalement élevée.

surtitre n. m. Dans un journal, titre complémentaire placé au-dessus du titre.

surtitrer v. tr. [**1**] TECH Mettre un surtitre. – Pp. adj. *Spectacle surtitré* : au théâtre, spectacle en langue étrangère comportant une traduction projetée au-dessus de la scène.

1. surtout adv. **1.** Principalement, plus que toute autre chose. *Il est intelligent, mais surtout très retors.* **2.** (Pour insister sur un ordre, un souhait.) *Il ne faut surtout pas qu'il vienne.* **3.** Loc. conj. (Emploi critiqué.) *Surtout que* : d'autant plus que. *Je préfère rouler de nuit, surtout qu'il fait très chaud dans la journée.*

2. surtout n. m. **1.** Vx Vêtement que l'on passe par-dessus les autres. **2.** Grande pièce de vaisselle ou d'orfèvrerie qui orne le milieu d'une table.

survaleur n. f. COMPTA Syn. de *plus-value.*

surveillance n. f. **1.** Action de surveiller ; son résultat. *Exercer une surveillance discrète.* ▷ *Direction de la surveillance du territoire (D.S.T.)* : service de police chargé de la répression de l'espionnage. **2.** Fait d'être surveillé, situation d'une personne surveillée. *Être sous surveillance médicale.*

surveillant, ante n. Personne dont la fonction est de surveiller. *Surveillant* *des travaux. Surveillant de prison.* ▷ *Spécial.* Personne chargée de surveiller les élèves, de veiller au respect de la discipline, dans un établissement scolaire. *Surveillant d'internat.* ▷ Anc. *Surveillant(e) général(e) :* fonctionnaire responsable de l'administration et de la discipline dans un établissement scolaire, au-dessous du proviseur et du censeur (remplacé auj. par le *conseiller général d'éducation*).

surveiller v. tr. [1] **1.** Observer attentivement pour contrôler, vérifier; observer les faits et gestes de (qqn), pour s'assurer qu'il ne fait rien d'interdit, de dangereux, etc. *Surveiller de jeunes enfants.* **2.** Contrôler, suivre le déroulement de. *Surveiller un travail.* **3.** Veiller à (ce que l'on fait, ce que l'on dit). *Surveiller ses paroles, sa conduite.* ▷ v. pron. *Il n'est jamais naturel, il se surveille trop.*

survenir v. intr. [36] **1.** Arriver de façon imprévue, brusquement. *Un orage survint. Un changement est survenu.* ▷ v. impers. *Et s'il survenait qqn, que ferions-nous ?* **2.** DR S'ajouter à. *Les améliorations survenues à l'immeuble.*

survenue n. f. Vieilli ou litt. Fait de survenir. *Survenue d'un symptôme.*

surveste n. f. Veste très ample.

survêtement n. m. Vêtement d'étoffe souple et chaude, composé d'un blouson et d'un pantalon, que l'on met par-dessus une tenue de sport. (Abrév. fam. : survêt [syʀvɛt].)

survie n. f. **1.** Fait de survivre. *Chances de survie d'un blessé.* **2.** Vie dans l'au-delà, prolongement de l'existence après la mort. *La survie de l'âme.*

survirer v. intr. [1] AUTO Déraper des roues arrière dans un virage, l'axe du véhicule s'orientant vers le centre du virage (par oppos. à *sous-virer*).

survitrage n. m. Vitrage supplémentaire destiné à l'isolation thermique ou phonique.

survivance n. f. **1.** Litt. Survie. *La survivance de l'âme.* **2.** Persistance de ce que l'évolution sociale, historique, etc., aurait pu faire disparaître. *La survivance d'une vieille coutume.*

survivant, ante n. (et adj.) Personne qui survit. *Les survivants d'un naufrage.* – adj. *Les héritiers survivants.*

survivre v. [63] **I.** v. tr. indir. *Survivre à.* **1.** (Personnes) Demeurer en vie après la mort de (qqn), après la disparition, la fin de (qqch). *Survivre à ses enfants. Elle a survécu à l'Empire.* **2.** (Choses) Rester après la disparition de. *Ses œuvres lui survivront longtemps.* **3.** (Personnes) Rester en vie après (un événement qui a entraîné de nombreuses morts). *Il a seul survécu à cet accident.* **4.** (Personnes) Continuer à vivre (après un événement très éprouvant moralement). *Il n'a pu survivre à son chagrin.* **5.** (Choses) Résister à ce qui pourrait entraîner une disparition. *La religion a survécu au communisme.* **II.** v. intr. **1.** Continuer à vivre après un événement qui aurait pu entraîner la mort. *Seuls trois passagers ont survécu.* **2.** Vivre dans des conditions difficiles. *Un salaire qui lui permet à peine de survivre.* **III.** v. pron. *Se survivre dans ses enfants, dans ses œuvres :* laisser après sa mort des enfants, des œuvres qui perpétuent son souvenir.

survol n. m. Fait de survoler.

survoler v. tr. [1] **1.** Voler au-dessus de. *L'appareil survole actuellement Madrid.* **2.** Fig. Voir rapidement, superficiellement. *Je n'ai pas réellement lu ce chapitre, je l'ai seulement survolé. Survoler un livre, un problème.*

survoltage n. m. ELECTR Dépassement de la tension sous laquelle un appareil doit normalement être alimenté.

survolté, ée adj. **1.** ELECTR Dont la tension est plus élevée que la normale. **2.** Fig. Très nerveux; surexcité, tendu. *Il est survolté.*

survolter v. tr. [1] ELECTR Soumettre à une tension supérieure à la normale. – Fig. Surexciter.

survolteur n. m. ELECTR **1.** Appareil servant à augmenter une tension. **2.** *Survolteur-dévolteur :* appareil destiné à régulariser une tension soumise à des fluctuations. *Des survolteurs-dévolteurs.*

sus-. Élément, de l'adv. *sus,* avec le sens de « au-dessus, plus haut » (ex. *susnommé, suspendre*).

sus [sy(s)] adv. **1.** Vx *Courir sus à l'ennemi,* l'attaquer. **2.** Loc. prép. *En sus de :* en plus de. – Loc. adv. *En sus :* en plus. *Son salaire et une prime en sus.*

susceptibilité [sysɛptibilite] n. f. **1.** Caractère d'une personne qui s'offense facilement. *Vous risquez de froisser sa susceptibilité.* ▷ *Il a une grande susceptibilité d'auteur :* il se montre très susceptible dans le domaine de sa création littéraire. **2.** MED Sensibilité particulière d'un organisme à un élément pathogène. *Des tests prédictifs de susceptibilité.* **3.** PHYS *Susceptibilité magnétique :* rapport de l'intensité d'aimantation d'une substance à l'intensité du champ magnétisant.

susceptible adj. **I.** (Personnes) Qui se froisse, s'offense facilement. *Elle est très susceptible.* **II.** *Susceptible de.* **1.** Qui peut présenter (certaines qualités), subir (certaines modifications). *Une affirmation susceptible de plusieurs interprétations.* **2.** (Suivi d'un inf.) Éventuellement capable de. *Est-il susceptible de vous remplacer ?*

susciter [sysite] v. tr. [1] **1.** Litt. Faire naître (qqn ou qqch de favorable ou de défavorable); déterminer l'existence de. *Susciter des ennemis.* **2.** Faire se produire (qqch de fâcheux). *Susciter un scandale.* **3.** Faire naître dans le cœur, dans l'esprit. *Susciter l'enthousiasme, l'indignation.*

suscription n. f. Rare Adresse écrite sur le pli extérieur ou l'enveloppe d'une lettre.

susdit, ite [sy(s)di, it] adj. et n. DR ou didac. Qui est indiqué, cité ci-dessus.

Suse, anc. v. d'Élam, fondée en bordure de la plaine mésopotamienne au Ve millénaire av. J.-C. Elle fut détruite v. 640 av. J.-C. par Assurbanipal, puis devint l'une des princ. cités de l'Empire perse achéménide (VIe-IVe s. av. J.-C.). Le site archéologique de Suse (auj. en Iran), fouillé depuis 1884 par des missions françaises, a fait apparaître d'importants vestiges, appartenant entre autres au palais de Darius Ier (*frise des Archers,* fin VIe-déb. Ve s. av. J.-C., brique émaillée, Louvre). On y a également découvert des poteries fines à décor stylisé (IVe millénaire av. J.-C.) et la stèle du code d'Hammourabi (Louvre).

Suse (en ital. *Susa*), v. d'Italie (Piémont), sur la Doire Ripaire; 7 120 hab. – La ville se trouve à la croisée des routes du Mont-Cenis et du col de Montgenèvre, près d'un défilé *(pas de Suse)* dont l'importance stratégique fut très grande. – Cath. (XIe s.). Arc d'Auguste (9 av. J.-C.). Fortif. de Vauban.

sus-hépatique adj. ANAT Qui est au-dessus du foie.

sushi [suʃi] n. m. CUIS Préparation japonaise à base de poisson cru et de riz.

Su Shi, Sou Che ou **Su Dongpo** (1036 - 1101), lettré chinois; l'un des plus célèbres poètes de la dynastie des Song *(la Falaise rouge).*

Susiane, anc. province de l'Empire perse; cap. *Suse.* Auj. *Khūzistān* (Iran). Elle correspond approximativement au territoire de l'Élam*.

susmentionné, ée [sy(s)mɑ̃sjɔne] adj. et n. DR, ADMIN Se dit d'une personne ou d'une chose mentionnée plus haut (dans un texte).

susnommé, ée [sy(s)nɔme] adj. et n. DR, ADMIN Qui est nommé plus haut.

suspect, ecte [syspɛ, ɛkt] adj. et n. **1.** Qui inspire la méfiance, éveille les soupçons. *Cet homme m'est suspect. Une conduite suspecte.* – *Suspect de :* que l'on soupçonne de. *Cet homme est suspect de trahison.* ▷ Subst. *La police interroge un suspect.* – HIST *Loi des suspects :* loi votée par la Convention le 17 sept. 1793 et qui déclarait suspects les citoyens dont le zèle révolutionnaire était trop tiède. (Elle fut abrogée le 4 oct. 1795.) **2.** D'une qualité douteuse. *Une viande suspecte.*

suspecter v. tr. [1] Soupçonner, tenir pour suspect.

suspendre v. [6] **I.** v. tr. **1.** Attacher, fixer par un point de manière à laisser pendre. *Suspendre une lampe au plafond, un vêtement dans une penderie.* **2.** Interrompre momentanément le cours de. *Suspendre ses pas, sa marche. Suspendre des travaux en raison du mauvais temps.* ▷ Différer, remettre à plus tard. *Suspendre une séance, un jugement.* ▷ COMM *Suspendre ses paiements :* se déclarer hors d'état de payer ce qu'on doit aux échéances prévues. **3.** Supprimer, interdire momentanément l'usage, l'exercice, l'action de. *Suspendre une loi. Suspendre un permis de conduire.* **4.** Démettre momentanément d'une fonction, d'une charge. *Suspendre un fonctionnaire.* **II.** v. pron. Se pendre, être suspendu. *Les chauves-souris se suspendent par les pattes pour dormir.*

suspendu, ue adj. **1.** Attaché en l'air de manière à pendre. *Jambons suspendus au plafond.* ▷ *Pont suspendu,* dont le tablier ne repose pas sur des piles. – Fig. *Enfants suspendus aux jupes de leur mère.* ▷ Loc. fig. *Être suspendu aux lèvres de qqn,* être attentif à ses paroles. **2.** Situé en hauteur. *Jardin suspendu.* ▷ TECH *Voiture suspendue,* supportée par des ressorts réunissant la caisse aux essieux. *Voiture bien, mal suspendue,*

Suse : *frise des Archers,* provenant du palais de Darios Ier musée du Louvre

dont la suspension est bonne, mauvaise. **3.** Interrompu. *Travaux suspendus.* – (Personnes) Privé pour un temps de ses fonctions. *Fonctionnaire suspendu.*

suspens [syspɑ̃] loc. adv. et n. m. **1.** Loc. adv. *En suspens :* qui n'a pas encore été débattu ou réglé. *Laisser une affaire en suspens.* – Dans l'incertitude, l'indécision. *Tenir son auditoire en suspens.* ▷ En suspension. *Sa vue était troublée par de la fumée en suspens.* **2.** n. m. Litt. Suspense.

suspense [syspɛns] n. m. (Anglicisme) Dans un film, un roman, etc., circonstances de l'action amenées et combinées en vue de tenir l'esprit en suspens, dans l'attente anxieuse de ce qui va arriver. *Film à suspense. Ménager un suspense.* – *Par ext.* Attente anxieuse.

suspenseur adj. et n. **1.** adj. m. ANAT Qui soutient. *Ligament suspenseur du foie, de l'ovaire.* **2.** n. m. BOT Ensemble de cellules dont une partie donne la radicule de l'embryon, l'autre partie servant à absorber les substances nécessaires à sa croissance.

suspensif, ive adj. DR Qui suspend, qui interrompt le cours de l'exécution d'une décision de justice. *Appel suspensif.*

suspension n. f. **1.** Action de suspendre; état d'une chose suspendue. **2.** Support suspendu au plafond et, spécial., appareil d'éclairage. **3.** CHIM Dispersion de fines particules dans un liquide. *Particules en suspension.* – Ces particules. *Suspension colloïdale.* **4.** TECH Dispositif situé entre le châssis et les roues d'un véhicule pour atténuer les trépidations dues au contact des roues avec le sol, et pour améliorer la stabilité et la tenue de route de ce véhicule. *Suspension hydraulique.* **5.** Action d'interrompre. *Suspension de séance.* – *Suspension d'armes :* arrêt momentané des combats. – Cessation temporaire d'opération. *Suspension de paiements.* **6.** Fait de retirer ses fonctions (à un agent de la fonction publique). **7.** RHET Figure consistant à tenir l'auditeur en suspens. – GRAM *Points de suspension :* signe de ponctuation (...) marquant une interruption de l'énoncé, ou remplaçant l'une de ses parties, notam. la suite d'une énumération.

suspensoir n. m. CHIR Bandage, dispositif destiné à soutenir un organe (scrotum, testicules, notam.).

suspente n. f. **1.** MAR Anc. Chaîne ou cordage amarré au mât, qui supporte la vergue en son milieu. **2.** AERON Chacun des cordages réunissant la nacelle d'un ballon au filet, ou la voilure d'un parachute au harnais. **3.** TECH Tout élément (câble, barre, poutre, etc.) travaillant en traction verticale. *Les suspentes d'un pont suspendu.*

suspicieux, euse adj. Litt. Rempli de suspicion. Syn. soupçonneux.

suspicion n. f. Action, fait de tenir pour suspect. *Il nous tient en suspicion.* Syn. défiance. ▷ DR *Suspicion légitime :* motif invoqué pour obtenir le renvoi d'une affaire pénale d'un tribunal devant un autre quand on craint de ne pas être jugé impartialement.

Susquehanna (la), fl. des É.-U. (750 km); naît dans les Appalaches et se jette dans la baie de Chesapeake.

Sussex, anc. comté de G.-B., auj. divisé en East Sussex et West Sussex. – Le *royaume du Sussex,* un des royaumes de l'Heptarchie*, se forma v. 491 et tomba, v. 685, sous la dépendance du Wessex.

Susten (col du), col des Alpes suisses (2 262 m), reliant la vallée de l'Aar à celle de la Reuss.

sustentation n. f. Fait de maintenir en équilibre, de soutenir. ▷ AVIAT Fait, pour un appareil, de se soutenir en l'air (grâce à la portance de la voilure, à la poussée verticale de réacteurs) ou au-dessus du sol (véhicules à coussin d'air). ▷ PHYS *Polygone* (ou *base*) *de sustentation :* polygone circonscrit à la surface d'appui d'un corps, à l'intérieur duquel doit se trouver la projection verticale du centre de gravité pour qu'il y ait équilibre.

sustenter v. tr. [1] Vieilli Soutenir les forces de (qqn) au moyen d'aliments. *Sustenter un malade.* ▷ v. pron. Plaisant Se nourrir.

susurration n. f. ou **susurrement** n. m. Litt. Action de susurrer; bruit ainsi produit.

susurrer v. intr. [1] Parler doucement, à voix basse. ▷ v. tr. *Susurrer un secret à l'oreille de qqn.* Syn. murmurer, chuchoter.

susvisé, ée adj. ADMIN Visé ci-dessus.

Sutherland (Graham Vivian) (Londres, 1903 – id., 1980), peintre et graveur anglais. Il fut peintre de guerre (1941-1945), puis s'adonna à la peinture religieuse, aux portraits et aux paysages. Son œuvre est à la fois romantique et proche du surréalisme : *Portrait de Winston Churchill.*

Sutherland (Earl Wilbur) (Burlingame, Kansas, 1915 – Miami, 1974), biochimiste américain. Ses études sur les hormones l'ont amené à définir le rôle de l'adénosine* monophosphate (A.M.P.). P. Nobel de médecine 1971.

Sutherland (Joan) (Sydney, 1926), soprano australienne. De Grande-Bretagne, où sa carrière a débuté en 1952, cette spécialiste du bel canto a rayonné dans toute l'Europe et en Amérique, imposant des ouvrages et un style oubliés depuis l'époque de Rossini, Donizetti et Bellini.

Sutlej ou **Satledj** (la), une des cinq riv. du Pendjab (1 600 km), affl. de l'Indus (r. g.); naît au Tibet, pénètre en Inde puis au Pākistān, où elle reçoit la Chenāb. Canaux d'irrigation.

sutra ou **soutra** [sutʀa] n. m. Didac **1.** En Inde, tout recueil retraçant un épisode édifiant de la vie de Bouddha. **2.** (Dans le brahmanisme et le bouddhisme.) Recueil d'aphorismes, de préceptes, concernant les règles de la morale, du rituel, etc.

sutural, ale, aux adj. Didac. Relatif aux sutures.

suture n. f. **1.** CHIR Réunion à l'aide de fils des lèvres d'une plaie ou des bords d'un organe sectionné. *Points de suture. Suture aux fils, aux agrafes.* **2.** ANAT Articulation immobile dont les pièces osseuses sont réunies par un tissu fibreux (par ex., les os du crâne). **3.** BOT Ligne de soudure de différentes parties d'un organe ou d'un organisme. *Ligne de suture des carpelles.* ▷ ZOOL *Ligne de suture d'une coquille :* ligne d'insertion des cloisons transversales.

suturé, ée adj. Qui présente une (des) suture(s).

suturer v. tr. [1] CHIR Réunir par une suture. *Suturer les lèvres d'une plaie.* Syn. coudre, recoudre.

Suva, cap. et port princ. des Fidji, dans l'île de Viti Levu; 96 900 hab.

Suwon ou **Su-wōn,** v. de la Corée du Sud, au S. de Séoul; 430 830 hab. Textiles (coton, soie).

Suzanne, personnage biblique (livre de Daniel), femme juive d'une grande beauté, faussement accusée d'adultère par deux vieillards dont elle avait repoussé les avances après qu'ils l'eurent surprise au bain. Daniel la sauva de la mort en convainquant ses accusateurs de faux témoignage.

suzerain, aine n. et adj. **1.** n. FEOD Seigneur dont dépendaient des vassaux. **2.** adj. Se dit d'un État qui exerce sur un autre une autorité protectrice. *Puissance suzeraine.*

suzeraineté n. f. **1.** FEOD Qualité de suzerain; pouvoir de suzerain; territoire sur lequel ce pouvoir s'étendait. **2.** Fig. Pouvoir d'une puissance protectrice sur un État.

Suzhou, v. de Chine (Jiangsu), à l'O. de Shanghai; 695 400 hab. Industr. textiles (soie) et mécaniques. – Célèbre pour ses canaux et ses jardins.

Sv PHYS, BIOL Symbole du sievert.

Svalbard, archipel norvégien de l'Arctique, au N. de la Norvège, dont l'île la plus importante est le Spitzberg (mines de houille); 62 050 km^2; 3 700 hab. – Revendiqué par les pays scandinaves et par la Russie au XIXe s., il fut attribué à la Norvège en 1920.

svastika ou **swastika** [svastika] n. m. Croix aux branches égales, coudées à angle droit dans le même sens, vers la droite ou vers la gauche, symbole sacré de l'Inde. *Le svastika (branches coudées vers la droite) fut utilisé comme emblème par les nazis.*

Svealand, partie centrale de la Suède. Elle comprend la Dalécarlie et, au S.-E., la région de Stockholm.

Svedberg (Theodor) (Valbo, 1884 – Stockholm, 1971), biochimiste suédois. Il fut l'un des pionniers de l'étude des macromolécules constitutives de la matière vivante. P. Nobel de chimie 1926.

svelte adj. Qui a un aspect mince, élancé, délié. *Taille svelte.*

sveltesse n. f. Litt. Caractère de ce qui est svelte.

Sverdlovsk. V. Ekaterinbourg.

Svevo (Ettore Schmitz, dit Italo) (Trieste, 1861 – Motta di Livenza, 1928), romancier italien; ami de J. Joyce et avec lui promoteur du «monologue intérieur» : *la Conscience de Zeno* (1923), *le Bon Vieux et la Belle Enfant* (posth., 1929).

Svoboda (Ludvík) (Hroznatín, Moravie, 1895 – Prague, 1979), général et homme politique tchécoslovaque. Ministre de la Défense en 1945, député en 1958, puis président de la République (1968-1975).

S.V.P. Abrév. de *s'il vous plaît.*

swahili, ie [swaili] ou **souahéli, ie** [swaeli] n. m. et adj. Langue bantoue parlée en Afrique orientale; langue officielle du Kenya et de la Tanzanie. ▷ adj. *La langue swahilie.*

Swahilis ou **Souahélis,** peuple établi au Kenya, en Tanzanie, en Ouganda et au nord du Mozambique, parlant le swahili.

Swan (sir Joseph Wilson) (Sunderland, 1828 – Warlingham, 1914), chimiste anglais. Inventeur de la lampe à incandescence à filament de carbone et du papier photographique au bromure d'argent.

Swansea (en gallois *Abertawe*), v. et port du pays de Galles (West Glamorgan), sur la *baie de Swansea* et le canal de Bristol; 182 100 hab. Université. Centre métall., raffineries.

swap [swap] n. m. (Anglicisme) FIN Crédit croisé. Syn. (off. recommandé) échange financier.

Swapo, acronyme pour *South West Africa People's Organization*, « Organisation du peuple du Sud-Ouest africain ». (V. Namibie.)

swastika. V. svastika.

Swatow. V. Shantou.

swazi n. m. Langue bantoue parlée par les Swazis.

Swaziland, État de l'Afrique australe, entre l'Afrique du Sud et le Mozambique; 17 363 km²; 706 000 hab., croissance démographique : près de 3,5 % par an; cap. *Mbabane.* Nature de l'État : monarchie constitutionnelle, État membre du Commonwealth. Langues off. : angl. et swazi. Monnaie : lilangeni. Pop. : Swazis (Bantous, plus de 90 %), Européens. Relig. : protestantisme, animisme. – Pays de hautes terres tropicales, bien pourvu en eau, dont la population est rurale à 80 %. Les ressources sont variées : agricoles (sucre, fruits, maïs, coton), forestières, minières (amiante, charbon, diamant) et manufacturières (industries du bois, agro-alimentaire, textile, chimie); exportation de pulpe à papier. – Protectorat britannique en 1902, le royaume est indépendant depuis 1968. L'emprise économique de l'Afrique du Sud y est forte. Le roi Sobhuza II, monté sur le trône en 1921, a régné jusqu'à sa mort, en 1982. Après le règne de la reine Ntombe, le nouveau souverain, couronné en avril 1986, est Mswazi III.
► carte **Afrique du Sud**

Swazis, population bantoue proche des Zoulous, vivant en République sud-africaine et au Swaziland.

sweater [swɛtœʀ] n. m. (Anglicisme) Veste de jersey de laine ou de coton.

sweat-shirt ou **sweatshirt** [swɛt ʃœʀt] n. m. (Anglicisme) Pull-over en jersey de coton molletonné, resserré aux poignets et à la taille. *Des sweat-shirts.*

Swedenborg (Emanuel) (Stockholm, 1688 – Londres, 1772), savant et théosophe suédois. S'étant d'abord consacré à la recherche scientifique, il eut en 1743-1744 une suite de visions et de rêves, qui le persuada qu'il avait pour mission de communiquer avec le monde des esprits commandant le monde visible : *Arcanes célestes* (1749-1756), *la Nouvelle Jérusalem* (1758), etc. Ses disciples (princ. en Angleterre) s'organisèrent en « Églises de la Nouvelle Jérusalem ». L'illuminisme de Swedenborg marqua Novalis, Balzac, Nerval, Strindberg.

Sweelinck (Jan Pieterszoon) (Deventer, 1562 – Amsterdam, 1621), organiste et compositeur néerlandais. Ses pièces pour orgue et pour clavecin préfigurent la fugue. Nombr. pièces vocales (dans un style polyphonique traditionnel) : *Chansons françaises, Rimes françaises et italiennes, Cantiones sacræ.*

sweepstake [swipstɛk] n. m. (Anglicisme) Loterie combinée à une course de chevaux.

Swift (Jonathan) (Dublin, 1667 – id., 1745), écrivain irlandais. Membre du clergé anglican (1695), il prit une part active aux querelles littéraires (*la Bataille des livres*, 1704) et religieuses (*le Conte du tonneau*, 1704; *Argument contre l'abolition du christianisme*, 1708), et se fit le défenseur du peuple irlandais opprimé (*Lettres du drapier*, 1724). Son chef-d'œuvre, *les Voyages de Gulliver* (1726), violente satire de l'Angleterre et du monde civilisé, mêle le fantastique et l'insolite dans un récit d'aventures. Swift, par son ironie glacée, annonce l'humour noir moderne : *Instructions aux domestiques* (1745), etc.

Jonathan **Swift**

Sylla

Swinburne (Algernon Charles) (Londres, 1837 – id., 1909), poète lyrique anglais. L'immoralisme (l'érotisme, notam.) de la première série de ses *Poèmes et ballades* (1866) fit scandale; elle fut suivie par deux autres séries (1878 et 1889). Esthète libertaire, il chanta l'idéal républicain (*Ode sur la proclamation de la République française*, 1870) et l'indép. de l'Italie (*Chants d'avant l'aube*, 1871). Importante œuvre critique sur Shakespeare, Blake, Hugo.

Swindon, v. d'Angleterre (Wiltshire), 91 140 hab. Industr. (notam. fabr. de locomotives).

swing [swiŋ] n. m. (Anglicisme) **I.** SPORT **1.** À la boxe, coup de poing porté latéralement par un mouvement de bras très ample allant de l'extérieur vers l'intérieur. **2.** Au golf, mouvement de balancement du tronc qui accompagne la frappe de la balle. **II.** MUS **1.** Traitement du tempo et de l'accentuation propre au jazz, qui confère à cette musique un balancement rythmique caractéristique. **2.** Style de jazz pratiqué dans les années 1930 (par oppos. à *Nouvelle-Orléans, be-bop, cool*). *Le clarinettiste et chef d'orchestre Benny Goodman fut l'un des plus éminents représentants du swing.* ▷ Musique de danse plus ou moins inspirée de ce style de jazz; danse sur cette musique, à la mode entre 1940 et 1945.

swinguer [swiŋge] v. intr. [1] MUS Jouer avec du swing (musiciens); avoir du swing (exécutions, morceaux). *Un thème qui swingue.*

Syagrius (Afranius) (v. 430 – 486), général gallo-romain. Ultime représentant de l'autorité romaine en Gaule, il fut vaincu par Clovis à Soissons (486).

Sybaris, anc. v. de la Grande-Grèce* (Italie du S.), sur le golfe de Tarente; célèbre pour la vie voluptueuse de ses habitants *(Sybarites)*. Fondée v. 720 av. J.-C. par les Achéens, elle fut détruite en 510 av. J.-C. par Crotone.

sybarite adj. et n. Litt. Se dit d'une personne qui mène une vie voluptueuse. Ant. ascète.

sybaritisme n. m. Litt. Mollesse et délicatesse raffinée dans la manière de vivre.

sycomore n. m. Érable à grappes de fleurs jaune verdâtre pendantes. Syn. érable sycomore, faux platane.

sycophante n. m. **1.** ANTIQ Dénonciateur professionnel, à Athènes. **2.** Vieilli, litt. Délateur. ▷ *Par ext.* Homme fourbe.

Sydenham (Thomas) (Wynford Eagle, Dorset, 1624 – Londres, 1689), médecin et chimiste anglais. Surnommé « l'Hippocrate anglais », considéré comme le père de la médecine moderne et de l'épidémiologie, il fut le premier à décrire et à expliquer la nature de la danse de Saint-Guy ou *chorée* de Sydenham.*

Sydney, princ. v. et port d'Australie, cap. de la Nouvelle-Galles du Sud, sur la *baie de Port Jackson* (Pacifique); aggl. urb. 3 391 600 hab. Centre administratif, financier, commercial (exportation de laine et de céréales, importation de charbon) et industriel (constr. aéronautiques et automobiles, pétrochimie, industr. alimentaires, etc.). – Archevêché cathol. Université. Nouvel Opéra, œuvre de l'architecte danois J. Utzon. – À l'origine simple campement de bagnards (1788), la ville fut la cap. de l'Australie de 1901 à 1927.

Sydney : le Nouvel Opéra, dessiné en 1956 par J. Utzon

Syène. V. Assouan.

Syktyvkar, ville de Russie, cap. de la république des Komis; 213 000 hab. Industrie du bois.

syl-. V. syn-.

Sylla ou **Sulla** (Lucius Cornelius) (?, 138 – Cumes, 78 av. J.-C.), général et homme politique romain. Patricien sans grande fortune, appartenant à la *gens Cornelia*, Sylla vint tardivement à la politique. Élu questeur en 107 av. J.-C., il combattit en Afrique aux côtés de Marius et parvint à se faire livrer Jugurtha (105). Légat de Marius (104-103), il lutta avec succès contre les Germains. Devenu consul (88), il joua un rôle déterminant dans la « guerre sociale* » et fut choisi par le sénat pour combattre Mithridate, roi du Pont. Dépossédé de son commandement par Marius, il marcha sur Rome, qu'il occupa; Marius dut s'enfuir. Sylla partit en guerre contre Mithridate, le battit à Chéronée et à Orchomène (86), et rentré à Rome (83), écrasa les partisans de Marius (m. en 86). Ayant fait mettre à mort ou proscrire ses adversaires, il se fit décerner le titre de dictateur à vie (82) et gouverna par la terreur. Il remania les institutions (restructuration du sénat en vue d'accroître le pouvoir personnel), entreprit des réformes religieuses (dans le sens de la tradition), créa des colonies au profit de ses vétérans. Il abdiqua brusquement en 79.

syllabaire n. m. Didac. **1.** Livre destiné à l'apprentissage de la lecture, présentant les mots décomposés en syllabes. **2.** Système d'écriture dans lequel chaque signe représente une syllabe.

syllabation n. f. LING Lecture des mots en les divisant par syllabes.

syllabe n. f. **1.** Unité phonétique fondamentale qui se prononce d'une seule émission de voix. *Prononcer en détachant toutes les syllabes.* ▷ *Syllabe ouverte,* terminée par une voyelle : [ba]. ▷ *Syllabe fermée,* terminée par une consonne : [baʀ]. **2.** Fig. Mot, parole. *On ne put lui arracher une seule syllabe.*

syllabique adj. Relatif aux syllabes. ▷ *Écriture syllabique,* dans laquelle chaque syllabe est représentée par un seul caractère. ▷ *Versification syllabique,* dans laquelle le vers (dit *vers syllabique*) se définit par un nombre déterminé de syllabes, indépendant de la quantité longue ou brève de ces syllabes et du nombre d'accents toniques. *La versification française est syllabique.*

syllabisme n. m. LING Système d'écriture dans lequel la syllabe est représentée par un seul signe.

syllabus [sillabys] n. m. RELIG CATHOL Liste de propositions émanant de l'autorité ecclésiastique. - Spécial. *Le Syllabus :* document publié en 1864 par le pape Pie IX à la suite de l'encyclique *Quanta Cura* et condamnant un certain nombre de thèses et de doctrines contemporaines (naturalisme, rationalisme, socialisme, libéralisme, etc.).

syllepse [silɛps] n. f. GRAM Accord d'un mot selon le sens plutôt que selon les règles grammaticales.

syllogisme n. m. **1.** LOG Type de déduction formelle telle que, deux propositions étant posées *(majeure, mineure),* on en tire une troisième *(conclusion),* qui est logiquement impliquée par les deux précédentes (ex. *Tous les hommes sont mortels; or, Socrate est un homme; donc Socrate est mortel*). **2.** Péjor. Raisonnement formel sans rapport avec le réel.

syllogistique adj. et n. f. LOG **1.** adj. Relatif au syllogisme. *Méthode syllogistique.* **2.** n. f. Partie de la logique traitant du syllogisme.

sylphe n. m. Génie de l'air, dans la mythologie gauloise et germanique. (V. elfe).

sylphide n. f. **1.** Sylphe féminin. **2.** Fig., litt. Femme très gracieuse.

sylv(i)-. Élément, du lat. *silva,* «forêt».

Sylvain, dans la religion rom., dieu des Champs et des Bois, apparenté aux satyres et finalement identifié au dieu grec Pan.

sylvaner [silvanɛʀ] n. m. VITIC Cépage blanc d'Alsace et de l'est de la France, de Suisse, d'Allemagne et d'Autriche. ▷ Vin issu de ce cépage.

sylve n. f. Poét. ou didac. Forêt.

Sylvester (James Joseph) (Londres, 1814 - id., 1897), mathématicien anglais; connu pour ses travaux sur les invariants algébriques.

sylvestre adj. Litt. Relatif aux bois, aux forêts. - BOT Qui croît en forêt. *Pin sylvestre.*

Sylvestre II, pape de 999 à 1003 (V. Gerbert d'Aurillac).

Sylvestre (Anne) (Tassin-la-Demi-Lune, 1934), chanteuse française. Auteur-compositeur et interprète de chansons pour les enfants (*Fabulettes*) et de chansons poétiques (*Une sorcière comme les autres, Lazare et Cécile*).

sylvi-. V. sylv(i)-.

sylvicole adj. **1.** SC NAT Vieilli Qui habite les forêts. **2.** Didac. Relatif à la sylviculture.

sylviculteur, trice n. m. Didac. Personne qui pratique la sylviculture.

sylviculture n. f. Didac. Culture des arbres et arbrisseaux forestiers.

sylvinite n. f. MINER, AGRIC Mélange de chlorure de potassium et de chlorure de sodium extrait de gisements alsaciens (potasse d'Alsace) et qui sert d'engrais naturel.

sym-. V. syn-.

symbiose n. f. **1.** BIOL Association de deux êtres vivants d'espèces différentes, qui est profitable à chacun d'eux. *Symbiose des champignons et des algues dans les lichens.* **2.** Fig. Union étroite.

symbiotique adj. BIOL Relatif à la symbiose.

symbole n. m. **1.** RELIG CATHOL Formulaire contenant les principaux articles de la foi catholique. *Symbole des apôtres, de Nicée.* **2.** Représentation figurée, imagée, concrète d'une notion abstraite. *Le blanc, symbole de pureté.* - Emblème. *Le sceptre, symbole de l'autorité suprême.* **3.** Personne qui incarne, personnifie (qqch). *Salomon est le symbole d'une certaine justice.* **4.** Signe conventionnel. ▷ CHIM Lettre ou ensemble de deux lettres désignant un élément chimique (ex. : O, l'*oxygène*; Au, l'*or*). ▷ PHYS, MATH Signe ou ensemble de signes utilisés par convention pour représenter une unité, une grandeur, un opérateur, pour comparer des grandeurs, etc. (ex. : V, le *volt*; Pa, le *pascal*; ×, signe de la multiplication, etc.). V. mathématique (tableau des symboles). ▷ TECH *Symboles graphiques :* signes utilisés pour faciliter la représentation de machines, d'organes, etc.

symbolique adj. et n. **I.** adj. **1.** Qui constitue un symbole, qui en présente les caractères. *Représentation symbolique.* **2.** Qui n'a de valeur que par ce qu'il exprime, ce à quoi il renvoie. *Geste symbolique. Le franc symbolique de dommages-intérêts.* **II.** n. f. Didac. **1.** Ensemble des symboles propres à une religion, une culture, une époque, un système, etc. *La symbolique bouddhique.* **2.** Science des symboles. **III.** PSYCHAN n. m. *Le symbolique :* «L'ordre des phénomènes auxquels la psychanalyse a à faire autant qu'ils sont structurés comme un langage» (J. Lacan).

symboliquement adv. D'une manière symbolique.

symbolisation n. f. Action de symboliser.

symboliser v. tr. [1] **1.** Représenter par des symboles. **2.** Être le symbole de. *La brebis symbolise la patience.*

symbolisme n. m. **1.** Système de symboles destinés à rappeler des faits ou à exprimer des croyances. **2.** LITTER, BX-A Mouvement littéraire et artistique de la fin du XIXe s.

ENCYCL **Littér.** - Le symbolisme se constitua princ. en réaction contre le naturalisme et la poésie parnassienne. Le *Manifeste du symbolisme,* que Jean Moréas publia dans *le Figaro* en 1886, demande au poète de ne pas nommer la chose, mais l'impression qu'elle a faite sur son esprit : «Point de reportage!» (Mallarmé), pas de description objective, naturaliste. Le poème aura des significations multiples; les mots suggèrent la sensation et l'idée, l'apparence et la réalité transcendante, la forme et l'intérieure vérité; le poète rivalisera avec le musicien. Les princ. symbolistes, G. Kahn, Henri de Régnier, É. Verhaeren, G. Rodenbach, M. Maeterlinck, É. Dujardin, ont tenté, avec plus ou moins de bonheur, de répondre à ces exigences. Le symbolisme a également marqué profondément certaines œuvres d'Oscar Wilde, de Saint-Pol Roux, de Claudel, de Valéry. **Bx-A.** - Le symbolisme en art se présente comme une suite de réactions individuelles dirigées, entre autres, contre l'impressionnisme, jugé responsable de la décadence de la forme. Il est illustré, en France, par G. Moreau, Puvis de Chavannes, O. Redon, E. Carrière, M. Denis, P. Gauguin, É. Bernard, P. Sérusier.

symboliste adj. et n. **1.** Relatif au symbolisme. *Poème symboliste.* **2.** Partisan du symbolisme. ▷ Subst. (Rare au fém.) *Les symbolistes.*

symétrie n. f. **1.** Litt. Régularité et harmonie dans l'ordonnance des parties d'un tout, ou dans la disposition d'éléments concourant à donner une impression d'ensemble. *Tableaux disposés avec symétrie.* **2.** Similitude plus ou moins complète des deux moitiés d'un espace (surface ou volume), de part et d'autre d'un axe ou d'un plan; répétition régulière de la même disposition d'éléments autour d'un centre. *La symétrie des jardins à la française. Symétrie du corps humain.* - SC NAT *Symétrie rayonnée des fleurs actinomorphes, des astéries.* ▷ MATH Correspondance point à point de deux figures, telle que les points correspondants de l'une et de l'autre soient à égale distance de part et d'autre d'un point, d'un axe ou d'un plan (dits *point, axe, plan de symétrie*).

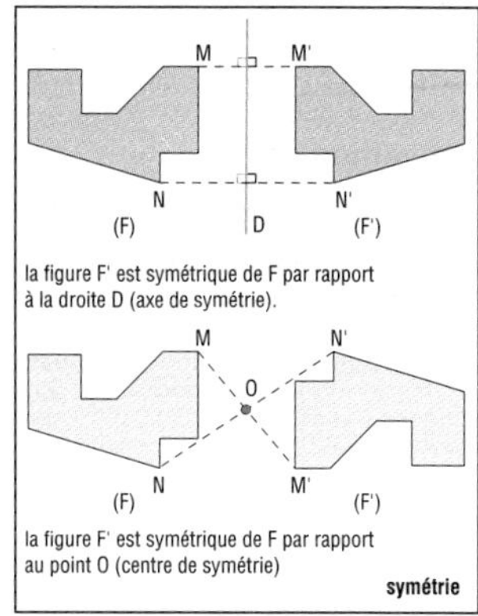

symétrie

symétrique adj. (et n. m.) **1.** Qui présente une certaine symétrie (sens 1 et 2). **2.** Qui est disposé de manière à former une symétrie; qui possède un axe ou un plan de symétrie. *Parterres symétriques.* ▷ *Symétrique de :* qui forme une symétrie avec (un élément homologue). *Ce bâtiment est symétrique* (ou, n. m., *le symétrique*) *de l'autre.* **3.** MATH *Relation symétrique R,* telle que, pour tout couple (x, y), xRy = yRx.

symétriquement adv. Avec symétrie.

Symmaque (en lat. *Quintus Aurelius Symmachus*) (Rome, v. 340 - ?, v. 410), orateur et homme politique romain; préfet de Rome (384), puis consul (391). Dernier défenseur du paganisme en Occident, il fut l'adversaire de saint Ambroise. Œuvres : *Discours, Lettres.*

sympathectomie n. f. CHIR Section de nerfs ou de ganglions sympathiques pratiquée à des fins thérapeutiques.

sympathie n. f. **1.** Part que l'on prend aux peines et aux plaisirs d'autrui. *Croyez à toute ma sympathie* (formule de politesse). **2.** Sentiment spontané d'attraction à l'égard de qqn. *Éprouver une vive sympathie pour qqn.* Syn. attirance, inclination, penchant. Ant. antipathie. **3.** Approbation, bienveillance à l'égard de qqn, de qqch. *Cette doctrine a toutes mes sympathies.*

sympathique adj. (et n. m.) **I.** Qui détermine, qui inspire la sympathie; qui plaît. *Personne sympathique.* – (Choses) Fam. Très agréable. *Endroit sympathique.* (Abrév. fam. : sympa). **II. 1.** Vx Qui opère par affinité à distance. ▷ *Encre sympathique* : encre incolore qui ne noircit que sous l'action de la chaleur ou de certains réactifs. **2.** MED Se dit d'affections dues au retentissement des troubles morbides d'un organe sur un ou plusieurs autres. ▷ *Ophtalmie sympathique* : inflammation d'un œil sain survenant à la suite d'une lésion de l'autre œil. **3.** ANAT, PHYSIOL *Système nerveux sympathique* ou *végétatif* ou, n. m., *le sympathique* : partie du système nerveux dont dépendent les fonctions végétatives. Syn. orthosympathique. V. aussi parasympathique et encycl. nerf. ▷ *Nerf sympathique*, du système nerveux sympathique. ► pl. système **nerveux**

sympathisant, ante adj. et n. Qui, sans adhérer à un parti, en partage les idées.

sympathiser v. intr. [1] Éprouver une sympathie réciproque; s'entendre. *Ces personnes ne sympathisent pas. Sympathiser avec qqn.*

sympatholytique n. m. PHARM Substance exerçant une action inhibitrice sur le système nerveux sympathique. Syn. adrénolytique.

sympathomimétique n. m. PHARM Substance ayant une action stimulante sur le système nerveux sympathique, ou capable de reproduire l'action des médiateurs chimiques de ce système. Syn. adrénergique.

symphonie n. f. MUS **1.** Anc. Morceau de musique ancienne (XVIIe-déb. XVIIIe s.) composé pour des instruments concertants. (On dit aussi *ouverture française* ou *sinfonia*.) ▷ Mod. Composition pour un grand orchestre. **2.** Fig., cour. Ensemble harmonieux. *Symphonie de couleurs.*

symphonique adj. Qui se rapporte à la symphonie. *Concert symphonique.*

symphoniste n. Compositeur ou exécutant d'une symphonie.

symphorine n. f. BOT Arbuste ornemental (fam. caprifoliacées), originaire d'Amérique du N., aux grosses baies sphériques blanches.

symphyse n. f. ANAT Articulation fibreuse peu mobile réunissant deux os. *Symphyse pubienne.*

symposium [sɛ̃pozjɔm] n. m. **1.** ANTIQ GR Seconde partie d'un repas, au cours de laquelle les convives buvaient. **2.** Mod. Réunion d'étude, congrès, où différents spécialistes traitent un même sujet.

symptomatique adj. **1.** MED Relatif aux symptômes; qui évoque ou accompagne une maladie. ▷ *Médecine symptomatique*, qui vise les symptômes d'une maladie et non les causes. **2.** Fig. Qui est l'indice, le signe de qqch.

symptomatologie n. f. MED Étude des symptômes, des signes cliniques des maladies. Syn. sémiologie.

symptôme n. m. **1.** Manifestation pathologique décrite par le malade ou observée par le médecin. *Présenter des symptômes de pleurésie.* **2.** Fig. Indice, présage, signe. *Les symptômes d'une révolution.*

syn-, syl-, sym-. Éléments, du gr. *sun*, « avec ».

synagogue n. f. **1.** Lieu de prière et de réunion des juifs. **2.** Didac. *La Synagogue* : l'ensemble de la communauté religieuse juive.

synagogue de Carpentras

synalèphe n. f. GRAM Réunion de deux syllabes en une seule dans la prononciation. (Ex. : *quelqu'un*, pour *quelque un*.)

synallagmatique adj. DR Se dit d'un contrat qui contient une obligation réciproque entre les parties. Ant. unilatéral.

synapse n. f. BIOL Zone de contact entre deux cellules nerveuses (neurones). *C'est au niveau des synapses qu'est polarisée la conduction de l'influx nerveux.* V. encycl. nerf.

synaptique adj. BIOL Qui se rapporte à une synapse.

synarchie [sinaʀʃi] n. f. Didac. Gouvernement simultané de plusieurs chefs qui administrent chacun une partie d'un État. – Autorité détenue par plusieurs personnes à la fois. V. oligarchie.

synarthrose n. f. ANAT Articulation fixe entre deux os.

synchrocyclotron [sɛ̃kʀosiklɔtʀɔ̃] n. m. PHYS NUCL Accélérateur circulaire de particules dérivé du cyclotron*.

synchromisme [sɛ̃kʀomism] n. m. BX-A Mouvement d'art abstrait, fondé à Paris en 1912-1913 par les peintres américains MacDonald-Wright et Morgan Russell. *Le synchromisme procède pour une large part de l'orphisme* de Robert Delaunay.*

synchrone [sɛ̃kʀon] adj. Qui se fait dans le même temps, ou à des intervalles de temps égaux. *Oscillations synchrones de deux pendules.* ▷ ELECTR *Moteur synchrone*, dont la vitesse de rotation est telle qu'il tourne en synchronisme avec la fréquence du courant.

synchronie n. f. **1.** LING Ensemble des faits qui concernent un système linguistique donné à une époque précise (opposé à *diachronie*). **2.** Didac. Syn. de *simultanéité*.

synchronique adj. **1.** LING *Linguistique synchronique*, qui étudie un système linguistique à un moment donné (par oppos. à *diachronique*). **2.** Didac. Qui étudie des événements, des faits qui se sont produits au même moment dans des lieux différents.

synchroniquement adv. Didac. De manière synchronique.

synchronisation n. f. Fait de synchroniser, ou d'être synchronisé. ▷ AUDIOV *Synchronisation d'un film* : synchronisation du son avec les images. ▷ *Par ext.* Service qui s'occupe de la synchronisation. (Abrév. fam. : synchro).

synchronisé, ée adj. Qui a lieu au même moment. *Mouvements synchronisés de deux personnes.* ▷ AUTO *Vitesses synchronisées*, munies d'un dispositif qui rend progressif le couplage des engrenages.

synchroniser [sɛ̃kʀɔnize] v. tr. [1] **1.** Rendre synchrones (des phénomènes physiques). *Synchroniser des oscillations périodiques.* ▷ AUDIOV Rendre synchrones la bande des images et la piste sonore d'un film. **2.** Faire accomplir en même temps par plusieurs personnes (la même action, ou des actions successives). *Synchroniser un défilé.*

synchroniseur, euse n. **I.** n. m. **1.** ELECTR Dispositif permettant de coupler automatiquement deux alternateurs au moment du synchronisme. **2.** AUTO Dispositif de vitesses synchronisées.

synchronisme n. m. **1.** TECH Qualité de ce qui est synchrone. *Synchronisme de deux pendules.* ▷ ELECTR Égalité de fréquence de deux grandeurs sinusoïdales. *Vitesse de synchronisme.* **2.** Caractère d'événements qui se produisent en même temps.

synchrotron [sɛ̃kʀotʀɔ̃] n. m. PHYS NUCL **1.** Accélérateur de particules circulaire, dérivé du synchrocyclotron*, dans lequel les particules sont accélérées par un champ électrique de fréquence variable et sont maintenues dans une trajectoire circulaire par un champ magnétique. *Le synchrotron communique aux protons une vitesse proche de celle de la lumière.* **2.** (En appos.) *Rayonnement synchrotron* : rayonnement électromagnétique produit par des électrons qui se déplacent à grande vitesse dans un champ magnétique.

syncitial, ale, aux adj. MED Se dit d'un virus qui provoque des affections respiratoires.

synclinal, ale, aux n. m. et adj. GEOL **1.** n. m. Partie concave d'un pli simple (par oppos. à *anticlinal*). **2.** adj. Relatif à un synclinal.

syncopal, ale, aux adj. MED **1.** Relatif à une syncope. **2.** Accompagné de syncopes.

syncope n. f. **1.** Suspension subite ou ralentissement des battements du cœur, avec perte de connaissance et interruption plus ou moins complète de la respiration. **2.** MUS Élément sonore accentué sur un temps faible de la mesure, et prolongé sur un temps fort.

syncopé, ée adj. MUS Caractérisé par l'usage fréquent de la syncope. *Musique, rythme, notes syncopés.*

syncoper v. [1] MUS **1.** v. tr. Unir en formant une syncope (une note à la suivante). *Syncoper un rythme.* **2.** v. intr. Former une syncope.

syncrétique adj. Didac. Relatif au syncrétisme (sens 1 et 2).

syncrétisme n. m. **1.** Didac. Combinaison de plusieurs systèmes de pensée. *Syncrétisme religieux.* ▷ ETHNOL Fusion de plusieurs éléments culturels hétérogènes. **2.** PSYCHO Perception globale et confuse, dont les éléments hétérogènes ne sont pas distingués en tant que tels.

syndactylie n. f. MED Malformation congénitale consistant en une soudure de deux ou de plusieurs doigts ou orteils.

syndic n. m. **1.** DR Mandataire chargé par un tribunal de représenter la masse des créanciers et de procéder à la liquidation des biens du débiteur en état de cessation de paiement. **2.** *Syndic de copropriété :* mandataire choisi par l'assemblée des copropriétaires pour faire assurer le respect du règlement de copropriété et pour faire exécuter ses décisions. **3.** Autrefois, membre du bureau du conseil municipal de Paris, dont la fonction était de surveiller les locaux et d'organiser les fêtes et les réceptions.

syndical, ale, aux adj. **1.** Relatif à un syndicat de salariés. *Revendications syndicales.* **2.** Relatif à un syndicat (sens 2). *Association syndicale de copropriétaires.*

syndicalisation n. f. **1.** Fait d'être adhérent d'un syndicat ou d'y adhérer. **2.** Fait de syndicaliser (une personne, un groupe).

syndicaliser v. tr. [1] **1.** Inscrire à un syndicat. – Pp. adj. *Le nombre d'ouvriers syndicalisés.* ▷ v. pron. *Il s'est syndicalisé tardivement.* **2.** Organiser un syndicat. – Organiser les syndicats de. *Syndicaliser une profession.* – Pp. adj. *Une branche très syndicalisée.*

syndicalisme n. m. **1.** Activité des syndicats de salariés. – Doctrine sociale, politique de ces syndicats. **2.** Fait de militer dans un syndicat de salariés. *Faire du syndicalisme.*

ENCYCL En 1884, la loi Waldeck-Rousseau reconnaît et réglemente l'existence des syndicats. On assiste à une multiplication des Bourses du travail et des fédérations. La C.G.T. (Confédération générale du travail), première centrale syndicale, est créée en 1895. L'action syndicale connaîtra d'importants succès jusqu'à la guerre de 1914 : amélioration des garanties en cas d'accident du travail, réduction du temps de travail, etc. En 1919 apparaît, dans le sillage du catholicisme social, la C.F.T.C. (Confédération française des travailleurs chrétiens). Le syndicalisme français obtient, avec les accords Matignon de 1936, une de ses plus belles victoires (congés payés, conventions collectives). La Constitution de 1945 reconnaît le droit à l'action syndicale, au libre choix du syndicat. Elle reconnaît aussi le droit de grève, même aux fonctionnaires. Mais, dès 1947, des diversifications apparaissent dans l'organisation syndicale : les minoritaires de Léon Jouhaux quittent la C.G.T. pour fonder la C.G.T.-F.O. (Confédération générale du travail-Force ouvrière). En 1964, la C.F.T.C. éclate en C.F.D.T. (Confédération française démocratique du travail) et C.F.T.C. « maintenue ». De même, les fonctionnaires voient leurs syndicats reconnus par leur statut tandis que les cadres ont formé en 1944 la C.G.C. (Confédération générale des cadres), devenue en 1981 C.F.E.-C.G.C. (Confédération française de l'encadrement). Parallèlement au monde ouvrier, les patrons se sont organisés. À la demande du gouvernement, la Confédération générale de la production française voit le jour en 1919. Elle devient, en 1936, la Confédération générale du patronat français et, en mai 1946, le C.N.P.F. (Conseil national du patronat français). D'autres fédérations patronales, comme la Confédération générale des petites et moyennes entreprises (C.G.P.M.E.) ou la Fédération nationale des syndicats d'exploitants agricoles (F.N.S.E.A.), défendent des intérêts spécifiques.

syndicaliste n. et adj. Personne qui milite dans un syndicat de salariés. ▷ adj. Relatif au syndicalisme. *Mouvement syndicaliste italien.*

syndicat n. m. **1.** Association de personnes ayant pour but la protection d'intérêts communs, spécialement dans le domaine professionnel. *Syndicat ouvrier, patronal.* ▷ Spécial. *Les syndicats :* les syndicats de salariés. **2.** Association ayant pour but de gérer, de défendre des intérêts communs à plusieurs personnes ou plusieurs groupes. *Syndicat financier :* groupement de personnes physiques ou morales qui étudient ou réalisent une opération financière (création d'une société, placement de titres, etc.). ▷ *Syndicat intercommunal :* établissement public créé pour gérer les services communs à plusieurs communes. *Syndicat de propriétaires,* organisé en vue de travaux d'utilité commune. ▷ *Syndicat d'initiative :* organisme chargé des problèmes du tourisme dans une commune; bureau d'information de cet organisme auprès du public.

syndicataire adj. et n. DR Qui concerne un syndicat de propriétaires ou un syndicat financier. ▷ Subst. Membre d'un tel syndicat.

syndication n. f. FIN Technique bancaire de regroupement de diverses banques engagées dans des opérations financières importantes, à l'occasion d'émission de titres notam., de manière à diminuer les risques courus par chacun de ces établissements.

syndiqué, ée adj. et n. Qui appartient à un syndicat de salariés.

syndiquer v. tr. [1] **1.** Organiser (une profession, des personnes) en syndicat. **2.** v. pron. Se réunir en syndicat. ▷ S'inscrire à un syndicat.

syndrome n. m. MED Ensemble de signes, de symptômes qui appartiennent à une entité clinique, mais dont les causes peuvent être diverses.

synecdoque n. f. RHET Figure consistant à prendre la partie pour le tout (ex. *un toit* pour *une maison*), la matière pour l'objet (ex. *une fourrure* pour *un manteau de fourrure*), le contenant pour le contenu (ex. *boire un verre*), etc., et inversement.

synérèse n. f. PHON Réunion en une seule syllabe de deux voyelles qui se suivent dans un mot. (Ex. : miel [mjɛl]). Ant. diérèse.

synergie n. f. Didac. Action conjointe d'éléments, matériels ou non, qui forment un tout organisé concourant au même résultat et dont l'interaction augmente le potentiel. ▷ *Spécial.* MED Action conjointe de plusieurs organes ou muscles dans l'accomplissement d'une fonction. – PHARM Action de médicaments dont l'association améliore l'effet de chacun.

synergique adj. Didac. Relatif à la synergie. *Muscles synergiques.*

synesthésie n. f. MED Trouble sensoriel caractérisé par le fait qu'un seul stimulus entraîne deux perceptions, dont une à distance du point du corps sur lequel le stimulus agit.

Synge (John Millington) (Rathfarnham, 1871 – Dublin, 1909), auteur dramatique irlandais. Ses pièces, réalistes et poétiques, mettent en scène le peuple irlandais (*l'Ombre de la ravine,* 1903; *le Baladin du monde occidental,* 1907), marqué par la fatalité, le deuil (*la Chevauchée vers la mer,* 1904) et les légendes étranges (*la Fontaine aux saints,* 1905).

Synge (Richard Laurence Millington) (Liverpool, 1914), chimiste anglais; inventeur, avec Archer Martin, de la chromatographie sur papier. P. Nobel 1952 (avec A. Martin).

syngnathe [sɛ̃gnat] n. m. ICHTYOL Poisson marin (genre *Syngnathus*) au corps long et grêle, au museau allongé. Syn. aiguille de mer.

synodal, ale, aux adj. RELIG Qui a rapport à un synode.

synode n. m. Didac. Assemblée religieuse. ▷ RELIG CATHOL *Synode diocésain :* assemblée d'ecclésiastiques réunie par un évêque. ▷ *Synode des évêques :* assemblée consultative créée par Paul VI en 1967. ▷ Réunion de pasteurs et de laïcs protestants. ▷ *Synode israélite :* conseil composé de rabbins et de laïcs. ▷ *Saint-synode :* conseil suprême de l'Église russe orthodoxe.

synodique adj. et n. m. **1.** RELIG CATHOL Qui émane d'un synode. *Lettre synodique.* ▷ n. m. Ouvrage où sont écrites les décisions des synodes. **2.** ASTRO *Révolution synodique :* durée comprise entre deux passages consécutifs d'une planète ou d'un satellite à un même point (fixe par rapport au Soleil). ▷ *Mois synodique :* durée d'une révolution synodique de la Lune, comprise entre deux nouvelles lunes (29,5 jours). ▷ *Année synodique :* temps que la Terre met pour se retrouver à la longitude d'une planète déterminée.

synonyme adj. et n. m. **1.** adj. Qui a un sens identique, ou très voisin, au moins dans certains emplois. *Mots, expressions synonymes. « Captif » est synonyme de « prisonnier ».* ▷ Fig. *Être synonyme de :* signifier, impliquer. *Pour lui, Paris est synonyme de liberté.* **2.** n. m. Mot qui a approximativement le même sens qu'un autre dans un même système linguistique.

synonymie n. f. **1.** Relation qui existe entre deux synonymes. **2.** Fait linguistique que constitue l'existence des synonymes.

synonymique adj. Didac. Relatif à la synonymie.

synopsis [sinɔpsis] n. **1.** n. f. Didac. Vue d'ensemble d'une science ou de l'un de ses chapitres. **2.** n. m. AUDIOV Récit bref constituant le schéma d'un scénario.

synoptique adj. **1.** Qui permet de saisir d'un seul coup d'œil les diverses parties d'un ensemble. *Tableau synoptique.* **2.** RELIG *Évangiles synoptiques :* les trois Évangiles (de Luc, Marc et Mathieu) qui présentent les plus grandes concordances dans la relation de la vie de Jésus.

synovial, ale, aux adj. et n. f. ANAT Relatif à la synovie. ▷ *Membrane synoviale* ou, n. f., *synoviale :* membrane séreuse tapissant l'intérieur des capsules articulaires.

synovie n. f. PHYSIOL Liquide sécrété par la membrane synoviale, qui a un rôle de lubrifiant. *Épanchement de synovie :* hydarthrose*.

synovite n. f. MED Inflammation d'une membrane synoviale.

syntagmatique adj. et n. f. LING Relatif au syntagme, à la succession des mots dans le discours. ▷ n. f. *La syntagmatique :* l'étude des syntagmes.

syntagme n. m. LING Groupe de mots qui se suivent et forment une unité fonctionnelle (et sémantique) dans une phrase. *Syntagme verbal, nominal.*

syntaxe n. f. **1.** Partie de la grammaire qui étudie les règles régissant les relations entre les mots ou les syntagmes à l'intérieur d'une phrase. **2.** Étude descriptive des relations qui existent entre les mots, les syntagmes, et de leurs fonctions dans la phrase. **3.** Ouvrage qui traite des relations entre les mots dans le discours. **4.** Fig. Ensemble structuré de règles qui régissent un art. *La syntaxe cinématographique.*

syntaxique ou **syntactique** adj. Qui a rapport à la syntaxe.

syntaxiquement adv. Didac. Sur le plan syntaxique.

synthèse n. f. **1.** Opération mentale qui consiste à regrouper des faits épars et à les structurer en un tout. ▷ Exposé méthodique de l'ensemble (d'une question). *Faire une rapide synthèse de la situation.* **2.** PHILO Accord de la thèse et de l'antithèse, en tant que totalité supérieure. Ant. analyse. **3.** CHIM Opération physique qui consiste à combiner des corps, simples ou composés, pour obtenir des corps plus complexes. **4.** *Synthèse des sons :* création, reconstitution de sons à partir de leurs éléments constitutifs (fréquence, durée, etc.).

synthétique adj. **1.** Qui réalise une synthèse intellectuelle, ou qui en est tiré. *Méthode synthétique.* Ant. analytique. ▷ *Esprit synthétique,* capable de synthèse. **2.** Obtenu par synthèse de corps chimiques (par oppos. à *artificiel,* obtenu à partir de produits naturels). *Le nylon, fibre textile synthétique.* **3.** *Musique synthétique,* obtenue par synthèse des sons.

synthétiquement adv. D'une manière synthétique.

synthétiser v. tr. [1] **1.** Réunir par synthèse. *Synthétiser des faits.* **2.** CHIM Faire la synthèse de. *Synthétiser une molécule.*

synthétiseur n. m. ELECTROACOUST Appareil électronique permettant de créer, de reproduire des sons à partir de leurs éléments constitutifs (fréquence, durée).

synthétisme n. m. BX-A Démarche picturale innovée par Gauguin et les peintres de l'école de Pont-Aven*, reposant sur une recréation de la réalité à partir du souvenir.

syntonie n. f. ELECTR État de systèmes qui oscillent à la même fréquence.

syntonisation n. f. ELECTR Réglage d'un récepteur permettant de n'amplifier que les ondes d'une fréquence donnée.

syntoniser v. tr. [1] AUDIOV Convertir un signal de radiofréquence à l'aide d'un syntoniseur.

syntoniseur n. m. AUDIOV Appareil électronique capable de convertir un signal de radiofréquence reçu par une antenne en un signal de fréquence acoustique de faible puissance. Syn. (off. déconseillé) tuner.

Syphax (m. à Rome v. 202 av. J.-C.), roi des Numides occidentaux, adversaire de Masinissa. Influencé par son épouse Sophonisbe, il s'allia aux Carthaginois mais fut vaincu par Scipion l'Africain.

syphilis [sifilis] n. f. Maladie vénérienne contagieuse, dont l'agent est un tréponème *(Treponema pallidum).* Syn. fam. vérole.

syphilitique adj. et n. **1.** Qui se rapporte à la syphilis. *Chancre syphilitique.* **2.** Qui est atteint de syphilis. ▷ Subst. *Un(e) syphilitique.*

Syra. V. Syros.

Syracuse, v. des États-Unis (État de New York); 164 200 hab. (aggl. urb. 650 500 hab.). Industr. diverses. – Université.

Syracuse, v. et port d'Italie, sur la côte E. de la Sicile; 163 860 hab.; ch.-l. de la prov. du m. nom. Grand centre commercial. Pêche. Pétrochimie, raffinerie, chantier naval. – Archevêché. Nombr. vestiges antiques (théâtre grec du Ve s. av. J.-C., latomies, amphithéâtre romain). Chât. du XIIIe s., palais Bellomo (XIIIe-XVe s.). – Colonie de Corinthe, fondée par Archias v. 734 av. J.-C., Syracuse fut, du VIe s. av. J.-C. à sa prise par les Romains (213-212 av. J.-C.), la plus puissante ville de la Grande-Grèce.

Syracuse : le théâtre grec, IIIe s. av. J.-C.

syrah [siʀa] n. f. VITIC Cépage rouge cultivé princ. dans la vallée du Rhône.

Syr-Daria (le) (anc. *Iaxarte*), fl. d'Asie (2 860 km); né dans le Tianshan sous le nom de *Naryn,* il draine la Fergana et les déserts du Kyzyl-Koum, puis se jette dans la mer d'Aral. Il est à l'origine d'un puissant système d'irrigation.

syriaque n. m. et adj. Langue sémitique (groupe araméen) parlée notam. par les premiers chrétiens du royaume d'Édesse et de Perse, devenue, avec le grec, la langue courante de l'Empire d'Orient puis de l'Empire byzantin, et qui demeure la langue liturgique de certaines Églises d'Orient. ▷ adj. *L'alphabet syriaque est dérivé de l'alphabet cursif araméen.*

Syrie (république de) *(Djamhūriyya l-'Arabiyya-s-Sūriyya),* État du Proche-Orient, entre la Méditerranée et la vallée moyenne de l'Euphrate; 185 180 km^2; 10 900 000 hab., croissance démographique : plus de 3,5 % par an; cap. *Damas.* Nature de l'État : rép. Langue off. : arabe. Monnaie : livre syrienne. Relig. : islam sunnite (majoritaire : 70 %) et chiite (secte alaouite : 10 %); secte druze; nombr. Églises chrétiennes orientales (env. 5 %).
Géogr. phys. et hum. – La plaine côtière méditerranéenne est coupée du reste du pays par le djebel Ansariyyah (1 562 m), qui domine, à l'E., la dépression de l'Oronte. Plus au S., la chaîne de l'Anti-Liban, le mont Hermon (2 814 m) et le plateau du Golan, dominent l'oasis de Damas, au S.-E. de laquelle s'élève le djebel Druze. Ces régions, qui disposent de bonnes ressources en eau, groupent l'essentiel des hab. et la plupart des villages du pays. Le reste du territoire est un vaste plateau, steppique au N. et à l'O., désertique au S. et à l'E., dont le seul axe de peuplement est fixé par la vallée de l'Euphrate, qui coule du N.-O. au S.-E. La population, qui compte une minorité druze établie au N. (près d'un million de personnes), est urbanisée à 50 %.
Écon. – L'économie traditionnelle de la Syrie repose avant tout sur l'agriculture (céréales, arbres fruitiers, coton), qui occupe env. 30 % des actifs. Une réforme agraire modérée a limité les dimensions des propriétés, supprimé les usages féodaux, favorisé les coopératives et la sédentarisation des

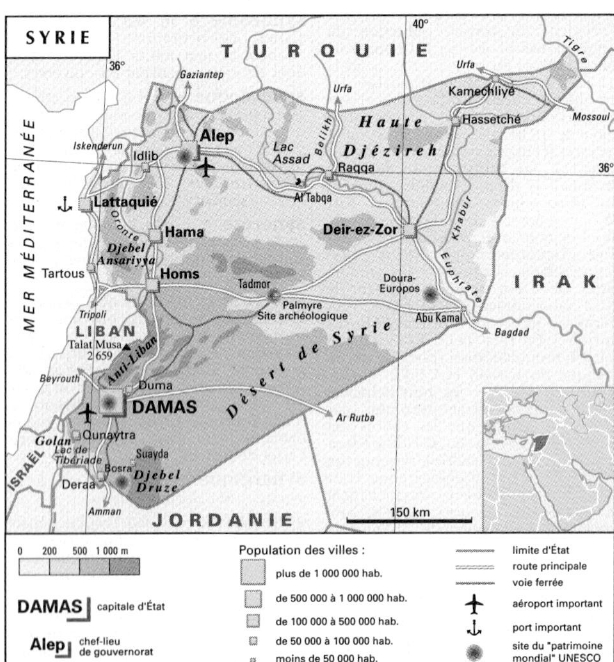

nomades; le troupeau ovin reste important. L'industrie appartient presque entièrement à l'État, qui contrôle auj. 60 % du P.N.B. et 80 % des investissements. Seuls, les industr. alimentaires et de construction et le raffinage du pétrole sont véritablement développés. La production de pétrole en augmentation, les redevances perçues sur le passage des oléoducs venant d'Irak et d'Arabie Saoudite et l'aide soviétique et arabe ont permis le financement de grands travaux d'infrastructure : voies ferrées, irrigation. Depuis la guerre de 1973 avec Israël et l'intervention syrienne au Liban (1976), le gonflement des dépenses militaires et l'arrivée massive de réfugiés ont pesé sur l'économie. **Hist.** – Toute l'histoire de la Syrie a été marquée par sa situation de transition entre la Méditerranée, la Mésopotamie, l'Asie Mineure et l'Égypte. La Syrie antique, beaucoup plus vaste que l'État actuel, fut un champ de bataille permanent. Terre de civilisation cananéenne, elle subit les dominations égyptienne (XVIe s. av. J.-C.), hittite (XIVe s. av. J.-C.), araméenne (Xe-VIIIe s. av. J.-C.), assyrienne (VIIIe-VIIe s. av. J.-C.), perse (à partir de 539 av. J.-C.), grecque (conquête d'Alexandre, 334 av. J.-C.), romaine (conquête de Pompée, 64 av. J.-C.). Tôt christianisée, son christianisme souvent hérétique témoignait de sa volonté d'autonomie vis-à-vis de Byzance; elle accueillit favorablement l'occupation arabe (636). Cœur de l'Empire omeyyade, Damas connut une grande prospérité jusqu'à l'arrivée au pouvoir des Abbassides (750). Délaissées au profit de Bagdad, Damas et la Syrie amorcèrent un long déclin. Conquis par les croisés au XIe s., ruiné par les invasions mongoles au XIIIe s., le pays fut annexé au déb. du XVIe s. à l'Empire ottoman, dont Méhémet-Ali tenta de secouer le joug (1832-1840). Dès 1860, l'ouverture vers l'Occident entraîna un renouveau culturel et l'on vit la naissance d'un nationalisme arabe. La Première Guerre mondiale délivra le pays de la domination ottomane, mais les Occidentaux lui substituèrent le protectorat français (1920), qui suscita de nombr. révoltes (1925-1927, 1945), d'autant que la Syrie voyait lui échapper le Liban et que des régions autonomes (État des Alaouites, gouvernement de la montagne druze) étaient constituées; la France évacua la Syrie en 1946. Devenu indépendant, le pays prit part à la guerre contre Israël en 1948, et la défaite provoqua le premier d'une longue série de coups d'État militaires. L'union (République arabe unie) avec l'Égypte de Nasser, proclamée en 1958, se solda par une rupture en 1961. Cet échec redonna le pouvoir aux conservateurs, jusqu'au coup d'État de 1963. Depuis, le Baas gouverne le pays, avec une orientation nationaliste (et non plus panarabe) et marxisante renforcée. Une première équipe «modérée» fut renversée en 1966 par une faction de gauche prosoviétique. Celle-ci, discréditée par la défaite de 1967 face à Israël, laissa la place au général Assad en 1970. La guerre de 1973 et l'occupation du plateau du Golan par les Israéliens entraînèrent de nouvelles difficultés politiques et économiques, que l'intervention de la Syrie dans la guerre civile libanaise à partir de juin 1976 n'a pas contribué à résoudre. Le gouvernement subit, à l'intérieur, l'opposition des intégristes (révolte des Frères musulmans à Hama, dont la répression fit des milliers de morts). La Syrie fut contrainte de se rapprocher des pays arabes modérés (accords de Taef au Liban*, reprise des relations diplomatiques avec l'Égypte) en raison de la réduction de l'aide soviétique et de l'intervention de l'Irak au Koweït en 1990. Sa participation à la coalition anti-irakienne (V. Golfe, guerre du) a officialisé son emprise sur le Liban par la signature d'un traité stipulant que les deux pays font partie d'une même nation.

syrien, enne adj. et n. De Syrie.

syring(o)-. Élément, du gr. *surigx, suriggos,* «canal, tuyau».

syrinx n. f. **1.** ANTIQ GR Flûte de Pan. **2.** ORNITH Organe du chant situé à la bifurcation des bronches, chez les oiseaux.

Syros ou **Syra,** île des Cyclades (Grèce); 86 km^2; 30 000 hab.; v. princ. *Hermoupolis.*

Syrtes, nom de deux golfes méditerranéens. La *Grande Syrte* borde la Libye et la Cyrénaïque, la *Petite Syrte,* qui lui fait suite à l'O. (bordant la Tunisie), est nommée auj. *golfe de Gabès.*

systématique adj. et n. f. **I.** adj. **1.** Qui obéit à un système; qui témoigne de rigueur, de méthode. *Recherche systématique.* **2.** Péjor. Qui a ou qui dénote l'esprit de système, le parti pris. *Opposition systématique.* **II.** n. f. SC NAT Science de la classification des êtres vivants (en embranchements, classes, ordres, etc.). – *Par ext.* Cette classification.

systématiquement adv. De manière systématique.

systématisation n. f. Didac. Action de systématiser; son résultat.

systématiser v. tr. [1] Organiser (des éléments) en système.

systématisme n. m. Caractère systématique de qqch.

système n. m. **1.** Ensemble cohérent de notions, de principes liés logiquement et considérés dans leur enchaînement. *Le système d'Aristote. Un système théologique.* ▷ Péjor. *Esprit de système* : tendance à tout ramener à un système préconçu au détriment d'une juste appréciation de la réalité. **2.** Classification méthodique. *Le système de Linné.* **3.** Ensemble organisé de règles, de moyens tendant à une même fin. *Système économique. Système pénitentiaire.* – *Système monétaire* : relation établie entre la monnaie en circulation et la monnaie de compte. *Système monétaire européen* : V. Europe. ▷ INFORM *Système expert* : logiciel simulant le raisonnement d'un expert humain dans un domaine donné. – *Système d'exploitation* : programme assurant la gestion d'un ordinateur et de ses périphériques. ▷ *Absol.* Organisation sociale, dans la mesure où elle est considérée comme aliénante pour l'individu. *Être prisonnier du système.* **4.** Fam. Moyen ingénieux. *Trouver un système pour se tirer d'embarras.* – *Système D* (par abrév. de *débrouillard*), de celui qui sait se débrouiller. **5.** Ensemble d'éléments formant un tout structuré, ou remplissant une même fonction. *Système de transmission.* ▷ ANAT Ensemble de structures organiques analogues. *Système cardio-vasculaire. Système nerveux.* – Loc. fam. *Porter, taper sur le système* : agir sur le système nerveux, sur les nerfs; agacer, irriter. ▷ METEO *Système nuageux* : ensemble des nuages qui accompagnent une perturbation. ▷ PHYS Ensemble de grandeurs de même nature. *Système de forces.* – *Système matériel* : ensemble de points matériels. – *Système international d'unités (SI)* : système qui a remplacé le système métrique* en 1962 et qui comprend sept unités de base (le mètre, le kilogramme, la seconde, l'ampère, le kelvin, la mole et la candela). ▷ MILIT *Système d'armes* : ensemble d'équipements qui concourent au fonctionnement d'une arme (char, avion, sous-marin, etc.).

systémique adj. et n. f. Didac. **I.** adj. **1.** Relatif à un système dans son ensemble. **2.** MED Relatif à la grande circulation. *Cavités, ventricule systémiques* : cavités et ventricule gauches du cœur qui reçoivent le sang des veines pulmonaires et l'envoient dans l'aorte. **3.** AGRIC Se dit d'un produit phytosanitaire qui agit sur toute la plante, en passant par la sève. **II.** n. f. Technique, procédure scientifique utilisant un système.

systole n. f. PHYSIOL Phase de contraction du cœur. *Systole auriculaire,* des oreillettes. *Systole ventriculaire,* des ventricules. Ant. diastole.

systolique adj. PHYSIOL, MED Relatif à la systole.

syzygie [siziʒi] n. f. ASTRO Conjonction ou opposition d'une planète, ou de la Lune, avec le Soleil. *Les marées de vives eaux ont lieu quand le Soleil et la Lune sont en syzygie.*

Szamos. V. Someș.

Szczecin (en all. *Stettin*), v. et princ. port polonais, à l'embouchure de l'Oder; 415 000 hab.; ch.-l. de la voïévodie du m. nom. Centre industriel : constr. navales, sidérurgie, etc.

Szeged, v. de Hongrie, au confl. de la Tisza et du Mureș; 180 360 hab.; ch.-l. de comté. Industr. textiles, alimentaires et chimiques. – Université.

Székesfehérvár (anc. *Albe Royale*), ville de Hongrie, entre le lac Balaton et Budapest; 110 840 hab.; ch.-l. de comté. Industr. électron. et de l'aluminium. – Fondée par saint Étienne.

Szent-Györgyi (Albert) (Budapest, 1893 – Woods Hole, Massachusetts, 1986), biochimiste américain d'orig. hongroise. Il découvrit la vitamine C, et étudia le rôle des vitamines et de l'A.T.P. dans le métabolisme cellulaire. P. Nobel de médecine 1937.

Szigligeti (József Szathmáry, dit Ede) (Váradolaszi, 1814 – Budapest, 1878), dramaturge hongrois; considéré comme le père du drame populaire dans son pays : *le Déserteur* (1843), *le Tzigane* (1853).

Szilard (Leo) (Budapest, 1898 – La Jolla, Californie, 1964), physicien américain d'origine hongroise. En collab. avec Fermi, il étudia la fission de l'uranium et construisit la première pile atomique.

Szolnok, v. de Hongrie, sur la Tisza; 81 000 hab.; ch.-l. du comté du même nom. Prod. chimiques et alimentaires (sucrerie). – Université.

Szombathely, v. de Hongrie, proche de l'Autriche; 86 000 hab.; ch.-l. de comté. Industries text. et alim.

Szymanowski (Karol) (Tymoszówka, Ukraine, 1882 – Lausanne, 1937), compositeur polonais, l'une des personnalités marquantes de la musique européenne de l'entre-deux-guerres. Il a laissé des œuvres complexes et ambitieuses, utilisant souvent la voix (*le Roi Roger,* opéra).

Szymborska (Wisława), poétesse polonaise (Bnin, près de Poznan, 1923). Une voix juste, modeste et ironique, une écrivaine qui n'élève jamais le ton mais parle vrai et fort : *Sel* (1962), *À tout hasard* (1972). P. Nobel 1996.

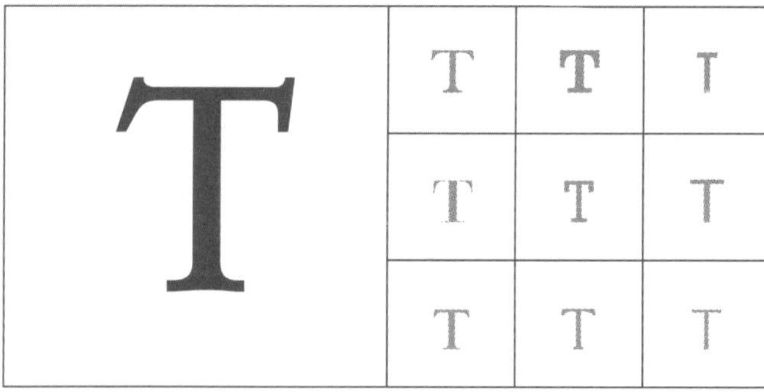

t [te] n. m. **1.** Vingtième lettre (t, T) et seizième consonne de l'alphabet, notant l'occlusive dentale sourde [t] (ex. *dette, thé*), parfois la sifflante [s] dans le groupe *ti* (ex. *patience*), ne se prononçant pas en finale de la plupart des mots (ex. *lot* [lo]) ni en finale des formes verbales (ex. *il vit* [ilvi]). *Un t euphonique.* **2.** Par anal. *En T :* en forme de T majuscule. ▷ Règle en forme de T : V. té 1. **3.** PHYS t : symbole de tonne. – t : symbole du temps. ▷ PHYS T : symbole de la période, de la température absolue, du tesla. ▷ METROL T : symbole de téra-. ▷ CHIM T : symbole du tritium. ▷ MUS t : abrév. de *tutti* ou de *ton.* **4.** BIOL *T4 :* cellules (lymphocytes) du système immunitaire. *Un taux de T4 inférieur à 200 est un critère de l'atteinte sidéenne.*

ta. V. ton 1.

Ta CHIM Symbole du tantale.

1. tabac [taba] n. m. **1.** Plante herbacée (fam. solanacées) originaire d'Amérique du S., de grande taille, dont les larges feuilles sont riches en nicotine et en composés aromatiques. **2.** Préparation obtenue avec les feuilles de cette plante, séchées et partiellement fermentées. *Tabac à fumer, à chiquer,* coupé en fines lamelles. *Tabac à priser,* réduit en poudre pour priser. *Rapporté du Portugal par J. Nicot, le tabac se répandit en Europe vers 1560. Tabac brun à odeur forte et tabac blond léger.* ▷ *Un bureau de tabac, un débit de tabac* ou, ellipt., *un tabac,* où l'on vend des produits du tabac et des timbres. **3.** *Société nationale d'exploitation industrielle des tabacs et allumettes :* V. SEITA. **4.** n. m. inv. (En appos.) *Couleur tabac* ou *tabac :* brun tirant sur le roux ou sur le jaune. *Du velours tabac.* **5.** Loc. fig., fam. *C'est toujours le même tabac,* toujours la même chose.

tabac : feuille et fleur

2. tabac [taba] n. m. **1.** Loc. fig., fam. *Passer qqn à tabac,* le rouer de coups. *Les vigiles l'ont passé à tabac.* **2.** MAR *Coup de tabac :* grain, tempête. **3.** Loc. fam. *Faire un tabac :* remporter un grand succès, collectif ou individuel, au théâtre, au cinéma, etc.

tabaculteur, trice n. Agriculteur producteur de tabac.

tabagie n. f. **1.** Lieu rempli de fumée de tabac; atmosphère de ce lieu. **2.** (Canada) Bureau de tabac.

tabagisme n. m. MED Intoxication aiguë ou chronique due au tabac.

Tabarka *(Ṭabarqa),* v. et port de Tunisie (Kroumirie); 37 270 hab. Pêche. Stat. baln. Festival d'été.

Tabarly (Éric) (Nantes, 1931 – en mer d'Irlande, 1998), navigateur français, vainqueur de la Course transatlantique en solitaire (1964 et 1976).

Éric **Tabarly** sur son bateau, le *Côte-d'Or*

tabassage n. m. Fam. Action de tabasser.

tabassée n. f. Pop. Volée de coups.

tabasser v. tr. [**1**] Fam. Frapper (qqn) à coups violents et répétés.

tabatière n. f. **1.** Petite boîte pour le tabac à priser. **2.** CONSTR *Châssis, fenêtre à tabatière,* qui pivote autour de son montant supérieur et a, en position fermée, la même inclinaison que le toit. ▷ Par ext. *Ouvrir, fermer la tabatière.* **3.** ANAT *Tabatière anatomique :* fossette formée, à la face extérieure de la main, par la contraction des extenseurs du pouce.

tabellion n. m. Vx Officier qui délivrait les grosses de certains actes dont les notaires dressaient les minutes. ▷ Officier public qui remplissait les fonctions de notaire.

tabernacle n. m. **1.** RELIG (Avec une majuscule.) Tente dressée par les Hébreux pour abriter l'Arche d'alliance, avant la construction du Temple. ▷ *Fête des Tabernacles,* célébrée par les juifs après la moisson pour commémorer le séjour (sous des tentes) dans le désert qui suivit la sortie d'Égypte. **2.** RELIG CATHOL Petit coffre fermant à clef, placé sur (ou près de) l'autel et abritant les hosties consacrées. **3.** TECH Espace ménagé autour d'un robinet enterré afin qu'on puisse le manœuvrer.

tabla n. m. Instrument de musique indien constitué d'une paire de petits tambours que l'on frappe avec les doigts et la paume de la main.

tablature n. f. MUS Figuration graphique de la musique, propre à certains instruments. *La tablature ancienne pour le luth.*

table n. f. **A. I.** Meuble formé d'une surface plane posée sur un ou plusieurs pieds et servant à divers usages. **1.** Meuble à usage domestique ou professionnel, formé d'une surface plane et d'un ou plusieurs pieds et comportant quelquefois des compartiments de rangement. *Table de nuit, de chevet. Table de toilette. Table à repasser. Table de cuisson :* plaque chauffante servant à cuire les aliments. *Table à dessin.* – INFORM *Table traçante :* syn. de *traceur* de courbes.* ▷ Loc. fig. *Jouer cartes sur table :* annoncer clairement ses conditions, être franc. – *Dessous de table :* somme que l'acheteur verse clandestinement au vendeur. **2.** Meuble formé d'une surface plane et d'un ou plusieurs pieds, destiné à prendre les repas. *Table de salle à manger. Réserver une table au restaurant.* ▷ *Dresser, mettre la table :* disposer sur la table tout ce qui est nécessaire pour prendre les repas. ▷ *De table :* qui sert pour les repas. *Service de table.* ▷ Loc. *Se mettre à table :* commencer le repas; fig., fam. finir par avouer. ▷ *Table d'hôte*.* **3.** *La table :* la nourriture, les mets servis à table. *Aimer la table. Les plaisirs de la table.* **4.** Ensemble des convives réunis autour d'une table; tablée. *Toute la table a ri.* ▷ Loc. fig. *Table ronde :* assemblée de personnes réunies en vue de discuter d'une question, d'un problème commun, en l'absence de tout rapport hiérarchique, de toute préséance. ▷ Loc. fig. *Faire un tour de table :* demander son avis à chacune des personnes présentes. – FIN *Tour de table :* ensemble de personnes réunies pour mener à bien une opération financière, un investissement. **II.** Partie plate de certains objets; surface plane. **1.** RELIG *Table d'autel :* partie horizontale de l'autel. ▷ *La sainte table :* la balustrade fermant le chœur, recouverte d'une nappe, devant laquelle les fidèles venaient s'agenouiller pour recevoir la communion (elle a souvent disparu dans la nouvelle liturgie); l'autel lui-même. *S'approcher de la sainte table :* recevoir la communion. **2.** (Seulement dans certains emplois.) Surface plane de marbre, de métal, etc., sur laquelle on peut écrire, graver. ▷ Loc. fig. *Faire table rase du passé, des idées reçues,* les rejeter après un examen critique, de manière à repartir sur des bases entièrement nouvelles. ▷ RELIG *Les Tables de la Loi :* les deux tables de pierre sur lesquelles étaient gravés les préceptes de la Loi, et que Dieu, selon la Bible, donna à Moïse sur le Sinaï. ▷ ANTIQ ROM *Les Douze Tables :* le code publié à Rome par les décemvirs et gravé sur douze tables de bronze (v. 450 av. J.-C.). **3.** *Table d'orientation :* plan circulaire sur lequel est représenté un point de vue, avec les noms de lieux, de monuments, etc. **4.** TECH Partie plate et horizontale d'un instrument, d'une machine. *Table d'une raboteuse, d'une enclume.* **5.** MUS *Table d'harmonie :* partie de la caisse d'un instrument sur laquelle les cordes sont tendues. **6.** Surface plane naturelle. *Table glaciaire.* **7.** TECH Surface plane de la partie supérieure d'une pierre précieuse. **B.** Tableau, panneau où sont regroupées diverses données. **1.** Tableau qui indique les matières traitées dans un livre. *Table des matières. Table analytique.* **2.** Recueil de données disposées de manière à en faciliter la lecture, l'usage. *Table de multiplication. Table de logarithmes.* ▷ INFORM *Table de vérité :* tableau à entrées multiples donnant exhaustivement toutes les configurations d'entrée et de sortie d'un circuit logique. ▷ MILIT *Table de tir,* qui précise les éléments de la trajectoire des projectiles.

p	q	$p \Rightarrow q$
V	V	V
V	F	F
F	V	V
F	F	V

cette ligne se lit ainsi :
" si la proposition p est vraie et si la proposition q est vraie, alors la proposition « p implique q » est vraie "

table de vérité de l'implication matérielle

tableau n. m. **A. 1.** Ouvrage de peinture exécuté sur un panneau de bois, sur un morceau de toile tendu sur un châssis, etc. *Tableaux de Raphaël, de Manet.* **2.** Scène, spectacle qui attire le regard, qui fait impression. *Un charmant tableau.* ▷ Fam., iron. *Voyez le tableau! Quel tableau!* **3.** Loc. fig., fam. *Vieux tableau :* personne âgée d'une coquetterie excessive, ridicule; vieille femme trop fardée. **4.** *Tableau de chasse :* ensemble des pièces abattues au cours d'une partie de chasse, disposées avec symétrie. ▷ Fig., fam. *Le tableau de chasse d'un séducteur,* les femmes qu'il a séduites. **5.** *Tableau vivant :* scène historique ou mythologique figurée par des personnes d'après un tableau ou une mise en scène réglée. **6.** Représentation, évocation par un récit oral ou écrit. *Faire, brosser le tableau de la vie des paysans au Moyen Âge.* **7.** THEAT Subdivision d'un acte, correspondant à un changement de décor. *Une pièce en trois actes et dix tableaux.* **B. I. 1.** *Tableau noir* ou, absol., *tableau :* panneau sur lequel on écrit à la craie, dans une classe, un amphithéâtre, etc. **2.** Panneau, cadre qu'on fixe au mur pour y afficher des actes publics, des renseignements, des avis. *Tableau d'affichage. Tableau des publications de mariage.* **3.** TECH Panneau sur lequel sont regroupés des dispositifs, des appareils de mesure, de contrôle et de signalisation. *Tableau de bord d'un véhicule. Tableau de commande d'un appareil électrique.* **II.** Liste, ensemble de données réunies sur un tableau (sens B, I, 2). **1.** Liste des personnes composant une compagnie, un ordre, un corps. *Tableau de l'ordre des avocats.* – *Tableau d'avancement,* indiquant l'ordre selon lequel se fera l'avancement du personnel. **2.** Ensemble de renseignements regroupés et rangés méthodiquement de manière à pouvoir être lus d'un bref coup d'œil. *Tableau synoptique, chronologique. Tableau des verbes irréguliers.* ▷ FIN *Tableau de bord :* ensemble d'informations réunies périodiquement, qui facilitent la gestion d'un service, d'une entreprise. ▷ MED, PHARM *Tableaux A, B, C,* dans lesquels sont classés les médicaments dont la prescription est réglementée. ▷ CHIM *Tableau de la classification périodique des éléments :* V. élément.

tableautin n. m. Rare Petit tableau (sens A, 1).

tablée n. f. Réunion de personnes assises autour d'une table (le plus souvent pour un repas).

tabler v. intr. [1] *Tabler sur qqch, sur qqn :* compter, faire fond sur qqch, sur qqn.

Table ronde (cycle de la) ou **cycle breton,** ensemble de romans en vers octosyllabiques et en prose racontant les aventures légendaires des preux chevaliers qui, siégeant autour d'une table ronde, avaient rang d'égaux. À l'image de leur suzerain, Arthur*, ils représentaient un modèle de vaillance et de courtoisie, et mettaient leur vie au service de la quête du Graal*. Le *Roman de Brut* (1155), dû au poète anglo-normand Wace, répandit en France ces légendes, qui inspirèrent notam. Chrétien* de Troyes.

tabletier, ère n. TECH Artisan qui fabrique des échiquiers, des damiers, de petits objets d'ivoire, d'ébène, d'écaille, etc.

tablette n. f. **I. 1.** Petite table; planche disposée pour recevoir des objets. **2.** Pièce de marbre, de bois, de pierre, etc., de faible épaisseur posée à plat sur le chambranle d'une cheminée, l'appui d'une fenêtre, etc. **3.** Aliment présenté sous la forme d'une plaquette. *Une tablette de chocolat.* ▷ PHARM Médicament solide en forme de plaquette. **II.** ARCHEOL Planchette de bois enduite de cire sur laquelle écrivaient les Anciens. ▷ Plaquette d'argile sur laquelle étaient gravés des pictogrammes ou des caractères d'écritures anciennes. ▷ Loc. fig., fam. *Écrire qqch sur ses tablettes,* le noter afin de s'en souvenir.

tabletterie n. f. TECH, COMM Fabrication et commerce des échiquiers, des damiers et de petits objets d'ivoire, d'ébène, d'écaille, etc.

tableur n. m. INFORM Progiciel permettant des calculs interactifs sur plusieurs nombres affichés simultanément sur un écran de visualisation.

tablier n. m. **1.** Vêtement fait d'une pièce de toile, de cuir, etc., que l'on met devant soi pour préserver ses vêtements en travaillant. *Tablier de forgeron.* ▷ Loc. fig. *Rendre son tablier :* cesser son service, quitter son emploi (d'abord en parlant d'une employée de maison). **2.** Rideau métallique qui ferme l'ouverture d'une cheminée. **3.** TRAV PUBL Partie horizontale d'un pont, qui reçoit la chaussée ou la voie ferrée. **4.** AUTO Cloison qui sépare le moteur de l'intérieur de la carrosserie.

tabloïd(e) adj. et n. m. (Nom déposé.) Se dit d'un format de journal égalant la moitié du grand format traditionnel.

Tabor (mont). V. Thabor.

Tábor, v. de la Rép. tchèque, au S. de Prague; 32 000 hab. – Fondée au XVe s. par les hussites les plus radicaux, qu'on appela les *taborites.*

tabou, e n. m. et adj. **1.** n. m. Interdit d'ordre religieux ou rituel qui frappe une personne, un animal ou une chose, considérés comme sacrés ou impurs, et dont la transgression est censée entraîner un châtiment surnaturel. ▷ Fig. Ce dont on n'a pas le droit de parler sans encourir la réprobation sociale. **2.** adj. (inv. ou accordé). Qui est marqué d'un tabou, frappé d'un interdit. *Forêt tabou(e).* ▷ Fig. Dont on ne doit pas parler; qu'on n'a pas le droit de critiquer. *Un sujet tabou. Un personnage tabou.*

taboulé n. m. CUIS Hors-d'œuvre d'origine syro-libanaise, à base de blé concassé (ou, souvent, de semoule), de persil, de tomates hachées, de feuilles de menthe, assaisonné d'huile d'olive et de jus de citron.

tabouret n. m. Petit siège à pied(s) sans bras ni dossier. *Tabouret de piano.* ▷ *Par ext.* Petit support sur lequel on pose les pieds lorsqu'on est assis.

Tabqa (al-) *(aṭ-Ṭabqa),* village de Syrie, sur l'Euphrate. Grand barrage (irrigation, hydroélectricité).

Tabrīz (anc. *Tauris*), v. d'Iran; 852 000 hab.; ch.-l. de la prov. d'Azerbaïdjan oriental. Industr. textiles, alimentaires et mécaniques. – Cap. de la Perse sous les Séfévides, qui y développèrent une école de miniaturistes.

tabulaire adj. Didac. **1.** En forme de table. *Relief tabulaire.* **2.** Qui est disposé en tables, en tableaux. *Logarithmes tabulaires.*

tabulateur n. m. TECH Dispositif équipant une machine de bureau (machine à écrire, à calculer, traitement de texte, etc.) et qui permet d'aligner des caractères sur une même colonne.

tabulation n. f. TECH Utilisation d'un tabulateur.

tabulatrice n. f. INFORM Machine mécanographique capable de lire des informations enregistrées sur des cartes perforées, de les trier et d'en imprimer la liste ou les totaux.

tac n. m. et interj. **1.** Bruit sec. *Produire plusieurs tacs successifs.* **2.** En escrime, bruit du fer qui heurte le fer. – *Riposter du tac au tac,* au premier choc. ▷ Loc. fig., fam. *Répondre du tac au tac,* aussitôt, par un mot vif à un mot vif. **3.** Interj. fam. *Et tac! prends ça dans les gencives!*

tacaud n. m. Petit poisson comestible (genre *Gadus*, fam. gadidés), commun dans l'Atlantique.

tache n. f. **I. 1.** Salissure, marque qui salit. *Tache d'encre, d'huile sur un vêtement.* ▷ *Faire tache* : faire un contraste choquant dans un ensemble. ▷ Loc. fig. *Faire tache d'huile* : s'étendre, se répandre de proche en proche et rapidement. **2.** Fig. Ce qui souille l'honneur, la réputation de qqn. *Une vie, une réputation sans tache.* **II.** Espace de couleur différente sur une surface unie. **1.** Marque sur la peau, le poil ou le plumage d'un être vivant, sur certaines parties des végétaux. *Chien blanc à taches noires.* – *Tache de rousseur*. Tache de son*. Tache de vin*.* ▷ ANAT *Tache jaune* : point le plus sensible de la rétine qui ne comporte que des cônes. **2.** ASTRO *Tache solaire* : région sombre de la photosphère, de température plus basse.

tâche n. f. **1.** Ouvrage déterminé qui doit être exécuté dans un temps donné. *Donner une tâche à un artisan.* ▷ Loc. adj. et adv. *À la tâche* : en fonction du travail accompli et sans tenir compte du temps employé. *Travail à la tâche. Payer à la tâche.* ▷ Fig., litt. *Prendre à tâche de* : s'attacher à, s'efforcer de. **2.** Obligation que l'on doit remplir, par devoir ou par nécessité.

taché, ée adj. **1.** Souillé d'une ou de plusieurs taches. *Vêtement taché.* **2.** Marqué d'une (de) tache(s) (sens II). *Un chat à robe grise tachée de blanc.*

tachéo-. Élément, du gr. *takheos*, « vite ».

tachéomètre [takeɔmɛtʀ] n. m. TECH Appareil de topographie servant à effectuer le levé des terrains en altimétrie et en planimétrie.

tachéométrie [takeɔmetʀi] n. f. TECH Méthode de levé des terrains au moyen d'un tachéomètre.

tacher v. [1] **I.** v. tr. **1.** Faire une tache sur, salir de taches. *Tacher sa robe.* ▷ Fig. *Une faute qui tache sa réputation.* ▷ (S. comp.) (Choses) *Les mûres tachent.* **2.** Colorer, marquer de taches (sens II). **II.** v. pron. **1.** Salir ses vêtements de taches. *Cet enfant se tache sans cesse.* **2.** (Passif) Se salir en se couvrant de taches. *Un tissu clair qui se tache facilement.*

tâcher v. [1] **1.** v. tr. indir. *Tâcher de* (+ inf.) : faire des efforts pour. *Tâcher de donner satisfaction.* – *Tâche de te tenir tranquille!* **2.** v. tr. dir. *Tâcher que* (+ subj.) : faire en sorte que. *Tâchez qu'il réussisse.*

tâcheron n. m. **1.** Petit entrepreneur à qui un entrepreneur principal concède sa tâche. **2.** Ouvrier agricole qui travaille à la tâche. **3.** Péjor. Personne qui exécute sur commande des tâches ingrates, sans intérêt; personne qui travaille beaucoup, mais sans faire montre d'initiative.

tacheté, ée adj. Marqué de nombreuses petites taches (sens II).

tacheter v. tr. [20] Marquer de multiples petites taches (sens II).

tacheture n. f. Rare Ensemble des marques de ce qui est tacheté.

tachisme n. m. PEINT Mouvement pictural non figuratif représenté par des peintres dont l'art, plus ou moins gestuel, combine généralement le dynamisme du signe et les effets d'écrasement de la matière.
ENCYCL Le mot tachisme, introduit par Pierre Guégen en 1951, concurrença les termes *art informel* et *abstraction lyrique*. V. abstrait et informel. Des peintres de tempéraments très différents ont alors été dits *tachistes* : les Français C. Bryen, J. Fautrier, le Canadien J.-P. Riopelle, les Américains C. Still, S. Francis, W. De Kooning, l'Allemand Wols, l'Espagnol A. Tàpies, l'Anglais A. Davie.

tachiste adj. et n. PEINT Qui se rapporte au tachisme. ▷ Subst. Peintre dont les œuvres relèvent du tachisme.

Tachkent, cap. de l'Ouzbékistan; 2 210 000 hab. Grand centre universitaire, commercial et industriel (text., méca., alim.) de l'Asie centrale, à proximité de grands barrages sur le Syr-Daria : hydroélectricité; irrigation, qui a permis l'extension de l'oasis initiale.

tachy-. Élément, du gr. *takhus*, « rapide ».

tachyarythmie [takiaʀitmi] n. f. MED Rythme cardiaque rapide et irrégulier.

tachycardie [takikaʀdi] n. f. MED Accélération permanente ou paroxystique du rythme cardiaque.

tachygraphe n. m. TECH Appareil qui mesure et enregistre une vitesse.

tachymètre n. m. TECH Appareil servant à mesurer la vitesse de rotation d'une machine, d'un moteur.

tachyon [takjɔ̃] n. m. PHYS NUCL Particule hypothétique dont la vitesse serait supérieure à celle de la lumière et dont la masse s'exprimerait par un nombre complexe.

tacite adj. Qui n'est pas formellement exprimé; sous-entendu. *Consentement tacite.* ▷ DR *Tacite reconduction.* V. reconduction. Syn. implicite.

Tacite (en lat. *Publius Cornelius Tacitus*) (v. 55 – v. 120 apr. J.-C.), historien latin. Issu d'une famille de l'ordre équestre, il fut questeur, préteur (88), consul (97), proconsul d'Asie (v. 110-113), et ne s'adonna que tardivement à l'histoire. Son *Dialogue des orateurs*, sur le déclin de l'éloquence, révèle déjà un subtil historien et critique littéraire. Après la *Vie d'Agricola* (éloge de son beau-père, 98) et *la Germanie* (analyse de la culture germanique, v. 98), il écrivit les *Histoires* (v. 106), dont il ne reste que quatre livres, qui décrivent l'Empire de 69 à 96 (depuis la mort de Néron jusqu'à la chute de Domitien). Les *Annales* (écrites v. 115-117) sont consacrées à la période qui suit la mort d'Auguste; seuls nous sont parvenus les livres I à IV, un fragment des livres V et VI (sur Tibère) et les livres XI à XVI (2e partie du règne de Claude et quasi-totalité de celui de Néron). À la fois historien et moraliste, Tacite y dépeint avec pessimisme, dans un style d'une saisissante concision, les mœurs des hommes de son temps.

Tacite (en lat. *Marcus Claudius Tacitus*) (Amiternum, v. 200 – Tarse, auj. Tarsus, en Turquie, ou Tyane, local. auj. ruinée, en Turquie, 276), empereur romain (275-276), choisi par le sénat pour succéder à Aurélien. Ses soldats l'assassinèrent après quelques mois de règne.

tacitement adv. De façon tacite.

taciturne adj. et n. Litt. Qui est de nature ou d'humeur à parler peu. *Un homme taciturne. Un caractère taciturne.* ▷ Subst. *Les expansifs et les taciturnes.*

tacle n. m. SPORT Au football, action de récupérer du pied le ballon qui est dans les pieds de l'adversaire.

Tacna, v. du Pérou méridional, dans une oasis; 125 850 hab.; ch.-l. du dép. du m. nom. Centre minier (plomb et zinc, notam.). – Appartint au Chili de 1883 à 1929.

taco n. m. Galette mexicaine croquante, faite avec du maïs.

Tacoma, v. et port des É.-U. (Washington), sur un bras du Puget Sound; 176 660 hab. Centre métallurgique.

tacon, taquon [takɔ̃] ou **tocan** [tɔkɑ̃] n. m. Jeune saumon avant sa descente en mer.

tacot n. m. Fam. Vieille voiture en mauvais état. Syn. guimbarde.

tact [takt] n. m. **1.** PHYSIOL Sens du toucher; celui des cinq sens qui correspond à la perception des stimuli mécaniques (grâce à la déformation de la peau par la pression qu'exerce l'objet). **2.** Cour., fig. Discernement, délicatesse dans les jugements, les rapports avec autrui. *Manquer de tact.* Syn. doigté.

tacticien, enne n. Personne qui manœuvre habilement. *Tacticien parlementaire.* ▷ n. m. MILIT Expert en tactique.

tactile adj. **1.** PHYSIOL Du toucher, propre au toucher, au tact. *Sensibilité tactile.* **2.** Qui réagit au toucher.

tactique n. f. et adj. **I.** n. f. **1.** MILIT Art de conduire une opération militaire limitée dans le cadre d'une stratégie. **2.** Ensemble des moyens que l'on emploie pour atteindre un objectif; conduite que l'on adopte pour obtenir qqch. *Changez de tactique : il est sourd à vos arguments.* **II.** adj. Relatif à la tactique. *Mission, opération tactique.*

tactiquement adv. Sur le plan tactique.

tactisme n. m. BIOL Réaction d'orientation d'un être vivant provoquée par un facteur externe (lumière, chaleur). V. tropisme.

Tademaït (le), plateau calcaire du Sahara algérien, au N. d'In-Salah.

tadjik [tadʒik] adj. et n. Relatif à une population de langue tadjik, vivant en Afghānistān, au Pamir, au Tadjikistan, en Ouzbékistan et en Iran. ▷ Subst. *Les Tadjik(s) sont environ huit millions.* – n. m. Langue des Tadjiks, dialecte persan qui s'écrit en alphabet cyrillique.

Tadjikistan (*Respublika i Tojikiston*), État d'Asie centrale qui fut jusqu'en 1991 l'une des rép. fédérées de l'U.R.S.S., située aux frontières du Kirghizstan au N., de l'Ouzbékistan à l'O., afghane au S. et chinoise à l'E.; 143 100 km^2; 5 112 000 hab.; cap. *Douchanbe.* Langue : tadjik. Monnaie : rouble tadjik. Pop. : Tadjiks (63 %), Ouzbeks (24 %), Russes (10 %). Relig. : islam sunnite.
Géogr. physique et humaine – Le pays est essentiellement montagneux : les reliefs très découpés et élevés du massif du Pamir (culminant à 7 495 m au pic Communisme), au sud-est, les chaînes montagneuses du Turkestan, du Hissar et du Zeravchan, plus basses, isolent des portions de larges vallées du Vakhch et du Kafirnigan, au sud, de la Fergana, au nord, où se concentrent l'essentiel d'une population rurale.
Écon. – L'activité économique est entravée par des conditions naturelles rigoureuses, mais bénéficie des ressources hydrauliques. L'irrigation a permis de développer la culture du coton, qui vient au premier rang des productions agricoles, celle des légumes, des fruits et des fleurs à

parfum. L'important potentiel hydroélectrique permet le développement d'industries lourdes (aluminium) et chimiques (engrais et plastiques).
Hist. – Conquise successivement par les Arabes (VIIIe s.), les Samanides (IX-Xe s.) et les Mongols (XIIIe s.), la région a été annexée par la Russie à la fin du XIXe s. Elle a été proclamée République autonome, intégrée à l'Ouzbékistan, en 1924, puis elle est devenue République fédérée en 1929. Le Tadjikistan a proclamé sa souveraineté en 1990, son indépendance en 1991 et a adhéré à la C.É.I. Miné par les conflits internes entre les partisans du Parti de la renaissance islamiste et les conservateurs communistes partagés en clans régionaux, confronté à des voisinages délicats, le Tadjikistan a été plongé, à partir de 1991, dans une sanglante guerre civile qui a entraîné le départ des russophones et l'exil de milliers de Tadjiks. Le président Emomali Rakhmonov a pu cependant former, en juin 1997, une Commission de réconciliation nationale, réactivée en janv. 1998. ► carte **(ex-) U.R.S.S.**

Tadjiks, peuple d'Asie centrale vivant au Tadjikistan, en Ouzbékistan, en Afghanistan et dans le nord de l'Iran et parlant un dialecte persan.

Tādj Mahall ou **Tāj Mahal,** mausolée de marbre blanc élevé aux portes d'Āgra, de 1630 à 1652, sur l'ordre de l'empereur moghol Chāh Jahān, à la mémoire de son épouse Mumtāz-i-Mahall.

Tadjoura (golfe de) *(Tāğūrā)*, golfe de la rép. de Djibouti, portant la ville de Djibouti sur sa rive sud et le petit port de *Tadjoura* sur sa rive nord.

Tadla (le), plaine irriguée du Maroc occidental.

tadorne n. m. ORNITH Oiseau anatidé migrateur (genre *Tadorna*), proche à la fois des canards et des oies. *Le tadorne de Belon, blanc et roux, niche sur les côtes de la mer du Nord et de la Baltique.*

tadorne de Belon

Taegu, v. de la Corée du Sud, au N.-O. de Pusan; 2 030 670 hab.; ch.-l. de prov. Grand centre industr. et commercial.

Taejon, v. de la Corée du Sud, au S.-E. de Séoul; 866 700 hab.; ch.-l. de prov. Industries textiles et du cuir.

tael n. m. HIST Anc. monnaie chinoise.

taekwondo n. m. Sport de combat coréen.

tænia. V. ténia.

taffetas [tafta] n. m. Étoffe de soie mince tissée comme la toile.

tafia n. m. Vieilli Eau-de-vie fabriquée avec les mélasses de canne à sucre.

Tafilalet ou **Tafilelt,** région du Sahara marocain, au S. du Haut Atlas; nombr. oasis (princ. : *Erfoud*). – La région eut, au Moyen Âge, une grande activité comm. (route des caravanes).

Tafna (la), fl. côtier de l'Algérie occidentale, qui donna son nom au traité de 1837 entre Bugeaud et Abd el-Kader : la France reconnaissait son autorité sur les deux tiers de l'Algérie, mais il reprit la lutte en 1839.

Taft (William Howard) (Cincinnati, 1857 – Washington, 1930), homme politique américain. Secrétaire à la Guerre (1904), il fut chargé par Roosevelt de réprimer la révolte cubaine de 1906. Président en 1908, il fut battu par Wilson en 1912.

tag [tag] n. m. (Anglicisme) Graffiti peint ou dessiné qui figure un nom, une signature, un parafe.

tagalog [tagalɔg] ou **tagal** [tagal] n. m. LING Langue (malayo-polynésienne) officielle de la rép. des Philippines.

Tagalog(s) ou **Tagal(s),** populations, d'origine malaise, qui constituent env. un tiers de la pop. des Philippines.

Taganrog, ville et port de Russie, sur la mer d'Azov; 289 000 hab. Métallurgie, chimie. – Pierre le Grand fonda la ville en 1698.

Tagaste. V. Souk-Ahras.

Tage (le) (en esp. *Tajo,* en portug. *Tejo*), princ. fl. de la péninsule Ibérique (1 006 km); naît en Espagne (prov. de Teruel); arrose Aranjuez, Tolède et Alcántara, puis passe au Portugal, où il devient navigable en aval d'Abrantès, et se jette dans la baie de Lisbonne. Aménagements hydroélectriques.

tagète ou **tagette** n. m. BOT Plante ornementale (fam. composées), dont la rose d'Inde et l'œillet d'Inde sont des espèces.

tagine. V. tajine.

Tagliamento (le), fl. d'Italie du N. (170 km); né dans les Alpes orientales, il se jette dans l'Adriatique. – Victoire de Bonaparte sur l'archiduc Charles (1797) près de Codroipo.

tagliatelle n. f. (Rare au sing.) Pâtes alimentaires en forme de lamelles longues et minces.

Tagore (Rabindranāth Thakur, dit Rabindranāth) (Calcutta, 1861 – Santiniketan, Bengale, 1941), écrivain indien (d'expression bengali et anglaise), également peintre et musicien. Romancier (*Gōra,* 1910), poète mystique et patriotique (*Gitānjali,* 1910, trad. française de Gide : *l'Offrande lyrique,* 1913), dramaturge (*Amal et la lettre du roi,* 1913), maître spirituel, réformateur social, polémiste, il s'inspira du spiritualisme hindou pour promouvoir un idéal de culture et de tolérance. P. Nobel 1913.

taguer v. tr. [1] Fam. Écrire des tags.

tagueur, euse n. Personne qui dessine des tags et, *par ext.,* graffiteur.

Tahiti, la plus import. des îles de la Société; 1 042 km²; 116 000 hab.; v. princ. *Papeete* (ch.-l. de la Polynésie* française). Aéroport. – Formée par deux volcans éteints accolés (alt. max. 2 237 m), ravinés par l'érosion, l'île est ceinte d'un récif de corail. Le climat est tropical. La pop., concentrée sur l'étroite plaine côtière, se livre aux cultures vivrières et d'exportation (coprah, vanille), ainsi qu'à la pêche. Elle bénéficia, de 1964 à 1996, de la présence du Centre d'expérimentation du Pacifique. Elle tire de nouvelles ressources d'un tourisme en essor. – Découverte au XVIIIe s., aussitôt réputée pour l'amabilité de ses habitants, l'île attira les missionnaires protestants anglais, puis catholiques français, et devint l'enjeu d'une rivalité franco-britannique. En 1842, la France établit son protectorat sur l'île, puis l'annexa (1880).

Tagore

Talleyrand

tahitien, enne adj. et n. De Tahiti.

Taibei ou **T'ai-pei,** cap. de Taiwan, dans le N. de l'île; 2 637 000 hab. Les fonctions administratives et commerciales l'emportent sur les activités industrielles (alimentation, textile, constr. mécaniques).

taïchi [tajʃi] ou **taï chi chuan** [tajʃiʃwan] n. m. Gymnastique chinoise, pratique liée au taoïsme, dont le but est de maîtriser l'énergie du corps.

taie [tɛ] n. f. **1.** Enveloppe de tissu dont on recouvre un oreiller ou un traversin. **2.** MED Opacité cicatricielle de la cornée.

Taïf (en ar. *Aṭ-ṭā'if*), v. d'Arabie Saoudite (Hedjaz); 204 860 hab. Stat. estivale.

taifa n. m. HIST *Royaume de taifas :* petits États (*taifa* signifie « clan ») nés, en Espagne musulmane, de l'éclatement du califat omeyyade de Cordoue (1031) et conquis par les Almoravides de 1090 à 1110.

taïga n. f. Forêt de conifères du nord du Canada et de l'Eurasie.

taiji n. m. Symbole confucianiste, représentant l'union du yin et du yang.

Tailhade (Laurent) (Tarbes, 1854 – Combs-la-Ville, 1919), écrivain français. Poète et polémiste lié au mouvement anarchiste : *Au pays du mufle* (contre la bourgeoisie, 1891), *Imbéciles et Gredins* (contre les antidreyfusards, 1900), *Poèmes élégiaques* (1907).

taillable adj. HIST Soumis à la taille (sens I, 5). – Mod. Loc. fig. *Taillable et corvéable à merci :* bon pour toutes les corvées.

taillader v. tr. [1] Faire des entailles à, sur.

taillanderie n. f. Industrie, commerce du taillandier; produits de cette industrie.

taillandier, ère n. Vx Personne qui fabrique ou qui vend des outils à tailler (haches, marteaux, etc.).

taille n. f. **I. 1.** Vx Tranchant d'une épée. ▷ *Frapper d'estoc et de taille,* de la pointe et du tranchant. **2.** Action de couper, de tailler; manière dont certaines choses sont taillées. *Taille d'une pierre.* ▷ ARCHI, CONSTR Loc. *Pierre de taille :* pierre taillée pour être employée dans une construction. ▷ ARBOR Coupe de branches d'arbres ou d'arbustes effectuée pour leur donner une certaine forme, pour améliorer la production des fruits, pour favoriser leur croissance, etc. *Taille des arbres fruitiers, de la vigne.* **3.** Coupure, incision. ▷ BX-A Incision faite au burin sur une planche de cuivre, de bois. *Laisser peu d'encre au fond des tailles.* ▷ CHIR *Taille vésicale :* intervention destinée à extraire les calculs de la vessie. **4.** BOT Bois qui commence à repousser après avoir été coupé. *Une taille de deux ans.* **5.** Anc. Morceau de bois sur lequel certains marchands marquaient par des encoches la quantité de marchandise vendue à crédit, le client ayant un morceau de bois identique également coché, à titre de témoin. ▷ HIST (Parce que les collecteurs marquaient sur une *taille* ce qu'ils avaient perçu.) Impôt qui était dû, sous l'Ancien Régime, par les seuls roturiers (parce qu'ils ne pratiquaient pas le métier des armes). **II. 1.** Dimensions du corps de l'homme ou des animaux, et partic. sa hauteur; stature. *À vingt-cinq ans, l'homme a atteint sa taille adulte. Personne de grande taille.* ▷ Loc. fig. *Être de taille à* : être capable de. *Être de taille à se défendre, à lutter.* – Absol. *Abandonnez, vous n'êtes pas de taille.* **2.** Dimensions d'un objet; format. *Des grêlons de la taille d'un œuf de pigeon.* ▷ Fam. *De taille* : de grande dimension, important. *Il y a une erreur, et de taille!* **3.** Dimensions normalisées d'un vêtement, correspondant à un type de stature. *Cet article n'existe pas en grandes tailles. Tailles 40, 42.* **4.** Partie où le corps s'amincit sous les dernières côtes avant de s'élargir aux hanches. *Taille fine, épaisse. Tour de taille.* – Fig. *Taille de guêpe*, très fine. ▷ Partie d'un vêtement qui marque cette partie du corps. *La mode est aux tailles basses.* ▷ Vieilli *Sortir en taille*, sans manteau ni veste.

taillé, ée adj. **1.** Coupé d'une certaine façon. *Haies taillées. Diamant taillé en rose.* **2.** Qui a une certaine taille, une certaine stature. *Être taillé en hercule.* **3.** Fig. *Taillé pour* : fait pour; capable de. *Il est taillé pour réussir.*

taille-bordure n. m. Syn. de *coupe-bordure. Des taille-bordures.*

Taillebourg, com. de la Charente-Maritime (arr. de Saint-Jean-d'Angély); 561 hab. – Victoire de Saint Louis sur Henri III d'Angleterre (1242).

taille-crayon n. m. Petit instrument à lame(s), servant à tailler les crayons. *Des taille-crayons.*

taille-douce n. f. BX-A Gravure faite au burin sur une plaque généralement en cuivre (par oppos. à *eau-forte*). – Estampe tirée sur une plaque ainsi travaillée. *Des tailles-douces.*

Tailleferre (Germaine) (Parc-Saint-Maur, 1892 – Paris, 1983), compositeur français; membre du groupe des Six : musiques de scène (*les Mariés de la tour Eiffel*, texte de Cocteau, 1921), pièces pour piano, musique de chambre, etc.

taille-haie n. m. Appareil électrique portatif utilisé pour régulariser les haies. *Des taille-haies.*

tailler v. [1] **I.** v. tr. **1.** Vx Couper, trancher. ▷ Loc. fig. Mod. *Tailler en pièces* : anéantir. **2.** Couper, retrancher les parties superflues de (une chose) pour lui donner une certaine forme, pour la rendre propre à un usage. *Tailler une pierre, un diamant. Tailler en biseau.* **3.** Prélever à l'aide d'un instrument tranchant (une partie d'un tout) selon la forme, les dimensions voulues. *Le boucher taillait d'épaisses tranches dans le filet.* ▷ Cour. *Tailler un vêtement*, couper dans l'étoffe les morceaux qui le formeront. ▷ Loc. fig., fam. *Tailler une bavette**. **4.** HIST Soumettre à la taille (sens I, 5). *Tailler une province.* **II.** v. intr. Faire une (des) entaille(s). *Tailler dans le vif.* **III.** v. pron. **1.** (En loc.) Prendre, obtenir pour soi. – Fig. *Il s'est taillé un vif succès. Se tailler la part du lion.* **2.** Fam. Partir rapidement, s'enfuir.

taillerie n. f. TECH Art de tailler les cristaux et les pierres précieuses. ▷ Atelier où on les taille.

tailleur n. m. **1.** *Tailleur de* : ouvrier, artisan qui taille (un objet, un matériau). *Tailleur de pierre.* **2.** Ouvrier, artisan qui confectionne des costumes masculins sur mesure. ▷ *Assis en tailleur* : les jambes repliées et croisées à plat, avec les genoux écartés. **3.** Costume féminin, composé d'une jupe et d'une veste assortie.

tailleur-pantalon n. m. Costume féminin composé d'un pantalon et d'une veste assortie. *Des tailleurs-pantalons.*

Taillevant ou **Taillevent** (Guillaume Tirel, dit) (m. v. 1395), cuisinier français; chef de cuisine de Philippe VI, auteur d'un des plus anc. traités de gastronomie en français, *le Viandier.*

taillis [taji] n. m. Dans un bois, une forêt, etc., ensemble de très jeunes arbres provenant des drageons ou des rejets des souches d'arbres abattus quelques années auparavant.

tailloir n. m. ARCHI Partie supérieure du chapiteau d'une colonne, sur laquelle repose l'architrave.

Taïmyr (presqu'île de), vaste presqu'île de la côte septentrionale de la Sibérie centrale; env. 500 000 km².

tain n. m. TECH Amalgame d'étain dont on revêt l'envers d'une glace pour qu'elle réfléchisse la lumière.

Tainan, ville et port de Taiwan (S.-O.); 474 840 hab. Agroalimentaire.

Taine (Hippolyte) (Vouziers, 1828 – Paris, 1893), critique, philosophe et historien français. Pour Taine, l'homme est un «animal d'espèce supérieure» dont les actions obéissent à des lois identiques à celles qu'observent les naturalistes (*Essais de critique et d'histoire*, 1858); l'œuvre littéraire est le fait d'un «état moral élémentaire», produit essentiellement par la race, le milieu (géographique, social) et le moment qui est une période historique donnée (*Histoire de la littérature anglaise*, 1864-1872). Il en va de même pour la production artistique (*Philosophie de l'art*, 1882). En outre, Taine élabora une théorie sensualiste et associationniste du développement des facultés mentales (*De l'intelligence*, 1870). Dans *Origines de la France contemporaine* (6 vol., 1875-1893), il se montra hostile à la révolution de 1789. Acad. fr. (1878).

T'ai-pei. V. Taibei.

Taiping (révolte des), révolte populaire chinoise (1851-1864) à caractères politique (lutte contre la dynastie mandchoue, rendue responsable de la décadence du pays) et religieux (fondation de la secte des «Adorateurs de Dieu», mêlant des notions bibliques aux traditions chinoises). Elle se répandit en Chine du S. (prise de Nankin, 1853) et fut combattue efficacement à partir de 1862 par l'armée régulière, qu'aidèrent des aventuriers européens. Le nom des insurgés («Grande Paix») évoque d'autres révoltes paysannes.

taire v. [59] **I.** v. tr. **1.** Ne pas dire. *Taire un secret.* **2.** Fig. Ne pas manifester, ne pas exprimer. *Taire sa douleur.* **II.** v. pron. **1.** Garder le silence, s'abstenir de parler. *Taisez-vous, votre bavardage me fatigue.* – Ne pas révéler, passer sous silence. *Se taire sur un point.* **2.** (Sujet n. de chose.) Cesser de se faire entendre. *Les canons se sont tus.* **3.** (Avec ellipse du pron.) *Faire taire* : imposer le silence à; fig. empêcher de s'exprimer, de se manifester. *Une indemnisation a fait taire le mécontentement.*

Taishō tennō (Yoshihito, dit ap. sa mort) (Tōkyō, 1879 – Hayama, 1926), empereur du Japon (1912-1926), successeur de Meiji tennō. Il ne joua qu'un rôle polit. effacé. Son fils Hirohito lui succéda.

Tai Tsin. V. Dai Jin.

Taiwan ou **Formose,** île située à 150 km au S.-E. de la Chine continentale, constituant depuis 1949, avec les îles des Pescadores et les îlots Quemoy et Mazu, l'État de Chine nationaliste, dénommé officiellement république de Chine (la Chine populaire la considère comme sa 22ᵉ province; le gouv. de la Chine nationaliste se revendique comme le gouv. provisoire de toute la Chine); 36 177 km²; env. 20 millions d'hab., croissance démographique : 1 % par an; cap. *Taibei.* Nature de l'État : rép. parlementaire. Langue off. : chinois. Monnaie : nouveau dollar de Taiwan. Relig. : bouddhisme, taoïsme et confucianisme.

Géogr. phys. et hum. – De hautes chaînes, culminant à 3 997 m, occupent la partie orientale de l'île, qu'affecte une forte sismicité. Elles s'abaissent par paliers vers l'O. où une large plaine alluviale côtière concentre la majorité des hab. et toutes les grandes villes. Le climat tropical, tempéré en altitude, est rythmé par la mousson : fortes pluies d'avril à octobre, plus importantes sur la côte E. que sur la côte O. La population, urbanisée à plus de 70 %, a doublé depuis 1950 et les densités sont très fortes (en moyenne 550 hab./km²). La croissance actuelle est modérée en raison de la baisse de la natalité.

Écon. – Malgré une forte dépendance pour l'énergie et les matières premières (65 % des importations), l'économie taiwanaise est l'une des plus dynamiques du monde. Nouveau pays industriel (N.P.I.), Taiwan a d'abord développé, avec des capitaux japonais et américains, une industrie d'export. (textile, jouets, montage de biens de consommation), puis une industrie lourde (sidérurgie, chantiers navals, pétrochimie) et enfin, dans la décennie 1980, des filières de haute technologie. L'agriculture (riz, canne à sucre) et la pêche sont très productives mais ne couvrent pas les besoins. Les exportations industrielles dégagent un fort excédent commercial. L'île est devenue un pôle de développement ainsi qu'une place essentielle du commerce de la zone Asie-Pacifique et investit dans de nombreux pays.

Hist. – Peuplée à l'origine par des Malais, puis tardivement par des Chinois (XVIIᵉ s.), l'île fut visitée (1590) par les Portugais (qui la nommèrent *Formosa*, «la Belle») et par les Hollandais (1624-1662), puis intégrée à l'empire de Chine (1683). Cédée au Japon après la guerre sino-japonaise (1894-1895), Taiwan revint à la Chine en 1945. En 1949, la défaite des troupes nationalistes en Chine continentale provoqua le repli de Tchang Kaï-chek (Jiang Jieshi) sur l'île et l'afflux de réfugiés nationalistes (de 1,5 à 2 millions). Avec l'appui des É.-U., Formose devint alors le territoire de la république de Chine nationaliste, seul représentant de la Chine à l'ONU, dont elle sera évincée en 1971. Après la mort de Tchang Kaï-chek (1975), son fils Tchang King-kouo (Jiang Jingguo) apporta plus de souplesse au régime, surtout à partir de 1985 : levée de la loi martiale, autorisation des partis d'opposition, libération des prisonniers politiques et levée de l'interdiction de circulation des personnes et des biens entre la Chine populaire et Taiwan. En

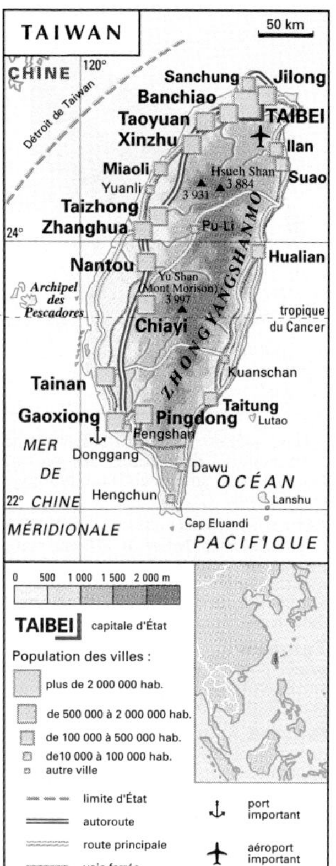

janv. 1988, à la mort de Tchang King-kouo, Lee Teng-hui est devenu prés. du parti et président de la République. En 1989, les premières élections libres dep. 1949 ont donné au parti d'opposition (Parti démocratique progressiste, qui accueille dans ses rangs les partisans de l'indépendance) une bonne implantation institutionnelle. En décembre 1991, le Guomindang a remporté les élections législatives. En mai 1992, la Constitution a été amendée, dans le sens d'une libéralisation du régime. En mars 1996, malgré les pressions exercées par la Chine, le premier scrutin présidentiel au suffrage universel a été remporté par Lee Teng-hui.

taiwanais, aise adj. et n. De Taiwan. ▷ Subst. *Un(e) Taiwanais(e).*

Taiyuan, v. de Chine, capitale du Shanxi; 1 900 000 hab. (aggl. urb. 2 176 880 hab.). Centre industriel (sidér., métallurgie).

Taizé, com. de Saône-et-Loire (arr. de Mâcon); 119 hab. – Communauté monastique œcuménique fondée en 1914 par le pasteur Roger Schutz (frère Roger). En 1962 a été inaugurée l'église de la réconciliation; des rencontres y rassemblent chaque année des dizaines de milliers de jeunes du monde entier.

Taizhong, v. de Taiwan, sur la côte N.-O.; 715 000 hab. Constructions aéronautiques.

tajine ou **tagine** n. m. CUIS Mets marocain, ragoût, cuit à l'étouffée dans un récipient en terre à couvercle conique; ce récipient lui-même.

Tāj Mahal. V. Tādj Mahall.

Takamatsu, v. et port du Japon (Shikoku); 327 000 hab.; ch.-l. de ken. Industr. chimiques et textiles.

Takemitsu Toru (Tōkyō, 1930 – *id.*, 1996), compositeur japonais; influencé par divers compositeurs occidentaux, notamment O. Messiaen : *November Steps II*, pour orchestre (1967).

Taklimakan ou **Takla-makan** (désert de), désert sableux de Chine (Xinjiang) s'étendant sur plus de 300 000 km²; pétrole et gaz naturel.

Takoradi. V. Sekondi-Takoradi.

Talaat ou **Talât pacha** (Mehmet) (rég. d'Édirne, 1872 – Berlin, 1921), homme politique turc. Membre du triumvirat, formé en 1913 (avec Enver pacha et Djamāl pacha), qui dirigea l'Empire ottoman, grand vizir de 1917 à 1918, il s'exila en Allemagne où il fut assassiné par un Arménien.

Talant, com. de la Côte-d'Or (arr. de Dijon); 12 901 hab. – Égl. (XIIe-XIIIe s.).

Talara, v. et port de comm. du Pérou; 92 640 hab. Raff. de pétrole.

talatat n. m. ARCHEOL Bloc de pierre de démolition, souvent sculpté, ayant servi de remplissage dans certains monuments pharaoniques.

Talavera de la Reina, v. d'Espagne (Castille-la Manche), sur le Tage; 64 840 hab. Céramique (réputée aux XVIIe et XVIIIe s.). – Bataille indécise entre Français et Anglais (1809).

talc n. m. Silicate hydraté naturel de magnésium; poudre de ce minéral, utilisée notam. pour les soins de la peau.

Talca, v. du Chili central; 164 480 hab.; ch.-l. de prov. Centre commercial.

Talcahuano, v. et port de comm. et de pêche du Chili central; 231 360 hab. Sidérurgie.

Tal-Coat (Pierre Jacob, dit Pierre) (Clohars-Carnoët, Finistère, 1905 – Dormont, Eure, 1985), peintre français; expressionniste abstrait influencé par l'art de l'Extrême-Orient : série des *Massacres* (1936-1937), *Glauque* (1968).

taled [talɛd], **taleth** [talɛt] ou **tallit** [talit] n. m. RELIG Châle dont les juifs se couvrent les épaules pour prier à la synagogue.

Talence, ch.-l. de cant. de la Gironde (arr. de Bordeaux); 36 172 hab. – Univ.

talent n. m. **I.** ANTIQ GR Poids (26 kg env.) et monnaie de compte. *Talent d'or, d'argent.* **II. 1.** Disposition, aptitude naturelle ou acquise. *Des talents de comédien.* Syn. don, capacité. **2.** *Absol.* Aptitude remarquable dans un domaine, partic. artistique ou littéraire. *Avoir du talent.* **3.** Personne qui a du talent. *Cet éditeur cherche de jeunes talents.*

talentueux, euse adj. Qui a beaucoup de talent.

taler v. tr. [1] Meurtrir, presser, fouler (un fruit). ▷ v. pron. *Les fruits se talent en tombant.* – Pp. adj. *Fruits talés.*

taleth. V. taled.

taliban n. m. En Afghanistan, étudiant en religion, membre d'un mouvement islamiste fondamentaliste qui s'est emparé de Kaboul en 1996 et a instauré dans le pays une dictature théocratique.

talibé n. m. En Afrique noire, disciple d'un marabout, élève d'une medersa.

talion n. m. DR ANC Châtiment, infligé à un coupable, correspondant au tort qu'il a commis (cf. « œil pour œil, dent pour dent »). *Loi du talion :* code reposant sur ce principe. ▷ Fig. *Appliquer la loi du talion :* se venger avec une rigueur égale à celle dont on a été victime.

talisman n. m. **1.** Objet sur lequel sont gravés des signes consacrés, auquel on attribue des vertus magiques. Syn. amulette, porte-bonheur, gri-gri. **2.** Fig. Atout, pouvoir infaillible. *Son charme est pour elle un talisman.*

talitre n. m. ZOOL Petit crustacé dont une espèce, *Talitrus saltator,* dite cour. *puce de mer,* vit sous les algues échouées.

talkie-walkie [tokiwoki] n. m. (Faux américanisme.) Poste radioélectrique émetteur et récepteur portatif, de faible encombrement et de faible portée. *Des talkies-walkies.*

talk-show [tokʃo] n. m. (Anglicisme) Débat télévisé entre un animateur et un ou plusieurs invités. *Des talk-shows.*

Tallahassee, v. des É.-U., cap. de la Floride; 124 770 hab. (aggl. urb. 207 600 hab.). Industr. métallurgiques, alimentaires et du bois.

talle n. f. **1.** AGRIC Tige adventive qui se développe au pied d'une tige principale. **2.** (Canada) Groupe dense de plantes, d'arbres ou d'arbustes de la même espèce. *Une talle de fraises.*

Tallemant des Réaux (Gédéon) (La Rochelle, 1619 – Paris, 1690), écrivain français. Ses *Historiettes* (écrites à partir de 1657, publiées en 1834-1835) constituent un savoureux recueil d'anecdotes et de portraits du temps de Louis XIII et de la régence d'Anne d'Autriche.

taller v. intr. [1] AGRIC Émettre des talles. *Le blé talle.*

Talleyrand-Périgord (Charles Maurice de) (Paris, 1754 – id., 1838), prince de Bénévent (1806), homme politique français. Destiné à une carrière ecclésiastique, il devint évêque d'Autun (1788). Député aux États généraux, chef du clergé constitutionnel (1790), il abandonna bientôt l'Église et fut nommé agent diplomatique à Londres en fév. 1792. Porté sur la liste des émigrés (déc. 1792), il résida aux É.-U. de 1794 à 1796. Ministre des Relations extérieures (1797) grâce à Barras, il participa au 18 Brumaire et garda son poste de ministre, négociant d'import. traités, jusqu'en 1807; à cette date, Talleyrand, qui n'approuvait pas la politique de conquêtes de Napoléon, abandonna son portefeuille et mena un double jeu, qui lui valut d'être disgracié (1809). Ayant appelé Louis XVIII au pouvoir à la demande des Alliés (1814), il fut ministre des Affaires étrangères sous la première Restauration et défendit la France au congrès de Vienne, en jetant notam. la division parmi les Alliés. Président du Conseil contre les ultras (juil. 1815), il démissionna (sept.) et passa dans l'opposition libérale. En 1830, il contribua à l'instauration de la monarchie de Juillet et fut nommé ambassadeur à Londres (1830-1834). Peu avant sa mort, il se réconcilia avec l'Église (qui l'avait rendu à l'état laïc en 1802).
▸ illustr. page **1823**

Tallien (Jean-Lambert) (Paris, 1767 – id., 1820), homme politique français. Conventionnel montagnard, il fut envoyé en mission à Bordeaux (1793) lors de la Terreur. Il se rangea parmi les modérés et fut l'un des instigateurs du 9 Thermidor. Il fut membre des Cinq-Cents. – **Thérésa Cabarrus** (Carabanchel Alto, près de Madrid, 1773 – Chimay, 1835), épouse du préc. Divorcée en 1793 d'avec le marquis de Fontenay, elle regagnait l'Espagne lorsqu'elle fut arrêtée (comme noble) à Bordeaux, où elle rencontra Tallien qui s'éprit d'elle. Elle fut mise en accusation à Paris, ce qui bouleversa Tallien et le poussa à s'opposer à Robespierre. Devenue Mme Tallien (1794), Thérésa fut surnommée « Notre-Dame de Thermidor » ; elle divorça en 1802 et épousa en 1805 le comte de Caraman, futur prince de Chimay.

Tallin (anc. *Reval* ou *Revel*), cap. de l'Estonie, port sur le golfe de Finlande ; 484 000 hab. Centre industriel (métall., text., alim., etc.). – Vieille ville fortifiée (XIVe-XVIe s.), église gothique (XIIIe-XIVe s.), maisons anciennes.

tallit. V. taled.

Talma (François Joseph) (Paris, 1763 – id., 1826), tragédien français ; interprète des tragédies classiques et des drames de Shakespeare.

Talmud Transcription de la tradition orale juive, ouvrage fondamental destiné à servir de code du droit judaïque, canonique et civil. ▷ (Avec une minuscule.) Livre contenant les textes du Talmud. *Un talmud ancien.*

ENCYCL Le Talmud comprend deux parties : la Mishna, étude des principes religieux, et son commentaire en vue des applications pratiques, la Gemara. Il comporte deux versions : l'une, produite par les académies rabbiniques de Palestine, est le Talmud de Jérusalem (déb. IIIe s.). L'autre, mise en forme par les académies de Mésopotamie, ou Talmud de Babylone (IVe-VIe s.), plus complète, distingue avec netteté la Halakha (lois religieuses, civiles) et la Haggadah (tradition morale, philosophique, ésotérique, historique).

talmudique adj. Qui appartient, se rapporte au Talmud. *Recueil talmudique.*

talmudiste n. m. Didac. Érudit versé dans l'étude du Talmud.

1. taloche n. f. Fam. Gifle.

2. taloche n. f. TECH Planche munie d'un manche utilisée pour l'exécution des enduits.

talon n. m. **1.** Partie postérieure du pied, dont le squelette est formé par le calcanéum. ▷ Loc. fig. *Avoir l'estomac dans les talons* : avoir grand-faim. – *Être sur les talons de qqn*, le suivre de près. – *Montrer, tourner les talons* : s'enfuir. ▷ Loc. fig. *Talon d'Achille* : point vulnérable (par allus. à la flèche avec laquelle Pâris atteignit Achille au talon, seul endroit vulnérable de son corps). ▷ MED VET Point du sabot des ongulés où la paroi se replie postérieurement pour se porter en dedans. **2.** Partie d'un soulier, d'un bas dans laquelle se loge le talon. *Chaussettes, bas à talons renforcés.* ▷ Pièce saillante en hauteur ajoutée en cet endroit sous la semelle. *Talons hauts, plats.* **3.** Dans un registre, un carnet à souche, partie inamovible (par oppos. aux feuillets détachables). *Conserver les talons de chèques.* **4.** Ce qui reste d'une chose entamée. *Un talon de saucisson, de pain.* **5.** JEU Ce qui reste de cartes après la distribution aux joueurs. **6.** ARCHI Moulure à double courbure, concave en bas, convexe en haut. **7.** TECH Extrémité inférieure ou postérieure de divers objets. ▷ MAR Extrémité postérieure de la quille d'un navire.

Talon (Omer) (Paris, 1595 – id., 1652), avocat général au parlement de Paris (1613). Il défendit les droits du Parlement tout en évitant la rupture avec la royauté pendant la Fronde*.

Talon (Jean) (Châlons-sur-Marne, 1625 – ?, 1694), administrateur français. Premier intendant de la Nouvelle-France (1665-1681), il assura le développement de la colonie.

talonnade n. f. SPORT Au football, action de frapper le ballon avec le talon.

talonnage n. m. **1.** MAR Fait de talonner, de heurter le fond. **2.** SPORT Au rugby, action de talonner le ballon.

talonnement n. m. Action de talonner (un animal). ▷ Fig. Harcèlement.

talonner v. [1] **I.** v. tr. **1.** Suivre, poursuivre (qqn) de très près. *Les ennemis les talonnaient.* **2.** *Talonner un cheval*, l'éperonner. ▷ Fig. Presser sans répit, harceler. *Les créanciers le talonnent.* **3.** SPORT *Talonner le ballon* ou, absol., *talonner* : au rugby, sortir le ballon d'une mêlée à coups de talon. **II.** v. intr. MAR En parlant d'un navire, heurter le fond avec l'arrière de la quille, mais sans s'échouer.

talonnette n. f. **1.** Petite plaque de cuir, de liège, placée sous le talon du pied, à l'intérieur d'une chaussure. **2.** Renfort au talon d'une chaussette, d'un bas. **3.** Ruban de tissu très résistant que l'on coud à l'intérieur des bas de pantalons pour les renforcer.

talonneur n. m. SPORT Au rugby, avant de première ligne, chargé de talonner le ballon dans la mêlée fermée.

talquer v. tr. [1] Enduire, saupoudrer de talc, frotter avec du talc.

talus [taly] n. m. **1.** Terrain en pente formant le côté d'une terrasse, le bord d'un fossé, etc. ▷ GEOGR *Talus continental* : brusque rupture de pente, qui interrompt du côté du large la partie sous-marine de la plate-forme continentale. **2.** TECH Inclinaison, pente donnée à des élévations de terre, à des constructions verticales pour qu'elles soient soutenues. *Talus d'une muraille.*

talweg ou **thalweg** [talvɛg] n. m. GEOGR Ligne imaginaire qui joint les points les plus bas d'une vallée et suivant laquelle s'écoulent les eaux. ▷ *Par anal.* METEO Vallée barométrique, prolongement d'une zone de basses pressions entre deux zones de hautes pressions. Ant. dorsale.

Tamale, v. du Ghana ; 168 090 hab. ; ch.-l. de la Région-Septentrionale. Centre commercial.

tamandua n. m. ZOOL Petit fourmilier à queue préhensile *(Tamandua tetradactyla)*, xénarthre non cuirassé d'Amérique du S. et centrale, mi-terrestre, mi-arboricole.

tamanoir n. m. Grand fourmilier* *(Myrmecophaga tridactyla)* d'Amérique du S., à la fourrure abondante, à la queue en panache.

Tamanrasset (auj. *Tamenghest*), v. du Sahara algérien, dans le Hoggar ; 38 280 hab. ; ch.-l. de la wilaya du m. nom. – Ermitage du père de Foucauld qui s'y établit en 1905 et y fut assassiné en 1916. Musée d'art du Hoggar.

1. tamarin n. m. BOT Fruit (gousse) du tamarinier, aux propriétés laxatives. ▷ *Par ext.* Tamarinier.

2. tamarin n. m. ZOOL Petit singe omnivore d'Amérique du S., à longue queue non préhensile, vivant en troupes dans les forêts tropicales.

tamarinier n. m. Grand arbre à fleurs en grappes (fam. césalpiniacées), haut de 20 à 25 m, originaire des

tamanoir : sa longue langue gluante lui sert à attraper les fourmis

régions sèches du sud du Sahara et de l'Inde, cultivé dans toutes les régions chaudes pour son magnifique ombrage et ses fruits.

tamaris [tamaʀis] ou **tamarix** [tamaʀiks] n. m. Arbre ou arbuste ornemental, à feuilles écailleuses, étroitement serrées sur des rameaux mous, et à petites fleurs roses en épi, qui croît dans les sables littoraux.

Tamatave (auj. *Toamasina*), v. et princ. port de comm. de Madagascar, sur la côte E. ; 100 000 hab. ; ch.-l. de prov. Raff. de pétrole.

tamaya n. m. (Nom déposé.) Plante ornementale de la famille des bégonias, originaire d'Amérique du S., qui fleurit plus. fois par an.

Tamayo (Rufino) (Oaxaca, 1899 – Mexico, 1991), peintre mexicain. L'un des plus grands fresquistes de son pays, il travailla également aux États-Unis. Il décora notam. le Smith College à Northampton, le palais des Beaux-Arts à Mexico, le palais de l'Unesco à Paris. Parmi ses toiles : *Marchands de poissons* (1972), *Amants dans un paysage* (1974). Un musée d'art moderne porte son nom à Mexico.

tamazight [tamaziʀt] n. m. Langue berbère parlée en Algérie et au Maroc.

tambouille n. f. Fam. **1.** Mauvaise cuisine. **2.** Plaisant Cuisine. *Faire la tambouille.*

tambour n. m. **I. 1.** MUS Instrument à percussion, constitué d'un cadre cylindrique sur lequel sont tendues deux peaux et que l'on fait résonner au moyen de deux baguettes. *Battre du tambour.* ▷ Loc. *Tambour battant* : au son du tambour. – Fig. *Mener une affaire tambour battant*, rondement, avec énergie. – Fig., fam. *Raisonner comme un tambour* (par jeu de mots avec *résonner*), d'une façon absurde. – Fig., fam. *Sans tambour ni trompette* : discrètement, sans bruit. ▷ *Tambour de basque* : petit cerceau de bois garni de grelots, dont une face est recouverte d'une peau tendue sur laquelle on frappe avec les doigts. **2.** Personne qui bat du tambour. – Anc. *Tambour de ville* : crieur public qui faisait diverses annonces au son du tambour. ▷ *Tambour-major* : V. ce mot. **II.** (Par anal. de forme.) **1.** TECH Pièce de forme cylindrique. *Tambour d'un treuil, d'un enregistreur de température. Frein à tambour*, dans lequel les garnitures viennent s'appliquer contre une partie cylindrique, solidaire de la roue. ▷ INFORM *Tambour magnétique* : cylindre magnétique sur lequel on enregistre les informations et qui équipe certains ordinateurs. ▷ Petit métier en forme d'anneau sur lequel on tend une étoffe pour la broder à l'aiguille. **2.** ARCHI Chacune des pierres cylindriques constituant le fût d'une colonne. **3.** CONSTR À l'entrée d'un édifice, portes vitrées tournant ensemble autour d'un même axe. – Petit vestibule comprenant plusieurs portes, destinées à garantir contre le froid et les courants d'air.

tambourin n. m. **1.** MUS Tambour de forme allongée que l'on bat d'une seule baguette, en s'accompagnant quelquefois du galoubet ou d'une flûte. *Tambourin provençal.* ▷ Cour., *abusiv.* Tambour* de basque. **2.** Anc. Cercle de bois tendu de peau, avec lequel on jouait à se renvoyer des balles. **3.** Anc. Air de danse assez vif dont on marquait la mesure sur le tambourin.

tambourinage n. m. Action de tambouriner.

tambourinaire n. **1.** Rég. Personne qui joue du tambourin provençal. **2.** Joueur de tambour, de tam-tam. Syn. tambourineur.

tambourinement n. m. Roulement de tambour. ▷ *Par ext.* Bruit semblable au roulement du tambour. *Le tambourinement de la pluie sur une verrière.*

tambouriner v. [1] **I.** v. intr. **1.** Vx Battre le tambour ou le tambourin. **2.** Produire (avec les doigts, par ex.) des roulements semblables à ceux du tambour. *Tambouriner sur une table avec ses doigts.* **II.** v. tr. **1.** Jouer sur le tambour ou sur le tambourin. *Tambouriner la charge.* **2.** Fig. Annoncer à grand bruit. *Elle tambourina partout la nouvelle.*

tambourineur, euse n. Personne qui joue du tambour, du tam-tam.

tambour-major n. m. Sous-officier qui commande à la clique ou aux seuls tambours d'un régiment. *Des tambours-majors.*

Tambov, v. de Russie, au S.-E. de Moscou; 296 000 hab.; ch.-l. de prov. Industr. chimiques, alimentaires et mécaniques.

Tamenghest. V. Tamanrasset.

Tamerlan ou **Tīmūr Lang** («Tīmūr le Boiteux») (Kech, près de Samarkand, 1336 – Otrār, 1405), conquérant tatar. Originaire du Turkestan, il prit le titre de roi de Transoxiane (1370), prétendit reconstituer l'empire de Gengis khān et lança ses attaques notam. contre la Perse (1380), la Russie, l'Inde (1398-1399, prise de Delhi), la Syrie (1400-1401) et la Turquie (il battit Bajazet Ier à Ancyre en 1402). Les campagnes guerrières de cet homme cultivé furent dévastatrices, et il se soucia peu d'organiser ses immenses conquêtes. Sa mort survint alors qu'il se retournait contre la Chine. Son empire ne lui survécut pas.

tamia n. m. Petit écureuil au pelage rayé sur la longueur, qui vit en Amérique du Nord et en Russie. – *Tamia rayé* (*Tamias striatus* Linné), qui vit dans l'est de l'Amérique du Nord. Syn. suisse.

tamier n. m. BOT Plante grimpante, vivace (genre *Tamus*, fam. dioscoréacées), à baies rouges charnues, commune dans les haies et les bois.

tamil. V. tamoul.

Tamil(s). V. Tamoul(s).

Tamil Nadu ou **Tamilnād** (anc. *État de Madras*, puis *Tamizhagam*), État de l'Inde méridionale, sur la côte de Coromandel; 130 357 km²; 55 638 300 hab.; cap. *Madras.* – À la plaine littorale succèdent des collines, puis des plateaux dominés par un rebord montagneux. Le climat, tropical, devient aride dans le centre de l'État. L'irrigation a permis l'essor des cultures : riz surtout, millet, coton, etc. Le sous-sol livre du lignite, du fer, du chrome, de la bauxite et de la magnésite. L'industrialisation reste faible; le textile prédomine. La pop., dravidienne, parle le tamoul.

tamis [tami] n. m. Instrument formé d'un treillis de crin, de soie, de fil de fer, monté sur un cadre généralement cylindrique et destiné à trier des matières pulvérulentes ou à passer des liquides épais. – Loc. *Passer au tamis.*

tamisage n. m. Action de tamiser.

Tamise (la) (en angl. *Thames*), fl. de G.-B. (336 km); naît dans les Cotswold Hills, draine le bassin de Londres en passant à Oxford, Richmond et Londres, et se jette dans la mer du Nord par un large estuaire. Trafic maritime intense. Vallée très industrialisée.

tamiser v. [1] **I.** v. tr. **1.** Faire passer dans un tamis. *Tamiser du sable.* **2.** Laisser passer en adoucissant. *Tamiser les sons, la lumière.* – Pp. adj. *Lumière tamisée.* **II.** v. intr. TECH Subir le tamisage. *Sable qui tamise facilement.*

tamiseur, euse n. TECH **1.** Personne spécialisée dans le tamisage de certaines matières. **2.** n. m. Instrument utilisé pour tamiser les cendres. **3.** n. f. Machine à tamiser (utilisée partic. dans l'industrie alim.).

Tamizhagam. V. Tamil Nadu.

Tammerfors. V. Tampere.

tamoul, e ou **tamil, e** adj. et n. Qui se rapporte aux Tamouls. ▷ Subst. *Un(e) Tamoul(e).* ▷ n. m. Langue dravidienne parlée dans le sud-est de l'Inde et au Sri Lanka.

Tamoul(s) ou **Tamil(s),** peuple mélano-indien de l'Inde du S.-E. et du Sri Lanka parlant le tamoul.

tamouré n. m. Danse de Polynésie.

Tampa, v. et port des É.-U. (Floride), sur le golfe du Mexique; 280 000 hab. (aggl. urb. 1 810 900 hab.). Industr. variées (manuf. de tabac; constr. mécaniques, etc.).

Tampere (en suédois *Tammerfors*), v. de la Finlande méridionale; 173 790 hab. (aggl. urb. 252 950 hab.) (2e ville de l'État). Import. centre intellectuel et industriel (text., alim., chim., etc.) grâce à l'hydroélectricité fournie par les chutes de *Tammerkoski*, au centre de la ville.

tampico n. m. Crin végétal provenant des feuilles d'un agave du Mexique, utilisé pour la fabrication des cordes et la confection des matelas.

Tampico, v. et port du Mexique, sur le golfe du Mexique; 271 600 hab. (aggl. urb. 389 640 hab.). Pétrochimie.

tampon n. m. **I. 1.** Pièce découpée dans une matière dure, ou masse de matière souple comprimée, servant à boucher une ouverture, à étancher un liquide. *Tampon de bois, de liège, de tissu.* **2.** TECH Pièce de bois, de fibre, etc., dont on garnit un trou pratiqué dans un mur, ou dans un objet quelconque, pour y enfoncer un clou, une vis. **3.** TECH Cylindre servant à contrôler les dimensions d'un trou alésé ou fileté. **4.** CONSTR Dalle, plaque qui obture un regard, un orifice. **5.** CHIR Morceau d'ouate, de gaze roulé en boule, servant à étancher le sang. ▷ Cour. *Tampon périodique* ou *hygiénique*, placé dans le vagin pendant les règles. **6.** Boule de tissu, morceau d'étoffe pressée servant à frotter un corps, à étendre un liquide. *Vernir au tampon.* **7.** *Tampon encreur :* petite masse de matière spongieuse imprégnée d'encre grasse et servant à encrer un timbre gravé ou un cachet en caoutchouc; ce timbre, ce cachet. *Tampon apposé sur une carte.* **II. 1.** CH de F Disque métallique monté sur ressort, placé par paires à l'avant et à l'arrière d'une voiture, d'un wagon et destiné à amortir les chocs. ▷ Fig. Ce qui sert à amortir les chocs, à éviter les affrontements. *Servir de tampon entre deux adversaires. État tampon*, placé entre deux États en conflit, pour éviter la lutte armée. **2.** (En appos.) CHIM *Solution tampon :* mélange sensiblement équimolaire d'un acide faible et de sa base conjuguée, dont le pH ne varie quasiment pas lors d'une dilution ou lors de l'ajout d'un acide ou d'une base.

Tampon (Le), ch.-l. de cant. de la Réunion, dans le S. de l'île (arr. de Saint-Pierre); 48 436 hab. Prod. laitiers.

tamponnage n. m. Action de tamponner (sens I, 1 à 4, 6, 7), d'appliquer un liquide au moyen d'un tampon.

tamponnement n. m. **1.** Action de tamponner (sens I, 3, 5); son résultat. **2.** Heurt violent entre véhicules. **3.** CHIR Introduction de mèches dans une cavité naturelle ou dans une plaie, destinée à arrêter une hémorragie.

tamponner v. [1] **I.** v. tr. **1.** Vieilli Boucher avec un tampon. **2.** Placer un tampon (sens I, 2) dans. *Tamponner un mur.* **3.** Heurter avec les tampons (sens II, 1). ▷ *Par ext.* Heurter violemment. **4.** Étendre, appliquer un liquide sur (qqch) au moyen d'un tampon (sens I, 6). **5.** Étancher, essuyer à l'aide d'un tampon d'ouate, de gaze. ▷ CHIR Effectuer le tamponnement de (une cavité, une plaie). **6.** CHIM *Tamponner une solution*, la transformer en solution tampon (sens II, 2). **7.** Apposer un tampon, un cachet sur. *Tamponner une carte.* **II.** v. pron. **1.** Se heurter violemment (véhicules). **2.** Loc. fig., fam. *S'en tamponner le coquillard* (vx, *œil*) ou, absol., *s'en tamponner :* s'en taper, s'en battre l'œil (V. œil, sens I, 4).

tamponneur, euse adj. et n. **1.** adj. Qui a tamponné (un autre véhicule). *Train tamponneur.* ▷ *Autos tamponneuses :* dans une attraction foraine, petites voitures électriques garnies sur leur pourtour de pare-chocs caoutchoutés, qui se déplacent et se heurtent sur une piste. **2.** n. Personne qui tamponne (des documents).

tamponnoir ou, rare, **tamponnier** n. m. TECH Pointe d'acier très dur servant à percer les murs, pour y loger un tampon, une cheville, etc.

tam-tam [tamtam] n. m. **I.** MUS **1.** Instrument d'origine chinoise fait d'une plaque ronde en métal suspendue à la verticale dans un cadre et que l'on frappe avec une mailloche. *Des tam-tams.* **2.** Tambour africain. **II.** Fig., péjor. Bruit, tapage; réclame tapageuse. *Faire du tam-tam autour d'une affaire.*

1. tan n. m. Écorce de chêne séchée et pulvérisée, employée pour le tannage des cuirs. V. tanin.

2. tan ou, anc., **tg** MATH Symbole de tangente.

Tana (la) ou **Teno** (le), fl. de la Scandinavie septentrionale (304 km), tributaire de l'Arctique, qui sépare la Finlande de la Norvège.

Tana. V. Tsana.

tanagra n. m. ou f. Figurine, statuette de terre cuite (IVe-IIIe s. av. J.-C.), d'un travail très fin, représentant une femme ou un enfant. ▷ Fig., vieilli Adolescente, jeune femme remarquable par sa grâce et sa finesse.

Tanagra, village de Grèce (Béotie), à l'E. de Thèbes. – De fines statuettes de terre cuite furent découvertes dans ses nécropoles à la fin du XIXe s.

Tananarive. V. Antananarivo.

Tanaro (le), riv. d'Italie (276 km), affl. du Pô (r. dr.); naît dans les Alpes maritimes italiennes; arrose Asti et Alexandrie. Ses eaux sont utilisées pour l'irrigation.

Tancarville, com. de la Seine-Maritime (arr. du Havre), sur le *canal de Tancarville* (26 km) et l'estuaire de la Seine; 1 330 hab. Pont routier suspendu de 1 420 m, édifié de 1955 à 1959.

tancer v. tr. [**12**] Litt. Réprimander, admonester.

tanche n. f. Poisson d'eau douce d'Europe (*Tinca tinca*, fam. cyprinidés), comestible, à la peau vert sombre ou dorée, qui vit sur les fonds vaseux.

tanche commune

Tancrède de Hauteville (m. à Antioche en 1112), prince de Galilée (1099 ou 1100-1112) et prince d'Antioche (1111-1112). Petit-fils de Robert Guiscard, il s'illustra lors de la 1re croisade et reçut la principauté de Galilée. Il hérita, de son oncle Bohémond, celle d'Antioche. Il est l'un des héros de *la Jérusalem délivrée* du Tasse.

tandem [tɑ̃dɛm] n. m. **1.** Anc. Cabriolet à deux chevaux attelés l'un derrière l'autre. ▷ *Attelage en tandem.* **2.** Bicyclette à deux places l'une derrière l'autre. **3.** Fig. Association de deux personnes, de deux groupements; couple. *Tandem de fantaisistes de music-hall.*

tandis que [tɑ̃di(s)kə] loc. conj. **1.** (Marquant la simultanéité.) Pendant le temps que, pendant que. *Tandis que nous marchions, minuit sonna au clocher.* ▷ (Marquant l'opposition au sein d'un rapport de simultanéité.) *Tandis qu'il pleuvait à Londres, le soleil inondait Paris.* **2.** (Marquant l'opposition.) Au lieu que, alors qu'au contraire. *Il aime la société, tandis que son frère recherche la solitude.*

Tanezrouft («Pays de la soif»), rég. très aride du Sahara algérien, à l'O. du Hoggar.

Tang, dynastie chinoise qui, succédant à celle des Sui, régna de 618 à 907. Sous les empereurs de cette dynastie, fondée par Li Shimin (Taizong), se constitua le deuxième grand empire chinois après celui des Han.

Tanga, v. et port de Tanzanie, face à l'île de Pemba; 172 000 hab.; ch.-l. de la rég. du m. nom. Cimenteries. Sisal.

tangage n. m. Mouvement oscillatoire d'un navire dans le plan longitudinal (par oppos. à *roulis*) sous l'action des vagues. ▷ *Par ext.* Mouvement oscillatoire autour d'un axe transversal d'un avion ou d'un véhicule terrestre.

Tanganyika (lac), grand lac de l'Afrique orientale (31 900 km²), long de 650 km (il s'étire du N. au S.) et large de 30 à 50 km. Situé à 782 m d'alt. dans un fossé d'effondrement bordé de montagnes, il a une profondeur max. de 1 435 m. Son émissaire est le Lukuga, affl. du Congo. Navigable, il permet un trafic important entre les pays riverains (Rép. dém. du Congo, Zambie, Tanzanie et Burundi).

Tanganyika. V. Tanzanie.

tangara n. m. ORNITH Oiseau passériforme (genre princ. *Tangara*) d'Amérique tropicale, au bec généralement court et épais, et au plumage éclatant.

Tange (Kenzo) (île de Shikoku, 1913), architecte et urbaniste japonais. Après avoir exercé au Japon (installations des jeux Olympiques de 1964, Exposition universelle d'Osaka notam.), il a dirigé de nombreux chantiers à l'étranger (É.-U., Arabie Saoudite, etc.).

tangelo n. m. Fruit obtenu par hybridation (mandarinier et pomelo), ayant la forme d'une mandarine.

tangence n. f. GEOM Position de ce qui est tangent. *Point de tangence.*

tangent, ente adj. et n. f. **1.** GEOM Qui n'a qu'un point de contact avec une courbe, une surface. *Plan tangent à une sphère. Droite tangente en un point M_0 d'une courbe,* limite (si elle existe) d'une sécante M_0M à la courbe lorsque le point M de la courbe se rapproche de M_0. *Plan tangent en un point M_0 à une surface S,* ensemble des droites tangentes aux courbes tracées sur S et passant par M_0, si ces droites sont coplanaires. ▷ n. f. Droite tangente. ▷ Loc. fig., fam. *Prendre la tangente :* éviter, contourner habilement une difficulté, une situation pénible; s'esquiver. **2.** Fig. Qui se produit de justesse. *Il a été reçu à son examen, mais c'était tangent.* **3.** n. f. MATH Quotient du sinus d'un arc par son cosinus (symbole tan ou, anc., tg). **4.** n. f. Arg. (des écoles) Épée des polytechniciens. ▷ Vieilli Surveillant des épreuves écrites dans un examen. ▷ Vieilli Appariteur dans une faculté.

tangentiel, elle [tɑ̃ʒɑ̃sjɛl] adj. **1.** GEOM Relatif à la tangente, au plan tangent. **2.** PHYS *Accélération tangentielle,* représentée par la projection du vecteur accélération sur la tangente à la trajectoire (par oppos. à *accélération normale*). ▷ *Force tangentielle :* projection d'une force sur une tangente ou un plan tangent.

tangentiellement adv. Didac. D'une manière tangentielle.

Tanger (en ar. *Ṭandjah*), v. et l'un des princ. ports du Maroc, sur le détroit de Gibraltar; 266 350 hab.; ch.-l. de la prov. du m. nom. Tourisme actif. – La ville (anc. *Tingi* carthaginoise et *Tingis* romaine) fut convoitée dès le Moyen Âge par les puissances commerciales, en raison de sa situation géographique. Elle fut notam. portugaise de 1471 à 1662. Déclarée zone internationale en 1923, occupée par les Espagnols de 1940 à 1945, elle fut rendue au Maroc en 1956.

tangerine n. f. Fruit de goût acidulé, obtenu par hybridation (mandarinier et citronnier), ayant la forme du citron et la couleur de la mandarine.

tangibilité n. f. Didac. Caractère de ce qui est tangible.

tangible adj. **1.** Qui peut être touché, perçu par le toucher. *Une réalité tangible.* **2.** Fig. Évident, manifeste. *Des preuves tangibles.*

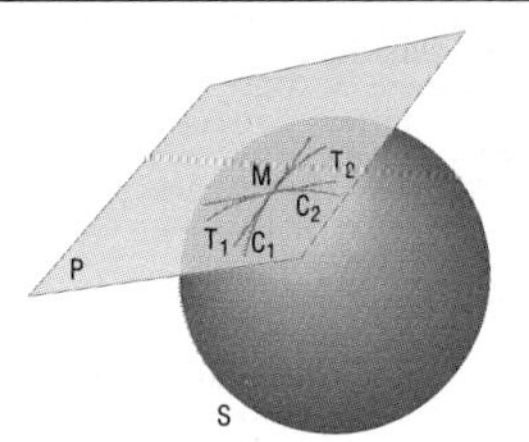

P : plan tangent en M à la sphère S
C_1 : courbe de S passant par M
T_1 : tangente à C_1 en M
C_2 : courbe de S passant par M
T_2 : tangente à C_2 en M
tangente

tangiblement adv. Didac. D'une manière tangible.

tango n. m. et adj. inv. **1.** Danse d'origine argentine, sur un rythme à deux temps; air sur lequel on la danse. *Danser un tango.* **2.** Demi de bière mélangé à une petite quantité de grenadine. *Tango panaché :* bière, limonade et grenadine. **3.** Couleur rouge orangé très vive. ▷ adj. inv. *Des rubans tango.*

tangon n. m. MAR Long espar disposé à l'extérieur d'un navire, pour amarrer les embarcations. ▷ *Par ext.* Espar servant à déborder une voile d'avant. *Tangon de spinnaker.*

tangor n. m. Fruit obtenu par hybridation (mandarinier et oranger).

Tangshan, v. de Chine (Hebei), à l'E. de Pékin, dans un bassin houiller; 1 490 000 hab. Sidérurgie. – La ville a été reconstruite après sa destruction, en 1976, par un tremblement de terre.

tangue n. f. AGRIC Sable calcaire, vaseux, du littoral de la Manche, utilisé comme amendement.

tanguer v. intr. [**1**] Être animé d'un mouvement de tangage (en parlant d'un bateau). ▷ Par ext. *Train qui tangue.* – *Avion qui tangue,* qui subit de courtes et fréquentes variations d'altitude dans une atmosphère turbulente. – *Un vertige qui me fait tanguer,* par défaut d'équilibre.

Tanguy (Yves) (Paris, 1900 – Woodbury, Connecticut, 1955), peintre français naturalisé américain. Surréaliste (1925), il élabora, suivant des procédés automatiques ou semi-automatiques, des paysages mentaux peuplés d'êtres-objets errants.

Yves **Tanguy :** *Encore et toujours,* 1942; coll. Thyssen-Bornemisza

tanière n. f. **1.** Caverne, lieu abrité servant d'abri à une bête carnivore. *Un loup dans sa tanière.* **2.** *Par ext.* Logis misérable, taudis. **3.** Habitation où l'on se retire, où l'on mène une vie solitaire. *Rester dans sa tanière.*

tan(n)in n. m. **1.** Substance astringente très abondante dans l'écorce de certains arbres (chêne, châtaignier) et utilisée dans le traitement des peaux pour les rendre imperméables et imputrescibles. **2.** *Tanin du vin* ou, absol., *tanin*, fourni par les pellicules, les rafles et les pépins de raisin (antiseptique qui facilite la conservation et le vieillissement).

Tanis, v. de l'anc. Égypte, dans le Delta, surtout prospère sous la XIXe dynastie (Ramsès II) et sous les souverains de la XXIe dynastie, qui en firent leur capitale. Le site, près de l'actuel village de San el-Hagar, a livré les tombes de plusieurs pharaons.

Tanit, déesse punique du Ciel et de la Fécondité, princ. divinité du panthéon carthaginois, identifiée à l'Astarté des Grecs (V. Ishtar).

Tanizaki (Junichirō) (Tōkyō, 1886 - Yugawara, 1965), écrivain japonais. Essayiste mais surtout romancier, il a peint le monde moderne par les procédés traditionnels de la littérature japonaise : *l'Amour d'un idiot* (1924-1925), *Neige fine* (1942-1948), *la Confession impudique* (1956).

Tanjore ou **Tanjur,** v. de l'Inde méridionale (Tamil Nadu); 184 020 hab. - Temple de Çiva (X^e ou XIe s.).

Tanjung Karang, v. d'Indonésie (Sumatra); 284 280 hab.; ch.-l. de province.

tank n. m. **1.** Grand réservoir cylindrique à usage industriel. - *Spécial.* Citerne d'un navire pétrolier. ▷ Petit réservoir à eau des campeurs. **2.** MILIT Vieilli Char de combat, blindé.

tanka n. m. Didac. Dans la littérature japonaise, poème court, formé de 31 syllabes.

tanker [tɑ̃kœʀ; tɑ̃kɛʀ] n. m. (Anglicisme) Navire-citerne spécialement aménagé pour le transport des combustibles liquides. Syn. (off. recommandés) : navire-citerne, pétrolier.

tankiste n. m. MILIT Membre de l'équipage d'un char de combat.

tannage n. m. Ensemble des opérations ayant pour but de transformer les peaux en cuir. *Tannage végétal,* au tannin. *Tannage minéral,* au chrome, notam.

tannant, ante adj. **1.** TECH Qui sert à tanner les peaux. *L'alun de chrome est une substance tannante.* **2.** Fig., fam. Qui importune, lasse par son insistance.

tanné, ée adj. et n. f. **I.** adj. **1.** Qui a été tanné. *Peaux tannées.* **2.** Qui a pris une couleur brun clair, semblable à celle du tan. *Visage tanné* (par la vie au grand air). **3.** Fig. Qui ressemble au cuir. *Mains à la peau tannée.* **II.** n. f. **1.** TECH Tan ayant servi au tannage et dépourvu de son tanin. **2.** Fam. Volée de coups. ▷ Fig. *Recevoir une tannée :* essuyer une défaite.

Tannenberg (en polonais *Stebark*), local. polonaise, autref. en Prusse-Orientale, proche de Grunwald* et d'Olsztyn. - En août 1914, Hindenburg y remporta sur les Russes une bataille décisive.

tanner v. tr. [1] **1.** Préparer (les peaux) avec du tan ou des substances analogues, pour les transformer en cuir. ▷ Abusiv. *Tanner des cuirs.* - Fig., fam. *Tanner le cuir à qqn,* le battre. **2.** Donner à (la peau du corps) la couleur brune du tan. **3.** Fig., fam. Lasser, agacer, harasser. *Cet enfant me tanne avec ses questions!*

Tanner (Alain) (Genève, 1929), cinéaste suisse : *Charles mort ou vif* (1969), *la Salamandre* (1971), *Dans la ville blanche* (1983).

tannerie n. f. **1.** Lieu où l'on tanne les peaux. **2.** Métier, commerce du tanneur.

tanneur, euse n. Personne qui tanne les peaux ou qui vend des peaux tannées.

Tannhäuser (Tannhausen, près de Neumarkt [?], v. 1205 - v. 1268), poète allemand; auteur de chansons à danser et de poèmes lyriques. La légende s'est emparée de son personnage, popularisé par Heine et Wagner.

tannin. V. tanin.

tannique adj. CHIM, TECH Qui contient du tanin. *Acide tannique.*

Tannou-Touva. V. Touva.

tanrec ou **tenrec** n. m. ZOOL Petit mammifère insectivore de Madagascar au nez en forme de trompe (genre *Centetes*), qui tient du hérisson et de la musaraigne. (V. centète.)

grand **tanrec**

tan-sad ou **tansad** [tansad; tɑ̃sad] n. m. (Anglicisme) Siège supplémentaire d'une motocyclette, derrière celui du conducteur. *Des tan-sads* ou *des tansads.*

tant adv. **I.** adv. de quantité. **1.** Tellement, en si grande quantité. *C'est le jour où il a tant plu.* - *Il a tant mangé!* ▷ *Tant de. Il a tant de peine. Un de ces hommes comme il y en a tant.* - Fam. *Tu m'en diras tant!* : tout devient clair après ce que tu viens de me dire. **2.** *Tant... que :* tellement... que, à un point tel que. *Il a tant couru qu'il est essoufflé.* - Loc. prov. *Tant va la cruche* à l'eau qu'à la fin elle se casse.* ▷ *Tant de... que :* tellement de... que, une si grande quantité de... que. *Il a tant de richesses qu'on ne saurait les compter.* **3.** (Emploi nominal.) Quantité non précisée, supposée connue des interlocuteurs. *Son bien se monte à tant.* - *Recevoir tant pour cent.* ▷ *Le tant :* tel jour du mois. *Il est parti le tant.* ▷ *Tant de. Ce costume coûte tant de francs.* ▷ *Tant et plus :* autant et plus qu'il n'en faut. **II.** *Tant que...* **1.** (Marquant la distance.) Aussi loin que. **2.** (Marquant la durée.) Aussi longtemps que. **III.** (Marquant la comparaison.) **1.** *Tant que :* autant que. *Il crie tant qu'il peut. «Rien ne pèse tant qu'un secret» (La Fontaine).* ▷ Par ext. *Tant que* (+ le v. *pouvoir*) : énormément, autant qu'on peut l'imaginer. *Mangeant tant qu'il pouvait.* - Pop. *Il gèle tant que ça peut.* ▷ Fam. *Tant que ça :* tellement, à un tel point. *Tu travailles tant que ça?* **2.** *Tant... tant...* (généralement suivi du v. *valoir*). *Tant vaut l'homme, tant vaut la terre.* **3.** *Tant... que... :* que ce soit... que ce soit, aussi bien... que... *Les partis, tant de droite que de gauche, ont protesté.* **4.** *Tant qu'à* (+ inf.) (emploi critiqué) : puisqu'il est nécessaire de. *Tant qu'à faire, j'aime mieux attendre ici.* **IV.** Loc. **1.** Loc. adv. *Tant mieux, tant pis* (pour marquer la satisfaction; le regret, le dépit). *Tant mieux pour vous. S'il échoue, tant pis!* ▷ *Tant bien que mal :* ni bien ni mal, médiocrement. ▷ *Tant soit peu :* si peu que ce soit. **2.** Loc. conj. *Tant s'en faut que :* il est très peu probable que (+ subj.). *Tant s'en faut qu'elle y consente.* ▷ *Si tant est que :* même en supposant que. ▷ *En tant que :* dans la mesure où; en qualité de, comme.

Tanta ou **Tantah** *(Ṭanṭā),* v. d'Égypte, au centre du delta du Nil; 344 000 hab.; ch.-l. de gouvernorat. Import. centre commercial. Raff. de pétrole.

tantale n. m. CHIM Élément métallique de numéro atomique Z = 73, de masse atomique 180,947 (symbole Ta). - Métal (Ta) blanc, de densité 16,65, qui fond vers 2 850 °C et bout vers 6 000 °C.

Tantale, dans la myth. gr., roi de Lydie qui égorgea son fils Pélops et le servit aux dieux dans un festin. Il fut condamné à subir dans les Enfers une faim et une soif perpétuelles au milieu des eaux qui fuyaient ses lèvres et près d'arbres dont les fruits se dérobaient à sa main. ▷ Loc. fig. *Supplice de Tantale :* situation douloureuse de qqn proche de l'objet de ses désirs mais qui ne peut l'atteindre.

Tan-Tan *(Ṭanṭān),* v. du Maroc; 41 450 hab.; ch.-l. de la prov. du m. nom.

tante n. f. **1.** Sœur du père ou de la mère. ▷ *Tante par alliance* ou *tante :* femme de l'oncle. ▷ *Grand-tante :* sœur de l'aïeul ou de l'aïeule; femme du grand-oncle. ▷ *Tante à la mode de Bretagne :* cousine germaine du père ou de la mère. **2.** Fam., vieilli *Ma tante :* le mont-de-piété, auj. le Crédit* municipal. **3.** Pop., injur. Homosexuel maniéré et efféminé.

tantième n. m. Tant sur une quantité déterminée. ▷ FIN Anc. Quote-part des bénéfices distribuée aux administrateurs d'une société.

tantinet n. m. Vx ou plaisant *Un tantinet de :* une toute petite quantité de. ▷ Loc. adv. Vieilli ou plaisant *Un tantinet :* un peu, légèrement. *Être un tantinet fâché.*

tantôt adv. (et n. m.) **1.** Cet après-midi, dans l'après-midi. *Si je ne pars pas ce matin, je partirai tantôt.* ▷ n. m. Rég., fam. Après-midi. *Il a passé tout le tantôt à la maison.* - (En appos.) *Jeudi tantôt.* **2.** Vx ou rég. Dans peu de temps ou il y a peu de temps (dans une même journée). *On se verra tantôt.* - *À tantôt :* à tout à l'heure. **3.** *Tantôt..., tantôt...* (marquant une alternance, une opposition) *:* à tel moment..., à un autre moment. *Il se porte tantôt bien, tantôt mal.*

tantouse ou **tantouze** n. f. Pop., injur. Syn. de *tante* (sens 3).

tāntra ou **tantra** [tɑ̃tʀa] n. m. Didac. Texte sacré des Indes, rédigé en sanskrit (V. tantrisme). *Des tāntra* ou *des tantras.*

tantrique adj. Qui se rapporte au tantrisme, aux tantras. *Peinture tantrique,* inspirée par des relations de signes propres au tantrisme.

tantrisme n. m. Ensemble de doctrines et de rites issus de l'hindouisme et ayant partiellement influencé le bouddhisme et le jaïnisme, dont les textes *(tantras)* proposent d'atteindre la conciliation du monde des phénomènes et du monde de l'absolu par l'utilisation totale des forces de l'esprit et du corps.

Tanzanie (république unie de) *(Jamhuri ya Muungano wa Tanzania)*, État de l'Afrique orientale, sur l'océan Indien ; 939 828 km²; env. 24 millions d'hab., croissance démographique : 3,5 % par an ; cap. *Dodoma* ; v. princ. *Dar es-Salaam* (anc. cap.). Nature de l'État : rép. confédérale (formée en 1964 par l'union du Tanganyika et de Zanzibar), membre du Commonwealth. Langues off. : swahili du Tanganyika et swahili de Zanzibar. Monnaie : shilling. Pop. : Bantous (95 %). Relig. : animistes, chrétiens, musulmans (à Zanzibar, notam.).

Géogr. phys. et hum. – L'essentiel du pays est occupé par un vaste plateau central, dont l'altitude moyenne est de 1 200 m. Il est parcouru par de nombreux cours d'eau qui se jettent dans les lacs du rift occidental (Malawi, Tanganyika), le lac Victoria au N. et traversent la plaine côtière orientale que prolonge la plate « Tanzanie insulaire » (avec les îles de Zanzibar et de Pemba). Au N. se dressent de puissants volcans : Uhuru (anc. Kilimandjaro) à 5 895 m, Meru, Ngorongoro. Le climat tropical d'alizés est nuancé : les îles, la côte et les montagnes du N. sont bien arrosées, alors qu'à l'intérieur sévit une saison sèche beaucoup plus longue. Forêts claires et savanes dominent, peuplées d'une abondante faune sauvage. La population, qui compte plus de 120 ethnies, est encore aux trois quarts rurale ; elle a doublé en 20 ans.

Écon. – L'agriculture occupe plus de 80 % des actifs ; désorganisée par l'expérience socialiste qui, entre 1967 et 1986, a regroupé 85 % des ruraux dans 9 000 villages communautaires, elle a retrouvé aujourd'hui une meilleure productivité. Manioc, maïs, riz, sorgho constituent les principales productions vivrières, associées à un important élevage extensif ; la pêche est en progrès. Café et coton assurent la moitié des exportations du pays, devant le sisal, la noix de cajou, les diamants. La part de l'industrie est limitée : agroalim., textile, petite métallurgie, raffinage. Dar es-Salaam, principal port et pôle d'activités, est aussi le terminal de la voie ferrée « Tanzam », construite avec l'aide chinoise, et l'un des débouchés des exportations de la Zambie. Très pauvre, la Tanzanie fait partie des pays les moins avancés ; sous l'égide du F.M.I., une politique de redressement de type libéral a été entreprise en 1986 mais la situation reste précaire.

Hist. – La région fut peuplée dès le paléolithique. Bien avant le Moyen Âge, les commerçants indiens, indonésiens, persans et arabes relâchèrent sur les côtes et dans les îles (V. Zanzibar), à la recherche d'or, d'ivoire et d'esclaves. Les Portugais dominèrent ce commerce aux XVIe-XVIIe s. Puis au XVIIIe s., le sultanat d'Oman affirma sa prépondérance. Au XIXe s., la G.-B. explora l'intérieur (expéditions de Livingstone et de Stanley, notam.), rivalisant avec l'Allemagne, qui avait pris pied sur le continent en 1884. Les Britanniques établirent leur protectorat sur Zanzibar tandis que se constituait l'Afrique-Orientale all., en 1891. En 1920, la G.-B. obtint de la S.D.N. le mandat sur la région, désormais nommée Tanganyika. Un mouvement nationaliste se développa après la Seconde Guerre mondiale sous l'impulsion de Julius Nyerere, leader de la Tanganyika African National Union (TANU), qui conduisit le pays vers l'indépendance, acquise en 1961. En 1964 fut réalisée l'union du Tanganyika avec Zanzibar, d'où procéda la Tanzanie. Président de la République depuis 1962, Julius Nyerere instaura en 1965-1967 un régime de parti unique à tendance socialiste fondé sur des nationalisations et sur la mise en place de coopératives agricoles. À plusieurs reprises le Tanganyika est intervenu dans la vie polit. de ses voisins (Rép. dém. du Congo, Comores, Ouganda). En 1985, Nyerere abandonna sa fonction de chef de l'État. La politique écon. de Ali Hassan Mwinyi, élu prés. en 1985, s'inspire du libéralisme. Benjamin Mkapa, élu en 1995, lui succède.

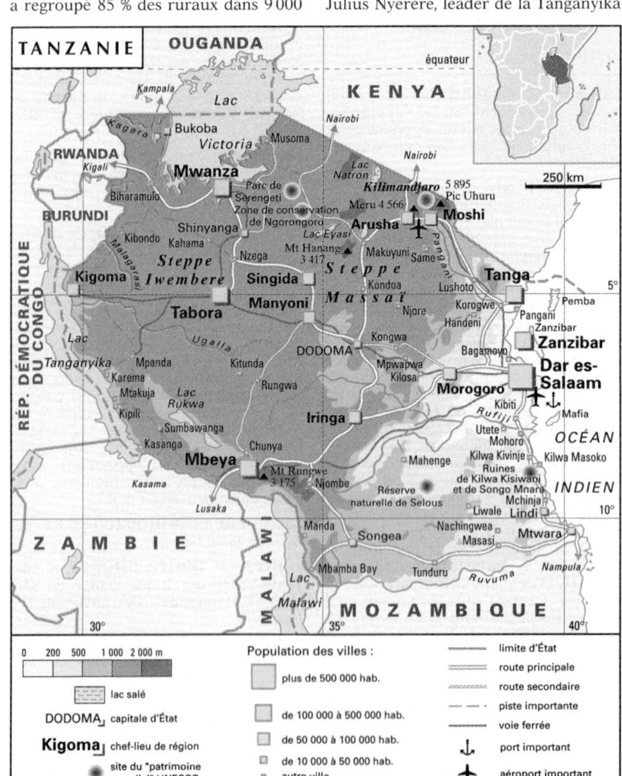

tanzanien, enne adj. et n. De Tanzanie. ▷ Subst. *Un(e) Tanzanien(ne).*

tao [taɔ] ou **dao** [daɔ] n. m. DIDAC. Principe (englobant de nombreuses notions) à l'origine de la vie et régulant toutes choses dans l'Univers, pour les taoïstes.

T.A.O. INFORM Sigle de *traduction assistée par ordinateur.*

taoïsme [taɔism] n. m. Système philosophique et religieux de la Chine, l'un des deux grands courants de la pensée chinoise, avec le confucianisme.
ENCYCL Le taoïsme (en pinyin *daojia*) est attribué à Lao-tseu, l'auteur supposé, v. le VIe ou le Ve s. av. J.-C., du *Tao-tö-king* (en pinyin *Daodejing*). Cet ouvrage est un « recueil d'aphorismes » sur le tao et sur l'idéal du sage qui, diminuant chaque jour son activité extérieure et mentale, parvient à ne plus intervenir dans le cours des choses. À l'origine, le taoïsme enseigne le non-agir, à la différence de l'enseignement utilitariste du confucianisme. À partir du IIe s. apr. J.-C. s'est développée, autour du taoïsme, une sorte de syncrétisme magico-religieux qui recouvre un ensemble de croyances et de pratiques auxquelles président un nombre considérable de dieux et de génies.

taoïste n. et adj. Personne qui pratique le taoïsme. ▷ adj. Qui concerne le taoïsme, les taoïstes.

taon [tɑ̃] n. m. Insecte diptère dont la femelle pique les mammifères pour sucer leur sang.

Taormina, v. de Sicile (prov. de Messine), au pied de l'Etna et dominant la mer Ionienne ; 10 090 hab. Tourisme. – Théâtre grec (IIIe s. av. J.-C.), agrandi par les Romains (v. le IIe s. apr. J.-C.). Nombr. monuments médiévaux. Cath. du XIIIe s., remaniée aux XVe et XVIe s.

tapage n. m. **1.** Bruit accompagné de désordre. *Tapage nocturne.* **2.** Grand retentissement que connaît une affaire,

taon des bœufs

émotion qu'elle suscite dans le public; éclat, scandale. *La nouvelle a fait du tapage.*

tapageur, euse adj. **1.** Qui fait du tapage (sens 1). *Noctambules tapageurs.* **2.** Qui provoque le tapage (sens 2); qui suscite un certain scandale par son caractère inhabituel ou provocant. *Réclame tapageuse. Conduite tapageuse.* ▷ Trop voyant, criard. *Élégance tapageuse.*

tapageusement adv. De façon tapageuse.

Tapajós (le), riv. du Brésil (1 980 km), affl. de l'Amazone (r. dr.), formé par la réunion du *Juruena* et du *São Manuel*, nés dans le Mato Grosso.

tapant, ante adj. **1.** *À une (deux, trois, etc.) heure(s) tapante(s) :* à cette heure exactement, au moment précis où l'heure sonne. **2.** Rare Qui tape. *Soleil tapant.*

tape n. f. Coup donné avec la main ouverte. *Une tape amicale.*

tape-à-l'œil [tapalœj] adj. inv. et n. m. inv. Fam. Trop voyant, qui attire trop le regard; qui cherche à éblouir par son caractère ostentatoire. *Couleurs tape-à-l'œil. Un luxe tape-à-l'œil.* Ant. sobre, discret. ▷ n. m. inv. *Parvenu qui aime le tape-à-l'œil.*

tapecul ou **tape-cul** n. m. **1.** Porte à bascule qui s'abaisse pour fermer l'entrée d'une barrière. **2.** Balançoire constituée par une poutre reposant par le milieu sur un point d'appui. **3.** EQUIT Exercice de trot sans étriers. *Faire du tape-cul.* **4.** Petit cabriolet à deux places. **5.** *Par ext.* Voiture dont la suspension est mauvaise. **6.** MAR Voile aurique ou triangulaire établie tout à fait à l'arrière de certains bateaux et dont la bôme déborde largement la poupe. *Cotre à tapecul* ou *yawl. Des tapeculs* ou *des tape-culs.*

tapée n. f. Fam. Grand nombre. *Une tapée d'enfants.*

tapenade n. f. CUIS Spécialité provençale à base d'olives noires, d'anchois, de câpres, pilés ou écrasés, additionnés d'huile d'olive, de citron et parfois d'ail.

taper v. [1] **I.** v. tr. **1.** Donner une, des tapes à. *Taper un animal rétif.* – *Par ext.* Frapper, cogner. *Le ballon a tapé la barre transversale du but.* ▷ Loc. fam. *Taper le carton :* jouer aux cartes. **2.** Produire (un son) en frappant. *Taper des notes sur un piano.* **3.** *Taper à la machine* ou, ellipt., *taper :* dactylographier. *Taper une lettre.* **4.** Fig., fam. Emprunter de l'argent à (qqn). *Il m'a tapé (de) cinquante francs.* **II.** v. intr. **1.** Donner une (des) tape(s). *Taper sur l'épaule de qqn.* – Donner un (des) coup(s). *Taper avec un marteau. Taper du pied.* ▷ Loc. fig. Fam. *Taper sur qqn,* en dire du mal. – Fam. *Taper dans l'œil de qqn,* le séduire d'emblée. – *Soleil qui tape,* qui darde ses rayons, qui chauffe très fort. **2.** Fam. *Taper dans :* prélever sur, se servir de. *Taper dans ses économies. Tapez sans vous gêner dans les petits gâteaux!* **III.** v. pron. **1.** (Récipr.) Se frapper mutuellement. **2.** (Réfl.) Fam. *S'en taper :* s'en moquer, rester indifférent. **3.** Fam. S'offrir (qqch d'agréable). *Se taper un bon petit dîner.* ▷ Fam. Avoir des relations sexuelles avec. *Se taper une fille, un garçon.* **4.** Fam. Faire (qqch de pénible). *Se taper une corvée.* **5.** Pop. *Tu peux toujours te taper :* ce n'est pas la peine d'y compter.

tapette n. f. **I.** Petite tape. *Le premier de nous deux qui rira aura une tapette* (comptine accompagnant un jeu enfantin). **II. 1.** Palette d'osier tressé, à long manche, pour battre les tapis. ▷ Palette souple à manche, pour tuer les mouches. **2.** Souricière, ratière à ressort, qui tue les rongeurs en les assommant. **3.** Jeu de billes dans lequel on fait taper les billes contre un mur. **4.** Fig., vieilli Langue. *Faire marcher sa tapette. Avoir une fière tapette :* avoir la langue bien pendue, être très bavard. ▷ *Par ext.* Personne très bavarde. **5.** Vulg., injur. Syn. de *tante* (sens 3).

tapeur, euse n. Fam. Personne qui emprunte facilement de l'argent, qui tape (sens I, 4) souvent autrui.

Tàpies (Antoni) (Barcelone, 1923), peintre espagnol. Usant librement de matériaux étrangers à la peinture traditionnelle, il inscrit des signes à caractère tragique sur des surfaces apparemment dégradées, rugueuses et mates.

Antoni **Tàpies :** *le Chapeau renversé,* 1967; MNAM

tapin n. m. **1.** Fam., vx Celui qui bat du tambour. **2.** Arg. *Faire le tapin :* racoler, en parlant d'une prostituée; faire le trottoir. ▷ Par ext. *Un tapin :* une prostituée qui fait le trottoir.

tapiner v. intr. [1] Arg. Faire le tapin.

tapineuse n. f. Arg. Prostituée qui tapine, qui racole dans la rue.

tapinois (en) loc. adv. À la dérobée, en cachette, sournoisement.

tapioca n. m. Fécule extraite de la racine de manioc, séchée et réduite en flocons. *Potage au tapioca.*

1. tapir n. m. Mammifère herbivore et frugivore (genre *Tapirus*) d'Amérique tropicale et de Malaisie, dont la tête se prolonge par une courte trompe mobile.

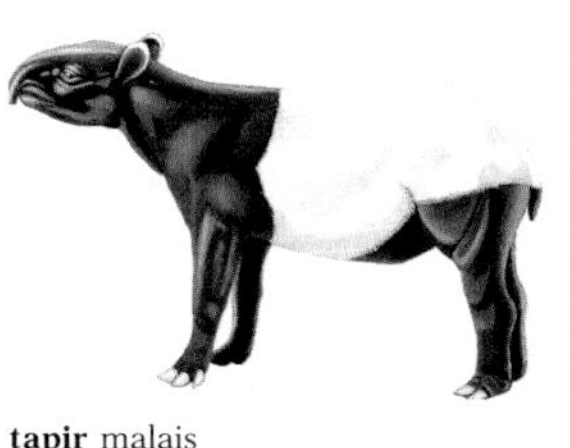

tapir malais

2. tapir (se) v. pron. [3] Se cacher en se ramassant sur soi-même, en se blottissant.

tapis [tapi] n. m. **I. 1.** Pièce d'étoffe épaisse, de forme régulière, destinée à être étendue sur le sol d'un local pour le décorer ou le rendre plus confortable. *Tapis de Turquie.* ▷ Toute pièce de matière souple destinée à être posée sur le sol (notam. pour constituer une protection). *Tapis de bain.* – *Spécial.* Natte épaisse utilisée dans certains sports pour amortir les chutes. *Tapis d'une salle de judo* (V. tatami), *d'un ring. Boxeur qui va au tapis,* qui est envoyé au sol par un coup violent. – Par anal. *Rester au tapis :* être hors d'état de réagir (face aux événements, à la concurrence, etc.) ▷ *Tapis-brosse,* placé sur un seuil, pour s'essuyer les pieds. *Des tapis-brosses.* Syn. paillasson. ▷ *Tapis de selle :* petite couverture que l'on interpose entre la selle et le dos du cheval. **2.** Pièce de tissu épais qui recouvre un meuble, une table (partic., une table de jeu ou la table d'une salle de réunion). *Mettre une grosse mise sur le tapis. Le conseil d'administration réuni autour du tapis vert.* ▷ Loc. fig. *Amuser le tapis :* jouer de petites mises; *par ext.,* éviter d'aborder un sujet épineux en entretenant ses interlocuteurs de choses sans grand intérêt. – *Mettre une affaire sur le tapis :* parler d'une affaire, amener une discussion à ce sujet. **3.** Par anal. TECH *Tapis roulant :* V. roulant. **II.** *Par comp.* Ce qui recouvre une surface à la manière d'un tapis. *Un tapis de fleurs.*

tapisser v. tr. [1] **1.** Revêtir (une pièce, ses murs) de tapisserie, de papier peint, etc. *Tapisser un couloir.* **2.** (Sujet n. de chose.) Recouvrir en une couche mince et régulière (une surface, une paroi). *Affiches qui tapissent un mur. Membrane qui tapisse l'estomac.*

tapisserie n. f. **1.** Pièce d'étoffe utilisée comme décoration murale, tenture de tapisserie (sens 2 ou 3). – Loc. fig. *Être derrière la tapisserie :* être informé de ce qui est tenu secret. – *Faire tapisserie :* rester le long du mur sans bouger. (Se dit partic. d'une jeune fille, d'une jeune femme que, dans un bal, l'on n'invite pas à danser.) ▷ *Par ext.* Ce qui tapisse un mur (papier peint collé, tissu agrafé, etc.). **2.** Ouvrage tissé au métier à main, et dans lequel le dessin résulte de la façon dont les fils de trame *(duites)* sont entrecroisés avec les fils de chaîne; grande pièce d'un tel ouvrage, grand panneau destiné à revêtir et à parer une muraille. *Tapisseries de haute lisse* des Gobelins. Tapisseries de basse lisse de Beauvais et d'Aubusson. Carton de tapisserie :* maquette peinte d'après laquelle est exécutée une tapisserie. ▷ Art de la fabrication de tels ouvrages. **3.** Ouvrage à l'aiguille, broderie effectués avec des fils de laine, de soie, etc., d'après un dessin tracé sur un canevas. *Fauteuil recouvert de tapisserie.* ▷ Art de la confection de tels ouvrages.

tapissier, ère n. **I.** n. **1.** Personne qui fait des tapisseries (sens 2 et 3). **2.** Personne qui vend ou pose les tissus qui garnissent certains meubles ou qui sont utilisés dans la décoration intérieure des maisons. **II.** n. m. Celui qui vend, qui pose le papier peint, le tissu qui revêt les murs.

tapon n. m. Petite boule faite d'un morceau d'étoffe, de papier, de matière souple, roulé ou froissé, ou d'un amas de matière. *Tapon de chiffon.*

tapotement n. m. Action, fait de tapoter; son résultat. ▷ *Spécial.* Massage par petits coups répétés donnés avec les doigts, les mains, les poings.

tapoter v. tr. [1] Taper à petits coups répétés sur. *Tapoter les joues d'un enfant.* ▷ *Tapoter du piano,* en jouer mal ou négligemment.

tapuscrit [tapyskʀi] n. m. Fam. Dans la langue de la presse et de l'édition, texte dactylographié (tapé à la machine) prêt à être composé.

taquer v. tr. [1] IMPRIM **1.** Mettre au même niveau (les caractères, les lignes). **2.** Égaliser (une rame de papier) en tapant sa tranche sur une surface plane de manière à superposer exactement les feuilles.

taquet n. m. **1.** TECH Petite pièce en matière dure (bois, métal) servant de cale, de butoir, de tampon, de repère, etc. **2.** MAR Pièce à deux oreilles solidement fixée en un point du navire ou de son gréement, et que l'on utilise pour amarrer des cordages. *Tourner une drisse au taquet.* **3.** TECH Plateau horizontal qui se fixe aux barreaux d'une échelle ou qui se pose sur les marches d'un escalier, utilisé notam. par les peintres en bâtiment.

taquin, ine adj. et n. **1.** adj. Qui se plaît à taquiner autrui. *Un enfant taquin.* – Subst. *Un(e) taquin(e).* **2.** n. m. *Jeu de taquin* ou, ellipt., *un taquin,* fait de plaquettes mobiles portant des numéros ou les lettres de l'alphabet, et qu'il faut ranger dans l'ordre convenable.

taquiner v. tr. [1] **1.** S'amuser à agacer (qqn) par de petites moqueries sans gravité. *Elle le taquine sans cesse.* – Loc. fam. *Taquiner le goujon* : pêcher à la ligne. *Taquiner la muse* : écrire des vers. ▷ v. pron. (Récipr.) *Cessez de vous taquiner!* **2.** (Sujet n. de chose.) Contrarier quelque peu; faire légèrement souffrir. *Cette histoire me taquine.*

taquinerie n. f. **1.** Rare Caractère d'une personne taquine. **2.** Action, parole de celui qui taquine.

taquon. V. tacon.

tar n. m. **1.** Dans la musique arabo-islamique, tambour sur cadre, parfois muni de petites cymbales. **2.** Grand luth iranien, à caisse en forme spiralée.

tarabiscot [taʀabisko] n. m. TECH Cavité peu profonde entre deux moulures sur bois. ▷ Rabot qui sert à creuser cette cavité.

tarabiscoté, ée adj. Surchargé d'ornements compliqués. *Décors tarabiscotés.* ▷ (Abstrait) Compliqué à l'extrême. *Esprit, raisonnement, style tarabiscoté.*

tarabuster v. tr. [1] **1.** Importuner en harcelant. *Tarabuster qqn pour obtenir qqch.* **2.** (Sujet n. de chose.) Tracasser. *Cette pensée me tarabuste.*

tarama n. m. CUIS Hors-d'œuvre à base d'œufs de cabillaud salés mêlés à de la mie de pain détrempée ou à de la purée de pommes de terre et montés en émulsion avec de l'huile.

Tarapur, local. de l'Inde (Gujerāt), au N. de Bombay. Centrale nucléaire.

tarare n. m. AGRIC Appareil servant à vanner et à cribler les grains mécaniquement.

Tarare, ch.-l. de canton du Rhône (arr. de Villefranche-sur-Saône), dans le Beaujolais; 10 846 hab. Centre d'industr. textiles (rideaux, coton filé, soie, etc.) depuis le XVIIIe s.

Tarascon, ch.-l. de cant. des Bouches-du-Rhône (arr. d'Arles), sur le Rhône, en face de Beaucaire; 11 158 hab. Conserveries; textile. – Chât. dit « du roi René » (XIVe-XVe s.).

tarasque n. f. Animal fabuleux, dragon amphibie vivant autref. dans le Rhône, selon certaines légendes provençales. ▷ Représentation de ce monstre qu'on promenait dans certaines villes du Midi (dont Tarascon), le jour de la Sainte-Marthe et de la Pentecôte.

taraud n. m. TECH Outil servant à fileter les alésages.

taraudage n. m. TECH Opération consistant à tarauder; son résultat. – Filetage pratiqué au moyen d'un taraud.

tarauder v. tr. [1] **1.** TECH Fileter au moyen d'un taraud. **2.** Fig. Tourmenter, torturer.

taraudeuse n. f. TECH Machine-outil servant à tarauder (sens 1).

Tarbes, ch.-l. du dép. des Hautes-Pyrénées, anc. cap. de la Bigorre, sur l'Adour; 50 228 hab. Cet anc. centre d'élevage de chevaux (race *tarbaise*) connaît une industrialisation récente : constr. mécaniques, électriques et aéronautiques. Industrie traditionnelle du cuir. Aéroport international *(Tarbes-Ossun-Lourdes).* – Évêché. Cath. N.-D.-de-la-Sède (XIIIe-XVIIIe s.).

tarbouch(e) n. m. Coiffure tronconique sans bord, en feutre rouge, ornée d'un gland de soie, portée notam. autref. par les Ottomans.

tard adv., adj. et n. m. **1.** Après le temps déterminé, voulu ou habituel. *Arriver trop tard.* – Prov. *Mieux vaut tard que jamais.* – *Tôt ou tard* : dans un avenir indéterminé, mais inévitablement. **2.** Vers la fin d'une période de temps déterminée. *Il a neigé tard dans l'année.* – *Spécial.* Vers la fin de la journée ou de la nuit. *Rentrer tard. Se coucher tard.* ▷ adj. *Il se fait tard.* **3.** n. m. *Sur le tard* : vers la fin de la soirée. – Fig. À un âge qui n'est plus celui de la jeunesse; vers la fin de sa vie. *Il s'est pris sur le tard d'une passion pour la peinture.*

Tarde (Gabriel de) (Sarlat, 1843 – Paris, 1904), sociologue français. Il a étudié la criminalité et les facteurs de la transformation sociale.

Tardenois (le), petit pays de l'E. du Bassin parisien, entre la Vesle et la Marne, à l'O. de Reims.

tarder v. [1] **I.** v. intr. **1.** *Tarder à* (+ inf.) : différer de (faire qqch), mettre longtemps pour. *Tarder à partir.* **2.** Mettre du temps à venir. *Sa réponse n'a pas tardé.* **II.** v. impers. *Il me tarde de* (+ inf.) : j'ai hâte de.

Tardi (Jacques) (Valence, 1946), dessinateur et scénariste de bandes dessinées français. Il a créé la série *Adèle Blanc-Sec* et illustré *Brouillard au pont de Tolbiac* de Léo Malet (1981) et *Voyage au bout de la nuit* de Céline (1988).

Tardieu (André) (Paris, 1876 – Menton, 1945), homme politique français. Fondateur du Centre républicain (1932), député de 1914 à 1924 et de 1926 à 1936, il fut plusieurs fois ministre. Président du Conseil (1929, 1930 et 1932), il tenta de combattre la crise économique (politique de grands travaux).

Tardieu (Jean) (Saint-Germain-de-Joux, Ain, 1903 – Créteil, 1995), écrivain français. Il a joué sur « les incertitudes du langage » dans ses poèmes (*Choix de poèmes,* 1961, *Margeries,* 1986) et dans de brèves pièces (*Théâtre de chambre,* 1955-1975) qui relèvent du théâtre de l'absurde.

tardif, ive adj. **1.** Qui vient, qui se fait tard. *Coucher tardif. Repentir tardif.* **2.** Se dit des végétaux comestibles qui arrivent à maturité après les autres de même espèce. *Fraises tardives.*

tardigrades n. m. pl. ZOOL Classe de métazoaires de petite taille (moins de 1 mm), proches des arthropodes, qui vivent dans l'eau ou dans les végétaux humides (mousses, lichens, etc.) et qui, en cas de sécheresse, entrent en état de vie ralentie et peuvent s'y maintenir pendant plusieurs années. – Sing. *Un tardigrade.*

tardivement adv. D'une manière tardive.

tare n. f. **1.** Poids de l'emballage vide d'une marchandise, que l'on doit défalquer du poids brut pour obtenir le poids net. ▷ Poids que l'on met dans l'un des plateaux d'une balance pour équilibrer la charge de l'autre plateau, dans la méthode de la double pesée. *Faire la tare.* (Remarque : la tare est une masse.) **2.** Défaut qui entraîne une diminution de la valeur commerciale d'une marchandise, de l'objet d'une transaction. *Bois d'œuvre sans tares.* **3.** Défectuosité, physique ou psychique, diminuant les capacités fonctionnelles de l'organisme, ou affaiblissant sa résistance aux maladies. *Tares héréditaires.* **4.** Fig. Grave défaut, vice d'une personne; défectuosité, imperfection majeure (dans l'ordre des choses humaines). *Les tares d'une société.*

taré, ée adj. et n. **1.** Qui présente une tare (sens 2, 3 et 4). **2.** Fam. (Personnes) Fou, ridicule (par le comportement), stupide. *Il est complètement taré.*

Tarentaise (la), pays des Alpes françaises, formé par la vallée supérieure de l'Isère, en amont d'Albertville; v. princ. *Bourg-Saint-Maurice, Moûtiers.* Élevage bovin (race *tarine*). Électrochimie et électrométallurgie grâce à d'import. centrales hydroélectriques (Malgovert). Tourisme (Tignes, Val-d'Isère).

Tarente (en ital. *Taranto*), v. d'Italie (Pouilles), sur le *golfe de Tarente;* 243 780 hab.; ch.-l. de la prov. du m. nom. Port militaire. Import. complexe sidérurgique; arsenal; pétrochimie. – Archevêché. Musée d'archéologie. – Anc. colonie grecque *(Taras),* Tarente fut puissante du VIIIe au IIIe s. av. J.-C.

tarentelle n. f. Danse populaire du sud de l'Italie, au rythme rapide. – Air accompagnant cette danse.

tarentule n. f. Grosse araignée *(Lycosa tarentula)* appelée aussi *araignée-loup,* commune dans le sud de l'Italie et dont la piqûre passait autrefois pour déterminer un état morbide caractérisé par une alternance d'accès de torpeur et d'excitation.

tarer v. tr. [1] COMM Peser (un emballage, un contenant) pour pouvoir calculer le poids net d'une marchandise.

taret n. m. Mollusque lamellibranche (genre *Teredo*) des eaux marines, au corps vermiforme, à la coquille réduite, qui occasionne d'importants dégâts aux ouvrages en bois immergés (coques de navire par ex.) en y forant ses galeries.

targette n. f. Petit verrou constitué d'un pêne plat ou cylindrique coulissant sur une plaquette.

Targowica ou **Targovitsa** (Confédération de), confédération formée en mai 1792 par des nobles polonais conservateurs qui s'opposaient à la Constitution jacobine de 1791. Elle fut soutenue par la Russie, dont l'intervention aboutit au deuxième partage de la Pologne (1793).

targuer (se) v. pron. [1] Litt. *Se targuer de (qqch)* : se prévaloir avec ostentation de (qqch). ▷ (+ inf.) Se faire fort de. *Il se targue de tenir la distance.*

targui. V. touareg.

tarière n. f. **1.** TECH Outil de charpentier affectant la forme d'une très grande vrille et servant à forer des trous dans le bois. ▷ Instrument servant à forer dans le sol des trous peu profonds. **2.** ZOOL Organe térébrant au moyen duquel certaines femelles d'insectes introduisent leurs œufs dans le milieu le plus favorable à la croissance de leurs larves (bois, terre, corps d'autres insectes, etc.).

tarif n. m. Tableau indiquant le prix de certaines marchandises, le montant de certains services ou de certains droits; ces montants eux-mêmes. *Tarif douanier. Billet à tarif réduit.*

tarifaire adj. Qui concerne un tarif.

tarifer [1] ou **tarifier** v. tr. [2] Fixer à un montant déterminé le prix de. *Tarifer des marchandises.* – Pp. adj. Dont le prix est fixé. *Services tarifés.*

tarification n. f. Fait de tarifer; son résultat. ▷ Ensemble de tarifs.

Tarim (le), fleuve de Chine (2 179 km), dans le Xinjiang; né dans le Karakoram, il longe au N. le désert de Taklimakan et se perd dans la dépression du Lob Nor.

1. tarin n. m. Oiseau passériforme (*Carduelis spinus*, fam. fringillidés) au plumage jaune verdâtre rayé de noir sur les ailes, hôte habituel des bois de conifères européens.

2. tarin n. m. Arg. ou fam. Nez.

Tariq ibn Ziyad (*Ṭāriq ibn Ziyād*), chef berbère, affranchi de Musa ibn Nusayr. Il débarqua en Espagne à l'endroit qui fut nommé en mémoire de lui *djabal al-Tariq*, « mont de Tariq » (d'où vient le nom de Gibraltar), battit le roi wisigoth Rodrigue près de Cadix (711) et poursuivit la conquête vers le nord (jusqu'à Saragosse et Léon) avec Musa ibn Nusayr, débarqué après lui.

tarir v. [3] **I.** v. tr. Mettre à sec, faire cesser de couler. *La sécheresse avait tari les sources et les puits.* ▷ Fig., litt. *Tarir les larmes de qqn.* **II.** v. intr. **1.** Être mis à sec; cesser de couler. *Cette source n'a jamais tari.* **2.** Fig. *Ne pas tarir sur un sujet,* en parler sans cesse. *Ne pas tarir d'éloges sur qqn :* faire des éloges continuels de qqn. **III.** v. pron. Cesser de couler. *La rivière s'est tarie.* ▷ Fig. *Inspiration qui se tarit.*

tarissement n. m. Action de tarir; fait de se tarir; état de ce qui est tari.

Tarkovski (Andreï Arsenievitch) (Moscou, 1932 – Paris, 1986), cinéaste soviétique. Dans son œuvre, empreinte de spiritualité, il concilie, indépendamment de la mode, sa propre perception morale de l'art et la recherche de la vérité absolue. *Andreï Roublev* (1966), *Solaris* (1972), *le Miroir* (1974), *Stalker* (1979), *le Sacrifice* (1986).

tarlatane n. f. Étoffe de coton au tissage lâche, très apprêtée.

tarmac n. m. AVIAT Partie d'un aéroport réservée à la circulation, au stationnement et à l'entretien des avions.

tarmacadam [taʀmakadam] n. m. TRAV PUBL Vx Revêtement constitué de pierres concassées agglomérées avec du goudron.

Tarn (le), riv. de France (375 km), affl. de la Garonne (r. dr.); né au S. du mont Lozère, il coule dans des gorges profondes, puis passe à Millau, Albi, Montauban et reçoit l'Aveyron (r. dr.) en amont de Moissac.

Tarn, dép. franç. (81); 5 751 km²; 342 723 hab.; 59,6 hab./km²; ch.-l. *Albi.* V. Midi-Pyrénées (Rég.).

tarnais, aise adj. et n. Du département du Tarn.

Tarn-et-Garonne, dép. franç. (82); 3 716 km²; 200 220 hab.; 53,9 hab./km²; ch.-l. *Montauban.* V. Midi-Pyrénées (Rég.).

Tarnier (Étienne, dit Stéphane) (Aiserey, Côte-d'Or, 1828 – Paris, 1897), obstétricien français. Le premier, il utilisa les méthodes d'asepsie et d'antisepsie

A. **Tarkovski** le **Tasse**

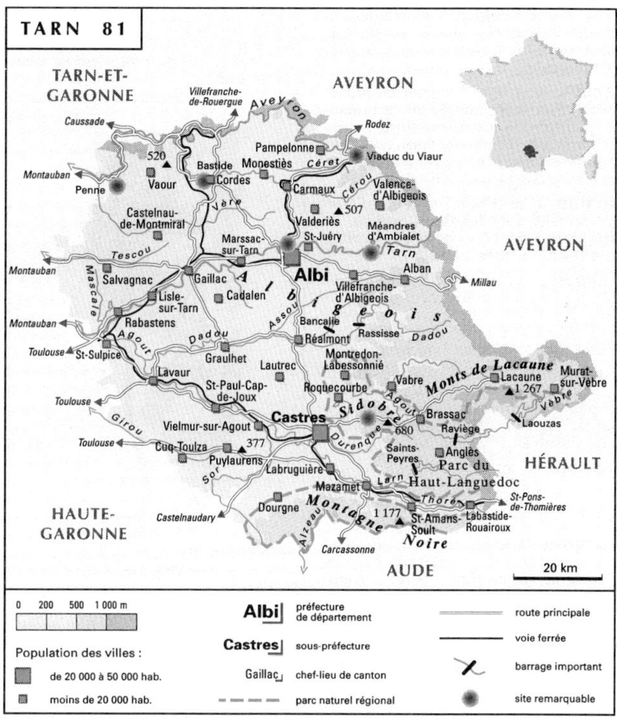

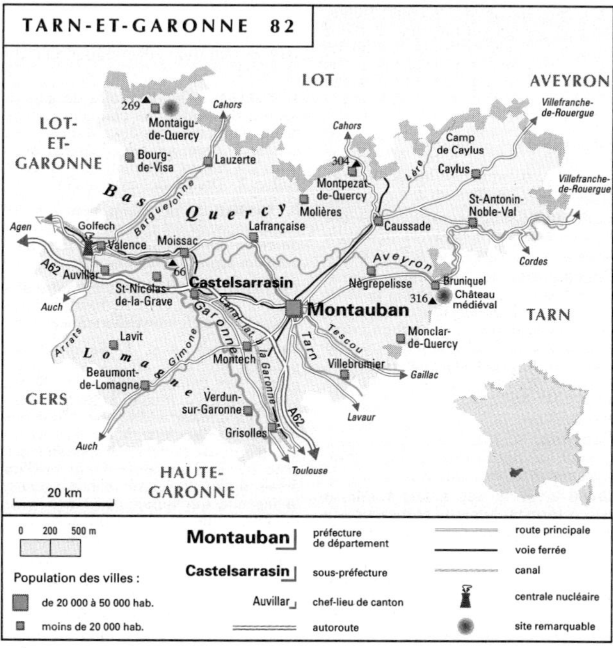

pasteuriennes. Il inventa un type de forceps.

Tărnovo. V. Veliko Tărnovo.

Tarnów, v. de la Pologne mérid.; 114 110 hab.; ch.-l. de la voïévodie du m. nom. Centre industriel en expansion : industr. mécaniques et chimiques (engrais azotés).

taro n. m. BOT Plante des pays chauds (fam. aracées) cultivée en Afrique tropicale et en Polynésie pour son tubercule comestible riche en amidon; ce tubercule.

tarot n. m. **1.** Carte à jouer de grand format également utilisée en cartomancie pour dire la bonne aventure. *Le jeu de tarots* ou, ellipt., *le tarot, comporte soixante-dix-huit cartes.* **2.** Jeu qui se joue avec ces cartes.

tarpan n. m. Cheval sauvage d'Asie occidentale, dont les deux espèces, le *tarpan des forêts* et le *tarpan des steppes,* se seraient éteintes au XIXe s.

Tarpeia, jeune vestale légendaire. Fille de Tarpeius, gouverneur de la citadelle de Rome, elle ouvrit la porte du Capitole aux assiégeants sabins, qui l'écrasèrent sous leurs boucliers.

Tarpéienne (roche), rocher situé à l'extrémité S.-O. du mont Capitolin, en surplomb du Tibre, et d'où certains criminels de l'anc. Rome étaient précipités (jusqu'au Ier s. apr. J.-C.).

tarpon n. m. ICHTYOL Gros poisson marin clupéiforme (genre *Megalops*) répandu surtout près de l'embouchure des rivières de Floride.

Tarquin l'Ancien (en lat. *Lucius Tarquinius Priscus*) (m. v. 579 av. J.-C.), le cinquième roi de Rome selon la tradition; successeur d'Ancus (616 av. J.-C.). D'origine étrusque (ou grecque), il combattit les Latins, les Sabins, et fit entreprendre à Rome d'importants travaux (*Cloaca maxima,* « grand égout »).

Tarquin le Superbe (en lat. *Lucius Tarquinius Superbus*), le septième et dernier roi de Rome (v. 534 – v. 509 av. J.-C.). Successeur de Servius Tullius, son beau-père, il eut un règne glorieux, mais sa tyrannie dressa contre lui les nobles romains, qui soulevèrent le peuple en prenant pour prétexte le viol de Lucrèce*, l'exilèrent et fondèrent la république.

Tarquinia, v. d'Italie (Latium, prov. de Viterbe); 13 100 hab. – Restes de l'anc. ville étrusque (tombes peintes des Augures, des Lionnes, etc.).

Tarraconaise, province créée par les Romains au N.-E. de la péninsule Ibérique. Cap. *Tarraco* (auj. Tarragone).

Tarragone (en esp. *Tarragona*), v. d'Espagne (Catalogne), port sur la Méditerranée; ch.-l. de la prov. du m. nom; 112 360 hab. Industr. text., chim., raffinerie de pétrole. Tourisme. – Archevêché. Vestiges de l'époque romaine : enceinte, aqueduc, palais d'Auguste. Cath. (XIIe-XIIIe s.). Important musée archéologique.

Tarrasa, v. d'Espagne (Catalogne); 155 360 hab. Industries textiles; constr. mécaniques et électriques.

tarse n. m. et adj. **I.** ANAT **1.** Massif osseux formant la partie postérieure du pied de l'homme et des mammifères. **2.** Cartilage qui forme le bord libre de la paupière. – adj. *Cartilage tarse.* **II.** ZOOL **1.** Dernier segment de la patte des insectes, composé de plusieurs articles (cinq au maximum). **2.** Troisième article du pied des oiseaux.

tarsidés n. m. pl. ZOOL Famille de prosimiens de mœurs nocturnes de l'Asie insulaire. – Sing. *Un tarsidé.*

tarsien, enne adj. et n. m. **1.** adj. ANAT Du tarse. **2.** n. m. pl. ZOOL, PALEONT Sous-ordre de primates, nombreux à l'ère tertiaire, dont l'unique représentant actuel est le tarsier. – Sing. *Un tarsien.*

tarsier n. m. ZOOL Petit primate arboricole (fam. tarsidés), carnivore, remarquable par ses yeux très développés et ses longues pattes postérieures adaptées au saut.

tarsier spectre

Tarsus (anc. *Tarse*), v. de Turquie, à l'O. d'Adana; 146 500 hab. Textile. – Vestiges hellénistiques et romains de l'anc. Tarse. – Patrie de saint Paul.

Tarsus Çayi (le), (anc. *Cydnus,* en Cilicie), fl. côtier de Turquie. – Frédéric Barberousse s'y noya.

Tartaglia (« le Bègue ») [Niccolo Fontana, dit] (Brescia, v. 1500 – Venise, 1557), mathématicien italien. Il découvrit la solution des équations du 3e degré.

1. tartan n. m. **1.** Étoffe de laine à bandes de couleur se coupant à angle droit, d'origine écossaise. *Autrefois, les dessins du tartan servaient à distinguer les clans*.* ▷ *Par ext.* Vêtement fait de cette étoffe. **2.** Tissu à dessin écossais.

2. tartan n. m. (Nom déposé.) TECH Revêtement de sol très résistant, à base de résine polyuréthane, utilisé notam. pour les installations sportives.

tartane n. f. Petit voilier gréé d'une voile à antenne et d'un beaupré, très répandu autref. en Méditerranée.

tartare adj. et n. **1.** Se disait des peuples nomades de l'Asie centrale, partic. des tribus mongoles. ▷ Subst. *Un(e) Tartare.* (V. Tatars.) **2.** CUIS *Sauce tartare :* mayonnaise additionnée d'oignons verts et de ciboulette. ▷ *Un steak tartare* ou, n. m., *un tartare :* viande hachée crue mêlée d'un jaune d'œuf et d'un assaisonnement relevé (par allusion à la légende qui faisait des Huns – de même origine que les tribus tartares – des mangeurs de viande crue).

Tartare, dans la myth. gr., espace souterrain qui constituait le fond des Enfers et dans lequel Zeus précipitait ses ennemis. Le Tartare fut peu à peu confondu avec les Enfers comme lieu de souffrance réservé aux hommes ayant mérité un châtiment éternel.

Tartares. V. Tatars.

tartarin n. m. Fam., vieilli Vantard, hâbleur, fanfaron. (V. Tartarin de Tarascon.)

Tartarin de Tarascon, héros d'une trilogie romanesque de Daudet. Ce bourgeois corpulent et paisible symbolise le Méridional hâbleur.

tarte n. f. et adj. **I.** n. f. **1.** Gâteau fait d'un fond de pâte brisée ou feuilletée garni de fruits et éventuellement de confiture, de compote ou de crème pâtissière. ▷ Fig. *Tarte à la crème :* argument, thème, exemple qui revient à tout propos et qui a perdu tout intérêt, toute signification (par allus. à une scène de *la Critique de l'École des femmes,* de Molière). ▷ Loc. fig., fam. *C'est pas de la tarte :* c'est difficile. **2.** Fam. Gifle. *Je vais finir par lui flanquer des tartes.* **II.** adj. Fam. Niais et ridicule. *Ce que tu peux être tarte! Elle est tarte, ta robe!*

tartelette n. f. Petite tarte.

tartempion n. m. Fam., péjor. (Le plus souvent avec une majuscule.) Untel. *Vous vous adressez à la maison Tartempion, qui vous envoie un devis. Un tartempion quelconque.*

tartignolle ou **tartignol** adj. Fam. Syn. de *tarte* (sens II).

tartine n. f. **1.** Tranche de pain sur laquelle on a étalé du beurre, de la confiture, etc. **2.** Fig., fam. *Une tartine, des tartines :* un discours, un texte de peu d'intérêt, qui s'étend sur un sujet (comme très peu de beurre étalé sur une tranche de pain). *Il en a écrit des tartines.*

tartiner v. tr. [1] **1.** Étaler (du beurre, de la confiture, etc.) sur une tranche de pain. **2.** Fig., fam. Écrire des tartines (sens 2).

Tartini (Giuseppe) (Pirano, 1692 – Padoue, 1770), violoniste et compositeur italien; fondateur d'une école de violon à Padoue, auteur de nombreuses compositions : concertos, trios, sonates (notam. *il Trillo del diavolo,* « le Trille du diable »).

Tartou ou **Tartu** (anc. *Dorpat*), v. d'Estonie; 111 000 hab. Industr. mécaniques et alimentaires. – La ville, allemande (sous le nom de Dorpat) de 1224 à 1704, fut un centre import. de la Hanse. Annexée par la Russie en 1704, elle suivit, à partir de 1918, le sort de l'Estonie.

tartre n. m. **1.** Dépôt calcaire laissé par l'eau sur les parois internes des chaudières, des bouilloires, etc. **2.** Dépôt produit par le vin dans un récipient. **3.** Sédiment constitué de phosphate de calcium, qui se forme sur les dents.

tartreux, euse adj. **1.** De la nature du tartre. **2.** Couvert de tartre; contenant du tartre.

tartrique adj. CHIM *Acide tartrique :* composé possédant deux fonctions acide et deux fonctions alcool, contenu dans le tartre et les lies du vin.

tartuf(f)e n. m. (et adj.) Vx ou litt. Faux dévot. ▷ Mod. Hypocrite, personne qui affiche de grands principes moraux auxquels elle ne se conforme pas. – adj. *Je vous trouve assez tartufe.*

tartuf(f)erie n. f. Conduite, façon d'agir d'un tartufe. *C'est une imposture et une tartuferie.*

Tarvis (col de), col des Alpes orientales (812 m), reliant les vallées de la Fella (Italie), de la Drave (Autriche) et de la Save (Slovénie).

Tarzan, héros du roman de E. R. Burroughs *Tarzan, seigneur de la jungle* (1914), homme blanc qui vit en communion avec les animaux de la jungle, rendu célèbre par le cinéma (films avec J. Weissmuller) puis, à partir de 1929, par la bande dessinée (H. Foster et B. Hogarth).

Tarzan, interprété par J. Weissmuller

tas [tɑ] n. m. **1.** Accumulation de choses mises les unes sur les autres; amas, monceau. *Tas de sable, de fagots.* **2.** Fig., fam. Grande quantité (de choses). *Il a un tas d'anecdotes amusantes à raconter.* ▷ Grand nombre (de personnes). *Il a un tas, des tas d'amis.* – *Tirer dans le tas,* sur un groupe, sans viser qqn en particulier. **3.** CONSTR Masse d'un bâtiment en construction. *Tailler les pierres sur le tas,* sur les lieux mêmes où elles doivent être utilisées, et non à la carrière. ▷ *Par ext.* Loc. cour. *Sur le tas :* sur le lieu de travail. *Grève sur le tas.* – Fam. *Faire son apprentissage, apprendre sur le tas,* par la pratique, en travaillant. **4.** ARCHI *Tas de charge :* assises de pierre placées horizontalement sur un support et servant d'appui aux arcs en saillie, aux arcs latéraux et aux ogives. **5.** TECH Petite masse d'acier parallélépipédique servant d'enclume. *Tas de bijoutier.*

Tascher de La Pagerie. V. Joséphine.

Taschereau (Louis Alexandre) (Québec, 1867 – id., 1952), homme politique canadien. Premier ministre (libéral) du Québec de 1920 à 1936.

task-force n. f. (Anglicisme) Groupe de spécialistes chargés d'examiner un projet, ainsi que sa mise en œuvre. *Des task-forces.*

Tasman (mer de), partie de l'océan Pacifique située entre l'Australie et la Nouvelle-Zélande.

Tasman (Abel Janszoon) (Lutjegast, Groningue, 1603 – Batavia, auj. Djakarta, 1659), navigateur hollandais. En 1642, il découvrit la terre de Van Diemen (nommée *Tasmanie* en 1853), l'île du sud de la Nouvelle-Zélande, les Tonga et les Fidji.

Tasmanie, État d'Australie, formé par une île au S. du détroit de Bass; 67 800 km^2; 450 000 hab.; cap. *Hobart.* – L'île, aux côtes découpées, correspond à un massif ancien très raviné (alt. max. 1 545 m). Le climat tempéré favorise l'élevage (bovins et ovins) et la culture des fruits. L'industrie métallurgique bénéficie d'un sous-sol riche (zinc, plomb, tungstène, cuivre) et de ressources hydroélectriques. – Découverte en 1642 par A. Tasman, l'île fut colonisée au XIXe s. par les Britanniques et servit notam. de terre de déportation. Les autochtones furent massacrés. L'île, colonie séparée de la Nouvelle-Galles du Sud en 1825, obtint un gouvernement autonome à partir de 1856.

tasmanien, enne adj. et n. De Tasmanie. ▷ Subst. *Un(e) Tasmanien(ne).*

tassage n. m. Action de tasser.

tasse n. f. **1.** Récipient à boire muni d'une anse. *Tasse de porcelaine.* **2.** Contenu de ce récipient. *Prendre une tasse de café.* ▷ Loc. fig., fam. *Boire la tasse, une tasse :* avaler de l'eau sans le vouloir, en nageant, en tombant à l'eau; subir des pertes d'argent. – *Ce n'est pas ma tasse de thé :* ça ne m'intéresse pas.

Tasse (Torquato Tasso, en fr. le) (Sorrente, 1544 – Rome, 1595), poète italien. Gentilhomme de la cour de Ferrare, il écrivit une épopée chevaleresque imitée de l'Arioste (*le Renaud,* 1562), une comédie pastorale (*Aminta,* 1573) et de nombreux ouvrages en vers dont *la Jérusalem délivrée* qui le place parmi les grands poètes épiques. Dans ses chants, mêlant l'évocation historique de la conquête des Lieux saints à la peinture des passions amoureuses, le Tasse donne surtout libre cours à son lyrisme dans les épisodes profanes. L'œuvre fut achevée en 1575, mais le poète, craignant la damnation plus encore que les foudres du Saint-Office, ne la publia qu'en 1581. Deux fois examiné par l'Inquisition, il eut des crises de folie et fut interné à l'hôpital de Ferrare (1579-1586). En 1593, il publia *la Jérusalem conquise,* une version expurgée dont la médiocrité ne nuisit pas à son immense prestige. En 1595, il s'enferma au couvent de Sant'Onofrio, à Rome, où il mourut. ▶ illustr. page **1833**

tasseau n. m. Pièce de bois de faible section, servant de cale ou de support.

tassement n. m. Action de tasser, fait de se tasser; son résultat. *Tassement des vertèbres, d'un terrain.*

tasser v. [1] **I.** v. tr. **1.** Diminuer le volume de (qqch) en serrant, en pressant; serrer (des éléments) de façon qu'ils occupent peu de place. *Tasser de la paille.* – Pp. adj. Dans la loc. fam. *bien tassé :* servi avec abondance, en remplissant bien le verre (boissons alcoolisées). *Un cognac bien tassé.* – Servi avec peu d'eau, fort. *Un pastis bien tassé.* **2.** SPORT Contraindre irrégulièrement (un coureur concurrent) à serrer le bord de la piste. **II.** v. pron. **1.** S'affaisser sur soi-même. *Construction qui se tasse. Vieillard qui se tasse.* **2.** Se presser, se serrer les uns contre les autres. *On se tassera un peu pour vous faire de la place.* **3.** Fig., fam. S'arranger. *Ça finira par se tasser.*

tassili n. m. GEOGR Grand plateau gréseux, au Sahara (dans le Nord, partic.).

Tassilon III (v. 742 – m. apr. 794), duc de Bavière (748-788). Pépin le Bref en fit son vassal en 757. Il se révolta contre Charlemagne, mais, ses sujets l'ayant abandonné, il fut déposé, en 788, et emprisonné.

Tassin-la-Demi-Lune, ch.-l. de cant. du Rhône (arr. de Lyon); 15 496 hab. Constr. électromécaniques.

taste-vin ou **tâte-vin** n. m. inv. Petite coupe en métal ou pipette dont on se sert pour déguster le vin.

tata n. f. **1.** Fam. (Langage enfantin.) Tante. **2.** Très fam., péjor. Syn. de *tante* (sens 3.)

Tata (Jamshedji Nasarwanji) (Navsāri, 1839 – Bad Nauheim, Rhénanie-du-Nord, 1904), industriel indien; actif promoteur du développement industriel (notam. sidérurgie et mécanique) de son pays.

Tatabánya, v. de Hongrie, à l'O. de Budapest; 76 000 hab.; ch.-l. de comté. Centre minier (lignite) et industriel (aluminium).

tatami n. m. **1.** Natte en paille de riz utilisée comme tapis au Japon. **2.** SPORT Tapis de paille de riz de 2 m sur 1 m et 6,5 cm d'épaisseur, destiné à amortir les chutes dans la pratique des arts martiaux. ▷ Unité de surface correspondant aux dimensions de ce tapis. *Une salle de judo de seize tatamis.*

tatane n. f. Fam. Chaussure.

tatar, are adj. et n. Des Tatars. ▷ n. m. Langue turque des Tatars.

Tatars, peuple de nomades turco-mongols dont la présence est attestée au VIIIe s. dans l'O. de l'actuelle Mongolie. Ils furent écrasés par Gengis khān en 1202, mais les Européens nommèrent longtemps «Tartares» tous les envahisseurs mongols, puis diverses populations turques de Russie. De nos jours, les Tatars, musulmans, sont évalués à env. 7 millions de personnes; on distingue essentiellement les *Tatars de la Volga* (V. Tatars [république autonome des]) et les *Tatars de Crimée.* Ces derniers, déportés par Staline à la fin de la Seconde Guerre mondiale, ne furent réhabilités qu'en 1987 et luttent toujours pour regagner leur territoire national.

Tatars (république autonome des) ou **Tatarstan,** république autonome de Russie qui a voté pour l'indépendance en mars 1992; sur la moyenne Volga; 68 000 km^2; 3 564 000 hab. (Tatars 48 %, Russes 40 %); cap. *Kazan.* Région fertile (céréales) et forestière; import. gisements de pétrole (Second-Bakou). Industr. chim., méca., alim. et du bois.

Tate Gallery, musée londonien (sur la rive g. de la Tamise) fondé en 1897 par le négociant en sucre Henry Tate. Il renferme une abondante collection de peintures angl. (dep. le XVIe s.), notam. plus de 250 tableaux de Turner, et d'art moderne (dep. l'impressionnisme jusqu'à l'avant-garde contemporaine).

tâter v. [1] **I.** v. tr. **1.** Toucher avec les doigts, évaluer, apprécier par le tact. *Tâter un fruit. Tâter le pouls* de qqn.* **2.** Fig. Essayer de connaître les capacités, les intentions de (qqn). *Tâter l'ennemi.* ▷ Loc. fig. *Tâter le terrain :* étudier discrètement les dispositions des personnes, la situation, avant d'entreprendre qqch. **II.** v. tr. indir. *Tâter de qqch,* l'essayer, en faire l'expérience. *Il a tâté d'un peu de tous les métiers.* **III.** v. pron. (Réfl.) *Se tâter les membres après une chute.* – Fig., fam. Délibérer longuement en soi-même, hésiter avant de prendre une décision.

tâte-vin. V. taste-vin.

Tati (Jacques Tatischeff, dit Jacques) (Le Pecq, 1907 – Paris, 1982), cinéaste et acteur français. Son comique repose sur une observation de la vie quotidienne, transposée avec une rigueur de poète : *Jour de fête* (1949), *les Vacances de M. Hulot* (1953), *Mon oncle* (1958), *Playtime* (1964-1967), *Trafic* (1971). ▶ illustr. page **1837**

Tatien (en grec *Tatianos*) (en Syrie, v. 120-?, apr. 173), apologiste syrien. Il attaqua la culture grecque dans son *Discours aux Grecs*, fut à l'origine de l'encratisme* et composa le *Diatessaron*, évangile unique formé de parties des quatre Évangiles canoniques.

tatillon, onne adj. Qui s'attache à tous les petits détails avec une minutie exagérée. *Il est maniaque et tatillon.*

Tatius, roi légendaire des Sabins. Pour venger l'enlèvement des Sabines, il combattit Romulus et obtint le partage du pouvoir dans Rome.

Tatline (Vladimir Ievgrafovitch) (Kharkov, 1885 - Moscou, 1953), peintre et sculpteur soviétique. Principal promoteur du constructivisme* («tableaux-reliefs»), il formula les principes du mouvement productiviste (un art utilitaire au service du peuple) : maquette du *Monument à la IIIe Internationale* (1919-1920).

tâtonnant, ante adj. Qui tâtonne.

tâtonnement n. m. Fait de tâtonner (sens 1 et 2).

tâtonner v. tr. [1] **1.** Chercher sans pouvoir utiliser le sens de la vue, en tâtant les objets autour de soi. *Elle tâtonnait pour retrouver ses cigarettes.* **2.** Fig. Essayer successivement divers moyens dont on n'est pas sûr, procéder par essais et corrections des erreurs, sans être guidé par une méthode. *Les médecins ne savent pas ce qu'il a, ils tâtonnent.*

tâtons (à) loc. adv. En tâtonnant. *Marcher à tâtons.* ▷ Fig. *Chercher la vérité à tâtons.*

tatou n. m. Mammifère xénarthre d'Amérique tropicale (genres *Dasypus, Tolypeutes, Priodontes, Euphractus,* etc., formant la fam. des dasypodidés), fouisseur et insectivore, pourvu d'une carapace osseuse et cornée qui l'enveloppe complètement lorsqu'il se roule en boule, et dont la taille varie d'une dizaine de centimètres à un mètre selon les espèces.

tatou à neuf bandes

tatouage n. m. Action de tatouer; résultat de cette action. *Tatouage rituel. Tatouage par piqûre.*

tatouer v. tr. [1] Tracer sur (une partie du corps) un dessin indélébile (généralement en introduisant des pigments sous la peau au moyen d'une fine aiguille). *Il s'était fait tatouer une ancre de marine sur le biceps.*

tatoueur, euse n. Celui, celle qui fait des tatouages.

Tatras ou **Tatry** (les), le plus haut massif des Carpates (2 663 m), formé des Hautes Tatras, au N. (à la frontière polono-slovaque), et des Basses Tatras, au S. (en Slovaquie).

Tatti (Iacopo). V. Sansovino (il).

Tatum (Arthur, dit Art) (Toledo, Ohio, 1910 - Los Angeles, 1956), pianiste de jazz américain, l'un des plus grands virtuoses de l'histoire du jazz.

1. tau. V. tauon.

2. tau n. m. **1.** Dix-neuvième lettre de l'alphabet grec (Τ, τ). **2.** HERALD Meuble de l'écu en forme de T, appelé aussi *croix de Saint Antoine.*

Taube (Henry) (Neudorf, Saskatchewan, 1915), chimiste américain; connu pour ses travaux sur les réactions de transfert d'électrons dans les complexes métalliques. P. Nobel 1983.

taud [to] n. m. MAR Enveloppe, housse de protection en grosse toile. *Taud d'un canot de sauvetage.*

taudis [todi] n. m. Logement misérable, insalubre. ▷ Par ext. *C'est un vrai taudis,* une maison mal tenue.

Tauern (les), massif des Alpes autrichiennes (3 796 m au Grossglockner, le plus haut sommet du pays) : à l'O. s'étendent les *Hohe Tauern,* les plus élevés; à l'E., les *Niedere Tauern.* D'accès difficile, la région est peu peuplée. Tourisme actif. Import. centrales hydroélectriques.

taulard, arde n. Arg. ou fam. Personne qui est ou a été en prison.

taule ou **tôle** [tol] n. f. **1.** Arg. ou fam. Prison. *Sortir de taule.* **2.** Fam., vieilli Chambre d'hôtel; chambre, en général. *Sa taule est au sixième.* - *Par ext.* Maison, lieu d'habitation. *On ne retrouve jamais rien, dans cette taule.* **3.** Fam. Société, entreprise. *Sa taule a fait faillite.*

taulier, ère ou **tôlier, ère** n. Fam. **1.** Patron d'un hôtel, d'un restaurant. **2.** Patron d'une taule (sens 3). *Il est rat, ton taulier!*

Taunton, v. de G.-B.; 38 000 hab.; ch.-l. du Somerset. - Musée.

Taunus, région du Massif schisteux rhénan (All.), sur la r. dr. du Rhin, au N. de Mayence (880 m au Feldberg).

tauon [toɔ̃] ou **tau** [to] n. m. PHYS NUCL Particule la plus massive de la famille des leptons.

taupe n. f. **I. 1.** Petit mammifère insectivore au corps trapu, aux pattes antérieures fouisseuses robustes, au pelage brun-noir ras et velouté, qui vit dans des galeries qu'il creuse sous terre. *La taupe, dont l'œil est atrophié, est presque aveugle.* ▷ Par compar. *Myope comme une taupe :* très myope. - Fig., péjor. *Vieille taupe :* vieille femme désagréable, à l'esprit mesquin et borné. **2.** Fourrure faite avec la peau de cet animal. *Toque de taupe.* **3.** Lamie* (poisson). **4.** TRAV PUBL Engin de terrassement utilisé pour creuser les tunnels, travaillant à pleine section et en continu. **II. 1.** Arg. (des écoles) Classe de mathématiques spéciales, qui prépare aux concours d'entrée des grandes écoles (V. taupin). **2.** Fam. Agent secret infiltré dans un organisme de son pays et espionnant pour le compte d'une puissance étrangère.

taupé n. m. et adj. **1.** n. m. Variété de feutre ressemblant à la fourrure de la taupe. *Du taupé.* ▷ Coiffure faite avec ce tissu. **2.** adj. *Du feutre taupé.*

taupe-grillon n. m. Syn. de *courtilière. Des taupes-grillons.*

taupier n. m. TECH Celui qui procède à la destruction des taupes.

taupin n. m. **1.** ENTOM Insecte coléoptère qui, posé sur le dos, peut se projeter en l'air grâce à un appendice épineux du prothorax. **2.** Arg. (des écoles) Élève d'une classe de mathématiques spéciales (V. taupe).

taupinière n. f. Petit monticule de terre constitué par les déblais qu'une taupe rejette en creusant ses galeries.

taureau n. m. **1.** Bovin non castré, mâle de la vache. *Taureau reproducteur. Taureau de combat.* - Par comp. Loc. *Cou de taureau,* court, épais et très musclé. ▷ Loc. fig. *Prendre le taureau par les cornes :* affronter une difficulté, y faire face et tenter de la résoudre en l'abordant précisément par son côté dangereux ou fâcheux. **2.** ASTRO *Le Taureau :* constellation zodiacale de l'hémisphère boréal. ▷ ASTROL Signe du zodiaque* (21 avril-21 mai). - Ellipt. *Il est taureau.*

Tauride ou **Chersonèse Taurique,** anc. nom de la *Crimée.* Ses hab. étaient considérés par les Grecs comme des Barbares qui immolaient les étrangers (légende d'Iphigénie en Tauride).

taurides n. f. pl. ASTRO Essaim de météorites qui semblent provenir de la constellation du Taureau.

taurillon n. m. Jeune taureau.

taurin, ine adj. Du taureau; qui a rapport au taureau.

tauromachie n. f. Art de combattre les taureaux dans l'arène, de toréer. *Les règles de la tauromachie.*

tauromachique adj. Qui a rapport à la tauromachie.

Taurus, chaîne de montagnes de la Turquie méridionale qui culmine à 3 734 m, riveraine de la Méditerranée. Au N.-E. s'étend le puissant *massif de l'Anti-Taurus.*

Tautavel, com. des Pyrénées-Orientales (arr. de Perpignan); 743 hab. - En 1971, on a retrouvé près de cette local. le crâne au prognathisme marqué d'un *Homo erectus,* dit *homme de Tautavel.*

tauto-. Élément, du gr. *tauto,* contract. de *to auto,* «le même».

tautochrone adj. PHYS Syn. de *isochrone.*

tautogramme n. m. (et adj.) Didac. Se dit d'un texte dont tous les mots commencent par la même lettre.

tautologie n. f. LOG **1.** Caractère redondant d'une proposition dont le prédicat énonce une information déjà contenue dans le sujet. - Relation d'identité établie entre des éléments formellement identiques (ex. : *A = A; un chat est un chat;* etc.). **2.** Formule de calcul propositionnel qui reste toujours vraie lorsqu'on remplace les énoncés qui la composent par d'autres.

tautologique adj. LOG Qui concerne une tautologie, qui en a le caractère.

tautomère adj. et n. m. **1.** ANAT *Organe tautomère,* entièrement situé du même côté du corps. **2.** CHIM *Une substance tautomère* ou, n. m., *un tautomère :* une substance caractérisée par sa tautomérie. *Deux substances tautomères ont la même formule brute, les migrations d'atomes ou de groupements non carbonés ne modifiant pas le squelette carboné.*

tautomérie n. f. CHIM Propriété qu'ont certains composés d'exister sous plusieurs formes en équilibre.

taux n. m. **1.** Prix officiel de certains biens, de certains services. *Taux des actions cotées en Bourse. Taux des salaires.* **2.** Rapport entre des sommes d'argent, exprimé en pourcentage. *Taux de l'impôt :* pourcentage déterminé servant à calculer le montant de l'impôt d'après la base imposable. *Taux d'intérêt :* pourcentage annuel auquel les intérêts sont réglés. *Taux de change d'une monnaie :* V. cours 1, sens II, 2. **3.** Rapport quantitatif, proportion, pourcentage. *Taux d'albumine dans le sang.* – *Taux d'invalidité* : importance d'une invalidité relativement à l'incapacité qu'elle entraîne. ▷ STATIS *Taux de natalité, de mortalité* : chiffre moyen (pour mille habitants) du nombre total de naissances ou de morts d'une population donnée pour une période donnée, en général une année.

Tavant, com. d'Indre-et-Loire (arr. de Chinon); 232 hab. – Égl. du XIIe s., dont la crypte et le chœur sont ornés de fresques romanes.

tavel n. m. Côtes-du-rhône rosé, sec et corsé.

Tavel, com. du Gard (arr. de Nîmes); 1 449 hab. Vignoble qui produit le *tavel.*

tavelé, ée adj. **1.** Moucheté, tacheté. *Mains tavelées de taches brunes.* **2.** BOT Marqué par la tavelure.

taveler 1. v. tr. [**19**] Parsemer de petites taches. **2.** v. pron. Devenir tavelé.

tavelure n. f. **1.** État de ce qui est tavelé. **2.** BOT Maladie cryptogamique des arbres fruitiers, qui se manifeste par des taches brunes et des crevasses sur les fruits et les feuilles.

taverne n. f. **1.** Anc. Établissement public où l'on servait à boire et parfois à manger. Syn. auberge. **2.** (Surtout dans des noms commerciaux.) Café, restaurant dont le décor évoque celui des anciennes tavernes.

Taverny, ch.-l. de cant. du Val-d'Oise (arr. de Pontoise), à l'orée de la forêt de Montmorency; 25 191 hab. Import. base aérienne et centre de commandement des forces aériennes stratégiques. – Égl. goth. Notre-Dame (XIIIe-XVe s.).

Tawfiq *(Muḥammad Tawfīq)* (Le Caire, 1852 – Helouan, 1892), khédive d'Égypte (1879-1892); fils d'Isma'il Pacha. Après l'échec, en 1882, du mouvement nationaliste (qui l'avait contraint à nommer Urabi Pacha ministre de la Guerre), l'Égypte passa sous le contrôle de l'Angleterre et perdit sa souveraineté sur le Soudan (1884).

taxable adj. Que l'on peut taxer.

taxation n. f. **1.** Action de fixer, de façon impérative, le prix de certaines marchandises ou de certains services; résultat de cette action. **2.** Action de frapper d'un impôt.

taxe n. f. **1.** Prix fixé par l'autorité publique pour certaines marchandises, pour certains services. **2.** DR Détermination du montant des frais de justice, des droits dus à des officiers publics. **3.** Contribution, impôt. *Taxes municipales,* établies au profit des communes et recouvrées comme contributions directes. *Taxe sur les alcools. Taxe à la valeur* ajoutée (T.V.A.)* : impôt indirect qui frappe les biens de consommation. *Taxe additionnelle,* ayant la même base mais un taux plus faible que la taxe principale à laquelle elle est liée. *Taxe professionnelle* : V. patente. *Taxe d'apprentissage,* versée par les entreprises pour le financement de la formation professionnelle. **4.** Imposition basée sur les services rendus à l'usager. *Taxe d'enlèvement des ordures.*

taxer v. tr. [**1**] **I. 1.** Fixer en tant qu'autorité compétente le prix de. *Taxer les dépens d'un procès.* **2.** Faire payer un impôt, une taxe sur. *Taxer les boissons alcoolisées.* **II.** Fig. **1.** *Taxer qqn de,* l'accuser de. *On me taxe d'outrecuidance.* **2.** Désigner péjorativement sous le nom (de). *Sa bonté, que certains taxent de faiblesse.* **3.** Fam. Extorquer, voler.

taxi-, taxo-, -taxie. Éléments, du gr. *taxis,* « arrangement, ordre ».

taxi n. m. **1.** Automobile munie d'un taximètre et conduite par un chauffeur professionnel, qu'on loue pour des trajets relativement courts. ▷ Fam. Chauffeur de taxi. *Elle est taxi.* **2.** Société dont la seule activité est de fournir des fausses factures destinées à frauder le fisc ou à blanchir de l'argent.

taxidermie n. f. Didac. Art de préparer les animaux morts pour les conserver sous leur forme naturelle. (V. empaillage, naturalisation.)

taxidermiste n. Didac. Spécialiste de la taxidermie. Syn. empailleur, naturaliste.

taxie n. f. BIOL Syn. de *tropisme.*

taxi-girl [taksigœʀl] n. f. (Anglicisme) Jeune femme rétribuée pour servir de cavalière aux clients d'un dancing, d'un bar. *Des taxi-girls.* Syn. entraîneuse.

Taxila (autref. *Takshaçīla*), anc. v. de l'Inde, auj. au Pākistān (au N.-O. de Peshāwar). Site archéol. import. : monastère et stupa bouddhiques.

taximètre n. m. **1.** Compteur indiquant la somme à payer pour un trajet en taxi, d'après la distance parcourue et le temps d'occupation de la voiture. **2.** MAR Couronne graduée qui sert à prendre des relèvements.

taxinomie ou **taxonomie** n. f. Didac. **1.** Science de la classification des êtres vivants. **2.** *Par ext.* Science de la classification, en général. ▷ Classification d'éléments.

taxinomique ou **taxonomique** adj. Didac. Qui a rapport à la taxinomie.

taxiphone n. m. (Nom déposé.) Téléphone public à pièces.

taxiway [taksiwɛ] n. m. (Anglicisme) AVIAT Sur un aérodrome, voie aménagée pour la circulation au sol des avions.

taxodium [taksɔdjɔm], **taxaudier** ou **taxodier** [taksodje] n. m. BOT Grand conifère ornemental (genre *Taxodium*) originaire des marais de Virginie et de Floride, appelé cour. *cyprès chauve.*

taxodium : de g. à dr., pousse, cône à maturité et tronc, en milieu inondé, avec des racines aériennes

taxoïde n. m. PHARM Médicament antitumoral, extrait du taxol ou obtenu par synthèse.

taxol n. m. PHARM Substance antitumorale présente dans l'écorce de l'if du Pacifique.

taxotère n. m. PHARM Analogue de synthèse du taxol.

Tay (le), fl. d'Écosse (193 km). Né dans les Grampians, il rejoint la mer du Nord. Large estuaire *(firth of Tay).*

Taygète, massif montagneux de la Grèce, au sud du Péloponnèse (culmine à 2 404 m), qui domine Sparte.

Taylor (Brook) (Edmonton, 1685 – Londres, 1731), mathématicien anglais. La *formule de Taylor* permet de développer en série une fonction au voisinage d'un point.

Taylor (Zachary) (Montebello, 1784 – Washington, 1850), général et président des États-Unis d'Amérique en 1848. Il guerroya contre les Indiens de l'Ouest et s'efforça d'apaiser les conflits entre le Nord et le Sud sur la question de l'esclavage au moment de l'admission de la Californie dans l'Union.

Taylor (Frederick Winslow) (Germantown, 1856 – Philadelphie, 1915), ingénieur américain. Il fut le promoteur de l'« organisation scientifique du travail » (O.S.T.) : utilisation optimale de l'outillage, parcellisation des tâches, chasse aux gestes inutiles. Ces méthodes, qui visaient à augmenter la production, sont auj. souvent mises en cause.

Jacques **Tati**

F. W. **Taylor**

Taylor (Paul) (Allegheny, Pennsylvanie, 1930), danseur et chorégraphe américain. Après une formation à la danse moderne, avec notam. M. Graham, et à la danse classique, il fonda sa propre compagnie (1955) : *Three Epitaphs* (1956); *Private Domain* (1969); *Company B* (1991).

Taylor (Elizabeth) (Londres, 1932), actrice de cinéma américaine d'orig. anglaise. Célèbre depuis l'âge de dix ans, elle mène une carrière exceptionnelle de star : *la Fidèle Lassie* (1942), *Géant* (1956), *Cléopâtre* (1963), *Qui a peur de Virginia Woolf?* (1965), *Cérémonie secrète* (1968).

taylorisation [tɛlɔʀizasjɔ̃] n. f. ECON Application du taylorisme.

taylorisme [tɛlɔʀism] n. m. ECON Ensemble des méthodes d'organisation scientifique du travail industriel mises au point et préconisées par F.W. Taylor.

Tayside, rég. d'Écosse; 7 493 km^2; 394 000 hab.; ch.-l. *Dundee.*

Taza, v. du Maroc, au débouché du *couloir de Taza,* qui, entre le Rif et le Moyen Atlas, relie le Maroc occidental et le Maroc oriental; 77 220 hab. (aggl. urb. 146 500 hab.); ch.-l. de la prov. du m. nom.

Tazieff (Haroun) (Varsovie, 1914 – Paris, 1998), géologue et volcanologue français. Instigateur de l'Institut international de recherches volcanologiques, il est l'auteur de nombr. travaux scientifiques et de vulgarisation, et de plusieurs films documentaires; il fut secrétaire d'État à la Prévention des risques majeurs de 1984 à 1986.
▶ illustr. page **1838**

Tazoult (anc. *Lambèse*), v. d'Algérie (wilaya de Batna); 18 990 hab. Artisanat. – La *Lambæsis* romaine fut un camp important à la fin du Ier s. apr. J.-C., puis une ville qui atteignit son apogée sous Septime Sévère; le légat (gouverneur) de Numidie y résidait. Nombr. ruines.

Tb CHIM Symbole du terbium.

Tbilissi (anc. *Tiflis*), cap. de la Géorgie; 1 253 100 hab. Grand centre universitaire et industriel (textiles, alimentation, constr. mécaniques, etc.). – Cath. de Sion (VIe s., remaniée).

Haroun **Tazieff** en combinaison de volcanologue

Tc CHIM Symbole du technétium.

Tchad (lac), vaste lac de l'Afrique centrale, aux confins du Nigeria, du Niger, du Cameroun et du Tchad. Sa superficie varie de 10 000 à 25 000 km^2, en fonction de son alimentation fluviale. Peu profond (marécages au N. et au S., notam.), très poissonneux, il est surtout alimenté par le Chari. Des polders (culture du blé et du maïs) sont aménagés sur ses rives.

Tchad (république du), État de l'Afrique centrale; 1 284 000 km^2; 5 400 000 hab., croissance démographique : 2 % par an; cap. *N'Djamena*. Nature de l'État : rép. Langues off. : franç. et arabe. Monnaie : franc C.F.A. Relig. : islam (env. 50 %), animisme, christianisme.
Géogr. phys. et hum. – Vaste cuvette dont la zone la plus basse est occupée par le lac Tchad, le pays est encadré au N. par le massif du Tibesti et à l'E. par l'Ennedi et le Ouaddaï. Le N. appartient au désert du Sahara, alors que le climat sahélien steppique domine au centre, le S. connaissant un climat soudanien plus humide (savane). Le peuplement oppose les nomades sahariens et pasteurs sahéliens islamisés (Toubous, Dazas, Kotokos) aux Noirs sédentaires, animistes ou chrétiens, qui peuplent les bassins du Chari et du Logone. La population compte encore plus de 75 % de ruraux.
Écon. – Le Tchad fait partie des pays les moins avancés et le revenu par hab. est l'un des plus faibles d'Afrique. L'agriculture vivrière (manioc, mil, sorgho, igname, arachide) et l'élevage extensif ne couvrent pas les besoins alim.; la grande culture commerciale est le coton (90 % des export.). Le pays est enclavé et le manque d'infrastructures ne permet pas d'exploiter les ressources du sous-sol; l'industrie est embryonnaire (agroalim., textile). Ruiné par 25 ans de guerre civile, le Tchad se reconstruit lentement avec l'aide de la France et de la Banque mondiale.
Hist. – Les gravures rupestres du Tibesti et de l'Ennedi attestent un peuplement antérieur à 3000 av. J.-C. (début de l'assèchement du Sahara). Traversé par les routes transsahariennes, au carrefour de l'Afrique du Nord, de l'Égypte et de l'Afrique noire, le pays abrita des pop. disparates. Des royaumes puissants se constituèrent, dont celui du Kanem (fondé au VIIIe s. par les Toubous du Tibesti) puis celui du Bornou. Plus ou moins islamisés à partir du XIe s., ces roy. vivaient surtout de la traite des esclaves, effectuant des razzias dans le S. Au XIXe s., Britanniques, Allemands et Français explorèrent le pays. Ces derniers, après avoir vaincu l'aventurier esclavagiste Rabah (1900), établirent leur protectorat, non sans difficultés (révoltes dans l'Ouaddaï, matées en 1912; luttes contre les Senousis au Bornou et dans l'Ennedi). Ce territoire sans unité, incorporé à l'Oubangui-Chari, forma une colonie séparée en 1922. Premier territoire rallié à la France libre (1940), le Tchad devint une république autonome en 1958, indépendante en 1960 sous la présidence de François Tombalbaye; mais il fut vite en proie à la rébellion des pop. du N. et de l'E. Il reçut l'appui des forces françaises (1969-1971) pour lutter contre le Frolinat (Front de libération nationale du Tchad). En 1975, Tombalbaye fut renversé et assassiné. Le général Félix Malloum le remplaça, mais l'anarchie s'étendit à une grande partie du pays, qui, à partir de 1979, sombra dans une guerre civile opposant Goukouni Oueddeï et Hissène Habré, les deux leaders nordistes. Tandis que le second s'installait en vainqueur à N'Djamena (1982), Goukouni faisait alliance avec la Libye, qui occupa le Nord (1983). L'intervention de l'armée française (1983-1984) aboutit à une partition de fait du pays : au N. du 16e parallèle, le GUNT de Goukouni et la Libye; au S., Habré, appuyé par la France et les É.-U. Malgré sa victoire militaire sur les Libyens et leurs partisans, H. Habré n'a pas su réaliser l'unité polit. du pays : en 1990, Idriss Déby s'empare du pouvoir. Sous son impulsion, le pays s'est très lentement engagé sur la voie de la démocratisation. En 1996, une nouvelle Constitution est instaurée et Idriss Déby est réélu. En 1997, une Assemblée nationale, dominée (65 sièges sur 125) par la formation présidentielle, le Mouvement patriotique du salut, est élue.

tchadien, enne adj. et n. Du Tchad. ▷ Subst. *Un(e) Tchadien(ne).*

tchador n. m. Voile noir recouvrant la tête et en partie le visage, porté par les musulmanes chiites, en Iran notam.

Tchaïkovski (Piotr Ilitch) (Votkinsk, 1840 – Saint-Pétersbourg, 1893), compositeur russe. Ses très nombr. œuvres sont empreintes d'un élan lyrique : sym-

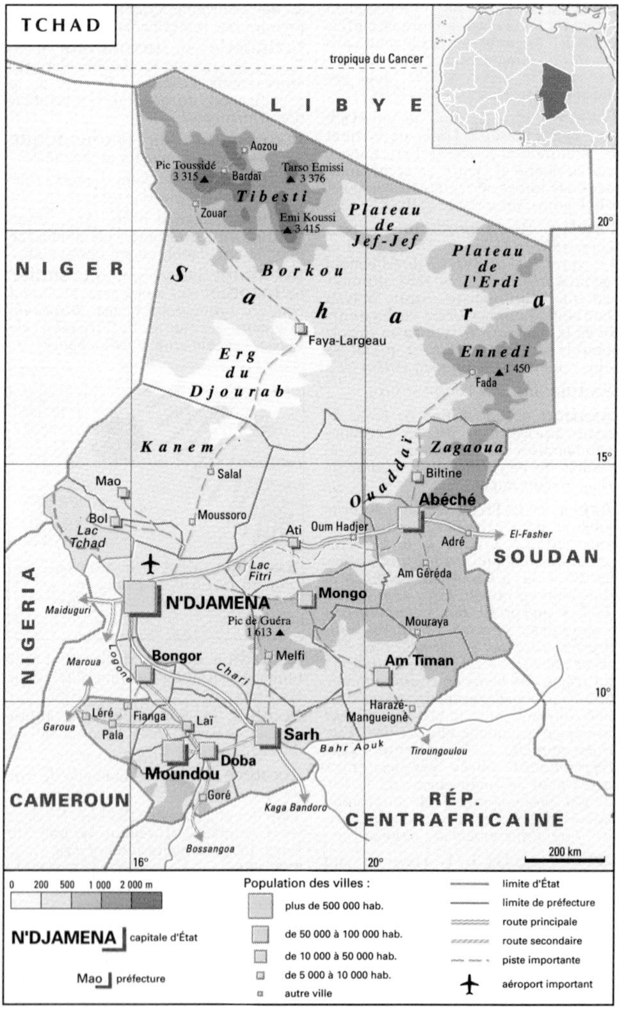

Tchaïkovski

Tchang Kaï-chek

phonies, concertos pour piano, pour violon, opéras (*Eugène Onéguine*, 1878; *la Dame de pique*, 1890), ballets (*le Lac des cygnes*, 1876; *Casse-Noisette*, 1892).

Tchampa. V. Champa.

Tchang Kaï-chek, Chang Kaï-chek ou **Jiang Jieshi** (près de Ningbo, prov. du Zhejiang, 1887 – Taibei, 1975), généralissime et homme politique chinois. Après avoir reçu une formation militaire au Japon, il prit le parti de Sun Yat-sen (Sun Zhongshan) (1913); à la mort de celui-ci (1925), dont il épousa la belle-sœur, il devint le chef de la fraction modérée du Guomindang, prit la tête de l'armée et réprima durement le soulèvement communiste de Canton (1927). Établissant un gouvernement nationaliste à Nankin, il reconstitua l'unité de la Chine en reconquérant le Nord; élu président de la République en 1928, il s'attaqua aux communistes, installés dans le Sud, et les contraignit à se replier vers le Shānxi («Longue Marche», 1934-1935); mais, en 1937, il dut accepter le concours de Mao Zedong pour lutter contre le Japon. L'alliance fut rompue après la victoire (1945); affaibli par la corruption de son entourage, battu à plusieurs reprises par les communistes, Tchang Kaï-chek dut se replier en 1949 à Taiwan (Formose), d'où il présida la république de Chine (nationaliste), reconnue par la majorité des gouvernements occidentaux jusque dans les années 70. Il refusa toujours d'admettre la légalité de la république populaire de Chine (V. Taiwan). – **Tchang King-kouo** ou **Jiang Jingguo** (prov. du Zhejiang, 1910 – Taibei, 1988), fils du préc., Premier ministre, en 1972, il fut élu président de la République (1978-1988).

tchatche n. f. Fam. Bagout volubile, facilité à parler.

tchatcher v. intr. [1] Fam. Parler beaucoup, avec volubilité, pour convaincre, impressionner.

Tcheboksary, v. de Russie, cap. de la république autonome des Tchouvaches, sur la Volga; 389 000 hab. Prod. chimiques.

Tchebychev ou **Tchebichev** (Pafnouti Lvovitch) (Borovsk, 1821 – Saint-Pétersbourg, 1894), mathématicien russe; connu pour ses travaux sur les nombres premiers, les fonctions continues, le calcul des probabilités.

tchécoslovaque adj. et n. De la Tchécoslovaquie.

Tchécoslovaquie, anc. État fédéral de l'Europe centrale, situé entre l'Allemagne, la Pologne, l'Ukraine, la Hongrie et l'Autriche, et constitué par les États tchèque (Bohême et Moravie) et slovaque (système fédéral adopté en 1969); 127 877 km²; 15 590 000 hab.; cap. *Prague*. Langues off. : tchèque et slovaque. Monnaie : couronne. Pop. : Tchèques (65 %), Slovaques (30 %), Hongrois (4 %). Relig. : catholiques (env. 70 %), protestants (env. 10 %).

Géogr. phys. et hum. – Pays continental, la Tchécoslovaquie se partageait en trois ensembles géographiques : à l'O., la Bohême, au centre, le couloir de Moravie, et à l'E., la Slovaquie. Les Slaves formaient 95 % du peuplement, pour deux tiers Tchèques (concentrés en Bohême-Moravie) et pour un tiers Slovaques (majoritaires à l'E.); Hongrois, Polonais et Allemands constituaient les minorités.

Écon. – En 1989, la «révolution de velours» mit un terme à 40 ans d'économie socialiste collectivisée et planifiée. Héritière de traditions industrielles anciennes, la Tchécoslovaquie s'était spécialisée, au sein du Comecon, dans l'industrie lourde et les biens d'équipement : sidérurgie, métallurgie, chimie, armement et matériel de transport, à partir des ressources minières nationales (charbon, lignite, fer, cuivre, plomb, zinc) et des matières premières soviétiques importées. L'agriculture, mécanisée, produisait céréales et plantes industrielles (betterave, houblon, tabac); elle était associée à un important élevage bovin et porcin. Dès 1990, la Tchécoslovaquie de l'après-communisme s'est engagée sur la voie de l'économie de marché et a entrepris la privatisation des biens d'État à l'automne 1991. La tâche était lourde : vétusté des installations industrielles et des infrastructures, pollution extrême (surtout dans le bassin minier d'Ostrava et les sites métallurgiques de Bohême). Avec la disparition du Comecon, dans le cadre duquel se réalisaient près de 60 % des échanges tchèques, le pays comptait sur la coopération avec l'O. pour redéployer son économie et aspirait à rejoindre un jour la C.É.E. Depuis 1992, les problèmes écon. de la Rép. tchèque et de la Slovaquie apparaissent différents.

Hist. – Tchèques et Slovaques formèrent au Xe s. un État (Grande-Moravie), vite disloqué, la Slovaquie tombant sous la coupe des Hongrois. Le royaume de Bohême*, créé au XIe s., eut pour roi un Habsbourg à partir de 1526. Il demeura dans l'orbite de l'Autriche-Hongrie jusqu'en 1918. Le démembrement de la monarchie austro-hongroise (oct. 1918) permit la formation d'un État réunissant Tchèques et Slovaques, idée défendue dès la fin du XIXe s. par certains groupes politiques. Tomáš Masaryk, qui forma à Londres, dès 1915, un Comité national tchèque reconnu par les Alliés, fut l'artisan de cette réunion. Proclamée en 1918, la république fut présidée par Masaryk jusqu'en 1935, puis par Edvard Beneš, ministre des Affaires étrangères depuis 1918. La question la plus délicate fut celle des minorités (3 millions d'Allemands en Bohême et en Moravie, 700 000 Hongrois en Slovaquie, 500 000 Ruthènes, soit un tiers de la pop. de l'époque), liée aux revendications territoriales de l'Allemagne, de la Hongrie et de la Pologne. Afin de maintenir le statu quo, Beneš posa, dès 1921, les bases de la Petite-Entente avec la Yougoslavie et la Roumanie, et signa un pacte d'alliance avec la France (1924). L'arrivée de Hitler au pouvoir

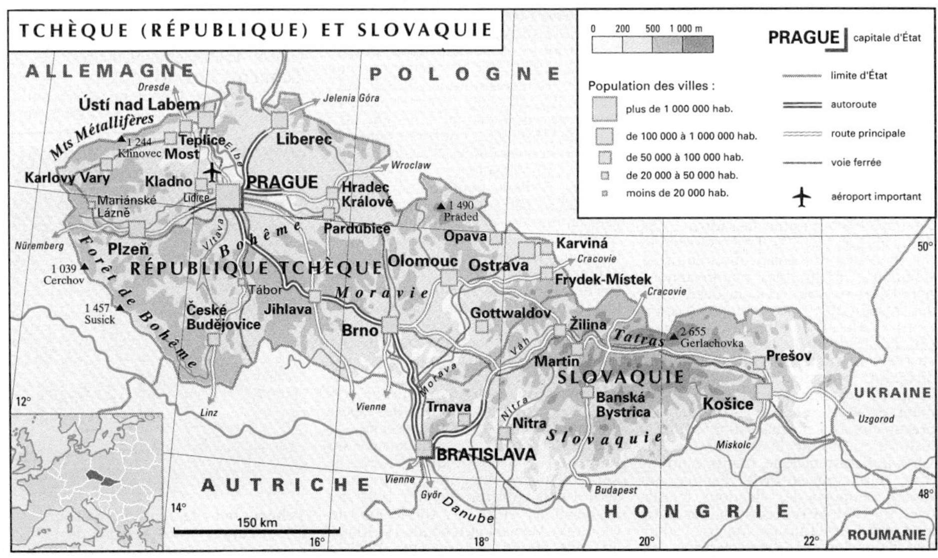

(1933) accentua l'agitation des Allemands des Sudètes*, conduits par Karl Henlein. La défection de la France et de la G.-B. à Munich (sept. 1938) obligea Beneš à céder aux exigences de Hitler, qui occupa les Sudètes. Soutenues par l'Allemagne, la Pologne et la Hongrie s'approprièrent d'autres territoires (oct. 1938). Enfin, en mars 1939, le Reich fit de la Slovaquie un État indépendant sous la tutelle allemande et de la Bohême-Moravie un protectorat, qui fut soumis à un dur régime (exécutions et déportations); la Hongrie annexa la Ruthénie. Le gouvernement formé en exil (Londres) par Beneš en 1940 revint après la libération du pays par les Soviétiques (1944-1945). Les frontières primitives furent restaurées (exception faite pour la Ruthénie annexée par l'U.R.S.S.), mais les Allemands des Sudètes furent expulsés, ainsi que de très nombr. Hongrois. Les élections de 1946 placèrent en tête des partis le parti communiste (38 % de l'électorat), qui, progressivement, étendit son emprise sur le pays et orienta l'écon., sortie presque intacte de la guerre, en fonction des besoins de l'U.R.S.S. et des démocraties populaires. La démission, en fév. 1948, des ministres « bourgeois » (remplacés par des communistes), suivie de gigantesques manifestations « spontanées » appuyant le parti communiste, permit à cette formation de faire voter en mai 1948 (« coup de Prague ») une Constitution qui transformait l'État en une démocratie populaire (devenue une république socialiste en 1960); la Slovaquie perdait sa récente autonomie (qu'elle ne retrouvera qu'en 1969). Sous la présidence de Gottwald (1948-1953), de Zápotocký (1953-1957) et de Novotný (1957-1968), la Tchécoslovaquie répondit fidèlement aux vues soviétiques; toute opposition, notam. celle du clergé catholique, fut combattue, et le parti communiste fut épuré par une série de procès staliniens (1949-1954). L'accession de Dubček à la direction du parti (janv. 1968) et de Svoboda à la présidence de la République (mars 1968) fut marquée par une libéralisation du régime (suppression de la censure, réhabilitation des victimes des procès d'après 1948, etc.), à laquelle la pop. aspirait profondément. Cette tentative, baptisée « printemps de Prague », fut brutalement arrêtée par les Soviétiques. Le 20 août 1968, les troupes du pacte de Varsovie envahirent le pays. Le retour à la stricte obédience soviétique (« normalisation ») s'effectua rapidement; à la tête du parti, Dubček fut remplacé (avr. 1969) par G. Husák, qui en 1975 succéda à Svoboda comme président de la République. Cependant une opposition démocratique s'organisa, chez les intellectuels notam. (Charte de 1977, conduite par le dramaturge V. Havel). En nov. 1989, comme les autres pays d'Europe de l'Est, la Tchécoslovaquie mit fin à quarante ans de monolithisme stalinien : de grandes manifestations populaires provoquèrent la destitution des responsables de la normalisation (dont G. Husák et M. Jakes, qui avait pris la direction du parti communiste en 1987). Le 28 déc., A. Dubček, l'ancien dirigeant, symbole du « printemps de Prague », devenait président du Parlement et V. Havel, l'opposant le plus prestigieux à la normalisation communiste, président de la République. En 1990, le Forum civique, mouvement du prés. Havel (qui se divisa l'année suivante), remporta les élections législatives. En 1991, la Tchécoslovaquie entra au Conseil de l'Europe. Malgré l'adoption d'une loi de décentralisation, les Slovaques proclamèrent la souveraineté de la République slovaque en juillet 1992, V. Havel démissionna et la partition de la fédération fut effective le 1er janv. 1993.

Tcheka, abrév. de *Tcherzvytchaïnaïa Komissia,* « Commission extraordinaire ». Police politique soviétique créée en 1917 pour combattre les contre-révolutionnaires et les saboteurs de l'État soviétique. Elle fut remplacée en 1922 par la Guépéou.

Tchekhov (Anton Pavlovitch) (Taganrog, 1860 - Badenweiler, Allemagne, 1904), écrivain russe. Son œuvre, dont l'influence fut profonde tant en Russie qu'en Europe, est une peinture amère et souvent satirique des classes moyennes russes. Une tristesse poignante se dégage de ses très nombr. nouvelles, brèves et dépouillées à l'extrême *(Morne Histoire, la Cigale, la Salle n° 6, la Dame au petit chien),* et de ses pièces, « drames du quotidien » qu'humour et tendresse pour les destins « médiocres » enveloppent d'une pénétrante atmosphère : *Ivanov* (1887), *la Mouette* (1896), *Oncle Vania* (1897), *les Trois Sœurs* (1901), *la Cerisaie* (1904).

Tchekhov

Tcherenkov

Tcheliabinsk, v. de Russie, dans l'Oural; 1 134 000 hab.; ch.-l. de prov. Grand centre industriel (sidérurgie, constr. mécaniques, etc.).

Tcheou. V. Zhou.

tchèque adj. et n. **1.** adj. De la République tchèque. ▷ Subst. Habitant de la République tchèque. **2.** n. m. *Le tchèque* : la langue slave du groupe occidental; langue officielle de la République tchèque.

tchèque (République) *(Ceska Republika),* État d'Europe centrale frontalier de l'Allemagne, de la Pologne, de la Slovaquie et de l'Autriche, qui fut jusqu'en 1992 l'une des deux rép. fédérées de Tchécoslovaquie; 78 860 km²; 10 360 000 hab.; cap. *Prague.* Nature de l'État : rép. parlementaire. Langue off. : tchèque. Monnaie : couronne tchèque. Pop. : Tchèques (94 %), Slovaques (4 %). Relig. : catholicisme.
Géogr. - Pays continental, la Rép. tchèque se partage en deux ensembles géographiques. À l'O., la Bohême est un quadrilatère de vieux massifs boisés (Sumava, monts Métallifères, Sudètes, collines de Moravie), encadrant le bassin de l'Elbe et la région de Prague. À l'E., le couloir de Moravie, fertile et peuplé, relie les pays du Danube à l'Europe du N. La pop., en majorité citadine, a un très faible taux de croissance.
Écon. Après la partition, la Rép. tchèque s'est résolument tournée vers l'Union européenne, dont elle espère devenir l'un des membres associés.
Hist. - La montée du nationalisme slovaque en Tchécoslovaquie* (devenue Rép. fédérative tchèque et slovaque en avril 1990) entraîna en juin 1992 des négociations entre les dirigeants slovaque (V. Meciar) et tchèque (V. Klaus) qui ont abouti, le 1er janv. 1993, à la partition de la Tchécoslovaquie : la rép. de Slovaquie et la Rép. tchèque. Václav Havel, élu prés. de la nouv. République, est réélu en 1998. Mais V. Klaus démissionne en nov. 1997. Les élections de juin 1998 sont remportées par l'opposition. Le nouveau Premier ministre Milos Zeman doit faire face à une situation politique confuse et à une situation économique désastreuse.

Tcheremkhovo, v. de Sibérie, près du lac Baïkal, dans le bassin houiller du m. nom; 110 000 hab. Houille; constructions mécaniques.

Tcherenkov (Pavel Alexeïevitch) (Novaïachigla, 1904 - Moscou, 1990), physicien soviétique. P. Nobel 1958. ▷ PHYS *Effet Tcherenkov* : phénomène analogue à une onde de choc, qui se produit lorsqu'une particule chargée se déplace dans le milieu qu'elle traverse à une vitesse supérieure à celle de la lumière.

Tcherepovets, v. de Russie, à l'E. de Leningrad; 299 000 hab. Centre sidérurgique.

tcherkesse adj. et n. **1.** adj. Du peuple des Tcherkesses. **2.** n. m. Langue caucasienne septentrionale.

Tcherkesses ou **Circassiens,** peuple du N. du Caucase, musulman sunnite, auj. partiellement regroupé dans diverses entités autonomes de la Russie : la rép. de Kabardino-Balkarie, les rég. des Karatchaïs-Tcherkesses et des Adyghéens.

Tchernenko (Konstantin Oustinovitch) (Bolchaïa Tes, gouv. de l'Ienisseï, 1911 - Moscou, 1985), homme politique soviétique, successeur d'Andropov au poste de secrétaire général du P.C.U.S. (fév. 1984-mars 1985).

Tchernigov, v. d'Ukraine; ch.-l. de prov.; 305 000 hab. Industr. alim., textiles et du bois.

Tchernobyl, v. d'Ukraine, sur le Pripiat. L'explosion d'un réacteur de la centrale nucléaire, le 26 avril 1986, a provoqué la contamination du site et des régions environnantes.

Tchernomyrdine (Viktor) (Tcherny-Otrog, distr. d'Orenburg, 1938), homme politique russe, Premier ministre de 1992 à 1998.

Tchernovtsy (en roumain *Cernăuţi,* en all. *Czernowitz*), v. d'Ukraine, sur le Prout; 260 000 hab.; ch.-l. de prov. Industr. textiles et alimentaires.

Tchernychevski (Nikolaï Gavrilovitch) (Saratov, 1828 - id., 1889), philosophe, savant et critique russe : *Rap-*

Tchernobyl : la centrale nucléaire, 3 jours après la catastrophe de 1986

ports esthétiques de l'art et de la réalité (1885), *le Principe anthropologique en philosophie* (1860). Socialiste utopiste, l'un des princ. organisateurs de la lutte contre le servage, il fut arrêté (1862) et déporté en Sibérie (1864-1883). *Que faire ?* (roman, 1863), écrit en prison, eut une grande influence sur la jeunesse révolutionnaire.

Tchétchènes, peuple musulman du N. du Caucase (env. 650 000 individus) en lutte contre la domination russe dep. le XVIIe s. Défaits en 1859, beaucoup émigrèrent en Arménie.

Tchétchénie, république de la Fédération de Russie, au nord du Caucase; 12 500 km²; env. 1 100 000 hab.; cap. *Groznyï*. – Ressources : pétrole et gaz naturel. – Occupées par l'Armée rouge (1920), la Tchétchénie et l'Ingouchie firent partie de la R.S.F.S. de Russie (1924-1932). Unies en 1934, elles furent proclamées R.S.S. autonome de Tchétchéno-Ingouchie en 1936. Les nationalistes tchétchènes, ayant porté au pouvoir Djokhar Doudaïev* et proclamé leur indépendance en 1991, ont obtenu en 1992 la reconnaissance par Moscou de la partition de la république. En déc. 1994, les forces russes, lançant une violente offensive qui a détruit la capitale, Groznyï, n'ont pu venir à bout de la rébellion tchétchène. En 1996, Aslan Maskhadov, ex-chef d'état-major, a été élu à la présidence de la République.

Tchicaya U Tam'si (Gérald) (Mpili, Congo, 1931 – Bazancourt, Oise, 1988), écrivain congolais d'expression française, poète à l'écriture souvent hermétique (*Épitomé*, 1962), homme de théâtre (*le Zoulou*, 1977) et romancier (*Ces fruits si doux de l'arbre à pain*, 1987).

Tchimkent, ville du Kazakhstan; 400 000 hab.; ch.-l. de prov. Fonderies de plomb, industr. mécanique.

Tchita, v. de Sibérie, à l'E. du lac Baïkal; 336 000 hab.; ch.-l. de prov. Houille; métallurgie.

Tchitcherine (Gheorghi Vassilievitch) (Karaul, gouv. de Tambov, 1872 – Moscou, 1936), homme politique soviétique. Commissaire aux Affaires étrangères (1918-1930), il négocia avec l'Allemagne le traité de Rapallo (1922).

Tchoïbalsan (Khorloghine) (Baian-Toumen, auj. Tchoïbalsan, E. de la Mongolie, 1895 – Moscou, 1952), maréchal et homme politique mongol. Organisateur du Parti populaire révolutionnaire mongol (1919), il fut Premier ministre et chef du parti communiste de Mongolie de 1939 à 1952.

Tchong-k'ing. V. Chongqing.

Tchouang-tseu. V. Zhuangzi.

Tchoudsk (lac). V. Peïpous.

Tch'ouen-ts'ieou. V. Chunqiu.

Tchou Hi. V. Zhu Xi.

Tchouktches, peuple de la Sibérie nord-orientale dont la civilisation, très ancienne, est proche de celle des Esquimaux. Ils pêchent, chassent le phoque et la baleine, et élèvent des rennes.

Tchouvaches (république des), république autonome de Russie, sur la moyenne Volga; 18 300 km²; 1 329 000 hab.; cap. *Tcheboksary*. C'est un pays de collines, au sol fertile (céréales). – La langue des Tchouvaches est issue d'un dialecte turc. Sous la domination russe à partir du XVIe s., les Tchouvaches forment, depuis 1925, une république autonome.

T.D. n. m. pl. Abrév. de *travaux dirigés*.

te pron. pers. e la 2e pers. du sing. des deux genres, employé comme complément, toujours placé avant le verbe; s'élide en *t'* devant une voyelle ou un *h* muet. **1.** (Comp. d'objet direct.) *Je te quitte.* **2.** (Comp. d'objet d'un v. réfl.) *Tu te fatigues.* **3.** (Comp. indir.) À toi. *Je te donne beaucoup de souci.* – (Réfl.) *Tu te donnes beaucoup de peine.* **4.** (Employé avec la valeur d'un possessif devant un nom désignant une partie du corps, une fonction, etc.) *Tu te ronges les ongles. Tu te pervertis le goût.* **5.** (Avec un v. essentiellement pronominal.) *Tu te repens.* **6.** (Avec un terme servant à présenter qqn.) *Enfin, te voilà !*

Te CHIM Symbole du tellure.

té n. m. *En té :* en forme de T. *Fer profilé en té.* ▷ *Té de dessinateur :* règle plate en forme de T.

teaser [tizœʀ] n. m. (Anglicisme) Message publicitaire sans mention de marque.

teasing [tiziŋ] n. m. (Anglicisme) Technique publicitaire consistant à exciter l'intérêt du public par un message énigmatique.

Tébélé(s). V. Matabélé(s).

Tébessa (auj. *Tbessa*), v. de l'Algérie orientale, au pied des *monts Tébessa* (qui se prolongent en Tunisie); 112 010 hab.; ch.-l. de la wilaya du m. nom. Phosphates. – Restes d'une enceinte byzantine (VIe s.); arc de triomphe (214 apr. J.-C.); temple dit « de Minerve » (déb. IIIe s. de notre ère); ruines de la basilique Ste-Crispine (IVe s.).

Tech (le), fl. côtier des Pyrénées-Orientales (82 km). Centrale hydroélectrique.

technétium [tɛknesjɔm] n. m. CHIM Élément métallique de numéro atomique Z = 43 (symbole Tc). (L'isotope de masse atomique 99 a une période de l'ordre de 10^6 années.) – Métal (Tc) qui fond à 2 170 °C et bout vers 4 880 °C.

technicien, enne [tɛknisjɛ̃, ɛn] n. et adj. **I.** n. **1.** Personne qui connaît une technique déterminée. *Technicien du froid.* **2.** Spécialiste de l'application des sciences au domaine de la production. **3.** Professionnel spécialisé qui, sous les directives d'un ingénieur, dirige les ouvriers dans une entreprise. **4.** *Technicien de surface :* salarié d'une entreprise de nettoyage, chargé de faire le ménage. **II.** adj. Qui relève de la technique. *Civilisation technicienne.*

techniciser v. tr. [1] Donner un caractère technique.

technicité n. f. Caractère technique.

technico-commercial, ale, aux adj. et n. Se dit d'une personne dont l'activité commerciale exige une connaissance technique du produit vendu. *Des technico-commerciaux.*

technicolor [tɛknikɔlɔʀ] n. m. (Nom déposé.) Procédé de films en couleurs.

-technie [tɛkni], **techno-** [tɛkno; tɛknɔ], **-technique** [tɛknik]. Éléments, du gr. *tekhnê*, « art, métier ».

technique [tɛknik] n. et adj. **I.** n. f. Moyen ou ensemble de moyens adaptés à une fin. **1.** Procédé particulier que l'on utilise pour mener à bonne fin une opération concrète, pour fabriquer un objet matériel ou l'adapter à sa fonction. *On emploie encore cette technique artisanale.* ▷ *Par ext.* Procédé particulier utilisé dans une opération non matérielle. *La technique stylistique qui consiste à mêler le discours direct et le discours indirect.* **2.** Ensemble des moyens, des procédés mis en œuvre dans la pratique d'un métier, d'un art, d'une activité quelconque. *La technique de la peinture sur soie.* ▷ Maîtrise plus ou moins grande, connaissance plus ou moins approfondie d'un tel ensemble de procédés. *Ce violoniste a une bonne technique.* **3.** *La technique :* l'ensemble des applications des connaissances scientifiques à la production de biens et de produits utilitaires. *La science et la technique.* – *Les techniques*, ces applications, considérées dans leurs domaines respectifs. *Le prodigieux développement des techniques, amorcé au XIXe s. et poursuivi au XXe s.* **II.** adj. **1.** Qui a rapport à la mise en œuvre d'une technique (sens 1), qui concerne l'utilisation d'objets ou de procédés concrets; relatif au matériel ou à son emploi (et non à la valeur, aux capacités des utilisateurs). *Problèmes techniques et problèmes humains.* ▷ Par ext. *La perfection technique de l'écriture de Stendhal.* **2.** Qui a trait à l'exercice d'un métier, à la pratique d'un art ou d'une activité quelconque; qui est propre à ce métier, à cet art, à cette activité. *Termes techniques de musique.* **3.** Qui a rapport à la technique, aux techniques (sens I, 3). *L'enseignement technique* ou, n. m., *le technique. Orienter vers le technique.*

techniquement adv. Du point de vue de la technique.

techno-. V. -technie.

techno adj. et n. f. Se dit d'un style de musique rock issu de manipulations informatiques et caractérisé par des rythmes rapides et lancinants, apparu à la fin des années 80.

technobureaucratique adj. Qui tient à la fois de la technocratie et de la bureaucratie.

technocrate n. (Souvent péjor.) Haut fonctionnaire ou homme politique qui privilégie les aspects techniques des problèmes au détriment des aspects humains.

technocratie [tɛknɔkʀasi] n. f. Didac. Système d'organisation politique et sociale dans lequel les techniciens exercent une influence prépondérante. ▷ Péjor. Pouvoir des technocrates.

technocratique adj. Didac. Relatif aux technocrates, à la technocratie.

technocratisme n. f. POLIT Tendance à la technocratie.

technolecte n. m. LING Ensemble des termes appartenant à une technique.

technologie n. f. Étude des techniques industrielles (outillage, méthodes de fabrication, etc.), considérées dans leur ensemble ou dans un domaine particulier.

technologique adj. De la technologie; qui a rapport à la technologie.

technologue n. Spécialiste de technologie.

technopole n. f. ou **technopôle** n. m. Didac. Espace regroupant des institutions d'enseignement et de recherche et des entreprises de haute technologie. (La première technopole fondée, en 1969, est Sophia-Antipolis.)

technoscience n. f. Didac. Association de la technologie et des sciences considérée comme un domaine.

technoscientifique adj. Qui concerne la technoscience.

technostructure n. f. Didac. Ensemble des techniciens ayant pouvoir de décision au sein d'une entreprise ou d'une administration.

teck ou **tek** [tɛk] n. m. **1.** BOT Arbre des régions tropicales (fam. verbénacées). **2.** Bois très dur de cet arbre apprécié en ébénisterie pour sa couleur rouge-brun et la diversité de son veinage, et en construction navale pour son imputrescibilité et sa résistance aux tarets.

teckel n. m. Basset allemand à pattes courtes et à poil ras ou long.

tectonique n. f. et adj. GEOL Étude de la structure acquise par les roches et les couches de terrain après leur formation, par suite des mouvements de l'écorce terrestre. ▷ *Par ext.* Ensemble de ces mouvements. *Tectonique des plaques.* V. encycl. plaque. – adj. *Mouvements tectoniques.*

tectrice n. f. Plume du corps et de la partie antérieure de l'aile des oiseaux.

Tecumseh (dans la vallée de l'Ohio, v. 1768 – à la bataille de la Thames, Ontario, 1813), chef indien de la tribu des Shawnee. Il tenta d'unir tous les Indiens d'Amérique du Nord contre les Blancs; ayant échoué, il s'allia aux Anglais, qui fomentaient des révoltes dans leur anc. colonie, et périt à leurs côtés sur les rives de la Thames.

teddy n. m. Peluche synthétique imitant la fourrure.

Te Deum [tedeɔm] n. m. inv. (lat.) RELIG CATHOL Cantique d'action de grâces; cérémonie solennelle où l'on chante ce cantique. – Composition musicale sur les paroles latines du *Te Deum.*

tee [ti] n. m. (Anglicisme) SPORT Au golf, petite cheville sur laquelle on place la balle pour driver*.

T.E.E. Sigle de *Trans*-Europ-Express.*

teenager [tinɛdʒœʀ] n. (Américanisme) Adolescent(e) de 13 à 19 ans.

Tees (la), fl. du N. de l'Angleterre (Cleveland); 110 km. Estuaire fortement industrialisé : terminal de l'oléoduc Ekofisk à *Teesside,* conurbation (500 000 hab.) qui réunit les villes de Stockton, Billingham, Middlesbrough, Thornaby, Lackenby, Wilton et Redcar.

tee-shirt ou **T-shirt** [tiʃœʀt] n. m. (Anglicisme) Maillot de coton à manches courtes. *Des tee-shirts* ou *des T-shirts.*

téflon n. m. (Nom déposé.) Matière plastique, polymère du tétrafluoréthylène, d'une grande résistance aux agents chimiques et à la chaleur, utilisée notam. dans la fabrication des ustensiles ménagers (poêles, etc.).

Tégée, v. de l'anc. Grèce (Arcadie) fondée à l'époque mycénienne. Ruines près de Piali.

tégénaire n. f. ZOOL Grande araignée à longues pattes, commune dans les caves, les greniers, etc.

tégéviste n. Conducteur de T.G.V.

Téglath-Phalasar, Teglath-Phalazar ou **Tiglat-Phalazar,** nom de trois rois assyriens. – **Téglath-Phalasar I**[er], roi de 1112 à 1074 av. J.-C., conquérant de la Commagène. – **Téglath-Phalasar II,** roi de 965 à 933 av. J.-C. – **Téglath-Phalasar III,** roi de 745 à 727 av. J.-C. Ses réformes de l'administration et de l'armée, sa politique d'annexion, à Babylone et en Palestine, font de lui le fondateur du Nouvel Empire assyrien.

Tegucigalpa, cap. du Honduras, à 1 000 m d'alt.; 597 510 hab.; ch.-l. de dép. Princ. centre commercial et industriel (alim., text.) du pays. – Archevêché. Université.

tégument n. m. ANAT Tissu (peau, plumage, écailles, etc.) qui constitue l'enveloppe du corps d'un animal. *Le derme et l'épiderme, téguments des mammifères.* ▷ BOT Enveloppe protectrice d'une graine, d'un ovule.

tégumentaire adj. Didac. Qui a rapport à un, aux téguments.

Téhéran (en persan *Tahrān*), cap. de l'Iran, sur le flanc sud de l'Elbourz, à 1 150 m d'altitude; 5 734 000 hab.; chef-lieu de la prov. du même nom (19 118 km²; 8 700 000 hab.). Au carrefour des princ. voies de communication du pays, la ville est un grand centre commercial. Les industries (alim., méca., text.) sont d'implantation récente. – Universités. Palais. Mosquée Sépahasalar. Musée archéologique. – La ville, cap. de la Perse à partir de 1788, doit son développement à Rīza Pahlavi*. En 1943, elle fut le siège de la première des conférences réunissant les chefs alliés (Churchill, Roosevelt et Staline).

Téhéran : ancien palais du schah

Tehuantepec (isthme de), isthme du Mexique (largeur minimale 210 km), entre le *golfe de Tehuantepec* (Pacifique) et le golfe de Campeche (Atlantique).

teigne n. f. **1.** Petit papillon aux couleurs ternes (genre *Tinea*) dont la chenille, très nuisible, se nourrit de matières organiques d'origine végétale ou animale. *Teigne des grappes* (parasite du raisin), *du colza, de la farine. Teigne domestique* ou *mite.* **2.** Dermatose du cuir chevelu due à des champignons, et pouvant entraîner la chute des cheveux. ▷ Fig. Personne méchante, malveillante. *Quelle teigne !*

teigneux, euse adj. **1.** Atteint de la teigne. ▷ Subst. *Un teigneux.* **2.** Fig., fam. Hargneux, mauvais, méchant. ▷ Subst. *C'est un querelleur et un teigneux.*

Teilhard de Chardin (Pierre) (chât. de Sarcenat, com. d'Orcines, Puy-de-Dôme, 1881 – New York, 1955), jésuite, philosophe et paléontologue français. Se passionnant pour les problèmes concernant l'origine de l'homme, Teilhard, à travers une œuvre qui apparaît comme une vision globale du monde, s'est efforcé de concilier les enseignements de la science moderne (l'évolutionnisme, notam.) et les dogmes de la foi chrétienne. Son œuvre abondante (et longtemps suspecte aux yeux de l'Église) n'a été éditée qu'après sa mort : *le Phénomène humain* (1955), *l'Apparition de l'homme* (1956), *le Milieu divin* (1957), etc.

teiller ou **tiller** v. tr. [1] TECH *Teiller le chanvre, le lin :* séparer les fibres de la plante des parties ligneuses.

teindre v. tr. [55] **1.** Imprégner d'une matière colorante. *Teindre la laine.* ▷ v. pron. *Se teindre les cheveux.* **2.** Litt. (Sujet n. de chose.) Colorer. *Le sang teignait l'eau en rouge.* ▷ v. pron. *Le paysage s'est teint de rose et de mauve.*

teint, teinte [tɛ̃, tɛ̃t] adj. et n. m. **I.** adj. Qui a subi une teinture. *Cheveux teints.* **II.** n. m. **1.** (Dans les loc. *bon teint, grand teint.*) Manière de teindre. *Étoffe grand teint,* dont la teinture est solide, résiste au lavage, à l'ébullition. ▷ Fig., plaisant (Personnes) *Bon teint,* dont les opinions sont solidement établies. *Un conservateur bon teint.* **2.** Couleur, carnation du visage. *Avoir le teint pâle, hâlé.*

teinte n. f. **1.** Nuance qui résulte du mélange de deux ou plusieurs couleurs. *Teinte jaune verdâtre.* **2.** Degré d'intensité d'une couleur. *Teinte faible, forte.* **3.** Fig. Légère apparence, trace, ombre. *Une teinte de mélancolie.*

teinter v. tr. [1] Donner une teinte à, colorer légèrement. *Teinter son eau d'un peu de vin.* – Pp. adj. *Une fleur blanche teintée de rose.* ▷ v. pron. *La forêt se teintait de bruns et d'ors.* – Fig. *Son refus se teinta de tristesse.*

teinture n. f. **1.** Opération qui consiste à teindre; son résultat. *Procédés de teinture.* **2.** Matière colorante utilisée pour teindre. *La laine s'imprègne de teinture dans de grandes cuves.* ▷ Fig. Connaissance toute superficielle. *Il a une vague teinture de philosophie* (V. vernis). **3.** PHARM Solution d'un ou de plusieurs produits actifs dans l'alcool. *Teinture d'iode.*

teinturerie n. f. **1.** Métier du teinturier. **2.** Boutique de teinturier.

teinturier, ère n. **1.** TECH Personne qui procède à la mise en couleur de diverses matières (étoffes et cuirs, partic.). **2.** Cour. Personne, commerçant qui se charge du nettoyage des vêtements, et, éventuellement, de leur teinture. **3.** n. m. Cépage rouge utilisé en assemblage pour son jus très coloré.

Teisserenc de Bort (Léon) (Paris, 1855 – Cannes, 1913), météorologiste français; fondateur de l'observatoire de Trappes. Utilisant des ballons-sondes, il découvrit la stratosphère (1899).

tek. V. teck.

Tekakwitha (Kateri) (Ossernenon, auj. Auriesville, État de New York, 1656 – Montréal, 1680), jeune Amérindienne convertie au christianisme. Reconnue pour sa sainteté, les jésuites lui permettent de prononcer individuellement le vœu de chasteté. Béatifiée en 1980.

tekke n. m. En Turquie, monastère de derviches.

tel, telle adj. et pron. **I.** adj. (Indiquant la similitude, l'identité.) **1.** De cette sorte. Syn. pareil, semblable. *Une telle conduite vous honore.* ▷ Loc. *Pour tel, comme tel :* possédant cette qualité. *Objet ancien, ou vendu comme tel. C'est peut-être le meilleur livre de l'année; moi, je le tiens pour tel.* – *En tant que tel :* dans sa nature propre. ▷ (Prov.) *Tel père, tel fils :* le fils est comme le père. **2.** *Tel quel :* dans son état initial, sans modification. *Tu l'avais laissé sur la table, je l'ai trouvé tel quel.* (*Tel que* est ici un emploi critiqué.) **3.** *Tel que... :* comme. *Bêtes féroces telles que le tigre, la panthère. Un homme tel que lui.* **4.** (Valeur intensive.) Si grand, d'une si grande importance. *Avec un tel enthousiasme, il est sûr de réussir.* ▷ *Tel... que.* (Introduisant une subordonnée de conséquence.) *Tel est le caractère des hommes qu'ils ne sont jamais satisfaits.* **5.** (Pour éviter de désigner de façon précise.) Un certain. *Admettons qu'il arrive tel jour, avec tel ami, pour faire telle chose.* **II.** pron. indéf. **1.** Litt. Une certaine personne. *Tel*

teinture végétale : (de g. à dr.) garance des teinturiers (teinture rouge vermillon); pastel ou guède et indigotier des Indes (teintures bleues)

est pris qui croyait prendre. **2.** *Un tel* (mis pour un nom de personne) : V. Untel. **III.** Loc. conj. *De telle manière, de telle sorte, de telle façon que.* (Introduit une subordonnée de conséquence ou de but.) *Il s'y prend de telle manière qu'il a peu de chances d'y parvenir.*

tél(o)-. V. téléo-.

télamon n. m. ARCHI Syn. de *atlante*.

télangiectasie n. f. Ensemble de vaisseaux capillaires dilatés apparaissant sur la peau.

Tel-Aviv (mot hébreu signif. «colline du printemps»), v. et princ. centre économique d'Israël, sur la Méditerranée; 327 270 hab. (avec Jaffa) (aggl. urb. 1 607 800 hab.); ch.-l. du district du m. nom. – Universités. Musée des beaux-arts. Opéra. – Fondée en 1909 (au N.-E. de Jaffa) par les sionistes, la ville s'est développée rapidement.

télé-. Élément, du gr. *têlé*, «au loin».

télé n. f. Fam. Télévision ou téléviseur.

téléachat n. m. Achat, par téléphone ou par minitel, d'objets présentés au cours d'une émission de télévision.

téléacheteur, euse n. Personne qui pratique le téléachat.

téléacteur, trice n. Personne qui travaille au moyen d'un téléphone (vente, enquêtes). Syn. téléopérateur, téléprospecteur.

téléaffichage n. m. Affichage télécommandé d'informations.

téléalarme n. f. Alarme transmise par télécommunication à un centre de contrôle.

téléaste n. Réalisateur de films pour la télévision.

télébenne ou **télécabine** n. f. Téléphérique à un seul câble comportant de nombreuses petites cabines; chacune de ces cabines.

télécarte n. f. (Nom déposé) Carte à puce permettant de téléphoner à partir d'un publiphone.

télécartiste n. Collectionneur de télécartes.

téléchargeable adj. Que l'on peut télécharger. *Logiciel téléchargeable.*

téléchargement n. m. Action de télécharger des données.

télécharger v. tr. [1] INFORM Copier dans la mémoire de son ordinateur des données obtenues via un réseau.

télécinéma n. m. Appareil qui permet de transmettre par télévision un film cinématographique.

télécommande n. f. Commande à distance d'un appareillage; dispositif qui permet cette commande à distance. *Télécommande mécanique* (au moyen de tringles, de câbles, etc.), *hydraulique* ou *pneumatique* (canalisations d'eau, d'huile, d'air comprimé), *électrique* (relais, servomécanismes), *radioélectrique* (ondes hertziennes).

télécommander v. tr. [1] Actionner, déclencher, guider par télécommande. *Télécommander l'autodestruction d'un satellite.* ▷ Fig. Diriger de loin sans se faire connaître.

télécommunication n. f. Procédé de communication et de transmission à distance de l'information. *Télécommunications spatiales.*

ENCYCL De très nombr. techniques ont donné leur essor aux télécommunications modernes : télégraphie, téléphone, télévision, etc. Comme le réseau téléphonique, le réseau télégraphique appelé *télex* est équipé d'autocommutateurs spéciaux qui permettent d'établir automatiquement des liaisons entre les abonnés. Les *satellites de télécommunications* servent de relais hertziens. Les *fibres* optiques* permettent de transporter des signaux lumineux avec une capacité de transmission très supérieure à celle des câbles ou des faisceaux hertziens. Les télécommunications se développent également en informatique : c'est le domaine de la *télématique**.

▶ illustr. page **1844**

télécoms n. m. pl. Organisme qui gère les télécommunications.

téléconférence n. f. TELECOM Conférence dans laquelle plus de deux interlocuteurs sont reliés par des moyens de télécommunication.

télécopie n. f. Procédé de reproduction à distance de documents utilisant le réseau téléphonique. ▷ Document ainsi obtenu. Syn. fax.

télécopieur n. m. Appareil de télécopie.

télédétection n. f. Didac. Détection à distance. *Télédétection par satellite.*

télédiagnostic n. m. MED Diagnostic effectué par télécommunication.

télédiffuser v. tr. [1] Diffuser par télévision. *Programme télédiffusé.*

télédiffusion n. f. Action de télédiffuser.

télédistribution n. f. TECH Diffusion par câbles d'émissions de télévision.

téléenseignement n. m. Enseignement par la radio et la télévision.

téléfax n. m. (Nom déposé.) Procédé de télécopie.

téléférique. V. téléphérique.

téléfilm n. m. Film tourné spécialement pour la télévision.

télégénique adj. Qui est flatté par l'image télévisée, dont le visage est agréable à regarder à la télévision.

télégramme n. m. Dépêche transmise par télégraphie. ▷ Feuille sur laquelle elle est transcrite.

télégraphe n. m. Dispositif, système permettant de transmettre rapidement et au loin des nouvelles, des dépêches. *Télégraphe optique de Chappe**. ▷ *Spécial.* Dispositif de transmission à distance des dépêches par liaison électrique ou radioélectrique, utilisant un code de signaux. *Télégraphe Morse.*

télégraphie n. f. Technique de la transmission par télégraphe; transmission par télégraphe. ▷ *Télégraphie sans fil :* V. T.S.F. – ADMIN Radiotélégraphie.

télégraphier v. tr. [2] Transmettre par télégraphie ou sous forme de télégramme.

télégraphique adj. **1.** Du télégraphe; qui a rapport au télégraphe. *Poteau télégraphique.* **2.** Transmis par télégraphe. *Mandat télégraphique.* **3.** *Style télégraphique,* dans lequel ne sont conservés que les mots essentiels à la compréhension du texte.

télégraphiquement adv. Par télégramme.

télégraphiste n. **1.** Personne qui transmet les dépêches par télégraphie. **2.** Employé(e) des Postes qui porte à domicile les dépêches télégraphiques.

téléguidage n. m. TECH Guidage de mobiles à distance, notam. par ondes hertziennes.

téléguider v. tr. [1] **1.** Commander par téléguidage. – Pp. adj. *Voiture téléguidée.* **2.** Fig. Manipuler; diriger de loin, parfois de façon cachée. – Pp. adj. *Intervention diplomatique téléguidée.*

téléimprimeur n. m. TECH Appareil télégraphique qui permet l'envoi de textes au moyen d'un clavier dactylographique, et leur réception en caractères typographiques sans l'intervention d'un opérateur.

téléinformatique n. f. INFORM Ensemble des procédés qui permettent l'utilisation à distance de l'ordinateur (par l'intermédiaire de lignes spéciales, de réseaux de télécommunication).

télékinésie n. f. Didac. Phénomène paranormal qui consisterait en la mise en mouvement à distance d'objets pesants, sans contact, par la seule intervention d'une énergie immatérielle.

télémanipulateur n. m. TECH Dispositif qui permet de manipuler à distance des produits dangereux (radioactifs, partic.), consistant essentiellement en une ou deux pinces articulées.

télémanipulation n. f. Manipulation grâce à un télémanipulateur.

Telemann (Georg Philipp) (Magdeburg, 1681 – Hambourg, 1767), compositeur allemand. Très fécond (suites, sonates, concertos, ouvertures), il se situe au carrefour des influences française, italienne et allemande. Sa musique vocale est également abondante : cantates, motets, passions, oratorios, opéras.

Télémaque, dans la myth. gr., fils d'Ulysse et de Pénélope. Athéna (sous les traits de Mentor) le guida lorsqu'il partit à la recherche de son père.

télémark n. m. Virage à skis exécuté avec une jambe en avant le genou près du sol.

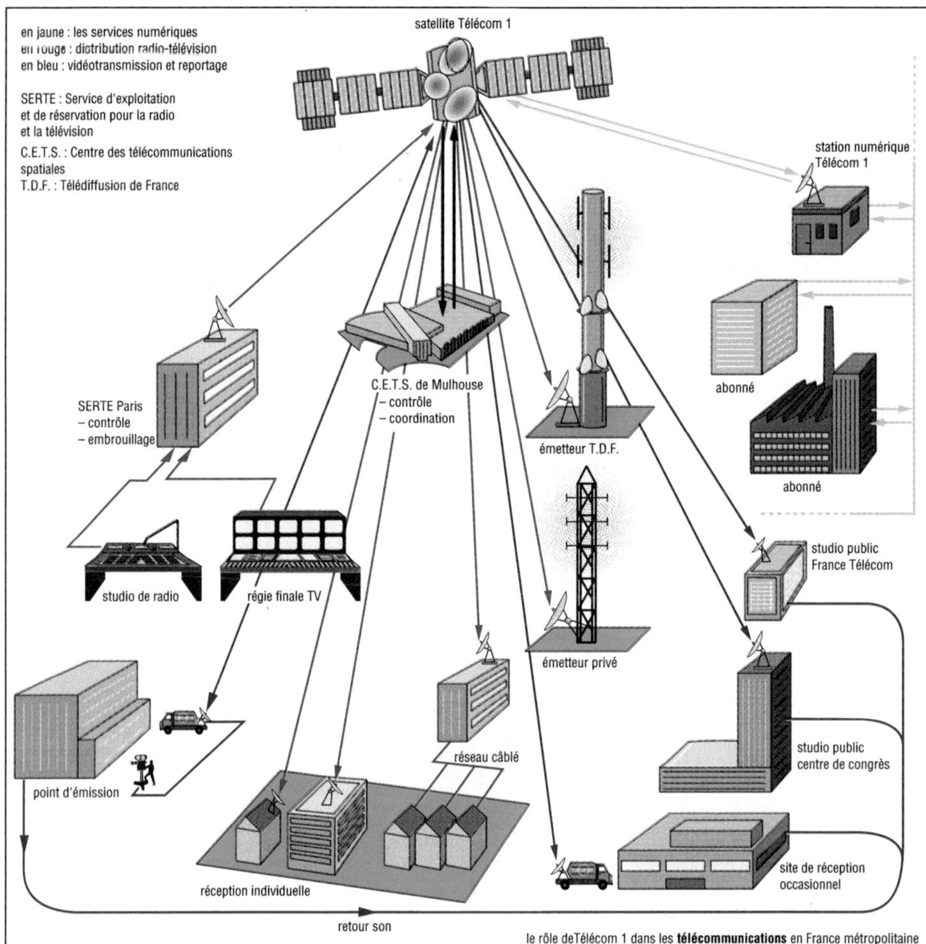

le rôle de Télécom 1 dans les **télécommunications** en France métropolitaine

Telemark, rég. montagneuse du S. de la Norvège, formant un comté (15 315 km²; 163 000 hab.; ch.-l. *Skien*).

télémarketing [telemaʀketiŋ] n. m. COMM Marketing réalisé par l'intermédiaire d'un moyen de télécommunication.

télématique n. f. et adj. INFORM Ensemble des techniques associant les télécommunications et l'informatique. ▷ adj. *Les services télématiques.*

télématiser v. tr. [1] TECH Équiper de moyens télématiques.

télémessagerie n. f. Syn. de *messagerie* électronique.*

télémesure n. f. TECH Transmission à distance des résultats de mesures au moyen d'un signal électrique ou radioélectrique.

télémètre n. m. TECH Appareil servant à mesurer la distance d'un point éloigné par un procédé optique ou radioélectrique.

télémétrie n. f. TECH Mesure des distances par télémètre.

téléo-, tél(o)-. Éléments, du gr. *teleos, telos,* «fin, but».

téléobjectif n. m. PHOTO Objectif de distance focale supérieure à la focale dite «normale», utilisé pour photographier des objets éloignés.

téléologie n. f. PHILO Étude de la finalité. ▷ Doctrine selon laquelle le monde obéit à une finalité.

téléologique adj. PHILO Qui a rapport à la téléologie. *Preuve téléologique de l'existence de Dieu.*

téléonomie n. f. BIOL, PHILO Propriété qu'a la matière vivante de matérialiser une finalité.

téléopérateur, trice n. Syn. de *téléacteur.*

téléostéens n. m. pl. ICHTYOL Superordre de poissons osseux dont le squelette est entièrement ossifié. *La plupart des poissons actuels sont des téléostéens.* – Sing. *Un téléostéen.*

télépaiement n. m. Paiement télématique.

télépathe n. et adj. Qui pratique la télépathie.

télépathie n. f. Communication à distance par la pensée, transmission de pensée.

télépathique adj. De la télépathie.

télépéage n. m. Péage par télédétection d'un badge électronique.

téléphérage n. m. TECH Transport par câble aérien.

téléphérique ou **téléférique** adj. et n. m. **1.** adj. TECH Qui a rapport au téléphérage. *Câble téléphérique.* **2.** n. m. Moyen de transport de personnes par une cabine suspendue à un câble aérien. *Prendre le téléphérique.*

téléphone n. m. **1.** Ensemble des dispositifs qui permettent de transmettre le son, et partic. la parole, à longue distance. *Abonné au téléphone. Être au téléphone* : téléphoner. *Appareil de téléphone.* ▷ Fam. *Donner un coup de téléphone à qqn,* l'appeler au téléphone. ▷ Fig., fam. *Téléphone arabe :* transmission rapide, de bouche à oreille, des nouvelles, des ragots. **2.** Appareil, poste téléphonique. *Passe-moi le téléphone. Téléphone sans fil. Téléphone portable,* sans branchement fixe, qui permet notam. de téléphoner en voiture.

téléphoné, ée adj. **1.** Transmis par téléphone. *Message téléphoné.* **2.** Fig. SPORT Se dit d'un coup exécuté trop lentement ou maladroitement pour ménager l'effet de surprise. ▷ Fam. *C'est téléphoné,* tellement annoncé, prévisible que cela manque son but.

téléphoner 1. v. tr. [1] Transmettre par téléphone. *Téléphone-lui ses résultats.* **2.** v. tr. indir. Parler au téléphone. *Téléphoner à un ami.* ▷ Absol. *Il déteste téléphoner.* ▷ v. pron. (Récipr.) *Ils n'arrêtent pas de se téléphoner.*

téléphonie n. f. TECH Transmission des sons à distance. – Ensemble des techniques qui concernent le téléphone. ▷ *Téléphonie sans fil* : V. radiotéléphonie.

téléphonique adj. Du téléphone; qui concerne le téléphone; qui se fait par téléphone. *Appel téléphonique.*

téléphoniquement adv. Par téléphone.

téléphoniste n. Professionnel assurant le service du téléphone.

téléport n. m. Site équipé de moyens de télécommunication très performants et destiné à recevoir des implantations d'entreprises.

téléprompteur n. m. Syn. de *prompteur.*

téléprospecteur, trice n. Syn. de *téléacteur.*

téléradiographie ou **téléradio** n. f. MED Radiographie à distance (1,50 à 3 m).

téléreporter [teleʀəpɔʀtɛʀ] n. Reporter de télévision.

téléroman n. m. (Canada) Feuilleton tourné pour la télévision et diffusé aux heures de grande écoute.

télescopage n. m. Fait de télescoper, de se télescoper.

télescope n. m. TECH, ASTRO Instrument d'optique destiné à l'observation des objets lointains (des astres, notam.), et dont l'objectif est un miroir. *Télescope électronique.* ▷ Cour. Tout instrument d'optique destiné à l'observation d'objets lointains.

télescoper v. tr. [1] Heurter violemment, enfoncer. *La voiture a télescopé la moto.* ▷ v. pron. (Récipr.) *Les deux trains se sont télescopés.* – Fig. *Idées qui se télescopent,* qui empiètent l'une sur l'autre en créant la confusion.

télescopique adj. **1.** Qui se fait avec le télescope. *Mesures télescopiques.* ▷ *Planète télescopique,* que l'on ne peut observer qu'au moyen d'un instrument d'optique. **2.** Dont les éléments s'emboîtent comme les tubes d'une lunette d'approche. *Pied télescopique d'une caméra.*

téléscripteur n. m. Appareil télégraphique qui assure à la réception l'impression directe des dépêches.

téléservice n. m. Service assuré par des moyens télématiques.

télésiège n. m. Remontée mécanique, en général à l'usage des skieurs, constituée d'un câble unique sans fin auquel sont suspendus des sièges à une ou deux places.

téléski n. m. Remonte-pente.

téléspectateur, trice n. Personne qui regarde la télévision.

télésurveillance n. f. TECH Surveillance à distance par caméra vidéo.

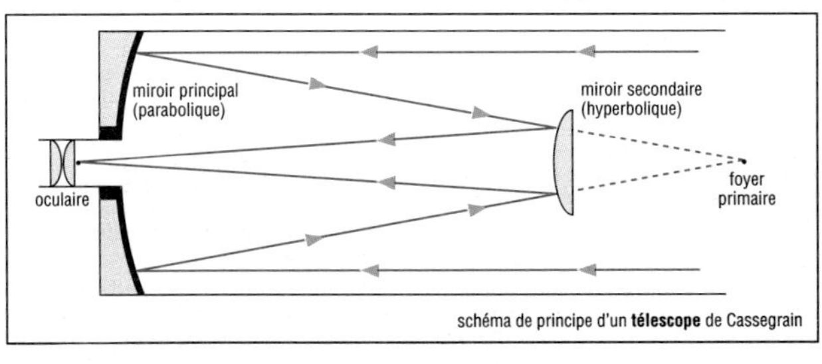

schéma de principe d'un **télescope** de Cassegrain

Télétel (Nom déposé.) Système français de vidéotex.

télétex n. m. (Nom déposé.) INFORM Norme internationale pour la transmission sur réseaux publics de textes composés et archivés par des machines de traitement de texte capables de communiquer entre elles *(terminaux télétex).*

télétexte n. m. INFORM Syn. de *vidéographie* diffusée.*

téléthèque n. f. Didac. Endroit, local où sont conservés les enregistrements d'émissions télévisées; ensemble de ces enregistrements.

téléthon n. m. (Nom déposé.) Émission de télévision interactive destinée à collecter des fonds pour la recherche médicale.

télétraitement n. m. INFORM Traitement à distance des données, notam. au moyen de terminaux reliés à des ordinateurs. V. télématique.

télétransmission n. f. TECH Transmission à distance de signaux (télégraphiques, vidéo, etc.).

télétravail n. m. Travail effectué à distance d'un lieu centralisateur et dont le résultat est envoyé dans ce centre par télécommunication.

télétravailleur, euse n. Personne qui pratique le télétravail.

télétype n. m. (Nom déposé.) TECH Téléimprimeur.

télévangéliste n. m. Prédicateur chrétien qui prodigue ses enseignements à la télévision au cours d'émissions à grand spectacle.

télévendeur, euse n. Professionnel de la télévente.

télévente n. f. Vente par correspondance d'objets présentés à la télévision.

télévidéothèque n. f. Vidéothèque utilisable à distance par réseau câblé.

téléviser v. tr. [1] Transmettre des images par télévision.

téléviseur n. m. Appareil récepteur de télévision. (Abrév. fam. : télé).

télévision n. f. **1.** Transmission des images à distance par ondes hertziennes (ou par câble); ensemble des techniques mises en œuvre dans ce type de transmission. **2.** *Par ext.* Organisme qui produit et diffuse des émissions par télévision. *Travailler à la télévision.* **3.** Fam. Téléviseur. *Ils ont acheté une télévision.* (Abrév. fam. : télé).
▸ illustr. page **1846**

télévisuel, elle adj. Relatif à la télévision.

télex n. m. Système de télégraphie utilisant un réseau distinct du réseau téléphonique et permettant la transmission de messages au moyen de téléimprimeurs. V. encycl. télécommunication.

télexer v. tr. [1] Transmettre par télex.

télexiste n. TECH Personne qui assure des liaisons par télex.

Telford, v. de G.-B. (comté de Shropshire); 103 790 hab. Ville nouvelle au N.-O. de Birmingham.

tell n. m. ARCHEOL Colline artificielle formée par l'accumulation de ruines, de déblais au cours des âges.

Tell (le), régions d'Algérie et de Tunisie proches de la Médit., où l'humidité permet de riches cult.

Tell (Guillaume). V. Guillaume Tell.

Tell al-Amarnah. V. Amarnah.

tellement adv. **1.** (Valeur intensive.) Si, aussi. *Il est tellement jeune !* ▷ (Devant une comparaison.) *Ce serait tellement mieux!* ▷ Fam. *Pas tellement* : pas beaucoup. ▷ (Introduisant une proposition de cause.) *On ne pouvait respirer tellement il y avait de monde.* Syn. tant. **2.** Fam. *Tellement de* : tant de. *J'ai tellement de travail en retard!* **3.** Loc. conj. *Tellement... que.* (Introduisant une subordonnée de conséquence.) *Il est tellement fatigué qu'il ne tient plus debout.*

Téllez Girón y Guzmán (Pedro de Alcántara), duc d'Osuna (Valladolid, 1579 – Madrid, 1624), homme d'État espagnol; vice-roi de Sicile (1612-1616), puis de Naples (1616-1620). Opposé à l'Inquisition, il mourut en prison.

Tellier (Charles) (Amiens, 1828 – Paris, 1913), ingénieur français à qui l'on doit le premier transport de viandes congelées dans un navire frigorifique (1876).

tellure n. m. CHIM Élément de numéro atomique Z = 52, de masse atomique 127,60 (symbole Te). – Corps simple (Te) situé à la frontière des métaux et des non-métaux, de densité 6,24, qui fond à 450 °C et bout à 990 °C.

tellurique ou **tellurien, enne** adj. Didac. De la Terre. *Mouvements telluriens. Chaleur tellurique.*

télo-. V. téléo-.

téloche n. f. Fam. Télévision.

télomérase n. f. BIOL Enzyme qui fabrique les télomères.

télomère n. m. BIOL Segment d'A.D.N. coiffant l'extrémité d'un chromosome.

télophase n. f. BIOL Dernière phase de la mitose*, caractérisée par la reconstitution des noyaux et par la formation d'une membrane séparant les deux cellules filles.

télougou ou **telugu** [telugu] adj. et n. Relatif aux populations de l'Āndhra Pradesh (Inde du S.). ▷ n. m. Langue dravidienne de l'Āndhra Pradesh.

Tel quel, revue littéraire créée en 1960 par Sollers, notam. Prônant d'abord la litt. pure, elle cherche bientôt à articuler activité littéraire, réflexion scientifique (sémiologie de Saussure, psychanalyse de Freud, matérialisme de Marx) et engagement politique (attrait pour le maoïsme). Sa publication fut arrêtée en 1982.

Telstar, premier satellite de télécommunications lancé par les É.-U. (1962).

Tema, port du Ghāna, à l'E. d'Accra; 99 610 hab. Centre industriel (raffinerie de pétrole, industries textiles et de l'aluminium).

temenos [temenɔs] n. m. ANTIQ GR Terrain sacré d'un sanctuaire, ouvert sur le péribole.

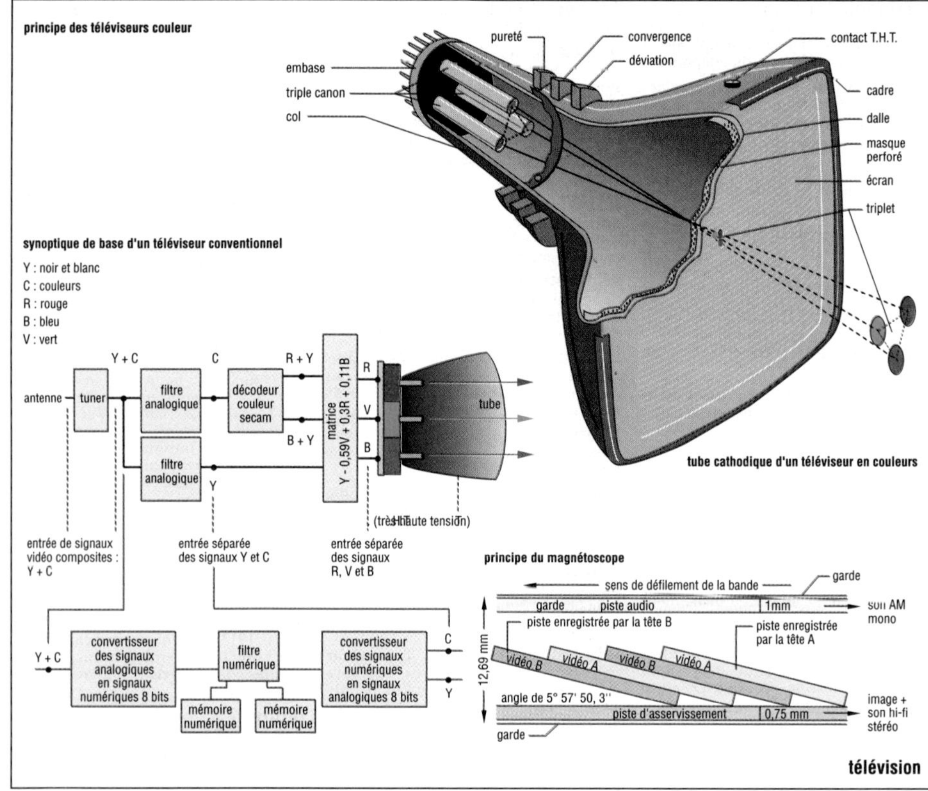

télévision

téméraire adj. et n. **1.** Hardi jusqu'à l'imprudence. *Alpiniste téméraire.* ▷ Subst. *C'est un téméraire.* **2.** Qui dénote la témérité. *Action téméraire.* ▷ *Jugement téméraire,* avancé sans preuves suffisantes.

témérairement adv. D'une façon téméraire.

témérité n. f. Fait d'être téméraire (personnes); caractère de ce qui est téméraire (actions, paroles).

Temesvár. V. Timişoara.

Temin (Howard) (Philadelphie, 1934 - Madison, 1994), biochimiste américain. Il a découvert les processus enzymatiques de la réplication* des virus. Ces travaux ont permis de comprendre l'action cancérigène d'un groupe de virus. P. Nobel 1975.

Temir-Taou ou **Temirtaou,** v. du Kazakhstan, proche de Karaganda; 225 000 hab. Métallurgie à partir des gisements de fer situés à proximité.

Témiscamingue (lac), lac du Canada, entre le Québec et l'Ontario; 313 km^2.

témoignage n. m. **1.** Action de rapporter un fait, un événement en attestant sa réalité, sa vérité. *Témoignage historique.* ▷ *Porter témoignage :* produire un témoignage, faire une déclaration ayant valeur de témoignage. ▷ *Spécial.* Déposition d'un témoin devant la justice. *Faux témoignage :* déposition mensongère. **2.** Fig. Preuve, marque (d'un sentiment). *Témoignage d'estime.*

témoigner v. [1] **I.** v. intr. Être témoin, porter témoignage, spécial. devant la justice. *Témoigner en faveur de qqn ou contre qqn.* **II.** v. tr. indir. *Témoigner de :* constituer le signe ou la preuve de; marquer, dénoter. *Ce choix témoigne de son discernement.* **III.** v. tr. **1.** Marquer, manifester. *Témoigner sa joie.* **2.** *Témoigner que* ou *témoigner* (+ inf.) : certifier la réalité, la vérité de. *Elle a témoigné qu'elle l'a entendu, l'avoir entendu.*

témoin n. m. **1.** Personne qui voit, entend qqch et peut éventuellement le rapporter. *Être témoin d'un événement. Témoin oculaire,* qui rend témoignage de ce qu'il a vu. ▷ Loc. *Prendre qqn à témoin,* invoquer son témoignage, lui demander de témoigner. **2.** Personne appelée à faire connaître en justice ce qu'elle sait d'une affaire. *Témoin à charge,* qui témoigne contre un accusé. *Témoin à décharge,* qui témoigne en faveur d'un accusé. *Faux témoin :* personne qui fait un faux témoignage. **3.** Personne qui en assiste une autre dans certains actes, pour servir de garant de leur authenticité, de leur sincérité. *Servir de témoin à un mariage. Dans un duel, les combattants étaient assistés de témoins.* **4.** Personne qui observe son milieu, la société et rend compte de ses observations. *Un chroniqueur témoin de son temps.* **5.** Personne qui, par ses actes, porte témoignage de l'existence de qqn, de qqch. *Les martyrs, témoins du Christ, de la foi.* **6.** Ce qui prouve l'existence, la réalité de qqch. *Ces vestiges, témoins d'une civilisation disparue.* ▷ (En tête de proposition, inv.) *C'est un grand général, témoin ses victoires,* comme ses victoires en sont la preuve. **7.** (En appos.) Se dit de ce qui permet une comparaison, un contrôle avec une chose analogue. *Villa témoin. Lampe témoin d'un appareil électrique,* indiquant si celui-ci est branché, en état de marche, etc. - GEOGR *Butte*-témoin.* ▷ CONSTR Plaquette de plâtre appliquée dans une fissure, permettant de constater son éventuel élargissement. ▷ BIOL Sujet animal ou végétal sur lequel on n'a pas fait d'expérience et que l'on compare à celui ayant servi de cobaye. *Souris témoin.* **8.** SPORT Bâton que se passent les équipiers d'une course de relais.

tempe n. f. Région latérale de la tête, entre l'œil et le haut de l'oreille.

Tempé (vallée de), vallée verdoyante de la Thessalie antique, au N. de l'Olympe, consacrée à Apollon et chantée par les poètes.

Tempelhof, quartier S. de l'aggl. berlinoise. Aéroport.

tempera (a). V. a tempera.

tempérament n. m. **I. 1.** Ensemble des caractères physiologiques propres à un individu. *Un tempérament robuste.* **2.** Ensemble des dispositions psychologiques de qqn. *Un tempérament calme.* ▷ Loc. fam. *Avoir du tempérament :* manifester une forte personnalité; *spécial.* manifester une forte inclination pour l'amour physique, le plaisir sexuel. **II. 1.** *Acheter à tempérament,* en payant par tranches successives la somme due. - *Vente à tempérament,* à crédit. **2.** MUS Altération que, dans certains instruments, on fait subir à la proportion rigoureuse des intervalles pour que deux sons (par ex. : ré dièse et mi bémol) puissent être rendus par le même organe (corde, touche, etc.).

tempérance n. f. **1.** Modération. **2.** Didac. Modération dans les désirs, dans les plaisirs des sens. *La tempérance est l'une* *des vertus cardinales.* **3.** Cour. Modération dans les plaisirs de la table. ▷ *Spécial.* Modération dans l'usage des boissons alcoolisées.

tempérant, ante adj. Litt. Qui fait preuve de tempérance ; sobre.

température n. f. **1.** État de l'air, de l'atmosphère en un lieu, considéré du point de vue de la sensation de chaleur ou de froid que l'on y éprouve et dont la mesure objective est fournie par le thermomètre. *Température d'une chambre. Température moyenne d'un pays.* **2.** Degré de chaleur d'un corps quelconque. *Température d'ébullition d'un liquide.* **3.** Degré de chaleur d'un organisme animal ou humain. *Prendre sa température. Feuille de température.* ▷ Absol. *Avoir, faire de la température* : être fiévreux. ▷ Par métaph. *Prendre la température* : se renseigner sur l'état d'esprit (d'une ou de plus. personnes). ENCYCL **Phys.** – L'échelle de température légale, celle du Système International (SI), est l'*échelle thermodynamique,* encore appelée *échelle absolue.* Dans cette échelle, la température s'exprime en kelvins (symbole K). Dans la vie courante, on utilise l'échelle Celsius. En pratique, l'échelle Celsius diffère extrêmement peu de l'ancienne *échelle centésimale,* dont les points de repère 0 et 100 correspondent respectivement aux points de fusion et d'ébullition de l'eau pure à la pression normale.

tempéré, ée adj. **1.** Ni très chaud, ni très froid. *Climat tempéré.* **2.** Vx ou litt. Modéré, qui a de la mesure. *Un esprit tempéré.* ▷ *Monarchie tempérée,* dans laquelle le pouvoir du souverain est limité par certaines institutions. **3.** MUS *Gamme tempérée* : V. tempérament (sens II, 2).

tempérer v. tr. [14] **1.** Adoucir. *La brise tempère l'ardeur du soleil.* **2.** Fig. et litt. Modérer, atténuer. *Tempérer sa fougue.*

tempête n. f. **1.** Violente perturbation atmosphérique, très fort vent souvent accompagné de pluie et d'orage. – *Spécial.* Une telle perturbation, sur la mer ou sur les côtes. *Digue battue par la tempête.* ▷ METEO, MAR Vent qui a une vitesse comprise entre 89 et 102 km/h (force 10 Beaufort). – *Violente tempête* : vent entre 103 et 117 km/h (force 11 Beaufort). **2.** Fig. Trouble violent, agitation. *« Une tempête sous un crâne »* (V. Hugo). – Loc. *Une tempête dans un verre d'eau* : une grande agitation à propos d'une bagatelle. ▷ Suite de malheurs, de calamités qui s'abattent sur qqn. ▷ Trouble violent dans un État. *Les tempêtes de la Révolution.* **3.** Fig. Manifestation soudaine et violente ; bruit qui évoque celui d'une tempête. *Une tempête d'imprécations.*

tempêter v. intr. [1] Exprimer bruyamment son mécontentement. *Crier et tempêter.*

tempétueux, euse adj. **1.** Vx ou litt. Où règne la tempête ; exposé aux tempêtes. *Mer tempétueuse.* **2.** Fig., litt. Agité, tumultueux. *Une réunion tempétueuse.*

temple n. m. **I. 1.** ANTIQ Édifice consacré au culte d'une divinité. *Le temple d'Apollon à Delphes.* ▷ Litt. ou plaisant (Par compar.) *Le temple de* : le lieu où l'on rend honneur (comme par un culte) à. *Un temple de la gastronomie, de la mode.* **2.** Édifice consacré au culte israélite. Syn. synagogue. **3.** Édifice consacré au culte protestant. **II.** (Avec une majuscule.) *Le Temple.* **1.** Le temple que Salomon avait bâti à Jérusalem. *Jésus chassa les marchands du Temple.* **2.** HIST L'ordre des chevaliers du Temple, ou ordre des Templiers*.

Temple (le), domaine fortifié de l'ordre des Templiers, établi à Paris au XIIe s., dont le donjon *(tour du Temple)* servit de prison sous la Révolution (Louis XVI et sa famille y furent enfermés en 1792) et sous l'Empire, avant d'être démoli en 1811. Un quartier de Paris (IIIe arr.) porte auj. son nom.

Temple (sir William) (Londres, 1628 – près de Farnham, Surrey, 1699), diplomate et écrivain anglais. Partisan d'une entente avec les Provinces-Unies, il négocia la Triple-Alliance (1668) et représenta son pays aux congrès d'Aix-la-Chapelle et de Nimègue. Il est l'auteur de nombr. essais politiques.

Templiers ou **chevaliers du Temple** (ordre des), ordre religieux et militaire créé en 1119 par Hugues de Payns pour protéger les pèlerins en Terre sainte. Le Temple, qui reçut une règle relativement ascétique en 1128, s'enrichit rapidement grâce à de nombreux dons. Il se dota très vite d'une organisation internationale : le grand maître, assisté du chapitre général, dirigeait, depuis Jérusalem, les commandeurs de l'Orient latin et d'Occident ; en fait, chaque établissement du Temple était une seigneurie, appelée *commanderie* (on a dénombré jusqu'à 9 000 commanderies). Lors de la chute de l'Orient latin, les Templiers se replièrent en Europe, où leur richesse fit d'eux les trésoriers du roi de France et du pape. En 1307, Philippe le Bel, accusant l'ordre de corruption et voulant s'en approprier les richesses, ordonna l'arrestation de 138 templiers et fit pression sur le pape Clément V, qui prononça la dissolution du Temple (3 avril 1312). Les biens immobiliers de l'ordre se trouvèrent dévolus aux Hospitaliers de Saint-Jean-de-Jérusalem (V. ordre de Malte). Le grand maître Jacques de Molay et plusieurs de ses compagnons, torturés, puis condamnés à l'issue d'un long procès (1307-1314), moururent sur le bûcher (1314).

tempo [tɛmpo] n. m. MUS Mouvement dans lequel doit être joué un morceau. (Il inclut à la fois la rapidité du rythme et le caractère à donner à l'interprétation.) *Tempo furioso.* ▷ *Spécial.* Rapidité plus ou moins grande du rythme. *Tempo lent, rapide.*

temporaire adj. Dont la durée est limitée. *Travail temporaire.*

temporairement adv. De façon temporaire ; durant un certain temps.

temporal, ale, aux adj. et n. m. ANAT Qui a rapport à la tempe, aux tempes. *Os temporal* ou, n. m., *le temporal,* formé de l'écaille, de l'os tympanal et du rocher.

temporalité n. f. Didac. Caractère de ce qui se déroule dans le temps.

temporel, elle adj. et n. m. **I.** adj. **1.** Qui passe avec le temps. Ant. éternel. ▷ *Par ext.* Qui concerne les choses matérielles. *Les biens temporels et les biens spirituels.* – *Pouvoir temporel des papes,* leur pouvoir en tant que chefs d'État. **2.** GRAM Qui a rapport à l'expression du temps. *Proposition temporelle.* **3.** Qui se rapporte au temps, qui se déroule dans le temps. **II.** n. m. *Le temporel* : la puissance temporelle.

temporellement adv. Du point de vue temporel (sens I, 1 et 3).

temporisateur, trice n. et adj. **1.** Personne qui temporise, qui a l'habitude de temporiser. ▷ adj. *Politique temporisatrice.* **2.** n. m. TECH Dispositif qui introduit un retard dans l'exécution d'une opération.

temporisation n. f. Action, fait de temporiser ; son résultat.

temporiser v. intr. [1] Retarder le moment d'agir, généralement dans l'attente d'une occasion favorable.

temps [tɑ̃] n. m. **I. 1.** Celle des dimensions de l'Univers selon laquelle semble s'ordonner la succession irréversible des phénomènes. *Le temps et l'espace. « Le mouvement et le temps sont relatifs l'un à l'autre » (Pascal).* ▷ Fig. *« L'ennemi vigilant et funeste, le temps » (Baudelaire).* **2.** Mesure du temps. *L'unité de temps est la seconde.* **3.** Espace de temps. *Temps de cuisson. Cela n'aura qu'un temps,* ne durera pas. *Demander du temps pour payer,* un délai. *Cet habit a fait son temps,* il ne peut plus servir. ▷ *Spécial.* SPORT Performance d'un sportif dans une épreuve de vitesse. *Il a réalisé un temps médiocre.* ▷ INFORM *Temps réel* : mode de fonctionnement qui permet l'introduction permanente des données et l'obtention immédiate des résultats. *Temps partagé* : mode de fonctionnement dans lequel chaque utilisateur accède en permanence à l'ordinateur sans gêner les autres, et qui autorise les relations entre les usagers. **4.** Durée (considérée du point de vue de l'activité de qqn). *Avoir le temps, du temps devant soi* : ne pas être pressé. *Ne pas avoir le temps de,* le loisir de. – *Perdre son temps* : ne rien faire ; faire des choses inutiles. – *Prendre son temps* : ne pas se dépêcher, agir sans hâte. **5.** Époque, période envisagée par rapport à ce qui l'a précédée ou suivie. *Les temps modernes. Du temps de la monarchie. De mon temps* : à l'époque de ma jeunesse. *Au bon vieux temps* : à une époque lointaine où la vie passe pour avoir été simple et facile. **6.** Période considérée par rapport à l'état, aux mœurs d'une société. *En temps de guerre, de crise.* – Fam. *Par les temps qui courent* : dans les circonstances actuelles. – *Signe des temps* : fait, circonstance qui caractérise les mœurs de l'époque dont on parle. *Être de son temps* : se conformer aux idées, aux usages de son époque. – Prov. *Autres temps, autres mœurs.* **7.** *Le temps de* : la saison, la période de l'année caractérisée par. *Le temps des vendanges, des cerises.* **8.** Moment, occasion de faire, d'agir. *Il y a (un) temps pour tout. Il est temps de partir. Il est grand temps de, que* : il est très urgent de, que. **9.** GRAM Chacune des différentes séries des formes du verbe marquant un rapport déterminé avec la durée, le déroulement dans le temps. *Conjuguer un verbe à tous les modes et à tous les temps : présent, passé, futur. Temps, mode et aspect.* **10.** MUS Chacune des divisions de la mesure servant à régler le rythme. *Mesure à trois, à quatre temps. Temps fort, faible.* **11.** TECH Chacune des phases d'un cycle de moteur à explosion. *Moteur à deux, à quatre temps.* **12.** Loc. adv. *À temps* : dans les limites du temps fixé, convenable. *Arriver à temps.* ▷ *En même temps* : simultanément. *Partir en même temps.* ▷ *De tout temps* : depuis toujours. ▷ *En temps et lieu* : au moment et dans le lieu convenables. ▷ *De temps en temps, de temps à autre* : à des moments éloignés les uns des autres ; quelquefois. ▷ *Quelque temps* : pendant un certain temps. – *Il y a quelque temps que* : un certain temps s'est écoulé depuis que. ▷ *Tout le temps* : sans cesse. **II.** État de l'atmosphère. *Temps orageux. Beau temps.* – Fig. Prov. *Après la pluie, le* *beau temps* : après les ennuis vient un temps plus heureux. ▷ MAR *Gros temps* : mauvais temps, vent fort et mer agitée. *Petit temps* : vent faible et mer calme. ▷ Loc. fig. *Parler de la pluie et du beau temps*, de banalités. *Faire la pluie et le beau temps* : avoir beaucoup d'influence, détenir de vastes possibilités d'action, de manœuvres.

ENCYCL **Astro.** – L'échelle de *temps universel* (abrév. : UT) se déduit de la rotation de la Terre autour de son axe et de son mouvement autour du Soleil. Le *temps solaire vrai* est égal à l'angle horaire du Soleil : il est 0 h vraie lorsque le Soleil traverse le méridien. Le *temps solaire moyen* est calculé en supposant un Soleil fictif dont l'angle horaire varie uniformément, ce qui n'est pas le cas du Soleil réel, compte tenu de l'obliquité de l'écliptique en partic. Au temps solaire moyen on substitue le *temps civil*, par addition de 12 heures. Le jour civil commence donc à minuit. Le *temps universel* est par définition égal au temps civil de Greenwich. Les *temps légaux* dérivent du temps universel suivant le système des fuseaux horaires. En principe, chaque pays adopte l'heure du fuseau qui contient sa capitale (sauf pour les pays très étendus). Cette règle souffre des exceptions, en partic. pour la France, qui vit sur UT + 1 heure en hiver et UT + 2 heures en été, bien qu'elle se trouve dans le fuseau 0, c.-à-d. celui de Greenwich. Il existe un deuxième temps astronomique, le *temps des éphémérides*, dont l'échelle se déduit du mouvement de la Terre autour du Soleil. Sa période fondamentale est l'année. Le *temps atomique international* a été défini à partir de la vibration de l'atome de césium. Il constitue l'échelle de temps officielle. Cette échelle coïncidait avec l'échelle de temps universel le 1er janvier 1958; l'écart entre ces deux temps est d'env. une seconde par an. Aussi, en 1972, a été définie une base du temps légal, le *temps universel coordonné* (UTC), établi à partir du temps universel et du temps atomique international.

Temps (le), quotidien fondé en 1861 à Paris et dont la parution cessa en nov. 1942 (quand les All. occupèrent Lyon, où il s'était installé). Il correspondait au journal *le Monde**.

Temps modernes (les), revue politique, philosophique et littéraire créée par Sartre en 1945.

Temuco, v. du Chili méridional; 217 790 hab.; ch.-l. de prov. Centre commercial et touristique.

Temüjin. V. Gengis khān.

tenable adj. (Souvent en tournure négative.) Que l'on peut tenir, défendre; supportable. *Battues par l'artillerie ennemie, leurs positions n'étaient plus tenables. À l'ombre, c'est à peu près tenable.*

tenace adj. **1.** Qui adhère fortement, qui est difficile à ôter. *Une couche tenace de rouille et de cambouis.* – Par anal. *Odeur tenace*, qui persiste longtemps. ▷ *Métal tenace*, qui résiste bien aux efforts de traction. ▷ Fig. Difficile à faire disparaître. *Une migraine tenace. Superstitions tenaces.* **2.** Fig. Qui ne renonce pas facilement à ses idées, à ce qu'il entreprend. *Un chercheur tenace.*

tenacement adv. Avec ténacité.

ténacité n. f. **1.** Caractère de ce qui est tenace. ▷ Résistance à la rupture (d'un métal). **2.** Fig. Caractère d'une personne tenace.

tenaille n. f. (Surtout au plur.) **1.** Outil composé de deux leviers articulés, pince servant à saisir et à serrer divers objets pendant qu'on les travaille. *Tenailles de forgeron. Tenailles de menuisier*, à mors biseautés, destinées principalement à l'arrachage des clous. ▷ Fig. *Prendre l'ennemi en tenaille(s)*, l'attaquer de deux côtés à la fois. **2.** Anc. Instrument de torture en forme de tenailles. ▷ Fig. *Les tenailles de la peur, de la jalousie.*

tenaillement n. m. Anc. Fait de tenailler, d'être tenaillé. – Fig. Souffrance, tourment.

tenailler v. tr. [1] Anc. Supplicier avec les tenailles (sens 2). ▷ Mod., fig. Faire souffrir cruellement; tourmenter. *Le remords le tenaille.* – Pp. adj. *Il est tenaillé par la faim.*

tenancier, ère n. **1.** FEOD Personne qui occupait en roture des terres dépendantes d'un fief. ▷ Mod. Fermier d'une petite exploitation agricole dépendant d'une ferme plus importante. **2.** Personne qui gère un établissement soumis à une réglementation ou à une surveillance des pouvoirs publics. *Tenancier d'un bar, d'un hôtel.*

tenant, ante adj. f. et n. **A.** adj. f. Dans la loc. *séance tenante* : aussitôt, sur-le-champ. **B.** n. **I.** *Tenant(e) d'un titre* : personne qui détient un titre sportif. *Le challenger a battu le tenant du titre.* **II.** n. m. **1.** Anc. Chevalier qui, dans un tournoi, s'offrait à jouter contre quiconque voulait se mesurer à lui. ▷ Fig. Personne qui soutient, défend une opinion (ou, moins cour., qqn). *Les tenants d'une théorie.* **2.** HERALD Ornement extérieur de l'écu, figure humaine qui soutient celui-ci. **3.** DR *Les tenants et les aboutissants d'un fonds de terre*, les diverses pièces de terre qui le bornent. ▷ Fig. *Connaître les tenants et les aboutissants* d'une affaire.* ▷ Loc. *D'un seul tenant* : sans solution de continuité. *Cent hectares d'un seul tenant.*

Ténare (auj. cap *Matapan*), cap de Grèce (Laconie) situé à la pointe S. du Péloponnèse. Ce cap possède un gouffre que les Anciens prenaient pour l'une des bouches des Enfers.

Tenasserim, rég. forestière et côtière du S. de la Birmanie, formant une prov. (43 328 km^2; 920 000 hab.).

Tencin (Claudine Alexandrine Guérin de) (Grenoble, 1682 – Paris, 1749), femme de lettres. Religieuse relevée de ses vœux (1715), elle se lança dans l'intrigue politique et la galanterie. Son salon réunit, à partir de 1726, Montesquieu, l'abbé Prévost, Helvétius, Marivaux. Elle est la mère de D'Alembert.

Tendai, secte bouddhique japonaise fondée en 807 par Dengyō Daishi, bonze qui s'inspira de la doctrine des moines chinois du Tiantai (montagne sacrée du Zhejiang), où il séjourna en 804-805. La secte fut influente au Japon jusqu'au XVIe s.

tendance n. f. **1.** Composante de la personnalité d'un individu, qui le prédispose ou qui le pousse spontanément à certains comportements. *Tendance à la rêverie, à l'étourderie, à la mégalomanie.* Syn. disposition, inclination, propension, penchant. ▷ (Personnes) *Avoir tendance à* (+ inf.) : être enclin à. *Avoir tendance à mentir.* ▷ (Choses) *Avoir tendance à* (+ inf.) : tendre à, en venir à, être en voie de. *Souvenirs qui ont tendance à s'estomper.* **2.** Orientation politique, intellectuelle, artistique, etc. *Les tendances littéraires actuelles.* – *Les différentes tendances d'un parti politique*, les divers courants d'opinion au sein de ce parti. **3.** Évolution probable dans un sens déterminé par l'évolution antérieure. *Tendance des cours à la hausse.* **4.** STATIS *Tendance de fond* : syn. de *trend*.

tendanciel, elle adj. Didac. Qui concerne, indique une tendance.

tendancieusement adv. De façon tendancieuse.

tendancieux, euse adj. Péjor. Qui manifeste une tendance (sens 2); qui ne présente pas les faits avec objectivité. *Propos tendancieux.*

Tende (col de), col des Alpes-Maritimes, à la frontière franco-italienne (1 870 m), traversé par un tunnel routier et ferroviaire reliant Nice à Cuneo.

Tende, ch.-l. de cant. des Alpes-Maritimes (arr. de Nice); 2 123 hab. – Fondé en 1501, le *comté de Tende* fut français de 1796 à 1814, date de son retour à la maison de Savoie (puis à l'Italie). En 1947, le traité de Paris, approuvé par un référendum local, en fit un territoire français.

tender [tɑ̃dɛʀ] n. m. CH de F Fourgon contenant l'eau et le combustible nécessaires à l'alimentation d'une locomotive à vapeur.

tendeur, euse n. **1.** Personne qui tend qqch. *Tendeur de pièges.* **2.** n. m. Appareil, dispositif servant à tendre, à raidir. *Tendeur pour les fils métalliques des clôtures.* **3.** n. m. Cordon élastique muni d'un crochet à chaque extrémité, servant notam. à fixer des colis sur un support (porte-bagages, galerie d'automobile, etc.). Syn. sandow.

tendineux, euse adj. **1.** ANAT Qui appartient à un tendon; qui est constitué d'un tissu analogue à celui des tendons. **2.** Qui contient des tendons. *Viande tendineuse.*

tendinite n. f. MED Inflammation d'un tendon, d'origine traumatique ou rhumatismale.

tendon n. m. Extrémité fibreuse et blanche d'un muscle, de forme cylindrique ou aplatie, par laquelle il s'insère sur un os. ▷ *Tendon d'Achille* : réunion des tendons des muscles jumeaux et du soléaire, qui s'insère sur la face postérieure du calcanéum.

1. tendre adj. et n. **I.** adj. **1.** Qui peut être facilement entamé, coupé. *Du bois tendre. De la viande tendre.* ▷ Fig. *La tendre enfance* : la première enfance. *L'âge tendre* : l'enfance. **2.** Clair et délicat (couleurs). *Un bleu tendre.* **3.** Affectueux; doux et délicat. *Un père tendre. Des paroles, des gestes tendres.* – Subst. *Un(e) tendre.* **II.** n. m. LITTER *Carte du Tendre* : carte du pays de Tendre (c.-à-d. : du pays des sentiments amoureux) imaginée en 1653 par Mlle de Scudéry, et montrant les différents chemins qui mènent à l'amour.

2. tendre v. [6] **I.** v. tr. **1.** Tirer en écartant les extrémités d'une pièce afin qu'elle présente une certaine rigidité. *Tendre une corde, une bâche.* ▷ Fig. *Tendre son esprit* : se concentrer sur qqch. **2.** Préparer, disposer (un piège). *Tendre un filet.* ▷ Fig. *Tendre un piège à qqn*, chercher à lui faire commettre une erreur fâcheuse sans qu'il s'en doute. **3.** *Tendre un mur, une pièce*, les tapisser. – (Sujet n. de personne.) *Elle a tendu sa chambre de toile imprimée.* – (Sujet n. de chose.) *La tapisserie qui tendait la muraille.* **4.** Présenter (qqch) en l'avançant. *Tendre la main. Tendre un objet à qqn.* ▷ Loc. *Tendre la main* : mendier. – Fig. *Tendre la main à qqn*, lui offrir son aide. – *Tendre l'oreille* : écouter avec attention. **II.** v. tr. indir. **1.** *Tendre à, vers (qqch)* : avoir pour objectif, chercher à atteindre. *Propos qui tendent à l'apaisement général. Tendre à la perfection.* **2.** *Tendre à* (+ inf.) : être en voie de, en venir à, avoir tendance à. *Déficit qui tend à se résorber.* **3.** Se rapprocher d'une valeur limite. *Tendre vers zéro.* **III.** v. pron. **1.** Être tendu. *Sa main se tend vers toi.* **2.** Fig. Devenir tendu, difficile. *Leurs relations se sont tendues.*

tendrement adv. Avec tendresse.

tendresse n. f. **1.** Caractère, attitude, sentiments d'une personne tendre. *Aimer avec tendresse.* **2.** (Plur.) Actes, paroles tendres. *Dire mille tendresses à qqn.*

tendreté n. f. Qualité d'une denrée tendre. *Tendreté d'une côtelette.*

tendron n. m. **1.** Morceau de la partie inférieure du thorax du veau ou du bœuf. **2.** Fam., vieilli Très jeune fille, par rapport à un homme beaucoup plus âgé qu'elle. *Il a épousé un tendron de dix-huit ans.*

tendu, ue adj. **1.** Qui subit une tension. *Ressort tendu.* ▷ Fig. *Avoir l'esprit tendu. Être tendu nerveusement.* **2.** Fig. Rendu difficile par une mauvaise entente. *Rapports tendus. Situation tendue.* **3.** LING Se dit de sons articulés avec une grande tension des organes. *Consonne tendue.*

Tène (La), site protohistorique de Suisse, à l'extrémité orientale du lac de Neuchâtel; il a donné son nom au second âge du fer («civilisation de La Tène», v. 450-50 av. J.-C.), marqué par l'expansion de la civilisation celtique continentale. Les premières découvertes datent de 1858.

civilisation de **La Tène :** reconstitution d'une maison gauloise à Chasseny, Aisne

ténèbres n. f. pl. **1.** Obscurité épaisse. *Il ne pouvait se guider dans ces ténèbres.* ▷ Fig. *Le prince, l'ange des ténèbres* : Satan. *L'empire des ténèbres* : l'enfer. **2.** Fig., litt. État de ce qui est étranger à la raison, à la connaissance, aux «lumières». *Les ténèbres de l'ignorance.*

ténébreux, euse adj. **1.** Litt. Où règnent les ténèbres. *Des ruelles ténébreuses.* **2.** Fig. Difficile à comprendre, à débrouiller. *Une ténébreuse affaire.* **3.** Sombre et mélancolique. ▷ n. m. (Souvent par plaisant.) *Un beau ténébreux* : un beau garçon grave et taciturne (allus. au roman de chevalerie espagnol *Amadis de Gaule*).

ténébrion n. m. ENTOM Insecte coléoptère (genre *Tenebrio*), noir, aux élytres striés, qui vit dans les lieux sombres et dont les larves, dites *vers de farine, vers de riz,* s'attaquent à ces denrées.

Ténéré (le), région du Sahara (1 360 000 km^2 env.) située au Niger, au S.-E. du Hoggar.

Tenerife ou **Ténériffe,** la plus grande des îles Canaries (Espagne); 1 929 km^2; 770 600 hab.; ch.-l. *Santa Cruz de Tenerife.* Sol volcanique très fertile : vigne, agrumes, tabac. Tourisme actif.

ténesme n. m. MED Tension douloureuse du sphincter anal ou vésical, avec sensations de brûlure et envies continuelles d'aller à la selle ou d'uriner.

1. teneur n. f. **1.** Contenu, sens d'un écrit, d'un discours. **2.** Proportion d'une substance dans un corps, dans un mélange. *La teneur de l'air en gaz carbonique.*

2. teneur, euse n. **1.** COMPTA *Teneur de livres* : personne qui tient les livres de comptabilité. **2.** CONSTR *Teneur de tas* : ouvrier chargé du maniement du tas dans les équipes de rivetage.

Teng Siao-p'ing. V. Deng Xiaoping.

ténia ou **tænia** n. m. Ver plat (plathelminthe) cestode (genre *Tænia*), parasite de l'homme et des vertébrés.
ENCYCL Le *ténia armé* ou *ver solitaire (Tænia solium)* parasite l'homme; il mesure de 2 à 8 m de long; sa tête *(scolex)* porte 4 ventouses et une double couronne de crochets, par lesquels il s'accroche à la paroi de l'intestin grêle.

Teniente (El), com. du centre du Chili; 11 000 hab. Très import. mines de cuivre. Molybdène.

Teniers (David), dit *le Vieux* (Anvers, 1582 – id., 1649), marchand de tableaux et peintre flamand. – **David,** dit *Teniers le Jeune* (Anvers, 1610 – Bruxelles, 1690), fils du préc. Il peignit avec virtuosité des scènes pittoresques (kermesses, noces, cabarets, etc.).

ténifuge adj. MED Qui provoque l'expulsion des ténias. ▷ n. m. *Prendre un ténifuge.*

tenir v. [36] **I.** v. tr. **1.** Avoir à la main, dans les bras, etc. *Tenir un objet. Tenir qqn par le cou.* **2.** (Sujet n. de chose.) Maintenir fixé. *La sangle qui tient la charge.* **3.** Parvenir à avoir ou à garder en son pouvoir, sous son contrôle. *Nous tenons le coupable. Tenir son cheval.* – Fig. *La fièvre le tient.* ▷ Loc. *Tenir sa langue* : savoir se taire. – (Forme passive.) *Être tenu à qqch, à faire qqch,* y être contraint, obligé. *Être tenu à la discrétion.* **4.** Avoir, posséder. *Je tiens la solution.* – Prov. *Mieux vaut tenir que courir* : il vaut mieux se contenter de ce qu'on a que de rechercher qqch d'incertain. **5.** *Tenir une chose d'une personne,* l'avoir eue, être entré en sa possession par l'intermédiaire de cette personne. *Je tiens ces documents d'un confrère.* – Fig. *De qui tenez-vous la nouvelle?* : de qui l'avez-vous apprise? **6.** Occuper (un espace). *Ce meuble tient trop de place.* ▷ Loc. *Tenir lieu* de.* **7.** Avoir la charge de; être occupé à. *Tenir un restaurant. Tenir la caisse.* – *Tenir compte* de.* – *Tenir conseil* : s'assembler pour délibérer. ▷ *Tenir tel discours, tel propos* : s'exprimer, parler de telle manière. **8.** Maintenir dans la même position, la même situation. *Tenir les yeux baissés. Tenir une chose secrète. Tenir qqn en haleine*, en respect*.* **9.** Garder, conserver. *Tenir son sérieux.* – *Tenir rigueur à qqn,* persister dans son ressentiment envers lui. ▷ *Instrument qui tient l'accord,* qui reste longtemps accordé. **10.** (Sujet n. de chose.) Pouvoir contenir. *Ce réservoir tient vingt litres.* **11.** Rester dans (un lieu); conserver (une direction). *Tenir la chambre, le lit. Tenir un cap.* ▷ *Bateau qui tient bien la mer,* qui peut affronter sans risque le mauvais temps, qui est stable et sûr. – Par anal. *Voiture qui tient la route.* **12.** Être fidèle à (un engagement). *Tenir sa parole.* **13.** *Tenir qqch, qqn pour,* le considérer comme. *Tenir une chose pour vraie. Je le tiens pour un lâche.* ▷ Fam. *Se tenir qqch pour dit,* ne pas avoir besoin qu'on vous le rappelle (souvent dans une formule d'avertissement, de menace). *C'est interdit, tiens-le-toi pour dit!* **II.** v. intr. **1.** Rester à la même place, dans la même position, sans se détacher, sans tomber. *Ce clou, ce pansement tient mal.* **2.** Subsister sans changement. *Ce projet tient-il toujours?* ▷ Fig. Être cohérent, valable, digne de considération, crédible. (V. aussi v. pron. ci-après : IV, 7.) *Ses arguments ne tiennent pas* ou, fam., *ne tiennent pas debout.* **3.** (Sujet n. de personne.) Résister. *Ils ne pourront pas tenir longtemps.* – *Tenir bon* (même sens). *Tenir bon contre une attaque, contre l'adversité.* – *On ne peut pas tenir dans une pièce aussi enfumée,* on ne peut supporter d'y rester. ▷ *N'y plus tenir* : ne plus pouvoir se dominer, se contrôler. **4.** Pouvoir être compris dans un certain espace, dans certaines limites. *Ses vêtements tiendront dans une seule valise.* – Fig. *Toute sa philosophie tient en une maxime.* **III.** v. tr. indir. **1.** Adhérer, être attaché (à). *Affiche qui tient au mur avec des punaises, de la colle.* ▷ Fig. *Tenir à qqn, à qqch,* y être attaché. – *Cela lui tient à cœur* : il y porte un grand intérêt. ▷ (Suivi de l'inf. ou du subj.) Désirer à tout prix. *Je tiens à le rencontrer, à ce que tu le voies.* **2.** Être contigu à. *Ma maison tient à la sienne.* **3.** Dépendre, provenir (de). *La maladresse tient parfois à l'inexpérience.* ▷ v. impers. *Il ne tient qu'à vous que cela réussisse,* cela ne dépend que de vous. – *Qu'à cela ne tienne* : que cela ne soit pas un empêchement. **4.** *Tenir de* : avoir une certaine ressemblance avec. *Il tient de son père. Cela tient de la folie.* **5.** Vieilli ou litt. *Tenir pour (une opinion)* : défendre (une opinion). – Mod. *Tenir pour* : considérer comme. *Je vous tiens pour responsable de cette situation.* **IV.** v. pron. **1.** (Récipr.) Se tenir mutuellement. *Ils se tenaient par la main.* **2.** Se retenir, s'accrocher à (qqch). *Se tenir d'une main au trapèze.* **3.** Se trouver, demeurer (dans un certain lieu, une certaine position, un certain état). *Elle se tenait sur le pas de la porte. Se tenir accroupi. Se tenir caché. Se tenir sur ses gardes.* ▷ *Se tenir bien, mal* : avoir un bon, un mauvais maintien; faire preuve d'une bonne, d'une mauvaise éducation. – (Absol.) *Il sait se tenir* : (sous-entendu) bien se tenir, bien se comporter. **4.** Avoir lieu. *La réunion se tiendra dans mon bureau.* **5.** *S'en tenir à* : rester dans les limites de (qqch d'arrêté). *S'en tenir aux ordres.* – *Tenons-nous-en là* : n'en disons, n'en faisons pas davantage. – *Savoir à quoi s'en tenir* : être bien renseigné, être fixé sur qqch. **6.** *Se tenir pour* : se considérer comme. *Se tenir pour satisfait.* **7.** Fig. (Sujet n. de chose.) *Absol.* Présenter une certaine cohérence; être vraisemblable, crédible. *Son récit se tient.* **V.** Loc. interj. *Tiens! Tenez!* : Prends! Prenez! *Tiens, voilà pour toi!* ▷ (Pour attirer l'attention, marquer l'étonnement.) *Tenez, je vais vous le montrer. Tiens, il pleut!* – Rem. : *Tiens!* s'emploie aussi avec le vouvoiement. *Tiens! vous voilà!*

Tennessee (le), riv. des É.-U. (1 600 km), affl. de l'Ohio (r. g.), issu des Appalaches. Les travaux réalisés par la Tennessee Valley Authority (T.V.A.), créée en 1933, ont permis de régulariser son cours, d'irriguer et d'industrialiser son bassin (hydroélectricité).

Tennessee, État du centre-est des É.-U., drainé par le Tennessee; 109 411 km²; 4 877 000 hab.; cap. *Nashville;* v. princ. *Memphis.* – Le plateau central appalachien, au climat chaud et humide, est bordé à l'O. par la vallée du Mississippi, à l'E. par une zone de crêtes. Princ. ressources : élevage bovin, céréales, coton, tabac, zinc, fer, charbon, hydroélectricité. Les industries (métall. et chim., surtout) sont relativement peu nombreuses. – Colonisée au XVIIIe s. par les Anglais, la région forma en 1796 le seizième État de l'Union. Sécessionniste, l'État fut très éprouvé par la guerre.

tennis [tenis] n. m. **1.** Sport pratiqué par deux ou quatre joueurs qui se renvoient une balle au moyen de raquettes, sur un terrain *(court)* séparé en deux camps par un filet. ▷ *Des chaussures de tennis* ou, ellipt., n. m. pl., *des tennis :* chaussures basses à empeigne de toile (ou d'une autre matière souple) et à semelle de caoutchouc, que l'on met pour pratiquer le tennis ou un autre sport. **2.** Emplacement aménagé pour jouer au tennis. *Un tennis grillagé.* **3.** *Tennis de table* ou *ping-pong :* jeu analogue au tennis dans son principe, mais qui se joue sur une table spéciale avec des raquettes en bois revêtues de caoutchouc et des balles creuses en matière dure et élastique.

tennisman, plur. **tennismen** [tenisman, tenismɛn] n. m. Vieilli Joueur de tennis.

tennistique adj. Didac. Relatif au tennis.

Tennyson (Alfred, lord) (Somersby, Lincolnshire, 1809 – Aldworth, Surrey, balles creuses en matière dure et élastique.

Martina Hingis, la Suissesse n° 1 du **tennis** mondial.

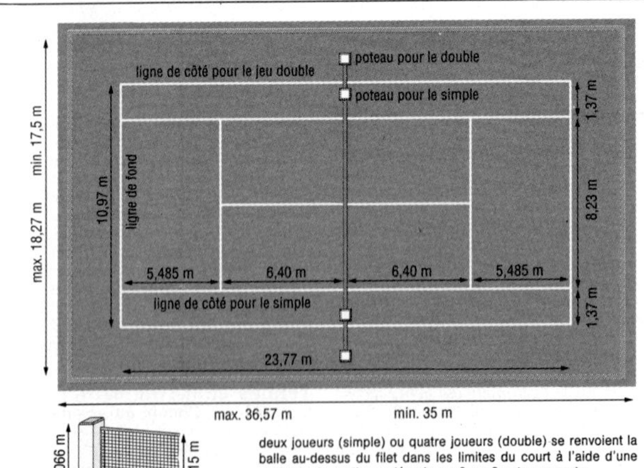

deux joueurs (simple) ou quatre joueurs (double) se renvoient la balle au-dessus du filet dans les limites du court à l'aide d'une raquette ; la partie se déroule en 2 ou 3 sets gagnants

tennis

tennisman, plur. **tennismen** [tenisman, tenismɛn] n. m. Vieilli Joueur de tennis.

tennistique adj. Didac. Relatif au tennis.

Tennyson (Alfred, lord) (Somersby, Lincolnshire, 1809 – Aldworth, Surrey, 1892), poète anglais. Représentatif de l'époque victorienne, il fut nommé « poète-lauréat » en 1850. Ses vers sont subtils et raffinés : *Poèmes* (1833, comprend *les Mangeurs de lotus*), *In memoriam* (1850), *Maud* (1855), *les Idylles du roi* (1859-1885).

Teno (le). V. Tana (la).

Tenochtitlán. V. Mexico.

tenon n. m. TECH Partie en relief d'un assemblage, façonnée selon une forme régulière (parallélépipédique, en général) et destinée à être enfoncée dans la partie creuse correspondante, la mortaise.

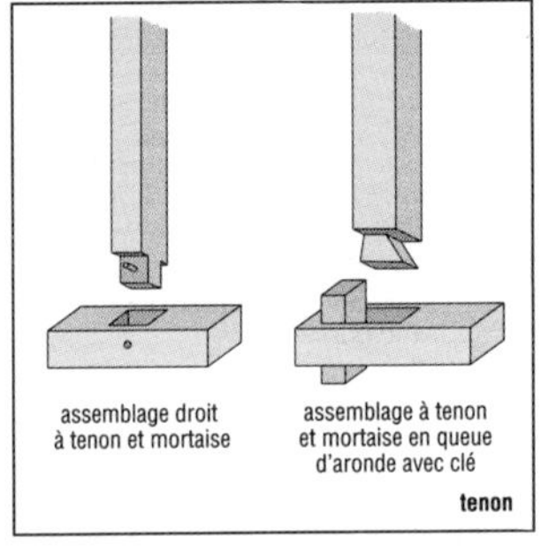

assemblage droit à tenon et mortaise

assemblage à tenon et mortaise en queue d'aronde avec clé

tenon

ténor n. m. et adj. m. **1.** Voix d'homme la plus haute (dite autref. *taille*). ▷ adj. m. Se dit des instruments à vent dont la tessiture correspond à celle de la voix de ténor. *Saxophone ténor* ou, n. m., *un ténor.* **2.** Chanteur qui a cette voix. ▷ Fig. Personne connue pour son grand talent dans l'activité qu'elle exerce. *Les ténors du barreau.*

ténorino n. m. MUS Ténor léger, qui chante en voix de fausset, dans l'aigu.

tenrec. V. tanrec.

tenseur adj. m. et n. m. **1.** adj. m. ANAT Qui sert à tendre. *Le muscle tenseur* ou, n. m., *le tenseur.* **2.** n. m. MATH Élément d'un espace vectoriel qui présente des propriétés particulières et généralise la notion de vecteur dans les espaces à plus de trois dimensions. Syn. produit tensoriel. (Le tenseur de deux vecteurs $\vec{x}$ et $\vec{y}$ se représente ainsi : $\vec{x} \otimes \vec{y}$; et se lit . « x tenseur y ».)

tensio-actif, ive adj. CHIM Qui modifie (partic., en la diminuant) la tension superficielle. *Les détergents sont tensio-actifs.* ▷ n. m. Corps tensio-actif. (V. agent de surface*.)

tensiomètre n. m. MED Syn. courant de *sphygmomanomètre.*

tension n. f. **I. 1.** Action de tendre; état de ce qui est tendu. *Hauban, câble sous tension. Tension des muscles.* **2.** PHYSIOL Résistance opposée par une paroi aux liquides ou aux gaz contenus dans la cavité ou le conduit qu'elle limite. *Tension de la paroi abdominale. Tension vasculaire* (artérielle ou veineuse). ▷ *Absol.* Pression du sang, équilibrée par la tension vasculaire. *Mesure de la tension au moyen du sphygmomanomètre.* – Cour. *Avoir de la tension,* une pression sanguine trop élevée. **3.** ELECTR Différence de potentiel. *Une tension de trois mille volts. Haute, moyenne, basse tension.* **4.** PHYS Force expansive, pression d'une vapeur, d'un gaz. *Tension de vapeur saturante :* pression maximale à laquelle un liquide se vaporise, à une température donnée. ▷ *Tension superficielle :* résultante des forces de cohésion intermoléculaires qui s'exercent au voisinage de toute surface de séparation liquide-gaz, liquide-solide ou solide-gaz, perpendiculairement à celle-ci. (Ce sont les forces de tension superficielle qui sont responsables de la forme des surfaces de raccordement des liquides et des parois solides, des phénomènes de capillarité, de la forme sphérique des gouttes et des bulles liquides, etc.) **II.** (Abstrait) **1.** Forte concentration de l'esprit appliqué à un seul objet. *Tension d'esprit.* ▷ *Tension nerveuse :* nervosité. **2.** Discorde, hostilité plus ou moins larvée entre des personnes, des groupes, des États. *Tension diplomatique.*

tenson n. f. LITTER Au Moyen Âge, débat entre des personnages, présenté sous forme de dialogue en vers.

tensoriel, elle adj. MATH Relatif aux tenseurs. *Calcul tensoriel.*

tentaculaire adj. **1.** Qui a rapport aux tentacules. **2.** Fig. Qui a tendance à beaucoup s'étendre; qui cherche à étendre son emprise de tous côtés. *Ville tentaculaire. Entreprise tentaculaire.*

tentacule n. m. ZOOL Appendice allongé et mobile, plus ou moins armé, dont sont munis divers invertébrés (cnidaires, cténaires, céphalopodes, etc.), et qui leur sert d'organe tactile, préhensile, locomoteur, etc.

tentant, ante adj. Qui tente, qui provoque l'envie, le désir. *Une occasion tentante.*

tentateur, trice adj. et n. Qui cherche à entraîner au mal. *L'esprit tentateur* ou, n. m., *le Tentateur :* le démon.

tentation n. f. **1.** RELIG Ce qui pousse au mal, à ce qui est contraire à une loi morale, religieuse; attirance pour le mal. *La tentation de la chair.* ▷ Loc. *En tentation. Induire en tentation.* **2.** Fait d'être attiré par, d'avoir envie de, de désirer (une chose, une action), ressenti comme une mise à l'épreuve de soi. – Action ou chose suscitant un tel sentiment. *Céder à la tentation d'acheter qqch. Résister à de nombreuses tentations.*

tentative n. f. **1.** Action par laquelle on cherche à atteindre un but; fait de tenter, d'essayer. *Faire une tentative de conciliation.* **2.** DR Commencement d'exécution. *Tentative d'assassinat.*

tente n. f. **1.** Abri provisoire de forte toile, ou de tissu de matière synthétique, que l'on peut transporter et dresser facilement. *Camper sous la tente.* ▷ Loc. fig. (Allus. à la colère d'Achille contre Agamemnon.) *Se retirer sous sa tente :* ne plus vouloir soutenir une cause, par dépit. **2.** ANAT *Tente du cervelet :* prolongement de la dure-mère formant une cloison entre la face supérieure du cervelet et la face inférieure des lobes occipitaux.

tenter v. tr. [1] **I.** Entreprendre (qqch de plus ou moins hasardé) avec le désir de réussir. *Tenter une ascension périlleuse. Tenter l'impossible.* – *Tenter sa chance :* prendre un risque dans l'espoir de réussir. ▷ (Suivi de l'inf.) *Tenter de prouver qqch.* **II. 1.** Faire naître, provoquer (chez qqn) le désir, l'envie de (qqch). *Ce gâteau, cette offre me tente. N'essaie pas de me tenter!* ▷ (Au passif.) *Être tenté de* (suivi de l'inf.) : éprouver l'envie de. *J'étais tenté de tout lui dire.* **2.** Inciter à pécher, à faire le mal. *Méphistophélès tenta Faust.* ▷ Loc. fam. *Tenter le diable :* prendre des risques excessifs.

tenture n. f. **1.** (Sing. collect.) Ensemble de pièces de tapisserie, d'étoffe, ordinairement de même dessin, destinées à tendre les murs d'une chambre, d'une salle. *Tenture des Gobelins.* **2.** Élément de garniture murale en tissu, en papier, etc.

tenu, ue adj. et n. m. **I.** adj. **1.** *Bien, mal tenu :* dont l'entretien, la propreté sont satisfaisants, non satisfaisants. *Maison bien tenue.* **2.** FIN Ferme dans les cours. *Valeurs tenues.* **II.** n. m. Dans certains sports (basket-ball et handball, notam.), faute commise par un joueur qui conserve irrégulièrement le ballon, qui le tient trop longtemps. *Pénalité infligée pour un tenu.*

ténu, ue adj. Très mince, très fin, grêle. *Fils ténus.* – Fig. *Son, souffle ténu.*

tenue n. f. **1.** Temps pendant lequel certaines assemblées se tiennent. *La tenue des assises.* **2.** Action de bien se tenir; manière de se conduire, de se présenter. *Manquer de tenue. Avoir une mauvaise tenue.* ▷ Manière de s'habiller; costume que l'on porte dans certaines occasions. *Une tenue débraillée. Tenue de soirée. Grande tenue :* grand uniforme, habit de parade. **3.** Action de tenir en ordre. *La tenue d'une maison.* ▷ COMPTA *Tenue de livres :* action, manière de tenir des livres de comptes. **4.** *Tenue de route :* aptitude d'une automobile à suivre exactement et en toutes circonstances la direction que son conducteur veut lui donner. **5.** FIN Fermeté d'une valeur dans son prix. **6.** MUS Action de soutenir une note pendant un certain temps.

ténuité n. f. Litt. Caractère de ce qui est ténu.

tenuto [tenuto] adv. MUS Mot placé au-dessus de certains motifs pour indiquer que les sons doivent être tenus tout au long de leur émission. (Abrév. : ten).

Tenzin Gyatso (province de Amdo, 1935), quatorzième dalaï-lama, monté sur le trône à 5 ans. Il tente de restaurer l'autonomie du Tibet contre la Chine. P. Nobel de la paix 1989.

téocalli n. m. ARCHEOL Pyramide tronquée surmontée d'un temple, édifiée par les Aztèques.

Teotihuacán, v. précolombienne du Mexique, au N.-E. de Mexico, foyer d'une import. civilisation du Mexique central, dite *civilisation de Teotihuacán* (300 av. J.-C. à 1000 apr. J.-C.), qui connut son apogée entre 300 et 650 apr. J.-C. (période dite «Teotihuacán III»). Princ. monuments : pyramides de la Lune et du Soleil, temple de Quetzalcóatl (sculptures).

Teotihuacán : escalier central de la pyramide du Soleil

tep n. f. TECH Acronyme pour *tonne équivalent pétrole,* unité permettant de comparer l'énergie contenue dans des combustibles de nature différente. *Une tep correspond à une masse de combustible renfermant la même énergie calorifique qu'une tonne de pétrole.*

Tepic, v. du Mexique, au N.-O. de Guadalajara; 238 100 hab.; cap. de l'État de Nayarit. Industr. text. et alim.

tepidarium [tepidaʀjɔm] n. m. ANTIQ ROM Salle des thermes à température tiède.

Teplice, v. de la Rép. tchèque, au N.-O. de Prague; 54 000 hab. Stat. thermale.

tequila n. f. Alcool mexicain, obtenu par fermentation du jus d'agave.

ter adv. Trois fois. ▷ MUS Indique que le passage doit être exécuté trois fois. ▷ Cour. *Numéro 8 ter d'une rue,* troisième numéro huit (V. bis et quater).

T.E.R. n. m. Abrév. de *train express régional,* équivalent en région du R.E.R. d'Île-de-France.

téra-. Élément, du gr. *teras, teratos,* «chose monstrueuse, monstre», que l'on place devant une unité pour la multiplier par 10^{12}, soit un million de millions (symbole T).

Teramo, v. d'Italie (Abruzzes); 50 860 hab; ch.-l. de la prov. du m. nom. Marbreries, filatures. – Cath. du XIIe s.

téraspic n. m. BOT Syn. de *thlaspi.*

térato-. Élément, du gr. *teras, teratos,* «chose monstrueuse, monstre».

tératogène adj. BIOL Qui provoque le développement d'organes ou d'organismes anormaux, monstrueux.

tératogenèse n. f. BIOL Développement de formes anormales ou monstrueuses chez les espèces végétales ou animales.

tératologie n. f. BIOL Partie de la biologie qui étudie les anomalies et monstruosités chez les êtres vivants.

tératome n. m. MED Tumeur bénigne ou maligne qui se développe à partir de fragments de tissus restés à l'état embryonnaire dans l'organisme.

Terauchi Hisaichi (Yamaguchi, Honshū, 1879 – Kuala Lumpur, 1946), maréchal japonais. Il commanda les forces terrestres japonaises en Chine (1938-1942), puis dans le Pacifique Ouest.

terbium [tɛʀbjɔm] n. m. CHIM Élément appartenant à la famille des lanthanides, de numéro atomique Z = 65, de masse atomique 159 (symbole Tb). – Métal (Tb) qui fond à 1 356 °C et bout à 3 123 °C.

Terborch, Terborgh ou **Terburg** (Gerard) (Zwolle, 1617 – Deventer, 1681), peintre hollandais : portraits et scènes de genre.

Terbrugghen (Hendrik) (Deventer, 1588 – Utrecht, 1629), peintre hollandais; le princ. représentant du caravagisme aux Pays-Bas.

Terceira, île des Açores (Portugal); 396 km²; ch.-l. *Angra do Heroísmo.*

tercet n. m. VERSIF Strophe de trois vers.

Tercio (le), nom donné à l'infanterie espagnole (XVIe-XVIIe s.) et repris pour désigner la Légion étrangère espagnole, créée en 1920.

térébenthine n. f. TECH Résine semi-liquide de certains végétaux (térébinthacées et conifères), dont on extrait par distillation l'*essence de térébenthine,* liquide à odeur aromatique utilisé pour la préparation de vernis et de siccatifs. ▷ Ellipt., cour. *De la térébenthine :* de l'essence de térébenthine.

térébinthacées n. f. pl. BOT Famille de plantes dicotylédones dialypétales dont le térébinthe est le type, et qui comprend des arbres à suc résineux (anacardier, manguier, pistachier, etc.). – Sing. *Une térébinthacée.*

térébinthe n. m. BOT Pistachier résineux des bords de la Méditerranée.

térébrant, ante adj. **1.** ZOOL Qui perce, qui perfore. *Mollusques térébrants* (*tarets,* etc.). *La tarière, appendice térébrant des femelles de certains insectes.* **2.** MED Qui tend à gagner les tissus en profondeur. *Tumeur, ulcération térébrante.* ▷ *Douleur térébrante,* profonde et poignante.

térébratule n. f. ZOOL Brachiopode articulé répandu dans toutes les mers, qui présente une coquille lisse à contour ovale, articulée par une charnière.

Terechkova (Valentina Vladimirovna) (près de Iaroslav, 1937), cosmonaute soviétique; la première femme qui effectua un vol spatial (du 16 au 19 juin 1963).

Térée, dans la myth. gr., roi de Thrace, époux de Procné et beau-frère de Philomèle*.

Térence (en lat. *Publius Terentius Afer*) (Carthage, v. 190 – ? 159 av. J.-C.), poète comique latin. Esclave du sénateur Terentius Lucanus, qui l'affranchit. Six de ses comédies (de 166 à 160 av. J.-C.) nous sont parvenues : *l'Andrienne, l'Hécyre, l'Heautontimoroumenos, l'Eunuque, Phormion* (dont Molière s'inspira dans ses *Fourberies de Scapin*) et *les Adelphes* (imitée par Molière dans *l'École des maris*).

Teresa (Agnes Gonxha Bajaxhiu, en relig. Mère) (Üsküp, auj. Skopje, 1910 – Calcutta, 1997), religieuse indienne d'origine albano-yougoslave; fondatrice des Missionnaires de la charité. P. Nobel de la paix 1979.

► illustr. page **1855**

Teresina, v. du Brésil, cap. de l'État de Piauí, sur la Parnaíba; 476 100 hab. Centre commercial.

Terezin, v. de Bohême du Nord où les nazis avaient établi un camp de concentration destiné aux Juifs connus (personnalités, artistes).

1. tergal, ale, aux adj. ZOOL De la région dorsale.

2. tergal, als n. m. (Nom déposé.) Fibre synthétique de ténacité élevée; tissu fait avec cette fibre.

tergiversation n. f. (Le plus souvent plur.) Fait de tergiverser; hésitation, faux-fuyant, détour.

tergiverser v. intr. [1] User de détours, de faux-fuyants, pour éluder une décision; atermoyer, hésiter.

Tergnier, ch.-l. de cant. de l'Aisne (arr. de Laon); 11 798 hab. Nœud ferroviaire. Métallurgie.

terme n. m. **I. 1.** Limite, fin (dans le temps). *Le terme de la vie. Toucher à son terme* : être près de sa fin. *Mener à terme* : mener à bonne fin, accomplir. *Au terme de* : à la fin de. ▷ *Spécial.* Moment de l'accouchement, neuf mois après la conception, dans l'espèce humaine. *Enfant né à terme, avant terme.* **2.** DR Moment où expire un délai; espace de temps fixé pour l'exécution d'une obligation. *Vente à terme,* dans laquelle l'acheteur ne paye son créancier qu'après un certain laps de temps. ▷ Fig. *À court, à long terme* : dans un avenir proche, lointain (cf. *à brève, à lointaine échéance*). ▷ FIN *Marché à terme,* relatif à des opérations boursières dont le règlement a lieu à une époque plus ou moins éloignée du moment de la négociation, mais toujours fixée d'avance. **3.** Temps fixé pour le paiement d'un loyer. *Payer à terme échu.* ▷ Laps de temps qui s'étend d'un terme à l'autre. ▷ Somme due à la fin du terme, montant du loyer. *Payer son terme.* **4.** Plur. (Dans les loc. *en... termes.*) Relations que l'on entretient avec une personne. *Être en bons, en mauvais termes avec qqn.* **II. 1.** Mot, tournure, expression. *Terme propre, figuré. Je ne connais-sais pas ce terme.* ▷ (Plur.) Mots dont on use pour parler de qqch., de qqn. *Parler de qqn en bons termes,* avec éloge. *Ce sont là ses propres termes,* les mots mêmes qu'il a employés. *Les termes d'un contrat,* les stipulations qu'il contient. ▷ Mot appartenant au vocabulaire particulier d'un métier, d'un art, d'une activité quelconque. *Terme technique.* **2.** LOG Chacun des éléments liés par une relation. *La majeure, la mineure et la conclusion, termes du syllogisme. Moyen terme,* celui qui est au milieu; fig., cour. solution intermédiaire. *Chercher, trouver un moyen terme.* ▷ GRAM *Le sujet et l'attribut (ou prédicat), termes de la proposition.* **3.** MATH Chacun des éléments appartenant à un rapport, à une suite, à une équation. *Les termes d'une fraction* : le dénominateur et le numérateur. ▷ COMM *Termes de l'échange,* rapport de l'indice des prix à l'importation et de l'indice des prix à l'exportation. **III.** ANTIQ Statue dont la partie inférieure se termine en gaine (comme les bornes romaines représentant la divinité Terme).

Terme, dans la myth. rom., divinité protectrice des limites des champs.

termicide adj. et n. m. Se dit d'un produit qui détruit les termites.

terminaison n. f. **1.** Rare Action de terminer; fait de se terminer. *Terminaison d'une maladie.* **2.** Ce qui termine qqch; fin ou extrémité. *Les terminaisons nerveuses.* ▷ LING Fin d'un mot, manière dont il se termine. *Terminaisons masculines, féminines.* – *Spécial.* Désinence variable (par oppos. au *radical*).

terminal, ale, aux adj. et n. **I.** adj **1.** Qui termine, qui constitue la fin ou l'extrémité de qqch. *L'opération entre dans sa phase terminale. Bourgeons terminaux.* ▷ *Classes terminales* ou, n. f., *terminales,* qui préparent aux différentes sections du baccalauréat. **2.** Qui précède la mort. *Insuffisance rénale terminale.* **II.** n. m. (Anglicisme) **1.** Point où aboutit une ligne de transport ou de communication. **2.** Installation, dispositif qui permet d'accéder à un réseau de télécommunications. **3.** Aérogare d'un centre urbain, terminus de toutes les liaisons avec le ou les aéroports. **4.** Ensemble des installations de pompage et de stockage de l'extrémité d'un pipeline. **5.** INFORM Organe relié à un ou plusieurs ordinateurs par une ligne de transmission de données.

terminer v. tr. [1] **1.** Limiter, marquer la fin de. *Citation qui termine un discours.* **2.** Achever, finir. *Terminer un travail.* ▷ v. pron. *L'affaire s'est bien terminée,* a bien fini, bien tourné. *Verbe dont l'infinitif se termine en « er ».*

terminographie n. f. Terminologie descriptive ou appliquée.

terminologie n. f. Didac. **1.** Ensemble des termes techniques propres à une activité particulière, à ceux qui l'exercent. *La terminologie des chemins de fer, de l'informatique. La terminologie de Heidegger.* ▷ Vocabulaire propre à un groupe, à un courant de pensée. *La terminologie révolutionnaire.* **2.** Étude des terminologies, des vocabulaires techniques. **3.** Étude systématique des termes liés aux notions, par domaine.

terminologue n. Didac. Spécialiste en terminologie.

terminus n. m. Dernière station d'une ligne de chemin de fer, d'autobus.

termite n. m. Insecte social (ordre des isoptères) appelé aussi *fourmi blanche,* fréquent surtout dans les pays chauds où il cause de grands dégâts aux habitations en creusant ses galeries dans le bois d'œuvre.

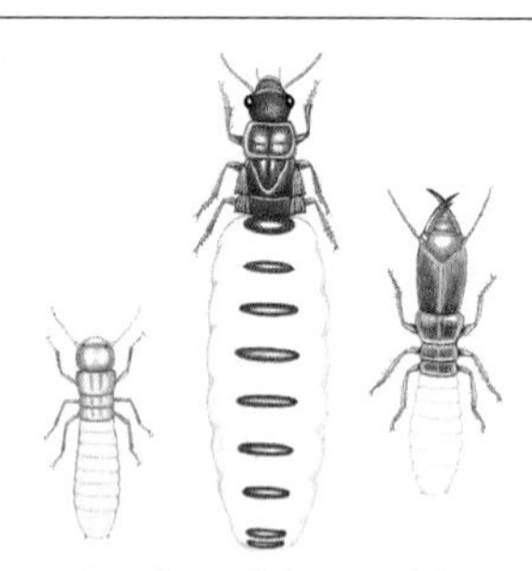

termites (genre kalotermes) des côtes méditerranéennes : (de g. à dr.) jeune ouvrier, reine, soldat

termitière n. f. Nid de termites. – *Spécial.* Grand nid en terre construit par certaines espèces de termites.

ternaire adj. Didac. Qui est fondé sur le nombre trois, sur l'existence ou la présence de trois éléments. ▷ MATH *Système de numération ternaire,* à base trois. ▷ CHIM *Composé ternaire,* formé de trois éléments. ▷ MUS *Mesure, rythme ternaire,* dont chaque temps est composé de trois croches.

1. terne n. m. **1.** JEU Coup qui amène deux trois, aux dés. ▷ Groupe de trois numéros gagnants sur une même ligne, au loto. **2.** ELECTR Ensemble de trois conducteurs d'une ligne triphasée.

2. terne adj. **1.** Qui manque de luminosité, d'éclat. *Couleurs ternes.* **2.** Qui manque d'originalité, qui est sans mouvement ni imagination. *Style terne.* ▷ (Personnes) Médiocre, insignifiant. *Un bonhomme assez terne.*

Terneuzen, v. et port des Pays-Bas (Zélande), sur l'estuaire de l'Escaut et sur le canal menant à Gand; 35 170 hab. Pétrochimie.

Terni, v. d'Italie (Ombrie); 111 110 hab.; ch.-l. de la prov. du m. nom. Sidérurgie; industr. chimiques. Nœud ferroviaire important.

ternir v. tr. [3] Rendre terne, faire perdre de son éclat à. *L'humidité avait piqué et terni le tain des miroirs.* – Fig. Porter moralement atteinte à. *Ce scandale a quelque peu terni sa réputation.* ▷ v. pron. *Le cuivre se ternit rapidement.*

ternissement n. m. Action de ternir, fait de se ternir; son résultat.

terpène n. m. CHIM Hydrocarbure aromatique naturel, composé cyclique ou acyclique de formule $(C_5H_8)_n$. *Les terpènes entrent dans la composition de nombreuses essences végétales.*

Terpsichore, muse du Chant, de la Poésie lyrique et de la Danse. Elle est figurée par une jeune femme jouant de la lyre.

Terra Amata, site préhistorique découvert à Nice en 1966 dans des terrains quaternaires situés à 25 m env. au-dessus du niveau de la mer et datés de la glaciation du mindel*. Les fouilles de Terra Amata ont apporté des connaissances nouvelles sur le mode de vie des hommes de l'acheuléen ancien.

terrage n. m. DR FEOD Redevance en nature prélevée par certains seigneurs sur le blé et les légumes.

Terragni (Giuseppe) (Meda, près de Milan, 1904 – Côme, 1942), architecte italien; l'un des promoteurs, sous Mussolini, de l'architecture moderne et du fonctionnalisme en Italie : Casa del Fascio, à Côme (1936).

terrain n. m. **1.** Espace de terre déterminé. *Terrain de sport. Terrain vague* : espace vide et non construit au milieu d'habitations. **2.** (Toujours au sing.) Endroit où se déroulent une bataille, un affrontement. – Anc. *Aller sur le terrain* : se battre en duel (cf. *aller sur le pré*). – Fig. Endroit où se déroule une activité, souvent concurrentielle. *Les représentants sont sur le terrain,* en train de visiter la clientèle. – Loc. *Un homme de terrain,* qui préfère les tâches concrètes aux spéculations intellectuelles, aux fonctions sédentaires. – Loc. fig. *Ménager le terrain* : agir prudemment. *Gagner, perdre du terrain* : avancer, reculer (dans une action). *Être sur son terrain, en terrain connu* : se trouver dans un domaine familier. *Chercher un terrain d'entente,* un moyen de conciliation. *Tâter* le terrain.* **3.** Sol. *Terrain caillouteux.* **4.** GEOL Couche de l'écorce terrestre. *Terrains quaternaires.* **5.** Loc. adj. *Tout-terrain* ou *tous(-)terrains* : qui peut rouler partout (véhicules). *Vélo tout-terrain* : voir V.T.T. ▷ Subst. *Faire du tout-terrain* ou *du tous(-)terrains.* **6.** MED *Le terrain* : le tout ou une partie de l'organisme considéré dans son état général, préexistant à l'apparition d'une affection donnée.

terrarium [tɛʀaʀjɔm] n. m. SC NAT Enceinte close dans laquelle est reconstitué le milieu naturel d'un petit animal terrestre, permettant son élevage et l'étude de ses mœurs (V. aussi vivarium).

terrasse n. f. **I. 1.** Levée de terre, ordinairement soutenue par de la maçonnerie, formant une plate-forme destinée à la promenade et au plaisir de la vue. ▷ *Cultures en terrasses,* sur des retenues de terre s'étageant par degrés à flanc de colline, de montagne. *Rizières en terrasses.* **2.** GEOGR Dans une vallée fluviale, nappe alluviale horizontale dans laquelle le cours d'eau s'est encaissé par suite d'une modification de son profil d'équilibre. **3.** Toiture horizontale. ▷ Dans certains immeubles, plate-forme ménagée par la construction d'un étage en retrait de façade par rapport à l'étage inférieur. ▷ Grand balcon. **4.** Partie du trottoir devant un café, où sont disposées des tables et des chaises. *Prendre un demi en (à la) terrasse. Terrasse vitrée.* **II.** TECH **1.** Partie d'un marbre, d'une pierre, trop tendre pour recevoir le poli. **2.** Partie horizontale du socle d'une statue ou d'une pièce d'orfèvrerie.

terrassement n. m. **1.** Travail de fouille, de nivelage, de déblaiement et de remblai effectué sur un terrain. **2.** Ouvrage fait de terre amoncelée et consolidée.

terrasser v. tr. [1] **1.** AGRIC Vx Creuser. **2.** Procéder au terrassement d'un terrain, d'un sol. **3.** Renverser, jeter à terre (qqn). *Terrasser un adversaire.* **4.** Fig. Abattre. *La nouvelle l'a terrassé.*

terrassier n. m. Ouvrier travaillant à des travaux de terrassement.

Terray (Joseph Marie) (Boën, 1715 - Paris, 1778), ecclésiastique et homme d'État français. Il fit partie du triumvirat antiparlementaire avec Maupeou et d'Aiguillon (1770-1774). Contrôleur général des Finances (1769-1774), il usa, pour réduire le déficit, de mesures impopulaires qui le firent surnommer « Vide-Gousset ».

terre n. f. **I.** (Avec une majuscule.) *La Terre :* la troisième planète du système solaire, habitée par l'espèce humaine. *La distance de la Terre au Soleil. La Lune, satellite de la Terre.* V. encycl. ▷ *Par méton.* Ceux qui habitent la Terre, les hommes. *Ce conquérant rêvait de soumettre toute la Terre.* - Par exag. *Toute la terre :* un grand nombre de personnes; le public, l'opinion (cf. *tout le monde*). *Toute la terre le sait.* **II.** Portion de la surface du globe qui n'est pas recouverte par les eaux marines; étendue de sol. **1.** (Par oppos. à *mer.*) *La terre ferme. Terre !* ▷ *À terre* (par oppos. à *à bord*). *L'équipage est descendu à terre.* ▷ *L'armée de terre* (par oppos. à la *marine* et à l'*armée de l'air*). **2.** Région, pays. *Les terres boréales, australes. La terre de France :* la France métropolitaine, considérée dans l'étendue de son sol. *La Terre sainte :* les lieux où vécut Jésus-Christ. **3.** Domaine, fonds rural. *Vendre, acheter une terre.* ▷ (Considérée quant à son état.) *Une terre labourée, en friche.* **III.** Sol. **1.** (En tant que surface sur laquelle on marche, on se déplace, on construit des édifices, etc.) *Tremblement de terre. Oiseau qui vole en rasant la terre.* ▷ Loc. *À terre, par terre :* sur le sol. *Tomber à terre.* - *Mettre pied à terre :* descendre de cheval, de bicyclette. ▷ Loc. fig. *Avoir les pieds sur terre :* avoir le sens des réalités concrètes, ne pas se perdre dans de vaines abstractions, dans des chimères. - *Aller, courir ventre à terre,* très vite. - *Terre à terre :* qui manque d'élévation de pensée, d'originalité; commun, prosaïque. **2.** (En tant que surface cultivable.) *Le retour à la terre,* à la culture. - Litt. *Les biens, les fruits de la terre,* ce qu'elle produit; les récoltes. ▷ *Plante cultivée en pleine terre,* qui pousse ses racines dans le sol même (par oppos. à *en pot, en bac,* etc.). **3.** (En tant que lieu de sépulture.) *Porter un mort en terre.* **4.** ELECTR *La terre :* le sol, en tant que conducteur de potentiel électrique nul. *Prise* de terre.* ▷ *Par ext.* Conducteur ou ensemble de conducteurs qui établissent une liaison avec le sol. *Mettre à la terre le bâti d'une machine.* **IV. 1.** Matière de composition variable, de texture granuleuse ou pulvérulente, qui constitue le sol. *Terre végétale, terre arable.* - (Considérée quant à sa composition.) *Terre calcaire, argileuse.* - (Considérée quant aux usages auxquels on l'emploie ou auxquels elle est propre.) *Terre à foulon,* pour dégraisser les étoffes. *Terre à porcelaine.* - TECH *Terre armée :* terre amoncelée en remblais renforcés d'armatures (généralement métalliques). *Barrage en terre armée.* ▷ Anc. Un des quatre éléments distingués par l'ancienne alchimie. *La terre, l'air, le feu et l'eau.* ▷ CHIM *Terres rares :* oxydes métalliques très peu abondants dans la nature, qui correspondent aux éléments de numéro atomique 21 *(scandium),* 39 *(yttrium),* 57 *(lanthane)* et 58 à 71 *(lanthanides); par ext.,* ces éléments. **2.** *Terre cuite :* terre argileuse façonnée et durcie au feu. ▷ Par ext. *Une terre cuite :* un objet en terre cuite. *Collection de terres cuites de Tanagra.* **V.** (Par oppos. à *ciel,* à *au-delà,* etc.) Lieu où vivent les hommes. - *Spécial.* Lieu où ils passent leur existence corporelle. *La vie sur terre et la vie dans les cieux.* ▷ Loc. fig. *Remuer ciel* et terre.*

ENCYCL **Astro.** - La Terre est la troisième planète du système solaire, au-delà de Mercure et Vénus; sa distance au Soleil varie de 147,1 à 152,1 millions de km en raison de l'excentricité de son orbite, qu'elle décrit en 365 j 6 h 9 min 9,5 s (*année sidérale*), à une vitesse moyenne d'environ 30 km/s. L'orbite terrestre, dont l'excentricité varie sur une période d'environ 100 000 ans (elle vaut actuellement 0,0167), sera quasi circulaire dans 24 000 ans. Dans un repère lié aux étoiles supposées fixes, le plan de l'orbite terrestre oscille de 2° 37' en 41 000 ans. La Terre a la forme d'un ellipsoïde de révolution très peu aplati (*géoïde*), dont le rayon équatorial (6 378,1 km) est à peine plus grand (de 21,3 km) que le rayon polaire. La Terre tourne sur elle-même en 23 h 56 min 4,1 s (*jour sidéral*) autour d'un axe incliné sur le plan de l'orbite terrestre d'un angle, l'*obliquité* de l'écliptique, qui varie entre 24° 36' et 21° 59' en raison de l'oscillation du plan de l'orbite terrestre; le 1er janvier 2000, l'obliquité de l'écliptique sera de 23° 26' 21,4". Le phénomène des saisons résulte de l'obliquité de l'écliptique : tout au long de sa révolution orbitale, la Terre ne se présente pas toujours au Soleil sous le même aspect. L'axe de rotation de la Terre est animé d'une combinaison de mouvements dont les périodes et l'ampleur sont très diverses : un lent mouvement de rotation (période, environ 26 000 ans) autour d'une perpendiculaire au plan de l'écliptique (la *précession**), auquel s'ajoute la *nutation,* petite oscillation de 18,7 ans de période. La Terre a un unique satellite, la Lune.

Géophys. - L'âge de la Terre (estimé d'après celui des roches) est d'environ 4,6 milliards d'années. Sa masse est de 6.10^{24} kg; sa densité moyenne vaut 5,52, ce qui, pour un rayon moyen de 6 370 km, induit une accélération de la pesanteur g = 9,8 m/s^2 environ (9,83 aux pôles, 9,81 à Paris, 9,78 à l'équateur). L'étude des ondes sismiques nous renseigne sur la structure interne du globe terrestre, composée de trois grandes

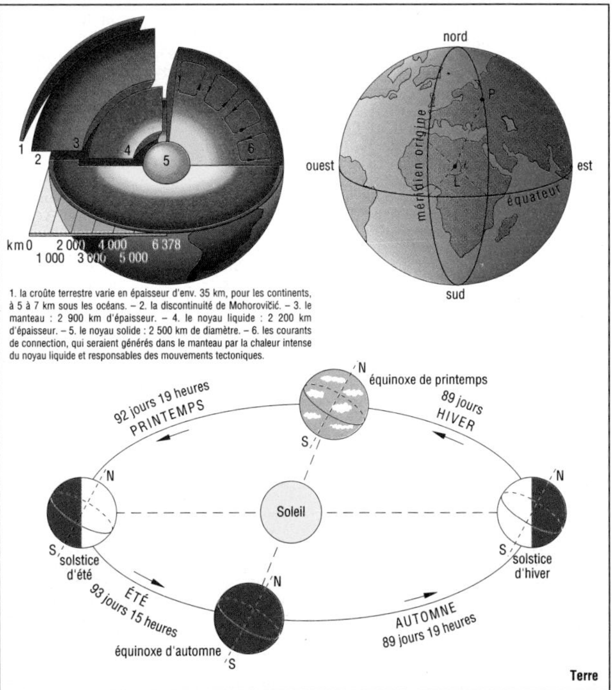

1. la croûte terrestre varie en épaisseur d'env. 35 km, pour les continents, à 5 à 7 km sous les océans. - 2. la discontinuité de Mohorovičić. - 3. le manteau : 2 900 km d'épaisseur. - 4. le noyau liquide : 2 200 km d'épaisseur. - 5. le noyau solide : 2 500 km de diamètre. - 6. les courants de connection, qui seraient générés dans le manteau par la chaleur intense du noyau liquide et responsables des mouvements tectoniques.

Terre

unités concentriques. La plus superficielle est l'*écorce* (ou *croûte*), épaisse de 5 à 7 km sous les océans et de 35 km au niveau des continents. Le *manteau*, séparé de l'écorce terrestre par la discontinuité de Mohorovičić*, s'étend jusqu'à 2 900 km de profondeur; sa couche supérieure, la *lithosphère*, se sépare en une mosaïque de plaques* dont les dérives sont commandées par des courants très lents qui circulent à travers le manteau. Le *noyau*, séparé du manteau par la discontinuité de Gutenberg, comporte deux zones, le noyau externe supposé liquide (2 200 km d'épaisseur) et le noyau interne (ou graine), considéré comme solide, d'environ 1 250 km de rayon. La Terre a un champ magnétique propre, dont l'origine tient probablement à l'existence de courants électriques circulant dans le noyau métallique de la planète. Il s'assimile au champ d'un barreau aimanté (champ dipolaire), dont l'axe fait un angle de 11,6° avec l'axe de rotation de la Terre et dont les *pôles magnétiques* constituent les deux extrémités; son intensité vaut actuellement 0,5 gauss (en moyenne) à la surface du globe. Les lignes de force du champ magnétique terrestre se referment d'un pôle magnétique à l'autre jusqu'à une altitude d'environ 20 000 km. Au-delà, sous l'action du *vent* solaire*, elles délimitent une vaste cavité, la *magnétosphère*, de forme très dissymétrique : la partie dirigée vers le Soleil est bordée par une onde de choc située à environ 10 rayons terrestres; à l'opposé se situe la queue de la magnétosphère qui s'étend sur plus de 60 rayons terrestres. Le rayon de la Terre varie entre 6 356 et 6 378 km.

terreau n. m. Terre riche en matières organiques d'origine végétale ou animale.

terreauter v. tr. [1] AGRIC Recouvrir, amender avec du terreau.

Terre de Feu (en esp. *Tierra del Fuego*), archipel (formé d'une grande île, au N., et de nombr. petites îles) qui prolonge vers le S.-E. l'Amérique du Sud, dont la sépare le détroit de Magellan; la partie occidentale appartient au Chili; la partie orientale, à l'Argentine. Le climat est froid et humide. L'île du N. (souvent nommée *Terre de Feu*) est montagneuse (jusqu'à 2 000 m d'alt.) et forestière. La prov. argentine de la Terre de Feu (50 000 hab.) couvre 21 263 km². – Découvert par Magellan en 1520, l'archipel ne fut colonisé qu'au XIXe s.

terre-neuvas n. m. inv. ou, vieilli, **terre-neuvier** n. m. **1.** Bateau armé pour la pêche à la morue sur les bancs de Terre-Neuve. ▷ (En appos.) *Navires terre-neuvas* ou *terre-neuviers.* **2.** Marin-pêcheur qui fait la grande pêche sur ces bancs. *Un terre-neuvas.*

terre-neuve n. m. inv. Gros chien, à la tête forte et large, au pelage noir, fin et ras sur la tête, long et ondulé sur le corps et les membres, dont la race est originaire de Terre-Neuve. *On dresse les terre-neuve au sauvetage.* ▷ Fig. et plaisant Personne d'un grand dévouement, toujours prête à aider autrui.

Terre-Neuve (en angl. *Newfoundland*), province orientale du Canada, comprenant l'*île de Terre-Neuve* (112 300 km²) et le N.-E. du Labrador; 404 517 km²; 568 470 hab. (pour la plupart dans l'île de Terre-Neuve), moins de 0,5 % de francophones; cap. *Saint-Jean* (en angl. *Saint John's*). – L'île correspond à une pénéplaine marquée par les glaciations. Les côtes N. sont très découpées. La pop. se concentre sur le littoral. Le climat est rude : l'île se trouve à la même latitude que la France, mais subit le courant glacial du Labrador. La végétation, pauvre dans l'ensemble (toundra, tourbières), comprend des zones forestières, exploitées (usines de papier). La pêche est très importante : morue surtout, hareng, saumon, etc. Les ressources minières (fer surtout, cuivre, plomb, etc.) et hydroélectriques du Labrador, immenses, sont en voie d'exploitation. – Les eaux poissonneuses attirèrent les pêcheurs français et anglais dès le XVIe s. Les Français et les Anglais s'implantèrent sur l'île, qui devint anglaise par le traité d'Utrecht (1713), la France gardant des privilèges (monopole de la pêche sur la côte N.), abolis en 1904. Aussi les terre-neuvas se rabattirent-ils sur Saint-Pierre (au S.). Dominion en 1917, rattachée au N.-E. du Labrador en 1927, Terre-Neuve devint après référendum la dixième prov. du Canada (1949).

terre-neuvien, enne adj. et n. De Terre-Neuve. ▷ Subst. *Des terre-neuviens.*

terre-neuvier. V. terre-neuvas.

terre-plein n. m. **1.** Surface plane et unie d'une levée de terre. – Cette levée de terre, généralement soutenue par de la maçonnerie. **2.** *Terre-plein central (d'une voie) :* bande qui sépare les deux chaussées d'une route à grande circulation, d'une autoroute. *Des terre-pleins.*

terrer v. [1] **I.** v. tr. **1.** ARBOR *Terrer un arbre, une vigne,* mettre de la nouvelle terre à leur pied. **2.** TECH *Terrer une étoffe,* la dégraisser en l'enduisant de terre à foulon. **II.** v. pron. (Animaux) Se cacher dans son terrier. ▷ Fig. (Personnes) Se cacher comme dans un terrier.

terrestre adj. **1.** De la Terre. *La surface terrestre.* **2.** Qui a rapport, qui appartient à la vie sur terre; qui n'est pas de nature spirituelle. *Les biens terrestres.* **3.** Qui vit sur la terre ferme. *Plante, animal terrestre.* **4.** Qui s'effectue, qui se déplace sur le sol (par oppos. à *aérien* ou *maritime*). *Transport, véhicule terrestre.*

terreur n. f. **1.** Sentiment de peur incontrôlée qui empêche d'agir en annihilant la volonté. *Être saisi de terreur, paralysé par la terreur.* **2.** Ensemble de mesures arbitraires et violentes par lesquelles certains régimes établissent leur autorité en brisant toute velléité d'opposition; peur générale que de telles mesures font régner dans une population. *Prendre le pouvoir, gouverner par la terreur.* **3.** *La terreur de :* celui qui inspire la terreur à. *Le preux Roland, terreur des infidèles.* ▷ Fam. *Une terreur :* un homme qui se fait craindre par la violence, la force physique. – Plaisant *Jouer les terreurs.* – (Sens atténué.) Personne qui fonde son autorité sur la crainte qu'elle inspire. *Dans sa classe, c'est une vraie terreur!*

Terreur (la), période de la Révolution française allant de sept. 1793 à juil. 1794. (On nomme parfois également « 1re Terreur » la période qui s'étend du 10 août au 20 sept. 1792, entre la prise des Tuileries et la première réunion de la Convention.) Pour combattre les ennemis extérieurs et intérieurs de la nation, le gouvernement révolutionnaire, représenté par le Comité de salut public (et les représentants en mission), instaura un régime dictatorial sanglant (nombr. condamnations à mort prononcées par les tribunaux révolutionnaires) et prit des mesures économiques draconiennes (loi du maximum). Fondée sur la loi des Suspects*, la Terreur s'accentua (Grande Terreur) après le 10 juin 1794 (loi du 22 prairial an II) et prit fin à la chute de Robespierre. On a, par analogie, donné le nom de *Terreur blanche* à deux réactions royalistes qui s'exercèrent l'une principalement dans le S.-E. de la France, en mai 1795, et l'autre dans le midi de la France, en 1815 (au début de la Restauration).

terreux, euse adj. Mêlé de terre; de la nature, de la couleur de la terre.

terri. V. terril.

terrible adj. **I.** Vieilli ou litt. Qui inspire la terreur. **II.** Mod. (Sens atténués). **1.** Fort, violent, intense. *Il faisait une chaleur terrible.* **2.** (Personnes) Qui occasionne de la gêne, du dérangement à autrui (en partic., en s'entêtant dans une résolution inopportune). *Vous êtes terrible, quand vous vous y mettez!* **3.** Très turbulent, très remuant (en parlant d'un enfant). – Fig. (En parlant d'un adulte.) *Un enfant terrible :* une personne qui perturbe et remet en question, par un comportement hors du commun, les habitudes et les façons de penser du milieu où elle exerce son activité. *M. X s'est fait une réputation d'enfant terrible de la classe politique.* **4.** Fam. Propre à inspirer un engouement très vif, une admiration enthousiaste; très beau, très bien fait, très commode, etc. *Elle est terrible, cette moto.* – (Personnes) *C'est un type terrible, mon copain.* ▷ Extraordinaire, tout à fait étonnant. *Il a eu un pot terrible,* beaucoup de chance.

terriblement adv. Extrêmement, excessivement. *Il est terriblement égoïste.*

terricole adj. ZOOL Qui vit dans la terre ou dans la vase. *Le lombric, ver terricole.*

terrien, enne adj. et n. **1.** adj. Qui possède des terres. *Propriétaire terrien.* **2.** adj. et n. De la terre, de la campagne (par oppos. à *citadin*). **3.** adj. et n. De la terre (par oppos. à *marin*). **4.** n. *Les Terriens :* les habitants de la planète Terre.

terrier n. m. **1.** DR ANC Syn. de *censier* (sens 2). **2.** Trou dans la terre creusé par un animal pour s'y abriter, y hiberner. *Terrier de lapin.* **3.** Chien employé pour la chasse des animaux à terrier (blaireaux, renards, etc.). *Le teckel est un terrier.* (V. fox-terrier.)

terrifiant, ante adj. **1.** Qui terrifie. **2.** *Par exag.* Très intense, très fort, très violent. *Ce boxeur a un crochet du gauche terrifiant.*

terrifier v. tr. [2] Inspirer la terreur à, épouvanter.

terrigène adj. GEOL *Dépôts terrigènes :* dépôts apportés à la mer par les fleuves.

terril [teʀil] ou **terri** [teʀi] n. m. Éminence, colline formée par l'amoncellement des déblais d'une mine.

terrine n. f. **1.** Récipient en terre (et, *par ext.,* en porcelaine, en métal, etc.), aux bords évasés vers le haut; son contenu. *Une terrine de crème.* **2.** Pâté cuit dans une terrine et servi froid. *Terrine de canard.*

terrir v. intr. [3] Didac. Venir près de la côte, en parlant des poissons, des tortues marines.

territoire n. m. **1.** Étendue de terre qu'occupe un groupe humain. – *Spécial.* Étendue de terre qui dépend d'un État, d'une juridiction. *Le territoire français, national. Sur le territoire de la commune.* **2.** ZOOL Zone où vit un animal, qu'il interdit à ses congénères. **3.** MED Région déterminée. *Douleur dans le territoire du nerf sciatique.*

Territoire du Nord, territoire de l'Australie septentrionale et centrale ; 1 346 200 km^2 ; 146 000 hab. ; cap. *Darwin.* Cette vaste région, aride (sauf dans le N.), à peine peuplée (densité 0,1 hab./km^2), est administrée par le gouvernement fédéral. Élevage bovin extensif. Extraction d'or, d'uranium, de bauxite, de tungstène et de cuivre.

territorial, ale, aux adj. **1.** D'un territoire. *Limites territoriales.* ▷ *Eaux territoriales,* où s'exerce la souveraineté d'un État. **2.** HIST *Armée territoriale* ou, n. f., *la territoriale* (1872-1914), destinée en principe à des missions défensives sur le territoire national, et composée des plus anciennes classes mobilisables.

territorialement adv. En ce qui concerne le territoire.

territorialité n. f. DR Caractère juridique de ce qui appartient à un territoire. *Territorialité de l'impôt.*

terroir n. m. **1.** Région, considérée du point de vue de la production agricole (vinicole, en partic.). *Terroir bon pour le blé.* **2.** Par ext. *Le terroir :* la campagne, les régions rurales. *Produit qui a le goût du terroir,* qui semble venir directement de la région productrice, qui est naturel, non frelaté. ▷ Fig. *Du terroir, de terroir :* qui est enraciné dans les mœurs, dans la civilisation rurale. *Expression du terroir.*

terrorisant, ante adj. Qui terrorise.

terroriser v. tr. [1] **1.** Frapper de terreur, épouvanter. *L'orage terrorise cet enfant.* **2.** Soumettre à un régime de terreur.

terrorisme n. m. **1.** HIST Nom donné, dans la période qui suivit sa chute, au système du gouvernement de la Terreur. **2.** Cour. Usage systématique de la violence (attentats, destructions, prises d'otages, etc.) auquel recourent certaines organisations politiques pour favoriser leurs desseins. – *Terrorisme d'État :* recours systématique à des mesures d'exception, à des actes violents, par un gouvernement agissant contre ses propres administrés et, *par ext.,* contre les populations d'un État ennemi. **3.** Fig. Attitude d'intimidation, d'intolérance dans le domaine de la culture, de la mode, etc. *Le terrorisme de l'avant-garde.*

terroriste n. et adj. **1.** n. HIST Nom donné aux partisans de la Terreur, après la chute de Robespierre. **2.** n. Cour. Personne qui pratique le terrorisme (sens 2). **3.** adj. Qui relève du terrorisme (sens 2). *Pratiques terroristes.*

tertiaire [tɛʀsjɛʀ] adj. et n. **I.** adj. **1.** GEOL *L'ère tertiaire* ou, n. m., *le tertiaire :* l'ère qui succède à l'ère secondaire et s'étend de moins 75 millions d'années à moins 4 millions d'années, marquée par la multiplication des espèces de mammifères, l'abondance des nummulites et l'extension des plantes monocotylédones. *Le tertiaire est divisé en deux périodes : le paléogène et le néogène.* ▷ *Par ext.* De l'ère tertiaire. *Les plissements tertiaires.* **2.** ECON et cour. *Le secteur tertiaire* ou, n. m., *le tertiaire :* le secteur de l'économie dont l'activité n'est pas directement liée à la production de biens de consommation (administrations, sociétés de services, etc.). **3.** MED Qui appartient au troisième stade de l'évolution d'une maladie. *Accidents tertiaires de la syphilis.* **II.** n. Membre d'un tiers* ordre religieux.

tertiarisation ou **tertiairisation** n. f. SOCIOL Évolution vers la prédominance du secteur tertiaire.

tertio [tɛʀsjo] adv. Troisièmement, en troisième lieu (dans une énumération commençant par *primo* et *secundo*).

tertre n. m. Monticule, petite éminence de terre. *Tertre funéraire,* élevé au-dessus d'une sépulture.

Tertullien (en lat. *Quintus Septimius Florens Tertullianus*) (Carthage, v. 155 – id., v. 220), apologiste chrétien, Père de l'Église. Premier écrivain latin de religion chrétienne, il est l'initiateur du vocabulaire théologique dans cette langue. *Apologétique* (197), *Contre Marcion* (v. 210).

Teruel, v. d'Espagne (Aragon) ; 28 480 hab. ; ch.-l. de la prov. du m. nom. – Cath. de l'Assomption (XIVe-XVIe s.). Nombr. monuments de style mudéjar, notam. l'égl. San Pedro (XIIIe s.). – La ville fut très disputée durant la guerre civile (1936-1939).

térylène n. m. (Nom déposé.) Fibre textile synthétique analogue au tergal, fabriquée en Grande-Bretagne.

terza rima [tɛʀdzaʀima] n. f. (Mots ital.) LITTER Poème composé de tercets dont le premier et le troisième vers riment ensemble, le deuxième vers rimant avec le premier et le troisième du tercet suivant. *Des terza rima* ou *terze rime.*

terzetto n. m. MUS Petite composition pour trois instruments ou pour trois voix. *Des terzettos* ou, vieilli, *des terzetti.*

tes. V. ton 1.

tesla n. m. PHYS Unité SI de mesure du champ magnétique (symbole T) ; champ magnétique uniforme qui, réparti normalement sur une surface de 1 m^2, produit à travers cette surface un flux magnétique total de 1 weber.

Tesla (Nikola) (Smiljan, Croatie, 1856 – New York, 1943), ingénieur et physicien croate. Installé en 1884 à New York, il réalisa de nombr. appareils et dispositifs qui firent progresser les techniques électriques et radioélectriques.

mère **Teresa**

Nikola **Tesla**

tessère n. f. ANTIQ ROM Petite plaque de bois, de métal ou d'ivoire qui servait de signe de reconnaissance, de bulletin de vote, de billet de théâtre, etc.

Tessier (Gaston) (Paris, 1887 – id., 1960), syndicaliste français ; secrétaire général de la C.F.T.C. (1919-1953). – **Jacques** (Paris, 1914), fils du préc. ; secrétaire général de la C.F.T.C. (1964), dont il fut président de 1971 à 1981.

Tessin (le) (en ital. *Ticino*), riv. de Suisse et d'Italie (248 km), affl. du Pô (r. g.) ; né dans les Alpes, il traverse le lac Majeur et arrose Pavie. – Victoire d'Hannibal sur les Romains, commandés par P. Scipion, en 218 av. J.-C.

Tessin (en ital. *Ticino*), cant. de Suisse, sur le versant S. des Alpes, à la frontière italienne ; 2 811 km^2 ; 277 200 hab. ; ch.-l. *Bellinzona.* La pop., de langue italienne, est groupée dans les profondes vallées alpines (céréales, fruits, élevage bovin) et autour des lacs de Lugano et Majeur (tourisme actif), région au climat doux et humide. L'hydroélectricité a favorisé l'électrométallurgie et l'électrochimie. – Canton formé en 1803 par l'union des cantons de Bellinzona et de Lugano.

tessiture n. f. MUS **1.** Étendue de l'échelle des sons couverte par la voix d'un chanteur ou d'une chanteuse, et, *par ext.,* par un instrument. *Tessiture d'un baryton, d'une soprano. La tessiture de la trompette.* **2.** Étendue moyenne de l'échelle des notes d'une partition.

tesson n. m. Débris de bouteille, de vaisselle, de poterie.

1. test [tɛst] n. m. ZOOL Enveloppe minérale (calcaire, silice), chitineuse ou composite, qui protège l'organisme de certains animaux (ex. oursins).

2. test [tɛst] n. m. (Anglicisme) **1.** Épreuve servant à évaluer les aptitudes (intellectuelles ou physiques) des individus ou à déterminer les caractéristiques de leur personnalité. *La méthode des tests est utilisée pour la sélection et l'orientation scolaires ou professionnelles, le diagnostic psychologique ou psychiatrique. Tests projectifs*. Test de Rorschach*. Tests de développement,* destinés à révéler le degré d'aptitude d'un sujet par rapport à son âge. **2.** MED Épreuve permettant d'évaluer les capacités fonctionnelles d'un organe ou d'un système d'organes. ▷ Analyse biologique ou chimique, examen de laboratoire. *Test de Barr*.* **3.** Épreuve, expérience qui permet de se faire une opinion sur qqn, sur qqch. ▷ (En appos.) *Une rencontre test.*

testable adj. Qui peut faire l'objet d'un test, d'un contrôle.

testacé, ée adj. ZOOL Dont l'organisme est protégé par un test, une coquille. *Mollusque testacé.*

Test Act, loi anglaise votée par le Parlement en 1673 dans le dessein d'écarter les catholiques de la fonction publique. Elle fut abrogée en 1829.

testament n. m. **I. 1.** Acte, rédigé selon certaines formes, par lequel une personne fait connaître ses dernières volontés et dispose, pour après son décès, de tout ou partie de ses biens en faveur d'un ou de plusieurs tiers. **2.** *Testament politique :* écrit posthume dans lequel un homme d'État explique les principes, les motifs qui ont dirigé sa conduite. *Le testament politique de Richelieu.* **3.** Fig. Œuvre tardive d'un artiste, d'un écrivain, considérée comme l'ultime expression de ses conceptions esthétiques ou littéraires. **II.** RELIG (Pour les chrétiens.) *L'Ancien Testament :* l'ensemble des textes bibliques datant d'avant Jésus-Christ. *Le Nouveau Testament :* les autres livres de la Bible (Évangiles, Actes des Apôtres, Épîtres et Apocalypse).

testamentaire adj. Qui a rapport au testament. *Dispositions testamentaires. Exécuteur* testamentaire.*

testateur, trice n. DR Celui, celle qui fait un testament.

Teste (La) (anc. *La Teste-de-Buch*), ch.-l. de cant. de la Gironde (arr. de Bordeaux), sur le bassin d'Arcachon ; 21 244 hab. Constr. navales. Pêche et ostréiculture. Stat. balnéaire.

1. tester v. tr. [1] **1.** Faire subir un test à (qqn). *Tester un candidat.* **2.** Soumettre à des essais. *Tester un nouveau matériel.*

2. tester v. intr. [1] DR Faire son testament. *Mort sans avoir testé.* (V. ab intestat.)

testeur, euse n. **1.** Personne qui fait passer des tests. **2.** n. m. TECH Appareil servant à tester, notam. les composants et les microprocesseurs, en électronique.

testiculaire adj. Des testicules; qui a rapport aux testicules. *Ectopie testiculaire.*

testicule n. m. Glande génitale mâle, produisant les spermatozoïdes et la testostérone.
ENCYCL Chez l'homme et la plupart des mammifères mâles, les testicules sont au nombre de deux et situés dans les bourses, dont l'enveloppe cutanée se nomme *scrotum.* Les spermatozoïdes sont excrétés dans les canaux séminifères, qui convergent en vaisseaux efférents puis s'anastomosent pour former l'épididyme; celui-ci se termine par un canal extérieur ou canal déférent, qui s'abouche dans l'urètre au niveau de la prostate. ► illustr. appareil **génital**

testimonial, ale, aux adj. DR *Preuve testimoniale,* fondée sur des témoignages.

testostérone n. f. BIOCHIM Hormone sexuelle, la principale hormone androgène, sécrétée par le testicule sous l'influence d'une gonadostimuline hypophysaire (L. H.). *Chez la femme, la testostérone est synthétisée, en faible quantité, par l'ovaire et par le placenta.*

Têt (la), fl. des Pyrénées-Orientales (120 km); naît au pied du massif du Carlitte, passe à Prades, à Perpignan, et se jette dans la Méditerranée. Des aménagements (barrage des Bouillouses, centrales hydroélectriques) régularisent son cours.

Têt (fête du), fête nationale et religieuse de la nouvelle année au Viêtnam. Sa date varie avec le cycle lunaire (entre le 20 janv. et le 19 fév.).

tétanie n. f. MED Syndrome lié à une hyperexcitabilité neuro-musculaire, qui se traduit par des accès de contracture des extrémités s'accompagnant parfois de pertes de connaissance.

tétanique adj. MED Du tétanos; qui a rapport au tétanos.

tétanisation n. f. PHYSIOL Action de tétaniser; fait de se tétaniser.

tétaniser v. tr. [1] **1.** PHYSIOL Mettre (un muscle) en état de tétanos. ▷ v. pron. *Muscle qui se tétanise.* **2.** Fig. Saisir, figer, paralyser. *Il a été tétanisé par la peur.*

tétanos [tetanos] n. m. **1.** MED Maladie infectieuse aiguë caractérisée par des contractures musculaires intenses, extrêmement douloureuses, et dont l'agent (le *bacille de Nicolaier,* ou *Clostridium tetani*) s'introduit généralement dans l'organisme par une plaie souillée. *La vaccination contre le tétanos est efficace et indispensable.* **2.** PHYSIOL Contraction musculaire. *Tétanos physiologique :* contraction musculaire normale. *Tétanos expérimental,* obtenu par stimulation électrique du nerf moteur.

têtard n. m. **1.** Larve aquatique, à branchies, des amphibiens anoures (grenouilles, crapauds, etc.) et urodèles (salamandres, tritons, etc.), dont la tête, très développée, n'est pas distincte du corps. **2.** ARBOR Arbre que l'on a étêté et dont on a émondé les branches inférieures pour qu'il se forme une touffe épaisse au sommet du tronc. *Ormes taillés en têtards.* ▷ (En appos.) *Saule têtard.*

tête n. f. **I. 1.** Partie supérieure du corps humain, comprenant la face et le crâne. *Incliner la tête. Un beau port de tête.* ▷ Loc. *De la tête aux pieds :* du haut du corps jusqu'en bas. *Piquer une tête :* plonger la tête la première. – Fig. *Courber la tête :* capituler, se soumettre. *Redresser la tête :* reprendre confiance en soi; retrouver sa fierté. *Tenir tête à qqn,* s'opposer à lui, lui résister. – Fam. *En avoir par-dessus la tête :* être tout à fait excédé. ▷ (Dans certaines expr.) Vie. *L'accusé risque sa tête. Répondre sur sa tête de qqch.* **2.** Partie supérieure de la tête; crâne. *Avoir mal à la tête.* – SPORT *Faire une tête :* taper dans le ballon avec la tête. ▷ Chevelure. *Une tête frisée.* ▷ Loc. fig., fam. *Avoir la tête fêlée, être tombé sur la tête :* être extravagant, bizarre, un peu fou. **3.** Visage, physionomie. *Une jolie tête. Faire une drôle de tête :* avoir l'air contrarié, dépité. ▷ Loc. fam. *Faire la tête :* bouder. *Tête à claques**. *Se payer** *la tête de qqn.* **4.** Partie antérieure du corps des animaux, analogue à la tête de l'homme. *La tête d'un chat.* – CUIS *Tête de veau à la vinaigrette.* **5.** BX-A Représentation, imitation d'une tête humaine ou animale. *Une tête en bronze.* ▷ Loc. *Se faire une tête :* se grimer. *Dîner de têtes,* où les convives sont grimés, masqués. *Servir de tête de Turc à qqn,* être constamment en butte à ses moqueries, à ses piques. **6.** Hauteur, longueur de la tête. *Il dépasse son frère d'une bonne tête. Cheval qui gagne une course d'une courte tête.* **II.** *Tête de mort.* **1.** Squelette d'une tête humaine. ▷ Sa représentation de face (le plus souvent au-dessus de celle de deux tibias entrecroisés), emblème de la mort, du danger, etc. *Pavillon noir à tête de mort des pirates.* **2.** (À tort.) *Tête-de-mort :* V. tête-de-Maure. **III.** Fig. Esprit (facultés intellectuelles, état de santé mentale ou dispositions psychologiques). – Loc. *Avoir une idée en tête.* – *Se mettre qqch dans la tête,* s'en persuader. *Se mettre en tête de faire qqch,* en prendre la ferme résolution. *Avoir la tête dure :* avoir la compréhension lente et difficile, ou être très entêté. – *Ne plus savoir où donner de la tête :* être submergé par des occupations multiples, être débordé. – Loc. adj. *De tête,* qui a du bon sens, du jugement. *Une femme de tête.* – *Une tête sans cervelle, une tête de linotte :* une personne légère, irréfléchie, étourdie. – *Garder la tête froide :* ne pas céder à un enthousiasme excessif, à l'affolement, etc. *Monter à la tête :* enivrer (au propre et au fig.). *Tourner la tête à qqn,* lui troubler l'esprit. *Perdre la tête :* s'affoler, perdre son calme; perdre sa lucidité, devenir fou. *Avoir toute sa tête :* être en possession de toutes ses facultés intellectuelles. *Coup de tête :* résolution brusque, irréfléchie. – *N'en faire qu'à sa tête :* ne suivre que son caprice. – *Faire sa mauvaise tête :* témoigner de la mauvaise volonté, faire montre de mauvais esprit. – *Une forte tête :* une personne insubordonnée, qui n'en fait qu'à sa guise. ▷ Loc. adv. *De tête :* mentalement. *Calculer de tête.* **IV. 1.** Personne qui dirige, commande. *Il est la tête de cette conjuration.* ▷ Loc. prép. *À la tête de :* à la première place, au rang de chef de. *Être à la tête du gouvernement.* – Fig. En possession de. *Il est, se trouve à la tête d'une fortune colossale.* **2.** (Dans certaines loc.) Individu, personne. *Un repas à tant par tête* (fam. : *par tête de pipe*). *Têtes couronnées :* rois, souverains. ▷ Animal d'un troupeau. *Troupeau de soixante têtes.* **V. 1.** Partie supérieure ou antérieure, ou extrémité renflée de certaines choses. *La tête d'un arbre. Tête d'épingle, de pavot.* ▷ TECH et cour.

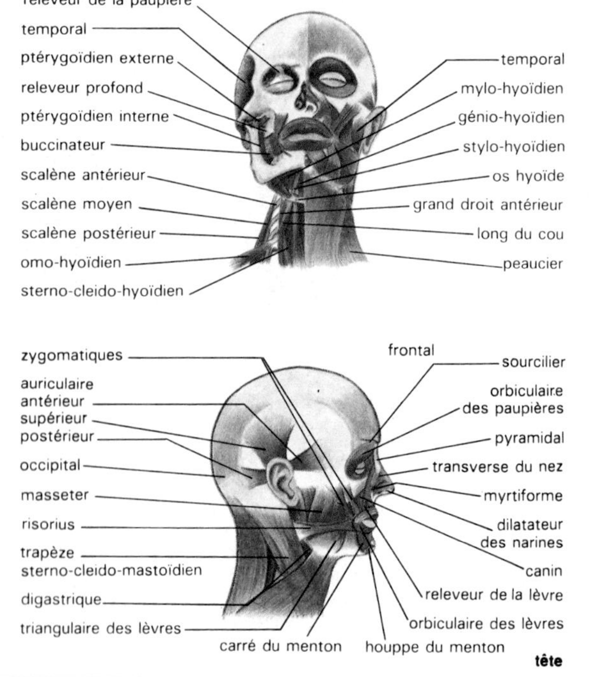

tête

Tête de lecture : organe servant à lire les informations enregistrées sur un support (disque microsillon, bande magnétique, etc.). *Tête d'enregistrement d'un magnétophone.* ▷ MECA *Tête de bielle :* partie de la bielle articulée à la manivelle ou au vilebrequin. **2.** Partie (d'une chose, d'un groupe en mouvement) qui vient en premier. *La tête d'un train. La tête d'une armée.* – *Tête chercheuse :* dispositif assurant le guidage automatique de certains engins sur leur objectif. ▷ Loc. *Prendre la tête d'un groupe, d'une organisation,* les diriger. ▷ SPORT *Tête de série :* dans une épreuve éliminatoire, concurrent ou équipe que ses performances antérieures placent comme favori. ▷ MILIT *Tête de pont :* position conquise sur une rive ou une côte ennemie qui servira de point de départ à des opérations ultérieures; fig., ce qui permet de s'implanter chez un concurrent. *Cette entreprise est la tête de pont de l'industrie japonaise en Europe.* **3.** Début. *Tête de liste.* ▷ *Tête de ligne :* point de départ d'une ligne de transport. ▷ CHIM *Produits de tête* (d'une distillation) : premiers produits distillés. **4.** Loc. prép. *En tête de, à la tête de :* au premier rang de; au commencement de. *En tête de la procession. Citation en tête d'un livre. À la tête de la classe.* ▷ Loc. adv. *En tête :* à l'avant, en premier.

tête-à-queue n. m. inv. Mouvement d'un véhicule qui, en dérapant, fait un demi-tour complet sur lui-même.

tête-à-tête ou **tête à tête** n. m. inv. et loc. adv. **I.** n. m. inv. **1.** Situation de deux personnes seules l'une avec l'autre. *Un si charmant tête-à-tête.* **2.** Petit canapé à deux places et double dossier. **3.** Service à café ou à thé pour deux personnes. *Un tête-à-tête en porcelaine.* **II.** Loc. adv. (Sans trait d'union.) *Être tête à tête* ou *en tête à tête avec qqn,* seul avec lui.

têteau n. m. ARBOR Extrémité d'une branche maîtresse.

tête-bêche adv. Dans la position de deux personnes couchées côte à côte en sens inverse, l'une ayant la tête du côté où l'autre a les pieds. ▷ Par compar. (Objets) *Disposer des bouteilles tête-bêche dans une caisse.*

tête-de-clou n. f. ARCHI Motif ornemental en forme de petite pyramide quadrangulaire, caractéristique de l'architecture romane. *Des têtes-de-clou.*

tête-de-loup n. f. TECH Brosse ronde à long manche pour le nettoyage des plafonds. *Des têtes-de-loup.*

tête-de-Maure n. f. Fromage de Hollande sphérique, recouvert de paraffine brun foncé. (On écrit à tort *tête-de-mort.*) *Des têtes-de-Maure.*

tête-de-moine n. f. Fromage suisse, variété de gruyère. *Des têtes-de-moine.*

tête-de-nègre adj. inv. et n. m. inv. Qui est d'une couleur marron très foncé. ▷ n. m. inv. Cette couleur.

tétée n. f. **1.** Action de téter. *L'heure de la tétée.* **2.** Quantité de lait prise par un nourrisson au moment de l'allaitement.

téter v. tr. **[14]** Sucer en aspirant pour tirer le lait de (la mamelle ou le sein, un biberon); tirer (le lait) de la mamelle, du sein, d'un biberon, par succion. *Cabri qui tète la mamelle d'une chèvre. Enfant qui tète son lait.* – Par ext. *Veau qui tète encore sa mère.* ▷ (Absol.) *Enfant qui tète goulûment.*

téterelle n. f. MED Appareil qu'on place au bout du sein pour le protéger lors de l'allaitement ou pour tirer le lait.

Téthys, dans la myth. gr., déesse de la Mer; la plus jeune des Titanides, épouse d'Océanos, mère des Océanides. (Ne pas confondre avec Thétis*.)

Téthys, océan, né il y a 250 millions d'années, qui séparait les terres émergées en deux continents. La Méditerranée, la mer Caspienne et la mer d'Aral en sont les derniers vestiges.

têtière n. f. **1.** EQUIT Partie de la bride qui passe derrière les oreilles. **2.** Pièce d'étoffe ou coussinet protégeant la partie d'un fauteuil, d'un canapé, où s'appuie la tête. **3.** MAR ANC Partie supérieure d'une voile, partic. d'une voile carrée. ▷ Mod. Renfort du point de drisse d'une voile triangulaire, consistant le plus souvent en une double plaque en alliage léger ou en matière plastique. **4.** TYPO Garniture placée en tête des pages lors de l'imposition.

tétine n. f. **1.** Mamelle des mammifères. ▷ Pis de la vache ou de la truie. **2.** Capuchon en caoutchouc qui s'adapte à l'ouverture du biberon et que tète le nourrisson. ▷ Objet en caoutchouc de même forme qu'on donne aux enfants pour satisfaire leur besoin de succion.

téton n. m. **1.** Fam. Sein (sens 1). ▷ Mamelon du sein. **2.** TECH Partie saillante d'une pièce qui s'emboîte dans la partie creuse d'une autre pièce.

Tétouan (en ar. *Teṭwān,* en esp. *Tetuán*), v. du Maroc septentrional; 199 620 hab. (aggl. urb. 371 700 hab.); ch.-l. de la prov. du m. nom et anc. cap. de la zone espagnole.

tétr(a)-. Élément, du gr. *tetra,* de *tessares* (en attique *tettares*), « quatre ».

tétrabranches n. m. pl. ZOOL, PALEONT Sous-classe de mollusques céphalopodes qui possèdent quatre branchies et dont le nautile est le seul représentant vivant. – Sing. *Un tétrabranche.*

tétrachlorure [tetʀaklɔʀyʀ] n. m. CHIM Composé qui contient quatre atomes de chlore.

tétracorde n. m. MUS Chacune des deux moitiés homologues, comportant quatre degrés, de la gamme diatonique majeure (*do, ré, mi, fa* et *sol, la, si, do,* pour la gamme d'ut majeur).

tétracycline n. f. MED Antibiotique à large spectre d'activité, bactériostatique et peu toxique.

tétradactyle adj. ZOOL Qui a quatre doigts.

tétrade n. f. **1.** BOT Groupe de quatre cellules issues d'une méiose. **2.** BIOL Ensemble de quatre chromatides issues du clivage, au cours de la prophase de la méiose, d'une paire de chromosomes homologues appariés.

tétraèdre n. m. GEOM Solide à quatre faces triangulaires; pyramide triangulaire. ▷ *Tétraèdre régulier,* formé de quatre triangles équilatéraux.

tétraédrique adj. GEOM Relatif au tétraèdre; en forme de tétraèdre.

tétrafluorure n. m. CHIM Composé qui contient quatre atomes de fluor.

tétragone n. f. BOT Plante herbacée annuelle, originaire de Nouvelle-Zélande, cultivée pour ses feuilles comestibles. Syn. épinard d'été.

tétragramme n. m. Didac. Ensemble des quatre lettres hébraïques *yod* (Y), *hé* (H), *vaw* (V), *hé* (H) qui représentent le nom de Dieu, dans la Bible.

tétralogie n. f. **I. 1.** ANTIQ GR Ensemble de quatre pièces que les poètes présentaient dans les concours d'art dramatique. **2.** ART Ensemble de quatre œuvres (musicales, littéraires, picturales, etc.) présentant une certaine unité. ▷ Spécial. *La Tétralogie :* les quatre opéras de R. Wagner formant le cycle de *l'Anneau des Nibelungen : l'Or du Rhin, la Walkyrie, Siegfried, le Crépuscule des dieux.* **II.** MED Tétralogie de Fallot*.

tétramère adj. ZOOL Constitué de quatre parties. *Tarse tétramère de la fourmi.*

tétramètre n. m. VERSIF Vers composé de quatre mètres.

tétraphonie n. f. TECH Procédé de reproduction du son fondé sur le même principe que la stéréophonie*, mais dans lequel on utilise quatre canaux* au lieu de deux. Syn. quadriphonie.

tétraplégie n. f. MED Paralysie des quatre membres.

tétraplégique adj. et n. MED Se dit d'une personne atteinte de tétraplégie.

tétrapode adj. et n. m. ZOOL Qui a quatre membres. ▷ n. m. pl. *Les tétrapodes :* les amphibiens, les reptiles, les oiseaux et les mammifères, dont le squelette comporte deux paires de membres, apparents ou réduits à l'état de vestiges. – Sing. *Un tétrapode.*

tétrarchie n. f. ANTIQ **1.** Division, gouvernée par un tétrarque, d'un territoire partagé en quatre parties. ▷ *Par ext.* Toute division territoriale dont le gouverneur portait le titre de tétrarque. **2.** Mode de gouvernement instauré en 293 par Dioclétien, et qui plaçait l'Empire romain sous l'autorité collégiale de quatre « princes », deux « augustes » (dont lui-même), assistés de deux « césars » appelés à leur succéder.

tétrarque n. m. ANTIQ Gouverneur d'une tétrarchie.

tétras [tetʀa] n. m. ORNITH Oiseau galliforme de grande taille qui habite les forêts des régions tempérées et froides de l'hémisphère Nord. *Le grand tétras (Tetrao urogallus)* ou *coq de bruyère.*

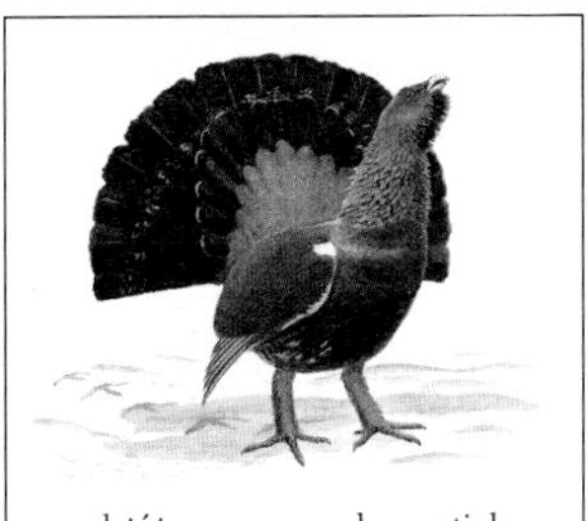

grand **tétras** en parade nuptiale

tétrasyllabe ou **tétrasyllabique** adj. VERSIF Formé de quatre syllabes. *Vers tétrasyllabe* ou *tétrasyllabique* ou, n. m., *un tétrasyllabe.*

tétravalent, ente adj. CHIM Qui possède la valence 4.

tétrodon n. m. ICHTYOL Poisson des mers chaudes (genre *Tetraodon*) auquel un diverticule gastrique pouvant se remplir d'eau confère la faculté de gonfler son corps en un globe hérissé d'épines. Syn. poisson-globe.
► illustr. page **1858**

têtu, ue adj. et n. **1.** adj. (Personnes) Qui a tendance à s'attacher à une idée précise et à n'en pas vouloir démordre;

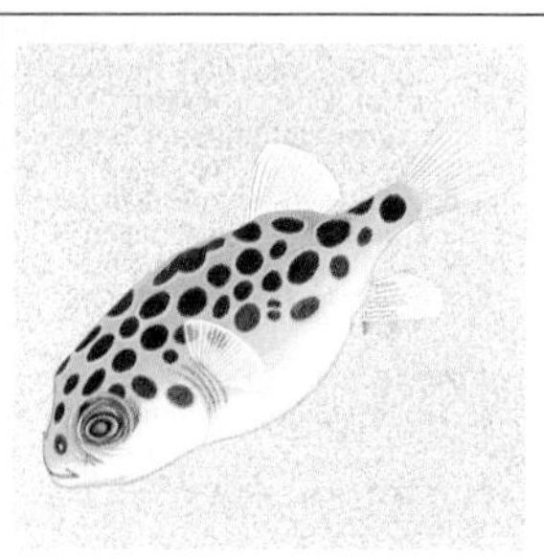

un des rares **tétrodons** de rivière

opiniâtre, obstiné. Syn. entêté. – Subst. *C'est un(e) têtu(e).* ▷ (Animaux) Qui refuse d'obéir. *Un âne têtu.* **2.** n. m. CONSTR Lourd marteau qui sert à dégrossir les pierres irrégulières.

Tetzel (Johannes) (Pirna, v. 1465 – Leipzig, 1519), dominicain allemand. Chargé de la prédication des indulgences destinées à l'achèvement de Saint-Pierre de Rome, ses sermons suscitèrent la réaction de Luther*.

teuf-teuf n. m. Onomat. imitant le bruit des moteurs à explosion et notam. de ceux des premiers véhicules automobiles. ▷ Fam. Voiture datant des premiers temps de l'automobile. (N.B. On trouve parfois le mot au fém. : *une vieille teuf-teuf.*) *Des teufs-teufs.*

Teutatès, dieu de la tribu chez les Celtes, qui l'invoquaient en lieu et place de leur dieu national (probabl. tabou). Teutatès a été assimilé à Mars par les Romains.

teuton, onne adj. et n. **1.** HIST Relatif aux Teutons. **2.** Péjor. Allemand. **3.** Subst. *Les Teutons.*

teutonique adj. **1.** HIST Relatif aux anciens Teutons, aux régions qu'ils habitaient; germanique. *La hanse teutonique.* **2.** Péjor. ou plaisant Allemand.

Teutonique (ordre), ordre hospitalier et militaire, créé en 1198 en Terre sainte par des croisés allemands, recruté dans la noblesse allemande. Il assit son influence en Méditerranée, et surtout en Europe du Nord (Prusse-Orientale, notam.) sous Hermann de Salza (1211-1239), qui obtint de Frédéric II le droit de souveraineté sur les conquêtes à venir. Ayant absorbé les chevaliers Porte-Glaive, ainsi que leurs possessions (1237), il accrut sa puissance territoriale, qui atteignit son apogée au XIVe s., après la conquête de la Pomérélie (1308) sur la Pologne. Il forma alors un État puissant (cap. Marienburg) et prospère, soumis à une intense germanisation. Mais affaibli à l'intérieur par les revendications de la noblesse et de la bourgeoisie, il fut écrasé par les Polonais à Grunwald (1410). Le second traité de Toruń (1466) ne lui laissa, sous la suzeraineté polonaise, que la seule Prusse-Orientale, qui fut sécularisée (1525) à la suite de la conversion au luthéranisme du grand maître de l'ordre, Albert de Brandebourg. Désormais confiné dans son rôle hospitalier, l'ordre fut supprimé par Napoléon Ier (1809). En 1840, il parvint à se reformer en Autriche.

Teutons, anc. peuple germanique qui, installé sur les bords de la Baltique au IIe s. av. J.-C., se répandit en Bavière et en Gaule. Il fut exterminé par Marius près d'Aix-en-Provence en 102 av. J.-C. Ce nom (*Teutsch* ou *Deutsch* en all.) a ensuite été appliqué à l'ensemble des Germains.

Tewkesbury, ville de G.-B. (Gloucestershire); 9 550 hab. – Abbaye St. Mary (XIIe s.). – Victoire décisive de la maison d'York et d'Édouard IV sur la maison de Lancastre et la reine Marguerite d'Anjou (1471).

tex n. m. TEXT Unité de mesure (exprimée en grammes) de 1 000 mètres de fil.

texan, ane adj. et n. Du Texas.

Texas, le plus vaste État des É.-U. après l'Alaska, sur le golfe du Mexique; 692 402 km^2; 16 987 000 hab.; cap. *Austin.* – Une large plaine alluviale est dominée par un plateau (terminaison des Grandes Plaines) qui, à l'extrême O., rejoint la bordure des Rocheuses. Le climat, subtropical au S. et à l'E., continental au centre, devient désertique à l'O. L'agriculture s'est orientée vers la production de coton, de céréales (riz, sorgho, blé, maïs, etc.), et vers l'élevage bovin et ovin (extensif et intensif), très important. Toutefois, la richesse fondamentale réside dans les hydrocarbures (près de la moitié de la production des É.-U.), l'hélium, le brome, le lignite, etc. L'industrie, soutenue par une forte activité portuaire, est très diversifiée (chimie, sidérurgie, métallurgie, industr. aéronautiques et alimentaires). Princ. centres industriels : *Houston* et *Dallas.* – Territoire reconnu (XVIe s.) et colonisé (XVIIe s.) par les Espagnols, la région forma un État du Mexique (1821), puis une république indépendante (1836). L'annexion par les É.-U. (1845) provoqua une guerre avec le Mexique (1846-1848).

Texel (Pays-Bas, Frise), île de la mer du Nord située au N. de la ville du Helder (Hollande-Septentrionale); 185 km^2; 13 000 hab. Centre d'élevage ovin; fromage. Réserve d'oiseaux.

tex-mex n. m. Restaurant inspiré par la cuisine mexicaine.

texte n. m. **1.** Ensemble des mots, des phrases qui constituent un écrit. *Le texte d'un roman. Le texte de la Constitution.* ▷ (*Le texte,* par oppos. à *note,* et à *commentaire.*) *Des gloses marginales éclairent le texte.* – Loc. *Dans le texte :* dans la langue originelle, sans utiliser de traduction. ▷ Tout écrit imprimé ou manuscrit. *Texte mal composé.* **2.** *Spécial.* Ensemble de phrases, de paroles destinées à être récitées ou chantées. *Le texte d'une chanson. Comédien qui apprend son texte.* **3.** Œuvre littéraire. *Étudier les textes classiques.* ▷ Extrait, fragment d'une œuvre littéraire. *Textes choisis. Commentaire de texte.* **4.** Sujet d'un devoir, d'un exercice scolaire. *Texte d'une dissertation.* – *Cahier de textes,* où sont inscrits l'emploi du temps et les sujets des devoirs et exercices d'un élève. **5.** AUDIOV Document écrit, scénario d'un film, d'une émission radiodiffusée ou télévisée, accompagné du découpage et des dialogues. (Terme officiellement recommandé pour remplacer *script.*)

textile adj. et n. m. **1.** Qui peut être divisé en filaments propres à être tissés. *Plantes textiles.* ▷ n. m. Fibre textile; matière faite de fibres textiles. **2.** Relatif à la fabrication des tissus. ▷ n. m. Industrie textile. *La crise du textile.*

ENCYCL **Tech.** – On distingue les textiles *naturels* (coton, laine, lin, jute, soie, etc.) et les textiles *chimiques* (textiles *artificiels,* obtenus à partir de produits naturels comme la cellulose, et textiles *synthétiques,* constitués de macromolécules synthétisées).

texto adv. Fam. Textuellement.

textuel, elle adj. **1.** Exactement conforme au texte. *Citation textuelle.* Syn. littéral. **2.** Didac. Du texte, qui concerne le ou les textes. *Étude textuelle.*

textuellement adv. D'une manière textuelle; conformément au texte. *Recopier textuellement. Il a rapporté textuellement les paroles entendues.*

texturation. V. texturisation.

texture n. f. **1.** Disposition, arrangement des parties élémentaires d'une substance. *Texture d'une roche, des sols. Texture des tendons.* Syn. structure, constitution. **2.** Fig. Disposition, agencement des différentes parties d'un tout. *Texture d'un ouvrage.*

texturisation ou **texturation** n. f. TECH Ensemble d'opérations (torsion, écrasement, compression, etc.) destinées à donner à une fibre synthétique les caractéristiques les plus adaptées à l'usage auquel on la destine.

tézigue pron. pers. Pop. Toi. *J'ai payé ma tournée, celle-là c'est pour tézigue.* (Cf. mézigue, sézigue.)

TF1 (Télévision française 1), chaîne privée de télévision française. Première chaîne franç. de télévision, elle acquit son autonomie en 1975 ap. la dissolution de l'O.R.T.F. et fut privatisée en 1987.

tg. V. tan (2).

TGV n. m. (Nom déposé.) Sigle de *train à grande vitesse.* Train qui peut atteindre 300 km/h.

th PHYS Symbole de la thermie.

Th CHIM Symbole du thorium.

Thabor (mont), un des sommets des Alpes françaises (3 177 m), dans le S. de la Savoie; il marqua la frontière franco-italienne jusqu'en 1947.

Thabor ou **Tabor** (mont), montagne de Galilée (Israël), à l'O. du Jourdain; 588 m. La tradition la donne comme le lieu de la Transfiguration du Christ.

Thackeray (William Makepeace) (Calcutta, 1811 – Londres, 1863), écrivain et dessinateur humoristique anglais : *le Livre des snobs d'Angleterre par l'un d'eux* (1846-1847), *la Foire aux vanités* (1847-1848), *l'Histoire d'Henry Esmond* (1852), *les Humoristes anglais du XVIIIe siècle* (1853).

Thaddée (saint), autre nom de l'apôtre saint Jude*.

thaï, thaïe adj. et n. m. **1.** adj. Des Thaïs; qui a rapport aux Thaïs. **2.** n. m. LING *Le thaï :* la famille de langues à plusieurs tons parlées en Thaïlande, au Laos, en Birmanie et de part et d'autre de la frontière sino-vietnamienne, qui comprend notam. le laotien et le thaï. ▷ *Thaï* ou *siamois :* langue la plus importante du groupe des langues thaïes.

thaïlandais, aise adj. et n. De Thaïlande. ▷ Subst. *Un(e) Thaïlandais(e).*

Thaïlande (royaume de) (*Prathet T'hai* ou *Muang T'hai*), État du S.-E. asiatique, entre la Birmanie, le Laos et le Cambodge; 514 000 km^2; 55 600 000 hab., croissance démographique : 2 % par an. Cap. *Bangkok.* Nature de l'État : monarchie constitutionnelle. Langue off. : thaï (ou siamois). Monnaie : baht. Pop. : Thaïs (80 %), nombreuses minorités (Chinois, Malais, Khmers, Karens, Méos). Relig. : bouddhisme.

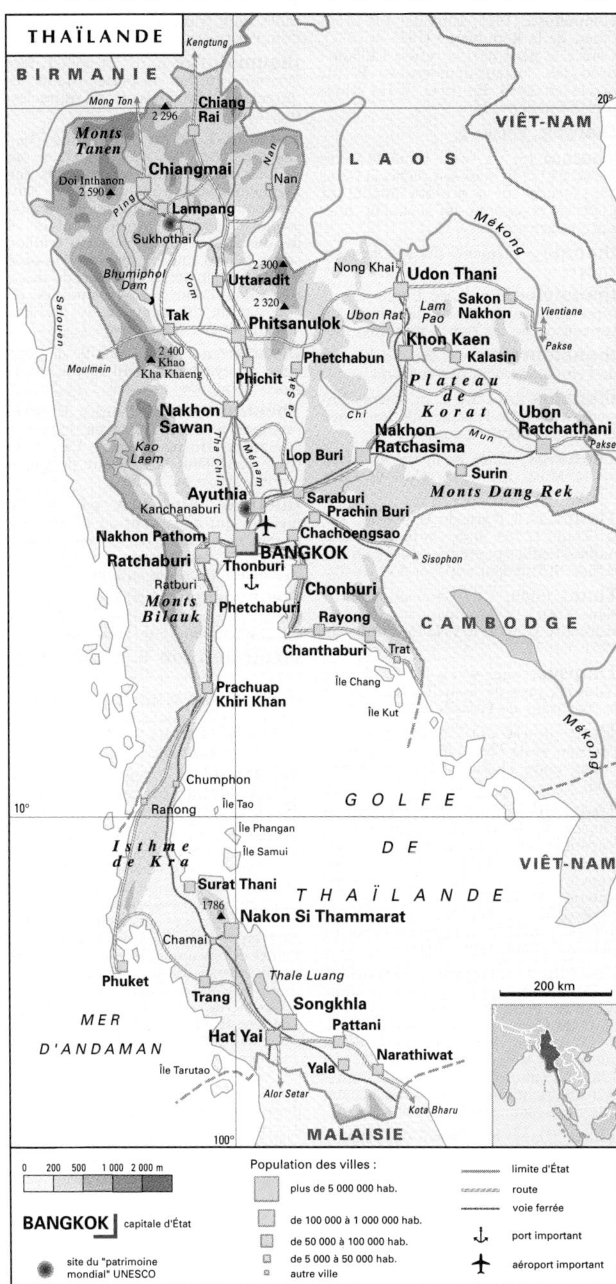

Géogr. phys. et hum. – La plaine centrale, drainée par le Ménam et ouverte au S. sur le golfe de Thaïlande, groupe l'essentiel des hab. et toutes les grandes villes du pays. Elle est encadrée de montagnes au N. et à l'O. (max. 2 590 m), qui se prolongent dans la péninsule malaise, au S. du pays, et est dominée à l'E., jusqu'au Mékong, par le vaste ensemble du Korat (plateaux et collines). Au climat tropical de mousson correspondent la forêt dense au S. et à l'O. et la forêt claire dans le centre et l'E. un peu plus secs. Encore largement rurale (près de 80 %), la population a pourtant réduit sa natalité.

Écon. – Considérée comme un nouveau pays industriel (N.P.I.), la Thaïlande présente une économie diversifiée et en forte croissance. L'agriculture fournit le tiers des export. : riz, sucre, fruits, auxquels s'ajoutent le caoutchouc, le bois et les produits de la pêche. Les industries d'exportation (vêtements, chaussures, jouets, semi-conducteurs), développées grâce aux investissements japonais, taiwanais et américains, à la recherche de main-d'œuvre bon marché et, de plus en plus, grâce à des capitaux nationaux, sont le moteur de la croissance. Les recettes touristiques sont importantes. La Thaïlande garde les caractères d'un pays du tiers monde par l'insuffisance de ses infrastructures. En 1997, elle est un des premiers pays frappés par la crise financière.

Hist. – Arrivés au VIIIe s. du Yunnan, les Thaïs s'affranchirent au XIIIe s. de la tutelle khmère et fondèrent un royaume indépendant, qui deviendra le Siam (XIVe s.). Occupé par la Birmanie dans la seconde moitié du XVIe s., le pays ne cessa d'être en conflit avec les Birmans, les Khmers et entra en rapport avec les Européens (échange d'ambassades avec Louis XIV). En 1782, il recouvra son indépendance qu'il parvint à sauvegarder en exploitant les rivalités franco-britanniques dans la région, tout en s'ouvrant à l'Occident (1855 : traité avec la G.-B.). La prospérité du pays fut fortement ébranlée par la crise de 1929 aux É.-U. ; en 1932, la moyenne bourgeoisie, occidentalisée, s'allia aux dignitaires nationalistes pour imposer une Constitution au roi Rāma VII, qui dut abdiquer en 1935. La faiblesse du gouvernement et les menaces de guerre amenèrent l'armée au pouvoir (1938) avec Pibul Songgram ; elle changea le nom du royaume en celui de Thaïlande (« terre des Thaïs ») et s'allia au Japon pendant la Seconde Guerre mondiale. Après la guerre, la vie politique thaïlandaise a été émaillée de nombreux coups d'État militaires, coupés de rares tentatives d'ouverture démocratique, mais qui ont laissé en place la royauté, garante de l'unité du pays. La mort mystérieuse du roi Rama VIII (1950), auquel a succédé son frère Bhumibol Adulyadej, a servi de prétexte à un coup d'État militaire appuyé par les États-Unis. Pibul Songgram revint au pouvoir jusqu'en 1957, menant dès lors une politique d'étroite alliance avec les États-Unis. La période de 1959 à 1973 a été marquée par un réel développement économique, mais aussi par l'essor, dans les régions périphériques, d'une guérilla communiste. Les perturbations apportées par la militarisation croissante et la présence d'importantes bases américaines ont entraîné des révoltes étudiantes (1973), qui ont provoqué la chute du régime. Mais les libéraux restant très divisés, la parenthèse démocratique a pris fin en 1976 lorsque l'amiral Sangad Chaloryu s'est emparé du pouvoir. En 1979, la Thaïlande a dû faire face à l'afflux des réfugiés du Cambodge et du Laos et à la pression vietnamienne sur sa frontière. Le g[al] Prem Tinsulanond a fait échouer deux coups d'État militaires (1981 et 1985) grâce au soutien du roi. Depuis sa démission en 1988, le conflit entre civils et militaires n'a cessé de s'étendre : des émeutes ont été réprimées avec violence (1992). Après une révision constitutionnelle qui a apporté une ouverture démocratique au pays, se succèdent à la tête du gouvernement Chuan Leekpai, chef du parti démocrate, Banharn Silpa-Archa en 1995, chef du parti Chart Thaï, et le général Chaovalit Yongchaiyudh, chef du parti de la nouvelle aspiration (N.A.P.), en 1996.

Thaïs, courtisane grecque d'Athènes (IVe s. av. J.-C.) qui séduisit Alexandre le Grand et le suivit en Asie. Après la mort d'Alexandre, elle fut la maîtresse de Ptolémée Ier.

Thaïs, groupe ethnique de type mongol qui peuple le Laos, la Thaïlande, les parties montagneuses du Viêt-nam du N. et certaines régions de la Chine du Sud et de la Birmanie.

thalamus [talamys] n. m. ANAT Couple de volumineux noyaux de substance grise situés de part et d'autre du troisième ventricule du cerveau antérieur et qui servent de relais pour les voies sensitives.

thalassémie n. f. MED Anémie due à une anomalie héréditaire de la synthèse de l'hémoglobine, surtout rencontrée dans les populations du bassin méditerranéen.

thalassi-, thalasso-. Élément, du gr. *thalassa*, « mer ».

thalassocratie [talasokRasi] n. f. Vx Empire des mers. ▷ Mod. , didac. Grande puissance maritime. *Venise était une thalassocratie.*

thalassothérapie n. f. MED Cure, méthode de traitement utilisant le climat marin, l'eau et les boues marines.

thalassotoque adj. ZOOL Se dit des poissons migrateurs qui vivent dans les eaux douces et se reproduisent en mer. *L'anguille est thalassotoque.*

thaler [talɛR] n. m. Ancienne monnaie d'argent allemande.

Thalès (Milet, fin du VIIe s. - ?, déb. du VIe s. av. J.-C.), mathématicien et philosophe grec de l'école ionienne, l'un des Sept Sages de la Grèce. On lui attribue diverses démonstrations mathématiques et le théorème qui porte son nom : « Toute parallèle à l'un des côtés d'un triangle divise les deux autres côtés en segments proportionnels. » (V. homothétie.) Il fut le premier à donner une explication rationnelle, et non mythologique, de l'Univers, en faisant de l'eau l'élément premier.

Thalès

M. **Thatcher**

thalidomide n. f. (Nom déposé.) PHARM Tranquillisant dont l'utilisation par les femmes enceintes s'est révélée responsable de malformations fœtales graves (retiré du marché en 1962).

Thalie, dans la myth. grecque, muse de la Comédie représentée sous les traits d'une jeune femme couronnée de lierre et qui tient un masque.

thalle n. m. BOT Appareil végétatif très simple des plantes non vasculaires (champignons, algues, lichens), où l'on ne peut distinguer ni racine, ni tige, ni feuille.

thallium [taljɔm] n. m. CHIM Élément métallique de numéro atomique Z = 81, de masse atomique 204,37 (symbole Tl). - Métal (Tl) de densité 11,85, qui fond à 303,5 °C et bout vers 3 120 °C. *Mou et gris, le thallium ressemble au plomb.*

thallophytes n. f. pl. BOT Important groupe réunissant tous les végétaux dont l'appareil végétatif est un thalle. - Sing. *Une thallophyte.*

Thälmann (Ernst) (Hambourg, 1886 - Buchenwald, 1944), homme politique allemand; secrétaire général du parti communiste (1925), candidat à la présidence de la République (1925 et 1932). Contre le péril nazi, il refusa l'alliance avec les sociaux-démocrates. Il fut arrêté en 1933. En 1943, il fut transféré à Buchenwald.

thalweg. V. talweg.

Thamar (m. en 1213), reine de Géorgie (1184-1213); sous son règne, la Géorgie s'étendit sur la presque totalité du Caucase et connut un âge d'or littéraire et artistique.

thanato-. Élément, du gr. *thanatos*, « mort ».

thanatologie n. f. Didac. Étude scientifique de la mort; théorie de la mort, de ses causes, de ses signes, de sa nature.

thanatopraxie n. f. Didac. Technique de l'embaumement des cadavres.

thanatos [tanatɔs] n. m. PSYCHAN Personnification de l'instinct de mort chez Freud (par oppos. à *éros*).

Thanatos, dans la myth. gr., dieu de la Mort, fils de la Nuit et frère d'Hypnos.

Thann, ch.-l. d'arr. du Haut-Rhin, sur la Thur; 7 783 hab. Industr. mécaniques, textiles et chimiques. - Égl. collégiale St-Thiébaut (XIVe et XVe s.).

Thant (Sithu U) (Pantánaw, 1909 - New York, 1974), diplomate birman; secrétaire général des Nations unies de 1961 à 1971.

Thapsus, anc. v. au S. de Sousse (Tunisie), près de laquelle César battit les partisans de Pompée en 46 av. J.-C.

Thar (désert de), grand désert du Pākistān et de l'Inde, formé surtout de dunes, entre l'Indus et les monts Aravalli.

Tharaud (Ernest, dit Jérôme, et Charles, dit Jean) (Saint-Junien, 1874 - Varangeville-sur-Mer, 1953; Saint-Junien, 1877 - Paris, 1952), écrivains français qui travaillèrent en collab. Auteurs de romans (*la Maîtresse servante*, 1911) et d'études sur le peuple juif et le monde musulman. Acad. fr. (Jérôme : 1938; Jean : 1946).

Thatcher (Margaret) (Grantham, 1925), femme politique britannique, nommée Premier ministre (conservateur) de Grande-Bretagne, en 1979. Sa détermination dans la conduite de la guerre des Malouines (2 avr. au 17 juin 1982) lui valut d'être réélue. Elle entreprit une politique de dénationalisation. Elle démissionna en nov. 1990.

Thau (étang ou bassin de), lagune (7 000 ha) du dép. de l'Hérault, séparée de la Méditerranée par une flèche de sable (que franchit le canal de Sète). Complexe pétrochimique.

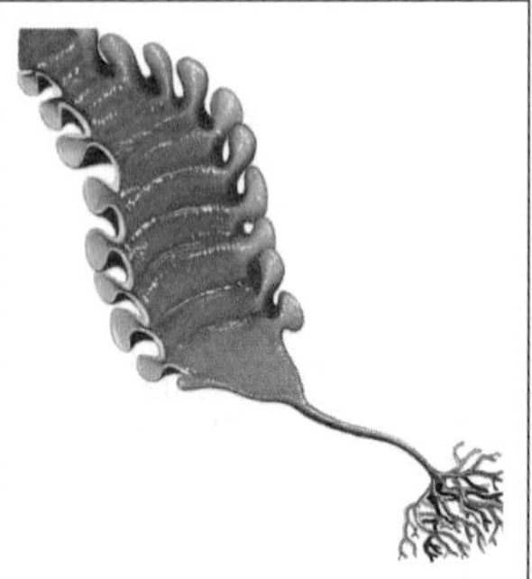

thalle du laminaire

thaumaturge n. m. (et adj.) **1.** Didac. Personne qui fait ou prétend faire des miracles. **2.** Litt. Faiseur de miracles; magicien.

thé n. m. **1.** BOT Rare Arbre à thé. *Plantation de thés.* Syn. cour. théier*. ▷ Cour. Feuilles séchées du théier, après fermentation dans le cas du *thé noir*, sans fermentation dans le cas du *thé vert*. *Un paquet de thé.* **2.** Infusion tonique et désaltérante préparée avec ces feuilles, servie le plus souvent chaude. *Une tasse de thé.* **3.** Collation où l'on sert du thé. ▷ Réception donnée l'après-midi et où l'on sert du thé, des gâteaux, etc. *Être invité à un thé. Thé dansant.*

théacées n. f. pl. BOT Famille de végétaux dicotylédones, dont le thé est le type. - Sing. *Une théacée.*

Théatins (ordre des), ordre de clercs réguliers fondé à Rome en 1524 par Gaétan de Thiene et Pietro Carafa (le futur pape Paul IV), évêque de Chieti (en lat. *Theate* ou *Teate*).

théâtral, ale, aux adj. **1.** De théâtre; qui appartient au théâtre, est propre au théâtre. *Représentation théâtrale.* **2.** Fig., péjor. Exagéré, artificiel, qui vise à l'effet. *Un ton théâtral.*

théâtralement adv. **1.** Du point de vue du théâtre, de ses règles. **2.** Fig. et péjor. D'une manière théâtrale, outrée.

théâtralisation n. f. Didac. Fait de rendre théâtral.

théâtraliser v. tr. [**1**] Didac. Rendre théâtral ou spectaculaire par une recherche d'effets. *Théâtraliser une décoration intérieure.*

théâtralité n. f. Didac. Qualité de ce qui est théâtral. *La théâtralité d'un jeu d'acteurs, d'un décor.*

théâtre n. m. **A. I. 1.** Édifice où l'on représente des œuvres dramatiques, où l'on donne des spectacles. *Architecture, acoustique d'un théâtre.* **2.** Cet édifice, en tant que lieu où est représenté un spectacle donné; ce spectacle lui-même. *Aller au théâtre.* **3.** Ensemble du personnel et des comédiens attachés à un établissement théâtral; troupe, compagnie. *Théâtre ambulant.* **4.** Par anal. *Théâtre de marionnettes. Théâtre d'ombres.* **II.** Fig. Lieu où se passe (tel événement). *Cette maison a été le théâtre d'un fait divers. Le théâtre des opérations militaires.* **B. I. 1.** Genre littéraire qui consiste en la production d'œuvres destinées à être jouées par des acteurs; art d'écrire pour la scène. *Aborder avec un égal bonheur le roman et le théâtre.* ▷ Loc. *Coup de théâtre* : rebondissement imprévu dans l'action d'une pièce; péripétie; fig. événement imprévu entraînant des changements importants; retournement de situation. **2.** Ensemble des œuvres dramatiques d'un pays, d'une époque, d'un auteur. *Le théâtre grec. Le théâtre russe. Le théâtre médiéval. Le théâtre de Racine.* **II. 1.** Art de la représentation de telles œuvres; art dramatique. *Faire du théâtre. Un homme de théâtre.* ▷ *De théâtre* : destiné au théâtre, à la scène. *Costume, maquillage de théâtre.* - Fig., péjor. Théâtral (sens 2); artificiel et outré. *Des gestes de théâtre.* **2.** Manière particulière de traiter cet art, propre à un pays, à une époque, à un metteur en scène, etc. *Le théâtre égyptien consistait surtout en des ballets chantés et dansés. Le théâtre de Bertolt Brecht, de Charles Dullin.*

Théâtre-Français. V. Comédie-Française.

Théâtre-Libre, théâtre fondé à Paris, en 1887, par André Antoine, qui réforma la mise en scène en y introduisant un certain réalisme et créa de nombreuses pièces d'auteurs naturalistes (Zola, Courteline, notam.). Il prit en 1897 le nom de *Théâtre-Antoine.*

Théâtre national populaire (T.N.P.), théâtre subventionné, fondé en 1920 par l'État afin d'offrir au public, pour une somme modique, des spectacles de qualité. Installé dans l'anc. Trocadéro, puis dans le palais de Chaillot, il eut comme directeurs : Firmin Gémier (1920-1933), Alfred Fourtier (1933-1935), Paul Abram (1938-1940), Pierre Aldebert (1940-1951), Jean Vilar (1951-1963), qui sut lui donner l'audience populaire que postulait sa vocation, et Georges Wilson (1963-1972). En 1972, le T.N.P. fut réorganisé puis transféré à Villeurbanne (1973).

théâtreux, euse n. Fam., péjor. **1.** n. f. Comédienne sans talent. **2.** n. Personne qui fait du théâtre.

thébaïde n. f. Litt. Retraite solitaire.

Thébaïde ou **Haute-Égypte,** partie mérid. de l'Égypte anc.; cap. *Thèbes.* Les premiers solitaires chrétiens, pour fuir la persécution de l'empereur Decius, s'isolèrent dans les territoires désertiques de cette région.

thébaïne n. f. BIOCHIM Alcaloïde très toxique contenu dans l'opium.

thébaïque adj. Didac. Qui contient de l'opium; qui est à base d'opium.

Thèbes, v. de l'anc. Égypte, sur le Nil, à 700 km env. au S. du Caire. De fondation très anc., elle commença à jouer un rôle de premier plan lorsque les princes thébains (XIe dynastie) réunifièrent l'Égypte et étendirent à tout le pays le culte d'Amon, divinité locale. La cité fut dès lors la cap. des souverains du Moyen et du Nouvel Empire (1580-1085 av. J.-C.), époque qui marque son apogée : érection des temples d'Amon à Karnak et à Louxor, construction des hypogées de la Vallée des Rois, etc. À partir de la XIXe dynastie, la prospérité de Thèbes décrut et l'invasion assyrienne (v. 663 av. J.-C.) acheva sa ruine. Vestiges à Deir el-Bahari, à la Vallée des Rois et à la Vallée des Reines, à Karnak, Louxor et Deir el-Medineh. Médinet Habou.

Thèbes (auj. *Thíva*), v. de Grèce, l'une des princ. cités de Béotie, détruite par des tremblements de terre (1853, 1893) et reconstruite sur un plan en damier; 18 710 hab. – Musée archéologique.
Hist. – Occupée depuis la fin du IIIe millénaire, Thèbes devint, entre le XVIe et le XIVe s. av. J.-C., le siège d'un royaume mycénien dont l'importance est attestée par l'ampleur des légendes et des mythes qui s'y rattachent, centrés autour d'Œdipe (V. ce nom). Au VIIe s., la cité prit la tête de la Ligue béotienne, qui s'allia aux Perses durant les guerres médiques; vaincue par les Athéniens (Platées, 479), Thèbes perdit son influence sur la Béotie. Elle reprit une place prépondérante en s'alliant à Sparte lors de la première guerre du Péloponnèse (431-421), puis, craignant la puissance des Lacédémoniens, elle se ligua contre eux avec Argos, Corinthe et Athènes (395-386). Le régime oligarchique que Sparte, victorieuse, lui imposa fut renversé par Pélopidas et Épaminondas. Ils réorganisèrent la confédération béotienne et assurèrent la domination thébaine sur la Grèce centrale; mais à la mort d'Épaminondas à la bataille de Mantinée (362), Thèbes perdit son hégémonie. Elle tomba sous le joug de Philippe de Macédoine et, à sa mort, elle se révolta en vain contre Alexandre, qui la fit presque entièrement raser (336); Thèbes se releva en 316 sous Cassandre, puis fut définitivement ruinée par les Romains en 146 av. J.-C.

Thèbes : ruines du temple funéraire de Ramsès II (*Ramasseum*), XIXe dynastie, XIVe-XIIIe s. av. J.-C.

-thée. Élément, du gr. *theos,* « dieu ».

théier, ère adj. et n. **I.** adj. Rare Relatif au thé. *Industrie théière.* **II.** n. **1.** n. m. BOT Arbre ou arbrisseau à fleurs blanches des montagnes d'Asie tropicale, cultivé pour ses feuilles qui, une fois séchées, servent à préparer le thé (sens 2). **2.** n. f. Récipient dans lequel on fait infuser le thé.

théier : feuilles, fleurs et graines

Theiler (Max) (Pretoria, 1899 – New Haven, Connecticut, 1972), médecin sud-africain qui effectua ses recherches aux É.-U. Il isola le virus de la fièvre jaune et mit au point le vaccin correspondant. P. Nobel 1951.

théine n. f. BIOCHIM Alcaloïde du thé, analogue à la caféine.

théisme n. m. Didac. Doctrine philosophique selon laquelle le principe d'unité de l'Univers est un Dieu personnel, cause de toute chose.

théiste n. et adj. Didac. Qui professe le théisme. ▷ adj. Relatif au théisme.

Thélème (abbaye de), communauté de laïcs imaginée par Rabelais dans son *Gargantua* et dont l'unique règle était « Fais ce que voudras ».

thématique adj. et n. f. **I.** adj. **1.** MUS Qui a rapport à un, à des thèmes musicaux. **2.** Cour. Organisé, conçu à partir de thèmes. *Index thématique et index alphabétique.* **3.** GRAM *Verbe thématique,* qui intercale une voyelle de liaison (dite *thématique*) entre le radical et la désinence. **II.** n. f. Didac. Ensemble organisé de thèmes. *La thématique de la littérature romantique.*

thématiquement adv. Par thèmes, selon des thèmes. *Sujets regroupés thématiquement.*

thématisation n. f. Action de thématiser.

thématiser v. tr. [1] Didac. Classer, présenter par thèmes des mots, des informations, etc.

thématisme n. m. Organisation d'une œuvre littéraire ou artistique selon certains thèmes.

thème n. m. **1.** Sujet, matière, proposition que l'on entreprend de traiter dans un ouvrage, un discours. *Quel est le thème de cet essai ?* ▷ Ce à quoi s'applique la pensée de qqn; ce qui constitue l'essentiel de ses préoccupations. *Thème de réflexion.* Syn. sujet. **2.** MUS Mélodie, motif mélodique sur lequel on compose des variations. ▷ *Spécial.* En jazz, mélodie dont les accords fournissent la trame harmonique des improvisations. *Thème en trente-deux mesures.* **3.** Exercice scolaire consistant à traduire un texte de sa langue maternelle dans une autre langue. *Le thème et la version. Thème latin.* ▷ *Un fort en thème :* un très bon élève; péjor. un élève à la culture essentiellement livresque, et *par ext.,* une personne qui fait preuve de zèle et d'application sans montrer d'intelligence véritable. **4.** ASTROL *Thème céleste* ou *astral :* représentation de l'état du ciel au moment de la naissance de qqn, qui sert de base à l'établissement de son horoscope. **5.** GRAM Partie du nom ou du verbe (radical et voyelle thématique) à laquelle s'ajoutent les désinences liées aux cas ou aux personnes, dans certaines langues à flexions.

Thémis, dans la myth. gr., déesse de la Loi et de la Justice. Fille d'Ouranos et de Gaia, elle donna naissance aux Moires (les Parques dans la myth. latine), aux Heures, à Astrée et aux nymphes de l'Éridan.

Thémistocle (Athènes, v. 524 – Magnésie du Méandre, v. 459 av. J.-C.), homme d'État et général athénien. Archonte en 493-492 av. J.-C. ou 483-482, il fut stratège en 480. Convaincu qu'Athènes devait orienter ses efforts vers la mer, il décida ses compatriotes à construire une flotte de 200 trières pour parer à une nouvelle attaque des Perses. Il prépara ainsi un succès militaire grec, décisif dans la seconde guerre médique : la victoire de Salamine (480). Thémistocle s'employa ensuite à garantir la sécurité d'Athènes : construction d'une nouvelle enceinte, fortification du Pirée. Il était clairvoyant (conscient en partic. de la menace spartiate), mais se rendit impopulaire par son goût du luxe et, v. 472-471, Cimon, avec qui il était entré en conflit, obtint son bannissement. Le roi perse Artaxerxès Ier l'accueillit et lui donna le gouvernement de trois villes : Magnésie du Méandre, Myonte et Lampsaque.

thénar n. m. ANAT Saillie formée à la partie externe de la paume de la main par un groupe de muscles du pouce.

Thenard (Louis Jacques, baron) (La Louptière, 1777 – Paris, 1857), chimiste français; collaborateur de Gay-Lussac. Il découvrit le bore et l'eau oxygénée.

théo-. Élément, du gr. *theos,* « dieu ».

théobromine n. f. BIOCHIM Alcaloïde extrait du cacao et existant en faible quantité dans le thé, la noix de kola et le café. *La théobromine est un diurétique et un vasodilatateur des artères coronaires.*

théocratie [teɔkʀasi] n. f. Didac. Forme de gouvernement dans laquelle l'autorité est exercée soit par les représentants d'une caste sacerdotale, soit par un souverain, au nom d'un dieu ou de Dieu.

théocratique adj. Didac. Relatif à la théocratie, qui en a le caractère.

Théocrite (Syracuse, v. 315 – ?, v. 250 av. J.-C.), poète grec. Ses *Idylles* comptent 30 poèmes (env. 2 000 vers) qui inaugurent le genre pastoral.

Théodat ou **Théodahat** (m. à Ravenne en 536), roi des Ostrogoths (534-536); neveu de Théodoric le Grand. En 535, il fit interner puis assassiner Amalasonte, fille de Théodoric, qui l'avait choisi pour partager la couronne. Pour la venger, Justinien chargea Bélisaire de reconquérir l'Italie. Théodat, défait, fut tué par ses sujets.

Théodebald ou **Thibaud** (m. en 555), roi d'Austrasie (548-555); fils de Théodebert Ier. Clotaire Ier, fils de Clovis, lui succéda.

Théodebert ou **Thibert Ier** (504 – 548), roi d'Austrasie de 534 à 548; petit-fils de Clovis. – **Théodebert** ou **Thibert II** (586 – 612), roi d'Austrasie de 595 à 612; il fut renversé par son frère Thierry II.

théodicée n. f. PHILO Justification de la Providence fondée sur la réfutation des arguments tirés de l'existence du mal. *«Essais de théodicée» de Leibniz* (1710).

théodolite n. m. TECH Instrument de visée constitué d'une lunette mobile autour d'un axe vertical et d'un axe horizontal et de deux cercles gradués perpendiculaires à ces axes, servant en astronomie à mesurer l'azimut et la hauteur des astres, en topographie à effectuer des levés, en astronautique à poursuivre les satellites.

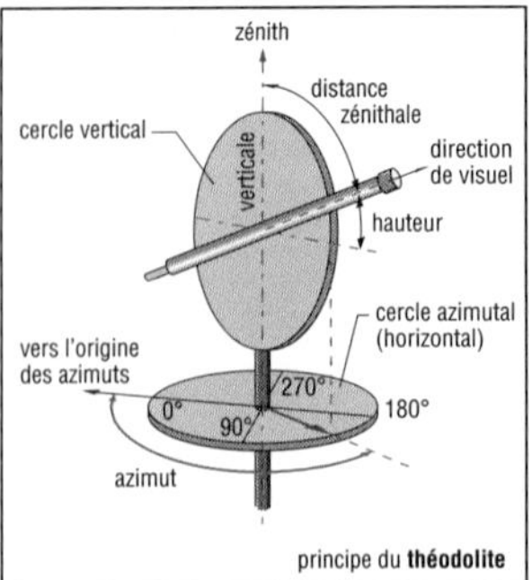

principe du **théodolite**

Théodora (Constantinople, v. 500 – id., 548), impératrice d'Orient (527-548) par son mariage avec Justinien. Intelligente, très attachée au pouvoir, elle fut à l'origine d'un grand nombre de mesures (politiques, religieuses ou législatives) prises par son époux.

Théodora (m. en 867), impératrice d'Orient qui exerça le pouvoir (842-856) durant la minorité de Michel III, son fils. Elle dut accepter le rétablissement du culte des images (843).

Theodorakis (Mikis) (Chio, 1925), compositeur et homme politique grec. Sa *Chanson du capitaine Zacharias* (1939) fut l'hymne de la Résistance grecque. Il a composé des oratorios (*Canto general*, sur des poèmes de P. Neruda), des mélodies, des musiques de scène et de films (*Zorba le Grec, Z*).

Théodore Ier Lascaris (m. en 1222) fonda, après la prise de Constantinople par les croisés (1204), l'empire de Nicée. – **Théodore II Doukas Lascaris,** empereur de Nicée de 1254 à 1258; il battit les Bulgares (1255) et fit de Nicée un grand centre intellectuel.

Théodore II. V. Théodoros.

Théodore Ange Doukas Comnène (m. apr. 1252), despote d'Épire (v. 1215-1230). Il se fit couronner empereur de Thessalonique (1224-1230) et tenta de supplanter les souverains byzantins de Nicée. Vaincu (1230) par les Bulgares, qui lui crevèrent les yeux, il laissa ses États à ses fils. Ses intrigues lui valurent d'être emprisonné (1252) par l'empereur de Nicée, Jean III Doukas Vatatzès.

Théodore de Samos (VIIIe s. av. J.-C.), sculpteur grec qui aurait inventé la fonte du bronze.

Théodoric Ier (m. au Campus Mauriacus, près de Troyes, en 451), roi des Wisigoths (418-451). Il périt en combattant Attila. – **Théodoric II** (m. en 466), fils du préc.; roi des Wisigoths (453-466). Il fut assassiné par son frère Euric.

Théodoric le Grand (en Pannonie, v. 454 – Ravenne, 526), roi des Ostrogoths (493-526). Retenu comme otage à Constantinople de 461 à 471, le jeune Théodoric s'y imprégna de civilisation gréco-romaine. À la mort de son père, le roi Théodomir (v. 474), il devint le chef du peuple ostrogoth. Avec l'accord de Zénon, empereur d'Orient, il rassembla une puissante armée contre Odoacre (maître de Rome depuis 476), qu'il vainquit à Ravenne (493). Il fut proclamé roi par les Ostrogoths, et son royaume s'étendit bientôt à l'Italie, à la Dalmatie, à la Pannonie, au Norique et à la Rhétie. En 497, l'empereur Anastase Ier, successeur de Zénon, le confirma dans ses pouvoirs. Afin d'assurer à son État une suprématie sur les autres royaumes germaniques, Théodoric développa une politique d'union matrimoniale entre sa famille et celles des souverains d'Occident, et lutta contre les Francs (conquête de la Provence en 508-509) et les Burgondes. Il embellit Ravenne, sa cap., et tenta un rapprochement entre les Goths et les Romains; l'aristocratie romaine (Symmaque, Boèce, Cassiodore) lui prêta loyalement son concours. Mais, à partir de 524, Théodoric, arien, se retourna contre elle et persécuta les catholiques. L'État ostrogoth ne lui survécut pas.

Théodoros ou **Théodore II** (Sage, Kouara, v. 1820 – Magdala, 1868), empereur d'Éthiopie (1855-1868). Chef féodal, il partit de l'Amhara et unifia le pays, qu'il organisa à l'européenne. Défait par les Britanniques à Magdala, il se tua.

Théodose Ier le Grand (en lat. *Flavius Theodosius*) (Cauca, Galice, v. 347 – Milan, 395), empereur romain (379-395). Proclamé Auguste par Gratien (379), celui-ci le chargea du gouvernement de l'Orient. Il fit du catholicisme la religion officielle de l'Empire (380). En 382, il autorisa les Goths à s'installer en Mésie et en Pannonie à titre de fédérés. Maxime ayant renversé Gratien (383), Théodose reconnut d'abord l'usurpateur, puis l'affronta; il le battit et le fit mettre à mort à Aquilée (388). Après la mort de Valentinien* II, il écrasa (394) l'usurpateur Eugène, demeuré païen, sur le Fluvius Frigidus, à l'emplacement de la ville d'Ajdovščina (Slovénie actuelle) : pour la dernière fois, le monde romain était gouverné par un seul souverain. Avant de mourir, Théodose partagea l'Empire entre ses deux fils, Honorius (Occident) et Arcadius (Orient). – **Théodose II** (401 – 450), empereur d'Orient (408-450), fils d'Arcadius. Il voulut défendre Nestorius, condamné à Éphèse en 431. Il fit rédiger (435-438) le *Code théodosien*, qui regroupait les Constitutions impériales promulguées depuis le règne de Constantin. Il dut payer de lourds tributs pour mettre fin aux invasions des Huns (441-449).

théogonie n. f. Didac. Chez les peuples polythéistes, généalogie des dieux, histoire de leur naissance.

théologal, ale, aux adj. RELIG CATHOL Qui a Dieu lui-même pour objet. ▷ *Les trois vertus théologales* : la foi, l'espérance et la charité.

théologie n. f. **1.** Étude des questions religieuses, réflexion sur Dieu et sur le salut de l'homme s'appuyant essentiellement sur les Écritures et la Tradition. *Théologie chrétienne.* ▷ Par ext. *Théologie judaïque, islamique.* **2.** Doctrine théologique. *La théologie de saint Thomas.* **3.** Recueil des ouvrages théologiques d'un auteur. **4.** Études théologiques. *Faire sa théologie.*

théologien, enne n. Personne qui étudie la théologie, qui écrit sur la théologie.

théologique adj. Qui concerne la théologie.

théophanie n. f. THEOL Manifestation de la divinité sous une forme sensible.

théophilanthropie n. f. HIST Doctrine philosophico-religieuse, d'inspiration déiste, dont les adeptes tentèrent de remplacer le culte catholique par une religion de l'Être suprême, sous le Directoire.

Théophile (m. en 842), empereur d'Orient (829-842); iconoclaste, célèbre par ses dons d'administrateur et son amour de la justice.

Théophile de Viau. V. Viau (Théophile de).

Théophraste (Érésos, île de Lesbos, v. 372 – Athènes, v. 287 av. J.-C.), philosophe grec, de son vrai nom Tyrtamos, surnommé *Theophrastos* («divin parleur») par son maître Aristote, qui lui laissa la direction du Lycée : *les Recherches sur les plantes, les Causes des plantes, les Caractères* (V. La Bruyère).

Théophraste-Renaudot (prix). V. Renaudot.

théophylline n. f. BIOCHIM Alcaloïde contenu dans les feuilles de thé, utilisé en thérapeutique comme diurétique et comme dilatateur des bronches (notam. dans l'asthme) et des artères coronaires.

théorème n. m. MATH, LOG Proposition démontrable qui découle de propositions précédemment établies.

théorétique adj. et n. f. PHILO **1.** adj. Qui vise, qui a rapport à la connaissance conceptuelle, non à l'action. *Les sciences théorétiques* : la mathématique, la physique et la théologie (chez Aristote). **2.** n. f. Étude de la connaissance philosophique.

théoricien, enne n. **1.** Personne qui connaît la théorie d'une science, d'un art (par oppos. à *praticien*). **2.** Personne qui s'attache à la connaissance abstraite, spéculative (par oppos. à *expérimentateur*, à *technicien*). **3.** Auteur d'une théorie. *Les théoriciens du socialisme.*

1. théorie n. f. **1.** Ensemble d'opinions, d'idées sur un sujet particulier. *Théorie sociale, artistique.* **2.** Connaissance abstraite, spéculative. *La théorie et la pratique.* ▷ *En théorie* : dans l'abstrait; en principe. *Chacun est libre en théorie.* **3.** Système conceptuel organisé sur lequel est fondée l'explication d'un ordre de phénomènes. *Théorie de la gravitation.* **4.** MILIT Principes de la manœuvre. *Leçons de théorie.*

2. théorie n. f. **1.** ANTIQ GR Députation d'une cité à certaines fêtes solennelles. **2.** Litt. Suite de personnes s'avançant en procession; longue file. *Une théorie de voitures.*

théorique adj. **1.** Qui est du domaine de la théorie. *Physique théorique et physique expérimentale.* **2.** Cour. (Parfois péjor.) Qui n'est conçu, qui n'existe qu'abstraitement, hypothétiquement. *Pouvoir théorique.*

théoriquement adv. De façon théorique (sens 1 et 2). *Procéder théoriquement. Nous sommes théoriquement égaux.*

théorisation n. f. Didac. Action de théoriser (sens 2); son résultat.

théoriser v. [1] **1.** v. intr. Didac. Exprimer une, des théories. *Théoriser sur la politique.* **2.** v. tr. Mettre en théorie. *Théoriser la création poétique.*

théosophe n. Didac. Adepte de la théosophie. *Swedenborg est un théosophe.*

théosophie n. f. Didac. Système philosophique, d'inspiration mystique et ésotérique, reposant sur la croyance que l'esprit, tombé de l'ordre divin dans l'ordre naturel, cherche, à travers des transformations successives, à se dégager de la matière pour réintégrer le sein de Dieu.

théosophique adj. Didac. Relatif à la théosophie. ▷ *Société théosophique*, fondée à New York en 1875 et qui, faisant une sorte de synthèse de la spiritualité indienne, se donne pour but la fraternité universelle, l'étude des mystères de la nature et des pouvoirs latents de l'homme.

-thèque. Élément, du gr. *thêkê*, « loge, boîte, armoire ».

thèque n. f. **1.** BIOL Coque résistante qui protège certains êtres unicellulaires. **2.** ANAT Enveloppe du follicule ovarien.

Thérain (le), riv. du Bassin parisien (90 km), affl. de l'Oise (r. dr.), qui passe à Beauvais et conflue en aval de Creil.

Théramène (Céos, av. 450 – Athènes, 404 av. J.-C.), homme politique athénien. Adversaire des démocrates, il fut membre du conseil des Quatre-Cents (411), puis fut l'un des Trente* Tyrans (404). Débordé par l'extrémisme de Critias, il fut condamné à mort.

thérapeute n. **1.** ANTIQ Ascète juif d'Égypte (Ier s. av. J.-C.). **2.** Mod., didac. Personne qui soigne les malades. ▷ *Spécial.* Psychothérapeute.

thérapeutique adj. et n. f. **I.** adj. Relatif au traitement, à la guérison des maladies; propre à guérir. *Action, produit thérapeutique.* **II.** n. f. **1.** *La thérapeutique* : la médecine qui traite des moyens propres à guérir ou à soulager les maladies. *Thérapeutique somatique.* **2.** *Une thérapeutique* : un traitement.

-thérapie. Élément, du gr. *therapeia*, « soin, cure ».

thérapie n. f. **1.** Syn. de *thérapeutique* (II, 2). **2.** *Thérapie génique* : branche de la génétique qui vise à réparer les gènes défectueux. **3.** PSYCHO, PSYCHAN Syn. de *psychothérapie* (sans distinction des méthodes ou techniques). *Être en thérapie. Faire une thérapie de groupe.*

Thérèse d'Ávila (sainte) [Teresa de Cepeda y Ahumada] (Ávila, 1515 – Alba de Tormes, 1582), religieuse et mystique espagnole. Entrée en 1536 au couvent de l'Incarnation d'Ávila, elle réforma l'ordre du Carmel avec l'aide de Jean de la Croix. Thérèse a retracé son itinéraire spirituel dans plusieurs ouvrages : *le Livre de la vie* (1562-1565), *le Chemin de la perfection* (1565), *les Exclamations* (1566-1569), *le Livre des fondations* (1573-1582) et *le Château intérieur* (1577). Première femme déclarée docteur de l'Église (1970).

sainte **Thérèse d'Ávila**

Adolphe **Thiers**

Thérèse de l'Enfant-Jésus (sainte) [Thérèse Martin] (Alençon, 1873 – Lisieux, 1897), religieuse française. Entrée à quinze ans au carmel de Lisieux*, elle y écrivit un récit autobiographique, *Histoire d'une âme* (1897). Elle fut canonisée en 1925 et proclamée docteur de l'Église en octobre 1997.

Thériault (Yves) (Québec, 1915 – Rawdon, Québec, 1983), écrivain québécois. Il a beaucoup écrit sur les minorités canadiennes : juive (*Aaron*, 1954), inuit (*Agakuk*, 1958), indienne (*Ashini*, 1960), scandinave (*Kesten*, 1968).

therm(o)-, -therme, -thermie, -thermique. Éléments, du gr. *thermos*, « chaud », ou *thermainein*, « chauffer ».

thermal, ale, aux adj. **1.** Se dit des eaux minérales chaudes aux propriétés thérapeutiques. **2.** Où l'on fait usage d'eaux médicinales. *Cure thermale.*

thermalisme n. m. Usage des eaux thermales et industrie qui s'y rapporte. ▷ *Par ext.* Organisation et exploitation des stations thermales.

thermalité n. f. Didac. Qualité, nature, propriété d'une eau thermale.

thermes n. m. pl. **1.** ANTIQ, ARCHEOL Établissement de bains publics. **2.** Mod. Établissement thermal.

thermicien, enne n. Spécialiste de la thermique.

thermicité n. f. PHYS Propriété d'un système d'échanger de la chaleur avec le milieu extérieur lors d'une transformation physico-chimique.

thermidor n. m. HIST Onzième mois du calendrier républicain (du 19/20 juillet au 17/18 août).

Thermidor an II (journées des 9 et 10) (27 et 28 juillet 1794), journées qui virent la chute de Robespierre et de ses partisans. Les adversaires de Robespierre, les uns opposés à la Grande Terreur, les autres (Tallien, Barras, Fouché, notam.) craignant d'en être les victimes, s'unirent pour l'éliminer. Le parti révolutionnaire, soumis à des purges successives (hébertistes, dantonistes) et ayant perdu le soutien actif des sans-culottes, s'était affaibli; aussi, malgré l'insurrection de la Commune de Paris, les partisans de Robespierre ne purent-ils être sauvés. Vingt-deux d'entre eux (Robespierre, Saint-Just, Couthon, etc.) furent guillotinés au soir du 10 thermidor.

thermidorien, enne adj. et n. m. HIST Se dit des conventionnels qui renversèrent Robespierre le 9 Thermidor. – n. m. *Les thermidoriens.* ▷ *Réaction thermidorienne* : ensemble des mesures prises après le 9 Thermidor et qui mettaient fin, notam., à la Terreur*.

-thermie, -thermique. V. therm(o)-.

thermie n. f. PHYS Unité de quantité de chaleur dont l'emploi a été officiellement abandonné (symbole th). (L'unité SI de quantité de chaleur est le joule.)

thermique adj. et n. f. **1.** adj. Qui a rapport à la chaleur, à l'énergie calorifique. – *Machine thermique*, qui transforme l'énergie calorifique en une autre forme d'énergie. *Centrale thermique*, dans laquelle l'électricité est produite à partir de la chaleur de combustion du charbon, du gaz ou du pétrole. **2.** n. f. PHYS Étude de la chaleur et des phénomènes calorifiques (thermométrie, calorimétrie, étude des combustions, etc.).

thermistance n. f. ou **thermistor** n. m. ELECTR, ELECTRON Résistance électrique constituée d'un matériau semiconducteur dont la conductivité varie très rapidement en fonction de la température.

thermo-. V. therm(o)-.

thermocautère n. m. MED Instrument qui sert à faire des cautérisations ignées, des pointes de feu.

thermochimie n. f. Didac. Science ayant pour objet la mesure des quantités de chaleur mises en jeu dans les réactions chimiques ainsi que l'étude des relations entre ces grandeurs et la constitution des corps.

thermocinétique n. f. PHYS Étude des lois de propagation de la chaleur.

thermoconduction n. f. PHYS Conduction de la chaleur.

thermocopie n. f. TECH Reprographie par procédé thermique.

thermodurcissable adj. TECH Se dit de résines plastiques qui durcissent de façon irréversible à partir d'une certaine température. Ant. thermoplastique.

thermodynamique n. f. et adj. PHYS Partie de la physique qui étudie les lois qui président aux échanges d'énergie, et notam. les transformations de l'énergie calorifique en énergie mécanique. ▷ adj. *Température thermodynamique.*

ENCYCL La thermodynamique repose essentiellement sur deux principes. Le premier énonce que la somme du travail W et de la chaleur Q reçus par un système au cours de son évolution entre deux états 1 et 2 est égale à la variation d'une fonction de l'état du système; cette fonction, notée U, est appelée énergie interne : $W + Q = U_2 - U_1$. Sous sa forme la plus générale, le second principe de la thermodynamique énonce l'irréversibilité des phénomènes naturels. On peut en déduire : impossibilité du transfert spontané de chaleur d'un corps froid à un corps chaud (énoncé de Clausius); impossibilité d'un moteur monotherme, qui utiliserait une seule source de chaleur (énoncé de Kelvin); un moteur ditherme (fonctionnant avec deux sources de chaleur) doit nécessairement recevoir de la chaleur de la source chaude et en céder à la source froide (énoncé de Carnot). V. entropie et température.

thermoélectricité n. f. PHYS Électricité produite par la conversion de l'énergie thermique; ensemble des phénomènes liés à cette conversion.

thermoélectrique adj. PHYS Relatif à la thermoélectricité. *Effet thermoélectrique. Couple* thermoélectrique.*

thermoélectronique adj. PHYS *Émission thermoélectronique :* émission d'électrons par une cathode sous l'effet de la chaleur.

thermoformage n. m. TECH Formage, modelage d'un matériau ou d'une pièce par chauffage.

thermogène adj. Didac. Qui produit de la chaleur.

thermogenèse n. f. PHYSIOL Production de chaleur par les êtres vivants, dans la thermorégulation*.

thermogramme n. m. TECH Courbe inscrite sur le tambour du thermographe.

thermographe n. m. TECH Thermomètre enregistreur.

thermographie n. f. TECH Ensemble des procédés de mesure de la température fondés sur la propriété qu'ont les rayons infrarouges d'impressionner les surfaces sensibles. ▷ Spécial. *Thermographie médicale,* utilisée dans le dépistage de certaines affections (cancer du sein, notam.).
▶ pl. **imagerie** médicale

thermogravimétrie n. f. PHYS Technique analytique de mesure par laquelle on détermine les variations de masse d'un corps simple ou composé en fonction de la température.

thermolabile adj. CHIM, BIOCHIM Se dit d'une substance qui est détruite ou qui perd ses propriétés à une température déterminée.

thermoluminescence [tɛrmolymi nɛsɑ̃s] n. f. PHYS Luminescence provoquée par la chaleur.

thermoluminescent, ente adj. PHYS Qui devient luminescent sous l'effet de la chaleur; relatif à la thermoluminescence.

thermolyse n. f. **1.** CHIM Décomposition d'un corps par la chaleur. **2.** PHYSIOL Déperdition de chaleur par les organismes vivants.

thermomagnétique adj. PHYS Relatif au thermomagnétisme.

thermomagnétisme n. m. PHYS Ensemble des phénomènes magnétiques liés à l'élévation de température d'un corps.

thermomécanique adj. **1.** TECH Se dit d'un traitement mécanique utilisant les propriétés du traitement thermique. **2.** PHYS Relatif aux effets mécaniques de la chaleur.

thermomètre n. m. **1.** Instrument qui permet la mesure des températures, en général par la dilatation d'un liquide ou d'un gaz. – *Thermomètre médical,* qui permet de mesurer la température maximale interne du corps. – *Thermomètre électronique.* **2.** Fig. Ce qui permet de connaître, d'évaluer les variations de qqch. *Les investissements sont le thermomètre du climat politique.*

thermométrie n. f. Didac. Mesure des températures.

thermométrique adj. Didac. Relatif au thermomètre, à la thermométrie.

thermonucléaire adj. PHYS Qui a rapport à la fusion* des noyaux atomiques. *Réaction thermonucléaire,* mise en jeu dans la fabrication des armes thermonucléaires (ou à hydrogène). – *Arme thermonucléaire,* qui, par la fusion de noyaux d'atomes légers, dégage une énergie considérable.

thermopériodisme n. m. BOT Ensemble des phénomènes végétatifs liés aux variations de température résultant de l'alternance du jour et de la nuit et de la succession des saisons.

thermopile n. f. Didac. Dispositif de conversion des rayonnements calorifiques en énergie électrique. Syn. pile thermoélectrique.

thermoplastique adj. CHIM, TECH Se dit de résines synthétiques qui conservent indéfiniment leurs propriétés de plasticité à chaud. Ant. thermodurcissable.

thermopompe n. f. TECH Système de chauffage dont le fonctionnement est analogue à celui d'une machine frigorifique. Syn. pompe à chaleur.

thermopropulsion n. f. TECH Propulsion obtenue directement par l'énergie thermique d'une combustion.

Thermopyles (les) (en grec *Thermopulai :* « Portes chaudes »), défilé de la Grèce, en Phtiotide (Thessalie), sur la côte S. du golfe de Lamía. Léonidas Ier, roi de Sparte, et ses 300 hoplites y opposèrent une défense héroïque à l'armée perse de Xerxès Ier (480 av. J.-C.), qui les extermina.

thermorégulateur, trice adj. et n. m. **1.** adj. BIOL Relatif à la thermorégulation. **2.** n. m. TECH Dispositif servant à régler automatiquement la température, dans certains appareils. V. thermostat.

thermorégulation n. f. BIOL Régulation de la température interne du corps, chez les animaux homéothermes (oiseaux, mammifères).

thermorémanence n. f. PHYS Propriété que possèdent certaines substances de conserver la trace du champ magnétique dans lequel elles ont été placées lorsqu'on les refroidit brusquement après les avoir portées à une haute température. *La thermorémanence est employée comme méthode de datation des céramiques en archéologie.*

thermorémanent, ente adj. PHYS Qui a rapport à la thermorémanence.

thermorésistant, ante adj. Didac. Qui résiste à la chaleur. *Matière plastique thermorésistante.* ▷ *Spécial.* BIOL Dont les mécanismes vitaux ne sont pas affectés par des températures assez élevées. *Bactéries thermorésistantes.*

thermos [tɛrmos] n. m. ou f. (Nom déposé.) Bouteille isolante qui permet de conserver un liquide à la même température durant plusieurs heures. – (En appos.) *Bouteille thermos.*

thermosensible adj. TECH Dont les propriétés peuvent être changées par des variations de température.

thermosiphon n. m. TECH Dispositif (appareil de chauffage ou de refroidissement, notam.) dans lequel la circulation d'un liquide est assurée par les différences de température entre les parties du circuit que parcourt celui-ci.

thermosphère n. f. METEO Région de l'atmosphère, située au-delà de 80 km, dans laquelle la température croît régulièrement avec l'altitude.

thermostable ou **thermostabile** adj. BIOCHIM Se dit d'une substance qui n'est pas altérée par une élévation modérée de la température.

thermostat n. m. Dispositif automatique de régulation destiné à maintenir la température entre deux valeurs de consigne dans une enceinte fermée.

thermostatique adj. Didac. Qui sert à maintenir constante une température.

thermotropisme n. m. BIOL Tropisme lié aux variations de température.

Théroigne de Méricourt (Anne Josèphe Terwagne, dite) (Marcourt, Belgique, 1762 – Paris, 1817), révolutionnaire française. Fille de paysans, chanteuse, courtisane à Londres et à Gênes, elle tint à Paris un salon célèbre. Surnommée l'« Amazone de la liberté », liée aux Girondins, elle sombra en 1794 dans la démence.

Thérouanne, com. du Pas-de-Calais (arr. de Saint-Omer), sur la Lys; 976 hab. – Place forte, évêché du VIe au XVIe s., elle fut assiégée par Charles Quint, qui la ravagea (1553).

thésard, arde n. Arg. (des universités) Personne qui prépare une thèse universitaire.

thésaurisation n. f. Action de thésauriser; son résultat.

thésauriser v. [1] **1.** v. intr. Amasser de l'argent sans le faire circuler ni fructifier. **2.** v. tr. *Thésauriser des pièces d'or.*

thesaurus ou **thésaurus** [tezɔrys] n. m. inv. **1.** Didac. Lexique exhaustif de philologie, d'archéologie. **2.** INFORM, LING Recueil documentaire alphabétique de termes scientifiques, techniques, etc., servant de descripteurs pour analyser un corpus.

thèse n. f. **1.** Proposition ou opinion qu'on s'attache à soutenir, à défendre. – *Roman à thèse,* dans lequel l'auteur tente d'illustrer la vérité d'une thèse philosophique, politique, etc. **2.** Ouvrage présenté devant un jury universitaire pour l'obtention d'un titre de doctorat (thèse d'État, de troisième cycle). *Soutenir une thèse.* – *Par ext.* Cet ouvrage imprimé. **3.** PHILO Chez Hegel, premier terme d'un raisonnement dialectique (par oppos. à l'*antithèse** et à la *synthèse**).

Thésée, dans la myth. gr., roi d'Athènes. Fils d'Égée* ou de Poséidon, il fut élevé par sa mère, Æthra. À l'âge de seize ans, il quitta Trézène (Argolide), tua plusieurs brigands (notam. Procuste) et gagna Athènes, où il se heurta à Médée, la nouvelle épouse d'Égée, qu'il fit bannir. Il se rendit en Crète pour y tuer le Minotaure avec l'aide d'Ariane*. De retour à Athènes et devenu roi, il enleva l'Amazone Antiope (qui lui donna un fils, Hippolyte), qu'il répudia pour épouser Phèdre*. Plus tard, Thésée, évincé du pouvoir, se retira dans l'île de Skýros, dont le roi, Lycomédès, l'aurait fait assassiner. On lui attribue l'unification de l'Attique autour d'Athènes et la division de la population en trois classes.

thesmothète n. m. ANTIQ GR Magistrat athénien (à l'époque classique, archonte) chargé de réviser et de coordonner les lois.

Thespis (près de Marathon, VIe s. av. J.-C.), poète grec; considéré à l'époque classique comme le créateur de la tragédie.

Thessalie, rég. de la Grèce centrale et de la C.E., sur la mer Égée, entre l'Olympe (au N.) et la chaîne du Pinde (à l'O.); 14 037 km²; 731 200 hab.; cap. *Lárissa.* La Thessalie est une plaine fertile (blé, maïs, betterave sucrière, arbres fruitiers).

thessalien, enne adj. et n. De Thessalie. ▷ Subst. *Un(e) Thessalien(ne).*

Thessalonique ou **Salonique,** v. et port de Grèce (2e ville du pays), en Macédoine, sur le *golfe de Thessalonique* (mer Égée); 377 950 hab. (aggl. urb. 706 180 hab.); ch.-l. du nome du m. nom. Port et centre comm. actif doté d'industries modernes en essor (raff. de pétrole et pétrochimie; sidér., métall., text., alim., matériaux de construction). – Université. Archevêché orthodoxe. – Nombr. monuments romains (arc de Galère, 303) et byzantins (égl. St-Georges, Ve s., et St-Démètre, VIIe s., ornées de mosaïques à fond d'or; égl. St-David, Ve s.). – Fondée en 316 av. J.-C., prospère sous les Romains, la ville fut la cap. d'un royaume latin (1204-1224) avant de passer au despotat d'Épire (V. byzantin [Empire]) et d'être reprise par Byzance (1246). Occupée par les Turcs en 1430, elle prit le nom de Salonique. Base des Alliés lors de la campagne de Macédoine (août 1915-sept. 1918), elle redevint Thessalonique après la Seconde Guerre mondiale. Un séisme l'a fortement endommagée en 1978.

thêta n. m. Huitième lettre de l'alphabet grec (Θ, θ), à laquelle correspond *th* dans les mots français issus du grec.

Thetford Mines, ville du Canada (Québec); 17 270 hab. Import. mines d'amiante.

thétique adj. PHILO Relatif à une thèse (sens 3). ▷ Syn. de *thématique.* – *Jugement thétique :* chez Fichte, jugement qui pose une chose en tant que telle, sans liens à d'autres. – *Conscience thétique :* chez Husserl, conscience spontanée, par oppos. à la conscience réfléchie.

Thétis, dans la myth. gr., la plus célèbre des Néréides, épouse de Pélée et mère d'Achille, qu'elle plongea dans le Styx*.

théurgie n. f. Didac. Magie qui prétend faire appel aux esprits célestes.

Thévenin (Léon) (Meaux, 1857 – Paris, 1926), physicien français. Travaux sur l'électricité.

Thiais, ch.-l. de cant. du Val-de-Marne (arr. de l'Haÿ-les-Roses); 27 933 hab. Cimetière parisien. Textiles.

thiamine n. f. BIOCHIM Syn. de *vitamine B1.*

Thiard (Pontus de). V. Pontus de Tyard.

thiazine n. f. CHIM Nom générique des composés possédant, pour un noyau, une chaîne fermée à six atomes (dont un de soufre et un d'azote). ▷ Nom générique des colorants bleus ou violets possédant cette structure. *Le bleu de méthylène est une thiazine.*

Thibaud. V. Thibaut et Théodebald.

Thibaud (Jacques) (Bordeaux, 1880 – m. dans un accident d'avion près de Barcelonnette, 1953), violoniste français. Il forma avec A. Cortot et P. Casals un trio célèbre. Cofondateur du concours Marguerite Long*-Jacques Thibaud.

thibaude n. f. Molleton qu'on place entre le sol et un tapis, une moquette.

Thibaudet (Albert) (Tournus, 1874 – Genève, 1936), écrivain français. Critique littéraire : *la Poésie de Stéphane Mallarmé* (1912), *le Bergsonisme* (1923), *Histoire de la littérature française de 1789 à nos jours* (1936).

Thibault (Bernard) (Paris, 1959), syndicaliste français, secrétaire général de la C.G.T. depuis 1999.

Thibaut ou **Thibaud,** nom de plusieurs comtes de Champagne. – **Thibaut IV,** dit *le Chansonnier* (Troyes, 1201 – Pampelune, 1253), comte de 1201 à 1253, roi de Navarre (Thibaut Ier) de 1234 à 1253. Il combattit la régente Blanche de Castille (1226), puis s'allia à elle (1227-1230). Il est l'un des grands trouvères du XIIIe s.

Thibert Ier et **Thibert II.** V. Théodebert.

Thièle. V. Orbe.

Thiérache, pays de bocages du N.-E. du dép. de l'Aisne, entre l'Oise et l'Ardenne. Élevage bovin.

Thierry ou **Thierri Ier** (m. en 533 ou 534), roi de Reims (511-534); fils aîné de Clovis. – **Thierry II** (?, 587 – Metz, 613), roi de Bourgogne (v. 595-613) et d'Austrasie (612-613); fils de Childebert II et petit-fils de Brunehaut. – **Thierry III** (m. en 690 ou 691), roi de Neustrie et de Bourgogne (673 et 675-690 ou 691), frère de Clotaire III. Pépin de Herstal le vainquit (687) mais le reconnut roi du royaume unifié des Francs. – **Thierry IV** (m. en 737), roi des Francs (721-737), le dernier des Mérovingiens. Fils de Dagobert III, il fut placé sur le trône par Charles Martel, qui exerça le pouvoir.

Thierry (Pierre) (Paris, 1604 – id., 1665), facteur d'orgues français. En 1661, il entreprit l'orgue de Saint-Germain-des-Prés. – **Alexandre** (Paris, 1646 – id., 1699), fils du préc.; facteur de l'orgue de Saint-Eustache (1681). – **François** (Paris, 1667 – id., 1749), neveu du préc.; facteur de l'orgue de Notre-Dame de Paris (1730-1733).

Thierry (Augustin) (Blois, 1795 – Paris, 1856), historien français : *Histoire de la conquête de l'Angleterre par les Normands* (1825), *Récits des temps mérovingiens* (1835-1840), *Essai sur la formation et les progrès de l'histoire du tiers état* (1850). Thierry demeura toujours attaché à sa thèse de l'antagonisme des races (dominatrices et dominées).

Thierry d'Argenlieu (Georges). V. Argenlieu.

Thiers, ch.-l. d'arr. du Puy-de-Dôme, sur la Durolle, affl. de la Dore; 15 407 hab. Import. centre de la coutellerie. – Maisons anciennes.

Thiers (Adolphe) (Marseille, 1797 – Saint-Germain-en-Laye, 1877), homme politique, journaliste et historien français. Avocat à Aix-en-Provence, il vint à Paris en 1821. Collaborateur du journal d'opposition *le Constitutionnel,* il publia une *Histoire de la Révolution* (1823-1827). En 1830, il fonda le journal *le National,* favorable à une monarchie parlementaire de type anglais, et contribua à faire monter Louis-Philippe sur le trône. Ministre de l'Intérieur (1832-1834), chef du gouvernement (1836 et 1840), Thiers fit preuve de fermeté à l'intérieur et à l'extérieur, face à la G.-B. Il quitta le pouvoir en 1840 et entreprit une monumentale *Histoire du Consulat et de l'Empire* (20 vol., 1845-1862). Revenu à la vie politique en fév. 1848, il ne put sauver la monarchie. Chef du parti de l'ordre sous la IIe République, proscrit durant un an après le 2 Décembre, élu député (orléaniste) en 1863, il s'éleva contre la politique des nationalités. Chef du pouvoir exécutif en fév. 1871, président de la République en août, il brisa la Commune («semaine sanglante», 22-28 mai). Recourant à l'emprunt, il put rapidement payer les indemnités de guerre imposées par le traité de Francfort; les troupes all. évacuèrent ainsi les 21 départements qu'elles occupaient. S'étant prononcé pour une république conservatrice, il s'aliéna les royalistes et dut démissionner (1873). Acad. fr. (1833). ► illustr. page **1863**

Thiès, v. du Sénégal, sur la voie ferrée Dakar-Niger; 150 000 hab.; ch.-l. de la région du m. nom. Commerce (arachides). Industries textiles. Traitement des phosphates de Taïba.

Thimbu. V. Thimphu.

Thimerais ou **Thymerais,** petit pays de France, dans le Perche (Eure-et-Loir). Autref., élevage des percherons; auj., de bovins.

Thimonnier (Barthélemy) (L'Arbresle, 1793 – Amplepuis, Rhône, 1857), inventeur français. Il mit au point, en 1830, la première machine à coudre.

Thimphu ou **Thimbu,** cap. du Bhoutan, à l'O. du pays; 20 000 hab.

Thinis, This ou **Thini,** v. de l'Égypte ancienne, cap. du territoire *thinite* (Haute-Égypte, près d'Abydos), berceau des deux premières dynasties pharaoniques, dites *thinites.*

thio(n)-. Élément, du gr. *theîon,* «soufre».

thionine n. f. CHIM Matière colorante du groupe des thiazines, appelée aussi *violet de Lauth.*

thionique adj. CHIM Se dit des acides contenant du soufre et de leurs dérivés.

Thionville, ch.-l. d'arr. de la Moselle, sur la Moselle; 40 835 hab. (env. 132 400 hab. dans l'aggl.); métropole d'équilibre avec Metz et Nancy. Centre sidérurgique et métallurgique. I.A.A.; engrais. – Vestiges de l'anc. place forte des comtes de Luxembourg. Maisons à arcades. Tour aux Puces (XIIIe s.).

thio-urée n. f. CHIM Dérivé sulfuré de l'urée, utilisé notam. dans l'industrie des matières plastiques. *Des thio-urées.*

Thiry (Marcel) (Charleroi, 1897 – Liège, 1977), écrivain belge d'expression franç.; poète (*Plongeantes Proues,* 1925), romancier et nouvelliste, attiré par l'insolite.

This. V. Thinis.

Thisbé, amie de Pyrame*.

thixotrope adj. PHYS Se dit d'un gel qui devient liquide quand on l'agite et qui reprend son état initial au repos.

thixotropie n. f. PHYS Propriété de certains colloïdes de se comporter comme des gels ou comme des liquides selon les contraintes auxquelles ils sont soumis.

thlaspi n. m. BOT Plante herbacée (genre *Thlaspi,* fam. crucifères) à fleurs blanches, commune dans les champs et les lieux incultes. Syn. téraspic.

Thoiry, com. des Yvelines (arr. de Rambouillet); 840 hab. Chât. (fin XVIe-XVIIe s.) dont le parc a été transformé en réserve d'animaux sauvages.

Thököly (Imre) (Késmárk, 1657 - Izmit, Turquie, 1705), homme de guerre hongrois. S'étant révolté contre l'empereur (1673), il se fit proclamer prince de Hongrie (1681) après avoir reçu l'aide des Turcs. Battu par les Autrichiens en 1697, il se réfugia en Turquie.

tholos [tɔlɔs] n. f. **1.** ARCHEOL Sépulture préhistorique ou protohistorique à coupole. **2.** ANTIQ GR Temple, édifice circulaire.

Thom (René) (Montbéliard, 1923), mathématicien français; connu pour ses travaux de topologie. À partir de 1972, il a exposé sa *Théorie des catastrophes**. Lauréat de la médaille Fields (1958).

Thomas (saint), surnommé *Didyme*, l'un des douze apôtres. Il ne crut à la résurrection de Jésus qu'après avoir touché ses plaies. Selon la tradition, il aurait prêché en Perse et en Inde.

Thomas Becket (saint) (Londres, 1117 ou 1118 - Canterbury, 1170), prélat et homme politique anglais. Chancelier d'Angleterre (1155), puis archevêque de Canterbury (1162), il s'opposa à l'asservissement de l'Église (Constitutions de Clarendon) par Henri II, qui le fit assassiner.

Thomas d'Aquin (saint) (Roccasecca, royaume de Naples, 1225 - abbaye de Fossanova, 1274), théologien et philosophe italien surnommé le «Docteur angélique»; docteur de l'Église. Issu d'une famille de petite noblesse féodale, il entra dans l'ordre de Saint-Dominique en 1240 (ou 1243). Disciple d'Albert le Grand, maître en théologie (1256), il enseigna successivement à Paris, à Rome, à Viterbe et à Naples. Ses princ. œuvres sont : la *Somme théologique* (1266-1273); la *Somme contre les gentils* (1258-1264); des *Commentaires*, sur Aristote, sur le *Livre des sentences* de Pierre Lombard, sur les Écritures; des *Quæstiones disputatæ* et *De Ente et Essentia (De l'Être et de l'Essence)*. Sa métaphysique repose sur une distinction première : chez tous les êtres créés, l'essence se distingue de l'existence. Seul Dieu existe par lui-même; son existence est établie dans la *Somme* par une suite d'arguments rationnels : rien ne peut s'expliquer sans Dieu, qui est, en outre, un Dieu «personnel» (celui de la Bible), avec l'amour comme première condition de son culte. En ce qui concerne le monde matériel, saint Thomas s'appuie sur la physique et la cosmologie d'Aristote. Quant à l'homme, il est bien constitué d'une âme et d'un corps; ces deux «parties» sont intimement liées et ne peuvent se concevoir l'une sans l'autre.

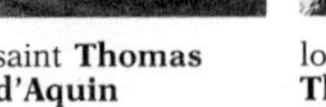

saint **Thomas d'Aquin**

lord **Kelvin Thomson**

L'objet de la morale est le bien, sa condition la liberté, son instrument la volonté. L'influence du *thomisme*, la plus grande synthèse théologique du Moyen Âge, qui vise à réconcilier l'essentiel de la pensée d'Aristote avec les dogmes chrétiens, a été forte et durable (jusqu'à Descartes, et même plus tard). Elle est à l'origine d'un courant de pensée contemporain dit *néo-thomiste* (J. Maritain, É. Gilson).

Thomas More ou **Morus** (saint) (Londres, 1478 - id., 1535), homme d'État et humaniste anglais. Chancelier du royaume en 1529, il abandonna sa charge en 1532, car il désapprouvait le divorce d'Henri VIII et la rupture du roi avec le pape. Persistant dans son attachement à l'Église romaine, il fut emprisonné (1535), condamné à mort et décapité. Il publia de nombr. écrits, notam. un roman politique et social en latin, *Utopie* (1515-1516; trad. angl., 1551).

Thomas d'Angleterre (fin du XIIe s.), trouvère anglo-normand; auteur d'un *Tristan* en vers.

Thomas (Ambroise) (Metz, 1811 - Paris, 1896), compositeur français. Auteur d'ouvrages lyriques qui ont connu un grand succès (*Mignon*, 1866; *Hamlet*, 1868), il fut directeur du conservatoire de Paris de 1871 jusqu'à sa mort.

Thomas (Sidney Gilchrist) (Londres, 1850 - Paris, 1885), inventeur anglais. Il mit au point, en 1876, le *procédé Thomas* de fabrication de l'acier, à partir de fontes riches en phosphore, traitées dans un convertisseur à revêtement intérieur basique.

Thomas (Albert) (Champigny-sur-Marne, 1878 - Paris, 1932), homme politique français. Député socialiste (1910), ministre de l'Armement (1916-1917), il présida et organisa le Bureau international du travail (1920-1932).

Thomas (Dylan Marlais) (Swansea, pays de Galles, 1914 - New York, 1953), poète gallois. Après *Dix-Huit Poèmes* (1934), *Vingt-Cinq Poèmes* (1936) et *Portrait de l'artiste en jeune chien* (1940), ses émissions à la B.B.C. firent connaître le «bouffon à la voix d'or», chantre moderne de l'absurdité. Il publia *Morts et initiations* (1946), *Poèmes choisis 1934-1952* (1952).

Thomas a Kempis (Thomas Hemerken, dit) (Kempen, Rhénanie, 1379 ou 1380 - Sint Agnietenberg, près de Zwolle, Pays-Bas, 1471), mystique allemand, auteur de l'*Imitation de Jésus-Christ*.

thomise n. m. ENTOM Araignée des champs, de taille moyenne, qui ne tisse pas de toile mais tend des fils isolés et qui se déplace latéralement.
► illustr. **araignées**

thomisme n. m. PHILO Ensemble des théories théologiques et philosophiques de saint Thomas d'Aquin, fondées sur la doctrine des *cinq voies*, c'est-à-dire des cinq preuves de l'existence de Dieu.

thomiste adj. et n. PHILO Relatif, propre au thomisme. ▷ Subst. Partisan du thomisme.

Thomson (James) (Ednam, Roxburghshire, 1700 - Richmond, 1748), poète écossais : *les Saisons* (1726-1730); quelques tragédies (*Coriolan*, posth., 1749).

Thomson (sir William), lord **Kelvin** (Belfast, 1824 - Netherhall, 1907), mathématicien et physicien anglais;

sir J. J. **Thomson** Maurice **Thorez**

connu pour ses travaux sur la chaleur, l'électricité et la géophysique. ▷ ELECTR *Effet Kelvin* : effet de peau*. ▷ PHYS *Échelle Kelvin* : échelle de température partant du zéro absolu.

Thomson (Elihu) (Manchester, 1853 - Swampscott, Massachusetts, 1937), inventeur et industriel américain d'origine anglaise. Cofondateur (1883) de la société Thomson-Houston (dont le concessionnaire en France, fondé en 1893, est devenu la Thomson S.A.), il mit au point de nombreuses inventions en électrotechnique.

Thomson (sir Joseph John) (Manchester, 1856 - Cambridge, 1940), physicien anglais. Il mesura la vitesse du rayonnement cathodique (1894), le rapport entre la charge et la masse de l'électron (1897), puis la valeur de cette charge (1898), et inventa le spectrographe de masse. P. Nobel 1906. — **Sir George Paget** (Cambridge, 1892 - id., 1975), fils du préc.; physicien connu pour ses travaux sur la diffraction des électrons dans les cristaux. P. Nobel 1937 (avec C. Davisson).

Thomyris. V. Tomyris.

thon n. m. Grand poisson téléostéen comestible (genres *Thynnus* et voisins) des mers chaudes et tempérées pouvant atteindre 4 m et peser 500 kg.

thon rouge

thonier, ère n. m. et adj. **1.** n. m. Bateau armé pour la pêche au thon. ▷ Pêcheur de thon. **2.** adj. *La production thonière.*

Thonon-les-Bains, ch.-l. d'arr. de la Haute-Savoie, sur une terrasse dominant le Léman; 30 667 hab. Fonderie; constr. électroméca. Stat. estivale et thermale (troubles urinaires).

Thor ou **Tor,** dieu scandinave du Tonnerre et de la Pluie bienfaisante, fils d'Odin et de Jord.

Thora. V. Torah.

thoracentèse [tɔʀasɛ̃tɛz] ou **thoracocentèse** [tɔʀakosɛ̃tɛz] n. f. CHIR Ponction de la paroi thoracique, destinée à évacuer un épanchement pleural.

thoracique adj. ANAT Du thorax, qui a rapport au thorax. *Cage thoracique* : squelette du thorax, constitué, en arrière par la partie dorsale de la colonne vertébrale, en avant par le sternum, latéralement par les côtes et les cartilages costaux.

thoracoplastie n. f. CHIR Opération destinée à modifier la structure de la cage thoracique et, par suite, le fonctionnement pulmonaire.

thoracotomie n. f. CHIR Ouverture chirurgicale de la cage thoracique.

thorax n. m. ANAT Partie supérieure du tronc, limitée par les côtes et le diaphragme. *Le thorax contient l'œsophage, la trachée, le cœur et les poumons.* ▷ ZOOL Région intermédiaire du corps des insectes et des crustacés supérieurs. (Chez les insectes, il comprend prothorax, mésothorax et métathorax; chez les crustacés, il est soudé à la tête : V. céphalothorax.)

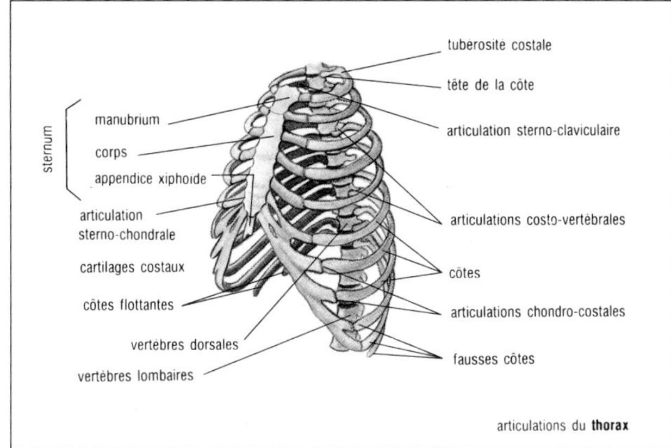

articulations du **thorax**

Thoreau (Henry) (Concord, Massachusetts, 1817 - id., 1862), écrivain américain. Adepte du transcendantalisme, proche d'Emerson* : *Désobéissance civile* (essai, 1849), *Walden ou la Vie dans les bois* (récit autobiographique et essai, 1854), *Journal* (posth., 14 vol., 1905), etc.

Thorez (*Tchistiakovo* jusqu'en 1964), ville d'Ukraine; 116 000 hab. Houille. Industr. métall.

Thorez (Maurice) (Noyelles-Godault, Pas-de-Calais, 1900 - en rade d'Odessa, 1964), homme politique français. Travaillant à la mine dès l'adolescence, il milita dans le parti communiste à partir de 1920. Secrétaire général du parti (1930), dont il resta la figure marquante jusqu'à sa mort, il fut l'un des promoteurs du Front* populaire. Au début de la Seconde Guerre mondiale, il gagna l'U.R.S.S. et fut condamné pour désertion; de retour en France (1944), amnistié, il fut ministre d'État chargé de la Fonction publique (1945-1946), puis vice-président du Conseil jusqu'en mai 1947. Thorez fut nommé président du parti communiste en 1964. Auteur d'ouvrages théoriques et d'une autobiographie, *Fils du peuple* (1937, remaniée en 1960).

thorium [tɔʀjɔm] n. m. CHIM Élément radioactif appartenant à la famille des actinides, de numéro atomique Z=90, de masse atomique 232,038 (symbole Th). - Métal (Th) de densité 11,7, qui fond à 1 750 °C et bout vers 4 790 °C.

Thorn. V. Toruń.

thoron n. m. CHIM Isotope du radon, de masse atomique 220, obtenu par désintégration du thorium X (isotope de masse atomique 224 du radium), corps radioactif qui se désintègre en émettant des rayons α. Syn. émanation du thorium.

Thoronet (Le), com. du Var (arr. de Draguignan); 1 164 hab. Métall. (aluminium). - Abbaye cistercienne (XIIe s.).

Thorshavn, cap. et port de l'archipel danois des Féroé (dans l'île Strømø); 14 750 hab.

Thorvaldsen (Bertel) (Copenhague, 1768 ou 1770 - id., 1844), sculpteur danois. Ses séjours à Rome (1797-1819 et 1821-1838) lui révélèrent la statuaire gréco-romaine. Il fut, avec Canova, la personnalité dominante du néo-classicisme : monument funéraire de Pie VII (1824-1831, basilique St-Pierre, Rome).

Thot, dieu égyptien du Savoir, inventeur des formules magiques, de l'écriture, des langages. Représenté comme un homme à tête d'ibis souvent ornée d'un disque lunaire, ou à tête de chien, il fut assimilé par les Grecs à Hermès Trismégiste.

Thou (François de) (Paris, 1607 - Lyon, 1642), magistrat français. Ami de Cinq-Mars*, il fut décapité avec lui pour avoir comploté contre Richelieu avec l'aide de l'Espagne.

Thouars, ch.-l. de cant. des Deux-Sèvres (arr. de Bressuire), au-dessus du Thouet; 11 338 hab. Abattoirs; conserveries. - Remparts (XIIe-XIIIe s.). Chât. (XVIIe s.). Égl. St-Laon (XIIe s., remaniée au XVe s.) et St-Médard (XIIe-XVe s.). - Érigé en duché pour les La Trémoille (1563), ce bastion huguenot ne se releva pas de la révocation de l'édit de Nantes.

Thouet (le), riv. du Poitou (140 km), affl. de la Loire (r.g.), en aval de Saumur.

Thoune (en all. *Thun*), v. de Suisse (Berne), sur l'Aar, à sa sortie du *lac de Thoune* (48 km²), formé dans sa vallée; 36 900 hab. Ville industrielle (métallurgie, constr. électriques). - École militaire. Château des Zähringen-Kyburg (XIIe s., auj. musée historique).

Thoutmès ou **Thoutmôsis,** nom de quatre pharaons égyptiens de la XVIIIe dynastie. - **Thoutmès Ier,** roi de 1530 (env.) à 1520 av. J.-C., fils et successeur d'Aménophis Ier. Il conquit une partie de la Nubie. - **Thoutmès II** (1520 - v. 1504 av. J.-C.), fils de Thoutmès Ier. Il épousa sa demi-sœur Hatshepsout. - **Thoutmès III** (1504 - 1450 av. J.-C.), fils du préc., à qui il ne succéda véritablement qu'après la mort de la reine Hatshepsout (1483). Grand conquérant (ses campagnes repoussèrent les frontières de l'Égypte jusqu'à l'Euphrate), il fit construire de nombr. monuments dans tout le royaume. Sa sépulture est dans la Vallée des Rois* (Thèbes). - **Thoutmès IV** (v. 1425 - 1405 av. J.-C.), fils et successeur d'Aménophis II. Il s'allia avec le royaume de Mitanni contre les Hittites.

Thot et Osiris, peinture du temple de Séthi Ier, XIXe dynastie; Abydos

thrace adj. et n. **1.** HIST Des Thraces. ▷ Subst. *Les Thraces.* **2.** Mod. De la Thrace. *La plaine thrace.*

Thrace (en gr. *Thráki*, en turc *Trakya*), région d'Europe, entre la mer Noire et la mer Égée. La partie occid. est rattachée à la région grecque et à la région de la C.E. de Macédoine-Orientale et Thrace (14 157 km²; 577 000 hab.; cap. *Komotini*), alors que la Thrace orientale forme la Turquie d'Europe (23 764 km²; 5 102 000 hab.; v. princ., *Istanbul*). - Au IIe millénaire av. J.-C., les *Thraces*, peuple d'origine indo-européenne, occupèrent un territoire situé entre le Danube, la mer Égée et la mer Noire. Ils vécurent longtemps à l'écart des Grecs, qui commencèrent à coloniser la Thrace maritime (côte égéenne) au déb. du VIIe s. av. J.-C. Soumise par les Perses de Darios Ier (v. 512 av. J.-C.), cette région fut ensuite contrôlée par les Athéniens de 475 à 462, puis passa sous la domination macédonienne (IVe s. av. J.-C.). Les Romains s'implantèrent en Thrace méridionale entre 168 et 133 av. J.-C.; ils annexèrent la Thrace septentrionale (v. 6 apr. J.-C.) puis firent de l'ensemble du pays une province (46). Au IVe s., la Thrace fut envahie par les Barbares. Les Slaves, qui s'y installèrent au VIIe s., subirent l'influence grecque. Plus tard, la région, conquise par les Ottomans (XIVe s.), forma la prov. de Roumélie. La partie septentrionale (Roumélie-Orientale) fut annexée par la Bulgarie en 1885, et dès lors le nom de Thrace fut réservé à la partie méridionale. Conquise par les Bulgares en 1912-1913, celle-ci fut partagée (1919-1923) entre la Turquie et la Grèce.

Thrasybule (?, v. 445 - Aspendos, 388 av. J.-C.), général et homme politique athénien. Regroupant les démocrates bannis d'Athènes par les Trente* Tyrans, il renversa ces derniers (403), rétablit la démocratie et engagea Athènes dans la ligue des cités soulevées contre Sparte (395).

thriller [tʀilœʀ] n. m. (Anglicisme) Film, roman dont l'intrigue (policière, fantastique) est surtout prétexte à des scènes violentes ou angoissantes qui font frémir.

thrips [tʀips] n. m. ENTOM Insecte de très petite taille (genre *Thrips*, nombreuses espèces) aux quatre ailes longues et étroites, qui vit en parasite sur les plantes et sous l'écorce des arbres.

thromb(o)-. Élément, du gr. *thrombos*, « caillot ».

thrombine ou **thrombase** n. f. BIOCHIM Enzyme qui provoque la coagulation du sang en transformant le fibrinogène en fibrine.

thrombocyte n. m. BIOL Syn. de *plaquette*.

thrombocytopénie ou **thrombopénie** n. f. MED Diminution anormale du nombre des plaquettes sanguines.

thrombocytose n. f. MED Augmentation anormale du nombre des plaquettes sanguines.

thrombolyse n. f. MED Dissolution d'un caillot dans un vaisseau sanguin.

thrombolytique adj. et n. m. MED Se dit d'une substance ou d'une technique permettant la dissolution d'un caillot sanguin. ▷ n. m. Substance qui permet cette dissolution.

thromboplastine n. f. BIOCHIM Enzyme nécessaire à la coagulation du sang, transformant la prothrombine en thrombine.

thrombose n. f. MED Formation d'un caillot *(thrombus)* dans un vaisseau sanguin ou dans une cavité du cœur; troubles qu'elle entraîne.

Thucydide (en gr. *Thoukudidês*) (Athènes, v. 465 –?, apr. 395 av. J.-C.), historien grec. Élu stratège en 424 av. J.-C., il commanda une flotte chargée de la surveillance des côtes de Thrace, mais, après la prise d'Amphipolis par les Spartiates, il dut s'exiler jusqu'en 404. Il entreprit l'*Histoire de la guerre du Péloponnèse*. Éliminant le recours à la mythologie, il démonta le mécanisme de la guerre. On le considère comme l'un des précurseurs de la science historique.

thug [tyg] n. m. et adj. RELIG Adepte d'une ancienne secte religieuse de l'Inde (XIIe-XIXe s.) dont les membres, adorateurs de la déesse Kālī, pratiquaient le meurtre rituel par strangulation. ▷ adj. (inv. en genre) *Rite thug.*

Thulé, nom donné par les Anciens à la plus septentrionale des terres alors connues, p.-ê. l'une des îles Shetland ou des Féroé.

Thulé, base américaine du Groenland, dans le N. de la baie de Baffin.

thulium [tyljɔm] n. m. CHIM Élément appartenant à la famille des lanthanides, de numéro atomique Z = 69, de masse atomique 168,934 (symbole Tm). – Métal (Tm) de densité 9,32, qui fond à 1 545 °C et bout à 1 947 °C.

Thun. V. Thoune.

Thunder Bay, v. du Canada (Ontario), au fond de la *Thunder Bay* (baie de Thunder), sur le lac Supérieur, née de la fusion, en 1970, des villes de Port Arthur et de Fort William; 113 900 hab. Port céréalier.

thune n. f. Arg., vx Pièce de cinq francs. – *Par ext.* Argent. *Ne pas avoir une thune* : être complètement démuni d'argent.

Thur (la), riv. d'Alsace (60 km), affl. de l'Ill (r. g.); arrose Thann et Cernay.

Thur (la), riv. de Suisse (125 km), affluent du Rhin (r. g.), en aval de Schaffhouse.

Thuret (Gustave Adolphe) (Paris, 1817 – Nice, 1875), botaniste français. Il décrivit, le premier, la fécondation des algues brunes. Il a fondé à Antibes le jardin botanique qui porte son nom.

Thurgovie (en all. *Thurgau*), cant. de Suisse, sur le lac de Constance; 1 013 km^2; 208 900 hab.; ch.-l. *Frauenfeld*.

thuriféraire n. m. **1.** LITURG Clerc qui porte l'encensoir. **2.** Fig., litt. Flatteur, adulateur.

Thuringe (en all. *Thüringen*), Land d'Allemagne et région de la C.E.; 16 251 km^2; 2 684 000 hab.; cap. *Erfurt*. Il est formé du *bassin de Thuringe*, zone de plateaux disloqués riches en sel et en potasse, et d'un massif, le *Thüringerwald*, la « forêt de Thuringe ». Industrialisée (optique, textiles, constr. mécaniques, etc.), la rég. compte des villes fort anciennes (Weimar, Iéna, Erfurt, etc.). – Peuplée par les *Thuringiens*, tribu germanique, la région fut conquise par les Francs (VIe s.). Marche carolingienne en 804, elle fut intégrée au royaume de Germanie en 840 avant de passer aux ducs de Saxe (IXe s.). Longtemps morcelée, par la suite, en principautés, la Thuringe fut regroupée en un seul Land en 1920 et passa en 1946 à la R.D.A. Le Land, supprimé en 1952, fut rétabli en 1990.

Thurium ou **Thurii,** v. de l'Italie anc. (Lucanie), fondée en 444 av. J.-C. près de Sybaris par des colons athéniens (parmi lesquels Hérodote et Lysias), et devenue latine en 183 sous le nom de *Copiæ*; il n'en reste que quelques ruines près de Villapiana Lido.

thurne. V. turne.

Thurrock, v. de G.-B. (Comté d'Essex); 124 300 hab. Centre industr. de la banlieue est de Londres.

thuya [tyja] n. m. Conifère ornemental aux petits cônes ligneux, originaire d'Asie du N. et d'Amérique du N., dont une espèce courante fournit une résine aromatique et un bois apprécié en ébénisterie. ▷ Bois de cet arbre.

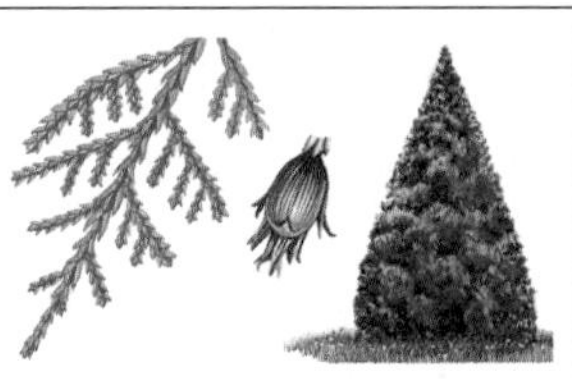

thuya géant : rameau et cône

Thyeste, dans la myth. gr., fils de Pélops et frère d'Atrée. Il séduisit sa belle-sœur Aéropé; Atrée tua les fils de Thyeste et les lui servit au cours d'un banquet.

thylacine n. m. ZOOL Mammifère marsupial carnivore, de la taille d'un loup, au pelage tigré, appelé aussi *tigre de Tasmanie* ou *loup marsupial*.

thym [tɛ̃] n. m. Petite plante aromatique (fam. labiées), souvent ligneuse, des garrigues méditerranéennes, aux feuilles petites et entières, aux fleurs roses ou blanchâtres. *Thym sauvage* ou *serpolet*, aux petites fleurs violet-rose. *Thym ordinaire*, utilisé comme condiment et plante médicinale (propriétés stomachiques, diurétiques, etc.).

Thymerais. V. Thimerais.

thymidine n. f. BIOCHIM Nucléoside constitué par l'association de la thymine et d'un pentose, le ribose. (Son dérivé, la thymidine-phosphate, est un constituant spécifique de l'acide désoxyribonucléique.)

-thymie, thymique. Éléments, du gr. *-thumia*, de *thumos*, « cœur, affectivité ».

thymine n. f. BIOCHIM Base pyrimidique, constituant normal de l'acide désoxyribonucléique.

thymique adj. Du thymus; relatif au thymus.

thymol n. m. CHIM Phénol contenu dans les essences de certaines labiées (dont le thym) et ombellifères, et qu'on utilise comme antiseptique.

thymus [timys] n. m. ANAT Glande ovoïde située à la base du cou, en arrière du sternum, qui joue un rôle endocrinien et immunitaire (production de lymphocytes, notam.). *Le thymus, très développé chez l'enfant, régresse après la puberté.* ▷ *Thymus de veau* : V. ris.

thyréostimuline ou **thyrostimuline** n. f. BIOCHIM Syn. de *hormone thyréotrope*.

thyréotrope adj. BIOCHIM *Hormone thyréotrope* : hormone sécrétée par la partie antérieure de l'hypophyse, qui stimule la sécrétion des hormones thyroïdiennes.

thyristor n. m. ELECTR Composant semi-conducteur à trois électrodes, permettant d'obtenir un courant de même sens et d'intensité réglable dans un circuit alimenté par une source alternative.

thyrocalcitonine n. f. BIOCHIM Hormone sécrétée par la thyroïde, inhibitrice du catabolisme osseux, qui joue un rôle important dans la régulation de la calcémie. Syn. calcitonine.

thyroglobuline n. f. BIOCHIM Protéine qui assure le transport des hormones thyroïdiennes de la glande sécrétrice jusqu'aux organes où elles sont utilisées.

thyroïde adj. et n. f. ANAT **1.** *Cartilage thyroïde* : principal cartilage du larynx, qui forme chez l'homme la saillie appelée pomme d'Adam. **2.** *Glande* ou *corps thyroïde* ou, n. f., *thyroïde* : glande endocrine située en avant du larynx, composée de deux lobes allongés réunis par un isthme. (V. thyroxine.)

thyroïdectomie n. f. CHIR Ablation totale ou partielle de la thyroïde.

thyroïdien, enne adj. ANAT, MED Relatif, propre à la thyroïde.

thyronine n. f. BIOCHIM Acide aminé, précurseur des hormones thyroïdiennes.

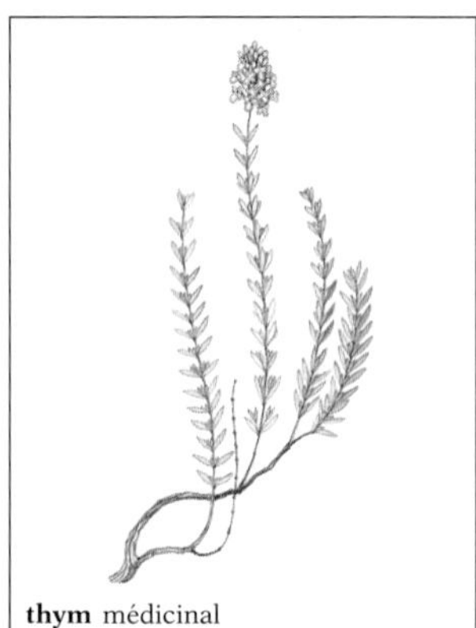

thym médicinal

thyrostimuline. V. thyréostimuline.

thyroxine n. f. BIOCHIM Principale hormone thyroïdienne. *La thyroxine favorise la croissance.*

thyrse n. m. **1.** ANTIQ Long bâton entouré de lierre ou de rameaux de vigne et surmonté d'une pomme de pin, un des attributs de Bacchus. **2.** BOT Panicule rameuse et dressée de certaines plantes. *Thyrses du lilas.*

thysanoures n. m. pl. ENTOM Ordre de petits insectes aptères, sans métamorphoses, vivant dans les endroits humides (*lépisme* ou *poisson d'argent*, etc.). – Sing. *Un thysanoure.*

Ti CHIM Symbole du titane.

Tiahuanaco, site archéologique de Bolivie, près de la rive S. du lac Titicaca (3 900 m d'alt.). Centre d'une civilisation préinca originale et prospère. Porte monolithe dite *porte du Soleil.*

tian n. m. Rég. En Provence, grand plat de terre allant au four; gratin de légumes ou de poisson cuit dans ce plat.

Tianjin ou **T'ien-tsin,** v. de la Chine du N., municipalité auton. dans le Hebei, port import. sur le Haihe; 5 700 000 hab. (aggl. urb. 7 790 160 hab.). Grand centre industriel (text., alim., métall. etc.). – Trois traités y furent signés : celui de 1858 donnait aux Britanniques, aux Français, aux Américains et aux Russes onze ports; ceux de 1884 et 1885 réglaient le conflit avec la France au sujet de l'Annam et du Tonkin. De 1900 à 1907, après la révolte des Boxers, la ville fut administrée par une commission internationale.

Tianshan (en russe *Tian-chan*), haute chaîne montagneuse de l'Asie centrale (7 439 m au pic Pobiedy), s'étendant au Kirghizistan et en Chine (Xinjiang), sur près de 3 000 km d'O. en E. Elle est difficilement franchissable, notam. à l'est.

tiare n. f. **1.** Haute coiffure à triple couronne que portait le pape dans les cérémonies solennelles. (Elle n'est plus portée depuis le couronnement de Paul VI.) ▷ Fig. *Coiffer la tiare* : être investi de la dignité pontificale, devenir pape. **2.** HIST Ornement de tête, symbole de souveraineté, chez les dieux et les rois de l'Orient ancien et à Byzance.

tiaré n. m. Plante de Polynésie dont les fleurs, très parfumées, sont utilisées en parfumerie.

Tiaret (auj. *Tihert*), v. d'Algérie, au pied S. de l'Ouarsenis; env. 106 560 hab.; ch.-l. de wil. Import. centre comm. – Ruines de Tâhert, anc. cap. d'un royaume kharidjite (VIIe-Xe s.).

Tibère (en lat. *Tiberius Julius Caesar*) (Rome, v. 42 av. J.-C. – Misène, 37 apr. J.-C.), empereur romain (14-37 apr. J.-C.). Fils de Tiberius Claudius Nero et de Livie, épouse d'Auguste en secondes noces, il fut adopté par ce dernier qui l'obligea à épouser sa fille Julie et à adopter à son tour Germanicus*. Devenu empereur, Tibère affermit les institutions d'Auguste, maintint les frontières, réorganisa les finances. Il restaura les pouvoirs du Sénat, avant de se heurter à l'opposition des sénateurs. Souverain misanthrope, il quitta définitivement Rome pour Capri (27), d'où il continua d'exercer le pouvoir avec fermeté et dureté. Caligula lui succéda.

Tibère II (m. en 582), empereur d'Orient (578-582). Il remporta des succès contre les Perses, mais ne put empêcher l'avance des Slaves et des Avares dans les Balkans.

Tibère III (m. en 705), empereur d'Orient (698-705), exécuté sur l'ordre de Justinien II, qui avait repris son trône avec l'appui bulgare.

Tibériade ou **Génésareth** (lac de), lac de Palestine (Israël) traversé par le Jourdain et occupant en partie la dépression de Ghor (200 m au-dessous du niveau de la mer); 200 km^2.

Tibériade (en ar. *Ṭabariyyah*), v. d'Israël, sur la rive occidentale du *lac de Tibériade*; 28 240 hab. – Elle a été la capitale intellectuelle du monde juif après la chute de Jérusalem (70 apr. J.-C.).

Tibesti, massif cristallin et volcanique du Sahara (3 415 m à l'Emi Koussi), dans le N. du Tchad, peuplé par les Toubous.

Tibet (en chinois *Xizang*), rég. autonome du S.-O. de la Chine; 1 221 600 km^2; env. 2 millions d'hab. (Tibétains); ch.-l. *Lhassa.* – Plus de la moitié du pays dépasse 3 500 m d'alt. Sillonné par des chaînes de montagnes (Kunlun au N., Transhimalaya au S., à plus de 6 000 m), entrecoupé de plateaux désertiques, le Tibet a un climat très froid et sec, sauf dans le S. (bassin sup. du Zangbo ou Brahmapoutre), où se concentre la pop., qui vit de l'agriculture (céréales, légumes), de l'élevage (moutons, chèvres, yacks) et de l'artisanat (textiles, cuir). Les Chinois ont construit deux grandes routes, insuffisantes toutefois pour désenclaver la région. Les surfaces irriguées s'étendent et le bétail, mieux soigné, augmente régulièrement. – Au VIIe s. s'établit au Tibet un royaume centralisé, sur le modèle chinois, qui domina toute l'Asie centrale. Les bouddhistes indiens y exercèrent une forte influence. Au IXe s., le pouvoir s'émietta; les différentes sectes bouddhistes et l'aristocratie se le disputèrent, tandis que la Chine affirmait une suzeraineté nominale. Au XVe s. se forma une théocratie lamaïste avec deux chefs spirituels et temporels : le *dalaï-lama* et le *panchen-lama;* au XVIIe s., le dalaï-lama prédomina. Au XVIIIe s., la Chine imposa son protectorat, fermant peu à peu le Tibet aux influences étrangères, jusqu'en 1904, date à laquelle la G.-B. obtint des privilèges commerciaux. S'appuyant sur le panchen-lama (décédé en janv. 1989), la Chine populaire revendiqua le territoire tibétain et y fit entrer ses troupes en 1950. Les résistances face au système chinois (abolition du servage, mais athéisme et lourde tutelle politique) conduisirent à une révolte (1959), et le dalaï-lama dut se réfugier en Inde. Des émeutes antichinoises, en 1987, 1988 et 1989, ont fait plusieurs dizaines de morts. De mars 1989 à mai 1990, la loi martiale a été décrétée. Le prix Nobel de la paix a été attribué la même année au dalaï-lama. – L'art du Tibet est étroitement lié aux rites du lamaïsme. L'ornementation des bannières (*tanka*, ou rouleaux à peinture) révèle des influences indiennes, népalaises, voire chinoises. La sculpture s'inspire généralement de la statuaire indienne (petits bronzes dorés exécutés à la cire perdue). Les objets d'art sont d'abord des objets religieux : attributs des lamas, moulins à prières, instruments de musique. L'architecture, puissamment insérée dans le paysage, est princ. représentée par des monastères (Potala de Lhassa, XVIIe s.) et des forteresses.

tibétain, aine adj. et n. **1.** adj. Du Tibet. **2.** n. m. *Le tibétain* : la langue du groupe tibéto-birman parlée au Tibet, au Népal et au Bhoutan.

tibéto-birman, ane adj. LING *Langues tibéto-birmanes* : groupe de langues le plus important de la famille sino-tibétaine, comprenant notam. le tibétain et le birman, parlées en Birmanie, au Tibet, dans le N. de l'Inde, au Népal et en Chine du Sud.

tibia n. m. **1.** Le plus gros des deux os de la jambe, qui forme la partie interne de celle-ci. V. péroné. **2.** ZOOL Article de la patte faisant suite au fémur chez les arthropodes.

tibial, ale, aux adj. ANAT Du tibia; relatif au tibia.

Tibre (le) (en ital. *Tevere*), fl. d'Italie (396 km); naît à 1 268 m d'alt., au mont Fumaiolo (Apennin), draine la Toscane, l'Ombrie et le Latium; il traverse Rome et se jette dans la mer Tyrrhénienne près d'Ostie.

Tibulle (en lat. *Albius Tibullus*) (v. 50 – 19 ou 18 av. J.-C.), poète latin, ami d'Horace et de Virgile. Il a laissé des *Élégies* pleines de charme et de délicatesse.

Tibur, v. de l'Italie anc. (auj. *Tivoli*). Lieu de villégiature dans l'Antiquité; lieu d'un oracle (*Sibylle de Tibur*). – Vestiges du palais impérial, dit *villa Hadriana* (d'Hadrien).

tic n. m. **1.** VETER Chez le cheval, aérophagie éructante accompagnée de contractions musculaires (mouvements de la tête, de l'encolure, etc.). **2.** Cour. et MED Mouvement convulsif, répété automatiquement (contraction musculaire locale, geste réflexe ou automatique). **3.** Fig. Habitude, manie. *Un tic de langage.*

tichodrome [tikɔdʀom] n. m. ORNITH Oiseau passériforme gris aux ailes rouges, qui grimpe le long des rochers de haute montagne.

1. ticket n. m. **1.** Billet d'acquittement d'un droit d'entrée, de transport, etc. *Ticket de métro, de quai.* ▷ *Ticket-restaurant* (nom déposé) ou *ticket-repas :* chèque*-restaurant. ▷ ECON *Ticket d'entrée* : montant des investissements qu'il faut consentir pour s'introduire sur un marché. **2.** *Ticket modérateur :* quote-part de frais médicaux et pharmaceutiques qu'un organisme de sécurité sociale laisse à la charge de l'assuré. **3.** Fam., vieilli Billet de mille anciens francs (valeur actuelle : dix francs). *Ça m'a coûté trois cents tickets.* **4.** Loc. fam. *Avoir un* (ou *le*) *ticket avec qqn,* lui plaire, en termes de séduction galante.

2. ticket n. m. (Américanisme) Aux É.-U., équipe formée par les deux candidats (à la présidence et à la vice-présidence) d'un même parti pour les élections présidentielles.

tic-tac ou **tic tac** n. m. inv. Bruit sec et cadencé d'un mécanisme, d'un mouvement d'horlogerie.

tictaquer v. intr. [1] Faire entendre un tic-tac. *Montre qui tictaque.*

Tidikelt, rég. du Sahara algérien, au S. du plateau du Tademaït, autour d'In-Salah.

tie-break [tajbʀɛk] n. m. (Anglicisme) SPORT Au tennis, jeu en 13 points, instauré pour abréger la partie quand les joueurs sont à 6 jeux partout, et qui accorde la victoire au premier qui, à partir de 7 points, mène avec 2 points d'avance. *Des tie-breaks.* Syn. (off. recommandé) jeu décisif.

Tieck (Ludwig) (Berlin, 1773 – id., 1853), écrivain allemand. Influencé par le *Sturm und Drang*, il orienta l'esthétique romantique vers le fantastique et la légende médiévale : *Vie et mort de sainte Geneviève*, drame historique (1799); *Phantasus*, recueil de contes (1812-1816).

tiédasse adj. Péjor. D'une tiédeur désagréable. *Café tiédasse.*

tiède adj., adv. (et n.) **1.** Qui est entre le chaud et le froid; légèrement chaud. *Une eau, un air tiède.* ▷ adv. *Boire tiède.* **2.** Fig. Qui manque d'ardeur, de ferveur ou de conviction. *Partisan tiède. Foi tiède.* ▷ Subst. *C'est un tiède.*

tièdement adv. Fig. Avec tiédeur (sens 2), sans entrain.

tiédeur n. f. **1.** État de ce qui est tiède. *La tiédeur de l'haleine.* ▷ Litt. (Surtout au plur.) Douceur ambiante. *Les tiédeurs printanières.* **2.** Fig. Manque d'ardeur, de zèle. *Tiédeur d'un accueil.*

tiédir v. [3] **1.** v. intr. Devenir tiède. *Le vent tiédit.* ▷ Fig. *Sa passion a tiédi.* **2.** v. tr. Rendre tiède; chauffer légèrement. *Tiédir du lait.*

tiédissement n. m. Action, fait de tiédir.

tien, tienne adj., pron. poss. de la 2ᵉ pers. du sing. et n. **I.** adj. poss. À toi. *Une tienne connaissance. Ce livre est tien.* **II.** pron. poss. Ce qui est à toi; la personne qui t'est liée (par tel rapport qu'indique la phrase). *J'ai mes soucis, tu as les tiens. Mon patron et le tien.* – Fam. *À la tienne!* : à ta santé! **III.** n. **1.** n. m. *Le tien* : ton bien (par oppos. à *le mien*). *Disputer sur le mien et le tien*, sur des questions de propriété. ▷ (Partitif) *Mets-y du tien* : fais un effort, des concessions. **2.** n. m. pl. *Les tiens* : tes parents, tes amis, tes alliés. *Adresse-toi aux tiens.* **3.** n. f. pl. *Des tiennes* : de tes sottises, de tes folies habituelles. *Tu as encore fait des tiennes!*

Tienen. V. Tirlemont.

T'ien-tsin. V. Tianjin.

Tiepolo (Giambattista) (Venise, 1696 – Madrid, 1770), peintre et graveur italien. Fécond décorateur baroque, il fit à Venise, à Milan, à Würzburg et à l'Escorial de grandes fresques, aux tons clairs et au dessin léger. Il a également laissé des séries d'eaux-fortes : *Caprices*, *Jeux de fantaisie*. – **Giandomenico** (Venise, 1727 – id., 1804), peintre et dessinateur italien, fils et collab. du préc., il sut dégager sa propre personnalité (*Polichinelles*).

tierce n. f. **1.** MUS Intervalle de trois degrés. *Tierce majeure* (par ex., de *do* à *mi* naturel). *Tierce mineure* (de *do* à *mi* bémol). **2.** METROL Anc. Soixantième partie d'une seconde. **3.** RELIG CATHOL Prière récitée à la troisième heure après prime (c.-à-d. vers 9 heures du matin). **4.** JEU Suite de trois cartes de la même couleur. **5.** SPORT En escrime, position de la main du tireur, les ongles dessous et la lame dirigée dans la ligne du dessus.

tiercé, ée adj. et n. m. **1.** *Pari tiercé* ou, n. m., *un, le tiercé* : forme de pari mutuel dans laquelle il faut désigner les trois premiers chevaux d'une course. *Tiercé dans l'ordre, dans le désordre.* **2.** HERALD Se dit d'un écu divisé en trois parties. **3.** AGRIC Qui a subi un troisième labour. *Un champ tiercé.*

tiers, tierce [tjɛʀ, tjɛʀs] n. m. et adj. **I.** n. m. **1.** Troisième personne. *N'en parlez pas devant un tiers!* – Loc. fam. Vieilli *Se moquer du tiers comme (ou, et) du quart*, de tout le monde. **2.** Partie d'un tout divisé en trois parties égales. *Le tiers de neuf est trois.* **3.** DR Personne qui n'est pas partie à une convention. – Ayant cause à titre particulier. ▷ *Tiers payant* : système dans lequel la caisse d'un organisme de sécurité sociale règle directement le créancier. ▷ *Tiers provisionnel* : fraction payable d'avance de l'impôt annuel sur le revenu. **II.** adj. **1.** Loc. *Une tierce personne* : une troisième personne. **2.** *Le tiers état* ou, ellipt., *le tiers* : sous l'Ancien Régime, fraction de la population n'appartenant ni à la noblesse ni au clergé. **3.** RELIG CATHOL *Tiers ordre régulier* : institut religieux, de statut identique à celui d'un ordre, groupant des clercs ou des religieuses. *Tiers ordre séculier*, rassemblant des catholiques vivant dans le monde et soucieux de se perfectionner en s'inspirant de la spiritualité de tel ou tel ordre religieux. **4.** DR *Tiers porteur* : cessionnaire d'une lettre de change. – *Tiers détenteur* : personne qui détient un immeuble grevé d'un privilège ou d'une hypothèque sans être personnellement tenue de la dette ainsi garantie. – *Tiers arbitre* : arbitre désigné pour départager, en cas de désaccord, les arbitres précédemment nommés. **5.** MED *Fièvre tierce* : fièvre intermittente dont les accès reviennent tous les trois jours, observée dans certaines crises de paludisme.

tiers monde ou **tiers-monde** n. m. Ensemble des pays en voie de développement.

tiers-mondisme n. m. Didac. Solidarité avec le tiers monde.

tiers-mondiste adj. et n. Didac. **1.** adj. Qui se rapporte au tiers-mondisme. **2.** n. Qui se sent solidaire du tiers monde, partisan du tiers-mondisme. *Des tiers-mondistes.*

Giandomenico **Tiepolo** : *Scène de carnaval*, huile sur toile, 1745-1750; musée du Louvre

tiers-point n. m. TECH Lime à section triangulaire. *Des tiers-points.*

tif ou **tiffe** [tif] n. m. Fam. Cheveu.

Tiffany (Charles Lewis) (Killingly, Connecticut, 1812 – New York, 1902), joaillier et orfèvre américain (argenterie). – **Louis Comfort** (New York, 1848 – id., 1933), fils du préc.; peintre et verrier américain, l'un des maîtres de l'art nouveau : vitraux et vases en verre soufflé.

Tiffauges, com. de la Vendée (arr. de La Roche-sur-Yon); 1 222 hab. Industr. du plastique. – Vestiges du château (XIIᵉ, XIVᵉ, XVᵉ s.) de Gilles de Rais.

tifinagh [tifinaʀ] n. m. Didac. Alphabet touareg*.

Tiflis. V. Tbilissi.

tige n. f. **1.** Partie aérienne des végétaux supérieurs, qui porte les feuilles, les bourgeons et les organes reproducteurs. ▷ Fig. *Tige d'un arbre généalogique* : ancêtre dont sont issues les branches d'une famille. **2.** Pièce longue et mince, souvent cylindrique. *Tige métallique.* ▷ Partie allongée et mince de certains objets. *Tige d'une clé*, entre l'anneau et le panneton. *La tige d'une colonne*, son fût. **3.** Partie d'une chaussure, d'une botte, qui enveloppe la cheville, la jambe. **4.** AVIAT Fig. et fam. *Les vieilles tiges* : les pionniers de l'aviation (du nom du levier de commande appelé aussi «manche à balai»).

tigelle n. f. BOT Tige de la plantule.

Tighina. V. Bender.

Tiglat-Phalazar. V. Téglath-Phalasar.

tiglon. V. tigron.

tignasse n. f. Péjor. Chevelure touffue, mal peignée.

Tignes, com. de la Savoie (arr. d'Albertville), en Tarentaise; 2 006 hab. Sports d'hiver (la plus haute station d'Europe, 2 100 à 3 550 m). Import. barrage sur l'Isère (lac du Chevril).

Tigrane le Grand (v. 121 – v. 54 av. J.-C.), roi d'Arménie (95-54 av. J.-C.); conquérant de la Mésopotamie du N., d'une partie de la Cilicie et de la Syrie du N. Vaincu par Licinius Lucullus (69-68 av. J.-C.), il devint un vassal de Rome lorsque Pompée envahit l'Arménie (66 av. J.-C.).

tigre, esse n. **1.** n. m. Félin (*Panthera tigris*, fam. félidés) le plus grand et le plus puissant, au pelage jaune rayé transversalement de noir. *Feulement du tigre.* ▷ n. f. *La tigresse est la femelle du tigre.* **2.** n. m. Fig., litt. Homme cruel, sanguinaire. ▷ n. f. Fig. Femme très jalouse, au comportement agressif. **3.** n. m. ENTOM *Tigre du poirier* : hétéroptère nuisible.

Tigre (le), fl. de Mésopotamie (1 950 km); il naît dans le Taurus (Turquie orient.) et draine l'Irak, arrosant Mossoul et Bagdad, puis rejoint l'Euphrate pour former le Chatt al-

tigre royal

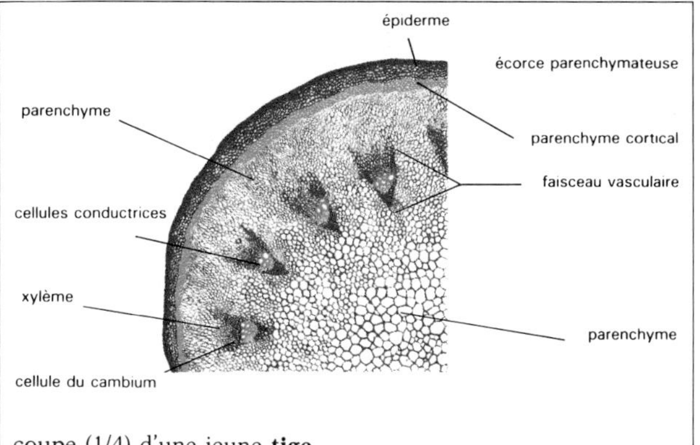

coupe (1/4) d'une jeune **tige**

Arab, tributaire du golfe Persique. Son régime très irrégulier (inondations meurtrières jusqu'en 1954) a été assagi par les barrages de Kut, de Samarra et de Dukan, qui permettent en outre l'irrigation.

tigré, ée adj. Rayé comme un tigre. *Chat tigré.*

Tigré, prov. et anc. royaume du N. de l'Éthiopie, 65 900 km²; 2 410 000 hab.; ch.-l. *Mekele* (env. 60 000 hab.).– *L'ethnie tigré* (1 500 000 individus env.) a lutté pendant plus de quinze ans contre le pouvoir central d'Addis-Abeba, jusqu'à son renversement en 1991. Le chef du Front populaire de libération du Tigré, M. Zenawi, devient alors président du gouvernement provisoire d'Éthiopie*.

tigresse. V. tigre.

tigron, onne ou **tiglon, onne** n. ZOOL Félidé hybride d'un tigre et d'une lionne.

Tijuana, v. du N.-O. du Mexique, près de San Diego (É.-U.); 742 680 hab. (env. 2 millions d'hab. dans l'aggl.). Centre industriel, commercial et touristique.

Tikal, site archéologique du Guatemala (Petén) où des fouilles, entreprises en 1956, ont mis au jour les vestiges de la plus importante des villes mayas : temples-pyramides, palais, etc.

Tilburg, v. des Pays-Bas (Brabant-Septentrional), sur le canal Wilhelmine; 154 430 hab. Centre lainier. Industr. mécaniques et électriques.

tilbury [tilbyʀi] n. m. Anc. Cabriolet léger à deux places, ordinairement découvert. *Des tilburys.*

Tikal : stèles et autels sur la Plaza Major, au pied de l'acropole nord (temples successifs construits sur des plates-formes de plus en plus élevées), Vᵉ-Xᵉ s.

tilde n. m. En espagnol, signe (˜) que l'on met au-dessus de la lettre *n* pour lui donner le son mouillé [ɲ].

tillac [tijak] n. m. MAR Anc. Pont supérieur d'un navire.

tillandsie [tilɑ̃dsi] n. f. ou **tillandsia** [tilɑ̃dsja] n. m. BOT Plante d'Amérique tropicale, qui fournit un crin végétal.

tilleul n. m. **1.** Arbre des régions tempérées et subtropicales de l'hémisphère Nord, aux fleurs jaunes odorantes. **2.** Inflorescences séchées du tilleul, employées pour préparer une tisane sédative. *Sachet de tilleul.* ▷ Cette boisson. *Une tasse de tilleul.* **3.** Bois tendre et de grain régulier du tilleul utilisé dans la fabrication des crayons, des allumettes et pour certains ouvrages de sculpture ou de lutherie. *Coffret en tilleul.*

tilleul à grandes feuilles, avec sa graine et, à g., sa fleur

Till Eulenspiegel (primitivement *Utlenspiegel*, « Miroir aux chouettes »; en français *Till l'Espiègle*), personnage légendaire d'origine allemande dont le modèle est sans doute un bouffon professionnel du XIVᵉ s. Ses multiples aventures, magnifiées par la tradition orale, ont été diffusées à partir de 1480; on en a fait un héros de la guerre des Gueux (V. gueux).

Tillich (Paul) (Starzeddel, Prusse-Orientale, 1886 – Chicago, 1965), théologien protestant américain d'origine allemande : *Théologie systématique* (3 vol., 1951-1965).

Tillier (Claude) (Clamecy, 1801 – Nevers, 1844), écrivain français; auteur d'un roman de mœurs provinciales : *Mon oncle Benjamin* (1841).

Tillon (Charles) (Rennes, 1897 – Marseille, 1993), homme politique français. Résistant communiste, commandant en chef des F.T.P., plus. fois ministre de 1944 à 1947. Il est exclu du P.C.F. en 1952.

Tilly (Jean t'Serclaes, comte de) (chât. de Tilly, Brabant, 1559 – Ingolstadt, 1632), général wallon au service du Saint Empire. Chef des armées de la Ligue catholique durant la guerre de Trente Ans, il vainquit, notam., les Tchèques à la Montagne Blanche (1620) et les Danois à Lutter (1626). Successeur de Wallenstein (1631), il fut battu sur le Lech par Gustave Adolphe et blessé à mort.

Tilsit (auj. *Sovietsk*), v. de Russie, sur le Niémen; 38 000 hab. – Traité signé entre Napoléon Iᵉʳ et le tsar Alexandre Iᵉʳ, sanctionnant leur alliance contre l'Angleterre ainsi que la défaite de la Prusse (7 juil. 1807).

tilt [tilt] n. m. (Anglicisme) Au billard électrique, déclic qui interrompt la partie. *Faire tilt.* ▷ Loc. fig., fam. *Faire tilt :* déclencher un déclic (dans l'esprit de qqn); faire mouche*.

timbale n. f. **1.** MUS Instrument à percussion constitué d'un bassin hémisphérique en cuivre couvert d'une peau dont on règle la tension au moyen de vis, et qui donne des sons d'une hauteur définie dans l'échelle tonale. **2.** Gobelet à boire en métal. *Timbale en argent, en vermeil.* ▷ Loc. *Décrocher la timbale,* l'enlever en haut d'un mât de cocagne; fig. triompher d'un obstacle, réussir dans une entreprise difficile; iron. finir par s'attirer des désagréments à cause de sa maladresse. **3.** CUIS Moule cylindrique haut; mets entouré d'une croûte de pâte, cuit dans ce récipient.
▶ pl. instruments de **musique**

timbalier n. m. MUS Joueur de timbales.

timbrage n. m. Action de timbrer.

timbre n. m. **I. 1.** MUS Caractère, qualité sonore spécifique d'une voix, d'un instrument. *Une voix au timbre argentin. Corde de timbre* ou, absol., *timbre :* corde tendue contre la peau inférieure d'un tambour pour en modifier la résonance. **2.** Petite cloche métallique sans battant, frappée par un marteau extérieur. **II.** Anc. Partie du casque qui recouvrait le dessus et l'arrière de la tête. ▷ HERALD Ensemble des pièces placées au-dessus d'un écu pour désigner la qualité de celui qui le porte. **III.** Marque, empreinte. **1.** Marque d'une administration, d'une maison de commerce. **2.** Instrument servant à apposer une marque. *Timbre humide :* cachet enduit d'encre. *Timbre sec,* qui marque en relief par pression. **3.** Empreinte obligatoire apposée au nom de l'État sur le papier de certains actes et portant l'indication de son prix. *Timbre de quittance* ou *timbre-quittance :* timbre fiscal collé sur les quittances acquittées. – FISC *Timbre fiscal,* apposé sur un acte officiel assujetti au paiement d'une taxe au profit du Trésor public. **4.** Marque de la poste indiquant sur une lettre, un paquet, le lieu, le jour, l'heure de départ. Syn. cachet. **5.** Cour. *Timbre* ou *timbre-poste* (plur. *des timbres-poste*) : petite vignette servant à affranchir les lettres et les paquets confiés à la poste. *Un timbre de deux francs cinquante. Le premier timbre fut émis en 1840 en Angleterre, en 1849 en France.* **6.** Vignette constatant le paiement d'une cotisation. **7.** MED Autocollant contenant un médicament à absorption transcutanée. **8.** TECH Marque (plaque, empreinte, etc.) apposée sur une chaudière et indiquant la pression qu'elle peut supporter; valeur de cette pression.

timbré, ée adj. 1. Qui a tel timbre. *Voix agréablement timbrée.* 2. FISC *Papier timbré* : papier employé pour certains actes officiels, comportant un timbre fiscal. 3. Qui porte un timbre-poste. *Enveloppe timbrée.* 4. Fam. Un peu fou.

timbrer v. tr. [1] 1. Imprimer une marque légale sur. *Timbrer un passeport.* 2. Coller un timbre-poste sur. *Timbrer une lettre.* 3. ADMIN *Timbrer un document,* écrire en tête sa nature, sa date, son sommaire. 4. HERALD Mettre un timbre au-dessus de (un écu).

Times (The), quotidien britannique fondé en 1785 qui soutenait la polit. du Second Pitt et demeura de tendance conservatrice.

Timgad, com. d'Algérie, dans le N. de l'Aurès (wilaya de Batna); 8 840 hab. – Ruines de l'anc. *Thamugadi,* poste militaire romain qui prit les proportions d'une ville sous Trajan (100 apr. J.-C.). Les vestiges de cette cité, ravagée par les Maures au VIe s., comptent parmi les plus importants de l'Afrique romaine.

ruines romaines de **Timgad** au pied du massif de l'Aurès : la colonnade vue du forum

timide adj. et n. Qui manque de hardiesse, d'assurance. *Personne timide. Approche timide.* ▷ Subst. *Un(e) timide.*

timidement adv. Avec timidité.

timidité n. f. Manque d'assurance, de hardiesse. *Il voudrait vous parler, mais sa timidité l'en empêche.*

timing [tajmiŋ] n. m. (Anglicisme) Minutage, coordination du temps. *Les opérations se succéderont selon un timing très élaboré.*

Timişoara (en hongrois *Temesvár*), v. de la Roumanie occidentale; 309 260 hab.; ch.-l. de district. Centre industriel (méca., chim., text., etc.) et culturel. – Chât. du XIVe s., reconstruit au XIXe s. – La ville fut hongroise jusqu'en 1920.

Timmermans (Félix) (Lierre, 1886 – id., 1947), écrivain belge d'expression flamande, surnommé le « prince des conteurs flamands » : *Pallieter* (1916), roman de mœurs paysannes; *les Belles Heures de Mademoiselle Symphorose, béguine* (1918), nouvelles.

Timochenko (Semion Konstantinovitch) (Fourmanka, Bessarabie, 1895 – Moscou, 1970), maréchal soviétique. Dans l'armée Rouge depuis 1918, ami de Staline, il fut nommé commissaire à la Défense et maréchal (1940) puis entreprit la reconquête de l'Ukraine (1943-1944), avant d'entrer en Roumanie et en Hongrie. De 1945 à 1947, il réorganisa l'armée de Mao Zedong.

Timoléon (Corinthe, v. 410 – Syracuse, v. 336 av. J.-C.), homme politique grec. Il contraignit le tyran de Syracuse Denys le Jeune à lui céder la ville (344 av. J.-C.), où il rétablit la démocratie, puis favorisa, contre les Carthaginois, la colonisation grecque de la Sicile.

timon n. m. 1. Pièce de bois du train avant d'un véhicule, d'une charrue, à laquelle on attelle une bête de trait. 2. MAR Vx Barre du gouvernail.

Timon le Misanthrope (Athènes, Ve s. av. J.-C.), philosophe grec; célèbre pour sa haine du genre humain. Son personnage inspira notam. Lucien de Samosate (*Timon ou le Misanthrope*) et Shakespeare (*Timon d'Athènes*).

timonerie n. f. 1. TECH Ensemble des organes de transmission qui commandent la direction ou le freinage dans un véhicule. 2. MAR Partie couverte de la passerelle de navigation d'un navire. 3. MAR Ensemble des timoniers; service qu'ils accomplissent.

timonier n. m. 1. Cheval mis au timon. 2. MAR Homme de barre. ▷ Matelot spécialiste chargé du service des pavillons et des projecteurs de signalisation, qui seconde sur la passerelle l'officier de quart. 3. Par métaph. *Le Grand Timonier* : Mao Zedong.

Timor, île indonésienne située à l'extrémité orientale de l'archipel de la Sonde, proche de l'Australie, dont la *mer de Timor* la sépare; 34 000 km²; v. princ. *Kupang* (à l'O.) et *Dili* (à l'E.). – L'économie de cette île montagneuse au climat tropical est strictement agricole : plantations de caféiers et de cocotiers; culture du riz. – Colonisée dès le XVIe s., l'île a été partagée, dans la seconde moitié du XIXe s., entre les Pays-Bas (partie occidentale) et le Portugal (partie orientale). Après 1945, l'Indonésie a pris possession de la partie occidentale (qui appartient administrativement à la prov. des îles de la Sonde* occid.) et a revendiqué la colonie portugaise; en nov. 1975, le Front révolutionnaire pour l'indépendance du Timor oriental (Fretilin) a proclamé l'indépendance de ce territoire, que l'Indonésie a conquis, au terme de combats meurtriers, et annexé en 1976 (*prov. du Timor oriental;* 14 874 km²; env. 650 000 hab.). Un mouvement de guérilla sporadique persiste malgré une dure répression et les catholiques sont victimes de persécutions.

timoré, ée adj. et n. Craintif, méfiant. *Il est trop timoré.* ▷ Subst. *Un(e) timoré(e).*

Timourides ou **Tīmūrides,** dynastie de descendants de Tamerlan (Tīmūr Lang) qui régna jusqu'en 1507 en Perse et dans la Transoxiane, où elle inspira une renaissance des arts (à Samarkand, notam.). Un Timouride, Zāhir al-Dīn Bāber, ira fonder en Inde l'empire des Grands Moghols (1526).

Tīmūr Lang. V. Tamerlan.

Tinbergen (Jan) (La Haye, 1903 – id., 1994), économiste néerlandais; spécialiste d'économétrie, auteur de travaux sur les pays en voie de développement. P. Nobel de sciences écon. 1969 (avec R. Frisch).

Tinbergen (Nikolaas) (La Haye, 1907 – Oxford, 1988), zoologiste néerlandais. Spécialiste du comportement animal, il a notam. étudié l'instinct. P. Nobel de physiologie et médecine 1973.

tincal, als n. m. MINER Borax brut.

tinctorial, ale, aux adj. Didac. 1. Qui sert à teindre. *Plantes tinctoriales.* 2. Relatif à la teinture.

Tindemans (Léo) (Zwijndrecht, 1922), homme politique belge. Social-chrétien flamand, plusieurs fois ministre, il devint chef du gouvernement en 1974; il présida à la signature, en mai 1977, d'un accord sur la régionalisation (pacte d'Egmont), qui ne put être appliqué, ce qui provoqua sa démission en 1978. Il a été nommé ministre des Affaires étrangères en 1985.

Tindouf, local. du Sahara algérien, près du Maroc et de la Mauritanie; ch.-l. de la wil. du m. nom.

Tinée (la), torrent des Alpes-Maritimes (72 km), affl. du Var (r. g.). Hydroélectricité.

tinette n. f. Grand récipient mobile placé dans des lieux d'aisance ne comportant ni fosse ni tout-à-l'égout.

Ting (Samuel Chao Chung) (Ann Harbor, Michigan, 1936), physicien américain d'origine chinoise. Il mit en évidence, le premier (1974), la notion de charme*. P. Nobel 1976 (avec B. Richter).

Tinguely (Jean) (Fribourg, 1925 – Berne, 1991), sculpteur suisse néodadaïste; auteur de « machines » délirantes et cocasses qui mettent en question les fins et les moyens de l'art (*Fontaine Stravinski,* 1983, Paris).

Tínos, île des Cyclades; 195 km²; 10 000 hab.; ch.-l. *Tinos.* Vin.

tintamarre n. m. Grand bruit accompagné de confusion et de désordre. Syn. tapage.

tintement n. m. 1. Son clair, musical que rendent une cloche qui tinte, des objets que l'on frappe ou qui s'entrechoquent, etc. *Le tintement cristallin des verres sur un plateau.* 2. *Tintement d'oreilles* : bourdonnement d'oreilles évoquant le son d'une cloche qui tinte.

tinter v. [1] I. v. intr. 1. Sonner lentement par coups espacés (en parlant d'une cloche dont le battant ne frappe que d'un côté). 2. Faire entendre un tintement. ▷ Fig., fam. *Les oreilles ont dû lui tinter,* se dit d'une personne dont on a beaucoup parlé en son absence. II. v. tr. 1. Faire tinter. *Tinter une cloche.* 2. Annoncer en tintant. *Tinter la messe.*

Tintin, célèbre héros de bandes dessinées créé en 1929 par Hergé*. Jeune reporter, entouré de personnages cocasses, il parcourt aventureusement le monde.

tintinnabuler v. intr. [1] Litt. Sonner, résonner comme une clochette, un grelot.

Tinto (río), fl. de l'Espagne du S. (100 km), tributaire de l'Atlantique. Il naît au pied de la sierra Morena, dans une région de mines de cuivre, à laquelle il a donné son nom.

Tintin, Milou (à dr.) et le capitaine Haddock (à g.), dessin de Hergé extrait de l'album *Coke en stock*

Tintoret (Iacopo Robusti, dit *il Tintoretto*, en fr. le) (Venise, 1518 - id., 1594), peintre vénitien, fils d'un teinturier, d'où son surnom. Il ne quitta presque jamais Venise où, très vite, il eut des commandes officielles. De 1562 à 1566, il exécuta pour la confrérie de San Marco trois grandes toiles (*les Miracles de saint Marc*, Accademia à Venise, Brera à Milan). En 1564, il entreprit un cycle à sujets religieux pour la Scuola di San Rocco (Venise), achevé en 1587; c'est l'œuvre d'un prodigieux « metteur en scène » : *la Crucifixion, le Baptême du Christ*, etc. De 1575 à 1590, il exécuta avec l'aide de ses élèves la décoration du palais des Doges. Son œuvre, d'un maniérisme original, d'un dynamisme très contrôlé, exerça une profonde influence (Rubens, le Greco, Delacroix).

le **Tintoret :** *le Doge Sebastiano Veniero*, huile, XVIe s.; Kunsthistorisches Museum, Vienne

tintouin n. m. Fam., vieilli **1.** Vacarme, tintamarre. **2.** Fig. Embarras, souci. *Donner du tintouin à qqn.*

Tioumen, v. de Russie, en Sibérie occidentale; 425 000 hab.; ch.-l. de la prov. du m. nom. Hydrocarbures; bois.

Tioutchev (Fiodor Ivanovitch) (Ovstoug, près de Briansk, 1803 - Tsarskoïe Selo, 1873), diplomate et écrivain russe. Poésies philosophiques et politiques de ton pessimiste : *Uranie* (1820), *Silentium* (1833), *Jour et Nuit* (1836).

T.I.P n. m. Titre* interbancaire de paiement.

Tipasa ou **Tipaza,** v. d'Algérie, ch.-l. de la wil. du m. nom, sur la côte; 15 800 hab. - Amphithéâtre romain, basilique et cimetière chrétiens. Musée.

tipi n. m. Tente conique des Indiens d'Amérique du Nord.

Tippett (sir Michael) (Londres, 1905 - id., 1998), compositeur anglais. Il est célèbre pour ses positions pacifistes (oratorio : *A Child of Our Time*, 1941) et pour sa richesse rythmique et l'originalité de son écriture polyphonique. *The Midsummer Marriage* (1952), *The Mask of Time* (1983).

Tippoo Sahib (Devanhalli, v. 1749 - Seringapatam, 1799), sultan du Mysore* (1784-1799). Il combattit sans relâche les Anglais, avec l'aide épisodique des Français.

tipule n. f. ENTOM Grand moustique qui vit sur les fleurs et dont les larves rongent les racines des plantes.

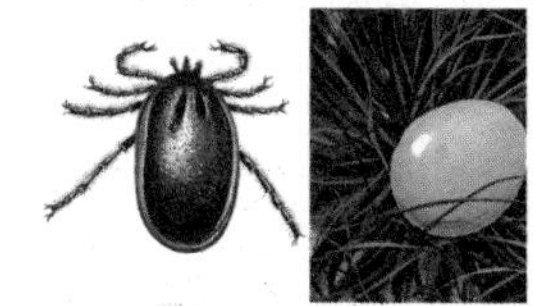

tique du chien : vue dorsale et, à dr., tique gorgée de sang, fixée dans les poils de l'animal

tique n. f. Acarien (genre *Ixodes*) suceur de sang, parasite de la peau des mammifères (chien, notam.). Syn. ixode.

tiquer v. intr. [1] **1.** MED VET (À propos d'un cheval.) Avoir un tic. **2.** Fig. Avoir un bref mouvement de physionomie qui laisse paraître l'étonnement, la contrariété. *Ces propos l'ont fait tiquer.*

tiqueté, ée adj. Didac. Marqué de petites taches. Syn. cour. piqueté.

tir n. m. **1.** Art de tirer au moyen d'une arme. *Tir à l'arbalète, au fusil. Tir au pigeon d'argile.* **2.** Manière de tirer. *Tir précis, rapide.* ▷ Trajectoire suivie par le projectile. *Tir rasant, plongeant.* **3.** Action de tirer; coup, ensemble de coups tirés. *Tir d'artillerie.* **4.** SPORT Au football, au handball, etc., action de tirer, d'envoyer avec force le ballon vers le but. *Tir du pied gauche. Tirs au but. Tir d'angle :* V. corner. *Tir de réparation :* v. penalty.

tirade n. f. **1.** Développement assez long d'un même thème. **2.** Au théâtre, suite de phrases, de vers qu'un acteur dit sans interruption. *La tirade d'Auguste dans « Cinna ».* Syn. monologue. **3.** Longue phrase. ▷ Péjor. Longue phrase pompeuse.

tirage n. m. **1.** Action, fait de mouvoir en tirant. *Cordons de tirage d'un rideau.* ▷ *Il y a du tirage :* vx les chevaux tirent avec peine; fig., mod. il y a des difficultés et, *par ext.*, des frictions. **2.** TECH Action d'étirer, d'allonger. *Tirage des métaux. Tirage de la soie.* **3.** Action, fait de tirer, de prendre au hasard. *Tirage d'une loterie.* ▷ *Tirage au sort :* V. tirer (sens B, I, 2). ▷ HIST *Tirage au sort :* anc. mode de recrutement des conscrits qui consistait à tirer des numéros dont certains exemptaient du service militaire. ▷ STATIS Action de tirer un échantillon d'une population statistique. **4.** IMPRIM Action d'imprimer des feuilles; épreuve ainsi obtenue. *Tirage à part :* V. tiré (à part). ▷ Ensemble, quantité d'exemplaires tirés en une seule fois. *Journal à grand tirage.* - *Par anal.* Ensemble des copies d'un disque obtenues à partir du même original. ▷ PHOTO, BX-A Action d'obtenir une épreuve définitive à partir d'un cliché négatif, d'une plaque de métal gravée, etc.; épreuve ainsi obtenue. *Tirage photo en noir et blanc. Tirage numéroté.* **5.** Mouvement ascensionnel des gaz chauds dans un conduit de fumée. **6.** MED Dépression des parties molles du thorax observée lors de l'inspiration en cas d'obstruction des voies respiratoires ou d'insuffisances respiratoires graves. **7.** *Tirage d'une lettre de change, d'un chèque,* leur émission. ▷ ECON *Droits de tirage spéciaux* ou *D.T.S. :* crédits accordés par le Fonds monétaire international aux États membres en cas de déficit de leur balance des paiements.

tiraillement n. m. **1.** Action, fait de tirailler, d'être tiraillé. - Sensation interne pénible. *Tiraillements d'estomac.* **2.** Fig. Contestation, conflit. *Ce sont des tiraillements continuels.*

tirailler v. [1] **I.** v. tr. **1.** Tirer (sens A, I, 1) par petits coups, à diverses reprises. **2.** Fig. (Surtout au passif.) Poursuivre de ses instances, solliciter dans des sens contradictoires. *Il est tiraillé entre ses obligations familiales et ses obligations professionnelles.* **II.** v. intr. MILIT Tirer des coups irréguliers et répétés. **III.** v. pron. Rare Se disputer, ne pas s'entendre. *Ils se tiraillent sans arrêt.*

tirailleur n. m. MILIT **1.** Soldat tiraillant en avant du gros de la troupe, afin de harceler l'ennemi. **2.** Anc. Soldat de certaines formations d'infanterie recrutées hors de la métropole.

tiramisu [tiʀamisu] n. m. Pâtisserie italienne, à base de fromage frais (mascarpone) et de génoise, aromatisée au marasquin.

Tiran (détroit de), détroit entre la mer Rouge et le golfe d'Akaba.

Tirana, cap. de l'Albanie, au centre du pays; 215 860 hab. Industr. textiles, alimentaires; verreries.

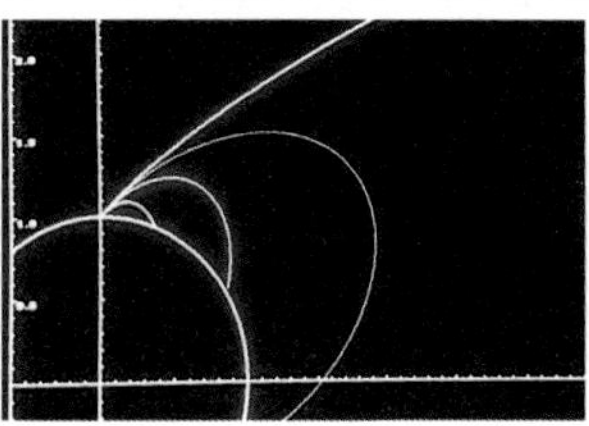

tir : trajectoires elliptiques de missiles balistiques tirés avec des vitesses initiales croissantes

tirant n. m. **1.** Pièce destinée à exercer un effort de traction. *Les tirants d'une bourse, d'une botte.* - TECH, ARCHI Pièce de charpente soumise à un effort de traction. **2.** Partie tendineuse et jaunâtre dans la viande. **3.** MAR *Tirant d'eau* ou, absol., *tirant :* distance verticale entre la ligne de flottaison d'un navire et le point le plus bas de sa quille. - *Tirant d'air :* hauteur maximale des superstructures d'un navire; hauteur libre sous un pont.

1. tire n. f. **1.** Loc. *Vol à la tire,* consistant à voler le contenu des poches, d'un sac. **2.** Arg. et fam. Voiture automobile.

2. tire n. f. (Canada) Confiserie obtenue par la cuisson d'un sirop (mélasse, sirop de cassonade, etc.) et après étirage. ▷ *Tire (d'érable) :* confiserie d'une consistance voisine de celle du miel, obtenue par évaporation du sirop* d'érable. - *Tire sur la neige :* sirop d'érable épaissi, versé chaud sur de la neige et que l'on déguste, à peine figé.

tiré n. m. **1.** IMPRIM *Tiré à part :* article extrait d'un ensemble (revue, thèse de recherche, etc.), dont on fait un tirage indépendant et que l'on broche. **2.** CHASSE Coup tiré au fusil. *Faire un beau tiré.* ▷ Taillis aménagé pour la chasse. **3.** COMM Personne sur laquelle on tire une lettre de change.

tire-au-flanc. V. flanc.

tire-bonde n. m. TECH Outil servant à retirer la bonde d'un tonneau. *Des tire-bondes.*

tire-botte n. m. **1.** Petite planche où l'on emboîte le talon de la botte, pour se débotter seul. **2.** Crochet que l'on passe dans le tirant d'une botte pour la chausser. *Des tire-bottes.*

tire-bouchon n. m. **1.** Instrument (souvent vis hélicoïdale munie d'un manche) servant à déboucher les bouteilles. *Des tire-bouchons.* **2.** Loc. adv. *En tire-bouchon* : en forme de spirale, d'hélice. *Cheveux en tire-bouchon.*

tire-bouchonner v. intr. [1] Se rouler en tire-bouchon, faire des plis. *Pantalon, chaussettes qui tire-bouchonnent.* ▷ v. pron. Se tordre en forme de tire-bouchon, d'hélice. – Fig., fam., vieilli Se tordre de rire.

tire-clou n. m. TECH Outil à tige plate et dentée servant à arracher les clous. *Des tire-clous.*

tire-d'aile(s) (à) loc. adv. **1.** Avec de vigoureux battements d'ailes, en parlant d'un oiseau. **2.** Fig. Très rapidement. *S'enfuir à tire-d'aile(s).*

tire-fesses n. m. inv. Fam. Téléski, remonte-pente.

tire-fond n. m. inv. **1.** Anneau fixé au plafond pour y suspendre un ciel de lit, un lustre. **2.** TECH Vis à bois de grand diamètre, à tête carrée.

tire-jus n. m. inv. Pop. Mouchoir.

tire-lait n. m. inv. Appareil servant à aspirer le lait du sein.

tire-larigot (à) [atiʀlaʀigo] loc. adv. Fam. Beaucoup. *Boire, manger à tire-larigot.*

tire-ligne n. m. TECH Petit instrument terminé par deux becs dont l'écartement est réglable, et qui sert à tracer des lignes d'épaisseur constante. *Des tire-lignes.*

tirelire n. f. **1.** Boîte, objet creux de formes diverses qui comporte une fente par laquelle on glisse les pièces de monnaie que l'on veut économiser. ▷ Fig. *Casser sa tirelire* : dépenser toutes ses économies. **2.** Fam. Estomac, ventre. *On s'en est mis plein la tirelire.* **3.** Fam. Tête, visage. *Il a pris un coup sur la tirelire.*

tire-nerf n. m. CHIR Petit instrument utilisé par le chirurgien-dentiste pour l'extraction des nerfs dentaires. *Des tire-nerfs.*

tirer v. [1] **A. I.** v. tr. **1.** Faire mouvoir, amener vers soi. *Tirer un tiroir.* ▷ Traîner, tracter derrière soi. *Chiens qui tirent un traîneau.* ▷ v. intr. Produire, développer une certaine puissance de traction. *Ce moteur tire bien.* **2.** Mouvoir en faisant glisser, coulisser. *Tirer le verrou. Tirer des rideaux.* **3.** Faire un effort pour tendre, allonger. *Tirer un cordon, une sonnette. Tirer ses bas. Tirer ses cheveux en arrière.* – Pp. adj. Par ext. *Tiré à quatre épingles*.* ▷ TECH *Tirer l'or, l'argent,* les allonger en fils déliés. – v. intr. *Tirer sur une corde. Tirer de toutes ses forces.* **4.** Donner un aspect tendu, fatigué à. *La maladie a tiré ses traits.* **5.** Fig., vx Attirer. *Tirer l'œil, le regard.* **II.** v. intr. Aspirer fortement. *Tirer sur sa cigarette.* ▷ *Absol.* Être parcouru par un courant d'air qui active la combustion. *Cheminée, pipe qui tire bien, mal.* **B.** Prendre, ôter, extraire. **I.** v. tr. **1.** Faire sortir, enlever, ôter d'un endroit, d'une situation. *Tirer l'épée du fourreau. Tirer de l'eau d'un puits, du vin d'un tonneau.* – (Comp. d'objet n. de personne.) *Tirer qqn de prison.* – Délivrer, dégager. *Tirer d'embarras.* ▷ v. pron. *Se tirer de (qqch)* ou *s'en tirer* : sortir heureusement d'une maladie, d'une situation difficile; en réchapper. **2.** Prendre au hasard. *Tirer une carte. Tirer les numéros d'une loterie* et, par ext., *tirer une loterie.* ▷ v. intr. Loc. *Tirer au sort* : prendre une décision, effectuer un choix, en s'en remettant au sort (en lançant une pièce en l'air, *tirer à pile ou face*; en faisant choisir des brins de paille d'inégales longueurs, *tirer à la courte-paille,* etc.). **3.** Extraire, exprimer. *Substance que l'on tire des plantes.* ▷ Obtenir, recueillir. – Loc. *Tirer profit, avantage de qqch.* ▷ *Tirer qqch de qqn* : obtenir, soutirer qqch de qqn par un moyen quelconque. ▷ COMM *Tirer une lettre de change* : faire un effet de commerce par lequel on charge un correspondant de payer la somme énoncée au porteur de cette lettre. **4.** *Tirer de* : trouver l'origine de qqch dans, emprunter à. *D'où tire-t-il cette arrogance? Les mots que le français tire du grec.* **5.** Déduire, conclure. *Tirer des conclusions de certains faits.* **II.** v. pron. Fam. S'enfuir, se sauver. *Il s'est tiré en vitesse.* **C. I.** v. intr. **1.** Aller vers, s'acheminer. *Tirer au large. Voiture qui tire à gauche, à droite.* ▷ (Dans le temps.) Loc. *Tirer à sa fin. Tirer en longueur* : se prolonger indéfiniment. **2.** *Tirer sur* : tendre vers, avoir une certaine ressemblance avec (en parlant d'une couleur). *Vert qui tire sur le bleu.* **II.** v. tr. **1.** MAR *Tirer un bord* : franchir une certaine distance sans virer de bord. *Tirer des bords* : louvoyer. **2.** Fam. Avoir (tel laps de temps) à passer dans des circonstances pénibles, fâcheuses. *Encore six mois à tirer.* **D.** v. tr. et intr. **1.** Tracer. *Tirer un trait, une ligne.* ▷ *Tirer un plan,* le dessiner. – *Par ext.,* fig. *Tirer des plans* : élaborer, mûrir des projets. **2.** Imprimer. *Tirer un ouvrage sur papier bible.* ▷ v. intr. Être reproduit, imprimé, gravé. *Journal qui tire à un million d'exemplaires.* ▷ PHOTO, BX-A Faire un tirage*. – Loc. fam. *Tirer le portrait à qqn,* faire son portrait, sa photographie. **E.** v. tr. et intr. **1.** Lancer (un projectile) au moyen d'une arme. *Tirer une flèche, une roquette.* – (En parlant de l'arme.) *Le fusil qui a tiré cette balle.* ▷ v. intr. Se servir d'une arme; pratiquer l'art du tir. *Tirer à blanc*. Tirer au revolver, à l'arbalète.* **2.** v. intr. Faire feu. *Tirer à bout portant, en l'air. Tirer sur qqn.* – *Par ext.* v. tr. *Tirer un oiseau, un lièvre.* **3.** Faire partir (une arme à feu, un explosif). *Tirer le canon. Tirer un feu d'artifice.* **4.** v. intr. SPORT (Bowling, football, etc.) Lancer la boule, le ballon. – Loc. *Tirer au but.* ▷ À la pétanque, lancer la boule en visant le cochonnet ou une autre boule pour les déplacer (par oppos. à *pointer*).

Tirésias, dans la myth. gr., devin de Thèbes. Il proposa que l'homme qui vaincrait le Sphinx* épousât Jocaste et régnât sur Thèbes.

tiret n. m. Petit trait horizontal (–) servant à séparer deux membres de phrase ou à indiquer un changement d'interlocuteur dans un dialogue.

tirette n. f. **1.** Dispositif de commande manuelle par tirage. **2.** Tablette horizontale coulissante d'un meuble.

tireur, euse n. **I.** n. **1.** Rare Personne qui tire (qqch). *Tireur d'or.* ▷ *Tireuse de cartes* : femme qui prédit l'avenir d'après les combinaisons des cartes à jouer. **2.** Personne qui se sert d'une arme à feu. *Être bon, mauvais tireur. Tireur d'élite.* ▷ MILIT Soldat qui tire au fusil, au fusil-mitrailleur, etc. *Position du tireur couché.* **3.** COMM Personne qui émet une lettre de change sur une autre personne (appelée tiré). **II.** n. f. TECH **1.** Machine servant à effectuer des tirages photographiques. **2.** Appareil servant au remplissage des bouteilles.

tire-veille n. m. MAR **1.** Cordage mis en pendant pour aider à monter à bord par une échelle de coupée ou pour servir de sauvegarde au personnel d'une embarcation que l'on hisse. **2.** Cordage servant à manœuvrer la barre d'un gouvernail. *Des tire-veille(s).*

Tîrgovişte, v. de Roumanie, anc. cap. de la Valachie (XIVe-XVIe s.); 61 250 hab.; ch.-l. de distr. Centre pétrolier. Industr. mécaniques et électriques; sidérurgie. Égl. princière (XVIe-XVIIe s.).

Tîrgu-Jiu, v. de Roumanie, ch.-l. de district; 63 510 hab. Centre commercial. – Ensemble monumental de Brancusi (1937) : *Arc du baiser, Table du silence, Colonne sans fin.*

Tîrgu-Mureş, v. de Roumanie, sur le Mureş; 152 260 hab.; ch.-l. du distr. du m. nom. Gaz naturel. Industr. chimiques et métallurgiques.

Tiridate Ier (m. v. 73 apr. J.-C.), roi d'Arménie (v. 53-60, puis 66-73); frère de Vologèse Ier, roi des Parthes. Il fut rétabli sur son trône par Néron (66). – **Tiridate II** ou **III** (m. en 324), roi d'Arménie (294-324). Persécuteur des chrétiens au temps de Dioclétien, il fut converti au christianisme par saint Grégoire l'Illuminateur (v. 305).

Tirlemont (en néerl. *Tienen*), v. de Belgique (Brabant); 32 500 hab. Centre industriel (sucre).

Tírnovo. V. Veliko Tărnovo.

tiroir n. m. Casier coulissant, s'emboîtant dans un meuble, et que l'on tire au moyen d'un bouton, d'une clé, etc. *Tiroirs d'une commode.* ▷ *Fonds de tiroir* : ce qui reste d'argent disponible. ▷ Fig. (Plur.) *Pièce, roman à tiroirs* : œuvre dans laquelle des scènes, des épisodes indépendants les uns des autres viennent se greffer sur l'action principale. – Fam. *Nom à tiroirs* : nom en plusieurs parties (souvent nobiliaire).

tiroir-caisse n. m. Tiroir contenant la caisse d'un commerçant. *Des tiroirs-caisses.*

Tirpitz (Alfred von) (Küstrin, 1849 – Ebenhausen, près de Munich, 1930), amiral allemand. Ministre de la Marine (1898-1916), il créa une flotte de guerre puissante et proposa un plan de guerre sous-marine, qui fut refusé.

Tirso de Molina (Fray Gabriel Téllez, dit) (Madrid, v. 1583 – Soria, 1648), dramaturge espagnol. Moine de l'ordre de la Merci*, il composa près de 400 pièces. Comédies : *Marthe la dévote, Don Gil aux chausses vertes, Un timide au palais*; drames historiques ou romanesques : *les Amants de Teruel*; un drame religieux : *le Damné par manque de foi*; et, surtout, *le Trompeur de Séville* (v. 1625), l'ancêtre du personnage de Don Juan dans la littérature occidentale.

Tiruchirapalli (anc. *Trichinopoly*), v. de l'Inde, dans le S. du Tamil Nadu, sur le Kaverī; 387 000 hab. (aggl. urb. 609 550 hab.). Centre industriel (text., méca.).

Tirynthe, anc. v. de Grèce, en Argolide (près de Nauplie). Un des princ. centres de la civilisation mycénienne*, elle fut détruite par les Argiens en 468 av. J.-C. Import. vestiges archéologiques.

tisane n. f. Boisson obtenue en faisant macérer des plantes médicinales dans de l'eau.

tisanière n. f. Pot à infusion qu'on peut laisser sur une veilleuse.

Tisi (Benvenuto). V. Garofalo (il).

Tiso (Jozef) (Velká Bytča, 1887 – Bratislava, 1947), prélat et homme politique slovaque. Président (1939-1945) de la République slovaque « indépendante » sous protectorat allemand, il fut condamné à mort par le tribunal du peuple de Bratislava.

tison n. m. Reste encore brûlant d'une bûche, d'un morceau de bois à moitié consumés.

tisonner v. [1] v. intr. Remuer les tisons pour attiser, ranimer le feu. ▷ v. tr. *Tisonner le feu.*

tisonnier n. m. Tige de fer qui sert à tisonner. Syn. pique-feu.

tissage n. m. **1.** Action, art de tisser. – *Par méton.* Assemblage obtenu par l'entrecroisement de fils. **2.** Établissement où l'on fait des tissus.

Tissandier (Gaston) (Paris, 1843 – id., 1899), aéronaute français. En 1875, son aérostat, le *Zénith*, s'éleva jusqu'à 8 600 m, mais ses deux compagnons ne purent supporter cette altitude et moururent. En 1883, il construisit le premier dirigeable mû par un moteur électrique.

Tissapherne (m. à Colosses, Phrygie, en 395 av. J.-C.), général perse; satrape de Lydie et de Carie (v. 413). Il vainquit le rebelle Cyrus le Jeune à Counaxa (401) et poursuivit les Dix Mille dans leur retraite. Battu par Agésilas II sur les bords du Pactole (395), il fut destitué par Artaxerxès et exécuté.

tisser v. tr. [1] **1.** Fabriquer (un tissu) en entrecroisant les fils de chaîne et les fils de trame. *Métier à tisser. Tisser de la toile.* ▷ *Tisser une matière textile*, en faire un tissu. *Tisser du coton.* **2.** Fig. Former, constituer (qqch) par un assemblage patient d'éléments. *C'est lui qui a tissé cette intrigue.* Syn. ourdir.

tisserand, ande n. Artisan, ouvrier qui fabrique des tissus.

Tisserand (Félix) (Nuits-Saint-Georges, 1845 – Paris, 1896), astronome français. Auteur de travaux sur le système solaire : *Traité de mécanique céleste* (1889-1896).

Tisserant (Eugène) (Nancy, 1884 – Albano Laziale, 1972), prélat français; cardinal (1936), secrétaire de la congrégation pour l'Église orientale (1936-1959), doyen du Sacré Collège (1951), bibliothécaire et archiviste de l'Église romaine (1957). Acad. fr. (1961).

tisserin n. m. ORNITH Passériforme africain (genre princ. *Ploceus*, fam. plocéidés), dont les nids sont faits d'herbes entrelacées.

tisseur, euse n. Ouvrier, ouvrière dont le métier est de tisser.

tissu n. m. **1.** Entrelacement régulier de fils textiles formant une surface souple. *Tissu de soie, de laine.* **2.** HISTOL Ensemble de cellules dont la structure est proche et qui concourent à une même fonction dans un organe ou une partie d'organe. *Tissu conjonctif, musculaire. L'étude des tissus, ou histologie, a beaucoup bénéficié du perfectionnement des instruments optiques. Tissus fœtaux*.* **3.** Fig. (Péjor. avec un compl. de nom abstrait.) Suite ininterrompue, enchevêtrement. *Un tissu de mensonges, de lieux communs.* **4.** Fig. Ensemble d'éléments dont la réunion constitue une structure homogène. *Tissu social. Tissu urbain* : ensemble des éléments (maisons, rues, jardins publics, etc.) qui constituent la structure d'une ville, d'un quartier.

Tirynthe : murailles en appareil cyclopéen, vestiges de l'époque crétomycénienne

tissu-éponge n. m. Tissu épais, aux fils bouclés, qui absorbe l'eau. *Des tissus-éponges.*

tissulaire adj. ANAT, BIOL Qui concerne les tissus. *Régénération tissulaire.*

Tisza (la) (en tchèque *Tisa*, en all. *Theiss*), riv. de l'Europe centrale (1 300 km); née dans les Carpates ukrainiennes, elle forme frontière entre la Roumanie et l'Ukraine, parcourt la Hongrie et rejoint le Danube (r. g.) en Serbie.

tisserin construisant son nid

Tisza (Kálmán) (Geszt, 1830 – Budapest, 1902), homme politique hongrois. Chef du gouvernement de 1875 à 1890, il promut le développement économique du pays. – **István** (Budapest, 1861 – id., 1918), fils du préc.; homme politique hongrois. Président du Conseil (1903-1905 et 1913-1917), il gouverna en dictateur, s'opposant notam. aux minorités. Jugé responsable de la guerre, il fut assassiné par des soldats lors de l'effondrement de l'Autriche-Hongrie.

titan n. m. Litt. Géant. *Une œuvre de titan. Combat de titans.*

Titan, satellite de Saturne (5 118 km de diamètre), découvert par Huygens en 1655. Il parcourt en 15,9 jours une orbite dont le rayon mesure 1,22 million de km. C'est le plus gros de tous les satellites planétaires du système solaire après Ganymède et le seul qui possède une atmosphère dense.

titane n. m. CHIM Élément métallique de numéro atomique Z = 22, de masse atomique 47,90 (symbole Ti). – Métal (Ti) de densité 4,54, qui fond vers 1 660 °C et bout vers 3 290 °C. ▷ *Blanc de titane* : dioxyde de titane, utilisé en peinture.

titanesque ou litt. **titanique** adj. Digne d'un titan. Syn. gigantesque.

Titanic, transatlantique géant de la White Star Line britannique qui coula lors de son premier voyage après avoir heurté un iceberg au S. de Terre-Neuve (nuit du 14 au 15 avril 1912). Il y eut plus de 1 500 victimes.

Titans, divinités de la myth. gr., fils et filles d'Ouranos (le Ciel) et de Gaia (la Terre). Ils étaient au nombre de douze, six divinités masculines (Océanos, Cœos, Crios, Hypérion, Japet, Cronos) et six divinités féminines (Théia, Rhéa, Thémis, Mnémosyne, Phoibê, Téthys), dites aussi les *Titanides*. Une guerre (la *Titanomachie*) opposa les Titans à Zeus, qui les précipita dans le Tartare.

Tite-Live (en lat. *Titus Livius*) (Padoue, 64 ou 59 av. J.-C. – Rome, 17 apr. J.-C.), historien romain. À partir de 27 av. J.-C. env., il se consacra tout entier à la rédaction de son *Histoire de Rome*. Inachevé, ce récit s'arrête à la mort de Drusus (9 av. J.-C.). Sur 142 livres, 35 nous sont parvenus. Complétés par des résumés *(periochæ)* de l'ouvrage, ils témoignent du rôle presque officiel de l'histoire *livienne*, qui vise à idéaliser la nation et à tirer des événements des leçons morales, au détriment de la vérité historique.

Titelouze (Jehan ou Jean) (Saint-Omer, 1563 – Rouen, 1633), organiste et compositeur français. Il est considéré comme un des fondateurs de l'école française d'orgue.

titi n. m. Pop., vieilli Gamin des rues de Paris, gouailleur et malicieux.

Titicaca (lac), grand lac (8 300 km²) des Andes, aux confins du Pérou et de la Bolivie, à 3 812 m d'alt.; profondeur max. 280 m. Cultures (céréales) et élevage sur ses rives fertiles.

Titien (Tiziano Vecellio ou Vecelli, dit en fr.) (Pieve di Cadore, v. 1490 – Venise, 1576), peintre italien. Il quitta de bonne heure sa ville natale pour Venise, où il travailla avec les Bellini puis avec Giorgione. *L'Amour sacré et l'Amour profane* (v. 1515, galerie Borghèse, Rome), *l'Assomption* de l'église des Frari (1518, Venise) affirmèrent son génie, et Alphonse Ier d'Este, duc de Ferrare, lui commanda des œuvres mythologiques : *Bacchanale* (1518, Prado), *Bacchus et Ariane* (1523, National Gallery), etc., dont le caractère réaliste et sensuel rompt avec l'idéalisme de Giorgione. Peu à peu, Titien abandonna la primauté de la ligne au profit d'une dynamique de la touche (*la Vénus d'Urbino*, 1538, Offices), puis s'ouvrit au maniérisme (*le Couronnement d'épines*, v. 1542, Louvre). En 1548, Charles Quint l'invita à Augsbourg : *Charles Quint assis* (1548, Pinacothèque de Munich), *Charles Quint à cheval vainqueur à Mühlberg* (1548, Prado). En 1551, il revint définitivement à Venise, où il exécuta de nombreuses commandes pour Philippe II d'Espagne (*Danaé*, 1554, Prado; *Autoportrait*, v. 1569, Prado). Riche, comblé d'honneurs, il mourut de la peste. Son influence s'exerça notam. sur Vélasquez, Rembrandt et Rubens.

Titien : *Autoportrait*, huile sur toile; musée du Louvre

titillation n. f. Litt. Fait de titiller; sensation qui en résulte.

titiller [titije] v. tr. [1] **1.** Litt. Chatouiller légèrement et agréablement. **2.** Fig., fam. Taquiner, agacer; tracasser. *La pensée de son examen le titille.*

titisme n. m. POLIT Socialisme, neutraliste et autogestionnaire, tel que le conçut Tito.

titiste adj. et n. POLIT Partisan de Tito.

Titius (Johann Daniel Tietz, dit) (Königsberg [auj. Kaliningrad], 1729 – Wittemberg, 1796), mathématicien astronome allemand (V. Bode).

Tito (Josip Broz, dit) (Kumrovec, Croatie, 1892 – Ljubljana, 1980), maréchal et homme politique yougoslave. Fils d'un forgeron, soldat austro-hongrois passé dans l'armée Rouge (1917-1923), cofondateur du parti communiste yougoslave, de nombr. fois incarcéré (notam. de 1928 à 1934), secrétaire général du Parti en 1937, il organisa la lutte armée contre l'occupant nazi (1941-1945), à la tête d'un gouvernement provisoire révolutionnaire. Après la proclamation de la république, il devint chef du gouvernement (1945-1953), puis président de la République (élu à vie en 1974). En 1948, Tito refusa de suivre les directives de l'U.R.S.S. et édifia dans son pays un socialisme fondé sur l'autogestion tout en se rapprochant des puissances occidentales pour le développement de l'économie. Réconcilié avec l'U.R.S.S. après la déstalinisation, il défendit avec fermeté l'indépendance de la Yougoslavie et soutint Dubček en 1968. Son prestige dans le monde, notam. dans le tiers monde (il fut l'un des champions du non-alignement), a été considérable.

le maréchal **Tito** J.-M. **Tjibaou**

Titograd V. Podgorica.

titrage n. m. **1.** Action de titrer un texte, un film. **2.** CHIM Action de titrer une solution. **3.** TECH Indication de grosseur (d'un fil textile).

titre n. m. **I. 1.** Énoncé servant à nommer un texte et qui, le plus souvent, évoque le contenu de celui-ci. *Titre d'une pièce de théâtre, d'un roman, d'un recueil de vers. Titre d'un chapitre.* – *Page de titre* ou *titre* : page comportant le titre, le nom de l'auteur, de l'éditeur, etc. *Faux titre* : titre abrégé imprimé sur le feuillet qui précède la page de titre. *Titre courant,* qui est reproduit sur chaque page d'un livre. ▷ Une des subdivisions de certains ouvrages juridiques. *Titres et articles d'un code de lois.* **2.** Désignation analogue d'une œuvre enregistrée, filmée, d'un morceau de musique, d'un tableau, etc. **II. 1.** Dignité, qualification honorifique. *Titre nobiliaire. Le titre de duc, d'altesse.* **2.** Qualification obtenue en vertu d'un diplôme, des fonctions que l'on exerce. *Titres universitaires. Le titre de bachelier, d'avocat, de directeur.* ▷ *En titre* : qui exerce une fonction en tant que titulaire. *Professeur en titre.* **3.** Nom donné à *qqn pour exprimer sa qualité, son état. Le titre de père, d'ami.* **4.** État, qualité de vainqueur, de champion pour un sportif, un joueur. *Remporter, détenir, mettre en jeu un titre.* **5.** Loc. prép. *À titre de* : en tant que. *À titre d'héritier. À titre de cadeau.* ▷ *À titre* (+ adj.) : de façon... *À titre bénévole.* – *À juste titre* : justement, avec raison. **III. 1.** Acte écrit, document établissant un droit, une qualité. *Titres de propriété.* ▷ *Titre interbancaire de paiement (T.I.P.)* : titre de paiement établi par l'organisme créditeur et utilisé comme chèque par le débiteur. ▷ *Titre-restaurant* : terme générique pour ticket-restaurant, chèque-restaurant, etc. **2.** Valeur négociable en Bourse. **3.** Fig. Ce qui permet de prétendre à qqch. *Il a plus d'un titre à votre reconnaissance. C'est son titre de gloire.* **IV. 1.** Proportion de métal précieux pur contenu dans un alliage. **2.** CHIM *Titre d'une solution* : rapport de la masse d'une substance dissoute à la masse totale *(titre massique)* ou du nombre de moles d'un constituant au nombre total de moles *(titre molaire).* ▷ *Titre hydrotimétrique* (abrév. : TH) : nombre qui exprime la dureté* d'une eau. **3.** PHYS *Titre de vapeur* : rapport de la masse de vapeur à la masse totale du fluide. **4.** TECH *Titre d'un fil,* numéro exprimant sa grosseur.

titré, ée adj. **1.** Qui a un titre de noblesse. **2.** SPORT Qui a obtenu des victoires dans les championnats, les jeux Olympiques. **3.** CHIM *Solution titrée,* dont la composition est connue.

titrer v. tr. [1] **1.** Rare Pourvoir (qqn) d'un titre nobiliaire. **2.** CHIM *Titrer une solution* : déterminer par dosage la quantité de corps dissous dans une solution. ▷ *Liqueur qui titre 15 (16, 17, etc.) degrés,* dont le titre est de 15 (16, 17, etc.) degrés. **3.** Donner un (ou des) titre(s) à un texte, à un film, etc. *Titrer les chapitres d'un roman.*

titreuse n. f. TECH Appareil servant à filmer les titres et les sous-titres d'un film. ▷ IMPRIM Machine permettant de composer les gros titres.

titrisation n. f. FIN Technique financière, autorisée depuis 1990, qui permet de transformer les créances en titres négociables.

titriser v. tr. [1] FIN Pratiquer une titrisation.

titubant, ante adj. Qui titube.

tituber v. intr. [1] Marcher en chancelant. *Tituber de fatigue.*

titulaire adj. et n. **1.** Qui est possesseur d'une fonction garantie par un titre. *Professeur titulaire.* **2.** Qui possède qqch selon le droit. *Être titulaire d'un passeport.* **3.** RELIG CATHOL *Évêque titulaire,* qui porte le titre d'un diocèse dépourvu d'existence canonique. (Cf. in partibus.)

titularisation n. f. Action de titulariser.

titulariser v. tr. [1] Nommer (qqn) titulaire de sa charge. *Titulariser un fonctionnaire.*

titulature n. f. Ensemble des titres d'un individu, d'une famille noble.

Titulescu (Nicolae) (Craiova, 1882 – Cannes, 1941), homme politique roumain. Ministre des Affaires étrangères de son pays, il fut président de la S.D.N. (1930-1931) et défendit l'Entente balkanique (1934).

Titus, parfois francisé en *Tite* (Titus Flavius Sabinus Vespasianus) (Rome, 39 – Aquæ Cutiliæ, auj. Contigliano, 81), empereur romain (79-81), fils et successeur de Vespasien. Il participa notam. à la guerre de Judée, s'emparant de Jérusalem, qu'il ruina (70), et fut associé au gouvernement de l'Empire (71). Brutal, débauché, il fut jugé sévèrement pour sa liaison avec la princesse juive Bérénice, qu'il voulait épouser. Mais lorsqu'il accéda au pouvoir, il se signala au contraire par sa tolérance et sa générosité. Il inspira à Racine sa seule tragédie non sanglante, *Bérénice,* qui triompha en 1670.

Tivoli (antiq. *Tibur*), ville d'Italie (Latium); 50 970 hab. Industr. chimiques et alimentaires. – Lieu de villégiature, depuis l'Antiquité (vestiges de la villa Hadriana). Villa d'Este, demeure de la Renaissance italienne, célèbre pour ses jardins ornés de fontaines.

Tizi-Ouzou, v. d'Algérie, en Grande Kabylie; 92 410 hab.; ch.-l. de la wilaya du m. nom. Marché agricole.

tjäle [tjɛl] n. m. GEOGR Sol gelé en permanence. Syn. merzlota, permafrost.

Tjibaou (Jean-Marie) (Tiendanité, Nouvelle-Calédonie, 1936 – Ouvéa, 1989), dirigeant du F.L.N.K.S., assassiné par des Canaques opposés aux accords de Matignon de juin 1988.

Tjirebon (ou *Cirebon*), port d'Indonésie (Java); 223 780 hab.

Tl CHIM Symbole du thallium.

Tlaloc, dieu aztèque de la Pluie, protecteur des agriculteurs.

Tlatelolco (traité de), traité (1967) par lequel les États latino-amér. (sauf Cuba et la Guyane) s'engageaient à refuser l'arme nucléaire.

Tlemcen (auj. *Tilimsen*), v. de l'Algérie occidentale; 111 590 hab.; ch.-l. de la wilaya du m. nom. Centre artisanal (tapis, cuir, etc.) et industriel. – Centre religieux : Grande Mosquée (XIe-XIIe s.).

Tm CHIM Symbole du thulium.

tmèse [tmɛz] n. f. LING Séparation des éléments d'un mot par l'intercalation d'un ou de plusieurs autres mots (ex. *lors* donc *que*).

T.N.P. Sigle de *Théâtre* national populaire.*

T.N.T. Abrév. de *trinitrotoluène.*

Toamasina. V. Tamatave.

toast [tost] n. m. **1.** Tranche de pain de mie grillée. **2.** *Porter un toast* : lever son verre pour boire à la santé de qqn, à la réussite d'une entreprise, etc.

toaster [toste] v. tr. [1] (Anglicisme) Griller du pain dans un toasteur. *Du pain de mie toasté recouvert d'une tranche de jambon.*

toasteur n. m. Grille-pain pour les toasts.

Tobago, île des Petites Antilles, formant, avec la Trinité, l'État de Trinité*-et-Tobago; 301 km^2; 42 100 hab.; v. princ. *Scarborough.*

Tobey (Mark) (Centerville, Wisconsin, 1890 – Bâle, 1976), peintre américain; surtout connu pour ses « écritures blanches », peintures de petit format, aux teintes pâles (détrempe, aquarelle), où s'accumulent des signes inspirés par la calligraphie orientale.

Tobie (Livre de), livre biblique (écrit v. le IIIe s. av. J.-C.) : au VIIIe s. av. J.-C., un Juif déporté en Assyrie, Tobit, perd la vue et envoie son fils Tobie chercher une somme d'argent en Perse; sur la route, Tobie rencontre l'archange Raphaël, qui aidera le fils et sauvera le père; ce récit constitue notam. une réflexion sur les devoirs familiaux et sur la souffrance du juste.

Tobin (James) (Champaign, Illinois, 1918), économiste américain. Keynésien, il a défendu la nécessité de l'intervention de l'État dans la régulation des économies nationales (politique des prix et des revenus). Il préconise une taxe portant sur les mouvements internationaux de capitaux. P. Nobel 1981.

toboggan n. m. **1.** Traîneau bas muni de deux patins. **2.** Dispositif constitué d'une piste en matériau lisse en forme de gouttière, le long de laquelle on se laisse glisser par jeu. *Toboggans d'un parc d'attractions.* ▷ *Par anal.* Dispositif de forme analogue destiné à la manutention des marchandises. **3.** Viaduc provisoire, constitué d'éléments démontables, qui permet le franchissement d'un obstacle par une voie de circulation automobile.

Tobrouk *(Ṭubruq)*, port de Libye, en Cyrénaïque ; ch.-l. du distr. du m. nom ; env. 60 000 hab. – Violents combats entre les forces britanniques et celles de l'Axe en 1941-1942.

1. toc n. m. et adj. **1.** Péjor. Imitation d'une matière, d'une chose de prix. *C'est du toc. Bijou en toc.* ▷ adj. inv. Fam. Faux et de mauvais goût. *Des meubles toc.* **2.** TECH Pièce d'un tour servant à entraîner la pièce à tourner.

2. toc ou **toc-toc** n. m., adj. et interj. Onomatopée évoquant un petit bruit sec fait en frappant. *J'ai entendu un toc-toc à la porte.* ▷ adj. inv. Fam. *Être toc-toc,* toqué. ▷ Interj. *Et toc !* : se dit pour souligner une repartie pertinente.

tocade. V. toquade.

tocan. V. tacon.

tocante ou **toquante** n. f. Fam. Montre.

Tocantins (rio), fl. du Brésil (2 640 km) ; naît dans le Goiás, qu'il draine ; se jette dans l'estuaire de l'Amazone. – L'*État de Tocantins* a été créé en 1988, constitué par la partie septentrionale de l'État de Goiás (286 706 km² et 1,1 million d'hab.) ; cap. *Miracema do Norte.*

tocard ou **toquard, arde** adj. et n. m. **1.** adj. Fam. Laid, médiocre. **2.** n. m. TURF Mauvais cheval. *Miser sur un tocard.* – Fam. Individu incapable.

toccata [tɔkata] n. f. MUS Composition instrumentale de forme libre écrite pour un instrument à clavier. *Des toccatas* ou *des toccate.*

tocographie n. f. MED Enregistrement graphique des contractions utérines effectué au cours de l'accouchement, et qui permet de contrôler le déroulement de ce dernier.

Tocqueville (Charles Alexis Clérel de) (Paris, 1805 – Cannes, 1859), écrivain et homme politique français. Au retour d'un voyage aux É.-U., il publia *De la démocratie en Amérique* (1835-1840), œuvre capitale d'analyse politique et sociologique. Il fut ministre des Affaires étrangères de la IIe République (1849). En 1856, il fit paraître *l'Ancien Régime et la Révolution.* Acad. fr. (1841).

Ch. A. de **Tocqueville**

Léon **Tolstoï**

tocsin n. m. Sonnerie d'une cloche qu'on fait tinter à coups redoublés pour donner l'alarme. *Sonner le tocsin.*

Tödi, sommet des Alpes suisses (3 623 m), au N.-E. du Saint-Gothard.

Todi, v. d'Italie (Ombrie) ; 16 910 hab. – D'origine étrusque (fortifications), la ville conserve son aspect médiéval.

Todleben. V. Totleben.

Todt (Fritz) (Pforzheim, 1891 – dans un accident d'avion, 1942), général et ingénieur allemand. Militant nazi dès 1922, il dirigea l'*organisation Todt,* corps paramilitaire créé en 1938 (composé au départ de chômeurs, il rassemblait, après le déclenchement du conflit mondial, des prisonniers et des déportés) et chargé de l'exécution de grands travaux (autoroutes, ligne Siegfried, mur de l'Atlantique, etc.). Fritz Todt fut ministre de l'Armement (1940-1942).

Toepffer ou **Töpffer** (Rodolphe) (Genève, 1799 – id., 1846), écrivain suisse d'expression française : *la Bibliothèque de mon oncle* (1832), récit autobiographique ; *Nouvelles genevoises* (1841) ; *Voyages en zigzag* (1843-1853). Caricaturiste, il publia de savoureux albums comiques qui annoncent la bande dessinée.

tofu [tɔfu] n. m. CUIS Pâte consistante à base de farine de soja.

toge n. f. **1.** ANTIQ ROM Grande pièce d'étoffe formant un vêtement ample que les Romains portaient par-dessus la tunique. **2.** Robe que portent les avocats, les magistrats dans l'exercice de leurs fonctions, les professeurs de l'enseignement supérieur dans certaines cérémonies, etc.

Togliatti ou **Toliatti** (*Stavropol* jusqu'en 1964), ville de Russie, sur la Volga ; 594 000 hab. Constr. automobiles. Raff. de pétrole.

Togliatti (Palmiro) (Gênes, 1893 – Yalta, 1964), homme politique italien ; un des fondateurs du parti communiste italien (1921), qu'il dirigea jusqu'à sa mort. En 1926, il dut s'exiler (notam. en U.R.S.S.), puis combattit en Espagne comme commissaire politique (1937-1939). Il rentra en Italie en 1944 et fut ministre en 1946-1947. Dès 1956, il favorisa la déstalinisation et l'autonomie du parti communiste italien.

Togo (république du), État de l'Afrique occidentale, sur le golfe du Bénin ; 56 785 km² ; 3 250 000 hab., croissance démographique : 3,5 % par an ; cap. *Lomé.* Nature de l'État : république de type présidentiel. Pop. : Éwés (47 %), Kabrés (22 %). Langue off. : franç. Monnaie : franc C.F.A. Relig. : animisme en majorité, christianisme et islam.

Géogr. phys., hum. et écon. – Bas pays (max. 984 m), flanqué de hauteurs à l'O. (monts du Togo) et au centre, le Togo s'allonge du N. au S. sur près de 700 km, alors qu'il n'est large que d'une centaine de km. Il s'ouvre sur le golfe de Guinée par une côte basse et sableuse à lagunes, dont l'accès est rendu difficile par la barre. Le climat tropical humide, très pluvieux au S. et sur les hauteurs (forêt dense guinéenne) est un peu plus sec dans le centre et le N. où domine la savane. La variété ethnique est importante et des rivalités traditionnelles opposent les peuples du N. (Kabrés dominants) à ceux du S. (Éwés majoritaires). L'économie, largement agricole (75 % de ruraux), est fondée sur les cultures de subsistance (maïs, millet, manioc). Phosphates, café, coton, cacao sont les principales ressources d'exportation. Le Togo fait partie des pays les moins avancés ; la situation écon. reste précaire en dépit des efforts de redressement accomplis sous l'égide du F.M.I.

Hist. – Le Togo méridional fut reconnu à la fin du XVe s. par les Portugais. Au XIXe s., les Allemands (action de l'explorateur Nachtigal, notam.) établirent leur protectorat sur la région côtière et poursuivirent l'exploration vers l'intérieur, créant une colonie dont les frontières furent délimitées avec la France en 1897, et avec la G.-B. en 1899. En 1922, la S.D.N. plaça la région O. sous mandat britannique et la région E. (soit les deux tiers de la colonie) sous mandat français. Le Togo britannique (Togoland) se prononça pour l'intégration à la Côte-de-l'Or (Ghāna) en 1956 ; le Togo français accéda à l'indépendance en 1960 sous la présidence autoritaire de Sylvanus Olympio, renversé et tué en 1963, et remplacé par son rival Nicolas Grunitzky. Depuis 1967, à la suite d'un coup d'État militaire, Étienne Eyadema, auj. général, exerce le pouvoir. Chef du gouvernement et président de la République, il dirige le parti qu'il a fondé en 1969, le Rassemblement du peuple togolais (R.P.T.). L'adoption du multipartisme en 1991 n'a pas mis de terme aux violences dont le caractère tribal s'affirme (ethnies du Nord, contrôlant l'armée, contre une opposition qui recrute surtout dans le sud du pays). L'opposition parvint à imposer au président la réunion d'une Conférence nationale et la nomination d'un Premier ministre civil à titre provisoire. En août 1991, Joseph Kokou Koffigoh fut élu Premier ministre, É. Eyadema perdant une partie de ses pouvoirs. En déc. 1991, l'armée mit fin au processus de démocratisation, et en 1992, le prés. Eyadema retrouva la plupart de ses prérogatives et fut réélu en 1993 avec 96 % des voix. En 1996, l'ancien parti unique reconquiert l'Assemblée nationale et Klutse Kwassi est nommé Premier ministre.

▶ carte **Bénin**

Tōgō (Heihachiro) (Kagoshima, Kyūshū, 1847 – Tōkyō, 1934), amiral japonais. Il fut l'artisan du blocus de Port-Arthur, puis écrasa la flotte russe de secours, près de Tsushima (1905).

togolais, aise adj. et n. Du Togo. ▷ Subst. *Un(e) Togolais(e).*

tohu-bohu [tɔybɔy] n. m. Confusion, désordre bruyant. *La séance s'acheva dans le tohu-bohu. Des tohu-bohu(s).*

toi pron. pers. Forme tonique de la 2e pers. du sing. des deux genres qui indique la personne à qui l'on s'adresse. **1.** Complément d'objet après un impératif (pron.). *Gare-toi à gauche. Laisse-toi aller.* **2.** (Sujet d'un v. à l'infinitif.) *Toi, ne pas lui pardonner ?* – (Avec un infinitif de narration.) *Et toi de poursuivre, comme si de rien n'était.* **3.** (Sujet d'un participe.) *Toi riant, il fallait que je reste sérieux.* **4.** (Sujet coordonné avec un nom ou avec un autre pron.) *Yves et toi le ferez.* **5.** (Complément coordonné.) *Vous, je veux dire ta femme et toi.* **6.** (Sujet, renforçant *tu.*) *Toi, tu devras le faire.* – (Renforçant le pron. atone *te.*) *Je te le dis à toi. Il t'aime toi.* **7.** (Complément indirect après une préposition.) *C'est à toi. L'idée est de toi.* **8.** (Forme renforcée.) *Toi-même. Toi-même, tu ne saurais y répondre.* – *Toi seul. Toi seul es maître à bord.* **9.** *Toi qui... Toi qui sais tout, dis-moi...* – *Toi que... Toi que j'aime.* (N.B. Devant *en* et *y, toi* devient *t'. Va-t'en. Il faut t'y faire.*)

toile n. f. **1.** Tissu de l'armure* portant ce nom, fait de lin, de chanvre, de coton, etc. *Toile fine. Toile d'emballage. Toile à voile. Vêtement de toile.* – (En appos.) *Armure toile,* obtenue par division des fils de chaîne en deux trames qu'on lève et abaisse alternativement pour insérer le fil conduit par la navette. – *Toile cirée,* recouverte d'un enduit imperméable. *Nappes de toile cirée.* ▷ Par anal. *Toile d'amiante. Toile métallique.* ▷ *Toile d'araignée :* réseau tissé par les araignées au moyen de fils de soie qu'elles sécrètent et dans lequel elles capturent leurs proies. ▷ *La Toile :* autre nom du Web d'Internet. **2.** Pièce de toile, le plus souvent recouverte d'un apprêt, fixée sur un cadre de bois et destinée à être peinte. – *Par méton.* Tableau réalisé sur ce support. *Toiles de maîtres.* ▷ Loc. *Toile de fond :* grand panneau formant le fond d'une scène de théâtre et sur lequel est peint un décor. – Par ext., FIG. *La toile de fond d'un récit, d'un roman,* le cadre, le contexte dans lequel il se déroule. **3.** MAR *La toile :* la voilure. *Navire qui porte beaucoup de toile.* **4.** LITTER *Chansons de toile :* courtes chansons du Moyen Âge, qui doivent leur nom au fait qu'elles étaient chantées par les femmes qui filaient.

toilettage n. m. Ensemble des soins de propreté (donnés à un chien, à un chat, etc.). ▷ FIG. Retouche légère. *Toilettage d'un texte.*

toilette n. f. **1.** Action de se laver; action de s'apprêter, de se parer. *Faire sa toilette. Cabinet de toilette.* **2.** Meuble sur lequel on range les objets qui servent à se parer. **3.** Ensemble des vêtements et des parures d'une femme; costume féminin. *Elle porte bien la toilette. Une toilette élégante, classique.* ▷ ANC. *Marchande à la toilette :* femme qui vendait des vêtements, des bijoux, etc., d'occasion. – *Par ext.* Intrigante, entremetteuse. **4.** Par euph. *Les toilettes :* les cabinets, les w.-c. **5.** En boucherie, épiploon (dont on enveloppe certaines pièces de viande).

toiletter v. tr. [1] Procéder au toilettage de (un animal). ▷ FIG. Retoucher légèrement. *Toiletter un manuscrit.*

toise n. f. **1.** ANC. Mesure de longueur égale à six pieds valant 1,949 m. **2.** Règle verticale graduée, munie d'un index coulissant, qui sert à mesurer la taille des personnes.

toiser v. tr. [1] **1.** Mesurer (qqn) au moyen d'une toise. *Toiser un conscrit.* **2.** FIG. Regarder (qqn) avec dédain, mépris.

toison n. f. **1.** Poil épais et laineux de certains animaux, partic. du mouton. ▷ MYTH *Toison d'or :* toison d'un bélier ailé donnée au roi de Colchide Aiêtês; Jason organisa l'expédition des Argonautes pour s'en emparer. ▷ HIST *Ordre de la Toison d'or :* ordre de chevalerie fondé en 1429 par le duc de Bourgogne Philippe le Bon et passé ensuite dans la maison de Habsbourg. **2.** Chevelure abondante, poils particulièrement fournis. *Démêler sa toison.*

toit n. m. **1.** Partie supérieure d'un bâtiment, d'un véhicule, qui protège des intempéries. *Toit de tuiles. Voiture à toit ouvrant.* ▷ Loc. fig. *Crier qqch sur les toits,* le faire savoir à tous. – *Le toit du monde :* l'Himalaya ou le Tibet. **2.** Maison, logement. *Se retrouver sans toit.* – *Sous le toit de qqn,* dans sa maison. **3.** MINES Plafond d'une galerie.

toiture n. f. Ensemble des éléments constituant le toit d'une construction. *Réparer une toiture.*

toiture-terrasse n. f. Toit d'un bâtiment, qui est accessible et forme une terrasse utilisable comme telle. *Des toitures-terrasses.*

Tōjō (Hideki) (Tōkyō, 1884 – id., 1948), général japonais. Partisan de la guerre, il évinça Konoye (oct. 1941), prit la tête du gouvernement et déclencha l'attaque de Pearl Harbor (déc.). Les défaites entraînèrent sa démission (juil. 1944). Jugé comme criminel de guerre par les Américains, il fut exécuté.

tokai, tokay [tɔkɛ] ou **tokaï** [tɔkaj] n. m. **1.** (Prononcé [tɔkaj].) Vin hongrois produit dans la région de Tokay. **2.** (Prononcé [tɔkɛ].) Vin produit dans le midi de la France et en Alsace. *Le tokai d'Alsace est auj. appelé pinot gris.*

Tokaj, Tokaï ou **Tokay,** com. du N.-E. de la Hongrie, sur la Tisza; 5 000 hab. Vignobles réputés.

tokamak n. m. PHYS NUCL Appareil en forme de tore que l'on utilise, dans les recherches sur la fusion nucléaire contrôlée, pour confiner les plasmas.

tokharien, enne n. m. et adj. LING Langue indo-européenne parlée au Ier millénaire apr. J.-C. dans le Turkestan chinois où quelques manuscrits ont été retrouvés. ▷ adj. *Dialectes tokhariens.*

Tokugawa, famille japonaise qui donna la dernière dynastie des shōgun (1603-1867).

Tokushima, v. et port du Japon (Shikoku); 257 880 hab.; ch.-l. du ken du m. nom. Centre industr. (text., méca.).

Tōkyō ou **Tokyo** (*Edo* jusqu'en 1868), cap. du Japon (centre de Honshū), au fond de la *baie de Tōkyō* et dans la plaine du Kwanto; 8 386 030 hab. (*Tokyoïtes*); aggl. urbaine 11 904 370 hab. La ville concentre toutes les fonctions : culturelle, administrative, industrielle (les industries sont très diversifiées), financière et commerciale. Le port est doublé, en raison de l'ensablement, par les ports voisins (Yokohama, notam.); le nom donné à l'ensemble portuaire, *Keihin,* s'applique également à la conurbation, sans doute la première au monde (30 millions d'hab. dès 1965). Tōkyō connaît les problèmes propres aux conurbations géantes (pollution, transports, etc.). – Archevêché. Universités. Musée national. Complexe sportif construit pour les jeux Olympiques de 1964 par Kenzō Tange. – Mentionnée au XIIe s., la ville doit sa fortune aux daimyōs de la prov. d'Edo, qui en 1601 prirent au Japon le pouvoir, s'attribuant le titre de shōguns. Ils aménagèrent, au prix de travaux considérables, un site médiocre (plaine marécageuse), dans une zone de séismes. Kyōto demeurait la cap. impériale. Quand l'autorité des shōguns fut abolie (1868), l'empereur fit d'Edo, rebaptisé Tōkyō, la cap. du pays; son développement considérable correspondit à celui du Japon. Détruite à plusieurs reprises par des tremblements de terre (le plus récent en 1923), la ville fut très éprouvée par les bombarents américains (1942-1945).

Tōkyō : aspect du parc *Shinjuku gyoen,* au pied de buildings administratifs

tokyoïte adj. et n. De Tokyo.

Tolbiac (auj. *Zülpich*), bourgade de l'anc. Gaule (S.-O. de Cologne), où les Francs Ripuaires vainquirent les Alamans (v. 496).

Tolboukhine (Fedor Ivanovitch) (Androniki, près de Iaroslavl', 1894 – Moscou, 1949), maréchal soviétique. Il prit part à la bataille de Stalingrad (1942), entra en Bulgarie, en Hongrie et assura la jonction avec les troupes américaines en Autriche (avr. 1945).

Tolbuhin ou **Tolboukhine** (anc. *Dobrič*), v. de Bulgarie; 109 070 hab.; ch.-l. de la prov. du m. nom. Céréales; coton.

1. tôle n. f. Métal laminé en plaques larges et minces. *De la tôle. Tôle ondulée,* utilisée partic. pour les toits de constructions légères. ▷ Plaque de tôle.

2. tôle. V. taule.

Toleara. V. Tuléar.

Tolède (en esp. *Toledo*), v. d'Espagne, sur le Tage; 60 670 hab.; cap. de la communauté auton. de Castille-la Manche; ch.-l. de la prov. du m. nom. Manufacture d'armes. – Archevêché. Nombr. monuments mauresques : pont d'Alcántara (Xe s., remanié aux XIIe et XVe s.); Puerta del Sol (Porte du Soleil), vestige de fortif. (XIVe s.). Églises de style mudéjar. Cath. gothique (XIIIe-XVe s.). Égl. et cloître de San Juan de los Reyes (goth. tardif). Égl. gothique Santo Tomé (renferme *l'Enterrement du comte d'Orgaz* du Greco). Hôpital Santa Cruz (XVIe s., auj. musée provincial). Alcázar (forteresse construite au XIe s. et remaniée jusqu'au XVIIIe s., détruite au cours de la guerre civile, en 1936, et auj. restaurée). Maisons anciennes, notam. celle du Greco (XIVe s.). – Soumise par les Romains (192 av. J.-C.), la ville fut la cap. des Wisigoths. Les Omeyyades en firent un centre du travail du cuir et de l'acier; les chrétiens la reconquirent en 1085 et elle devint la cap. de la Castille. Elle déclina après l'expulsion des Maures et des Juifs, et Madrid la supplanta en 1561.

Toledo, v. des É.-U. (Ohio), port sur le lac Érié; 332 900 hab. (aggl. urb. 610 800 hab.). Import. centre industriel (verreries, pétrochimie, constr. automobiles, etc.).

tôlée adj. f. **1.** *Neige tôlée,* présentant une croûte de glace superficielle. **2.** TECH Recouvert de tôle (en parlant de la caisse d'un véhicule automobile).

Tolentino, v. d'Italie (Marches, prov. de Macerata); 17 980 hab. – Traité entre Bonaparte et Pie VI (1797), qui faisait des concessions considérables à la France, laquelle annexait, notam., Bologne, Ferrare et la Romagne.

tolérable adj. Qu'on peut tolérer, supporter.

tolérance n. f. **1.** Attitude consistant à tolérer ce qu'on pourrait rejeter, refuser ou interdire; dérogation admise à certaines lois, à certaines règles. *Ce n'est pas un droit, c'est une tolérance.* ▷ Loc. ANC. *Maisons de tolérance :* maisons de prostitution fonctionnant sous surveillance administrative, qui ont été supprimées en 1946. **2.** Fait d'accepter les opinions (religieuses, philosophiques, politiques, etc.) d'autrui, même si on ne les partage pas. *Prôner la tolérance.* **3.** TECH Différence tolérée entre le poids, les dimensions, etc., théoriques d'un produit marchand et ses caractéristiques réelles. **4.** MED Fait, pour l'organisme, de bien supporter un agent chimique, physique ou médicamenteux. *Tolérance immunitaire* : absence de réaction immunitaire (à un antigène donné).

tolérant, ante adj. Qui fait preuve de tolérance. *Être d'un naturel tolérant.*

tolérer v. tr. [14] **1.** Accepter sans autoriser formellement (qqch qu'on est en droit d'interdire). *Tolérer certaines infractions au règlement.* **2.** Supporter par indulgence, en faisant un effort sur soi-même. *Tolérer qqn. Il ne tolère pas la moindre remarque.* **3.** (En parlant d'un organisme vivant.) Bien supporter (un médicament, un traitement, etc.).

tôlerie n. f. **1.** Industrie, commerce ou atelier du tôlier. **2.** Ensemble d'éléments en tôle.

tolet n. m. MAR Cheville enfoncée dans un renfort du plat-bord *(toletière)*, qui sert de point d'appui à l'aviron.

Toliatti. V. Togliatti.

1. tôlier n. m. Celui qui fabrique, vend ou travaille la tôle.

2. tôlier. V. taulier.

Tolima (Nevado del), volcan des Andes (5 215 m), en Colombie.

tolite n. f. TECH Syn. de *trinitrotoluène.*

Tolkien (John Ronald Reuel) (Bloemfontein, Afrique du Sud, 1892 - Bournemouth, 1973), philologue brit., spécialiste de la littérature médiévale et écrivain : *le Seigneur des anneaux* (1954-1955), épopée fantastique.

tollé n. m. Cri, mouvement collectif d'indignation, de protestation.

Tolstoï (Lev Nikolaïevitch, en fr. Léon, comte) (Iasnaïa Poliana, gouv. de Toula, 1828 - Astapovo, gouv. de Riazan, 1910), écrivain russe. Issu d'une famille noble, il s'engagea dans l'armée en 1851. Ses premières œuvres, autobiographiques, furent groupées dans *Étapes d'une vie* (1856). *Les Cosaques* (1863), roman à la morale proche de celle de Rousseau, affirment la supériorité de l'homme de la nature (le Cosaque Iérochka) sur l'officier mondain (Olénine). Les *Récits de Sébastopol* (1868) furent salués par la critique. Son roman *Guerre et Paix* (1865-1869) constitue une brillante épopée de la lutte héroïque du peuple russe contre l'envahisseur français. Après *Anna Karénine* (1876-1877), ouvrage d'une fine analyse psychologique, sa critique d'une société corrompue par le luxe, le plaisir, le mensonge, continuera de s'exercer dans des récits tels que *la Mort d'Ivan Ilitch* (1886), *la Sonate à Kreutzer* (1889), etc. À l'issue d'une crise de conscience (*Confession*, 1882), il prôna un christianisme ascétique. *Résurrection* (1899) poursuit le procès de la société russe, développant le double thème de la déchéance et du rachat. Dans *Qu'est-ce que l'art?* (1898), Tolstoï attaqua «l'art pour l'art». Tâchant de vivre en simple paysan, en quête de perfection morale et dans une ultime tentative d'accorder sa vie à ses principes, il s'enfuit de chez lui et mourut dans la petite gare d'Astapovo. ▸ illustr. page **1877**

Tolstoï (Alexeï Nikolaïevitch, en fr. Alexis) (Nikolaïevsk, gouv. de Samara, 1883 - Moscou, 1945), écrivain soviétique; auteur d'ouvrages d'histoire et de science-fiction : *Aëlta* (1922); *les Cités bleues* (1925); *le Chemin des tourments* (trilogie, 1920-1941).

toltèque adj. Des Toltèques.

Toltèques, Indiens de l'Amérique précolombienne, qui occupèrent le Mexique central au IXe s. apr. J.-C. Sur les bases culturelles et artistiques que leur offrait la grande cité-État de Teotihuacán, ils développèrent une civilisation brillante jusqu'en 1168, date de la prise de Tula* par les Chichimèques. Les Toltèques pénétrèrent au Xe s. en pays maya, dans le Yucatán, où ils établirent leur cap. à Chichén Itzá. L'art typiquement toltèque est représenté par les monuments et la statuaire de Tula; il n'a pas la finesse d'exécution maya, mais reflète avec une grandeur monumentale l'idéologie guerrière qui l'a inspiré.

deux atlantes **toltèques,** fragment d'un bas-relief (qui formait un support d'autel); musée national d'Anthropologie, Mexico

tolu n. m. PHARM *Baume de tolu* : baume fait de la résine d'une légumineuse d'Amérique du S. (*myroxylon*), purifiée par fusion et filtration, utilisé notam. en dermatologie.

Toluca de Lerdo, v. du Mexique, cap. de l'État de Mexico; 487 600 hab. Commerce. Artisanat. Musée archéol.

toluène n. m. CHIM Hydrocarbure aromatique de formule C_6H_5–CH_3, extrait du benzol lors de la distillation de la houille ou obtenu par synthèse à partir du benzène, qui sert de point de départ à la fabrication de matières colorantes, d'explosifs, de parfums et de produits pharmaceutiques.

toluol n. m. TECH Toluène brut.

tom(o)-, -tome, -tomie. Éléments, du gr. *-tomos*, et *-tomia*, rad. *temnein*, «couper, découper» (ex. *lobectomie*).

tom ou **tom-tom** n. m. MUS Tambour cylindrique de 20 à 50 cm de diamètre, à une ou deux peaux, employé dans la batterie de jazz.

TOM n. m. (Acronyme pour *territoire* [français] *d'outre-mer.*) *Les TOM* : la Nouvelle-Calédonie, la Polynésie française, Wallis-et-Futuna et les possessions australes. (Mayotte a le statut de collectivité territoriale.)

tomahawk [tɔmaok; tɔmawak] n. m. Hache de guerre des Indiens d'Amérique du Nord.

tomaison n. f. TECH Indication du numéro du tome (sur une page, sur la reliure). ▷ Division d'un ouvrage en tomes.

Tomasi di Lampedusa (Giuseppe), duc de Palma, prince de Lampedusa (Palerme, 1896 - Rome, 1957), écrivain italien; auteur d'essais et d'un roman, inachevé, *le Guépard* (posth., 1958).

tomate n. f. **I. 1.** Plante herbacée annuelle (*Solanum lycopersicum*, fam. solanacées), velue, à feuilles alternes charnues, cultivée pour ses fruits. **2.** Fruit rouge de cette plante, à la saveur légèrement acidulée. *Salade de tomates. Sauce tomate.* ▷ Loc. *Être rouge comme une tomate*, très rouge (de confusion). **II.** Fam. *Une tomate* : un verre de pastis additionné de grenadine.

tombal, ale, als adj. Relatif à une tombe, aux tombes. *Pierre tombale.*

Tombalbaye (François N'garta) (Bessaba, 1918 - N'Djamena, 1975), homme politique tchadien. Premier président de la République (1960), il reçut l'aide armée de la France (1968) pour lutter contre la rébellion dans le N. du pays; réélu en 1969, il fut tué lors d'un coup d'État.

tombant, ante adj. **1.** *À la nuit tombante* : à l'heure où la nuit tombe. **2.** Qui s'abaisse, tend vers le bas. *Épaules tombantes.*

tombe n. f. Lieu où est enterré un mort; fosse couverte d'un tertre, d'une dalle, d'un monument. Syn. sépulture. *Rangées de tombes dans un cimetière. Aller prier sur la tombe de qqn.* ▷ Loc. fig. *Se retourner dans sa tombe* : se dit d'un mort dont on imagine que, s'il vivait encore, il serait indigné (par des actes, des paroles). *Arracher qqn à la tombe*, à la mort. *Avoir un pied dans la tombe* : être près de la mort. *Suivre qqn dans la tombe*, lui survivre peu de temps. *Être muet comme une tombe*, d'un silence, d'une discrétion absolus.

tombeau n. m. **1.** Sépulture monumentale d'un ou de plusieurs morts. *Le tombeau du pape Jules II, par Michel-Ange.* ▷ *Mise au tombeau* : sculpture, peinture représentant la mise au tombeau du Christ. **2.** Fig., litt. Lieu sombre, humide, sinistre. *Cette pièce est un tombeau.* **3.** Fig., litt. Fin, mort, destruction. *Ce serait le tombeau de nos libertés.* ▷ Loc. fig. *Rouler à tombeau ouvert* : conduire très vite, en prenant des risques mortels.

tombée n. f. *La tombée de la nuit, du jour* : le crépuscule.

tomber v. [1] **A.** v. intr. **I. 1.** Être entraîné subitement de haut en bas, par perte d'équilibre; faire une chute. *Le vent fait tomber les arbres. Tomber à la renverse.* **2.** Être entraîné vers un lieu plus bas, plus profond. *Tomber d'un toit. Tomber par terre.* ▷ Loc. fig. *Tomber des nues* : être très surpris. - Fam. *Laisser tomber* : abandonner. ▷ v. impers. *Il tombe d'énormes grêlons.* **3.** (Choses) S'effacer, disparaître. *Les obstacles tombent.* **4.** Perdre le pouvoir, être renversé. *La dictature est enfin tombée.* **5.** (Choses) Perdre de sa vigueur, diminuer, décliner. *Son enthousiasme tombe.* **II.** (Indiquant un mouvement vers le bas, sans chute brutale.) **1.** Arriver d'un lieu plus élevé. *Le brouillard tombe.* ▷ Pp. adj. SPORT *Coup de pied tombé*, donné dans le ballon de rugby qu'on laisse tomber sur le pied. **2.** (Choses) Devenir plus bas, plus faible. *Les cours tombent.* Syn. baisser. *Conversation qui tombe.* **3.** Fig. (Personnes) Déchoir, dégénérer. *Il est tombé bien bas.* **4.** (Choses) Pendre. *Ses cheveux lui tombent sur les épaules.* **III.**

1. *Tomber sur* : attaquer violemment. **2.** *Tomber en, dans* : passer dans (un état considéré comme inférieur au précédent). *Tomber dans un vice.* – Loc. *Tomber en désuétude.* **3.** (Suivi d'un qualificatif.) Devenir. *Tomber malade. Tomber amoureux. Tomber d'accord avec qqn.* **IV. 1.** Arriver inopinément, survenir. *Tomber bien, mal, à pic.* ▷ Fam. (Personnes) *Tomber sur un ami. Tomber sur une difficulté.* Syn. rencontrer. **2.** Arriver, se produire. *Cette année, le 1er Mai tombe un lundi.* **B.** v. tr. **1.** SPORT Faire tomber, vaincre. *Lutteur qui tombe tous ses adversaires.* **2.** Fam. Séduire qqn. **3.** Fam. *Tomber la veste,* la retirer.

tombereau n. m. **1.** Véhicule utilisé pour le transport des matériaux, comprenant une benne à pans inclinés qui se décharge par basculement. **2.** Syn. (non recommandé) *dumper.*

tombeur n. m. Fam. Homme qui tombe de nombreuses femmes.

tombola n. f. Loterie où les numéros sortants gagnent des lots en nature.

tombolo n. m. GEOMORPH Cordon de galets et de sable qui relie un ancien îlot au continent.

Tombouctou, v. du Mali, près du fl. Niger; ch.-l. de la rég. du m. nom; 19 160 hab. Point de départ des caravanes. – Ville très anc. (XIIe s.), centre de diffusion de l'islam, elle fut longtemps interdite aux Européens; les Français s'en emparèrent en 1894.

-tome. V. tom(o)-.

tome n. m. **1.** Division d'un ouvrage, contenant généralement plusieurs chapitres (et indépendante de la division en volumes). **2.** *Par ext.* Volume.

tomenteux, euse adj. BOT Couvert de poils fins et serrés.

tomer v. tr. [**1**] TECH Diviser (un ouvrage) en tomes.

Tomes (en lat. *Tomi*), anc. v. de Mésie (auj. Constanţa*, Roumanie) sur le Pont-Euxin.

-tomie. V. tom(o)-.

Tommaso de Celano (Celano, ? – Tagliacozzo, v. 1250), franciscain italien, biographe de saint François et parfois considéré comme l'auteur du *Dies iræ.*

tomme n. f. Fromage au lait de vache, à pâte pressée, en forme de gros cylindre, fabriqué notam. en Savoie.

tommette ou **tomette** n. f. Briquette plate hexagonale utilisée pour le revêtement des sols.

tommy n. m. Fam. Soldat anglais. *Des tommys* ou *des tommies* [tɔmiz].

tomo-. V. tom(o)-.

tomodensitomètre n. m. MED Syn. de *scanographe.*

tomodensitométrie n. f. MED Syn. de *scanographie.*

tomographie n. f. MED Procédé radiologique permettant de prendre des clichés par plans d'un organe. – Cliché ainsi obtenu.

Tomsk, v. de Russie, en Sibérie occidentale, sur le *Tom* (840 km), affl. de l'Ob; 475 000 hab.; ch.-l. de la prov. du m. nom. Import. centre industriel (méca., alim., bois).

Tomyris ou **Thomyris** (VIe s. av. J.-C.), reine des Massagètes. Elle combattit Cyrus II de Perse qui avait capturé son fils et l'avait laissé se suicider. Selon Hérodote, Cyrus, vaincu et prisonnier de Tomyris, aurait été noyé, sa tête plongée dans un vase de sang.

1. ton, ta, tes adj. poss. **I.** (Sens subjectif.) **1.** Qui est à toi (rapport général d'appartenance). *Montre ta main. J'admire ton courage. Tes parents, tes amis.* – (On remplace *ta* par *ton* devant un n. f. qui commence par une voyelle ou par un *h* muet.) *Ton amie. Ton habitude.* **2.** *Par ext.* (Marquant différents rapports d'intérêt.) *Tu nous le présenteras, ton jeune peintre génial? Éteins ta lumière.* **II.** (Sens objectif.) *Ton éditeur,* celui qui t'édite. *Ton hospitalisation,* celle dont tu as été l'objet.

2. ton n. m. **I. 1.** Degré de hauteur, intensité ou timbre de la voix. *Ton aigu, grave. Ton perçant, sourd.* **2.** Façon de parler, inflexion expressive de la voix qui révèle un sentiment, une intention. *Prendre un ton assuré.* Syn. accent. **3.** Manière d'exprimer sa pensée. Syn. manière, style. *Le ton épique.* **4.** (En loc.) Façon de se conduire et de parler en société. *Donner le ton. De bon ton* : qui convient socialement. **II. 1.** MUS Hauteur des sons produits par la voix ou par un instrument. *Donner le ton* : V. la 2. *Sortir du ton* : détonner. **2.** MUS Intervalle fondamental qui s'exprime par le rapport des fréquences de 8 à 9 *(ton majeur)* ou de 9 à 10 *(ton mineur)*; degré de l'échelle diatonique. ▷ Échelle musicale d'une hauteur déterminée, désignée par le nom de sa tonique. **3.** LING Hauteur du son de la voix. ▷ *Langue à tons,* où les différences de hauteur des syllabes entraînent des différences de sens. – Accent de hauteur. **III.** Couleur, considérée dans son intensité, dans son éclat, sa nuance, ou par rapport à l'impression qu'elle produit. *Ton neutre.* ▷ *Ton sur ton* : d'une même couleur avec des nuances différentes.

tonal, ale, als adj. Didac. **1.** Relatif au ton. **2.** Qui utilise la tonalité. *Musique tonale.* Ant. atonal.

tonalité n. f. **I. 1.** Organisation des sons musicaux telle que les intervalles (tons et demi-tons) se succèdent dans le même ordre, chaque gamme ayant pour base une tonique. **2.** Ton (2, sens II, 2). *Tonalité d'un morceau.* **3.** Caractère des sons produits par la voix ou par un instrument. *Une tonalité agréable.* ▷ *Spécial.* Son continu qu'on entend en décrochant le téléphone et qui signifie qu'on peut composer le numéro d'appel. ▷ Sur un appareil électromagnétique, réglage des graves et des aigus. **II.** Couleur dominante; impression qu'elle dégage. *Tonalité triste.* – Fig. *Un roman d'une tonalité désenchantée.*

tondage n. m. **1.** TECH Action de tondre (une étoffe). **2.** Action de tondre (certains animaux).

tondeur, euse n. Celui, celle qui tond. *Tondeur de chiens.*

tondeuse n. f. **1.** Machine utilisée pour tondre le drap, le gazon, etc. **2.** Instrument utilisé pour tondre les cheveux, ou le poil des animaux.

tondo n. m. BX-A Tableau rond.

tondre v. tr. [**6**] **1.** Couper ras. *Tondre la laine d'un mouton. Tondre le gazon.* **2.** Couper ras les cheveux, les poils de. *Tondre un enfant. Tondre un chien.* ▷ Couper ras le poil de (une étoffe). *Tondre le drap.* **3.** Fig., fam. Dépouiller. *Tondre le client.*

tondu, ue adj. et n. m. Coupé ras. *Cheveux tondus.* – Dont les poils, les cheveux ont été coupés ras. *Un caniche tondu.* ▷ n. m. Loc. fig., fam. *Trois* (ou *quatre*) *pelés et un tondu* : presque personne. – HIST *Le Petit Tondu* : Napoléon Ier.

Ton Duc Thang (prov. de Long Xuyên, 1888 – Hanoi, 1980), homme politique vietnamien. Militant nationaliste dès 1920, il fut emprisonné à Poulo Condor de 1929 à 1945. Vice-président (1960) de la république dém. du Viêt-nam, il succéda à Hô Chi Minh (1969); en 1976, après la réunification, il devint président de la rép. soc. du Viêt-nam.

toner [tɔnœr] n. m. (Anglicisme) Pigment organique pulvérulent, utilisé dans les imprimantes, les photocopieurs et les télécopieurs.

tong [tɔ̃g] n. f. Chaussure constituée d'une semelle et de deux brides dont une partie passe entre les orteils.

Tonga (anc. *îles des Amis*), État d'Océanie, dans le Pacifique S. (au S.-E. des Fidji), formé d'env. 170 îles et îlots; 700 km²; env. 100 000 hab.; cap. *Nuku'alofa* (dans l'île princ., *Tongatapu*). Nature de l'État : monarchie constitutionnelle. Langues off. : anglais et tongan. Monnaie : paanga. Pop. : Polynésiens. Relig. : méthodisme majoritaire. – Volcaniques ou coralliennes, les îles vivent de cultures vivrières, du tourisme et de l'exportation de produits tropicaux. – Découvertes au XVIIe s. par les Européens, ces îles formèrent un royaume (XIXe s.), qui passa sous protectorat britannique en 1901 et accéda à l'indépendance en 1970, dans le cadre du Commonwealth.

► carte **Océanie**

tongan [tɔ̃gɑ̃] adj. et n. **1.** adj. Du Tonga. ▷ Subst. *Les Tongans* : population originaire des Samoa, habitant le Tonga. **2.** n. m. *Le tongan* : langue polynésienne parlée au Tonga.

Tong K'i-tch'ang. V. Dong Qichang.

tonicardiaque adj. et n. m. PHARM Qui exerce sur le cœur une action tonique. ▷ n. m. *Un tonicardiaque.*

tonicité n. f. **1.** Qualité, caractère de ce qui est tonique. *La tonicité de l'air des montagnes.* **2.** PHYSIOL Tonus musculaire.

-tonie. Élément, du gr. *tonos,* « tension ».

tonie n. f. PHYSIOL Caractère de la sensation auditive, lié à la fréquence des vibrations sonores. Syn. hauteur tonale.

tonifiant, ante adj. et n. m. Qui tonifie. ▷ n. m. Remède tonique.

tonifier v. tr. [**2**] **1.** Rendre ferme et élastique (un tissu). *Les ablutions à l'eau froide tonifient la peau.* **2.** Fortifier, stimuler. *Cette vie au grand air le tonifiait.*

1. tonique adj. et n. m. **1.** Qui augmente la vigueur de l'organisme. *Substance tonique.* ▷ n. m. *Un tonique* : un fortifiant. Syn. reconstituant, stimulant. **2.** Qui stimule le corps ou l'esprit, rend plus alerte. *Un climat tonique. Un enthousiasme tonique.*

2. tonique n. f. et adj. **1.** n. f. MUS Première note de la gamme du ton considéré, auquel elle donne son nom. *La tonique du ton de* do *majeur est* do. **2.** adj. LING Sur quoi porte l'accent. *Voyelle tonique. Accent tonique* : accent d'intensité ou de hauteur. ▷ *Formes toniques* (par oppos. à *atones*) *des pronoms personnels.*

tonitruant, ante adj. Qui fait un bruit énorme, semblable à celui du tonnerre. *Une voix tonitruante.*

tonitruer v. intr. [**1**] Parler d'une voix très forte, en criant.

tonka ou **tonca** [tõka] n. m. BOT Plante (fam. légumineuses) dont la graine *(fève de tonka* ou *fève tonka)* est riche en coumarine.

Tonkin, rég. du N. du Viêt-nam, en bordure du *golfe du Tonkin.* De hauts plateaux (haut Tonkin), entaillés par de profondes vallées (peu peuplées), dominent la région côtière (bas Tonkin), drainée par le fleuve Rouge, très peuplée et couverte de rizières. Le sous-sol est riche (zinc, étain, houille, fer, etc.). – Le Tonkin, inclus dans l'Annam (1802), fut conquis par les Français, qui y établirent leur protectorat (1885) et en firent, sous l'administration de Paul Doumer (gouverneur général de 1897 à 1902), une colonie de fait. Il fut le centre de la résistance contre la France après 1945.

Tonlé Sap, lac du centre du Cambodge, régulateur du Mékong de nov. à juin (par son émissaire, le *Tonlé Sap,* long de 112 km); de juil. à oct., à l'inverse, il recueille une partie des eaux de crue du Mékong, sa superficie passant alors de 2 700 à 10 000 km². La pêche y est active.

tonnage n. m. MAR **1.** Capacité intérieure, mesurée en tonneaux, d'un navire. *Navires de tout tonnage.* Syn. jauge. **2.** Capacité totale de plusieurs navires considérés comme un ensemble. *Le tonnage de la flotte pétrolière d'un pays.*

tonnant, ante adj. **1.** Qui tonne. *Jupiter tonnant.* **2.** Qui fait un bruit comparable à celui du tonnerre. Syn. éclatant, retentissant. *Une voix tonnante.*

1. tonne n. f. TECH Tonneau large et fortement renflé.

2. tonne n. f. **1.** Unité de masse valant 1 000 kilogrammes (symbole t). **2.** Fam. Très grande quantité. *Il en a mangé des tonnes.* **3.** MAR Unité valant 1 000 kg, utilisée pour mesurer le déplacement et le port en lourd des navires. *Pétrolier de 500 000 tonnes.* ▷ Unité servant à mesurer la masse en charge des véhicules. *Un camion de 15 tonnes* ou, absol., *un 15 tonnes.*

1. tonneau n. m. **1.** Grand récipient de bois fait de douves assemblées par des cerceaux, limité à chaque extrémité par un fond plat et destiné à contenir un liquide. *Tonneau à vin, à huile.* Syn. baril, barrique, fût. *Boire au tonneau. Mettre un tonneau en perce*.* ▷ Loc. fig., fam. *Du même tonneau* : du même acabit. ▷ MYTH *Tonneau des Danaïdes*.* – *C'est le tonneau des Danaïdes,* se dit d'une tâche à recommencer sans cesse, dont on ne voit pas la fin. **2.** AVIAT Figure de voltige aérienne dans laquelle l'avion effectue un tour complet autour de son axe longitudinal. ▷ Par anal. *La voiture a dérapé et a fait trois tonneaux.*

2. tonneau n. m. MAR Unité de volume servant à mesurer la jauge d'un navire, qui vaut 2,83 mètres cubes.

Tonneins, ch.-l. de cant. de Lot-et-Garonne (arr. de Marmande), sur la Garonne; 9 643 hab. Métallurgie. Manuf. de tabac.

tonnelet n. m. Petit tonneau.

tonnelier n. m. Ouvrier qui fabrique ou répare les tonneaux.

tonnelle n. f. Berceau de treillage couvert de verdure.

tonnellerie n. f. **1.** Profession, industrie du tonnelier. – Production du tonnelier. **2.** Ensemble de tonneaux. *La tonnellerie d'un chai.*

tonner v. [1] **I.** v. impers. *Il tonne* : le tonnerre se fait entendre. **II.** v. intr. **1.** Faire un bruit comparable au tonnerre. *Le canon a tonné toute la nuit.* **2.** Parler avec emportement, avec violence. *Tonner contre les abus.*

tonnerre n. m. **1.** Grondement qui accompagne la foudre. *Un roulement de tonnerre.* **2.** Fig. Bruit très violent et prolongé. *Le tonnerre des canons. Un tonnerre d'applaudissements.* **3.** Fig. *De tonnerre* : qui produit un effet semblable au tonnerre. *Un fracas, une voix de tonnerre.* **4.** Loc. adj. Fam. *Du tonnerre* : extraordinaire, étonnant; qui suscite l'enthousiasme. *C'est une idée du tonnerre.*

Tonnerre, ch.-l. de cant. de l'Yonne (arr. d'Avallon), sur l'Armançon; 6 257 hab. Industr. diverses. – Anc. hôtel d'Uzès (XVIe s.). Égl. Notre-Dame (XIIIe-XVIe s.) et St-Pierre (XVIe s.).

tonsure n. f. **1.** Petite portion circulaire du cuir chevelu, au sommet de la tête, que les ecclésiastiques gardaient rasée. ▷ Fam. Calvitie circulaire. **2.** Cérémonie de l'Église catholique par laquelle l'évêque confère l'état ecclésiastique en coupant les cheveux situés sur le sommet de la tête.

tonsurer v. tr. [1] **1.** Faire une tonsure à. – Pp. adj. *Tête tonsurée.* **2.** Donner la tonsure (au cours d'une cérémonie) à.

tonte n. f. **1.** Action de tondre. *La tonte des moutons, du gazon.* **2.** Laine qui a été tondue. **3.** Période de l'année où l'on tond les moutons.

1. tontine n. f. **1.** DR Système de rentes viagères collectives, reportables sur les survivants. **2.** Association de personnes qui versent de l'argent dans un fonds commun, lequel est reversé à tour de rôle à chacune d'elles; ce fonds commun.

2. tontine n. f. HORTIC Revêtement de mousse ou de paille entourant les racines d'un arbuste en cours de transplantation.

tonton n. m. (Dans le langage enfantin.) Oncle. *Tonton Jean.*

tonus [tɔnys] n. m. **1.** MED Tension légère à laquelle est soumis tout muscle strié à l'état de repos. ▷ Excitabilité du tissu nerveux. **2.** Cour. Énergie vitale, entrain. *Il a du tonus.* Syn. dynamisme.

top(o)-, -tope. Éléments, du gr. *topos,* « lieu ».

1. top [tɔp] n. m. Bref signal sonore indiquant un moment précis. *Au quatrième top, il sera exactement 10 heures. Top de départ.*

2. top [tɔp] n. m. Fam. Niveau le plus élevé, premier rang dans une hiérarchie. *Top* ou *top niveau. Top secret.*

topaze n. f. **1.** Pierre fine jaune composée de silicate d'aluminium contenant deux atomes de fluor d'aluminium. **2.** *Par ext.* Pierre fine de couleur jaune. *Fausse topaze,* ou *topaze d'Espagne* : quartz jaune. *Topaze orientale* : corindon jaune.

Topeka, v. des É.-U., cap. du Kansas, sur le Kansas; 119 880 hab. Centre agricole. Métallurgie.

toper v. intr. [1] Donner un petit coup dans la main de son partenaire pour signifier que le marché est conclu. *Tope! Topez là!*

Töpffer. V. Toepffer.

tophus [tɔfys], plur. **tophus** ou **tophi** n. m. MED Dépôt (sous-cutané, articulaire ou rénal) de sels de l'acide urique, sous forme de concrétions, qui se produit notam. chez les goutteux.

topiaire n. f. et adj. HORTIC Art de tailler les arbres pour leur donner une forme originale. ▷ adj. *L'art topiaire.*

topinambour n. m. **1.** Plante vivace, herbacée de grande taille (fam. composées), cultivée pour ses tubercules, dans les pays chauds et tempérés. **2.** Ce tubercule comestible, riche en inuline*.

topinambour : extrémité d'une tige fleurie et tubercule

topique adj. et n. **1.** Vx Relatif à un lieu particulier. – MED Se dit de tout médicament d'application externe qui agit localement. ▷ Subst. *Un topique.* **2.** Didac. Qui s'applique exactement à une question, à un sujet. *Argument topique.* Syn. caractéristique, typique. **3.** RHET Relatif aux lieux communs. ▷ n. m. Lieu commun. **4.** n. f. PSYCHAN Schéma, système de l'appareil psychique profond, doué de caractères ou de fonctions spéciales. *La première topique proposée par Freud en 1905 distinguait trois instances : l'inconscient, le préconscient et le conscient; la seconde, en 1920, comprenait le ça, le moi et le surmoi.*

topless adj. et n. m. Qui a les seins nus (en parlant d'une femme qui participe à l'animation d'un cabaret). – n. m. *Pratiquer le topless.*

top-modèle n. m. (Anglicisme) Mannequin de haute couture, de niveau international. *Des top-modèles.*

top-niveau n. m. (Anglicisme) Fam. Premier rang, sommet d'une hiérarchie. *Des top-niveaux.*

topo-. V. top(o)-.

topo n. m. **1.** Vx Plan topographique. **2.** *Par ext.* Fam. Plan schématique, exposé sommaire d'une question. *Faire un topo.*

topographe n. Spécialiste de topographie.

topographie n. f. **1.** Représentation graphique d'un lieu, avec indication de son relief. **2.** Technique d'établissement des plans et cartes de terrains d'une certaine étendue. **3.** Configuration d'un lieu. *Étudier la topographie d'un endroit.*

topographique adj. Relatif à la topographie. *Levé topographique.*

topoguide n. m. Guide détaillé destiné aux randonneurs.

topologie n. f. MATH Branche des mathématiques qui étudie les propriétés de l'espace et des ensembles de fonctions au seul point de vue qualitatif, en utilisant notam. les notions de déformation et de continuité.

topologique adj. MATH Relatif à la topologie.

topométrie n. f. TECH Mesure des terrains ou territoires, par les techniques topographiques.

toponyme n. m. LING Nom de lieu.

toponymie n. f. **1.** LING Science qui étudie les noms de lieux. **2.** Ensemble des noms de lieux d'une région, d'un pays, d'une langue.

toponymique adj. LING Relatif à la toponymie.

Topor (Roland) (Paris, 1938 - Paris, 1997), dessinateur et écrivain français dont l'humour noir s'exprime dans des dessins très fouillés de facture apparemment académique (*Toxicologie*, album, 1971).

top-secret adj. inv. (Anglicisme) Fam. Extrêmement secret. *Un dossier top-secret.*

toquade ou **tocade** n. f. Fam. Engouement passager, caprice.

toquante. V. tocante.

toquard. V. tocard.

toque n. f. Coiffure ronde et sans bords. *Toque blanche de cuisinier.*

toqué, ée adj. et n. Fam. Qui a le cerveau dérangé. *Il est complètement toqué.* ▷ Subst. *Un(e) toqué(e).* Syn. cinglé, piqué.

1. toquer v. intr. [1] Vx ou rég. Frapper. *Toquer à la porte.*

2. toquer (se) v. pron. [1] Fam. S'amouracher de quelqu'un. ▷ Avoir une toquade pour qqch. *Se toquer de peinture moderne.*

Tor. V. Thor.

Torah ou **Thora** [tɔʀa] n. f. RELIG Nom donné par les Juifs à la loi mosaïque.
ENCYCL En son sens premier, la Torah désigne le Pentateuque, dont la tradition attribue la rédaction à Moïse inspiré par Dieu. Le Talmud l'appellera plus tard Torah chébiketav, la «Loi qui est par écrit». Parallèlement à cette loi écrite, de nombr. traditions circulaient dans l'anc. Israël. Ainsi apparut la notion de Loi orale, la Torah chébealpé, la «Loi qui est dans la bouche», pour l'essentiel consignée dans le Talmud*.

Torbay, stat. balnéaire de Grande-Bretagne (Devon); 116 000 hab.

Torcello, île de la lagune de Venise, peu habitée. - Cath. bâtie au VIIe s. et reconstruite dans un style byzantin au XIe s. (mosaïques).

torche n. f. **1.** Poignée de paille tortillée, roulée en torsade. - TECH Tresse d'osier bordant certains ouvrages de vannerie. ▷ AVIAT *Parachute en torche*, dont la corolle qui ne s'est pas déployée correctement reste enroulée en torsade et ne peut ralentir la chute. **2.** Flambeau grossier fait d'une matière inflammable (bâton, corde, etc.) enduite de résine, de cire ou de suif. - Par métaph. *Victimes d'un incendie transformées en torches vivantes.* - Mod. *Torche électrique* ou *torche* : lampe électrique portative de forme généralement cylindrique. - *Torche à plasma* : dispositif de soudage à très haute température, utilisant les plasmas.

torché, ée adj. Fam. Exécuté d'une manière enlevée; bien tourné.

torche-cul n. m. Fam. Écrit méprisable ou sans valeur. *Des torche-culs.*

torcher v. tr. [1] **1.** Fam. Essuyer. *Torcher le nez d'un enfant. Le chien a torché son écuelle.* Syn. nettoyer. - Pop. *Torcher (le derrière de) qqn.* ▷ v. pron. Fig., fam. *S'en torcher* : s'en moquer complètement. **2.** Fig., vulg. Exécuter vite et mal. *Torcher un travail.* Syn. bâcler.

torchère n. f. **1.** Grand candélabre destiné à recevoir des flambeaux. *Torchères de bronze.* **2.** TECH Canalisation verticale par où s'échappent et brûlent les résidus gazeux d'une raffinerie.

torchis n. m. Matériau fait d'un mélange d'argile et de paille hachée.

torchon n. m. **1.** Pièce de toile destinée à essuyer la vaisselle. ▷ Loc. fig., fam. *Il ne faut pas mélanger les torchons et les serviettes*, mélanger ou confondre des gens de conditions sociales différentes ou des choses qui n'ont pas la même valeur. - *Coup de torchon* : querelle, bagarre, épuration. - *Le torchon brûle* : il y a une vive dispute (entre deux personnes, deux groupes, etc.). ▷ TECH *Papier-torchon* : papier de chiffons à gros grain, pour l'aquarelle. **2.** Fig., fam. Écrit peu soigné; écrit sans valeur.

torcol n. m. ORNITH Oiseau voisin du pic (genre *Yunx*) dont l'espèce européenne, au plumage gris-brun, hiverne en Afrique.

Torcy, ch.-l. de cant. de Seine-et-Marne (arr. de Meaux); 12 295 hab. Imprimerie; électroménager.

Torcy (Jean-Baptiste Colbert, marquis de) (Paris, 1665 - id., 1746), diplomate français; neveu de Colbert. Secrétaire d'État aux Affaires étrangères (1696), il joua un rôle import. dans la conclusion des traités d'Utrecht (1713) et de Rastatt (1714). Le Régent s'en sépara en 1715.

tordage n. m. Action de tordre. ▷ TEXT Syn. de *moulinage.*

tordant, ante adj. Fam. Très amusant, très drôle.

tord-boyaux n. m. inv. Fam. Eau-de-vie très forte et de mauvaise qualité.

Tordesillas, v. d'Espagne (Castille et Léon), sur le Douro; 6 800 hab. - En 1494, l'Espagne et le Portugal y signèrent un traité qui repoussait à 370 lieues à l'O. des îles du Cap-Vert la ligne fixée en 1493 par le pape Alexandre VI pour séparer leurs colonies (espagnoles à l'O. de la ligne, portugaises à l'E.). De ce fait, le Brésil revint au Portugal.

tordeur, euse n. **1.** TECH Personne chargée du tordage. ▷ n. f. Machine servant à tordre des fils. **2.** n. f. ENTOM Nom de diverses chenilles de papillons, qui roulent les feuilles pour s'y abriter.

tordre v. [6] **I.** v. tr. **1.** Soumettre (un corps) à une torsion, notam. en tournant en sens contraire ses deux extrémités. *Tordre du fil, du linge.* **2.** Tourner violemment en forçant. *Tordre le bras à qqn.* - v. pron. *Se tordre la cheville.* ▷ *Tordre le cou à qqn*, le tuer en lui tournant le cou, d'où, fam., tuer; fig., faire un mauvais sort, régler son compte à qqn. *Si tu recommences, je te tords le cou!* ▷ Fig. *Son chagrin tord le cœur*, chagrine beaucoup. **3.** Tourner de travers. - v. pron. *Elle implorait en se tordant les mains.* ▷ Déformer. *Une grimace de douleur tordait sa bouche.* **4.** Plier, gauchir. *Tordre une barre de fer.* **II.** v. pron. **1.** Se plier en deux, se tortiller sous l'effet d'une sensation ou d'une émotion vive. *Se tordre de douleur. Se tordre de rire* ou, absol. et fam., *se tordre. C'est à se tordre!* **2.** (Choses) Être tordu. *Racines qui se tordent.*

tordu, ue adj. et n. **1.** Qui était droit mais ne l'est plus; recourbé, déformé. V. aussi tors. **2.** Fig. et fam. Bizarre, un peu fou. ▷ Subst. *Quel tordu!* - *Avoir l'esprit tordu*, compliqué ou mal tourné.

tore n. m. **1.** ARCHI Moulure épaisse de forme semi-cylindrique. Syn. boudin. **2.** GEOM Volume engendré par un cercle qui tourne autour d'un axe situé dans son plan et qui ne passe pas par son centre. **3.** INFORM *Tore magnétique* : anneau de ferrite utilisé dans les ordinateurs pour stocker les informations.
▶ pl. géométrie

toréador n. m. Syn. anc. de *torero.*

toréer v. intr. [11] Combattre le taureau dans l'arène, selon les règles de la tauromachie.

Torelli (Giuseppe) (Vérone, 1658 - Bologne, 1709), compositeur et violoniste italien. Son apport fut considérable dans l'élaboration des formes du *concerto grosso* et surtout du *concerto pour soliste.*

torero, torera n. Personne qui torée.

Torgau, v. d'Allemagne, sur l'Elbe; 21 220 hab. - Jonction des troupes américaines et soviétiques le 25 avr. 1945.

torgnole n. f. Fam. Coup, gifle. *Donner, recevoir une torgnole.*

tories. V. tory.

torii [tɔʀii] n. m. inv. Didac. Portique de bois, de pierre ou de bronze placé devant les temples shintoïstes japonais.

toril [tɔʀil] n. m. Annexe de l'arène où sont enfermés les taureaux avant le combat.

tornade n. f. Mouvement tourbillonnaire, très violent, de l'atmosphère. ▷ Fig. Irruption impétueuse. Syn. tourbillon.

Torne (le), fl. de Laponie (400 km); émissaire du lac *Torne träsk* (Suède), il forme frontière entre la Suède et la Finlande, avant de se jeter dans le golfe de Botnie.

toron n. m. TECH Réunion de plusieurs fils tordus ensemble.

Toronto, v. du Canada, cap. de l'Ontario, grand port sur le lac Ontario; 635 390 hab. (aggl. urb. 3 274 200 hab.) (2e ville du pays). Centre financier, commercial et industriel (méca., électr., text., alim., etc.). - Archevêché. Université. Musées. - Nommée *York* de 1796 à 1834, la ville fut la cap. du Haut-Canada puis, en 1867, de l'Ontario.

Toronto

torpédo n. f. Type anc. d'automobile à carrosserie découverte, de forme allongée.

torpeur n. f. **1.** Engourdissement, pesanteur qui affecte l'organisme. *Une trop forte dose de calmants l'a fait sombrer dans la torpeur.* **2.** Fig. Engourdissement intellectuel, abattement moral, apathie. *Il essayait vainement de les faire sortir de leur torpeur.*

torpide adj. **1.** Didac. Caractérisé par la torpeur. **2.** MED Se dit d'une lésion, d'une affection qui semble en sommeil, ne manifestant aucune tendance à l'amélioration ni à l'aggravation.

torpillage n. m. MILIT Action de torpiller ; résultat de cette action.

1. torpille n. f. ICHTYOL Poisson sélacien (genre *Torpedo*) des côtes océaniques et méditerranéennes, sorte de raie aux nageoires circulaires et à queue courte, qui possède un organe fonctionnant comme un appareil électrique dont la décharge lui permet d'immobiliser ses proies ou de se défendre.

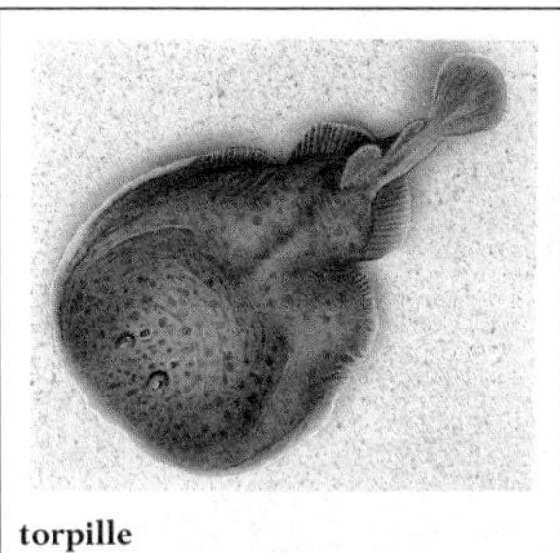
torpille

2. torpille n. f. MILIT **1.** MAR Engin autopropulsé, chargé d'explosifs, destiné à la destruction de navires ennemis. **2.** Bombe aérienne munie d'ailettes.

torpiller v. tr. [1] **1.** MILIT Attaquer, détruire à la torpille. *Torpiller un sous-marin.* **2.** Fig. Attaquer clandestinement de manière à faire échouer. *Torpiller des négociations.*

torpilleur n. m. MAR **1.** Bâtiment de guerre de faible tonnage destiné à lancer des torpilles. **2.** Marin chargé du lancement des torpilles.

Torquatus (Manlius). V. Manlius Torquatus.

torque n. m. ARCHEOL Collier de métal porté par les guerriers gaulois, puis par les soldats romains comme récompense militaire.

Torquemada (Tomás de) (Valladolid, 1420 – Ávila, 1498), dominicain espagnol. Inquisiteur général de la péninsule Ibérique (1483), il se signala par son fanatisme, obtenant le bannissement des Juifs et ordonnant plusieurs milliers d'exécutions.

torr n. m. PHYS Unité de pression correspondant à une hauteur de 1 mm de mercure à 0 °C (1 torr = 133,3 Pa).

Torre Annunziata, v. d'Italie (Campanie), sur le golfe de Naples ; 57 100 hab. Sidérurgie, industrie alim. Stat. thermale.

Torre del Greco, v. d'Italie (Campanie), au pied du Vésuve ; 104 870 hab. Marché agricole. Corail.

torréfacteur n. m. **1.** TECH Appareil servant à torréfier. **2.** Spécialiste de la torréfaction (notam. des cafés). – Personne qui fait commerce du café qu'il torréfie lui-même.

torréfaction n. f. Action de torréfier.

torréfier v. tr. [2] Soumettre à sec (certaines substances) à l'action du feu. *Torréfier du café.*

torrent n. m. **1.** Cours d'eau de montagne, à débit rapide, aux crues subites. ▷ Par exag. Fig. *Il pleut à torrents. Un torrent de larmes.* Syn. déluge. **2.** *Par ext.* Flot, écoulement violent et abondant. *Des torrents de fumée.* ▷ Fig. *Un torrent d'injures.*

torrentiel, elle [tɔʀɑ̃sjɛl] adj. **1.** GEOGR Propre ou relatif aux torrents. **2.** Qui s'écoule avec violence. *Pluie torrentielle.*

torrentueux, euse adj. Litt. Qui forme un torrent. ▷ Fig. Torrentiel, impétueux comme un torrent.

Torreón, v. du centre du Mexique ; 459 800 hab. (aggl. urb. 407 270 hab.). Centre industriel (fonderies, métall. du mercure, textiles, chimie).

Torres (Luis Váez de) (XVIIe s.), navigateur espagnol. Il explora les mers australes, découvrant avec Queirós l'île d'Australia del Espiritu Santo (Nouvelles-Hébrides). En 1606, il franchit le détroit (nommé auj. *détroit de Torres*) qui sépare la Nouvelle-Guinée de l'Australie (170 km) et par lequel communiquent l'océan Indien et l'océan Pacifique.

Torres Quevedo (Leonardo) (Santa Cruz, prov. de Santander, 1852 – Madrid, 1936), ingénieur espagnol. Il mit au point des machines capables de résoudre des opérations mathématiques extrêmement complexes.

Torres Vedras, v. du Portugal (Estrémadure), au N. de Lisbonne ; 11 030 hab. Centre vinicole. – Les fortifications, construites par Wellington, arrêtèrent Masséna en 1810.

Torricelli (Evangelista) (Faenza, 1608 – Florence, 1647), mathématicien et physicien italien, disciple de Galilée. Il démontra (1643) l'existence de la pression atmosphérique. Il établit en 1644 les lois de l'écoulement des liquides.

Torricelli

Toscanini

torride adj. Excessivement chaud (en ce qui concerne l'atmosphère). *Zone torride.*

Torrijos (Omar) (Santiago de Veraguas, 1929 – dans un accident d'avion, 1981), homme politique panaméen. Accédant au pouvoir par un coup d'État militaire, en oct. 1968, il mena une politique de réformes intérieures et livra tenacement bataille, sur le plan diplomatique, pour que Panamá recouvre la souveraineté sur la zone du canal (en 1999, selon le traité signé avec les États-Unis en oct. 1977).

tors, torse [tɔʀ, tɔʀs] adj. et n. m. **I.** adj. **1.** Enroulé en torsade. *Fil tors.* – ARCHI *Colonne torse,* au fût contourné en hélice. **2.** Tordu, difforme. *Jambes torses.* **II.** n. m. TEXT Action de tordre les brins pour former le fil, la laine.

torsade n. f. Assemblage de fils, cordons, cheveux, etc., enroulés ou tordus en hélice. ▷ ARCHI Motif ornemental figurant cet assemblage.

torsader v. tr. [1] Mettre en torsade.

torse n. m. **1.** Thorax d'un être humain. *Se mettre torse nu. Bomber le torse.* **2.** BX-A Statue tronquée, corps humain représenté du cou à la ceinture, sans tête et sans membres.

torsion n. f. Action de tordre ; déformation qui en résulte. *Torsion d'une tige. Torsion de la bouche.* ▷ PHYS Sollicitation exercée sur un solide par deux couples opposés qui agissent dans des plans parallèles et déforment ce solide.

Torstensson (Lennart), comte d'Ortala (chât. de Torstena, 1603 – Stockholm, 1651), maréchal suédois. Il s'illustra dans la guerre de Trente Ans, notam. à Breitenfeld (1642) et à Jankowitz (1645).

tort [tɔʀ] n. m. **1.** Action, comportement, pensée contraire à la justice ou à la raison. *Reconnaître ses torts.* ▷ DR *Prononcer un jugement aux torts d'une partie.* Ant. au profit de. ▷ Loc. *Avoir tort :* n'avoir pas pour soi le droit, la vérité (par oppos. à *avoir raison*). Prov. *Les absents ont toujours tort :* on rejette les fautes sur ceux qui ne sont pas là. *Avoir tort de...* (+ inf.) *Vous avez tort de vous plaindre.* – *Donner tort à qqn,* condamner ses idées, sa conduite. – *Être, se mettre en tort, dans son tort :* être, se rendre coupable d'une action blâmable. *C'est un tort de croire... :* on a tort de croire... **2.** Loc. adv. *À tort :* sans raison, injustement. *À tort ou à raison :* avec ou sans raison valable. *À tort et à travers :* sans discernement. **3.** Dommage, préjudice causé à qqn. *Cela lui a fait du tort. Un redresseur de torts.*

torticolis [tɔʀtikɔli] n. m. Position anormale de la tête et du cou s'accompagnant d'un raidissement musculaire douloureux.

tortillard n. m. Train roulant sur une voie secondaire qui fait de nombreux détours pour desservir un grand nombre de petites localités.

tortillement n. m. Action de tortiller, de se tortiller ; état de ce qui est tortillé.

tortiller v. [1] **1.** v. tr. Tordre (une chose) sur elle-même à plusieurs reprises, tourner et retourner. *Il tortillait nerveusement son mouchoir.* **2.** v. intr. *Tortiller des hanches :* marcher en balançant les hanches. ▷ Absol. Fam. *Il n'y a pas à tortiller,* à chercher des détours, à tergiverser. **3.** v. pron. Se tordre sur soi-même, de côté et d'autre, s'agiter en tous sens. *Serpent qui se tortille. Se tortiller sur sa chaise.*

tortillon n. m. Chose tortillée. *Un tortillon de papier.* ▷ *Spécial.* Estompe.

tortionnaire n. m. Personne qui torture qqn.

tortue n. f. **1.** Reptile tétrapode archaïque caractérisé par une carapace dorsale et ventrale, et par la lenteur de sa marche. V. chéloniens. ▷ Fig. *C'est une tortue :* il est très lent. **2.** ANTIQ ROM Sorte de toit que les soldats romains faisaient en imbriquant leurs boucliers, pour se protéger des projectiles ennemis. ► illustr. page **1884**

Tortue (île de la), île située au N. d'Haïti, dont elle dépend. Cet îlot des Antilles servit de base aux boucaniers.

tortueusement adv. D'une manière tortueuse.

tortueux, euse adj. **1.** Qui fait des tours et des détours. *Sentier tortueux.* Syn. sinueux. **2.** Fig. Dépourvu de droiture, de franchise. *Âme tortueuse.*

torturant, ante adj. Qui torture (en parlant de choses). *Des regrets torturants.*

torture n. f. **1.** Souffrance grave que l'on fait subir volontairement à qqn, partic. pour lui arracher des aveux. V. supplice. *Instruments de torture.* ▷ Loc. fig. *Mettre qqn à la torture,* dans un embarras, une incertitude extrême-

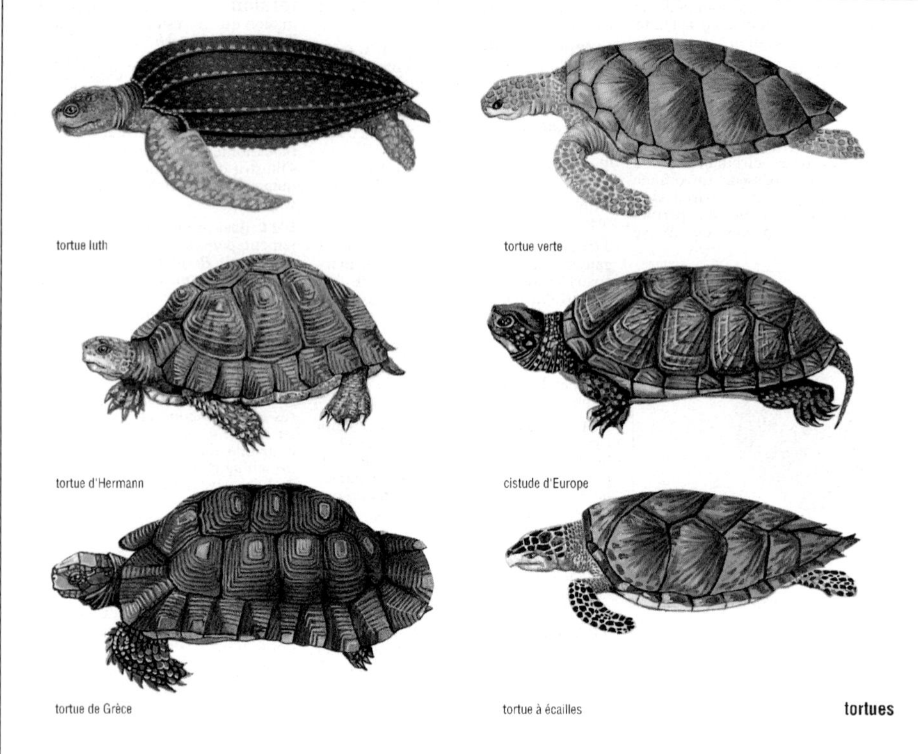

ment pénibles. *Mettre son esprit à la torture :* s'efforcer désespérément de trouver une solution, une idée. **2.** Litt. Souffrance intolérable. Syn. tourment. *En proie aux tortures du doute, de la jalousie.*

torturer v. [1] **I.** v. tr. **1.** Soumettre (qqn) à la torture. *Torturer un prisonnier.* **2.** Causer une vive souffrance à (qqn). *Cette obsession le torturait.* – Fig. *Torturer un texte,* le remanier, le modifier d'une façon forcée. **II.** v. pron. Fig. *Se torturer l'esprit.*

Toruń (en all. *Thorn*), v. de Pologne, sur la Vistule; 188 030 hab.; ch.-l. de la voïévodie du m. nom. Port fluvial. Centre industriel (chim., text.). – Fondée en 1231 par les chevaliers Teutoniques, ville hanséatique, la cité natale de Copernic fut un des foyers de la Réforme en Pologne.

torve adj. *Œil torve, regard torve,* en coin et menaçant.

tory, plur. **tories** [tɔʀiz] n. m. et adj. HIST Nom donné en Angleterre aux partisans de Jacques d'York (le futur Jacques II) qui, dans les années 1679-1680, défendirent l'absolutisme royal et le pouvoir de l'Église anglicane, puis aux membres du parti qui s'opposa aux whigs*. *Les tories exercèrent rarement le pouvoir au XVIIIe siècle, puis dirigèrent le pays à partir de 1807.* ▷ adj. *Le parti tory se disloqua au milieu du XIXe siècle et donna naissance au parti conservateur.*

Tosa, famille de peintres japonais qui dirigea les ateliers impériaux de Kyōto du XIVe au XIXe s., développant le style *yamato-e.*

toscan, ane adj. et n. **1.** adj. et n. De la Toscane. ▷ ARCHI *L'ordre toscan :* l'un des cinq ordres de l'architecture classique, qui est une simplification stylistique du dorique grec. ▷ Subst. *Un(e) Toscan(e).* **2.** n. m. *Le toscan :* le dialecte parlé en Toscane.

Toscane, rég. d'Italie péninsulaire et de la C.E., sur la mer Tyrrhénienne, formée des provinces d'Arezzo, Florence, Grosseto, Livourne, Lucques, Massa-et-Carrare, Pise, Pistoia et Sienne; 22 992 km^2; 3 569 900 hab.; ch.-l. *Florence.* – La diversité des roches et du relief (Apennin toscan, collines, plaine côtière de la Maremme) a donné des paysages très variés. Le climat est chaud et assez humide. L'Arno est le princ. cours d'eau. L'agriculture est caractérisée par une polyculture intensive (sauf dans le Chianti, rég. viticole) : oliviers, vigne, céréales, fourrages; l'élevage constitue une ressource d'appoint. Aux industries traditionnelles (textiles et produits de luxe comme la maroquinerie florentine) s'ajoutent les industries sidérurgiques, chimiques et mécaniques, en essor. Le tourisme est une ressource importante. – Formée sur le territoire de l'anc. Étrurie (V. Étrusques), la Toscane fut occupée par les Lombards v. 570, prise par les Francs en 774, érigée en marche au IXe s. par les Carolingiens. En 1115, la comtesse Mathilde la légua au pape, à qui les empereurs germaniques la disputèrent(V. guelfe). Jouant de ces dissensions, les villes s'émancipèrent. À partir du XVe s., les Médicis*, seigneurs de Florence, étendirent leur autorité sur la Toscane, qui acquit un grand rayonnement politique, financier et artistique. Érigée en grand-duché en 1569, elle connut une remarquable mais courte splendeur, le déclin s'amorçant dès la fin du XVIe s. En 1737, elle passa à François de Lorraine, époux de Marie-Thérèse d'Autriche, et resta sous la domination autrichienne jusqu'en 1860 (rattachement au Piémont), exception faite de la période 1799-1814, pendant laquelle les Français l'occupèrent.

Toscanini (Arturo) (Parme, 1867 – New York, 1957), chef d'orchestre italien. Il dirigea à Milan (Scala) et à New York (Metropolitan Opera, orchestre philharmonique). ▶ illustr. page **1883**

tosser v. intr. [1] MAR Cogner de façon répétée sous l'effet du ressac. *Le clapot fait tosser le canot contre le quai.*

tôt adv. **1.** Vx Vite. – Mod. *Il aura tôt fait de... :* il aura vite fait de... **2.** À un moment jugé antérieur au moment habituel ou normal. *Les vacances de Pâques commencent tôt cette année. Il s'est enfin décidé, ce n'est pas trop tôt! Tôt ou tard :* V. tard. – (Avec *plus.*) *Cela arrivera plus tôt que vous ne croyez. Ne... pas plus tôt... que... :* à peine... que... *Il n'était pas plus tôt sorti que tout le monde disait du mal de lui.* – (Avec *le plus.*) *Venez me voir le plus tôt possible. Le plus tôt sera le mieux.* – *Au plus tôt* (accompagné d'une indication temporelle). *Il aura fini lundi prochain au plus tôt,* pas avant lundi. – *Pas de si tôt* ou *pas de sitôt :* dans un lointain avenir, jamais éventuellement. ▷ *Spécial.* (L'espace de temps considéré étant la journée.) *Je me suis levé tôt,* de bonne heure. *L'école a libéré les élèves plus tôt que d'habitude.*

total, ale, aux adj. et n. m. **I.** adj. **1.** Qui s'étend à tous les éléments (de la réalité considérée), auquel il ne manque rien. Syn. complet, entier. *Un dénuement total. Guerre totale.* ▷ CHIR *Une hystérectomie* totale* ou fam., n. f., *une totale.* **2.** Qui est entier. *La somme totale.*

La production totale. **II.** n. m. Résultat d'une addition, ou d'un ensemble d'opérations équivalentes. *Le total des dépenses.* ▷ Loc. adv. *Au total* : tout compte fait, en somme, en définitive. – Fam. *Total* : résultat final. *Il s'est cru le plus malin, total il a tout perdu.*

totalement adv. D'une manière totale, entièrement. *Il m'est totalement dévoué.*

totalisant, ante adj. PHILO Qui réunit par une synthèse.

totalisateur, trice adj. et n. m. Se dit d'un appareil qui additionne des valeurs et en indique la somme. – n. m. *Le totalisateur (des paris) sur un hippodrome.*

totalisation n. f. Action de totaliser.

totaliser v. tr. [1] **1.** Réunir en un total, additionner. *Totaliser des quantités.* **2.** Avoir au total. *Champion qui totalise dix victoires.*

totalitaire adj. Se dit d'un régime, d'un État dans lequel la totalité des pouvoirs appartient à un parti unique qui ne tolère aucune opposition.

totalitarisme n. m. Système, doctrine d'un État totalitaire.

totalité n. f. Réunion de tous les éléments d'un ensemble. *La totalité d'un héritage.* ▷ Loc. adv. *En totalité* : sans excepter aucun élément, aucune partie.

totem [tɔtɛm] n. m. ETHNOL Animal, végétal (exceptionnellement objet matériel) représentant, dans de nombreuses sociétés dites « primitives », l'ancêtre d'un clan. – *Par ext.* Cet emblème.

totémique adj. ETHNOL Qui concerne les totems, le totémisme.

totémisme n. m. ETHNOL **1.** Organisation de certaines sociétés humaines fondée sur les totems et leur culte. **2.** Théorie qui voit dans le culte du totem la forme primitive de la religion, et dans le tabou celle de la morale.

Totila ou **Baduila** (« l'Immortel ») (m. à Caprare en 552), roi des Ostrogoths (541-552). Il occupa une grande partie de l'Italie, prenant notam. Naples (v. 543) et Rome (546 et 549), et faisant échec à Bélisaire. Il fut battu par Narsès.

Totleben ou **Todleben** (Edouard Ivanovitch) (Mitau, 1818 – Bad Soden, 1884), ingénieur militaire et général russe. Il se distingua notam. à Sébastopol, qu'il fortifia et défendit (1855), et à Plevna (auj. Pleven ; 1877).

toton n. m. **1.** Dé traversé d'une petite tige pointue sur laquelle on le fait tourner. **2.** Petite toupie.

Totonaques, peuple de l'Amérique précolombienne, qui s'établit vers le Ve s. apr. J.-C. sur le golfe du Mexique et fut soumis au XVe s. à la domination aztèque. On considère généralement El Tajín (près de Veracruz) comme le centre de leur civilisation : pyramide à niches, palais (édifice à colonnes), jeux de pelote.

Touamotou. V. Tuamotu.

touareg [twaʀɛg] adj. inv. et n. m. pl. **1.** adj. inv. Relatif, propre aux Touareg. **2.** n. m. pl. *Les Touareg* (m. sing. *Targui*, f. sing. *Targuia*).

Touareg, populations berbères nomades du Sud saharien (Algérie, Burkina Faso, Mali, Niger, Libye) ; 900 000 individus. Islamisés assez superficiellement, les Touareg ont cependant conservé leur langue, le *tamacheq*, ainsi que leur alphabet, le *tifinagh*. Leur organisation sociale, fondée sur le système matrilinéaire, accorde un rôle important aux femmes. Nomades, ils élevaient surtout des chameaux et ne cultivaient jamais la terre eux-mêmes ; leurs guerriers ont longtemps pillé les caravanes, dont ils étaient la terreur. La colonisation, puis la décolonisation (avec l'établissement de frontières entre États), l'introduction de nouveaux modes de transport (camions) et la sécheresse ont profondément déstructuré l'économie nomade des Touareg. Des milliers de Touareg nigériens, réfugiés en Libye et en Algérie dep. la sécheresse de 1984, sont rentrés au Niger. Cependant, comme dans le Mali frontalier, la crise économique ne facilite pas l'adaptation des anciens nomades à un nouveau mode de vie. Cette situation exacerbe les tensions ethniques avec les populations noires que les guerriers touareg réduisaient encore en esclavage il n'y a pas si longtemps. Le Front de libération de l'Azawad, mouvement touareg apparu au Mali en 1991, a contraint le gouvernement provisoire à des débuts de négociation sur le statut des Touareg en 1992. Au Niger, une rébellion armée s'est manifestée dans la région de l'Aïr la même année.

Touat, groupe d'oasis du Sahara algérien, à l'O. du Tademaït. Centre princ. *Adrar* (ch.-l. de la wilaya du m. nom).

toubib [tubib] n. m. Fam. Médecin.

Toubkal (djebel), point culminant (4 165 m) de l'Afrique du Nord, dans le Haut Atlas marocain.

Toubou(s), peuple du Sahara, qui nomadise aux confins de la Libye (Fezzan) et du Tchad (Tibesti).

Toubouaï. V. Tubuaï.

toucan n. m. Oiseau d'Amérique du Sud (genre princ. *Ramphastos*, ordre des piciformes), au bec énorme, au plumage mi-sombre mi-éclatant.

toucan toco

1. touchant prép. Vieilli ou litt. Au sujet de. *Il n'a rien dit touchant cette affaire.*

2. touchant, ante adj. Qui touche en attendrissant. ▷ n. m. *C'est d'un touchant !*

touchau n. m. TECH Étoile d'or ou d'argent utilisée pour le contrôle des métaux précieux.

touche n. f. **I. 1.** Fait, pour un poisson, de mordre à l'hameçon. *Sentir une touche.* ▷ Fig., fam. *Faire une touche* : plaire, provoquer une certaine attirance chez qqn qu'on rencontre. – *Avoir une touche, la touche avec qqn*, lui plaire. **2.** Coup qui atteint l'adversaire, à l'escrime. **3.** Épreuve que l'on fait subir à l'or ou à l'argent au moyen de la *pierre de touche* (morceau de jaspe noir) et du *touchau*. ▷ Fig. *Pierre de touche* : moyen d'éprouver qqn, qqch. **4.** Manière dont un peintre applique la couleur sur la toile. – Coup de pinceau. *Procéder par petites touches.* ▷ Fig. Élément distinctif à l'intérieur d'un ensemble que l'on compare à un tableau. *Mettre une touche spirituelle dans une description.* **5.** Fam. Allure, aspect de qqn. *Il a une drôle de touche.* **6.** SPORT *Ligne de touche* ou *touche* : au rugby, au football, etc., chacune des deux lignes de démarcation latérales du terrain, au-delà desquelles le ballon n'est plus en jeu. *Juge* de touche. Jouer la touche* : remettre en jeu le ballon. – Sortie du ballon au-delà de cette ligne ; sa remise en jeu ; manière de jouer cette remise en jeu. *Touche longue.* ▷ Fig. *Rester, être mis sur la touche* : être tenu à l'écart d'une activité. – Fig., fam. *Botter, dégager en touche* : se décharger d'une responsabilité. **II.** MUS Chacune des petites tablettes noires ou blanches qui forment le clavier d'un orgue, d'un piano, etc. – Partie du manche d'un instrument à cordes contre laquelle on presse ces dernières. ▷ TECH Petite commande manuelle. *Touche d'un magnétophone.* – INFORM *Touche de fonction*, dont l'action déclenche l'exécution d'un programme.

touche-à-tout n. m. inv. **1.** Personne, enfant surtout, qui touche tout ce qui est à sa portée. **2.** Fig. Personne qui s'occupe de beaucoup de choses sans s'y consacrer à fond.

1. toucher v. [1] **I.** v. tr. **1.** Mettre la main sur, se mettre en contact avec (qqn, qqch). *Toucher légèrement. Toucher qqch du pied, avec une baguette. Toucher du bois*, par superstition, pour détourner le malheur. ▷ *Toucher les bœufs*, les aiguillonner (sens 1) pour les faire avancer. **2.** (Sujet n. de chose.) Entrer en contact avec. *Voiture qui touche le trottoir en reculant.* ▷ MAR *Toucher le port*, y aborder, y mouiller. – Absol. *Le navire touche*, il touche le fond, un rocher, etc. **3.** Atteindre avec une arme, un projectile. *Toucher la cible. Il a été touché au bras. – Plusieurs immeubles ont été touchés par l'explosion.* – *Absol.* En escrime, faire une touche (sens 2). **4.** Recevoir (une somme d'argent). *Toucher ses appointements.* ▷ TURF *Toucher le tiercé.* **5.** Fig. Entrer en communication avec (qqn). *Toucher qqn par lettre, par téléphone.* **6.** Fig. Atteindre (qqn) dans sa sensibilité (en l'émouvant, le blessant, l'attendrissant). *La remarque l'a touché au vif. Son repentir m'a touché.* **7.** Fam. *Toucher un mot de qqch à qqn*, lui en parler sans s'étendre. **8.** Être en contact avec. *Ma maison touche la sienne.* ▷ v. tr. indir. Litt. *Clocher qui semble toucher au ciel.* **9.** Avoir un rapport avec, concerner. *Ce qui touche cette affaire m'intéresse.* **10.** Fig. Avoir des liens de parenté avec. *Il a perdu qqn qui le touche de près.* **II.** v. tr. indir. *Toucher à.* **1.** Mettre la main en contact (avec). *Cet enfant touche à tout. Ne touchez pas à cela.* ▷ Fig., fam. *Ne pas avoir l'air d'y toucher* : agir de façon dissimulée. **2.** (Surtout nég.) Se servir, faire usage (de). *Il jura de ne plus toucher à un fusil.* **3.** (Surtout nég.) Prélever une partie (de). *Ne pas toucher à un mets, à ses économies.* **4.** Apporter un changement (à). *Toucher à un texte, à une légende.* **5.** Être presque arrivé (à un terme). *Toucher au port. Toucher à sa fin. Toucher au but.* **6.** Parvenir (à un point, une question) au cours d'un développement. *Nous touchons maintenant à un problème important.* **III.** v. pron. **1.** (Récipr.) Être contigu. *Leurs maisons se touchent.* – (Prov.) *Les extrêmes se touchent.* **2.** (Réfl.) Fam. (Par euph.) Se masturber.

2. toucher n. m. **1.** Un des cinq sens, par lequel nous percevons, par contact ou palpation, certaines propriétés physiques des corps. (V. tact.) *Surface rude au toucher.* **2.** MUS Sensibilité dans le jeu de certains instruments. **3.** MED Mode d'exploration manuelle de certaines cavités naturelles. *Toucher rectal, vaginal.*

Touchet (Marie), dame de Belleville (Orléans, 1549 - Paris, 1638), maîtresse de Charles IX dont elle eut (1573) un fils, Charles de Valois.

touche-touche (à) loc. adv. Fam. En se touchant presque.

Toucouleur(s), peuple établi princ. au Sénégal et en Mauritanie méridionale (islamisé).

touffe n. f. Assemblage de choses qui poussent naturellement serrées. *Une touffe d'herbe, de poils.*

touffeur n. f. Vx ou litt. Chaleur lourde, étouffante. *Une touffeur d'orage.*

touffu, ue adj. **1.** Qui se présente en touffes, qui est épais. *Bois touffu.* **2.** Fig. Confus par excès de densité, de complexité (discours, écrit).

Tou Fou. V. Du Fu.

Touggourt, v. d'Algérie, dans le N. du Sahara oriental, dans une oasis; 23 980 hab. Immense palmeraie. Centre administratif, commercial et touristique.

touille n. f. Syn. de *lamie* (poisson).

touiller v. tr. [1] Fam. Remuer (qqch) pour mélanger les éléments. *Touiller une pâte, la salade.*

toujours adv. **1.** Pendant la totalité d'une durée considérée (limitée ou illimitée). *Elle est toujours prête à rendre service. Cela a toujours existé et existera toujours.* ▷ Loc. adv. *Pour toujours* : pour toute la durée de l'avenir, sans esprit de retour. *Depuis toujours* : depuis très longtemps. **2.** D'une façon qui se répète invariablement. *Je gagne toujours contre lui. Il prend toujours la même route.* - Loc. adv. *Comme toujours* : comme dans tous les autres cas, les autres circonstances. *Presque toujours* : très souvent. **3.** (En parlant de qqch qui continue.) Encore. *Il court toujours. Je ne lui ai toujours pas pardonné.* **4.** En tout état de cause, quoi qu'il en soit. *Prenez toujours cet acompte. C'est toujours ça (de pris).* ▷ Loc. conj. (Exprimant une restriction, une opposition.) *Toujours est-il que...* : ce qu'il y a de sûr, en tout cas, c'est que...

Toukhatchevski (Mikhaïl Nikolaïevitch) (gouv. de Smolensk, 1893 - Moscou, 1937), maréchal soviétique. Dès 1918, il commanda la Ire Armée et s'illustra sur plusieurs fronts (contre les Blancs et contre la Pologne, notam.) jusqu'en 1923. Il fut chef d'état-major général de 1924 à 1928, commissaire adjoint à la Défense (1931). Soutenu par Trotski, il défendit l'idée d'une armée régulière; on le considère comme le créateur de l'armée Rouge. Staline le fit accuser de trahison en 1937 et exécuter. Il fut réhabilité en 1961.

T'ou-kiue. V. Tujue.

Toul, ch.-l. d'arr. de Meurthe-et-Moselle (Lorraine), sur la Moselle et le canal de la Marne au Rhin; 17 752 hab. Pneumatiques. - Enceinte de Vauban. Collégiale St-Gengoult (XIIIe-XVIe s.). Anc. cath. St-Étienne (XIIIe-XVe s.); cloître (XIIIe-XIVe s.). - Cité gallo-romaine, évêché dès le IVe s., Toul fut l'un des Trois-Évêchés* qu'occupa Henri II en 1552. Le siège épiscopal fut transféré à Nancy en 1790.

Toula, v. de Russie, au S. de Moscou; 541 000 hab.; ch.-l. de prov. Industr. métallurgiques. - Enceinte fortifiée.

Toulet (Paul-Jean) (Pau, 1867 - Guéthary, Pyr.-Atl., 1920), écrivain français, chef de l'école «fantaisiste», cultivant l'imprévu, la liberté spirituelle et sentimentale : *Contrerimes* (1910-1921), *la Jeune Fille verte* (roman satirique, 1918-1919).

Toulon, ch.-l. du dép. du Var (depuis 1974); 170 607 hab. (env. 437 650 hab. pour l'aggl.). Aéroport (*Toulon-Hyères [Le Palyvestre]*). - Import. port militaire (en raison de la protection qu'offre sa rade). - Constr. navales (port annexe de La Seyne). Industr. chim. et méca. - Évêché. Université. Égl. Ste-Marie-Majeure (XVIIe s., partie du XIIe s.). - La ville doit sa fortune à Henri IV, qui y implanta un arsenal (1595), et surtout à Colbert et à Vauban, qui en firent la grande base de la flotte française en Méditerranée. En 1793, une révolte royaliste livra la ville aux Anglais; elle fut reprise par l'armée de la Convention où combattait Bonaparte, alors capitaine d'artillerie. En 1942, lorsque la Wehrmacht envahit la zone libre, la flotte française s'y saborda.

toulonnais, aise adj. et n. De Toulon. ▷ Subst. *Un(e) Toulonnais(e).*

touloupe n. f. Vêtement en peau de mouton des paysans russes; cette peau elle-même.

toulousain, aine adj. et n. De Toulouse. ▷ Subst. *Un(e) Toulousain(e).*

Toulouse, ch.-l. du dép. de la Haute-Garonne, et de la Région Midi-Pyrénées, sur la Garonne; 365 933 hab. (env. 650 350 hab. pour l'aggl.). Aéroport (*Blagnac*). Dep. 1993, la v. est dotée d'un métro. - Centre intellectuel, agricole et commercial depuis le Moyen Âge, la ville a vu se développer ses industries après 1920, et surtout depuis 1950 (chimie, constr. aéronautiques, aérospatiale, électronique et presse). Marché MIN. Toulouse est l'une des deux métropoles d'équilibre de la France du S.-O., l'autre étant Bordeaux. - Archevêché. Université. Basilique romane St-Sernin (XIe-XIIe s.). Égl. des Jacobins, édifice gothique à deux nefs (fin XIIIe s.). Cath. St-Étienne (XIIe-XVe s.). Égl. N.-D.-de-la-Dalbade (XVIe s.). Capitole (XVIIIe s., auj. hôtel de ville). Musée des Augustins (Bx-A.). Hôtels et maisons anciennes. - Cap. des Volques, cité romaine (v. 120-100 av. J.-C.), Toulouse devint un évêché au IIIe s. Cap. des Wisigoths (déb. Ve s.), conquise par les Francs (507), elle fut la cap. du royaume d'Aquitaine, puis du comté de Toulouse (IXe s.); elle s'émancipa au XIIe s. de la tutelle comtale (la bourgeoisie exerçant le pouvoir par un chapitre de *capitouls*); mais, frappée par la croisade albigeoise (déb. du XIIIe s.), elle fut rattachée à la Couronne (1271). Après une période d'éclat (académie des jeux* Floraux, créée en 1323) et de prospérité (commerce du pastel, de 1450 à 1550 env.), la ville végéta jusqu'au XIXe s., où l'avènement du chemin de fer suscita son essor. - Le *comté de Toulouse*, créé au IXe s., s'étendit au XIe s. sur la plus grande partie du Languedoc. Les comtes acquirent au XIIe s. les terres entre Isère et Durance (marquisat de Provence) et entreprirent de rendre leurs États quasi indépendants. La sympathie de Raimond VI pour les albigeois ruina cette tentative; après la croisade menée par Simon de Montfort puis par le roi Louis VIII, le comté tomba dans l'orbite de la France.

Toulouse : le pont Neuf, sur la Garonne

Toulouse (Louis Alexandre de Bourbon, comte de) (Versailles, 1678 - Rambouillet, 1737), fils légitimé de Louis XIV et de Mme de Montespan, grand amiral de France.

Toulouse-Lautrec (Henri Marie Raymond de Toulouse-Lautrec-Monfa, dit) (Albi, 1864 - chât. de Malromé, Gironde, 1901), peintre, lithographe et affichiste français. Atteint d'une maladie des os, il resta boiteux et anormalement petit. En 1881, à Paris, il étudia la peinture, puis, quittant les rails académiques, s'installa à Montmartre, où il peignit les cabarets, les bals, les maisons closes : *Jane Avril dansant* (1892, musée d'Orsay), *Au salon de la rue des Moulins* (1894), série des *Scènes de cirque.*

Toulouse-Lautrec : *la Toilette*, 1896; musée d'Orsay, Paris

toundra [tundʀa] n. f. Vaste plaine des zones périphériques des pôles, dont la végétation est constituée de mousses, de lichens et parfois de quelques arbres rabougris.

toungouse ou **toungouze** [tunguz] adj. et n. m. Des Toungouses. ▷ n. m. LING Langue de la famille turco-mongole. V. turco-mongol.

Toungouses ou **Toungouzes,** groupes ethniques de la Sibérie orientale, parlant des dialectes toungouses. Au nombre d'env. 60 000 individus, les Toungouses sont auj. en voie d'assimilation, aussi bien en Chine (Mandchous) qu'en Russie.

Toungouska (la), nom de trois riv. de Sibérie, affl. de l'Ienisseï (r. dr.); la *Toungouska inférieure* (2 640 km), la *Toungouska moyenne* ou *pierreuse* (1 550 km), la *Toungouska supérieure* ou *Angara**.

toupaye ou **toupaïe** [tupaj] n. m. ZOOL Mammifère insectivore (genre princ. *Tupaia*) d'Amérique du S., d'Inde et de Malaisie, proche des singes.

toupet n. m. **1.** Touffe de cheveux (partic., en haut du front). **2.** Fig., fam.

Hardiesse effrontée, aplomb. *Avoir un drôle de toupet.*

toupie n. f. **1.** Jouet de forme plus ou moins arrondie, muni d'une pointe sur laquelle on le fait tourner. **2.** TECH Machine à bois généralement constituée d'une table traversée d'un arbre tournant vertical sur lequel on peut monter divers outils.

toupiller v. intr. [1] TECH Travailler (le bois) avec une toupie.

toupilleur n. m. TECH Ouvrier qui toupille.

touque n. f. Récipient de métal dans lequel on transporte certaines substances. *Touque d'eau douce* (sur un navire).

Touques (la), fl. de Normandie (108 km); arrose Lisieux et Pont-l'Évêque; se jette dans la Manche entre Deauville et Trouville.

Touquet-Paris-Plage (Le), com. du Pas-de-Calais (arr. de Montreuil); 5 863 hab. Import. station balnéaire.

1. tour n. m. **I. 1.** Mouvement de rotation. *Un tour de roue. Tour de vis, de clef. Fermer une porte à double tour.* ▷ Loc. *Moteur qui part au quart de tour,* à la première impulsion du démarreur. – Fig. *Partir au quart de tour,* immédiatement. ▷ *À tour de bras :* V. bras. ▷ *Tour de reins :* distension douloureuse des muscles lombaires. **2.** GEOM Unité d'angle hors système (symbole tr), égale à 2 π radians, c.-à-d. à l'angle que doit décrire un point pour effectuer un tour complet. ▷ TECH *Tour par minute, par seconde :* unité de vitesse angulaire (symbole SI tr/mn, tr/s). **3.** Chose qui en entoure une autre. *Tour de cou :* fourrure, ruban, etc., se mettant autour du cou. **4.** Circonférence, courbe limitant un corps, un lieu. *Tour de taille. Ville qui a dix kilomètres de tour.* **5.** Parcours plus ou moins circulaire autour d'un lieu. *Tour de piste.* ▷ *Faire le tour de :* faire un circuit autour de (un lieu). *Faire le tour d'un jardin.* – S'étendre autour de. *Les fossés font le tour du château.* – Fig. Considérer rapidement dans son ensemble (une situation, une question). *Faire le tour d'un problème.* ▷ Anc. *Faire son tour de France :* pour les compagnons, voyager en travaillant dans différentes villes pour se perfectionner. ▷ SPORT (Avec une majuscule.) *Tour de France :* épreuve cycliste de fond, annuelle, dont le trajet, initialement, suivait très approximativement les frontières de la France. **6.** *Faire un tour,* une petite promenade. **7.** Tracé sinueux. *Les tours et les détours d'un labyrinthe.* **II. 1.** Action, mouvement dont l'accomplissement exige des aptitudes particulières, notam. de l'adresse. *Tour de prestidigitation, de passe-passe.* ▷ *Tour de force :* action difficile considérée comme un exploit. ▷ *Tour de main :* manière de faire nécessitant une habileté manuelle acquise par la pratique. – *En un tour de main :* très rapidement. **2.** Action dénotant de la ruse, de la malice. *Jouer un (mauvais) tour, un tour de cochon à qqn.* **III.** Manière dont se présente qqch. *Affaire qui prend un tour dramatique.* ▷ *Tour de phrase* ou, absol., *tour :* façon d'exprimer sa pensée par la construction de la phrase. *Un tour familier.* ▷ *Tour d'esprit :* disposition à considérer les choses d'une certaine manière. *Un tour d'esprit original.* **IV.** Moment auquel qqn accomplit une action, dans une suite d'actions semblables accomplies par des personnes différentes. *Je passerai à mon tour. Chacun son tour ! :* chacun doit passer à son tour. ▷ *Tour de chant :* représentation comportant plusieurs chansons, donnée par un chanteur. ▷ Loc. adv. *Tour à tour :* en alternance dans le temps. *Les trois généraux commandaient tour à tour.* – *À tour de rôle**.

2. tour n. m. **1.** Machine-outil utilisée pour façonner des pièces de bois, de métal, etc., en les faisant tourner sur elles-mêmes. – *Tour de potier :* plateau pivotant auquel le potier imprime un mouvement de rotation pour modeler l'argile qui s'y trouve posée. ▷ Loc. fig. Vieilli *Fait au tour :* d'une forme parfaite. **2.** Sorte d'armoire cylindrique tournant sur un pivot, placée dans l'épaisseur d'un mur ou d'une cloison, permettant des échanges de l'extérieur à l'intérieur.

3. tour n. f. **1.** Bâtiment dont la hauteur est importante par rapport à ses autres dimensions, faisant corps avec un édifice qu'il domine, ou isolé. *Les tours d'une cathédrale. La tour penchée de Pise. La tour Eiffel. Habiter au trentième étage d'une tour.* – *Tour de Babel*.* ▷ Fig. *Tour d'ivoire :* retraite hautaine, isolement volontaire. *Se retirer dans sa tour d'ivoire.* ▷ MILIT Anc. *Tour de siège :* machine de guerre haute et mobile servant au siège des villes, des forteresses défendues par des remparts. ▷ TECH *Tour de forage :* charpente servant aux manœuvres de descente et de relèvement des outils de forage. Syn. (anglicisme déconseillé) derrick. ▷ AVIAT *Tour de commande* ou *tour de contrôle :* bâtiment dominant un aérodrome, d'où est assurée la régulation du trafic aérien. ▷ ESP *Tour de montage :* ouvrage servant au montage d'un engin spatial avant son lancement. – *Tour de lancement :* ouvrage à partir duquel est effectué le lancement d'un engin spatial. **2.** Au jeu d'échecs, pièce en forme de tour crénelée se déplaçant sur la verticale ou l'horizontale.

touraco n. m. ORNITH Oiseau africain (genre princ. *Turacus,* ordre des cuculiformes), au plumage vert, à bec court et aux ailes arrondies.

touraco

Touraine, rég. et anc. prov. de France, correspondant au dép. d'Indre-et-Loire et à quelques franges de l'Indre, du Loir-et-Cher et de la Vienne; cap. *Tours.* Aux plateaux crayeux, couverts parfois d'argile à silex, généralement pauvres, s'opposent les riches vallées de la Loire (vignobles, arboriculture, primeurs) et de ses princ. affl. de gauche (Cher, Indre, Vienne). Avec ses châteaux, c'est une import. région touristique. – Anc. pays des Celtes Turones, la Touraine forma un comté (Xe s.) que se disputèrent la France et l'Angleterre aux XIIe et XIIIe s. Confisquée par Philippe Auguste, cédée par Jean sans Terre (1206), duché-pairie au XIVe s., elle entra dans plusieurs apanages. En 1584, elle fut réunie à la Couronne. La Renaissance lui donna un grand lustre; aimée des rois de France, elle se couvrit de châteaux (V. Loire [châteaux de la]), puis fut abandonnée au profit de Paris et de Versailles.

Touraine (Alain) (Hermanville-sur-Mer, Calvados, 1925), sociologue français. Il s'est attaché à définir une nouvelle sociologie du travail : *la Conscience ouvrière* (1966), *la Société post-industrielle* (1969), *Pour la sociologie* (1974), *l'Après-Socialisme* (1980).

Tourane. V. Da Nang.

tourangeau, elle adj. et n. **1.** De la Touraine. *La douceur tourangelle.* **2.** De Tours. **3.** n. Habitant de la Touraine ou de Tours. *Un Tourangeau.*

1. tourbe n. f. Litt ou péjor. Multitude, foule.

2. tourbe n. f. Combustible noirâtre, souvent spongieux, au faible pouvoir calorifique, constitué de végétaux plus ou moins décomposés et qui se forme dans les tourbières.

tourber v. intr. [1] TECH Extraire de la tourbe d'une tourbière.

tourbeux, euse adj. Qui contient de la tourbe; qui est de la nature de la tourbe.

tourbier, ère adj. et n. **I.** adj. Qui contient de la tourbe. **II.** n. **1.** Exploitant d'une tourbière. **2.** n. f. Lieu où se forme la tourbe; gisement de tourbe.

tourbillon n. m. **1.** Masse d'air qui se déplace dans un mouvement tournant impétueux. *Tourbillon de vent.* – Ce mouvement, caractérisé par les matières qu'il déplace avec force. *Tourbillons de poussière.* **2.** PHYS Mouvement en spirale des particules d'un fluide. – Masse d'eau tournant avec violence autour d'une dépression. **3.** Fig. Agitation tumultueuse dans laquelle on est entraîné. *Le tourbillon des plaisirs.*

tourbillonnaire adj. En forme de tourbillon.

tourbillonnant, ante adj. Qui tourbillonne, tournoie.

tourbillonnement n. m. Mouvement de ce qui tourbillonne. – Fig. Mouvement vif et entraînant.

tourbillonner v. intr. [1] **1.** Former un tourbillon; se mouvoir dans un tourbillon, tournoyer rapidement. *Les feuilles mortes tourbillonnent.* **2.** Fig. Être l'objet d'une agitation semblable à un tourbillon. *Toutes ces idées tourbillonnaient dans sa tête.*

Tourcoing, ch.-l. de cant. du Nord, près de la frontière belge. Elle forme, avec Lille et Roubaix, une import. conurbation; 94 425 hab. (*Tourquennois*). Centre commercial et textile (laine). Industr. alim., électronique.

Tour-du-Pin (La), ch.-l. d'arr. de l'Isère; 6 926 hab. Industr. textiles et mécaniques. – Hôtel de ville et maisons Renaissance.

Touré (Sékou) (Faranah, 1922 – Cleveland, Ohio, 1984), homme politique guinéen. Un des fondateurs du Rassemblement démocratique africain (1945). Député à l'Assemblée nationale française, il fut le champion du « non » au référendum sur l'institution de la Communauté* française organisé par de Gaulle en 1958. Président de la république de Guinée la même année, il établit un régime de type socialiste qui glissa très vite vers une sanglante dictature. À sa mort, S. Touré laissa un pays économiquement exsangue.

tourelle n. f. **1.** ARCHI Petite tour. *Château à tourelles.* **2.** MILIT Abri blindé orientable renfermant les pièces d'artillerie d'un char, d'un avion, d'un navire de guerre ou d'un ouvrage fortifié. **3.** TECH Dispositif mobile autour d'un axe qui peut placer en position de travail les outils d'un tour automatique, les objectifs d'une caméra.

touret n. m. TECH **1.** Plateau tournant sur lequel on dispose une meule ou des disques abrasifs pour polir une pièce. **2.** Petit tour des graveurs en pierres fines. **3.** Dévidoir servant à enrouler des lignes, des câbles, etc.

Tourgueniev (Ivan Sergueïevitch) (Orel, 1818 - Bougival, 1883), écrivain russe. Après des démêlés avec la censure du tsar, il publia *Récits d'un chasseur* (1852); ces nouvelles, où il décrit la vie des paysans soumis au servage, consacrèrent sa gloire littéraire. Autorisé à quitter la Russie en 1856, il vécut le plus souvent en Allemagne et en France. Il écrivit des romans : *Roudine* (1856), *Pères et Fils* (1862), *Fumée* (1867), *Terres vierges* (1877), auxquels on préfère aujourd'hui ses recueils de nouvelles, réalistes et impressionnistes : *Deux Amis* (1852), *Un coin tranquille* (1854), *Premier Amour* (1860), *les Eaux printanières* (1871).

Tourgueniev **Toussaint Louverture**

tourie n. f. TECH Bonbonne de verre ou de grès entourée d'osier, servant notam. au transport des acides.

tourière adj. et n. f. Se dit de la religieuse préposée au tour (V. tour 2, sens 2) dans un couvent et, par ext., chargée des relations avec l'extérieur. *La sœur tourière.* ou, n. f. *la tourière.*

tourillon n. m. TECH Nom de divers axes ou pivots. ▷ *Spécial.* Pièce métallique servant à assujettir un canon sur un affût.

tourisme n. m. **1.** Activité de loisir qui consiste à voyager pour son agrément. *Faire du tourisme.* - Ensemble des services et des activités liés à l'organisation des déplacements des touristes. *Office du tourisme. Agence de tourisme. Le tourisme est la principale ressource de ce pays.* **2.** *De tourisme* : d'usage privé (par oppos. à *commercial, militaire,* etc.). *Aviation de tourisme.*

touriste n. Personne qui voyage pour son agrément. *Une boutique de souvenirs pour touristes.* ▷ (En appos.) *Classe touriste* : classe inférieure, sur les paquebots, les avions. Syn. classe économique (avions).

touristique adj. **1.** Relatif au tourisme. *Dépliant touristique.* **2.** Fréquenté par les touristes. *Région touristique.*

Tourlaville, ch.-l. de cant. de la Manche (arr. de Cherbourg); 17 773 hab. - Chât. (XVIe s.).

Tourmalet (col du), col des Hautes-Pyrénées (2 115 m), entre les hautes vallées du gave de Pau et de l'Adour.

tourmaline n. f. MINER Silicate complexe de bore et d'aluminium, qu'on rencontre dans les roches éruptives et métamorphiques où il donne de beaux cristaux aciculaires de couleur noire, rouge (rubellite), verte (émeraude du Brésil) ou bleue, utilisés en joaillerie.

tourment n. m. **1.** Vx Supplice, torture. **2.** Litt. Très grande souffrance (surtout d'ordre moral). *Sa jalousie lui fait endurer mille tourments.* **3.** Grande inquiétude, grave souci. *Cette affaire me donne bien du tourment.*

tourmente n. f. **1.** Litt. Bourrasque, tempête violente. *Être pris dans une tourmente.* **2.** Fig. Troubles graves, déchaînement de violence. *La tourmente révolutionnaire.*

tourmenté, ée adj. **1.** En proie à un tourment moral. *Âme tourmentée.* ▷ Subst. *Un tourmenté.* **2.** Très irrégulier. *Sol, relief tourmenté.* - Agité. *Mer tourmentée.* ▷ Fig. Troublé, agité. *Vivre une époque tourmentée.* **3.** LITTER, BX-A Qui dénote une recherche excessive, un manque de simplicité. *Style tourmenté.*

tourmenter v. [1] **I.** v. tr. **1.** Vieilli Faire souffrir. *Cet enfant est tourmenté par ses dents.* **2.** Importuner, ennuyer sans cesse, harceler. *Cessez de tourmenter ce pauvre chien!* **3.** Préoccuper vivement, obséder. *Le remords, la jalousie le tourmente.* **II.** v. pron. S'inquiéter vivement. *Vous vous tourmentez inutilement.* Syn. se tracasser.

tourmenteur, euse n. et adj. **1.** Vx Bourreau. **2.** Litt. Qui tourmente. Syn. persécuteur.

tourmentin n. m. MAR Petit foc utilisé par mauvais temps.

tournage n. m. **1.** TECH Action de façonner au tour. **2.** CINE, AUDIOV Action de tourner un film.

Tournai (en néerl. *Doornik*), v. de Belgique (Hainaut), sur l'Escaut; 67 910 hab. Centre textile; métall., sucrerie. - Cath. Notre-Dame (XIIe-XIIIe s.), beffroi (XIIe-XIIIe s.), halle aux Draps (déb. XVIIe s.), maisons du Moyen Âge. Musée des beaux-arts. - Cap. des Nerviens puis cité romaine, la ville fut prise par les Francs (431) et servit de résidence aux premiers rois mérovingiens. Devenue évêché (VIe s.), duché sous la souveraineté de la France, centre textile et financier prospère à partir du XIIIe s., foyer artistique au XVe s., Tournai passa aux Habsbourg en 1526. Reprise par la France (1667), occupée par le Prince Eugène (1709), elle fut incorporée aux Pays-Bas autrichiens (1714) puis au royaume des Pays-Bas (1815), enfin à la Belgique (1830).

tournailler v. intr. [1] Fam. Errer paresseusement en tournant en rond.

1. tournant n. m. **1.** Endroit où une voie change de direction en formant un coude; sinuosité de la route. *Tournant dangereux.* - Fig., fam. *Je l'aurai au tournant,* à la première occasion que j'aurai de le surprendre. **2.** Fig. Moment où le cours des événements change de direction; événement qui marque ce changement. *Être à un tournant de sa vie.*

2. tournant, ante adj. **1.** Qui tourne, pivote. *Pont tournant.* ▷ Spécial. *Grève tournante* : V. grève. ▷ ELECTR *Champ tournant* : champ magnétique de grandeur constante dont la direction tourne de manière uniforme. **2.** Qui contourne. *Mouvement tournant.*

1. tourne n. f. PRESSE Suite d'un article de journal continué sur une autre page.

2. tourne n. f. TECH Altération du vin, de la bière, du lait due à une bactérie; cette bactérie.

tourné, ée adj. **1.** Façonné au tour. *Table aux pieds tournés.* **2.** Qui a une certaine tournure. *Lettre bien tournée.* - (Personnes) *Une jeune femme bien tournée.* - *Esprit mal tourné,* disposé à voir du mal partout. **3.** Orienté. *Maison tournée vers le levant.* **4.** Altéré, aigri. *Lait tourné.*

tourne-à-gauche n. m. inv. TECH Outil servant à serrer une tige pour la faire tourner sur elle-même. - Outil servant au filetage d'une tige.

tournebouler v. tr. [1] Fam. Bouleverser, retourner (qqn). *Cette nouvelle l'a tourneboulé.*

tournebroche n. m. Dispositif servant à faire tourner la broche à rôtir.

tourne-disque n. m. Appareil à plateau tournant et tête de lecture, sur lequel on passe des disques. *Des tourne-disques.* Syn. électrophone.

tournedos [turnədo] n. m. CUIS Tranche de filet de bœuf, généralement bardée. *Tournedos Rossini,* accompagné de foie gras.

tournée n. f. **1.** Voyage effectué selon un itinéraire fixé, en s'arrêtant à divers endroits. *Tournée d'un représentant de commerce, d'une compagnie théâtrale.* **2.** Fam. Consommations offertes par qqn à tous ceux qui sont avec lui. *Payer une tournée d'apéritifs.* **3.** Pop., vieilli Volée de coups. *Flanquer une tournée.*

Tournefeuille, com. de la Haute-Garonne (arr. de Toulouse); 16 696 hab.

Tournefort (Joseph Pitton de) (Aix-en-Provence, 1656 - Paris, 1708), voyageur et botaniste français. Précurseur de Linné, il établit la première classification des plantes reposant sur la nature de leurs fleurs.

tournemain (en un) Vieilli Loc. adv. En un instant, avec autant de rapidité que d'adresse. (On dit auj. *en un tour de main.*)

Tournemire (Charles) (Bordeaux, 1870 - Arcachon, 1939), organiste et compositeur français, successeur de C. Franck et G. Pierné au poste de titulaire de l'orgue de l'église Sainte-Clotilde à Paris.

tournepierre ou **tourne-pierre** n. m. ORNITH Oiseau charadriiforme *(Arenaria interpres)* d'Europe occidentale, au plumage roux et noir, qui retourne les galets pour chercher les petits animaux dont il se nourrit. *Des tourne-pierres.*

tourner v. [1] **I.** v. tr. **1.** Imprimer un mouvement de rotation à. *Tourner une broche. Tourner la tête.* **2.** Présenter (qqch) sous une autre face; retourner. *Il tournait et retournait l'objet sans comprendre. Tourner les pages d'un livre.* ▷ Fig. *Tourner la page* : oublier le passé. ▷ *Tourner les talons* : faire demi-tour; s'enfuir. **3.** Diriger, porter (dans une direction). *Tourner les yeux vers le ciel.* - Fig. *Tourner son attention vers qqn.* **4.** Longer en contournant. - Spécial. *Tourner les positions de l'ennemi,* pour le prendre à revers. - Fig. Trouver, utiliser un biais pour éluder, éviter. *Tourner un obstacle, une difficulté. Tourner la loi.* **5.** Transformer (dans un sens exprimé par un complément introduit par *à* ou *en*).

Tourner les choses à son profit. Tourner qqch, qqn en ridicule. **6.** Troubler, faire éprouver une sensation de vertige. *L'alcool tourne la tête.* – Fig. *Le succès lui a tourné la tête.* ▷ Loc. fam. *Tourner le sang, les sangs :* inquiéter vivement. **7.** TECH Façonner au tour (un ouvrage de bois, de métal, etc.). – Fig. Donner un tour, une façon à; composer, arranger d'une certaine manière. *Savoir tourner un compliment.* **8.** CINE, AUDIOV *Tourner un film,* en filmer les séquences (les premières caméras fonctionnaient à la manivelle). – Absol. *Silence, on tourne!* **II.** v. intr. **1.** Se mouvoir en décrivant une courbe. *La Terre tourne autour du Soleil.* ▷ Loc. *Avoir la tête qui tourne :* éprouver un vertige. *Tourner de l'œil*.* ▷ Pivoter autour d'un axe. *La porte tourna sur ses gonds.* – *Faire tourner les tables :* mettre en mouvement (ou croire qu'on met en mouvement) des tables censées transmettre des messages des esprits. – Loc. fig. *Tourner autour de :* évoluer à proximité de; graviter autour de, être proche de. *La dépense tourne autour de mille francs.* – *Tourner autour d'une femme,* lui faire la cour. – Fam. *Tourner autour du pot :* employer des circonlocutions au lieu d'aller droit au fait. **2.** En parlant d'un mécanisme, fonctionner en décrivant une rotation. *Moteur qui tourne.* – *Par ext.* Fonctionner. *Machine qui tourne 24 h sur 24.* ▷ *Tourner rond :* fonctionner correctement; fig. (en parlant de personnes) aller bien, raisonner sainement. **3.** Effectuer une permutation circulaire. *Au volley-ball, les joueurs tournent à chaque service.* **4.** Changer de direction, virer. *Tourner à gauche, à droite. Le vent a tourné.* – Fig. *La chance a tourné.* **5.** Se transformer en, tendre vers. *Affaire qui tourne à la catastrophe. Leurs rapports tournent à l'aigre.* ▷ *Tourner bien, mal :* finir bien, mal. – (Personnes) Évoluer d'une manière positive, négative. *Il a (bien) mal tourné.* ▷ *Tourner court :* finir brusquement, sans transition. **6.** *Absol.* S'altérer, devenir aigre. *Le lait a tourné.* **III.** v. pron. **1.** Se mettre dans une position opposée à celle que l'on avait; changer de position. *Elle se tourna, offrant ainsi son meilleur profil.* **2.** Se diriger. *Les regards se tournèrent vers lui.* – Fig. *Se tourner vers la religion.* ▷ *Ne savoir de quel côté se tourner :* ne savoir quel parti prendre.

tournesol n. m. **1.** Nom de diverses plantes (hélianthes, héliotropes, soleils) dont la fleur s'oriente vers le soleil, qu'elle suit dans sa course. **2.** CHIM Matière colorante bleue (autref. tirée de diverses plantes, dont un héliotrope), qui rougit au contact des acides et que l'on utilise comme réactif.

tournesol

1. tourneur, euse n. et adj. **1.** n. m. TECH Ouvrier qui façonne des ouvrages au tour. **2.** n. f. TECH Ouvrière qui dévide de la soie. **3.** adj. Qui tourne sur lui-même. *Derviche* tourneur.*

2. tourneur n. m. SPECT Organisateur de tournées.

Tourneur (Maurice Thomas dit) (Paris, 1876 – id., 1961), cinéaste français. Pionnier du cinéma muet, célèbre à Hollywood entre 1915 et 1925 : *le Dernier des Mohicans* (1920), *l'Île des navires perdus* (1923). De retour en France il réalisa *l'Équipage* (1927), *Katia* (1938), *Volpone* (1940). – **Jacques** (Paris, 1904 – Bergerac, 1977), fils du préc., cinéaste américain; d'une grande subtilité, il suggère l'horreur dans d'excellents films fantastiques (*la Féline,* 1942; *Vaudou,* 1943; *Rendez-vous avec la peur,* 1947; *Berlin-Express,* 1948).

Maurice **Tourneur :** *Volpone,* 1940, avec Ch. Dullin (à g.) et Harry Baur

tournevis [tuʀnəvis] n. m. Instrument d'acier, terminé en biseau non tranchant et servant à serrer ou desserrer les vis.

tournicoter v. intr. [1] Fam. Var. de tourniquer.

Tournier (Michel) (Paris, 1924), écrivain français de tendance symboliste : *Vendredi ou les Limbes du Pacifique* (1967), *le Roi des Aulnes* (1970), *les Météores* (1975), *le Coq de bruyère* (recueil de nouvelles, 1978), *Gaspar, Melchior et Balthazar* (1980), *Gilles et Jeanne* (1983).

tourniquer v. intr. [1] Fam. Tourner sur place, sans raison apparente, sans quitter le lieu où l'on se trouve.

tourniquet n. m. **1.** Dispositif de fermeture, généralement constitué de barres mobiles autour d'un axe, qui ne peut être franchi que dans un seul sens et par une personne à la fois. **2.** Pièce métallique articulée autour d'un axe, servant à maintenir ouvert un volet ou un châssis. ▷ Présentoir mobile autour d'un axe. *Tourniquet de cartes postales.* **3.** Appareil constitué d'une tige qui tourne autour d'un axe sous l'effet de l'éjection de matière (eau, gaz) aux deux extrémités de cette tige. *Tourniquet d'arrosage, de feux d'artifice.*

tournis [tuʀni] n. m. **1.** MED VET Maladie des bovins et des moutons, due à la présence dans l'encéphale de *Tænia cœnurus* (V. cœnure et ténia) et qui se traduit par un tournoiement de la bête. **2.** Fig., fam. Sensation de vertige. *Ça me donne le tournis.*

tournoi n. m. **1.** Au Moyen Âge, combat de chevaliers à armes courtoises*. Syn. joute. **2.** *Par ext.* et mod. Compétition comprenant plusieurs séries de rencontres. *Tournoi de bridge, de tennis.*

tournoiement [tuʀnwamɑ̃] n. m. Action de tournoyer; mouvement de ce qui tournoie.

Tournon (François de) (Tournon, 1489 – Paris, 1562), prélat et homme d'État français. Cardinal (1530), il fut lieutenant général du Lyonnais (1536) et archevêque de Lyon (1551). Il négocia adroitement la paix de Madrid (1526, libération de François Ier) et le traité de Nice (1538).

Tournon-sur-Rhône (*Tournon* jusqu'en 1988), ch.-l. d'arr. de l'Ardèche, sur le Rhône; 10 165 hab. Industr. textiles et électriques. – Église du XVe s. (restaurée au XVIIe s.). Château des XVe et XVIe s.

tournoyer v. intr. [23] **1.** Évoluer en décrivant des cercles. *Les vautours tournoyaient déjà au-dessus des corps.* ▷ Tourner sur soi-même. *La barque tournoyait dans le tourbillon.* **2.** Anc. Participer à un tournoi.

tournure n. f. **1.** Manière dont une chose est faite; forme qu'elle présente. *La tournure d'une phrase. Tournure d'esprit.* ▷ *Prendre tournure :* prendre forme, se dessiner. – Taille, forme du corps. *Une jolie tournure.* **2.** Anc. Rembourrage porté sous la jupe. Syn. fam. faux-cul. **3.** TECH Copeau qui se détache d'un ouvrage travaillé au tour.

Tournus, ch.-l. de cant. de Saône-et-Loire (arr. de Mâcon), sur la Saône; 7 036 hab. Peintures. – Égl. St-Philibert, anc. abbatiale romane (Xe-XIe s.).

touron ou **tourron** [tuʀɔ̃; tuʀɔn] n. m. Confiserie analogue au nougat, originaire d'Espagne, faite de pâte d'amande mêlée de noisettes, de pistaches, etc.

tour-opérateur n. m. Syn. (off. déconseillé) de *voyagiste. Des tour-opérateurs.*

Tours, ch.-l. du dép. d'Indre-et-Loire, sur la Loire; 133 403 hab. (aggl. urb. 282 150 hab.). Import. centre agricole (vins, eaux-de-vie, fruits), avec des industries actives (électron., chim.). Presse. Tourisme. Base aérienne militaire. – Archevêché. Université. Cath. St-Gatien (XIIIe-XVIe s., vitraux des XIIIe et XIVe s.). Égl. abbat. St-Julien (XIIIe s.). Musée des Beaux-Arts (Mantegna, Caravage, Houdon, etc.). Maisons médiévales; hôtels Renaissance. – Cap. des Turones, puis, sous les Romains, de la Lyonnaise IIIe, siège d'un évêché au IIIe s. (archevêché au IXe s.) et import. centre religieux au Moyen Âge (culte de saint Martin*), Tours fut la résidence favorite de Charles VII et de Louis XI. Le travail de la soie, introduit par ce dernier, périclita avec l'émigration des soyeux protestants (1685, révocation de l'édit de Nantes). La ville fut le siège d'une délégation du gouvernement provisoire de la Défense nationale (1870). En 1920, au *congrès de Tours,* la S.F.I.O. se scinda entre partisans de la IIe Inter-

Tours : place Plumereau, dans la zone piétonne

nationale (animés par L. Blum) et partisans de la IIIe Internationale (communistes).

tourte n. f. **1.** Tarte ronde, faite dans un moule à bord assez haut, recouverte d'une croûte de pâte, et renfermant diverses préparations salées ou sucrées. **2.** Pop. Niais, peu dégourdi. *Quelle tourte !* ▷ adj. *Il est assez tourte.*

1. tourteau n. m. **1.** AGRIC, ELEV Masse pâteuse formée avec les résidus de divers oléagineux après extraction de l'huile et qui constitue un excellent aliment pour le bétail. **2.** HERALD Pièce d'émail de couleur, de forme circulaire.

2. tourteau n. m. Gros crabe comestible *(Cancer pagurus)*, commun sur les côtes atlantiques.

tourtereau n. m. **1.** Rare Jeune tourterelle. **2.** Fig., fam. *Des tourtereaux :* des jeunes gens qui s'aiment tendrement.

tourterelle n. f. Oiseau columbiforme (genre *Streptopelia*) de taille inférieure à celle du pigeon, dont une variété est un oiseau de volière, une autre *(tourterelle des bois)* un migrateur. ▷ (En appos.) *Gris tourterelle :* gris légèrement rosé.

tourterelle des bois

tourtière n. f. **1.** Moule à tourte. **2.** Rég. Tourte, généralement salée. ▷ (Canada) Tourte à base de viande de porc hachée.

Tourville (Anne Hilarion de Cotentin, comte de) (chât. de Tourville, Normandie, 1642 – Paris, 1701), vice-amiral de France. Il combattit les pirates barbaresques puis s'illustra dans la lutte contre les Anglo-Hollandais, qu'il battit au large de l'île de Wight (1690) mais qui le battirent, ensuite, à La Hougue (1692). Il fut fait maréchal en 1693.

touselle n. f. AGRIC Rég. Variété de blé dont l'épi est dépourvu de barbes.

Toussaint Fête catholique, célébrée en l'honneur de tous les saints, le 1er novembre. *Un temps de Toussaint,* pluvieux, gris.

Toussaint Louverture (Saint-Domingue, 1743 – fort de Joux, Doubs, 1803), homme politique haïtien. Noir, il milita en faveur de la France, qui avait aboli l'esclavage (1794). Nommé général, il assura la défense de l'île contre les Anglais et les Espagnols. Quand il tenta de proclamer une république noire, Bonaparte envoya Leclerc reconquérir l'île. Toussaint Louverture fut arrêté (1802) et emprisonné en France. ► illustr. page **1888**

tousser v. intr. [1] **1.** Être pris d'un accès de toux. *Il tousse surtout la nuit. La fumée le fait tousser.* – *Par anal.* Faire un bruit comparable à celui de la toux. *Moteur qui tousse,* qui a des ratés. **2.** Se racler la gorge (pour s'éclaircir la voix, avertir, attirer l'attention de qqn).

toussotement n. m. Action de toussoter; petite toux.

toussoter v. intr. [1] Tousser légèrement.

tous-terrains. V. terrain.

tout [tu], **toute** [tut], **tous** [tu; tus], **toutes** [tut] adj., pron., n. m. et adv. **A.** adj. **I.** (Suivi du sing.) **1.** Entier, complet, plein. *Tout l'univers. Veiller toute la nuit. Tout ce qu'il y a de bien.* ▷ Loc. pron. indéf. *Tout le monde :* tous les gens. ▷ (En loc., sans article.) *Donner toute satisfaction. À toute vitesse.* ▷ (Devant le nom d'un auteur, d'une ville.) *Il a lu tout Hugo. Tout Londres le savait.* – *(Le) Tout-Paris :* les Parisiens les plus en vue. **2.** (Sans article.) Chaque, n'importe lequel. *Toute peine mérite salaire. À tout moment.* **3.** Unique, seul. *C'est tout l'effet que ça te fait ?* ▷ (Précédé de *pour.*) *Pour toute nourriture.* **4.** (Suivi de *un, une.*) Vrai, véritable. *Il en fait toute une histoire.* **II.** (Suivi du plur.) **1.** Ensemble, sans exception, des... *Tous les hommes.* ▷ (Devant un numéral, soulignant l'association.) *Vous êtes tous deux bien imprudents. Ils nient tous les trois.* **2.** (Marquant la périodicité.) *Toutes les cinq minutes. Tous les dix mètres.* **B.** pron. indéf. **1.** *Tous, toutes,* désignant des personnes ou des choses mentionnées précédemment. *Ses enfants l'aiment bien, tous sont venus le voir.* – (Comme nominal.) *Connu et estimé de tous.* **2.** *Tout* (inv.). Toutes les parties d'une chose ou la chose prise dans sa totalité. *Tout est bon dans cet ouvrage. Il ignore tout de cette affaire. C'est tout ?* ▷ *À tout prendre :* en somme, tout bien considéré. ▷ *C'est tout ou rien :* il n'y a pas de milieu, d'autre choix. – INFORM *Tout ou rien* (ou *tout-ou-rien*), se dit d'organes de régulation qui ne peuvent occuper que deux états (ex. : ouvert ou fermé). ▷ *Avoir tout de qqch, de qqn,* toutes ses caractéristiques. *Habillé ainsi, il a tout du clown.* ▷ *Ce n'est pas tout de* (+ inf.) : cela ne suffit pas de. ▷ *Comme tout* (servant de superlatif). *Gentil comme tout.* ▷ Loc. adv. *En tout :* pour l'ensemble. *Cela lui revient en tout à mille francs. En tout et pour tout :* au total. *Après tout :* en définitive. **C.** n. m. **1.** Chose considérée dans son entier, par rapport aux parties qu'elle renferme. *Former un tout. Le tout et la partie.* Syn. ensemble. **2.** Essentiel. *Ce n'est pas le tout de s'amuser.* **3.** Loc. adv. *Du tout :* en aucune façon, nullement (renforce souvent *pas, point, rien*). – *Changer du tout au tout,* complètement. **D.** adv. (Variable devant un fém. commençant par une consonne ou un h aspiré et, théoriquement, invar. dans les autres cas.) **1.** Entièrement, complètement. *La ville tout entière* (*Toute entière* est toléré). *Elle est tout heureuse, toute contente.* ▷ (Devant un nom.) *Être tout yeux, tout oreilles :* être très attentif. *Tissu tout coton.* **2.** (Renforçant le mot qui suit ou marquant un superlatif absolu.) *Tout enfant, il s'intéressait déjà à la musique. De toutes jeunes filles. Tout à côté. Parler tout haut.* – Fam. *C'est tout comme :* cela revient exactement au même. ▷ *Tout au plus :* à peine. – *Tout à fait :* complètement, absolument. **3.** (Devant un gérondif, marque la simultanéité.) *Il lisait tout en marchant.* ▷ (Introduisant une concession.) *Tout en le souhaitant, je n'y crois guère.* **4.** *Tout... que,* loc. conj. exprimant la concession. *Tout sage qu'il est.* – (Variable devant un féminin commençant par une consonne.) *Toute femme qu'elle est.* **5.** Loc. adv. *Tout à coup* (ou *tout d'un coup*) : soudain. ▷ *Tout d'un coup :* d'un seul coup. ▷ *Tout à fait :* complètement. ▷ *Tout à l'heure :* dans peu de temps; il y a peu de temps. ▷ *Tout de même :* cependant. – (Renforçant un ton exclamatif.) *C'est tout de même un peu fort !* ▷ *Tout de suite :* immédiatement. ▷ Fam. *Tout plein :* très, beaucoup.

tout-à-l'égout n. m. inv. Système d'évacuation des eaux usées dans le réseau d'assainissement public.

Toutankhamon ou **Tout Ankh Amon,** pharaon égyptien (v. 1354 – v. 1346 av. J.-C.) de la XVIIIe dynastie, qui, à dix ans, succéda à son beau-père Aménophis IV Akhenaton. Influencé par les ministres et les prêtres de son entourage, il abolit le culte d'Aton pour rétablir celui du dieu Amon. Il mourut à dix-huit ou dix-neuf ans. Son tombeau a été retrouvé intact en 1922 (fouilles de l'Anglais Howard Carter dans la Vallée des Rois); il renfermait un trésor funéraire fastueux, auj. au musée du Caire.

dossier du trône de **Toutankhamon,** en or repoussé avec décor de pierres semi-précieuses, prov. de Tell al-Amarnah, XVIIIe dynastie; Musée égyptien, Le Caire

toutefois adv. (Marque l'opposition.) *Je ne suis pas convaincu, toutefois, j'accepte.* Syn. néanmoins, pourtant. – (Renforce la condition.) *Nous irons, si toutefois elle nous accompagne.*

toute-puissance n. f. inv. Puissance absolue ou à son plus haut degré. Syn. omnipotence.

toutim [tutim] n. m. Arg. En loc. *Et tout le toutim :* et tout le reste.

toutou n. m. Fam. Chien; *spécial.* chien fidèle. – Loc. comparative. *Obéir comme un toutou. Suivre comme un toutou.*

tout-petit n. m. Bébé, enfant en bas âge. *L'alimentation des tout-petits.*

tout-puissant, toute-puissante adj. Dont le pouvoir est sans bornes. *Monarques tout-puissants. Des influences toutes-puissantes.* ▷ n. m. *Le Tout-Puissant :* Dieu.

tout-terrain. V. terrain.

tout-venant n. m. sing. **1.** MINES Minerai non encore trié, tel qu'il est extrait du gisement. **2.** Ce qui se présente, sans avoir fait l'objet d'un choix; qualité ordinaire.

Touva (république autonome de) (anc. *Tannou-Touva*), rép. autonome de Russie, en Sibérie centrale; 170 500 km^2; 290 000 hab.; cap. *Kyzyl.* Cette région montagneuse au climat rude recèle d'import. gisements (amiante, charbon, or, cobalt, etc.); elle est peuplée princ. de *Touvas,* pop. parlant une langue turque.

toux [tu] n. f. Expiration bruyante, brusque, saccadée, habituellement réflexe, mais qui peut être volontaire, témoignant le plus souvent d'une irritation ou d'une infection des voies respiratoires et permettant de les dégager. *Quinte de toux. Toux sèche, grasse* (suivie généralement d'expectoration).

Townes (Charles Hard) (Greenville, Caroline du Sud, 1915), physicien américain. Il mit au point, en 1954, le premier maser*. P. Nobel 1964.

township [tawnʃip] n. m. (Anglicisme) Ville où se trouve regroupée la population de couleur en Afrique du Sud.

Townsville, port du N.-E. de l'Australie (Queensland); 103 600 hab. Métallurgie du cuivre.

tox(o)-, toxi-, toxico-. Élément, du lat. *toxicum,* « poison », du gr. *toxikon,* « poison pour flèches », de *toxon,* « arc, flèche ».

toxémie n. f. MED Passage de toxines dans le sang, par insuffisance des organes chargés de les éliminer. ▷ *Toxémie gravidique :* affection qui se déclare dans les derniers mois de la grossesse, caractérisée par l'albuminurie, l'œdème et l'hypertension artérielle.

toxicité n. f. Didac. Caractère de ce qui est toxique. *Le coefficient de toxicité d'une substance est défini par sa dose minimale mortelle.*

toxico-. V. tox(o)-.

toxico n. Fam. Toxicomane.

toxicodermie n. f. MED Lésion cutanée due à un produit toxique.

toxicologie n. f. MED Science qui étudie les toxiques, leur identification, leur mode d'action et les remèdes à leur opposer.

toxicologique adj. MED Relatif à la toxicologie.

toxicologue n. Didac. Spécialiste en toxicologie.

toxicomane adj. et n. Didac. et cour. Atteint de toxicomanie.

toxicomaniaque adj. Relatif à une toxicomanie.

toxicomanie n. f. Intoxication chronique engendrée par la consommation de médicaments ou de substances toxiques, et entraînant un état d'accoutumance et de dépendance.

toxicomanogène adj. Qui peut provoquer une toxicomanie.

toxicose n. f. MED Intoxication endogène. ▷ *Toxicose du nouveau-né,* altération grave de l'état général, habituellement due à une diarrhée infectieuse entraînant une déshydratation aiguë.

toxi-infection n. f. MED Maladie infectieuse dans laquelle le caractère pathogène vient surtout des toxines que sécrètent les germes. *Des toxi-infections.*

toxine n. f. MED Substance toxique élaborée par un micro-organisme. (On distingue les *endotoxines,* contenues à l'intérieur des bactéries, et les *exotoxines,* émises dans le milieu extérieur.)

toxique adj. et n. m. **1.** adj. Se dit d'une substance qui a un effet nocif sur l'organisme ou sur un organe. *Gaz toxique.* **2.** n. m. Substance toxique.

toxo-. V. tox(o)-.

toxocarose n. f. MED Maladie parasitaire de l'homme due à des ascaris présents dans les excréments du chien ou du chat, se manifestant notam. par de la fièvre, des signes oculaires, pulmonaires et neurologiques.

toxoplasme n. m. MICROB Protozoaire parasite dont une espèce est responsable de la toxoplasmose.

toxoplasmose n. f. MED Maladie parasitaire, due à un protozoaire *(Toxoplasma gondii),* dont la symptomatologie est variable et qui peut être responsable de malformations fœtales lorsqu'elle est contractée par une femme au cours de la grossesse.

Toyama, v. du Japon (Honshū) près de la *baie de Toyama* (mer du Japon); 314 110 hab.; ch.-l. du ken du m. nom. Industr. chim., métall. et textiles.

Toynbee (Arnold Joseph) (Londres, 1889 - York, 1975), historien britannique : *Study of History* (12 vol., 1934-1961).

Toyohashi, v. du Japon (Honshū); 322 140 hab. Industr. métallurgiques, textiles et alimentaires.

Toyota, v. du Japon (Honshū); 308 110 hab. Industr. automobile.

Tozeur, riche oasis et v. de Tunisie, voisine du chott el-Djérid; ch.-l. du gouvernorat du m. nom; 16 770 hab. Dattes.

traboule n. f. Rég. À Lyon, ruelle étroite qui traverse un pâté de maisons.

Trabzon. V. Trébizonde.

trac n. m. Angoisse que l'on ressent juste avant de se produire en public ou de mettre à exécution un projet.

trac (tout à) [tutatʀak] loc. adv. Sans préparation, sans précaution. *Il déclara tout à trac qu'il ne reviendrait plus jamais.*

traçabilité n. f. Possibilité de suivre un produit alimentaire tout au long de la filière de production et de remonter vers l'origine d'une contagion.

traçage n. m. **1.** Action de tracer des traits. Syn. tracement. **2.** TECH Opération qui consiste à effectuer sur la matière le tracé d'une pièce à ouvrer.

traçant, ante adj. **1.** BOT *Racine traçante,* qui trace (sens II, 2). **2.** *Balle traçante,* qui laisse derrière elle une trace lumineuse. **3.** INFORM *Table traçante :* V. traceur* de courbes.

tracas [tʀaka] n. m. Souci, ennui durable, généralement d'ordre matériel. *La santé de sa mère lui causait bien du tracas, des tracas.*

tracasser v. tr. [1] (Sujet généralement nom de chose.) Inquiéter, tourmenter de façon persistante, mais généralement sans gravité. *Cette histoire la tracassait depuis longtemps.* ▷ v. pron. S'inquiéter, se tourmenter. *Il se tracasse pour l'avenir de sa fille.*

tracasserie n. f. (Surtout au plur.) Querelle ou chicane que l'on cherche à qqn, souvent à propos de choses insignifiantes. *Il était en butte à des tracasseries incessantes.*

tracassier, ère adj. Qui se plaît à faire des tracasseries. *Une administration tracassière.*

tracassin n. m. Fam., vieilli Inquiétude, léger tourment. *Avoir le tracassin.*

trace n. f. **1.** Suite de marques, d'empreintes laissées par le passage d'un homme, d'un animal ou d'une chose. *Traces de pas. Traces de pneu dans la boue. Suivre un gibier à la trace.* ▷ Loc. fig. *Suivre les traces, marcher sur les traces de qqn,* suivre son exemple, la voie qu'il a ouverte. **2.** Marque laissée par une action, par un événement passé. *Des traces d'effraction. Traces de la marée noire.* – Fig. *Cette aventure laissa en lui des traces profondes.* **3.** Quantité infime. *Traces d'albumine dans l'urine.* **4.** GEOM Lieu d'intersection (d'une droite, d'un plan) avec le plan de projection.

tracé n. m. **1.** Ligne ou ensemble des lignes d'un plan. *Le tracé de la future autoroute.* **2.** Ligne effectivement suivie. *Le tracé d'un fleuve.*

tracement n. m. **1.** Syn. de *traçage* (sens 1). **2.** TECH Action de tracer (une route, une voie).

tracer v. [12] **I.** v. tr. **1.** Dessiner schématiquement à l'aide de traits. *Tracer le plan d'une maison.* ▷ Fig. *Tracer le tableau de ses malheurs,* les décrire. **2.** Ouvrir et marquer par une trace. *Tracer une piste.* ▷ Fig. *Tracer le chemin à qqn,* lui donner l'exemple. **II.** v. intr. **1.** Pop. ou rég. Se déplacer très vite, courir. **2.** BOT (En parlant d'une racine, d'un rhizome.) Se développer horizontalement à la surface du sol.

traceret ou **traçoir** n. m. TECH **1.** Instrument, poinçon pour faire des traces sur divers matériaux (bois, métal, etc.). **2.** Instrument pour marquer les divisions sur les appareils de mesure.

traceur, euse n. m. et adj. **I.** n. m. **1.** CHIM *Traceur radioactif :* isotope radioactif permettant de suivre l'évolution d'un phénomène, d'une réaction, en détectant le rayonnement qu'il (elle) émet, à des fins biologiques, océanographiques, géologiques, etc. **2.** INFORM *Traceur de courbes* ou *table traçante :* appareil annexe d'un ordinateur, programmé pour le tracé de graphes et de courbes. **II.** adj. Qui laisse une trace.

trachéal, ale, aux [tʀakeal, o] adj. ANAT Qui se rapporte à la trachée.

trachéates [tʀakeat] n. m. pl. ZOOL Important groupe d'arthropodes qui respirent par des trachées (sens 2). – Sing. *Un trachéate.*

trachée n. f. **1.** ANAT Conduit aérien musculo-cartilagineux faisant suite au pharynx et qui, se divisant, donne naissance aux bronches souches droite et gauche. **2.** ZOOL Chez les trachéates, tube étroit dont la paroi, mince, est perméable aux gaz et qui apporte directement l'oxygène de l'air aux cellules et aux organes. (Elle débouche à l'extérieur par le stigmate.)

trachée-artère n. f. ANAT Vx Trachée. *Des trachées-artères.*

trachéen, enne [tʀakeɛ̃, ɛn] adj. ZOOL Relatif à la trachée des trachéates.

trachéite [tʀakeit] n. f. MED Atteinte inflammatoire aiguë ou chronique de la trachée.

trachéobronchite [tʀakeobʀɔ̃ʃit] n. f. MED Atteinte inflammatoire ou infectieuse de la trachée et des bronches.

trachéoscopie [tʀakeoskɔpi] n. f. MED Exploration de la trachée à l'aide d'un endoscope.

trachéotomie [tʀakeotɔmi] n. f. CHIR Intervention consistant à pratiquer une ouverture de la trachée au niveau de la partie antéro-inférieure du cou et à y introduire une canule, pour permettre une respiration assistée.

trachome [tʀakom] n. m. MED Atteinte oculaire de nature virale, endémique dans certains pays chauds où elle est une cause fréquente de cécité.

traçoir. V. traceret.

tract [tʀakt] n. m. Feuille, petite brochure de propagande politique, commerciale, etc.

tractable adj. Qui peut être tracté.

tractation n. f. (Surtout au plur.) Souvent péjor. Démarche, négociation impliquant diverses opérations et manœuvres officieuses. *Tractations entre milieux industriels et politiques.*

tracté, ée adj. Remorqué par un tracteur mécanique. *Artillerie tractée.*

tracter v. tr. [1] Remorquer à l'aide d'un véhicule ou par un procédé mécanique. *Voiture tractant un bateau.*

tracteur, trice n. m. et adj. **1.** n. m. Véhicule automobile utilisé pour tirer en remorque un ou plusieurs véhicules, utilisé notam. dans l'agriculture. **2.** adj. Qui tracte. *Véhicule tracteur, voiture tractrice.*

tracteur à dix roues

tractif, ive adj. Didac. Qui exerce une traction.

traction n. f. **1.** Action de tirer sans déplacer, pour tendre, allonger; résultat de cette action. ▷ Exercice musculaire où l'on tire sur les bras pour amener ou soulever le corps. ▷ TECH *Résistance des matériaux à la traction. Essai de traction,* consistant à exercer une traction sur une éprouvette métallique et à enregistrer l'allongement en fonction de l'effort de traction. **2.** Action de tirer pour déplacer. *Système de traction d'un véhicule* (à vapeur, électrique, etc.). ▷ *Traction avant :* dispositif de transmission dans lequel les roues motrices sont à l'avant du véhicule; automobile munie de ce dispositif.

tractopelle n. f. TRAV PUBL Engin servant à pelleter.

tractoriste n. AGRIC Personne qui conduit un tracteur.

tractus [tʀaktys] n. m. ANAT **1.** Ensemble de fibres ou de filaments, formant un réseau tissulaire. **2.** Ensemble d'organes formant un appareil. *Le tractus digestif. Le tractus génital.*

trader [tʀedœʀ] n. (Anglicisme) FIN Spécialiste des transactions portant sur des montants importants de titres, de devises, de matières premières, dans une entreprise publique, dans une banque ou pour une charge d'agent de change.

tradescantia [tʀadeskɑ̃sja] n. f. BOT Plante ornementale à croissance rapide, vivace, à tiges retombantes. *La misère est une tradescantia.*

trade-union [tʀɛdynjɔn] n. f. En Grande-Bretagne, association syndicale d'ouvriers d'une même industrie. *Des trade-unions.*

trade-unionisme n. m. Conception des luttes ouvrières reposant sur l'action des trade-unions.

trading [tʀediŋ] n. m. (Anglicisme) FIN Profession du trader; exercice de cette profession.

tradition n. f. **1.** Opinion, manière de faire transmises par les générations antérieures. *Il y a dans son milieu une solide tradition d'anticléricalisme.* Syn. coutume, habitude. ▷ Loc. adj. *De tradition :* traditionnel. **2.** Mode de transmission d'une information de génération en génération; ensemble d'informations de ce type. *Légende transmise par tradition orale. La tradition populaire.* ▷ *Spécial.* Transmission des connaissances, des doctrines relatives à une religion. *La tradition juive.* – Absol. *La Tradition :* les doctrines et pratiques qui se sont développées dans l'Église depuis le début du christianisme. *La Tradition et l'Écriture.* – *La Tradition :* dans l'islam, l'ensemble des hadiths.

traditionalisme n. m. **1.** Attachement aux notions et valeurs transmises par la tradition. **2.** THEOL Doctrine ne reconnaissant d'autre source de la vérité que la Tradition et la Révélation (devant lesquelles la raison doit s'incliner). *Le traditionalisme de L. de Bonald, de J. de Maistre.*

traditionaliste adj. et n. **1.** Qui appartient au traditionalisme. **2.** Qui est partisan du traditionalisme. ▷ Subst. *Un(e) traditionaliste.*

traditionnaire adj. et n. RELIG Qui donne une interprétation de la Bible conforme à la tradition talmudique des juifs.

traditionnel, elle adj. **1.** Qui s'appuie sur une tradition. *La grammaire traditionnelle.* **2.** (Objet concret.) Qui est passé dans les usages. *La traditionnelle dinde de Noël.*

traditionnellement adv. De façon traditionnelle.

traducteur, trice n. **1.** Personne qui traduit d'une langue dans une autre, auteur d'une traduction. *C'est le traducteur de ce livre.* **2.** n. m. INFORM Programme traduisant un langage dans un autre. **3.** n. m. En cybernétique, élément qui traduit la grandeur physique d'un signal d'entrée en une autre grandeur physique à la sortie. Syn. transducteur.

traduction n. f. **1.** Action de traduire. *Traduction littérale,* mot à mot. *Traduction libre,* qui s'éloigne du texte original. *Traduction assistée par ordinateur (T.A.O.).* **2.** Résultat de l'action de traduire, version d'un ouvrage dans une langue autre que sa langue d'origine. *De nombreux romans policiers sont des traductions.*

traduire v. tr. [69] **I.** *Traduire qqn en justice,* le faire passer devant un tribunal. **II. 1.** Faire passer d'une langue dans une autre en visant à l'équivalence entre l'énoncé original et l'énoncé obtenu. *Cet ouvrage a été traduit en six langues.* **2.** Exprimer par des moyens divers. *Traduis ta pensée en termes plus simples.* ▷ Manifester. *Une peinture qui traduit une grande sensibilité aux couleurs.* ▷ v. pron. *Sa nervosité se traduisait par un léger tremblement des mains.*

traduisible adj. Qu'on peut traduire. *Poème peu traduisible.*

Trafalgar, cap du S. de l'Espagne, sur l'Atlantique, près de Gibraltar. – Nelson y anéantit la flotte franco-espagnole de Villeneuve (1805) et fut tué au cours du combat. – La loc. *un coup de Trafalgar* désigne un événement inattendu et catastrophique.

1. trafic n. m. Commerce illicite. *Trafic d'armes, de drogue.* ▷ DR *Trafic d'influence :* fait d'obtenir de l'autorité publique des avantages pour qqn, en échange d'une récompense.

2. trafic n. m. (Anglicisme) **1.** Fréquence des trains, des avions, des navires, des voitures sur un itinéraire, un réseau. *Trafic ralenti en raison d'une grève.* **2.** Circulation de nombreux véhicules. *Quel trafic dans ma rue !*

traficoter v. intr. [1] Fam., péjor. Trafiquer médiocrement.

trafiquant, ante n. Personne qui fait un trafic. *Trafiquant de drogue.*

trafiquer v. [1] **I.** v. tr. indir. Faire un trafic de. *Trafiquer de son influence.* – Plaisant *Trafiquer de ses charmes :* se livrer à la prostitution. – Absol. *Trafiquer au marché noir.* **II.** v. tr. dir. **1.** Modifier, transformer dans le but de tromper. *Trafiquer du vin. Trafiquer un chèque.* **2.** Fam. Faire, fabriquer. *Qu'est-ce que tu trafiques encore dans mon bureau ?*

tragacanthe n. m. BOT Arbrisseau du genre *Astragalus,* qui produit la gomme adragante.

tragédie n. f. **1.** Œuvre dramatique en vers qui représente des personnages héroïques dans des situations de conflit exceptionnelles, propres à exciter la terreur ou la pitié. *Tragédies de Sophocle, de Racine.* ▷ Genre dramatique que constituent ces pièces. *La tragédie antique. La tragédie classique,* celle du XVIIe s. français. **2.** *Par métaph.* Événement funeste, terrible. *Les tragédies de la guerre, de la mine.*

tragédien, enne n. Acteur, actrice spécialisé dans les rôles de tragédie.

tragi-comédie n. f. **1.** LITTER Tragédie où sont introduits certains éléments comiques et dont le dénouement est heureux. **2.** Fig. Situation où alternent des événements tragiques et des incidents comiques. *Des tragi-comédies.*

tragi-comique adj. **1.** LITTER Relatif à la tragi-comédie (sens 1). **2.** À la fois tragique et comique. *Des situations tragi-comiques.*

tragique adj. et n. m. **I.** adj. **1.** Relatif à la tragédie (sens 1). *Le genre tragique.* ▷ Qui évoque la tragédie. *Une voix aux accents tragiques.* **2.** Funeste, terrible, effroyable. *Conséquences tragiques d'une inondation.* **II.** n. m. **1.** Auteur de tragédies. *Les grands tragiques grecs.* ▷ *Le tragique :* la tragédie comme genre dramatique. **2.** Caractère de ce qui est tragique. *Il ne voyait pas le tragique de sa situation.* ▷ *Prendre une chose au tragique,* la considérer comme plus grave qu'elle ne l'est en réalité.

tragiquement adv. De façon tragique (sens 2). *Tout cela a fini tragiquement.*

tragus [tʀagys] n. m. ANAT Saillie externe de l'oreille, plate et triangulaire, au-dessous de l'hélix.

trahir v. [3] **I.** v. tr. **1.** Livrer ou abandonner par perfidie. *Trahir son pays. Trahir un secret.* **2.** Se montrer infidèle, déloyal à l'égard de; tromper. *Trahir un ami.* – *Trahir la confiance de qqn.* **3.** Exprimer d'une manière peu fidèle. *Mes paroles ont trahi ma pensée.* **4.** (Sujet n. de chose.) Livrer, dénoncer, révéler (ce qu'on voulait dissimuler). *Son attitude trahissait son trouble.* ▷ (Comp. n. de personne.) Faire reconnaître, dénoncer. *Cette imprudence a trahi le criminel.* – Ne pas seconder, abandonner. *Ses forces l'ont trahi.* **II.** v. pron. Laisser paraître, révéler par inadvertance ce qu'on voulait dissimuler. *Il s'est trahi par un mot.*

trahison n. f. **1.** Crime de celui qui trahit. *La trahison de Judas.* ▷ Intelligence avec l'ennemi. – *Haute trahison :* intelligence avec une puissance étrangère, ennemie, au cours d'une guerre, ou en vue d'une guerre; grave manquement aux devoirs politiques de sa charge commis par un président de la République en exercice et jugé par la Haute Cour de justice sur accusation des deux Assemblées. **2.** Grave tromperie; acte déloyal.

trail [tʀɛjl] n. m. (Anglicisme) Moto tout-terrain.

train n. m. **I. 1.** Vx Ensemble de voitures, de chevaux, de domestiques qui accompagnent qqn. *Le train d'un prince.* ▷ *Train de maison,* ensemble des domestiques. ▷ MILIT *Train des équipages,* et, depuis 1928, *le train :* arme créée en 1807 par Napoléon, dépendant de l'armée de terre et qui a pour mission de transporter le personnel et le matériel. **2.** Ensemble d'éléments attachés les uns aux autres et tirés par l'élément de tête. *Train de péniches.* – Par ext. *Train spatial.* ▷ PHYS *Train d'ondes :* ensemble, relativement restreint, d'ondes se propageant dans la même direction. **3.** *Absol.* Ensemble constitué par une rame de voitures, de wagons et la locomotive qui les tire. *Train de voyageurs. Train postal.* – Moyen de transport que constituent les trains; chemin de fer. *Préférer le train à l'avion.* ▷ Loc. fig. *Monter dans le train, prendre le train en marche :* prendre part à qqch qui a commencé depuis longtemps. **4.** Ensemble d'organes qui fonctionnent conjointement. *Train de pneus. Train d'engrenages.* **5.** Spécial. *Train de :* série, ensemble de mesures, de projets, etc. *Un train de décrets-lois.* **II. 1.** Partie portante d'un véhicule. *Train avant, arrière.* ▷ AVIAT *Train d'atterrissage :* ensemble du système de roulement au sol d'un avion. **2.** Partie antérieure, postérieure d'un quadrupède. – *Absol.* Train arrière. *Chien assis sur son train.* – Par ext., pop. Derrière, fessier. *Magne-toi le train :* dépêche-toi. **III. 1.** Allure, mouvement considéré dans sa vitesse et son rythme. *Aller bon train. Au train où vont les choses, je n'aurai pas fini avant demain.* ▷ *Train de sénateur :* allure lente et majestueuse. ▷ SPORT Allure à laquelle se déroule une course. *Train soutenu.* ▷ Loc. adv. *À fond de train :* à toute vitesse. **2.** Manière de vivre, niveau de vie. *Mener grand train.* – *Train de vie :* manière de vivre considérée sous l'angle du rapport entre les dépenses et les ressources d'un foyer, d'un individu. **3.** Loc. adv. *En train :* en mouvement, en marche. *L'affaire est en train.* ▷ *Mettre qqch en train :* commencer qqch. – (Personnes) *Être en train,* bien disposé et de bonne humeur. **4.** Loc. verbale. *Être en train de,* exprime le déroulement d'une action en cours. *L'eau du bain est en train de refroidir.*

traînage n. m. Action, fait de traîner (par traîneau).

traînailler. V. traînasser.

traînant, ante adj. **1.** Qui traîne par terre. **2.** Se dit d'une voix, d'un accent qui s'appesantit sur les mots.

traînard, arde n. **1.** Personne trop lente. – Personne qui reste à la traîne, en arrière d'un groupe. *Des traînards ont été faits prisonniers.* **2.** n. m. TECH Dispositif coulissant qui supporte le chariot transversal porte-outil d'un tour.

traînasser ou **traînailler** v. intr. [1] Péjor. Traîner paresseusement.

traîne n. f. **1.** Action de traîner, fait d'être traîné. *Bateau à la traîne,* remorqué. ▷ Fam. *Être à la traîne :* ne pas suivre les autres, avoir du retard sur eux. **2.** Partie qui traîne, queue. *Robe à traîne.* – METEO Partie postérieure d'un système nuageux. *Ciel de traîne.* **3.** PECHE Syn. de *senne.* **4.** (Canada) *Traîne sauvage :* traîneau sans patins, long et étroit, fait de planches minces recourbées à l'avant.

traîneau n. m. **1.** Véhicule muni de patins, utilisé pour se déplacer sur la neige ou la glace. **2.** Grand filet de chasse ou de pêche.

traîne-bûches n. m. inv. PECHE Larve de la phrygane, utilisée comme amorce.

traînée n. f. **I. 1.** Trace laissée sur une surface par une substance répandue sur une certaine longueur. *Traînée de poudre,* transmettant le feu jusqu'à l'amorce. – Fig. *La nouvelle s'est propagée comme une traînée de poudre,* très rapidement. **2.** Trace allongée se formant dans le sillage d'un corps en mouvement. *Traînée d'une fusée. L'avion laissait derrière lui une traînée blanche.* **3.** PHYS En mécanique des fluides, force résistante qui s'oppose à l'avancement d'un avion en mouvement et qui doit être compensée par la force de propulsion. **4.** PECHE Ligne de fond. **II.** Injur. Fille des rues, prostituée.

traînement n. m. Action de traîner.

traîner v. [1] **I.** v. tr. **1.** Tirer derrière soi. *Cheval qui traîne une charrette.* – Déplacer, tirer en faisant glisser. *Traîner un sac.* – Loc. fig. *Traîner qqn dans la boue,* salir sa réputation. ▷ *Traîner les pieds,* marcher sans les lever; fig. exécuter qqch sans enthousiasme. **2.** Mener de force. *Traîner un homme en prison.* **3.** Emmener partout avec soi, avoir à sa remorque. *Il traîne sa marmaille dans tous ses déplacements.* – Fig. *Traîner son ennui.* **4.** Supporter désespérément (un état douloureux qui se prolonge). *Traîner une vieillesse malheureuse.* **5.** Faire durer. *Traîner* ou *faire traîner une affaire en longueur.* **II.** v. intr. **1.** Pendre jusqu'à terre, toucher, balayer le sol. *Votre robe traîne dans la boue.* **2.** Être laissé n'importe comment, n'importe où, en désordre. *Vêtement qui traîne sur une chaise.* ▷ *Laisser traîner :* ne pas prendre soin, ne pas ranger. ▷ Fig. *Cela traîne partout,* se dit d'une expression, d'une pensée, etc., qu'on retrouve dans de nombreux ouvrages. **3.** Rester en arrière (par rapport à d'autres qui avancent). *Pressons, derrière, ne traînons pas!* – S'attarder, être trop lent. *Si vous voulez finir à temps, il ne faut pas traîner.* **4.** Durer trop longtemps; faire peu ou pas de progrès. *Traîner en longueur. Sa maladie traîne.* – (En parlant d'un malade.) Tarder à se rétablir. *Il y a longtemps qu'il traîne.* **5.** Péjor. Flâner, s'attarder oisivement. *Traîner dans les rues, dans les cafés.* **III.** v. pron. **1.** Marcher avec peine, difficulté. ▷ Fig. Être languissant. *Dans ce drame, l'action se traîne.* **2.** Se déplacer en rampant. *Il se traîne par terre.* – Fig. *Se traîner aux pieds de qqn,* s'humilier devant lui, le supplier.

traîne-savates n. inv. Fam. Oisif sans ressources.

training [tʀɛniŋ] n. m. (Anglicisme) **1.** Entraînement sportif. **2.** Syn. de *survêtement.* **3.** Chaussure de sport à semelle de caoutchouc. **4.** MED *Training autogène :* méthode de relaxation reposant sur la suggestion.

train-train ou **traintrain** n. m. inv. Fam. Cours routinier des occupations. *Le traintrain quotidien.*

traire v. tr. [58] Tirer le lait des mamelles de (un animal domestique). *Traire une vache, une chèvre.*

trait [tʀɛ] n. m. **I. 1.** Vieilli Action de lancer. *Armes de trait.* – Projectile, arme de jet. *Lancer un trait.* – Par ext. *Trait de lumière :* rayon. – Fig. Idée claire et soudaine. ▷ *Partir comme un trait,* très rapidement. **2.** Fig., litt. Sarcasme, plaisanterie acerbe. *Décocher un trait mordant.* **II. 1.** Action de tirer, de tracter. *Cheval, bête de trait.* **2.** Longe avec laquelle les animaux domestiques tirent un véhicule; longe à laquelle est attaché un chien de traîneau. **III.** Manière d'avaler une gorgée. *Boire à longs traits. Vider son verre d'un trait.* ▷ *D'un (seul) trait :* sans discontinuer. *Il a raconté son histoire d'un trait.* **IV. 1.** Aptitude ou manière de tracer une ligne, un dessin. *Avoir le trait juste.* ▷ Ligne tracée avec un crayon, une plume, etc. *Tracer, tirer des traits.* – Fig. *Tirer un trait sur un projet,* y renoncer. ▷ *Reproduire trait pour trait,* avec une parfaite exactitude. ▷ *Trait d'union :* signe de ponctuation (-) qui joint plusieurs mots pour n'en former qu'un seul par le sens. – Fig. Intermédiaire. *Il servira de trait d'union entre nous.* **2.** Fig. Manière d'exprimer, de dépeindre. *S'exprimer en traits nets et précis.* **3.** (Plur.) Lignes caractéristiques du visage. *Traits réguliers. Traits tirés par la fatigue.* **4.** Élément auquel on reconnaît clairement qqn ou qqch. *Trait de caractère. C'est là un trait caractéristique de l'époque.* ▷ LING *Trait distinctif, pertinent.* **5.** Fig. Manifestation remarquable. *Trait de bravoure. Trait d'esprit.* **6.** MUS Suite de notes jouées à la même cadence rapide. ▷ LITURG CATHOL Psaume chanté après le graduel. **V.** Loc. verbale. *Avoir trait à :* avoir un rapport avec. Syn. concerner.

traitant, ante adj. **1.** Qui traite, soigne. *Lotion traitante. Médecin traitant,* qui soigne qqn habituellement. **2.** *Officier, agent traitant* ou *traitant,* n. m., agent d'un service secret qui assure la liaison avec un espion sur le terrain.

traite n. f. **I.** Parcours effectué sans s'arrêter. ▷ *Tout d'une traite :* sans s'interrompre. **II. 1.** Vx Action de faire venir; transport. – *Spécial.* Importation en Europe de produits coloniaux, denrées agricoles et matières premières notam. *Économie de traite.* ▷ *Traite des Noirs :* déportation de Noirs africains qu'on vendait comme esclaves (en Amérique, notam.). ▷ *Traite des Blanches :* exploitation de jeunes femmes qu'on livre à la prostitution. **2.** Vx Action de tirer de l'argent. – Mod. Lettre de change, effet de commerce. *Accepter une traite.* **III.** AGRIC Action de traire. *Traite mécanique.* – Ce qui a été trait. *Toute la traite est vendue à la coopérative.*

traité n. m. **1.** Ouvrage qui traite d'une matière, d'un sujet déterminé. *Le « Traité sur la tolérance » de Voltaire (1763). Traité de droit public.* **2.** Convention faite entre des souverains, des États. *Traité de Versailles.*

traitement n. m. **1.** Comportement, manière d'agir envers qqn. *Traitement de faveur.* ▷ *Mauvais traitements :* violences, voies de fait. **2.** MED Ensemble des moyens mis en œuvre pour soigner une maladie, un malade. *Prescrire un traitement.* Syn. thérapeutique. **3.** Action de traiter une substance; ensemble des opérations, des procédés destinés à modifier cette substance. ▷ Par anal.

INFORM *Traitement de l'information :* ensemble des techniques permettant de stocker des informations, d'y accéder, de les combiner, en vue de leur exploitation. ▷ *Traitement de texte :* ensemble des opérations qui permettent de saisir, mettre en forme, modifier, stocker et imprimer des documents; logiciel permettant d'effectuer ces opérations. **4.** Appointements attachés à une place, à un emploi, dans la fonction publique.

traiter v. [1] **I.** v. tr. **1.** Agir, se conduire envers (qqn) d'une certaine manière. *Il traite ses enfants comme des étrangers. Traiter qqn en ami. Être bien, mal traité.* **2.** Vx ou litt. Recevoir (un hôte) et, en partic., offrir un repas à (qqn); régaler. **3.** *Traiter (qqn) de* (suivi d'un mot péjor.), le qualifier de. *Traiter qqn de menteur.* ▷ v. pron. (Récipr.) *Ils se sont traités d'incapables.* **4.** Prendre pour matière d'étude et d'exposé, disserter sur. *Traiter un sujet, un problème.* – Représenter, exprimer. *Ce thème a été traité par les artistes de toutes les époques.* **5.** Travailler à la conclusion de (une affaire), négocier. *Traiter une affaire.* ▷ v. pron. (au passif). *Un tel sujet se traite avec discrétion.* **6.** Soumettre à un traitement thérapeutique. *Traiter un malade.* – Soumettre à un traitement pour modifier utilement. *Traiter un minerai.* ▷ INFORM *Traiter des informations.* V. traitement, sens 3. **II.** v. tr. indir. *Traiter de :* exposer des informations ou des vues sur, avoir pour propos. *Ouvrage qui traite d'astronomie.* **III.** v. intr. Mener une négociation en vue de conclure un accord. *Ils n'accepteront pas de traiter sur cette base.* – Entretenir des relations d'affaires. *Traiter d'égal à égal.* Syn. négocier.

traiteur n. m. Professionnel qui fournit mets et boissons pour les réceptions à domicile; préparateur de plats cuisinés qu'il vend ensuite.

traître, traîtresse adj. et n. **1.** Qui commet une trahison. *Être traître à sa patrie.* (Rem. : le féminin *traîtresse* est litt.) ▷ n. m. *Les traîtres seront fusillés.* ▷ Loc. adv. *En traître :* traîtreusement. *Prendre qqn en traître.* **2.** Qui est plus dangereux, plus fort qu'il ne le paraît. *Ces vins sucrés sont traîtres.* **3.** Loc. fam. *Il ne m'en a pas dit un traître mot,* pas un seul mot.

traîtreusement adv. Litt. De manière perfide, par trahison.

traîtrise n. f. **1.** Caractère de celui qui est traître. **2.** (Choses) Caractère de ce qui est traître. ▷ Piège aussi dangereux qu'imprévisible. *Une piste pleine de traîtrises.*

Trajan (en lat. *Marcus Ulpius Trajanus*) (Itálica, Bétique [v. auj. ruinée, proche de Séville], 53 - Sélinonte, Cilicie [auj. Gazipaşa, Turquie], 117), empereur romain (98-117). Né dans une famille installée en Bétique (Espagne du S.), Trajan fut le premier empereur romain à n'être pas originaire de Rome. D'abord associé au pouvoir par l'empereur Nerva (97), auquel il succéda, il ménagea habilement le sénat, tout en consolidant son autorité par des mesures de centralisation du pouvoir. Cherchant à rétablir les finances de l'État, il entreprit de nouvelles colonisations avec une armée peu nombreuse mais bien entraînée : Dacie (101-107), Arabie nabatéenne (105), Arménie (114), Assyrie et Mésopotamie (116-117). Sous son règne, les grands travaux d'utilité publique, l'architecture et la statuaire, à Rome (agrandissement du port d'Ostie, forum de Trajan avec sa célèbre colonne triomphale, dite

Trajan

Léon **Trotski**

colonne Trajane) et dans les provinces (pont d'Alcántara, oratoire de Philae en Haute-Égypte, constructions de Timgad), reflétèrent l'ambition d'un chef autoritaire, soucieux d'accroître la puissance et la grandeur romaines. Il mourut d'épuisement au retour d'une expédition militaire en Orient.

trajectographie n. f. ESP Détermination et étude de la trajectoire d'un mobile (satellite, vaisseau spatial, missile).

trajectoire n. f. Courbe décrite par un point matériel en mouvement, par le centre de gravité d'un mobile. ▷ Fig. Cheminement. *Trajectoire des mots.* ▷ GEOM *Trajectoire isogone :* courbe dont l'angle d'intersection avec une famille de courbes est constant. (Elle est dite *orthogone* si l'angle est droit.)

trajet n. m. **1.** Espace à parcourir pour aller d'un point à un autre. Syn. parcours. – Action de parcourir cet espace; temps nécessaire pour l'accomplir. *Il faut compter deux heures de trajet.* **2.** ANAT, MED Suite des points par où passe un conduit, un nerf, une fistule.

tralala n. m. Fam. Tout ce qui concourt à donner un caractère fastueux et affecté (à une réception, une cérémonie). *Une soirée à grand tralala.*

tram [tʀam] n. m. Abrév. courante de *tramway.*

tramail ou **trémail, ails** n. m. PECHE Filet de pêche composé de trois réseaux superposés.

trame n. f. **1.** TECH Ensemble des fils passés au moyen de la navette au travers des fils de chaîne pour former un tissu. ▷ TECH Écran transparent quadrillé utilisé en similigravure. ▷ CONSTR Élément géométrique répétitif autour duquel est structurée une construction. ▷ AUDIOV Ensemble des lignes d'une image de télévision. **2.** Fig. Ce qui constitue le fond, le support continu. *Tout ce qui fait la trame de notre vie. La trame d'un roman,* sa structure.

tramer v. tr. [1] **1.** TECH Tisser en passant la trame entre les fils de chaîne. ▷ Reproduire par l'intermédiaire d'une trame. – Pp. *Cliché tramé.* **2.** Fig. Élaborer par une savante préparation (une intrigue, un complot). Syn. ourdir. ▷ v. pron. (impers.) *Il se trame qqch de louche.*

trameur, euse n. TECH **1.** Ouvrier, ouvrière du tissage qui prépare les fils de trame. **2.** n. f. Machine produisant les fils de trame.

traminer [tʀaminɛʀ] n. m. Cépage blanc d'Alsace.

traminot n. m. Agent d'une ligne ou d'un réseau de tramway.

tramontane n. f. Vent froid, et en partic. vent du nord, dans les régions méditerranéennes.

tramp [tʀɑ̃p] n. m. (Anglicisme) MAR Cargo qui n'est pas affecté à une ligne régulière, et qui va chercher son fret de port en port.

tramping [tʀɑ̃piŋ] n. m. (Anglicisme) MAR Navigation à la demande, sans itinéraire fixe. (V. tramp.)

trampoline n. m. SPORT Tremplin très souple formé d'une toile fixée à un cadre par des tendeurs élastiques et sur lequel on exécute diverses figures de saut.

tramway [tʀamwɛ] n. m. Mode de transport urbain électrifié utilisant une voie ferrée formée de rails qui ne saillent pas de la chaussée. – Voiture circulant sur cette voie. (Abrév. : tram).

tranchage n. m. TECH Action de débiter en plaques minces des troncs d'arbres ébranchés.

tranchant, ante adj. et n. m. **I.** adj. **1.** Qui tranche, coupe bien. *Instrument tranchant.* **2.** Fig. Qui tranche (sens II, 2). *Il a été tranchant.* – Par ext. *Ton tranchant,* péremptoire. **II.** n. m. **1.** Bord tranchant, fil d'une lame, d'un instrument tranchant. *Hache à double tranchant.* ▷ Fig. *À double tranchant :* se dit d'un argument, d'un moyen qui peut se retourner contre celui qui l'utilise. – Par anal. *Le tranchant de la main,* le côté opposé au pouce. *Frapper avec le tranchant de la main.* **2.** TECH Lame, couteau employé par les apiculteurs, les tanneurs.

tranche n. f. **1.** Morceau plus ou moins mince coupé sur toute la largeur d'une masse, d'un bloc. *Tranche de jambon, de rôti, de pain.* **2.** (Abstrait) Fraction d'un tout. *Tranches d'un programme immobilier. Tranche de temps, de vie.* – Loc. fam. *S'en payer une tranche :* prendre du bon temps, s'amuser. – ARITH Série de chiffres constitutive d'un nombre. – FIN Ensemble des revenus imposés au même taux. *Tranches inférieures et supérieures.* **3.** Bord, côté mince d'un objet. *Tranche d'une pièce de monnaie.* – Chacun des trois côtés rognés d'un livre. *Livre doré sur tranche(s).* – Fig. *Doré sur tranche(s) :* très riche. **4.** En boucherie, parties supérieures et moyennes de la cuisse du bœuf. *Morceau dans la tranche.*

tranché, ée adj. **1.** Séparé par une coupure nette. **2.** Fig. Net, bien marqué. *Couleurs tranchées.* – Catégorique. *Opinion trop tranchée.*

tranchée n. f. **1.** TRAV PUBL Ouverture, excavation pratiquée en longueur dans le sol, en vue d'asseoir des fondations, de placer des conduites, etc. **2.** MILIT Fossé creusé et aménagé pour servir de couvert et de position de tir à l'infanterie. – *Guerre de tranchées :* guerre de position où les adversaires cherchent à se déloger de leurs retranchements. **3.** Plur. MED Coliques violentes. ▷ *Tranchées utérines :* contractions douloureuses de l'utérus, après l'accouchement.

tranchée-abri n. f. MILIT Tranchée couverte servant d'abri, utilisée dans la défense antiaérienne. *Des tranchées-abris.*

Tranchée des baïonnettes (la), tranchée près de Douaumont où furent ensevelis (1916), par un bombardement, 57 soldats français, et d'où n'émergent que les pointes de leurs baïonnettes.

tranchefile n. f. TECH En reliure, bourrelet recouvert de soies de couleur collé à chaque extrémité du dos d'un volume.

trancher v. [1] **I.** v. tr. **1.** Couper net, séparer en coupant. *Trancher une* amarre qu'on ne peut larguer. *Trancher la tête d'un condamné.* ▷ Loc. *Trancher le nœud gordien**. **2.** Fig. Résoudre définitivement, en finir avec (une question difficile). *Il faut trancher cette difficulté.* **II.** v. intr. **1.** Vx Couper. – Mod. *Trancher dans le vif :* couper dans un tissu sain pour empêcher une infection de s'étendre ; fig. employer des solutions radicales. **2.** Fig. Décider hardiment, d'une manière catégorique. *Il tranche sur tout.* **3.** Contraster, s'opposer vivement. *Ces couleurs tranchent sur le fond.*

tranchet n. m. TECH Couteau plat sans manche, servant à couper le cuir.

trancheur, euse n. **1.** n. m. Ouvrier chargé de trancher, de couper, de débiter (une matière). **2.** n. f. TECH Machine servant à débiter des troncs d'arbres ébranchés en tranches minces. – TRAV PUBL Engin automoteur utilisé pour creuser des tranchées.

tranchoir n. m. **1.** Plateau de bois sur lequel on coupe la viande. **2.** Couteau servant à trancher.

tranquille adj. **1.** Qui n'est pas agité. *Mer tranquille.* – (Êtres vivants.) Qui est peu remuant, peu bruyant. *Un enfant tranquille.* – (Abstrait) Que rien ne vient troubler, déranger. *Vie tranquille.* Syn. calme, paisible. **2.** Qui est en paix, qui n'est pas importuné. *Laisser qqn tranquille.* – *Laisse ça tranquille,* n'y touche pas. **3.** Qui est sans inquiétude. *Je ne suis tranquille qu'en sa présence.* – Qui est en paix, serein. *Avoir la conscience tranquille.*

tranquillement adv. **1.** De façon calme, paisible. **2.** Sans inquiétude, sans émotion.

tranquillisant, ante adj. et n. m. **1.** adj. Qui tranquillise, rassure. **2.** n. m. MED Substance médicamenteuse ayant un effet sédatif (neuroleptique) ou qui dissipe un état d'anxiété, d'angoisse.

tranquilliser v. tr. [1] Rendre tranquille, faire cesser l'inquiétude de (qqn). Syn. rassurer. ▷ v. pron. *Tranquillisez-vous :* rassurez-vous.

tranquillité n. f. État de ce qui est tranquille, calme. – (Sens moral.) État d'une personne sans inquiétude, sans angoisse. Syn. calme, paix.

trans-. Préfixe, du lat. *trans,* « à travers », exprimant l'idée de *au-delà* (ex. *transalpin*), *à travers* (ex. *transsibérien*), ou indiquant un changement (ex. *transformation*).

transactinide n. m. CHIM Élément dont le numéro atomique est supérieur à ceux des actinides.

transaction n. f. **1.** DR Acte par lequel on transige ; contrat par lequel les parties terminent ou préviennent une contestation, moyennant des concessions réciproques. *Ils ont mis un terme à leur procès par une transaction.* **2.** COMM, FIN Opération boursière ou commerciale.

transactionnel, elle adj. **1.** DR Qui comporte ou concerne une transaction (sens 1). *Des dispositions transactionnelles.* **2.** PSYCHO, SOCIOL *Analyse transactionnelle :* analyse des relations et des échanges interindividuels fondée sur des concepts d'inspiration psychanalytique et psychosociologique.

transafricain, aine adj. Qui traverse le continent africain.

Transalaï, massif d'Asie centrale, le plus élevé du Pamir (7 495 m au *pic Communisme*), dans le N. de la chaîne.

transalpin, ine adj. Qui est au-delà des Alpes (par rapport à l'Italie). – HIST *Gaule transalpine :* partie de la Gaule située au-delà des Alpes par rapport à Rome (par oppos. à *Gaule cisalpine*).

Transamazonienne (la), route du Brésil qui traverse la région amazonienne d'est en ouest. Entreprise en 1973 depuis ses deux extrémités, son tracé (4 920 km) est en partie envahi par la forêt.

transaméricain, aine adj. Qui traverse l'Amérique. *Chemin de fer transaméricain.*

transaminase n. f. BIOCHIM Enzyme dont le rôle est de transporter les radicaux aminés (NH_2) d'un acide aminé vers un autre acide aminé.

transandin, ine adj. Qui traverse la chaîne des Andes. ▷ *Chemin de fer transandin,* reliant Buenos Aires à Valparaíso.

transat [tʀɑ̃zat] n. m. Fam. Chaise longue pliante.

transatlantique adj. et n. m. **1.** adj. Qui traverse l'Atlantique. *Ligne transatlantique.* ▷ *Un paquebot transatlantique* ou, n. m., *un transatlantique :* paquebot assurant la liaison régulière entre l'Europe et l'Amérique. **2.** n. m. Chaise longue articulée et pliante (d'abord utilisée sur les paquebots). (Abrév. fam. : transat [tʀɑ̃zat].)

transbahuter v. tr. [1] Fam. Transporter. *Transbahuter une tente.*

transbordement n. m. Action de transborder.

transborder v. tr. [1] Faire passer d'un navire, d'un avion, d'un train, etc., à un autre. *Transborder des voyageurs, des marchandises.*

transbordeur n. m. et adj. m. **1.** Syn. de *ferry-boat.* **2.** CH de F Châssis servant à faire passer des wagons, des locomotives d'une voie sur une autre. **3.** Pont à plate-forme mobile suspendue par des câbles à un tablier élevé. ▷ adj. m. *Pont transbordeur.*

transcanadien, enne adj. Qui traverse le Canada. ▷ n. f. *La Transcanadienne :* route (7 800 km) du Canada allant de Victoria à Saint-Jean-de-Terre-Neuve.

transcaspien, enne adj. Situé au-delà de la mer Caspienne.

Transcaucasie. V. Caucase.

transcendance [tʀɑ̃sɑ̃dɑ̃s] n. f. PHILO Caractère de ce qui est transcendant. – *Transcendance de Dieu :* existence de Dieu au-delà des formes qui le rendraient présent au monde et à la conscience humaine. Ant. immanence.

transcendant, ante adj. **1.** Litt. Qui excelle en son genre. *Esprit transcendant.* Syn. sublime, supérieur. **2.** PHILO Qui dépasse un certain ordre de réalités ou, pour Kant, toute expérience possible (par oppos. à *immanent*). **3.** MATH Se dit d'un nombre non algébrique, c.-à-d. qui n'est la racine d'aucun polynôme. *Le nombre π est transcendant.*

transcendantal, ale, aux adj. PHILO Dans le système de Kant, qualifie tout élément de la pensée qui est une condition a priori de l'expérience. *Connaissance transcendantale.*

transcendantalisme n. m. PHILO Système selon lequel des concepts a priori préexistent à l'expérience et la dépassent. *Le transcendantalisme d'Emerson.*

transcender [tʀɑ̃sɑ̃de] v. tr. [1] **1.** Dépasser, en étant d'un autre ordre, d'un ordre supérieur. ▷ v. pron. Se dépasser. **2.** PHILO Dépasser les possibilités de l'entendement.

transcodage n. m. **1.** TECH Transformation d'un codage selon un code différent. **2.** INFORM Transcription des instructions d'un programme en un autre code que celui d'origine.

transcoder v. tr. [1] TECH Effectuer un transcodage.

transcodeur n. m. TECH Appareil servant à effectuer un transcodage.

transconteneur n. m. TECH **1.** Conteneur de grande capacité, utilisé pour les transports sur grandes distances. **2.** Navire servant au transport de ces conteneurs.

transcontinental, ale, aux adj. Qui traverse un continent.

transcriptase n. f. BIOCHIM Enzyme qui catalyse la synthèse d'un acide ribonucléique (A.R.N.) – *Transcriptase inverse* (ou *reverse*), qui permet la reproduction d'un acide désoxyribonucléique (A.D.N.) à partir de l'acide ribonucléique correspondant.

transcripteur, trice n. **1.** Personne qui transcrit. **2.** n. m. Appareil qui transcrit.

transcription n. f. **1.** Action de transcrire ; son résultat. *Transcription d'un manuscrit. Transcription phonétique, musicale.* **2.** DR Formalité consistant à reproduire un titre ou un acte juridique sur les registres publics. *Transcription à l'état civil.* – *Transcription hypothécaire :* dépôt au bureau de la conservation des hypothèques de tout acte translatif de propriété d'un immeuble ou constitutif d'hypothèque. **3.** BIOL Étape de la synthèse des protéines qui consiste en la synthèse d'un A.R.N. messager par copie de l'A.D.N. V. encycl. code (génétique).

transcrire v. tr. [67] **1.** Copier, reporter fidèlement (un écrit) sur un autre support. *Transcrire un acte notarié.* **2.** Transposer (un énoncé) d'un code graphique dans un autre. *Transcrire un mot grec en caractères latins. Transcrire un livre en braille.* ▷ *Transcrire phonétiquement :* noter, écrire (un énoncé, une suite d'énoncés) en utilisant l'alphabet phonétique. **3.** MUS Arranger (un morceau) pour un ou plusieurs instruments autres que celui ou ceux pour lesquels il a été écrit.

transculturel, elle adj. Didac. Relatif aux relations entre des cultures différentes.

transcutané, ée adj. MED Syn. de *transdermique.*

transdermique adj. MED Se dit de la voie d'administration d'un produit pénétrant dans l'organisme par diffusion à travers la peau.

transducteur n. m. **1.** En cybernétique, syn. de *traducteur.* **2.** ELECTR Dispositif qui transforme une énergie en une autre. *Transducteurs électroacoustiques* (ex. : microphones), *électromécaniques* (ex. : têtes de lecture).

transduction n. f. **1.** BIOL Passage d'un fragment d'A.D.N. d'une bactérie dans une autre, le vecteur étant un virus. V. transformation. **2.** ELECTR Transformation d'une énergie en une autre de nature différente.

transe n. f. **1.** (Plur.) Grande appréhension, vive anxiété. *Être dans les transes.* **2.** (Spiritisme) État du médium en communication avec un esprit. ▷ Cour. *Entrer en transe* : perdre tout contrôle de soi sous l'effet d'une surexcitation ou d'une émotion intense.

transept [tʀɑ̃sɛpt] n. m. ARCHI Nef transversale d'une église, qui coupe à angle droit la nef principale, donnant à l'édifice la forme d'une croix.

transfection n. f. BIOL Introduction dans une cellule de molécules d'A.D.N. étrangères insérées dans un vecteur.

transférabilité n. f. ECON Convertibilité d'une monnaie garantie par des procédures de compensation multilatérale.

transférable adj. Que l'on peut transférer.

transférase n. f. BIOL, CHIM Enzyme qui catalyse les réactions de transfert de radicaux carbonés et non carbonés. *Les transférases constituent une importante famille d'enzymes.*

transfèrement n. m. Action de transférer (un détenu).

transférer v. tr. [14] **1.** Faire passer (qqn, qqch) d'un lieu dans un autre d'une façon convenue, réglée. *Transférer un détenu.* **2.** Céder, transmettre (qqch à qqn) en observant les formalités requises. *Transférer une obligation.* **3.** Fig. Reporter ailleurs (un sentiment, un désir). V. transfert (sens 3).

transfert [tʀɑ̃sfɛʀ] n. m. **1.** Action de transférer d'un lieu dans un autre. *Le transfert des bureaux d'une administration.* – *Transfert de populations* : déplacement massif et forcé de populations d'une région dans une autre. ▷ INFORM Transport d'une information d'une zone de mémoire dans une autre. ▷ TELECOM *Transfert d'appel* : service des télécoms qui permet de transférer automatiquement un appel vers un numéro choisi par l'usager. **2.** DR Acte par lequel on transfère à qqn (un droit, une propriété). – Substitution de nom, résultant d'un tel acte, sur un registre public. ▷ ECON Redistribution des revenus par laquelle une partie des revenus primaires des uns est affectée aux autres sous forme de revenus secondaires (par le mécanisme du budget de l'État, de la Sécurité sociale, des allocations familiales, etc.). **3.** SPORT Changement de club d'un joueur professionnel. **4.** Action de transférer un état affectif (d'un objet à un autre). ▷ PSYCHAN Processus par lequel un sujet reporte sur une personne (en partic. sur l'analyste au cours de la cure) des désirs inconscients éprouvés durant l'enfance vis-à-vis d'une figure parentale (père, mère, substitut). ▷ PSYCHO Dans la psychologie de l'apprentissage, cas où une habitude ancienne facilite l'acquisition d'une nouvelle habitude.

transfiguration n. f. **1.** Action de transfigurer; son résultat. **2.** RELIG (Avec une majuscule.) Forme glorieuse sous laquelle Jésus apparut à trois de ses disciples sur le mont Thabor.

transfigurer v. tr. [1] Transformer en rendant beau, radieux.

transfini, ie adj. MATH *Nombres transfinis,* imaginés pour dénombrer les ensembles infinis.

transfo n. m. Abrév. fam. de *transformateur.*

transformable adj. Que l'on peut transformer.

transformateur, trice adj. et n. m. **1.** adj. Qui transforme. ▷ n. m. Industriel qui transforme un produit.

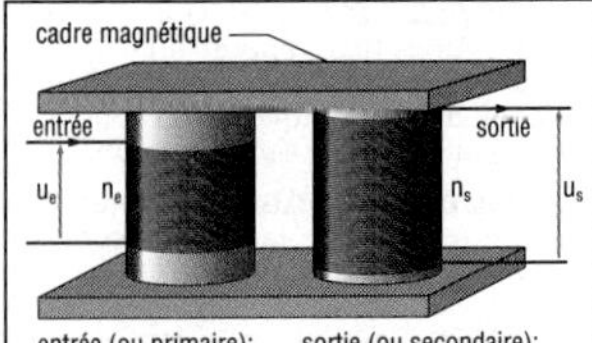
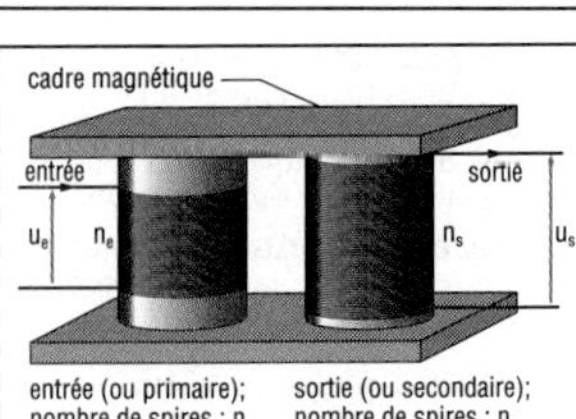
cadre magnétique
entrée
sortie
u_e
n_e
n_s
u_s
entrée (ou primaire); nombre de spires : n_e
sortie (ou secondaire); nombre de spires : n_s
si n_s est supérieur à n_e, la tension de sortie u_s est supérieure à la tension d'entrée u_e, et inversement, sous l'action du champ magnétique créé par le cadre
principe d'un **transformateur** monophasé

2. n. m. ELECTR Appareil électromagnétique qui comprend un circuit magnétique et deux enroulements de fils conducteurs, servant à transférer une énergie électrique d'un circuit à un autre après en avoir modifié la tension (abrév. fam. : transfo). ▷ *Transformateur abaisseur,* qui réduit la tension.

transformation n. f. **1.** Action de transformer, de se transformer. *La transformation d'un appartement. Les industries de transformation (des matières premières).* ▷ SPORT Au rugby, action de transformer un essai. **2.** PHYS *Les transformations de l'énergie* : V. encycl. énergie. ▷ ELECTR Action de modifier la tension d'un courant au moyen d'un transformateur. **3.** GEOM Opération qui fait correspondre un point à un autre suivant une loi déterminée (similitude, translation, homothétie, affinité, inversion, par ex.). **4.** BIOL Intégration, dans le génome d'une bactérie, d'un fragment d'A.D.N. libre provenant du génome d'une autre bactérie. V. transduction. **5.** LING En grammaire générative, chacune des opérations consistant à convertir les structures profondes de phrases (seules pertinentes en ce qui concerne le sens) en structures de surface qui sont les images syntaxiques des phrases effectivement réalisées. *Procédures de transformation* : effacement, permutation, addition, réduction.

transformationnel, elle adj. LING Qui concerne ou utilise les transformations. *Les procédures transformationnelles. Grammaire transformationnelle* : ensemble des règles de transformation.

transformer v. [1] **I.** v. tr. **1.** Donner à (qqn, qqch) une autre forme, un autre aspect. *Transformer une énergie en une autre. Ce déguisement l'a transformé.* ▷ SPORT *Transformer un essai* (au rugby) : à la suite d'un essai marqué, faire passer d'un coup de pied la balle entre les poteaux (ce qui vaut deux points supplémentaires). **2.** Fig. Changer le caractère de (qqn). *Cette dure épreuve l'a transformé.* **II.** v. pron. Prendre une forme, un aspect, un caractère différent. *Fillette qui se transforme en jeune fille. La société se transforme.*

transformisme n. m. Didac. Théorie de l'évolution des êtres vivants selon laquelle, depuis les plus rudimentaires jusqu'aux plus complexes, les organismes se succèdent dans le temps et se transforment en d'autres (par oppos. au *fixisme*).

transformiste n. et adj. **1.** n. Didac. Partisan du transformisme. **2.** adj. Qui se rapporte au transformisme.

transfrontalier, ère adj. Qui concerne les relations entre deux pays limitrophes, de part et d'autre d'une frontière.

transfuge n. **1.** n. m. Soldat qui passe à l'ennemi. **2.** n. Celui (celle) qui abandonne son parti, ses opinions pour un parti, des opinions adverses. **3.** (Sens atténué.) Personne qui a changé de lieu, de situation. *Transfuge d'un pays.*

transfusé, ée adj. et n. Injecté par transfusion. ▷ Subst. Personne qui a subi une transfusion sanguine.

transfuser v. tr. [1] MED Injecter (du sang) à qqn par une transfusion.

transfuseur n. m. MED **1.** Personne qui pratique la transfusion sanguine. **2.** Appareil de transfusion sanguine directe de donneur à receveur.

transfuseuse n. f. MED Appareil qui sert à transfuser du sang conservé.

transfusion n. f. MED Opération consistant à injecter à un sujet, par perfusion intraveineuse, du sang (ou des dérivés sanguins) prélevé(s) chez un autre sujet.

transfusionnel, elle adj. MED Qui concerne la transfusion sanguine.

transgène n. m. BIOL Gène introduit dans une cellule pour suppléer un autre gène.

transgenèse n. f. BIOL Modification génétique d'un organisme.

transgénique adj. BIOL **1.** Qui est créé par génie génétique. **2.** Se dit d'un organisme dans lequel a été transféré un gène étranger (ou plusieurs).

transgresser v. tr. [1] Contrevenir à (un ordre, une loi). *Transgresser un interdit.*

transgression n. f. **1.** Action de transgresser. **2.** GEOL Submersion progressive d'une portion du domaine continental par la mer.

Transhimalaya. V. Himalaya.

transhumance n. f. Action de transhumer.

transhumant, ante adj. Se dit des troupeaux qui transhument.

transhumer v. [1] ELEV **1.** v. tr. Conduire (les troupeaux) de pâturage en pâturage. ▷ *Spécial.* Mener (les troupeaux) dans les alpages pour l'été et les en faire redescendre avant l'hiver. **2.** v. intr. (Troupeaux) Changer de pâturages selon les saisons. **3.** Déplacer les ruches au cours de l'année pour suivre les floraisons.

transi, ie adj. Pénétré, saisi de froid. ▷ Fig. *Amoureux transi,* que sa passion rend timide et tremblant.

transiger v. intr. [13] **1.** DR Régler un différend par une transaction. *Engager les parties à transiger.* ▷ Faire des concessions réciproques. **2.** (Dans l'ordre moral.) Être peu exigeant, manquer de fermeté. *Transiger avec sa conscience. Ne pas transiger sur l'honnêteté.*

transir v. [3] inus. sauf au prés. de l'indic., temps composés et inf. **1.** v. tr. Pénétrer, engourdir (de froid). **2.** v. intr. Vx Éprouver une sensation de froid, d'engourdissement.

transistor n. m. **1.** ELECTRON Composant en matériau semiconducteur*, constitué de deux zones de même conductibilité séparées par une zone de conductibilité contraire, utilisé en électronique pour amplifier des signaux. **2.** *Par méton.* Radiorécepteur portatif muni de transistors.

transistorisation n. f. TECH Action de transistoriser.

transistoriser v. tr. [1] TECH Équiper de transistors.

transit [tʀɑ̃zit] n. m. **1.** Passage de marchandises, de voyageurs, à travers un lieu, un pays situé sur leur itinéraire. *Passagers en transit sur un aéroport.* ▷ COMM Possibilité de faire traverser à des marchandises un pays autre que leur pays de destination sans payer de droits de douane. **2.** PHYSIOL Progression du bol alimentaire dans le tube digestif. *Transit intestinal.* ▷ MED *Transit baryté :* progression d'un bol alimentaire additionné de sulfate baryté, produit de contraste qui favorise l'examen radiologique du tube digestif.

transitaire adj. et n. m. **1.** adj. Qui concerne ou admet le transit (sens 1). *Pays transitaire.* **2.** n. m. Commissionnaire spécialisé dans les opérations de transit.

transiter v. [1] **1.** v. tr. Faire passer en transit. *Transiter des denrées.* **2.** v. intr. Voyager en transit. *Cette cargaison transite par Hong Kong.*

transitif, ive adj. **1.** GRAM *Verbe transitif (direct),* qui demande ou admet un complément d'objet direct (ex. : il mange un œuf). – *Verbe transitif employé absolument,* sans complément (ex. : il mange). ▷ *Verbe transitif indirect,* qui est suivi d'un complément d'objet indirect (ex. : ressembler à). Ant. intransitif. **2.** PHILO *Cause transitive,* dont l'action s'exerce sur un objet étranger au sujet agissant (par oppos. à *cause immanente*). **3.** MATH, LOG Se dit d'une relation binaire R telle que x R y et y R z entraînent x R z. *L'égalité est une relation transitive* (si x = y et si y = z, on a : x = z).

transition n. f. **1.** Manière de lier entre elles les idées qu'on exprime, de passer d'une partie d'un discours, d'un écrit à une autre. *Phrase de transition.* **2.** Passage graduel d'un état, d'un ordre à un autre. *Passer sans transition du rire aux larmes.* ▷ *De transition :* intermédiaire, transitoire. *Une période de transition entre deux époques, en histoire. Un gouvernement de transition.* **3.** MUS Passage d'un mode, d'un ton à un autre. **4.** CHIM *Métaux de transition :* éléments intermédiaires entre les métaux et les nonmétaux, dont la couche électronique interne n'est pas saturée en électrons. V. tableau périodique des éléments*. (Les métaux de transition forment des complexes, comme le ferrocyanure $[Fe(CN)_6{}^{4-}]$, qui possèdent parfois des propriétés magnétiques spéciales. Ils forment également des composés organométalliques, volatils et solubles dans les composés organiques.) **5.** PHYS NUCL *Transition électronique :* passage d'un électron d'un niveau énergétique à un autre, se traduisant par l'émission ou l'absorption d'un photon.

transitionnel, elle adj. Didac. Qui constitue une transition. ▷ PSYCHAN *Objet transitionnel :* objet matériel (couverture, peluche, etc.) permettant au jeune enfant la transition entre la relation orale à la mère et la relation à l'objet, et auquel il est très attaché.

transitivement adv. GRAM À la manière d'un verbe transitif.

transitivité n. f. Didac. Caractère de ce qui est transitif.

transitoire adj. **1.** Qui ne dure pas longtemps. Syn. passager. **2.** Qui forme une transition entre deux états. *Un régime politique transitoire.*

transitoirement adv. De façon transitoire, passagèrement.

Transjordanie, région historique à l'E. du Jourdain dont le territoire correspond à l'actuelle Jordanie. Après la création de l'État d'Israël, en 1948, et l'intégration de la Cisjordanie en 1949, cette appellation fut abandonnée au profit de royaume hachémite de Jordanie.

Transkei, anc. bantoustan de l'Afrique du Sud (1959-1994), intégré dans la province du Cap oriental. – Ce territoire, peuplé de Xhosas, avait été déclaré « indépendant » par l'Afrique du Sud de 1976 à 1994.

translatif, ive adj. DR Qui concerne la translation d'une propriété, d'un droit.

translation n. f. **1.** Litt. Action de faire passer (des cendres, des reliques) d'un lieu dans un autre. **2.** DR Action de transmettre (une propriété, un droit) d'une personne à une autre. **3.** GEOM Transformation dans laquelle à tout point M on fait correspondre un point M' tel que le vecteur $\overrightarrow{MM'}$ soit constant. **4.** PHYS *Mouvement de translation (d'un corps),* par lequel tous les points du corps se déplacent le long de courbes parallèles. – *Mouvement de translation uniforme,* qui s'effectue à vitesse constante.

Transleithanie, partie de l'anc. Empire austro-hongrois comprenant la Hongrie et ses dépendances (Transylvanie, Croatie), qui étaient séparées de l'Autriche *(Cisleithanie)* par la Leitha, affl. du Danube.

translittération n. f. LING Transcription lettre pour lettre des mots d'une langue dans l'alphabet d'une autre langue.

translocation n. f. BIOL Déplacement d'un segment de chromosome sur un chromosome non analogue.

translucide adj. Se dit d'un corps qui laisse passer la lumière sans être totalement transparent. Syn. diaphane.

translucidité n. f. Didac. État, propriété d'un corps translucide.

transmanche adj. inv. Qui concerne la traversée de la Manche. *Trafic transmanche.*

transmetteur, trice adj. et n. m. **1.** PHYS Qui transmet des sons, des signaux. ▷ n. m. MAR *Transmetteur d'ordres :* appareil par l'intermédiaire duquel les ordres sont transmis de la passerelle aux machines. **2.** Militaire spécialiste des transmissions.

transmettre v. [60] **I.** v. tr. **1.** Mettre par voie légale en possession d'un autre. *Transmettre un droit, un héritage, des pouvoirs (à qqn).* **2.** Faire passer (qqch) à d'autres, d'une personne à une autre. *Transmettre une nouvelle, un ordre. Transmettre une maladie.* – *Spécial.* (D'une génération à une autre.) *Transmettre son nom à la postérité.* **3.** (Sujet n. de chose.) Faire passer d'un lieu, d'un organe à un autre. *Dispositif qui transmet le mouvement. Nerf transmettant une excitation.* **II.** v. pron. (Sens passif et sens récipr.) Passer d'une personne à une autre, d'un lieu à un autre.

transmigration n. f. RELIG Fait de transmigrer (pour des âmes). V. métempsycose.

transmigrer v. intr. [1] RELIG Passer d'un corps dans un autre, en parlant des âmes.

transmissibilité n. f. Caractère de ce qui est transmissible.

transmissible adj. Qui peut être transmis.

transmission n. f. **1.** Action de transmettre légalement. *La transmission de la propriété aux héritiers. Transmission de pouvoirs.* **2.** Action de faire passer (qqch). *Transmission des caractères biologiques des parents aux enfants.* – *Transmission de pensée :* V. télépathie. **3.** PHYS Propagation. *Transmission d'une onde.* ▷ BIOL *Transmission nerveuse :* propagation de l'influx nerveux le long d'un neurone ou d'une fibre nerveuse. V. encycl. neurone. **4.** MECA Fait, pour un mouvement, d'être transmis d'un organe à un autre. – Organe qui transmet un mouvement. ▷ AUTO Ensemble des organes qui transmettent aux roues motrices le mouvement du moteur, à partir de la sortie de la boîte de vitesses (différentiel, cardans, pont). – *Par ext.* Ensemble des organes qui transmettent ce mouvement (embrayage et boîte de vitesses, en partic.). – *Transmission automatique,* qui supprime les opérations manuelles d'embrayage et le changement de vitesse (en les réalisant automatiquement ou au moyen d'un convertisseur de couple). **5.** Plur. MILIT Ensemble des moyens (hommes de liaison, signaux, appareils de radio, téléphone, etc.) qui permettent aux troupes et aux états-majors de communiquer. *Arme des transmissions* ou *transmissions :* troupes spécialisées qui mettent en œuvre ces moyens.

transmuable ou **transmutable** adj. Qui peut être transmué.

transmuer ou **transmuter** v. tr. [1] Didac. Transformer (un corps) en un autre de nature entièrement différente. *Les alchimistes voulaient transmuer le plomb en or.* ▷ PHYS NUCL Effectuer une transmutation.

transmutation n. f. Action de transmuer. ▷ PHYS NUCL Transformation d'un élément simple en un autre par modification du nombre de ses protons. *Transmutations naturelles (radioactivité) ou provoquées.*

transnational, ale, aux adj. Didac. Se dit d'organismes, d'associations qui dépassent le cadre national et sont dépourvus de caractère gouvernemental ou lucratif.

Transnistrie, petite partie de la Moldavie, située à l'O. du Dniestr.

transocéanien, enne ou **transocéanique** adj. **1.** Qui est situé au-delà de l'océan. **2.** Qui traverse l'océan. *Câble transocéanique.*

Transoxiane, dans l'Antiquité et au Moyen-Âge, région de l'Asie centrale située à l'E. de l'Oxus (auj. Amou-Daria).

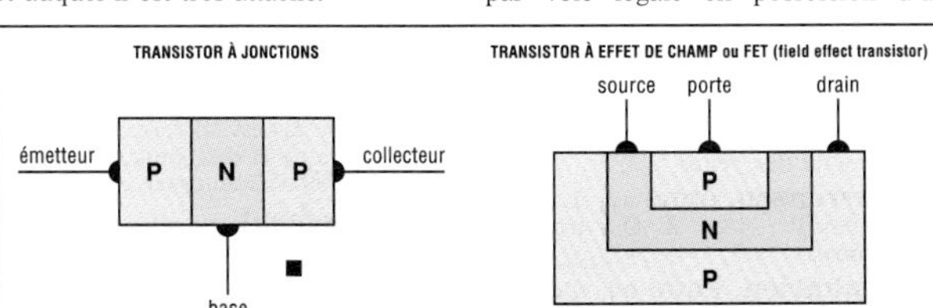

dans ces deux transistors PNP, une région de conductibilité négative (N) sépare deux régions de conductibilité positive (P) ; la configuration inverse (NPN) est également utilisée

transistors

Elle correspond à peu près à l'anc. Sogdiane, donc à l'Ouzbékistan actuel.

transpadan, ane adj. Didac. Situé au-delà du Pô, par rapport à Rome. *La Gaule transpadane.*

Transpadane (république), État formé par Bonaparte (1796) au N. du Pô et uni à la république Cispadane dans la république Cisalpine en 1797.

transparaître v. intr. [73] Paraître (à travers qqch de transparent, de translucide). *Veines qui transparaissent à travers la peau.* – Fig. *Laisser transparaître son embarras.*

transparence n. f. 1. Propriété des substances qui laissent passer la lumière et au travers desquelles on voit distinctement. *La transparence du verre.* Ant. opacité. 2. Fig. Qualité de ce qui est, psychologiquement ou intellectuellement, facilement pénétrable. *La transparence d'une âme, d'un style.* ▷ POLIT *La transparence d'une institution,* qui laisse apparaître au grand jour la totalité de ses activités. ▷ FISC *Transparence fiscale :* inexistence fiscale (d'une société dont le bénéfice est imposé sous forme d'impôt sur le revenu de ses membres).

transparent, ente adj. et n. m. 1. adj. Doué de transparence. *Étoffe, eau transparente.* ▷ Fig. *Allégorie, allusion transparente,* qui se comprend clairement. 2. n. m. Nom donné à diverses surfaces de matière transparente (papier, plastique, tissu, etc.) dont la transparence permet de réaliser certaines opérations ou d'obtenir certains effets.

transpercer v. tr. [12] 1. Percer de part en part. ▷ Fig. *Transpercer le cœur,* le pénétrer de douleur. 2. Pénétrer à travers. *La pluie a transpercé son manteau.*

transpiration n. f. 1. Excrétion de la sueur par les pores de la peau. – Sueur. *Être en transpiration :* transpirer abondamment. 2. BOT Émission de vapeur d'eau à travers la cuticule ou les stomates des organes végétaux.

transpirer v. intr. [1] 1. Syn. cour. de *suer.* 2. Fig. Commencer à être connu (en parlant d'une chose tenue secrète). *Le secret avait transpiré.*

transplant n. m. CHIR Organe, tissu transplanté ou à transplanter.

transplantation n. f. 1. Action de transplanter un végétal. 2. CHIR Greffe d'un organe, provenant d'un sujet donneur, sur un sujet receveur, avec rétablissement des connexions vasculaires. *Transplantation rénale, cardiaque.* 3. Fig. Action de transplanter d'un pays ou d'un milieu dans un autre; résultat de cette action.

transplanté, ée adj. et n. Qui a fait l'objet d'une transplantation. *Organe transplanté.* ▷ Subst. *Par méton.* Personne qui a subi une transplantation.

transplanter v. tr. [1] 1. Sortir (une plante) de terre pour la replanter dans un autre endroit. *Transplanter un arbuste.* 2. CHIR Effectuer la transplantation de (un organe, un fragment d'organe). *Transplanter un rein, un segment d'artère.* 3. Fig. Faire passer d'un pays ou d'un milieu dans un autre, en vue d'un établissement durable. ▷ v. pron. S'établir dans un autre lieu. *Protestants français persécutés qui se sont transplantés en Hollande au XVIIe s.*

transplantoir n. m. AGRIC Outil ou appareil utilisé pour transplanter un végétal.

transport n. m. 1. Action, manière de transporter qqn, qqch dans un autre lieu. *Transport de troupes. Moyens de transport.* – *Transport de l'énergie électrique,* conduction de cette énergie. ▷ (Plur.) Ensemble des moyens permettant de transporter des personnes ou des marchandises. *Les transports routiers, aériens. Une politique des transports.* ▷ GEOL *Terrain de transport,* constitué d'alluvions. 2. MILIT Navire, avion de guerre destiné à transporter des troupes, du matériel. 3. DR Action d'une personne qui, par autorité de justice, se rend sur les lieux, pour procéder à un examen, une vérification. *Transport de justice.* 4. DR Cession d'un droit, d'une créance, etc. 5. Litt. Émotion violente qui transporte (sens I, 4). *Transport amoureux.* – Absol. *Accueillir avec transport(s) (de joie).*

transportable adj. Qui peut être transporté. *Le malade a été jugé transportable.*

transporté, ée adj. 1. Qui est déplacé par transport. 2. Fig. Qui est mis hors de soi par une vive émotion. *Transporté d'admiration, de plaisir.*

transporter v. [1] I. v. tr. 1. Porter, faire parvenir d'un lieu dans un autre. *Transporter des marchandises, des passagers.* ▷ Par métaph. *Film qui nous transporte dans une contrée, une époque lointaine.* 2. DR *Transporter un droit à qqn,* le lui céder. 3. Faire passer (qqch) dans un autre domaine. *Transporter des faits réels dans un roman.* Syn. transposer. 4. Mettre (qqn) hors de soi-même. *La joie le transportait.* II. v. pron. Se rendre (en un lieu). *Le juge d'instruction s'est transporté sur les lieux du crime.* ▷ Fig. *Se transporter dans la Rome antique.*

transporteur, euse n. 1. Personne qui fait métier de transporter des personnes ou des marchandises; personne qui dirige une entreprise de transports. 2. n. m. TECH Engin, dispositif destiné au transport continu de pièces, de matériaux.

transposable adj. Que l'on peut transposer.

transposer v. tr. [1] 1. Présenter sous une autre forme (plus ou moins éloignée de l'original), dans un autre contexte (et spécial. dans un contexte moderne). *Transposer librement un mythe, une tragédie antique.* 2. MUS Exécuter ou transcrire (un morceau) dans un autre ton que celui dans lequel il a été noté.

transposition n. f. 1. Vx Interversion. 2. MATH Permutation de deux éléments (définie par une relation). – Transformation d'une matrice en une autre par interversion des lignes et des colonnes. 3. MED Malformation congénitale par anomalie de position d'un ou de plusieurs organes. 4. Action de présenter différemment, de transposer dans une œuvre littéraire. *La transposition du vécu dans le rêve. L'« Ulysse » de Joyce est une transposition parodique de « l'Odyssée ».* 5. MUS Action de transposer un morceau. 6. CHIM Migration de radicaux ou d'atomes à l'intérieur d'une molécule.

transposon n. m. BIOL Élément mobile du génome, capable de se transposer d'un point de celui-ci à un autre et constitué de quelques milliers de nucléotides assurant une régulation fonctionnelle des gènes.

transpyrénéen, enne adj. 1. Situé au-delà des Pyrénées. 2. Qui traverse les Pyrénées.

transsaharien, enne adj. Qui traverse le Sahara. *Rallye automobile transsaharien.*

transsexualisme n. m. PSYCHOPATHOL Sentiment délirant qu'éprouve un sujet de morphologie sexuelle normale d'appartenir au sexe opposé, généralement accompagné du désir de changer de sexe.

transsexualité n. f. État du transsexuel.

transsexuel, elle adj. et n. Atteint ou marqué de transsexualisme. ▷ Subst. *Un(e) transsexuel(le).*

transsibérien, enne adj. et n. m. 1. GEOGR Qui est situé au-delà de la Sibérie. 2. Qui traverse la Sibérie. *Chemin de fer transsibérien* ou, n. m., *le Transsibérien :* voie ferrée (9 000 km) qui traverse la Sibérie méridionale de Moscou à Vladivostok (construit de 1891 à 1904).

transsonique adj. AVIAT Qualifie des vitesses voisines de celles du son (par oppos. à *subsonique* et à *supersonique*).

transsubstantiation [tʀɑ̃ssybstɑ̃sjasjɔ̃] n. f. Rare Transmutation. ▷ RELIG CATHOL Changement intégral du pain et du vin eucharistiques en la substance du corps et du sang de Jésus-Christ. (Confessée par les orthodoxes, la transsubstantiation l'est avec des nuances par certaines Églises protestantes alors que d'autres la contestent.)

transsudat n. m. MED Liquide suintant qui se forme par transsudation, sur une surface non enflammée.

transsudation n. f. Didac. Action de transsuder. *Transsudation de l'eau à travers un récipient poreux.*

transsuder v. [1] Didac. 1. v. intr. Passer à travers les pores d'un corps pour se rassembler en gouttelettes à sa surface. 2. v. tr. Émettre sous forme de gouttelettes qui passent par les pores.

transuranien, enne adj. et n. m. CHIM *Élément transuranien* ou, n. m., *un transuranien :* élément radioactif de numéro atomique supérieur à celui de l'uranium, produit par des réacteurs nucléaires (plutonium, neptunium, américium, lawrencium, par ex.).

Transvaal, prov. la plus septentrionale de l'Afrique du Sud; 262 499 km^2; 10 929 000 hab. env.; cap. *Pretoria.* – Cette région de hauts plateaux se consacre surtout à l'élevage (bovins et ovins) et tire l'essentiel de ses ressources du sous-sol, très riche : or dans le Witwatersrand (80 % de la production nationale), argent, diamants, charbon, fer, chrome, etc. Elle a de puissantes industries (métall., chim., méca., alim., etc.), localisées surtout à Johannesburg et à Pretoria. – La colonisation des Boers* commença après 1835 (Grand Trek*). La G.-B. reconnut l'indépendance de la région (1852), qui forma une république (ségrégationniste) en 1856. En proie à des troubles qui permirent au Natal de l'annexer (1877), le Transvaal fut libéré par Paul Kruger (1881) et bénéficia de l'autonomie sous la suzeraineté anglaise. La découverte des mines d'or (1884) entraîna une immigration intense d'étrangers *(Uitlanders),* dont les revendications (droit de cité, notam.) furent appuyées par la G.-B. Après la guerre des Boers, le Transvaal forma une colonie britannique (1902), puis entra dans l'Union sud-africaine, créée en 1910.

transvasement n. m. Action de transvaser; son résultat.

transvaser v. tr. [1] Faire passer (le contenu liquide d'un récipient) dans un autre récipient.

transversal, ale, aux adj. et n. f. 1. adj. Qui coupe (qqch) en travers, perpendiculairement à l'axe principal. *Route transversale.* ▷ ANAT *Muscle transversal, artère transversale.* **2.** n. f. Ligne qui coupe une autre ligne ou d'autres lignes. ▷ SPORT Aux jeux de ballon, barre joignant les poteaux de but. – Passe en diagonale. ▷ Route ou voie ferrée qui joint directement deux régions sans passer par le centre du réseau.

transversalement adv. En position transversale.

transversalité n. f. Didac. Caractère transversal.

transverse adj. et n. m. ANAT Qui est en travers de l'axe du corps. *Apophyses transverses,* implantées de part et d'autre des vertèbres. – *Muscle transverse* ou, n. m., *le transverse abdominal :* muscle de l'abdomen.

transylvain, aine ou **transylvanien, enne** adj. et n. De la Transylvanie.

Transylvanie (Alpes de), monts de Roumanie (2 543 m au *Moldoveanul*), partie méridionale des Carpates, au S. de la Transylvanie. C'est une région riche : fer, houille, élevage, exploitation forestière, tourisme.

Transylvanie (en roumain *Transilvania* ou *Ardeal,* en hongrois *Erdély*), rég. du centre de la Roumanie, haute dépression dominée notamment par le massif du Bihor et les Carpates; v. princ. *Cluj-Napoca, Brașov.* – Formée de collines et de plateaux, cette région fertile (céréales, fruits, élevage) a un sous-sol riche : gaz naturel, lignite, cuivre, plomb, etc. Pop. hétérogène : Roumains, Hongrois, Allemands. – La région, habitée par les Daces dans l'Antiquité, fut le centre de leur État, puis de la prov. romaine de Dacie (106-271). Elle subit les Grandes Invasions. Peuplée de Valaques (Roumains), conquise par les Hongrois (XIe s.) qui favorisèrent la colonisation hongroise et saxonne, elle garda son individualité dans le royaume magyar. Principauté tributaire des Turcs après Mohács* (1526), mais de fait indépendante, la Transylvanie tenta d'échapper aux Habsbourg. Ceux-ci, ayant vaincu les Turcs devant Vienne (1683), enlevèrent la Transylvanie au sultan (1691). Elle fut réunie en 1867 à la Hongrie, qui tenta de l'intégrer. Les Valaques (majoritaires) votèrent leur réunion à la Roumanie en 1918. La partie N., cédée à la Hongrie par le diktat de Vienne (1940), fut rendue à la Roumanie en 1947. L'opposition entre communautés hongroise et roumaine provoque de vives tensions.

Traoré (Moussa) (Kayes, 1936), général et homme politique malien. Président de la République de 1968 à 1991. Il fut renversé par l'armée et condamné à mort en 1993.

Trapani (anc. *Drepanum*), v. et port de Sicile, sur la côte O.; 71 430 hab.; ch.-l. de la prov. du m. nom. Sel; pêche (thon notam.); comm. du vin.

trapèze n. m. et adj. **I.** n. m. **1.** GEOM Quadrilatère comportant deux côtés parallèles et inégaux (les bases). *La surface d'un trapèze s'obtient en multipliant la demi-somme des bases par la hauteur.* – *Trapèze rectangle,* dont un angle est droit. **2.** Appareil de gymnastique composé d'une barre de bois horizontale suspendue à ses extrémités à deux cordes. ▷ *Trapèze volant :* au cirque ou au music-hall, trapèze attaché par de longues cordes aux cintres de l'édifice et associé à un autre trapèze, les trapézistes sautant de l'un à l'autre au cours de balancements. **II.** adj. En forme de trapèze. ▷ ANAT *Os trapèze* ou, n. m., *le trapèze :* premier os de la seconde rangée du carpe. ▷ *Muscle trapèze* ou, n. m., *le trapèze :* muscle de la partie postérieure du cou et de l'épaule.
▶ pl. **géométrie**

trapéziste n. Acrobate qui se livre aux exercices du trapèze.

trapézoèdre n. m. GEOM, MINER Solide délimité par 24 faces qui sont des quadrilatères.

trapézoïdal, ale, aux adj. Didac. En forme de trapèze.

trapézoïde adj. et n. m. Didac. Qui a la forme d'un trapèze. ▷ ANAT *Os trapézoïde* ou, n. m., *le trapézoïde :* second os de la deuxième rangée du carpe.

trapp n. m. GEOL Plateau formé par des empilements de coulées de laves basaltiques (Dekkan, Éthiopie).

trappe n. f. **I.** CHASSE Piège formé d'un trou recouvert par une bascule ou par des branchages. **II. 1.** Ouverture fermante, ménagée dans un plancher ou un plafond pour donner accès à une cave, à un grenier. – Loc. Fig., fam. *Passer à la trappe :* être escamoté, supprimé, tomber dans l'oubli. **2.** THEAT Ouverture pratiquée dans le plancher d'une scène, qui permet de faire apparaître ou disparaître un acteur. **3.** TECH Porte ou fenêtre à coulisse. ▷ Panneau mobile de faible section qui donne accès à l'intérieur d'un appareil, d'une construction, pour y effectuer une opération d'entretien. *Trappe de visite.* – *Trappe de ramonage.* ▷ *Spécial.* Tablier d'une cheminée.

Trappe (la), ordre religieux issu d'une communauté de bénédictins établie à l'abb. de Notre-Dame de la Trappe, fondée par Rotrou III, comte du Perche, en 1140 à Soligny (Orne), rattachée à Cîteaux (1147), puis réformée en 1664 par Rancé, qui y institua la règle de la stricte observance. (N.B. On nomme aussi *trappe* tout monastère de trappistes.)

Trappes, ch.-l. de cant. des Yvelines (arr. de Versailles); 30 938 hab. Gare de triage.

trappeur n. m. Chasseur professionnel, en Amérique du N., qui pratique la chasse à la trappe, partic. celle des bêtes à fourrure.

trappillon n. m. **1.** Dispositif permettant de tenir fermée une trappe. **2.** THEAT Trappe permettant le passage des fermes (V. ferme 3, sens 2).

trappiste n. m. Religieux appartenant à l'ordre de la Trappe.

trappistine n. f. Rare **1.** Religieuse de l'ordre de la Trappe. **2.** Liqueur fabriquée par les trappistes.

trapu, ue adj. **1.** Large et court, dont les proportions ramassées donnent une impression de force et de solidité. *Un homme trapu.* – *Un bâtiment de ferme trapu.* **2.** Arg. (des écoles) Très fort, savant. *Un prof trapu.* ▷ (Choses) Difficile, épineux. *Une question trapue.*

traque n. f. Action de traquer le gibier. ▷ Fig. et fam. Chasse à l'homme.

traquenard n. m. **1.** Piège en forme de trébuchet pour prendre les animaux nuisibles. **2.** Fig. Piège (tendu à qqn). *Tomber dans un traquenard.* **3.** Amble rompu (du cheval). *Jument qui va le traquenard.*

traquer v. tr. [1] **1.** Pourchasser (du gibier dans un bois) en resserrant progressivement un cercle formé autour de lui par les chasseurs. ▷ (Par comparaison.) *Le malheureux candidat avait un air de bête traquée.* **2.** Serrer de près, poursuivre avec acharnement (qqn). *Traquer l'ennemi.*

traquet n. m. Oiseau passériforme (genre *Saxicola, Œnanthe,* etc.), de petite taille, habitant les landes, les prairies, les friches, etc. *Traquet fourmilier, motteux,* etc. (communs en Europe).

traqueur, euse n. CHASSE Personne employée pour traquer le gibier.

Trasimène (lac), lac de l'Italie centrale (Ombrie); 128 km². – Sur ses rives, Hannibal écrasa l'armée romaine en 217 av. J.-C.

Trás-os-Montes, rég. du N. du Portugal, à l'altitude élevée (de 1 000 à 1 400 m) et au climat rigoureux; correspond au district de Bragance.

trattoria [tʀatɔʀ(i)ja] n. f. En Italie, restaurant bon marché.

trauma n. m. **1.** MED, CHIR Lésion ou blessure produite par l'impact mécanique d'un agent extérieur. **2.** PSYCHO Violent choc émotif, qui marque la personnalité d'un sujet.

traumatique adj. **1.** MED Qui a rapport aux plaies ou aux blessures; qui est causé par un trauma (sens 1). **2.** PSYCHO Qui a rapport à un trauma psychologique.

traumatisant, ante adj. MED, PSYCHO Qui traumatise, est susceptible de traumatiser. *Une expérience traumatisante.*

traumatiser v. tr. [1] Infliger un traumatisme à (qqn). – Pp. *Enfant traumatisé par un événement, un spectacle.*

traumatisme n. m. **1.** MED, CHIR Ensemble des conséquences physiques ou psychologiques engendrées par un trauma (sens 1). **2.** PSYCHO et cour. Ensemble des troubles de la vie affective et de la personnalité déclenchés chez un sujet par un choc émotionnel.

traumatologie n. f. Didac. Partie de la médecine et de la chirurgie consacrée au traitement des traumatismes.

traumatologique adj. MED Qui concerne la traumatologie.

traumatologiste ou **traumatologue** n. Didac. Médecin, chirurgien spécialisé en traumatologie.

travail, aux n. m. **I. 1.** Effort que l'on fait, peine que l'on prend pour faire une chose; effort long et pénible. *Ces lignes sentent le travail.* **2.** MED Période de l'accouchement où se produisent les contractions utérines jusqu'à l'expulsion de l'enfant. *Femme en travail.* – *Salle de travail,* où se déroule l'accouchement. **3.** Altération ou déformation qui se produit au sein d'une matière (sous l'action de certains agents). *Le travail du bois sous l'action de l'humidité.* **4.** Activité, fonctionnement qui aboutit à un résultat utile. *Le travail d'une machine.* – *Le travail de l'imagination.* – SPORT Entraînement, séance d'entraînement. *Dernier travail d'un cheval avant la course.* **5.** PHYS Énergie mécanique produite par un ensemble de forces pendant un temps donné. (On parle alors de *quantité de travail.*) **II. 1.** Ensemble des activités économiques des hommes, d'un pays, en vue de produire quelque chose d'utile pour la communauté. *La division du travail.* – *Ministère du Travail. Bureau international du travail (B.I.T.) :* organisme directeur de l'Organisation* internationale du travail (O.I.T.). **2.** Ensemble de la population active. *Le monde du travail.* ▷ *Spécial.* Ensemble des travailleurs salariés de l'agriculture et de l'industrie. *Rapport entre le capital et le travail.* **III.** Ensemble des activités, des efforts nécessaires pour produire quelque chose, pour obtenir un résultat déterminé. **1.** Manière dont est façonné un objet, une matière, dont une tâche est accomplie. *Un travail très soigné.* ▷ Ouvrage, résultat ainsi obtenu. *Il nous a remis un travail parfait.* ▷ Iron. *Quel travail! C'est du joli travail!* **2.** Transformation d'une matière nécessitant l'intervention de l'homme. *Le travail du bois, de l'ivoire.* **3.** Activité rémunérée. *Chercher du travail. Perdre son travail.* ▷ Fam. Lieu où s'exerce cette activité. *Aller à pied à son travail.* ▷ DR Obligation exécutée sur les ordres et sous le contrôle d'un employeur en contrepartie d'une rémunération. *Code du travail.* – *Travail d'intérêt général,* imposé à un délinquant comme peine de substitution. **4.** Ouvrage que l'on fait ou qui est à faire; activité, ouvrage qui demande du temps et des efforts. *Répartir le travail entre les membres de la famille. Avoir beaucoup de travail.* ▷ Plur. (Suivi d'un qualificatif.) *Travaux ménagers.* **5.** (Plur.) Entreprises, ouvrages remarquables nécessitant de grands efforts. *Les travaux d'Hercule* ou *d'Héraclès**. ▷ *Travaux publics :* ouvrages d'utilité publique (ouvrages d'art, d'équipement, etc.) exécutés pour le compte d'une personne morale administrative et entrepris aux frais de l'État ou des collectivités locales. ▷ Anc. *Travaux forcés :* peine afflictive et infamante que le condamné exécutait dans un bagne (remplacée auj. par la réclusion criminelle). **6.** (Plur.) Discussions, délibérations (d'une assemblée) en vue d'élaborer un texte, d'adopter une résolution. *L'Académie a suspendu ses travaux.* **7.** (Plur.) Recherches, activités menées en vue d'obtenir un résultat précis dans le domaine intellectuel. *Travaux d'un chercheur et de son équipe.* ▷ (Sing. et plur.) Ouvrage, résultat de ces travaux. *Il m'a prêté son travail sur le Moyen Âge. Lire les travaux d'un historien.* ▷ *Travaux dirigés :* à l'université, application pratique d'un cours magistral, sous le contrôle d'un enseignant. (Abrév. : T.D.) **8.** PHYS Mode de transfert de l'énergie dont l'unité est le joule. (Lorsque, sous l'action d'une force $\vec{F}$, un corps passe d'un point A à un point B, le travail W fourni par cette force est égal au produit de la distance $\vec{AB}$ par la projection de la force $\vec{F}$ sur $\vec{AB}$).

travaillé, ée adj. **1.** Qui a été exécuté avec soin, où l'on sent le travail. *Un bijou très travaillé. Style travaillé.* ▷ SPORT *Balle travaillée,* à laquelle le joueur imprime un effet particulier. **2.** *Heures travaillées,* pendant lesquelles on occupe un emploi salarié, pendant lesquelles on travaille.

travailler v. [1] **I.** v. intr. Faire un ouvrage; faire des efforts de manière suivie en vue d'obtenir un résultat. **1.** Avoir une activité professionnelle, une occupation rémunérée. *Il travaille tout en poursuivant ses études.* **2.** Avoir de l'occupation, se consacrer à une tâche. *Aimer travailler. Ménagère qui travaille du matin au soir.* ▷ Faire des efforts pour se perfectionner, s'exercer. **3.** (Choses) Fonctionner, produire. *Usine qui travaille pour l'exportation.* – *Faire travailler son imagination.* ▷ *Faire travailler son argent,* le placer de telle manière qu'il produise un revenu. **4.** *Travailler pour, contre (qqn, qqch) :* se donner de la peine pour faire réussir, faire échouer. *Travailler pour un candidat aux élections.* – *Le temps travaille pour nous :* plus le temps passe et mieux cela vaut pour nous. **5.** (Choses) Être soumis à un travail (sens I, 3). *Bois qui a travaillé.* – *Le vin travaille,* fermente. **6.** (Abstrait) Être agité. *Depuis sa disparition, les esprits travaillent.* – Loc. fam. *Travailler du chapeau :* être un peu fou. **II.** v. tr. **1.** Façonner, soumettre à un travail (sens III, 2). *Travailler le bois, la pâte.* **2.** Soigner, perfectionner. *Travailler son style.* ▷ Chercher à acquérir la maîtrise de, consacrer ses efforts à. *Travailler le piano. Travailler sa thèse.* **3.** Tourmenter, préoccuper. *Ce problème le travaille.* **4.** Litt. Agiter, exciter à la révolte. ▷ Soumettre à des pressions de manière à influencer. *Travailler les esprits, l'opinion.* **5.** SPORT (En boxe.) *Travailler l'adversaire au corps,* l'user par des coups au corps. – (En équitation.) *Travailler un cheval,* l'exercer, l'entraîner. – *Travailler sa balle :* V. travaillé. **III.** v. tr. indir. *Travailler à (qqch) :* se donner de la peine pour (un ouvrage, un résultat). *Travailler à un nouveau livre, à redresser la situation.*

travailleur, euse n. et adj. **1.** Personne qui travaille, se consacre à une tâche. *Travailleur manuel, intellectuel.* – *Travailleur social :* personne dont l'activité professionnelle consiste à apporter une aide aux personnes en difficulté (insertion, logement, éducation, démarches administratives, etc.). *Les assistantes sociales font partie des travailleurs sociaux.* **2.** Personne qui exerce une activité rémunérée. ▷ *Les travailleurs :* l'ensemble de la population active et, spécial., les employés, les ouvriers exerçant une activité pénible. – adj. *Classes, masses travailleuses.* **3.** Personne qui aime le travail, qui est très active. *C'est un gros travailleur, un travailleur acharné.* – adj. *Élève consciencieux et travailleur.*

travailleuse n. f. Table à ouvrage portative, munie de petits compartiments de rangement, pour les travaux de couture.

travaillisme n. m. POLIT Doctrine, mouvement des partis de tendance socialiste de divers pays et notam. du Labour Party (parti du Travail) en Grande-Bretagne.

travailliste n. et adj. POLIT Partisan du travaillisme; en Grande-Bretagne, membre du Labour Party (parti du Travail). ▷ adj. *Le parti travailliste.*

travée n. f. **1.** ARCHI Espace compris entre deux poutres d'un plancher et, d'une façon générale, entre deux points d'appui (d'une voûte, d'une charpente, etc.). ▷ *Par ext.* Espace délimité par deux supports successifs (colonnes, arcs) d'une voûte. *Nef à cinq travées.* **2.** Rangée de tables, de bancs alignés les uns derrière les autres. *Les travées d'un amphithéâtre.*

travelage n. m. CH de F Ensemble des traverses d'une voie ferrée; nombre de traverses pour un kilomètre de voie.

traveller's check ou **traveller's chèque** [tʀavlœʀzʃɛk] n. m. (Anglicisme) Syn. de *chèque de voyage.* (Abrév. : traveller).

travelling [tʀavliŋ] n. m. (Anglicisme) AUDIOV Mouvement d'une caméra qui se déplace sur un chariot monté sur rails ou qui est placée sur une grue, une automobile, etc.; dispositif qui permet ce mouvement; scène ainsi filmée. ▷ *Travelling optique :* effet semblable au travelling, obtenu en faisant varier la distance focale, la caméra demeurant immobile.

travelo n. m. Fam. Travesti (sens 3).

travers n. m. **I.** n. m. **1.** Vx Étendue d'un corps considéré dans sa largeur ou son épaisseur. *Deux travers de doigt.* ▷ *Travers de porc :* haut de côtes de porc coupées en travers. ▷ MAR Direction perpendiculaire à celle suivie par le navire. *Vent de travers. Vagues venues par le travers.* **2.** Petit défaut ou bizarrerie (de l'esprit, de l'humeur); réaction qui s'écarte de ce qui est considéré comme normal. *Les travers de son caractère.* **II.** Loc. adv. et prép. **1.** *À travers (qqch) :* au milieu de, par un mouvement qui traverse d'un bout à l'autre (une surface, un espace). *Courir à travers champs. Regarder à travers la vitre.* – (Espace de temps.) *À travers les siècles.* – Fig. *À travers son sourire perçait une colère contenue.* **2.** *Au travers (de) :* d'un bout à l'autre, en traversant de part en part. *Avancer difficilement au travers de la foule.* – *Il mit ses lunettes et nous examina au travers.* ▷ Fig. *Passer au travers (de) :* échapper (à). *Il est passé au travers de multiples épurations.* **3.** *En travers de :* dans une position transversale, par rapport à l'axe (d'un objet) ou à la direction habituelle. *Barrage de troncs d'arbres placés en travers de la chaussée.* ▷ Fig. *Se jeter, se mettre en travers de :* empêcher l'accomplissement de, s'opposer à. **4.** *De travers :* obliquement, dans une position ou une direction qui n'est pas droite, pas normale. *Marcher de travers.* ▷ Fig. Mal, autrement qu'il ne faudrait. *Il comprend tout de travers.* – *Regarder qqn de travers,* avec malveillance, animosité ou méfiance. **5.** *À tort et à travers :* sans discernement, inconsidérément.

traversable adj. Qu'on peut traverser. *Rivière traversable à gué,* guéable.

traverse n. f. **1.** Pièce de bois, de fer qu'on met en travers dans certains ouvrages pour assembler ou consolider des pièces. *Traverses d'une porte.* ▷ CH de F Pièce de bois, de béton ou de fer placée en travers de la voie pour supporter les rails et maintenir leur écartement. **2.** *Chemin de traverse* ou, ellipt., *une traverse :* chemin qui s'écarte de la route, qui permet de couper court (généralement à travers champs); raccourci. **3.** Fig., litt. Obstacle, difficulté qu'on rencontre en chemin. *Une vie pleine de traverses.* **4.** (Canada) Lieu de passage d'une étendue d'eau où l'on exploite un service de traversier*.

traversée n. f. **1.** Trajet qui se fait par mer. *Une longue traversée.* **2.** Action de traverser, de parcourir (un espace) d'une extrémité à l'autre. *Traversée de la France en automobile.* **3.** Fig. *Traversée du désert :* éclipse dans la carrière d'un homme public.

traverser v. tr. [1] **1.** Passer à travers, d'un côté à l'autre. *Le cortège traversa la place. Traverser une rue.* – Absol. *Piéton qui traverse imprudemment.* – (Moyens de transport.) *Des aéroglisseurs traversent la Manche.* ▷ Couper, croiser (en parlant de voies de communication, de cours d'eau). *La route nationale traverse la voie ferrée.* **2.** Pénétrer, passer de part en part. *La pluie a traversé son manteau.* **3.** Franchir d'un bout à l'autre (un laps de temps). *Son nom a traversé les siècles.* ▷ Vivre, passer par (une période). *Elle a traversé des moments difficiles.* **4.** (Sujet abstrait.) Passer par. *Un doute lui traversa l'esprit.*

traversier, ère adj. et n. m. **I.** adj. **1.** Dirigé de travers, qui traverse. *Rue traversière.* ▷ MUS *Flûte traversière :* V. flûte. **2.** MAR Qui sert à traverser. *Barque traversière.* **II.** n. m. (Canada) Bâtiment qui assure le transport des passagers et des véhicules d'une rive à une autre.

traversin n. m. **1.** Coussin de chevet de forme cylindrique qui s'étend sur toute la largeur du lit. *Poser un oreiller sur le traversin.* **2.** MAR Pièce de bois posée en travers de la charpente d'un navire. *Traversin de hune.* ▷ TECH Nom donné à certaines traverses.

travertin n. m. GEOL Roche parsemée de vacuoles, formée par les dépôts (en couches) d'une source. *Travertin de Tivoli.*

travesti, ie adj. et n. **1.** adj. Qui porte un travestissement. *Un acteur travesti* ou, n. m., *un travesti.* ▷ Où l'on est déguisé. *Bal travesti.* **2.** n. m. Costume pour se déguiser. **3.** n. Homosexuel qui s'habille en femme. (Le féminin – une homosexuelle qui s'habille en homme – est rare.)

travestir v. [3] **I.** v. tr. **1.** Déguiser (pour un bal costumé, un rôle de théâtre) en faisant prendre l'habit d'une autre condition ou de l'autre sexe. *Comédie où l'on travestit en fille un jeune page.* ▷ v. pron. *Se travestir pour le carnaval.* **2.** Fig. Donner une apparence mensongère ou trompeuse à. *Travestir la vérité.* – *Travestir la pensée de qqn,* la rendre d'une manière inexacte, la falsifier. **II.** v. pron. *Spécial.* Prendre le costume et l'apparence de l'autre sexe.

travestisme n. m. PSYCHIAT Adoption par un inverti des vêtements et du comportement du sexe opposé.

travestissement n. m. Action, manière de (se) travestir; habits permettant de se travestir. ▷ Fig. *C'est un odieux travestissement de sa pensée.*

trayeur, euse n. **1.** Personne chargée de la traite des vaches, des chèvres. **2.** n. f. Machine à traire.

trayon n. m. Extrémité du pis d'une vache, d'une chèvre, etc.

tré-. V. tres-.

Trébie (la) (en ital. *Trebbia*), riv. d'Italie (115 km), affl. du Pô (r. dr.). – Victoire d'Hannibal sur les Romains (218 av. J.-C.), près de Plaisance.

Trébizonde (en turc *Trabzon*), port de Turquie, sur la mer Noire; 142 010 hab.; ch.-l. de l'il du m. n. Textiles. – La v. fut la cap. de l'*empire grec de Trébizonde* (1204-1461), fondé par Alexis Ier (1204-1222) et David Ier (1204-1214) Comnène, petits-fils de l'empereur byzantin Andronic Ier. Revendiquant la légitimité du pouvoir après la prise de Constantinople par les croisés, Alexis s'opposa aux Latins et à l'empire de Nicée, mais dut payer tribut au sultan de Rûm. Situé sur la route commerciale des Indes, centre primordial après la chute de Bagdad (1258), l'empire connut son apogée et brilla de l'éclat d'une civilisation raffinée sous Alexis II (1297-1330). Les rivalités commerciales entre Génois et Vénitiens contribuèrent à sa décadence. Après la chute de Constantinople (1453), Mehmet II s'en saisit (1461).

Treblinka, camp d'extermination nazi, établi en Pologne (voïévodie de Varsovie), où périrent près de 800 000 déportés juifs entre 1942 et 1943.

trébuchant, ante adj. **1.** Qui trébuche (sens 1). **2.** Vx Qui a le poids exigé (en parlant des monnaies d'or et d'argent). ▷ Loc. Mod., plaisant *Espèces sonnantes et trébuchantes :* argent liquide.

trébucher v. [1] **1.** v. intr. Faire un faux pas, perdre l'équilibre. *Trébucher sur, contre une pierre.* ▷ Fig. Buter sur une difficulté, avoir des défaillances. *Avec l'âge, sa mémoire trébuche.* **2.** v. tr. TECH Peser au trébuchet (des pièces de monnaie).

trébuchet n. m. **1.** HIST Au Moyen Âge, machine de guerre servant à lancer des pierres pour abattre les murailles. **2.** Piège pour petits oiseaux, en forme de cage à toit basculant. **3.** Petite balance très sensible pour peser des corps légers.

Trediakovski (Vassili Kirillovitch) (Astrakhan, 1703 – Saint-Pétersbourg, 1768), écrivain russe. Il contribua à vulgariser le classicisme et réforma la versification russe : *Élégie sur la mort de Pierre le Grand; Ode sur la prise de Gdańsk* (1734), *Épître de la poésie russe à Apollon* (1735).

Treece (Henry) (Wednesbury, Staffordshire, 1911 – id., 1966), écrivain anglais. Il fonda le mouvement «Apocalypse», qui refuse l'engagement politique en littérature, et créa la poésie réaliste : *Trente-huit poèmes* (1940), *les Exilés* (1952).

tréfiler v. tr. [1] TECH Faire passer (un métal) à travers une filière pour l'étirer en fil.

tréfilerie n. f. TECH Atelier, usine où l'on tréfile.

tréfileur n. m. TECH Ouvrier qui tréfile.

tréfileuse n. f. TECH Machine à tréfiler.

trèfle n. m. **1.** Plante herbacée (fam. papilionacées) aux feuilles composées de trois folioles et dont les nombreuses espèces constituent un excellent fourrage. *Trèfle blanc, rouge, incarnat.* – Loc. *Trèfle à quatre feuilles :* trèfle possédant une foliole surnuméraire et qui passe pour porter bonheur. ▷ Nom donné à diverses plantes herbacées dont les feuilles rappellent celles du trèfle. *Trèfle d'eau :* nom cour. de la ményanthe. **2.** ARCHI Ornement à trois lobes, imitant la feuille de trèfle. **3.** Une des quatre couleurs du jeu de cartes, représentée par une feuille de trèfle noire. – Carte de cette couleur.

trèfle

tréflé, ée adj. Didac. En forme de trèfle. *Église à plan tréflé.* Syn. trilobé.

tréfonds [tʀefɔ̃] n. m. Fig., litt. Ce qu'il y a de plus profond, de plus secret. *Au tréfonds de son âme.*

Trégorrois, rég. de Bretagne, entre la baie de Morlaix et celle de Saint-Brieuc, autour de Tréguier.

Tréguier, ch.-l. de cant. des Côtes-d'Armor (arr. de Lannion); 2 961 hab. Constr. électroméca. – Cath. St-Tugdual (XIVe-XVe s.), de style gothique rayonnant.

treillage n. m. **1.** Assemblage de perches, de lattes formant des carrés, des losanges, pour constituer des palissades, des espaliers, etc. **2.** Clôture en grillage; treillis.

treillager v. tr. [13] TECH Garnir d'un treillage.

treille n. f. **1.** Abri formé de ceps de vigne soutenus par un treillage. **2.** Vigne grimpant le long d'un mur, d'un arbre, disposée sur un châssis, etc. ▷ Plaisant *Le jus de la treille :* le vin.

1. treillis [tʀeji] n. m. **1.** Réseau à claire-voie plus ou moins serré. *Jardin clos par un treillis. Poser un treillis à un garde-manger.* **2.** TECH Ouvrage formé de poutrelles d'acier entrecroisées et rivetées. **3.** MATH Ensemble E tel que deux éléments quelconques de E aient une borne inférieure et une borne supérieure qui appartiennent à E. *L'ensemble des nombres réels constitue un treillis.*

2. treillis [tʀeji] n. m. Grosse toile de chanvre. *Pantalon de treillis.* – *Par ext.* Vêtement fait avec cette étoffe et, partic., tenue de combat des militaires.

treize adj. inv et n. m. inv. **I.** adj. num. inv. **1.** (Cardinal) Dix plus trois (13). – Ellipt. *Treize à la douzaine :* treize objets (vendus) pour le prix de douze. **2.** (Ordinal) Treizième. *Louis XIII. Chapitre treize.* – Ellipt. *Le treize février.* **II.** n. m. inv. **1.** Le nombre treize. *Le treize porte bonheur ou malheur selon les uns ou les autres.* ▷ Chiffres représentant le nombre treize (13). ▷ Numéro treize. *Habiter au treize.* ▷ *Le treize :* le treizième jour du mois. **2.** SPORT *Jeu à treize :* rugby qui se joue à treize joueurs.

treizième adj. et n. **I.** adj. num. ordinal. Dont le rang est marqué par le nombre 13. *Le treizième invité. Le treizième arrondissement* ou, ellipt., *le treizième.* – *Treizième mois :* salaire supplémentaire du même montant que le salaire mensuel, versé à certains salariés en fin d'année. **II.** n. **1.** Personne, chose qui occupe la treizième place. **2.** n. m. Chaque partie d'un tout divisé en treize parties égales. *Un treizième du capital.*

Trek (le Grand) (mot néerl. signifiant «migration»), exode des Boers (1834-1839), qui, mécontents des mesures prises par les Anglais, quittèrent la colonie du Cap pour coloniser des terres «vierges» (c.-à-d. d'où les Blancs étaient absents), les futures prov. de Natal, Orange et Transvaal.

trekking [tʀɛkiŋ] ou **trek** [tʀɛk] n. m. (Anglicisme) Randonnée pédestre, généralement accompagnée de guides et de porteurs, pour visiter des sites souvent difficiles d'accès.

Trélat (Ulysse) (Montargis, 1795 – Menton, 1879), médecin et homme politique français. Il fut un des chefs de l'opposition républicaine sous Louis-Philippe et devint ministre des Travaux publics sous la IIe République.

Trélazé, com. de Maine-et-Loire (arr. d'Angers); 11 067 hab. Import. ardoisières. Verrerie.

tréma n. m. Signe graphique (¨) que l'on met sur les voyelles *e, i, u* pour indiquer que, dans la prononciation, il faut les détacher de la voyelle qui les précède et qui doit être prononcée (ex. : ciguë, naïf, Saül). – Dans certains noms propres, le tréma sur l'*e* indique que celui-ci ne se prononce pas (Saint-Saëns, Mme de Staël).

trémail. V. tramail.

trémater v. intr. [1] MAR En navigation fluviale, dépasser un autre bateau.

trématodes n. m. pl. ZOOL Classe de vers plats (plathelminthes) parasites, pourvus de ventouses ou de crochets, comprenant notam. les douves. – Sing. *Un trématode.*

tremblant, ante adj. et n. f. **1.** adj. Qui tremble. *Mains tremblantes. Voix tremblante.* **2.** n. f. MED VET *La tremblante :* affection dégénérative du système nerveux du mouton, due à un virus.

Tremblay (Michel) (Montréal, 1942), dramaturge et écrivain québécois. Théâtre : *les Belles-Sœurs* (1968, écrit en joual); *À toi pour toujours, ta Marie-Lou* (1971); *Albertine en cinq temps* (1984). Romans : *La grosse femme d'à côté est enceinte* (1978); *le Premier Quartier de lune* (1989).

Tremblay-en-France (anc. *Tremblay-lès-Gonesse*), ch.-l. de cant. de la Seine-St-Denis (arr. du Raincy); 31 432 hab.

tremble n. m. Peuplier aux feuilles mobiles, que le moindre vent agite.

tremblé, ée adj. **1.** Tracé par une main tremblante. *Écriture, lignes tremblées.* **2.** Dont l'intensité varie. *Son, voix tremblés.*

tremblement n. m. **1.** Agitation d'une partie du corps ou du corps tout entier par oscillations rythmiques, rapides et involontaires. **2.** Oscillations, secousses qui agitent ce qui tremble. *Tremblement de terre :* ébranlement plus ou moins intense d'une portion de la croûte terrestre. V. encycl. séisme. ▷ Variations d'intensité. *Avoir des tremblements dans la voix. Le tremblement de la lumière.* **3.** Litt. Grande crainte, angoisse. **4.** Loc. fam. *Et tout le tremblement :* et tout le reste (pour abréger une énumération péjorative).

trembler v. intr. [1] **1.** Être pris de tremblements. *Trembler de froid, de peur, d'émotion.* Syn. frissonner. **2.** *Absol.* Éprouver une grande crainte. *Tout le monde tremble devant lui.* – Fig. Craindre, appréhender. *Je tremble pour lui. Je tremble qu'il n'apprenne la vérité.* **3.** Être ébranlé, agité de secousses répétées. *La terre a tremblé pendant quelques secondes. La détonation fit trembler les vitres.* **4.** Être agité d'un faible mouvement d'oscillation. *Les feuilles tremblent au moindre souffle.* – Subir des variations d'intensité. *Flamme qui tremble.* Syn. vaciller. *Avoir la voix qui tremble.*

trembleur, euse n. **1.** Rare Personne qui tremble, qui est trop craintive. **2.** n. m. ELECTR Dispositif animé d'un mouvement oscillatoire pendant le passage du courant. *Sonnerie à trembleur.* Syn. vibreur. **3.** n. f. Tasse qui s'encastre dans une soucoupe.

tremblotant, ante adj. Qui tremblote.

tremblote n. f. Loc. fam. *Avoir la tremblote :* trembler de froid ou de peur.

tremblotement n. m. Tremblement léger.

trembloter v. intr. [1] Trembler légèrement; vaciller.

trémelle n. f. BOT Champignon basidiomycète (genre *Tremella*) qui croît sur les vieux arbres.

trémie n. f. **1.** Grand récipient en forme de pyramide renversée, pour le stockage de produits en vrac, équipé à sa partie inférieure d'un déversoir. *Trémie à blé.* **2.** Mangeoire pour les oiseaux, la volaille. **3.** Espace réservé dans un plancher pour porter l'âtre d'une cheminée.

trémière adj. f. *Rose trémière :* plante ornementale (fam. malvacées), à haute tige et aux grandes fleurs colorées souvent panachées.

trémolo n. m. **1.** MUS Effet de vibration obtenu en battant une note plusieurs fois d'un même coup d'archet et de manière continue. **2.** Tremblement de la voix sous l'effet de l'émotion ou de l'emphase.

trémoussement n. m. Action de se trémousser; mouvement vif du corps. Syn. tortillement.

trémousser (se) v. pron. [1] Se remuer, s'agiter avec des mouvements vifs et irréguliers. *Les danseurs se trémoussaient maladroitement.*

trempage n. m. Action de tremper. *Trempage du linge avant le lavage. Trempage du papier destiné à l'impression de gravures.* – AGRIC Action de tremper les graines pour en accélérer la germination.

trempe n. f. **1.** METALL Traitement consistant à refroidir brusquement par immersion une pièce préalablement portée à haute température, en vue d'en augmenter la dureté; qualité du métal ainsi traité. ▷ Fig. Qualité, vigueur du caractère. *Une âme d'une trempe exceptionnelle.* **2.** Fam. Volée de coups. *Flanquer une trempe à qqn.*

tremper v. [1] **I.** v. tr. **1.** Imbiber d'un liquide, mouiller complètement. *Se faire tremper (par une averse).* **2.** Plonger (dans un liquide). *Tremper son pain dans son café au lait. Tremper une plume dans un encrier.* ▷ *Tremper la soupe*.* ▷ *Tremper les lèvres dans une tasse de thé,* commencer à boire. ▷ v. pron. Se baigner. *L'eau était froide, on s'est à peine trempés.* **3.** CHIM, METALL Faire subir la trempe. *Tremper du verre, de l'acier.* – *Par anal.,* fig. Endurcir, raffermir, fortifier. *Les épreuves ont trempé son caractère.* **II.** v. intr. **1.** Demeurer dans un liquide. *Mettre du linge à tremper.* **2.** Fig., péjor. Prendre part à (une action répréhensible). *Tremper dans un crime.*

trempette n. f. Loc. Vieilli *Faire trempette :* tremper du pain dans du lait, du vin, etc.; mod., fam. se baigner rapidement ou dans très peu d'eau.

tremplin n. m. **1.** Planche élastique sur laquelle court et rebondit un sauteur, un plongeur pour accroître son élan. – Plan incliné fixe pour prendre son élan, en glissant, en roulant. *Tremplin pour le saut à skis, en moto.* **2.** Fig. Ce qui lance qqn, l'aide à parvenir (à une situation sociale élevée, notam.).

trémulation n. f. MED Tremblement.

trench-coat [tʀɛnʃkot] n. m. (Anglicisme) Vieilli Manteau imperméable à ceinture. *Des trench-coats.*

trend [tʀɛnd] n. m. (Anglicisme) STATIS Tendance observable sur une longue période. Syn. (off. recommandé) tendance de fond.

Trenet (Charles) (Narbonne, 1913), chanteur français; auteur et compositeur de chansons poétiques et humoristiques : *Y a d'la joie, Mam'zelle Clio, Fleur bleue, Douce France, la Mer,* etc.

Trengganu, État montagneux de Malaisie (péninsule de Malacca), sur la mer de Chine méridionale; 12 955 km²; 684 000 hab.; cap. *Kuala Trengganu.* Princ. ressources : culture de l'hévéa et exploitation minière (fer, étain, tungstène, manganèse, etc.).

Trent (la), riv. de G.-B. (270 km), au S. des Pennines. Elle passe à Nottingham avant de former au N., avec l'Ouse, l'estuaire de la Humber.

trentaine n. f. Nombre de trente ou d'environ trente. – *Absol.* Âge d'environ trente ans. *Avoir la trentaine.*

trente adj. inv. et n. m. inv. **I.** adj. num. inv. **1.** (Cardinal) Trois fois dix (30). **2.** (Ordinal) Trentième. *Page trente.* **II.** n. m. inv. Le nombre trente. ▷ Loc. fam. *Se mettre sur son trente et un :* mettre ses vêtements les plus élégants. ▷ Chiffres représentant le nombre trente (30). ▷ Numéro trente. *Le trente sort et gagne.* ▷ *Le trente :* le trentième jour du mois. *Être payé le trente.*

Trente, v. d'Italie, ch.-l. du Trentin-Haut-Adige, sur l'Adige; 98 830 hab. Industr. mécaniques et textiles; pneumatiques. – Archevêché. Ruines de l'enceinte de Théodoric. Cath. de style romano-lombard (XIIIe s.). Musée national du Trentin dans le chât. de Bon-Conseil (Castello del Buon Consiglio). – Trente fut le siège d'un important concile œcuménique décidé par Paul III, repris par Jules III puis Pie IV; les sessions eurent lieu de 1545 à 1563, avec des interruptions; précisant les points fondamentaux de la doctrine catholique visés par la Réforme et restaurant la discipline, ce concile fut l'instrument de la Contre-Réforme.

Trente (les) ou **Trente Tyrans** (les), nom donné aux trente magistrats du conseil oligarchique que les Spartiates imposèrent en 404 av. J.-C. aux Athéniens, après la guerre du Péloponnèse. Ils firent régner la terreur pendant huit mois, puis furent chassés par Thrasybule. Critias et Théramène sont les plus célèbres des Trente.

Trente (combat des), combat livré en 1351, près de Ploërmel, pendant la guerre de succession de Bretagne entre trente Bretons et trente Anglais. La victoire revint aux Bretons.

Trente Ans (guerre de), guerre religieuse et politique qui ravagea le Saint Empire de 1618 à 1648. À l'origine, il s'agissait d'un conflit religieux entre les princes allemands protestants et les Habsbourg, souverains catholiques de l'empire. L'empereur Mathias ayant

Charles **Trenet,** à l'affiche d'un spectacle des frères Bouglione en 1941

porté atteinte aux libertés religieuses des protestants de Bohême, les Tchèques se révoltèrent (défenestration* de Prague). À sa mort, ils refusèrent de reconnaître son successeur Ferdinand II et élurent Frédéric V, Électeur palatin et chef des protestants allemands, réunis dans l'« Union évangélique ». Frédéric V fut écrasé par les armées de Ferdinand II, dirigées par Tilly, à la Montagne Blanche (1620), et spolié de ses États. Le protestant Christian IV de Danemark se dressa alors contre l'empereur (1625), mais, battu, dut promettre de ne pas intervenir en Allemagne (paix de Lübeck, 1629). Après l'édit de Restitution promulgué par Ferdinand II (1629), le religieux et ambitieux Gustave II Adolphe de Suède vint soutenir les protestants. Ses succès furent foudroyants (Breitenfeld, 1631 ; Lützen, 1632). Sa mort (1632) avantagea les Impériaux, aidés des Espagnols, qui battirent les Suédois à Nördlingen (1634). La France de Richelieu devait s'opposer, cette fois directement, à la trop puissante maison d'Autriche et se lança dans le conflit (1635), affrontant surtout les Espagnols, aux Pays-Bas et dans le Roussillon, notam. ; après quelques revers, elle remporta, grâce à Condé, d'import. victoires (Rocroi, 1643 ; Lens, 1648). Les Impériaux s'inclinèrent. La paix de Westphalie (1648) ruina les ambitions de l'empereur au profit de l'oligarchie princière allemande. L'Allemagne, princ. champ de bataille, fut morcelée et amoindrie, et sa population massacrée (10 millions de morts env. sur 16 millions d'habitants).

trente-et-quarante n. m. inv. Jeu de cartes auquel on joue dans les casinos, où le banquier aligne des rangées de cartes dont les points ne doivent être ni inférieurs à 31, ni supérieurs à 40.

trentenaire adj. DR Qui dure trente ans. *Possession trentenaire.*

trente-six adj. num. et n. m. inv. Fam. Un nombre important indéterminé. *Il a fait trente-six métiers.* – Loc. fig., fam. *Tous les trente-six du mois :* pour ainsi dire jamais.

trente-trois-tours n. m. inv. Disque microsillon ayant une vitesse de rotation de 33 1/3 tours par minute.

trentième adj. et n. **I.** adj. num. ord. Dont le rang est marqué par le nombre 30. *Le trentième jour.* **II.** n. **1.** Personne, chose qui occupe la trentième place. *La trentième de la liste.* **2.** n. m. Chaque partie d'un tout divisé en trente parties égales. *Deux trentièmes.*

Trentin-Haut-Adige, rég. de l'Italie septentrionale et de la C.E., formée des prov. de Bolzano et de Trente ; 13 620 km^2 ; 882 000 hab. ; ch.-l. *Trente.* – Cette région alpine, reliée à l'Autriche par le col du Brenner, est drainée par l'Adige, axe vital. Sa vallée porte de riches cultures (vigne, arbres fruitiers). La montagne se consacre à l'élevage (bovins) et à la sylviculture. L'hydroélectricité, abondante, a permis une récente industrialisation (électrométallurgie et électrochimie, notam.). Autre ressource : le tourisme. – Partie méridionale du Tyrol, la région fut cédée par l'Autriche à l'Italie (traité de Saint-Germain-en-Laye, 1919) après les violents combats de 1915-1918. Son particularisme (sa pop. étant en partie de langue allemande) lui a valu le statut de région autonome, mais des troubles l'agitent sporadiquement.

Trenton, v. des É.-U., cap. du New Jersey, sur la Delaware ; 88 670 hab. Industr. variées. – Évêché. – Victoire de Washington sur les Anglais (1776).

trépan n. m. **1.** CHIR Instrument servant à percer les os, notamment ceux du crâne. **2.** TECH Tarière, vilebrequin. – Outil fixé au train d'une tige de forage pour attaquer le terrain. ▷ TRAV PUBL *Trépan-benne :* outil de forage constitué d'une benne équipée de coquilles ouvrantes, servant à creuser le sol par percussion et à en extraire les déblais. *Des trépans-bennes.*

trépanation n. f. CHIR Action de perforer un os. – *Spécial.* Ouverture pratiquée dans la boîte crânienne.

trépaner v. tr. [1] CHIR Pratiquer la trépanation sur (qqn).

trépas [tʀepa] n. m. Vx ou litt. Décès, mort. – Loc. Mod. *Passer de vie à trépas :* mourir.

trépassé, ée adj. et n. Vx Défunt. – *La fête des trépassés :* le 2 novembre, fête des morts.

trépasser v. intr. [1] Vx ou litt. Mourir, décéder.

Trépassés (baie des), baie de la côte O. du Finistère, au nord de la pointe du Raz. Elle est ainsi nommée car, selon certains, on y embarquait les corps des druides pour les inhumer à Sein ; selon d'autres, on y retrouvait souvent les corps de naufragés.

trépidant, ante adj. **1.** Qui trépide. **2.** Fig. Agité, fébrile, ne laissant aucun répit. *Une vie trépidante.*

trépidation n. f. **1.** Mouvement de ce qui trépide. *Les trépidations d'une machine.* **2.** Fig. Agitation intense, fébrile. **3.** MED Tremblement nerveux.

trépider v. intr. [1] Être agité, trembler par petites secousses rapides. *Les marteaux-piqueurs faisaient trépider les trottoirs.*

trépied [tʀepje] n. m. **1.** Meuble, support à trois pieds. *Vase posé sur un trépied. Trépied d'appareil photographique.* (N. B. On dit plus souvent *pied* ou *pied photo.*) **2.** ANTIQ GR Siège sur lequel la Pythie rendait les oracles d'Apollon.

trépignement n. m. Action de trépigner ; mouvement qui y correspond.

trépigner v. intr. [1] Frapper des pieds contre terre, à coups rapides et renouvelés. *Trépigner d'impatience, de colère.*

trépointe n. f. TECH Bande de cuir mince cousue entre deux cuirs plus épais pour renforcer une couture (notam. dans une chaussure).

tréponème n. m. MICROB Bactérie du genre *Treponema* (groupe ayant des affinités avec les protozoaires), aux cellules très petites et mobiles, et comprenant plusieurs espèces pathogènes (dont *Treponema pallidum,* agent de la syphilis, et *Treponema pertenue,* agent du pian).

Tréport (Le), com. de la Seine-Maritime (arr. de Dieppe) ; 6 287 hab. Stat. balnéaire. – Vestiges de remparts. Maisons anciennes.

tres-, tré-. Préfixe du lat. *trans,* « au-delà de, à travers ».

très adv. Sert à renforcer un adjectif, un participe ou un nom pris adjectivement, un adverbe, une locution adverbiale ou prépositive, pour marquer un superlatif absolu. *Il est très grand. Très aimé. Il est resté très enfant. Il court très vite. C'est très loin d'ici. Il vit très au-dessus de ses moyens.* – Devant un nom dans une locution verbale. *Avoir très peur. Il fait très chaud.* – Fam. (Avec ellipse de l'adj., surtout dans une réponse.) *Est-il intelligent ? – Très.*

trésor n. m. **I. 1.** Amas d'or, d'argent, d'objets précieux mis en réserve. *Cachette d'un trésor.* – DR Toute chose cachée ou enfouie et sur laquelle personne ne peut faire preuve de propriété. **2.** (Plur.) Grandes richesses, somme considérable. *Il a dépensé des trésors pour réparer ce château.* Syn. fortune. – Fig. *Déployer des trésors de patience, d'amabilité.* **3.** Bien particulièrement précieux, chose de grande valeur ou considérée comme telle. *La santé est un grand trésor. Les trésors du sol et du sous-sol. Trésors artistiques. Ces menus objets étaient pour l'enfant autant de trésors.* ▷ Fig. Personne d'un rare mérite ou très aimée. *Ma femme est un trésor.* – (Terme d'affection.) *Mon trésor.* **4.** Ensemble, accumulation d'objets et d'œuvres de valeur ou rares, mis à la disposition de tous. *Un trésor de documents.* Syn. mine. **5.** Nom donné à certains ouvrages d'érudition. *Trésor de la langue française.* **6.** Lieu où est conservée la collection d'objets précieux d'une église. *Le trésor de Notre-Dame de Paris.* **II.** *Le Trésor public* ou, absol., *le Trésor,* service de l'État assurant l'exécution du budget, la rentrée des recettes, le règlement des dépenses publiques, fonctionnant comme agent de la politique monétaire de l'État et organe de contrôle des finances des collectivités locales. ▷ *Bons du Trésor :* emprunts à court terme émis par le Trésor.

trésorerie n. f. **1.** Bureau d'un trésorier-payeur général et de ses subordonnés. **2.** Ensemble des ressources immédiatement disponibles d'une entreprise (caisse, comptes courants, effets négociables) qui lui permettent de faire face aux dépenses. *Avoir des difficultés de trésorerie.* **3.** Plaisant Argent dont dispose un particulier.

trésorier, ère n. **1.** Personne qui gère les finances d'une société, d'une association, etc. **2.** n. m. *Trésorier-payeur général :* fonctionnaire du Trésor assumant, dans un département, la charge de receveur général et de payeur. *Des trésoriers-payeurs généraux.* **3.** Personne qui a la charge d'un trésor (sens I, 6).

tressage n. m. Action de tresser ; résultat de cette action.

tressaillement n. m. Fait de tressaillir. Syn. frémissement.

tressaillir v. intr. [28] Avoir une brusque secousse musculaire involontaire sous l'effet d'une émotion subite, d'une douleur physique. *Pas un muscle ne tressaillait sur son visage.*

tressautement n. m. Action, fait de tressauter ; sursaut.

tressauter v. intr. [1] **1.** Tressaillir fortement, sursauter, sous l'effet de la surprise. **2.** Être secoué par des cahots. *La voiture tressautait sur la piste.*

tresse n. f. **1.** Forme donnée aux cheveux partagés en mèches qu'on entrelace. Syn. natte. **2.** Cordon, galon fait de brins entrelacés. **3.** ARCHI Ornement formé de bandelettes entrelacées.

tresser v. tr. [1] Mettre, arranger en tresse. ▷ Loc. fig. *Tresser des couronnes à qqn,* faire son éloge.

tréteau n. m. **1.** Pièce de bois ou de métal, longue et étroite, portée le plus souvent sur quatre pieds, employée en général par paire pour soutenir une table, une estrade, etc. **2.** (Plur.) Vx Théâtre populaire ambulant (dont la scène était sommairement dressée). ▷ *Monter sur les tréteaux :* se faire comédien.

treuil n. m. TECH Appareil comprenant un tambour, entraîné par une manivelle ou un moteur et sur lequel s'enroule un câble, ce qui lui permet de lever ou de tirer une charge. *Treuil de pont roulant.*

treuillage n. m. TECH Action de treuiller.

treuiller v. tr. [1] TECH Lever avec un treuil.

trêve n. f. **1.** Suspension temporaire des hostilités entre deux belligérants. ▷ HIST *Trêve de Dieu :* défense faite par l'Église aux seigneurs féodaux de guerroyer certains jours; *par ext.* relâchement dans les conflits sociaux et politiques. ▷ Loc. *Trêve des confiseurs :* V. confiseur. **2.** Relâche dans le développement de comportements hostiles ou pénibles. *Faisons trêve à nos querelles.* ▷ *Sans trêve, sans trêve ni repos, sans paix ni trêve :* sans un instant de repos. ▷ Loc. *Trêve de :* assez de. *Trêve de plaisanteries.*

Trêve (Côte de la). V. Côte de la Trêve et Émirats arabes unis (Fédération des).

Trèves (en all. *Trier*), v. d'Allemagne (Rhénanie-Palatinat), sur la Moselle; 93 080 hab. Port fluvial. Centre commercial (vins). – Évêché catholique. Vestiges romains. Cath. (IVe-XIIIe s.). – Fondée par Auguste *(Augusta Treverorum)*, la ville, une des résidences impériales au IIIe-IVe s., fut ravagée par les Barbares (Ve s.). Elle retrouva quelque lustre grâce à ses archevêques, princes électeurs du Saint Empire (1257), et à son université (1473-1797). Chef-lieu du dép. français de la Sarre (1798-1814), elle fut ensuite incorporée à la Prusse.

Trévires, peuple de la Gaule, qui occupait la vallée inférieure de la Moselle. Leur cap. était *Augusta Treverorum* (auj. Trèves).

trévise n. f. Salade rouge à feuilles allongées.

Trévise (en ital. *Treviso*), v. d'Italie (Vénétie), au N. de Venise; 87 070 hab.; ch.-l. de la prov. du m. nom. Centre agric. et industr. – Remparts (XVe-XVIe s.). Cath. romane, reconstruite aux XVe, XVIe et XVIIIe s.

Trevithick (Richard) (Illogan, Cornouailles, 1771 – Dartford, Kent, 1833), ingénieur anglais qui construisit en 1803 la première locomotive à vapeur (brevetée dès 1802).

Trévoux, ch.-l. de cant. de l'Ain (arr. de Bourg-en-Bresse), sur la Saône; 6 207 hab. Constr. métall. et méca. – Vestiges d'un chât. fort et d'une enceinte du XIVe s. Palais de justice (XVIIe s.). – Trévoux fut la cap. de la principauté des Dombes au XVe s.; une imprimerie, créée en 1603, publia le *Journal de Trévoux* (à partir de 1701), périodique édité par les jésuites et qui combattit vigoureusement les encyclopédistes entre 1745 et 1762.

Trézène, v. de l'anc. Argolide (Grèce, Péloponnèse). Pendant la guerre du Péloponnèse, elle combattit contre Athènes. – Ruines.

tri-. Préfixe, du lat. et du gr. *tri-*, « trois ».

tri n. m. Action de trier. *Le tri des lettres. Faire un tri.* – INFORM Classement des informations enregistrées sur un fichier. ▷ *Argument de tri :* ensemble des critères selon lesquels s'effectue un tri.

triacétate n. m. CHIM Ester de l'acide acétique comportant trois fois le groupement CH_3COO. *Obtenus artificiellement, les triacétates de cellulose constituent des textiles fort employés.*

triacide n. m. CHIM Composé qui possède trois fois la fonction acide.

triade n. f. **1.** Didac. Ensemble de trois unités, de trois personnes. *Jupiter, Minerve et Junon forment la triade capitoline.* **2.** LITT Dans la grande ode grecque, ensemble formé par la strophe, l'antistrophe et l'épode.

triage n. m. **1.** Action de trier, de choisir. *Triage des lentilles, du linge.* **2.** Action de séparer (les éléments d'un ensemble) pour répartir, distribuer différemment. *Gare de triage.*

trial, als n. SPORT **1.** n. m. Compétition de motos tout-terrain. **2.** n. f. Moto utilisée pour cette sorte de compétition, engin léger à suspension très souple.

trialcool [tʀialkɔl] ou **triol** [tʀiɔl] n. m. CHIM Corps possédant trois fois la fonction alcool (glycérine, par ex.).

triangle n. m. **1.** GEOM Polygone qui a trois côtés et par conséquent trois angles. *Triangle équilatéral*, isocèle*, rectangle*, scalène*, sphérique*. La surface d'un triangle est égale au demi-produit de sa base par sa hauteur.* – *En triangle :* en forme de triangle. ▷ ELECTR *Montage en triangle,* dans lequel les enroulements d'un système triphasé sont montés en série de façon à former un triangle. ▷ *Par ext.* Forme ou espace triangulaire. *Un triangle de verdure.* – *Le Triangle austral :* petite constellation dont les étoiles principales dessinent un triangle. – Fig. *Le triangle du vaudeville* ou, absol., *le triangle :* le mari, la femme et l'amant (ou la maîtresse). **2.** MUS Instrument de percussion fait d'une baguette métallique pliée en forme de triangle (non fermé), que l'on frappe avec une tige de même métal.
▸ pl. géométrie

Triangle d'or (le), région figurant un triangle, aux frontières du Laos, de la Thaïlande et de la Birmanie, ainsi nommée pour son importante production d'opium.

triangulaire adj. **1.** Qui a la forme d'un triangle. *Muscles triangulaires du nez, des lèvres.* ▷ *Pyramide triangulaire,* dont la base est un triangle. **2.** Fig. Qui oppose trois éléments, trois groupes. *Élections triangulaires.*

triangulation n. f. TECH Ensemble des opérations géodésiques servant à établir le canevas géométrique d'un terrain (ou d'un vaste territoire) divisé en triangles, auxquels se rattache le levé topographique des détails.

trianguler v. tr. [1] TECH Effectuer la triangulation de (un terrain, un pays).

Trianon, nom de deux châteaux édifiés dans le parc du palais de Versailles. Le *Grand Trianon* fut construit en 1687 par Hardouin-Mansart sur l'ordre de Louis XIV, qui entendait s'y délasser des fastes de la Cour; il remplaça le *Trianon de porcelaine,* édifié par Le Vau en 1670. Le *Petit Trianon,* bâti (1762-1768) par Gabriel pour Louis XV, fut surtout occupé par Marie-Antoinette. – Le *traité de Trianon* (4 juin 1920) mit fin aux hostilités entre les Alliés et la Hongrie*.

trias [tʀijas] n. m. GEOL Période géologique la plus ancienne et la plus courte du secondaire, qui doit son nom au fait que ses terrains présentent (en Allemagne) *trois* faciès caractéristiques (grès bigarré, calcaire coquillier et marnes irisées).

triasique adj. GEOL Relatif au trias.

triathlète ou **triathlonien, enne** n. SPORT Athlète pratiquant le triathlon.

triathlon n. m. SPORT Compétition comprenant trois épreuves d'endurance (course à pied, course cycliste sur route et natation).

triatomique adj. CHIM Se dit d'un corps dont la molécule renferme trois atomes.

tribal, ale, aux adj. SOCIOL Relatif à la tribu. *Luttes tribales,* entre des tribus (ou ethnies) différentes.

tribalisme n. m. SOCIOL Organisation en tribus.

tribasique adj. CHIM Qui possède trois fois la fonction base (hydroxyde d'aluminium, par ex.).

tribo-. Élément, du gr. *tribein,* « frotter ».

triboélectricité n. f. PHYS Électricité produite par frottement.

triboélectrique adj. PHYS Relatif à la triboélectricité ou qui la produit.

tribologie n. f. PHYS Étude scientifique des frottements.

triboluminescence n. f. PHYS Luminescence produite par frottement, par choc, par écrasement.

Tribonien (Pamphylie, ? – ?, v. 545), jurisconsulte byzantin qui dirigea les travaux législatifs accomplis sous le règne de Justinien Ier : *Code Justinien,* du *Digeste* et des *Institutes.*

tribord [tʀibɔʀ] n. m. MAR Côté droit d'un navire (lorsqu'on regarde vers l'avant). Ant. bâbord.

Triboulet (Fevrial ou Le Feurial, dit) (Foix-lès-Blois, v. 1498 – ?, v. 1536), bouffon de Louis XII puis de François Ier. Victor Hugo en fit le héros de son drame *Le roi s'amuse,* devenu le *Rigoletto* de Verdi.

tribu n. f. **1.** ANTIQ Division primitive de la population dans la cité grecque et la cité romaine. (Peut-être ethnique à l'origine, la tribu est devenue une circonscription territoriale.) *La tribu romaine était divisée en dix curies.* **2.** Dans la Bible, chacun des groupes qui constituent le peuple d'Israël. (Les tribus d'Israël, au nombre de douze, sont issues des douze fils de Jacob.) **3.** Groupe présentant (généralement) une unité politique, linguistique et culturelle, dont les membres vivent le plus souvent sur un même territoire. *Tribus indiennes d'Amérique.* **4.** *Par anal.* Fam. Ensemble des membres d'une famille, d'un groupe nombreux. **5.** SC NAT Subdivision d'une famille d'animaux ou de végétaux.

tribulation n. f. **1.** RELIG Tourment moral, épreuve. **2.** *Par ext.* (Plur.) Aventures, mésaventures. *Nous avons fini par arriver après toutes sortes de tribulations.*

tribun n. m. **1.** ANTIQ ROM *Tribun militaire :* officier qui commandait une légion. – *Tribun de la plèbe* ou, absol., *tribun :* chacun des magistrats civils, élus pour un an, chargés de défendre les droits et les intérêts des plébéiens romains. **2.** *Par anal.* Orateur éloquent, défenseur du peuple. *Une éloquence de tribun.* **3.** HIST En France, membre du Tribunat*.

tribunal, aux n. m. **1.** Lieu où la justice est rendue; palais de justice. **2.** Juridiction d'un ou de plusieurs magistrats qui jugent ensemble; ces magistrats. *Porter une affaire devant les tribunaux. Tribunaux administratifs.* (V. encycl.) ▷ HIST *Tribunal révolutionnaire :* tribunal d'exception qui fonctionna à Paris de août à nov. 1792 et de mars 1793 à mai 1795, princ. arme de la Terreur*. **3.** Fig., litt. Ce qui juge. *Le tribunal de la conscience.* ▷ *Le tribunal de Dieu :* la justice de Dieu.

ENCYCL **Droit.** – L'organisation de la justice en France comprend essentiellement : des tribunaux judiciaires, compétents en matière de conflits entre personnes morales ou physiques (tribunaux d'instance et de grande instance, cours d'appel) ou de répression des contraventions, délits et crimes (tribunaux de police, tribunaux correctionnels, cours d'assises); des juridictions administratives (tribunaux administratifs, Conseil d'État), compétents dans les actions en justice où une collectivité publique (État) est partie. Les conflits de compétence entre l'ordre judiciaire et l'ordre administratif sont réglés par le tribunal des conflits. Il existe aussi divers tribunaux spécialisés : conseils de prud'hommes, tribunaux de commerce, tribunaux militaires, tribunaux maritimes. La Cour de cassation et le Conseil d'État constituent dans l'ordre judiciaire et dans l'ordre administratif les instances suprêmes. La Cour des comptes exerce sa compétence dans le domaine des comptes publics.

tribunat n. m. **1.** ANTIQ ROM Charge de tribun; exercice de cette charge, sa durée. **2.** HIST *Le Tribunat :* l'assemblée délibérante créée par la Constitution de l'an VIII (1800) et supprimée en 1807.

tribune n. f. **I. 1.** Emplacement surélevé, réservé à certaines personnes, dans les églises ou les salles d'assemblées publiques. *Tribune officielle.* **2.** (Plur.) Dans un stade, un champ de courses, etc., gradins généralement couverts réservés aux spectateurs. **3.** Galerie située au-dessous du triforium dans une église. ▷ *Tribune d'orgue :* grande galerie où est placé le buffet d'orgue dans une église. **II. 1.** Estrade d'où parle un orateur (dans une assemblée délibérante notam.). ▷ *L'éloquence de la tribune,* propre aux débats parlementaires, politiques. **2.** *Par anal.* Rubrique d'un journal, émission de radio, de télévision dans laquelle on s'adresse au public. *Tribune libre.*

tribunitien, enne adj. SOCIO Se dit du rôle d'un parti ou d'un syndicat qui se présente comme le défenseur des plus défavorisés.

tribut n. m. **1.** Anc. Redevance payée par un peuple vaincu au vainqueur, comme marque de dépendance. – Litt. Contribution, impôt. **2.** Fig. Ce qu'on est obligé d'accorder, de souffrir, de faire. *Payer un lourd tribut à une cause.*

tributaire adj. Vx Qui paye un tribut. ▷ Par ext. Mod. *Être tributaire de :* être dépendant de. *La récolte est tributaire de l'ensoleillement. – Ce paralytique est tributaire de son entourage.* ▷ GEOGR *Fleuve tributaire d'une mer,* qui s'y jette.

tricard, arde n. Arg. Interdit de séjour.

Tricastin, anc. pays du bas Dauphiné (Drôme) dont le nom a été adopté par l'usine d'enrichissement de l'uranium implantée au S. de Pierrelatte.

tricennal, ale, aux adj. Didac. D'une durée de trente ans.

tricentenaire n. m. et adj. Troisième centenaire. ▷ adj. Qui a trois cents ans.

tricéphale adj. Didac. Qui a trois têtes.

triceps [tʀisɛps] adj. et n. m. ANAT Se dit d'un muscle ayant trois groupes de faisceaux musculaires.

tricératops [tʀiseʀatɔps] n. m. Dinosaure du crétacé supérieur (genre *Triceratops*) long de 7 m, pourvu d'une corne nasale et de deux cornes frontales.

trich(o)-. Élément, du gr. *thrix, trikhos,* « poil, cheveu ».

triche n. f. Fam. (Seulement avec l'article déf. sing.) Action de tricher, de tromper. *C'est de la triche.*

tricher v. intr. [1] **1.** Agir d'une manière déloyale pour gagner, réussir. *Tricher au jeu. Tricher à un examen.* **2.** Tromper, mentir (à propos de qqch). *Elle triche sur son âge.* **3.** Dissimuler habilement un défaut (de symétrie, de dimension, etc.) dans un ouvrage.

tricherie n. f. Action de tricher; tromperie. *Assez de tricheries!*

tricheur, euse n. Personne qui triche, qui a l'habitude de tricher.

trichine [tʀikin; tʀiʃin] n. f. Didac. Petit ver nématode *(Trichinella spiralis)* long de 1,5 mm (mâle) à 3,5 mm (femelle), qui se développe dans l'intestin de nombreux mammifères, notam. de l'homme et du porc, et qui gagne ensuite les muscles.

Trichinopoly. V. Tiruchirapalli.

trichinose [tʀikinoz; tʀiʃinoz] n. f. MED Maladie parasitaire due à une trichine, provoquée par l'ingestion de viande de porc infestée, se manifestant par des troubles digestifs, un œdème, des douleurs musculaires et de la fièvre.

trichloréthylène n. m. CHIM Composé chloré dérivé de l'éthylène, liquide incolore et volatil utilisé comme solvant (en partic. pour le nettoyage à sec).

trichlorure [tʀiklɔʀyʀ] n. m. CHIM Composé dont la molécule contient trois atomes de chlore.

tricho-. V. trich(o)-.

trichogramme n. m. Insecte hyménoptère parasite des pyrales, utilisé dans la protection biologique des cultures.

tricholome [tʀikolom] n. m. BOT Champignon basidiomycète dont certaines espèces sont comestibles, d'autres toxiques. ▶ pl. champignons

trichomonas [tʀikɔmɔnas] n. m. MICROB Protozoaire flagellé (genre *Trichomonas*), parasite des cavités naturelles chez l'homme, cause de maladie sexuellement transmissible.

trichophyton [tʀikɔfitɔ̃] n. m. MED Champignon ascomycète, parasite de l'homme, cause de teigne touchant les cheveux et la peau.

trichrome [tʀikʀom] adj. TECH Relatif à la trichromie; obtenu par trichromie.

trichromie n. f. TECH Procédé de reproduction en couleurs à partir des trois couleurs primaires.

triclinique adj. MINER Se dit de l'un des systèmes cristallins ne présentant aucun axe de symétrie. ▷ *Maille triclinique :* prisme constitué de six faces égales, en forme de parallélogramme.

triclinium [tʀiklinjɔm] n. m. ANTIQ ROM Salle à manger comportant trois lits sur lesquels on s'allongeait pour prendre les repas autour d'une table.

tricolore adj. (et n.) **1.** Qui est de trois couleurs. **2.** *Par ext.* Qui porte les trois couleurs nationales (bleu, blanc, rouge) adoptées par les Français en 1789. *Drapeau tricolore.* ▷ (Dans le journalisme sportif.) Français. ▷ Subst. *Les tricolores ont gagné le match.*

tricorne n. m. Chapeau dont les bords repliés forment trois cornes.

tricorps adj. et n. m. AUTO Se dit d'un véhicule qui présente un décrochement à la base du pare-brise et à la base de la lunette.

tricot [tʀiko] n. m. **1.** Action de tricoter, d'exécuter un ouvrage avec des aiguilles spéciales et un fil disposé en mailles. *Faire du tricot.* **2.** Tissu de mailles, fait à la main ou au métier. *Une écharpe en tricot.* **3.** Vêtement (veste, chandail) tricoté. *Un tricot chaud.* – Maillot (sens 3). *Tricot de peau.*

tricotage n. m. Action de tricoter.

tricoter v. [1] **I.** v. tr. Confectionner au tricot. *Tricoter un chandail.* **II.** v. intr. **1.** Exécuter un tricot. *Tricoter à la main, à la machine. Aiguilles à tricoter.* **2.** Loc. fam. *Tricoter des jambes (des gambettes) :* courir, ou pédaler à toute vitesse.

tricoteur, euse n. **1.** Personne qui tricote. ▷ HIST *Les Tricoteuses :* femmes du peuple qui, sous la Révolution, assistaient en tricotant aux séances de la Convention. **2.** n. f. Table à ouvrage aménagée pour le tricot. ▷ TECH Machine à tricoter.

trictrac n. m. Jeu dans lequel on fait avancer, selon les dés amenés, des pions sur une table à deux compartiments portant 24 cases.

tricuspide adj. SC NAT Qui comporte trois pointes. ▷ ANAT *Valvule tricuspide,* qui fait communiquer le ventricule droit et l'oreillette droite du cœur.

tricycle n. m. Cycle à trois roues. *Tricycle d'enfant, de livreur.*

tridacne n. m. ZOOL Mollusque lamellibranche (genre *Tridacna*) des océans Indien et Pacifique dont le bénitier* est une espèce géante.

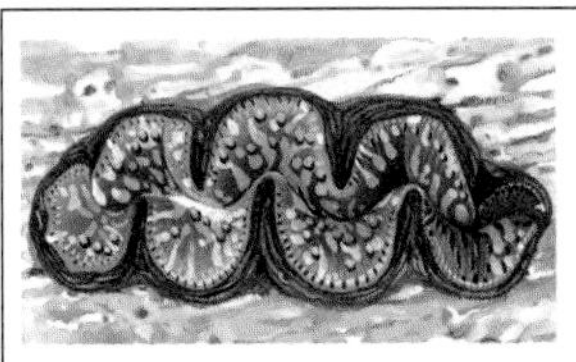

tridacne géant

tridactyle adj. Didac. Qui a trois doigts. *Mouette tridactyle.*

trident n. m. **1.** Fourche à trois dents donnée pour sceptre à Neptune. **2.** AGRIC Outil (bêche, fourche, etc.) pourvu de trois dents. – PECHE Harpon à trois dents.

tridenté, ée adj. BOT Qui présente trois divisions en forme de dent. *Feuille tridentée.*

tridentin, ine adj. De Trente. *Vénétie tridentine.* ▷ Didac. Du concile de Trente.

tridimensionnel, elle adj. Qui a trois dimensions. *L'espace euclidien est tridimensionnel.*

trie n. f. VITIC Pour la récolte de certains raisins, chacun des passages des vendangeurs, destinés à choisir les grains à maturité parfaite.

trièdre adj. et n. m. GEOM **1.** Qui a trois faces. **2.** *Angle trièdre :* figure formée par trois plans qui se coupent deux à deux. ▷ n. m. *Trièdre trirectangle*.*

triennal, ale, aux adj. **1.** Qui dure trois ans. *Bail triennal.* – Qui est élu pour trois ans. **2.** Qui a lieu tous les trois ans. *Assolement triennal. Révision triennale du prix d'un loyer.*

trier v. tr. [**2**] **1.** Choisir, prendre parmi d'autres en laissant de côté ce qui ne convient pas. *Trier des grains, des lentilles.* ⊳ Fig. *Trier sur le volet :* opérer une sélection avec une grande rigueur. **2.** Séparer pour répartir et regrouper. *Trier des papiers, du courrier. Trier des informations.* Syn. classer. – *Trier des wagons :* V. triage (sens 2).

trière n. f. ANTIQ GR Vaisseau de guerre comportant trois rangs de rameurs superposés.

triergol n. m. ESP Propergol composé de trois ergols, utilisé en aéronautique.

Trieste, v. d'Italie, ch.-l. du Frioul-Vénétie Julienne, au fond du *golfe de Trieste*; 244 980 hab. Fonction portuaire import. (importation de pétrole surtout) et centre industriel (métall., chim., raff. de pétrole). Université. – Théâtre romain; cath. (XIe et XIVe s.); chât. (XVe-XVIIe s.). – Tombée sous la domination des Habsbourg (1382), Trieste fut le princ. débouché maritime de l'Autriche. Sa pop. étant de langue italienne en majorité, elle fut cédée à l'Italie en 1919. Prise par Tito (1945), cap. du *Territoire libre de Trieste* (1947), elle revint à l'Italie (1954), la majeure partie du territoire passant à la Yougoslavie. Son port fut déclaré port libre.

trieur, euse n. **1.** Personne qui trie, effectue un triage. **2.** n. m. Appareil servant à trier (du minerai, des graines, etc.). **3.** n. f. Machine utilisée en mécanographie pour trier, classer les cartes perforées.

trifide adj. SC NAT Qui est fendu profondément en trois parties. *Organe trifide.*

triforium [tʀifɔʀjɔm] n. m. ARCHI Dans une église, ensemble des baies par lesquelles la galerie placée au-dessus des bas-côtés s'ouvre sur l'intérieur de la nef.

trifouiller v. [**1**] Fam. **1.** v. tr. Remuer en tous sens (notam. pour chercher qqch). *Les chiens ont trifouillé la poubelle.* **2.** v. intr. Fouiller. Syn. farfouiller.

trige n. m. ANTIQ ROM Char à trois chevaux.

trigéminé, ée adj. Didac. Composé de trois paires d'éléments. ⊳ MED *Pouls trigéminé,* présentant à intervalles plus ou moins longs des séquences de trois pulsations.

trigle n. m. ICHTYOL Poisson (genre *Trigla*) dont les nombr. espèces sont cour. appelées *grondins* ou *rougets.*

triglycéride n. f. BIOCHIM Lipide formé par une molécule de glycérol estérifié par trois acides gras. *Les acides gras sont stockés dans l'organisme sous la forme de triglycérides.*

triglyphe n. m. ARCHI Ornement de la frise dorique, formé d'une plaque décorée de deux glyphes et de deux demi-glyphes.

trigone adj. et n. m. **1.** adj. Didac. Qui a trois angles. **2.** n. m. ANAT *Trigone cérébral :* voûte à trois piliers du cerveau. *Trigone vésical :* espace triangulaire situé à la partie inférieure de la vessie.

trigonocéphale n. m. ZOOL Grand serpent venimeux voisin du crotale, brun rougeâtre *(Agkistrodon rhodostoma),* d'Asie et d'Amérique.

trigonométrie n. f. Branche des mathématiques ayant pour objet l'étude des triangles et des relations qui existent entre les angles et les côtés d'un triangle (fonctions circulaires ou lignes trigonométriques). ⊳ *Trigonométrie hyperbolique :* extension de la trigonométrie aux angles dont la valeur est un nombre complexe. (Elle fait appel aux fonctions hyperboliques.) ⊳ *Trigonométrie sphérique,* qui étudie la résolution des triangles sphériques.

ENCYCL **Math.** – On utilise en trigonométrie un cercle de rayon unité parcouru dans le sens inverse des aiguilles d'une montre (cercle trigonométrique), ce qui permet de représenter les arcs par le même nombre que les angles. Les lignes trigonométriques les plus utilisées sont le sinus, le cosinus et la tangente. De nombreuses formules permettent le calcul des valeurs des fonctions trigonométriques. Elles permettent de résoudre un triangle, c.-à-d. de déterminer tous ses éléments, à partir de quelques-uns d'entre eux, convenablement choisis.

trigonométrique adj. MATH Propre à la trigonométrie. *Ligne trigonométrique :* chacune des fonctions circulaires (cosinus, sinus, tangente, cotangente, sécante, cosécante) utilisées en trigonométrie. ⊳ *Sens trigonométrique :* sens inverse de celui des aiguilles d'une montre.

trigramme n. m. Didac. **1.** Mot de trois lettres. **2.** Sigle ou figure constitués de trois éléments. **3.** Ensemble de trois signes dans les figures symboliques chinoises.

trijumeau adj. et n. m. ANAT *Nerf trijumeau* ou, n. m., *le trijumeau :* nerf pair formant la 5e paire crânienne qui se divise en trois branches, innervant l'œil et les deux maxillaires.

trilatéral, ale, aux adj. Qui comporte, réunit trois parties. *Accords trilatéraux.*

trilingue adj. **1.** Qui est en trois langues. *Notice trilingue.* **2.** Qui parle trois langues.

trille [tʀij] n. m. MUS Ornement consistant à produire une alternance rapide entre deux notes voisines. ⊳ Son analogue à cet ornement musical. *Trilles d'un rossignol.*

trillion n. m. Un million à la puissance 3, soit un milliard de milliards.

trilobé, ée adj. **1.** BOT Qui a trois lobes. *Feuille trilobée.* **2.** ARCHI À trois lobes. Syn. tréflé.

trilobites n. m. pl. PALEONT Classe d'arthropodes primitifs fossiles dont le corps, ovale, aplati et protégé par une cuticule très épaisse, était divisé en un lobe axial et deux lobes pleuraux. *Les trilobites peuplèrent les mers, du cambrien inférieur au permien moyen.* – Sing. *Un trilobite.*

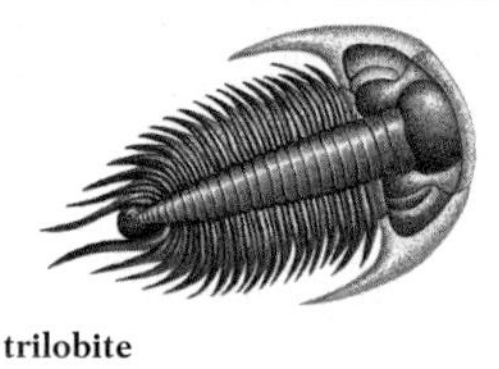

trilobite

triloculaire adj. SC NAT Divisé en trois loges.

trilogie n. f. **1.** ANTIQ GR Ensemble de trois tragédies dont les sujets se font suite et que l'on présentait aux concours dramatiques (ex. : *l'Orestie* d'Eschyle). *La trilogie était toujours accompagnée d'une comédie avec laquelle elle formait une tétralogie.* **2.** *Par anal.* Ensemble de trois œuvres dont les sujets se font suite. *La trilogie romanesque de Vallès.* **3.** MED Réunion de trois symptômes. *Trilogie de Fallot :* malformation cardiaque congénitale, auj. opérable, associant un rétrécissement pulmonaire, une communication interauriculaire et une hypertrophie ventriculaire droite qui s'accompagnent d'une cyanose. Syn. maladie bleue.

trimaran n. m. MAR Embarcation comportant une coque centrale reliée par des bras à deux flotteurs latéraux. *Trimaran à voile.*

trimarder v. [**1**] **1.** v. intr. Pop., vieilli Vagabonder. **2.** v. tr. Coltiner (qqch) sur les chemins.

trimbal(l)age ou **trimbal(l)ement** n. m. Fam. Fait de trimbaler.

trimbal(l)er v. tr. [**1**] Fam. Traîner, porter partout avec soi. ⊳ v. pron. *Il se*

axe des sinus
axe des tangentes
sens positif
S
M
t
θ
axe des cosinus
O
C
A

arcs	sinus	cosinus	tangente
0°	0	1	0
30° ou π/6	1/2	√3/2	√3/3
45° ou π/4	√2/2	√2/2	1
60° ou π/3	√3/2	1/2	√3
90° ou π/2	1	0	non définie
120° ou 2π/3	√3/2	–1/2	–√3
135° ou 3π/4	√2/2	–√2/2	–1
180° ou π	0	–1	0
270° ou 3π/2	–1	0	non définie

le *cercle trigonométrique* a un rayon OA = 1 ; M étant un point de ce cercle repéré par l'angle $\theta = (\widehat{OA}, \widehat{OM})$, le cosinus et le sinus de θ sont respectivement l'abscisse et l'ordonnée de M :

$$\cos\theta = \overline{OC} \quad ; \quad \sin\theta = \overline{OS}$$

la tangente de θ peut être définie par tg θ = sin θ / cos θ et repérée par la valeur algébrique du segment At : $\text{tg}\,\theta = \overline{At}$

trigonométrie

trimbale partout avec sa mère. ▷ Loc. *Qu'est-ce qu'il trimbale!* : qu'il est bête!

trimer v. intr. [1] Fam. Travailler durement. *Il a trimé tout l'après-midi.*

trimère adj. BIOL Constitué de trois parties. *Molécule, organe trimère.*

trimestre n. m. **1.** Période de trois mois. *Loyer payable par trimestre.* **2.** Somme que l'on paye ou que l'on reçoit tous les trois mois. *Il n'a touché que le premier trimestre de sa bourse.*

trimestriel, elle adj. **1.** Qui dure trois mois. **2.** Qui a lieu, qui paraît tous les trois mois. *Bulletin trimestriel.*

trimestriellement adv. Tous les trimestres.

trimètre n. m. METR ANC Vers composé de trois mètres. *Trimètre iambique.*

trimmer [tʀimœʀ] n. m. (Anglicisme) **1.** PECHE Flotteur circulaire plat comportant une gorge où s'enroule la ligne. **2.** ELECTR Petit condensateur d'appoint.

trimoteur n. m. Avion à trois moteurs.

Trimurti (la) («Qui a trois aspects»), trinité hindoue du panthéon brahmanique, composée de *Brahmā* (le créateur), *Vishnu* (le conservateur) et *Çiva* (le destructeur).

tringle n. f. Tige, généralement métallique, qui sert à soutenir (un rideau, des cintres, etc.). *Tringle à rideau.* ▷ Élément d'un mécanisme. *Tringle de commande.*

trinidadien, enne adj. et n. De Trinité-et-Tobago.

Trinil, village du centre de Java, en bordure de la rivière Solo. En 1891, les premiers fragments fossiles d'un pithécanthrope* y furent découverts par Eugène Dubois (médecin néerlandais).

trinitaire adj. THEOL Qui a rapport à la Trinité. ▷ Subst. Religieux de l'ordre de la Très Sainte-Trinité, fondé par Jean de Matha et Félix de Valois au XIIe s. pour racheter les chrétiens captifs des infidèles. – Religieuse de l'une des congrégations de la Sainte-Trinité.

trinité n. f. **1.** THEOL (Avec une majuscule.) Dans la doctrine chrétienne, union de trois personnes distinctes qui ne forment cependant qu'un seul et même Dieu : le Père, le Fils et le Saint Esprit. *La Sainte Trinité.* ▷ *Par ext.* Groupe de trois divinités, de trois entités ou personnes sacralisées. **2.** *La Sainte-Trinité :* la fête célébrée le premier dimanche après la Pentecôte. – Loc. fam. *À Pâques ou à la Trinité :* à une date bien incertaine (ou jamais).

Trinité (La), ch.-l. d'arr. de la Martinique; 11 392 hab. Électroménager.

Trinité-et-Tobago *(Trinidad and Tobago),* État des Petites Antilles, proche de la côte vénézuélienne, formé des îles de *la Trinité* (4 827 km^2) et de *Tobago* (301 km^2); 5 128 km^2; 1 250 000 hab.; cap. *Port of Spain* (Trinité). Nature de l'État : rép. membre du Commonwealth. Langue off. : angl. Monnaie : dollar de Trinité et Tobago. Pop. : Noirs (env. 40 %) et Indiens (de l'Inde) (env. 40 %), métis, Blancs, Chinois. Relig. : christianisme majoritaire, hindouisme, islam. – Ces îles tropicales, montagneuses et forestières, ont vu leur économie traditionnelle (cacao, canne à sucre, café, pêche, tourisme) bouleversée par la rente pétrolière (gisement à la Trinité) qui a permis le développement d'industries : raffinage, chimie, métallurgie, mais a rendu leur situation très dépendante de la conjoncture énergétique mondiale. – Découvertes par Ch. Colomb (1498), colonisées par les Espagnols et convoitées par les Hollandais, les Français et les Anglais, les îles revinrent finalement aux Anglais en 1802 (paix d'Amiens). Incluses dans la Fédération des Indes-Occidentales (1958-1962), elles accédèrent à l'indépendance en 1962 dans le cadre du Commonwealth. La république fut proclamée en 1976. À plusieurs reprises, les antagonismes raciaux (Indiens, Noirs) ont créé des troubles polit. graves. ► carte **Antilles**

Trinité-sur-Mer (La), com. du Morbihan (arr. de Lorient); 1 446 hab. Station balnéaire; port de pêche; important port de plaisance.

trinitrine n. f. PHARM Forme sous laquelle la nitroglycérine est utilisée en solution alcoolique dans le traitement de l'angine de poitrine.

trinitrotoluène n. m. TECH Explosif puissant, dérivé nitré du toluène. (Abrév. : T.N.T. ou TNT). Syn. tolite.

trinôme n. m. MATH Polynôme à trois termes.

trinquer v. intr. [1] **1.** Boire (avec une ou plusieurs personnes) après avoir choqué les verres en formulant des souhaits. *Lever son verre pour trinquer.* **2.** Vx Boire avec excès. **3.** Fam. Subir de graves préjudices ou désagréments. *Les parents boivent, les enfants trinquent* (slogan antialcoolique).

1. trinquet n. m. Mât de misaine des bateaux à voiles latines.

2. trinquet n. m. Salle quadrangulaire aménagée pour jouer à la pelote basque. – Variété de pelote pratiquée dans cette salle.

trinquette n. f. MAR Voile d'avant triangulaire qui est gréée en arrière du foc. *Les cotres portent foc et trinquette.*

trio n. m. **1.** MUS Morceau composé pour trois voix ou trois instruments. *Les trios de Haydn.* **2.** Formation de trois musiciens. **3.** Plaisant Groupe de trois personnes. *Un inséparable trio.*

triode n. f. ELECTR Tube électronique à trois électrodes (une anode, une cathode et une grille) utilisé pour amplifier un signal. (On la remplace généralement auj. par un transistor.)

triol. V. trialcool.

triolet n. m. **1.** LITTER Petit poème de huit vers, sur deux rimes, dans lequel le premier, le quatrième et le septième vers sont identiques. *Les triolets de Guillaume de Machault.* **2.** MUS Cellule rythmique divisant un temps en trois parties égales.

Triolet (Ella Iourievna Kagan, dite Elsa) (Moscou, 1896 – Saint-Arnoult-en-Yvelines, 1970), écrivain français d'origine russe. Sœur de Lili Brik, la compagne de Maïakovski (qu'elle traduisit en français), épouse de Louis Aragon, qui la célébra (*les Yeux d'Elsa,* 1942), elle écrivit des romans et des nouvelles (*Le premier accroc coûte deux cents francs,* 1944).

triomphal, ale, aux adj. **1.** ANTIQ ROM Relatif au triomphe. *Couronne triomphale.* **2.** Qui constitue une réussite éclatante. *Une élection triomphale.* **3.** Entouré de manifestations d'enthousiasme. *Recevoir un accueil triomphal.*

triomphalement adv. **1.** D'une manière digne d'un triomphe. **2.** (Souvent iron.) Avec un air triomphant.

triomphalisme n. m. Péjor. Attitude de ceux qui considèrent que leur action mérite les plus grandes louanges ou que leur position est la meilleure.

triomphaliste adj. Qui exprime, dénote le triomphalisme.

triomphant, ante adj. **1.** Victorieux. ▷ RELIG *L'Église triomphante :* les justes au paradis. **2.** Qui montre l'intense satisfaction que donne le succès. *Air triomphant.*

triomphateur, trice n. **1.** ANTIQ ROM Général à qui l'on rendait les honneurs du triomphe. **2.** Personne qui remporte un éclatant succès. *Il est le triomphateur du concours.*

triomphe n. m. **1.** ANTIQ ROM Honneur rendu à un général après d'importants succès militaires. *Arc* de triomphe.* ▷ Loc. mod. *Porter qqn en triomphe,* le porter au-dessus d'une foule pour le faire acclamer. **2.** Grande victoire (autre que militaire), succès éclatant (de qqn ou de qqch). *Triomphe d'un parti à une élection.* ▷ *Le triomphe de :* la manifestation la plus éclatante de... *C'est le triomphe de la médiocrité.* **3.** Grande joie provoquée par un succès. *Pousser un cri de triomphe.* ▷ Témoignage d'enthousiasme du public. *Ce film a remporté un triomphe inattendu.* ▷ Ce qui reçoit une vive approbation du public. *Son discours fut un triomphe.*

triompher v. [1] **I.** v. tr. indir. *Triompher de :* l'emporter sur (un adversaire), se rendre maître de (une force contraire). Syn. vaincre, battre. *Triompher d'une difficulté.* Syn. surmonter. **II.** v. intr. **1.** Remporter un grand succès. *Les Finlandais ont triomphé en ski de fond.* ▷ S'imposer avec éclat. *La vérité triomphera.* **2.** Litt. Exceller. *Rembrandt triomphe dans le clair-obscur.* **3.** Manifester une grande joie (avec une certaine vanité), chanter victoire. *Ne triomphe pas tant!*

trionix ou **trionyx** n. m. ZOOL Tortue d'eau douce (genre *Trionix*), à carapace molle, carnassière, répandue en Amérique du N., en Afrique et dans le S. de l'Asie.

triose n. m. BIOCHIM Sucre simple (ose) comportant trois atomes de carbone.

trip [tʀip] n. m. (Anglicisme) Fam. État hallucinatoire dû à la prise d'un hallucinogène (en particulier L.S.D.).

tripaille n. f. Fam. Amas de tripes, d'entrailles.

tripal, ale, aux adj. Fam. Qui vient du plus profond de l'être. *Une indignation tripale.*

triparti, ie ou **tripartite** adj. Didac. **1.** Partagé en trois. **2.** Qui réunit trois parties contractantes. *Pacte tripartite.*

tripartisme n. m. POLIT Système de gouvernement où le pouvoir est exercé par trois partis.

tripartition n. f. Didac. Division en trois parties.

tripatouillage n. m. Fam. Action de tripatouiller.

tripatouiller v. tr. [1] Fam. **1.** Faire subir à (certains documents) des modifications malhonnêtes, des changements destinés à tromper. *Tripatouiller des comptes, des textes.* Syn. trafiquer. ▷ *Absol.* Vivre d'expédients, d'affaires malhonnêtes. *Il tripatouille dans l'immobilier.* **2.** Manier sans précaution. Syn. tripoter.

tripe n. f. **1.** (Plur.) Boyaux d'un animal. ▷ *Spécial.* Estomac des ruminants préparé et cuisiné. *Tripes à la* *mode de Caen.* **2.** *Par ext.* Fam. Entrailles de l'homme. ▷ Loc. *Rendre tripes et boyaux* : vomir. ▷ Fig. *Ça vous prend aux tripes* : c'est très émouvant. ▷ Loc. *Avoir la tripe républicaine* : être viscéralement républicain.

triperie n. f. Boutique, commerce du tripier.

tripette n. f. Loc. fam. *Ça ne vaut pas tripette* : ça ne vaut rien.

triphasé, ée adj. ELECTR Se dit d'un système de trois grandeurs sinusoïdales (courant ou tension) de même fréquence et déphasées l'une par rapport à l'autre de $\frac{2\pi}{3}$ radians. (Une distribution triphasée comprend trois conducteurs de phase et un neutre.) ▷ *Appareil triphasé*, alimenté par un réseau triphasé.

triphosphate adj. BIOCHIM *Adénosine triphosphate (A.T.P.)* : V. adénosinephosphate.

triphtongue n. f. PHON Séquence de trois voyelles (phonétiquement parlant et non graphiquement) réunies dans une même articulation. *Le mot « piaille »* [pjaj] *contient une triphtongue; le mot « eau »* [o], *bien que comportant trois voyelles, n'est pas une triphtongue.*

tripier, ère n. Marchand(e) de tripes et abats divers.

triple adj. **1.** Qui comporte trois éléments. *Faire un triple nœud. Triple menton. Triple croche*.* ▷ CHIM *Liaison triple* (symbole : ≡) : ensemble de trois liaisons (une liaison axiale sigma et deux liaisons latérales pi) entre deux atomes. *La molécule de l'acétylène, de formule HC ≡ CH, comprend une triple liaison.* (V. liaison.) ▷ PHYS *Point triple* : point du diagramme thermodynamique correspondant à l'équilibre des trois phases solide, liquide et gazeuse, qui se trouve à l'intersection des courbes de fusion, de vaporisation et de sublimation. **2.** Trois fois plus grand. *Prendre une triple dose.* ▷ n. m. Quantité trois fois plus grande. *Six est le triple de deux.* **3.** Fam. *Triple idiot* : parfait idiot. ▷ *Au triple galop* : au grand galop.

1. triplé n. m. **1.** TURF Pari sur la combinaison des trois premiers chevaux d'une course, dans un ordre quelconque. **2.** SPORT Série de trois victoires dans des épreuves importantes.

2. triplé. V. triplés.

Triple-Alliance. V. Alliance (Triple-).

Triple-Entente. V. Entente (Triple-).

1. triplement adv. D'une manière triple.

2. triplement n. m. Fait de tripler, de devenir triple.

tripler v. [1] **1.** v. tr. Rendre trois fois plus grand. *Tripler une dose, une offre.* **2.** v. intr. Devenir trois fois plus grand. *Le prix de l'essence a triplé.*

triplés, ées n. pl. Enfants nés au nombre de trois d'un même accouchement. – (Sing.) Un de ces trois enfants.

triplet n. m. **1.** OPT Ensemble de trois lentilles. ▷ Ensemble de trois raies spectrales. **2.** MATH Groupe formé par trois éléments dont chacun appartient à un ensemble distinct. **3.** BIOCHIM Unité d'information, constitutive d'un nucléotide, formée par la combinaison de trois bases puriques ou pyrimidiques. *Les triplets commandent l'assemblage des acides aminés en protéines.*

triplette n. f. Équipe de trois joueurs (aux boules, à la pétanque).

Triplice. V. Alliance (Triple-)

triploblastique adj. ZOOL Se dit des métazoaires à trois feuillets cellulaires : ectoderme, mésoderme et endoderme.

triplure n. f. COUT Étoffe raidie d'apprêt que l'on glisse entre tissu et doublure. *Triplure des revers d'un veston.*

tripolaire adj. ELECTR Qui comprend trois pôles.

Tripoli (en ar. *Ṭarāblus*), v. portuaire du Liban septentrional; 175 000 hab.; ch.-l. de prov. Raff. de pétrole; textile (coton). – La ville fut la cap. du *comté de Tripoli*, un des États latins du Levant. Formé au début du XIIe s., après la prise de Tripoli (1109) par le comte de Toulouse, Raimond de Saint-Gilles, le comté, vassal du royaume de Jérusalem, fut réuni à la principauté d'Antioche (1201) et disparut en 1289.

Tripoli (en ar. *Ṭarablus al-Gharb*), cap. de la Libye, port de l'O. du pays; 980 000 hab. Centre commercial. Industr. textiles, du cuir, du tabac. – Fondée par les Phéniciens, carthaginoise, puis romaine, la ville subit les grandes invasions, et fut prise par les Arabes en 643. Aux mains des Espagnols (1510) puis des chevaliers de Malte (1530), elle fut enlevée par les Turcs (1551) et devint un centre de piraterie. Occupée par les Italiens en 1911, par les Britanniques en janv. 1943, elle est la cap. de la Libye depuis l'indépendance (1951).

Tripolitaine, rég. du N.-O. de la Libye, correspondant à un plateau aride qui s'étend des oasis du Fezzan, au S., jusqu'à la plaine côtière de la Djeffara, au N. – Sous contrôle turc dès le XVIe s., elle jouit cependant, du début du XVIIIe s. à 1835, d'une quasi-indépendance : ses pachas, devenus héréditaires, imposaient un tribut aux navires étrangers. Conquise par les Italiens (1911-1914), rattachée (1934) à la colonie italienne de Libye, elle fut le théâtre de durs combats pendant la Seconde Guerre mondiale. Avec la Cyrénaïque, elle constitua le royaume de Libye en 1951.

triporteur n. m. Tricycle à pédales ou à moteur, muni d'une caisse à l'avant pour le transport des marchandises légères.

tripot n. m. Péjor. Maison de jeu.

tripotage n. m. Fam. Fait de tripoter. ▷ Fig. Intrigue, opération louche. *Il y a eu des tripotages aux dernières élections.*

tripotée n. f. Fam. **1.** Volée de coups. *Je lui ai donné une sacrée tripotée.* **2.** Grand nombre. *Une tripotée d'enfants.*

tripoter v. [1] **I.** v. tr. Toucher, tâter sans cesse (d'une manière peu délicate, ou machinale). *Ne tripotez pas ces pêches! Il tripotait nerveusement son trousseau de clés.* ▷ Fam. Faire des attouchements indiscrets (à qqn), peloter. **II.** v. intr. Fam. **1.** Mettre les choses en désordre en les maniant en tous sens. Syn. farfouiller, trifouiller. **2.** Fig. Se livrer à des opérations et des combinaisons plus ou moins louches. *Il semble qu'elle ait tripoté dans l'import-export.* Syn. trafiquer.

tripoteur, euse n. Personne qui tripote, se livre à des tripotages.

tripoux n. m. pl. Rég. Plat auvergnat à base de tripes de mouton et de pieds de mouton.

Triptolème, dans la myth. gr., fils du roi d'Éleusis. Il apprit de Déméter l'art de cultiver la terre et l'enseigna aux habitants de l'Attique; il aurait institué les mystères d'Éleusis.

triptyque n. m. **1.** BX-A Triple panneau peint ou sculpté, à deux volets exactement repliables sur le panneau central. *Les triptyques de Van der Weyden.* ▷ Fig. Œuvre (littéraire, musicale, etc.) en trois parties. **2.** DR COMM Document douanier en trois feuillets, délivré pour l'importation et la réexportation (notam. des automobiles).

Tripura, État de l'Inde, à l'E. du Bangladesh; 10 477 km^2; 2 744 800 hab.; cap. *Agartala*. État montagneux et forestier. Cultures (riz, thé, coton) dans les vallées. – La création, en 1972, de cet État institutionnalise la colonisation indienne (Bengalis surtout) dans une rég. occupée de façon transitoire par des pop. tibéto-birmanes. Dep. 1980, ces populations, alors qu'elles ne représentent plus que 30 % des hab. du Tripura, sont à l'origine d'une rébellion séparatiste violente.

trique n. f. **1.** Gros bâton court. *Il a reçu une volée de coups de trique.* – Fig. *Mener les gens à la trique.* ▷ Loc. *Sec, maigre comme un coup de trique* : très sec, très maigre. **2.** Arg. Interdiction de séjour. V. tricard.

trirectangle adj. GEOM *Trièdre trirectangle*, qui a trois angles droits.

trirème n. f. ANTIQ Vaisseau de guerre des Romains, des Carthaginois, à trois rangs de rameurs.

trisaïeul, eule n. Père, mère de l'arrière-grand-père, de l'arrière-grand-mère.

trisannuel, elle adj. Qui a lieu tous les trois ans. ▷ Qui dure trois ans.

trismégiste adj. m. ANTIQ En Égypte, surnom donné par les Grecs au dieu Thot, patron des magiciens, qu'ils assimilèrent à Hermès. *Hermès trismégiste.*

trismus [tʀismys] n. m. MED Contracture des muscles masticateurs observée partic. dans le tétanos.

trisomie n. f. BIOL Anomalie génétique correspondant à la présence de trois chromosomes identiques au lieu d'une paire (cf. diploïde). *Trisomie 21* : syn. de *mongolisme*.

trisomique adj. et n. MED Se dit d'une personne ayant une trisomie 21; mongolien.

1. trisser v. intr. [1] Crier, en parlant de l'hirondelle.

2. trisser v. tr. [1] Rare Reprendre une troisième fois (un morceau, un air, une réplique). – Par ext. *Trisser un soliste*, lui faire reprendre son morceau une troisième fois.

3. trisser v. intr. [1] Pop. Courir, se sauver très vite. (On dit plus cour. *se trisser.*)

Trissino (Gian Giorgio) [en fr. *le Trissin*] (Vicence, 1478 – Rome, 1550), écrivain et grammairien italien. Sa *Sophonisbe* (1515) est la première tragédie moderne écrite selon la règle des trois unités.

Tristam ou **Tristão** (Nuno) (m. au Río de Oro en 1447), navigateur portugais. Il fit trois voyages en Afrique : au Sahara et au cap Blanc (1440), à l'île d'Arguin, en Mauritanie actuelle (1443) et au Río de Oro.

Tristan (Flore Tristan-Moscoso, Mme André Chazal, dite Flora) (Paris, 1803 – Bordeaux, 1844), écrivain français proche des saint-simoniens; pionnière du féminisme (*les Pérégrinations d'une paria*, 1837).

Tristan da Cunha (îles), archipel britannique de l'Atlantique Sud, au S.-O. du cap de Bonne-Espérance; 209 km²; 300 hab. L'île princ. et la seule habitée est *Tristan da Cunha* (104 km²).

Tristan et Iseult, légende médiévale d'origine celtique : parfait chevalier, Tristan de Léonois part pour l'Irlande demander la main d'Iseult la Blonde pour son oncle, le roi Marc. Mais sur le bateau qui les ramène en Cornouailles, Tristan et Iseult boivent par erreur un philtre magique qui leur inspire un amour irrésistible et éternel. Cette légende a inspiré à Béroul et à Thomas d'Angleterre leurs poèmes (*Tristan*, XIIe s.), à Marie de France le *Lai du chèvrefeuille* (XIIe s.) et à Wagner le drame lyrique de *Tristan et Isolde* (1865).

légende de **Tristan et Iseult,** enluminure du XVe s.; B.N.

Tristan l'Hermite (François, dit) (château de Soliers, Marche, v. 1601 - Paris, 1655), écrivain français; poète lyrique (*Plaintes d'Acante*, 1633; *les Amours de Tristan*, 1638), dramaturge (*Marianne*, tragédie, 1636; *le Parasite*, comédie, 1654) et auteur d'un roman autobiographique : *le Page disgracié* (1642). Acad. fr. (1649).

Tristão. V. Tristam.

triste adj. **I. 1.** (Personnes) Qui est dans un état d'abattement et d'insatisfaction dû à un chagrin, à des soucis. *L'enfant était triste de voir sa mère partir.* Syn. affligé, morose, sombre. Ant. gai, joyeux. **2.** (Personnes) Qui est naturellement dans cet état. ▷ Subst. *Un(e) triste. Ce n'est pas un triste* : il aime s'amuser. **3.** Qui dénote la tristesse. *Un air triste. Faire triste mine.* **4.** (Choses) Qui incite à la tristesse. *Un temps triste.* ▷ Fam. *C'est pas triste* : se dit de qqch qui incite à rire, souvent par dérision. *Tu as vu comment elle était habillée ? C'était pas triste.* **II. 1.** Qui fait de la peine; affligeant, pénible. *Il a eu une triste fin. C'est vraiment une triste histoire.* Syn. douloureux, navrant, tragique. *Il est arrivé dans un triste état.* Syn. mauvais, lamentable. **2.** Péjor. (Toujours devant le nom.) Qui suscite le mépris. *Un triste sire.*

tristement adv. **1.** En étant envahi par la tristesse. *Il est parti tristement.* **2.** D'une façon navrante, pénible. *Il est tristement célèbre.*

tristesse n. f. **1.** État d'une personne triste. *Une tristesse passagère.* Syn. abattement, mélancolie, peine; (fam.) cafard. Ant. gaieté, joie. **2.** Événement qui rend triste, moment où l'on est triste. *Les petites tristesses de tous les jours.* **3.** Caractère de ce qui a l'air triste ou rend triste. *La tristesse d'un paysage.*

tristounet, ette adj. Fam. Un peu triste. *Mine tristounette.*

tris(s)yllabe [tʀisil(l)ab] ou **tris(s)yllabique** [tʀisil(l)abik] adj. Formé de trois syllabes. *Mot trisyllabe. Vers trisyllabiques.* ▷ n. m. *Un trisyllabe.*

trithérapie n. f. MED Prescription conjointe de trois antiviraux dans le traitement du sida.

triticale n. m. AGRIC Hybride du blé et du seigle à très bon rendement dans les terrains pauvres de montagne.

tritié, ée adj. CHIM Qui contient du tritium.

tritium [tʀitjɔm] n. m. CHIM Isotope radioactif de l'hydrogène ^{3}H, de symbole T, dont le noyau contient trois nucléons (un proton et deux neutrons) et dont la fusion avec un noyau de deutérium conduit à un noyau d'hélium.

1. triton n. m. ZOOL **1.** Amphibien urodèle (genre *Triturus*) proche des salamandres, qui vit près des eaux stagnantes. **2.** Mollusque gastéropode prosobranche *(Charonia tritonis)* dont la coquille était utilisée comme trompette de guerre.

triton alpestre avec sa parure nuptiale

2. triton n. m. MUS Intervalle de trois tons. Syn. quarte augmentée.

3. triton n. m. Noyau de tritium.

Triton, dans la myth. gr., divinité marine à tête d'homme et à queue de poisson, fils d'Amphitrite et de Poséidon.

Triton, le plus gros des satellites de Neptune (diamètre 2 720 km), découvert en 1846 par l'Anglais William Lassell. Il parcourt en 5,88 jours une orbite dont le rayon mesure 355 300 km.

triturateur n. m. TECH Appareil à triturer; broyeur.

trituration n. f. TECH Action de triturer (sens 1). ▷ Didac. Broyage des aliments au cours de la mastication.

triturer v. tr. [1] **1.** Broyer pour réduire en fines particules ou en pâte. *On préparait les onguents et les emplâtres en triturant diverses substances.* **2.** Vieilli Manier et malaxer à fond. Syn. pétrir. ▷ Mod. Manier et tâter brutalement, sans précaution. *Cesse de triturer ces fruits.* **3.** Loc. fam. *Se triturer les méninges* : chercher désespérément une solution, se creuser la tête.

triumvir [tʀijɔmviʀ] n. m. **1.** ANTIQ ROM Membre d'un collège administratif comprenant trois magistrats. ▷ *Spécial.* Membre d'un des deux triumvirats. **2.** HIST Sous la Révolution, nom donné à Robespierre, Couthon et Saint-Just.

triumvirat [tʀijɔmviʀa] n. m. **I.** ANTIQ ROM **1.** Charge d'un triumvir; durée de ce mandat. **2.** Chacune des deux associations de trois personnalités politiques qui se partagèrent le pouvoir à Rome en 60 av. J.-C. (Pompée, César, Crassus) et en 43 av. J.-C. (Octavien, Antoine, Lépide). **II.** *Par anal.* Union de trois personnes pour exercer le pouvoir.

trivalent, ente adj. CHIM Qui a une valence triple.

trivalve adj. SC NAT Qui a trois valves.

Trivandrum, v. et port de l'Inde, cap. du Kerala, sur la mer d'Oman; 483 090 hab. Centre industriel (textile, caoutchouc, traitement du titane de fer). - Université.

trivial, ale, aux adj. **1.** Vieilli Très commun, courant. *Objets triviaux.* **2.** (Abstrait) Vieilli ou litt. D'une simplicité et d'une évidence qui ne satisfont que les esprits peu instruits. *Notion triviale.* **3.** Cour. Grossier, malséant, extrêmement vulgaire. *Plaisanteries triviales.*

trivialement adv. **1.** Vieilli ou litt. De façon banale. **2.** De façon vulgaire.

trivialité n. f. **1.** Vieilli ou litt. Caractère de ce qui est commun, banal. *La trivialité d'une argumentation.* ▷ *Par ext.* Parole, chose banale. **2.** Cour. Caractère de ce qui est choquant, vulgaire. *Il est d'une trivialité inadmissible.* ▷ *Par ext.* Parole triviale.

Trivulce (Giangiacomo), marquis de Vigevano (Milan, 1448 - Arpajon, 1518), maréchal de France (1499). Condottiere au service de Galéas-Marie Sforza, puis des rois de France dans les guerres d'Italie, il se distingua à Fornoue (1495) et à Marignan, puis tomba en disgrâce.

tr/min Symbole de *tour par minute* (unité de vitesse angulaire).

Trnka (Jiří) (Plzeň, 1912 - Prague, 1969), dessinateur et cinéaste tchèque; rénovateur du cinéma d'animation (marionnettes) après 1945 : *le Rossignol de l'empereur de Chine* (1948), *Vieilles légendes tchèques* (1953).

Troade. V. Troie.

troc n. m. Échange d'objets, sans l'intermédiaire de monnaie. *Faire du troc.*

Trocadero, site fortifié d'Espagne (Andalousie), sur la baie de Cadix. - La position fut enlevée par le duc d'Angoulême en 1823.

Trocadéro (palais du). V. Chaillot (palais de).

trocart n. m. CHIR Instrument comportant une canule qui, une fois introduite grâce à une pointe tranchante coulissante, permet de pratiquer des ponctions et des explorations d'endoscopie.

trochaïque [tʀɔkaik] adj. METR ANC Composé de trochées. *Vers trochaïque.*

trochanter [tʀɔkɑ̃tɛʀ] n. m. **1.** ANAT *Grand trochanter et petit trochanter* : les deux apophyses de la partie supérieure du fémur. **2.** ZOOL Second article des appendices locomoteurs des arthropodes.

troche ou **troque** n. f. ZOOL Mollusque gastéropode prosobranche dont de nombreuses espèces (*Trochus niloticus*, par ex.) ont une belle coquille colorée et nacrée utilisée pour fabriquer des bijoux.

1. trochée n. f. ARBOR Syn. de *cépée.*

2. trochée n. m. METR ANC Pied de la métrique grecque ou latine composé de deux syllabes, une longue et une brève. Syn. chorée.

trochlée [tʀɔkle] n. f. ANAT Articulation dont les surfaces, en forme de poulie, permettent une seule direction de mouvement. *Le coude, le genou sont des trochlées* (ou *articulations trochléennes*).

Trochu (Louis Jules) (Le Palais, Belle-Île, 1815 - Tours, 1896), général français. Il fut aide de camp de Louis Napoléon et, malgré son opposition déclarée au Second Empire, servit sous Saint-Arnaud en Crimée; il fut disgracié en 1867 pour son livre critique sur l'armée française. Gouverneur militaire de Paris (août 1870), il ne s'opposa pas à la révolution du 4 Septembre et accepta de présider le gouvernement de la Défense nationale jusqu'au 22 janv. 1871. Député orléaniste à l'Assemblée nationale, Trochu se démit en 1872.

troène n. m. Arbuste ornemental souvent taillé en haie (fam. oléacées) à feuilles simples elliptiques, à fleurs blanches odorantes groupées en panicules, et à fruits noirs persistants.

troglodyte n. m. **1.** Personne qui vit dans une caverne, une grotte ou une excavation artificielle. *Les troglodytes du Sud tunisien.* **2.** ORNITH Petit oiseau passériforme brun (genre *Troglodytes*), aux ailes et à la queue courtes, marchant la queue relevée et construisant, à l'aide de mousse et de brindilles, un nid volumineux à ouverture latérale.

troglodytique adj. Didac. Propre aux troglodytes (sens 1), à leur habitat. *Les habitations troglodytiques de Touraine.*

trogne n. f. Fam. Visage plein et rubicond révélant le goût de la bonne chère. *Trogne enluminée d'un gros buveur.* ▷ *Par ext.* Visage. *Il a une bonne trogne,* un visage sympathique.

trognon n. m. (et adj. inv.) **1.** Partie centrale, non comestible d'un fruit à pépins ou d'un légume. *Jeter un trognon de pomme. Trognon de chou.* ▷ Loc. fig., pop. *Jusqu'au trognon :* jusqu'au bout. **2.** Fam. Terme d'affection, désignant un enfant. ▷ adj. *Il est trognon,* charmant.

trogoniformes n. m. pl. ORNITH Ordre d'oiseaux tropicaux aux couleurs irisées, à longue queue, au bec court. - Sing. *Un trogoniforme.*

Troie ou **Ilion,** cap. de la Troade, enjeu d'une guerre relatée dans l'*Iliade* d'Homère; la Troade, fondée par les Grecs, occupait l'extrême N.-O. de l'Asie Mineure. Pâris, fils du vieux roi troyen Priam, ayant enlevé Hélène, épouse du roi achéen Ménélas, les chefs des Grecs (Achille, Ménélas, Ulysse, Nestor, Ajax, etc.) se liguèrent contre la cité du ravisseur et s'embarquèrent pour Troie sous la conduite d'Agamemnon. Ils assiégèrent pendant dix ans la ville de Priam (défendue par Hector et Énée), avant de s'en emparer grâce au stratagème du «cheval de Troie» (raconté dans l'*Odyssée,* puis dans l'*Énéide*) : ayant construit un colossal cheval de bois, à l'intérieur duquel ils cachèrent des guerriers, ils firent mine de renoncer au siège, et l'abandonnèrent devant la ville. Les Troyens introduisirent ce cheval dans leurs murs; la nuit venue, les soldats achéens sortirent du cheval et allèrent ouvrir les portes de Troie aux Grecs, qui s'emparèrent de la cité et l'incendièrent. On localise auj. l'emplacement de Troie à 5 km de la côte égéenne près de l'Hellespont, non loin de l'actuelle localité turque d'Hissarlik (autref. Pergame). Neuf couches de fondations furent mises au jour entre 1870 et 1938 (Schliemann y fouilla de 1870 à 1890). Les ruines du niveau Troie VII, vestiges d'une cité dévastée par le feu v. 1260 av. J.-C., semblent correspondre à la Troie des récits homériques.

Troie : vestiges des remparts de la cité disparue, Turquie

troïka n. f. Traîneau russe tiré par trois chevaux attelés de front. ▷ Fig., fam. Triumvirat politique (d'abord en U.R.S.S.).

trois adj. inv. et n. m. inv. **I.** adj. num. inv. **1.** (Cardinal) Deux plus un (3). *Les trois couleurs nationales. Midi moins trois (minutes). Trois cents. Trois mille.* ▷ *Deux ou trois, trois ou quatre :* très peu de. ▷ *Règle de trois :* opération qui permet de calculer l'un des quatre termes d'une proportion lorsqu'on connaît les trois autres. (Ainsi, pour obtenir un pourcentage à partir d'un rapport, $\frac{3}{28}$ par ex., on pose $\frac{x}{100} = \frac{3}{28}$ soit $x = \frac{300}{28} = 10{,}714$ %.) **2.** (Ordinal) Troisième. *Page trois. Henri III.* - Ellipt. *Le trois juin.* **II.** n. m. inv. **1.** Le nombre trois. *Trois et dix font treize.* - Prov. *Jamais deux sans trois :* ce qui est arrivé déjà deux fois se reproduira. ▷ Chiffre représentant le nombre trois (3). *Mettez un trois à la place du deux.* ▷ Numéro trois. *Habiter au trois.* ▷ *Le trois :* le troisième jour du mois. **2.** Carte, face de dé ou côté de domino portant trois marques. *Le trois de pique.*

trois-D n. f. Reproduction d'un objet en trois dimensions, donnant l'illusion du relief, par des images de synthèse créées par informatique. (On écrit le plus souvent 3-D.)

trois étoiles adj. inv. ou **trois-étoiles** n. m. inv. *Hôtel, restaurant trois étoiles* ou, absol., *un trois-étoiles :* hôtel, restaurant de grande qualité.

Trois-Évêchés (les), dénomination collective des trois villes épiscopales (Metz, Toul et Verdun) occupées par les troupes françaises d'Henri II en 1552. Leur rattachement à la France ne fut officiellement reconnu qu'en 1648 (traités de Westphalie).

1. trois-huit n. m. inv. MUS Mesure à trois temps dont l'unité est la croche.

2. trois-huit n. m. pl. Système de répartition du travail d'une journée dans lequel trois équipes se relaient sans arrêt toutes les huit heures.

troisième adj. et n. **I.** adj. num. ord. Dont le rang est marqué par le nombre 3. *Le troisième jour. La troisième fois. Monter au troisième étage* ou, ellipt., *au troisième.* ▷ *Passer la troisième vitesse* ou, ellipt., *la (en) troisième.* **II.** n. **1.** Personne, chose qui occupe la troisième place. *Il est arrivé le troisième.* **2.** n. f. Quatrième classe du premier cycle de l'enseignement secondaire.

troisièmement adv. En troisième lieu.

trois-mâts n. m. inv. Navire à voiles à trois mâts.

trois-pièces n. m. inv. V. pièce (sens B, 1).

trois-quarts n. m. inv. **1.** Manteau court. **2.** MUS Petit violon d'enfant. **3.** SPORT Au rugby, chacun des quatre joueurs situés entre les demis et l'arrière.

trois-quatre n. m. inv. MUS Mesure à trois temps dont l'unité est la noire.

Trois-Rivières, v. et port du Canada (Québec), au confl. du Saint-Laurent et du Saint-Maurice; 49 400 hab. (aggl. urb. 114 300 hab.). Import. papeteries (papier journal). - La ville fut fondée par les Français en 1634.

Trois-Vallées (les), complexe touristique de la Savoie formé par les vallées du Doron de Belleville, du Doron des Allues et des torrents de Saint-Bon en Tarentaise. Princ. stations de sports d'hiver : Méribel-les-Allues, Courchevel, les Menuires.

troll n. m. Lutin des légendes scandinaves.

trolley [tʀɔlɛ] n. m. **1.** Perche flexible fixée à un véhicule électrique, mettant en relation le moteur avec une ligne aérienne. **2.** Fam. Abrév. de *trolleybus.*

trolleybus [tʀɔlɛbys] n. m. inv. Autobus à trolley. (Abrév. fam. : trolley).

Trollope (Anthony) (Londres, 1815 - id., 1882), écrivain anglais. Ses romans décrivent la société victorienne : *la Dernière chronique de Barset* (1867).

trombe n. f. **1.** METEO Cyclone caractérisé par la formation d'une colonne nébuleuse tourbillonnante et aspirante allant de la masse nuageuse à la mer. **2.** Cour. *Trombe d'eau :* averse très violente. **3.** (Par comp.) *En trombe :* très vite et brusquement. *Passer en trombe.*

trombidion n. m. ZOOL Acarien terricole (genre *Trombidium*), de couleur rouge, dont les larves piquent l'homme et les animaux à sang chaud. (V. aoûtat).

trombine n. f. Fam. Visage, tête. *Il a une drôle de trombine.*

trombinoscope n. m. Fam. Document sur lequel est reproduit le portrait de chacun des membres d'un groupe, d'un comité. - Spécial. *Le Trombinoscope* (nom déposé) : le répertoire des parlementaires et des membres du gouvernement, ainsi que ceux de leurs cabinets, illustré de leurs photographies.

tromblon n. m. Ancienne arme à feu au canon évasé. ▷ Dispositif lance-grenades qu'on adaptait au fusil.

trombone n. m. **1.** Instrument de musique à vent à embouchure, de la famille des cuivres. ▷ *Trombone à coulisse,* formé de deux tubes en U qui glissent l'un dans l'autre, permettant ainsi de faire varier la longueur du tuyau sonore (variation obtenue par un jeu de pistons dans le *trombone à pistons*). ▷ *Par méton.* Musicien qui joue de cet instrument. Syn. tromboniste. **2.** Agrafe repliée en forme de trombone, servant à assembler des papiers.

► pl. instruments de **musique**

tromboniste n. Musicien joueur de trombone. Syn. trombone.

Tromp (Maarten Harpertszoon) (Brielle, 1598 - Ter Heide, 1653), amiral hollandais; vainqueur des Espagnols au large des Dunes (1639), il fut tué dans un combat victorieux contre les Anglais. – **Cornelis** (Rotterdam, 1629 -

Amsterdam, 1691), fils du préc. Il vainquit les Suédois à Öland (1676) et fut nommé amiral.

trompe n. f. **I.** Instrument à vent à embouchure, simple tube évasé. *Trompe de berger. Trompe de chasse* : V. cor. *Sonner de la trompe.* ▷ Vx Avertisseur sonore, d'une automobile, d'une bicyclette. **II. 1.** Appendice plus ou moins développé, servant d'organe du tact et de la préhension, résultant de l'hypertrophie de la lèvre supérieure et du nez chez le tapir et l'éléphant. **2.** Chez certains insectes, les vers et les mollusques, appendice buccal tubulaire, servant au pompage et à l'aspiration des aliments. **3.** ANAT *Trompe d'Eustache* : conduit qui unit l'oreille moyenne au rhinopharynx. ▷ *Trompe utérine* ou *trompe de Fallope* : chacun des deux conduits qui va de l'utérus à l'un des deux ovaires et permet à l'œuf fécondé de gagner la cavité utérine. **III. 1.** ARCHI Portion de voûte en saillie qui sert à supporter une construction en encorbellement et notam. à passer du plan circulaire ou polygonal au plan carré. *Coupole sur trompes.* **2.** TECH *Trompe à eau* : appareil utilisant un écoulement d'eau pour faire le vide dans un récipient.

trompe-l'œil n. m. inv. **1.** En peinture, rendu donnant des effets de perspective pour donner l'illusion d'objets réels et d'un véritable relief. ▷ Par ext. *Décor en trompe l'œil.* **2.** Fig. Ce qui fait illusion.

tromper v. [1] **I.** v. tr. **1.** Induire volontairement (qqn) en erreur. *On nous a trompés sur la qualité de la marchandise.* Syn. abuser, berner, duper. **2.** Être infidèle à (qqn) en amour. *Louis XIV trompait la reine avec Mme de Montespan.* **3.** Mettre en défaut. *Tromper la vigilance de ses gardes.* Syn. déjouer. **4.** (Choses) Donner lieu à une erreur. *La ressemblance l'a trompé. C'est ce qui vous trompe* : c'est là que vous vous méprenez. **5.** Litt. Ne pas répondre à (une attente), décevoir. *L'événement a trompé leurs calculs.* **6.** Faire diversion à. *Tromper sa faim.* – Par ext. (Abstrait) *Tromper son ennui.* **II.** v. pron. Faire une erreur. *Tout le monde peut se tromper.* Syn. se méprendre. ▷ *Se tromper de* : prendre (une chose) pour une autre. *Vous vous trompez de numéro.* ▷ Loc. *Si je ne me trompe* : sauf erreur de ma part.

tromperie n. f. Action de tromper, artifice visant à tromper. *Il y a tromperie sur la marchandise.* Syn. duperie.

trompette n. **I.** n. f. **1.** Instrument de musique à vent à embouchure, de la famille des cuivres. – *Trompette d'harmonie,* à pistons. *Trompette de cavalerie,* sans pistons (V. clairon). *Trompette bouchée,* à sourdine. ▷ Loc. *Sans tambour ni trompette,* discrètement, sans se faire remarquer. ▷ *Nez en trompette,* relevé. **2.** *Trompette-de-la-mort* ou *trompette-des-morts* : syn. de *craterelle.* **II.** n. m. Syn. vieilli de *trompettiste.*

► pl. instruments de **musique**

trompettiste n. Joueur de trompette.

trompeur, euse adj. Qui induit en erreur. *Il est d'une gentillesse trompeuse.*

trompeusement adv. Litt. De manière trompeuse.

Tromsø, princ. v. et port de la Norvège septentrionale; 41 650 hab.; ch.-l. de comté. Pêche. Constr. mécaniques. Station météorologique. Université.

tronc [tʀɔ̃] n. m. **1.** Partie de la tige ligneuse (des arbres dicotylédones), depuis les racines jusqu'aux premières branches. *Tronc tordu d'un olivier, tronc droit du pin.* ▷ Par anal. ARCHI *Tronc de colonne* : partie inférieure d'un fût de colonne. **2.** Partie centrale du corps des animaux, du corps humain qui se prolonge par la tête et les membres. **3.** ANAT Partie la plus grosse (d'un vaisseau ou d'un nerf), située en amont des branches de dérivation. ▷ *Tronc cérébral* : partie de l'encéphale formée par le bulbe rachidien, la protubérance annulaire et les pédoncules cérébraux, située dans la fosse postérieure. **4.** Boîte fixe percée d'une fente, destinée à recevoir les offrandes dans une église. **5.** GEOM Solide compris entre la base et une section plane parallèle. *Tronc de cône. Tronc de pyramide.* **6.** (Abstrait) *Tronc commun* : partie commune (à plusieurs formations). ▷ *Spécial.* Début d'un cycle enseignement commun à tous les élèves ou étudiants, avant orientation.

Tronçais (forêt de), forêt domaniale (10 436 ha) de l'Allier, à l'E. de la vallée du Cher; chênaies.

troncation n. f. LING Abrégement d'un mot par la chute d'une ou de plusieurs syllabes.

tronche n. f. Fam. Tête, visage. *Il a une sale tronche.*

Tronchet (François Denis) (Paris, 1726 – id., 1806), magistrat français. Avocat, il fut l'un des défenseurs de Louis XVI. Sous le Consulat, il participa aux travaux du Code civil.

tronçon n. m. **1.** Morceau rompu ou coupé d'un objet long. *Des tronçons de colonnes. Anguille découpée en tronçons.* **2.** Partie (d'une route, etc.). *Tronçon d'autoroute.*

tronconique adj. Didac. En forme de tronc de cône.

tronçonnage ou **tronçonnement** n. m. Action de tronçonner; son résultat.

tronçonner v. tr. [1] Couper, débiter en tronçons. *Tronçonner des arbres.*

tronçonneuse n. f. Machine qui sert à tronçonner (le bois, le métal).

Trondheim (anc. *Nidaros*), v. et port de la Norvège centrale; 130 500 hab.; ch.-l. de comté. Pêche. Centre industriel (métall., méca., bois, etc.). Laboratoire océanographique. Université. – Cath. gothique. Forteresse du XVIIe s. – Cap. de la Norvège du Xe au XIVe s.

trône n. m. **1.** Siège élevé où les souverains (ou certains pontifes) prennent place dans des cérémonies solennelles. *Trône pontifical.* ▷ Fam. et plaisant Siège des lieux d'aisances. **2.** Symbole du pouvoir d'un souverain. *Monter sur le trône.* ▷ HIST *Le Trône et l'Autel* : la monarchie et l'Église. **3.** THEOL (Plur.) Troisième chœur de la première hiérarchie des anges.

trôner v. intr. [1] **1.** (Personnes) Être assis à une place d'honneur (avec un air de majesté). *Le directeur trônait derrière son bureau.* **2.** (Choses) Être placé bien en vue. *Ses diplômes trônaient sur la cheminée.*

tronquer v. tr. [1] Effectuer des suppressions importantes dans (un texte, une chose abstraite). *Tronquer une déclaration, une citation.* ▷ Pp. adj. *Colonne tronquée* : fût de colonne brisé dans sa partie supérieure. – *Pyramide tronquée,* qui ne comporte pas de partie supérieure.

Tronson du Coudray (Guillaume) (Reims, 1750 – Sinnamary, Guyane, 1798), homme politique français. Avocat, il fut désigné d'office pour défendre Marie-Antoinette. Député au Conseil des Anciens (1795), il fut déporté en Guyane après le 18 Fructidor.

trop adv. **I.** (Marquant l'excès.) **1.** À un degré excessif, en quantité excessive. *Il est trop jeune. Vous arrivez trop tard. Tu nourris trop ton chien.* **2.** *Trop de...* : une quantité excessive de..., un excès de... *Elle a trop de travail. Vous en avez trop dit.* – Litt. *C'en est trop* : cela dépasse la mesure. – Absol. *Il mange trop.* ▷ *De trop, en trop,* exprime une quantité qui excède ce qui est nécessaire. *Il y a deux mille francs de trop, en trop dans ma caisse.* – (Personnes) *Si je suis de trop* : si l'on n'a pas besoin de moi, si je suis indésirable. **3.** *Trop... pour* (+ inf.), *trop... pour que* (+ subj.), marque que, étant donné l'excès, la conséquence est exclue. *Il est trop poli pour être honnête, trop malade pour qu'on puisse le transporter.* **4.** (Emploi nominal.) (Avec un déterminant.) Litt. Excès. *Le trop de précautions peut nuire.* **II.** (Valeur de superlatif.) **1.** (En phrase positive, *trop* étant une manière affectueuse ou polie de dire *très* ou *beaucoup.*) *Vous être trop gentil. Cet enfant est trop mignon.* **2.** (En phrase négative, sans nuance particulière.) *Il n'était pas trop content.*

-trope, -tropie, -tropisme, tropo-. Éléments, du gr. *tropos,* « tour, manière, direction »; de *trepein,* « tourner ».

trope n. m. RHET Figure qui implique un changement du sens premier, propre, des mots. *Métaphore et métonymie sont des tropes.*

troph(o)-, -trophie. Éléments, du gr. *trophê,* « nourriture ».

trophée n. m. **1.** ANTIQ Dépouille d'un ennemi vaincu. ▷ BX-A Monument ou motif décoratif évoquant une victoire, un événement héroïque. **2.** Objet qui témoigne d'une victoire (non militaire), d'un succès. *Trophée de chasse. Trophées sportifs.*

trophicité n. f. PHYSIOL Ensemble des phénomènes qui conditionnent la nutrition et le développement d'un tissu ou d'un organe.

trophique adj. PHYSIOL Qui se rapporte à la nutrition des tissus.

trophoblaste n. m. EMBRYOL Couche périphérique de l'œuf fécondé permettant son implantation dans l'utérus et riche en matières nutritives.

tropical, ale, aux adj. **1.** Qui appartient à un, aux tropiques; situé sous un tropique; qui caractérise la zone intertropicale. *Climat tropical,* qui règne de part et d'autre des tropiques, caractérisé par l'alternance d'une saison chaude et humide, et d'une saison sèche. – Par exag. *Une température tropicale,* très élevée. **2.** Conçu spécialement pour le climat tropical, pour les climats chauds. *Vêtements tropicaux.*

tropicaliser v. tr. [1] TECH Traiter un matériau, un matériel pour qu'il résiste à un climat tropical.

-tropie. V. -trope.

tropique n. m. et adj. ASTRO **1.** n. m. Chacun des deux cercles imaginaires parallèles à l'équateur, situés de part et d'autre de celui-ci à la latitude de 23° 27' (angle d'inclinaison de l'écliptique sur l'équateur). *Tropique du Cancer,* dans l'hémisphère Nord. *Tropique du Capricorne,* dans l'hémisphère Sud. ▷

Cour. *Les tropiques :* la région comprise entre les deux tropiques. **2.** adj. *Année tropique :* durée séparant deux passages consécutifs du Soleil à l'équinoxe de printemps. *L'année tropique est légèrement inférieure à l'année sidérale, à cause de la précession des équinoxes.*

tropisme n. m. BIOL Mouvement par lequel un organisme s'oriente par rapport à une source stimulante. *Tropisme (chimiotropisme, géotropisme, phototropisme, thermotropisme) et tactisme.* ▷ Fig. Réaction élémentaire à un stimulus quelconque.

-tropisme, tropo-. V. -trope.

tropopause n. f. METEO Surface qui sépare la troposphère de la stratosphère.

troposphère n. f. METEO Partie de l'atmosphère située entre la surface du sol et une altitude de 10 km env. (V. encycl. atmosphère.)

Troppau (congrès de) (1820), il réunit les membres de la Sainte-Alliance qui se trouvaient confrontés à l'agitation révolutionnaire en Europe. Metternich y fit adopter le principe de l'intervention militaire et diplomatique des puissances. – V. Opava.

trop-perçu n. m. Somme qui, dans un compte, a été perçue en trop. *Des trop-perçus.*

trop-plein n. m. **1.** Ce qui excède la capacité d'un récipient, ce qui en déborde. **2.** Fig. Ce qui est en excès, en surabondance. *Laisser déborder le trop-plein de son cœur. Un trop-plein d'énergie.* **3.** TECH Dispositif qui sert à évacuer un liquide en excès dans un réservoir. *Des trop-pleins.*

troque. V. troche.

troquer v. tr. [1] **1.** Échanger (une chose contre une autre); donner en troc. *Troquer des peaux contre du blé.* ▷ Fig. Prov. *Troquer son cheval borgne contre un aveugle :* échanger qqch de médiocre pour qqch de pire. **2.** (Sans idée de transaction.) Changer pour autre chose. *Il avait troqué sa culotte courte contre un pantalon.*

troquet n. m. Fam. Bistro, petit café.

trot n. m. **1.** Allure intermédiaire entre le pas et le galop, l'antérieur gauche et le postérieur droit, l'antérieur droit et le postérieur gauche étant lancés deux à deux. *Course de trot,* disputée par des chevaux qui doivent trotter (et non galoper). *Trot monté, attelé.* **2.** Fig., fam. *Au trot :* vivement et sans délai.

Trotski (Lev Davidovitch Bronstein, dit Lev Trotski, en fr. Léon) (Ianovka, Ukraine, 1879 – Coyoacán, près de Mexico, 1940), révolutionnaire russe. Étudiant en droit, marxiste, il fut déporté en Sibérie (1900). En 1902, il s'évada et, sous le nom de Trotski, rejoignit Lénine à Londres, sans toutefois adhérer totalement à l'idéologie du bolchevisme. Revenu en Russie, il devint, lors de la révolution de 1905, le chef du soviet menchevik de Saint-Pétersbourg. Arrêté, il s'évada et gagna Vienne, la Suisse, Paris, l'Amérique. Revenu à Petrograd en 1917, il se rallia au parti bolchevique et fut élu à son comité central; au début d'oct. 1917, il devint président du soviet de Petrograd. Princ. collaborateur de Lénine, il conduisit les négociations de paix avec l'Allemagne mais refusa de signer le traité de Brest-Litovsk (mai 1918) et créa l'Armée rouge. En mars 1921, il écrasa la révolte de Cronstadt. Dès 1923, il s'opposa à Staline qui forma contre lui la «troïka» (avec Zinoviev et Kamenev) et réussit à l'éliminer. Exclu du parti communiste en déc. 1927, expulsé de l'U.R.S.S. (fév. 1929), il gagna Istanbul, la France (1933-1935), la Norvège et finalement le Mexique (1937), où un agent de Staline l'assassina. En 1938, il avait fondé la IVe Internationale (trotskiste), se réclamant du léninisme, de la révolution permanente et mondiale, par opposition à la thèse stalinienne de l'édification du socialisme dans un seul pays. Il a été réhabilité en U.R.S.S. en 1989. Son œuvre politique, historique, autobiographique est considérable : *1905* (1909), *Ma vie* (1929), *Histoire de la révolution russe* (1931-1933), *la Révolution trahie* (1937).
► illustr. page **1894**

trotskisme ou **trotskysme** n. m. Courant politique issu des conceptions de Léon Trotski.

trotskiste ou **trotskyste** n. Partisan de Léon Trotski, de ses thèses. ▷ adj. *Groupe trotskiste.*

trotte n. f. Fam. Chemin, distance assez longue à parcourir à pied. *Il y a une bonne trotte jusqu'au village.*

trotte-menu adj. inv. Vx Qui trotte à très petits pas. *«La gent trotte-menu»* (La Fontaine) : les souris.

trotter v. intr. [1] **1.** (En parlant du cheval et de certains animaux dont l'allure rappelle celle du cheval.) Aller au trot. – *Spécial.* Disputer une course de trot. ▷ Par ext. *Jockey qui trotte,* qui fait trotter sa monture. **2.** (En parlant de quelques animaux et de l'homme.) Marcher à petits pas, à une allure rapide. *Les souris trottent.* **3.** Marcher beaucoup, aller et venir. *J'ai trotté toute la journée.* **4.** Fig. Aller et venir. *Cette idée lui trotte dans la tête.*

trotteur, euse n. m. et adj. **1.** Cheval que l'on a dressé à trotter, notam. pour les courses de trot. *Élever, entraîner des trotteurs.* **2.** Chaussure de ville à talon bas et large, commode pour la marche. ▷ adj. *Bottines à talons trotteurs.*

trotteuse n. f. Petite aiguille qui marque les secondes sur un cadran.

trottinement n. m. Action de trottiner; allure de qqn, d'un animal qui trottine.

trottiner v. intr. [1] **1.** Aller d'un trot très court. **2.** Marcher à petits pas pressés.

trottinette n. f. **1.** Jouet d'enfant formé d'une planchette rectangulaire montée sur deux petites roues, la roue avant étant commandée par une tige de direction. Syn. patinette. **2.** Fam., plaisant Petite automobile.

trottoir n. m. **1.** Chemin surélevé, le plus souvent dallé ou bitumé, de chaque côté d'une rue, d'une voie de passage, aménagé pour la circulation et la sécurité des piétons. ▷ Loc. fam. *Faire le trottoir :* se prostituer, racoler les passants sur la voie publique. **2.** *Trottoir roulant :* tapis roulant pour les piétons.

trou n. m. Ouverture naturelle ou artificielle dans un solide. **I. 1.** Creux, cavité pratiquée à la surface d'un corps, du sol. *Creuser, reboucher des trous dans un jardin.* ▷ Fig. *Boucher un trou :* s'acquitter d'une dette (parmi beaucoup d'autres). ▷ Fam. Fosse, tombe. *Mettre qqn dans le trou.* **2.** Petite cavité servant d'abri, de cachette. *Trou de souris.* ▷ Fig. *Faire son trou :* parvenir à une bonne situation, réussir. **3.** METEO, AVIAT *Trou d'air :* courant atmosphérique descendant qui, rencontré par un aéronef, lui fait perdre brusquement de l'altitude. **4.** Fig. *Trou normand :* rasade d'eau-de-vie prise au milieu d'un repas copieux pour stimuler la digestion (en «creusant» l'estomac). ▷ SPORT *Faire le trou,* se dit d'un coureur qui «creuse» la distance entre lui et ses adversaires. **5.** Fig. Lacune, manque. *Avoir un trou de mémoire* ou, ellipt., *un trou.* ▷ Somme qui manque dans un compte, déficit. *Trou dans un budget. Le comptable s'est enfui en laissant un trou d'un million.* **6.** Emplacement laissé libre dans un réseau cristallin à la suite du départ d'un électron. (Il en résulte une charge positive.) ▷ PHYS Syn. de *lacune* (sens 4). **7.** Fig., fam. Petite localité retirée, à vie ralentie. *Végéter dans un trou de province.* – *Sortir un peu de son trou.* **8.** Fam. Prison. *Être au trou.* **II. 1.** Ouverture pratiquée dans une surface, un corps qu'elle traverse. *Le trou d'une serrure,* l'ouverture par où l'on passe la clef. *Trou du souffleur,* pratiqué sur le devant de la scène. ▷ MAR *Trou de chat :* ouverture pratiquée dans la hune d'un mât permettant le passage d'un homme. ▷ TECH *Trou d'homme :* ouverture servant à pénétrer dans un appareil (citerne, en partic.) pour en visiter l'intérieur. **2.** Fam. Orifice, cavité dans le corps humain. *Trous de nez.* ▷ Vulg. *Trou de balle, trou du cul :* anus. – Fig., inj. *Trou-du-cul :* être méprisable, bon à rien. **3.** ANAT Orifice limité par des parois osseuses, musculaires ou constituées d'aponévrose et permettant notam. le passage de nerfs et de vaisseaux. *Trou occipital, vertébral.* **4.** Ouverture qui endommage un vêtement, un tissu (due à l'usure, à une déchirure, etc.). *Repriser des chaussettes pleines de trous.* **5.** ASTRO *Trou noir :* V. encycl. ci-après.

ENCYCL **Astro.** – Un *trou noir* est un astre (envisagé dès la fin du XVIIIe s. par Laplace) dont le champ de gravité est tellement intense qu'aucun rayonnement ne peut s'en échapper. Le champ gravitationnel du trou noir peut susciter la formation d'une couronne massive, le disque d'accrétion, provenant de la matière aspirée dans l'environnement proche de l'astre. Échauffé à plusieurs millions de kelvins par de violents phénomènes de friction, le disque d'accrétion est une source puissante de rayons X et gamma dont l'observation permet de révéler la présence du trou noir.

troubadour n. m. Poète courtois des pays de langue d'oc, qui, aux XIIe et XIIIe s., composait des œuvres lyriques. Cf. trouvère. ▷ (En appos.) LITTER, BX-A *Genre troubadour :* genre littéraire, courant artistique caractérisés par une imitation des œuvres du Moyen Âge, en vogue en France à l'époque romantique.

Troubetskoï, famille princière de Russie. – **Sergheï Petrovitch** (Nijni Novgorod, 1790 – Moscou, 1860), un des chefs des décabristes* (1825), déporté en Sibérie, gracié en 1855.

Troubetskoï (Nikolaï Sergheïevitch) (Moscou, 1890 – Vienne, 1938), linguiste russe. Professeur à Moscou (1915) puis à Vienne (1922); cofondateur du cercle linguistique de Prague (1926), il donna une définition du phonème permettant une approche systématique et fonctionnelle des faits phoniques de la langue, créant ainsi la phonologie : *Principes de phonologie* (posth., 1939).

troublant, ante adj. **1.** Qui inquiète ou déconcerte. *Ressemblance troublante.*

2. Qui provoque le désir. *Un décolleté troublant.*

1. trouble adj. **1.** Qui manque de limpidité, de transparence. *Vin trouble. Verre trouble.* ▷ Loc. fig. *Pêcher en eau trouble :* V. eau. **2.** Flou, que l'on ne distingue pas nettement. *Image, film trouble.* ▷ Par méton. *Avoir la vue trouble* ou, adv., *voir trouble :* ne pas voir nettement. **3.** Fig. Équivoque, qui manque de clarté. *Sentiments, motivations troubles.* ▷ Péjor. Louche, suspect. *Conduite trouble.*

2. trouble n. m. **1.** État de ce qui est troublé, contraire à la paix, à l'ordre; confusion, agitation désordonnée. *Semer le trouble dans les esprits.* **2.** Mésintelligence, dissension. *Porter le trouble dans un ménage.* **3.** État d'inquiétude, d'agitation de l'esprit, du cœur. *Le trouble se lisait sur son visage.* ▷ *Spécial.* Émotion suscitée par l'amour, le désir. **4.** (Plur.) Désordre, anomalie dans le fonctionnement d'un organe, dans le comportement. *Troubles respiratoires.* **5.** (Plur.) Agitation, dissensions civiles et politiques. *Une période de troubles. Fauteur de troubles.*

trouble-fête n. Importun qui interrompt les plaisirs d'une réunion, d'une réjouissance. *Des trouble-fête(s).*

troubler I. v. tr. [1] **1.** Rendre moins limpide, moins transparent. *L'orage a troublé l'eau de la rivière.* **2.** Rendre trouble (1, sens 2). *Le brouillard troublait l'horizon.* **3.** Interrompre, perturber le déroulement, le bon fonctionnement de. *Troubler le sommeil. Les manifestants, les contradicteurs ont troublé la réunion.* **4.** Gêner; susciter le doute, l'inquiétude chez (qqn). *Cette question l'a troublé.* **5.** Émouvoir, faire naître un certain émoi, un désir chez (qqn). *Adolescent troublé par une jeune fille, par une lecture.* **II.** v. pron. **1.** (Réfl.) Devenir trouble (1, sens 1 et 2). **2.** Être ému, perdre le contrôle de soi, de ses facultés. *Le candidat s'est troublé.*

trouée n. f. **1.** Ouverture naturelle ou artificielle (au travers d'un bois, d'une haie, etc.) qui permet le passage. **2.** MILIT Ouverture faite dans une ligne ennemie par une charge de cavalerie, de blindés ou un tir d'armes à feu. **3.** GEOGR Passage naturel entre deux montagnes. *La trouée de Belfort.*

trouer v. tr. [1] **1.** Percer, faire un trou, des trous dans. – Loc. fam. *Se faire trouer la peau :* se faire tuer (par balles). **2.** (Choses) Former un trou, une trouée, un passage dans. *Un mur que trouaient çà et là de larges brèches.*

troufion n. m. Fam. Simple soldat.

trouillard, arde adj. et n. Fam. Poltron, peureux.

trouille n. f. Pop. Peur.

Trouille (Clovis) (La Fère, Aisne, 1889 – Neuilly-sur-Marne, 1975), peintre français. Il a donné forme à ses fantasmes érotiques et mortuaires dans une œuvre qui se situe « aux environs » du surréalisme.

Troumouse (cirque de), vaste cirque des Hautes-Pyrénées, dominé notam. par le *pic de Troumouse* (3 086 m) et le pic de la Munia (3 150 m).

troupe n. f. **1.** Vieilli Assemblée, réunion de personnes liées par un intérêt commun. *Une troupe de brigands.* **2.** Groupe d'animaux qui vivent ensemble. *Une troupe d'oies sauvages.* **3.** Unité régulière de soldats. **4.** Collect. *La troupe :* l'armée. ▷ Les sous-officiers et les soldats (par oppos. aux *officiers*). ▷ Plur. *Les troupes :* le corps des gens de guerre composant une armée. – *Par ext.* Armée (d'un pays). *Ils furent vaincus par les troupes espagnoles.* **5.** *Troupe de comédiens* ou, ellipt., *troupe :* groupe de comédiens associés, jouant ensemble.

troupeau n. m. **1.** Troupe d'animaux domestiques de même espèce, élevés et nourris ensemble. *Un troupeau de vaches.* ▷ *Spécial.* (S. comp.) Troupeau de moutons et de brebis. *Le berger et son troupeau.* ▷ Groupe d'animaux vivant ensemble. *Un troupeau de girafes.* **2.** Péjor. Groupe de personnes qui suit passivement qqn, qqch. *Escorté de son troupeau d'admirateurs.* **3.** RELIG Ensemble des fidèles. *Le pasteur et son troupeau.*

troupiale n. m. ORNITH Oiseau passériforme américain migrateur (genre *Icterus*), à plumage jaune ou orangé, vivant en colonies.

troupier n. m. Vieilli Soldat, homme de troupe. ▷ adj. *Comique troupier :* chansons, comique grossier à base d'histoires de soldats, en vogue de 1900 à 1930 (env.); le comédien, le chanteur qui exploitait cette veine comique.

troussage n. m. CUIS Action de trousser une volaille.

trousse n. f. **1.** Anc. (Surtout au plur.) Chausses, hauts-de-chausses que portaient les pages. ▷ (Plur.) Mod. Loc. fam. *Aux trousses (de) :* à la poursuite (de). **2.** Étui, petite sacoche à compartiments pour ranger ou regrouper des instruments, divers objets usuels. *Trousse de chirurgien.* – *Trousse de toilette,* qui contient des objets de toilette.

trousseau n. m. **1.** Ensemble du linge, des vêtements, que l'on donne à une jeune fille qui quitte sa famille pour se marier, entrer au couvent, ou à un enfant qui entre en pension, part en apprentissage, etc. **2.** *Trousseau de clefs :* ensemble de clefs réunies par un même lien (anneau, porte-clefs, etc.).

Trousseau (Armand) (Tours, 1801 – Paris, 1867), médecin français; célèbre clinicien : *Cliniques médicales de l'Hôtel-Dieu* (3 vol.).

troussequin. V. trusquin.

trousser v. tr. [1] **1.** Retrousser. ▷ Fam. *Trousser la jupe, les jupons d'une femme.* – Par ext. *Trousser une femme,* la posséder. ▷ v. pron. Relever ses jupes. **2.** CUIS *Trousser une volaille,* ramener et lier près du corps ses ailes et ses cuisses pour la faire cuire après l'avoir plumée. **3.** Litt. ou vieilli Expédier rapidement. *Trousser une affaire.* ▷ *Trousser un poème, un compliment,* le faire avec rapidité et élégance. – Pp. adj. *Un compliment bien troussé.*

trousseur n. m. Loc. fam. *Trousseur de jupons :* coureur de filles.

trouvable adj. Qui peut être trouvé.

trouvaille n. f. **1.** Découverte heureuse, opportune et agréable. *Faire une trouvaille.* **2.** Chose heureusement trouvée, idée originale. *Un style plein de trouvailles.*

trouvé, ée adj. **1.** Qui a été trouvé (sens A, I, 2). – Loc. *Enfant trouvé,* accueilli après abandon. **2.** *Bien trouvé :* heureusement découvert; original. ▷ *Tout trouvé :* trouvé avant même d'avoir été recherché.

trouver v. [1] **A.** v. tr. **I. 1.** Rencontrer, apercevoir, découvrir (qqn, qqch que l'on cherchait). *Trouver la maison de ses rêves. Vous le trouverez chez lui.* ▷ *Aller trouver qqn,* se rendre auprès de lui, aller le voir. – (Suivi d'un comp. désignant un état.) *Je n'ai pu trouver le sommeil.* **2.** Rencontrer, découvrir (qqn, qqch que l'on ne cherchait pas, par hasard). *Trouver un parapluie dans l'autobus.* – Loc. *Trouver à qui parler :* rencontrer un interlocuteur de taille. – *Trouver la mort dans un accident.* **II.** (Abstrait) **1.** Découvrir, parvenir à obtenir (un résultat recherché) au moyen de l'étude, par un effort de l'intelligence, de l'imagination. *Trouver la solution d'un problème.* ▷ Inventer. *Trouver un nouveau procédé.* ▷ Fam. *Trouver le moyen de* (+ inf.) : se débrouiller pour. ▷ *Trouver à* (+ inf.) : trouver la possibilité de. *Il a trouvé à s'occuper.* – *Trouver à redire :* critiquer, blâmer. **2.** Parvenir à avoir, à disposer de. *Trouver le temps, le courage de faire qqch.* **III.** Fig. **1.** *Trouver (une sensation, un sentiment, etc.) à, dans :* éprouver, ressentir à, dans. *Trouver un malin plaisir à contredire qqn. Trouver une consolation dans l'amitié.* **2.** Voir (qqn, qqch) se présenter dans tel état, telle situation. *Je l'ai trouvé malade. Trouver porte close.* ▷ Surprendre. *On l'a trouvé en train de fouiller dans les tiroirs.* **3.** Estimer, juger. *Il trouve ce livre passionnant. Trouver le temps long.* ▷ Loc. fam. *La trouver mauvaise :* être très mécontent de, trouver (une chose) fâcheuse. *On lui a tout volé, il l'a trouvée mauvaise.* ▷ *Trouver bon, mauvais (de* + inf., *que) :* estimer bon, mauvais (de, que). *Il a trouvé bon de partir et que je l'accompagne.* **4.** *Trouver (une qualité, un état) à (qqn, qqch) :* reconnaître, attribuer (à qqn, qqch une qualité, un état). *Je vous trouve bonne mine. Trouver beaucoup d'avantages à une situation.* **B.** v. pron. **1.** Se découvrir, se voir tel que l'on est. *Avec le temps et l'expérience, il s'est enfin trouvé.* **2.** Être présent (en un lieu, en une occasion). *Se trouver là par hasard.* ▷ (Choses) Être (dans tel lieu); être situé. *Le livre se trouve sur le premier rayon.* **3.** Être (dans tel ou tel état). *Se trouver dans l'embarras.* **4.** (Réfl.) S'estimer, se sentir. *Il se trouve lésé par ce marché.* ▷ *Se trouver mal :* s'évanouir, avoir un malaise. ▷ *Se trouver bien de qqch,* en être content, en tirer satisfaction. **5.** v. impers. Être, exister, se rencontrer. *Il s'est trouvé quelqu'un pour l'accuser.* ▷ *Il se trouve que :* il arrive que, il se révèle que. ▷ Fam. *Si ça se trouve,* se dit pour présenter une chose comme une éventualité qui n'est pas à écarter.

trouvère n. m. Jongleur et poète de langue d'oïl, aux XIIe et XIIIe s., dans le nord de la France. (Cf. troubadour.) *Thibaud de Champagne fut surnommé le « Prince des trouvères ».*

Trouville-sur-Mer, ch.-l. de cant. du Calvados (arr. de Lisieux), à l'embouchure de la Touques, qui la sépare de Deauville; 5 645 hab. Station balnéaire.

Troy (De). V. De Troy.

Troyat (Lev Aslanovitch Tarassov, dit Henri) (Moscou, 1911), écrivain français d'origine russe; romancier (*l'Araigne,* 1938, prix Goncourt; *Tant que la terre durera,* trilogie, 1947-1950), biographe (*Tolstoï,* 1965; *Catherine la Grande,* 1977; *Ivan le Terrible,* 1982) et dramaturge (*les Vivants,* 1946). Acad. fr. (1959).

1. troyen, enne n. et adj. De l'ancienne ville de Troie. ▷ *« Les Troyennes », tragédie d'Euripide.*

2. troyen, enne n. et adj. De la ville de Troyes. – Subst. *Un(e) Troyen(ne).*

Troyes, ch.-l. du dép. de l'Aube, sur la Seine; 60 755 hab. (env. 122 800 hab. dans l'aggl.). Centre textile (bonneterie); industr. mécaniques et alimentaires. – Évêché. Cath. gothique St-Pierre-et-St-Paul (XIIIe-XIVe s.). Égl. Ste-Madeleine (XIIe-XVIe s.). Collégiale St-Urbain (XIIIe

s.). Hôtel de ville (XVIIe s.). Musée. – Cap. du comté de Troyes (Xe s.), puis du comté de Champagne (XIIe s.), la ville fut très prospère, du XIIe au XIVe s., grâce à ses foires. En 1420, Isabeau de Bavière y fit signer à Charles VI, atteint de folie, un traité par lequel il léguait son royaume à Henri V d'Angleterre.

tr/s TECH Symbole de *tour par seconde*, unité de vitesse angulaire.

truand, ande n. Personne qui tire ses ressources d'opérations illégales ou malhonnêtes. – Homme de la pègre.

truander v. [1] v. intr. Fam. Voler, escroquer.

truanderie n. f. Action de truand.

trublion n. m. Fauteur de troubles.

1. truc n. m. **I. 1.** Fam. Façon d'agir, procédé habile permettant de réussir qqch. *Connaître tous les trucs du métier.* Syn. astuce, ruse, ficelle. **2.** Moyen propre à exécuter un tour de passe-passe. *Les prestidigitateurs ne révèlent jamais leurs trucs.* **3.** Dispositif de théâtre destiné à faire mouvoir des décors, à exécuter des changements à vue. – En audiovisuel, procédé destiné à créer une illusion. V. truquage. **II.** Fam. Mot général par lequel on désigne une chose qu'on ne peut ou ne veut nommer. *Qu'est-ce que c'est que ce truc-là?* Syn. machin, chose.

2. truc ou **truck** n. m. **1.** CH de F Wagon à plate-forme servant à transporter des véhicules, des canons, etc. **2.** Chariot servant à transporter des marchandises.

trucage. V. truquage.

truchement n. m. **1.** Vx Interprète. **2.** Litt. Personne qui explique les intentions d'une autre, lui sert d'intermédiaire. ▷ Fig. et litt. Réalité qui exprime, traduit une autre réalité. ▷ Cour. *Par le truchement de* : par l'intermédiaire de.

Trucial States. V. Émirats arabes unis (hist.).

trucider v. tr. [1] Fam. Tuer, massacrer.

truculence n. f. Caractère, état de ce qui est truculent.

truculent, ente adj. Qui se fait remarquer, haut en couleur, pittoresque. *Personnage truculent.* – (Choses) Réaliste, très coloré. *Style, langage truculent.*

Trudaine (Daniel Charles) (Paris, 1703 – id., 1769), administrateur français. Il fut directeur des Ponts et Chaussées (1743) et fonda l'École des ponts et chaussées (1747).

Trudeau (Pierre Elliott) (Montréal, 1919), homme politique canadien. Professeur de droit à l'université de Montréal (1961), député libéral (1965). Élu président de son parti, il est aussitôt après nommé Premier ministre (avril 1968-mai 1979). Opposé au séparatisme québécois, redevenu Premier ministre en mars 1980, il s'est retiré de la vie politique en juin 1984, non sans avoir obtenu la promulgation d'une nouvelle Constitution (mars 1982), qui limite l'autonomie des provinces canadiennes.

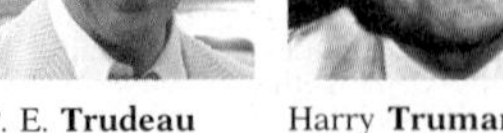

P. E. **Trudeau** Harry **Truman**

truelle n. f. **1.** Outil formé d'une lame en triangle ou en trapèze et d'un manche coudé, servant à appliquer le plâtre, le mortier. **2.** Spatule coupante servant à découper et à servir le poisson.

Truffaut (François) (Paris, 1932 – Neuilly-sur-Seine, 1984), cinéaste français de la Nouvelle Vague : *les Quatre Cents Coups* (1959), *Jules et Jim* (1961), *Fahrenheit 451* (1966), *Baisers volés* (1968), *l'Enfant sauvage* (1969), *Domicile conjugal* (1970), *la Nuit américaine* (1973), *l'Histoire d'Adèle H.* (1975), *l'Amour en fuite* (1979), *le Dernier Métro* (1980), *Vivement dimanche!* (1983).

François **Truffaut** : *le Dernier Métro*, 1980, avec Gérard Depardieu et Catherine Deneuve

truffe n. f. **1.** Champignon ascomycète comestible qui se développe uniquement dans le sol, particulièrement recherché pour la saveur qu'il donne aux mets qu'il accompagne. *Garniture de truffes.* **2.** Confiserie au chocolat en forme de truffe. **3.** Nez du chien. ▶ pl. champignons

truffer v. tr. [1] **1.** Garnir de truffes. *Truffer une dinde.* – Pp. adj. *Foie gras truffé.* **2.** Fig. Parsemer en abondance. *Il truffe ses discours de citations.*

trufficulture n. f. AGRIC Production rationalisée de truffes.

truffier, ère adj. Relatif aux truffes. ▷ *Chêne truffier*, au voisinage duquel on trouve des truffes. ▷ *Chien, porc truffier*, dressé pour la recherche des truffes.

truffière n. f. AGRIC Terrain où poussent des truffes.

truie n. f. Femelle du porc.

truisme n. m. Vérité aussi évidente que banale.

truite n. f. Poisson salmonidé comestible, plus petit que le saumon, tacheté et de couleurs variées. *Truite de mer (Salmo trutta)*, migratrice comme le saumon. *Truite de lac (Salmo lacustris)*, habitant les grands lacs et frayant dans les rivières qui les alimentent. *Truite de rivière (Salmo fario)*, plutôt sédentaire. *Truite arc-en-ciel (Salmo gairdneri)* : truite d'élevage et de repeuplement, originaire des côtes américaines du Pacifique. ▷ CUIS *Truite aux amandes, au bleu*, meunière*.*

truité, ée adj. **1.** Marqué de petites taches rougeâtres et noires comme une truite. *Chien truité.* **2.** TECH *Fonte truitée* : fonte blanchâtre tachetée de gris. – *Poterie truitée*, dont la glaçure est craquelée.

Trujillo, v. et port du Pérou septentrional; 438 700 hab.; ch.-l. de dép. Centre comm. Industr. alim.

Trujillo y Molina (Rafael Leonidas) (San Cristóbal, 1891 – Ciudad Trujillo, auj. Saint-Domingue, 1961), homme politique dominicain. Après avoir servi dans l'armée américaine d'occupation, il devint colonel de police (1926). Élu à la présidence de la République (1930), Trujillo exerça une dictature impitoyable jusqu'à son assassinat. En 1952, il avait cédé son poste à son frère Héctor, mais conservait la réalité du pouvoir.

trullo, plur. **trulli** n. m. Construction des Pouilles (Italie du S.), de forme ovoïde, faite de très grosses pierres chaulées, servant d'habitation ou de grange.

Truman (Harry) (Lamar, Missouri, 1884 – Kansas City, 1972), homme politique américain. Président démocrate des É.-U. en avr. 1945 (à la mort de Roosevelt, dont il était le vice-président), il hâta la fin de la Seconde Guerre mondiale en utilisant la bombe atomique contre le Japon (août 1945). Élu en 1948, il se montra ferme à l'égard de l'U.R.S.S. et de la Chine communiste, engageant son pays dans la guerre froide et dans la guerre de Corée (1950). Il établit en Europe, grâce au plan Marshall, un barrage économique à l'influence soviétique. En 1952 il ne fit pas acte de candidature. Eisenhower lui succéda.

trumeau n. m. **I.** ARCHI **1.** Portion d'un mur comprise entre deux fenêtres. ▷ Glace, panneau décoré qui occupe cet espace. ▷ Glace, panneau disposé au-dessus d'une cheminée, d'une porte. **2.** Dans les églises gothiques, pilier qui soutient en son milieu le linteau d'un portail. **II.** Jarret de bœuf.

truquage ou **trucage** n. m. **1.** Fait de truquer; ensemble de moyens employés à cet effet. **2.** Procédé technique (de prise de vue ou de laboratoire) utilisé surtout en audiovisuel pour créer une illusion; ensemble de ces procédés et art de les utiliser.

truquer v. [1] **1.** v. intr. User de trucs. **2.** v. tr. Donner une fausse apparence à, modifier frauduleusement (un objet). *Truquer un dossier.* – Pp. *Photos truquées.* Syn. falsifier, maquiller. ▷ Fausser dans le déroulement ou les résultats. *On a truqué ce match de boxe.* – Pp. adj. *Élections truquées.*

truqueur, euse n. **1.** Personne qui truque, falsifie (des objets, des opérations). *L'antiquaire nous a mis en garde contre les truqueurs.* **2.** Syn. de *truquiste*.

truquiste n. AUDIOV Spécialiste des truquages audiovisuels.

trusquin ou **troussequin** n. m. TECH Outil (de menuisier, d'ajusteur, etc.) servant à tracer sur une pièce des lignes parallèles à un bord.

trust [trœst] n. m. ECON Groupement d'entreprises sous une même direction, assurant à l'ensemble une prépondérance, voire un monopole, pour un produit ou un secteur. – *Législation contre les trusts* (ou *antitrust*).

truster [trœste] v. tr. [1] **1.** Accaparer, concentrer par un trust. **2.** Fig., fam. Monopoliser. *Les nageurs américains ont trusté les médailles.*

Truyère (la), riv. du Massif central (160 km), affl. du Lot (r. dr.). Aménagements hydroélectriques.

trypanosome n. m. MED, MED VET Protozoaire flagellé fusiforme, parasite du sang, agent de diverses maladies épizootiques ou humaines. *La maladie du som-*

meil est due à un trypanosome véhiculé par la mouche tsé-tsé.

trypanosomiase n. f. MED, MED VET Maladie parasitaire due à un trypanosome.

trypsine n. f. BIOCHIM Enzyme protéolytique du suc pancréatique.

Tsahal («force de défense d'Israël»), nom donné à l'armée israélienne.

Tsana ou **Tana,** lac d'Éthiopie (env. 3 600 km^2), à 1 830 m d'alt., où le Nil Bleu prend naissance.

tsar, tzar [tsaʀ; dzaʀ], **csar** [ksaʀ] ou **czar** [kzaʀ] n. m. HIST Titre des empereurs de Russie et des anciens souverains serbes et bulgares.

tsarévitch [tsaʀevitʃ] ou **tzarévitch** [dzaʀevitʃ] n. m. HIST Titre que portait le fils aîné du tsar de Russie.

tsarine [tsaʀine] ou **tzarine** [dzaʀin] n. f. HIST Titre que portait la femme du tsar ou l'impératrice régnante de Russie.

tsarisme ou **tzarisme** n. m. HIST Régime politique de la Russie et de l'Empire russe jusqu'à la révolution de fév. 1917.

tsariste adj. et n. HIST Relatif au tsarisme, partisan du tsarisme. – Subst. *Un(e) tsariste.*

Tsarskoïe Selo (auj. *Pouchkine*; de 1920 à 1937 *Detskoïe Selo*), v. de Russie, à environ 30 km de Saint-Pétersbourg; 79 000 hab. – Le palais Catherine (1756, palais d'été des tsars) et le palais Alexandre (1792-1796), presque entièrement détruits par les Allemands en 1941-1944, ont été reconstruits après la guerre.

Tsavo (le), parc national du S.-E. du Kenya; 20 800 km^2.

Tschombé ou **Tshombé** (Moïse) (Musumba, 1919 – Alger, 1969), homme politique congolais. Artisan de la sécession du Katanga et chef de cet État (1960-1963), il devint en 1964 Premier ministre du Congo-Kinshasa. En 1965, Kasavubu, président de la République, exigea sa démission; Tschombé s'exila et fut condamné à mort par contumace en 1967. La même année, au cours d'un vol de Madrid aux Baléares, son avion fut détourné sur Alger, où il mourut en prison.

Tsedenbal (Ioumjaghine) (prov. d'Oubsa Nur, Mongolie, 1916 – Moscou, 1991), homme politique mongol; successeur (1952) de Tchoïbalsan à la tête du Parti populaire et révolutionnaire mongol (communiste). Chef de l'État en 1974, il fut destitué en août 1984 et exclu du parti communiste en 1990.

Tselinograd. V. Astana.

tsé-tsé n. f. inv. *Mouche tsé-tsé* : nom cour. de la glossine, vectrice de divers trypanosomes. – Ellipt. *La tsé-tsé.*

Ts'eu Hi. V. Ci Xi.

T.S.F. n. f. **1.** Abrév. de *télégraphie* ou *téléphonie sans fil.* **2.** *Par ext.*, vieilli Radiodiffusion. *Poste (récepteur) de T.S.F.* ou, absol., *une T.S.F.*

T-shirt. V. tee-shirt.

Tshombé. V. Tschombé.

tsigane [tsigan] ou **tzigane** [dzigan] adj. et n. m. **1.** adj. Relatif, propre aux Tsiganes. *Musique tsigane.* **2.** n. m. *Le tsigane* : la langue indo-européenne, purement orale, assez proche du sanskrit, parlée par les Tsiganes. Syn. romani.

Tsiganes ou **Tziganes,** nomades d'origine mal connue, qui ne furent jamais ni conquérants ni pasteurs, auj. disséminés en Europe et en Amérique, plus partic. en Europe centrale. L'exode des Tsiganes aurait débuté au IXe s., de l'Inde vers l'Iran, puis, par l'Arménie et les pays caucasiens, vers la Grèce (XIVe s.), ensuite (XVe s.) la Hongrie, l'Allemagne, la France, l'Espagne, le Portugal, l'Angleterre. Ils furent de grands forgerons. La musique tsigane, célèbre en Iran au Xe s., a souvent influencé celle des pays hôtes : musique instrumentale en Hongrie, vocale en Russie, flamenco en Espagne, etc. Les Tsiganes se divisent en trois grands groupes : Gitans ou Kalé (langue *kalo*), en Espagne surtout; Rom (langue *romani*), les plus traditionalistes, en Europe de l'E. (Hongrie notam.); Manouches ou Sinti (langue *sinto*) en Allemagne, Italie et France (où on les appelle gitans, bohémiens ou romanichels). De nombr. mesures d'expulsion ont été prises pendant des siècles dans divers pays à l'encontre des Tsiganes; l'Allemagne hitlérienne a tenté de les exterminer.

Ts'in. V. Qin.

Ts'in Che Houang-ti. V. Qin Shi Huangdi.

Ts'ing. V. Qing.

Tsiolkovski (Konstantine Edouardovitch) (Ijevskoïe, 1857 – Kalouga, 1935), savant russe; l'un des précurseurs de l'astronautique.

Tsiranana (Philibert) (Anahidrano, 1912 – Antananarivo, 1978), homme politique malgache. Fondateur du parti social-démocrate malgache, chef du gouvernement en 1958, il devint le premier président de la République en 1959. Après les émeutes de mai 1972, il dut s'effacer devant le général Ramanantsoa.

Tsitsihar. V. Qiqihar.

tsuba n. m. Garde de sabre japonais, objet recherché par les collectionneurs.

Tsubouchi (Shōyō) (Ōta, 1859 – Atami, 1935), écrivain japonais; l'un des précurseurs du roman réaliste : *la Quintessence du roman* (1885).

Tsugaru (détroit de), bras de mer séparant Hokkaidō et Honshū, entre la mer du Japon et le Pacifique.

tsunami [tsunami] n. m. GEOGR Raz de marée dû à un choc tellurique sous-marin, qui se produit sur les côtes du Pacifique. (Les scientifiques, généralisant le terme, l'ont substitué à celui de raz de marée.)

Tsung Dao-lee (Shanghai, 1926), physicien chinois. Il observa la non-conservation de la parité en phys. nucl., en collab. avec Shen Ningyang, avec qui il reçut le prix Nobel 1957.

Tsushima, archipel japonais, entre la Corée et le Japon (Kyūshū). – En 1905, la flotte japonaise de Tōgō anéantit la flotte russe dans ses eaux.

ttc Abrév. de *toutes taxes comprises.*

1. tu, tue. Pp. du v. taire.

2. tu pron. pers. Pronom personnel de la 2e personne du singulier des deux genres et ayant toujours la fonction de sujet. **1.** *Tu es venu hier. Crois-tu? Penses-tu!* – Fam. Élidé en *t'* devant une voyelle ou un *h* muet. *T'es cinglé!* **2.** Emploi nominal. *Dire tu à qqn,* le tutoyer. ▷ Loc. *Être à tu et à toi avec qqn,* être intime, familier avec lui.

Tuamotu ou **Touamotou** (îles), archipel de la Polynésie française, à l'E. des îles de la Société, formé d'env. 60 îles et îlots; 880 km^2; 12 400 hab. (Polynésiens *Paumotus*); ch.-l. *Rotoava.*

tuant, ante adj. Fam. (Choses) Très fatigant, épuisant. – (Personnes) Ennuyeux, insupportable.

tub [tœb] n. m. (Anglicisme) Anc. Grande cuvette utilisée pour les ablutions du corps. – Ablutions ainsi pratiquées.

tuba n. m. **1.** MUS Instrument à vent de la famille des saxhorns, surtout utilisé comme basse de trombone. **2.** Tube respiratoire utilisé pour nager la tête sous l'eau.

tubage n. m. **1.** MED Introduction dans un organe creux (estomac, bronches, notam.) et par les voies naturelles, d'un tube souple à une fin thérapeutique (ex. : *tubage de larynx,* pour empêcher l'asphyxie) ou diagnostique. **2.** TECH Mise en place de tubes.

tubaire adj. MED **1.** Relatif aux trompes de Fallope. *Grossesse tubaire :* forme de grossesse extra-utérine. ▷ Relatif aux trompes d'Eustache. **2.** *Souffle tubaire* : souffle inspiratoire perçu à l'auscultation dans la pneumonie (comme si l'air passait dans un tube).

tube n. m. **1.** Conduit généralement rigide, à section circulaire et d'un petit diamètre; appareil cylindrique, rectiligne ou coudé, ouvert à une ou aux deux extrémités et servant à divers usages. *Tube d'une canalisation. Les tubes d'une chaudière.* – *Tube à essai,* en verre, fermé à un bout et utilisé notam. en chimie. ▷ *Tube électronique* ou *tube à vide* : ampoule contenant au moins deux électrodes entre lesquelles peut s'établir un courant électrique. – *Tube luminescent, tube fluorescent :* tube de verre rempli d'un gaz, pour l'éclairage. – *Tube cathodique,* dans lequel un faisceau d'électrons balayant un écran fluorescent (pinceaux d'électrons) permet de visualiser des signaux. ▷ PHYS *Tube de Pitot,* pour mesurer la vitesse d'écoulement d'un fluide. **2.** Loc. fig., fam. *À pleins tubes :* à pleine puissance. *Faire marcher la télé à pleins tubes.* **3.** Fam. Chanson, disque à succès. **4.** Conduit naturel. ▷ ANAT *Tube digestif :* V. encycl. digestif. ▷ BOT *Tube criblé :* conducteur de la sève élaborée. – *Tube pollinique :* prolongement émis par le grain de pollen au cours de sa germination et par lequel il atteint l'oosphère de l'ovule. **5.** Emballage cylindrique fermé par un bouchon. *Tube d'aspirine.* **6.** *Par ext.* Emballage souple, de forme cylindrique, à bouchon vissé, destiné à recevoir une matière pâteuse. *Tube de dentifrice.* **7.** Anc. Haut-de-forme.

tubeless adj. (Anglicisme) AUT Se dit d'un pneu sans chambre à air.

tuber v. tr. [1] TECH Garnir de tubes (un trou après forage).

tubercule n. m. **1.** Excroissance d'une racine, d'un rhizome (plus rarement d'une tige aérienne), où sont accumulées diverses substances qui servent à la plante de réserve nutritive. *Tubercules comestibles* (pomme de terre, manioc, etc.). **2.** ANAT Petite éminence à la surface d'un organe. *Tubercules quadrijumeaux.*

tuberculeux, euse adj. et n. **I.** BOT Qui produit des tubercules. *Plante tuberculeuse.* **II.** MED **1.** Qui s'accompagne de production de tubercules pathologiques. **2.** Relatif à la tuberculose. *Méningite tuberculeuse.* ▷ Qui est atteint de tuberculose. – Subst. *Un tuberculeux, une tuberculeuse.* (Abrév. pop. : tubard.)

tuberculination ou **tuberculinisation** n. f. MED VET Injection de tuberculine (pour déceler une tuberculose).

tuberculine n. f. MED Substance extraite de la culture de bacilles tuberculeux et qui, injectée par voie intradermique, provoque chez les sujets déjà sensibilisés (malades tuberculeux, sujets vaccinés par le B.C.G.) une cutiréaction caractéristique.

tuberculinique adj. MED Relatif à la tuberculine. *Réaction tuberculinique.*

tuberculisation n. f. Envahissement de l'organisme par le bacille de Koch.

tuberculose n. f. Maladie infectieuse contagieuse due au bacille de Koch et qui affecte les poumons (le plus souvent), les reins, les os, etc.

tubéreuse n. f. Plante vivace bulbeuse (fam. amaryllidacées) à haute tige portant des grappes de fleurs très parfumées; ces fleurs.

tubéreux, euse adj. BOT Qui présente des tubercules ou des tubérosités. Syn. tuberculeux (sens I). *Racines tubéreuses.*

tubérisé, ée adj. BOT Qui forme un tubercule. *Racine tubérisée.*

tubérosité n. f. **1.** BOT Épaississement ou nodosité en forme de tubercule. **2.** ANAT Éminence arrondie, protubérance. *Tubérosité osseuse* (où s'accrochent des muscles ou des ligaments).

tubi-. Élément, du lat. *tubus,* « tube ».

Tubi ou **Tuby** (Jean-Baptiste), dit *le Romain* (Rome, 1635 – Paris, 1700), sculpteur français d'origine italienne : *le Char d'Apollon, la Saône, le Rhône* (parc de Versailles).

tubicole adj. ZOOL Se dit des animaux (certains vers annélides, notam.) qui vivent dans un tube calcaire ou membraneux qu'ils construisent.

tubifère adj. Didac. Qui porte un ou plusieurs tubes.

tubifex n. m. ZOOL Petit ver annélide tubicole oligochète *(Tubifex tubifex)* qui vit dans la vase des ruisseaux.

Tübingen, v. d'Allemagne (Bade-Wurtemberg), sur le Neckar; 76 120 hab. Imprimeries; édition. – Université fondée en 1477. Hôtel de ville (XVe s.). Maisons anciennes. – Ancienne capitale du Wurtemberg-Hohenzollern.

tubipore n. m. ZOOL Cnidaire octocoralliaire *(Tubipora musica)* dont les polypes sécrètent un squelette compact, rouge intense, formant des petits tubes parallèles. (Dits aussi *orgues de mer,* les tubipores participent à la formation des récifs coralliens.)

tubiste n. Joueur de tuba.

Tubman (William Vacanarat Shadrach) (Harper, 1895 – Londres, 1971), homme politique libérien; président de la République de 1943 à sa mort.

tuboscopie n. f. MED Examen endoscopique des trompes de Fallope.

Tubuaï ou **Toubouaï,** île de la Polynésie française, l'une des îles Australes (parfois appelées *îles Tubuaï*), au S. de Tahiti; 48 km^2; 1 846 hab.

tubulaire adj. **1.** Qui a la forme d'un tube. *Conduit tubulaire.* **2.** Qui est formé de tubes métalliques. *Châssis tubulaire.* **3.** ANAT Relatif au(x) tubule(s) urinaire(s).

tubule n. m. ANAT *Tubule rénal* ou *urinaire :* deuxième partie du néphron, qui fait suite au glomérule.

tubulé, ée adj. **1.** SC NAT Qui présente un ou plusieurs tubes. *Fleur tubulée* **2.** TECH Qui présente une ou plusieurs tubulures.

tubuleux, euse adj. SC NAT En forme de tube. *Corolle tubuleuse.*

tubulidentés n. m. pl. ZOOL Ordre de mammifères ongulés aux dents en forme de tubes, ne comprenant qu'une seule espèce, l'oryctérope*. – Sing. *Un tubulidenté.*

tubulure n. f. **1.** TECH Orifice cylindrique destiné à recevoir un tube. **2.** Ensemble des tubes d'un système tubulaire. *Tubulure d'un appareil.* ▷ Petit tube servant de conduit. *Tubulure d'admission, d'alimentation* (dans un moteur).

Tuby. V. Tubi.

Tucson, v. des É.-U. (Arizona); 405 390 hab. (aggl. urb. 594 800 hab.). Centre agricole et touristique. Électronique.

Tucumán, prov. du N. de l'Argentine, au pied des Andes; 22 524 km^2; 1 090 000 hab.; ch.-l. *San Miguel de Tucumán.* Canne à sucre. Industr. alim.

tudesque adj. Vx Germanique.

Tudjman (Franjo) (Veliko-Tgroviste, Croatie, 1922), homme politique croate. Leader de l'Union démocratique croate (H.D.Z), il fut élu président de la Rép. en 1990 et réélu en 1992 et 1997.

Tudor, famille d'origine galloise qui régna sur l'Angleterre de 1485 (avènement d'Henri VII) à 1603 (mort d'Élisabeth Ire). (V. Henri VII, Henri VIII, Édouard VI, Marie Ire et Élisabeth Ire.)

Tu Duc (Nguyên Phuoc Hoang Nham, dit) (?, 1830 – Huê, 1883), empereur d'Annam (1848-1883) Il persécuta les missionnaires et la France intervint à partir de 1858.

tué, ée adj. et n. Mort de manière violente. *Il y a plus de cent tués dans la catastrophe.*

tue-diable n. m. inv. PECHE Poisson artificiel servant d'appât.

tue-mouches n. m. inv. et adj. **1.** (En appos.) *Amanite tue-mouches :* fausse oronge, champignon vénéneux mais non mortel. **2.** adj. *Papier, ruban tue-mouches :* papier recouvert d'une substance gluante et nocive qui attire les mouches et sur lequel elles meurent.

tuer v. [1] **I.** v. tr. **1.** (Sujet n. de personne.) Faire mourir (qqn) de manière violente. *Tuer qqn accidentellement.* **2.** (Sujet n. de chose.) *Le chagrin l'a tué.* **3.** Mettre à mort (un animal). *Tuer le cochon.* ▷ *Les insecticides tuent les insectes.* **4.** Fig. Faire cesser; ruiner. *La jalousie tue l'amitié.* – *Tuer dans l'œuf :* écraser (qqch) avant tout développement. – *Tuer le temps,* l'occuper pour ne pas trop s'ennuyer. **5.** Exténuer, éreinter; agacer, importuner excessivement. *Ces courses en ville m'ont tué.* – Fam. *Ça me tue de vous entendre parler comme ça!* **II.** v. pron. **1.** Se donner la mort, se suicider. ▷ Mourir dans un accident. *Il s'est tué en voiture.* **2.** Fig. Ruiner sa santé. *Se tuer au travail.* – Se donner beaucoup de peine. *Je me suis tué à essayer de leur faire comprendre la situation.*

tuerie [tyʀi] n. f. Carnage, massacre.

tue-tête (à) loc. adv. *Crier, chanter à tue-tête,* de toutes ses forces, au point d'étourdir son entourage.

tueur, euse n. **1.** Personne qui tue; assassin. ▷ Spécial. *Tueur à gages*.* – *Tueur en série :* syn. de *serial killer.* **2.** n. m. TECH Ouvrier chargé de l'abattage des animaux de boucherie.

tuf n. m. Roche non homogène poreuse, souvent pulvérulente, soit d'origine sédimentaire *(tuf calcaire),* soit d'origine éruptive *(tuf volcanique),* agrégat qu'on trouve sous forme de strates grossières, souvent sous une mince couche de terre.

tuffeau ou **tufeau** n. m. TECH Variété de tuf calcaire utilisée en construction.

tufté, ée adj. Se dit d'un tapis ou d'une moquette dont les fils de velours sont ancrés dans un support textile.

Tugendbund (« ligue de la Vertu »), association allemande formée en avr. 1808 à Königsberg pour œuvrer au redressement de la Prusse après le traité de Tilsit (1807), dissoute par Napoléon Ier (1809) et proscrite en 1815 par la Sainte-Alliance.

tuile n. f. **1.** Plaque de terre cuite servant à la couverture de certains édifices. *Tuile ronde, tuile plate.* **2.** Fig. et fam. Événement imprévu et fâcheux. **3.** *Par anal.* Biscuit aux amandes dont la forme rappelle celle des tuiles rondes.

tuilé, ée adj. OENOL Se dit d'un vin rouge ou rosé qui tire sur le rouge brique du fait de l'oxydation.

tuilerie n. f. Fabrique de tuiles; four où les tuiles sont cuites.

Tuileries (palais des), anc. résidence royale, à Paris, qui se trouvait entre le Louvre et les Champs-Élysées. Entreprise sur l'ordre de Catherine de Médicis par Philibert Delorme (1564-1570), sa construction fut poursuivie par Jean Bullant, Androuet Du Cerceau (pavillon de Flore, reconstruit par Lefuel en 1864), Louis Le Vau (pavillon de Marsan, également reconstruit par Lefuel après 1871) et Fontaine. Délaissées au profit de Versailles par Louis XIV, les Tuileries furent le siège de la Convention nationale sous la Révolution, puis, à partir du Premier Empire, la demeure de tous les souverains. Ses bâtiments, en grande partie incendiés lors de la Commune (1871), ont été démolis en 1882, à l'exception des pavillons de Flore et de Marsan (auj. intégrés au Louvre). – Le *jardin des Tuileries,* tracé par Ph. Delorme au XVIe s., fut un jardin à l'italienne avant d'être transformé en jardin à la française par André Le Nôtre (à partir de 1661). Le Jeu de paume et l'Orangerie y ont été construits en 1853.

tuilier, ère adj. et n. TECH **1.** adj. Relatif à la fabrication des tuiles. *L'industrie tuilière.* **2.** n. Ouvrier, ouvrière qui fait des tuiles.

Tujue ou **T'ou-kiue,** peuple turc, aux origines peu connues, qui fonda au VIe s. un immense empire (de la Chine du N.-E. à la Perse). Au début du VIIe s., la dynastie Tang réunifia la Chine et abattit l'empire des Tujue (630).

Tula (en aztèque *Tollan,* « lieux de roseaux »), import. site archéol. toltèque du Mexique, à proximité de la ville de Tula de Allende (État d'Hidalgo) : pyramide de l'Étoile du matin, comportant un temple à Quetzalcóatl.

tularémie n. f. Maladie bactérienne épidémique du lapin et du lièvre transmissible à l'homme.

Tuléar (auj. *Toleara*), v. et port de Madagascar, sur la côte S.-O.; 55 000 hab.; ch.-l. de la prov. du m. nom. Pêche; conserves de viande.

tulipe n. f. **1.** Plante bulbeuse ornementale (genre *Tulipa*, fam. liliacées) à haute tige, portant une fleur de couleur variable (blanche, rouge, etc.); cette fleur. *La culture des tulipes a permis de sélectionner plusieurs centaines de variétés.* **2.** Objet en forme de tulipe. – (En appos.) *Verre tulipe.*

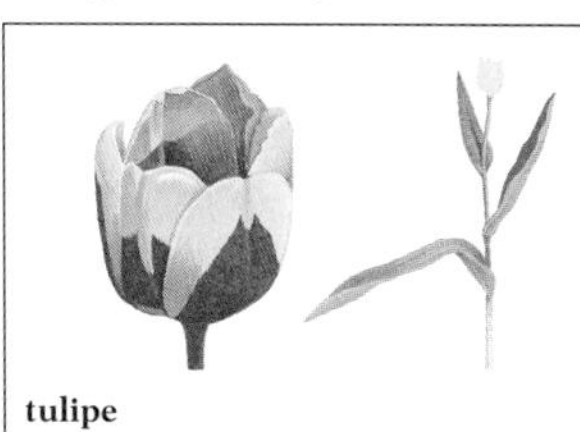
tulipe

tulipier n. m. Arbre ornemental d'Amérique du Nord (*Liriodendron tulipifera*, fam. magnoliacées), dit aussi *tulipier de Virginie*, et dont les grosses fleurs ressemblent aux tulipes.

tulle n. m. Tissu léger et transparent à mailles rondes ou polygonales. *Tulle de coton, de soie. Robe, voile de tulle.* ▷ *Tulle gras*, employé dans les pansements.

Tulle, ch.-l. du dép. de la Corrèze, sur la Corrèze; 18 685 hab. (*Tullistes*). Manuf. d'armes, industr. méca. – Évêché. Cath. St-Martin (nef du XIIe s.). Maisons anciennes. – En juin 1944, 99 otages y furent pendus par les Allemands.

Tullus Hostilius, troisième roi traditionnel de Rome; son règne se situerait v. 672-641 av. J.-C. Dans la guerre qu'il gagna contre Albe, le combat entre les Horaces et les Curiaces aurait décidé de la victoire.

Tulsa, v. des É.-U. (Oklahoma), sur l'Arkansas; 367 300 hab. (aggl. urb. 725 600 hab.). Centre pétrolier et industriel.

Tulsīdās ou **Tulsī Dās** (Rājāpur [?], v. 1540 – Bénarès, v. 1623), poète mystique indien; auteur d'un Rāmāyana* en hindi.

Tūlūn (Ahmad ibn), gouverneur turc de l'Égypte (868-884) sous les Abbassides, dont il rejeta la tutelle quand il eut conquis la Syrie (878). Ses successeurs, les *Tūlūnides*, furent réduits par les Abbassides (905).

tumba [tumba] n. m. Tambour oblong à une seule peau, originaire d'Afrique.

tuméfaction n. f. MED **1.** Augmentation pathologique du volume d'un organe ou d'un tissu. **2.** Partie tuméfiée.

tuméfier v. tr. [2] Causer une tuméfaction. *Le coup lui a tuméfié la lèvre.* ▷ v. pron. S'enfler anormalement.

tumescence n. f. MED Gonflement (des tissus).

tumescent, ente [tymɛsɑ̃, ɑ̃t] adj. ANAT , MED Qui s'enfle, qui se boursoufle.

tumeur n. f. MED Prolifération tissulaire pathologique résultant d'une activité anormale des cellules et ayant tendance à persister ou à augmenter de volume. *Tumeur bénigne* : tumeur localisée, circonscrite, ne se généralisant pas et ne présentant aucune monstruosité cellulaire (verrue, adénome, lipome, fibrome, etc.). *Tumeur maligne* : V. cancer. ▷ BOT *Tumeur végétale* : prolifération tissulaire désordonnée, provoquée par une entaille ou un agent bactérien. V. galle.

tumoral, ale, aux adj. MED Relatif ou propre à une tumeur.

tumulte n. m. **1.** Grand mouvement de personnes, accompagné de bruit et de désordre. *Un grand tumulte s'éleva dans l'assemblée.* **2.** Agitation bruyante. *Le tumulte de la rue.* ▷ Par ext. Litt. (En parlant des éléments déchaînés.) *Le tumulte des flots.* **3.** Activité fébrile, désordonnée. *Le tumulte des affaires.* ▷ Fig. Agitation, grand désordre (des sentiments, des passions).

tumultueusement adv. Litt. En tumulte.

tumultueux, euse adj. **1.** Qui se fait avec tumulte. *Séance tumultueuse*, orageuse. **2.** Litt. (En parlant des éléments.) Furieux, violent. *Flots tumultueux.* **3.** Qui est plein d'agitation, de désordre. *Une vie, une passion tumultueuse.*

tumulus [tymylys] n. m. ARCHEOL Grand amas de terre ou de pierres que certains peuples anciens élevaient au-dessus de leurs sépultures. *Des tumulus* ou *des tumuli.*

tuner n. m. (Anglicisme) TECH Élément d'une chaîne haute fidélité destiné à la seule réception des émissions de radio (notam. en modulation de fréquence). Syn. (off. conseillé) syntoniseur.

tungstène [tœgstɛn] n. m. CHIM, TECH Élément métallique de numéro atomique Z = 74, de masse atomique 183,85 (symbole W, de *wolfram*, son minerai). – Métal (W) gris, de densité 19,3, qui fond vers 3 410 °C et bout vers 5 660 °C. *Hautement réfractaire, le tungstène est employé notam. dans la fabrication des filaments de lampe à incandescence.*

tuniciers n. m. pl. ZOOL Sous-embranchement de cordés marins, solitaires ou coloniaux, fixés (ascidies du littoral) ou libres (formes planctoniques et pélagiques). Syn. urocordés. – Sing. *Un tunicier.*

tunique n. f. **I. 1.** ANTIQ ROM Première pièce de l'habillement devenue vêtement de dessous, sorte de chemise avec ou sans manches, d'abord agrafée puis cousue. **2.** LITURG CATHOL Ornement que porte le sous-diacre quand il officie. **3.** Veste d'uniforme à col droit, sans basques, serrée à la taille. *Tunique d'officier.* **4.** Corsage long avec ou sans manches, vêtement couvrant le buste, en général en étoffe légère, porté par-dessus une jupe, un pantalon. **II.** ANAT Enveloppe membraneuse, gaine qui protège certains organes. *Les tuniques de l'œil.* ▷ BOT Enveloppe d'un bulbe.

tuniqué, ée adj. SC NAT Enveloppé d'une ou de plusieurs tuniques. *Bulbe tuniqué.*

Tunis, cap. de la Tunisie, au fond du *golfe de Tunis*; 596 650 hab. (*Tunisois*); aggl. urb. 1 500 000 hab. C'est la métropole commerciale et industrielle (sidérurgie, phosphates, notam.) du pays, desservie par le port de La Goulette et l'aéroport d'El-Aouina. – Université. Grande mosquée Az-Zaytuna, créée en 732, reconstruite au IXe s., et qui renferme une université islamique. – La ville, d'orig. punique, jouxtant Carthage, prit son essor après la conquête des Arabes (fin du VIIe s.), qui en firent un grand centre écon., religieux et politique. Depuis 1979, Tunis est le siège de la Ligue arabe.

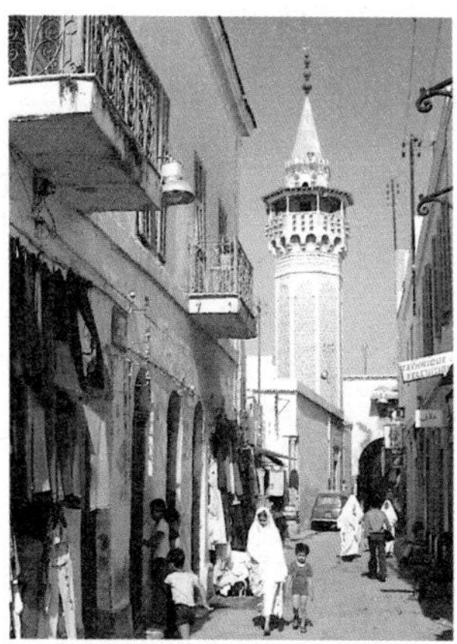
une rue de **Tunis**

Tunisie (république de), État de l'Afrique du Nord, entre l'Algérie et la Libye, baigné par la Méditerranée, au N. et à l'E.; 154 530 km^2; 7 500 000 hab., croissance démographique : 2,1 % par an; cap. *Tunis*. Nature de l'État : république présidentielle. Langue off. : arabe. Monnaie : dinar. Relig. : islam.

Géogr. phys. et écon. – Trois unités géographiques se partagent le pays. La Tunisie littorale de l'E., de Bizerte au Sahel de Sfax, est une région de plaines et de collines méditerranéennes humides, densément peuplée (150 hab. au km^2 contre 50 pour la moyenne nationale) et qui concentre la plupart des villes. La Tunisie intérieure oppose, au N. de la Dorsale tunisienne, des moyennes montagnes humides boisées et pastorales (Kroumirie, Mogods, Haut Tell), aérées de zones déprimées fertiles (vallée de la Medjerda, plaine de Siliana...) aux plaines et plateaux plus secs du S. de la Dorsale (la Steppe). Au-delà de la dépression présaharienne ponctuée de sebkhas (chott el-Djerid), commence la Tunisie désertique, qui occupe 55 % de la surface du pays et où le peuplement permanent se concentre dans quelques oasis : Gabès, Djerid, Nefzaoua. La Tunisie compte près de 60 % de citadins; la croissance démographique reste forte mais diminue (politique de planning familial depuis 1964). Environ 350 000 Tunisiens vivent à l'étranger, dont 230 000 en France. L'économie est assez diversifiée. L'agriculture emploie plus de 30 % des actifs et a développé des cultures intensives irriguées dans le N., mais reste cependant très déficitaire, n'exportant guère que de l'huile d'olive. Pétrole, gaz et phosphates sont les principales ressources d'exportation et ont permis la création d'importants complexes industriels sur les côtes, alors que les activités textiles et de montage se sont développées dans les villes. Le tourisme et le rapatriement de fonds par les émigrés assurent d'importantes recettes. Le niveau de vie reste faible et les difficultés économiques sont réelles (dette, chômage), mais le pays est l'un des plus développés d'Afrique.

Hist. – Peuplée à l'origine de Berbères, la Tunisie fut occupée du IXe au IIe s. av. J.-C. par les Phéniciens, qui fondèrent Carthage*. Après l'écrasement des Carthaginois, les Romains en firent la province d'Afrique qui devint exportatrice de grains, de vin et d'huile. Ruiné par les Vandales (429-533) et les guerres qui les opposèrent aux Byzantins (533-698), le pays déclina, jusqu'à l'arrivée des Arabes, qui relevèrent l'économie de la région et fondèrent Kairouan (670). Dépendant des

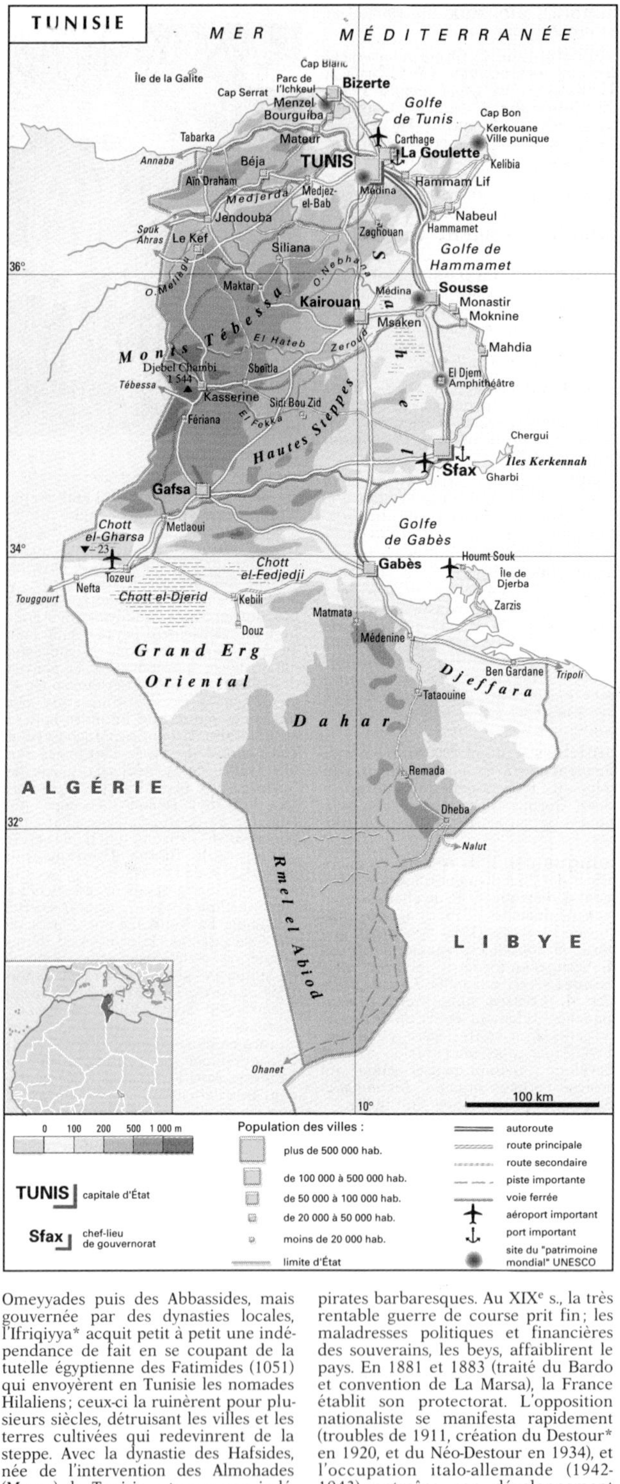

TUNISIE

Population des villes : plus de 500 000 hab. ; de 100 000 à 500 000 hab. ; de 50 000 à 100 000 hab. ; de 20 000 à 50 000 hab. ; moins de 20 000 hab.

TUNIS capitale d'État — Sfax chef-lieu de gouvernorat — limite d'État — autoroute — route principale — route secondaire — piste importante — voie ferrée — aéroport important — port important — site du "patrimoine mondial" UNESCO

Omeyyades puis des Abbassides, mais gouvernée par des dynasties locales, l'Ifriqiyya* acquit petit à petit une indépendance de fait en se coupant de la tutelle égyptienne des Fatimides (1051) qui envoyèrent en Tunisie les nomades Hilaliens; ceux-ci la ruinèrent pour plusieurs siècles, détruisant les villes et les terres cultivées qui redevinrent de la steppe. Avec la dynastie des Hafsides, née de l'intervention des Almohades (Maroc), la Tunisie retrouva son indépendance (1228-1574). À la fin du XVIe s., la conquête ottomane fit de la Tunisie une des principales bases des pirates barbaresques. Au XIXe s., la très rentable guerre de course prit fin; les maladresses politiques et financières des souverains, les beys, affaiblirent le pays. En 1881 et 1883 (traité du Bardo et convention de La Marsa), la France établit son protectorat. L'opposition nationaliste se manifesta rapidement (troubles de 1911, création du Destour* en 1920, et du Néo-Destour en 1934), et l'occupation italo-allemande (1942-1943) entraîna son développement et sa radicalisation. Des actions de guérilla entreprises dès 1952 conduisirent Pierre Mendès France à accorder au pays l'autonomie interne (1954), puis l'indépendance (1956). Dès 1957, l'Assemblée constituante abolit la monarchie des beys et confia la direction du pays au chef du Néo-Destour, Habīb Bourguiba, qui concentra peu à peu tous les pouvoirs, éliminant les oppositions (1963) et faisant du parti socialiste destourien le parti unique (1964). De 1960 à 1969, les options «progressistes» dominèrent la politique écon. (collectivisation des terres, notam.). La politique sociale mit l'accent sur la scolarisation (1/4 du budget) et l'émancipation de la femme. Membre de la Ligue arabe depuis 1958, la Tunisie a toujours adopté une politique modérée entre l'Orient et l'Occident. En 1969, le libéralisme remplaça les options «socialistes» pour tenter d'assurer une croissance plus rapide de l'écon.; après un projet avorté de fusion avec la Libye (1974), la Tunisie se rapprocha de la France et des É.-U. Par ailleurs, en 1977 et 1978, des grèves et des manifestations furent sévèrement réprimées. Le multipartisme fut officiellement instauré en 1983. Mais, en 1984, les difficultés écon. provoquèrent de sanglantes émeutes et l'opposition, jugeant cette démocratisation fallacieuse, boycotta la consultation électorale de nov. 1986. En 1987, le g[al] Ben Ali, ministre de l'Intérieur, devenu Premier ministre à la faveur de troubles provoqués par les islamistes, déposa H. Bourguiba, puis entreprit de débarrasser le régime de ses archaïsmes. Candidat unique, Ben Ali fut élu prés. de la République en 1989 et réélu en 1994. Le Rassemblement constitutionnel démocratique, nouveau nom du parti socialiste destourien, domine depuis lors la vie politique.

tunisien, enne adj. et n. De Tunisie.

tunnel n. m. **1.** Passage souterrain, galerie creusée pour livrer passage à une voie de communication. *Tunnel ferroviaire, routier. Tunnel sous la Manche*.* ▷ *Par ext.* Toute galerie souterraine. *Le prisonnier a creusé un tunnel pour s'évader.* **2.** Galerie aveugle de certains dispositifs techniques. *Tunnel aérodynamique d'une soufflerie. Four à tunnel.* – *Par anal.* AGRIC Abri en matière plastique utilisé dans la production de primeurs. **3.** Fig. Période sombre, pénible, difficile. *Voir le bout du tunnel.* ▷ *Par ext.* Passage ennuyeux d'une émission de télévision, favorisant le zapping. **4.** PHYS *Effet tunnel* : en mécanique quantique, phénomène selon lequel une particule, arrivant sur une «barrière» au potentiel d'énergie plus élevé que la particule elle-même, possède une probabilité non nulle de traverser cette barrière (comme dans un tunnel).

tunnelier n. m. TRAV PUBL Appareil très puissant servant à creuser des tunnels.

Tupamaros (les), organisation révolutionnaire uruguayenne fondée en

un des douze **tunneliers** qui forèrent le *tunnel sous la Manche*

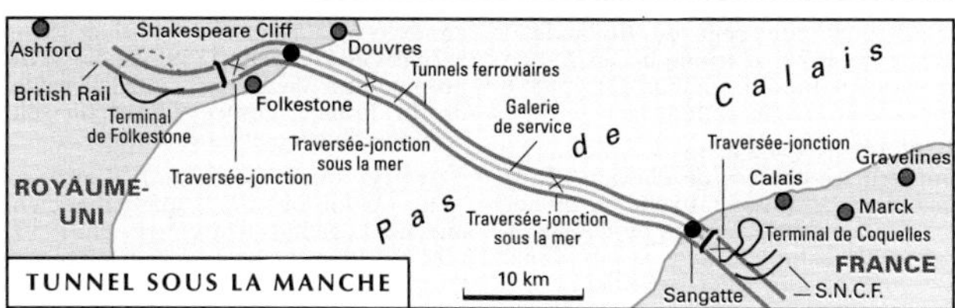

TUNNEL SOUS LA MANCHE

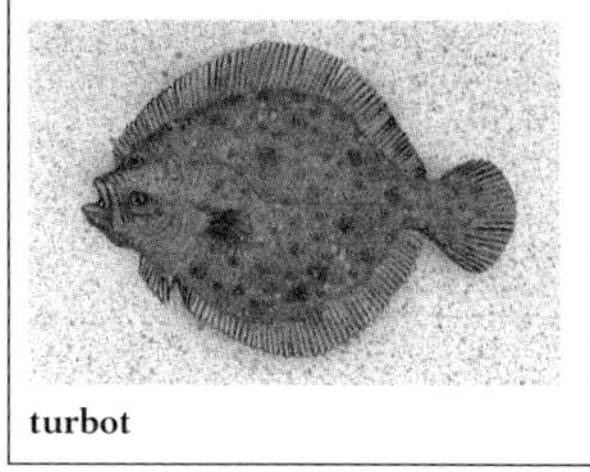
turbot

1962 et démantelée après le coup d'État de 1976.

tupi [tupi; typi] adj. inv. et n. m. inv. **1.** Relatif aux Tupis. *Tribu tupi.* **2.** n. m. inv. LING *Le tupi :* la langue de la famille tupi-guarani, parlée par les Tupis.

tupi-guarani [tupigwaʀani; typigwaʀani] adj. inv. et n. m. inv. LING *Les langues tupi-guarani* ou, n. m., *le tupi-guarani :* groupe de langues indiennes d'Amérique du Sud.

Tupi(s), Indiens vivant au Brésil, au Paraguay et en Bolivie.

Tupolev (Andreï Nikolaïevitch) (Poustomazovo, 1888 - Moscou, 1972), ingénieur soviétique. Il conçut, dès 1917, un grand nombre d'avions et construisit le premier avion de transport supersonique soviétique.

tuque n. f. (Canada) Bonnet en laine, souvent de forme conique et surmonté d'un pompon ou d'un gland.

Tura (Cosimo, en fr. Cosme) (Ferrare, v. 1430 - id., 1495), peintre italien. Il sut allier la spiritualité du gothique et le pathétique naturaliste : retable Roverella (1473-1474).

turban n. m. **1.** Coiffure masculine faite d'une longue pièce d'étoffe enroulée autour de la tête, portée en Orient. **2.** Coiffure féminine analogue au turban oriental.

turbellariés n. m. pl. ZOOL Classe de plathelminthes carnassiers, le plus souvent libres et marins, caractérisés par un épiderme couvert de cils locomoteurs. - Sing. *Un turbellarié.*

turbidité n. f. État d'un liquide trouble.

Turbie (La), com. des Alpes-Maritimes (arr. de Nice); 2 617 hab. - Ruines du trophée des Alpes (ou trophée d'Auguste), monument romain érigé v. 6 av. J.-C. pour commémorer la soumission des Ligures.

Turbigo, bourg d'Italie (Lombardie, prov. de Milan); 7 230 hab. - Victoires des Français sur les Autrichiens en 1800 et en 1859.

turbin n. m. **1.** Fam. Travail. ▷ *Spécial.* Travail rémunéré. **2.** Arg. Prostitution.

turbine n. f. **1.** Moteur dont l'élément essentiel est une roue portant à sa périphérie des ailettes ou des aubes, mise en rotation par un fluide; cette roue elle-même. *Turbine à vapeur, à gaz, hydraulique. Rotor* d'une turbine.* **2.** Machine à essorer par centrifugation, utilisée notam. dans l'industrie sucrière.

turbiné, ée adj. SC NAT En forme de toupie; conique. *Coquille turbinée.*

1. turbiner v. tr. [1] TECH **1.** Faire passer (un fluide) dans une, des turbines, pour en utiliser la force motrice. *Turbiner l'eau d'une retenue.* **2.** Essorer (des cristaux de sucre) au moyen d'une turbine.

2. turbiner v. intr. [1] Fam., vieilli Travailler dur.

turbo-. Élément, du lat. *turbo, turbinis,* « tourbillon, toupie ».

turbo n. et adj. **1.** n. m. Abrév. de *turbocompresseur* et de *turbomoteur.* - Fig., fam. *Mettre le turbo :* accélérer. *Mettre le turbo sur les réformes.* **2.** adj. Fam. Très rapide. *Une remontée turbo du chômage.* **3.** n. f. Voiture munie d'un moteur turbo.

turboalternateur n. m. ELECTR Alternateur entraîné par une turbine.

turbocompressé, ée adj. Équipé d'un turbocompresseur.

turbocompresseur n. m. TECH Dispositif qui permet de faire entrer dans la chambre de combustion d'un moteur un mélange gazeux comprimé. (Abrév. : turbo).

turbodiesel adj. m. et n. m. TECH Se dit d'un véhicule équipé d'un moteur diesel et d'une turbine.

turboforage n. m. TECH Forage effectué par un trépan couplé à une turbine actionnée par la circulation des boues.

turbomachine n. f. Didac. Toute machine qui agit sur un fluide ou qu'actionne un fluide par l'intermédiaire d'un organe rotatif (roue à aubes ou à ailettes, hélices, etc.).

turbomoteur n. m. TECH Moteur dont l'élément essentiel est une turbine. (Abrév. : turbo).

turbopompe n. f. TECH Pompe entraînée par une turbine.

turbopropulseur n. m. AVIAT Moteur constitué d'une turbine à gaz entraînant une ou plusieurs hélices.

turboréacteur n. m. AVIAT Moteur à réaction, comprenant une turbine à gaz et un compresseur d'alimentation tournant sur le même arbre.

turbostatoréacteur n. m. AVIAT Propulseur d'avion combinant un turboréacteur et un statoréacteur, et permettant d'obtenir des poussées élevées dans une large gamme de vitesses.

turbot n. m. Poisson carnassier des mers européennes (*Rhombus maximus,* fam. pleuronectidés), comestible, au corps plat, coloré sur la face supérieure d'un gris verdâtre marbré de brun.

turbotière n. f. Récipient en losange destiné à faire cuire des turbots ou tout autre poisson.

turbotin n. m. Jeune turbot.

turbotrain n. m. CH de F Train dont la motrice est équipée d'une turbine à gaz et qui peut atteindre des vitesses de l'ordre de 300 km/h.

turbovoile n. f. TECH Cylindre vertical dont les volets mobiles provoquent une aspiration d'air communiquant au bateau la force du vent.

turbulence n. f. **1.** Caractère d'une personne turbulente. **2.** Agitation, désordre bruyant. **3.** Fig. (au plur.) Situation troublée, fluctuante. *Turbulences monétaires.* **4.** PHYS Irrégularité du mouvement d'un fluide (en écoulement turbulent). ▷ METEO *Turbulence atmosphérique :* agitation de l'atmosphère imputable aux variations de température, aux courants, au relief du sol, etc.

turbulent, ente adj. **1.** Qui est porté à faire du bruit, à s'agiter, à causer du désordre. *Des enfants turbulents. Joie turbulente.* Syn. agité, bruyant. Ant. calme. **2.** PHYS *Écoulement turbulent* (d'un fluide) : écoulement irrégulier, caractérisé par la formation de tourbillons et par l'interaction des filets fluides (par oppos. à *écoulement laminaire**).

1. turc, turque adj. et n. **I.** adj. et n. **1.** adj. De Turquie. ▷ *Bain turc :* bain de vapeur suivi d'un massage. - *Café turc :* café noir très fort, servi avec le marc. ▷ Loc. *À la turque :* à la manière turque. *Cabinets d'aisances à la turque,* sans siège. - MUS Se dit d'un morceau à 2/4 au rythme accentué. **2.** n. Habitant

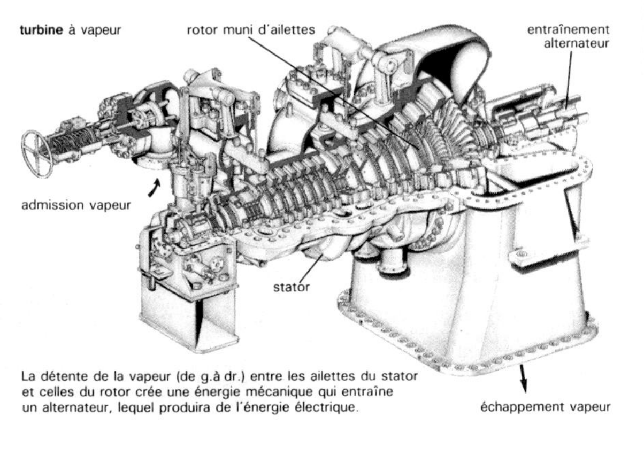

La détente de la vapeur (de g.à dr.) entre les ailettes du stator et celles du rotor crée une énergie mécanique qui entraîne un alternateur, lequel produira de l'énergie électrique.

ou personne originaire de la Turquie. *Un Turc, une Turque.* ▷ Loc. *Fort comme un Turc :* très fort. – *Tête de Turc :* V. tête (sens I, 5). **II.** n. m. LING **1.** Branche de la famille des langues altaïques qui comprend notam. le turc proprement dit et les langues parlées en Asie centrale, en Sibérie, dans l'Altaï et dans le Caucase (V. turco-mongol). ▷ adj. *Les langues turques.* **2.** *Spécial.* Langue turque parlée en Turquie.

2. turc n. m. Vieilli **1.** Larve du hanneton, ver blanc. **2.** Larve nuisible de divers insectes des vergers.

turcique adj. ANAT *Selle turcique :* dépression du sphénoïde dans laquelle est logée l'hypophyse.

Turckheim, com. du Haut-Rhin (arr. de Colmar), sur la Fecht; 3 583 hab. Vignobles. – Victoire de Turenne sur les Impériaux (1675).

Turcomans. V. Turkmènes.

turco-mongol, ole adj. LING Se dit d'une famille de langues, dites aussi altaïques, regroupant le turc, le mongol, le toungouse.

ENCYCL La branche turque des langues turco-mongoles est parlée dans une partie de l'Asie centrale, occid. et méridionale et une petite partie de l'Europe. On compte une douzaine de langues dont le turc, le tatar, le kirghiz, l'ouzbek et l'ouïgour. Les langues mongoles s'étendent, au centre de l'Asie, de l'Afghānistān à la Mongolie. Les langues toungouses, dont le mandchou, sont parlées au N. de l'Asie, du Pacifique à l'Ienisseï et de l'Arctique à l'Amour.

turcophone adj. et n. Qui parle le turc ou une langue turque.

Turcs ou **Türks,** ensemble de populations, vraisemblablement originaires de l'Altaï, parlant des langues turques (env. 75 000 000 d'individus), réparties auj. entre la Turquie, les rép. asiatiques de l'ex-U.R.S.S. et le Xinjiang chinois. Turcs et Mongols étaient des peuples très proches, tous deux nomades, mais on ne sait si les Mongols (et les Huns) font partie du groupe turc (V. Mongols). Répandus en Chine du N., en Iran, les Turcs Tujue soumirent la Mongolie au milieu du VIe s., puis furent réduits par la Chine (630). À partir du VIIIe s., les Turcs s'islamisèrent au contact du monde arabe. Diverses dynasties turques musulmanes, notam. les Ghaznévides*, s'imposèrent dans le sous-continent indien et en Perse (X^e^-XIIe s.); au début du XIIIe s., le Mongol Gengis khān ruina la domination turque, mais les Seldjoukides* maintinrent leur pouvoir à l'O. de l'actuel territoire afghan. (V. Turquie.)

turdidés n. m. pl. ORNITH Famille d'oiseaux passériformes insectivores (merles, grives, rossignols, rouges-gorges, traquets, etc.), au bec robuste, aux pattes souvent longues et fortes. – Sing. *Un turdidé.*

Turenne (Henri de La Tour d'Auvergne, vicomte de) (Sedan, 1611 – Sasbach, 1675), maréchal de France. Fils cadet du duc Henri de Bouillon et d'Élisabeth de Nassau, il fut élevé dans la religion protestante. Il servit en Hollande sous ses oncles Nassau (1625-1629) puis en France, à partir de 1630. Il participa à de multiples campagnes et fut fait maréchal à trente-deux ans pour ses succès dans la guerre de Trente Ans. Frondeur, puis princ. défenseur du roi contre Condé (1652), il imposa la paix aux Espagnols après la victoire des Dunes (1658). Il conduisit la guerre de Dévolution (1667-1668) puis celle de Hollande, à partir de 1672; il triompha en Alsace, mais y fut tué au combat. En 1668, il s'était converti au catholicisme.

turf [tœʀf; tyʀf] n. m. **1.** Endroit où ont lieu les courses de chevaux. **2.** *Le turf :* tout ce qui se rattache au monde des courses, aux chevaux de course. **3.** Fig., arg. Prostitution. *Faire le turf.* – Par ext. *Aller au turf :* aller travailler.

turfiste [tœʀfist; tyʀfist] n. Habitué des champs de courses, parieur.

turgescence [tyʀʒɛsɑ̃s] n. f. **1.** PHYSIOL Augmentation du volume d'un organe due à une rétention de sang veineux (pénis en érection, par ex.). **2.** BOT État normal des cellules végétales gorgées d'eau.

turgescent, ente adj. PHYSIOL En état de turgescence. ▷ Litt. Gonflé.

Turgot (Anne Robert Jacques), baron de l'Aulne (Paris, 1727 – id., 1781), homme d'État et économiste français. Magistrat, il fut intendant de Limoges de 1761 à 1774, mettant en pratique ses théories (proches des idées des physiocrates*) et publiant ses *Réflexions sur la formation et la distribution des richesses* (1766). Contrôleur général des Finances (1774-1776), il tenta un vaste programme de réformes (liberté du commerce et de l'industrie; suppression des corporations; imposition de tous les propriétaires fonciers, y compris les nobles, etc.), mais les privilégiés obtinrent sa disgrâce (mai 1776).

Turenne

Turgot

Turin (en ital. *Torino*), v. d'Italie, ch.-l. du Piémont, au confl. de la Doire Ripaire et du Pô; 1 059 510 hab. (Turinois). Grand centre commercial et industriel : constr. automobiles (Fiat), textiles., caoutchouc, alimentation, etc. – Archevêché. Université. Cath. (fin XVe-XVIe s.), où l'on conserve le saint suaire*. Palais Madama (XIIe-XIVe s.), musée municipal d'art médiéval. Palais de l'Académie des sciences (musée avec une import. section d'art égyptien). Musée d'art moderne. – Cité romaine, évêché au Ve s., la ville fut prise par les Lombards au VIe s. Elle passa sous la suzeraineté de la maison de Savoie au XIe s. et devint la cap. des États de cette maison. En 1536, les Français occupèrent Turin, qu'ils restituèrent en 1562 à la maison de Savoie; la ville fut annexée à la France de 1801 à 1814. – *Traités de Turin :* en 1859, Napoléon III promettait à Victor-Emmanuel II l'aide de la France contre l'Autriche, en échange de Nice et de la Savoie.

Turin : pont Victor-Emmanuel-Ier et piazza Vittorio Veneto

Turing (Alan Mathison) (Londres, 1912 – Wilmslow, 1954), mathématicien anglais. Logicien, il a conçu, en 1936, une machine théorique qui préfigurait l'ordinateur.

turion n. m. BOT **1.** Bourgeon dormant de certaines plantes (plantes aquatiques, notam.), leur permettant de résister à la mauvaise saison. **2.** Jeune pousse souterraine. *Turions d'asperge.*

Turkana (anc. *lac Rodolphe*), lac de l'Afrique orientale, au N. du Kenya; 8 600 km^2.

Turkestan, rég. historique d'Asie, divisée auj. entre le Kazakhstan, le Kirghizistan, l'Ouzbékistan, le Tadjikistan, le Turkménistan et la Chine (Xinjiang). – Le Turkestan ne fut soumis par la Russie qu'à la fin du XIXe s. (1853-1885); c'est elle qui lui donna son nom, la région étant peuplée par des Turcs* depuis le VIe s. environ.

Turkmenbachi (*Krasnovodsk* jusqu'en 1993), v. et port du Turkménistan, sur la mer Caspienne; 58 000 hab.; ch.-l. de rég. Extraction de pétrole.

turkmène adj. et n. m. **1.** adj. Relatif aux Turkmènes; du Turkménistan. **2.** n. m. *Le turkmène :* la langue turque parlée principalement au Turkménistan.

Turkmènes ou **Turcomans,** peuple turc installé au Turkménistan, en Ouzbékistan, au N.-O. de l'Afghānistān et au N. de l'Iran.

Turkménistan (*Turkmenostan Respublikasy*), État d'Asie centrale, qui s'étend, d'est en ouest, de la mer Caspienne à l'Amou-Daria, et des frontières de l'Ouzbékistan et du Kazakhstan au nord, aux frontières iranienne et afghane au sud; 488 100 km^2; 4 567 000 hab.; cap. *Achkhabad.* Nature de l'État : rép. présidentielle. Langue : turkmène. Monnaie : manat. Pop. : Turkmènes (73,3 %), Russes (9,8 %), Ouzbeks (9 %). Relig. : islam sunnite.

Géogr. et écon. – Des régions désertiques (Kara-Koum, notam.), de maigres steppes sont bordées au S. par des chaînes montagneuses. L'irrigation (eaux de l'Amou-Daria), en développement, transforme ces régions où prédominent cultures du coton et élevage ovin (moutons karakuls). Import. ressources minérales : sel (golfe de Kara-Bogaz), pétrole, gaz, soufre.

Hist. – Première mention des Turkmènes dans des documents turcs du Xe s. Après l'invasion mongole (XIIIe s.), le territoire est passé sous l'administration de divers khanats. Il fut le dernier en Asie centrale à tomber aux mains des Russes, en 1881. En 1918, un mouvement nationaliste chasse les bolcheviks et instaure un État indépendant. En 1920, l'Armée rouge rétablit le pouvoir communiste. La république fédérée du Turkménistan est créée en 1924. Elle a proclamé son indépendance en 1991. Elle est membre de la C.É.I. Le président Saparmurat Niazov a prolongé son mandat jusqu'en 2002.

► carte **(ex-) U.R.S.S.**

Türks. V. Turcs.

Turks et Caicos, archipels des Antilles, au N. d'Haïti, colonie britannique; 430 km^2; 7 500 hab.; ch.-l. *Cockburn Town* (sur Grand Turk). Pêche, sel, sisal. Tourisme. Place financière.

Turku (en suédois *Åbo*), v. et port de Finlande, au S. du golfe de Botnie; 159 400 hab. (aggl. urb. 258 670 hab.); ch.-l. de län. Centre commercial et industriel – Archevêché. Fondée au XIIIe s. (cath. et chât.), la ville fut la cap. administrative du pays jusqu'en 1812. Détruite par un incendie (1827), elle a été reconstruite.

Turlupin (Henri Le Grand, dit Belleville ou) (?, – Paris, 1637), acteur français. Il entra dans la troupe de l'Hôtel de Bourgogne en 1615 où il composa, avec Gaultier-Garguille et Gros-Guillaume, un célèbre trio spécialisé dans la farce.

turlupiner v. tr. [1] Fam. Tracasser, tourmenter. *Ça me turlupine, cette histoire.*

turlututu interj. Exclamation exprimant la moquerie. *Turlututu chapeau pointu!*

turne n. f. Fam. Chambre ou maison malpropre et inconfortable. ▷ Arg. (de l'École normale supérieure). Chambre. (On écrit aussi *thurne*.)

Turner (Joseph Mallord William) (Londres, 1775 – id., 1851), peintre et graveur anglais. Il élabora une œuvre originale en cherchant à rendre les atmosphères, les mouvements de l'air, les lumières qui défont les formes : nombreuses *Vues de Venise* (1840-1843), *Pluie, vapeur, vitesse* (1844). Son utilisation des couleurs presque pures influença l'impressionnisme.

Turnhout, com. de Belgique (Anvers), dans la Campine; 37 450 hab. Industr. chimique, mécanique, textile. – Chât. des ducs de Brabant (XIIe-XVIIe s.), aujourd'hui palais de justice.

turnover [tœʀnɔvœʀ] n. m. (Anglicisme) ECON Syn. de *rotation de la main-d'œuvre.*

turpide adj. Litt. Qui est moralement laid.

Turpin (Eugène) (Paris, 1848 – Pontoise, 1927), chimiste et inventeur français. Il découvrit des matières colorantes et mit au point des explosifs (mélinite, en 1885).

Turner : *Ulysse raillant Polyphème,* 1829; National Gallery, Londres

turpitude n. f. Litt. **1.** Conduite honteuse, ignominieuse. **2.** *Une (des) turpitude(s)* : une action, une parole honteuse. Syn. infamie.

turquerie n. f. (Souvent péjor.) Composition littéraire ou artistique à la manière turque, dans le goût turc.

Turquie (république de), État de l'Asie occidentale (Anatolie, dite autref. Asie Mineure), comportant une partie européenne (Thrace); bordé au N. par la mer Noire, à l'O. par la mer Égée, au S. par la mer Méditerranée; la mer de Marmara, mer fermée, sépare l'Anatolie de la Thrace; 779 452 km^2; 55 400 000 hab. (Turcs), croissance démographique : plus de 2 % par an; cap. *Ankara.* Nature de l'État : rép. Langue off. : turc. Pop. : Turcs (en grande majorité), Kurdes (de 7 à 20 % selon les estimations), minorités arménienne, grecque, arabe. Monnaie : livre turque. Relig. : islam.

Géogr. phys. et hum. – La péninsule anatolienne (97 % de la superficie, 90 % des hab. du pays) est constituée d'un plateau central élevé et massif (800 à 1 000 m d'altitude à l'O., 2 000 m à l'E.). Le climat est sec, à hivers rigoureux et la végétation steppique domine, quelques cuvettes arides étant occupées par des lacs saumâtres (Tuz Gölu). L'ensemble est ceinturé de montagnes périphériques : chaînes Pontiques au N., Taurus au S., qui convergent vers l'E. où se dresse le massif volcanique arménien (5 165 m au mont Ararat). Les montagnes côtières retombent sur un littoral de près de 8 500 km, ponctué de plaines, chaud et humide le long de la mer Noire, plus sec sur la façade méditerranéenne. Dans la partie européenne, la Thrace (3 % de la superficie, 10 % des hab. du pays), des contrastes du même ordre s'observent entre la steppe intérieure et les montagnes et collines bordières, plus humides. Le peuplement, dense sur les littoraux, s'est beaucoup étoffé en Anatolie centrale, avec la fixation de la capitale à Ankara et en raison de la croissance démographique soutenue (14 millions d'hab. en 1927, 28 en 1960, 55 aujourd'hui, malgré la baisse sensible de la natalité), ce qui alimente un exode rural massif : le taux d'urbanisation approche 50 %.

Écon. – Depuis 1980, sous l'égide du F.M.I., la Turquie a opté pour un développement libéral et l'ouverture aux capitaux étrangers; des mesures de privatisation sont en cours depuis 1988 (l'État contrôlait 50 % de l'industrie et

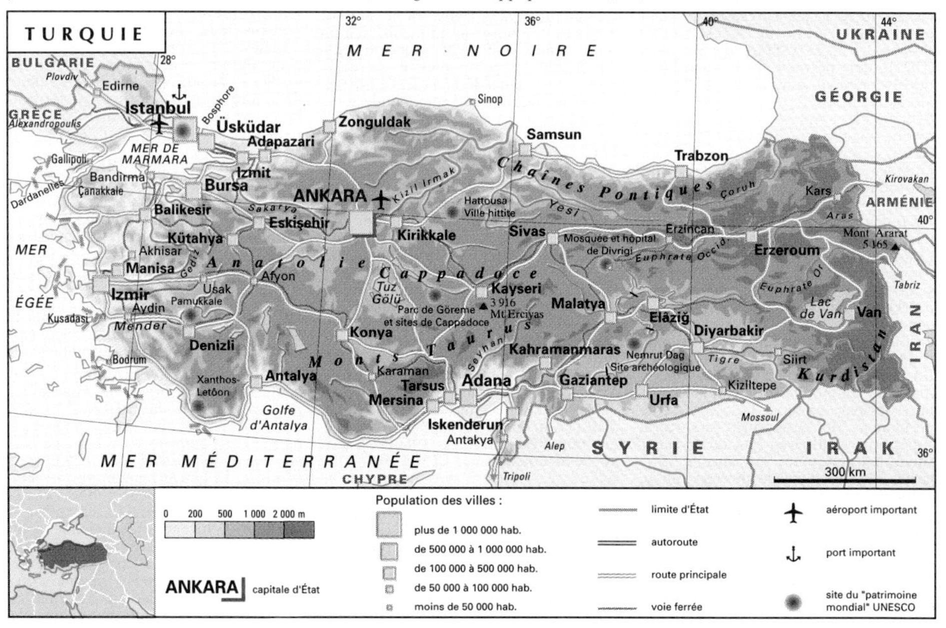

70 % des banques). Dynamisées par l'investissement étranger, les industries d'export. sont devenues le moteur de la croissance : textile, habillement et biens manufacturés assurent 65 % des ventes à l'étranger. L'agriculture est très diversifiée : céréales, plantes industrielles, fruits et légumes, élevage ovin. Elle occupe 50 % des actifs et fournit le quart des export. (fruits secs en particulier). Les ressources minérales (pétrole, fer, chrome) sont peu abondantes, à l'exception du lignite. Les recettes du tourisme et l'envoi de fonds des émigrés couvrent le déficit commercial. La Turquie dispose de nombreux atouts : une position clé entre l'Europe, les pays de l'ex-U.R.S.S. et l'Asie, un marché intérieur en croissance, des potentialités régionales élevées (d'importants aménagements sont en cours, comme le projet de développement du Kurdistān turc, entre le Tigre et l'Euphrate, dont la pièce maîtresse, le barrage Atatürk, a été mis en service en 1990). Le pays souffre cependant d'un endettement élevé et les tensions sociales restent fortes.

Hist. – *L'Anatolie ancienne.* Peuplée dès la préhistoire, la Cappadoce connut à partir de 3000 av. J.-C. un développement sous la forme de cités-États liées à la Mésopotamie* (comptoirs commerciaux assyriens). À partir du XVIIIe s. av. J.-C., des royaumes indo-européens (Hittites) se développèrent jusqu'aux bouleversements apportés, au XIIe s., par les Peuples de la Mer; après une période de troubles, les Grecs s'établirent fortement sur le littoral égéen et de nouveaux royaumes s'édifièrent sur les ruines de l'Empire hittite au VIIIe s. av. J.-C. (Phrygie, Lydie) et s'hellénisèrent progressivement, malgré la domination perse (VIe s. av. J.-C.). La civilisation grecque survécut dans l'Empire byzantin à la fin du monde antique. Dès le VIIe s. apr. J.-C., les invasions arabes amenèrent l'islam aux frontières de l'empire qui, à partir du XIe s., fut la proie des croisés et des Turcs. Venus de l'Altaï, les Turcs avaient constitué en Asie centrale l'immense empire des Tujue (VIe-VIIe s.). Convertis en masse à l'islam au Xe s., les Turcs Seldjoukides envahirent à partir du XIe s. tout le Proche-Orient, la victoire de Manziket (1071) leur permettant de s'installer massivement en Anatolie. Au XIIIe s., les Mongols imposèrent leur tutelle aux Seldjoukides. Après 1290, une tribu turque établie en Bithynie, celle des Ogrul, se rendit indépendante des Seldjoukides. Ils se nommèrent Osmanlis (Ottomans pour les Occidentaux), d'après le nom de leur chef Osman Ier. – *L'Empire ottoman.* La principauté ottomane se dota rapidement d'une organisation militaire qui lui permit d'étendre son territoire aux dépens de la puissante Byzance. Dès 1326, sous le règne d'Orkhan, l'ensemble de l'Anatolie était conquis; en 1353, Orkhan prenait pied en Europe; Brousse fut choisie comme capitale. Une administration efficace fut mise en place : centralisation en Anatolie, autonomie sous contrôle militaire des pays conquis. Le corps d'élite permanent des janissaires assura la supériorité militaire. Murat Ier poursuivit les conquêtes en Europe (Bulgarie, Serbie) et prit le titre de sultan. Sous Mehmet II, la prise de Constantinople (1453) marqua la prépondérance turque dans les Balkans pour trois siècles. La Bosnie et l'Albanie furent envahies au XVe s.; Selim Ier fit porter l'effort de conquête vers le monde musulman : Syrie puis Égypte (1516 et 1517). Le règne de Soliman le Magnifique (1520-1566) vit les conquêtes de l'Afrique du Nord et de la Hongrie, et le siège infructueux de Vienne (1529). Les grandes découvertes du XVIe s. firent perdre à l'empire son rôle d'intermédiaire commercial obligé entre l'Europe et l'Orient. Son expansion territoriale fut stoppée, son économie tomba lentement sous la domination européenne. Le second échec devant Vienne (1683) marqua un grand recul et l'Autriche mena des guerres continuelles jusqu'en 1791. Déchiré par des dissensions internes, l'empire chercha en vain à se réorganiser (V. Orient [question d']) pour faire face à un nouvel adversaire : la Russie. Il ne put garder ni la Crimée (1774) ni la Bessarabie (1812). Il perdit la Grèce et l'Algérie (1830), puis l'Égypte (1840). L'endettement et la décomposition administrative facilitèrent les ingérences étrangères. La crise s'amplifia à la fin du siècle : pertes de la Roumanie et de la Serbie (1878), de la Tunisie (1881) et de la Bulgarie (1885). Sous le règne de Mehmet V (1909-1918), la révolte des Jeunes*-Turcs porta au pouvoir des officiers nationalistes, qui aggravèrent les tensions entre les différents peuples de l'empire. Ils ne purent éviter les guerres balkaniques de 1912-1913, qui chassèrent les Turcs d'Europe et, en 1914, ils plongèrent le pays dans la guerre au côté de l'Allemagne (génocide des Arméniens, en 1915, soupçonnés de vouloir pactiser avec l'armée russe). En 1918, les Alliés occupèrent Istanbul avec l'intention de démanteler la Turquie. La ratification du traité de Sèvres par Mehmet VI (1920) acheva de discréditer le sultanat. – *La Turquie moderne.* Le général Mustafa Kemal prit la tête d'un gouvernement national, réprima les minorités (Kurdes*), entreprit la reconquête de l'Ionie et de la Thrace occupées par les Grecs. Les victoires d'Inönü et de Sakarya aboutirent au traité de Lausanne (1923) qui garantit l'intégrité du territ. turc et imposa l'échange forcé de populations entre la Turquie et la Grèce (1 000 000 de Grecs d'Asie contre 300 000 Turcs d'Europe). Mustafa Kemal proclama la république (1923), transféra la capitale à Ankara et gouverna de façon dictatoriale, appuyé par le Parti républicain du peuple (parti unique). Il entreprit une œuvre considérable de modernisation économique, d'occidentalisation et de laïcisation du pays, donnant à la Turquie moderne une forte cohésion. Son successeur, Ismet Inönü (1938-1950), réussit à maintenir le pays à l'écart de la Seconde Guerre mondiale. Le parti démocrate, créé en 1946 (fin du régime de parti unique) par des partisans de la politique de Kemal dissidents, l'emporta aux élections de 1950. A. Menderes, Premier ministre démocrate, mena une politique d'industrialisation largement ouverte aux capitaux étrangers (prises de participation dans le secteur étatisé notam.); la Turquie adhéra à l'OTAN (1951) et concéda, sur son territoire, des bases à l'armée américaine. La dégradation de la situation écon., dans un climat d'affairisme et de corruption, aboutit à un coup d'État militaire (1960) et à une nouvelle Constitution (1961). Après un retour au pouvoir d'Inönü jusqu'en 1965, S. Demirel et le nouveau parti de la Justice durent affronter une puissante opposition de gauche. En 1971, les militaires reprenaient la direction des affaires et ramenaient au pouvoir les partisans de la politique de Kemal (Inönü, puis B. Ecevit à partir de 1972). En 1980, nouveau coup d'État militaire, après un retour au pouvoir de Demirel (1975/78 et 1979/80). Une nouvelle constitution permit au g[al] K. Evren de devenir prés. de la République, en 1982, dans un paysage électoral simplifié (interdiction de tous les partis). Les élect. de 1983 furent remportées par le parti de la Mère Patrie (droite libérale), nouvellement autorisé; son chef, T. Ozal, Premier ministre depuis 1983, a succédé en 1989 à K. Evren à la prés. de la République, Y. Akbulut prenant en charge l'exécutif. La Turquie a fait acte de candidature pour son admission au sein de la C.E.E. (mais l'étude de cette candidature est repoussée). Il faudra sans doute à la Turquie, pour être admise, régler le conflit qui l'oppose à la Grèce dep. l'occupation de l'E. de Chypre par l'armée turque en 1974 et la proclamation d'un État chypriote turc en 1975. En outre, elle a essayé de donner des gages de démocratie (annonce, en 1991, de la libération de 40 000 prisonniers politiques) et ne peut plus ignorer les revendications nationalistes des Kurdes* (dont la guerre du Golfe* a encore compliqué la situation). Aux législatives anticipées d'oct. 1991, le parti de T. Ozal a perdu la majorité parlementaire au profit du parti de S. Demirel, nouveau Premier ministre à la tête d'un gouvernement de coalition. Après l'effondrement de l'U.R.S.S., la Turquie a engagé une diplomatie très active vis-à-vis des rép. turcophones d'Asie centrale et du Caucase. S. Demirel a succédé en mai 1993 à T. Ozal (décédé en avril) à la présidence de la République. Le poste de Premier ministre est confié à Tansu Ciller (1993-1996), qui doit faire face à la percée des islamistes du Refah au Parlement. En juillet 1996, la Turquie se dote d'un chef de gouvernement, Necmettin Erbakan, qui se réclame de l'islamisme. Mais accusé d'avoir violé le principe constitutionnel de la laïcité, il est évincé en juin 1997. Mesut Yilmaz devient Premier ministre, tandis que le Refah est dissous et interdit en 1998.

turquin adj. m. Litt. D'un bleu foncé.

turquoise n. et adj. inv. **1.** n. f. Pierre semi-précieuse de couleur bleu clair à bleu-vert (phosphate hydraté naturel d'aluminium et de cuivre), utilisée en joaillerie. **2.** adj. inv. Qui a la couleur de la turquoise. *D'un bleu turquoise.* ▷ n. m. *Le turquoise :* la couleur turquoise.

tursan n. m. Vin rouge du Sud-Ouest.

tussah [tysa] ou **tussau** [tyso] n. m. Soie indienne sauvage produite par un ver autre que le bombyx du mûrier.

tussilage n. m. Plante herbacée (fam. composées), aux propriétés pectorales.

tussor ou (vieilli) **tussore** n. m. Étoffe de tussah. ▷ *Par ext.* Étoffe de soie légère.

tutélaire adj. **1.** Litt. Qui protège. ▷ Spécial., vieilli *Ange tutélaire :* ange gardien. **2.** DR Qui concerne la tutelle.

tutelle n. f. **1.** DR Institution légale conférant à un tuteur la charge de prendre soin de la personne et des biens d'un enfant mineur ou d'un incapable; charge, autorité du tuteur. *Conseil de tutelle.* ▷ *Tutelle administrative :* contrôle du gouvernement sur les collectivités ou les services publics. *Ministère de tutelle.* ▷ *Territoire sous tutelle :* territoire (souvent une ancienne colonie) dont l'administration avait été confiée par l'O.N.U. à une grande puissance. ▷ *Tutelle pénale :* peine complémentaire applicable aux récidivistes auteurs de crimes ou de délits (elle remplace, depuis 1970, la relégation). **2.** Protection. *Se placer sous la tutelle des lois.* ▷ Dépendance, surveillance gênante. *Cette tutelle lui pesait.*

tuteur, tutrice n. **I. 1.** DR et COUR. Personne chargée légalement de veiller sur la personne et les biens d'un mineur ou d'un incapable, de les représenter juridiquement, etc. *Tuteur légal, tutrice légale :* père, mère, ascendant. *Subrogé* tuteur.* – *Tuteur ad hoc,* désigné pour protéger les intérêts d'un mineur, partic. lorsqu'ils risquent de se trouver en conflit avec les intérêts du tuteur. **2.** Fig. Personne qui protège et soutient qqn. – Spécial. Enseignant, étudiant avancé ou professionnel qui guide un débutant, un apprenti. **II.** n. m. AGRIC Piquet destiné à soutenir, à redresser une plante.

tuteurage n. m. AGRIC Action de tuteurer.

tuteurer v. tr. [1] AGRIC Munir d'un tuteur.

tutoiement n. m. Fait de tutoyer.

tutoral, ale, aux adj. Relatif au tutorat.

tutorat n. m. Didac. Fonction de tuteur.

tutoyer v. tr. [23] User de la deuxième personne du singulier en s'adressant à (qqn). ▷ v. pron. (Récipr.) *Ils se tutoient.* ▷ SPORT *Tutoyer l'obstacle :* dans un concours hippique, toucher l'obstacle, sans le faire tomber, avec les sabots lors de son franchissement (en parlant du cheval).

Tutsis, populations d'éleveurs d'origine éthiopienne arrivés vers le XVIe s. dans la région des Grands Lacs. Bien que minoritaires (10 à 15 % de la pop. du Rwanda et du Burundi), ils ont su imposer leur primauté aux Hutus, tout en adoptant de nombreuses références culturelles de ces derniers (langue, système monarchique, etc.).

tutti [tutti] n. m. inv. MUS Signe sur une partition, pour indiquer que tous les instruments doivent jouer. ▷ Passage musical exécuté par tous les instruments. *Un tutti de cuivres.*

tutti frutti [tut(t)ifʀutti] loc. adj. inv. (ital.) Où se trouve un mélange de fruits divers. ▷ Spécial. *Une glace tutti frutti* ou, n. m. inv., *un tutti frutti.*

tutti quanti [tut(t)ikwɑ̃ti] loc. nomi. inv. (ital.) (À la suite d'une énumération de noms de personnes ; employé souvent par dénigrement.) Et toutes les autres personnes de cette espèce.

tutu n. m. Tenue de scène des danseuses de ballet, composée de plusieurs jupes de gaze, de tulle ou de tarlatane, superposées et très froncées.

Tutu (Desmond) (Klerksdorp, 1931), prélat anglican sud-africain noir, archevêque du Cap, il mena une lutte pacifique contre l'apartheid, qui lui valut le prix Nobel de la paix en 1984.

Desmond **Tutu** Mark **Twain**

Tutuola (Amos) (Abeokuta, 1920 – Ibadan, 1997), écrivain nigérian. Ses romans sont inspirés par la tradition orale africaine (*l'Ivrogne dans la brousse,* 1952 ; *Ma vie dans la brousse des fantômes,* 1954).

Tuvalu (anc. *îles Ellice*), archipel du Pacifique central, à l'E. des îles Salomon ; 24,6 km^2 ; 8 230 hab. ; cap. *Fongafale.* Pêche, noix de coco.
▸ carte **Océanie**

Tuxtla Gutiérrez, v. du S. du Mexique, au N. de la Sierra Madre ; 295 600 hab. ; cap. de l'État de Chiapas.

tuyau [tɥijo] n. m. **1.** Conduit à section circulaire, en matière souple, rigide ou flexible, servant à l'écoulement d'un liquide, d'un gaz. *Tuyau de plomb.* – *Tuyau d'arrosage.* **2.** Conduit ; cavité cylindrique. *Tuyau (d'une plume) :* bout creux de la plume des oiseaux. – Tige creuse des céréales. ▷ Fam. *Le tuyau de l'oreille :* le conduit auditif. *Dire qqch dans le tuyau de l'oreille,* tout bas, dans l'oreille. **3.** *Par ext.* Fam. Renseignement confidentiel dont la connaissance peut déterminer la réussite d'une opération. *Avoir de bons tuyaux sur une course* (pour parier sans risque). – Plaisant *Un tuyau crevé,* sans valeur. **4.** Pli cylindrique dont on orne du linge empesé.

tuyautage n. m. Action de tuyauter.

tuyauter [tɥijote] v. tr. [1] **1.** Orner (du linge) de tuyaux (sens 4). **2.** Fam. Fournir des renseignements, des tuyaux.

tuyauterie n. f. Ensemble des tuyaux d'une installation.

tuyère [tɥijɛʀ] n. f. TECH **1.** Organe d'éjection des gaz d'un moteur à réaction. **2.** Canalisation qui injecte l'air à la base d'un haut fourneau.

TV ou **T.V.** Abrév. de *télévision.*

T.V.A. Abrév. de *taxe* à la valeur ajoutée.*

Tver (*Kalinine* de 1931 à 1991), v. de Russie ; ch.-l. de rég., port fluvial au N.-O. de Moscou, sur la Volga ; 438 000 hab. Industr. textile, mécanique, alim.

Twain (Samuel Langhorne Clemens, dit Mark) (Florida, Missouri, 1835 – Redding, Connecticut, 1910), écrivain américain : *la Célèbre Grenouille sauteuse de Calaveras* (1867), *les Aventures de Tom Sawyer* (1876), *Vie sur le Mississippi* (1883), *les Aventures de Huckleberry Finn* (1884). En partie autobiographiques, ses récits dépeignent avec humour la vie américaine aux temps de la conquête de l'Ouest.

tweed [twid] n. m. Étoffe de laine cardée (d'abord fabriquée en Écosse).

Tweed (la), fl. de G.-B. (165 km), entre l'Angleterre et l'Écosse ; se jette dans la mer du Nord.

tweeter [twitœʀ] n. m. (Anglicisme) ELECTROACOUST Haut-parleur d'aigus.

Twickenham, quartier résidentiel de l'aggl. londonienne ; env. 70 000 hab. Stade de rugby.

twill [twil] n. m. **1.** Tissu en armure sergée ; cette armure. **2.** Très légère étoffe de soie (ou de rayonne) souple.

twin-set [twinsɛt] n. m. (Anglicisme) Ensemble constitué d'un cardigan et d'un pull-over assortis. *Des twin-sets.*

twirling bâton [twirliŋbatɔ̃] n. m. (Anglicisme) Bâton de majorette ; discipline sportive pratiquée avec cet instrument.

twist [twist] n. m. Danse caractérisée par un mouvement rapide de rotation des hanches et des genoux, en vogue au début des années 60.

Tyard (Pontus de). V. Pontus de Tyard.

Tycho Brahe. V. Brahe.

Tyler (Wat ou Walter) (m. en 1381), insurgé anglais, chef de la « révolte des Travailleurs » (1381), il marcha sur Londres, obtint satisfaction de Richard II, mais fut tué par le maire de Londres.

Tyler (John) (Charles City County, Virginie, 1790 – Richmond, 1862), homme politique américain. Vice-président (républicain) des É.-U. (1840), il succéda à H.W. Harrison à la présidence, de 1841 à 1844.

tympan n. m. **1.** ARCHI Espace triangulaire délimité par la corniche et les deux rampants d'un fronton. – Dans un portail d'église romane ou gothique, espace généralement décoré de sculptures entre le linteau et l'archivolte. **2.** ANAT Cavité de l'oreille moyenne entre le conduit externe et l'oreille interne, traversée par une chaîne d'osselets et fermée par la *membrane du tympan.* – Cour. Membrane du tympan. (V. encycl. oreille.) **3.** IMPRIM Cadre de la presse typographique à bras sur lequel se place la feuille à imprimer. **4.** MECA Pignon fixé sur un arbre et qui s'engrène dans les dents d'une roue. *Tympan d'une horloge.*

tympanal, ale, aux adj. et n. m. ANAT Du tympan. *Os tympanal* ou, n. m., *le tympanal :* anneau osseux sur lequel est tendu le tympan.

tympanique adj. **1.** ANAT Du tympan. *Cavité, artère tympanique.* **2.** MED *Son tympanique :* sonorité aiguë de certaines régions du corps à l'auscultation.

tympanon n. m. MUS Instrument de musique constitué d'une caisse trapézoïdale tendue de cordes métalliques que l'on frappe avec de fines baguettes.

tympanoplastie n. f. CHIR Opération réparatrice du tympan et des trois osselets de l'oreille moyenne.

Tyndall (John) (Leighlin Bridge, comté de Carlow, 1820 – Hindhead, Surrey, 1893), physicien irlandais ; auteur de travaux sur la chaleur, sur le gel de la glace après dégel (qui permet d'interpréter le déplacement des glaciers), sur les gaz, etc.

tyndallisation n. f. TECH Procédé de stérilisation, dû à Tyndall, consistant à chauffer à une température nettement inférieure à 100 °C, pendant une heure env., des substances qu'on laisse refroidir, puis qu'on chauffe à nouveau, etc.

Tyne (la), fl. de G.-B. (128 km) ; naît dans les monts Cheviot, passe à Newcastle et se jette dans la mer du Nord. – Sa vallée est industrialisée (conurbation de *Tyne and Wear*).

Tyne and Wear, comté du N. de l'Angleterre ; 540 km^2 ; 1 087 000 hab. ; ch.-l. *Newcastle-upon-Tyne.*

typage n. m. Méthode de classification. *Typage génétique. Typage social.*

-type, -typie, typo-. Éléments, du gr. *tupos,* « empreinte, modèle ».

type n. m. **I.** TECH **1.** Pièce qui porte une empreinte, servant à faire de nouvelles empreintes semblables ; cette empreinte. **2.** TYPO Modèle de caractère. *Type elzévir.* **II. 1.** Modèle idéal réunissant en lui, à un haut degré de perfection, les caractères essentiels d'une espèce déterminée d'objets ou de personnes ; ce qui correspond plus ou moins exactement à un tel modèle. *Chercher à définir un certain type de beau. Harpagon est le type même de l'avare.* – (En appos.) *C'est l'avare type.* **2.** Ensemble des caractères distinctifs propres à une catégorie spécifique d'objets, d'individus, etc. *Les types sanguins.* – BIOL Individu qui présente tous les caractères distinctifs d'une unité systématique (espèce, genre, famille, etc.); spécimen servant à la description d'une telle unité. – (En appos.) *Le genre « Rosa » est le genre type de la famille des rosacées.* ▷ Cour. *Types humains* (considérés selon des critères divers, souvent arbitraires). *Le type anglais.* ▷ Par ext. Fam. *C'est mon type* : il (elle) a l'ensemble des caractères physiques, esthétiques, etc., qui m'attirent. **3.** Ensemble des spécifications techniques qui définissent un objet déterminé construit en série. *La Jaguar « Type E »* (automobile). **4.** Fam. Personnage remarquable (soit qu'il corresponde exactement à un type déterminé, soit que, par son originalité, il constitue un type à lui seul). *Quel type !* ▷ Mod., fam. Individu quelconque. *Qui c'est, ce type ?* Syn. bonhomme, gars, mec.

typé, ée adj. Qui correspond à un type, à un modèle du genre. *Personnage très typé.* – *Spécial.* Qui possède toutes les caractéristiques physiques de son peuple, de son ethnie. *Cette Suédoise est très typée.*

typer v. tr. [1] **1.** TECH Marquer d'un type (sens I, 1). **2.** Donner les caractères d'un type (sens II, 1) à un personnage de création. *Cet écrivain a su typer son personnage.*

typh(o)-. Élément, du gr. *tuphos,* « fumée, torpeur ».

typhique adj. et n. MED Qui a rapport au typhus ou à la fièvre typhoïde. ▷ Subst. Sujet atteint de l'une de ces maladies.

typhoïde adj. et n. f. *Fièvre typhoïde* ou, cour., n. f., *la typhoïde* : maladie infectieuse (salmonellose), contagieuse et le plus souvent épidémique, due au bacille typhique (*Salmonella typhi,* dit aussi *bacille d'Eberth*), caractérisée par une température élevée (due à une septicémie), par des signes neurologiques (état de stupeur, dit aussi *tuphos*) et par de graves troubles digestifs. (La contamination s'effectue par ingestion d'aliments pollués.)

typhon n. m. Cyclone des mers du Sud-Est asiatique (mer de Chine, mer du Japon) et de l'océan Indien.

Typhon, dans la myth. gr., monstre, fils du Tartare et de Gaia. Zeus finit par le vaincre dans le combat qu'il mena pour la conquête de l'Olympe.

typhus [tifys] n. m. MED **1.** *Typhus exanthématique* ou, absol., *typhus* : maladie infectieuse due à une rickettsie *(Rickettsia prowasecki)* transmise par le pou, et caractérisée par une éruption de taches rosées (exanthème purpurique) sur tout le corps, par une fièvre élevée et par une prostration profonde *(tuphos).* **2.** *Typhus murin* : maladie infectieuse analogue à la précédente, mais moins grave, due à une rickettsie *(Rickettsia mooseri)* transmise à l'homme par la puce du rat. **3.** Nom de diverses autres maladies infectieuses caractérisées notam. par une forte fièvre.

-typie. V. -type.

typique adj. **1.** Caractéristique. *Réaction typique.* ▷ Qui peut servir d'exemple. *Cas typique.* **2.** (Dans une classification scientifique.) Qui est essentiel à la caractérisation d'un type. *Caractères typiques et atypiques.*

typiquement adv. D'une manière typique, caractéristique. *Un comportement typiquement masculin.*

typo-. V. -type.

typo n. Abrév. de *typographe* et de *typographie.*

typographe n. Professionnel de la typographie. ▷ *Spécial.* Ouvrier qui compose à la main, avec des caractères mobiles. (Abrév. fam. : typo; fém., en arg. de métier : typote.)

typographie n. f. **1.** Composition (d'un texte) à l'aide de caractères mobiles en plomb (types). *La typographie cède la place à la photocomposition.* ▷ Résultat de cette composition. **2.** Aspect d'un texte composé, que l'on ait utilisé ou non des caractères mobiles. *La typographie de cet ouvrage est particulièrement lisible.* **3.** Procédé de reproduction par impression d'une forme en relief (composition faite avec des caractères mobiles, cliché, etc.). (Abrév. fam. : typo).

typographique adj. Qui a rapport à la typographie. *Procédés d'impression typographiques* (par oppos. aux *procédés par report* : offset, lithographie). – *Fautes typographiques* (mastics, coquilles, etc.).

typologie n. f. Didac. **1.** Partie de la psychologie qui étudie les divers types humains, considérés du point de vue des rapports entre les caractères somatiques et mentaux. **2.** Science qui, à partir d'ensembles, vise à élaborer des types, constitués par regroupement de données ayant en commun certains traits caractéristiques. – Classification par types. *Établir une typologie des névroses.*

typologique adj. Didac. Relatif à la typologie; fondé sur une typologie. *Classification typologique.*

typomètre n. m. TECH Règle portant des divisions en points typographiques (avec indication des cicéros, demi-cicéros et quarts de cicéro), utilisée en imprimerie pour évaluer les compositions typographiques.

typon n. m. IMPRIM Film positif tramé, qui peut être reproduit en offset.

typtologie n. f. Didac. Dans le spiritisme, moyen d'entrer en communication avec les esprits fondé sur un code de coups frappés sur (ou par) les tables tournantes.

tyr(o)-. Élément, du gr. *turos,* « fromage ».

Tyr (auj. *Sour,* au Liban), très anc. port phénicien, qui devint une puissante cité-État au XIIe s. av. J.-C. Carrefour commercial entre l'Asie et l'Occident, elle imposa sa présence sur toutes les côtes de la Méditerranée, multipliant ses comptoirs commerciaux. Au IXe s. av. J.-C., elle atteignit son apogée (fondant notam. Carthage), mais tomba sous la dépendance de l'Assyrie puis (573 av. J.-C.) de Babylone.

tyran n. m. **1.** ANTIQ GR Celui qui, à la tête d'un État, exerçait le pouvoir absolu après s'en être emparé par la force. ▷ *Spécial.* Usurpateur de l'autorité royale. **2.** Cour. Celui qui, détenant le pouvoir suprême, l'exerce avec cruauté et sans respect des lois. **3.** Fig. Personne autoritaire, qui exerce durement son autorité ou qui en abuse. *C'est un tyran domestique.*

tyranneau n. m. Litt. Celui qui se conduit comme un petit tyran. *Tyranneau de village.*

tyrannicide n. Litt. **1.** Celui, celle qui a tué un tyran. **2.** n. m. Meurtre d'un tyran.

tyrannie n. f. **1.** ANTIQ GR Usurpation et exercice du pouvoir par un tyran. *Sous la tyrannie de Pisistrate, à Athènes.* **2.** Cour. Gouvernement d'un tyran, ou d'un groupe d'oppresseurs, dans ce qu'il a d'injuste et de cruel. **3.** Fig. Autorité exercée de manière absolue, oppressive. *Il exerce une véritable tyrannie sur ses employés.* ▷ (Choses) Pouvoir irrésistible et contraignant. *La tyrannie de la mode.*

tyrannique adj. **1.** Qui tient de la tyrannie. *Pouvoir tyrannique.* **2.** Autoritaire, injuste et violent. *Un père tyrannique.* **3.** Fig. Qui exerce un pouvoir irrésistible et contraignant.

tyranniquement adv. De manière tyrannique.

tyranniser v. tr. [1] **1.** Traiter (qqn) avec tyrannie. *Tyranniser un peuple. Tyranniser ses enfants.* **2.** (Choses) Litt. Exercer un pouvoir irrésistible et contraignant sur (qqn). *La passion du jeu le tyrannisait.*

tyrannosaure n. m. PALEONT Reptile fossile (genre *Tyrannosaurus*), grand carnassier bipède du crétacé (jusqu'à 15 m de long). ► illustr. **dinosauriens**

tyro-. V. tyr(o)-.

Tyrol (en all. *Tirol*), rég. des Alpes orient., drainée par le cours sup. de l'Inn, de la Drave et de l'Adige, partagée entre l'Autriche et l'Italie. En Autriche, le Tyrol forme un Land (12 647 km^2; 605 770 hab.; ch.-l. *Innsbruck*); c'est un pays d'élevage au tourisme très actif et dont les vallées sont industrialisées (textiles, bois, verrerie, etc.). En Italie, il correspond à la région du Trentin*-Haut-Adige. – Province romaine de Rhétie (15 av. J.-C.), le Tyrol forma au XIe s. un comté qui passa aux mains des Habsbourg en 1363. De 1805 à 1814, Napoléon Ier le rattacha à la Bavière. En 1919, le traité de Saint-Germain-en-Laye donna le Sud-Tyrol à l'Italie.

tyrolien, enne adj. et n. **1.** adj. et n. Du Tyrol. ▷ Subst. *Un(e) Tyrolien(ne).* **2.** n. f. Chant à trois temps, franchissant en sauts brusques de grands intervalles tonaux et passant de la voix de poitrine à la voix de tête. V. jodler.

tyrosine n. f. BIOCHIM Acide aminé très répandu dans les protéines, dont dérivent certains médiateurs du système nerveux (dopamine et noradrénaline, notam.) ainsi que certaines hormones (adrénaline, thyroxine).

tyrrhénien [tiʀenjɛ̃] n. m. GEOL Étage du pléistocène correspondant à diverses transgressions marines comprises entre les glaciations du mindel, du riss et du würm.

Tyrrhénienne (mer), partie de la Méditerranée occidentale, entre la Corse, la Sardaigne, la Sicile et l'Italie.

Tyrtée (VIIe s. av. J.-C.), poète grec; personnage difforme et boiteux que les Athéniens envoyèrent par dérision aux Spartiates, qui avaient sollicité auprès d'eux un général pour lutter contre les Messéniens. Par ses chants guerriers, il ranima le courage des Spartiates et leur fit remporter la victoire.

tzar, tzarévitch, tzarine, tzarisme. V. tsar, tsarévitch, tsarine, tsarisme.

Tzara (Sami Rosenstein, dit Tristan) (Moineşti, Roumanie, 1896 – Paris, 1963), écrivain français d'origine roumaine; initiateur du mouvement Dada* à Zurich : *la Première Aventure céleste de M. Antipyrine* (théâtre, 1916), *Vingt-Cinq Poèmes* (1918), *Sept Manifestes Dada* (essai, 1924), *l'Homme approximatif* (épopée, 1931). Mais l'apologie dadaïste de la destruction ne subsiste pas dans ses œuvres d'après-guerre : *le Poids du monde* (1950).

Tziganes. V. Tsiganes.

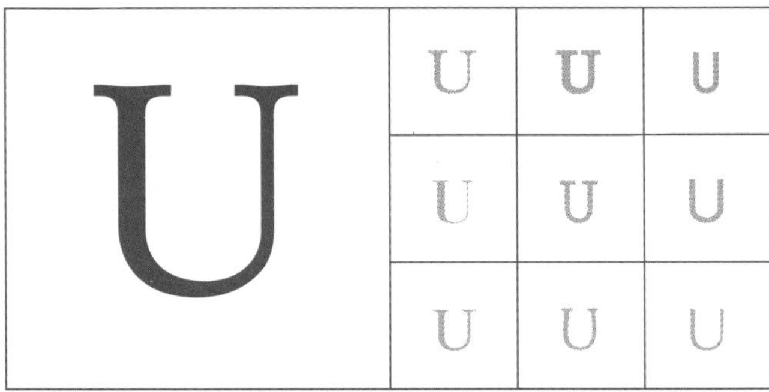

u [y] n. m. **1.** Vingt et unième lettre (u, U) et cinquième voyelle de l'alphabet, notant : la voyelle palatale arrondie [y] (ex. *dur, mûr*) ou la semi-voyelle [ɥ] (ex. *nuit*); le son [œ̃] ou u nasal (ex. *brun*); et, en composition, les sons [o] (ex. *aube, bateau*), [ø] ou [œ] écrits *eu* ou *œu* (ex. *peu, bœuf*) et [u] (ex. *court*). *Un u tréma* (ü). *Le U et le V ont été notés indifféremment V jusqu'au XVII*e *s.* ▷ *En U :* en forme de U. *Tube en U.* **2.** PHYS NUCL u : symbole de l'unité* de masse atomique. ▷ CHIM U : symbole de l'uranium.

UA ASTRO Unité* astronomique.

ubac n. m. Rég. Versant d'une montagne exposé au nord, à l'ombre (par oppos. à *adret*).

Ubaye (l'), torrent des Alpes du Sud (80 km), affl. de la Durance (r. g.), qu'il rejoint dans le lac artificiel de Serre-Ponçon; passe à Barcelonnette.

Ubayyid (Al-). V. Obeïd (El-).

Úbeda, v. d'Espagne (Andalousie); 29 040 hab. – Églises du Sauveur et St-Nicolas (XVIe s.). Palais (XVIe s.). Hôpital de Santiago (XVIe s.).

ubiquiste adj. et n. **1.** adj. Qui est (ou paraît être) partout à la fois. **2.** BIOL Qui est présent dans le monde entier, chez toutes les espèces. *Gène ubiquiste.* **3.** n. RELIG Membre d'une secte luthérienne qui n'admettait le dogme de la présence réelle du Christ dans l'eucharistie qu'en raison de l'ubiquité de Dieu.

ubiquitaire adj. et n. Syn. de *ubiquiste.*

ubiquité [ybikɥite] n. f. THEOL Qualité propre à Dieu d'être présent partout en même temps. ▷ Par exag. Loc. *Avoir le don d'ubiquité :* être partout à la fois.

Ubu, personnage créé par A. Jarry, qui incarne la vulgarité et l'absurdité triomphantes.

ubuesque adj. Qui est digne d'Ubu.

Ucayali (río), riv. du Pérou (1 600 km), une des branches de l'Amazone.

Uccello (Paolo di Dono, dit Paolo) (Pratovecchio, Casentino, ou Florence, 1397 – Florence, 1475), peintre, mosaïste et marqueteur italien. Il fut de 1425 à 1430 mosaïste à la basilique Saint-Marc de Venise. Son sens de la perspective et ses compositions colorées donnent à son œuvre un aspect étrangement moderne : *Bataille de San Romano* (1456-1460, trois panneaux : Offices, National Gallery, Louvre), etc.

uchronie [ykʀɔni] n. f. Didac. Conception de l'histoire, qui prétend la reconstruire non telle qu'elle fut en réalité, mais comme elle aurait pu ou dû être. *L'uchronie n'est souvent qu'une œuvre d'imagination.*

Udaipur, ville de l'Inde (S. du Rājasthān); 308 000 hab. Centre agricole. Industr. textiles. Tourisme. – Cap. du Rājputāna (à partir de 1567), nombr. monuments (temples, palais).

Uderzo (Albert) (Fismes, Marne, 1927), dessinateur français. Il créa, avec R. Goscinny, des bandes dessinées : *Oumpah-Pah, Astérix le Gaulois.*

U.D.F. Sigle de *Union* pour la démocratie française.*

Udine, v. d'Italie (Frioul-Vénétie Julienne), dans le Frioul; 101 070 hab.; ch.-l. de la prov. du m. nom. Métallurgie, industr. textiles et alimentaires. – Archevêché (fresques de Tiepolo dans le palais archiépiscopal). Chât. (XVIe s.). – La v. a été reconstruite après le tremblement de terre de 1976.

Udine. V. Giovanni da Udine.

U.E. Sigle de *Union* européenne.*

Ueda Akinari. V. Akinari.

U.E.E.R. n. f. Abrév. de *unité d'éducation à encadrement renforcé,* structure accueillant les mineurs délinquants, créée en 1995.

ufologie n. f. (Anglicisme). **1.** Étude des ovnis (en angl. ufo : unidentified flying objects). **2.** Croyance en l'existence d'autres mondes habités, d'extraterrestres et de visiteurs de l'espace.

U.F.R. n. f. Sigle de *unité* de formation et de recherche.*

Ugarit. V. Ougarit.

Ugine, ch.-l. de cant. de la Savoie (arr. d'Albertville), près de l'Arly; 7 490 hab. Électrochimie et électrométallurgie.

Ugolin (Ugolino della Gherardesca, dit). V. Gherardesca (Ugolino della).

U.-H.F. PHYS Abrév. de *ultra-haute fréquence.*

uhlan [ylɑ̃] n. m. HIST Lancier (cavalier), d'abord polonais ou lituanien, qui servait comme auxiliaire. *Les armées prussienne, autrichienne, polonaise ont eu des régiments de uhlans jusqu'en 1918.*

Uhland (Ludwig) (Tübingen, 1787 – id., 1862), poète allemand dont les ballades lyriques ont le ton du lied populaire (*la Chapelle*).

Uhlenbeck (George Eugene) (Batavia, auj. Djakarta, 1900 – Boulder, Colorado, 1988), physicien américain d'origine néerlandaise. Il établit avec Goudsmit la théorie du spin de l'électron (1925).

U.H.T. Sigle pour *ultra haute température,* employé pour indiquer le mode de stérilisation.

Uhuru (pic). V. Kilimandjaro.

Uitlanders, nom (du néerl. *uit,* « hors de », et *land,* « pays ») que les Boers donnèrent aux nouveaux immigrants (attirés en Orange et au Transvaal par l'or et les diamants du pays déjà colonisé par les Boers).

Uji, v. du Japon, près de Kyōto; 153 000 hab. Sanctuaire bouddhique (Byōdō-in), chef-d'œuvre de l'art du XIe s.

Ujjain, v. de l'Inde (Madhya Pradesh), dans les monts Vindhya; 367 000 hab. Industr. textiles. – C'est l'une des sept villes saintes des hindous.

Paolo **Uccello :** *la Bataille de San Romano,* v. 1456; National Gallery, Londres

Ujungpandang ou **Ujung Pandang** (anc. *Makassar*), port d'Indonésie (Célèbes), sur le *détroit de Makassar*; 709 040 hab.; ch.-l. de prov.

ukase [ukaz] ou **oukase** n. m. **1.** HIST Édit du tsar. ▷ Décret de l'État en U.R.S.S. **2.** Fig. Ordre impératif; décision arbitraire et sans appel.

ukiyo-e [ukijo'e] n. m. BX-A École japonaise de peinture de genre qui fut vulgarisée en Occident par l'estampe en couleurs (XVIIIe et XIXe s.).

Ukraine, État d'Europe, qui fut jusqu'en 1991 l'une des rép. fédérées de l'U.R.S.S., sur la mer Noire, frontalier de la Biélorussie au N., de la Russie à l'E., de la Moldavie, de la Roumanie, de la Hongrie, de la Slovaquie et de la Pologne à l'O.; 603 700 km^2; 51 704 000 hab.; cap. *Kiev.* Nature de l'État : rég. à pouvoir exécutif fort. Langues : ukrainien, russe. Monnaie : hryvnia. Pop. : Ukrainiens (72,7 %), Russes (22 %). Relig. : orthodoxes, cathol., uniates.
Géogr. et écon. – C'est une région de plaine au sol de terre noire généralement fertile *(tchernozem).* Le climat, à tendance continentale dans le N., s'adoucit dans le S. et présente des caractères arides dans le S.-E., où s'est développée l'irrigation. Les princ. cours d'eau sont le Dniepr, le Dniestr et le Prout (hydroélectricité abondante). Grande productrice de blé, de maïs, de betteraves sucrières et de tournesol, ayant un import. cheptel bovin, porcin et ovin, la république a épuisé ses ressources en hydrocarbures (pétrole, gaz naturel) mais possède encore d'importantes ressources minérales : manganèse, et surtout charbon (Donbass) et fer (Krivoï-Rog). Les industries lourdes (sidérurgie et constructions méca.), anciennes et puissantes, sont groupées dans le Donbass et dans la vallée du Dniepr. Les industries chimiques, mécaniques et alimentaires sont bien représentées. Cependant 80 % de la production industrielle ne réalise pas un cycle complet de production sur le territoire de l'Ukraine. La dépendance écon. de l'Ukraine vis-à-vis de la Russie a entraîné une grave crise après l'effondrement de l'U.R.S.S. Les côtes de Crimée demeurent une région touristique en plein essor. L'Ukraine possède le princ. port sur la mer Noire : Odessa.
Hist. – Kiev fut le centre du premier État russe (IXe-XIIe s.), puis autour d'Halicz se constitua la principauté de Galicie-Volhynie (XIIIe-XIVe s.). À partir du XIVe s., la région tomba sous la domination de la Pologne qui voulut y faire triompher le catholicisme; la noblesse polonaise s'y tailla d'énormes domaines. Au XVIe s. se formèrent des groupes de cosaques Zaporogues, qui d'abord luttèrent contre les Tatars sur les rives du Dniepr; au XVIIe s., le danger tatar écarté, ils devinrent les défenseurs des paysans ukrainiens contre les Polonais et les champions de l'orthodoxie; ils se placèrent finalement sous la protection de la Russie. En 1667, celle-ci obtint la rive gauche du Dniepr et la région de Kiev et, après les partages de la Pologne à la fin du XVIIIe s., la plus grande partie de l'Ukraine occidentale; mais la Galicie, la Bukovine et la Ruthénie passèrent à l'Autriche. À la suite de la révolution d'octobre 1917, l'Ukraine fut en proie à de violents troubles en raison de la proclamation de deux républiques : l'une, nationaliste, se voulait indépendante; l'autre, bolchevique, voulait son rattachement à l'État soviétique. L'Ukraine fut pendant trois ans le théâtre de furieux combats : troupes allemandes (1918), armées blanches de Denikine (1919-1920) et armées polonaises luttèrent contre les bolcheviks. En 1921, elle fut amputée au bénéfice de la Tchécoslovaquie, de la Roumanie et surtout de la Pologne. La partie restante forma la république socialiste soviétique d'Ukraine (qui adhéra en 1922 à l'Union soviétique), dont l'occupation par l'armée allemande (1941-1944) fut très dure. En 1945, les territoires perdus en 1921 furent intégrés à l'Ukraine soviétique, à laquelle la Crimée fut rattachée en 1954. Les aspirations nationalistes sont restées puissantes, notamment en Ukraine occidentale, et se sont doublées de revendications religieuses des catholiques de rite grec (uniates*, dont le culte fut interdit par Staline en 1946). Ayant proclamé sa souveraineté en 1990 et son indépendance en août 1991 (confirmée par un plébiscite en décembre, en même temps qu'elle élisait pour président L. Kravtchouk), l'Ukraine fait partie des républiques qui ont fondé la C.É.I.*. Les tensions avec la Russie (à propos de la Crimée et du partage de l'armée Rouge) se sont apaisées en 1992 : les deux pays ont projeté de développer leurs relations et ont partagé, à terme, la flotte de la Mer noire. La grave crise écon. entraîne l'instabilité des gouv. successifs. En 1994 l'Ukraine a scellé la dénucléarisation par l'accord tripartite avec les États-Unis et la Russie en échange d'une aide américaine et a élu Leonid Koutchma président de la Rép. (juill.).
► carte **(ex-) U.R.S.S.**

Ukraine subcarpatique, nom donné jusqu'en 1945 à la partie occidentale de l'Ukraine, également nommée *Ruthénie* subcarpatique.*

ukrainien, enne adj. et n. **1.** adj. De l'Ukraine. **2.** n. m. Langue slave parlée en Ukraine.

ukulélé [jukulele] n. m. MUS Instrument à quatre cordes, analogue à une petite guitare («guitare hawaiienne»).

Ulbricht (Walter) (Leipzig, 1893 – Berlin, 1973), homme politique est-allemand. L'un des fondateurs du parti communiste allemand (1919), il fut premier secrétaire du parti socialiste unifié de 1950 à 1971. Il présida le Conseil d'État de la R.D.A. de 1960 à sa mort.

ulcératif, ive adj. MED Relatif à une ulcération.

ulcération n. f. MED **1.** Formation d'un ulcère. **2.** Perte de tégument due à la formation d'un ulcère.

ulcère n. m. **1.** Perte de substance de la peau ou d'une muqueuse, prenant la forme d'une lésion qui ne se cicatrise pas et tend à s'étendre et à suppurer. **2.** ARBOR Plaie d'une plante qui ne se cicatrise pas.

ulcérer v. tr. [14] **1.** MED Produire un ulcère sur. **2.** Fig. Faire naître un profond ressentiment chez. *Ce discours l'a ulcéré.*

ulcéreux, euse adj. et n. **1.** adj. MED Qui a les caractères d'un ulcère ou d'une ulcération. **2.** adj. et n. Atteint d'un ulcère gastro-intestinal.

Uleåborg. V. Oulu.

uléma [ylema] ou **ouléma** [ulema] n. m. RELIG Docteur de la loi, interprète du Coran, dans les pays musulmans.

Ulfila, Ulfilas ou **Wulfila** (en Gothie, près du delta du Danube, v. 311 – Constantinople, 383), évêque adepte de l'arianisme des Goths, d'origine cappadocienne; premier évangélisateur de son peuple. Il créa l'alphabet du gotique pour sa traduction du Nouveau Testament.

Ulis (Les), ch.-l. de cant. de l'Essonne (arr. de Palaiseau); 27 207 hab. Informatique, industr. mécaniques.

U.L.M. n. m. inv. SPORT (Sigle de *ultra léger motorisé.*) Engin volant, monoplace ou biplace, de construction très légère, à moteur de faible cylindrée.

U.L.M. utilisé pour l'épandage d'engrais

Ulm, v. d'Allemagne (Bade-Wurtemberg), sur le Danube; 100 750 hab. Industr. diverses (constr. automobiles, notam.). – Cath. gothique (XIVe- XIXe s., tour de 161 m). Hôtel de ville gothique et Renaissance. – Capitulation de l'armée autrichienne de Mack devant Napoléon Ier (1805).

ulmacées n. f. pl. BOT Famille de plantes dicotylédones apétales arborescentes (orme, micocoulier, etc.), qui portent parfois sur le m. pied des fleurs hermaphrodites et des fleurs unisexuées. – Sing. *Une ulmacée.*

ulmaire n. f. BOT Plante herbacée des lieux humides (fam. rosacées) à fleurs blanches odorantes groupées en ombelles. Syn. reine-des-prés.

Ulsan, v. et port de la Corée du Sud, au N. de Pusan; 551 320 hab. Centre industriel.

Ulster, rég. septentrionale de l'Irlande*. Elle comprend : l'Irlande* du Nord, unie à la G.-B. (13 482 km^2; 1 573 000 hab.; cap. *Belfast*) et une prov. de l'Eire, l'Ulster (8 011 km^2; 236 000 hab.), formée des comtés de Donegal, Cavan et Monaghan.

ultérieur, eure adj. Qui vient après, dans le temps. *La réunion est remise à une date ultérieure.* Syn. futur, postérieur. Ant. antérieur.

ultérieurement adv. Plus tard. Syn. ensuite, après.

ultimatum [yltimatɔm] n. m. **1.** Mise en demeure ultime et formelle adressée par un pays à un autre, et dont le rejet entraîne la guerre. **2.** Mise en demeure impérative, sommation. *Les ravisseurs ont envoyé leur ultimatum.*

ultime adj. Litt. Dernier, dans le temps. *Ce furent ses ultimes paroles.*

ultra-. Élément, du lat. *ultra,* «au-delà de».

ultra n. et adj. HIST Syn. de *ultraroyaliste*.* ▷ *Par ext.* Extrémiste. *Les ultras du stalinisme.* – adj. *Ils sont ultras.*

ultrabasique adj. GEOL Se dit d'une roche magmatique de couleur foncée, contenant moins de 45 % de silice.

ultracentrifugation n. f. TECH Centrifugation opérée à des vitesses angulaires élevées.

ultracentrifugeuse n. f. TECH Centrifugeuse permettant de réaliser l'ultracentrifugation.

ultraconservateur, trice adj. POLIT Très conservateur.

ultrafin, fine adj. Extrêmement fin.

ultra-haute fréquence n. f. PHYS Fréquence élevée, comprise entre 300 et 3 000 MHz. (Abrév. : U.-H.F.) *Des ultra-hautes fréquences.*

ultraléger, ère adj. Extrêmement léger.

ultralibéralisme n. m. ECON Libéralisme extrême.

ultramicroscope n. m. Didac. Microscope pourvu d'un dispositif d'éclairage permettant d'apercevoir des particules invisibles au microscope ordinaire.

ultramicroscopie n. f. Didac. Ensemble des techniques d'observation à l'ultramicroscope.

ultramoderne adj. Très moderne.

ultramontain, aine adj. et n. HIST RELIG Partisan (en France, au XIXe s.) de l'extension maximale des pouvoirs (surtout spirituels) du pape. ▷ Subst. *Un ultramontain.*

ultramontanisme n. m. HIST RELIG Ensemble des doctrines favorables à la primauté quasiment illimitée du pape ; position des ultramontains.

ultrarapide adj. Extrêmement rapide.

ultraroyaliste n. et adj. HIST Sous la Restauration, partisan extrémiste de la royauté ou de la monarchie.

ultrasensible adj. Extrêmement sensible.

ultrason n. m. PHYS et cour. Vibration acoustique de fréquence trop élevée (supérieure à 20 000 Hz) pour provoquer une sensation auditive chez l'homme.

ENCYCL Les applications des ultrasons sont très nombreuses : contrôle des matériaux, mesure de la vitesse d'écoulement des fluides, usinage, télécommunication et détection sous-marine, destruction des micro-organismes, examens médicaux (échographie), traitement des névralgies, holographie, etc. De nombr. animaux (les chauves-souris, notam.) utilisent les ultrasons pour se diriger et pour localiser leurs proies la nuit.

ultrasonore adj. Didac. Qui concerne les ultrasons.

ultraviolet, ette adj. (rare au fém.) et n. m. PHYS et cour. Se dit de radiations dont la longueur d'onde est comprise entre celle des rayons lumineux visibles de l'extrémité violette du spectre (4 000 angströms) et celle des rayons X (100 angströms). ▷ n. m. *L'ultraviolet* : le spectre ultraviolet. (Abrév. : U.V.)

ululement, ululer. V. hululement, hululer.

Uluru. V. Ayers Rocks.

ulve n. f. BOT Algue verte marine très courante, au thalle foliacé. Syn. laitue de mer. ► illustr. **algues**

Ulysse (en gr. *Odusseus*), héros de la myth. gr., roi d'Ithaque, époux de Pénélope et père de Télémaque. Vaillant guerrier, il est surtout connu par son esprit ingénieux, voire retors, qui le fait nommer « Ulysse aux mille tours » : le « cheval de Troie » fut son œuvre. Son retour à Ithaque (sujet de l'*Odyssée* d'Homère) fut une errance de dix années. Lorsqu'il retrouva son royaume, il massacra les prétendants à sa succession.

Ulysse et les sirènes, vase attique à figures rouges, VIe-Ve s. av. J.-C. ; British Museum, Londres

Umar ou **Omar** *('Umar ibn al-Haṯṯāb)* (La Mecque, v. 583 - Médine, 644), deuxième calife de l'islam (634-644). Il s'employa à répandre l'islam, conquérant la Mésopotamie (636), l'Égypte (640) et une partie de la Perse (642). Il fixa l'ère de l'hégire (622) et fut le premier calife à porter le titre de « commandeur des croyants ». - Coupole du Rocher (bâtie en 691), à Jérusalem.

Umayyades. V. Omeyyades.

U.M.E. Sigle pour *unité monétaire européenne.*

Umeä, v. et port du N.-E. de la Suède, sur l'Ume älv ; 85 100 hab. ; ch.-l. de län. Industr. du bois, constr. méca., aciérie. Université.

Ume älv, fl. de Suède (460 km), tributaire du golfe de Botnie.

umlaut [umlawut] n. m. LING En allemand, inflexion d'une voyelle indiquée par un tréma ; ce tréma lui-même.

Umm Kulthum ou **Oum Kalsoum** *(Fāṭima Ibrāhīm Umm Kulṯūm)* (Tamay al-Zahira, près de Mansourah, 1898 - Le Caire, 1975), chanteuse égyptienne, la plus populaire dans tous les pays arabes pendant un demi-siècle.

Umm Kulthum à l'Olympia en 1967

Umtali. V. Mutare.

Umtata, cap. du Transkei ; 50 000 hab.

un-. CHIM Préfixe (du lat. *unus,* « un ») utilisé par la nomenclature internationale pour noter le chiffre 1 des numéros atomiques Z des éléments dont Z est supérieur à 100. (Ex. : l'élément 105, dit aussi hahnium, est nommé *unnilpentium, nil* notant le chiffre 0 et *pent* le chiffre 5, avec la terminaison *ium* des éléments tardivement découverts.)

un, une adj. (et n.), article indéfini et pron. indéfini. **A.** adj. **I.** adj. numéral. **1.** (Cardinal) Premier des nombres entiers, exprimant l'unité. *Un mètre. Un franc. Une minute. Une seule fois.* ▷ Loc. *Pas un* : aucun, nul. - *Un à un, un par un* : à tour de rôle et un seul à la fois. - *Ne faire qu'un avec une chose, une personne,* se confondre avec elle. *Lui et son associé ne font qu'un.* - *C'est tout un* : c'est la même chose ; c'est égal. ▷ n. m. inv. Une unité ; chiffre (1) notant l'unité. *Un et un font deux. Onze s'écrit avec deux un.* - PHILO *L'Un* : l'Être unique dont tout émane et qui n'exclut rien. **2.** (Ordinal) Premier. *Livre un. Il était une heure du matin.* ▷ n. f. Fam. *La une* : la première page d'un journal. ▷ Loc. fam. *Ne faire ni une ni deux* : ne pas hésiter. **II.** adj. qualificatif (en fonction d'épithète ou d'attribut). Simple, qui n'admet pas de division, de pluralité. *La vérité est une. « Le Dieu un et indivisible » (Bossuet).* ▷ Qui, tout en pouvant avoir des parties, forme un tout organique, harmonieux. *Toute œuvre doit être une,* constituer un tout. (N. B. Dans cet emploi, *un* admet le pluriel : *des théories unes et cohérentes.*) **B.** article indéf. (Plur. : *des*) **1.** (Marquant que l'être ou l'objet désigné est présenté comme un individu distinct des autres de l'espèce, mais sans caractérisation plus particulière.) *Je vois un chien.* ▷ (Marquant que l'on se réfère à un individu, quel qu'il soit, de l'espèce.) Tout, n'importe quel. *Une terre bien cultivée doit produire.* **2.** (En relation avec le pronom *en.*) *En voilà un qui a du caractère !* (sous-entendu, un *homme*). - Fam. *En griller (fumer) une,* une cigarette. **3.** (Dans une phrase exclamative, avec une valeur emphatique ou intensive.) ▷ (Devant un nom.) *Elle marchait avec une grâce !* ▷ (Devant un adj.) *Il était d'un laid !* **4.** (Avec la valeur d'un adj. indéf.) Quelque, certain. *Il reste ici pour un temps.* **5.** (Devant un nom propre.) Une personne qui ressemble à. *C'est un Saint-Just.* ▷ Une personne telle que. *Un Balzac en aurait fait un chef-d'œuvre.* ▷ Une personne de la famille de. *C'est une Brontë.* ▷ Une œuvre de. *Un joli Fragonard.* **C.** pronom indéf. **1.** *C'est un de mes fromages préférés.* ▷ *L'un, l'une. L'un de ceux qui ont travaillé à cette œuvre collective. L'une d'elles m'a dit...* ▷ (En corrélation avec *l'autre.*) *L'un est riche et l'autre est pauvre. Ni l'un ni l'autre* : aucun des deux. - Loc. *L'un dans l'autre* : en moyenne ; tout compte fait. *L'un(e) l'autre* : mutuellement. **2.** (Élément nominal.) Quelqu'un, une personne. « *Un de Baumugnes* », *roman de J. Giono.*

Unamuno (Miguel Unamuno y Jugo, dit de) (Bilbao, 1864 - Salamanque, 1936), écrivain espagnol. Poète (*Poésies,* 1907), essayiste (*le Sentiment tragique de la vie,* 1912), romancier (*Brume,* 1914), hostile à tout dogmatisme, il a été un des inspirateurs spirituels du régime républicain.

unanime adj. **1.** Qui réunit tous les suffrages, qui exprime un consensus collectif. *Vote, approbation unanime.* ▷ Que tous font en même temps. *Cri unanime.* **2.** (Plur.) Qui sont tous du même avis. *Les critiques sont unanimes.*

unanimement adv. D'une manière unanime ; d'un commun accord, tous ensemble. *Rejeter unanimement une proposition.*

unanimisme n. m. LITTER Doctrine littéraire, née au début du XXe s., selon laquelle l'écrivain doit exprimer la psychologie collective des groupes plutôt que les états d'âme d'un individu.

unanimiste n. LITTER Partisan de l'unanimisme. ▷ adj. *La littérature unanimiste.*

unanimité n. f. **1.** Conformité des avis de tous, accord des suffrages de la totalité des membres d'un groupe. *Proposition qui fait l'unanimité.* **2.** Caractère de ce qui est unanime, collectif. *L'unanimité du sentiment national.*

unau n. m. ZOOL Mammifère xénarthre (genre *Cholœpus*) d'Amérique du S. au long poil gris-brun, qui ne possède que deux doigts munis de griffes. *Des unaus.* Syn. paresseux à deux doigts.

unau didactyle

unci-. Élément, du lat. *uncus,* «crochet».

unciforme adj. ANAT En forme de crochet.

unciné, ée adj. BOT Qui se termine en crochet.

underground [œndœʀgʀawnd] adj. inv. et n. m. inv. (Anglicisme) Qui est réalisé, qui est diffusé en dehors des circuits commerciaux traditionnels, en parlant de certaines productions intellectuelles et artistiques. *Presse, bande dessinée underground. Cinéma underground :* films produits aux É.-U. dans les années 1960-1970 en marge des circuits ordinaires et qui, de ce fait, ont échappé à la censure et aux contraintes commerciales. ▷ n. m. inv. *L'underground français.*

Undset (Sigrid) (Kalundborg, Danemark, 1882 - Lillehammer, 1949), romancière norvégienne. Sa protestation contre le matérialisme et sa critique sociale sont inspirées par le catholicisme auquel elle s'était convertie : *Kristin Lavransdatter* (3 vol., 1920-1922), *le Buisson ardent* (1930), *la Femme fidèle* (1936), etc. P. Nobel 1928.

UNEF ou **Unef,** acronyme pour *Union nationale des étudiants de France.*

Unesco ou **UNESCO,** acronyme pour *United Nations Educational Scientific and Cultural Organization,* «Organisation des Nations unies pour l'éducation, la science et la culture». Institution spécialisée de l'ONU constituée en 1946 et installée à Paris, dans un bâtiment (Palais de l'Unesco) conçu par Breuer, Nervi et Zehrfuss.

Ungaretti (Giuseppe) (Alexandrie, Égypte, 1888 - Milan, 1970), écrivain italien. Adepte du futurisme (*le Port enseveli,* 1916), il devint, avec Montale, le princ. représentant de l'«hermétisme» : *Sentiment du temps* (1933), *la Douleur* (1947). Essai : *À partir du désert* (1949).

Ungava, baie du Canada, au S. du détroit d'Hudson.

ungu(i)-. Élément, du lat. *unguis,* «ongle».

unguéal, ale, aux [œ̃gɥeal; ɔ̃gɥeal, o] adj. ANAT Qui a rapport à l'ongle.

unguifère adj. Didac. Qui porte un ongle, qui possède des ongles.

uni-. Élément, du lat. *unus,* «un».

uni, ie adj. (et n. m.) **I.** Joint, lié, associé. ▷ (Personnes) Qui vit dans la concorde. *Un couple uni.* **II. 1.** Qui ne présente aucune inégalité, qui est parfaitement lisse. *Surface unie.* ▷ Sans ornement. *Une façade unie. Un manteau uni. Étoffe unie,* d'une seule couleur. ▷ n. m. *De l'uni :* du tissu uni. **2.** Vx ou litt. Dont aucun changement ne vient troubler le cours. *Mener une vie unie et tranquille.*

uniate adj. et n. RELIG Se dit des Églises orientales, des fidèles de ces Églises, qui reconnaissent l'autorité du pape, mais conservent leur organisation et leurs rites particuliers. *Les Grecs uniates.*

uniaxe adj. **1.** MINER Qui n'a qu'un axe. *Cristaux uniaxes.* **2.** PHYS Se dit d'un milieu dans lequel divers phénomènes physiques (propagation de la chaleur, du son, de la lumière, élasticité, dilatation) sont symétriques par rapport à un seul axe.

unicaule adj. BOT Qui n'a qu'une tige.

Unicef ou **UNICEF,** acronyme pour *United Nations International Children's Emergency Fund,* «Fonds des Nations unies pour l'enfance». Organisme international créé par l'ONU en 1946. P. Nobel de la paix 1965.

unicellulaire adj. et n. m. pl. BIOL Formé d'une seule cellule. *Les bactéries sont unicellulaires.* ▷ n. m. pl. *Les unicellulaires :* les êtres vivants composés d'une cellule unique (bactéries, algues unicellulaires, protozoaires). Syn. protistes. Ant. pluricellulaire.

unicité n. f. Didac. Caractère de ce qui est unique. *Unicité d'un événement, d'une thèse.*

unicolore adj. D'une seule couleur. Syn. monochrome. Ant. multicolore, polychrome.

unicorne adj. et n. m. **1.** adj. ZOOL Qui n'a qu'une corne. *Rhinocéros unicorne.* **2.** n. m. MYTH ou vx Licorne.

unidimensionnel, elle adj. Didac. Qui a une seule dimension. Ant. pluridimensionnel.

unidirectionnel, elle adj. Qui n'exerce une action efficace que dans une direction, en parlant d'appareillage radioélectrique ou électro-acoustique. *Antenne unidirectionnelle.*

unième adj. num. ord. (Seulement en composition avec un adj. numéral.) Qui vient immédiatement après la dizaine, la centaine, le millier. *Trente et unième. Cent unième. La mille et unième nuit.*

unièmement adv. (Seulement en composition avec un adj. numéral.) *Vingt (trente, quarante, etc.) et unièmement :* en vingt et unième lieu.

unificateur, trice adj. et n. Qui unifie, qui tend à unifier.

unification n. f. Action d'unifier. *L'unification de textes de loi.*

unifier v. tr. [2] **1.** Rassembler pour faire un tout, faire l'unité de (plusieurs éléments distincts). *Les territoires italiens ont été unifiés en 1870.* **2.** Rendre homogène, donner une certaine unité à. *Unifier une surface. Unifier un parti politique.*

uniflore adj. BOT Qui ne porte qu'une fleur.

unifolié, ée adj. BOT Qui ne porte qu'une feuille.

uniforme adj. et n. m. **I.** adj. **1.** Qui ne présente pas de variation dans son étendue, sa durée, ses caractères. *Une plaine uniforme. Une existence uniforme.* ▷ PHYS *Mouvement uniforme,* dont la vitesse reste constante. **2.** Qui ressemble en tout point aux autres. *Des rues uniformes. Des opinions uniformes.* **II.** n. m. Costume dont le modèle, la couleur, le tissu sont rigoureusement fixés et qui est imposé aux personnes appartenant à un corps de l'armée, aux membres d'un groupe social déterminé (employés de certaines administrations, élèves de certains établissements, etc.). ▷ Par ext. *Endosser, quitter l'uniforme :* entrer dans l'armée, cesser de lui appartenir.

uniformément adv. D'une façon uniforme. ▷ MECA *Mouvement uniformément varié,* dont l'accélération reste constante.

uniformisation n. f. Action d'uniformiser; son résultat.

uniformiser v. tr. [1] Rendre uniforme. *Uniformiser l'enseignement.*

uniformité n. f. Caractère de ce qui est uniforme. *Uniformité d'une teinte. Uniformité des coutumes.*

unijambiste adj. et n. Se dit d'une personne qui a été amputée d'une jambe.

unilatéral, ale, aux adj. **1.** Qui se trouve, qui se fait d'un seul côté. *Stationnement unilatéral,* autorisé, pour les véhicules, d'un seul côté de la voie. **2.** Qui émane d'une seule des parties intéressées ou qui n'engage qu'une seule d'entre elles. *Décision unilatérale.*

unilatéralement adv. D'une manière unilatérale.

unilinéaire adj. ETHNOL Qualifie un système de filiation qui ne tient compte que d'une seule lignée, paternelle (filiation patrilinéaire) ou maternelle (filiation matrilinéaire).

unilingue adj. Didac. Qui est écrit en une seule langue. *Dictionnaire unilingue.* ▷ Qui ne parle, où l'on ne parle qu'une seule langue. *Au contraire de la Suisse, la France est un État unilingue.* - Syn. monolingue.

unilinguisme n. m. Didac. Fait, pour une personne, pour une population, de ne parler qu'une langue.

unilobé, ée adj. BOT Qui n'a qu'un seul lobe.

uniment adv. **1.** Vx D'une manière unie, régulière. *Peinture uniment répartie.* **2.** Litt. *Tout uniment :* sans façon, très simplement.

uninominal, ale, aux adj. Se dit d'un scrutin, d'un vote, par lequel on élit un seul candidat.

Union (L'), com. de la Haute-Garonne (arr. de Toulouse); 11 778 hab. - Mat. thermique.

union n. f. **1.** Fait, pour des éléments, de constituer un tout. *Union de l'esprit et du corps. Union des cellules d'un tissu.* - RELIG *Union mystique,* de l'âme et de Dieu. **2.** Fait, pour des personnes, des groupes, d'être unis par des liens affectifs ou des intérêts communs; entente qui en résulte. *Union des membres d'une même famille. Union des partis politiques de gauche, de droite.* - Prov. *L'union fait la force.* ▷ *Spécial.* Fait de former un couple. *Union conjugale. Union libre,* en dehors du mariage. Syn. concubinage. ▷ *Union sacrée :* union de tous les Français contre l'ennemi, en 1914; *par ext.* front uni; *iron.* unanimité de façade. ▷ DR *Union de créanciers :* association constituée entre les créanciers, à défaut de concordat, de façon à réaliser et distribuer les biens d'un failli. **3.** Ensemble organisé de personnes ou de groupes qu'unissent des intérêts communs. *Union de consommateurs.* **4.** MATH Syn. de *réunion.* (A ∪ B s'énonce « A union B ».) **5.** GRAM *Trait d'union :* V. trait.

union (Acte d'), loi votée par les Parlements écossais et anglais (1707); elle réunit l'Écosse à l'Angleterre, qui formèrent le Royaume-Uni de Grande-Bretagne. – Un autre *Acte d'union,* voté par les Parlements britannique (1798) et irlandais (1800), supprima le Parlement de Dublin et assujettit l'Irlande à l'administration britannique; ainsi était créé le Royaume-Uni de Grande-Bretagne et d'Irlande (1800), dont l'Eire se sépara en 1920.

union (arrêt d'), acte du parlement de Paris (13 mai 1648) par lequel ce dernier se solidarisa avec la Cour des aides et la Chambre des comptes pour résister aux exigences financières de Mazarin; cet arrêt marqua le début de la Fronde*.

Union démocratique du Manifeste algérien (U.D.M.A.), parti algérien fondé en 1945 par Farhat Abbas pour succéder à l'*Association des amis du Manifeste.* Cette Association se proposait de diffuser la doctrine anticolonialiste et réformiste exprimée par Abbas dans le *Manifeste du peuple algérien* (fév. 1943). En juin 1946, l'U.D.M.A. prôna l'abstention aux élections de nov. 1946 et perdit son influence au profit du Mouvement pour le triomphe des libertés démocratiques de Messali Hadj. En 1956, les dirigeants de l'U.D.M.A. rejoignirent le F.L.N.

Union des démocrates pour la République (U.D.R.), nom donné de 1971 à 1976 au parti gaulliste qui a succédé à l'*Union pour la défense de la République* (1968-1971). L'U.D.R. devint le Rassemblement* pour la République (R.P.R.)

Union des républiques socialistes soviétiques (U.R.S.S. ou URSS) *(Soïouz sovietskikh sotsialistitcheskikh respoublik),* État proclamé en 1922, qui regroupait 15 républiques fédérées, et qui a été dissous en 1991 (V. C.É.I. et Russie). Il couvrait tout le N. du continent eurasiatique, premier du monde par sa superficie (22 400 000 km^2); env. 289 millions d'hab. en 1989; cap. *Moscou.* Nature de l'État : fédération de rép. socialistes. Langue off. : russe; chaque rép. avait, en outre, une ou plusieurs autres langues off. Monnaie : rouble. Religions : christianisme orthodoxe, islam dans le Caucase et en Asie centrale (19 %).

Géogr. phys. et hum. – Le plus grand État du monde, 41 fois la France, 2,5 fois les États-Unis, était limité par 17 000 km de frontières terrestres (le mettant en contact avec 12 pays) et 47 000 km de côtes. Étendu sur 10 000 km d'O. en E. (11 fuseaux horaires) et sur 5 000 km du N. au S., il se partageait en trois ensembles régionaux distincts. – L'Europe soviétique, bordée par l'Arctique au N., la Baltique à l'O., la mer Noire au S., les pays de la Volga et l'Oural à l'E., couvrant 20 % du territoire et abritant près de 200 millions d'hab. (70 % de la population), ainsi que 17 des 23 agglomérations de plus d'un million d'hab. du pays. Cet ensemble, au relief monotone (plateau central, plaine russe, Ukraine) est arrosé par le Dniepr, le Don et la Volga et voit se succéder, du N. au S., la toundra (climat arctique), la taïga et la forêt mixte (climat continental), la steppe (climat continental plus sec) et la végétation méditerranéenne des franges de la mer Noire (Crimée). La population de ces régions était majoritairement urbaine et disposait du niveau de vie le plus élevé.
– Les « Midis » soviétiques formaient un deuxième ensemble à la personnalité marquée. De la mer Noire aux contreforts de l'Altaï, ils s'appuient sur de hautes chaînes : Caucase, Pamir (qui porte le point culminant du pays à 7 495 m), Tianshan, au pied de laquelle, s'étendent la vaste dépression désertique aralo-caspienne et les steppes du Kazakhstan. Le climat est chaud, avec des hivers peu marqués, et l'alimentation en eau est assurée par les montagnes. La population se concentre sur les littoraux, dans les vallées et les bassins intramontagnards et sur les oasis du piémont. Ces périphéries sont peuplées d'une mosaïque ethnique et culturelle; les peuples les plus nombreux sont organisés en républiques : Géorgiens, Arméniens, Azéris, Ouzbeks, Turkmènes, Tadjiks, Kirghizs, Kazakhs. Les ruraux sont majoritaires et la croissance démographique élevée, la fécondité étant particulièrement forte chez les musulmans : Azerbaïdjan et républiques d'Asie centrale.
– L'immense ensemble de Sibérie et d'Extrême-Orient s'étend à l'E. de l'Oural, formé des plaines de l'Ob, des plateaux de Sibérie centrale, des ensembles montagneux du S. et des bordures du Pacifique. À la toundra qui s'étend au N. fait suite la taïga et la forêt mixte du S.-E. Ces régions, aux hivers extrêmes, disposent de gigantesques ressources et d'eaux de surface très abondantes (Ob-Irtych, Ienisseï, Lena, Amour, lac Baïkal...). En dépit d'ambitieux efforts de colonisation et d'aménagement, ces espaces hostiles et mal desservis attirent peu et fixent mal le peuplement; on y dénombrait une trentaine de millions d'hab. (11 % de la population), sur 57 % du territoire.

Écon. – Longtemps considérée comme la deuxième puissance industrielle mondiale, l'U.R.S.S. s'est caractérisée par une économie socialiste. Tous les moyens de production (terres, usines, transports, commerce, etc.) étaient propriété de l'État ou de coopératives. Seuls étaient propriété privée les biens de consommation, certains logements et des lopins individuels. Un organisme d'État, le Gosplan, a élaboré des plans quinquennaux centralisés et impératifs. Jusqu'en 1950, ces plans ont mis l'accent sur l'infrastructure industrielle et l'industrie lourde; le pays s'est ensuite tourné vers l'agriculture et les produits de consommation. En 1965 fut décidée une réforme générale de l'économie visant à l'amélioration du rendement et de la productivité, tant dans l'agriculture que dans l'industrie, mais l'U.R.S.S. n'a jamais atteint le stade d'une écon. bien rationalisée.
– *L'agriculture,* qui employait 15 % de la pop. active, a placé l'U.R.S.S. dans les premiers rangs mondiaux pour la production de toutes les denrées essentielles. L'agric. était encore insuffisamment pourvue d'engrais et de machines; les moyens de transport et de stockage, trop peu nombreux, entraînaient d'énormes gaspillages. Pourtant, le pays était le premier producteur mondial d'orge, de seigle, de betteraves sucrières, de pommes de terre. Il occupait également les premiers rangs pour la production de maïs, d'avoine, de coton, de laine. Ses coopératives (les kolkhozes) et ses fermes d'État (les sovkhozes) furent autorisées, après 1987, à louer leurs terres à des particuliers. Malgré la progression des volumes produits, l'U.R.S.S. demeurait un grand importateur de céréales. L'élevage (ovin et bovin), bien que très import. en nombre de têtes, ne répondait pas entièrement aux besoins nationaux. L'approvisionnement quotidien de la pop. était en grande partie assuré par la production des petites propriétés rurales individuelles. La pêche, très active, était pratiquée à une échelle industrielle. Le niveau de vie dans les campagnes demeurait inférieur à celui des villes. Depuis 1990, le droit de propriété des terres était reconnu aux agriculteurs.
– *L'industrie* a formé la base de la puissance soviétique; elle employait env. 39 % des actifs et a bénéficié de l'exploitation systématique des énormes ressources minières et énergétiques du pays : 1er ou 2e rang mondial pour le charbon (Donbass, Kouzbass, Karaganda-Ekibastouz), le pétrole (les trois « Bakou »), le gaz naturel (Tioumen), l'électricité (Volga, Angara), le fer et la bauxite (Oural), le manganèse (Géorgie). L'U.R.S.S. était la seule grande puissance à exporter en masse des produits miniers et énergétiques; ses réserves étaient considérables (mais aussi exploitées sans rationalité, source d'énormes gaspillages). Les gisements de Russie d'Europe s'épuisant, la Sibérie devint le premier fournisseur, avec les problèmes que posaient les difficultés d'exploitation et les distances. La part d'électricité fournie par les centrales atomiques progressait, mais la catastrophe survenue en 1986 à Tchernobyl remit en cause le développement accéléré du programme nucléaire civil. L'industrie lourde occupait un des premiers rangs mondiaux : sidérurgie et chimie sur les grands bassins miniers; métallurgie des non-ferreux près des grands barrages (Zaporojie); la métallurgie, représentée dans toutes les grandes villes, fournissait avant tout des biens d'équipement. En revanche, les industries légères se situaient à des rangs mondiaux bien inférieurs par les rendements et la qualité des produits, et certains secteurs ne pouvaient pas satisfaire la demande intérieure. Les communications constituaient un goulet d'étranglement de l'économie : le réseau routier était médiocre; la navigation fluviale et le cabotage étaient handicapés par le gel hivernal; l'avion était très utilisé, mais l'essentiel des marchandises était transporté par chemin de fer; le réseau ferré n'était dense qu'à l'O. Occupant une situation de pointe, l'industrie et la recherche aérospatiales ont provoqué le développement des techniques avancées. Le budget militaire du pays pesait sur l'écon. Enfin, le commerce international était relativement faible. L'écon. soviétique subissait les effets d'une crise due à la planification bureaucratique mais amplifiée dep. Gorbatchev par des réformes libérales décrétées autoritairement (autonomie des entreprises, rentabilité, concurrence). Augmentation de la demande, inflation et pénurie contraignaient à importer toujours plus de biens de consommation et même à un recours croissant à l'aide humanitaire internationale. La désorganisation croissante de la production comme de la distribution et la dépréciation du rouble rendaient difficile le retour annoncé à une économie de marché. Privée des avantages qu'elle tirait de ses relations avec ses anc. vassaux d'Europe de l'Est au sein du Comecon* (dissous en 1991), l'écon. de l'ex-puissance mondiale n'était presque plus capable de commercer et s'en remettait à l'aide internationale pour échapper à la paralysie. En oct. 1991, huit républiques seulement s'accordaient sur un pacte économique, et lors de la première session du nouveau Parlement soviétique cinq républiques n'étaient pas représentées.

Hist. – L'Union des républiques socialistes soviétiques fut proclamée le 30 déc. 1922. Lénine assure alors une libéralisation contrôlée du régime, qui permet la relance de l'économie et une hausse du niveau de vie avec la NEP (« nouvelle politique économique »). La construction de l'État soviétique se consolide avec l'absorption des républiques non russes, l'adoption de la Constitution de 1924 et sa reconnaissance par les puissances occidentales. Après la mort de Lénine (1924), Staline, secrétaire général du Parti communiste de l'Union soviétique (P.C.U.S.), élimine Trotski et l'opposition de «gauche» en 1929, puis l'opposition de «droite» (Boukharine). Staline peut alors donner la priorité à deux objectifs : le renforcement de l'État et le développement économique. De 1934 à 1939, le N.K.V.D., nouvelle police politique, instaure la terreur : emprisonnements, exécutions et déportations en masse vers les camps de concentration. Une série de grands procès (1936-1938) décime notam. l'armée Rouge et le parti communiste, frappant en priorité la «génération d'Octobre». Les plans quinquennaux, à partir de 1929, exigent de chaque citoyen un travail acharné et de grands sacrifices matériels. L'infrastructure et l'industrie lourde font des progrès importants, mais les industries légères sont négligées, et le niveau de vie reste bas. Dans les campagnes, la collectivisation forcée se heurte à l'opposition des paysans enrichis par la NEP : les koulaks. La répression est impitoyable, et le secteur agricole se trouve complètement désorganisé pour de longues années. En politique extérieure, Staline soutient la constitution de «fronts populaires» (France, Espagne). En 1939, le pacte germano-soviétique permet l'annexion de vastes territoires occidentaux et retarde la guerre avec l'Allemagne, qui envahit l'U.R.S.S. en 1941. Après d'écrasantes défaites, l'armée Rouge sauve Moscou (hiver 1941-1942) puis stoppe la nouvelle offensive allemande à Stalingrad (hiver 1942-1943). Prenant l'offensive, de concert avec les Alliés, elle libère le territoire national, puis toute l'Europe orientale, jusqu'à Berlin (1945). L'U.R.S.S. sort de la guerre épuisée (20 millions d'hommes sont morts) mais agrandie vers l'ouest. Après Yalta*, elle domine l'Europe de l'Est. De 1945 à 1948, elle installe dans ces régions des gouvernements vassaux. Cet expansionnisme crée une vive tension avec les pays occidentaux : c'est la «guerre froide», déclenchée par la crise de Berlin (avr. 1948) et aggravée par la guerre de Corée (1950-1953). La possession par l'U.R.S.S. de l'arme nucléaire établit rapidement avec les É.-U. un «équilibre de la terreur». À l'intérieur de l'U.R.S.S. et de ses satellites, une nouvelle vague de répression s'efforce de juguler les mécontentements nés des difficultés de l'après-guerre et d'éviter toute contagion du «schisme» yougoslave après 1948. Peu après la mort de Staline (1953), Khrouchtchev succède à ce dernier au poste de secrétaire général du P.C.U.S. Le XXe congrès du P.C.U.S. (1956) marque le début de la déstalinisation, mais les crises extérieures de 1953-1956 (Berlin, Pologne et, surtout, Hongrie) ramènent au premier plan les préoccupations militaires (défense du glacis soviétique). De même, les efforts de décentralisation des responsabilités tournent court, rendant impossible l'essor de la prod. agricole et la correction des défauts structurels de l'économie (en dépit d'un taux de croissance non négligeable). Tandis qu'est consommée en 1961 la rupture avec la Chine, la crise de Cuba (1962) entraîne une nouvelle tension des rapports avec les É.-U. Ses échecs économiques et politiques, mais surtout les craintes que suscitent dans l'appareil ses tentatives de réformes, entraînent le limogeage de Khrouchtchev (oct. 1964). Dans la «troïka» Brejnev-Kossyguine-Podgorny qui lui succède, L. Brejnev acquiert rapidement la prépondérance. En politique étrangère, le développement de la rivalité avec la Chine conduit l'U.R.S.S. à rechercher une coopération avec l'Occident : R.F.A. (1970-1971), É.-U. (conférences dep. 1969 pour limiter les armements nucléaires), Europe (France en particulier), bien qu'elle pratique dans le monde entier l'intervention armée indirecte (Viêt-nam, Éthiopie, Angola etc.). En même temps, l'U.R.S.S. s'oppose avec vigueur à toute remise en cause du modèle soviétique dans les pays socialistes; c'est ce qui l'amène à mettre un terme à l'expérience libérale tchécoslovaque de 1968. Malgré l'adoption d'une nouvelle Constitution et la conférence internationale d'Helsinki sur la détente en Europe (1975), l'image de l'U.R.S.S., principalement dans les pays occidentaux, souffrait des atteintes aux droits de l'homme et de l'intervention de l'armée Rouge en Afghānistān* (1979). Les successeurs de Brejnev, I. Andropov (1982-1984) et surtout (après le bref intermède de C. Tchernenko) M. Gorbatchev (à partir de 1985), manifestèrent dès leur entrée en fonctions un désir de réformes. Une nouvelle orientation, sous l'impulsion de M. Gorbatchev, tendit à sortir l'U.R.S.S. de ses archaïsmes écon. et politiques. Les principaux dissidents emprisonnés furent rapidement libérés et les victimes du stalinisme globalement réhabilitées en 1990. Une nouvelle génération de cadres, formée après la période stalinienne, fut invitée à prendre la direction des affaires, tandis que la société civile se réveillait d'une longue période d'apathie. M. Gorbatchev fit adopter une nouvelle constitution, en déc. 1988, qui permit des élections (mars 1989) où se vérifia l'impopularité du parti, mais qui fut sans incidence à court terme sur son pouvoir; au Congrès des députés furent élus des contestataires aussi populaires que Boris Eltsine* ou Andreï Sakharov*. À l'extérieur, le revirement politique, inauguré en 1987 avec le premier accord de désarmement nucléaire entre les États-Unis et l'U.R.S.S., confirmé par le retrait des troupes soviétiques d'Afghānistān en 1988, contribua à libérer les forces qui balayèrent, en 1989, l'ensemble des directions communistes d'Europe de l'Est. Moscou, en effet, ne mettait plus aucun obstacle à l'émancipation de ses satellites européens, trop préoccupée sans doute par les forces centrifuges qui, dès 1988, provoquaient de graves troubles à l'intérieur même des frontières de l'empire soviétique. Partout les aspirations nationalistes exprimaient, au-delà de l'échec de l'expérience soviétique, celui de l'impérialisme russe face à des minorités nationales revendiquant leur culture, leur religion, leur pouvoir de décision. Tirant la leçon de l'échec du communisme d'État, Gorbatchev fit adopter la reconnaissance de la propriété privée et l'abolition du rôle dirigeant du parti communiste. Il obtint du Congrès des députés, la transformation du régime soviétique en un régime présidentiel. Élu prés. de la République le 15 mars 1990, il fut réélu secrétaire général au XXVIIIe Congrès du P.C.U.S. en juil. En mars 1991, un référendum tenta de donner à l'Union une nouvelle base institutionnelle; mais une tentative de coup d'État, le 18 août 1991, organisée par le dernier quarteron de communistes conservateurs, précipita la décomposition de l'Union. B. Eltsine, prés. élu de la république de Russie, y gagna une crédibilité internationale proportionnelle à la perte d'autorité de Gorbatchev, qui démissionna du secrétariat d'un P.C.U.S. autodissous le 29 août. Alors que la plupart des républiques, qu'elles aient lutté ou non contre l'appareil soviétique, proclamaient leur souveraineté ou leur indépendance (V. les pays concernés), M. Gorbatchev tenta encore d'impulser une nouvelle alliance dans le souci d'éviter le chaos économique et la dérive guerrière. Ce souci, en matière nucléaire tout particulièrement, était partagé avec les États-Unis et avait poussé à la signature du traité START de non-agression en juil. avec le prés. Bush. Ce dernier fit en sept. de nouvelles propositions sur le désarmement des missiles à courte portée, acceptées par M. Gorbatchev. B. Eltsine signa en août le décret reconnaissant l'indépendance des républiques baltes. En oct., un traité d'union économique a tenté de maintenir une cohésion minimale entre les États se dotant d'institutions souveraines (voir l'histoire des républiques à leur entrée propre), mais la dissolution de l'U.R.S.S et la naissance de la C.É.I.* en déc. ont scellé la fin de l'alliance politique et provoqué la démission de M. Gorbatchev de toutes ses fonctions. La Russie hérita des prérogatives internationales de l'ex-U.R.S.S.

Union européenne (U.E.), union politique, économique et monétaire prévue par le traité de Maastricht*, signé le 7 fév. 1992 par l'Allemagne, la Belgique, le Danemark, l'Espagne, la France, la Grèce, l'Irlande, l'Italie, le Luxembourg, les Pays-Bas, le Portugal et le Royaume-Uni. En 1995, l'Autriche, la Finlande et la Suède y ont été admises. (V. Europe).

Union française, ensemble qui, défini par la Constitution de 1946, était formé par la Rép. française (France métropolitaine et DOM-TOM), les territoires et les États associés. Elle fut remplacée par la Communauté* française (Constitution de 1958).

unionisme n. m. HIST Doctrine des unionistes.

unioniste n. et adj. HIST Partisan de l'intégration dans un même État de diverses entités nationales ou politiques (notam. aux É.-U. pendant la guerre de Sécession et en Grande-Bretagne lorsque les Irlandais revendiquèrent au XIXe s. le Home Rule).

Union Jack («pavillon de l'Union»), drapeau du Royaume-Uni de Grande-Bretagne et d'Écosse (1606), modifié en 1800 (par l'adjonction de la croix de Saint-Patrick) quand l'Irlande rejoignit l'Angleterre (croix de Saint-George) et l'Écosse (croix de Saint-André).

Union pour la démocratie française (U.D.F.), formation politique française créée en fév. 1978 pour soutenir l'action du président de la Rép. Giscard d'Estaing. Elle regroupait notam. le *Parti radical*, le Centre des démocrates sociaux (C.D.S.), centriste, devenu en 1995 *Force démocrate* et le Parti républicain (P.R.), libéral, devenu en 1997 *Démocratie libérale.*

Union pour la nouvelle République (U.N.R.), nom donné au parti gaulliste après 1958. En mai 1968, il prit le nom d'Union pour la défense de la République (U.D.R.).

Union sacrée, expression créée par le président Raymond Poincaré (message aux Chambres du 4 août 1914) pour désigner l'acceptation d'une politique de guerre par la classe politique unanime, y compris les députés socialistes dont deux membres entrèrent dans le gouvernement provisoire.

Union sud-africaine. V. Afrique du Sud (république d').

unipare adj. BIOL Se dit des femelles qui n'ont qu'un petit par portée. ▷ Se dit d'une femme qui n'a donné naissance qu'à un seul enfant.

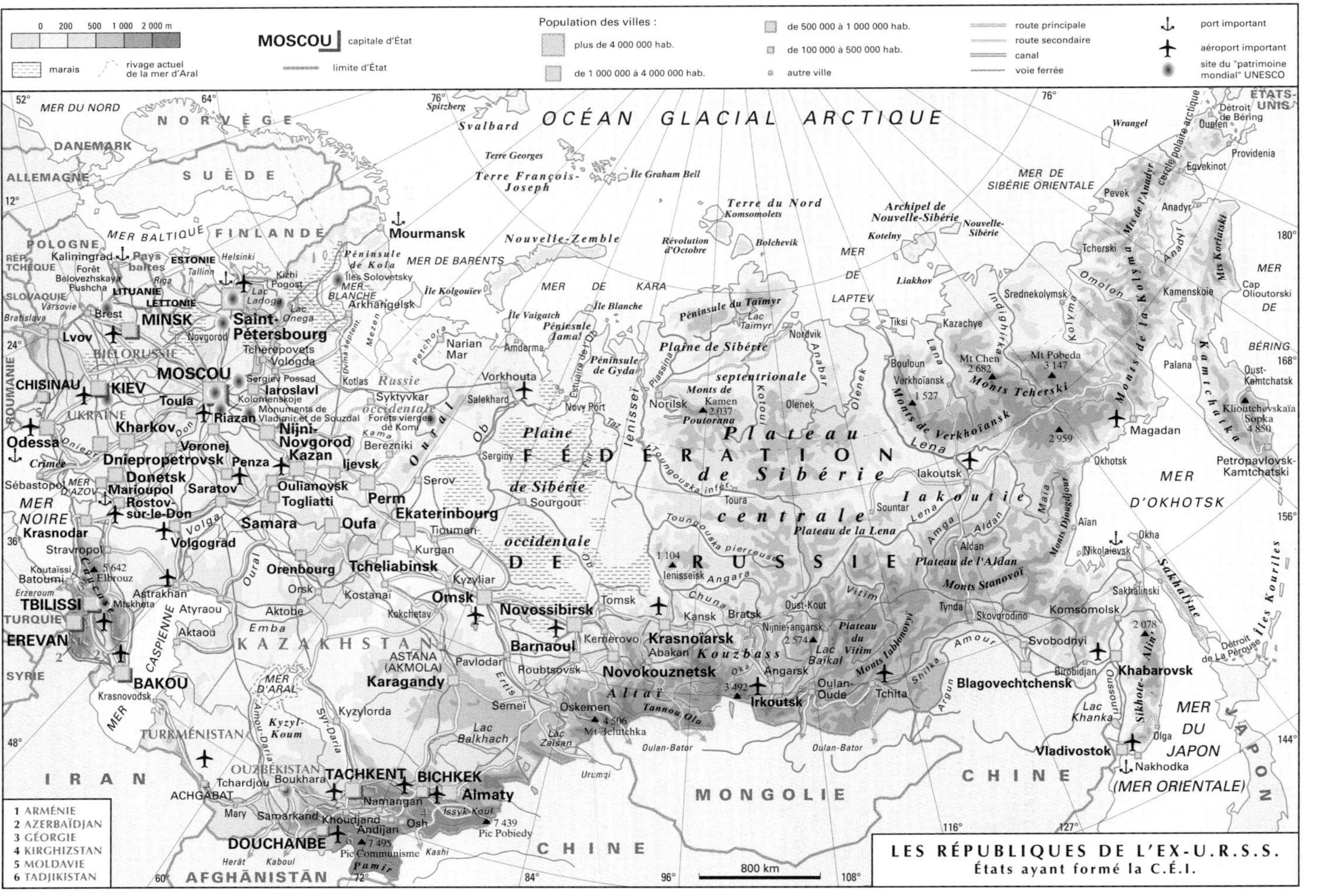

LES RÉPUBLIQUES DE L'EX-U.R.S.S.
États ayant formé la C.É.I.

unipersonnel, elle adj. et n. m. LING Se dit d'un verbe qui ne s'emploie qu'à la 3e pers. du sing. (ex. : falloir, neiger)

unipolaire adj. Didac. Qui n'a qu'un seul pôle. ▷ ELECTR *Interrupteur unipolaire*, qui ne permet de couper qu'un seul des conducteurs d'une ligne.

unique adj. **1.** Seul de son espèce. *Fils unique.* ▷ (Placé après *seul* pour le renforcer.) *Son seul et unique espoir.* **2.** Qu'on ne peut comparer à rien ou à personne d'autre, en raison de son caractère très particulier ou de sa supériorité. *Fait unique dans l'histoire. Un peintre unique en son genre.* ▷ Fam. Qui a un comportement inhabituel, extravagant ou ridicule. *Vous alors, vous êtes unique !*

uniquement adv. Exclusivement, seulement.

unir v. [3] **I.** v. tr. **1.** Joindre de manière à former un tout. *Unir un territoire à un autre.* **2.** Établir une liaison entre (des choses). *Unir deux mots par une conjonction de coordination. Canal qui unit deux mers.* **3.** Créer un lien d'affection, d'intérêt, de parenté entre (des personnes, des groupes). *C'est l'amitié qui les unit. Alliance qui unit plusieurs pays.* ▷ Spécial. *Unir un homme et une femme*, les marier. **4.** Allier, associer en soi (des caractères dissemblables). *Il unissait l'intelligence de l'esprit à celle du cœur.* **II.** v. pron. Se joindre, s'associer. – *Spécial.* Se marier.

unisexe adj. Qui peut être porté indifféremment par les hommes ou par les femmes (vêtement, coiffure, etc.).

unisexué, ée adj. BIOL, BOT Qui possède les caractères d'un seul sexe. *Organisme unisexué. Fleur unisexuée.*

unisson n. m. **1.** MUS Accord de plusieurs voix ou de plusieurs instruments qui émettent au même moment des sons de même hauteur. *Chanter, jouer à l'unisson.* **2.** Fig. Harmonie intellectuelle, affective. *Leurs esprits sont à l'unisson.*

unitaire adj. **1.** Qui tend vers, concerne l'unité politique. *Un programme unitaire.* **2.** Propre à chaque élément d'un ensemble composé d'éléments semblables ; de chaque unité. *Le prix unitaire des tuiles d'un toit.*

unitarien, enne n. et adj. RELIG Personne qui nie le dogme de la Trinité, y voyant un abandon du monothéisme. ▷ adj. *Doctrine unitarienne.* ▷ HIST *Les unitariens :* les membres des diverses communautés unitariennes.

unitarisme n. m. **1.** Doctrine de ceux qui recherchent l'unité politique. **2.** RELIG Doctrine des unitariens.

unité n. f. **I. 1.** Chacun des éléments semblables composant un nombre. *Le nombre vingt est composé de vingt unités.* ▷ Nombre un. *Nombre supérieur à l'unité.* ▷ ARITH Chiffre qui est placé le plus à droite, dans un nombre à plusieurs chiffres. *La colonne des unités, dans une addition.* **2.** Élément d'un ensemble. *Les unités lexicales.* ▷ INFORM Élément d'un ordinateur, qui remplit certaines fonctions. *Unité centrale*, dans laquelle sont exécutées les instructions des programmes à traiter. *Unité arithmétique et logique*, qui effectue les calculs arithmétiques et les opérations logiques. ▷ (Enseignement) *Unité de formation et de recherche (U.F.R.) :* département universitaire spécialisé dans une discipline. *U.F.R. de philosophie.* – *Unité de valeur (U.V.) :* dans l'enseignement universitaire, élément de base de cet enseignement, correspondant à une discipline précise et à un programme défini (cours, travaux dirigés, stages, etc.) qui s'inscrit dans une durée déterminée (l'acquisition des connaissances est sanctionnée par un contrôle continu ou annuel ; il faut un certain nombre d'unités de valeur pour obtenir un diplôme). ▷ MILIT Formation ayant une composition, un armement, des fonctions déterminés. *Petites unités*, section, compagnie, bataillon, régiment. *Grandes unités*, division, corps d'armée, armée. **3.** Grandeur choisie pour mesurer les grandeurs de même espèce. *Le mètre est l'unité de longueur du système métrique. Unités physiques.* ▷ ECON *Unité de compte :* syn. de *étalon* 2, sens 2. ▷ ASTRO *Unité astronomique* (symbole UA) : unité de longueur utilisée pour exprimer les distances des corps du système solaire, basée sur la distance que parcourt la lumière en un temps de 499,004 782 s. (1 UA = 149 597 870 km, longueur proche de la distance moyenne de la Terre au Soleil.) ▷ PHYS NUCL *Unité de masse atomique* (symbole u) : unité qui, par définition, vaut $\frac{1}{N}$ gramme, N étant égal à $6{,}022.10^{23}$ (V. mole). **4.** Ce qui forme un tout organisé, cohérent. *Une unité urbaine.* **II. 1.** Caractère, état de ce qui est un, de ce qui forme un tout cohérent, harmonieux. *L'unité de l'Église, de la nation. Cette œuvre manque d'unité.* **2.** Caractère de ce qui est unique. *Instaurer l'unité du commandement.* ▷ LITTER *Règle des trois unités (unités d'action, de lieu et de temps) :* dans le théâtre classique, règle selon laquelle une pièce doit comporter une seule action principale se déroulant dans le même lieu, dans l'espace d'un jour.

United Fruit Company (*United Brands* depuis 1970), société américaine, créée en 1899, qui se consacre à la production, au traitement et à la distribution de produits alimentaires (bananes, viande, boissons sucrées). Elle exploite plusieurs dizaines de milliers d'hectares en Amérique centrale, notam. au Honduras, au Costa Rica et à Panamá. Son développement dans cette région est lié, historiquement, aux compromis politico-économiques noués avec les dictatures locales.

univalent, ente adj. CHIM Syn. de *monovalent.*

univalve adj. ZOOL Dont la coquille ne comporte qu'une valve. *Mollusque univalve.*

univers [yniveʀ] n. m. **1.** Ensemble de tout ce qui existe dans le temps et dans l'espace. **2.** (Avec une majuscule.) Ensemble de tous les corps célestes et de l'espace où ils se meuvent. *Les astronomes étudient la structure de l'Univers.* **3.** Terre, en tant que lieu où vivent les hommes ; humanité. *Une arme dont la puissance fait trembler l'univers.* **4.** Fig. Milieu où se cantonnent les activités, les pensées de qqn ; monde particulier. *Son village est tout son univers. L'univers de la folie.* ▷ LOG *Univers du discours :* ensemble des éléments et des classes logiques auxquels on se réfère dans un jugement ou un raisonnement.

ENCYCL **Astro.** – Contestée encore au début des années 1950, la théorie selon laquelle l'Univers a commencé par une gigantesque « explosion », le big-bang*, est devenue la base de la cosmologie moderne, car elle explique les propriétés fondamentales de l'Univers, en particulier son expansion, qu'avait mise en évidence l'Américain Edwin Hubble dans les années 1930. Il y a environ 15 milliards d'années, l'Univers était infiniment condensé et chaud. Le big-bang transforma cet état singulier en une entité dont l'évolution obéit aux lois de la relativité générale. Les récents progrès de la physique des particules ont permis de décrire l'histoire de l'Univers à partir de l'instant $t = 10^{-43}$ s après le big-bang : son diamètre est alors de 10^{-28} cm et sa température de 10^{32} K ; il est dans un état de « vide quantique ». Pendant la période qui s'étend de $t = 10^{-35}$ s à $t = 10^{-32}$ s, l'Univers traverse une phase d'inflation (expansion très rapide) au début de laquelle les quarks, les électrons, les neutrinos et leurs antiparticules vont surgir du vide, avec un très léger excédent de matière par rap-

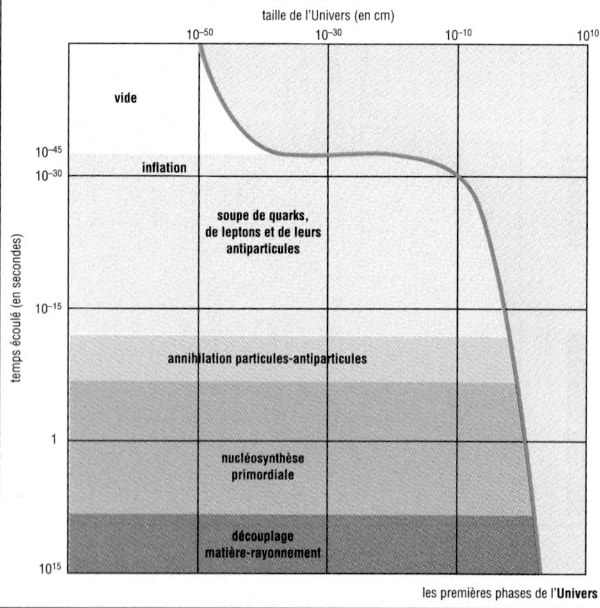

les premières phases de l'**Univers**

UNITÉS PHYSIQUES

I. NOMS, SYMBOLES ET VALEURS DES DIFFÉRENTS PRÉFIXES UTILISÉS POUR DÉSIGNER LES MULTIPLES ET LES SOUS-MULTIPLES :

exa	E	10^{18}	kilo	k	10^{3}	déci	d	10^{-1}	micro	µ	10^{-6}
peta	P	10^{15}	hecto	h	10^{2}	centi	c	10^{-2}	nano	n	10^{-9}
téra	T	10^{12}	déca	da	10	milli	m	10^{-3}	pico	p	10^{-12}
giga	G	10^{9}							femto	f	10^{-15}
méga	M	10^{6}							atto	a	10^{-18}

Exemples : un gigaélectronvolt = 1 GeV = 10^9eV = un milliard d'électronvolts ; un micromètre = 1 µm = 10^{-6} m = un millionième de mètre ; un picofarad = 1 pF = 10^{-12} F = un farad divisé par mille milliards.

II. MANIÈRE D'ÉCRIRE LES NOMBRES :

1° Pour les nombres entiers, séparer en tranches de 3 chiffres, à partir de la droite, par un espace blanc et non par un point. Exemple : 2 517 315.

2° Pour les nombres fractionnaires, séparer les tranches de 3 chiffres, à partir de la virgule, par un espace blanc et non par un point. Exemple : 17,215 32.

III. MANIÈRE DE FORMER ET D'EMPLOYER LES SYMBOLES :

1° Les symboles des préfixes des multiples et des sous-multiples se placent immédiatement avant le symbole de l'unité, sans espace ni séparation. Exemple : kilowatt = kW et non k.W ; millimètre = mm et non m/m.

2° Les symboles s'emploient sans s au pluriel et sans point final. Exemple : 25 kilogrammes = 25 kg.

3° Lorsqu'une grandeur est le produit de deux autres grandeurs, on accole les symboles des unités composantes sans séparation ou avec séparation par un point. Exemple : kilowatt-heure = kWh ou kW.h.

4° Lorsqu'une grandeur est le quotient de deux autres grandeurs, on sépare les symboles par une barre inclinée, signe de division, ou bien on affecte le symbole de la grandeur diviseur d'un exposant négatif. Exemple : kilomètres à l'heure = km/h ou bien kmh^{-1}.
On doit écrire les symboles après les nombres. Exemple : 17,5 m (et non 17 m,5).

Le système de mesures obligatoire en France est le système métrique à 7 unités de base que la Conférence générale des Poids et Mesures a appelé Système International d'unités SI. Il comporte les unités SI de base, les unités SI dites supplémentaires et les unités SI dérivées.
Ce système cohérent d'unités a remplacé tous les systèmes précédents.

UNITÉS SI DE BASE

Longueur	mètre	m	Température	kelvin	K
Masse	kilogramme	kg	Intensité lumineuse	candela	cd
Temps	seconde	s	Quantité de matière	mole	mol
Intensité du courant électrique	ampère	A			

UNITÉS SI DÉRIVÉES

GÉOMÉTRIQUES, MÉCANIQUES, THERMODYNAMIQUES

Superficie	mètre carré	m^2	Masse surfacique	kilogramme par mètre carré	$kg.m^{-2}$
Volume	mètre cube	m^3	Concentration	kilogramme par mètre cube	$kg.m^{-3}$
Vitesse	mètre par seconde	m/s	Force	newton	N
Accélération	mètre par seconde carrée	m/s^2	Pression	pascal	Pa
Masse volumique	kilogramme par mètre cube	kg/m^3	Énergie, travail, chaleur	joule	J
Volume massique	mètre cube par kilogramme	m^3/kg	Puissance, flux énergétique	watt	W
Fréquence	hertz	Hz	Moment de force	newton-mètre	N.m
Nombre d'ondes	1 par mètre	m^{-1}	Tension capillaire	newton par mètre	N/m
Masse linéique	kilogramme par mètre	$kg.m^{-1}$			

UNITÉS PHYSIQUES (suite)

GÉOMÉTRIQUES, MÉCANIQUES, THERMODYNAMIQUES

Viscosité dynamique	pascal-seconde	Pa.s	Chaleur massique, entropie massique	joule par kilogramme-kelvin	$J.kg^{-1}.K^{-1}$
Viscosité cinématique	mètre carré par seconde	$m^2.s^{-1}$	Température	degré Celsius	°C
Éclairement énergétique	watt par mètre carré	W/m^2			

ÉLECTRIQUES, OPTIQUES

Force magnétomotrice	ampère-tour	A.tr	Intensité de champ magnétique	ampère par mètre	A/m
Tension, potentiel, f.é.m.	volt	V	Permitivité	farad par mètre	F/m
Quantité d'électricité	coulomb	C	Perméabilité	henry par mètre	H/m
Résistance	ohm	Ω	Flux lumineux	lumen	lm
Conductance	siemens	S	Éclairement	lux	lx
Capacité	farad	F	Luminance	nit	nt
Champ magnétique	tesla	T	Vergence des systèmes optiques	1 par mètre ou dioptrie	m^{-1} δ
Flux magnétique	weber	Wb			
Inductance	henry	H			
Intensité de courant	ampère par mètre carré	A/m^2			
Intensité de champ électrique	volt par mètre	V/m			

UNITÉS SI SUPPLÉMENTAIRES

Angle plan	radian	rad	Accélération angulaire	radian par seconde carrée	$rad.s^{-2}$
Angle solide	stéradian	sr	Intensité énergétique	watt par stéradian	$W.sr^{-1}$
Vitesse angulaire	radian par seconde	rad/s	Luminance énergétique	watt par m^2 stéradian	$W.m^{-2}sr^{-1}$

UNITÉS HORS SYSTÈME (unité déconseillée = u. déc.)

minute	min	1 min	= 60 s	erg (u.C.G.S.)	erg	1 erg	$= 10^{-7}J$
heure	h	1 h	= 3 600 s	dyne	dyn	1 dyn	$= 10^{-5}N$
jour	d	1 d	= 86 400 s	poise (u.C.G.S.)	P	1 P	= 0,1 Pa.s
degré	°	1 °	= (π/180)rad	stokes	St	1 St	$= 10^{-4}m^2/s$
minute (d'angle)	′	1 ′	= (1/60)°	gauss (u.C.G.S.)	G	1 G	$= 10^{-4}T$
seconde (d'angle)	″	1 ″	= (1/60°)′	œrsted (u.C.G.S.)	Œ	1 Œ	= 1 000/4π A/m
litre	l	1 l	$= 10^{-3}m^3$	maxwell (u.C.G.S.)	Mx	1 Mx	$= 10^{-8}Wb$
tonne	t	1 t	$= 10^3$ kg	phot (u.C.G.S.)	ph	1 ph	$= 10^4lx$
électronvolt	eV	1 eV	$= 1{,}602.10^{-19}J$	stilb (u.C.G.S.)	sb	1 sb	$= 10^4nt$
unité astronomique	UA	1 UA	$= 1{,}496.10^{11}m$	torr (u. déc.)	torr	1 torr	= 1 mm de mercure
parsec	pc	1 pc	$= 3{,}080.10^{18}m$	kilogramme force (u. déc.)	kgf	1 kgf	= 9,806 65 N
année de lumière	a.l	1 a.l	$= 9{,}461.10^{15}m$	calorie (u. déc.)	cal	1 cal	= 4,184J
angström	Å	1 Å	$= 10^{-10}m$	micron (u. déc.)	μ	1 μ	$= 1\ \mu m = 10^{-6}m$
are	a	1 a	$= 10^2m^2$	stère (u. déc.)	st	1 st	$= 1\ m^3$
barn	b	1 b	$= 10^{-28}m^2$	fermi (u. déc.)	fm	1 fm	$= 10^{-15}m$
bar	bar	1 bar	$= 10^5Pa$	gamma (u. déc.)	γ	1 γ	$= 10^{-9}kg$
atmosphère normale	atm	1 atm	$= 1{,}013.25\ 10^5Pa$				

port à l'antimatière (un milliard de particules plus une sont créées contre un milliard d'antiparticules). Cette « soupe » de particules reste présente jusqu'à t = 10^{-6} s, quand la température devient suffisamment basse (10^{13} K) pour que les associations de quarks restent stables sous forme de protons, de neutrons et de leurs antiparticules. Particules et antiparticules vont s'annihiler les unes les autres, aboutissant à un Univers dominé par le rayonnement (*ère radiative*) et où ne subsiste qu'un infime résidu (un milliardième) de particules. La *nucléosynthèse* primordiale se déroule entre t = 3 min et t = 30 min : protons et neutrons peuvent s'assembler en noyaux atomiques légers tels que l'hélium, l'élément le plus abondant de l'Univers avec l'hydrogène. À t = 500 000 ans, l'Univers s'est assez refroidi (3 000 K) pour que les atomes deviennent stables ; liés aux protons et noyaux atomiques, les électrons ne s'opposent plus au rayonnement, qui se dissocie de la matière : l'Univers est devenu transparent. Ce rayonnement qui baigne tout l'Univers est encore perceptible aujourd'hui, mais sa température caractéristique n'est plus que de 2,7 K en raison de l'expansion de l'Univers ; en effet, celle-ci s'est poursuivie pendant les 15 milliards d'années qui se sont écoulées depuis la période de dissociation. En 1965, la découverte de ce rayonnement « fossile » (dit *cosmologique*) par les Américains Arno Penzias et Robert Wilson apporta une confirmation décisive à la théorie du big-bang. Depuis la phase de dissociation, l'évolution de l'Univers est déterminée par la gravitation. Si sa densité moyenne est supérieure à la *densité critique* (env. 5×10^{-30} g/cm^3), les forces de liaison gravitationnelle l'emporteront sur l'expansion, qui finira par s'inverser : une phase de contraction ramènera l'Univers à son point initial (*Univers fermé*). Sinon, l'Univers est condamné à se dilater éternellement (*Univers ouvert*). Les estimations de la densité de l'Univers sont encore beaucoup trop imprécises pour déterminer si l'Univers est ouvert ou fermé.

universalisation n. f. Didac. Action d'universaliser ; son résultat.

universaliser v. tr. [1] Didac. Rendre universel, généraliser. *Universaliser l'instruction.*

universalisme n. m. **1.** PHILO Doctrine de ceux qui comprennent la réalité comme une unité englobant tous les individus et qui ne voient d'autorité que dans le consentement universel. **2.** THEOL Croyance selon laquelle Dieu veut la rédemption de tous les hommes.

universaliste n. et adj. **1.** PHILO, THEOL Qui professe l'universalisme ; qui adhère à l'universalisme. **2.** Qui s'adresse à l'humanité entière.

universalité n. f. Caractère universel. *L'universalité d'une loi. L'universalité d'une croyance.* ▷ LOG *Universalité d'une proposition.*

universaux n. m. pl. PHILO *Les universaux :* les idées générales, opposées aux individus singuliers dans la philosophie scolastique.

ENCYCL La fameuse *querelle des universaux* roula sur la question de savoir si les idées générales sont de purs mots (nominalisme), si ces abstractions constituent la seule réalité ou s'il existe une solution médiane selon laquelle l'intelligence découvre dans les individualités du monde extérieur le fondement de toute généralisation. Le problème fut, à partir du XIIe s., au cœur des discussions dans toutes les universités médiévales.

universel, elle adj. (et n. m.) **1.** Qui porte sur tout ce qui existe. *Connaissances universelles.* **2.** Qui s'étend à tout l'univers physique. ▷ PHYS *Constante universelle :* constante (dite aussi *invariant*) qui ne varie pas dans l'Univers, quel que soit le système de référence utilisé. *La vitesse de la lumière, égale à 299 792,457 km/s, est une constante universelle.* **3.** Qui se rapporte, qui s'étend au monde entier, à l'humanité tout entière. *L'histoire universelle. Gloire universelle.* **4.** Qui concerne toutes les personnes, toutes les choses considérées. *Suffrage universel :* droit de vote donné à tous les citoyens. **5.** LOG *Proposition universelle,* dans laquelle le sujet est pris dans toute son extension. ▷ n. m. PHILO Ce qu'il y a de commun à tous les individus d'une classe (opposé à *particulier*). V. universaux. **6.** Qui a des connaissances, des aptitudes dans tous les domaines. *Léonard de Vinci fut un génie universel.* **7.** DR *Légataire universel,* à qui a été léguée la totalité d'un héritage. ▷ *Légataire à titre universel,* à qui a été léguée une quotité d'un héritage.

universellement adv. D'une façon universelle, par tous.

universitaire adj. et n. **1.** adj. Qui appartient, qui a rapport aux universités. *Enseignement universitaire. Cité universitaire,* où sont logés les étudiants. **2.** n. Personne qui enseigne dans une université.

université n. f. **1.** Établissement public d'enseignement supérieur groupant plusieurs établissements scolaires. *Les universités françaises sont constituées de plusieurs unités de formation et de recherche (U.F.R.).* **2.** *L'Université :* en France, l'ensemble du corps enseignant recruté par l'État, qui dispense l'enseignement supérieur.

ENCYCL L'Université est née au cours du Moyen Âge et dépendait alors du clergé. Sous l'Ancien Régime, les universités étaient créées par une charte royale. Une charte de Philippe Auguste fonda en 1200 l'université de Paris (nommée par la suite Sorbonne), qui connut son apogée du XIIIe au XVe s. ; à partir du XVIe s., son opposition à la Renaissance humaniste entraîna son déclin. En province, d'autres universités virent le jour (notam. à Toulouse et à Montpellier). En 1806, Napoléon fit de l'Université l'organisation nationale de l'enseignement.

univitellin, ine adj. BIOL Qualifie les jumeaux issus d'un même œuf (vrais jumeaux). Syn. monozygote. Ant. bivitellin.

univocité n. f. Didac. Caractère de ce qui est univoque.

univoque adj. **1.** Didac. Se dit des noms qui s'appliquent dans le même sens à plusieurs choses d'un même genre. *Animal est un terme univoque à l'aigle et au lion.* **2.** Didac. Non équivoque. **3.** MATH *Correspondance univoque :* correspondance entre deux ensembles telle qu'à tout élément de l'un correspond un élément et un seul de l'autre.

Unkei (Kyōto, v. 1148 - ?, 1223), sculpteur japonais ; l'un des grands maîtres de l'époque Kamakura, auteur des deux Rois-gardiens du temple Tōdai-ji de Nara (1203).

Unkiar-Skelessi (en turc *Hünkar iskelesi*), village de Turquie, sur la rive asiatique du Bosphore, où fut signé en 1833 un traité entre la Russie et la Turquie qui ouvrait les Dardanelles aux seuls navires de guerre russes.

U.N.R. Sigle de *Union* pour la nouvelle République.*

Untel, Un tel, Unetelle, Une telle n. *M. Untel* (ou *un tel*), *Mme Unetelle* (ou *une telle*) : individu anonyme, quelqu'un, n'importe qui ; personne que l'on ne veut pas nommer. *Dîner chez les Untel, dans la famille Untel.*

Unterwald (en all. *Unterwalden*), cant. de la Suisse centrale, au S. du lac des Quatre-Cantons, divisé en deux demi-cantons : Nidwald (276 km^2 ; 31 000 hab. ; ch.-l. *Stans*) et Obwald (491 km^2 ; 27 600 hab. ; ch.-l. *Sarnen*). – Cette région des Préalpes tire ses ressources de l'élevage bovin (lait), de l'exploitation forestière et du tourisme. – Ce fut un des trois premiers cantons de la Confédération (1291). Il adhéra au Sonderbund* (1845).

upanishad ou **upaniṣad** (mot sanskrit qui étymologiquement signifie « destruction » [de l'ignorance] ou « approche » [de la vérité]), texte sacré du brahmanisme.

Updike (John) (Shillington, Pennsylvanie, 1932), romancier américain. Il évoque d'une manière caustique l'Amérique contemporaine et la misère humaine : *Cœur de lièvre* (1960), *les Plumes de pigeon* (1962), *Couples* (1968).

upérisation n. f. TECH Méthode de stérilisation continue des liquides (du lait en particulier) par injection de vapeur surchauffée.

upérisé, ée adj. TECH Qui a subi l'upérisation. *Lait upérisé.*

Upolu, île de l'État des Samoa occid. ; 1 127 km^2 ; 108 600 hab. ; ch.-l. *Apia.*

uppercut [ypɛʀkyt] n. m. SPORT En boxe, coup de poing donné de bas en haut au menton.

Uppsala, v. de Suède, et une des anc. cap. de la Scandinavie, près du lac Mälar ; 154 710 hab. ; ch.-l. du län du m. nom. Industr. méca., pharm. et text. – Archevêché luthérien. Cath. goth. – Université fondée en 1477.

upsilon [ypsilɔn] n. m. **1.** Vingtième lettre de l'alphabet grec (Υ, υ) qui équivaut au *u* français, devenue *y* dans la plupart des mots français tirés du grec. **2.** PHYS NUCL Particule la plus massive de la famille des mésons.

ur(o)-. Élément, du gr. *oûron,* « urine ».

Ur ou **Our,** anc. v. de la Mésopotamie méridionale, sur la r. dr. de l'Euphrate (site archéologique de Tell al-Muqayyar, Irak). – Patrie d'Abraham, selon la Bible. À la fin du IVe millénaire, les Sumériens y développèrent une civilisation qui s'épanouit v. 2700-2500 av. J.-C., mais la véritable splendeur de la ville (tombes royales au riche mobilier funéraire) remonte à la IIIe dynastie, fondée au XXIe s. av. J.-C. par le roi Ur-Nammu, qui en fit la cap. de l'empire de Sumer.

► illustr. page **1936**

Urabi Pacha ou **Arabi Pacha** (*Aḥmad 'Urābī bāšā*) (Harya-Ruzna, Basse-Égypte, 1839 – Le Caire, 1911), officier égyptien. Il tenta de s'opposer à l'hégémonie occidentale en Égypte et créa le « parti national » (1881-1882). Fait prisonnier et déporté à Ceylan, il regagna l'Égypte en 1901.

civilisation d'**Ur** : tête de taureau sur une harpe appartenant à une princesse sumérienne; IIIe millénaire av. J.-C.; Musée archéologique, Bagdad

uracile n. m. BIOCHIM Base pyrimidique constituant des acides nucléiques.

uraète n. m. ORNITH Grand aigle australien brun-noir *(Aquila audax uraetus)* atteignant 2,40 m d'envergure.

uraète audacieux

uræus [yʀeys] n. m. inv. ARCHEOL Figure du serpent naja, protecteur des pharaons, qui le portaient sur leur couronne.

uranie n. f. ENTOM Grand papillon sud-américain aux couleurs vives.

Uranie, l'une des neuf Muses; elle présidait à l'astronomie.

uranifère adj. Qui contient de l'uranium.

uranium [yʀanjɔm] n. m. Élément métallique de numéro atomique Z = 92 et de masse atomique 238,03 (symbole U). – Métal (U) de densité 18,9, qui fond à 1 130 °C et bout à 3 800 °C, qu'on trouve dans la nature sous forme d'oxydes d'uranium. *L'uranium est utilisé comme combustible dans les centrales nucléaires.*

Aménophis III portant l'**uræus,** peinture égyptienne du Nouvel Empire; musée du Louvre

urano-. Élément, du gr. *ouranos,* « ciel », et en lat. anat. « voûte du palais ».

uranoscope n. m. ICHTYOL Poisson téléostéen des mers chaudes *(Uranoscopus scaber)* dont les yeux sont situés sur la partie dorsale de la tête, et qui est cour. appelé *rascasse blanche* dans la région méditerranéenne.

Uranus, septième planète du système solaire, découverte à l'aide d'un télescope par William Herschel en 1781. Sa distance au Soleil varie de 18,3 à 20,1 UA en raison de l'excentricité de son orbite, inclinée de 46' par rapport au plan de l'écliptique. L'essentiel des connaissances sur Uranus provient du survol de la planète par la sonde *Voyager 2* en 1986. Avec un diamètre équatorial de 51 120 km et une densité de 1,19, Uranus se range dans la catégorie des *planètes géantes.* Elle tourne sur elle-même en 17 h 14 min autour d'un axe quasiment couché (à un angle de 8° près) sur le plan de l'orbite, particularité unique dans le système solaire. Au cours de sa révolution de 84 ans et 7,4 jours, les deux pôles de la planète sont successivement exposés au Soleil. Comme les autres planètes géantes du système solaire, Uranus est entourée d'un système d'anneaux (découvert en 1977 à l'occasion d'une occultation stellaire), localisé dans le plan équatorial de la planète, presque perpendiculairement au plan de son orbite. Quinze satellites, dont seuls les cinq principaux (500 à 1 600 km de diamètre), étaient connus avant les observations de *Voyager 2,* gravitent aussi dans le plan équatorial d'Uranus.

Urartu. V. Ourartou.

urbain, aine adj. **I. 1.** ANTIQ De Rome. *Les quatre tribus urbaines.* **2.** De la ville, propre à la ville. *Voirie urbaine. Populations urbaines* (par oppos. à *rural*). **II.** Litt. Qui fait preuve d'urbanité. *Un homme fort urbain.* Syn. courtois.

Urbain, nom de huit papes, dont : – **Urbain II** (bienheureux) [Eudes de Lagery] (Châtillon-sur-Marne, v. 1042 – Rome, 1099), pape de 1088 à 1099; il réunit le concile de Clermont (1095) qui décida de la 1re croisade. – **Urbain VI** (Bartolomeo Prignano) (Naples, v. 1318 – Rome, 1389), pape de 1378 à 1389. Sous son pontificat commença le grand schisme d'Occident. – **Urbain VIII** (Maffeo Barberini) (Florence, 1568 – Rome, 1644), pape de 1623 à 1644; il condamna Galilée en 1633 et l'*Augustinus* de Jansénius en 1643.

Urbain (Georges) (Paris, 1872 – id., 1938), chimiste français; connu pour ses travaux sur les terres* rares.

urbanisation n. f. Action d'urbaniser; son résultat.

urbaniser v. tr. [1] Transformer (un espace rural) en un espace à caractère urbain, par la création de routes, d'équipements, de logements, d'activités commerciales et industrielles, etc. ▷ v. pron. *Cette région s'est rapidement urbanisée.*

urbanisme n. m. Ensemble des études et des conceptions ayant pour objet l'implantation et l'aménagement des villes.

urbaniste n. et adj. Spécialiste de l'urbanisme. ▷ adj. *Réglementation urbaniste,* qui concerne l'urbanisme.

urbanistique adj. Didac. Relatif à l'urbanisation, à l'urbanisme.

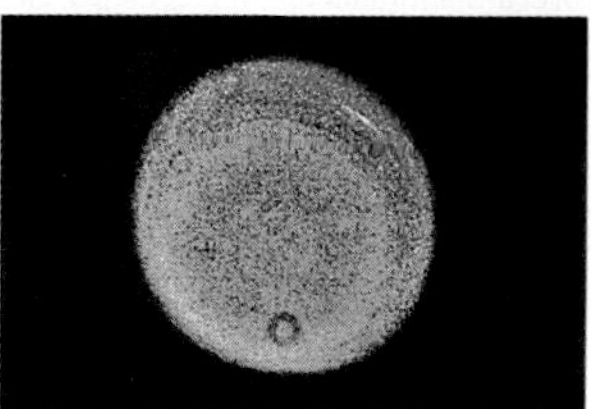
vue générale d'**Uranus,** transmise par *Voyager 2*

urbanité n. f. **1.** Litt. Politesse raffinée que l'on acquiert par l'usage du monde. Syn. courtoisie. **2.** URBAN Ce qui fait qu'une agglomération constitue une ville.

urbi et orbi [yʀbiɛtɔʀbi] loc. adv. (Lat., « à la ville et à l'univers ».) **1.** LITURG CATHOL Paroles qui accompagnent les bénédictions du pape à toute la chrétienté. **2.** *Par ext.* Partout. *Annoncer quelque chose urbi et orbi.*

Urbino, v. d'Italie (Marches); 15 920 hab. Centre agricole. – Archevêché. Églises. Musée. Palais ducal (XVe s.). Import. centre de production de céramique (majolique) au XVIe s. et au déb. du XVIIe. – Cap. de l'anc. comté d'Urbino, érigé en duché en 1443 pour la famille de Montefeltro à laquelle succédèrent les Della Rovere (1508). En 1631, les États de l'Église reçurent le duché, qui forme auj. une partie de la prov. de Pesaro-et-Urbino.

urdu ou **ourdou** [uʀdu] n. m. Langue officielle du Pākistān, apparentée à l'hindi.

-ure. Suffixe de certains termes de chimie, marquant que le composé est un sel d'hydracide (ex. *chlorure, sulfure*).

urédinales ou **urédinées** n. f. pl. BOT Ordre de champignons basidiomycètes parasites responsables des *rouilles* des végétaux. – Sing. *Une urédinale* ou *une urédinée.*

urée n. f. BIOCHIM Diamide de l'acide carbonique, produit final de la dégradation par le foie des acides aminés. *L'urée est éliminée dans les urines.*

uréide n. m. CHIM Nom générique des dérivés de l'urée, dont certains, comme l'acide barbiturique, jouent un rôle physiologique important.

uréique adj. MED Relatif à l'urée.

urémie n. f. MED Intoxication liée à une insuffisance rénale et provoquée par l'accumulation dans le sang de produits azotés (urée, notam.) que le rein élimine à l'état normal.

urémique adj. MED Relatif à l'urémie.

-urèse, -urie. Éléments, du gr. *ourêsis,* « action d'uriner », *oûron,* « urine ».

urétéral, ale, aux adj. Didac. Relatif à l'uretère.

uretère n. m. ANAT Chacun des deux canaux qui conduisent l'urine depuis le bassinet du rein jusqu'à la vessie.

urétérite n. f. MED Inflammation des uretères.

uréthan(n)e n. m. CHIM Nom générique des esters de formule $R-O-CO-NH_2$, dont dérivent, par polymérisation, les polyuréthanes.

urétral, ale, aux adj. Didac. Relatif à l'urètre.

urètre n. m. ANAT Canal musculo-membraneux qui mène de la vessie à l'extérieur, où il s'ouvre par le méat urétral; il sert à l'évacuation de l'urine et au passage du sperme.

urétrite n. f. MED Inflammation de l'urètre.

Urey (Harold Clayton) (Walkerton, Indiana, 1893 - La Jolla, Californie, 1981), chimiste américain. Il découvrit en 1932 l'eau lourde* et le deutérium. P. Nobel 1934.

Urfa (anc. *Édesse**), v. de Turquie, près de la Syrie; 147 500 hab.; ch.-l. de l'il du m. nom. Centre agricole.

Urfé (Honoré d') (Marseille, 1567 - Villefranche-sur-Mer, 1625), écrivain français. Son roman pastoral, *l'Astrée* (1607-1628), exerça une influence considérable sur les écrivains du XVIIe s.

-urge, -urgie. Élément, du gr. *ergon*, « travail ».

Urgel. V. Seo de Urgel.

urgemment adv. Fam. Vite, immédiatement, dans les plus brefs délais.

urgence n. f. **1.** Caractère de ce qui est urgent. *Il y a urgence.* **2.** Ce qui est urgent; cas, situation, devant être réglés sans délai. *C'est une urgence. Service des urgences d'un hôpital.* **3.** Loc. adv. *D'urgence :* immédiatement, sans délai. *Télégramme à expédier d'urgence.*

urgent, ente adj. Pressant, qui ne souffre aucun retard. *Des affaires urgentes.*

urgentiste n. Médecin spécialisé dans les urgences.

urger v. intr. [**13**] Fam. Devenir urgent, pressant. *Ça urge !*

Uri, cant. suisse, au S. du lac des Quatre-Cantons; 1 076 km^2; 34 170 hab.; ch.-l. *Altdorf.* - Ce canton alpin, drainé par la Reuss et peu fertile, vit de l'élevage bovin et du tourisme. Le col du Saint-Gothard (route et voie ferrée) en fait une import. voie de passage.

Uriage, hameau de l'Isère (com. de Saint-Martin-d'Uriage). - En 1940, Pierre Dunoyer de Segonzac y créa une école de cadres pour les « chantiers de la Jeunesse ». Devenue rapidement une pépinière de dirigeants pour la Résistance, elle fut dissoute en déc. 1942.

uric(o)-. Élément, de *urique.*

uricémie n. f. MED Taux d'acide urique dans le sang.

uridine n. f. BIOCHIM Nucléoside entrant dans la composition de l'A.R.N.

-urie. V. -urèse.

Urie, officier de David. Le roi, désireux d'épouser sa femme, Bethsabée, l'exposa à un poste dangereux où il trouva la mort.

urinaire adj. Relatif à l'urine. *Voies urinaires.*

urinal, aux n. m. Récipient à col incliné destiné à permettre aux malades (hommes) alités d'uriner commodément. Syn. (fam.) pistolet.

urine n. f. Liquide organique excrémentiel de couleur jaune ambré, sécrété par les reins, composé essentiellement d'eau, de sels minéraux et de matières organiques.

uriner v. intr. [**1**] Évacuer l'urine. Syn. fam. pisser.

urineux, euse adj. MED De la nature de l'urine, relatif à l'urine.

urinifère adj. ANAT Qui conduit l'urine. *Tubes urinifères du rein.*

urinoir n. m. **1.** Endroit, édicule public aménagé pour uriner, à l'usage des hommes. Syn. fam. pissotière. **2.** Appareil sanitaire servant à uriner.

urique adj. BIOCHIM *Acide urique :* produit de la dégradation des acides nucléiques, éliminé par les urines.

urne n. f. **1.** ANTIQ Vase oblong à corps renflé. **2.** Vase qui contient les cendres d'un mort. **3.** Boîte dans laquelle les votants déposent leur bulletin, lors d'un scrutin. **4.** BOT Partie du sporange des mousses contenant les spores.

1. uro-. V. ur(o)-.

2. uro-, -oure, -ure. Éléments, du gr. *oura*, « queue ».

urocordés n. m. pl. ZOOL Syn. de *tuniciers.* - Sing. *Un urocordé.*

urodèles n. m. pl. ZOOL Ordre d'amphibiens des régions tempérées de l'hémisphère N., dont la queue subsiste après la métamorphose (salamandres, tritons, etc.). - Sing. *Un urodèle.*

urogénital, ale, aux adj. ANAT, MED Qui concerne à la fois l'appareil urinaire et l'appareil génital. Syn. génito-urinaire.

urographie n. f. MED *Urographie intraveineuse (U.I.V.) :* radiographie de l'appareil urinaire après injection d'un produit opaque aux rayons X, qui est ensuite éliminé par les reins.

urokinase n. f. Enzyme fibrinolytique utilisée contre les thromboses et les phlébites.

urologie n. f. Didac. Branche de la médecine qui traite des affections de l'appareil urinaire (et génital, chez l'homme).

urologue n. Didac. Médecin spécialisé en urologie.

uromastix n. m. ZOOL Agame du Sahara, long de 40 cm, à la queue épineuse et mobile. *L'uromastix est inoffensif.* Syn. cour. fouette-queue.

uropygial, ale, aux adj. ORNITH Du croupion. *Pennes uropygiales.*

uropygien, enne adj. ORNITH *Glande uropygienne :* glande du croupion, dont la sécrétion grasse imperméabilise les plumes.

Urraque (en esp. *Urraca*) (?, v. 1081 - Saldaña, 1126), reine de Castille et de Léon (1109-1122). Elle succéda à son père Alphonse VI. Le pape annula son mariage avec Alphonse Ier d'Aragon qui dut reconnaître l'indépendance de la Castille. Urraque finit par s'effacer devant son fils, Alphonse VII (né d'un premier mariage avec Raimond de Bourgogne).

ursidés n. m. pl. ZOOL Famille de grands mammifères omnivores plantigrades aux formes lourdes et aux membres massifs, dont le type est l'ours. - Sing. *Le grand panda est un ursidé.*

Ursins (Marie-Anne de La Trémoille, princesse des) (Paris, 1642 - Rome, 1722), dame d'honneur de la reine d'Espagne (Marie- Louise de Savoie) en 1701. Elle eut un rôle politique à la cour de Philippe V. Renvoyée en 1714 par Élisabeth Farnèse, seconde épouse du roi, elle s'exila.

U.R.S.S. Sigle de *Union* des républiques socialistes soviétiques.*

URSSAF, acronyme pour *Union de recouvrement des cotisations de sécurité sociale et d'allocations familiales.* Ces organismes départementaux ont été créés en 1960.

Ursule (sainte) (IIIe s.[?]), personnage légendaire, fille (chrétienne) d'un roi de la Bretagne insulaire (Angleterre), destinée à épouser un prince païen et envoyée par son père sur le continent. Après un pèlerinage à Rome en com-

uromastix au soleil : son dos prend des couleurs vives

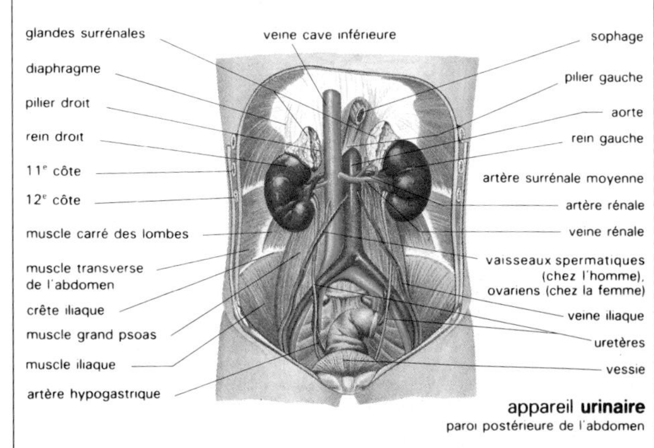

appareil **urinaire**
paroi postérieure de l'abdomen

pagnie de onze mille vierges, elle aurait été massacrée à Cologne avec ses compagnes pour avoir refusé d'épouser le roi des Huns qui assiégeait la ville.

ursuline n. f. RELIG CATHOL Religieuse appartenant à l'une des congrégations placées sous le patronage de sainte Ursule. – *Spécial.* Religieuse de l'ordre fondé à Brescia par sainte Angèle Merici en 1535 *(ordre de Sainte-Ursule* ou *congrégation des Ursulines de l'Union romaine),* introduit en France en 1612.

urticaire n. f. Éruption subite de papules rouges ou rosées, souvent décolorées au centre, rappelant les piqûres d'ortie et causant de vives démangeaisons. *L'urticaire est le plus souvent d'origine allergique.* – Fig., fam. *Donner de l'urticaire à qqn :* l'importuner, l'agacer énormément.

urticant, ante adj. Didac. Qui détermine des rougeurs, des démangeaisons analogues à celles que causent les piqûres d'ortie. *Cellules urticantes des méduses.*

urtication n. f. Didac. Rougissement de la peau qui accompagne l'irritation due aux orties. ▷ Par anal. MED *Urtication provoquée par un aliment.*

urubu [yʀyby; uʀubu] n. m. ORNITH Vautour noir charognard d'Amérique tropicale.

urubu

Uruguay, fl. de l'Amérique du Sud (1 580 km); naît au Brésil, à 80 km env. de la côte ; sert de frontière entre le Brésil et l'Argentine, puis entre l'Argentine et l'Uruguay; forme, avec le Paraná, le Río de La Plata.

Uruguay (République orientale de l') *(República Oriental del Uruguay),* État de l'Amérique du Sud, sur l'Atlantique, bordé par le Brésil et l'Argentine; 177 508 km²; 2 981 000 hab., croissance démographique : 0,8 % par an; cap. *Montevideo.* Nature de l'État : république. Langue off. : espagnol. Monnaie : peso uruguayen. Pop. : Blancs en quasi-totalité.

Géogr. phys. et écon. – Prolongement de la Pampa argentine, l'Uruguay est un pays de plaines et de plateaux (max. 514 m), drainé par le Rio Negro et ouvert au S. sur le plus vaste estuaire du monde, le Río de La Plata. La végétation dominante est la prairie, correspondant à un climat doux et humide. La population est fortement urbanisée (86 %) et Montevideo concentre 45 % des hab. du pays. L'élevage (ovin et bovin) constitue la principale ressource, représentant, avec les produits dérivés, 40 % de la valeur des exportations. L'Uruguay produit aussi des céréales, du sucre et exporte des textiles, les industries manufacturières s'étant développées grâce à une fiscalité avantageuse. Malgré les réformes mises en œuvre depuis 1985, la situation économique est difficile et le pays lourdement endetté.

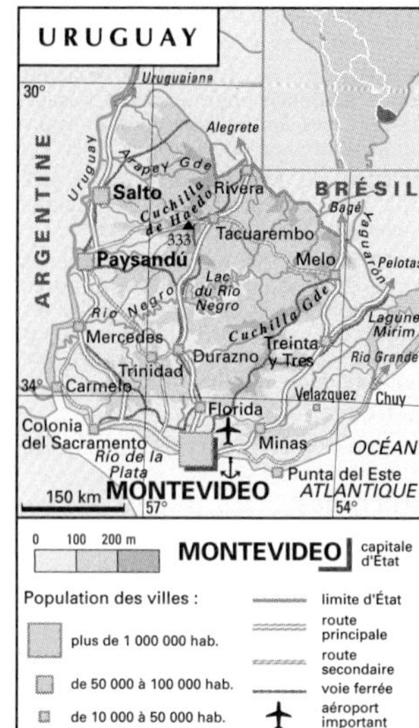

Hist. – Exploré à partir de 1516 par les Espagnols, le Río de La Plata prit une importance stratégique après 1680. Portugais du Brésil et Espagnols d'Argentine se le disputèrent. Au XVIIIᵉ s., les Espagnols en restèrent maîtres. Les gauchos, éleveurs de bétail, en ont d'abord constitué le seul peuplement blanc, malgré la résistance des Indiens Charrúas (définitivement éliminés en 1832). En 1815, J. Artigas forma un gouvernement indépendant. Les Portugais du Brésil intervinrent, annexèrent le pays (1816-1820) puis, à la suite d'une insurrection soutenue par les Argentins (1825-1827), l'Angleterre imposa l'indépendance de la République orientale (à l'E. du fleuve Uruguay), en 1828. La lutte entre les conservateurs (appuyés par l'Argentine) et les libéraux (appuyés par les Britanniques et les Français) provoqua la « Grande Guerre » (1839-1851), où Montevideo, plusieurs fois assiégée, fut défendue par Garibaldi. En 1865, le Brésil et l'Argentine assurèrent le succès des libéraux en échange de leur participation à la guerre contre le Paraguay (1865-1870). Très affaibli par ces conflits, l'Uruguay subit plusieurs dictatures militaires avant de retrouver peu à peu son équilibre politique, économique (essor de l'élevage) et social (système éducatif) grâce à l'action, notam., de J. Batlle y Ordóñez, président de 1903 à 1907 et de 1911 à 1915. La crise économique de 1929 ouvrit une ère de dictature (1933-1942). De nouvelles difficultés économiques et sociales provoquèrent, à partir de 1958, le développement de la guérilla urbaine des Tupamaros*. En 1976, l'armée, qui contrôlait le pouvoir depuis 1973, instaura une dictature. La dégradation de la situation économique (près de 500 000 personnes durent émigrer en 1970-1980) et la montée de l'opposition contraignirent les militaires à céder la place, en 1984, à un gouvernement civil dirigé par Julio Sanguinetti, qui rétablit les institutions démocratiques. Le parti Blanco retrouva le pouvoir avec l'élection de Luis Lacalle (1989-1994), mais Julio Sanguinetti remporta les élections de nov. 1994. L'Uruguay fait partie du Mercosur*.

uruguayen, enne adj. et n. De l'Uruguay. ▷ Subst. *Un(e) Uruguayen(ne).*

Uruk. V. Ourouk.

Urumqi ou **Ouroumtsi,** v. de la Chine du N.-O., dans une oasis; cap. du Xinjiang; 1 110 000 hab. Métallurgie. Centr. therm. et hydroél.

Urundi. V. Burundi.

urus [yʀys] n. m. ZOOL Syn. de *aurochs.*

us [ys] n. m. pl. Vx Usage. ▷ Loc. mod. *Les us et coutumes :* les usages, les habitudes héritées du passé; *par ext.,* les habitudes, la manière de vivre.

U.S.A. Sigle de *United States of America.* V. États-Unis d'Amérique.

usage n. m. **I. 1.** Fait d'utiliser, de se servir de (un objet, un procédé, une faculté). *L'usage de cet outil, de ce produit remonte à telle époque. Faire bon usage de son pouvoir. C'est un tissu qui vous fera de l'usage,* que vous garderez longtemps. Syn. emploi, utilisation. **2.** Possibilité d'utiliser. *Perdre l'usage de l'ouïe.* ▷ Loc. *Hors d'usage :* qui ne fonctionne plus, usé au point de ne plus être utilisable. ▷ Loc. *À usage (de) :* prévu pour (telle utilisation). *Lotion à usage externe.* **3.** *À l'usage de :* destiné spécialement à. *Projecteur à l'usage des chirurgiens.* **4.** Mise en œuvre effective de la langue dans le discours. *Faire un usage fréquent d'une expression. L'usage écrit, oral.* ▷ (S. comp.) *L'usage :* la manière dont, à une époque et dans un milieu social donnés, se réalisent dans le discours les structures d'une langue. *Grammaire et usage. Le bon usage :* l'usage considéré comme correct par référence à une norme socioculturelle donnée. **II. 1.** Habitude traditionnelle, coutume. *Ne pas connaître les usages d'un pays étranger. Usages qui se perdent.* ▷ *Les usages :* l'ensemble des façons d'agir, de se conduire, considérées comme correctes dans une société. *Contraire aux usages.* ▷ *L'usage :* ce qui se fait habituellement, la coutume. *Il est d'usage de... Politesses d'usage.* **2.** Litt. Pratique de la bonne société, bonnes manières. *Manquer d'usage.* **III.** DR Droit qui permet de se servir d'une chose sans en être le propriétaire. *Usages forestiers.*

usagé, ée adj. Qui a beaucoup servi, usé.

usager n. m. **1.** DR Personne qui a un droit d'usage. **2.** Personne qui utilise (un service public). Syn. utilisateur. *Les usagers de la poste.* ▷ Par ext. *Les usagers d'une langue.*

usant, ante adj. Très fatigant, qui use (la santé, les forces, la patience).

usé, ée adj. Détérioré par l'utilisation. *Chandail usé aux coudes.* – *Eaux usées,* salies par l'usage. – (Abstrait) *Sujet usé,* qui n'a plus d'intérêt pour avoir été trop employé. ▷ (Personnes) Affaibli, fatigué. *Femme usée par les épreuves.*

user v. [1] **I.** v. tr. indir. **1.** *User de :* se servir de, avoir recours à. *User de persuasion. Il use de termes savants.* **2.** Litt. *En user* (suivi d'un adv. ou comp. de manière) : agir, se comporter (de telle manière). *C'est en user avec désinvolture ! En user bien, mal avec qqn,* se conduire bien, mal envers lui. **II.** v. tr. **1.** Utiliser, consommer. *Cet appareil use peu d'électricité.* **2.** Détériorer (un objet) à force de s'en servir. Syn. abîmer, altérer, élimer. *Il use trois paires de chaussures par an.* **3.** Diminuer, affaiblir dans son fonctionnement. *User sa santé. La maladie l'a usé prématurément.* **III.** v. pron. **1.** Se détériorer à force d'usage. *Un tissu qui s'use vite.* **2.** (Abstrait) Devenir plus faible, s'amoindrir. *Sa résistance a fini par s'user.* **3.** (Personnes) S'affaiblir. *Il s'est usé à trop travailler.*

Ushuaia, v. d'Argentine, la plus australe du monde, en Terre de Feu; 11 000 hab.; ch.-l. de prov. Pêche.

usinable adj. TECH Qui peut être usiné.

usinage n. m. Ensemble des opérations effectuées à l'aide de machines-outils et qui ont pour but de façonner, de finir une pièce (par tournage, fraisage, rabotage, perçage, etc.).

usine n. f. **1.** Important établissement industriel employant des machines, destiné à transformer des matières premières ou des produits semi-finis en produits finis, ou à produire de l'énergie. *Usine d'automobiles, de produits chimiques, de conserves.* ▷ Spécial. *L'usine,* considérée comme un lieu de travail ou comme un outil de production particulier, spécifique. *Quitter la terre pour l'usine. Travailler en usine. – Pièces fournies au prix d'usine.* **2.** Fig., fam. Lieu où travaille un nombreux personnel, où règne une activité intense. *Ce bureau est une véritable usine.*

usine-center [yzinsɛntœʀ] n. m. (Faux anglicisme.) Complexe de vente directe de produits industriels au public. Syn. (off. recommandé) magasin d'usine.

usiner v. [1] **I.** v. tr. TECH **1.** Fabriquer dans une usine. **2.** Façonner (une pièce) avec une machine-outil. **II.** v. intr. (Le plus souvent impers.) Fam. *Ça usine! :* on travaille dur.

Usinger (Robert) (Fort Bragg, Californie, 1912 – San Francisco, 1968), entomologiste américain. Spécialiste des hétéroptères, il a notam. contribué à la sauvegarde de la faune des îles Galápagos.

usinier, ère adj. Didac. **1.** Relatif à l'usine. *Production usinière.* **2.** Où l'on trouve des usines. *Ville usinière.*

usité, ée adj. Vieilli Courant, en usage. ▷ Mod. LING *Locution, mot encore usités. Peu usité :* rare. Syn. usuel.

Üsküdar. V. Scutari.

usnée n. f. BOT Lichen (genre *Usnea*) à thalle fruticuleux très ramifié, qui croît sur les rochers et sur les arbres. *Usnée barbue :* barbe-de-capucin.
▶ illustr. **lichens**

Ussé (château d'), château de la vallée de la Loire (XVe-XVIe s.), sur l'Indre, dans la com. de Rigny-Ussé (Indre-et-Loire, arr. de Chinon).

Ussel, ch.-l. d'arr. de la Corrèze; 11 988 hab. Fonderie, constr. mécaniques. – Égl. des XIIe, XVe et XIXe s. Hôtel des ducs de Ventadour (XVIe s.). Maisons anciennes.

ustensile n. m. Objet, outil d'usage quotidien, ne comportant généralement pas de mécanisme, ou seulement un mécanisme de conception élémentaire. *Ustensile de cuisine, de ménage.*

ustilaginales n. f. pl. BOT Ordre de champignons basidiomycètes, agents des charbons* et des caries des céréales, caractérisés par des spores noires formant des masses pulvérulentes. – Sing. *Une ustilaginale.*

Ústí nad Labem, v. de Tchécoslovaquie, sur l'Elbe; 91 500 hab.; ch.-l. de la Bohême-Septentrionale. Lignite. Industr. chimiques et alimentaires.

Ustinov (Peter) (Londres, 1921), acteur, cinéaste et écrivain anglais. Acteur dans de nombr. films (*Quo vadis?,* 1951; *Lola Montès,* 1956; *Spartacus,* 1960; *Topkapi,* 1964; *Mort sur le Nil,* 1978), il compose des pièces satiriques et spirituelles (*l'Amour des quatre colonels,* 1951; *la Femme du soldat inconnu,* 1967).

usuel, elle adj. et n. m. Dont on se sert couramment. *Objet usuel. Terme usuel.* Syn. habituel, fréquent. ▷ n. m. Ouvrage de consultation courante (dictionnaire, catalogue bibliographique, etc.) mis en permanence à la disposition des lecteurs dans une bibliothèque.

usuellement adv. De façon usuelle, habituelle.

usufructuaire adj. DR Relatif ou propre à l'usufruit. Syn. usufruitier.

usufruit [yzyfʀɥi] n. m. DR Jouissance d'un bien ou des revenus d'un bien dont la nue-propriété appartient à un autre.

usufruitier, ère n. DR Personne qui a un bien en usufruit. ▷ adj. Syn. de *usufructuaire.*

Usumbura. V. Bujumbura.

usuraire adj. D'usure, relatif à l'usure (2). *Taux usuraire.*

1. usure n. f. Détérioration due à l'usage; état de ce qui est usé. *L'usure d'une pièce par frottement. Degré d'usure d'un pneu.* ▷ *Guerre d'usure,* dans laquelle chacun des adversaires s'efforce d'user petit à petit les forces de l'autre. ▷ Fam. *Avoir qqn à l'usure,* l'amener à céder à force de démarches, de prières répétées.

2. usure n. f. Intérêt supérieur au taux maximum légal, exigé par un prêteur; infraction de celui qui prête à un taux supérieur au taux maximum légal. ▷ Fig., litt. *Rendre, payer avec usure,* bien au-delà de ce qu'on a reçu.

usurier, ère n. Personne qui prête de l'argent avec usure.

usurpateur, trice n. Personne qui usurpe un pouvoir, un droit. – HIST *L'Usurpateur :* nom donné à Napoléon Ier par les royalistes.

usurpation n. f. Action d'usurper; son résultat.

usurpatoire adj. Didac. Qui a le caractère d'une usurpation.

usurper v. tr. [1] S'emparer, par la violence ou par la ruse de (un bien, une dignité, un pouvoir auxquels on n'a pas droit). Syn. s'approprier, s'arroger. *Usurper le trône.* ▷ Obtenir sans l'avoir mérité. *Il a usurpé sa réputation de lexicographe.*

ut [yt] n. m. **1.** MUS Première note de la gamme majeure ne comportant pas d'altération* à la clé* et sur laquelle est fondé notre système de notation musicale. Syn. cour. do. **2.** Ton de do. *Quatuor en ut majeur.*

UT Abrév. internationale pour *temps universel* (V. encycl. temps).

Utah, État du centre-ouest des É.-U.; 219 932 km²; 1 723 000 hab.; cap. *Salt Lake City.* – Une chaîne montagneuse (monts Wasatch, 3 620 m) sépare le plateau du Colorado, à l'E., du bassin du Grand Lac Salé, à l'O. Le climat est steppique. L'élevage bovin et ovin est important. L'irrigation permet quelques cultures : céréales, fourrages, légumes, etc. Les richesses minières des monts Wasatch (cuivre surtout, plomb, zinc, or, argent, uranium, houille, fer, etc.) sont à la base d'une import. industrie des métaux. – La mise en valeur de la région est due aux mormons, qui s'y installèrent en 1847. En 1896, l'Utah forma le quarante-cinquième État de l'Union.

Utamaro (Kitagawa) (Kawagoe, 1753 – Edo, auj. Tōkyō, 1806), peintre japonais; un des maîtres de l'estampe (école de l'ukiyo-e). Il s'attacha à exprimer les émotions de ses modèles (jeunes filles, courtisanes) : *Douze heures des maisons vertes, Dix types de visages féminins.*

UTC Abrév. internationale pour *temps universel coordonné* (V. encycl. temps).

utérin, ine adj. **1.** ANAT Qui concerne l'utérus. *Artère utérine.* **2.** DR *Frères utérins, sœurs utérines,* nés de la même mère mais de pères différents.

utérus [yteʀys] n. m. ANAT Chez la femme (et les femelles des mammifères supérieurs), organe musculeux creux qui sert de réceptacle à l'œuf fécondé pendant tout son développement jusqu'à l'accouchement (ou la mise bas). *Col de l'utérus.*

Utes, Amérindiens originaires de l'État d'Utah (qui leur doit son nom), qu'ils quittèrent pour le Colorado et le Nouveau-Mexique, où ils subsistent.

Uthman ou **Othman ibn Affan** (*'Uṯmān ibn 'Affān*) (m. en 656), troisième calife de l'islam (644-656). V. encycl. coran.

utile adj. et n. m. **I.** adj. **1.** (Choses) Propre à satisfaire un besoin. Syn. avantageux, profitable. *Une découverte utile à la société. Un cadeau utile. Utile à* (+ inf.) : qu'il est utile de. *Adresse utile à connaître.* ▷ Loc. *En temps utile :* en son temps, au moment opportun. ▷ PHYS *Travail, énergie, puissance utiles,* utilisables. ▷ TECH *Charge* utile.* ▷ GEOGR Économiquement exploitable. *La partie utile d'une région montagneuse.* **2.** (Personnes) Qui rend ou qui peut rendre un service. *Il sait se rendre utile. Ménage-le, il peut t'être utile un jour.* **II.** n. m. Ce qui est utile. *Joindre l'utile à l'agréable.*

utilement adv. De façon utile, avec fruit. *On consultera utilement cet ouvrage.*

utilisable adj. Qui peut être utilisé.

utilisateur, trice n. Personne qui utilise (qqch). *Recommandations aux utilisateurs de la machine.* Syn. usager.

utilisation n. f. Action, manière d'utiliser. *Pour une bonne utilisation de ce produit.*

utiliser v. tr. [1] **1.** Se servir de, employer. *Utiliser un outil, un produit.* **2.** Faire servir à tel usage particulier (ce qui n'y était pas spécialement destiné). *Colleur d'affiches qui utilise tous les murs.*

utilitaire adj. **1.** Qui a avant tout un caractère d'utilité pratique; qui n'est pas destiné à la distraction, aux loisirs, etc. *Véhicules utilitaires et véhicules de tourisme.* **2.** Qui s'attache à l'aspect utile, matériel des choses. *Souci, calcul strictement utilitaire.* **3.** PHILO Syn. de *utilitariste.*

utilitarisme n. m. PHILO Toute doctrine selon laquelle l'utile est la source de toutes les valeurs. *L'utilitarisme de Bentham, de Stuart Mill, de Herbert Spencer.*

utilitariste adj. et n. PHILO Qui a rapport à l'utilitarisme. ▷ Subst. Partisan de l'utilitarisme.

utilité n. f. **1.** Fait d'être utile; qualité, caractère de ce qui est utile. *Utilité d'un nouveau procédé.* **2.** Commodité, convenance (de qqn). *Cela ne lui est d'aucune utilité.* – *Expropriation pour cause d'utilité publique,* du fait de l'acquisition par l'Administration de propriétés particulières, même contre la volonté des propriétaires, en vue de l'intérêt général. **3.** Petit rôle. *Acteur qui joue les utilités.* – Par anal. *Jouer les utilités* : avoir un rôle secondaire.

Utique, anc. v. d'Afrique, au N.-O. de Carthage, au pied du djebel Menzel. Elle devint la cap. de la prov. romaine d'Afrique après la ruine de Carthage (146 av. J.-C.); elle s'éteignit au VIIe s.

utopie n. f. **1.** Didac. Projet d'organisation politique idéale (comme celle du pays d'*Utopie* imaginé par Thomas More). ▷ Cour. Idéal, projet politique qui ne tient pas compte des réalités. **2.** *Par ext.* Toute idée, tout projet considéré comme irréalisable, chimérique. *Le mouvement perpétuel est-il une utopie ?*

utopique adj. Qui a les caractères d'une utopie. *Projet utopique. Socialisme utopique, opposé par F. Engels au socialisme scientifique.*

utopisme n. m. Attitude de l'utopiste (sens 2).

utopiste n. et adj. **1.** n. Didac. Auteur d'une utopie (sens 1). **2.** adj. et n. Qui relève de l'utopie; qui a des idées utopiques.

Utrecht, v. des Pays-Bas, sur le canal d'Amsterdam au Rhin; 230 370 hab.; ch.-l. de la prov. du m. nom. Grand centre commercial; industries (méca., électr., text., chim., etc.) en essor. – Archevêché catholique. Université. Musées. Cath. gothique (XIIIe-XVIe s.). – La ville s'est développée autour d'une forteresse romaine. Au VIIe s., les Mérovingiens en firent un centre d'évangélisation des Frisons, qu'ils avaient soumis. Siège d'une riche principauté ecclésiastique (en déclin au XIVe s.), centre drapier prospère, Utrecht revint aux Pays-Bas espagnols en 1528, puis fut gagnée au calvinisme et, enfin, intégrée aux Provinces-Unies (1579). – La *province d'Utrecht* (1 328 km^2; 965 000 hab.) est une région de polders et de forêts.

Utrecht (traités d'), traités, signés de 1713 à 1715, qui mirent fin à la guerre de la Succession* d'Espagne. Pour être reconnu roi d'Espagne, Philippe V dut céder des territoires à l'Autriche (possessions espagnoles en Italie et aux Pays-Bas) et à l'Angleterre (Gibraltar, Minorque). À cette dernière, Louis XIV dut céder Terre-Neuve, l'Acadie, la baie d'Hudson et l'île de Saint-Christophe; en outre, il cessa d'appuyer le prétendant Stuart et reconnut la dynastie protestante ainsi que le titre de roi de Prusse à l'Électeur de Brandebourg.

Utrecht (Union d'), pacte liant les sept prov. protestantes des Pays-Bas contre l'Espagne (23 janv. 1579).

utriculaire adj. et n. f. **1.** adj. SC NAT En forme d'utricule. **2.** n. f. BOT Plante carnivore d'eau douce dont les feuilles immergées sont des utricules qui assurent la capture de plancton.

utricule n. m. **1.** BOT Organe en forme de petite outre, présent notam. chez l'utriculaire. **2.** ANAT Petite vésicule de l'oreille interne, où aboutissent les canaux semi-circulaires.

Utrillo (Maurice) (Paris, 1883 – Dax, 1955), peintre français; fils naturel de Suzanne Valadon. Son style est un mélange de naïveté formelle et de raffinement chromatique. Montmartre fut la source princ. de son inspiration.

Utsunomiya, v. du Japon, au N. de Tōkyō; 405 380 hab.; ch.-l. de ken. – Université. Centre touristique.

Uttar Pradesh, État du N. de l'Inde; 294 413 km^2; 138 760 400 d'hab.; cap. *Lucknow.* – Aux frontières de la Chine et du Népal, cet État (le plus peuplé de l'Inde : 376,5 hab./km^2) s'étend essentiellement dans la plaine du Gange, entre l'Himalaya et le Dekkan. Les crues sont fréquentes, l'irrigation permet deux récoltes par an (blé, riz, canne à sucre, coton). De modestes industries traitent ces produits. Les villes sont des centres artisanaux (poterie, joaillerie, soie) et religieux (Bénarès, Āgra, Allahābad), avec quelques industries modernes (chimie, textiles, mécaniques).

Uusikaupunki. V. Nystad

1. U.V. Abrév. de *ultraviolet.*

2. U.V. Abrév. de *unité* de valeur.*

uval, ale, aux adj. Didac. Qui a rapport au raisin. *Cure uvale,* à base de raisin.

Uvéa ou **Ouvéa,** la princ. des îles Wallis (Polynésie), portant le ch.-l. *Mata-Utu*; 5 821 hab.

uvéal, ale, aux adj. ANAT Relatif à l'uvée.

uvée n. f. ANAT Tunique vasculaire de l'œil, entre la sclérotique et la rétine.

uvéite n. f. MED Inflammation de l'uvée.

uvulaire adj. ANAT Qui a rapport à la luette. ▷ PHON *R uvulaire,* que l'on prononce en faisant vibrer la luette (par oppos. à *r apical*).

Uxellodunum, anc. v. de la Gaule (pays des Cadurques, le Quercy actuel). Ce fut l'un des derniers lieux de résistance à César (51 av. J.-C.). On ignore sa localisation exacte.

Uxmal, anc. cité maya, dans le Yucatán, qui aurait été fondée au Xe s. Pyramide import. et nombr. palais.

Uzerche, ch.-l. de cant. de la Corrèze (arr. de Tulle), sur la Vézère; 2 891 hab. – Égl. romane (crypte du XIe s., clocher des XIe-XIIe s.). Maisons du XVe s.

Uzès, ch.-l. de cant. du Gard (arr. de Nîmes), sur l'Alzon; 7 955 hab. – Anc. évêché. Chât. ducal (donjon carré du XIe s., façade du XVIe s.). Hôtel de ville (XVIIIe s.).

Maurice **Utrillo** : *Rue de Paris à Asnières;* coll. part.

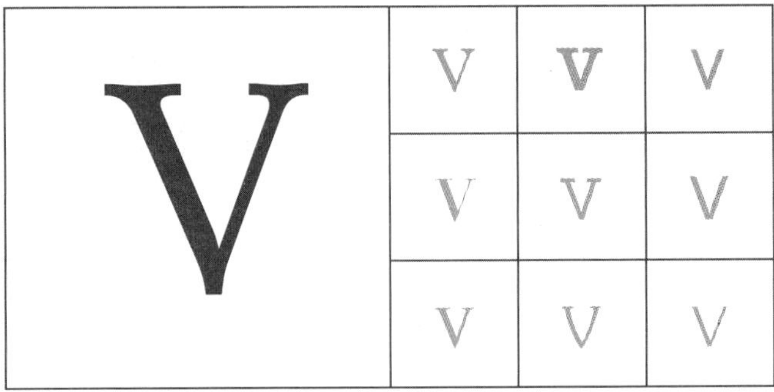

v [ve] n. m. **1.** Vingt-deuxième lettre (v, V) et dix-septième consonne de l'alphabet, notant la fricative labiodentale sonore [v]. ▷ *En V :* disposé selon les branches d'un V, en forme de V. *Moteur à huit cylindres en V.* **2.** V : chiffre romain qui vaut 5. **3.** ELECTR V : symbole du volt. ▷ GEOM V : symbole de volume. ▷ PHYS V, v : symbole de vitesse. – V : symbole de potentiel. ▷ CHIM V : symbole du vanadium.

V1, V2 n. m. Fusée porteuse d'explosifs, à grand rayon d'action, utilisée par les Allemands en 1944 et 1945.

va Forme du v. aller (cf. aller 1). **1.** Loc. *Va pour :* soit, j'accepte. *Va pour mille francs.* **2.** Interj. (Accompagnant une approbation, un encouragement ou une menace.) *Je te comprends, va !* ▷ Pop. (Accompagnant une injure.) *Va donc, eh, chauffard !*

VA ELECTR Symbole du voltampère.

Vaal (le), riv. de l'Afrique du Sud (1 200 km), affl. de l'Orange (r. dr.), entre l'Orange et le Transvaal. Barrages pour l'irrigation.

Vaasa, v. et port de Finlande, sur le golfe de Botnie; 53 760 hab.; ch.-l. du län du m. nom. Importation de pétrole et de charbon. Industr. text. et alim.

vacance n. f. **I.** Sing. **1.** État d'une dignité, d'une charge vacante. *La vacance du trône.* **2.** Dignité, charge vacante. *Il y a une vacance à l'Académie française.* **II.** Plur. **1.** Période de l'année pendant laquelle une activité donnée est interrompue. *Les vacances scolaires, universitaires.* ▷ *Spécial.* DR Période annuelle d'interruption des séances des tribunaux. **2.** Période de l'année correspondant à peu près aux vacances scolaires, et pendant laquelle de nombreuses personnes partent en congé. *Les grandes vacances,* pendant les mois d'été. *Vacances d'hiver. Le magasin fermera pendant les vacances.* **3.** Temps pendant lequel une personne interrompt ses occupations habituelles pour prendre du repos; période de congé. *Prendre quelques jours de vacances.*

vacancier, ère n. et adj. **1.** n. Personne qui est en vacances dans un lieu de villégiature. **2.** adj. Qui concerne les vacances. *La ruée vacancière du mois d'août*

vacant, ante adj. Qui n'est pas occupé. *Appartement vacant.* Syn. inoccupé, libre, vide. ▷ *Spécial.* (En parlant d'un emploi, d'une charge.) *Poste vacant. Chaire d'université vacante.* ▷ DR *Biens vacants,* sans propriétaire. *Succession vacante,* ouverte et non réclamée.

vacarme n. m. Bruit très fort; tapage, tumulte.

vacataire n. Personne qui, pour un temps déterminé, occupe un emploi sans en être titulaire.

vacation n. f. **1.** DR Temps consacré à une affaire par un expert (ou assimilé); rémunération de cette activité. ▷ *Spécial.* Séance de vente aux enchères. ▷ *Par ext.* Temps pendant lequel une personne est affectée, à titre d'auxiliaire, à une tâche précise; cette tâche elle-même. *Ce médecin assure trois vacations par semaine à l'hôpital.* **2.** Plur. DR Vacances des gens de justice.

Vaccarès (étang de), vaste étang (6 000 ha) des Bouches-du-Rhône, en Camargue. Réserve zool. et botanique.

vaccin [vaksɛ̃] n. m. MED **1.** Anc. Virus de la vaccine, employé d'abord par Jenner dans la vaccination contre la variole. **2.** *Par ext.* Préparation dont l'inoculation dans un organisme provoque un état d'immunité à l'égard d'un microorganisme (virus, bactérie, etc.) déterminé. ▷ Fig., *Un vaccin contre la paresse.*

vaccinal, ale, aux adj. MED Qui concerne un vaccin, la vaccination. *Réaction vaccinale.*

vaccination n. f. Action de vacciner. ENCYCL **Méd.** – La première vaccination a été pratiquée par Jenner (1796), pour protéger de la variole, en inoculant le liquide prélevé dans les pustules du pis de vaches atteintes de la vaccine. Mais il fallut attendre Pasteur, qui réalisa le vaccin contre la rage, pour qu'une véritable théorie de la vaccination voie le jour : l'injection dans un organisme d'un antigène microbien non virulent provoque le développement d'une défense immunitaire active (immunité humorale et cellulaire) face à l'infection. La législation a rendu certains vaccins obligatoires.

vaccine n. f. **1.** MED VET Maladie infectieuse des bovins et du cheval, due à un virus, qui est transmissible à l'homme (qu'elle immunise contre la variole). **2.** MED Réactions apparaissant chez l'homme après l'inoculation du vaccin contre la variole.

vacciner [vaksine] v. tr. [**1**] **1.** Immuniser par un vaccin. **2.** Fig., plaisant Immuniser contre, préserver de (un désagrément, un danger). *Après trois divorces, il doit être vacciné contre le mariage.*

vaccinologie n. f. Étude des vaccins et de la vaccination.

vaccinostyle n. m. Petite lame qui permet de vacciner par scarification.

vaccinothérapie n. f. MED Utilisation d'un vaccin à des fins thérapeutiques (et non préventives).

vachard, arde adj. Fam. Méchant. *Une allusion vacharde.*

1. vache n. f. **1.** Femelle du taureau. *Vache laitière. Traire les vaches. Bouse de vache. La vache meugle ou beugle.* ▷ *Maladie de la vache folle :* nom courant de l'encéphalopathie spongiforme bovine. **2.** Cuir de cet animal. *Sac en vache.* **3.** Vx Malle ou valise en cuir de vache. ▷ Mod. *Vache à eau :* sac de toile dans lequel les campeurs conservent

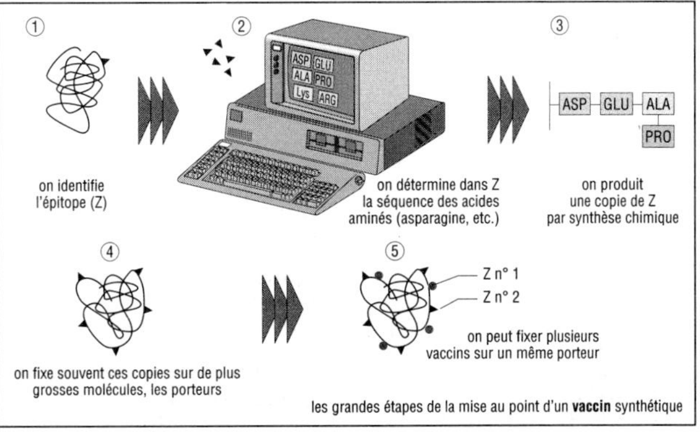

1
on identifie
l'épitope (Z)
2
ASP GLU
ALA PRO
Lys ARG
on détermine dans Z
la séquence des acides
aminés (asparagine, etc.)
3
ASP GLU ALA
PRO
on produit
une copie de Z
par synthèse chimique
4
on fixe souvent ces copies sur de plus
grosses molécules, les porteurs
5
Z n° 1
Z n° 2
on peut fixer plusieurs
vaccins sur un même porteur

les grandes étapes de la mise au point d'un **vaccin** synthétique

l'eau. **4.** Loc. fam. *Manger de la vache enragée :* endurer de nombreuses privations. – Fam. *Période de vaches maigres,* de privations. – Fam. *Parler français comme une vache espagnole,* très mal. – Fam. *Il pleut comme vache qui pisse,* très fort. – Fam. *Vache à lait :* personne dont on tire un profit. ► illustr. bœuf

2. vache n. f. et adj. Fam. **I.** n. f. Personne dure, méchante. *C'est une sacrée vache, une vraie peau de vache. Les vaches! Ils nous ont bien eus!* ▷ Vx *Mort aux vaches! :* mort aux agents de police! **II.** adj. **1.** Dur, méchant, impitoyable. *L'examinateur a été très vache. C'est vache :* c'est dur, pénible. **2.** (Avant le nom.) Très bon, très beau, sensationnel. *On m'a offert un vache de bouquin. Il a trouvé un vache de boulot.*

Vaché (Jacques) (Lorient, 1896 – Nantes, 1919), écrivain français (*Lettres de guerre,* posth., 1919). Dadaïste avant la lettre, il rencontra A. Breton en 1916 et exerça une influence décisive sur le surréalisme.

vachement adv. Fam. Beaucoup, très. *Tu lui as fait vachement plaisir.*

vacher, ère n. Personne qui garde les vaches et les soigne.

vacherie n. f. **I.** Rég. Étable à vaches; endroit où l'on trait les vaches. **II.** Fam. **1.** Action, parole méchante, sournoise. *Faire, dire des vacheries à qqn.* **2.** Caractère d'une personne, d'une action vache. *Il est d'une vacherie!* ▷ Chose désagréable. *Vacherie de temps!*

vacherin n. m. **1.** Fromage suisse et franc-comtois au lait de vache, à pâte molle et onctueuse. **2.** Gâteau fait de meringue et de crème glacée.

vachette n. f. **1.** Jeune vache; petite vache. **2.** Cuir de la jeune vache. **3.** BOT Champignon (lactaire) comestible, au chapeau d'aspect mat, pouvant aller du jaune au rouge brique, au lait abondant.

vacillant, ante adj. Qui vacille.

vacillation n. f. Fait de vaciller. *Les vacillations d'une lueur.* Syn. vacillement.

vacillement n. m. **1.** Mouvement de ce qui vacille. **2.** Syn. de *vacillation.*

vaciller v. intr. [1] **1.** Bouger en penchant d'un côté puis de l'autre, en risquant de tomber. *Il vacillait de fatigue.* **2.** (En parlant d'un éclairage à flamme vive.) Trembler, éclairer de façon incertaine. *La flamme de la bougie vacillait au moindre souffle.* **3.** Fig. Perdre son équilibre, sa fermeté. *Il sentait sa raison vaciller.*

vacuité n. f. Didac. Fait d'être vide; état, caractère de ce qui est vide. ▷ Litt. Vide intellectuel, moral.

vacuolaire adj. BIOL Relatif aux vacuoles; qui est pourvu de vacuoles. *Le système vacuolaire :* vacuome.

vacuole n. f. **1.** GEOL Petite cavité à l'intérieur d'une roche. **2.** BIOL Région dilatée du réticulum endoplasmique dans laquelle se trouvent, en solution ou cristallisées, diverses substances.

vacuome n. m. BIOL Ensemble des vacuoles d'une cellule.

vacuum [vakyɔm] n. m. Didac. Espace vide, sans matière.

vade-mecum [vademekɔm] n. m. inv. Litt. Agenda, aide-mémoire que l'on garde sur soi.

vade retro! ou vade retro, Satana(s)! [vadeʀetʀosatana(s)] interj. (Mots lat.) Litt. ou plaisant Arrière! Éloigne-toi! (pour repousser une proposition ou une tentation avec indignation).

Vadimon (lac) (auj. *lac de Bassano*), lac d'Italie (Toscane), où les Romains vainquirent les Gaulois en 283 av. J.-C.

Vadodara (anc. *Baroda*), v. de l'Inde (Gujerât); 1 021 000 hab. Industr. textiles (coton), chimiques.

vadrouille n. f. Fam. Promenade, action de vadrouiller. *Partir en vadrouille.*

vadrouiller v. intr. [1] Fam. Se promener au hasard, sans but précis. Syn. errer, rôder, traîner.

Vaduz, cap. du Liechtenstein, sur le Rhin; 4 900 hab. Tourisme. – Château princier (XIIe-XVIIe s., restauré).

Vaenius ou **Van Veen** (Otto) (Leyde, 1556 – Bruxelles, 1629), peintre flamand, maître de Rubens de 1596 à 1600.

va-et-vient n. m. inv. **1.** Allées et venues incessantes de personnes. *Il y a beaucoup de va-et-vient dans ces bureaux.* **2.** Mouvement qui s'effectue régulièrement dans un sens, puis dans l'autre. *Le va-et-vient d'un balancier.* **3.** TECH Dispositif qui assure une communication, dans un sens puis dans un autre, entre deux objets ou deux points. ▷ *Spécial.* Branchement électrique qui permet de commander un circuit à partir de deux interrupteurs. **4.** MAR Système de double cordage. **5.** Gond de porte à ressort permettant l'ouverture dans les deux sens; porte munie de ce système.

vagabond, onde adj. et n. **I.** adj. Litt. Qui voyage sans cesse, qui n'a pas de lieu de résidence fixe. Syn. nomade. ▷ *Avoir une existence vagabonde.* Syn. errant. ▷ Fig., litt. Qui ne se fixe pas sur un objet, qui varie constamment, en parlant des pensées, de l'imagination. *Imagination vagabonde.* **II.** n. Personne sans domicile ni ressources fixes, qui vit d'expédients. Syn. chemineau, clochard.

vagabondage n. m. **1.** Fait d'être un vagabond. *Délit de vagabondage.* **2.** Fait d'errer sans but. *Il avait l'habitude de ces vagabondages nocturnes.* **3.** Fig., litt. *Les vagabondages de l'imagination.*

vagabonder v. intr. [1] **1.** Se déplacer à l'aventure. *Vagabonder à travers le monde.* **2.** Fig., litt. Aller d'un objet à un autre, sans suite (pensées, imagination).

vagal, ale, aux adj. ANAT, PHYSIOL Relatif au nerf pneumogastrique. *Bradycardie vagale.*

vagin n. m. Conduit qui relie le col utérin à la vulve chez la femme et les femelles des mammifères.

vaginal, ale, aux adj. **1.** ANAT, MED Relatif au vagin. **2.** ANAT *Tunique vaginale* ou, n. f., *la vaginale :* chez l'homme, membrane séreuse qui entoure le testicule.

vaginalite n. f. MED Inflammation de la tunique vaginale.

vaginé, ée adj. BOT Entouré d'une gaine.

vaginisme n. m. MED Contraction douloureuse des muscles constricteurs du vagin gênant les rapports sexuels chez la femme.

vaginite n. f. MED Inflammation de la muqueuse du vagin.

vagir v. intr. [3] Pousser des vagissements.

vagissant, ante adj. Qui vagit.

vagissement n. m. **1.** Cri d'un enfant nouveau-né. **2.** *Par ext.* Cri faible et plaintif de certains animaux (lièvre et crocodile, notam.).

vagolytique adj. PHYSIOL Qui inhibe l'activité du nerf pneumogastrique *(nerf vague).*

vagotomie n. f. CHIR Section chirurgicale du nerf pneumogastrique.

vagotonie n. f. MED État de désordre physique causé par une prédominance anormale de l'activité du système parasympathique (régi par le pneumogastrique ou nerf vague), entraînant divers troubles (sudation intense, bradycardie, hypotension artérielle, myosis, pâleur).

1. vague n. f. **1.** Soulèvement local, plus ou moins volumineux, de la surface d'une étendue liquide dû à diverses forces naturelles (vent, courants, etc.); masse d'eau ainsi soulevée, au moment où elle déferle sur un rivage. *Plonger dans une vague.* – Loc. *Vague de fond :* lame* de fond; fig. large mouvement (d'opinion, social, etc.) qui se manifeste de façon irrésistible. **2.** (Par anal. de forme.) Ondulation (sur une étendue non liquide : sables, herbes, etc.). – ARCHI Ornement imitant les flots de la mer. **3.** Fig. Ce qui évoque le mouvement, le flux des vagues. *Les vacanciers arrivèrent par vagues successives. Une vague de froid. Une vague de dégoût le submergea.* – Manifestation collective soudaine. *Le pays est en proie à une vague de violence.* ▷ CINE *La Nouvelle Vague :* V. ce nom.

2. vague adj. *Terrain vague :* terrain qui n'est ni planté, ni construit, dans une ville ou à proximité.

3. vague adj. et n. m. **I.** Vx Errant. ▷ Mod. ANAT *Nerf vague* ou, n. m., *le vague :* le nerf pneumogastrique (à cause de ses ramifications très étendues). **II. 1.** Dont les contours, les limites manquent de précision, de netteté. *Formes vagues.* ▷ n. m. *Le vague des contours, dans un tableau.* **2.** Se dit d'un vêtement qui n'est pas ajusté; ample. *Robe, manteau vague.* **3.** Qui manque de précision, mal défini. *Des explications, des indications trop vagues.* Syn. flou, imprécis. ▷ n. m. *Rester, être dans le vague.* – *Avoir les yeux dans le vague, regarder dans le vague,* dans le vide. **4.** (Personnes) Évasif. *Il est resté vague quant à son avenir.* **5.** Que l'esprit ne sait analyser de façon précise. *Il a la vague impression de s'être fait duper.* Syn. confus, obscur. ▷ Loc. *Vague à l'âme :* mélancolie sans raison bien définie. **6.** (Avant le nom.) Péjor. Quelconque, insignifiant. *Il n'a qu'un vague diplôme d'une école inconnue.*

vaguelette n. f. Petite vague.

vaguement adv. **1.** D'une manière vague, peu distincte. *On aperçoit vaguement une lueur.* **2.** D'une manière peu précise. *Il nous a répondu très vaguement.* **3.** Faiblement, confusément. *Vaguement ému.*

vaguemestre n. m. MILIT, MAR Sous-officier, officier marinier chargé du service postal, dans un régiment, à bord d'un navire.

vaguer v. intr. [1] Litt. Errer. ▷ Fig. Vagabonder. *Laisser vaguer ses pensées.*

Váh (le), riv. de Slovaquie (433 km), affl. du Danube (r. g.); naît dans les Basses Tatras. Équipement hydroélectrique.

vahiné n. f. Femme tahitienne.

vaiçya n. m. inv. En Inde, membre de la caste des marchands, éleveurs et agriculteurs.

vaillamment adv. Avec vaillance, courage.

vaillance n. f. **1.** Litt. Bravoure. **2.** Courage devant la difficulté, l'adversité.

Vailland (Roger) (Acy-en-Multien, Oise, 1907 - Meillonnas, Ain, 1965), écrivain français. Proche des surréalistes, journaliste, il participa à la Résistance et adhéra au parti communiste (1952). Romans : *Drôle de jeu* (1945), *les Mauvais Coups* (1948), *Beau Masque* (1954), *la Loi* (prix Goncourt 1957), *la Truite* (1964). Essais : *Laclos par lui-même* (1953), *Éloge du cardinal de Bernis* (1957); *Écrits intimes* (posth., 1969).

vaillant, ante adj. **1.** Litt. Brave. *Vaillants soldats.* **2.** Plein de vaillance (sens 2). - (Surtout en tournure négative.) En bonne santé, en bonne forme. *Il ne se sentait pas très vaillant ce jour-là.* **3.** Loc. *N'avoir pas un sou vaillant* : n'avoir pas d'argent.

Vaillant (Édouard) (Vierzon, 1840 - Paris, 1915), homme politique français. Marxiste, membre de la Commune en 1871, réfugié en Angleterre jusqu'à l'amnistie (1880), il fut député à partir de 1893 et l'un des princ. dirigeants du socialisme international; il se rallia à l'Union sacrée en 1914.

Vaillant (Auguste) (Mézières, v. 1861 - Paris, 1894), anarchiste français, condamné à mort et exécuté pour avoir lancé une bombe dans l'hémicycle de la Chambre des députés (9 déc. 1893).

Vaillant-Couturier (Paul) (Paris, 1892 - id., 1937), journaliste et homme politique français. Député communiste (1919-1928, 1936), il fut le rédacteur en chef de *l'Humanité* à partir de 1928.

vain, vaine adj. **1.** Vx Vide. ▷ *Vaine pâture* : droit de faire paître des bêtes sur les terres d'autrui quand elles ne portent pas de récolte. **2.** Vide de sens. *Ce n'est pas un vain mot.* - Qui n'est pas fondé, illusoire. *Vain espoir.* **3.** (Sens moral.) Litt. Dépourvu de profondeur, de valeur. *Plaisirs vains.* - (Personnes) Dont l'esprit, les préoccupations manquent de profondeur. - Plein de vanité. Syn. futile, frivole. **4.** Qui reste sans effet. *Démarche vaine. Vains efforts.* Syn. inutile, inefficace. **5.** Loc. adv. *En vain* : inutilement; sans succès.

vaincre v. tr. **[57] 1.** Remporter une victoire militaire sur. *Vaincre l'ennemi.* ▷ *Par ext.* (Dans une compétition.) *Vaincre un concurrent à la course.* Syn. battre. **2.** Surmonter, venir à bout de. *Vaincre la résistance, l'obstination de qqn.* Syn. triompher (de). ▷ (Sens moral.) Maîtriser, dominer. *Vaincre sa colère, ses passions.*

vaincu, ue adj. et n. Qui a subi une défaite. *Ennemi vaincu. Vaincu d'avance* : qui ne peut qu'être vaincu (étant donné son état d'esprit, la situation, etc.). ▷ Subst. *Malheur aux vaincus.*

vainement adv. En vain.

vainqueur n. m. et adj. m. **I.** n. m. **1.** Celui qui a vaincu dans un combat. **2.** Celui qui a remporté une compétition. *La coupe du vainqueur.* Syn. gagnant. **3.** Celui qui a triomphé (de qqch). *Une lutte contre la maladie dont il est le vainqueur.* **II.** adj. m. Qui marque la victoire, victorieux. *Un air vainqueur. Elle est vainqueur.*

vair n. m. **1.** Vx Fourrure blanc et gris de quelques écureuils, et partic. celle du petit-gris. **2.** HERALD Fourrure de l'écu représentée par les rangées de pièces en forme de clochetons d'argent et d'azur.

Vaires-sur-Marne, ch.-l. de cant. de Seine-et-Marne (arr. de Meaux); 11 227 hab.

1. vairon adj. m. Se dit des yeux dont l'iris est entouré d'un cercle blanchâtre ou qui ne sont pas de la même couleur.

2. vairon n. m. Poisson cyprinidé comestible des eaux douces courantes (genre *Phoxinus*), dépassant rarement une dizaine de centimètres de long, au dos brun-vert à reflets métalliques.

Vaison-la-Romaine, ch.-l. de cant. du Vaucluse (arr. de Carpentras); 5 701 hab. - Nombr. ruines gallo-romaines de l'antique *Vasio* : théâtre, portiques, maisons, etc. Cath. romane (XIe-XIIe s.) avec cloître. Vestiges d'un chât. médiéval. Maisons anciennes.

vaisseau n. m. **I. 1.** ANAT Canal dans lequel circule le sang (artères, veines ou capillaires) ou la lymphe (vaisseaux lymphatiques). **2.** BOT Élément conducteur de la sève brute. **II. 1.** MAR Bâtiment de guerre. *Enseigne de vaisseau. Vaisseau amiral.* **2.** ESP *Vaisseau spatial* : engin spatial de grandes dimensions, généralement piloté par un cosmonaute. Syn. astronef. **3.** ARCHI Espace intérieur d'un grand édifice (édifice voûté, en partic.). *Le vaisseau de Notre-Dame de Paris.*

vaisselier n. m. Meuble servant à ranger la vaisselle.

vaisselle n. f. **1.** Ensemble des récipients dont on se sert à table. *Vaisselle de porcelaine.* ▷ *Vaisselle plate* : vaisselle d'or ou d'argent faite d'une seule lame de métal. **2.** Ensemble des récipients et des ustensiles qui ont servi pour un repas et qui restent à nettoyer. *Laver la vaisselle.* ▷ L'opération de nettoyage elle-même. *Faire la vaisselle.*

val, vals ou **vaux** n. m. **1.** Vx ou poét. (sauf dans les noms de lieux). Vallée. *Val de Loire. Les Vaux-de-Cernay.* ▷ Loc. adv. Mod. *Par monts et par vaux* : par tous les chemins, partout. **2.** GEOL Dans le relief plissé de type jurassien et préalpin, dépression qui s'allonge dans le creux d'un synclinal, suivant l'axe de celui-ci.

valable adj. **1.** Qui a les formes requises pour être reconnu, reçu en justice. *Quittance valable.* - Qui a les conditions requises pour être accepté par une autorité. *Mon passeport n'est plus valable.* **2.** Qui est fondé, admissible. *Cette excuse n'est pas valable. Argument, théorie qui reste valable.* **3.** (Emploi critiqué.) Qui a une certaine valeur. *Un écrivain valable.* - *Un interlocuteur valable,* qualifié.

valablement adv. D'une manière valable. *On peut valablement objecter que...*

Valachie, rég. de Roumanie et anc. principauté danubienne, entre les Carpates méridionales et le Danube; ville princ. *Bucarest.* Elle couvre la Munténie, à l'E. de l'Olt, et l'Olténie, à l'O. Le relief est constitué de collines étagées du N. au S., reliant les Carpates méridionales à la plaine du Danube. Richesses variées : agricoles (céréales, betteraves sucrières, etc.) et minières (lignite, hydrocarbures, sel gemme, etc.). - Au XIIIe-XIVe s. apparut la voïvodie de Valachie, qui s'émancipa de la tutelle hongroise (v. 1330). En 1396, la principauté tomba sous la suzeraineté ottomane, qu'elle ne put rejeter malgré quelques tentatives, notam. celle de Michel le Brave (1593-1601). Placée sous la protection des grandes puissances européennes (1856), elle s'unit à la Moldavie (1858) pour former la Roumanie.

Valadon (Marie Clémentine, dite Suzanne) (Bessines-sur-Gartempe, 1865 - Paris, 1938), peintre français, mère d'Utrillo. Acrobate de cirque, modèle de Toulouse-Lautrec, de Renoir, de Degas. Encouragée par ce dernier, elle peignit des nus, des paysages, des natures mortes avec une rare vigueur d'expression.

Valais (en all. *Wallis*), cant. de Suisse, à la frontière franç. et ital.; 5 226 km^2; 247 550 hab. (de langues franç., pour les deux tiers, et all.); ch.-l. *Sion.* - Ce cant. alpin profondément encaissé est drainé par le Rhône supérieur. Il vit de l'élevage, de la polyculture (vigne, notam.) mais surtout de l'industrie (électrochimie, électrométallurgie, alimentation, textiles), que sert une abondante hydroélectricité, et du tourisme, estival et hivernal (Zermatt). - Le comté du Valais, partie de la Bourgogne transjurane, fut donné en 999 aux évêques de Sion. Allié des cantons suisses (XVe s.), occupé par les Français (1798), le Valais forma une république indépendante (1802), puis le dép. français du Simplon (1810). En 1814, il forma le 20e canton de la Confédération.

valaisan, anne adj. Du Valais. ▷ Subst. *Un(e) Valaisan(ne).*

valaque adj. et n. Didac. De la Valachie.

Valaques, bergers, sans doute originaires de Thrace, qui descendirent des montagnes vers la plaine danubienne au début du XIIIe s.

Valberg (col de), col des Alpes-Mar. (1 669 m); stat. de sports d'hiver (alt. 1 700-2 000 m).

Valbonne, com. des Alpes-mar. (arr. de Grasse); 9 715 hab. - Le *plateau de Valbonne,* qui déborde les limites communales, abrite le complexe scientif. et industriel de *Sophia-Antipolis.*

Valdaï (plateau du ou des), rég. de collines (alt. max. 321 m) de Russie, au N.-O. de Moscou, où prennent leur source la Volga, le Dniepr et la Dvina occidentale.

Val d'Aoste, région du N.-O. de l'Italie et de la C.E., dans les Alpes, frontalière de la France et de la Suisse; 3 262 km^2; 114 300 hab.; cap. : *Aoste.* Langues off. : italien, français; du fait de la présence d'une forte minorité francophone, la région jouit d'un statut d'autonomie depuis 1945.

Val-de-Grâce (le), hôpital militaire (depuis 1793) de Paris (V^e^ arr.), anc. couvent de bénédictines fondé par Anne d'Autriche en 1621 et dont l'église (bâtie en exécution d'un vœu formé pour la naissance du futur Louis XIV), commencée en 1645 par Mansart, fut continuée par Lemercier, Le Muet et Le Duc (coupole décorée par Mignard).

Val de Loire, nom donné à la vallée de la Loire entre Briare et le confluent du Cher. Longue de plus de 300 km, large de 3 à 12 km, elle comprend le val d'Orléans, le val de Loire (au sens étroit : entre Orléans et Tours) et le val de Touraine. Cette région, tapissée d'alluvions, se prête à une agriculture diversifiée et riche (primeurs, fleurs, vignobles).

Valdemar, nom de quatre rois de Danemark. — **Valdemar Ier le Grand** (Slesvig, 1131 - Vordingborg, 1182), roi de 1157 à 1182, unifia le pays et lutta contre les Wendes. — **Valdemar II** (?, 1170 - Vordingborg, 1241), roi de 1202 à 1241, conquit l'Estonie et fit établir un inventaire fiscal du royaume. — **Valdemar III** (v. 1314 - 1364), roi de 1326 à 1330; il fut déposé. — **Valdemar IV** (v. 1320 - 1375), roi de 1340 à 1375; il

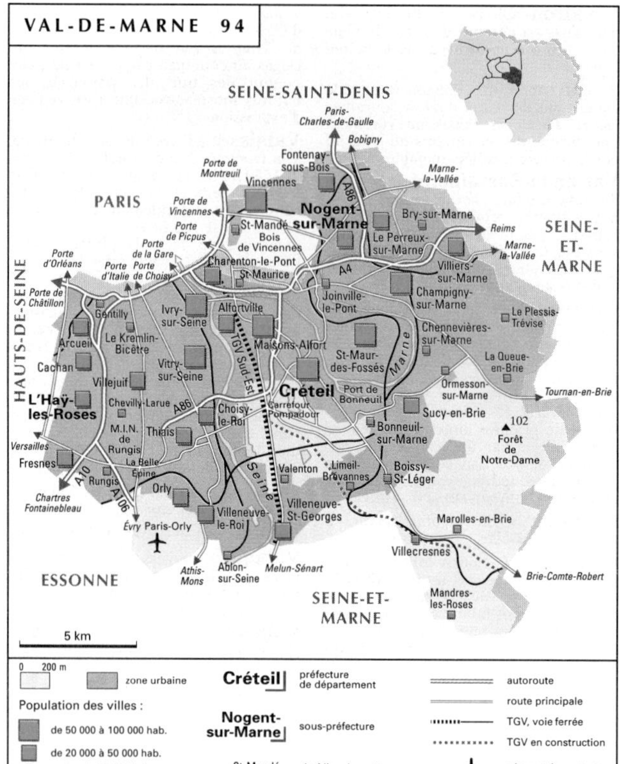

réunifia le pays, dont il rétablit les finances, mais il se heurta à la Hanse.

Val-de-Marne, dép. franç. (94); 244 km²; 1 215 538 hab.; 4 981,7 hab./km²; ch.-l. *Créteil.* V. Île-de-France (Rég.).

Val-de-Reuil (anc. *Le Vaudreuil*), ch.-l. de cant. de l'Eure (arr. des Andelys), près du confl. de la Seine et de l'Eure; 11 828 hab. Ville nouvelle créée en 1972 le long de l'Eure et formée du regroupement de huit communes, dont Le Vaudreuil. – Électron., inform., parfums. – Église Notre-Dame du Vaudreuil (XIIe-XVIe s.).

Valdès (Pierre). V. Valdo.

Valdés (Juan de) (Cuenca, fin du XVe s. – Naples, 1541), écrivain espagnol. Humaniste et moraliste, il est l'auteur d'un *Dialogue de la doctrine chrétienne* (1529), influencé par Érasme. Son *Dialogue de la langue* (posth., 1737) témoigne de l'effort d'enrichissement des langues vulgaires fait à la Renaissance pour remplacer le latin.

Valdés Leal (Juan de) (Séville, 1622 – id., 1690), peintre espagnol. Il allie une vision mystique à un réalisme aigu : *les Deux Cadavres.*

valdinguer v. intr. [1] Fam. Tomber violemment.

Val-d'Isère, com. de la Savoie (arr. d'Albertville), sur l'Isère; 1 702 hab. Stat. de sports d'hiver (alt. 1 850-3 250 m).

Valdivia, v. du Chili méridional, sur le fl. Calle-Calle; 117 210 hab. Port fluvial. Centre commercial et industriel.

Valdivia (Pedro de) (La Serena, prov. de Badajoz, 1497 – Tucapel, Chili, 1553), conquistador espagnol. Il acheva la conquête du Chili, où il fonda Santiago, Valparaíso, Concepción et Valdivia. Il fut tué par les Araucans.

Valdo ou **Valdès** (Pierre), en lat. *Valdesius,* dit *Pierre de Vaux* (Lyon, v. 1140 –?, v. 1217), hérésiarque français. Il fonda la secte des *vaudois*.*

Val-d'Oise, dép. franç. (95); 1 249 km²; 1 049 598 hab.; 840,3 hab./km²; ch.-l. *Pontoise.* V. Île-de-France (Rég.).

Val-d'Or, v. du Québec (région admin. de l'Abitibi-Témiscamingue); 24 100 hab. Mines; bois.

valdôtain, aine adj. Du Val d'Aoste (Italie).

Valée (Sylvain Charles, comte) (Brienne-le-Château, 1773 – Paris, 1846), maréchal de France; gouverneur général de l'Algérie (1837-1840).

valençay n. m. Fromage de chèvre du Berry, en forme de pyramide tronquée.

Valençay, ch.-l. de cant. de l'Indre (arr. de Châteauroux); 3 122 hab. – Chât. (XVIe-XVIIIe s.), anc. propriété de Talleyrand (musée Talleyrand).

1. valence n. f. Variété d'orange d'Espagne.

2. valence n. f. **1.** CHIM Nombre de liaisons chimiques engagées par un atome dans une combinaison chimique. **2.** ZOOL *Valence écologique :* possibilité pour une espèce vivante d'habiter des milieux variés. **3.** PSYCHO *Valence d'un objet :* attirance *(valence positive)* ou répulsion *(valence négative)* qu'un sujet éprouve à son égard.

Valence, ch.-l. du dép. de la Drôme, sur le Rhône; 65 026 hab. (*Valentinois*); env. 107 100 hab. dans l'aggl. Centre commercial (fruits et primeurs de la vallée du Rhône) à l'activité industrielle diversifiée (métall., text., alim., chaussures, etc.). – Évêché. Cath. romane St-Apollinaire (XIe-XIIe s., restaurée au XVIIe s.).

Valence (en esp. *Valencia*), v. et port d'Espagne, sur la Méditerranée; 758 700 hab. – Archevêché. Université. Cath. (XVIe s., remaniée au XVIIIe s.). Égl. baroques. Lonja de la Seda (halle de la soie), édifice du XVe s. Portes fortifiées. – La ville, fondée par les Grecs, passa aux Carthaginois, puis aux Romains. Prise par les Wisigoths (413), puis par les Arabes (714), elle devint la cap. d'un royaume des Taifas. Elle fut conquise par le Cid en 1094; après sa mort, elle tomba aux mains des Almoravides (1102), et passa à l'Aragon en 1238. Elle fut un centre de résistance aux Français (1808-1812). Valence servit deux fois de siège au gouvernement républicain pendant la guerre civile (1936-1939).

Valence, communauté autonome d'Espagne et région de la C.E., formée des prov. d'Alicante, Castellón et Valence; 23 305 km²; 3 902 400 hab.; cap. *Valence.* Riche plaine d'agric. intensive (*la huerta*), exportatrice d'agrumes, de fruits et de légumes, la région est aussi un important pôle indust. et portuaire et une importante zone de tourisme.

valence-gramme n. f. PHYS, CHIM Masse atomique (en grammes) d'un élément divisée par sa valence. *Des valences-grammes.*

Valencia, v. du Venezuela, à l'O. de Caracas, dans une riche région agricole (canne à sucre, coton); 824 010 hab.; cap. de l'État de Carabobo. Industr. textiles et alimentaires.

valenciennes n. f. inv. Dentelle très fine.

Valenciennes, ch.-l. d'arr. du Nord, sur l'Escaut; 39 276 hab. (aggl. urb. 338 400 hab. env.). Centre sidérurgique et métallurgique (en crise); industr. méca., textiles, alim., etc.; raff. de pétrole. Marché à bestiaux. – Égl. St-Géry (XIIIe s.). Import. bibliothèque. Musée des Beaux-Arts. – Cap. du Hainaut (XIe s.), prise par les Espagnols en 1567, elle fut enlevée par Vauban en 1677.

valenciennois, oise adj. et n. De Valenciennes. – Subst. *Un(e) Valenciennois(e).*

Valens (Flavius) (Cibalae, Pannonie [auj. Vinkovci, Croatie], v. 328 – Hadrianopolis, auj. Edirne, 378), empereur romain (364-378); frère de Valentinien Ier, qui l'associa à l'Empire en lui confiant le gouvernement des provinces orientales. Il fit de l'arianisme une sorte de religion d'État et mourut en combattant les Goths.

-valent. Élément, du lat. *valens,* ppr. de *valere,* « valoir ».

Valentigney, ch.-l. de cant. du Doubs (arr. de Montbéliard), sur le Doubs; 13 204 hab. Métallurgie, cycles.

Valentin (saint), prêtre italien, martyrisé à Rome v. 270. – *La Saint-Valentin :* fête des Amoureux, célébrée le 14 février.

Valentin (m. v. 161 apr. J.-C.), hérésiarque originaire d'Égypte; fondateur d'une secte gnostique.

Valentin (Jean de Boullongne, dit le) (Coulommiers, 1590 ou 1591 – Rome,

1632), peintre français. Installé à Rome, il subit l'influence du Caravage : *le Concert* (Louvre).

Valentinien Ier (en lat. *Flavius Valentinianus*) (Cibalae, Pannonie [auj. Vinkovci, Croatie], 321 – Brigetio, Pannonie [auj. Oszöny, Hongrie], 375), empereur romain (364-375), successeur de Jovien. Habile administrateur, tolérant sur le plan religieux, il fut également un gardien vigilant des frontières contre les Alamans en Gaule, les Saxons et les Scots en Bretagne romaine (îles Britanniques). V. Valens. – **Valentinien II** (en lat. *Flavius Valentinianus*) (?, v. 371 – Vienne, Gaule, 392), fils du préc.; empereur romain (375-392), étranglé à Vienne par ordre du chef gaulois Arbogast. – **Valentinien III** (en lat. *Flavius Placidus Valentinianus*) (Ravenne, 419 – près de Rome, 455), empereur romain d'Occident (425-455); fils de Constance III et de Galla Placidia. Sous son règne, les Barbares s'emparèrent de la Bretagne romaine et les Vandales s'établirent en Afrique.

Valentino (Rodolfo Guglielmi di Valentino d'Antongueila, dit Rudolph) (Castellaneta, Italie, 1895 – New York, 1926), acteur de cinéma américain d'origine italienne : *le Cheik* (1921), *Arènes sanglantes* (1922), etc. Interprétant des rôles de séducteur, il fut l'une des premières vedettes internationales.

valentinois, oise adj. et n. De Valence. – Subst. *Un(e) Valentinois(e).*

Valentinois, anc. comté (XIIe s.), puis duché-pairie (v. 1499) de France, attribué à César Borgia puis à la famille de Monaco. Situé autour de Valence, il fait auj. partie du dép. de la Drôme.

Valenton, ch.-l. de cant. du Val-de-Marne (arr. de Créteil), sur la Seine (r. dr.); 11 185 hab.

Valera (Eamon De). V. De Valera.

valériane n. f. BOT Plante herbacée à fleurs roses, blanches ou jaunes, dont une espèce, l'herbe-aux-chats, a une racine aux propriétés antispasmodiques.

valérianelle n. f. BOT Plante herbacée à fleurs roses ou blanches, très courante, dont une espèce est connue sous le nom de mâche, ou doucette.

Valérien (mont), colline de la banlieue O. de Paris (161 m). – Le fort, centre de la résistance aux Prussiens en 1871, fut le lieu de nombr. exécutions de résistants français (1941-1944). – Mémorial de la Résistance.

Valérien (en lat. *Publius Licinius Valerianus*) (m. en 259 ou 260), empereur romain de 253 à sa mort. Il associa son fils Gallien au gouvernement de l'empire d'Occident. Persécuteur des chrétiens, vaincu et fait prisonnier par le Perse Châhpuhr Ier, il fut le premier empereur qui mourut en captivité.

Valerius Publicola (Publius) (m. en 503 av. J.-C.), homme politique romain; traditionnellement considéré comme l'un des fondateurs de la République romaine. Il instaura la *lex Valeria*, qui donnait droit d'en appeler au peuple des condamnations à mort prononcées par les consuls.

Valéry (Paul Ambroise) (Sète, 1871 – Paris, 1945), écrivain français. Établi en 1894 à Paris, il devint proche de Mallarmé et de Gide, et fut employé au ministère de la Guerre (1895) puis à l'agence Havas (1900-1922). Après *l'Introduction à la méthode de Léonard de Vinci* (1895), brillante réflexion sur les processus de la connaissance, il publia *la Soirée avec Monsieur Teste* (1896), personnage qui parvient à maîtriser les lois de l'esprit. En 1917, il composa *la Jeune Parque*, poème symboliste qui lui valut la célébrité. Il revint à la prose avec deux dialogues de forme socratique (*Eupalinos ou l'Architecte*, 1923; *l'Âme et la Danse*, 1923) et de nombreux essais. Il s'intéressa aux problèmes contemporains (*Regards sur le monde actuel*, 1931) et se passionna pour l'intellect, ses mécanismes et son pouvoir. Acad. fr. (1927).

Paul **Valéry**

Valle-Inclán

valet n. m. **1.** Anc. Jeune écuyer au service d'un seigneur. ▷ Officier d'une maison royale ou princière. *Valet de la chambre du roi.* **2.** Domestique. *Valet de chambre :* anc. domestique chargé du service personnel d'un maître; mod. domestique masculin. *Valet de pied :* anc. homme en livrée à la suite des grands personnages; mod. domestique en livrée des grandes maisons. ▷ Vieilli Ouvrier agricole. *Valet de ferme, d'écurie.* **3.** Fig., péjor. Personne qui obéit servilement. *Âme de valet.* Syn. larbin. **4.** TECH Nom donné à certains outils ou organes mécaniques aidant à l'exécution d'un travail (notam., en maintenant ou soutenant). *Valet de menuisier,* qui maintient sur l'établi des pièces à travailler. **5.** *Valet de nuit :* cintre sur pied sur lequel on dispose ses habits avant de se coucher. **6.** JEU Carte figurant un valet (sens 1). *Valet de cœur.*

valetaille n. f. Vx, péjor. Ensemble des valets d'une maison.

Valette (La), cap. et port de la république de Malte; 9 240 hab.

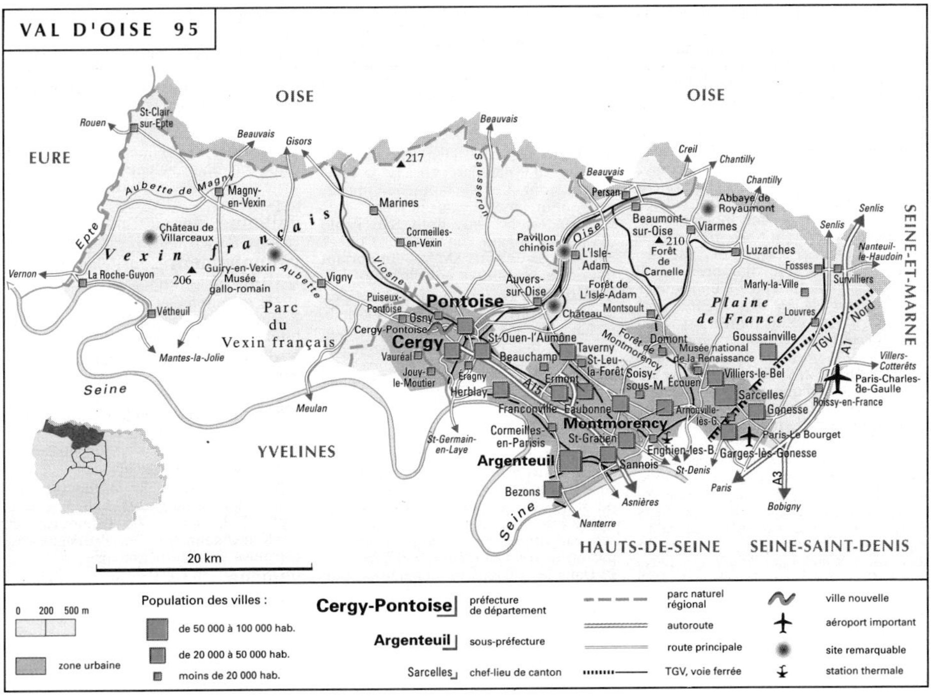

VAL D'OISE 95

Population des villes :
de 50 000 à 100 000 hab.
de 20 000 à 50 000 hab.
moins de 20 000 hab.
zone urbaine
Cergy-Pontoise : préfecture de département
Argenteuil : sous-préfecture
Sarcelles : chef-lieu de canton
parc naturel régional
autoroute
route principale
TGV, voie ferrée
ville nouvelle
aéroport important
site remarquable
station thermale

Valette-du-Var (La), ch.-l. de cant. du Var (arr. de Toulon); 20 863 hab. Culture de fraises et de violettes. – Égl. (XIIe-XVIe s.).

valétudinaire adj. et n. Vx ou litt. Maladif, de santé précaire.

valeur n. f. **A. I. 1.** Ce par quoi une personne est digne d'estime, ensemble des qualités qui la recommandent. (V. mérite.) *Avoir conscience de sa valeur. C'est un homme de grande valeur.* **2.** Vx Vaillance, bravoure (spécial., au combat). *«La valeur n'attend pas le nombre des années» (Corneille).* ▷ *Valeur militaire (croix de la) :* décoration française créée en 1956 pour récompenser, initialement, les actions de bravoure dans les opérations de maintien de l'ordre en Algérie. **II. 1.** Ce en quoi une chose est digne d'intérêt. *Les souvenirs attachés à cet objet font pour moi sa valeur.* ▷ Importance, intérêt accordés subjectivement à une chose. *La valeur que j'accorde à votre appui, à votre opinion.* **2.** Caractère de ce qui est reconnu digne d'intérêt, d'estime, de ce qui a de la qualité. *L'éminente valeur de cette œuvre.* **3.** Qualité de ce qui a une certaine utilité, une certaine efficacité. *Comme il ignore cette affaire, ses conseils sont sans valeur.* **4.** Caractère de ce qui est recevable, de ce qui peut faire autorité (du point de vue d'une règle, d'un ensemble de principes). *Les conditions qui fondent la valeur d'une théorie scientifique.* **B. I. 1.** Caractère mesurable d'un objet, en tant qu'il est susceptible d'être échangé, désiré, vendu, etc. (V. prix.) *Faire estimer la valeur d'un objet d'art.* – Loc. adj. *De valeur :* dont la valeur est élevée. *Des timbres de valeur.* ▷ *Mettre en valeur un bien, un capital,* le faire valoir, le faire fructifier. – Fig. Présenter avantageusement. *Objet mis en valeur dans une vitrine.* ▷ (Abstrait) *Son article a mis en valeur cet aspect de la question,* il en a fait ressortir toute l'importance. **2.** ECON Qualité d'une chose, liée à son utilité objective ou subjective *(valeur d'usage),* à la quantité de travail fourni pour la produire, au rapport de l'offre et de la demande *(valeur d'échange),* etc. *La théorie marxiste de la valeur :* V. marxisme et plus-value. – *Valeur ajoutée :* différence entre la valeur d'un produit et le coût de ce qui est nécessaire à sa production. – *Valeur-or d'une monnaie.* **3.** FIN *Valeurs mobilières* ou, absol., *valeurs :* tout titre négociable (rentes, actions, etc.). *Valeurs cotées en Bourse.* – *Valeur vedette :* titre coté d'une société censée disposer d'un important potentiel de plus-value et exerçant un fort attrait sur les investisseurs. **II. 1.** Mesure (d'une grandeur, d'un nombre). – MATH *Valeur algébrique,* affectée d'un signe (+ ou –). *Valeur absolue d'un nombre réel,* le nombre réel positif dont il est l'égal ou l'opposé. ▷ Cour. Quantité approximative. *Ajoutez la valeur de deux cuillerées à soupe de farine.* **2.** MUS Durée relative de chaque note, indiquée par sa figure. *La valeur d'une blanche est égale à celle de deux noires.* **3.** Mesure conventionnelle (d'un signe dans une série). *Valeur d'une carte, d'un pion.* **4.** BX-A Intensité relative d'une couleur, définie par son degré de saturation. *Un jeu très réussi entre les valeurs d'un même vert.* – *Par anal.* Sens ou pouvoir lié à un effet littéraire, expressivité obtenue par le moyen du style. *Ce mot prend à cette place toute sa valeur.* **C. I.** *Jugement de valeur.* **1.** PHILO (Par oppos. à *jugement de réalité.*) Assertion qui implique une appréciation sur ce qui est énoncé comme un fait. (En ce sens, «le vin est bon» est un jugement de valeur et «j'aime le vin» est un jugement de réalité.) **2.** Cour. Assertion par laquelle on affirme qu'une chose est plus ou moins digne d'estime. **II.** Principe idéal auquel se réfèrent communément les membres d'une collectivité pour fonder leur jugement, pour diriger leur conduite. *Les valeurs morales, sociales, esthétiques. Échelle de valeurs. Les valeurs chrétiennes.* **D.** (Canada) Loc. fam. *De valeur :* dommage, malheureux, fâcheux (en parlant de qqch). *Je trouve ça de valeur que tu ne viennes pas. Le plus de valeur, c'est qu'il se ruine la santé.*

valeureusement adv. Bravement, courageusement.

valeureux, euse adj. Litt. Qui a de la bravoure, de la vaillance.

valgus [valgys] n. m. inv. et adj. MED Déviation en dehors (en parlant du pied ou de la jambe). *Valgus du pied.* ▷ adj. (Dans les loc. lat. employées en anatomie, l'adj. s'accorde.) *Genu valgum :* genou dévié en dehors. *Tibia valga.* Ant. varus.

Val-Hall. V. Walhalla.

validation n. f. Fait, action de valider; son résultat.

valide adj. **1.** Qui est en bonne santé, capable de se mouvoir, d'accomplir sa tâche, etc. *Un homme valide.* Ant. infirme, malade. **2.** Qui a les conditions requises pour produire son effet. *Cet acte n'est pas valide.* Syn. valable.

valider v. tr. [1] Rendre, déclarer valide. *Valider un titre de transport en le compostant. Valider une élection.*

valideuse n. f. TECH Machine à valider.

validité n. f. **1.** Caractère de ce qui est valide, valable. *Faire proroger la validité d'un passeport.* **2.** Caractère de ce qui est valable, recevable. *La validité d'un point de vue.*

valise n. f. **1.** Bagage de forme rectangulaire, muni d'une poignée pour être porté à la main. ▷ *Faire sa valise, ses valises,* y mettre ce que l'on emporte en voyage; *par ext.,* se préparer à partir, à quitter un lieu. **2.** *Valise diplomatique :* paquet contenant le courrier diplomatique, qui est dispensé du contrôle douanier et dont le secret est garanti par les conventions internationales; ensemble de colis couverts par les mêmes garanties.

valkyrie. V. walkyrie.

Valladolid, ville d'Espagne (Castille et Léon); 333 680 hab.; ch.-l. de la prov. du m. nom. Centre industriel (méca., text., alim., etc.). – Archevêché. Université. Nombr. égl., dont San Pablo (XVe s.) et la cath. (fin XVIe s.). Collège San Gregorio (fin XVe s.). Important musée de sculptures polychromes.

Vallauris, ch.-l. de canton des Alpes-Maritimes (arr. de Grasse); 24 406 hab. – La ville est renommée pour son industrie de la céramique, favorisée par Picasso à partir de 1947. Anc. prieuré des moines de Lérins (XVIe s.) : chapelle décorée par Picasso *(la Guerre* et *la Paix).*

vallée n. f. **1.** Dépression plus ou moins large creusée par un cours d'eau. *Vallée jeune,* assez encaissée, aux versants irréguliers. *Vallée morte, sèche,* où il ne coule plus de cours d'eau. *Vallée en U, en auge* ou *glaciaire,* creusée par un glacier. ▷ Région arrosée par un cours d'eau. *La vallée de la Loire.* **2.** Dans les régions montagneuses, partie moins élevée (par oppos. à *sommet, pente).* **3.** Fig. *Vallée de larmes, de misère :* le séjour sur la terre (par oppos. à celui au ciel, séjour de la béatitude).

Vallée de la mort. V. Mort (Vallée de la).

Vallée des Rois. V. Rois (Vallée des).

Valle-Inclán (Ramón Valle y Peña, dit Ramón María del) (Villanueva de Arosa, Galice, 1866 – Saint-Jacques-de-Compostelle, 1936), écrivain espagnol. Après des poésies et des récits modernistes (*Sonates,* 1902-1905), il créa, dans ses *Comédies barbares* (trilogie, 1907-1922) et ses *esperpentos* (courtes pièces en prose), un univers picaresque. ► illustr. page **1545**

Vallejo (Cesar) (Santiago de Chuco, 1892 – Paris, 1938), écrivain péruvien. Poète de tendance marxiste (*les Hérauts noirs,* 1918; *Trilce,* 1922), il a également écrit un roman social : *le Tungstène* (1931).

Vallès (Jules) (Le Puy, 1832 – Paris, 1885), journaliste et écrivain français. Fondateur du *Cri du peuple,* il fut membre de la Commune et, condamné à mort, dut s'exiler à Londres (1871-1883). Il a laissé la trilogie romanesque et autobiographique de *Jacques Vingtras : l'Enfant* (1879), *le Bachelier* (1881), *l'Insurgé* (posth., 1886).

Jules **Vallès**

Vallespir, haute vallée du Tech (Pyrénées-Orientales).

valleuse n. f. Rég. Dans le pays de Caux notam., vallée sèche se terminant en abrupt sur la falaise.

Valleyfield. V. Salaberry-de-Valleyfield.

Vallin (Eugénie, dite Ninon) (Montalieu-Vercieu, 1886 – La Sauvagère, La Millery, près de Lyon, 1961), cantatrice française. Soprano dramatique, elle fut une illustre interprète de la mélodie française.

vallon n. m. Petite vallée.

Vallonet, site d'une grotte préhistorique du villafranchien (– 900 000 ans), proche de Roquebrune-Cap-Martin (Alpes-Mar.).

vallonné, ée adj. Qui présente des vallons. *Région vallonnée.*

vallonnement n. m. Relief vallonné.

Vallot (Joseph) (Lodève, 1854 – Nice, 1925), astronome et géographe français. Il étudia le massif du Mont-Blanc, où il fonda un observatoire.

Vallotton (Félix) (Lausanne, 1865 – Paris, 1925), peintre et graveur français d'origine suisse, ami des nabis.

Vālmīki, sage hindou, sans doute mythique. La tradition le fait vivre au Ve s. av. J.-C. et lui attribue notam. la rédaction du *Rāmāyana**.

Valmy, com. de la Marne (arr. de Sainte-Menehould); 293 hab. – Le 20 sept. 1792, victoire de Dumouriez et de Kellermann sur les Prussiens qui galvanisa la nation française.

valoche n. f. Fam. Valise.

valoir v. [45] **A.** v. intr. **I. 1.** (Personnes) Avoir certaines qualités, certains mérites généralement reconnus. *«Je sais ce que je vaux et crois ce qu'on m'en dit»* (Corneille). *Comme poète, il ne vaut rien.* **2.** (Choses) Avoir une certaine qualité, une certaine utilité, un certain intérêt. *Cet habit ne vaut plus rien. Ces vers ne valent pas grand-chose.* – *Ne rien valoir pour qqn,* lui être néfaste. *L'alcool ne vous vaut rien.* – *Rien qui vaille :* rien de bon. *Ne faire rien qui vaille.* **3.** Avoir, être estimé un certain prix. *Cette étoffe vaut trois cents francs le mètre. Tableau qui vaut très cher.* Syn. coûter. **4.** Être égal en valeur ou en utilité à. *Cent centimes valent un franc.* (Prov.) *Un homme averti en vaut deux.* ▷ v. pron. *Ces deux œuvres se valent.* – Tenir lieu, avoir la signification de. *En chiffres romains, M vaut mille.* Syn. équivaloir. **5.** Mériter, avoir assez d'importance pour. *Valoir la peine.* – Fam. *Ça vaut le coup.* **6.** Être valable. (Prov.) *Donner et retenir ne vaut.* – Intéresser, concerner. *Ce que je lui dis vaut également pour vous.* **II.** Loc. verbale. *À valoir,* se dit d'une somme que l'on verse en acompte. *Mille francs à valoir sur le montant d'une facture.* **III.** *Faire valoir.* **1.** Donner du prix à, faire paraître meilleur, plus beau. *Cet acteur fait valoir le texte.* ▷ v. pron. Se mettre en vedette. *Il cherche toujours à se faire valoir.* **2.** *Faire valoir :* faire fructifier, exploiter. *Faire valoir une terre.* **3.** Exposer, donner à considérer. *Faire valoir ses droits.* **IV.** Loc. adv. *Vaille que vaille :* tant bien que mal. *Il lui fallut poursuivre sa route vaille que vaille.* **V.** *Valoir mieux :* être meilleur, préférable. (Prov.) *Un tiens vaut mieux que deux tu l'auras.* – v. impers. *Il vaut mieux tenir que courir.* – Fam. *Ça vaut mieux comme ça :* il est préférable que cela se soit passé ainsi. **B.** v. tr. *Valoir (qqch) à qqn,* lui procurer, lui amener comme conséquences. Syn. attirer. *Cette affaire ne lui a valu que des ennuis.*

Valois, rég. de l'Île-de-France qui correspond au S.-E. du dép. de l'Oise, ainsi qu'au S. du dép. de l'Aisne. C'est un plateau calcaire fertile, entaillé de nombr. vallées et bordé de forêts (de Compiègne, de Retz).

Valois (dynastie des), dynastie qui régna sur la France, après l'extinction des Capétiens directs, de l'avènement de Philippe VI (1328) à la mort d'Henri III (1589). Les *Valois directs,* issus de Charles de Valois, frère cadet de Philippe IV le Bel, régnèrent jusqu'en 1498. Charles VIII étant mort sans descendance, le trône passa ensuite à la branche cadette des *Valois-Orléans* (représentée par le seul Louis XII), puis à celle des *Valois-Angoulême,* avec l'avènement de François Ier (1515). (V. France, tableau chefs d'État.)

Valois (Ninette De). V. De Valois.

valorisant, ante adj. Qui valorise (sens 1).

valorisation n. f. Action de valoriser.

valoriser v. tr. [1] **1.** Donner une valeur économique plus grande à... *De grands travaux ont valorisé cette région côtière.* ▷ (Abstrait) Ériger en valeur, mettre l'accent sur (une chose, une personne), en tant que possédant une valeur morale, esthétique, etc. *Le romantisme a valorisé la passion. Cet exploit l'a valorisé aux yeux de ses camarades.* **2.** (Emploi critiqué.) ECON Donner une valeur chiffrée à. *Valoriser un investissement.*

Valparaíso, princ. port de comm. du Chili; 278 760 hab. (aggl. urb. 620 000 hab.); ch.-l. de la prov. du m. nom. Centre industriel import. : métallurgie, chimie, raff. de pétrole.

valpolicella [valpɔlitʃel(l)a] n. m. inv. Vin rouge de la région de Valpolicella (Italie, prov. de Vérone).

Valromey, petit pays de France (Ain), drainé par le Séran (affl. dr. du Rhône), qui passa de la Savoie à la France en 1601.

valse n. f. **1.** Danse à trois temps dans laquelle le couple de danseurs tourne sur lui-même en marquant chaque mesure par une évolution. ▷ Air sur lequel on exécute cette danse. *Les valses de Vienne.* ▷ MUS Composition sur un rythme de valse. *Valses de Chopin. Valses de Strauss.* **2.** Fig., fam. Changement fréquent d'attribution d'une fonction, d'une charge. *Valse des préfets et des sous-préfets.* – *Par ext.* (Choses) Instabilité. *Valse des prix.*

valse-hésitation n. f. Suite d'élans ou de décisions contradictoires marquant l'hésitation (devant des responsabilités, un risque à prendre). *Des valses-hésitations.*

valser v. intr. [1] **1.** Danser la valse. **2.** Fam. Tomber, culbuter violemment, être projeté. *Il l'a envoyé valser contre un mur.* – *Faire valser le personnel,* le renvoyer, le déplacer sans ménagements. ▷ *Faire valser l'argent :* dépenser sans compter.

valseur, euse n. **1.** Personne qui danse la valse. *Un bon valseur.* **2.** n. f. pl. Vulg. Testicules.

Vals-les-Bains, ch.-l. de cant. de l'Ardèche (arr. de Privas); 3 748 hab. Stat. thermale (affections du tube digestif).

Valteline (la), vallée italienne de l'Adda, au N.-E. du lac de Côme (prov. de Sondrio). Point stratégique pendant la guerre de Trente* Ans, Richelieu essaya d'empêcher les Autrichiens de traverser la Valteline pour passer en Lombardie afin de soutenir leurs alliés espagnols.

valve n. f. **1.** ZOOL Chacune des parties de la coquille des mollusques et du test des diatomées. *La coquille des lamellibranches comporte deux valves.* **2.** BOT Partie d'un fruit sec qui se sépare lors de la déhiscence. **3.** ANAT *Valve cardiaque :* repli membraneux entrant dans la constitution des valvules auriculo-ventriculaires du cœur. **4.** ELECTR Diode utilisée pour le redressement. **5.** TECH Appareil servant à réguler un courant de liquide ou de gaz dans une canalisation, en fonction des nécessités des organes utilisateurs. ▷ Soupape à clapet d'une chambre à air.

valvé, ée adj. ZOOL Qui est muni ou formé de valves.

valvulaire adj. ANAT Relatif aux valvules cardiaques. – Qui remplit le rôle d'une valvule.

valvule n. f. **1.** ANAT Repli de la paroi du cœur ou d'un vaisseau, empêchant leur contenu de refluer. *Valvule cardiaque.* **2.** BOT Petite valve.

vamp n. f. Fam. Femme fatale*.

vampire n. m. **1.** Mort (notam. mort impénitent et excommunié) qui, selon certaines croyances populaires, sort de son tombeau pour aller aspirer le sang des vivants. **2.** Fig. Assassin coupable de crimes mystérieux et sadiques. **3.** Chauve-souris des régions tropicales d'Amérique du S. qui se repaît souvent du sang des mammifères.

vampirique adj. Litt. Propre à un vampire, qui en a les caractères.

vampiriser v. tr. [1] **1.** Sucer le sang (de qqn). **2.** Fig. Dominer psychologiquement (qqn) en lui retirant sa force vitale, sa volonté.

vampirisme n. m. **1.** Crimes que les superstitions populaires attribuaient aux vampires. **2.** PSYCHOPATHOL Perversion sexuelle consistant à blesser sa victime jusqu'au sang avant de la violer.

1. van [vɑ̃] n. m. AGRIC Panier plat à deux anses, servant à vanner le grain.

2. van [vɑ̃] n. m. Fourgon aménagé pour le transport des chevaux de course.

Van, lac (salé) de Turquie (3 700 km^2), en Arménie, à 1 720 m d'alt. – *L'île de Van* (21 095 km^2; 573 800 hab.) a pour ch.-l. la ville de *Van,* où furent massacrés de nombr. Arméniens en 1895-1896.

Van Acker (Achille) (Bruges, 1898 – id., 1975), homme politique belge; député socialiste (1927), Premier ministre en 1945-1946 et 1954-1958.

vanadium [vanadjɔm] n. m. CHIM Élément métallique de numéro atomique Z = 23 et de masse atomique 50,94 (symbole V). – Métal (V) de densité 6,1, qui fond à 1 900 °C et bout vers 3 000 °C.

ENCYCL **Chim.** – Réducteur, le vanadium possède de nombreux degrés d'oxydation. On l'utilise pour fabriquer des aciers spéciaux résistant à l'usure et aux chocs (ressorts, soupapes, outils à grande vitesse).

Van Allen (James Alfred) (Mount Pleasant, Iowa, 1914), physicien et astronome américain. En dépouillant les données transmises par le premier satellite américain *Explorer 1,* lancé en 1958, il découvrit un flux de particules de hautes énergies piégées dans la magnétosphère terrestre (les *ceintures de Van Allen*).

Van Artevelde. V. Artevelde.

Van Buren (Martin) (Kinderhook, État de New York, 1782 – id., 1862), homme politique américain; secrétaire d'État (1829) puis vice-président de Jackson (1833), président des É.-U. (1837-1841).

Vancouver, île canadienne du Pacifique (Colombie britannique); 40 000 km^2; v. princ. *Victoria.* Cette île montagneuse aux côtes découpées a pour ressources l'élevage, la pêche et la houille.

Vancouver, princ. port et métropole de l'O. du Canada (Colombie britannique), en face de l'*île de Vancouver;* 471 800 hab. (aggl. urb. 1 368 100 hab.). Grand centre industriel (industr. du bois et mécaniques) et commercial. – Archevêché cathol. Université.

Vancouver : vue aérienne de la ville, face à l'île de Vancouver

Vancouver (George) (King's Lynn, Norfolk, 1757 ou 1758 – Richmond, Surrey, 1798), navigateur anglais. D'abord compagnon de J. Cook, il reconnut ensuite le littoral N.-O. du Canada, dont il établit un relevé précis (1791-1795). On donna son nom à l'*île de Vancouver.*

vanda n. f. BOT Orchidée d'Extrême-Orient, cultivée en serre.

Van der Goes : *l'Adoration des bergers*, v. 1476, panneau central du *triptyque Portinari*; galerie des Offices, Florence

vandale adj. et n. **1.** adj. HIST Des Vandales*. **2.** n. Personne qui détruit, qui détériore par ignorance, bêtise ou malveillance. *Cabine téléphonique mise hors d'usage par des vandales.*

Vandales, groupement de peuples germaniques qui se fixèrent entre la Vistule et l'Oder au IIIe s. et que des migrations entraînèrent sur les bords du Danube à la fin du IVe s. Mêlés à d'autres peuples, ils participèrent au passage du Rhin (406) et à l'invasion de la Gaule, et, dès 409, pénétrèrent en Espagne, où ils s'initièrent à la navigation. Conduits par leur roi Geiséric, ils franchirent le détroit de Gibraltar (429) et, progressant le long des côtes, s'installèrent en Numidie, puis conquirent une partie de la Tunisie actuelle (439), la Corse, la Sardaigne, les Baléares, la Sicile et pillèrent Rome en 455. Mais le roy. d'Afrique qu'ils fondèrent fut éphémère; les Vandales s'affaiblirent face aux Byzantins et furent finalement vaincus par Bélisaire (en 534).

vandaliser v. tr. [1] Détériorer par vandalisme.

vandalisme n. m. Comportement destructeur du vandale. *Actes de vandalisme.*

Van de Graaff (Robert Jemison) (Tuscaloosa, Alabama, 1901 - Boston, 1967), physicien américain. Il inventa un générateur électrostatique utilisé comme accélérateur de particules.

Van den Bosch (Johannes, comte) (Herwijnen, Gueldre, 1780 - La Haye, 1844), administrateur et homme politique néerlandais. Gouverneur général des Indes néerlandaises (1830-1833), il imposa un système de culture aux indigènes qui octroyait au gouvernement un cinquième des terres et un cinquième du travail fourni. Ceci enrichit considérablement la Compagnie des Indes néerlandaises. Il fut ministre des Colonies de 1835 à 1839.

Van den Vondel (Joost) (Cologne, 1587 - Amsterdam, 1679), poète et dramaturge hollandais. Ses 24 tragédies avec chœurs traitent en général de sujets bibliques : *Lucifer* (1654), *Adam exilé* (1664), etc.

Vanderbilt (Cornelius) (Stapleton, État de New York, 1794 - New York, 1877), financier américain. Après avoir créé une compagnie de navigation, il s'intéressa au chemin de fer et fit construire ou acheta un grand nombre de lignes.

Van der Goes (Hugo) (Gand [?], v. 1440 - près de Bruxelles, 1482), peintre flamand. Son œuvre mêle exaltation mystique et réalisme : triptyque de l'*Adoration des bergers* (v. 1476).

Van der Helst (Bartholomeus) (Haarlem, 1613 - Amsterdam, 1670), peintre hollandais, portraitiste.

Van der Meer (Simon) (La Haye, 1925), physicien néerlandais; inventeur d'une méthode de réalisation de faisceaux d'antiprotons. P. Nobel 1984.

Van der Meersch (Maxence) (Roubaix, 1907 - Le Touquet, 1951), romancier français, catholique et populiste : *l'Empreinte du dieu* (prix Goncourt 1936), *Corps et Âmes* (1943), etc.

Van der Meulen (Adam Frans) (Bruxelles, 1632 - Paris, 1690), peintre flamand. Il peignit les batailles de Louis XIV.

Vandermonde (Alexandre) (Paris, 1735 - id., 1796), mathématicien français : travaux sur la résolution des équations algébriques.

Van der Rohe (Ludwig Mies). V. Mies van der Rohe.

Vandervelde (Émile) (Ixelles, 1866 - Bruxelles, 1938), homme politique belge. Député socialiste en 1894, président de la IIe Internationale de 1900 à 1918, il fut plusieurs fois ministre, notam. des Affaires étrangères (1925-1927).

Van der Waals (Johannes) (Leyde, 1837 - Amsterdam, 1923), physicien néerlandais; connu pour ses travaux sur la cinétique des fluides. P. Nobel 1910.

Van der Weyden (Rogier de Le Pasture, dit) (Tournai, déb. du XVe s. - Bruxelles, 1464), peintre flamand. Ses œuvres religieuses, et quelques portraits, se caractérisent par le sens du pathétique obtenu avec des moyens plastiques simples : attitude des personnages d'un naturel parfait, mouvement substitué au hiératisme, émotion contenue des visages : triptyque *Braque* (v. 1450-1452, Louvre), polyptyque du *Jugement dernier* (v. 1445-1450, Beaune).

Van de Velde, famille de peintres hollandais dont : **— Esaias** (Amsterdam, v. 1591 - La Haye, 1630), portraitiste de la cour d'Orange et paysagiste; maître de Van Goyen. **— Willem,** dit *le Jeune* (Leyde, 1633 - Greenwich, 1707), neveu du préc.; auteur de marines : *la Mer par un temps calme.*

Van de Velde (Henry Clemens) (Anvers, 1863 - Zurich, 1957), peintre, architecte et décorateur belge. Promoteur de l'art* nouveau dans son pays, il réduisit l'ornementation au profit d'une architecture fonctionnelle : musée Kröller-Müller, près d'Otterloo aux Pays-Bas (1937-1954).

Van Diemen (Anthony) (Culemborg, 1593 - Batavia, 1645), administrateur hollandais. Gouverneur général pour la Compagnie des Indes néerlandaises (1636-1645), il conquit Malacca et Ceylan. - La Tasmanie porta son nom de 1642 à 1853 *(Terre de Van Diemen).*

Van Doesburg (Christian Küpper, dit Theo) (Utrecht, 1883 - Davos, 1931), peintre et architecte néerlandais; fondateur en 1917, avec Mondrian, du groupe et de la revue De Stijl*.

Vandœuvre-lès-Nancy, ch.-l. de cant. de Meurthe-et-Moselle (arr. de Nancy); 34 420 hab. Constr. électriques.

vandoise n. f. ICHTYOL Poisson cyprinidé d'eau douce *(Leuciscus leuciscus)*, très proche du chevesne, mais plus petit (de 15 à 30 cm de long).

Van Dongen (Cornelis, dit Kees) (Delfshaven, près de Rotterdam, 1877 - Monte-Carlo, 1968), peintre français d'origine néerlandaise. D'abord «fauve» (*le Châle espagnol*, 1913), il exécuta ensuite de nombr. portraits et scènes de la vie mondaine.

Van Dyck (Anton) (en néerl. *Van Dijck*) (Anvers, 1599 - Londres, 1641), peintre flamand. Élève puis collab. de Rubens, il séjourna en Italie avant de s'intaller en Angleterre en 1632. Ses portraits, conciliant distinction des poses et vérité psychologique, préparent la voie aux portraitistes anglais du XVIIIe s. (*Charles Ier*, 1635, Louvre).

Van Dyck : *Charles Ier, roi d'Angleterre*, huile sur toile, 1635; musée du Louvre

Vänern (lac), grand lac du S.-O. de la Suède (5 570 km^2), relié au Kattégat par le Göta älv.

vanesse n. f. ENTOM Nom de genre d'un papillon diurne au vol rapide et aux ailes de couleurs vives (morio, paon de jour, vulcain). *Vanesse des chardons*, ou *belle-dame.*

Van Eyck (Jan) (Maaseik [?], v. 1390 - Bruges, 1441), peintre flamand. Il a considérablement fait évoluer la peinture à l'huile. Le retable de *l'Agneau mystique* (1432, cath. St-Bavon, Gand) s'affirme comme une rupture avec

Jan **Van Eyck :** *les Époux Arnolfini,* 1434 ; National Gallery

l'univers médiéval des formes symboliques et ornementales. Sous son pinceau, les visages des personnages s'individualisent : ainsi *les Époux Arnolfini* (1434, National Gallery), et *la Vierge au chancelier Rolin* (v. 1435, Louvre) annoncent le portrait moderne. – **Hubert** (Maaseik [?], v. 1370 – Gand [?], v. 1426), peintre flamand, frère du préc. avec lequel il collabora au retable de *l'Agneau mystique.*

Van Gennep (Arnold Kurr, dit Arnold) (Ludwigsburg, 1873 – Bourg-la-Reine, 1957), anthropologue et ethnographe français : *les Rites de passage* (1909), *Études d'ethnographie algérienne* (1912-1914), *Manuel du folklore français contemporain* (1943-1958).

Van Gogh (Vincent) (Groot Zundert, 1853 – Auvers-sur-Oise, 1890), peintre néerlandais. L'échec de ses missions de théologien protestant chez les mineurs le tourna vers la peinture (1880). Après une période parisienne néo-impressionniste (1886-1888), il partit pour Arles (*Tournesols, l'Arlésienne*), où Gauguin vint le rejoindre. Leurs relations prirent un tour dramatique, et, à la suite de diverses crises de délire *(Portrait de l'artiste à l'oreille coupée),* Van Gogh fut interné à Saint-Rémy. Les œuvres qu'il y exécuta (*Deux Cyprès,* 1889 ; *Route aux cyprès,* 1890, etc.) expriment un terrible tourment intérieur. En 1890, il s'installa à Auvers-sur-Oise chez le docteur Gachet, peignant portraits et paysages (*Champ de blé aux corbeaux*). Il se tira une balle de revolver dans la poitrine. Son apport majeur à la peinture est la combinaison de plusieurs perspectives en un tableau et le pouvoir expressif transmis aux couleurs, qui ne servent pas seulement à noter les sentiments mais aussi la troisième dimension. Ses *Lettres à son frère Théo* ont été publiées en 1937. – **Théodore,** dit Théo (Groot Zundert, 1857 – Utrecht, 1891), frère du préc. ; marchand de tableaux, il apporta sa vie durant un indéfectible soutien moral et matériel à son frère.

Vincent **Van Gogh :** *l'Hôpital Saint-Paul à Saint-Rémy,* 1890 ; musée d'Orsay, Paris

Van Goyen (Jan) (Leyde, 1596 – La Haye, 1656), peintre hollandais : marines, paysages à ciel nuageux.

Van Helmont (Jan Baptist) (Bruxelles, 1577 – id., 1644), médecin et chimiste flamand. Il isola le gaz carbonique et, établissant la composition de l'air, dégagea la notion de gaz (mot qu'il créa). Il inventa le thermomètre à eau et reconnut le rôle du suc gastrique dans la digestion.

Vanikoro, île de l'archipel britannique de Santa Cruz (dépendance des îles Salomon). La Pérouse et son équipage y firent naufrage en 1788.

vanille [vanij] n. f. Fruit (gousse) du vanillier ; substance aromatique extraite de ce fruit, utilisée en pâtisserie et en confiserie. *Crème, glace à la vanille.*

vanillé, ée adj. Parfumé à la vanille. *Sucre vanillé.*

vanillier [vanije] n. m. Orchidée grimpante originaire d'Amérique du S., cultivée pour son fruit (vanille).

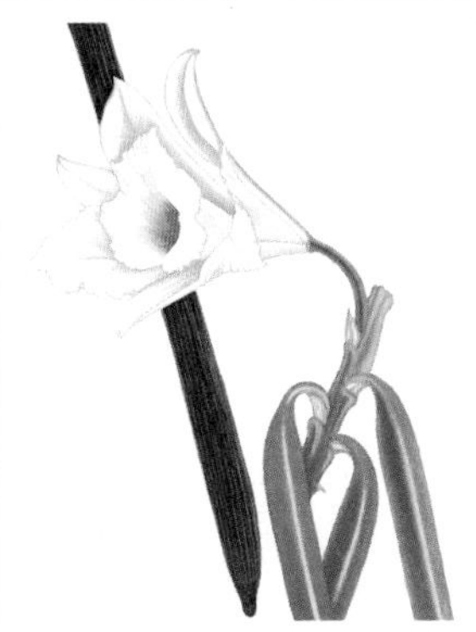
vanillier : la gousse (vanille) et la fleur

vanilline [vanilin] n. f. CHIM Principe odorant de la vanille se présentant sous forme de cristaux incolores fondant à 81 °C.

Vanini (Lucilio, dit Giulio Cesare) (Taurisano, prov. de Lecce, 1585 – Toulouse, 1619), prêtre et humaniste italien. Il nia l'immortalité de l'âme (*Amphitheatrum æternæ Providentiæ,* 1615), et, en 1619, accusé d'athéisme, il fut condamné au bûcher.

vanité n. f. **1.** Litt. État, caractère de ce qui est vain, frivole, futile. *La vanité des plaisirs terrestres.* ▷ Chose vaine, futile. *Les vanités du monde.* ▷ BX-A Peinture, image, en vogue au XVIIe s., illustrant l'aspect vain et frivole du monde terrestre, et la mortalité de l'homme. **2.** Caractère, défaut d'une personne vaine, qui a trop bonne opinion d'elle-même ; manifestation de ce défaut, du désir de produire un certain effet sur son entourage. *Flatter la vanité de qqn.* Syn. fatuité. ▷ *Tirer vanité de qqch,* s'en glorifier, s'en enorgueillir.

vaniteux, euse adj. et n. Plein de vanité. *Il est sot et vaniteux. Paroles vaniteuses.* ▷ Subst. *Quel vaniteux !*

Van Laar ou **Van Laer** (Pieter), dit *Bamboccio,* « enfant, poupée » (à cause de sa petite taille), ou *Bamboche* (Haarlem, v. 1592 – id., 1642), peintre et graveur hollandais. Il vécut à Rome (1626-1638), où ses nombr. scènes populaires furent nommées « bambochades ».

Van Leeuwenhoek (Antonie) (Delft, 1632 – id., 1723), biologiste néerlandais. Il fabriqua des microscopes simples grâce auxquels il découvrit de nombreux « infiniment petits » agrandis env. 300 fois.

Van Lerberghe (Charles) (Gand, 1861 – Bruxelles, 1907), poète symboliste belge : *les Flaireurs* (drame, 1889), *Entrevisions* (1897).

Van Loo ou **Vanloo** (Jean-Baptiste) (Aix-en-Provence, 1684 – id., 1745), peintre français : portraits historiques, bibliques et mythologiques. Il restaura les fresques du Primatice à Fontainebleau. – **Charles André,** dit *Carle* (Nice, 1705 – Paris, 1765), frère du préc. Portraits, scènes de genre et peintures monumentales religieuses : *le Mariage de la Vierge* (Louvre). – **Louis Michel,** dit *Michel* (Toulon, 1707 – Paris, 1771), fils de Jean-Baptiste. Il travailla en Italie, à la cour de Philippe V d'Espagne, puis à Paris (*Diderot,* portrait, Louvre).

Van Musschenbroek (Petrus) (Leyde, 1692 – id., 1761), physicien néerlandais. Il inventa la bouteille* de Leyde.

1. vannage n. m. TECH Ensemble, système de vannes.

2. vannage n. m. AGRIC Action de vanner des grains.

1. vanne n. f. Dispositif permettant de régler l'écoulement d'un fluide. *Vanne d'écluse.*

2. vanne n. f. Fam. Plaisanterie ou allusion désobligeante. *Envoyer une vanne à qqn.*

Vanne (la), riv. de Champagne (58 km), affl. de l'Yonne (r. dr.). Un aqueduc de 136 km amène une partie de ses eaux vers Paris.

vanneau n. m. Oiseau charadriiforme, dont une espèce, le vanneau huppé *(Vanellus vanellus),* de la taille d'un pigeon, avec des ailes et une huppe noires, est très commune en Europe. ▸ illustr. page **1950**

vannelle ou **vantelle** n. f. **1.** TECH Vanne qui obture une ouverture sur une porte d'écluse. **2.** Petite valve d'une conduite d'eau.

1. vanner v. tr. [**1**] TECH Pourvoir de vannes.

2. vanner v. tr. [**1**] **1.** AGRIC Nettoyer (les grains) en les secouant dans un van, un tarare, etc. **2.** Fam. Causer une fatigue extrême à. *Cet effort m'a vanné.* – Pp. adj. *Je suis vanné !*

vannerie n. f. **1.** Confection d'objets tressés avec des brins d'osier, de jonc,

vanneau huppé en plumage nuptial

de rotin, etc. **2.** Marchandise ainsi fabriquée.

Vannes, ch.-l. du dép. du Morbihan, au fond du golfe du Morbihan; 48 454 hab. Petites industries (alim., tréfilerie). Tourisme. – Évêché. Cath. St-Pierre (XIIIe, XVe et XVIe s.). Anc. remparts (XIIIe-XVIIe s.). Anc. hôtel du Parlement de Bretagne (XVe s.). – Une des cap. (avec Nantes) du duché de Bretagne.

vanneur, euse n. **1.** Personne qui vanne le grain. **2.** n. f. Syn. de *tarare.*

vannier, ère n. Personne qui fabrique des objets en vannerie.

Van Noort (Adam), dit *le Vieux* (Anvers, 1562 – id., 1641), peintre flamand; animateur d'un célèbre atelier que fréquenta Rubens.

Vanoise (massif de la), massif des Alpes de Savoie (3 852 m), entre l'Isère et l'Arc. Parc national (env. 53 000 ha) qui fait suite au parc italien du Grand-Paradis. Hydroélectricité.

Van Orley (Bernard) (Bruxelles, v. 1488 – id., 1541), peintre et ornemaniste flamand; auteur de cartons de vitraux (Sainte-Gudule, Bruxelles) et de tapisseries (*Chasses de Maximilien*, 1521-1530, Louvre).

Van Ostade (Adriaen) (Haarlem, 1610 – id., 1685), peintre et graveur hollandais : nombr. scènes de genre (*le Cabaret*, Louvre). – **Isaac** (Haarlem, 1621 – id., 1649), frère du préc. : scènes de genre, paysages.

Van Parys (Georges) (Paris, 1902 – id., 1971), compositeur français; auteur d'opérettes, de musiques de films et de chansons (*la Complainte des infidèles*, *Si tous les gars du monde*, *Un jour tu verras*, etc.).

Van Ruusbroec ou **Van Ruysbroek** (le bienheureux Jan), dit *l'Admirable* (Ruisbroek, 1293 – abb. de Groenendaal, Brabant, 1381), théologien et écrivain du Brabant; initiateur de la *Devotio moderna*, mouvement spirituel d'encouragement à la méditation personnelle. Ses ouvrages mystiques sont les premières grandes œuvres de la littérature néerlandaise : *le Joyau des noces spirituelles*, *le Royaume des amants de Dieu*, etc.

vantail, aux n. m. Partie mobile d'une porte, d'une fenêtre, etc.

vantard, arde adj. et n. Qui a l'habitude de se vanter. Syn. fanfaron.

vantardise n. f. Caractère de vantard; propos, acte de vantard. Syn. fanfaronnade, forfanterie.

vantelle. V. vannelle.

vanter v. [1] **I.** v. tr. Présenter (qqch, qqn) en louant exagérément. *Vanter sa marchandise. Des affiches colorées vantent les charmes de ces îles.* **II.** v. pron. **1.** Se louer avec exagération; mentir par vanité. *Il dit qu'il osera, mais je pense qu'il se vante.* **2.** Se glorifier, tirer vanité. – Loc. *Il n'y a pas de quoi se vanter* : c'est une chose dont il y a lieu d'avoir honte. **3.** Se faire fort (de). *Il se vante d'en venir à bout.*

Van't Hoff (Jacobus Henricus) (Rotterdam, 1852 – Berlin, 1911), chimiste néerlandais; fondateur, avec Le Bel, de la stéréochimie. Il découvrit les lois de la pression osmotique. P. Nobel 1901.

vanuatan, ane adj. et n. De Vanuatu. – Subst. *Un(e) Vanuatan(e).*

Vanuatu (république de) (anc. *Nouvelles-Hébrides*), archipel volcanique et État du Pacifique S., au N.-E. de la Nouvelle-Calédonie; 14 763 km²; 149 000 hab. (Vanuatans), croissance démographique : près de 3 % par an; cap. *Vila* ou *Port-Vila* (île Vaté). Langues off. : bislamar, français, anglais. Monnaie : vatu. – Archipel montagneux tropical, composé d'environ 80 îles volcaniques ou coralliennes dont les 6 plus importantes (Esperitu Santo, Malakula, Tanna, Efaté, Pentecôte et Maéwo) groupent plus de 80 % des hab. La population, mélanésienne et polynésienne, est essentiellement chrétienne (protestants majoritaires); rurale à 85 %, elle vit surtout de l'agriculture et de la pêche. Le pays exporte du coprah, de la viande bovine, du cacao et du bois.– Le Portugais Queirós découvrit ces îles en 1606, puis vinrent Bougainville (1768) et enfin Cook (1774). Au XIXe s., la colonisation, tardive, est le fait des Anglais et des Français, qui proclament la neutralité de l'archipel (1887) et établissent un condominium (1906). L'indépendance est acquise en 1980, sous l'impulsion du Vanuatu Pati mais la vie politique est soumise à la rivalité des groupes anglophone et francophone. Jean-Marie Leye (francophone) est élu président de la Rép. en 1994. – L'art y est représenté notam. par des effigies d'ancêtres et des masques polychromes, des mannequins funéraires dits *rambaramd*, des tambours en bois monumentaux. ▶ carte **Océanie**

va-nu-pieds n. inv. Personne qui vit misérablement. Syn. gueux, vagabond.

Van Veen (Otto). V. Vaenius.

Van Velde (Abraham, dit Bram) (Zoeterwoude, près de Leyde, 1895 – Grimaud, Var, 1981), peintre néerlandais. Attiré par l'œuvre de Matisse, il se fixa à Paris en 1924; de figuratives, ses toiles et ses gouaches évoluèrent vers un espace plat et lumineux. – **Geer** (Lisse, 1898 – Paris, 1977), peintre, frère du préc. Il poussa le post-cubisme des années 1935-1955 à une abstraction géométrique empreinte d'élégance.

Vanves, ch.-l. de cant. des Hauts-de-Seine (arr. d'Antony), au S. de Paris; 26 160 hab. Industr. diverses.

Van Vleck (John Hasbrouck) (Middletown, 1899 – Cambridge, Massachusetts, 1980), physicien américain. Il développa la théorie quantique des corps isolants et des milieux magnétiques (dès 1929), participa aux travaux sur le radar et contribua (1948) à l'étude de la résonance magnétique des atomes. P. Nobel 1977.

Van Vogt (Alfred Elton) (Winnipeg, 1912), écrivain américain d'origine canadienne; un des maîtres de la science-fiction (*À la poursuite des Slans*, 1946; *le Monde du non-A*, 1948).

Van Zeeland (Paul) (Soignies, 1893 – Bruxelles, 1973), homme politique belge; membre du parti catholique. Premier ministre (1935-1937), ministre des Affaires étrangères (1949-1954), il œuvra pour l'unité européenne.

Vanzetti. V. Sacco.

vape n. f. Loc. fam. *Être dans les vapes* (ou, plus rare, *dans la vape*), dans un état d'hébétude, de demi-conscience. – *Tomber dans les vapes* : s'évanouir.

1. vapeur n. f. **1.** Exhalaison perceptible se dégageant de liquides, de corps humides. *Des vapeurs traînent, s'élèvent au-dessus du marais.* **2.** PHYS Phase gazeuse d'un corps (habituellement à l'état solide ou liquide). *Vapeur sèche*, qui n'est pas en équilibre avec la phase liquide du corps dont elle émane (par oppos. à *vapeur saturante* ou *humide*). **3.** *Absol.* Vapeur d'eau. *Faire cuire des aliments à la vapeur. Bain de vapeur* : étuve humide. *Machine* à vapeur.* – Fam. *À toute vapeur* : à toute vitesse. **4.** (Plur.) Vx Malaise passager. *Avoir des vapeurs.* ▷ Litt. *Les vapeurs de l'ivresse, de l'orgueil*, les troubles qu'ils engendrent. Syn. fumées.

2. vapeur n. m. Bateau à vapeur.

vapocraquage n. m. TECH Craquage d'hydrocarbures en présence de vapeur.

vaporeux, euse adj. **1.** Litt. Dont la luminosité, la netteté est estompée par une brume légère. *Ciel vaporeux.* **2.** Qui est fin, léger, flou et transparent. *Tissu vaporeux.*

vaporisateur n. m. **1.** Appareil servant à projeter un liquide en fines gouttelettes. V. aussi pulvérisateur et atomiseur. **2.** TECH Appareil servant à produire de la vapeur.

vaporisation n. f. **1.** Pulvérisation d'un liquide. **2.** PHYS Passage de l'état liquide à l'état gazeux (par oppos. à *sublimation*).

ENCYCL **Phys.** – La vaporisation se produit toujours avec absorption de chaleur, soit par refroidissement du liquide, soit par apport de chaleur (par ex., ébullition, s'effectuant à température constante, d'un liquide que l'on chauffe). Cette chaleur est restituée par la vapeur lorsque celle-ci se condense. Dans les moteurs à vapeur, l'énergie fournie par le combustible de la chaudière (source chaude) transforme l'eau en vapeur, laquelle en se détendant dans la turbine fournit de l'énergie mécanique.

vaporiser v. [1] **I.** v. tr. **1.** Projeter (un liquide) en fines gouttelettes. *Vaporiser du parfum.* – Par ext. *Vaporiser ses cheveux.* **2.** Faire passer (un liquide) à l'état gazeux. **II.** v. pron. (En parlant d'un liquide.) Passer à l'état gazeux.

vaquer v. [1] **1.** v. intr. ADMIN Interrompre ses activités pour quelque temps. *Les tribunaux vaqueront pendant un mois.* **2.** v. tr. indir. Se consacrer (à une activité). *Vaquer à ses occupations.*

vaquero [vakeʀo] n. m. (Dans les pays de langue espagnole.) Vacher. – *Spécial.* Celui qui conduit les taureaux à la «plaza de toros» avant la corrida.

var n. m. ELECTR Unité de puissance réactive du système SI qui correspond à un courant alternatif de 1 ampère sous une chute de tension de 1 volt.

Var (le), fl. torrentueux (120 km) qui naît au S. de Barcelonnette, arrose les

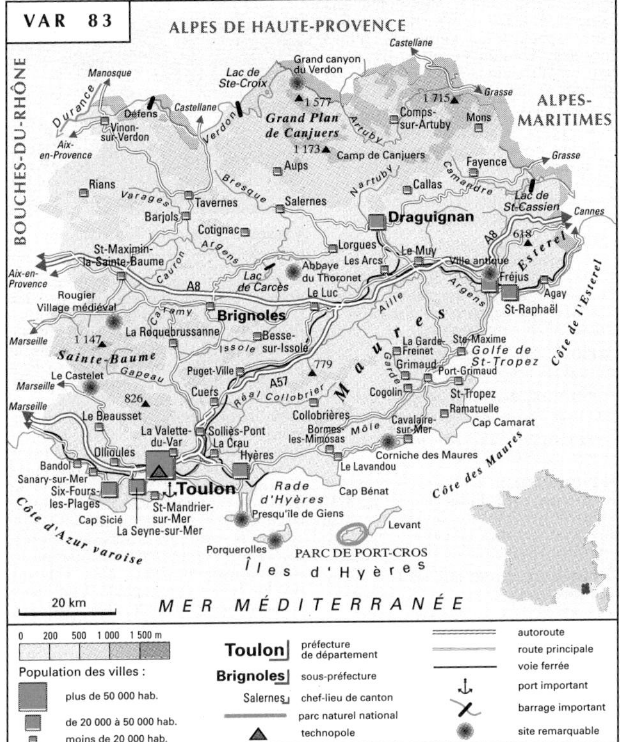

Alpes-Maritimes et se jette dans la Méditerranée près de Nice.

Var, dép. franç. (83); 5 999 km²; 815 449 hab.; 135,9 hab./km²; ch.-l. *Toulon*. V. Provence-Alpes-Côte d'Azur (Rég.).

varan n. m. Reptile saurien carnivore d'Asie du Sud, d'Égypte, d'Australie et d'Afrique noire, dont une espèce (*Varanus komodoensis*, le dragon de Komodo) peut atteindre 3 m de long.

varan, dit dragon de Komodo

Vārānasi. V. Bénarès.

varangue n. f. MAR Dans la construction en bois, pièce courbe fixée perpendiculairement à la quille du navire et jointe au couple qui lui correspond. ▷ Dans la construction en acier, membrure transversale des fonds du navire.

varappe n. f. Escalade de pentes rocheuses abruptes.

varapper v. intr. [1] Faire de la varappe.

varappeur, euse n. Personne qui fait habituellement de la varappe.

Varda (Agnès) (Ixelles, 1928), cinéaste française. Son œuvre (courts métrages : *la Pointe courte*, 1955; *Opéra-Mouffe*, 1958; longs métrages : *Cléo de 5 à 7*, 1962; *le Bonheur*, 1964; *Sans toit ni loi*, 1985) est une variation sur le thème du bonheur, individuel et social.

Vardar (le), fl. des Balkans (388 km); arrose la Macédoine et se jette dans le golfe de Salonique.

varech [vaʀɛk] n. m. (Sing. collectif.) Algues (fucus divers, notam.) rejetées par la mer et utilisées comme amendement.

Varègues, peuple scandinave (V. Vikings) qui passa en Russie au IXᵉ s. et domina le commerce (fourrures, esclaves) entre la Baltique et la mer Noire jusqu'au Xᵉ s. Ils auraient contribué à fonder les premiers États russes (Novgorod, Kiev) et s'assimilèrent aux Slaves.

Varengeville-sur-Mer, com. de la Seine-Maritime (arr. de Dieppe); 1 052 hab. - Égl. des XIIᵉ et XVIᵉ s. restaurée, avec notam. un vitrail de Braque.

varenne n. f. Rég. Terrain sablonneux et inculte où l'on ne trouve que peu d'herbe pour le bétail et que fréquente du petit gibier.

Varennes-en-Argonne, ch.-l. de cant. de la Meuse (arr. de Verdun), sur l'Aire; 681 hab. - Louis XVI et sa famille, qui avaient fui Paris *(fuite à Varennes)* dans la nuit du 20 au 21 juin 1791, y furent arrêtés le 22 juin.

Varese, v. d'Italie (Lombardie), près du *lac de Varese*; 90 290 hab.; ch.-l. de la prov. du m. nom. Industr. aéronautiques, mécaniques, textiles et du cuir; tourisme. - Basilique San Vittore (XVIᵉ s.), baptistère du XIIᵉ s. Palais d'Este (XVIIIᵉ s.).

Varèse (Edgard) (Paris, 1885 - New York, 1965), compositeur français, naturalisé américain en 1926. Élève de Vincent d'Indy et d'Albert Roussel, il s'installa en 1915 à New York. Dynamique rythmique, timbre, jeu de couleurs sonores font du bruit une partie intégrante de la forme musicale : *Hyperprism* (1923), *Intégrales* (1925), *Arcana* (1927), *Ionisation* (1931), *Équatorial* (1934), *Déserts* (1954), *l'Homme et la Machine* (1958). Précurseur des musiques concrète et électronique, Varèse fut longtemps méconnu; en France, son œuvre n'a été vraiment découverte que v. 1950.

vareuse n. f. **1.** Blouse de matelot en grosse toile. **2.** Veste de certains uniformes. *Vareuse d'officier.* **3.** Veste ample.

Varga (Ievgueni) (Budapest, 1879 - Moscou, 1964), homme politique et économiste soviétique d'origine hongroise (*le Capitalisme du XXᵉ siècle*, 1961).

Vargas (Getúlio) (São Borja, Rio Grande do Sul, 1883 - Rio de Janeiro, 1954), homme politique brésilien. Chef d'un gouvernement provisoire (1930), président de la République (1934), il mena une politique autoritaire, luttant contre l'agitation de droite (pronazie) et de gauche (communiste). Instaurant l'« État nouveau », il tenta de relever l'économie et prit d'import. mesures sociales. Déposé en 1945, réélu en 1950, il laissa la corruption se répandre; plusieurs membres de l'opposition furent assassinés. Attaqué par la presse et sommé de démissionner par des officiers, Vargas se suicida.

Vargas Llosa (Mario) (Arequipa, 1936), écrivain péruvien; critique littéraire (*Flaubert et Madame Bovary*, 1975), et surtout romancier, peintre de la société péruvienne (*la Ville et les chiens*, 1962; *Conversation à la cathédrale*, 1969; *la Tante Julia et le Scribouillard*, 1979, *l'Homme qui parle*, 1989). S'étant présenté comme candidat de la droite libérale au Pérou, il fut battu au deuxième tour des élections prés., en 1990.

varheure n. m. ELECTR Unité d'énergie réactive correspondant à la mise en jeu, pendant une heure, d'une puissance de 1 var.

varia n. m. pl. Didac. **1.** Collection, recueil de textes variés. **2.** Article ou reportage sur des sujets variés et souvent anecdotiques.

variabilité n. f. Caractère de ce qui est variable. ▷ BIOL Aptitude à présenter des variations.

variable adj. et n. **I.** adj. **1.** (Choses) Qui peut varier, qui est sujet à varier. *Un courant d'intensité variable. Temps variable.* ▷ ASTRO *Étoile variable*, dont l'éclat varie au cours du temps, de façon périodique ou irrégulière. ▷ MATH *Grandeur, quantité variable.* (V. sens II, 2.) ▷ GRAM *Mot variable*, dont la forme varie selon le genre, le nombre, le temps, etc. **2.** Que l'on peut faire varier à volonté. *Hélice à pas variable.* **II.** n. **1.** n. m. Zone centrale de la graduation du baromètre, correspondant à une pression atmosphérique comprise entre 755 et 765 mm de mercure. *L'aiguille du baromètre est passée du variable au beau fixe.* **2.** n. f. MATH Quantité susceptible de changer de valeur. *x représente la variable dans la fonction $f(x) = x^2$, qui associe à un nombre variable (x) son carré (x^2).*

variance n. f. **1.** CHIM, PHYS Nombre de paramètres (température, pression, volume, par ex.) qu'il suffit de connaître pour déterminer entièrement l'état d'équilibre d'un système. **2.** STATIS Moyenne des carrés des écarts (par rapport à la valeur moyenne) qui caractérise la dispersion des individus d'une population. *L'écart type est égal à la racine carrée de la variance.*

variante n. f. **1.** Version d'un texte différente de celle habituellement adoptée. *Variantes réunies dans une édition critique.* **2.** LING Forme différente sous laquelle peut apparaître un même signifiant. *Ten! ou té! sont des variantes régionales (ou dialectales) de tiens!* **3.** Forme légèrement différente, altérée ou modifiée, d'une même chose. *Les variantes d'une recette de cuisine.*

variateur n. m. **1.** TECH Dispositif qui permet de faire varier une grandeur. *Variateur de tension.* **2.** MECA *Variateur de vitesse :* appareil permettant de transmettre le mouvement d'un arbre à un autre arbre, avec la possibilité de modifier la vitesse de rotation de ce dernier.

variation n. f. **1.** Fait de varier (pour une chose); changement qui en résulte. *Variation de la couleur dans un dégradé. Les variations de l'opinion.* ▷ Changement de la valeur d'une quantité ou d'une grandeur; écart entre deux valeurs numériques d'une quantité variable. *Variation de température. Variation d'intensité d'un courant.* ▷ BIOL Fait (pour une espèce donnée) d'avoir ou de produire des éléments non identiques à l'élément type, de présenter des variétés (sens 3). **2.** MUS Modification apportée à un thème (altération du rythme, changement de mode, etc.). ▷ Composition écrite sur un thème qu'on continue de reconnaître sous les ornements successifs qui le modifient. *Les variations pour piano de Beethoven.*

varice n. f. Dilatation pathologique permanente d'une veine, généralement située dans le réseau veineux superficiel des membres inférieurs.

varicelle n. f. MED Maladie infectieuse, contagieuse et immunisante d'origine virale, caractérisée par une éruption de vésicules, qui touche essentiellement les enfants.

varicocèle n. f. MED Dilatation variqueuse du cordon spermatique.

varié, ée adj. **1.** Dont les parties, les caractères sont dissemblables; qui n'est pas monotone. *Une nourriture variée.* – *Terrain varié,* qui présente des accidents. ▷ MUS *Air varié,* que l'on a modifié en y introduisant des variations. ▷ PHYS *Mouvement uniformément varié,* dont la vitesse varie en fonction linéaire du temps (accélération constante). **2.** (Plur.) Se dit de choses différentes entre elles mais de même espèce. *Hors-d'œuvre variés.*

varier v. [2] **I.** v. tr. **1.** Apporter divers changements à (une chose). *Varier la présentation d'un produit.* **2.** Introduire de la diversité dans (des choses de même espèce). *Chercher à varier les menus. Varier les plaisirs.* **II.** v. intr. **1.** Changer, se modifier à plusieurs reprises. *Son humeur varie souvent.* **2.** Être différent selon les cas. *Les mœurs varient d'un pays à l'autre. Les prix varient d'un quartier à l'autre.* **3.** (Sujet n. de personne.) Manquer de constance dans ses opinions, ses sentiments. – (Sujet plur.) Avoir des avis différents. *Les philosophes varient sur ce point.*

variétal, ale, aux adj. BOT Qui concerne une variété.

variété n. f. **1.** Caractère de ce qui est varié, divers. *Travail qui manque de variété. La variété des opinions.* **2.** Ensemble de choses variées. *Une grande variété d'articles.* **3.** BIOL La plus petite des unités systématiques (plus petite que l'espèce). **4** MATH Ensemble des éléments d'un espace topologique. **5.** (Plur.) Spectacle combinant numéros musicaux et attractions diverses. *Émission télévisée de variétés.*

Varignon (Pierre) (Caen, 1654 – Paris, 1722), mathématicien français; l'un des premiers adeptes (1686) du calcul infinitésimal inventé par Leibniz (1684). Il fit progresser considérablement la mécanique théorique (*Nouvelle mécanique* ou *Statique*, posth., 1725).

variole n. f. MED Maladie infectieuse grave, éruptive, immunisante, contagieuse et épidémique, due à un virus du groupe auquel appartient la vaccine*. *La vaccination a fait disparaître la variole.* Syn. Vx petite vérole.

variolé, ée adj. MED Marqué de cicatrices dues à la variole.

varioleux, euse adj. et n. MED Qui est atteint de la variole.

variolique adj. MED Relatif à la variole. *Pustule variolique.*

variomètre n. m. **1.** ELECTR Appareil de mesure des inductances. **2.** AVIAT Appareil qui mesure la vitesse verticale d'un aéronef et permet ainsi de contrôler l'horizontalité du vol.

variqueux, euse adj. MED Qui a rapport aux varices; qui est de la nature des varices. *Ulcère variqueux.*

varistance n. f. ELECTR Résistance dont la résistivité varie en fonction du courant qui la traverse.

Varlin (Eugène) (Claye-Souilly, 1839 – Paris, 1871), révolutionnaire français, membre de la Commune. Il occupa diverses fonctions au sein de l'Association internationale des travailleurs et participa aux combats contre les versaillais. Arrêté, il fut fusillé.

varlope n. f. TECH Rabot à très long fût, muni d'une poignée.

Varna (*Stalin* de 1949 à 1956), port de Bulgarie, sur la mer Noire; 295 000 hab.; ch.-l. de distr. Université. Constr. navales; industr. chimiques et textiles. Tourisme. – Victoire des Turcs sur les Polonais et les Hongrois (1444).

varois, oise adj. et n. Du Var.

varroa n. m. Acarien parasite de l'abeille.

varron n. m. MED VET **1.** Larve d'un insecte diptère brachycère (mouche du genre *Hypoderma*) qui provoque des lésions de l'hypoderme et dont la phase terminale est sous-cutanée. **2.** Tumeur avec perforation provoquée par cette larve, chez les bovins.

Varron (en lat. *Marcus Terentius Varro*) (Reate, auj. Rieti, 116 – 27 av. J.-C.), écrivain et érudit latin. Partisan de Pompée durant les guerres civiles, il renoua après Pharsale avec César, qui lui confia l'organisation des bibliothèques publiques. Auteur d'un traité d'agriculture (*Rerum rusticarum libri III*), il a également laissé des fragments de traités linguistiques, philosophiques et historiques.

Varsovie (en polonais *Warszawa*), cap. de la Pologne, sur la Vistule; 1 650 220 hab.; ch.-l. de voïévodie. Grand centre scientifique, culturel et commercial. Le secteur industriel (électron., méca., chim., etc.), import., s'est développé après 1945. – Archevêché. Université. Les monuments (cath., palais royal, etc.), ainsi que la vieille ville (place du Vieux-Marché), ont été

Varsovie : place du Vieux-Marché

reconstruits après 1945 avec une grande fidélité (notam. d'après les tableaux de Canaletto le Jeune). – Résidence des ducs de Mazovie (XIIIe s.), la ville fut intégrée en 1526 dans le royaume de Pologne et devint sa cap. en 1596. Laissée à la Prusse en 1795, cap. du grand-duché de Varsovie (1807-1814), puis du royaume de Pologne (1815-1915), dont le tsar de Russie était le souverain, Varsovie fut le siège d'une insurrection, durement réprimée (1830-1831). En 1918, elle devint la cap. de la Pologne restaurée. Occupée par les Allemands en 1939, elle fut le centre de la Résistance polonaise; en 1943, les nazis profitèrent du soulèvement du ghetto pour exterminer les Juifs de la capitale. Une insurrection éclata un an plus tard (1er août-2 oct. 1944), et Varsovie fut systématiquement détruite; elle ne fut libérée par les Soviétiques qu'en janvier 1945.

Varsovie (grand-duché de), État créé par Napoléon Ier en 1807 et qui comprenait la quasi-totalité des prov. polonaises annexées par la Prusse lors des partages du XVIIIe s. Il faisait partie de la Confédération germanique et était pourvu d'institutions de type français. Le congrès de Vienne* le transforma en royaume de Pologne, attribué à la Russie.

Varsovie (pacte de), accords militaires signés à Varsovie le 14 mai 1955, liant l'U.R.S.S., l'Albanie (qui se retira en 1968 à la suite de l'intervention des forces du Pacte en Tchécoslovaquie), la Bulgarie, la Hongrie (en 1956), la Pologne, la Roumanie, la Tchécoslovaquie et la R.D.A. (qui y adhéra de 1956 à 1990). Ce pacte fut conçu en réplique à la formation de l'OTAN. L'alliance a été dissoute en 1991.

varus [varys] n. m. inv. et adj. inv. MED Déviation en dedans (par oppos. à *valgus*). ▷ adj. inv. *Pied bot varus.*

Varus (Publius Quintilius) (v. 50 av. J.-C. – en Germanie, 9 apr. J.-C.), général romain. Sa politique brutale de romanisation à outrance de la Germanie provoqua des révoltes. Le chef des Chérusques Arminius le surprit dans la forêt de Teutoburg et le massacra, lui et ses trois légions.

varve n. f. GEOL Unité annuelle de sédimentation constituée d'une couche mince, noire, à grains très fins, correspondant à l'hiver, et d'une couche plus épaisse, claire, à gros grains, correspondant à l'été. *L'étude des varves (glaciaires) permet de dater les terrains quaternaires.*

vas(o)-. Élément, du lat. *vas,* « récipient », et, en lat. anat., « vaisseau, canal ».

Vasa. V. Gustave Ier Vasa.

Vasaloppet, course de ski nordique (85,8 km) qui, chaque année en Suède, oppose un grand nombre de concurrents.

Vasarely (Viktor Vásárhelyi, dit Victor) (Pécs, 1908 - Paris, 1997), peintre français d'origine hongroise. Il a conçu dès 1955 un art cinétique qui, par des combinaisons géométriques et de couleurs, crée un espace visuel multidimensionnel. Un musée lui est consacré à Aix-en-Provence.

Vasari (Giorgio) (Arezzo, 1511 - Florence, 1574), peintre maniériste, architecte et écrivain italien. Il est l'auteur de *Vies des plus excellents peintres, sculpteurs et architectes* (1550, complétées en 1568), ouvrage capital sur l'art italien des XVe et XVIe s. Il traça les plans du palais des Offices.

Vasco de Gama. V. Gama.

Vascons, anc. peuple d'Espagne, installé au N. de l'Èbre, dans la Navarre actuelle. Soumis par Pompée, par Auguste puis par les Wisigoths, ils s'établirent à la fin du VIe s. en Novempopulanie (sud-ouest de l'Aquitaine), qui prit le nom de *Vasconie* (d'où Gascogne). Ce sont les ancêtres des Basques.

vasculaire adj. **1.** ANAT Qui a rapport, qui appartient aux vaisseaux. *Système vasculaire.* **2.** BOT *Plantes vasculaires :* plantes (fougères, gymnospermes et angiospermes) qui possèdent des éléments conducteurs différenciés (trachéides ou vaisseaux), par oppos. aux plantes qui en sont dépourvues (algues, champignons, mousses, etc.). ▷ *Les cryptogames vasculaires :* les fougères.

vascularisation n. f. ANAT Disposition des vaisseaux dans un organe. - Formation de vaisseaux dans un tissu ou un organe.

vascularisé, ée adj. ANAT Qui contient des vaisseaux. *Organe vascularisé.*

vascularite n. f. MED Syn. de *angéite.*

1. vase n. f. Mélange de très fines particules terreuses et de matières organiques formant un dépôt au fond des eaux calmes.

2. vase n. m. Récipient de forme et de matière variables, destiné à contenir des liquides, des fleurs, ou servant d'ornement. *Vase en verre, en bronze. Vase antique.* - *Vase de nuit :* pot de chambre. ▷ Récipient servant aux expériences de physique et de chimie. ▷ RELIG CATHOL *Vases sacrés,* dont on se sert pour célébrer la messe ou pour conserver les saintes espèces. ▷ PHYS *Vases communicants :* ensemble de récipients de formes différentes qui communiquent entre eux par leur base. - *Principe des vases communicants,* selon lequel les surfaces libres d'un liquide contenu dans des vases communicants se trouvent toujours à la même hauteur. ▷ Loc. fig. *En vase clos :* sans contact avec le monde extérieur. *Enfant élevé en vase clos.* ▷ TECH *Vase d'expansion :* dispositif destiné à compenser la dilatation d'un liquide contenu dans une installation de chauffage ou de refroidissement en circuit fermé.

vasectomie n. f. CHIR Section du canal déférent, destinée à provoquer la stérilité masculine.

vasectomiser v. tr. [1] CHIR Pratiquer une vasectomie sur.

vaseline n. f. Graisse minérale constituée d'un mélange de carbures saturés, utilisée notam. en pharmacie.

vaseliner v. tr. [1] Enduire de vaseline.

Victor **Vasarely** : *Hexagrâce* (1978-1979), mosaïque sur le toit de l'auditorium du Centre international des congrès de Monte-Carlo

vaseux, euse adj. **1.** De la nature de la vase. **2.** Fig., fam. Qui éprouve un malaise vague. *Être vaseux.* **3.** Fam. Confus, embrouillé. *Discours vaseux.*

vasière n. f. Rég. ou TECH **1.** Endroit où il y a de la vase. **2.** Premier bassin d'un marais salant où se dépose la vase. **3.** Parc à moules.

vasistas n. m. Petite ouverture pratiquée dans une porte ou une fenêtre, et munie d'un vantail.

vaso-. V. vas(o)-.

vasoconstricteur, trice adj. et n. m. PHYSIOL, MED Qui réduit le calibre des vaisseaux. *Nerf, médicament vasoconstricteur.* ▷ n. m. *Les vasoconstricteurs.*

vasoconstriction n. f. PHYSIOL, MED Réduction du calibre des vaisseaux.

vasodilatateur, trice adj. et n. m. PHYSIOL, MED Qui augmente le calibre des vaisseaux. ▷ n. m. *La papavérine est un vasodilatateur.*

vasodilatation n. f. PHYSIOL, MED Dilatation des vaisseaux.

vasomoteur, trice adj. et n. m. PHYSIOL, MED Qui se rapporte aux modifications de calibre des vaisseaux, ou qui les provoque. *Action vasomotrice.* ▷ n. m. *Les vasomoteurs :* les nerfs vasomoteurs.

vasomotricité n. f. PHYSIOL Ensemble des phénomènes de régulation de la circulation du sang (vasoconstriction et vasodilatation).

vasopresseur, ive adj. et n. m. MED Se dit d'une substance qui contracte les artères. ▷ n. m. *Un vasopresseur.*

vasopressine n. f. MED Hormone hypophysaire antidiurétique. Syn. Hormone antidiurétique. (Abrév. : A.D.H.).

vasouillard, arde adj. Fam. Qui vasouille. *Une excuse vasouillarde.*

vasouiller v. intr. [1] Fam. S'empêtrer dans une explication, une action, etc.

vasque n. f. Bassin en forme de coupe peu profonde recevant l'eau d'une fontaine ornementale. ▷ Coupe large et peu profonde, servant à décorer une table. *Vasque fleurie.*

vassal, ale, aux n. et adj. FEOD Personne qui a fait hommage à un seigneur dont elle a reçu un fief et à qui elle doit divers services, notam. financiers et militaires. ▷ Mod., fig. Personne, nation assujettie à une autre. - adj. *Pays vassal.*

vassalisation n. f. Action de vassaliser; état de ce qui est vassalisé.

vassaliser v. tr. [1] Mettre (qqn) sous sa dépendance; asservir. ▷ Mod., fig. *L'Inde a vassalisé le Bhoutan.*

vassalité n. f. FEOD État du vassal. ▷ Fig. Assujettissement, soumission.

Vassieux-en-Vercors, com. de la Drôme (arr. de Die); 283 hab. - En juil. 1944, les Allemands incendièrent le village et massacrèrent 75 de ses habitants.

Vassilevski ou **Vassilievski** (Alexandre Mikhaïlovitch) (Novopokrovka, 1895 - Moscou, 1977), maréchal (1943) et homme politique soviétique. Officier, il se rangea dès 1917 aux côtés des révolutionnaires. Favorable à la politique de Staline, il fut nommé général en 1935, puis chef d'état-major (1943-1947) et ministre de la Défense (1949-1953).

vaste adj. (et n. m.) **1.** D'une très grande étendue. *Un vaste domaine.* **2.** De grandes dimensions. *Un vaste hangar.* - Fig. De grande ampleur, de grande portée. *De vastes desseins.* - Fam. *Une vaste fumisterie.* **3.** Important en quantité. *Un vaste groupement d'animaux.* **4.** ANAT *Les muscles vastes :* les gros muscles du triceps et du quadriceps. ▷ n. m. *Les vastes interne et externe.*

Västerås, v. de Suède, sur le lac Mälar; 117 740 hab.; ch.-l. de län. Centre industriel (électrométall., constr. méca., aéron., aciérie). - Cath. gothique (XIIIe s.); chât. (XIVe s.).

Vaté (île), île de l'archipel de Vanuatu; 1 100 km^2; v. princ. *Vila* (cap. de l'archipel). Manganèse.

Vatel (m. à Chantilly en 1671), maître d'hôtel de Fouquet, puis du prince de Condé. Son suicide, relaté par Mme de Sévigné, est resté célèbre : la marée n'étant pas arrivée pour un repas offert par Condé et auquel assistait le roi, il se transperça de son épée.

va-t-en-guerre adj. inv. et n. inv. Fam. Se dit d'une personne belliqueuse.

Vatican (État de la cité du), le plus petit État du monde, à Rome, à l'E. du Tibre; 44 ha; 740 citoyens (auxquels s'ajoutent des résidents) dont la citoyenneté ne se substitue pas à la nationalité d'origine. Chef de l'État : le pape (d'où le nom de Saint-Siège donné au Vatican). Cet État comprend : la basilique Saint-Pierre, le palais, les jardins, les musées pontificaux et la place Saint-Pierre (d'accès libre), qui forment la «cité» proprement dite, à laquelle s'ajoutent douze édifices jouissant du privilège de l'exterritorialité (basiliques St-Jean-de-Latran, Ste-Marie-Majeure, St-Paul-hors-les-Murs, résidence d'été de Castel Gandolfo à 27 km de Rome, etc.), dont neuf sont exempts d'impôts et garantis contre toute expropriation. Les immeubles et cours qui constituent les palais de la cité englobent les appartements du pape, la secrétairerie d'État, la chapelle Sixtine*, la bibliothèque Vaticane (quelque 950 000 imprimés, 60 000 manuscrits et 7 000 incunables),

site du "patrimoine mondial" UNESCO
bâtiments de la cité du Vatican
voie ferrée
1 basilique St-Pierre
2 chapelle Sixtine
3 place St-Pierre
4 musée Chiaramonti
5 chambres et loges de Raphaël
6 pinacothèque
7 musée Pio-Clementino
8 bibliothèque
9 place de la Monnaie
10 mur de Léon IV
11 porte de bronze
12 poste
13 musée souterrain
14 casina de Pie IV
15 cour du Belvédère
16 cour de la Pigna
17 Académie des sciences
18 serres
19 fontaine de l'Aquilion
20 palais du gouverneur
21 chapelle du gouverneur
22 collège éthiopien
23 atelier de mosaïque
24 palais de justice
25 gare
26 palais St-Charles
27 sacristie
28 cimetière teutonique
29 Saint-Office
30 station de radio
31 ancien observatoire

les archives secrètes, les musées (pinacothèque; musée Pio Clementino; musée Chiaramonti; Musée grégorien; Musée égyptien, etc.), les appartements Borgia, les Loges* et les chambres de Raphaël* et divers bâtiments réservés à l'imprimerie, à la garde suisse, etc.

Hist. – L'État du Vatican est l'héritier des *États pontificaux*, dits aussi *États de la papauté* ou *de l'Église*, territoires administrés directement par les papes jusqu'en 1870. Si l'origine officielle de ces possessions repose sur un faux, la « Donation de Constantin » au pape Sylvestre Ier (déb. IVe s.), elle a pour base réelle les dons faits aux papes par les empereurs du Bas-Empire et certains particuliers, qui constituèrent autour de Rome le « patrimoine de Saint-Pierre ». Les Lombards* (qui envahirent l'Italie à partir de 568) organisèrent le Latium en un duché dont le pape était le chef temporel. Allié aux Carolingiens, Étienne II (752-757) obtint leur aide pour joindre à ce duché Ravenne et l'Italie centrale. Pour dix siècles, ces États pontificaux coupèrent en biais la péninsule depuis le cours inférieur du Pô (Romagne) et la côte adriatique (Marches) jusqu'au Latium. Dès lors, les périodes d'indépendance, durant lesquelles le pouvoir papal fut l'objet des luttes et des intrigues de l'aristocratie romaine, alternèrent avec des périodes de mise en tutelle par des souverains étrangers. L'intervention d'Otton Ier en 962 posa le problème des rapports du pape avec le Saint-Empire, jusqu'au concordat de Worms en 1122 qui régla le problème de l'indépendance de l'Église. (V. Investitures [querelle des].) Restaient les prétentions permanentes des empereurs à régner sur l'Italie; un long conflit les opposa aux papes désireux de sauvegarder leur indépendance temporelle (V. lutte du Sacerdoce* et de l'Empire) jusqu'en 1274. Durant le séjour des papes à Avignon (XIVe s.), les États pontificaux retournèrent à l'anarchie, l'aristocratie se taillant des principautés indépendantes. À partir du pontificat de Nicolas V (1447) les possessions italiennes de la papauté ne furent plus remises en question. La Renaissance fut une période de développement économique (mines d'alun de Tolfa) et artistique. Au contraire, l'immobilisme des XVIIe et XVIIIe s. figea la région dans un archaïsme de plus en plus accentué face aux autres États italiens, ce qui explique la vigueur du mouvement libéral et patriotique, manifesté lors des brèves périodes d'occupation française (1798-1799 et 1809-1814). À partir de 1846, Pie IX tenta de canaliser ce courant dans le dessein de devenir l'arbitre et le guide d'une Italie libérée de la tutelle étrangère et confédérée. Effrayé par l'ampleur des révolutions de 1848, il renonça vite à ces projets et quitta Rome, où Mazzini créa l'éphémère République romaine. Dès juin 1849, l'autorité papale fut rétablie sur l'ensemble de ses territoires par les troupes françaises, qui constituèrent le dernier rempart de la puissance temporelle des papes jusqu'en 1870. En mars 1860, la Romagne révoltée rejoignit le royaume du Piémont, suivie, en sept., par les Marches et l'Ombrie. Par la convention de 1864, que la France imposa, l'Italie choisit Florence comme cap. et s'engagea à respecter l'indépendance du territoire pontifical, réduit au Latium. L'assaut de Garibaldi fut repoussé à Mentana (1867), mais le départ des troupes françaises lors de la guerre de 1870 laissa Rome ouverte aux armées de Victor-Emmanuel II. Le 2 oct., après plébiscite, le Latium fut rattaché à l'Italie, dont Rome devint la capitale. Le pouvoir des papes n'a retrouvé d'assise matérielle qu'avec la création de l'État du Vatican par les accords du Latran (fév. 1929). Le concordat du 18 fév. 1984 a établi la séparation de fait entre l'Église et l'État italien.

Vatican (premier concile du) ou **Vatican I,** 20e concile œcuménique réuni par Pie IX, qui se déroula en la basilique St-Pierre de Rome du 8 déc. 1869 au 18 juil. 1870. Deux constitutions dogmatiques furent votées : *Dei Filius* (24 avr. 1870), par laquelle fut précisée la doctrine catholique sur la révélation et sur la foi, et *Pastor æternus* (18 juil. 1870), qui définit le dogme de l'infaillibilité pontificale.

Vatican (deuxième concile du) ou **Vatican II,** 21e concile œcuménique réuni par Jean XXIII, achevé par Paul VI, et qui se tint à Rome du 11 oct. 1962 au 8 déc. 1965, en présence d'observateurs protestants et orthodoxes. Il promulgua quatre constitutions *(Sur l'Église; Sur la Révélation; Sur la liturgie; Sur l'Église et le monde contemporain)* avec un souci particulier de rénover le rapport de l'Église catholique avec le monde contemporain (*aggiornamento*, c.-à-d. « mise à jour ») : au lieu de considérer l'Église uniquement comme une société ayant ses institutions et sa hiérarchie propres, les pères conciliaires ont vu en elle « le peuple de Dieu », abolissant la séparation entre clercs exerçant toutes les responsabilités ecclésiales et laïcs obéissants et passifs. Décidé également à briser le monolithisme romain, le concile prit certaines dispositions en vue de promouvoir l'unité des chrétiens (création d'un Secrétariat pour l'unité).

vaticane adj. f. (et n. f.) Relative à la papauté, au Vatican (État dont le pape est le souverain temporel). *La diplomatie vaticane.* – n. f. *La Vaticane* : la Bibliothèque vaticane.

vaticination n. f. Litt. Prophétie, prédiction.

vaticiner v. intr. [**1**] Litt. Prophétiser. ▷ Péjor. Tenir des discours d'allure prophétique.

va-tout n. m. inv. À certains jeux, mise ou relance d'un joueur qui risque en un seul coup tout ce qu'il possède. ▷ Loc. fig. *Jouer son va-tout* : jouer le tout pour le tout.

Vattel (Emmer de) (Couvet, 1714 – Neuchâtel, 1767), juriste suisse; un des fondateurs du droit international.

Vättern, lac de la Suède méridionale (1 912 km²), relié à la Baltique par un canal.

Vauban (Sébastien Le Prestre de) (Saint-Léger-de-Foucherest, auj. Saint-Léger-Vauban, 1633 – Paris, 1707), maréchal de France. Entré dans l'armée dès 1651, il fut nommé par Louis XIV commissaire général des fortifications (1678). Il créa de véritables ouvrages d'art, fortifications adaptées aux progrès de l'armement; il consolida ainsi plus de 300 places fortes et construisit près de 40 nouvelles places. Vauban dirigea remarquablement plus de 50 sièges (Lille notam., 1667). La fin de sa vie fut assombrie par une semi-disgrâce due aux « mémoires » qu'il avait adressés au roi sur l'état de la France (en se fondant sur des statistiques). En 1707, il publia sans autorisation un *Projet d'une dîme royale*, qui fut saisi; il y préconisait la levée d'un impôt unique dont nul ne serait exempté par privilège.

Vauban

Vaucanson (Jacques de) (Grenoble, 1709 – Paris, 1782), ingénieur français; constructeur d'automates : *Joueur de flûte* (1737), dont le souffle modulait les sons de la flûte traversière placée entre ses mains; *Canard digéreur* (de graines qu'il avait mangées, 1738). À partir de 1741, il s'intéressa au tissage et inventa le premier métier à tisser automatique.

Vaucluse, dép. franç. (84); 3 566 km²; 467 075 hab.; 131 hab./km²; ch.-l. *Avignon.* V. Provence-Alpes-Côte d'Azur (Rég.).

vauclusien, enne adj. et n. Du Vaucluse. ▷ GEOL *Source vauclusienne* : résurgence d'eaux d'infiltration en pays calcaire, à gros débit régulier, dont la *fontaine de Vaucluse* (à 25 km à l'E. d'Avignon) fournit le type.

Vaucouleurs, ch.-l. de cant. de la Meuse (arr. de Commercy), sur la Meuse; 2 413 hab. Industr. textile. – En 1429, Jeanne d'Arc y demanda une escorte au capitaine de Vaucouleurs, le sire de Baudricourt, afin d'aller trouver le roi à Chinon.

Vaud, cant. de Suisse, entre les lacs Léman et de Neuchâtel; 3 219 km²; 599 790 hab. (Vaudois); ch.-l. *Lausanne.* – Le canton s'étend sur le Jura méridional, qui vit surtout de l'horlogerie et de la petite mécanique; sur le Moyen Pays *(Mittelland)*, région de collines vouée à l'agriculture (blé, betterave, tabac); sur les Préalpes (élevage, vigne, tourisme). Les rives du Léman accueillent plus de la moitié de la pop.; les industries (méca., alim., etc.) sont bien représentées, à Lausanne, Vevey et Montreux, notam. – Domaine des Burgondes, puis de la Bourgogne Transjurane (IXe-XIe s.), possession savoyarde (XIIIe s.), le pays de Vaud fut annexé

par Berne (1536), qui y introduisit la Réforme. Après avoir constitué l'éphémère République lémanique (1798), il devint l'un des cantons helvétiques (1803).

vaudeville n. m. Comédie légère dont l'intrigue, fertile en rebondissements, repose généralement sur des quiproquos.

vaudevillesque adj. Qui tient du vaudeville. *Situation, aventure vaudevillesque.*

vaudevilliste n. m. Auteur de vaudevilles.

1. vaudois, oise n. et adj. RELIG Membre d'une secte chrétienne apparue au XIIe s., n'admettant comme source de foi que les Écritures. ▷ adj. *Secte vaudoise.*

ENCYCL La secte des vaudois, fondée par Pierre Valdo à Lyon (« pauvres de Lyon »), quitta presque immédiatement l'Église (1179), à laquelle elle reprochait notam. ses richesses ; elle fut excommuniée en 1184. Préfigurant la Réforme, elle ne voulait retenir de la doctrine chrétienne que la foi en les Écritures, renonçant même à la messe.

2. vaudois, oise adj. et n. Qui est du canton de Vaud. – Subst. *Un(e) Vaudois(e).*

vaudou n. m. et adj. inv. Culte animiste (mélange de sorcellerie, de magie et d'éléments empruntés au rituel chrétien) pratiqué par les peuples du golfe de Guinée et qui, avec la traite des Noirs, s'est répandu aux Antilles (princ. à Haïti) et au Brésil (Bahia). – Divinité de ce culte. ▷ adj. inv. *Cérémonie vaudou.*

Vaudoyer (Léon) (Paris, 1803 – id., 1872), architecte français. Il transforma l'anc. prieuré de St-Martin-des-Champs (Paris) en Conservatoire des arts et métiers (1845) et entreprit en 1852 la construction de la cath. de Marseille (achevée par ses élèves en 1893).

Vaudreuil (Le). V. Val-de-Reuil.

Vaudreuil (Philippe de Rigaud, marquis de) (en Gascogne, 1643 – Québec, 1725), gouverneur général du Canada (1705-1725). Il ne put éviter la perte de l'Acadie et de Terre-Neuve. – **Pierre de Rigaud de Cavagnal,** marquis de Vaudreuil (Québec, 1698 – Muides-sur-Loire, Touraine, 1778), fils du préc. ; gouverneur de la Louisiane (1743-1755), puis du Canada (1755) jusqu'à la capitulation de Montréal, qu'il ordonna (1760).

Vaugelas (Claude Favre, baron de Pérouges, seigneur de) (Meximieux, 1585 – Paris, 1650), grammairien français ; fils d'Antoine Favre*. Dans *Remarques sur la langue française...* (1647), il s'efforça de déterminer le « bon usage », d'après le langage de la Cour, des lettrés et des grands écrivains. Membre de l'Académie française dès sa fondation (1634), il collabora activement à la rédaction de son *Dictionnaire.*

Vaughan (Henry) (Llansantffred, pays de Galles, 1612 – id. [?], 1695), juriste, médecin et poète mystique anglais : *Silex scintillans* (1650-1655).

Vaughan (Sarah) (Newark, New Jersey, 1924 – Los Angeles, 1990), l'une des plus grandes voix du jazz, remarquable par l'étendue de sa tessiture, et par sa technique vocale.

Vaughan Williams (Ralph) (Down Ampney, 1872 – Londres, 1958), compositeur anglais influencé par le folklore britannique et les anc. maîtres (Purcell) : six opéras (*Hugh the Drover,* 1910-1914), neuf symphonies, ballets, mélodies, musiques de films, etc.

Vaugirard, anc. com. annexée en 1860 à Paris (XVe arr.).

vau-l'eau (à). V. à vau-l'eau.

Vaulx-en-Velin, ch.-l. de cant. du Rhône (arr. de Lyon) ; 44 535 hab. Industr. alim., fonderie.

Vauquelin (Nicolas Louis) (Saint-André-d'Hébertot, Normandie, 1763 – id., 1829), pharmacien et chimiste français. Expérimentateur, il étudia l'eau, l'urée, les calculs, la substance nerveuse, les sels de platine, etc. En 1797, il découvrit le chrome, et en 1817 le lithium.

Vauquelin de La Fresnaye (Jean) (La Fresnaye-au-Sauvage, près de Falaise, 1536 – Caen, 1606), poète français ; disciple de Ronsard : poèmes champêtres (*Foresteries,* 1555), satires, idylles, *Art poétique français* en vers (1605).

vaurien, enne n. **1.** Vieilli Personne sans scrupules ; mauvais sujet. ▷ *Par exag.* Enfant qui joue de vilains tours. Syn. garnement. **2.** n. m. (Avec une majuscule, nom déposé.) Voilier gréé en sloop.

vautour n. m. **1.** Grand oiseau falconiforme à la tête dénudée, charognard. *Vautour américain (condor). Vautours de l'Ancien Monde (gypaète, griffon), classés dans la même famille que les buses et les aigles.* **2.** Fig., litt. Homme impitoyable ou rapace.

vautrer (se) v. pron. [1] **1.** S'enfoncer, se coucher en se roulant. *Porc qui se vautrait dans la boue.* **2.** S'abandonner, s'étaler de tout son corps. *Se vautrer sur son lit.* ▷ Fig., péjor. *Se vautrer dans le vice, la paresse,* s'y livrer entièrement, s'y complaire.

Vauvenargues (Luc de Clapiers, marquis de) (Aix-en-Provence, 1715 – Paris, 1747), écrivain et moraliste français. Ancien officier d'infanterie durement éprouvé dans sa santé, encouragé par Voltaire, il entama en 1744 une carrière littéraire, que la mort abrégea. Épris de clarté, de rigueur, s'exprimant au moyen de formules frappantes que colorent des images discrètes et pénétrantes, Vauvenargues, au contraire de La Rochefoucauld, fait confiance à l'homme et vante les mérites de l'instinct et du sentiment : *Introduction à la connaissance de l'esprit humain,* suivie de nombreuses pièces brèves (1746).

Vaux (Pierre de). V. Valdo.

Vaux (fort de), l'une des défenses princ. de Verdun, au S. de Vaux-devant-Damloup, dans la Meuse (arr. de Verdun). De mars à juin 1916, les Français y résistèrent aux Allemands, qui, fina-

vautour fauve

lement, s'en emparèrent, mais le fort fut repris lors de la contre-offensive française d'oct. nov. 1916.

Vaux-le-Vicomte (château de), somptueuse demeure en Seine-et-Marne (com. de Maincy, à 5 km de Melun), construite par Le Vau (1655-1661) pour le surintendant Fouquet, décorée par Le Brun et dont Le Nôtre dessina les jardins.
▶ illustr. **Le Vau**

va-vite (à la) loc. adv. Fam. De façon hâtive, négligée.

Växjö, v. de Suède (Götaland); 66 930 hab.; ch.-l. du län de Kronoberg. Constr. méca.; industr. dérivées du bois; verreries. – Évêché protestant.

Vazov (Ivan) (Sopot, auj. Vazovgrad, 1850 – Sofia, 1921), écrivain bulgare; chantre de la lutte contre l'occupant turc. *L'Épopée des oubliés* (poèmes, 1881) et *Sous le joug* (roman, 1890) évoquent les guerres de l'indépendance.

V.D.Q.S. n. m. Abrév. de *vin délimité de qualité supérieure,* intermédiaire entre les vins d'appellation et les vins de table.

vé interj. En Provence, exclamation correspondant à *tiens !*

veau n. m. **I. 1.** Petit de la vache, âgé de moins d'un an. *Veau de lait,* qui tète encore sa mère, ou que l'on nourrit de lait et de farines pour lui donner une chair blanche. ▷ Loc. fam. *Pleurer comme un veau,* à gros sanglots. ▷ Loc. *Tuer le veau gras* (par allus. à l'enfant prodigue*) : faire une fête, un grand repas de famille. – *Adorer le veau d'or* (par allusion à l'idole qu'adorèrent les Hébreux) : avoir le culte de l'argent. **2.** Chair de veau. *Blanquette de veau.* **3.** Cuir de veau et, par ext., de bouvillon ou de génisse. *Sac en veau.* **4.** Fig., fam. Personne lourde et sans ressort, au physique ou au moral. **5.** Fam. Véhicule lent et peu nerveux. **II.** *Veau marin :* phoque *(Phoca vitulina)* des mers européennes.

vecteur, trice n. m. (et adj.) **1.** MATH Segment orienté comportant une origine et une extrémité; grandeur orientée constitutive d'un espace vectoriel. ▷ *Champ de vecteurs :* ensemble de vecteurs tel que chaque point M de l'espace à n dimensions et de coordonnées x, y, z est associé à un vecteur dont chacune des n composantes est une fonction uniforme continue et dérivable de x, y, z. ▷ adj. *Rayon vecteur :* segment orienté reliant un point fixe à un point mobile sur une courbe donnée. **2.** MILIT Engin, avion, etc., capable de transporter une charge explosive (nucléaire, partic.). **3.** MED Animal (insecte, notam.) qui transmet un agent infectieux. *L'anophèle, vecteur du paludisme.* – adj. *La glossine est vectrice de la maladie du sommeil.*

ENCYCL **Math.** – Un vecteur est défini par sa *direction* (droite qui le supporte), par son *sens* (un vecteur est une grandeur orientée) et par sa *norme* (distance entre ses extrémités, autrement dit sa *longueur*). Deux vecteurs sont égaux s'ils sont parallèles, de même sens et de même norme. On peut additionner et soustraire des vecteurs, et effectuer le produit d'un vecteur par une grandeur scalaire, c.-à-d. par un nombre. Le *produit scalaire* de deux vecteurs $\vec{V}_1$ et $\vec{V}_2$ (noté $\vec{V}_1, \vec{V}_2$) est une grandeur scalaire égale au produit des normes des deux vecteurs par le cosinus de l'angle que forment leurs supports, soit $\vec{V}_1 \times \vec{V}_2 \times \cos \alpha$. Le *produit vectoriel* de deux vecteurs $\vec{V}_1$ et $\vec{V}_2$ (noté $\vec{V}_1 \wedge \vec{V}_2$) représentés par les vecteurs $\overrightarrow{OA}$ et $\overrightarrow{OB}$ formant un angle α est un vecteur $\vec{V}_3$ représenté par le vecteur $\overrightarrow{OC}$, perpendiculaire au plan OAB, de norme égale à $|\vec{V}_1| . |\vec{V}_2| \sin \alpha$ et dont le sens est tel que le trièdre OABC est le trièdre direct. Plus généralement, un espace vectoriel sur le corps ℝ des nombres réels est un ensemble E muni d'une loi de composition interne, application de E × E dans E, notée de manière additive, et d'une loi de composition externe, application de ℝ × E dans E et notée en utilisant un signe de multiplication, ces deux lois satisfaisant à certaines conditions. Les espaces vectoriels de dimension 1 s'appellent des *droites* et ceux de dimension 2 des *plans.* La théorie des espaces vectoriels joue un rôle fondamental en géométrie, en mécanique et en physique. En partic., des grandeurs comme les forces, les vitesses et les accélérations sont des grandeurs vectorielles.

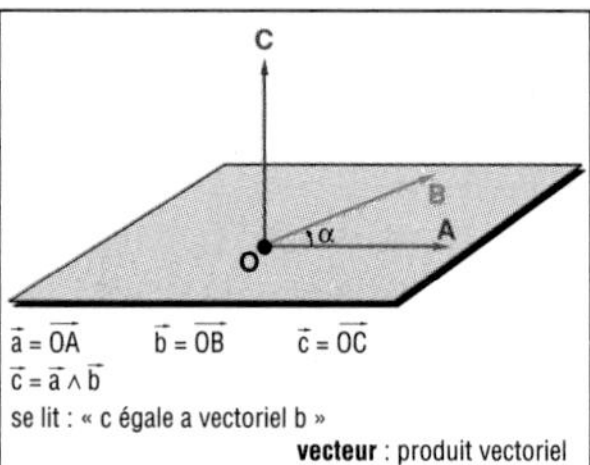

$\vec{a} = \overrightarrow{OA}$ $\vec{b} = \overrightarrow{OB}$ $\vec{c} = \overrightarrow{OC}$
$\vec{c} = \vec{a} \wedge \vec{b}$
se lit : « c égale a vectoriel b »
vecteur : produit vectoriel

vectoriel, elle adj. MATH Relatif aux vecteurs. *Espace vectoriel :* structure algébrique particulière définie par deux lois de composition, l'une additive, l'autre multiplicative. – *Grandeur vectorielle,* qui possède une valeur numérique, une direction et un sens.

vécu, ue adj. et n. m. Qui s'est passé réellement; qui fait référence à la vie elle-même, à l'expérience que l'on en a. *Un roman vécu.* ▷ PHILO *Le temps vécu :* le temps subjectif. ▷ n. m. *Le vécu :* l'expérience vécue.

Veda ou **Véda** (mot sanskrit signif. « savoir »), désigne d'une façon générale les Écritures sacrées du brahmanisme, écrites en sanskrit archaïque. Les premiers textes remonteraient au XVe ou XVIIIe s. av. J.-C.; les adjonctions les plus récentes, au IVe s. On distingue : le Rigveda (1 028 hymnes), le Yajurveda (formules rituelles), le Samaveda (hymnes du Rigveda mis en musique), l'Atharvaveda (formules d'exorcisme). À chacun de ces quatre Veda (qu'il vaut mieux nommer *samhikâ*) se rattachent d'autres textes, notam. les upanishads, ésotériques. (V. Védânta).

Védânta (mot sanskrit signif. « fin du Veda »), système de philosophie brahmanique fondé princ. sur les upanishads et codifié par Çankara, sage hindou (fin VIIIe-déb. IXe s.).

Vedda(s), anc. peuple de Sri Lanka, auj. presque totalement disparu, qui constituait dès le VIe s. av. J.-C. la population aborigène de l'île. Troglodytes, ils rendaient un culte aux morts.

Vedel (Georges) (Auch, 1910), juriste français, membre du Conseil constitutionnel (1980-1989). Spécialiste du droit public français (*Traité de droit administratif,* 1959), il présida en 1993 le Comité consultatif pour la révision de la Constitution.

vedettariat n. m. Condition, état de vedette (sens I, 3).

vedette n. f. **I. 1.** *Mettre en vedette un mot, un nom,* etc., l'imprimer isolément en gros caractères. – Fig. *Mettre qqn en vedette,* le mettre en vue, en valeur. **2.** *Avoir la vedette :* au théâtre, au cinéma, etc., avoir son nom en tête d'une affiche, d'un programme, etc. *Vedette américaine :* dans un spectacle de music-hall, artiste qui se produit avant la vedette principale. – Fig. *Avoir, tenir la vedette, être en vedette :* tenir le premier rôle dans l'actualité. **3.** Acteur, artiste en renom. *Vedette de cinéma, de la chanson.* – *Par anal.* Personnalité en vue. *Vedette du barreau.* **II. 1.** Petit bâtiment de guerre destiné princ. à la surveillance côtière. **2.** Petite embarcation rapide à moteur.

vedettisation n. f. Action de vedettiser.

vedettiser v. tr. [1] Transformer qqn en vedette, en star.

védique adj. et n. m. Des Vedas. ▷ n. m. Sanskrit archaïque des Vedas.

védisme n. m. Didac. Forme primitive du brahmanisme.

Védrines (Jules) (Saint-Denis, 1881 – Saint-Rambert-d'Albon, 1919), aviateur français qui s'illustra notam. pendant la Première Guerre mondiale.

vedutiste [vedytist] n. m. BX-A Peintre (du XVIIIe s. vénitien, notam.) de paysages citadins pittoresques.

Véga, étoile bleue de la constellation de la Lyre (magnitude visuelle apparente 0,0); des observations récentes pratiquées dans l'infrarouge ont montré que l'étoile est entourée d'un disque protoplanétaire.

végétal, ale, aux n. m. et adj. **I.** n. m. Être vivant qui se distingue des animaux par le manque de faculté de se mouvoir, par son mode de nutrition (à partir d'éléments minéraux) et de reproduction, et par sa composition chimique (chlorophylle, cellulose, notam.). **II.** adj. **1.** Des plantes, des végétaux. *Cellule végétale.* **2.** *Spécial.* Qui provient des végétaux, qui en est tiré. *Huile végétale. Terre végétale :* couche superficielle du sol, riche en matières organiques de décomposition des débris végétaux.

végétaliser v. tr. [1] Planter de végétaux un lieu public. *Végétaliser un rond-point.*

végétalisme n. m. Rare Régime alimentaire, excluant strictement tous les aliments non végétaux.

végétarien, enne adj. et n. **1.** Propre au végétarisme. *Régime végétarien.* **2.** Partisan du végétarisme. ▷ Subst. *Un végétarien.*

végétarisme n. m. Didac. Régime alimentaire excluant la consommation de viande mais autorisant le lait, le beurre, les œufs.

végétatif, ive adj. **1.** BOT Qui a rapport à la croissance, à la nutrition des plantes. – *Appareil, organes végétatifs des plantes,* qui assurent la nutrition (par oppos. à *appareil, organes reproducteurs*). ▷ *Multiplication végétative :* multiplication asexuée des végétaux par boutures, marcottes, stolons, etc. **2.** PHYSIOL Qui concerne l'activité du système neurovégétatif ou système nerveux autonome. *Fonctions végétatives de l'organisme* (circulation, métabolisme, etc.). ▷ MED *État végétatif chronique,* état d'un sujet qui, au sortir d'un coma profond, reste dans l'impossibilité de communiquer. **3.** Fig. Qui, par son inaction, rappelle la vie des plantes. *Une vie végétative.*

végétation n. f. **1.** Croissance (des végétaux). *Période de végétation.* **2.** Ensemble des végétaux qui croissent en un lieu. *La végétation riante de cette val-*

lée. *La végétation tropicale.* **3.** ANAT Toute production pathologique charnue à la surface de la peau ou d'une muqueuse. ▷ Spécial. *Les végétations (adénoïdes) :* hypertrophie du tissu lymphoïde qui constitue l'amygdale pharyngée. *Les végétations apparaissent dans l'enfance.*

végéter v. intr. [**14**] **1.** Rare Croître, en parlant des plantes. **2.** Fig., péjor. Avoir une existence peu active et morne. *Végéter dans un emploi subalterne.* – Avoir une activité réduite, médiocre. *Cette affaire végète.*

véhémence n. f. Litt. Impétuosité, violence (des sentiments, de l'expression).

véhément, ente adj. Litt. Ardent, impétueux. *Un orateur véhément.*

véhémentement adv. Litt. et vieilli Avec véhémence.

véhiculaire adj. Didac. Se dit d'une langue servant à la communication entre des communautés ayant des langues maternelles différentes (par oppos. à *vernaculaire*).

véhicule n. m. **1.** Litt. Ce qui sert à transporter, à transmettre. *L'air est le véhicule du son.* – PHARM Excipient liquide. **2.** (Abstrait) Ce qui sert à communiquer. *La télévision est un puissant véhicule de l'information.* ▷ RELIG Chemin du salut, dans le bouddhisme (V. encycl. bouddhisme). **3.** Tout moyen de transport (spécial. engin à roues). *Véhicule automobile. Véhicules utilitaires.* ▷ *Véhicule spatial :* tout engin spatial destiné à transporter une charge utile.

véhiculer v. tr. [**1**] **1.** Servir de véhicule à (qqch). *Les médias qui véhiculent l'information.* **2.** Transporter par véhicule.

Vehme ou **Sainte-Vehme** (la), anc. organisation secrète germanique. Au XIIe s., en Westphalie, elle forma des tribunaux secrets pour faire respecter la justice (leur seule condamnation était la peine de mort). Après avoir connu son apogée aux XIVe et XVe s., elle disparut au XVIe s.

Véies (en lat. *Veii;* en ital. *Veio*), anc. v. étrusque, à env. 30 km au N.-O. de Rome; elle tomba devant l'armée du dictateur romain Camille après un long siège (v. 405-395 av. J.-C.). Ruines d'un temple et de tombes.

Veil (Simone) (Nice, 1927), femme politique française; ministre de la Santé publique (1974-1979), premier président du Parlement européen (1979-1982); ministre des Affaires sociales, de la Santé et de la Ville (1993-1995).

veille n. f. **I. 1.** Action de veiller; absence de sommeil. *Longue veille. L'état de veille et l'état de sommeil.* **2.** Surveillance, garde effectuée pendant la nuit. *Prendre la veille.* – *Poste de veille,* sur un navire. **3.** TECH État d'un appareil électrique à l'arrêt, mais qui est sous tension et prêt à fonctionner. **4.** ECON. *Veille technologique :* action d'une entreprise qui se tient informée des innovations qui surviennent dans son secteur d'activité. **II.** Jour qui en précède un autre. *La veille de Pâques.* – Loc. *À la veille de :* peu avant, dans la période qui précède immédiatement (tel événement). *À la veille de la Révolution.* – *À la veille de* (+ inf.) : sur le point de... *Il était à la veille d'y renoncer.* ▷ Loc. fam. *C'est pas demain la veille :* ce n'est pas pour bientôt.

veillée n. f. **1.** Temps consacré à une réunion familiale ou amicale qui se tient (dans les campagnes, surtout) après le repas du soir et jusqu'au coucher. *Les longues veillées d'hiver.* ▷ Soirée organisée pour un groupe (musique, danse, jeux, etc.). **2.** Action de veiller un malade ou un mort; nuit passée à le veiller. ▷ Loc. *Veillée d'armes :* nuit où le futur chevalier veillait avant d'être armé; fig. soirée qui précède une action difficile, une épreuve.

veiller v. [**1**] **I.** v. intr. **1.** S'abstenir volontairement de dormir pendant le temps destiné au sommeil. *Veiller auprès d'un malade.* **2.** Être de garde pendant la nuit. – *Par ext.* Être vigilant. **3.** Faire une veillée; y participer. **II.** v. tr. **1.** v. tr. dir. Rester la nuit auprès de (un malade, un mort). *Veiller un blessé.* **2.** v. tr. indir. *Veiller à qqch,* y prendre garde, s'en occuper activement. *Veiller au salut de l'État. Veillez à ce qu'il n'arrive rien.* ▷ *Veiller sur qqn,* faire en sorte qu'il ne lui arrive rien de fâcheux.

veilleur, euse n. Personne qui veille. ▷ Soldat de garde, la nuit. – Loc. *Veilleur de nuit :* personne chargée de faire des rondes pour surveiller un établissement, le quartier d'une ville, etc., durant la nuit; employé d'hôtel qui assure la réception et le service pendant la nuit.

veilleuse n. f. **1.** Petite lampe éclairant peu et qu'on laisse allumée la nuit ou en permanence, dans un lieu sombre. ▷ *Mettre une lampe en veilleuse,* réduire sa flamme, son éclairement. – Fig. *Mettre une affaire en veilleuse,* en réduire provisoirement l'activité; cesser provisoirement de s'en occuper. – Fam. *La mettre en veilleuse :* se taire. – AUTO Feu de position. **2.** TECH Petit bec brûlant en permanence, dans une chaudière à gaz ou à mazout, un chauffe-eau, etc.

veinard, arde n. et adj. Fam. Se dit de qqn qui a de la veine, de la chance.

veine n. f. **I. 1.** Vaisseau qui ramène le sang des capillaires aux oreillettes. *Veines caves, coronaires.* ▷ Loc. *S'ouvrir les veines :* se trancher les veines du poignet pour se suicider. – Fig. *Se saigner aux quatre veines pour qqn :* V. saigner. **2.** *Par métaph.* Ce qui contient le sang considéré comme source de vie. *Avoir du sang dans les veines,* de l'ardeur, du courage. **II. 1.** Filon, couche étroite et longue (de minerai). **2.** Dessin de couleur contrastante, long et étroit, qui sinue dans les pierres dures, le bois. *Un marbre gris avec des veines noires.* **3.** Nervure saillante (de certaines feuilles). **III.** Fig. **1.** Inspiration. *La veine poétique de cet auteur.* ▷ *Être en veine de,* disposé à. *Être en veine de confidences.* **2.** Fam. Heureux hasard, chance. *Avoir de la veine.*

veiné, ée adj. Qui présente des veines.

veiner v. tr. [**1**] Orner (une surface) en imitant les veines du bois ou du marbre.

veineux, euse adj. **1.** Qui a rapport aux veines. *Système veineux.* **2.** Qui présente de nombreuses veines. *Marbre veineux.*

veinosité n. f. MED Veinule visible sous la peau.

veinotonique adj. et n. m. Se dit d'un médicament qui tonifie les veines.

veinule n. f. **1.** ANAT Petit vaisseau veineux. **2.** BOT Ramification finale des nervures (des feuilles).

veinure n. f. Réseau de veines (du bois, du marbre, etc.).

Veksler (Vladimir Iossifovitch) (Jitomir, 1907 – Moscou, 1966), physicien soviétique; connu pour ses travaux sur les hautes énergies (principe du synchrotron).

vêlage ou **vêlement** n. m. **1.** Action de vêler. **2.** GEOGR *Vêlage :* libération d'icebergs par désagrégation de la banquise.

vélaire adj. et n. f. PHON Se dit de phonèmes dont le point d'articulation est situé à la hauteur du voile du palais. *Consonne vélaire.* ▷ n. f. [k] *est une vélaire.*

velarium ou **vélarium** [velaʀjɔm] n. m. ANTIQ ROM Grande toile que les Romains tendaient au-dessus des théâtres et des amphithéâtres pour abriter les spectateurs.

Velasco Alvarado (Juan) (Piura, 1910 – Lima, 1977), général et homme politique péruvien. À la tête d'une junte militaire, il renversa le président F. Belaúnde Terry en oct. 1968. Il mena, jusqu'à son remplacement en 1975 par le général Morales Bermúdez, une politique réformiste.

Velasco Ibarra (José María) (Quito, 1893 – id., 1979), homme politique équatorien. Opposé à la haute bourgeoisie et aux révolutionnaires, mais pratiquant un pouvoir personnel, il fut président de la République (quatre fois renversé) de 1933 à 1935, de 1944 à 1947, de 1952 à 1956, en 1960-1961, de 1968 à 1972. Auteur de nombr. ouvrages politiques.

Vélasquez (Diego Rodríguez de Silva y Velázquez, en fr.) (Séville, 1599 – Madrid, 1660), peintre espagnol. Peintre du roi à partir de 1623, il eut une carrière triomphale. Sur les conseils de Rubens, il fit un séjour en Italie (1629-1631), renouvelé en 1649-1651, pour approfondir son art. Par sa manière de diviser les couleurs ou de les juxtaposer, de sorte que l'impression visuelle ne peut être ressentie qu'à distance, il est un précurseur de l'impressionnisme (*la Reddition de Breda,* v. 1635, le Prado; *Vénus au miroir,* 1650, National Gallery; *les Ménines,* 1656, le Prado).

Velay, rég. du Massif central, entre l'Allier supérieur à l'O. et le Lignon à l'E., appuyée aux monts du Vivarais et arrosée par la Loire supérieure. Elle est formée de massifs cristallins et volcaniques (*monts du Velay,* qui culminent à 1 463 m; massifs du Mézenc [1 754 m] et du Mégal), coupés de bassins; le bassin du Puy est fertile (lentilles, vigne, arbres fruitiers).

velche ou **welche** [vɛlʃ] n. Péjor., vx **1.** Français ignorant, montrant des préjugés. – *Par ext.* Homme ignorant, naïf

Vélasquez : *l'Infante Marie-Thérèse;* Kunsthistorisches Museum, Vienne

et lourd. **2.** Pour les Allemands et les Autrichiens, terme de mépris appliqué à ce qui est français, belge, suisse romand ou (parfois) italien.

velcro n. m. inv. (Nom déposé.) Ensemble de deux tissus dont les surfaces s'agrippent, utilisé pour la fermeture de vêtements, d'accessoires, etc.

veld ou **veldt** [vɛlt] n. m. GEOGR Steppe herbacée du N.-E. de l'Afrique du Sud.

Vel' d'hiv' (abrév. de Vélodrome d'hiver), vélodrome parisien, construit en 1910 et démoli en 1959. Dans cette vaste enceinte, en juillet 1942, 8 160 Français juifs furent enfermés par la police et la gendarmerie françaises qui avaient organisé dans la nuit du 16 au 17 une rafle (dite «du Vel' d'hiv'») dans Paris et dans la proche banlieue. Hommes, femmes et enfants furent déportés dans les camps de concentration. Une trentaine de personnes seulement survécurent.

vêlement. V. vêlage.

vêler v. intr. [1] Mettre bas, en parlant de la vache.

Vélez de Guevara (Luis) (Ecija, 1579 - Madrid, 1644), écrivain espagnol : *la Lune de la sierra, Régner après la mort*, etc., drames influencés par Lope de Vega et Calderón; *le Diable boiteux* (1641), récit picaresque qui inspira Lesage.

vélie n. f. ZOOL Punaise d'eau douce (genre *Velia*), cour. appelée *araignée d'eau.*

véligère adj. ZOOL Pourvu d'un voile, d'une membrane. *Larve véligère de certains mollusques.*

Veliko Tărnovo, Tărnovo ou **Tîrnovo,** v. du N. de la Bulgarie; 65 000 hab.; ch.-l. de district. - Égl. des Quarante-Martyrs (1230), des Saints-Pierre-et-Paul (XIVe s.). - Cap. de la Bulgarie (1186), Tărnovo fut ruinée par les Turcs (1393). En 1879 y siégea l'assemblée qui promulgua la *Constitution de Tărnovo*, en vigueur jusqu'en 1947.

vélin n. m. **1.** Peau de veau mort-né, qui a l'apparence d'un très fin parchemin. *Manuscrit sur vélin.* **2.** (En appos.) *Papier vélin* ou, absol., *vélin :* papier très blanc, de qualité supérieure à la surface particulièrement lisse et régulière.

véliplanchiste n. SPORT Celui, celle qui pratique la planche à voile.

vélique adj. MAR Qui a rapport aux voiles d'un navire. - *Centre, point vélique :* point d'application de la résultante des actions du vent sur les voiles.

vélite n. m. **1.** ANTIQ ROM Soldat d'infanterie légère. **2.** HIST Soldat d'un corps de chasseurs légers créé par Napoléon.

vélivole adj. et n. Didac. Relatif au vol à voile; qui pratique le vol à voile.

Vélizy-Villacoublay, ch.-l. de canton des Yvelines (arr. de Versailles); 23 034 hab. Constr. aéron., méca. Aérodrome de Villacoublay.

Velléda, prophétesse de Germanie honorée, telle une déesse, par les Bructères. Elle apporta son soutien à Civilis*, révolté contre les Romains (69 apr. J.-C.), et mourut prisonnière à Rome.

velléitaire adj. et n. Qui n'a pas de volonté; dont les intentions sont sans effet. ▷ Subst. *Un(e) velléitaire.*

velléité n. f. Intention peu ferme, que ne suit aucune action. *Les velléités de réforme de l'État. Les velléités de ce lâche.*

vélo n. m. Cour. Bicyclette. *Partir en (à) vélo. Faire du vélo.*

véloce adj. Litt. Qui se meut avec rapidité, avec agilité.

vélocipède n. m. Ancêtre de la bicyclette, dont les pédales étaient fixées sur le moyeu de la roue avant. ▷ Mod., plaisant Bicyclette.

vélocité n. f. Litt. ou didac. Rapidité, agilité. *Exercices de vélocité au piano, à la guitare*, etc.

vélocross n. m. Vélo tout-terrain.

vélodrome n. m. Piste aménagée pour les courses cyclistes, entourée de gradins.

vélomoteur n. m. Motocycle d'une cylindrée supérieure à 50 cm^3 mais n'excédant pas 125 cm^3, intermédiaire entre le cyclomoteur et la motocyclette. ▷ Cour. Motocycle de petite cylindrée (cyclomoteur, vélomoteur).

vélomotoriste n. Rare Personne qui conduit un vélomoteur.

velours [vəluʀ] n. m. **1.** Étoffe à deux chaînes, dont l'endroit offre un poil court et serré, doux au toucher, et dont l'envers est ras. *Velours de soie, de coton. Velours uni, côtelé.* ▷ *Velours de laine :* tissu de laine pelucheux sur l'endroit. *Tapis de velours d'une table de jeu.* ▷ Loc. JEU *Jouer sur le velours*, avec les gains déjà réalisés, sans entamer sa mise. - Fig. *Dans cette affaire, il joue sur du velours*, il agit sans risque. **2.** Ce qui est doux au toucher. *Le velours de sa peau.* ▷ Loc. *Patte de velours. Chat qui fait patte de velours*, qui rentre ses griffes. - Fig. *Faire patte de velours :* affecter la douceur pour dissimuler une mauvaise intention. ▷ *Par ext.* Ce qui procure une impression de douceur. *Ce vin est un velours pour l'estomac. - Faire des (ses) yeux de velours.*

velouté, ée adj. et n. m. **I.** adj. **1.** Doux au toucher comme du velours. *Pêche veloutée.* ▷ *Par ext.* Qui produit une impression de douceur analogue à celle du velours au toucher; doux, onctueux. *Potage velouté.* **2.** TECH Se dit d'une étoffe, d'un papier qui porte des applications (fleurs, ramage) de velours ou imitant le velours. **II.** n. m. **1.** Douceur, aspect de ce qui est velouté. *Le velouté d'un fruit, d'un vin.* **2.** Potage velouté. *Un velouté de tomates.*

velouter v. tr. [1] **1.** TECH Donner l'apparence du velours à (une surface). **2.** Rendre plus doux, plus onctueux.

velouteux, euse adj. Qui a la douceur du velours.

veloutine n. f. TECH Tissu de coton pelucheux qui a l'aspect du velours.

Velpeau (Alfred) (Brèches, Indre-et-Loire, 1795 - Paris, 1867), chirurgien français; créateur des bandes élastiques à compression douce.

Velsen, v. des Pays-Bas (Hollande-Septentrionale), sur le canal de la mer du Nord; 57 150 hab. Sidérurgie.

velu, ue adj. **1.** Abondamment couvert de poils. *Des bras velus.* **2.** BOT Garni de poils fins et serrés. *Feuille velue.*

velum ou **vélum** [velɔm] n. m. Grande pièce de toile qui sert à abriter un espace sans toiture ou à simuler un plafond (pour tamiser la lumière, décorer, etc.). *Velum d'une terrasse de café.*

Veluwe (la), rég. de collines (landes et bois) des Pays-Bas, dans la prov. de Gueldre, entre l'IJsselmeer et le Rhin. - Parc national de la *Haute Veluwe* (5 400 ha), réserve botanique et zoologique où se trouve le musée Kröller-Müller, construit par Van de Velde.

vélux [velyks] n. m. (Nom déposé) Fenêtre destinée à être posée sur un toit en pente.

velvet [vɛlvɛt] n. m. (Anglicisme) TECH Velours de coton à côtes.

venaison n. f. Chair du gros gibier (daim, sanglier, etc.). *Pâté de venaison.*

Venaissin (comtat). V. Comtat (le).

vénal, ale, aux adj. **1.** Péjor. Qui se vend. *L'amour vénal :* la prostitution. ▷ (Personnes) Qui aime l'argent; qui se laisse acheter. **2.** HIST *Charge vénale*, qui peut être obtenue pour de l'argent. **3.** ECON *Valeur vénale d'un objet*, valeur de cet objet estimée en argent.

vénalement adv. D'une manière vénale.

vénalité n. f. **1.** HIST Fait (pour une charge, une fonction) de pouvoir être obtenue et cédée pour de l'argent. **2.** Caractère d'une personne vénale.

venant n. m. Litt. *Les allants et les venants :* ceux qui vont et viennent. - *Le tout-venant**. ▷ *À tout venant* (vx *à tous venants*) *:* à quiconque se présente, à tout le monde.

Vence, ch.-l. de cant. des Alpes-Maritimes (arr. de Grasse); 15 364 hab. - Enceinte (XIIIe s.). Cath. (XIe s., transformée aux XVIIe et XVIIIe s.). Chap. du Rosaire (conçue et décorée par Matisse).

Venceslas (saint) (?, 907 - Stará Boleslav, 929), duc de Bohême (921-929). Propagateur du christianisme, il fut tué par son frère Boleslav Ier, chef du parti païen. Il est devenu le patron de la Bohême.

Venceslas Ier (?, 1205 - Beroun, 1253), roi de Bohême (1230-1253). Il favorisa la germanisation du royaume (notam. par l'établissement de colons). – **Venceslas II** (?, 1271 - Prague, 1305), petit-fils du préc.; roi de Bohême (1278-1305) et de Pologne (1300-1305). Ce fut un réformateur (code minier, notam.). – **Venceslas III** (?, 1289 - Olomouc, 1306), fils du préc.; roi de Hongrie (1301-1305), de Pologne et de Bohême (1305-1306). Dernier des Přemyslides*, il fut assassiné. – **Venceslas IV** (Nuremberg, 1361 - Prague, 1419), roi de Bohême (1363-1419) et empereur germanique (1378-1419); fils de l'empereur Charles IV de Luxembourg. Il se maintint difficilement à Prague, en raison de problèmes religieux déclenchés par son frère cadet Sigismond, qu'il avait placé sur le trône de Hongrie en 1387. (V. Hus et Sigismond de Luxembourg.) Le pape, mécontent du soutien qu'il avait accordé à la France, lui retira la couronne impériale (1400).

Venda, anc. bantoustan de l'Afrique du Sud (1959-1994), intégré dans la province du Transvaal-Nord. Charbon, élevage. - L'indépendance, non reconnue par la communauté internationale, lui avait été octroyée par l'Afrique du Sud de 1979 à 1994.

vendable adj. Qui peut être vendu. *Tissu passé qui n'est plus vendable.*

vendange n. f. Fait de récolter le raisin mûr destiné à faire du vin. *Faire la vendange, les vendanges. - La vendange :* le raisin récolté. *Porter la vendange au pressoir.* ▷ *Les vendanges :* la période où se fait cette récolte, en automne. ▷ *Vendange verte :* éclaircissage de la vigne pour améliorer la qualité et éviter la surproduction.

vendanger v. tr. [13] *Vendanger une vigne*, en récolter le raisin. ▷ *Absol.* Faire la vendange.

vendangeur, euse n. 1. Personne qui vendange. 2. n. f. Machine servant à faire les vendanges.

vendangeuse n. f. 1. Rég. Aster qui fleurit à l'époque des vendanges. 2. Machine servant à faire les vendanges.

Vendée (la), riv. de France (70 km), affl. de la Sèvre Niortaise (r. dr.); arrose Fontenay-le-Comte.

Vendée, dép. franç. (85); 6 721 km^2; 509 356 hab.; 75,8 hab./km^2; ch.-l. *La Roche-sur-Yon.* V. Loire (Pays de la) [Région].

Vendée (guerres de), insurrection contre-révolutionnaire, catholique et royaliste de l'O. de la France (dép. de la Vendée, de la Loire-Atlantique, des Deux-Sèvres et de Maine-et-Loire) en 1793. La levée en masse votée en fév. 1793 par la Convention* fut l'étincelle qui provoqua la révolte des paysans, latente depuis la Constitution civile du clergé (les paysans restant profondément attachés à leur religion). Quasi spontané au départ, le mouvement s'organisa bientôt en une «armée catholique et royale» qui compta 40 000 membres. Sous la conduite de leurs chefs, nobles (d'Elbée, La Rochejaquelein, Charette, etc.) ou roturiers (Cathelineau, Stofflet), les Vendéens prirent par surprise de nombr. villes (Fontenay-le-Comte, Angers, etc.), mais échouèrent devant Nantes, et furent défaits à Cholet (oct. 1793) par Kléber, puis au Mans et à Savenay (déc.). Tandis que les «colonnes infernales» de Turreau ravageaient le pays, les insurgés poursuivirent la résistance par la guérilla, qui se termina en 1796 après l'offensive de Hoche. Toutefois, les armes resurgirent en 1799 et en 1815, à l'appel des Émigrés.

vendéen, éenne adj. et n. 1. De la Vendée. ▷ Subst. *Un(e) Vendéen(ne).* 2. HIST Relatif à l'insurrection royaliste de Vendée pendant la Révolution. ▷ n. m. pl. *Les Vendéens :* les insurgés des guerres de Vendée.

vendémiaire n. m. HIST Premier mois de l'année, dans le calendrier républicain (du 22/24 septembre au 21/23 octobre). ▷ *Journée du 13 vendémiaire an IV* (5 oct. 1795), au cours de laquelle la Convention mata une insurrection royaliste grâce à Bonaparte, qui fit donner ses canons près de l'église Saint-Roch, à Paris.

venderesse n. f. DR V. vendeur (sens 1).

vendetta [vɑ̃dɛt(t)a] n. f. Coutume corse qui consiste, pour tous les membres d'une famille, à poursuivre la vengeance de l'un des leurs.

vendeur, euse n. 1. Personne qui vend ou qui a vendu un bien quelconque. *L'acquéreur du terrain et le vendeur doivent aller voir le notaire.* (n. f. DR : *venderesse.*) 2. Personne dont la profession est de vendre. *Vendeur ambulant. Vendeur de journaux.* ▷ Employé(e) d'un magasin préposé(e) à la vente. 3. Personne qui sait vendre. *Cet exportateur est un bon vendeur des produits français à l'étranger.*

Vendôme, ch.-l. d'arr. de Loir-et-Cher, sur le Loir; 18 359 hab. Industr. diverses (méca., tanneries, etc.). – Égl. de la Trinité (XIe-XVIe s.), anc. abbat. avec beau clocher isolé du XIIe s. Ruines du chât. des comtes de Vendôme (XIIe-XVe s.).

Vendôme (place), place de Paris (Ier arr.), entre l'Opéra et le jardin des Tuileries. Construite sur les plans de J. Hardouin-Mansart de 1686 à 1720, elle reçut (1699) en son centre une statue équestre de Louis XIV (œuvre de Girardon); détruite sous la Révolution, la statue fut remplacée en 1810 par une colonne en bronze (fondue avec les canons ennemis pris à Austerlitz). Cette *colonne Vendôme,* renversée en 1871 par le mouvement insurrectionnel de la Commune, fut relevée en 1874.

Vendôme (César de Bourbon, duc de) (Coucy-le-Château-Auffrique, 1594 – Paris, 1665), fils naturel légitimé d'Henri IV et de Gabrielle d'Estrées. Il intrigua contre Richelieu et fut interné à Vincennes (1626-1630), puis s'exila. Revenu en France (1643), il reçut en 1651 le gouvernement de la Bourgogne. – **Louis Joseph de Bourbon,** duc de Vendôme et duc de Penthièvre (Paris, 1654 – Vinaroz, 1712), petit-fils du préc. Il s'illustra en Catalogne (1695-1697). Pendant la guerre de la Succession d'Espagne, il remporta des victoires en Italie (1702-1706). Rappelé en France, il fut vaincu à Oudenaarde (1708), ce qui provoqua sa disgrâce. Passé en Espagne au service de Philippe V, il vainquit les Alliés en 1710.

vendre v. [6] I. v. tr. 1. Échanger contre de l'argent. *Vendre ses bijoux. Vendre aux enchères.* ▷ Loc. fig. *Vendre chèrement sa vie :* tuer beaucoup d'ennemis avant de succomber. 2. Exercer le commerce de. *Vendre des vêtements. Vendre en gros et au détail.* 3. Accorder, abandonner pour de l'argent ou contre un avantage quelconque (ce qui, normalement, n'est pas objet de commerce). *Vendre son suffrage, sa liberté.* 4. Trahir, dénoncer par intérêt. *C'est un complice qui l'a vendu.* II. v. pron. 1. (Passif) Être vendu (sens 1). *Un article qui se vend bien.* 2. (Réfl.) Péjor. Faire un commerce honteux de sa personne, de ses services. *Fille qui se vend au premier venu. Se vendre aux puissants, à l'ennemi.*

vendredi n. m. Cinquième jour de la semaine, qui suit le jeudi. *Le vendredi saint :* le vendredi qui précède Pâques, anniversaire de la mort de Jésus-Christ.

vendu, ue adj. et n. 1. Cédé contre argent. 2. Péjor. Qui sert le plus offrant, en abdiquant tout honneur, toute dignité. *Un politicien vendu.* ▷ Subst. *C'est un vendu.*

venelle n. f. Vieilli Ruelle.

vénéneux, euse adj. Se dit d'une plante qui renferme naturellement des substances toxiques. *L'amanite phalloïde est un champignon très vénéneux.*

Venera, sondes spatiales soviétiques envoyées vers Vénus. *Venera 1* passa en 1961 à 100 000 km de cette planète; *Venera 7* s'y posa en 1970; *Venera 9* et *Venera 10* transmirent en 1975 les premières photos du sol vénusien. En 1983, *Venera 15* et *Venera 16* furent placées en orbite autour de Vénus.

vénérable adj. et n. I. adj. Litt. ou plaisant Digne de vénération. *Vieillard vénérable. Une vénérable institution* (le plus souvent en raison de son ancienneté). – *Âge vénérable :* âge très avancé. II. adj. et n. 1. DR CANON Titre donné à un chrétien dont on a entamé le procès en béatification et dont le pape a proclamé l'héroïcité des vertus. 2. Titre que donnent les francs-maçons au président d'une loge.

vénération n. f. 1. Respect voué aux choses sacrées. *Exposer des reliques à la vénération des fidèles.* 2. Profond respect que l'on éprouve pour qqn. *La vénération d'un disciple pour son maître.*

vénérer v. tr. [14] Avoir de la vénération pour (qqn, qqch). *Vénérer les saints. Vénérer la mémoire de qqn.*

vénerie [vɛnʀi] n. f. 1. Art de la chasse à courre. 2. Anc. Équipage de chasse et corps des officiers qui y était attaché. – Lieu où ils étaient logés.

vénérien, enne adj. *Maladies vénériennes :* maladies infectieuses qui se transmettent surtout par le contact sexuel (V. blennorragie, chancre, syphilis). Syn. mod. maladies sexuellement transmissibles (M.S.T.).

vénérologie n. f. MED Partie de la médecine qui étudie et traite les maladies vénériennes.

vénète adj. Relatif aux Vénètes.

Vénètes, anc. peuples de langue indo-européenne surtout connus par deux grands groupes : les Vénètes de l'Adriatique, installés au Ier millénaire av. J.-C. dans l'actuelle Vénétie et progressivement romanisés au IIe s. av. J.-C.; les Vénètes d'Armorique, vaincus par César en 56 av. J.-C. et dont la cap. était Vannes.

Vénétie (en ital. *Venezia*), rég. historique de l'Italie du N.-E., entre le Pô, le lac de Garde, les Alpes et l'Adriatique, auj. partagée entre les régions administratives de la Vénétie* (autrefois Vénétie Euganéenne), du Frioul*-Vénétie Julienne (c.-à-d. «des Alpes Juliennes») et du Trentin*-Haut-Adige (qui comprend la Vénétie Tridentine). Occupée par les Ostrogoths (Ve s.), puis par les Lombards (VIe s.), la région fut soumise à la république de Venise, dont elle fut le prolongement terrestre à partir du XVe s. Cédée à l'Autriche en 1797 par le traité de Campoformio, partie du royaume d'Italie (1805), puis du Royaume lombard-vénitien (1815) attribué aux Habsbourg, elle revint à l'Italie en 1866.

Vénétie (en ital. *Veneto*), rég. du N.-E. de l'Italie et rég. de l'U.E., sur l'Adriatique, formée des prov. de Belluno, Padoue, Rovigo, Trévise, Venise, Vérone et Vicence; 18 364 km^2; 4 374 900 hab.; ch.-l. *Venise*. Aux Alpes (Dolomites) succède une région de collines bordée par une plaine due aux alluvions de la Piave, de l'Adige et, surtout, du Pô. Le climat, continental, subit les influences maritimes. Le sol est fertile (céréales, betteraves à sucre, arbres fruitiers, vigne, mûriers). Les Alpes ont une industrie (alim., text.) en essor grâce à l'hydroélectricité. Toutefois, c'est la zone portuaire de Venise qui concentre les activités les plus import. : métallurgie, constr. mécaniques, chimie, raff. de pétrole. Le tourisme est partout présent. – Cette région porta longtemps le nom de *Vénétie Euganéenne*, à cause des monts Euganéens (collines de 600 m env., au S.-O. de Padoue).

veneur n. m. Celui qui est chargé de la vénerie; celui qui chasse à courre. *Grand veneur* : chef des officiers de vénerie.

Veneziano (Domenico). V. Domenico Veneziano.

Venezuela (république du) *(República de Venezuela)*, État du N.-O. de l'Amérique du Sud, bordé au N. par la mer des Caraïbes; 912 050 km^2; 21 800 000 hab.; cap. *Caracas*. Nature de l'État : rép. Langue off. : esp. Monnaie : bolivar. Pop. : métis (70 %), Blancs (20 %), Noirs (9 %), Amérindiens (env. 40 000 individus). Relig. : cathol. (94 %).
Géogr. phys. et hum. – Au N. du pays s'élèvent des montagnes humides et forestières : Andes (culminant à 5 007 m), cordillère de la Costa; bordées d'un littoral très peuplé, elles isolent, au N.-O., la plaine et le lac de Maracaibo, au climat chaud et sec. Au S. des chaînes s'étend la région des llanos (savane arborée), dépression au climat tropical arrosée par l'Orénoque qui se termine par un vaste delta. L'ensemble méridional est constitué par des plateaux et collines appartenant au massif des Guyanes, couverts d'une forêt dense subéquatoriale et au peuplement embryonnaire. Le pays compte près de 85 % de citadins et accueille plus de 2 millions d'immigrés (dont la moitié de Colombiens).
Écon. – Malgré une réforme agraire et des travaux d'irrigation et de désenclavement, la production agricole reste insuffisante et l'élevage extensif. L'écon. repose sur le secteur minier : or, diamants, bauxite, gaz naturel et, surtout, pétrole (8e rang mondial, 80 % du montant des exportations). Il est exploité depuis 1914 (forage du premier puits) dans la zone de Maracaibo mais les réserves les plus riches sont celles de la «ceinture de l'Orénoque» dont l'exploitation nécessite de très import. investissements. L'importance du secteur pétrolier, extraction et raffinage, a longtemps freiné le développement, l'industrie se limitant à la prod. de biens de consommation dans les villes du N. À partir de 1960, l'État a favorisé la création d'industries de base en Guyane (sidérurgie, aluminium), mais dès les années 1980 la crise a sévi.
Hist. – La colonisation espagnole rattacha le Venezuela au vice-royaume du Pérou puis à la Colombie dans le vice-royaume de Nouvelle-Grenade et limita la mise en valeur du pays aux montagnes du N. C'est à Caracas qu'eut lieu le premier soulèvement contre les colonisateurs espagnols (1810-1812), sous la conduite de Miranda puis de Bolívar. De 1821 à 1830, le Venezuela fit partie de la république de Grande-Colombie, organisée par Bolívar. Après la mort du *Libertador*, révolutions et dictatures se succédèrent. De 1870 à 1888, Antonio Guzmán Blanco exerça une dictature progressiste et moderniste. Juan Vicente Gómez (1908-1935) gouverna de façon dictatoriale; l'exploitation du pétrole commença sous son gouvernement; en 1928, le Venezuela était le 2e producteur mondial. Après une succession de gouvernements milit. (1936-1945), une junte révolutionnaire dirigée par Rómulo Betancourt fit élire à la prés. de la République l'écrivain Rómulo Gallegos (1948), renversé la même année par Marcos Pérez Jiménez, dont la dictature dura jusqu'en 1958. L'insurrection populaire de janv. 1958 rétablit la démocratie de façon durable. Depuis lors, les présidents sociaux-démocrates («Action démocratique»), Rómulo Betancourt de 1958 à 1964, Raúl Leoni de 1964 à 1969, Carlos Andrés Pérez Rodríguez de 1973 à 1979, réélu en 1988, qui nationalisa le pétrole en 1975, et Jaime Lusinchi de 1984 à 1988 alternent avec des démocrates-chrétiens (Rafael Caldera de 1969 à 1973, Luis Herrera Campins de 1979 à 1984). Les mesures de rigueur dictées par le F.M.I. provoquèrent une révolte populaire en mars 1989. Deux tentatives de putsch militaire eurent lieu en 1992. Le prés. Pérez, discrédité par sa politique de rigueur et la corruption de son entourage et accusé d'avoir détourné des fonds, a été destitué en mai 1993. En 1994, l'anc. président R. Caldera est élu à la présidence de la Rép. En décembre 1998, le colonel Hugo Chavez, ancien putschiste de 1992, est élu démocratiquement et inaugure une politique teintée de populisme.

vénézuélien, enne adj. et n. Du Venezuela. ▷ Subst. *Un(e) Vénézuélien(ne)*.

vengeance n. f. Action de se venger; acte par lequel on se venge. *Tirer vengeance d'une insulte. Crier vengeance.*

venger v. [13] **I.** v. tr. **1.** Donner à (qqn) une compensation morale pour l'offense qu'il a subie, pour le mal qu'on lui a fait, en châtiant l'offenseur, l'auteur du mal. *Venger un mort.* ▷ (Sujet n. de chose.) *Cela nous vengera.* **2.** Effacer, réparer (une offense) en châtiant son auteur. *Venger un affront.* **II.** v. pron. *Se venger de.* **1.** Châtier (qqn) en lui rendant l'offense, le mal qu'il a fait.

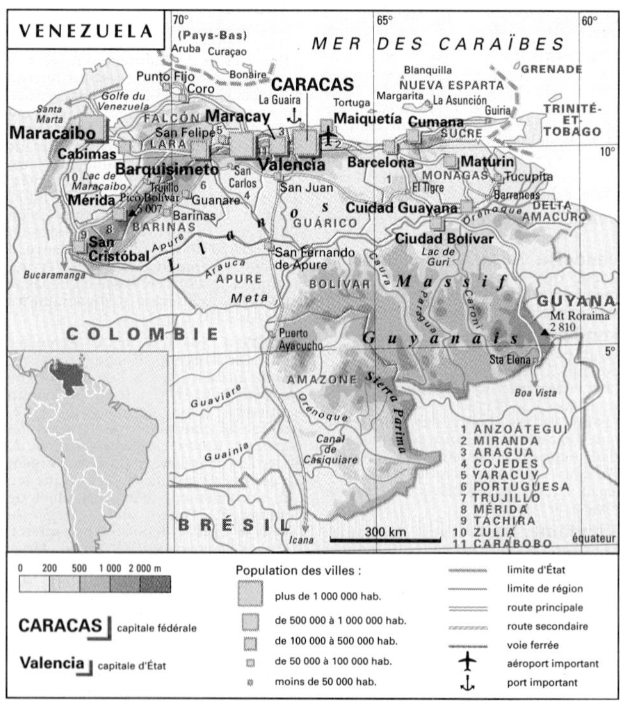

Se venger de qqn. **2.** Réparer moralement (un affront, un acte nuisible) en châtiant son auteur. *Se venger d'une humiliation.*

vengeur, vengeresse n. et adj. Personne qui venge. ▷ adj. *«Nos bras vengeurs»* (La Marseillaise). *Une satire vengeresse.*

Veni, creator Spiritus, hymne à l'Esprit-Saint, chantée aux vêpres de la Pentecôte et à l'ouverture des grandes réunions et cérémonies de l'Église.

véniel, elle adj. RELIG CATHOL *Péché véniel,* qui ne fait pas perdre la grâce (par oppos. à *péché mortel*). ▷ Cour. Sans gravité. *Faute vénielle.*

venimeux, euse adj. **1.** Se dit des animaux à venin et de leurs glandes, aiguillons, etc. *Serpent venimeux.* – Par anal. *Les piquants venimeux de certaines plantes.* **2.** Fig. Haineux, malveillant. *Propos venimeux.*

venin n. m. **1.** Substance toxique sécrétée par certains animaux et qu'ils injectent par piqûre ou morsure, pour se défendre ou pour attaquer. *Venin de vipère, d'abeille.* **2.** Fig. Haine, malveillance. *Venin répandu par les mauvaises langues.* – Loc. *Cracher (jeter) son venin :* dire des méchancetés.

venir v. [**36**] **I.** v. intr. **1.** Gagner le lieu où se trouve celui qui parle ou celui à qui l'on parle. *Il viendra dans une heure. Viens chez moi. Aller et venir :* faire à pied un trajet alternativement dans les deux sens. – *Faire venir qqn,* le prier de venir. *Faire venir qqch,* se le faire livrer. ▷ Loc. fig. *Voir venir qqn,* deviner ses intentions. ▷ (Suivi d'un inf.) *Venez me voir un de ces jours. Les soupçons qui venaient le tourmenter.* **2.** S'étendre dans une dimension (jusqu'à une certaine limite). *Des manches qui viennent au coude.* – Fig. *Venir à maturité,* y parvenir. ▷ Loc. *En venir à :* en arriver (après une évolution) à (un point essentiel ou extrême). *J'en viens au problème qui vous préoccupe. En venir à la violence. En venir aux mains :* finir par se battre. – *Où veut-il en venir? :* quel est en fin de compte le sens de ses paroles, le but de ses actes? – (Suivi d'un inf.) *J'en viens à me demander si... :* je finis par me demander si... **3.** *Venir de :* provenir, tirer son origine de, découler de. *Cette marchandise vient de tel pays. Ce mot vient du grec. Son erreur vient de là.* ▷ *Venir à qqn :* avoir été légué à qqn. *Cette maison lui vient de sa tante.* **4.** (Sujet n. de chose.) Arriver, se produire. *Le moment du départ est venu. L'orage vint brusquement.* – *La semaine, l'année qui vient,* prochaine. – Loc. adj. *À venir :* qui suivra (dans le temps), futur. *Les jours, les événements à venir.* ▷ Loc. *Voir venir (les choses) :* s'abstenir d'agir avant de savoir à quoi s'en tenir. – *Laisser venir :* ne pas brusquer les choses. ▷ *Venir à qqn :* apparaître sur son corps ou dans son esprit. *Avec l'âge, des rides lui sont venues. Des doutes me viennent.* **5.** (Plantes) Croître, se développer. *Ces arbres viennent bien.* **II.** v. semi-auxiliaire (suivi de l'inf.). **1.** *Venir de* (au prés. et à l'imparf. pour marquer un passé récent). *Il vient de sortir, vous le manquez de peu. Je venais de lui écrire quand il m'a téléphoné.* **2.** (Dans une propos. conditionnelle.) *Venir à* (pour renforcer l'idée d'éventualité). *Si le temps vient à se couvrir, rentrez.* **III.** v. pron. Fam. et vx *S'en venir :* revenir, venir. *Je m'en viens avec vous.*

Venise (en ital. *Venezia*), v. d'Italie, sur la *lagune de Venise,* formée par l'Adriatique; 80 000 hab.; ch.-l. de la prov. du m. nom et de la Vénétie. Venise est construite sur des parcelles de terrain : 118 îlots, que séparent 177 canaux étroits enjambés par près de 400 ponts. Le Grand Canal, à la majestueuse sinuosité et que traversent seulement trois ponts (notam. le monumental Ponte Rialto, datant de la fin du XVIe s.), divise Venise en deux ensembles distincts, bordés au S. par la longue île de la Giudecca. Un cordon littoral (dont le Lido est une partie) sépare les eaux vénitiennes de la mer (à 2 km), sur laquelle il offre trois accès. Au N. s'égrènent plusieurs îles : San Michele, Murano, la plus import., Burano et Torcello. Venise est un prestigieux centre touristique. À 4 km, le port (Porto Marghera) et la zone industrielle de Mestre (raff. de pétrole, industr. chimiques) figurent parmi les plus import. d'Italie. – Témoins de son rôle culturel et artistique dans l'histoire, nombr. palais du Moyen Âge et de la Renaissance sur les rives du Grand Canal : Ca' d'Oro (XVe s.), palais Vendramin Calergi (XVIe s.), Corner della Ca' Grande (XVIe s.), etc. Innombrables églises : Santa Maria Gloriosa dei Frari (XVIe s.), Santa Maria della Carità (XVe-XVIIIe s.), transformée en musée (Accademia delle Belle Arti), Santa Maria della Salute (XVIIe s.), etc. Cœur de la ville, la place Saint-Marc est bordée : à l'E., par la basilique Saint-Marc (commencée en 829, reconstruite dans le style byzantin de 1063 à 1094, remaniée aux XIIIe, XVe et XVIIe s.); au N., par la tour de l'Horloge (1496) et par les Procuratie Vecchie (XVIe s.); à l'O., par les Procuratie Novissime (1810). Dominée par le Campanile (XIIIe-XIVe s., reconstruit de 1905 à 1912), elle s'ouvre, du côté du canal de Saint-Marc qui prolonge le Grand Canal, sur la Piazzetta aux deux colonnes de granit, devant laquelle s'élève le palais des Doges, construit au XIIe s., modifié aux XIVe, XVe et XVIe s. (peintures de Titien, de Véronèse et, surtout, du Tintoret), et que le pont des Soupirs (des prisonniers) relie aux prisons. Les îles adjacentes comptent de nombr. églises (San Giorgio Maggiore). Les extraordinaires richesses monumentales et artistiques de Venise sont auj. menacées de destruction (enfoncement du sol, évalué à 2 mm par an; montée du niveau des mers; pollution de l'air et des eaux, etc.). Un recours à l'aide internationale (Unesco) s'est imposé après les inondations de 1966 et un grand projet de sauvegarde a été élaboré dep. 1986.
Hist. – Au VIe s., pour échapper aux invasions des Huns puis des Lombards, un groupe d'habitants de la région se réfugia sur les îles de la lagune. Ils constituèrent une république, dirigée par un doge (duc), élu par les notables et vassal de l'empereur byzantin. Dépourvus de terres, ils se dotèrent d'une puissante flotte de commerce qui consacra l'hégémonie de la république en Méditerranée. En 1082, Byzance fit appel à cette flotte contre les Normands, en échange d'importants privilèges commerciaux. Grâce aux croisades, Venise s'enrichit considérablement et s'assura des concessions sur toute la côte du Levant. Au XIIIe s., la conquête de l'Empire byzantin par les Occidentaux lui permit de s'emparer de la Crète et des îles de la mer Égée, du Péloponnèse, et de ports d'escale sur l'Adriatique et, en Méditerranée orientale, sur la route du Levant. En même temps, l'organisation politique de la république de Venise se modifia. À partir du XIIIe s., les grandes familles enrichies par le commerce détenaient le pouvoir au sein du Grand Conseil (créé en 1143), tout-puissant vis-à-vis du doge et doté d'une police politique, le Conseil des Dix (créé en 1310). Du XIIIe au XVe s., l'apogée de Venise était symbolisée par la solidité de sa monnaie (le ducat) et la puissance de ses chantiers navals (l'Arsenal). Aux XVe et XVIe s., la richissime cité-État voyait le triomphe de son école picturale (Bellini, Carpaccio, Giorgione, Titien, Véronèse, le Tintoret). Pour assurer sa sécurité, Venise conquit au début du XVe s. les territoires de «terre ferme» qui forment auj. la Vénétie. La pression continue des Turcs, qui, à partir du XVe s., enlèvent une à une ses possessions en Médit. orientale, les guerres d'Italie et les grandes découvertes amorcèrent son déclin, ralenti au XVIe s. par le développement d'une industrie active. En 1797, la république fut abolie par Bonaparte, et la Vénétie tomba sous la domination autrichienne jusqu'à son rattachement au royaume d'Italie en 1866.

Venise : le Grand Canal

Vénissieux, ch.-l. de cant. du Rhône (arr. de Lyon); 60 744 hab. Industr. métallurgiques; constr. mécaniques (camions), électromécaniques.

vénitien, enne [venisjɛ̃, ɛn] adj. et n. **1.** adj. De Venise. *La peinture vénitienne.* ▷ Subst. *Un(e) Vénitien(ne).* **2.** n. m. *Le vénitien :* le dialecte italien parlé en Vénétie.

Venizélos (Eleuthérios) (La Canée, Crète, 1864 – Paris, 1936), homme politique grec. Chef du mouvement d'émancipation de la Crète (1898) puis président du Conseil à Athènes (1910-1915), il prit diverses mesures libérales et engagea la Grèce dans les deux guerres balkaniques (1912-1913) qui permirent de réunir la Crète à la Grèce et d'étendre les possessions grecques. Ayant constitué à Thessalonique un gouvernement républicain dissident et germanophobe (1916), il fut rappelé par Alexandre Ier (1917) et rangea la Grèce aux côtés des Alliés. Plusieurs fois président du Conseil entre 1924 et 1933, il proclama une éphémère république de Crète (1935) et dut s'exiler.

Venlo, v. des Pays-Bas (Limbourg), sur la Meuse; 63 820 hab. Port fluvial. Électrotechnique.

vent n. m. **1.** Mouvement naturel d'une masse d'air qui se déplace suivant une direction déterminée. *Vent du nord, du sud. La force du vent. Moulin à vent.* – Cour. *Coup de vent :* mouvement brusque de l'air, bourrasque. – Fig. *Passer en coup de vent,* très rapidement. ▷ METEO, MAR *Vent frais,* qui souffle à une vitesse comprise entre 39 et 49 km/h (force 6 Beaufort). *Grand frais,* quand le vent souffle à une vitesse comprise entre 50 et 61 km/h (force 7 Beaufort). *Coup de vent,* quand le vent souffle à une vitesse comprise entre 62 et 74 km/h (force 8 Beaufort). *Fort coup de* *vent*, entre 75 et 88 km/h (force 9 Beaufort). ▷ Loc. fig. *Contre vents et marées* : en dépit de tous les obstacles. – *Aller comme le vent, plus vite que le vent*, très vite. – *Le vent tourne*, il change de direction; fig. le cours des choses change. ▷ *En plein vent* : dans un lieu non abrité. – *Local ouvert aux quatre vents*, ouvert de tous les côtés. ▷ CHASSE *Chien qui prend le vent*, qui flaire. ▷ Loc. fig. *Avoir vent de qqch*, l'apprendre par hasard, en avoir vaguement connaissance. – *Aller le nez au vent*, au hasard. – *Être dans le vent*, à la mode. – *Observer d'où vient le vent* : étudier la situation pour déterminer comment elle va évoluer. – *Quel bon vent vous amène?* : qu'est-ce qui me vaut le plaisir de votre visite? **2.** ASTRO *Vent solaire* : plasma totalement ionisé, formé essentiellement de protons et d'électrons, qui s'échappe du Soleil. (Au voisinage de la Terre, sa vitesse est comprise entre 300 et 800 km/s; la région de l'espace que remplit le vent solaire s'étend vraisemblablement à plus de 100 UA du Soleil.) – *Vent stellaire* : matière éjectée en permanence par certaines étoiles. (Des vents stellaires dont la vitesse atteint 3 000 km/s font perdre aux étoiles les plus massives jusqu'à 10^{-5} masse solaire par an.) **3.** Agitation de l'air due à une cause quelconque. – Loc. fig. *Sentir le vent du boulet* : échapper de peu à qqch de néfaste. **4.** MUS Air sous pression, provenant du souffle de l'instrumentiste ou d'une machinerie, qui met en résonance certains instruments de musique, dits *instruments à vent*. *Boîte à vent d'un orgue.* **5.** Vieilli Gaz intestinal. *Avoir des vents.* **6.** Fig. Chose, parole vaine. *Toutes ces belles promesses ne sont que du vent.*

Vent (îles du), ensemble des îles des Antilles exposées à l'alizé, c.-à-d. les îles orientales : Porto Rico, Trinité, Guadeloupe, Martinique, etc.

Vent (îles du) ou **Sous-le-Vent** (îles). V. Société (îles de la).

Venta (La), nom esp. d'une anc. cité des Olmèques (Mexique, État de Tabasco), en activité du XIIe au Ve s. av. J.-C. Ruines import. : grande pyramide en terre battue, têtes monolithes colossales.

ventail, aux n. m. ARCHEOL Partie de la visière du casque, du heaume d'une armure, percée de trous pour permettre le passage de l'air.

vente n. f. **I. 1.** Action de vendre, occasionnellement ou dans l'exercice d'une activité commerciale. *Mettre sa maison en vente. Achat et vente de livres anciens. Vente à crédit. Service* après-vente.* **2.** Réunion au cours de laquelle certains biens sont vendus publiquement. *Acheter un tableau dans une vente. Salle des ventes.* ▷ *Vente de charité*, au bénéfice d'une œuvre. **II. 1.** SYLVIC Chacune des coupes qui se font dans une forêt en des temps réglés; partie d'une forêt qui vient d'être coupée. *Jeune vente*, où le bois commence à repousser. **2.** HIST Réunion de carbonari*.

venté, ée adj. Exposé au vent. *Plateau venté.*

venter v. impers. [1] Litt. Faire du vent. *Il a venté cette nuit.* ▷ Loc. *Qu'il pleuve ou qu'il vente* : par tous les temps.

venteux, euse adj. Où le vent souffle souvent. *Pays venteux.*

ventilateur n. m. Dispositif, appareil servant à créer un courant d'air (pour rafraîchir ou renouveler l'air d'une pièce, pour activer une combustion, pour refroidir un moteur, etc.). *Hélice, turbine d'un ventilateur. Ventilateur d'une forge.*

ventilation n. f. **I.** Action de ventiler, d'aérer; fait d'être ventilé. *Ventilation d'une pièce.* ▷ MED *La ventilation pulmonaire. La ventilation artificielle est utilisée en cas de défaillance respiratoire.* **II. 1.** DR Évaluation de chacun des lots d'un tout proportionnellement à la valeur du tout. ▷ COMPTA Répartition d'une somme entre divers comptes, divers chapitres d'un budget, etc. **2.** *Par anal.* Répartition. *La ventilation des stagiaires dans les groupes de travail selon leur niveau.*

ventiler v. tr. [1] **1.** Aérer en produisant un courant d'air; alimenter en air frais. *Ventiler un entrepôt, un moteur.* **2.** Procéder à la ventilation (sens II, 1 et 2) de. *Ventiler des crédits. Ventiler des fournitures dans les différents ateliers d'une usine.*

ventileuse n. f. ENTOM Abeille qui bat des ailes à l'entrée de la ruche pour en assurer la ventilation et permettre l'évaporation de l'excès d'eau du miel.

ventis [vɑ̃ti] n. m. pl. AGRIC Arbres abattus par le vent.

ventôse n. m. HIST Sixième mois du calendrier républicain (du 19/21 février au 20/21 mars, suivant les années).

ventouse n. f. **1.** Petite cloche de verre que l'on applique sur la peau après y avoir créé un vide relatif (en général par la combustion d'un morceau de coton imbibé d'alcool), de manière à provoquer une congestion superficielle. *On ne pose plus guère de ventouses aujourd'hui.* **2.** Pièce concave en matière souple (caoutchouc, etc.) que la pression atmosphérique permet de faire adhérer à des surfaces planes et lisses. *Ventouses utilisées par les miroitiers pour mettre en place les glaces de grande dimension.* – Loc. *Faire ventouse* : adhérer comme une ventouse. *Voiture ventouse.* **3.** ZOOL Organe de succion qui permet à certains animaux de se fixer sur une proie, un support, etc. *Ventouses du poulpe, du ténia.* ▷ BOT Organe de fixation en forme de disque de certaines plantes.

Ventoux (mont), massif calcaire des Préalpes du S. (Vaucluse); 1 912 m. Tourisme.

ventral, ale, aux adj. **1.** Qui a rapport au ventre; qui est situé sur le ventre, du côté du ventre. *Nageoire ventrale.* – *Parachute ventral*, accroché sur la partie antérieure du corps (par oppos. à *parachute dorsal*). ▷ SPORT *Rouleau ventral* : technique de saut en hauteur consistant pour l'athlète à franchir la barre en maintenant l'avant du corps tourné vers celle-ci. **2.** ANAT Qui occupe une position médiane et basse. *Noyau ventral du thalamus.*

ventre n. m. **1.** Chez l'homme, partie antérieure et inférieure du tronc, où se trouve la cavité qui renferme les intestins. *Se coucher sur le ventre, à plat ventre.* – Loc. fig. *Se mettre à plat ventre devant qqn*, s'abaisser servilement devant lui. *Passer sur le ventre de qqn* : éliminer sans vergogne un concurrent. – Fam. *Taper sur le ventre à qqn*, être très familier avec lui. ▷ Proéminence de cette partie du corps. *Avoir, prendre du ventre. Rentrer le ventre.* **2.** Partie molle de l'abdomen des mammifères, en arrière des côtes. – Fig. *Cheval qui court ventre à terre*, à toute vitesse. ▷ *Par ext.* Partie inférieure du corps de certains animaux (par oppos. à *dos*). *Ventre de poisson.* **3.** (En tant que siège des organes de la digestion.) *Avoir mal au ventre.* – Loc. *Avoir le ventre creux, plein.* ▷ Fam. *Avoir les yeux plus gros, plus grands que le ventre* : se servir de nourriture plus qu'on n'en peut manger; fig. avoir des ambitions qui dépassent ses capacités. **4.** (Chez la femme, en tant que siège des organes de la gestation.) *Enfant qui bouge dans le ventre de sa mère.* **5.** (Seulement en loc.) Fond du caractère, de la personnalité de qqn. *Avoir qqch dans le ventre* : avoir du caractère, de la volonté. *Je voudrais savoir ce qu'il a dans le ventre*, ce dont il est capable, ses intentions cachées. *Remettre du cœur au ventre à qqn*, lui redonner du courage. **6.** (Choses) Renflement, partie convexe. *Le ventre d'une jarre.* – *Le ventre d'un bateau*, la partie centrale de sa coque. – *Avion qui atterrit sur le ventre*, sans avoir sorti son train d'atterrissage. – *Mur qui fait ventre*, qui devient convexe, qui se bombe sous les forces de poussée. **7.** PHYS Chacune des zones d'un mouvement vibratoire où l'amplitude est maximale (par oppos. à *nœud*).

ventrée n. f. Vulg. Grosse quantité de nourriture qu'on ingurgite.

ventriculaire adj. ANAT Relatif à un ventricule cardiaque ou cérébral. *Cavité ventriculaire.*

ventricule n. m. **1.** ANAT Chacune des deux cavités aplaties et allongées, de forme conique, de la partie inférieure du cœur (V. ce mot). *Les oreillettes et les ventricules.* **2.** ANAT *Ventricule cérébral* : chacune des quatre cavités du cerveau dans lesquelles circule le liquide céphalorachidien. V. encéphale. **3.** ZOOL *Ventricule succenturié* : première poche de l'estomac des oiseaux, qui sécrète les sucs digestifs.

ventriculographie n. f. MED Radiographie des ventricules cérébraux.

ventriloque n. et adj. Personne capable d'émettre des sons articulés sans remuer les lèvres, donnant ainsi l'impression que ce n'est pas elle qui parle. ▷ adj. *Clown ventriloque.*

ventriloquie n. f. Didac. Art du ventriloque.

ventripotent, ente adj. Fam. Qui a un gros ventre.

Ventris (Michael) (Wheathampstead, Hertfordshire, 1922 – près de Hatfield, 1956), architecte, archéologue et linguiste britannique. Étudiant de nombr. tablettes découvertes lors des fouilles de Cnossos et de Pylos, il déchiffra une écriture qui transcrit une langue, en usage v. 1400 av. J.-C., dont il démontra qu'il s'agissait d'un grec archaïque.

ventru, ue adj. **1.** Qui a un gros ventre. *Un quinquagénaire ventru.* **2.** (Choses) Renflé. *Vase ventru.*

Venturi (Giovanni Battista) (Bibbiano, près de Reggio nell'Emilia, 1746 – Reggio, 1822), physicien italien : études sur la dynamique des fluides.

venu, ue adj. et n. **I.** adj. **1.** *Bien (mal) venu* : à (hors de) propos; bien (mal) accueilli. ▷ Harmonieusement développé; retardé dans son développement (êtres vivants). *Un veau mal venu.* – Bien fait, agréable (choses). *Une aquarelle bien venue.* **2.** (Suivi d'un inf.) *Être mal venu à, de* : ne pas être moralement en droit de. *Vous seriez mal venu de lui faire des reproches.* **II.** n. **1.** *Nouveau venu, nouvelle venue* : personne qui vient d'arriver. ▷ *Le premier venu* : celui qui arrive le premier et, par ext., personne prise au hasard. **2.** n. f. Arrivée. *J'ai appris sa venue.* – *La venue des premiers froids.* ▷ *Allées et venues.* V. allée. **3.** n. f. Manière de pousser, de se développer.

D'une belle, d'une seule venue, tout d'une venue : se dit d'un végétal bien droit, aux lignes régulières. – Fig. *Des pages d'une belle venue.*

1. vénus [venys] n. f. ZOOL Mollusque lamellibranche (genre *Venus*). *La praire est une vénus (Venus verrucosa).*

2. vénus [venys] n. f. **1.** Femme très belle **2.** Représentation par l'art (notam. préhistorique) d'un type féminin. *Les vénus aurignaciennes* : statuettes en ivoire de femmes stéatopyges.

Vénus, dans la myth. rom., déesse de la Beauté et de l'Amour, assimilée à l'Aphrodite des Grecs.

Vénus, deuxième planète du système solaire, au-delà de Mercure. C'est l'astre le plus brillant du ciel après le Soleil et la Lune, visible tantôt à l'aube *(étoile du matin)*, tantôt au crépuscule *(étoile du Berger)*. Elle décrit en 224 jours et 17 h une orbite inclinée de 3° 24' par rapport au plan de l'écliptique ; sa distance au Soleil varie de 107 à 109 millions de km. De toutes les planètes, Vénus est celle qui s'approche le plus près de la Terre (41 millions de km) ; aussi fut-elle l'objet de multiples explorations spatiales entreprises par des sondes américaines (série des *Mariner* de 1962 à 1974, *Pioneer Venus* en 1978, *Magellan* en 1990) et soviétiques (série des *Venera* de 1961 à 1983, *Vega* en 1985). Vénus tourne sur elle-même dans le sens *rétrograde* en 243 jours ; elle ressemble à la Terre par sa taille (12 102 km de diamètre contre 12 756 km pour la Terre) et par sa densité (5,26 contre 5,52) ; on en a déduit que les deux planètes ont une structure interne comparable. Il y a plusieurs milliards d'années, la similitude était encore plus grande : océans et continents étaient présents à la surface de Vénus ; par la suite, un intense effet de serre imposa les conditions qui règnent actuellement sur le sol vénusien (90 fois la pression atmosphérique terrestre, température de 470 °C). Le dioxyde de carbone (gaz carbonique) constitue l'essentiel de l'atmosphère de Vénus, qui retient, à une altitude comprise entre 48 et 68 km, une épaisse couche nuageuse riche en acide sulfurique ; la haute atmosphère tourne dans le sens rétrograde, 60 fois plus vite que la planète (un tour en 4 jours).

vénusien, enne adj. De la planète Vénus.

vénusté n. f. Litt. Charme, grâce, beauté sensuelle. *Une femme à la vénusté éclatante.*

vépéciste n. COMM Organisme qui effectue de la vente par correspondance.

le manteau nuageux de **Vénus** photographié par la sonde américaine *Mariner 10*

vêpres n. f. pl. **1.** RELIG CATHOL Office célébré autrefois le soir, aujourd'hui l'après-midi, avant complies. *Aller aux vêpres.*

Vêpres siciliennes, massacre, par la pop. de Palerme, des soldats français au service de Charles Ier d'Anjou, roi de Sicile. Le signal de l'insurrection fut donné à Palerme, le lundi de Pâques, 30 mars 1282, à l'heure des vêpres ; dirigée contre la politique oppressive de Charles Ier d'Anjou, l'émeute fut fomentée par l'empereur byzantin Michel VIII Paléologue et le roi d'Aragon Pierre III, qui obtint, grâce à elle, la couronne de Sicile.

ver n. m. **1.** Petit animal invertébré, de forme allongée, au corps mou dépourvu de pattes. (Les vers ne représentent pas un groupe systématique, mais plusieurs embranchements dont certains sont constitués d'acœlomates et les autres de cœlomates.) *Chercher des vers de vase pour la pêche. Ver de terre* ou, absol., *ver* : lombric. *Ver solitaire* : ténia. – *Vers plats* (plathelminthes*), *ronds* (némathelminthes*). **2.** Larve de certains insectes. *Ver blanc* : larve du hanneton. *Ver à soie* : chenille du bombyx du mûrier, dont le cocon fournit la soie (V. ce mot). *Bois rongé par les vers.* ▷ Loc. *N'être pas piqué* des vers.* **3.** *Ver luisant* : femelle aptère et luminescente du lampyre. **4.** Loc. fig., fam. *Tirer les vers du nez à qqn*, l'amener par des questions habiles à parler, à faire des révélations.

véracité n. f. Litt. **1.** Qualité de ce qui est attaché à la vérité. *La véracité d'une étude historique.* **2.** Caractère de ce qui est dépourvu de mensonge ou d'erreur. *Je m'assurerai de la véracité de ce récit.*

Veracruz, v. et port du Mexique, sur le golfe du Mexique, dans l'État du m. nom ; 284 820 hab. Industr. métallurgiques. – *L'État de Veracruz* (71 699 km²; 6 228 200 hab. ; cap. *Jalapa Enríquez*) produit canne à sucre, café, coton, cacao, bananes et tabac. Pétrole.

véranda n. f. Galerie couverte longeant la façade d'une maison. ▷ Balcon couvert et clos par un vitrage.

verbal, ale, aux adj. **1.** De vive voix (par oppos. à *écrit, par écrit*). *Promesse verbale.* **2.** Par ext. *Note verbale*, remise sans signature à un ambassadeur. **3.** Exprimé par des mots. *Expression verbale, orale ou écrite.* **4.** GRAM, LING Du verbe, relatif au verbe. *Forme, locution* verbale.*

verbalement adv. **1.** De vive voix. **2.** Au moyen des mots.

verbalisation n. f. **1.** Action de dresser un procès-verbal. **2.** PSYCHO Fait d'exprimer ou de s'exprimer par le langage. *Verbalisation d'une sensation.*

verbaliser v. [1] **1.** v. intr. Dresser un procès-verbal. **2.** v. tr. et intr. PSYCHO Exprimer par le langage, en mots.

verbalisme n. m. Péjor. Excès de paroles ; usage des mots pour les mots, et non pour exprimer une idée.

Verbania, v. d'Italie (Piémont), sur le lac Majeur ; 32 590 hab. Tourisme (notam. à Pallanza).

verbatim adv. (Anglicisme) Textuellement, mot pour mot.

verbe n. m. **I. 1.** THEOL (Avec une majuscule.) Parole que Dieu adresse aux hommes. – Dieu, en la seconde personne de la Trinité. *Le Verbe s'est fait chair.* **2.** Vieilli ou litt. Discours, langage. *Action magnifiée par la magie du verbe.* **3.** Ton de voix. *Avoir le verbe haut* : parler fort ; fig., parler avec morgue, hauteur. **II.** GRAM Partie du discours, mot exprimant une action, un état, un processus et variant en personne, en nombre, en temps, en mode et en voix. *Verbes transitifs, intransitifs. Verbes auxiliaires. Verbes défectifs.*

verbénacées n. f. pl. BOT Famille de dicotylédones gamopétales, comprenant des arbres *(teck)* et des plantes herbacées *(verveine)*. – Sing. *Une verbénacée.*

verbeux, euse adj. Péjor. Trop prolixe, diffus. *Orateur, discours verbeux.*

verbiage n. m. Péjor. Abondance de paroles vides de sens ; bavardage lassant.

verbicruciste n. Didac. Personne qui crée des mots croisés.

verbosité n. f. Fait d'être verbeux.

Verceil (en ital. *Vercelli*), v. d'Italie (Piémont), sur la Sesia ; 51 980 hab. ; ch.-l. de la prov. du m. nom. – Archevêché. Centre industriel. Marché du riz. Basilique Sant'Andrea (XIIIe s.). Cath. (XVIe s.). – Victoire de Caius Marius sur les Cimbres en 101 av. J.-C.

Vercel (Roger Crétin, dit Roger) (Le Mans, 1894 – Dinan, 1957), écrivain français. Auteur de récits d'aventures militaires ou maritimes : *Capitaine Conan* (1934), *Remorques* (1935).

Verchères (Marie-Madeleine Jarret de) (Verchères, Québec, 1678 – Ste-Anne-de-la-Pérade, id., 1747), héroïne canadienne. En 1692, elle défendit le fort familial contre une attaque d'Iroquois.

Vercingétorix (pays des Arvernes, v. 72 – Rome, 46 av. J.-C.), chef gaulois. Choisi en 52 av. J.-C. comme chef suprême *(vercingetorix)* des tribus gauloises révoltées contre les Romains, il préféra pratiquer l'embuscade et l'incendie des récoltes pour les affamer, plutôt que de les attaquer de front. Il parvint à contraindre César à lever le siège de Gergovie (mai-juin 52), mais perdit sa cavalerie près de Dijon (août 52) et se laissa enfermer dans Alésia. Des troupes affluèrent de toute la Gaule pour le délivrer, mais César résista, et Vercingétorix dut se rendre (fin sept. 52). Emprisonné à Rome, il fut exhibé (après six années de captivité) lors du triomphe de son vainqueur et mis à mort.

Vercors (le), massif calcaire des Préalpes, entre les vallées de l'Isère et de la Drôme (2 341 m au Grand-Veymont). – Refuge de nombreux résistants en 1943-1944, le Vercors fut, en juin et juillet 1944, le théâtre d'un combat livré par 3 500 maquisards contre les

Vercingétorix enchaîné, sur l'avers d'un denier de César ; cabinet des Médailles, B.N.

troupes allemandes, qui leur infligèrent de sanglantes représailles.

Vercors (Jean Bruller, dit) (Paris, 1902 - id., 1991), dessinateur, graveur et écrivain français. Cofondateur des Éditions de Minuit clandestines (1941), il y publia *le Silence de la mer* (1942), récit sobre des rapports impossibles entre un officier allemand et la jeune Française qui, avec son oncle, est contrainte de le loger. Autres œuvres : *les Animaux dénaturés* (1952 ; devenus au théâtre *Zoo ou l'Assassin philanthrope*, 1963), *la Bataille du silence* (1967), etc.

verdage n. m. AGRIC Plante herbacée enterrée pour servir d'engrais vert.

Verdaguer y Santaló (Jacint) (Folgarolas, près de Vich, 1845 - Vallvidrera, Barcelone, 1902), ecclésiastique et écrivain espagnol d'expression catalane, un des artisans de la renaissance catalane : *l'Atlantide* (1877), *Chants mystiques* (1879).

verdâtre adj. D'une couleur tirant sur le vert ; vert sale.

verdelet, ette adj. *Vin verdelet,* un peu vert, acidulé.

Verden an der Aller, v. d'Allemagne, en Basse-Saxe ; 17 500 hab. - En 782, Charlemagne y massacra 4 500 Saxons.

verdeur n. f. **1.** Acidité d'un fruit vert, d'un vin jeune. **2.** Fig. Vigueur, plénitude des forces et de la santé chez qqn qui n'est plus jeune. **3.** Liberté, crudité de langage. *Verdeur de propos.*

Verdi (Giuseppe) (Roncole, prov. de Parme, 1813 - Milan, 1901), compositeur italien. Dans ses nombr. opéras, il concilie avec verve, mais aussi avec sensibilité, l'expression vocale et lyrique et une action dramatique intense : *Nabucco* (1842), *Rigoletto* (1851), *la Traviata* (1853), *le Trouvère* (1853), *la Force du destin* (1862), *Don Carlos* (1867), *Aïda* (1871), *Otello* (1887), *Falstaff* (1893).

Giuseppe **Verdi**

É. **Verhaeren**

verdict [vɛʀdikt] n. m. **1.** DR Déclaration du jury en réponse aux questions posées en cour d'assises au sujet de la culpabilité d'un accusé. *Verdict positif,* de culpabilité. *Verdict négatif,* d'acquittement. **2.** *Par exag.* Avis, jugement. *Le verdict de la critique.*

verdier n. m. Oiseau passériforme au plumage verdâtre, au gros bec, commun dans les parcs et les jardins d'Europe.

verdir v. [3] **1.** v. tr. Donner une couleur verte à. **2.** v. intr. Devenir vert.

verdissement n. m. Fait de verdir. - *Verdissement d'une huître :* V. navicule.

verdoiement [vɛʀdwamɑ̃] n. m. Fait de verdoyer.

Verdon (le), riv. de France (175 km), affl. de la Durance (r. g.) ; naît dans les Alpes du S., arrose Castellane. Gorges pittoresques. Hydroélectricité.

Verdon-sur-Mer (Le), com. de la Gironde (arr. de Lesparre-Médoc), à l'embouchure de la Gironde ; 1 352 hab. Port pétrolier. Stat. balnéaire.

verdoyant, ante adj. Qui verdoie.

verdoyer v. intr. [23] Rare Devenir vert. ▷ Cour. Être de couleur verte, déterminer la sensation du vert (en parlant d'un paysage, de plantes, etc.). *«L'herbe qui verdoie»* (Perrault).

Verdun, ch.-l. d'arr. de la Meuse ; 23 427 hab. Industr. alimentaires. - Évêché. Cath. des XIe-XIIe s., plusieurs fois restaurée. Porte Chaussée (XIVe s.). Hôtel de ville (XVIIe s.), qui abrite le musée de la Guerre. Citadelle (partie O. de la Ville-Haute), bâtie sur de vastes souterrains. - Anc. camp gaulois, cité épiscopale au IVe s., la ville fut occupée, avec Metz et Toul, par Henri II (1552). Réunie à la France en 1648 (traité de Westphalie), elle devint une import. place forte.

Verdun (bataille de), princ. bataille de la Première Guerre mondiale (1916). L'attaque du camp retranché de Verdun (camp établi sur les deux rives de la Meuse) fut décidée par Falkenhayn pour frapper un coup décisif sur le front occidental. Dirigé par le Kronprinz, le premier assaut (21 fév.), d'une violence inouïe, aboutit à la prise du fort de Douaumont (25 fév.). Débuta alors une longue bataille d'usure ; Pétain, appelé par Joffre, donna aux troupes les moyens matériels et moraux de résister. En mai, Nivelle remplaça Pétain. En juin, les Allemands menacèrent directement Verdun (prise du fort de Vaux, 7 juin). À la fin d'août, l'offensive de Joffre sur la Somme (qui avait débuté dans les premiers jours de juil.) desserra l'étau allemand : Mangin put reprendre Douaumont (24 oct.), puis Vaux (2 nov.). Verdun, enfer où périrent dans les deux camps plus de 700 000 hommes, symbolise à la fois la résistance française à l'envahisseur et l'horreur de la guerre moderne.

Verdun (traité de), traité signé en 843 entre les trois fils de Louis le Pieux, qui se partagèrent l'Empire carolingien. Louis reçut les pays de langue germanique, à l'E. du Rhin ; Charles le Chauve, les contrées de langue romane à l'O. de l'Escaut, de l'Argonne, de la Saône et des Cévennes ; Lothaire, les territoires intermédiaires et le titre d'empereur.

verdunisation n. f. TECH Stérilisation de l'eau par addition de chlore en doses très faibles.

verdure n. f. **1.** Couleur verte des végétaux. **2.** (Sing. collectif.) Herbes, plantes, feuilles, arbres. *Aller se promener dans la verdure.* - Loc. *Théâtre de verdure,* aménagé en plein air. ▷ Fam. Plantes potagères vertes (salade, etc.) ; crudités. *Manger de la verdure.*

Vereeniging, v. de l'Afrique du Sud (Transvaal), 149 410 hab. Industr. sidér. ; houille. - En 1902, la *paix de Vereeniging* y fut signée (annexion des territoires des Boers par l'Empire brit.).

véreux, euse adj. **1.** Qui contient des vers. *Fruits véreux.* **2.** Fig., péjor. (Personnes) Malhonnête. *Homme d'affaires véreux.* - (Choses) Suspect, douteux. *Une affaire véreuse.*

Verga (Giovanni) (Catane, 1840 - id., 1922), romancier italien ; le princ. représentant du vérisme : *Vie aux champs* (nouvelles, 1880), *les Malavoglia* (1881), *Maître Don Gesualdo* (1889).

verge n. f. **I. 1.** Vx Baguette. ▷ *Spécial.* (Surtout au plur.) Baguettes servant à fouetter. ▷ Loc. fig., mod. *Vous lui donnez des verges pour vous fouetter :* vous lui apportez des armes (des arguments, par ex.) qu'il utilisera contre vous. ▷ Anc. Baguette, insigne de certaines fonctions. *Huissier à verge.* ▷ BOT *Verge d'or :* V. solidage. **2.** (Canada) Mesure de longueur valant trois pieds* ou trente-six pouces* soit 0,9144 m (soit 1 yard angl.). **3.** TECH Tige métallique. ▷ MAR *La verge d'une ancre,* sa tige centrale. **II.** Organe de la miction et de la copulation, chez l'homme et les mammifères mâles. Syn. pénis.

vergé, ée adj. et n. m. **1.** *Étoffe vergée,* dans laquelle se trouvent des fils plus gros que le reste, ou d'une teinture plus claire ou plus foncée. **2.** *Papier vergé* ou, n. m., *du vergé,* qui présente en filigrane des lignes parallèles rapprochées.

vergence n. f. PHYS Inverse de la distance focale dans un système optique centré.

Vergennes (Charles Gravier, comte de) (Dijon, 1719 - Versailles, 1787), homme d'État et diplomate français. Il fut de 1774 à 1787 le ministre des Affaires étrangères de Louis XVI. Combattant l'influence de l'Angleterre, il conclut avec les Américains du N. un traité d'alliance qui contribua à leur victoire et contraignit le gouvernement de Londres à signer le traité de Versailles (1783).

vergeoise n. f. Sucre de betterave fabriqué avec des sirops de qualité inférieure additionnés d'un colorant.

verger n. m. Terrain planté d'arbres fruitiers.

vergeté, ée adj. **1.** Marqué de petites raies ; marqué de vergetures (peau). **2.** HERALD *Écu vergeté,* couvert de pals étroits.

vergeture n. f. Didac. (Surtout au plur.) Petites stries cutanées, ressemblant à des cicatrices, qui sillonnent une peau fortement distendue.

verglacé, ée adj. Couvert de verglas. *Route verglacée.*

verglas [vɛʀgla] n. m. Mince couche de glace qui se forme quand une pluie en état de surfusion (température légèrement inférieure à 0 °C) atteint le sol.

vergne. V. verne.

Vergniaud (Pierre Victurnien) (Limoges, 1753 - Paris, 1793), homme politique français. Député à l'Assemblée législative puis à la Convention, il mit son éloquence au service du parti girondin. Il fut arrêté avec ses amis après la trahison de Dumouriez (avril 1793) et guillotiné.

vergogne n. f. Vx Honte, pudeur. ▷ Loc. mod. *Sans vergogne :* sans retenue, sans scrupule ; effrontément.

vergue n. f. MAR Chacun des longs espars disposés perpendiculairement aux mâts et auxquels sont fixées les voiles.

Verhaeren (Émile) (Sint-Amands, près d'Anvers, 1855 - Rouen, 1916), poète belge d'expression française. Symboliste, mystique (*les Moines,* 1886), en proie à la «désespérance» (*Soirs,* 1887 ; *Débâcles,* 1888 ; *Flambeaux noirs,* 1891), il magnifia ensuite l'homme moderne au travail (*les Villages illusoires,* 1894) et la cité industrielle (*les Villes tentaculaires,* 1895).

véridicité n. f. Litt. Caractère véridique (de qqn ou de qqch).

véridique adj. **1.** Litt. Qui dit la vérité. *Témoin véridique.* **2.** Conforme à la vérité. *Récit véridique.*

véridiquement adv. Litt. D'une manière véridique, authentique.

vérifiable adj. Qu'on peut vérifier.

vérificateur, trice n. Personne qui vérifie. *Vérificateur des poids et mesures.*

vérificatif, ive adj. Didac. Qui sert à vérifier.

vérification n. f. **1.** Action de vérifier. *Vérification d'une addition.* ▷ DR *Vérification d'écritures* : examen en justice d'un acte privé. – *Vérification des pouvoirs* : examen par une assemblée de la régularité de l'élection de ses membres. *En France, le Conseil* constitutionnel assure la vérification de la régularité des élections législatives.* **2.** Confirmation. *Vérification d'un pronostic.*

vérifier v. tr. [2] **1.** Contrôler l'exactitude ou la véracité de. *Vérifier un calcul, une comptabilité. Vérifier les déclarations d'un témoin.* **2.** Confirmer l'exactitude de. *Diagnostic vérifié après divers examens.* ▷ v. pron. Se trouver confirmé. *Votre prédiction s'est vérifiée.*

vérin n. m. TECH Appareil utilisé pour soulever des charges très pesantes sur une faible hauteur et constitué essentiellement soit d'une vis à faible pas tournant dans un support, soit d'un piston mû dans un cylindre par un fluide comprimé (eau ou air, le plus souvent). *Vérin hydraulique, pneumatique.*

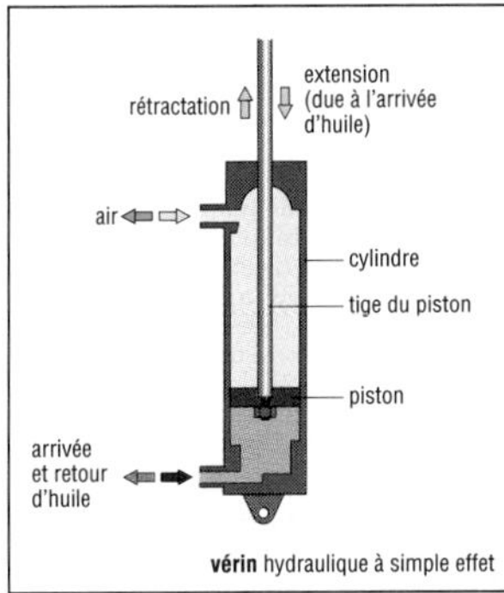

vérin hydraulique à simple effet

vérisme n. m. École littéraire et artistique italienne de la fin du XIXe s., inspirée par le naturalisme* et qui se proposait de présenter la réalité (notam. sociale) telle quelle, sans dissimuler ses aspects sordides. ▷ Par ext. *Le vérisme d'un cinéaste.*

vériste adj. et n. **1.** adj. Du vérisme. **2.** adj. et n. Qui est inspiré par le vérisme.

véritable adj. **1.** Vieilli Exact; sincère. **2.** Vrai, réel (par oppos. à *apparent, faux, imité*). *Un foulard en soie véritable.* **3.** Digne de son nom. *Une véritable œuvre d'art.* **4.** Fig. Vrai (pour renforcer l'exactitude d'une image, d'une comparaison). *Cet exploit est un véritable tour de force.*

véritablement adv. **1.** Conformément à la vérité. **2.** Vraiment, effectivement.

vérité n. f. **1.** Qualité de ce qui est conforme à la réalité; conformité de l'idée à son objet (par oppos. à *erreur*). *Le but de la philosophie est la recherche de la vérité.* **2.** Toute proposition vraie, dont l'énoncé exprime la conformité d'une idée avec son objet. *Les vérités mathématiques.* ▷ Loc. fam. *Dire à qqn ses (quatre) vérités,* lui dire sans ambages ce que l'on pense de lui, de ses défauts. ▷ INFORM *Table de vérité :* V. table (sens B, 2). **3.** Conformité d'un récit, d'une relation avec un fait (par oppos. à *mensonge*). *Altérer, trahir la vérité* : mentir. **4.** Ressemblance. *Portrait d'une grande vérité.* **5.** Sincérité, bonne foi. *Il y a dans son récit un air de vérité.* ▷ Loc. adv. *En vérité* : assurément, certainement. – *À la vérité* : pour être tout à fait sincère; en fait. **6.** *La Vérité,* personnifiée sous forme d'une jeune femme nue qui sort d'un puits en tenant un miroir. *«Le Triomphe de la Vérité», de Rubens.*

verjus [vɛʀʒy] n. m. Jus acide tiré de raisins cueillis encore verts.

Verkhne-Oudinsk. V. Oulan-Oude.

Verkhoïansk, v. de Russie, en Sibérie orientale, sur l'Iana, à l'E. des *monts de Verkhoïansk* (2 959 m); 2 000 hab. Un des points les plus froids du globe (on y a relevé des températures de – 69,8 °C).

Verlaine (Paul) (Metz, 1844 - Paris, 1896), poète français. Employé de bureau de la Ville de Paris (1864), il publia *Poèmes saturniens* (1866) et *Fêtes galantes* (1869), d'inspiration parnassienne. En 1870, il épousa Mathilde Mauté, inspiratrice de *la Bonne Chanson* (1870), mais sa rencontre et sa liaison avec Rimbaud, leur fuite en Belgique, puis à Londres, aboutirent à la séparation des époux. Pour avoir tiré deux coups de revolver sur son ami lors d'une crise passionnelle (1873), Verlaine fit dix-huit mois de prison. À sa sortie, ayant retrouvé la foi, officiellement séparé de Mathilde, il se remit à écrire : *Romances sans paroles* (1874), *Sagesse* (1881), etc.; en 1884 paraissaient *Jadis et Naguère* (qui inclut *l'Art poétique,* 1874) et *les Poètes maudits,* où il révèle au public de nouveaux poètes, tels Rimbaud, Mallarmé, Villiers de L'Isle-Adam. Verlaine reprend désormais une existence de bohème, misérable et alcoolique, ne donnant plus que des œuvres poétiques mineures. Élu en 1894 «prince des poètes», il peut être considéré comme le grand poète du symbolisme.

verlan n. m. Procédé argotique consistant à inverser de manière phonétique les syllabes des mots. *Laisse béton* pour *laisse tomber.*

verm(i)-. Élément, du lat. *vermis,* «ver».

Vermandois, anc. pays de France (Picardie), partagé auj. entre les dép. de l'Aisne et de la Somme, rattaché au domaine royal en 1213.

Vermeer (Johannes), dit *Vermeer de Delft* (Delft, 1632 - id., 1675), peintre hollandais. Oublié durant près de deux siècles, sa vie reste mal connue. Ses premières toiles ont été marquées par l'influence du caravagisme et par celle des artistes italiens, puis son évolution, rapide, révéla son goût pour les jeux de lumière et, réaliste, il s'est attaché à la luminosité de la touche. Veermer s'est aussi attaché aux problèmes d'optique et d'espace, installant ses sujets dans une atmosphère intemporelle. Env. quarante tableaux, dont : *Vue de Delft* (v. 1658), *la Dentellière* (v. 1664, Louvre), *l'Atelier* (v. 1665-1670, Vienne).

Paul **Verlaine**

Jules **Verne**

Vermeer de Delft : *la Dentellière,* v. 1664; musée du Louvre

vermeil, eille adj. et n. m. **1.** adj. Rouge vif. *Lèvres vermeilles.* **2.** n. m. Argent doré. *Service de vermeil.*

vermi-. Élément, du lat. *vermis,* «ver».

vermicelle n. m. Pâte à potage façonnée en fils très minces. *Potage au(x) vermicelle(s).*

vermiculaire adj. Didac. Qui a la forme, l'aspect d'un ver. ▷ ANAT *Appendice* vermiculaire.*

vermiculé, ée adj. ARCHI Orné d'évidements sinueux.

vermiforme adj. Didac. Qui a la forme d'un ver.

vermifuge adj. et n. m. MED Se dit d'une substance, d'un médicament qui provoque l'expulsion des vers intestinaux. ▷ n. m. *Un vermifuge.*

vermillon n. m. et adj. inv. **1.** Sulfure naturel de mercure rouge réduit en poudre, utilisé en peinture. **2.** Couleur rouge vif tirant sur l'orangé. Syn. cinabre. ▷ adj. inv. *Étoffe vermillon.*

vermine n. f. (Sing. collectif.) **1.** Insectes nuisibles, parasites de l'homme et des animaux, tels que poux, puces, punaises, etc. *Des cheveux grouillants de vermine.* **2.** Fig. Gens vils et nuisibles. Syn. lie, racaille.

vermis [vɛʀmi] n. m. ANAT Région centrale du cervelet, entre les deux hémisphères cérébelleux.

vermisseau n. m. **1.** Petit ver. *«Pas un seul petit morceau / De mouche ou de vermisseau»* (La Fontaine). **2.** Fig. Individu misérable et chétif.

vermivore adj. ZOOL Qui se nourrit de vers.

Vermont, État du N.-E. des É.-U. (Nouvelle-Angleterre); 24 887 km^2; 563 000 hab.; cap. *Montpelier.* Barré du N. au S. par les Green Mountains (1 338 m), qui dominent à l'O. une plaine basse (lac Champlain), l'État vit de l'agriculture, de l'élevage et du tourisme. – D'abord colonisé par les Français (XVIIe s.), que remplacèrent les Anglais (notam. après 1760), le Vermont entra dans l'Union en 1791, formant le quatorzième État.

Vermot (Joseph) (Liebvillers, Doubs, 1862 - ?, v. 1945), éditeur français. – L'*Almanach Vermot,* publié depuis 1886, se présente sous la forme d'un éphéméride et se caractérise par ses calembours et ses contrepèteries.

vermouler (se) v. pron. [1] Devenir vermoulu.

vermoulu, ue adj. **1.** Rongé, piqué par des larves d'insectes, en parlant du bois, d'un objet en bois. *Une poutre vermoulue.* **2.** Fig. Qui a fait son temps; usé, caduc. *Des institutions vermoulues.*

vermoulure n. f. Trace, dégâts causés à un bois par des larves d'insectes.

vermouth ou **vermout** [vɛʀmut] n. m. Apéritif à base de vin aromatisé avec des plantes amères et toniques.

vernaculaire adj. Didac. Du pays. *Langue vernaculaire,* propre à un pays, une région (par oppos. à *véhiculaire*). ▷ *Nom vernaculaire :* nom d'un animal ou d'une plante dans la langue courante (par oppos. à son nom scientif. latin).

vernal, ale, aux adj. Didac. Qui appartient, qui se produit au printemps. *Floraison vernale.* ▷ ASTRO *Point vernal :* celui des deux points d'intersection de l'écliptique et de l'équateur céleste qui correspond à l'équinoxe de printemps.

vernalisation n. f. AGRIC Traitement consistant à exposer au froid des semences qui, après germination, seront aptes à produire des fleurs et des graines. *Vernalisation du blé,* transformant le blé d'hiver en blé de printemps. Syn. jarovisation.

Vernant (Jean-Pierre) (Provins, 1914), helléniste français, spécialiste des religions et des mythes. *Mythe et pensée chez les Grecs* (1965), *Mythe et tragédie en Grèce ancienne* (1972 et 1979, 2e partie 1986), *Mythe et société en Grèce ancienne* (1974 et 1979).

verne [vɛʀn] ou **vergne** [vɛʀɲ] n. m. Rég. Aulne.

Verne (Jules) (Nantes, 1828 - Amiens, 1905), écrivain français. Sa rencontre avec l'éditeur J. Hetzel, qui ne cessa de l'aider, lui permit de recueillir de gros succès dans le genre qu'il avait créé avec *Cinq Semaines en ballon* (1863) : le roman d'anticipation scientifique, fondé princ. sur le progrès technologique, qui permet la connaissance et la conquête, à la fois positives et fantasmatiques, des terres, des mers, du ciel. *Voyage au centre de la Terre* (1864), *De la Terre à la Lune* (1865), *les Enfants du capitaine Grant* (1867-1868), premier ouvrage d'une trilogie qui allait comprendre *Vingt Mille Lieues sous les mers* (1870) et *l'Île mystérieuse* (1874), *le Tour du monde en quatre-vingts jours* (1873), *Michel Strogoff* (1876), *Robur le Conquérant* (1886) comptent parmi ses romans les plus célèbres. ► illustr. page **1965**

Verneau (Jean) (Vignot, Meuse, 1890 - Buchenwald, 1944), général français. Chef de l'Organisation de résistance de l'armée (O.R.A.) après l'arrestation du g^al^ Frère (juin 1943), il fut arrêté à son tour en oct. 1943 et déporté.

Vernet (Joseph) (Avignon, 1714 - Paris, 1789), peintre français de paysages et de marines.
– **Antoine Charles Horace,** dit *Carle* (Bordeaux, 1758 - Paris, 1836), fils du préc.; peintre et caricaturiste des guerres du Consulat et de l'Empire : *Matin d'Austerlitz* (1808, Louvre).
– **Horace** (Paris, 1789 - id., 1863), fils du préc.; peintre de marines et de guerre (*la Prise de la smala d'Abd el-Kader,* 1845).

Verneuil (Achod Malakian, dit Henri) (Rodosto, Turquie, 1920), cinéaste français d'origine arménienne; auteur de films à succès : *le Mouton à cinq pattes* (1954), *la Vache et le Prisonnier* (1959), *Mélodie en sous-sol* (1963), *Week-end à Zuydcoote* (1964), etc.

Verneuil-sur-Avre, ch.-l. de cant. de l'Eure (arr. d'Évreux); 6 722 hab. - Anc. ville fortifiée. Nombreux monuments : donjon (XIIe s.); égl. de la Madeleine (tour XVIe s.) et N.-D. (XIIe s., remaniée).

Verneuil-sur-Seine, com. des Yvelines* (arr. de Saint-Germain-en-Laye) bordée par le *bois de Verneuil;* 12 703 hab.

verni, ie adj. **1.** Recouvert d'un vernis. *Bois verni.* **2.** Fig., fam. Chanceux.

vernier n. m. TECH Instrument de précision pour la mesure des longueurs, constitué d'une petite règle graduée coulissant le long d'une autre plus grande. *Vernier au dixième, au vingtième.* – *Vernier circulaire,* pour la mesure des angles. ▷ Petite règle mobile du vernier. *Vernier d'un pied à coulisse.*

Vernier (marais), zone marécageuse (Eure) située entre la Seine et la Risle, progressivement transformée en terrains agricoles.

vernir v. tr. [3] **1.** Recouvrir, enduire d'un vernis. **2.** Fig. Donner une apparence brillante à. *Vernir un discours en y incluant quelques citations.*

vernis [vɛʀni] n. m. **1.** Solution résineuse dont l'évaporation laisse sur la surface qui en a été couverte une pellicule solide, lisse et brillante, destinée à protéger ou à décorer. *Vernis à bois, à porcelaine. Vernis à ongles. Vernis Martin* (nom d'une famille qui tenait un atelier de meubles à Paris) : laques et vernis utilisés en France dans l'art du mobilier. **2.** BOT *Vernis du Japon* ou *arbre à laque :* arbre (fam. térébinthacées) qui fournit une sève dite *laque**, recueillie après incision du tronc. **3.** Fig. Apparence brillante mais superficielle. *Un vernis de science.*

vernissage n. m. **1.** Action de vernir ou de vernisser; résultat de cette action. **2.** BX-A Réception pour l'inauguration d'une exposition de peinture, de sculpture (les peintres étaient autorisés à y vernir leurs toiles).

vernissé, ée adj. **1.** Verni (poteries). **2.** Qui semble couvert d'un vernis. *Feuille vernissée.*

vernisser v. tr. [1] Recouvrir d'un vernis (en parlant d'une poterie, d'une faïence, etc.).

vernisseur, euse n. Spécialiste du vernissage (sens 1).

vernix caseosa [vɛʀniksk azeɔza] n. m. (Mots lat.) ANAT Enduit jaunâtre, gras, qui recouvre le corps d'un enfant à sa naissance, notam. dans les régions dorsale, axillaire et inguinale.

Vernon, ch.-l. de cant. de l'Eure (arr. d'Évreux), sur la Seine; 24 943 hab. Fonderie, industr. aéron., chim. - Égl. N.-D. (XIVe et XVe s.). Tour des Archives (XIIe s.).

Vernouillet, com. de l'Eure-et-Loir (arr. de Dreux); 11 775 hab. - Chimie agric., pharm., outillage.

vérole n. f. **1.** Vx Maladie éruptive qui laisse des marques, des cicatrices. ▷ Vieilli *Petite vérole :* variole. **2.** Mod., fam. Syphilis.

vérolé, ée adj. Fam. Qui a la vérole; syphilitique.

véronal n. m. PHARM Barbiturique, hypnotique puissant.

Vérone (en ital. *Verona*), v. d'Italie (Vénétie), ch.-l. de la prov. du m. nom, sur l'Adige; 261 270 hab. Centre commercial et touristique de la plaine padane. - Monuments romains : un cirque (l'Arena), un théâtre de l'époque d'Auguste. Égl. romane San Zeno (XIIe s.). Castelvecchio (XIVe s.), auj. musée. Tombeaux des Scaligeri. Nombr. palais (XVe, XVIe s.), dont la loggia del Consiglio (XVe s.). - *Les amants de Vérone :* Roméo et Juliette. - Commune indépendante (1164), seigneurie sous la famille Della Scala (1261-1387), Vérone appartint ensuite au Milanais puis à la république de Venise (1405). Occupée par Masséna en 1796, la ville se souleva et massacra les blessés français le lundi de Pâques 1797 *(Pâques véronaises).* Bonaparte allégua cet événement pour justifier l'abolition de la république de Venise et sa dévolution à l'Autriche (traité de Campoformio). Réunie au royaume d'Italie avec Venise (1805-1814), elle revint encore à l'Autriche en 1814. Au *congrès de Vérone* (1822) la Sainte-Alliance décida l'expédition d'Espagne. En 1866, Venise et Vérone furent rattachées à l'Italie.

Véronèse (Paolo Caliari, dit Paolo) (Vérone, 1528 - Venise, 1588), peintre italien. D'abord de tendance maniériste, il s'établit à Venise en 1553 et élabora un langage pictural qui annonce le baroque, dans des œuvres de grand format : *les Noces de Cana* (1562-1563, Louvre), *le Repas chez Lévi* (1573).

1. véronique n. f. Plante herbacée (genre *Veronica,* fam. scrofulariacées) aux fleurs roses ou bleues, commune dans les bois et les prés. *Véronique officinale, appelée aussi « thé d'Europe ».*

Paolo **Véronèse :** *la Résurrection d'un jeune homme à Naïn,* XVIe s.; Kunsthistorisches Museum, Vienne

2. véronique n. f. Passe au cours de laquelle le torero amène le taureau près de lui et le conduit le plus loin possible au moyen de la cape.

Véronique (sainte), personnage légendaire, sainte femme qui aurait essuyé la face du Christ pendant sa montée au Calvaire. – Le *voile de Véronique*, linge dont la sainte se serait servie et qui conserve l'empreinte d'un visage qui serait celui du Christ, est à Saint-Pierre de Rome.

verranne n. f. CHIM Fibre de verre, très utilisée dans les composites, dont les fils étirés sont fragmentés en tronçons et torsadés en mèche.

verrat [vɛʀa] n. m. Porc mâle non castré.

Verrazano (Giovanni da) (Val di Greve, près de Florence, 1485 – Caraïbes, 1528), navigateur italien. Au service de François Ier, il explora la côte atlantique de l'Amérique du Nord, de la Georgie à Terre-Neuve et donna à cette région le nom de Nouvelle-France.

verre n. m. **1.** Matière transparente, dure, cassante, fabriquée à partir de silicates. *Solide amorphe, le verre présente une forte viscosité à l'état liquide; au refroidissement, il se fige sans cristallisation. Coupe de verre.* – *Verre armé*, qui contient une armature métallique. – *Verre feuilleté* : verre de sécurité formé de deux lames de verre soudées de part et d'autre d'une feuille de matière plastique. *Pare-brise en verre feuilleté.* – *Laine de verre* : isolant constitué de fibres de verre de quelques micromètres de diamètre. – *Papier de verre* : abrasif constitué par de la poudre de verre collée sur du papier. ▷ *Verre organique* : matière plastique transparente analogue au verre. **2.** Plaque, lame de verre destinée à protéger un objet. *Mettre une estampe sous verre. Verre de montre.* **3.** Lame, lentille de verre, utilisée en optique (en partic. pour corriger la vue). *Verres fumés. Porter des verres.* ▷ *Verre de contact* : mince cupule de matière plastique placée au contact direct de la cornée, pour corriger la vue. **4.** Récipient à boire, fait de verre. *Verre à champagne.* – *Par méton.* Contenu d'un verre. *Verre d'eau. Prendre, boire, vider un verre.*

verrerie n. f. **1.** Art, technique de la fabrication du verre. **2.** Objets en verre. **3.** Usine où l'on fabrique le verre, les objets en verre. **4.** Commerce du verre.

Verrès (Caius Licinius) (v. 119 – 43 av. J.-C.), homme politique romain. Gouverneur en Sicile de 73 à 71 av. J.-C., il profita de son mandat pour piller la province. À son retour à Rome, plusieurs villes siciliennes chargèrent Cicéron de plaider contre lui, et Verrès fut condamné à restituer 40 millions de sesterces aux Siciliens.

verrier n. m. **1.** Personne qui fabrique du verre, des ouvrages de verre. **2.** Artiste qui fabrique des vitraux. ▷ Artiste qui peint sur verre.

verrière n. f. **1.** ARCHI Grand vitrail. **2.** Grand vitrage. *Les verrières d'un atelier de peintre.* **3.** AERON Dôme de matière plastique transparente qui recouvre l'habitacle, sur les avions monoplaces et biplaces.

Verrières-le-Buisson, com. résidentielle de l'Essonne (arr. de Palaiseau), près du *bois de Verrières;* 15 791 hab. Horticulture. – Égl. du XVe s. avec porche du XIIIe s.

Verrocchio (Andrea di Cione, dit del) (Florence, 1435 – Venise, 1488), sculpteur, orfèvre et peintre italien; maître du Pérugin et de Vinci : notam. statue équestre de Bartolomeo Colleoni (1481-1488, Venise).

verroterie n. f. Ensemble de petites pièces de verre coloré et travaillé; pacotille. *Un collier en verroterie.*

verrou n. m. **1.** Dispositif de fermeture constitué d'une barre métallique qui, en coulissant horizontalement, vient se loger entre deux crampons ou dans une gâche. *Mettre, tirer le verrou.* ▷ *Verrou de sûreté*, que l'on peut faire jouer de l'extérieur au moyen d'une clé. ▷ Loc. *Être sous les verrous* : être en prison. **2.** Pièce destinée à immobiliser la culasse d'une arme à feu. **3.** GEOL Masse rocheuse barrant une vallée glaciaire. **4.** MILIT Éléments (troupes, matériel) qui constituent un verrouillage. ▷ *Par ext.* Ce qui constitue un barrage, un obstacle.

verrouillage n. m. **1.** Action de verrouiller. *Verrouillage d'une arme à feu.* **2.** MILIT Opération défensive consistant à barrer le passage à l'ennemi. **3.** TECH Dispositif empêchant la manipulation d'un appareil.

verrouiller v. tr. [1] **1.** Fermer au verrou. *Verrouiller une porte.* ▷ Bloquer, immobiliser (des éléments mobiles). **2.** Bloquer, barrer un passage. *Verrouiller une brèche.* ▷ Fam. Bloquer, arrêter, empêcher. *Verrouiller les dépenses.* **3.** Enfermer, mettre sous les verrous. ▷ v. pron. *Se verrouiller chez soi.*

verrucosité n. f. MED Végétation de la peau, de couleur grisâtre.

verrue n. f. **1.** Excroissance épidermique d'origine virale, siégeant le plus souvent sur le visage, les mains ou les pieds. *Traitement des verrues par cryothérapie, par électrocoagulation.* ▷ BOT *Herbe aux verrues* : la chélidoine (fam. papavéracées) dont le suc passait pour guérir les verrues. **2.** Fig., litt. Imperfection déparant l'harmonie d'un ensemble.

verruqueux, euse adj. **1.** Rare Couvert de verrues. **2.** Didac. Qui a la forme, l'aspect d'une verrue.

1. vers [vɛʀ] prép. **1.** Dans la direction de. *Tourné vers l'orient.* **2.** (Abstrait, marquant l'objet d'une visée, le terme d'une évolution.) *Cela constitue un premier pas vers la libération, vers la vérité. Tendre vers un but.* **3.** (Marquant l'approximation.) ▷ (Dans le temps.) Aux environs de. *Vers le soir. Vers la fin de sa vie.* ▷ (Dans l'espace.) Du côté de. *Vers Gênes, ils rencontrèrent un autre bateau.*

2. vers [vɛʀ] n. m. Suite de mots mesurée et cadencée selon certaines règles, et constituant une unité rythmique. *Vers alexandrin. Vers iambique. Vers blanc*.* ▷ *Les vers et la prose. Pièce en vers.*

versaillais, aise adj. et n. **1.** De Versailles. ▷ Subst. Habitant de Versailles. **2.** n. HIST *Les versaillais* : nom donné aux troupes régulières (le gouvernement siégeant à Versailles) qui réprimèrent la Commune en 1871.

Versailles, ch.-l. des Yvelines; 91 029 hab. Centre résidentiel et touristique de la banlieue parisienne. Industr. du caoutchouc, chim., motos, cycles. – Évêché. Église Notre-Dame, œuvre de J. Hardouin-Mansart. Cathédrale St-Louis (milieu du XVIIIe s.). Musée municipal Lambinet (dans l'hôtel de Nevers, XVIIIe s.). Salle du Jeu de paume (fin XVIIe s.). École nationale d'horticulture. Université. – Versailles n'était encore qu'un village quand Louis XIII s'y fit construire un pavillon de chasse (1624-1632). À partir de 1661, Louis XIV entreprit la transformation puis l'agrandissement de l'édifice primitif. Ces travaux, qui devaient durer pendant tout son règne, furent dirigés successivement par les architectes Le Vau, Fr. d'Orbay et J. Hardouin-Mansart; en même temps, Le Nôtre réalisait les jardins et le parc. Le château de Versailles est le prototype de l'architecture classique française. Du côté de la ville, ses bâtiments encadrent trois cours successives : la cour des Ministres, la cour Royale et la cour de Marbre (ornée de 84 bustes de marbre). Les façades occidentales du château se déploient sur 580 m de longueur. Le corps central a été construit par Le Vau (à partir de 1668) et terminé par Hardouin-Mansart. Les parties intérieures les plus intéressantes sont la chapelle et les appartements historiques du corps central, qui comprennent notam. le grand appartement du roi et la galerie des Glaces (73 m de long sur 10,40 m de large et 13 m de haut), aménagée de 1678 à 1686 par Mansart et décorée par Le Brun. Aux abords de l'aile du Midi, l'Orangerie (œuvre de Mansart, 1684-1686) forme avec le jardin et la pièce d'eau des Suisses (618 m de long sur 213 m de large) l'une des plus belles compositions de Le Nôtre. Les Grandes et les Petites Écuries furent construites côté ville par Mansart (1679-1685). Au N.-E. du palais se trouvent le Petit et le Grand Trianon*. – C'est à Versailles que fut signé le traité mettant fin à la guerre d'Indépendance américaine (3 sept. 1783), que commença la Révolution avec la réunion des États généraux (le 5 mai 1789), qu'eurent lieu les premières journées révolutionnaires (20 juin, 5 et 6 oct. 1789). L'Empire allemand fut proclamé le 18 janv. 1871 dans la galerie des Glaces. Le gouvernement durant la Commune (mars-mai 1871) et les deux Chambres de 1871 à 1879 eurent leur siège à Versailles; les lois constitutionnelles y furent votées en 1875.

Versailles : façade du corps central du château, sur les jardins; au premier plan, groupe sculpté du bassin de Neptune

Versailles (traité de), traité de paix signé entre l'Allemagne et les puissances alliées victorieuses, le 28 juin 1919. Préparé, ainsi que le pacte de la S.D.N., par la *conférence de Paris* et approuvé par Clemenceau, Orlando, Lloyd George et Wilson, réunis du 25 mars au 6 mai 1919, le texte fut imposé à l'Allemagne et accepté par l'Assemblée de Weimar (22 juin 1919), avant d'être officiellement signé à Versailles. L'Allemagne devait : restituer l'Alsace et la Lorraine à la France, Eupen, Malmédy et Moresnet à la Belgique; céder la Posnanie et une partie de la Prusse-Occidentale à la Pologne, qui obtenait ainsi un accès à la mer; renoncer à toutes ses colonies au profit des Alliés; limiter son armement et ses effectifs militaires; payer des réparations aux Alliés. Des garanties étaient prévues pour assurer l'exécution du traité, notam. l'occupation de la rive gauche du Rhin par les Alliés puis la démilitarisation de la Rhénanie; en outre, les princ. voies d'eau allemandes étaient internationalisées. La rigueur des clauses et le discrédit porté sur le traité, dès sa naissance, par le refus du Sénat américain de le reconnaître (20 nov. 1919) incitèrent l'Allemagne à se dérober à ses obligations. Considéré en Allemagne comme un *Diktat*, le traité contribua au réveil du nationalisme allemand et fut utilisé avec habileté par Hitler.

versant n. m. Chacune des pentes d'une montagne ou d'une vallée. *Le versant ouest du Jura.* – Fig. Aspect (d'une chose qui présente plusieurs faces contrastées). *Le versant social de l'action gouvernementale.*

versatile adj. Qui change fréquemment d'opinion. *Caractère, personne versatile.* Syn. inconstant, changeant.

versatilité n. f. Fait d'être versatile, caractère versatile.

verse n. f. **1.** AGRIC État des moissons sur pied couchées par le vent, la pluie, la maladie, etc. *La verse des blés.* **2.** Loc. adv. *À verse :* comme si l'on versait de l'eau, abondamment. *Il pleut à verse.*

versé, ée adj. *Versé en, dans :* qui a une grande connaissance, une grande expérience en matière de. *Il est très versé dans les sciences occultes.*

verseau n. m. ASTRO *Le Verseau :* constellation zodiacale de l'hémisphère austral. ▷ ASTROL Signe du zodiaque* (21 janv. - 18 fév.). – Ellipt. *Il est verseau.*

versement n. m. Action de verser de l'argent. *Payer en plusieurs versements.* ▷ FISC *Versement spontané,* effectué par le contribuable sans émission d'un titre de perception. *La taxe sur les salaires fait l'objet d'un versement spontané.*

verser v. [1] **A. I.** v. tr. Rare Faire tomber à terre, renverser. *Le charretier a versé son tombereau.* ▷ Coucher à terre, plaquer au sol. *L'orage a versé les blés.* **II.** v. intr. **1.** Tomber sur le côté, se coucher. *La voiture a versé dans le fossé. Les blés ont versé.* **2.** Fig. *Verser dans* (un défaut, un travers), y tomber, y succomber. *Verser dans la facilité.* **B.** v. tr. **1.** Faire couler (un liquide, une matière pulvérulente, etc.) d'un récipient dans un autre. *Verser du lait dans un bol. Verser du blé dans un sac.* – Absol. *Verser à boire.* ▷ Répandre. *Verser des larmes.* **2.** Donner, apporter, remettre (de l'argent) à une personne, à une caisse. *Verser des fonds dans une affaire. Verser un acompte.* ▷ *Par ext.* Déposer, mettre. *Pièce à verser au dossier.* **3.** MILIT Affecter (qqn) à un corps. *On l'a versé dans les services administratifs.*

verset n. m. **1.** Petit paragraphe formant une division d'un chapitre dans un livre sacré. *Versets de la Bible, du Coran.* ▷ LITURG Courte formule tirée de l'Écriture, chantée ou récitée et généralement suivie d'un répons. **2.** Poét. Long vers libre constitué d'une phrase ou d'une suite de phrases rythmées d'une seule respiration. *Les versets de la poésie de Claudel, de Saint-John Perse.*

verseur, euse adj. et n. f. Qui sert à verser. *Bec verseur.* ▷ n. f. Cafetière à manche horizontal en bois.

versicolore adj. Didac. Dont la couleur est changeante. – Qui présente des couleurs variées.

versificateur, trice n. **1.** Écrivain qui compose en vers (par oppos. à *prosateur*). **2.** Péjor. Personne qui fait des vers sans être réellement inspirée (par oppos. à *poète*). Syn. rimeur.

versification n. f. **1.** Technique de la composition des vers réguliers. Syn. métrique, prosodie. **2.** Manière dont une œuvre est versifiée. *Versification libre.* **3.** Facture propre à un poète.

versifier v. [2] **1.** v. intr. Rare Faire des vers. Syn. rimer. **2.** v. tr. Mettre en vers.

version n. f. **I. 1.** Traduction. ▷ Cour. Exercice scolaire consistant à traduire un texte d'une langue étrangère dans sa propre langue. *Le thème et la version. Version anglaise, latine.* **2.** Façon de raconter un fait. *Écouter la version de chacune des parties. Version tendancieuse.* **3.** État d'un texte. *La première version de « l'Éducation sentimentale », de Flaubert.* ▷ *Projection d'un film en version originale* (abrév. : V.O.), avec la bande sonore originale (par oppos. à *version française,* abrév. : V.F., doublée). **II.** MED Changement de position que l'accoucheur fait subir au fœtus dans l'utérus de la mère, quand il ne se présente pas dans une position favorable.

vers-librisme n. m. LITTER École regroupant les poètes symbolistes partisans du vers libre.

vers-libriste n. LITTER Poète adepte du vers-librisme. *Des vers-libristes.*

verso n. m. Revers d'un feuillet (par oppos. à *recto*).

versoir n. m. AGRIC Pièce de la charrue retournant sur le côté la terre détachée par le soc.

verste n. f. Anc. Mesure itinéraire russe (1 067 mètres).

versus [vɛʀsys] prép. Didac. Par opposition à. (Abrév. : vs).

vert, verte adj. et n. m. **I.** adj. **1.** De la couleur de l'herbe, des feuilles, des plantes. *Cet arbre reste vert. Habit vert des académiciens.* ▷ *Feu vert,* qui indique la voie libre, dans la signalisation routière. – Loc. fig. *Donner, recevoir le feu vert :* donner, recevoir la liberté d'agir. **2.** Qui n'est pas arrivé à maturité. *Fruit vert.* ▷ Non séché. *Haricots verts.* – *Ivoire vert,* prélevé sur un éléphant vivant ou mort depuis peu de temps. ▷ Loc. fig., fam. *En dire, voir de (des) vertes et de (des) pas mûres :* dire, voir des choses choquantes, scandaleuses. – Par ext. *Histoires vertes,* licencieuses, grivoises. **3.** Très pâle. *Vert de peur.* **4.** Plein de verdeur (sens 2). *Vieillard resté vert.* **5.** Rude, sévère. *Une verte semonce.* ▷ *La langue verte :* l'argot. **6.** Relatif à l'agriculture, au monde rural. *L'Europe verte.* **II.** n. m. **1.** Couleur verte (couleur du spectre entre le bleu et le jaune, correspondant aux radiations d'une longueur d'onde comprise entre 0,50 et 0,55 micromètre). **2.** Matière colorante verte. *Vert de chrome, de Prusse.* **3.** Loc. fig., fam. *Se mettre au vert :* se reposer à la campagne. **4.** POLIT *Les Verts :* nom donné aux écologistes.

Vert (cap), cap du Sénégal, au N.-O. de Dakar, le point le plus occidental d'Afrique. – Au N.-O. de ce cap se trouvent les *îles du Cap-Vert,* qui forment depuis 1975 la *république du Cap-Vert.*

vert-de-gris n. m. inv. et adj. inv. **1.** n. m. inv. Carbonate basique de cuivre qui se forme sur les objets en cuivre, en bronze, etc., exposés à l'air humide. **2.** adj. inv. D'une couleur verte tirant sur le gris.

vert-de-grisé, ée adj. **1.** Couvert de vert-de-gris. **2.** De la couleur du vert-de-gris.

vertébral, ale, aux adj. Des vertèbres, qui a rapport aux vertèbres. *Manipulations vertébrales. Colonne vertébrale :* rachis.

vertèbre n. f. Chacun des os dont la superposition forme le rachis, ou colonne vertébrale. *Il existe sept vertèbres cervicales, douze dorsales, cinq lombaires, cinq sacrées (qui, soudées, forment le sacrum) et quatre à six coccygiennes (qui constituent le coccyx). Au milieu de chaque vertèbre passe le canal rachidien, qui contient la moelle épinière.*

vertébré, ée adj. et n. m. **1.** adj. Qui a des vertèbres. **2.** ZOOL n. m. pl. Sous-embranchement de cordés comprenant les animaux les plus évolués, caractérisés par un tube nerveux qui se dilate en un encéphale, une colonne vertébrale et un appareil circulatoire comportant un cœur différencié. *Les vertébrés comprennent les cyclostomes (lamproies), les poissons, les amphibiens, les reptiles, les oiseaux et les mammifères.* – Sing. *Un vertébré.*

vertébrothérapie n. f. MED Traitement par manipulations vertébrales. *La vertébrothérapie s'adresse à certains troubles.*

vertement adv. Avec vivacité, avec rudesse. *Réprimander vertement qqn. Il m'a répondu vertement.*

vertex n. m. ANAT et ANTHROP Sommet de la voûte crânienne.

vertical, ale, aux adj. et n. **I.** adj. Perpendiculaire au plan horizontal; droit, dressé. **II.** n. **1.** n. f. *La verticale :* la position verticale. ▷ *Une verticale :* une ligne verticale. **2.** n. m. ASTRO Demi-plan passant par la verticale d'un lieu.

verticalement adv. Perpendiculairement au plan de l'horizontale.

verticalité n. f. État, caractère de ce qui est vertical.

verticille n. m. BOT Groupe d'organes (feuilles, pétales) de même nature, insérés au même niveau sur un axe, une tige.

vertige n. m. **1.** Sensation de perte d'équilibre et de tourbillonnement éprouvée à la vue du vide. ▷ *Par ext.* Toute sensation d'étourdissement et de perte d'équilibre. *Avoir des vertiges.* **2.** Fig. Égarement des sens ou de l'esprit.

vertigineusement adv. À en avoir le vertige.

vertigineux, euse adj. **1.** Caractérisé par des vertiges, qui s'accompagne de vertiges. *Sensations vertigineuses.* **2.** Qui donne le vertige. *Hauteur vertigineuse.* ▷ Fig. Très grand. *Des sommes vertigineuses.*

Vertou, ch.-l. de cant. de la Loire-Atlantique (arr. de Nantes), sur la Sèvre Nantaise; 18 538 hab. Industr. alim.

Vertov (Denis Arkadevitch Kaufman, dit Dziga) (Białystok, 1896 – Moscou, 1954), cinéaste soviétique; artisan du cinéma-vérité. *En avant les soviets!* (1926), *l'Homme à la caméra* (1929), *Trois Chants sur Lénine* (1934).

vertu n. f. **I. 1.** *Une vertu, des vertus :* disposition particulière propre à telle espèce de devoirs moraux, de qualités. *Les vertus publiques peuvent s'accompa-*

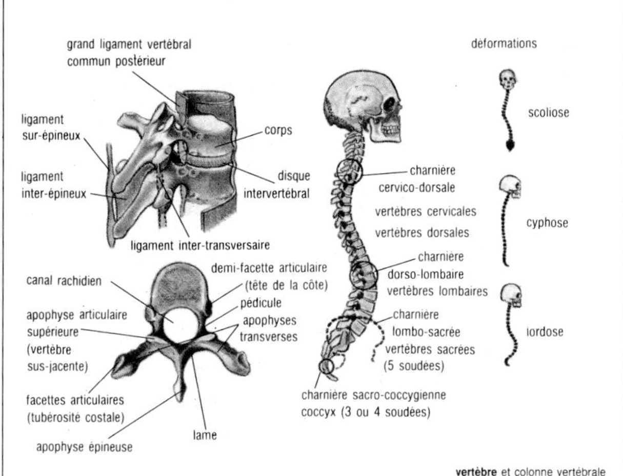

vertèbre et colonne vertébrale

gner de vices cachés. **2.** *La vertu :* disposition à faire le bien et à fuir le mal. *Mettre la vertu de qqn à l'épreuve.* ▷ Loi morale qui pousse à la vertu. **3.** Vieilli ou plaisant Chasteté d'une femme. *Demoiselle de petite vertu,* de mœurs légères. **II. 1.** Principe agissant; qualité qui rend une chose propre à produire un certain effet. *Les vertus sédatives du tilleul.* **2.** Loc. prép. *En vertu de :* par le pouvoir de, au nom de. *En vertu d'un jugement.* **III.** THEOL *Les Vertus :* le deuxième chœur de la deuxième hiérarchie des anges.

vertueusement adv. **1.** Conformément au devoir, à la morale. *Agir vertueusement.* **2.** Vieilli ou plaisant Chastement.

vertueux, euse adj. **1.** Qui a de la vertu. ▷ Inspiré par la vertu. *Une vertueuse indignation.* **2.** Vieilli ou plaisant Chaste.

vertugadin n. m. **1.** Anc. Bourrelet d'étoffe ou cercle d'osier qui faisait bouffer les robes autour des hanches. – *Par ext.* Robe à vertugadin. **2.** HORTIC Gazon en amphithéâtre dans un jardin à la française.

Verus (Lucius Aelius Aurelius Ceionius Commodus) (Rome, 130 – ?, 169), empereur romain (161-169). Il fut adopté par Antonin en même temps que Marc Aurèle. Associé à la direction de l'empire par ce dernier, il commanda une expédition contre les Parthes en Orient.

verve n. f. Brio, imagination, fantaisie, qui se manifeste dans la parole. *Un discours plein de verve. Être en verve :* manifester cette qualité plus que de coutume.

verveine n. f. **1.** Plante originaire d'Amérique (fam. verbénacées) dont

Dziga **Vertov :** auteur et interprète de *l'Homme à la caméra,* 1929

une espèce, la *verveine officinale,* est cultivée comme plante médicinale. *Verveine odorante,* ou *verveine citronnelle.* **2.** Tisane aux vertus sédatives confectionnée avec les feuilles de la verveine officinale.

Verviers, v. de Belgique (prov. de Liège), ch.-l. d'arr.; 55 370 hab. Grand centre de l'industrie lainière. Industr. du cuir, métallurgiques, chimiques, alimentaires.

Vervins, ch.-l. d'arr. de l'Aisne; 2 923 hab. Industr. alim. – Anc. cap. de la Thiérache. – La *paix de Vervins,* signée en 1598 par Henri IV et Philippe II, mit fin à la guerre franco-espagnole.

Verwoerd (Hendrik Frensch) (Amsterdam, 1901 – Le Cap, 1966), homme politique sud-africain. Champion de l'apartheid, il fut Premier ministre de 1958 à son assassinat (par un Blanc, aliéné mental).

Véry (Pierre) (Bellon, Charente, 1900 – Paris, 1960), auteur français de romans policiers; *l'Assassinat du Père Noël* (1934), *les Disparus de Saint-Agil* (1935), *Goupi Mains-Rouges* (1942) ont été adaptés au cinéma.

Vésale (André) (Bruxelles, 1514 ou 1515 – île de Zante, 1564), médecin flamand qui exerça en Italie et en Espagne. L'un des premiers, il pratiqua la dissection du corps humain. Son livre *De corporis humani fabrica libri septem* (1543), dans lequel il s'oppose aux idées de Galien et où il jette les bases de l'anatomie moderne, fit scandale. Nommé médecin de Charles Quint (1544), il fut accusé par l'Inquisition d'avoir disséqué des hommes vivants (1561); Philippe II commua sa peine de mort en un pèlerinage à Jérusalem. Il périt au cours du retour.

vesce [vɛs] n. f. BOT Plante herbacée (fam. légumineuses) dont les feuilles composées développent des vrilles. – *Vesce commune,* aux fleurs bleues ou violacées, cultivée comme plante fourragère.

vésical, ale, aux adj. ANAT De la vessie.

vésicant, ante adj. MED Qui provoque la formation d'ampoules sur la peau.

vésication n. f. MED Action produite sur la peau par un vésicatoire.

vésicatoire adj. et n. m. Se dit d'un médicament qui produit des ampoules sur la peau.

vésiculaire adj. Didac. **1.** Qui a la forme d'une vésicule. **2.** Relatif aux vésicules pulmonaires; relatif à la vésicule biliaire.

vésicule n. f. **1.** ANAT Petit sac membraneux ou petite cavité glandulaire. *Vésicules pulmonaires :* dilatations de l'extrémité des bronchioles. *Vésicule biliaire :* réservoir membraneux situé sous le foie et où s'accumule la bile que celui-ci sécrète. *Vésicules séminales :* réservoirs membraneux situés à la base de la prostate, dans lesquels s'accumule le sperme. **2.** MED Lésion cutanée, boursouflure de l'épiderme pleine de sérosité ou de pus. **3.** BOT Cavité close.

vésiculeux, euse adj. Didac. En forme de vésicule.

Vésinet (Le), ch.-l. de cant. des Yvelines (arr. de Saint-Germain-en-Laye); 16 110 hab. (*Vésigondins*). Ville résidentielle de la banlieue O. de Paris.

Vesle (la), riv. de France (143 km), affl. de l'Aisne (r. g.); coule en Champagne et arrose Reims.

Vesoul, ch.-l. du dép. de la Haute-Saône, sur le Durgeon; 19 404 hab. (*Vésuliens*). Constr. mécaniques; industr. textiles.

Vespasien (en lat. *Titus Flavius Vespasianus*) (près de Reate, auj. Rieti, 9 ap. J.-C. – Aquæ Cutiliæ, Sabine, 79), empereur romain (69-79). Issu d'une modeste famille bourgeoise de Reate, il reçut sous Néron le commandement de l'armée d'Orient (66), qui le proclama empereur alors qu'il faisait la guerre en Judée (69). Son règne fut marqué par de nombr. réformes administratives et financières. Il réprima en Gaule la révolte du Batave Civilis (70), rétablit la discipline dans l'armée et, fondant la dynastie des Flaviens, restaura l'Empire héréditaire en faveur de ses fils Titus et Domitien, malgré une forte opposition du sénat. À Rome, il commença la construction du Colisée et éleva le temple de la Paix.

vespasienne n. f. Urinoir public pour hommes.

vespéral, ale, aux n. m. et adj. **1.** n. m. LITURG CATHOL Livre de l'office du soir. **2.** adj. Litt. Du soir. *La fraîcheur vespérale.*

vespertilion n. m. ZOOL Chauve-souris insectivore (genres *Vespertilio, Pipistrellus,* etc.) aux grandes oreilles et à la queue bien développée, répandue dans toutes les parties du monde.

Vespucci (Amerigo), dit en fr. Améric Vespuce (Florence, 1454 – Séville, 1512), navigateur italien. Il explora les côtes du Nouveau Monde au cours de plusieurs voyages. Un cartographe allemand, le moine *Waldseemüller* (v. 1470 – v. 1520), lui attribua (1507) la découverte du Nouveau Continent qui depuis porte son prénom.

vesse n. f. Vieilli Vent intestinal malodorant qui s'échappe sans bruit.

vesse-de-loup n. f. Nom cour. du *lycoperdon. Des vesses-de-loup.*

vessie n. f. **1.** Réservoir musculomembraneux dans lequel s'accumule l'urine, entre les mictions. **2.** *Par extens.* Membrane gonflable que l'on place à l'intérieur de certains ballons. ▷ Loc. fig. *Prendre des vessies pour des lanternes*.* **3.** *Vessie natatoire* ou, mieux, *vessie gazeuse :* chez certains poissons, poche abdominale emplie de gaz, qui intervient dans l'équilibre de l'animal dans l'eau.

Vesta, dans la myth. rom., déesse du Foyer domestique; assimilée à l'Hestia des Grecs. Ses prêtresses (les vestales), astreintes à la chasteté, entretenaient le feu sacré dans son temple.

Vesta, astéroïde de 542 km de diamètre, découvert en 1807 par Olbers, qui parcourt autour du Soleil une orbite de 2,4 UA de rayon en 1 325 jours.

vestale n. f. **1.** ANTIQ ROM Prêtresse de Vesta*. **2.** Fig., vx ou plaisant Femme très chaste.

vestalies n. f. pl. ANTIQ ROM Fêtes de la déesse Vesta, célébrées en juin.

Vestdijk (Simon) (Harlingen, 1898 - Utrecht, 1971), écrivain néerlandais; poète, nouvelliste, essayiste et, surtout, romancier : cycle d'*Anton Wachter* (1934-1960), *le Cinquième Sceau* (1937).

veste n. f. Vêtement de dessus à manches, couvrant le buste et boutonné devant. ▷ Loc. fig., fam. *Retourner sa veste :* changer d'opinion, de parti. - *Ramasser, prendre une veste :* essuyer une défaite, un échec (partic. à des élections).

Vesterålen, archipel norvégien, au N. des îles Lofoten; env. 40 000 hab. Pêche.

vestiaire n. m. **1.** Lieu où l'on dépose son manteau, son parapluie, etc., à l'entrée de certains établissements publics. - (Plur.) Lieu où l'on se change pour pratiquer une activité particulière. *Les vestiaires d'une piscine.* **2.** Ensemble des vêtements et objets déposés groupés au vestiaire. *Demander son vestiaire.* **3.** Ensemble des vêtements d'une garde-robe.

vestibulaire adj. ANAT Qui a rapport au vestibule de l'oreille.

vestibule n. m. **1.** Pièce d'entrée d'une maison, d'un appartement, etc. **2.** ANAT Cavité ovoïde du labyrinthe osseux de l'oreille interne, jouant un rôle important dans l'équilibration.

vestige n. m. (Surtout au plur.) Restes d'un ancien édifice, ruines. ▷ Fig. Ce qui reste d'une chose qui n'est plus. *Cette tradition est un vestige d'une très vieille croyance.*

vestimentaire adj. Des vêtements, qui a rapport aux vêtements. *Élégance vestimentaire.*

Vestmannaeyjar, archipel volcanique, au S. de l'Islande; v. princ. *Vestmannaeyjar* (5 000 hab.), ravagée par une éruption volcanique en 1973. Pêche.

veston n. m. Veste d'un complet* d'homme.

Vestris (Gaetano Baldassare Vestri, dit, en fr., Gaétan Balthazar) (Florence, 1729 - Paris, 1808), danseur de l'Opéra de Paris, d'origine italienne; surnommé «le Dieu de la danse». — **Marie Jean Augustin,** dit Auguste (Paris, 1760 - id., 1842), fils du préc.; danseur dont le style annonça l'école romantique.

Vésubie (la), riv. des Alpes-Maritimes (48 km), affl. du Var (r. g.). Gorges pittoresques. Aménagements hydroélectriques.

Vésuve (le), volcan actif d'Italie, au S.-E. de Naples (1 270 m). L'éruption la plus violente (à l'époque historique) se produisit en 79 ap. J.-C.; elle ensevelit Herculanum et Pompéi. - Vignobles (lacryma-christi*).

Veszprém, v. de Hongrie, au S. des monts Bakony; 64 000 hab.; ch.-l. du comté du m. nom. Industr. chimiques. - Palais épiscopal baroque (chapelle Gisèle, aux fresques du XIIIe s.). Cath. St-Michel, romane, remaniée aux XVIIIe et XXe s.

vêtement n. m. Ce qui sert à vêtir le corps. *Dépenses de vêtement.* - *Les vêtements :* les pièces de l'habillement, à l'exception des chaussures. *Vêtements d'été. Vêtements et sous-vêtements.* - Fig. *«La parole est le vêtement de la pensée»* (Rivarol).

vétéran n. m. **1.** ANTIQ ROM Soldat de métier ayant accompli son temps de service. **2.** Soldat âgé; ancien combattant. **3.** Personne vieillie dans un service, un métier, une activité, etc. **4.** SPORT Sportif de plus de trente-cinq ans ou quarante ans (selon les sports).

vétérinaire adj. et n. Qui concerne l'élevage des animaux et l'étude de la pathologie animale. *Art, médecine vétérinaire.* ▷ Subst. Médecin vétérinaire.

vététiste n. Personne qui fait du V.T.T.

vétille [vetij] n. f. Litt. Chose insignifiante. *Discuter sur des vétilles.*

vétilleux, euse adj. Litt. Qui s'arrête à des vétilles; pointilleux et mesquin.

vêtir v. tr. [33] **1.** Litt. Habiller, mettre ses vêtements à (qqn). *Vêtir un enfant.* ▷ Donner des habits à. *Vêtir ceux qui sont nus.* **2.** Litt. Mettre sur soi (un vêtement). *Vêtir un manteau.* ▷ Cour. v. pron. S'habiller. *Se vêtir de neuf.*

vétiver ou **vétyver** [vetivɛʀ] n. m. Plante indienne (fam. graminées) cultivée pour le parfum de ses racines; ce parfum.

veto [veto] n. m. **1.** ANTIQ ROM Formule employée par le tribun du peuple pour s'opposer aux décrets du sénat, des consuls, aux actes des magistrats. **2.** Droit conféré à une autorité (chef de l'État, État membre permanent du Conseil de sécurité de l'O.N.U., etc.) de s'opposer à la promulgation d'une loi votée, à l'adoption d'une résolution. *Veto absolu, suspensif. Opposer son veto à un décret.* ▷ Opposition, refus. *Mettre son veto à une transaction.*

vétronique n. f. TECH Ensemble des équipements et des systèmes de guidage et de pilotage des véhicules terrestres qui fonctionnent avec un matériel informatique ou électronique. ▷ Technique de conception et de réalisation de ces équipements.

vêtu, ue adj. et n. m. **1.** adj. Habillé. *Être bien, mal vêtu.* **2.** n. m. HERALD Partition en losange dont les angles touchent les bords de l'écu.

vêture n. f. **1.** Vx ou litt. Vêtement. **2.** RELIG CATHOL Cérémonie de prise d'habit d'un religieux ou d'une religieuse.

vétuste adj. (Choses) Vieux, détérioré par le temps. *Bâtiment vétuste.*

vétusté n. f. État de ce qui est vétuste.

veuf, veuve adj. et n. **I.** adj. Dont le conjoint est mort, et qui n'est pas remarié. *Il est veuf.* - Subst. *Un veuf, une veuve.* ▷ Fig., litt. *Veuf de :* privé, dépourvu de. *Être veuf d'espoir.* **II.** n. f. **1.** Arg., vx *La veuve :* la guillotine. **2.** ORNITH Oiseau passériforme d'Afrique au plumage noir et blanc et à longue queue (genres *Steganura, Vidua,* etc., fam. plocéidés). **3.** ENTOM *Veuve noire :* araignée noire (genre *Latrodectus*) à taches rouges des régions chaudes et tempérées, dont la piqûre est dangereuse.

veule adj. **1.** (Personnes) Qui est sans vigueur morale, sans volonté; mou et faible. **2.** Rare (Choses) Qui manque de vigueur. *Branche veule.* ▷ AGRIC *Terre veule,* trop légère.

veulerie n. f. Fait d'être veule; caractère d'une personne veule.

veuvage n. m. Fait d'avoir perdu son conjoint, d'être veuf ou veuve. *Un récent veuvage.*

Vevey, v. de Suisse (cant. de Vaud), sur le lac Léman; 18 000 hab. Industr. méca., chim. Tourisme.

vexant, ante adj. **1.** Contrariant. *Je l'ai manqué d'un quart d'heure, c'est vexant.* **2.** Froissant, blessant. *Vos soupçons sont vexants.*

vexateur, trice adj. et n. Litt. Qui cause des vexations.

vexation n. f. **1.** Vx Mauvais traitement, brimade. **2.** Piqûre, blessure d'amour-propre.

vexatoire adj. Qui a le caractère d'une vexation.

vexer v. tr. [1] Piquer, blesser (qqn) dans son amour-propre. ▷ v. pron. Être vexé, se froisser.

Vexin, région de France, comprise entre l'Andelle et l'Oise. L'Epte la divise en *Vexin français* (Val-d'Oise) à l'E. et *Vexin normand* (Eure) à l'O. Riche région agricole (céréales, betterave sucrière, élevage bovin).

Vézelay, ch.-l. de cant. de l'Yonne (arr. d'Avallon); 575 hab. - Sur la route de Saint-Jacques-de-Compostelle, la cité doit son origine à une abb. bénédictine (IXe s., auj. en ruine) qui abritait, disait-on, les reliques de sainte Marie-Madeleine. L'actuelle basilique de la Madeleine (XIIe s.) possède une nef romane (XIIe s.) ornée de chapiteaux historiés, un transept et un chœur gothiques (v. 1175); au fond du narthex, le tympan central est un chef-d'œuvre de la sculpture romane; l'ensemble a été restauré par Viollet-le-Duc en 1840. - À Vézelay, en 1146, saint Bernard prêcha la 2e croisade.

basilique de la Madeleine à **Vézelay,** XIIe s. : nef (art roman) et chœur (art gothique)

Vézère (la), riv. de France (192 km), affl. de la Dordogne (r. dr.); elle naît au plateau de Millevaches; sa vallée inférieure, dans les causses du Périgord, abrite de nombreux sites préhistoriques : Les Eyzies, La Madeleine.

V.H.F. adj. inv. et n. f. TECH (Sigle de l'angl. *very high frequency,* «très haute fréquence».) Qui reçoit ou qui émet des ondes très courtes, entre 30 et 300 MHz (donc de très haute fréquence). *Poste V.H.F.* ▷ n. f. *Une V.H.F., la V.H.F.* : un émetteur ou un récepteur V.H.F.

via prép. En passant par. *Aller de Paris à Bordeaux via Poitiers.*

viabiliser v. tr. [1] Didac. Équiper (un terrain) des aménagements (voirie, adductions, etc.) propres à le rendre habitable, constructible. – Pp. *Parcelles viabilisées.*

1. viabilité n. f. Fait d'être viable; état d'un fœtus, d'un nouveau-né viable. ▷ Fig. *Viabilité d'un pouvoir.*

2. viabilité n. f. Bon état d'un chemin, d'une route. ▷ URBAN État d'un terrain viabilisé. *Travaux de viabilité.*

viable adj. **1.** Apte à vivre (en parlant d'un fœtus, d'un nouveau-né). **2.** Fig. Qui peut durer. *Système viable.* – *Projet viable*, qui peut prendre corps.

viaduc n. m. Pont très élevé ou très long permettant le franchissement d'une vallée par une voie ferrée ou par une route.

viager, ère adj. et n. m. Dont on jouit sa vie durant. *Pension* ou *rente viagère.* – *Rentier viager*, qui jouit d'une rente viagère. ▷ n. m. *Le viager* : le revenu viager. *Mettre son bien en viager*, le céder contre une rente viagère.

Viala (Joseph Agricol) (Avignon, 1780 – près d'Avignon, 1793), jeune patriote français. Membre de la garde nationale à treize ans, il fut tué par les royalistes sur la Durance.

Vialar (Paul) (Saint-Denis, 1898 – Vaucresson, 1996), écrivain français. Poète (*les Lauriers coupés*, 1921), auteur de romans et de cycles romanesques ayant pour thème des jeux d'affrontement et de violence (*la Rose de la mer*, 1939; *la Grande Meute*, 1943), et auteur de comédies réalistes (*l'Âge de raison*, 1924).

Vialatte (Alexandre) (Magnac-Laval, 1901 – Paris, 1971), écrivain français. Romans : *Battling le ténébreux* (1928); *le Fidèle Berger* (1942); *les Fruits du Congo* (1951). Ouvrages régionalistes : *la Basse Auvergne; l'Auvergne* (1964). Ses chroniques régulières dans plusieurs journaux, remarquables par la qualité du style et un humour très personnel, ont été réunies en recueils (*Et c'est ainsi qu'Allah est grand*, 1979, etc.). On lui doit aussi des trad. de Kafka, qu'il fit connaître en France, de Nietzsche, de Thomas Mann, etc.

Vian (Boris) (Ville-d'Avray, 1920 – Paris, 1959), écrivain français. Poète (*Cantilènes en gelée*, 1950), romancier (*l'Automne à Pékin*, 1947; *l'Écume des jours*, 1947; *l'Arrache-Cœur*, 1953), dramaturge (*l'Équarrissage pour tous*, 1949), trompettiste de jazz, critique musical, auteur de chansons (*le Déserteur*), il marqua toutes ses activités d'un humour proche du désespoir. Il signa Vernon Sullivan des romans noirs à l'américaine : *J'irai cracher sur vos tombes* (1946).

Boris **Vian**

Victoria Ire

viande n. f. **1.** Chair des mammifères et des oiseaux, en tant qu'aliment. *Viande rouge* (le bœuf, le mouton, le cheval). *Viande blanche* (le veau, le porc, la volaille, le lapin). *Viande noire* (le gibier). – *Spécial.* Toute viande de boucherie, à l'exception de la volaille et des abats. **2.** Pop. Corps humain. *Amène ta viande!* : Approche! ▷ Fam. *Sac à viande* : drap cousu en forme de sac que l'on glisse dans un sac de couchage.

Vianden, ch.-l. de cant. du Luxembourg; 1 600 hab. – Import. centrale hydroél. – Château fort (XIIIe s.).

Viannet (Louis) (Vienne, 1933), syndicaliste français, secrétaire général de la G.G.T. de 1992 à 1999.

Vianney (Jean-Marie). V. Jean-Marie Vianney (saint).

Viareggio, v. d'Italie (Toscane), au N.-O. de Pise; 58 140 hab. Port et stat. balnéaire.

viatique n. m. **1.** Provisions, argent qu'on donne à qqn pour un voyage. ▷ Fig. Soutien, secours. **2.** RELIG CATHOL Sacrement de l'eucharistie administré à un malade en péril de mort.

Viatka (la), riv. de Russie (1 367 km), affl. de la Kama (r. dr.).

Viatka (anc. *Kirov*), v. de Russie, sur la Viatka; 411 000 hab. Industr. métallurgiques, mécaniques, textiles, chimiques et alimentaires.

Viau (Théophile de) (Clairac, Agenais, 1590 – Paris, 1626), poète français. Huguenot, il mena une vie peu conforme à la morale religieuse; le caractère libertin de certains de ses écrits (*le Parnasse satyrique*, 1622) le fit condamner à mort par contumace (peine commuée en arrêt d'exil). Poète lyrique, Viau se montra résolument hostile à Malherbe. Sa tragédie *Pyrame et Thisbé* (1621) eut un grand succès.

Viaur (le), riv. de France (155 km), affl. de l'Aveyron (r. g.). Un viaduc ferroviaire (Rodez-Albi) d'une seule arche de 220 m de portée franchit ses gorges depuis 1902.

Viborg, v. du Danemark (Jylland); 39 400 hab.; ch.-l. de la prov. du m. nom. Constr. mécaniques. Industr. alimentaires et textiles.

vibrage n. m. TECH Série d'impulsions, de chocs, destinés à faire entrer un corps en vibration. *Vibrage du béton.*

vibrant, ante adj. (et n. f.) **1.** Qui produit des vibrations, entre en vibration. *Lame vibrante.* ▷ PHON *Consonne vibrante* ou, n. f., *une vibrante*, dont l'articulation comporte la vibration d'un organe de l'articulation (langue, luette, etc.). *Le r est une vibrante.* **2.** D'un timbre ou d'une sonorité qui vibre (sens I, 2), qui retentit. *Voix vibrante.* ▷ Fig. *Discours vibrant*, d'un sentiment ou d'une ardeur intense.

vibraphone n. m. Instrument à percussion analogue au xylophone, comportant des lamelles métalliques au-dessous desquelles sont disposés des tubes résonateurs.

vibraphoniste n. Musicien, musicienne qui joue du vibraphone.

vibrateur n. m. TECH **1.** Appareil qui produit ou qui transmet des vibrations. **2.** Appareil servant à vibrer le béton.

vibratile adj. Didac. Susceptible de vibrer. ▷ BIOL *Cils vibratiles* : expansions cellulaires filiformes douées de mouvement, assurant diverses fonctions (circulation d'un fluide, locomotion chez les protozoaires, etc.).

vibration n. f. **1.** PHYS Oscillation périodique de tout ou partie d'un système matériel. *Vibrations du diapason. Vibrations des atomes, des molécules.* **2.** Mouvement, caractère de ce qui vibre; impression (sonore, visuelle) de tremblement. *Vibration d'une voix.* **3.** (au plur.) Fam. Impression d'accord ou de désaccord de l'individu avec son entourage.

vibrato n. m. MUS Effet de tremblement dû à la variation rapide du son émis par un instrument ou par la voix. *Des vibratos.*

vibratoire adj. Composé d'une suite de vibrations. *Mouvement vibratoire.*

vibrer v. [1] **I.** v. intr. **1.** Produire des vibrations; entrer en vibration. **2.** Être animé d'un tremblement sonore. *Voix qui vibre.* ▷ Fig. Réagir comme par un tremblement intérieur à une émotion intense. *Vibrer d'enthousiasme. Faire vibrer* : toucher vivement, émouvoir. **II.** v. tr. TECH Soumettre (un corps) à des vibrations. *Vibrer le béton*, pour le rendre plus compact.

vibreur n. m. ELECTR Appareil constitué d'une lame mise en vibration par un courant électrique. *Vibreur d'une sonnerie.* Syn. trembleur.

vibrion n. m. **1.** BIOL Bactérie ciliée et mobile de forme plus ou moins incurvée. *Vibrion septique.* **2.** Fig., fam. Personne agitée.

vibrionner v. intr. [1] Fam. S'agiter continuellement.

vibriose n. f. MED VET Maladie des animaux due à un vibrion.

vibrisse n. f. Didac. **1.** Poil de l'intérieur des narines de l'homme. **2.** Poil tactile de certains mammifères. *Les vibrisses du museau du chat sont couramment appelées « moustaches ».* **3.** ORNITH Plume filiforme des oiseaux.

vibromasseur n. m. Appareil électrique de massage par vibrations.

vicaire n. m. **1.** Vx Substitut. ▷ *Le vicaire de Jésus-Christ* : le pape. **2.** RELIG CATHOL Prêtre qui assiste le curé d'une paroisse. – *Grand vicaire* ou *vicaire général* : auxiliaire d'un évêque. – *Vicaire apostolique* : évêque responsable d'un territoire de mission qui n'est pas encore constitué en diocèse.

vicarial, ale, aux adj. RELIG CATHOL Relatif au vicaire ou au vicariat.

vicariance n. f. PHYSIOL Suppléance fonctionnelle d'un organe déficient par un autre.

vicariant, ante adj. Didac. Qui supplée. ▷ PHYSIOL *Organe vicariant*, qui assure la vicariance. ▷ BIOL *Hôte vicariant* (d'un parasite) : hôte occasionnel remplaçant l'hôte habituel. – *Plante vicariante*, qui en remplace une autre dans une association végétale.

vicariat n. m. RELIG CATHOL Fonction du vicaire; durée de cette fonction.

vice-. Élément inv., du lat. *vice*, « à la place de », impliquant l'idée d'une fonction exercée en second.

vice n. m. **I. 1.** Vieilli Disposition habituelle au mal. *« Le vice nous est naturel »* (Pascal). ▷ Mod. Inconduite, débauche. *Vivre dans le vice.* ▷ Fam. Étrangeté de goût, de comportement. *Mettre un meuble aussi laid dans son salon, c'est vraiment du vice!* **2.** Penchant que la morale sociale réprouve (en matière sexuelle, notam.). ▷ Mauvaise habitude qui procure du plaisir. *Vice de fumer.*

II. Défaut, imperfection graves. *Vice de construction d'un édifice.* ▷ DR *Vice caché* : défectuosité d'une chose qui n'apparaît qu'à l'usage ou à l'occasion d'une expertise. – *Vice de forme* : défaut (par erreur de rédaction ou par omission d'une formalité légale) qui rend nul un acte juridique.

vice-amiral, aux n. m. Officier général de marine d'un grade homologue de celui de général de division ou de général de corps d'armée. *Des vice-amiraux.*

vice-consul n. m. Celui qui supplée le consul. ▷ Celui qui remplit les fonctions d'un consul dans les lieux où il n'y en a pas. *Des vice-consuls.*

vice-consulat n. m. Charge, fonction de vice-consul. *Des vice-consulats.*

vice-légat n. m. RELIG CATHOL Prélat nommé par le pape pour remplacer le légat en son absence. *Des vice-légats.*

Vicence (en ital. *Vicenza*), v. d'Italie (Vénétie); 112 250 hab.; ch.-l. de la prov. du m. nom. Industr. chim., métall. et alim. – Égl. (XIIIe s.). Nombr. édifices dessinés par Palladio (théâtre Olympique).

vicennal, ale, aux adj. Didac. **1.** Qui dure vingt ans. **2.** Qui a lieu tous les vingt ans.

Vicente (Gil) (Guimarães ou Lisbonne, v. 1470 – Evora, v. 1537), poète dramatique portugais; fondateur du théâtre dans son pays. Il écrivit, tant en portugais qu'en espagnol, une quarantaine de pièces, à caractère religieux (*la Trilogie des barques*, 1516-1519) ou profane (*Inês Pereira*, 1523).

vice-présidence n. f. Fonction de vice-président; durée de cette fonction. *Des vice-présidences.*

vice-président, ente n. Personne qui seconde le (la) président(e) et éventuellement le (la) supplée. *Des vice-président(e)s.*

vice-recteur n. m. Celui qui seconde le recteur et éventuellement le supplée. ▷ Anc. Titre du recteur de fait de l'académie de Paris (dont le recteur en titre était le ministre de l'Instruction publique) jusqu'en 1922. *Des vice-recteurs.*

vice-reine n. f. **1.** Épouse d'un vice-roi. **2.** Femme qui gouverne avec l'autorité d'un vice-roi. *Des vice-reines.*

vice-roi n. m. Gouverneur d'un État qui a ou qui a eu le nom de royaume et qui dépend d'un autre État. *Le vice-roi des Indes. Des vice-rois.*

vice-royauté n. f. **1.** Rare Dignité de vice-roi. **2.** Pays gouverné par un vice-roi. *Les vice-royautés.*

vicésimal, ale, aux adj. MATH Qui a pour base le nombre vingt. *Système vicésimal de numérotation.*

vice versa loc. adv. (Mots lat.) Réciproquement, inversement.

Vichnou. V. Vishnu.

vichy n. m. **1.** Eau minérale de Vichy. **2.** Toile de coton à carreaux.

Vichy, ch.-l. d'arr. de l'Allier; 28 048 hab. Import. stat. thermale (maladies du foie, de l'appareil digestif et du métabolisme).

Vichy (gouvernement de), nom donné au pouvoir exécutif de l'État français, dont le chef, le maréchal Pétain, s'était installé à Vichy (de juillet 1940 à août 1944). Doté d'une Constitution qui donnait à son chef les pleins pouvoirs, le nouvel État ignorait les traditions démocratiques. Le prestige du maréchal Pétain et la création d'une zone libre entretinrent quelque temps la fiction d'un gouvernement indépendant. Cependant, après l'entrevue de Montoire (oct. 1940) entre Hitler et Pétain, la collaboration avec l'occupant nazi se mit implacablement en route : persécution puis arrestation des Juifs, création de juridictions exceptionnelles, instauration de la Milice et du Service du travail obligatoire en Allemagne (S.T.O.), création d'une Légion des volontaires français contre le bolchevisme, etc. En nov. 1942, les Allemands envahirent la zone libre et prirent le contrôle direct du gouvernement de Vichy, qui s'effondra avec la défaite des armées allemandes.

vichyssois, oise adj. et n. **1.** De Vichy. ▷ Subst. *Les Vichyssois.* **2.** HIST Syn. anc. de *vichyste.*

vichyste adj. et n. HIST Qui a rapport au gouvernement de Vichy. ▷ Partisan de ce gouvernement; qui partage ses idées.

viciation n. f. Didac. Action de vicier, de corrompre (l'air, le sang); fait de se vicier.

vicié, ée adj. **1.** Pollué. *Air vicié.* **2.** Entaché d'erreur. *Raisonnement vicié.*

vicier v. tr. [2] **1.** DR Rendre défectueux ou nul. *Cette omission ne vicie pas l'acte.* **2.** Gâter, corrompre, altérer. *La pollution vicie l'air.* – Fig. *Vicier le jugement de qqn.* ▷ v. pron. Devenir vicié.

vicieusement adv. D'une façon vicieuse.

vicieux, euse adj. et n. **1.** Litt. Qui comporte un vice, un défaut; incorrect. *Locution vicieuse.* ▷ LOG *Cercle vicieux* : V. cercle (sens III, 2). ▷ MED Qui se forme dans une mauvaise position. *Cal vicieux.* **2.** Qui a de mauvais penchants. *Un enfant vicieux.* ▷ (En parlant d'un animal.) Rétif, ombrageux. *Jument vicieuse.* – (Choses) Qui recèle un piège; qui est conçu, préparé pour leurrer, pour tromper. *L'avant-centre a lobé le gardien de but avec une balle vicieuse.* **3.** Qui a une disposition au vice, qui a des goûts dépravés, pervers. ▷ Subst. *Un vicieux, une vicieuse.*

vicinal, ale, aux adj. *Chemin vicinal,* qui relie des villages.

vicinalité n. f. Didac. **1.** Caractère vicinal d'un chemin. **2.** Ensemble des chemins vicinaux. *L'entretien de la vicinalité incombe aux communes.*

vicinité n. f. PHILO Proximité, voisinage entre des concepts, des notions.

vicissitude n. f. **1.** Vx Succession régulière de choses différentes. *La vicissitude des saisons.* **2.** Plur. Litt. Variations, changements. *Les vicissitudes de la mode.* ▷ Événements heureux et malheureux qui se succèdent. *Il l'a suivi à travers les vicissitudes de sa vie.* ▷ Événements malheureux.

Vicksburg, v. des É.-U. (Mississippi); 20 900 hab. – Ville sudiste prise par les nordistes en 1863.

Vico (Giambattista) (Naples, 1668 – id., 1744), historien, philosophe et philologue italien. Dans *Principes d'une science nouvelle concernant la nature des nations* (1725), il soutient que tout peuple connaît le développement suivant : l'âge *divin* ou mythique, caractérisé par la théocratie; l'âge *héroïque* ou de la force, à gouvernement aristocratique; l'âge *humain,* règne de la liberté et de la raison.

vicomte n. m. **1.** HIST Suppléant du comte, vice-comte, à l'époque carolingienne. ▷ Seigneur d'une terre érigée en vicomté. **2.** Titre de noblesse inférieur à celui de comte.

vicomté n. f. HIST Titre de noblesse attaché à certaines terres; ces terres elles-mêmes.

vicomtesse n. f. Femme d'un vicomte. – HIST Femme qui, à titre personnel, possédait une vicomté.

Vicq d'Azyr (Félix) (Valognes, Cotentin, 1748 – Paris, 1794), médecin français; auteur de nombr. ouvrages d'anatomie et cofondateur de la Société royale de médecine (1776). Acad. fr. (1788).

victime n. f. **1.** ANTIQ Être vivant que l'on offrait en sacrifice à une divinité. **2.** Personne qui subit un préjudice par la faute de qqn ou par sa propre faute. *Les victimes de cet escroc témoigneront au procès.* ▷ (Attribut) *Être victime de sa générosité.* **3.** Personne tuée ou blessée (dans une guerre, un accident, etc.). *Les victimes d'un tremblement de terre.* – Par ext. *Les victimes du devoir,* qui ont péri en accomplissant leur devoir.

victoire n. f. **1.** Succès remporté dans une bataille, dans une guerre. ▷ *Victoire à la Pyrrhus,* trop chèrement acquise. **2.** Avantage, succès remporté sur un rival, sur un concurrent. *Victoire de l'équipe tricolore.* ▷ *Crier, chanter victoire* : se glorifier d'un succès. Syn. triomphe. Ant. échec. **3.** (Sens moral.) Avantage remporté au terme d'une lutte contre une force contraire. *Remporter une victoire sur soi-même.*

Victor (Claude Perrin, dit), duc de Bellune (Lamarche, Vosges, 1764 – Paris, 1841), maréchal de France. Il se distingua sous l'Empire, notam. à Friedland (1807) et pendant la campagne de France (1814). Rallié aux Bourbons (1814), il fut ministre de la Guerre (1821-1823).

Victor (Paul-Émile) (Genève, 1907 – Bora Bora, 1995), explorateur français des régions polaires.

Victor-Amédée Ier (Turin, 1587 – Verceil, 1637), duc de Savoie (1630-1637); ennemi (cession de Pignerol) puis allié de la France contre les Espagnols. – **Victor-Amédée II** (Turin, 1666 – Rivoli, 1732), duc de Savoie (1675-1730), roi de Sicile (1713) puis de Sardaigne (1720-1730). Il s'allia à l'Empereur lors des guerres contre la France (1690 et 1703). Le traité d'Utrecht (1713) lui donna le royaume de Sicile, qu'il échangea contre celui de Sardaigne. Il abdiqua en 1730 en faveur de Charles-Emmanuel, son fils. – **Victor-Amédée III** (Turin, 1726 – Moncalieri, 1796), roi de Sardaigne (1773-1796). Adversaire de la Révolution, il perdit Nice* et la Savoie* (traité de Paris, 15 mai 1796), que sa maison recouvra en 1815.

Victor-Emmanuel Ier (Turin, 1759 – Moncalieri, 1824), roi de Sardaigne (1802-1821); fils de Victor-Amédée III. Exilé en Sardaigne, il recouvra en 1815 ses provinces continentales et acquit Gênes, mais les mouvements libéraux l'obligèrent à abdiquer. – **Victor-Emmanuel II** (Turin, 1820 – Rome, 1878), roi de Sardaigne (1849-1861) puis d'Italie (1861-1878). Roi après l'abdication de son père, Charles-Albert, il travailla avec son ministre Cavour à établir l'indépendance et l'unité italiennes. Grâce à l'appui de la France, à laquelle il céda Nice et la Savoie (1860), il réunit (juin 1859-nov. 1860) tous les

États italiens, à l'exception de la Vénétie (acquise en 1866) et de Rome (prise en 1870). Proclamé roi d'Italie en 1861, il fixa la capitale à Florence (1865) puis à Rome (1870 *de jure*, 1871 *de facto*). – **Victor-Emmanuel III** (Naples, 1869 – Alexandrie, Égypte, 1947), roi d'Italie (1900-1946). Il succéda à son père, Humbert Ier, et rétablit le prestige de la monarchie, notam. pendant la Première Guerre mondiale. En 1922, dans un contexte social et économique dramatique, il ratifia le coup de force de Mussolini, à qui il confia le pouvoir. Bientôt débordé par les fascistes, desquels il reçut les titres d'empereur d'Éthiopie (1936) et de roi d'Albanie (1939), il fut en fait privé de la réalité du pouvoir. Les revers de l'Italie, alliée de l'Allemagne de 1940 à 1943, l'amenèrent à arrêter Mussolini (juil. 1943), mais la monarchie était discréditée; pour tenter de la sauver, il remit les pouvoirs à son fils Humbert en juin 1944, et abdiqua en sa faveur (9 mai 1946); il ne put cependant empêcher la proclamation de la république (juin 1946).

victoria n. f. **1.** BOT Plante aquatique ornementale (fam. nymphéacées), originaire d'Amazonie, dont les larges feuilles flottantes peuvent atteindre 1 m de diamètre. **2.** Ancienne voiture hippomobile découverte, à quatre roues.

Victoria (chutes), chutes du Zambèze près de Livingstone (Zambie). Le fleuve se précipite d'une hauteur d'env. 115 m dans une gorge étroite.

Victoria (île), grande île arctique au N. du Canada (Territoires du Nord-Ouest); 217 290 km^2.

Victoria (lac), grand lac de l'Afrique équatoriale, bordé par l'Ouganda, le Kenya et la Tanzanie; 68 100 km^2. Il alimente le *Nil Victoria* (cours supérieur du *Nil Blanc*, entre les lacs Victoria et Mobutu).

Victoria (terre), partie de l'Antarctique, située entre la mer de Ross et la terre de Wilkes. Entièrement montagneuse, elle porte plusieurs volcans (Erebus, 4 023 m).

Victoria, port du Canada, cap. de la Colombie britannique, dans l'île de Vancouver; 71 200 hab. (aggl. urb. 246 900 hab.). Industr. variées.

Victoria, cap. de la république des Seychelles, dans l'île Mahé; 23 000 hab.

Victoria, État du sud-est de l'Australie; 227 600 km^2; 4 200 000 hab.; cap. *Melbourne*. Une chaîne montagneuse orientée E.-O. isole au N. un bassin fertile (arbres fruitiers, cultures, élevage), et au S. les plaines et collines herbeuses de la zone littorale (élevage bovin). L'essentiel de la pop. est concentré autour de la baie de Port Philip (aggl. de Melbourne).

Victoria Ire (Londres, 1819 – Osborne, île de Wight, 1901), reine de Grande-Bretagne et d'Irlande (1837-1901), et impératrice des Indes (1876-1901). Dès son avènement, sa réputation de sagesse (qui n'était pas encore devenue austérité) et son charme effacèrent le discrédit porté sur la monarchie par ses prédécesseurs. Épouse (1840) du prince Albert de Saxe-Cobourg-Gotha, en qui elle trouva un habile conseiller, elle marqua de son empreinte la vie politique britannique, sans toutefois enfreindre les limites de la monarchie parlementaire. Servie par des hommes de valeur (Melbourne, Peel, Palmerston, Disraeli, Gladstone, Chamberlain) et par de bonnes conditions économiques, malgré les difficultés apparues à la fin du XIXe s., elle fit de son règne l'apogée de la puissance britannique.

▶ illustr. page **1971**

Victoria (Tomás Luis de) (Ávila, v. 1548 – Madrid, v. 1611), compositeur espagnol. Il passa la majeure partie de sa vie à Rome. Il a laissé une œuvre abondante, uniquement religieuse, marquée par un mysticisme austère : *Office pour les défunts, Office pour la semaine sainte*; messes, motets, etc.

Victoria and Albert Museum, musée londonien fondé en 1852 et consacré aux arts décoratifs et aux beaux-arts du monde entier.

Victoria de Durango. V. Durango.

Victoriaville, v. du Québec (rég. admin. de la Mauricie-Bois-Francs); 22 400 hab. Centre industriel.

victorien, enne adj. Qui a rapport à la reine Victoria, à son règne. ▷ *Style victorien*, qui caractérise l'architecture et les arts décoratifs de cette époque. – *Par ext.* Qui a des caractères de la société de cette époque (puritanisme, etc.).

victorieusement adv. D'une manière victorieuse.

victorieux, euse adj. **1.** Qui a remporté la victoire. *Armée victorieuse.* – Fig. *La vérité est victorieuse des erreurs.* **2.** Qui exprime la victoire. *Arborer un air victorieux.* Syn. triomphant.

victuailles n. f. pl. Provisions de bouche, nourriture.

vidage n. m. Action de vider; son résultat. ▷ TECH Dispositif de vidage. *Vidage à clapet, à bouchon.*

Vidal, dictionnaire des médicaments commercialisés en France.

Vidal de Bésalu (Ramón) (fin du XIIe s. – XIIIe s.), troubadour catalan de langue provençale : *la Droite Manière de poétiser.*

Vidal de La Blache (Paul) (Pézenas, 1845 – Tamaris, Var, 1918), géographe français; le pionnier en France de la géographie scientifique : *Tableau de la géographie de la France* (1903); *Principes de géographie humaine* (posth., 1922). Fondateur (1891) des *Annales de géographie*, il conçut la *Géographie universelle*, réalisée après sa mort (1927-1948).

Vidal-Naquet (Pierre) (Paris, 1930), historien français; spécialiste de l'étude des structures mentales et sociales de la Grèce ancienne (*Mythe et Tragédie en Grèce ancienne*, en collab. avec J.-P. Vernant, 1972) et auteur d'essais politiques (*la Torture dans la République [1954-1962]*, 1972).

vidame n. m. FEOD Titre de l'officier qui représentait l'évêque dans l'administration de la justice temporelle et dans le commandement de ses troupes.

vidange n. f. **1.** Action de vider; opération consistant à vider pour nettoyer, curer, rendre de nouveau utilisable. *Vidange d'un puits, d'un réservoir. Vidange et graissage d'une automobile.* **2.** Dispositif, canalisation pour l'évacuation des eaux usées. *Vidange d'un lavabo.* **3.** (Plur.) Matières retirées d'une fosse d'aisances. **4.** (Belgique, Afrique) Verre consigné bouteille vide.

vidanger v. tr. [**13**] Vider, faire la vidange de. *Vidanger un réservoir.*

vidangeur n. m. Personne qui fait la vidange des fosses d'aisances.

vide adj. et n. m. **I.** adj. **1.** Qui ne contient rien. *Une boîte vide. Espace vide.* – MATH *Ensemble vide*, qui ne contient aucun élément. ▷ Qui est dépourvu de son contenu habituel. *Avoir l'estomac vide. Avoir le porte-monnaie, les poches vides.* ▷ Loc. *Arriver les mains vides*, sans rien apporter. **2.** Où il n'y a personne; qui n'a pas d'occupant. *Place, fauteuil vides. La représentation eut lieu devant une salle presque vide.* Syn. désert. – *Par exag.* Qui est loin d'être plein. *Paris est vide au mois d'août.* **3.** Qui n'est pas garni. *Des murs vides. Appartement, chambre vides*, sans mobilier. Syn. nu. **4.** Qui n'est pas employé, en parlant du temps. *Les moments vides de la journée.* Syn. libre. **5.** (Absol.) Qui n'a pas d'intérêt; creux, insignifiant. *Mener une existence vide. Paroles vides.* ▷ Sans expression. *Des yeux vides.* **6.** *Vide de :* dépourvu de, sans. *Maison vide de ses habitants.* – Fig. *Expression vide de sens.* **II.** n. m. **1.** Milieu où la densité de la matière est très faible. *Vide spatial. Vide absolu :* milieu théorique d'où toute matière est absente. ▷ Diminution très importante de la pression d'un gaz à l'intérieur d'une enceinte. *Faire le vide. Pompe à vide. Emballage sous vide*, dans lequel le vide a été fait entre l'emballage et le produit emballé. **2.** *Le vide :* espace, étendue vide. *Se jeter dans le vide.* – Loc. *Faire le vide autour de qqn*, l'isoler, l'éloigner de son entourage. *Parler dans le vide :* parler sans que personne n'écoute. **3.** *Un vide :* espace, surface vides, non occupés. *Ménager des vides dans une bibliothèque pour y placer des bibelots.* ▷ *Spécial.* CONSTR Espace qui n'est pas occupé par la maçonnerie ou la charpente. ▷ *Vide sanitaire*, ménagé entre le plancher d'une construction et le sol et servant notam. au passage des canalisations d'assainissement. **4.** Fig. Absence qui donne un sentiment de manque, de privation. *Sa mort laisse un grand vide.* ▷ *Vide juridique :* absence de législation dans un domaine, sur un point. ▷ *Vide politique :* absence de perspective politique, anarchie. **5.** Fig. Caractère de ce qui est vain, inconsistant. *Le vide des grandeurs humaines.* Syn. vanité, néant. **6.** Loc. adv. *À vide :* sans rien contenir. *La voiture est partie à vide.* – Sans produire d'effet. *La clé tourne à vide dans la serrure.* – *Passage à vide :* moment où un moteur tourne sans effet utile; fig. moment de fléchissement de l'activité.

vidéaste n. Personne qui réalise professionnellement des films vidéo.

vide-bouteille n. m. Siphon qui permet de vider une bouteille sans la déboucher. *Des vide-bouteilles.*

vide-gousset n. m. Vx ou plaisant Voleur. *Des vide-goussets.*

vide-greniers n. m. inv. Sorte de braderie villageoise.

Videla (Jorge Rafael) (Mercedes, prov. de Buenos Aires, 1925), général et homme politique argentin. Commandant en chef des forces terrestres, il participa au renversement d'Isabelita Perón (mars 1976) et fut désigné à la présidence de la République par la junte militaire. «Élu» président (1978) pour trois ans, il fut remplacé par le général Viola en mars 1981. Arrêté en août 1984, lors du retour des civils au pouvoir, il fut condamné à la prison à vie en déc. 1985 en raison des graves violations des droits de l'homme. Il fut amnistié en 1991.

vidéo-. Élément, du lat. *video*, «je vois».

vidéo adj. inv. et n. f. AUDIOV **I.** adj. inv. Se dit des signaux servant à la transmission d'images, et des appareils, des installations qui utilisent ces signaux. *Caméras vidéo.* ▷ Qui concerne les images et les sons enregistrés et transmis par ces appareils. *Image vidéo.* **II.** n. f. **1.** Abrév. de *vidéophonie* et de *vidéofréquence.* **2.** Cour. *Une, la vidéo* : appareillage, installation vidéo.

vidéo-art n. m. Forme d'art qui s'exprime grâce à la vidéo.

vidéocassette n. f. Cassette sur laquelle sont enregistrés des images et des sons que l'on peut reproduire sur un téléviseur au moyen d'un magnétoscope.

vidéo-clip. V. clip 2.

vidéoclub n. m. Magasin spécialisé dans la location ou la vente de cassettes vidéo enregistrées.

vidéocommunication n. f. Communication par le réseau de télévision.

vidéocomposite adj. AUDIOV *Signal vidéocomposite,* qui transporte des images et des sons.

vidéoconférence. V. visioconférence.

vidéodiagnostic n. m. MED Diagnostic à distance au moyen du visiophone, qui permet notam. la transmission de résultats d'examens (électrocardiogramme, radiographie, etc.).

vidéodisque n. m. Disque sur lequel sont gravés des images et des sons que l'on peut reproduire sur un téléviseur au moyen d'un système de lecture.

vidéofréquence n. f. AUDIOV Fréquence utilisée pour transmettre des signaux vidéo. *Les vidéofréquences sont comprises entre un hertz et plusieurs mégahertz.*

vidéogramme n. m. AUDIOV Programme audiovisuel enregistré sur un support tel que bande magnétique, film, disque, etc.

vidéographie n. f. TECH Procédé de télécommunication permettant de transmettre des textes ou des dessins simples dont la visualisation est réalisée sur un écran de télévision. – *Vidéographie diffusée* ou *télétexte,* dans laquelle un grand nombre d'usagers reçoivent simultanément les mêmes informations. – *Vidéographie interactive* ou *vidéotex* : vidéographie dans laquelle les informations sont accessibles sur demande. *Le minitel est un terminal de vidéographie interactive.*

vidéolecteur n. m. Lecteur de vidéodisques.

vidéophone n. m. TELECOM Syn. de *visiophone.*

vidéophonie. V. visiophonie.

vide-ordures n. m. inv. Dispositif d'évacuation des ordures ménagères dans un immeuble, comprenant un conduit vertical le long duquel sont disposés des vidoirs.

vidéosurveillance n. f. Surveillance d'un lieu par des caméras vidéo.

vidéotex n. m. INFORM Syn. de *vidéographie* interactive.*

vidéothèque n. f. **1.** Collection de documents vidéo. **2.** Lieu où l'on conserve et où l'on peut visionner des documents vidéo.

vidéotransmission n. f. TELECOM Transmission par système vidéo.

vide-poche n. m. **1.** Coupe, boîte, corbeille, où l'on dépose les menus objets que l'on a habituellement dans les poches. **2.** Dans une automobile, petit compartiment destiné à recevoir divers objets. *Des vide-poches.*

vide-pomme n. m. Ustensile servant à ôter le cœur des pommes sans les couper en morceaux. *Des vide-pommes.*

vider v. tr. [1] **I. 1.** Rendre vide (un contenant) en ôtant le contenu. *Vider sa bourse. Vider une bouteille, un verre,* en buvant le liquide qu'ils contiennent. – Loc. fig., fam. *Vider son sac* : dire le fond de sa pensée. *Vider son cœur* : s'épancher. – CUIS *Vider une volaille, un poisson,* en retirer les viscères. ▷ Débarrasser (un lieu) de ses occupants. *L'orage vida les rues en un instant.* – Loc. fam. *Vider les lieux,* les quitter, en sortir sous la contrainte. **2.** Ôter, évacuer d'un lieu. *Vider les eaux usées dans le caniveau.* ▷ Fam. (Objet n. de personne.) *Vider qqn,* le renvoyer, le congédier; l'obliger à sortir. **3.** Fig., fam. Épuiser. *Ce travail m'a vidé.* **4.** Fig. Terminer, régler définitivement (un litige). *Vider une querelle.* **II.** v. pron. Devenir vide. *Se vider de son sang. Cette station balnéaire se vide début septembre.* – Par métaph. *Au cours du temps, ce mot s'est vidé de son sens.*

videur, euse n. **1.** Personne qui vide (qqch). *Videur de poissons.* **2.** n. m. *Absol.* Fam. Personne chargée de mettre dehors les indésirables.

vidicon n. m. ELECTRON Tube analyseur d'images fondé sur le principe de la photoconduction, et utilisé dans les caméras des productions audiovisuelles et le télécinéma.

Vidie (Lucien) (Nantes, 1805 – Paris, 1866), mécanicien français; inventeur d'un baromètre sans liquide (1844).

vidimus [vidimys] n. m. ADMIN Attestation signifiant qu'un acte a été collationné sur l'original et certifié conforme.

Vidin, v. de Bulgarie, à la frontière roumaine; 61 000 hab.; Centre agr.; industr. alim. Artisanat. – Monuments anc. – Colonie romaine (*Bononia,* Ier s.); cap. du *royaume de Vidiné* (XIIe-XIVe s.), prise par les Turcs en 1396.

Vidocq (François) (Arras, 1775 – Paris, 1857), aventurier français. Bagnard évadé, il devint espion de la police (1809) puis chef de la Sûreté, dont il dut démissionner à deux reprises à la suite de manœuvres douteuses. Les *Mémoires* parus sous son nom (1828-1829) connurent un grand succès et inspirèrent notam. Balzac.

vidoir n. m. **1.** Trappe par laquelle on déverse les ordures dans le conduit d'un vide-ordures. **2.** Cuvette dans laquelle on déverse les eaux usées.

Vidor (King) (Galveston, Texas, 1894 [?] – Paso Robles, Californie, 1982), cinéaste américain; analyste lyrique de la violence sociale (*la Foule,* 1928) et guerrière : *la Grande Parade* (1925), *Hallelujah!* (1929), *Duel au soleil* (1946), *la Furie du désir* (1952), *l'Homme qui n'a pas d'étoile* (1954).

Vidourle (le), fl. côtier du Languedoc (85 km) connu pour ses crues violentes; tributaire de la Méditerranée.

viduité n. f. DR État d'une personne veuve. Syn. veuvage. ▷ *Délai de viduité* : délai de 300 jours avant lequel une femme veuve ou divorcée ne peut se remarier.

vie n. f. **1.** Ensemble des phénomènes assurant l'évolution de tous les organismes animaux et végétaux depuis la naissance jusqu'à la mort. *La vie est apparue sur la Terre il y a environ quatre milliards d'années.* **2.** Existence humaine. *Être en vie. Donner la vie. Perdre la vie. Sauver la vie de qqn.* **3.** Cours de l'existence, événements qui le remplissent; conduite, mœurs. *Mener une vie tranquille, mener joyeuse vie. Vivre sa vie* : vivre à sa guise. – *Vie active* : période d'activité professionnelle. – Loc. fam. *Mener une vie de patachon, de bâton de chaise,* une vie dissolue, déréglée. ▷ *Par méton.* Biographie. *Il a écrit une vie de Beethoven.* **4.** Durée de l'existence, temps qui s'écoule de la naissance à la mort. *Sa vie a été trop courte. L'espérance de vie* : la durée de vie statistiquement probable. – Par ext. *Vie et mort d'une civilisation.* **5.** Coût de la subsistance, de l'entretien. *La vie est de plus en plus chère.* **6.** Vitalité, entrain. *Un enfant plein de vie.* ▷ Loc. fig. *Donner de la vie* : animer. *Ces touches de couleur donnent de la vie au tableau.* **7.** Animation, activité. *Quartier où règne une intense vie nocturne.* **8.** RELIG *L'autre vie, la vie éternelle* : ce qui suit la mort; le paradis, l'enfer, le purgatoire. ▷ *La parole de vie* : l'Évangile. **9.** Loc. adv. *À vie, pour la vie* : pour toujours. – *De ma vie, de la vie* : jamais (en tournure négative). *Il n'a voyagé de sa vie.* – Loc. fam. *Jamais de la vie* : en aucune façon.

vieil. V. vieux.

Vieil-Armand (le). V. Hartmannswillerkopf.

vieillard n. m. **1.** Homme fort âgé. **2.** Plur. Personnes très âgées.

vieillarde n. f. Péjor. Vieille femme.

1. vieille. V. vieux.

2. vieille n. f. Cour. Syn. de *labre.*

Vieille (Paul) (Paris, 1854 – id., 1934), ingénieur français : travaux sur les explosifs (poudres B, inventées en 1884) et sur les ondes de choc.

vieillerie n. f. **1.** Objet ancien, usagé. *Le brocanteur m'a débarrassé de ces vieilleries.* ▷ Idée rebattue; conception d'une autre époque. *Vous croyez encore à cette vieillerie ?* **2.** Fam., plaisant Vieillesse. *J'ai mal aux reins : c'est la vieillerie!*

vieillesse n. f. **1.** Période ultime de la vie. *Avoir une vieillesse heureuse.* **2.** Fait d'être âgé; sénescence. *Mourir de vieillesse.* **3.** (Sing. collectif.) Les personnes âgées. *Caisse de retraite pour la vieillesse.* – (Prov.) *Si jeunesse savait, si vieillesse pouvait.*

Vieilleville (François de Scepeaux, seigneur de) (?, 1510 – Durtal, près d'Angers, 1571), maréchal de France et diplomate. Il négocia le traité du Cateau-Cambrésis (1559).

vieilli, ie adj. **1.** Marqué par l'âge. *Visage vieilli.* **2.** (Choses) Qui, avec le temps, a perdu de sa force; suranné, désuet. *Idées vieillies. Mot vieilli,* qui est sorti de l'usage courant, mais qui est encore compris.

vieillir v. [3] **I.** v. intr. **1.** Devenir vieux. *Il commence à vieillir.* **2.** Être marqué par l'âge; paraître âgé. *La peur de vieillir.* **3.** Perdre de sa force, de son efficacité avec le temps. *Cette pièce a vieilli depuis sa création.* **4.** Acquérir certaines qualités par l'effet du temps (surtout en parlant de substances alimentaires). *Ce vin a besoin de vieillir.* **II.** v. tr. **1.** Rendre vieux; faire paraître plus vieux, vieux avant le temps. *Cette coiffure la vieillit. Procédés pour vieillir les copies de meubles anciens.* ▷ v. pron. *Jeune homme qui se laisse pousser la* *moustache pour se vieillir.* **2.** Attribuer à (qqn) un âge supérieur à son âge réel. ▷ v. pron. *Il s'est vieilli de deux ans pour pouvoir signer cet engagement.*

vieillissant, ante adj. Qui est en train de vieillir. *Un corps vieillissant.* ▷ Fig. Qui n'est plus de mode. *Un style vieillissant.*

vieillissement n. m. **1.** Fait de vieillir, de devenir vieux. ▷ Fig. *Vieillissement des doctrines.* **2.** Aspect ancien donné artificiellement à un objet neuf. *Vieillissement d'un cadre.* **3.** Acquisition de certaines qualités par l'effet du temps (se dit surtout du vin, des alcools). *Vieillissement en fûts.*

vieillot, otte adj. Fam. Vieilli, démodé, suranné.

Vieira da Silva (Maria Elena) (Lisbonne, 1908 – Paris, 1992), peintre française d'origine portugaise. Ses compositions sont formées de réseaux, d'entrelacs, de damiers, créant des perspectives fuyantes.

Viella, local. d'Espagne (prov. de Lérida); 2 800 hab. Le *tunnel de Viella* (6 km) relie le val d'Aran (France) au versant espagnol des Pyrénées.

vielle n. f. Instrument de musique populaire muni de touches, et dont les cordes sont mises en vibration par le frottement d'une roue enduite de colophane que l'on fait tourner au moyen d'une manivelle. *La vielle a un timbre nasillard.*

Vien (Joseph Marie) (Montpellier, 1716 – Paris, 1809), peintre français néo-classique, maître de David.

Vienne (la), riv. de France (372 km), affl. de la Loire (r. g.); née sur le plateau de Millevaches, elle arrose Limoges, Châtellerault et Chinon.

Vienne, ch.-l. d'arr. de l'Isère, sur le Rhône; 30 386 hab. Marché régional (fruits et légumes, vins) et petit centre industriel (textile, constr. électriques). – Vestiges romains : temple d'Auguste et de Livie (Ier s.), théâtre (sur le flanc du mont Pipet), sanctuaire de Cybèle. Cath. St-Maurice (du XIIe au XVIe s.). Égl. romane St-André-le-Bas (du XIe au XIVe s.). Égl. St-Pierre (VIe, IXe, XIIe s.), renfermant un import. musée lapidaire. – Sous l'impulsion de Philippe le Bel, le *concile de Vienne* (1311-1312) supprima l'ordre des Templiers.

Vienne (en all. *Wien*), cap. de l'Autriche, sur le Danube; 1 533 170 hab. (la ville constitue le *Land de Vienne,* 415 km²). Métropole culturelle, commerciale, financière et industrielle (matériel ferroviaire; industr. textiles, automobiles et alimentaires; tabac; instruments de musique) de l'Autriche, dont elle rassemble près du quart des habitants. – Archevêché. Université. Nombr. édifices de style baroque (chât. du Belvédère, 1714-1723; bibliothèque de la Hofburg, 1723) et de style néogothique (XIXe s.). Cath. St-Étienne (XIVe-XVIe s.). Égl. des Capucins (déb. XVIIe s.). Égl. St-Charles-Borromée (déb. XVIIIe s.). Kunsthistorisches Museum, musée de l'Académie des beaux-arts (Rembrandt, Cranach l'Ancien, Rubens, etc.); musée de l'Albertina*; musée Schubert, etc. Dans les env., chât. et parc de Schönbrunn*. – Poste avancé des Romains au carrefour de la vallée du Danube et de la route qui unit les pays méditerranéens et baltes, la ville ne connut un véritable développement que lorsque les Habsbourg en firent leur résidence (XVIe s.) et que le péril turc (sièges de 1529 et de 1683) fut tout

Vienne : le château du Belvédère

à fait écarté. Elle devint alors la plus grande ville germanique jusqu'en 1900, capitale de la double monarchie et brillant centre artistique (musique, peinture, littérature). En 1920, le démembrement de l'Autriche-Hongrie en fit l'immense cap. d'un petit État; en 1938, l'annexion de l'Autriche par l'Allemagne la réduisit au rang de simple chef-lieu. En avr. 1945, l'armée Rouge l'enleva au prix de durs combats qui causèrent d'énormes ruines; jusqu'en 1955, Vienne fut divisée en quatre secteurs occupés par chacun des Alliés.

Vienne, dép. franç. (86); 6 985 km²; 379 977 hab.; 54,4 hab./km²; ch.-l. *Poitiers.* V. Poitou-Charentes (Rég.).

Vienne (Haute-), dép. franç. (87); 5 513 km²; 353 593 hab.; 64,1 hab./km²; ch.-l. *Limoges.* V. Limousin (Rég.).
▸ carte page **1976**

Vienne (cercle de), école néo-positiviste, fondée à Vienne v. 1920 par Moritz Schlick, qui regroupa des philosophes et des logiciens (Carnap, Reichenbach, Franck, Hahn, Neurath, etc.). S'inspirant de la logique mathématique moderne, elle considère comme dénué de sens tout énoncé qui ne peut faire l'objet d'un traitement formel ni prévoir les conditions précises de sa vérification ultérieure.

Vienne (congrès de), congrès qui se tint à Vienne du 1er nov. 1814 au 9 juin 1815 pour assurer la réorganisation territoriale de l'Europe après la défaite napoléonienne. Le premier traité de Paris* ayant réglé le sort de la France, qui retrouvait ses frontières de 1789, le congrès de Vienne ne s'occupa que des autres États européens. Cependant, grâce à Talleyrand, la France fut tenue au courant de ses travaux et parvint parfois à s'y associer. Les quatre grandes puissances victorieuses, représentées par Metternich (Autriche), Hardenberg (Prusse), Castlereagh et Wellington (Angleterre), Nesselrode (Russie), se partagèrent l'Europe en fonc-

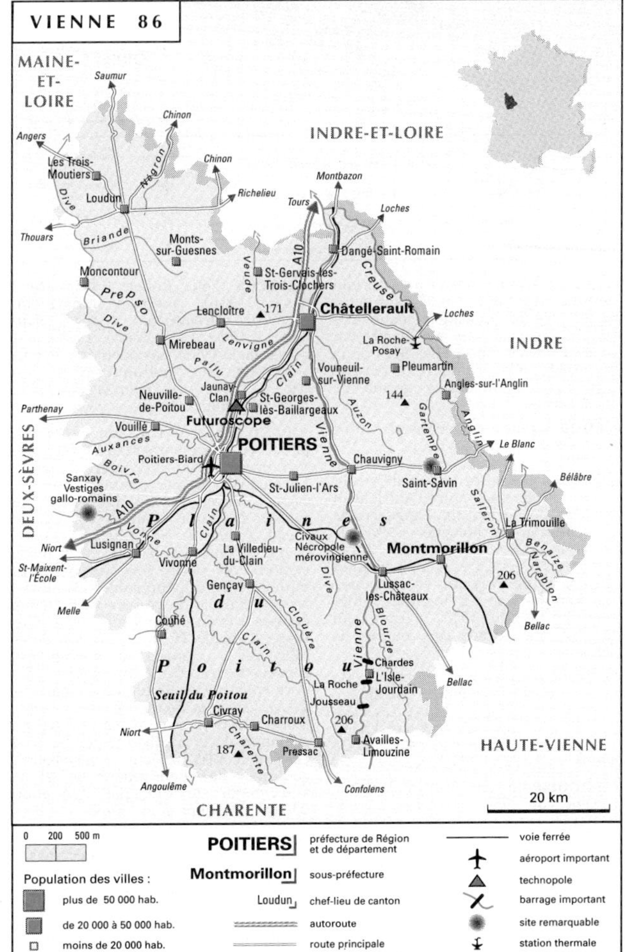

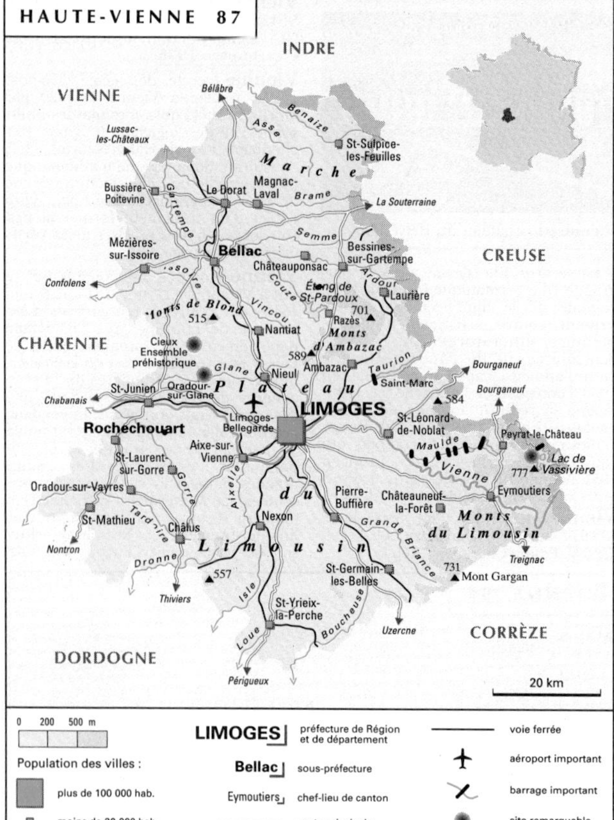

tion de leurs ambitions et d'un certain équilibre des forces, mais sans tenir compte des revendications nationales qui commençaient à se manifester. Ignorant les idées nouvelles nées de la Révolution, elles rétablirent partout l'absolutisme, semant le germe de futurs conflits.

Vienne (traités de), nom de nombreux traités signés à Vienne. – 1725 : traité qui scellait l'alliance de l'Autriche et de l'Espagne après la paix d'Utrecht (1713). – 1738 : traité entre l'Autriche et la France, qui mettait fin à la guerre de la Succession de Pologne. – *Paix de Vienne* ou *de Schönbrunn*, 1809 : traité signé après les victoires napoléoniennes d'Essling et de Wagram, et qui consacrait l'amputation du territoire autrichien. – 9 juin 1815 : traité qui concluait les travaux du congrès de Vienne.

viennois, oise adj. et n. **1.** De Vienne, relatif à Vienne. – Du département de la Vienne. ▷ Subst. *Les Viennois.* **2.** *Chocolat, café viennois,* chaud et nappé de crème Chantilly. **3.** De Vienne, ch.-l. d'arr. de l'Isère.

Viennoise (la), anc. prov. de la Gaule romaine, cap. *Vienne* (Isère).

viennoiserie n. f. Pâtisserie viennoise. – *Par ext.* Ensemble des produits de boulangerie, en dehors du pain (croissants, pains au chocolat, brioches, etc.).

Vientiane, cap. du Laos, sur la r. g. du Mékong; 377 400 hab. Centre commercial; industr. text. et alimentaires.

Viereck (Peter Robert Edwin) (New York, 1916), écrivain américain. Essayiste (*Métapolitique : des romantiques à Hitler,* 1941; *Honte et gloire des intellectuels,* 1953). Ses poèmes reflètent ses convictions politiques conservatrices : *Terreur et Bienséance* (1948), *le Placqueminier* (1957).

vierge adj. et n. f. **I.** adj. **1.** Qui n'a jamais eu de rapports sexuels. *Un jeune homme, une jeune fille vierges.* – Dont l'hymen n'a pas été rompu. ▷ Par ext. *Vigne* vierge* (qui ne donne pas de raisin). **2.** Qui n'a jamais été utilisé; intact. *Feuille de papier vierge. Cassette vierge.* ▷ Qui n'a jamais été cultivé, exploité. *Sol vierge. Forêt vierge* : forêt équatoriale impénétrable. **3.** *Huile vierge* : extraite de graines ou de fruits écrasés à froid. *Huile d'olive vierge. Cire vierge,* d'abeille. **II.** n. f. **1.** Vx, didac. ou litt. Fille qui n'a jamais eu de rapports sexuels. ▷ Loc. fig. *Être amoureux des onze mille vierges,* de toutes les femmes. **2.** *La Vierge, la Sainte Vierge, la Vierge Marie* : Marie, mère de Jésus. ▷ Représentation de la Sainte Vierge. *Vierge à l'Enfant.* **3.** ASTRO *La Vierge* : constellation zodiacale de l'hémisphère boréal. ▷ ASTROL Signe du zodiaque* (24 août-23 sept.). – Ellipt. *Il est vierge.*

Vierges (îles) (en angl. *Virgin Islands*), archipel des Petites Antilles. Les unes, à l'E., sont des possessions américaines (60 îles et îlots, notam. les îles Saint Thomas, Sainte-Croix et Saint John); 344 km²; 110 800 hab.; ch.-l. *Charlotte Amalie* (Saint Thomas). Les autres, à l'O., appartiennent au Commonwealth britannique (40 îles, notam. les îles Tortola, Anegada et Virgin Gorda); 153 km²; 12 500 hab.; ch.-l. *Road Town* (Tortola). La pop. vit de la canne à sucre, des cultures maraîchères, de la pêche, d'un peu d'élevage et surtout du tourisme. Raffinage de pétrole.

Vierne (Louis) (Poitiers, 1870 – Paris, 1937), compositeur français; élève de C. Franck. Organiste à Notre-Dame de Paris (1900), il a écrit pour son instrument *Vingt-Quatre Pièces en style libre* (1913), *Pièces de fantaisie* (1926-1927), ainsi que six symphonies (1898-1930).

Vierzon, ch.-l. d'arr. du Cher, sur le Cher; 32 900 hab. Carrefour ferroviaire. Centre commercial et industriel (métallurgie, constr. mécaniques). – Égl. des XIIe et XVe s.

Viêt-cong ou **Vietcong,** nom que ses adversaires donnaient au Front national de libération (F.N.L.) du Viêt-nam du Sud (communistes et leurs alliés) pendant la guerre du Viêt-nam (1960-1975).

Viète (François) (Fontenay-le-Comte, 1540 – Paris, 1603), mathématicien français. Créateur du calcul algébrique moderne, il donna une expression du nombre π sous forme de produit infini et établit la forme définitive de la trigonométrie.

Viêt-minh ou **Vietminh** (« Front de l'indépendance du Viêt-nam »), parti nationaliste à prépondérance communiste qui, sous la direction de Hô Chi Minh (qui l'avait fondé en 1941), mena la guerre contre les forces françaises et le gouvernement de Bao-Daï (1946-1954).

Viêt-nam ou **Vietnam** (république socialiste du) *(Viêt Nam Công Hoa Xa Hôi Chu' Nghiã),* État de l'Asie du S.-E., qui s'étire le long de la mer de Chine méridionale; 329 566 km²; 66 800 000 hab., croissance démographique : 2,5 % par an; cap. *Hanoi.* Nature de l'État : rép. socialiste. Langue off. : vietnamien. Monnaie : dông. Pop. : Vietnamiens (85 %), Thaïs, Méos, Khmers, Chinois. Relig. : bouddhisme, taoïsme; env. 2 500 000 catholiques.

Géogr. phys. et hum. – Étiré sur près de 1 700 km du N. au S., bordé par un littoral de plus de 3 000 km, le Viêt-nam se partage entre trois régions géographiques. Au N., le Tonkin (*Bac Bô*) est constitué de montagnes dépassant 3 000 m, qui encadrent la plaine deltaïque du fleuve Rouge (*Sông Hông*), vaste de 15 000 km². Au centre, les monts d'Annam *(Trung Bô),* que prolongent de hauts plateaux, sont bordés d'étroites plaines littorales. Au S., en Cochinchine (*Nam Bô*), s'étend la plus vaste plaine du pays (67 000 km²), qui correspond pour l'essentiel au delta du Mékong. Le climat tropical de mousson, très humide, entretient une végétation forestière dominante mais présente des nuances selon les latitudes, le N. connaissant des hivers plus frais. La population, rurale à près de 80 %, se concentre dans les plaines rizicoles surpeuplées, alors que les montagnes, qui couvrent les deux tiers du territoire, sont très faiblement occupées (essentiellement par des minorités : Thaïs, Muongs, Méos...). Après la victoire du N., plusieurs dizaines de milliers de personnes, les boat people, ont quitté clandestinement le pays.

Écon. – Groupés en coopératives, env. 65 % des Vietnamiens vivent de l'agriculture (riz, 3e exportateur mondial). La pêche, la pisciculture et la forêt constituent des ressources non négligeables,

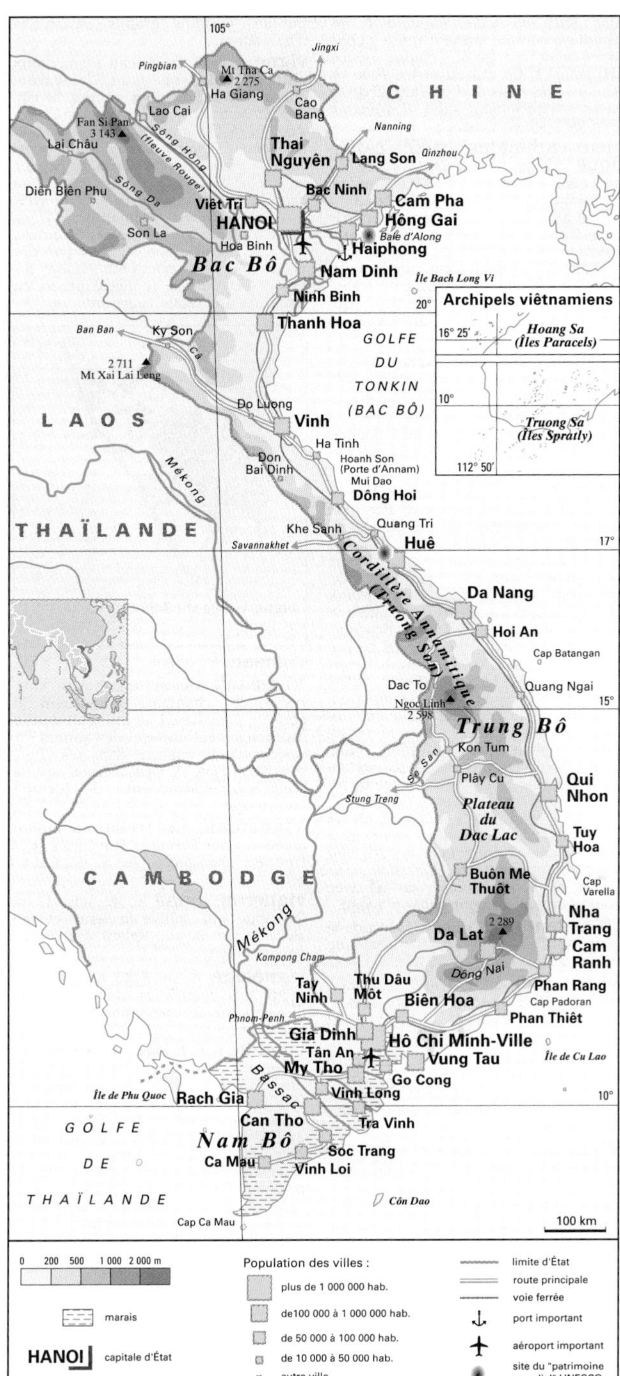

mais les plantations exportatrices (caoutchouc) ont beaucoup souffert de la guerre. L'industrie ne connaît une amorce de développement qu'au Nord. Acier et ciment sont produits dans les grandes villes (Haiphong), grâce à des gisements miniers locaux (zinc, phosphates, un peu de charbon). La petite industrie est dispersée dans les campagnes du delta du Mékong. Les villes du S. ne vivent que d'un secteur tertiaire hypertrophié et le chômage est important. Le Viêt-nam a adhéré au Comecon en 1978. La socialisation autoritaire du Sud et l'incohérence des réformes écon. ont provoqué une crise majeure encore aggravée par le poids des dépenses milit. (env. 40 % du budget) mais jugulée dep. 1988 par la libéralisation économique (esquissée depuis 1979). L'ouverture du pays aux capitaux occidentaux a permis de développer l'exploitation pétrolière offshore, et compensé partiellement la diminution du commerce avec l'Europe de l'Est. Dep. 1990, le pays connaît un taux de croissance élevé. En 1994, les Américains ont levé l'embargo imposé en 1975.

Hist.– Établis dès la préhistoire dans le delta du fleuve Rouge, les ancêtres des Vietnamiens actuels subirent une longue domination chinoise (IIe s. av. J.-C.-Xe s. ap. J.-C.), qui marqua profondément leur civilisation. Ayant acquis leur indépendance, les dynasties Li et Trân édifièrent à partir du XIe s. un État centralisé, puis, étendant progressivement leur domination vers le S., atteignirent au XVIIe s. le delta du Mékong. Livré aux rivalités dynastiques, le pays demeura divisé. Cette anarchie favorisa la pénétration française. En 1802, la dynastie Nguyên prit le pouvoir avec l'aide des Français. Elle réunifia le pays et entreprit sa modernisation, mais fut incapable de s'opposer à la colonisation française, achevée en 1887 (V. Cochinchine et Indochine française). Dès 1925, des troubles nationalistes éclatèrent. La Seconde Guerre mondiale fit évoluer la situation en provoquant une vacance de l'autorité française au profit du Viêt-minh. Après la capitulation japonaise, l'indépendance de la république démocratique du Viêt-nam est proclamée (2 sept. 1945) et Hô Chi Minh porté à sa tête (2 mars 1946). La France accepta de la reconnaître mais refusa d'y intégrer la Cochinchine, espérant rétablir dans tout le pays l'autorité de l'empereur Bao-Daï, dévoué à ses intérêts. Dès 1946, des affrontements éclatèrent entre une armée française mal adaptée aux conditions locales et le Front national vietnamien. En 1954, la défaite française s'acheva par la chute de Diên Biên Phu. Les accords de Genève (juil. 1954) séparèrent le pays en deux parties de part et d'autre du 17e parallèle : le N. (république démocratique du Viêt-nam), dirigé par le Viêt-minh; le S. (république du Viêt-nam), dirigé par Bao-Daï. Ce dernier fut déposé dès oct. 1955 par Ngô Dinh Diêm, qui instaura un régime autoritaire, soutenu par les É.-U. (juil. 1956). Les opposants au régime rejoignirent les rangs du Front national de libération (nom adopté en 1960), ou Viêt-cong, soutenu par le Viêt-nam du Nord. En nov. 1963, l'assassinat de Diêm ouvrit une période d'instabilité gouvernementale. Dès 1965, le président des É.-U., Johnson, décida d'intervenir directement contre le F.N.L. et le Viêt-nam du Nord. Les bombardements systématiques du N. (1965), l'exode massif des paysans du S. vers les villes n'empêchèrent pas le F.N.L. de lancer une vaste offensive au début de 1968. Devant le pourrissement de la guerre et la réprobation qu'elle suscita aux É.-U., les Américains entamèrent avec le Nord et le F.N.L. des négociations, qui restèrent sans effet (conférence de Paris, en mai 1968), et ne purent s'opposer à la formation d'un gouvernement révolutionnaire provisoire (G.R.P.) au Sud-Viêt-nam. En même temps, ils cherchèrent à se désengager en «vietnamisant» le conflit par la modernisation de l'armée du S. Les accords de Paris (1973), qui mirent fin à l'intervention directe des É.-U., prévoyaient le partage du S. entre des zones F.N.L. et des zones gouvernementales, ainsi que des élections générales. Mais dès janv. 1975, le G.R.P., appuyé puissamment par les forces du N., lança une offensive décisive, qui s'acheva, le 30 avril, par la prise de Saigon (rebaptisée Hô Chi Minh-Ville peu après). En avril 1976, des élections générales eurent lieu, et l'unification du pays fut officiellement proclamée (juil. 1976). Ravagé par la guerre, le Viêt-nam réunifié souffre en outre de la disparité des modes de vie et des mentalités au N. et au S. du pays, et le gouvernement ne parvient pas à enrayer l'exode de nombreux citoyens qui tentent de fuir le nouveau régime (un million et demi de personnes depuis 1975, le plus souvent par la mer [boat people]). Aligné sur l'U.R.S.S., dont l'aide économique lui était indispensable, le Viêt-nam s'est heurté à la volonté d'hégémonie régionale de son grand voisin, la Chine. La tension a été à son comble avec le conflit qui éclata, en 1978, entre le Viêt-nam et le régime des Khmers rouges (soutenu par Pékin); l'armée vietnamienne envahit le Kampuchéa en déc. 1978 et y installa un gouvernement favorable à Hanoi; en fév. 1979, la Chine intervint militairement dans le N. du Tonkin, pour «donner une leçon» au Viêt-nam. Il n'y eut pas d'autre incident grave jusqu'au début de janv. 1987, où de nouveaux affrontements eurent lieu à la frontière sino-vietnamienne. Le VIe et le VIIe congrès ont assuré la relève de la vieille garde du parti. Les troupes vietnamiennes se sont retirées du Cambodge* depuis 1989. Le Viêt-nam s'est réconcilié avec la Chine (1991), sans qu'ait pu être réglé le contentieux des frontières maritimes (îles Spratly), et a rétabli des relations diplomatiques avec les États-Unis (1995). En 1997, Phan Van Khai est devenu Premier ministre, Trân Duc Luong, chef de l'État, et le général Lê Kha Phiêu, secrétaire général du PC.

vietnamien, enne adj. et n. **1.** adj. Du Viêt-nam. ▷ Subst. *Un(e) Vietnamien(ne).* **2.** n. m. *Le vietnamien* : la langue parlée au Viêt-nam (langue monosyllabique à tons).

vieux ou **vieil** (devant une voyelle ou un *h* muet), **vieille,** plur. **vieux, vieilles** adj. et n. **I.** adj. **1.** Âgé. *Il est plus vieux que sa femme. Une vieille dame.* – *Par ext.* (Toujours avec un possessif.) *Vieux jours* : vieillesse. *Faire des économies pour ses vieux jours.* ▷ *Vieux garçon, vieille fille* : célibataire qui n'est plus de la première jeunesse. ▷ Fam. *Mon vieux,* se dit entre copains. – (Avec un mot péjoratif.) *Vieille baderne.* – (Avec un mot péjoratif employé par plaisant., dans une intention amicale.) *Comment vas-tu, vieille noix ?* **2.** Ancien, qui existe de longue date. *Une vieille maison de famille. Le bon vieux temps.* ▷ LING (Pour désigner un mot, une locution.) Qui n'est plus clairement compris et jamais produit spontanément dans la communication, sauf dans une intention d'archaïsme ou dans un emploi dialectal. **3.** Qui est tel depuis longtemps. *Un vieil ami. Une vieille habitude.* **4.** (Choses) Détérioré par le temps; usagé. *Une vieille paire de chaussures.* ▷ Se dit de certaines couleurs auxquelles on a donné une nuance passée, une patine imitant l'ancien. *Vieil or. Vieux rose.* **II.** n. **1.** Personne âgée (comporte une nuance quelque peu péjorative ou condescendante). *Un vieux, une vieille, les vieux. S'occuper des petits vieux.* ▷ Loc. *Un vieux de la vieille* : un vieux soldat de la Vieille Garde, un vétéran de la garde impériale, sous le Premier Empire; mod. une personne expérimentée, un vieux routier*. **2.** Pop. (En général avec un possessif.) Père, mère; parents. *Mon vieux, ma vieille. Ses vieux.* **3.** Fam. (Employé comme terme d'amitié.) *Comment ça va, ma vieille ? Bonjour, vieux !* **III.** n. m. **1.** Ce qui est vieux. *Faire du neuf avec du vieux.* **2.** Loc. fam. *Coup de vieux* : vieillissement subit. *Il a pris un drôle de coup de vieux.*

vieux-catholique, vieille-catholique adj. et n. RELIG CATHOL **1.** Se dit des catholiques des Pays-Bas (notam. d'Utrecht) qui refusèrent la condamnation autoritaire du jansénisme par le pape. **2.** Se dit des catholiques qui rejetèrent les dogmes proclamés au concile de Vatican I, et notam. celui de l'infaillibilité pontificale, et formèrent l'Église vieille-catholique (dissidente), qui compte auj. des fidèles en Suisse, en Hollande, aux É.-U., etc.

Vieux-Condé, com. du Nord (arr. de Valenciennes), sur l'Escaut; 10 939 hab. Houille. Métallurgie; constr. méca.

vieux-croyant n. m. RELIG Chrétien orthodoxe russe hostile aux réformes du patriarche Nikon. (V. raskol.) *Des vieux-croyants.*

vif, vive adj. et n. m. **I.** adj. **1.** Vivant, en vie (dans des loc.). *Brûlé vif. Plus mort que vif* : à demi mort ou très effrayé. **2.** Actif, alerte. *Enfant très vif.* **3.** (Choses) *Air vif,* vivifiant. – *Haie vive,* en pleine végétation. – *Eau vive* : eau qui coule, qui court. **4.** Aigu, intense. *Vif plaisir. De vifs applaudissements.* ▷ (Couleurs) Intense. *Bleu vif. Teinte vive.* **5.** Brusque, coléreux, emporté. *Vous avez été un peu vif et vous l'avez blessé.* **II.** n. m. **1.** *Le vif* : la chair vive. ▷ Loc. fig. *Couper, tailler, trancher dans le vif* : s'attaquer résolument à un problème, avec des moyens énergiques. – *Dans le vif du sujet* : en plein dans la question. – *Être atteint, blessé, piqué, touché au vif,* au point sensible. ▷ *À vif* : dont la chair est à nu. *Plaie à vif.* – Fig. *Avoir les nerfs à vif* : être très tendu, très nerveux. **2.** DR Personne vivante. *Donations entre vifs.* ▷ BX-A Vx Modèle vivant. – Loc. mod. fig. *Sur le vif* : d'après nature. *Expression saisie sur le vif.* **3.** PECHE *Pêcher au vif,* avec comme appât un petit poisson vivant.

vif-argent n. m. sing. Vx Mercure. ▷ Loc. fig. *C'est du vif-argent* : c'est une personne très vive, très active.

Vigan (Le), ch.-l. d'arr. du Gard, dans les Cévennes; 4 637 hab. Text. – Maisons des XVIIe et XVIIIe s. Pont gothique sur l'Arre (XVe s.).

Vigée-Lebrun (Louise Élisabeth Vigée, Mme) (Paris, 1755 – id., 1842), peintre français. Portraitiste de Marie-Antoinette, elle reçut également des commandes de Napoléon.

Vigevano, v. d'Italie (Lombardie); 65 230 hab. Centr. industr., comm. agricole.

vigie n. f. Marin placé en observation dans la mâture ou à l'avant d'un navire.

vigil, ile adj. MED De veille; qui se produit à l'état de veille. *État vigil. Coma vigil* : coma caractérisé par l'existence de réactions aux stimuli sensoriels.

vigilance n. f. Attention, surveillance active. *Redoubler de vigilance.*

vigilant, ante adj. Attentif, qui fait preuve de vigilance. *Gardien vigilant.* ▷ Qui dénote la vigilance. *Soins vigilants.*

1. vigile n. f. RELIG CATHOL Veille de grande fête. *La vigile de Noël, de la Pentecôte.* ▷ Office célébré un jour de vigile.

2. vigile n. m. **1.** ANTIQ ROM Chacun des gardes chargés de la surveillance nocturne de Rome. **2.** Mod. Veilleur de nuit. ▷ *Par ext.* Garde, dans certains lieux publics, certains grands ensembles d'habitation.

vigne n. f. **1.** Arbrisseau sarmenteux cultivé pour son fruit, le raisin, consommé tel ou dont on tire le vin. *Cep de vigne. La vigne est cultivée depuis 4 000 à 5 000 ans.* **2.** Terrain planté de vignes; vignoble. *Posséder une petite vigne.* ▷ *Pêche de vigne* : fruit du pêcher en plein vent. ▷ Loc. fig. Plaisant *Être dans les vignes du Seigneur* : être ivre. **3.** *Vigne blanche* : clématite. ▷ *Vigne vierge* : plante grimpante ornementale, qui s'accroche à son support par des vrilles ou des crampons selon les espèces et dont le feuillage prend en automne une teinte rouge intense.

vigne vierge du Japon : feuille et fruit

vigneau. V. vignot.

Vigneault (Gilles) (Natashquan, Québec, 1928), chanteur, compositeur et écrivain canadien. Une des têtes de file du mouvement culturel des années 70, il s'est fait le chantre, dans ses chansons *(Mon pays, les Gens de mon pays, la Manikoutai)* et ses poèmes, de l'identité québécoise.

Vignemale (le), point culminant (3 298 m) des Pyrénées françaises, à la frontière espagnole (au S. de Cauterets).

vigneron, onne n. et adj. **1.** n. Personne qui cultive la vigne et qui élève le vin. **2.** adj. Relatif à la vigne. *Pays vigneron.*

vignetage n. m. PHOTO Assombrissement des angles et des bords de l'image, dû à une imperfection de l'optique.

vignette n. f. **1.** Petite gravure placée en manière d'ornement sur la page de titre d'un livre ou au commencement et à la fin des chapitres (et qui représentait à l'origine des feuilles de vigne). **2.** Dessin d'encadrement de certaines gravures. **3.** *Par ext.* Étiquette servant de marque de fabrique ou constatant le paiement de certains droits. *Vignette fiscale.* – Absol. *La vignette* : la vignette de l'impôt sur les automobiles.

Vigneux-sur-Seine, ch.-l. de cant. de l'Essonne (arr. d'Évry), sur la Seine; 25 265 hab.

vignoble n. m. **1.** Terre plantée de vignes. **2.** Ensemble des vignes d'une région, d'un pays. *Le vignoble angevin.*

Vignola (Iacopo Barozzi, dit il), en fr. *le Vignole* (Vignola, prov. de Modène, 1507 – Rome, 1573), architecte italien. On lui doit : à Caprarola, la villa Farnèse (1547-1559); à Rome, l'égl. du Gesù (1568, façade bâtie après sa mort), modèle de la plupart des égl. de style jésuite (plan rectangulaire, une seule nef avec chapelles latérales, une coupole). Son *Traité des cinq ordres de l'architecture* (1562) fut longtemps utilisé comme ouvrage de référence.

Vignon (Claude) (Tours, 1593 – Paris, 1670), peintre français. Il affectionna les effets de clair-obscur inspirés du Caravage : *Crésus.*

vignot ou **vigneau** n. m. Bigorneau.

Vigny (Alfred, comte de) (Loches, 1797 – Paris, 1863), écrivain français. Jusqu'en 1827, capitaine dans la garde royale, il mena une vie de garnison monotone. En 1826, il publia les *Poèmes antiques et modernes* et un roman historique, *Cinq-Mars,* suivi de *Stello* (roman à thèse, 1832), *Chatterton* (drame, 1835), *Servitude et grandeur militaires* (récits, 1835). Très affecté par la perte de sa mère et sa rupture avec l'actrice Marie Dorval (1837), déçu par les milieux littéraires (discours offensant du comte Molé à l'Académie française) et par son échec à la députation en 1848, Vigny se retira en Charente dans son manoir du Maine-Giraud. *Les Destinées,* recueil posthume de poèmes philosophiques, furent publiées en 1864 (*la Mort du loup,* 1843; *la Maison du berger* et *le Mont des Oliviers,* 1844). L'œuvre de Vigny est empreinte d'un stoïcisme hautain, qui s'exprime en vers denses et dépouillés, souvent riches en symboles. Acad. fr. (1845).

Alfred de **Vigny**

saint **Vincent de Paul**

Vigo, port d'Espagne (Galice), sur l'Atlantique; 258 720 hab. Industr. mécaniques (auto.) et alimentaires (conserveries); chantier naval.

Vigo (Jean) (Paris, 1905 – id., 1934), cinéaste français. Son œuvre, critique violente de la coercition sociale, participe à la fois du réalisme et de la poétique surréaliste : *À propos de Nice* (1930), *Zéro de conduite* (1933), *l'Atalante* (1934). Depuis 1951, un *prix Jean-Vigo* est annuellement décerné à un film «qui se caractérise par l'indépendance de son esprit et la qualité de sa réalisation».

Jean **Vigo** : *l'Atalante,* 1934, avec Michel Simon et Dita Parlo

vigogne n. f. Mammifère camélidé des hautes terres des Andes *(Lama vicugna)* que les autochtones capturent pour sa laine. ▷ Laine de vigogne; tissu fait avec cette laine.

vigoureusement adv. Avec vigueur.

vigoureux, euse adj. **1.** Plein de vigueur, de force. *Un sportif vigoureux.* ▷ Par ext. *Plantes drues et vigoureuses.* **2.** Qui dénote la vigueur. *Résistance vigoureuse.* **3.** Actif, puissant, intense. *Parfum vigoureux.* ▷ BX-A Exécuté avec fermeté, netteté. *Un dessin vigoureux.*

vigueur n. f. **1.** Force physique, énergie. *Un jeune homme plein de vigueur.* ▷ Par ext. *Vigueur d'une plante.* **2.** Fermeté du cœur, de l'esprit, des facultés. *Vigueur d'un caractère.* **3.** Puissance, intensité. *Vigueur du style.* ▷ BX-A Caractère d'une peinture, d'un dessin exécutés avec netteté, fermeté. **4.** Loc. adj. *En vigueur :* encore appliqué au moment dont il est question; en usage. *La réglementation en vigueur.*

viguier n. m. **1.** HIST Officier de justice, en Provence et dans le Languedoc, sous l'Ancien Régime. **2.** Mod. Magistrat, en Andorre.

V.I.H. n. m. MED (Sigle pour *virus de l'immunodéficience humaine.*) Rétrovirus, présentant une grande affinité pour les lymphocytes et qui est l'agent du sida. Syn. H.I.V.

Vijayavada, v. de l'Inde (Āndhra Pradesh), sur la Kistnā; 701 000 hab. Centre industriel bénéficiant d'un barrage sur la Kistnā. – Pèlerinage hindouiste et bouddhique.

viking [vikiŋ] n. et adj. HIST *Les Vikings* ou *les Normands :* V. normand. ▷ adj. (inv. en genre) *Des royaumes vikings se constituèrent en Norvège et au Danemark.*

Viking, programme américain d'exploration du sol martien par des sondes automatiques. Le premier de ces engins s'est posé sur Mars en juillet 1976.

vil, vile adj. **1.** Vx De peu de valeur. ▷ Loc. mod. *À vil prix :* à un prix très bas. **2.** Litt. Bas, abject, méprisable. *Une action vile. Une âme vile.* ▷ (Choses) Grossier, bas, sans noblesse. *De viles besognes.*

Vila ou **Port-Vila,** cap. de la république de Vanuatu, dans l'île de Vaté; 15 100 hab.

vilain, aine adj. et n. **I.** adj. **1.** Méprisable. *Une vilaine action.* **2.** Laid. *Un homme très vilain. De vilaines mains.* **3.** Mauvais. *Vilain temps.* – Ellipt. *Il fait vilain.* ▷ D'apparence inquiétante. *Une vilaine toux. Une vilaine blessure.* ▷ n. m. (en loc.) *Ça va faire du vilain,* du scandale, du grabuge. *Discussion qui tourne au vilain,* qui dégénère en querelle, en rixe. **4.** (Surtout en s'adressant à un enfant.) Qui ne se conduit pas comme il faut; indocile, turbulent. *Puisque tu as été vilain, tu n'auras pas de dessert.* ▷ Subst. *En voilà une vilaine!* **II.** n. m. HIST Paysan libre au Moyen Âge. – Prov. *Jeu de main, jeu de vilain :* V. jeu (sens I).

Vilaine (la), fl. de France (225 km), tributaire de l'Atlantique; arrose Vitré, Rennes et Redon.

vilainement adv. D'une vilaine manière.

Vila Nova de Gaia, v. du Portugal (aggl. de Porto), sur le Douro; 62 470 hab. Comm. des vins de Porto.

Vilar (Jean) (Sète, 1912 – id., 1971), acteur et metteur en scène français de théâtre. Directeur du Théâtre national populaire (T.N.P.) de 1951 à 1963, il anima le festival d'Avignon à partir de 1947, insufflant une nouvelle jeunesse au répertoire classique.

Vildrac (Charles Messager, dit Charles) (Paris, 1882 – Saint-Tropez, 1971), écrivain français, auteur de poèmes et de drames intimistes : *le Paquebot «Tenacity»* (1920), *la Brouille* (1930).

vilebrequin n. m. **1.** Outil à main pour le perçage du bois, constitué d'une pièce métallique quatre fois coudée munie d'un mandrin auquel s'adaptent des mèches. **2.** MECA Arbre coudé. ▷ *Spécial.* Arbre coudé qui transforme le mouvement alternatif des pistons d'un moteur à explosion en mouvement rotatif.

vilenie n. f. Litt. **1.** Action vile, basse. *Commettre une vilenie.* **2.** Caractère vil (de qqn, de qqch).

vilipender v. tr. [1] Litt. Décrier, dénoncer comme méprisable.

villa n. f. **1.** HIST Domaine rural (Italie antique, Gaule romaine, Gaule mérovingienne, Gaule carolingienne). **2.** Mod. Maison individuelle avec un jardin. ▷ Impasse bordée de telles maisons.

Villa (Doroteo Arango, dit Pancho) (San Juan del Río, État de Durango, 1878 – près de Parral, État de Chihuahua, 1923), révolutionnaire mexicain. À la tête d'une véritable armée de cavaliers, il affronta le gouvernement en place, de 1910 à 1920, prenant Mexico en 1914, puis échappant au corps expéditionnaire des É.-U. (intervenu dans le N. du pays). Il fut assassiné.

Villafranca di Verona, v. d'Italie (Vénétie), prov. de Vérone; 24 340 hab. – Napoléon III et François-Joseph y signèrent l'armistice qui mit fin à la guerre d'Italie (1859).

villafranchien, enne adj. et n. m. GEOL De la première partie du quaternaire, au cours de laquelle les mammifères du tertiaire évoluèrent vers les formes actuelles. ▷ n. m. *Le villafranchien.*

village n. m. **1.** Petite agglomération rurale. **2.** Ensemble des habitants d'un village. *Tout le village était rassemblé devant la mairie.*

villageois, oise n. et adj. **1.** n. Habitant d'un village. **2.** adj. De village. *Fête villageoise.*

Villa Hermosa, v. du Mexique, cap. d'État (*Tabasco*); 158 220 hab. Centre agricole. À proximité, import. gisements pétrolifères.

Villa-Lobos (Heitor) (Rio de Janeiro, 1887 – id., 1959), compositeur brésilien. Musicien autodidacte, organisateur enthousiaste de la vie musicale au Brésil, il s'est inspiré du folklore de son pays : quatorze *Choros* (1920-1928), neuf *Bachianas brasileiras* (1930-1945), symphonies, ballets, musique de chambre, etc.

Villandry, com. d'Indre-et-Loire (arr. de Tours), sur le Cher; 778 hab. – Chât. rebâti v. 1532 pour Jean Le Breton, secrétaire d'État de François Ier, sur l'emplacement d'un chât. féodal. Beaux jardins reconstitués dans le style du XVIe s.

villanelle n. f. Didac. **1.** Poésie ou chanson pastorale; danse qu'elle accompagnait. **2.** Poème à forme fixe (XVIe s.) composé de tercets alternant avec un refrain de deux vers, et se terminant par un quatrain.

Villard de Honnecourt (première moitié du XIIIe s.), maître d'œuvre et dessinateur français. Son carnet de croquis est un document capital sur l'art des bâtisseurs de cathédrales ainsi que sur la vie quotidienne au Moyen Âge.

Villard (Paul Ulrich) (Lyon, 1860 – Bayonne, 1934), physicien français. En

1900, il découvrit l'émission de rayons gamma.

Villard-de-Lans, ch.-l. de cant. de l'Isère (arr. de Grenoble); 3 497 hab. Stat. climatique et de sports d'hiver (1 043 m).

Villaret de Joyeuse (Louis Thomas, comte de) (Auch, 1750 – Venise, 1812), amiral français. Il s'illustra contre les Anglais au cours de la bataille navale de Brest (1794).

Villars (Claude Louis Hector, duc de) (Moulins, 1653 – Turin, 1734), maréchal de France. Il se distingua notam. contre les impériaux dans la guerre de la Succession d'Espagne (1701-1714); sa victoire de Denain (1712) permit à la France de négocier dans de bonnes conditions le traité de Rastatt (1714). Acad. fr. (1714).

Villaurutia (Xavier) (Mexico, 1903 – id., 1950), poète mexicain : *Reflets* (1926), *la Nostalgie de la mort* (1938).

ville n. f. **1.** Agglomération importante (à la différence du village, du hameau, du bourg) dont les habitants exercent en majorité des activités non agricoles (commerce, industrie, administration). *Ville ouverte, fortifiée. Bâtir, fonder une ville. Ville nouvelle* : ville créée près d'un centre urbain important, offrant à ses habitants une structure d'accueil complète (emplois, services, loisirs), afin de favoriser la décentralisation. *Ville-dortoir*. La Ville éternelle* : Rome. *La Ville Lumière* (c.-à-d. au grand rayonnement culturel) : Paris. *Hôtel de ville* : siège des autorités municipales. **2.** Loc. *À la ville, en ville* : au-dehors, dans la ville (par oppos. à *chez soi*). *Dîner en ville.* ▷ *En ville* (abrév. : E.V.), dans la suscription d'une lettre que l'on n'adresse pas par la poste. *Monsieur Untel, E.V.* **3.** Population de la ville. *Toute la ville est en fête.* **4.** Loc. *Tenue, vêtements de ville,* que l'on porte ordinairement pour sortir dans la journée (par oppos. à *de sport, de travail, de soirée*).

ville-centre n. f. Ville qui constitue le centre d'une agglomération. *Des villes-centres.*

Ville-d'Avray, com. des Hauts-de-Seine (arr. de Boulogne-Billancourt); 11 645 hab. – Égl. du XVIIIe s. (fresques de Corot).

Villefontaine, ch.-l. de cant. de l'Isère (arr. de La Tour-du-Pin); 16 295 hab.

Villefranche-de-Rouergue, ch.-l. d'arr. de l'Aveyron, sur l'Aveyron; 13 301 hab. (*Villefranchois*). Industr. alimentaires. – Égl. Notre-Dame (XIVe-XVe s.). Hospice installé dans une chartreuse du XVe s. Maisons anciennes.

Villefranche-sur-Mer (*Villefranche* jusqu'en 1988), ch.-l. de cant. des Alpes-Mar. (arr. de Nice), sur le golfe de Gênes; 8 123 hab. – Ville anc. pittoresque; station balnéaire.

Villefranche-sur-Saône, ch.-l. d'arr. du Rhône, sur le Morgon, près de la Saône; 29 889 hab. (*Caladois*). Comm. des vins du Beaujolais. Industr. méca., alimentaires. – Égl. N.-D.-des-Marais (XIIe, XIVe et XVIe s.).

villégiature n. f. **1.** Séjour de vacances à la campagne (et, par ext., au bord de la mer, etc.). *Être en villégiature à...* **2.** Endroit de ce séjour.

Villehardouin (Geoffroi de) (chât. de Villehardouin, près de Troyes, v. 1150 – en Thrace, v. 1213), chroniqueur français. Maréchal de Champagne, il prit une part importante à la 4e croisade (1202-1204), dont il tenta de justifier le détournement dans *Histoire de la conquête de Constantinople* (v. 1207). – **Geoffroi Ier de Villehardouin,** neveu du préc. (V. Geoffroi Ier de Villehardouin.)

Villejuif, ch.-l. de cant. du Val-de-Marne (arr. de L'Haÿ-les-Roses); 48 761 hab. Centres hospitaliers.

Villèle (Jean-Baptiste Guillaume Joseph, comte de) (Toulouse, 1773 – id., 1854), homme politique français. Chef des ultras* sous la Restauration, président du Conseil (1822), il fit voter en 1825, sous la pression de son parti, la loi impopulaire sur le « milliard des émigrés » (ainsi fortement indemnisés). L'échec d'une autre loi restreignant la liberté de la presse l'amena à dissoudre la Chambre des députés (1827). Devant la victoire de l'opposition libérale, il démissionna (1828).

Villemain (Abel François) (Paris, 1790 – id., 1870), universitaire et homme politique français. Promoteur de la critique historique, il s'intéressa à la littérature comparée : *Cours de littérature française* (1828-1829), *Études de littérature ancienne et étrangère* (1846). Ministre de l'Instruction publique de 1839 à 1844. Acad. fr. (1821).

Villemomble, ch.-l. de canton de la Seine-St-Denis (arr. de Bobigny); 27 000 hab.

Villena (Enrique de Aragón, dit marquis de) (Torralba, 1384 – Madrid, 1434), écrivain espagnol. Il introduisit dans son pays les formes poétiques chères aux troubadours provençaux : *Arte de trovar* (1433).

Villenave-d'Ornon, ch.-l. de canton de la Gironde (arr. de Bordeaux), sur la Garonne; 25 957 hab. Vins (graves); matériel de vinification.

Villeneuve (Pierre Charles de) (Valensole, 1763 – Rennes, 1806), marin français. Vice-amiral, commandant de l'escadre des Antilles (1804), il fut vaincu par Nelson à Trafalgar (21 oct. 1805) et se suicida.

Villeneuve-d'Ascq, ch.-l. de cant. du Nord, v. nouvelle de la conurbation de Lille (fusion, en 1970, des communes d'Annappes, Ascq et Flers-lez-Lille); 65 695 hab. Industr. alim., électr., etc. – Centre universitaire. Musée d'art moderne.

Villeneuve-la-Garenne, ch.-l. de cant. des Hauts-de-Seine (arr. de Nanterre); 23 872 hab. (*Villeno-Garennais*). Industr. métallurgiques; emballages.

Villeneuve-le-Roi, ch.-l. de cant. du Val-de-Marne (arr. de Créteil), sur la Seine; 20 378 hab.

Villeneuve-lès-Avignon, ch.-l. de cant. du Gard (arr. de Nîmes), sur le Rhône, en face d'Avignon; 10 785 hab. – Égl. Notre-Dame (XIVe s.), de style gothique méridional, renfermant une vierge en ivoire du XIVe s. Chartreuse du Val-de-Bénédiction (XIVe s.). Fort St-André (XIVe s.). Musée (*Couronnement de la Vierge,* par Enguerrand Charonton, 1453).

Villeneuve-Loubet, com. des Alpes-Mar. (arr. de Grasse); 11 625 hab. – Électron. – Château féodal restauré. Musée Escoffier de l'Art culinaire.

Villeneuve-Saint-Georges, ch.-l. de cant. du Val-de-Marne (arr. de Créteil), au confl. de la Seine et de l'Yerres; 27 476 hab. Ville résidentielle. Centre ferroviaire.

Villeneuve-sur-Lot, ch.-l. d'arr. du Lot-et-Garonne, sur le Lot; 23 760 hab. Conserveries. – Porte de Paris (XIIIe-XVe s.). Pont-Vieux (XIIIe s.). Maisons anciennes.

Villeparisis, com. de Seine-et-Marne (arr. de Meaux); 18 925 hab.

Villepinte, ch.-l. de cant. de la Seine-St-Denis (arr. du Raincy); 30 412 hab. Parc des expositions.

Villequier, com. de la Seine-Maritime (arr. de Rouen), sur la Seine; 831 hab. – Dans le cimetière, tombes de Léopoldine Hugo et de son mari, Charles Vacquerie, noyés dans la Seine en 1843.

Villermé (Louis René) (Paris, 1782 – id., 1863), médecin et sociologue français; auteur d'une enquête sur le monde ouvrier (*Tableau de l'état physique et moral des ouvriers dans les fabriques de coton, de laine et de soie,* 1840) qui inspira la loi de 1841 limitant le travail des enfants.

Villeroi (Nicolas de Neufville, seigneur de) (Paris, 1542 – Rouen, 1617), secrétaire d'État chargé de la diplomatie sous Henri IV (1594). – **Nicolas,** marquis puis duc de Villeroi (Paris, 1598 – id., 1685), petit-fils du préc.; maréchal de France. Il fut le gouverneur de Louis XIV. – **François,** duc de Villeroi (Lyon, 1644 – Paris, 1730), fils du préc.; maréchal de France. Il perdit de nombr. batailles (notam. pendant la guerre de la Succession d'Espagne). Membre du Conseil de régence et gouverneur de Louis XV (1717-1722); le Régent l'exila (1722-1724).

Villers-Cotterêts, ch.-l. de cant. de l'Aisne (arr. de Soissons), entouré par la *forêt domaniale de Villers-Cotterêts* (ou *de Retz**); 8 904 hab. Petites industries. – Égl. du XIIe s. Chât. du XVIe s. – Point extrême de l'avance allemande sur Paris lors de l'offensive stoppée en mai 1918.

Villers-Cotterêts (ordonnance de), ordonnance promulguée en 1539 par François Ier, qui imposa le français à la place du latin dans les actes judiciaires et notariés.

Villers-lès-Nancy, commune de Meurthe-et-Moselle (arr. de Nancy); 16 601 hab.

Villerupt, ch.-l. de cant. de Meurthe-et-Moselle (arr. de Briey); 10 139 hab. Sidérurgie.

Villetaneuse, com. de la Seine-St-Denis (arr. de Bobigny); 11 194 hab. – Université.

Villette (abattoirs de **la**), anc. abattoirs parisiens (XIXe arr.) alimentés par un marché de bétail sur pied. Vétustes, ces abattoirs ont été détruits en 1959 pour faire place à un marché national de la viande. Mais, concurrencés par le marché de Rungis, les équipements très perfectionnés mis en place en 1962 ont dû être abandonnés en 1974.

Villette (parc de la), établissement public parisien (XIXe arr.) créé en 1979 pour aménager le site des anc. abattoirs. Le parc couvre 35 ha. Au N. du site, la Cité des sciences et de l'industrie, inaugurée en 1986, est l'œuvre de l'architecte Adrien Fainsilber, qui réalisa aussi la Géode, voisine, qui contient une vaste salle de cinéma hémisphérique. La Cité comprend de nombr. salles d'exposition, un inventorium (espace de découverte réservé aux

la Villette : la géode (à g.) et la Cité des sciences et de l'industrie

enfants), un planétarium, une médiathèque. Au S., le nouveau Conservatoire national de musique fut inauguré en 1990.

Villeurbanne, ch.-l. de cant. du Rhône (arr. et banlieue E. de Lyon); 119 848 hab. Important centre industriel (constr. mécaniques; textile, etc.). – Théâtre national populaire.

villeux, euse adj. Didac. Qui présente des villosités.

Villiers de L'Isle-Adam (Auguste, comte de) (Saint-Brieuc, 1838 – Paris, 1889), écrivain français. Ami de Mallarmé, proche du symbolisme, méprisant le progrès, l'argent et la science, il a exprimé, allant jusqu'à l'emphase, son désir d'absolu : *Contes cruels* (1883), *l'Ève future* (1886), *Tribulat Bonhomet* (1887), *Histoires insolites* (1888), *Axel* (drame, posth., 1890).

Villiers-le-Bel, ch.-l. de cant. du Val-d'Oise (arr. de Montmorency); 26 223 hab. Industr. méca. – Église des XIIIe, XVe et XVIe s.

Villiers-sur-Marne, com. du Val-de-Marne (arr. de Nogent-sur-Marne); 22 815 hab. – Église du XVIe s.

Villon (François) (Paris, 1431 – ?, ap. 1463), poète français. Bachelier en 1449, maître ès arts en 1452, Villon mena alors une vie désordonnée. En 1455, provoqué par un prêtre, il le blessa mortellement et s'enfuit de Paris. Alors qu'il composait les poèmes en octosyllabes du *Lais* ou *Petit Testament* (fin 1456), il s'était associé à une bande de malandrins, les Coquillards, et fut emprisonné à Meung-sur-Loire (1461). À l'avènement de Louis XI, une amnistie le libéra. Rentré à Paris, il écrivit *le Grand Testament* (1461), bilan amer et narquois de sa vie. En 1462, condamné à la pendaison par le prévôt de Paris, Villon fit appel et le parlement commua sa peine en bannissement; le procès lui inspira la *Ballade des pendus*. Après 1463, on perd sa trace. Agressif envers les puissants, tendre à l'égard de ses frères de misère, tour à tour vindicatif et caressant, mélancolique et goguenard, Villon est le premier poète moderne.

gravure sur bois illustrant *les Trois Pendus*, de François **Villon**, XVe s. (?); bibliothèque de Chantilly

Villon (Gaston Duchamp, dit Jacques) (Damville, Eure, 1875 – Puteaux, 1963), peintre et graveur français; frère du peintre Marcel Duchamp et du sculpteur Raymond Duchamp-Villon. Il travailla tout d'abord pour des journaux (*l'Assiette au beurre*, *Gil Blas*, etc.). Vers 1911, il commença à peindre à la manière cubiste selon une conception très personnelle, fondée sur le nombre d'or, avec le souci de rendre le mouvement (*les Soldats en marche*, 1913). Entre 1919 et 1922, sa manière s'approcha beaucoup de l'abstraction, mais sans jamais perdre la référence au réel (*le Cheval de course*, *l'Équilibre rouge*); il continua toute sa vie à puiser son inspiration dans la nature : *les Moissons* (1943), *l'Entrée du parc* (1948), *la Loire à Beaugency* (1959).

Jacques **Villon** : *l'Orée du parc*, 1958; musée d'Art et d'Industrie, Saint-Étienne

villosité n. f. **1.** BOT, ZOOL État d'une surface velue. **2.** ANAT Chacune des petites saillies en doigt de gant qui donnent un aspect velu à certaines surfaces. *Villosités de la muqueuse intestinale.*

Vilmorin (Louise Levêque de) (Verrières-le-Buisson, Essonne, 1902 – id., 1969), femme de lettres française. Elle est l'auteur de poèmes féeriques et impulsifs (*Fiançailles pour rire*, 1939) et de romans montrant la tragi-comédie de la vie (*Madame de*, 1951; *la Lettre dans un taxi*, 1958), ainsi que du scénario des *Amants* de Louis Malle.

Vilnius, cap. de la Lituanie; 579 000 hab. Constr. mécaniques et électriques. – Ruines d'un chât. médiéval; égl. St-Pierre-et-St-Paul (XVIIe s.). – La ville fut polonaise (sous le nom de *Wilno*) de 1920 à 1939.

Vilvorde (en néerl. *Vilvoorde*), v. de Belgique (Brabant); 33 260 hab. Industr. diverses (notam. montage de voitures). – Égl. des XIVe et XVe s.

Vimeu (le), région de Picardie comprise entre la Somme et la Bresle. Riche région agricole. Élevage.

Viminal (mont), une des sept collines de Rome (à l'E.). Thermes de Dioclétien.

Vimy, ch.-l. de cant. du Pas-de-Calais (arr. d'Arras); 4 594 hab. – Violents combats en 1915 et 1917. Mémorial franco-canadien.

vin n. m. **1.** Boisson alcoolisée obtenue par fermentation du jus de raisin. *Vin blanc, rosé, rouge. Vin mousseux. Vin de table*, de consommation courante. ▷ Loc. *Vin d'honneur* : réception offerte pour honorer qqn, qqch. – Fig., fam. *Mettre de l'eau dans son vin* : se modérer dans ses opinions; rabattre de ses prétentions. – *Être entre deux vins*, à moitié ivre. – *Cuver son vin* : dormir après s'être enivré. – *Avoir le vin gai, mauvais, triste* : être gai, méchant, triste lorsqu'on a bu. – Prov. *Quand le vin est tiré, il faut le boire* : lorsqu'une affaire est engagée, il faut la mener à son terme, en acceptant d'en supporter les conséquences. **2.** LITURG CATHOL Une des deux espèces sous lesquelles se fait la consécration*. *Consacrer le pain et le vin.* **3.** MED *Tache de vin* : angiome*. **4.** Boisson alcoolisée obtenue par fermentation d'un produit végétal. *Vin de palme.*

Viña del Mar, v. du Chili (prov. et aggl. de Valparaíso), sur le Pacifique; 297 290 hab. Stat. balnéaire.

vinage n. m. Addition d'alcool à un vin pour en augmenter la teneur alcoolique.

vinaigre n. m. **1.** Liquide riche en acide acétique obtenu par fermentation du vin, d'autres liquides alcoolisés ou de diverses solutions sucrées, et employé comme condiment. *Assaisonnement à l'huile et au vinaigre.* – *Mère du vinaigre.* V. mère. **2.** Loc. fig. *Cela tourne au vinaigre* : cela tourne mal. – Fam. *Faire vinaigre* : se dépêcher. – Prov. *On ne prend pas les mouches avec du vinaigre* : la douceur, l'amabilité réussissent mieux que l'âpreté, la rudesse.

vinaigrer v. tr. [1] Assaisonner avec du vinaigre.

vinaigrerie n. f. **1.** Fabrique de vinaigre. **2.** Industrie, commerce du vinaigre.

vinaigrette n. f. **1.** Sauce faite avec du vinaigre, de l'huile et divers condiments. *Bœuf à la vinaigrette.* **2.** Anc. Petite voiture à deux roues, ressemblant à la chaise à porteurs.

vinaigrier n. m. **1.** Fabricant, marchand de vinaigre. **2.** Flacon destiné à contenir du vinaigre. **3.** BOT Autre nom d'un sumac.

vinasse n. f. **1.** TECH Liquide restant après qu'on a enlevé par distillation l'alcool des liqueurs alcooliques. **2.** Cour., péjor. Mauvais vin.

Vincennes, ch.-l. de cant. du Val-de-Marne (arr. de Nogent-sur-Marne); 42 651 hab. Ville résidentielle. Industr. diverses. – Au S. de la ville, le *bois de Vincennes* (qui fait partie de la Ville de Paris) abrite l'hippodrome, l'Institut national des sports, le parc zoologique et le parc floral. – Chât. fort, anc. résidence royale construite de 1364 à 1373 (par Charles V), transformée par Le Vau pour Mazarin, et entourée d'une enceinte rectangulaire que borde un large fossé (où fut exécuté le duc d'Enghien en 1804). Au XVIIe s., le donjon devint une prison d'État. La sainte-chapelle (fin du XIVe s.-déb. du XVIe s.) est de style gothique flamboyant (verrières du XVIe s.).

Vincent de Beauvais (?, v. 1190 – Beauvais, 1264), dominicain français, conseiller de Saint Louis, auteur d'une import. encyclopédie, le *Speculum majus* (v. 1244).

Vincent (Hyacinthe) (Bordeaux, 1862 – Paris, 1950), médecin français; spécialiste de bactériologie et d'épidémiologie. ▷ MÉD *Angine de Vincent* : amygdalite aiguë ulcéreuse.

Vincent de Paul (saint) (Pouy, auj. Saint-Vincent-de-Paul, près de Dax, 1581 – Paris, 1660), prêtre français. Fils de paysans landais, il étudia chez les cordeliers de Dax, puis à l'université de Toulouse. Prêtre en 1600, aumônier de Marguerite de Valois (1610), curé de Clichy (1612), de Châtillon-sur-Chalaronne (1617), enfin aumônier général des galères (1619), il prit conscience de l'immense misère du peuple et créa de nombr. œuvres de charité, dont la Société des Prêtres de la Mission (1625), ou *lazaristes*, et la communauté des Filles de la Charité (1633), qu'il fonda avec Louise de Marillac et qui fut dite plus tard congrégation des sœurs de Saint-Vincent-de-Paul. Il fut canonisé en 1737. ► illustr. page **1979**

Vinci. V. Léonard de Vinci.

Vindex (Caius Julius) (Ier s. apr. J.-C.), général romain d'origine gauloise. Propréteur (gouverneur) de la Séquanaise, il se rebella contre Néron et soutint Galba (68). Vaincu, il se tua.

vindicatif, ive adj. Enclin à la vengeance. *Caractère vindicatif.*

vindicativement adv. Litt. D'une manière vindicative.

vindicte n. f. DR *Vindicte publique* : poursuite d'un crime au nom de la société. – Litt. *Désigner qqn à la vindicte publique*, l'accuser publiquement.

viner v. tr. [1] Ajouter de l'alcool à (un vin, un moût).

vineux, euse adj. **1.** Qui a la couleur, l'odeur, le goût du vin. *Rouge vineux.* **2.** Vx. Riche en vin. *Région vineuse.* **3.** *Vin vineux*, riche en alcool.

vingt [vɛ̃] se prononce [vɛ̃t] dans les nombres et en liaison (ex. *vingt-neuf* [vɛ̃tnœf], *vingt et un* [vɛ̃teœ̃]) adj. et n. m. **I.** adj. num. **1.** (Cardinal) Deux fois dix (20). *Vingt mois.* ▷ *Je vous l'ai dit vingt fois*, de nombreuses fois. **2.** (Ordinal) Vingtième. *Page vingt.* – Ellipt. *Le vingt juin.* **II.** n. m. Le nombre vingt. *Deux fois vingt.* ▷ Chiffres représentant le nombre vingt (20). ▷ Numéro vingt. *Jouer le vingt.* ▷ *Le vingt* : le vingtième jour du mois. *Payer le vingt.*

vingtaine [vɛ̃tɛn] n. f. Nombre de vingt environ. *Une vingtaine d'absents.*

vingt-deux! interj. Fam. Attention! *Vingt-deux, v'là les flics!*

vingt-et-un n. m. inv. Jeu de hasard, proche du black-jack.

vingtième adj. et n. **I.** adj. num. ord. Dont le rang est marqué par le nombre 20. *Le vingtième jour. Le vingtième siècle*, ou, ellipt., *le vingtième.* **II.** n. **1.** Personne, chose qui occupe la vingtième place. *Le vingtième et dernier de la classe.* **2.** n. m. Chaque partie d'un tout divisé en vingt parties égales. *Le vingtième d'une somme.*

vingt-quatre adj. numér. *Vingt-quatre heures* : un jour plein.

vini-. Élément, du lat. *vinum*, « vin ».

vinicole adj. Relatif à la culture de la vigne, à la production du vin.

viniculture n. f. Ensemble des activités concernant le vin (production, conservation, vente).

vinifère adj. Didac. Qui produit du vin.

vinification n. f. Opérations qui transforment le moût en vin.

vinifier v. tr. [2] Opérer la vinification de.

Vinland, nom donné par les Vikings à la terre d'Amérique du Nord reconnue vers l'an 1000 par Leiv Eriksson et située vraisemblablement entre l'Hudson et la Nouvelle-Écosse.

Vinnitsa, v. d'Ukraine, en bordure du plateau de la Podolie; 367 000 hab. Centre industriel.

Vinogradov (Ivan Matveïevitch) (Milolioub, 1891 – Moscou, 1983), mathématicien soviétique. Il fit progresser la théorie des nombres.

vinosité n. f. Caractère d'un vin vineux.

vintage n. m. **1.** Vin, en partic. porto, exceptionnel par son millésime, son vieillissement. **2.** PHOTO Tirage contemporain de la prise de vue, effectué par le photographe ou sous son contrôle.

Vintimille (en ital. *Ventimiglia*), v. d'Italie (prov. d'Imperia), sur la Riviera, à la frontière française; 26 300 hab. Comm. de fleurs.

vinyle n. m. **1.** CHIM *Radical vinyle* : radical monovalent $CH_2=CH-$. ▷ Corps qui contient ce radical. *Le polychlorure de vinyle est une matière plastique très utilisée.* **2.** Disque noir (en vinylite), par oppos. aux disques compacts.

vinylique adj. CHIM, TECH Se dit des corps contenant le radical vinyle.

vinylite n. f. (Nom déposé.) TECH Résine vinylique utilisée notam. dans la fabrication des disques microsillons.

vioc, vioque adj. et n. Pop. Vieux.

viol n. m. **1.** Acte de violence par lequel une personne non consentante est contrainte à des relations sexuelles. **2.** Action de violer. *Viol des lois.*

violacé, ée adj. et n. **1.** adj. D'une couleur tirant sur le violet. *Visage violacé.* **2.** n. f. pl. Famille de dicotylédones pariétales comprenant les violettes, les pensées ainsi que des arbustes tropicaux. – Sing. *Une violacée.*

violacer v. tr. [12] Rendre violet ou violacé. ▷ v. pron. *Peau qui se violace.*

violateur, trice n. **1.** Personne qui viole, profane. **2.** Vx ou DR Violeur.

violation n. f. Action de violer (sens 1 et 2). *Violation d'un droit, de domicile.*

viole n. f. Instrument de musique à archet, monté de 3 ou 4 cordes (*viole de bras*) ou de 6 ou 7 cordes (*viole de gambe*, tenue entre les genoux), ancêtre du violon et du violoncelle.

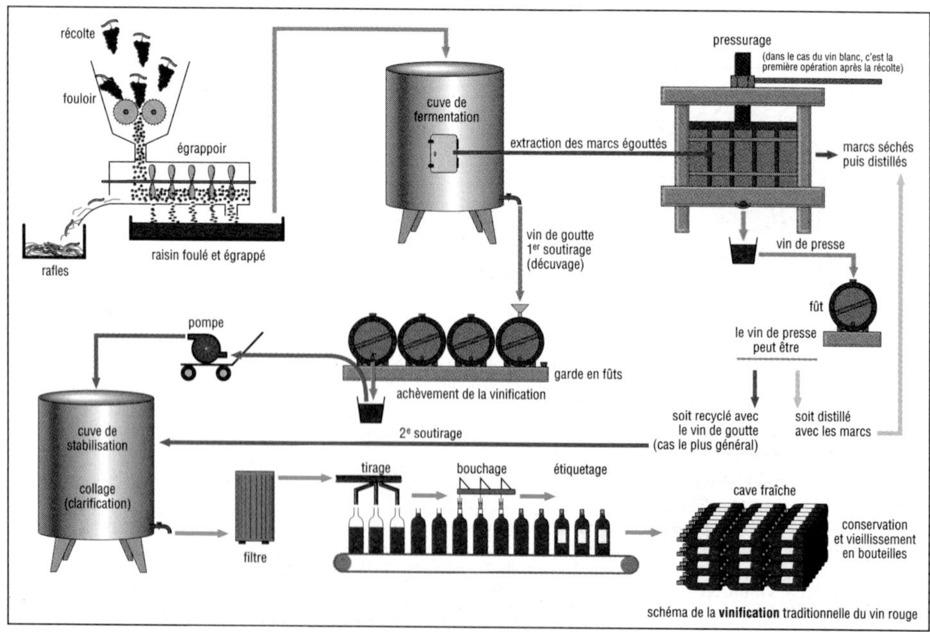

schéma de la **vinification** traditionnelle du vin rouge

violemment [vjɔlamɑ̃] adv. **1.** Avec violence. *Arracher violemment.* ▷ Avec impétuosité. *Répliquer violemment.* **2.** Avec ardeur. *Haïr violemment.*

violence n. f. **1.** Force brutale exercée contre quelqu'un. *User de violence.* – DR Contrainte illégitime, physique ou morale. ▷ *Faire violence à qqn,* le contraindre par la force ou l'intimidation. – *Faire violence à une femme,* la violer. – *Se faire violence :* se contraindre, se contenir. – *Se faire une douce violence :* accepter une chose agréable refusée jusque-là pour la forme. – Fig. *Faire violence à un texte,* en forcer le sens. **2.** (Plur.) Actes de violence. *Avez-vous eu à subir des violences ?* **3.** Brutalité du caractère, de l'expression. *Réprimer sa violence. Violence verbale.* **4.** (Choses) Intensité, force brutale (d'un phénomène naturel, d'un sentiment, etc.). *Violence du vent, des passions.*

violent, ente adj. (et n.) **1.** Brutal, emporté, irascible. *Un homme violent.* – Par ext. *Une scène violente.* ▷ Subst. *C'est un violent.* **2.** D'une grande force, d'une grande intensité. *Une violente explosion. Une douleur violente.* **3.** Qui nécessite de la force, de l'énergie. *Un effort violent.* ▷ *Mort violente,* causée par un acte de violence ou un accident. **4.** Fam. Excessif, intolérable. *C'est un peu violent !*

violenter v. tr. [1] **1.** Vx Contraindre par la violence. – Mod. *Violenter une femme,* la violer. **2.** Litt. Faire violence à. *Violenter une loi.*

violer v. tr. [1] **1.** Enfreindre, agir contre. *Violer la loi.* – *Violer un engagement,* ne pas le respecter. – *Violer un secret,* le trahir. **2.** Pénétrer (dans un lieu sacré ou interdit); profaner. *Violer un sanctuaire, une sépulture.* – *Violer les consciences,* forcer leur secret, les amener de force à certaines idées. **3.** Faire subir un viol (sens 1) à. *Violer une femme, un enfant.*

violet, ette adj. et n. m. **1.** adj. D'une couleur résultant d'un mélange de bleu et de rouge (radiations lumineuses dont la longueur d'onde avoisine 0,4 µm). ▷ n. m. Couleur violette. *Un violet clair.* **2.** n. m. Syn. de *figue* de mer.*

violette n. f. **1.** Plante herbacée (fam. violacées) à fleurs violettes ou blanches, au parfum suave et pénétrant. **2.** *Bois de violette :* palissandre du Brésil, utilisé surtout en marqueterie.

violette odorante

violeur, euse n. Personne qui commet, qui a commis un viol (sens 1).

violier n. m. Nom cour. de la giroflée rouge (*Matthiola incana*) et de la giroflée jaune (*Cheirantus cheiri*).

violine adj. D'une couleur violet pourpre. *Rideau violine.*

violiste n. Musicien joueur de viole.

Viollet-le-Duc (Eugène Emmanuel) (Paris, 1814 – Lausanne, 1879), architecte français. Spécialiste, voire promoteur, de la restauration d'édifices célèbres, qu'il sauva de la ruine : abbatiale de Vézelay, Ste-Chapelle de Paris, N.-D. de Paris, basilique de Saint-Denis, St-Sernin de Toulouse, remparts de Carcassonne, cath. d'Amiens, de Chartres, de Reims, etc. Partant du principe que « restaurer, c'est rétablir dans un état complet, qui peut n'avoir jamais existé à un moment donné », il usa d'une méthode rationaliste (dans l'esprit du positivisme de l'époque) qui l'amena à prendre des partis contestables (chât. de Pierrefonds). Il écrivit de nombr. ouvrages, notam. un *Dictionnaire raisonné de l'architecture française du XI*[e] *au XVI*[e] *siècle* (10 vol., 1854-1868); ses thèses sur le fonctionnalisme (*Entretiens sur l'architecture,* 2 vol., 1863-1872) ont exercé une grande influence (Horta, Gaudí, Sullivan).

Viollet-le-Duc

Antonio **Vivaldi**

violon n. m. **I. 1.** Instrument de musique à quatre cordes accordées par quintes (sol, ré, la, mi) et à archet. ▷ Loc. fig. *Accorder ses violons :* se mettre d'accord. – *Violon d'Ingres :* activité (artistique, notam.) exercée avec assiduité en dehors de sa profession (par allusion au fait que le peintre Ingres pratiquait le violon). **2.** Personne qui joue du violon dans un ensemble musical; violoniste d'orchestre. *Premier, second violon.* ▷ Loc. fig. Vieilli *Payer les violons du bal :* payer les frais d'une entreprise dont les autres ont le profit. **II.** Fam. Prison attenant à un corps de garde ou à un poste de police.
▸ pl. instruments de **musique**

violoncelle n. m. **1.** Instrument de musique à quatre cordes, analogue au violon, mais de plus grande taille et dont on joue assis en le tenant entre les jambes. **2.** Rare Violoncelliste.
▸ pl. instruments de **musique**

violoncelliste n. Musicien joueur de violoncelle.

violoné adj. BX-A Se dit d'un meuble, d'une partie de meuble en forme de violon. *Fauteuil violoné.*

violoneux n. m. Ménétrier. – Fam. Mauvais violoniste.

violoniste n. Musicien joueur de violon.

vioque. V. vioc.

viorne n. f. BOT Arbrisseau (fam. caprifoliacées) à fleurs blanches, dont on cultive certaines espèces ornementales (obier, laurier-tin).

Viotti (Giovanni Battista) (Fontanetto Po, prov. de Verceil, 1755 – Londres, 1824), violoniste et compositeur italien; initiateur de l'école moderne de violon.

V.I.P. n. m. inv. Fam. (Sigle de l'angl. *very important person.*) Personnage important.

vipère n. f. **1.** Serpent venimeux (30 cm à 1,80 m de long) au corps épais, à

vipère aspic

la tête triangulaire, dont deux espèces, la vipère aspic *(Vipera aspis)* et la vipère péliade *(Vipera berus),* vivent en France. **2.** Fig. Personne malfaisante, d'une méchanceté sournoise. *Un nid de vipères.* ▷ Loc. *Langue de vipère :* personne très médisante.

vipereau n. m. Petit d'une vipère.

vipéridés n. m. pl. ZOOL Famille de serpents venimeux comprenant les vipères. – Sing. *Un vipéridé.*

vipérin, ine adj. et n. f. **I.** adj. **1.** Loc. Vieilli ou litt. *Langue vipérine :* langue de vipère, personne médisante. **2.** Mod. De la vipère, qui a rapport à la vipère. – *Couleuvre vipérine :* couleuvre aquatique. **II.** n. f. Plante (fam. borraginacées) des lieux incultes et des sables, d'aspect velu, à fleurs bleues ou roses.

virage n. m. **1.** MAR Syn. anc. de *virement*.* **2.** Mouvement tournant d'un véhicule. *Amorcer un virage. Virage à la corde,* effectué au plus près du bord intérieur de la route. – Fig. Changement d'orientation. *Virage politique.* ▷ Portion courbe d'une route. *Virage dangereux.* **3.** PHOTO Opération consistant à modifier la couleur d'une épreuve. **4.** *Virage d'une cutiréaction :* V. virer (sens III, 3).

virago n. f. Péjor. Femme d'allure masculine, autoritaire ou revêche.

viral, ale, aux adj. MICROB, MED Relatif à un virus; dû à un virus. *Maladie virale.*

Virchow (Rudolf) (Schivelbein, Poméranie, 1821 – Berlin, 1902), médecin prussien; fondateur de la pathologie cellulaire appliquée. Député progressiste (1862), il se heurta à Bismarck mais participa au Kulturkampf* (mot qu'il créa).

vire n. f. ALPIN Étroite corniche sur une paroi rocheuse. – Chemin à flanc de montagne.

Vire (la), fl. côtier de Normandie (120 km), tributaire de la Manche; arrose Vire et Saint-Lô.

Vire, ch.-l. d'arr. du Calvados, sur la Vire; 13 869 hab. Industr. alimentaires (andouille). Appareils électriques. – Égl. N.-D. (XIIIe-XVe s.).

virée n. f. Fam. **1.** Promenade rapide; court voyage. **2.** Tournée des lieux de distraction.

virelai n. m. Didac. Poème du Moyen Âge, construit sur deux rimes et à quatre strophes, chaque vers de la première étant repris dans les autres.

virement n. m. **1.** MAR Mod. Action de virer de bord. **2.** Transfert de fonds d'un compte à un autre, d'un chapitre du budget à un autre. *Virement postal, budgétaire.*

virer v. [1] **I.** v. tr. **1.** COMPTA et cour. Faire passer d'un compte à un autre. *Virer une somme.* **2.** PHOTO *Virer une épreuve,* lui faire subir un virage. ▷ Fam. *Virer sa cuti :* avoir une cutiréaction positive; fig. changer de parti, de mœurs, etc. **3.** Fam. *Virer qqn,* le renvoyer, l'expulser. **4.** MAR Haler sur (un cordage, une chaîne) au moyen d'un treuil, d'un cabestan, etc. **II.** v. tr. indir. Passer (à un autre état, une autre couleur). *Virer à l'aigre, au bleu.* **III.** v. intr. **1.** Tourner sur soi ou tourner en rond. *Virer d'un demi-tour.* **2.** MAR *Virer de bord* ou, absol., *virer :* pour un navire, offrir au vent le côté qui était sous le vent; fig., cour. changer de parti. ▷ Cour. Aller en tournant, prendre un virage. *Virer trop court.* **3.** PHOTO Subir un virage (sens 3). *Épreuve qui vire.* ▷ *Par ext.* Changer de teinte. *Étoffe, couleur qui vire.* – PHOTO *Cette diapositive a viré au magenta.* ▷ MED *Cutiréaction qui vire,* qui devient positive. ▷ Fig., fam. Devenir. *Virer inquiet après un retournement de situation.*

vireur n. m. TECH Mécanisme permettant de positionner ou de faire tourner l'arbre d'une machine lorsqu'il est débrayé.

vireux, euse adj. Didac. Se dit des plantes ou des substances végétales toxiques. – Par ext. *Odeur, saveur vireuse du chanvre indien.*

virevolte n. f. Tour et retour rapides sur soi-même. ▷ Fig. Volte-face, revirement.

virevolter v. intr. [1] Faire une ou des virevoltes.

Virgile (en lat. *Publius Virgilius Maro*) (Andes, auj. Pietole, près de Mantoue, v. 70 – Brindes, auj. Brindisi, 19 av. J.-C.), poète latin. Né dans un milieu rural relativement modeste, il étudia à Crémone, à Milan, puis à Rome. De retour dans sa prov. natale, il composa les *Bucoliques* (42-39 av. J.-C.), églogues qui exaltent la vie pastorale. Revenu à Rome, il fut le protégé d'Octave (le futur Auguste), et le domaine qu'on lui avait confisqué au profit des vétérans (40 av. J.-C.) lui fut restitué. En 29 av. J.-C., il publia les *Géorgiques* (écrites de 39 à 29), dont les 4 chants répondent à un projet d'Auguste : redonner aux Romains le goût de l'agriculture. Poète national, Virgile chanta ensuite Auguste et la grandeur romaine dans *l'Énéide* (inachevée et posth., 19 av. J.-C.). Épopée en 12 chants, *l'Énéide* est le miroir du destin romain, où le passé légendaire éclaire le présent. Dans ce poème de la réconciliation générale comme dans toute l'œuvre de Virgile, on retrouve le même thème : la recherche de l'harmonie avec la nature, avec les hommes, avec les dieux, par la poésie, le travail, l'histoire.

virginal, ale, aux adj. D'une vierge. *Innocence virginale.* ▷ Pur, immaculé. *Blancheur virginale.*

Virginie, État de l'E. des É.-U., sur l'Atlantique; 105 716 km^2; 6 187 000 hab.; cap. *Richmond.* – Composée du piémont des Appalaches et d'une plaine côtière au rivage profondément échancré (baie de Chesapeake), la Virginie, où règne un climat chaud et humide, se consacre traditionnellement à l'agriculture (céréales, coton, fruits; tabac en déclin). L'industrie, favorisée par les réserves minérales (charbon), se concentre autour de quelques centres (Lynchburg) ou près du complexe portuaire de Hampton. – Les premiers colons débarquèrent dans la région en 1607, à Jamestown; en 1619, ils se donnèrent un gouvernement local, mais le territoire devint colonie britannique en 1624. La Virginie participa à la révolte contre les Anglais (1776) et joua un rôle important dans la vie politique américaine de 1781 à 1825. Lors de la guerre de Sécession, elle fut le fief des sudistes, qui établirent leur capitale à Richmond. En 1989, la Virginie fut pourtant le premier État nord-américain à se donner un gouverneur noir.

Virginie-Occidentale, État du centre-est des É.-U.; 62 629 km^2; 1 793 000 hab.; cap. *Charleston.* – Situé sur le versant O. des Appalaches, l'État est en grande partie boisé mais produit aussi des céréales, du tabac et des pommes de terre, notam. le long de l'Ohio. Les gisements de charbon (l'État est le principal producteur des É.-U.) ont favorisé l'essor des industries sidérurgiques, métallurgiques et chimiques. – En 1861, cette région occidentale de la Virginie, contre l'esclavage, se détacha de la Virginie. Cette scission fut officiellement reconnue en 1863.

virginipare adj. et n. f. ZOOL Se dit des femelles qui peuvent engendrer par parthénogenèse. ▷ n. f. *Une virginipare.*

virginité n. f. État d'une personne vierge. ▷ Fig. Pureté. – *Refaire une virginité à qqn,* lui rendre l'innocence, la pureté, et, par ext., la réputation.

virgule n. f. **1.** Signe de ponctuation (,) qui indique une pause peu marquée et s'emploie pour séparer des propositions subordonnées non coordonnées, pour isoler les mots mis en apostrophe ou en apposition, ou entre les termes d'une énumération. ▷ MATH Signe qui, dans l'usage français, sépare la partie entière et la partie décimale d'un nombre décimal. *132,75.* **2.** (En appos.) MED *Bacille virgule :* agent du choléra, dont la forme évoque une virgule.

Viriathe (en lat. *Viriatus* ou *Viriathus*) (m. en 139 av. J.-C.), chef lusitanien. Il souleva ses compatriotes contre les Romains, qui le firent assassiner.

viril, ile adj. **1.** Qui appartient, qui est propre aux humains adultes du sexe masculin. *Force virile. Toge virile. Le membre viril :* le phallus. **2.** Qui a les qualités que l'on prête traditionnellement aux hommes (fermeté d'âme, énergie, etc.); qui dénote ces qualités, ou qui participe de leur nature. *Faire preuve d'un courage viril.*

virilement adv. D'une manière virile; avec énergie.

virilisant, ante adj. MED Se dit d'une substance qui virilise.

virilisation n. f. MED Apparition chez la femme pubère de caractères sexuels secondaires masculins. V. virilisme.

viriliser v. tr. [1] Rendre viril; donner un caractère viril à.

virilisme n. m. MED Ensemble de troubles (pilosité accrue, tessiture basse de la voix, hypertrophie musculaire, absence de règles) qui apparaissent chez la femme souffrant d'un excès de sécrétion d'hormones androgènes.

virilité n. f. **1.** Ensemble des caractéristiques physiques de l'être humain adulte de sexe masculin. ▷ Âge viril, âge d'homme. *Parvenir à la virilité.* **2.** Aptitude à engendrer, puissance sexuelle chez l'homme. **3.** Ensemble des qualités traditionnellement considérées comme spécifiquement masculines. V. viril, sens 2.

virion n. m. MICROB Particule virale infectieuse.

virocide ou **virucide** adj. et n. m. Didac. Se dit d'une substance qui a la propriété d'annihiler le pouvoir infectieux d'un virus.

Viroflay, ch.-l. de cant. des Yvelines (arr. de Versailles); 14 735 hab.

virole n. f. TECH **1.** Petit cercle de métal mis au bout d'une canne, d'un manche d'outil ou de couteau, etc., pour empêcher le bois de se fendre. **2.** Moule d'acier circulaire dans lequel sont frappées les monnaies, les médailles. **3.** Anneau de tôle constituant un élément de chaudière, de réservoir.

viroler v. tr. [1] TECH **1.** Garnir d'une virole. **2.** Mettre (les flans) dans la virole (sens 2).

virologie n. f. Didac. Partie de la biologie qui étudie les virus.

virologique adj. Qui concerne la virologie.

virologiste ou **virologue** n. Didac. Spécialiste de virologie.

virose n. f. MED Infection par un virus.

virtualité n. f. PHILO et litt. Caractère de ce qui est virtuel. – Ce qui est virtuel. *Réaliser les virtualités qu'on porte en soi.*

virtuel, elle adj. **1.** PHILO et cour. Qui existe en puissance seulement; potentiel. Ant. actuel. **2.** PHYS *Image virtuelle,* dont les points se trouvent sur le prolongement géométrique des rayons lumineux. *Image virtuelle d'un miroir* (par oppos. à *image réelle*). **3.** INFORM Se dit d'un objet ou d'un environnement reproduit en trois-D. – *La réalité virtuelle* ou *le virtuel,* n. m.

virtuellement adj. **1.** D'une manière virtuelle, en puissance. **2.** Cour. À peu de chose près. *Il a virtuellement gagné.*

virtuose n. et adj. **1.** Personne douée d'une grande habileté (dans une activité quelconque). **2.** Musicien, exécutant dont la technique est sans défaut.

virtuosité n. f. Talent, technique de virtuose. *La virtuosité d'un pianiste.*

virucide. V. virocide.

virulence n. f. **1.** MED Pouvoir infectant et pathogène d'un germe. **2.** Fig. Violence, dureté, âpreté. *La virulence d'une satire.*

virulent, ente adj. **1.** MED Doué de virulence. **2.** Fig. Âpre, dur, violent. *Critiques virulentes.*

virus [viʀys] n. m. **1.** Microorganisme parasite des cellules et infectieux. *Virus de la grippe, de la poliomyélite.* V. encycl. **2.** Fig. Goût, passion pour qqch. *Attraper le virus du collectionneur de télécartes.* **3.** INFORM Programme difficile à détecter et à localiser, transmissible et pouvant se reproduire lui-même, conçu le plus souvent dans une intention malveillante afin de perturber ou bloquer le fonctionnement des ordinateurs. *Le virus se propage par l'utilisation d'une disquette « infectée ».*

ENCYCL **Biol.** – La particule virale a une partie centrale, le virion, constituée d'acide nucléique (A.D.N. ou A.R.N.) et qu'enveloppe une coque, la capside, formée essentiellement de protéines. On estime que la plupart des virus peuvent avoir : soit une activité pathologique banale et spécifique; soit une activité génétique et cancérigène.

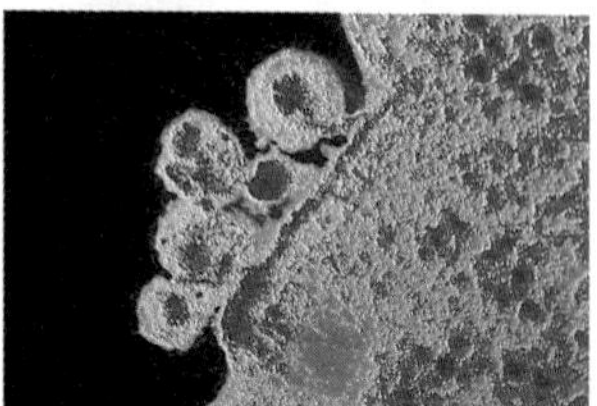

virus du sida : le parasitage d'une cellule (en bas) a permis la réplication de cinq nouveaux virus; le filament d'A.R.N. d'un sixième virus ne s'est pas encore libéré de la cellule

Viry-Châtillon, ch.-l. de cant. de l'Essonne (arr. d'Évry), sur la Seine ; 30 738 hab. Industr. text. ; emballage.

vis [vis] n. f. **1.** Tige cylindrique ou tronconique en matière dure (métal, le plus souvent) présentant un relief en spirale (le *filet*), et que l'on utilise pour effectuer des assemblages ou pour transmettre un effort ou un mouvement. *Vis à bois, à métaux. Pas de vis. Vis sans fin* : vis à corps cylindrique dont le filet entraîne une roue dentée. *Vérin à vis.* ▷ Loc. fig., fam. *Serrer la vis à qqn*, le traiter avec sévérité, dureté. - *Donner un tour de vis* : renforcer une sujétion, une contrainte. **2.** Rare Escalier à cage cylindrique dont les marches sont soutenues par un axe vertical central (le *noyau*). ▷ Cour. *Escalier à vis* (appelé aussi *escalier en colimaçon**). **3.** AUTO *Vis platinées* : V. platiné. ► illustr. **engrenage**

Vis. V. Lissa.

visa n. m. Formule, sceau que l'on appose sur un acte pour le valider, le légaliser. ▷ *Spécial.* Cachet apposé sur un passeport, exigé par certains pays, et valant autorisation de séjour.

visage n. m. **1.** Face de l'être humain, partie antérieure de la tête. *Les traits du visage.* ▷ Expression, mine, physionomie. *Visage gai, ouvert, triste, renfrogné. Faire bon (mauvais) visage à qqn*, être avenant (désagréable) avec lui. ▷ Loc. fig. *Se montrer à visage découvert*, tel qu'on est réellement. **2.** Fig. Aspect (de qqch). *Cette nouvelle implantation industrielle a changé le visage de la ville.*

visagisme n. m. (Nom déposé.) Didac. Ensemble des règles ayant pour but de faire ressortir la spécificité d'un visage, par la coiffure ou le maquillage.

visagiste n. (Nom déposé.) Spécialiste du visagisme.

vis-à-vis [vizavi] loc. prép. et n. m. inv. **I.** Loc. prép. **1.** En face de. *J'étais placé vis-à-vis de M. Untel.* **2.** En comparaison de. *Mon malheur n'est rien vis-à-vis du vôtre.* **3.** (Emploi critiqué.) Envers. *Mes sentiments vis-à-vis d'elle.* **II.** n. m. inv. **1.** Situation de deux personnes, de deux choses qui se trouvent l'une en face de l'autre. *Nous étions en vis-à-vis. Un vis-à-vis piquant.* **2.** Personne (et, par ext., chose) placée en face d'une autre. *J'ai demandé du feu à mon vis-à-vis.* - *Je n'ai pas de vis-à-vis*, pas de bâtiment devant mes fenêtres. **3.** Anc. Petit fauteuil à deux places, en forme de S, qui permet à deux personnes de converser en se faisant face.

Visayas, archipel des Philippines centrales dont les principales îles sont Cebu, Leyte, Negros, Panay, Samar ; 56 000 km^2 ; 13 041 660 hab.

viscache n. f. ZOOL Rongeur d'Amérique du Sud *(Lagostomus maximus)*, proche du chinchilla.

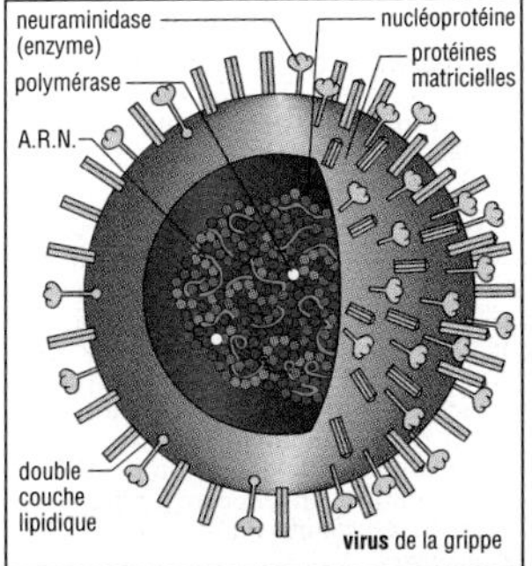

viscéral, ale, aux adj. **1.** ANAT Relatif aux viscères. **2.** Fig. Qui vient du plus profond de soi, en parlant de sentiments, d'affects. *L'attachement viscéral du paysan à sa terre.*

viscéralement adv. De façon viscérale, profondément.

viscère n. m. ANAT Chacun des organes contenus dans les cavités crânienne, thoracique et abdominale. ▷ *Spécial.*, cour. *Les viscères*, ceux de l'abdomen.

Vischer, famille de sculpteurs et de fondeurs de Nuremberg. - **Peter,** dit *l'Ancien* (Nuremberg, v. 1460 - id., 1529), exécuta avec ses fils, Hermann (le Jeune), Peter (le Jeune) et Hans, la châsse de saint Sébald (égl. St-Sébald de Nuremberg), dont le répertoire ornemental fait transition entre le style gothique tardif et le renaissant.

viscoélastique ou **visco-élastique** adj. PHYS, TECH Qui est à la fois élastique et visqueux.

Visconti, famille de Lombardie, du parti gibelin, qui régna sur Milan de 1277 à 1447. - **Otton** (Ugogne, v. 1208 - Chiaravalle Milanese, 1295), archevêque de Milan (1262) ; il prit le pouvoir en 1277. - **Mathieu Ier** (Invorio, 1250 - Crescenzago, 1322), petit-neveu du préc. ; vicaire impérial de Lombardie (1294), de nombr. fois chassé et rétabli. - **Galéas Ier** (?, v. 1277 - Pescia, 1328), fils du préc., qui lui céda le pouvoir (1320). L'empereur Louis IV de Bavière le fit emprisonner en 1327. - **Azzon** (Ferrare, 1302 - ?, 1339), fils du préc. ; seigneur général de Milan (1330-1339), dont il agrandit les possessions (Bergame, Plaisance, Brescia). - **Luchino** (1292 - 1349), oncle et successeur du préc. (1339-1349). Il acquit Parme, Locarno et Alexandrie. - **Jean** (1290 - 1354), frère du préc. ; il annexa Bologne et fut protecteur de Pétrarque. - Ses trois neveux se partagèrent l'État : - **Mathieu II** (v. 1319 - 1355), qui fut assassiné par ses frères ; - **Galéas II** (?, apr. 1320 - Pavie, 1378) ; - **Barnabé** (1313 - 1385). Ce dernier fut empoisonné par son neveu, - **Jean-Galéas** (?, 1351 - Melegnano, 1402), qui lui succéda et qui étendit le Milanais jusqu'à Vicence, Vérone, Padoue et Bologne, se faisant nommer duc de Milan (1395) et de Lombardie (1397). Il maria sa fille Valentine à Louis d'Orléans. - **Jean-Marie** (1389 - 1412) et **Philippe-Marie** (1392 - 1447), fils et successeurs du préc. Ils se partagèrent le duché, que Philippe-Marie laissa à sa fille naturelle **Blanche-Marie** (m. en 1468), épouse de François Sforza*.

Visconti (Ennio Quirino) (Rome, 1751 - Paris, 1818), archéologue italien ; conservateur des Antiques au musée du Louvre sous le Consulat et l'Empire : *l'Iconographie grecque* (1808), *l'Iconographie romaine* (posth., 1817-1825). - **Louis Tullius Joachim** (Rome, 1791 - Paris, 1853), fils du préc. ; architecte français : fontaines Gaillon et Molière (Paris), mausolée de Napoléon aux Invalides, plans de raccordement du Louvre aux Tuileries.

Visconti (Luchino) (Milan, 1906 - Rome, 1976), cinéaste italien. Assistant de J. Renoir, il fut l'un des initiateurs du néo-réalisme (*Ossessione*, 1942), puis réalisa des films de critique sociale dont la somptueuse plastique baroque mêle effets picturaux et lyrisme musical : *La terre tremble* (1948), *Senso* (1954), *Rocco et ses frères* (1960), *le Guépard* (1963), *les Damnés* (1969), *Mort à Venise* (1971), *Ludwig et le Crépuscule des dieux* (1972).

viscoplastique adj. PHYS, TECH Qui est à la fois plastique et visqueux.

viscose n. f. CHIM Solution épaisse à base de cellulose utilisée pour la préparation de la rayonne, de la fibranne et de la cellophane.

viscosité n. f. État de ce qui est visqueux. ▷ PHYS Propriété qu'a tout fluide d'opposer une résistance aux forces qui tendent à déplacer les unes par rapport aux autres les particules qui le constituent.

ENCYCL **Phys.** - Les forces de viscosité ont une très grande importance pratique, car elles conditionnent l'écoulement des fluides dans les canalisations et le long des parois. La viscosité dynamique des gaz augmente avec la température, mais ne varie pratiquement pas avec la pression. Celle des liquides décroît avec la température, mais croît fortement avec la pression.

visé n. m. Action de viser avec une arme à feu. *Tirer au visé* (par oppos. à *au jugé*).

visée n. f. **1.** Action de diriger la vue (et, par ext., une arme, un instrument d'optique, un appareil photographique, etc.) vers un point donné. **2.** Fig. (Surtout au plur.) Ce que l'on se fixe comme but à atteindre, comme avantage à obtenir ; ambition, dessein, désir. *Avoir des visées sur qqch, qqn.*

1. viser v. [1] **I.** v. tr. dir. **1.** Regarder attentivement (le but, la cible) que l'on cherche à atteindre au moyen d'une arme, d'un projectile, etc. *Chasseur qui vise un lièvre.* **2.** Fig. Chercher à atteindre. *Qui visiez-vous par cette allusion ?* - (Sujet n. de chose.) *Ce reproche nous vise*, nous concerne directement, nous est adressé. ▷ Avoir des vues sur ; ambitionner, briguer. *Viser un poste important.* **3.** Fam. Regarder. *Vise un peu cette pépée !* **II.** v. tr. indir. *Viser à.* **1.** Pointer une arme, un objet vers. *Il a visé au cœur.* **2.** Chercher à atteindre, avoir en vue (une certaine fin). *Cette équipe vise à sa qualification pour la finale.* ▷ *Viser à* (+ inf.) *Une information qui vise à rassurer une population.* **III.** v. intr. *Tirer sans viser.* ▷ Fig. *Viser trop haut, trop bas* : avoir des ambitions trop grandes, trop modestes.

2. viser v. tr. [1] Examiner (un acte) et le revêtir d'une formule, d'un cachet, etc., qui le rend valide. *Fonctionnaire qui vise un document comptable.*

Viseu, v. du centre-N. du Portugal ; 21 000 hab. ; ch.-l. du distr. du m. nom. - Cath. du XIIe s.

viseur n. m. Dispositif optique de visée. *Regarder dans le viseur d'une arme à feu.* ▷ *Spécial.* PHOTO Dispositif permettant d'évaluer exactement le champ embrassé par l'objectif de l'appareil, de la caméra.

Luchino **Visconti :** *le Guépard*, 1963, avec C. Cardinale et B. Lancaster

Vishakhapatnam, v. et port de l'Inde (Āndhra Pradesh), sur le golfe du Bengale; 750 000 hab. Constr. navales.

Vishnu ou **Vichnou,** la seconde des trois divinités de la Trimurti ou triade brahmanique (Brahmā, Vishnu, Çiva). C'est le dieu conservateur de l'Univers; il apparaît parfois sous des formes humaines ou animales qu'on appelle *avatāra* (avatars).

Vishnu sous un avatar de roi-lion, panneau en bois sculpté, XVIIe s., Inde du Sud; musée Guimet, Paris

visibilité n. f. **1.** Fait d'être visible; caractère visible d'une chose. **2.** Possibilité de voir plus ou moins bien, plus ou moins loin. *Doubler dans un virage sans visibilité. La brume réduit la visibilité.* **3.** Fait de se montrer tel qu'on est. *La visibilité d'un groupe en lutte pour ses intérêts.*

visible adj. et n. m. **I.** adj. **1.** Qui peut être perçu par la vue. *Éclipse visible à Paris.* **2.** Évident, manifeste. *Il est visible que...* **3.** Prêt à recevoir une visite. *M. le directeur est-il visible ?* ▷ Fam. Tout habillé, prêt à être vu. *Entrez, maintenant je suis visible.* **II.** n. m. *Le visible.* **1.** OPT Le domaine des radiations lumineuses perceptibles par l'œil humain (longueurs d'onde comprises entre 0,4 et 0,8 μm). **2.** Ce qui peut être perçu par les sens, et partic. par la vue; le monde sensible, matériel.

visiblement adv. **1.** De manière perceptible à la vue. **2.** De toute évidence; manifestement. *Être visiblement triste.*

visière n. f. **1.** HIST Partie antérieure mobile du heaume, qui protégeait le visage. **2.** Partie d'une casquette, d'un képi qui abrite le front et les yeux. – Par anal. *Mettre sa main en visière.*

visigoth, Visigoths. V. wisigoth, Wisigoths.

visioconférence ou **vidéoconférence** n. f. Téléconférence permettant, en plus de la transmission de la parole et de documents graphiques, la transmission d'images animées des participants éloignés.

vision n. f. **I. 1.** Perception du monde extérieur par les organes de la vue; exercice du sens de la vue, action de voir. *Vision diurne, nocturne, crépusculaire. Défauts de la vision* (myopie, hypermétropie, astigmatisme, presbytie). *Vision des couleurs.* **2.** Fig. Façon de voir; conception. *Une curieuse vision du monde.* **II.** Chose surnaturelle que voient ou croient voir certaines personnes. *Les visions d'une personne en extase.* ▷ Hallucination visuelle. – Fam. *Avoir des visions :* déraisonner.
ENCYCL **Physiol.** – La stimulation lumineuse est transmise, par l'intermédiaire des prolongements nerveux du nerf optique, à une zone du cerveau située dans le lobe occipital, où s'effectue la traduction des différents paramètres du stimulus lumineux (intensité, contraste, déplacement, couleur).

visionnage n. m. Action de visionner un film, une vidéo.

visionnaire adj. et n. **1.** Qui a, qui croit avoir des visions surnaturelles. **2.** Se dit d'une personne dotée d'une vision juste de l'avenir ou de certaines réalités. ▷ Subst. *Un, une visionnaire.*

visionner v. tr. [1] **1.** Examiner (un film, des diapositives, etc.) au moyen d'une visionneuse. **2.** Regarder un film, une vidéo du point de vue professionnel en vue de son exploitation commerciale.

visionneuse n. f. Appareil permettant l'examen des films, des diapositives, des microfilms.

visiophone ou **vidéophone** n. m. TELECOM Appareil associant un téléphone, un écran cathodique et une caméra de télévision, et permettant aux correspondants de se voir.

visiophonie ou **vidéophonie** n. f. TELECOM Transmission de signaux vidéo par câbles téléphoniques.

visitandine n. f. RELIG CATHOL Religieuse de l'ordre de la Visitation.

Visitation (la), visite que la Vierge Marie fit, peu après l'Annonciation, à sa cousine sainte Élisabeth, alors enceinte de Jean-Baptiste. Fête célébrée le 31 mai (naguère, le 2 juillet). ▷ *Ordre de la Visitation :* ordre religieux de femmes fondé en 1610 à Annecy par saint François de Sales et sainte Jeanne de Chantal (V. Jeanne-Françoise Frémyot de Chantal).

visite n. f. Action, fait de visiter. **1.** Fait d'aller dans un lieu pour l'inspecter. *Visite domiciliaire*.* ▷ Fait d'examiner, de contrôler (qqch). *Visite du chargement d'un poids lourd par les gendarmes.* **2.** Fait d'aller dans un lieu pour sa propre distraction, pour son propre plaisir. *Visite d'une ville d'art.* **3.** Fait d'aller voir (qqn) chez lui. *Rendre visite à un ami. Rendre une, sa visite à qqn,* aller le voir après l'avoir reçu. ▷ *Visite officielle :* visite, à titre officiel, d'un homme d'État, d'un souverain, dans un pays étranger. ▷ Consultation donnée par un médecin au domicile du patient. *Tarif des visites.* **4.** *Par méton.* Personne qui en visite une autre; visiteur, visiteuse. *J'ai reçu une visite.* **5.** DR *Droit de visite :* droit de voir un enfant, attribué aux personnes qui n'en ont pas la garde (conjoint divorcé, grands-parents).

visiter v. tr. [1] **1.** Examiner (un lieu; qqch) complètement, en détail. *Les douaniers ont visité nos bagages.* **2.** Parcourir, aller voir par curiosité, pour son plaisir (un lieu, un monument, etc.). *Visiter un musée.* **3.** Aller voir (qqn) chez lui. *Visiter un malade.*

visiteur, euse n. **1.** Personne qui inspecte (un lieu, qqch). *Visiteur des douanes.* **2.** Personne qui visite (un lieu) pour son plaisir. *Les visiteurs d'une exposition.* **3.** Personne qui rend visite à qqn chez lui. *Recevoir des visiteurs.* ▷ *Spécial.* Personne qui va voir bénévolement qqn dans un collège, un hôpital, une prison, etc. *Visiteur des prisons.* **4.** Personne qui visite ses clients à domicile. *Visiteur médical :* représentant d'un laboratoire pharmaceutique qui rend visite aux médecins.

Viso (mont), sommet des Alpes occidentales (3 841 m), à la frontière franco-italienne. Le Pô y prend sa source.

vison n. m. **1.** Petit mammifère carnivore (*Mustela lutreola,* fam. mustélidés) au corps long, à tête courte, chassé et élevé pour sa fourrure. ▷ Cette fourrure. *Manteau de vison.* **2.** Fam. Manteau, veste de vison.

vison d'Europe

visqueux, euse adj. **1.** Qui s'écoule lentement, avec difficulté; poisseux, collant. *Liquide épais et visqueux.* ▷ PHYS, TECH Dont la viscosité* est élevée. *Huile très visqueuse.* **2.** Dont la surface est rendue glissante ou gluante par un liquide, une mucosité, etc. *Peau visqueuse des poissons.* **3.** Fig., péjor. D'une bassesse qui répugne. *Une obséquiosité visqueuse.*

vissage n. m. Action de visser, d'assembler au moyen de vis.

visser v. tr. [1] **1.** Fixer, assembler au moyen d'une ou de plusieurs vis. *Visser une serrure.* ▷ Fig., fam. *Être vissé quelque part :* ne pas bouger d'un endroit. *Rester vissé sur sa chaise.* **2.** Fermer, serrer (une chose munie d'un pas de vis). *Visser le capuchon de son stylo.* ▷ v. pron. (Passif) *Ce couvercle se visse mal.* **3.** Fig., fam. *Visser qqn :* serrer la vis* à qqn.

visserie n. f. **1.** Fabrique, atelier qui produit des pièces comportant un pas de vis, telles que vis, boulons, écrous, pitons, etc. **2.** Ensemble de ces pièces.

vista n. f. Fam. Qualité du sportif qui, d'un coup d'œil, apprécie l'ensemble de la situation.

Vistule (la) (en polon. *Wisła*), fl. de Pologne (1 047 km); naît dans les monts Beskides (Carpates occidentales), arrose Cracovie, Varsovie et Gdańsk et se jette dans la Baltique par un delta.

visu (de). V. de visu.

visualisable adj. Que l'on peut visualiser. *Résultats visualisables sur un écran.*

visualisation n. f. Fait de visualiser. *Console de visualisation.*

visualiser v. tr. [1] **1.** Didac. Faire percevoir par la vue. *Visualiser le trajet d'un nerf au moyen d'un crayon dermique.* **2.** INFORM Faire apparaître (des informations) sur l'écran.

visuel, elle adj. et n. **1.** adj. De la vue, qui a rapport à la vue. *Rayon visuel. Mémoire visuelle :* mémoire des images, des choses vues. ▷ Subst. Personne chez qui la mémoire visuelle est prépondérante. **2.** n. m. INFORM Dispositif permettant l'affichage de données sur l'écran d'un ordinateur. **3.** n. m. PRESSE, PUB Ce qu'offre à la vue (une affiche, une brochure, un encart publicitaire). *L'idée est excellente mais le visuel n'est pas au point.*

visuellement adv. Par la vue, au moyen de la vue.

vital, ale, aux adj. **1.** De la vie, qui a rapport à la vie. *Phénomènes vitaux.* **2.** Indispensable à la vie. *Échanges vitaux.* **3.** Fondamental; d'une importance capitale. *Question vitale.*

vitalisme n. m. PHILO, BIOL Théorie, surtout développée au XVIIIe s., selon laquelle la vie est une force *sui generis*, un principe autre que celui de l'âme et autre que celui des phénomènes physico-chimiques, et qui régit l'organisme d'un être vivant.

vitalité n. f. **1.** BIOL Rare Ensemble des forces qui président aux fonctions propres des corps organisés. **2.** Cour. Intensité de l'énergie vitale; ardeur, dynamisme, vigueur. *Vitalité d'une plante. Enfant plein de vitalité.*

vitamine n. f. Substance azotée indispensable, en doses infinitésimales, au métabolisme de l'organisme, qui ne peut en effectuer lui-même la synthèse. ENCYCL Les vitamines sont désignées par des lettres (éventuellement suivies d'un numéro) ou par le composé chimique lui-même. *Vitamine A*, facteur de croissance nécessaire à la formation du pourpre rétinien; sa carence provoque des troubles de la croissance et de la vue, ainsi qu'une altération des épithéliums. *Vitamine B1* (thiamine), dont la carence, rare sous les climats tempérés, provoque le béribéri. *Vitamine B2* (riboflavine), hydrosoluble, abondante dans les légumes et les levures des céréales. *Vitamine B6* (pyridoxine), dont la carence donne des troubles cutanés, digestifs, hématologiques et surtout neurologiques. *Vitamine B12*, qui joue un rôle important dans l'hématopoïèse; sa carence provoque une anémie. *Vitamine C* (acide ascorbique), dont la carence provoque le scorbut; elle est administrée dans certains états infectieux. *Vitamine D*, qui intervient dans la croissance osseuse; elle est administrée contre le rachitisme. *Vitamine E*, à l'action mal connue; elle interviendrait dans les fonctions de reproduction. *Vitamine K*, indispensable à la synthèse de certains facteurs de la coagulation; cette propriété est utilisée pour désigner une classe d'anticoagulants (antivitamines K). *Vitamine PP* ou *B3* (nicotinamide), qui a notam. une action sur la peau; sa carence provoque la pellagre.

vitaminé, ée adj. Qui contient des vitamines; où l'on a ajouté des vitamines.

vitaminique adj. BIOL, MED Qui se rapporte aux vitamines.

vitaminothérapie n. f. MED Administration de vitamines à des fins thérapeutiques.

vite adv. **1.** Avec rapidité. *Marcher vite. Manger trop vite.* **2.** En toute hâte. *Venez vite!* **3.** Bientôt, sous peu. *Il sera vite guéri.* ▷ Loc. adv. *Au plus vite :* dans le plus bref délai.

Vitebsk, v. de Biélorussie, sur la Dvina occidentale; 335 000 hab.; ch.-l. de la prov. du m. nom. Centre commercial. Industr. textiles et alimentaires. – Prise par Napoléon en 1812; théâtre de violents combats en 1941 et 1944.

vitellin, ine adj. BIOL Relatif au vitellus.

Vitellius (Aulus) (?, 15 apr. J.-C. – Rome, 69), empereur romain. Général commandant en Germanie inférieure, il fut proclamé empereur par ses troupes (janv. 69), et vainquit Othon, qui avait été reconnu empereur par le sénat (avril). Mais, vaincu à Crémone (oct.) par l'armée du Danube, qui soutenait Vespasien, il fut peu après massacré par le peuple de Rome.

vitellus [vitel(l)ys] n. m. BIOL Ensemble des substances de réserve accumulées par l'ovocyte* et utilisées par l'embryon au cours de son développement. *Œufs pauvres en vitellus (échinodermes, mammifères), œufs riches en vitellus (batraciens, reptiles, oiseaux).*

vitelotte n. f. AGRIC Variété de pomme de terre, allongée et cylindrique.

Viterbe, v. d'Italie (Latium); 57 830 hab.; ch.-l. de la prov. du m. nom. Industr. méca. et alim. – Remparts. Égl. romanes. Cath. (XIIe-XVIe s.). Palais des Papes (XIIIe s.). Jardins, fontaines. Quartier médiéval. – La ville fut résidence pontificale de 1257 à 1309.

vitesse n. f. **1.** Rapidité à se déplacer ou à agir. ▷ Loc. adv. Fam. *En vitesse :* au plus vite. – *En quatrième vitesse :* très rapidement. **2.** Fait de se déplacer plus ou moins vite. *Panneau de limitation de vitesse.* – Loc. *En perte de vitesse*, se dit d'un avion dont la vitesse devient insuffisante pour assurer la sustentation; fig. se dit d'une personne, d'un groupe dont l'influence, les performances, etc., sont en baisse. ▷ Loc. fig., fam. *À deux vitesses*, inégalitaire. *Médecine à deux vitesses.* ▷ Rapport d'une distance au temps mis pour la parcourir. – *Vitesse angulaire* (d'un mobile tournant autour d'un point) : rapport entre l'angle dont a tourné le mobile et le temps mis pour effectuer cette rotation. – *Vitesse de rotation :* nombre de tours par unité de temps effectués par un mobile tournant sur lui-même. *Vitesse de rotation d'un arbre, d'une roue dentée.* ▷ ESP *Vitesse de libération :* V. libération. ▷ AUTO *Boîte de vitesses :* V. boîte.

Vitez (Antoine) (Paris, 1930 – id., 1990), metteur en scène et directeur de théâtre français. À partir de 1981, il mena au Théâtre national de Chaillot une recherche sur les répertoires classique (Racine, Goethe, etc.) et contemporain (Claudel, Brecht, Tchekhov, etc.), dans la perspective d'un « théâtre élitaire pour tous ». Il a été directeur du Théâtre-Français de 1988 à sa mort.

viti-. Élément, du lat. *vitis*, « vigne ».

viticole adj. Relatif à la viticulture.

viticulteur, trice n. Celui, celle qui cultive la vigne pour la production du vin.

viticulture n. f. Culture de la vigne.

Vitigès (m. en Asie en 542), roi des Ostrogoths (536-540). Dès son élection, il constitua une import. armée pour résister à Bélisaire, mais dut capituler en 540 à Ravenne. Toutefois, Justinien Ier lui donna un domaine en Asie.

Viti Levu, île princ. de l'archipel des Fidji; 10 429 km^2; 445 000 hab.; ch.-l. *Suva*.

vitiligo n. m. MED Trouble de la pigmentation cutanée, dont les causes sont encore mal connues et qui se caractérise par des taches blanches entourées d'une bordure fortement pigmentée.

Vitória, v. du Brésil, cap. de l'État d'Espírito Santo, port sur l'Atlantique; 253 000 hab. Exportation de minerai de fer et de café.

Vitoria, ville d'Espagne (Pays basque); 209 500 hab.; cap. de la communauté auton. du Pays basque; ch.-l. de la prov. d'Álava. Constr. mécaniques; caoutchouc. – Évêché. Cath. gothique (XIVe s.). – Victoire de Wellington sur les Français (juin 1813).

Vitrac (Roger) (Pinsac, Lot, 1899 – Paris, 1952), écrivain français. Poète (*Connaissance de la mort*, 1927) et dramaturge surréaliste : *les Mystères de l'amour* (1927), *Victor ou les Enfants au pouvoir* (1928), *le Sabre de mon père* (1951).

vitrage n. m. **1.** Action de vitrer. **2.** Ensemble des vitres d'un édifice. **3.** Châssis garni de vitres, servant de cloison, de toit, etc. *La pièce est divisée en deux par un vitrage. Rideau de vitrage* ou, ellipt., *un vitrage :* rideau transparent, store appliqué contre un vitrage.

vitrail, aux n. m. Panneau fait de morceaux de verre généralement peints ou colorés dans la masse et assemblés, le plus souvent au moyen de plomb, de manière à former une décoration. *Les vitraux des cathédrales. L'art du vitrail.*

vitrail bourguignon, XVe s. : scène de boucherie; église Notre-Dame, Semur-en-Auxois

vitrauphanie ou **vitrophanie** n. f. (Nom déposé.) TECH Procédé utilisant des encres transparentes sur un support translucide ou sur un support de décalcomanie. ▷ Autocollant translucide à placer sur une vitre, lisible par transparence.

vitre n. f. Plaque de verre dont on garnit une ouverture (porte, fenêtre, etc.) par laquelle on veut laisser passer la lumière.

vitré, ée adj. (et n. m.) **1.** Garni de vitres. *Porte vitrée.* **2.** ANAT *Humeur vitrée* ou, n. m., *le vitré :* liquide transparent et visqueux, contenu dans la cavité oculaire en arrière du cristallin.

Vitré, ch.-l. de cant. d'Ille-et-Vilaine (arr. de Rennes), sur la Vilaine; 15 055 hab. Chaussures. Abattoirs. – Remparts. Chât. féodal (XIVe-XVe s.). Égl. N.-D. (XVe-XVIe s.).

vitrer v. tr. [1] Garnir de vitres. *Vitrer une fenêtre.*

vitrerie n. f. **1.** Technique de la fabrication et de la pose des vitres. **2.** Activité, commerce du vitrier; marchandises qui en font l'objet.

vitreux, euse adj. **1.** Qui ressemble au verre, qui en a l'aspect. *Porcelaine vitreuse*, à demi translucide. ▷ *État vitreux :* en cristallographie, état d'un corps dont les atomes sont disposés aléatoirement (par oppos. à *état cristallin*, dans lequel les atomes sont régulièrement répartis). – *Roches vitreuses et roches cristallines.* **2.** *Œil, regard vitreux*, sans éclat, sans vie.

vitrier n. m. Celui qui vend, qui pose les vitres.

vitrifiable adj. Susceptible de se vitrifier, d'être vitrifié.

vitrification n. f. Action de vitrifier, fait de se vitrifier ; son résultat.

vitrifier v. tr. [2] **1.** Transformer en verre par fusion ; donner l'aspect du verre à. ▷ v. pron. *Lave qui se vitrifie en refroidissant.* **2.** Recouvrir (une surface) d'un produit transparent et imperméable pour faciliter son entretien. *Vitrifier un parquet.*

vitrine n. f. **1.** Devanture vitrée d'un magasin ; glace derrière laquelle un commerçant expose des marchandises à la vue des passants. *La vitrine d'un bijoutier. Laver une vitrine.* ▷ *Par méton.* Ce qui est exposé en vitrine ; étalage. *Une vitrine de Noël.* ▷ Fig. Ce qui sert à présenter au public une image favorable (d'une entreprise, d'une institution, d'une nation). *Le TGV, vitrine de la France.* **2.** Meuble vitré où sont exposés des objets de collection, dans un salon, un musée, etc.

vitriol n. m. **1.** Vx (Avec un adj.) Sulfate. *Vitriol blanc :* sulfate de zinc. *Vitriol bleu :* sulfate de cuivre. *Vitriol vert :* sulfate de fer. **2.** *Vitriol* ou, vieilli, *huile de vitriol :* acide sulfurique concentré, très corrosif. ▷ Fig. *Au vitriol :* d'un caractère violent, caustique, corrosif (en parlant d'un discours, d'un écrit, etc.). *Pamphlet au vitriol.*

vitrioler v. tr. [1] **1.** TECH Passer (des toiles) dans un bain de vitriol étendu pour les débarrasser de leurs impuretés. **2.** Arroser, brûler (qqn) avec du vitriol dans un but criminel.

vitro (in). V. in vitro.

vitrocérame n. m. ou **vitrocéramique** n. f. TECH Matière faite de cristaux régulièrement répartis dans une masse vitreuse homogène, présentant des caractéristiques analogues à celles des céramiques.

Vitrolles, com. des Bouches-du-Rhône (arr. d'Istres), à l'E. de l'étang de Berre ; 35 617 hab. Industr. diverses.

vitrophanie. V. vitrauphanie.

Vitruve (en lat. *Marcus Vitruvius Pollio*) (Ier s. av. J.-C.), architecte romain. Son traité *De l'architecture,* unique ouvrage théorique de l'Antiquité, constitua jusqu'au XIXe s. le répertoire de la plastique architecturale fidèle à l'antique.

Vitry (Jacques de). V. Jacques de Vitry.

Vitry (Philippe de). V. Philippe de Vitry.

Vitry (Nicolas de L'Hospital, duc de) (?, 1581 – Nandy, près de Melun, 1644), maréchal de France. Capitaine des gardes de Louis XIII (1611), il reçut l'ordre d'arrêter Concini, qu'il tua (1617).

Vitry-le-François, ch.-l. d'arr. de la Marne, sur la Marne ; 17 843 hab. (*Vitryats*). Industr. métallurgiques, mécaniques. Abattoirs. – La ville fut fondée par François Ier (1545) pour remplacer *Vitry-en-Perthois,* incendiée par Charles Quint.

Vitry-sur-Seine, ch.-l. de canton du Val-de-Marne (arr. de Créteil) ; 82 820 hab. (*Vitriots*). Aggl. industrielle de la banlieue parisienne (centrales thermiques). – Égl. St-Germain (XIIIe-XIVe s.).

Vitte. V. Witte.

Vittel, ch.-l. de cant. des Vosges (arr. de Neufchâteau) ; 6 340 hab. Stat. thermale (maladies du foie, des reins, du métabolisme).

Vittoria, v. d'Italie, en Sicile (prov. de Raguse) ; 50 220 hab. Centre agricole et vinicole.

Vittorini (Elio) (Syracuse, 1908 – Milan, 1966), éditeur, traducteur et écrivain italien. Ses romans, critiques et essais sont politiquement engagés. Il place ses personnages sur les plans parallèles de la vie et du rêve : *les Hommes et les Autres* (1945), *l'Œillet rouge* (1948), *les Femmes de Messine* (1949-1964).

Vittorio Veneto, v. d'Italie (Vénétie) ; 30 030 hab. – Victoire décisive des Italiens sur les Austro-Hongrois (24-31 oct. 1918).

vitupération n. f. Litt. Action de vitupérer. ▷ (Plur.) Paroles de celui qui vitupère.

vitupérer v. [14] v. tr. dir. Litt. Blâmer violemment. *Vitupérer qqn, qqch.* ▷ v. tr. indir. (Construction critiquée.) *Vitupérer contre qqn, contre qqch.*

vivable adj. **1.** Qui peut être vécu. *Une cohabitation très vivable.* **2.** Où il est agréable de vivre. *Un appartement vivable.* **3.** (Surtout en tournure négative.) D'humeur douce et accommodante. *Il n'est vraiment pas vivable.*

1. vivace adj. **1.** Susceptible de vivre longtemps. ▷ BOT Se dit des plantes herbacées qui vivent plusieurs années. **2.** Qui dure, qui est difficile à détruire. *Préjugés vivaces.*

2. vivace adj. MUS Vif, rapide. *Allegro vivace.*

vivacité n. f. **1.** Fait d'être vif de caractère, d'avoir de l'allant. *Sa vivacité lui permet d'entreprendre beaucoup de choses.* – *Vivacité d'esprit :* faculté de saisir rapidement les données d'un problème, d'une situation. **2.** Ardeur, force. *Vivacité des passions.* **3.** Intensité, éclat. *Vivacité des couleurs.* **4.** Fait d'être vif, promptitude à s'emporter. – Par ext. *Vivacité d'une réplique.*

Vivaldi (Antonio) (Venise, 1678 – Vienne, 1741), compositeur italien. Prêtre (1703), professeur de musique à l'Ospedale della Pietà (Venise), il composa une quarantaine de pièces de musique religieuse, 45 opéras et oratorios, 23 symphonies, 75 sonates et 454 concertos, dont 12 forment *Il Cimento dell'armonia e dell'invenzione,* qui renferme *les Quatre Saisons* (v. 1725). Novateur, il fixa définitivement la forme du concerto classique : division ternaire (allegro, andante, allegro), rôle majeur accordé au soliste.
▸ illustr. page **1983**

vivandier, ère n. Anc. Personne qui suivait les troupes pour leur vendre des vivres et des boissons.

vivant, ante adj. et n. m. **I.** adj. **1.** Qui est en vie (par oppos. à *mort*). *Il est blessé, mais vivant.* **2.** Qui possède la vie (par oppos. à *inanimé,* à *inorganique*). *La matière vivante. Les êtres vivants.* **3.** Qui manifeste de la vitalité. *Une personne gaie et vivante.* **4.** Où il y a de l'activité, de l'animation. *Un quartier très vivant.* **5.** (Souvent avant le nom.) Qui, par ses traits, ses qualités, rappelle de façon frappante une personne vivante ou disparue. *C'est le vivant portrait de son père.* **6.** Qui restitue l'impression de la vie. *Une description chaleureuse et vivante.* **7.** Qui continue à vivre dans l'esprit des hommes. *Son souvenir demeure vivant parmi nous.* ▷ *Langue vivante,* encore parlée (par oppos. à *langue morte,* qui n'est plus parlée). **II.** n. m. **1.** Personne qui est en vie. *Les vivants et les morts.* **2.** *Un bon vivant :* un homme qui apprécie les plaisirs de la vie. **3.** Loc. *Du vivant de qqn,* pendant qu'il était en vie.

Vivarais, massifs cristallins de la bordure orientale du Massif central (1 434 m au mont Pilat), prolongés au S.-O. par des reliefs volcaniques (Mézenc, Gerbier-de-Jonc) et correspondant à peu près au département de l'Ardèche. Traditionnellement planté de châtaigniers, le Vivarais tente de diversifier ses productions agricoles (fruits, vigne, céréales, élevage). Princ. centres : *Annonay,* qu'anime une petite industrie (papeterie), et *Privas.*

Vivarini, famille de peintres vénitiens qui tint un atelier rival de celui des Bellini. – **Antonio,** dit *Antonio de Murano* (Murano, v. 1415 – Venise, entre 1476 et 1485), auteur d'un *Couronnement de la Vierge* (1444). – **Bartolomeo** (Murano, v. 1432 – ?, apr. 1491), frère du préc. Son style évolua du gothique vers une plastique à la Mantegna : *Vierge à l'Enfant avec quatre saints* (Académie, Venise). – **Alvise** (Venise, v. 1446 – id., apr. 1503), fils d'Antonio ; il assimila les influences d'Antonello de Messine et de Giovanni Bellini : *Sainte Claire.*

vivarium [vivaʀjɔm] n. m. Cage vitrée, où l'on élève de petits animaux (insectes, reptiles, etc.) en s'efforçant de reconstituer leur milieu naturel. ▷ Établissement, bâtiment où sont rassemblées ces cages.

vivat [viva] interj. et n. m. Acclamation enthousiaste. *Accueillir qqn par des vivats.*

1. vive !, plur. **vivent !** interj. **1.** (Accompagné du nom de qqn que l'on acclame et à qui l'on souhaite longue vie.) *Vive le roi !* – Par ext. *Vive la République ! Vive* (ou, plus rare, *vivent*) *les vacances !* **2.** Loc. interj. Vieilli *Qui vive ? :* cri poussé par un factionnaire qui voit ou entend qqch de suspect.

2. vive n. f. Poisson marin (genre *Trachinus*) comestible, au corps allongé, vivant sur les fonds sableux et dont la nageoire dorsale est armée d'épines venimeuses.

grande **vive**

vive-eau n. f. Didac. ou rég. Forte marée, de nouvelle lune ou de pleine lune. (On dit aussi *marée de vive eau.*) *Des vives-eaux.*

Vivekānanda (Narendranāth Datta, dit) (Calcutta, 1862 – id., 1902), philosophe indien ; disciple de Rāmakrishna*.

vivement adv. et interj. **I.** adv. **1.** D'une façon vive, rapide. *S'enfuir vivement.* **2.** Avec quelque emportement. *Répliquer vivement.* **3.** Avec vivacité, intensément. *Ressentir vivement un affront.* **II.** Interj. (Marquant une attente impatiente.) *Vivement que ce soit terminé !*

vivent ! V. vive !

viverridés n. m. pl. ZOOL Famille de mammifères carnivores fissipèdes au corps svelte et au museau pointu (civettes, genettes, mangoustes, etc.). – Sing. *Un viverridé.*

viveur, euse n. (Rare au fém.) Vieilli Personne qui mène une vie de plaisirs.

Viviani (René) (Sidi-bel-Abbès, 1863 – Le Plessis-Robinson, 1925), homme politique français. Député socialiste (1893-1902), puis socialiste indépendant (1906-1922), fondateur, avec Jaurès, de *l'Humanité* (1904), il inaugura le premier ministère du Travail (1906-1910). Président du Conseil (juin 1914-oct. 1915), il décréta la mobilisation générale (1er août 1914).

Vivien (Pauline Mary Tarn, dite Renée) (Londres, 1877 – Paris, 1909), poétesse française d'origine anglo-américaine : *Cendres et poussières* (1902), *Dans un coin de violettes* (1908). Elle traduisit Sappho (1903).

vivier n. m. Réservoir, bassin dans lequel on élève et conserve vivants les poissons et les crustacés.

Viviers, ch.-l. de canton de l'Ardèche (arr. de Privas); 3 282 hab. Évêché. Cath. (partie XIIe s.). Palais épiscopal du XVIIe s. – Ciments.

vivifiant, ante adj. Qui vivifie. *Le climat vivifiant de la haute montagne.*

vivifier v. tr. [2] **1.** Augmenter, par une action physique ou psychique, la vitalité de. *L'air frais l'avait réveillé et vivifié.* **2.** Fig. Rendre actif, plus actif (qqch). *Vivifier l'industrie.*

vivipare adj. ZOOL Se dit d'un animal dont l'œuf se développe au sein de l'organisme maternel et qui donne naissance à un jeune ayant achevé son embryogenèse (par oppos. à *ovipare* et *ovovivipare*).

viviparité n. f. ZOOL Mode de reproduction des animaux vivipares.

vivisection n. f. Dissection, opération pratiquée sur un animal vivant. *Ligue contre la vivisection.*

vivo (in). V. in vivo.

Vivonne (Louis Victor de Rochechouart, duc de Mortemart et de) (Paris, 1636 – Chaillot, 1688), maréchal de France; frère de Mme de Montespan. Gouverneur général de Champagne et de Brie (1674) puis vice-roi de Sicile (1675-1678).

vivoter v. intr. [1] Vivre médiocrement, subsister avec peine.

vivre v., interj. et n. m. **A.** v. [63] **I.** v. intr. **1.** Être, rester en vie. *Vivre jusqu'à tel âge. Être las de vivre. Raisons de vivre.* – Loc. *Âme qui vive.* (Uniquement en tournure négative, dans des emplois tels que : *ne pas rencontrer âme qui vive* : ne rencontrer personne.) ▷ *Ne vivre que pour* : s'intéresser uniquement à. *Il ne vit que pour le plaisir, que pour l'étude.* ▷ Litt., par euphém. *Il a vécu* : il est mort. **2.** Fig. (Sujet n. de chose.) Exister, continuer d'exister (dans les esprits). *Sa mémoire vivra longtemps encore parmi les hommes.* **3.** Jouir de la vie. *Mourir sans avoir vécu. Vivre pleinement.* **4.** Subvenir à ses propres besoins; avoir de quoi assurer sa subsistance, son existence matérielle. *Vivre chichement, largement.* ▷ *Vivre de* : se nourrir ou tirer sa subsistance de. *Vivre de pain et de lait. Vivre de son travail. Écrivain qui vit de sa plume.* – *Faire vivre qqn*, subvenir à ses besoins. *Il fait vivre sa famille.* – Loc. Plaisant *Vivre d'amour et d'eau fraîche* : être comblé par l'amour au point d'en oublier les réalités matérielles. – Fig. Être soutenu moralement par une idée, un sentiment. *Vivre d'espérance.* **5.** Passer sa vie (à une époque, dans un lieu). *Les hommes qui vivaient au Moyen Âge. Vivre loin de son pays.* **6.** Passer sa vie (dans certaines conditions, d'une certaine façon). *Vivre en marge de la société. Vivre dans l'agitation.* – *Vivre avec qqn*, habiter ou vivre maritalement avec lui. *Elle vit avec ses parents. Elle vit avec son ami.* – *Personne facile (difficile) à vivre*, avec laquelle il est facile (difficile) de vivre; qui est d'humeur accommodante (peu traitable). **7.** Avoir telle conduite. *Vivre en honnête homme.* ▷ (À l'inf., dans des emplois tels que *savoir vivre, apprendre à vivre.*) Connaître les usages; se comporter avec distinction, avec élégance morale. *Il aurait bien besoin qu'on lui apprenne à vivre. Un homme qui sait vivre.* **II.** v. tr. **1.** Passer (une période bonne ou mauvaise). *Vivre des heures troublées.* ▷ *Vivre sa vie* : vivre à sa guise. **2.** Éprouver, ressentir profondément. *Vivre une expérience exaltante.* **B.** interj. *Vive! vivent!* et *qui vive?* : V. vive! et qui-vive. **C.** n. m. **1.** Loc. *Avoir, fournir le vivre et le couvert*, de la nourriture et un toit. **2.** (Plur.) Aliments. *Manquer de vivres.* – Loc. fig. *Couper les vivres à qqn*, ne plus lui donner d'argent pour subsister.

vivrier, ère adj. Didac. Dont les produits sont destinés à l'alimentation. *Cultures vivrières.*

Vix, com. de la Côte-d'Or (arr. de Montbard); 95 hab.; site archéologique où fut découverte, en 1953, une tombe sous tumulus du Ve s. av. J.-C. (fin de l'époque de Hallstatt); elle contenait, parmi un import. mobilier funéraire, un grand cratère en bronze («Cratère de Vix», musée de Châtillon-sur-Seine).

«Cratère de **Vix**», cratère colossal en bronze (hauteur : 1,64 m; poids : 208 kg), prov. d'un atelier de Grande-Grèce, Ve s. av. J.-C.; musée de Châtillon-sur-Seine

Vizille, ch.-l. de cant. de l'Isère (arr. de Grenoble), sur la Romanche; 7 268 hab. Papeteries; prod. chim. – Chât. de Lesdiguières (déb. du XVIIe s.; musée de la Révolution française). – Les états du Dauphiné, réunis dans ce château, demandèrent la convocation des états généraux (21 juil. 1788).

vizir n. m. HIST Ministre du sultan. ▷ *Grand vizir* : Premier ministre de l'Empire ottoman.

vizirat n. m. HIST Dignité, fonction de vizir; durée de cette fonction.

Vlaardingen, ville des Pays-Bas (Hollande-Méridionale), fbg de Rotterdam; 75 020 hab. Princ. port de pêche du pays, sur la Meuse. Industr. alimentaires (hareng fumé).

Vladikavkaz (*Dzaoudjikaou* de 1944 à 1954, *Ordjonikidze* de 1954 à 1991), v. de Russie, dans le Caucase; cap. de l'Ossétie du Nord; 308 000 hab. – Métall. du plomb et du zinc.

Vladimir, v. de Russie; 331 000 hab.; ch.-l. de la prov. du m. nom. Industr. textiles, mécaniques, chimiques et alimentaires. – Nombreux monuments : cath. de la Dormition (1158-1161, rebâtie entre 1185 et 1189), égl. de l'Intercession-de-la-Vierge (v. 1165) et St-Dimitri (1193-1197). – Fondée en 1108 par Vladimir II Monomaque, la ville fut la cap. (1157) d'une import. principauté et résidence du métropolite de l'Église russe (1299-1326) avant d'être supplantée par Moscou, au XIVe s.

Vladimir Ier Sviatoslavitch ou **le Grand** (v. 956 – 1015), prince de Novgorod (970), grand-prince de Kiev (v. 980-1015). Il réunit autour de son territoire l'ensemble des terres russes et, avec son peuple, se convertit au christianisme sous l'influence de missionnaires byzantins. Canonisé par l'Église orthodoxe, il est l'un des saints patrons de la Russie. – **Vladimir II Monomaque** (1053 – 1125), grand-prince de Kiev (1113-1125). Il fut respecté pour sa justice et sa sagesse. Il a laissé une *Instruction*, synthèse cléricale de l'époque.

Vladivostok, v. et port de Russie, sur la mer du Japon; 627 000 hab.; ch.-l. du territoire du Littoral. Établie au terminus du Transsibérien, la ville a une import. fonction commerciale et industrielle (chantiers navals, raff. de pétrole, industr. chimiques et alimentaires). – Russe depuis 1860, la v. fut occupée par une mission militaire anglo-franco-japonaise de 1918 à 1922.

Vlad Ţepeş. V. Dracula.

Vlaminck (Maurice de) (Paris, 1876 – Rueil-la-Gadelière, Eure-et-Loir, 1958), peintre français; créateur du fauvisme* avec Derain et Matisse (*la Péniche*, 1905). Plus tard, il exécuta des paysages aux ciels d'orage, traités en pleine pâte, mais de facture plus traditionnelle.

Vlaminck : *Une vue de la Seine*, 1905-1906; musée de l'Ermitage, Saint-Pétersbourg

vlan! ou **v'lan!** interj. Onomat. exprimant un bruit, un coup brusque, violent. *Et vlan! un courant d'air claque la porte.*

Vlassov (Andreï Andreïevitch) (Lomakino, près de Nijni-Novgorod, 1900 – Moscou, 1946), général soviétique. Capturé (été 1942), il se rangea aux côtés des Allemands et entreprit la «libération des peuples de Russie» à la tête d'anciens prisonniers soviétiques. En 1945, les Américains le capturèrent et le remirent aux Soviétiques, qui l'exécutèrent.

Vlorë ou **Vlora,** v. et port du S. de l'Albanie; 64 100 hab.; ch.-l. du distr. du m. nom. Port pétrolier.

Vltava (la) (en all. *Moldau*), riv. (430 km) de la Rép. tchèque. Née au S.-O. de la Bohême, recevant les eaux de cette région, qu'elle draine, elle passe à Prague et se jette dans l'Elbe (r. g.).

V.O. Abrév. de *version originale*.

vocable n. m. Didac. **1.** Mot, terme. *Vocable peu usité.* **2.** Nom du saint sous l'invocation duquel une église est placée. *Église sous le vocable de saint Joseph.*

vocabulaire n. m. **1.** Dictionnaire abrégé d'une langue. Syn. lexique. **2.** Ensemble des mots d'une langue. *Le vocabulaire anglais.* **3.** Ensemble de termes que connaît, qu'emploie une personne, un groupe ou qui sont propres à une science, un art. *Cet enfant possède déjà un vocabulaire étendu. Le vocabulaire de la chimie.*

vocal, ale, aux adj. De la voix, qui a rapport à la voix. *Cordes* vocales.* ▷ *Musique vocale :* musique pour le chant (par oppos. à *musique instrumentale*).

vocalement adv. En se servant de la voix, par la voix.

vocalique adj. LING Relatif aux voyelles.

vocalisation n. f. **1.** LING Changement d'une consonne en voyelle. (Ex. : *chevals* en anc. fr. a donné *chevaux* en fr. mod.) **2.** MUS Action de vocaliser.

vocalise n. f. MUS Exercice vocal consistant à exécuter une série de notes, soit sur une voyelle (le plus souvent *a*), sans articulation de syllabes, soit sur une ou plusieurs syllabes.

vocaliser v. [1] **1.** v. tr. LING Transformer (une consonne) en voyelle. ▷ v. pron. *Consonne qui se vocalise.* **2.** v. intr. MUS Exécuter des vocalises.

vocalisme n. m. LING **1.** Système des voyelles d'une langue. **2.** Ensemble des voyelles d'un mot. **3.** Théorie phonétique concernant les lois qui régissent la formation des voyelles.

vocatif, ive n. m. et adj. LING **1.** Cas des mots utilisés pour interpeller, pour s'adresser à qqn, dans les langues à déclinaison. *Dans la phrase de César mourant : «Tu quoque fili mi»* («Toi aussi, mon fils»), *les mots «fili mi» sont au vocatif.* **2.** Tour exclamatif utilisé pour s'adresser à qqn, à qqch, pour l'interpeller, dans les langues sans déclinaison. (Ex. : le début de la *Nuit de mai* de Musset «Poète, prends ton luth...») ▷ adj. *Tour vocatif. Phrase vocative.*

vocation n. f. **1.** RELIG Appel de Dieu à un accomplissement intégral, tant au plan général (*vocation surnaturelle :* appel universel à la sainteté adressé à tous les hommes) qu'au plan individuel (*vocation personnelle :* propre à chacun), suivant la place que Dieu lui assigne pour la réalisation de ses desseins providentiels. *La vocation d'Abraham, des Apôtres.* **2.** Vive inclination, aptitude spéciale pour un état, une profession, une branche d'activité. *Il est devenu médecin par vocation.* **3.** Ce pour quoi une chose existe, est faite; ce à quoi elle semble être destinée. *Région à vocation agricole.* ▷ *Avoir vocation à :* se trouver naturellement désigné pour.

vocero, plur. **voceri** [vɔtʃeʀo, vɔtʃeʀi] ou **vocéro,** plur. **vocéri** [vɔseʀo, vɔseʀi] n. m. Chant funèbre des pleureuses corses.

vocifération n. f. (Surtout au pl.) Paroles d'une personne qui vocifère.

vociférer v. [14] v. intr. Parler avec colère et en criant. ▷ v. tr. *Vociférer des injures.*

Voconces, anc. peuple de la Gaule, en Narbonnaise, qui formait la *civitas Vocontiorum* (région de Die).

vodka n. f. Alcool de grain (seigle, orge) fabriqué notam. en Russie et en Pologne.

vœu n. m. **1.** RELIG CATHOL Promesse par laquelle on s'engage envers Dieu. *Vœux de pauvreté, de chasteté et d'obéissance des religieux.* ▷ (Plur.) Profession, engagement solennel dans l'état religieux. *Prononcer ses vœux.* **2.** Résolution fermement prise. *Faire vœu de se venger.* **3.** Souhait. *Faire des vœux pour que qqch se réalise.* – (Adressé à qqn.) *Je vous présente tous mes vœux pour la nouvelle année. Tous nos vœux de bonheur.* – Absol. *Meilleurs vœux. Tous mes vœux.* – *Envoyer des cartes de vœux.* **4.** Volonté, désir exprimé. *Le vœu de la nation.*

Vôge (la), rég. du S. de la Lorraine, sur la bordure S.-O. des Vosges (au contact des plaines de la Saône).

vogoul ou **vogoule** [vɔgul] adj. et n. Des Vogoul(e)s, peuple d'orig. finno-ougrienne vivant en Sibérie occid. ▷ n. m. Langue vogoule. *Le vogoul(e) et l'ostiak.*

Vogt (Karl) (Giessen, 1817 – Genève, 1895), naturaliste allemand; adepte du darwinisme.

vogue n. f. Succès passager (de qqn, de qqch), auprès du public. *La vogue des cheveux longs.* – *En vogue :* à la mode. *Chanteur, chanson en vogue.*

Vogüé (Charles-Jean Melchior, marquis de) (Paris, 1829 – id., 1916), archéologue et diplomate français; directeur de fouilles en Syrie et en Palestine (1853-1855). Acad. fr. (1901). – **Eugène-Marie Melchior,** vicomte de Vogüé (Nice, 1848 – Paris, 1910), cousin du préc.; écrivain français. Chef de file de l'idéalisme néo-chrétien, il opposa au naturalisme le mysticisme de Dostoïevski et de Tolstoï : *le Roman russe* (1886). Acad. fr. (1888).

voguer v. intr. [1] Vieilli ou litt. Naviguer, avancer sur l'eau. *Navire qui vogue à pleines voiles.* ▷ Loc. fig. Mod. *Vogue la galère!* : advienne que pourra!

voici prép. **1.** (Indiquant la proximité dans l'espace ou dans le temps.) *Voici, à nos pieds, la rivière. Me voici. Voici l'aube.* ▷ Litt. *Voici venir...* (pour indiquer que qqn, qqch approche). *Voici venir le cortège, l'hiver.* ▷ (Précédé du pron. relat. *que*, avec la valeur d'un démonstratif.) *La belle que voici.* **2.** (Pour annoncer, pour appeler l'attention sur ce qui va suivre.) *Voici ce que vous allez faire.* **3.** (Marquant un état actuel, une action qui a lieu au moment où l'on parle.) *Nous voici libres.* ▷ *Nous y voici :* nous arrivons au terme de notre déplacement ou à la question qui nous intéresse. **4.** (Suivi de la conj. *que*, pour souligner le caractère brusque, inopiné de ce qui arrive.) *Voici qu'il s'interrompt et se tourne vers moi.* **5.** (Devant un complément de temps, pour marquer l'écoulement d'une durée.) *Voici un an qu'il est parti.* (Rem. : *voici* tend auj. à être remplacé par *voilà* dans la plupart de ses emplois.)

voie n. f. **1.** Espace sur lequel on se déplace pour aller d'un lieu à un autre (chemin, route, rue, etc.). *Voies de communication. Voie d'eau :* voie navigable. ▷ ADMIN *La voie publique :* l'ensemble des routes, rues, places, etc., publiques. **2.** Grande route de l'Antiquité. *Voies romaines.* **3.** *Voie ferrée* ou, absol., *voie :* ensemble des rails sur lesquels circule un train; espace entre les rails. *Voie de garage :* V. garage. **4.** Milieu (terrestre, aérien) emprunté pour les transports, les déplacements. *Courrier acheminé par voie aérienne.* **5.** CHASSE Chemin par où la bête est passée. ▷ Loc. fig. *Mettre qqn sur la voie*, lui donner des renseignements propres à le guider dans ses recherches. **6.** MAR *Voie d'eau :* ouverture accidentelle dans la coque d'un navire, par laquelle l'eau entre. **7.** Plur. ANAT Ensemble de conduits assurant une même fonction. *Voies urinaires, digestives.* **8.** Trace que laisse une voiture qui roule. – Intervalle entre les roues droites et gauches d'une voiture. – Partie d'une route sur laquelle ne peut circuler qu'une file de voitures. *Route à trois voies.* **9.** TECH *Voie d'une scie :* largeur de l'entaille que fait sa lame. – Écartement, vers l'extérieur, des dents d'une scie. *Donner de la voie à une scie.* **10.** *Voie lactée :* V. lacté. **11.** Fig. Intermédiaire ou suite d'intermédiaires qui permet de transmettre une requête, de faire aboutir une démarche, etc. *Votre demande de mutation a suivi la voie hiérarchique.* **12.** Fig. Direction, conduite suivie; façon d'opérer. *Réussir par la voie de l'intrigue. Être en bonne voie :* aller vers le succès. *Être en voie de...*, en train de, sur le point de... ▷ (Dans diverses loc. figées.) RELIG *Les voies de la Providence*, ses desseins. *La voie étroite*, celle du salut. – DR *Voies de droit :* recours à la justice suivant les formes prescrites par la loi. *Voies de fait :* actes de violence exercés contre qqn. – CHIM *Voie sèche :* traitement d'une substance par la chaleur en l'absence de tout liquide (par oppos. à *voie humide*).

voïévode [vɔjevɔd] ou **voïvode** [vɔjvɔd] n. m. **1.** HIST Titre des souverains de certaines régions des Balkans (Moldavie, Valachie, notam.) du temps de la domination ottomane. **2.** Mod. Gouverneur d'une voïévodie, en Pologne.

voïévodie ou **voïvodie** n. f. **1.** HIST Gouvernement d'un voïévode. **2.** Division administrative, en Pologne.

voilà prép. **1.** (Indiquant l'éloignement.) *Voilà le bois, à l'horizon.* ▷ Loc. adv. *En veux-tu, en voilà :* à profusion. ▷ (Précédé du pron. relat. *que*, avec la valeur d'un démonstratif) *La belle que voilà.* **2.** (Renvoyant à ce qui vient d'être dit, énoncé.) *Voilà ce qu'il fallait faire.* – Fam. *Voilà ce que c'est que de désobéir :* telle est la conséquence de la désobéissance. – Ellipt. *Tu as désobéi, et voilà!* (ce qu'il en est résulté). **3.** (Employé pour *voici.*) V. voici (sens 3, 4 et 5 et rem. finale).

voilage n. m. Pièce d'étoffe légère ou transparente servant de rideau.

1. voile n. m. **1.** Pièce d'étoffe destinée à cacher qqch. *Couvrir une statue d'un voile. Corps sans voiles*, nu. **2.** Morceau de tissu qui cache les cheveux et, entièrement ou partiellement, le visage. *Voile des femmes musulmanes.* **3.** Coiffure féminine faite d'une pièce d'étoffe. *Voile de mariée.* – Loc. *Prendre le voile :* entrer en religion, en parlant d'une femme. **4.** Tissu fin et léger. *Des rideaux en voile.* **5.** Fig. Ce qui dissimule à la vue ou à l'esprit. *Un voile de fumée légère. Le voile qui nous cache l'avenir.* – *Jeter un voile sur un événement*, tenter de le cacher; ne pas ou ne plus en parler. **6.** Nuage floconneux se formant dans un liquide. **7.** PHOTO Défaut d'une épreuve surexposée, qui amoindrit les contrastes et donne l'impression d'un voile (sens 1) interposé entre l'objectif et le sujet. **8.** MED *Voile au poumon :* opacité anormale et homogène d'une partie du poumon, visible à la radiographie. ▷ ANAT *Voile du palais :* V. palais 2. **9.** AVIAT *Voile noir, voile rouge :* trouble de la vue se produisant chez les aviateurs soumis à une forte accélération. **10.** BOT *Voile partiel*, qui enveloppe le chapeau des champignons supérieurs jeunes et qui subsiste parfois sous forme d'un anneau autour du pied. *Voile général*, qui enveloppe les jeunes carpophores des champignons supérieurs et qui persiste parfois à la maturité, formant la volve et des écailles sur le chapeau. **11.** CONSTR *Voile mince* : élément de construction en béton de grande surface et de faible épaisseur.

2. voile n. f. **1.** Pièce d'étoffe résistante destinée à recevoir l'action du vent et à assurer la propulsion d'un navire. *Bateau à voiles. Voile carrée, latine, aurique, marconi.* ▷ Loc. *Faire voile sur* : naviguer vers. *Mettre à la voile* : appareiller. *Mettre toutes voiles dehors*, les déployer toutes; fig., fam. mettre tout en œuvre pour réussir. ▷ Loc. fig., fam. *Avoir du vent dans les voiles* : être ivre. – *Mettre les voiles* : partir. – *À voile et à vapeur*, se dit d'une personne à la fois homosexuelle et hétérosexuelle. **2.** Par méton. *Une voile* : un voilier. *Escadre de tant de voiles.* **3.** Sport consistant à naviguer en voilier. *Faire de la voile.* **4.** *Vol à voile* : pilotage des planeurs.

3. voile n. m. TECH Gauchissement, renflement d'une pièce de bois, de métal, etc. *Cette porte prend du voile.*

1. voilé, ée adj. **1.** Couvert d'un voile. *Femmes voilées.* **2.** Qui manque d'éclat, de netteté. *Ciel voilé. Regard voilé.* – *Voix voilée*, un peu rauque. **3.** Qui présente un voile (1 sens 7 et 8). *Négatif voilé. Poumon voilé.* **4.** Fig. Atténué, affaibli. *Un reproche voilé.*

2. voilé, ée adj. Qui a du voile, gauchi. *Roue voilée.*

voilement n. m. TECH État d'une pièce voilée; voile, gauchissement.

1. voiler v. [1] **I.** v. tr. **1.** Couvrir d'un voile. *Voiler son visage.* **2.** Dissimuler; rendre moins visible. *Le brouillard voilait les collines.* **3.** Fig. Cacher, dissimuler. *Voiler son trouble.* **II.** v. pron. Se couvrir d'un voile. ▷ Par anal. *Le soleil se voile.*

2. voiler v. tr. [1] MAR Munir d'une voile, de voiles. – Pp. adj. *Navire trop, pas assez voilé.*

3. voiler v. tr. [1] Gauchir, rendre une pièce, une surface voilée, convexe ou renflée. *Voiler une roue*, la déformer de telle sorte qu'elle ne puisse plus tourner perpendiculairement à l'axe de rotation. ▷ v. pron. Devenir voilé.

voilerie n. f. MAR Lieu où l'on confectionne, où l'on raccommode, où l'on entrepose des voiles de navire.

voilette n. f. Petit voile transparent fixé sur un chapeau de femme et qu'on peut abaisser pour couvrir le visage.

voilier n. m. **1.** Bateau à voiles. **2.** Celui qui confectionne ou répare les voiles. *Un maître voilier.* **3.** Didac. Oiseau à ailes puissantes.

1. voilure n. f. **1.** Ensemble des voiles d'un navire. **2.** AVIAT Ensemble des surfaces assurant la sustentation d'un avion (ailes et empennage). – *Spécial.* Les ailes. ▷ *Voilure tournante* : surface en rotation permettant l'envol et la descente verticaux d'un hélicoptère ou d'un autogire. Syn. rotor. ▷ Calotte de tissu qui constitue l'élément sustentateur d'un parachute. *La voilure est reliée au harnais par les suspentes.*

2. voilure n. f. TECH Courbure d'une surface voilée.

voir v. [46] **I.** v. tr. **1.** Percevoir (qqn, qqch) avec les yeux, par la vue. *Je l'ai vu comme je vous vois.* ▷ *Absol.* Posséder le sens de la vue, avoir telle vue. *Il ne voit plus. Voir clair, double.* – *Voir loin* : voir à une grande distance; fig. avoir de la perspicacité, de la clairvoyance. ▷ Loc. fig., fam. *Ne pas voir plus loin que le bout de son nez* : n'avoir aucun discernement. ▷ Loc. *Voir le jour* : naître, commencer à exister. *Voir la mort de près* : échapper de peu à la mort. ▷ *Faire voir* : montrer. *Il m'a fait voir sa nouvelle maison.* – v. pron. *Se faire voir* : se montrer. ▷ *Laisser voir* : accepter qu'on voie, ne pas cacher. *Laisser voir son dépit.* **2.** Être témoin de; regarder, visiter. *Nous avons vu ses exploits. Voir un spectacle, une exposition.* ▷ (Sujet n. de chose.) *Cette cathédrale a vu le couronnement de nombreux rois.* ▷ Loc. fam. *On aura tout vu* : rien ne nous sera épargné (en fait d'exagération, d'excès, de scandale, etc.). *En avoir vu d'autres* : ne pas en être à sa première expérience désagréable. – *Je voudrais bien vous y voir*, savoir si vous feriez mieux dans une telle situation. **3.** Rencontrer (qqn); rencontrer occasionnellement ou fréquemment. *Aller voir un ami. Ne voir personne. Ils ne se voient plus* : ils ont rompu. – Fig., fam. *Je ne peux plus le voir* : je le déteste. *Je l'ai assez vu* : j'en suis las. ▷ Consulter. *Voir le médecin, un avocat.* **4.** Considérer attentivement, examiner, étudier. *Voir un dossier en détail. Il faut voir le problème de plus près. Faire une chose pour voir*, pour savoir ce qu'il en résultera. ▷ (À l'impér., pour marquer l'encouragement, l'exhortation.) *Voyons, parlez!* – (Avec une nuance de réprobation.) *Un peu de silence, voyons! Voyons, voyons, les enfants, du calme!* ▷ *Voyez-vous, vois-tu* (pour souligner ce qui vient d'être dit ou pour attirer l'attention sur ce qui va suivre). *Je n'ai pas cette opinion, vois-tu. Ce qu'il faudrait, voyez-vous...* ▷ (Dans un texte écrit.) *Voir, voyez* : se reporter, reportez-vous à... *Voir ci-après. Voyez la figure page tant.* **5.** Avoir l'image mentale de. *Voir en rêve. Je vois la scène comme si j'y étais.* **6.** Se faire une idée de, concevoir. *Ce n'est pas ma façon de voir. Voir la vie en rose, en noir*, d'une façon optimiste, pessimiste. ▷ *Voir en qqn un ami*, le considérer comme tel. **7.** Saisir par la pensée. *Je ne vois pas où est la difficulté.* **8.** *N'avoir rien à voir avec, dans* : n'avoir aucun rapport avec, être tout à fait en dehors de. *Cela n'a rien à voir avec la question.* **II.** v. tr. indir. *Voir à* (+ inf.) : veiller à, faire en sorte de. *Voyez à préparer le nécessaire.* – Fam. *Il faudrait voir à*, tâcher de. *Il faudrait voir à vous dépêcher un peu.* – Pop. *(Il) faudrait voir à voir!*, tâcher d'aviser, de prendre garde (le plus souvent avec une valeur d'avertissement, de menace). **III.** v. pron. **1.** (Réfl.) Apercevoir sa propre image. *Se voir dans un miroir.* **2.** (Réfl.) Avoir de soi-même (telle représentation, telle image). *Je ne me vois pas du tout dans ce rôle.* ▷ Prendre conscience d'être; croire être. *Se voir perdu.* **3.** (Récipr.) Se rencontrer. *Nous nous voyons souvent.* **4.** (Passif) Être vu, pouvoir être vu. *L'église se voit d'ici.* – *Cela se voit tous les jours* : cela arrive très fréquemment, c'est banal. ▷ Être visible. *Cela se voit.*

voilier

voire adv. Et même. *Il est très économe, voire avare.* (N.B. Le tour *voire même* est pléonastique.)

voirie n. f. **1.** Ensemble des voies de communication territoriales par terre et par eau. **2.** Partie de l'administration chargée de l'établissement, de la conservation et de la police de ces voies.

Voiron, ch.-l. de cant. de l'Isère (arr. de Grenoble), sur la Morge; 19 221 hab. Centre industriel à l'entrée de la cluse de Grenoble : papeteries, industr. textiles, jouets.

voisé, ée adj. PHON Syn. de *sonore. Consonne voisée.*

voisement n. m. PHON Vibration des cordes vocales dans la production d'un phonème.

voisin, ine adj. et n. **I.** adj. **1.** Proche dans l'espace. *Maisons voisines.* **2.** Peu éloigné dans le temps. *Date voisine de Noël.* **3.** (Abstrait) Analogue, comparable. *Expressions voisines.* **II.** n. Personne qui habite, qui se trouve à proximité d'une autre. *C'est le voisin du dessus. Passe le sel à ton voisin.* ▷ *Par ext.* Autrui. *Dire du mal du voisin.*

Voisin (Catherine Monvoisin, née Deshayes, dite la) (Paris, v. 1640 – id., 1680), sage-femme française. Avorteuse, voyante, pratiquant la sorcellerie, elle fut mêlée à l'Affaire des poisons*, arrêtée (1679) et brûlée vive.

Voisin (Gabriel) (Belleville-sur-Saône, 1880 – Ozenay, Saône-et-Loire, 1973), ingénieur et industriel français. Il fonda la première usine d'aviation du monde (1908) et se consacra (à partir de 1918) à la construction automobile. – **Charles** (Lyon, 1882 – Corcelles, Rhône, 1912), frère du préc.; premier pilote français qui vola en Europe (1907).

voisinage n. m. **1.** Proximité d'une personne, d'un lieu. *Le voisinage de la forêt permet d'agréables promenades.* ▷ *Bon voisinage* : bonnes relations entre voisins. *Vivre en bon voisinage avec qqn.* **2.** Alentours, lieux voisins. *Les maisons du voisinage.* **3.** Ensemble des voisins. *Déranger tout le voisinage.*

voisiner v. intr. [1] **1.** Vieilli Fréquenter ses voisins. *On se rendait de menus services, on bavardait sur les seuils, bref, on voisinait.* **2.** Mod. *Voisiner avec* : se trouver près de. *Étalage où les fruits voisinent avec les légumes.*

Voisins-le-Bretonneux, com. des Yvelines (arr. de Rambouillet), partie de la ville nouvelle de Saint-Quentin-en-Yvelines; 11 242 hab.

voiture n. f. Véhicule à roues, destiné au transport. *Voiture à bras, à cheval. Voiture d'enfant*, que l'on pousse à bras pour transporter les jeunes enfants. – *Voiture automobile* ou, absol. et plus cour., *voiture* : automobile de tourisme. *Voiture de course.* ▷ CH de F Grand véhicule destiné aux voyageurs (par oppos. à *wagon*, véhicule réservé aux marchandises) et roulant sur des rails. *Les voyageurs pour Brive, en voiture! Voiture de première classe.* – (En composition.) *Voiture-bar, voiture-lit, voiture-restaurant.*

Voiture (Vincent) (Amiens, 1597 - Paris, 1648), écrivain français. Homme d'esprit considéré comme l'« âme » de l'hôtel de Rambouillet, il écrivit des *Poésies* et des *Lettres* (posth., 1650) dans une langue raffinée jusqu'à l'affectation, parfait exemple de la préciosité. Acad. fr. (1634).

voiturer v. tr. [1] Rare Transporter en voiture.

voiturette n. f. Vieilli Petite voiture. - Mod. Petite automobile dont la conduite n'exige pas de permis de conduire.

voiturier n. m. **1.** Anc. Celui qui transportait des personnes ou des marchandises dans une voiture à cheval. **2.** Employé chargé (dans un hôtel, chez un coiffeur, notam.) de garer, de déplacer les automobiles des clients.

voïvode, voïvodie. V. voïévode, voïévodie.

voix [vwa] n. f. **I. 1.** Ensemble des sons émis par les vibrations des cordes vocales et modulés par leur passage dans le pharynx, la bouche et les lèvres. *Une voix douce, forte.* ▷ Suite de sons articulés, parole. *Parler à haute voix, à voix basse.* - *De vive voix* : verbalement. - Fig. Appel, avertissement intérieur (surtout dans *la voix de*). *La voix de Dieu. La voix de la conscience.* **2.** Faculté de chanter; sons émis en chantant. *Une voix juste.* ▷ *Spécial.* Voix d'un chanteur, définie par sa hauteur et son étendue. *Voix de basse, de baryton, de ténor, de contralto, de soprano. Voix de tête* : V. fausset 1. - Loc. *Être en voix*, en état de bien chanter. ▷ MUS *Voix humaine* : un des jeux de l'orgue. **3.** Partie tenue par un chanteur ou un instrumentiste, dans une œuvre musicale. *Cantate à trois voix.* **4.** Cri, chant, ramage (d'un animal). *La voix du rossignol.* **5.** Litt. Son, bruit. *La voix chaude du violoncelle. La voix du ruisseau.* **II.** Avis exprimé dans un vote. *Trois voix pour, cinq contre. Mettre une proposition aux voix. Ce candidat a gagné des voix.* - *Avoir voix consultative, délibérative. Avoir voix au chapitre*.* **III.** GRAM Ensemble des formes que prend un verbe selon que le sujet est l'agent *(voix active)* ou l'objet *(voix passive)* de l'action.

Vojvodine, prov. (autonome jusqu'en 1990) comprise dans la république de Serbie, au N. de Belgrade, cédée par la Hongrie à la Serbie au traité de Trianon en 1920; 21 506 km²; 2 049 000 hab. (Serbes 57 %, Hongrois 19 %); ch.-l. *Novi Sad.* Riche région agricole. Industries alimentaires. En 1992, la région fait face à un afflux de réfugiés serbes de Croatie. Parallèlement, les Serbes font pression sur les non-Serbes (chassés des emplois publics), afin de les pousser à quitter la région (plusieurs dizaines de milliers fuient en 1992). V. Serbie.

1. vol n. m. **I. 1.** Locomotion aérienne des animaux pourvus d'ailes, partic. des oiseaux. *Le vol de l'aigle.* ▷ Loc. *Prendre son vol* : s'envoler. - *Attraper une chose au vol*, alors qu'elle est en l'air, qu'elle tombe. *Il a attrapé la balle au vol.* - Fig. *Saisir des phrases d'une conversation au vol.* - Fig. *De haut vol* : qui n'est pas médiocre. *Un escroc de haut vol.* - Fig. *À vol d'oiseau* : en ligne droite. **2.** Distance parcourue par un oiseau d'une seule traite. *Les vols courts de la perdrix.* **3.** Ensemble d'oiseaux volant en groupe. *Un vol de canards sauvages.* - Par ext. *Un vol de criquets.* **II. 1.** Déplacement dans l'atmosphère ou dans l'espace extra-terrestre d'un aéronef, d'un engin. *Vol d'un avion. Vol orbital d'un véhicule spatial.* - *Vol plané*, d'un avion dont le moteur est au ralenti ou arrêté. - *Vol à voile*, pratiqué avec un planeur. *Vol libre* : sport pratiqué avec une aile libre, un deltaplane. ▷ Fait de voler, de se déplacer en aéronef. *Ce pilote a dix mille heures de vol à son actif.* **2.** Trajet effectué en volant. *Un vol de six mille kilomètres.* ▷ *Vol sec* : voyage aérien vendu par une agence de voyages sans prestations complémentaires. **3.** SPORT Par anal. *Vol à skis* : saut à skis.

2. vol n. m. **1.** Action de s'approprier le bien d'autrui de façon illicite. - DR *Vol simple* : délit de la compétence du tribunal correctionnel. *Vol qualifié*, accompagné de circonstances aggravantes, crime relevant de la cour d'assises. **2.** Fait d'être malhonnête dans une transaction. *Vendre cette marchandise à ce prix, c'est du vol!*

volage adj. Inconstant dans ses sentiments, partic. dans ses sentiments amoureux. *Un amant volage.*

volaille n. f. **1.** (Sing. collectif.) Oiseaux de basse-cour élevés pour leurs œufs, leur chair. *Nourrir la volaille.* **2.** *Une volaille* : un oiseau de basse-cour.

volailler, ère ou **volailleur, euse** n. Celui, celle qui élève ou vend des volailles.

1. volant, ante adj. (et n.) **1.** Qui vole, qui peut voler dans l'air. *Les avions sont des engins volants plus lourds que l'air.* - *Soucoupe* volante.* ▷ Subst. AVIAT *Les volants* : le personnel navigant (par oppos. à *rampants*). **2.** Dont la place n'est pas fixe, que l'on peut déplacer à volonté. *Camp volant.* ▷ *Feuille volante* : feuille de papier qui n'est pas attachée à un carnet, à un bloc.

2. volant n. m. **1.** Petit objet en forme de calotte hémisphérique, fait d'une matière légère (liège, caoutchouc, matière plastique, etc.), et garni de plumes, que les joueurs se renvoient, à certains jeux de raquette. ▷ Jeu de raquette dans lequel on utilise un volant. *Jouer au volant* (V. badminton). **2.** Organe circulaire qui permet de diriger un véhicule automobile. ▷ Par ext. *Le volant* : la conduite automobile. *Les as du volant.* **3.** TECH Roue pesante destinée à régulariser la vitesse de rotation de l'arbre dont elle est solidaire. *Volant magnétique*, qui fait office de magnéto*, dans les moteurs à deux temps. ▷ Fig. *Volant de sécurité* : réserve permettant de faire face à un imprévu. **4.** Bande d'étoffe froncée ou plissée cousue au bord d'un vêtement, d'une garniture d'ameublement. *Volant d'une jupe, d'un dessus-de-lit.* **5.** Feuille détachable d'un carnet à souches (par oppos. au *talon*).

volapük [vɔlapyk] n. m. Langue artificielle internationale créée en 1879 par J. M. Schleyer, curé de Litzelstetten, près de Constance. *L'intérêt pour le volapük fut de courte durée; il cessa à l'apparition de l'espéranto*.* ▷ Fig., péjor. Parler amalgamant de manière incorrecte des éléments pris dans des langues différentes; charabia.

volatil, ile adj. Qui se transforme facilement en vapeur, en gaz. *L'alcool à 90° est très volatil.* ▷ Fig. Incertain, fluctuant. *Électorat volatil.*

volatile n. m. Vieilli Oiseau, notam. de basse-cour.

volatilisable adj. Qui peut se volatiliser.

volatilisation n. f. Litt. Action de volatiliser, de se volatiliser.

volatiliser v. [1] **I.** v. tr. Faire passer (un corps solide ou liquide) à l'état gazeux. **II.** v. pron. **1.** Passer à l'état gazeux. **2.** Fig. Disparaître. *Ses économies se sont volatilisées.*

volatilité n. f. CHIM Caractère volatil.

vol-au-vent n. m. inv. CUIS Préparation faite d'un moule de pâte feuilletée garni de viande ou de poisson en sauce.

volcan n. m. **1.** Relief au sommet duquel se trouve un orifice par où s'échappent (ou se sont autrefois échappés) des matériaux à haute température provenant des couches profondes de l'écorce terrestre. ▷ Loc. fig. *Sur un volcan* : dans une situation précaire et dangereuse. *Danser sur un volcan.* **2.** *Par comparaison.* Personne ardente, impétueuse.

volcanique adj. **1.** Relatif à un volcan, à son activité; qui provient d'un volcan. *Éruption volcanique. Roche volcanique.* **2.** Fig. Ardent, fougueux. *Un tempérament volcanique.*

volcanisme n. m. Didac. Ensemble des manifestations volcaniques et de leurs causes.

volcanologie ou (vx) **vulcanologie** n. f. Didac. Étude, science des volcans.

volcanologue ou (vx) **vulcanologue** n. Spécialiste de volcanologie.

Volces. V. Volques.

volé, ée adj. et n. **1.** Qui a été dérobé. *Bijoux volés.* **2.** À qui l'on a dérobé qqch. *Le bijoutier volé.* - Subst. *Le volé a porté plainte.*

volée n. f. **I. 1.** Action de voler, pour un oiseau. *Prendre sa volée.* ▷ Loc. fig. *De haute volée* : d'un rang social élevé; de grande envergure. **2.** Espace que franchit un oiseau sans se poser. **3.** Bande d'oiseaux volant ensemble. *Une volée de moineaux.* ▷ Fig. *Une volée d'écoliers.* **II. 1.** Mouvement d'un projectile lancé avec force. *Une volée de pierres.* **2.** Mouvement de ce qui a été lancé et qui n'a pas encore touché terre. *Saisir une balle à la volée.* ▷ SPORT *Jeu de volée*, au tennis. - *Arrêt de volée* : au rugby, geste technique d'un joueur qui arrête intentionnellement le jeu en bloquant le ballon avant qu'il ne touche le sol. **3.** Série de coups donnés à qqn. *Une volée de coups de bâton.* - Absol. *Recevoir une volée.* - Fig., fam. *Volée de bois vert* : attaque verbale, critiques violentes. **4.** Loc. adv. *À la volée, à toute volée* : en lançant, en balançant vigoureusement. *Semer à la volée. Sonner les cloches à toute volée.* **III.** ARCHI Partie d'un escalier entre deux paliers.

1. voler v. intr. [1] **1.** Se mouvoir ou se soutenir en l'air au moyen d'ailes. *Oiseau qui vole bas.* **2.** Se déplacer par voie aérienne en parlant d'un aéronef, de son équipage, de ses passagers. *Voler de New York à Paris.* **3.** Être lancé ou flotter dans l'air. *Les flèches volaient. Faire voler des cendres en soufflant dessus.* **4.** Aller à une grande vitesse. *Voler au secours de qqn.* ▷ Fig. *Bruit qui vole de bouche en bouche*, qui se propage rapidement.

2. voler v. tr. [1] **1.** S'approprier (le bien d'autrui) de façon illicite. *Voler le porte-monnaie de qqn.* ▷ Absol. *N'avoir jamais volé.* **2.** Prendre indûment (une chose immatérielle). *Voler une idée.* - Loc. fam. *Il ne l'a pas volé* : il n'a que ce qu'il mérite. **3.** Manquer d'honnêteté à l'égard de (qqn) dans une transaction. *Commerçant qui vole ses clients.*

volet n. m. **I. 1.** Panneau de bois, de métal, etc., intérieur ou extérieur, destiné à clore une baie. **2.** Partie mobile d'une chose, pouvant se rabattre sur celle à laquelle elle est fixée. *Volets d'un triptyque.* – *Volet de carburateur,* qui sert à régler l'arrivée d'air. ▷ AVIAT Panneau articulé orientable de l'aile ou de l'empennage d'un avion. **3.** Fig. Partie d'une étude littéraire, scientifique, etc. *Le deuxième volet de l'enquête.* **II.** Vx Tablette, tamis sur lequel on triait des grains. ▷ Loc. mod. *Trié sur le volet :* choisi avec soin, sélectionné.

voleter v. intr. [**20**] **1.** Voler à petits coups d'ailes en ne parcourant que de courtes distances. *Oisillon qui volette.* **2.** Fig. S'agiter sous l'effet du vent. *Son écharpe voletait.*

voleur, euse n. et adj. Personne qui a commis un vol ou qui vole habituellement. *Arrêter un voleur.* ▷ adj. *Il est voleur et menteur.*

Volga (la), fl. de Russie (3 700 km), le plus long d'Europe. Née sur les hauteurs du Valdaï, au N.-O. de Moscou, elle traverse la grande plaine russe, arrosant Iaroslavl', Nijni-Novgorod, Kazan, Samara, Volgograd et Astrakan, avant de se jeter dans la mer Caspienne par un vaste delta. Malgré son régime irrégulier (nival), la Volga constitue un grand axe commercial, relié par canaux à la Baltique, à la mer d'Azov et à la mer Noire. – Le *canal Volga-Don* comporte une importante section pour la navigation ainsi qu'un immense lac-réservoir. Le *canal Volga-Moskova* permet notam. l'alimentation en eau de Moscou. Son aménagement hydraulique, qui favorise la navigation et l'irrigation, fournit un potentiel électrique considérable (centrales de Samara et de Volgograd).

Volga (république des Allemands de la), anc. république autonome de la R.S.F.S.R., sur le cours inférieur de la Volga, créée en 1924 et supprimée en 1941, date à laquelle les Allemands de cette région furent déportés en Sibérie et en Asie centrale, en raison de l'avance allemande en U.R.S.S. Elle regroupait les descendants de colons allemands établis au XVIIIe s.

Volgograd (*Tsaritsyne* jusqu'en 1925, *Stalingrad* de 1925 à 1961), v. de Russie, sur la r. dr. de la Volga ; 981 000 hab. ; ch.-l. de la prov. du m. nom. Import. centre industriel grâce au complexe hydroélectrique de la Volga (constr. mécaniques et aéronautiques ; aluminium ; raff. de pétrole).

Volhynie, rég. du N.-O. de l'Ukraine, pays de plateaux et collines boisés formés par l'affleurement du socle cristallin.

volière n. f. Espace clos par un grillage, où l'on élève des oiseaux. ▷ Grande cage à oiseaux.

volige n. f. CONSTR Planche mince sur laquelle sont fixées les ardoises ou les tuiles d'une toiture.

volitif, ive adj. PHILO De la volition, qui a rapport à la volition.

volition n. f. PHILO Acte de volonté ; faculté de vouloir, vôlonté.

Volkssturm (« assaut du peuple »), ensemble des formations militaires allemandes constituées en 1944 pour tenter de résister à l'avance alliée et rassemblant tous les hommes valides non encore mobilisés, âgés de dix-sept à soixante ans.

Volland (Louise Henriette, dite Sophie) (v. 1717 – 1784), confidente de Diderot. Les *Lettres à Sophie Volland* (1759-1774).

Vollard (Ambroise) (Saint-Denis de la Réunion, 1868 – Paris, 1939), marchand de tableaux, collectionneur et éditeur d'art français. Organisateur de la première exposition de Cézanne (1895), il s'intéressa également à Gauguin, Van Gogh, le Douanier Rousseau, Renoir, Pissarro, Bonnard, Rouault, Picasso, etc. Auteur de *Souvenirs d'un marchand de tableaux* (1937).

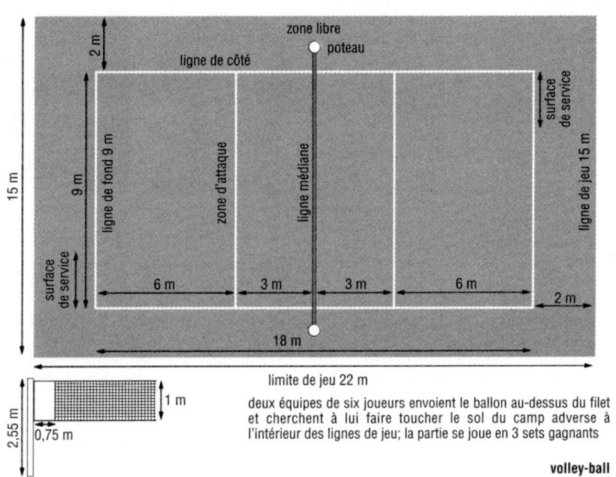

volley-ball

volley-ball [vɔlɛbol] n. m. Jeu, sport opposant deux équipes de six joueurs, qui se renvoient un ballon léger par-dessus d'un filet tendu (2,43 m du sol, pour les hommes ; 2,24 m pour les femmes).

volleyer v. intr. [**21**] SPORT Au tennis, jouer à la volée.

volleyeur, euse [vɔlɛjœʀ, øz] n. **1.** Joueur, joueuse de volley-ball. **2.** Au tennis, spécialiste du jeu de volée.

Volnay, com. de la Côte-d'Or (arr. de Beaune) ; 355 hab. Vins rouges renommés *(volnay).*

Volney (Constantin François de Chassebœuf, comte de) (Craon, Anjou, 1757 – Paris, 1820), érudit et philosophe français du groupe des idéologues*. Son essai *les Ruines ou Méditation sur les révolutions des empires* (1791) popularisa l'idée de religion naturelle. Acad. fr. (1803).

Vologda, v. de Russie, au N. de Moscou ; ch.-l. de la prov. du m. nom ; 269 000 hab. Centre ferroviaire. Industr. mécaniques et chimiques.

Vologèse, nom de cinq rois parthes. – **Vologèse I**[er] (m. v. 77 apr. J.-C.), roi de 50 ou 51 à 77 env. ; sa lutte avec Rome (54-63) se termina par une alliance. – **Vologèse II** (m. en 147), roi de 130 à 147. – **Vologèse III** (m. en 191), roi de 147 à 191 ; il dut céder aux Romains la haute Mésopotamie. – **Vologèse IV** (m. v. 209), roi de 191 à 209 env. ; il perdit la ville de Ctésiphon face aux troupes de Septime Sévère. – **Vologèse V** (m. v. 220), roi de 209 à 220 env. ; il fut dépouillé de presque tous ses États par son frère Artaban.

volontaire adj. et n. **I.** adj. **1.** Qui se fait délibérément (par oppos. à *involontaire*). *Acte volontaire.* **2.** Qui ne résulte pas d'une contrainte (par oppos. à *forcé*). *Contribution volontaire.* **3.** Qui agit par sa propre volonté. *Engagé volontaire.* **4.** Qui a ou qui dénote de la volonté (sens 2). *Un tempérament, un air volontaire.* **II.** n. **1.** Personne qui s'offre d'elle-même à accomplir une mission dangereuse, une tâche désagréable, etc. **2.** n. m. Soldat qui sert dans une armée en vertu d'un engagement volontaire.

volontairement adv. **1.** Intentionnellement. **2.** Sans être contraint.

volontariat n. m. Fait d'être volontaire. ▷ *Spécial.* Fait de servir volontairement dans l'armée.

volontarisme n. m. **1.** PHILO Doctrine qui place la volonté au-dessus de l'intelligence, soit en affirmant la priorité des tendances irrationnelles de la volonté sur les idées formées au niveau de l'intelligence, soit en démontrant la supériorité de l'action et de la volition sur la pensée réfléchie. **2.** Attitude qui consiste à mettre tout en œuvre pour soumettre le réel à une volonté définie et exprimée.

volontariste adj. et n. **1.** PHILO Qui professe le volontarisme. **2.** Qui relève du volontarisme (sens 2). *Une politique volontariste de la famille.*

volonté n. f. **1.** Faculté de se déterminer soi-même vis-à-vis d'une décision à prendre, d'une action. *L'entendement et la volonté.* **2.** Qualité, trait de caractère d'une personne qui possède, exerce cette faculté. *Avoir de la volonté. Une volonté de fer*.* **3.** Expression de cette détermination ; désir, souhait. *Il a agi contre ma volonté.* – *Les dernières volontés de qqn,* celles qu'il a exprimées avant sa mort. – Loc. fam. *Faire les quatre volontés de qqn,* lui passer tous ses caprices. ▷ Loc. adv. *À volonté :* quand on veut ou autant qu'on veut. *Ce ressort joue à volonté. Pain à volonté.* **4.** *Bonne volonté :* disposition à faire une chose de son mieux, de bon gré. *Mauvaise volonté :* tendance à se dérober à une obligation. *Il y met de la bonne (mauvaise) volonté :* il agit de bon (mauvais) gré.

volontiers [vɔlɔ̃tje] adv. **1.** De bon gré ; avec plaisir. *Je le recevrai volontiers.* **2.** Par une inclination naturelle, sans peine. *Je le crois volontiers.*

Vólos, v. et port de Grèce (Thessalie), sur le *golfe de Vólos* ; ch.-l. de nome ; 71 380 hab. Industr. variées.

Volques ou **Volces,** peuple de la Gaule. Venus de Germanie (?), ils s'établirent dans la Narbonnaise entre le Rhône et la Garonne, se divisant au IIe s. en deux groupes, l'un dans le bas Languedoc, l'autre dans la région de Toulouse.

Volsques, anc. peuple d'Italie, installé à la fin du VIe s. av. J.-C. dans le S. du Latium et soumis par les Romains au milieu du IVe s. av. J.-C.

volt n. m. ELECTR Unité SI (de symbole V) servant à mesurer la différence de potentiel entre deux points d'un conducteur transportant un courant de 1 ampère lorsque la puissance dissipée entre ces points est égale à 1 watt. ▷ *Volt par mètre :* unité SI de champ électrique (symbole V/m), égale à l'intensité du champ uniforme qui existe entre deux points distants de 1 m et entre lesquels règne une différence de potentiel de 1 volt.

Volta (la), fl. du Ghāna (1 600 km), tributaire de l'Atlantique, formé par la réunion de la *Volta noire,* à l'O., de la *Volta rouge,* au centre, et de la *Volta blanche,* à l'E., nées au Burkina Faso. Le fl. alimente le barrage d'Akosombo*, qui crée un lac de retenue d'env. 8 500 km^2 *(lac Volta).*

Volta (Alessandro, comte) (Côme, 1745 – id., 1827), physicien italien. Parmi ses découvertes en électricité, on compte notam. la pile qui porte son nom (1800).

voltage n. m. ELECTR (Abusiv.) Syn. de *tension.* ▷ Cour. Tension pour laquelle est prévu le fonctionnement d'un appareil électrique.

1. voltaïque adj. ELECTR Relatif à la pile de Volta.

2. voltaïque adj. et n. Anc. De la Haute-Volta, anc. nom du Burkina Faso, État d'Afrique occidentale. ▷ Subst. *Un(e) Voltaïque.*

voltaire n. m. Large fauteuil au siège bas et au dossier élevé. – (En appos.) *Un fauteuil Voltaire.*

Voltaire (François Marie Arouet, dit) (Paris, 1694 – id., 1778), écrivain français. Fils d'un notaire, il fit ses études chez les jésuites du collège de Clermont (auj. lycée Louis-le-Grand). Plutôt que de faire son droit, il préféra fréquenter les milieux littéraires (libertins) et écrire des vers, dont certains, jugés insolents envers le Régent, le firent embastiller (1717-1718). Sa tragédie *Œdipe* (1718) et le *Poème de la Ligue* (1723) lui apportèrent le succès, mais il retourna à la Bastille après une querelle avec le chevalier de Rohan-Chabot; libéré au bout de cinq mois, il s'exila à Londres (1726-1729) et considéra dès lors l'Angleterre comme le pays de la liberté. De retour en France, il publia des tragédies inspirées de Shakespeare (*Brutus,* 1730; *Zaïre,* 1732), une étude historique destinée à dénoncer la «folie des conquêtes» (*Histoire de Charles XII,* 1731), la critique des dogmes du christianisme (*Épître à Uranie,* 1733) et des écrivains à réputation surfaite (*le Temple du goût,* 1733); mais le scandale soulevé par l'édition d'une satire des mœurs et des institutions françaises (*Lettres philosophiques sur l'Angleterre* ou *Lettres anglaises,* 1734) le poussa à accepter l'hospitalité de la marquise du Châtelet dans son château de Cirey (Lorraine). Chez la «divine Émilie» (1734-1749), il rédigea notam. le conte philosophique *Zadig ou la Destinée* (1747), dans lequel il raille la présomption humaine et dénonce les injustices sociales. De 1744 à 1747, il connut une brève grâce auprès de Louis XV. Privé de l'aide de Mme du Châtelet (m. en 1749), il accepta l'invitation du roi de Prusse, Frédéric II, à Potsdam (1750), où, correcteur des vers de son hôte, il écrivit *le Siècle de Louis XIV* (1752) et le conte philosophique *Micromégas* (1752). S'étant fâché avec son protecteur, il revint en France (1753), mais non à Paris. Son poème héroï-comique *la Pucelle* (1755) scandalisa les catholiques, son *Essai sur les mœurs* (1756) excita contre lui les protestants, son *Poème sur le désastre de Lisbonne* (1756), réfutation acerbe de l'optimisme de Leibniz, lui attira l'inimitié de Rousseau. À la recherche d'une résidence tranquille, il acheta en 1759 le domaine de Ferney*, où il passa ses dernières années, les plus fécondes : *Candide ou l'Optimisme* (conte philosophique, 1759); *Tancrède* (tragédie, 1760); *Traité sur la tolérance* (éloge de la raison, 1763); *Jeannot et Colin* (conte philosophique et satire des parvenus, 1764); *Dictionnaire philosophique* (prem. éd., 1764); *l'Ingénu* (conte satirique dénonçant la corruption des mœurs politiques, 1767), etc. Ses combats incessants contre toute forme de restriction apportée à la liberté individuelle (il défendit Calas, La Barre, Lally) lui acquirent, au sein de la bourgeoisie libérale, une immense popularité; deux mois avant sa mort, lorsqu'il vint à Paris assister à la représentation de sa pièce *Irène* (1778), la ville lui réserva un triomphe. Esprit universel d'une immense culture, Voltaire a laissé une œuvre gigantesque et inégale. Polémiste brillant et parfois versatile, chez qui la légèreté n'exclut pas la profondeur, il incarne «l'esprit français» de son siècle. Adepte d'une philosophie plus «pratique» que métaphysique, défenseur d'une civilisation de progrès, il n'a cessé de lutter pour la liberté, la tolérance et la justice. Acad. fr. (1746).

Alessandro **Volta** **Voltaire**

voltairianisme n. m. Didac. Philosophie de Voltaire; esprit d'incrédulité railleuse qui anima Voltaire et ses partisans.

voltairien, enne adj. et n. Propre à Voltaire; qui rappelle Voltaire par l'incrédulité, l'ironie. ▷ Subst. Partisan de Voltaire.

voltamètre n. m. ELECTR Appareil servant à électrolyser une solution, constitué d'une cuve contenant une solution ionique et dans laquelle plongent deux électrodes.

voltampère n. m. ELECTR Unité SI de puissance apparente, de symbole VA, utilisée pour les courants alternatifs.

Volta Redonda, v. du Brésil (aggl. de Rio de Janeiro); 220 080 hab. Centre sidérurgique.

volte n. f. **1.** EQUIT Mouvement d'un cheval que son cavalier mène en rond. **2.** Ancienne danse, ancêtre de la valse.

volte-face n. f. inv. **1.** Action de se retourner pour faire face. **2.** Fig. Brusque changement d'opinion.

Volterra, v. d'Italie (Toscane), au S.-O. de Florence; 14 080 hab. – Import. vestiges de l'anc. ville étrusque de *Velathri* (*Volaterræ* en lat.) : nécropole (à proximité, VIIe s. av. J.-C.), murailles. Musée d'art étrusque. Cath. (XIIe, XIIIe et XVIe s.). Nombr. édifices médiévaux.

Volterra (Vito) (Ancône, 1860 – Rome, 1940), mathématicien, physicien et homme politique italien. Il fit progresser l'analyse fonctionnelle et fut le premier à en appliquer les méthodes aux sciences biologiques. Sénateur (à partir de 1905), il s'opposa au fascisme.

voltige n. f. **1.** Acrobatie sur la corde raide, au trapèze volant. **2.** Ensemble des exercices de gymnastique exécutés sur un cheval. **3.** AVIAT Acrobatie aérienne. *Concours de voltige.* **4.** Fig., fam. Façon de procéder exigeant une grande habileté. *Décrocher ce marché, c'est de la haute voltige !*

voltiger v. intr. [13] **1.** Voler à fréquentes reprises, çà et là. *Regarder voltiger les papillons.* **2.** Flotter au gré du vent. *Le vent fait voltiger les rideaux.*

voltigeur n. m. **1.** Celui qui fait des exercices de voltige. **2.** MILIT Anc. Soldat d'élite, de petite taille, appartenant à certaines unités d'infanterie. ▷ Mod. Élément mobile d'un groupe de combat.

voltmètre n. m. ELECTR Appareil servant à mesurer les différences de potentiel, constitué généralement d'un cadre mobile (dont la déviation est provoquée par le passage du courant résultant de la tension à mesurer), d'un amplificateur et d'un cadran ou d'un dispositif d'affichage numérique.

volubile adj. **1.** BOT Qualifie une tige, une plante qui s'élève en s'enroulant autour d'un support. **2.** Qui parle beaucoup et rapidement.

volubilis [vɔlybilis] n. m. Plante ornementale (fam. convolvulacées) cultivée pour ses fleurs en forme d'entonnoir. V. ipomée.

volubilis

Volubilis, site archéologique du Maroc, près de Meknès. Anc. cité berbère, Volubilis fut l'une des villes romaines les plus import. de la Maurétanie* Tingitane du milieu du Ier s. apr. J.-C. à 284-285; à cette date, les Romains l'abandonnèrent. Imposantes ruines des IIe-IIIe s. : capitole, basilique, arc de Caracalla, maisons avec mosaïques, etc.

volubilité n. f. Caractère d'une personne volubile.

volucelle n. f. Mouche à l'abdomen jaune et noir.

volume n. m. **I. 1.** ANTIQ Manuscrit sur parchemin ou sur papyrus, qu'on enroulait autour d'une baguette. **2.** Livre broché ou relié contenant un ouvrage entier ou une partie d'un ouvrage. *Un volume in-folio. Édition qui réunit deux volumes en un seul.* **II. 1.**

Espace occupé par un corps ; grandeur qui mesure cet espace. *Le volume de cette pièce est d'environ cinquante mètres cubes.* ▷ Loc. *Faire du volume* : tenir beaucoup de place ; fig. donner à sa personne, au rôle qu'elle joue, beaucoup d'importance. – *Donner du volume* : rendre plus important. *Un produit qui donne du volume à la chevelure.* **2.** Masse d'eau que débite un cours d'eau, une fontaine, etc. *Volume d'un fleuve.* **3.** MUS *Volume de la voix, volume sonore* : intensité des sons produits par la voix ou par un instrument de musique. ▷ ELECTR *Volume acoustique* : niveau de puissance acoustique d'un haut-parleur. *Potentiomètre de volume.* **4.** Fig. Quantité globale. *Le volume des échanges commerciaux augmente.*
▸ pl. **géométrie**

volumétrie n. f. **1.** TECH Mesure des volumes. **2.** CHIM Ensemble des méthodes servant à déterminer la concentration d'une solution.

volumétrique adj. **1.** TECH Relatif à la mesure des volumes. *Compteur volumétrique,* qui mesure le volume débité par un appareil. **2.** CHIM Relatif à la volumétrie. *Analyse volumétrique.*

volumineux, euse adj. Dont le volume est important. *Une armoire volumineuse.*

volumique adj. PHYS Relatif à l'unité de volume. *Masse, poids volumique* : masse, poids par unité de volume.

volupté n. f. Jouissance profonde, sensuelle ou intellectuelle. ▷ *Spécial.* Plaisir sexuel.

voluptueusement adv. Avec volupté.

voluptueux, euse adj. (et n.) **1.** Qui aime, qui recherche la volupté sensuelle. ▷ Subst. *C'est un voluptueux.* **2.** Qui exprime ou qui procure la volupté. *Danse voluptueuse. Caresses voluptueuses.*

volute n. f. **1.** ARCHI Ornement en spirale d'un chapiteau ionique, d'une corniche, d'une console, etc. ▷ *Volute d'escalier* : partie ronde du bas du limon, sur laquelle repose le pilastre de la rampe. **2.** Ce qui est en forme de spirale. *Volutes de fumée.* **3.** ZOOL Mollusque gastéropode prosobranche des rivages sableux des mers chaudes dont la coquille présente une dernière spire très large.

volvaire n. f. BOT Champignon basidiomycète comestible à lamelles, à grande volve et dépourvu d'anneau.

volve n. f. BOT Reste du voile général qui subsiste à la base du pied de divers champignons.

Volvic, com. du Puy-de-Dôme (arr. de Riom) ; 4 165 hab. Eaux minérales.

vomi n. m. Fam. Vomissure.

vomique adj. BOT *Noix vomique* : graine vénéneuse du vomiquier, riche en strychnine.

vomiquier n. m. BOT Petit arbre *(Strychnos nux vomica)* originaire des Indes et de l'Indochine, qui produit la noix vomique.

vomir v. tr. [3] **1.** Rejeter brutalement par la bouche (le contenu de l'estomac). *Vomir son repas.* ▷ Fig. (Sujet n. de chose.) Projeter violemment à l'extérieur. *Volcan qui vomit des flammes.* **2.** Fig. Proférer (des paroles violentes, hostiles). *Vomir des injures.* **3.** Fig. Éprouver du dégoût pour (qqn). *Vomir les lâches.*

vomissement n. m. Action de vomir ; ce qui est vomi.

vomissure n. f. Matières vomies.

vomitif, ive adj. (et n. m.) MED Qui provoque le vomissement. ▷ n. m. *Un vomitif puissant.*

vomitoire n. m. ANTIQ ROM Issue destinée à la sortie du public dans un amphithéâtre.

vorace adj. **1.** Qui mange avec avidité. *Animal, personne vorace.* – Par ext. *Appétit vorace.* **2.** Fig. Avide.

voracement adv. Avec voracité.

voracité n. f. Caractère vorace.

Voragine. V. Jacques de Voragine.

Vorarlberg, prov. d'Autriche, à l'extrémité O. du pays ; 2 601 km^2 ; 311 730 hab. ; ch.-l. *Bregenz.* Région montagneuse (élevage).

-vore. Élément, du lat. *-vorus,* de *vorare,* « manger, avaler ».

Voreppe, com. de l'Isère (arr. de Grenoble) ; 8 668 hab. – La *cluse de Voreppe* ou *de Grenoble* sépare la Grande-Chartreuse, au nord-est, du Vercors, au sud-ouest.

Vorochilov. V. Oussourisk.

Vorochilov (Kliment Iefremovitch) (Verkhni, Ukraine, 1881 – Moscou, 1969), maréchal soviétique. En 1918, il dirigea avec Staline la défense de Tsaritsyne (auj. *Volgograd*). Commissaire du peuple à la Défense (1925-1940), il commanda le front nord en 1941, défendant notam. Leningrad. Président du præsidium du Soviet suprême de l'U.R.S.S. de 1953 à 1960.

Vorochilovgrad. V. Lougansk.

Voronej, v. de Russie, près du Don ; ch.-l. de la prov. du m. nom ; 886 000 hab. Centre industriel important. Centrale nucléaire. – En juillet 1942, la ville fut le pivot de la résistance russe à l'armée allemande.

Vörösmarty (Mihály) (Kápolnásnyék, 1800 – Pest, 1855), poète hongrois d'inspiration romantique : *la Fuite de Zalán* (1825), épopée nationaliste.

vortex n. m. inv. Didac. Tourbillon creux qui prend naissance dans un fluide en écoulement. ▷ METEO Ensemble de nuages en spirale, spécifique d'une dépression.

vorticelle n. f. ZOOL Protozoaire fixé et pédonculé (genres *Vorticella, Carchesium,* etc.) en forme d'entonnoir.
▸ illustr. **protozoaires**

vos. V. votre.

Vos (Cornelis De). V. De Vos (Cornelis).

Vosges, massif montagneux de l'E. de la France. Socle cristallin primaire, recouvert de sédiments au secondaire, soulevé au tertiaire lors de la surrection alpine, les Vosges juxtaposent deux ensembles géologiques : au N. et à l'O., les *Vosges gréseuses,* dont les formes tabulaires (Donon, 1 008 m) assurent la transition avec le plateau lorrain ; à l'E. et au S., les *Vosges cristallines,* plus élevées, qui ont été débarrassées par l'érosion de leur couverture sédimentaire et dont les « ballons » (Guebwiller, 1 424 m) se dressent au-dessus de la plaine d'Alsace. Arrêtant les précipitations océaniques, le massif a un climat humide et rude, qui explique l'importance de la couverture forestière (hêtres et résineux). Regroupée dans les vallées, la pop. est auj. en diminution du fait de la crise qui frappe l'industrie textile (implantée de longue date dans la région) et des difficultés que rencontrent l'élevage (fromage : munster) et l'exploitation forestière. Le tourisme et le thermalisme (Vittel, Contrexéville) ne fournissent que des ressources limitées.

Vosges, dép. franç. (88) ; 5 871 km^2 ; 386 258 hab. ; 65,8 hab./km^2 ; ch.-l. *Épinal.* V. Lorraine (Rég.).

Vosges (place des) (anc. *place Royale*), place publique de Paris, dans le quartier du Marais ; bel ensemble architectural de forme rectangulaire (1605-

1612). Au numéro 6, anc. maison de Victor Hugo, auj. musée.

vosgien, enne [voʒjɛ̃, ɛn] adj. et n. Des Vosges. *La forêt vosgienne.*

Voss (Johann Heinrich) (Sommersdorf, Mecklembourg, 1751 - Heidelberg, 1826), poète allemand. Ses tableaux campagnards influencèrent Goethe : *Louise* (1783-1784). Il traduisit l'*Iliade* et l'*Odyssée*.

Vostok, programme soviétique de vaisseaux spatiaux habités. C'est à bord de *Vostok 1* que Gagarine accomplit en 1961 le premier vol spatial humain.

votant, ante n. Personne qui participe effectivement à un vote.

votation n. f. En Suisse et au Québec, syn. de *vote*.

vote n. m. **1.** Opinion exprimée par les personnes appelées à se prononcer sur une question, à élire un candidat. *Nombre de votes.* **2.** Acte par lequel ces personnes expriment leur opinion ; façon dont elles procèdent. *Vote électoral. Vote à main levée.*

voter v. [1] **1.** v. intr. Donner son avis par un vote. **2.** v. tr. Approuver, décider par un vote. *Voter une loi.*

Votiaks. V. Oudmourtes.

votif, ive adj. **1.** Qui est offert à la suite d'un vœu et témoigne de son accomplissement. *Tableau votif* : V. ex-voto. **2.** LITURG CATHOL *Messe votive*, pour une dévotion particulière, et qui n'est pas la messe du jour.

votre, plur. **vos** adj. poss. de la 2e pers. du pluriel et des deux genres. (Marquant que l'on s'adresse à plusieurs personnes ou à une seule personne que l'on vouvoie.) **1.** Qui est à vous, qui a rapport à vous. *Votre maison. Votre Majesté.* **2.** (Emploi objectif.) De vous, de votre personne. *Votre portrait. Pour votre bien.*

vôtre adj., pron. poss. et n. **1.** adj. attribut. Litt. Qui est à vous. *Considérez mes biens comme vôtres.* **2.** pron. poss. de la deuxième personne du pluriel marquant qu'il y a plusieurs possesseurs ou un seul possesseur que l'on vouvoie (précédé de *le, la, les*). Celui, celle qui est à vous. *Il a pris ses livres et les vôtres.* - Fam., ellipt. *À la vôtre* : à votre santé. **3.** n. Vx Ce qui vous appartient. ▷ Mod. *Vous y avez mis du vôtre*, de la bonne volonté. - *Vous avez fait des vôtres*, des sottises. ▷ *Les vôtres* : les personnes de votre famille, de votre parti, etc.

vouer v. tr. [1] **1.** Consacrer à la divinité, à un saint. **2.** Consacrer (son existence, son énergie) à (qqch). *Vouer sa vie à la science.* ▷ v. pron. *Ne savoir à quel saint* se vouer. Se vouer à l'étude.* **3.** S'engager à porter, ou porter à qqn (un sentiment fort et constant). *L'amitié que je lui ai vouée.* **4.** (Surtout passif.) Destiner, promettre à un sort déterminé. *Être voué à une déchéance certaine.*

Vouet (Simon) (Paris, 1590 - id., 1649), peintre français. Influencé par le Caravage et par Véronèse, il triompha en Italie, avant d'être appelé, en 1627, au service de Louis XIII et de Richelieu.

vouge n. m. Serpe à long manche.

Vougeot, com. de la Côte-d'Or (arr. de Beaune); 176 hab. Célèbres vignobles (*clos Vougeot*, notam.).

Vouillé, ch.-l. de cant. de la Vienne (arr. de Poitiers); 2 610 hab. - Victoire de Clovis sur Alaric II, roi des Wisigoths (507).

vouivre n. f. Rég. (Lorraine, Jura, Suisse) Serpent légendaire.

vouloir v. [48] et n. m. **A.** v. tr. **I. 1.** Être fermement déterminé à, ou désireux de. *Il veut partir. Je veux qu'il vienne.* ▷ *Absol.* Manifester de la volonté. *Vouloir, c'est pouvoir.* ▷ (Dans une loc. exclam. ou interrog., pour marquer la résignation.) *Que voulez-vous !* - Fam. *Que veux-tu que j'y fasse ?* **2.** Être résolu ou aspirer à obtenir (qqch). *Vouloir la paix.* - Fam. *En vouloir* : ne pas se contenter de peu. *Il en veut* : il veut réussir. - *Vouloir telle somme d'argent d'une chose*, la réclamer pour prix de cette chose. ▷ *Vouloir qqch de qqn*, l'attendre de lui. ▷ *Vouloir du bien (du mal) à qqn*, être dans des dispositions favorables (défavorables) à son égard. **3.** (Souvent renforcé par *bien*.) Consentir à. *Je veux bien y aller.* - (Formule impérative.) *Voulez-vous bien vous taire !* ▷ (À l'impératif, pour exprimer un ordre adouci, une prière polie.) *Veuillez me faire le plaisir de... Veuillez agréer...* **4.** Affirmer, exiger (qqch) avec obstination sans tenir compte de la réalité. *Elle veut avoir raison.* **II.** (Sujet n. de chose.) **1.** Fam. Pouvoir. *Ce bois ne veut pas brûler.* **2.** Demander, exiger. *La loi veut que...* **3.** *Vouloir dire* : signifier. **III.** (Emploi trans. avec comp. d'objet partitif.) *Vouloir de qqn, de qqch*, l'accepter. *Il ne veut pas de lui pour cet emploi. Je ne veux pas de ton cadeau.* **IV. 1.** *En vouloir à qqn*, avoir de la rancune contre lui. ▷ v. pron. Regretter, se repentir (de). *Je m'en veux d'avoir fait cela.* **2.** Vieilli *En vouloir à qqch*, avoir le désir de se l'approprier, de l'obtenir. - *En vouloir à la vie de qqn*, avoir l'intention d'attenter à sa vie. **B.** n. m. **1.** Litt. Acte de la volonté. **2.** Vieilli *Bon, mauvais vouloir* : bonne, mauvaise volonté ; bonnes, mauvaises dispositions.

voulu, ue adj. **1.** Exigé, requis. *En temps voulu.* **2.** Fait à dessein. *Ces dissonances sont voulues.*

vous pron. et n. m. **I.** pron. pers. unique de la deuxième personne du pluriel. **1.** (Pour s'adresser à plusieurs personnes ou à une seule personne que l'on vouvoie.) *Amis, m'entendez-vous ? Devant vous tous. Vous, Pierre, vous resterez ici.* ▷ *Vous-même, vous-mêmes* (désignant expressément une ou plusieurs personnes). *Vous pourrez en juger vous-même.* ▷ Loc. *De vous à moi* : confidentiellement. **2.** (Emploi explétif, dans une phrase narrative.) *« On lui lia les pieds, on vous le suspendit » (La Fontaine).* **3.** (Avec le sens de *on*.) *Elle est si belle que vous ne pouvez que l'admirer.* **II.** n. m. *Le vous de politesse.*

voussoiement. V. vouvoiement.

voussoir ou **vousseau** n. m. ARCHI Chacune des pierres taillées en coin, qui forment le cintre d'une voûte ou d'une arcade.

voussoyer. V. vouvoyer.

voussure n. f. **I.** ARCHI **1.** Cintre, courbe d'une voûte ou d'une partie de voûte. **2.** Raccord courbe entre un plafond et un mur ou une corniche. **3.** Chacun des arcs concentriques qui forment le bandeau d'un portail. **II.** MED Exagération de la convexité du thorax ou du rachis.

voûte n. f. **1.** Ouvrage de maçonnerie cintré dont les pierres sont disposées de manière à s'appuyer les unes aux autres. *Voûte en plein cintre*. Voûte d'arête*. Clef* de voûte.* **2.** Partie supérieure courbe. *Voûte d'une caverne.* ▷ Par comparaison. *Voûte de feuillage. La voûte céleste.* - ANAT *Voûte plantaire* : concavité que forme normalement la plante du pied. - *Voûte palatine* : paroi supérieure de la cavité buccale.

voûté, ée adj. **1.** Qui comporte une voûte. *Crypte voûtée.* **2.** Anormalement courbé. *Dos voûté.*

voûter v. tr. [1] **1.** Couvrir d'une voûte. *Voûter un édifice.* **2.** Courber. ▷ v. pron. *Vieillard qui se voûte.*

vouvoiement [vuvwamɑ̃] ou (vx) **voussoiement** [vuswamɑ̃] n. m. Action de vouvoyer, de voussoyer.

vouvoyer ou (vx) **voussoyer** v. tr. [23] Employer le pron. *vous* (pluriel de courtoisie) pour s'adresser à (une seule personne). *Il vouvoie ses parents.* ▷ v. pron. (Récipr.) *Ses parents se vouvoient.*

Vouvray, ch.-l. de cant. d'Indre-et-Loire (arr. de Tours), sur la Loire ; 2 973 hab. (*Vouvrillons*). Vin blanc renommé (*vouvray*), souvent champagnisé.

Vouziers, ch.-l. d'arr. des Ardennes, sur l'Aisne ; 5 081 hab. (*Vouzinois*). Constr. méca. - Égl. St-Maurille (XVe s., portail Renaissance).

Vovelle (Michel) (Gallardon, Eure-et-Loir, 1933), historien français : *la Fin de la monarchie, 1787-1792* (1971) ; *la Mort et l'Occident* (1983) ; *Société et mentalité sous la Révolution* (1985).

vox populi [vɔkspɔpyli] n. f. (lat.) Litt. Opinion de la masse.

voyage [vwajaʒ] n. m. **1.** Fait d'aller dans un lieu assez éloigné de celui où l'on réside. *Voyage d'affaires, d'agrément.* ▷ Loc. *Les gens du voyage* : ensemble de ceux qui mènent un genre de vie nomade, en partic. les Tsiganes ; les artistes de cirque. **2.** Chacune des allées et venues d'une personne qui assure un transport. *Je ferai un second voyage pour venir vous chercher. Il faudra faire plusieurs voyages.* **3.** Fig., fam. Modification de l'état de conscience normal, provoquée par un hallucinogène. **4.** (Canada) Loc. fig., fam. *Avoir son voyage* : en avoir assez, en avoir ras-le-bol.

voyager [vwajaʒe] v. intr. [13] **1.** Faire un voyage, des voyages. *Voyager en avion.* **2.** (Sujet n. de chose.) Être transporté. *Denrées qui ne peuvent voyager.*

Voyager, famille de sondes spatiales américaines d'un programme d'exploration du système solaire entrepris à l'occasion d'une disposition très particulière des planètes extérieures. *Voyager 1*, lancé le 5 septembre 1977, s'approcha de Jupiter (1979) et de Saturne (1980). *Voyager 2*, lancé le 20 août 1977, survola Jupiter (1979) dont il utilisa l'*effet* (V. Jupiter) pour atteindre Saturne puis Uranus (1986) et Neptune (1989), avant de sortir du système solaire.

voyageur, euse n. et adj. **1.** n. Personne qui est en voyage ou qui voyage beaucoup. *Un grand voyageur.* - *Train de voyageurs*, qui transporte des personnes (par oppos. à *train de marchandises*). ▷ *Voyageur de commerce* : celui qui se déplace pour le compte d'une maison de commerce dans le but de placer des marchandises. *Voyageurs représentants placiers (V.R.P.).* **2.** n. m. (Canada) HIST Celui qui avait reçu mandat de conduire une expédition dans le but de faire la traite des fourrures avec les Amérindiens à des postes désignés. *Chansons de voyageurs.* **3.** adj. *Pigeon voyageur*, dressé à porter des messages. - Vieilli *Commis voyageur* : voyageur de commerce.

voyagiste n. Organisateur de voyages. Syn. tour-opérateur.

voyance n. f. Don de seconde vue.

voyant, ante adj. et n. **A.** adj. Qui attire la vue par son éclat. *Couleur, étoffe voyante.* – Fig. Qui attire trop l'attention, ostentatoire. *Une flatterie un peu voyante.* **B.** n. **I. 1.** Personne douée du sens de la vue. *Les voyants et les non-voyants.* **2.** (Surtout au fém.) Personne qui a ou prétend avoir le don de la seconde vue (sens 7). *Voyante extra-lucide.* **II.** n. m. Signal lumineux destiné à avertir. *Voyants d'un tableau de bord.* ▷ MAR Marque distinctive des éléments de balisage (bouées, balises).

voyelle [vwajɛl] n. f. Son du langage, phonème produit par la voix qui résonne dans les cavités supérieures du chenal expiratoire (cavité buccale); lettre qui note un tel son.

Voyer d'Argenson. V. Argenson.

voyeur, euse n. Personne poussée à observer autrui (notam. son comportement érotique) par une curiosité plus ou moins malsaine ou impudique.

voyeurisme n. m. Fait d'être voyeur; comportement de voyeur.

voyou [vwaju] n. m. **1.** Enfant, jeune homme mal élevé qui vagabonde dans les rues; jeune délinquant. **2.** Individu louche, vivant en marge des lois.

voyoucratie n. f. Influence politique des voyous, des mafias.

Voznessenski (Andreï Andreïevitch) (Moscou, 1933), écrivain soviétique. Poésies souvent hermétiques, loin du réalisme socialiste : *Quarante Digressions lyriques* (1962).

V.P.C. n. f. COMM Sigle de *vente par correspondance.*

vrac n. m. **I.** Loc. adj. ou adv. *En vrac.* **1.** Qui n'est pas emballé, conditionné, en parlant de marchandises. *Vin en vrac.* **2.** Fig. Sans ordre. *Jeter ses idées en vrac sur le papier.* **II.** n. m. TECH (Dans quelques emplois.) Marchandise en vrac. *Navire transporteur de vrac.*

Vraca, v. de Bulgarie, au N. de Sofia; 73 000 hab.; ch.-l. de la prov. du m. nom. Industr. métall., chim. (engrais) et text. (soie). Cimenteries. Carrières.

vrai, vraie adj., n. m. et adv. **I.** adj. **1.** Conforme à la vérité. *Information vraie.* – (Sens affaibli.) *Il est consciencieux, c'est vrai, mais peu intelligent.* **2.** (Avant le nom.) Qui est réellement ce dont il a les apparences. *Un vrai diamant. Un vrai chagrin.* – Par exag. *C'est un vrai père pour moi.* **3.** Réel et non pas apparent ou imaginaire. *La vraie cause d'un événement.* **4.** Qui seul convient. *Le vrai moyen de sortir d'embarras.* **5.** Qui traduit bien la réalité dans l'art. *Des tons vrais.* **II.** n. m. Vérité. ▷ Loc. *Être dans le vrai* : ne pas se tromper. – Loc. adv. *À vrai dire, à dire vrai* : pour parler sincèrement. – Fam. (Surtout dans le langage enfantin.) *Pour de vrai* : réellement, vraiment. **III.** adv. Conformément à la vérité, à la réalité. *Discours qui sonne vrai.* ▷ Exclam. Fam. *Vrai, tu as fait cela!*

vrai-faux, vraie-fausse adj. **1.** Se dit de faux papiers établis par une autorité administrative compétente. **2.** Fam. Fallacieux, trompeur. *Une vraie-fausse argumentation.*

vraiment adv. **1.** Véritablement, effectivement. *Pensez-vous vraiment ce que vous dites?* **2.** (Renforçant une affirmation.) *Vraiment, il ne comprend pas.*

vraisemblable [vʀɛsɑ̃blabl] adj. Qui paraît vrai, qui a l'apparence de la vérité. Ant. invraisemblable.

vraisemblablement adv. Selon toutes probabilités.

vraisemblance [vʀɛsɑ̃blɑ̃s] n. f. Caractère de ce qui est vraisemblable. – Loc. *Selon toute vraisemblance* : vraisemblablement. Ant. invraisemblance.

Vrangel' ou **Wrangel** (île), île du N. de la Sibérie orientale, à l'O. du détroit de Béring; 7 300 km^2.

Vrangel' (Piotr Nikolaïevitch). V. Wrangel.

Vranitzky (Franz) (Vienne, 1937), homme politique autrichien. Chancelier d'Autriche de 1986 à 1997.

vraquier n. m. MAR Navire transportant des produits en vrac.

Vries (Adriaen de) (La Haye, 1560 – Prague, 1603), sculpteur hollandais, élève de Jean de Bologne. Appelé à Prague par Rodolphe II, il y a laissé la plus grande partie de son œuvre. *Mercure enlevant Psyché* (Louvre).

Vries (Hugo De). V. De Vries.

vrille [vʀij] n. f. **1.** Filament simple ou ramifié s'enroulant en hélice autour d'un support et permettant à certaines plantes grimpantes de s'élever. *Les vrilles de la vigne.* ▷ AVIAT *Descente en vrille* : chute d'un avion qui tournoie le nez en bas (par accident ou dans une figure de voltige). **2.** TECH Mèche servant à faire de petits trous dans le bois.

vrillé, ée adj. **1.** BOT Qui a des vrilles. *Tige vrillée.* **2.** Enroulé, tordu sur lui-même. *Fil vrillé.*

vriller [vʀije] v. [1] **I.** v. tr. (Rare au sens propre.) Percer à l'aide d'une vrille. ▷ Fig., cour. *Bruit qui vrille les tympans.* **II.** v. intr. **1.** S'enrouler, se tordre comme une vrille végétale. **2.** S'élever ou descendre en tournoyant.

vrillette n. f. Petit insecte coléoptère (genre *Anobium*) dont la larve creuse des galeries dans les vieux bois.

vrombir v. intr. [3] Faire entendre un son vibrant résultant d'un mouvement de rotation, ou d'une agitation rapide. *Avion, mouche qui vrombit.*

vrombissant, ante adj. Qui vrombit.

vrombissement n. m. Bruit produit par ce qui vrombit.

V.R.P. n. m. Sigle de *voyageur représentant (de commerce) placier.*

vs prép. Abrév. de *versus.*

V.S.N. n. m. inv. (Sigle de *volontaire du service national.*) Jeune appelé qui remplit ses obligations militaires comme coopérant.

V.T.C. n. m. (Sigle pour *vélo tous chemins.*) Bicyclette adaptée à la fois à la randonnée et aux déplacements urbains.

V.T.T. n. m. (Sigle pour *vélo tout-terrain.*) SPORT Bicyclette adaptée aux terrains accidentés, à pneus larges et crantés, dépourvue de garde-boue; sport pratiqué avec cette bicyclette.

vu, vue adj., n. m. et prép. **I.** adj. Perçu par l'œil ou par l'esprit. ▷ Loc. fam. *Ni vu, ni connu* : à l'insu de tous. – *C'est tout vu* : il n'y a pas à revenir là-dessus. ▷ *Être bien, mal vu* : jouir, ne pas jouir de la considération, de l'estime d'autrui. **II.** n. m. **1.** *Chose faite au vu et au su de tous,* faite ouvertement. **2.** ADMIN *Sur le vu de* : après examen direct de. **III.** prép. Étant donné. *Vu ses états de service.* ▷ Loc. conj. Fam. *Vu que* : en considérant que.

vue n. f. **1.** Celui des cinq sens dont l'organe est l'œil et par lequel nous percevons la lumière, les couleurs, les formes et les distances. V. vision. ▷ Manière de percevoir par la vue. *Avoir une bonne vue.* ▷ Loc. fam. *En mettre plein la vue* : susciter une admiration éblouie. **2.** Action de percevoir par les yeux, de voir. *Dissimuler qqch à la vue de qqn. La vue de toute cette misère nous a bouleversés.* – Loc. *Connaître qqn de vue,* l'avoir vu sans jamais lui avoir parlé. – FIN *Billet, mandat payable à vue,* sur présentation. *Dépôt à vue à la Caisse d'épargne.* ▷ Loc. adv. *À vue* : sans quitter du regard. *Garder à vue un suspect.* – *À première vue* : au premier coup d'œil, sans avoir examiné en détail. – *À vue d'œil* : d'une façon perceptible visuellement; très rapidement. *L'eau baisse à vue d'œil.* – Fam. *À vue de nez* : approximativement. ▷ Loc. prép. *À la vue de* : en voyant. **3.** Manière dont qqch se présente au regard de l'observateur. *Vue de côté.* ▷ Loc. adj. *En vue* : perceptible par les yeux. *La côte est en vue.* – Fig. De premier plan. *Personnalités en vue.* **4.** Ce que l'on peut voir d'un certain endroit. *Avoir une belle vue de sa fenêtre.* **5.** Dessin, tableau, etc., représentant un lieu. *Acheter des vues de Londres.* **6.** CONSTR, DR Ouverture pratiquée dans un bâtiment pour laisser passer la lumière. **7.** Fig., litt. Faculté de connaître, de saisir par l'esprit. ▷ Cour. *Seconde, double vue* : faculté de voir mentalement ce qui n'est pas dans le champ de perception physique. *Il prétend avoir le don de double vue.* **8.** Façon de voir les choses; idée, aperçu. *Des vues intéressantes.* – *Une vue de l'esprit* : une conception uniquement théorique. **9.** Intention, dessein. *Cela n'entre pas dans mes vues.* – *Avoir qqch en vue,* se le proposer pour objet, espérer l'obtenir. – *Avoir qqn en vue,* envisager de recourir à lui. – *Avoir des vues sur qqn,* projeter de l'employer à qqch ou de l'épouser. – Loc. prép. *En vue de* : dans le but de. *Acheter un tableau en vue de l'offrir.*

Vuillard (Édouard) (Cuiseaux, Saône-et-Loire, 1868 – La Baule, 1940), peintre français; membre du groupe des nabis*. Coloriste délicat, il excella dans la représentation de scènes d'intérieur bourgeoises. ► illustr. **nabis**

Vukovar, port de Croatie, sur le Danube. La ville a été détruite au cours des affrontements serbo-croates de 1991, et sa population (plus de 50 000 hab.) a été décimée.

vulcain n. m. ENTOM Vanesse* noire marquée de taches blanches et rouges.

Vulcain, dans la myth. rom., dieu du Feu et des Arts métallurgiques; assimilé à l'Héphaïstos des Grecs. Fils de Jupiter et de Junon, il épousa Vénus, qui le trompa avec Mars.

vulcanien, enne adj. GEOL Se dit d'une éruption aux laves visqueuses et aux explosions violentes.

vulcanisation n. f. CHIM Action d'ajouter du soufre au caoutchouc pour le rendre plus résistant.

vulcaniser v. tr. [1] CHIM Soumettre (le caoutchouc) à la vulcanisation. – Pp. adj. *Caoutchouc vulcanisé.*

vulcanologie, vulcanologue. V. volcanologie, volcanologue.

vulgaire adj. et n. m. **I.** adj. **1.** Vieilli ou litt. Du type le plus courant; commun, répandu. *Plantes vulgaires. L'opinion vulgaire.* ▷ LING *Langue vulgaire,* employée par le plus grand nombre (par oppos. à *langue littéraire*). – SC NAT *Nom vulgaire* (d'une plante, d'un animal) : nom courant (par oppos. à *nom scientifique*). **2.** (Avant le nom.) Se dit de qqn, de qqch pour l'opposer à qqn, qqch d'un genre, d'un type considéré comme supérieur. *Un vulgaire chat de gouttière.* **3.** Péjor. Qui manque par trop de distinction, d'élégance. *Un homme, un langage vulgaire,* grossier. **II.** n. m. *Le vulgaire.* **1.** Le commun des hommes, la masse. **2.** Ce qui est vulgaire (sens 3).

vulgairement adv. **1.** Dans le langage courant. *La valériane, vulgairement appelée « herbe-aux-chats ».* **2.** D'une manière qui manque de distinction. *Parler vulgairement.*

vulgarisateur, trice adj. et n. Qui vulgarise des connaissances. – Subst. *Un talent de vulgarisateur.*

vulgarisation n. f. Action de vulgariser des connaissances.

vulgariser v. tr. [1] **1.** Rendre accessible, mettre (des connaissances) à la portée de tous. *Vulgariser une science.* **2.** Rare Rendre vulgaire (sens 3). *Ce maquillage la vulgarise.*

vulgarisme n. m. Didac. Terme, expression de la langue populaire, relâchée, non admis par le bon usage.

vulgarité n. f. Caractère de qqn, de qqch qui est vulgaire, sans élégance.

Vulgate (la), version latine de la Bible, due principalement à saint Jérôme (IVe-Ve s.) et adoptée par le concile de Trente en 1546 comme version officielle de l'Église catholique.

vulgum pecus [vylgɔmpekys] n. m. (Loc. pseudo-latine.) Fam. *Le vulgum pecus* : le commun des mortels, la masse ignorante.

vulnérabiliser v. tr. [1] Rendre vulnérable, fragiliser.

vulnérabilité n. f. Caractère vulnérable de qqn, de qqch.

vulnérable adj. **1.** Qui peut être blessé, atteint physiquement. *Achille n'était vulnérable qu'au talon.* **2.** Fig. Qui résiste mal aux attaques. *Sa sensibilité le rend vulnérable.*

vulnéraire adj. et n. **1.** adj. MED Anc. Propre à la guérison des blessures. ▷ n. m. Substance guérissant les blessures. **2.** n. f. Plante herbacée des prés et des lieux incultes (fam. papilionacées) à fleurs jaune d'or groupées en capitules, utilisée autref. pour soigner les blessures.

vulnérant, ante adj. Didac. Qui cause, peut causer une blessure, une atteinte.

Vulpian (Alfred) (Paris, 1826 – id., 1887), médecin français. Ses travaux firent progresser la neurophysiologie.

vulpin n. m. Plante herbacée (fam. graminées) aux épis compacts en queue de renard, cultivée comme plante fourragère.

vultueux, euse adj. MED Rouge et bouffi, en parlant du visage.

vulturidés n. m. pl. ORNITH Famille d'oiseaux falconiformes comprenant les condors des Andes et de Californie et les vautours américains. – Sing. *Un vulturidé.*

vulvaire adj. ANAT Relatif, propre à la vulve.

vulve n. f. ANAT Ensemble des organes génitaux externes, chez la femme et les femelles des mammifères.

vulvite n. f. MED Inflammation de la vulve.

vumètre n. m. TECH Appareil servant à mesurer les signaux électroacoustiques.

Vyborg (en finnois *Viipuri*), v. et port de Russie (rép. auton. de Carélie), sur le golfe de Finlande; 72 000 hab. Exportation et industrie du bois. – Cédée par la Finlande à l'U.R.S.S. (1947).

Vychinski (Andreï Ianouarievitch) (Odessa 1883 – New York, 1954), magistrat et homme politique soviétique. Procureur implacable durant les grands procès de 1936-1938, il fut ministre des Affaires étrangères (1949-1953), puis délégué permanent à l'ONU.

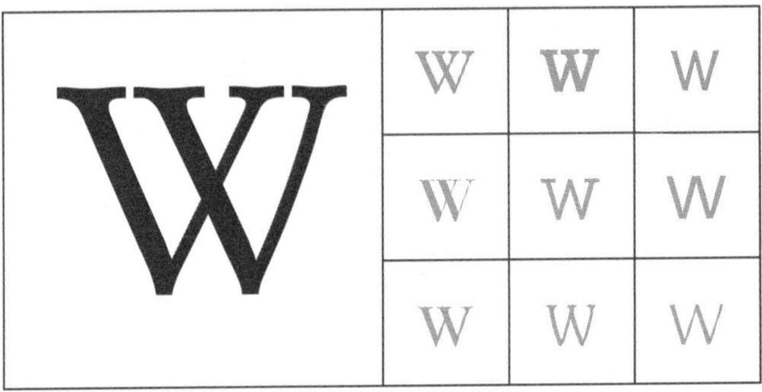

w [dubləve] n. m. **1.** Vingt-troisième lettre (w, W) et dix-huitième consonne de l'alphabet, notant la fricative labiodentale sonore [v] (ex. *wagon*) ou la semi-consonne labiale postérieure [w] (ex. *kiwi*). **2.** PHYS W : symbole du watt. ▷ PHYS NUCL Un des bosons médiateurs de l'interaction* faible. ▷ CHIM W : symbole du tungstène, de son anc. nom wolfram.

Waal (le), nom donné au bras principal du delta du Rhin, en amont de Nimègue jusqu'à l'embouchure.

Wace (Robert) (Jersey, v. 1100 – ?, v. 1175), poète anglo-normand. Auteur du *Roman de Brut* (1155), libre adaptation française en vers octosyllabiques de l'*Historia regum Britanniæ* de Geoffroi de Monmouth, qui alimenta le cycle breton des légendes arthuriennes.

Wackenroder (Wilhelm Heinrich) (Berlin, 1773 – id., 1798), poète allemand; l'un des initiateurs du romantisme : *Effusions sentimentales d'un moine ami des arts* (1797).

Wadden (mer des) ou **Waddenzee,** partie de la mer du Nord comprise entre les îles de la Frise et la côte des Pays-Bas.

Waddington (William Henry) (Saint-Rémy-sur-Avre, 1826 – Paris, 1894), homme politique, archéologue et numismate français d'origine anglaise; auteur de travaux sur les monnaies grecques d'Asie Mineure, dont il réunit une importante collection. Ministre de l'Instruction publique (1873 et 1877), des Affaires étrangères (1877-1879), il fut président du Conseil de fév. à déc. 1879.

wading [wediŋ] n. m. (Anglicisme) Pêche en rivière, le pêcheur étant dans l'eau.

Wafd («délégation»), parti nationaliste égyptien fondé en 1919, au gouvernement de 1950 à la révolution de juil. 1952. Un parti *Néo-Wafd* se forma en 1977-1978.

Wageningen, ville des Pays-Bas (Gueldre); 32 720 hab. Université d'agriculture.

Wagner (Richard) (Leipzig, 1813 – Venise, 1883), compositeur allemand. Admirateur de Mozart, de Weber et de Beethoven, il commença à étudier la composition tout en poursuivant des études de philosophie et d'esthétique à l'université de Leipzig (1828) avant de mener une existence errante. Après *Rienzi* (1838-1840), opéra italianisant, il composa *le Vaisseau fantôme* (1841), *Tannhäuser* (1841-1845) et *Lohengrin* (1841-1847), cherchant à faire la synthèse de l'expression dramatique, de la poésie, de la musique et de la mise en scène. Dans la tétralogie intitulée *l'Anneau du Nibelung* (*l'Or du Rhin*, 1854; *la Walkyrie*, 1856; *Siegfried*, 1869; *le Crépuscule des dieux*, 1874), mais aussi dans *Tristan et Isolde* (1857-1859), *les Maîtres chanteurs de Nuremberg* (1862-1867) et *Parsifal* (1877-1882), il développa considérablement l'emploi du leitmotiv (inauguré dans *le Vaisseau fantôme*) et fit largement usage du chromatisme. L'orchestre, très important, contribue à l'extraordinaire tension dramatique des opéras wagnériens, dont les thèmes sont généralement empruntés aux légendes germaniques. Créateur du drame lyrique intégral (il écrivait lui-même ses livrets), Wagner fut difficilement accepté par la critique et le public de son temps, partic. en France. Après sa participation à Dresde au mouvement révolutionnaire de 1849, il dut s'exiler à Zurich. Il rentra en Allemagne en 1864, invité par Louis II de Bavière, grâce à qui il put faire construire à Bayreuth un théâtre, à l'acoustique révolutionnaire, conçu pour répondre aux exigences de ses œuvres. En 1870, il épousa en secondes noces la fille de son ami Franz Liszt, Cosima (divorcée du musicien Hans von Bülow). Celle-ci, après la mort de son mari, devait contribuer, avec leur fils **Siegfried** (Tribschen, 1869 – Bayreuth, 1930), à faire connaître son œuvre.

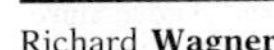

Richard **Wagner**

Lech **Wałęsa**

Wagner (Otto) (Penzing, 1841 – Vienne, 1918), architecte autrichien. Chef de file de l'art nouveau entre 1894 et 1901 (Majolika Haus, 1892, Vienne), il évolua vers le fonctionnalisme.

wagnérien, enne [vagneʀjɛ̃, ɛn] adj. et n. De Richard Wagner; qui a rapport à Wagner, à son œuvre. *Style, chanteur wagnérien.* ▷ Subst. Admirateur de Wagner.

Wagner-Jauregg (Julius) (Wels, 1857 – Vienne, 1940), neurologue autrichien. Il soigna la paralysie générale (d'origine syphilitique) en inoculant le paludisme. P. Nobel 1927.

wagon [vagɔ̃] n. m. **1.** CH de F Véhicule ferroviaire tracté, servant au transport des marchandises, des bestiaux. ▷ (En composition.) *Wagon-citerne, wagon-réservoir*, pour le transport des liquides. *Wagon-foudre*, pour le transport des boissons (vin, principalement). *Wagon-poste* ou *wagon postal*, aménagé pour le transport et le tri postaux. *Wagon-tombereau :* wagon muni d'une benne basculante; wagon à portes latérales. *Wagon-trémie*, à une ou plusieurs trémies, pour le transport des matériaux en vrac. ▷ Cour. (Abusiv.) Voiture de voyageurs. *Il est monté dans le wagon de tête. Wagon-bar, wagon-restaurant :* voitures aménagées en bar, en restaurant. Syn. voiture-bar, voiture-restaurant. – *Wagon-lit*, dont les compartiments sont équipés d'une ou de deux couchettes, d'un lavabo ou d'un cabinet de toilette. Syn. voiture-lit. – (Rem. Sauf dans *des wagons-poste*, les deux termes prennent la marque du plur. : *des wagons-bars*, etc.) **2.** Contenu d'un wagon. *Un wagon de blé.* **3.** CONSTR Conduit de cheminée encastré dans la maçonnerie.

wagonnage n. m. TECH Transport de marchandises par wagon.

wagonnet n. m. Petit wagon à caisse basculante utilisé dans les mines, pour le terrassement, etc.

Wagram, localité d'Autriche (4 000 hab.), près de Vienne, où Napoléon Ier vainquit l'archiduc Charles d'Autriche (5-6 juil. 1809).

wahhabisme [waabism] n. m. RELIG Doctrine des Wahhabites.

wahhabite adj. et n. RELIG **1.** Relatif aux Wahhabites. **2.** Qui est partisan du wahhabisme.

Wahhabites, musulmans qui, au XVIIIe s., sous l'impulsion de *Muhammad ibn 'Abd al-Wahhāb* (v. 1696 – 1792), prêchèrent un retour à l'interprétation littérale du Coran et voulurent fonder en Arabie un État conforme à leurs principes. L'alliance de Muhammad ibn 'Abd al-Wahhāb avec le chef bédouin Muhammad ibn Saoud provoqua l'extension du wahhabisme, brutalement interrompue par une réaction des Ottomans (1813-1819). À partir de 1902, Abd al-Aziz ibn Saoud

(V. Séoud) restaura l'autorité saoudienne et le wahhabisme sur un territoire qui devait former en 1932 le royaume d'Arabie Saoudite.

Wahl (Jean) (Marseille, 1888 - Paris, 1974), philosophe français; auteur d'un *Traité de métaphysique* (1953) et historien des *Philosophies de l'existence* (1954).

Wahran. V. Oran.

Wailly (Charles de) (Paris, 1729 - id., 1798), architecte français. On lui doit le théâtre de l'Odéon à Paris (en collab. avec Peyre, 1782).

Wajda (Andrzej) (Suwałki, 1926), cinéaste polonais. Alliant lyrisme et réflexion critique, il fut la tête de file du cinéma polonais après 1960 : *Kanal* (1957), *Cendres et diamant* (1958), *le Bois de bouleaux* (1970), *la Terre de la grande promesse* (1975), *l'Homme de marbre* (1976), *l'Homme de fer* (1981), *Korczak* (1990).

Andrzej **Wajda** : *l'Homme de fer*, 1981

wakamé n. m. Algue marine, que l'on peut cultiver et qui se consomme comme légume.

Wakayama, v. et port du Japon (Honshū); 401 350 hab.; ch.-l. du ken du m. nom. Métallurgie et pétrochimie.

Wakefield, v. de G.-B. (Angleterre), au S. de Leeds; 60 540 hab.; ch.-l. du West Yorkshire. Houille; industr. méca., chim., text. (import. centre lainier).

Waksman (Selman Abraham) (Prilouki, Ukraine, 1888 - Hyannis, Massachusetts, 1973), microbiologiste américain d'origine russe. Il créa le mot *antibiotique*. On lui doit la découverte de la streptomycine. P. Nobel 1952.

Wałbrzych (en all. *Waldenburg*), v. de Pologne (basse Silésie); 138 000 hab.; ch.-l. de la voïévodie du m. nom. Cokeries; carbochimie. Industr. textiles.

Walburge (sainte). V. Walpurgis.

Walcheren, anc. île des Pays-Bas, dans l'embouchure de l'Escaut, auj. rattachée au continent.

Walcott (Derek) (Sainte-Lucie, 1930), poète et dramaturge antillais de langue anglaise : *le Royaume du fruit-étoile* (1979). P. Nobel 1992.

Wald (George) (New York, 1906 - Cambridge, Massachusetts, 1997), biologiste américain. Auteur de travaux sur la rétine et le rôle de la vitamine A dans les mécanismes photochimiques de la vision. P. Nobel 1967.

Waldeck, anc. principauté allemande. République en 1918, elle fut rattachée à la Prusse en 1929 et intégrée à la Hesse en 1945.

Waldeck-Rousseau (Pierre) (Nantes, 1846 - Corbeil, 1904), homme politique français. Ministre de l'Intérieur (1881-1882 et 1883-1885), il fit adopter la loi sur les associations professionnelles (mars 1884). Président du Conseil (1899-1902), il inaugura la politique d'« action républicaine », marquée par la révision du procès Dreyfus (1899) et par la loi sur les associations (1er avr. 1901), qui visait partic. les congrégations.

Waldersee (Alfred, comte von) (Potsdam, 1832 - Hanovre, 1904), maréchal allemand. Il commanda le corps expéditionnaire international envoyé en Chine en 1900, lors de la révolte des Boxers.

Waldheim (Kurt) (Sankt Andrä vor dem Hagentale, 1918), homme politique autrichien. Ministre des Affaires étrangères d'Autriche (1968-1970), il fut secrétaire général de l'ONU de 1972 à 1981. Président de la république d'Autriche de 1986 à 1992, malgré les accusations portant sur ses activités dans l'armée allemande durant la Seconde Guerre mondiale.

Waldstein. V. Wallenstein.

Walensee ou **Wallensee,** lac de Suisse (cant. de Saint-Gall); 24 km².

Wałęsa (Lech) (Popowo, près de Włocławek, 1943), homme politique polonais. Ouvrier du chantier naval Lénine de Gdańsk, dirigeant du mouvement de grève de 1980 puis du syndicat Solidarność. Arrêté après la proclamation de l'état de siège, il est libéré en 1982. Il négocie avec le gouvernement la fin des grèves de 1988 et obtient des concessions politiques qui mèneront le parti communiste polonais à abandonner le monopole du pouvoir. Il a été président de la République de 1990 à 1995. P. Nobel de la paix 1983. ► illustr. page **1999**

Walewska (Marie Łaczyńska, comtesse Colonna Walewska, dite Marie) (Varsovie, 1789 - Paris, 1817), dame polonaise. Épouse (1804) du comte Colonna Walewski, elle devint (1806) la maîtresse de Napoléon Ier, dont elle eut un fils. Veuve, elle épousa en 1816 Philippe Antoine d'Ornano. – **Walewski** (Alexandre Joseph Colonna, comte) (Walewice, Pologne, 1810 - Strasbourg, 1868), homme politique français; fils de la préc. et de Napoléon Ier. Reconnu par le comte Walewski, il prit ensuite la nationalité française. Officier, diplomate, il fut ministre des Affaires étrangères (1855-1860) puis président du Corps législatif (1860-1865) sous le Second Empire.

Walfish Bay. V. Walvis Bay.

Walhalla ou **Val-Hall,** dans la myth. scandinave, domaine céleste d'Odin et séjour des héros morts au combat (V. Walkyrie).

wali [wali] n. m. En Algérie, fonctionnaire à la tête d'une wilaya.

walkman [wokman] n. m. (Nom déposé.) (Anglicisme) Syn. de *baladeur*.

walk-over [wokɔvœʀ] n. m. inv. (Anglicisme) **1.** TURF Course dans laquelle un seul cheval prend le départ, par suite du forfait des autres chevaux. **2.** SPORT Compétition dans laquelle un concurrent n'a pas d'adversaire. *Gagner par walk-over.* (Abrév. : w.-o.)

walkyrie [valkiʀi] ou **valkyrie** n. f. **1.** Nom donné dans la mythologie scandinave aux divinités féminines qui présidaient aux batailles et amenaient les guerriers au Walhalla (paradis). **2.** *Par anal.* Plaisant Femme forte, plantureuse.

wallaby n. m. Petit kangourou (genres *Wallabia, Dorcopsis, Petrogales,* etc.). *Des wallabies.*

wallaby bondissant

Wallace (sir William) (Elderslie, v. 1270 - Londres, 1305), héros écossais. Chef de la résistance de l'Écosse à l'Angleterre, il fut battu à Falkirk (1298), capturé (1305) et exécuté.

Wallace (sir Richard) (Londres, 1818 - Paris, 1890), philanthrope et collectionneur anglais. Il fit installer en 1872, à Paris, de petites fontaines d'eau potable *(fontaines Wallace)*.

Wallace (Alfred Russel) (Usk, 1823 - Broadstone, 1913), naturaliste anglais. Explorateur de l'Australie, il soutint la thèse de la sélection naturelle en même temps que Darwin (qu'il attaqua par la suite) et fonda la biogéographie.

A. R. **Wallace**

Wallenstein

Wallace (Lewis, dit Lew) (Brookville, Indiana, 1827 - Crawfordsville, id., 1905), romancier américain : *Ben Hur* (1880).

Wallace (Edgar) (Londres, 1875 - Hollywood, Californie, 1932), auteur anglais de nombr. romans policiers : *la Maison mystérieuse, le Masque jaune,* etc.

Wallach (Otto) (Königsberg, auj. Kaliningrad, 1847 - Göttingen, 1931), chimiste allemand; auteur de travaux sur les terpènes, le camphre, le carbone, les composés carbonés. P. Nobel 1910.

Wallasey, v. du N.-O. de G.-B. (comté de Cheshire), sur la Mersey; 90 060 hab. Industries alimentaires.

Wallenstein ou **Waldstein** (Albrecht Eusebius Wenzel von) (Hermanič, Bohême, 1583 - Eger, auj. Cheb, 1634), général tchèque au service du Saint Empire. Son armée remporta de brillants succès pendant la guerre de Trente* Ans, mais, rendu suspect par ses ambitions, il fut disgracié (1630). Rappelé après la mort de Tilly (1632) pour tenir tête à Gustave II Adolphe, roi de Suède, il négocia avec l'ennemi dans le dessein d'obtenir la couronne de Bohême. Ferdinand II le fit assassiner.

Waller (Thomas, dit Fats) (New York, 1904 - Kansas City, 1943), pianiste, chanteur et compositeur de jazz américain (*Honeysuckle Rose, Ain't Misbehaving, Black and Blue,* etc.).

wallingant, ante n. et adj. Rég. (Belgique) Wallon partisan de l'autonomie de la Wallonie (mot employé par les adversaires de cette position politique).

Wallis (John) (Ashford, 1616 - Oxford, 1703), prêtre et mathématicien anglais, un des pionniers du calcul infinitésimal.

Wallis-et-Futuna (îles), archipel de l'océan Pacifique, territoire français d'outre-mer (depuis 1959); 255 km² (dont 159 km² pour les îles Wallis et 115 km² pour les îles Futuna); env. 15 000 hab.; ch.-l. *Mata-Utu* (dans l'île d'Uvéa). Le territoire, qui possède un conseil (consultatif) et une Assemblée élue, est représenté par un député et un sénateur, mais reconnaît également l'autorité coutumière de trois royaumes (Uvéa, sur Wallis; Sigave et Alo, sur Futuna). Les ressources de ces îles volcaniques, au climat tropical, sont faibles (cultures vivrières, pêche, production de coprah). – L'archipel fut découvert par le navigateur anglais Samuel Wallis en 1767, et passa sous protectorat français en 1886-1887.

wallon, onne adj. et n. **1.** adj. De Wallonie (partie méridionale de la Belgique). **2.** n. m. *Le wallon* : le parler roman utilisé notam. en Wallonie.

Wallon (Henri Alexandre) (Valenciennes, 1812 – Paris, 1904), historien et homme politique français. Député du centre droit (1871), il fit voter, à une voix de majorité, l'amendement qui marqua l'instauration véritable de la IIIᵉ République (30 janv. 1875) : il fit substituer aux mots «Le maréchal de Mac-Mahon est élu...» les mots «Le président de la République est élu...». – **Henri** (Paris, 1879 – id., 1962), petit-fils du préc.; psychologue et homme politique. Il étudia le développement du caractère et de la pensée de l'enfant (*les Origines de la pensée chez l'enfant*, 1945). Résistant, député communiste, il participa avec Langevin à la réforme de l'enseignement (1945-1946) dite «réforme Langevin-Wallon».

Wallonie, partie méridionale de la Belgique, d'expression française et romane (wallon). La région n'a pas d'unité physique et historique mais une forte cohésion culturelle; elle est formée des prov. du Hainaut, de Liège, du Luxembourg, de Namur et du S. du Brabant wallon. Dotée, depuis 1989, d'un conseil régional et d'un organe exécutif, elle constitue une région de la C.E.; 16 844 km²; 3 207 500 hab.; cap. *Namur.*

wallonisme n. m. LING Mot ou tour propre au français de Wallonie.

Wall Street, rue de New York (Manhattan) où se trouve la Bourse.

Walpole (Robert, 1ᵉʳ comte d'Orford) (Houghton, Norfolk, 1676 – Londres, 1745), homme politique anglais; chef du parti whig. Chancelier de l'Échiquier et premier lord du Trésor, il contrôla la vie politique du pays (1721-1742) sous les règnes des souverains de Hanovre George Iᵉʳ et George II, et établit les bases du régime parlementaire. – **Horace** (ou **Horatio**), comte d'Orford (Londres, 1717 – id., 1797), fils du préc.; écrivain, correspondant de la marquise du Deffand et précurseur du roman noir avec *le Château d'Otrante* (1764).

Walpurgis ou **Walburge** (sainte) (Sussex, v. 710 – Heidenheim, 779), bénédictine anglaise. Appelée en Allemagne par saint Boniface, elle fut abbesse de Heidenheim. Selon la légende, pendant la nuit qui précédait sa fête, le 1ᵉʳ mai *(nuit de Walpurgis)*, sorcières et sorciers se réunissaient sur un mont proche (le Blocksberg) pour un sabbat.

Walras (Léon) (Évreux, 1834 – Clarens, Suisse, 1910), économiste français; professeur à Lausanne. Sous l'influence de Cournot, il appliqua les méthodes mathématiques aux sciences économiques : *Éléments d'économie pure* (1874-1877), *la Théorie mathématique de la richesse sociale* (1873-1882).

Walsall, v. de G.-B., en Angleterre (Staffordshire); 187 910 hab. Industr. métallurgiques.

Walser (Martin) (Wasserburg, Wurtemberg, 1927), écrivain allemand. Il dénonce l'anonymat tragique de l'homme au sein du monde moderne : *Mi-temps* (roman, 1960), *Chêne et lapins angora* (drame, 1961).

Walsh (Raoul) (New York, 1887 – Los Angeles, 1980), cinéaste américain auteur notam. de westerns et de films d'aventure : *la Piste des géants* (1930), *Gentleman Jim* (1942), *la Charge de la huitième brigade* (1964).

Walsingham (sir Francis) (Chislehurst, Kent, v. 1530 – Londres, 1590), homme politique anglais. Protestant puritain, antiespagnol, il mit sur pied en 1573 un réseau d'espionnage au service d'Élisabeth Iʳᵉ, qui lui permit de compromettre Marie Stuart.

Walter (Jean) (Montbéliard, 1883 – Souppes-sur-Loing, 1957), architecte, collectionneur et philanthrope français; fondateur des bourses Zellidja*.

Walther von der Vogelweide (?, v. 1170 – Würzburg [?], v. 1230), poète lyrique allemand; en son temps, le plus grand des Minnesänger (poètes courtois all. influencés par les trouvères et les troubadours).

Walvis Bay ou **Walfish Bay** («baie des baleines»), territoire de la côte namibienne; 1 124 km²; 25 000 hab. Englobé dans la Namibie, il appartint, jusqu'en 1994, à la république d'Afrique du Sud (prov. du Cap). Pêcheries, exportation de minerais. Base militaire.

Wang Hui ou **Wang Houei** (Zhangsu, 1632 – ?, 1717), peintre et lettré chinois; l'un des six maîtres du début de l'époque Qing.

Wang Meng (Wuxing, Zhejiang, v. 1308 – ?, 1385), peintre chinois; l'un des quatre maîtres du paysage sous les Yuan.

Wang Wei (Taiyuan, Shanxi, v. 699 – ?, 759), peintre et poète chinois. Il fut probablement l'inventeur du paysage monochrome à l'encre.

wapiti n. m. Grand cerf d'Amérique du Nord *(Cervus elaphus)*, originaire d'Asie, dont les bois peuvent atteindre 1,80 m d'envergure. *Des wapitis.*

Warburg (Otto Heinrich) (Fribourg-en-Brisgau, 1883 – Berlin, 1970), physiologiste allemand; l'un des fondateurs de l'enzymologie. Il étudia les processus biochimiques d'oxydation cellulaire (respiration, fermentation, etc.). P. Nobel 1931.

wapiti

Warens (Louise Éléonore de La Tour du Pin, baronne de) (Vevey, 1700 – Chambéry, 1762), maîtresse et protectrice de J.-J. Rousseau.

wargame [waʀgɛm] n. m. (Anglicisme) Jeu de stratégie consistant à reconstituer une bataille historique ou à simuler une guerre.

Warhol (Andy) (Pittsburgh, 1928 – New York, 1987), peintre et cinéaste américain (pop'art) : inlassables répétitions sérielles d'un visage (*Marilyn Monroe,* 1962), d'un objet (*Campbell's Soup,* 1962). Films underground : *Chelsea Girls* (1966), *Flesh* (1970), *Trash* (1970), *Heat* (1971). ► illustr. **pop'art**

Warka. V. Ourouk.

Warndt (forêt de la), forêt située à l'O. de Forbach, dans la Sarre. – Combats en sept. 1939.

warning [waʀniŋ] n. m. pl. (Anglicisme) Feux de détresse d'une automobile.

Waroquier (Henry de) (Paris, 1881 – id., 1970), peintre, graveur et sculpteur français : *la Tragédie* (1937, décoration au palais de Chaillot).

warrant [vaʀɑ̃] n. m. **1.** DR COMM Titre à ordre portant mention de la valeur des marchandises déposées dans un magasin général par un commerçant et lui permettant de négocier celles-ci. **2.** FIN Titre d'emprunt boursier donnant le droit d'acquérir d'autres titres.

warrantage n. m. DR COMM Action de warranter.

warranter [vaʀɑ̃te] v. tr. [**1**] DR COMM Garantir par un warrant.

Warren (Robert Penn) (Guthrie, Kentucky, 1905 – Stratton, Vermont, 1989), écrivain américain. Ses essais (*John Brown ou la Vie d'un martyr,* 1929) et romans (*le Cavalier de la nuit,* 1939; *les Fous du roi,* 1946) relatent notam. le sort tragique des sudistes.

Warrington, v. de G.-B., en Angleterre (Cheshire); 179 500 hab. Industr. métall. et chim.

Warta (la), riv. de Pologne (762 km), affl. de l'Oder (rive droite).

Wartburg (Walther von) (Riedholz, cant. de Soleure, 1888 – Bâle, 1971), linguiste suisse d'expression allemande; auteur du monumental *Französisches etymologisches Wörterbuch* (Dictionnaire étymologique de la langue française). Il travailla avec Oscar Bloch*.

Wartburg (château de la), chât. fort de Saxe-Weimar, situé non loin d'Eisenach; résidence des landgraves de Thuringe (fin du XIᵉ s.), célèbre par les concours de poésie qui s'y déroulèrent (XIIIᵉ s.). Luther s'y réfugia après avoir été condamné par la diète de Worms (1521); il y traduisit la Bible en allemand.

Warwick (Richard, comte de). V. Neville.

Warwickshire, comté de G.-B. (Angleterre); 1 981 km²; 477 000 hab.; ch.-l. *Warwick* (19 000 hab.), sur l'Avon; v. princ. *Leamington Spa, Stratford-upon-Avon.*

Wasatch (monts), chaîne de l'O. des É.-U. (montagnes Rocheuses), qui traverse l'Utah; 3 750 m.

Washington (off. *Washington D.C.*), cap. fédérale des É.-U., constituant, sur le Potomac, le district fédéral de Columbia; 174 km²; 606 900 hab. (aggl. urb. 3 369 600 hab.). Les fonctions

Washington : la Maison-Blanche (1792-1800) repeinte après un incendie en 1814

administratives et culturelles sont prédominantes : résidence du président des É.-U. (Maison-Blanche), siège du Congrès (Capitole), de la Cour suprême, du commandement militaire (Pentagone); nombr. laboratoires; universités; archevêché catholique; National Gallery of Art; Phillips Collection; bibliothèque du Congrès; Smithsonian Institution (ethnologie, archéologie, musée de l'Air et de l'Espace). – La création de cette ville, décidée en 1787-1790, fut confiée à un Français, P. Ch. L'Enfant*. Elle devint la cap. des É.-U. en 1800.

Washington, État des É.-U. situé au N.-O. du continent, sur le Pacifique; 176 617 km²; 4 867 000 hab.; cap. *Olympia;* v. princ. *Seattle, Tacoma.* – La chaîne des Cascades isole, à l'E., de vastes plateaux arides et, à l'O., une plaine littorale découpée où se concentrent les princ. centres économiques, notam. agricoles (céréales, élevage). L'exploitation du bois est à l'origine de l'industrialisation, qui bénéficie auj. de l'aménagement hydroélectrique de la montagne, de l'exploitation de gisements métallifères et de l'installation de grands ports. Constr. aéronautiques; aluminium.

Washington (George) (Popeó Creek, comté de Westmoreland, Virginie, 1732 – Mount Vernon, id., 1799), général et premier président des É.-U. d'Amérique. Général en chef des forces américaines, il gagna la guerre de l'Indépendance contre l'Angleterre (1775-1782), notam. par sa victoire de Yorktown (19 oct. 1781). Élu à la présidence de la Convention de 1787, il signa la Constitution des É.-U. Élu président en mars 1789, réélu en 1792, il refusa un troisième mandat en 1796 (« message d'adieu » de sept.).

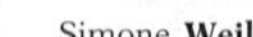

G. **Washington** Simone **Weil**

washingtonia n. m. BOT Grand palmier de Californie et du Mexique (genre *Washingtonia*) dont les feuilles, en éventail, peuvent atteindre 3 m de long.

Wasquehal, com. du Nord (arr. de Lille, cant. O. de Roubaix); 18 067 hab. Industr. textiles et chimiques. – Égl. du XIVᵉ s.

Wassermann (August von) (Bamberg, 1866 – Berlin, 1925), médecin allemand. Il adapta le test réactionnel de Bordet pour la détection de la syphilis *(réaction de Bordet Wassermann).*

Wassermann (Jakob) (Fürth, 1873 – Altaussee, Styrie, 1934), romancier allemand. Il médita sur son identité culturelle (*Ma carrière de Juif et d'Allemand,* 1921) et consacra son œuvre aux opprimés et aux humiliés : *Les Juifs de Zirndorf* (1897), *Gaspard Hauser* (1908), *l'Affaire Maurizius* (1928).

wassingue n. f. Rég. (Nord) Serpillière.

Wassy, ch.-l. de cant. de la Haute-Marne (arr. de Saint-Dizier); 3 566 hab. – Le massacre de protestants de la ville (1ᵉʳ mars 1562) par les gens du duc de Guise déclencha les guerres de Religion.

water-ballast [watɛʀbalast] n. m. (Anglicisme) MAR **1.** Compartiment d'un navire pouvant être rempli d'un liquide (provision d'eau, combustible, lest). **2.** Dans un sous-marin, réservoir situé à l'extérieur de la coque et permettant de faire varier le poids du bâtiment suivant la quantité d'eau contenue. *Des water-ballasts.*

water-closet(s) [watɛʀklozɛt] n. m. ou **waters** [watɛʀ] n. m. pl. Lieux d'aisances, cabinets. *Des water-closets.* (Abrév. : w.-c.)

Watergate, immeuble de Washington, siège du parti démocrate en 1972. Le 17 juin, cinq individus furent surpris par la police en train d'y installer des micros. Des journalistes s'attachèrent à prouver qu'ils avaient opéré pour le compte du président Nixon (qui se représentait aux élections de 1972). Réélu, Nixon tenta de se dérober aux diverses enquêtes et, finalement, dut démissionner (août 1974).

Waterloo, com. de Belgique (Brabant), au S. de Bruxelles; 24 780 hab. ▷ HIST *Bataille de Waterloo* : défaite de Napoléon contre les Anglais de Wellington et les Prussiens de Blücher (18 juin 1815). Ayant battu les Prussiens à Ligny et lancé Grouchy à leur poursuite (16 juin), Napoléon laissa Wellington s'installer sur le plateau de Mont-Saint-Jean, mais, gêné par des tornades de pluie, il ne put attaquer le lendemain. Le 18, Ney chargea les troupes de Wellington, qui subirent des pertes mais conservèrent leurs positions. L'arrivée de Blücher désempara les Français, qui attendaient Grouchy. Ayant ordonné la retraite, Napoléon laissa le commandement à son frère Jérôme et fit route sur Paris; cette défaite fut fatale à l'Empereur.

water-polo [watɛʀpɔlo] n. m. SPORT Jeu de ballon analogue au handball, qui se joue dans l'eau et qui oppose deux équipes de sept nageurs. *Des water-polos.*

waterproof [watɛʀpʀuf] adj. inv. (Anglicisme) Étanche; imperméable. *Montre waterproof.* ▷ n. m. Vx Imperméable (vêtement).

waters. V. water-closet(s).

Watkins (Vernon) (Masteg, Glamorganshire, 1906 – Seattle, 1967), écrivain gallois. Dans ses poèmes, il analyse les métamorphoses intérieures : *la Ballade de Mari Lloyd* (1941), *la Dame à la licorne* (1948).

Watson (John Broadus) (Greenville, Saskatchewan, 1878 – New York, 1958), psychologue américain; fondateur du béhaviorisme : *Psychology as the Behaviorist Views it* (« La psychologie telle que le béhavioriste la voit », 1913).

Watson (James Dewey) (Chicago, 1928), biologiste américain. Il construisit avec Crick un modèle représentant la molécule d'A.D.N. et définit le code génétique. P. Nobel 1962 (avec Crick et Wilkins).

Watson-Watt (sir Robert Alexander) (Brechin, 1892 – Inverness, 1973), physicien écossais. Il mit au point en G.-B. la première chaîne radar à ondes métriques (opérationnelle en 1938).

watt n. m. PHYS Unité de puissance du système SI, de symbole W (1 W = 1 J/s).

Watt (James) (Greenock, 1736 – Heathfield, 1819), ingénieur et mécanicien écossais. Il apporta des perfectionnements décisifs à la machine à vapeur, en l'équipant notam. d'un condenseur (1765), puis inventa le régulateur à boules *(régulateur de Watt)* et le chauffage à la vapeur.

machine à vapeur de **Watt** (avec distribution de la vapeur, dite par tiroir en D), modèle au 1/10

Watteau (Antoine) (Valenciennes, 1684 – Nogent-sur-Marne, 1721), peintre français. Très influencé par Titien, il a surtout peint des fêtes galantes d'un art brillant, sur fond de mélancolie : *l'Embarquement pour l'île de Cythère* (1717, Louvre), *Gilles* (1721, Louvre), *l'Enseigne de Gersaint* (1721, chât. de Charlottenburg, Berlin).

watt-heure ou **wattheure** n. m. PHYS Unité d'énergie (symbole Wh) correspondant à l'énergie mise en jeu par une puissance de 1 watt pendant 1 heure. (L'unité d'énergie du système SI est le joule; 1 Wh = 3 600 J). *Des watts-heures* ou *wattheures.*

Wattignies, com. du Nord (arr. de Lille); 14 636 hab. Industr. alimentaires.

Wattignies-la-Victoire, com. du Nord (arr. d'Avesnes-sur-Helpe); 226 hab. – Victoire de Jourdan et de Carnot sur les Autrichiens (1793).

wattman n. m. Vieilli Conducteur d'un tramway électrique. *Des wattmans* ou *wattmen.*

wattmètre n. m. ELECTR Appareil servant à mesurer la puissance électrique et utilisant l'action d'un bobinage fixe sur un bobinage mobile.

Wattrelos, com. du Nord (arr. de Lille et de Roubaix); 43 784 hab. Industr. textiles; sidérurgie.

Waugh (Evelyn) (Londres, 1903 – Taunton, Somerset, 1966), écrivain anglais; auteur notam. de romans satiriques (*Diablerie,* 1932; *la Capitulation,* 1961).

Wavell (Archibald Percival), 1ᵉʳ comte de Cyrénaïque et de Winchester (Colchester, Essex, 1883 – Londres, 1950), maréchal britannique. Commandant en chef des troupes britanniques au Moyen-Orient (1939-1941), puis en Inde, il devint commandant interallié dans le S.-E. asiatique (1941). Il fut vice-roi des Indes (1943-1947).

wax n. m. Tissu de coton imprimé obtenu par un procédé à la cire. – (En appos.) *Imprimé wax.*

wayang [wajɑ̃g] n. m. Didac. En Indonésie, théâtre de marionnettes inspiré par le Râmâyana et le Mahâbhârata, textes épiques brahmaniques.

Wayne (Marion Michael Morrison, dit John) (Winterset, Iowa, 1907 – Los Angeles, 1979), acteur américain (de westerns, notam.) : *la Piste des géants* (1930), *la Chevauchée fantastique* (1939), *Rio Bravo* (1958), etc.

Wb PHYS Symbole du weber.

w.-c. Abrév. de *water-closet(s).*

Weald (le), dépression argileuse du S.-E. de l'Angleterre, entre les escarpements calcaires des Downs. Élevage.

Weaver (Warren) (Reedsburg, Wisconsin, 1894 – New Milford, 1978), mathématicien américain, l'un des fondateurs de la théorie de l'information.

Web (le) Abrév. de *World Wide Web,* ensemble des serveurs situés sur le réseau Internet, regroupant des pages reliées entre elles par des liens hypertextes. Syn. la Toile.

Webb (Sidney James), baron **Passfield** (Londres, 1859 – Liphook, 1947), homme politique et économiste anglais. Théoricien du socialisme, il contribua à fonder les conceptions de la Fabian* Society. – **Webb** (Béatrice Potter, Mrs.) (Gloucester, 1858 – Liphook, 1943), épouse du préc., économiste anglaise, cosigna avec lui *The History of Trade Unionism* (1894).

weber n. m. PHYS Unité de flux magnétique (symbole Wb).

Weber (Carl Maria von) (Eutin, 1786 – Londres, 1826), compositeur romantique allemand. Il fut essentiellement un homme de théâtre et conçut de brillantes orchestrations, étroitement liées à l'action dramatique : *le Freischütz* (1821), *Euryanthe* (1823), *Oberon* (1826). Ses œuvres pour piano (sonates, concertos) nous rappellent qu'il fut un virtuose de cet instrument.

Weber (Wilhelm Eduard) (Wittenberg, 1804 – Göttingen, 1891), physicien allemand. Avec Gauss, il mit au point un télégraphe électrique (1833) et mesura le magnétisme terrestre. En 1846, il réalisa le premier appareil de mesure de l'intensité d'un courant utilisant les forces électrodynamiques. Avec R. Kohlrausch, il détermina le « rapport des unités électriques et magnétiques », qui permit de développer la théorie électromagnétique de la lumière.

Weber (Max) (Erfurt, 1864 – Munich, 1920), économiste et sociologue allemand. Il fut l'un des fondateurs de la sociologie, définie comme « science compréhensive ». *L'Éthique protestante et l'esprit du capitalisme* (article de revue, 1901), *Économie et Société* (posth., 1922).

Webern (Anton von) (Vienne, 1883 – Mittersill, près de Salzbourg, 1945), compositeur autrichien ; le princ. représentant, avec Schönberg et Berg, de l'école de Vienne. Auteur, dès 1909, d'œuvres atonales (six *Bagatelles pour quatuor à cordes,* opus 9, 1913), il composa, à partir de 1924, de brèves pièces strictement dodécaphoniques : trois *Lieder populaires* pour clarinette, clarinette basse et violon, opus 17 (1924), *Symphonie,* opus 21 (1928), *Variations pour orchestre,* opus 30 (1940).

webmestre n. Personne qui a créé un site Internet et qui le gère.

Webster (John) (Londres, v. 1580 – id., v. 1624), auteur anglais. Ses tragédies comptent parmi les plus ténébreuses du théâtre élisabéthain : *le Démon blanc* (1612), *la Duchesse d'Amalfi* (1614).

Wedekind (Frank) (Hanovre, 1864 – Munich, 1918), dramaturge allemand. Ses pièces, satires violentes de la morale bourgeoise, annoncent le théâtre expressionniste des années 20 : *l'Éveil du printemps* (1891) ; *l'Esprit de la terre* (1895) et *la Boîte de Pandore* (1904), réunis en 1913 sous le titre de *Lulu.*

Wedgwood (Josiah) (Burslem, Staffordshire, 1730 – Etruria, près de Burslem, 1795), céramiste et industriel anglais. Il fit évoluer les techniques de la céramique et donna à la poterie une dimension industrielle.

week-end [wikɛnd] n. m. (Anglicisme) Congé de fin de semaine, comprenant le samedi (ou l'après-midi du samedi) et le dimanche. *Des week-ends.*

Wegener (Alfred) (Berlin, 1880 – au Groenland, 1930), météorologiste et géophysicien allemand. Explorateur du Grand Nord, il est surtout connu pour sa théorie de la dérive des continents, imparfaite, mais accréditée par la théorie des plaques*.

Wehnelt (Arthur) (Rio de Janeiro, 1871 – Berlin, 1944), physicien allemand. Il inventa un canon à électrons.

Wehrmacht (mot all., « puissance de défense »), nom donné à l'ensemble des forces armées allemandes de 1935 à 1945.

Wei, l'un des Trois Royaumes chinois (IIIe s.). Ses souverains régnèrent sur le N. de la Chine de 220 à 535.

Antoine **Watteau :** *l'Enchanteur,* v. 1716-1717 ; musée des Beaux-Arts et d'Archéologie, Troyes

weichi n. m. Nom chinois du jeu de go.

Weierstrass (Karl) (Ostenfelde, Westphalie, 1815 – Berlin, 1897), mathématicien allemand ; travaux qui contribuèrent au renouveau de l'analyse.

Weil (André) (Paris, 1906 – Princeton, 1998), mathématicien français ; l'un des fondateurs du groupe Bourbaki*.

Weil (Simone) (Paris, 1909 – Londres, 1943), écrivain et philosophe français. D'origine juive, elle évolua vers un mysticisme chrétien teinté d'hindouisme et de gnosticisme, et milita pour la justice sociale : *la Pesanteur et la Grâce* (1947), *l'Enracinement* (1950), *la Condition ouvrière* (1951).

Weill (Kurt) (Dessau, 1900 – New York, 1950), compositeur allemand naturalisé américain. Il créa un type de chant expressionniste et satirique, qui emprunte à la ballade, au jazz, à la musique sérielle : *l'Opéra de quat' sous* (1928), sur des textes de B. Brecht.

Weimar, v. d'Allemagne (Thuringe) ; 66 730 hab. Industr. métallurgiques et textiles ; constr. mécaniques. Porcelaine. – Anc. cap. du grand-duché de Saxe-Weimar. – Sous le règne de Charles-Auguste (1775-1828), Goethe et Schiller firent de Weimar l'un des centres intellectuels de l'Allemagne.

Weimar (Constitution de), Constitution votée par l'Assemblée allemande à Weimar le 11 août 1919, qui organisait l'Allemagne en une république fédérale de 17 États. La *république de Weimar* (1919-1933) subit les conséquences politiques (occupation de la Ruhr par la France, 1923 ; opposition nationaliste ; séparatisme ; putschs) et économiques (inflation, effondrement du mark) de la défaite allemande de 1918. Succédant à Ebert en 1925, Hindenburg tenta de rétablir l'équilibre, avec l'aide de financiers et en s'appuyant sur un pouvoir présidentiel fort. Mais, à partir de 1930, les effets de la crise mondiale (1929) et les difficultés parlementaires précipitèrent la montée du national-socialisme et l'arrivée de Hitler au pouvoir (1933).

Weinberg (Steven) (New York, 1933), physicien américain, auteur, avec Salam, de la théorie électrofaible*. P. Nobel 1979.

Weingarten (Romain) (Paris, 1926), acteur et écrivain français. Les personnages de ses pièces n'ont comme passion que celle du jeu sous diverses formes : l'amour, la mort, le langage (*l'Été,* 1966 ; *Comme la pierre,* 1970 ; *la Mort d'Auguste,* 1982).

Weismann (August) (Francfort-sur-le-Main, 1834 – Fribourg-en-Brisgau, 1914), biologiste allemand. Il postula l'existence des chromosomes et étaya les théories darwiniennes sur l'évolution des espèces.

Weiss (Pierre) (Mulhouse, 1865 – Lyon, 1940), physicien français ; connu pour ses travaux sur le magnétisme.

Weiss (Peter) (Nowawes, près de Berlin, 1916 – Stockholm, 1982), écrivain suédois d'origine allemande ; disciple de Brecht : *la Persécution et l'assassinat de Jean-Paul Marat* (« Marat-Sade », 1964).

Weissmuller (Peter John, dit Johnny) (Windberg, Pennsylvanie, 1904 – Acapulco, 1984), acteur de cinéma américain. Ancien champion olympique de natation, il a incarné *Tarzan,* de 1932 à 1948, et tourné ensuite la série *Jungle Jim.*

Weizmann (Chaïm) (Motol, Biélorussie, 1874 – Rehovot, Israël, 1952), chimiste et homme politique israélien. Chef de l'Organisation sioniste mondiale, il fut le premier président de la république d'Israël (1949-1952).

Weizsäcker (Carl von) (Kiel, 1912), physicien allemand. Il a donné en 1935 une formule de l'énergie de liaison des nucléons, en 1944 une théorie sur l'origine des systèmes planétaires. – **Richard von Weizsäcker** (Stuttgart, 1920), frère du préc., homme politique allemand. Il fut président de la République fédérale allemande à partir de 1984, puis de l'Allemagne réunifiée jusqu'en 1994.

welche. V. velche.

Welhaven (Johan Sebastian) (Bergen, 1807 – Christiania, auj. Oslo, 1873), écrivain norvégien. La musicalité de ses *Poèmes* (1838) et *Nouveaux Poèmes* (1844) évoque Heine.

Welland, v. du Canada (Ontario), sur le *canal de Welland* (44 km), qui relie les lacs Érié et Ontario à l'écart des chutes du Niagara; 47 900 hab. Centre industriel et agricole.

Welles (Orson) (Kenosha, Wisconsin, 1915 – Hollywood, 1985), cinéaste et acteur américain. Son œuvre, qui foisonne de trouvailles techniques, souvent baroques, et que marque sa forte personnalité d'acteur, est une méditation sur le statut et le rôle de l'artiste : *Citizen Kane* (1941), *la Splendeur des Amberson* (1942), *la Dame de Shanghai* (1948), *Othello* (1952), *Monsieur Arkadin* (1955), *Falstaff* (1966), *Vérités et Mensonges* (1975).

Orson **Welles,** auteur et interprète de *Citizen Kane,* 1941

Wellesley (Richard Colley Wellesley, marquis) (Dangan, Irlande, 1760 – Londres, 1842), homme politique britannique. Il accrut (1798-1805) l'étendue des possessions anglaises aux Indes, mais ses conquêtes furent jugées trop coûteuses, et il dut démissionner. Lord-lieutenant d'Irlande (1821-1828 et 1833-1834), il défendit les catholiques.

Wellington, cap. de la Nouvelle-Zélande, port sur le détroit de Cook (île du Nord); 136 910 hab. (aggl. urb. 325 700 hab.). Industr. text. et méca.

Wellington (Arthur Wellesley, 1er duc de) (Dublin, 1769 – Walmer Castle, Kent, 1852), général et homme politique britannique. Vainqueur des Français au Portugal et en Espagne (bataille de Vitoria, 21 juin 1813), il remporta, après le retour de Napoléon, la victoire décisive de Waterloo (18 juin 1815) à la tête des troupes alliées. Commandant en chef des troupes d'occupation en France (1815-1818), il joua aussi un rôle politique important en Angleterre et fut notam. Premier ministre de 1828 à 1830.

wellingtonia n. m. Syn. de *séquoia.*

Wells, v. de G.-B. (Somerset); 8 370 hab. – Cath. (déb. XIIIe s.) typique du style dit « gothique primitif » ou *Early English.*

Wells (Herbert George) (Bromley, Kent, 1866 – Londres, 1946), écrivain anglais; l'un des maîtres du roman d'anticipation à caractère scientifique : *la Machine à explorer le temps* (1895), *l'Île du docteur Moreau* (1896), *l'Homme invisible* (1897), *la Guerre des mondes* (1898), *Anticipations* (1901). Membre de la Fabian* Society.

weltanschauung [vɛltanʃawuŋ] n. f. PHILO Conception métaphysique du monde, liée à l'intuition des réalités existentielles.

welter [vɛltɛʀ; wɛltɛʀ] n. m. et adj. (Anglicisme) SPORT Se dit d'un boxeur pesant entre 63,50 et 66,67 kg (professionnels). Syn. vieilli mi-moyen.

Wembley, aggl. du Grand Londres. Stade de football.

Wendel (de), famille d'industriels français qui, au déb. du XVIIIe s., installa des forges à Hayange (Moselle). Dès 1785, les Wendel produisirent industriellement de la fonte au coke. En 1880, ils implantèrent, également à Hayange, une aciérie Thomas (la première en France) et conclurent des accords avec la société Schneider; ces deux groupes dominèrent la sidérurgie française jusqu'aux années 1970.

Wenders (Wilhelm, dit Wim) (Düsseldorf, 1945), cinéaste allemand. Son œuvre est une célébration poétique de l'errance : *Alice dans les villes* (1973), *l'Ami américain* (1977), *Paris, Texas* (1984), *les Ailes du désir* (1987).

Wendes. V. Sorabes.

Wengen, stat. de sports d'hiver de Suisse (Oberland bernois); 1 274 m. Célèbre descente de ski du Lauberhorn.

Wenzhou, v. de l'E. de la Chine (Zhejiang), sur la baie du m. nom; 515 650 hab. (aggl. urb. 5 948 130 hab.). Exportation de produits agricoles.

Werfel (Franz) (Prague, 1890 – Los Angeles, 1945), écrivain expressionniste autrichien : *l'Ami de l'univers* (poèmes, 1912), *le Chant de Bernadette* (récit, 1941).

Wergeland (Henrik) (Kristiansand, 1808 – Christiania, auj. Oslo, 1845), poète romantique norvégien; défenseur d'une culture proprement norvégienne : *la Création, l'Homme et le Messie* (1830), remaniée en 1844 et publiée sous le titre de *l'Homme.*

Werner (Alfred) (Mulhouse, 1866 – Zurich, 1919), chimiste suisse; pionnier de la stéréochimie. P. Nobel 1913.

Wertheimer (Max) (Prague, 1880 – New Rochelle, près de New York, 1943), psychologue allemand; l'un des créateurs de la psychologie de la forme*.

le duc de **Wellington**

Walt **Whitman**

Weser (la), fl. d'Allemagne (480 km), formée par la réunion, à Münden, de la Werra et de la Fulda; arrose Brême et se jette dans la mer du Nord.

Wesker (Arnold) (Londres, 1932), dramaturge anglais : *la Cuisine* (1957); *Soupe au poulet et à l'orge* (1958); *les Amis* (1970).

Wesley (John) (Epworth, Lincolnshire, 1703 – Londres, 1791), théologien anglais; le princ. fondateur de la secte protestante des méthodistes (1729). Disciple de J. Arminius*, il fut à l'origine d'un extraordinaire réveil religieux.

Wesselmann (Tom) (Cincinnati, 1931), peintre américain (pop'art) : série des *Grands Nus américains,* vastes compositions de style publicitaire, en aplats de couleurs vives avec objets réels incorporés.

Wessex, un des royaumes fondés en Angleterre par les Saxons à la fin du Ve s. et dont la cap. était l'actuelle Winchester. Fer de lance de la résistance anglo-saxonne aux Danois (fin IXe-déb. Xe s.), le Wessex réalisa à son profit l'unité anglo-saxonne.

West (Benjamin) (Springfield, 1738 – Londres, 1820), peintre néo-classique américain; auteur de compositions historiques. Établi en Angleterre, il y fonda avec Reynolds l'Académie royale de peinture.

West (Mae) (New York, 1892 – Los Angeles, 1980), scénariste et actrice américaine; son comique iconoclaste en fit une grande vedette des années 30 : *Lady Lou* (1930), *Annie du Klondike* (1936), *Fifi peau de pêche* (1938).

West (Morris) (Melbourne, 1916), romancier australien : *l'Avocat du diable* (1959), *les Souliers de saint Pierre* (1963), *les Bouffons de Dieu* (1981).

western n. m. Film d'aventures dont l'action se déroule dans l'Ouest américain au temps de sa conquête; genre cinématographique représenté par ce type de film.

Western Islands. V. Hébrides.

Westerwald, rég. du Massif schisteux rhénan (All.), sur la r. dr. du Rhin, entre la Sieg et la Lahn. Élevage bovin.

West Glamorgan, comté du pays de Galles; 817 km^2; 357 800 hab.; ch.-l. *Swansea.*

Westinghouse (George) (New York, 1846 – id., 1914), ingénieur américain. Il inventa le frein à air comprimé, qui fut utilisé dans les chemins de fer dès 1872. En 1886, il créa la société Westinghouse Electric Corporation.

Westminster, quartier de Londres, sur la rive gauche de la Tamise, regroupant essentiellement l'abbaye et le palais du Parlement. L'abbaye (St. Peter), de style gothique, fondée au VIIIe s., fut reconstruite par Édouard le Confesseur (XIe s.) et par Henri III (XIIIe s.), puis remaniée jusqu'au XVIIIe s. Depuis 1066, presque tous les rois d'Angleterre y ont été couronnés. Elle est également le panthéon des souverains et des grands hommes britanniques.

Westphalie (en all. *Westfalen*), anc. prov. de l'O. de l'Allemagne. Prov. prussienne en 1815, la Westphalie fait partie depuis 1945 du Land de Rhénanie*-du-Nord-Westphalie.

Westphalie (royaume de), royaume créé en 1807 par Napoléon Ier qui le donna à son frère Jérôme; il comprenait les pays enlevés à la Prusse par le traité de Tilsit, quelques territoires de Hanovre, le duché de Brunswick et l'électorat de Hesse-Cassel. Occupé par les Alliés après la défaite de Leipzig (oct. 1813), il disparut en tant que royaume après le congrès de Vienne (1814-1815), le territoire étant rattaché à la Prusse.

Westphalie (traités de), nom donné aux traités signés en 1648 par l'empereur Ferdinand III avec la France, la Suède et les principautés d'Empire et mettant fin à la guerre de Trente* Ans. Après quatre années de négociations, ils furent signés à Münster par les États catholiques et à Osnabrück par les protestants. (Dès janv. 1648, les Provinces-Unies avaient conclu avec l'Espagne une paix séparée qui établissait leur indépendance.) Les traités reconnaissaient la liberté des cultes catholique, luthérien et calviniste dans le Saint Empire, et la souveraineté des 350 États allemands. La Confédération helvétique obtenait son indépendance. L'Empire, resté électif, était réduit à l'impuissance avec l'échec patent des Habsbourg dans leur tentative d'unification. La France obtenait notam. la cession définitive des évêchés de Metz, Toul et Verdun, et une grande partie de l'Alsace (mais ni Strasbourg ni Mulhouse). La Suède recevait la Poméranie occidentale (avec Stettin) et les évêchés de Wismar, Brême et Verden. L'Électeur de Bavière gagnait le Haut-Palatinat; celui de Brandebourg, la Poméranie orientale et les évêchés de Magdeburg, Kamień, Minden et Halberstadt.

West Point, terrain militaire des É.-U. (État de New York), sur l'Hudson, où est implantée depuis 1802 une école formant des officiers.

West Sussex, comté du S.-E. de l'Angleterre; 1 989 km²; 692 800 hab.; ch.-l. *Chichester.*

West Yorkshire, comté d'Angleterre; 2 039 km²; 1 984 700 hab.; ch.-l. *Wakefield.*

Weyden. V. Van der Weyden.

Weygand (Maxime) (Bruxelles, 1867 – Paris, 1965), général français. Chef d'état-major de Foch (pendant la Première Guerre mondiale), il collabora avec l'état-major polonais lors de sa résistance aux troupes soviétiques (1920). Haut-commissaire en Syrie et au Liban (1923), chef d'état-major général de l'armée en 1930, il fut généralissime de 1931 à 1935. Rappelé en 1939, envoyé à Beyrouth, il reçut le 19 mai 1940 le commandement suprême des armées françaises (assumant ainsi le remplacement de Gamelin), et conseilla l'armistice le 12 juin après la rupture du front de la Somme. Ministre de la Défense nationale (juin-sept. 1940), puis délégué général de Pétain en Afrique du Nord (1941), il fut arrêté par les Allemands (1942) et déporté. Traduit en Haute Cour de justice après la Libération, il bénéficia d'un non-lieu (1948). Il est l'auteur d'ouvrages d'histoire militaire et de *Mémoires.* Acad. fr. (1931).

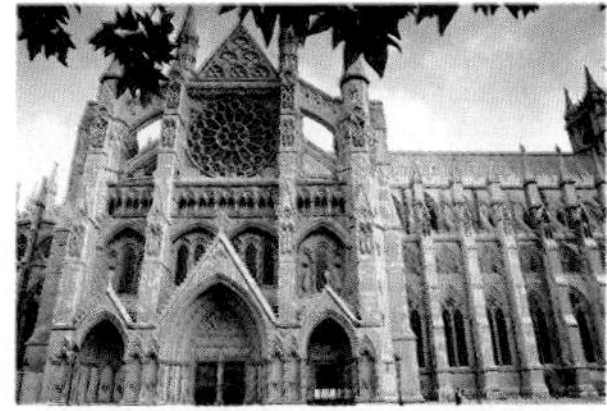

façade de l'église (St. Peter) de l'abbaye de **Westminster,** XIIIe s.

Weyl (Hermann) (Elmshorn, 1885 – Zurich, 1955), mathématicien allemand (théorie des nombres, des groupes, analyse, relativité).

Wh ELECTR Symbole du watt-heure.

wharf [waʀf] n. m. MAR Appontement long perpendiculaire au rivage.

Wharton (Edith Newbold Jones, Mrs.) (New York, 1862 – Saint-Brice-sous-Forêt, Seine-et-Marne, 1937), romancière américaine. Son œuvre a trois thèmes : le régionalisme, les rapports de la France et des États-Unis et la lutte entre anciens et nouveaux riches (*l'Âge de l'innocence,* 1920).

Wheatstone (sir Charles) (Gloucester, 1802 – Paris, 1875), physicien anglais. Il mit au point divers appareils acoustiques, optiques (stéréoscope) et électriques, qui firent faire des progrès décisifs à la télégraphie électrique.

whig [wig] n. m. et adj. **I. 1.** HIST Nom donné en Angleterre aux adversaires de Jacques d'York (le futur Jacques II). *Dans les années 1679-1680, les whigs défendirent les droits du Parlement contre l'absolutisme royal et en 1688 renversèrent Jacques II.* **2.** Mod. Membre du parti libéral en G.-B. *Opposés aux tories (XVIIIe et XIXe s.), les whigs donnèrent naissance au parti libéral.* (V. tory.) ▷ adj. *Le parti whig.* **II.** HIST *Parti whig* : aux É.-U., parti politique, opposé au prés. démocrate A. Jackson, fondé en 1834; il se disloqua en 1852, après avoir perdu les élections.

whipcord [wipkɔʀd] n. m. Étoffe à trame très serrée et à côtes obliques.

whiskey n. m. Whisky irlandais.

whisky n. m. Eau-de-vie de grain (orge, avoine, seigle) fabriquée dans les pays anglo-saxons. *Des whiskies.* ▷ *Un whisky* : un verre de whisky.

whist n. m. Jeu de cartes, ancêtre du bridge.

Whistler (James Abbott McNeill) (Lowell, Massachusetts, 1834 – Londres, 1903), peintre et graveur américain. Il vécut à Paris et à Londres. Proche des impressionnistes, il cultiva dans ses portraits et ses paysages *(la Jeune Fille en blanc, Nocturnes)* une esthétique symboliste.

White (Patrick) (Londres, 1912 – Sydney, 1990), écrivain australien. Dans ses poèmes (*Une ceinture de feuilles,* 1976), ses romans (*le Char des élus,* 1961), ses nouvelles (*Cacatoès,* 1974), et son théâtre (*Quatre Pièces,* 1965), il se livre à l'expérience intérieure, spirituelle et psychologique, ainsi qu'à la satire sociale. P. Nobel 1973.

White (Kenneth) (Glasgow, 1936), écrivain britannique. Ses poèmes et ses romans disent une quête de la vie au contact de la nature (*Approches du monde blanc,* 1976).

Whitehead (Robert) (Bolton-Le-Moors, Lancashire, 1823 – Beckett Park, Berkshire, 1905), ingénieur anglais. Il travailla pour l'Autriche à l'arsenal de Fiume, où il mit au point (à partir de 1867) et construisit les premières torpilles sous-marines; il leur adjoignit en 1876 un servomoteur.

Whitehead (Alfred North) (Ramsgate, Kent, 1861 – Cambridge, Massachusetts, 1947), mathématicien et philosophe américain d'origine anglaise; l'un des princ. théoriciens de la logique mathématique moderne : *Principia mathematica* (en collab. avec B. Russell, 1910-1913).

Whitehorse, v. du Canada; ch.-l. du Yukon; 15 200 hab.

white spirit [wajtspiʀit] n. m. Produit de la distillation fractionnée des pétroles, employé comme diluant des peintures et comme solvant. *Des white spirits.*

Whitman (Walt) (West Hills, Long Island, 1819 – Camden, New Jersey, 1892), poète américain. Avec lyrisme, il a exprimé son amour de la vie libre, de la nature et de la démocratie dans *Feuilles d'herbe* (1855), un recueil de poèmes qui a profondément influencé la poésie moderne américaine.

Whitney (mont), un des plus hauts sommets des É.-U., dans la sierra Nevada (Californie); 4 418 m.

Whittle (sir Frank) (Coventry, 1907 – Columbia, Maryland, 1996), ingénieur anglais; inventeur du turboréacteur.

Who (The), groupe anglais de musique pop (1963-1986), influencé par le rhythm and blues (*My Generation,* 1965); auteur d'un « opéra rock », *Tommy* (1969).

Wichita, v. des É.-U. (Kansas); 304 000 hab. Constr. aéronautiques.

Widal (Fernand) (Dellys, auj. Delles, Algérie, 1862 – Paris, 1929), médecin français. Il découvrit notam. le sérodiagnostic de la typhoïde *(réaction de Widal)* et étudia la pathologie rénale.

Wideröe (Rolf) (Oslo, 1902), ingénieur et physicien norvégien. Il mit au point le premier synchrocyclotron.

Widor (Charles Marie) (Lyon, 1844 – Paris, 1937), organiste et compositeur français; auteur notam. de symphonies pour orgue.

Wiechert (Ernst) (Kleinort, Prusse-Orientale, 1887 – Uerikon, canton de Zurich, 1950), écrivain néo-romantique allemand : romans (*les Enfants Jéromine,* 1945-1947), récits autobiographiques (*la Forêt des morts,* relation de son internement à Buchenwald, 1945).

Wieland (Christoph Martin) (Oberholzheim, près de Biberach, Wurtemberg, 1733 – Weimar, 1813), écrivain allemand. Adepte du piétisme*, il évolua, sous l'influence de l'esprit philosophique français, vers l'épicurisme et le scepticisme : *Agathon* (récit, 1766-1773), *Obéron* (poème, 1780-1781), *les Abdéritains* (roman satirique, 1774-1781).

Wiener (Norbert) (Columbia, Missouri, 1894 – Stockholm, 1964), mathématicien américain; connu pour ses travaux sur la théorie de l'information. On le considère comme le fondateur de la cybernétique.

Wiéner (Jean) (Paris, 1896 – id., 1982), pianiste et compositeur français. Improvisateur très doué, il est l'auteur de musiques fortement inspirées par le jazz : *Sonatine syncopée, Concerto pour accordéon.* Il a écrit plus de 300 musiques de films.

Wiesbaden, v. d'Allemagne, cap. de la Hesse; 266 540 hab. Station thermale depuis la Rome antique. Constr. mécaniques; industr. chimiques et textiles. – Siège de l'administration alliée de 1919 à 1930, pendant l'occupation de la Rhénanie.

Wiesel (Élie) (Sighet, Hongrie, 1928), écrivain américain d'origine hongroise

Élie **Wiesel**

Oscar **Wilde**

et d'expression française. Déporté à seize ans dans un camp d'extermination nazi, il écrit à la mémoire des victimes de l'holocauste : *la Nuit* (1960), *l'Aube* (1960), *le Jour* (1961). Son œuvre constitue, entre tragédie et espoir, une méditation approfondie sur la condition juive (*les Juifs du silence*, 1966; *Célébration hassidique*, 1972; *le Testament d'un poète juif assassiné*, 1980). P. Nobel de la paix 1986.

Wigan, v. de G.-B., en Angleterre (Great Manchester); 301 900 hab. Houille; fonderie; industr. text., chim. – Égl. du XVIe s.

Wight (île de), île britannique de la Manche, formant un comté; 381 km²; 126 600 hab.; ch.-l. *Newport*. Élevage, tourisme. Navigation de plaisance (V. Cowes).

Wigner (Eugene Paul) (Budapest, 1902 – Princeton, 1994), physicien américain d'origine hongroise. Spécialiste de la physique des solides, il a notam. étudié les interactions entre nucléons et le comportement de l'atome au sein d'un réseau cristallin. P. Nobel 1963 (avec Goeppert-Mayer et Jensen).

wigwam n. m. Tente, hutte, et, par ext., village des Indiens d'Amérique du Nord. *Des wigwams.*

wilaya ou **willaya** [vilaja] n. f. En Algérie, division administrative. ▷ HIST Durant la période correspondant à la guerre d'Algérie (1954-1962), sous l'administration française, unité territoriale combattante.

Wilbur (Richard) (New York, 1921), poète américain. Ses vers académiques expriment sa sensibilité face à notre époque : *les Choses de ce monde* (1957), *Cérémonie et autres poèmes* (1950), *Conseils à un prophète* (1961).

Wilde (Oscar Fingal O'Flahertie Wills) (Dublin, 1854 – Paris, 1900), écrivain britannique. Théoricien de « l'art pour l'art », chef de file des « esthètes », affichant sans réserve son amoralisme, il fut, durant un temps, l'idole de l'aristocratie. Sous une apparence brillante et légère, son œuvre reflète une vision tragique de la vie : *le Prince heureux et autres contes* (1888), *le Portrait de Dorian Gray* (roman, 1891), *l'Éventail de lady Windermere* (drame, 1892), *De l'importance d'être constant* (comédie, 1895). En 1895, attaqué pour son homosexualité, il fut condamné pour outrage aux mœurs à deux ans de travaux forcés (*Ballade de la geôle de Reading*, 1898). Il mourut à Paris, dans la misère et la solitude. Sa *Correspondance* a été publiée en 1963.

Wilder (Thornton Niven) (Madison, Wisconsin, 1897 – Hamden, Connecticut, 1975), écrivain américain; romancier (*le Pont de San Luis Rey*, 1927; *En voiture pour le ciel*, 1934; *les Ides de mars*, 1948; *la Marieuse*, 1954) et dramaturge (*Notre petite ville*, 1938).

Wilder (Billy) (Vienne, 1906), cinéaste américain d'origine autrichienne : *Assurance sur la mort* (1944), *Boulevard du Crépuscule* (1950); comédies interprétées par Marilyn Monroe : *Sept Ans de réflexion* (1955), *Certains l'aiment chaud* (1959).

Wilhelmine (La Haye, 1880 – chât. de Het Loo, près d'Apeldoorn, 1962), reine des Pays-Bas (1890-1948); épouse (1901) du prince Henri de Mecklembourg-Schwerin. Elle s'exila à Londres de 1940 à 1945 et abdiqua (sept. 1948) en faveur de sa fille Juliana.

Wilhelmshaven, v. et port d'Allemagne (Basse-Saxe), sur la mer du Nord; 94 900 hab. Importation de pétrole. Chantiers navals.

Wilkes (terre de), zone du continent antarctique (secteur australien) qui doit son nom à *Charles Wilkes* (New York, 1798 – Washington, 1877), marin et explorateur américain.

Wilkes (John) (Londres, 1725 – id., 1797), homme politique anglais. Ses attaques et ses pamphlets contre l'autoritarisme de George III le rendirent populaire, mais lui valurent aussi la haine du roi; il fut emprisonné en 1763 puis banni. Exilé en France, il rentra en Angleterre en 1768; élu lord-maire de Londres en 1774, il obligea les Communes à publier les comptes rendus de leurs débats.

Wilkins (sir George Hubert) (Mount Bryan, Australie, 1888 – Framingham, Massachusetts, 1958), explorateur australien de l'Arctique et de l'Antarctique.

Wilkins (Maurice Hugh Frederick) (Pongaroa, Nouvelle-Zélande, 1916), biologiste britannique. Son étude du spectre de diffraction des rayons X par l'A.D.N. permit à Watson et Crick de construire le célèbre modèle en hélice de l'A.D.N. (1954). P. Nobel de médecine 1962 (avec Watson et Crick).

Wilkinson (John) (Little Clifton, Cumberland, 1728 – Bradley, Staffordshire, 1808), industriel anglais. Considéré dans son pays comme le père de la sidérurgie, il inventa la première machine à aléser (1774) et réalisa le premier navire en fer (1787).

Wilkinson (Geoffrey) (Todmorden, West-Yorkshire, 1921), chimiste britannique; connu pour ses travaux sur les complexes organométalliques. P. Nobel 1973 (avec E. O. Fischer).

Willaert (Adriaan) (Bruges [?], v. 1480 ou 1490 – Venise, 1562), compositeur flamand; maître de chapelle à St-Marc (Venise) de 1527 à sa mort : messes, motets, hymnes, madrigaux, chansons françaises. Il généralisa l'emploi du double chœur (style vénitien).

Willemstad, ch.-l. des Antilles néerlandaises, dans l'île de Curaçao; 50 000 hab. Import. port pétrolier. Raff. et pétrochimie.

Willendorf, local. de la Basse-Autriche où fut découverte la *Vénus de Willendorf*, statuette en calcaire de 11 cm, de l'époque gravettienne.

william(s) n. f. Poire juteuse, parfumée, de forme allongée, à peau jaune et lisse. – (En appos.) *Des poires williams.*

Williams (William Carlos) (Rutherford, New Jersey, 1883 – id., 1963), écrivain américain. Auteur de poèmes en réaction contre la tradition romantique et contre un art trop hermétique (*Été et tout*, 1922; *Paterson*, 1946-1951), d'essais critiques (*le Grand Roman américain*, 1923; *Autobiographie*, 1951), de nouvelles (*Vie sur les rives du Passaïc*, 1938), et de romans (*la Mule blanche*, 1937; *la Fortune*, 1940).

T. **Williams**

Th. W. **Wilson**

Williams (Thomas Lanier Williams, dit Tennessee) (Colombus, Mississippi, 1911 – New York, 1983), auteur dramatique américain. Il dépeint, dans l'atmosphère moite du S. des É.-U., la déchéance physique et mentale (*Un tramway nommé Désir*, 1947), la frustration sexuelle (*la Rose tatouée*, 1950; *la Chatte sur un toit brûlant*, 1955). Ses princ. pièces ont été adaptées à l'écran.

Williams (Betty) (Belfast, 1943), femme politique irlandaise; dirigeante dans son pays du Mouvement des femmes pour la paix. P. Nobel de la paix 1976.

Willoughby (sir Hugh) (Risley, ? – presqu'île de Kola, 1554), navigateur anglais. Parti à la recherche du passage du Nord-Est* ouvrant la route des Indes, il explora l'océan Arctique, les côtes de la Laponie russe et la presqu'île de Kola.

Willy (Henry Gauthier-Villars, dit) (Villiers-sur-Orge, 1859 – Paris, 1931), journaliste et écrivain français. Époux (1893-1906) de Colette* (qui publia sous le seul nom de Willy la série des *Claudine*), il donna des romans licencieux.

Wilson (mont), sommet de la chaîne côtière de Californie, au N. de Pasadena; 1 731 m. Observatoire équipé de l'un des plus puissants télescopes du monde.

Wilson (Thomas Woodrow) (Staunton, Virginie, 1856 – Washington, 1924), homme politique américain. Candidat démocrate, il fut élu président en 1912; réélu en 1916, il déclara la guerre à l'Allemagne en riposte aux attaques des sous-marins allemands (avr. 1917). À la conférence de la paix (à Paris, 1919-1920), il fit triompher le programme pacifiste qu'il avait formulé en quatorze points devant le Congrès dès janv. 1918, et fut l'instigateur de la Société des Nations. Mais cette intervention dans les affaires européennes irrita les isolationnistes; ni le traité de Versailles ni le pacte de la S.D.N. ne furent ratifiés par le Sénat. P. Nobel de la paix 1919.

Wilson (sir Henry Hughes) (Edgeworthstown, Irlande, 1864 – Londres, 1922), maréchal britannique. Pendant la Première Guerre mondiale, il assura la liaison entre les commandements français et britannique, et devint chef de l'état-major impérial (1918). Élu député de l'Irlande du Nord aux Communes (1922), il fut assassiné par des nationalistes irlandais.

Wilson (Charles Thomson Rees) (Glencorse, 1869 – Carlops, 1959), physicien écossais. Il mit au point en 1912 la *chambre de Wilson*, chambre d'ionisation contenant de l'air saturé de vapeur d'eau. P. Nobel 1927 (avec A.H. Compton).

Wilson (Henry Maitland, 1er baron) (Stowlangtoft Hall, Suffolk, 1881 - près d'Aylesbury, Buckinghamshire, 1964), maréchal britannique. Il combattit en Libye (1940), en Grèce (1941), puis au Proche-Orient. En 1944, il succéda à Eisenhower à la tête des forces interalliées de Méditerranée.

Wilson (Angus Frank Johnstone-Wilson, dit Angus) (Bexhill-on-Sea, Sussex, 1913 - Bury-St-Edmunds, 1991), écrivain anglais. Dans ses romans, il se fait le critique acerbe et désenchanté du désarroi de la société libérale : *la Ciguë et après* (1952), *Attitudes anglo-saxonnes* (1956), *l'Appel du soir* (1964), *Embraser le monde* (1980).

Wilson (sir Harold) (Huddersfield, 1916 - Londres, 1995), homme politique britannique. Chef du parti travailliste (1963-1976), Premier ministre de 1964 à 1970 et de 1974 à 1976, il tenta de lutter contre la crise économique et sociale par un plan d'austérité et des accords avec les syndicats, et renégocia les conditions d'admission de la G.-B. dans le Marché commun (approuvées par référendum en 1975).

Wilson (Kenneth G.) (Waltham, Massachusetts, 1936), physicien américain; connu pour son importante contribution à l'étude des transitions de phase. P. Nobel 1982.

Wilson (Robert Woodrow) (Houston, Texas, 1936), radioastronome américain. On lui doit la découverte (1965) du rayonnement thermique du fond du ciel. P. Nobel de physique 1978.

Wilson (Robert, dit Bob) (Waco, Texas, 1941), metteur en scène de théâtre américain. Ses spectacles, où la lumière joue un rôle esthétique prépondérant, mêlent théâtre et chorégraphie : *le Regard du sourd* (1971), *The Civil Wars* (1984).

Wiltshire, comté du S.-O. de l'Angleterre; 3 481 km^2; 553 300 hab.; ch.-l. *Trowbridge.*

Wimbledon, banlieue S.-O. de Londres. Un célèbre tournoi international de tennis sur gazon s'y déroule annuellement.

winch [winʃ] n. m. (Anglicisme) MAR Petit treuil utilisé sur les voiliers, pour raidir les écoutes ou les drisses. Syn. (off. recommandé) cabestan.

winchester [winʃɛstɛʀ] n. f. Carabine à répétition, de fabrication américaine à l'origine, utilisée pendant la guerre de Sécession et celle de 1870 (calibre 10,7 mm).

Winchester, v. d'Angleterre (Hampshire); 95 700 hab. - Cath. (fin XIe s., remaniée au XIVe s.).

Winckelmann (Johann Joachim) (Stendal, Brandebourg, 1717 - Trieste, 1768), historien de l'art et archéologue allemand; précurseur du néo-classicisme européen, bibliothécaire du Vatican. *Histoire de l'art chez les Anciens* (1764).

Windhoek, cap. de la Namibie; 110 000 hab. Élevage. Sources chaudes à proximité.

Windischgraetz (Alfred, prince de) (Bruxelles, 1787 - Vienne, 1862), feld-maréchal autrichien. Il réprima les insurrections nationales de Prague et de Vienne (1848); commandant en chef lors de la révolution hongroise de 1848, il fut battu par les Hongrois (1849).

Windsor ou **New Windsor,** v. d'Angleterre (Berkshire), sur la Tamise; 28 330 hab. - Chât. royal (XIIe s.), agrandi sur l'ordre d'Édouard III (1344) et modifié au XIXe s. La famille royale d'Angleterre de Hanovre-Saxe-Cobourg-Gotha adopta le nom de *Windsor* en 1917.

Windsor, v. et port du Canada (Ontario), sur la rivière Detroit; 191 400 hab. Constr. mécaniques (automobiles); industr. chimiques et alimentaires.

Windsor (duc de). V. Édouard VIII.

windsurf [windsœʀf] n. m. (Nom déposé.) Syn. de *planche* à voile.*

Windthorst (Ludwig) (Kaldenhof, près d'Osnabrück, 1812 - Berlin, 1891), homme politique allemand. Chef du centre (catholique), il fut l'adversaire victorieux de Bismarck dans le conflit du Kulturkampf*.

Winnicott (Donald Woods) (Plymouth, 1896 - Londres, 1971), pédiatre et psychanalyste anglais. Il étudia partic. le développement psychique de l'enfant dès sa naissance (soulignant l'importance de ses rapports avec sa mère).

Winnipeg (lac), lac du Canada (Manitoba) qui communique avec la baie d'Hudson par le Nelson; 24 650 km^2.

Winnipeg, v. du Canada, cap. du Manitoba, au confl. de la rivière Rouge et de l'Assiniboine; 616 790 hab. Commerce et stockage du blé. Industr. alimentaires et métallurgiques.

Winterhalter (Franz Xaver) (Menzenschwand, 1805 - Francfort-sur-le-Main, 1873), portraitiste allemand. Il exerça son art dans les princ. cours d'Europe, notam. à la cour de Napoléon III : *l'Impératrice entourée de ses dames d'honneur* (1855, Compiègne).

Winterthur, v. de Suisse (Zurich), sur la Töss; 86 760 hab. Constr. mécaniques. - Musée des beaux-arts (Van Gogh, Renoir, Bonnard, etc.). Fondation Oskar Reinhart (peint. allemande des XVIIIe, XIXe et XXe s.).

Wisconsin (le), riv. des É.-U. (690 km), affl. du Mississippi (r. g.).

Wisconsin, État du centre-nord des É.-U., à l'O. des Grands Lacs; 145 438 km^2; 4 892 000 hab.; cap. *Madison.* - Vaste plateau d'origine glaciaire soumis au climat continental, le Wisconsin est partagé entre la forêt et les prairies. Élevage laitier (1er producteur des É.-U.), culture (maïs, pomme de terre, céréales), élevage de visons. Stimulée par les gisements de fer du N. de l'État, l'industrie se regroupe sur les rives du lac Michigan, notam. à Milwaukee (métallurgie, industr. alimentaires). - Le Wisconsin forma en 1848 le trentième État de l'Union.

Wise (Robert) (Winchester, Indiana, 1914), cinéaste américain, auteur de thrillers (*Nous avons gagné ce soir,* 1949; *le Mystère Andromède,* 1971), de films de science-fiction (*le Jour où la Terre s'arrêta,* 1951), de westerns et de comédies musicales (*West Side Story,* 1961).

Wiseman (Nicholas Patrick) (Séville, 1802 - Londres, 1865), prélat catholique britannique. Il encouragea le mouvement d'Oxford*, puis fut nommé archevêque de Westminster, et cardinal. Auteur de nombreux écrits apologétiques et d'un roman historique : *Fabiola* (1854).

wishbone [wiʃbon] n. m. (Anglicisme) MAR SPORT Sorte d'anneau servant à la manœuvre d'une voile (de bateau ou de planche à voile).

wisigoth ou **visigoth, othe** [vizigo, ɔt] n. et adj. ou **wisigothique** [vizigɔtik] adj. HIST Des Wisigoths, qui a rapport aux Wisigoths. - *Écriture wisigothique :* écriture en usage en Espagne du VIIIe au XIIe s.

Wisigoths ou **Visigoths** («Goths sages»), anc. peuple germanique faisant partie du groupe des Goths. Lorsqu'ils apparurent dans l'histoire (déb. du IVe s.), les Wisigoths occupaient une région située entre le Dniepr et le Danube. Partiellement convertis à l'arianisme par Ulfilas, ils obtinrent des Romains l'autorisation de s'installer en Thrace (376), mais, mécontents du sort qu'on leur réservait sur ce territoire, ils se révoltèrent et écrasèrent l'armée romaine de l'empereur Valens à Andrinople (378). De 396 à 410, leur chef, Alaric, les entraîna en Italie, où ils prirent Rome (410), puis Athaulf les lança à la conquête de l'Aquitaine (410-415). Installés en fédérés dans le S.-O. de la Gaule (v. 418), ils conquirent la plus grande partie de l'Espagne (v. 476). Mais le puissant royaume wisigothique succomba sous les coups de Clovis en Gaule (défaite d'Alaric II à Vouillé en 507) et, plus tard, sous ceux des Arabes en Espagne (victoire de Tariq ibn Ziyad sur Rodrigue à la bataille du Guadalete, en 711).

art **wisigoth,** orfèvrerie : couronne votive du roi Sonnila, VIIe s., prov. des environs de Tolède; musée de Cluny, Paris

Wismar, v. d'Allemagne, sur la mer Baltique; 57 720 hab. Port. Constr. mécaniques; chantiers navals; industr. alimentaires. - À proximité de la ville se fit la jonction des forces britanniques et soviétiques le 3 mai 1945.

Wissembourg, ch.-l. d'arr. du Bas-Rhin, sur la Lauter; 7 533 hab. Constr. mécaniques. - Le 4 août 1870, victoire de la Prusse sur la division Abel Douay.

Witkiewicz (Stanisław Ignacy), dit *Witkay* (Varsovie, 1885 - Jeziory, 1939), romancier (*l'Inassouvissement,* 1930), dramaturge prolifique, peintre et critique d'art polonais. D'un absolu pessimisme, il estime que l'homme n'est pas fait pour l'existence; il se suicida lors de l'invasion de la Pologne.

witloof [witlɔf] n. f. Variété de chicorée qui donne l'endive.

Witt (Johan de, en fr. Jean de) (Dordrecht, 1625 – La Haye, 1672), homme d'État hollandais; conseiller pensionnaire de Hollande (1653-1672). Son administration marqua l'apogée politique de la riche bourgeoisie, républicaine et éclairée. Jean de Witt fit la paix avec l'Angleterre (1654), assura les libertés publiques et poursuivit la formidable expansion maritime, commerciale et financière de son pays; pour cette raison, il dut combattre (avec succès) la Suède (1658-1660) et, à nouveau, l'Angleterre (1665-1667). Contre Guillaume d'Orange, il fit voter l'Acte d'exclusion en 1667; contre la menace française, il conclut la Triple-Alliance* en 1668. Mais après l'invasion de la Hollande par Louis XIV (1672), les orangistes se retournèrent contre lui et il fut mis à mort par le peuple de La Haye (où il était venu voir son frère, emprisonné). – **Cornelis de Witt** (Dordrecht, 1623 – La Haye, 1672), frère du préc. Bourgmestre de Dordrecht (1666), il se heurta en 1672 aux orangistes; emprisonné à La Haye, il fut mis à mort par la foule (le même jour que Jean).

Witte (Emmanuel de) (Alkmaar, v. 1617 – Amsterdam, 1692), peintre hollandais (intérieurs d'églises).

Witte ou **Vitte** (Sergheï Ioulievitch, comte) (Tiflis, 1849 – Petrograd, 1915), homme politique russe. Plusieurs fois ministre sous Alexandre III et Nicolas II, il prit des mesures économiques import. (introduction de l'étalon-or, essor de l'industrie). Président du Conseil (1905), il réprima les mutineries et les grèves à Sébastopol, Saint-Pétersbourg et Moscou. À la suite de la victoire des Cadets*, il fut disgracié (1906).

Wittelsbach, famille princière qui régna sur la Bavière* de 1180 à 1918.

Wittelsheim, com. du Haut-Rhin (arr. de Thann); 10 482 hab. Potasse.

Witten, v. d'Allemagne (Rhénanie-du-Nord-Westphalie), dans la Ruhr; 102 230 hab. Industr. métallurgiques.

Wittenberg, v. d'Allemagne (distr. de Halle), sur l'Elbe; 53 870 hab. Industr. mécaniques et chimiques. – Université. – En 1517, Luther afficha ses 95 thèses sur les portes de l'église du château de la ville.

Wittenheim, ch.-l. de cant. du Haut-Rhin (arr. de Mulhouse); 14 366 hab. Potasse.

Wittgenstein (Ludwig) (Vienne, 1889 – Cambridge, 1951), philosophe et logicien britannique d'origine autrichienne. Ses recherches sur la notion de philosophie l'amenèrent à analyser la structure logique du langage et à préciser les limites de possibilités d'un discours : *Tractatus logico-philosophicus* (1921), *le Cahier bleu et le Cahier brun* (1933-1935, notes des cours éditées en 1958), *Investigations philosophiques* (posth., 1953). Il exerça une influence considérable sur le cercle de Vienne*.

Witwatersrand ou, en abrégé, *Rand*, alignement de collines de la république d'Afrique du Sud (Transvaal), entre 1 500 et 1 800 m d'altitude. Complexe industriel, dominé par la ville de Johannesburg, à proximité de ses gisements (or surtout, houille, fer).

Witz (Konrad) (Rottweil [?], v. 1400 – Bâle ou Genève, v. 1445), peintre souabe. Influencé par la peinture flamande, il mêla spiritualité gothique et réalisme : *la Pêche miraculeuse* (1444).

Włocławek, v. de Pologne, sur la Vistule, en aval de Varsovie; 116 150 hab.; ch.-l. de la voïévodie du m. nom. Port fluvial et centrale hydroél. Industr. du papier. Céramique.

Woëvre (la), plaine argileuse de la Lorraine, sur la r. dr. de la Meuse. Forêts; pisciculture; culture du blé.

Wogenscky (André) (Remiremont, 1916), architecte français. Collaborateur de Le Corbusier (1945-1956), il acheva divers travaux de ce dernier (à Firminy, notam.) et réalisa de nombr. projets, dont la maison de la culture de Grenoble (1968).

Wöhler (Friedrich) (Eschersheim, Hesse, 1800 – Göttingen, 1882), chimiste allemand. Il isola l'aluminium (1827), le béryllium, le bore, et réalisa la première synthèse de chimie organique, celle de l'urée, et une préparation de l'acétylène.

Woippy, ch.-l. de cant. de la Moselle (arr. de Metz-Campagne); 14 385 hab. Gare de triage. Mat. agric.; imprimerie.

Wolf (Hugo) (Windischgrätz, auj. Slovenj Gradec, Slovénie, 1860 – Vienne, 1903), compositeur autrichien. Disciple d'Anton Bruckner au conservatoire de Vienne, il a laissé un opéra (*Der Corregidor*, 1895) et trois cents lieder dans la tradition de F. Schubert et R. Schumann, avant d'être interné dans un asile psychiatrique où il devait passer les cinq dernières années de sa vie.

Wolf (Christa) (Landsberg, 1929), écrivain allemand. Ses romans évoquent la vie sociale et politique de l'Allemagne de l'Est (*le Ciel partagé*, 1963; *Aucun lieu, nulle part*, 1979; *Kassandra*, 1983).

Wolfe (James) (Westerham, Kent, 1727 – Québec, 1759), général anglais. Il s'illustra au Canada et battit Montcalm devant Québec, où il fut mortellement blessé.

Wolfe (Thomas Clayton) (Asheville, Caroline du Nord, 1900 – Baltimore, Maryland, 1938), écrivain américain. Ses romans, largement autobiographiques, expriment avec lyrisme et idéalisme la quête du réel et le sentiment de l'exil : *Aux sources du fleuve* (1929), *De la mort au matin* (1935), *Par-delà les collines* (posth. 1941).

Wolff ou **Wolf** (Christian von) (Breslau, 1679 – Halle, 1754), mathématicien et philosophe allemand; vulgarisateur de la pensée de Leibniz : *Philosophie première* (1729). Il influença Kant.

Wolff (Étienne) (Auxerre, 1904 – Paris, 1996), biologiste français. Ses travaux d'embryologie et de tératologie le conduisirent à provoquer expérimentalement l'inversion du sexe chez des embryons d'animaux ainsi qu'à cultiver *in vitro* des tissus embryonnaires. Acad. fr. (1971).

wolfram [vɔlfʀam] n. m. **1.** CHIM Syn. anc. de *tungstène*. **2.** MINER Principal minerai du tungstène.

Wolfram von Eschenbach (Eschenbach, Bavière, v. 1170 –?, v. 1220), poète allemand; auteur d'épopées courtoises en vers : *Parzival* (imité du *Perceval* de Chrétien de Troyes et dont Wagner s'inspira pour son *Parsifal*), *Willehalm* et *Titurel*.

Wolfsburg, v. d'Allemagne (Basse-Saxe); 121 950 hab. Constr. automobiles.

Wolin (en all. *Wollin*), île polonaise qui ferme quasi totalement, au N., la rade de Szczecin; 248 km^2.

Wolinski (Georges) (Tunis, 1934), caricaturiste, auteur de bandes dessinées et écrivain français. Dessinateur de presse (*Charlie-Hebdo*, *Hara-Kiri*, *l'Humanité*, *le Nouvel Observateur*), il est l'auteur de *Je ne veux pas mourir idiot* (1968). Pour le théâtre, il a écrit, notamment, *Je ne pense qu'à ça* (1969).

Wollaston (William Hyde) (East Dereham, Norfolk, 1766 – Londres, 1828), médecin, chimiste et physicien anglais. Il perfectionna la pile de Volta. Pionnier de la spectroscopie, il découvrit les lignes noires du spectre solaire. Il isola le palladium et le rhodium.

Wollo (le), prov. nord-orientale de l'Éthiopie, qui s'étend à l'O. sur les hauts plateaux, et à l'E. sur les basses terres arides du pays Danakil; 79 400 km^2; 3 610 000 hab.; ch.-l. *Dessié*. – Le Wollo est l'une des prov. éthiopiennes les plus touchées par la sécheresse et la famine qui sévissent dep. le début des années 80.

Wollongong, ville d'Australie (Nouvelle-Galles du Sud); 236 800 hab. Industr. sidérurgiques, métallurgiques et chimiques.

wolof ou **ouolof** [wɔlɔf] n. m. et adj. (inv. en genre) Langue usuelle du Sénégal parlée également en Gambie, appartenant à la famille nigéro-congolaise. – adj. *La langue wolof.*

Wolof(s) ou **Ouolof(s),** peuple noir (env. 4 millions d'individus) de relig. musulmane vivant princ. au N.-O. du Sénégal, parlant le wolof.

Wols (Alfred Otto Wolfgang Schultze, dit) (Berlin, 1913 – Paris, 1951), peintre allemand. Il a surtout peint des aquarelles et des gouaches, qui préfigurent le tachisme et l'abstraction lyrique.

Wolseley (sir Joseph Garnet, vicomte) (Golden Bridge, près de Dublin, 1833 – Menton, 1913), maréchal britannique. Il participa à de nombr. campagnes coloniales (Birmanie, 1852; Inde, 1857; Égypte, 1884), administra le Natal (1874), Chypre (1878), le Transvaal (1879) et commanda en chef l'armée britannique (1895-1901).

Wolsey (Thomas) (Ipswich, v. 1473 – Leicester, 1530), prélat et homme politique anglais; archevêque d'York (1514), cardinal et lord-chancelier (1515) sous Henri VIII. Il contrôla pendant quinze ans toute la politique anglaise, mais ne put obtenir du pape le divorce du roi d'avec Catherine d'Aragon, ce qui précipita sa chute (1529). Thomas More lui succéda.

Wolverhampton, v. de G.-B., en Angleterre (West Midlands); 239 800 hab. Centre industriel au N.-O. de Birmingham (industr. métall. et chimiques; constr. aéronautiques).

won [wɔn] n. m. Unité monétaire de la Corée du Nord et de la Corée du Sud.

Wonder (Steveland Morris, dit Stevie) (Saginaw, Michigan, 1950), pianiste, chanteur et compositeur américain. Aveugle, il débuta à l'âge de dix ans; ses compositions participent de la musique populaire noire américaine des années 60 et du rock : *Music on My Mind* (1975), *The Secret Life of Plants* (1979).

Wonsan, v. et port de la Corée du Nord, sur la mer du Japon; 220 000 hab.; ch.-l. de prov. Commerce (riz, soja); cimenterie.

Wood (Robert Williams) (Concord, Massachusetts, 1868 – Amityville, État de New York, 1955), physicien américain; connu pour ses travaux d'optique et de spectroscopie. ▷ OPT *Lumière de Wood* ou *lumière noire* : rayonnement ultraviolet provoquant la fluorescence de certaines substances.

Woodward (Robert Burns) (Boston, 1917 – Cambridge, Massachusetts, 1979), chimiste américain. Il réalisa de nombr. synthèses organiques : quinine, cholestérol, cortisone, chlorophylle (1961), etc. P. Nobel 1965.

Woolf (Virginia) (Londres, 1882 – Lewes, East Sussex, 1941), écrivain anglais. Romancière marquée par la lecture de M. Proust et de J. Joyce, elle abolit le temps romanesque au profit du temps affectif : *la Chambre de Jacob* (1922), *Mrs. Dalloway* (1925), *la Promenade au phare* (1927), *Orlando* (1928), *les Vagues* (1931), *Flush* (1933). Elle se suicida, laissant d'importants inédits : un roman inachevé (*Entre les actes*, 1941) et un *Journal d'un écrivain* (posth., 1953).

Virginia **Woolf**

Richard **Wright**

Woomera, localité d'Australie (Australie-Méridionale) où, depuis 1951, la G.-B. possède une base militaire d'expérimentation nucléaire et spatiale.

Worcester, v. de l'O. de l'Angleterre, sur la Severn; 81 000 hab.; ch.-l. du comté de Hereford-and-Worcester. – Évêché. Cath. gothique (déb. XIIIe s.). Maisons anciennes. – Victoire de Cromwell sur les armées de Charles II (1651).

Worcester, ville des É.-U. (Massachusetts); 169 750 hab. (aggl. urb. 404 700 hab.). Industr. métallurgiques et textiles. – Évêché catholique. Import. musée des beaux-arts.

Wordsworth (William) (Cockermouth, Cumberland, 1770 – Rydal Mount, Westmorland, 1850), poète anglais. Les *Ballades lyriques* (en collab. avec son ami Coleridge, 1798) sont à l'origine du romantisme anglais.

world music [wœʀldmjuzik] n. f. (Anglicisme) Courant musical de la fin des années 80, nourri de musiques ethniques.

World Wide Web. V. Web.

Worms, v. d'Allemagne (Rhénanie-Palatinat), sur le Rhin; 74 000 hab. Industr. chimiques et textiles; travail du cuir. – Cath. romane (XIIe et XIIIe s.). – En 1122, le *concordat de Worms*, entre Calixte II et l'empereur Henri V, mit fin à la querelle des Investitures*. Plusieurs diètes allemandes se réunirent à Worms; celle de 1521 mit Luther au ban de l'Empire.

Worth (Charles Frédéric) (Bourn, Lincolnshire, 1825 – Paris, 1895), couturier français. Fournisseur de l'impératrice Eugénie, il fut le premier à présenter des collections saisonnières de robes sur des modèles vivants.

Worthing, v. de G.-B., en Angleterre (North Sussex), sur la Manche; 94 100 hab. Stat. balnéaire.

Wotan. V. Odin.

Wrangel (île). V. Vrangel'.

Wrangel (Carl Gustaf), comte de Salmis et de Sölvesborg (Skokloster, Uppland, 1613 – Rügen, 1676), général suédois. Il participa à la guerre de Trente* Ans et aux expéditions de Charles X Gustave. Wrangel fut vaincu dans la lutte contre le Brandebourg et disgracié (1675).

Wrangel ou **Vrangel'** (Piotr Nikolaïevitch, baron de) (Novo-Aleksandrovsk, gouv. de Kaunas, 1878 – Bruxelles, 1928), général russe. Il se distingua pendant la Première Guerre mondiale. Après la révolution de 1917, il se rallia à Denikine*, qu'il remplaça à la tête de l'armée blanche d'Ukraine. Il organisa un gouvernement éphémère, reconnu par la France (1920), mais, devant l'assaut des troupes soviétiques, il se retira.

Wray. V. Ray (John).

Wren (sir Christopher) (East Knoyle, Wiltshire, 1632 – Hampton Court, 1723), mathématicien, physicien et architecte anglais. Membre de la commission de reconstruction de la ville de Londres, après l'incendie de 1666, il dressa les plans d'une cinquantaine d'églises et construisit la cath. St Paul (1675-1710).

Wright (Wilbur) (Millville, Indiana, 1867 – Dayton, Ohio, 1912), aviateur américain. Avec son frère **Orville** (Dayton, 1871 – id., 1948), il expérimenta tout d'abord des planeurs. Le 17 déc. 1903, à bord d'un aéroplane équipé de deux hélices et d'un moteur à explosion conçu par eux, Orville effectua le premier vol mécanique d'un appareil plus lourd que l'air après l'expérience d'Ader.

Wilbur **Wright**

Orville **Wright**

Wright (Frank Lloyd) (Richland Center, Wisconsin, 1867 – Scottsdale, Arizona, 1959), architecte américain. Il s'opposa aux tenants du néo-académisme et promut une architecture dite « organique », en accord avec le cadre naturel et le mode de vie des habitants (principe de la *natural house*) : Imperial Hotel de Tōkyō (1916-1922); Herbert Jacobs House, à Middleton, Wisconsin (1942). En outre, on lui doit le musée Guggenheim, à New York (1956-1959). Grand précurseur de l'architecture moderne, il sut proposer une utilisation nouvelle du béton et du verre.

Frank Lloyd **Wright :** maison sur la cascade, 1936 (dalles superposées, de béton armé, formant étages et terrasses), Bear Run, Pennsylvanie

Wright (Richard) (Natchez, Mississippi, 1908 – Paris, 1960), romancier américain. Il dénonça la condition de ses frères noirs aux É.-U. : *les Enfants de l'oncle Tom* (1938), *Black Boy* (1945).

Wrocław (en all. *Breslau*), v. de Pologne (basse Silésie), sur l'Oder; 637 630 hab.; ch.-l. de la voïévodie du m. nom. Constr. mécan. et électr. Industr. chim. et alim.

wu [vu] n. m. Dialecte chinois parlé dans la région de Shanghai.

Wuhan, conurbation de la Chine centrale, ch.-l. de prov. du Hubei, formée de la réunion des villes de Hankou, Hanuang et Wuchang, au confl. du Yangzijiang et du Hanshui; 3 750 000 hab. Centre industriel.

Wulfila. V. Ulfila.

Wundt (Wilhelm) (Neckarau, Bade, 1832 – Grossbothen, près de Leipzig, 1920), psychologue et philosophe allemand : *Éléments de psychologie physiologique* (1873-1874). Il fonda à Leipzig, vers 1875, un institut de psychologie expérimentale.

Wuppertal, ville d'Allemagne (Rhénanie-du-Nord-Westphalie), sur la *Wupper;* 374 220 hab. Industr. métall., électr. et text. – Conurbation formée par la réunion (en 1930) de Elberfeld, Vohwinkel, Cronenberg, Ronsdorf et Barmen.

würm [vyʀm] n. m. GEOL Quatrième et dernière glaciation quaternaire alpine.

würmien, enne [vyʀmjɛ̃, ɛn] adj. GEOL Relatif au würm.

Wurtemberg, anc. État de l'Allemagne, qui englobait la bordure N.-E. de la Forêt-Noire et la partie du bassin de Souabe et Franconie drainée par le Neckar. Il forme auj., avec le pays de Bade, le *Land de Bade*-Wurtemberg*. – Issu du morcellement du duché de Souabe au XIIIe s., le Wurtemberg, érigé en duché en 1495, devint, en 1599, un fief direct de l'Empire. Le duc reçut, en 1803, le titre d'Électeur, et le duché fut érigé en royaume en 1805. Le Wurtemberg entra dans le IIe Reich allemand en 1871. République en 1918, il fut intégré au IIIe Reich en 1934.

Wurtz (Charles Adolphe) (Strasbourg, 1817 – Paris, 1884), chimiste français; l'un des créateurs de la théorie atomique. Il découvrit les amines, le glycol et l'aldol.

Würzburg, v. d'Allemagne (Bavière), sur le Main; ch.-l. de la Basse-Franconie; 127 050 hab. Constr. mécaniques; industr. chim., électr. et alim. – Université catholique. Nombr. mon. romans, gothiques (églises) et baroques (résidence des princes-évêques, œuvre de J. B. Neumann).

Wuxi, v. de Chine (Jiangsu); 798 310 hab. Industr. diverses.

Wu Zhen (Jiaxing, Zhejiang, 1280 – 1354), peintre, poète et calligraphe chinois; l'un des grands maîtres du paysage sous les Yuan. Ses représentations de cours d'eau et de bambous sont célèbres.

www. Abrév. de *World Wide Web* dans les adresses électroniques. (V. Web.)

wyandotte [vjɑ̃dɔt] n. et adj. Poule d'une race américaine; cette race.

Wyat ou **Wyatt** (sir Thomas) (Allington Castle, Kent, v. 1503 – Sherborne, Dorset, 1542), diplomate et humaniste anglais. Poète pétrarquisant, il introduisit le sonnet dans la littérature anglaise : *Tottel's Miscellany* (recueil posth., 1557). – **Sir Thomas,** dit *Wyat le Jeune* (?, v. 1521 – Londres, 1554), fils du préc. Hostile au mariage de Marie Tudor avec Philippe d'Espagne, il souleva le comté de Kent (1554) et attaqua en vain Londres. Il fut pendu.

Wycherley (William) (Clive, 1640 – Londres, 1716), dramaturge anglais; auteur de comédies satiriques, parfois licencieuses : *la Femme de province* (1675), *l'Homme sans détours* (1676).

Wyclif ou **Wycliffe** (John) (Hipswell, près de Richmond, Yorkshire, v. 1330 – Lutterworth, 1384), théologien anglais, précurseur de la Réforme*. Il s'attaqua à l'autorité spirituelle du pape (*De officio regis*, 1378), aux indulgences, à la confession obligatoire et prêcha un retour aux Écritures. Il défendit les paysans lors de leur révolte (1381), dans *Servants and Lords*. Le concile de Constance (1415) le condamna à titre posthume. Sa doctrine eut une grande influence sur Jan Hus.

Wyler (William) (Mulhouse, 1902 – Los Angeles, 1981), cinéaste américain d'origine suisse : *l'Insoumise* (1938), *la Vipère* (1941), *les Plus Belles Années de notre vie* (1946), *l'Héritière* (1949), *Funny Girl* (1968), *On n'achète pas le silence* (1970).

Wyndham (John Wyndham Parker Lucas Beynon Harris, dit John) (Knowle, Warwickshire, 1903 – Peterfield, Hampshire, 1969), écrivain anglais. Auteur de romans de science-fiction où l'horreur est habilement amenée : *les Semences du temps* (1956), *les Chrysalides* (1957), *Chocky* (1968), *la Machine perdue* (1973).

Wyoming, État de l'O. des É.-U., à l'E. du Grand Lac Salé; 253 596 km^2; 454 000 hab.; cap. *Cheyenne*. – Le Wyoming s'étend, à l'O., sur un massif boisé des montagnes Rocheuses, dont le piémont recèle des gisements de houille et de pétrole insuffisamment exploités; à l'E., sur les hautes plaines arides, on pratique l'élevage extensif des bovins et des ovins. Tourisme (parc de Yellowstone). – Le Wyoming devint le quarante-quatrième État de l'Union en 1890.

wysiwyg [wiziwig] n. m. et adj. inv. INFORM (Acronyme pour l'anglais *what you see is what you get*, « tel écran, tel écrit ».) Visualisation de la concordance entre ce qui apparaît à l'écran et sa sortie imprimée. ▷ adj. *Un écran wysiwyg*.

Wyspiański (Stanisław) (Cracovie, 1869 – id., 1907), peintre et dramaturge polonais. Sa peinture s'inspire des nabis* et des tendances du modern* style. Ses drames mêlent sentiments patriotiques et religieux dans une sorte de culte de l'héroïsme : *les Noces* (1901), *la Nuit de novembre* (1904), etc. Son poème *la Varsovienne* (1898) chante l'insurrection de 1830.

Wyss (Johann David) (Berne, 1743 – id., 1818), pasteur et écrivain suisse d'expression allemande : *le Robinson suisse*, publié en 1812-1827, est connu en France par l'adaptation qu'écrivit (sous le nom de P.-J. Stahl) et publia Hetzel *(le Nouveau Robinson suisse)*.

Wyszyński (Stefan) (Zuzela, Mazovie, 1901 – Varsovie, 1981), prélat polonais; archevêque (1948) de Gniezno et de Varsovie. Son hostilité au régime communiste lui valut d'être incarcéré de 1953 à 1956. En 1953, Pie XII le créa cardinal.

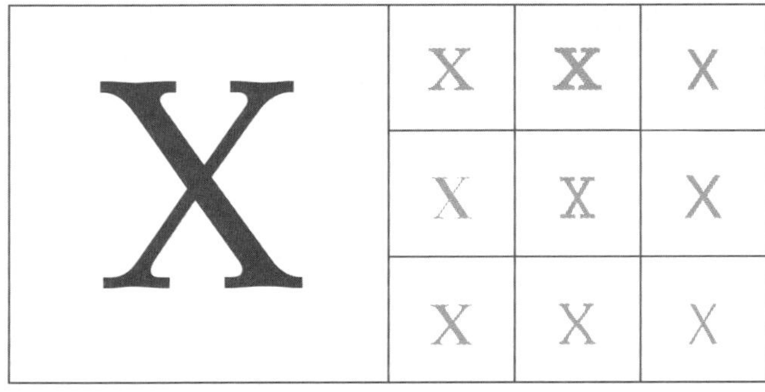

x [iks] n. m. **1.** Vingt-quatrième lettre (x, X) et dix-neuvième consonne de l'alphabet, notant la fricative alvéolaire sourde [s] (ex. *dix*), la sonore correspondante [z] (ex. *deuxième*) et les groupes consonantiques [ks] (ex. *axe*) et [gz] (ex. *exercice*), ne se prononçant pas comme marque du plur. (ex. *genoux*). **2.** X : chiffre romain qui vaut 10. **3.** Objet formé de deux éléments croisés (tabouret, etc.). – BIOL *Chromosome X* : V. encycl. chromosome. **4.** MATH Symbole utilisé pour désigner une inconnue. – GEOM *Axe des X* (ou *x*) : axe des abscisses. ▷ PHYS *Rayons X* : V. encycl. rayonnement. ▷ Cour. Sert à remplacer le nom d'une personne ou une indication que l'on ne peut ou que l'on ne veut pas mentionner. *Madame X. Dans x années.* ▷ *Né sous X* : se dit d'un enfant abandonné à la naissance par sa mère (qui *accouche sous X*). ▷ *Classé X* : pornographique. ▷ Fam. *L'X* : l'École polytechnique.

Xaintrailles ou **Saintrailles** (Jean Poton, seigneur de) (?, v. 1400 – Bordeaux, 1461), compagnon de Jeanne d'Arc. Il poursuivit la lutte contre les Anglais, s'emparant notam. de la Guyenne (1451-1453), et fut fait maréchal de France en 1454.

Xante ou **Xanthi,** ville de Grèce (Thrace); 37 460 hab. – Fortifications byzantines du XIIIe s.

xanth(o)-. Élément, du gr. *xanthos*, « jaune ».

xanthine n. f. BIOCHIM Base purique entrant dans la composition des nucléotides et des acides nucléiques. *L'urine doit sa couleur jaune à la xanthine.*

Xanthippe, épouse (acariâtre, selon Platon) de Socrate.

Xanthippos (Ve s. av. J.-C.), homme d'État athénien, père de Périclès. Stratège (479), il lutta avec succès contre les Perses en Ionie.

Xanthippos (IIIe s. av. J.-C.), général spartiate au service de Carthage. Il fit prisonnier Regulus en 255 av. J.-C.

xanthoderme adj. et n. ANTHROP Dont la peau est jaune. – Subst. *Les xanthodermes.*

xanthome n. m. MED Tache ou nodosité cutanée (aux coudes, aux genoux, sur le cuir chevelu) jaunâtre, constituée de lipides infiltrés.

Xanthos, v. anc. d'Asie Mineure, cap. de la Lycie (ruines près de Kinik, Turquie). Vestiges de nombr. monuments d'époques hellénistique et romaine.

Xe CHIM Symbole du xénon.

xén(o)-. Élément, du gr. *xenos*, « étranger » et « étrange ».

Xenakis (Iannis) (Brăila, Roumanie, 1922), compositeur français d'origine grecque. Mathématicien, architecte, musicien, il utilise des matériaux électroacoustiques et des instruments traditionnels, en ayant recours au calcul des probabilités (musique stochastique) : *Metastasis* (1954), *Pithoprakta* (1956), *Nuits* (1968), *Polytope de Cluny* (1972), *Jonchaies* (1977), *Nekuïa* (1980), *Shaar* (1982).

xénarthres n. m. pl. ZOOL Ordre de mammifères d'Amérique du Sud abondants au tertiaire, dont seuls subsistent les tatous, les paresseux et les fourmiliers. – Sing. *Un xénarthre.*

xénisme n. m. LING Unité lexicale constituée par un mot étranger dénotant une réalité culturelle spécifique.

xénogreffe ou **xénotransplantation** n. f. CHIR Greffe sur un homme d'un organe prélevé sur un animal.

xénon n. m. CHIM Élément de numéro atomique Z = 54 et de masse atomique 131,3 (symbole Xe). – Gaz rare (Xe) de l'air, qui se liquéfie à –107 °C et se solidifie à –112 °C. *Le xénon est utilisé dans les lampes à incandescence.*

xénope n. m. Amphibien anoure d'Afrique du sud, très utilisé en embryologie.

Xénophane (Colophon, fin du VIe s. av. J.-C.), philosophe grec; fondateur de l'école d'Élée, maître de Parménide.

xénophile adj. et n. Rare Qui éprouve de la sympathie pour les étrangers.

xénophilie n. f. Rare Sympathie à l'égard des étrangers.

xénophobe adj. et n. Qui a de l'hostilité ou de la haine pour les étrangers.

xénophobie n. f. Hostilité ou haine pour ce qui est étranger.

Xénophon d'Athènes (Erkhia, près d'Athènes, v. 430 –?, v. 355 av. J.-C.), écrivain athénien. Issu d'une famille fortunée, disciple de Socrate, il se joignit aux Dix Mille, mercenaires grecs de Cyrus le Jeune en guerre contre son frère Artaxerxès. Après l'assassinat de leurs chefs, les Dix Mille firent de Xénophon l'un des cinq généraux qui dirigèrent leur retraite. Xénophon narra cette expédition dans *l'Anabase*. Il a écrit aussi : *l'Apologie de Socrate* et *les Mémorables*, recueil de discours tenus par Socrate; *les Helléniques*, suite de l'œuvre historique de Thucydide (sur la période 411-362 av. J.-C.); *De l'équitation* et *l'Hipparque.*

Xénophon d'Athènes

xér(o)-. Élément, du gr. *xêros*, « sec ».

xéranthème n. m. BOT Plante herbacée (fam. composées) dont l'*immortelle* des horticulteurs est une espèce annuelle.

xérès [kseʀɛs] ou **jerez** [xeʀɛs] n. m. Vin blanc produit aux environs de Jerez de la Frontera.

xérographie n. f. (Nom déposé.) TECH Procédé de reprographie utilisant les propriétés photorésistantes des semiconducteurs. (On projette l'image à reproduire sur une plaque couverte de sélénium chargée positivement, les parties éclairées se déchargeant proportionnellement au flux lumineux qu'elles reçoivent.)
▸ pl. **imagerie** médicale

xérographique adj. TECH Relatif à la xérographie.

xérophile adj. BOT Adapté à la sécheresse. *Plantes xérophiles des zones semidésertiques.*

xérophyte n. f. BOT (Surtout au plur.) Plante xérophile.

Xerxès Ier (en perse *Khshayarsha*) (?, v. 519 – Suse, 465 av. J.-C.), roi achéménide de Perse (486-465 av. J.-C.); fils de Darius Ier. Il réprima brutalement les révoltes d'Égypte et de Chaldée, puis se tourna contre la Grèce (qui avait défait son père à Marathon). Sa formidable armée vainquit Léonidas aux Thermopyles (480 av. J.-C.) et s'empara d'Athènes, désertée par ses habitants, mais, écrasée sur mer à Salamine et sur terre à Platées*, elle dut évacuer la Grèce. Un haut dignitaire de la cour assassina Xerxès Ier; son fils Artaxerxès Ier lui succéda.– **Xerxès II** (m. en 424 av. J.-C.), fils d'Artaxerxès Ier; roi de Perse en 424, il fut assassiné après quarante-cinq jours de règne.
▸ illustr. page **2012**

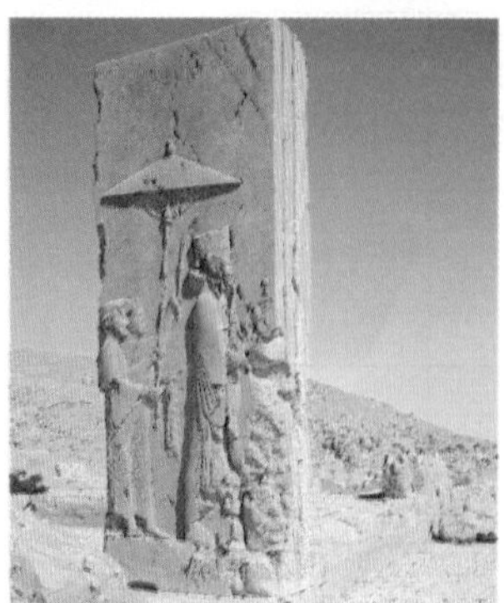

palais de **Xerxès Ier :** le roi suivi de deux serviteurs ; art achéménide, Persépolis

xhosa [kosa] n. m. LING Langue parlée par les Xhosas. *Le xhosa est la langue officielle du Transkei.*

Xhosa(s). V. Cafres.

xi [ksi] ou **ksi** n. m. et adj. **1.** n. m. Quatorzième lettre de l'alphabet grec (Ξ, ξ). **2.** adj. PHYS NUCL *Particule xi :* particule élémentaire instable du groupe des baryons*.

Xia ou **Hia,** nom de la prem. dynastie chinoise, fondée vers 2200 av. J.-C. par le légendaire souverain Yu le Grand.

Xia Gui ou **Hia Kouei** (actif v. 1200-1230), peintre chinois de l'époque des Song ; l'un des plus grands paysagistes de la Chine.

Xiamen ou **Amoy,** v. et port de Chine, dans une île proche du continent (province de Fujian), sur le détroit de Formose ; 507 390 hab. (aggl. urb. 961 650 hab.). Chantiers navals, pêche ; centre industriel. – *Amoy* (nom donné par les Européens) fut l'un des premiers ports chinois ouverts au commerce avec l'Occident (1842).

Xi'an ou **Sian,** v. de Chine, ch.-l. du Shānxi ; 2 185 040 hab. (aggl. urb. 2 911 580 hab.). Industr. métallurgiques, textiles et alimentaires. – Anc. *Chang'an,* cap. des Han et des Tang.

Xie He ou **Sie Ho** (fin Ve s.), peintre et lettré chinois dont le célèbre traité, le *Guhua Pinlu,* énonce six principes d'esthétique picturale.

Xijiang (le), fl. de la Chine méridionale (2 100 km) ; né dans les montagnes du Yunnan, il se jette dans le golfe de Canton.

Xingu (le), riv. du Brésil (1 980 km), affl. de l'Amazone (r. dr.).

Xining, v. de Chine, ch.-l. du Qinghai, dans une oasis ; 566 650 hab. (aggl. urb. 927 290 hab.). Centre commercial.

Xinjiang ou **Sin-kiang** (anc. Turkestan chinois), région autonome de la Chine du N.-O. ; 1 646 800 km^2 ; 13 610 000 hab. (Ouïgours, Kazakhs, Mongols, Tibétains, Chinois, etc.) ; cap. *Urumqi.* De part et d'autre des Tianshan, hautes montagnes qui traversent le Xinjiang en son centre, s'étalent deux dépressions : au N., la Dzoungarie, région steppique ; au S., le Taklimakan, vaste désert. L'ensemble est ceinturé de redoutables massifs : Altaï, Pamir, Kunlun, Altunshan. Le climat est froid et aride. L'industrie extractive a permis, depuis 1950, l'essor de la région (v. d'Urumqi, de Yining, de Kashi), jusqu'alors vouée surtout à l'élevage extensif (chameaux, moutons, chèvres) ; le sous-sol recèle d'énormes richesses en pétrole, en charbon et en fer notam., mais le Xinjiang souffre de sa position excentrée. La Chine y réalise ses essais nucléaires et y a installé des camps d'internement. En 1990, des troubles à caractère religieux et nationaliste ont contraint Pékin à faire intervenir l'armée contre les musulmans ouïgours.

Xinzhu, v. de Taiwan, sur la côte N.-O. ; 305 000 hab. ; ch.-l. du comté du m. nom. Cimenterie.

xiphoïde adj. **1.** ANAT *Appendice xiphoïde :* partie inférieure du sternum. **2.** BOT En forme d'épée.

Xizang. V. Tibet.

Xuzhou, v. de Chine (Jiangsu) ; 776 770 hab. Coton.

xyl(o)-. Élément, du gr. *xulon,* « bois ».

xylème n. m. BOT Ensemble des éléments conducteurs de la sève brute.

xylène n. m. CHIM Hydrocarbure benzénique de formule $C_6H_4(CH_3)_2$ qui sert à fabriquer des plastifiants, des résines synthétiques et des fibres polyester.

xylocope n. m. ENTOM Abeille solitaire (genre *Xylocopa*) de couleur bleu-noir, dite cour. *menuisière* ou *charpentière* parce que la femelle creuse son nid dans le bois mort.

xylographe n. TECH Graveur sur bois.

xylographie n. f. TECH Anc. Impression de textes et d'images au moyen de caractères en bois ou de planches de bois gravés en relief (XVe et XVIe s.) ; texte, image ainsi obtenus.

xylographique adj. TECH Relatif à la xylographie.

xylophage adj. et n. m. ZOOL Qui se nourrit de bois ; qui ronge ou creuse le bois. ▷ n. m. *Les xylophages :* les insectes dont les larves ou les adultes vivent dans le bois.

xylophène n. m. (Nom déposé.) Produit dont on imprègne le bois pour le protéger des insectes et le conserver.

xylophone n. m. Instrument de musique à percussion composé de lamelles de bois accordées, de longueurs et d'épaisseurs inégales, disposées en clavier et sur lesquelles on frappe avec des mailloches*.

xylophoniste n. Musicien qui joue du xylophone.

xylose n. m. BIOCHIM Sucre (pentose) présent en grande quantité dans les végétaux.

xyste [ksist] n. m. ANTIQ GR Galerie couverte d'un gymnase. ▷ ANTIQ ROM Galerie couverte dans un jardin.

Xia Gui : *Bateau à l'ancre sur la rive, près des montagnes,* peinture à l'encre sur papier (école Ma-Yuan), XIIIe s. ; coll. part.

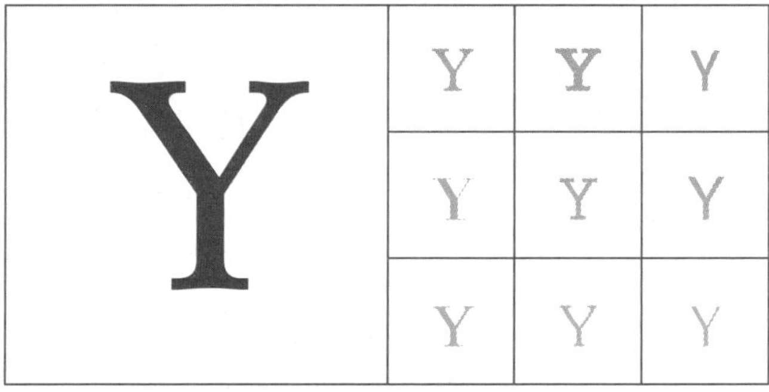

1. y [igʀɛk] n. m. **1.** I grec, vingt-cinquième lettre (y, Y) et sixième voyelle de l'alphabet, notant la voyelle palatale [i] (ex. *cygne*) ou la semi-voyelle [j] (ex. *yeux*), celle-ci ne recevant pas à l'initiale l'élision ou la liaison du mot précédent, sauf pour *l'yèble, l'yeuse* et *les yeux.* **2.** MATH y : symbole utilisé pour désigner une fonction ou une inconnue. – *Axe des Y (*ou *y) :* axe des ordonnées. ▷ BIOL *Chromosome Y :* V. encycl. chromosome. ▷ CHIM Y : symbole de l'yttrium.

2. y adv. et pron. **I.** adv. **1.** Dans cet endroit. *J'y reste. Vas-y.* ▷ *Y être :* être chez soi. *Je n'y suis pour personne.* – Fig. *J'y suis! :* je comprends! **2.** adv. ou pron. *Il y a :* il est, il existe (au sens local ou temporel). – *Il y va de :* telle chose se trouve engagée, en cause (dans telle affaire). *Il y va de l'honneur.* – *Y être pour quelque chose, pour rien :* avoir, ou ne pas avoir, sa part de responsabilité (dans telle affaire). **II.** pron. pers. **1.** À cela. *Je n'y comprends rien.* – (Remplaçant un compl. normalement précédé d'une prép. autre que *à.*) *N'y comptez pas :* ne comptez pas sur cela, là-dessus. **2.** (En locutions verbales.) *S'y entendre, s'y connaître :* être expert en la matière. *Bien s'y prendre :* agir habilement.

yacht ['jɔt] n. m. Navire de plaisance à voiles ou à moteur.

yacht-club ['jɔtklœb] n. m. Association groupant des adeptes du yachting. *Des yacht-clubs.*

yachting ['jotiŋ] n. m. (Anglicisme) Vieilli Sport ou pratique de la navigation de plaisance.

yachtman ['jɔtman], plur. **yachtmen** ['jɔtmɛn] n. m. (Anglicisme) Vieilli Celui qui pratique le yachting.

Yacine (Kateb) (Constantine, 1929 – Grenoble, 1989), écrivain algérien d'expression française. Les luttes et le devenir du peuple algérien sont au centre de son œuvre : poèmes (*Soliloques,* 1946), romans (*Nedjma,* 1956; *le Polygone étoilé,* 1966), pièces de théâtre (*le Cercle de représailles,* 1959; *l'Homme aux sandales de caoutchouc,* 1972). À partir de 1972, il a écrit en arabe dialectal (*la Guerre de deux mille ans,* 1975).

yack ou **yak** ['jak] n. m. Mammifère bovidé *(Pœphagus grunniens)* des steppes désertiques de haute altitude (5 000 m et plus) d'Asie centrale. (Le yack domestique, plus petit que le yack sauvage, est élevé par les Tibétains pour son lait, ses poils, sa chair; il est utilisé comme bête de somme.)

Yacoba(s). V. Dan(s).

Yaçovarman (m. en 900 apr. J.-C.), roi du Cambodge (889-900). Il édifia sa capitale *(Yaçodharapura)* sur le site d'Angkor.

Yadz. V. Yezd.

Yafo. V. Jaffa.

Yahvé, Yahveh, Jahvé, Jahveh, Iahvé ou **Iaveh,** nom de Dieu dans la Bible hébraïque après qu'il se fut manifesté à Moïse sous la forme d'un buisson ardent. Ce nom est indiqué sous forme d'un tétragramme* qui signifie «je suis qui je suis»; les chrétiens ont transformé Yahvé en Jéhovah d'après la prononciation du tétragramme. On distingue dans la Bible les livres (ou les passages) où Dieu est Yahvé et les livres, moins nombr. et antérieurs, où Dieu est Élohim*.

yak. V. yack.

yakusa n. m. Au Japon, membre de la mafia.

Yale (université), université américaine, située à New Haven (Connecticut). Créée en 1701 à Branford, elle eut son siège à Saybrook (1707) puis à New Haven (1716), où elle reçut le nom d'un bienfaiteur, *Elihu Yale* (1648-1721).

Yalongjiang (le), riv. de la Chine centrale (1 300 km), affl. du Yangzijiang (r. g.).

Yalow (Rosalyn) (New York, 1921), physicienne américaine. Ses travaux en immunologie ont permis l'identification et le dosage des hormones de l'hypothalamus. P. Nobel de physiologie et de médecine 1977.

Yalta ou **Ialta,** v. d'Ukraine, sur la mer Noire; 77 000 hab. Port et station balnéaire. – Du 4 au 11 fév. 1945, la conférence de Yalta réunit Roosevelt, Churchill et Staline, c.-à-d. les trois grands vainqueurs de la Seconde Guerre mondiale. Le «partage du monde» qu'ils effectuèrent ne fut sanctionné par aucun traité.

yack

Yalujiang (le) (en coréen *Amnok*), fl. de l'Asie orientale (790 km). Il sert de frontière entre la Chine et la Corée, et se jette dans la mer Jaune. Aménagements hydroélectriques.

Yamagata, v. du Japon (Honshū); 245 160 hab.; ch.-l. du ken du m. nom. Industr. métallurgiques, chimiques et textiles.

Yamaguchi, v. du Japon (Honshū); 124 210 hab.; ch.-l. du ken du m. nom. Industr. chimiques.

Yamamoto (Isoroku) (Nagaoka, 1884 – îles Salomon, 1943), amiral japonais. Commandant en chef des forces navales nippones (1939), il dirigea l'attaque de Pearl Harbor (déc. 1941). En 1943, son avion fut abattu.

yamato-e ['jamato'e] n. m. BX-A École picturale spécifiquement nippone, dégagée des influences chinoises, qui apparut v. 998 et se développa durant la période de Kamakura (1185-1338), empruntant ses thèmes à la littérature nationale, à la culture shintoïste, etc.

Yamoussoukro, cap. de la Côte-d'Ivoire (depuis 1983), à 250 km au N.-O. d'Abidjan; 120 000 hab. Une basilique (le plus grand édifice du culte chrétien dans le monde) y a été consacrée par le pape en 1990.

Yamoussoukro : vue aérienne de la basilique Notre-Dame-de-la-Paix (1985-1988)

Yamunā, Jamna ou **Jumna** (la), riv. sacrée de l'Inde (1 375 km), affl. du Gange; traverse Delhi, Āgra et Allahābad.

Yan'an, v. de Chine (Shānxi); 254 420 hab. – En 1935, au terme de la Longue Marche, les communistes atteignirent cette ville, dont ils firent leur quartier général jusqu'en 1949.

Yanaon, v. de l'Inde (Āndhra Pradesh), à l'embouchure de la Godāvāri; env. 10 000 hab. – Un des anc. comptoirs français de l'Inde (1763-1954).

yang n. m. V. yin.

Yangoun. V. Rangoon.

Yangzhou, v. et port de Chine, sur le Yangzijiang (prov. de Jiangsu); 302 090 hab. Nombreux pavillons des dynasties Song et Ming, édifiés dans des jardins renommés.

Yangzijiang, Changjiang, Yang-tseu-kiang ou **Yang Tsé Kiang** (fleuve Bleu), le plus long fleuve de Chine (5 800 km), tributaire de la mer de Chine orientale. Né sur les plateaux du Tibet, à 5 000 m d'altitude, il coule dans des gorges profondes vers le S.-E. et débouche dans le Sichuan, où il reçoit de nombr. affluents. En aval, il se resserre pendant 300 km dans des défilés puis entre en plaine, où ses affl. (Hanshui, Yuanjiang, Xiangjiang) le mettent en contact avec de grands lacs (Dongting, Poyang) qui régularisent son débit. Accessible à la navigation maritime en aval de Wuhan, il arrose ensuite Nankin et Shanghai. Fleuve régulier, au débit abondant, notam. lors des crues estivales (30 000 m^3/s en moyenne à Datong), le Yangzijiang est le princ. axe économique de la Chine. Barrage des Trois-Gorges.

yankee ['jɑ̃ki] n. **1.** HIST (Souvent péjor.) Nom donné aux colons révoltés de la Nouvelle-Angleterre par les Anglais. ▷ Nom donné aux nordistes par les sudistes pendant la guerre de Sécession. **2.** Vieilli Nom donné aux habitants (notam. aux habitants d'origine anglo-saxonne) des É.-U. ▷ adj. *Coutumes yankees.*

Yanñez (Agustin) (Guadalajara, 1904 – Mexico, 1980), romancier mexicain, lyrique et symbolique : *l'Archipel des femmes* (1943), *Demain la tempête* (1947).

Yanomanis, Amérindiens d'Amazonie (Brésil, Venezuela), qui sont restés jusqu'à nos jours l'ethnie la plus primitive du continent américain. Depuis leur mise en contact, en 1987, avec les colons, plusieurs milliers de Yanomanis ont péri (leur nombre total dépasse à peine 20 000 individus).

Yaoundé, cap. du Cameroun, reliée par voie ferrée au port de Douala; 653 670 hab. Centre administratif et commercial. – Archevêché catholique. – En 1969, la *Convention de Yaoundé* (association avec les pays de la C.É.E.) y fut signée par dix-huit pays africains et Madagascar.

yaourt ['jauʀ(t)], **yogourt** ou **yoghourt** ['jɔguʀt] n. m. Lait caillé par l'effet d'un ferment lactique.

yaourtière n. f. Appareil pour la confection des yaourts.

Yapurá. V. Japurá.

yard ['jaʀd] n. m. METROL Unité de mesure de longueur anglo-saxonne, valant 0,914 m.

Yarkand ou **Suoche,** v. du Turkestan chinois (Xinjiang); 90 000 hab. Oasis. – La ville, célèbre pour son travail de la soie et de la laine, était une étape importante de la route de la soie.

Yarmouth ou **Great Yarmouth,** v. de G.-B., en Angleterre (Norfolk), sur la mer du Nord; 48 270 hab. Port pétrolier. Pêche (hareng). Stat. balnéaire.

Yaşar Kemal (Kemal Sadik Gökçeli, dit) (Osmaniye, près d'Adana, 1922), écrivain turc auteur de romans réalistes et épiques inspirés par le monde anatolien : *Mémed le Mince* (1955), *Mémed le Faucon* (1969), *le Dernier Combat de Mémed le Mince* (1989).

yassa n. m. CUIS Viande ou poisson grillés après avoir mariné dans une sauce au citron (spécialité d'Afrique noire).

yatagan ['jatagɑ̃] n. m. Sabre à la lame oblique dont le tranchant forme vers la pointe une courbure rentrante, en usage autref. en Turquie.

yawl ['jol] n. m. MAR Voilier à deux mâts dont le plus petit est implanté à l'arrière de la barre.

Yazd. V. Yezd.

Yb CHIM Symbole de l'ytterbium.

yearling ['jœʀliŋ] n. m. (Anglicisme) Poulain pur-sang âgé d'un an.

Yeats (William Butler) (Sandymount, près de Dublin, 1865 – Roquebrune-Cap-Martin, 1939), écrivain irlandais. Poète inspiré dès sa jeunesse par le mysticisme celtique (*les Errances d'Oisin*, 1889), promoteur de la renaissance littéraire irlandaise (v. 1897), il fonda avec lady Gregory l'Abbey Theatre (1904), qui monta son princ. drame lyrique, *Deirdre* (1907). À partir de 1920, le mysticisme et la magie se mêlèrent dans un souffle poétique puissant : *Michael Robartes and the Dancer* (1921), *la Tour* (1928), *l'Escalier tournant* (1929). Dans sa vieillesse, il célébra l'éternité de l'art : *Partant pour Byzance*. P. Nobel 1923.

yèble. V. hièble.

Yellowknife, v. du Canada, cap. des Territoires du Nord-Ouest, sur le Grand Lac de l'Esclave; 15 170 hab. Mines d'or.

Yellowstone (le), riv. des É.-U. (1 600 km), affl. du Missouri (r. dr.). Né dans les Rocheuses, il traverse le *parc national de Yellowstone* (85 km^2 env., geysers) et le lac du m. nom, dans le Wyoming, coule dans de profonds cañons et traverse le Montana du S.-O. au N.-E.

Yémen (république du), État du S.-O. de la péninsule Arabique (créé en 1990 et réunissant la république arabe du Yémen et la république démocratique et populaire du Yémen), bordé par la mer Rouge et l'océan Indien, à l'E. par le sultanat d'Oman et au N. par l'Arabie Saoudite; 482 700 km^2; env. 13 millions d'hab., croissance démographique : 3,5 % par an; cap. *Sanaa.* Nature de l'État : rép. Langue off. : arabe. Monnaie : riyal. Pop. : Arabes. Relig. : islam.
Géogr. et écon. – Au S.-O. de la péninsule arabique, le Yémen contrôle la rive orientale du détroit de Bab el-Mandeb, qui sépare l'Asie de l'Afrique et fait communiquer le golfe d'Aden et la mer Rouge. Trois unités géographiques se succèdent, des rivages vers l'arrière-pays. Une étroite plaine côtière aride, peuplée de manière discontinue dans les sites irrigués (plaine d'Aden), est dominée par un bourrelet montagneux qui culmine à 3 760 m à l'O. et s'abaisse vers l'E. où il prend l'allure de plateaux élevés. Ces hautes terres, moins chaudes et plus humides que le reste du territoire, sont la zone vitale du pays; elles concentrent pâturages, cultures et peuplement, particulièrement les massifs de l'O. (Asir) où les pluies de mousson apportent entre 300 et 700 mm d'eau par an : c'est l'Arabie Heureuse des anciens, avec pour plus grande ville Sanaa, à 2 200 m d'altitude. Au-delà, vers le N., les montagnes s'inclinent vers le désert du Rub' al-Khali, le piémont concentrant quelques lignes d'oasis (Hadramaout). La population, rurale à près de 70 %, augmente rapidement et garde des modes de vie traditionnels. Les activités, peu diversifiées, reposent sur l'élevage extensif (ovins, caprins, bovins), les cultures vivrières (millet, blé, sorgho, qat) et quelques produits d'exportation (coton, café). La grande ressource commerciale est le pétrole dont la production approche 10 millions de t par an et qui est en partie raffiné à Aden. Le rapatriement des salaires de travailleurs yéménites émigrés dans les pays du Golfe est un apport essentiel. La réunification des deux Yémens, le 21 mai 1990, a consacré la suprématie du N. et sonné le glas du modèle socialiste de développement qui prévalait au S.
Hist. – Cette région vit l'existence de royaumes prospères dès le IIe millénaire av. J.-C., notam. celui de Saba* qui progressivement assura sa domination sur l'ensemble de la région et fonda des colonies de l'autre côté de la mer Rouge; plus tard, elle sut résister aux Romains (Ier s. av. J.-C.) puis chasser les Éthiopiens avec l'aide des Perses et, si elle fut islamisée (VIIe s.), les divers fiefs yéménites conservèrent leur indépendance à l'égard des Abbassides : c'est ainsi qu'ils embrassèrent généralement le chiisme. Carrefour commercial, le Yémen connut la prospérité et fut intégré (XVIe-déb. du XVIIe s.) à l'Empire ottoman; mais au XIXe s., les Britanniques s'installèrent dans la région, occupant Aden* en 1839. Après plusieurs révoltes qui libérèrent le Yémen, les Ottomans restaurèrent leur autorité (1871), mais durent se contenter bientôt d'une simple suzeraineté sur les imams locaux. En 1920, le pouvoir ottoman prit fin, et des imams régnèrent sur le Yémen du Nord jusqu'en 1962, adhérant, de 1958 à 1961, à la Féd. des États arabes unis (Égypte, Syrie, Yémen); à cette date, ils furent renversés par les républicains, alors qu'au S. les Britanniques organisaient la fédération de l'Arabie du Sud, qui devait devenir la république démocratique et populaire du Yémen.
Yémen du Nord (anc. république arabe du Yémen). – En 1962, un coup d'État militaire, soutenu par l'Égypte, renversa l'imam, qui s'enfuit en Arabie Saoudite, et la république fut proclamée. Ce fut le début d'une guerre civile entre les républicains, soutenus par l'Égypte, qui envoya pendant cinq ans un corps expéditionnaire, et les royalistes, soutenus par l'Arabie Saoudite. À la suite d'un accord, intervenu en 1970, une nouvelle Constitution fut promulguée; favorable aux puissances occidentales, le pays se heurta de plus en plus violemment à son voisin marxiste du Sud. La guerre entre les deux Yémens (sept.-oct. 1972) se termina par un traité qui projetait, à long terme, l'unification des deux États, mais qui resta sans effet. En juin 1978, l'assassinat du président de la République provoqua la rupture des relations diplomatiques puis, en mars 1979, une guerre ouverte avec le Yémen du Sud. Le lieutenant-colonel Ali Abdallah Saleh, nommé président de la République en juillet 1978, se révéla un politique habile : nonobstant les pressions de Riyad et de Washington, il fit appel à l'aide militaire soviétique en 1980, et mena, à l'intérieur, une difficile politique d'équilibre entre les forces conservatrices et progressistes. En nov. 1981, il obtint d'Aden (avec qui les relations s'étaient notablement améliorées) la réduction de son aide aux maquisards du Front national démocratique (F.N.D.), qui se livraient à la guérilla dans le S. Une « paix des braves » fut finalement signée au début de 1983, le F.N.D. déposa les armes. En mai 1983 puis en juil. 1988, Ali Abdallah Saleh

fut réélu à la présidence de la République. En 1989, un accord fut signé avec le Yémen du Sud, qui permit la réunification des deux pays en 1990.
Yémen du Sud (anc. république démocratique et populaire du Yémen). – Dès 1962, la fédération de l'Arabie du Sud regroupa les vingt territoires de la région sous domination ou protectorat britannique, plus l'île de Socotora. La lutte menée par le Front national de libération (F.N.L.) aboutit à la proclamation de l'indépendance en 1967. En 1969, l'aile gauche du Front l'emporta, et, en 1970, le président Salim Ali Rubayyi instaura le seul régime marxiste du monde arabe. La réforme administrative et la réforme agraire soulevèrent l'opposition des chefs des tribus et des milieux religieux, soutenus par l'Arabie Saoudite. Les contradictions de la politique de Rubayyi (rapprochement avec l'Arabie Saoudite en 1976, mais politique agressive à l'égard du Yémen du Nord), ses ambitions personnelles et son isolement au sein du F.N.L. provoquèrent en juin 1978 un soulèvement militaire au cours duquel il fut renversé et exécuté. Un nouvel homme fort s'imposa à la tête de l'État en oct. 1980 : Ali Nasir Muhammad. Marxiste convaincu, partisan inconditionnel de l'U.R.S.S., il se montra pourtant soucieux de rompre l'isolement diplomatique de son pays. Mais cette orientation fut remise en cause par l'aile dure du parti socialiste yéménite (parti unique); les dissensions s'exaspérèrent. En janv. 1986, Ali Nasir Muhammad fut renversé et une guerre civile de quinze jours fit près de 12 000 morts et laissa un pays dévasté. Le nouveau président, Abu Bakr al-Attas, poursuivit pourtant, sous la pression de Moscou, la politique de rapprochement avec le Yémen du Nord.
La réunification. Après un sommet à Aden, les chefs d'État s'accordèrent sur l'unification des deux Yémens et proclamèrent l'État yéménite unifié (1990). Ali Saleh devint président, tandis que le poste de Premier ministre revenait à l'ex-président du Sud Haydar al-Attas. L'écroulement du bloc communiste et la montée des oppositions détériorèrent les relations entre nordistes et sudistes. La guerre éclata en mai 1994 : les sudistes firent sécession et proclamèrent la République démocratique du Yémen. En dépit de sa victoire militaire, le président Saleh a bien des difficultés à reprendre le contrôle des tribus, au Nord comme au Sud.
► carte **Arabie**

yéménite ['jemenit] adj. et n. Du Yémen. ▷ Subst. *Un(e) Yéménite.*

yen ['jɛn] n. m. Unité monétaire du Japon.

yeoman ['jɔman], plur. **yeomen** ['jɔmɛn] n. m. **1.** HIST Petit propriétaire rural, libre et de condition aisée, dans l'Angleterre médiévale. **2.** Garde d'un souverain britannique, recruté parmi d'anciens soldats.

Yepes (Narciso) (Lorca, prov. de Murcie, 1927 – Murcie, 1997), guitariste espagnol de notoriété internationale. Il a notam. écrit la musique du film *Jeux interdits* de René Clément (1952).

Yermak. V. Iermak.

Yerres (la), riv. d'Île-de-France (87 km), affl. de la Seine (r. dr.), dans laquelle elle se jette à Villeneuve-Saint-Georges.

Yerres, ch.-l. de cant. de l'Essonne (arr. d'Évry), sur l'Yerres; 27 268 hab.

Yersin (Alexandre) (Lavaux, cant. de Vaud, 1863 – Nha Trang, Viêt-nam, 1943), médecin français d'origine suisse. Membre de l'Institut Pasteur, il travailla en Asie du S.-E., où il découvrit, en 1894, le bacille de la peste.

yeshiva n. f. École juive consacrée à l'étude du Talmud.

Yeso. V. Hokkaidō.

yeti ['jeti] n. m. Animal ou hominien légendaire de l'Himalaya, appelé aussi *l'abominable homme des neiges.*

Yeu (île d'), île française, proche de la côte vendéenne, formant une commune et un canton : *L'Île-d'Yeu.*

yeuse ['jøz] n. f. BOT Chêne vert.

yeux. V. œil.

Yèvre (la), riv. du Berry (67 km), affl. du Cher (r. dr.); arrose Bourges.

yé-yé ['jeje] adj. inv. et n. inv. Fam., vieilli Se dit de jeunes chanteurs, de leurs admirateurs, de leur comportement, à la mode dans les années 60. – Subst. *Les yé-yé. Le yé-yé :* la musique yé-yé.

Yezd, Yazd ou **Yadz,** v. d'Iran, au S.-E. d'Ispahan; 193 000 hab.; ch.-l. de la prov. du m. nom. Industr. textiles. – Centre religieux des mazdéens.

Yichang, v. et port fluvial du centre de la Chine (Hubei), point extrême de la circulation des gros navires sur le Yangzijiang; 365 000 hab.

yiddish ['jidiʃ] n. m. et adj. inv. Langue des communautés juives d'Europe centrale et orientale. *Le yiddish s'apparente au haut allemand avec des emprunts à l'hébreu et aux langues slaves.* Syn. judéo-allemand. ▷ adj. inv. *Littérature yiddish.*

Yijing ou **Yi king,** recueil de textes «classiques» chinois (V. jing).

Yilmaz (Mesut) (Istanbul, 1947), homme politique turc, Premier ministre depuis juin 1997.

yin ['jin] n. m. PHILO *Le yin et le yang :* les deux principes fondamentaux qui, opposés et complémentaires, déterminent le fonctionnement de l'ordre universel, selon la pensée taoïste.

Yinchuan, v. de la Chine du N.-O., cap. de la région autonome de Ningxia; 354 100 hab. (aggl. urb. 658 400 hab.).

ylang-ylang ou **ilang-ilang** ['ilɑ̃ilɑ̃; ilɑ̃ŋilɑ̃ŋ] n. m. BOT Arbre d'Asie tropicale. ▷ Essence extraite des fleurs de cet arbre, appelée aussi *huile de cananga. Des ylangs-ylangs* ou *des ilangs-ilangs.*

Ymer ou **Ymir,** dans les myth. scandinave et germanique, le premier être du monde; ancêtre des géants de glace.

yod ['jɔd] n. m. **1.** LING Nom de la dixième lettre (consonne) des alphabets phénicien et hébreu, correspondant à notre *y.* **2.** PHON Nom de la semi-voyelle (ou semi-consonne) fricative palatale [j], transcrite *i* (ex. *sien*), *y* (ex. *paye*), *il* (ex. *pareil*) ou *ille* (ex. *paille*).

yoga ['jɔga] n. m. **1.** Dans la tradition hindoue, technique de méditation et de concentration mentale visant à placer graduellement la conscience au centre même de l'être, là où le soi individuel *(ātman)* est identique à l'Être universel. **2.** *Par ext.* Technique de relaxation et de maîtrise des fonctions corporelles fondée sur des exercices gymniques empruntés au yoga (sens 1).

yoghourt, yogourt. V. yaourt.

yogi ['jɔgi] n. m. Celui qui pratique le yoga (sens 1). *Des yogis.*

yogique adj. Relatif au yoga.

yohimbehe ['jɔimbe] n. m. BOT Arbre du Cameroun (fam. rubiacées), dont le bois est employé dans les ch. de f., les mines et les constructions navales, et la décoction de l'écorce comme tonique et aphrodisiaque par les Africains.

Yokkaichi, v. et port du Japon (Honshū); 263 000 hab. Pétrochimie. Usines de caoutchouc; textile; porcelaine.

Yokohama, v. et port du Japon (Honshū), au S. de la conurbation de Tōkyō; 3 037 000 hab.; ch.-l. de ken. Intense activité portuaire et industrielle (raff. de pétrole; chantiers navals; industr. chimiques, métallurgiques et textiles).

Yokosuka, v. et port du Japon (Honshū), sur la baie de Tōkyō; 427 120 hab. Base navale. Arsenaux.

Yolande d'Aragon, reine de Sicile (XVe s.). Épouse de Louis II de Sicile, elle fut la mère de Louis III et de René Ier, rois de Sicile, et de Marie d'Anjou, épouse du roi de France Charles VII.

yole ['jɔl] n. f. MAR Vieilli Embarcation légère, de forme effilée, propulsée à l'aviron.

Yom Kippour («jour de l'Expiation») ou **Kippour,** fête juive solennelle, marquée par le jeûne et la prière, dite aussi *Grand Pardon*; elle est célébrée en sept. ou oct., le dixième jour du mois de *tishri* (date variable en fonction de l'équinoxe d'automne).

Yonne, riv. de France (295 km), affl. de la Seine (r. g.) à Montereau. Née dans le Morvan, elle arrose Auxerre, Joigny et Sens. Ses crues soudaines, dues à l'imperméabilité des sols de son bassin, ont été freinées par la création de barrages-réservoirs (Pannecière-Chaumard).

Yonne, dép. franç. (89); 7 425 km²; 323 096 hab.; 43,5 hab./km²; ch.-l. *Auxerre.* V. Bourgogne (Rég.).
► illustr. page **2016**

Yoritomo (1147 – 1199), noble japonais du clan Minamoto, qui, à la suite de luttes sanglantes entre familles rivales, obtint de l'empereur, en 1192, le titre de shōgun* à vie et devint le maître réel du Japon.

York, v. du N. de l'Angleterre (comté de North Yorkshire), sur l'Ouse; 100 600 hab. Industr. métallurgiques. Centre touristique. – Archevêché. Vaste cath. gothique (XIe-XVe s.). Enceinte du XIVe s. Chât. du XIIe s. (musée). Maisons anciennes. – Importante colonie romaine, prise par les Angles au VIe s., York devint la cap. du royaume de Northumbrie et fut au Moyen Âge la 2e ville anglaise. Centre d'une région agricole, elle fut supplantée au XIXe s. par les villes industrielles de la région.

York, famille anglaise, branche de la maison royale des Plantagenêts, issue d'*Edmond de Langley* (King's Langley, 1341 – id., 1402), le cinquième fils d'Édouard III. La famille d'York disputa le trône à la maison de Lancastre (guerre des Deux-Roses*) et donna trois rois à l'Angleterre : Édouard IV, Édouard V et Richard III (détrôné par Henri VII Tudor). Le titre de duc d'York est porté, depuis le XVIe s., par le second fils du roi d'Angleterre.

York (Richard, duc d') (?, 1411 – Wakefield, 1460), héritier légitime de la maison d'York et prétendant au trône d'Angleterre, rival d'Henri VI. D'abord vainqueur à Northampton (juil. 1460), ayant fait Henri VI prisonnier, Richard

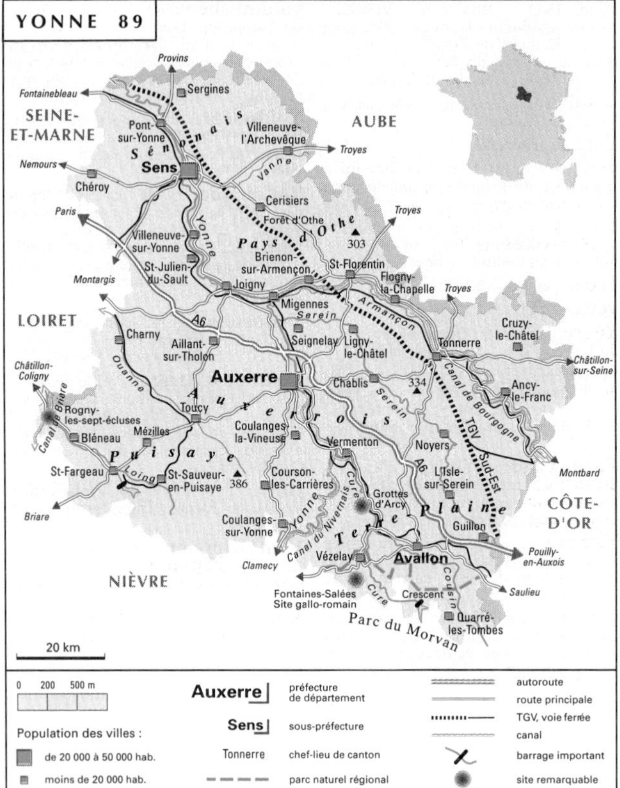

d'York fut vaincu et tué (déc. 1460) par la reine Marguerite d'Anjou.

Yorkshire, anc. comté du N.-E. de l'Angleterre, auj. divisé (Cleveland, Humberside, North Yorkshire, South Yorkshire et West Yorkshire).

Yorkshire et Humberside, région du Royaume-Uni et de la C.E., à l'E. de l'Angleterre, sur la mer du Nord; 15 420 km^2; 4 767 100 hab.; v. princ. *Sheffield, Leeds.*

yorkshire-terrier [ˈjɔʀkʃœʀtɛʀje] ou **yorkshire** n. m. Petit chien de compagnie à poil long, d'origine anglaise.

Yorktown, petit port des É.-U. (Virginie), sur la baie de Chesapeake; 500 hab. – En oct. 1781, le général anglais Cornwallis, assiégé par les troupes de Washington et de Rochambeau, et bloqué par l'escadre de l'amiral de Grasse, dut capituler.

yorouba ou **yoruba** [jɔʀuba] adj. (inv. en genre) Du peuple des Yoroubas.

Yorouba(s) ou **Yoruba(s),** peuple noir d'Afrique (env. 15 000 000 d'individus) établi dans la partie occidentale du Nigeria et au Bénin. Descendants des fondateurs des royaumes d'Ife* et du Bénin (apogée au XVIe s. pour l'un, XVIIe s. pour le second), ils ont un art (statues, masques de bois) rappelant le style de cour de leurs ancêtres, qui travaillèrent bronze, ivoire, pierre et terre cuite.

Yosemite (parc national de), parc national des É.-U. (Californie), créé en 1890, sur le versant occidental de la sierra Nevada; env. 300 000 ha.

Yoshihito. V. Taishō tennō.

yougoslave [ˈjugɔslav] adj. et n. De Yougoslavie. ▷ Subst. *Un(e) Yougoslave.*

Yougoslavie, État du S.-E. de l'Europe qui regroupait jusqu'en 1992 six républiques socialistes : la Serbie, la Croatie, la Slovénie, la Bosnie-Herzégovine, la Macédoine et le Monténégro; sur l'Adriatique, à l'E. de l'Italie, au N. de l'Albanie et de la Grèce; 255 804 km^2; 23 411 000 hab., croissance démographique : 0,6 % par an; cap. *Belgrade.* Langues off. : serbo-croate, slovène, macédonien. Monnaie : dinar. Relig. : orthodoxes (env. 35 %), catholiques (28 %), musulmans (env. 10 %).

Géogr. phys. et hum. – La Yougoslavie était formée de trois ensembles géographiques se succédant de la côte vers l'intérieur. Le littoral adriatique, au climat méditerranéen, très découpé et frangé de plus de 500 îles dont une trentaine habitées, est dominé par les chaînes Dinariques, montagnes calcaires plissées humides et forestières où se développent de beaux paysages

art des **Yoroubas :** statuette, musée de Porto-Novo, Bénin

karstiques; elles sont relayées à l'E. et au S. par le massif de Bosnie et le massif central yougoslave, constitués surtout de roches cristallines et aux conditions climatiques rudes. Ces hautes terres encadrent les vastes plaines continentales du N.-O. (Slavonie, Vojvodine), limoneuses et fertiles, que drainent la Save, la Drave et le Danube. Ces bas pays, peuplés et urbanisés, sont les régions les plus riches et ont attiré les courants d'exode rural venus des montagnes et du S. plus pauvres. La population, où dominaient les six groupes de Slaves du Sud (Serbes, Croates, Bosniaques, Slovènes, Macédoniens, Monténégrins), organisés en république, comptait une importante minorité albanaise (8 % des hab.) dans le Kosovo, des Hongrois en Vojvodine et des Italiens en Istrie et Dalmatie; elle était rurale à 51 %.

Écon. – L'économie yougoslave a présenté plusieurs traits originaux par rapport aux autres pays socialistes : importance croissante du secteur privé (85 % des terres cultivées), autogestion généralisée dans l'industrie (abandonnée à la fin de 1989), planification souple, décentralisation. L'agriculture occupait moins du quart des actifs. Les plaines du N. ont été exploitées de façon moderne (irrigation) princ. par des combinats agro-industriels : blé, maïs, élevage intensif. Cultures spécialisées : fruits et vigne sur l'Adriatique, tabac, coton et riz en Macédoine. L'industrie, après un développement rapide, occupait 40 % des actifs; elle a bénéficié d'une relative richesse en minerais (cuivre, fer, plomb, bauxite, zinc, mercure), mais a souffert de la relative faiblesse des ressources énergétiques (hydroélectricité, lignite, un peu de pétrole et de gaz). Toutefois, tous les secteurs (de la sidérurgie, notam. en Bosnie, à l'électronique) et toutes les régions étaient couverts, mais l'essentiel des activités est resté concentré autour des deux princ. villes, Belgrade et Zagreb, et en Slovénie. L'inégal développement des différentes républiques constituait un problème majeur : ainsi, la Bosnie-Herzégovine, la Macédoine, le Monténégro et la république autonome du Kosovo étaient officiellement considérés depuis 1965 comme insuffisamment développés. Pourtant, malgré une aide fédérale et des transferts de revenus en provenance des républiques les plus riches, les disparités entre le Nord et le Sud ont continué à s'aggraver en raison, notamment, d'un accroissement démographique plus rapide dans les régions les plus déshéritées, mais aussi de la faible efficacité des investissements industriels dans ces régions restées encore très rurales. En Slovénie, la république la plus développée, le revenu par habitant était, en 1986, sept fois plus élevé qu'au Kosovo. Avec la crise institutionnelle qui a suivi la mort du maréchal Tito (1980) et la chute des régimes communistes en Europe orientale à la fin des années 80 et au début des années 90, ces disparités économiques – sources d'impatiences et de déceptions – ont été des éléments déterminants de la dislocation de la Yougoslavie.

Hist. – Proclamé le 1er déc. 1918, le *royaume des Serbes, Croates et Slovènes* fut confirmé par les traités de Neuilly-sur-Seine, de Saint-Germain-en-Laye et de Trianon. Roi en 1921, Alexandre Ier adopta une Constitution centralisatrice, qui aviva les oppositions entre Serbes et Croates. Dès 1929, le roi suspendit la Constitution et gouverna de façon auto-

ritaire le pays, qui prit en 1931 le nom de Yougoslavie. Après l'assassinat du roi à Marseille par des terroristes croates (1934), le prince héritier, Pierre II, n'ayant que onze ans, la régence fut exercée par le prince Paul. La Yougoslavie, neutre au début de la Seconde Guerre mondiale, adhéra à l'« ordre nouveau » après la défaite française mais la signature d'un pacte avec l'Allemagne (25 mars 1941) provoqua aussitôt le renversement du gouvernement (27 mars). Pierre II prit le pouvoir. Craignant de voir la Yougoslavie passer dans le camp britannique, l'Allemagne envahit le pays (avril 1941). Deux puissants mouvements de résistance s'organisèrent : l'un, royaliste, autour du Serbe Mihajlović ; l'autre, communiste, autour du Croate Tito*. Dès 1943, les Alliés assurèrent la prééminence de Tito en lui apportant leur soutien. En 1944-1945, le pays, qui avait perdu 170 000 hommes, fut libéré en grande partie par ses propres forces (cas unique en Europe, avec celui de la Grèce), et les élections de 1945 assurèrent une position dominante au parti communiste. En 1946, l'Assemblée constituante établit une république fédérative (dont Tito devint le président) et élabora une Constitution d'inspiration socialiste. Bientôt, la Yougoslavie (placée par les accords de Yalta dans l'orbite soviétique) rompit avec l'U.R.S.S. de Staline (1948) et proposa un « modèle yougoslave » (autogestion, non-alignement, internationalisme) qui composait intelligemment avec le bloc occidental. Après la mort de Staline (1953), les relations avec l'U.R.S.S. se rétablirent progressivement, mais le « modèle autogestionnaire » ne tint pas toutes ses promesses. Dep. la mort de Tito (1980), un gouvernement collégial a assuré la direction de l'État. Plusieurs révisions constitutionnelles (Constitution de 1963, réformée en 1971, Constitution de 1974, réformée en 1981 puis en 1988) ont tenté d'harmoniser la répartition des pouvoirs entre les instances fédérales et les républiques et provinces ; mais les clivages sont plus nationaux et économiques que politiques. Les premières élections libres ont confirmé, en 1990, la montée des contradictions entre les Slaves occidentalisés et plus riches de la Slovénie et de la Croatie, et les Slaves orthodoxes et plus pauvres de Serbie (où le particularisme du Kosovo fut traité de manière autoritaire), ainsi qu'entre chrétiens et musulmans. Ces tensions ont dégénéré en guerre civile en juil. 1991, après la proclamation d'indépendance de la Slovénie et de la Croatie. La reconnaissance internationale de ces indépendances (par la C.É.E. dès janv. 1992), suivie de celle de la Bosnie-Herzégovine, a consacré l'éclatement de la fédération yougoslave, où le Kosovo réclame son indépendance.

Yougoslavie (République fédérale de), État de l'Europe balkanique formé de la Serbie (avec ses deux prov. Vojvodine et Kosovo) et du Monténégro ; 101 780 km^2 ; 10 800 000 hab. ; cap. *Belgrade.* Langue : serbo-croate. – La République fédérale de Yougoslavie a été formée en avril 1992, après la sécession de la Slovénie, de la Croatie, de la Bosnie-Herzégovine et de la Macédoine. En 1997, Slobodan Milosevic en devient le président.

Youlou (abbé Fulbert) (Madibou, près de Brazzaville, 1917 – Madrid, 1972), homme politique congolais. Maire de Brazzaville (1956), premier président de la république du Congo (1960), il fut renversé en 1963 par une émeute.

Young (Edward) (Upham, près de Winchester, 1683 – Welwyn, Hertfordshire, 1765), poète anglais. Ses *Plaintes ou Pensées nocturnes sur la vie, la mort et l'immortalité* (1742-1745), long poème, connu aussi sous le nom de *Nuits,* jouèrent un rôle considérable dans la formation du romantisme.

Young (Arthur) (Londres, 1741 – id., 1820), écrivain anglais. Observateur attentif des comtés ruraux d'Angleterre, il fit œuvre d'agronome. *Voyages en France* (1792) décrit la vie quotidienne des Français avant la Révolution.

Young (Thomas) (Milverton, Somerset, 1773 – Londres, 1829), médecin anglais. Connu pour sa découverte de la propriété d'accommodation du cristallin et pour ses travaux d'optique, il s'intéressa également à l'égyptologie.

Thomas **Young**

M. **Yourcenar**

Young (Brigham) (Whittingham, Vermont, 1801 – Salt Lake City, 1877), chef religieux américain. Il succéda à Joseph Smith à la tête des mormons (1844), qu'il mena de l'Illinois en Utah, où, en 1847, il fonda La Nouvelle-Sion (auj. Salt Lake City).

Young (Lester Willis) (Woodville, Mississippi, 1909 – New York, 1959), saxophoniste de jazz américain. Il marqua de son empreinte le jeu de l'orchestre de Count Basie (*Lester Leaps In,* 1939).

Young (plan), plan signé à Paris le 7 juin 1929, qui fixait le montant et le délai de règlement des réparations allemandes exigées par le traité de Versailles (1919). Succédant au plan Dawes, il eut le même sort que ce dernier : il ne fut jamais exécuté.

youpi ! ou **youppie !** interj. Cri marquant l'enthousiasme.

youpin, ine ['jupɛ̃, in] adj. et n. Injurieux et raciste Juif.

Yourcenar (Marguerite de Crayencour, dite Marguerite) (Bruxelles, 1903 – Mount Desert Rock, Maine, É.-U., 1987), écrivain de double nationalité, française et américaine, et d'expression française. Éclectique, passionnée par la poésie grecque antique et moderne, elle a été traductrice (V. Woolf, H. James, poètes grecs anciens), auteur de poèmes, d'essais (*Sous bénéfice d'inventaire,* 1962 ; *le Temps, ce grand sculpteur,* 1984), de pièces de théâtre (*Électre ou la Chute des masques,* 1954), de romans (*Mémoires d'Hadrien,* 1951 ; *l'Œuvre au noir,* 1968) et de récits autobiographiques (*Souvenir pieux,* 1974 ; *Archives du Nord,* 1977 ; *Quoi ? L'éternité,* posth., 1988). Elle a été la première femme élue à l'Acad. fr. (1980).

yourte ou **iourte** ['juʀt] n. f. Tente de peau ou de feutre des nomades d'Asie centrale.

Yousouf (Joseph Vantini ou Vanini, dit) (île d'Elbe, v. 1810 – Cannes, 1866), général français. Ancien esclave des Turcs, épris d'aventure, il se distingua pendant la conquête de l'Algérie et la guerre de Crimée.

youtre adj. et n. Injurieux et raciste Syn. de *youpin.*

1. youyou ['juju] n. m. MAR Vieilli Petit canot utilisé pour divers services du bord (par ex. comme navette entre les quais et les bateaux au mouillage).

2. youyou n. m. Cri modulé poussé par les femmes musulmanes lors de certaines cérémonies.

yo-yo ['jojo] n. m. inv. (Nom déposé.) **1.** Jouet formé de deux disques solidaires que l'on fait monter et descendre le long d'une ficelle s'enroulant sur un axe central. **2.** Fam. *Effet yoyo :* reprise de poids par une personne qui arrête son régime amaigrissant.

ypérite ['ipeʀit] n. f. MILIT Gaz de combat à base de sulfure d'éthyle, suffocant, toxique et lacrymogène. Syn. gaz moutarde.

Ypres (en néerl. *Ieper*), v. de Belgique (Flandre-Occidentale); 34 430 hab. – Industr. alimentaires et textiles. – Halle aux draps (XIIIe-XIVe s.) et collégiale St-Martin (XIIe-XVe s.). – Tenue par les Alliés pendant la Première Guerre mondiale, la ville subit de violents bombardements allemands qui détruisirent ses monuments.

Ypsilanti, famille grecque de Phanar. Plusieurs de ses membres travaillèrent à l'indépendance de la Grèce, notam. **Démétrios** (Istanbul, 1793 – Vienne, 1832), qui commanda les insurgés grecs de 1821 à la fin de la guerre d'indépendance.

Ys, v. bretonne légendaire qui aurait été engloutie par l'Océan au IVe ou Ve s.

Ysaye (Eugène) (Liège, 1858 – Bruxelles, 1931), violoniste belge. Fondateur du *quatuor Ysaye* (1894), il est l'auteur de nombr. compositions pour violon (concertos, sonates) et d'un opéra en wallon.

Yser, fl. côtier de Belgique qui prend sa source en France et se jette dans la mer du Nord (78 km). – *Bataille de l'Yser :* violents combats livrés dans la vallée de l'Yser, à l'issue desquels les Belges et leurs alliés arrêtèrent les armées allemandes dans leur course vers les ports de la mer du Nord (oct.-nov. 1914).

ysopet ou **isopet** [izɔpɛ] n. m. LITTER Recueil de fables, au Moyen Âge.

Yssingeaux, ch.-l. d'arr. de la Haute-Loire, dans le Velay; 6 689 hab. I.A.A. – Hôtel de ville (XVe s.).

ytterbium [iteʀbjɔm] n. m. CHIM Élément appartenant à la famille des lanthanides de numéro atomique Z = 70, de masse atomique 173,04 (symbole Yb). – Métal (Yb) qui fond à 819 °C et bout à 1 194 °C.

yttrium [itʀijɔm] n. m. CHIM Élément métallique de numéro atomique Z = 39, de masse atomique 88,9 (symbole Y). – Métal (Y) qui fond vers 1 520 °C et bout vers 3 340 °C.

yu [jy] n. m. Anc. mesure chinoise valant env. 110 litres.

yuan ['jwan] n. m. Unité monétaire de la rép. pop. de Chine.

Yuan, dynastie mongole qui régna sur la Chine de 1271 à 1368 et fut chassée par une révolte populaire.

Yuan Che-k'aï ou **Yuan Shikai** (Xiangcheng, Henan, 1859 – Pékin, 1916), général et homme politique chinois. Homme de confiance de l'impératrice Ci Xi, il brisa les tentatives de réformes. Après la mort de Ci Xi, il transigea avec Sun Yat-sen (1912), obtint l'abdication de l'empereur et fonda un régime républicain. Président, il gouverna en dictateur, essaya de rétablir la monarchie à son profit, mais fut démis (1916).

Yuan Tseh Lee (Xinzhu, Taiwan, 1936), chimiste taiwanais; il fit progresser l'observation de la réaction chimique élémentaire (collision entre un atome et une molécule). P. Nobel de chimie 1986 (avec Dudley R. Herschbach et John Charles Polanyi).

Yucatán (le), péninsule du Mexique, formée de plateaux peu élevés, qui ferme au S. le golfe du Mexique. Le climat y est chaud et sec, les forêts y sont exploitées pour leur bois précieux. Elle a donné son nom à *l'État du Yucatán :* 38 402 km^{2}; 1 362 900 hab.; cap. *Mérida.* – Aire d'extension de la civilisation précolombienne des Mayas, la région renferme d'import. vestiges sur les sites archéologiques de Chichén Itzá, Mayapán, Uxmal, etc.

yucca ['juka] n. m. BOT Plante ligneuse d'Amérique tropicale (fam. liliacées), proche des agaves, dont certaines espèces sont cultivées en Europe pour leurs hautes hampes de fleurs blanches.

yukata ['jukata] n. m. Peignoir japonais de coton léger.

Yukawa (Hideki) (Tōkyō, 1907 – Kyōto, 1981), physicien japonais. En 1935, il établit la théorie de l'interaction forte et postula l'existence du méson π (pi), qui fut découvert en 1947. P. Nobel 1949.

yucca : plant fleuri

Yukon (le), fl. du Canada et de l'Alaska (2 554 km), tributaire de la mer de Béring.

Yukon, territ. du N.-O. du Canada; 483 450 km^{2}; 27 790 hab. (2 % de francophones); ch.-l. *Whitehorse.* Région montagneuse et glacée, le Yukon recèle de nombr. gisements métallifères (or, plomb argentifère, zinc, cadmium,

YVELINES 78

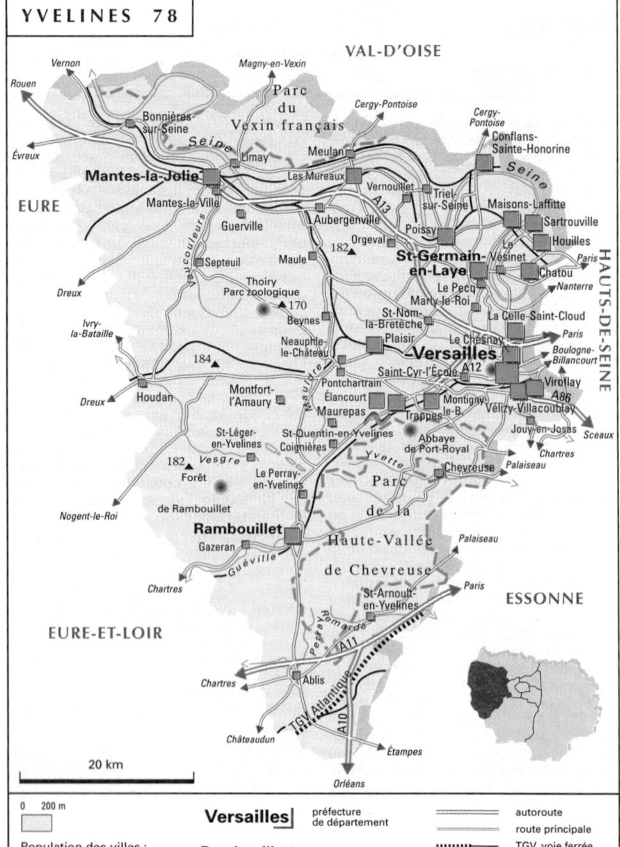

amiante), du pétrole et du charbon. Commerce de peaux.

Yungang, site archéologique de la Chine du N. (Chansi), non loin de Datong. Monastère bouddhique à caractère troglodytique avec grottes ornées de sculptures des Ve et VIe s.

Yunnan, prov. de la Chine du S.; 436 200 km²; 34 060 000 hab.; cap. *Kunming.* Région montagneuse, au climat tropical, le Yunnan possède de grandes richesses minières (étain, houille, fer, cuivre, plomb). Dans les vallées (du Mékong, notam.), on cultive le riz, le thé, la canne à sucre. Les communications sont difficiles. – Une voie ferrée construite par la France au déb. du siècle relie Kunming au Viêt-Nam.

Yunus Emre (v. 1250 – v. 1320), poète turc. En opposition avec la poésie lettrée de tradition arabo-persane, il imposa, dans un style très accessible, une poésie originale en langue turque.

Yupanqui (Héctor Roberto Chavero, dit Atahualpa) (Pergamino, Buenos Aires, 1908 – Nîmes, 1992), poète, chanteur et guitariste argentin. Il a écrit de nombreux ouvrages de poésie (*Piedra sola,* 1940; *Guitarra,* 1958). Ses chansons (plus de 1 500), qui puisent au folklore de son pays, ont contribué à la renaissance du genre en Amérique latine.

yuppie [jupi], pl. **yuppies** [jupiz] n. (Anglicisme) Jeune cadre dynamique.

Yuste (monastère de), monastère espagnol (Estrémadure) où Charles Quint se retira (1556).

Yutz, ch.-l. de cant. de la Moselle (arr. de Thionville-Est); 15 444 hab. Industr. métallurgiques; constr. mécaniques.

Yvelines, dép. français (78); 2 271 km²; 1 307 150 hab.; 575,6 hab./km²; ch.-l. *Versailles.* V. Île-de-France (Rég.).

Yverdon-les-Bains, com. de Suisse (Vaud), sur le lac de Neuchâtel; 20 800 hab. Stat. thermale. Constr. mécaniques; indrustr. diverses. – Château (XIIIe s.).

Yves (saint) (Yves Hélory de Kermartin, dit) (manoir de Kermartin, Minihy-Tréguier, 1253 – id., 1303), juriste breton ordonné prêtre, défenseur des pauvres. Il est le patron des gens de loi.

Yvetot, ch.-l. de cant. de la Seine-Maritime (arr. de Rouen); 10 968 hab. Industr. méca., text. et alimentaires. – Égl. circulaire (1956).

Yvré (Ambroise de Loré, baron d') (chât. de Loré, Normandie, 1396 – Paris, 1446), compagnon d'armes de Jeanne d'Arc (à Orléans, 1429), prévôt de Paris (1437).

Yzeure, ch.-l. de cant. de l'Allier (arr. de Moulins); 13 890 hab. Constr. mécaniques. – Égl. du XIIe s. (remaniée au XIIIe et au XVe s.).

Z

Z Z Z
Z Z Z
Z Z Z

z [zɛd] n. m. **1.** Vingt-sixième lettre (z, Z) et vingtième consonne de l'alphabet, notant la fricative alvéolaire sonore [z] (ex. *zézayer* [zezɛje]), ou, dans certains mots étrangers, les sons [dz], [ts], [s], ne se prononçant pas en finale (ex. *nez* [ne], *lavez* [lave]) sauf dans certains mots d'emprunt (ex. *gaz* [gɑz]) et en liaison (ex. *assez élancé* [asezelɑ̃se]). ▷ Loc. fig. *De a à z* : du commencement à la fin. **2.** CHIM Z : symbole du numéro atomique d'un élément. ▷ PHYS NUCL Un des bosons médiateurs de l'interaction* faible. V. Rubbia. ▷ ELECTR Z : symbole de l'impédance. ▷ MATH *z* : en géométrie, symbole de la troisième des coordonnées cartésiennes; en algèbre, symbole littéral désignant une troisième inconnue ou une fonction des variables *x* et *y*.

Zaandam, fbg industriel d'Amsterdam. Travail du bois. – Cabane de Pierre le Grand, qui y résida en 1697.

Zab (monts du) ou **Ziban** (monts des), massif du S. de l'Algérie, dans l'Atlas saharien (1 313 m au djebel Mimouna).

Zab (Grand et **Petit)** *(Zāb)*, riv. d'Irak (430 km et 370 km), affl. du Tigre (r. g.).

Zabrze (en all. *Hindenburg*), v. de Pologne (haute Silésie); 199 090 hab. Import. centre minier (charbon). Sidérurgie; industr. chimiques.

ZAC n. f. URBAN Acronyme pour *zone d'aménagement concerté*. V. zone.

Zaccaria (Antoine Marie). V. Antoine Marie Zaccaria.

Zacharie, le onzième des petits prophètes (VIe s. av. J.-C.). Le livre biblique qui porte son nom annonce les temps messianiques.

Zacharie (saint), prêtre juif, père de saint Jean-Baptiste, dont la naissance lui fut annoncée par un ange. Il ne crut pas à cette révélation, devint muet et ne recouvra la parole qu'à la naissance de son fils. On lui attribue le *Benedictus* (prière d'action de grâces).

Zacharie (saint) (m. à Rome en 752), pape de 741 à 752. Successeur de Grégoire III, il favorisa l'accession au trône de Pépin le Bref (751).

Zachée, chef des publicains de Jéricho et collecteur d'impôts. Il fut converti par Jésus et donna ses biens aux pauvres (Luc, XIX, 1-10).

ZAD n. f. URBAN Acronyme pour *zone d'aménagement différé*. V. zone.

Zadar (en ital. *Zara*), v. de Croatie, sur l'Adriatique; 116 000 hab. Industr. alimentaires; constr. mécaniques. – Égl. St-Donat (déb. IXe s.). Cath. (XIIe-XIVe s.). – Anc. base byzantine, prise par Venise lors de la 4e croisade, possession vénitienne de 1409 à 1797, la ville appartint à l'Autriche (1813-1918), puis fut donnée à l'Italie (traité de Rapallo, 1920) avant d'être intégrée à la Yougoslavie (traité de Paris, 1947).

Zadkine (Ossip) (Smolensk, 1890 – Neuilly-sur-Seine, 1967), sculpteur français d'origine russe. Parti de l'esthétique cubiste, il évolua vers une sorte d'expressionnisme baroque et lyrique : *la Ville détruite* (1948-1953).

Zaffarines (îles) (en esp. *Chafarinas*), îles espagnoles de la Méditerranée, près du littoral marocain.

Zagazig *(az-Zaqāzīq)*, v. d'Égypte (Basse-Égypte), proche du Caire; 256 000 hab.; ch.-l. de gouvernorat. Industr. text. et alim.

Zagorsk. V. Serguiev Possad.

Zagreb, cap. de la Croatie, sur la Save; 763 300 hab. Centre culturel; industr. métallurgiques, chimiques, électriques, textiles et alimentaires. – Université. Cath. St-Étienne (XIIIe-XVIIIe s., restaurations au XIXe s.). Palais royal (XIVe s.). Musées.

Zagros (le), haute chaîne de montagnes de l'Asie occidentale, qui s'étend, sur 1 800 km, de la Turquie au détroit d'Ormuz et qui sépare le plateau iranien de la plaine mésopotamienne (point culminant à 4 270 m).

Zahir Chāh (Mohammad) (Kaboul, 1914), dernier roi d'Afghānistān (1933-1973), déposé par son cousin et beau-frère Mohammad Daoud khān, qui proclama la république et fut assassiné lors du coup d'État de 1978.

Zahlé *(Zaḥla)*, v. du Liban; 100 000 hab.; ch.-l. de la prov. de la Bekaa. – Stat. estivale.

Zahran ou **Dhahran,** v. d'Arabie Saoudite, près du golfe Persique; 130 000 hab. Import. centre pétrolier.

zaïbatsu ou **zaibatsu** n. m. inv. ECON Au Japon, concentration d'entreprises appartenant à différents secteurs économiques, liées par des participations croisées.

zain adj. m. Didac. Dont le pelage est d'une couleur uniforme, sans poil blanc (chevaux, chiens). *Étalon zain.*

zaïre n. m. Unité monétaire de la Rép. démocratique du Congo.

Zaïre. V. Congo (fleuve).

Zaïre (république du) (*Congo-Kinshasa* de 1960 à 1971, et *République démocratique du Congo** depuis mai 1997).

zaïrois, oise adj. et n. Du Zaïre.

zakat [zakat] n. m. Aumône religieuse due par tout musulman.

Zakopane, v. de Pologne (voïévodie de Cracovie), dans les Hautes Tatras; 60 000 hab. Stat. touristique et de sports d'hiver.

zakouski n. m. pl. Hors-d'œuvre variés russes, chauds ou froids.

Zalaegerszeg, v. de Hongrie, à l'O. du lac Balaton; 62 000 hab.; ch.-l. du comté de Zala. Raff. de pétrole. Industr. textile.

Zama, anc. localité de l'Afrique septentrionale, à env. 150 km au S.-O. de Carthage. Scipion l'Africain y vainquit Hannibal (202 av. J.-C.), achevant ainsi la deuxième guerre punique.

Zambèze (le), fleuve de l'Afrique australe (2 660 km), tributaire de l'océan Indien. Né aux confins de l'Angola, le Zambèze traverse une région marécageuse, sert de frontière entre la Zambie et le Zimbabwe, puis pénètre au Mozambique. Dans son cours moyen, le fleuve se resserre dans une gorge étroite ponctuée de chutes (Victoria) et de rapides, que contrôlent notam. les barrages de Kariba (à la frontière du Zimbabwe et de la Zambie) et de Cabora Bassa (au Mozambique). Le cours inférieur forme une voie navigable d'env. 500 km, mais le débit du fleuve (3 000 m^3/s en moyenne à l'embouchure) est insuffisant en saison sèche.

Zambie (république de) (anc. *Rhodésie du Nord*), État de l'Afrique australe, situé entre l'Angola, à l'O., la Rép. dém. du Congo, au N., le Malawi, à l'E., le Zimbabwe et la Namibie, au S.; 752 614 km^2; env. 9,1 millions d'hab., croissance démographique : 3,5 % par an (soit un doublement en 20 ans); cap. *Lusaka*. Nature de l'État : rép. de type présidentiel, membre du Commonwealth. Pop. : Bantous. Langue off. : anglais. Monnaie : kwacha. Relig. : animisme (70 %), minorités chrétiennes.
Géogr. phys., hum. et écon. – Un haut plateau, d'altitude moyenne

900-1 500 m, coupé par les vallées du Zambèze, du Luangwa et du Kafué, et à l'E. duquel s'élèvent les monts Muchinga (1 840 m), constitue l'essentiel du relief. Au climat tropical humide, tempéré par l'altitude, correspond une végétation de savane arborée et de forêt claire. Peuplé de plus de 70 ethnies, le pays a une densité moyenne inférieure à 10 hab./km² et compte un peu plus de 50 % de citadins. L'agriculture est peu performante : élevage extensif des bovins, cultures vivrières qui n'occupent que 7 % du sol : maïs, manioc, sorgho, tournesol, patates douces. Le tabac est le seul produit de plantation exporté. La production hydroélectrique est abondante (barrage de Kariba sur le Zambèze) et en partie exportée vers le Zimbabwe. La grande richesse du pays est le cuivre (auquel s'ajoute un peu de cobalt et de zinc), exploité au N. dans le Copperbelt, région qui groupe le quart des hab. et une population immigrée de mineurs; Livingstone est le grand port d'exportation sur le Zambèze. La Zambie est le 5e producteur mondial de cuivre et tire plus de 80 % de ses recettes de ce métal, d'où une situation économique très dépendante de la conjoncture mondiale.

Hist. – Le territoire qui forme la Zambie était divisé entre un nombre considérable de tribus quand la G.-B. s'y intéressa. Après les explorations de Livingstone dans le haut Zambèze et la découverte de mines d'or, Cecil Rhodes obtint en 1889 l'abandon à la British South Africa Chartered Company de l'exploitation minière de vastes territoires. Ces territoires devaient recevoir, en 1911, le nom de Rhodésie du Nord et, en 1924, obtenir le statut de colonie de la Couronne. La G.-B. créa en 1953 une Fédération d'Afrique centrale, englobant les deux Rhodésies et le Nyassaland, où les colons de Rhodésie du S., les plus influents, firent imposer le régime de l'apartheid. En 1963, cependant, la pression nationaliste provoqua l'éclatement de la Fédération et la proclamation de l'indépendance de la Rhodésie du Nord, qui prit le nom de Zambie (1964). Kenneth Kaunda, leader du Parti unifié de l'indépendance nationale (parti unique), fut élu président de la Rép. et réélu depuis tous les cinq ans. En 1991, le prés. Kaunda dut concéder à l'opposition la tenue d'élections pluralistes dans le cadre d'une nouvelle Constitution. En novembre, le candidat de l'opposition, F. Chiluba, fut élu président de la République, mettant fin à 27 ans de pouvoir de K. Kaunda; reconduit dans ses fonctions en 1996, il échappe à une tentative de coup d'État en déc. 1997. La voie ferrée (achevée en 1975 par les Chinois) qui relie Lusaka à Dar es-Salaam, donne au pays un accès à l'océan Indien sans passer par le Zimbabwe.

zambien, enne adj. et n. De la Zambie. ▷ Subst. *Un(e) Zambien(ne).*

Zamboanga, v. et port des Philippines, dans l'île de Mindanao; 379 190 hab.

Zamenhof (Lejzer Ludwik) (Białystok, 1859 – Varsovie, 1917), médecin et linguiste polonais; créateur (en 1887) de l'espéranto.

zamia ou **zamier** n. m. BOT Arbre gymnosperme d'Amérique équat. (genre *Zamia*, proche du *Cycas*), dont certaines espèces fournissent le sagou.

Zamiatine (Eugène Ivanovitch) (près de Tambov, 1884 – Paris, 1937), ingénieur et écrivain russe. Romancier (*Nous autres*, 1922), nouvelliste (*la Caverne, Mamaï*, 1920), dramaturge (*la Société des carillonneurs honoraires*, 1925), il fut l'un des meneurs du groupe des Frères Sérapion*.

Zamora, v. d'Espagne (Castille et Léon), sur le Douro; 63 400 hab.; ch.-l. de la prov. du m. nom. Industr. textiles. Vins. – Cath. du XIIe s.

Zamoyski (Jan) (Skokówka, 1542 – Zamość, 1605), homme politique polonais; chancelier sous Étienne Ier Báthory et sous Sigismond III Vasa, qu'il fit élire. Il reconquit la Livonie, fonda la ville de *Zamość* (auj. ch.-l. de voïévodie, au S.-E. de Lublin) et la dota d'une académie *(académie Zamoyski).*

Zangbo. V. Brahmapoutre.

Zangī ('Imād al-Dīn) (m. en 1146), émir de la dynastie des Seldjoukides. Il conquit Alep (1128), lutta contre les croisés, auxquels il prit Édesse (1144), provoquant ainsi la 2e croisade; Zangī fut assassiné par ses mamelouks.

Zangwill (Israel) (Londres, 1864 – Midhurst, West Sussex, 1926), écrivain anglais. Animateur actif du mouvement sioniste, il fut surnommé le «Dickens juif» : *les Enfants du ghetto* (roman, 1892), *Nous les modernes* (pièce de théâtre, 1925).

Zante (en gr. *Zakynthos*), île grecque, la plus méridionale des îles Ioniennes. La ville de *Zante* (10 200 hab.) est le ch.-l. du nome de *Zante* (30 000 hab.).

Zanzibar, île corallienne du littoral africain de l'océan Indien, faisant partie de l'État de Tanzanie; 1 658 km² (2 642 km² avec ses dépendances, notam. l'île de Pemba); 479 000 hab. (560 000 hab. avec ses dépendances); cap. *Zanzibar* (125 000 hab.). Production d'épices (1er producteur mondial de clous et d'huile de girofle) et de coprah. – Depuis toujours, Zanzibar a été une place de commerce importante vers l'Asie; place forte portugaise pendant deux siècles puis sultanat arabe, Zanzibar devint un protectorat britannique (1890), qui obtint son indépendance en 1963. En janv. 1964, un mouvement révolutionnaire renversa le sultan et instaura la république; la pop. arabe fut victime de massacres de la part des Noirs. Deux mois plus tard, Zanzibar fusionnait avec le Tanganyika pour former la Tanzanie*.

zaouïa [zauja] (en ar. *zāwiya*) n. f. Au Maghreb, établissement religieux musulman, tout à la fois mosquée, centre d'enseignement et hôtellerie pour pèlerins et étudiants.

Zao Wou-ki (Pékin, 1921), peintre français d'origine chinoise. Son abstraction paysagère, gestuelle et tachiste, procède de la calligraphie extrême-orientale.

Zapata (Emiliano) (État de Morelos, v. 1879 – hacienda de Chinameca, Morelos, 1919), révolutionnaire mexicain. Métis, petit propriétaire rural, il devint, en 1910, un des chefs de la révolution mexicaine et demeura le héraut de la restitution des terres aux paysans. Victime d'une trahison, il fut assassiné.

zapateado [zapateado] n. m. Danse espagnole à trois temps, rythmée par les claquements des talons du danseur.

zapatisme n. m. Mouvement insurrectionnel mexicain, apparu en 1994, affirmant les droits des Indiens.

Zapoly ou **Zápolya,** famille hongroise dont deux membres furent rois de Hongrie : **Jean Ier** (1526-1540) et **Jean II Sigismond** (1540-1571).

Zaporogues, Cosaques* du Dniepr. Ils se révoltèrent contre les souverains polonais mais tombèrent sous le joug russe (1654); Catherine II abolit leur statut d'autonomie en 1775.

Zaporojie, v. et port d'Ukraine, sur le Dniepr; 887 000 hab.; ch.-l. de la prov. du m. nom. Industr. métallurgiques et électriques.

Zapotèques, peuple de l'Amérique précolombienne (650 av. J.-C. – 1521 apr. J.-C.) qui s'établit au IVe s. apr. J.-C. dans la région de l'actuel État d'Oaxaca, dans le S. du Mexique. La culture des Zapotèques, apparentée à celles des Mayas (hiéroglyphes, calendrier, système de numérotation) et de Teotihuacán*, est surtout représentée à Monte Albán et à Mitla (urnes funéraires). Ils subirent l'invasion des Mixtèques* aux env. du XIIIe s.

culture des **Zapotèques :** statuette en céramique d'une déesse aux serpents ; musée national d'Anthropologie, Mexico

Zappa (Frank Vincent) (Edgewood, près de Baltimore, 1940 – Los Angeles, 1993), chanteur, compositeur et guitariste américain ; fondateur du groupe Mothers of Invention (1964-1978).

zapper v. intr. [1] **1.** Passer plusieurs fois de suite d'une chaîne de télévision à une autre, à l'aide d'une télécommande. **2.** Fig., fam. Changer d'occupation, d'opinion, fluctuer, varier.

zappeur, euse n. Fam. Celui, celle qui zappe.

zapping [zapiŋ] n. m. Action de zapper.

Zarathoustra. V. Zoroastre.

Zaria, v. du Nigeria (État de Kano) ; 274 000 hab. – Anc. cap. d'un royaume peuplé d'Haoussas.

Zarqa *(Zarqah),* v. de Jordanie, au N.-E. d'Amman ; 265 700 hab. (Forte croissance de la pop. due à l'afflux des réfugiés palestiniens.) – Raff. de pétrole.

Zarqali (Al-) *(az-Zarqalī)* (XIe s.), astronome arabe de Cordoue. Ses *tables* (dites *tables de Tolède*) déterminèrent l'année solaire. Les *Tables alphonsines* (V. Alphonse X le Sage) en dérivent.

zarzuela [saʀswela] n. f. Genre musical espagnol (drame lyrique ou opérette) qui mêle la parole et le chant.

Zátopek (Emil) (Prague, 1922), athlète tchécoslovaque qui, de 1950 à 1956, domina la course de fond mondiale. Champion olympique du 5 000 m, du 10 000 m et du marathon en 1952 à Helsinki.

Zay (Jean) (Orléans, 1904 – Molles, Allier, 1944), homme politique français. Ministre (radical-socialiste) de l'Éducation nationale (juin 1936 - sept. 1939), il développa et démocratisa l'instruction publique. Arrêté sur ordre de Vichy dès 1940, emprisonné, il fut enlevé et abattu par des miliciens.

Zayd ibn Harithah *(Zayd ibn Ḥāri̱ta)* (m. en 629), fils adoptif de Mahomet, un de ses premiers fidèles. Il fut tué dans une bataille contre les Byzantins.

zazen [zazɛn] n. m. Méditation en posture assise pratiquée par les bouddhistes zen.

zazou n. Surnom donné, pendant la Seconde Guerre mondiale, aux jeunes gens qui se distinguaient par leur passion du jazz et leur allure excentrique.

Zeami (nom de scène de Yūsaki Saburō Motokiyo) (1363 – 1443), acteur, auteur et metteur en scène de nô* japonais. Auteur des plus célèbres nô, il a, dans plusieurs traités (notam. le plus connu, *Kadenshō*), codifié les règles de ce genre dramatique, dont il peut être considéré comme le fondateur. Son père, **Kanami** (Yūsaki Saburō Kiyotsugu) (1333 – 1384), fut son maître et précurseur.

zèbre n. m. **1.** Mammifère africain proche du cheval (genre *Equus*, fam. équidés), à robe claire rayée de noir ou de brun. *Les zèbres vivent en troupeaux dans les steppes et les montagnes d'Afrique méridionale et orientale.* ▷ Loc. fam. *Courir comme un zèbre,* très vite. **2.** Fig., fam. Individu, type. *Qui est ce zèbre ?*

zébrer v. tr. [14] Marquer de raies semblables à celles de la robe du zèbre. – Pp. adj. *Pull zébré noir et blanc.*

zébrure n. f. **1.** Raie ou ensemble de raies rappelant celles de la robe du zèbre. **2.** Raie, marque sur la peau.

zébu n. m. Bœuf domestique, propre à l'Asie, à l'Afrique tropicale et à Madagascar, descendant d'une espèce indienne d'aurochs, caractérisé par une bosse graisseuse au niveau du garrot.

zec [zɛk] n. f. (Acronyme de *zone d'exploitation contrôlée.*) Au Québec, zone publique de chasse et de pêche gérée par une société à but non lucratif qui assure la conservation de la faune et facilite l'accès des lieux aux usagers.

zébu mâle

Zédé (Gustave) (Paris, 1825 – id., 1891), ingénieur français ; constructeur du premier spécimen de sous-marin français, le *Gymnote* (1887).

Zedillo (Ernesto) (Mexico, 1951), homme politique mexicain ; il est élu président de la Rép. en 1994.

zée n. m. ICHTYOL Syn. de *saint-pierre.*

Zeebrugge, port de Belgique (Flandre-Occidentale, com. de Bruges), sur la mer du Nord. Terminal du service de ferry-boats. – Base de sous-marins allemands au cours de la Première Guerre mondiale.

Zeeman (Pieter) (Zonnemaire, Zélande, 1865 – Amsterdam, 1943), physicien néerlandais. Il découvrit (1896) la décomposition des raies spectrales émises par les atomes sous l'action d'un champ magnétique *(effet Zeeman)* et étudia la propagation de la lumière dans les milieux en mouvement. P. Nobel 1902 (avec H. A. Lorentz).

zef n. m. Arg. ou fam. Vent.

Zehrfuss (Bernard) (Angers, 1911), architecte français. Il est l'un des auteurs du siège de l'Unesco* à Paris, et du CNIT à la Défense*.

zéine n. f. BIOCHIM Protéine contenue dans le grain de maïs.

Zeiss (Carl) (Weimar, 1816 – Iéna, 1888), opticien allemand ; créateur d'ateliers d'optique.

Zeist, ville des Pays-Bas (prov. d'Utrecht) ; 59 730 hab. Industr. métallurgiques, chimiques et alimentaires.

zèbre de Grévy

Zélande (en néerl. *Zeeland*), prov. du S.-O. des Pays-Bas ; 1 790 km^2 ; 355 780 hab. ; ch.-l. *Middelburg ;* v. princ. *Flessingue.* Céréales, plantes industrielles et fourragères ; horticulture ; fruits. Élevage. À un niveau plus bas que celui de la mer, la Zélande est protégée par plus de 400 km de digues ; le *plan Delta* (élaboré après le raz de marée de 1953) se donna pour objectifs la protection des terres basses, la constitution de réserves d'eau douce, le gain de surfaces cultivables. De nombr. îles flanquent ce territoire continental.

zélateur, trice n. Litt. Partisan ardent, zélé. *Les zélateurs du libéralisme.*

zèle n. m. **1.** Ardeur religieuse, dévotion. **2.** Empressement, application pleine d'ardeur pour effectuer un travail, pour satisfaire qqn. *Montrer, déployer un grand zèle. Excès de zèle.* ▷ Loc. Péjor. *Faire du zèle :* faire par affectation plus qu'il n'est demandé. ▷ Loc. *Grève du zèle,* consistant à appliquer à la lettre les consignes de travail pour ralentir une activité.

zélé, ée adj. Qui a, qui déploie du zèle. *Fonctionnaire zélé.*

Zelentchouk, local. du Caucase près de laquelle se trouve un télescope dont le miroir principal est le plus grand du monde (6 m de diamètre).

Zellidja, local. du Maroc, au S. d'Oujda. Gisements de plomb. – La société minière française a fondé les *bourses Zellidja,* destinées à encourager les voyages des adolescents (V. Walter [Jean]).

zélote n. HIST Membre d'une secte patriotique juive qui, au Ier s. apr. J.-C., s'opposa par les armes à Titus.

Zeman (Karel) (Ostroměř, Moravie, 1910 – Gottwaldov, auj. Zlín, 1989), cinéaste d'animation tchécoslovaque : *Rêve de Noël* (1945), *Monsieur Prokouk* (série, 1947-1948), *Aventures fantastiques* (d'après Jules Verne, 1958), *le Baron de Crac* (1961).

Zemlinski (Alexander von) (Vienne, 1871 – New York, 1942), compositeur et chef d'orchestre autrichien. Professeur et beau-frère de Schönberg, chef d'orchestre à l'Opéra de Vienne et à Berlin, directeur de l'Opéra de Prague, il eut une influence considérable comme interprète des musiques de son temps. Il a laissé des œuvres pour orchestre (*Symphonie lyrique*, 1923) et des opéras (*Eine florentinische Tragödie*, 1916; *Der Kreidekreis*, 1933), ainsi que des lieder et de la musique de chambre.

zemstvo [zɛmstvo] n. m. HIST Dans la Russie tsariste, assemblée provinciale dans laquelle toutes les classes étaient représentées. *Créés en 1864, les zemstvos contribuèrent à la modernisation de la Russie.*

zen [zɛn] n. m. et adj. inv. Nom d'un mouvement bouddhiste apparu au Japon à la fin du XIIe s., dont la doctrine s'inspire directement du bouddhisme de la secte chinoise *chan*, lui-même issu du mode de pensée et de méditation indien connu sous le nom de *d(h)yana*. ▷ adj. inv. Du zen; qui a rapport au zen. *Les jardins zen.*
ENCYCL L'adepte du zen rejette les spéculations métaphysiques pour s'adonner à une quête spirituelle dont l'expérience de l'illumination intérieure *(satori)* est l'ultime étape. Cette quête n'est cependant pas une mystique passive : elle est fondée sur une ascèse corporelle et mentale nécessitant un difficile apprentissage (diversement conçu suivant les écoles). L'idéal zen, qui exerça une influence profonde au Japon (surtout aux XIVe et XVe s.), a ses maîtres en peinture, dans le tir à l'arc, l'arrangement des bouquets *(ikebana)*, l'architecture de jardins et la cérémonie du thé *(cha-no-yu)*.

zénana n. m. ou f. **1.** Didac. Gynécée, chez les musulmans de l'Inde. **2.** Étoffe cloquée de soie ou de coton utilisée pour la confection des vêtements d'intérieur.

Zend-Avesta. V. Avesta.

Zénètes ou **Zenāta** *(Zanāta)*, populations berbères d'Afrique du Nord vivant princ. dans l'Aurès et le Maroc oriental.

zénith n. m. **1.** Point où la verticale d'un lieu rencontre la sphère céleste, au-dessus de l'horizon (par oppos. à *nadir*). **2.** Fig. Plus haut degré, point culminant. *Le zénith de la gloire.* Syn. apogée.

zénithal, ale, aux adj. ASTRO Relatif au zénith. ▷ *Distance zénithale :* angle formé par la direction d'un astre avec celle du zénith.

Zénobie (forme latinisée de l'araméen *Bathzabbai*) (m. à Tibur, auj. Tivoli, après 274 apr. J.-C.), reine de Palmyre (266 ou 267-272). Autoritaire, habile, elle soumit la Syrie, l'Égypte, l'Asie Mineure (à l'exception de la Bithynie) et fit de Palmyre le foyer culturel le plus brillant de l'Orient. Vaincue par Aurélien, elle orna le triomphe de celui-ci à Rome (273) et finit sa vie à Tibur.

Zénon d'Élée (né à Élée entre 490 et 485 av. J.-C.), philosophe grec, disciple de Parménide (V. éléate). Voulant prouver l'impossibilité du mouvement et de la pluralité, il avança des paradoxes célèbres, dont les plus connus sont celui de la flèche qui, lancée, ne peut franchir la distance qui la sépare de son but, et celui d'Achille qui ne parvient pas à rattraper une tortue à la course.

Zénon de Cittium ou **de Cition** (v. 335 - v. 264 av. J.-C.), philosophe grec. Il fonda à Athènes (v. 301) l'école des stoïciens.

Zénon (v. 426 - 491), empereur d'Orient (474-491). Il détourna les Ostrogoths sur l'Italie (488).

zéolite ou **zéolithe** n. f. MINER Silicate hydraté à cristaux poreux présent dans certaines roches volcaniques et utilisé dans l'industrie comme absorbant, catalyseur, etc.

Z.E.P. n. f. Abrév. de *zone d'éducation prioritaire.*

zéphyr n. m. **1.** Poét. Vent tiède et léger. **2.** Fine toile de coton.

zéphyrien, enne adj. Litt. Léger, doux comme le zéphyr.

zeppelin [zeplɛ̃] n. m. HIST Grand ballon dirigeable à carcasse métallique qui emportait des passagers. *Les zeppelins assurèrent la traversée aérienne de l'Atlantique de 1928 à 1937.*

Zeppelin (Ferdinand, comte von) (Constance, 1838 - Berlin, 1917), industriel allemand; constructeur de dirigeables.

Zeravchan (chaîne du), chaîne de montagnes de l'Asie moyenne (au N.-O. du Tadjikistan), où naît le *fleuve Zeravchan* (750 km env.), qui arrose Samarkand et Boukhara.

Zermatt, com. de Suisse (Valais), au pied du Cervin; 3 550 hab. Tourisme et sports d'hiver (1 620-3 407 m).

Zermelo (Ernst) (Berlin, 1871 - Fribourg, 1953), mathématicien allemand. Connu pour ses travaux sur la théorie des ensembles, il formula plusieurs axiomes, dont le plus célèbre est l'*axiome du choix.*

Zernike (Frederik) (Amsterdam, 1888 - Groningue, 1966), physicien néerlandais. Il inventa en 1938 la méthode de microscopie par «contraste de phase». P. Nobel 1953.

zéro n. m. (et adj.) **1.** Symbole numéral, noté 0, n'ayant pas de valeur en lui-même, mais qui placé à la droite d'un nombre le multiplie par la valeur de la base (10 dans le système décimal). ▷ Nombre entier naturel cardinal de l'ensemble qui ne possède aucun élément (ensemble vide noté Ø). *Dans tout groupe abélien, zéro est l'élément neutre de l'addition* (x + 0 = x). **2.** Valeur, quantité nulle. *Sa fortune est réduite à zéro.* ▷ Fam. *Avoir le moral à zéro :* avoir très mauvais moral. - *Avoir la boule à zéro :* être tondu. ▷ adj. num. cardinal. Aucun. *Faire zéro faute.* **3.** Point à partir duquel on compte, on mesure, on évalue une grandeur. *Altitude zéro.* ▷ PHYS *Zéro degré Celsius* (0 °C) : origine de l'échelle Celsius des températures, correspondant au point de fusion de la glace sous une pression normale. *Zéro absolu :* valeur la plus basse des températures absolues (ou thermodynamiques), égale à −273,15 °C, soit 0 K. V. encycl. température. **4.** Chiffre le plus bas dans une cotation, correspondant à une valeur nulle. *Zéro de conduite.* - *Zéro pointé*, note éliminatoire; *par ext.* blâme très sévère. **5.** Fig. Personne nulle, sans valeur. *C'est un raté, un zéro!* **6.** Loc. *Degré zéro de :* niveau le plus bas de.

Zeroual (Liamine) (Batna, 1941), homme politique algérien, président de la République depuis 1994, élu au suffrage universel en nov. 1995. Il démissionne brusquement en septembre 1998.

zeste n. m. **1.** Écorce extérieure des agrumes; morceau de cette écorce. *Vermouth servi avec un zeste de citron.* **2.** Fig. Petite quantité, faible dose. *Un zeste d'alcool. Un zeste d'accent.*

zester v. tr. [**1**] CUIS Peler en séparant le zeste. *Zester une orange, un citron.*

zêta n. m. Sixième lettre de l'alphabet grec (Z, ζ) prononcée [dz].

zétacisme n. m. LING Transformation du son [s] en [z].

zététique 1. n. f. Méthode philosophique fondée sur le doute et la vérification des informations. **2.** n. m. pl. PHILO *Les zététiques :* les philosophes sceptiques.

Zetkin (Clara Eisner, Mme Ossip Zetkin) (Wiederau, Saxe, 1857 - près de Moscou, 1933), révolutionnaire allemande; cofondatrice du parti communiste allemand.

Zetland. V. Shetland (îles).

zeugma ou **zeugme** n. m. RHET Figure consistant à ne pas répéter un mot ou un groupe de mots exprimé dans une proposition immédiatement voisine (ex. : *« Un précepte est aride, il le faut embellir; ennuyeux, l'égayer; vulgaire, l'ennoblir »* [Delille]).

Zeus, avatar du dieu du ciel indo-européen, dieu suprême de la Grèce antique, fils de Cronos et de Rhéa. C'est le dieu de la Voûte lumineuse du ciel, des Précipitations atmosphériques, de la Foudre, dont l'empire s'étend sur la société des dieux de l'Olympe, comme sur celle des hommes, qu'il commande; il est aussi le dieu justicier et «bienveillant». Il a pour femme légitime Héra. Les légendes ont multiplié ses amours et ses unions (parfois sous des formes d'emprunt, humaines ou animales) avec des déesses ou des mortelles. Les Romains l'ont assimilé à Jupiter. La foudre est son emblème.

Zeus brandissant la foudre (détail du décor peint d'un lécythe), époque classique; cabinet des Médailles, B.N.

zeuzère n. f. Papillon de nuit dont la chenille creuse de profondes galeries dans le tronc des arbres.

Zévaco (Michel) (Ajaccio, 1860 - Eaubonne, Seine-et-Oise, 1918), écrivain français; auteur de romans de cape et d'épée : *le Capitan* (1907), *les Pardaillan* (1907), *Triboulet* (1910), *Buridan* (1911).

zézaiement [zezɛmɑ̃] n. m. Vice de prononciation de celui qui zézaye.

zézayer v. intr. [**21**] Prononcer le son [s] comme étant [z], le son [ʃ] comme [s] ou le son [ʒ] comme [z]. Syn. fam. zozoter.

Zhangjiakou (anc. *Kalgan*), v. de Chine (Hebei); 617 120 hab. Industr. textiles.

Zhang Yimou (Xi'an, Shanxi, 1951), cinéaste chinois, auteur d'*Épouses et concubines* (1991), *Qui Ju, une femme chinoise* (1992).

Zhao Ziyang (district de Huaxian, Henan, 1919), homme politique chinois. Membre du parti communiste depuis 1938, ami de Deng Xiaoping, il dut s'effacer pendant la révolution culturelle. Réhabilité en 1971, il entra au bureau politique en 1979 et remplaça Hua Guofeng comme Premier ministre (1980-1987).

Zhejiang, prov. de Chine, sur la mer de Chine orientale; 101 800 km^2; env. 40 300 000 hab.; ch.-l. *Hangzhou*. – Cette région de collines (au S.) et de plaines (au N.), au climat chaud et humide, est vouée à l'agriculture (riz, thé, mûrier), à l'élevage et à la pêche.

Zhengzhou, v. de Chine, sur le Huanghe; 1 404 050 hab. (aggl. urb. 1 942 970 hab.); ch.-l. du Henan. Textile, constr. mécaniques.

Zhou ou **Tcheou,** dynastie royale chinoise qui régna du XIe s. à 221 av. J.-C., période pendant laquelle la féodalité atteignit son apogée (époque des Royaumes combattants).

Zhou Enlai ou **Chou En-lai** (Huaiyin, Jiangxi, 1898 – Pékin, 1976), homme politique et général chinois. Après des études commencées en Chine et poursuivies au Japon et en Europe, il adhéra au parti communiste. Il organisa l'armée de la première Rép. sov. chinoise (1931), puis participa à la Longue Marche (1934). Il joua un rôle essentiel dans les négociations entre le Guomindang et le parti communiste chinois (1936-1946). Premier ministre et ministre des Affaires étrangères (1949-1958), président du Conseil (1958-1976), il œuvra en faveur de la solidarité afro-asiatique et amorça la polit. de détente avec les É.-U. Face à la stratégie révolutionnaire de Mao Zedong (dont il avait toute la confiance), il incarna la stabilité de l'État populaire.

Zhou Enlai

Zhoukoudian ou **Chou-kou-tien,** site archéol. au S.-O. de Pékin, où des fouilles (1920 à 1937) ont livré les restes osseux d'*Homo erectus pekinensis* (sinanthrope). Ce site aurait entre 250 000 et 500 000 ans.

Zhuangzi ou **Tchouang-tseu** (IVe-IIIe s. av. J.-C.), philosophe taoïste chinois. Son livre, le *Zhuangzi*, atteint à une grande perfection littéraire.

Zhu De ou **Chou Teh** (Manshang, Sichuan, 1886 – Pékin, 1976), homme polit. et maréchal chinois (1955). Il contribua à organiser l'armée communiste, qu'il commanda (1931). Il lutta avec succès contre Tchang Kaï-chek, puis, avec lui (1937-1941), contre les Japonais avant de mener une stratégie autonome et de se retourner (1946) contre le Guomindang jusqu'à la victoire finale (1949).

Zhu Rongji (Changsha, Hunan, 1928), ingénieur et homme politique chinois, Premier ministre depuis 1998.

Zhu Xi ou **Tchou Hi** (1130 – 1200), philosophe confucéen chinois. Sa théorie de la division du monde en deux principes antagonistes et complémentaires, le *Li* (principe positif incorporel) et le *Qi* (principe négatif corporel), structure le néo-confucianisme.

Z.I. Sigle de *zone industrielle*.

Zia ul-Haq (Mohammad) (Jullundur, 1924 – dans un accident d'avion, 1988), général et homme politique pakistanais. En 1977, il dirigea un coup d'État contre Ali Bhutto, et fut président de la République de 1978 à 1988. Il fit adopter par référendum, en 1984, l'islamisation du régime. Ferme soutien de la résistance afghane, il imposa son pouvoir autoritaire jusqu'à sa mort.

Zīban (monts des). V. Zab (monts du).

zibeline n. f. Mammifère carnivore, mustélidé forestier de Sibérie et du Japon, long d'une cinquantaine de centimètres, au pelage noir ou brun très estimé. – Fourrure de cet animal. *Toque de zibeline.*

zibeline

Zibo, v. de Chine, prov. de Shandong; 2 280 000 hab. – Houillères et mines de fer. Centre industriel.

Zidane (Zinedine) (Marseille, 1972), footballeur français. Champion du monde avec l'équipe de France en 1998.

zidovudine n. f. Autre nom de l'A.Z.T.

Ziegler (Karl) (Helsa, près de Kassel, 1898 – Mülheim an der Ruhr, 1973), chimiste allemand; travaux sur les polymères. P. Nobel 1963.

Zielona Góra (en all. *Grünberg*), v. de Pologne (Silésie); 109 500 hab.; ch.-l. de voïévodie. Centre industriel.

zieuter ou **zyeuter** v. intr. et tr. [**1**] Fam. Regarder avec insistance.

ZIF n. f. URBAN Acronyme pour *zone d'intervention foncière*. V. zone.

zig ou **zigue** n. m. Fam. Individu, type.

ziggourat [ziguʀat] n. f. ARCHEOL Tour à étages élevée en Mésopotamie auprès du temple d'un grand dieu et qui servait probablement de reposoir.

zigoto ou **zigoteau** [zigɔto] n. m. Fam. Zig. ▷ *Faire le zigoto* : faire le malin.

zigouiller v. tr. [**1**] Fam. Tuer.

Ziguinchor, v. et port du Sénégal, sur l'estuaire de la Casamance; 105 250 hab.; ch.-l. de la région du m. nom. Huilerie.

zigzag n. m. **1.** Suite de lignes formant entre elles des angles alternativement saillants et rentrants; ligne brisée. *Chemin en zigzag.* **2.** Fig. Évolution tortueuse de qqn, d'une situation.

zigzagant, ante adj. Qui zigzague.

zigzaguer v. intr. [**1**] Décrire des zigzags. *La route zigzague.*

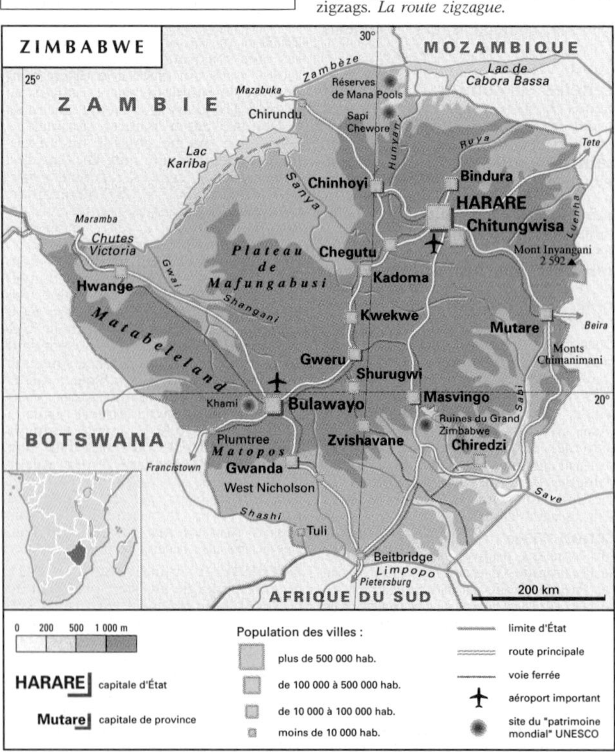

Zimbabwe, site archéologique du Zimbabwe, non loin de Fort Victoria, considéré comme une des capitales du Monomotapa. Cette « ville morte » (IXe-XVe s.) comprend plusieurs groupes d'édifices dont les murs, élevés sans fondations, sont constitués de pierres sèches.

Zimbabwe (république du) (anc. *Rhodésie*), État de l'Afrique australe, limitrophe de la Zambie, du Mozambique, de la république d'Afrique du Sud et du Botswana; 390 308 km^2; 8 690 000 hab., croissance démographique : plus de 3 % par an; cap. *Harare*. Nature de l'État : rép. parlementaire. Pop. : Noirs (96 %), Blancs (2 %). Langues : anglais (langue off.), shona (71 %). Monnaie : dollar zimbabwéen. Relig. : christianisme, animisme.
Géogr. phys., hum. et écon. – Formé d'un ensemble de plateaux cristallins relevés à l'E., le Zimbabwe a un climat tropical qui favorise la croissance d'une forêt claire, souvent dégradée en savane boisée. La population est rurale à 75 %. En dépit de son déclin économique et politique, la minorité blanche contrôle encore largement l'agriculture de plantation, développée sur de bonnes terres et qui exporte tabac, coton, maïs et sucre; les Noirs pratiquent, pour l'essentiel, une agriculture vivrière sur des exploitations exiguës. Le pays dispose de ressources hydroélectriques (barrage de Kariba) et de bases industrielles (régions d'Harare et de Kwe Kwe) mais les ressources minières sont sa principale richesse et assurent la majorité des recettes à l'exportation : or, amiante, nickel. L'Afrique du S. reste son partenaire économique privilégié, devant le Royaume-Uni.
Hist. – Lieu d'épanouissement du royaume du Monomotapa (XIIe-XVIIe s.), les territoires qui constituèrent la Rhodésie du Nord et la Rhodésie du Sud furent administrés par la British South Africa Chartered Company (que fonda Cecil Rhodes en 1889) jusqu'en 1923. À cette date, la Rhodésie du Sud, où se concentraient les Blancs, fut dotée d'une Constitution; la Rhodésie du Nord devint colonie de la Couronne l'année suivante. En 1953, les deux Rhodésies furent réunies par le gouvernement britannique, qui leur adjoignit le Nyassaland (le Malawi actuel), pour former une éphémère Fédération d'Afrique centrale. En effet, en 1964, le Malawi devint indépendant, ainsi que la Zambie (anc. Rhodésie du Nord). En nov. 1965, Ian Smith, Premier ministre et leader du Front national, proclama unilatéralement l'indépendance de la Rhodésie (autref. du Sud), que la G.-B. refusa de reconnaître, en raison de la politique ségrégationniste pratiquée par la minorité blanche. L'ONU fit décider diverses sanctions, notam. un embargo écon. La république fut proclamée en mars 1970. L'obstination de Ian Smith lui permit de faire admettre la Rhodésie « blanche » à divers États occidentaux et même d'Afrique noire, les mouvements nationalistes étant très divisés. La rébellion s'organisa néanmoins assez fortement après 1972 pour faire céder Ian Smith. Le référendum du 30 janv. 1979 aboutit à l'établissement d'un nouveau gouvernement présidé par Mgr Muzorewa, un nationaliste modéré. Après la signature d'un cessez-le-feu, les élections de fév. 1980 virent le triomphe des leaders radicaux Robert Mugabe et Joshua Nkomo, qui proclamèrent, le 18 avril, l'indépendance du Zimbabwe, multiracial et dont la capitale, Salisbury, a pris le nom de Harare (1982). Premier ministre de 1980 à 1987, R. Mugabe a été élu président de la République en 1987. La fusion des partis Zapu et Zanu en 1988 donne la vice-présidence du nouveau parti à J. Nkomo. Ce dernier est nommé vice-président de l'État en 1990. Malgré la proximité de l'Afrique du Sud et les difficultés économiques liées au sous-développement, Robert Mugabe, réélu en 1996, doit faire face à une grave crise sociale. En 1998, il nationalise la moitié des terres des fermiers blancs.

zimbabwéen, enne adj. et n. Du Zimbabwe. ▷ Subst. *Un(e) Zimbabwéen(ne).*

Zimmermann (Dominikus) (Gaispoint bei Wessobrunn, 1685 – Wies, 1766), architecte allemand; un des principaux représentants du baroque bavarois du XVIIIe s. : égl. de Steinhausen, égl. de Wies.

Zimmermann (Bernd Alois) (Bliesheim, près de Cologne, 1918 – Königsdorf, 1970), compositeur allemand. Privilégiant l'expressivité, il composa aussi bien de la musique sérielle (*Concerto pour hautbois*, 1952) que du jazz. À partir de 1960, dans sa période « pluraliste », il superposa des styles historiques différents : *Die Soldaten* (opéra inspiré de l'œuvre de J.M.B. Lenz, 1965), *Concerto pour violoncelle et orchestre en forme de pas de trois* (1966).

zinc n. m. **1.** Élément métallique de numéro atomique Z = 30 et de masse atomique 65,38 (symbole Zn). – Métal (Zn) de densité 7,14, qui fond à 419,6 °C et bout à 907 °C. **2.** Fam. Comptoir d'un débit de boissons. *Boire un coup sur le zinc.* – *Par ext.* Petit café, bistro. **3.** Fam. Avion.
ENCYCL Le zinc est un métal très réducteur, qui s'oxyde à l'air humide en se recouvrant d'une couche protectrice; il est utilisé notam. pour la confection de toitures, de gouttières et pour la protection du fer par galvanisation.

zincographie n. f. TECH Procédé de gravure, d'impression analogue à celui de la lithographie mais où les pierres lithographiques sont remplacées par des plaques de zinc.

zingage ou **zincage** n. m. **1.** TECH Opération consistant à couvrir une surface métallique d'une couche protectrice de zinc. **2.** METALL Traitement des plombs argentifères destiné à en réduire la teneur en zinc.

zingaro [dzingaʀo], plur. **zingari** [dzingaʀi] n. m. Vx Bohémien, tsigane.

zingibéracées n. f. pl. BOT Famille de monocotylédones des régions tropicales, comprenant de nombreuses plantes à épices (curcuma, gingembre, etc.). – Sing. *Une zingibéracée.*

zinguer v. tr. [1] **1.** CONSTR Revêtir de zinc. **2.** TECH Procéder au zingage de.

zingueur n. m. TECH, CONSTR Ouvrier spécialisé dans le travail du zinc, partic. dans les travaux de couverture en zinc. – (En appos.) *Plombier zingueur.*

zinjanthrope n. m. PREHIST Homme fossile, du groupe des australopithèques, découvert en 1959 dans les gorges d'Olduvai, en Tanzanie, par L.S.B. Leakey.

Zinnemann (Fred) (Vienne, 1907 – Londres, 1997), cinéaste américain d'origine autrichienne : *Le train sifflera trois fois* (1952), *Tant qu'il y aura des hommes* (1953, sept oscars), *Un homme pour l'éternité* (1966), *Julia* (1977).

zinnia n. m. Plante herbacée annuelle originaire du Mexique (fam. composées), aux nombreuses variétés ornementales.

Zinoviev (Grigori Ievseïevitch Radomylski, dit) (Ielisavetgrad, auj. Kirovograd, 1883 – ?, 1936), homme politique soviétique. Bolchevik dès 1903, il joua un rôle important dans la révolution soviétique. Président du Komintern (1919-1927), il forma une première « troïka » en 1924, contre Trotski, avec Kamenev et Staline, puis s'opposa à ce dernier en 1926 en s'alliant à Kamenev et à Trotski dans l'« opposition unifiée ». Exclu du parti communiste en 1927, réintégré après qu'il eut fait son autocritique, Zinoviev fut condamné lors d'un des procès de Moscou et exécuté. Il fut réhabilité en 1988.

Zinoviev (Alexandr Aleksandrovitch) (Pakhtino, près de Kostroma, 1922), écrivain et philosophe soviétique dissident. Ses écrits ont pour objet l'étude du monde soviétique et du « phénomène totalitaire » : *l'Avenir radieux* (1977), *Homo Sovieticus* (1983), *Katastroïka* (1990).

Zinzendorf (Nikolaus Ludwig, comte von) (Dresde, 1700 – Herrnhut, 1760), chef spirituel de la communauté de Herrnhut (Saxe), qui restaura l'Église des Frères moraves (V. morave).

1. zinzin adj. et n. m. Fam. **1.** adj. inv. Bizarre, un peu fou. Syn. toqué. **2.** n. m. Objet, dispositif quelconque. *À quoi ça sert, ces zinzins ?*

2. zinzin n. m. Fam. Investisseur* institutionnel.

zinzolin, ine n. m. (et adj.) Vx ou litt. Couleur rouge violacé, tirée du sésame. ▷ adj. *Étoffes zinzolines.*

zip n. m. (Nom déposé.) Fermeture à glissière.

zippé, ée adj. Fermé par une fermeture à glissière. *Robe zippée sur le devant.*

zircon n. m. MINER Silicate naturel de zirconium ($ZrSiO_4$), très dur, employé en joaillerie.

zirconium [ziʀkɔnjɔm] n. m. CHIM Élément métallique de numéro atomique Z = 40 et de masse atomique 91,22 (symbole Zr). – Métal (Zr) qui fond à 1 850 °C et bout vers 4 380 °C, et présente des analogies avec le titane.

Zirides, dynastie berbère de la fin du Xe s. fondée par Yusuf Bulukkin ibn Ziri et qui régna brillamment sur la Tunisie et l'E. de l'Algérie (cap. *Kairouan*) jusqu'au milieu du XIIe s. Rejetant l'autorité des Fātimides, les Zirides en furent punis par l'invasion des Hilāliens v. 1050. La dynastie disparut après l'invasion des Almohades.

zinnia : deux espèces de zinnia élégant

Živkov ou **Jivkov** (Todor) (Pravec, 1911 – Sofia, 1998), homme politique bulgare. Premier secrétaire du parti communiste (1954), président du Conseil (1962-1971), chef de l'État de 1971 à 1989.

zizanie n. f. **1.** Vx Ivraie. ▷ Mod., fig. Discorde, désunion, mésintelligence. *Semer la zizanie.* **2.** BOT Plante herbacée (fam. graminées) proche du riz, dont certaines espèces sont cultivées en Asie et en Amérique. Syn. riz sauvage.

1. zizi n. m. Bruant européen *(Emberiza cirlus)* au plumage noir et jaune.

2. zizi n. m. Fam. (Langage enfantin, partic.) Pénis.

Zizim. V. Djem.

Žižka (Jan) (Trocnov, Bohême, v. 1360 ou 1370 – près de Přibyslav, 1424), patriote tchèque. Il commanda les hussites après la mort de J. Hus (1415) et suscita la révolte de Prague de 1419.

Zlatooust ou **Zlatoust,** v. de Russie, dans l'Oural; 204 000 hab. Métallurgie.

Zlín (*Gottwaldov,* de 1948 à 1990), v. de la Rép. tchèque (Moravie); 84 300 hab. Centre de l'industr. de la chaussure.

zloty n. m. Unité monétaire de la Pologne.

Zn CHIM Symbole du zinc.

zo(o)-, -zoaire. Éléments, du gr. *zôon,* « être vivant, animal ».

zoanthropie n. f. PSYCHIAT Affection mentale dans laquelle le sujet se croit changé en animal.

zodiac n. m. (Nom déposé.) Type de canot pneumatique.

zodiacal, ale, aux adj. ASTRO Qui appartient au zodiaque. – *Lumière zodiacale :* faible lueur que l'on peut voir à l'est avant le lever du Soleil et à l'ouest après son coucher, due à la diffusion de la lumière solaire sur un nuage de poussières interplanétaires en forme de lentille autour du Soleil.

zodiaque n. m. **1.** ASTRO Bande de la sphère céleste à l'intérieur de laquelle s'effectuent les mouvements apparents du Soleil, de la Lune et des planètes à l'exception de Pluton. **2.** ASTROL *Signes du zodiaque :* V. encycl. ci-après.

ENCYCL **Astrol.** – Le zodiaque est partagé en douze parties égales, de 30° chacune, appelées *signes,* les dates correspondantes pouvant varier légèrement selon l'année (celles qui sont données à chaque signe sont des dates moyennes); le début du premier signe correspond au point gamma, c.-à-d. à la position du Soleil sur l'écliptique à l'équinoxe de printemps. On a donné à chacun des signes les noms des constellations qui s'y trouvaient autrefois : Bélier, Taureau, Gémeaux, Cancer, Lion, Vierge, Balance, Scorpion, Sagittaire, Capricorne, Verseau et Poissons. En effet, la précession* des équinoxes a modifié la position de ces constellations dans le ciel; ainsi la constellation du Cancer se trouve auj. dans le signe du Lion.

représentation des signes du **zodiaque,** illustration d'un traité d'astrologie, manuscrit du XIIIe s.; bibliothèque Marciana, Venise

zoé n. f. ZOOL Forme larvaire de certains crustacés décapodes.

Zog Ier (Ahmed Zogu ou Zogou) (Burgajet, 1895 – Suresnes, 1961), roi d'Albanie. Premier ministre (1922), puis président de la République (1924), il se fit proclamer roi en 1928. Il s'exila après l'invasion italienne (1939).

Zohar (le « livre des Splendeurs »), ouvrage cabalistique d'exégèse biblique écrit au XIIIe s.

zoïle n. m. Litt., vieilli Critique jaloux.

Zoïle (en gr. *Zoilos*) (IVe s. av. J.-C.), sophiste grec; célèbre par ses critiques sévères des œuvres d'Homère.

-zoïque. Élément, du gr. *zôikos,* « propre aux animaux ».

Zola (Émile) (Paris, 1840 – id., 1902), romancier français. Né d'un père d'origine italienne et d'une mère française, il vécut une grande partie de sa jeunesse à Aix-en-Provence, acheva ses études secondaires à Paris et, de 1862 à 1866, fut employé à la librairie Hachette au service des relations avec la presse. En 1867 paraît *Thérèse Raquin,* roman dont la préface, de sa plume, est un véritable manifeste du naturalisme, qu'il définira plus complètement par la suite, partic. dans *le Roman expérimental* (1880). Enquêtant sur le terrain et s'appuyant sur des théories scientifiques (par ex., les lois de l'hérédité) pour imaginer et expliquer le comportement de ses personnages, il entreprit en 1869 la rédaction du premier des 20 romans qui composent la série des *Rougon-Macquart, histoire naturelle et sociale d'une famille sous le Second Empire;* parmi les titres de ce roman-fleuve « représentant le débordement des appétits et le soulèvement de notre âge qui se rue aux jouissances », citons notam. : *la Fortune des Rougon* (1871), *la Faute de l'abbé Mouret* (1875), *l'Assommoir* (1877), *Une page d'amour* (1878), *Nana* (1880), *Pot-Bouille* (1882), *Au bonheur des dames* (1883), *Germinal* (1885), *l'Œuvre* (1886), *la Terre* (1887), *le Rêve* (1888), *la Bête humaine* (1890), *la Débâcle* (1892), *le Docteur Pascal* (1893). Chez Zola, à qui ses contemporains reprochèrent une forme peu « académique », voire ordurière, ainsi que ses tendances socialisantes, l'observation réaliste du milieu social se double d'une vision épique symbolique, qui évoque le conflit entre les forces génératrices de vie et de mort. Zola fut violemment attaqué par les nationalistes lorsqu'il dénonça avec véhémence les irrégularités du procès de Dreyfus (*J'accuse,* article publié dans *l'Aurore* du 13 janv. 1898). Poursuivi en justice, condamné (prison et forte amende), il se réfugia en Angleterre (1898). Il mourut asphyxié, trois ans après son retour d'exil (1899).

Zöllner (Friedrich) (Berlin, 1834 – Leipzig, 1882), astronome allemand; auteur du premier catalogue de photométrie des étoiles.

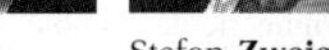
Émile **Zola** Stefan **Zweig**

Zollverein (Deutscher), association douanière des États de la Confédération germanique (amorcée en 1828, entrée en vigueur en 1834). Elle facilita le développement du commerce et de l'influence prussienne en Allemagne, préparant l'unité allemande.

Zomba, v. du Malawi, dans le S. du pays; 20 000 hab.; ch.-l. du distr. du m. nom. – Anc. cap. du Malawi, remplacée par Lilongwe en 1975.

zombi ou **zombie** n. m. Revenant, le plus souvent mal intentionné, selon certaines croyances vaudou des Antilles. ▷ Fig. Personne molle, sans volonté.

zona n. m. MED Affection due à un virus identique à celui de la varicelle, se traduisant par une éruption de vésicules cutanées sur le trajet d'un nerf (le plus souvent sur le tronc). ▷ *Zona ophtalmique :* zona touchant l'œil, aux séquelles oculaires souvent très graves.

zonage n. m. URBAN Découpage d'un plan d'urbanisme en zones (rurales, d'activités industrielles, etc.) pour lesquelles la nature et les conditions de l'utilisation du sol sont réglementées.

zonal, ale, aux adj. **1.** GEOGR, METEO Relatif à une zone du globe terrestre. **2.** ZOOL Qui possède des bandes transversales colorées.

zonard, arde n. et adj. Fam. **1.** Syn. de *zonier* (sens 1). **2.** Péjor. Jeune marginal, jeune délinquant.

zonation n. f. GEOGR Découpage (du globe terrestre) en zones (thermiques, pluviométriques, climatiques, etc.).

zone n. f. **1.** Étendue déterminée de terrain, portion de territoire. *Zone interdite. Zone militaire.* ▷ *Zone monétaire :* ensemble de pays définissant leur monnaie par rapport à celle d'un pays central. *Zone franc :* zone monétaire formée autour du franc français, créée en 1945. – COMM *Zone douanière,* soumise aux droits de douane, par oppos. à *zone franche,* où ces droits sont réduits pour certaines denrées. ▷ URBAN Ensemble de terrains à utilisation spécifique et réglementée. – Loc. *Zone à aménagement différé (ZAD). La zone à urbaniser en priorité (ZUP) a été supplantée en 1975 par la zone d'aménagement concerté (ZAC). Zone d'intervention foncière (ZIF),* créée autour d'une commune et dans laquelle celle-ci peut intervenir pour acquérir les sols. ▷ *Zone d'éducation prioritaire (ZEP) :* quartier ou région rurale défavorisés, où l'État accorde des moyens supplémentaires pour renforcer l'action éducative et combattre l'échec scolaire. **2.** Fig. Domaine, région. *Les zones du savoir aux confins de la chimie et de la physique.* ▷ *Zone d'influence,* où s'exerce l'influence politique d'un État. ▷ Loc. *De seconde zone :* de qualité inférieure, médiocre. **3.** Absol., péjor. *La zone :* les faubourgs qui s'étendaient au-delà des anciennes fortifications de Paris (zones militaires fortifiées); *par ext.* faubourgs, quartiers misérables. **4.**

GEOM Surface délimitée sur une sphère par deux plans parallèles coupant cette sphère. **5.** GEOGR Chacune des cinq grandes divisions du globe terrestre déterminées par les cercles polaires et les tropiques et caractérisées par un climat particulier. *Les zones polaires, les zones tempérées, la zone tropicale.* – ASTRO Chacune des parties du ciel correspondant aux zones terrestres.

zoner v. [1] **I.** v. tr. URBAN Effectuer le zonage de. **II.** v. intr. Arg., fam. **1.** Crécher. **2.** Mener une vie de zonard (sens 2). ▷ *Par ext.* Se baguenauder, flâner.

Zonguldak, v. de Turquie, sur la mer Noire; 94 820 hab.; ch.-l. de l'il du m. nom. Houille; cokerie; sidérurgie.

zonier, ère n. **1.** Personne qui habite la zone (sens 3). **2.** Habitant d'une zone frontière.

zoo [zoo; zo] n. m. Parc, jardin zoologique. *Le zoo de Vincennes.*

zoo-. V. zo(o)-.

zooflagellés [zɔɔflaʒɛlle] n. m. pl. ZOOL Classe de protozoaires rhizoflagellés. (Munis de flagelles pendant leur période végétative, ils mènent une existence libre, symbiotique ou parasite.) – Sing. *Un zooflagellé.*

zoogamète n. m. BIOL Gamète mobile muni d'un ou de plusieurs flagelles.

zoogène adj. Didac. Qui est d'origine animale. *Un minéral zoogène.*

zoogéographie n. f. Didac. Étude de la répartition des espèces animales à la surface de la Terre.

zoolâtre adj. et n. Didac. Adorateur d'animaux divinisés.

zoolâtrie n. f. Didac. Adoration de certains animaux divinisés.

zoologie [zɔɔlɔʒi] n. f. Science qui étudie les animaux.
ENCYCL L'inventaire de la faune de la planète est loin d'être terminé. Plusieurs animaux de grande taille ont encore été découverts au XXe s., notam. dans la grande forêt d'Afrique tropicale (okapi, hippopotame nain, paon congolais, etc.), en Asie (varan de Komodo), en Amérique du Sud, dans l'océan Indien (cœlacanthe). Parmi les grands embranchements d'animaux, les classifications retiennent notam. : protozoaires; spongiaires; cnidaires; plathelminthes; némathelminthes; mollusques; annélides; pararthropodes; arthropodes; échinodermes. Le dernier embranchement, celui des cordés, aboutit à l'homme.

zoologique adj. Relatif à la zoologie, aux animaux. *Parc zoologique.*

zoologiste ou **zoologue** n. Spécialiste de zoologie.

zoom [zum] n. m. **1.** Effet d'éloignements et de rapprochements successifs obtenus en faisant varier la distance focale de l'objectif d'une caméra pendant la prise de vue. **2.** Objectif à focale variable d'un appareil de prise de vue.

zoomer [zume] v. intr. [1] **1.** Filmer ou photographier en utilisant un zoom. **2.** Agrandir une partie d'un document multimédia pour la consultation.

zoomorphe ou **zoomorphique** adj. Didac. Qui représente, figure un animal.

zoomorphisme n. m. Didac. **1.** Utilisation des formes animales dans la représentation humaine. **2.** Métamorphose en animal.

zoonose n. f. MED Maladie des animaux vertébrés transmissible à l'homme et réciproquement (par ex. la rage).

zoophile n. et adj. PSYCHIAT Qui a des rapports sexuels avec les animaux.

zoophilie n. f. Didac. **1.** Amour des animaux. ▷ *Par ext.* Attachement, attrait excessif pour les animaux. **2.** PSYCHIAT Perversion poussant à avoir des rapports sexuels avec des animaux.

zoophobie n. f. Phobie des animaux.

zoophyte n. m. ZOOL Animal qui a l'aspect d'une plante (coraux, éponges, etc.). Syn. phytozoaire.

zooplancton n. m. Didac. Partie du plancton* constituée d'animaux.

zoopsie n. f. PSYCHIAT Vision hallucinatoire d'animaux.

zoopsychologie n. f. Didac. Étude de la psychologie des animaux.

zoosanitaire adj. Qui concerne la santé des animaux. *Règlements zoosanitaires.*

zoospore n. f. BOT Spore mobile se déplaçant grâce à des flagelles ou en émettant des pseudopodes.

zootaxie n. f. ZOOL Classification des animaux.

zootechnicien, enne n. Didac. Spécialiste de la zootechnie.

zootechnie [zɔɔtɛkni] n. f. Didac. Étude scientifique des animaux domestiques, de leurs mœurs, de leur reproduction, ainsi que des moyens permettant d'améliorer les races et les conditions d'élevage, en vue d'une meilleure exploitation du cheptel (sélection naturelle, procréation assistée).

zootechnique adj. De la zootechnie.

zoothèque n. f. Collection d'animaux naturalisés.

zoreille n. Fam. En Nouvelle-Calédonie et à la Réunion, habitant né en France.

zorille n. f. ZOOL Mammifère carnivore africain (fam. mustélidés), proche des moufettes, dont la robe noire, marquée de bandes longitudinales claires, donne une fourrure recherchée.

Zorn (Max) (?, 1906), mathématicien américain d'origine allemande. – *Axiome de Zorn,* selon lequel tout ensemble inductif admet un élément maximal.

Zoroastre (forme grecque de *Zarathoustra*) (VIIIe ou VIIe s. av. J.-C.), réformateur de la religion iranienne antique, dont le livre sacré est l'*Avesta**. On nomme *Gâtha* l'ensemble des textes attribués à Zoroastre, donc postérieurs à cette réforme. Sa date et son lieu de naissance (Ragès, en Médie), la signification étymologique de son nom sont controversés; sa vie est en grande partie légendaire. L'enseignement qu'il propagea repose sur une théologie dualiste : Ahura Mazdâ, le dieu du Bien, s'oppose à Ahriman, le dieu du Mal. L'homme, par la pureté de sa vie, de ses pensées, de ses paroles et de ses actes (dont il rendra compte dans l'au-delà), doit contribuer au renforcement de la puissance du Bien pour que diminue celle du Mal. (V. mazdéisme.) – Nietzsche* a fait de Zarathoustra le porte-parole de ses idées sur le « surhomme » *(Ainsi parlait Zarathoustra).*

zoroastrien, enne adj. et n. RELIG Relatif à Zoroastre, à sa doctrine. ▷ Subst. Adepte de cette doctrine.

zoroastrisme n. m. RELIG Doctrine de Zoroastre, professée, de nos jours, par les parsis. (V. mazdéisme.)

Zorobabel, prince de Juda (de la maison de David). Il guida les Juifs vers Jérusalem au retour de la captivité de Babylone (537 av. J.-C.) et entreprit de rebâtir le Temple.

Zorrilla y Moral (José) (Valladolid, 1817 – Madrid, 1893), écrivain romantique espagnol : *les Chants du troubadour* (recueil de poèmes, 1841), *Don Juan Tenorio* (drame, 1844).

Zorro (en esp. « renard »), personnage créé par l'Américain Johnston McCulley (1919), rendu populaire par le cinéma, héros de cape et d'épée, masqué, défenseur du faible et de l'opprimé.

Zoser. V. Djoser.

zouave n. m. **1.** Anc. Soldat d'un corps d'infanterie coloniale créé en Algérie en 1830. **2.** *Zouaves pontificaux* : corps de volontaires levé en 1860 pour défendre les États pontificaux contre les troupes royales italiennes; passé en France après la prise de Rome par les Italiens (20 sept. 1870), il fut dissous après la fin de la guerre franco-allemande. **3.** Fam. *Faire le zouave* : faire le malin.

Zouérate ou **Zoueirat** *(Zuwayrāt),* v. de Mauritanie, à la frontière E. du Sahara occidental; 6 000 hab. Import. centre d'extraction du minerai de fer.

Zoug (en all. *Zug*), com. de Suisse, ch.-l. du cant. du m. nom, sur la rive N.-E. du *lac de Zoug;* 21 400 hab. Industr. électriques. – Maisons anc. dans la ville haute. – Fief des Habsbourg (1261), le *canton de Zoug* (239 km^2; 81 600 hab., en majorité cathol.) est entré dans la Confédération helvétique en 1352.

zouk n. m. Musique et danse des Antilles.

zoulou, oue adj. et n. m. Des Zoulous. ▷ n. m. *Le zoulou* : la langue bantoue parlée en Afrique australe.

Zoulous, peuple noir du groupe bantou qui vit en Afrique australe, notam. en Afrique du Sud et au Zimbabwe. L'empire des Zoulous, qui fut considérable au XIXe s., fut détruit, malgré leur résistance opiniâtre, par les Boers et les Anglais. Auj., les Zoulous (env. 6 000 000 d'individus) constituent une partie de la main-d'œuvre dans les plantations du Natal et le prolétariat des grandes villes (Durban, notam.).

zozo n. m. Fam. Niais, naïf.

zozotement n. m. Fam. Zézaiement.

zozoter v. intr. [1] Fam. Zézayer.

Zr CHIM Symbole du zirconium.

Zrenjanin (anc. *Veliki Bečkerek*), v. de Serbie; 139 000 hab. Raff. de pétrole.

Zsigmondy (Richard) (Vienne, 1865 – Göttingen, 1929), chimiste autrichien; connu pour ses travaux sur les colloïdes. Il inventa l'ultramicroscope (1903). P. Nobel 1925.

Zuccaro ou **Zuccari** (Taddeo) (Sant'Angelo in Vado, 1529 – Rome, 1566), peintre italien. Auteur de fresques (notam. pour la chapelle Mattei à S. Maria della Consolazione, le belvédère du Vatican, le palais Farnèse, à Rome), il exerça une grande influence sur l'évolution de la peinture décorative et monumentale. – **Federico** (Sant'Angelo in Vado, 1542 – Ancône, 1609), peintre et théoricien, frère du préc. avec lequel il collabora (château de Caprarole). Il acheva les fresques de la coupole de la cath. de Florence et celles de la chapelle Ste-Pauline de Rome, commencées par Michel-Ange.

Zuckmayer (Carl) (Nackenheim, Rhénanie, 1896 - Visp, Valais, 1977), poète lyrique et auteur dramatique suisse d'origine allemande. Dans *le Capitaine de Köpenick* (1931), il attaqua le militarisme prussien; *le Général du diable* (1945), qui évoque un militaire antinazi, fut adapté au cinéma.

Zugspitze, point culminant (2 963 m) des Alpes allemandes (Wettersteingebirge), à la frontière austro-allemande.

Zuiderzee. V. Zuyderzee.

Zulawski (Andrzej) (Lvov, 1940), cinéaste polonais. Il fuit la Pologne (*le Diable*, 1972, et *Sur le globe d'argent*, 1977, achevé en 1987) pour tourner en France des films lyriques, provocants et passionnés : *L'important, c'est d'aimer* (1974), *Possession* (1981), *Mes nuits sont plus belles que vos jours* (1989).

Zulia, État du N.-O. du Venezuela; 63 100 km^2; 1 982 400 hab.; cap. *Maracaibo*. Plantations de canne à sucre et de café. Gisements pétrolifères dans la lagune de Maracaibo.

Zuloaga y Zabaleta (Ignacio) (Éibar, 1870 - Madrid, 1945), peintre espagnol. Portraitiste et paysagiste, il renoua avec la tradition du Greco, de Vélasquez et de Zurbarán pour peindre l'âpreté du paysage espagnol et la pauvreté de la vie quotidienne.

Zuñis. V. Pueblos.

Zurawno, v. d'Ukraine, au S. de Lvov. - Le roi de Pologne Jean III Sobieski y soutint un siège victorieux contre les Turcs (1676).

Zurbarán (Francisco de) (Fuente de Cantos, Badajoz, 1598 - Madrid, v. 1664), peintre espagnol. Influencé par le Caravage, il met une peinture expressive au service des couvents espagnols.

Francisco de **Zurbarán :** *la Vierge enfant*, XVIIe s.; Museum of Modern Art, New York

Zurich (en all. *Zürich*), v. de Suisse, ch.-l. du cant. du m. nom, sur la Limmat à sa sortie du *lac de Zurich*; 351 100 hab. (aggl. urb. 840 310 hab.). Princ. centre financier et économique de Suisse, Zurich est aussi une ville industrielle en plein essor : constr. mécan.; industr. textiles, métall., chimiques, alimentaires. - Université. Polytechnicum (École polytechnique fédérale, 1854). Musées. Cath. (XIIe-XIIIe s.).

vue de **Zurich :** la cathédrale

- Victoire de Masséna sur les Autrichiens et sur les Russes (1799). - *Paix de Zurich :* accords signés en 1859 entre l'Autriche, la France et le Piémont-Sardaigne après la victoire des Franco-Sardes sur les Autrichiens. Ils confirmaient l'armistice de Villafranca. - Le *canton de Zurich* (1 729 km^2; 1 142 700 hab.) adhéra en 1351 à la Confédération helvétique. Ce fut le foyer de la réforme de Zwingli dès 1523.

zut [zyt] interj. et n. m. Fam. Exclamation exprimant le mécontentement, l'impatience. ▷ n. m. *Un zut retentissant.*

zutiste ou **zutique** n. et adj. LITTER Membre du groupe de poètes, notam. Rimbaud, Verlaine, Ch. Cros et G. Nouveau, qui, en 1871 et 1872, composèrent l'*Album zutique*, recueil de poèmes et de dessins, dans lequel ils disaient «zut» à tout. ▷ adj. *Un poème zutiste.*

Zuyderzee ou **Zuiderzee,** anc. golfe de la mer du Nord (Pays-Bas). Fermé par une digue en 1932, il est devenu un lac : l'IJsselmeer.

Zweig (Stefan) (Vienne, 1881 - Petrópolis, 1942), écrivain autrichien. Auteur de poésies, de drames, de nouvelles (*Amok*, 1923), de romans (*la Confusion des sentiments*, 1926; *la Pitié dangereuse*, 1938), il excella dans l'essai littéraire et historique : *Trois maîtres (Balzac, Dickens, Dostoïevski)* (1920), *Fouché* (1929), *Marie-Antoinette* (1932). Bouleversés par la conquête de l'Europe par Hitler, S. Zweig et sa femme se suicidèrent.
▶ illustr. page **2027**

Zweig (Arnold) (Glogow, Pologne, 1887 - Berlin-Est, 1968), écrivain allemand : *le Cas du sergent Grischa* (roman antimilitariste, 1927). Il émigra en 1933 en Israël et revint en R.D.A. en 1948.

Zwickau, v. d'Allemagne (distr. de Chemnitz), sur la Mulde; 121 280 hab.

Zwicky (Fritz) (Varna, 1898 - Pasadena, 1974), astrophysicien suisse d'origine bulgare; connu pour ses études des supernovæ, des galaxies et de la matière intergalactique.

Zwingli (Ulrich ou Huldrych) (Wildhaus, cant. de Saint-Gall, 1484 - Kappel, 1531), humaniste et réformateur suisse. Curé de Glaris (1506), il adhéra v. 1520 à la Réforme, qu'il propagea, notam. à Zurich, sur des bases doctrinales plus radicales encore que celles de Luther : *De vera et falsa religione commentarius* (1525). Voulant fondre le gouvernement de la nouvelle Église et le gouvernement civil (doctrine théocratique), et imposer la Réforme à l'ensemble de la Suisse, il associa la plupart des villes suisses (alliance «combourgeoise»), mais se heurta à la résistance des cantons catholiques, qui formèrent une ligue alliée à l'Autriche. Entreprenant alors de les combattre, il fut tué à la bataille de Kappel.

zwinglianisme [zvɛ̃glijanism] n. m. RELIG Doctrine de Zwingli.

Zwolle, v. des Pays-Bas, ch.-l. de la prov. d'Overijssel, sur l'IJssel (r. dr.); 90 570 hab. Constr. électriques; industr. chimiques.

Zworykin (Vladimir Kosma) (Mourom, 1889 - Princeton, 1982), physicien américain d'origine russe; inventeur de l'iconoscope (1934).

zydeco n. m. Musique populaire de Louisiane.

zyeuter. V. zieuter.

zygo-. Élément, du gr. *zugon*, «joug», au fig., «couple».

zygoma n. m. ANAT Apophyse zygomatique.

zygomatique adj. et n. m. ANAT Relatif à la pommette. ▷ *Muscles zygomatiques*, qui s'insèrent sur l'os de la pommette et s'étendent jusqu'à la commissure des lèvres. - n. m. *Le grand zygomatique.*

zygomorphe adj. BOT *Fleur zygomorphe*, possédant un seul plan de symétrie. Ant. actinomorphe.

zygomycètes n. m. pl. BOT Groupe de champignons dont l'œuf (zygospore) est issu de la fusion de deux gamètes non libres. - Sing. *Un zygomycète.*

zygospore n. m. BOT Œuf résultant de la fusion de deux gamètes non libérés, propre aux zygomycètes.

zygote n. m. BIOL Cellule issue de la fécondation du gamète femelle par le gamète mâle.

zym(o)-, -zyme. Éléments, du gr. *zumê*, «levain, ferment».

zymase n. f. BIOCHIM Enzyme qui confère à la levure de bière sa qualité d'agent de fermentation.

zymogène adj. et n. m. BIOCHIM Qui produit une enzyme; qui produit la fermentation.

zymotique adj. BIOL Relatif aux ferments et à la fermentation.

Zyrianes ou **Komis,** populations finno-ougriennes rassemblées dans la république des Komis*.

zythum [zitɔm] ou **zython** [zitɔ̃] n. m. ANTIQ Boisson des anciens Égyptiens, assez semblable à la bière, faite avec de l'orge germée.

zyzomys [zizɔmis] n. m. Rat à queue blanche d'Australie *(Zyzomys argurus)*, dont il n'existe plus que de rares spécimens.

zyzomys

ANNEXES

LES MOTS NOUVEAUX DU FRANÇAIS VIVANT

Les mots vont et viennent, apparaissent et disparaissent, au gré des usages, voire de la mode. Mais quelle que soit leur longévité, ils doivent être compris, donc répertoriés et définis. Nous en décrivons ici environ 440. Cette liste est renouvelée chaque année : ainsi, de nombreux termes, passés dans le langage courant, ont, de ce fait, été intégrés dans le corps du dictionnaire, tandis que d'autres, éphémères, ont été éliminés ; certains autres restent dans la liste en attendant que l'usage les confirme ou les infirme. Ces mots nouveaux sont de plusieurs sortes :
– des mots scientifiques et techniques s'appliquant à des domaines en pleine évolution ;
– des mots concernant des « objets nouveaux » ;
– des mots à la mode qui jouissent actuellement d'une notoriété réelle dans certains milieux.
Les mots précédés d'un astérisque ont déjà une entrée dans le dictionnaire : il s'agit donc ici d'un sens nouveau ou d'une locution nouvelle.

abdos n. m. pl. Fam. **1.** Muscles abdominaux. *Renforcer ses abdos.* **2.** Gymnastique abdominale. *Faire des abdos tous les matins.*

***abuser** v. tr. [**1**] Infliger à qqn des violences sexuelles. *Une association de parents d'enfants abusés.*

actionnisme n. m. Bx-A Mouvement artistique autrichien, subversif et provocateur, apparu dans les années 60.

aéroville n. f. Ville qui se développe autour d'un aéroport.

afrocentrisme n. m. Mouvement culturel qui met en avant les valeurs liées à l'Afrique.

***agent** n. m. *Agent d'ambiance :* personne recrutée, dans le cadre des emplois-jeunes, pour assister les usagers d'un lieu public.

aide-éducateur, trice n. Personne recrutée, dans le cadre des emplois-jeunes, pour apporter une aide à l'équipe pédagogique d'un collège ou d'un lycée. *Des aides-éducateurs.*

alexandrium n. m. Microalgue toxique. *La présence d'alexandriums dans les huîtres en interdit la commercialisation.*

algicide adj. et n. m. Se dit d'un produit qui détruit les algues. *Emploi d'algicides contre la caulerpe.*

alicament n. m. Aliment conseillé pour ses vertus thérapeutiques.

alpha-immunothérapie n. f. MED Traitement de certaines affections cancéreuses grâce à des rayonnements de particules de type alpha. *Des alpha-immunothérapies.*

***ambassadeur, drice** n. *Ambassadeur du tri :* personne recrutée, dans le cadre des emplois-jeunes, pour assister les utilisateurs d'une déchetterie dans le tri sélectif des déchets.

A.M.F. n. m. TECH Abrév. de *alliage à mémoire de forme,* alliage qui se comporte comme s'il se souvenait d'une forme qu'il avait à une autre température.

androstènediol n. m. PHARM Stéroïde anabolisant utilisé comme produit dopant.

angiogenèse n. f. PHYSIOL Processus de formation des vaisseaux sanguins.

***anneau** n. m. TELECOM Syn. de *webring.*

anonymisation n. f. Fait de rendre anonyme. *Assurer une anonymisation totale des patients.*

antiacarien, enne adj. et n. m. Se dit d'un produit destiné à la lutte contre les acariens.

antiménopause adj. inv. MED Qui combat les manifestations de la ménopause. *Patch antiménopause.*

antistresseur n. m. ELEV Produit destiné à diminuer le stress des animaux d'élevage.

A.P.D. n. f. Abrév. de *journée d'appel de préparation à la défense,* journée d'information à destination des jeunes, instaurée après la suppression de la conscription.

applet [aplɛt] n. f. (Anglicisme) INFORM Application de taille réduite, exécutant une fonction élémentaire. Syn. microprogramme.

aquazole n. f. (Nom déposé) Carburant constitué d'une émulsion de gazole et d'eau, permettant de réduire les rejets polluants.

aridification n. f. GEOGR Évolution d'une région vers l'aridité. *L'aridification des zones proches du Sahara.*

***aromatique** n. f. Étude scientifique des aromes alimentaires.

aryanisation n. f. HIST Sous le régime nazi, spoliation des biens appartenant à des Juifs au profit d'Aryens.

***assemblage** n. m. Produit obtenu par mélange de produits de provenances différentes (cafés, thés, tabacs, huiles).

***assembleur** n. m. Fabricant de matériel informatique, qui ne fait qu'assembler des pièces détachées.

assuranciel, elle adj. Qui concerne les assurances, les compagnies d'assurance. *Recourir à des financements assuranciels privés.*

astrogéologie n. f. Étude géologique des corps célestes.

audimatique adj. Qui concerne l'audimat. *Il est fier de ses performances audimatiques.*

autoamnistie n. f. Acte d'un pouvoir politique qui amnistie ses propres crimes.

autobilan n. m. AUTO Syn. de *contrôle technique.*

autocongratuler (s') v. pr. [**1**] Fam. Se féliciter des bons résultats de son action.

autoévaluation n. f. Évaluation de soi-même faite par soi-même.

autoévaluer (s') v. pr. [**1**] Procéder à une autoévaluation.

autonomiser v. tr. [**1**] Doter d'une certaine autonomie. *La R.A.T.P. veut autonomiser les lignes de métro.*

autoproduire v. tr. [**69**] Réaliser un disque, une cassette, etc. en dehors des circuits habituels de production.

baggy [bagi] n. m. (Anglicisme) Pantalon de toile, très ample, à la mode chez les adolescents.

***balader** v. tr. [**1**] Fam. Raconter des mensonges à qqn pour le faire patienter ; faire marcher, mener en bateau.

***bande** n. f. PHOTO *Bande de lecture* : tirage contact, légèrement agrandi, présenté en bande.

***barreau** n. m. TRANSP Tronçon d'autoroute reliant deux grands axes autoroutiers.

***base** n. f. TELECOM Socle d'un téléphone sans fil sur lequel on pose le combiné pour le recharger.

base-jump [bɛzʒœmp] n. m. (Anglicisme) Parachutisme pratiqué à partir d'une falaise, d'un pont, etc.

***basket** n. m. *Basket de rue* : basket-ball pratiqué sur un terrain spécial (playground), ne comportant qu'un seul panier.

beaux-enfants n. m.pl. Dans une famille recomposée, les enfants par rapport au nouveau conjoint de leur père ou de leur mère.

beeper [bipœʀ] n. m. (Anglicisme) n. m. TELECOM Syn. de *pager*.

belgicain, aine adj. et n. En Belgique, partisan de l'unité du pays.

***bio** n. m. Secteur économique constitué par les produits bio.

bioastronomie n. f. Branche de l'astronomie qui étudie la présence éventuelle d'organismes vivants dans l'espace.

bioéthicien, enne n. Spécialiste de bioéthique.

***bioéthique** adj. Relatif à la bioéthique. *Définir des urgences bioéthiques.*

bio-informatique n. f. et adj. Analyse informatique des séquences d'A.D.N. et de leur fonction biologique. ▷ adj. *Algorithmes bio-informatiques.*

biomarqueur n. m. BIOL Révélateur moléculaire, biochimique, cellulaire, etc. d'une exposition à un polluant.

***biométrie** n. f. Technique visant à traduire en valeurs chiffrées une caractéristique physique (empreintes digitales, voix, forme du visage ou de l'iris, etc.) à des fins d'identification.

biométrique adj. Relatif à la biométrie. *Système d'authentification biométrique.*

bioprospection n. f. Évaluation des propriétés biologiques des organismes vivants présents dans un milieu naturel.

biostatistique n. f. Statistique appliquée à la biologie.

biosurveillance ou **biovigilance** n. f. AGRIC Surveillance des plantes transgéniques dans un milieu biologique.

biotechnicien, enne n. Spécialiste de biotechnique.

bizuteur, euse n. Auteur d'un bizutage. *Les bizuteurs n'échapperont pas à des sanctions.*

***bled** n. m. Pour un beur, le pays d'origine de la famille. *Aller au bled pendant l'été.*

blue-chip [blutʃip] n. m. (Anglicisme) FIN Titre coté d'une société à forte capitalisation boursière, réputée pour sa sécurité et la régularité de ses dividendes.

bluffant, ante adj. Fam. Très étonnant. *Faire preuve d'une aisance bluffante.*

bodyboard [bɔdibɔrd] n. m. (Anglicisme) Planche de surf sur laquelle on glisse allongé.

bodybuildeur, euse [bɔdibildœʀ, øz] n. (Anglicisme) Syn. de *culturiste*.

bomblette n. f. MILIT Mine antipersonnel larguée d'un avion.

***bon** n. m. FIN *Bon de croissance* : autre nom des stock-options.

box-palette n. f. (Anglicisme) COMM Conditionnement et présentoir à livres de très grande contenance. *Des box palettes.*

boys band [bɔjzbɑ̃d] n. m. (Anglicisme) Groupe pop constitué de sémillants jeunes gens, ciblant un public de très jeunes filles. *Des boys bands.*

bpm n. m. (Anglicisme) Abrév. de *beat per minute*, nombre de pulsations par minute qui constitue le tempo, dans la musique techno ou la house.

***braquet** n. m. Fig., fam. *Changer de braquet* : changer d'attitude, d'orientation.

browser [bʀozœʀ] n. m. (Anglicisme) INFORM Syn. de *navigateur*.

bundle [bœndɛl] n. m. (Anglicisme) COMM Méthode de vente consistant à donner un logiciel lors de l'achat d'un matériel.

***bureau** n. m. INFORM Espace virtuel constitué par l'écran de l'ordinateur sur lequel apparaissent les outils de travail (applications, corbeille, etc.).

burqua n. m. En Afghanistan, long voile avec une fenêtre grillagée pour les yeux, porté par les femmes.

business-plan [biznɛsplɑ̃] n. m. ORGAN (Anglicisme) Plan finalisé de création d'une entreprise.

***cabotage** n. m. Fait pour un poids lourd de pouvoir décharger dans un pays étranger, puis d'y reprendre un nouveau chargement.

caillera n. f. Fam. Racaille (en verlan), nom que se donnent certains jeunes de banlieue.

cambouis n. m. Fig., fam. *Mettre les mains dans le cambouis* : participer à un travail jusque dans sa réalisation concrète.

camel adj. (Anglicisme) Brun clair.

***cannelé** n. m. Sorte de brioche, spécialité bordelaise.

***carabinier** n. m. Sportif spécialiste du tir à la carabine.

cardio-training [kaʀdjotʀɛniŋ] n. m. (Anglicisme) Gymnastique destinée à renforcer le muscle cardiaque. *Des cardio-trainings.*

***casser** v. tr. [1] Fam. Fatiguer ou déprimer qqn à l'extrême. *Des gens cassés, dont le niveau de vie s'est effondré.*

***caviste** n. Commerçant qui vend des vins d'appellation qu'il a lui-même sélectionnés.

***cent** [sɑ̃] ou [sɛnt] n. m. Monnaie divisionnaire valant un centième d'euro.

chaabi n. m. Genre musical vocal algérois.

***chapeau** n. m. Fig., fam. *Avaler* ou *manger son chapeau* : être très en colère parce qu'on est contraint à une action qu'on avait refusée.

***chargé, ée** adj. Se dit du coût d'un salaire incluant les charges sociales.

cheb n. m. Jeune chanteur de raï.

chimiquier n. m. Navire spécialisé dans le transport de produits chimiques.

chino n. m. (Nom déposé) Pantalon droit en coton épais beige.

chronophage adj. Fam. Qui prend beaucoup de temps. *Tâches chronophages.*

cinéphilie n. f. **1.** Passion du cinéphile, amour du cinéma. **2.** Ensemble des cinéphiles. *La cinéphilie française.*

***citadine** n. f. AUTO Voiture destinée surtout aux déplacements en ville. Syn. urbaine.

clenbutérol n. m. PHARM Anabolisant utilisé comme produit dopant dans le sport et l'élevage.

***cliquet** n. m. Fig. Niveau en dessous duquel on ne peut revenir une fois qu'il a été dépassé.

clochemerlesque adj. Fam. Digne de Clochemerle. *Des rivalités clochemerlesques.*

codant, ante adj. BIOL Qui supporte le code génétique. *Gène codant.*

cola n. m. Type de boisson gazeuse, de couleur foncée, à base d'extraits végétaux.

compliance n. f. MED Bon suivi d'un traitement médicamenteux.

concept-car n. m. (Anglicisme) Prototype automobile présenté par une firme. *Des concept-cars.*

***constructif, ive** adj. TECH Qui concerne la construction, le bâtiment. *Appliquer les normes constructives.*

contextualiser v. tr. [1] Replacer qqch dans son contexte. *Contextualiser la violence urbaine.*

contre-site n. m. Site Internet créé spécifiquement pour en contrer un autre. *Un contre-site sur les droits de l'homme. Des contre-sites.*

***convertisseur** n. m. Calculette qui convertit une monnaie en une autre. *Convertisseur francs-euros.*

***cookie** [kuki] n. m. (Anglicisme) INFORM Programme enregistrant automatiquement des informations sur les visiteurs de certains sites Internet.

coparentalité n. f. DR Exercice en commun de la puissance parentale. *La coparentalité dans les familles recomposées.*

***couloir** n. m. SPORT Zone latérale d'un terrain de football.

***coup** n. m. SPORT *Coup de pied arrêté :* au football, tir d'un corner, d'un coup franc ou d'un penalty.

***cours** n. m. Fig., fam. *Au long cours :* sur une longue période. *L'administration d'un anti-inflammatoire au long cours.*

***couture** adj. Qui provient de la haute couture et non de la confection. *Un jean couture.*

***couvert** n. m. Fig., fam. *Remettre le couvert :* reprendre une action mal commencée.

craving [kʀeviŋ] n. m. (Anglicisme) PSYCHO Besoin urgent de manger, ressenti par certaines personnes.

***crime** n. m. *Le crime organisé :* organisation criminelle de type mafieux.

criser v. intr. [1] Fam. Être en crise. *Le retour de l'Irak fait criser l'O.P.E.P.*

crostoni n. m. Tranche de pain recouverte de divers ingrédients et gratinée au four, servie en restauration rapide.

culpabilisateur, trice adj. Culpabilisant. *Un discours agressif et culpabilisateur.*

***curseur** n. m. Fig. Point significatif d'une échelle, d'une courbe. *Le curseur des bénéfices et le curseur des pertes dans un bilan.*

cybermagazine n. m. Magazine électronique ayant le Web pour support.

cyclo n. m. Fam. Cyclomoteur.

décoiffant, ante adj. Fam. Très étonnant, épatant. *Ces patins vous assurent une vitesse décoiffante.*

***décrassage** n. m. SPORT Exercices effectués par un sportif avant une compétition pour s'assouplir, se mettre en condition.

délinquanciel, elle adj. Relatif à la délinquance. *Des organisations délinquancielles.*

***délitement** n. m. Fig. Fait de se déliter. *Le délitement de la fonction paternelle.*

démariage n. m. Dissolution du mariage, divorce. *Contrat de démariage.*

demi-fondeur, euse n. SPORT Athlète spécialiste des courses de demi-fond.

***déminer** v. tr. [1] Fig. Prendre des mesures pour éviter une situation explosive. *Le gouvernement veut déminer les conflits sociaux.*

***démutualiser** v. tr. [1] Privatiser une société mutuelle.

***dépouiller** v. tr. [1] Fam. Agresser qqn dans la rue pour lui prendre ce qu'il a sur lui (blouson, chaussures, etc.).

déprécariser v. tr. [1] Faire cesser la précarité d'une personne, d'un groupe. *Un système qui déprécarise certaines catégories de travailleurs.*

***descendant** n. m. PHYS Élément produit lors de la désintégration radioactive d'un nucléide.

désinstaller v. tr. [1] INFORM Faire disparaître un logiciel d'un disque dur.

désintermédiation n. f. Didac. Fait de supprimer les intermédiaires dans un processus social ou économique.

***développement** n. m. *Développement durable :* mode de développement économique qui répond aux besoins du présent sans compromettre la capacité des générations futures de répondre aux leurs.

déverticalisation n. f. ECON Cessation de l'intégration verticale d'une entreprise, d'un groupe.

***différentiel, elle** adj. Qui est conditionné par des différences. *Une allocation différentielle visant à compléter certains revenus.*

dilutif, ive adj. FIN Se dit d'une opération boursière qui diminue le bénéfice par action. Ant. relutif.

dinophysis n. m. Microalgue toxique dont la présence dans les huîtres et les moules en rend la consommation dangereuse.

***discrimination** n. f. *Discrimination positive :* action volontariste en faveur de ceux qui cumulent des handicaps sociaux et culturels par l'attribution de crédits ou l'instauration de quotas, notamment dans le domaine de l'éducation.

dissensus [disɛ̃sys] n. m. Fam. Inverse du consensus, désaccord entre des groupes. *Un dissensus sur le mode de consultation électorale.*

docu-soap [dɔkysop] n. m. (Anglicisme) Feuilleton télévisé reposant sur une base documentaire. *Des docu-soaps.*

double-cliquer v. tr. [1] INFORM Effectuer un double clic sur un point de l'écran. *Double-cliquez sur « installer ».*

***doublonner** v. tr. [1] Doubler inutilement qqch. *Ce secteur de l'entreprise est doublonné par un autre.*

dysérection n. f. PHYSIOL Absence d'érection.

écoconception n. f. ECON Prise en compte de l'impact sur l'environnement dans la conception des produits industriels.

***économiseur** n. m. INFORM *Économiseur d'écran :* logiciel mettant l'écran de l'ordinateur en veille au bout d'un certain temps.

écotoxicologue n. Spécialiste d'écotoxicologie.

***électricien** n. m. Industriel de l'électricité. *EDF, l'électricien français, accélère son développement international.*

***émission** n. f. ECOL Rejet dans l'atmosphère de gaz produits par les activités humaines. *Quotas d'émissions.*

emploi-jeunes n. m. Emploi réservé aux jeunes chômeurs dans un plan de lutte contre le chômage. *Des emplois-jeunes.*

***encadrer** v. tr. [1] Prendre des mesures pour contrôler un phénomène économique (prix, crédit). *Les loyers parisiens restent encadrés.*

enquiller v. tr. [1] Fam. Effectuer un parcours. *Le skieur enquille les slaloms.*

entre-jeu n. m. SPORT Échange de balles entre les membres d'une équipe au cours d'un match de football. *Des entre-jeux.*

entreprenariat n. m. Activité, métier de chef d'entreprise. *Maîtrise de gestion comprenant une option « entreprenariat ».*

équilibrisme n. m. Habileté dans une situation difficile.

éthiquement adv. Sur le plan éthique. *Décision éthiquement justifiée.*

euphémiser v. tr. [1] Rendre euphémique, atténuer une expression, un discours.

europanto n. m. Sabir constitué d'emprunts aux principales langues européennes.

***événementiel, elle** adj. Qui constitue un événement, est lié à un événement. *Une manifestation événementielle. Publicité événementielle.*

exoplanète n. f. ASTRON Planète extérieure au système solaire. *La première exoplanète a été observée en 1995.*

***exploser** v. tr. [1] Fam. Désorganiser complètement, chambouler. *Une émission qui a explosé l'audimat.*

explosivité n. f. Qualité d'un sportif explosif.

***extension** n. f. INFORM Groupe de caractères placés après un point à la fin du nom d'un fichier, d'une adresse électronique.

extracommunautaire adj. Extérieur à la Communauté européenne. *L'importation incontrôlée de produits extracommunautaires.*

facilitateur n. m. Personne qui facilite une action, un processus. *Investi d'une mission de facilitateur, il tente d'arranger une rencontre.*

faire-savoir n. m. inv. Habileté à vanter ses mérites, à diffuser certaines informations.

***faux** adj. Fam. *Avoir tout faux :* se tromper complètement. *Il a insinué que le Premier ministre avait tout faux.*

feng shui n. m. Selon la tradition chinoise, organisation de l'environnement se conformant à la circulation des énergies naturelles.

***feuille** n. f. Fig., fam. *Feuille de vigne :* ce qui sert à cacher qqch de honteux (de la feuille placée sur le sexe des personnages représentés nus dans les œuvres d'art classiques).

fibrate n. m. PHARM Médicament diminuant le taux de lipides sanguins.

***ficelle** n. f. Fig., fam. *Bouts de ficelle :* moyens très pauvres, inadaptés. *Un film fait de bouts de ficelle.*

***final** n. m. *Au final :* finalement, en fin de compte. *Au final, tout s'est arrangé.*

flag foot [flagfut] n. m. (Anglicisme) SPORT Version non violente du football américain où les plaquages sont remplacés par la prise d'une lanière (*flag*) portée par les joueurs.

***fleur** n. f. *Fleur de sel :* sel blanc et fin récolté à la surface des marais salants.

flyer [flajœʀ] n. m. (Anglicisme) Carton d'invitation qui annonce une rave.

folklorisme n. m. Fait relevant d'un folklore. *Un folklorisme banlieusard.*

***fonds** n.m. *Fonds spéculatif :* fonds qui s'investit sur les produits dérivés, les contrats à terme en jouant sur les effets de levier. Syn. hedge fund.

***fractal** n.m. MATH Syn. de *fractale. Des fractals.*

fraisiculteur, trice n. Producteur (trice) de fraises.

frappeur n. m. Joueur de football doué d'une frappe de balle exceptionnelle.

free-party [fʀipaʀti] n. f. (Anglicisme) Rave clandestine. *Des free-parties.*

fuiter v. tr. [1] Fam. Être révélé au public, en parlant d'un document confidentiel. *Il est soupçonné d'avoir fait fuiter une note des Renseignements généraux.*

fuji n. f. Variété de pomme d'origine japonaise, très juteuse.

galéniste n. Spécialiste de la mise en forme d'un médicament pour le présenter à la vente.

***galérien, enne** n. Fam. Personne qui est en pleine galère (marginal, S.D.F., toxicomane).

***galette** n. f. Fam. Disque, C.D., cédérom. *Introduire une galette dans le lecteur.*

garage music [gaʀaʒmjusik] n. f. (Anglicisme) Courant de la house music inspiré par la musique soul.

gardienné, ée adj. Pourvu d'un service de gardiennage. *Des parkings gardiennés.*

gennaker [ʒɛnakɛʀ] n. m. (Anglicisme) MAR Grande voile d'avant ultralégère.

***génomique** n. f. Partie de la génétique qui étudie le génome.

géobiologie n. f. Étude de l'effet des courants telluriques sur les êtres vivants.

géomarketing n. m. Géographie appliquée au marketing.

glaciairiste n. Alpiniste spécialiste de l'escalade en paroi de glace.

gouvernance n. f. ECON Gestion rigoureuse. *La gouvernance des entreprises.*

halfpipe [alfpajp] n. m. (Anglicisme) SPORT Au skateboard et au snowboard, discipline acrobatique qui se pratique sur une sorte de gouttière géante.

haut-de-jardin n. m. Étage d'un immeuble, dominant un jardin. *Des hauts-de-jardin.*

hébergeant, ante n. ADMIN Personne qui déclare accepter d'héberger un étranger.

***hébergement** n. m. *Hébergement salarial :* syn. de *portage salarial.*

hébergeur n. m. Personne ou société qui héberge un site Internet.

hedge fund [ˈɛdʒfawnd] n. m. (Anglicisme) Syn. de *fonds* spéculatif. Des hedge funds.*

hédonique adj. Didac. Qui procure du plaisir. *Drogues douces et produits hédoniques.*

hip-hopeur, euse n. (Anglicisme) Danseur (euse) de hip-hop. *Des hip-hopeurs.*

hit n. m. (Anglicisme) TELECOM Document consulté sur une page du Web.

***holistique** adj. Fig. Qui envisage qqch dans sa totalité. *Une démarche thérapeutique holistique.*

homéoboîte n. f. GENET Séquence spécifique d'A.D.N. que possèdent les gènes homéotiques.

home-studio n. m. (Anglicisme) Matériel informatique constituant une installation privée d'enregistrement musical. *Des home-studios.*

hors-média n. m. Secteur de la publicité constitué par les gratuits, les prospectus, le publiportage, etc.

***hot** ['ɔt] adj. (Anglicisme) Fam. D'une sensualité débridée. *La multiplication des scènes hot dans les téléfilms.*

***hybride** adj. AUTO Se dit d'une voiture qui peut fonctionner à l'essence et à l'électricité.

hypercentre n. m. Cœur du centre-ville. *Mesures pour désengorger l'hypercentre.*

hyperdocument n. m. INFORM Ensemble de documents interconnectés par des liens, articulés autour d'un document pivot.

hyperthermophile adj. BIOL Se dit des microorganismes qui s'épanouissent aux températures très élevées des cheminées hydrothermales (80 à 110°). *L'ancêtre commun à tous les êtres vivants serait un procaryote hyperthermophile.*

***iceberg** n. f. Variété de laitue batavia, à texture craquante et aux feuilles translucides.

I.C.S.I. n. f. MED Injection intracytoplasmique de sperme, technique de traitement de la stérilité.

I.G.P. n. f. Abrév. de *indication géographique de provenance*, label européen garantissant le lien entre le produit alimentaire et le terroir.

infectivité n. f. MED Pouvoir infectieux d'un agent pathogène.

inhabitation n. f. Non-occupation d'un local habitable. *Taxe d'inhabitation.*

***jardin** n. m. *Jardin du souvenir :* lieu où sont dispersées les cendres des défunts après la crémation.

***jouer** v. tr. [1] SPORT Disputer un match contre qqn, une équipe. *Les Anglais sont difficiles à jouer.*

***journal** n. m. *Journal de rue :* journal vendu par des S.D.F. pour subvenir à leurs besoins.

judokate n. f. Femme pratiquant le judo.

kamis n. m. Longue robe blanche portée par les islamistes.

kick-boxing [kikbɔksiŋ] n. m. Sport de combat, dérivé de la boxe thaï et du full-contact.

kimchi n. m. Dans la cuisine coréenne, mélange de légumes fermentés.

lâcher (se) v. pr. [1] Fam. Se laisser aller, se décontracter.

lentin n. m. *Lentin de chêne :* autre nom du shiitaké.

***licencier** v. tr. [2] DR Protéger un produit par une licence. *Licencier un logiciel.*

lissant, ante adj. COSMET Qui rend lisse la peau, les cheveux. *Silicones à effet lissant.*

littératie [liteʀasi] n. f. Capacité à comprendre et à utiliser l'information écrite.

***livre** n. m. *Livre audio :* texte enregistré sur cassette ou sur C.D., le plus souvent accompagné d'un livret.

lixiviat n. m. TECH Liquide résultant du traitement des ordures par lixiviation.

localisme n. m. Repli sur les problèmes locaux au détriment d'une vision globale de la société.

***locataire** n. m. Fam. Homme ou femme politique qui occupe provisoirement telle fonction localisée à tel endroit. *Le locataire de l'Élysée.*

mail [mɛjl] n. m. (Anglicisme) Message envoyé par le courrier électronique. *Internaute qui reçoit plus de 100 mails par jour.* Syn. e-mail.

maloya n. f. Musique et danse de la Réunion, née des chants des anciens esclaves.

***manche** n. f. Fig., fam. *Effet de manches* : exagération rhétorique.

manchiste n. Fam. Personne qui fait la manche, mendiant.

***mandatement** n. m. DR Possibilité pour une organisation syndicale d'accorder à un salarié le droit de négocier en son nom.

***manette** n. f. Fig., fam. *Être aux manettes :* diriger une opération.

mano a mano n. m. SPORT Combat rapproché.

***marée** n. f. *Marée verte :* pollution causée par une prolifération d'algues vertes.

masquant, ante adj. PHARM Se dit d'un produit qui empêche de détecter la présence d'un autre produit, en partic. d'un produit dopant.

MDMA n. m. Nom scientifique de l'ecstasy (méthylène dioxy3-métamphétamine).

mégabase n. f. BIOCHIM Unité (Mb), valant 1 million de bases, utilisée pour mesurer la longueur de l'ADN. *Le génome du bacille de Koch représente 4,4 mégabases, le génome humain environ 3000.*

mégaplexe n. m. Complexe de loisirs comprenant plus de vingt salles de cinéma.

mégastore n. m. (Anglicisme) Centre commercial qui vend de multiples produits à la mode.

métropolisation n. f. ECON Évolution économique tendant au renforcement des grandes métropoles.

microfossile n. m. Fossile microscopique. *Microfossiles décelés sur des météorites.*

micro-gril n. m. Four à micro-ondes qui possède également un gril classique permettant de dorer les aliments. *Des micro-grils.*

microprogramme n. m. INFORM Syn. de *applet.*

mieux-offrant n. m. inv. Celui qui fait la meilleure offre dans une enchère, un marché.

***millimètre** n. m. Fig., fam. *Au millimètre :* de façon extrêmement précise. *Toutes ces mesures seront examinées au millimètre.*

***minimum** n. m. *Minima sociaux :* ensemble des allocations versées aux plus démunis (minimum vieillesse, minimum invalidité, R.M.I., etc.).

mitogène adj. BIOL Qui favorise la division cellulaire (mitose). *Facteurs mitogènes.*

mix n. m. Fam. Mélange. *Une petite brune, un mix de Mistinguett et de Lisa Minelli.*

mixed-border [miksɛdbɔʀdœʀ] n. m. (Anglicisme) Bordure d'une pelouse, constituée d'une platebande mélangée. *Des mixed-borders.*

mola n. m. Tissu brodé à décor animalier des Indiens Kunas du Panama.

molossoïde n. m. Gros chien (pitbull, rottweiler, etc.) considéré comme dangereux et qui doit sortir muselé.

***monnayeur** n. m. Appareil qui fonctionne quand on y introduit une pièce de monnaie. *Monnayeur de caddie de supermarché.*

monofonctionnel, elle adj. Didac. Qui ne remplit qu'une seule fonction. *Terminal d'aéroport monofonctionnel.*

***monopoly** n. m. Fig., fam. Construction complexe et aventurée, en partic. dans le domaine économique. *Un monopoly industriel.*

monoproduit adj. ECON Se dit d'une entreprise spécialisée dans un seul type de produit.

mug [mœg] n. m. (Anglicisme) Grosse tasse à anse, portant un décor, une publicité.

***mulot** n. m. Fam. Nom plaisant donné à la souris de l'ordinateur.

multicentrique adj. Se dit d'une expérimentation clinique impliquant plusieurs sites. *Une étude multicentrique en double aveugle.*

multifactoriel, elle adj. Didac. Qui prend en compte de nombreux facteurs. *Maladie multifactorielle.*

multi-instrumentiste n. Musicien qui joue de plusieurs instruments. *Des multi-instrumentistes.*

multisupport adj. FIN Se dit de contrats d'assurance pour lesquels le souscripteur peut choisir les actifs dans lesquels il investit (sicav, fonds communs de placement, etc.).

multithérapie n. f. MED Syn. de *polythérapie.*

musculo-squelettique adj. MED *Troubles musculo-squelettiques :* troubles affectant les muscles et les os (souvent abrégé : T.M.S.).

mycorhizer v. tr. [1] BOT Transformer les racines d'un arbre par l'association avec un champignon. *Mycorhizer un chêne pour l'obtention de truffes.*

***nage** n. f. CUIS Plat de crustacés en court-bouillon (la nage). *Une nage de pétoncles à la bière.*

nakfa n. m. Unité monétaire de l'Érythrée (depuis 1997).

***neige** n. f. Aspect d'un écran de télévision sous tension, mais non relié à un émetteur.

néo-pentecôtiste adj. et n. RELIG Se dit de sectes qui se situent dans la lignée du pentecôtisme.

NET ou **Net** n. m. Syn. courant de *Internet.*

nétiquette n. f. Règles de savoir-vivre à respecter sur le réseau Internet, en partic. dans les forums.

neu-neu adj. inv. Fam. Un peu niais. *Un raisonnement plutôt neu-neu.*

neuroprotecteur, trice adj. MED Qui protège le système nerveux. *Les effets neuroprotecteurs des vitamines C et E.*

neurotoxicité n. f. MED Caractère neurotoxique d'une substance.

neurotoxicologie n. f. Étude des substances neurotoxiques.

newsgroup [njuzgʀup] n. m. (Anglicisme) TELECOM Syn. courant de *forum.*

***nez** n. m. Fig., fam. *Faux nez :* déguisement, faux-semblant. *Servir de faux nez à une opération financière douteuse.*

nucléocrate n. Technocrate de l'industrie nucléaire.

nutrithérapie n. f. MED Étude des nutriments considérés comme des moyens thérapeutiques.

***observance** n. f. MED Fait de suivre correctement une prescription médicale.

océanorium n. m. Vaste aquarium, recréant les habitats sous-marins.

on line [ɔnlajn] adj. (Anglicisme) TELECOM Syn. courant de *en ligne.*

***opérationnel, elle** adj. et n. ORGAN Dans une entreprise, se dit d'un cadre chargé d'appliquer les décisions de la direction.

***opportuniste** adj. Qui sait saisir les occasions opportunes. *L'ailier droit s'est révélé l'attaquant le plus opportuniste.*

***orphelin, ine** adj. MED Se dit de médicaments trop peu rentables pour être développés par l'industrie ; se dit des maladies concernées par ces médicaments.

outdoor [awtdɔʀ] n. m. (Anglicisme) Ensemble des activités liées à la vie au grand air (matériel, vêtements, etc.).

***pack** n. m. (Anglicisme) COMM Offre groupée d'un téléphone mobile et d'une formule d'abonnement.

P.A.C.S. n. m. Sigle de *pacte civil de solidarité,* contrat légalisant la cohabitation de deux personnes.

pacsé, ée n. Personne qui a conclu un P.A.C.S.

pacser v. intr. [1] Conclure un P.A.C.S.

palettiste n. INFORM Professionnel qui maîtrise des palettes graphiques.

parachutier n. m. Fabricant de parachutes.

***parapharmacie** n. f. Magasin ou rayon d'un hypermarché qui vend de la parapharmacie.

parentalité n. f. Didac. Ensemble des relations entre parents et enfants. *Des mesures d'assistance à la parentalité.*

***pastille** n. f. *Pastille verte :* vignette attribuée aux automobiles peu polluantes, qui leur donne le droit de circuler en cas de dépassement du niveau de pollution autorisé.

patou n. m. Gros chien de berger pyrénéen.

P.D.A. n. m. Abrév. de *personal digital assistant,* ordinateur de poche.

P.E.D. n. m. Abrév. de *pays en développement,* nouvelle appellation des pays sous-développés.

pédagothèque n. f. Collection de documents pédagogiques.

pédégère n. f. Fam. Femme P.-D.G.

people [pipɔl] adj. et n. m. (Anglicisme) Se dit d'un journal consacré aux personnalités en vogue. ▷ n. m. Ensemble de la presse people.

***perceur, euse** n. Personne qui pratique le piercing.

performeur, euse n. **1.** Auteur d'une performance sportive. **2.** Artiste qui s'exprime par des performances.

P.F.C. n. m. Abrév. de *perfluorocarbone,* molécule de synthèse pouvant fixer l'oxygène.

pharmacogénomique n. f. Partie de la pharmacologie qui vise à adapter les médicaments au profil génétique des malades.

pharmacothèque n. f. CHIM Banque de molécules, constituée par chimie combinatoire.

piétonniser v. tr. [1] Transformer un secteur urbain en voie piétonnière.

***pioche** n. f. Fig., fam. *Bonne pioche :* se dit lorsque l'on se félicite d'avoir fait tel choix.

pistolier n. m. Sportif spécialiste du tir au pistolet.

***placement** n. m. DR *Placement sous surveillance électronique :* système judiciaire permettant de surveiller à distance une personne porteuse d'un émetteur spécial (bracelet). (Souvent abrégé *P.S.E.)*

***plombé, ée** adj. Se dit d'un carburant qui contient du plomb.

plug-in [plœgin] n. m. inv. (Anglicisme) INFORM Sur Internet, petit logiciel utilitaire téléchargeable.

pluriannualité n. f. Didac. Caractère pluriannuel. *Pluriannualité budgétaire.*

***point** n. m. Fig., fam. *Point barre ! :* il n'y a rien à ajouter, un point c'est tout !

***pointer** v. intr. [1] INFORM Positionner le pointeur sur le point de l'écran sur lequel on va cliquer.

pollutaxe n. f. Impôt sur les activités polluantes.

polythérapie n. f. Thérapie antisida associant plusieurs antirétroviraux. Syn. multithérapie.

***portage** n. m. *Portage salarial :* transformation d'honoraires en salaires par une société spécialisée qui s'interpose entre une entreprise et un cadre, permettant à ce dernier de garder un statut de salarié et une couverture sociale. Syn. hébergement salarial.

***portail** n. m. TELECOM Site à partir duquel on commence sa navigation sur le Web et qui rassemble un ensemble de contenus et de services.

postdoc n. Fam. Abrév. courante de *postdoctorat* et de *postdoctorant.*

postdoctorant, ante n. Personne qui, ayant passé son doctorat, fait un stage dans une université, un laboratoire.

postdoctorat n. m. Stage dans un laboratoire effectué par un chercheur qui vient de soutenir sa thèse de doctorat.

***précurseur** n. m. BIOL Molécule qui en précède une autre dans un processus biochimique.

prémâché, ée adj. Fig, fam. Qui a une forme simpliste pour être plus facilement accessible. *Le discours prémâché des débats télévisés.*

prémix n. m. (Anglicisme) Boisson constituée d'un mélange de soda et d'alcool, vendue en canettes.

prérapport n. m. Rapport précédant un rapport définitif.

***pressé** n. m. CUIS Aliment pressé. *Un pressé de volaille aux petits légumes.*

prêt-à-planter n. m. Conditionnement d'une plante à transplanter, dont les racines sont entourées d'un manchon de terreau retenu par un filet biodégradable. *Des prêts-à-planter.*

primodélinquant, ante n. DR Délinquant appréhendé pour la première fois.

primodemandeur, euse n. Personne qui cherche un premier emploi.

procréatif, ive ou **procréatique** adj. MED Relatif à la procréation médicalement assistée. *Médecine procréative. La révolution procréatique*

***profilé, ée** adj. et n. m. FIN Se dit de placements présentant différents niveaux de risque.

profileur, euse n. Spécialiste de la psychologie des criminels.

programmiste n. Spécialiste de la programmation d'une opération, d'un chantier.

prototypiste n. Professionnel qui participe à la mise au point des prototypes. *Prototypiste dans l'industrie automobile.*

psychoactif, ive adj. PHARM Qui exerce une action sur le psychisme. *Substance psychoactive.*

***pyramide** n. f. *Pyramide financière :* système d'emprunt reposant sur le recrutement d'un nouveau cercle d'emprunteurs par ceux du cercle précédent.

***quad** [kwad] n. m. Patin à roulettes traditionnel, à deux paires de roues.

ramasse n. f. Fam. *À la ramasse :* sur le point d'échouer, de se ramasser. *Une entreprise à la ramasse.*

rebondeur n. m. Joueur de basket-ball habile à passer l'adversaire en faisant rebondir le ballon.

rebooter [ʀəbute] v. tr. [1] (Anglicisme) INFORM Faire redémarrer un système informatique.

***recaler** v. tr. [1] Syn. de *repositionner. Missile qui recale en permanence sa trajectoire. Se recaler sur un nouveau système de valeurs*

***récupérateur** n. m. SPORT Au football, joueur chargé de récupérer le ballon.

recyclabilité n. f. Caractère recyclable d'un déchet.

redynamiser v. tr. [1] Donner un nouveau dynamisme.

referee [ʀefeʀi] n. m. (Anglicisme) Spécialiste auquel une revue scientifique demande de relire et de valider un article avant publication.

réflexologie n. f. MED Technique de soins par action sur les points réflexes du corps.

refondateur, trice adj. et n. Qui vise à une profonde rénovation d'un parti politique, d'une institution.

***relationnel** n. m. Aptitude à avoir de bonnes relations avec son entourage. *Un relationnel permettant de s'investir dans un projet.*

relookage [ʀəlukaʒ] n. m. Fam. Action de relooker. *Le relookage d'une collection.*

relutif, ive adj. FIN Se dit d'une opération boursière qui augmente le bénéfice par action. Ant. dilutif.

remixeur, euse n. Spécialiste du remix.

reprofilage n. m. Rectification de la ligne générale de qqch. *Le reprofilage du train de vie de l'État.*

***résidentiel, elle** adj. Se dit d'un téléphone attaché à la résidence de l'abonné (par oppos. au mobile).

respirant, ante adj. Se dit d'un tissu qui ne retient pas la transpiration.

restylage n. m. Modification du style d'un produit. *Le restylage d'une gamme de berlines.*

***réunion** n. f. DR *En réunion :* se dit d'un délit commis par plusieurs personnes réunies pour l'occasion. *Viol en réunion.*

ringardisation n. f. Fait de se ringardiser. *Vouloir éviter la ringardisation.*

R.T.T. n. f. Abrév. de *réduction du temps de travail.*

sanctionnable adj. Qui peut faire l'objet de sanctions. *La grève sans préavis est sanctionnable.*

satello-opérateur n. m. TELECOM Entreprise qui met en œuvre la télévision par satellites. *Des satello-opérateurs.*

saucissonnier n. m. Fabricant de saucisson.

schmitt n. m. Fam. Policier, dans le langage des jeunes de banlieue.

scrapie n. f. n. f. Syn. de *tremblante du mouton.*

sexage n. m. BIOL Détermination du sexe d'un embryon.

***signalement** n. m. Action de signaler qqch. *Les médecins scolaires chargés du signalement des maltraitances.*

S.I.V.U. n. m. ADMIN Sigle de *Syndicat intercommunal à vocation unique,* regroupement de communes pour une action spécifique.

skateboarder [skɛtbɔʀdœʀ] n. (Anglicisme) Personne qui pratique le skateboard.

sky-surf [skajsœʀf] n. m. (Anglicisme) Saut en chute libre d'un parachutiste monté sur une planche de surf.

snowblade [snoblɛd] n. m. (Anglicisme) Sorte de ski très court.

snowboarder [snobɔʀdœʀ] n. (Anglicisme) Personne qui pratique le surf des neiges.

solidarisation n. f. Fait de se solidariser, d'être solidaire. *La mondialisation doit être un facteur de solidarisation.*

soukous n. f. Musique du Zaïre, née de la rencontre de la musique cubaine et des rythmes locaux.

sourcer v. tr. [1] Établir la source d'un document, d'une information. *Des exemples détaillés et sourcés.*

souricide adj. et n. m. Se dit d'un produit destiné à détruire les souris.

***sportif, ive** adj. Fig., fam. Mouvementé, agité. *La séance risque d'être plus sportive que prévu.*

stadier, ère n. Personne chargée, dans les stades, du contrôle, de l'assistance et de la sécurité des spectateurs.

stratégiste n. Spécialiste des marchés financiers.

streetball [stritbol] n. m. (Anglicisme) Basketball de rue.

supergéantiste n. Skieur spécialiste du super-G.

supplex n. m. (Nom déposé) Textile synthétique doux, élastique et antiperspirant.

supportérisme n. m. Activité du supporteur.

surjouer v.tr. [1] SPECT Interpréter un rôle de façon appuyée.

sushi-bar n. m. Bar japonais qui sert des sushis. *Des sushi-bars.*

***suspension** n. f. Bac suspendu contenant une plante retombante.

tabacologie n. f. Étude des effets du tabac sur l'organisme.

***taquet** n.m. Fig., fam. Limite fixée impérativement, butoir. *Fixer le taquet de la semaine de travail à 35 heures.*

technocentre n. m. Ensemble regroupant les activités de recherche appliquée d'une firme.

technoïde adj. et n. Qui est marqué par la technologie, le progrès technique. *Des logiciels réservés aux technoïdes.*

technologiste adj. et n. Qui a foi dans la technologie, privilégie la technologie. *Refus de l'élitisme technologiste.*

télécommandable adj. Que l'on peut télécommander. *Un petit juke-box entièrement télécommandable.*

télétravailler v.intr. [1] Pratiquer le télétravail.

***témoin** n. m. Fig. *Passage de témoin :* transmission d'un pouvoir, d'une dignité; succession.

***tendance** n. f. Mouvement de mode. *Trois tendances qui ne cessent de s'influencer.* – Ellipt. *Un petit chapeau très tendance.*

termité, ée adj. Se dit d'un lieu attaqué par les termites. *Une villa termitée.*

termitier, ère adj. Relatif aux termites. *Le péril termitier.*

teuf n.f. Fam. Fête, réjouissance collective (verlan irrégulier de *fête).*

T.H.C. n. m. PHARM Abrév. de *tétrahydrocannabinol,* principe actif du cannabis.

***théorie** n. f. PHILO *Théorie de l'esprit :* capacité à attribuer des pensées, des intentions ou des états d'esprit à autrui.

think tank [sinktãk] n. m. (Anglicisme) Groupe d'experts réunis pour réfléchir sur un problème particulier. *Des think tanks.*

T.I.P.P. n. f. Abrév. de *taxe intérieure sur les produits pétroliers.*

T.M.S. n. m. MED Abrév. de *trouble musculo-squelettique,* pathologie induite par des gestes rapides et répétitifs.

***tomber** v. intr. [1] Fam. *Être tombé dedans tout petit :* être conditionné par son enfance pour exercer telle ou telle activité.

***top** [tɔp] n. m. (Anglicisme) Partie d'une tenue féminine qui couvre le buste.

top-case [tɔpkɛz] n. m. (Anglicisme) Petit coffre placé à l'arrière d'une moto. *Des top-cases.*

top ten [tɔptɛn] n. m. (Anglicisme) Classement qui regroupe les dix meilleurs d'un secteur (sport, ventes, etc.).

***tordre** v. tr. [6] Fig., fam. *Tordre le nez :* faire grise mine, manifester du dégoût.

T.P.E. n. f. Sigle de *très petite entreprise,* entreprise qui compte moins de dix salariés.

transpartisan, ane adj. POLIT Qui est au-dessus des partis.

trash [tʀaʃ] n. m. (Anglicisme) Fam. Mouvement de mode privilégiant la provocation de goût douteux (scatologie, insulte, etc.).

***tutoyer** v. tr. [23] Fig., fam Être très proche de qqch, le frôler. *Une émission qui tutoie les records d'audience.*

***tuyau** n. m. Fam. *Être dans les tuyaux :* être en projet, en préparation.

tycoon [tajkun] n. m. (Anglicisme) Fam. Magnat, en partic. dans le domaine des médias (cinéma, presse).

***urbaine** n. f. Petite voiture, destinée surtout aux déplacements urbains. Syn. citadine.

valideur n. m. Dispositif magnétique de validation des titres de transport en commun.

véloroute n. f. Itinéraire réservé aux vélos.

ventilatoire adj. MED Relatif à la ventilation pulmonaire. *Les marathoniens ont un débit ventilatoire très élevé.*

V.H.C. n. m. MED Abrév. de *virus de l'hépatite C.*

viagra n. m. (Nom déposé) Médicament qui favorise l'érection.

victimaire adj. Didac. Relatif à la victime, du point de vue pénal, psychologique, historique.

victimisation n. f. Didac. Fait de traiter ou de considérer qqn comme une victime.

virtualiser v. tr. [1] Rendre virtuel, faire entrer dans le monde virtuel.

wakeboard [wɛkbɔʀd] n. m. (Anglicisme) Planche de surf servant à la pratique du wakeboarding.

wakeboarding [wɛkbɔʀdiŋ] n. m. (Anglicisme) Sport proche du ski nautique, mais qui se pratique sur une petite planche de surf tirée par un hors-bord.

warm-up [wɔʀmœp] n. m. (Anglicisme) Parcours d'échauffement avant une course automobile.

web [wɛb] n. m. (Anglicisme) Site sur le Web. *Ouvrir un web sur les cucurbitacées.*

webring [wɛbʀiŋ] n. m. (Anglicisme) TELECOM Ensemble de sites sur le Web rassemblés autour d'un thème. Syn. anneau.

XL adj. (Anglicisme) Abrév. de *extralarge,* sigle servant à indiquer la taille d'un vêtement.

***yo-yo** n. m. Fig., fam. Mouvement de va-et-vient. *Les contribuables victimes du yo-yo fiscal.*

yoyoter v. intr. [1] Fam. Jouer au yo-yo. *Ça yoyote dans les cours d'école.*

***zapping** n. m. Fig. Comportement versatile, propension à passer d'une chose à une autre.

ANGLICISMES ET ÉQUIVALENTS FRANCAIS

Animés par un souci d'uniformisation et de défense de la langue française, un certain nombre d'organismes officiels français et de pays francophones proposent régulièrement des équivalents français pour les anglicismes, notamment les commissions ministérielles de terminologie, la Délégation générale à la langue française (où se trouvent représentés le Québec et les Communautés françaises de Belgique, de Suisse et du Luxembourg), l'Office de la langue française du Québec et l'Atelier de français vivant de la Maison de la francité de Bruxelles (citons *Anglicismes et substituts français*, de M. Lenoble-Pinson, 1991). Les journalistes se préoccupent également de la question (*Anglicismes et Anglomanie*, de M. Voirol, 1989, est un des guides du Centre de formation et de perfectionnement des journalistes). Enfin, les rédacteurs de dictionnaires sont en premier lieu concernés. Des travaux effectués et du fonds lexicographique de Hachette, nous avons extrait la courte liste ci-dessous, où se trouvent des anglicismes, mais aussi des américanismes et de faux anglicismes, avec un ou plusieurs substituts français, parmi les nombreux proposés.

attaché-case : mallette
audit : vérification
révision comptable
organisation du travail
baby-sitter : garde d'enfant(s)
background : arrière-plan
badge : insigne
badminton : volant
baffle : haut-parleur
ballast : lest
ball-trap : tir au pigeon
barbecue : braisier
gril-au-vent, grilauvent
barman, barmaid :
serveur, serveuse de bar
best-seller :
succès de librairie
succès de vente
gros tirage
black out : couvre-feu
blush : fard à joues
boat people :
réfugié de la mer
body : justaucorps
bookmaker :
preneur de paris
boomer : boumeur
haut-parleur de graves
boots : bottillons
bowling : salle de quilles
bow-window : oriel
box : stalle, place, garage
box-office : cote commerciale
brainstorming :
remue-méninges
brain trust :
groupe de réflexion,
de recherche, de travail
direction, état-major
break : pause
briefing :
réunion d'information
rapport, compte rendu
instructions
remise d'instructions
remise de consignes
brunch : petit midi
brushing : thermobrossage
bug : bogue
bulldozer : bouteur
business : affaires
buzzer : vibreur sonore
by-pass : dérivation
caddie : porte-crosses
chariot
cameraman : cadreur
camping-car : autocaravane
car-ferry : transbordeur
cash : comptant
en espèces, en liquide
cash-flow :
marge brute d'autofinancement
casting : distribution
CD-Rom :
disque optique compact
(abrév. : doc)
challenge : chalenge, défi
épreuve, pari
challenger : chalengeur
charter : avion nolisé
check-list : liste de contrôle
check-up : bilan de santé
chips : croustilles
clip, vidéo-clip :
chanson-vidéo, vidéo-chanson
bande (vidéo) promotionnelle
club (golf) *:* crosse
coach (sport) *:* entraîneur
cockpit : habitacle
poste de pilotage,
cabine de pilotage
cocooner :
(v. intr.) cocouner
(n. m.) cocouneur
cocooning : cocoune
come-back : retour
compact disc :
disque compact
container : conteneur
corn flakes :
flocons (pétales) de maïs
corner : tir d'angle
coup (de pied) de coin
crack : as
cracking : craquage
crash : écrasement
cubitainer : caisse-outre
cutter : tranchet, tranchoir
dealer : revendeur
derrick : tour de forage
design : stylique
designer : stylicien
digest : résumé
digital : numérique
discount : discompte, rabais
remise, ristourne, minimarge
display : présentoir
dispatcher :
distribuer, répartir
dispatching :
distribution, répartition
doping : dopage
drink : verre, pot
drive : coup droit
engineering : ingénierie
fair-play : franc-jeu
fast-food : restauration rapide
prêt-à-manger
plat-minute, repas-minute
restauvite, restaupouce
feed-back : rétroaction
finish (au) : à l'arraché
à l'emballage
flash-back : retour en arrière
forcing (faire le) :
attaquer, accélérer
appuyer, pousser
harceler, intensifier
franchising : franchisage
free-lance :
pigiste, indépendant
freezer :
compartiment à glaçons
frisbee : discoplane
fun board : planche folle
garden-party :
réception en plein air
gas-oil : gazole
goal : gardien de but, portier
grill-room : grilladerie
groggy : sonné
hard-top : toit amovible
hardware : matériel
hit-parade : palmarès
hobby : passe-temps
home : chez-soi

hot-dog : sauci-pain
hovercraft : aéroglisseur
ice-cream : crème glacée
indoor : en salle
job : (petit) boulot
jogging :
trot, course-promenade
jumbo-jet : gros-porteur
kitchenette : cuisinette
kidnapping : enlèvement, rapt
kit : prêt-à-monter
know-how : savoir-faire
leader : chef, dirigeant
meneur, chef de file
leadership :
commandement, direction
hégémonie, primatie
leasing : crédit-bail
let : filet
lifting : lissage
live : en public
en concert
enregistrement public
enregistrement vivant, vif
lobby : groupe de pression
groupe d'influence
lobbying : influençage
lobbyist : influenceur
look : style, image
loser : perdeur
lunch : buffet
mailing : publipostage
marketing : mercatique
melting-pot : creuset
merchandising :
marchandisage
mixer : mélangeur
mobile-home :
résidence mobile
monitoring : monitorage
night-club : boîte de nuit
non-stop : continu, permanent
sans arrêt, sans interruption
nursing : nursage
off : (voix) hors champ
off shore : extraterritorial
O.K. ! : d'accord !
one man show :
spectacle solo, solo
out :
(sport) dehors, en touche
(fam.) dépassé
overbooking, surbooking :
surréservation
overdose : surdose
pacemaker :
stimulateur cardiaque
pack :
(sport) paquet
(emballage) lot, carton
package :
(inform.) progiciel
(comm.) achat groupé, forfait
panel : échantillon,
groupe témoin
parking : parc, parcage
passing-shot : tir passant
patchwork : arlequine
penthouse :
appartement-terrasse
pin's : épinglette
planning : programme
play-back : présonorisation
play-boy : jeune beau
pole position :
première ligne
position de tête, tête
position de pointe, pointe
prime position
pool : groupe, groupement
communauté
pop-corn : maïs soufflé
post-it :
feuillet repositionnable
press-book : album de presse
pressing : teinturerie
(sport) pression
punch : frappe, dynamisme
puissance, tonus, allant
raider : attaquant
raft : radel
rafting : radelage
recordman, recordwoman :
détenteur, détentrice d'un record
remake : nouvelle version
rewriter :
(v. tr.) réécrire
(n.) rédacteur-réviseur
rewriting : réécriture
royalty : redevance
rush : épreuve de tournage
sandwich : pain fourré
scanner : scanographe
scoop : exclusivité
score : marque
scraper : scrapeur
self-control : maîtrise de soi
self-service : libre-service
self : restif, librette
select : choisi, distingué
set : manche
shimmy : vibrations
shoot : tir
shooter : tirer
shopping : magasinage
show : spectacle de variétés
show-business :
industrie du spectacle
show-room : expovente
magasin (salle) d'exposition
salle de démonstration
sit-in : poser-là
skipper : skippeur, barreur
chef de bord,
smash : smache
smasher : smacher
snack-bar, snack :
buffet, petite restauration
software : logiciel
speech : brève allocution
discours, adresse, exposé
sponsor : commanditaire
parrain, parraineur
sponsoring : parrainage
sponsoriser :
commanditer, parrainer
spot : court message
spray : atomiseur, bombe
vaporisateur, pulvérisateur
squash : squache
staff : équipe de direction
standing : position,
classe, niveau
star-system : vedettariat
starting-block :
bloc ou cale de départ
stretch : élastissé
stripping : éveinage
strip-tease : effeuillage
strip-teaseuse : effeuilleuse
sunlight : projecteur
supporter : supporteur (trice)
suspense : suspens
sweater : chandail
tag : bombage
tagger : bombeur
tee-shirt : tricot de corps
thriller : film ou
roman d'épouvante
tie-break : jeu décisif
timing : minutage
toast : rôtie
toaster : grille-pain
top : sommet
top-model : premier modèle
training : entraînement
survêtement
tuner : syntoniseur
tweeter : haut-parleur d'aigus
walkman :
baladeur
zapping : pitonnage

CORRESPONDANCE : QUELQUES RÈGLES

Formules de début — **Formules finales**

CORRESPONDANCE PRIVÉE

À un supérieur, à une supérieure
Monsieur (Madame)
ou (selon le degré d'intimité) *Cher Monsieur (Chère Madame)*

Je vous prie d'agréer, Monsieur (Madame), l'expression de mes sentiments respectueux
Veuillez agréer, Monsieur (Madame), l'assurance de ma haute considération
Croyez, je vous prie, Monsieur (Madame), à l'expression de mon profond respect
Je vous prie de trouver ici, Monsieur (Madame), l'expression de ma respectueuse sympathie

D'égal(e) à égal(e)
Mon cher ami, Ma chère amie
Cher collègue, Chère collègue
Cher Monsieur, Chère Madame
Mon cher Georges, Ma chère Anne

Aucune formule ne s'impose, quelques suggestions :
Agréez, Monsieur (Madame), l'expression de mes sentiments distingués (ou *les plus cordiaux*, ou *les meilleurs*, ou *bien affectueux*)
Croyez à mon meilleur souvenir

D'un homme à une femme
Madame
Chère Madame (rarement)
Ma chère amie ou (plus intime) *Chère Jeanne*

Veuillez agréer, Madame, mes hommages (respectueux)

D'une femme à un homme, entre femmes, entre hommes,
les formules sont de même type.

Une femme s'adressant à un homme ne doit pas employer le mot « sentiment ». *Considération, salutations, respect, sympathie, souvenir* permettent de tourner la difficulté.

CHEFS D'ÉTAT, SOUVERAINS, SOUVERAINES

Président de la République
À Monsieur le Président de la République
Monsieur le Président

Daignez agréer, Monsieur le Président, l'expression de ma parfaite considération

Princes souverains
À Son Altesse Sérénissime
Monseigneur (pour un prince)
Madame (pour une princesse)
Les souverains et souveraines ayant régné gardent toute leur vie les titres qui étaient les leurs.

Je prie Votre Altesse (Impériale, Royale) d'agréer les assurances de mon profond respect

LETTRES DIVERSES

Titres (formules de début et de fin)

Corps médical (médecins, vétérinaires)
Monsieur le Docteur, Docteur, Monsieur et cher Docteur
À une femme médecin : *Madame* (l'adresse portera son titre : *Madame le docteur X...*)
À un professeur de faculté : *Monsieur le Professeur, Madame le Professeur*
Au Canada, pour une femme, l'OLF recommande *docteure, professeure*

Personnel administratif
Madame la Directrice..., Monsieur le Censeur..., Monsieur le Percepteur...

Notaires, avocats (avocates), huissiers
Maître, Cher Maître, Chère Maître

À un ambassadeur :
À Son Excellence, Monsieur l'Ambassadeur de...
À une femme ambassadeur :
Madame l'Ambassadeur.
Au Canada, *Madame l'Ambassadrice*
(Tous deux ont droit au titre de : *Votre Excellence.)*

LETTRES D'AFFAIRES

Les lettres d'affaires doivent être concises et exposer clairement le problème étudié. Ne pas hésiter à aller à la ligne pour mieux détacher la pensée exprimée.

La raison sociale est imprimée en haut et à gauche. À droite figurera la date, de préférence non abrégée. En dessous, le nom et l'adresse du (de la) destinataire (pour réparer éventuellement une erreur de mise sous enveloppe).

La marge sera calculée en fonction du destinataire : une marge large indique le respect ; elle permet, en outre, au correspondant d'y porter ses annotations.

La signature doit toujours être manuscrite. Au-dessus, il est souvent utile de préciser la fonction du (de la) signataire. Au-dessous, on répétera à la machine le nom manuscrit.

P.P. («pour pouvoir») ou *P.O.* («par ordre») précède la signature d'un(e) employé(e) autorisé(e) à signer le courrier à la place du chef de service.

Pour une lettre de commande, rappelant un coup de téléphone ou une note, employer la première personne du pluriel : *Nous vous confirmons...*

Dans la correspondance d'affaires, il est parfois souhaitable de personnaliser les formules. Si des contacts d'affaires ont été noués et qu'une certaine sympathie s'est dégagée, on peut écrire : *Cher Monsieur et Ami (Chère Madame et Amie)... Je vous prie d'agréer (Je vous présente) mes sincères salutations... (mes sentiments cordiaux).*

Voici, dans un ordre de subordination décroissant, quelques formules finales :
Daignez agréer (Veuillez agréer..., Je vous prie d'agréer..., Agréez...) l'assurance de :

ma haute considération.
mes sentiments respectueux.
mes sentiments respectueux et amicaux.
ma respectueuse sympathie.
mon amical souvenir.
mes sentiments cordiaux.

DEMANDE D'EMPLOI

Réponse à une petite annonce ou candidature spontanée

L'objectif immédiat est d'obtenir un entretien devant permettre au (à la) candidat(e) de présenter plus complètement les éléments de sa candidature, formation(s), expérience(s), compétence(s), traits de personnalité, et de se faire préciser des renseignements au sujet du poste à pourvoir. Un *curriculum vitæ* l'accompagne.

Cette lettre, manuscrite, s'écrit sur un seul côté d'une feuille entièrement blanche et de format standard 21 × 29,7 cm.

La personne à qui votre lettre est adressée (donc recruteur et futur employeur possible) doit pouvoir l'examiner en pointant **neuf** éléments différents :

1. Vos coordonnées, en haut et à gauche.

2. Le nom (si possible) et le titre ou la fonction de votre correspondant, ainsi que son adresse, en haut et à droite (présentation identique à ce que vous écrirez sur l'enveloppe).

3. La ville d'où vous écrivez et la date, en haut à droite, ou en bas à gauche, juste au-dessus de votre signature.

4. L'appel doit être, si possible, accompagné du titre ou de la fonction du correspondant : *Monsieur, Madame la Directrice, Monsieur le Responsable, Madame, Mademoiselle...* (Le nom du destinataire ne sera pas précisé.)

5. L'introduction précise l'objet motivé de votre lettre, et soit la référence à la petite annonce, soit le caractère spontané et justifié de votre candidature.

6. La partie qui suit invite l'employeur à consulter le *curriculum vitæ* joint. Elle insiste sur les correspondances à établir entre l'offre d'emploi transmise par une petite annonce ou le poste sollicité par une candidature spontanée et les particularités du candidat.

7. Vous ne solliciterez pas directement un emploi, mais vous allez souhaiter, désirer, demander, proposer un entretien dont vous pouvez déjà esquisser le contenu.

8. La formule de fin de lettre reprend l'une des formules proposées dans la rubrique «Lettres d'affaires».
À titre d'exemple :
«*En vous remerciant de l'attention que vous porterez à ma demande* (ou... *à cette présentation... à cette candidature*), *je vous prie d'agréer, Monsieur le Directeur* ou *Madame la Directrice* (reprise du point 4 ci-dessus), *l'expression de mon profond respect* (ou... *de mes salutations respectueuses*).

9. Votre signature, en bas, à droite, sous votre texte.

1. AIMER

INDICATIF

présent

j’ aim e
tu aim es
il (elle) aim e
ns aim ons
vs aim ez
ils (elles) aim ent

imparfait

j’ aim ais
tu aim ais
il (elle) aim ait
ns aim ions
vs aim iez
ils (elles) aim aient

passé simple

j’ aim ai
tu aim as
il (elle) aim a
ns aim âmes
vs aim âtes
ils (elles) aim èrent

futur

j’ aim erai
tu aim eras
il (elle) aim era
ns aim erons
vs aim erez
ils (elles) aim eront

passé composé

j’ ai aimé
tu as aimé
il (elle) a aimé
ns avons aimé
vs avez aimé
ils (elles) ont aimé

plus-que-parfait

j’ avais aimé
tu avais aimé
il (elle) avait aimé
ns avions aimé
vs aviez aimé
ils (elles) avaient aimé

passé antérieur

j’ eus aimé
tu eus aimé
il (elle) eut aimé
ns eûmes aimé
vs eûtes aimé
ils (elles) eurent aimé

futur antérieur

j’ aurai aimé
tu auras aimé
il (elle) aura aimé
ns aurons aimé
vs aurez aimé
ils (elles) auront aimé

IMPÉRATIF

présent

aim e
aim ons
aim ez

passé

aie (ayons, ayez) aimé

SUBJONCTIF

présent

(que) j’ aim e
(que) tu aim es
(qu’) il (elle) aim e
(que) ns aim ions
(que) vs aim iez
(qu’) ils (elles) aim ent

imparfait

(que) j’ aim asse
(que) tu aim asses
(qu’) il (elle) aim ât
(que) ns aim assions
(que) vs aim assiez
(qu’) ils (elles) aim assent

passé

(que) j’ aie aimé
(que) tu aies aimé
(qu’) il (elle) ait aimé
(que) ns ayons aimé
(que) vs ayez aimé
(qu’) ils (elles) aient aimé

plus-que-parfait

(que) j’ eusse aimé
(que) tu eusses aimé
(qu’) il (elle) eût aimé
(que) ns eussions aimé
(que) vs eussiez aimé
(qu’) ils (elles) eussent aimé

CONDITIONNEL

présent

j’ aim erais
tu aim erais
il (elle) aim erait
ns aim erions
vs aim eriez
ils (elles) aim eraient

passé 1re forme

j’ aurais aimé
tu aurais aimé
il (elle) aurait aimé
ns aurions aimé
vs auriez aimé
ils (elles) auraient aimé

passé 2e forme

j’ eusse aimé
tu eusses aimé
il (elle) eût aimé
ns eussions aimé
vs eussiez aimé
ils (elles) eussent aimé

PARTICIPE

présent aim ant

passé aimé, e
ayant aimé

INFINITIF

présent aim er

passé avoir aimé

2. PLIER

INDICATIF

présent

je pli e
tu pli es
il (elle) pli e
ns pli ons
vs pli ez
ils (elles) pli ent

imparfait

je pli ais
tu pli ais
il (elle) pli ait
ns pli ions
vs pli iez
ils (elles) pli aient

passé simple

je pli ai
tu pli as
il (elle) pli a
ns pli âmes
vs pli âtes
ils (elles) pli èrent

futur

je pli erai
tu pli eras
il (elle) pli era
ns pli erons
vs pli erez
ils (elles) pli eront

passé composé

j’ ai plié
tu as plié
il (elle) a plié
ns avons plié
vs avez plié
ils (elles) ont plié

plus-que-parfait

j’ avais plié
tu avais plié
il (elle) avait plié
ns avions plié
vs aviez plié
ils (elles) avaient plié

passé antérieur

j’ eus plié
tu eus plié
il (elle) eut plié
ns eûmes plié
vs eûtes plié
ils (elles) eurent plié

futur antérieur

j’ aurai plié
tu auras plié
il (elle) aura plié
ns aurons plié
vs aurez plié
ils (elles) auront plié

IMPÉRATIF

présent

pli e
pli ons
pli ez

passé

aie (ayons, ayez) plié

SUBJONCTIF

présent

(que) je pli e
(que) tu pli es
(qu’) il (elle) pli e
(que) ns pli ions
(que) vs pli iez
(qu’) ils (elles) pli ent

imparfait

(que) je pli asse
(que) tu pli asses
(qu’) il (elle) pli ât
(que) ns pli assions
(que) vs pli assiez
(qu’) ils (elles) pli assent

passé

(que) j’ aie plié
(que) tu aies plié
(qu’) il (elle) ait plié
(que) ns ayons plié
(que) vs ayez plié
(qu’) ils (elles) aient plié

plus-que-parfait

(que) j’ eusse plié
(que) tu eusses plié
(qu’) il (elle) eût plié
(que) ns eussions plié
(que) vs eussiez plié
(qu’) ils (elles) eussent plié

CONDITIONNEL

présent

je pli erais
tu pli erais
il (elle) pli erait
ns pli erions
vs pli eriez
ils (elles) pli eraient

passé 1re forme

j’ aurais plié
tu aurais plié
il (elle) aurait plié
ns aurions plié
vs auriez plié
ils (elles) auraient plié

passé 2e forme

j’ eusse plié
tu eusses plié
il (elle) eût plié
ns eussions plié
vs eussiez plié
ils (elles) eussent plié

PARTICIPE

présent pli ant

passé plié, e
ayant plié

INFINITIF

présent pli er

passé avoir plié

3. FINIR

INDICATIF

présent

je	fin	is
tu	fin	is
il (elle)	fin	it
ns	fin	issons
vs	fin	issez
ils (elles)	fin	issent

imparfait

je	fin	issais
tu	fin	issais
il (elle)	fin	issait
ns	fin	issions
vs	fin	issiez
ils (elles)	fin	issaient

passé simple

je	fin	is
tu	fin	is
il (elle)	fin	it
ns	fin	îmes
vs	fin	îtes
ils (elles)	fin	irent

futur

je	fin	irai
tu	fin	iras
il (elle)	fin	ira
ns	fin	irons
vs	fin	irez
ils (elles)	fin	iront

passé composé

j'	ai	fini
tu	as	fini
il (elle)	a	fini
ns	avons	fini
vs	avez	fini
ils (elles)	ont	fini

plus-que-parfait

j'	avais	fini
tu	avais	fini
il (elle)	avait	fini
ns	avions	fini
vs	aviez	fini
ils (elles)	avaient	fini

passé antérieur

j'	eus	fini
tu	eus	fini
il (elle)	eut	fini
ns	eûmes	fini
vs	eûtes	fini
ils (elles)	eurent	fini

futur antérieur

j'	aurai	fini
tu	auras	fini
il (elle)	aura	fini
ns	aurons	fini
vs	aurez	fini
ils (elles)	auront	fini

IMPÉRATIF

présent	fin	is
	fin	issons
	fin	issez
passé	aie	fini
	ayons	fini
	ayez	fini

SUBJONCTIF

présent

(que)	je	fin	isse
(que)	tu	fin	isses
(qu')	il (elle)	fin	isse
(que)	ns	fin	issions
(que)	vs	fin	issiez
(qu')	ils (elles)	fin	issent

imparfait

(que)	je	fin	isse
(que)	tu	fin	isses
(qu')	il (elle)	fin	ît
(que)	ns	fin	issions
(que)	vs	fin	issiez
(qu')	ils (elles)	fin	issent

passé

(que)	j'	aie	fini
(que)	tu	aies	fini
(qu')	il (elle)	ait	fini
(que)	ns	ayons	fini
(que)	vs	ayez	fini
(qu')	ils (elles)	aient	fini

plus-que-parfait

(que)	j'	eusse	fini
(que)	tu	eusses	fini
(qu')	il (elle)	eût	fini
(que)	ns	eussions	fini
(que)	vs	eussiez	fini
(qu')	ils (elles)	eussent	fini

CONDITIONNEL

présent

je	fin	irais
tu	fin	irais
il (elle)	fin	irait
ns	fin	irions
vs	fin	iriez
ils (elles)	fin	iraient

passé 1re forme

j'	aurais	fini
tu	aurais	fini
il (elle)	aurait	fini
ns	aurions	fini
vs	auriez	fini
ils (elles)	auraient	fini

passé 2e forme

j'	eusse	fini
tu	eusses	fini
il (elle)	eût	fini
ns	eussions	fini
vs	eussiez	fini
ils (elles)	eussent	fini

PARTICIPE

présent	fin issant
passé	fini, e ayant fini

INFINITIF

présent	fin ir
passé	avoir fini

4. OFFRIR

INDICATIF

présent

j'	offr	e
tu	offr	es
il (elle)	offr	e
ns	offr	ons
vs	offr	ez
ils (elles)	offr	ent

imparfait

j'	offr	ais
tu	offr	ais
il (elle)	offr	ait
ns	offr	ions
vs	offr	iez
ils (elles)	offr	aient

passé simple

j'	offr	is
tu	offr	is
il (elle)	offr	it
ns	offr	îmes
vs	offr	îtes
ils (elles)	offr	irent

futur

j'	offr	irai
tu	offr	iras
il (elle)	offr	ira
ns	offr	irons
vs	offr	irez
ils (elles)	offr	iront

passé composé

j'	ai	offert
tu	as	offert
il (elle)	a	offert
ns	avons	offert
vs	avez	offert
ils (elles)	ont	offert

plus-que-parfait

j'	avais	offert
tu	avais	offert
il (elle)	avait	offert
ns	avions	offert
vs	aviez	offert
ils (elles)	avaient	offert

passé antérieur

j'	eus	offert
tu	eus	offert
il (elle)	eut	offert
ns	eûmes	offert
vs	eûtes	offert
ils (elles)	eurent	offert

futur antérieur

j'	aurai	offert
tu	auras	offert
il (elle)	aura	offert
ns	aurons	offert
vs	aurez	offert
ils (elles)	auront	offert

IMPÉRATIF

présent	offr e	
	offr ons	
	offr ez	
passé	aie	offert
	ayons	offert
	ayez	offert

SUBJONCTIF

présent

(que)	j'	offr	e
(que)	tu	offr	es
(qu')	il (elle)	offr	e
(que)	ns	offr	ions
(que)	vs	offr	iez
(qu')	ils (elles)	offr	ent

imparfait

(que)	j'	offr	isse
(que)	tu	offr	isses
(qu')	il (elle)	offr	ît
(que)	ns	offr	issions
(que)	vs	offr	issiez
(qu')	ils (elles)	offr	issent

passé

(que)	j'	aie	offert
(que)	tu	aies	offert
(qu')	il (elle)	ait	offert
(que)	ns	ayons	offert
(que)	vs	ayez	offert
(qu')	ils (elles)	aient	offert

plus-que-parfait

(que)	j'	eusse	offert
(que)	tu	eusses	offert
(qu')	il (elle)	eût	offert
(que)	ns	eussions	offert
(que)	vs	eussiez	offert
(qu')	ils (elles)	eussent	offert

CONDITIONNEL

présent

j'	offr	irais
tu	offr	irais
il (elle)	offr	irait
ns	offr	irions
vs	offr	iriez
ils (elles)	offr	iraient

passé 1re forme

j'	aurais	offert
tu	aurais	offert
il (elle)	aurait	offert
ns	aurions	offert
vs	auriez	offert
ils (elles)	auraient	offert

passé 2e forme

j'	eusse	offert
tu	eusses	offert
il (elle)	eût	offert
ns	eussions	offert
vs	eussiez	offert
ils (elles)	eussent	offert

PARTICIPE

présent	offr ant
passé	offert, te ayant offert

INFINITIF

présent	offr ir
passé	avoir offert

5. RECEVOIR

INDICATIF

présent

je	re	çois
tu	re	çois
il (elle)	re	çoit
ns	re	cevons
vs	re	cevez
ils (elles)	re	çoivent

imparfait

je	re	cevais
tu	re	cevais
il (elle)	re	cevait
ns	re	cevions
vs	re	ceviez
ils (elles)	re	cevaient

passé simple

je	re	çus
tu	re	çus
il (elle)	re	çut
ns	re	çûmes
vs	re	çûtes
ils (elles)	re	çurent

futur

je	re	cevrai
tu	re	cevras
il (elle)	re	cevra
ns	re	cevrons
vs	re	cevrez
ils (elles)	re	cevront

passé composé

j'	ai	reçu
tu	as	reçu
il (elle)	a	reçu
ns	avons	reçu
vs	avez	reçu
ils (elles)	ont	reçu

plus-que-parfait

j'	avais	reçu
tu	avais	reçu
il (elle)	avait	reçu
ns	avions	reçu
vs	aviez	reçu
ils (elles)	avaient	reçu

passé antérieur

j'	eus	reçu
tu	eus	reçu
il (elle)	eut	reçu
ns	eûmes	reçu
vs	eûtes	reçu
ils (elle)	eurent	reçu

futur antérieur

j'	aurai	reçu
tu	auras	reçu
il (elle)	aura	reçu
ns	aurons	reçu
vs	aurez	reçu
ils (elles)	auront	reçu

IMPÉRATIF

présent	re	çois
	re	cevons
	re	cevez
passé	aie	reçu
	ayons	reçu
	ayez	reçu

SUBJONCTIF

présent

(que)	je	re	çoive
(que)	tu	re	çoives
(qu')	il (elle)	re	çoive
(que)	ns	re	cevions
(que)	vs	re	ceviez
(qu')	ils (elles)	re	çoivent

imparfait

(que)	je	re	çusse
(que)	tu	re	çusses
(qu')	il (elle)	re	çût
(que)	ns	re	çussions
(que)	vs	re	çussiez
(qu')	ils (elles)	re	çussent

passé

(que)	j'	aie	reçu
(que)	tu	aies	reçu
(qu')	il (elle)	ait	reçu
(que)	ns	ayons	reçu
(que)	vs	ayez	reçu
(qu')	ils (elles)	aient	reçu

plus-que-parfait

(que)	j'	eusse	reçu
(que)	tu	eusses	reçu
(qu')	il (elle)	eût	reçu
(que)	ns	eussions	reçu
(que)	vs	eussiez	reçu
(qu')	ils (elles)	eussent	reçu

CONDITIONNEL

présent

je	re	cevrais
tu	re	cevrais
il (elle)	re	cevrait
ns	re	cevrions
vs	re	cevriez
ils (elles)	re	cevraient

passé 1re forme

j'	aurais	reçu
tu	aurais	reçu
il (elle)	aurait	reçu
ns	aurions	reçu
vs	auriez	reçu
ils (elles)	auraient	reçu

passé 2e forme

j'	eusse	reçu
tu	eusses	reçu
il (elle)	eût	reçu
ns	eussions	reçu
vs	eussiez	reçu
ils (elles)	eussent	reçu

PARTICIPE

présent	re cevant
passé	reçu, e ayant reçu

INFINITIF

présent	re cevoir
passé	avoir reçu

6. RENDRE

INDICATIF

présent

je	rend	s
tu	rend	s
il (elle)	rend	
ns	rend	ons
vs	rend	ez
ils (elles)	rend	ent

imparfait

je	rend	ais
tu	rend	ais
il (elle)	rend	ait
ns	rend	ions
vs	rend	iez
ils (elles)	rend	aient

passé simple

je	rend	is
tu	rend	is
il (elle)	rend	it
ns	rend	îmes
vs	rend	îtes
ils (elles)	rend	irent

futur

je	rend	rai
tu	rend	ras
il (elle)	rend	ra
ns	rend	rons
vs	rend	rez
ils (elles)	rend	ront

passé composé

j'	ai	rendu
tu	as	rendu
il (elle)	a	rendu
ns	avons	rendu
vs	avez	rendu
ils (elles)	ont	rendu

plus-que-parfait

j'	avais	rendu
tu	avais	rendu
il (elle)	avait	rendu
ns	avions	rendu
vs	aviez	rendu
ils (elles)	avaient	rendu

passé antérieur

j'	eus	rendu
tu	eus	rendu
il (elle)	eut	rendu
ns	eûmes	rendu
vs	eûtes	rendu
ils (elles)	eurent	rendu

futur antérieur

j'	aurai	rendu
tu	auras	rendu
il (elle)	aura	rendu
ns	aurons	rendu
vs	aurez	rendu
ils (elles)	auront	rendu

IMPÉRATIF

présent	rend	s
	rend	ons
	rend	ez
passé	aie	rendu
	ayons	rendu
	ayez	rendu

SUBJONCTIF

présent

(que)	je	rend	e
(que)	tu	rend	es
(qu')	il (elle)	rend	e
(que)	ns	rend	ions
(que)	vs	rend	iez
(qu')	ils (elles)	rend	ent

imparfait

(que)	je	rend	isse
(que)	tu	rend	isses
(qu')	il (elle)	rend	ît
(que)	ns	rend	issions
(que)	vs	rend	issiez
(qu')	ils (elles)	rend	issent

passé

(que)	j'	aie	rendu
(que)	tu	aies	rendu
(qu')	il (elle)	ait	rendu
(que)	ns	ayons	rendu
(que)	vs	ayez	rendu
(qu')	ils (elles)	aient	rendu

plus-que-parfait

(que)	j'	eusse	rendu
(que)	tu	eusses	rendu
(qu')	il (elle)	eût	rendu
(que)	ns	eussions	rendu
(que)	vs	eussiez	rendu
(qu')	ils (elles)	eussent	rendu

CONDITIONNEL

présent

je	rend	rais
tu	rend	rais
il (elle)	rend	rait
ns	rend	rions
vs	rend	riez
ils (elles)	rend	raient

passé 1re forme

j'	aurais	rendu
tu	aurais	rendu
il (elle)	aurait	rendu
ns	aurions	rendu
vs	auriez	rendu
ils (elles)	auraient	rendu

passé 2e forme

j'	eusse	rendu
tu	eusses	rendu
il (elle)	eût	rendu
ns	eussions	rendu
vs	eussiez	rendu
ils (elles)	eussent	rendu

PARTICIPE

présent	rend ant
passé	rendu, e ayant rendu

INFINITIF

présent	rend re
passé	avoir rendu

7. ÊTRE

INDICATIF

présent

je	suis
tu	es
il (elle)	est
ns	sommes
vs	êtes
ils (elles)	sont

imparfait

j'	étais
tu	étais
il (elle)	était
ns	étions
vs	étiez
ils (elles)	étaient

passé simple

je	fus
tu	fus
il (elle)	fut
ns	fûmes
vs	fûtes
ils (elles)	furent

futur

je	serai
tu	seras
il (elle)	sera
ns	serons
vs	serez
ils (elles)	seront

passé composé

j'	ai	été
tu	as	été
il (elle)	a	été
ns	avons	été
vs	avez	été
ils (elles)	ont	été

plus-que-parfait

j'	avais	été
tu	avais	été
il (elle)	avait	été
ns	avions	été
vs	aviez	été
ils (elles)	avaient	été

passé antérieur

j'	eus	été
tu	eus	été
il (elle)	eut	été
ns	eûmes	été
vs	eûtes	été
ils (elles)	eurent	été

futur antérieur

j'	aurai	été
tu	auras	été
il (elle)	aura	été
ns	aurons	été
vs	aurez	été
ils (elles)	auront	été

IMPÉRATIF

présent sois
soyons
soyez

passé aie été
ayons été
ayez été

SUBJONCTIF

présent

(que)	je	sois
(que)	tu	sois
(qu')	il (elle)	soit
(que)	ns	soyons
(que)	vs	soyez
(qu')	ils (elles)	soient

imparfait

(que)	je	fusse
(que)	tu	fusses
(qu')	il (elle)	fût
(que)	ns	fussions
(que)	vs	fussiez
(qu')	ils (elles)	fussent

passé

(que)	j'	aie	été
(que)	tu	aies	été
(qu')	il (elle)	ait	été
(que)	ns	ayons	été
(que)	vs	ayez	été
(qu')	ils (elles)	aient	été

plus-que-parfait

(que)	j'	eusse	été
(que)	tu	eusses	été
(qu')	il (elle)	eût	été
(que)	ns	eussions	été
(que)	vs	eussiez	été
(qu')	ils (elles)	eussent	été

CONDITIONNEL

présent

je	serais
tu	serais
il (elle)	serait
ns	serions
vs	seriez
ils (elles)	seraient

passé 1re forme

j'	aurais	été
tu	aurais	été
il (elle)	aurait	été
ns	aurions	été
vs	auriez	été
ils (elles)	auraient	été

passé 2e forme

j'	eusse	été
tu	eusses	été
il (elle)	eût	été
ns	eussions	été
vs	eussiez	été
ils (elles)	eussent	été

PARTICIPE

présent étant

passé été (invariable)
ayant été

INFINITIF

présent être

passé avoir été

8. AVOIR

INDICATIF

présent

j'	ai
tu	as
il (elle)	a
ns	avons
vs	avez
ils (elles)	ont

imparfait

j'	avais
tu	avais
il (elle)	avait
ns	avions
vs	aviez
ils (elles)	avaient

passé simple

j'	eus
tu	eus
il (elle)	eut
ns	eûmes
vs	eûtes
ils (elles)	eurent

futur

j'	aurai
tu	auras
il (elle)	aura
ns	aurons
vs	aurez
ils (elles)	auront

passé composé

j'	ai	eu
tu	as	eu
il (elle)	a	eu
ns	avons	eu
vs	avez	eu
ils (elles)	ont	eu

plus-que-parfait

j'	avais	eu
tu	avais	eu
il (elle)	avait	eu
ns	avions	eu
vs	aviez	eu
ils (elles)	avaient	eu

passé antérieur

j'	eus	eu
tu	eus	eu
il (elle)	eut	eu
ns	eûmes	eu
vs	eûtes	eu
ils (elles)	eurent	eu

futur antérieur

j'	aurai	eu
tu	auras	eu
il (elle)	aura	eu
ns	aurons	eu
vs	aurez	eu
ils (elles)	auront	eu

IMPÉRATIF

présent aie
ayons
ayez

passé aie eu
ayons eu
ayez eu

SUBJONCTIF

présent

(que)	j'	aie
(que)	tu	aies
(qu')	il (elle)	ait
(que)	ns	ayons
(que)	vs	ayez
(qu')	ils (elles)	aient

imparfait

(que)	j'	eusse
(que)	tu	eusses
(qu')	il (elle)	eût
(que)	ns	eussions
(que)	vs	eussiez
(qu')	ils (elles)	eussent

passé

(que)	j'	aie	eu
(que)	tu	aies	eu
(qu')	il (elle)	ait	eu
(que)	ns	ayons	eu
(que)	vs	ayez	eu
(qu')	ils (elles)	aient	eu

plus-que-parfait

(que)	j'	eusse	eu
(que)	tu	eusses	eu
(qu')	il (elle)	eût	eu
(que)	ns	eussions	eu
(que)	vs	eussiez	eu
(qu')	ils (elles)	eussent	eu

CONDITIONNEL

présent

j'	aurais
tu	aurais
il (elle)	aurait
ns	aurions
vs	auriez
ils (elles)	auraient

passé 1re forme

j'	aurais	eu
tu	aurais	eu
il (elle)	aurait	eu
ns	aurions	eu
vs	auriez	eu
ils (elles)	auraient	eu

passé 2e forme

j'	eusse	eu
tu	eusses	eu
il (elle)	eût	eu
ns	eussions	eu
vs	eussiez	eu
ils (elles)	eussent	eu

PARTICIPE

présent ayant

passé eu, eue
ayant eu

INFINITIF

présent avoir

passé avoir eu

9. ALLER

INDICATIF

présent

je	vais
tu	vas
il (elle)	va
ns	allons
vs	allez
ils (elles)	vont

imparfait

j'	allais
tu	allais
il (elle)	allait
ns	allions
vs	alliez
ils (elles)	allaient

passé simple

j'	allai
tu	allas
il (elle)	alla
ns	allâmes
vs	allâtes
ils (elles)	allèrent

futur

j'	irai
tu	iras
il (elle)	ira
ns	irons
vs	irez
ils (elles)	iront

passé composé

je	suis	allé
tu	es	allé
il (elle)	est	allé(e)
ns	sommes	allés
vs	êtes	allés
ils (elles)	sont	allé(e)s

plus-que-parfait

j'	étais	allé
tu	étais	allé
il (elle)	était	allé(e)
ns	étions	allés
vs	étiez	allés
ils (elles)	étaient	allé(e)s

passé antérieur

je	fus	allé
tu	fus	allé
il (elle)	fut	allé(e)
ns	fûmes	allés
vs	fûtes	allés
ils (elles)	furent	allé(e)s

futur antérieur

je	serai	allé
tu	seras	allé
il (elle)	sera	allé(e)
ns	serons	allés
vs	serez	allés
ils (elles)	seront	allé(e)s

IMPÉRATIF

présent va / allons / allez

passé sois allé(e) / soyons allé(e)s / soyez allé(e)s

SUBJONCTIF

présent

(que)	j'	aille
(que)	tu	ailles
(qu')	il (elle)	aille
(que)	ns	allions
(que)	vs	alliez
(qu')	ils (elles)	aillent

imparfait

(que)	j'	allass e
(que)	tu	allass es
(qu')	il (elle)	all ât
(que)	ns	allass ions
(que)	vs	allass iez
(qu')	ils (elles)	allass ent

passé

(que)	je	sois	allé
(que)	tu	sois	allé
(qu')	il (elle)	soit	allé(e)
(que)	ns	soyons	allés
(que)	vs	soyez	allés
(qu')	ils (elles)	soient	allé(e)s

plus-que-parfait

(que)	je	fusse	allé
(que)	tu	fusses	allé
(qu')	il (elles)	fût	allé(e)
(que)	ns	fussions	allés
(que)	vs	fussiez	allés
(qu')	ils (elles)	fussent	allé(e)s

CONDITIONNEL

présent

j'	irais
tu	irais
il (elle)	irait
ns	irions
vs	iriez
ils (elles)	iraient

passé 1re forme

je	serais	allé
tu	serais	allé
il (elle)	serait	allé(e)
ns	serions	allés
vs	seriez	allés
ils (elles)	seraient	allé(e)s

passé 2e forme

je	fusse	allé
tu	fusses	allé
il (elle)	fût	allé(e)
ns	fussions	allés
vs	fussiez	allés
ils (elles)	fussent	allé(e)s

PARTICIPE

présent all ant

passé allé, e / étant allé

INFINITIF

présent all er

passé être allé

10. FAIRE

INDICATIF

présent

je	fais
tu	fais
il (elle)	fait
ns	faisons
vs	faites
ils (elles)	font

imparfait

je	faisais
tu	faisais
il (elle)	faisait
ns	faisions
vs	faisiez
ils (elles)	faisaient

passé simple

je	fis
tu	fis
il (elle)	fit
ns	fîmes
vs	fîtes
ils (elles)	firent

futur

je	ferai
tu	feras
il (elle)	fera
ns	ferons
vs	ferez
ils (elles)	feront

passé composé

j'	ai	fait
tu	as	fait
il (elle)	a	fait
ns	avons	fait
vs	avez	fait
ils (elles)	ont	fait

plus-que-parfait

j'	avais	fait
tu	avais	fait
il (elle)	avait	fait
ns	avions	fait
vs	aviez	fait
ils (elles)	avaient	fait

passé antérieur

j'	eus	fait
tu	eus	fait
il (elle)	eut	fait
ns	eûmes	fait
vs	eûtes	fait
ils (elles)	eurent	fait

futur antérieur

j'	aurai	fait
tu	auras	fait
il (elle)	aura	fait
ns	aurons	fait
vs	aurez	fait
ils (elles)	auront	fait

IMPÉRATIF

présent fais / faisons / faites

passé aie fait / ayons fait / ayez fait

SUBJONCTIF

présent

(que)	je	fasse
(que)	tu	fasses
(qu')	il (elle)	fasse
(que)	ns	fassions
(que)	vs	fassiez
(qu')	ils (elles)	fassent

imparfait

(que)	je	fisse
(que)	tu	fisses
(qu')	il (elle)	fît
(que)	ns	fissions
(que)	vs	fissiez
(qu')	ils (elles)	fissent

passé

(que)	j'	aie	fait
(que)	tu	aies	fait
(qu')	il (elle)	ait	fait
(que)	ns	ayons	fait
(que)	vs	ayez	fait
(qu')	ils (elles)	aient	fait

plus-que-parfait

(que)	j'	eusse	fait
(que)	tu	eusses	fait
(qu')	il (elle)	eût	fait
(que)	ns	eussions	fait
(que)	vs	eussiez	fait
(qu')	ils (elles)	eussent	fait

CONDITIONNEL

présent

je	ferais
tu	ferais
il (elle)	ferait
ns	ferions
vs	feriez
ils (elles)	feraient

passé 1re forme

j'	aurais	fait
tu	aurais	fait
il (elle)	aurait	fait
ns	aurions	fait
vs	auriez	fait
ils (elles)	auraient	fait

passé 2e forme

j'	eusse	fait
tu	eusses	fait
il (elle)	eût	fait
ns	eussions	fait
vs	eussiez	fait
ils (elles)	eussent	fait

PARTICIPE

présent fais ant

passé fait, te / ayant fait

INFINITIF

présent faire

passé avoir fait

INFINITIF	RÈGLES	INDICATIF présent	imparfait	passé simple	futur
11. CRÉER	é toujours fermé	je crée, es, e, ent ns créons, ez	je créais,...	je créai,...	je créerai,...
12. PLACER	c	je place, es, e, ez, ent	ns placions, iez	ils (elles) placèrent	je placerai,...
	ç devant a, o	ns plaçons	je plaçais, ais, ait, aient	je plaçai, as, a, âmes, âtes	
13. MANGER	g	je mange, es, e, ez, ent	ns mangions, iez	ils (elles) mangèrent	je mangerai,...
	ge devant a et o	ns mangeons	je mangeais, eais, eait, eaient	je mangeai, as, a, âmes, âtes	
14. CÉDER	è devant syllabe muette finale	je cède, es, e, ent			
	é	ns cédons, ez	je cédais,...	je cédai,...	je céderai,...
15. ASSIÉGER	è devant syllabe muette finale	j'assiège, es, e, ent			
	ge devant a et o	ns assiégeons	j'assiégeais, eais, eait, eaient	j'assiégeai,...	
	é devant syllabe muette				j'assiégerai,...
16. LEVER	è devant syllabe muette	je lève, es, e, ent			je lèverai,...
	e	ns levons, ez	je levais,...	je levai,...	
17. GELER	è devant syllabe muette	je gèle, es, e, ent			je gèlerai,...
	e	ns gelons, ez	je gelais,...	je gelai,...	
18. ACHETER	è devant syllabe muette	j'achète, es, e, ent			j'achèterai,...
	e	ns achetons, ez	j'achetais,...	j'achetai,...	
19. APPELER	ll devant e muet	j'appelle, es, e, ent			j'appellerai,...
	l	ns appelons, ez	j'appelais,...	j'appelai,...	
20. JETER	tt devant e muet	je jette, es, e, ent			je jetterai,...
	t	ns jetons, ez	je jetais,...	je jetai,...	
21. PAYER	i ou y devant e muet	je paie, es, e, ent			je paierai,...
		je paye, es, e, ent			je payerai,...
		ns payons, ez	je payais,...	je payai,...	

CONDITIONNEL présent	SUBJONCTIF présent	imparfait	IMPÉRATIF	PARTICIPE présent	passé
je créerais,...	q. je crée,...	q. je créasse,...	crée créons, ez	créant	créé, e
je placerais,...	q. je place,...	q. je plaçasse,...	place, ez plaçons	plaçant	placé, e
je mangerais,...	q. je mange,...	q. je mangeasse,...	mange, ez mangeons	mangeant	mangé, e
je céderais,...	q. je cède, es, e, ent q. ns cédions iez	q. je cédasse,...	cède cédons, ez	cédant	cédé, e
j'assiégerais,...	q. j'assiège,...	q. j'assiégeasse,...	assiège assiégeons	assiégeant	assiégé, e
je lèverais,...	q. je lève, es, e, ent q. ns levions, iez	q. je levasse,...	lève levons, ez	levant	levé, e
je gèlerais,...	q. je gèle, es, e, ent q. ns gelions, iez	q. je gelasse,...	gèle gelons, ez	gelant	gelé, e
j'achèterais,...	q. j'achète, es, e, ent q. ns achetions, iez	q. j'achetasse,...	achète achetons, ez	achetant	acheté, e
j'appellerais,...	q. j'appelle, es, e, ent q. ns appelions, iez	q. j'appelasse,...	appelle appelons, ez	appelant	appelé, e
je jetterais,...	que je jette, es, e, ent q. ns jetions, iez	q. je jetasse,...	jette jetons, ez	jetant	jeté, e
je paierais,... je payerais,...	q. je paie, es, e, ent q. je paye, es, e, ent q. ns payions, iez	q. je payasse,...	paie paye payons, ez	payant	payé, e

INFINITIF	RÈGLES	INDICATIF présent	imparfait	passé simple	futur
22. ESSUYER	i devant e muet	j'essuie, es, e, ent			j'essuierai,...
	y	ns essuyons, ez	j'essuyais,...	j'essuyai,...	
23. EMPLOYER	i devant e muet	j'emploie, es, e, ent			j'emploierai,...
	y	ns employons, ez	j'employais,...	j'employai,...	
24. ENVOYER	i devant e muet	j'envoie, es, e, ent			
	y	ns envoyons, ez	j'envoyais,...	j'envoyai,...	
	err				j'enverrai,...
25. HAÏR	i	je hais, s, t			
	ï	ns haïssons, ez, ent	je haïssais,...	je haïs (haïmes, haïtes)	je haïrai,...
26. COURIR		je cours,...	je courais,...	je courus,...	je courrai,...
27. CUEILLIR		je cueille, es, e			je cueillerai,...
		ns cueillons,...	je cueillais,...	je cueillis,...	
28. ASSAILLIR		j'assaille, es, e ns assaillons, ez, ent	j'assaillais,...	j'assaillis,...	j'assaillirai,...
29. FUIR	i devant cons. et e	je fuis, s, t, ent		je fuis,...	je fuirai,...
	y devant a, ez, i, o	ns fuyons, ez	je fuyais,...		
30. PARTIR	sans t	je pars,			
	avec t	il (elle) part,...	je partais,...	je partis,...	je partirai,...
31. BOUILLIR	ou	je bous, s, t			
	ouill	ns bouillons,...	je bouillais,...	je bouillis,...	je bouillirai,...
32. COUVRIR		je couvre, es, e ns couvrons,...	je couvrais,...	je couvris,...	je couvrirai,...
33. VÊTIR		je vêts,...	je vêtais,...	je vêtis,...	je vêtirai,...
34. MOURIR	eur	je meurs, s, t, ent			
	our	ns mourons, ez	je mourais,...	je mourus,...	je mourrai,...
35. ACQUÉRIR	quier	j'acquiers, s, t, ièrent			
	quer	ns acquérons, ez	j'acquérais,...		j'acquerrai,...
	qu			j'acquis,...	

CONDITIONNEL présent	SUBJONCTIF présent	imparfait	IMPÉRATIF	PARTICIPE présent	passé
j'essuierais,...	q. j'essuie, es, e, ent q. ns essuyions, iez	q. j'essuyasse,...	essuie essuyons, ez	essuyant	essuyé, e
j'emploierais,...	q. j'emploie, es, e, ent q. ns employions, iez	q. j'employasse	emploie employons, ez	employant	employé, e
j'enverrais,...	q. j'envoie, es, e, ent q. ns envoyions, iez	q. j'envoyasse,...	envoie envoyons, ez	envoyant	envoyé, e
je haïrais,...	q. je haïsse, qu'il (elle) haïsse	q. je haïsse, qu'il (elle) haït	hais haïssons, haïssez	haïssant	haï, e
je courrais,...	q. je coure,...	q. je courusse,...	cours, courons, ez	courant	couru, e
je cueillerais,...	q. je cueille	q. je cueillisse,...	cueille cueillons, ez	cueillant	cueilli, e
j'assaillirais,...	q. j'assaille,...	q. j'assaillisse,...	assaille assaillons, ez	assaillant	assailli, e
je fuirais,...	q. je fuie, es, e, ent q. ns fuyions, iez	q. je fuisse,...	fuis fuyons, ez	fuyant	fui, e
je partirais,...	q. je parte,...	q. je partisse,...	pars partons, ez	partant	parti, e
je bouillirais,...	q. je bouille,...	q. je bouillisse,...	bous bouillons, ez	bouillant	bouilli, e
je couvrirais,...	q. je couvre, es, e q. ns couvrions,...	q. je couvrisse,...	couvre couvrons, couvrez	couvrant	couvert, te
je vêtirais,...	q. je vête,...	q. je vêtisse,...	vêts, ons, ez	vêtant	vêtu, e
je mourrais,...	q. je meure,...	q. je mourusse,...	meurs mourons, ez	mourant	mort, te
j'acquerrais,...	q. j'acquière, es, e, ent q. ns acquérions, iez	q. j'acquisse,...	acquiers acquérons, ez	acquérant	acquis, se

INFINITIF	RÈGLES	INDICATIF présent	imparfait	passé simple	futur
36. VENIR	i	je viens, s, t, nent		je vins,... vinrent	je viendrai,...
	e	ns venons, ez	je venais,...		
37. GÉSIR	défectif	je gis, tu gis, il (elle) gît			
		ns gisons, ez, ent	je gisais,...		
38. OUÏR	archaïque	j'ois,...		j'ouïs,...	j'ouïrai,...
		ns oyons,...	j'oyais,...		
39. PLEUVOIR	impersonnel + 3e pers. pl.	il pleut ils (elles) pleuvent	il pleuvait ils (elles) pleuvaient	il plut ils (elles) plurent	il pleuvra ils (elles) pleuvront
40. POURVOIR	i	je pourvois, s, t, ent			je pourvoirai,...
	y	ns pourvoyons, ez	je pourvoyais,...		
	u			je pourvus,...	
41. ASSEOIR	ie	j'assieds, ds, d			j'assiérai,...
	ey	ns asseyons, ez, ent	j'asseyais,...		
	i			j'assis,...	
ASSEOIR (oi/oy remplacent ie/ey)	oi	j'assois, s, t, ent			j'assoirai,...
	oy	ns assoyons, ez	j'assoyais,...		
42. PRÉVOIR	oi	je prévois, s, t, ent			je prévoirai,...
	oy	ns prévoyons, ez	je prévoyais,...		
	i/u			je prévis,...	
43. MOUVOIR	eu	je meus, s, t, vent			
	ou	ns mouvons, ez	je mouvais,...		je mouvrai,...
	u			je mus, s, t, (û)mes, (û)tes, rent	
44. DEVOIR	û au participe	je dois, s, t, vent		je dus,...	
	passé	ns devons, ez	je devais,...		je devrai,...
45. VALOIR	au, aille	je vaux, x, t			je vaudrai,...
	al	ns valons, ez, ent	je valais,...	je valus,...	
PRÉVALOIR					
46. VOIR	oi	je vois, s, t, ent			
	oy	ns voyons, ez	je voyais,...		
	i/e/u			je vis,...	je verrai,...

CONDITIONNEL présent	SUBJONCTIF présent	imparfait	IMPÉRATIF	PARTICIPE présent	passé
je viendrais,...	q. je vienne, es, e, ent	q. je vinsse,...	viens		
	q. ns venions, iez		venons, ez	venant	venu, e
				gisant	
j'ouïrais,...	q. j'oie,...	q. j'ouïsse,...	ois		ouï, e
	ns oyions,...		oyons, ez	oyant	
il pleuvrait ils (elles) pleuvraient	qu'il pleuve qu'ils (elles) pleuvent	qu'il plût qu'ils (elles) plussent		pleuvant	plu
je pourvoirais,...	q. je pourvoie, es, e, ent		pourvois		
	q. ns pourvoyions, iez		pourvoyons, ez	pourvoyant	
		q. je pourvusse,...			pourvu, e
j'assiérais,...			assieds		
	q. j'asseye,...		asseyons, ez	asseyant	
	q. ns asseyions,...				
		q. j'assisse,...			assis, se
j'assoirais,...	q. j'assoie, es, e, ent		assois		
	q. ns assoyions, iez		assoyons, ez	assoyant	
je prévoirais	q. je prévoie, es e, ent		prévois		
	q. ns prévoyions, iez	q. je prévisse,...	prévoyons, ez	prévoyant	prévu, e
	q. je meuve, es, e, ent		meus		
je mouvrais,...	q. ns mouvions, iez		mouvons, ez	mouvant	
		q. je musse,...			mû, mue
	q. je doive, es, e, ent	q. je dusse,...	dois		dû, due
je devrais,...	q. ns devions, iez		devons, ez	devant	
je vaudrais,...	q. je vaille, es, e, ent		vaux		
	q. ns valions, iez	q. je valusse,...	valons, ez	valant	valu, e
	q. je prévale, es, e				
	q. je voie, es, e, ent		vois		
	q. ns voyions, iez		voyons, ez	voyant	
je verrais,...		q. je visse,...			vu, e

INFINITIF	RÈGLES	INDICATIF présent	imparfait	passé simple	futur
47. SAVOIR	5 formes	je sais, s, t ns savons, ez, ent	je savais,...	je sus,...	je saurai,...
48. VOULOIR	veu/veuil voul/voudr	je veux, x, t, veulent ns voulons, ez	je voulais,...	je voulus,...	je voudrai,...
49. POUVOIR	eu/u(i) ouv/our	je peux, x, t, peuvent ns pouvons, ez	je pouvais,...	je pus,...	je pourrai,...
50. FALLOIR	impersonnel	il faut	il fallait	il fallut	il faudra
51. DÉCHOIR	choir et échoir sont défectifs	je déchois, s, t, ent ns déchoyons, ez	je déchoyais,...	je déchus,...	je décherrai,...
52. PRENDRE	prend pren pri(s)	je prends, ds, d ns prenons, ez, ent	je prenais,...	je pris,...	je prendrai,...
53. ROMPRE		je romps, ps, pt ns rompons,...	je rompais,...	je rompis,...	je romprai,...
54. CRAINDRE	ain-aind aign	je crains, s, t ns craignons, ez, ent	je craignais,...	je craignis,...	je craindrai,...
55. PEINDRE	ein eign	je peins, s, t ns peignons, ez, ent	je peignais,...	je peignis,...	je peindrai,...
56. JOINDRE	oin/oind oign	je joins, s, t ns joignons, ez, ent	je joignais,...	je joignis,...	je joindrai,...
57. VAINCRE	ainc ainqu	je vaincs, cs, c ns vainquons, ez, ent	je vainquais,...	je vainquis,...	je vaincrai,...
58. TRAIRE	i y	je trais, s, t, ent ns trayons, ez	je trayais,...	(inusité)	je trairai,...
59. PLAIRE	ai u	je plais, tu plais, il plaît (mais il, elle tait) ns plaisons, ez, ent	je plaisais,...	je plus,...	je plairai,...
60. METTRE	met mis	je mets, ns mettons	je mettais,...	je mis,...	je mettrai,...

CONDITIONNEL	SUBJONCTIF		IMPÉRATIF	PARTICIPE	
présent	présent	imparfait		présent	passé
je saurais,...	q. je sache,...	q. je susse,...	sache, ons, ez	sachant	su, e
je voudrais,...	q. je veuille, es, e, ent q. ns voulions, iez	q. je voulusse,...	veux (veuille) voulons, ez (veuillez)	voulant	voulu, e
je pourrais,...	q. je puisse,...	q. je pusse,...	(inusité)	pouvant	pu
il faudrait	qu'il faille	qu'il fallût	(n'existe pas)	(inusité)	fallu
je décherrais,...	q. je déchoie, es, e, ent q. ns déchoyions, iez	q. je déchusse,...	déchois déchoyons, ez	(n'existe pas mais échéant)	déchu, e
je prendrais,...	q. je prenne,...	q. je prisse,...	prends prenons, ez	prenant	pris, se
je romprais,...	q. je rompe,...	q. je rompisse,...	romps, pons, pez	rompant	rompu, e
je craindrais,...	q. je craigne,...	q. je craignisse,...	crains craignons, ez	craignant	craint, te
je peindrais,...	q. je peigne	q. je peignisse,...	peins peignons, ez	peignant	peint, te
je joindrais,...	q. je joigne,...	q. je joignisse,...	joins joignons, ez	joignant	joint, te
je vaincrais,...	q. je vainque,...	q. je vainquisse,...	vaincs vainquons, ez	vainquant	vaincu, e
je trairais,...	q. je traie, es, e ent q. ns trayions, yiez	(inusité)	trais trayons, ez	trayant	trait, te
je plairais,...	q. je plaise,...	q. je plusse,...	plais, sons, sez	plaisant	plu
je mettrais,...	q. je mette,...	q. je misse,...	mets, mettons, ez	mettant	mis, se

INFINITIF	RÈGLES	INDICATIF présent	imparfait	passé simple	futur
61. BATTRE	t tt	je bats, ts, t ns battons,...	je battais,...	je battis,...	je battrai,...
62. SUIVRE	ui uiv	je suis, s, t ns suivons,...	je suivais,...	je suivis,...	je suivrai,...
63. VIVRE	vi-viv véc	je vis, s, t ns vivons,...	je vivais,...	je vécus,...	je vivrai,...
64. SUFFIRE		je suffis, s, t, ns suffisons,...	je suffisais,...	je suffis,...	je suffirai,...
65. MÉDIRE		je médis, s, t ns médisons, vs médisez (mais vs dites, redites)	je médisais,...	je médis,...	je médirai,...
66. LIRE	i is u	je lis, s, t ns lisons, ez, ent	je lisais,...	je lus,...	je lirai,...
67. ÉCRIRE	i iv	j'écris, s, t ns écrivons, ez, ent	j'écrivais,...	j'écrivis,...	j'écrirai,...
68. RIRE		je ris, s, t ns rions,...	je riais,... ns riions, iez	je ris,... ns rîmes,...	je rirai,...
69. CONDUIRE		je conduis,...	je conduisais,...	je conduisis,...	je conduirai,...
70. BOIRE	oi u(v)	je bois, s, t, vent ns buvons, ez	je buvais,...	je bus,...	je boirai,...
71. CROIRE	oi oy u	je crois, s, t, ent ns croyons, ez	je croyais,...	je crus,...	je croirai,...
72. CROÎTRE	oî oiss û	je croîs, s, t ns croissons, ez, ent	je croissais,...	je crûs,...	je croîtrai,...
73. CONNAÎTRE	i/u î devant t	je connais, s, ssons, ssez, ssent il (elle) connaît	je connaissais,...	je connus,...	je connaîtrai,...

CONDITIONNEL présent	SUBJONCTIF présent	imparfait	IMPÉRATIF	PARTICIPE présent	passé
je battrais,...	q. je batte,...	q. je battisse,...	bats battons, ez	battant	battu, e
je suivrais,...	q. je suive,...	q. je suivisse,...	suis suivons, ez	suivant	suivi, e
je vivrais,...	q. je vive,...	q. je vécusse,...	vis, vivons, ez	vivant	vécu, e
je suffirais,...	q. je suffise,...	q. je suffisse,...	suffis, sons, sez	suffisant	suffi (mais confit, déconfit, frit, circoncis)
je médirais,...	q. je médise,... q. ns médisions, iez	q. je médisse,...	médis, médisons médisez (mais dites, redites)	médisant	médit
je lirais,...	q. je lise,...	q. je lusse,...	lis lisons, ez	lisant	lu, e
j'écrirais,...	q. j'écrive,...	q. j'écrivisse,...	écris écrivons, ez	écrivant	écrit, te
je rirais,...	q. je rie,... q. ns riions, iez	q. je risse,... riez q. ns rissions,...	ris, rions,	riant	ri
je conduirais,...	q. je conduise,...	q. je conduisisse,...	conduis, sons, sez	conduisant	conduit, te (mais lui, nui)
je boirais,...	q. je boive, es, e, ent q. ns buvions, iez	q. je busse,...	bois buvons, ez	buvant	bu, e
je croirais,...	que je croie,...	q. je crusse,...	crois croyons, ez	croyant	cru, e
je croîtrais,...	q. je croisse,...	q. je crûsse,...	croîs croissons, ez	croissant	crû, crue (mais accru, e)
je connaîtrais,...	q. je connaisse,...	q. je connusse,...	connais, ssons, ssez	connaissant	connu, e

INFINITIF	RÈGLES	INDICATIF présent	imparfait	passé simple	futur
74. NAÎTRE	nai-naît	je nais, nais, naît			je naîtrai,...
	naisse	ns naissons, ez ent	je naissais,...		
	naqu			je naquis,...	
75. RÉSOUDRE	ou/oudr ol/olv	je résous, s, t ns résolvons, ez, ent	je résolvais,...	(absoudre et dissoudre n'ont pas de passé simple)	je résoudrai,...
	olu			je résolus,...	
76. COUDRE	oud	je couds, ds, d			je coudrai,...
	ous	ns cousons, ez, ent	je cousais,...	je cousis,...	
77. MOUDRE	moud	je mouds, ds, d			je moudrai,...
	moul	ns moulons, ez, ent	je moulais,...	je moulus,...	
78. CONCLURE		je conclus, s, t ns concluons, ez, ent	je concluais,...	je conclus,...	je conclurai,...
79. CLORE	défectif	je clos, os, ôt ils (elles) closent	(inusité)	(inusité)	je clorai,...
80. MAUDIRE		je maudis, is, it ns maudissons, ez, ent	je maudissais,...	je maudis,...	je maudirai,...

FORMES SURCOMPOSÉES

L'usage appelle surcomposées les formes actives qui, normalement composées, deviennent par l'adjonction d'un 3e élément des formes surcomposées : *j'ai aimé ; j'ai eu aimé.*

INDICATIF

passé composé			passé antérieur		
j'	ai	eu aimé	j'	eus	eu aimé
tu	as	eu aimé	tu	eus	eu aimé
il (elle)	a	eu aimé	il (elle)	eut	eu aimé
ns	avons	eu aimé	ns	eûmes	eu aimé
vs	avez	eu aimé	vs	eûtes	eu aimé
ils (elles)	ont	eu aimé	ils (elles)	eurent	eu aimé

plus-que-parfait			futur antérieur		
j'	avais	eu aimé	j'	aurai	eu aimé
tu	avais	eu aimé	tu	auras	eu aimé
il (elle)	avait	eu aimé	il (elle)	aura	eu aimé
ns	avions	eu aimé	ns	aurons	eu aimé
vs	aviez	eu aimé	vs	aurez	eu aimé
ils (elles)	avaient	eu aimé	ils (elles)	auront	eu aimé

CONDITIONNEL présent	SUBJONCTIF présent	imparfait	IMPÉRATIF	PARTICIPE présent	passé
je naîtrais,...			nais		né, e
	q. je naisse,...		naissons, ez	naissant	
		q. je naquisse,...			
je résoudrais,...			résous		(absous, te ;
	q. je résolve,...		résolvons, ez	résolvant	dissous, te)
		q. je résolusse,...			résolu, e
je coudrais,...			couds		
	q. je couse,...	q. je cousisse,...	cousons, ez	cousant	cousu, e
je moudrais,...			mouds		
	q. je moule,...	q. je moulusse,...	moulons, ez	moulant	moulu, e
je conclurais,...	q. je conclue,...	q. je conclusse,...	conclus concluons, ez	concluant	conclu, e (mais inclus, se)
je clorais,...	q. je close,...	(inusité)	clos	closant	clos, se
je maudirais,...	q. je maudisse,... q. il maudisse,...	q. je maudisse,... q. il maudît,...	maudis, issons, issez	maudissant	maudit, ite

SUBJONCTIF

passé

(que)	j'	aie	eu aimé
(que)	tu	aies	eu aimé
(qu')	il (elle)	ait	eu aimé
(que)	ns	ayons	eu aimé
(que)	vs	ayez	eu aimé
(qu')	ils (elles)	aient	eu aimé

plus-que-parfait

(que)	j'	eusse	eu aimé
(que)	tu	eusses	eu aimé
(qu')	il (elle)	eût	eu aimé
(que)	ns	eussions	eu aimé
(que)	vs	eussiez	eu aimé
(qu')	ils (elles)	eussent	eu aimé

CONDITIONNEL

passé 1re forme

j'	aurais	eu aimé
tu	aurais	eu aimé
il (elle)	aurait	eu aimé
ns	aurions	eu aimé
vs	auriez	eu aimé
ils (elles)	auraient	eu aimé

passé 2e forme

j'	eusse	eu aimé
tu	eusses	eu aimé
il (elle)	eût	eu aimé
ns	eussions	eu aimé
vs	eussiez	eu aimé
ils (elles)	eussent	eu aimé

PARTICIPE

passé

ayant eu aimé

INFINITIF

passé

avoir eu aimé

Forme passive : ÊTRE AIMÉ

INDICATIF

présent

je suis aimé
tu es aimé
il (elle) est aimé(e)
ns sommes aimés
vs êtes aimés
ils (elles) sont aimé(e)s

imparfait

j' étais aimé
tu étais aimé
il (elle) était aimé(e)
ns étions aimés
vs étiez aimés
ils (elles) étaient aimé(e)s

passé simple

je fus aimé
tu fus aimé
il (elle) fut aimé(e)
ns fûmes aimés
vs fûtes aimés
ils (elles) furent aimé(e)s

futur

je serai aimé
tu seras aimé
il (elle) sera aimé(e)
ns serons aimés
vs serez aimés
ils (elles) seront aimé(e)s

passé composé

j' ai été aimé
tu as été aimé
il (elle) a été aimé(e)
ns avons été aimés
vs avez été aimés
ils (elles) ont été aimé(e)s

plus-que-parfait

j' avais été aimé
tu avais été aimé
il (elle) avait été aimé(e)
ns avions été aimés
vs aviez été aimés
ils (elles) avaient été aimé(e)s

passé antérieur

j' eus été aimé
tu eus été aimé
il (elle) eut été aimé(e)
ns eûmes été aimés
vs eûtes été aimés
ils (elles) eurent été aimé(e)s

futur antérieur

j' aurai été aimé
tu auras été aimé
il (elle) aura été aimé(e)
ns aurons été aimés
vs aurez été aimés
ils (elles) auront été aimé(e)s

IMPÉRATIF

présent sois aimé(e)
soyons aimé(e)s
soyez aimé(e)s

passé (inusité)

SUBJONCTIF

présent

(que) je sois aimé
(que) tu sois aimé
(qu') il (elle) soit aimé(e)
(que) ns soyons aimés
(que) vs soyez aimés
(qu') ils (elles) soient aimé(e)s

imparfait

(que) je fusse aimé
(que) tu fusses aimé
(qu') il (elle) fût aimé(e)
(que) ns fussions aimés
(que) vs fussiez aimés
(qu') ils (elles) fussent aimé(e)s

passé

(que) je aie été aimé
(que) tu aies été aimé
(qu') il (elle) ait été aimé(e)
(que) ns ayons été aimés
(que) vs ayez été aimés
(qu') ils (elles) aient été aimé(e)s

plus-que-parfait

(que) je eusse été aimé
(que) tu eusses été aimé
(qu') il (elle) eût été aimé(e)
(que) ns eussions été aimés
(que) vs eussiez été aimés
(qu') ils (elles) eussent été aimé(e)s

CONDITIONNEL

présent

je serais aimé
tu serais aimé
il (elle) serait aimé(e)
ns serions aimés
vs seriez aimés
ils (elles) seraient aimé(e)s

passé 1re forme

j' aurais été aimé
tu aurais été aimé
il (elle) aurait été aimé(e)
ns aurions été aimés
vs auriez été aimés
ils (elles) auraient été aimé(e)s

passé 2e forme

j' eusse été aimé
tu eusses été aimé
il (elle) eût été aimé(e)
ns eussions été aimés
vs eussiez été aimés
ils (elles) eussent été aimé(e)s

PARTICIPE

présent étant aimé(e)

passé été aimé
ayant été aimé(e)

INFINITIF

présent être aimé(e)

passé avoir été aimé(e)

F. pronominale : S'ADONNER

INDICATIF

présent

je m' adonne
tu t' adonnes
il (elle) s' adonne
ns ns adonnons
vs vs adonnez
ils (elles) s' adonnent

imparfait

je m' adonnais
tu t' adonnais
il (elle) s' adonnait
ns ns adonnions
vs vs adonniez
ils (elles) s' adonnaient

passé simple

je m' adonnai
tu t' adonnas
il (elle) s' adonna
ns ns adonnâmes
vs vs adonnâtes
ils (elles) s' adonnèrent

futur

je m' adonnerai
tu t' adonneras
il (elle) s' adonnera
ns ns adonnerons
vs vs adonnerez
ils (elles) s' adonneront

passé composé

je me suis adonné
tu t'es adonné
il (elle) s'est adonné(e)
ns ns sommes adonnés
vs vs êtes adonnés
ils (elles) se sont adonné(e)s

plus-que-parfait

je m'étais adonné
tu t'étais adonné
il (elle) s'était adonné(e)
ns ns étions adonnés
vs vs étiez adonnés
ils (elles) s'étaient adonné(e)s

passé antérieur

je me fus adonné
tu te fus adonné
il (elle) se fut adonné(e)
ns ns fûmes adonnés
vs vs fûtes adonnés
ils (elles) se furent adonné(e)s

futur antérieur

je me serai adonné
tu te seras adonné
il (elle) se sera adonné(e)
ns ns serons adonnés
vs vs serez adonnés
ils (elles) se seront adonné(e)s

IMPÉRATIF

présent adonne-toi
adonnons-nous
adonnez-vous

passé (inusité)

SUBJONCTIF

présent

(que) je m' adonne
(que) tu t' adonnes
(qu') il (elle) s' adonne
(que) ns ns adonnions
(que) vs vs adonniez
(qu') ils (elles) s' adonnent

imparfait

(que) je m' adonnasse
(que) tu t' adonnasses
(qu') il (elle) s' adonnât
(que) ns ns adonnassions
(que) vs vs adonnassiez
(qu') ils (elles) s' adonnassent

passé

(que) je me sois adonné
(que) tu te sois adonné
(qu') il (elle) se soit adonné(e)
(que) ns ns soyons adonnés
(que) vs vs soyez adonnés
(qu') ils (elles) se soient adonné(e)s

plus-que-parfait

(que) je me fusse adonné
(que) tu te fusses adonné
(qu') il (elle) se fût adonné(e)
(que) ns ns fussions adonnés
(que) vs vs fussiez adonnés
(qu') ils (elles) se fussent adonné(e)s

CONDITIONNEL

présent

je m' adonnerais
tu t' adonnerais
il (elle) s' adonnerait
ns ns adonnerions
vs vs adonneriez
ils (elles) s' adonneraient

passé 1re forme

je me serais adonné
tu te serais adonné
il (elle) se serait adonné(e)
ns ns serions adonnés
vs vs seriez adonnés
ils (elles) se seraient adonné(e)s

passé 2e forme

je me fusse adonné
tu te fusses adonné
il (elle) se fût adonné(e)
ns ns fussions adonnés
vs vs fussiez adonnés
ils (elles) se fussent adonné(e)s

PARTICIPE

présent s'adonnant

passé s'étant adonné(e)

INFINITIF

présent s'adonner

passé s'être adonné(e)

TERMINAISONS VERBALES

Pour les verbes du 2e groupe, sont indiqués les cas où l'on rencontre le radical long en *-iss*. Les numéros placés à côté de certaines terminaisons renvoient aux notes du bas de la page.

	GROUPE 1	GROUPE 2	GROUPE 3	GROUPE 1	GROUPE 2	GROUPE 3
	INDICATIF	présent		**SUBJONCTIF**	présent	
sing.	1 - e (1)	is	- s (2) ou e (5)	- e	isse	- e
	2 - es	is	- s ou es	- es	isses	- es
	3 - e	it	- t (3) ou e	- e	isse	- e
pluriel	1 - ons	issons	- ons	- ions	issions	- ions
	2 - ez	issez	- ez	- iez	issiez	- iez
	3 - ent	issent	- ent (4)	- ent	issent	- ent
		imparfait			imparfait	
sing.	1 - ais	issais	- ais	- asse	isse	- sse
	2 - ais	issais	- ais	- asses	isses	- sses
	3 - ait	issait	- ait	- ât	ît (6)	- t (6)
pluriel	1 - ions	issions	- ions	- assions	issions	- ssions
	2 - iez	issiez	- iez	- assiez	issiez	- ssiez
	3 - aient	issaient	- aient	- assent	issent	- ssent
		passé simple		**IMPÉRATIF**	présent	
sing.	1 - ai	is	- s			
	2 - as	is	- s			
	3 - a	it	- t	- e	is	- s (7)
pluriel	1 - âmes	îmes (6)	- mes (6)	- ons	issons	- ons
	2 - âtes	îtes (6)	- tes (6)	- ez	issez	- ez
	3 - èrent	irent	- rent			
		futur		**CONDITIONNEL**	présent	
sing.	1 - erai	irai	- rai	- crais	irais	- rais
	2 - eras	iras	- ras	- erais	irais	- rais
	3 - era	ira	- ra	- erait	irait	- rait
pluriel	1 - erons	irons	- rons	- erions	irions	- rions
	2 - erez	irez	- rez	- eriez	iriez	- riez
	3 - eront	iront	- ront	- eraient	iraient	- raient
	INFINITIF	présent		**PARTICIPE**	présent	
	- er	- ir	ir, oire ou re	- ant	issant	- ant
					passé	
				- é	- i	- i (8) - u

1 — À la forme interrogative avec inversion du sujet, la terminaison de la 1re pers. du sing. s'écrit avec un *é*; ex. *aimé-je* (prononcé [εmεʒ]). **2** — Terminaison - x dans : *je, tu veux ; je, tu vaux.* **3** — Terminaison zéro *(d)* dans les verbes en *-endre, -ondre, -oudre,* sauf dans les verbes du type absoudre *(il, elle absout).* Terminaison zéro dans *il vainc.* **4** — Terminaison *-ont* dans *ils (elles) sont, ils (elles) ont, ils (elles) vont, ils (elles) font.* **5** — Certains verbes dont le radical se termine par la semi-voyelle [j] (ex. *cueillir*) ou par deux consonnes prononcées (ex. *couvrir*) ne peuvent être suivis d'une consonne ; ils prennent alors une voyelle comme désinence du groupe 1 (ex. *je cueille, je couvre*). **6** — La dernière voyelle du radical de la 3e personne du singulier au subjonctif imparfait et les 1re et 2e personnes du passé simple pluriel prennent un accent circonflexe (ex. *nous finîmes, vous finîtes, qu'il finît*). **7** — Les verbes signalés dans la note 5 prennent à l'impératif présent (2e personne du singulier) la terminaison du groupe 1. De plus, les formes *aie, sache* et *veuille,* de *avoir, savoir* et *vouloir,* prennent aussi un *e* à l'impératif. **8** — Certains participes passés de ce groupe ont une terminaison en *-t* (ex. *écrit*) ou en *-s* (ex. *inclus*).

ACCORD DU PARTICIPE PASSÉ

	Accord avec le sujet du verbe	Accord avec le complément d'objet direct (COD) placé avant le verbe	Participe passé invariable
Participe passé conjugué avec l'auxiliaire ÊTRE	La renarde a été apprivoisée. Des renardeaux sont nés. Mon frère et ma sœur sont allés les voir.		
Participe passé conjugué avec l'auxiliaire AVOIR		La renarde qu'ils ont apprivoisée... L'avez-vous vue, cette renarde ? Quels noms as-tu choisis ?	■ **COD après le verbe** : Ils ont **vu** les renardeaux. ■ **Pas de COD** : Elles ont beaucoup **marché**. Elles en ont **bénéficié** (de cette faveur). ■ **COD = pronom neutre LE (L')** : Nous le leur avons **annoncé**. ■ **Verbes impersonnels** : Quelles démarches il a **fallu** ! ■ **Semi-auxiliaires** : La robe que j'ai **fait** faire... ■ **Participe passé suivi d'un verbe à l'infinitif** : La maison que j'ai **vu** construire (construire une maison). **Mais** : Les renardeaux que j'ai vus téter (j'ai vu les renardeaux téter).
Participe passé des verbes pronominaux ■ Verbes essentiellement pronominaux ■ Verbes pronominaux de sens passif ■ Verbes de sens réfléchi ou réciproque : • si SE est COD • si SE n'est pas COD	■ Elle s'est plainte du prix. Elles se sont enfuies. ■ La cuve s'est vidée lentement.	■ Ils se sont cachés. Elles se sont embrassées. ■ La maison qu'il s'est trouvée... La balle, ils se la sont passée.	■ **COD après le verbe** : Ils se sont **caché** les yeux. ■ **Pas de COD** : Elles se sont **souri**. Nous nous sommes **répondu**.

EMPLOI DU MODE DANS LA COMPLÉTIVE

Verbe de la principale	Mode de la complétive	Exemples
Verbes de déclaration, d'opinion ou de perception : **admettre, affirmer, annoncer, apercevoir, apprendre, assurer, avertir, dire, savoir, penser, voir...**	indicatif (ou conditionnel)	Il *affirme* qu'il **viendra (viendrait)**. Elle *écrit* qu'elle **a trouvé** du travail. Je *crois* qu'il **est (serait)** heureux. Nous *espérons* qu'il **fera** beau.
Verbes exprimant l'ordre, la volonté ou le sentiment : **accorder, préférer, commander, défendre, demander, exiger, regretter, se réjouir, souhaiter...**	subjonctif	Tu *veux* qu'il **vienne** ? Je *crains* qu'il n'**ait neigé**. Il *ordonna* qu'il se **présentât** sans tarder. Nous *souhaitons* qu'il **fasse** beau. J'*étais surpris* qu'il **eût su** conduire le camion.
Certains verbes de déclaration, d'opinion ou de perception à la forme négative ou interrogative : **penser, juger, estimer...**	indicatif (ou conditionnel) subjonctif	*Pensez*-vous qu'il **viendra (viendrait)** / qu'il **vienne** ? Je ne *crois* pas qu'il **a (aurait)** faim / qu'il **ait** faim. Nous n'*espérons* pas qu'il **fasse (fera)** beau.

EMPLOI IMPOSÉ DU MODE DU VERBE DANS LA CIRCONSTANCIELLE

Sens	Mode	Conjonctions ou locutions conjonctives	Exemples
TEMPS	indicatif (ou conditionnel)	quand, lorsque, comme, dès que, après que[1], au moment où,...	Les enfants tondront la pelouse *quand* ils **seront** en vacances. Les enfants tondront la pelouse *après qu'*ils **auront déjeuné**.
	subjonctif	avant que, jusqu'à ce que, en attendant que,...	Les enfants tondront la pelouse *avant qu'*il ne **pleuve**. Les enfants tondront la pelouse *jusqu'à ce qu'*il **fasse** nuit.
CAUSE	indicatif (ou conditionnel)	parce que, comme, sous prétexte que, puisque, non parce que,...	*Comme* ils **sont** en vacances, les enfants tondront la pelouse. Les enfants tondront la pelouse, *non parce que* cela leur **plaît**,...
fausse cause niée	subjonctif	non que	Les enfants tondront la pelouse, *non que* cela leur **plaise**,...
CONSÉ-QUENCE	indicatif (ou conditionnel)	si bien que, de sorte que, tant que, au point que, si... que,...	Les enfants tondront la pelouse, *si bien que* tu **peux** t'occuper du potager.
	subjonctif	trop... pour que, assez... pour que, pour que,...	L'herbe est *trop mouillée pour que* tu **tondes** la pelouse. Il suffit qu'il le dise *pour que* tu **tondes** la pelouse.
BUT	subjonctif	pour que, afin que, de peur que, de crainte que,...	Les enfants tondront la pelouse *pour que* tu **puisses** bêcher. Les enfants tondront la pelouse *de peur que* tu ne le **fasses**.
CONDITION	indicatif	si, suivant que, selon que,...	*Si* on le leur **dit**, les enfants tondront la pelouse.
	subjonctif	pourvu que, à moins que,...	Les enfants tondront la pelouse, *à moins qu'*il ne **pleuve**.
	conditionnel	au cas où, dans l'hypothèse où,...	Les enfants tondront la pelouse, *au cas où* l'herbe **serait** trop haute.
OPPOSITION	indicatif	alors que, tandis que, pendant que, même si,...	Les enfants tondent la pelouse *alors que* tu ne **fais** rien ! Ils ne tondront pas la pelouse *même si* tu le leur **dis**.
CONCESSION	subjonctif	quoique, quoi que, bien que, sans que, quelque... que,...	Les enfants tondront la pelouse *sans qu'*on le leur **dise**. *Quelque* fatigués *qu'*ils **soient**, les enfants tondront la pelouse.
	conditionnel	quand bien même, alors même que,...	Ils tondront la pelouse, *quand bien même* on le leur **interdirait**.
COMPAR-RAISON	indicatif (ou conditionnel)	comme, ainsi que, de même que, tel que, de la même façon que,...	Les enfant tondront la pelouse, *ainsi que* le **faisaient** leurs cousins l'année dernière.

1. Selon la norme, APRÈS QUE est suivi de l'indicatif, mais l'usage actuel tend de plus en plus vers l'emploi du subjonctif, surtout dans la langue parlée.

Crédits photographiques

Les origines des photographies sont classées par agence (en gras); suivent les noms des photographes. Entre parenthèses, figurent les numéros des pages concernées, une lettre indiquant l'ordre dans la page.

A.F.P. : (171a, 177c, 232b, 711b, 1028a, 1284c, 1404c, 1410b, 1446b, 1927b)
Ambassade de Norvège : (578)
Amnesty International : Doutreligne (69)
ANA : Durand (209a) Durazzo (70c, 511) Horree (1264) Kgaevsky (1961) Macintyre (75a) Rowan (1252a) Schliak (1295a) Viesti (885b, 1753) Wang Zhiping (898b) Ward (1814c)
APA : Guignard (239d)
A.P.N. : (1321d)
Archipress : Loiseau (1)
Archives photographiques/CNMH: (1979a)
Arcurial : (1253)
ASAVA : (1288, 1849a)
B.N. : (115, 177a, 272b, 310b, 318b, 376b, 384c, 423b, 440a, 459b, 474a, 548, 568b, 582b, 587b, 601c, 644b, 677c, 678a, 717a, 731d, 733c, 747b, 795b, 877a, 882b, 894b, 901a, 919b, 932a, 985b, 996c, 1003a, 1006b, 1010a, 1019a, 1019b, 1021, 1028b, 1053b, 1093b, 1129c, 1134b, 1244a, 1321b, 1429a, 1475a, 1639a, 1691a, 2024) Nadar (334a)
Bibliothèque du patrimoine : Charmet (3a)
Bildarchiv d. Öst. Nationalbibliothek : (1404b)
Bondu (B.) : (1254a)
Bouygues : (197)
Bull : (370)
Bulloz : (81a, 104a, 182d, 230b, 238a, 333b, 774c, 964b, 1113b, 1113c, 1261b, 1374b, 1428, 1458d, 1459a, 1465, 1747a, 1776b, 1784a, 1803a, 1877a, 1909a, 1981b, 2007) Ciccione (1823b)
Bulloz/Musée Carnavalet : (1776a)
CEDRI : Quéméré (285) Tripelon (40a) Trung Dung (1609b)
C.N.R.I. : (153b, 363, 937b, 937e, 937f, 937g, 1984) Révy (539b, 937a)
Canon : (1443)
Casterman : (1872b)
Centre culturel américain : (814a)
Charmet : (278b)
Chirol : (1861a)
Coll. Christophe L. : (110a, 125a, 125c, 256)
Cosmos : Carmichael (930) Dannenberg (1643d) Fournier (1265a) Sochurek (937c, 937d) Starlight/Ressmeyer (1328)
Cosmos/Contact : Grinker (78a) Schiller (49c)
Cosmos/NASA : (962)
Cosmos/NASA/S.P.L. : (1170b, 1202c, 1701a)
Cosmos/Royal Greenwich Observatory/S.P.L. : (1284a)
Cosmos/S.P.L. : Bensusen (790a) Johnson (1568) Marten (654c) Reader (1048c) Sanford (1121a)
Cosmos/S.P.L./NASA : (1020a)
Cosmos/S.P.L./Novosti : (788)
Cosmos/US Naval Observatory/ S.P.L. : (1353)
Cosmos/Westlight : Lloyd (34)
Cosmos/Woodfin Camp : Blaustein (283a) Clifford (56)
DIAF : Alexandra (253a) Ball (164a, 1245b, 1975a) Barbier (1169b, 1384a, 1575a) Bilderteam (253c) Biollay (349b) Blouin (1090) Bordas (1354a) Dannic (1477) Duchêne (1246c) Gabanou (646c, 1034a, 1049, 1917b) Garcin (1007, 1170c, 1265b, 1297a, 1562, 1920c) Gyssels (1276a) Hochman (1629b) Jassin (1380b) Jullien (568a, 1317) Langeland (71b, 553b, 630, 806, 1067b, 1650b) Le Bot (1644) Le Clainche (1555b) McKenzie (1411) Paul (565) Pratt-Pries (8a, 68b, 147b, 582c, 593a, 601a, 646a, 766c) Régent (1318a) Simmons (1110b, 1343, 1357b, 1767c, 1878) Thierry (127c, 1375b, 1437b, 1886a) Tiziou (1657c) de Jaeghere (1219, 1952)
Dagli Orti : (14, 19, 31b, 35a, 40b, 44, 46b, 49b, 58b, 64, 89b, 89d, 91a, 91b, 91c, 92c, 124, 127b, 137, 150, 151, 152b, 152c, 153a, 160, 162b, 177e, 178b, 190b, 194b, 210b, 212, 214b, 227, 236a, 236b, 239a, 251, 260a, 269b, 271a, 280b, 286b, 292, 296, 302, 304a, 305a, 305b, 308a, 318c, 318e, 320a, 323, 334c, 334d, 335c, 335d, 343b, 347a, 351b, 366a, 368c, 373b, 382, 383c, 390a, 391a, 391b, 393b, 393c, 393d, 396b, 399, 408b, 423a, 431, 440b, 461a, 461b, 462a, 466, 470, 482, 483b, 486, 488c, 493, 499b, 519b, 525a, 525b, 583b, 549a, 550a, 550c, 550d, 550e, 555c, 558, 566b, 570b, 576, 582d, 587a, 588a, 617b, 665b, 667b, 678b, 701, 706a, 733a, 746b, 768a, 789a, 813, 816a, 819c, 819d, 821b, 822, 833b, 851b, 862, 887a, 887b, 887c, 893a, 898a, 901d, 904a, 905c, 922b, 945, 956b, 985a, 1010b, 1016b, 1025a, 1036c, 1039a, 1040a, 1048b, 1048d, 1051b, 1061b, 1064b, 1066a, 1070, 1075, 1080, 1087, 1089b, 1096b, 1098b, 1110a, 1113d, 1115a, 1123a, 1133, 1134a, 1136a, 1137b, 1138a, 1151b, 1155a, 1158a, 1158b, 1162a, 1162b, 1163a, 1163b, 1164a, 1172b, 1183b, 1187b, 1187c, 1191a, 1191b, 1193a, 1197, 1199b, 1199c, 1208b, 1221a, 1224c, 1225, 1227b, 1229b, 1231, 1232b, 1235a, 1235b, 1236a, 1236b, 1242c, 1246b, 1248b, 1258c, 1266a, 1270a, 1273c, 1274, 1290a, 1295c, 1314a, 1325a, 1339a, 1339b, 1340, 1347b, 1360b, 1368a, 1372, 1409b, 1416, 1426, 1432b, 1434b, 1437a, 1437c, 1437d, 1438a, 1447c, 1449b, 1451, 1458b, 1459b, 1468b, 1473, 1481b, 1487b, 1490a, 1494, 1495b, 1503, 1505, 1517, 1530b, 1534, 1536a, 1537a, 1543a, 1553a, 1558b, 1564b, 1572b, 1580b, 1584c, 1589, 1604, 1608b, 1621, 1641, 1643a, 1681a, 1684, 1690, 1710b, 1710c, 1714, 1725a, 1728b, 1731b, 1731c, 1734b, 1744, 1746, 1751b, 1756a, 1756c, 1780d, 1787c, 1791, 1804, 1812, 1818a, 1823c, 1828c, 1851, 1863a, 1871b, 1872a, 1875a, 1879, 1890b, 1894a, 1910, 1936a, 1936c, 1953, 1967, 1979b, 1981c, 1986a, 1987, 1989a, 1994b, 2003, 2022b, 2027a) Durand (1580a)
Édi 7 : (146a, 286d, 293c, 320b, 330a, 374, 378a, 381b, 398b, 496, 519a, 522, 537, 551, 579a, 609c, 712, 716b, 743a, 797a, 825b, 846, 923c, 1028c, 1029, 1042, 1043, 1056c, 1111a, 1120b, 1196a, 1241a, 1266b, 1344b, 1367, 1369a, 1398b, 1479b, 1581b, 1609d, 1617b, 1654b, 1655a, 1725c, 1741b, 1835, 1837b, 1889b, 1914c, 1969b, 1979c, 1985b, 2000a, 2004a) Urilla (192b)
Édimédia : (23, 81b, 171b, 237a, 237d, 586a, 654a, 819a, 871a, 926, 1073, 1076a, 1247, 1263, 1438c, 1482a, 1574c, 1584a, 1645a, 1657b, 1691c, 1811, 1940, 1989b, 2029a) Kharbine (901c) Suarla (1267c) Wyatt (583a)
Édimédia/Snark/Radio Times : (1674)
Enguérand : (293a, 480c) Pacciani/Masson (178a) Rault (1314b)
Explorer : (294d, 2012) Arthus-Bertrand (1390) Bougaeff (21a) Boutin (1360c) Cambazard (1296c) Charmet (1839a) Chazot (1504) Coulon (128b) Delu (346) Dorval (381c, 990) Errath (1560) Gohier (293b) Goudouneix (378d) Guillou (265d) Hervy (1276b) Jahan (1424) Jourdan (1245a) Laird (687) Le Toquin (253d) Nacivet (434) Perno (223a) Pilloud (1082a) Renoux (1414) Roy (1232c) Tovy (1359a)
Explorer/coll. E.S. : (306b, 378c, 402, 923a, 1273a, 1298a, 1354b, 1447b, 1537b)
Explorer/F.P.G. : (1643b, 1645b) Vanderveen (1710d)
Explorer/Géopress : (83b)
Explorer/Mary Evans : (1109a, 1193b, 1198b, 1249a, 1358b, 1405a, 1653b, 1572a, 1600a, 1736b, 1840b, 1866c, 1883b, 2000c)
FOVÉA : Gouillardon (1478b) Kaehler (1360a) Kugler (1374c) Pham van Suu (1384b) Rollinger (1685a)
Fondation André Masson : by A.D.A.G.P., Paris, 1991 (1177a)
GIAT : (330b)
Gamma : (111, 379, 897a, 922d, 1563b) Allen (495c) Andersen (232a, 790b, 835c, 1767b, 2006a) Apesteguy (617c, 618a, 829a, 1141a, 1569b, 1718b) Arthus-Bertrand (2013b) Aventurier (2017c) Bassignac (619a) Benainous/-Buu (588) Bouvet (340d, 582a) Darr (221b) Denize (586b, 716d, 869b) Denize-Pelletier (739) Depardon (52b) Dovarganes (1419a) Duclos (879a, 1923a) Dupont (1129a) Edelhajt (1833a) Edinger (473b) Felici (1449a) Forest (1071a) Francolon (303c, 1037c, 1725b, 1756b) Franken (1914a) Gaillarde (308b, 1918b) Ginfray (1239b) Giraud (318d) Green (1141b) Guenet (1026b, 1642a) Guerrini (1404d) Guichard (1743c, 1820b) Hires (922c, 1298b) Johnson (258b) Jordan (797b) Kennerly (1006a) Lochon (1751a) Lounes (1190) Maitre (1035) Maous (877b) Mingam (98b, 1675a) Pelletier (239b) Poulet (188, 1876b) Pross (1082c) Quidu (770, 1787a) Rad (1569a) Reglain (335e) Richard (459c) Saussier (1735b) Shone (1685b, 1855a) Shone/Zoufarov (1840c) Simon (1318b) Stevens (1228c) Swersey (1405b) Talentino (92b) Umar (1147b) Urli (1404a) Uzan (489) Vassal (2025a) Vioujard (47, 358a, 495b, 1016a)

Wildenberg (183) Wollman (1423a) de Keerle (1860b, 1999b)
Gamma/Aérospatiale : Guichard (1226)
Gamma/Bulcao : (1981a)
Gamma/Fotos International : (1514)
Gamma/Liaison : Giboux (1754d)
Gamma/R.I.A. : (100c)
Giraudon : (495d, 617a, 801b, 801b, 801b, 801b, 801b, 801b, 1009, 1060a, 1061a, 1563a, 1582, 1583a, 1780a, 1831a, 1970, 2012a) Alinari (872b, 1741a) Lauros by ADAGP, Paris, 1991 (1579b) Lauros (1954b)
Giraudon/Telarci : (1114a)
Hachette : (3b, 41a, 45a, 45b, 70a, 70b, 71a, 98c, 177b, 182c, 195, 207b, 209b, 217b, 240a, 243, 247b, 299a, 303b, 306a, 325a, 325b, 334b, 335a, 376a, 408a, 412b, 412c, 425, 445, 473c, 474b, 492a, 492b, 492c, 495a, 495e, 499a, 538a, 559b, 609b, 610, 632, 643a, 644c, 647b, 677b, 697, 699b, 706b, 709c, 711a, 713a, 713b, 716e, 733b, 749b, 749c, 768b, 771c, 776b, 801c, 801d, 802b, 807b, 819b, 826a, 826b, 829b, 831a, 854c, 859b, 859c, 863, 868a, 868b, 883a, 901b, 903c, 923b, 929b, 965b, 1003b, 1004b, 1005, 1026a, 1027, 1030b, 1034d, 1037b, 1039b, 1046a, 1048a, 1052b, 1052c, 1053a, 1063a, 1066b, 1069d, 1071b, 1076b, 1078a, 1078b, 1082b, 1095a, 1096a, 1100b, 1107c, 1113a, 1114b, 1115b, 1123b, 1129d, 1145a, 1163c, 1163d, 1164b, 1168c, 1173c, 1176a, 1198c, 1210b, 1210c, 1234b, 1234c, 1242a, 1242b, 1243a, 1258b, 1267b, 1268a, 1273b, 1278a, 1284b, 1289a, 1290c, 1295b, 1297b, 1300c, 1303a, 1321c, 1333a, 1354c, 1368b, 1388a, 1396a, 1400a, 1400b, 1410a, 1425a, 1439a, 1448c, 1475b, 1498a, 1498b, 1524, 1530a, 1557a, 1564a, 1574d, 1584b, 1639b, 1647a, 1652, 1653a, 1653c, 1655e, 1657a, 1661a, 1670, 1703b, 1709a, 1711b, 1725d, 1733a, 1735a, 1736a, 1750a, 1783a, 1799, 1803b, 1833b, 1838a, 1839b, 1863b, 1866a, 1867b, 1877b, 1888b, 1894b, 1920b, 1923, 1963b, 1964a, 1971b, 1983c, 1994a, 1999a, 2000d, 2002b, 2002c, 2002d, 2004b, 2011, 2027b) Abeille (792a) Benque (717b) Bernand (182b) Bieber (859a, 860) Boyer (194a) Branger (1448d) Braun (1557b) Chalot (919a) Darbois (810, 902a) de Winternitz (2027c) Dornac (1965b) Downey (2006b) Carjat (208a, 1655c, 1888a, 1965c) Fleming (221a, 225b, 1286b) Florman (1303b) Forest (358b, 1224a, 1624b) Harcourt (1655b) Josse (771b, 887d, 914a, 963, 1013a, 1048e, 1069a, 1113e, 1168b, 1388b, 1636a, 1920a) Maisonneuve (872c) Manuel (193b, 366b, 601b, 609a, 709b, 766a, 1204b, 1268b, 1500, 1600b, 1647b) Martinie (1476b) Meurisse (244, 731c) Meyer (1184b) Nadar (1145b, 1215b, 1290b, 1335a, 1691b, 1718a, 1983b) Petit (766b) Philippot (340c) Pirou (1228b) Poupard (174b) René-Jacques (487) Requet (211a, 579b) Rol (1458a) Valéry (207a) Vieil (419)
Hachette/British Museum : (1927a)
Hachette/Brompton Studio : (1925)
Hachette/Centre culturel américain : (2004c)
Hachette/Fine Art Engravers : (550b)
Hachette/Historical Society of Pennsylvanna : (768c)
Hachette/Insel Verlag : (1636b)
Hachette/Metro Goldwyn Mayer : (795a)
Hachette/Musée Carnavalet : (1694)
Hachette/New York Times S.A. : (1011)
Hachette/O.R.T.F. : (1083)
Hachette/P.P.P. : (1750b)
Hachette/S.C.A. : (1063b)
Hachette/U.S.I.S. : (1653d, 1661b, 1883c, 1914b, 2006c) droits réservés (189b)
Hachette/Underwood and Underwood : (544c, 2006d)
Hachette/collection Sirot : (1946)
Hoa-Qui : Renaudeau (299d, 488b) Valentin (80b)
IFREMER : (573b)
Jerrican : Berenguier (1487e, 1926) Daudier (347f, 347g, 1892) Lespinasse (347c, 1072, 2023c)
Keystone : (286a, 409b, 574a, 774b, 794a, 869a, 883b, 905b, 965a, 1056b, 1069c, 1154c, 1249b, 1446a, 1452a, 1617a, 1679c, 1876a)
Keystone/Sygma : (705)
Kharbine/Tapabor : (706d) Kharbine (89c)
Lauros-Giraudon : (35b, 73b, 161b, 161c, 161d, 220a, 247c, 248, 303d, 313a, 502, 519e, 570a, 639, 685, 749a, 771a, 914b)
Léonard de Selva/Tapabor : (152d, 193c, 503, 538b, 573a, 608b, 936)
MNAM : (112, 516b, 564, 848, 1214, 1446c)
Magnum : (384b) Abbas (267b, 817c, 1023a) Bar (189a) Barbey (249b, 252a, 1170a, 1199a, 1487c, 1699b) Berry (1358a) Burri (288, 444a, 547a, 849c, 1071c, 1278b, 1447a, 1842) Capa (213a, 1396b) Cartier-Bresson (817a) Cros (294a) Davidson (989a) Depardon (747c, 1034b) Driggs (729c) Erwitt (1032b, 2009) Franck (566a, 1244c, 1655f) Gaumy (217c, 676, 831b, 1680) Glinn (270b) Gruyaert (89e, 298) Haas (730) Halsman (52a, 802c, 814b, 1030a, 1783b) Hamaya (900b) Hartmann (1159) Kalvar (396a, 2002a) Kubota (1481a) Larrain (214c) Lessing (40c, 50a, 77a, 104b, 130, 135, 180, 187b, 191b, 208c, 223b, 249a, 289, 295a, 311a, 312, 319, 331b, 335b, 422, 441, 442a, 456b, 462b, 494a, 513, 516a, 519c, 535a, 619b, 636, 654b, 725, 752, 791a, 800b, 816b, 843b, 870, 879b, 888b, 889a, 931, 986b, 1012a, 1036d, 1043a, 1077, 1109b, 1144b, 1156, 1174, 1215a, 1220, 1241b, 1243b, 1285, 1355c, 1436, 1512, 1541b, 1574a, 1575b, 1592, 1605, 1609c, 1634b, 1635b, 1661c, 1665, 1701b, 1708, 1733b, 1772, 1870a, 1873a, 1875c, 1886b, 1921b, 1948a, 1948b, 1949a, 1949b, 1957, 1965d, 1966) List (1516a) Lyon (1034c) Marlow (519d, 1153a) Mayer (269a) McCullin (179) McCurry (154) Meiselas (568c) Morath (252c, 1041a, 1289b) Perkins (1695a) Pinkhassov (1656) Press (347i) Rai (794b) Riboud (442b, 1116b, 1215c, 1277) Rodger (299b) Salgado (16a, 1040b) Seymour (929a) Smith (1789c) Stock (110b, 182a) Taconis (213b) Zachmann (546a, 790c, 1787b)
Mary Evans Picture Library : (1335b)
Météo France : (60, 372a, 372b, 480a, 480b, 484c, 1789a, 1789b)
Monnaie de Paris : (507)
Musée de l'Homme : Oster (716c)
Musée de la Publicité : (300b)
Musée national des Techniques : (1161b)
Odyssey : Bamberger (193a) Guenet (159b)
PICTO : (1731a)
PIX : (123, 290a, 337b, 380, 393a, 741a, 976, 1092b, 1094a, 1126, 1210d, 1246a, 1246d, 1600c, 1678a, 1678b, 1947, 1991) Agraci (1666a) Bénazet (77b, 883c) Bénézet (1889c) Beaugeois (585b) Caoudal (1559b) Chappe (795c) Crochet (1775) Davies (1639c) Delon (698, 1227a, 1780b) Dusart (1723) Hallo (647c) Hémon (673) La Cigogne (845c) Levannier (821a) Louvel (731b) Meauxsoone (1301, 1421a) Pontscharoff (2029b) Protet (196, 741b, 1749) Revault (1116c) Shapiro (1387) Trigalou (819f, 1692b) Valarcher (286c, 793, 1682a) Viard (735)
PIX/Éditions Arthaud : (1816)
PIX/TPS : Sutherland (1107d)
Paris-Match : Izis (92a)
Peugeot : (141)
Philippe Plailly/CERN : (10b)
Photothèque S.D.P. : Granel (238b)
Poullet (M.-F.) : (1024c, 1196b)
Presse Sports : (318a, 373d, 746c, 899a, 1303c, 1365, 1527) Podet (222) Thomas (1468a)
Rapho : Balog (702) Bertinetti (924a) Charles (1702b) Charliat (1739) Cléry (1734a) Coqueux (265b) Dimiz (1743b) Donnezan (168) Fouchet (1046b) Franey (90b) Friedel (129a) Gantier (800a) Goursat (1945b) Izis (278a) Landau (1154a) Le Diascorn (1682b) Marcel (1184a) Martel (661, 1788) Michaud (1667) Niepce (390b, 1696a) Ohanian (351a) Pavlovsky (437) Ronis (330d, 1601b) Ross (1748) Sanford (644a) Sarramon (789b) Setboun (1727) Soye (1683) Sparliam (2005) Yamashita (707, 746a, 781) de Sazo (1971a)
Rapho/Black Star : Levin (1647c)
REA : Fernandez (347b)
Renault : (216)
R.M.N. : (535b, 1183a, 1278c)
Roger-Viollet : (21b, 41b, 83a, 99b, 239c, 240b, 240c, 265a, 270a, 272c, 294c, 361a, 361b, 373c, 481, 544b, 585a, 617d, 618b, 692b, 729b, 743b, 778, 791b, 792b, 797c, 835b, 849b, 867a, 882a, 893b, 1002a, 1004a, 1069b, 1091b, 1095b, 1107b, 1128a, 1129b, 1137a, 1202b, 1239a, 1244b, 1438b, 1464a, 1464b, 1559a, 1574b, 1608a, 1675b, 1679b, 1703a, 1710a, 1711a, 1767a, 1789d, 1814a, 1814b, 1840a, 1855b, 1860a, 1866b, 1945c, 1964b, 2009a, 2009c, 2009d, 2017b) Albin-Guillot (902b) Alinari (665a) Anderson (647a, 658a, 1420a) Boyer (3c, 444b, 473d, 546b, 559a, 699a, 716a, 918, 1015a, 1100a, 1187a, 1297c, 1452b, 1837c) Harlingue (208b, 237c, 247a, 294b, 574b, 643b, 706c, 774a, 828, 867b, 872a, 894a, 996b, 1023b, 1032a, 1128b, 1147a, 1345b, 1419b, 1624c, 1681b, 1780c, 1784b, 1866d, 2009b) Lipnitzki (89a, 330c, 911b, 1015b, 1204c, 1338b, 1429b, 1487d, 1516b, 1709b) Martini (310c) Nadar (1176b) Viollet (1286a)
SIRPA/Marine nationale : (1492)
S.N.A./D.C.N. : (cliché Albacore) (1770)
Sarmant : (409a, 409c, 552b, 552d, 611a, 611b, 751a, 751b, 1076c, 1076e, 1121d, 1135a, 1135b, 1346a, 1346b, 1755b, 1873c)

Scope : Guillard (1606b)
Sea and See : Barrault (1706c) Février (304b)
Sipa Press/NASA : (1289c, 1805)
Sygma : (1936d) Langevin/Robert (1709b) Nogueés (1118) Orban (258) Tiziou (1121c, 1963a)
Tapabor : Kharbine (1154b, 1902)
The Image Bank : Becker (347d) Gay (347c)
Thomas (P.) : (1296b)
Thomson/CSF : (1565b)
TOP : Devaud (299c) Ducange (170) Martel (165a) Mazin (221c)
USIS/IPS : (1581a)
Vandystadt : Cannon (1084a)
Victoria and Albert Museum : (1476c)
Zefa : (1012b) Damm (84b) Meier (1093a) Sunak (1033)

Photocomposition **mcp** ORLÉANS qui a réalisé l'intégration des textes et des illustrations sur le logiciel d'édition TYPOSET® à partir de données SGML.

Photogravure **mcp** ORLÉANS et EURESYS BAISIEUX

Atlas

Villes et agglomérations

Londres ●	plus de 5 000 000 d'hab.
Munich ●	de 1 000 000 à 5 000 000 d'hab.
Palerme ●	de 500 000 à 1 000 000 d'hab.
Alicante ●	de 100 000 à 500 000 hab.
Ostende ●	de 50 000 à 100 000 hab.
Montreux ●	moins de 50 000 hab.
Olympie ○	autre localité
-·-·-	limite d'État
——	limite de région
ROME	capitale d'État

Communications et équipements

- axe routier important
- col, pont
- grand tunnel routier
- canal à grand gabarit
- aéroport international
- grand port
- grand barrage

France physique

0 100 200 km

France : régions et départements 2

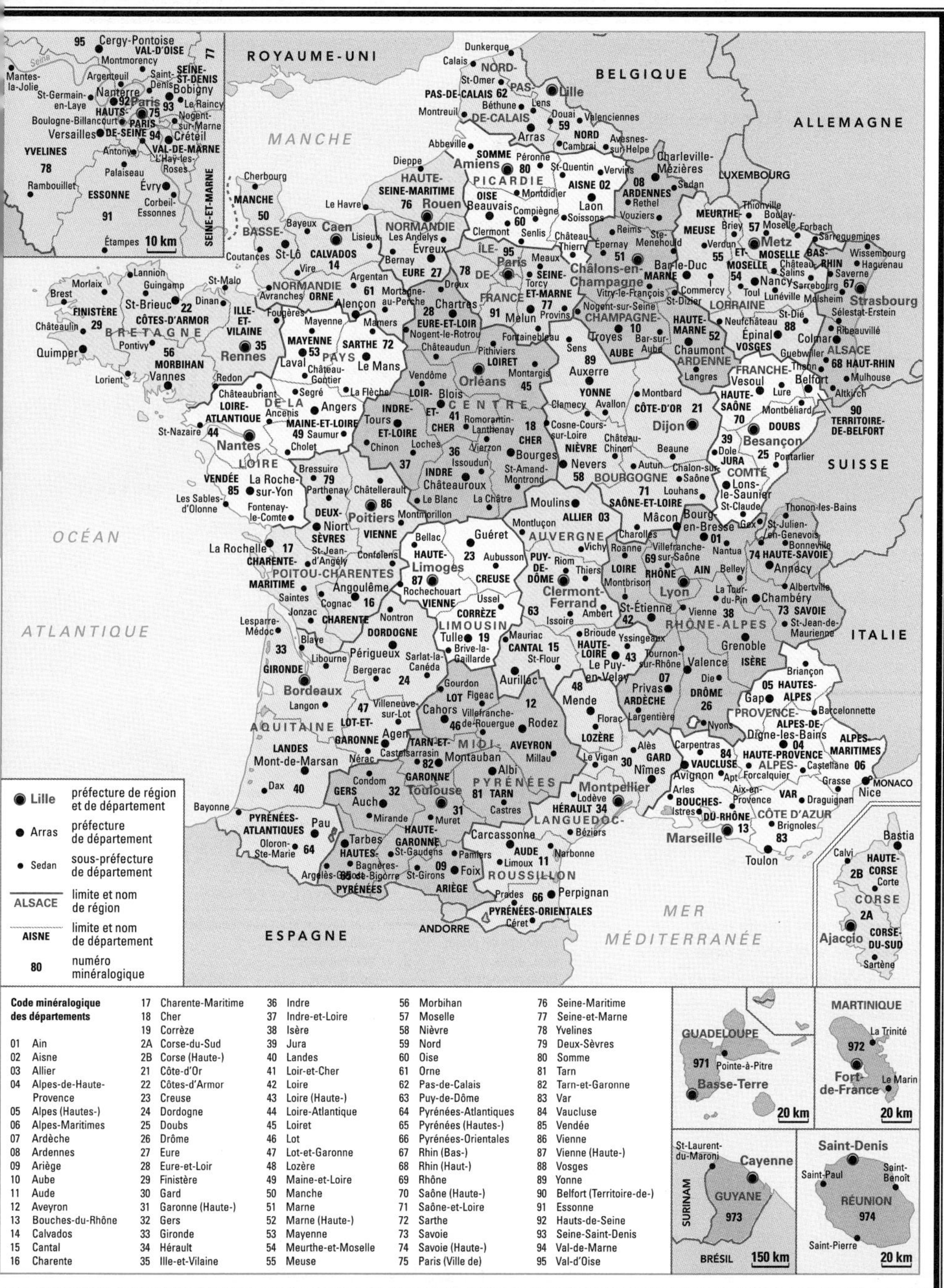

Code minéralogique des départements

01 Ain
02 Aisne
03 Allier
04 Alpes-de-Haute-Provence
05 Alpes (Hautes-)
06 Alpes-Maritimes
07 Ardèche
08 Ardennes
09 Ariège
10 Aube
11 Aude
12 Aveyron
13 Bouches-du-Rhône
14 Calvados
15 Cantal
16 Charente
17 Charente-Maritime
18 Cher
19 Corrèze
2A Corse-du-Sud
2B Corse (Haute-)
21 Côte-d'Or
22 Côtes-d'Armor
23 Creuse
24 Dordogne
25 Doubs
26 Drôme
27 Eure
28 Eure-et-Loir
29 Finistère
30 Gard
31 Garonne (Haute-)
32 Gers
33 Gironde
34 Hérault
35 Ille-et-Vilaine
36 Indre
37 Indre-et-Loire
38 Isère
39 Jura
40 Landes
41 Loir-et-Cher
42 Loire
43 Loire (Haute-)
44 Loire-Atlantique
45 Loiret
46 Lot
47 Lot-et-Garonne
48 Lozère
49 Maine-et-Loire
50 Manche
51 Marne
52 Marne (Haute-)
53 Mayenne
54 Meurthe-et-Moselle
55 Meuse
56 Morbihan
57 Moselle
58 Nièvre
59 Nord
60 Oise
61 Orne
62 Pas-de-Calais
63 Puy-de-Dôme
64 Pyrénées-Atlantiques
65 Pyrénées (Hautes-)
66 Pyrénées-Orientales
67 Rhin (Bas-)
68 Rhin (Haut-)
69 Rhône
70 Saône (Haute-)
71 Saône-et-Loire
72 Sarthe
73 Savoie
74 Savoie (Haute-)
75 Paris (Ville de)
76 Seine-Maritime
77 Seine-et-Marne
78 Yvelines
79 Deux-Sèvres
80 Somme
81 Tarn
82 Tarn-et-Garonne
83 Var
84 Vaucluse
85 Vendée
86 Vienne
87 Vienne (Haute-)
88 Vosges
89 Yonne
90 Belfort (Territoire-de-)
91 Essonne
92 Hauts-de-Seine
93 Seine-Saint-Denis
94 Val-de-Marne
95 Val-d'Oise

France : communications

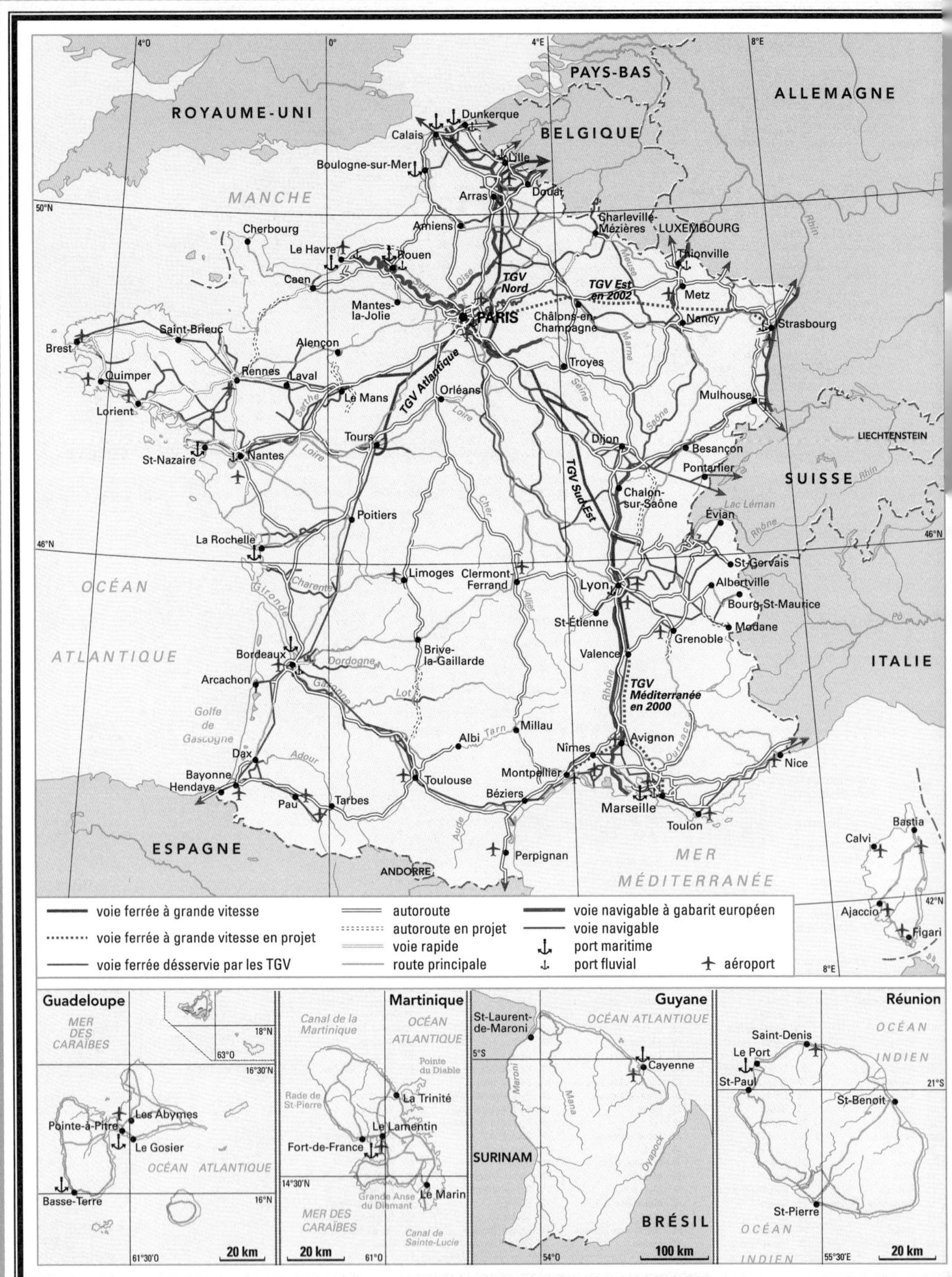

Belgique, Luxembourg et Suisse

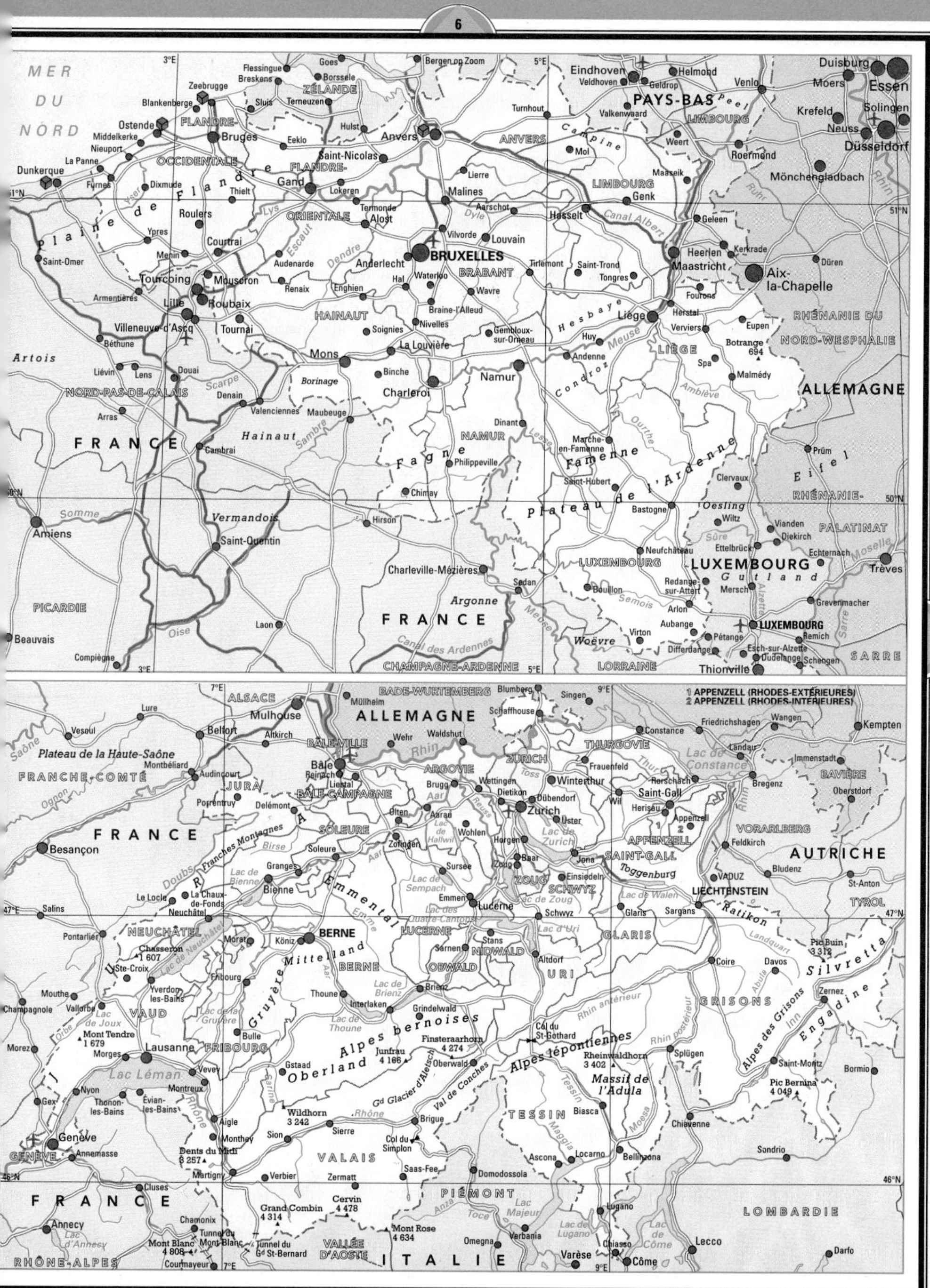

5 États riverains de la mer du Nord

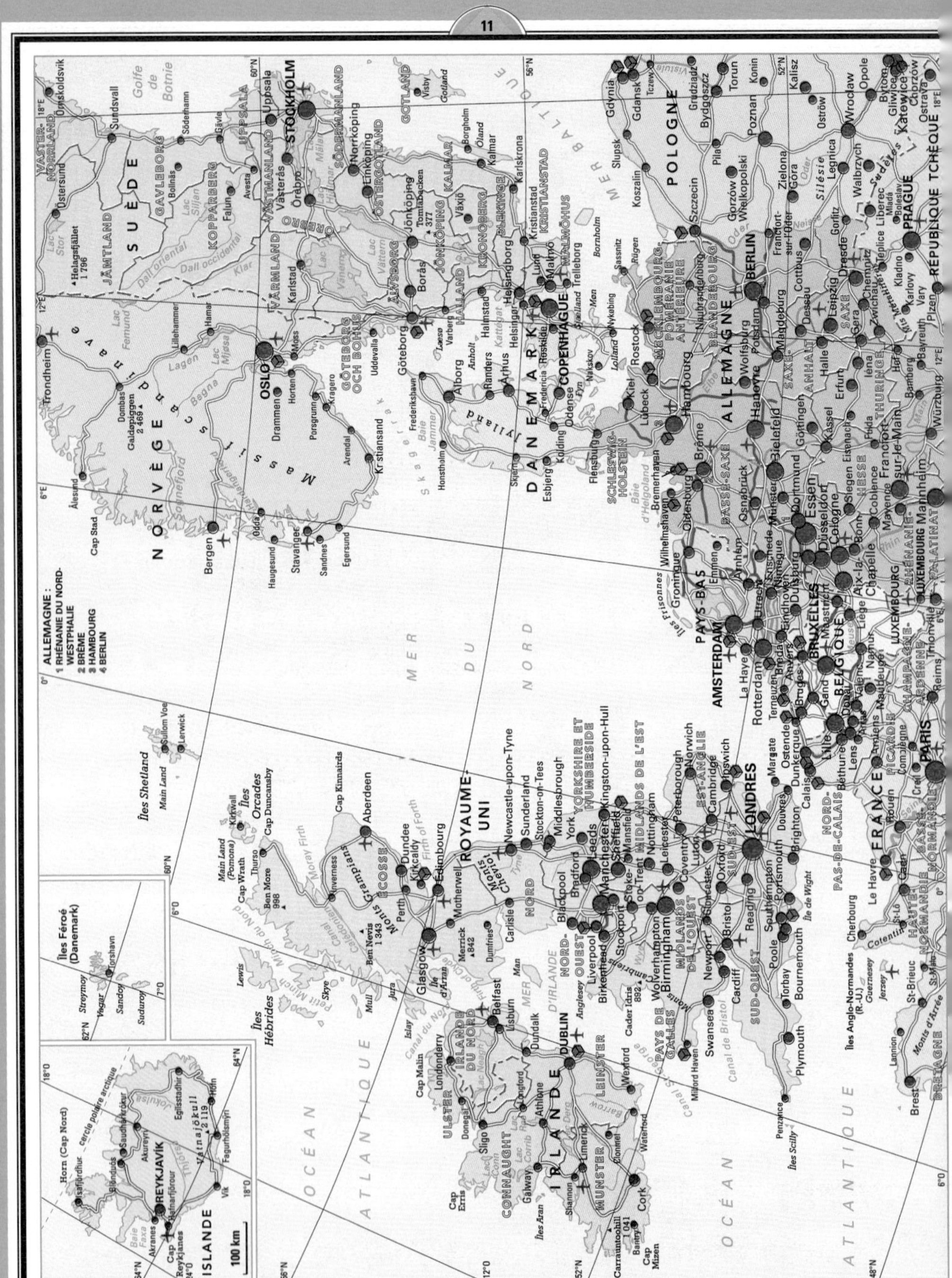

100 km

Angleterre et Pays-Bas

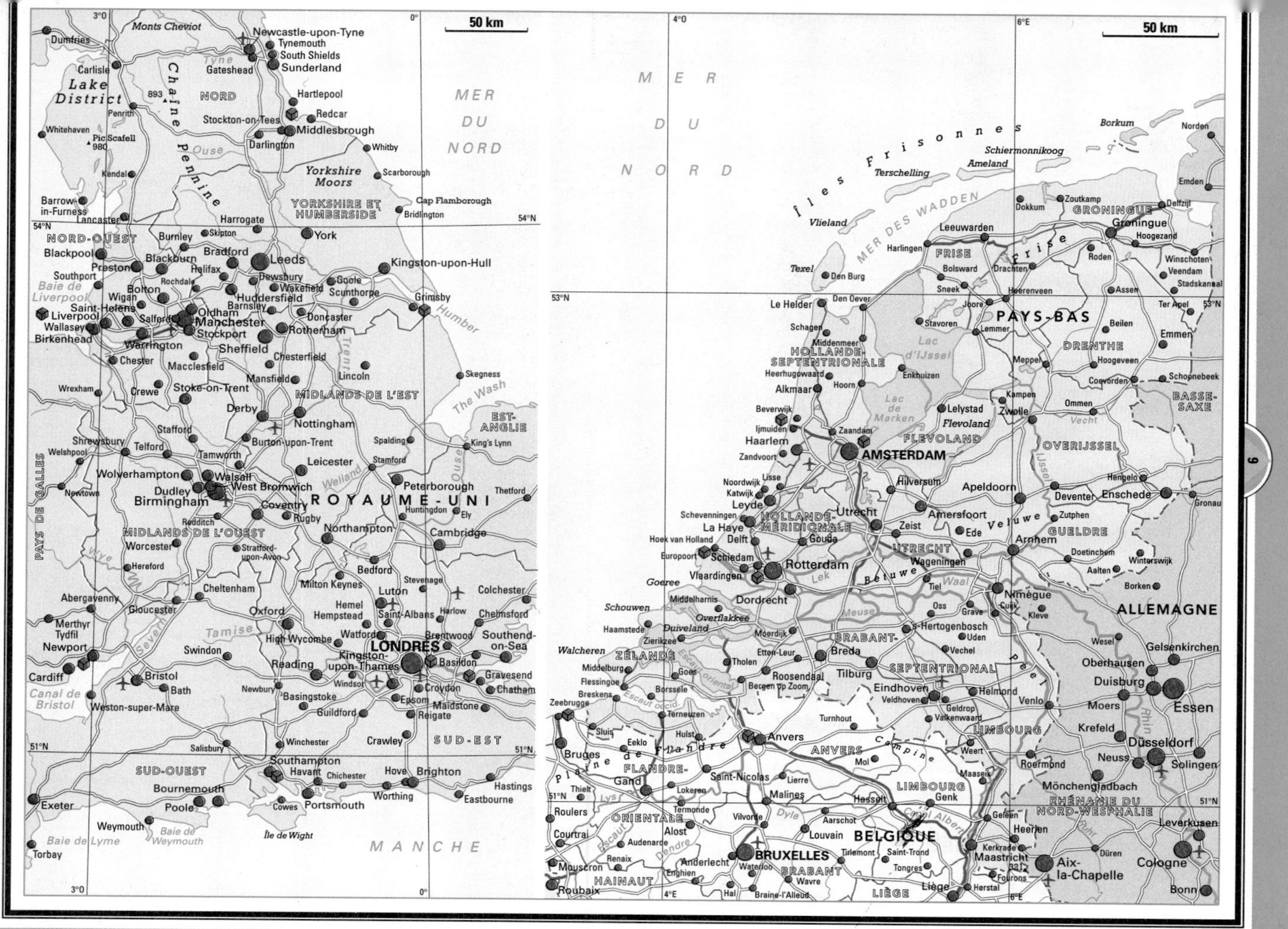

Péninsule ibérique

8

1

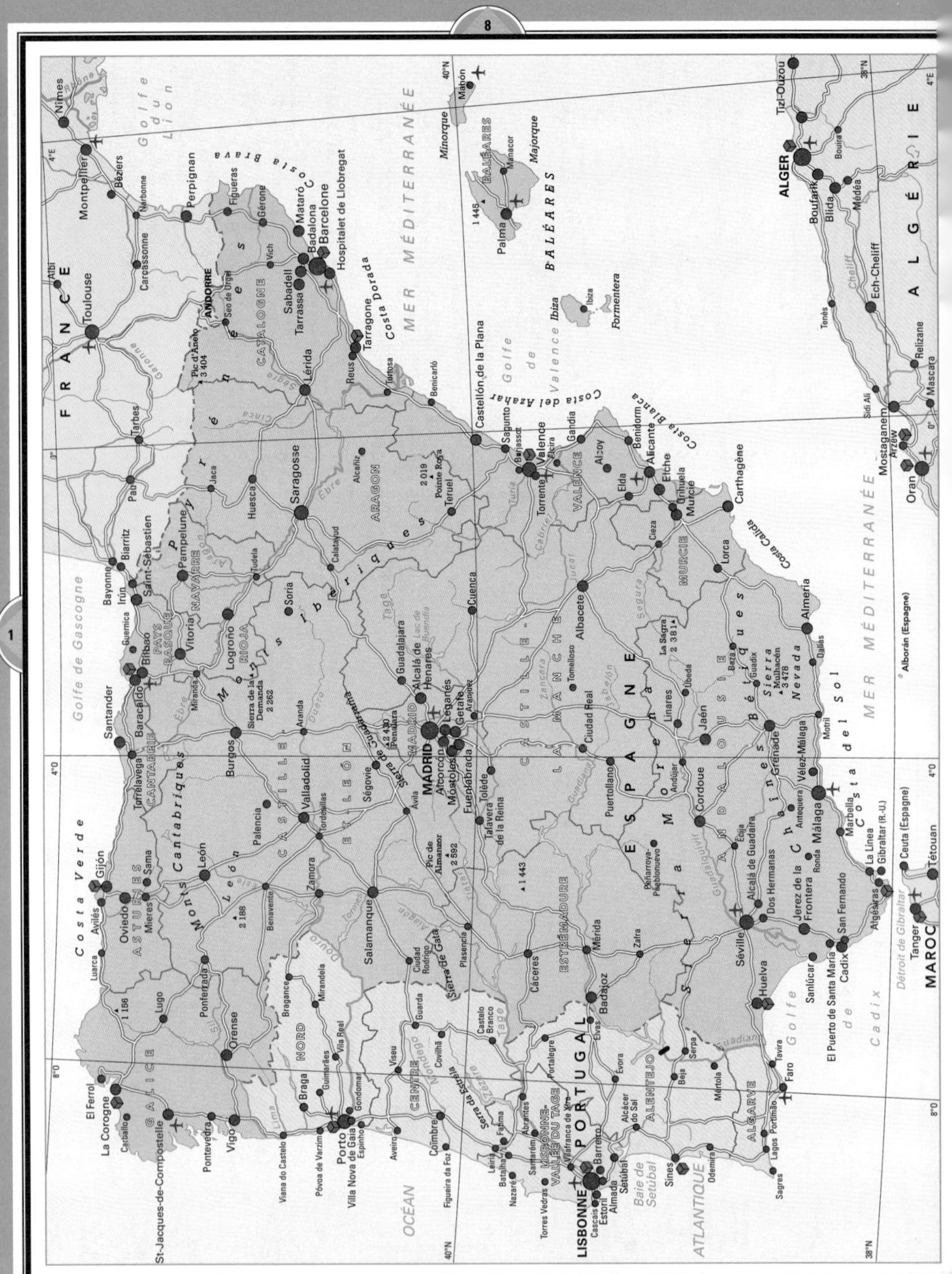

100 km

Italie et Balkans

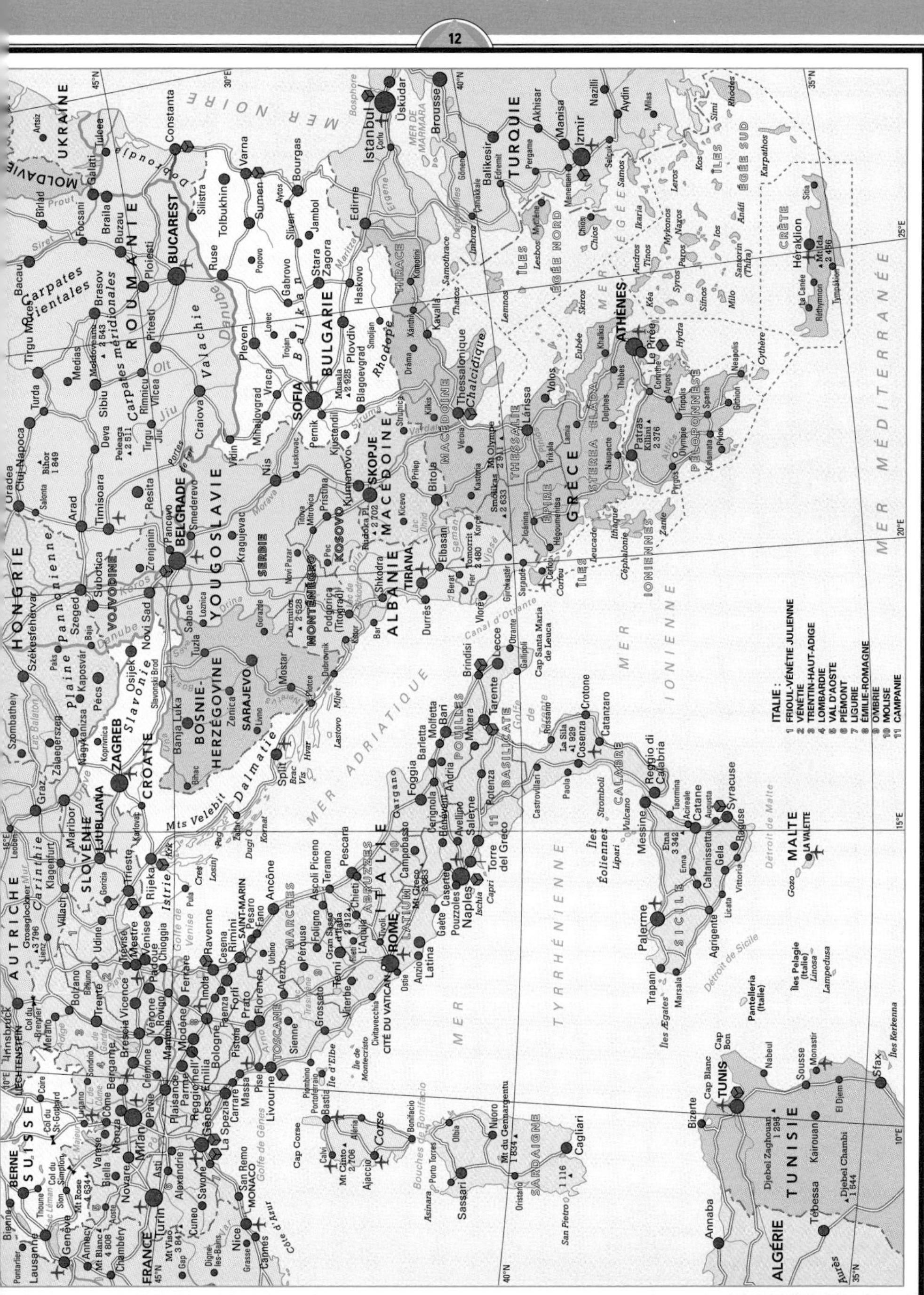

Allemagne

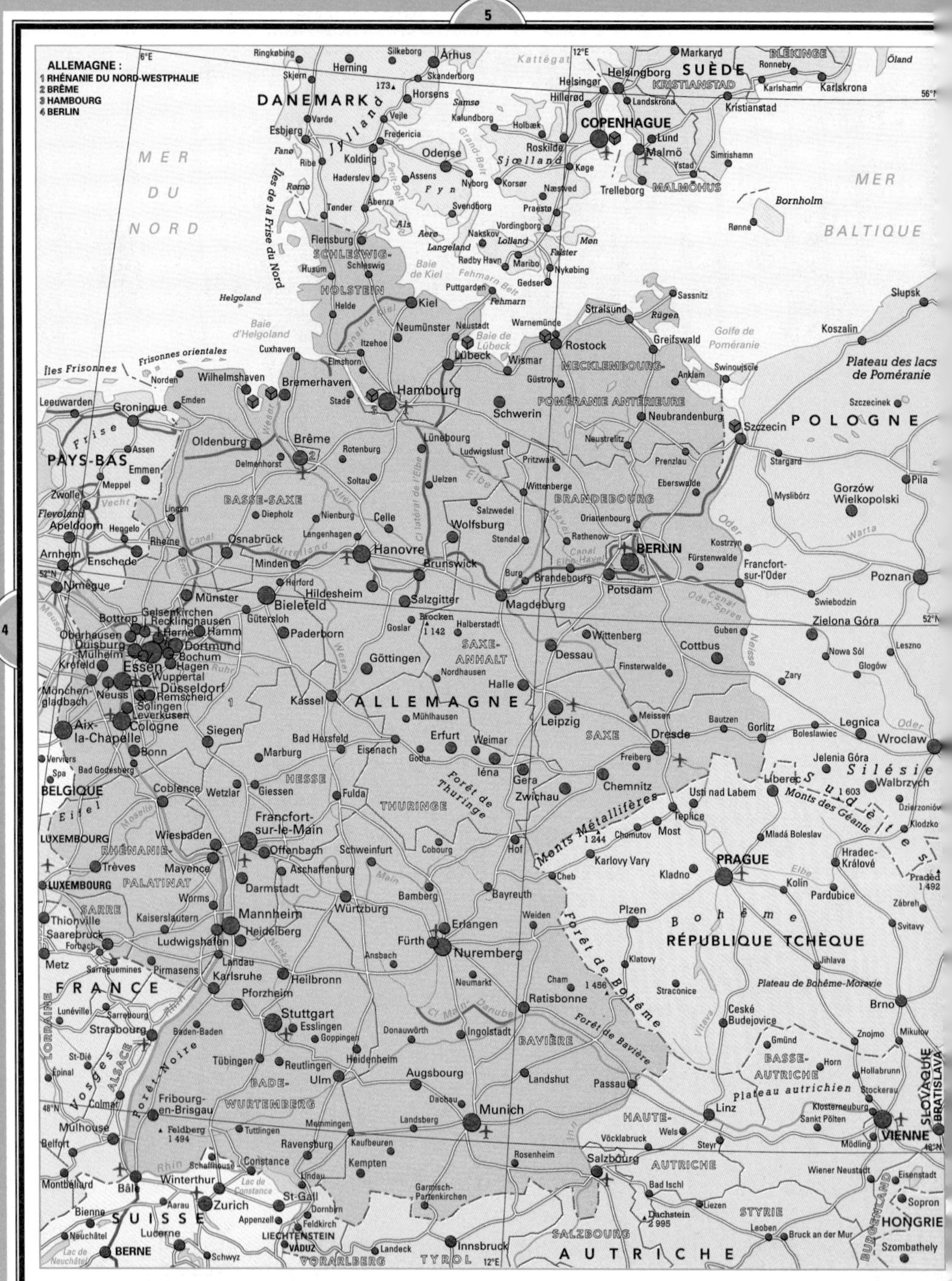

ALLEMAGNE :
1 RHÉNANIE DU NORD-WESTPHALIE
2 BRÊME
3 HAMBOURG
4 BERLIN
5
4
8
100 km
MER DU NORD
MER BALTIQUE
DANEMARK
SUÈDE
POLOGNE
PAYS-BAS
BELGIQUE
LUXEMBOURG
FRANCE
SUISSE
AUTRICHE
RÉPUBLIQUE TCHÈQUE
HONGRIE
SLOVAQUIE
ALLEMAGNE
COPENHAGUE
BERLIN
PRAGUE
VIENNE
BERNE
LUXEMBOURG
BRATISLAVA
Kattégat
Jylland
Sjælland
Fyn
Îles de la Frise du Nord
Îles Frisonnes
Frisonnes orientales
Helgoland
Baie d'Helgoland
Baie de Kiel
Fehmarn Belt
Fehmarn
Rügen
Golfe de Poméranie
Plateau des lacs de Poméranie
Bornholm
Öland
SCHLESWIG-HOLSTEIN
MECKLEMBOURG-POMÉRANIE ANTÉRIEURE
BASSE-SAXE
BRANDEBOURG
SAXE-ANHALT
SAXE
THURINGE
HESSE
RHÉNANIE-PALATINAT
SARRE
BADE-WURTEMBERG
BAVIÈRE
BLEKINGE
KRISTIANSTAD
MALMÖHUS
HAUTE-AUTRICHE
BASSE-AUTRICHE
SALZBOURG
STYRIE
TYROL
VORARLBERG
BURGENLAND
LIECHTENSTEIN
LORRAINE
ALSACE
Bohême
Silésie
Sudètes
Monts des Géants
Monts Métallifères
Forêt de Thuringe
Forêt de Bohême
Forêt de Bavière
Forêt-Noire
Vosges
Eifel
Ruhr
Plateau de Bohême-Moravie
Plateau autrichien
Lac de Constance
Lac de Neuchâtel
Brocken 1 142
Feldberg 1 494
Dachstein 2 995
1 603
1 244
1 456
Praded 1 492
6°E
12°E
48°N
52°N
56°N
Hambourg
Brême
Hanovre
Kiel
Lübeck
Rostock
Schwerin
Magdeburg
Leipzig
Dresde
Chemnitz
Erfurt
Francfort-sur-le-Main
Cologne
Düsseldorf
Essen
Dortmund
Stuttgart
Munich
Nuremberg
Mannheim
Bielefeld
Münster
Kassel
Göttingen
Augsbourg
Ratisbonne
Passau
Salzbourg
Innsbruck
Linz
Zurich
Bâle
Strasbourg
Metz
Szczecin
Poznan
Wroclaw
Malmö
Aarhus
Odense

Europe centrale

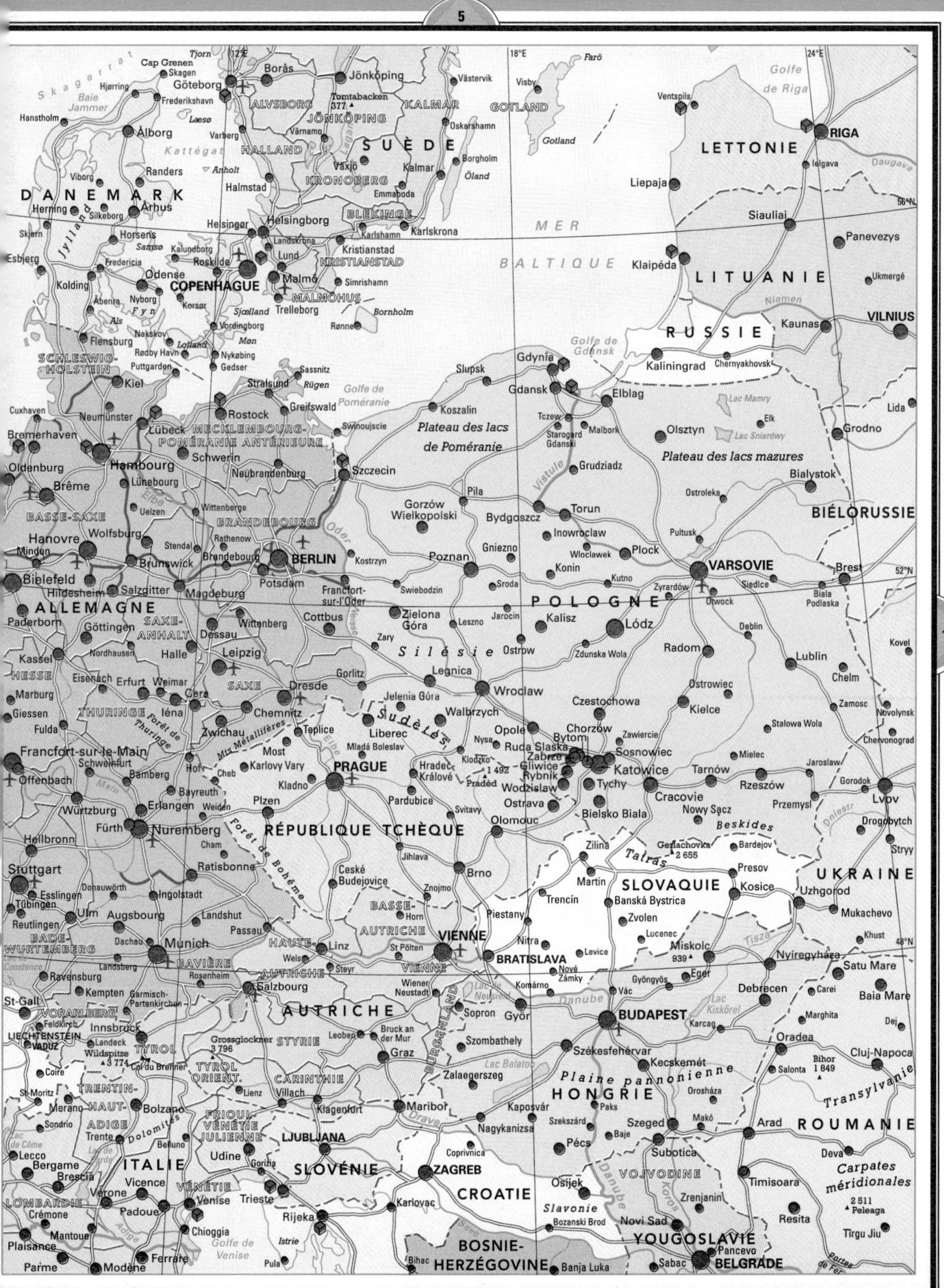

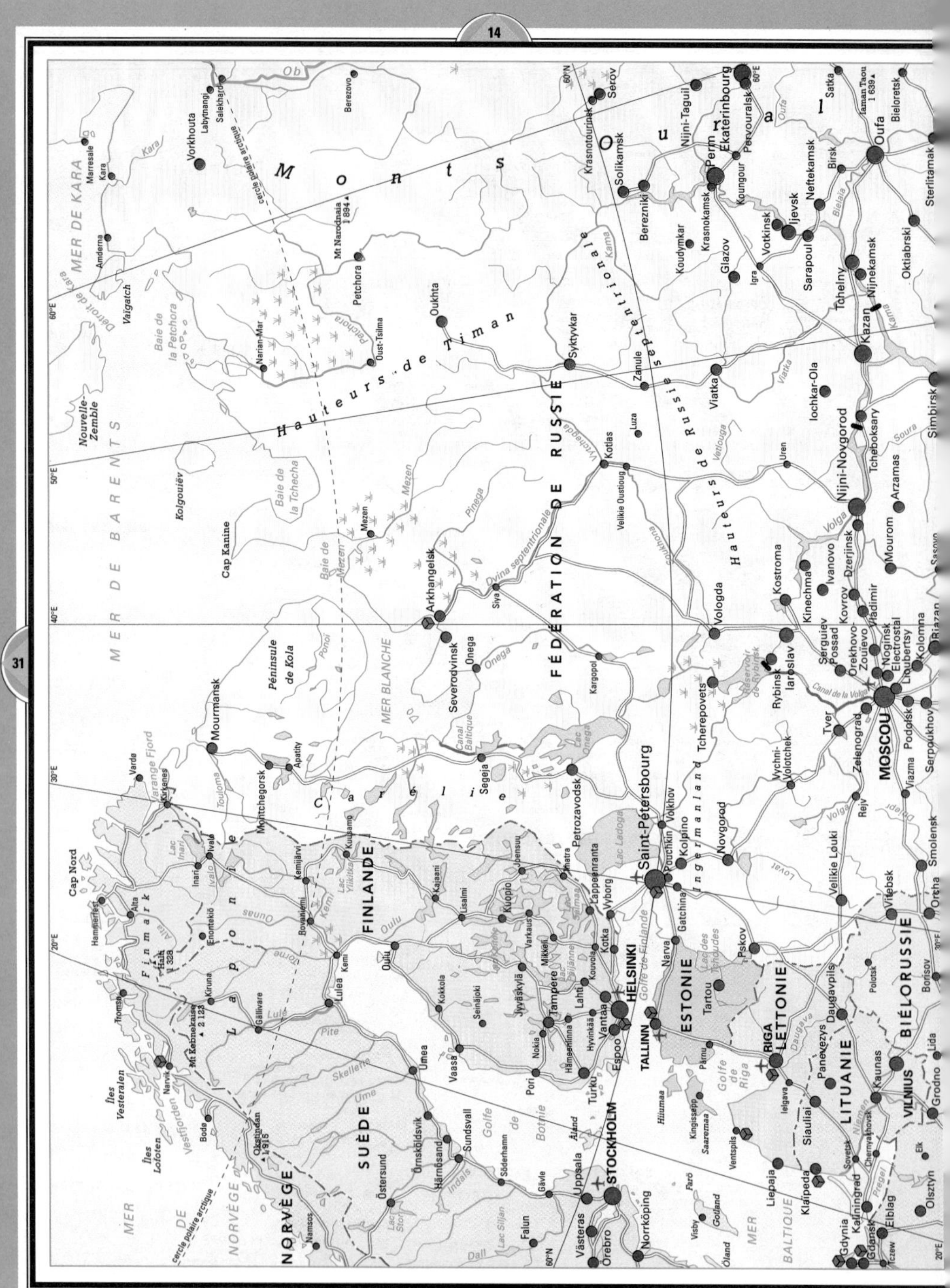

300 km

16

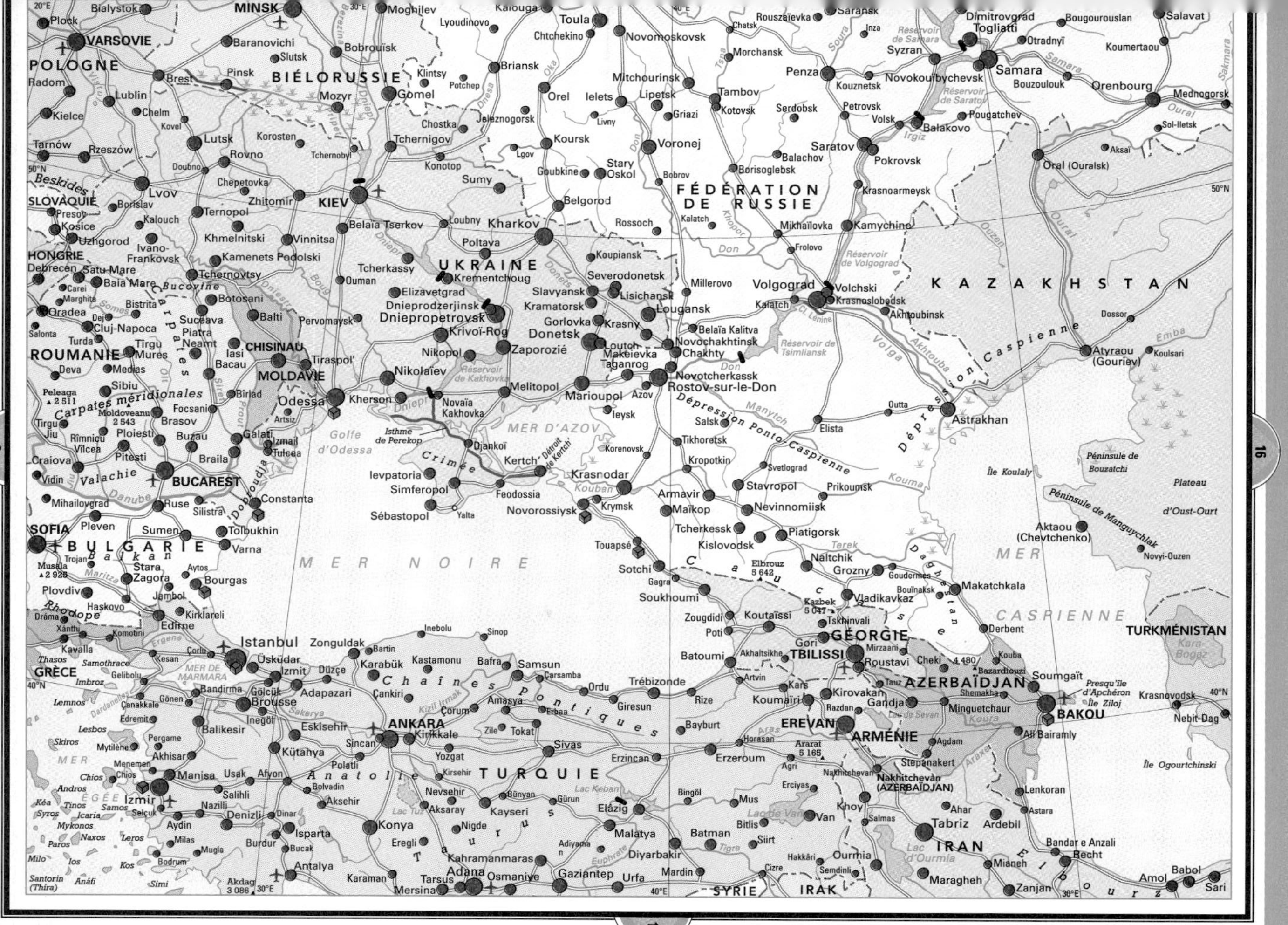
KAZAKHSTAN
FÉDÉRATION DE RUSSIE
UKRAINE
BIÉLORUSSIE
POLOGNE
SLOVAQUIE
HONGRIE
ROUMANIE
MOLDAVIE
BULGARIE
GRÈCE
TURQUIE
GÉORGIE
ARMÉNIE
AZERBAÏDJAN
IRAN
IRAK
SYRIE
TURKMÉNISTAN
MER NOIRE
MER CASPIENNE
MER D'AZOV
MINSK
VARSOVIE
KIEV
CHISINAU
BUCAREST
SOFIA
ANKARA
TBILISSI
EREVAN
BAKOU
Istanbul
Volgograd
Samara
Astrakhan
Rostov-sur-le-Don
Odessa
Kharkov
Dépression Ponto-Caspienne
Crimée
Caucase
Chaînes Pontiques
Anatolie
Carpates méridionales
Valachie
Péninsule de Manguychlak
Plateau d'Oust-Ourt

15

8

300 km

Europe

31
14
25
500 km
OCÉAN GLACIAL ARCTIQUE
MER DE BARENTS
MER DE NORVÈGE
MER BLANCHE
MER DU NORD
MER BALTIQUE
MANCHE
OCÉAN ATLANTIQUE
Golfe de Biscaye
MER MÉDITERRANÉE
MER TYRRHÉNIENNE
MER ADRIATIQUE
MER IONIENNE
MER ÉGÉE
MER NOIRE
MER D'AZOV
MER CASPIENNE
Golfe de Botnie
Golfe de Finlande
Détroit de Gibraltar
Bosphore
Dardanelles
ISLANDE
Reykjavik
Hvannadalshnúkur 2 119
Îles Féroé (Dan.)
Shetland
Orcade
Hébrides
Ben Nevis 1 343
Écosse
ROYAUME-UNI
Galles
Angleterre
Londres
IRLANDE
Dublin
NORVÈGE
Oslo
2 469
Îles Lofoten
Cap Nord
Laponie
Massif scandinave
SUÈDE
Stockholm
Gotland
Smaland
Lac Väner
Lac Vätter
FINLANDE
Helsinki
Carélie
Lac Ladoga
Lac Onega
Péninsule de Kola
Lac Peipous
ESTONIE
Tallinn
LETTONIE
Riga
LITUANIE
Vilnius
RUSSIE
BIÉLORUSSIE
Minsk
DANEMARK
Copenhague
Jylland
PAYS-BAS
Amsterdam
BELGIQUE
Bruxelles
Flandre
LUXEMBOURG
Luxembourg
ALLEMAGNE
Berlin
Plaine d'Allemagne du Nord
POLOGNE
Varsovie
Plaines de l'Europe
Collines baltiques
Collines de l'Europe orientale
RÉPUBLIQUE TCHÈQUE
Prague
SLOVAQUIE
Bratislava
AUTRICHE
Vienne
LIECHTENSTEIN
Vaduz
SUISSE
Berne
HONGRIE
Budapest
SLOVÉNIE
Ljubljana
CROATIE
Zagreb
BOSNIE-HERZÉGOVINE
Sarajevo
YOUGOSLAVIE
Belgrade
ROUMANIE
Bucarest
Transylvanie
Valachie
2 543
Carpates
2 655
MOLDAVIE
Kichinev
Bessarabie
UKRAINE
Kiev
Crimée
BULGARIE
Sofia
Balkan
MACÉDOINE
Skopje
ALBANIE
Tirana
GRÈCE
Athènes
Mont Olympe 2 911
Péloponnèse
Crète
Rhodes
TURQUIE
Chypre
FRANCE
Paris
Bretagne
Massif central
Mont Blanc 4 808
Alpes
MONACO
Corse
Sardaigne
ITALIE
Rome
VATICAN
SAINT-MARIN
Apennins
2 912
Vésuve 1 277
Etna 3 342
Sicile
MALTE
La Valette
Plaine du Pô
ANDORRE
Pic d'Aneto 3 404
Pyrénées
Pays basque
Catalogne
ESPAGNE
Madrid
Péninsule ibérique
Plateau de Castille
Andalousie
Mulhacén 3 478
Galice
Asturies
Îles Baléares
PORTUGAL
Lisbonne
Cap Finisterre
FÉDÉRATION DE RUSSIE
Moscou
Plaine russe
Plateau de Russie centrale
Réservoir de Rybinsk
Dvina septent.
Petchora
Monts Oural
Narodnaïa 1 894
Plaine de Sibérie occidentale
limite conventionnelle de l'Asie
cercle polaire arctique
Plaine pontique
Caucase
Elbrouz 5 642
Volga
Don
Dniepr
Dniestr
Danube
Rhin
Seine
Loire
Garonne
Rhône
Elbe
Oder
Vistule
Niémen
Olt
Tage
Duero
Èbre
Pô
Oural
Tobol
Irtych
Ob
Emba
ASIE
AFRIQUE

31
25
19
OCÉAN ATLANTIQUE
MER DU GROENLAND
OCÉAN GLACIAL ARCTIQUE
cercle polaire arctique
MER DE SIBÉRIE ORIENTALE
Wrangel
Détroit de Béring
Îles Aléoutiennes (É.-U.)
Presqu'île des Tchouktches
Archipel de Nouvelle-Sibérie
Terre François-Joseph
Nouvelle-Zemble
Terre du Nord
MER DU NORD
MER DE BARENTS
MER DE KARA
MER DE LAPTEV
MER DE BÉRING
Monts de la Kolyma
Scandinavie
Presqu'île de Kola
Presqu'île des Taïmyr
3 147 Pobeda
Monts Tchersky
4 850
Presqu'île du Kamtchatka
MER BALTIQUE
EUROPE
Danube
Plaines de l'Europe orientale
Presqu'île Iamal
Iénisseï
Plateau de Sibérie centrale
Monts de Verkhoïansk
Léna
MER D'OKHOTSK
OCÉAN PACIFIQUE
Moscou
Plaine russe
Sibérie
FÉDÉRATION DE RUSSIE
Ob
Monts Oural
Plaine de Sibérie occidentale
limite conventionnelle de l'Asie
2 412
Sakhaline
Monts Stanovo
Amour
Îles Kouriles
Dniepr
Volga
Don
MER NOIRE
Dépression caspienne
Tobol
Astana (Akmola)
Lac Baïkal
Monts Iablonovyï
Hokkaido
Ankara
TURQUIE
Elbrouz 5 642
Caucase
GÉORGIE
Tbilissi
MER CASPIENNE
Plateau de Tourgaï
MER D'ARAL
Irtych
Altaï
Mandchourie
MER DU JAPON (MER ORIENTALE)
JAPON
CHYPRE
Nicosie
Taurus
ARMÉNIE
Erevan
AZERBAÏDJAN
KAZAKHSTAN
Syr-Daria
Lac Balkhach
Oulan-Bator
MONGOLIE
CORÉE DU NORD
Tokyo
Honshu
LIBAN
Beyrouth
SYRIE
Damas
Jérusalem
Amman
ISRAËL
JORDANIE
Bakou
Tigre
IRAK
Euphrate
Bagdad
Elbourz
TURKMÉNISTAN
Achgabat
Amou-Daria
OUZBÉKISTAN
Tachkent
Bichkek
KIRGHIZSTAN
7 440 Pic Pobiedy
4 231
Dzoungarie
Désert de Gobi
Beijing
Pyongyang
Séoul
CORÉE DU SUD
MER JAUNE
Shikoku
Kyushu
Téhéran
Mont Demavend 5 671
Plateau d'Iran
IRAN
Douchanbe
TADJIKISTAN
Pamir
Tarim
Désert de Takla-makan
Huanghe
Plaine de Chine
KOWEÏT
Koweït
Arabie
Golfe Arabo-Persique
AFGHANISTAN
5 143
Kaboul
Islamabad
8 611 K2
7 723
Kunlunshan
Plateaux du Tibet
CHINE
OCÉAN
Riyad
BAHREÏN
Manama
QATAR
Doha
Abu-Dhabi
Balouchistan
PAKISTAN
Cachemire
Himalaya
Yangzijiang
tropique du Cancer
ARABIE SAOUDITE
E.A.U.
Golfe d'Oman
Mascate
Indus
New Delhi
Annapurna 8 078
Mont Everest 8 846
NÉPAL
Katmandou
Thimphu
BHOUTAN
Assam
Plateau de Chine du Sud
Taibei
TAIWAN
Rub' al-Khali
Sanaa
YÉMEN
OMAN
Chambal
Gange
BANGLADESH
Xijiang
Macao
PACIFIQUE
Golfe d'Aden
Narbada
INDE
Dhaka
Irrawaddy
Hanoi
Hainan
Luçon
MER DES PHILIPPINES
MER D'OMAN
Socotra (Yémen)
AFRIQUE
BIRMANIE (MYANMAR)
LAOS
Vientiane
Mékong
Manille
PHILIPPINES
Plateau du Dekkan
Golfe du Bengale
Rangoon
THAÏLANDE
VIÊT-NAM
Bangkok
CAMBODGE
MER DE CHINE MÉRIDIONALE
Mindanao
Laquedives (Inde)
Andaman (Inde)
Phnom Penh
Golfe de Thaïlande
Bandar Seri Begawan
4 101
BRUNEI
MER DES CÉLÈBES
Moluques
équateur
SRI LANKA
Nicobar (Inde)
Détroit de Malacca
Malé
Colombo
MALAISIE
Kuala Lumpur
SEYCHELLES
MALDIVES
SINGAPOUR
2 278
Bornéo
Célèbes
3 801
Sumatra
MER DE JAVA
Petites îles de la Sonde
Timor
Djakarta
Java
INDONÉSIE
OCÉAN INDIEN
MADAGASCAR
MAURICE
Réunion (F.)
tropique du Capricorne
AUSTRALIE
* Territoires autonomes de Palestine
50°N
60°N
70°N
0°
20°E
40°E
60°E
80°E
100°E
120°E
140°E
160°E
180°E
40°N
30°N
20°N
10°N
10°S
20°S
30°S

800 km

Proche-Orient, Asie occidentale

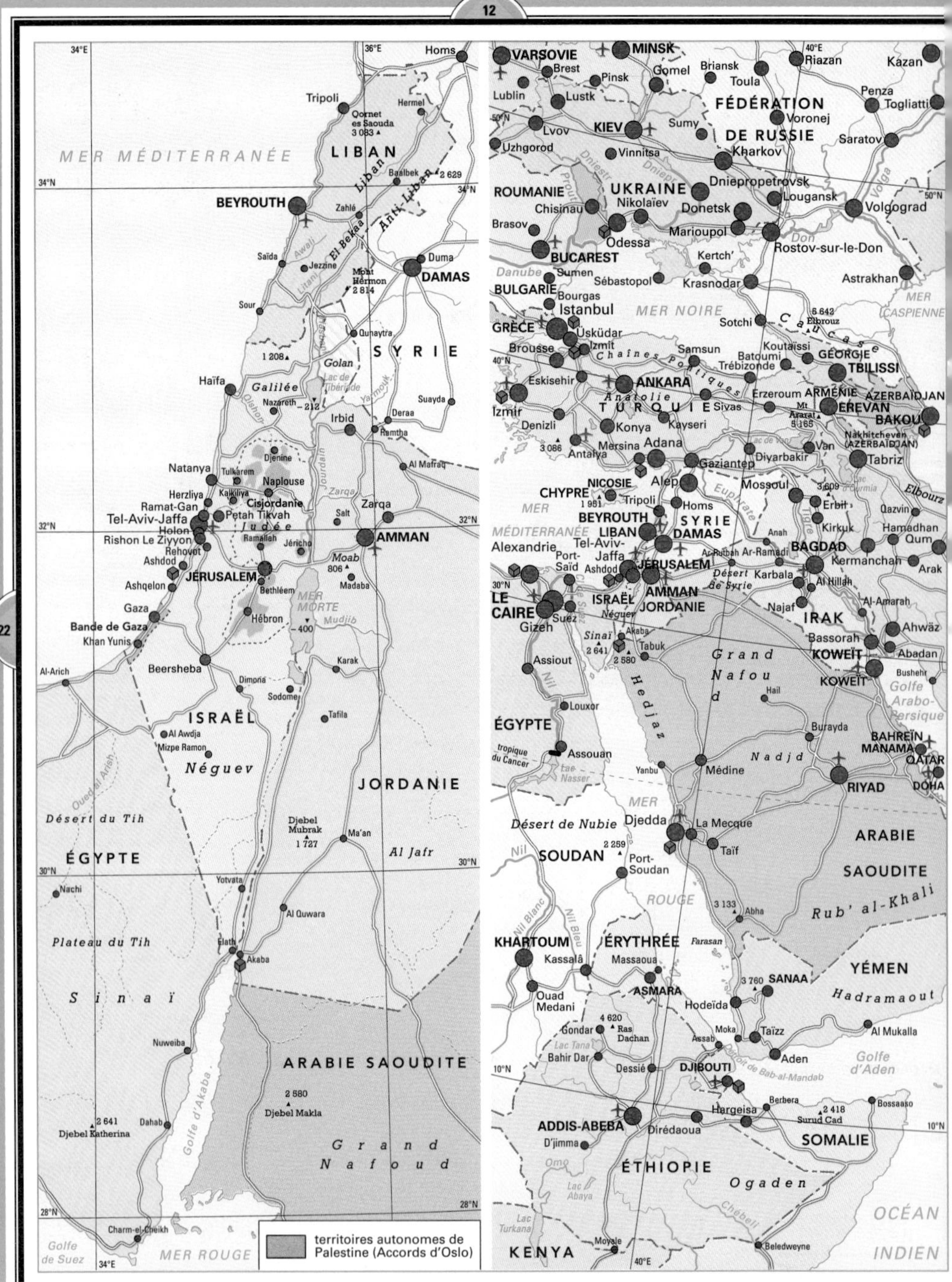

100 km

Asie du Sud

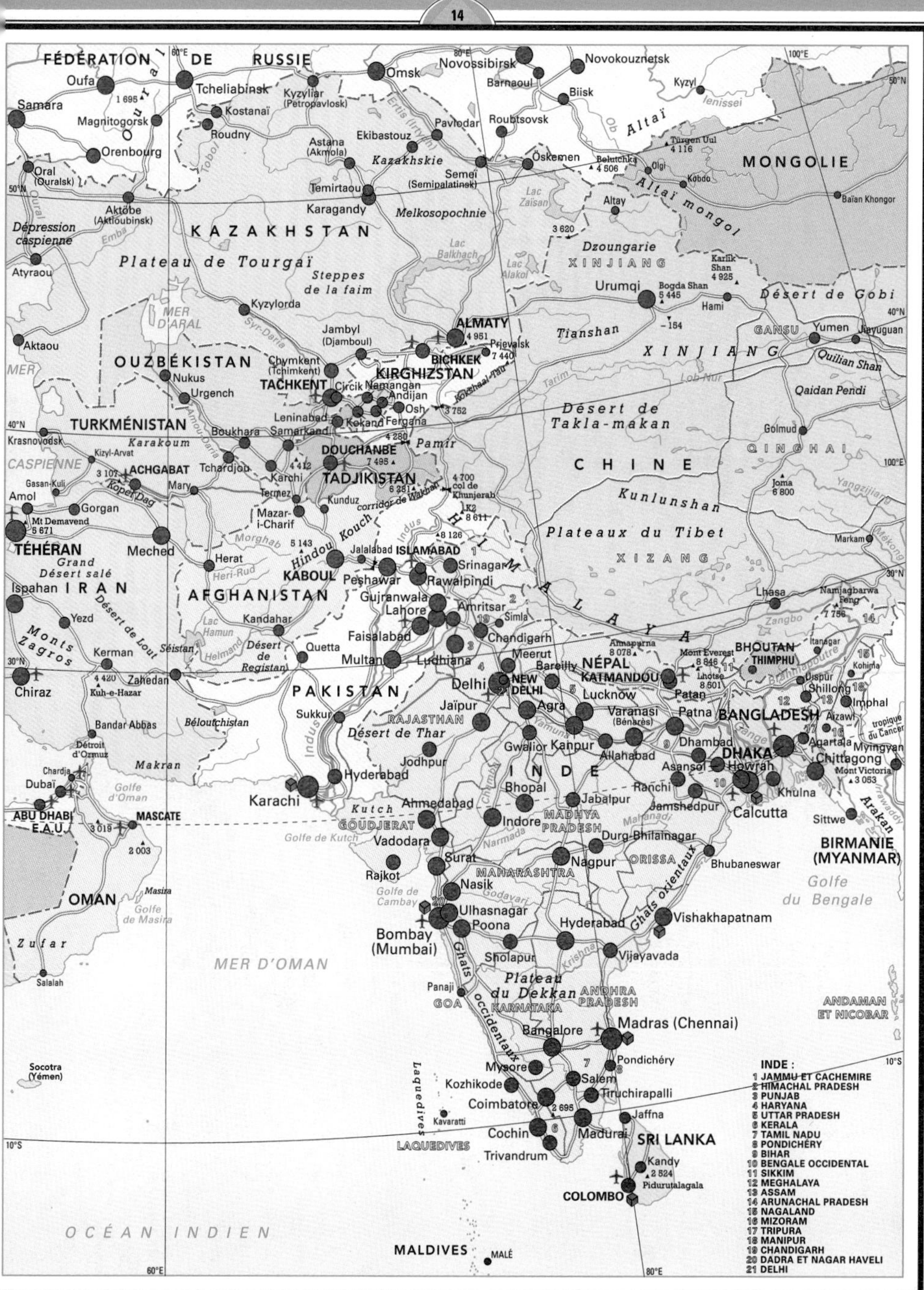

500 km

Extrême-Orient

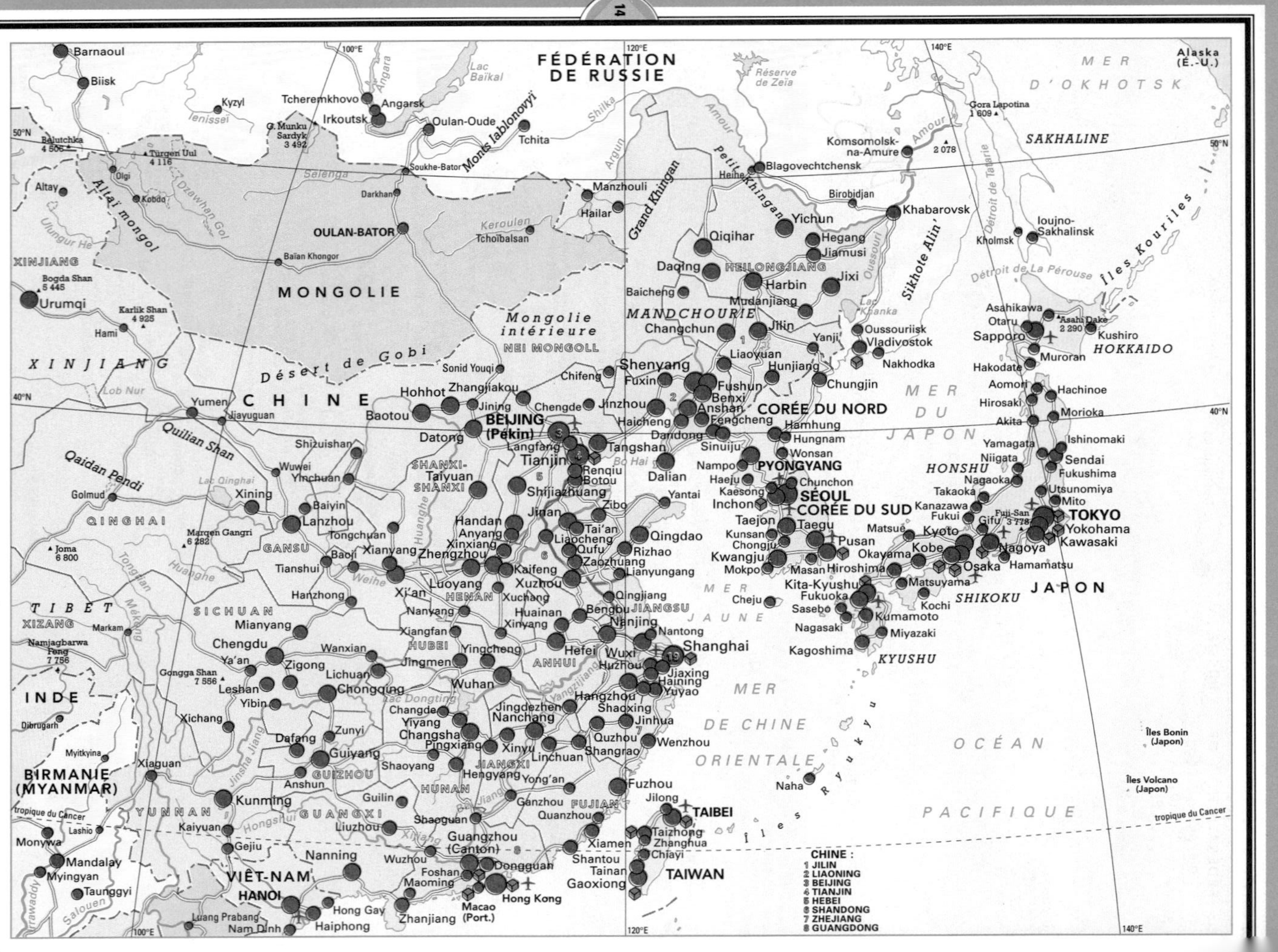

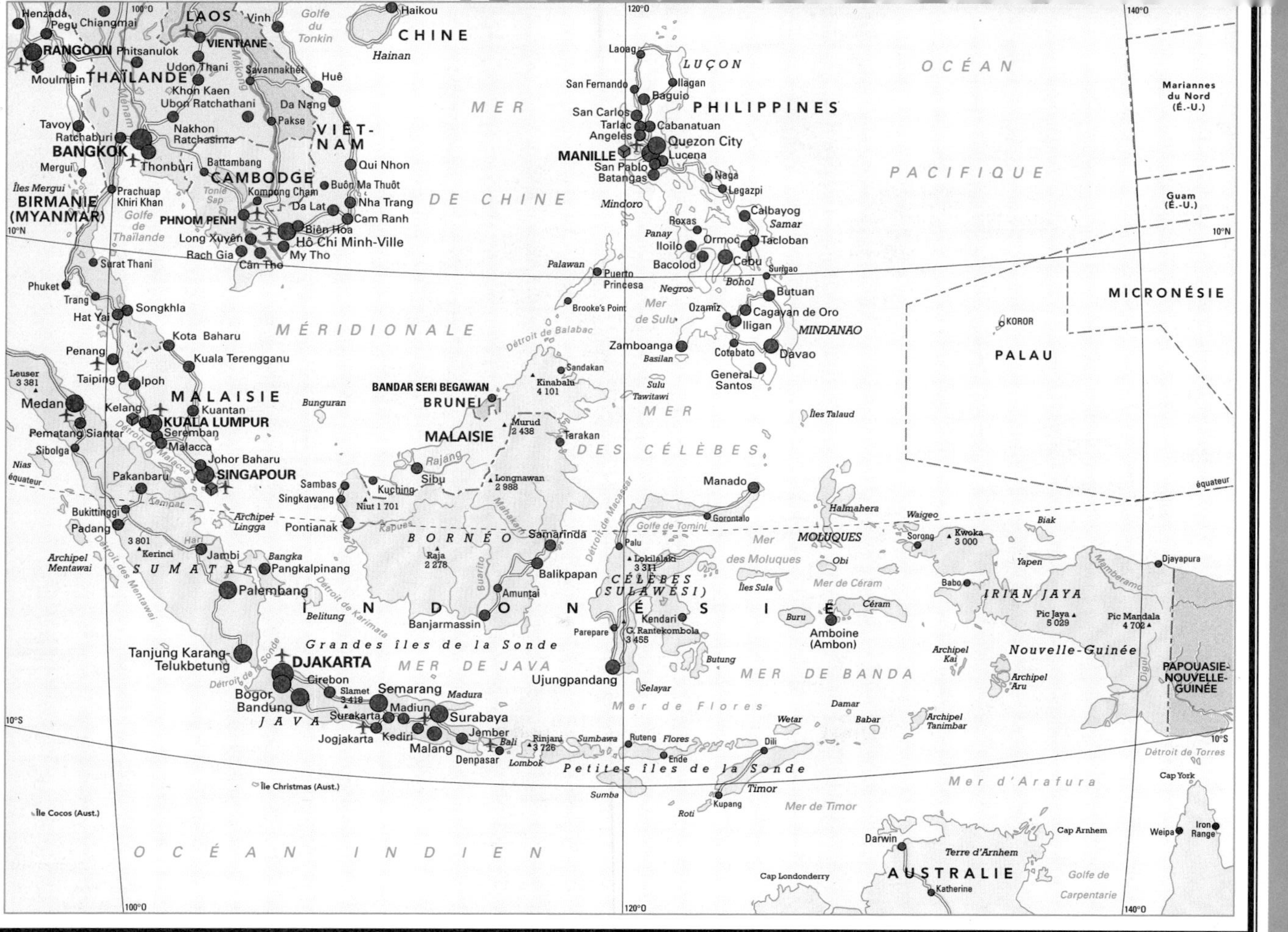

OCÉAN PACIFIQUE
MICRONÉSIE
Mariannes du Nord (É.-U.)
Guam (É.-U.)
PALAU
KOROR
PHILIPPINES
LUÇON
MINDANAO
MER DE CHINE MÉRIDIONALE
CHINE
Hainan
Haikou
Golfe du Tonkin
LAOS
VIENTIANE
THAÏLANDE
BANGKOK
BIRMANIE (MYANMAR)
RANGOON
CAMBODGE
PHNOM PENH
VIÊT-NAM
Hô Chi Minh-Ville
MALAISIE
KUALA LUMPUR
SINGAPOUR
BRUNEI
BANDAR SERI BEGAWAN
BORNÉO
SUMATRA
JAVA
DJAKARTA
INDONÉSIE
CÉLÈBES (SULAWESI)
MOLUQUES
IRIAN JAYA
Nouvelle-Guinée
PAPOUASIE-NOUVELLE-GUINÉE
AUSTRALIE
Terre d'Arnhem
MER DE JAVA
MER DE BANDA
MER DES CÉLÈBES
Mer de Flores
Mer de Timor
Mer d'Arafura
Mer des Moluques
Mer de Céram
Mer de Sulu
Golfe de Thaïlande
Détroit de Malacca
Détroit de Macassar
Détroit de la Sonde
Détroit de Karimata
Détroit des Mentawai
Détroit de Torres
Golfe de Carpentarie
Grandes îles de la Sonde
Petites îles de la Sonde
OCÉAN INDIEN
Île Christmas (Aust.)
Île Cocos (Aust.)
Mékong
Ménam
Tonlé Sap
Manille
Quezon City
Cebu
Davao
Zamboanga
Medan
Palembang
Surabaya
Semarang
Bandung
Ujungpandang
Manado
Amboine (Ambon)
Timor
Dili
Kupang
Darwin
Katherine
Djayapura
Pic Jaya 5 029
Pic Mandala 4 702
Kinabalu 4 101
3 801
Kerinci
équateur
10°N
10°S
100°0
120°0
140°0
19

500 km

Australie, Océanie

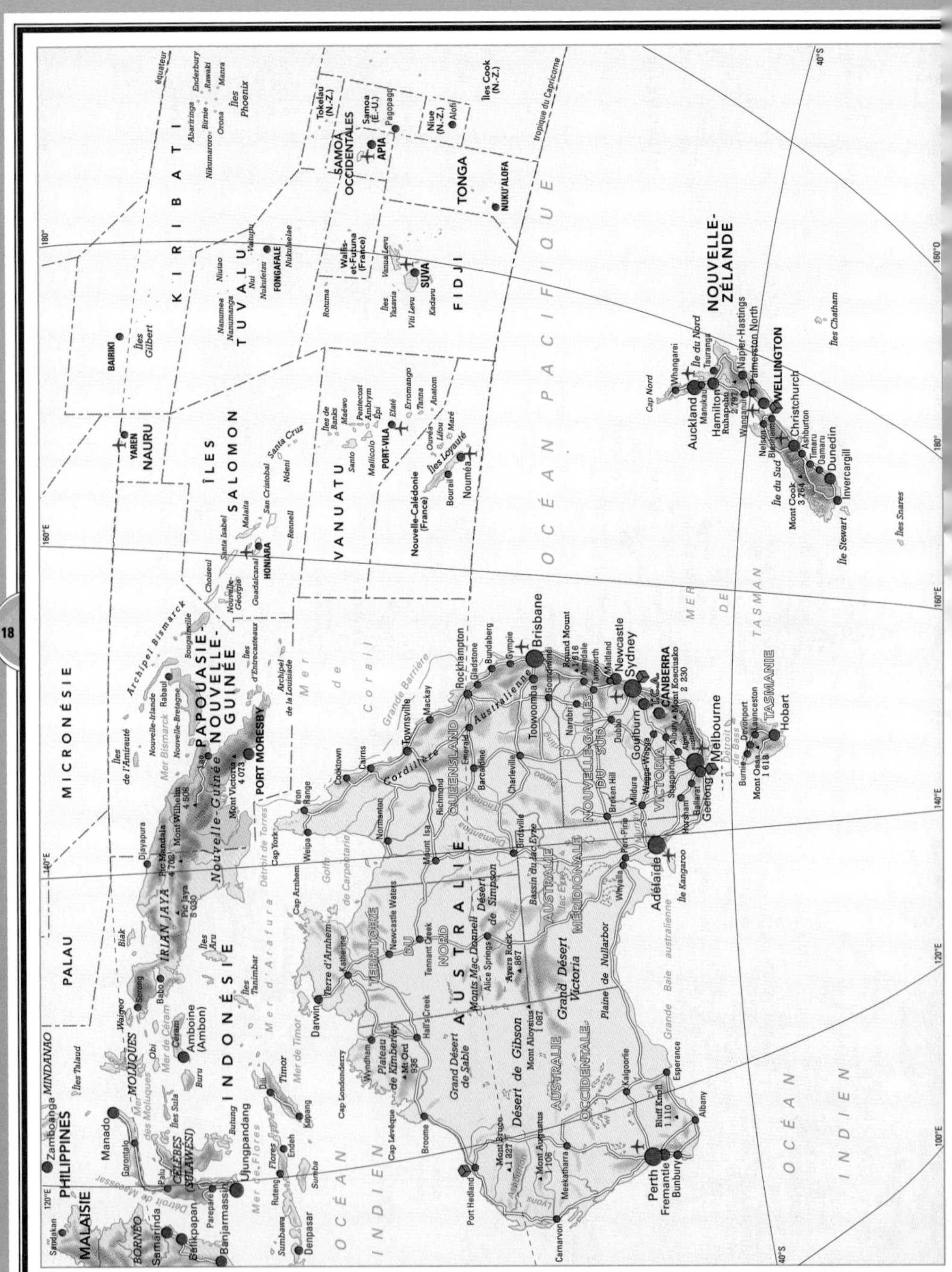

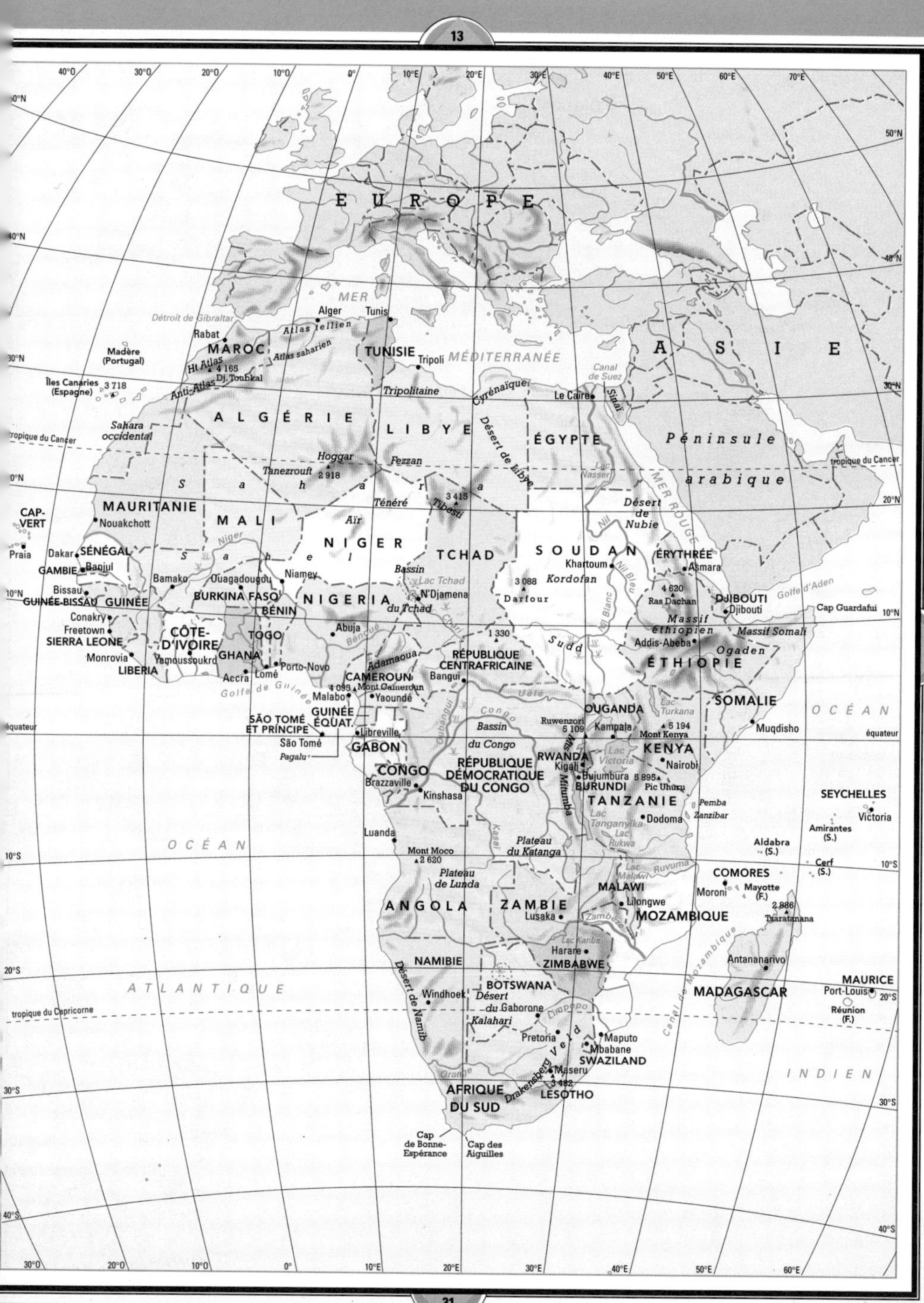
13
E U R O P E
A S I E
MER MÉDITERRANÉE
MAROC
Rabat
Alger
Tunis
TUNISIE
Tripoli
ALGÉRIE
LIBYE
ÉGYPTE
Le Caire
Madère (Portugal)
Îles Canaries (Espagne)
Sahara occidental
MAURITANIE
Nouakchott
MALI
NIGER
TCHAD
SOUDAN
Khartoum
ÉRYTHRÉE
Asmara
DJIBOUTI
Djibouti
ÉTHIOPIE
Addis-Abeba
SOMALIE
Muqdisho
CAP-VERT
Praia
Dakar
SÉNÉGAL
GAMBIE
Banjul
Bissau
GUINÉE-BISSAU
GUINÉE
Conakry
Freetown
SIERRA LEONE
Monrovia
LIBERIA
CÔTE-D'IVOIRE
Yamoussoukro
GHANA
Accra
TOGO
Lomé
BÉNIN
Porto-Novo
BURKINA FASO
Ouagadougou
Bamako
Niamey
NIGERIA
Abuja
N'Djamena
CAMEROUN
Yaoundé
Malabo
GUINÉE ÉQUAT.
SÃO TOMÉ ET PRÍNCIPE
São Tomé
GABON
Libreville
CONGO
Brazzaville
Kinshasa
RÉPUBLIQUE CENTRAFRICAINE
Bangui
RÉPUBLIQUE DÉMOCRATIQUE DU CONGO
OUGANDA
Kampala
KENYA
Nairobi
RWANDA
Kigali
BURUNDI
Bujumbura
TANZANIE
Dodoma
ANGOLA
Luanda
ZAMBIE
Lusaka
MALAWI
Lilongwe
MOZAMBIQUE
Maputo
ZIMBABWE
Harare
NAMIBIE
Windhoek
BOTSWANA
Gaborone
AFRIQUE DU SUD
Pretoria
SWAZILAND
Mbabane
LESOTHO
Maseru
MADAGASCAR
Antananarivo
COMORES
Moroni
Mayotte (F.)
SEYCHELLES
Victoria
MAURICE
Port-Louis
Réunion (F.)
OCÉAN ATLANTIQUE
OCÉAN INDIEN
Péninsule arabique
Désert de Libye
Désert de Nubie
Hoggar
Tibesti
Aïr
Ténéré
Fezzan
Massif éthiopien
Massif Somali
Ogaden
Bassin du Congo
Désert du Kalahari
Désert de Namib
Cap de Bonne-Espérance
Cap des Aiguilles
Cap Guardafui
Golfe de Guinée
Golfe d'Aden
MER ROUGE
Canal de Mozambique
Canal de Suez
Détroit de Gibraltar
Atlas tellien
Atlas saharien
Ht Atlas
Anti-Atlas
Dj. Toubkal
Tanezrouft
Kordofan
Darfour
Sudd
Lac Victoria
Lac Tanganyika
Lac Malawi
Lac Turkana
Lac Tchad
Lac Nasser
Lac Kariba
Lac Rukwa
Mont Cameroun
Mont Kenya
Kilimandjaro
Ruwenzori
Mont Moco
Drakensberg
Veld
Plateau du Katanga
Plateau de Lunda
Adamaoua
tropique du Cancer
tropique du Capricorne
équateur
31
14
800 km

Afrique occidentale

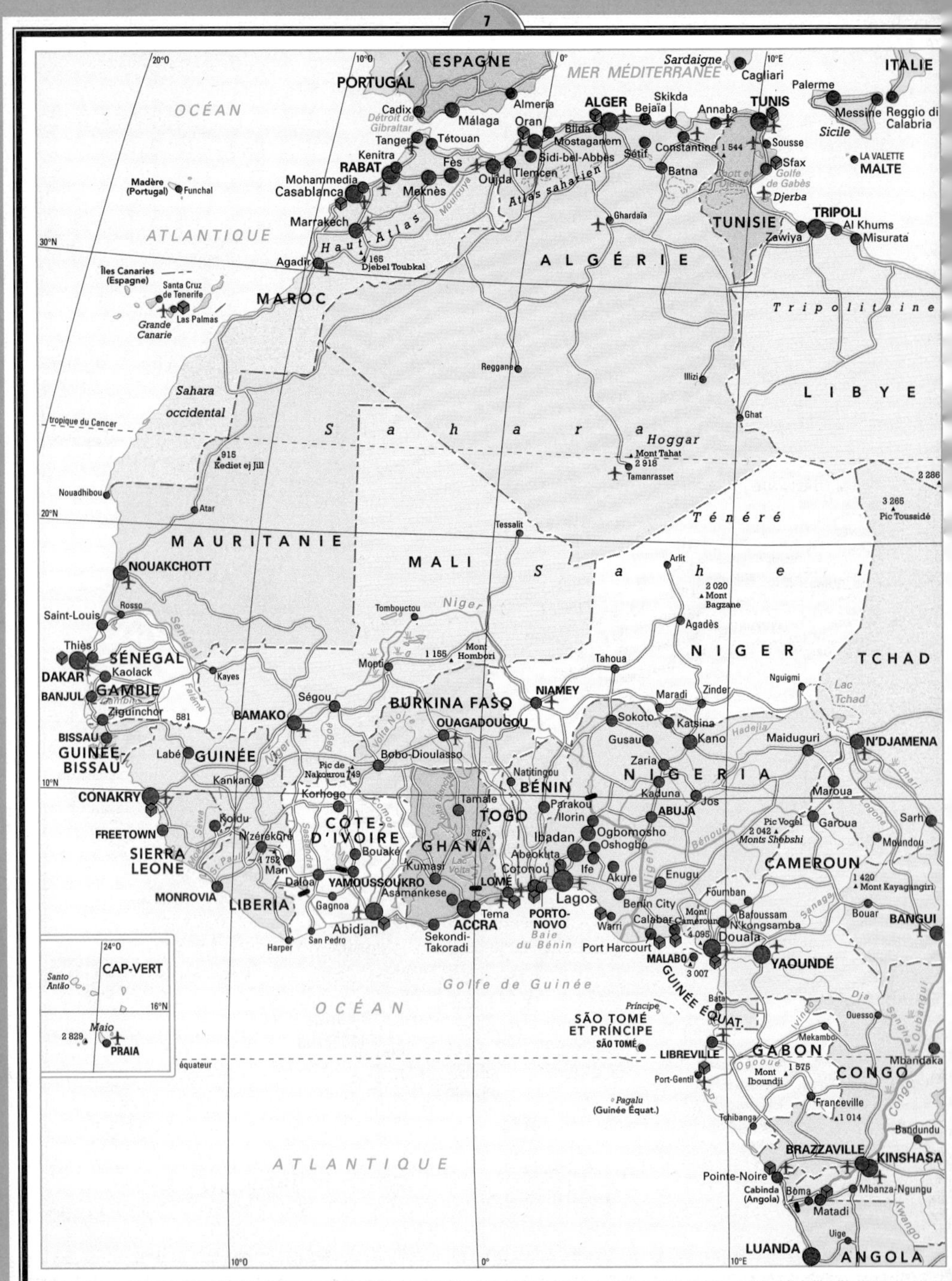

Afrique orientale et Moyen-Orient 22

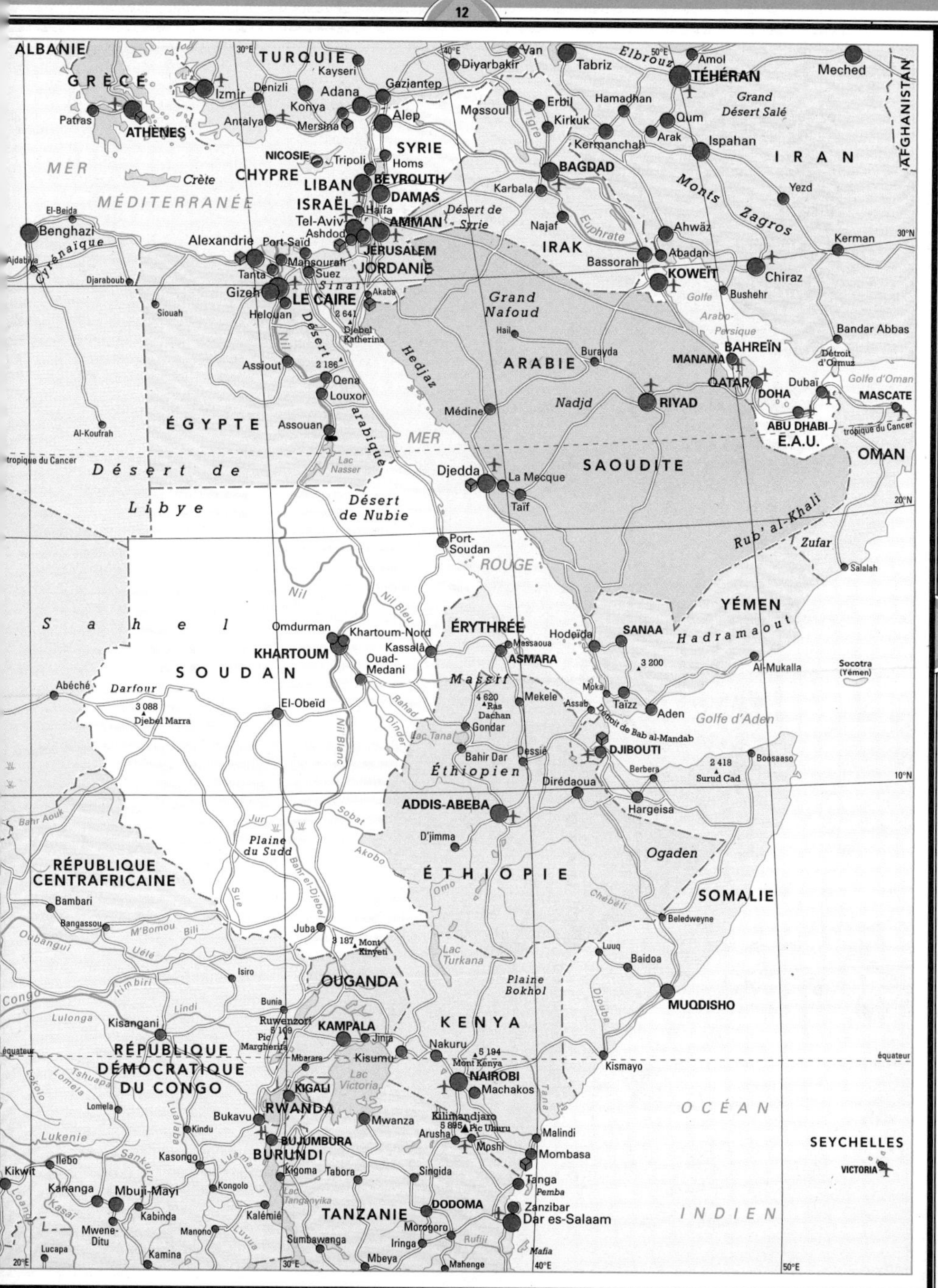

Afrique du Nord

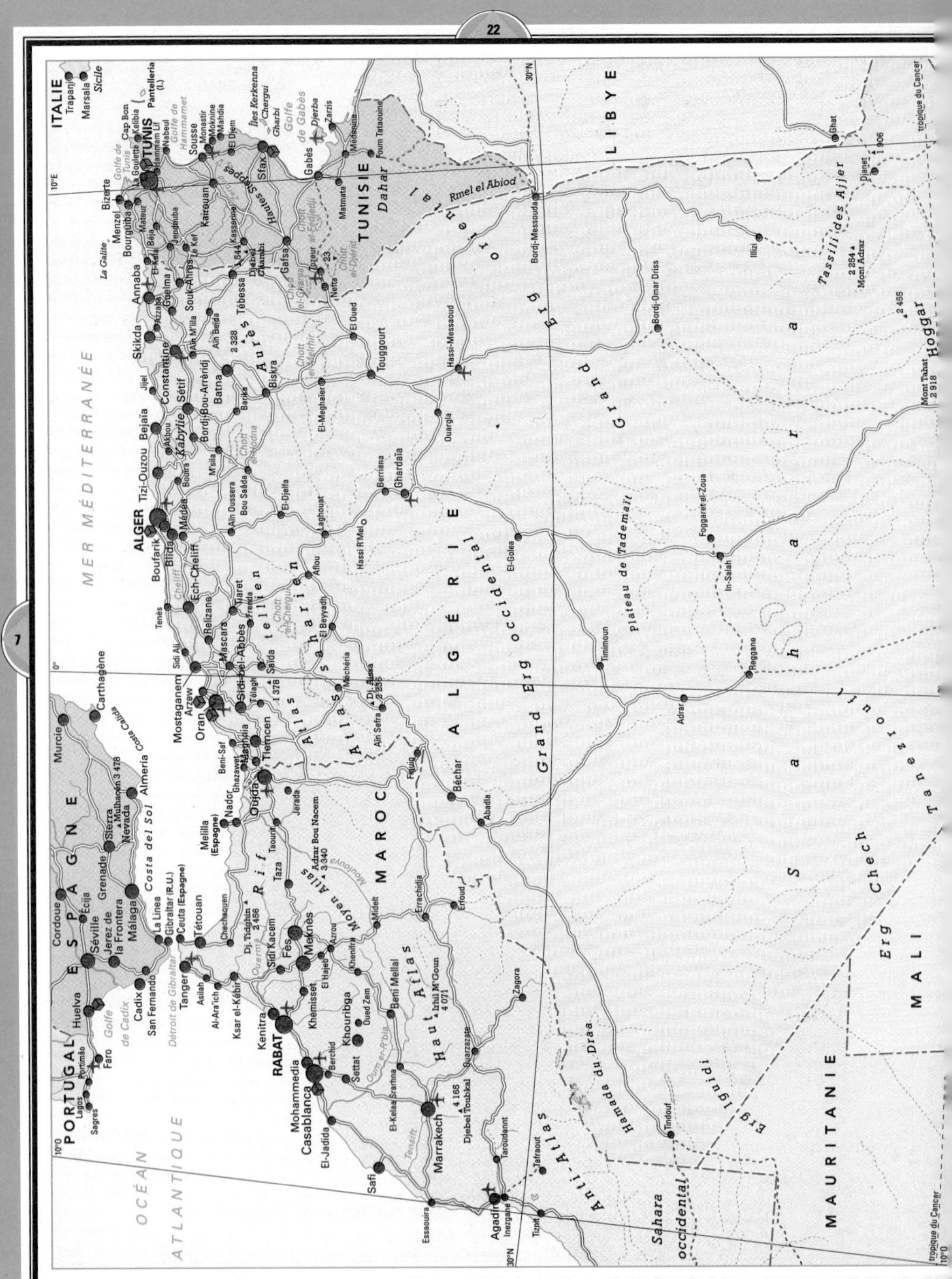

200 km

14
31
GABON
CONGO
BRAZZAVILLE
KINSHASA
Pointe-Noire
Cabinda (Angola)
Matadi
RÉPUBLIQUE
DÉMOCRATIQUE
DU CONGO
Bassin du Congo
Mbuji-Mayi
Kananga
Lubumbashi
Kolwezi
Likasi
RWANDA
BURUNDI
BUJUMBURA
Kilimandjaro 5 895
DODOMA
TANZANIE
Mombasa
Tanga
Zanzibar
Dar es-Salaam
LUANDA
Lobito
Benguela
Huambo
Kuito
ANGOLA
Plateau angolais
Lubango
Namibe
ZAMBIE
LUSAKA
Ndola
Kitwe-Nkana
MALAWI
LILONGWE
Blantyre
MOZAMBIQUE
Nacala
Nampula
Quelimane
Beira
ZIMBABWE
HARARE
Bulawayo
NAMIBIE
WINDHOEK
Swakopmund
Walvis Bay
Lüderitz
Désert de Namib
Désert de Kalahari
BOTSWANA
GABORONE
Francistown
PRETORIA
Johannesburg
Soweto
MAPUTO
MBABANE
SWAZILAND
LESOTHO
MASERU
Bloemfontein
Kimberley
Upington
AFRIQUE DU SUD
Durban
Pietermaritzburg
East London
Port Elizabeth
Le Cap
Bellville
Cap de Bonne-Espérance
Cap des Aiguilles
tropique du Capricorne
OCÉAN
ATLANTIQUE
OCÉAN
INDIEN
SEYCHELLES
VICTORIA
COMORES
MORONI
Mayotte (F.)
Îles Glorieuses (F.)
Cap Bobaomby (Cap d'Ambre)
Antsiranana
Mahajanga
Toamasina
ANTANANARIVO
MADAGASCAR
Antsirabe
Fianarantsoa
Toleara
Taolagnaro
Cap Vohimena (Cap Sainte-Marie)
Canal de Mozambique
Bassas da India (F.)
Europa
Île Tromelin (F.)
MAURICE
PORT-LOUIS
St-Denis
Réunion (F.)
Îles Mascareignes
10°S
20°S
30°S
10°E
20°E
30°E
40°E
50°E
500 km

Amérique du Nord

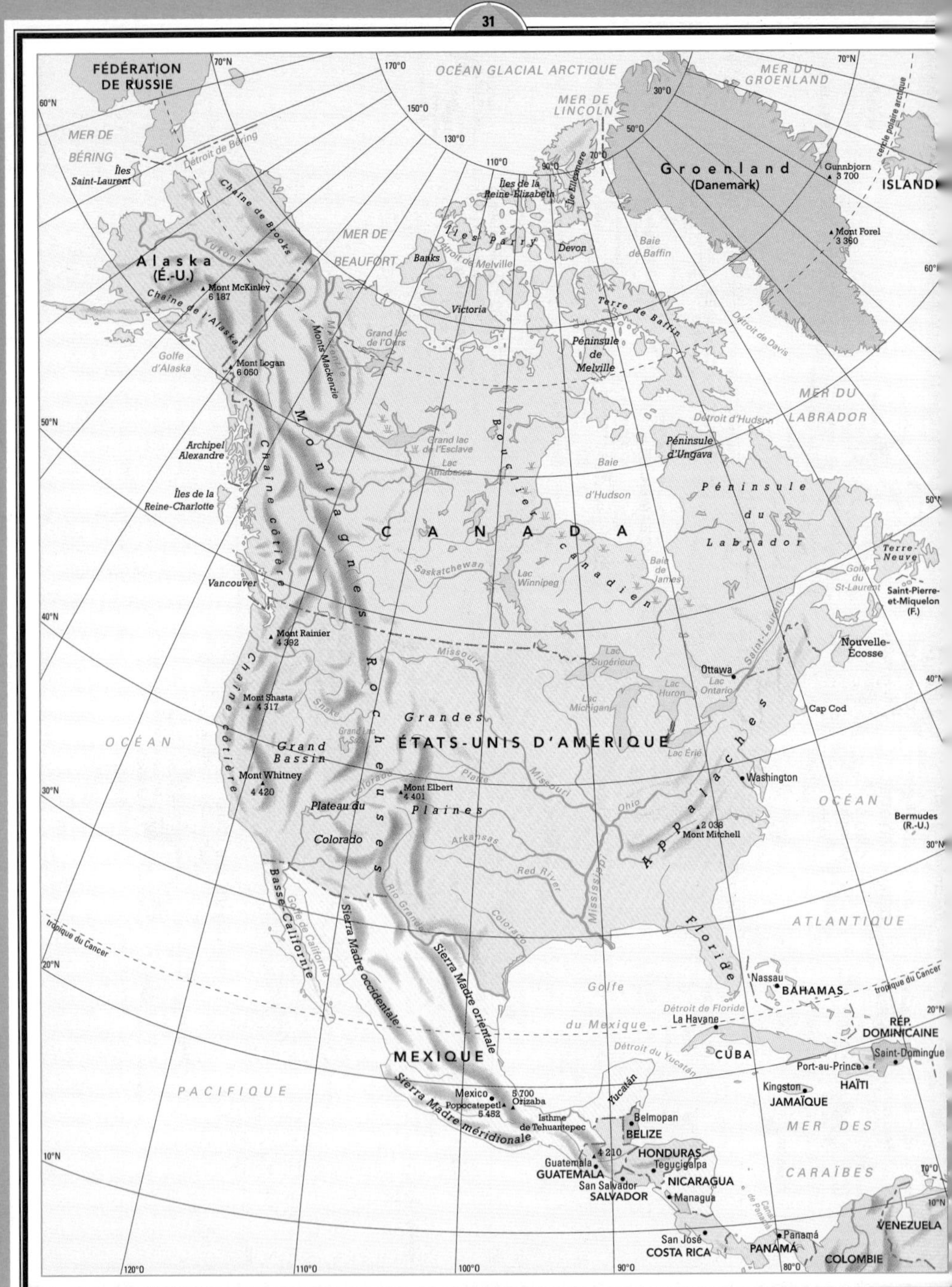

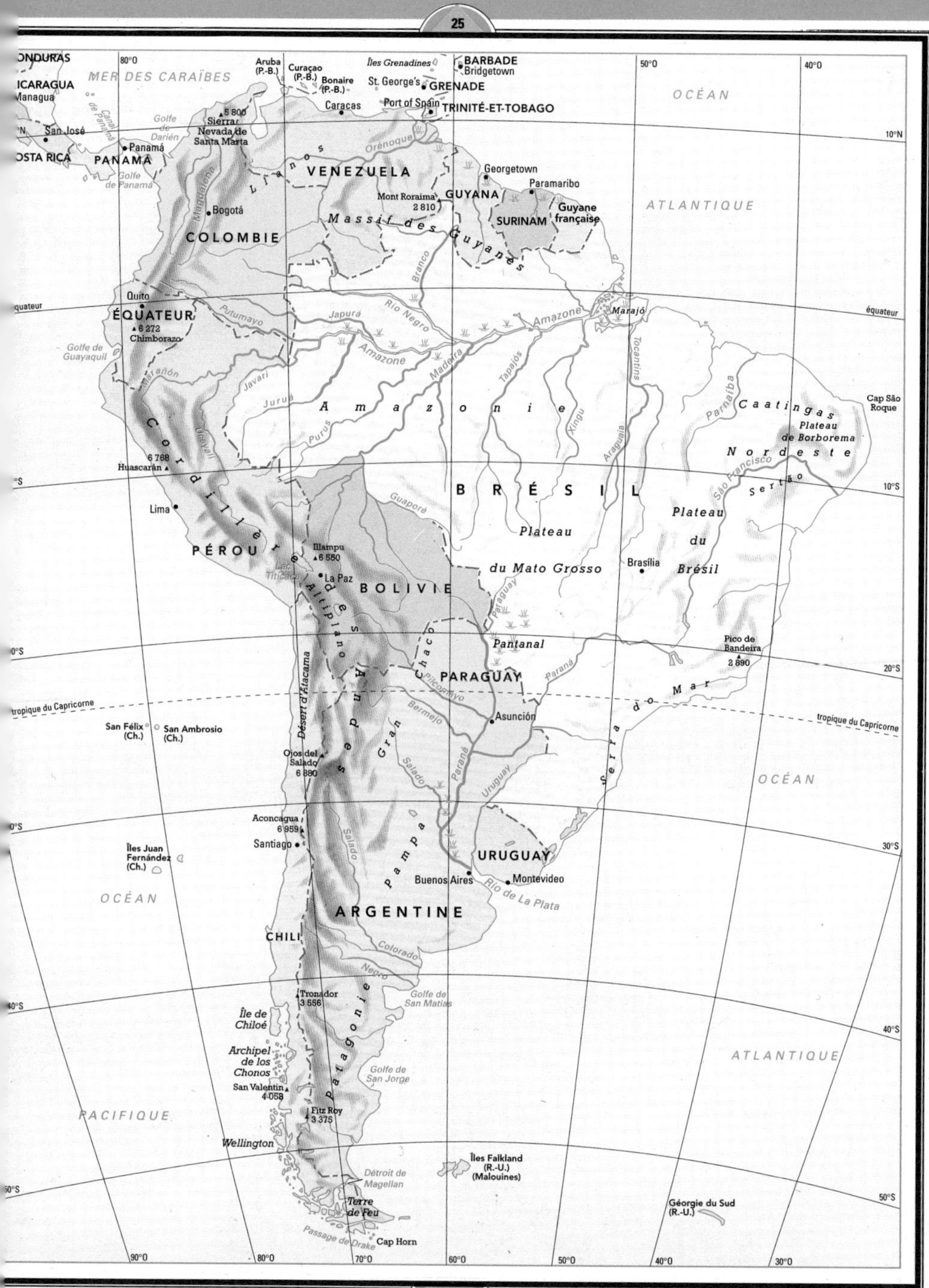
25
MER DES CARAÏBES
Aruba (P.-B.)
Curaçao (P.-B.)
Bonaire (P.-B.)
Îles Grenadines
BARBADE
Bridgetown
St. George's
GRENADE
Caracas
Port of Spain
TRINITÉ-ET-TOBAGO
Golfe de Darién
5 800
Sierra Nevada de Santa Marta
San José
Panamá
PANAMA
Golfe de Panamá
Llanos
Orénoque
VENEZUELA
Georgetown
Paramaribo
Mont Roraima 2 810
GUYANA
Guyane française
SURINAM
Massif des Guyanes
Bogotá
COLOMBIE
Magdalena
OCÉAN
ATLANTIQUE
Quito
ÉQUATEUR
6 272 Chimborazo
Golfe de Guayaquil
Putumayo
Japurá
Rio Negro
Branco
Amazone
Marajó
Tocantins
Madeira
Tapajós
Xingu
Javari
Juruá
Purus
Amazonie
Marañón
Ucayali
Parnaíba
Caatingas
Plateau de Borborema
Cap São Roque
Nordeste
São Francisco
Sertão
6 768 Huascarán
Cordillère des Andes
BRÉSIL
Lima
Guaporé
Plateau du Mato Grosso
Plateau du Brésil
Araguaia
Brasília
PÉROU
Illampu 6 550
Lac Titicaca
La Paz
BOLIVIE
Altiplano
Paraguay
Pantanal
Pico de Bandeira 2 890
Chaco
PARAGUAY
Paraná
Serra do Mar
Pilcomayo
Bermejo
Asunción
Désert d'Atacama
tropique du Capricorne
San Félix (Ch.)
San Ambrosio (Ch.)
Ojos del Salado 6 880
Gran Chaco
Salado
Uruguay
OCÉAN
Aconcagua 6 959
Santiago
Îles Juan Fernández (Ch.)
Pampa
URUGUAY
Buenos Aires
Montevideo
Río de La Plata
OCÉAN
ARGENTINE
CHILI
Colorado
Negro
Tronador 3 556
Golfe de San Matías
Île de Chiloé
Patagonie
Archipel de los Chonos
San Valentin 4 058
Golfe de San Jorge
ATLANTIQUE
PACIFIQUE
Fitz Roy 3 375
Wellington
Îles Falkland (R.-U.) (Malouines)
Détroit de Magellan
Terre de Feu
Géorgie du Sud (R.-U.)
Passage de Drake
Cap Horn
équateur
10°N
10°S
20°S
30°S
40°S
50°S
90°O
80°O
70°O
60°O
50°O
40°O
30°O
31
1 000 km

Canada

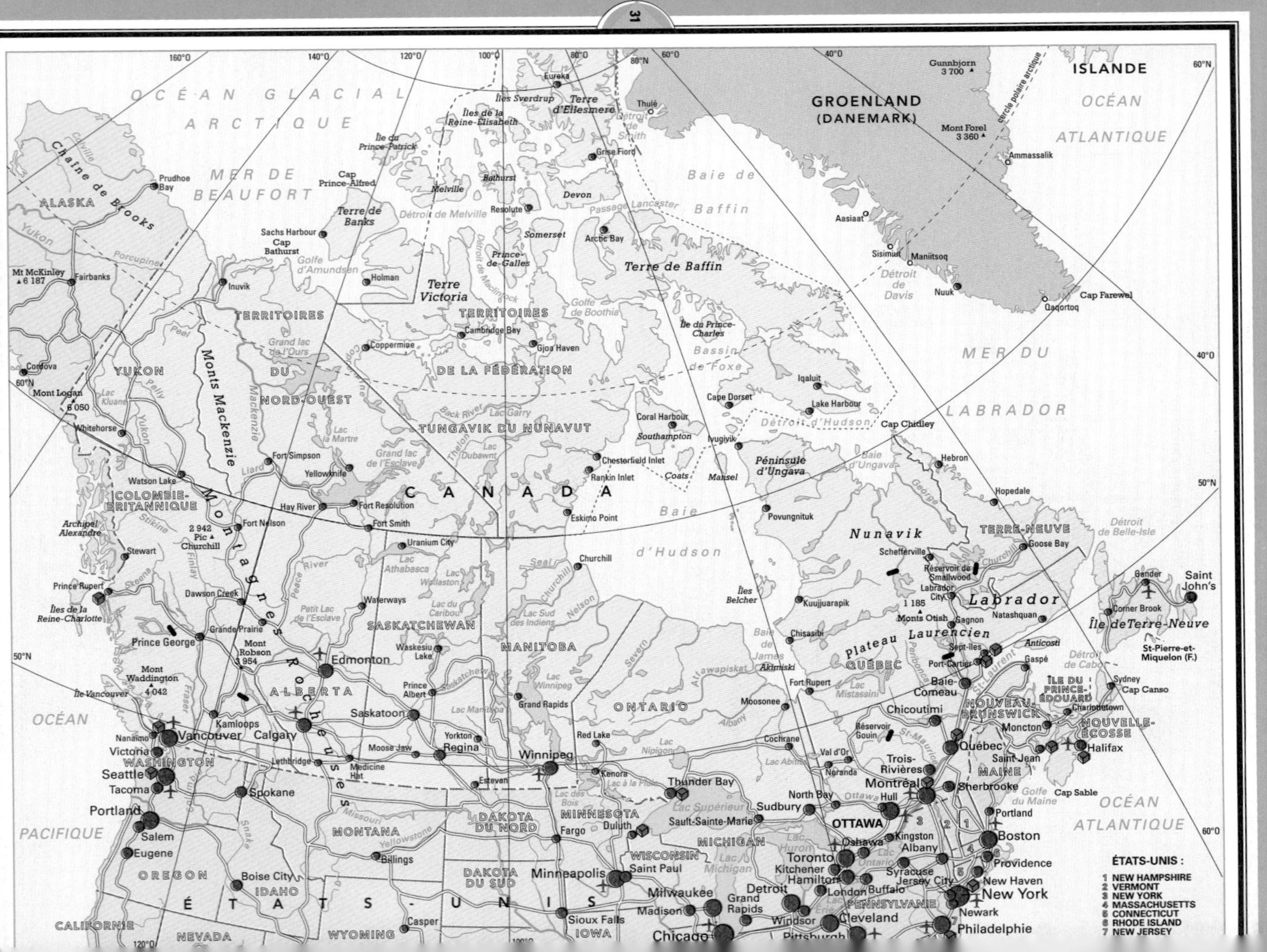
ISLANDE
OCÉAN ATLANTIQUE
GROENLAND (DANEMARK)
Gunnbjorn 3 700
Mont Forel 3 360
Ammassalik
cercle polaire arctique
Cap Farewel
Qaqortoq
Nuuk
Manitsoq
Sisimiut
Aasiaat
Détroit de Davis
MER DU LABRADOR
Baie de Baffin
Thulé
Détroit de Smith
Terre d'Ellesmere
Grise Fiord
Eureka
Îles Sverdrup
Îles de la Reine-Elisabeth
Devon
Arctic Bay
Terre de Baffin
Passage Lancaster
Somerset
Resolute
Bathurst
Melville
Prince-de-Galles
Détroit de M'Clintock
Détroit de Melville
Île du Prince-Patrick
Terre Victoria
Terre de Banks
Cap Prince-Alfred
Sachs Harbour
Cap Bathurst
Golfe d'Amundsen
Holman
Golfe de Boothia
Gjoa Haven
Cambridge Bay
Coppermine
Île du Prince-Charles
Bassin de Foxe
Iqaluit
Lake Harbour
Cape Dorset
Cap Chidley
Détroit d'Hudson
Baie d'Ungava
Péninsule d'Ungava
Ivugivik
Southampton
Coats
Mansel
Coral Harbour
Chesterfield Inlet
Rankin Inlet
Eskimo Point
Churchill
Hebron
Hopedale
Goose Bay
TERRE-NEUVE
Labrador
Nunavik
Schefferville
Réservoir de Smallwood
Labrador City
Gagnon
Monts Otish
1 188
Natashquan
Détroit de Belle-Isle
Île de Terre-Neuve
Gander
Corner Brook
Saint John's
St-Pierre-et-Miquelon (F.)
Anticosti
Gaspé
Détroit de Cabot
Sept-Îles
Port-Cartier
Baie-Comeau
Chicoutimi
plateau Laurentien
QUÉBEC
Kuujjuarapik
Povungnituk
Îles Belcher
Baie d'Hudson
Baie de James
Akimiski
Chisasibi
Fort Rupert
Lac Mistassini
Réservoir Gouin
Trois-Rivières
Québec
Montréal
Hull
OTTAWA
Val-d'Or
Noranda
Cochrane
Moosonee
North Bay
Sudbury
Sault-Sainte-Marie
Thunder Bay
Lac Supérieur
Lac Nipigon
ONTARIO
Red Lake
Kenora
Lac des Bois
Winnipeg
MANITOBA
Lac Winnipeg
Grand Rapids
Churchill
Nelson
Lac Sud des Indiens
Seal
NOUVEAU-BRUNSWICK
Moncton
Saint-Jean
NOUVELLE-ÉCOSSE
Halifax
Sydney
Cap Canso
Charlottetown
ÎLE DU PRINCE-ÉDOUARD
Cap Sable
Golfe du Maine
MAINE
Portland
Boston
Providence
New Haven
New York
Newark
Philadelphie
Jersey City
Syracuse
Albany
Kingston
Sherbrooke
Oshawa
Toronto
Buffalo
Hamilton
Kitchener
London
Cleveland
Windsor
Detroit
Grand Rapids
PENNSYLVANIE
MICHIGAN
Lac Huron
Lac Michigan
Lac Érié
Lac Ontario
Milwaukee
Madison
Chicago
WISCONSIN
Saint Paul
Minneapolis
Duluth
MINNESOTA
Fargo
Sioux Falls
IOWA
DAKOTA DU NORD
DAKOTA DU SUD
ÉTATS-UNIS
ÉTATS-UNIS :
1 NEW HAMPSHIRE
2 VERMONT
3 NEW YORK
4 MASSACHUSETTS
5 CONNECTICUT
6 RHODE ISLAND
7 NEW JERSEY
OCÉAN ATLANTIQUE
Estevan
Regina
Yorkton
Moose Jaw
Saskatoon
Prince Albert
Waskesiu Lake
SASKATCHEWAN
Lac Athabasca
Lac Wollaston
Lac du Caribou
Uranium City
Fort Smith
Fort Resolution
Grand lac de l'Esclave
Yellowknife
Lac la Martre
Grand lac de l'Ours
TERRITOIRES DU NORD-OUEST
TERRITOIRES DE LA FÉDÉRATION TUNGAVIK DU NUNAVUT
Lac Garry
Back River
Lac Dubawnt
Thelon
CANADA
Hay River
Fort Simpson
Mackenzie
Monts Mackenzie
Liard
Fort Nelson
Inuvik
Waterways
Edmonton
ALBERTA
Petit Lac de l'Esclave
Peace River
Calgary
Lethbridge
Medicine Hat
Montagnes Rocheuses
Mont Robson 3 954
Grande Prairie
Dawson Creek
Pic Churchill 2 942
Finlay
Prince George
Mont Waddington 4 042
Fraser
Kamloops
Vancouver
Nanaimo
Victoria
Île Vancouver
COLOMBIE-BRITANNIQUE
Stewart
Stikine
Skeena
Prince Rupert
Îles de la Reine-Charlotte
Archipel Alexandre
Watson Lake
Whitehorse
YUKON
Pelly
Lac Kluane
Mont Logan 6 050
Porcupine
Peel
Prudhoe Bay
Chaîne de Brooks
ALASKA
Fairbanks
Mt McKinley 6 187
Cordova
Colville
OCÉAN GLACIAL ARCTIQUE
MER DE BEAUFORT
OCÉAN PACIFIQUE
WASHINGTON
Seattle
Tacoma
Spokane
Portland
Salem
Eugene
OREGON
IDAHO
Boise City
Snake
MONTANA
Billings
Missouri
Yellowstone
WYOMING
Casper
NEVADA
CALIFORNIE
60°N
50°N
40°O
60°O
80°O
100°O
120°O
140°O
160°O
80°N
31
500 km

États-Unis, Mexique

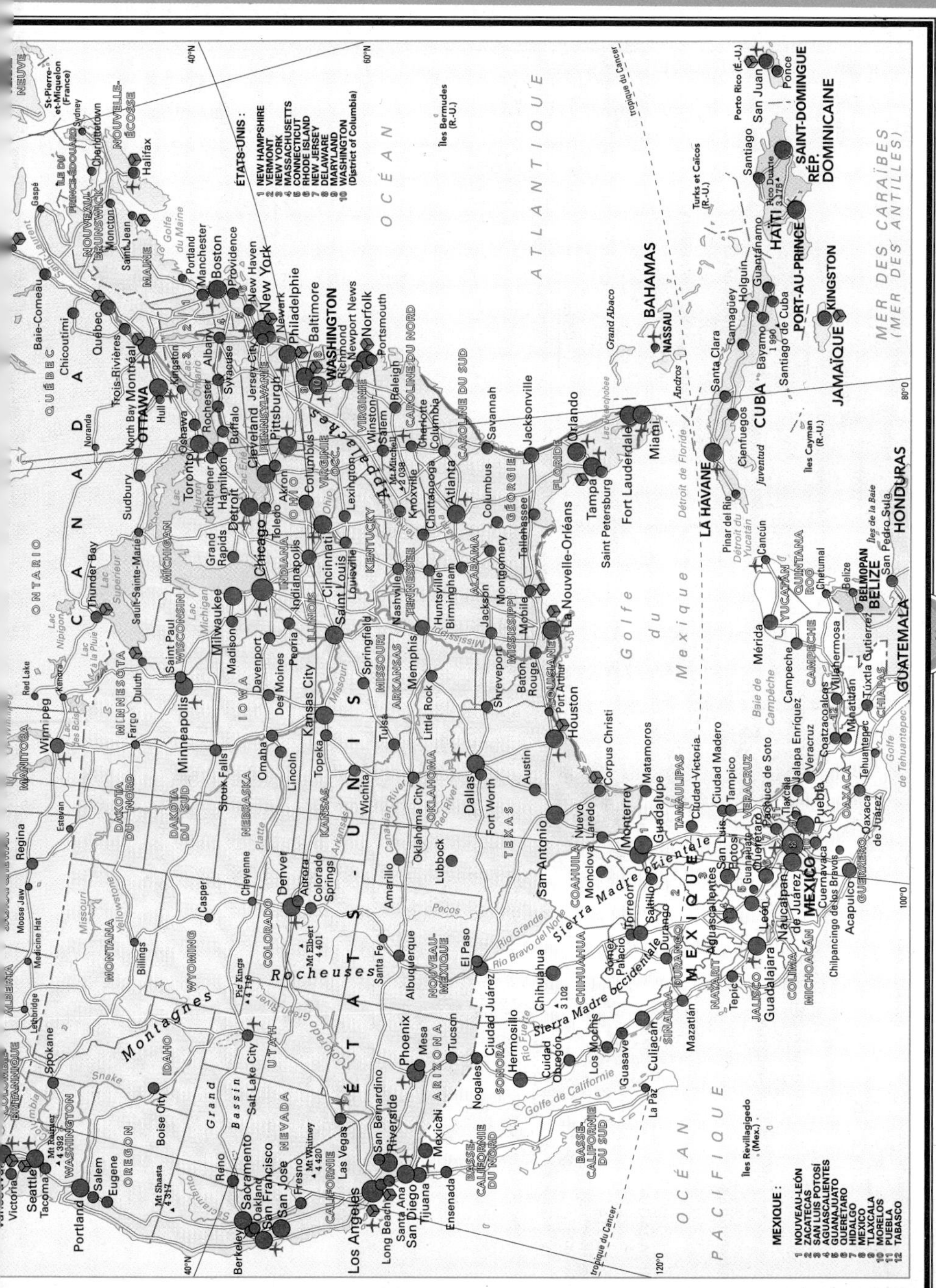

29

500 km

Amérique du Sud tropicale

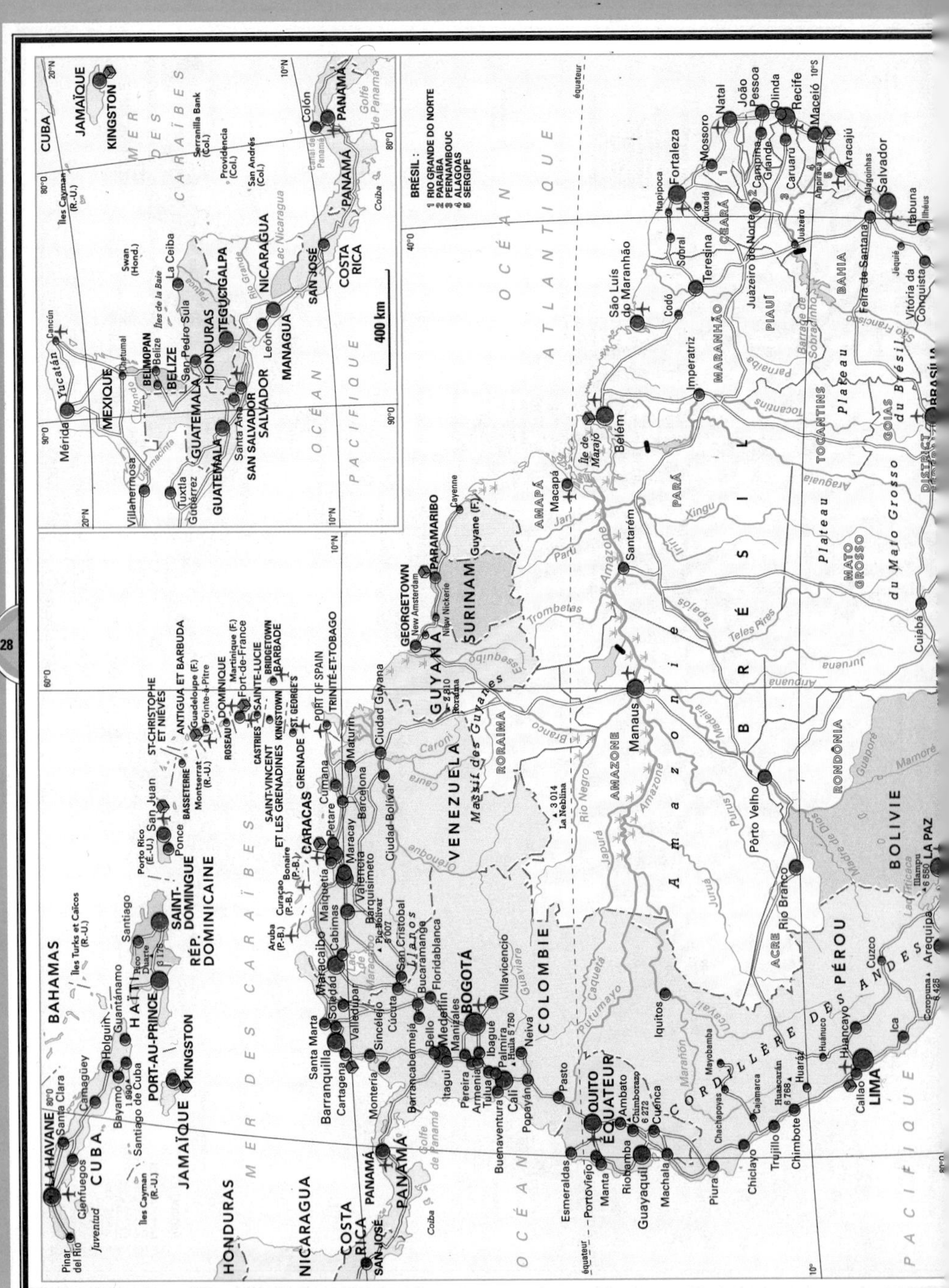